# LE
# MAXIDICO

ISBN 2-7434-0568-6

*Dictionnaire encyclopédique de la langue française*

# LE MAXIDICO

LA LANGUE
&
LES NOMS PROPRES

130 000
définitions, emplois et exemples

2 500
illustrations et cartes

*Éditions de la Connaissance*

**Édition**
Jacques Domas

**Direction éditoriale**
Yves Verbeek

**Direction artistique**
Gérard Finel

## *DICTIONNAIRE DE LA LANGUE*

### Comité de rédaction

*Sous la direction d'*Hélène Plaziat *et de* Brigitte Matron : Dominique Gérard, Élisabeth Gibert, Roger Maguérès, John Picarello, Yves Tissier, Carole Valli-Peyret, Anne Vitoux

### Rédaction

Frédérique Alglave, Jean Alouf, Pierre Bancel, Jacques Barbaut, Gilles Barbier, Frédérique Baylac, Laurent Bismuth, Françoise Bouillé, Bernard Cabret, Isabelle Carrel, Jean-Jacques Carrer Élise Champon, Marie-Hélène Clément, Pierrette Corvin, Laurence Coudert, Sylvette Decuyper, Michèle Delagneau, Véronique Duchemin, Anne Feffer, Bernard Gandelot, Marie-Pierre Gaul Jean Goudour, Marion de Gournay, Joëlle Guyon-Vernier, Agathe Idalie, Laurence Imbert, Claire Julliard, Nathalie Kristy, Michel Kuttler, Yamina Kuttl Monique Laniesse, Anne Ledieu, Hélène Le Guillou de Pénanros, Anne-Béatrice Muller, Valérie Naudet, Yves Nespoulous, Sylvie Perron, Marie-Annick Pillon, Alain Porte, François Raymon Isabelle Roels, Frédéric Saenen, Iñigo de Satrústegui, Lucette Savier, Véronique Sternberg, Bertrand Veyne, Béatrice de Villaines

### Rédaction spécialisée

*Architecture :* Philippe Simon. *Beaux-arts :* Marie-Hélène Jeanney-Nouhaili. *Biologie :* Gérard Contesse. *Botanique :* Jean-Claude Audran, Isabelle Érard. *Économie :* Josiane Bridc *Géologie :* Pascal Barrier, Laurent Prestimonaco. *Grammaire et linguistique :* Alain Perrot. *Mathématiques :* Jean-Philippe Buffet, maître de conférences à l'université de Reims. *Musiqu* Jean Alouf. *Philosophie :* Thierry Discepolo. *Religion :* Jean Alouf. *Sciences :* Florence Raulin-Cerceau. *Sociologie :* Jacques Vialle. *Zoologie :* Marc Baudoux

### Vérification scientifique

Sous le patronage du professeur Jean Raimond, président honoraire de l'université de Reims. *Biologie :* Gérard Contesse, professeur de biochimie à l'université Paris-VII - Denis-Diderot. *Botaniqu* Jean-Claude Audran, professeur à l'université de Reims, directeur du Laboratoire de biologie et physiologie végétales (U. F. R. Sciences exactes et naturelles). *Médecine :* Dr Jean-François Devil médecin des Hôpitaux, professeur à la faculté de médecine de Reims. *Chimie :* René Hugel, professeur à l'université de Reims. *Géologie, paléontologie :* Jean-Claude Plaziat, docteur ès scienc *Physique :* Jean-Michel Raimond, professeur à l'université Pierre-et-Marie-Curie, membre de l'Institut universitaire de France. *Zoologie :* Jean Génermont, professeur à l'université de Paris-Sud-X centre scientifique d'Orsay. *Nous remercions pour sa collaboration* Jean-Marie Pruvost-Beaurain, titulaire de maîtrises en sciences de l'éducation et en mathématiques

### Révision et correction

*Sous la direction d'*Hélène Plaziat : Gaëlla Agina, Dominique Amanou, Philippe Berger, Aude Bouchaud, Jean-Marc Brujaille, Nicolas Çuhaciender, Karima Dou, Frédérique Duvigné Guy Fournier, Marie-Anne Gaussot, Pascale Gibaud, Jérôme Munnier, Patrice Oliete Loscos, Nathalie Palma, Marilyn Plénard, Jaime Prat-Corona, Évelyne Pujol, Emmanuel Rongièr Emmanuel de Saint-Martin, Catherine Sanchez, Anne Séror, Trudi Strub, Hélène Teillon, Sylvie Tiffeneau, Gudrun Zett

### Secrétariat d'édition

Angèle Marino
*Pour la nomenclature :* Bernard Gandelot

## *DICTIONNAIRE DES NOMS PROPRES*

### Comité de rédaction

*Sous la direction de* Laure Mistral : Ruthélie Brau, Olivier Prenant, Jean-Baptiste Rendu, Christian Vaillant, Catherine Zerdoun

### Rédaction

*Arts et littérature :* Anne Delmas, Françoise Denoyelle, Jean Diblik, Thierry Discepolo, Mustapha Ourrad. *Géographie :* Michèle Anouilh, Magali Bardou, Cécile Barles, Michel Berthea Fabienne Bullot, Valérie Caroff, Zahra Desnot, Guillaume Dumont, Françoise Grenié, Jacques Heude, Elsa Hugonie, Laurence Hunzinger, Schérazade Kelfaoui, Tamara Lavachery, Gill Martinez, Élisabeth Morlin-Matjaouj, Armelle Pezé, Laurent Porcheret, Annick Taïeb, Édouard Taubé, Jeanine Trotereau, Nicole-Marie Veillard. *Histoire :* Florent Brayard, Jean-Joël Bregeo Philippe Conrad, Pierre-Marie Dioudonnat, Catherine Grall, Marc Jayat, Serge Nedelec, Jean-Baptiste Rendu, Christine Richer, Nicolas Richer, Michel Spagnol, Marie-Ève Thérenty, Catherir Zerdoun ; *nous remercions plus particulièrement pour leur collaboration* Georges Clause, professeur d'histoire émérite de l'université de Reims, Christian Guérin, docteur d'État ès lettres et scienc humaines. *Sciences :* Maya Vigier. *Sciences humaines :* Thierry Discepolo, Jacques Vialle. – *Autres :* Gilles Barbier, Antoine Derouin, Frédéric Faure, Thibaut Jacquot d'Anthonay, Sophie Lamber Bruno Larebière, René Louis, Philippe Meunier, Frédéric de Scitivaux. – *Annexes culturelles :* Gilles Barbier, Bernard Gandelot, Maya Vigier

### Révision et correction

*Sous la direction de* Laure Mistral : Agnès Asselinne, Jean-Francis Aymonier, Joëlle Barbé, Christèle Barois, Philippe Barrot, Amel Bourquin, Nicole Crémer, Sylvie Faure, Anne Fauvel, Michè Fernandez, Jacinta Gaulin, Anne de Giers, Pierre Giovanella, Philippe Godard, Pierre Granet, Gisèle Guiguès, Christine Jost, Florence de Louvel-Lupel, Suzanne Madon, Marcelina Marti Yolaine de Montlivault, Malika Mouaci, Mustapha Ourrad, Claude Pfeffer, Carole Poujol, Nathalie Quilès, Richard Tomasini, Annabelle Viret, Valérie Zerguine

### Secrétariat d'édition

Gaëlle Fontaine

### Translittération

*Arabe :* Jean-Patrick Guillaume. *Chinois :* Élisabeth Guyon-Chen. *Hébreu :* Sophie Kessler-Mesguich. *Japonais :* Pascal Mollaret, Takashi Furugaichi.
*Persan :* Yann Richard. *Russe :* Luc Rigoureau. *Sanskrit, hindi :* Christine Chojnacki. *Turc :* Céline Ruhl

## *RÉALISATION*

### Maquette

Atelier Gérard Finel

### Iconographie et documentation

Françoise Denoyelle, Virginie Verbeek

### Dessins et cartes historiques

Domino

### Atlas mondial

© Media One AG, Opfikon ; cartographie : Legenda, Novara.
*Adaptation française :* Michèle Anouilh, Olivier Prenant

### Mise en page

Abigaïl Nunes, Inès Bastos

### Fabrication

Pascale Germain, assistée d'Adeline Derivry-Dauphin
et de Dominique Lesbros. *Pour l'impression :* Proédition

### Coordination promotionnelle

Bertrand Gignoux

### Secrétariat et coordination techniques

Lydia Navarro

## *ONT COLLABORÉ*

Mouna Achahdi, Jérôme Alexis, Pascale Ambron, Pierre Bachelot, Sabiha Benattouche, Isabelle Blaise, Jacqueline Castera, Gaëlle Collin, Pascal Delpech, Clarisse Deniau, Isabelle Dessomme Géraldine Dupin, Claire Dupuis, Bernard Fillaire, Mikaël Frugoli, Marie-Dominique Gasnier, Jean Gerber, Joëlle Gomez, Véronique Hublot-Pierre, Nicolas Ienzer, Isabelle Jullien, Jérôme Lamber Karine Lesongeur, Sabine Levallois, Michel Lévy, Marianne Mabille, Fatima Mebarki, Michel Midon, Christian Millet, Patricia Morgagni, Brigitte Nérou, Françoise Pinon, Joëlle Piquenot, Soph Plantey, Isabelle Porte, Agnès Pozzi, Isabelle Prince, Catherine Pouvreau-Sanson, Michel Rival, Abd el-Aziz Salfi, Frédéric Sanz, Élisabeth Sauser, Anne-Lise Thomasson, Jean-Michel Zam

*Nous remercions* le personnel de l'imprimerie Maury, *et en particulier* Élisabeth Bénard, Nadia Cordonnier, Martine Desforges, Marie-Claude Faurie, Christine Nocodie, Daniel Pigali

# PRÉSENTATION

Offrir au plus large public un véritable dictionnaire de langue qui soit en même temps un dictionnaire encyclopédique, telle est l'ambition de l'équipe qui a conçu et réalisé *le Maxidico.*

**Dictionnaire de langue** plus descriptif que normatif, le premier volet de cet ouvrage se veut un panorama du français employé aujourd'hui dans la francophonie. Il répertorie tous les termes de la langue courante et recense l'ensemble de leurs significations, constituant ainsi un outil de vérification complet pour l'utilisateur en quête d'une information précise. Le critère qui a prévalu dans la rédaction des notices est celui de l'histoire des mots : le sens présenté en tête est toujours celui qui est apparu le premier dans la langue ; les sens dérivés suivent un ordre chronologique, au sein duquel, par souci de clarté, peuvent s'opérer des regroupements sémantiques. Chaque notice peut donc faire l'objet d'une lecture suivie, au fil de laquelle le curieux découvrira des acceptions qui lui étaient inconnues et apprendra par quel cheminement - parfois surprenant - un mot a pris son sens moderne.

**Dictionnaire encyclopédique**, *le Maxidico* l'est également au plein sens du terme. Son second volet, le dictionnaire des noms propres, procure une information précise et actualisée sur tous les pays, toutes les régions et les villes de quelque importance, sur les évènements historiques, sur les personnages qui ont marqué leur temps ou qui font aujourd'hui l'objet d'un intérêt particulier, ainsi que sur tous les aspects de la culture artistique, littéraire, musicale, cinématographique...

D'autre part, le dictionnaire de la langue intègre de nombreux termes relevant des différents domaines scientifiques et techniques, en même temps que sont systématiquement mentionnés les sens spécialisés des mots de la langue courante. Les entrées qui l'exigent sont complétées par des développements encyclopédiques présentant de manière synthétique, par exemple, les principales religions, les grandes doctrines philosophiques et économiques, les périodes de l'histoire, les mouvements artistiques, ou encore des disciplines scientifiques, des questions de société, des faits de civilisation...

L'illustration, abondante et diversifiée, a été choisie de manière à éclairer et à prolonger les notices. Les schémas et les photographies sont souvent réunis sous forme de planches thématiques, qui constituent un développement à part entière. Les légendes apportent un complément d'information (dates de naissance et de mort d'un artiste peu connu, date de création d'une œuvre, explication d'une technique, etc.). Certaines entrées du dictionnaire des noms propres, enfin, sont accompagnées de cartes historiques, auxquelles vient s'ajouter, en annexe, un atlas géographique.

## Le dictionnaire de la langue

Nous voulons ici saluer les travaux qui ont guidé notre réflexion et inspiré nos choix : tout d'abord le *Dictionnaire de la langue française* d'Émile Littré, dont nous avons adopté la démarche diachronique - de filiation historique -, articulant l'exposé des sens d'un mot à partir de son acception primitive, et non usuelle ; le *Trésor de la langue française,* publié par le C.N.R.S., notre référence en matière de nomenclature, de dérivations sémantiques, de datation et d'étymologie ; enfin le *Dictionnaire de l'Académie française,* dont nous invoquons l'autorité tant dans la défense vigilante du bon usage de notre langue qu'en matière de graphies, optant donc pour la modification orthographique de certains mots, sans bien sûr rejeter la graphie traditionnelle, toujours considérée comme correcte.

***La nomenclature.*** – Les mots qui figurent dans le dictionnaire de la langue se répartissent en trois grandes catégories : les mots de la langue générale, les termes appartenant aux différents vocabulaires spécialisés (sciences, techniques, philosophie, droit, etc.) et les mots relevant de la culture historique, littéraire, artistique, religieuse, qui font l'objet de définitions étoffées quand ils ne sont pas accompagnés d'un champ encyclopédique à proprement parler.

Parmi les mots de la langue générale, outre les mots courants du français d'aujourd'hui, de nombreux termes littéraires ou anciens ont été retenus. Ce dictionnaire doit ainsi permettre à chacun — et notamment au lycéen — de comprendre l'ensemble des textes du patrimoine culturel français. Les mots du langage parlé communément attestés n'ont pas été laissés de côté, même s'ils sont toujours clairement identifiés comme populaires, familiers ou argotiques, voire vulgaires : l'ensemble du corpus a été conçu comme un « état des lieux » du français contemporain, et il n'appartient pas à un tel ouvrage de nier l'existence d'une partie du vocabulaire. Un certain nombre de mots étrangers intégrés de longue date au français ou adoptés plus récemment, comme certains mots anglais, ont connu le même traitement, en vertu du même principe. Enfin, le féminin des noms de métiers, fonctions ou titres est retenu, dès lors qu'il est officiellement recommandé ou que l'évolution de la société l'a fait entrer dans l'usage.

La nomenclature des termes spécialisés a été établie par domaines. Pour chaque domaine, un rédacteur spécialisé ou un vérificateur scientifique a été chargé de mettre au point une liste cohérente de termes, en tenant compte de la fréquence d'emploi, de l'importance des notions représentées et de la place que pouvait accorder à cette partie du lexique un ouvrage de la taille du *Maxidico* — sachant que la place réservée aux mots scientifiques (de l'astronomie à la zoologie en passant, notamment, par la biologie, la botanique, la chimie, la géologie, les mathématiques, la médecine) était dès le départ plus large que dans la plupart des dictionnaires de même catégorie. Ces listes, à présent dispersées selon l'ordre alphabétique des entrées, mettent à la portée de l'étudiant ou du lecteur d'ouvrages scientifiques les termes qu'il a besoin de maîtriser parfaitement. On peut inclure dans cette catégorie des termes spécialisés les mots qui recouvrent les différents concepts philosophiques, les outils lexicaux des sciences humaines ou de la linguistique, ou encore les termes qui rendent compte des procédés artistiques. La pertinence de leur présence au sein de ce corpus a été étudiée avec la même attention.

Un certain nombre d'entrées, enfin, constituent, dans une optique essentiellement encyclopédique, des compléments à la nomenclature du dictionnaire des noms propres. Les doctrines, les mouvements artistiques, les grandes périodes de l'histoire, notamment, sont traités dans cette partie du *Maxidico,* à laquelle renvoient certains noms propres.

***Les graphies.*** – Donner aux utilisateurs un accès immédiat à l'orthographe des mots, afin de leur permettre d'écrire une langue commune — et donc de se faire comprendre —, est un des rôles essentiels d'un dictionnaire. La question de l'orthographe correcte est un sujet qui, en France, a fait couler beaucoup d'encre et suscité des débats passionnés. Il convient donc que le lexicographe se montre prudent et, à tout le moins, fasse porter ses efforts sur la cohérence des choix.

*Le Maxidico* se rallie à une autorité universellement reconnue, l'Académie française, de sorte que les graphies proposées ici, quand elles ne correspondent pas à celles de l'un ou l'autre des dictionnaires existants — qui présentent eux-mêmes des divergences —, non seulement disposent d'une caution éminente, mais sont très probablement celles qui se répandront à la faveur des refontes des divers ouvrages de référence. Les principes retenus sont ceux d'une formation rationnelle pour les néologismes et d'une francisation raisonnée pour les mots étrangers intégrés au français.

Chaque entrée du dictionnaire met en vedette une unique graphie — sauf dans le cas de certains noms composés, pour lesquels la présence facultative d'un *s* au second élément est indiquée entre parenthèses, et pour le mot « clé », qui, toujours écrit « clef » dans certaines expressions, apparaît sous une double entrée **CLÉ** ou **CLEF**. Les variantes orthographiques attestées par les autres dictionnaires ou préconisées par le Conseil international de la langue française (Cilf)* mais non retenues comme graphies d'entrée sont indiquées dans la zone grammaticale et font l'objet d'une entrée-renvoi quand l'ordre alphabétique leur attribue une place éloignée de celle de l'entrée développée.

Rendant ainsi compte des dernières avancées en matière d'harmonisation de l'orthographe du français, *le Maxidico* témoigne de la tendance actuelle à la simplification. Lorsqu'une graphie traditionnelle se trouve en concurrence avec une graphie plus moderne, c'est cette dernière qui a été préférée. La nomenclature intègre les conséquences de l'évolution, définitivement admise par l'Académie, qui tend à mettre l'accentuation de certains mots en accord avec leur prononciation courante. On trouvera donc en entrée les graphies **ÉVÈNEMENT**, **ALLÈGREMENT** ou **CRÈMERIE** (« événement », « allégrement » et « crémerie » étant, bien sûr, mentionnés en variantes). Les mots d'origine étrangère qui sont véritablement passés dans la langue sont accentués selon les règles françaises (ainsi **ALLÉGRO** ou **RÉVOLVER**). Quant aux mots composés pour lesquels il existe des graphies divergentes (avec ou sans trait d'union, agglutinés ou non), qu'ils soient formés de plusieurs mots français ou avec des éléments de composition d'origine grecque ou latine, ils sont ici le plus souvent écrits en un seul mot, sauf lorsque la rencontre de certaines voyelles risquerait d'entraîner une erreur de prononciation ou de lecture. Enfin, les graphies des mots scientifiques données en entrée sont celles que préconisent, selon les critères de la fréquence d'emploi et de la formation correcte, les spécialistes des différents domaines.

---

* Le Cilf a réuni, de 1981 à 1988, un grand nombre de responsables de dictionnaires, de lexicographes et de linguistes, qui se sont penchés sur les divergences orthographiques apparaissant dans les différents dictionnaires de la langue française. Leur travail a abouti à une série de résolutions visant à harmoniser les graphies discordantes, que les membres de la commission devraient prendre progressivement en compte dans l'élaboration des dictionnaires dont ils ont la charge.

Tous les pluriels délicats sont précisés : on trouvera donc systématiquement, soit en entrée, soit dans la zone grammaticale, le pluriel des mots composés, d mots d'origine étrangère (le pluriel d'origine est mentionné à côté du pluriel français), des adjectifs et des substantifs en « -al » et en « -ail », ainsi que les plurie irréguliers des mots en « -eu », « -au » et « -ou ». L'écriture des noms composés, tant au pluriel qu'au singulier, est un des points sensibles de l'orthographe : l'analy sémantique, sur laquelle généralement elle se fonde, ne suffit pas à empêcher que l'usage ou les caprices de l'arbitraire fassent régner en ce domaine une certai anarchie. En témoignent les divergences existant d'un dictionnaire à l'autre et même les incohérences à l'intérieur d'un même ouvrage. Ainsi le Cilf recomman que les noms composés formés d'un verbe et d'un nom complément direct reliés par un trait d'union soient écrits sans aucune marque de pluriel lorsqu'ils so au singulier (par exemple « un tire-fesse »), et qu'ils prennent cette marque (sauf en quelques rares cas) lorsque le mot est au pluriel (par exemple « des abat-jours » L'Académie française a donné son aval à ces recommandations, en intégrant certaines dans son dictionnaire et signalant les autres, qu'elle soumet à « l'épreuve c temps », en annexe ; nous avons pour notre part décidé de proposer au lecteur un grand nombre de ces graphies, au moyen de parenthèses signifiant que les de formes sont possibles (par exemple, au singulier, « un porte-document(s) » et, au pluriel, « des coupe-gorge(s) »). En certains cas, lorsque la variante offense enco trop l'usage et la logique sémantique, nous avons opté pour la seule graphie traditionnelle (par exemple « un sèche-cheveux », « des aide-mémoire »).

La typographie, enfin, relève souvent de l'orthographe (le mot « église », par exemple, n'a pas le même sens selon qu'il commence par une minuscule c par une majuscule). Le respect scrupuleux des règles d'emploi des majuscules et des minuscules, ainsi que leur mise en évidence systématique au moyen d'exempl achèvent de faire du *Maxidico* un outil complet pour la recherche orthographique.

***La nature grammaticale des mots.*** – Là où d'autres dictionnaires attribuent à certains mots une nature multiple, par exemple de substantif et d'adjectif o de verbe transitif et intransitif, il arrive souvent que *le Maxidico* mette en avant l'une de ces natures grammaticales et introduise l'autre ou les autres, dans la notice au moyen de formules telles que « empl. subst. » (emploi substantif), « empl. trans. » (emploi transitif), « empl. adv. » (emploi adverbial). Expression du parti pri diachronique qui est la ligne directrice de l'ouvrage, ce procédé permet d'indiquer quelle est la nature première de chaque mot, tout en mentionnant les fonction grammaticales qu'il a ensuite remplies. Il permet en outre de montrer clairement, par exemple, à quel sens d'un substantif se rattache tel ou tel emploi comme adjecti

L'ordre, dans l'entrée, des indications de nature du mot ne correspond pas forcément à l'ordre que l'on trouvera dans la notice : tempérant l'omniprésenc du critère historique, il témoigne de la fréquence d'emploi dans la langue d'aujourd'hui. Quand aucune des natures grammaticales ne semble avoir le dessus c'est l'ordre alphabétique des indicateurs qui prime.

Lorsqu'il y a désaccord entre les dictionnaires sur le genre ou le nombre d'un substantif ou d'un adjectif, la mention portée en entrée a fait l'objet de recherche approfondies, et les spécialistes qui emploient le mot en question ont été consultés. Il arrive cependant qu'il soit impossible de dégager une nette différenc dans la fréquence d'emploi. Dans ce cas, la double possibilité est indiquée dans l'entrée.

S'agissant des verbes, *le Maxidico* indique dans l'entrée leur nature transitive ou intransitive. L'absence de précision signifie que le verbe peut avoir les deu natures. L'entrée comprend en outre un numéro, qui renvoie aux tableaux de conjugaisons donnés en annexe.

***La structure des notices et le sens des mots.*** – L'histoire des mots est le fil qui sous-tend l'ensemble du dictionnaire de la langue. C'est donc un étymologie commune qui a décidé de la réunion sous une unique entrée de sens parfois très éloignés les uns des autres. C'est ainsi que des champs sémantique apparemment dépourvus de toute relation ou des fonctions grammaticales différentes (substantif féminin, adverbe et adjectif, par exemple), s'ils relèvent d la même étymologie, apparaissent sous la même entrée. N'ont pas été réunis, cependant, les verbes et les substantifs qui en découlent – qui sont souvent apparu bien plus tard, de sorte qu'ils dérivent du verbe, et non du même mot que lui –, non plus que les champs sémantiques très denses dont la hiérarchie se perdrai dans une notice par trop complexe. Selon le même principe, des homographes dont l'étymologie diffère sont considérés comme des mots différents, chacu donnant lieu à une entrée et à un développement complet. Ils sont alors numérotés en chiffres romains, en fonction, toujours, de leur ordre d'apparition

Ce souci du respect de la diachronie a également conduit à faire apparaître, à l'intérieur des notices, les indicateurs de nature grammaticale (ADJ., SUBST SUBST. MASC., TRANS., INTRANS., TRANS. INDIR., par exemple) dans un ordre toujours particulier au mot défini, qui renseigne sur l'évolution de ses emplois.

Lorsque le sens d'apparition d'un mot est sorti de l'usage mais permet d'éclairer le ou les sens qu'a ensuite pris ce mot, il est donné en tête de notice, précéd de l'indication « Vx » (vieux) ; dans les autres cas, le sens premier est indiqué, comme on le verra plus loin, en début de zone grammaticale. Les définition suivantes sont le plus souvent précédées d'un indicateur de dérivation, qui rend compte de la manière dont les sens ont découlé les uns des autres (par extension par métonymie, par analogie, par métaphore, par hyperbole, par euphémisme, ou encore sens figuré).

Indépendamment des renseignements concernant l'histoire du mot, des classificateurs pragmatiques complètent la gamme des précisions. Ceux qui sont placé en tête de définition indiquent une restriction d'usage (belgicisme, québécisme, helvétisme). La mention « région. » (régionalisme), toutefois, n'apparaît avan la définition que si la région concernée est précisée. Les classificateurs placés entre parenthèses après la définition (sauf si cette dernière est déjà suivie d'un parenthèse ou s'ils concernent plusieurs définitions, auxquels cas ils apparaissent en tête), pour leur part, servent à préciser le niveau de langue (vieux, pou les sens tombés en désuétude, vieilli, pour ceux que l'on peut encore rencontrer, littéraire, familier, argotique, populaire), le registre (ironique, péjoratif), o encore la fréquence d'emploi (rare, généralement au pluriel).

Enfin, les sens spécialisés sont généralement précédés d'un indicateur de domaine (en *italique*), indicateur qui doit permettre, notamment, à l'utilisateur d dictionnaire d'identifier immédiatement le sens auquel fait référence un renvoi implicite ou explicite.

Si un lien sémantique évident associe un sens dérivé ou un sens spécialisé à un sens général, il peut arriver qu'ils soient mentionnés sous le même numér que ce sens général.

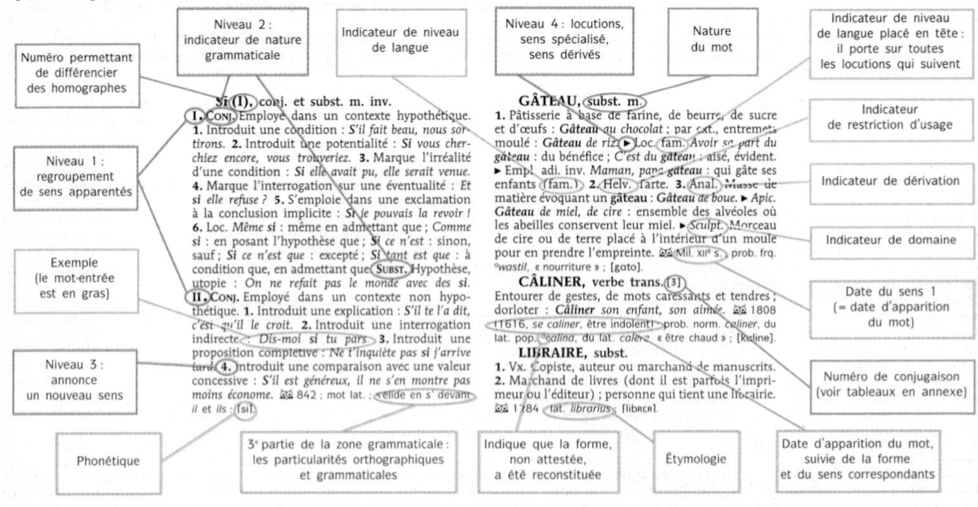

Les significations ainsi organisées constituent un vaste répertoire des emplois de la langue courante ou spécialisée. Répondant au souci de clarté et de précision qui a toujours guidé la rédaction, de nombreux exemples — fragments forgés pour l'occasion ou citations — mettent le mot en situation.

Il s'agit en effet de montrer, toutes les fois où cela peut être nécessaire, dans quel contexte ou selon quelle construction (avec quelle préposition ? associé à quel autre mot ?) s'emploie tel terme, ou encore d'attirer l'attention sur une conjugaison ou sur une forme de féminin particulières. Lorsque le terme défini entre dans la composition d'un syntagme, ce groupe de mots précède la définition. Ce sont également les exemples qui permettent d'indiquer la présence d'une majuscule dans telle ou telle acception d'un mot.

Les citations, empruntées surtout aux grands auteurs de la littérature — mais aussi aux personnages historiques —, remplissent essentiellement un rôle de témoignage. Mais elles constituent aussi un rappel de l'époque ou de l'œuvre où le terme ainsi éclairé a été employé. Appartenant au patrimoine littéraire commun, elles peuvent aider l'utilisateur du dictionnaire à retrouver des points d'ancrage.

Les locutions, expressions et proverbes, généralement connus aujourd'hui dans un sens figuré, appellent souvent une définition particulière. La mention de leur sens premier, éclairant le sens actuel, est une des manifestations de l'importance accordée à l'histoire des mots dans la conception de ce dictionnaire.

Certains exemples, enfin, relèvent de la vocation encyclopédique du *Maxidico*. Ce sont les exemples didactiques. Ils permettent notamment de compléter la définition d'un terme scientifique, de mentionner les noms des principaux membres d'un mouvement artistique, des adeptes d'une doctrine, ou encore de mettre en avant des synonymes.

***La zone grammaticale.*** – Introduite par le pictogramme, la zone grammaticale se divise théoriquement en quatre parties, séparées les unes des autres par des points-virgules. Il peut arriver que la première ou la deuxième partie soit absente. Cela signifie que l'information qu'elle devrait normalement contenir est introuvable. La troisième partie, elle, n'est présente que lorsque le mot appelle une précision particulière.

En tête de la zone grammaticale se trouve l'année (ou le siècle) d'apparition du premier sens donné dans la notice. Suivant le parti, énoncé plus haut, qui veut que le sens premier apparaisse en début de notice dès lors qu'il peut éclairer l'évolution du mot, cette date correspond presque toujours au premier emploi connu du terme dans un texte. Parfois, cependant, il n'a pas paru pertinent de mentionner ce sens premier dans la notice. Il n'est pas omis pour autant : il prend place dans cette partie de la zone grammaticale, derrière la date du premier sens de la notice, entre parenthèses et précédé de sa date. De la sorte, la quasi-totalité des entrées du dictionnaire de la langue sont datées aussi précisément que le permet l'état actuel des connaissances.

La deuxième partie de la zone grammaticale est occupée par l'étymologie. Les étymons de toutes les langues, mais aussi les mots français absents de la nomenclature du dictionnaire parce que vieux ou rares sont définis dès lors qu'ils n'ont pas le même sens que le mot-entrée. Leur nature de toponymes ou d'anthroponymes est, le cas échéant, précisée. Les préfixes et les éléments de composition mentionnés sont tous repris dans les tableaux insérés en annexe du dictionnaire de la langue, qui expliquent leur origine et leur sens. Dans cette rubrique étymologique, il a paru important de restituer les mots de la manière la plus proche possible de leur graphie d'origine. Pour les langues dont l'écriture n'utilise pas l'alphabet latin (arabe, hébreu, persan, russe, sanskrit, hindi, turc, chinois, japonais), des spécialistes ont donc été sollicités. Ils ont établi les translittérations les plus strictes, conformément aux systèmes en vigueur dans les milieux universitaires ou préconisés par l'Afnor.

La troisième partie est réservée aux particularités orthographiques et grammaticales. C'est là que l'on trouvera, lorsqu'ils concernent tous les sens du mot, les variantes orthographiques, les pluriels délicats, les féminins rares, la mention « n. déposé », l'indication des cas d'élision, du caractère défectif d'un verbe, ou encore les recommandations officielles.

La phonétique, enfin, clôt chacune des notices du dictionnaire de la langue. L'alphabet phonétique utilisé est celui de l'A. P. I. (Association phonétique internationale), largement répandu parmi les phonéticiens. Face à l'évolution de la prononciation des mots français, *le Maxidico* a choisi de donner systématiquement ce qui est encore généralement considéré comme la prononciation « correcte » des mots, tout en mentionnant, dès lors qu'elle diverge sensiblement et qu'elle a pris une certaine importance, la prononciation courante. C'est ainsi que l'on trouvera [ɛl(l)enistik], suivi de [ele-]. S'agissant des mots d'origine étrangère, la phonétique française est systématiquement donnée, suivie, lorsqu'elle diffère et que des locuteurs francophones l'utilisent, de la prononciation étrangère. Il en va de même pour la phonétique du pluriel, qui est donnée lorsqu'elle diffère de celle du singulier.

ALPHABET PHONÉTIQUE

*Ce tableau des sons du français reprend les conventions de l'Association phonétique internationale (A. P. I.).*

CONSONNES

| | | |
|---|---|---|
| [b] | bec, snob | [snɔb] |
| [p] | pire, cap | [kap] |
| [d] | dur, rade | [ʀad] |
| [t] | terre, luth | [lyt] |
| [k] | car, écho, tank, exciter | [ɛksite] |
| [g] | dégât, guerre | [gɛʀ] |
| [f] | for, phase | [fɑz] |
| [v] | ville, avoir | [avwaʀ] |
| [l] | loin, aller | [ale] |
| [s] | souci, scène, ration | [ʀasjɔ̃] |
| [z] | raison, ruse, ozone | [ozon] |
| [ʒ] | jour, agir, cageot | [kaʒo] |
| [ʃ] | choc, schisme | [ʃism] |
| [ʀ] | rat, carré | [kaʀe] |
| [m] | mal, commun | [kɔmœ̃] |
| [n] | note, anneau | [ano] |
| [ɲ] | rognon, pagne | [paɲ] |
| [ŋ] | meeting, yachting | [ˈjɔtiŋ] |
| [x] | jota, boukha | [buxa] |

VOYELLES

| | | |
|---|---|---|
| [a] | sac, natte | [nat] |
| [ɑ] | pâte, cas | [kɑ] |
| [e] | nez, bébé | [bebe] |
| [ɛ] | règne, laid | [lɛ] |
| [ə] | ce, que | [kə] |
| [œ] | jeune, œuf | [œf] |
| [ø] | jeûne, feu | [fø] |
| [i] | nid, lycée | [lise] |
| [ɔ] | port, noble | [nɔbl] |
| [o] | sot, peau | [po] |
| [u] | four, clou | [klu] |
| [y] | lu, mûr | [myʀ] |

nasales

| | | |
|---|---|---|
| [ɛ̃] | rein, fin | [fɛ̃] |
| [ɑ̃] | rang, dent | [dɑ̃] |
| [ɔ̃] | long, non | [nɔ̃] |
| [œ̃] | humble, lundi | [lœ̃di] |

semi-voyelles

| | | |
|---|---|---|
| [j] | entier, quille, lion | [ljɔ̃] |
| [ɥ] | nuit, fuir | [fɥiʀ] |
| [w] | ouest, loi | [lwa] |

signes particuliers

| | | |
|---|---|---|
| [ˈ] | halte | [ˈalt] |
| | yoga, onze, oui | [ˈwi] |

avant le mot, empêche la liaison avec le mot qui précède

***Les développements encyclopédiques.*** – Certaines notices de langue sont suivies de petits textes dont le rôle est d'apporter une information synthétique sur un sujet de culture générale. Agréables à lire, ils procurent les données essentielles pour comprendre, par exemple, chacune des grandes religions du monde, ils renseignent sur leur répartition et sur les pratiques qui leur sont propres. Les principaux mouvements artistiques font l'objet de développements analogues, présentant leurs spécificités et leurs adeptes. La variété des thèmes traités — doctrines, écoles et concepts philosophiques, économiques ou politiques, disciplines du savoir et de la pensée, comme la géographie, la philosophie ou l'astrophysique, périodes de l'histoire, ou encore traditions techniques, avec le tapis, la porcelaine, le vitrail, etc. — peut faire de ce dictionnaire un livre à lire, et non plus simplement un outil que l'on consulte.

***Les annexes.*** – Les pages centrales contiennent :



## Le dictionnaire des noms propres

***La nomenclature et le contenu.*** – L'objectif du dictionnaire des noms propres est de répondre de façon approfondie aux questions de culture générale et d'offrir à tous un outil de recherche fiable et actualisé. C'est la volonté de donner la meilleure information possible qui a guidé l'établissement de la nomenclature : un ouvrage comme *le Maxidico* ne saurait énumérer des noms à la file pour n'oublier personne et sacrifier à la mode. Dans chaque domaine (histoire, géographie, sciences, religions, arts, sports), des spécialistes se sont attachés à déterminer quels personnages, quels organismes politiques ou culturels, quels évènements, quelles villes, quelles régions devaient, du fait de leur incidence sur l'histoire ou de leur importance dans la géographie d'un pays, figurer dans le dictionnaire.

Le choix des entrées historiques et biographiques, comme ensuite la rédaction des notices, a été guidé par la question : « Pourquoi tel nom est-il connu ou devrait-il l'être ? ». De la sorte, ce sont toujours les éléments en rapport direct avec la ou les raisons de la notoriété qui sont mis en avant. L'inventeur d'une théorie qui a révolutionné la science ou notre conception du monde, l'artiste dont le génie a bouleversé les canons esthétiques, l'homme politique qui a marqué l'histoire d'un pays s'imposent évidemment dans la nomenclature. Mais des personnages moins illustres y trouvent aussi leur place : ceux dont l'importance a été un temps mésestimée — comme les peintres primitifs, aujourd'hui remis à l'honneur —, les précurseurs de grandes découvertes, ou encore ceux qui, sans atteindre à une large notoriété, ont été des relais entre différents mouvements artistiques ou intellectuels.

Pour nos contemporains, il s'agit davantage d'un pari. Certes, il peut sembler présomptueux de décerner par avance les lauriers d'une gloire durable. Mais ce pari n'a jamais été pris à la légère : il repose sur une analyse globale du monde contemporain et des acteurs qui y jouent un rôle, et il répond à la constante préoccupation de fournir aux utilisateurs des informations précises sur les noms qu'ils peuvent rencontrer à tout moment, en particulier dans les médias. Les notices historiques et géographiques, parfaitement actualisées, procurent du reste tous les renseignements nécessaires sur les derniers évènements mondiaux.

La géographie physique et humaine a été privilégiée tant dans le choix des entrées que dans le traitement des notices. La spécificité de chaque région, pays ou ville est soulignée, et l'écueil du nivellement auquel aboutirait la seule prise en compte du découpage administratif est ainsi évité. Les villes retenues, par exemple, l'ont été en fonction d'un seuil de population établi, pour chaque pays, selon sa densité démographique. Cependant, dès lors qu'elles possèdent un intérêt culturel de premier ordre ou que leur potentiel de développement est prometteur, des localités n'atteignant pas ce seuil peuvent apparaître dans la nomenclature. Le souci de ne pas céder à l'« européanocentrisme » a toujours animé les rédacteurs.

Les notices géographiques constituent un tout, à l'intérieur duquel plusieurs entrées renvoient vers des articles uniques. Ainsi, une région ou une ville peuvent faire l'objet de renvois vers la notice d'un pays, qui prend alors la forme d'un développpement complet traitant les villes, les régions, les cours d'eau...

Dans le même esprit encyclopédique, à la fin de certaines notices, un intitulé entre crochets signale au curieux qu'il trouvera un complément d'information dans le dictionnaire de la langue : par exemple [☞ **abstrait.**] pour Mondrian, [☞ **kantisme.**] pour Kant, [☞ **bouddhisme.**] pour Bouddha.

Les œuvres majeures de la littérature, des arts et de la musique sont rassemblées en annexe, constituant un panorama de la culture mondiale. Les grands textes religieux, comme la Bible, le Coran ou les Veda, qui nécessitent un traitement plus long, sont développés au sein même du dictionnaire des noms propres.

***Les graphies.*** – Proposer des graphies de noms propres aisément lisibles, faciles à retenir et formant un ensemble homogène, sans pour autant faire table rase des traditions établies, a été la principale préoccupation du *Maxidico*. La difficulté a été tournée au moyen d'une première grande classification. Trois types de problèmes se détachent en effet, qui appellent des réponses différentes :

– la transcription des noms provenant de langues n'utilisant pas l'alphabet latin (chinois, japonais, arabe, hébreu, persan, russe, sanskrit, grec, etc.) ;

– la transcription des noms provenant de langues utilisant l'alphabet latin, mais aussi des signes diacritiques inexistants en français (polonais, hongrois, tchèque, danois, turc, serbo-croate, vietnamien, etc.) ;

– la « traduction » de noms étrangers (par exemple Aix-la-Chapelle pour Aachen ou Serge pour Sergueï).

Le parti qui consisterait à transcrire les noms étrangers de manière que le lecteur français puisse les prononcer comme on les prononce dans le pays d'origine apparaît impossible à mettre en œuvre. Les graphies deviennent vite très compliquées, voire monstrueuses, ou trop éloignées de l'usage courant : nul ouvrage d'histoire ne désigne les tsars de Russie sous le nom d'« Aleksandr », et nul cinéphile ne reconnaîtrait « Kourossaoua », qui est pourtant phonétiquement plus approprié pour un francophone que « Kurosawa ».

La tendance à franciser les noms propres étrangers est en complète désuétude depuis quelques dizaines d'années. Il paraît impossible de transcrire aujourd'hui Edvard Beneš, homme politique tchécoslovaque mort en 1948, ainsi orthographié dans les journaux et les livres d'histoire français, en Édouard Bénèche !

À partir de ce constat, une règle de proximité géographique et historique a été formulée : plus les noms sont proches de nous, plus les graphies du *Maxidico* sont proches de la graphie originale ou de la forme donnée par les plus récents systèmes de transcription. Ainsi :

– on a gardé les graphies anciennement francisées, en faisant un simple renvoi depuis les graphies récentes ou locales (**BEIJING** ~ Voir **Pékin**). Dans les notices, on a donné en second ces graphies récentes ou locales pour les noms très connus (**TCHANG Kaï-chek** ou **JIANG Zemin**), les pays (**THAÏLANDE**, en thaï ***Muang Thai***), les capitales (**PRAGUE**, en tch. ***Praha***) ou des noms géographiques européens dont la forme locale est assez éloignée de la forme francisée (**GÊNES**, en ital. ***Genova***) ;

– on a utilisé les signes diacritiques uniquement pour les langues européennes (polonais, tchèque, turc, danois, etc.). Pour l'espagnol, l'italien et le portugais, on a respecté l'accentuation originale (Venezuela, Panamá) ;

– le système anglo-saxon a été appliqué — quand il était dominant (japonais, hindi, sanskrit) — à la transcription des noms qui n'ont pas été francisés (provinces peu connues de Chine, personnages récents). Une transcription plus proche de la prononciation française a été retenue pour les autres langues, comme le russe (**FADEÏEV** Aleksandr Aleksandrovitch). Pour les noms de personnes qui n'ont pas été francisés, le prénom est indiqué dans la langue d'origine, complété du prénom français s'il est d'usage répandu. Par exemple, on trouvera : **BACH** (Johann Sebastian, en fr. Jean-Sébastien) ou **PROKOFIEV** (Sergueï, en fr. Serge), mais **DOSTOÏEVSKI** (Fiodor), car « Fiodor » n'a jamais été francisé en « Théodore ».

Les graphies savantes (points, apostrophes spéciales, barres horizontales sur les voyelles longues en arabe, en persan ou en sanskrit, ou encore tons en vietnamien), que l'on ne rencontre jamais dans la presse ou dans l'édition non spécialisée, n'ont pas été retenues : elles n'évoqueraient rien pour le lecteur occidental. *Le Maxidico* a privilégié le parti le plus simple, le plus proche de l'usage commun, le plus cohérent.

**CARACTÈRES PARTICULIERS
À CERTAINES LANGUES ÉTRANGÈRES
UTILISANT L'ALPHABET LATIN**

| Caractère | Langues concernées | Prononciation | Exemples |
|---|---|---|---|
| á | hongrois, tchèque | [a] | Kodály |
| ä | allemand, finnois, suédois | [ɛ] | Kästner |
| ă | roumain | [ø] | Bacău |
| â | roumain | [œ] | Târgu Mureş |
| ã | portugais | [ɑ̃] | São Paulo |
| å | danois, norvégien, suédois | [o] | Ålborg |
| ą | polonais | [ɔ̃] | Dąbrowska |
| ć | serbo-croate | [tj] | Andrić |
| č | albanais, serbo-croate, tchèque, turc | [tʃ] | Janáček |
| ë | albanais | [ø] | Durrës |
| ě | tchèque | [jɛ] | Mariánské Lázně |
| ę | polonais | [ɛ̃] | Częstochowa |
| î | roumain | [œ] | Tîrgu Mureş |
| ł | polonais | [w] | Miłosz |
| ń | polonais | [ɲ] | Gdańsk |
| ň | tchèque | [ɲ] | Plzeň |
| ñ | espagnol | [ɲ] | Logroño |
| ó | polonais | [u] | Lwów |
| ó | hongrois, tchèque | [o] | Bartók |
| ö | allemand, finnois, hongrois, norvégien, suédois, turc | [ø] | Böll, Györ |
| õ | portugais | [ɔ̃] | Pessõa |
| ø | danois, norvégien | [ø] | København |
| ř | tchèque | [ʀʃ] ou [ʀʒ] | Dvořák |
| š | serbo-croate, tchèque | [ʃ] | Beneš |
| ş | roumain, turc | [ʃ] | Braşov |
| ţ | roumain | [ts] | Constanţa |
| ü | allemand, hongrois, turc | [y] | München, Köprülü |
| ź | polonais | [ʒ] | Łódź |
| ž | serbo-croate, tchèque | [ʒ] | Žižka |

# LES ABRÉVIATIONS DU DICTIONNAIRE

| | |
|---|---|
| abrév. | abréviation |
| abs. | absolu |
| Acad. | Académie française |
| acoust. | acoustique |
| acron. | acronyme |
| adj. | adjectif, ive |
| adj. card | adjectif cardinal |
| adj. num. | adjectif numéral |
| adj. ord. | adjectif ordinal |
| admin. | administration ; administratif, ive |
| adv. | adverbe ; adverbial, ale |
| aéron. | aéronautique |
| affl. | affluent |
| agglom. | agglomération |
| agric. | agriculture ; agricole |
| agroalim. | agroalimentaire |
| além. | alémanique |
| alg. | algèbre |
| alim. | alimentation ; alimentaire |
| all. | allemand, ande |
| allus. | allusion |
| alp. | alpinisme |
| als. | alsacien, ienne |
| alt. | altitude |
| altér. | altération |
| amér. | américain, aine |
| ameubl. | ameublement |
| anal. | analogie |
| anat. | anatomie |
| anc. | ancien, ienne ; anciennement |
| anc. bas frq. | ancien bas francique |
| anc. fr. | ancien français |
| anc. haut all. | ancien haut allemand |
| anc. nord. | ancien nordique |
| anc. prov. | ancien provençal |
| angl. | anglais, aise |
| anglic. | anglicisme |
| anglo-amér. | anglo-américain, aine |
| anglo-norm. | anglo-normand, ande |
| anthropol. | anthropologie |
| anthropon. | anthroponyme |
| antiphr. | antiphrase |
| Antiq. | Antiquité |
| Antiq. gr. | Antiquité grecque |
| Antiq. rom. | Antiquité romaine |
| anton. | antonyme |
| apic. | apiculture |
| appos. | apposition |
| apr. | après |
| ar. | arabe |
| arboric. | arboriculture |
| archéol. | archéologie ; archéologique |
| archit. | architecture |
| argot. | argotisme ; argotique |
| arithm. | arithmétique |
| arm. | armement |
| arr. | arrondissement |
| art. | article |
| art. déf. | article défini |
| artill. | artillerie |
| art. indéf. | article indéfini |
| artis. | artisanat |
| artist. | artistique |
| arts déc. | arts décoratifs |
| arts graph. | arts graphiques |
| arts plast. | arts plastiques |
| astrol. | astrologie |
| astron. | astronomie |
| astronaut. | astronautique |
| audiov. | audiovisuel |
| auj. | aujourd'hui |
| autom. | automobile |
| auxil. | auxiliaire |
| av. | avant |
| avr. | avril |
| b.-a. | beaux-arts |
| bactériol. | bactériologie |
| balist. | balistique |
| baln. | balnéaire |
| bas all. | bas allemand |
| bas lat. | bas latin |
| bât. | bâtiment |
| béarn. | béarnais, aise |
| belg. | belgicisme |
| bijout. | bijouterie |
| biochim. | biochimie ; biochimique |
| biol. | biologie |
| bot. | botanique |
| bouch. | boucherie |
| brés. | brésilien, ienne |
| c. | canton |
| c.-à-d. | c'est-à-dire |
| can. | canadianisme |
| cap. | capitale |
| card. | cardinal |
| cartogr. | cartographie |
| cath. | catholicisme |
| celt. | celtique |
| ch. de fer | chemin de fer |
| chim. | chimie ; chimique |
| chir. | chirurgie |
| ch.-l. | chef-lieu |
| chorégr. | chorégraphie |
| chrét. | chrétien, ienne |
| chronol. | chronologie |
| cin. | cinéma |
| circ. | circonstanciel |
| clim. | climat ; climatique |
| climatol. | climatologie |
| coll. | collectif |
| | collection |
| comm. | commerce ; commercial, ale |
| comp. | composé |
| compl. | complément |
| comptab. | comptabilité |
| cond. | conditionnel |
| confis. | confiserie |
| confl. | confluent |
| conj. | conjonction ; conjonctif, ive |
| constit. | constitutionnel |
| constr. | construction |
| cost. | costume |
| cout. | couture |
| crois. | croisement |
| cuis. | cuisine |
| cult. | culture ; culturel, elle |
| cytol. | cytologie |
| déb. | début |
| déc. | décembre |
| déf. | défini |
| dém. | démonstratif |
| démogr. | démographie ; démographique |
| dent. | dentaire (art) |
| dép. | département |
| dial. | dialecte ; dialectal, ale |
| diét. | diététique |
| dimin. | diminutif |
| diplom. | diplomatie |
| dir. | direct |
| doc. | documentation |
| dr. | droite |
| | droit |
| dr. admin. | droit administratif |
| dr. comm. | droit commercial |
| dr. constit. | droit constitutionnel |
| dr. internat. | droit international |
| dr. mar. | droit maritime |
| dr. publ. | droit public |
| dr. rom. | droit romain |
| ébén. | ébénisterie |
| eccl. | ecclésiastique |
| écol. | écologie |
| écon. | économie ; économique |
| électr. | électricité ; électrique |
| électron. | électronique |
| élev. | élevage |
| ell. | ellipse |
| embryol. | embryologie |
| empl. | emploi ; employé, ée |
| énerg. | énergétique |
| enseign. | enseignement |
| env. | environ |
| équit. | équitation |
| escr. | escrime |
| esp. | espagnol, ole |
| estiv. | estival, ale |
| ethnogr. | ethnographie ; ethnographique |
| ethnol. | ethnologie ; ethnologique |
| euphém. | euphémisme |
| ex. | exemple |
| exagér. | exagération |
| exclam. | exclamatif, ive |
| exploit. | exploitation |
| export. | exportation |
| ext. | extension |
| f. | féminin |
| fam. | familier, ière |
| fauconn. | fauconnerie |
| fém. | féminin |
| féod. | féodalité ; féodal, ale |
| ferrov. | ferroviaire |
| févr. | février |
| fig. | figuré |
| fin. | finances ; financier, ière |
| fisc. | fiscalité |
| fl. | fleuve |
| flam. | flamand, ande |
| fluv. | fluvial, ale |
| fortif. | fortifications |
| fr. | français |
| franco-prov. | franco-provençal, ale |
| frq. | francique |
| g. | gauche |
| gaul. | gaulois, oise |
| gén. | général ; généralement |
| génét. | génétique |
| géogr. | géographie ; géographique |
| géol. | géologie |
| géom. | géométrie |
| géomorph. | géomorphologie |
| germ. | germanique |
| got. | gotique |
| gouv. | gouvernement |
| gr. | grec, grecque |
| gramm. | grammaire |
| grav. | gravure |
| gr. chrét. | grec chrétien |
| gr. eccl. | grec ecclésiastique |
| gr. médiév. | grec médiéval |
| gr. mod. | grec moderne |
| h. | habitants |
| helv. | helvétisme |
| hérald. | héraldique |
| hippol. | hippologie |
| hisp.-amér. | hispano-américain, aine |
| hist. | histoire ; historique |
| histol. | histologie |
| hiv. | hiver |
| horlog. | horlogerie |
| hortic. | horticulture |
| hydroélectr. | hydroélectricité ; hydroélectrique |
| hydrogr. | hydrographie ; hydrographique |
| hydrol. | hydrologie ; hydrologique |
| hyperb. | hyperbole |
| ibér. | ibérique |
| imp. | imparfait |
| impér. | impératif |
| impers. | impersonnel |
| import. | importation |
| impr. | imprimerie |
| inc. | inconnu, ue |
| ind. | indicatif |
| indéf. | indéfini |
| indir. | indirect |
| industr. | industrie ; industriel, elle |
| inf. | infinitif |
| | inférieur, eure |

| | |
|---|---|
| informat. | informatique |
| interj. | interjection ; interjectif, ive |
| internat. | international, ale |
| interr. | interrogatif |
| intrans. | intransitif |
| inus. | inusité, ée |
| inv. | invariable |
| iron. | ironie ; ironique |
| ital. | italien, ienne |
| janv. | janvier |
| jap. | japonais, aise |
| jard. | jardinage |
| joaill. | joaillerie |
| journ. | journalisme |
| juill. | juillet |
| jur. | juridique |
| just. | justice |
| lang. | langage |
| larg. | largeur |
| lat. | latin, ine |
| lat. chrét. | latin chrétien |
| lat. eccl. | latin ecclésiastique |
| lat. jur. | latin juridique |
| lat. méd. | latin médical |
| lat. médiév. | latin médiéval |
| lat. pop. | latin populaire |
| lat. sc. | latin scientifique |
| lat. scol. | latin scolastique |
| ling. | linguistique |
| litt. | littérature |
| littér. | littéraire |
| liturg. | liturgie |
| loc. | locution |
| loc. proverb. | locution proverbiale |
| log. | logique |
| long. | longueur |
| m. | masculin |
| | mort, morte |
| | moyen, enne |
| M. Â. | Moyen Âge |
| maj. | majorité ; majoritairement |
| m. angl. | moyen anglais |
| mar. | marine ; maritime |
| masc. | masculin |
| math. | mathématiques |
| max. | maximum ; maximal, ale |
| m. bas all. | moyen bas allemand |
| m. bas frq. | moyen bas francique |
| mécan. | mécanique |
| méd. | médecine ; médical, ale |
| médiév. | médiéval, ale |
| menuis. | menuiserie |
| métall. | métallurgie ; métallurgique |
| métaph. | métaphore |
| météor. | météorologie ; météorologique |
| méton. | métonymie |
| métrol. | métrologie |
| m. fr. | moyen français |
| m. haut all. | moyen haut allemand |
| m. haut frq. | moyen haut francique |
| mil. | milieu |
| milit. | militaire |
| mill. | millénaire |
| min. | minimum ; minimal, ale |
| minér. | minéralogie |
| m. néerl. | moyen néerlandais |
| mod. | moderne |
| monn. | monnaie |
| mus. | musique ; musical, ale |
| myth. | mythologie ; mythologique |
| n. | nom |
| napol. | napolitain, aine |
| nav. | navigation |
| néerl. | néerlandais, aise |
| nord. | nordique |
| norm. | normand, ande |
| norm.-pic. | normanno-picard, arde |
| norv. | norvégien, ienne |
| not. | notamment |
| nov. | novembre |
| nucl. | nucléaire |
| num. | numéral |
| numism. | numismatique |
| obsc. | obscur |
| occ. | occidental, ale |
| occult. | occultisme |
| océanogr. | océanographie |
| oct. | octobre |
| œnol. | œnologie |
| off. | officiel, elle ; officiellement |
| onomat. | onomatopée ; onomatopéique |
| oppos. | opposition |
| opt. | optique |
| ord. | ordinal |
| orfèvr. | orfèvrerie |
| orig. | origine |
| paléont. | paléontologie |
| papet. | papeterie |
| parapsychol. | parapsychologie |
| partic. | particulier |
| pathol. | pathologie |
| p.-ê. | peut-être |
| peauss. | peausserie |
| peint. | peinture |
| péj. | péjoratif |
| pers. | personne |
| | personnel |
| p. et ch. | ponts et chaussées |
| pétr. | pétrole ; pétrolier, ière |
| pétrochim. | pétrochimie ; pétrochimique |
| pétrogr. | pétrographie |
| pharm. | pharmacie |
| pharmaceut. | pharmaceutique |
| pharmacol. | pharmacologie |
| philos. | philosophie ; philosophique |
| phon. | phonétique |
| phot. | photographie |
| phys. | physique |
| physiol. | physiologie |
| phys. nucl. | physique nucléaire |
| phys. part. | physique des particules |
| pic. | picard, arde |
| plur. | pluriel |
| pol. | politique |
| polycult. | polyculture |
| pop. | populaire |
| popul. | population |
| port. | portugais, aise |
| poss. | possessif |
| posth. | posthume |
| p. p. | participe passé |
| p. pr. | participe présent |
| préc. | précédent, ente |
| préf. | préfixe ; préfixal, ale |
| préfect. | préfecture |
| préhist. | préhistoire ; préhistorique |
| prép. | préposition ; prépositionnel, elle |
| prés. | présent |
| princ. | principal ; principalement |
| prob. | probablement |
| prod. | production |
| | produit |
| prof. | profondeur |
| pron. | pronom |
| pron. indéf. | pronom indéfini |
| pron. interr. | pronom interrogatif |
| pronom. | pronominal |
| pron. pers. | pronom personnel |
| pron. poss. | pronom possessif |
| pron. rel. | pronom relatif |
| prov. | provençal, ale |
| | province |
| proverb. | proverbiale |
| psych. | psychiatrie |
| psychanal. | psychanalyse |
| psychol. | psychologie |
| publ. | public |
| public. | publicité |
| qqch. | quelque chose |
| qqn | quelqu'un |
| québ. | québécisme |
| rad. | radical |
| raff. | raffinerie, raffinage |
| r. dr. | rive droite |
| recomm. off. | recommandation officielle |
| réf. | référence |
| réfl. | réfléchi |
| région. | régionalisme ; régional, ale |
| rel. | relatif |
| relig. | religion ; religieux, euse |
| resp. | respectivement |
| ress. | ressources |
| r. g. | rive gauche |
| rhét. | rhétorique |
| riv. | rivière |
| rom. | romain, aine |
| roum. | roumain, aine |
| s. | siècle |
| sc. | science ; scientifique |
| scand. | scandinave |
| sc. écon. | sciences économiques |
| sc. nat. | sciences naturelles |
| scol. | scolaire |
| | scolastique |
| sculpt. | sculpture |
| sémit. | sémitique |
| sept. | septembre |
| serr. | serrurerie |
| sidér. | sidérurgie ; sidérurgique |
| sing. | singulier |
| situat. | situation |
| skr. | sanskrit, ite |
| slov. | slovaque |
| soc. | société ; social |
| sociol. | sociologie ; sociologique |
| souv. | souvent |
| sp. | sport |
| spéc. | spécialités |
| | spécialement |
| stat. | statistiques |
| subj. | subjonctif |
| subst. | substantif ; substantivé |
| suéd. | suédois, oise |
| suff. | suffixe ; suffixal, ale |
| superf. | superficie |
| superl. | superlatif |
| sylvic. | sylviculture |
| symb. | symbole |
| synon. | synonyme |
| taurom. | tauromachie |
| tch. | tchèque |
| techn. | technique |
| technol. | technologie ; technologique |
| télécomm. | télécommunications |
| télév. | télévision |
| text. | textile |
| théol. | théologie |
| therm. | thermal, ale |
| tib. | tibétain, aine |
| tiss. | tissage |
| topogr. | topographie |
| topon. | toponyme ; toponymique |
| tot. | total, ale |
| tourist. | touristique |
| tradit. | traditionnel ; traditionnellement |
| trans. | transitif |
| trans. dir. | transitif direct |
| trans. indir. | transitif indirect |
| trav. publ. | travaux publics |
| tribut. | tributaire |
| tropic. | tropical, ale |
| typogr. | typographie |
| univ. | université ; universitaire |
| urban. | urbanisme |
| v. | vers |
| | ville |
| var. | variante |
| vèn. | vènerie |
| versif. | versification |
| vétér. | vétérinaire (art) |
| viet. | vietnamien, ienne |
| vinic. | viniculture |
| vitic. | viticulture ; viticole |
| volcan. | volcanique |
| vulg. | vulgaire |
| vx | vieux |
| zool. | zoologie |
| ☞ | voir |
| | début de zone grammaticale |
| ° | placé avant un mot, dans une étymologie, indique que ce mot est reconstitué par conjecture |

Autoroute dans les Alpes autrichiennes. ©H.-P. Merten-Pix

**A, subst. m. inv.**
**1.** Première lettre et première voyelle de l'alphabet. Elle se prononce [a], comme dans « lac » (a antérieur), et [ɑ], comme dans « âme » (a postérieur), et, dans les digrammes *ai, au, æ, an,* [ɛ], [o], [e], [ɑ̃]. ▸ Loc. *De A à Z* : du début jusqu'à la fin ; *Démontrer par a + b* : avec rigueur et logique. **2.** Abrév. et Symb. ▸ *Métrol.* a : are. ▸ *Mus.* A : la note *la* dans la notation anglo-saxonne et germanique. ▸ *Phys.* A : ampère ; Å : angström. [ɑ].

**À, prép.**
Relie, en exprimant des rapports très variés, un élément de la phrase à un autre. **I.** Sert à introduire un complément. **1.** Complément d'objet de certains verbes transitifs. ▸ Complément d'objet indirect unique : *Résister **à** la faim.* ▸ Complément d'objet second : *Demander l'heure **à** qqn.* ▸ Complément d'attribution : *Prêter un livre **à** un ami.* **2.** Complément de certains noms. ▸ Constituant une sorte de nom composé : *Bête **à** bon Dieu.* ▸ Évoquant une idée d'appartenance : *Une idée **à** lui* (la construction du nom complément avec à est fautive : *La voiture **à** Léo*). ▸ Évoquant une idée de caractérisation : *Bête **à** cornes.* ▸ Évoquant une idée de destination : *Tasse **à** café.* **3.** Complément de certains adjectifs : *Prêt **à** partir.* **II.** Sert à exprimer divers rapports. **1.** Lieu. ▸ Direction : *Aller **à** Lyon.* ▸ Position : *Vivre **à** la ville.* ▸ Distance : *De Paris **à** Milan* ; *De la tête **aux** pieds.* **2.** Temps : *Remettre **à** plus tard* ; *Je vous verrai **à** 5 heures* ; *Il se produisit, **à** ce moment, un grand bruit.* **3.** Conséquence : *Manger **à** se rendre malade.* **4.** Moyen, instrument : *La cuisine **au** beurre* ; *Un moteur **à** essence.* **5.** Manière : *Avancer **à** tâtons.* **6.** Quantité. ▸ Évaluation : *De dix **à** vingt personnes.* ▸ Prix : *Une laitue **à** 3 francs.* **7.** Distributivité : *Deux **à** deux.* **8.** Hypothèse : ***À** conduire ainsi, il aura un accident.* **9.** Cause : ***À** maltraiter son entourage, il s'est retrouvé seul.* **III.** Sert à construire une forme verbale marquant le début d'une action : *Commencer **à*** ; *Se mettre **à**...* **IV.** Sert à construire de nombreuses locutions prépositives : ***À** cause de* ; ***À** côté de* ; ***À** la faveur de* ; *Grâce **à*** ; *De manière **à*** ; *Quant **à**...* 842 ; lat. *ad* ; *à le* se contracte en *au, à les* se contracte en *aux* ; [a].

**ABACA, subst. m.**
*Bot.* Nom vulgaire du bananier des Philippines *Musa textilis*, qui fournit une fibre textile appelée chanvre de Manille. 1664 ; esp. *abacá*, du tagal *abaka* ; [abaka].

**ABACULE, subst. m.**
Petit cube, tesselle, servant à la composition de mosaïques. 1933 ; lat. *abaculus* ; [abakyl].

**ABAISSANT, ANTE, adj.**
Qui abaisse, déshonore : *Ces propos **abaissants** l'ont blessé.* 1845 ; p. pr. de *abaisser* ; [abɛsɑ̃, ɑ̃t].

**ABAISSE, subst. f.**
*Cuis.* Pâte amincie au moyen d'un rouleau à pâtisserie. XVe s. ; ☞ *abaisser* ; [abɛs].

**ABAISSE-LANGUE, subst. m.**
*Méd.* Sorte de palette, servant à maintenir la langue pendant l'examen de la gorge. 1853 ; comp. de *abaisser* et de *langue* ; plur. *abaisse-langue(s)* ; [abɛslɑ̃g].

**ABAISSEMENT, subst. m.**
Action d'abaisser ; état de ce qui est abaissé : ***Abaissement** des eaux* ; ***Abaissement** d'un tarif.* Fin XIIe s. ; ☞ *abaisser* ; [abɛsmɑ̃].

**ABAISSER, verbe trans. [3]**
**1.** Faire descendre, mettre à un niveau inférieur : ***Abaisser** un store.* **2.** Diminuer, faire baisser : ***Abaisser** le prix.* **3.** Fig. Humilier, avilir : *La cruauté **abaisse** l'homme.* **4.** *Cuis.* Amincir (une pâte) au rouleau. **5.** *Géom.* ***Abaisser** une perpendiculaire* : mener d'un point une droite perpendiculaire à une autre droite ou à un plan. **Pronom. 1.** Descendre à un niveau inférieur : *Le terrain **s'abaisse** vers le fleuve.* **2.** Se déshonorer : *Il **s'abaisse** pour obtenir des faveurs.* XIIe s. ; anc. fr. *baissier* + *a-*[1] ; [abese].

**ABAISSEUR, adj. m. et subst. m.**
*Anat.* Se dit d'un muscle qui abaisse une partie du corps (anton. *élévateur*) : *Muscle **abaisseur** de la paupière.* 1564 ; ☞ *abaisser* ; [abɛsœʀ].

**ABAJOUE, subst. f.**
*Zool.* Chez certains rongeurs, primates ou chiroptères, poche servant à garder des aliments, située de chaque côté de la mâchoire. 1766 ; prob. altér. de *la bajoue* ; [abaʒu].

**ABANDON, subst. m.**
**1.** Fait de céder, de renoncer à qqch. : ***Abandon** d'un droit, d'un bien* ; ***Abandon** d'un projet.* ▸ *Sp.* Fait de renoncer à poursuivre une épreuve : *Défaite par **abandon**.* **2.** Fait de ne plus s'occuper de qqn, de qqch. : ***Abandon** d'enfant* ; par méton., état de ce qui est délaissé, négligé. ▸ Loc. *À l'**abandon*** : sans soin. **3.** Action de quitter, de se retirer de : ***Abandon** de position militaire* ; ***Abandon** de poste.* **4.** Fait de se laisser aller, de se détendre ; confiance : *Parler avec **abandon**.* XIIe s. ; *mettre a bandon* (vx), « mettre à disposition, livrer » ; [abɑ̃dɔ̃].

**ABANDONNER, verbe trans. [3]**
**1.** Confier ; laisser, céder : *Je t'**abandonne** mes biens* ; *Louis XIII **abandonna** la réalité du pouvoir à Richelieu.* **2.** Ext. Renoncer à : ***Abandonner** ses droits, la partie* ; empl. abs. : *Ce cycliste **a abandonné** dès la deuxième étape.* **3.** Délaisser, ne plus s'occuper de, quitter (un être) : ***Abandonner** son chien* ; au fig. : *Mes forces m'**abandonnent**.* **4.** Ne plus occuper, se retirer de : ***Abandonner** sa maison.* **Pronom. 1.** S'abandonner à. Se laisser aller à : *S'**abandonner** à la mélancolie.* **2.** Se détendre ; se confier. Déb. XIIe s. (fin XIe s., lâcher le lien d'un animal) ; prob. contraction de °*a ban donner*, « donner à ban » ; [abɑ̃dɔne].

**ABAQUE, subst. m.**
**1.** *Antiq.* Tablette à calculer. **2.** Ext. Boulier compteur. **3.** *Arithm.* Système de courbes donnant une solution approchée d'un problème numérique par des constructions graphiques. **4.** *Archit.* Tablette surmontant le chapiteau d'une colonne. Mil. XIIe s. ; lat. *abacus*, du gr. *abax* ; [abak].

**ABASIE, subst. f.**
*Pathol.* Impossibilité de marcher, sans trouble musculaire ni sensitif. 1897 ; gr. *basis*, « marche », + *a-*[2] ; [abazi].

**ABASOURDIR, verbe trans. [19]**
**1.** Rendre comme sourd, étourdir, par un grand bruit. **2.** Fig. Stupéfier, déconcerter (fam.) : *Cette nouvelle l'**a abasourdi**.* 1713 (1632, tuer) ; argot *basourdir*, de *basir*, « tuer » ; [abazuʀdiʀ] ou [-suʀ-].

**ABASOURDISSANT, ANTE, adj.**
Qui abasourdit ; stupéfiant. 1833 ; p. pr. de *abasourdir* ; [abazuʀdisɑ̃, ɑ̃t] ou [-suʀ-].

**ABAT, subst. m.**
Action d'abattre, de s'abattre (vx). **Plur.** *Bouch.* Parties, gén. non charnues (viscères, pieds, etc.), comestibles. 1400 ; ☞ *abattre* ; [aba].

**ABÂTARDIR, verbe trans. [19]**
**1.** Rendre bâtard, altérer les qualités originelles de (une race, une espèce). **2.** Fig. Corrompre, dégrader (littér.) : ***Abâtardir** une œuvre.* **Pronom.** Dégénérer. Mil. XIIe s. ; ☞ *bâtard* + *a-*[1] ; [abɑtaʀdiʀ].

**ABÂTARDISSEMENT, subst. m.**
Action d'abâtardir ou fait de s'abâtardir ; son résultat. 1327 ; ☞ *abâtardir* ; [abɑtaʀdismɑ̃].

**ABAT-JOUR, subst. m. inv.**
**1.** *Archit.* Ouverture percée obliquement dans un mur pour mieux laisser pénétrer la lumière. **2.** Dispositif servant à diriger ou à tamiser la lumière d'une lampe. 1676 ; comp. de *abattre* et de *jour* ; [abaʒuʀ].

**ABAT-SON, subst. m.**
Ensemble de volets obliques et orientables disposés dans les baies d'un clocher et destinés à rabattre le son des cloches vers le sol. 1833 ; comp. de *abattre* et de *son* (II) ; plur. *abat-son(s)* ; [abasɔ̃].

**ABATTAGE, subst. m.**
**1.** Action de tuer un animal, pour la consommation ou par mesure sanitaire. **2.** *Sylvic.* Action d'abattre des arbres. **3.** *Mines.* Action de détacher le minerai d'une paroi, de l'extraire d'une carrière : ***Abattage** à l'explosif.* **4.** Loc. *Avoir de l'**abattage*** : avoir de l'entrain. 1265 ; ☞ *abattre* ; [abataʒ].

**ABATTANT, subst. m.**
Pièce d'un meuble que l'on peut lever ou abaisser. 1680 ; p. pr. de *abattre* ; [abatɑ̃].

**ABATTÉE, subst. f.**
**1.** *Mar.* Mouvement d'un navire, gén. à voiles, qui s'écarte du lit du vent (anton. *auloffée*). **2.** *Aéron.* Chute en piqué due à une perte de vitesse. 1687 ; ☞ *abattre* ; [abate].

**ABATTEMENT, subst. m.**
**1.** Vx. Action de faire tomber ; son résultat. **2.** Important affaiblissement physique ou moral. **3.** Déduction concédée sur une somme due. ▸ *Fisc.* Fraction de la matière imposable exemptée de l'impôt. 1180 ; ☞ *abattre* ; [abatmɑ̃].

**ABATTEUR, subst. m.**
**1.** Personne qui pratique l'abattage. **2.** Anal. *Un **abatteur** de besogne* : un grand travailleur (fam.). 1200 ; ☞ *abattre* ; [abatœʀ].

**ABATTIS,** subst. m.
Amas de bois, d'arbres abattus. ► Québ. Terrain en cours de défrichement. ► *Milit.* Obstacle fait d'arbres coupés. **Plur. 1.** Abats de volaille. **2.** Fig. Bras et jambes (fam.). xiiᵉ s. ; ☞ *abattre* ; [abati].

**ABATTOIR,** subst. m.
**1.** *Bouch.* Établissement où se pratiquent l'abattage et la préparation des animaux. **2.** Fig. *Envoyer des innocents, des soldats à l'**abattoir*** : les envoyer au massacre. 1813 (xviᵉ s., partie de muraille abattue) ; ☞ *abattre* ; [abatwaʀ].

**ABATTRE,** verbe [61]
**Trans. 1.** Faire tomber, mettre à bas (ce qui était dressé) : ***Abattre** un édifice* ; ***Abattre** un arbre*, le couper. ► Ext. Coucher sur le côté : ***Abattre** une girafe pour la soigner* ; ***Abattre** un navire en carène*, pour réparer un bordé. ► *Jeux.* ***Abattre** ses cartes* : étaler son jeu ou, au fig., dévoiler ses desseins. **2.** *Mines.* Détacher (du minerai) de la paroi. **3.** Anal. ***Abattre** de la besogne* : fournir une grosse quantité de travail. **4.** Tuer (un animal) ; tuer (qqn) avec une arme à feu. **5.** Fig. Accabler ; anéantir : *Ne vous laissez pas **abattre**.* **Intrans.** *Mar.* S'écarter du lit du vent (anton. *lofer*) : ***Abattre** pour naviguer vent arrière.* **Pronom. S'abattre sur.** Tomber brusquement sur ; se laisser tomber sur : *Une nuée de sauterelles **s'abat** sur les cultures.* xiᵉ s. ; lat. *abbattere* ; [abatʀ].

**ABATTU, UE,** adj. et subst. m.
**Adj. 1.** Qui est abaissé, jeté à bas, affaissé. ► Loc. *À bride **abattue*** : au grand galop. **2.** Fig. Attristé, découragé. **Subst.** Position du chien d'un fusil désarmé. xviiᵉ s. ; p. p. de *abattre* ; [abaty].

**ABAT-VENT,** subst. m. inv.
Ensemble de lames inclinées sur une fenêtre, une ouverture, etc., servant à protéger du vent. ► Dispositif placé sur le haut d'un conduit de cheminée pour faciliter le tirage. 1344 ; comp. de *abattre* et de *vent* ; [abavɑ̃].

**ABAT-VOIX,** subst. m. inv.
Dais surmontant une chaire, servant à rabattre la voix du prédicateur vers l'auditoire. 1808 ; comp. de *abattre* et de *voix* ; [abavwa].

**ABBASSIDE,** adj.
De la dynastie arabe des Abbassides. *Abbassides*, de l'anthropon. *Abbas*, oncle de Mahomet ; [abasid].

**ABBATIAL, ALE, AUX,** adj. et subst. f.
**Adj.** Qui a trait ou qui appartient à une abbaye ; relatif à l'abbé, à l'abbesse. **Subst.** Église d'une abbaye. 1404 ; lat. médiév. *abbatialis* ; [abasjal, o].

**ABBAYE,** subst. f.
**1.** Monastère dirigé par un abbé ou par une abbesse, autonome au sein d'un diocèse. **2.** Les bâtiments de ce monastère. Fin xiᵉ s. ; lat. eccl. *abbatia* ; [abei].

**ABBÉ,** subst. m.
**1.** Supérieur ecclésiastique d'un monastère ou d'une abbaye. **2.** Prêtre séculier. 1100 ; lat. chrét. *abbas*, de l'araméen *abba*, « père » ; [abe].

**ABBESSE,** subst. f.
Supérieure d'une abbaye de religieuses. Fin xiiᵉ s. ; lat. chrét. *abbatissa* ; [abɛs].

**ABBEVILLIEN, IENNE,** adj. et subst. m.
*Préhist.* **Subst.** Culture du Paléolithique inférieur, précédant l'Acheuléen, caractérisée par de grossiers silex bifaces (synon. *Chelléen*). **Adj.** Relatif à cette culture. V. 1930 ; topon. *Abbeville* ; [abviljɛ̃, jɛn].

**ABC,** subst. m. inv.
**1.** Abécédaire. **2.** Fig. Rudiments, premiers éléments d'une théorie, d'une pratique, d'un art (synon. *b.a.-ba*) : *L'**abc** de la philosophie.* Déb. xiiᵉ s. ; formé des trois premières lettres de l'alphabet, *a*, *b* et *c* ; [abese].

**ABCÈS,** subst. m.
*Pathol.* Amas de pus dans une partie du corps, formé aux dépens des tissus qui l'entourent. ► Loc. *Crever, vider l'**abcès*** (☞ *crever*). 1537 ; lat. *abscessus*, de *abscedere*, « se former en abcès » ; [apsɛ].

**ABDICATION,** subst. f.
**1.** Action de renoncer à, d'abandonner qqch. : ***Abdication** de sa volonté.* **2.** Renonciation à l'exercice du pouvoir suprême : *L'**abdication** d'Édouard VIII.* Déb. xvᵉ s. ; lat. *abdicatio* ; [abdikasjɔ̃].

**ABDIQUER,** verbe trans. [3]
**1.** Renoncer à (une valeur, un droit, un devoir) : ***Abdiquer** sa liberté* ; empl. abs., renoncer à agir, cesser de lutter. **2.** Renoncer solennellement à exercer (le pouvoir suprême, la souveraineté) ; empl. abs. : *Charles X fut contraint d'**abdiquer** par la révolution de juillet 1830.* Fin xivᵉ s. ; lat. *abdicare*, « ne pas reconnaître, renier » ; [abdike].

**ABDOMEN,** subst. m.
**1.** *Anat.* Partie inférieure du tronc de l'homme et des Mammifères, séparée du thorax par le diaphragme et limitée vers le bas par le bassin : *L'**abdomen** contient les viscères.* **2.** *Zool.* Partie postérieure du corps des Arthropodes. 1537 ; mot lat. ; [abdɔmɛn].

**ABDOMINAL, ALE, AUX,** adj. et subst. m. plur.
**Adj.** Relatif à l'abdomen : *Une douleur **abdominale**.* **Subst. 1.** Muscles des parois de l'abdomen. **2.** Ext. Exercices visant à développer ces muscles (abrév. fam. : abdos). 1611 ; ☞ *abdomen* ; [abdɔminal, o].

**ABDUCTEUR,** adj. m. et subst. m.
*Physiol.* Se dit d'un muscle qui permet l'abduction (anton. *adducteur*) : *Les muscles **abducteurs** de la cuisse* ; *L'**abducteur** de l'œil.* **Adj.** *Chim. Tube **abducteur*** : tube qui recueille les gaz dégagés par une réaction (vieilli). Fin xviᵉ s. ; lat. *abductor*, de *abducere*, « éloigner ; emmener » ; [abdyktœʀ].

**ABDUCTION,** subst. f.
*Physiol.* Mouvement qui écarte un membre ou une partie de membre du plan médian du corps. 1541 ; lat. *abductio*, « action d'éloigner » ; [abdyksjɔ̃].

**ABÉCÉDAIRE,** subst. m.
Ouvrage élémentaire, gén. illustré, utilisé pour enseigner l'alphabet (synon. *abc*). Déb. xviᵉ s. ; lat. *abecedarius*, « selon l'alphabet » ; [abesedɛʀ].

**ABERRANCE,** subst. f.
*Stat.* Caractère d'une grandeur qui s'écarte significativement de la valeur moyenne. 1936 ; ☞ *aberant* ; [abɛʀɑ̃s].

**ABERRANT, ANTE,** adj.
**1.** Qui s'éloigne des règles, des conventions, de la logique : *Attitude **aberrante**.* **2.** *Biol.* Qui constitu une anomalie : *Espèce **aberrante**.* 1842 ; p. pr. de *aberrer* (rare), « s'égarer ; se tromper » ; [abɛʀɑ̃, ɑ̃t].

**ABERRATION,** subst. f.
**1.** *Astron.* Écart entre la position réelle et la positio observée d'un astre, dû à la rotation de la Terre su elle-même et à son mouvement autour du Solei **2.** *Opt.* Distorsion, défaut de l'image d'un objet v à travers un instrument d'optique. **3.** *Biol.* ***Aberration** chromosomique* : anomalie du patrimoine chromosomique d'un être vivant, qui peut concerne le nombre des chromosomes ou leur structur **4.** Déviation du jugement, égarement par rappo à ce qui est rationnel ou raisonnable ; absurdit 1733 (1624, action de s'écarter) ; lat. *aberratio*, d *aberrare*, « s'écarter de ; se tromper » ; [abɛʀasjɔ̃].

**ABÊTIR,** verbe trans. [19]
Rendre bête, stupide. **Pronom.** Devenir bête. Déb xivᵉ s. ; ☞ *bête* + *a-*[1] ; [abetiʀ].

**ABÊTISSANT, ANTE,** adj.
Qui abêtit. Mil. xixᵉ s. ; p. pr. de *abêtir* ; [abetisɑ̃, ɑ̃t]

**ABÊTISSEMENT,** subst. m.
**1.** Action d'abêtir. **2.** État d'une personne qui es abêtie. 1552 ; ☞ *abêtir* ; [abetismɑ̃].

© C. Lenars-Explorer

*Le plus ancien **abécédaire** connu. Tablette d'argile (Syrie, xivᵉ s. av. J.-C.).*

**ABÉE,** subst. f.
Ouverture par laquelle s'écoule l'eau qui actionne la roue d'un moulin. 1531 (1444, écluse) ; altér. de *la bée* (vx), « l'ouverture », de l'anc. fr. *baër*, « ouvrir » ; [abe].

**ABEILLE,** subst. f.
**1.** *Zool.* Insecte hyménoptère de la superfamille des Apoïdés, dont certaines espèces sont solitaires, comme les **abeilles** dites charpentières, alors que d'autres vivent en colonie, tels les **abeilles** communes et les bourdons. **2.** Loc. *En nid(s) d'**abeilles*** : en forme d'alvéoles légèrement en relief, en parlant d'un tissu. Déb. xivᵉ s. ; anc. prov. *abelha*, du lat. *apicula*, « petite abeille » ; [abɛj].

ENTOMOLOGIE – Une ruche peut contenir entre 50 000 et 100 000 abeilles : les ouvrières (99 % d'entre elles), qui sont des femelles stériles, les mâles, ou faux bourdons (quelques centaines), et la reine, abeille plus grosse que les autres, dont le rôle est de pondre car elle est la seule femelle fertile. Les ouvrières, pourvues d'un appareil buccal de type lécheur, butinent le nectar des fleurs et le déposent dans des alvéoles de cire, dont elles sécrètent la matière par leurs glandes cirières ; après évaporation, ce nectar devient du miel. À la fin du printemps, c'est l'essaimage : la reine s'échappe de la ruche, accompagnée par quelques dizaines de milliers d'ouvrières. L'apiculteur recueille cet essaim et le place dans une autre ruche. Une nouvelle reine naît alors dans l'ancienne ; quelques jours après sa naissance, elle effectue son vol nuptial, poursuivie par les mâles, dont le plus rapide la fécondera avant d'être tué. Après cette fécondation unique, elle pondra, jusqu'à la fin de sa vie, quelque 2 500 œufs par jour.

**ABÉLIEN, IENNE,** adj.
*Math. Groupe **abélien*** : groupe dont la loi de composition interne est commutative. Mil. xixᵉ s. ; anthropon. *Niels Abel* ; [abeljɛ̃, jɛn].

**ABER,** subst. m.
*Géogr.* En Bretagne, estuaire occupant une vallée profonde. 1751 ; mot breton ; [abɛʀ].

*Anatom de l'abeill*

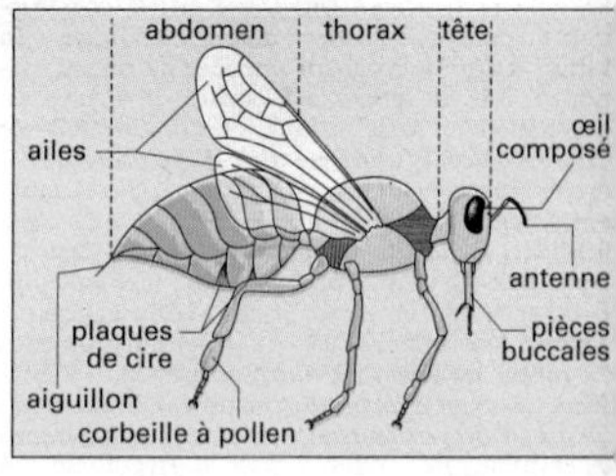


**ABHORRER,** verbe trans. [3]
Éprouver de l'horreur, une profonde aversion pou (littér.). xiiiᵉ s. ; lat. *abhorrere* ; [abɔʀe].

**ABIÉTACÉES,** subst. f. plur.
*Bot.* Famille de conifères dont le sapin *Abies* es le type (synon. *Pinacées*). **Au sing.** *Le mélèze est un **abiétacée**.* 1868 ; lat. *abies*, « sapin » ; [abjetase]

**ABÎME,** subst. m.
**1.** Cavité terrestre ou marine très profonde. ► Fig Ce qui mène à la perte, à la ruine : *Être au bor de l'**abîme***, dans une situation désespérée. **2.** Ce qu est insondable ou qui semble infini : *L'**abîme** d temps* ; *Un **abîme** de malheur.* **3.** Différence pro fonde, radicale : *Quel **abîme** entre ces deux concep tions, ces deux personnalités !* Déb. xiiᵉ s. ; lat. pop °*abismus*, du lat. chrét. *abyssus*, « profondeur de l'enfer » [abim].

**ABÎMER,** verbe trans. [3]
**1.** Vx. Jeter, précipiter dans un abîme. **2.** Dégrader détériorer, endommager. **Pronom. 1.** S'engloutir : *L vaisseau **s'abîma** dans les flots.* **2.** Fig. et Littér. S plonger (dans une activité intérieure) : ***S'abîme** dans la réflexion.* **3.** Se détériorer : *La peinture **s'abîm** avec le temps.* Déb. xiiiᵉ s. ; ☞ *abîme* ; [abime].

**AB INTESTAT,** loc. adv.
*Dr.* Sans qu'il ait été fait de testament (la succession est alors régie par la seule loi) ; empl. adj. : *Héritier* ***ab intestat.*** 1409 ; lat. jur. *ab intestato* ; [abɛ̃tɛsta].

**ABIOTIQUE,** adj.
*Biol.* Sans aucune forme de vie. 1874 ; gr. *biôtikos*, « qui concerne la vie », + *a-*[2] ; [abjɔtik].

**ABJECT, ECTE,** adj.
Qui suscite le dégoût, le mépris ; ignoble. XVe s. ; lat. *abjectus*, de *abicere*, « rejeter, mépriser » ; [abʒɛkt].

**ABJECTEMENT,** adv.
De façon abjecte. 1470 ; ☞ *abject* ; [abʒɛktəmɑ̃].

**ABJECTION,** subst. f.
Comble de l'abaissement moral. 1372 ; lat. *abjectio*, « abattement de l'âme » ; [abʒɛksjɔ̃].

**ABJURATION,** subst. f.
Action d'abjurer ; résultat de cette action. 1492 ; bas lat. *abjuratio* ; [abʒyʀasjɔ̃].

**ABJURER,** verbe trans. [3]
Renier solennellement (une religion) : ***Abjurer*** *le protestantisme* ; empl. abs., abandonner solennellement sa religion : *Henri IV* ***abjura*** *en l'abbaye de Saint-Denis.* Déb. XIVe s. ; lat. *abjurare* ; [abʒyʀe].

**ABLATIF,** subst. m.
*Gramm.* Cas de la déclinaison, dans certaines langues à flexion, exprimant les compléments circonstanciels (notamment, en latin, les compléments d'agent et de moyen). XIVe s. ; lat. *ablativus* ; [ablatif].

**ABLATION,** subst. f.
**1.** *Chir.* Action d'enlever une partie du corps, un organe, une tumeur. **2.** *Géol.* Perte de matière d'un relief ou d'un glacier, par ex. sous l'effet de l'érosion. XIIIe s. ; bas lat. *ablatio* ; [ablasjɔ̃].

**ABLÉGAT,** subst. m.
*Cath.* Suppléant d'un légat pontifical. 1752 ; formé de *légat* et du lat. *ab-*, marquant l'origine ; [ablega].

**ABLETTE,** subst. f.
*Zool.* Poisson argenté d'eau douce, de la famille des Cyprinidés, qui vit en groupe. 1525 ; *able* (vieilli), « cyprinidé blanc », du lat. *albulus*, « blanchâtre » ; [ablɛt].

**ABLUTION,** subst. f.
**1.** *Relig.* Pratique purificatrice consistant à laver le corps ou une partie du corps. ▸ *Cath.* Purification du calice et des doigts du prêtre avec l'eau et le vin, après la communion. **2.** *Faire ses* ***ablutions*** : faire sa toilette, se laver (fam.). XIIIe s. ; lat. chrét. *ablutio*, « purification par l'eau du baptême » ; [ablysjɔ̃].

**ABNÉGATION,** subst. f.
Sacrifice volontaire de soi, renoncement, dévouement. Fin XIVe s. ; lat. chrét. *abnegatio* ; [abnegasjɔ̃].

**ABOI,** subst. m.
Aboiement (vx et littér.). **Plur.** *Vèn.* Cris des chiens devant la bête traquée. ▸ Loc. *Aux* ***abois*** : se dit du gibier à bout de forces, traqué par la meute, ou, au fig., de qqn qui est dans une situation critique, à bout d'expédients. Mil. XIIe s. ; ☞ *aboyer* ; [abwa].

© H. Veiller-Explorer

*Cerf aux* ***abois*** *dans une chasse à courre.*

**ABOIEMENT,** subst. m.
**1.** Cri du chien. **2.** Fig. et Péj. Voix humaine déformée par la colère ; propos agressif (gén. au plur.). XIIIe s. ; ☞ *aboyer* ; [abwamɑ̃].

**ABOLIR,** verbe trans. [19]
**1.** Vx. Anéantir : ***Abolir*** *cette engeance* (La Fontaine). **2.** Supprimer (une loi, une coutume). **3.** Faire disparaître, effacer : *La vitesse* ***abolit*** *les distances.* Fin XIVe s. ; lat. *abolere* ; [abɔliʀ].

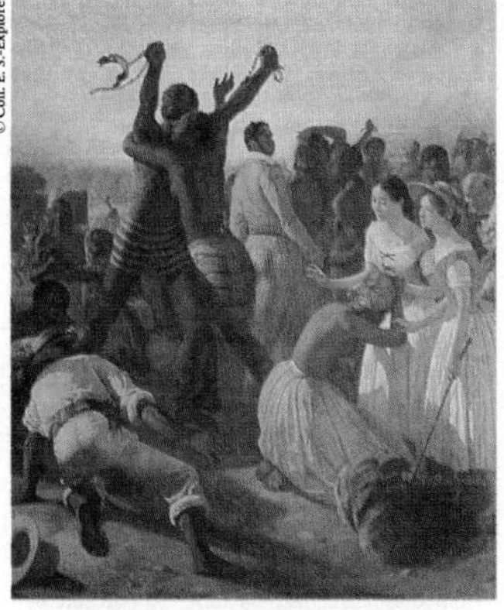

© Coll. E. S.-Explorer

Proclamation de l'**abolition** de l'esclavage dans les colonies françaises, 23 avril 1848 *(détail), peinture de François A. Biard. Musée national du château de Versailles.*

**ABOLITION,** subst. f.
Action d'abolir ; son résultat : ***Abolition*** *de la peine de mort.* 1316 ; lat. *abolitio* ; [abɔlisjɔ̃].

**ABOLITIONNISME,** subst. m.
**1.** *Hist.* Doctrine des partisans de l'abolition de l'esclavage. **2.** Ext. Doctrine prônant l'abolition d'une loi, d'une coutume, et en partic. de la peine de mort. 1836 ; angl. *abolitionism* ; [abɔlisjɔnism].

**ABOLITIONNISTE,** subst. et adj.
**Subst.** Tenant de l'abolitionnisme. **Adj.** Relatif à cette doctrine. 1835 ; angl. *abolitionist* ; [abɔlisjɔnist].

**ABOMINABLE,** adj.
**1.** Qui inspire une profonde horreur. **2.** Très mauvais : *Un acteur* ***abominable.*** Déb. XIIe s. ; lat. chrét. *abominabilis* ; [abɔminabl].

**ABOMINABLEMENT,** adv.
D'une manière abominable : *Il fait* ***abominablement*** *chaud.* XIVe s. ; ☞ *abominable* ; [abɔminabləmɑ̃].

**ABOMINATION,** subst. f.
**1.** Profond dégoût, horreur. **2.** Méton. Chose, action abominable : *La guerre est une* ***abomination.*** Déb. XIIe s. ; lat. chrét. *abominatio* ; [abɔminasjɔ̃].

**ABOMINER,** verbe trans. [3]
Abhorrer, exécrer (littér.). Déb. XIIe s. ; lat. *abominari* ; [abɔmine].

**ABONDAMMENT,** adv.
D'une manière abondante, beaucoup. Déb. XIIe s. ; ☞ *abondant* ; [abɔ̃damɑ̃].

**ABONDANCE,** subst. f.
**1.** Quantité plus que suffisante, profusion : ***Abondance*** *de biens ne nuit pas* ; empl. abs., prospérité, opulence : *Des années d'****abondance*** ; *Corne d'****abondance*** (☞ *corne*). **2.** Loc. *Parler d'****abondance*** : avec facilité, en improvisant ; *En* ***abondance*** : à foison. Déb. XIIe s. ; lat. *abundantia* ; [abɔ̃dɑ̃s].

**ABONDANT, ANTE,** adj.
Qui est en quantité, à profusion. Déb. XIIe s. ; lat *abundans*, de *abundare*, « déborder » ; [abɔ̃dɑ̃, ɑ̃t].

**ABONDER,** verbe intrans. [3]
**1.** Être en grande quantité, se manifester à profusion. **2. Abonder en.** Posséder, contenir ou produire en grande quantité : *Rome* ***abonde*** *en ruines antiques.* **3.** Loc. ***Abonder*** *dans le sens de qqn* : s'affirmer en plein accord avec ses propos. Déb. XIIe s. ; lat. *abundare*, « déborder » ; [abɔ̃de].

**ABONNÉ, ÉE,** adj. et subst.
**Adj. 1.** Qui a pris un abonnement. **2.** Ext. et Fam. Coutumier (d'un lieu, d'un comportement, d'un phénomène) : *Un auteur* ***abonné*** *au succès.* **Subst.** Personne qui a souscrit un abonnement : *Les* ***abonnés*** *au téléphone.* 1798 ; p. p. de *abonner* ; [abɔne].

**ABONNEMENT,** subst. m.
Contrat assurant une prestation régulière à la personne qui le souscrit : ***Abonnement*** *à une revue, aux spectacles d'un théâtre* ; *Tarif d'****abonnement.*** XIXe s. (1275, terre produisant un revenu fixe) ; ☞ *abonner* ; [abɔnmɑ̃].

**ABONNER,** verbe trans. [3]
Souscrire un contrat d'abonnement au profit de (qqn) : ***Abonnez-moi*** *au « Petit Parisien »* ; empl. pronom. : *Il s'****était abonné*** *au gaz.* XVIIIe s. (1268, borner) ; anc. fr. *bonne*, « limite » ; [abɔne].

**ABONNIR,** verbe trans. [19]
Rendre bon ou meilleur (rare). **Pronom.** Se bonifier : *Le vin s'****abonnit*** *avec l'âge.* Fin XIIe s. ; ☞ *bon* + *a-*[1] ; [abɔniʀ].

**ABORD,** subst. m.
**1.** Vx. Action d'atteindre un rivage et, par ext., un lieu. **2.** Accès ; au fig., accueil : *Il est d'un* ***abord*** *difficile.* **3.** Loc. *D'****abord****, tout d'****abord*** : en premier lieu ; *De prime* ***abord*** : à première vue ; *Dès l'****abord*** : dès le premier instant. **Plur. 1.** Environs immédiats. **2.** Apparence d'une personne : *Sous des* ***abords*** *aimables, il est très sévère.* XVe s. ; ☞ *aborder* ; [abɔʀ].

**ABORDABLE,** adj.
**1.** D'abord possible, facile : *Un rivage* ***abordable*** ; *Une personne* ***abordable.*** **2.** Dont le prix est accessible. 1562 ; ☞ *aborder* ; [abɔʀdabl].

**ABORDAGE,** subst. m.
*Mar.* **1.** Vx. Pour un navire, action d'atteindre un rivage. **2.** Assaut conduit contre un navire : *Aller à l'****abordage.*** **3.** Collision entre navires. 1553 ; ☞ *aborder* ; [abɔʀdaʒ].

**ABORDER,** verbe [3]
**Trans. 1.** Se mettre bord à bord avec, à couple de (un navire). ▸ Heurter (un navire) pour l'attaquer ou par accident. **2.** Atteindre (un rivage) ; par ext., arriver à (un lieu), s'engager dans : ***Aborder*** *prudemment un virage.* **3.** Approcher (qqn) pour lui parler. **4.** Fig. ▸ S'approcher de (un état) : *Elle* ***a abordé*** *la quarantaine.* ▸ S'essayer à ; en venir à : ***Aborder*** *la géométrie* ; *Il n'osait pas* ***aborder*** *le point crucial.* **Intrans.** Atteindre le rivage, toucher terre. 1306 ; formé de *à* et de *bord* ; [abɔʀde].

**ABORIGÈNE,** adj. et subst.
**Adj.** Qui est originaire du pays où il se trouve : *Population* ***aborigène*** ; *Flore* ***aborigène.*** **Subst.** Habitant natif du pays où il vit ; en partic., descendant des premiers occupants d'une terre (souv. au plur.) : *Les* ***aborigènes*** *d'Australie.* 1582 (1488, habitant primitif de l'Italie) ; lat. *aborigines* ; [abɔʀiʒɛn].

© P. Robinson-Gamma

***Aborigènes*** *d'Australie parés de leurs peintures rituelles.*

**ABORTIF, IVE, adj.**
**1.** Qualifie un processus qui s'arrête avant d'atteindre son terme (vieilli) : *Maladie* ***abortive***. **2.** Qui fait avorter : *Un produit* ***abortif*** ou, empl. subst. masc., *Un* ***abortif***. 1455 ; lat. *abortivus*, « né avant terme » ; [abɔʀtif, iv].

**ABOUCHEMENT, subst. m.**
Action d'aboucher, de s'aboucher ; son résultat. XVIe s. ; ☞ *aboucher* ; [abuʃmɑ̃].

**ABOUCHER, verbe trans. [3]**
**1.** Mettre en relation, faire se rencontrer (vieilli) ; empl. pronom. : *S'****aboucher*** *avec un drôle de coquin.* **2.** Faire communiquer (des conduits) en les appliquant l'un contre l'autre par leurs ouvertures. XVIIe s. (XIIIe s., se prosterner bouche contre terre) ; formé de *à* et de *bouche* ; [abuʃe].

**ABOULER, verbe trans. [3]**
Argot. Donner : ***Aboule*** *la monnaie.* **Pronom.** Arriver vite (vx). 1790 ; formé de *à* et de *bouler* ; [abule].

**ABOULIE, subst. f.**
*Psych.* Trouble caractérisé par une diminution de la volonté ou par son absence. 1883 ; gr. *aboulia*, « irréflexion, imprudence » ; [abuli].

**ABOULIQUE, adj. et subst.**
Se dit d'une personne atteinte d'aboulie. 1907 ; ☞ *aboulie* ; [abulik].

**ABOUT, subst. m.**
*Techn.* Extrémité d'une pièce de bois ou de métal préparée afin d'être jointe à une autre. 1213 ; ☞ *abouter* ; [abu].

**ABOUTER, verbe trans. [3]**
Mettre bout à bout, joindre par les abouts. Fin XIIe s. ; formé de *à* et de *bout* ; [abute].

**ABOUTIR, verbe [19]**
**Trans. indir. Aboutir à.** Se terminer dans, par : *La sente* ***aboutit*** *au pré.* **Intrans.** Réussir : *Ce projet n'a pas* ***abouti***. 1319 ; formé de *à* et de *bout* ; [abutiʀ].

**ABOUTISSANT, subst. m.**
**Plur.** Vx. *Dr.* Terres qui bordent les petits côtés d'une propriété, par oppos. à *tenants*. ▸ Loc. *Les tenants et les* ***aboutissants*** *d'une affaire* : tout ce qui s'y rapporte, de près ou de loin. **Sing.** Fig. Aboutissement. 1508 ; p. pr. de *aboutir* ; [abutisɑ̃].

**ABOUTISSEMENT, subst. m.**
**1.** Action d'aboutir. **2.** Résultat, terme auquel on aboutit. **3.** Succès d'une démarche, d'une entreprise. XVIe s. (1265, action de pousser qqn à faire qqch. jusqu'au bout) ; ☞ *aboutir* ; [abutismɑ̃].

**ABOYER, verbe intrans. [17]**
**1.** Pousser son cri, en parlant du chien. **2.** Anal. Vociférer, crier ; empl. trans. : *Il* ***aboya*** *un ordre.* XIIe s. ; anc. fr. *abaier*, d'orig. onomat. ; [abwaje].

**ABOYEUR, EUSE, subst.**
**Masc. 1.** *Vén.* Chien qui aboie à la vue du gibier, sans l'attaquer. **2.** Personne qui annonce à haute voix les invités, dans une réception ; vendeur à la criée. **Masc.** ou **Fém.** Personne qui vocifère. 1327 ; ☞ *aboyer* ; [abwajœʀ, øz].

**ABRACADABRA, subst. m.**
Formule magique jadis censée guérir toutes sortes de maladies, utilisée de nos jours de manière plaisante. XVIe s. ; gr. *abrakadabra*, de *abraxas*, d'un cryptogramme hébreu ; [abʀakadabʀa].

**ABRACADABRANT, ANTE, adj.**
Incompréhensible, fantaisiste : *Il m'a raconté une histoire* ***abracadabrante*** ; démesuré. 1834 ; ☞ *abracadabra* ; [abʀakadabʀɑ̃, ɑ̃t].

**ABRASER, verbe trans. [3]**
*Techn.* Polir, user par frottement. XXe s. (1364, démolir) ; lat. *abradere*, « enlever » ; [abʀaze].

**ABRASIF, IVE, adj. et subst. m.**
Se dit d'une matière susceptible d'abraser : *L'émeri est un* ***abrasif***. 1907 ; ☞ *abrasion* ; [abʀazif, iv].

**ABRASION, subst. f.**
Action d'abraser ; son résultat. 1611 ; lat. *abrasio* ; [abʀazjɔ̃].

**ABRÉACTION, subst. f.**
Réaction émotionnelle par laquelle un sujet se délivre d'un refoulement. 1913 ; formé de *réaction* et du lat. *ab-*, marquant l'origine ; [abʀeaksjɔ̃].

**ABRÉAGIR, verbe intrans. [19]**
Manifester une abréaction. 1950 ; formé de *réagir* et du lat. *ab-*, marquant l'origine ; [abʀeaʒiʀ].

**ABRÉGÉ, subst. m.**
**1.** Forme condensée d'un texte, résumé. **2.** Ouvrage qui condense les principes d'un savoir, d'une technique, etc. : *Un* ***abrégé*** *d'algèbre.* **3.** Loc. *En* ***abrégé*** : en peu de mots. 1305 ; p. p. de *abréger* ; [abʀeʒe].

**ABRÈGEMENT, subst. m.**
Action d'abréger ; fait d'être abrégé. 1283 ; ☞ *abréger* ; var. *abrégement* ; [abʀɛʒmɑ̃].

**ABRÉGER, verbe trans. [9]**
**1.** Réduire la durée de : ***Abréger*** *ses vacances.* **2.** Réduire la longueur de (un texte, un propos, etc.). **3.** ***Abréger*** *un mot* : le raccourcir en supprimant une partie de ses lettres (souv. les dernières). 1160 ; bas lat. *abbreviare* ; [abʀeʒe].

**ABREUVEMENT, subst. m.**
Action d'abreuver ou de s'abreuver. 1250 ; ☞ *abreuver* ; [abʀœvmɑ̃].

**ABREUVER, verbe trans. [3]**
**1.** Faire boire (un animal domestique). **2.** Imprégner : *Qu'un sang impur* ***abreuve*** *nos sillons* (« la Marseillaise »). ▸ *Techn.* Préparer (une surface) en l'imbibant. **3.** Fig. Couvrir, accabler : ***Abreuver*** *qqn d'injures.* **Pronom. 1.** Boire, en parlant d'un animal ; boire en abondance, en parlant d'une personne (fam.). **2.** Fig. Jouir de, profiter pleinement de : *S'****abreuver*** *de musique.* Déb. XIIe s. ; lat. pop. °*abbiberare*, du lat. *biber*, « boisson » ; [abʀœve].

**ABREUVOIR, subst. m.**
Point d'eau, aménagé ou non, où l'on fait boire les bêtes. XIIIe s. ; anc. fr. *abevrer*, « abreuver » ; [abʀœvwaʀ].

© G. Sommer-Explorer

*Abreuvoir rustique.*

**ABRÉVIATIF, IVE, adj.**
Qui sert à abréger : *Un point* ***abréviatif***. 1442 ; ☞ *abréviation* ; [abʀevjatif, iv].

**ABRÉVIATION, subst. f.**
**1.** Réduction d'un mot ou d'une suite de mots, par retranchement de lettres (souv. les dernières). **2.** Lettre, mot ou suite de mots qui en résulte : *« M. », « Mme » sont les* ***abréviations*** *de « monsieur », de « madame ».* 1375 ; lat. chrét. *abbreviatio* ; [abʀevjasjɔ̃].

**ABRI, subst. m.**
Lieu couvert qui protège des intempéries ou de dangers. ▸ Loc. *À l'****abri*** *(de)* : à couvert ; hors d'atteinte (de). Fin XIIe s. ; *abrier* (vx), « abriter », du bas lat. *apricare*, « chauffer par le soleil » ; [abʀi].

**ABRIBUS, subst. m. inv.**
Construction légère édifiée à un arrêt d'autobus pour abriter les voyageurs. 1974 ; formé de *abri* et de *bus* (I) ; n. déposé, recomm. off. *aubette* ; [abʀibys].

**ABRICOT, subst. m.**
**1.** Fruit de l'abricotier, à noyau et à peau orangée. **2.** Couleur jaune orangé de ce fruit ; empl. adj. inv. : *Des rideaux* ***abricot***. 1526 ; port. *albricoque* ou esp. *albaricoque*, de l'ar. *al-barqūq* ; [abʀiko].

*Abricots.*

© Ch. Favardin-Jacana

**ABRICOTÉ, ÉE, adj.**
Qui contient des abricots ; qui a la saveur d l'abricot. 1628 ; ☞ *abricot* ; [abʀikɔte].

**ABRICOTIER, subst. m.**
*Bot.* Arbre fruitier de la famille des Amygdalacées qui produit l'abricot. 1526 ; ☞ *abricot* [abʀikɔtje].

**ABRI-SOUS-ROCHE, subst. m.**
*Préhist.* Renfoncement au pied d'une paroi ro cheuse, sous un surplomb, qui servait d'abr d'habitation et parfois de lieu de sépulture au hommes préhistoriques. 1868 ; comp. de *abri*, d *sous* et de *roche* ; plur. *abris-sous-roche* ; [abʀisuʀɔʃ].

**ABRITÉ, ÉE, adj.**
Qui est à l'abri des intempéries, en partic. du ven 1489 ; p. p. de *abriter* ; [abʀite].

**ABRITER, verbe trans. [3]**
**1.** Mettre à l'abri ; protéger. **2.** Recevoir, accueillir *Cet immeuble* ***abrite*** *des bureaux.* **Pronom. 1.** S mettre à l'abri. **2.** Fig. *S'****abriter*** *derrière qqn* : l faire assumer seul une responsabilité, une décisio partagée. 1489 ; ☞ *abri* ; [abʀite].

**ABRIVENT, subst. m.**
Dispositif qui abrite les cultures du vent. 1752 formé de *abri* et de *vent* ; [abʀivɑ̃].

**ABROGATIF, IVE, adj.**
Qui a pour but ou pour effet d'abroger (synon *abrogatoire*). 1845 ; ☞ *abroger* ; [abʀɔgatif, iv].

**ABROGATION, subst. f.**
Action d'abroger ; son résultat. Mil. XIVe s. ; la *abrogatio* ; [abʀɔgasjɔ̃].

**ABROGEABLE, adj.**
Qui peut être abrogé : *Une disposition* ***abrogeabl*** 1843 ; ☞ *abroger* ; [abʀɔʒabl].

**ABROGER, verbe trans. [5]**
*Dr.* Abolir, annuler (une loi, un décret). Mi XIVe s. ; lat. *abrogare*, « enlever » ; [abʀɔʒe].

**ABRUPT, UPTE, adj. et subst. m.**
**Adj. 1.** Qui est escarpé, à pic, d'accès difficile : *U talus* ***abrupt***. **2.** Fig. Qui manque de douceur, d nuance : *Des manières* ***abruptes***. **Subst.** Escarpe ment. 1512 ; lat. *abruptus* ; [abʀypt].

**ABRUPTEMENT, adv.**
De façon abrupte. 1327 ; ☞ *abrupt* ; [abʀyptəmɑ̃

**ABRUTI, IE, adj. et subst.**
**Adj. 1.** Dont les facultés intellectuelles sont émous sées : *Ils s'en allaient,* ***abrutis*** *et fourbus.* **2.** Stupide idiot : *Un air* ***abruti***. **Subst.** Personne bornée imbécile. 1541 ; p. p. de *abrutir* ; [abʀyti].

**ABRUTIR, verbe trans. [19]**
**1.** Rendre (qqn) semblable à une brute ; rendr idiot : *La télévision* ***abrutit****-elle les enfants ?* **2.** Ex Épuiser, étourdir ; empl. pronom. : *S'****abrutir*** *a travail.* 1541 ; formé de *à* et de *brute* ; [abʀytiʀ

**ABRUTISSANT, ANTE, adj.**
Qui abrutit : *Une tâche* ***abrutissante***. Fin XVIIe s. p. pr. de *abrutir* ; [abʀytisɑ̃, ɑ̃t].

**ABRUTISSEMENT, subst. m.**
Action d'abrutir ; fait d'être abruti ; état qui e résulte. 1588 ; ☞ *abrutir* ; [abʀytismɑ̃].

**ABSCISSE, subst. f.**
*Géom.* ***Abscisse*** *d'un point* : distance algébrique l'origine sur une droite ou première coordonné dans un plan ou dans l'espace munis d'un repèr 1732 ; lat. *linea abscissa*, « ligne coupée » ; [apsis

**ABSCONS, ONSE, adj.**
Obscur, difficile à comprendre : *Propos* ***abscons*** 1509 ; p. p. de *abscondre* (vx), « cacher » ; [apskɔ̃, ɔ̃s

**ABSENCE, subst. f.**
**1.** Fait d'être absent ; état qui en résulte : ***Absenc*** *d'un employé à son travail* ; *Mot d'****absence*** ; *En so* ***absence****, je me suis occupée des chats.* **2.** Périod durant laquelle une personne est absente : *D* ***absences*** *répétées.* **3.** *Dr.* État légal d'une personn disparue, dont on n'a plus de nouvelles. **4.** Carence défaut : ***Absence*** *de douleur.* **5.** *Pathol.* Manifestatio mineure de l'épilepsie généralisée (petit mal) caractérisée par une brève perte de conscience ▸ Ext. Perte d'attention passagère, distraction : *Avoi des* ***absences***. Déb. XIIIe s. ; lat. *absentia* ; [apsɑ̃s

**ABSENT, ENTE, adj. et subst.**
Se dit d'une personne qui ne se trouve pas là où s présence est escomptée : *Il est* ***absent*** *du bureau* ; *Êt porté* ***absent*** ; *Noter les* ***absents***. ▸ Loc. proverb. *L* ***absents*** *ont toujours tort.* ▸ *Dr.* Disparu : *Présum* ***absent***. **Adj. 1.** Qui fait défaut. **2.** Distrait, inatten tif : *Un regard* ***absent***. 1296 ; lat. *absens* ; [apsɑ̃, ɑ̃t

**ABSENTÉISME,** subst. m.
Défaut systématique d'assiduité sur un lieu de travail ou d'étude : *Un fort taux d'****absentéisme****.* 1847 (1828, habitude des propriétaires de vivre éloignés de leurs terres) ; angl. *absenteeism* ; [apsɑ̃teism].

**ABSENTÉISTE,** adj. et subst.
Se dit d'une personne qui pratique l'absentéisme. 1853 ; ☞ *absentéisme* ; [apsɑ̃teist].

**ABSENTER (S'),** verbe pronom. [3]
**S'absenter de.** Quitter, s'éloigner de (un lieu) pour un temps plus ou moins long : ***S'absenter*** *du bureau* ; empl. abs. : *Un Corse n'émigre pas, il* ***s'absente*** (Moro-Giafferi). 1332 ; lat. *absentare* ; [apsɑ̃te].

**ABSIDE,** subst. f.
*Archit.* Partie d'une église, en forme d'hémicycle ou de polygone, qui termine le chœur. 1690 (1562, point de l'orbite d'une planète) ; lat. *absida*, du gr. *hapsis*, « arc, voûte » ; [apsid].

**ABSIDIOLE,** subst. f.
Petite chapelle qui jouxte l'abside. 1866 ; ☞ *abside* ; [apsidjɔl].

**ABSINTHE,** subst. f.
**1.** *Bot.* Plante amère et aromatique de la famille des Astéracées, genre *Artemisia* (armoise). **2.** Liqueur verte, tirée de la grande **absinthe**, très prisée au XIXe s. et dont la fabrication est interdite en France. 1546 ; lat. *absinthium* ; [apsɛ̃t].

© Giraudon, succession Picasso. 96

L'Apéritif, *peinture de Pablo Picasso (1881-1973), figure une buveuse d'****absinthe****. Musée de l'Ermitage, Saint-Pétersbourg.*

**ABSOLU, UE,** adj. et subst. m.
**Adj. 1.** Qui est parfait, idéal, pur : *Un amour* ***absolu****.* **2.** Qui est total, sans restriction : *Une défense* ***absolue*** ; *Un silence* ***absolu****.* ▸ Sans limite ni contrôle : *Monarchie* ***absolue*** ; *Le pouvoir* ***absolu*** *des despotes.* ▸ Entier, voire inflexible : *Le caractère* ***absolu*** *des enfants.* ▸ Loc. *En règle* ***absolue*** : sans exception. **3.** Qui est indépendant de tout contexte, de toute condition (anton. *relatif*) : *Une vitesse* ***absolue*** ; *La vérité* ***absolue****.* **4.** *Dr. Majorité* ***absolue*** : égale à la moitié des suffrages plus un. **5.** *Géol. Chronologie* ***absolue****, âge* ***absolu*** : âge obtenu par la radiochronologie, exprimé en millions ou en milliers d'années par rapport à 1950. **6.** *Gramm.* ▸ *Emploi* ***absolu*** : se dit d'un verbe transitif employé sans complément d'objet (par ex. : « Le professeur corrige », sous-entendu « des copies ») ; se dit d'un nom employé sans son complément (par ex. : « L'Acropole », sous-entendu « d'Athènes ») ; se dit d'un adjectif employé sans le nom auquel il est lié ordinairement (par ex. : « La Nationale » pour « La Bibliothèque nationale »). ▸ *Superlatif* ***absolu*** : marque le degré d'intensité le plus élevé (par ex. : « Elle est très belle »). **7.** *Math. Valeur* ***absolue*** *d'un nombre réel a* : nombre positif ou nul, noté $|a|$, égal à $a$ si $a$ est positif, à $-a$ si $a$ est négatif ($|-7|=-(-7)=7$ ; $|1|=1$) ; *Valeur* ***absolue*** *d'un nombre complexe* (☞ module). **8.** *Milit. Arme* ***absolue*** : contre laquelle aucune défense n'est possible. **Subst.** *Philos.* Ce qui ne dépend de rien d'autre que de soi, ce qui porte en soi-même sa raison d'être ; par ext., perfection : *Être épris d'****absolu****.* ▸ Loc. *Dans l'****absolu*** : indépendamment de toute condition. XIe s. ; lat. *absolutus*, « achevé » ; [apsɔly].

**ABSOLUMENT,** adv.
**1.** De manière absolue, sans réserve : ***Absolument*** *nécessaire.* **2.** Entièrement : *Cela m'est* ***absolument*** *égal.* **3.** *Gramm.* Sans complément d'objet, en parlant d'un verbe transitif ; sans complément, en parlant d'un nom. 1225 ; ☞ *absolu* ; [apsɔlymɑ̃].

**ABSOLUTION,** subst. f.
**1.** *Relig.* Action par laquelle le prêtre, au nom de Dieu, pardonne les péchés d'un pénitent ; par ext., pardon d'une faute. **2.** *Dr.* Action d'épargner à un accusé reconnu coupable l'application d'une peine. 1172 ; lat. *absolutio* ; [apsɔlysjɔ̃].

**ABSOLUTISME,** subst. m.
Régime politique dans lequel le souverain détient le pouvoir absolu. 1797 ; ☞ *absolu* ; [apsɔlytism].

**ABSOLUTISTE,** adj. et subst.
**Adj.** Qui relève de l'absolutisme. **Subst.** Partisan de l'absolutisme. 1823 ; ☞ *absolutisme* ; [apsɔlytist].

**ABSOLUTOIRE,** adj.
*Dr.* Qui entraîne l'exemption d'une peine. 1321 ; lat. *absolutus*, de *absolvere*, « absoudre » ; [apsɔlytwaʀ].

**ABSORBABLE,** adj.
Qui peut être absorbé. 1834 ; ☞ *absorber* ; [apsɔʀbabl].

**ABSORBANT, ANTE,** adj.
**1.** Qui absorbe : *Papier* ***absorbant****.* ▸ *Pouvoir* ***absorbant*** : capacité d'un corps à absorber un fluide, l'énergie d'un rayonnement calorique ou lumineux. **2.** Fig. Qui accapare l'esprit, l'attention. 1751 ; p. pr. de *absorber* ; [apsɔʀbɑ̃, ɑ̃t].

**ABSORBER,** verbe trans. [3]
**1.** Ingérer (un aliment, une boisson). **2.** Faire pénétrer en soi, assimiler, s'imprégner de : *Les plantes vertes* ***absorbent*** *de l'énergie lumineuse.* **3.** Fig. Intégrer, incorporer : *Cette société en a* ***absorbé*** *de nombreuses autres.* **4.** Occuper entièrement : *Ce problème* ***absorbe*** *ma pensée* ; empl. adj. : *Un enfant* ***absorbé*** *dans sa lecture.* **Pronom. S'absorber dans, en.** Être tout entier occupé par : ***S'absorber*** *dans son travail.* Mil. XIe s. ; lat. *absorbere*, « engloutir » ; [apsɔʀbe].

**ABSORBEUR,** subst. m.
*Techn.* Appareil, produit qui absorbe (un fluide, un rayonnement). 1929 ; ☞ *absorber* ; [apsɔʀbœʀ].

**ABSORPTION,** subst. f.
**1.** Action d'ingérer, en partic. qqch. de nocif ; son résultat : *L'****absorption*** *excessive de médicaments est nuisible.* **2.** Action de s'imprégner ; son résultat. ▸ *Biol.* Processus selon lequel une substance pénètre dans une cellule ou un tissu. ▸ *Phys.* Phénomène énergétique par lequel un milieu matériel soustrait une partie de leur énergie à des rayonnements électromagnétiques ou corpusculaires, ou à des vibrations mécaniques. ▸ *Physiol.* ***Absorption*** *intestinale* : passage des matériaux issus de la digestion dans le milieu intérieur, à travers la paroi de l'intestin. **3.** Fig. Action d'incorporer ; action d'annexer : *L'****absorption*** *d'un individu dans la foule* ; *L'****absorption*** *d'une société par une autre.* **4.** État d'un esprit absorbé (rare). 1586 ; lat. chrét. *absorptio*, « engloutissement (de l'âme) » ; [apsɔʀpsjɔ̃].

**ABSOUDRE,** verbe trans. [76]
**1.** *Cath.* Remettre les péchés à (un pénitent) ; par ext., pardonner. **2.** *Dr.* Exempter (un coupable) de sa peine. Xe s. ; lat. *absolvere* ; [apsudʀ].

**ABSOUTE,** subst. f.
*Cath.* **1.** Absolution publique et solennelle qui était jadis donnée le jeudi saint. **2.** Prières terminant l'office des morts. 1319 ; p. p. de *absoudre* ; [apsut].

**ABSTENIR (S'),** verbe pronom. [22]
**1. S'abstenir de.** Renoncer volontairement à (faire qqch., l'usage de qqch.) : *Je* ***m'abstins*** *de critiquer* ; ***S'abstenir*** *de cigarettes.* **2.** Abs. Ne pas agir. ▸ Ne pas voter. ▸ Loc. proverb. *Dans le doute,* ***abstiens-toi****.* Mil. XIe s. ; lat. *abstinere* ; [apstəniʀ].

**ABSTENTION,** subst. f.
Action de s'abstenir, de ne pas se prononcer. ▸ *Pol.* Refus de voter. 1160 ; bas lat. *abstentio* ; [apstɑ̃sjɔ̃].

**ABSTENTIONNISME,** subst. m.
*Pol.* Attitude consistant à refuser de voter ou à se distancier des enjeux électoraux. 1936 ; ☞ *abstention* ; [apstɑ̃sjɔnism].

**ABSTENTIONNISTE,** subst. et adj.
*Pol.* Se dit d'une personne qui pratique l'abstention. 1870 ; ☞ *abstention* ; [apstɑ̃sjɔnist].

**ABSTINENCE,** subst. f.
**1.** Action de se refuser certains mets, certains plaisirs. ▸ *Cath. Jours d'****abstinence*** : où le fidèle ne doit pas manger de viande. **2.** Ext. Continence, chasteté. XIIe s. ; lat. *abstinentia* ; [apstinɑ̃s].

**ABSTINENT, ENTE,** adj.
Qui pratique l'abstinence. XIIe s. ; lat. *abstinens* ; [apstinɑ̃, ɑ̃t].

**ABSTRACTION,** subst. f.
Opération intellectuelle consistant à abstraire ; objet isolé par la pensée : *Avoir une grande faculté d'****abstraction*** ; *Un concept est une* ***abstraction****.* ▸ Loc. *Faire* ***abstraction*** *de* : ne pas tenir compte de. XIIIe s. ; bas lat. *abstractio* ; [apstʀaksjɔ̃].

**ABSTRAIRE,** verbe trans. [58]
**1.** Séparer, isoler par la pensée : *La science* ***abstrait*** *son objet d'étude.* **2.** Abs. Passer des réalités sensibles aux concepts, pour les rendre intelligibles : *Pour comprendre, il faut* ***abstraire****.* **Pronom.** Se séparer par la pensée (d'un environnement). 1327 ; lat. *abstrahere*, « tirer hors de » ; [apstʀɛʀ].

**ABSTRAIT, AITE,** adj. et subst. m.
**Adj. 1.** Vx. Isolé, séparé, caché. **2.** Qualifie un terme, une idée ou un savoir qui présente un haut degré de généralité (anton. *concret*) : *« Pureté » est un terme* ***abstrait****.* **3.** Qui est obscur, par manque de références au concret, au tangible : *Un texte* ***abstrait*** ; *Un auteur* ***abstrait****.* **4.** *B.-a.* Qualifie ce qui est non figuratif : *La peinture* ***abstraite*** ; par ext. : *Un peintre* ***abstrait*** ou, empl. subst. masc., *Un* ***abstrait****.* **Subst.** *L'****abstrait*** : ce qui est **abstrait**. ▸ Loc. *Dans l'****abstrait*** : sans tenir compte des réalités concrètes. 1372 ; lat. *abstractus* ; [apstʀɛ, ɛt].

**BEAUX-ARTS** – Certaines cultures ont représenté la réalité en la stylisant, jusqu'à obtenir un simple signe (peinture rupestre, art aborigène ou art de l'islam), résultat qui peut être qualifié d'abstrait. Mais ce n'est qu'au début du XXe s. qu'est érigée en principe l'intention de rompre avec toute référence figurative dès la conception de l'œuvre. L'art abstrait est l'aboutissement d'une réflexion sur l'art, la couleur et la forme. Kandinsky peint la première aquarelle abstraite en 1910, suivi de près par Malevitch et Mondrian. Dès lors, tout artiste doit se définir par rapport à l'abstraction, qui emprunte deux voies divergentes : l'abstraction géométrique, conceptuelle (Cercle et Carré, Abstraction-Création...), et l'abstraction lyrique ou gestuelle (*action painting*, avec Jackson Pollock, expressionnisme abstrait, avec De Kooning...).

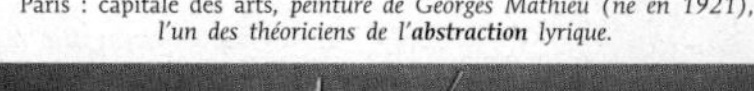
Paris : capitale des arts, *peinture de Georges Mathieu (né en 1921), l'un des théoriciens de l'****abstraction*** *lyrique.*

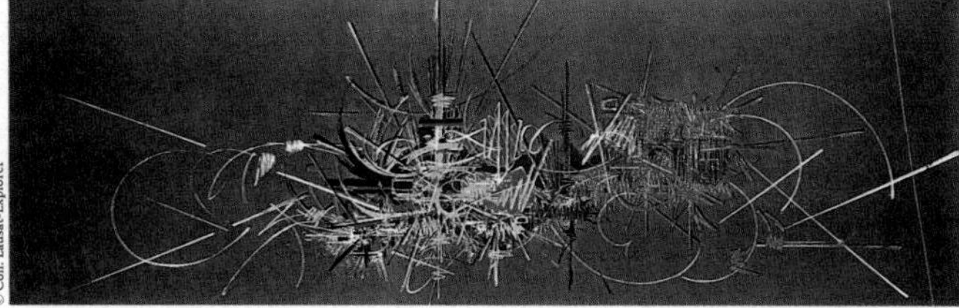
© Coll. Lausat-Explorer

**ABSTRAITEMENT, adv.**
D'une manière abstraite. 1579 ; ☞ *abstrait* ; [apstʀɛtmɑ̃].

**ABSTRUS, USE, adj.**
Difficilement compréhensible (littér.). Déb. XIVe s. ; lat. *abstrusus*, « caché » ; [apstʀy, yz].

**ABSURDE, adj. et subst. m.**
ADJ. **1.** Qui est contraire à la logique, au sens commun : *Une situation, une idée* ***absurde***. **2.** *Philos.* Qui n'est justifié par aucune fin préétablie, chez les existentialistes. SUBST. **1.** Ce qui est illogique : *Vivre dans l'****absurde***. **2.** *Log. Raisonnement par l'****absurde*** : raisonnement qui consiste à démontrer la vérité d'une proposition ou d'un théorème en prouvant la fausseté de la proposition contradictoire. Déb. XIIIe s. ; lat. *absurdus*, « dissonant » ; [apsyʀd].

**ABSURDEMENT, adv.**
D'une manière absurde. 1549 ; ☞ *absurde* ; [apsyʀdəmɑ̃].

**ABSURDITÉ, subst. f.**
**1.** Caractère de ce qui est absurde : *L'****absurdité*** *d'un énoncé, d'un sentiment, d'une vie.* **2.** Chose absurde, idée folle : *Dire une* ***absurdité***. Fin XIVe s. ; lat. chrét. *absurditas*, « dissonance » ; [apsyʀdite].

**ABUS, subst. m.**
**1.** Usage immodéré ou mauvais de qqch. : *L'****abus*** *des drogues* ; ***Abus*** *de langage*, fait d'employer un mot dans un sens erroné. ▸ Abs. Pratique mauvaise ou inique, établie dans une société : *Dénoncer les* ***abus***. ▸ Loc. *Il y a de l'****abus*** : c'est exagéré (fam.). **2.** *Dr.* ▸ ***Abus*** *de pouvoir* : fait d'abuser de son pouvoir, de son autorité, en partic. en parlant d'un fonctionnaire. ▸ ***Abus*** *de confiance* : fait d'abuser de la confiance d'autrui, notamment en détournant des objets de valeur. 1370 ; lat. *abusus*, de *abuti*, « détourner de son usage » ; [aby].

**ABUSER, verbe trans.** [3]
TRANS. INDIR. **Abuser de.** User mal ou avec excès de (qqch.) : ***Abuser*** *des excitants* ; ***Abuser*** *d'une femme*, la violer. ▸ Abs. Dépasser la mesure, exagérer (fam.) : *Vraiment, il* ***abuse*** *!* TRANS. DIR. Tromper (qqn) : ***Abuser*** *un client par des promesses fallacieuses.* PRONOM. Se méprendre : *Si je ne m'****abuse***, sauf erreur. 1312 ; ☞ *abus* ; [abyze].

**ABUSIF, IVE, adj.**
**1.** Qui constitue un abus : *Emploi* ***abusif*** *d'un mot.* **2.** Exagérément possessif, en parlant d'une personne. 1371 ; lat. *abusivus* ; [abyzif, iv].

**ABUSIVEMENT, adv.**
D'une manière abusive. 1327 ; ☞ *abusif* ; [abyzivmɑ̃].

**ABYME, subst. m.**
*Litt.* et *B.-a.* **En abyme.** Se dit d'une œuvre au cœur de laquelle un système signifiant de même nature est inséré (par ex. le théâtre dans le théâtre) : *« L'Illusion comique », de Corneille, constitue une mise en* ***abyme***. Déb. XIIe s. ; lat. chrét. *abyssus* ; [abim].

**ABYSSAL, ALE, AUX, adj.**
**1.** Vx. Dont l'immensité, la profondeur est incommensurable (littér.). **2.** *Océanogr.* Qui est caractéristique des abysses : *Plaine* ***abyssale***, partie des grands fonds marins située entre le talus continental et les grandes fosses océaniques. 1597 ; lat. chrét. *abyssus*, « profondeur de l'enfer » ; [abisal, o].

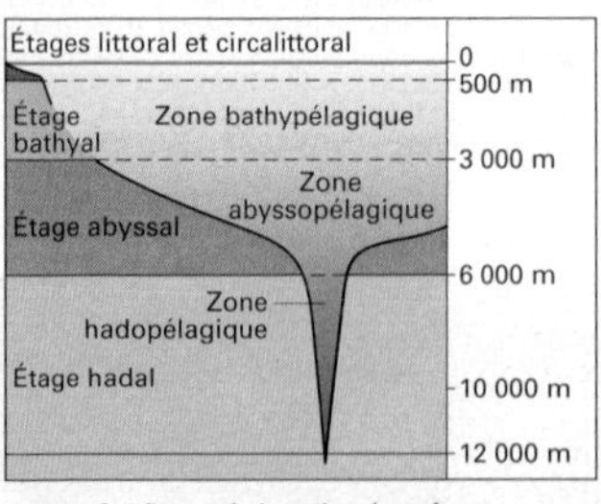


*Les étages océaniques, jusqu'aux* ***abysses***.

**ABYSSE, subst. m.**
**1.** *Océanogr.* Fond marin situé entre 3 000 et 6 000 m de profondeur (gén. au plur.). **2.** Fig. Abîme. 1890 ; lat. chrét. *abyssus* ; [abis].

**ABYSSIN, INE, adj. et subst.**
**1.** D'Abyssinie. **2.** *Chat* ***abyssin*** ou, par ell., *Un* ***abyssin*** : chat à tête triangulaire, à poil court, au pelage fauve. 1704 ; topon. *Abyssinie* ; [abisɛ̃, in].

**Ac, voir ACTINIUM**

**ACABIT, subst. m.**
Qualité d'une chose, en partic. d'une marchandise (vieilli) : *Fruits d'un bon* ***acabit***. ▸ Loc. *De cet* ***acabit***, *du même* ***acabit*** : de cette espèce, du même genre, en parlant de personnes (péj.). 1650 (XVe s., évènement malheureux) ; orig. obsc. ; [akabi].

© Cl. Melde-Jacana

*Acacia. À sa base, une termitière.*

**ACACIA, subst. m.**
*Bot.* **1.** Arbre à fleurs jaunes de la famille des Mimosacées, dont certaines espèces donnent la gomme arabique. **2.** *Faux* ***acacia*** ou, abusivement, ***Acacia*** : robinier à fleurs blanches. XIVe s. ; mot lat. ; [akasja].

**ACADÉMICIEN, IENNE, subst.**
Membre d'une académie, en partic. membre de l'Académie française. 1555 ; lat. *academicus*, « académique » ; [akademisjɛ̃, jɛn].

© W. Stevens-Gamma

*Début d'une séance solennelle à l'****Académie*** *française.*

**ACADÉMIE, subst. f.**
**1.** Cercle de lettrés, de savants, d'artistes ; en partic., chacune des cinq subdivisions de l'Institut de France : *L'****Académie*** *française, l'****Académie*** *des inscriptions et belles-lettres, l'****Académie*** *des sciences, l'****Académie*** *des beaux-arts, l'****Académie*** *des sciences morales et politiques.* ▸ Abs. *L'****Académie*** : l'Académie française. **2.** Établissement, école, lieu où l'on s'exerce à la pratique d'un art, d'un jeu, etc. : *Une* ***académie*** *de billard, de peinture, de musique.* **3.** *B.-a.* Œuvre représentant un nu. **4.** *Enseign.* Division administrative regroupant les établissements des degrés primaire, secondaire et supérieur sous l'autorité d'un recteur : *Il y a, en France métropolitaine, vingt-huit* ***académies***. Déb. XVIe s. ; lat. *Academia*, du gr. *Akadêmia*, « jardin d'Akadêmos », près d'Athènes, où Platon enseignait ; [akademi].

**ACADÉMIQUE, adj.**
**1.** Qui a trait à une académie : *Séance* ***académique***. **2.** Ext. Conforme aux normes, conventionnel : *Un artiste* ***académique*** ; *Une peinture* ***académique***. **3.** *Enseign.* Qui concerne une académie : *L'inspection* ***académique*** ; *Les Palmes* ***académiques***, décoration conférée par le ministre de l'Éducation nationale. 1371 ; lat. *academicus* ; [akademik].

**ACADÉMISME, subst. m.**
Observation stricte des règles d'une académie ; conformisme. 1876 ; ☞ *académie* ; [akademism].

**ACADIEN, IENNE, adj. et subst.**
De l'Acadie. SUBST. MASC. **1.** *Géol.* Nom de l'étage moyen du Cambrien (première période de l'ère primaire). **2.** *Ling.* Le français parlé en Acadie. 1842 ; topon. *Acadie* ; [akadjɛ̃, jɛn].

**ACAJOU, subst. m. et adj. inv.**
SUBST. **1.** *Bot.* Arbre tropical de la famille des Méliacées, comprenant plusieurs genres, dont le mahogany, ou **acajou** de Cuba. **2.** Le bois d'**acajou** de couleur rougeâtre, utilisé en ébénisterie. ADJ. Qui a la couleur de ce bois. 1640 (1557, anacarde) ; tupi du Brésil *acaiou* ; [akaʒu].

**ACALCULIE, subst. f.**
*Pathol.* Trouble neurologique caractérisé par l'impossibilité de reconnaître les chiffres et les nombres ☞ *calcul* (II) + *a-*[2] ; [akalkyli].

**ACALÈPHES, subst. m. plur.**
*Zool.* Classe de l'embranchement des Cnidaires renfermant les méduses sans vélum. AU SING. *L'aurélie est un* ***acalèphe***. 1771 ; gr. *akalêphê*, « ortie de mer » ; [akalɛf].

**ACANTHACÉES, subst. f. plur.**
*Bot.* Famille de plantes de l'ordre des Tubiflorales dont le type est l'acanthe. AU SING. *Une* ***acanthacée***. 1751 ; ☞ *acanthe* ; [akɑ̃tase].

**ACANTHE, subst. f.**
**1.** *Bot.* Plante herbacée de la famille des Acanthacées, aux longues feuilles très découpées. **2.** *Archit.* *Feuille d'****acanthe*** : ornement stylisé des chapiteaux corinthiens. 1450 ; lat. *acanthus*, du gr. *akantha*, « épine » ; [akɑ̃t].

**ACANTHOCÉPHALES, subst. m. plur.**
*Zool.* Embranchement de vers parasites des Vertébrés à l'état adulte, mais dont les larves peuvent être parasites d'insectes ou d'autres invertébrés. AU SING. *Un* ***acanthocéphale***. 1839 ; gr. *akantha*, « épine », + *-céphale* ; [akɑ̃tosefal].

**ACANTHOPTÉRYGIENS, subst. m. plur.**
*Zool.* Type de poisson osseux à nageoires épineuses, de l'ordre des Perciformes. AU SING. *Le thon est un* ***acanthoptérygien***. 1808 ; gr. *acantha*, « épine » et *pterux*, « aile, nageoire » ; [akɑ̃tɔpteʀiʒjɛ̃].

**A CAPPELLA, loc. adv. et adj. inv.**
*Mus.* Sans accompagnement instrumental : *Chanter* ***a cappella***. 1863 ; ital. *a cappella*, « à chapelle » ; var. *a capella* ; [akapela] ou [-ɛlla].

**ACARIÂTRE, adj.**
Qui est d'un tempérament revêche, désagréable ; par méton. : *Une humeur* ***acariâtre***. 1524 (fin XVe s. fou) ; anthropon. *Acaire*, saint qui passait pour guérir la folie ; [akaʀjɑtʀ].

**ACARICIDE, adj. et subst. m.**
Se dit d'un produit qui détruit les acariens. 1970 ; ☞ *acariens* ; [akaʀisid].

**ACARIENS, subst. m. plur.**
*Zool.* Sous-classe d'arachnides globuleux, souv. parasites. AU SING. *L'aoûtat est un* ***acarien***. 1842 ; *acarus* (vx), « sarcopte » ; var. *acarides* ; [akaʀjɛ̃].

**ACAULE, adj.**
*Bot.* Qualifie un végétal sans tige apparente. 1808 ; gr. *kaulos*, « tige », + *a-*[2] ; [akol].

**ACCABLANT, ANTE, adj.**
Qui accable : *Soleil* ***accablant*** ; *Accusations* ***accablantes***. Fin XVIIe s. ; p. pr. de *accabler* ; [akɑblɑ̃, ɑ̃t].

**ACCABLEMENT, subst. m.**
État d'une personne accablée, abattue : *Plonger dans l'****accablement***. XVIe s. ; ☞ *accabler* ; [akɑbləmɑ̃].

**ACCABLER, verbe trans.** [3]
**1.** Vx. Faire succomber sous un poids ; par anal., faire plier (un adversaire). **2.** Imposer une charge pénible à : ***Accabler*** *un pays d'impôts.* **3.** Harceler, faire subir à : ***Accabler*** *qqn de coups violents* ; par hyperb., combler : *Il m'****accable*** *de bienfaits.* **4.** Désespérer, anéantir : *La nouvelle nous a* ***accablés***. ▸ Fatiguer à l'extrême, abattre : *Cette chaleur moite m'****accable***. ▸ Confondre : *Des preuves qui* ***accablent*** *l'accusé.* Déb. XIVe s. ; m. fr. *chabler*, « gauler (les noix) », + *a-*[1], de l'anc. fr. *caable*, « catapulte » ; [akɑble].

**ACCALMIE, subst. f.**
**1.** *Mar.* Apaisement momentané du vent et de la mer. **2.** Ext. Apaisement du mauvais temps : *Profiter d'une* ***accalmie*** *pour sortir.* **3.** Anal. Repos, trêve, après une période agitée : *La bataille connut une* ***accalmie***. 1783 ; ☞ *calmir* + *a-*[1] ; [akalmi].

**ACCAPARANT, ANTE,** adj.
Qui accapare, qui monopolise. ⌘ Fin XIXe s. ; p. pr. de *accaparer* ; [akapaʀɑ̃, ɑ̃t].

**ACCAPAREMENT,** subst. m.
Action d'accaparer ; son résultat. ⌘ 1751 ; ☞ *accaparer* ; [akapaʀmɑ̃].

**ACCAPARER,** verbe trans. [3]
**1.** *Écon.* Amasser (des biens de première nécessité) avec l'intention de spéculer : ***Accaparer** les céréales.* **2.** Retenir pour soi, au détriment d'autrui ; monopoliser : ***Accaparer** le pouvoir, les places* ; ***Accaparer** qqn*, s'en réserver la compagnie. **3.** Fig. Occuper totalement, obséder : *Cette pensée m'**accapare**.* ⌘ 1625 ; ital. *accaparrare*, « retenir une marchandise en donnant des arrhes » ; [akapaʀe].

**ACCAPAREUR, EUSE,** subst. et adj.
**Subst.** Personne qui accapare des biens : *La loi punit les **accapareurs**.* **Adj.** Qui cherche à retenir pour soi. ⌘ Déb. XVIIIe s. ; ☞ *accaparer* ; [akapaʀœʀ, øz].

**ACCASTILLAGE,** subst. m.
*Mar.* **1.** Vx. Château arrière ou avant d'un navire ; superstructure d'un navire. **2.** Ensemble des matériels et des accessoires utilisés sur le pont d'un navire : *Petit **accastillage**,* poulies, manilles, etc. ⌘ 1690 ; ☞ *accastiller* ; [akastijaʒ].

**ACCASTILLER,** verbe trans. [3]
*Mar.* Équiper (un navire) de son accastillage. ⌘ 1678 ; esp. *accastillar*, de *castillo*, « château » ; [akastije].

**ACCÉDER,** verbe trans. indir. [8]
**Accéder à. 1.** Avoir accès à, pénétrer dans (un lieu). **2.** Parvenir à, atteindre (une situation, un état) : ***Accéder** au grade de capitaine, à la propriété.* **3.** Consentir à, satisfaire : *Je puis **accéder** à cette requête.* ⌘ 1270 ; lat. *accedere*, « s'approcher de » ; [aksede].

**ACCÉLÉRANDO,** adv.
*Mus.* En accélérant progressivement le mouvement ; empl. subst. masc., mouvement exécuté **accélérando** : *Des **accélérandos**.* ⌘ 1840 ; ital. *accelerando* ; var. *accelerando* ; [akseleʀɑ̃do].

**ACCÉLÉRATEUR, TRICE,** adj. et subst. m.
**Adj.** Qui accélère : *Force **accélératrice**.* **Subst. 1.** *Autom.* Dispositif réglant l'admission du mélange gazeux dans un moteur à explosion et permettant de faire varier la vitesse ; pédale qui le commande : *Donner un coup d'**accélérateur**.* **2.** *Chim.* Substance qui augmente la vitesse de réaction. **3.** *Phys. part.* ***Accélérateur** de particules* : dispositif permettant d'augmenter considérablement la vitesse de particules électrisées (ions, électrons, protons, etc.). **4.** *Techn.* ***Accélérateur** de prise* : substance permettant à un mortier de prendre plus rapidement. ⌘ 1611 ; ☞ *accélérer* ; [akseleʀatœʀ, tʀis].

PHYSIQUE DES PARTICULES – Dans un accélérateur linéaire, la vitesse des particules électrisées est augmentée par des champs électriques alternatifs à travers lesquels elles acquièrent une très haute énergie sans que leur trajectoire rectiligne soit modifiée. C'est ainsi que le S. L. A. C. (Stanford Linear Accelerator Collider), dans un trajet de 3 km de long, peut communiquer une énergie de 90 GeV. Dans un accélérateur circulaire l'accélération est obtenue comme précédemment, mais la direction de la trajectoire est déviée à chaque instant par un champ magnétique, de sorte qu'elle devient circulaire et que l'énergie des particules s'accroît à chaque tour. Le cyclotron et le synchrocyclotron peuvent communiquer respectivement une énergie de 25 MeV et de 0,5 GeV. Certains synchrotrons fournissent des énergies de plusieurs centaines de GeV.

**ACCÉLÉRATION,** subst. f.
**1.** Augmentation de la vitesse d'un processus : *L'**accélération** du progrès technique.* **2.** *Phys.* Augmentation de la vitesse d'un corps en mouvement. ⌘ 1327 ; lat. *acceleratio* ; [akseleʀasjɔ̃].

**ACCÉLÉRÉ, ÉE,** adj. et subst. m.
**Adj.** Dont la vitesse est accrue : *Mouvement **accéléré*** ; *Réaction **accélérée**.* **Subst.** *Cin.* et *Télév.* Procédé qui, par un ralentissement de la prise de vues, permet d'obtenir, à la projection, des mouvements très rapides. ⌘ 1611 ; p. p. de *accélérer* ; [akseleʀe].

**ACCÉLÉRER,** verbe trans. [8]
**1.** Rendre plus rapide (un mouvement, un rythme) : ***Accélérer** le pas* ; empl. pronom. : *Les battements s'**accélèrent**.* **2.** Faire plus vite : ***Accélérer** des travaux.* ► Abs. Aller plus vite ; augmenter la vitesse d'un véhicule. ⌘ 1327 ; lat. *accelerare* ; [akseleʀe].

© P. Landmann-Gamma

*Accélérateur de particules, le Large Electron Positron Collider (L. E. P.) du Cern, près de Genève, mesure environ 28 km de circonférence.*

**ACCÉLÉROMÈTRE,** subst. m.
*Techn.* Appareil servant à mesurer des accélérations. ⌘ 1890 ; ☞ *accélérer* + *-mètre*[1] ; [akseleʀɔmɛtʀ].

**ACCENT,** subst. m.
**I.** *Ling.* **1.** Variation de l'intensité ou de la hauteur de la voix dans la prononciation d'une syllabe : ***Accent** tonique.* **2.** En français, signe graphique placé au-dessus d'une voyelle pour en préciser la prononciation ou pour distinguer deux mots identiques : ***Accent** aigu, grave, circonflexe.* **3.** Manière particulière de prononcer ou intonation propre à une région, à un pays ou à un milieu : *Parler anglais avec l'**accent** français.* **II. 1.** Inflexion de la voix traduisant une émotion, une pensée : *Un **accent** de sincérité.* ► Intonation particulière, en parlant d'une œuvre : *Les **accents** romantiques d'un poème* ; son expressif (gén. au plur.) : *Les **accents** joyeux d'une flûte.* **2.** Mise en relief. ► Loc. *Mettre l'**accent** sur qqch.* : souligner son importance. ⌘ Déb. XIIIe s. ; lat. *accentus* ; [aksɑ̃].

**ACCENTEUR,** subst. m.
*Zool.* Passereau granivore et insectivore, dont on connaît deux espèces, l'**accenteur** alpin et l'**accenteur** mouchet. ⌘ 1829 ; lat. *accentor*, « celui qui chante avec » ; [aksɑ̃tœʀ].

**ACCENTUATION,** subst. f.
**1.** Action d'accentuer une syllabe, une note de musique. ► Action de placer un accent au-dessus d'une lettre ; son résultat : *Une faute d'**accentuation**.* **2.** Action d'amplifier, de souligner : ***Accentuation** des ombres d'un tableau.* ⌘ 1521 ; ☞ *accentuer* ; [aksɑ̃tɥasjɔ̃].

**ACCENTUÉ, ÉE,** adj.
**1.** Marqué d'un accent. **2.** Fig. Plus important, souligné, appuyé : *Différence **accentuée*** ; *Traits **accentués**.* ⌘ Déb. XIVe s. ; p. p. de *accentuer* ; [aksɑ̃tɥe].

**ACCENTUER,** verbe trans. [3]
**1.** *Phon.* Prononcer (un mot) en plaçant l'accent tonique selon les règles ; par ext., augmenter intentionnellement l'intensité de la voix en prononçant (une syllabe, un discours, etc.). **2.** Placer un accent sur (une voyelle) : ***Accentuer** les capitales.* **3.** Fig. Mettre en relief ; intensifier : ***Accentuer** les contrastes* ; ***Accentuez** la cadence !* **Pronom.** Devenir plus grand, plus intense : *L'écart s'**accentue**.* ⌘ Déb. XIVe s. ; lat. médiév. *accentuare* ; [aksɑ̃tɥe].

**ACCEPTABILITÉ,** subst. f.
**1.** Caractère de ce qui est acceptable. **2.** *Ling.* Ensemble de conditions concrètes auxquelles doit satisfaire un énoncé pour être conforme à l'usage naturel d'une langue. ⌘ 1866 ; ☞ *acceptable* ; [aksɛptabilite].

**ACCEPTABLE,** adj.
**1.** Que l'on peut accepter : *Une solution **acceptable**.* **2.** Convenable (fam.) : *Un travail, une tenue **acceptable**.* ⌘ 1170 ; lat. chrét. *acceptabilis* ; [aksɛptabl].

**ACCEPTATION,** subst. f.
**1.** *Dr.* Action d'accepter un fait ou une convention juridique : *L'**acceptation** de la Constitution, d'une donation.* **2.** Résignation à une condition, au destin : *L'**acceptation** d'un risque, de la mort.* ⌘ 1262 ; lat. *acceptatio* ; [aksɛptasjɔ̃].

**ACCEPTER,** verbe trans. [3]
**Trans. dir. 1.** Consentir à recevoir, admettre (ce qui est proposé) : ***Accepter** une médaille, des conditions* ; empl. abs. : *J'**accepte** avec plaisir.* **2.** Supporter, se résigner à : ***Accepter** son sort.* **3.** Donner son adhésion volontaire à : ***Accepter** le combat* ; approuver : ***Accepter** une idée.* **4.** ***Accepter** qqn* : l'admettre comme l'un des siens ; empl. pronom. : *S'**accepter** tel que l'on est.* **5.** *Dr.* ***Accepter** une traite* : s'engager à la payer à l'échéance. **Trans. indir. 1. Accepter de** (+ inf.). Consentir à, vouloir bien : *J'**accepte** de venir.* **2. Accepter que** (+ subj.). Admettre que : ***Accepter** que la vie soit parfois difficile.* ⌘ Mil. XIIIe s. ; lat. *acceptare* ; [aksɛpte].

**ACCEPTEUR,** subst. m.
**1.** *Dr.* Celui qui se reconnaît débiteur d'une traite. **2.** *Chim.* et *Phys.* Atome ou groupe d'atomes qui attire les électrons de liaison (anton. *donneur*). ⌘ 1751 (1389, celui qui prend en considération la qualité de la personne) ; bas lat. *acceptor*, « celui qui reçoit » ; [aksɛptœʀ].

**ACCEPTION,** subst. f.
**1.** Vx. Acceptation. ► Loc. *Sans **acception** de* : sans tenir compte de, sans préférence pour. **2.** *Ling.* Sens que prend un mot selon le contexte. ► Loc. *Dans toute l'**acception** du terme* : dans le sens plein du terme. ⌘ Déb. XIIIe s. ; lat. *acceptio* ; [aksɛpsjɔ̃].

**ACCÈS,** subst. m.
**1.** Action, possibilité ou moyen d'accéder à un lieu, d'y pénétrer : *Une rampe d'**accès*** ; *Une crique d'**accès** aisé* ; par méton., voie permettant l'**accès** : *Tous les **accès** sont fermés.* **2.** Possibilité d'approcher qqn : *Elle est d'un **accès** facile.* **3.** Fig. Possibilité d'accéder à qqch. : *Avoir **accès** à l'information.* **4.** *Pathol.* Apparition soudaine d'un trouble : ***Accès** de paludisme* ; par ext. : ***Accès** de colère.* ⌘ Fin XIIIe s. ; lat. *accessus*, de *accedere*, « s'approcher de » ; [aksɛ].

**ACCESSIBILITÉ,** subst. f.
Qualité de ce qui est aisément accessible. ⌘ 1630 ; ☞ *accessible* ; [aksesibilite].

**ACCESSIBLE,** adj.
**1.** Dont l'approche ou l'abord est possible ou aisé, en parlant d'un lieu ou d'une personne : *Un quai **accessible** aux voyageurs* ; *Un magistrat **accessible** à toutes les requêtes.* **2.** Anal. Facilement compréhensible : *Un auteur peu **accessible**.* ⌘ Mil. XIVe s. ; bas lat. *accessibilis* ; [aksesibl].

**ACCESSION,** subst. f.
**1.** Action d'accéder à qqch. : ***Accession** à la propriété, au trône, à l'indépendance.* **2.** *Dr.* ► Extension du droit de propriété sur ce qui est produit par un bien ou ce qui peut y être ajouté. ► Action d'adhérer à un traité, à une alliance : *L'**accession** de l'Espagne à la C. E. E.* ⌘ 1326 (fin XIIe s., accès d'une maladie) ; lat. *accessio* ; [aksesjɔ̃].

**ACCESSIT,** subst. m.
*Enseign.* Distinction décernée aux candidats qui se sont le plus approchés des premiers prix : *Obtenir un **accessit** au concours général.* ⌘ 1690 ; lat. *accessit proxime*, « il s'est approché de très près » ; [aksesit].

**ACCESSOIRE,** adj. et subst. m.
**Adj.** Qui s'ajoute à un élément principal ; secondaire : *Des dépenses **accessoires**.* **Subst. 1.** Élément qui vient en complément de l'équipement essentiel : ***Accessoires** vestimentaires* ; ***Accessoires** d'aspirateur.* **2.** *Théâtre* et *Audiov.* Objet ou élément annexe utilisé pour une mise en scène. ⌘ 1296 ; lat. médiév. *accessorius* ; [akseswaʀ].

**ACCESSOIREMENT,** adv.
De manière accessoire, en plus de l'essentiel. ⌘ 1326 ; ☞ *accessoire* ; [akseswaʀmɑ̃].

**ACCESSOIRISTE,** subst.
*Théâtre, Cin.* et *Télév.* Technicien responsable des accessoires. 1902 ; ☞ *accessoire* ; [akseswaʀist].

**ACCIDENT,** subst. m.
**1.** Évènement malheureux pouvant entraîner des dommages : ***Accident** du travail, de la route.* **2.** Évènement fortuit ou imprévu qui interrompt le cours attendu des choses : *Un **accident** de parcours.* **3.** *Spéc.* ▸ *Géol.* Dislocation, fracture affectant l'écorce terrestre. ▸ *Mus.* Signe d'altération qui augmente ou qui diminue une note d'un demi-ton ou d'un ton, ou qui annule cet effet (☞ *bémol, dièse, bécarre*). ▸ *Philos.* Ce qui appartient à un être, mais qui n'est ni nécessaire ni constant (par oppos. à *essence, substance*). Mil. XIIe s. ; lat. *accidens* ; [aksidɑ̃].

**ACCIDENTÉ, ÉE,** adj.
**1.** Qui a subi un accident : *Un véhicule **accidenté*** ; empl. subst., victime d'un accident (fam. et abusif). **2.** Irrégulier, agité : *Un relief **accidenté*** ; au fig. : *Carrière **accidentée**.* 1622 ; ☞ *accident* ; [aksidɑ̃te].

**ACCIDENTEL, ELLE,** adj.
**1.** Qui semble survenir par hasard ; imprévisible : *Un retard **accidentel**.* **2.** *Philos.* Qui relève de l'accident, de la contingence (anton. *substantiel, nécessaire*). Fin XIIIe s. ; bas lat. *accidentalis* ; [aksidɑ̃tɛl].

**ACCIDENTELLEMENT,** adv.
**1.** De manière accidentelle. **2.** Par suite d'un accident. Fin XVe s. ; ☞ *accidentel* ; [aksidɑ̃tɛlmɑ̃].

**ACCIDENTER,** verbe trans. [3]
**1.** *Géol.* Rendre (un terrain) inégal. **2.** Fig. Rendre désordonné, mouvementé ; rompre le déroulement de (littér.) : ***Accidenter** une vie, une œuvre.* **3.** Blesser (qqn), endommager (qqch.) dans un accident (fam.). 1842 ; ☞ *accident* ; [aksidɑ̃te].

**ACCISE,** subst. f.
Belg. et Québ. Taxe frappant certains objets de consommation, en partic. les alcools. XVIe s. ; m. néerl. *accijs* ; [aksiz].

**ACCLAMATION,** subst. f.
Expression collective de joie, d'enthousiasme saluant une personne, une œuvre ou une action (gén. au plur.) : *Lindbergh fut accueilli au Bourget par des **acclamations**.* ▸ Loc. *Par **acclamation*** : à l'unanimité ; *Vote par **acclamation*** : à main levée. 1504 ; lat. *acclamatio* ; [aklamasjɔ̃].

**ACCLAMER,** verbe trans. [3]
Saluer par des acclamations : *La foule **acclame** ses libérateurs.* 1509 ; lat. *acclamare* ; [aklame].

**ACCLIMATATION,** subst. f.
Action d'acclimater ; son résultat. ▸ *Jardin d'**acclimatation*** : parc zoologique et botanique, gén. public. 1832 ; ☞ *acclimater* ; [aklimatasjɔ̃].

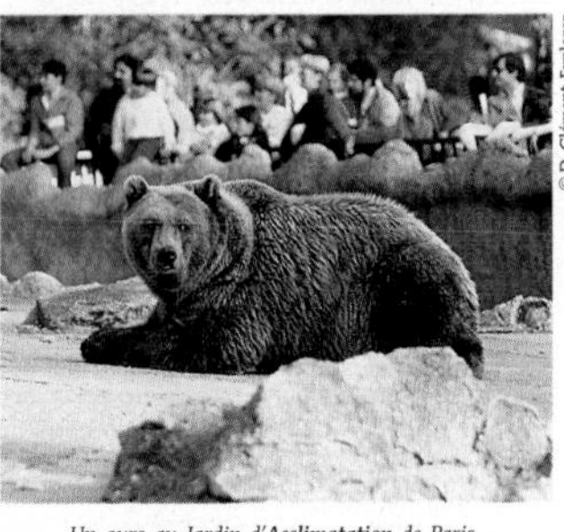
© D. Clément-Explorer

*Un ours au Jardin d'**Acclimatation** de Paris.*

**ACCLIMATEMENT,** subst. m.
Fait de s'acclimater, en parlant d'un être vivant. 1801 ; ☞ *acclimater* ; [aklimatmɑ̃].

**ACCLIMATER,** verbe trans. [3]
Adapter (un organisme vivant) à un climat, à un nouveau biotope. **PRONOM. 1.** S'adapter à un nouveau milieu biologique. **2.** Fig. S'accoutumer à de nouvelles conditions de vie : *Il **s'acclimate** bien à l'internat.* 1775 ; ☞ *climat* + *a-*[1] ; [aklimate].

**ACCOINTANCE,** subst. f.
Relation suivie, fréquentation (gén. au plur.) : *Avoir des **accointances** dans l'Administration.* Fin XIIe s. ; anc. fr. *acointier* ; [akwɛ̃tɑ̃s].

**ACCOINTER (S'),** verbe pronom. [3]
Péj. **S'accointer avec.** Se lier avec (qqn). XIIe s. ; lat. *accognitare*, « faire connaître » ; [akwɛ̃te].

**ACCOLADE,** subst. f.
**1.** Action de serrer qqn dans ses bras en témoignage d'affection ou pour l'honorer lors d'une cérémonie : *Donner l'**accolade** au lauréat.* **2.** Signe typographique ({) utilisé pour réunir plusieurs éléments (mots, lignes, colonnes...). **3.** *Archit.* Arc à double courbure propre au gothique flamboyant. 1546 ; anc. fr. *acolée* ; [akɔlad].

**ACCOLAGE,** subst. m.
*Arboric.* Fixation de sarments ou de jeunes branches à des échalas ou à des espaliers. 1732 ; ☞ *accoler* ; [akɔlaʒ].

**ACCOLEMENT,** subst. m.
Réunion de deux éléments. 1213 ; ☞ *accoler* ; [akɔlmɑ̃].

**ACCOLER,** verbe trans. [3]
**1.** Vx. Donner l'accolade à (qqn). **2.** Joindre, réunir côte à côte ; juxtaposer. **3.** Réunir par une accolade : ***Accoler** deux paragraphes.* Mil. XIe s. ; *col* (vx), « cou », + *a-*[1] ; [akɔle].

**ACCOMMODANT, ANTE,** adj.
Qui est tolérant, conciliant. XVIIe s. ; p. pr. de *accommoder* ; [akɔmɔdɑ̃, ɑ̃t].

**ACCOMMODAT,** subst. m.
*Biol.* Caractéristique souvent adaptative (c.-à-d. facilitant l'adaptation) mais non héréditaire qu'un être vivant peut développer dans un environnement particulier. 1937 ; ☞ *accommoder* ; [akɔmɔda].

**ACCOMMODATION,** subst. f.
**1.** Action d'accommoder ; fait de s'accommoder. **2.** *Psychol.* Processus d'adaptation à un nouveau milieu, à des situations nouvelles. **3.** *Physiol.* Modification de la courbure du cristallin selon l'éloignement d'un objet, de façon que l'image formée sur la rétine reste nette. XVe s. (1395, prêt gratuit) ; lat. *accommodatio* ; [akɔmɔdasjɔ̃].

**ACCOMMODEMENT,** subst. m.
Fait de se prêter à des concessions ; compromis, arrangement. 1585 ; ☞ *accommoder* ; [akɔmɔdmɑ̃].

**ACCOMMODER,** verbe [3]
**TRANS. 1.** Vx. Adapter : *Il **accommode** ses discours aux idées en vogue.* **2.** *Cuis.* Préparer, apprêter (des aliments) : *L'art d'**accommoder** les restes* ; ***Accommoder** une viande avec des légumes.* **INTRANS.** *Physiol.* Exercer sa faculté d'accommodation, en parlant du cristallin. **PRONOM. 1. S'accommoder à.** S'adapter à : ***S'accommoder** aux circonstances.* **2. S'accommoder de.** Accepter, se contenter de : ***S'accommoder** d'un rien.* 1336 ; lat. *accommodare* ; [akɔmɔde].

© Lauros-Giraudon, by Spadem, 1996

*Les Musiciens*, peinture de *Fernand Léger (1881-1955). Coll. part., États-Unis.*
*L'**accordéoniste** est au centre du trio.*

**ACCOMPAGNATEUR, TRICE,** subst.
**1.** *Mus.* Chanteur ou instrumentiste accompagnant un soliste. **2.** Personne qui accompagne une autre personne ou un groupe dont elle est responsable. XVIIe s. ; ☞ *accompagner* ; [akɔ̃paɲatœʀ, tʀis].

**ACCOMPAGNEMENT,** subst. m.
**1.** Action d'accompagner qqn. **2.** Ce qui accompagne : *Une viande avec **accompagnement** de légumes.* ▸ Conséquence inévitable : *La guerre et son **accompagnement** d'atrocités.* **3.** *Mus.* Partie accessoire soutenant la mélodie principale. Mil. XVIe s. (1264, contrat de pariage) ; ☞ *accompagner* ; [akɔ̃paɲmɑ̃].

**ACCOMPAGNER,** verbe trans. [3]
**1.** Se déplacer en compagnie de (qqn) ; guider, escorter : ***Accompagner** un enfant à l'école* ; empl. adj. : *Viendrez-vous seul ou **accompagné** ?* ▸ Survenir en même temps que ; empl. pronom. : *La guerre **s'accompagne** du malheur.* **2.** Assister, soutenir : ***Accompagner** un mourant.* **3.** Aller avec ; s'harmoniser avec : *Le sauternes **accompagne** délicieusement le foie gras.* **4.** Ajouter, joindre à : *Il **accompagne** ses exigences de menaces.* **5.** *Mus.* Soutenir (la partie principale) par un accompagnement ; empl. pronom. : ***S'accompagner** au piano.* 1165 ; anc. fr. *compain*, « compagnon », + *a-*[1] ; [akɔ̃paɲe].

**ACCOMPLI, IE,** adj. et subst. m.
**ADJ. 1.** Réalisé complètement, achevé. ▸ Loc. *Mettre qqn devant le fait **accompli*** : le contraindre à l'accepter sans l'avoir consulté. **2.** Parfait en son genre : *Un gentilhomme **accompli**.* **SUBST.** *Gramm.* Aspect du verbe indiquant l'achèvement d'une action. Fin XIIe s. ; p. p. de *accomplir* ; [akɔ̃pli].

**ACCOMPLIR,** verbe trans. [19]
**1.** Mener (qqch.) à son terme. **2.** Faire, réaliser : ***Accomplir** son devoir, des prodiges* ; ***Accomplir** un forfait.* **PRONOM. 1.** Se réaliser : *Un rêve qui **s'accomplit**.* **2.** S'épanouir : ***S'accomplir** dans le sport.* 1121 ; anc. fr. *complir*, « achever », du lat. *complere*, « remplir », + *a-*[1] ; [akɔ̃pliʀ].

**ACCOMPLISSEMENT,** subst. m.
Action d'accomplir ; son résultat : ***Accomplissement** d'un désir.* Déb. XIIIe s. ; ☞ *accomplir* ; [akɔ̃plismɑ̃].

**ACCON,** voir **ACON**

**ACCORD,** subst. m.
**1.** Convention, entente entre des personnes, des États ou des communautés : *Respecter un **accord*** ; *Des **accords** de paix.* **2.** Approbation, administrative ou privée, donnée à un demandeur. **3.** Union, harmonie entre des personnes ou des choses : *L'**accord** est unanime.* ▸ Loc. *En **accord*** : en parfaite harmonie ; *D'**accord*** : oui, entendu (fam.). **4.** *Spéc.* ▸ *Gramm.* Concordance entre des éléments d'un énoncé subordonnés les uns aux autres. ▸ *Mus.* Émission simultanée de plusieurs sons dont les rapports sont régis par les lois de l'harmonie. Fin XIIe s. ; ☞ *accorder* ; [akɔʀ].

**ACCORDABLE,** adj.
Que l'on peut accorder. 1164 ; ☞ *accorder* ; [akɔʀdabl].

**ACCORDAILLES,** subst. f. plur.
Fiançailles (vx). 1539 ; ☞ *accorder* ; [akɔʀdaj].

**ACCORDÉ, ÉE,** subst.
Fiancé, fiancée (vx). 1538 ; p. p. de *accorder* ; [akɔʀde].

**ACCORDÉON,** subst. m.
*Mus.* Instrument de musique populaire, à soufflet et à anches, dont on joue en frappant un clavier et des boutons donnant les accords. ▸ Loc. *En **accordéon*** : formant de nombreux plis. Mil. XIXe s. ; all. *Akkordion* ; [akɔʀdeɔ̃].

**ACCORDÉONISTE,** subst.
*Mus.* Personne qui joue de l'accordéon. 1866 ; ☞ *accordéon* ; [akɔʀdeɔnist].

**ACCORDER,** verbe trans. [3]
**I. 1.** Mettre d'accord, réconcilier : *Aristide Briand voulait **accorder** la France et l'Allemagne.* **2.** *Spéc.* ▸ *Gramm.* Appliquer les règles de l'accord à : ***Accorder** l'adjectif avec le nom.* ▸ *Mus.* Mettre en harmonie (un ou plusieurs instruments) grâce au diapason ; au fig. : ***Accorder** ses violons*, se mettre d'accord (fam.). **PRONOM.** Être ou se mettre d'accord, en harmonie : *Leurs âges **s'accordent**.* **II. 1.** Concéder (une faveur), donner : ***Accorder** la main de sa fille.* **2.** Reconnaître : *Je vous **accorde** que ce sera difficile.* **PRONOM.** S'octroyer (à soi-même) : ***S'accorder** du repos.* 1100 ; lat. *accordare*, de *concordare*, « s'accorder » ; [akɔʀde].

**ACCORDEUR, EUSE,** subst.
*Mus.* Personne qui accorde des instruments à cordes frappées (piano...). 1768 (1324, personne chargée de conclure un accord) ; ☞ *accorder* ; [akɔʀdœʀ, øz].

**ACCORDOIR, subst. m.**
*Mus.* Outil servant à accorder. 1690 ; ☞ *accorder* ; [akɔʀdwaʀ].

**ACCORE (I), subst. m. ou f.**
*Mar.* Pièce de bois servant à caler un navire tiré au sec. 1382 ; m. néerl. *schore*, « étai » ; [akɔʀ].

**ACCORE (II), adj.**
*Géogr.* Qualifie une côte qui plonge à pic dans une mer profonde. 1544 ; néerl. *schor*, « escarpé » ; [akɔʀ].

**ACCORT, ORTE, adj.**
**1.** Vx. Habile, avisé. **2.** Littér. Gracieux, enjoué (gén. au fém.) : *Une **accorte** soubrette.* Mil. XIVe s. ; ital. *accorto* ; [akɔʀ, ɔʀt].

**ACCOSTABLE, adj.**
Que l'on peut accoster : *Rivage **accostable**.* Déb. XIIIe s. ; ☞ *accoster* ; [akɔstabl].

**ACCOSTAGE, subst. m.**
Action d'accoster ; son résultat. 1540 ; ☞ *accoster* ; [akɔstaʒ].

**ACCOSTER, verbe trans.** [3]
**1.** S'approcher de (qqn) pour lui parler. **2.** *Mar.* Se placer le long de (un autre navire, un quai) ; empl. abs. : *Le navire se prépare à **accoster**.* 1155 ; anc. fr. *coste*, « côte » ; [akɔste].

**ACCOTEMENT, subst. m.**
**1.** *P. et ch.* Espace séparant la chaussée du fossé. **2.** *Ch. de fer.* Ballast situé de chaque côté de la voie. 1552 ; ☞ *accoter* ; [akɔtmɑ̃].

**ACCOTER, verbe trans.** [3]
Appuyer d'un côté (vx) : *Accoter une échelle à un mur.* **PRONOM.** S'appuyer : *Il s'**accota** contre un arbre.* XIIe s. ; bas lat. *accubitare*, « être étendu sur le lit de table » ; [akɔte].

**ACCOTOIR, subst. m.**
Appui servant à s'accoter : *Les **accotoirs** d'un canapé.* 1490 ; ☞ *accoter* ; [akɔtwaʀ].

**ACCOUCHÉE, subst. f.**
Femme qui vient d'accoucher. 1321 ; p. p. de *accoucher* ; [akuʃe].

**ACCOUCHEMENT, subst. m.**
**1.** Action d'accoucher ; son résultat : ***Accouchement** avant terme, à terme* ; ***Accouchement** sans douleur* (☞ *douleur*). **2.** Fig. Élaboration lente et difficile : *L'**accouchement** d'un programme, d'une œuvre d'art.* Fin XIIe s. ; ☞ *accoucher* ; [akuʃmɑ̃].

**ACCOUCHER, verbe trans.** [3]
**TRANS. INDIR.** Accoucher de. **1.** Donner naissance à (un enfant) ; empl. abs. : *Elle **accouche** dans un mois.* **2.** Fig. Produire : ***Accoucher** d'un roman.* ► ***Accouche** !* : parle ! (fam.). **TRANS. DIR.** Aider (une femme) à **accoucher** ; aider (un animal) à mettre bas. Mil. XIIe s. ; ☞ *coucher* (I) + *a-*[1] ; empl. littér. de l'auxil. *être* à la forme indir. ; [akuʃe].

**ACCOUCHEUR, EUSE, subst.**
Personne qui aide les femmes à accoucher. 1671 ; ☞ *accoucher* ; [akuʃœʀ, øz].

**ACCOUDEMENT, subst. m.**
Action de s'appuyer sur le coude (vx). 1611 (1412, accoudoir) ; ☞ *s'accouder* ; [akudmɑ̃].

**ACCOUDER (S'), verbe pronom.** [3]
S'accouder à, sur. Poser son ou ses coudes sur (un point d'appui) : *S'**accouder** sur le parapet d'un pont.* Fin XIIe s. ; ☞ *coude* + *a-*[1] ; [akude].

**ACCOUDOIR, subst. m.**
Appui sur lequel on peut s'accouder. XIVe s. ; ☞ *s'accouder* ; [akudwaʀ].

**ACCOUPLÉ, ÉE, adj.**
**1.** Assemblé pour former un couple, une paire : *Hongres **accouplés*** ; *Des roues **accouplées**.* **2.** Uni pour la reproduction. 1165 ; p. p. de *accoupler* ; [akuple].

**ACCOUPLEMENT, subst. m.**
**1.** Action d'assembler par couples. **2.** Fig. Rapprochement harmonieux ou poétique de deux abstractions : ***Accouplement** de mots.* **3.** *Mécan.* Dispositif destiné à établir une transmission de mouvements entre deux éléments. **4.** *Zool.* Union sexuelle, en parlant d'animaux. XVe s. (1270, conjonction d'astres) ; ☞ *accoupler* ; [akupləmɑ̃].

**ACCOUPLER, verbe trans.** [3]
**1.** Assembler par couples : ***Accoupler** des bœufs, des colonnes, des bielles.* **2.** Fig. Rapprocher en vue d'obtenir un ensemble harmonieux : ***Accoupler** des sons, des rimes.* **3.** Unir (un mâle et une femelle) en vue de la reproduction. **PRONOM.** S'unir sexuellement, en parlant d'animaux. 1165 ; ☞ *coupler* + *a-*[1] ; [akuple].

**ACCOURCIR, verbe trans.** [19]
Rendre plus court, raccourcir (vx). 1162 ; anc. fr. *acorcie*, « raccourcir », de *acorcier*, du lat. pop. °*adcurtiare* ; [akuʀsiʀ].

**ACCOURIR, verbe intrans.** [25]
Venir en courant, ou rapidement. Mil. XIe s. ; lat. *accurrere* ; [akuʀiʀ].

**ACCOUTREMENT, subst. m.**
Habillement bizarre, voire grotesque (péj.). Fin XVe s. ; ☞ *accoutrer* ; [akutʀəmɑ̃].

**ACCOUTRER, verbe trans.** [3]
**1.** Vx. Habiller. **2.** Vêtir de manière surprenante ou grotesque : ***Accoutrer** un enfant* ; empl. pronom. : *S'**accoutrer** comme un clown.* 1509 (XIIIe s., mettre en place) ; lat. pop. °*acconsuturare*, de °*consutura*, « couture » ; [akutʀe].

**ACCOUTUMANCE, subst. f.**
**1.** Fait de s'habituer à qqn ou à qqch. **2.** *Physiol.* Processus d'adaptation d'un organisme vivant à des substances toxiques ou à des médicaments. 1160 ; ☞ *accoutumer* ; [akutymɑ̃s].

**ACCOUTUMÉ, ÉE, adj.**
Habituel, coutumier. ► Loc. *À l'**accoutumée*** : à l'ordinaire. Fin XIIe s. ; p. p. de *accoutumer* ; [akutyme].

**ACCOUTUMER, verbe trans.** [3]
Habituer (qqn) à qqch. : ***Accoutumer** un enfant à dormir dans le noir.* **PRONOM. S'accoutumer à.** S'habituer à. 1160 ; ☞ *coutume* + *a-*[1] ; [akutyme].

**ACCOUVAGE, subst. m.**
Technique utilisée pour incuber artificiellement des œufs. 1907 ; ☞ *couver* + *a-*[1] ; [akuvaʒ].

**ACCRÉDITATION, subst. f.**
**1.** Action d'accréditer. **2.** Méton. Le document qui l'atteste. 1853 ; ☞ *accréditer* ; [akʀeditasjɔ̃].

**ACCRÉDITER, verbe trans.** [3]
**1.** Faire reconnaître officiellement (qqn) auprès d'un État, d'une institution, etc. : ***Accréditer** un ambassadeur.* **2.** Faire bénéficier (qqn) d'une autorisation d'accès : ***Accréditer** un journaliste.* ► ***Être accrédité** auprès d'une banque* : y bénéficier d'un crédit. **3.** Rendre crédible (qqch.) : *Des faits qui **accréditent** une hypothèse* ; empl. pronom. : *Cette rumeur s'est **accréditée***, s'est répandue. 1553 ; esp. *acreditar*, « obtenir le crédit de qqn » ; [akʀedite].

**ACCRÉDITIF, IVE, subst. m. et adj.**
**SUBST.** Document par lequel une banque ouvre au profit d'un de ses clients un crédit auprès d'une autre place financière. **ADJ.** Qui accrédite : *Lettre **accréditive**.* 1928 ; ☞ *accréditer* ; [akʀeditif, iv].

**ACCRESCENT, ENTE, adj.**
*Bot.* Se dit des parties d'une fleur autres que l'ovaire, qui continuent de croître après la fécondation. 1842 ; lat. *accrescens*, de *accrescere*, « grandir » ; [akʀesɑ̃, ɑ̃t].

**ACCRÉTION, subst. f.**
**1.** Agglomération d'éléments entraînant une croissance de la masse initiale. **2.** *Astron.* Capture de matière par un objet compact et massif, sous l'effet de son attraction gravitationnelle. **3.** *Géol.* ► ***Accrétion** continentale* : accroissement progressif du continent par suite des déformations tectoniques soulevant les fonds marins adjacents. ► ***Accrétion** océanique* : élargissement du domaine océanique, par un écartement de ses plaques lithosphériques, que comblent des éruptions de basalte. 1751 ; lat. médiév. *accretio*, « action d'augmenter » ; [akʀesjɔ̃].

*Accouplement de libellules.*

**ACCRO, adj. et subst.**
Fam. **1.** Se dit d'une personne dépendante à l'égard d'une drogue. **2.** Se dit d'une personne fanatique, passionnée : *Accro de cinéma.* 1980 ; apocope de *accroché* ; [akʀo].

**ACCROC, subst. m.**
**1.** Vx. Croc, crochet ; par ext., ce qui accroche. **2.** Déchirure faite par ce qui accroche : *Raccommoder un **accroc*** ; au fig. : *Un **accroc** à sa réputation.* **3.** Fig. Incident fâcheux qui retarde ou qui modifie un processus : *Tout s'est passé sans **accroc**.* 1530 ; ☞ *accrocher* ; [akʀo].

**ACCROCHAGE, subst. m.**
**1.** Action d'accrocher : ***Accrochage** d'un écriteau.* **2.** Combat rapide et localisé : ***Accrochages** sur le front.* **3.** Dispute (fam.). **4.** Accident sans gravité entre deux véhicules. XVIe s. ; ☞ *accrocher* ; [akʀɔʃaʒ].

**ACCROCHE, subst. f.**
*Arts graph.* Texte bref ou slogan dont le style et l'emplacement sont choisis pour forcer l'attention. 1970 (XVIe s., agrafe) ; ☞ *accrocher* ; [akʀɔʃ].

**ACCROCHE-CŒUR, subst. m.**
Boucle de cheveux aplatie sur les tempes ou sur le front. 1837 ; comp. de *accrocher* et de *cœur* ; plur. *accroche-cœur(s)* ; [akʀɔʃkœʀ].

**ACCROCHE-PLAT, subst. m.**
Support permettant de suspendre des plats au mur. 1877 ; comp. de *accrocher* et de *plat* ; plur. *accroche-plat(s)* ; [akʀɔʃpla].

**ACCROCHER, verbe trans.** [3]
**1.** Suspendre à un crochet : ***Accrocher** ses clés au tableau.* ► Loc. *Avoir le cœur, l'estomac bien **accroché*** : pouvoir supporter une chose pénible, écœurante. **2.** Relier (deux éléments) au moyen de crochets : ***Accrocher** une remorque à sa voiture.* **3.** Saisir à l'aide d'un crochet. **4.** Ext. Heurter (un véhicule). **5.** Faire un accroc à : ***Accrocher** sa robe.* **6.** Fig. ► Arrêter, retenir : *Le camelot **accroche** les passants.* ► Attirer, forcer (l'attention, l'intérêt, etc.) : ***Accrocher** le regard.* ► Attraper, capter : ***Accrocher** la lumière.* **7.** *Milit.* Immobiliser (l'ennemi) par une brève action. **PRONOM. 1. S'accrocher à.** S'agripper, se cramponner à ; au fig. : *S'**accrocher** à ses privilèges, à la vie.* ► Abs. *Il faut s'**accrocher*** : il faut persévérer, tenir bon (fam.). **2.** Se disputer (fam.) : *S'**accrocher** avec ses voisins.* Mil. XIIe s. ; ☞ *croc* + *a-*[1] ; [akʀɔʃe].

**ACCROCHEUR, EUSE, adj.**
**1.** Qui accroche ; opiniâtre, combatif. **2.** Qui attire l'attention (souv. péj.) : *Une publicité **accrocheuse**.* 1635 ; ☞ *accrocher* ; [akʀɔʃœʀ, øz].

**ACCROIRE, verbe trans.**
*En faire **accroire** à qqn* : le tromper, abuser de sa crédulité. 1155 ; lat. *accredere*, « ajouter foi » ; verbe défectif, empl. seulement à l'inf., après *faire* ou *laisser* ; [akʀwaʀ].

**ACCROISSEMENT, subst. m.**
Action d'accroître ; fait de s'accroître ; augmentation, développement : ***Accroissement** d'une population, d'une vitesse, d'une valeur.* 1150 ; ☞ *accroître* ; [akʀwasmɑ̃].

**ACCROÎTRE, verbe trans.** [72]
Augmenter en nombre, en importance, en intensité : ***Accroître** les ressources, le chômage, le désespoir* ; empl. pronom. : *Son désir s'**accroît** de jour en jour.* XIIe s. ; lat. *accrescere*, « croître » ; [akʀwatʀ].

**ACCROUPIR (S'), verbe pronom.** [19]
S'asseoir sur ses talons. 1384 (fin XIIe s., avilir) ; formé de *à* et de *croupe* ; [akʀupiʀ].

**ACCROUPISSEMENT, subst. m.**
Action de s'accroupir ; posture d'une personne accroupie. 1555 ; ☞ *accroupir* ; [akʀupismɑ̃].

**ACCRU, UE, subst.**
**FÉM. 1.** Extension de la surface d'un terrain grâce au retrait des eaux. **2.** Extension d'une forêt, d'un bois par les rejets des racines de ses arbres. **MASC.** *Hortic.* Rejeton d'une racine. 1246 ; p. p. de *accroître* ; [akʀy].

**ACCU, subst. m.**
Accumulateur électrique (fam.). ► Loc. *Recharger ses **accus*** : reconstituer son énergie. Déb. XXe s. ; apocope de *accumulateur* ; [aky].

**ACCUEIL, subst. m.**
**1.** Action, manière d'accueillir ; fait d'être accueilli : *Réserver un **accueil** cordial à ses amis* ; *Une terre*

*d'accueil* ; *Accueil favorable de la critique.* **2.** Ensemble de dispositions qui permettent d'accueillir des visiteurs, des voyageurs, des réfugiés : *Centre d'**accueil*** ; par méton., lieu où l'on accueille : *Rendez-vous à l'**accueil**.* Fin XII^e s. ; ☞ *accueillir* ; [akœj].

**ACCUEILLANT, ANTE, adj.**
**1.** Qui réserve un bon accueil : *Une hôtesse **accueillante**.* **2.** Agréable, confortable : *Un fauteuil **accueillant**.* XIII^e s. ; p. pr. de *accueillir* ; [akœjɑ̃, ɑ̃t].

**ACCUEILLIR, verbe trans.** [30]
**1.** Recevoir (qqn) d'une certaine manière : ***Accueillir** froidement un importun.* **2.** Accorder l'hospitalité à : ***Accueillir** un étranger.* **3.** Accepter : ***Accueillir** une décision.* **4.** Contenir : *Ce stade **accueille** dix mille spectateurs.* Fin XII^e s. (fin XI^e s., pousser, assaillir) ; lat. pop. *accolligere*, du lat. *colligere*, « cueillir » ; [akœjiʀ].

**ACCULÉE, subst. f.**
*Mar.* Mouvement vers l'arrière d'un navire qui cule. 1848 ; ☞ *acculer* ; [akyle].

**ACCULER, verbe trans.** [3]
**1.** Pousser (un être vivant) dans un endroit où il ne peut plus reculer : ***Acculer** son adversaire contre un mur.* **2.** Fig. Contraindre (qqn) à une solution extrême : ***Acculer** un ministre à la démission.* 1200 ; ☞ *cul* + *a-*¹ ; [akyle].

**ACCULTURATION, subst. f.**
*Anthropol.* Adoption et assimilation, par un individu ou par un groupe, d'une culture étrangère. 1911 ; mot anglo-amér. ; [akyltyʀasjɔ̃].

**ACCULTURER, verbe trans.** [3]
*Anthropol.* Modifier, par assimilation d'éléments étrangers, la culture de (un peuple) ; empl. adj. : *Une ethnie **acculturée**.* XX^e s. ; ☞ *acculturation* ; [akyltyʀe].

**ACCUMULATEUR, subst. m.**
*Techn.* Dispositif susceptible d'emmagasiner de l'énergie et de la restituer à la demande : ***Accumulateur** électrique*, appareil qui stocke de l'énergie électrique fournie par réaction chimique et la restitue sous forme de courant. 1860 (1564, celui qui accumule) ; ☞ *accumuler* ; [akymylatœʀ].

**ACCUMULATION, subst. f.**
**1.** Action d'accumuler ; résultat de cette action : *Une **accumulation** de preuves, de stocks.* **2.** *Spéc.* ▸ *Écon.* ***Accumulation** du capital* : processus du système capitaliste, par lequel un capital ne cesse de s'augmenter des intérêts qu'il produit. ▸ *Géol.* Entassement de matériaux détritiques dû à l'érosion. ▸ *Techn.* *Chauffage par **accumulation*** : utilisation d'un appareil électrique permettant de stocker de l'énergie aux heures creuses et de la restituer à la demande. 1336 ; bas lat. *accumulatio* ; [akymylasjɔ̃].

**ACCUMULER, verbe trans.** [3]
**1.** Amasser progressivement en grande quantité : ***Accumuler** des notes, des richesses.* **2.** Fig. ***Accumuler** de l'expérience, du savoir.* PRONOM. S'entasser : *Les ordures s'**accumulent** sur le trottoir* ; au fig. : *Les difficultés s'**accumulent**.* 1327 ; lat. *accumulare* ; [akymyle].

**ACCUSATEUR, TRICE, adj. et subst.**
ADJ. Qui accuse. SUBST. **1.** Personne qui dénonce qqn comme coupable. **2.** *Hist.* ***Accusateur** public* : magistrat chargé du ministère public dans les tribunaux révolutionnaires. 1327 ; ☞ *accuser* ; [akyzatœʀ, tʀis].

**ACCUSATIF, subst. m.**
*Ling.* Cas de la déclinaison, dans les langues à flexion, indiquant le complément d'objet direct du verbe ou marquant le complément de certaines prépositions. XII^e s. ; lat. *accusativus* ; [akyzatif].

**ACCUSATION, subst. f.**
**1.** Action de désigner qqn comme coupable ; reproche. **2.** *Dr.* ▸ Action en justice imputant à qqn une infraction, un délit, un crime : *Chambre d'**accusation***, section de la cour d'appel qui instruit les affaires criminelles ; *Arrêt de mise en **accusation***, arrêt par lequel la chambre d'**accusation** renvoie un inculpé devant la cour d'assises. ▸ Méton. *L'**accusation*** : le ministère public (par oppos. à *la défense*). Mil. XIII^e s. ; lat. *accusatio* ; [akyzasjɔ̃].

**ACCUSATOIRE, adj.**
*Dr.* Relatif à l'accusation : *Procédure **accusatoire***, procédure pénale dans laquelle le procès est mené par les parties, le juge n'ayant qu'un rôle d'arbitre (anton. *inquisitoire*). 1355 ; lat. *accusatorius* ; [akyzatwaʀ].

**ACCUSÉ, ÉE, subst.**
**1.** Personne à qui l'on impute une infraction, un

Cinq Centimes
L'AURORE
Littéraire, Artistique, Sociale
J'Accuse...!
LETTRE AU PRÉSIDENT DE LA RÉPUBLIQUE
Par ÉMILE ZOLA
LETTRE A M. FÉLIX FAURE

© Coll. Soazig-Explorer

*Le « J'accuse » d'Émile Zola, défenseur résolu de l'innocence d'Alfred Dreyfus, victime d'une cabale antisémite.*

délit. **2.** *Dr.* Inculpé renvoyé devant une cour d'assises pour y répondre d'un crime : ***Accusé**, levez-vous !* MASC. ***Accusé** de réception* : document informant l'expéditeur que le destinataire a reçu son envoi. XIII^e s. ; p. p. de *accuser* ; [akyze].

**ACCUSER, verbe trans.** [3]
**I. 1.** *Dr.* Poursuivre (qqn) en justice en lui imputant une infraction, un délit ou un crime : ***Accuser** qqn de vol.* **2.** Faire grief à (qqn) de qqch. ; présenter (qqn, qqch.) comme coupable. **II. 1.** Rendre manifeste, révéler ; trahir : ***Accuser** son âge.* ▸ Faire ressortir ; empl. adj., souligné, accentué : *Un visage aux traits **accusés**.* **2.** Loc. ▸ ***Accuser** le coup* : être très affecté et le montrer (fam.). ▸ ***Accuser** réception d'un envoi* : faire savoir à l'expéditeur qu'on a reçu son envoi. X^e s. ; lat. jur. *accusare* ; [akyze].

**ACE, subst. m.**
*Sp.* Au tennis, balle de service que l'adversaire n'a pu toucher et qui marque le point. 1928 ; angl. *ace*, de l'anc. fr. *as*, « as » ; [ɛs].

**ACÉPHALE, adj.**
**1.** Dépourvu de tête : *Un monstre **acéphale**.* **2.** Fig. Sans chef : *Parti **acéphale**.* 1375 ; lat. *acephalus*, du gr. *kephalê*, « tête », + *a-*² ; [asefal].

**ACÉRACÉES, subst. f. plur.**
*Bot.* Famille de plantes à feuilles opposées, gén. simples. AU SING. *Le sycomore, comme l'érable, est une **acéracée**.* XIX^e s. ; lat. *acer*, « érable » ; [aseʀase].

**ACESCENT, ENTE, adj.**
Qui tourne à l'aigre, en parlant d'une boisson fermentée. 1735 ; lat. *acescens*, de *acescere*, « devenir acide » ; [asesɑ̃, ɑ̃t].

**ACÉTABULE, subst. f.**
**1.** *Antiq.* Fiole contenant du vinaigre ; instrument de mesure des potions pharmaceutiques. **2.** *Anat.* Cavité de l'os iliaque où s'emboîte la tête du fémur. XVI^e s. ; lat. *acetabulum*, « vase » ; [asetabyl].

**ACÉTAL, subst. m.**
*Chim.* Nom générique des composés organiques obtenus par l'action d'un alcool sur un aldéhyde ou sur une cétone. 1840 ; all. *Acetal*, crois. du lat. *acetum*, « vinaigre », et de l'all. *Alkohol*, « alcool » ; plur. *acétals* ; [asetal].

**ACÉTAMIDE, subst. m.**
*Chim.* Amide dérivé de l'acide acétique, de formule $CH_3CONH_2$. 1847 ; all. *Azetamid* ; [asetamid].

**ACÉTATE, subst. m.**
*Chim.* Nom générique des composés organiques (famille des esters) obtenus par l'action de l'acide acétique sur des alcools ou sur des bases minérales. 1787 ; lat. *acetum*, « vinaigre » ; [asetat].

**ACÉTIFICATION, subst. f.**
*Chim.* Transformation de substances organiques (alcool, bois, etc.) en acide acétique : *Par **acétification**, le vin devient du vinaigre.* 1789 ; ☞ *acétifier* ; [asetifikasjɔ̃].

**ACÉTIFIER, verbe trans.** [6]
*Chim.* Transformer (une substance organique) en acide acétique. 1845 ; lat. *acetum*, « vinaigre » ; [asetifje].

**ACÉTIMÈTRE, subst. m.**
*Chim.* Appareil mesurant la concentration en acide acétique d'une solution. 1834 ; lat. *acetum*, « vinaigre », + *-mètre*¹ ; var. *acétomètre* ; [asetimɛtʀ].

**ACÉTIQUE, adj.**
*Chim.* *Acide **acétique*** : acide constituant le vinaigre, de formule $CH_3COOH$, qui résulte de l'oxydation de l'alcool éthylique sous l'influence d'un ferment appelé mère du vinaigre (synon. vieilli *éthanoïque*). 1787 ; lat. *acetum*, « vinaigre » ; [asetik].

**ACÉTOBACTER, subst. m.**
*Bactériol.* Bactérie, agent de la transformation de l'alcool éthylique en vinaigre. V. 1950 ; lat. sc. *acetobacter*, du lat. *acetum*, « vinaigre », et du gr. *baktêrion*, « bactérie » ; var. *acetobacter* ; [asetobaktɛʀ].

**ACÉTOMÈTRE, voir ACÉTIMÈTRE**

*Statue **acéphale** représentative de l'art néosumérien (v. 2100-2000 av. J.-C.). Musée du Louvre, Paris.*
© Giraudon

© St. Krasemann-Jacana

*L'érable, que l'on trouve dans les forêts tempérées, est l'arbre type de la famille des **Acéracées**.*

**ACERBE, adj.**
**1.** Aigre, piquant, âpre au goût (vx) : *Un fruit encore vert est **acerbe**.* **2.** Fig. Agressif, mordant : *Une remarque **acerbe**.* Fin XII^e s. ; lat. *acerbus* ; [asɛʀb].

**ACÉRÉ, ÉE, adj.**
**1.** Garni d'acier et rendu plus affilé : *Une flèche **acérée*** ; par ext. : *Griffes **acérées**.* **2.** Fig. Caustique, piquant : *Des plaisanteries **acérées**.* 1155 ; anc. fr. *acer*, « acier » ; [aseʀe].

**ACÉRER, verbe trans.** [8]
Rendre tranchant (un instrument en fer), aiguiser (rare). 1348 ; anc. fr. *acer*, « acier » ; [aseʀe].

**ACESCENCE, subst. f.**
Qualité, état d'une boisson acescente : *L'**acescence** d'un vin.* 1735 ; ☞ *acescent* ; [asesɑ̃s].

**ACÉTONE, subst. f.**
*Chim.* Nom usuel de la propanone, premier terme de la série des composés organiques appelés cétones, de formule $CH_3{-}CO{-}CH_3$. C'est un liquide incolore, à l'odeur éthérée, et un puissant dissolvant. 1853 ; lat. *acetum*, « vinaigre » ; [asetɔn].

**ACÉTONÉMIE, subst. f.**
*Biol.* et *Pathol.* Présence de corps cétoniques dans le sang, dont l'excès est la cause du coma diabétique. 1885 ; ☞ *acétone* + *-émie* ; [asetɔnemi].

**ACÉTONURIE, subst. f.**
*Biol.* et *Pathol.* Présence de corps cétoniques (dont l'acétone) dans l'urine, en partic. chez certains diabétiques, qui se révèle par l'odeur chloroformique de l'urine. 1885 ; ☞ *acétone* + *-urie* ; [asetɔnyʀi].

**ACÉTYLCHOLINE, subst. f.**
*Biochim.* Ester de l'alcool aminé choline, intervenant comme médiateur chimique au niveau soit de synapses entre neurones moteurs et fibres musculaires striées, soit dans des synapses du système neurovégétatif entre neurones moteurs ou inhibiteurs et fibres musculaires lisses, soit de synapses entre des neurones du cerveau impliqués dans les processus de mémorisation. 1914 ; crois. de *acétyle* et de *choline* ; [asetilkɔlin].

**ACÉTYLCOENZYME A, subst. f.**
*Biochim.* Molécule donneuse de groupement acétyl, indispensable au bon fonctionnement du métabolisme cellulaire, en partic. à la production d'A. T. P. lors de la respiration cellulaire. V. 1960 ; crois. de *acétyle* et de *coenzyme* ; [asetilkoɑ̃zima].

**ACÉTYLE, subst. m.**
*Chim.* Radical organique monovalent de formule $CH_3CO-$, qui dérive de l'acide acétique. 1865 ; lat. *acetum*, « vinaigre », + *-yle* ; [asetil].

**ACÉTYLÈNE, subst. m.**
*Chim.* Nom usuel de l'éthyne, premier terme de la série organique des alcynes. 1862 ; angl. *acetylene*, du lat. *acetum*, « vinaigre » ; [asetilɛn].

**ACÉTYLÉNIQUE, adj.**
*Chim.* Qui appartient à la série de l'acétylène. 1892 ; ☞ *acétylène* ; [asetilenik].

**ACÉTYLSALICYLIQUE, adj.**
*Chim.* et *Pharm.* *Acide **acétylsalicylique*** : dérivé acétylé de l'acide salicylique, possédant des propriétés analgésiques et fébrifuges (commercialisé sous le nom *aspirine*). 1887 ; crois. de *acétyle* et de *salicylique* ; [asetilsalisilik].

**ACHAINE, voir AKÈNE**

**ACHALANDAGE, subst. m.**
**1.** Ensemble des chalands, des clients d'un commerce (vieilli). **2.** Ensemble des marchandises proposées à cette clientèle (empl. abusif). 1820 ; ☞ *achalander* ; [aʃalɑ̃daʒ].

**ACHALANDÉ, ÉE, adj.**
**1.** Qui a de nombreux chalands, une clientèle abondante. **2.** Bien approvisionné (empl. abusif). 1383 ; p. p. de *achalander* ; [aʃalɑ̃de].

**ACHALANDER, verbe trans.** [3]
Fournir en chalands, en clientèle (vieilli). 1383 ; ☞ *chaland* (II) + *a-*[1] ; [aʃalɑ̃de].

**ACHARDS, subst. m. plur.**
*Cuis.* Condiment indien épicé, composé de légumes et de fruits marinés dans du vinaigre. 1609 ; port. *achar*, du malais *ācār*, d'orig. persane ; [aʃaʀ].

**ACHARNÉ, ÉE, adj.**
**1.** Qui manifeste de l'acharnement : *Un ennemi **acharné**.* **2.** Poursuivi, mené avec acharnement : *Travail, combat **acharné**.* Fin XIIe s. ; p. p. de *acharner* ; [aʃaʀne].

**ACHARNEMENT, subst. m.**
**1.** Vx. Ardeur d'un animal qui s'attache à sa proie. **2.** Fureur tenace dans la lutte : *Résister avec **acharnement**.* **3.** Persévérance opiniâtre, obstination : ***Acharnement** au jeu, à l'étude.* ▸ *Méd.* ***Acharnement** thérapeutique* : mise en œuvre de tous les moyens médicaux pour maintenir en vie un malade condamné. 1611 ; ☞ *acharner* ; [aʃaʀnəmɑ̃].

**ACHARNER, verbe trans.** [3]
Vieilli. *Vén.* Lancer (un faucon, un chien) à la poursuite du gibier ; donner le goût de la chair à. Pronom. **1. S'acharner contre, sur.** S'attacher furieusement à (une proie) ; au fig. : *Toute la presse **s'acharna** contre le ministre.* **2. S'acharner à.** Déployer toute son énergie à ; s'évertuer à. ▸ Abs. S'obstiner. Fin. XIIe s. ; ☞ *chair* + *a-*[1] ; [aʃaʀne].

**ACHAT, subst. m.**
**1.** Action d'acheter, d'acquérir : ***Achat** à crédit, en viager* ; *Pouvoir d'**achat***, la quantité des biens et des services que l'on peut se procurer avec l'argent dont on dispose. **2.** Ce que l'on a acheté ; au plur. : *Ranger ses **achats**.* **3.** *Bourse.* ***Achat** à la hausse, à la baisse* : selon la fluctuation des cours. 1164 ; anc. fr. *achater*, « procurer » ; [aʃa].

**ACHE, subst. f.**
*Bot.* Plante de la famille des Apiacées, dont l'espèce la plus connue est le céleri. XIe s. ; lat. *apium* ; [aʃ].

**ACHÉEN, ÉENNE, adj.**
Relatif aux Achéens ou à l'Achaïe, contrée de l'ancienne Grèce : *Mycènes était une cité **achéenne**.* 1752 ; lat. *achaeus*, « d'Achaïe » ; [akeɛ̃, eɛn].

**ACHÉMÉNIDE, adj. et subst.**
De la dynastie perse des Achéménides. 1752 ; gr. *akhaimenidês*, « descendants d'Achéménès » ; [akemenid].

**ACHEMINEMENT, subst. m.**
Action d'acheminer, de s'acheminer : *L'**acheminement** des convois* ; *L'**acheminement** vers la mort.* 1454 ; ☞ *acheminer* ; [aʃ(ə)minmɑ̃].

**ACHEMINER, verbe trans.** [3]
**1.** Déplacer, transporter vers une destination : ***Acheminer** des marchandises.* **2.** Fig. Conduire (qqn) vers un aboutissement (littér.). Pronom. **1.** Avancer. **2.** Fig. Progresser, évoluer (vers un objectif, un terme) : *On **s'achemine** vers la guérison.* Fin XIe s. ; ☞ *chemin* + *a-*[1] ; [aʃ(ə)mine].

**ACHÈNE, voir AKÈNE**

**ACHETABLE, adj.**
Que l'on peut acheter. Fin XIVe s. ; ☞ *acheter* ; [aʃ(ə)tabl].

**ACHETER, verbe trans.** [13]
**1.** Acquérir (qqch.) contre paiement : ***Acheter** un livre* ; ***Acheter** au détail, en gros.* **2.** Ext. Obtenir par corruption : ***Acheter** la voix d'un électeur.* **3.** Fig. Gagner (qqch.) en échange d'un effort, d'un sacrifice (synon. *payer*). Xe s. ; lat. pop. °*accaptare*, prob. du lat. *captare*, « chercher à prendre » ; [aʃ(ə)te].

**ACHETEUR, EUSE, subst.**
**1.** Personne qui achète pour son propre compte ; empl. adj. : *Les pays **acheteurs**.* **2.** Employé chargé d'effectuer les achats pour son entreprise. 1180 ; ☞ *acheter* ; [aʃ(ə)tœʀ, øz].

**ACHEULÉEN, ÉENNE, subst. m. et adj.**
Subst. Culture préhistorique de la fin du Paléolithique inférieur caractérisée par la fabrication de bifaces réguliers. Adj. Relatif à cette culture. 1869 ; topon. *Saint-Acheul* (Somme) ; [aʃøleɛ̃, eɛn].

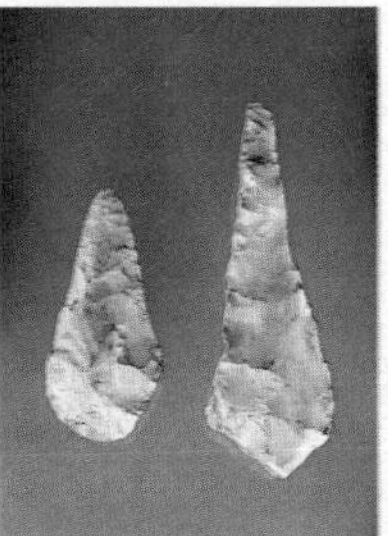
© Lauros-Giraudon

*Faciès culturel du Paléolithique inférieur, l'Acheuléen est caractérisé par ses outils de pierre façonnée appelés bifaces. Musée des Antiquités nationales, Saint-Germain-en-Laye.*

**ACHEVÉ, ÉE, adj. et subst. m.**
Adj. **1.** Qui est terminé. **2.** Parfait en son genre, accompli : *Une œuvre **achevée*** ; par iron. : *Être d'une prétention **achevée**.* Subst. *Impr.* ***Achevé** d'imprimer* : ensemble de mentions obligatoires placées à la fin d'un ouvrage. 1538 ; p. p. de *achever* ; [aʃ(ə)ve].

**ACHÈVEMENT, subst. m.**
**1.** Action d'achever ; état de ce qui est achevé : *L'**achèvement** d'une route.* **2.** Perfection, en parlant d'une œuvre d'art : *L'**achèvement** des tragédies de Racine.* Fin XIIIe s. ; ☞ *achever* ; [aʃɛvmɑ̃].

**ACHEVER, verbe trans.** [10]
**1.** Mener à son terme, finir : ***Achever** un voyage* ; ***Achever** de parler* ; empl. pronom. : *Le siècle **s'achève**.* ▸ Entraîner l'accomplissement de : *Cette maladresse **acheva** sa perte, **acheva** de le perdre.* **2.** Donner le coup de grâce à : ***Achever** un blessé* ; au fig., finir de vaincre, d'accabler : *La terrible nouvelle m'**acheva**.* Fin XIe s. ; anc. fr. *a chief*, « à bout de » ; [aʃ(ə)ve].

**ACHILLÉE, subst. f.**
*Bot.* Plante à feuilles découpées de la famille des Astéracées, telle l'**achillée** mille-feuille. 1572 ; lat. *achillea*, du gr. *akhilleios*, « herbe d'Achille » ; [akile].

**ACHOLIE, subst. f.**
*Pathol.* Arrêt de la sécrétion biliaire par le foie. 1890 ; gr. *akholia*, « absence de bile » ; [akɔli].

**ACHONDROPLASIE, subst. f.**
*Pathol.* Affection congénitale qui empêche le développement des os en longueur, entraînant notamment un nanisme des membres. 1878 ; gr. *akhondros*, « privé de cartilage », + *-plasie* ; [akɔ̃dʀoplazi].

**ACHOPPEMENT, subst. m.**
**1.** Vx. Action de heurter du pied un obstacle ; par méton., ce qui fait trébucher. **2.** Fig. *Pierre d'**achoppement*** : difficulté qui risque de faire échouer une entreprise. Déb. XIIIe s. ; ☞ *achopper* ; [aʃɔpmɑ̃].

**ACHOPPER, verbe trans. indir.** [3]
**Achopper à, sur. 1.** Heurter du pied, trébucher sur (un obstacle). **2.** Fig. Buter sur (une difficulté) : *Le vote du budget **achoppa** sur les dépenses sociales.* XIe s. ; *chopper* (rare), « trébucher », + *a-*[1] ; [aʃɔpe].

**ACHROMATIQUE, adj.**
**1.** *Biol.* Qui ne fixe pas les colorants : *Fuseau **achromatique***, formation en fuseau de la cellule au début de la mitose. **2.** *Opt.* Qualifie un système (loupe, lunette) qui laisse passer la lumière blanche sans la décomposer, et fournit ainsi une image sans irisations : *Objectif **achromatique**.* 1764 ; ☞ *chromatique* + *a-*[2] ; [akʀɔmatik].

**ACHROMATISME, subst. m.**
*Opt.* Qualité d'un système achromatique. 1829 ; ☞ *achromatique* ; [akʀɔmatism].

**ACHROMATOPSIE, subst. f.**
*Pathol.* Perte totale ou partielle de la vision des couleurs. 1853 ; gr. *akhrômatos*, « sans couleur », + *-opsie* ; [akʀɔmatɔpsi].

**ACHROMIE, subst. f.**
*Pathol.* Absence ou disparition, totale ou partielle, de la pigmentation de la peau. 1865 ; gr. *khrôma*, « couleur », + *a-*[2] ; [akʀɔmi].

**ACHYLIE, subst. f.**
*Pathol.* Absence anormale d'acide chlorhydrique et de pepsine dans le suc gastrique, entraînant des troubles gastriques et intestinaux banals. 1865 ; gr. *akhulos*, « sans suc » ; [aʃili].

**ACICULAIRE, adj.**
*Minér.* et *Bot.* Qui est en forme d'aiguille ou se termine en pointe : *Des feuilles **aciculaires**.* 1801 ; lat. *acicula*, « petite aiguille » ; [asikylɛʀ].

**ACIDE, adj. et subst. m.**
Adj. **1.** Qui possède une saveur aigre et piquante, analogue à celle des fruits encore verts. **2.** Fig. Acerbe, mordant : *Critiques **acides**.* **3.** *Chim.* ▸ Qui possède les propriétés d'un acide. ▸ Qui contient de l'**acide**. Subst. **1.** *Biochim.* ▸ ***Acide** désoxyribonucléique* (☞ *désoxyribonucléique*). ▸ ***Acide** ribonucléique* (☞ *ribonucléique*). **2.** *Chim.* Composé minéral ou organique apte à libérer des protons lorsqu'il est en solution, qui agit sur les métaux et sur les bases (la soude, par ex.) en donnant des sels et fait virer au rouge la teinture de tournesol. ▸ ***Acide** aminé* (☞ *amino-acide*). ▸ ***Acide** carboxylique* : composé organique **acide** dont le type est le vinaigre ou **acide** acétique. ▸ ***Acides** gras* : ensemble des **acides** organiques dont les plus répandus se trouvent dans les corps gras. **3.** Absinthe (vx et pop.). **4.** Abs. L. S. D., ou **acide** lysergique diéthylamide (fam.). 1545 ; lat. *acidus*, « aigre » ; [asid].

CHIMIE – Jusqu'au Moyen Âge, le seul acide connu était le vinaigre. Entre le Xe et le XIIe s., en manipulant le salpêtre recueilli sur les murs humides des caves et des étables ou par calcination du sulfate de fer, les alchimistes ont isolé deux substances plus piquantes que le vinaigre, qu'ils ont nommées eau-forte et huile de vitriol, et qui étaient, en fait, les composés que nous appelons acide nitrique et acide sulfurique. Toutefois, l'existence d'une famille de composés chimiques appelés acides ne sera reconnue qu'à partir du XVe s., et le mot lui-même ne sera employé en ce sens qu'à la fin du XVIIe s. La nomenclature moderne remonte à Lavoisier (1787). En 1887, le chimiste suédois Arrhenius donnait la première définition générale d'un acide, celle d'un composé chimique qui, lorsqu'il est en solution, libère des ions hydrogènes $H^+$, c.-à-d. des protons. Le Danois Brønsted et l'Anglais Lowry proposeront en 1923 une définition plus large, en introduisant la notion de couple d'acide et de base conjugués, la base étant ce qui reste de l'acide ayant cédé son proton.

**ACIDIFICATION, subst. f.**
*Chim.* **1.** Transformation d'un composé ou d'une solution en acide ou en solution acide. **2.** Addition d'un acide à une solution. 1786 ; ☞ *acidifier* ; [asidifikasjɔ̃].

**ACIDIFIER, verbe trans.** [6]
*Chim.* **1.** Rendre acide. **2.** Transformer en acide. 1786 ; ☞ *acide* ; [asidifje].

**ACIDIMÈTRE, subst. m.**
*Chim.* Appareil qui sert à mesurer l'acidité d'une solution. 1869 ; ☞ *acide* + *-mètre*[1] ; [asidimɛtʀ].

**ACIDIMÉTRIE, subst. f.**
*Chim.* Mesure du titre d'une solution acide (synon. *dosage*). 1865 ; ☞ *acide* + *-métrie* ; [asidimetʀi].

**ACIDITÉ, subst. f.**
**1.** Saveur acide, piquante. **2.** Fig. Caractère caustique, mordant, désagréable : *L'**acidité** d'une remarque.* **3.** *Chim.* Caractère acide d'un composé, d'une solution, d'un milieu, mesuré par son potentiel hydrogène (abrév. : pH). 1545 ; bas lat. *aciditas*, « aigreur » ; [asidite].

**ACIDO-ALCALIMÉTRIE, subst. f.**
*Chim.* Mesure de l'acidité ou de l'alcalinité d'un milieu par son pH. Comp. de *acide* et de *alcalimétrie* ; plur. *acido-alcalimétries* ; [asidoalkalimetʀi].

**ACIDO-BASIQUE, adj.**
**1.** *Chim.* Se dit d'une réaction mettant en œuvre, comme réactifs ou produits, des acides ou des bases. **2.** *Biol.* *Équilibre **acido-basique** du plasma sanguin* : rapport, gén. constant, entre les bases et les acides présents dans le plasma sanguin, qui se traduit par la stabilité du pH sanguin. 1842 ; comp. de *acide* et de *basique* ; plur. *acido-basiques* ; [asidobazik].

**ACIDOCÉTOSE, subst. f.**
*Pathol.* Variété d'acidose due à l'accumulation anormale de corps cétoniques (acétone, par ex.) dans le sang, observée chez certains diabétiques. Mil. XXe s. ; formé de *acide* et de *cétose* ; [asidosetoz].

**ACIDOPHILE, adj.**
*Biol.* Se dit d'éléments figurés (par ex. les globules blancs du sang) qui fixent les colorants acides, comme l'éosine. 1897 ; ☞ *acide* + *-phile* ; [asidofil].

**ACIDOSE, subst. f.**
*Pathol.* Rupture de l'équilibre acido-basique du plasma sanguin, qui devient plus acide (diminution de son pH). Déb. XXe s. ; ☞ *acide* + *-ose* ; [asidoz].

**ACIDULÉ, ÉE, adj.**
**1.** Légèrement acide : *Bonbons **acidulés**.* **2.** *Cuis.* Rendu acide, notamment par l'adjonction de vinaigre ou de citron : *Sauce **acidulée**.* 1751 ; lat. *acidulus* ; [asidyle].

**ACIDURIE, subst. f.**
*Pathol.* Présence excessive d'acide dans l'urine. ☞ *acide* + *-urie* ; [asidyʀi].

**ACIER, subst. m.**
**1.** Alliage de fer et de carbone, auquel divers traitements thermiques ou mécaniques peuvent donner des propriétés spécifiques : ***Acier** trempé* ; ***Acier** chromé.* **2.** Méton. L'industrie ou le commerce de l'**acier**. **3.** Fig. *Un moral d'**acier*** : inébranlable. **4.** Couleur gris-bleu, rappelant celle de l'**acier** (gén. en appos.). XIe s. ; bas lat. *aciarium*, du lat. *acies*, « pointe (d'une arme) » ; [asje].

**ACIÉRÉ, ÉE, adj.**
Qui contient de l'acier : *Une fonte **aciérée**.* 1470 ; p. p. de *aciérer* (rare), « convertir en acier ; garnir d'acier », de *acérer* ; [asjeʀe].

**ACIÉRIE, subst. f.**
*Métall.* Usine où l'on produit de l'acier. 1751 ; ☞ *acier* ; [asjeʀi].

**ACIÉRISTE, subst.**
Spécialiste de la production de l'acier. 1932 ; ☞ *acier* ; [asjeʀist].

*Barres d'**acier** sortant du haut fourneau.*

© Schiller-Explorer

**ACINÉSIE, voir AKINÉSIE**

**ACINEUX, EUSE, adj.**
*Histol.* En forme de grain de raisin : *Glande **acineuse**.* 1842 ; lat. *acinosus* ; [asinø, øz].

**ACINUS, subst. m.**
*Histol.* Ensemble de cellules sécrétrices, disposées en grappes, qui déversent leurs sécrétions dans le canal excréteur de la glande qui les contient. 1865 (1814, petite baie) ; lat. *acinus*, « grain de raisin » ; plur. *acinus* ou *acini* ; [asinys].

**ACMÉ, subst. m. ou f.**
**1.** *Pathol.* Point le plus élevé d'un processus morbide : *La fièvre a atteint son **acmé**.* **2.** Ext. Moment, point de plus grand développement, apogée (littér.) : *L'**acmé** de la civilisation romaine.* 1751 ; gr. *akmê*, « sommet » ; [akme].

**ACNÉ, subst. f.**
*Pathol.* Nom de plusieurs dermatoses se traduisant par des éruptions cutanées, touchant surtout le visage. 1816 ; angl. *acne*, « couperose », du gr. *aknê*, « efflorescence » ; [akne].

**ACŒLOMATES, subst. m. plur.**
*Zool.* Groupe d'animaux dont l'embryon possède trois feuillets (et non deux, comme chez les Spongiaires), mais qui est dépourvu de cœlome. Ses principaux embranchements sont les Plathelminthes et les Némathelminthes. AU SING. *Le ténia est un **acœlomate**.* XIXe s. ; ☞ *cœlome* + *a-*[2] ; [aselɔmat].

**ACOLYTAT, subst. m.**
*Cath.* Ministère du service de l'autel, pendant la messe (l'un des ordres mineurs jusqu'à 1972). 1721 ; ☞ *acolyte* ; [akɔlita].

**ACOLYTE, subst. m.**
**1.** *Cath.* Laïc, souvent un enfant, chargé notamment de servir à l'autel. **2.** Ext. Compagnon habituel, complice (souv. péj.) : *Le bandit et ses **acolytes**.* Fin XIIe s. ; lat. chrét. *acolythus*, du gr. *akolouthos* ; [akɔlit].

**ACOMPTE, subst. m.**
**1.** Paiement partiel d'un dû. **2.** Fig. Partie d'une chose à venir, que l'on prend ou que l'on reçoit à l'avance. 1740 ; formé de *à* et de *compte* ; [akɔ̃t].

**ACON, subst. m.**
Bateau à fond plat servant au chargement, au déchargement ou au transbordement des marchandises. 1650 ; poitevin *acon*, prob. de l'anglo-saxon *naca*, « barque » ; var. *accon* ; [akɔ̃].

**ACONIT, subst. m.**
*Bot.* Plante vénéneuse de la famille des Renonculacées, dont on extrait l'aconitine. Mil. XIIe s. ; lat. *aconitum*, du gr. *akoniton* ; [akɔnit].

**ACONITINE, subst. f.**
*Biochim.* Alcaloïde très toxique extrait de l'aconit, utilisé en pharmacie comme antitussif et comme antalgique. 1840 ; ☞ *aconit* ; [akɔnitin].

**A CONTRARIO, loc. adv.**
En concluant à une opposition dans les conséquences à partir d'une opposition dans les hypothèses ; empl. adj. inv. : *Preuve **a contrario**.* 1926 ; lat. *a contrario*, « par le contraire » ; [akɔ̃tʀaʀjo].

**ACOQUINEMENT, subst. m.**
Fait de s'acoquiner (vieilli). 1858 ; ☞ *s'acoquiner* ; [akɔkinmɑ̃].

**ACOQUINER (S'), verbe pronom.** [3]
Se lier (à des gens douteux). 1690 (1530, se comporter en mendiant) ; ☞ *coquin* + *a-*[1] ; [akɔkine].

*Laboratoire d'études **acoustiques** dans un centre de télécommunications.*

© Luria-Explorer

**ACORE, subst. m.**
*Bot.* Plante aquatique de la famille des Aracées, genre *Acorus*, originaire d'Asie méridionale, dont on connaît deux espèces : *Acorus calamus*, dit jonc odorant ou iris jaune, et *Acorus gramineus*. XVIe s. ; lat. *acorum*, du gr. *akoron* ; [akɔʀ].

**À-CÔTÉ, subst. m.**
**1.** Élément annexe ou secondaire. **2.** Gratification ou avantage en nature : *Les **à-côtés** compensent son bas salaire.* 1917 ; ☞ *côté* ; plur. *à-côtés* ; [akote].

**ACOUMÈTRE, subst. m.**
Audiomètre (vieilli). 1842 ; gr. *akouein*, « entendre », + *-mètre*[1] ; [akumɛtʀ].

**ACOUMÉTRIE, subst. f.**
Audiométrie (vieilli). 1935 ; ☞ *acoumètre* ; [akumetʀi].

**À-COUP, subst. m.**
Brusque irrégularité ou rupture dans la continuité d'un mouvement, d'une activité ; saccade, secousse : *Les **à-coups** d'un moteur, d'une carrière.* ▸ Loc. *Par **à-coups*** : par intermittence. 1835 ; comp. de *à* et de *coup* ; plur. *à-coups* ; [aku].

**ACOUPHÈNE, subst. m.**
*Pathol.* Perception anormale de sons (battements, sifflements ou bourdonnements) qui n'ont aucune origine extérieure. Mil. XXe s. ; gr. *akouein*, « entendre », et *phainein*, « paraître » ; [akufɛn].

**ACOUSTICIEN, IENNE, subst.**
*Phys.* et *Techn.* Spécialiste de l'acoustique. 1876 ; ☞ *acoustique* ; [akustisjɛ̃, jɛn].

**ACOUSTIQUE, adj. et subst. f.**
ADJ. Relatif au son ou à l'audition : *Ondes **acoustiques*** ; *Le nerf **acoustique**.* SUBST. **1.** *Phys.* Étude des sons, de leurs propriétés, de leur production, de leur transmission et de leur réception. **2.** *Techn.* Qualité d'un lieu du point de vue de sa sonorité : *L'excellente **acoustique** du théâtre d'Épidaure.* 1700 ; gr. *akoustikos*, « qui concerne l'ouïe » ; [akustik].

PHYSIQUE – La science des sons, née avec Pythagore, n'est devenue une branche de la physique qu'au XVIIIe s. Ses bases théoriques ont été établies au début du XIXe s. (Fourier) et ont permis les travaux de Hertz sur l'analyse et la synthèse des sons, à la fin du XIXe s. Les propriétés dites physiologiques d'un son sont la hauteur (définie par le nombre de vibrations par seconde, appelé fréquence), l'intensité et le timbre. Les concepts fondamentaux de l'acoustique sont la puissance acoustique et la sonie.

**ACQUÉREUR, subst. m.**
Personne qui acquiert un bien : *Elle s'est portée **acquéreur**.* 1385 ; ☞ *acquérir* ; les fém. *acquéreuse* et *acquéresse* (lang. juridique) sont rares ; [akeʀœʀ].

**ACQUÉRIR, verbe trans.** [33]
**1.** Devenir propriétaire de (un droit, un bien), gratuitement ou en le payant. **2.** Fig. Obtenir ; en venir à posséder : ***Acquérir** des notions de solfège* ; *Il **acquit** la certitude d'être trompé* ; *Ce vin **acquerra** du corps en vieillissant.* PRONOM. *S'acquérir qqn* : gagner sa sympathie, s'attacher ses services. 1148 ; lat. pop. *°acquaerere*, du lat. *acquirere*, « ajouter à » ; [akeʀiʀ].

**ACQUÊT, subst. m.**
*Dr.* Bien acquis par l'un des époux et entrant dans la communauté, par oppos. au bien propre (gén. au plur.). Fin XIIe s. ; lat. médiév. *acquaesitus* ; [akɛ].

**ACQUIESCEMENT, subst. m.**
Fait d'acquiescer. 1527 ; ☞ *acquiescer* ; [akjɛsmɑ̃].

**ACQUIESCER, verbe trans. indir.** [4]
Acquiescer à. Donner son plein assentiment à (qqch. ou qqn), approuver : *Il **acquiesça** à ma demande* ; empl. abs., dire oui. Déb. XIVe s. ; lat. *acquiescere*, « se reposer sur » ; [akjese].

**ACQUIS, ISE, adj. et subst. m.**
ADJ. **1.** Qui a fait l'objet d'une acquisition (anton. *transmis*) : *Fortune **acquise**.* **2.** Obtenu par l'étude, l'effort (anton. *naturel*) : *Compétences **acquises**.* ▸ Que l'individu possède par adaptation (anton. *inné*) : *Caractères **acquis**.* **3.** Établi, reconnu : *Droits **acquis**.* **4.** *Être **acquis** à qqn, à une cause* : lui être totalement dévoué. SUBST. Ce dont la possession constitue un avantage : *L'**acquis** de l'expérience* ; *Les **acquis** sociaux.* XVIe s. ; p. p. de *acquérir* ; [aki, iz].

**ACQUISITIF, IVE, adj.**
*Dr.* Qui permet d'acquérir, de rendre propriétaire. Fin XVe s. ; lat. médiév. *acquisitivus* ; [akizitif, iv].

**ACQUISITION,** subst. f.
**1.** Action d'acquérir. **2.** Méton. Chose acquise : *Il nous montra sa dernière* ***acquisition****, une rutilante Torpedo.* 1283 ; lat. *acquisitio* ; [akizisjɔ̃].

**ACQUIT,** subst. m.
**1.** Paiement. **2.** Méton. Quittance écrite d'un paiement. **3.** Loc. *Pour* ***acquit*** : formule commerciale et bancaire attestant un paiement ; *Par* ***acquit*** *de conscience* : pour libérer sa conscience, sans conviction. XIIe s. ; ☞ *acquitter* ; [aki].

**ACQUITTEMENT,** subst. m.
**1.** Action de payer une somme due ou, au fig., une dette morale. **2.** *Dr.* Action de juger un accusé non coupable. XIIIe s. ; ☞ *acquitter* ; [akitmɑ̃].

**ACQUITTER,** verbe trans. [3]
**1.** Payer (un dû) : ***Acquitter*** *une taxe.* **2.** Déclarer innocent, absoudre. **Pronom. S'acquitter de.** Se libérer de (une dette, une obligation) ; accomplir (un devoir) : *Il* ***s'est acquitté*** *de sa tâche.* Fin XIe s. ; ☞ *quitte* + *a-*¹ ; [akite].

**ACRA,** subst. m.
Boulette frite de poisson émietté ou de légumes écrasés dans de la farine (cuisine créole). XXe s. ; yoruba *akara*, « beignet de haricot » ; var. *akra* ; [akʀa].

**ACRE,** subst. f.
Ancienne mesure agraire, équivalant à env. 50 ares. Fin XIIe s. ; orig. germ. ; [akʀ].

**ÂCRE,** adj.
**1.** Qui est irritant à l'odorat, au goût : *Une saveur* ***âcre****.* **2.** Fig. Blessant, acerbe : *D'****âcres*** *paroles.* 1606 ; lat. *acer*, « pointu, perçant » ; [ɑkʀ].

**ÂCRETÉ,** subst. f.
Caractère de ce qui est âcre : *L'****âcreté*** *de la bile.* Fin XVIe s. ; ☞ *âcre* ; [ɑkʀəte].

**ACRIDIENS,** subst. m. plur.
*Zool.* L'une des trois familles de l'ordre des Orthoptères, les deux autres étant les Grylloïdes (grillons) et les Tettigonioïdes (sauterelles) ; empl. adj., relatif aux **Acridiens** : *Invasion* ***acridienne****.* **Au sing.** *Le criquet est un* ***acridien****.* 1842 ; gr. *akris*, « sauterelle » ; [akʀidjɛ̃].

**ACRIMONIE,** subst. f.
Aigreur, humeur amère, hargneuse : *Des propos pleins d'****acrimonie****.* 1801 (1539, âcreté de la bile) ; lat. *acrimonia* ; [akʀimɔni].

**ACRIMONIEUX, EUSE,** adj.
Qui montre de l'acrimonie. 1605 ; ☞ *acrimonie* ; [akʀimɔnjø, øz].

**ACROBATE,** subst.
**1.** Artiste effectuant des exercices d'adresse, de force ou d'agilité. **2.** Fig. Individu habile à manier les êtres, les idées, les choses : *Jongleur de mots,* ***acrobate*** *d'idées* (L. Daudet). 1751 ; gr. *akrobatos*, « qui marche sur la pointe des pieds » ; [akʀɔbat].

**ACROBATIE,** subst. f.
**1.** Art, exercice de l'acrobate ; par ext. : ***Acrobatie*** *aérienne*, exercice de voltige effectué par un avion. **2.** Fig. Virtuosité, parfois risquée, dans le maniement des êtres, des idées, des choses : *Des* ***acrobaties*** *oratoires.* 1853 ; ☞ *acrobate* ; [akʀɔbasi].

*Acrobates du cirque de Pékin.*

**ACROBATIQUE,** adj.
Du domaine de l'acrobatie ; au fig. : *Les fantaisies* ***acrobatiques*** *d'un pianiste.* 1842 (1751, machine à monter des fardeaux) ; ☞ *acrobate* ; [akʀɔbatik].

**ACROCÉPHALIE,** subst. f.
*Pathol.* Malformation de la tête caractérisée par l'aplatissement latéral du crâne et le développement en hauteur de la région occipitale. 1865 ; formé de *acro-* et de *-céphalie* ; [akʀosefali].

**ACROCYANOSE,** subst. f.
*Pathol.* Cyanose des mains et des pieds, touchant parfois les jambes et, plus rarement, les oreilles, le nez, les pommettes. 1896 ; ☞ *cyanose* + *acro-* ; [akʀosjanoz].

**ACROLÉINE,** subst. f.
*Chim.* Nom de l'aldéhyde éthylénique, ou éthanal, liquide volatil, suffocant et lacrymogène. 1866 ; lat. *acer*, « aigre », et *olere*, « avoir une odeur » ; [akʀɔlein].

**ACROMÉGALIE,** subst. f.
*Pathol.* Affection caractérisée par une hypertrophie des extrémités et de la tête, due à une tumeur de la glande hypophysaire, qui sécrète en excès l'hormone de croissance. 1885 ; formé de *acro-* et de *-mégalie* ; [akʀɔmegali].

**ACROMION,** subst. m.
*Anat.* Apophyse qui termine l'épine de l'omoplate et avec laquelle s'articule la clavicule. 1534 ; gr. *akrômion*, « pointe de l'omoplate » ; [akʀɔmjɔ̃].

**ACRONYME,** subst. m.
Sigle prononcé comme un mot ordinaire (par ex. : « Unesco »). 1970 ; angl. *acronym* ; [akʀɔnim].

**ACROPOLE,** subst. f.
*Antiq.* Partie la plus élevée d'une cité grecque, où étaient érigés des sanctuaires : *L'****acropole*** *d'Athènes* ou, empl. abs., *L'****Acropole****.* 1552 ; gr. *akropolis*, « ville haute » ; [akʀɔpɔl].

**ACROSTICHE,** subst. m.
*Versif.* Poème dans lequel les premières lettres de chaque vers, lues de haut en bas, constituent un nom, une devise ou un mot choisi par l'auteur. 1582 ; gr. *akrostikhis*, de *akros*, « extrême », et de *stikhos*, « vers » ; [akʀɔstiʃ].

**ACROTÈRE,** subst. m.
*Archit.* Socle placé au sommet ou aux extrémités d'un fronton, servant souvent de support à une statue, à des ornements, etc. ; par ext., l'ornement posé sur ce socle. 1547 ; lat. *acroteria*, du gr. *akrôtêrion*, « partie saillante ou supérieure » ; [akʀɔtɛʀ].

**ACRYLIQUE,** adj. et subst. m.
**Adj.** *Chim.* Qualifie usuellement des produits obtenus à partir du propène ($C_3H_6$), l'aldéhyde **acrylique** et l'acide **acrylique**. **Subst.** Textile artificiel obtenu à partir du nitrile **acrylique**. 1865 ; lat. *acer*, « aigre », et gr. *hulê*, « matière » ; [akʀilik].

**ACTANT,** subst. m.
*Ling.* Celui qui fait l'action exprimée par le verbe ou par le groupe verbal comprenant le verbe et le complément d'objet. 1959 ; ☞ *action* ; [aktɑ̃].

**ACTE,** subst. m.
**I.** *Dr.* **1.** Écrit, document constatant officiellement un fait, consignant une décision judiciaire ou administrative, une convention, un contrat, etc. : ***Acte*** *de cession* ; ***Acte*** *de baptême* ; au plur., ouvrage rassemblant des récits, des documents officiels : *Les* ***actes*** *d'un concile.* **2.** Loc. *Dont* ***acte*** : bonne note est prise ; *Prendre* ***acte*** *de* : constater légalement ou, par ext., prendre bonne note. **II. 1.** Mouvement, gén. adapté à une fin, manifestant la faculté d'agir de l'homme et considéré comme un fait ponctuel, objectif, autonome : ***Acte*** *instinctif* ; ***Acte*** *de courage.* **2.** Action (par oppos. à *intention* ou à *parole*) : *Passer à l'****acte*** ; *Juger qqn sur ses* ***actes****.* **3.** Loc. **Faire acte de.** Faire preuve de, manifester : *Faire* ***acte*** *de compréhension* ; *Faire* ***acte*** *de présence.* **4.** *Philos.* *En* ***acte*** : état déterminé de ce qui existe réellement, de ce qui se produit ou s'accomplit, par oppos. à ce qui est en puissance, virtuel. **5.** *Psychanal.* ***Acte*** *manqué* : compromis entre ce qu'un sujet veut faire ou dire consciemment et ce qui est refoulé dans son inconscient. **6.** *Relig.* Résolution spirituelle par laquelle l'âme se porte vers Dieu ; formule, prière qui l'exprime : ***Acte*** *de contrition* ; ***Acte*** *de foi.* **III.** Partie d'une pièce de théâtre, pouvant elle-même être divisée en scènes : *Une comédie en cinq* ***actes****.* 1338 ; lat. *actum*, de *agere*, « agir », et *actus*, « action scénique » ; [akt].

**ACTÉE,** subst. f.
*Bot.* Plante des bois de la famille des Renonculacées. L'espèce *Actaea spicata*, couramment appelée herbe de Saint-Christophe, porte des baies vénéneuses. 1751 ; lat. *actaea*, « actée en épi » ; [akte].

**ACTEUR, ACTRICE,** subst.
**1.** Personne qui joue un rôle actif dans une affaire, un évènement : *Les principaux* ***acteurs*** *de la Révolution.* **2.** Celui ou celle qui interprète un personnage dans une pièce de théâtre ou dans un film. 1450 (1236, auteur d'un livre) ; lat. *actor*, « celui qui agit » ; [aktœʀ, aktʀis].

**ACTIF, IVE,** adj. et subst. m.
**Adj. 1.** Qui agit, qui manifeste de l'activité, de l'énergie : *Une grand-mère fort* ***active****.* ► *Enseign.* *Méthode* ***active*** : faisant appel à la participation des élèves. ► *Psychol.* *Tempérament* ***actif*** : enclin à l'action. **2.** Qui est efficace, qui a des effets puissants : *Un remède* ***actif*** ; *Des capitaux* ***actifs****,* qui produisent des intérêts. **3.** Qui implique l'activité, l'affairement : *Une diplomatie* ***active*** ; *D'****actives*** *recherches.* **4.** Qui est en activité : *Un volcan* ***actif*** ; *Être membre* ***actif*** *d'une association.* ► *Population* ***active*** : composée des personnes possédant un travail ou qui en cherchent un ; empl. subst. : *Les* ***actifs*** ; par méton. : *Vie* ***active****,* partie de sa vie durant laquelle une personne exerce une profession. ► *Milit.* *L'armée* ***active*** ou, empl. subst. fém., *L'****active*** : ensemble des hommes sous les drapeaux en temps de paix ; *Un officier d'****active*** : appartenant à l'**active**. **5.** *Gramm.* *La voix* ***active*** ou, empl. subst. masc., *L'****actif*** (anton. *passif*) : l'ensemble des formes verbales qui indiquent que le sujet est considéré comme agissant. **Subst. 1.** *Comptab.* Dans un bilan, ensemble de ce qui apparaît comme les biens matériels ou immatériels possédés par une entreprise (anton. *passif*). **2.** Fig. Ce dont qqn peut se prévaloir : *Cet athlète a trois records mondiaux à son* ***actif****.* 1160 ; lat. *activus*, de *agere*, « agir » ; [aktif, iv].

**ACTINE,** subst. f.
*Biol.* et *Biochim.* Protéine participant avec la myosine à la contractilité des muscles, initialement considérée comme propre aux cellules musculaires mais présente en fait sous des formes très voisines dans toutes les cellules à noyau vrai donc même chez les végétaux. V. 1960 (1866, terme d'entomologie) ; gr. *aktis*, « rayon » ; [aktin].

**ACTINIAIRES,** subst. m. plur.
*Zool.* Ordre de métazoaires très simples comprenant des espèces vivant isolées (actinies) et d'autres vivant en colonie (madrépores). **Au sing.** *L'anémone de mer est un* ***actiniaire****.* 1838 ; ☞ *actinie* ; [aktinjɛʀ].

**ACTINIDE,** subst. m.
*Chim.* Nom générique des éléments 89 (actinium) à 103 (lawrencium) de la table de Mendeleïev, tous radioactifs. V. 1950 ; ☞ *actinium* ; [aktinid].

**ACTINIE,** subst. f.
*Zool.* Nom scientifique de l'anémone de mer et de l'ortie de mer (*Actinia equina*). C'est un polype isolé, sans squelette – d'où sa forme de sac mou –, dont la bouche est couronnée de tentacules. 1792 ; gr. *aktis*, « rayon » ; [aktini].

**ACTINIQUE,** adj.
*Phys.* Qualifie un rayonnement exerçant une action chimique sur certaines substances : *Les rayons X sont* ***actiniques****.* 1866 ; gr. *aktis*, « rayon » ; [aktinik].

**ACTINISME,** subst. m.
*Phys.* Propriété que possède une radiation d'exercer une action chimique. 1877 ; gr. *aktis*, « rayon » ; [aktinism].

**ACTINISTIENS,** subst. m. plur.
*Zool.* Ordre de poissons fossiles, dont le cœlacanthe est le seul représentant vivant. **Au sing.** *Un* ***actinistien*** *du Dévonien.* Gr. *aktis*, « rayon » ; [aktinistjɛ̃].

**ACTINIUM,** subst. m.
*Chim.* Élément n° 89 de la table de Mendeleïev (symb. : Ac), spontanément radioactif ; masse atomique : 227 ; point de fusion : 1 050 °C ; point d'ébullition : 3 200 °C ; masse volumique : 10,1 g/cm³. On en connaît deux isotopes naturels, Ac 227 et Ac 228, ainsi que 22 isotopes artificiels, de masses atomiques comprises entre 210 et 232. Fin XIXe s. ; gr. *aktis*, « rayon » ; [aktinjɔm].

**ACTINOMÈTRE,** subst. m.
*Phys.* Appareil servant à mesurer l'intensité des radiations, en partic. des radiations solaires. 1865 ; formé de *actino-* et de *-mètre*¹ ; [aktinɔmɛtʀ].

**ACTINOMYCÉTACÉES,** subst. f. plur.
*Bactériol.* Groupe de bactéries Gram+ filamenteuses souvent ramifiées, qui comporte des espèces productrices d'antibiotiques. Déb. XXe s. ; formé de *actino-* et de *-mycète* ; [aktinomisetase].

**ACTINOMYCINE,** subst. f.
*Biochim.* Substance sécrétée par deux bactéries du genre *Actinomyces*, très toxique, employée dans le traitement de certaines tumeurs. Formé de *actino-* et de *-myce* ; [aktinomisin].

**ACTINOPODES,** subst. m. plur.
*Zool.* Organismes unicellulaires dotés de longs prolongements rayonnants. AU SING. *Un actinopode.* XIXe s. ; formé de *actino-* et de *-pode* ; [aktinɔpɔd].

**ACTION,** subst. f.
**I. 1.** Fait, faculté, goût d'agir : *Un homme d'**action** ; Passer à l'**action** ; Associer la réflexion à l'**action**.* ▸ Loc. *Entrer en **action*** : commencer à agir. ▸ *Gramm. Verbes d'**action*** : qui expriment une **action**, par oppos. aux verbes d'état. **2.** Ce que l'on fait, acte : ***Action** d'éclat ; Mauvaise **action**.* ▸ *Relig. **Action** de grâces* : prière de remerciement à Dieu. **3.** Effet produit sur qqn ou qqch. : ***Action** du soleil sur la peau ; **Action** d'un discours sur la foule ; Rayon d'**action**,* portée. ▸ *Phys. Égalité d'**action** et de réaction* : principe selon lequel les **actions** réciproques d'un point sur un autre sont représentables par deux forces égales et opposées. **4.** Mouvement collectif : *Journée d'**action** ; **Action** politique, syndicale.* **5.** *Dr.* Exercice d'un droit devant la justice : ***Action** en nullité ; Intenter une **action** contre qqn.* **6.** *Litt.* Sujet, intrigue d'une œuvre : *L'**action** se passe à Paris.* **II. 1.** *Fin.* Titre représentant une fraction du capital d'une société, cessible et négociable : *Un portefeuille d'**actions**.* **2.** Fig. Considération, crédit dont jouit qqn (fam.) : *Vos **actions** montent auprès du président.* XIIIe s. ; lat. *actio* ; [aksjɔ̃].

**ACTIONNAIRE,** subst.
*Fin.* Propriétaire d'une ou de plusieurs actions d'une société. 1675 ; ☞ *action* ; [aksjɔnɛʀ].

**ACTIONNARIAT,** subst. m.
*Fin.* **1.** Système économique caractérisant les sociétés dont le capital est divisé en actions ; ensemble des actionnaires d'une entreprise. **2.** ***Actionnariat** ouvrier* : type de participation aux bénéfices d'une entreprise, fondé sur la distribution d'actions aux salariés. 1912 ; ☞ *actionnaire* ; [aksjɔnaʀja].

**ACTIONNER,** verbe trans. [3]
**1.** *Dr.* Poursuivre (qqn) en justice. **2.** Mettre en marche, en mouvement (un dispositif, une machine). 1312 ; ☞ *action* ; [aksjɔne].

**ACTIVATEUR, TRICE,** adj. et subst. m.
ADJ. Qui sert à activer un processus chimique ou physique : *Une enzyme **activatrice**.* SUBST. Corps susceptible d'augmenter l'activité d'une matière luminescente : *L'argent est un **activateur**.* 1910 ; ☞ *activer* ; [aktivatœʀ, tʀis].

**ACTIVATION,** subst. f.
**1.** *Biol. **Activation** de l'ovule* : déclenchement des processus du développement par la fécondation. **2.** *Chim.* Déclenchement ou accélération d'une réaction. **3.** *Phys.* Fait de rendre radioactifs des éléments chimiques en les irradiant ou en les bombardant avec certaines particules (gén. des neutrons). 1910 ; ☞ *activer* ; [aktivasjɔ̃].

**ACTIVEMENT,** adv.
De manière active. Déb. XIVe s. ; ☞ *actif* ; [aktivmɑ̃].

**ACTIVER,** verbe trans. [3]
**1.** Rendre plus rapide, plus intense ou plus actif : *La marche **active** l'appétit ; **Activer** les recherches.* **2.** *Chim.* et *Phys.* Soumettre (une substance, un processus) à l'activation. PRONOM. Déployer une intense activité. XVe s. ; ☞ *actif* ; [aktive].

**ACTIVEUR,** subst. m.
*Chim.* Substance qui accroît l'efficacité d'un catalyseur. 1953 ; ☞ *activer* ; [aktivœʀ].

**ACTIVISME,** subst. m.
**1.** *Philos.* Position, attitude morale qui attribue la primauté à l'action, aux réalisations concrètes. **2.** *Pol.* Doctrine qui préconise l'action directe et l'agitation violente en matière politique ou syndicale ; comportement qui en découle. Déb. XXe s. ; ☞ *actif* ; [aktivism].

**ACTIVISTE,** adj. et subst.
ADJ. Relatif à l'activisme. SUBST. Partisan de l'activisme. Déb. XXe s. ; ☞ *activisme* ; [aktivist].

**ACTIVITÉ,** subst. f.
**I. 1.** Faculté d'agir ; caractère de ce qui est propre à produire un effet, à fonctionner : *L'**activité** de l'esprit humain, du corps ; L'**activité** d'un poison, d'un volcan.* **2.** Manifestation, individuelle ou collective, de cette faculté d'agir : *L'**activité** fébrile d'une ruche ; Les secteurs d'**activité** économique ; Son **activité** favorite est la lecture.* ▸ Loc. **En activité.** En exercice : *Ce médecin est toujours en **activité**.* **3.** Qualité d'une personne active ; dynamisme, vivacité. **II.** *Spéc.* **1.** *Astron. **Activité** solaire* : ensemble des transformations énergétiques du Soleil, qui s'accompagnent de phénomènes visibles ou invisibles mais enregistrables, comme les taches solaires ou les éruptions solaires. **2.** *Phys. nucl. **Activité** d'un élément radioactif* : le nombre de désintégrations spontanées par unité de temps qui se produisent dans une quantité donnée de cet élément, mesuré en becquerels (1 Bq = 1 désintégration par seconde). **3.** *Psychol.* Caractéristique du tempérament actif. 1425 ; lat. médiév. *activitas* ; [aktivite].

**ACTUAIRE,** subst. m.
**1.** *Antiq. rom.* Fonctionnaire chargé de la comptabilité, des vivres, etc. **2.** *Fin.* Spécialiste chargé d'appliquer aux questions d'assurance, de prévoyance sociale ou d'amortissement le calcul des probabilités et la méthode statistique. 1749 ; lat. *actuarius* ; [aktɥɛʀ].

**ACTUALISATION,** subst. f.
Action d'actualiser ; son résultat. 1834 ; ☞ *actualiser* ; [aktɥalizasjɔ̃].

**ACTUALISER,** verbe trans. [3]
**1.** *Philos.* Faire passer de la puissance à l'acte ; rendre effectif (ce qui est virtuel) : ***Actualiser** une possibilité latente.* **2.** Adapter au temps présent ; mettre à jour. **3.** *Fin.* Calculer la valeur actuelle de (un patrimoine, des revenus, etc.). 1834 (1641, rendre réel) ; lat. *actualis*, « qui agit » ; [aktɥalize].

**ACTUALISME,** subst. m.
*Géol.* Théorie qui explique les phénomènes géologiques anciens par les processus observables dans la nature actuelle. 1918 (1911, activisme philosophique) ; lat. *actualis*, « qui agit » ; [aktɥalism].

**ACTUALITÉ,** subst. f.
**1.** *Philos.* État de ce qui est actualisé. **2.** Qualité de ce qui est actuel, de ce qui appartient au moment présent : *L'**actualité** d'une mode, d'une idée.* **3.** Ensemble des événements qui se produisent ou qui viennent d'avoir lieu : *L'**actualité** politique, sportive* ; par méton., récapitulation d'informations, de nouvelles concernant ces faits (gén. au plur.) : *Les **actualités** télévisées.* XIIIe s. ; lat. médiév. *actualitas*, du lat. *actualis*, « qui agit » ; [aktɥalite].

**ACTUARIAT,** subst. m.
**1.** Fonction d'actuaire. **2.** *Fin.* Technique statistique des actuaires. Fin XIXe s. ; ☞ *actuaire* ; [aktɥaʀja].

**ACTUARIEL, ELLE,** adj.
*Fin.* Relatif aux travaux des actuaires : *Un calcul **actuariel**.* 1908 ; ☞ *actuaire* ; [aktɥaʀjɛl].

**ACTUATION,** subst. f.
*Philos.* Passage de la puissance à l'acte (synon. *actualisation*). 1877 ; lat. *actus*, « acte » ; [aktɥasjɔ̃].

**ACTUEL, ELLE,** adj.
**1.** *Philos.* Qui est réel, en acte ; empl. subst. : *L'**actuel** et le virtuel.* **2.** *Relig. Péché **actuel*** : commis consciemment à un moment donné (anton. *péché originel*). **3.** Qui existe, qui se produit dans le temps présent, qui est en activité au moment où l'on parle (anton. *passé* et *futur*) : *Les mœurs **actuelles** ; La science **actuelle** ; Les difficultés **actuelles** de l'économie.* **4.** Qui correspond aux valeurs, à la sensibilité des hommes d'aujourd'hui : *Cet ouvrage de médecine n'est plus **actuel**.* Mil. XIVe s. ; lat. *actualis*, « qui agit » ; [aktɥɛl].

**ACTUELLEMENT,** adv.
**1.** *Philos.* En acte, effectivement. **2.** Au moment présent. Mil. XIVe s. ; ☞ *actuel* ; [aktɥɛlmɑ̃].

**ACUITÉ,** subst. f.
**1.** Propriété de ce qui est aigu, intense : ***Acuité** du froid* ; au fig., extrême gravité : *L'**acuité** d'un conflit.* **2.** Degré de finesse de la perception sensible ; capacité de discrimination : *L'**acuité** visuelle* ; par anal. : *L'**acuité** d'un jugement.* Déb. XIVe s. (1256, saveur aigre) ; lat. *acutus*, « aigu » ; [akɥite].

**ACULÉATES,** subst. m. plur.
*Zool.* Sous-ordre d'insectes portant un aiguillon à l'extrémité de l'abdomen, telles les guêpes ou les fourmis. AU SING. *L'abeille est un **aculéate**.* 1928 ; lat. *aculeatus*, « pourvu d'un aiguillon » ; [akyleat].

**ACUMINÉ, ÉE,** adj.
*Bot.* Se dit d'une plante ou d'un de ses organes foliacés se terminant brusquement en pointe fine. 1797 ; lat. *acuminatus* ; [akymine].

**ACUPUNCTEUR, TRICE,** subst.
Médecin spécialisé qui pratique l'acupuncture. 1829 ; ☞ *acupuncture* ; var. *acuponcteur, trice* ; [akypɔ̃ktœʀ, tʀis].

**ACUPUNCTURE,** subst. f.
Pratique médicale chinoise très ancienne (IIe mill. av. J.-C.) fondée sur une théorie selon laquelle le corps humain est la combinaison de souffles émanant d'un souffle primordial, la maladie résultant d'un déséquilibre introduit dans cette combinaison. L'**acupuncture** consiste à piquer de fines aiguilles en des points bien précis du corps afin de rétablir l'équilibre perturbé. 1765 ; lat. méd. *acupunctura*, du lat. *acus*, « aiguille », et *punctura*, « piqûre » ; var. *acuponcture* ; [akypɔ̃ktyʀ].

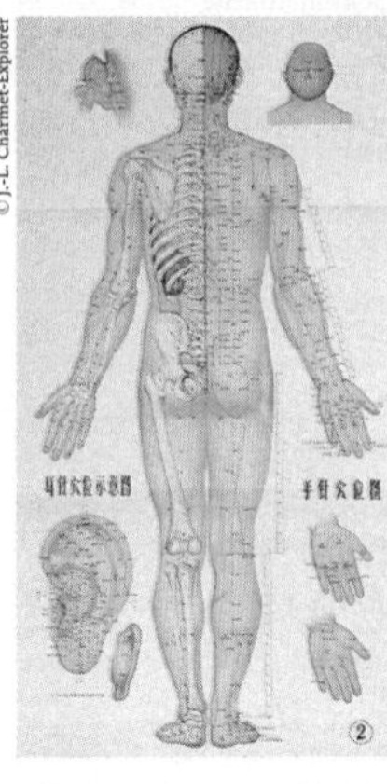
© J.-L. Charmet-Explorer

*Planche de points d'**acupuncture**.*

**ACUTANGLE,** adj.
*Géom.* Dont tous les angles sont aigus : *Triangle **acutangle**.* 1721 ; crois. du lat. *acutus*, « aigu », et de *angle* ; [akytɑ̃gl].

**ACYCLIQUE,** adj.
**1.** Qui se produit à intervalles irréguliers ; non cyclique. **2.** *Chim.* Qualifie un composé organique dont la chaîne carbonée ne se referme pas sur elle-même : *Une chaîne linéaire ou ramifiée est **acyclique**.* 1920 ; ☞ *cyclique* + *a-*[2] ; [asiklik].

**ADAGE,** subst. m.
Courte sentence fondée sur l'expérience populaire ou sur le droit ancien : *Il s'exprime par lieux communs et par **adages**.* 1529 ; lat. *adagium* ; [adaʒ].

**ADAGIO,** adv. et subst. m.
*Mus.* ADV. Lentement (plus qu'andante et moins que largo). SUBST. Morceau à exécuter dans ce tempo. 1750 ; mot ital. ; [adadʒjo].

**ADAMANTIN, INE,** adj.
**1.** Brillant, résistant comme le diamant. **2.** *Biol. Cellules **adamantines*** : qui constituent l'émail des dents. 1509 ; lat. *adamantinus*, du gr. *adamantinos* ; [adamɑ̃tɛ̃, in].

**ADAMIEN,** voir **ADAMITE**

**ADAMIQUE,** adj.
Relatif à Adam. 1654 ; *Adam* ; [adamik].

**ADAMISME,** subst. m.
*Relig.* Mouvement de chrétiens hérétiques du IIe s. qui voulaient revenir au temps de l'innocence d'Adam, avant le péché, vivaient nus et rejetaient le mariage. 1866 ; *Adam* ; [adamism].

**ADAMITE,** adj. et subst.
ADJ. **1.** *Relig.* Relatif à l'adamisme. **2.** *Géol. Terre **adamite*** : terre vierge. SUBST. *Relig.* Chrétien hérétique adepte de l'adamisme. 1690 ; *Adam* ; var. *adamien, ienne* ; [adamit].

© Pele-Stills

*Orson Welles dans son **adaptation** cinématographique (1951) d'Othello, de Shakespeare.*

© J. Brun-Jacana

*Addax.*

*Le « messie » Hamsammanarah et quelques-uns des **adeptes** de la secte qu'il a créée.*

© P. Brylak-Explorer

**ADAPTABILITÉ,** subst. f.
Qualité de ce qui est adaptable. 1932 ; ☞ *adaptable* ; [adaptabilite].

**ADAPTABLE,** adj.
Qui peut s'adapter ou être adapté. 1775 ; ☞ *adapter* ; [adaptabl].

**ADAPTATEUR, TRICE,** subst.
Auteur d'une adaptation littéraire, musicale (synon. *arrangeur*), cinématographique, etc. MASC. *Techn.* Instrument ou dispositif permettant d'adapter un objet à un usage pour lequel il n'était pas conçu. 1885 ; ☞ *adaptation* ; [adaptatœʀ, tʀis].

**ADAPTATION,** subst. f.
**1.** Action d'adapter ou de s'adapter ; son résultat : ***Adaptation** d'un véhicule aux handicapés* ; *Faire un effort d'**adaptation***. **2.** Transposition d'une œuvre littéraire, musicale, etc., dans un domaine ou un genre différent : ***Adaptation** à l'écran d'une pièce de Shakespeare.* ► Traduction très libre et arrangement d'une œuvre étrangère. ► Mise au goût du jour, rajeunissement d'une œuvre ancienne. **3.** *Biol.* ► Acclimatation, ajustement d'un individu, d'une espèce ou d'une population à son milieu naturel : *L'**adaptation** génétique est à l'origine de la diversification des espèces.* ► Processus par lequel un individu ou un groupe s'adapte à de nouvelles conditions d'existence. **4.** *Physiol.* Capacité d'accommodation de l'œil aux variations lumineuses. 1501 ; lat. médiév. *adaptatio* ; [adaptasjɔ̃].

**ADAPTER,** verbe trans. [3]
**1.** Appliquer, réunir, ajuster : ***Adapter** une pomme à un arrosoir.* **2.** Mettre en accord, approprier : ***Adapter** son langage au public.* **3.** Procéder à l'adaptation de (une œuvre littéraire, musicale, etc.) : ***Adapter** un roman pour le cinéma.* PRONOM. S'adapter à. **1.** S'ajuster mécaniquement à. **2.** Se mettre en harmonie avec ; s'accoutumer à : *S'**adapter** à la chaleur* ; empl. abs. : *Vivre, c'est s'**adapter**.* **3.** *Biol.* Réaliser son adaptation à (un nouveau milieu). 1270 ; lat. *adaptare*, « ajuster à » ; [adapte].

**ADDAX,** subst. m.
*Zool.* Antilope d'Afrique septentrionale et d'Arabie, à robe très claire et aux cornes en spirale. 1846 ; mot lat. ; [adaks].

**ADDENDA,** subst. m. inv.
Note que l'auteur ou l'éditeur ajoute en fin d'ouvrage. 1701 ; lat. *addere*, « ajouter » ; [adɛ̃da].

**ADDITIF, IVE,** adj. et subst. m.
ADJ. Qui s'ajoute : *Un addenda est une note **additive**.* SUBST. Supplément, chose ajoutée : *La Chambre a voté un **additif** à la loi électorale* ; *Incorporer un **additif** à un carburant.* 1840 ; lat. *additivus* ; [aditif, iv].

**ADDITION,** subst. f.
**1.** Action d'ajouter ; chose ajoutée. **2.** Au café, au restaurant, note indiquant le montant à payer. **3.** *Arithm.* Opération de symbole + (plus) ; réunion en un seul nombre, la somme, des unités constituantes de plusieurs nombres ; loi de composition d'un groupe commutatif. **4.** *Chim. Composé d'**addition*** : molécule dont la formule est la juxtaposition des formules de plusieurs autres molécules. Fin XIIIe s. ; lat. *additio* ; [adisjɔ̃].

**ADDITIONNEL, ELLE,** adj.
Qui est joint ; supplémentaire : *Note **additionnelle**.* 1500 ; ☞ *addition* ; [adisjɔnɛl].

**ADDITIONNER,** verbe trans. [3]
**1.** Faire l'addition de : ***Additionner** des billes* ; empl. abs., faire une addition. **2.** Modifier en ajoutant et en mêlant : ***Additionner** d'eau un sirop* ; empl. adj. : *Les Anciens buvaient un vin **additionné** d'aromates.* Mil. XVIe s. ; ☞ *addition* ; [adisjɔne].

**ADDUCTEUR,** adj. m. et subst. m.
**1.** *Anat.* Se dit d'un muscle qui produit l'adduction d'un membre ou d'un organe moteur : *Les **adducteurs** de la cuisse.* **2.** *Trav. publ.* Se dit d'un canal ou d'une voie qui véhicule un liquide vers un autre canal, une autre voie ou vers un réservoir. 1690 ; ☞ *adduction* ; [adyktœʀ].

**ADDUCTION,** subst. f.
**1.** *Anat.* Action des muscles qui rapproche les membres de l'axe du corps. **2.** *Trav. publ.* Action de conduire un fluide liquide ou gazeux vers un lieu donné : *Travaux d'**adduction** d'eau.* 1541 ; lat. *adductio*, de *adducere*, « amener » ; [adyksjɔ̃].

**ADÉNINE,** subst. f.
*Biochim.* Une des deux bases puriques parmi les bases azotées que l'on retrouve dans les nucléotides qu'utilisent les cellules pour la constitution et le fonctionnement de leur matériel génétique : les A. D. N. et les A. R. N. Fin XIXe s. ; gr. *adên*, « glande » ; [adenin].

**ADÉNITE,** subst. f.
*Pathol.* Inflammation des ganglions lymphatiques. 1842 ; gr. *adên*, « glande », + *-ite* ; [adenit].

**ADÉNOCARCINOME,** subst. m.
*Pathol.* Tumeur maligne qui se développe aux dépens d'un tissu glandulaire. Déb. XXe s. ; formé du gr. *adên*, « glande », et de *carcinome* ; [adenokaʀsinom].

**ADÉNOME,** subst. m.
*Pathol.* Tumeur bénigne qui se développe aux dépens d'une glande : ***Adénome** thyroïdien.* 1858 ; gr. *adên*, « glande », + *-ome* ; [adenom].

**ADÉNOPATHIE,** subst. f.
*Pathol.* Terme générique désignant diverses affections des ganglions lymphatiques. 1855 ; gr. *adên*, « glande », + *-pathie* ; [adenopati].

**ADÉNOSINE,** subst. f.
*Biochim.* Groupement moléculaire résultant de l'union d'une molécule d'adénine et d'une molécule de ribose, dont les dérivés jouent un rôle fondamental dans le métabolisme énergétique et dans la biosynthèse des acides ribonucléiques. 1919 ; ☞ *adénine* ; [adenozin].

BIOCHIMIE – L'adénosine triphosphate, ou A. T. P., est présente dans toutes les cellules. C'est une des molécules qui mettent en réserve l'énergie libérée par la dégradation chimique des aliments pendant la digestion. Lors d'un effort physique, par exemple, l'énergie nécessaire à la cellule musculaire lui est fournie par des réactions auxquelles participe l'A. T. P. La propriété essentielle de l'A. T. P. est celle de donneuse de groupement phosphoryle. L'A. T. P. est également requise pour de très nombreuses réactions de biosynthèse.

**ADENT,** subst. m.
Assemblage de pièces (gén. de bois) à l'aide d'entailles. 1573 ; ☞ *dent* + *a-*[1] ; [adɑ̃].

**ADEPTE,** subst.
**1.** Alchimiste parvenu au grand œuvre. **2.** Membre d'une secte, d'un cercle d'initiés ; fidèle d'une religion, partisan d'une théorie, d'une philosophie ; par ext., personne qui pratique volontiers une activité : ***Adepte** de la marche.* 1630 ; lat. des alchimistes *adeptus*, de *adipisci*, « atteindre » ; [adɛpt].

**ADÉQUAT, ATE,** adj.
**1.** Qui est en parfaite correspondance avec son objet : *Idée, formulation **adéquate**.* **2.** Ext. Qui convient bien aux circonstances, approprié : *Tenue **adéquate**.* 1736 ; lat. *adaequatus*, de *adaequare*, « rendre égal » ; [adekwa, at].

**ADÉQUATION,** subst. f.
Fait d'être exactement adapté, approprié. Mil. XIXe s. ; lat. *adaequatio* ; [adekwasjɔ̃].

**ADEXTRÉ, ÉE,** adj.
*Hérald.* Accompagné d'une pièce secondaire sur sa dextre. 1581 ; ☞ *dextre* + *a-*[1] ; [adɛkstʀe].

**ADHÉRENCE,** subst. f.
**1.** Fait d'adhérer physiquement : *La mauvaise **adhérence** au sol d'un pneu usé.* **2.** Fig. Fort attachement à des idées, à des souvenirs, à des personnes (rare) : *L'**adhérence** du mystique à Dieu.* **3.** *Pathol.* Union, physiologique ou pathologique, de deux organes ou de deux tissus. XIVe s. ; lat. *adhaerentia* ; [adeʀɑ̃s].

**ADHÉRENT, ENTE,** subst. et adj.
SUBST. Personne qui adhère à un parti, à une association. ADJ. Qui adhère. 1331 ; lat. médiév. *adherens* ; [adeʀɑ̃, ɑ̃t].

**ADHÉRER,** verbe trans. indir. [8]
Adhérer à. **1.** Coller à, être étroitement joint à la surface de : *Le lichen **adhère** à la roche.* **2.** Rejoindre, devenir membre de, être inscrit à : ***Adhérer** à une alliance* ; ***Adhérer** à un parti politique.* **3.** Accepter, approuver : ***Adhérer** à des idées, à une thèse.* 1216 ; lat. *adhaerere*, de *haerere*, « être fixé » ; [adeʀe].

**ADHÉSIF, IVE,** adj. et subst. m.
ADJ. Qui a la propriété d'adhérer, de rester collé après avoir été appliqué : *Un pansement **adhésif**.* SUBST. Substance qui a la propriété de maintenir collées deux surfaces ; par méton., papier, ruban **adhésif**. 1503 ; lat. médiév. *adhaesivus* ; [adezif, iv].

**ADHÉSION,** subst. f.
**1.** Vx. Adhérence. **2.** Assentiment, approbation. **3.** Fait de rejoindre un ensemble déjà constitué : *L'**adhésion** de l'Autriche à l'Union européenne* ; *Les **adhésions** à un parti*, les inscriptions. 1380 ; lat. *adhaesio*, « point de contact » ; [adezjɔ̃].

**AD HOC,** loc. adj. inv.
**1.** Qui convient à un usage précis : *Une organisation **ad hoc**.* **2.** *Dr.* Nommé spécialement pour une affaire donnée : *Tuteur, juge **ad hoc**.* 1765 ; lat. *ad*, « pour », et *hoc*, « cela » ; [adɔk].

**AD HOMINEM, loc. adj. inv.**
*Argument* ***ad hominem*** : qui vise l'adversaire personnellement. 1623 ; lat. *ad hominem*, « vers l'homme » ; [adɔminɛm].

**ADIABATIQUE, adj. et subst. f.**
*Phys.* Adj. Qualifie une paroi parfaitement imperméable à la chaleur ou une transformation qui se produit sans échange de chaleur avec le milieu environnant. Subst. Courbe des variations de température d'une particule d'air en mouvement. 1875 ; gr. *adiabatos*, « infranchissable » ; [adjabatik].

**ADIANTE, subst. m.**
*Bot.* Fougère ornementale de la famille des Polypodiacées. 1549 ; lat. *adiantum* ; [adjɑ̃t].

**ADIEU, interj. et subst. m.**
Interj. **1.** Formule adressée à qqn avant une séparation longue ou définitive : ***Adieu****, je ne reviendrai pas !* **2.** Formule adressée à une chose que l'on a perdue : ***Adieu****, derniers beaux jours !* (Lamartine). **3.** Région. (Midi). Bonjour ! ; au revoir ! Subst. Fait de quitter définitivement : *Faire ses* ***adieux*** *à la scène*, se produire en public pour la dernière fois. Fin XIIe s. ; formé de *à* et de *Dieu* ; [adjø].

**ADIPEUX, EUSE, adj.**
*Anat.* **1.** Qui contient une grande proportion de graisse : *Tissu* ***adipeux***. **2.** Ext. Trop gras, bouffi : *Visage* ***adipeux***. 1503 ; lat. *adeps*, « graisse » ; [adipø, øz].

**ADIPIQUE, adj.**
*Chim. Acide* ***adipique*** : composé organique qui entre dans la composition du Nylon. 1865 ; lat. *adeps*, « graisse » ; [adipik].

**ADIPOSE, subst. f.**
*Pathol.* Surcharge graisseuse dans les tissus cellulaires. Fin XIXe s. ; ☞ *adipeux* ; [adipoz].

**ADIPOSITÉ, subst. f.**
**1.** Accumulation de graisse dans les tissus cellulaires, souv. localisée. **2.** Ext. Corpulence excessive. Fin XIXe s. ; ☞ *adipeux* ; [adipozite].

**ADIPOSO-GÉNITAL, ALE, AUX, adj.**
*Pathol. Syndrome* ***adiposo-génital*** : obésité accompagnée d'un retard dans le développement génital, chez un enfant ou un adolescent. Déb. XXe s. ; comp. de *adipeux* et de *génital* ; [adipozoʒenital, o].

**ADIPSIE, subst. f.**
*Pathol.* Diminution ou perte totale de la soif. 1834 ; gr. *dipsa*, « soif », + *a-*[2] ; [adipsi].

**ADJACENT, ENTE, adj.**
**1.** Attenant, voisin : *Terrains* ***adjacents***. **2.** *Géom.* Se dit de deux angles qui ont le même sommet, un côté commun, et qui sont situés de part et d'autre de ce côté. 1314 ; lat. *adjacens*, de *adjacere*, « être situé auprès » ; [adʒasɑ̃, ɑ̃t].

**ADJECTIF, IVE, subst. m. et adj.**
*Gramm.* Subst. Mot qui qualifie ou détermine un substantif, avec lequel il s'accorde gén. en genre et en nombre : ***Adjectif*** *épithète, attribut* ; ***Adjectif*** *possessif, indéfini*. ▸ ***Adjectif*** *verbal* : issu du participe présent d'un verbe (par ex. : « Des plaisanteries mordantes »). Adj. De même nature qu'un **adjectif** (vieilli) : *Une locution* ***adjective***. 1365 ; bas lat. *adjectivum* ; [adʒɛktif, iv].

**ADJECTIVAL, ALE, AUX, adj.**
*Gramm.* De la nature de l'adjectif. 1911 ; ☞ *adjectif* ; [adʒɛktival, o].

**ADJECTIVEMENT, adv.**
*Gramm.* Avec valeur d'adjectif : *Substantif employé* ***adjectivement***. XVe s. ; ☞ *adjectif* ; [adʒɛktivmɑ̃].

**ADJECTIVER, verbe trans.** [3]
*Gramm.* Utiliser (un mot) comme adjectif. 1840 ; ☞ *adjectif* ; [adʒɛktive].

**ADJOINDRE, verbe trans.** [55]
**1.** Associer (qqn) comme auxiliaire ; empl. pronom. : *Il* ***s'est adjoint*** *un apprenti*. **2.** Ajouter (une chose) à une autre : ***Adjoindre*** *une particule à son nom*. XIIe s. ; lat. *adjungere* ; [adʒwɛ̃dʀ].

**ADJOINT, OINTE, adj. et subst.**
Adj. **1.** Qui est associé à qqn pour l'aider : *Un directeur* ***adjoint***. **2.** Qui est ajouté à qqch. Subst. Personne associée à une autre pour la seconder dans ses fonctions, assistant, collaborateur : *Un* ***adjoint*** *au maire*. 1337 ; p. p. de *adjoindre* ; [adʒwɛ̃, wɛ̃t].

**ADJONCTION, subst. f.**
**1.** Action d'adjoindre : *Un produit garanti sans* ***adjonction*** *de sel, de sucre*. **2.** Chose adjointe, addition, ajout (gén. au plur.) : *Les* ***adjonctions*** *faites au règlement, au dictionnaire*. 1306 (mil. XIIIe s., mariage) ; lat. *adjunctio* ; [adʒɔ̃ksjɔ̃].

**ADJUDANT, subst. m.**
**1.** *Milit.* Sous-officier de grade immédiatement supérieur à celui de sergent-chef. ▸ ***Adjudant-chef*** : sous-officier dont le grade est compris entre ceux d'**adjudant** et de major. **2.** Ext. Personne autoritaire et bornée (fam.). 1740 (1671, aide-canonnier) ; esp. *ayudante*, de *ayudar*, « aider » ; [adʒydɑ̃].

**ADJUDICATAIRE, subst.**
*Dr.* Attributaire d'un bien par adjudication. 1430 ; ☞ *adjudication* ; [adʒydikatɛʀ].

**ADJUDICATEUR, TRICE, subst.**
*Dr.* Personne qui met en adjudication. 1823 ; ☞ *adjudication* ; [adʒydikatœʀ, tʀis].

**ADJUDICATIF, IVE, adj.**
*Dr.* Relatif à l'adjudication ou à la décision d'adjuger : *Sentence* ***adjudicative***. 1534 ; ☞ *adjudication* ; [adʒydikatif, iv].

**ADJUDICATION, subst. f.**
**1.** *Dr.* Acte par lequel on attribue un bien mis aux enchères à l'acquéreur le plus offrant. **2.** *Admin.* Attribution d'un marché public au candidat le mieux disant. 1330 ; lat. jur. *adjudicatio* ; [adʒydikasjɔ̃].

**ADJUGER, verbe trans.** [5]
**1.** *Dr.* Attribuer la propriété de (qqch.) par un jugement ou par adjudication : ***Adjuger*** *un meuble* ; empl. adj. : ***Adjugé*** *!*, vendu, en parlant d'un bien mis aux enchères. **2.** Ext. Accorder, donner (fam.) : ***Adjuger*** *une prime*. Pronom. S'approprier : ***S'adjuger*** *la part du lion*. 1173 ; lat. *adjudicare* ; [adʒyʒe].

**ADJURATION, subst. f.**
**1.** *Relig.* Commandement ou demande au nom de Dieu. ▸ *Cath.* Injonction d'exorcisme. **2.** Ext. Prière instante. 1488 ; lat. *adjuratio* ; [adʒyʀasjɔ̃].

**ADJURER, verbe trans.** [3]
**1.** *Relig.* Enjoindre au nom de Dieu. **2.** Ext. Demander instamment : *Je* ***t'adjure*** *de rester*. XIIIe s. ; lat. *adjurare*, « promettre avec un serment » ; [adʒyʀe].

**ADJUVANT, subst. m.**
**1.** Moyen auxiliaire utilisé pour renforcer un effet, une action : ***Adjuvant*** *pharmaceutique* ; empl. adj. : *Médicament* ***adjuvant***. **2.** Fig. Additif, stimulant : *Le plaisir est l'****adjuvant*** *du bonheur*. 1834 (1580, qui aide) ; lat. *adjuvans*, de *adjuvare*, « aider » ; [adʒyvɑ̃].

**AD LIBITUM, loc. adv.**
**1.** À volonté, au choix. **2.** *Mus.* À exécuter librement (abrév. : ad lib.). 1771 ; lat. *ad*, « selon », et *libitum*, de *libere*, « plaire » ; [adlibitɔm].

**ADMETTRE, verbe trans.** [60]
**1.** Accepter d'accueillir en son sein : ***Admettre*** *un écrivain à l'Académie* ; autoriser à entrer : *Les enfants ne sont pas* ***admis***. **2.** Agréer après certaines épreuves : ***Admettre*** *un candidat à un concours* ; empl. subst. : *Les* ***admis***, les candidats reçus. **3.** Reconnaître la valeur, la justesse de : ***Admettre*** *une théorie*. ▸ Accepter provisoirement, à titre d'hypothèse : ***Admettons*** *que vous ayez raison*. **4.** *Dr.* ***Admettre*** *en justice* : déclarer recevable. **5.** Permettre, tolérer : ***Admettre*** *la discussion*. XIIIe s. (1165, imputer) ; lat. *admittere* ; [admɛtʀ].

**ADMINISTRATEUR, TRICE, subst.**
**1.** Personne chargée d'administrer un patrimoine. **2.** Membre d'un conseil d'administration. **3.** Fonctionnaire responsable d'une unité administrative : ***Administrateur*** *de bibliothèque*. **4.** *Dr.* ***Administrateur*** *judiciaire* : personne chargée par la justice d'assister le directeur d'une entreprise en règlement judiciaire ; ***Administrateur*** *de biens* : personne mandatée pour gérer des biens immobiliers. **5.** *Relig.* ***Administrateur*** *apostolique* : prélat administrant un diocèse à titre d'intérimaire, en cas de vacance. XIIe s. ; lat. *administrator* ; [administʀatœʀ, tʀis].

**ADMINISTRATIF, IVE, adj.**
Propre, relatif à l'administration dans le secteur public ou privé : *Un arrêté* ***administratif*** ; *Exécuter des tâches* ***administratives*** ; empl. subst., membre d'un service **administratif**. 1790 ; ☞ *administration* ; [administʀatif, iv].

**ADMINISTRATION, subst. f.**
**1.** Action ou manière d'administrer des biens privés : ***Administration*** *d'un domaine familial*. ▸ *Conseil d'****administration*** : réunion de personnes désignées pour gérer une société ou une association. **2.** Gestion des affaires publiques : ***Administration*** *d'une commune*. **3.** Service public : *L'****administration*** *des Eaux et Forêts*. ▸ **L'Administration.** L'ensemble des services publics et des fonctionnaires chargés d'assurer la bonne marche des affaires de l'État selon les directives du gouvernement : *L'organisation de l'****Administration*** *française remonte à Charlemagne*. **4.** Action d'administrer, de conférer : *L'****administration*** *de l'extrême-onction* ; *L'****administration*** *d'un médicament*. XIIIe s. (fin XIe s., portion servie à table) ; lat. *administratio* ; [administʀasjɔ̃].

**ADMINISTRER, verbe trans.** [3]
**1.** Gérer (des biens publics ou privés) : ***Administrer*** *l'héritage d'un mineur*. **2.** Gouverner, diriger : ***Administrer*** *un pays, une région* ; empl. adj. : *Une commune bien* ***administrée*** ; empl. subst. : *Les* ***administrés*** *sont en colère*. **3.** Produire en justice : ***Administrer*** *une preuve*. **4.** Conférer, donner : ***Administrer*** *un sacrement, un remède* ; infliger (fam.) : ***Administrer*** *une fessée*. XIIe s. ; lat. *administrare*, « prêter son aide » ; [administʀe].

**ADMIRABLE, adj.**
Digne d'être admiré. 1170 ; lat. *admirabilis* ; [admiʀabl].

**ADMIRABLEMENT, adv.**
De manière admirable. 1422 ; ☞ *admirable* ; [admiʀabləmɑ̃].

**ADMIRATEUR, TRICE, subst.**
Personne qui admire qqn ou qqch. 1542 ; lat. *admirator* ; [admiʀatœʀ, tʀis].

**ADMIRATIF, IVE, adj.**
**1.** Qui éprouve de l'admiration. **2.** Qui manifeste de l'admiration : *Un regard* ***admiratif***. 1370 ; lat. *admirativus* ; [admiʀatif, iv].

**ADMIRATION, subst. f.**
**1.** Vx. Surprise, étonnement. **2.** Sentiment esthétique ou moral qui épanouit l'âme et la fait adhérer à ce qui est beau, noble, etc. **3.** Objet de ce sentiment (gén. au plur.) : *Conter ses* ***admirations*** *à un ami*. XIIe s. ; lat. *admiratio* ; [admiʀasjɔ̃].

**ADMIRER, verbe trans.** [3]
Éprouver de l'admiration pour (qqn, qqch.) ; par iron., s'étonner de : *Ah ! j'****admire*** *votre naïveté !* 1566 (1360, faire cas de) ; lat. *admirari* ; [admiʀe].

**ADMISSIBILITÉ, subst. f.**
Fait d'être admissible à un emploi, à un concours, à un examen. 1789 ; ☞ *admissible* ; [admisibilite].

**ADMISSIBLE, adj.**
**1.** Qui est acceptable, que l'on peut tolérer : *Des propos* ***admissibles***. **2.** Qui est digne d'être reçu à une charge ou de se présenter à la deuxième partie d'un examen ou d'un concours ; empl. subst. : *Convoquer les* ***admissibles***. 1453 ; lat. *admissus*, de *admittere*, « admettre » ; [admisibl].

**ADMISSION, subst. f.**
**1.** Action d'admettre une personne dans un groupe, un lieu, à un examen ; fait d'être admis. **2.** Action d'accepter une idée ou une chose. ▸ *Dr.* Action d'admettre en justice : ***Admission*** *d'une demande en divorce*. **3.** *Techn.* Premier temps du cycle d'un moteur à explosion. 1539 ; lat. *admissio* ; [admisjɔ̃].

**ADMITTANCE, subst. f.**
*Phys.* Grandeur qui intervient dans l'étude des courants alternatifs : *L'****admittance*** *est l'inverse de l'impédance d'un circuit parcouru par un courant alternatif*. 1928 ; angl. *admittance*, du lat. *admittere*, « admettre » ; [admitɑ̃s].

**ADMONESTATION, subst. f.**
Action d'admonester ; rappel à l'ordre impérieux. Mil. XIIIe s. ; ☞ *admonester* ; [admɔnɛstasjɔ̃].

**ADMONESTER, verbe trans.** [3]
Adresser un blâme sévère, parfois assorti d'une menace de sanction en cas de récidive : ***Admonester*** *les cancres*. Mil. XIIe s. ; prob. lat. *admonere*, « avertir », et *molestus*, « pénible » ; [admɔnɛste].

**ADMONITION, subst. f.**
**1.** Remontrance (littér.). **2.** *Dr. canon.* Avertissement émis par l'autorité ecclésiastique. Fin XIIe s. ; lat. *admonitio* ; [admɔnisjɔ̃].

**ADOLESCENCE, subst. f.**
Période de la vie humaine comprise entre l'enfance et l'âge adulte : *La puberté marque l'entrée dans l'****adolescence*** ; au fig. : *Le Consulat a été l'****adolescence*** *de l'Empire*. Fin XIIIe s. ; lat. *adolescentia*, de *adolescere*, « grandir » ; [adɔlesɑ̃s].

**ADOLESCENT, ENTE, subst.**
Individu à l'âge de l'adolescence (abrév. fam. : ado). 1327 ; lat. *adolescens* ; [adɔlesɑ̃, ɑ̃t].

**ADONIS, subst. m.**
**1.** Jeune homme très beau : *Se prendre pour un*

*adonis*. **2.** *Bot.* Plante vénéneuse de la famille des Renonculacées. L'espèce à fleurs rouges tachées de noir est appelée communément goutte-de-sang. **3.** *Zool.* Papillon diurne aux ailes bleues. 1615 ; *Adonis*, héros de la mythologie grecque ; [adɔnis].

**ADONNER (S'), verbe pronom.** [3]
S'adonner à. Se consacrer avec plaisir, avec ardeur à (une activité) : ***S'adonner** à la lecture*; *Ingres **s'adonnait** au violon*; par anal. : ***S'adonner** à la boisson, à un vice.* XII^e s. ; lat. pop. °*addonare*, du lat. *donare*, « donner » ; [adɔne].

**ADOPTANT, ANTE, adj. et subst.**
*Dr.* Se dit d'une personne qui adopte légalement (qqn). 1728 ; p. pr. de *adopter* ; [adɔptɑ̃, ɑ̃t].

**ADOPTER, verbe trans.** [3]
**1.** *Dr.* Prendre (qqn) pour fils ou pour fille, par une procédure légale. **2.** Ext. Considérer (qqn) comme l'un des siens : *Les villageois **adoptèrent** les réfugiés.* **3.** Fig. Choisir (qqch.) après mûre réflexion : ***Adopter** une position.* ▸ Approuver par un vote : *L'Assemblée **a adopté** la loi.* XIV^e s. ; lat. *adoptare* ; [adɔpte].

**ADOPTIANISME, subst. m.**
*Relig.* Hérésie chrétienne niant la coéternité du Fils et selon laquelle le Christ n'acquiert sa nature divine qu'avec son adoption par Dieu, lors de son baptême. 1831 ; lat. *adoptiani*, « les adoptiens » ; [adɔpsjanism].

**ADOPTIF, IVE, adj.**
**1.** Qui a été adopté ou choisi : *Un fils **adoptif***; *Une patrie **adoptive**.* **2.** Qui a adopté : *Un père **adoptif**.* **3.** Relatif à l'adoption. XII^e s. ; lat. *adoptivus* ; [adɔptif, iv].

**ADOPTION, subst. f.**
Action d'adopter (qqn ou qqch.) ; son résultat. 1279 ; lat. *adoptio* ; [adɔpsjɔ̃].

**ADORABLE, adj.**
**1.** *Relig.* Qui est digne d'adoration (en parlant de Dieu). **2.** Ext. Digne d'amour ou d'admiration ; par hyperb., très agréable, charmant : *Un **adorable** guéridon.* Fin XIII^e s. ; lat. *adorabilis* ; [adɔʀabl].

**ADORABLEMENT, adv.**
De manière adorable : *Cette guêpière vous sied **adorablement**.* 1822 ; ☞ *adorable* ; [adɔʀabləmɑ̃].

**ADORATEUR, TRICE, subst.**
Personne qui adore. 1298 ; lat. chrét. *adorator* ; [adɔʀatœʀ, tʀis].

**ADORATION, subst. f.**
**1.** *Relig.* Action d'adorer : *L'**adoration** de la Croix*; par méton., œuvre d'art représentant une scène d'**adoration** de l'Enfant Jésus par les Rois mages. **2.** Ext. Ferveur, amour passionné pour qqn ou qqch. : *Il est en **adoration** devant ses enfants.* Déb. XIV^e s. ; lat. *adoratio* ; [adɔʀasjɔ̃].

**ADORER, verbe trans.** [3]
**1.** *Relig.* Rendre un culte à (une divinité). **2.** Ext. Aimer vivement (qqch., qqn) : *Il **adore** le thé.* Fin X^e s. ; lat. *adorare*, de *orare*, « prier » ; [adɔʀe].

**ADOS, subst. m.**
*Agric.* Talus protégeant les cultures des intempéries. 1697 (XII^e s., soutien moral) ; ☞ *adosser* ; [ado].

**ADOSSÉ, ÉE, adj.**
*Hérald.* Dos à dos, en parlant d'une représentation. 1611 ; p. p. de *adosser* ; [adose].

**ADOSSEMENT, subst. m.**
Fait d'être adossé ; état de ce qui est adossé. 1432 ; ☞ *adosser* ; [adosmɑ̃].

**ADOSSER, verbe trans.** [3]
Placer contre un appui le dos de (qqn), la face arrière de (qqch.) : ***Adosser** un prisonnier au mur*; empl. adj. : *Une maison **adossée** à la colline.* **PRONOM.** Appuyer son dos contre (qqch.). XII^e s. (mil. XI^e s., renier) ; ☞ *dos* + *a-*[1] ; [adose].

**ADOUBEMENT, subst. m.**
*M. Â.* Action d'adouber ; cérémonie au cours de laquelle un jeune noble était fait chevalier. XII^e s. ; ☞ *adouber* ; [adubmɑ̃].

**ADOUBER, verbe trans.** [3]
**1.** *M. Â.* Équiper et armer (un jeune noble) au cours de l'adoubement. **2.** *Échecs.* ***J'adoube*** : formule utilisée pour indiquer à l'adversaire que l'on touche une pièce uniquement pour la remettre en place, et non pour la jouer. Fin XI^e s. ; anc. bas frq. °*dubban*, « frapper », par réf. au coup que recevait le futur chevalier, + *a-*[1] ; [adube].

**ADOUCIR, verbe trans.** [19]
**1.** Rendre moins agressif pour les sens : ***Adoucir** un goût.* **2.** Atténuer la violence de : ***Adoucir** la souffrance*; *La musique **adoucit** les mœurs.* **3.** *B.-a.* ***Adoucir** les couleurs d'une peinture, les formes d'une sculpture* : en atténuer les contrastes, les saillies ; par ext. : *Cette coiffure lui **adoucit** les traits.* **4.** *Techn.* ▸ ***Adoucir** l'eau* : en diminuer la teneur en calcaire et en sels. ▸ ***Adoucir** la fonte* : la purifier. ▸ ***Adoucir** le pétrole* : le rendre inodore et moins corrosif. **PRONOM.** Devenir plus doux : *Elle **s'adoucit** avec l'âge.* 1176 ; ☞ *doux* + *a-*[1] ; [adusiʀ].

**ADOUCISSANT, ANTE, adj. et subst. m.**
**ADJ. 1.** Qui adoucit (l'eau, le linge, etc.). **2.** Qui calme l'irritation (de la peau, des yeux, etc.). **SUBST.** Produit **adoucissant** utilisé pour la lessive. 1698 ; p. pr. de *adoucir* ; [adusisɑ̃, ɑ̃t].

**ADOUCISSEMENT, subst. m.**
**1.** Action d'adoucir, fait de s'adoucir : ***Adoucissement** de l'eau.* **2.** Fig. Apaisement, soulagement. Déb. XV^e s. ; ☞ *adoucir* ; [adusismɑ̃].

**ADOUCISSEUR, EUSE, subst.**
Ouvrier employé au polissage d'une surface ou à l'adoucissement d'un produit. **MASC.** Dispositif servant à adoucir l'eau. 1838 (XVI^e s., fabricant d'amadou) ; ☞ *adoucir* ; [adusisœʀ, øz].

**AD PATRES, loc. adv.**
Fam. *Aller **ad patres*** : mourir ; *Envoyer un ennemi **ad patres*** : le tuer. Fin XVII^e s. ; lat. *ad patres*, « vers ses pères, ses aïeux » ; [adpatʀɛs].

**ADRÉNALINE, subst. f.**
*Biol.* Hormone sécrétée par la partie médullaire des glandes surrénales, dont les effets tels que l'accélération du rythme cardiaque, la vasoconstriction, l'augmentation de la glycolyse sont de même nature que ceux du neuromédiateur noradrénaline produit par les terminaisons des neurones du système sympathique. 1902 ; anglo-amér. *adrenalin*, de *renal*, « du rein », et de *ad-* ; [adʀenalin].

**ADRÉNERGIQUE, adj.**
*Physiol.* Qui agit par l'intermédiaire ou à la manière de l'adrénaline. 1952 ; angl. *adrenergic*, de *adrenalin* et du gr. *ergon*, « travail » ; [adʀenɛʀʒik].

**ADRESSAGE, subst. m.**
*Informat.* Mode de localisation d'une information dans un système informatique. V. 1970 ; ☞ *adresse* (I) ; [adʀɛsaʒ].

**ADRESSE (I), subst. f.**
**1.** Ensemble d'indications permettant de localiser un domicile, un bureau, etc. : *Une **adresse** incomplète* ; par méton., l'endroit ainsi indiqué : *Se rendre à une **adresse**.* ▸ Loc. *Avoir ses **adresses*** : connaître des lieux, des établissements intéressants ; *À l'**adresse** de qqn* : à son intention. **2.** Opinion ou requête exprimée solennellement à une autorité politique. **3.** *Informat.* ▸ Localisation codée d'une information dans un ordinateur. ▸ Code complétant une information transmise à un autre ordinateur. 1690 (fin XII^e s., chemin direct) ; ☞ *adresser* ; [adʀɛs].

**ADRESSE (II), subst. f.**
Qualité de celui qui réussit aisément qqch., qui est habile, adroit : ***Adresse** manuelle, intellectuelle.* 1559 ; ☞ *adresse* (I), d'apr. *adroit* ; [adʀɛs].

**ADRESSER, verbe trans.** [3]
**1.** Faire parvenir (qqch.) à qqn : ***Adressez**-moi les factures.* **2.** Envoyer (qqn) auprès de qqn d'autre, recommander (qqn) à qqn d'autre. **3.** Dire (qqch.) à qqn : ***Adresser** des éloges au lauréat*; ***Adresser** la parole à qqn*, lui parler. **4.** Émettre (un signe) à l'intention de qqn : *Il lui **adressa** un sourire.* **PRONOM. S'adresser à. 1.** Parler à. **2.** Aller chercher, avoir recours à (qqn). **3.** Avoir pour destinataire : *Cette remarque **s'adresse** à vous.* XIV^e s. (XII^e s., relever, mettre debout) ; ☞ *dresser* + *a-*[1] ; [adʀese].

**ADRET, subst. m.**
Versant d'une vallée exposé au soleil (anton. *ubac*). 1927 ; anc. prov. *adreg*, « le bon côté » ; [adʀɛ].

**ADROIT, OITE, adj.**
**1.** Qui fait preuve d'adresse, d'habileté : *Un menuisier **adroit***; *Un avocat **adroit**.* **2.** Qui marque de la finesse, de l'intelligence : *Une stratégie **adroite**.* Fin XII^e s. ; ☞ *droit* (II) + *a-*[1] ; [adʀwa, wat].

**ADROITEMENT, adv.**
D'une manière adroite. Fin XII^e s. ; ☞ *adroit* ; [adʀwatmɑ̃].

**ADSORBANT, ANTE, adj. et subst. m.**
*Chim.* et *Phys.* Se dit d'une substance qui a la faculté d'adsorber. 1928 ; p. pr. de *adsorber* ; [adsɔʀbɑ̃, ɑ̃t].

**ADSORBER, verbe trans.** [3]
*Chim.* et *Phys.* Fixer par adsorption. 1920 ; lat. *sorbere*, « avaler, absorber », + *ad-* ; [adsɔʀbe].

**ADSORPTION, subst. f.**
*Chim.* et *Phys.* Phénomène par lequel des solides pulvérulents ou poreux, des solutions retiennent à leur surface des molécules ou des ions en phase gazeuse ou liquide. 1922 ; ☞ *adsorber* ; [adsɔʀpsjɔ̃].

**ADULAIRE, subst. f.**
*Minér.* Variété de feldspath potassique, pierre fine irisée, appelée aussi pierre de lune. 1838 ; ital. *adularia*, du topon. lat. *Adulas*, « mont Adule » ; [adylɛʀ].

**ADULATEUR, TRICE, subst.**
Personne qui adule ; empl. adj. : *Un propos **adulateur**.* 1370 ; lat. *adulator* ; [adylatœʀ, tʀis].

**ADULATION, subst. f.**
Action, fait d'aduler. **PLUR.** Paroles exagérément flatteuses : *Se répandre en vaines **adulations**.* Fin XII^e s. ; lat. *adulatio* ; [adylasjɔ̃].

**ADULER, verbe trans.** [3]
**1.** Louer (qqn) avec excès, servilité ; encenser. **2.** Admirer passionnément : *Ces patients **adulent** leur médecin.* 1389 ; lat. *adulari* ; [adyle].

**ADULTE, adj. et subst.**
**ADJ. 1.** Dont la croissance est achevée ; par méton. : *L'âge **adulte**.* **2.** Qui dénote la maturité intellectuelle : *Une attitude **adulte**.* **3.** *Biol.* Qui est parvenu au stade où il peut se reproduire : *Sapin **adulte**.* **SUBST.** Personne ayant atteint l'âge **adulte**. 1394 ; lat. *adultus*, de *adolescere*, « grandir » ; [adylt].

**ADULTÉRATION, subst. f.**
Vieilli. Action d'adultérer ; état de ce qui est adultéré. 1374 ; ☞ *adultérer* ; [adylteʀasjɔ̃].

**ADULTÈRE, adj. et subst.**
Se dit d'une personne mariée qui a de plein gré une relation sexuelle extraconjugale. **SUBST. MASC.** Cet acte d'infidélité. Fin XII^e s. ; lat. *adulter* ; [adyltɛʀ].

**ADULTÉRER, verbe trans.** [8]
**1.** Vx. Altérer (une substance). **2.** Fig. ***Adultérer** l'énergie d'un peuple* : l'affaiblir. XVI^e s. (1350, commettre un adultère) ; lat. *adulterare* ; [adylteʀe].

**ADULTÉRIN, INE, adj.**
Qui est issu d'un adultère ; empl. subst., personne née d'un adultère. 1327 ; lat. *adulterinus* ; [adylteʀɛ̃, in].

© S. Cordier-Explorer

*Les couleurs de l'automne sur un **adret** de la Tarentaise.*

1. *Entraînement pour un vol en planeur dans un **aéro-club**.*

2. *La passion de l'**aéromodélisme**.*

3. ***Aéroglisseur** assurant la liaison France-Angleterre.*

© S. Raynal-Explorer © B.-J. Dupont-Explorer © P. Thomas-Explorer

**ADULTISME, subst. m.**
*Psychol.* Comportement de certains enfants qui parlent, se conduisent comme des adultes (anton. *infantilisme*). V. 1960 ; ☞ *adulte* ; [adyltism].

**AD VALOREM, loc. adj. inv.**
*Fisc.* Qualifie une taxe, un impôt calculé sur la valeur d'un produit (anton. *spécifique*). 1866 ; lat. *ad*, « selon », et *valor*, « valeur » ; [advalɔʀɛm].

**ADVECTION, subst. f.**
*Météor.* Déplacement horizontal d'une masse d'air. Mil. XX^e s. ; lat. *advectio*, « transport » ; [advɛksjɔ̃].

**ADVENIR, verbe intrans.** [22]
Arriver, se produire : *Un drame **est advenu**.* ► Loc. ***Advienne** que pourra !* : quoi qu'il en résulte. ► Empl. impers. *Tenir, quoi qu'il **advienne**.* X^e s. ; lat. *advenire* ; empl. uniquement aux 3^es pers., à l'inf. et au p. p. ; [advəniʀ].

**ADVENTICE, adj.**
1. *Philos. Idée **adventice*** : chez Descartes, idée qui vient des sens (anton. *idée innée*). 2. *Bot. Plante **adventice*** : venue dans un lieu sans y avoir été semée ; mauvaise herbe. 3. Fig. Qui provient de l'extérieur, qui s'ajoute accessoirement. 4. *Anat. Tunique **adventice*** ou, empl. subst., *Une **adventice*** : enveloppe externe d'un vaisseau ou d'un conduit. 1776 ; lat. *adventicius* ; [advɑ̃tis].

**ADVENTIF, IVE, adj.**
1. *Bot.* Se dit de racines, de tiges, etc., se développant en un point inhabituel de la plante. 2. *Géol. Cône **adventif*** : cône annexe qui est apparu sur les pentes d'un volcan. 1853 (XII^e s., étranger) ; lat. *adventicius* ; [advɑ̃tif, iv].

**ADVENTISTE, subst.**
*Relig.* Membre d'un mouvement évangélique millénariste attendant le retour prochain du Christ sur terre ; empl. adj. : *L'Église **adventiste**.* 1909 ; anglo-amér. *adventist*, de *advent*, « avènement » ; [advɑ̃tist].

**ADVERBE, subst. m.**
*Gramm.* Mot invariable qui sert à modifier le sens d'un verbe, d'un adjectif, d'un autre **adverbe** ou d'une phrase : ***Adverbe** de lieu, de manière, de négation...* 1236 ; lat. *adverbium* ; [advɛʀb].

**ADVERBIAL, ALE, AUX, adj.**
*Gramm.* Propre à l'adverbe ; qui en remplit le rôle : *Suffixe **adverbial** ; Emploi **adverbial** d'un adjectif.* 1550 ; lat. *adverbialis* ; [advɛʀbjal, o].

**ADVERBIALEMENT, adv.**
*Gramm.* Avec une valeur d'adverbe. 1647 ; ☞ *adverbial* ; [advɛʀbjalmɑ̃].

**ADVERSAIRE, subst.**
1. Dans un combat, un procès, un jeu, personne opposée à une autre. ► Empl. coll. *L'**adversaire** nous est supérieur en nombre.* 2. Personne hostile à une doctrine, à un projet, etc. : *Les **adversaires** du matérialisme.* XII^e s. ; lat. *adversarius* ; [advɛʀsɛʀ].

**ADVERSATIF, IVE, adj.**
*Ling.* Qui marque l'opposition : *« Néanmoins » est une conjonction **adversative**.* 1550 ; lat. *adversativus* ; [advɛʀsatif, iv].

**ADVERSE, adj.**
1. Hostile (littér.). 2. Contraire, opposé : *L'équipe **adverse**.* ► *Dr. La partie **adverse*** : contre laquelle on plaide en justice. XI^e s. ; lat. *adversus*, « situé en face » ; [advɛʀs].

**ADVERSITÉ, subst. f.**
1. Sort adverse, infortune (littér.). 2. Situation malheureuse. 1145 ; lat. chrét. *adversitas* ; [advɛʀsite].

**ADYNAMIE, subst. f.**
*Pathol.* Épuisement neuromusculaire qui caractérise certaines maladies. 1782 ; gr. *adunamia*, « faiblesse physique » ; [adinami].

**AÈDE (I), subst. m.**
*Zool.* Moustique du genre *Aedes*, dont l'une des espèces, *Aedes aegypti*, est le principal vecteur du virus de la fièvre jaune. 1818 ; prob. gr. *aêdês*, « désagréable » ; var. *aëdès*, *aedes* ; [aɛd].

**AÈDE (II), subst. m.**
*Antiq.* En Grèce, poète épique qui chantait ou récitait ses œuvres. 1852 ; gr. *aoidos*, « chanteur » ; [aɛd].

**ÆGOSOME, subst. m.**
*Zool.* Insecte coléoptère de la famille des Cérambycidés, à longues antennes rugueuses, dont la larve parasite le bois des arbres non résineux. 1845 ; lat. sc. *aegosoma*, du gr. *aigos*, « chèvre », et *soma*, « corps » ; var. *égosome* ; [egozɔm].

**ÆGYRINE, subst. f.**
*Minér.* Pyroxène (minéral silicaté) vert, riche en sodium, appelé aussi pyroxène sodique. [eʒiʀin].

**ÆPYORNIS, subst. m.**
*Paléont.* Grand oiseau fossile du Quaternaire, découvert à Madagascar et voisin de l'autruche. 1851 ; lat. sc. *aepyornis*, du gr. *aipus*, « haut », et *ornis*, « oiseau » ; var. *épyornis* ; [epjɔʀnis].

**AÉRAGE, subst. m.**
Aération, ventilation, dans les galeries souterraines. 1758 ; ☞ *aérer* ; [aeʀaʒ].

**AÉRATEUR, subst. m.**
Dispositif ou appareil servant à l'aération. 1866 ; ☞ *aérer* ; [aeʀatœʀ].

**AÉRATION, subst. f.**
Action d'aérer (un espace clos) ; son résultat. 1836 ; ☞ *aérer* ; [aeʀasjɔ̃].

**AÉRÉ, ÉE, adj.**
1. Où l'air pénètre, circule ; ventilé : *Une pièce bien **aérée**.* ► *Centre **aéré*** : centre parascolaire d'activités de plein air, qui peut accueillir les enfants le mercredi. 2. Fig. Clarifié, simplifié : *Présentation **aérée** d'un texte.* 1398 ; p. p. de *aérer* ; [aeʀe].

**AÉRER, verbe trans.** [8]
1. Renouveler l'air de (un espace clos), ventiler. 2. Exposer à l'air libre : ***Aérer** du linge* ; empl. pronom., prendre l'air, sortir. 3. Fig. Clarifier, rendre moins compact : ***Aérer** son style* ; ***Aérer** un massif de fleurs.* 1398 ; lat. *aer*, « air » ; [aeʀe].

**AÉRICOLE, adj.**
*Bot.* Se dit d'un végétal qui vit sans toucher la terre. 1838 ; formé de *aéro-* et de *-cole* ; [aeʀikɔl].

**AÉRIEN, IENNE, adj.**
1. Qui est constitué d'air ou qui en contient : *Un courant **aérien**.* 2. Qui se trouve à l'air, dans les airs (anton. *souterrain*) : *Câble **aérien**.* 3. Fig. Léger, ténu, insaisissable comme l'air : *Musique **aérienne**.* 4. Relatif à l'aviation, aux aéronefs : *Couloir **aérien**.* Fin XII^e s. ; lat. *aer*, « air » ; [aeʀjɛ̃, jɛn].

**AÉRIFÈRE, adj.**
Qualifie un tube, une partie d'un organisme animal ou végétal qui conduit ou distribue l'air. 1808 ; formé de *aéro-* et de *-fère* ; [aeʀifɛʀ].

**AÉRIUM, subst. m.**
Établissement sanitaire au grand air, destiné aux convalescents. 1928 ; lat. *aer*, « air » ; [aeʀjɔm].

**AÉROBIE, adj. et subst. m.**
1. *Biol.* Se dit des micro-organismes qui ne peuvent vivre qu'en présence d'air ou d'oxygène (anton. *anaérobie*). 2. *Aéron.* Se dit d'un propulseur utilisant l'oxygène atmosphérique pour fonctionner. 1875 ; formé de *aéro-* et de *-bie* ; [aeʀɔbi].

**AÉROBIOSE, subst. f.**
*Biol.* Mode de vie en présence d'oxygène. 1920 ; ☞ *aérobie* + *-ose* ; [aeʀɔbjoz].

**AÉRO-CLUB, subst. m.**
Société assurant à ses membres la possibilité de se former à des activités aéronautiques tel le pilotage d'avion, puis de les pratiquer. 1898 ; ☞ *club* (I) + *aéro-* ; plur. *aéro-clubs*, var. *aéroclub* ; [aeʀoklœb].

**AÉROCOLIE, subst. f.**
*Pathol.* Accumulation de gaz au niveau du côlon. 1926 ; ☞ *côlon* + *aéro-* ; [aeʀokoli].

**AÉRODROME, subst. m.**
Terrain aménagé pour le décollage, l'atterrissage et l'entretien des avions. 1896 ; formé de *aéro-* et de *-drome* ; [aeʀodʀom].

**AÉRODYNAMIQUE, adj. et subst. f.**
*Phys.* Adj. 1. Relatif aux lois mécaniques du déplacement des corps dans l'air et de la résistance de l'air. 2. Dont la forme est calculée pour offrir une résistance minimale à l'air. Subst. Partie de la physique étudiant l'influence de l'air sur un corps en mouvement. 1836 ; ☞ *dynamique* + *aéro-* ; [aeʀodinamik].

**AÉRODYNAMISME, subst. m.**
Caractère d'un objet conçu pour offrir le moins de résistance à l'air possible. 1942 ; ☞ *dynamisme* + *aéro-* ; [aeʀodinamism].

**AÉRODYNE, subst. m.**
Tout appareil volant plus lourd que l'air (anton. *aérostat*) : *L'U. L. M., comme l'avion, est un **aérodyne**.* 1928 ; formé de *aéro-* et de *-dyne* ; [aeʀodin].

**AÉROFREIN, subst. m.**
Dispositif de freinage aérodynamique. XX^e s. ; ☞ *frein* + *aéro-* ; [aeʀofʀɛ̃].

**AÉROGARE, subst. f.**
1. Ensemble des installations d'un aéroport destinées aux voyageurs et aux marchandises. 2. Ext. Gare urbaine, gén. routière, desservant un aéroport. 1938 ; ☞ *gare* (I) + *aéro-* ; [aeʀogaʀ].

**AÉROGASTRIE, subst. f.**
*Pathol.* Présence excessive d'air dans l'estomac. 1866 ; gr. *gaster*, « estomac », + *aéro-* ; [aeʀogastʀi].

**AÉROGLISSEUR, subst. m.**
Véhicule qui se déplace au-dessus du sol ou de l'eau grâce à un mince coussin d'air. V. 1960 ; ☞ *glisser* + *aéro-* ; [aeʀoglisœʀ].

**AÉROGRAMME, subst. m.**
Feuille de papier à lettres affranchie à un tarif forfaitaire pour n'importe quel pays, qui, pliée en forme d'enveloppe, est acheminée par avion. 1951 ; formé de *aéro-* et de *-gramme* ; [aeʀogʀam].

**AÉROGRAPHE, subst. m.**
Pulvérisateur à air comprimé, projetant de l'encre ou des couleurs liquides. 1923 (1834, personne

qui décrit les propriétés de l'air) ; formé de *aéro-* et de *-graphe* ; [aeʀogʀaf].

**AÉROLITHE,** subst. m.
*Astron.* Météorite pierreuse (vieilli). 1834 ; formé de *aéro-* et de *-lithe* ; var. *aérolite* ; [aeʀolit].

**AÉROLOGIE,** subst. f.
Science qui étudie les couches atmosphériques situées à plus de 3 000 m. 1696 ; formé de *aéro-* et de *-logie* ; [aeʀolɔʒi].

**AÉROMODÉLISME,** subst. m.
**1.** Construction de modèles réduits d'avions. **2.** Utilisation de tels modèles réduits. 1942 ; ☞ *modélisme* + *aéro-* ; [aeʀomɔdelism].

**AÉROMOTEUR,** subst. m.
Moteur actionné par le vent (synon. *éolienne*). 1853 ; ☞ *moteur* + *aéro-* ; [aeʀomɔtœʀ].

**AÉRONAUTE,** subst.
Personne qui navigue à bord d'un aérostat ou qui le dirige. 1784 ; formé de *aéro-* et de *-naute* ; [aeʀonot].

**AÉRONAUTIQUE,** adj. et subst. f.
**Adj.** Relatif, propre à la navigation aérienne. **Subst. 1.** Ensemble des sciences et des techniques relatives à la navigation aérienne. **2.** *L'**aéronautique** navale* : l'aéronavale. 1784 ; formé de *aéro-* et de *-nautique* ; [aeʀonotik].

**AÉRONAVAL, ALE, ALS,** adj. et subst. f.
**Adj.** Qui a trait à la fois à la marine et à l'aviation. **Subst.** *L'**aéronavale*** : l'ensemble des forces et des installations aériennes d'une marine militaire. 1861 ; ☞ *naval* + *aéro-* ; [aeʀonaval].

**AÉRONEF,** subst. m.
Tout appareil capable de s'élever ou d'évoluer dans les airs. 1844 ; ☞ *nef* + *aéro-* ; [aeʀonɛf].

**AÉROPHAGIE,** subst. f.
*Pathol.* Déglutition d'une trop grande quantité d'air, qui pénètre dans l'œsophage et dans l'estomac. 1891 ; formé de *aéro-* et de *-phagie* ; [aeʀofaʒi].

**AÉROPLANE,** subst. m.
Avion (vieilli). 1855 ; formé de *aéro-* et de *(forme) plane* ; [aeʀoplan].

**AÉROPORT,** subst. m.
**1.** Ensemble d'installations et de bâtiments construits pour le trafic aérien desservant une ville, une région, etc. **2.** Organisme qui exploite cet ensemble. 1922 ; ☞ *port* (I) + *aéro-* ; [aeʀopɔʀ].

**AÉROPORTÉ, ÉE,** adj.
*Milit.* **1.** Transporté par voie aérienne, le plus souvent pour être largué ou parachuté sur un objectif. **2.** Méton. *Opération **aéroportée*** : dans laquelle sont engagées des troupes **aéroportées**. 1928 ; ☞ *porter* (I) + *aéro-* ; [aeʀopɔʀte].

**AÉROPOSTAL, ALE, AUX,** adj.
Relatif à la poste aérienne. 1927 ; ☞ *postal* + *aéro-* ; [aeʀɔpɔstal, o].

**AÉROSCOPE,** subst. m.
*Phys.* Appareil servant à mesurer la quantité de poussières flottant dans l'air. 1865 ; formé de *aéro-* et de *-scope* ; [aeʀɔskɔp].

**AÉROSOL,** subst. m.
**1.** Suspension de particules très fines, solides ou liquides, dans un gaz. **2.** Méton. Appareil servant à projeter cette suspension. 1928 ; formé de *aéro-* et de *sol* (IV) ; [aeʀɔsɔl].

**AÉROSPATIAL, ALE, AUX,** adj. et subst. f.
**Adj.** Qui a trait à la fois aux domaines aéronautique et spatial. **Subst.** L'ensemble des sciences et des industries **aérospatiales**. V. 1960 ; ☞ *spatial* + *aéro-* ; [aeʀospasjal, o].

**AÉROSTAT,** subst. m.
Tout aéronef dont la sustentation est assurée par un gaz plus léger que l'air (anton. *aérodyne*). 1783 ; formé de *aéro-* et de *-stat* ; [aeʀosta].

**AÉROSTATION,** subst. f.
Construction ou manœuvre des aérostats. 1784 ; ☞ *aérostat* ; [aeʀostasjɔ̃].

**AÉROSTATIQUE,** adj. et subst. f.
**Adj.** Relatif aux aérostats et à l'aérostation. **Subst.** Partie de la physique qui étudie l'équilibre des gaz. 1783 ; ☞ *aérostat* ; [aeʀostatik].

**AÉROSTIER,** subst. m.
*Milit.* **1.** Pilote ou membre de l'équipage d'un aérostat. **2.** Soldat chargé de l'observation à bord d'un aérostat. 1794 ; contraction de *aérostatier*, de *aérostat* ; [aeʀostje].

**AÉROTECHNIQUE,** adj. et subst. f.
Se dit de l'ensemble des techniques d'application de l'aérodynamique à l'étude et à la construction des aéronefs ou des engins spatiaux. V. 1960 ; ☞ *technique* + *aéro-* ; [aeʀotɛknik].

**AÉROTERRESTRE,** adj.
*Milit.* Qualifie une formation composée d'éléments terrestres et aériens ou une opération les mettant en œuvre. 1957 ; ☞ *terrestre* + *aéro-* ; [aeʀoteʀɛstʀ].

**AÉROTRAIN,** subst. m. inv.
Aéroglisseur se déplaçant sur une voie monorail en béton. V. 1960 ; ☞ *train* + *aéro-* ; n. déposé ; [aeʀotʀɛ̃].

**ÆSCHNE,** subst. f.
*Zool.* Grande libellule appelée aussi grande demoiselle. 1805 ; lat. sc. *aeschna* ; [ɛskn].

**ÆTHUSE,** subst. f.
*Bot.* Plante vénéneuse de la famille des Apiacées, qui pousse dans les jardins et les champs, appelée faux persil ou petite ciguë. 1821 ; lat. sc. *aethusa*, du gr. *aithousa*, « ardente » ; var. *éthuse* ; [etyz].

**AFFABILITÉ,** subst. f.
Qualité d'une personne affable. 1270 ; lat. *affabilitas* ; [afabilite].

**AFFABLE,** adj.
Bienveillant, aimable. XIVe s. ; lat. *affabilis* ; [afabl].

**AFFABULATION,** subst. f.
**1.** Vx. Moralité d'une fable. **2.** *Rhét.* Organisation de la trame d'un récit, d'une pièce. **3.** *Psychol.* Fabulation (empl. critiqué par l'Acad.). 1798 ; bas lat. *affabulatio* ; [afabylasjɔ̃].

**AFFABULER,** verbe [3]
**Trans.** Agencer la trame, l'intrigue de (une œuvre d'imagination). **Intrans.** Fabuler (empl. critiqué par l'Acad.). 1926 ; ☞ *affabulation* ; [afabyle].

**AFFACTURAGE,** subst. m.
Gestion de la facturation d'une entreprise par un prestataire. V. 1970 ; ☞ *facture* (II) ; [afaktyʀaʒ].

**AFFADIR,** verbe trans. [19]
**1.** Rendre fade, insipide (un mets). **2.** Fig. Affaiblir, priver de sa vigueur (un texte, un sentiment, etc.). 1226 ; ☞ *fade* + *a-*[1] ; [afadiʀ].

**AFFADISSEMENT,** subst. m.
Fait de s'affadir ; absence de saveur, de vigueur qui en résulte. 1578 ; ☞ *affadir* ; [afadismɑ̃].

**AFFAIBLIR,** verbe trans. [19]
Rendre faible. **Pronom.** Devenir faible. Déb. XIIe s. ; ☞ *faible* + *a-*[1] ; [afebliʀ].

**AFFAIBLISSEMENT,** subst. m.
Fait d'affaiblir ou de s'affaiblir ; état qui en résulte. Fin XIIIe s. ; ☞ *affaiblir* ; [afeblismɑ̃].

**AFFAIBLISSEUR,** subst. m.
*Phot.* Réactif chimique utilisé pour supprimer, sur certains films à fort contraste, le voile inhérent au développement. XXe s. ; ☞ *affaiblir* ; [afeblisœʀ].

**AFFAIRE,** subst. f.
**I. 1.** Ce qu'on doit faire, ce qu'on fait ; occupation, obligation : *Une **affaire** urgente.* ▸ Loc. *Toutes **affaires** cessantes* : immédiatement. **2.** Chose qui concerne particulièrement une ou plusieurs personnes : *Ce sont ses **affaires***, cela ne concerne que lui. ▸ Loc. *Être à son **affaire*** : prendre plaisir à ce que l'on fait ; *Faire son **affaire** de qqch.* : s'en charger ; *Faire l'**affaire*** : convenir ; *Faire son **affaire** à qqn* : le châtier, le tuer (fam.). **3.** Chose qui dépend de, qui relève de ; question : *C'est une **affaire** de temps* ; *Une **affaire** d'honneur*, une querelle engageant l'honneur, un duel. **II. 1.** Situation, histoire impliquant une ou plusieurs personnes : *Une **affaire** banale.* ▸ Loc. *Se tirer d'**affaire*** : se sortir d'une situation difficile, périlleuse. **2.** Litige, procès ; scandale : *Plaider une **affaire*** ; *L'**affaire** Stavisky.* **3.** Loc. *Avoir **affaire** à qqn* : être en rapport avec qqn, se trouver aux prises avec qqn (var. *avoir à faire à*). **III. 1.** Entreprise : *Une **affaire** de bonneterie.* **2.** Transaction commerciale ou financière : *Une bonne **affaire*** ; ***Affaire** conclue*, marché conclu. **Plur. 1.** Ensemble des activités commerciales, industrielles, financières : *Avoir le sens des **affaires*** ; *Un homme d'**affaires*** ; *Les **affaires** reprennent.* **2.** Ce qui relève de la gestion publique : *Les **affaires** de l'État* ; *Les **affaires** étrangères*, les relations extérieures d'un pays. **3.** Objets, effets personnels : *Rangez vos **affaires**.* Mil. XIIe s. ; ☞ *faire* (I) + *a-*[1] ; [afɛʀ].

**AFFAIRÉ, ÉE,** adj.
Qui est très occupé, qui déploie une activité intense ; par méton. : *Avoir un air **affairé**.* 1584 ; ☞ *affaire* ; [afeʀe].

**AFFAIREMENT,** subst. m.
Fait de s'affairer ; état d'une personne affairée. 1865 (XIIe s., affaire) ; ☞ *affaire* ; [afɛʀmɑ̃].

**AFFAIRER (S'),** verbe pronom. [3]
S'empresser, s'agiter : ***S'affairer** auprès d'une personne malade* ; ***S'affairer** à régler un problème.* 1888 ; ☞ *affaire* ; [afeʀe].

**AFFAIRISME,** subst. m.
Recherche du profit par tous les moyens (péj.). 1928 ; ☞ *affaire* ; [afeʀism].

**AFFAIRISTE,** subst.
Personne qui, dans les affaires, use sans scrupule de tout ce qui peut favoriser son profit (péj.). 1928 ; ☞ *affaire* ; [afeʀist].

**AFFAISSEMENT,** subst. m.
Fait de s'affaisser ; état qui en résulte : ***Affaissement** d'un plancher.* 1538 ; ☞ *affaisser* ; [afɛsmɑ̃].

**AFFAISSER,** verbe trans. [3]
Faire fléchir sous le poids, faire s'écrouler (rare) : *La neige a **affaissé** ce toit.* **Pronom. 1.** S'effondrer, se tasser, ployer sous une charge. **2.** Tomber sans force, s'abattre : *Sa tête **s'affaisse** sur son épaule.* Fin XIIe s. ; ☞ *faix* + *a-*[1] ; [afese].

**AFFAITAGE,** subst. m.
**1.** *Peauss.* Façonnage des peaux et des cuirs. **2.** *Fauconn.* Dressage d'un rapace pour la chasse. 1337 ; *affaiter* (vx), « préparer » ; [afetaʒ].

**AFFAITEMENT,** subst. m.
Affaitage. XIIe s. ; *affaiter* (vx), « préparer » ; [afɛtmɑ̃].

**AFFALEMENT,** subst. m.
Action d'affaler ou de s'affaler ; son résultat. 1875 ; ☞ *affaler* ; [afalmɑ̃].

**AFFALER,** verbe trans. [3]
*Mar.* **1.** Amener, faire descendre, tirer en bas : ***Affaler** une voile* ; ***Affaler** un chalut*, le mettre à l'eau. **2.** Pousser (un navire) vers la côte, en parlant d'un vent, d'un courant. **Pronom. 1.** Être porté vers la côte. **2.** Se laisser glisser (le long d'un cordage). **3.** Ext. Tomber ou se laisser tomber lourdement. 1610 ; néerl. *afhalen*, « faire descendre » ; [afale].

© Y. Gellie-Gamma

*L'**affaitage** des faucons et des autours est un art dans lequel les Bédouins d'Arabie sont passés maîtres.*

© Lauros-Giraudon

1

© G. Finel

2

© Pele-Stills

© G. Finel

3

4

AFFICHES
1. Les Cycles Michaux, *T. Blot (1896).*
2. Nicolas, *Adolphe Mouron,* dit *Cassandre (1935).*
3. Autant en emporte le vent, *film de V. Fleming, d'après M. Mitchell (1939).*
4. Silence, *P. Colin (1940).*
5. Monsavon, *R. Savignac (1949).*
6. Gitanes, *H. Morvan (1960).*
7. Cœur ardent, *M. Bouvet (1991).*

© G. Finel

5

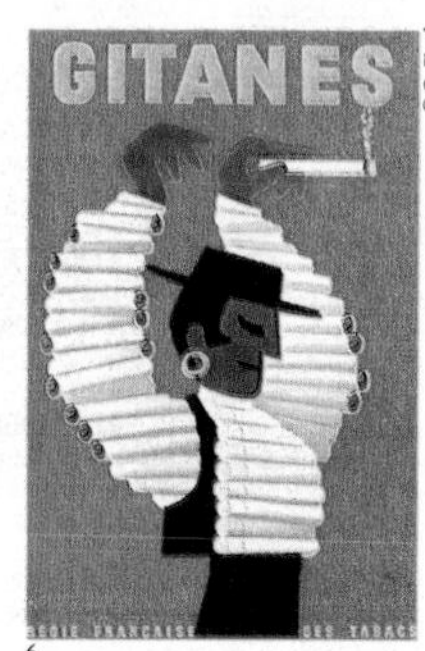

© G. Finel

6

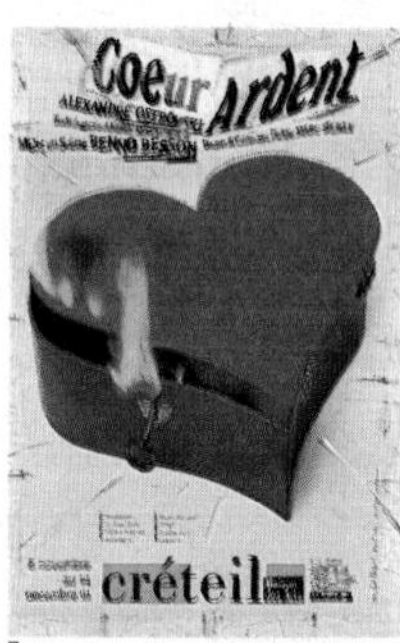

© M. Bouvet

7

**AFFAMÉ, ÉE, adj.**
**1.** Qui a grand faim : *Une population* ***affamée*** ; *Des oisillons* ***affamés.*** ▸ Empl. subst. Personne **affamée.** **2.** Fig. ***Affamé*** *de* : avide de. Déb. XIIe s. ; p. p. de *affamer* ; [afame].

**AFFAMER, verbe trans.** [3]
**1.** Faire souffrir de la faim ; priver de nourriture : *La sécheresse* ***a affamé*** *la région.* **2.** Donner de l'appétit à : *L'air marin m'****affame.*** Déb. XIIe s. ; lat. pop. °*affamare* ; [afame].

**AFFAMEUR, EUSE, subst.**
Personne qui affame une population, qui provoque la famine ou la misère. 1791 ; ☞ *affamer* ; [afamœʀ, øz].

**AFFECT, subst. m.**
*Psychol.* Phénomène affectif, qui peut être positif ou négatif en réaction à une image, à une émotion ou à une situation. 1942 ; all. *Affekt*, du lat. *affectus*, « état de l'âme » ; [afɛkt].

**AFFECTATION (I), subst. f.**
**1.** Destination à un usage : *L'****affectation*** *d'un bâtiment au logement des sans-abri.* **2.** Désignation à une fonction, à un poste ; par méton., le poste lui-même : *Rejoindre son* ***affectation.*** 1413 ; lat. médiév. *affectatus*, « (bien) affecté » ; [afɛktasjɔ̃].

**AFFECTATION (II), subst. f.**
**1.** Vx. Désir, recherche. **2.** Action d'affecter, de feindre (un sentiment, une attitude) ; manque de naturel. 1548 ; lat. *affectatio* ; [afɛktasjɔ̃].

**AFFECTÉ, ÉE, adj.**
Qui manque de naturel, de sincérité. Fin XVe s. ; p. p. de *affecter* (I) ; [afɛkte].

**AFFECTER (I), verbe trans.** [3]
**1.** Simuler (une attitude) ; feindre (un sentiment) : ***Affecter*** *un air détaché.* **2.** ***Affecter*** *la forme de* : prendre la forme de. **3.** Exercer une influence sur : *Être* ***affecté*** *d'une maladie*, en être atteint ; empl. pronom., s'affliger. ▸ Émouvoir, toucher fortement : *Ce décès l'****a*** *beaucoup* ***affecté.*** 1327 ; lat. *affectare*, « chercher à atteindre » ; [afɛkte].

**AFFECTER (II), verbe trans.** [3]
Destiner (qqch.) à un usage ; désigner (qqn) à une fonction, à un poste. 1551 ; lat. médiév. *affectare*, « assigner » ; [afɛkte].

**AFFECTIF, IVE, adj.**
Qui relève des émotions, des sentiments : *Un jugement* ***affectif.*** XIVe s. ; lat. *affectivus* ; [afɛktif, iv].

**AFFECTION, subst. f.**
**1.** Attachement, tendresse envers qqn : *Il lui donne toute son* ***affection.*** **2.** *Pathol.* Maladie : ***Affection*** *pulmonaire.* Fin XIIe s. ; lat. *affectio* ; [afɛksjɔ̃].

**AFFECTIONNÉ, ÉE, adj.**
Qui éprouve, montre de l'affection ; dévoué. XIVe s. ; p. p. de *affectionner* ; [afɛksjɔne].

**AFFECTIONNER, verbe trans.** [3]
**1.** Aimer, chérir (vieilli). **2.** Avoir une prédilection pour. XIVe s. ; ☞ *affection* ; [afɛksjɔne].

**AFFECTIVITÉ, subst. f.**
*Psychol.* Ensemble des réactions affectives d'un individu, par oppos. à ce qui relève de la raison. 1865 ; ☞ *affectif* ; [afɛktivite].

**AFFECTUEUX, EUSE, adj.**
Qui montre de l'affection, tendre : *Un chien* ***affectueux.*** Mil. XIIIe s. ; lat. *affectuosus* ; [afɛktɥø, øz].

**AFFENAGE, subst. m.**
Action d'alimenter le bétail en fourrage. 1838 ; région. *affener*, de l'anc. fr. *fener*, « faucher » ; [afnaʒ].

**AFFÉRENT (I), ENTE, adj.**
**1.** Qui se rapporte à qqch. : *Les données* ***afférentes*** *à une analyse.* **2.** *Dr.* Qui revient à qqn : *La part* ***afférente*** *à chacun.* XIIe s. ; anc. fr. *afférir*, « convenir », du lat. *afferre*, « apporter » ; [afeʀɑ̃, ɑ̃t].

**AFFÉRENT (II), ENTE, adj.**
*Anat.* Dirigé vers (un centre nerveux, un organe). 1814 ; lat. *afferens*, de *afferre*, « apporter » ; [afeʀɑ̃, ɑ̃t].

**AFFERMAGE, subst. m.**
**1.** *Agric.* Louage d'un bien : ***Affermage*** *d'une terre.* **2.** *Dr.* Concession d'un service public à un exploitant privé, la collectivité concédante restant propriétaire des installations utilisées pour ce service. 1845 (1489, engagement d'un serviteur) ; ☞ *affermer* ; [afɛʀmaʒ].

**AFFERMER, verbe trans.** [3]
Louer (un bien), concéder (un service) par affermage. 1260 ; ☞ *ferme* (II) + *a*-1 ; [afɛʀme].

**AFFERMIR, verbe trans.** [19]
**1.** Rendre plus ferme, plus stable. **2.** Fig. Renforcer : ***Affermir*** *son pouvoir.* 1372 ; ☞ *ferme* (I) + *a*-1 ; [afɛʀmiʀ].

**AFFERMISSEMENT, subst. m.**
Action d'affermir ; son résultat. 1552 ; ☞ *affermir* ; [afɛʀmismɑ̃].

**AFFÈTERIE, subst. f.**
Comportement et langage maniérés, affectation (littér.). Déb. XVIe s. ; *affété* (vx), « maniéré », de *affaiter*, « arranger » ; var. *afféterie* ; [afɛtʀi].

**AFFICHAGE, subst. m.**
**1.** Action d'afficher ; son résultat. **2.** Dispositif mécanique ou électronique de visualisation. 1792 ; ☞ *afficher* ; [afiʃaʒ].

**AFFICHE, subst. f.**
Feuille, en gén. imprimée, portant une annonce et placardée dans un lieu public : ***Affiche*** *publicitaire.* ▸ Loc. *Être à l'****affiche*** : être présenté, projeté, en parlant d'un spectacle, d'un film, etc. 1427 (1200, épingle) ; ☞ *afficher* ; [afiʃ].

**AFFICHER, verbe trans.** [3]
**1.** Annoncer par voie d'affiche ; empl. abs., placarder une affiche : *Défense d'****afficher.*** **2.** Fig. Faire étalage de : ***Afficher*** *sa richesse.* PRONOM. **1.** Apparaître : *Le résultat s'****affiche*** *sur l'écran.* **2.** S'exhiber : *Il s'****affiche*** *avec une créature...* XVIe s. (XIe s., déclarer fermement) ; formé de *à* et de *ficher* (I) ; [afiʃe].

**AFFICHETTE, subst. f.**
Petite affiche. XIXe s. (fin XIIe s., petite épingle) ; ☞ *affiche* ; [afiʃɛt].

**AFFICHEUR, EUSE, subst.**
Personne chargée de placarder des affiches. MASC. *Techn.* Dispositif mécanique ou électronique d'affichage. 1680 ; ☞ *afficher* ; [afiʃœʀ, øz].

**AFFICHISTE, subst.**
Dessinateur spécialisé dans la conception d'affiches. 1789 ; ☞ *affiche* ; [afiʃist].

**AFFICIONADO,** voir **AFICIONADO**

**AFFIDAVIT, subst. m.**
*Fisc.* Déclaration par laquelle un porteur étranger de valeurs mobilières obtient d'être exonéré des taxes sur ces valeurs, déjà payées dans son pays d'origine. 1773 ; angl. *affidavit*, du lat. médiév. *affidare*, « déclarer sous serment » ; [afidavit].

**AFFIDÉ, ÉE, adj. et subst.**
**Adj.** Vx. Digne de confiance. **Subst.** Complice sans scrupule (péj.). 1567 ; lat. médiév. *affidare*, « s'engager par serment » ; [afide].

**AFFILAGE, subst. m.**
Action d'affiler un outil tranchant. 1863 ; ☞ *affiler* ; [afilaʒ].

**AFFILÉE (D'), loc. adv.**
À la suite, sans interruption. XIXe s. ; *affiler* (vx), « aligner », de *file* ; [dafile].

**AFFILER, verbe trans. [3]**
**1.** Affûter, donner du fil à (un instrument). **2.** Fig. ***Affiler** son esprit* : le rendre plus aigu ; empl. adj. : *Avoir la langue (bien) **affilée***, avoir la parole vive et moqueuse. Fin XIIe s. (XIe s., couler en filet) ; lat. pop. °*affilare* ; [afile].

**AFFILIATION, subst. f.**
Action d'affilier ; fait d'être affilié. XVIIIe s. (XIVe s., adoption) ; bas lat. *affiliatio*, « adoption » ; [afiljasjɔ̃].

**AFFILIER, verbe trans. [6]**
Faire adhérer (une personne, un groupe) à une organisation. **Pronom. S'affilier à.** Adhérer à : ***S'affilier** à un club.* XVIIIe s. (XIVe s., adopter pour fils) ; lat. médiév. *affiliare*, « adopter pour fils » ; [afilje].

**AFFILOIR, subst. m.**
Outil servant à affiler. 1829 ; ☞ *affiler* ; [afilwaʀ].

**AFFIN, INE, adj.**
Qui présente des affinités. 1270 (1223, époux) ; lat. *affinis*, « parent » ; [afɛ̃, in].

**AFFINAGE, subst. m.**
Action d'affiner. 1390 ; ☞ *affiner* ; [afinaʒ].

**AFFINE, adj.**
**1.** *Biol.* Qualifie des espèces ayant entre elles des parentés. **2.** *Math.* ▸ *Géométrie **affine*** : qui étudie les transformations décrites par des équations linéaires dans le plan ou l'espace. ▸ *Repère **affine*** : constitué sur une droite par un couple de points distincts, dans un plan par un triplet de points non alignés, dans l'espace par un quadruplet de points non coplanaires. ▸ *Fonction **affine*** : fonction de la variable réelle $x$ de la forme $x \rightarrow f(x) = a\,x + b$, $a$ et $b$ étant réels. XXe s. ; ☞ *affin* ; [afin].

**AFFINEMENT, subst. m.**
Fait de s'affiner. XVIe s. ; ☞ *affiner* ; [afinmɑ̃].

**AFFINER, verbe trans. [3]**
**1.** Purifier ; éliminer les éléments impurs ou étrangers de : ***Affiner** des métaux, le verre.* **2.** Anal. ***Affiner** un fromage* : l'amener à maturation. **3.** Fig. Rendre plus fin : ***Affiner** une silhouette* ; ***Affiner** son raisonnement* ; empl. pronom., devenir plus fin. 1223 ; ☞ *fin* (II) + *a-*[1] ; [afine].

**AFFINERIE, subst. f.**
Atelier où l'on affine les métaux. 1552 ; ☞ *affiner* ; [afinʀi].

**AFFINEUR, EUSE, subst.**
Professionnel de l'affinage. 1302 ; ☞ *affiner* ; [afinœʀ, øz].

**AFFINITÉ, subst. f.**
**1.** *Dr.* Parenté par alliance. **2.** Relation de conformité, d'analogie : ***Affinité** de style.* ▸ Sympathie : ***Affinité** de sentiments.* **3.** *Chim.* Propension d'un élément ou d'un composé chimique à se combiner avec un autre. 1370 (1160, voisinage) ; lat. *affinitas* ; [afinite].

**AFFIQUET, subst. m.**
Vieilli. Petit bijou attaché à un vêtement ; par ext., colifichet (gén. au plur.). XIIe s. ; anc. fr. *affique*, « boucle » ; [afikɛ].

**AFFIRMATIF, IVE, adj., subst. f. et adv.**
**Adj.** Qui exprime une affirmation ; qui soutient formellement un avis. **Subst.** *Répondre par l'**affirmative*** : donner une réponse positive. **Adv.** ***Affirmatif*** : oui (dans les transmissions). XIIIe s. ; bas lat. *adfirmativus* ; [afiʀmatif, iv].

**AFFIRMATION, subst. f.**
**1.** Action d'affirmer, de s'affirmer ; son résultat. **2.** *Dr.* Déclaration formelle par laquelle on authentifie un fait, un acte. **3.** *Log.* Assertion. XIIIe s. ; lat. *affirmatio* ; [afiʀmasjɔ̃].

**AFFIRMER, verbe trans. [3]**
**1.** Donner (une chose) pour vraie. **2.** Énoncer catégoriquement : ***Affirmer** son opinion.* **Pronom.** Se manifester avec vigueur, avec clarté : *Son talent s'**affirme** chaque jour un peu plus* ; prendre de l'assurance : ***Affirme**-toi, sois enfin toi-même.* 1276 ; lat. *affirmare* ; [afiʀme].

**AFFIXE, subst. m.**
**1.** *Ling.* Élément incorporé à un mot, avant (préfixe), dans (infixe) ou après (suffixe) le radical, et qui en modifie le sens. **2.** *Math.* Nombre complexe $z = a + bi$ associé au point M, de coordonnées $a$ et $b$, dans un plan muni d'un repère orthonormé ; le point M est l'image du nombre complexe. 1584 ; lat. *affixus*, de *affigere*, « attacher » ; [afiks].

**AFFLEURAGE, subst. m.**
*Papet.* Raffinage de la pâte à papier. 1782 ; ☞ *affleurer* ; [aflœʀaʒ].

**AFFLEUREMENT, subst. m.**
**1.** Fait d'affleurer ; son résultat. **2.** *Géol.* Couche, roche du sous-sol qui affleure à la surface. 1593 ; ☞ *affleurer* ; [aflœʀmɑ̃].

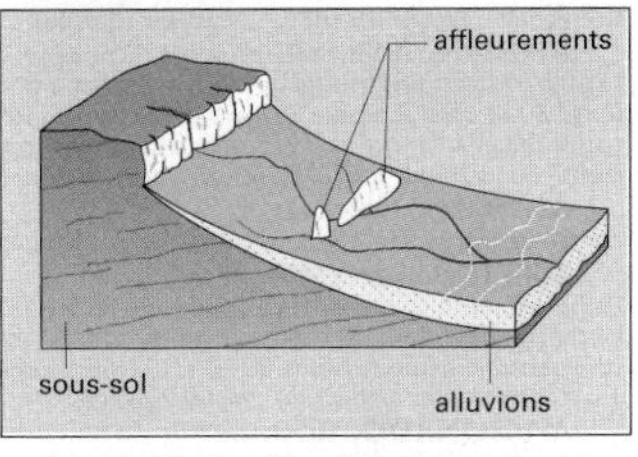

*Exemple schématique d'un **affleurement**, où l'on voit le sous-sol affleurer au niveau des alluvions.*

**AFFLEURER, verbe [3]**
**Trans. 1.** Atteindre le niveau de : *Le rocher **affleure** la surface de l'eau.* **2.** *Techn.* Aligner (deux éléments). **Intrans.** Apparaître, venir à la surface d'un sol, d'un liquide ; au fig. : *Des souvenirs enfouis **affleuraient** soudain à sa conscience.* 1397 ; loc. *à fleur de* ; [aflœʀe].

**AFFLICTIF, IVE, adj.**
*Dr. Peine **afflictive*** : qui frappe la personne physique d'un condamné. 1374 ; lat. *afflictum*, de *affligere*, « frapper ; jeter à terre » ; [afliktif, iv].

**AFFLICTION, subst. f.**
Accablement, profonde tristesse. 1040 ; lat. chrét. *afflictio* ; [afliksjɔ̃].

**AFFLIGEANT, ANTE, adj.**
**1.** Qui afflige. **2.** Consternant, navrant : *Un spectacle **affligeant**.* 1578 ; p. pr. de *affliger* ; [afliʒɑ̃, ɑ̃t].

**AFFLIGER, verbe trans. [5]**
**1.** Frapper durement de maux (littér.) : *La guerre* 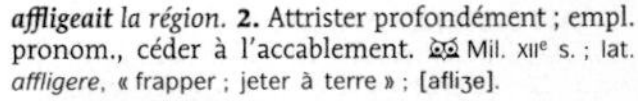***affligeait** la région.* **2.** Attrister profondément ; empl. pronom., céder à l'accablement. Mil. XIIe s. ; lat. *affligere*, « frapper ; jeter à terre » ; [afliʒe].

**AFFLOUER, verbe trans. [3]**
*Mar.* Vieilli. Remettre (un navire) à flot (synon. *renflouer*). 1773 ; norm. *flouée*, « marée » ; [aflue].

**AFFLUENCE, subst. f.**
Flux abondant (en partic. de personnes) : *Les heures d'**affluence**.* 1393 ; lat. *affluentia*, « abondance » ; [aflyɑ̃s].

**AFFLUENT, subst. m.**
Cours d'eau qui se jette dans un autre : *Les **affluents** du Rhône.* 1835 (1374, gens qui arrivent en grand nombre) ; lat. *affluens*, de *affluere*, « couler vers » ; [aflyɑ̃].

**AFFLUER, verbe intrans. [3]**
**1.** Couler abondamment (vers un point) : *Des torrents de boue **affluaient** au village.* **2.** Anal. Converger en grand nombre : *La foule **affluait** vers le port.* XIIe s. ; lat. *affluere*, « couler vers » ; [aflye].

**AFFLUX, subst. m.**
**1.** Fait d'affluer : *L'**afflux** du sang* ; *L'**afflux** des eaux.* **2.** Anal. Arrivée en masse de personnes, de choses : *Un **afflux** d'immigrés* ; au fig. : *Un **afflux** de souvenirs.* 1611 ; lat. médiév. *affluxus*, du lat. *affluere*, « couler vers » ; [afly].

**AFFOLANT, ANTE, adj.**
Qui alarme, qui provoque un grand trouble. Fin XVIIe s. ; p. pr. de *affoler* ; [afɔlɑ̃, ɑ̃t].

**AFFOLÉ, ÉE, adj.**
**1.** Rendu temporairement fou par une forte émotion ; qui a perdu son sang-froid. **2.** *Boussole **affolée*** : déréglée sous l'action de perturbations magnétiques. Déb. XVIe s. ; p. p. de *affoler* ; [afɔle].

**AFFOLEMENT, subst. m.**
Fait d'être affolé ; état d'une personne, d'un animal affolé. Déb. XIIIe s. (XIIe s., blessure) ; ☞ *affoler* ; [afɔlmɑ̃].

**AFFOLER, verbe trans. [3]**
**1.** Troubler profondément, bouleverser (qqn) : *Les femmes l'**affolaient** depuis toujours.* **2.** Inquiéter vivement : *Ce retard m'**affole**.* **Pronom.** Perdre la tête. XIIe s. ; *fol* (vx), « fou » ; [afɔle].

**AFFOUAGE, subst. m.**
**1.** *Dr.* Droit qu'ont les habitants d'une commune de pratiquer des coupes de bois de chauffage dans les forêts communales. **2.** Méton. Le bois ainsi récolté. 1256 ; anc. fr. *afouer*, « chauffer », du lat. *focus*, « foyer, feu » ; [afwaʒ].

**AFFOUAGER, verbe trans. [5]**
*Dr.* **1.** Délimiter la partie de (une forêt) réservée à l'affouage. **2.** Inscrire sur une liste (les bénéficiaires du droit d'affouage). 1378 ; ☞ *affouage* ; [afwaʒe].

**AFFOUILLEMENT, subst. m.**
*Géol.* **1.** Érosion des berges d'un cours d'eau ou d'un rivage, due aux courants ou aux vagues. **2.** La dégradation des ouvrages d'art qui en résulte. 1835 ; ☞ *affouiller* ; [afujmɑ̃].

*Vue aérienne du confluent où le Rhône est rejoint par son **affluent**, la Saône, à la hauteur de Lyon.*

**AFFOUILLER**, verbe trans. [3]
*Géol.* Éroder en creusant, en parlant de l'action des eaux. 1835 ; formé de *à* et de *fouiller* ; [afuje].

**AFFOURCHER**, verbe trans. [3]
*Mar.* Mouiller (un navire) sur deux ancres dont les chaînes se croisent en fourche. XII^e s. ; formé de *à* et de *fourche* ; [afuʀʃe].

**AFFOURRAGER**, verbe trans. [5]
Alimenter en fourrage. 1393 ; formé de *à* et de *fourrage* (I) ; var. *affourager* ; [afuʀaʒe].

**AFFRANCHI, IE**, adj. et subst.
Qualifie ou désigne un esclave, un serf à qui l'on a rendu la liberté. ADJ. Libéré des préjugés, des conventions : *Une morale* ***affranchie.*** SUBST. **1.** Hors-la-loi (vieilli). **2.** Personne qui s'est libérée des préjugés. XII^e s. ; p. p. de *affranchir* ; [afʀɑ̃ʃi].

**AFFRANCHIR**, verbe trans. [19]
**1.** Rendre libre (un esclave, un serf). **2.** Libérer d'une sujétion, d'une emprise, rendre indépendant : ***Affranchir*** *un pays.* **3.** Exempter d'une taxe ; payer le port de (un envoi postal) afin d'en exempter le destinataire. **4.** Initier, renseigner (argot.). PRONOM. Se libérer d'une emprise. Fin XII^e s. ; formé de *à* et de *franc* (II) ; [afʀɑ̃ʃiʀ].

**AFFRANCHISSEMENT**, subst. m.
**1.** Action d'affranchir, d'émanciper. **2.** Acquittement de la taxe postale. 1276 ; ☞ *affranchir* ; [afʀɑ̃ʃismɑ̃].

**AFFRES**, subst. f. plur.
Angoisse extrême, tourment (littér.) : *Les* ***affres*** *de la mort, de la douleur.* 1460 ; prov. *affre* ; [afʀ].

**AFFRÈTEMENT**, subst. m.
Location d'un moyen de transport de marchandises. 1584 ; ☞ *affréter* ; [afʀɛtmɑ̃].

**AFFRÉTER**, verbe trans. [8]
Prendre en location (un moyen de transport de marchandises). 1639 (1322, équiper un navire) ; ☞ *fret* + *a-*¹ ; [afʀete].

**AFFRÉTEUR**, subst. m.
Personne qui affrète. 1678 ; ☞ *affréter* ; [afʀetœʀ].

**AFFREUSEMENT**, adv.
**1.** D'une manière affreuse. **2.** Extrêmement. 1538 ; ☞ *affreux* ; [afʀøzmɑ̃].

**AFFREUX, EUSE**, adj.
**1.** Qui inspire de l'effroi, du dégoût : *Un cauchemar* ***affreux.*** **2.** Très laid : *Une cravate* ***affreuse.*** **3.** Désagréable, déplaisant : *Nous avons eu un été* ***affreux.*** XVI^e s. ; ☞ *affres* ; [afʀø, øz].

**AFFRIANDER**, verbe trans. [3]
**1.** Mettre en appétit (vieilli). **2.** Fig. Attirer (littér.). XV^e s. ; formé de *à* et de *friand* ; [afʀi(j)ɑ̃de].

**AFFRIOLANT, ANTE**, adj.
**1.** Qui excite l'appétit (vieilli). **2.** Fig. Qui excite le désir ; attirant. Déb. XIX^e s. ; p. pr. de *affrioler* (rare), « exciter, séduire » ; [afʀi(j)ɔlɑ̃, ɑ̃t].

**AFFRIQUÉE**, adj. f.
*Phon. Une consonne* ***affriquée*** ou, empl. subst. fém., *Une* ***affriquée*** : phonème dans lequel se succèdent une occlusive et une constrictive ([ts], [pf], par ex.). Fin XIX^e s. (1587, frotté) ; *affriquer* (vx), « frotter contre », du lat. *adfricare* ; [afʀike].

**AFFRONT**, subst. m.
Parole, acte visant à offenser, à humilier ; déshonneur qui en résulte. 1560 ; ☞ *affronter* ; [afʀɔ̃].

**AFFRONTEMENT**, subst. m.
Action d'affronter ; fait de s'affronter : ***Affrontement*** *de deux théories.* XVI^e s. ; ☞ *affronter* ; [afʀɔ̃tmɑ̃].

**AFFRONTER**, verbe trans. [3]
**1.** Faire front à ; combattre (un adversaire) ; aller courageusement au-devant de (un péril, une difficulté, etc.) : ***Affronter*** *le désespoir.* **2.** Mettre bout à bout et de niveau : ***Affronter*** *les lèvres d'une coupure.* PRONOM. **1.** Se combattre mutuellement. **2.** ***S'affronter*** *à une difficulté* : y faire face. Déb. XIII^e s. (mil. XII^e s., assommer) ; ☞ *front* + *a-*¹ ; [afʀɔ̃te].

**AFFRUITER**, verbe [3]
*Arboric.* TRANS. Planter (un terrain) d'arbres fruitiers. INTRANS. Produire des fruits. 1284 (XII^e s., être fructueux) ; ☞ *fruit* (I) + *a-*¹ ; [afʀɥite].

**AFFUBLEMENT**, subst. m.
Tenue ridicule, accoutrement (rare). XIII^e s. ; ☞ *affubler* ; [afybləmɑ̃].

**AFFUBLER**, verbe trans. [3]
**1.** Vx. Vêtir avec apparat. **2.** Vêtir bizarrement, jusqu'au ridicule (littér.) ; empl. pronom. : *Elle s'était* ***affublée*** *d'un chapeau insensé.* Fin XI^e s. ; lat. pop. °*affibulare*, « agrafer » ; [afyble].

**AFFUSION**, subst. f.
*Méd.* Procédé hydrothérapique qui consiste à verser de l'eau sur tout ou partie du corps, afin d'obtenir des effets sédatifs ou stimulants. XVI^e s. ; lat. *adfusio*, « action de verser » ; [afyzjɔ̃].

**AFFÛT**, subst. m.
**1.** *Artill.* Support d'une pièce d'artillerie. **2.** *Vèn.* Lieu où l'on se poste pour guetter le gibier. ▸ Loc. ***Être à l'affût (de)*** : guetter ; au fig., attendre le moment propice pour agir. 1445 ; ☞ *affûter* ; [afy].

**AFFÛTAGE**, subst. m.
Action d'affûter ; son résultat. 1752 (1421, action de mettre en batterie un canon) ; ☞ *affûter* ; [afytaʒ].

**AFFÛTER**, verbe trans. [3]
Aiguiser (un outil tranchant). 1680 (fin XII^e s., se mettre en position) ; formé de *à* et de *fût* ; [afyte].

**AFFÛTEUR, EUSE**, subst.
Personne chargée de l'affûtage des outils. FÉM. Machine à affûter. 1897 (fin XV^e s., celui qui pointe un canon) ; ☞ *affûter* ; [afytœʀ, øz].

**AFFÛTIAUX**, subst. m. plur.
Colifichets (fam.). 1680 ; ☞ *affûter* ; [afytjo].

**AFGHAN, ANE**, adj. et subst.
D'Afghanistan : *Lévrier* ***afghan***, race de lévrier à poil long. SUBST. MASC. Langue du groupe indo-iranien parlée depuis le XVI^e s. en Afghanistan (synon. *pachto* ou *pachtou*). 1838 ; persan *afqān* ; [afgɑ̃, an].

**AFGHANI**, subst. m.
Unité monétaire de l'Afghanistan. XX^e s. ; [afgani].

**AFIBRINOGÉNÉMIE**, subst. f.
*Pathol.* Absence de fibrinogène (molécule favorisant la coagulation du sang) dans le sang, entraînant un syndrome hémorragique. XX^e s. ; ☞ *fibrinogène* + *a-*² et *-émie* ; var. *afibrinémie* ; [afibʀinoʒenemi].

**AFICIONADO**, subst. m.
**1.** Amateur de corridas. **2.** Ext. Amateur passionné. 1843 ; mot esp. ; var. *afficionado* ; [afisjɔnado].

**AFIN DE**, loc. prép., **AFIN QUE**, loc. conj.
Locutions marquant l'intention ou le but : *Je m'incline,* ***afin de*** *vous saluer* ; *Le clown pleure,* ***afin que*** *l'on rie.* XIII^e s. ; formé de *à* et de *fin*, « but poursuivi » ; [afɛ̃də], [afɛ̃kə].

**AFOCAL, ALE, AUX**, adj.
*Opt.* Qualifie une lentille ou tout système optique dont les foyers sont rejetés à l'infini. XX^e s. ; ☞ *focal* + *a-*² ; [afɔkal, o].

**A FORTIORI**, loc. adv.
À plus forte raison. 1834 ; lat. scol. *a fortiori causa*, « par une raison plus forte » ; [afɔʀsjɔʀi].

**AFRICAIN, AINE**, adj. et subst.
De l'Afrique. Déb. XII^e s. ; lat. *africanus* ; [afʀikɛ̃, ɛn].

**AFRICANISER**, verbe trans. [3]
Donner un caractère africain à. 1931 ; ☞ *africain* ; [afʀikanize].

**AFRICANISME**, subst. m.
**1.** *Ling.* Mot, tournure des auteurs latins d'origine africaine : *Les* ***africanismes*** *de saint Augustin.* **2.** Ensemble des sciences humaines relatives à l'Afrique. 1752 ; ☞ *africain* ; [afʀikanism].

**AFRICANISTE**, subst.
Spécialiste de l'histoire, des langues, des civilisations de l'Afrique. 1908 ; ☞ *africain* ; [afʀikanist].

**AFRIKAANS**, subst. m.
Langue parlée en Afrique du Sud, d'origine surtout néerlandaise. 1952 ; néerl. *afrikaan*, « africain » ; [afʀikɑ̃s] ou [-ans].

**AFRIKANER**, adj. et subst.
Se dit de la minorité blanche d'origine néerlandaise, née en Afrique du Sud ou y résidant. 1890 ; néerl. du Cap *Afrikaander*, du néerl. *Afrikaan*, « Africain » ; var. *afrikander* ; [afʀikanɛʀ].

**AFRO-AMÉRICAIN, AINE**, adj. et subst.
Se dit de la population noire des États-Unis. ADJ. Relatif à cette population : *La culture* ***afro-américaine.*** 1933 ; ☞ *américain* + *afro-* ; plur. *afro-américains, aines* ; [afʀoameʀikɛ̃, ɛn].

**AFRO-ASIATIQUE**, adj. et subst.
D'origine à la fois africaine et asiatique. 1957 ; ☞ *asiatique* + *afro-* ; plur. *afro-asiatiques* ; [afʀoazjatik].

**AFRO-CUBAIN, AINE**, adj. et subst.
Se dit de la population cubaine d'origine africaine. ADJ. Relatif à cette population : *Des rythmes* ***afro-cubains.*** XX^e s. ; *cubain*, « de Cuba », + *afro-* ; plur. *afro-cubains, aines* ; [afʀokybɛ̃, ɛn].

**AFTER-SHAVE**, subst. m. inv.
Après-rasage. 1959 ; angl. *aftershave* ; [aftœʀʃɛv].

**Ag**, voir **ARGENT**

**AGA**, voir **AGHA**

**AGAÇANT, ANTE**, adj.
Qui agace. XII^e s. ; p. pr. de *agacer* ; [agasɑ̃, ɑ̃t].

**AGACE**, subst. f.
Pie. XI^e s. ; anc. haut all. *agaza* ; var. *agasse* ; [agas].

**AGACEMENT**, subst. m.
Irritation ; léger énervement. XV^e s. ; ☞ *agacer* ; [agasmɑ̃].

**AGACER**, verbe trans. [4]
**1.** Causer une désagréable irritation nerveuse chez : *Les crissements de craie m'****agacent.*** **2.** Poursuivre (qqn) de taquineries. Fin XII^e s. ; anc. fr. *aacier*, « rendre aigre » ; [agase].

**AGACERIE**, subst. f.
Minauderie destinée à provoquer, à séduire (littér.) : ***Agaceries*** *de coquette.* 1689 ; ☞ *agacer* ; [agasʀi].

**AGALACTIE**, subst. f.
*Pathol.* Absence ou arrêt de la sécrétion lactée après un accouchement. 1808 ; gr. *agalaktos*, « qui manque de lait » ; var. *agalaxie* ; [agalakti].

**AGAME**, adj. et subst. m.
SUBST. *Zool.* Lézard africain de la famille des Agamidés. ADJ. *Biol.* Qui se reproduit sans fécondation, par parthénogenèse. 1805 ; gr. *agamos*, « non marié » ; [agam].

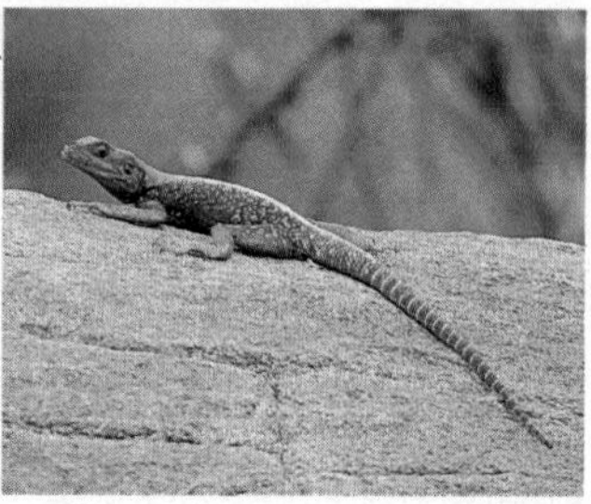

© Ferrero/Labat-Jacana

*Agame mâle, de l'espèce dite des colons.*

**AGAMI**, subst. m.
*Zool.* Oiseau de la famille des Psophiidés, originaire d'Amérique du Sud. Le représentant le plus connu, *Psophia crepitans*, est appelé oiseau-trompette, en raison de son cri strident. 1664 ; mot galibi ; [agami].

**AGAMIDÉS**, subst. m. plur.
*Zool.* Famille de lézards caractérisés par la spécialisation de leur denture. AU SING. *Le dragon volant est un* ***agamidé.*** 1838 ; ☞ *agame* ; [agamide].

**AGAMMAGLOBULINÉMIE**, subst. f.
*Pathol.* Absence ou insuffisance de gammaglobulines dans le sang. 1970 ; ☞ *gammaglobuline* + *a-*² et *-émie* ; [agamaglɔbylinemi].

**AGAPE**, subst. f.
**1.** *Relig.* Repas pris en commun, chez les premiers chrétiens. **2.** Ext. Copieux repas de fête (gén. au plur.) : *Faire des* ***agapes.*** 1574 ; lat. chrét. *agape*, du gr. chrét. *agapê*, « affection ; amour divin » ; [agap].

**AGAR-AGAR**, subst. m.
Substance extraite d'une algue des mers extrême-orientales, utilisée en bactériologie, en pharmacie, en cuisine (préparation de gelées) et dans diverses industries (synon. *gélose*). 1865 ; mot malais ; plur. *agar(s)-agars* ; [agaʀagaʀ].

**AGARIC**, subst. m.
*Bot.* Genre de champignon de la famille des Agaricacées, appelé aussi psalliote. L'espèce la plus connue est l'**agaric** champêtre, ou champignon de Paris. 1256 ; lat. *agaricum*, du gr. *agarikon* ; [agaʀik].

**AGARICACÉES**, subst. f. plur.
*Bot.* Famille de champignons basidiomycètes à lames comprenant notamment les amanites, les coprins et les psalliotes (agarics). AU SING. *L'amanite est une* ***agaricacée.*** 1931 ; ☞ *agaric* ; [agaʀikase].

**AGASSE**, voir **AGACE**

**AGATE,** subst. f.
**1.** *Minér.* Variété de calcédoine faite de dépôts siliceux concentriques d'origine hydrothermale, occupant des cavités de roches sédimentaires, utilisée comme pierre précieuse et appelée parfois cornaline (couleur d'écaille), saphirine (bleue), onyx, etc. **2.** Méton. Bijou, objet d'art en **agate**. XIe s. ; lat. *achates*, du gr. *Akhatês*, fleuve de Sicile ; [agat].

**AGAVE,** subst. m.
*Bot.* Plante originaire d'Amérique centrale, de la famille des Amaryllidacées, appelée aussi faux aloès, ou sisal. Les Mexicains en tirent une fibre textile et deux alcools, le mescal et la tequila. 1827 ; lat. sc. *agave*, du gr. *agauos*, « magnifique » ; [agav].

**AGE,** subst. m.
*Agric.* Longue tige sur laquelle sont montées toutes les pièces d'une charrue. 1801 ; altér. dial. de l'anc. fr. *haie*, « flèche de la charrue » ; [aʒ].

**ÂGE,** subst. m.
**I. 1.** Durée d'une vie (vieilli). **2.** Temps écoulé depuis la naissance : *Quel **âge** as-tu ?* **3.** Période correspondant à une phase de la vie d'un être humain : *L'**âge** tendre*, l'enfance ; *Le troisième **âge***, la vieillesse. **4.** Loc. *Être entre deux **âges*** : n'être ni jeune ni vieux ; *Être dans la fleur de l'**âge*** (☞ *fleur*) ; *Ne pas faire son **âge*** : avoir l'air plus jeune. **II.** *Spéc.* **1.** *Astron. **Âge** de l'Univers* : temps écoulé depuis l'origine de l'Univers (gén. estimé à 10 ou 12 milliards d'années). **2.** *Dr. **Âge** légal* : fixé par la loi pour l'exercice de certains droits civiques. **3.** *Géol. **Âge** géologique* : place d'un terrain ou d'un fossile dans le temps, repéré dans la liste des étages géologiques (**âge** relatif) ou situé, avec une certaine imprécision, dans l'échelle numérique des temps (**âge** absolu) : *Un fossile d'**âge** lutétien*, de 45 millions d'années. **4.** *Hist.* Grande période de l'histoire de l'humanité : ***Âge** de la pierre taillée, du bronze* ; *Le Moyen **Âge***. **5.** *Myth. L'**âge** d'or* : la période idyllique de l'humanité. **6.** *Psychol. **Âge** mental* : âge théorique ou niveau intellectuel d'un enfant de moins de quinze ans, déterminé par un ensemble d'épreuves. Fin XIe s. ; anc. fr. *aé*, du lat. *aetas* ; [ɑʒ].

**ÂGÉ, ÂGÉE,** adj.
**1. Âgé de.** Qui a tel âge : *Il est **âgé** de huit ans.* **2.** Qui est d'un âge avancé : *Il est **âgé*** ; *Personnes **âgées***. XIVe s. (1283, majeur) ; ☞ *âge* ; [ɑʒe].

**AGENCE,** subst. f.
**1.** Établissement commercial proposant des services (en gén. d'intermédiaire) : ***Agence** de voyages, matrimoniale.* **2.** Organisme administratif à fonction de coordination : *L'**Agence** nationale pour l'emploi (A. N. P. E.).* **3.** Succursale : ***Agence** bancaire.* **4.** Local utilisé par une **agence**. 1653 ; ital. *agenzia* ; [aʒɑ̃s].

**AGENCEMENT,** subst. m.
Organisation des parties d'un ensemble : *L'**agencement** des meubles d'une chambre, des couleurs d'un tableau.* Déb. XIIIe s. ; ☞ *agencer* ; [aʒɑ̃smɑ̃].

**AGENCER,** verbe trans. [4]
Réaliser l'agencement de. XIIe s. ; anc. fr. *gent*, « noble, beau » ; [aʒɑ̃se].

**AGENDA,** subst. m.
Carnet utilisé pour y inscrire quotidiennement un emploi du temps. 1535 ; bas lat. *agenda*, du lat. *agere*, « faire » ; [aʒɛ̃da].

**AGÉNÉSIE,** subst. f.
*Pathol.* Atrophie ou absence d'un organe ou d'une partie du corps liée à un arrêt partiel de développement touchant l'embryon. 1814 ; formé de *a-*[2] et de *-génésie* ; [aʒenezi].

**AGENOUILLER (S'),** verbe pronom. [3]
Se mettre à genoux ; au fig., se soumettre. Fin XIe s. ; anc. fr. *geno(u)il*, « genou », + *a-*[1] ; [aʒ(ə)nuje].

**AGENT,** subst. m.
**1.** Ce qui agit : ***Agents** naturels, atmosphériques* ; ***Agents** mutagènes, pathogènes*, qui causent une mutation, une maladie. ▸ *Gramm. Complément d'**agent*** : complément d'un verbe passif, introduit par les prépositions « par » ou « de », désignant l'auteur de l'action (dans la phrase « La ville a été détruite par le feu », « feu » est complément d'**agent**). **2.** Personne qui exerce une fonction définie pour le compte de qqn ; intermédiaire mandaté : ***Agent** de l'État*, fonctionnaire ; ***Agent** de maîtrise* ; ***Agent** commercial* ; ***Agent** littéraire*, intermédiaire entre auteur et éditeur ; ***Agent** de la police judiciaire*, inspecteur. 1332 ; lat. *agens*, de *agere*, « agir » ; [aʒɑ̃].

© G. Sommer-Jacana

*Ageratum.*

**AGERATUM,** subst. m.
*Bot.* Plante ornementale à fleurs bleues ou mauves de la famille des Astéracées. 1556 ; lat. *ageraton*, du gr. *agêraton*, « exempt de vieillesse » ; [aʒeʀatɔm].

**AGGIORNAMENTO,** subst. m.
*Cath.* Adaptation de l'Église romaine au monde contemporain. V. 1960 ; ital. *aggiornamento*, « mise à jour » ; [a(d)dʒjɔʀnamɛnto].

**AGGLOMÉRANT,** subst. m.
Substance utilisée pour agglomérer. XXe s. ; p. pr. de *agglomérer* ; [aglɔmeʀɑ̃].

**AGGLOMÉRAT,** subst. m.
**1.** Amas naturel ou artificiel de matériaux divers. **2.** Fig. Rassemblement de personnes, d'éléments disparates (souv. péj.). 1824 ; ☞ *agglomérer* ; [aglɔmeʀa].

**AGGLOMÉRATION,** subst. f.
**1.** Action d'agglomérer ; son résultat. **2.** Groupe d'habitations ; par ext., ensemble formé par une ville et sa banlieue : *L'**agglomération** marseillaise.* 1762 ; lat. médiév. *agglomeratio*, « accumulation » ; [aglɔmeʀasjɔ̃].

**AGGLOMÉRÉ,** subst. m.
Solide obtenu par compactage et collage de matériaux résiduels (poussière, poudre, sciure, copeaux, etc.). ▸ Bois reconstitué utilisé en menuiserie : *Un panneau d'**aggloméré**.* ▸ Brique de mortier de ciment utilisée dans le bâtiment ; parpaing. Mil. XIXe s. ; p. p. de *agglomérer* ; [aglɔmeʀe].

**AGGLOMÉRER,** verbe trans. [8]
Agréger (des éléments) pour former un bloc compact. **Pronom.** Former un bloc compact ; au fig., se regrouper en grand nombre dans un même espace. 1795 ; lat. *agglomerare*, de *glomus*, « pelote » ; [aglɔmeʀe].

**AGGLUTINANT, ANTE,** adj.
**1.** Qui est propre à agglutiner, à coller. **2.** *Ling.* Qualifie une langue dont les unités syntaxiques sont produites par soudure de mots ou adjonction d'affixes. XVIe s. ; p. pr. de *agglutiner* ; [aglytinɑ̃, ɑ̃t].

**AGGLUTINATION,** subst. f.
**1.** Action d'agglutiner ou de s'agglutiner ; son résultat. **2.** *Physiol.* Formation de micro-organismes (microbes, hématies, etc.) en amas, caractéristique d'une réaction immunologique. **3.** *Ling.* Formation d'un syntagme ou d'un mot par la réunion de deux termes ou l'adjonction d'un affixe (par ex. : « lendemain » pour « l'endemain »). 1537 ; lat. *agglutinatio* ; [aglytinasjɔ̃].

**AGGLUTINER,** verbe trans. [3]
Coller (des éléments) ensemble, de façon à former une masse compacte ; empl. pronom, au fig. : *La foule s'**agglutinait** aux guichets.* XIVe s. ; lat. *agglutinare* ; [aglytine].

**AGGLUTININE,** subst. f.
*Physiol.* Substance (anticorps) provoquant une réaction d'agglutination. 1907 ; ☞ *agglutiner* ; [aglytinin].

**AGGLUTINOGÈNE,** subst. m.
*Physiol.* Substance (antigène), présente dans certains globules rouges ou certains microbes, qui les rend agglutinables par certains sérums contenant les agglutinines correspondantes. XXe s. ; ☞ *agglutiner* + *-gène* ; [aglytinɔʒɛn].

**AGGRAVANT, ANTE,** adj.
Qui aggrave : *Une circonstance **aggravante**.* 1690 ; p. pr. de *aggraver* ; [agʀavɑ̃, ɑ̃t].

**AGGRAVATION,** subst. f.
Action d'aggraver, fait de s'aggraver. XIVe s. ; bas lat. *aggravatio* ; [agʀavasjɔ̃].

**AGGRAVER,** verbe trans. [3]
Rendre plus grave, plus lourd de conséquences ; empl. pronom. : *Son état s'est-il **aggravé** ?* Mil. XIe s. ; lat. *aggravare* ; [agʀave].

**AGHA,** subst. m.
**1.** Dans l'ancienne Turquie, officier chargé d'un commandement. **2.** Ext. En Algérie, chef supérieur au caïd. 1535 ; turc *aġa*, « chef » ; var. *aga* ; [aga].

**AGILE,** adj.
Qui se meut avec aisance, souplesse et rapidité ; au fig. : *Une plume **agile**.* XIVe s. ; lat. *agilis* ; [aʒil].

**AGILITÉ,** subst. f.
Caractère de ce qui est agile : *L'**agilité** du chat.* XIVe s. ; lat. *agilitas* ; [aʒilite].

**AGIO,** subst. m.
*Fin.* Rémunération due à une banque lors d'une avance sur un compte courant (gén. au plur.). 1679 ; ital. *aggio* ; [aʒjo].

**A GIORNO,** loc. adv.
Aussi brillamment qu'à la lumière du jour ; empl. adj. : *Éclairage **a giorno**.* 1842 ; ital. *a giorno*, « au jour » ; var. *à giorno* ; [adʒjɔʀno].

**AGIOTAGE,** subst. m.
*Fin.* Manœuvre frauduleuse visant à provoquer la hausse ou la baisse d'une valeur boursière et à spéculer sur ce mouvement. 1710 ; *agioter* (rare), « pratiquer l'agiotage », de *agio* ; [aʒjɔtaʒ].

**AGIOTEUR, EUSE,** subst.
Personne qui se livre à l'agiotage ; initié. 1710 ; *agioter* (rare), « pratiquer l'agiotage » ; [aʒjɔtœʀ, øz].

**AGIR,** verbe intrans. [19]
**1.** Produire des actes ; entreprendre des actions : ***Agir** plutôt que subir.* **2.** Adopter tel comportement : ***Agir** en homme généreux* ; ***Agir** en traître.* **3.** Exercer un effet, une influence (sur qqch. ou qqn) : *L'homme **agit** sur la matière et la transforme.* ▸ Empl. trans. Rare et Littér. Faire **agir** (qqn) : *La passion **agit** les êtres* ; ***Agissons** avant que d'être **agis***, avant qu'une force extérieure nous impose nos actions. **Pronom. impers.** *Il s'**agit** d'être prudent* : il convient d'être prudent ; *Je ne comprends pas de quoi il s'**agit*** : ce dont il est question. 1450 ; lat. *agere* ; [aʒiʀ].

**AGISSANT, ANTE,** adj.
Qui agit, produit un effet. XVIe s. ; p. pr. de *agir* ; [aʒisɑ̃, ɑ̃t].

**AGISSEMENTS,** subst. m. plur.
Manœuvres, manigances : *Cessez vos **agissements** !* Déb. XIXe s. ; ☞ *agir* ; [aʒismɑ̃].

**AGITATEUR, TRICE,** subst.
Personne qui trouble l'ordre, perturbe les esprits, gén. à des fins politiques. **Masc.** *Techn.* Ustensile de laboratoire servant à remuer une substance liquide. 1792 (1651, officier chargé de veiller sur l'armée parlementaire anglaise) ; angl. *agitator*, de *to agitate*, « troubler ; discuter » ; [aʒitatœʀ, tʀis].

**AGITATION,** subst. f.
**1.** État de ce qui est animé ou parcouru de mouvements physiques brefs et répétés : *L'**agitation** moléculaire.* **2.** Fait de démontrer une activité incessante et désordonnée : *Que d'**agitation** dans ses actes !* **3.** État d'effervescence collective liée à un mécontentement social : *L'**agitation** révolutionnaire.* ▸ État de trouble psychologique, d'excitation incontrôlée : *Calmer l'**agitation** des esprits.* XIVe s. ; lat. *agitatio* ; [aʒitasjɔ̃].

**AGITATO,** adv.
*Mus.* En donnant un caractère agité et fiévreux ; empl. adj. : *Un allégro **agitato**.* 1791 ; ital. *agitato*, « agité » ; [aʒitato].

**AGITÉ, ÉE,** adj.
Qui est pris d'agitation ou en manifeste les signes ; empl. subst. : *C'est un véritable **agité**.* XVIe s. ; p. p. de *agiter* ; [aʒite].

**AGITER,** verbe trans. [3]
**1.** Secouer, remuer en tous sens. **2.** Fig. ***Agiter** une question* : la soumettre au débat. **3.** Troubler : *Il était **agité** par un dilemme.* **Pronom.** Gesticuler ; déployer une grande activité : *Cessez de vous **agiter** !* XIIIe s. ; lat. *agitare* ; [aʒite].

**AGIT-PROP,** subst. f. inv.
*Pol.* Tactique révolutionnaire qui combine l'action et la propagande. XXe s. ; comp. de *agitation* et de *propagande* ; [aʒitpʀɔp].

**AGLYPHE,** adj. et subst. m.
*Zool.* Se dit d'un serpent non venimeux, aux crochets dépourvus de sillons : *Le boa est un serpent **aglyphe**.* 1865 ; gr. *gluphê*, « ciselure », + *a-*[2] ; [aglif].

1

2

3

1. *Agneaux de prés-salés au pied du Mont-Saint-Michel.*

2. *Agouti.*

3. *Une architecture qui s'inspire de l'**agora** des antiques cités grecques, à Marne-la-Vallée.*

© Ph. Roy-Explorer © R. Konig-Jacana © D. P. A.-Explorer

**AGNAT, ATE,** subst.
*Dr. rom.* Personne descendant de la lignée masculine d'une famille (anton. *cognat*). 1697 ; lat. *agnatus*, « né à côté de » ; [agna, at].

**AGNATHE,** adj. et subst. m. plur.
*Zool.* ADJ. Qui est dépourvu de mâchoire ou de mandibule. SUBST. Classe de vertébrés aquatiques dépourvus de mâchoire, à bouche circulaire ; au sing. : *La lamproie est un **agnathe**.* 1805 ; formé de *a-*[2] et de *-gnathe* ; [agnat].

**AGNATION,** subst. f.
*Dr. rom.* Lien de parenté civile, par les mâles (anton. *cognation*). 1539 ; lat. *agnatio* ; [agnasjɔ̃].

**AGNEAU, ELLE,** subst.
Petit de la brebis : *Doux comme un **agneau**.* MASC. **1.** Ext. Sa viande : *Préférer le mouton à l'**agneau*** ; sa fourrure, sa peau. **2.** *Relig.* ► *L'**Agneau** de Dieu* : le Christ, dans sa mission sacrificielle. ► *L'**agneau** pascal* : agneau sacrifié lors de la pâque juive. Déb. XIIe s. ; lat. *agnellus*, « petit agneau » ; [aɲo, ɛl].

**AGNELAGE,** subst. m.
Mise bas, chez les brebis ; période de l'année où la brebis met bas. 1840 ; ☞ *agneler* ; [aɲəlaʒ].

**AGNELER,** verbe intrans. [12]
Mettre bas, en parlant d'une brebis. Fin XIIe s. ; *agnel*, anc. forme de *agneau* ; [aɲəle].

**AGNELET,** subst. m.
Petit agneau. 1177 ; *agnel*, anc. forme de *agneau* ; [aɲəlɛ].

**AGNELIN,** subst. m.
Peau d'agneau avec sa laine, tannée à l'alun. Fin XIIe s. ; *agnel*, anc. forme de *agneau* ; [aɲəlɛ̃].

**AGNELLE,** voir **AGNEAU**

**AGNOSIE,** subst. f.
*Pathol.* Incapacité à reconnaître des objets, liée à une lésion du cortex cérébral, sans atteinte des organes sensoriels (synon. *cécité mentale*). XXe s. (1838, ignorance) ; gr. *agnôsia*, « ignorance » ; [agnozi].

**AGNOSIQUE,** subst.
Personne atteinte d'agnosie. 1937 ; ☞ *agnosie* ; [agnozik].

**AGNOSTICISME,** subst. m.
*Philos.* Ensemble des doctrines qui excluent de la connaissance ce qui ne peut être appréhendé par l'expérience, en partic. toute métaphysique. 1884 ; angl. *agnosticism* ; [agnɔstisism].

**AGNOSTIQUE,** adj. et subst.
ADJ. Relatif à l'agnosticisme. SUBST. Personne qui professe l'agnosticisme. 1884 ; angl. *agnostic*, du gr. *agnôstos*, « inconnu » ; [agnɔstik].

**AGNUS-CASTUS,** subst. m.
*Bot.* Arbrisseau méditerranéen, au feuillage tomenteux autrefois utilisé comme calmant (synon. *gattilier*). XVe s. ; comp. du lat. *agnus*, du gr. *agnos*, « gattilier », et du lat. *castus*, « chaste » ; [agnyskastys].

**AGNUS DEI,** subst. m. inv.
**1.** *Liturg.* Prière de la messe commençant par ces deux mots, récitée avant la communion. **2.** *Un **agnus-Dei*** : un médaillon bénit représentant l'agneau mystique. 1360 ; lat. *agnus Dei*, « agneau de Dieu » ; [agnysdei] ou [aɲus-].

**AGONIE,** subst. f.
**1.** Moment qui précède immédiatement la mort. **2.** Fig. Ultime phase du déclin : *L'**agonie** du troisième Reich.* XVIe s. (1160, angoisse) ; lat. chrét. *agonia*, du gr. *agônia*, « lutte ; angoisse » ; [agɔni].

**AGONIR,** verbe trans. [19]
***Agonir** qqn d'injures, de reproches* : l'en accabler. 1756 ; crois. de l'anc. verbe *ahonnir*, « déshonorer », et de *agonie* ; [agɔniʀ].

**AGONISANT, ANTE,** adj.
Qui agonise ; empl. subst., personne à l'agonie. 1587 ; p. pr. de *agoniser* ; [agɔnizɑ̃, ɑ̃t].

**AGONISER,** verbe intrans. [3]
**1.** Être à l'agonie. **2.** Fig. Décliner. 1671 (XIVe s., combattre) ; lat. chrét. *agonizare*, « lutter » ; [agɔnize].

**AGONISTE,** adj. et subst. m.
*Anat.* Se dit du muscle qui participe à l'exécution d'un mouvement. XXe s. (1764, lutteur de l'Antiquité) ; lat. chrét. *agonista*, du gr. *agônistês*, « qui combat dans les jeux » ; [agɔnist].

**AGORA,** subst. f.
**1.** *Antiq.* Place publique principale de la cité grecque, son centre politique, économique et religieux. **2.** Ext. Espace piétonnier dans un ensemble urbain moderne. 1831 ; mot gr. ; [agɔʀa].

**AGORAPHOBIE,** subst. f.
*Psych.* Phobie des espaces dégagés, des lieux publics. 1865 ; ☞ *agora* + *-phobie* ; [agɔʀafɔbi].

**AGOUTI,** subst. m.
*Zool.* Rongeur d'Amérique du Sud qui vit en troupeaux. 1556 ; tupi-guarani *acouti* ; [aguti].

**AGRAFAGE,** subst. m.
Action d'agrafer ; son résultat. 1853 ; ☞ *agrafer* ; [agʀafaʒ].

**AGRAFE,** subst. f.
Crochet de métal de forme et de conception variables, servant à assembler des objets ou des parties d'objets relevant de technologies diverses : ***Agrafe** de bureau, de vêtement, de bijou* ; ***Agrafe** de chirurgie, de mécanique.* 1421 ; anc. fr. *agrappe*, de *agrapper*, « saisir », d'apr. *graf(f)e*, « crochet » ; [agʀaf].

**AGRAFER,** verbe trans. [3]
**1.** Fermer, fixer (qqch.) à l'aide d'agrafes. **2.** Fig. ***Agrafer** qqn* : l'arrêter (fam.). 1546 ; ☞ *agrafe* ; [agʀafe].

**AGRAFEUSE,** subst. f.
*Techn.* Instrument ou machine servant à poser des agrafes. 1912 ; ☞ *agrafer* ; [agʀaføz].

**AGRAIRE,** adj.
Qui concerne les terres, l'agriculture, en partic. la propriété agricole : *Réforme **agraire***, visant à redistribuer plus équitablement les terres agricoles d'une région, d'un pays. XIVe s. ; lat. *agrarius* ; [agʀɛʀ].

**AGRAMMATICAL, ALE, AUX,** adj.
*Ling.* Qui n'est pas conforme aux règles, aux critères de la grammaire. V. 1960 ; ☞ *grammatical* + *a-*[2] ; [agʀamatikal, o].

**AGRAMMATISME,** subst. m.
*Pathol.* Forme d'aphasie qui se manifeste par un trouble de l'agencement des phrases. 1884 ; gr. *agrammatos*, « illettré » ; [agʀamatism].

**AGRANDIR,** verbe trans. [19]
Augmenter la taille de (qqch.), rendre plus grand : ***Agrandir** une ouverture.* PRONOM. Prendre de l'importance, s'étendre : *Son commerce s'est **agrandi**.* XIIIe s. ; ☞ *grand* + *a-*[1] ; [agʀɑ̃diʀ].

**AGRANDISSEMENT,** subst. m.
Action d'agrandir, de s'agrandir ; son résultat : *Un **agrandissement** photographique.* 1502 ; ☞ *agrandir* ; [agʀɑ̃dismɑ̃].

**AGRANDISSEUR,** subst. m.
*Phot.* Appareil utilisé pour l'agrandissement des photographies. 1897 ; ☞ *agrandir* ; [agʀɑ̃disœʀ].

**AGRANULOCYTOSE,** subst. f.
*Pathol.* Disparition ou diminution des leucocytes neutrophiles du sang. 1922 ; ☞ *granulocyte* + *a-*[2] et *-ose* ; [agʀanylositoz].

**AGRAPHIE,** subst. f.
*Pathol.* Perte de la faculté d'écrire, liée à un trouble neurologique. 1865 ; ☞ *graphie* + *a-*[2] ; [agʀafi].

**AGRARIEN, IENNE,** adj. et subst.
**I.** *Hist.* ADJ. Qui concerne les lois agraires. SUBST. Partisan du partage des terres cultivées, en partic. sous la Révolution française. **II.** *Pol.* ADJ. Qui défend les intérêts des grands propriétaires : *Un parti **agrarien**.* SUBST. Partisan d'un parti **agrarien**. 1355 ; lat. *agrarius*, « agraire » ; [agʀaʀjɛ̃, jɛn].

**AGRÉABLE,** adj.
Plaisant, doux pour les sens ou pour l'esprit ; empl. subst. masc. : *Joindre l'utile à l'**agréable**.* XIIe s. ; ☞ *agréer* ; [agʀeabl].

**AGRÉABLEMENT,** adv.
De manière agréable. 1343 (XIIIe s., volontiers) ; ☞ *agréable* ; [agʀeabləmɑ̃].

**AGRÉÉ, ÉE,** adj. et subst. m.
ADJ. Investi d'un caractère officiel, reconnu par une autorité : *Clinique **agréée** par la Sécurité sociale.* SUBST. Ancien titre des auxiliaires de justice mandatés auprès des tribunaux (auj. *avocat*). XIXe s. ; p. p. de *agréer* ; [agʀee].

**AGRÉER,** verbe trans. [7]
TRANS. INDIR. Agréer à. Être au gré de ; convenir à : *Cette offre m'**agrée**.* TRANS. DIR. **1.** Accueillir favorablement. **2.** Accorder un agrément officiel à. XIIe s. ; ☞ *gré* + *a-*[1] ; [agʀee].

**AGRÉGAT,** subst. m.
**1.** Masse compacte résultant de l'assemblage de matières ou d'objets distincts : *Un **agrégat** de minerais.* ► ***Agrégat** humain* : population hétéroclite ne formant pas, à proprement parler, une société. **2.** *Écon.* Grandeur calculée, à l'échelle de la population d'un pays, toutes activités réunies. 1556 ; lat. *aggregatum* ; [agʀega].

**AGRÉGATIF, IVE,** adj. et subst.
*Enseign.* Se dit de qqn qui prépare le concours de l'agrégation. XIVe s. ; ☞ *agréger* ; [agʀegatif, iv].

**AGRÉGATION, subst. f.**
**1.** Action d'agréger ou de s'agréger ; son résultat. **2.** *Enseign.* ► Concours de recrutement des professeurs du secondaire. ► Épreuve d'admission au titre de professeur de droit, de sciences économiques, de médecine ou de pharmacie. 1375 ; bas lat. *aggregatio*, « réunion » ; [agʀegasjɔ̃].

**AGRÉGÉ, ÉE, subst.**
*Enseign.* Personne reçue au concours de l'agrégation. 1740 ; p. p. de *agréger* ; [agʀeʒe].

**AGRÉGER, verbe trans. [9]**
**1.** Rassembler (des objets, des matériaux) en un tout compact. **2.** Incorporer à un groupe déjà constitué. **Pronom. S'agréger à.** Se joindre à. XVe s. (XIIIe s., amasser des biens) ; lat. *aggregare*, « réunir » ; [agʀeʒe].

**AGRÉMENT, subst. m.**
**1.** Autorisation, consentement : *Avec l'**agrément** du propriétaire, du tribunal.* **2.** Qualité d'un être, d'une chose, qui les rend plaisants, agréables. ► Loc. **D'agrément.** Réservé au plaisir : *Voyage d'**agrément**.* **Plur.** *Mus.* Petits ornements, dans la musique des XVIIe et XVIIIe s. XVe s. ; ☞ *agréer* ; [agʀemɑ̃].

**AGRÉMENTER, verbe trans. [3]**
Rendre plus divertissant, plus attrayant, en ajoutant un élément accessoire. Fin XVIIIe s. ; ☞ *agrément* ; [agʀemɑ̃te].

**AGRÈS, subst. m. plur.**
**1.** *Mar.* Ensemble du matériel servant à manœuvrer un navire. **2.** *Sp.* Appareils de gymnastique (barre fixe, barres parallèles, poutre...). 1491 (XIIe s., équipement) ; *agréer* (vx), « gréer un navire » ; [agʀɛ].

**AGRESSER, verbe trans. [3]**
**1.** Attaquer (qqn) avec une intention gén. criminelle : ***Agresser** un gardien.* **2.** Anal. Exercer une violence, une nuisance sur : *Cette musique **agresse** mes oreilles.* **3.** Provoquer, choquer, surtout en paroles. 1375 ; lat. *aggressus*, « attaqué » ; [agʀese].

**AGRESSEUR, subst. m.**
Personne, pays qui commet une agression ; empl. adj. : *Un État **agresseur**.* 1404 ; bas lat. *aggressor* ; [agʀesœʀ].

**AGRESSIF, IVE, adj.**
Qui agresse, exerce une violence ou manifeste de l'agressivité : *Un animal **agressif*** ; par anal. : *Un parfum **agressif**.* XVIIIe s. ; ☞ *agresser* ; [agʀesif, iv].

**AGRESSION, subst. f.**
Attaque violente et non provoquée : *L'**agression** de la Pologne par l'Allemagne en 1939* ; par ext. : *Une **agression** microbienne* ; au fig. : *L'**agression** d'un regard.* Fin XIVe s. ; bas lat. *aggressio* ; [agʀesjɔ̃].

**AGRESSIVITÉ, subst. f.**
Disposition à l'agression, à la violence ; caractère agressif de qqn, de qqch. 1873 ; ☞ *agressif* ; [agʀesivite].

**AGRESTE, adj.**
Champêtre, rustique (littér.). Déb. XIIIe s. ; lat. *agrestis*, « des champs » ; [agʀɛst].

**AGRICOLE, adj.**
Qui se consacre ou qui se rapporte à l'agriculture. XVIIIe s. (1372, cultivateur) ; lat. *agricola* ; [agʀikɔl].

**AGRICULTEUR, TRICE, subst.**
Personne qui pratique l'agriculture. 1495 ; lat. *agricultor* ; [agʀikyltœʀ, tʀis].

**AGRICULTURE, subst. f.**
Activité de production fondée sur la culture de la terre et l'élevage des animaux. Fin XIIIe s. ; lat. *agricultura* ; [agʀikyltyʀ].

**AGRILE, subst. m.**
*Zool.* Coléoptère de la famille des Buprestidés. 1853 ; lat. sc. *agrilus*, du lat. *ager*, « champ » ; [agʀil].

**AGRION, subst. m.**
*Zool.* Petite libellule, appelée aussi demoiselle. 1823 ; lat. sc. *agrion*, du gr. *agrios*, « sauvage » ; [agʀijɔ̃].

**AGRIOTE, subst. m.**
*Zool.* Coléoptère de la famille des Élatéridés, dont la larve est nuisible pour les céréales. *Agriotes lineateus* est le taupin des moissons. 1845 ; lat. sc. *agriotes*, du gr. *agrios*, « sauvage » ; [agʀijɔt].

**AGRIPAUME, subst. f.**
*Bot.* Plante de la famille des Lamiacées, à fleurs roses. 1539 ; lat. sc. *agria palma*, « palme sauvage » ; [agʀipom].

**AGRIPPEMENT, subst. m.**
**1.** Action d'agripper ou de s'agripper. **2.** *Physiol.* Réflexe du nouveau-né qui ferme la main sur tout objet entrant à son contact, qui peut réapparaître, au-delà du quatrième mois, dans certaines pathologies nerveuses. 1929 ; ☞ *agripper* ; [agʀipmɑ̃].

**AGRIPPER, verbe trans. [3]**
Saisir avec fermeté. **Pronom. S'agripper à.** S'accrocher avec les mains à. XVe s. (déb. XIIIe s., arracher à) ; *gripper* (vx), « saisir », + *a-*[1] ; [agʀipe].

**AGROALIMENTAIRE, adj.**
Qui concerne la transformation ou le conditionnement des produits agricoles ; empl. subst. masc., l'industrie correspondante : *Travailler dans l'**agroalimentaire**.* V. 1970 ; ☞ *alimentaire* + *agro-* ; var. *agro-alimentaire* (plur. *agro-alimentaires*) ; [agʀoalimɑ̃tɛʀ].

**AGROCHIMIE, subst. f.**
Chimie appliquée à l'agriculture. V. 1960 ; ☞ *chimie* + *agro-* ; [agʀoʃimi].

**AGROLOGIE, subst. f.**
Branche de l'agronomie qui étudie les terres cultivables. 1836 ; formé de *agro-* et de *-logie* ; [agʀɔlɔʒi].

**AGRONOME, subst.**
Spécialiste de l'agronomie. XVIIIe s. (1372, magistrat chargé de l'administration rurale) ; gr. *agronomos*, « inspecteur chargé de la police des campagnes » ; [agʀɔnɔm].

**AGRONOMIE, subst. f.**
Science au service de l'agriculture, qui réunit toutes les formes de savoirs techniques et scientifiques utiles à son développement. 1798 (1372, charge du magistrat préposé à l'administration rurale) ; ☞ *agronome* ; [agʀɔnɔmi].

**AGRONOMIQUE, adj.**
Qui concerne l'agronomie. Fin XVIIIe s. ; ☞ *agronomie* ; [agʀɔnɔmik].

**AGROPASTORAL, ALE, AUX, adj.**
Dont l'économie se limite à l'agriculture et à l'élevage. XXe s. ; ☞ *pastoral* + *agro-* ; [agʀopastɔʀal, o].

**AGROSTIS, subst. f.**
*Bot.* Poacée abondante dans les prés. 1809 ; lat. *agrostis*, du gr. *agrôstis*, « chiendent » ; var. *agrostide* ; [agʀɔstis].

**AGROTIS, subst. m.**
*Zool.* Papillon à ailes gris-brun, dont la chenille est souvent nuisible ; celle de la noctuelle des moissons (*Agrotis segetum*) s'attaque aux betteraves. 1841 ; lat. sc. *agrotis*, du gr. *agrotês*, « campagnard » ; [agʀɔtis].

**AGRUMES, subst. m. plur.**
Terme qui désigne les fruits du genre *Citrus* (orange, citron, pamplemousse, etc.). **Au sing.** *La mandarine est un **agrume**.* XVIIIe s. ; ital. *agrume*, du lat. médiév. *acrumen*, « substance aigre » ; [agʀym].

**AGUARDIENTE, subst. f.**
Eau-de-vie couramment consommée en Amérique du Sud. 1853 ; esp. *aguardiente*, de *agua*, « eau », et de *ardiente*, « ardente » ; [agwaʀdjɛnte].

**AGUERRIR, verbe trans. [19]**
**1.** Former (des troupes) à la guerre, à ses dangers. **2.** Ext. Rendre résistant, habituer aux difficultés, aux souffrances physiques ou morales : ***Aguerrir** son corps au froid.* **Pronom.** S'endurcir, s'accoutumer aux épreuves. 1535 ; formé de *à* et de *guerre* ; [ageʀiʀ].

**AGUETS (AUX), loc. adv.**
Dans l'attente, sur le qui-vive : *Être **aux aguets*** ; *Avoir l'oreille **aux aguets**.* 1636 (XIe s., *aguet*, embuscade) ; anc. fr. *agaitier*, « guetter » ; [ozagɛ].

**AGUEUSIE, subst. f.**
*Pathol.* Absence ou forte diminution de la sensibilité gustative. 1897 ; gr. *geusis*, « goût », + *a-*[2] ; [agøzi].

**AGUICHANT, ANTE, adj.**
Qui aguiche. XIXe s. ; p. pr. de *aguicher* ; [agiʃɑ̃, ɑ̃t].

**AGUICHER, verbe trans. [3]**
Chercher à séduire par des minauderies ou des manières provocantes. XIXe s. ; anc. fr. *aguichier*, « garnir de courroies » ; [agiʃe].

**AGUICHEUR, EUSE, adj.**
Qui aguiche ; empl. subst. : *C'est une **aguicheuse**.* 1896 ; ☞ *aguicher* ; [agiʃœʀ, øz].

**Ah, voir AMPÈRE-HEURE**

**AH, interj.**
**1.** Exclamation exprimant la surprise ou renforçant l'expression d'un état affectif : ***Ah !** vous êtes sûr ?* ; ***Ah !** j'ai peur !* **2.** Onomatopée imitant le rire : ***Ah ! ah !** quelle histoire !* Mil. XIe s. ; lat. *a(h)* ; [ɑ].

**AHAN, subst. m.**
Cri, plainte proférée pendant un effort : *Les **ahans** du bûcheron, du joueur de tennis.* Mil. Xe s. ; prob. lat. *afannare*, « faire un effort » ; [aɑ̃].

**AHANER, verbe intrans. [3]**
Peiner ; respirer péniblement et bruyamment lors d'un effort. Mil. XIe s. ; ☞ *ahan* ; [aane].

**AHURI, IE, adj.**
Troublé, déconcerté par une chose inattendue ; qui a l'air étonné, hébété, comme stupide (souv. péj.) ; empl. subst. : *Quel **ahuri** !* XVe s. (1270, qui a une chevelure hérissée) ; p. p. de *ahurir* ; [ayʀi].

**AHURIR, verbe trans. [19]**
Stupéfier, ébahir. XVe s. (1270, hérisser) ; ☞ *hure* + *a-*[1] ; [ayʀiʀ].

**AHURISSANT, ANTE, adj.**
Qui ahurit ; que l'on a peine à croire. Fin XIXe s. ; p. pr. de *ahurir* ; [ayʀisɑ̃, ɑ̃t].

**AHURISSEMENT, subst. m.**
État d'une personne ahurie ; stupéfaction. 1853 ; ☞ *ahurir* ; [ayʀismɑ̃].

**AÏ, subst. m.**
*Zool.* Mammifère arboricole d'Amérique du Sud, de l'ordre des Édentés, communément appelé paresseux. 1558 ; mot tupi-guarani ; [ai].

**AICHE, voir ESCHE**

**AIDE (I), subst. f.**
**1.** Action d'aider ; intervention active en faveur de qqn : *Demander de l'**aide*** ; *Venir en **aide**.* **2.** Soutien économique, subvention, assistance : ***Aide** aux entreprises, aux associations* ; ***Aide** sociale au logement* ; ***Aide** judiciaire.* **3.** Loc. prép. *À l'**aide** de* : au moyen de. **Plur. 1.** *Hist.* Impôt indirect sur les marchandises, sous l'Ancien Régime. **2.** *Équit.* Moyens dont un cavalier dispose pour agir sur sa monture : ***Aides** naturelles*, l'assiette, les jambes, la voix... ; ***Aides** artificielles*, le mors, les éperons, la cravache... 842 ; anc. fr. *aier*, *aidier*, « aider » ; [ɛd].

**AIDE (II), subst.**
Personne qui aide qqn à réaliser certaines tâches, auxiliaire : *Un **aide** de camp*, officier attaché au service d'un chef militaire ; *Un(e) **aide**-soignant(e)*, personne qui aide les infirmiers et les infirmières à soigner les malades ; *Une **aide** maternelle* ; *Des **aides**-comptables.* XIIe s. ; ☞ *aider* ; [ɛd].

**AIDE-MÉMOIRE, subst. m. inv.**
Tout procédé (croquis, notes, form`'`es, etc.) permettant de se souvenir facilement de qqch. ; en partic., abrégé destiné à aider l'étudiant à mémoriser ses connaissances. 1862 ; comp. de *aider* et de *mémoire* (I) ; [ɛdmemwaʀ].

**AIDER, verbe trans. [3]**
**Trans. dir.** Prêter secours, apporter un soutien à. **Trans. indir. Aider à.** Contribuer à : ***Aider** au progrès des idées.* **Pronom. S'aider de.** Tirer parti de ; utiliser : *S'**aider** d'une canne, d'un lexique.* Mil. Xe s. ; lat. *adjutare* ; [ede].

**AÏE, interj.**
Exclamation exprimant la douleur ou une mauvaise surprise. 1473 ; onomat. ; [aj].

**AÏEUL, AÏEULE, subst.**
Grand-père, grand-mère. XIIe s. ; lat. pop. °*aviolus*, °*aviola* ; plur. *aïeuls*, *aïeules* ; [ajœl].

**AÏEUX, subst. m. plur.**
Ancêtres : *Quant aux grands, des **aïeux** mais pas d'œuvres !* (Hugo). Mil. XIIIe s. ; ☞ *aïeul* ; [ajø].

*Aigle martial du Kenya.*

**AIGLE, subst.**
**Masc. 1.** *Zool.* Rapace diurne de la famille des Falconidés, genre *Aquila* : *L'**aigle** glatit ou trompette.* ► Loc. *Regard d'**aigle*** : perçant ou, au fig., pénétrant, vif ; *Nez en bec d'**aigle*** : busqué ; *Nid d'**aigle*** : habitation perdue dans les hauteurs, inaccessible.

**2.** Format de papier : *Grand **aigle**, 75 × 106 cm* ; *Petit **aigle**, 60 × 94 cm.* **3.** Lutrin d'église orné d'une figure d'**aigle** aux ailes déployées. **Fém. 1.** *Zool.* Femelle de l'**aigle**. **2.** *Hérald.* Figure représentant un **aigle** : *L'aigle autrichienne, napoléonienne.* **3.** *Hist.* Enseigne militaire : *Les **aigles** romaines.* 1165 ; lat. *aquila* ; [ɛgl].

**AIGLEFIN, voir ÉGLEFIN**

**AIGLETTE, subst. f.**
*Hérald.* Petite aigle figurant en nombre (au moins trois) sur un blason (synon. *alérion*). 1280 ; ☞ *aigle* ; [ɛglɛt].

**AIGLON, ONNE, subst.**
Petit de l'aigle. 1546 ; ☞ *aigle* ; [ɛglɔ̃, ɔn].

**AIGRE, adj.**
**1.** Dont la saveur est piquante, acidulée et gén. déplaisante : *Un fruit **aigre**.* ► Empl. subst. masc. *Sentir l'**aigre*** ; au fig. : *La discussion tourne à l'**aigre***, s'envenime. **2.** Ext. *Une odeur **aigre*** : âcre et désagréable ; *Un son **aigre*** : perçant. **3.** Fig. Acrimonieux, empreint d'amertume : *Des propos **aigres**.* XIIe s. ; lat. pop. *acrus*, du lat. *acer* ; [ɛgʀ].

**AIGRE-DOUX, -DOUCE, adj.**
**1.** D'une saveur à la fois acide et douceâtre. **2.** Fig. *Paroles **aigres-douces*** : qui mêlent suavité et amertume. 1549 ; comp. de *aigre* et de *doux* ; plur. *aigres-doux, -douces* ; [ɛgʀədu, -dus].

**AIGREFIN, subst. m.**
Escroc. 1670 ; orig. obsc. ; [ɛgʀəfɛ̃].

**AIGRELET, ETTE, adj.**
Légèrement aigre. Mil. XVIe s. ; ☞ *aigre* ; [ɛgʀəlɛ, ɛt].

**AIGREMENT, adv.**
Avec aigreur. XIIe s. ; ☞ *aigre* ; [ɛgʀəmɑ̃].

**AIGREMOINE, subst. f.**
*Bot.* Plante herbacée à fleurs jaunes de la famille des Rosacées. XIIe s. ; altér. de *agremoine*, du lat. *argemonia*, du gr. *argemônê*, « sorte de pavot », d'apr. *aigre* ; [ɛgʀəmwan].

**AIGRETTE, subst. f.**
**1.** *Zool.* Échassier proche du héron, identifiable par les plumes dressées sur la tête du mâle. **2.** Faisceau de longues plumes effilées situé sur la tête de certains oiseaux. **3.** Ext. Plumet servant d'ornement. XIVe s. ; anc. prov. *aigreta*, de *aigron*, « héron » ; [ɛgʀɛt].

© P. Wild-Jacana

*Aigrette garzette.*

**AIGREUR, subst. f.**
**1.** Caractère de ce qui est aigre. **2.** Fig. Amertume mêlée d'animosité. **Plur.** Sensation de brûlure, d'acidité, liée à un trouble gastrique. XIVe s. ; ☞ *aigre* ; [ɛgʀœʀ].

**AIGRI, IE, adj.**
Devenu aigre ; au fig., désabusé, amer. XIIe s. ; p. p. de *aigrir* ; [egʀi].

**AIGRIN, subst. m.**
*Agric.* Jeune pommier ou poirier qui doit son nom à l'aigreur de ses fruits. 1527 ; lat. pop. °*acrumen*, de *acrus*, « aigre » ; [ɛgʀɛ̃].

**AIGRIR, verbe [19]**
**Intrans.** Devenir aigre. **Trans. 1.** Rendre aigre. **2.** Fig. Rendre acariâtre, amer : *Les frustrations l'ont **aigri**.* **Pronom. 1.** Devenir aigre : *Le vin s'est **aigri**.* **2.** Fig. Devenir acariâtre. XIIe s. ; ☞ *aigre* ; [egʀiʀ].

**AIGU, UË, adj. et subst. m.**
**Adj. 1.** Qui s'achève en pointe : *Accent **aigu*** ; *Angle **aigu***, inférieur à 90°. **2.** Anal. Qui produit une sensation vive : *Des cris **aigus***, perçants. **3.** Fig. Incisif, pénétrant : *Un esprit **aigu**.* ► *Pathol. Maladie **aiguë*** : qui apparaît brusquement et évolue rapidement (anton. *chronique*). **Subst.** *Mus.* Registre le plus élevé d'une voix, d'un instrument. XIe s. ; lat. *acutus*, « coupant, tranchant » ; [egy].

**AIGUE-MARINE, subst. f.**
*Minér.* Pierre fine transparente, variété de béryl, dont la couleur rappelle celle de l'eau de mer. 1578 ; prov. *aiga marina*, « eau de mer » ; plur. *aigues-marines* ; [ɛgmaʀin].

**AIGUIÈRE, subst. f.**
Vase à eau finement ouvragé, pourvu d'une anse et d'un bec. 1352 ; anc. prov. *aiguiera*, du lat. pop. °*aquaria* ; [egjɛʀ].

**AIGUILLAGE, subst. m.**
**1.** *Ch. de fer.* Système de rails mobiles permettant de faire passer un train d'une voie à une autre. **2.** Action d'aiguiller ; son résultat. 1877 ; ☞ *aiguiller* ; [egɥijaʒ].

**AIGUILLE, subst. f.**
**1.** Petite tige d'acier effilée percée d'un trou (chas), destinée aux travaux de couture, de broderie : ***Aiguille** à repriser* ; *Enfiler une **aiguille**.* ► Loc. *De fil en **aiguille*** : de proche en proche, une chose ou une parole en entraînant une autre. **2.** Tige effilée : ***Aiguille** à tricoter* ; ***Aiguille** hypodermique*, gén. creuse, utilisée pour les injections. **3.** Anal. Construction architecturale ou formation montagneuse se terminant en pointe : *L'**aiguille** d'un clocher* ; *L'**aiguille** du Midi.* **4.** *Techn.* Petite tige plate d'un appareil de mesure : ***Aiguille** d'une boussole, d'une montre.* 1177 ; lat. *acucula* ; [egɥij].

© P. Lorne-Explorer

*Aiguilles de Chamonix.*

**AIGUILLÉE, subst. f.**
Longueur de fil passé dans une aiguille. 1229 ; ☞ *aiguille* ; [egɥije].

**AIGUILLER, verbe trans. [3]**
**1.** *Ch. de fer.* Diriger (une locomotive, un convoi ferroviaire) au moyen d'un système d'aiguillage. **2.** Fig. Orienter, guider. 1853 (fin XIIe s., piquer avec une aiguille) ; ☞ *aiguille* ; [egɥije].

**AIGUILLETTE, subst. f.**
**1.** Cordon ferré aux deux bouts qui servait autrefois à lacer le haut-de-chausses. **2.** Ornement d'un costume militaire (fourragère, par ex.). **3.** Mince filet de viande coupé en pointe : ***Aiguillettes** de canard.* 1376 (XIIIe s., petite aiguille) ; ☞ *aiguille* ; [egɥijɛt].

**AIGUILLEUR, subst. m.**
**1.** *Ch. de fer.* Agent chargé des opérations d'aiguillage. **2.** *Aéron.* ***Aiguilleur** du ciel* : personne chargée du contrôle de la navigation aérienne. 1845 ; ☞ *aiguiller* ; [egɥijœʀ].

**AIGUILLON, subst. m.**
**1.** Pointe de fer fixée au bout d'un bâton, avec laquelle on pique les bœufs pour les faire avancer. **2.** Fig. Ce qui stimule, excite (littér.) : *L'**aiguillon** de la colère* ; *L'**aiguillon** de la chair.* **3.** *Bot.* Piquant produit par l'écorce ou l'épiderme de certains végétaux, à la différence de l'épine : *Les rosiers portent des **aiguillons**.* **4.** *Zool.* Dard de certains arthropodes : *L'**aiguillon** d'une guêpe.* Mil. XIe s. ; lat. pop. °*aculeo* ; [egɥijɔ̃].

**AIGUILLONNER, verbe trans. [3]**
**1.** Piquer (une bête) avec un aiguillon. **2.** Fig. Stimuler, donner une impulsion à : ***Aiguillonner** le désir.* 1160 ; ☞ *aiguillon* ; [egɥijɔne].

**AIGUILLOT, subst. m.**
*Mar.* Tige formant la partie mâle du pivot d'un gouvernail. 1556 ; ☞ *aiguille* ; [egɥijo].

**AIGUISAGE, subst. m.**
Action d'aiguiser ; résultat de cette action. 1467 ; ☞ *aiguiser* ; [egizaʒ].

**AIGUISEMENT, subst. m.**
Aiguisage. 1530 (XIIe s., excitation) ; ☞ *aiguiser* ; [egizmɑ̃].

**AIGUISER, verbe trans. [3]**
**1.** Affûter (une lame, une pointe). **2.** Fig. Stimuler ; rendre plus vif : ***Aiguiser** la curiosité de qqn* ; ***Aiguiser** les sens.* XIe s. ; prob. lat. pop. °*acutiare* ; [egize].

**AIGUISEUR, EUSE, subst.**
Artisan dont le métier est d'aiguiser les instruments coupants. Déb. XIVe s. ; ☞ *aiguiser* ; [egizœʀ, øz].

**AIGUISOIR, subst. m.**
Instrument servant à aiguiser. 1468 ; ☞ *aiguiser* ; [egizwaʀ].

**AÏKIDO, subst. m.**
Sport de combat japonais (art martial) utilisant l'esquive, les rotations du corps et les clés aux articulations pour neutraliser la force de l'adversaire. V. 1960 ; jap. *aikidō*, « voie de l'union des souffles » ; [aikido].

**AIL, subst. m.**
*Bot.* Plante de la famille des Liliacées, dont le bulbe est composé de gousses de saveur forte et piquante, servant de condiment. XIIe s. ; lat. *allium* ; plur. *aulx* (vx) ou *ails* ; [aj].

**AILANTE, subst. m.**
*Bot.* Arbre asiatique de la famille des Simarubacées, appelé aussi vernis du Japon, qui a été introduit en France pour orner les avenues. 1788 ; lat. sc. *ailanthus*, de l'indonésien des Moluques *ail lznitol*, « arbre du ciel » ; [ɛlɑ̃t].

**AILE, subst. f.**
**I. 1.** *Zool.* Chaque membre des organes de vol, allant par paire, dont sont dotés certains animaux (oiseaux, insectes et quelques mammifères). ► Loc. *Avoir des **ailes*** : aller vite ; *Voler de ses propres **ailes*** : s'émanciper ; *Avoir du plomb dans l'**aile**, battre de l'**aile*** : être en difficulté, en détresse ; *Prendre sous son **aile*** : protéger ; *Avoir un coup dans l'**aile*** : être ivre (fam.). **2.** Anal. ► *Aéron.* Chacun des plans de sustentation d'un avion. ► *Techn.* Chacune des branches d'un moulin à vent. **II.** Chacune des parties latérales et symétriques d'un objet, d'un dispositif, d'un édifice... : *Attaquer une armée sur ses **ailes*** ; *Les **ailes** d'une équipe de football* ; *Les **ailes** d'une automobile* ; *L'**aile** d'un bâtiment* ; *Les **ailes** du nez* ; au fig. : *L'**aile** droite et l'**aile** gauche d'un parti politique.* XIIe s. ; lat. *ala* ; [ɛl].

**AILÉ, ÉE, adj.**
Qui possède des ailes. XVe s. ; ☞ *aile* ; [ele].

**AILERON, subst. m.**
**1.** *Zool.* Extrémité de l'aile d'un oiseau. ► Ext. Nageoire de certains poissons : ***Aileron** de requin.* **2.** *Aéron.* Volet mobile servant à stabiliser un avion et à le faire virer. **3.** *Archit.* Console renversée, de style baroque, servant de contrefort, gén. à une lucarne. 1393 ; ☞ *aile* ; [ɛlʀɔ̃].

**AILETTE, subst. f.**
**1.** Petite aile. **2.** *Balist.* Élément de l'empennage d'un projectile servant à le stabiliser. **3.** *Techn.* ► Lame d'un radiateur ou d'un cylindre de moteur destinée à diffuser la chaleur. ► Aube d'une turbine. 1164 ; ☞ *aile* ; [ɛlɛt].

**AILIER, subst. m.**
**1.** *Sp.* Dans certains sports collectifs, joueur placé à l'une des extrémités de la ligne d'attaque. **2.** *Aéron.* Appareil d'une patrouille aérienne qui se trouve à l'extérieur et en arrière de la formation. 1924 ; ☞ *aile* ; [elje].

**AILLADE, subst. f.**
*Cuis.* Sauce à l'ail ; pain frotté d'ail et imprégné d'huile d'olive. 1534 ; anc. prov. *alhada* ; [ajad].

**AILLER, verbe trans. [3]**
Frotter ou piquer d'ail. 1928 ; ☞ *ail* ; [aje].

**AILLEURS, adv.**
**1.** Employé sans préposition. ► Dans un endroit autre que celui où l'on se trouve ou dont on parle : *Cherchons **ailleurs*** ; *Comme nous l'avons précisé **ailleurs**.* ► Fig. *Être **ailleurs**, avoir l'esprit **ailleurs*** : rêver, être distrait. ► Empl. subst. masc. Lieu lointain ou imaginaire (littér.) : *Nous irons vers des*

*ailleurs plus accueillants.* **2.** Employé avec préposition. ▸ *Cet objet ne vient pas de France, il vient d'**ailleurs*** : d'un autre lieu. ▸ *Il faudra passer par **ailleurs*** : par un autre chemin. **3.** Loc. ▸ **D'ailleurs.** Précise ou modifie ce qui précède, souv. de manière restrictive : *Je ne viendrai pas, d'**ailleurs** il est trop tard.* ▸ **Par ailleurs.** Présente un autre aspect des choses, qui n'est pas nécessairement en rapport direct avec ce qui précède (synon. *d'autre part*). XIe s. ; prob. lat. pop. °*aliore*, de la loc. lat. *in aliore loco*, « dans un autre lieu » ; [ajœʀ].

**AILLOLI, subst. m.**
*Cuis.* **1.** Sorte de coulis d'ail pilé avec de l'huile d'olive. **2.** Mayonnaise à l'ail ; par méton., plat de morue accompagnée de légumes, servi avec cette sauce. 1744 ; prov. *aioli*, de *ai*, « ail », et de *oli*, « huile » ; var. *aïoli* ; [ajɔli].

*L'ailloli, un plat traditionnel provençal.*

*La culture aïnoue est l'une des plus anciennes de l'archipel nippon.*

**AIMABLE, adj.**
**1.** Digne d'être aimé. **2.** Bienveillant, affable. XIIe s. ; lat. *amabilis* ; [ɛmabl].

**AIMABLEMENT, adv.**
Avec amabilité. 1322 ; ☞ *aimable* ; [ɛmabləmɑ̃].

**AIMANT (I), subst. m.**
*Phys.* Corps magnétique qui a la propriété d'attirer les objets contenant du fer : ***Aimant** naturel*, morceau de magnétite ; ***Aimant** artificiel* ou, empl. abs., ***Aimant***, fer aimanté ou électro-aimant. 1275 (XIIe s., diamant) ; lat. pop. °*adimas*, du lat. *adamas*, « fer très dur » ; [ɛmɑ̃].

**AIMANT (II), ANTE, adj.**
Enclin à aimer. XVIIe s. ; p. pr. de *aimer* ; [ɛmɑ̃, ɑ̃t].

**AIMANTATION, subst. f.**
*Phys.* Action d'aimanter ; résultat de cette action. Mil. XVIIIe s. ; ☞ *aimanter* ; [ɛmɑ̃tasjɔ̃].

**AIMANTER, verbe trans.** [3]
Communiquer à (un corps) les propriétés de l'aimant. 1386 ; ☞ *aimant* (I) ; [ɛmɑ̃te].

**AIMER, verbe trans.** [3]
**1.** Éprouver une affection, un attachement profond pour (qqn) : ***Aimer** ses parents.* **2.** Éprouver une passion, un penchant fait de désir et de tendresse pour (qqn) ; être amoureux de : ***Aimer** sa femme.* **3.** Avoir des rapports sexuels avec (qqn). **4.** Apprécier, estimer beau ou bon, avoir du goût pour : ***Aimer** les livres* ; *Elle **aime** qu'on la chatouille* ; *Il **aime** jouer.* ▸ Empl. trans. indir. **Aimer à.** Se plaire à ; vouloir (littér.) : *J'**aime** à croire que vous me soutiendrez.* **5.** Se plaire, prospérer dans (un milieu, un climat, etc.), en parlant des végétaux : *La vigne **aime** les sols pauvres.* **6.** Loc. ***Aimer** mieux qqch., qqn* : préférer qqch., qqn. **Pronom. 1.** Éprouver un amour ou une affection réciproque. **2.** Avoir un rapport sexuel. Fin IXe s. ; lat. *amare* ; [eme].

**AINE, subst. f.**
*Anat.* Région du corps située entre la cuisse et le bas du ventre : *Le pli de l'**aine**.* Fin XIIe s. ; lat. pop. °*inguinem*, du lat. *inguen* ; [ɛn].

**AÎNÉ, ÉE, adj. et subst.**
**Adj. 1.** Qui, dans une famille, est né le premier : *Le fils **aîné*** ; au fig. : *La fille **aînée** de l'Église*, la France. **2.** Ext. *Branche **aînée** d'une famille* : celle qui descend d'un premier-né. **Subst. 1.** Enfant né le premier. **2.** Personne plus âgée qu'une autre : *Il est mon **aîné** de deux ans* ; par ext., personne plus ancienne qu'une autre dans un métier, une compagnie, etc. : *Suivre l'exemple de ses **aînés**.* XIIe s. ; formé de l'anc. fr. *ainz*, « avant », et de *né* ; [ene].

**AÎNESSE, subst. f.**
**1.** Qualité d'aîné. **2.** *Dr. Droit d'**aînesse*** : droit de primogéniture avantageant le premier-né (le plus souv. mâle) par rapport aux autres enfants d'une famille (droit aboli à la fin du XVIIIe s., en France). 1283 ; ☞ *aîné* ; [enɛs].

**AÏNOU, OUE, adj. et subst.**
Des Aïnous, population du Japon. **Subst. masc.** Langue parlée par les Aïnous. Fin XVIIIe s. ; aïnou *ainu*, « homme » ; [ainu].

**AINSI, adv.**
**I. Manière. 1.** De cette manière : *Pourquoi se comporte-t-il **ainsi** ?* ; *C'est **ainsi**.* ▸ ***Ainsi** soit-il !* : expression d'un souhait, terminant gén. une prière. ▸ Sert à atténuer : *Pour **ainsi** dire.* **2.** Par conséquent, de sorte que, donc : *Il travailla toute la nuit ; **ainsi**, il finit à temps* ; ***Ainsi**, je sais que je peux désormais compter sur lui.* ▸ Sert à renforcer le caractère conclusif : ***Ainsi** donc.* **II.** Comparaison. **1.** De même, de la même façon : *Comme les rats quittent un vaisseau perdu, **ainsi** les lâches vous trahiront.* **2.** Loc. conj. **Ainsi que.** ▸ Subordination : *Tout s'est passé **ainsi** que nous l'avions prévu.* ▸ Coordination : *Paul, **ainsi** que son frère, est boulanger.* XIe s. ; p.-ê. formé de l'anc. fr. *ainz*, « avant ; plutôt », et de *si* (II) ; [ɛ̃si].

**AÏOLI, voir AILLOLI**

**AIR (I), subst. m.**
**I. 1.** Fluide gazeux constituant l'atmosphère terrestre, pris en tant que milieu naturel des êtres vivants qui respirent : ***Air** pur ou vicié.* **2.** Vent, souffle, brise : *Il fait de l'**air**, ce matin* ; *Courant d'**air***, souffle entre deux ouvertures. **3.** Loc. *Donner de l'**air*** : aérer ; *Prendre l'**air*** : aller se promener, sortir ; *À l'**air** libre* : dehors. **4.** *Techn.* ***Air** comprimé* : dont on a réduit le volume par compression ; ***Air** liquide* : liquéfié par compression et détente successives. **II. 1.** Espace occupé par l'**air** ; ciel, atmosphère : *L'avion prend l'**air***, il décolle. ▸ *Mal de l'**air*** : troubles ressentis en avion par certaines personnes. **2.** Méton. Aviation, transport aérien : *Armée de l'**air*** ; *Hôtesse de l'**air**.* **3.** Loc. *Tirer en l'**air*** : vers le haut. **III.** Fig. **1.** Ambiance, climat moral : *Prendre l'**air** du bureau*, s'informer de l'état d'esprit qui y règne ; *C'est dans l'**air***, on en parle, on s'attend que cela arrive. **2.** Loc. *Paroles en l'**air*** : sans fondement ; *Tête en l'**air*** : personne étourdie ; *Jeter en l'**air*** : détruire, abandonner ; *Mettre, être en l'**air*** : en désordre. 1119 ; lat. *aer* ; [ɛʀ].

PHYSIQUE – L'air est un mélange, inodore et invisible, de gaz divers (78,08 % d'azote, 20,95 % d'oxygène et, en allant vers le plus rare, argon, dioxyde de carbone, néon, hélium, krypton, hydrogène, xénon, radon, ozone) dans lequel on trouve aussi de la vapeur d'eau et des gouttelettes d'eau en suspension, à l'origine des nuages, des brumes et des précipitations. Sa masse volumique, dans les conditions normales de température (0 °C) et de pression (1 013 hPa), est égale à 1,293 kg/m$^3$. La pression qu'exerce au niveau du sol la masse de l'atmosphère sur les objets qui y sont plongés est appelée pression atmosphérique. L'air liquide bout à – 196 °C en donnant de l'azote, et à – 182 °C en donnant de l'oxygène.

**AIR (II), subst. m.**
**1.** Façon d'être, apparence, attitude, expression des traits d'une personne : *Un **air** narquois* ; *De grands **airs***, des manières hautaines. **2. Avoir l'air.** ▸ Avoir une attitude, une allure (l'adj. est épithète) : *Elle a l'**air** sérieux.* ▸ Sembler, paraître (l'adj. est attribut) : *Ces fraises ont l'**air** bonnes* ; *Elle a l'**air** sérieuse.* **3.** Loc. *Avoir un **air** de famille* : une certaine ressemblance ; *Cela n'a l'**air** de rien* : cela semble insignifiant. 1580 ; ☞ *air* (I) ; [ɛʀ].

**AIR (III), subst. m.**
*Mus.* Mélodie d'une pièce vocale ou purement instrumentale, avec ou sans accompagnement. Fin XVIe s. ; ital. *aria*, « expression », de l'anc. fr. *aire*, « espèce » ; [ɛʀ].

**AIRAIN, subst. m.**
**1.** Bronze (littér. et vieilli). **2.** Fig. *D'**airain*** : inflexible, dur. Mil. XIIe s. ; bas lat. *aeramen* ; [ɛʀɛ̃].

**AIR BAG, subst. m. inv.**
Coussin de protection dans une voiture, qui se gonfle lors d'un choc (anglic.). XXe s. ; angl. *air*, « air », et *bag*, « sac » ; n. déposé, var. *airbag* ; [ɛʀbag].

**AIRE, subst. f.**
**I. 1.** Terrain où l'on bat le grain (vieilli). **2.** Surface rocheuse sur laquelle certains rapaces bâtissent leur nid ; par méton., ce nid. **3.** Terrain assigné à une activité, à un usage : ***Aire** de jeu* ; ***Aire** de repos.* **4.** Ext. Toute surface plane et gén. découverte. **5.** *Géol.* ***Aire** continentale* : plate-forme stable sur laquelle se sont déposées les roches sédimentaires. **6.** *Géom.* Superficie d'une figure ; nombre exprimant la mesure de sa surface : *Calcul d'une **aire*** (☞ *surface*). **II. 1.** Domaine, zone : ***Aire** d'influence* ; ***Aire** de répartition de la vigne.* **2.** *Anat.* Région du corps : ***Aire** rétinienne.* **3.** *Mar.* ***Aire** de vent* : chacune des subdivisions de la rose des vents, des directions du vent. XIe s. ; lat. *area* ; [ɛʀ].

**AIRELLE, subst. f.**
**1.** *Bot.* Petit arbre de la famille des Éricacées, aux baies comestibles, dont il existe plusieurs espèces tel *Vaccinium myrtillus*, dont le fruit est la myrtille. **2.** Baie acide de cet arbre : *Un rôti aux **airelles**.* 1596 ; cévenol *airelo*, du lat. *atra*, « de couleur noire » ; [ɛʀɛl].

**AIRER, verbe intrans.** [3]
Faire son nid, en parlant de certains rapaces. XVe s. ; ☞ *aire* ; [eʀe].

**AIS, subst. m.**
**1.** Planche de bois. **2.** Planchette, plaque utilisée pour faire les plats d'une reliure ; par ext., plaque servant à séparer les volumes mis en presse. 1160 ; lat. *axis* ; [ɛ].

**AISANCE, subst. f.**
**1.** Facilité, naturel, grâce : *Elle se déplace avec **aisance**.* **2.** État de fortune assurant le confort ; abondance : *Naître dans l'**aisance**.* **Plur.** *Cabinets, lieux d'**aisances*** : latrines, commodités. XIIIe s. ; lat. *adjacentia*, « environs » ; [ɛzɑ̃s].

**AISE, adj. et subst. f.**
**Adj.** Content, satisfait : *Vous chantiez ? j'en suis fort **aise*** (La Fontaine). **Subst. 1.** État de confort ; absence de gêne physique, de contrainte morale : *Être à l'**aise**, à son **aise**.* ▸ Loc. *À votre **aise*** : comme il vous plaira, quand vous voudrez ; *Être mal à l'**aise*** : se sentir gêné ; *En prendre à son **aise*** : agir cavalièrement, avec désinvolture. **2.** Plaisir, joie (littér.) : *Être transporté d'**aise** par une musique.* **Subst. plur.** Confort, bien-être : *Rechercher ses **aises*** ; *Prendre ses **aises***, s'installer confortablement sans se gêner pour autrui. XIIe s. (XIe s., espace vide à côté de qqn) ; lat. *adjacens*, « se trouvant à proximité » ; [ɛz].

**AISÉ, ÉE, adj.**
**1.** Facile, naturel. **2.** Qui vit dans l'aisance ; fortuné : *Un homme **aisé*** ; par méton. : *Une situation **aisée**.* 1170 ; ☞ *aise* ; [eze].

**AISÉMENT, adv.**
D'une manière aisée. Fin XIIe s ; ☞ *aisé* ; [ezemɑ̃].

**AISSEAU, subst. m.**
*Constr.* Bardeau. Mil. XIVe s. ; ☞ *ais* ; [ɛso].

**AISSELLE, subst. f.**
*Anat.* Creux situé sous l'attache du bras au tronc. 1165 ; lat. pop. °*axella* ; [ɛsɛl].

**AISY, subst. m.**
Liquide acide résultant de la fermentation du petit-lait résiduel, lors de la fabrication du gruyère. 1838 ; anc. fr. *aisil*, du lat. *acetum*, « vinaigre » ; [ɛzi].

**AÎTRES, subst. m. plur.**
Disposition des différentes parties d'une habitation, d'un bâtiment. Déb. XIIe s. (fin Xe s., cour autour d'une maison) ; lat. *extera*, « ce qui est à l'extérieur » ; var. *êtres* ; [ɛtʀ].

**AJOINTER, verbe trans.** [3]
Joindre bout à bout. 1202 ; ☞ *joint* (I) + *a-*[1] ; [aʒwɛ̃te].

**AJONC, subst. m.**
*Bot.* Arbuste épineux de la famille des Fabacées, à fleurs jaunes. 1280 ; orig. obsc. ; [aʒɔ̃].

**AJOUR, subst. m.**
Petite ouverture, jour, en architecture, en broderie. Mil. XIXe s. ; ☞ *ajourer* ; [aʒuʀ].

**AJOURÉ, ÉE, adj.**
Percé, orné de jours : *Une cloison **ajourée**.* 1644 ; formé de *à* et de *jour* ; [aʒuʀe].

**AJOURER, verbe trans.** [3]
Ménager des ouvertures, des jours dans : ***Ajourer** un drap, des boiseries.* 1891 ; ☞ *ajouré* ; [aʒuʀe].

**AJOURNEMENT, subst. m.**
Fait d'ajourner, d'être ajourné ; renvoi à une date ultérieure. Fin XIIe s. ; ☞ *ajourner* ; [aʒuʀnəmɑ̃].

**AJOURNER, verbe trans.** [3]
**1.** Vx. *Dr.* Assigner (qqn) à paraître devant un juge, un tribunal, à une date précise. **2.** Renvoyer à une date ultérieure : ***Ajourner** une décision.* ▸ ***Ajourner** un candidat* : le renvoyer à une session d'examen ou de concours ultérieure ; ***Ajourner** un conscrit* : le renvoyer à une autre session d'examen d'aptitude au service. Mil. XIIIe s. (XIe s., se lever, en parlant du jour) ; ☞ *jour* + *a-*[1] ; [aʒuʀne].

**AJOUT, subst. m.**
Ce qui est ajouté. 1895 ; ☞ *ajouter* ; [aʒu].

**AJOUTÉ, subst. m.**
*Impr.* Texte, mots ajoutés sur des épreuves. 1839 ; p. p. de *ajouter* ; [aʒute].

**AJOUTER, verbe trans.** [3]
**TRANS. DIR. 1.** Mettre en plus : ***Ajouter** une clé à un trousseau* ; empl. adj. : *Taxe à la valeur **ajoutée** (T. V. A.).* ▸ Considérer en outre : ***Ajoutez** à cela sa bêtise.* ▸ Dire en plus : *J'**ajouterai** une remarque.* **2.** Loc. ***Ajouter** foi à* : croire à. **TRANS. INDIR. Ajouter à.** Augmenter : *Cette toilette **ajoute** à sa grâce.* **PRONOM. S'ajouter à.** Venir en plus de. 1119 ; anc. fr. *joster*, « réunir », + *a-*[1] ; [aʒute].

**AJUSTAGE, subst. m.**
**1.** *Mécan.* Opération consistant à donner à une pièce les dimensions exactes requises pour l'assembler avec une autre ; résultat de cette opération. **2.** *Numism.* Mise au poids légal : ***Ajustage** des flans.* 1350 ; ☞ *ajuster* ; [aʒystaʒ].

**AJUSTEMENT, subst. m.**
**1.** Action d'ajuster ; son résultat. **2.** *Mécan.* Degré de serrage ou de jeu entre deux pièces assemblées. **3.** Arrangement de la toilette ; soin qui y est apporté (vieilli). 1328 ; ☞ *ajuster* ; [aʒystəmɑ̃].

**AJUSTER, verbe trans.** [3]
**1.** Adapter convenablement : ***Ajuster** un manche à un outil* ; ***Ajuster** ses dépenses à ses revenus* ; empl. pronom. : *Le couvercle s'**ajuste** parfaitement à la boîte.* ▸ *Cout.* Adapter (un vêtement) à la taille, en réduire l'ampleur ; empl. adj. : *Une robe **ajustée**, moulante.* ▸ *Mécan.* Réaliser l'ajustage de (une pièce). **2.** Rendre juste, conforme à une norme : ***Ajuster** une mesure, un poids.* ▸ Rendre précis, régler : ***Ajuster** son tir* ; par méton. : ***Ajuster** une cible*, la viser avec soin. **3.** Arranger soigneusement : ***Ajuster** son col.* 1260 ; ☞ *juste* + *a-*[1] ; [aʒyste].

**AJUSTEUR, subst. m.**
Spécialiste de l'ajustage, des assemblages de précision : ***Ajusteur** fraiseur* ; en appos. : *Ouvrier **ajusteur**.* XVIe s. ; ☞ *ajuster* ; [aʒystœʀ].

**AKÈNE, subst. m.**
*Bot.* Fruit sec à graine unique qui demeure clos, tels le gland, la noisette. 1802 ; lat. sc. *achena*, du gr. *khainein*, « s'ouvrir », + *a-*[2] ; var. *achaine*, *achène* ; [akɛn].

**AKINÉSIE, subst. f.**
*Pathol.* Impossibilité d'exécuter certains mouvements. 1814 ; gr. *akinêsia*, « immobilité » ; var. *acinésie* ; [akinezi].

**AKKADIEN, IENNE, adj. et subst.**
De la région, du royaume d'Akkad. **SUBST. MASC.** Langue sémitique ancienne parlée dans la région d'Akkad. 1873 ; topon. *Akkad*, anc. ville de Mésopotamie ; [akadjɛ̃, jɛn].

**AKRA, voir ACRA**

**AKVAVIT, voir AQUAVIT**

**Al, voir ALUMINIUM**

**ALABASTRITE, subst. f.**
*Pétrogr.* Albâtre gypseux. 1771 ; lat. *alabastrum* ; [alabastʀit].

**ALACRITÉ, subst. f.**
Entrain, vivacité joyeuse (littér.). 1495 ; lat. *alacritas* ; [alakʀite].

**ALAIRE, adj.**
Relatif à l'aile (d'un animal, d'un avion). 1829 ; lat. *ala*, « aile » ; [alɛʀ].

**ALAISE, voir ALÈSE**

**ALAISÉ, voir ALÉSÉ**

**ALAMBIC, subst. m.**
Appareil servant à la distillation : ***Alambic** de chimiste* ; *L'**alambic** laissait couler sa sueur d'alcool* (Zola). Fin XIIIe s. ; ar. *al-'inbīq* ; [alɑ̃bik].

**ALAMBIQUÉ, ÉE, adj.**
Trop subtil ; compliqué et obscur : *Esprit, style **alambiqué**.* 1688 ; p. p. de *alambiquer* (vx), « distiller » ; [alɑ̃bike].

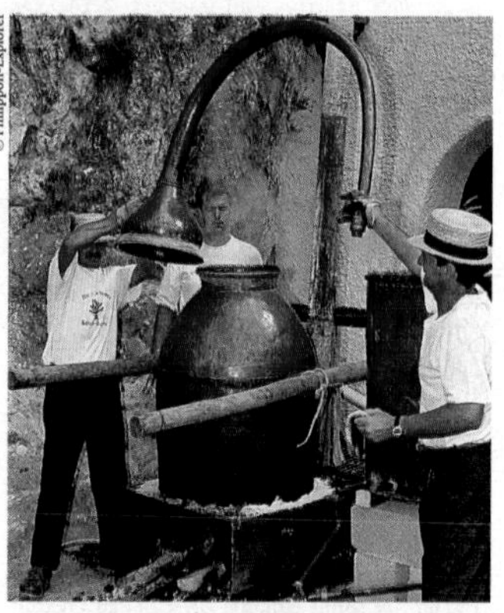
© Philippon-Explorer

*Alambic servant à la distillation de la lavande.*

***Albatros** hurleur en train de couver.*

© E. Pott-Jacana

**ALANDIER, subst. m.**
*Techn.* Foyer d'un four servant à cuire des céramiques. 1838 ; ☞ *landier* + *a-*[1] ; [alɑ̃dje].

**ALANGUIR, verbe trans.** [19]
Priver d'énergie, rendre languissant : *La fièvre **alanguit**.* **PRONOM. 1.** Perdre son énergie, devenir languissant. **2.** Tomber dans un état de langueur amoureuse ; l'exprimer : *Son regard s'**alanguit**.* 1539 ; ☞ *languir* + *a-*[1] ; [alɑ̃giʀ].

**ALANGUISSEMENT, subst. m.**
Fait de s'alanguir, d'être alangui. 1562 ; ☞ *alanguir* ; [alɑ̃gismɑ̃].

**ALANINE, subst. f.**
*Biochim.* L'un des vingt aminoacides constitutifs des protéines, de formule $CH_3{-}CH(NH_2){-}COOH$. 1850 ; ☞ *aldéhyde* ; [alanin].

**ALARMANT, ANTE, adj.**
Qui alarme, qui est de nature à alarmer. 1766 ; p. pr. de *alarmer* ; [alaʀmɑ̃, ɑ̃t].

**ALARME, subst. f.**
**1.** *Milit.* Signal appelant aux armes, annonçant l'approche de l'ennemi ; par ext., signal avertissant d'un danger : *Donner, sonner l'**alarme**.* ▸ *Ch. de fer. Signal d'**alarme*** : dispositif permettant aux passagers d'arrêter le train en cas de danger. **2.** Méton. Dispositif d'alerte : *Installer une **alarme** sonore.* **3.** Trouble, émoi causé par un danger, une menace : *Fausse **alarme***, vaine frayeur ; par anal., vive inquiétude : *Apaisez mes **alarmes**.* Déb. XIVe s. ; ital. *all'arme*, « aux armes » ; [alaʀm].

**ALARMER, verbe trans.** [3]
Mettre en alarme, en émoi : ***Alarmer** les esprits.* **PRONOM.** S'inquiéter. Déb. XVIIe s. ; ☞ *alarme* ; [alaʀme].

**ALARMISTE, subst. et adj.**
**SUBST.** Personne qui répand des bruits alarmants. **ADJ.** Qui tend à alarmer : *Des propos **alarmistes**.* 1793 ; ☞ *alarme* ; [alaʀmist].

**ALASTRIM, subst. m.**
*Pathol.* Fièvre éruptive, forme atténuée de variole, qu'on rencontre dans la zone tropicale. V. 1920 ; mot brés., de *alastrar*, « parsemer, couvrir » ; [alastʀim].

**ALATERNE, subst. m.**
*Bot.* Nerprun d'Europe à feuilles persistantes, de la famille des Rhamnacées, dont les fruits ont des vertus purgatives. 1551 ; lat. *alaternus*, « nerprun » ; [alatɛʀn].

**ALAUDIDÉS, subst. m. plur.**
*Zool.* Famille d'oiseaux passériformes à laquelle appartiennent en partic. les alouettes (genre *Alauda*). **AU SING.** *La calandre est un **alaudidé**.* XIXe s. ; lat. *alauda*, « alouette » ; [alodide].

**ALBANAIS, AISE, adj. et subst.**
D'Albanie. **SUBST. MASC.** Langue parlée en Albanie. Mil. XVIe s. ; topon. *Albanie* ; [albanɛ, ɛz].

**ALBÂTRE, subst. m.**
**1.** *Minér.* ▸ Roche tendre (sulfate de calcium) translucide, de couleur laiteuse, au grain très fin. ▸ Nom improprement appliqué à certaines calcites translucides dans lesquelles on taille des vases. **2.** Méton. Sculpture, objet taillé dans de l'**albâtre**. **3.** Fig. *Un cou, un sein d'**albâtre*** : d'une extrême blancheur (littér.). Mil. XIIe s. ; lat. *alabastrum* ; [albɑtʀ].

**ALBATROS, subst. m.**
*Zool.* Grand oiseau marin (3,5 m d'envergure pour le grand **albatros**), bon voilier, vivant dans l'hémisphère austral. 1748 ; angl. *albatross* ; [albatʀos].

**ALBÉDO, subst. m.**
*Astron.* Pouvoir réfléchissant d'un corps, mesuré par le rapport entre la quantité de rayonnement qu'il renvoie et celle qu'il reçoit. 1907 ; lat. *albedo*, « blancheur » ; var. *albedo* ; [albedo].

**ALBERGE, subst. f.**
Fruit de l'albergier, proche de la pêche ou de l'abricot, à la chair blanche et un peu aigre. 1546 ; catalan *alberge*, « pêche précoce » ; [albɛʀʒ].

**ALBERGIER, subst. m.**
*Bot.* Arbre de la famille des Rosacées, dont le fruit est l'alberge. 1546 ; ☞ *alberge* ; [albɛʀʒje].

**ALBIGEOIS, OISE, adj. et subst.**
D'Albi. **SUBST.** Membre de la secte cathare répandue aux XIIe et XIIIe s. dans le sud de la France : *La croisade contre les **albigeois**.* **ADJ.** Relatif à cette secte. Déb. XIIIe s. ; topon. lat. *Albiga*, « Albi » ; [albiʒwa, waz].

**ALBINISME,** subst. m.
*Pathol.* Absence congénitale de pigment, totale ou partielle, parfois limitée au globe oculaire, due à une anomalie héréditaire du métabolisme de la mélanine. L'**albinisme** est caractérisé par un iris rosé et diaphane, une peau très blanche et des cheveux ou des poils très clairs (blonds ou blancs) ; il se rencontre chez l'homme et chez certains animaux. 1838 ; ☞ *albinos* ; [albinism].

**ALBINOS,** adj. et subst.
**Adj.** Qui est atteint d'albinisme. **Subst.** Personne ou animal souffrant d'albinisme. 1665 ; esp. *albino*, du lat. *albus*, « blanc » ; [albinos].

**ALBITE,** subst. f.
*Minér.* Variété de feldspath alcalin. 1838 ; lat. *albus*, « blanc » ; [albit].

**ALBUGINÉ, ÉE,** adj. et subst. f.
*Anat.* **Adj.** Qualifie une membrane blanche : *La tunique* ***albuginée*** *de l'œil*, le blanc de l'œil. **Subst.** Enveloppe conjonctive blanchâtre de certains organes génitaux. 1377 ; ☞ *albugine* ; [albyʒine].

**ALBUGO,** subst. m.
*Pathol.* **1.** Tache blanche apparaissant sur la cornée de l'œil. **2.** Tache blanche de l'ongle. 1492 ; lat. *albugo*, de *albus*, « blanc » ; var. *une albugine* ; [albygo].

**ALBUM,** subst. m.
**1.** Cahier, classeur destiné à recueillir des notes, des croquis, ou à recevoir des photographies, des collections : *Album de cartes postales.* **2.** Livre abondamment illustré. **3.** Pochette contenant un ou plusieurs disques ; ces disques : *Enregistrer un* ***album***. **4.** *Antiq. rom.* Tablettes ou pan de mur blanchis où étaient inscrits des textes, gén. officiels. 1662 ; lat. *album*, « tableau blanc » ; [albɔm].

**ALBUMEN,** subst. m.
*Bot.* Réserve nutritive entourant l'embryon, chez les végétaux angiospermes. 1808 ; bas lat. *albumen*, « blanc d'œuf » ; [albymɛn].

**ALBUMINE,** subst. f.
*Biol.* et *Biochim.* Variété de protéine simple, soluble dans l'eau, qui existe notamment dans le sérum sanguin, le lait ou l'œuf. 1792 ; bas lat. *albumen*, « blanc d'œuf » ; [albymin].

**ALBUMINÉ, ÉE,** adj.
*Bot.* Se dit d'une graine qui contient un albumen. 1814 ; ☞ *albumen* ; [albymine].

**ALBUMINÉMIE,** subst. f.
*Physiol.* Taux de sérumalbumine dans le sang. 1926 ; ☞ *albumine* + *-émie* ; [albyminemi].

**ALBUMINOÏDE,** adj.
**1.** De la nature de l'albumine. **2.** *Biochim. Matières* ***albuminoïdes*** : terme générique désignant les protéines. 1857 ; ☞ *albumine* + *-oïde* ; [albyminɔid].

**ALBUMINURIE,** subst. f.
*Pathol.* Présence d'albumine dans les urines, gén. symptomatique d'une atteinte rénale (synon. *protéinurie*). 1838 ; ☞ *albumine* + *-urie* ; [albyminyʀi].

**ALBUMOSE,** subst. f.
*Biochim.* Produit issu de la digestion incomplète des matières albuminoïdes. 1897 ; bas lat. *albumen*, « blanc d'œuf », + *-ose* ; [albymoz].

**ALCADE,** subst. m.
**1.** Maire, dans les pays de langue espagnole. **2.** *Hist.* Nom donné autrefois à certains juges et magistrats, en Espagne et dans les pays sous administration espagnole. 1323 ; esp. *alcalde*, de l'ar. *al-qâḍî*, « le juge » ; [alkad].

**ALCALESCENT, ENTE,** adj.
*Chim.* Qui possède ou acquiert des propriétés alcalines. 1735 ; ☞ *alcali* ; [alkalesɑ̃, ɑ̃t].

**ALCALI,** subst. m.
*Chim.* Nom générique des bases solubles obtenues avec les métaux dits alcalins et avec l'ammoniac ; les principaux **alcalis** sont la soude, la potasse et l'ammoniaque. 1363 ; ar. *al-qilî* ; [alkali].

**CHIMIE** – Un alcali est l'hydroxyde d'un métal monovalent. Sa formule s'obtient en ajoutant (OH) au métal considéré : Na(OH) est la soude, K(OH) la potasse. Les solutions alcalines ont toutes un goût particulier de lessive ; elles agissent sur la peau en la rendant visqueuse et sont très caustiques. Comme toutes les bases, elles neutralisent les acides en donnant des sels.

**ALCALIMÉTRIE,** subst. f.
*Chim.* Dosage quantitatif d'une solution basique (alcaline), qui se mesure en grammes par litre de solution (g/l) ou en moles par litre de solution (mol/l). 1853 ; ☞ *alcali* + *-métrie* ; [alkalimetʀi].

© T. Borredon-Explorer

*L'alcazar de Ségovie (XI^e s., reconstruit puis restauré jusqu'au XIX^e s.).*

© Axel-Jacana

*Tigre atteint d'****albinisme****.*

**ALCALIN, INE,** adj.
**1.** *Chim.* Qui se rapporte aux alcalis, qui en a les propriétés : *Réaction* ***alcaline***, dont le produit est basique ; *Métaux* ***alcalins***, famille de métaux monovalents ; *Sels* ***alcalins***, sels d'un métal **alcalin** (sodium, potassium, par ex.). **2.** *Géol.* Qualifie des minéraux et des roches qui renferment plus de 10 % de soude ou de potasse : *L'orthose est un feldspath* ***alcalin***. **3.** *Pharm. Médicament* ***alcalin*** ou, empl. subst. masc., *Un* ***alcalin*** : médicament aux propriétés antiacides. 1691 ; ☞ *alcali* ; [alkalɛ̃, in].

**ALCALINISER,** verbe trans. [3]
*Chim.* Rendre alcalin. 1877 ; ☞ *alcalin* ; [alkalinize].

**ALCALINITÉ,** subst. f.
*Chim.* Caractère alcalin d'un milieu, d'une solution (synon. *basicité*). 1823 ; ☞ *alcalin* ; [alkalinite].

**ALCALINO-TERREUX, EUSE,** adj.
*Chim.* Qualifie des métaux bivalents qui ont à la fois les propriétés des alcalis et celles des terres (par ex. le calcium, le strontium, le baryum et le radium). 1845 ; comp. de *alcalin* et de *terreux* ; plur. *alcalino-terreux, euses* ; [alkalinoteʀø, øz].

**ALCALOÏDE,** subst. m.
*Chim.* Composé organique azoté à caractère alcalin produit naturellement par les végétaux, qui a souvent une action puissante et toxique sur l'organisme, telles la caféine, la codéine, la cicutine. 1823 ; ☞ *alcali* + *-oïde* ; [alkalɔid].

**ALCALOSE,** subst. f.
*Pathol.* Augmentation de l'alcalinité du plasma sanguin, due soit à une diminution du taux de $CO_2$ dans le sang (par hyperventilation pulmonaire), soit à une augmentation du taux des bicarbonates. 1933 ; ☞ *alcali* + *-ose* ; [alkaloz].

**ALCANE,** subst. m.
*Chim.* Composé organique dont la molécule ne comprend que des atomes de carbone et d'hydrogène, toutes les liaisons entre les atomes de carbone étant des liaisons simples. Les **alcanes** sont donc des hydrocarbures saturés (formule générale : $C_nH_{2n+2}$). Mil. XX^e s. ; ☞ *alcool* ; [alkan].

**ALCARAZAS,** subst. m.
Gargoulette, vase poreux où l'eau se rafraîchit par évaporation. 1798 ; esp. *alcarraza*, de l'ar. *al-kurrâz*, « la cruche à goulot étroit » ; [alkaʀazas].

**ALCAZAR,** subst. m.
Palais fortifié des anciens princes maures d'Espagne et de leurs successeurs chrétiens. 1866 ; esp. *alcazar*, de l'ar. *al-qaṣr*, « la forteresse » ; [alkazaʀ].

**ALCÉDINIDÉS,** subst. m. plur.
*Zool.* Famille d'oiseaux mangeurs de poissons, de l'ordre des Coraciadiformes. **Au sing.** *Le martin-pêcheur est un* ***alcédinidé***. 1866 ; lat. *alcedo*, « martin-pêcheur » ; [alsedinide].

**ALCÈNE,** subst. m.
*Chim.* Composé organique dont la molécule ne comprend que des atomes de carbone et d'hydrogène, et qui possède une seule double liaison. C'est un hydrocarbure non saturé (formule générale : $C_nH_{2n}$). Mil. XX^e s. ; ☞ *alcool* ; [alsɛn].

**ALCHÉMILLE,** subst. f.
*Bot.* Plante vivace de la famille des Rosacées, à feuilles très découpées et à petites fleurs jaunâtres, à laquelle les alchimistes attribuaient des propriétés particulières. 1611 ; lat. médiév. *alchemilla* ; [alkemij].

**ALCHIMIE,** subst. f.
**1.** Science traditionnelle empruntant un langage symbolique et fondée sur le principe d'analogie, qui peut apparaître parfois comme une préchimie mais qui est surtout une « mystique expérimentale » cherchant la délivrance de l'esprit par la matière et celle de la matière par l'esprit. **2.** Fig. Suite de transformations complexes ou subtiles ; sublimation de la réalité par l'art : *L'****alchimie*** *du verbe* (Rimbaud). 1275 ; lat. médiév. *alchimia*, de l'ar. *al-kimiyâ'*, « la pierre philosophale ; l'alchimie » ; [alʃimi].

**ALCHIMIQUE,** adj.
Relatif à l'alchimie. 1547 (XIV^e s., factice) ; lat. médiév. *alchimicus* ; [alʃimik].

**ALCHIMISTE,** subst.
Personne qui pratique l'alchimie. Fin XIV^e s. ; lat. médiév. *alchimista* ; [alʃimist].

**ALCIDÉS,** subst. m. plur.
*Zool.* Famille de palmipèdes nageurs et plongeurs, aux ailes assez développées, capables de voler, comprenant les pingouins et les macareux. **Au sing.** *Le manchot n'est pas un* ***alcidé***. 1845 ; ☞ *alcyon* ; [alside].

**ALCOOL,** subst. m.
**1.** Liquide incolore obtenu par distillation de jus sucrés fermentés, et en partic. du vin : *Alcool absolu*, chimiquement pur. **2.** Méton. Boisson contenant de l'**alcool** ; en partic., boisson obtenue par distillation, eau-de-vie, spiritueux : *Alcool de cerise.* **3.** *Chim.* Tout composé organique dont la molécule possède un groupement —OH, appelé hydroxyle, fixé sur un atome de carbone : *Alcool éthylique* (formule brute : $C_2H_5OH$), dont le titre, mesuré en degrés d'**alcool**, exprime le pourcentage d'**alcool** pur contenu dans la solution. Les **alcools** dérivent d'hydrocarbures par oxydation ; on les nomme en ajoutant le suffixe « -ol » au nom de l'hydrocarbure : le méthanol est l'**alcool** dérivé du méthane, l'éthanol celui dérivé de l'éthane, etc. On distingue des **alcools** primaires, secondaires ou tertiaires selon la localisation de l'hydroxyle dans la molécule. XVI^e s. ; ar. *al-kuḥl*, « le collyre » ; [alkɔl].

**ALCOOLAT,** subst. m.
*Chim.* Solution obtenue par la macération de substances aromatiques dans l'alcool avant distillation. 1826 ; ☞ *alcool* ; [alkɔla].

**ALCOOLÉ,** subst. m.
*Pharm.* Médicament qui a l'alcool pour excipient. 1838 ; ☞ *alcool* ; [alkɔle].

**ALCOOLÉMIE,** subst. f.
*Pathol.* Taux d'alcool dans le sang, mesuré en grammes d'alcool par litre de plasma (g/l). Mil. XX^e s. ; ☞ *alcool* + *-émie* ; [alkɔlemi].

**ALCOOLIFICATION,** subst. f.
Transformation d'une substance en alcool par fermentation. 1857 ; ☞ *alcool* ; [alkɔlifikasjɔ̃].

**ALCOOLIQUE, adj.**
**1.** Qui contient naturellement de l'alcool (synon. impropre mais usuel *alcoolisé*) : *Boisson* ***alcoolique.*** **2.** Relatif à l'alcool ; qui produit de l'alcool : *Fermentation* ***alcoolique.*** **3.** Relatif à l'alcoolisme : *Délire* ***alcoolique.*** ► Qui abuse de l'alcool : *Des parents* ***alcooliques*** ; empl. subst. : *Soigner des* ***alcooliques.*** 1789 ; ☞ *alcool* ; [alkɔlik].

**ALCOOLISATION, subst. f.**
**1.** Alcoolification. **2.** Introduction d'alcool dans une boisson, un milieu, etc. ; son résultat. **3.** *Méd.* Imprégnation de l'organisme en alcool. 1706 ; ☞ *alcooliser* ; [alkɔlizasjɔ̃].

**ALCOOLISER, verbe trans.** [3]
**1.** Additionner d'alcool. ► Empl. adj. *Une tisane* ***alcoolisée*** ; par ext., alcoolique (empl. impropre) : *Boissons* ***alcoolisées.*** **2.** *Chim.* Transformer en alcool. **Pronom.** S'intoxiquer à l'alcool ; s'enivrer. 1620 ; ☞ *alcool* ; [alkɔlize].

**ALCOOLISME, subst. m.**
*Pathol.* Intoxication due à l'abus de boissons contenant de l'alcool : ***Alcoolisme*** *aigu*, ivresse ; ***Alcoolisme*** *chronique* ou, empl. abs., ***Alcoolisme***, état pathologique résultant de l'ingestion régulière d'alcool. Mil. XIX^e s. ; ☞ *alcool* ; [alkɔlism].

**ALCOOLOGIE, subst. f.**
Partie de la médecine qui traite des troubles de l'alcoolisme et des remèdes à y apporter. V. 1980 ; ☞ *alcool* + *-logie* ; [alkɔlɔʒi].

**ALCOOLOMANIE, subst. f.**
*Psych.* Dépendance à l'égard des boissons alcooliques, rapprochant l'éthylique du toxicomane. XX^e s. ; ☞ *alcool* + *-manie* ; [alkɔlɔmani].

**ALCOOMÈTRE, subst. m.**
Densimètre servant à mesurer la teneur en alcool d'un liquide. 1809 ; ☞ *alcool* + *-mètre*[1] ; [alkɔmɛtʀ].

**ALCOOMÉTRIE, subst. f.**
*Chim.* Mesure de la teneur en alcool d'un liquide. 1876 ; ☞ *alcoomètre* ; [alkɔmetʀi].

**ALCOTEST, subst. m. inv.**
Test permettant d'évaluer le taux d'alcoolémie d'un sujet en mesurant la teneur en alcool de l'air expiré ; appareil utilisé pour ce test. V. 1960 ; crois. de *alcool* et de *test* (II) ; var. *alcootest*, n. déposé ; [alkɔtɛst].

**ALCÔVE, subst. f.**
**1.** Renfoncement ménagé dans le mur d'une chambre, où l'on peut placer un ou des lits. **2.** Ext. Lieu des rencontres amoureuses : *Secret* ***d'alcôve***, intime ; *Histoire* ***d'alcôve***, galante. 1646 ; esp. *alcoba*, de l'ar. *al-qubba*, « la coupole » ; [alkov].

**ALCOYLATION, subst. f.**
*Chim.* Fixation d'un radical alcoyle sur une molécule. XX^e s. ; ☞ *alcoyle* ; [alkɔilasjɔ̃].

**ALCOYLE, subst. m.**
*Chim.* Radical monovalent (non saturé), correspondant à un alcane (saturé) auquel on a ôté un atome d'hydrogène. Ainsi, au méthane $CH_4$ correspond le méthyle $CH_3$—, à l'éthane $C_2H_6$ correspond l'éthyle $C_2H_5$—, etc. La fixation du groupement —OH sur un **alcoyle** donne un alcool. XX^e s. ; ☞ *alcool* + *-yle* ; var. *alkyle* ; [alkɔil].

**ALCYNE, subst. m.**
*Chim.* Composé organique dont la molécule ne comprend que des atomes de carbone et d'hydrogène et possède une triple liaison —C≡C—. Les **alcynes** sont donc des hydrocarbures non saturés (formule générale : $C_nH_{2n-2}$). Mil. XX^e s. ; ☞ *alcool* ; [alsin].

**ALCYON, subst. m.**
**1.** *Myth.* Oiseau marin fabuleux censé ne faire son nid que sur une mer calme et dont la rencontre était tenue pour un heureux présage. **2.** *Zool.* Polypier marin, de la classe des Alcyonaires, qui se présente comme un bouquet de polypes. Mil. XIII^e s. ; lat. *alcyon*, du gr. *alkuôn* ; [alsjɔ̃].

**ALCYONAIRES, subst. m. plur.**
*Zool.* Classe de cnidaires à huit tentacules (synon. *Octocoralliaires*) vivant gén. en colonies nées d'un polype souche. Les principaux genres sont *Alcyonium* (polypes en bouquets) et *Corallium* (qui donne le corail du commerce). **Au sing.** *Le corail est un* ***alcyonaire.*** 1838 ; ☞ *alcyon* ; [alsjɔnɛʀ].

**ALDÉHYDE, subst. m.**
*Chim.* Composé organique obtenu par oxydation d'un alcool, de formule générale R—CHO (R, radical carboné ; —CHO, groupement fonctionnel caractéristique des **aldéhydes**). Les **aldéhydes** se nomment à l'aide du suffixe « -al » ajouté à la racine de l'alcoyle ou de l'alcane correspondant : l'**aldéhyde** méthylique est le méthanal, l'**aldéhyde** éthylique est l'éthanal, etc. 1845 ; contraction du lat. sc. *alcohol dehydrogenatum*, « alcool déshydrogéné » ; [aldeid].

**AL DENTE, adj. inv. et adv.**
*Pâtes* ***al dente***, *cuites* ***al dente*** : cuites de façon qu'elles restent fermes sous la dent. XX^e s. ; ital. *al dente*, « à la dent » ; [aldɛnte].

**ALDIN, INE, adj.**
*Impr.* Relatif à l'imprimeur vénitien Alde Manuce ou à ses descendants : *Caractères* ***aldins***, italiques. 1529 ; anthropon. *Alde Manuce* ; [aldɛ̃, in].

**ALDOL, subst. m.**
*Chim.* Composé organique possédant à la fois la fonction alcool et la fonction aldéhyde, gén. obtenu par condensation de plusieurs molécules d'aldéhyde. 1872 ; crois. de *aldéhyde* et de *alcool* ; [aldɔl].

**ALDOSE, subst. m.**
*Chim.* Ose (sucre simple) porteur de la fonction aldéhyde, —CHO : *Le ribose est un* ***aldose.*** 1890 ; ☞ *aldéhyde* ; [aldoz].

**ALDOSTÉRONE, subst. f.**
*Physiol.* Hormone sécrétée par les glandes corticosurrénales, qui contrôle les échanges d'ions sodium et d'ions potassium au niveau des reins. Mil. XX^e s. ; crois. de *aldéhyde* et de *stérol* ; [aldosteʀɔn].

**ALE, subst. f.**
Bière anglaise blonde. Déb. XIII^e s. ; mot angl. ; [ɛl].

**ALÉA, subst. m.**
Hasard, bon ou mauvais ; tour incertain que peuvent prendre les évènements : *La part* ***d'aléa*** *d'une transaction* ; *Les* ***aléas*** *de la vie.* XIX^e s. ; lat. *alea*, « dé ; jeu de dés » ; [alea].

**ALÉATOIRE, adj.**
**1.** Soumis au hasard ; incertain, imprévisible : *Gains* ***aléatoires.*** **2.** Se dit d'œuvres artistiques ou littéraires incluant dans leur forme une part de hasard ou d'indétermination : *Musique* ***aléatoire.*** **3.** *Dr. Contrat* ***aléatoire*** : dont les effets dépendent d'un évènement incertain. **4.** *Math.* Soumis aux lois de la probabilité : *Variable* ***aléatoire.*** 1596 ; lat. *aleatorius*, « relatif aux jeux de hasard » ; [aleatwaʀ].

**ALÉMANIQUE, adj. et subst.**
De la Suisse de langue allemande. **Subst. masc.** Groupe de dialectes allemands ; dialecte de ce groupe. 1838 ; lat. *alamannicus* ; [alemanik].

**ALÊNE, subst. f.**
*Techn.* Poinçon utilisé pour percer le cuir. Fin XII^e s. ; germ. °*alisno*, « poinçon » ; var. *alène* ; [alɛn].

**ALÉNOIS, adj. m.**
*Agric. Cresson* ***alénois*** ou, empl. subst. masc., ***Alénois*** : passerage cultivée (*Lepidium sativum*). Déb. XIV^e s. ; topon. lat. *Aurelianensis urbs*, Orléans ; [alenwa].

**ALENTOUR, adv.**
Tout autour, dans les environs : *Le pays* ***alentour.*** 1395 ; formé de *à*, de *le* (II) et de *entour* ; [alɑ̃tuʀ].

**ALENTOURS, subst. m. plur.**
**1.** Environs ; lieux circonvoisins : *Les* ***alentours*** *du village* ; au fig. : *Les* ***alentours*** *de l'an mille* ; *Les* ***alentours*** *d'une question.* **2.** Bordures entourant le motif central d'une tapisserie. 1766 ; ☞ *alentour* ; [alɑ̃tuʀ].

**ALÉOUTE, adj. et subst.**
Des îles Aléoutiennes (synon. *aléoutien, ienne*). **Subst. masc.** Langue proche de l'esquimau, parlée dans les îles Aléoutiennes et en Alaska. 1838 ; mot inuit ; [aleut].

**ALEPH, subst. m. inv.**
**1.** Première lettre de l'alphabet hébreu. **2.** *Math.* Cette lettre, utilisée pour noter les cardinaux infinis. 1751 ; hébreu *'āleph* ; [alɛf].

**ALÉPINE, subst. f.**
*Text.* Tissu à chaîne de soie et à trame de laine. 1819 ; topon. *Alep* (Syrie) ; [alepin].

**ALÉRION, subst. m.**
*Hérald.* Petite aigle sans bec ni pattes (synon. *aiglette*). 1131 ; anc. bas frq. °*adalaro*, « aigle » ; [aleʀjɔ̃].

**ALERTE, subst. f., interj. et adj.**
**Subst. 1.** Signal prévenant d'un danger et appelant à prendre des mesures pour y faire face : *Donner l'****alerte.*** **2.** État de défense face à un danger : *En* ***alerte***, sur le qui-vive, prêt à intervenir. **3.** Signe inquiétant, menace d'un danger : *Réagir à la moindre* ***alerte.*** **Interj.** ***Alerte !*** : soyez sur vos gardes ! **Adj.** Prompt, leste, vif : *Malgré son âge, il est resté* ***alerte*** ; au fig. : *Un style* ***alerte.*** 1552 ; ital. *all'erta*, « sur ses gardes » ; [alɛʀt].

**ALERTER, verbe trans.** [3]
**1.** Avertir d'un danger, donner l'alerte à. **2.** Prévenir d'un fait grave, d'un danger, pour susciter une réaction : ***Alerter*** *la presse, l'opinion.* 1836 ; ☞ *alerte* ; [alɛʀte].

**ALÉSAGE, subst. m.**
*Mécan.* **1.** Usinage, calibrage précis d'un trou traversant une pièce. **2.** Diamètre intérieur des cylindres d'un moteur. 1826 ; ☞ *aléser* ; [alezaʒ].

**ALÈSE, susbt. f.**
Pièce de tissu que l'on place entre le drap de dessous et le matelas pour protéger ce dernier. 1419 ; anc. fr. *laise*, « étendue » ; var. *alèze, alaise* ; [alɛz].

**ALÉSÉ, ÉE, adj.**
*Hérald.* Se dit d'une pièce raccourcie dont les extrémités ne touchent pas les bords de l'écu. 1559 ; anc. fr. *alaisier*, « élargir » ; var. *alézé, alaisé* ; [aleze].

**ALÉSER, verbe trans.** [8]
*Mécan.* Procéder à l'alésage de. 1671 ; anc. fr. *alaisier*, du lat. pop. °*allatiare*, « agrandir » ; [aleze].

**ALÉSEUR, EUSE, subst.**
Personne spécialisée dans l'alésage. **Fém.** Machine-outil servant à aléser. **Masc.** Alésoir. 1927 ; ☞ *aléser* ; [alezœʀ, øz].

**ALÉSOIR, subst. m.**
Outil servant à aléser. 1671 ; ☞ *aléser* ; [alezwaʀ].

**ALÉTHIQUE, adj.**
*Log. Modalités* ***aléthiques*** : selon lesquelles une proposition peut être dite vraie ou fausse, possible ou impossible, nécessaire ou contingente. Mil. XX^e s. ; gr. *alêthês* ; [aletik].

**ALEURITE, subst. f.**
*Bot.* Genre d'arbre d'Extrême-Orient, représenté notamment par l'arbre à huile (on extrait de ses graines une huile siccative). 1838 ; gr. *aleuritês*, « pain de farine de froment » ; [aløʀit].

**ALEURODE, subst. m.**
*Zool.* Insecte, aussi appelé mouche blanche, très redoutable pour les cultures en serre, et dont le corps est recouvert de granules de cire, ce qui lui donne un aspect farineux. 1796 ; gr. *aleurôdês*, « semblable à de la farine » ; [aløʀɔd].

**ALEURONE, subst. f.**
*Bot.* Substance azotée de réserve qui existe à l'état de particules dans les graines mûres de certaines plantes. 1865 ; gr. *aleuron*, « farine » ; [aløʀɔn].

**ALEVIN, subst. m.**
Jeune poisson à son éclosion, que l'on utilise pour repeupler étangs et rivières. Déb. XIII^e s. ; lat. pop. °*adlevimen*, du lat. *allevare*, « élever » ; [alvɛ̃].

**ALEVINAGE, subst. m.**
Action d'aleviner ; résultat de cette action. 1690 ; ☞ *alevin* ; [alvinaʒ].

**ALEVINER, verbe trans.** [3]
Peupler (un étang, un cours d'eau, etc.) d'alevins. 1344 ; ☞ *alevin* ; [alvine].

**ALEVINIER, subst. m.**
Étang, bassin où l'on produit des alevins. 1700 ; ☞ *alevin* ; var. *une alevinière* ; [alvinje].

**ALEXANDRA, subst. m.**
Cocktail fait de crème de cacao, de crème fraîche et de cognac. XX^e s. ; prénom *Alexandra* ; [alɛksɑ̃dʀa].

**ALEXANDRIN (I), INE, subst. et adj.**
D'Alexandrie. **Adj. 1.** *Antiq.* Relatif à Alexandrie, en Égypte, centre artistique, littéraire, et foyer important de la civilisation hellénistique : *Art* ***alexandrin.*** **2.** Ext. Subtil à l'excès : *Disputes* ***alexandrines.*** 1100 ; lat. *alexandrinus* ; [alɛksɑ̃dʀɛ̃, in].

**ALEXANDRIN (II), adj. m. et subst. m.**
Qualifie ou désigne le vers français de douze syllabes : *Vers* ***alexandrins*** ; *Tragédie en* ***alexandrins.*** Déb. XV^e s. ; anthropon. *Alexandre le Grand*, *le Roman d'Alexandre*, poème du XII^e s., employant ce vers ; [alɛksɑ̃dʀɛ̃].

**ALEXANDRINISME, subst. m.**
**1.** Ensemble des traits caractéristiques de la civilisation hellénistique d'Alexandrie. **2.** Manière érudite et raffinée de penser ou d'écrire des écrivains alexandrins ; par ext., subtilité excessive de la pensée ou de l'expression. 1838 ; ☞ *alexandrin* (I) ; [alɛksɑ̃dʀinism].

**ALEXIE, subst. f.**
*Pathol.* Impossibilité de comprendre ce qu'on lit (synon. *cécité verbale*). Déb. XX^e s. ; gr. *lexis*, « parole », + *a-*[2] ; [alɛksi].

**ALEXINE, subst. f.**
*Biol.* Complément (vx). 1903 ; gr. *alexein*, « écarter, repousser » ; [alɛksin].

**ALEZAN, ANE, adj. et subst. m.**
Se dit d'un cheval ou d'un mulet dont la robe et les crins sont d'un même brun clair tirant sur le roux. 1534 ; esp. *alazán*, de l'ar. *'az'ar* ; [alzɑ̃, an].

**ALÈZE, voir ALÈSE**

**ALÉZÉ, voir ALÉSÉ**

**ALFA, subst. m.**
**1.** *Bot.* Plante fabacée, herbacée, originaire d'Afrique du Nord et d'Espagne, dont les feuilles fibreuses servent à la fabrication de cordages, d'espadrilles et de papier. **2.** Papier d'**alfa** : *Exemplaire de tête sur **alfa**.* 1848 ; ar. *ḥalfā'* ; [alfa].

**ALFANGE, subst. m.**
Cimeterre mauresque. 1664 ; esp. *alfange*, de l'ar. *al-ḫanğar*, « le poignard » ; [alfɑ̃ʒ].

**ALFATIER, IÈRE, adj. et subst.**
**Adj.** Relatif à l'alfa : *Culture **alfatière**.* **Subst.** Personne qui cultive, récolte, vend ou transforme l'alfa. 1884 ; ☞ *alfa* ; [alfatje, jɛʀ].

**ALGARADE, subst. f.**
**1.** Vx. Brusque attaque. **2.** Altercation, querelle vive et soudaine. 1502 ; esp. *algarada*, de l'ar. *al-ġāra*, « l'incursion en territoire ennemi » ; [algaʀad].

**ALGAZELLE, subst. f.**
*Zool.* Antilope du Sahara et du Sahel à la robe claire et aux fines cornes incurvées. 1764 ; ar. *al-ġazāl*, « la gazelle » ; [algazɛl].

**ALGÈBRE, subst. f.**
**1.** Science qui étudie les propriétés des opérations entre nombres réels ou complexes, en substituant des lettres aux valeurs numériques et en établissant des formules générales de résolution d'équations. **2.** Étude des structures algébriques sur des ensembles plus généraux que ceux des nombres usuels (vecteurs, matrices, fonctions, etc.). **3.** ***Algèbre** de Boole sur un ensemble* : structure définie par deux lois de composition interne et une opération de complémentation exprimant resp. la conjonction, la disjonction et la négation logiques, les relations étant les mêmes que celles de la logique. **4.** Méton. Livre, traité d'**algèbre** : *J'ai apporté ma vieille **algèbre**.* **5.** Fig. *Pour moi, c'est de l'**algèbre*** : je n'y comprends rien (fam.). Fin XIVe s. ; lat. médiév. *algebra*, de l'ar. *al-ǧabr*, « la réduction », mot apparaissant dans le titre du traité d'al-Khwarizmi (v. 825) ; [alʒɛbʀ].

**ALGÉBRIQUE, adj.**
**1.** Qui relève de l'algèbre : *Équation **algébrique***, de la forme $P(x) = 0$, où P est un polynôme ; *Nombre **algébrique***, racine d'une équation **algébrique** à coefficients entiers ; *Structure **algébrique***, donnée d'un ou de plusieurs ensembles munis de relations soumises à des conditions, les axiomes de la structure (cas des anneaux, des corps, des espaces vectoriels...). **2.** Anal. Rigoureusement combinatoire : *Le caractère **algébrique** d'une composition musicale.* 1740 ; ☞ *algèbre* ; [alʒebʀik].

**ALGÉBRISTE, subst.**
Spécialiste de l'algèbre. Fin XVIe s. ; ☞ *algèbre* ; [alʒebʀist].

**ALGÉRIEN, IENNE, adj. et subst.**
D'Algérie. **Subst. fém.** Étoffe à rayures ; par méton., écharpe faite de cette étoffe. **Subst. masc.** L'arabe dialectal parlé en Algérie. XVIIe s. ; topon. *Alger*, anc. nom de l'Algérie ; [alʒeʀjɛ̃, jɛn].

**ALGIDE, adj.**
Qui s'accompagne d'algidité, en parlant d'un syndrome, d'une maladie : *La période **algide** du choléra.* 1812 ; lat. *algidus*, « froid » ; [alʒid].

**ALGIDITÉ, subst. f.**
*Pathol.* État morbide caractérisé par le refroidissement périphérique du corps, avec grande sensation de froid, sans abaissement de la température centrale. 1866 ; ☞ *algide* ; [alʒidite].

**ALGIE, subst. f.**
Douleur physique, souffrance : ***Algie** aiguë.* 1800 ; gr. *algos*, « douleur » ; [alʒi].

**ALGINE, subst. f.**
Substance visqueuse extraite de certaines algues pour être utilisée dans l'industrie. 1887 ; ☞ *algue* ; [alʒin].

**ALGOL, subst. m.**
*Informat.* Langage utilisé dans les calculs mathématiques et logiques de haut niveau. V. 1960 ; contraction de l'angl. *algorithmic language* ; [algɔl].

**ALGONQUIN, INE, adj. et subst.**
Des Algonquins, groupe de peuples indiens du Canada. **Subst. masc.** Famille de langues indiennes d'Amérique du Nord ; langue de cette famille. 1752 ; algonquin *algumakin*, « lieu où l'on pêche au harpon » ; var. *algonkin, ine* ; [algɔ̃kɛ̃, in].

**ALGORITHME, subst. m.**
*Math.* **1.** Vx. Procédé de calcul utilisant le système de numération décimal des Arabes et les règles opératoires s'y rapportant : ***L'algorithme** de la division.* **2.** Ext. Suite finie de règles opératoires à appliquer dans un ordre déterminé à un nombre fini de données, afin d'effectuer un calcul numérique ou de résoudre un problème théorique en un nombre fini d'étapes. XIIIe s. ; lat. médiév. *algorithmus*, altér. de l'anthropon. ar. *al-Khwarizmi*, mathématicien du IXe s., d'apr. *arithmetica* ; [algɔʀitm].

**ALGORITHMIQUE, adj. et subst. f.**
**Adj.** Relatif aux algorithmes ; de la nature de l'algorithme. **Subst.** Science des algorithmes. 1845 ; ☞ *algorithme* ; [algɔʀitmik].

**ALGUAZIL, subst. m.**
**1.** En Espagne, autrefois, officier subalterne de police ou de justice ; par ext., agent de police (iron.). **2.** *Taurom.* Cavalier en costume du XVIIe s., chargé, dans une corrida, de veiller au respect des ordres du président. 1555 ; esp. *alguazil*, de l'ar. *al-wazīr*, « le vizir » ; [algwazil].

**ALGUE, subst. f.**
Végétal aquatique unicellulaire (protoctiste), ou pluricellulaire et réduit à un thalle. 1551 ; lat. *alga* ; [alg].

BIOLOGIE et BOTANIQUE – Aquatiques dans l'immense majorité des cas, vivant en eau douce ou dans la mer, les algues sont des organismes traditionnellement considérés comme des végétaux. Ceci découle de la présence de chloroplastes contenant des molécules de chlorophylle dans leurs cellules. Bon nombre d'espèces d'algues étant unicellulaires, la systématique moderne les rattache aux protistes (organismes unicellulaires) pour former un règne à part, celui des protoctistes. Les algues pluricellulaires ne possèdent ni racines, ni tiges, ni feuilles, ni tissu conducteur, on dit qu'elles sont constituées d'un thalle. Elles peuvent se reproduire de manière végétative selon diverses modalités ou de manière sexuée : les organes producteurs de cellules gamétiques étant peu apparents, on qualifie les algues de cryptogames. En simplifiant beaucoup, on divise les algues en algues vertes, brunes, dorées et rouges selon la nature des pigments autres que les chlorophylles présents dans leurs cellules. Le terme d'algue bleue est abandonné au profit de celui de cyanobactérie qui tient compte du fait qu'il s'agit en fait d'organismes dont la structure cellulaire est similaire à celle des bactéries (absence de noyau).

**ALIAS, adv.**
Autrement nommé : *Margaretha Geertruida Zelle, **alias** Mata Hari* ; *Vercors, **alias** Jean Bruller.* XVe s. ; lat. *alias*, « autrement » ; [aljas].

**ALIBI, subst. m.**
**1.** *Dr.* Fait, pour une personne, de s'être trouvée, au moment du crime ou du délit dont on la soupçonne, en un autre lieu que celui où il a été commis ; moyen de défense consistant à invoquer ce fait. **2.** Fig. Prétexte, excuse. 1394 ; lat. *alibi*, « ailleurs » ; [alibi].

**ALIBOUFIER, subst. m.**
*Bot.* Nom vulgaire d'une plante de la famille des Styracacées, dont l'espèce *Styrax benzoin* fournit un baume, le benjoin. 1783 ; mot prov. ; [alibufje].

**ALICANTE, subst. m.**
**1.** Vin liquoreux de la région d'Alicante. **2.** Cépage d'où provient ce vin ; dans le midi de la France, nom donné à un cépage rouge également appelé grenache. XVIIe s. ; topon. *Alicante* (Espagne) ; [alikɑ̃t].

**ALIDADE, subst. f.**
Règle de visée, permettant notamment de mesurer la hauteur d'un astre au-dessus de l'horizon ou la distance angulaire de deux astres. 1544 ; lat. médiév. *alhidada*, de l'ar. *al-'idāda* ; [alidad].

**ALIÉNABILITÉ, subst. f.**
*Dr.* Qualité de ce qui est aliénable. 1845 ; ☞ *aliénable* ; [aljenabilite].

**ALIÉNABLE, adj.**
*Dr.* Qui peut être aliéné : *Une propriété **aliénable**.* 1523 ; ☞ *aliéner* ; [aljenabl].

**ALIÉNANT, ANTE, adj.**
Qui aliène ; qui retire à l'individu sa capacité de se déterminer lui-même. Mil. XXe s. ; p. pr. de *aliéner* ; [aljenɑ̃, ɑ̃t].

**ALIÉNATAIRE, subst.**
*Dr.* Bénéficiaire d'une aliénation. 1509 ; ☞ *aliéner* ; [aljenatɛʀ].

**ALIÉNATEUR, TRICE, subst.**
*Dr.* Personne qui aliène (un droit, un bien, etc.). 1596 ; bas lat. *alienator* ; [aljenatœʀ, tʀis].

**ALIÉNATION, subst. f.**
**1.** *Dr.* Transfert à autrui d'un bien ou d'un droit : ***Aliénation** d'une terre à titre gratuit.* **2.** *Philos.* Asservissement ; privation de liberté, de droits essentiels, pour un individu ou un groupe social : *Pour Marx, l'**aliénation** a sa source dans l'exploitation de l'homme par l'homme* ; par ext., perte ou limitation des droits fondamentaux : *L'**aliénation** de la femme traitée comme un objet.* **3.** *Psych.* ▸ Trouble mental qui rend l'individu comme étranger à lui-même et inapte à vivre en société (vieilli). ▸ Terme désignant jadis toute altération mentale et auj. utilisé dans les domaines administratif ou judiciaire lorsque des mesures spéciales (internement, tutelle, par ex.) sont jugées nécessaires. 1265 ; lat. *alienatio* ; [aljenasjɔ̃].

**ALIÉNÉ, ÉE, adj. et subst.**
**Adj. 1.** *Dr.* Transmis par aliénation. **2.** Opprimé, privé d'autonomie. **Subst.** *Psych.* Personne dont les troubles mentaux justifient l'internement ou la mise sous tutelle. XVIe s. ; lat. *alienatus* ; [aljene].

**ALIÉNER, verbe trans. [8]**
**1.** *Dr.* Transférer (un bien ou un droit). **2.** Éloigner, rendre hostile. **3.** Abandonner, se dessaisir de : ***Aliéner** sa liberté* ; empl. pronom. : *S'**aliéner** la confiance des siens*, la détourner de soi. 1265 ; lat. *alienare* ; [aljene].

**ALIÉNISTE, subst. m.**
Médecin soignant des aliénés (vx). 1847 ; ☞ *aliéner* ; [aljenist].

**ALIFORME, adj.**
En forme d'aile. 1845 ; lat. *ala*, « aile », + *-forme* ; [alifɔʀm].

**ALIGNEMENT, subst. m.**
**1.** Action d'aligner ; son résultat : *L'**alignement** des élèves dans la cour.* ▸ *Urban.* Tracé sur lequel doivent s'aligner les bâtiments d'une rue. **2.** Fig. Fait de se ranger aux opinions de qqn, à une position commune. Déb. XIVe s. ; ☞ *aligner* ; [aliɲ(ə)mɑ̃].

**ALIGNER, verbe trans. [3]**
**1.** Disposer en ligne droite. **2.** Ext. Énumérer : *Elle **alignait** sans fin des évidences.* ▸ Loc. *Les **aligner*** : payer (fam.). **3.** Mettre (une chose) sur la même ligne qu'une autre ; faire coïncider : *La valeur monétaire du yen **a été alignée** sur celle du dollar* ; empl. adj. : *Pays non **alignés***, indépendants des grandes puissances. **Pronom. 1.** Se mettre en ligne ; par ext., se préparer à une lutte, à une compétition. ▸ Loc. *Tu peux toujours t'**aligner*** : tu n'es pas à la hauteur, tu perdras (fam.). **2.** Fig. *S'**aligner** sur qqn, sur qqch.* : l'imiter, s'y conformer. 1155 ; ☞ *ligne* + *a-*[1] ; [aliɲe].

**ALIGOTÉ, subst. m.**
Cépage blanc de Bourgogne ; vin produit par ce cépage ; empl. adj. : *Un verre de bourgogne **aligoté**.* 1907 ; anc. fr. *harigoter*, « déchirer » ; [aligɔte].

**ALIMENT, subst. m.**
**1.** Toute substance servant de nourriture à un être vivant : *La valeur nutritive d'un **aliment*** ; *Un **aliment** complet pour chien.* **2.** Ce qui favorise, entretient l'activité de qqch. : *Le feu a besoin d'**aliments** pour durer* ; au fig. : *La lecture est un **aliment** de l'esprit.* **Plur.** *Dr.* Tout ce qui est nécessaire à la vie d'une personne, gén. traduit en équivalent monétaire : *Les enfants doivent des **aliments** à leurs parents lorsque ces derniers sont sans ressources.* Fin XIIe s. ; lat. *alimentum*, de *alere*, « nourrir » ; [alimɑ̃].

**ALIMENTAIRE, adj.**
**1.** Qui sert d'aliment : *Des pâtes **alimentaires**.* **2.** Relatif à l'alimentation : *Un régime **alimentaire*** ; *L'industrie **alimentaire*** ; *Bol **alimentaire*** (☞ *bol*). ▸ Ext. *Un travail **alimentaire*** : dont le seul intérêt est de procurer des moyens d'existence. **3.** *Dr.* *Une pension **alimentaire** versée en exécution d'une obligation **alimentaire*** : par laquelle on subvient aux besoins essentiels de proches parents. 1580 ; lat. *alimentarius* ; [alimɑ̃tɛʀ].

**ALIMENTATION,** subst. f.
**1.** Action d'alimenter, de s'alimenter ; résultat de cette action. **2.** Ensemble de produits alimentaires : *Un magasin d'**alimentation** ; Une **alimentation** lactée.* **3.** Anal. Approvisionnement régulier : *L'**alimentation** d'un moteur en carburant ; Une ligne d'**alimentation** électrique.* 1412 ; ☞ *alimenter* ; [alimɑ̃tasjɔ̃].

**ALIMENTER,** verbe trans. [3]
**1.** Nourrir, fournir en nourriture ; empl. pronom. : *Il ne s'**alimente** plus* ; par ext. : *Les campagnes **alimentent** les villes.* **2.** Anal. Approvisionner : ***Alimenter** une mitrailleuse en munitions* ; au fig., entretenir : *Ce fait divers **alimente** les conversations.* XIVe s. ; lat. *alimentare* ; [alimɑ̃te].

**ALINÉA,** subst. m.
**1.** Retrait au début de la première ligne d'un paragraphe. **2.** Ce paragraphe lui-même : *Article 8 de la loi, **alinéa** 3.* Mil. XVIIe s. ; lat. *a linea*, « en s'écartant de la ligne » ; [alinea].

**ALIOS,** subst. m.
*Géol.* Grès ferrugineux des sols des Landes. 1840 ; gascon *alios* ; [aljos].

**ALIPHATIQUE,** adj.
*Chim.* Qualifie un composé organique dont la chaîne carbonée est ouverte : *Les hydrocarbures saturés, les acides gras sont des composés **aliphatiques**.* 1903 ; gr. *aleiphar*, « graisse » ; [alifatik].

**ALIQUANTE,** adj. f.
*Arithm. Partie **aliquante*** : qui n'est pas contenue un nombre entier de fois dans un nombre (anton. *aliquote*). 1752 ; lat. *aliquanta*, « assez grande » ; [alikɑ̃t].

**ALIQUOTE,** adj.
*Arithm. Partie **aliquote*** : contenue un nombre entier de fois dans un nombre (anton. *aliquante*). 1487 ; lat. *aliquot*, « un certain nombre de » ; [alikɔt].

**ALISE,** subst. f.
Fruit de l'alisier, à la saveur acidulée. 1153 ; prob. gaul. °*alisa*, « aulne » ; var. *alize* ; [aliz].

**ALISIER,** subst. m.
*Bot.* Arbuste à fleurs blanches de la famille des Malacées, dont le fruit est l'alise. 1235 ; ☞ *alise* ; var. *alizier* ; [alizje].

**ALISMACÉES,** subst. f. plur.
*Bot.* Famille de plantes herbacées, souv. aquatiques, des régions chaudes et tempérées. AU SING. *La sagittaire est une **alismacée**.* 1838 ; gr. *alisma*, « plantain d'eau » ; var. *alismatacées* ; [alismase].

**ALITEMENT,** subst. m.
Fait de garder le lit, en parlant d'un malade. 1549 ; ☞ *aliter* ; [alitmɑ̃].

**ALITER,** verbe trans. [3]
Forcer (qqn) à garder le lit : *La jaunisse l'**alitait** depuis quelques jours* (A. Daudet). PRONOM. Se mettre au lit à cause d'une maladie, d'une blessure, etc. Déb. XIIIe s. ; ☞ *lit* + *a-*[1] ; [alite].

**ALIZARINE,** subst. f.
Matière colorante rouge, jadis extraite de la racine de garance et obtenue auj. par synthèse. 1839 ; *alizari* (vx), « racine de garance » ; [alizaʀin].

**ALIZE,** voir **ALISE**

**ALIZÉ,** adj. m. et subst. m.
Qualifie ou désigne un vent marin régulier soufflant d'est en ouest, entre les parallèles 30° N. et 30° S. 1573 ; orig. obsc. ; [alize].

**ALIZIER,** voir **ALISIER**

**ALKÉKENGE,** subst. m.
*Bot.* Plante vivace ornementale du genre *Physalis*, également appelée coqueret. XVe s. ; ar. *al-kākanğ* ; [alkekɑ̃ʒ].

**ALKERMÈS,** subst. m.
Liqueur à base de cannelle, de clous de girofle et de vanille, colorée en rouge avec du kermès. 1546 ; esp. *alquermes*, de l'ar. *al-qirmiz*, « la cochenille » ; [alkɛʀmɛs].

**ALKYLE,** voir **ALCOYLE**

**ALLACHE,** subst. f.
*Zool.* Poisson de Méditerranée méridionale, de la famille des Clupéidés, voisin de la sardine. 1901 ; esp. *alache*, « ragoût de foie de poisson » ; [alaʃ].

**ALLAITEMENT,** subst. m.
Action d'allaiter ou de nourrir de lait : ***Allaitement** au sein, au biberon.* 1375 ; ☞ *allaiter* ; [alɛtmɑ̃].

**ALLAITER,** verbe trans. [3]
Donner le sein à, nourrir de son lait : ***Allaiter** un nouveau-né.* Déb. XIIe s. ; bas lat. *allactare* ; [alɛte].

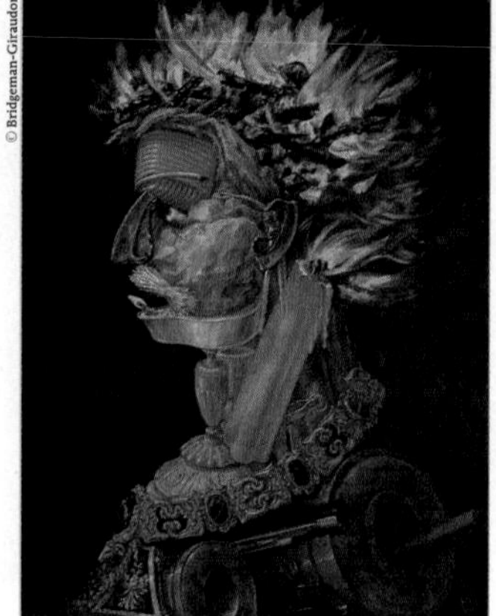



Le Feu, ***allégorie** du peintre Giuseppe Arcimboldo (1527-1593). Kunsthistorisches Museum, Vienne.*

**ALLANT, ANTE,** adj. et subst. m.
ADJ. Qui est actif, vif, en mouvement. SUBST. Ardeur, entrain : *Être plein d'**allant**.* Fin XIVe s. (fin XIIe s., passant) ; p. pr. de *aller* ; [alɑ̃, ɑ̃t].

**ALLANTOÏDE,** adj. et subst. f.
*Biol.* Se dit de l'une des trois annexes embryonnaires (les deux autres sont la vésicule ombilicale et l'amnios), chez les vertébrés supérieurs. C'est une vésicule qui contribue à la protection de l'embryon ; elle assure ses échanges respiratoires et lui sert, dans certains cas, de vessie urinaire. 1541 ; gr. *allas*, « boyau », + *-ide* ; [alɑ̃tɔid].

**ALLANTOÏNE,** subst. f.
*Biochim.* Substance provenant de la dégradation de l'acide urique, présente dans l'urine de la plupart des mammifères, et utilisée dans l'industrie cosmétique. 1865 ; ☞ *allantoïde* ; [alɑ̃tɔin].

**ALLÉCHANT, ANTE,** adj.
**1.** Qui met en appétit. **2.** Fig. Attirant, séduisant. 1495 ; p. pr. de *allécher* ; [al(l)eʃɑ̃, ɑ̃t].

**ALLÉCHER,** verbe trans. [8]
**1.** Appâter, attirer en excitant la gourmandise : *Maître Renard, par l'odeur **alléché*** (La Fontaine). **2.** Fig. Tenter, séduire : *La publicité **allèche** les acheteurs.* Fin XIIe s. ; lat. pop. °*allecticare* ; [al(l)eʃe].

**ALLÉE,** subst. f.
**1.** *Faire des **allées** et venues* : se déplacer successivement dans un sens puis dans l'autre. ▸ *Perdre son temps en **allées** et venues* : en démarches multiples. **2.** Chemin tracé, dans un jardin, un parc, une forêt. ▸ En ville, voie bordée d'arbres. **3.** Passage, galerie : *L'**allée** centrale d'une église, d'une salle de spectacle.* Mil. XIIe s. ; p. p. de *aller* ; [ale].

**ALLÉGATION,** subst. f.
**1.** Action d'alléguer ; la chose alléguée. **2.** Affirmation considérée comme erronée ou mensongère (péj.). 1235 ; lat. *allegatio* ; [al(l)egasjɔ̃].

**ALLÈGE,** subst. f.
**1.** *Mar.* Embarcation employée pour charger ou décharger un navire. **2.** *Archit.* Mur d'appui d'une fenêtre, entre sa partie inférieure et le sol. 1463 ; ☞ *alléger* ; [al(l)ɛʒ].

**ALLÉGEANCE (I),** subst. f.
**1.** Vx. Diminution du poids d'une charge ; soulagement. **2.** *Mar.* Handicap en temps rendu par un voilier à un autre dans une régate, une course, afin d'égaliser les chances des concurrents. 1165 ; ☞ *alléger* ; [al(l)eʒɑ̃s].

**ALLÉGEANCE (II),** subst. f.
**1.** *Féod.* Fidélité d'un vassal à son suzerain : *Serment d'**allégeance**.* **2.** Anal. Soumission, sujétion à un dirigeant, à un parti : *Il refusa de faire **allégeance**.* **3.** Dr. Obligation de fidélité, d'obéissance à une nation : *Double **allégeance**,* double nationalité. 1669 ; angl. *allegiance*, de l'anc. fr. *ligance*, « état du vassal lige » ; [al(l)eʒɑ̃s].

**ALLÈGEMENT,** subst. m.
**1.** Action d'alléger, de délester : *L'**allègement** d'un bagage* ; au fig. : *Un **allègement** d'impôt ; L'**allègement** des programmes scolaires.* **2.** Soulagement : *L'**allègement** d'une peine.* 1177 ; ☞ *alléger* ; var. *allégement* ; [al(l)ɛʒmɑ̃].

**ALLÉGER,** verbe trans. [9]
**1.** Rendre plus léger : ***Alléger** un fardeau* ; au fig. : ***Alléger** les charges publiques*, les diminuer ; ***Alléger** une douleur*, soulager (littér.). **2.** Soulager d'une partie de sa charge : ***Alléger** un bateau*, en diminuer la cargaison ; empl. pronom. : *S'**alléger** pour marcher plus facilement.* ▸ ***Alléger** qqn de ses économies* : le voler (fam.). **3.** Fig. Libérer, apaiser ; empl. adj. : *Il se sentait **allégé** par cet aveu.* XIIe s. ; lat. chrét. *alleviare*, « diminuer la charge (d'un navire) » ; [al(l)eʒe].

**ALLÉGORIE,** subst. f.
*B.-a.* et *Litt.* **1.** Expression d'une idée générale par une narration ou une description métaphorique : *Les Évangiles abondent en **allégories** ; Cupidon avec son arc et ses flèches est une **allégorie** de l'amour.* **2.** Méton. Œuvre utilisant ce mode d'expression : *L'**allégorie** du « Printemps » de Botticelli.* Déb. XIIe s. ; lat. *allegoria* ; [al(l)egɔʀi].

**ALLÉGORIQUE,** adj.
Qui tient de l'allégorie, qui a valeur d'allégorie : *Le « Roman de la Rose » est un poème **allégorique**.* Fin XVe s. ; lat. chrét. *allegoricus* ; [al(l)egɔʀik].

**ALLÈGRE,** adj.
Vif et joyeux. Déb. XIIe s. ; lat. *alacer* ; [al(l)ɛgʀ].

**ALLÈGREMENT,** adv.
D'une manière allègre, avec entrain. 1252 ; ☞ *allègre* ; var. *allégrement* ; [al(l)ɛgʀəmɑ̃].

**ALLÉGRESSE,** subst. f.
Grande joie, souv. exprimée publiquement : *Hymne d'**allégresse**.* XIIIe s. ; ☞ *allègre* ; [al(l)egʀɛs].

**ALLÉGRETTO,** adv. et subst. m.
*Mus.* ADV. En interprétant de manière plus vive, plus allante qu'andante. SUBST. Morceau exécuté **allégretto** : *Un **allégretto** de Mozart.* 1703 ; ital. *allegretto*, dimin. de *allegro* ; plur. du subst. *allégrettos*, var. *allegretto* ; [al(l)egʀeto] ou [-gʀɛtto].

**ALLÉGRO,** adv. et subst. m.
*Mus.* ADV. En interprétant de manière plus animée, plus rapide qu'allégretto mais moins que presto. SUBST. Morceau exécuté **allégro**. 1703 ; ital. *allegro* ; plur. du subst. *allégros*, var. *allegro* ; [al(l)egʀo].

**ALLÉGUER,** verbe trans. [8]
**1.** Citer comme autorité ou comme preuve : ***Alléguer** un auteur ; **Alléguer** la Constitution pour se défendre.* **2.** Invoquer comme excuse, mettre en avant pour se justifier : ***Alléguer** une affaire pressante pour sortir.* 1393 ; lat. *allegare* ; [al(l)ege].

**ALLÈLE,** subst. m.
*Génét.* Tout état particulier, fonctionnel ou non, d'un gène. Le nombre de formes alléliques (chacune des formes correspondant à un **allèle**) qu'un gène peut adopter est toujours grand. 1936 ; gr. *allêlôn*, « les uns les autres » ; [alɛl].

**ALLÉLUIA,** interj. et subst. m.
INTERJ. *Relig.* Exclamation de joie, dans la liturgie juive et chrétienne. SUBST. **1.** Chant exprimant l'allégresse. **2.** *Bot.* Petite plante de la famille des Oxalidacées, genre *Oxalis*, dite aussi oseille des bois, acide et fleurissant à Pâques. 1119 ; hébreu *hallᵉlû-yah*, « louez Dieu » ; [al(l)eluja].

**ALLEMAND, ANDE,** subst. et adj.
D'Allemagne. SUBST. MASC. Langue indo-européenne de la branche germanique, parlée en Allemagne, en Autriche, en Belgique, au Luxembourg, en Suisse et au Liechtenstein. SUBST. FÉM. **1.** Danse de cour d'origine **allemande**. **2.** *Mus.* Première pièce d'une suite instrumentale classique, de tempo modéré. Fin XIe s. ; bas lat. *alamannus* ; [almɑ̃, ɑ̃d].

**ALLÈNE,** subst. m.
*Chim.* Hydrocarbure de formule $CH_2{=}C{=}CH_2$ (synon. *propadiène*). 1890 ; contraction de *allylène*, de *allyle* ; [alɛn].

**ALLER (I),** verbe intrans. [21]
**I. 1.** Se déplacer, se mouvoir : *Je **vais** à grands pas ; Le train **va** plus vite que le vélo ; **Aller** à cheval.* **2.** Se diriger vers un lieu : ***Aller** au village ; **Aller** de Lyon à Marseille par Aix ; Ce bus **va**-t-il à la gare ? ; **Va** dans ta chambre* ; ***Aller** chez des parents, chez le coiffeur* ; au fig. : *Cet enfant est doué, il **ira** loin !* **3.** Se

diriger vers un but, se déplacer pour faire qqch. : *Aller à la messe* ; *Aller aux urnes* ; *Il nous faudra aller en justice* ; *Aller aux nouvelles* ; *Allons nous restaurer.* **II. 1.** Conduire, mener : *Le jardin va jusqu'à la route.* ▸ S'étendre : *Le Moyen Âge va de la chute de Rome à celle de Constantinople.* **2.** Agir : *Les ouvriers vont vite.* **3.** Fonctionner : *Cette machine va bien.* **4.** Se porter, se comporter : *Comment allez-vous ?* ; *Ses affaires vont bien* ; *Rien ne va plus.* **5.** Convenir, s'accorder : *Ce cadre ne va pas avec ce tableau* ; *Cela vous va comme un gant.* **III. 1.** À l'impératif, renforce un ordre, une affirmation ou exprime divers sentiments : *Allez, dépêche-toi !* ; *Allons, ce n'est pas si grave !* **2.** Comme semi-auxiliaire, exprime le futur immédiat : *Je sens que je vais m'évanouir.* **3.** Loc. *Cela va de soi* : c'est évident ; *Il y va de votre vie* : votre vie est en jeu, en cause ; *Tu vas trop loin !* : tu exagères ! PRONOM. **S'en aller.** S'éloigner, partir : *Il s'en va par le train* ; au fig., disparaître : *Cette tache s'en ira au lavage.* Fin XIe s. ; lat. *ambulare*, « se promener », *ire* et *vadere*, selon les formes ; [ale].

**ALLER (II),** subst. m.
**1.** Action de se déplacer ; parcours effectué pour se rendre quelque part : *Faire un rapide aller et retour.* **2.** Titre de transport : *Un aller simple.* **3.** Loc. *Au pis aller* : dans le pire des cas. Fin XIIe s. ; ☞ *aller* (I) ; [ale].

**ALLERGÈNE,** subst. m. et adj.
*Pathol.* Se dit d'une substance (antigène) qui, introduite dans un organisme, provoque chez lui une allergie. 1922 ; ☞ *allergie* + *-gène* ; [alɛʀʒɛn].

**ALLERGIE,** subst. f.
*Pathol.* Toute modification de l'organisme induite, au deuxième contact, par une substance (antigène) particulière et qui peut être soit une réaction atténuée (réaction d'immunité), soit, au contraire, une hypersensibilité (réaction d'anaphylaxie). 1893 ; all. *Allergie*, du gr. *allos*, « autre », et *ergon*, « action » ; [alɛʀʒi].

**ALLERGIQUE,** adj.
*Pathol.* **1.** Qui se rapporte à l'allergie : *Une maladie allergique.* **2.** Sujet à l'allergie : *Il est allergique à la poussière* ; au fig., qui ne peut supporter qqn ou qqch. : *Un enfant allergique au latin.* 1922 ; ☞ *allergie* ; [alɛʀʒik].

**ALLERGISANT, ANTE,** adj. et subst. m.
*Pathol.* Se dit d'une substance qui peut provoquer une allergie : *Cette crème est vraisemblablement allergisante.* V. 1920 ; ☞ *allergie* ; [alɛʀʒizɑ̃, ɑ̃t].

**ALLERGOLOGIE,** subst. f.
Partie de la médecine qui étudie l'allergie et ses manifestations pathologiques. 1958 ; ☞ *allergie* + *-logie* ; [alɛʀgɔlɔʒi].

**ALLEU,** subst. m.
*Féod.* Bien acquis par héritage, exempt de toute redevance. 1131 ; anc. bas frq. °*alôd*, « pleine propriété » ; [alø].

**ALLIACÉ, ÉE,** adj.
Propre à l'ail ; qui évoque l'ail : *Une odeur alliacée.* 1802 ; lat. *allium*, « ail » ; [aljase].

**ALLIAGE,** subst. m.
**1.** *Métall.* Produit homogène résultant de l'incorporation à un métal d'un ou de plusieurs éléments, métalliques ou non, gén. pour améliorer ses propriétés : *Alliage léger*, à base d'aluminium ; *L'acier et le laiton sont des alliages.* **2.** Fig. Mélange : *Un alliage de talent et de paresse.* 1507 ; ☞ *allier* ; [aljaʒ].

**ALLIANCE,** subst. f.
**1.** Action d'allier, de s'allier ; résultat de cette action : *Nouer, rompre une alliance* ; *Une alliance électorale.* ▸ *Relig. Ancienne Alliance* : dans la Bible, pacte que Dieu a conclu avec Abraham et ses descendants ; *Nouvelle Alliance* : scellée avec le peuple chrétien par l'incarnation et le sacrifice du fils de Dieu ; *Arche d'alliance* (☞ *arche*). **2.** Union par le mariage ; par méton., anneau de mariage. **3.** Fig. Union d'éléments disparates : *Alliance du pire et du meilleur.* Fin XIIe s. ; ☞ *allier* ; [aljɑ̃s].

**ALLIÉ, ÉE,** adj. et subst.
ADJ. Uni par un pacte. ▸ Qui est parent par alliance : *Une femme et sa belle-sœur sont alliées.* SUBST. **1.** Celui qui est uni par une alliance : *La victoire des Alliés, en 1945* ; *Les alliés peuvent participer à un conseil de famille.* **2.** Ext. Personne qui apporte son appui. 1316 ; p. p. de *allier* ; [alje].

**ALLIER,** verbe trans. [6]
**1.** Unir (des personnes, des groupes, des nations) par un pacte, une entente ; empl. pronom. : *La France et la Grande-Bretagne se sont alliées par l'Entente cordiale.* **2.** Unir par les liens du mariage ; empl. pronom. : *Elle s'est alliée à une très vieille famille.* **3.** Mélanger (des métaux) : *Allier le cuivre à l'étain, avec l'étain.* **4.** Fig. Combiner, associer (des éléments disparates) : *Allier l'amour à l'imagination.* ▸ Loc. *Allier l'utile à l'agréable.* Déb. XIIe s. ; lat. *alligare*, « attacher à » ; [alje].

**ALLIGATOR,** subst. m.
*Zool.* Reptile de la famille des Alligatoridés, qui vit en Amérique et en Chine, et qui peut mesurer jusqu'à 6,50 m de long (les crocodiles vrais, eux, peuvent mesurer jusqu'à 10 m). 1663 ; angl. *alligator*, de l'esp. *el lagarto*, « le lézard » ; [aligatɔʀ].

**ALLIGATORIDÉS,** subst. m. plur.
*Zool.* Famille de l'ordre des Crocodiliens, qui comprend deux genres, le caïman et l'alligator. AU SING. *Le caïman est un alligatoridé.* XIXe s. ; ☞ *alligator* ; [aligatɔʀide].

**ALLITÉRATION,** subst. f.
*Rhét.* Répétition d'un même phonème consonantique dans des mots qui se suivent : *« Pour qui sont ces serpents qui sifflent sur vos têtes ? » (Racine) est un exemple d'allitération.* 1751 ; lat. *littera*, « lettre », + *a-*[1] ; [al(l)iteʀasjɔ̃].

**ALLÔ,** interj.
Terme d'appel par lequel on invite un correspondant à entrer en communication téléphonique. 1880 ; anglo-amér. *hallo* ou *hello* ; [alo].

**ALLOCATAIRE,** subst.
Bénéficiaire d'une allocation. Déb. XXe s. ; ☞ *allocation* ; [al(l)ɔkatɛʀ].

**ALLOCATION,** subst. f.
**1.** Attribution d'une somme d'argent. **2.** Somme ainsi allouée : *Recevoir des allocations familiales.* 1516 (1478, inscription) ; ☞ *allouer* ; [al(l)ɔkasjɔ̃].

**ALLOCHTONE,** adj.
*Sc. nat.* et *Géol.* Qui provient d'un autre lieu. 1931 ; gr. *khthôn*, « terre », + *allo-* ; [alɔktɔn].

**ALLOCUTAIRE,** subst.
*Ling.* Personne à qui s'adresse un locuteur. 1936 ; ☞ *allocution* ; [al(l)ɔkytɛʀ].

**ALLOCUTION,** subst. f.
Bref discours de circonstance : *Une allocution radiotélévisée.* Fin XIIe s. ; lat. *adlocutio* ; [al(l)ɔkysjɔ̃].

**ALLODIAL, ALE, AUX,** adj.
*Féod.* Qui relève d'un alleu : *Une terre allodiale.* 1449 ; lat. médiév. *allodialis* ; [alɔdjal, o].

**ALLOGAMIE,** subst. f.
*Bot.* Pollinisation d'une fleur par le pollen provenant d'une autre fleur. 1951 ; formé de *allo-* et de *-gamie* ; [alɔgami].

**ALLOGÈNE,** adj.
Qui est d'une autre origine que la population autochtone et qui s'en distingue. Fin XIXe s. ; formé de *allo-* et de *-gène* ; [alɔʒɛn].

**ALLONGE,** subst. f.
**1.** Ce qu'on ajoute à qqch. pour l'allonger : *Les allonges d'une table.* **2.** Crochet de boucherie. **3.** *Sp.* Longueur des bras d'un boxeur. Fin XIIIe s. ; ☞ *allonger* ; [alɔ̃ʒ].

**ALLONGÉ, ÉE,** adj.
**1.** Étendu de tout son long : *Un homme allongé sur le dos.* **2.** Dont la forme est longue et effilée : *L'ovale allongé de son visage.* ▸ Loc. *Mine allongée* : qui traduit la déception, la tristesse (fam.). 1704 ; p. p. de *allonger* ; [alɔ̃ʒe].

**ALLONGEMENT,** subst. m.
Action d'allonger, dans l'espace ou dans le temps ; son résultat : *Allongement des métaux* ; *Allongement des jours.* 1209 ; ☞ *allonger* ; [alɔ̃ʒmɑ̃].

**ALLONGER,** verbe [5]
TRANS. **1.** Augmenter la longueur ou la durée de : *Allonger un vêtement* ; *Allonger les vacances scolaires* ; par anal. : *Allonger un chapitre.* ▸ Loc. *Allonger le pas.* **2.** Déployer (un membre, une partie du corps) : *Allonger les jambes* ; par ext. : *Allonger une gifle, un coup de pied à qqn* (fam.). **3.** Étendre de tout son long : *Allonger un enfant dans son lit* ; empl. pronom., se coucher, s'étendre. ▸ Étendre à terre (fam.) : *Il l'a allongé d'un coup de poing.* **4.** Délayer (une solution) : *Allonger une sauce.* INTRANS. et PRONOM. Devenir plus long ; s'accroître en amplitude : *En janvier, les jours s'allongent.* Mil. XIIe s. ; ☞ *long* + *a-*[1] ; [alɔ̃ʒe].

**ALLOPATHE,** subst. et adj.
Qualifie ou désigne un médecin qui pratique l'allopathie. 1838 ; ☞ *allopathie* ; [alɔpat].

**ALLOPATHIE,** subst. f.
*Méd.* Méthode de traitement qui fait usage de médicaments dont les effets s'opposent à ceux de la maladie combattue. Déb. XIXe s. ; all. *Allopathie*, du gr. *allos*, « autre », et *pathos*, « maladie », d'apr. *homéopathie* ; [alɔpati].

**ALLOPATHIQUE,** adj.
*Méd.* Relatif, propre à l'allopathie. 1838 ; ☞ *allopathie* ; [alɔpatik].

**ALLOPHONE,** subst. et adj.
Se dit d'une personne dont la langue maternelle est étrangère à celle de la communauté où elle vit. Mil. XXe s. ; formé de *allo-* et de *-phone* ; [alɔfɔn].

**ALLOSOME,** subst. m.
*Biol.* Nom donné à chacun des deux chromosomes sexuels d'un individu, lorsqu'ils sont différents : *Chez les mammifères, le sexe mâle est déterminé par la conjonction des allosomes X et Y et le sexe femelle par la conjonction des autosomes XX.* XXe s. ; formé de *allo-* et de *-some* ; [alɔzom].

**ALLOSTÉRIE,** subst. f.
*Biochim.* Propriété qu'ont certaines protéines de modifier leur forme et leur activité biochimique sous l'influence de petites molécules, dites effecteurs allostériques, qui se fixent sur elles. V. 1960 ; gr. *stereos*, « solide », + *allo-* ; [alɔsteʀi].

**ALLOTROPIE,** subst. f.
*Chim.* Propriété qu'a un corps simple ou composé d'exister sous plusieurs formes physiques. 1855 ; formé de *allo-* et de *-tropie* ; [alɔtʀɔpi].

**ALLOTROPIQUE,** adj.
*Chim.* Relatif à l'allotropie : *Les deux variétés allotropiques du soufre.* 1856 ; ☞ *allotropie* ; [alɔtʀɔpik].

**ALLOUER,** verbe trans. [3]
Doter de, attribuer : *Allouer du temps, une prime.* 1491 (mil. XIe s., placer) ; lat. médiév. *allocare* ; [alwe].

**ALLUCHON,** subst. m.
*Techn.* Dent d'une roue d'engrenage. 1611 (XIIIe s., petite planche) ; lat. *ala*, « aile » ; [alyʃɔ̃].

**ALLUMAGE,** subst. m.
**1.** Action d'allumer ; fait de s'allumer : *L'allumage des bougies, d'un feu.* **2.** *Techn.* Inflammation du mélange gazeux (air et carburant), dans un moteur à explosion ; par méton., l'ensemble des organes assurant cette inflammation. 1845 ; ☞ *allumer* ; [alymaʒ].

**ALLUMÉ, ÉE,** adj.
**1.** Excité, exalté (fam.). **2.** *Hérald.* D'un émail différent ou particulier. Déb. XIIe s. ; p. p. de *allumer* ; [alyme].

**ALLUME-CIGARE,** subst. m.
Instrument à résistance électrique servant à allumer un cigare ou une cigarette, en partic. dans une automobile. 1922 ; comp. de *allumer* et de *cigare* ; plur. *allume-cigares* ; [alymsigaʀ].

**ALLUME-FEU,** subst. m.
Produit très inflammable, utilisé pour allumer le feu. 1866 ; comp. de *allumer* et de *feu* (I) ; plur. *allume-feu(x)* ; [alymfø].

**ALLUME-GAZ,** subst. m. inv.
Briquet servant à allumer le gaz par production d'étincelles ou par échauffement d'un petit filament. 1891 ; comp. de *allumer* et de *gaz* ; [alymgaz].

**ALLUMER,** verbe trans. [3]
**1.** Mettre le feu à (une matière combustible) : *Allumer des brindilles* ; par ext. : *Allumer le feu* ; par méton. : *Allumer sa pipe.* **2.** Rendre lumineux en enflammant ou par contact électrique : *Allumer une bougie, une lampe* ; par ext. : *Allumer l'électricité* ; par méton. : *Allumer la cuisine.* ▸ Empl. pronom. *Les vitrines s'allument* ; au fig. : *Ses yeux s'allument*, deviennent brillants. **3.** Ext. Faire fonctionner : *Allumer la télévision* ; empl. pronom. : *Comment s'allume l'ordinateur ?* **4.** Fig. ▸ Exciter, provoquer (littér.) : *Allumer un conflit, une passion.* ▸ Séduire, aguicher (fam.). **5.** Argot. *Allumer qqn* : lui tirer dessus ; au fig., le critiquer violemment. Fin XIe s. ; lat. pop. °*alluminare* ; [alyme].

**ALLUMETTE,** subst. f.
**1.** Brin de bois dont l'extrémité est enduite d'une matière inflammable par frottement. **2.** Petit gâteau feuilleté de forme allongée : *Des allumettes au fromage.* 1213 ; ☞ *allumer* ; [alymɛt].

**ALLUMEUR, subst. m.**
**1.** Personne chargée d'allumer et d'éteindre l'éclairage public (vieilli) : *L'allumeur de réverbères.* **2.** *Techn.* Dispositif servant à l'allumage d'un moteur à explosion. 1374 ; ☞ *allumer* ; [alymœʀ].

**ALLUMEUSE, subst. f.**
Femme aguichante, qui se plaît à éveiller le désir des hommes (fam.). XIXe s. ; ☞ *allumer* ; [alymøz].

**ALLURE, subst. f.**
**1.** Vitesse de déplacement : *Rouler à vive* ***allure****, à toute* ***allure****.* ▸ Loc. *À l'****allure*** *où vont les choses...* (fam.). **2.** Manière d'aller : *Une* ***allure*** *pesante.* ▸ *Équit. Les* ***allures*** *d'un cheval* : pas, trot, galop. ▸ *Mar.* Orientation d'un navire par rapport au vent ; par ext., disposition de la voilure pour suivre cette route : ***Allure*** *de vent arrière, de plus près, de largue...* **3.** Ext. Manière de se présenter, de se comporter : *Avoir de l'****allure****, fière* ***allure*** ; *Cette maison a l'****allure*** *d'un château.* **4.** Tournure prise par un évènement. Fin XIIe s. ; ☞ *aller* (I) ; [alyʀ].

**ALLURÉ, ÉE, adj.**
Qui a, qui donne une ligne élégante : *Un chignon* ***alluré****.* 1941 ; ☞ *allure* ; [alyʀe].

**ALLUSIF, IVE, adj.**
Qui contient une allusion ; par ext., qui procède par allusions. 1770 ; ☞ *allusion* ; [al(l)yzif, iv].

**ALLUSION, subst. f.**
**1.** *Rhét.* Figure par laquelle on évoque une personne ou un fait sans les nommer expressément. **2.** Ext. Évocation : *Je ne vois pas à quoi vous faites* ***allusion****.* 1574 ; bas lat. *allusio*, « jeu » ; [al(l)yzjɔ̃].

**ALLUSIVEMENT, adv.**
De façon allusive. XXe s. ; ☞ *allusif* ; [al(l)yzivmɑ̃].

**ALLUVIAL, ALE, AUX, adj.**
Qui se compose d'alluvions ; caractérisé par leur présence : *Un sol* ***alluvial*** ; *Une vallée* ***alluviale****.* 1838 ; ☞ *alluvion* ; [al(l)yvjal, o].

**ALLUVION, subst. f.**
*Géol.* Dépôt détritique apporté et laissé sur un terrain par des eaux fluviales (souv. au plur.). 1690 (1527, inondation) ; lat. *alluvio* ; [al(l)yvjɔ̃].

**ALLUVIONNEMENT, subst. m.**
Dépôt d'alluvions par les eaux fluviales. 1877 ; ☞ *alluvion* ; [al(l)yvjɔnmɑ̃].

**ALLUVIONNER, verbe intrans.** [3]
Déposer des alluvions. 1956 ; ☞ *alluvion* ; [al(l)yvjɔne].

**ALLYLE, subst. m.**
Alcoyle. 1865 ; lat. *allium*, « ail », + *-yle* ; [alil].

**ALLYLIQUE, adj.**
*Chim. Alcool* ***allylique*** : alcool dérivé de l'éthène (éthylène), de formule $CH_2OH{-}CH{=}CH_2$, qui sert à la synthèse du glycérol. 1865 ; ☞ *allyle* ; [alilik].

**ALMADIN, voir ALMANDIN**

**ALMADINE, voir ALMANDIN**

**ALMAGESTE, subst. m.**
Recueil d'observations astronomiques compilées par les Anciens : *L'****almageste*** *de Ptolémée.* Fin XIIIe s. ; ar. *al-maǧisti*, « le grand œuvre », transcription du gr. *megistê suntaxis* ; [almaʒɛst].

**ALMANACH, subst. m.**
**1.** Calendrier portant des indications astronomiques et météorologiques. **2.** Ext. Publication ayant pour base le calendrier et contenant des informations didactiques ou pratiques : *L'****almanach*** *de Gotha* ; *L'****almanach*** *Vermot*, connu pour ses plaisanteries populaires. 1303 ; lat. médiév. *almanachus*, prob. du syriaque *al-manhaï*, « l'an prochain » ; [almana(k)].

**ALMANDIN, subst. m.**
*Joaill.* Variété de grenat alumino-ferreux, d'un rouge vif et sombre, appelée aussi rubis spinelle. 1160 ; topon. *Alabanda*, anc. ville d'Asie Mineure ; var. *une almandine, un almadin, une almadine* ; [almɑ̃dɛ̃].

**ALMÉE, subst. f.**
Danseuse, chanteuse et poétesse orientale. 1785 ; ar. *'âlima*, « femme cultivée » ; [alme].

**ALMICANTARAT, subst. m.**
*Astron.* Cercle de la sphère céleste parallèle à l'horizon. 1660 ; ar. *al-muqanṭara*, « le cadran solaire » ; [almikɑ̃taʀa].

**ALOÈS, subst. m.**
*Bot.* Plante grasse, acaule ou arborescente, de la famille des Liliacées, dont l'espèce *Aloe officinalis* est utilisée en pharmacie. 1160 ; gr. *aloê* ; [alɔɛs].

**ALOGIQUE, adj.**
*Philos.* Qui est étranger aux principes de la logique. 1564 ; ☞ *logique* + *a-*[2] ; [alɔʒik].

**ALOI, subst. m.**
**1.** Vx. Alliage. ▸ Titre légal d'une monnaie, d'une pièce d'orfèvrerie. **2.** Loc. *De bon, de mauvais* ***aloi*** : de bonne, de mauvaise qualité ; au fig., honnête, malhonnête. Fin XIIIe s. ; anc. fr. *aloier*, « allier » ; [alwa].

**ALOPÉCIE, subst. f.**
*Pathol.* Chute, partielle ou totale, des cheveux ou des poils (synon. *pelade*). 1377 ; gr. *alôpekia*, de *alôpêx*, « renard », cet animal perdant ses poils ; [alɔpesi].

**ALORS, adv.**
**1.** À ce moment-là, à cette époque-là : *Il ouvrit la porte, je vis* ***alors*** *qu'il n'était pas seul* ; *Nous étions plus heureux* ***alors****.* ▸ De ce temps-là : *Les romans d'****alors****.* ▸ Jusqu'à ce moment-là : *Jusqu'****alors****, il n'avait jamais menti.* **2.** Dans ce cas : *S'il n'est pas là à 20 heures,* ***alors*** *je partirai.* ▸ Loc. Marque l'interrogation, l'indignation, la surprise, la joie (fam.) : *Et* ***alors*** *?* ; *Non mais* ***alors*** *!* ; *Çà* ***alors*** *!* ; *Chic* ***alors*** *!* **3.** Loc. conj. **Alors que.** ▸ Exprime la contemporanéité des faits : *Il a rencontré sa femme* ***alors*** *qu'il se trouvait en voyage d'affaires.* ▸ Exprime l'opposition : *Il regarde la télévision* ***alors*** *qu'il a un examen à préparer.* XIIe s. ; formé de *à* et de *lors* ; [alɔʀ].

**ALOSE, subst. f.**
*Zool.* Poisson de mer de la famille des Clupéidés, qui fraie en eau douce au printemps, à la chair très appréciée. Fin XIIe s. ; bas lat. *alausa* ; [aloz].

**ALOUATE, subst. m.**
*Zool.* Singe de la famille des Cébidés vivant en Amérique centrale et que l'on appelle aussi singe hurleur. 1741 ; caraïbe *aluata* ; [alwat].

**ALOUETTE, subst. f.**
**1.** *Zool.* Passereau de la famille des Alaudidés, à plumage brunâtre, célèbre pour son chant : *L'****alouette*** *grisolle.* ▸ *Miroir aux* ***alouettes*** : leurre de chasse ; au fig., ce qui dupe qqn. **2.** Loc. *Se lever au chant de l'****alouette*** : très tôt ; *Attendre que les* ***alouettes*** *tombent toutes rôties* : être nonchalant. **3.** *Cuis.* ***Alouette*** *sans tête* : petite paupiette. Fin XIIe s. ; anc. fr. *aloe*, du lat. *alauda* ; [alwɛt].

**ALOURDIR, verbe trans.** [19]
**1.** Rendre lourd, plus lourd. **2.** Ext. Rendre pesant : *La fatigue* ***alourdissait*** *ses paupières.* XIIe s. ; ☞ *lourd* + *a-*[1] ; [aluʀdiʀ].

**ALOURDISSEMENT, subst. m.**
Fait d'alourdir, d'être alourdi. 1414 ; ☞ *alourdir* ; [aluʀdismɑ̃].

**ALOYAU, subst. m.**
*Bouch.* Pièce de bœuf découpée dans la région lombaire, comprenant le faux-filet, le romsteck, le filet. Fin XIVe s. ; anc. fr. *aloe*, « alouette » ; [alwajo].

**ALPAGA, subst. m.**
**1.** *Zool.* Ruminant de la famille des Camélidés, voisin du lama, élevé au Pérou pour son poil long et fin qui fournit une laine de grande qualité. **2.** Méton. Tissu en laine d'***alpaga***. 1716 ; esp. *alpaca*, prob. de l'aymara *allpaca* ; [alpaga].

**ALPAGE, subst. m.**
**1.** Pâturage de haute montagne (synon. *alpe*) : *Mener son troupeau à l'****alpage****.* **2.** Séjour qu'y font les troupeaux. 1546 ; terme du pays de Vaud *alper*, « passer l'été en montagne » ; [alpaʒ].

**ALPAGUER, verbe trans.** [3]
Argot. Arrêter (qqn) : *Ils ont fini par l'****alpaguer*** ; saisir (qqch.). 1935 ; argot *alpague*, « manteau » ; [alpage].

**ALPAX, subst. m. inv.**
*Techn.* Alliage à base d'aluminium, contenant du silicium (13 %) et parfois une faible quantité de magnésium et de cobalt. 1929 ; formé de *Al*, symb. de l'aluminium, et de l'anthropon. *Aladar Pacz*, inventeur de l'alliage ; n. déposé ; [alpaks].

**ALPE, subst. f.**
Pâturage de haute montagne (synon. *alpage*). 1405 ; lat. *alpis* ; [alp].

**ALPENSTOCK, subst. m.**
Canne à embout ferré, utilisée pour marcher en montagne (vieilli). 1866 ; all. *Alpenstock*, de *Alpen*, « Alpes », et de *Stock*, « bâton » ; [alpɛnstɔk].

**ALPESTRE, adj.**
**1.** Relatif à la chaîne des Alpes ; qui en est caractéristique : *Vallée* ***alpestre****.* **2.** Ext. Propre à la moyenne montagne. 1550 ; mot ital. ; [alpɛstʀ].

**ALPHA, subst. m. inv.**
**1.** Première lettre de l'alphabet grec, écrite α et Α. ▸ Loc. *L'****alpha*** *et l'oméga* : le commencement et la fin. **2.** *Physiol. Rythme* ***alpha*** : caractéristique du repos sur l'électro-encéphalogramme de l'adulte normal. **3.** *Phys. nucl. Particules* ***alpha*** : particules constituant l'un des trois rayonnements émis par les substances radioactives. XIIe s. ; mot gr. ; [alfa].

**ALPHABET, subst. m.**
**1.** Ensemble des lettres utilisées pour transcrire les sons et disposées selon un ordre conventionnel. **2.** Livre servant à l'apprentissage de la lecture (vieilli). 1395 ; lat. *alphabetum*, « alphabet », de *alpha* et de *bêta*, les deux premières lettres de l'alphabet grec ; [alfabɛ].

LINGUISTIQUE – L'écriture alphabétique est née dans les cités commerçantes de la côte syrienne au cours du IIe mill. av. J.-C. Aux séries de signes cunéiformes (tablettes d'Ougarit) ou d'inspiration hiéroglyphique succède l'alphabet phénicien de 22 lettres, qui figure, v. 1000 av. J.-C., sur le cercueil du roi Ahiram de Byblos. La plupart des systèmes en usage dans le monde actuel procèdent de celui-là : écritures sémitiques (hébraïque, arabe), indiennes, grecque (avec son dérivé cyrillique, dont se servent les nations slaves orthodoxes), latine. La fortune de l'alphabet latin a suivi celle de ses utilisateurs, les Romains et leurs héritiers d'Europe occidentale ; le Viêt Nam et la Turquie l'ont aussi adopté.

**ALPHABÉTIQUE, adj.**
**1.** Propre à l'alphabet ; qui l'utilise : *Une écriture* ***alphabétique****.* **2.** Qui est dans l'ordre des lettres de l'alphabet. XVe s. ; bas lat. *alphabeticus* ; [alfabetik].

**ALPHABÉTIQUEMENT, adv.**
Dans l'ordre alphabétique. 1655 ; ☞ *alphabétique* ; [alfabetikmɑ̃].

**ALPHABÉTISATION, subst. f.**
Action d'alphabétiser une population ; son résultat. 1959 ; ☞ *alphabétiser* ; [alfabetizasjɔ̃].

Méandres et bancs d'alluvions dans la Durance.

**ALPHABÉTISER,** verbe trans. [3]
**1.** Vx. Classer par ordre alphabétique. **2.** Enseigner la lecture et l'écriture à (qqn, un groupe social). 1853 ; ☞ *alphabet* ; [alfabetize].

**ALPHABÉTISME,** subst. m.
Système d'écriture utilisant un alphabet. 1868 ; ☞ *alphabet* ; [alfabetism].

**ALPHANUMÉRIQUE,** adj.
Qui comporte des lettres et des chiffres : *Code **alphanumérique***. 1947 ; crois. de *alphabétique* et de *numérique* ; [alfanymerik].

**ALPIN, INE,** adj.
**1.** Des Alpes ; par ext., de la haute montagne : *Faune **alpine** ; Ski **alpin**,* par oppos. au ski de fond. ▸ *Chasseur **alpin*** : soldat spécialisé dans le combat en montagne. **2.** Relatif à l'alpinisme : *Club **alpin***. Déb. XIIIe s. ; lat. *alpinus* ; [alpɛ̃, in].

**ALPINISME,** subst. m.
Sport des ascensions en montagne. 1877 ; ☞ *alpin* ; [alpinism].

**ALPINISTE,** subst.
Personne qui pratique l'alpinisme. 1875 ; ☞ *alpin* ; [alpinist].

*Un **alpiniste** célèbre, Gaston Rebuffat.*
© H. Leblanc-Explorer

**ALSACIEN, IENNE,** adj. et subst.
D'Alsace. **Subst. masc.** Dialecte germanique parlé en Alsace. 1752 ; topon. *Alsace* ; [alzasjɛ̃, jɛn].

**ALTAÏQUE,** adj.
**1.** Du massif de l'Altaï. **2.** *Ling. Langues **altaïques*** : ensemble des langues turques, mongoles et toungouses. 1866 ; topon. *Altaï* (Asie centrale) ; [altaik].

**ALTÉRABILITÉ,** subst. f.
Caractère de ce qui est altérable. 1786 ; ☞ *altérable* ; [alterabilite].

**ALTÉRABLE,** adj.
Qui peut s'altérer. Fin XIVe s. ; lat. médiév. *alterabilis* ; [alterabl].

**ALTÉRAGÈNE,** adj. et subst. m.
*Biol.* Se dit d'un agent qui provoque une altération des cellules vivantes. Mil. XXe s. ; ☞ *altérer* + *-gène* ; [alteraʒɛn].

**ALTÉRANT, ANTE,** adj.
**1.** Qui altère. **2.** Qui assoiffe (anton. *désaltérant*). XVIe s. ; p. pr. de *altérer* ; [alterɑ̃, ɑ̃t].

**ALTÉRATION,** subst. f.
**1.** Modification radicale de l'état ou de la nature de qqch. **2.** Dégradation par rapport à l'état initial : *L'**altération** d'un vin, d'une roche ; L'**altération** d'une voix, d'un visage.* **3.** Contrefaçon, falsification : *Une **altération** des faits.* **4.** *Mus.* Signe qui modifie la hauteur de la note devant laquelle il est placé. Mil. XIIIe s. ; bas lat. *alteratio*, « changement » ; [alterasjɔ̃].

**ALTERCATION,** subst. f.
Querelle, bref échange de propos désobligeants. 1289 ; lat. *altercatio* ; [altɛrkasjɔ̃].

**ALTÉRÉ, ÉE,** adj.
**1.** Gâté, dénaturé. **2.** Assoiffé : *Tigre **altéré** de sang* (Corneille). Déb. XVe s. ; p. p. de *altérer* ; [altere].

**ALTER EGO,** subst. m. inv.
**1.** Personne de confiance que l'on charge d'agir à sa place. **2.** Ext. Ami très proche (fam.) : *Mon copain le chêne, mon **alter ego*** (Brassens). Mil. XIXe s. ; lat. *alter ego*, « autre moi » ; [altɛrego].

**ALTÉRER,** verbe trans. [8]
**1.** Rendre autre, transformer. **2.** Changer en mal, détériorer ; empl. pronom. : *Ma santé s'**altère**.* **3.** Contrefaire, falsifier : ***Altérer** la vérité.* **4.** Donner soif à. 1370 ; bas lat. *alterare* ; [altere].

**ALTÉRITÉ,** subst. f.
*Philos.* Caractère de ce qui est autre. 1697 (1270, changement) ; bas lat. *alteritas*, « différence » ; [alterite].

**ALTERNANCE,** subst. f.
**1.** Succession répétée, dans l'espace ou dans le temps : *L'**alternance** des saisons.* **2.** *Ling.* Variation d'un son vocalique dans un système morphologique donné : *« Vigueur, vigoureux ».* **3.** *Pol.* Succession au pouvoir d'un parti et d'un autre. **4.** *Phys.* Demi-période d'un mouvement alternatif. 1830 ; ☞ *alterner* ; [altɛrnɑ̃s].

**ALTERNANT, ANTE,** adj.
**1.** Qui alterne. **2.** *Pathol. Pouls **alternant*** : arythmie se manifestant par l'alternance de pulsations fortes puis faibles. 1519 ; p. pr. de *alterner* ; [altɛrnɑ̃, ɑ̃t].

**ALTERNAT,** subst. m.
**1.** *Pol.* Droit pour des États ou des villes de prendre tour à tour le premier rang. **2.** *Agric.* Rotation des cultures. 1797 ; ☞ *alterner* ; [altɛrna].

**ALTERNATEUR,** subst. m.
*Électr.* Générateur de courant alternatif. 1893 ; ☞ *alternatif* ; [altɛrnatœr].

**ALTERNATIF, IVE,** adj.
**1.** Qui revient tour à tour, avec plus ou moins de régularité : *L'éclairage **alternatif** d'un feu de signalisation.* **2.** Qui présente un choix entre deux possibilités. **3.** *Électr. Courant **alternatif*** : dont l'intensité varie par périodes (anton. *continu*). **4.** *Log. Proposition **alternative*** : qui énonce deux assertions dont une seule est vraie. **5.** *Mécan. Mouvement **alternatif*** : qui a lieu avec régularité, dans un sens, puis dans l'autre. **6.** *Pol. Mouvement **alternatif*** : mouvement opposé à la société industrielle. 1375 ; lat. *alternatum*, « alterné » ; [altɛrnatif, iv].

**ALTERNATIVE,** subst. f.
**I. 1.** Alternance (vieilli). **2.** Choix, gén. inéluctable, entre deux propositions, deux attitudes possibles, l'une excluant l'autre : *Vaincre ou mourir, la terrible **alternative** du gladiateur.* **II.** *Taurom.* Investiture conférant au torero non confirmé le droit de combattre en alternance avec les matadors. 1401 ; ☞ *alternatif* ; [altɛrnativ].

**ALTERNATIVEMENT,** adv.
À tour de rôle. 1355 ; ☞ *alternatif* ; [altɛrnativmɑ̃].

**ALTERNE,** adj.
**1.** *Bot.* Se dit de feuilles, de rameaux s'insérant alternativement de chaque côté de la tige. **2.** *Géom.* Qualifie des angles situés de part et d'autre de la sécante qui coupe deux droites : *Angles **alternes** internes,* situés entre les deux droites (anton. ***alternes** externes*). Mil. XIVe s. ; lat. *alternus*, « l'un après l'autre » ; [altɛrn].

**ALTERNÉ, ÉE,** adj.
**1.** Qui présente une alternance. **2.** *Math.* ▸ *Série **alternée*** : série numérique dont les termes sont, à partir d'un certain rang, alternativement positifs et négatifs. ▸ Qualifie une application n-linéaire qui s'annule pour tout n-uplet comportant deux coordonnées égales. 1690 ; p. p. de *alterner* ; [altɛrne].

**ALTERNER,** verbe [3]
**Intrans. 1.** *Pol.* Exercer l'alternat. **2.** Se succéder régulièrement, en alternance. **Trans.** Faire se succéder alternativement : ***Alterner** le travail et les loisirs.* Fin XVIe s. (XIIIe s., changer) ; lat. *alternare* ; [altɛrne].

**ALTESSE,** subst. f.
Titre honorifique donné aux princes et aux princesses de sang, ainsi qu'aux princes souverains. 1500 ; ital. *altezza* ; [altɛs].

**ALTHÆA,** subst. m. ou f.
*Bot.* Genre de plante de la famille des Malvacées, communément appelée guimauve, telle la rose trémière. XVe s. ; lat. *althaea* ; [altea].

**ALTIER, IÈRE,** adj.
Qui possède ou qui manifeste une fierté hautaine : *Une allure **altière**.* 1578 ; ital. *altiero*, de *alto*, « haut » ; [altje, jɛr].

**ALTIMÈTRE,** subst. m.
Appareil servant à mesurer l'altitude du point où l'on se trouve. 1561 ; lat. *altus*, « haut », + *-mètre*[1] ; [altimɛtr].

**ALTIMÉTRIE,** subst. f.
Méthode de mesure de l'altitude. 1690 ; ☞ *altimètre* ; [altimetri].

**ALTIPORT,** subst. m.
Aérodrome de haute montagne. V. 1960 ; crois. de *altitude* et de *aéroport* ; [altipɔr].

**ALTISE,** subst. f.
*Zool.* Insecte coléoptère sauteur de la famille des Chrysomélidés, genre *Haltica*, qui s'attaque aux plantes potagères et à la vigne. 1789 ; lat. sc. *haltica*, du gr. *haltikos*, « bon sauteur » ; [altiz].

**ALTISTE,** subst.
Personne qui joue de l'alto. 1866 ; ☞ *alto* ; [altist].

**ALTITUDE,** subst. f.
**1.** Élévation verticale par rapport au niveau de la mer. **2.** Hauteur d'un point mesurée par rapport au niveau de la mer. 1485 ; lat. *altitudo*, « hauteur » ; [altityd].

**ALTO,** subst. m.
*Mus.* **I. 1.** Vieilli. Voix masculine la plus aiguë (synon. *haute-contre*). **2.** Voix féminine la plus grave (synon. *contralto*) ; par méton., chanteuse possédant cette voix. **II.** Instrument de la famille du violon, un peu plus grand que celui-ci et accordé sur sa quinte grave (cordes à vide *do-sol-ré-la*) ; par anal. et en appos. : *Une flûte **alto**.* ▸ Méton. Personne qui joue de l'**alto**. 1771 ; ital. *alto*, « haut » ; fém. quelquefois empl. pour la cantatrice, plur. *altos* ; [alto].

**ALTOCUMULUS,** subst. m.
Nuage formé de gros flocons, à une altitude moyenne de 4 000 m, donnant souv. au ciel un aspect pommelé. 1890 ; formé du lat. *altus*, « haut », et de *cumulus* ; [altokymylys].

**ALTOSTRATUS,** subst. m.
Nuage formant un voile grisâtre et se situant entre 2 000 et 6 000 m d'altitude. 1891 ; formé du lat. *altus*, « haut », et de *stratus* ; [altostratys].

**ALTRUISME,** subst. m.
**1.** Disposition à la bienveillance envers autrui. **2.** *Philos.* Doctrine considérant le dévouement comme la règle idéale de conduite morale. 1852 ; lat. *alter*, « autre » ; [altrɥism].

**ALTRUISTE,** adj. et subst.
**Adj.** Relatif à l'altruisme. **Subst.** Personne caractérisée par son altruisme (anton. *égoïste*). 1852 ; ☞ *altruisme* ; [altrɥist].

**ALUCITE,** subst. f.
*Zool.* Insecte nuisible de la famille des Géléchiidés, dont les larves nuisent aux céréales, telle l'**alucite** des céréales, appelée aussi pou volant ou teigne des blés. 1789 ; lat. *alucita*, « moucheron » ; [alysit].

**ALUETTE,** subst. f.
Jeu qui se pratique à deux équipes de deux joueurs avec 48 cartes spéciales et qui donne lieu à des mimiques codifiées. 1892 ; orig. inc. ; [alɥɛt].

**ALUMINAGE,** subst. m.
*Techn.* Application d'un mordant imprégné d'alumine. 1890 ; ☞ *aluminer* ; [alyminaʒ].

**ALUMINATE,** subst. m.
*Chim.* Sel résultant de la combinaison de l'alumine avec une base. 1838 ; ☞ *alumine* ; [alyminat].

**ALUMINE,** subst. f.
*Chim.* Oxyde d'aluminium ($Al_2O_3$) présent dans la bauxite à l'état naturel, et dont on extrait l'aluminium. 1782 ; lat. *alumen*, « alun » ; [alymin].

**ALUMINER,** verbe trans. [3]
*Techn.* Recouvrir d'aluminium. 1845 ; ☞ *alumine* ; [alymine].

**ALUMINEUX, EUSE,** adj.
Qui contient de l'alumine. 1814 (1478, mêlé d'alun) ; lat. *aluminosus*, « mêlé d'alun » ; [alyminø, øz].

**ALUMINISATION,** subst. f.
*Techn.* Opération consistant à déposer une couche d'aluminium sur le verre d'un miroir (synon. *aluminure*). ☞ *aluminer* ; [alyminizasjɔ̃].

**ALUMINIUM,** subst. m.
*Chim.* Élément métallique n° 13 de la table de Mendeleïev (symb. : Al) ; masse atomique : 26,98 ; point de fusion : 660 °C ; point d'ébullition : 2 056 °C ; masse volumique 2,7 g/cm$^3$. C'est un métal blanc, brillant une fois poli, qui représente environ 8 % de la masse de l'écorce terrestre. Sa propriété la plus remarquable est d'être un très bon réducteur. 1819 ; angl. *aluminium*, du lat. *alumen*, « alun » ; [aluminjɔm].

**ALUMINOSILICATE, subst. m.**
*Chim.* Composé dérivé de la silice et de l'alumine. Crois. de *aluminium* et de *silicate* ; [alyminosilikat].

**ALUMINOTHERMIE, subst. f.**
Technique qui permet d'obtenir de hautes températures par réaction d'aluminium en poudre sur des oxydes métalliques. 1900 ; ☞ *aluminium* + *-thermie* ; [aluminotɛʀmi].

**ALUMINURE, subst. f.**
*Techn.* Aluminisation. ☞ *aluminer* ; [alyminyʀ].

**ALUN, subst. m.**
*Chim.* Sulfate double de potassium et d'aluminium hydraté, incolore, et possédant des propriétés astringentes. 1148 ; lat. *alumen* ; [alœ̃].

**ALUNAGE, subst. m.**
Action d'aluner une étoffe. 1808 ; ☞ *aluner* ; [alynaʒ].

**ALUNER, verbe trans.** [3]
Imprégner d'alun. 1532 ; ☞ *alun* ; [alyne].

**ALUNIR, verbe intrans.** [19]
Se poser sur la Lune. 1921 ; ☞ *lune* + *a-*[1] ; recomm. de l'Acad. *atterrir* ; [alyniʀ].

**ALUNISSAGE, subst. m.**
Action d'alunir. 1923 ; ☞ *alunir* ; recomm. de l'Acad. *atterrissage* ; [alynisaʒ].

**ALUNITE, subst. f.**
*Minér.* Sulfate naturel d'aluminium et de potassium. 1824 ; ☞ *alun* ; [alynit].

**ALVÉOLAIRE, adj.**
**1.** Relatif aux alvéoles, en partic. aux alvéoles dentaires et pulmonaires. **2.** Qui comporte des alvéoles. **3.** *Phon.* Se dit d'une consonne articulée avec la pointe de la langue au niveau des alvéoles dentaires. 1751 ; ☞ *alvéole* ; [alveɔlɛʀ].

**ALVÉOLE, subst. m. ou f.**
**1.** Petite cavité : ***Alvéoles** d'une boîte à œufs, d'un mur.* **2.** Cellule de cire hexagonale que fait l'abeille. **3.** *Anat.* ► ***Alvéole** dentaire* : chacune des cavités des os des maxillaires où s'enchâssent les dents. ► ***Alvéole** pulmonaire* : cul-de-sac terminal d'une bronchiole, dans lequel ont lieu les échanges respiratoires. **4.** *Géol.* Cavité creusée dans une roche homogène. 1519 ; lat. *alveolus*, « petit panier » ; genre masc. pour l'Acad. ; [alveɔl].

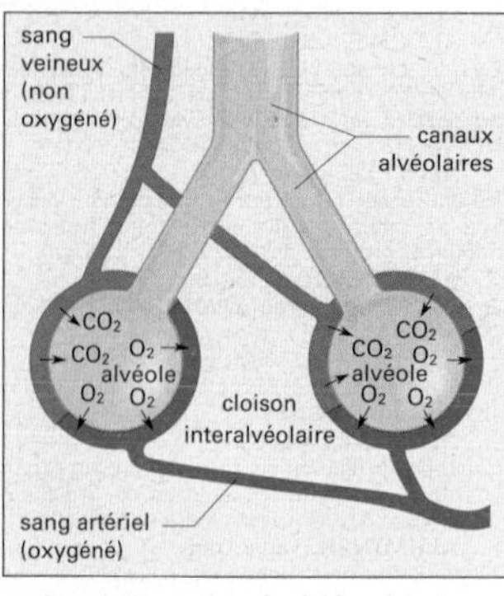


*La respiration au niveau des **alvéoles** pulmonaires.*

**ALVÉOLÉ, ÉE, adj.**
Qui présente des alvéoles. 1834 ; ☞ *alvéole* ; [alveɔle].

**ALVÉOLITE, subst. f.**
*Pathol.* Inflammation des alvéoles pulmonaires ou dentaires. V. 1920 ; ☞ *alvéole* ; [alveɔlit].

**ALVIN, INE, adj.**
*Physiol.* Qui se rapporte au bas-ventre : *Flux **alvin**,* diarrhée. 1814 ; lat. *alvinus*, de *alvus*, « ventre » ; [alvɛ̃, in].

**ALYSSE, subst. f.**
*Bot.* Plante ornementale à fleurs jaunes ou blanches, appelée aussi alysson, de la famille des Brassicacées, qui était réputée guérir la rage. 1542 ; gr. *alusson*, « plante contre la rage » ; [alis].

1. *Alyte mâle portant les œufs pondus par la femelle.*

2. *Amandier au moment de la fructification.*

© J.-L. Le Moigne-Jacana — © G. Laurent-Jacana

**ALYTE, subst. m.**
*Zool.* Amphibien anoure. *Alytes obstetricans* est le crapaud accoucheur, dont les œufs se développent fixés aux pattes postérieures du mâle. 1838 ; gr. *alutos*, « qui ne peut être délié » ; [alit].

**Am, voir AMÉRICIUM**

**AMABILITÉ, subst. f.**
Qualité d'une personne aimable ; délicatesse, affabilité. **Plur.** Paroles aimables. 1683 ; lat. *amabilitas* ; [amabilite].

**AMADOU, subst. m.**
Substance spongieuse préparée à partir de l'amadouvier et rendue très inflammable : *Briquet à mèche d'**amadou**.* 1723 ; anc. prov. *amador*, « celui qui aime » ; [amadu].

**AMADOUER, verbe trans.** [3]
Apaiser ou se concilier (qqn) par des paroles aimables ou des attentions. 1539 ; anc. fr. *amadou*, « onguent jaune », utilisé par les truands pour paraître malades ; [amadwe].

**AMADOUVIER, subst. m.**
*Bot.* Nom commun d'un champignon basidiomycète de l'ordre des Polyporales, qui vit sur les troncs (de chêne, de frêne, etc.) et dont on tire l'amadou. 1775 ; ☞ *amadou* ; [amaduvje].

**AMAIGRI, IE, adj.**
Devenu maigre. Déb. XIIIe s. ; p. p. de *amaigrir* ; [amegʀi].

**AMAIGRIR, verbe trans.** [19]
**1.** Rendre maigre. **2.** *Techn.* Diminuer l'épaisseur de (qqch.) : ***Amaigrir** une pierre, une poutre.* **Pronom.** Maigrir. 1236 ; ☞ *maigre* + *a-*[1] ; [amegʀiʀ].

**AMAIGRISSANT, ANTE, adj.**
Qui amaigrit ; empl. subst. masc., produit utilisé pour faire maigrir qqn. 1542 ; p. pr. de *amaigrir* ; [amegʀisɑ̃, ɑ̃t].

**AMAIGRISSEMENT, subst. m.**
Fait de maigrir ; état d'une personne amaigrie. Déb. XIVe s. ; ☞ *amaigrir* ; [amegʀismɑ̃].

**AMALGAMATION, subst. f.**
**1.** Action d'amalgamer ; son résultat. **2.** *Métall.* Opération qui consiste à utiliser du mercure pour extraire l'or ou l'argent de certains minerais. 1578 ; lat. médiév. *amalgamatio* ; [amalgamasjɔ̃].

**AMALGAME, subst. m.**
**1.** *Chim.* Alliage du mercure et d'un autre métal ; par ext., alliage d'autres métaux : *Un **amalgame** dentaire.* **2.** Mélange hétérogène : *La population des États-Unis est un **amalgame**.* **3.** *Milit.* Fusion de troupes d'origine et de formation différentes. **4.** Procédé consistant à identifier abusivement un groupe à un autre, des idées à d'autres. 1431 ; lat. médiév. *amalgama*, de l'ar. *'amal al-ğamā'a*, « opération de mélange » ; [amalgam].

**AMALGAMER, verbe trans.** [3]
**1.** Pratiquer l'amalgame de. **2.** Anal. Mêler ou associer (des éléments différents). XIVe s. ; lat. médiév. *amalgamare* ; [amalgame].

**AMAN, subst. m.**
Chez les musulmans, octroi de la vie sauve : *Demander l'**aman**,* faire sa soumission. 1731 ; ar. *'amān*, « grâce ; sauf-conduit » ; [amɑ̃].

**AMANDAIE, subst. f.**
Plantation d'amandiers. 1600 ; ☞ *amande* ; var. *amanderaie* ; [amɑ̃dɛ].

**AMANDE, subst. f.**
**1.** Fruit de l'amandier, enfermé dans une coque oblongue, comestible et riche en matières grasses : *Huile d'**amande** douce* ; par ext., graine contenue dans un noyau. **2.** Anal. Ce qui évoque la forme ou la couleur de l'**amande** : *Des yeux en **amande*** ; en appos. : *Un tissu vert **amande**.* Fin XIIe s. ; bas lat. *amandula*, du lat. *amygdala* ; [amɑ̃d].

**AMANDERAIE, voir AMANDAIE**

**AMANDIER, subst. m.**
*Bot.* Arbre de la famille des Rosacées, à fleurs blanches ou roses, cultivé pour ses fruits. Mil. XIIe s. ; ☞ *amande* ; [amɑ̃dje].

**AMANDINE, subst. f.**
Tartelette aux amandes. 1866 ; ☞ *amande* ; [amɑ̃din].

**AMANITE, subst. f.**
*Bot.* Champignon basidiomycète de la famille des Agaricacées, dont une espèce, l'oronge (*Amanita caesarea*), est comestible et excellente ; mais presque toutes les autres espèces sont vénéneuses et parfois mortelles (comme l'**amanite** phalloïde). 1611 ; gr. *amanitês* ; [amanit].

**AMANT, AMANTE, subst.**
Personne qui éprouve un amour partagé pour une autre (vieilli). **Masc. 1.** Homme qui a des relations sexuelles avec une femme qui n'est pas son épouse. **2.** Fig. Personne éprise de qqch. (littér.) : ***Amant** des Muses,* poète. **Plur.** L'**amant** et sa maîtresse. Mil. XIIe s. ; p. pr. de *amer*, anc. forme de *aimer* ; [amɑ̃, amɑ̃t].

**AMARANTACÉES, subst. f. plur.**
*Bot.* Famille végétale de l'ordre des Caryophyllales. **Au sing.** *L'amarante est l'**amarantacée** type.* 1808 ; ☞ *amarante* ; [amaʀɑ̃tase].

**AMARANTE, subst. f. et adj. inv.**
**Subst.** *Bot.* Plante de la famille des Amarantacées, à fleurs rouge pourpre. **Adj.** De couleur rouge pourpre velouté. 1544 ; lat. *amarantus* ; [amaʀɑ̃t].

**AMAREYEUR, EUSE, subst.**
Personne qui travaille dans un parc à huîtres. 1838 ; ☞ *marée* + *a-*[1] ; [amaʀɛjœʀ, øz].

**AMARIL, ILE, adj.**
Qui a trait à la fièvre jaune : *Le virus **amaril**.* XXe s. ; esp. *amaril*, du bas lat. *amarellus*, « jaunâtre », du lat. *amarus*, « amer » ; [amaʀil].

**AMARINAGE, subst. m.**
Action d'amariner, fait d'être amariné. 1835 ; ☞ *amariner* ; [amaʀinaʒ].

**AMARINER, verbe trans.** [3]
*Mar.* **1.** S'emparer de (un navire ennemi). **2.** Munir d'un équipage (un navire pris à l'ennemi). **3.** Habituer (qqn) à la mer. 1246 ; anc. prov. *amarinar*, « équiper (un navire) » ; [amaʀine].

**AMARRAGE, subst. m.**
**1.** Action d'amarrer ; son résultat : *Quitter l'**amarrage*** ; *L'**amarrage** d'un véhicule spatial.* **2.** Réunion de deux cordages par un lien ; ce lien. 1636 (1573, gros cordage) ; ☞ *amarrer* ; [amaʀaʒ].

**AMARRE, subst. f.**
Chaîne, cordage servant à maintenir en place un navire, un dirigeable. XIVe s. ; ☞ *amarrer* ; [amaʀ].

**AMARRER, verbe trans.** [3]
**1.** Attacher (qqch.) avec des amarres : ***Amarrer** une caisse, une marchandise.* **2.** Fixer (une chaîne, un cordage). XIVe s. ; néerl. *aenmarren*, « attacher » ; [amaʀe].

**AMARYLLIDACÉES, subst. f. plur.**
*Bot.* Famille de plantes de l'ordre des Liliales, gén. herbacées, à bulbe ou à rhizome, dont le type est l'amaryllis, et qui comprend aussi le perce-neige et le narcisse. **Au sing.** *L'agave est une **amaryllidacée**.* 1845 ; ☞ *amaryllis* ; [amaʀilidase].

**AMARYLLIS, subst. f.**
*Bot.* Plante à bulbe de la famille des Amaryllidacées, recherchée pour ses fleurs rouges. 1771 ; *Amaryllis*, bergère chantée par Virgile ; [amaʀilis].

**AMAS, subst. m.**
**1.** Accumulation de choses constituant une seule masse : *Un **amas** de nuages.* ► Rassemblement non organisé de personnes. **2.** *Astron.* Réunion d'étoiles ou de galaxies d'un même système : ***Amas** globulaire,*

très dense et relativement sphérique ; *Amas ouvert*, contenant peu d'étoiles et de forme irrégulière. Fin XIVe s. ; ☞ *amasser* ; [amɑ].

**AMASSER, verbe trans.** [3]
Réunir en grande quantité par apports successifs : *Amasser des richesses, des informations.* Mil. XIIe s. ; ☞ *masse* (II) + *a-*¹ ; [amɑse].

**AMATEUR, subst. m.**
**1.** Personne qui a une vive attirance pour qqch. et qui le recherche : *Un **amateur** d'opéra.* **2.** Personne qui pratique un sport, cultive un art, sans en faire profession : *Course réservée aux **amateurs*** ; en appos. : *Un peintre **amateur**.* **3.** Personne qui fait preuve de négligence dans ses activités ; dilettante (fam.) : *Faire un travail d'**amateur**.* **4.** Acheteur (fam.). 1488 ; lat. *amator* ; le fém. *amatrice* n'a pu s'imposer ; [amatœʀ].

**AMATEURISME, subst. m.**
**1.** *Sp.* Condition de l'amateur, par oppos. à celle du professionnel. **2.** Caractère d'une personne qui exerce une activité de manière négligente ; par méton., manière négligée d'exécuter une tâche, de mener une activité. 1892 ; ☞ *amateur* ; [amatœʀism].

**AMATIR, verbe trans.** [19]
Rendre mat (l'or, l'argent) en ôtant le poli. 1676 (1170, abattre, vaincre) ; ☞ *mat* (I) + *a-*¹ ; [amatiʀ].

**AMAUROSE, subst. f.**
*Pathol.* Perte partielle ou totale de la vue due à une lésion du nerf optique ou des centres nerveux. 1590 ; gr. *amaurôsis*, « obscurcissement » ; [amoʀoz].

**AMAZONE, subst. f.**
**1.** Femme qui monte à cheval. ▸ Loc. *Monter en **amazone*** : les deux jambes placées du même côté de la selle. **2.** Méton. Longue jupe portée par une cavalière qui monte en **amazone**. Mil. XIIIe s. ; anthropon. gr. *Amazôn* ; [amazon].

**AMBAGES, subst. f. plur.**
*Sans **ambages*** : sans détours. Mil. XIVe s. ; lat. *ambages* ; [ɑ̃baʒ].

**AMBASSADE, subst. f.**
**1.** Mission officielle, temporaire, auprès d'un souverain, d'un État étranger. **2.** Représentation permanente d'un État auprès d'un autre État. ▸ Méton. Ensemble des personnes assurant cette mission ; par ext., bâtiment qui les abrite. **3.** Anal. Mission auprès d'un particulier. 1299 ; ital. *ambasciata* ; [ɑ̃basad].

**AMBASSADEUR, DRICE, subst.**
**1.** Représentant permanent d'un État auprès d'un autre. **2.** Fig. Personne chargée d'une mission ou qui représente avec bonheur une activité : *Une **ambassadrice** du goût français.* **Fém.** Épouse d'un ambassadeur. Déb. XIVe s. ; ital. *ambasciatore* ; [ɑ̃basadœʀ, dʀis].

**AMBIANCE, subst. f.**
**1.** Atmosphère matérielle ou morale d'une réunion : *Une **ambiance** de fête ; Une musique, un éclairage d'**ambiance**.* **2.** Entrain, gaieté (fam.) : *Il y a de l'**ambiance**.* 1885 ; ☞ *ambiant* ; [ɑ̃bjɑ̃s].

**AMBIANT, ANTE, adj.**
Qui entoure, constitue le milieu dans lequel on vit : *L'air **ambiant**.* 1515 ; lat. *ambiens* ; [ɑ̃bjɑ̃, ɑ̃t].

**AMBIDEXTRE, adj. et subst.**
Qui se sert de ses deux mains avec la même adresse. 1547 ; bas lat. *ambidexter* ; [ɑ̃bidɛkstʀ].

**AMBIGU, UË, adj.**
Qui peut avoir plusieurs sens, être interprété de différentes façons ; empl. subst. masc. : *L'**ambigu** d'une situation.* 1495 ; lat. *ambiguus* ; [ɑ̃bigy].

**AMBIGUÏTÉ, subst. f.**
**1.** Caractère de ce qui est ambigu : *L'**ambiguïté** d'un discours.* **2.** Expression, point ambigu : *Un texte farci d'**ambiguïtés**.* 1270 ; lat. *ambiguitas* ; [ɑ̃bigɥite].

**AMBIGUMENT, adv.**
De façon ambiguë. 1538 ; ☞ *ambigu* ; [ɑ̃bigymɑ̃].

**AMBISEXUÉ, ÉE, adj.**
*Psychol.* Qui a des tendances comportementales à la fois masculines et féminines. V. 1970 ; ☞ *sexué* + *ambi-* ; [ɑ̃bisɛksɥe].

**AMBITIEUSEMENT, adv.**
De manière ambitieuse. XIVe s. ; ☞ *ambitieux* ; [ɑ̃bisjøzmɑ̃].

**AMBITIEUX, EUSE, adj.**
**1.** Qui a de l'ambition ; empl. subst. : *C'est un **ambitieux** qui ne respecte rien.* **2.** Qui montre de l'ambition : *Un programme **ambitieux**.* XIIIe s. ; lat. *ambitiosus* ; [ɑ̃bisjø, øz].

**AMBITION, subst. f.**
**1.** Désir très vif d'obtenir des biens, des honneurs. **2.** Désir de réussir qqch. : *Gagner est son **ambition**.* ▸ Aspiration profonde. 1279 ; lat. *ambitio* ; [ɑ̃bisjɔ̃].

**AMBITIONNER, verbe trans.** [3]
**Trans. dir.** Rechercher par ambition. **Trans. indir.** **Ambitionner de** (+ inf.). Aspirer à. Déb. XVIIe s. ; ☞ *ambition* ; [ɑ̃bisjɔne].

**AMBIVALENCE, subst. f.**
**1.** *Psychol.* Caractère de ce qui présente deux composantes opposées : *L'**ambivalence** des sentiments.* **2.** Caractère de ce qui a un double aspect, sans nécessairement impliquer une opposition : *L'**ambivalence** d'un mot.* 1911 ; all. *Ambivalenz*, du lat. *ambo*, « tous les deux », et *valentia*, « valeur » ; [ɑ̃bivalɑ̃s].

**AMBIVALENT, ENTE, adj.**
Qui présente de l'ambivalence. 1924 ; all. *ambivalent* ; [ɑ̃bivalɑ̃, ɑ̃t].

**AMBLE, subst. m.**
Allure d'un quadrupède qui lève alternativement les deux jambes du même côté, acquise chez le cheval, naturelle chez le chameau, la girafe : *Marcher l'**amble**.* Mil. XIIIe s. ; ☞ *ambler* ; [ɑ̃bl].

**AMBLER, verbe intrans.** [3]
*Équit.* Aller l'amble. 1165 ; anc. prov. *amblar*, du lat. *ambulare*, « se promener » ; [ɑ̃ble].

**AMBLEUR, EUSE, adj.**
Qui va l'amble : *Une jument **ambleuse**.* XIIe s. ; ☞ *ambler* ; [ɑ̃blœʀ, øz].

**AMBLYOPE, adj. et subst.**
Se dit d'une personne qui souffre d'amblyopie. 1838 ; gr. *amblôpos*, « obscurci » ; [ɑ̃blijɔp].

**AMBLYOPIE, subst. f.**
*Pathol.* Diminution de l'acuité visuelle. 1611 ; bas lat. *amblyopia*, du gr. *ambluôpia* ; [ɑ̃blijɔpi].

**AMBLYOSCOPE, subst. m.**
*Méd.* Appareil servant à examiner la vision. V. 1970 ; ☞ *amblyopie* + *-scope* ; [ɑ̃blijɔskɔp].

**AMBON, subst. m.**
*Archit.* Chaire ou tribune située à l'entrée du chœur de certaines églises, basiliques ou cathédrales. 1740 ; gr. byzantin *ambôn* ; [ɑ̃bɔ̃].

Les **Ambassadeurs**, *peinture de Hans Holbein le Jeune (1497-1543). National Gallery, Londres.*

**AMBRE, subst. m.**
**1.** *Biol.* ***Ambre** gris* : concrétion intestinale fournie par le cachalot, à senteur de musc et utilisée en parfumerie. **2.** *Minér.* ***Ambre** jaune* : résine fossile de conifères, utilisée surtout en bijouterie, et qui s'électrise par frottement. Déb. XIIIe s. ; lat. médiév. *ambar*, de l'ar. *'anbar* ; [ɑ̃bʀ].

**AMBRÉ, ÉE, adj.**
**1.** Qui est parfumé à l'ambre gris. **2.** De la couleur de l'ambre jaune. 1651 ; p. p. de *ambrer* ; [ɑ̃bʀe].

**AMBRÉINE, subst. f.**
Alcool contenu dans l'ambre gris et utilisé en parfumerie. 1838 ; ☞ *ambre* ; [ɑ̃bʀein].

**AMBRER, verbe trans.** [3]
Parfumer à l'ambre gris. 1651 ; ☞ *ambre* ; [ɑ̃bʀe].

**AMBROISIE, subst. f.**
**1.** *Myth.* Nourriture des dieux de l'Olympe, conférant l'immortalité. **2.** *Bot.* Plante aromatique herbacée, de la famille des Ambrosiacées. 1480 ; lat. *ambrosia*, du gr. *ambrosia*, « immortelle » ; [ɑ̃bʀwazi].

**AMBROSIEN, IENNE, adj.**
*Cath.* Relatif au rite attribué à saint Ambroise. 1704 ; lat. *ambrosianus* ; [ɑ̃bʀozjɛ̃, jɛn].

**AMBULACRAIRE, adj.**
Qui a trait aux ambulacres. Mil. XIXe s. ; ☞ *ambulacre* ; [ɑ̃bylakʀɛʀ].

**AMBULACRE, subst. m.**
*Zool.* Chez les oursins et autres échinodermes, chacun des petits organes souples disposés entre les piquants, souv. terminés par une ventouse, qui servent à la locomotion ou à l'alimentation. 1501 ; lat. *ambulacrum*, « avenue » ; [ɑ̃bylakʀ].

**AMBULANCE, subst. f.**
**1.** Hôpital mobile qui accompagnait les troupes en campagne (vieilli). **2.** Véhicule servant au transport des malades et des blessés. 1752 ; ☞ *ambulant* ; [ɑ̃bylɑ̃s].

**AMBULANCIER, IÈRE, subst.**
Personne attachée au service d'une ambulance. 1877 ; ☞ *ambulance* ; [ɑ̃bylɑ̃sje, jɛʀ].

**AMBULANT, ANTE, adj.**
Qui se déplace pour exercer sa profession, son activité : *Musicien **ambulant*** ; empl. subst. : *Les **ambulants** d'un wagon-poste.* 1558 ; lat. *ambulans*, de *ambulare*, « circuler » ; [ɑ̃bylɑ̃, ɑ̃t].

**AMBULATOIRE, adj.**
**1.** Dont le siège n'est pas fixe, en parlant d'une assemblée (vx). **2.** *Méd.* Qui laisse au malade la possibilité d'aller et venir : *Soins **ambulatoires**.* 1497 ; lat. *ambulatorius* ; [ɑ̃bylatwaʀ].

**AMBYSTOME, subst. m.**
*Zool.* Salamandre mexicaine (amphibien urodèle) dont la larve est l'axolotl. 1871 ; gr. *amblus*, « affaibli », + *-stome* ; [ɑ̃bistom].

**ÂME, subst. f.**
**I. 1.** *Philos.* Principe immatériel de la vie, de la pensée, de la sensation, du mouvement, de la croissance et du vieillissement des êtres vivants : *L'**âme** est la forme d'un corps ayant la vie en puissance* (Aristote). ▸ Loc. *Rendre l'**âme*** : mourir. **2.** *Relig.* Principe spirituel de l'homme, d'origine divine, séparé du corps et qui lui survit après la mort : *Dieu ait son **âme** !* ▸ Loc. *Vendre son **âme** au diable* : aliéner sa liberté, une de ses qualités essentielles. **II. 1.** La personnalité de l'être humain ; en partic., sa conscience morale, son psychisme, sa sensibilité : *Il a mis toute son **âme** dans ce dessin.* ▸ Loc. *Se donner corps et **âme*** : tout entier ; *En mon **âme** et conscience* : avec ma conviction la plus intime ; *Avoir des états d'**âme*** : des scrupules (souv. péj.) ; *La mort dans l'**âme*** : contre son gré. **2.** Fig. Nature intime, particulière d'une chose : *L'**âme** d'un peuple, d'une œuvre.* **3.** Méton. Individu, être humain : *Un village de deux mille **âmes**.* ▸ Loc. *Avoir charge d'**âme*** : être matériellement ou spirituellement responsable de qqn. **III.** Partie centrale ou essentielle d'une chose. **1.** *Arm.* Partie évidée d'une bouche à feu : *L'**âme** d'un canon.* **2.** *B.-a.* Noyau d'une statue, sur lequel on applique le plâtre, la terre, etc. **3.** *Mus.* Petite pièce de bois que l'on intercale entre la table et le fond d'un instrument à cordes et qui lui communique les vibrations sonores. **4.** *Techn.* Partie centrale d'une poutre, d'un câble, d'un rail, etc. 1181 ; lat. *anima*, « souffle » ; [ɑm].

**AMÉLIORANT, ANTE, adj.**
*Agric. Plante **améliorante*** : qui rend le sol plus fertile. 1844 ; p. pr. de *améliorer* ; [ameljɔʀɑ̃, ɑ̃t].

**AMÉLIORATION, subst. f.**
Action d'améliorer ; son résultat : *Apporter des **améliorations** à un texte.* 1421 ; anc. fr. *ameillorer*, « améliorer », d'apr. le lat. *melior*, « meilleur » ; [ameljɔʀasjɔ̃].

**AMÉLIORER, verbe trans.** [3]
Rendre (qqch.) meilleur. **Pronom.** Devenir meilleur. 1507 ; anc. fr. *ameillorer*, d'apr. le lat. *melior*, « meilleur » ; [ameljɔʀe].

**AMEN, interj.**
*Relig.* Mot qui termine les prières des chrétiens et des juifs, et signifie « ainsi soit-il » ; empl. subst. masc. inv., consentement. ▸ Loc. *Dire **amen** à tout* : consentir à tout. 1138 ; lat. *amen*, de l'hébreu *'âmēn*, « assurément » ; [amɛn].

**AMÉNAGEMENT,** subst. m.
1. Action d'aménager qqch. ; son résultat. 2. *Écon.* ***Aménagement** du territoire* : organisation de l'activité économique d'une région, d'un pays. 1327 ; ☞ *aménager* ; [amenaʒmɑ̃].

**AMÉNAGER,** verbe trans. [5]
1. Installer ou équiper de manière à rendre plus commode : ***Aménager** un appartement* ; par anal. : ***Aménager** ses horaires.* 2. *Sylvic.* ***Aménager** une forêt* : réglementer et organiser ses coupes. Fin XII^e s. ; m. fr. *mesnagier*, « habiter », + *a-*¹ ; [amenaʒe].

**AMÉNAGEUR, EUSE,** subst.
1. Personne qui aménage (rare). 2. *Écon.* Spécialiste de l'aménagement du territoire. 1906 ; ☞ *aménager* ; [amenaʒœʀ, øz].

**AMÉNAGISTE,** subst.
*Sylvic.* Personne chargée d'aménager une forêt. 1876 ; ☞ *aménager* ; [amenaʒist].

**AMENDABLE,** adj.
1. Vx. et Helv. Qui est passible d'une amende. 2. Qui est améliorable par amendement. 1369 ; ☞ *amender* (I) et (II) ; [amɑ̃dabl].

**AMENDE,** subst. f.
1. *Hist.* ***Amende** honorable* : peine qui consistait à avouer publiquement sa faute, son crime. ▸ Loc. *Faire **amende** honorable* : reconnaître ses torts. 2. *Dr.* Pénalité pécuniaire infligée à l'auteur d'une infraction : *Encourir une **amende**.* ▸ Loc. *Mettre qqn à l'**amende*** : lui infliger une punition légère. Fin XII^e s. ; ☞ *amender* (I) ; [amɑ̃d].

**AMENDEMENT (I),** subst. m.
1. Vx. Fait de s'amender, de se corriger. 2. *Agric.* Amélioration apportée au sol ; par méton., substance améliorante. 1174 ; ☞ *amender* (I) ; [amɑ̃dmɑ̃].

**AMENDEMENT (II),** subst. m.
*Pol.* Modification d'un projet ou d'une proposition de loi au cours d'un débat parlementaire. 1778 ; angl. *amendment*, de *amendement* (I) ; [amɑ̃dmɑ̃].

**AMENDER (I),** verbe trans. [3]
1. Réformer, corriger ; empl. pronom. : *Il parviendra à s'**amender**.* 2. *Agric.* Rendre plus fertile (un sol). XII^e s. ; lat. *emendare* ; [amɑ̃de].

**AMENDER (II),** verbe trans. [3]
*Pol.* Modifier par amendement (un projet de loi). 1784 ; angl. *to amend*, de *amender* (I) ; [amɑ̃de].

**AMÈNE,** adj.
Agréable, avenant (littér.) : *Un sourire, des paroles **amènes**.* XIII^e s. ; lat. *amoenus* ; [amɛn].

**AMENÉE,** subst. f.
*Techn.* 1. Action d'amener de l'eau : *Canal d'**amenée**.* 2. Dispositif d'adduction d'un fluide : *Une **amenée** de gaz.* XIII^e s. ; p. p. de *amener* ; [am(ə)ne].

**AMENER,** verbe trans. [10]
1. Mener (qqn) en un lieu, auprès de qqn ; faire venir : ***Amener** son enfant chez le pédiatre* ; *Quel heureux sort en ce lieu vous **amène** ?* ; *Tu peux **amener** tes amis.* ▸ *Dr. Mandat d'**amener*** : ordre par lequel le juge fait comparaître qqn. 2. Acheminer (qqch.) vers : ***Amener** sa voiture au garage* ; par ext., apporter (empl. critiqué) : ***Amène** ton livre !* 3. Fig. Inciter, pousser : ***Amener** qqn à négocier.* 4. Introduire comme une suite logique : ***Amener** la conversation sur un sujet d'histoire* ; empl. adj. : *Un accord bien **amené**.* ▸ Occasionner, entraîner : *Ce temps n'**amène** rien de bon.* 5. *Mar.* Abaisser : ***Amener** les voiles, les couleurs.* PRONOM. Venir (fam.). Fin XI^e s. ; ☞ *mener* + *a-*¹ ; [am(ə)ne].

**AMÉNITÉ,** subst. f.
1. Douceur, agrément d'un site (littér.). 2. Charme fait de douceur, d'amabilité. PLUR. Paroles blessantes, acerbes (iron.) : *Échanger des **aménités**.* 1358 ; lat. *amoenitas* ; [amenite].

**AMÉNORRHÉE,** subst. f.
*Pathol.* Absence de flux menstruel chez une femme en âge d'être réglée. 1795 ; gr. *mên*, « mois », + *a-*² et *-rrhée* ; [amenɔʀe].

**AMENUISEMENT,** subst. m.
Action d'amenuiser, fait de s'amenuiser ; état qui en résulte. Déb. XIII^e s. ; ☞ *amenuiser* ; [amənɥizmɑ̃].

**AMENUISER,** verbe trans. [3]
1. Rendre plus menu, plus mince : ***Amenuiser** une planche.* 2. Fig. Réduire l'importance de. PRONOM. 1. S'amincir. 2. Fig. Décroître : *Ses forces s'**amenuisent**.* Déb. XII^e s. ; anc. fr. *menusier*, « diminuer », + *a-*¹ ; [amənɥize].

**AMER (I), AMÈRE,** adj. et subst. m.
ADJ. 1. Qui a une saveur non sucrée, âpre : *Des oranges **amères**.* 2. Fig. Qui inspire ou manifeste de l'amertume, de la rancœur : *Un souvenir **amer*** ; *Une ironie **amère**.* SUBST. 1. Liqueur obtenue par infusion de plantes ou d'écorces **amères**. 2. Bile de certains animaux. Mil. XII^e s. ; lat. *amarus* ; [amɛʀ].

**AMER (II),** subst. m.
*Mar.* Repère côtier (clocher, bâtiment...), servant à la navigation. 1683 ; norm. *merc*, du néerl. *merk*, « limite » ; [amɛʀ].

**AMÈREMENT,** adv.
D'une manière amère ; avec tristesse et déchirement. X^e s. ; ☞ *amer* (I) ; [amɛʀmɑ̃].

**AMÉRICAIN, AINE,** adj. et subst.
1. D'Amérique : *Le continent **américain*** ; *Les Chiliens sont des **Américains**.* 2. Des États-Unis d'Amérique : *Le gouvernement **américain** siège à Washington.* ADJ. 1. Belg. *Filet **américain*** ou, par ell., *Un **américain*** : steak tartare. 2. *Spéc.* ▸ *Cin. Nuit **américaine*** : technique d'éclairage permettant de tourner en plein jour une scène nocturne. ▸ *Cuis. Homard à l'**américaine*** : avec une sauce à base de tomates, de condiments, de vin blanc et de cognac. ▸ *Music-hall. Vedette **américaine*** : artiste qui se produit sur scène avant la vedette principale. SUBST. MASC. Langue anglaise telle qu'elle est parlée aux États-Unis. 1576 ; topon. *Amérique* ; [ameʀikɛ̃, ɛn].

**AMÉRICANISATION,** subst. f.
Action d'américaniser, fait de s'américaniser ; son résultat : *L'**américanisation** des mœurs, de la langue anglaise.* 1867 ; ☞ *américaniser* ; [ameʀikanizasjɔ̃].

**AMÉRICANISER,** verbe trans. [3]
Conférer le caractère américain à. PRONOM. Adopter le comportement des Américains du Nord, en imiter le mode de vie. 1855 ; ☞ *américain* ; [ameʀikanize].

**AMÉRICANISME,** subst. m.
1. Engouement pour les mœurs, la culture, la politique des États-Unis. 2. *Ling.* Mot, forme linguistique propre au parler anglais des États-Unis ; emprunt fait à cette langue : *« Je réalise », au sens de « Je comprends », est un **américanisme**.* 3. Ensemble des études portant sur l'ethnologie, l'histoire, les langues du continent américain. 1866 ; angl. *americanism* ; [ameʀikanism].

**AMÉRICANISTE,** adj. et subst.
ADJ. Relatif à l'américanisme. SUBST. Spécialiste des études portant sur le continent américain. 1866 ; ☞ *américain* ; [ameʀikanist].

**AMÉRICIUM,** subst. m.
*Chim.* Élément transuranien n° 95 de la table de Mendeleiev (symb. : Am) ; masse atomique : 243 ; point de fusion : 994 °C ; point d'ébullition : 2 607 °C ; masse volumique : 13,7 g/cm³. C'est un élément instable, émetteur de particules alpha. 1953 ; angl. *americium*, du topon. *America*, « Amérique » ; [ameʀisjɔm].

**AMÉRINDIEN, IENNE,** adj. et subst.
Qualifie ou désigne les Indiens d'Amérique. ADJ. Relatif aux **Amérindiens**. 1930 ; anglo-amér. *amerindian* ; [ameʀɛ̃djɛ̃, jɛn].

**AMERLOQUE,** subst.
Américain des États-Unis (pop. et gén. péj.). 1945 ; altér. de *Américain* ; [amɛʀlɔk].

**AMERRIR,** verbe intrans. [19]
Se poser sur la mer, sur un plan d'eau, en parlant d'un hydravion, d'un vaisseau spatial. 1912 ; ☞ *mer* + *a-*¹ ; [ameʀiʀ].

**AMERRISSAGE,** subst. m.
Action d'amerrir. 1912 ; ☞ *amerrir* ; [ameʀisaʒ].

**AMERTUME,** subst. f.
1. Saveur amère : *L'**amertume** des endives.* 2. Fig. Sentiment de tristesse mêlée de rancœur, qui accompagne une déception, une désillusion. 1165 ; lat. *amaritudo* ; [amɛʀtym].

**AMÉTHYSTE,** subst. f.
*Minér.* Pierre fine, variété de quartz, de couleur violette. Fin XI^e s. ; lat. *amethystus*, du gr. *amethustos* ; [ametist].

**AMÉTROPE,** adj.
Qui souffre d'amétropie. 1865 ; gr. *ametros*, « sans mesure », + *-ope* ; [ametʀɔp].

**AMÉTROPIE,** subst. f.
*Pathol.* Trouble de la vision dû à une mauvaise mise au point de l'image sur la rétine : *L'hypermétropie, la myopie et l'astigmatisme sont des **amétropies**.* 1865 ; ☞ *amétrope* ; [ametʀɔpi].

**AMEUBLEMENT,** subst. m.
1. Action de meubler une habitation (vieilli). 2. Ensemble des meubles et des objets qui garnissent une habitation, un bureau, etc. 3. Méton. Industrie et commerce de ces meubles et objets. 1585 ; *ameubler* (vx), « garnir de meubles » ; [amœbləmɑ̃].

**AMEUBLIR,** verbe trans. [19]
1. *Dr.* Transformer (des biens immeubles propres) en biens communs à deux époux, par convention expresse : ***Ameublir** un domaine.* 2. *Agric.* Rendre (la terre) meuble. 1409 ; ☞ *meuble* + *a-*¹ ; [amœbliʀ].

**AMEUBLISSEMENT,** subst. m.
Action d'ameublir ; son résultat. XVII^e s. ; ☞ *ameublir* ; [amœblismɑ̃].

**AMEUTER,** verbe trans. [3]
1. *Vén.* Regrouper (des chiens) en meute. 2. Ext. Attrouper (des individus) en suscitant, par le bruit ou par l'agitation, un mouvement de curiosité ou d'opinion. 1375 ; ☞ *meute* + *a-*¹ ; [amøte].

**AMHARIQUE,** subst. m.
*Ling.* Langue de la famille sémitique, parlée dans la plus grande partie de l'Abyssinie. C'est la langue officielle de l'Éthiopie. 1789 ; lat. sc. *amharicus*, du topon. *Amhara*, province de l'Éthiopie ; [amaʀik].

**AMI, AMIE,** subst. et adj.
SUBST. 1. Personne à laquelle on est lié par un sentiment d'amitié : *Un petit cercle d'**amis*** ; *Mon meilleur **ami**.* 2. ***Ami(e)*** ou, par euphém., ***Petit(e) ami(e)*** : personne avec qui l'on entretient une relation amoureuse. 3. Personne avec qui on partage un intérêt ou un idéal commun : *Vous pouvez parler, ce sont des **amis**.* 4. Personne qui manifeste un attachement à qqch. : *Un **ami** de la nature, des beaux-arts.* 5. *Ling. Faux **ami*** : mot présentant une similitude avec un mot d'une autre langue, mais pourvu d'un sens différent. ADJ. Favorable, amical : *Être en territoire **ami*** ; *Une main **amie**.* X^e s. ; lat. *amicus* ; [ami].

**AMIABLE,** adj.
1. Vx. Agréable, aimable. 2. *Dr.* Qui se règle sans procédure judiciaire : *Convention, accord **amiable**.*

© Brylak/Liaison-Gamma

*Amerrissage d'un hydravion. Dans ce type d'avion, le fuselage sert de coque et les roues sont remplacées par des flotteurs.*

Loc. *À l'**amiable*** : de gré à gré. Mil. XI^e s. ; bas at. *amicabilis* ; [amjabl].

**AMIANTE,** subst. m.

*Minér.* Substance minérale blanche ou bleuâtre, de tructure fibreuse, utilisée pour ses propriétés ncombustibles et isolantes, mais dont certaines tilisations se sont révélées dangereuses pour la anté. 1555 ; gr. *amiantos lithos*, « pierre incorruptible » ; [amjɑ̃t].

**AMIAULER,** verbe trans. [3]

Québ. et Région. Charmer par des propos enjôleurs. 1851 ; anc. fr. *amiaule*, « amiable » ; [amjole].

**AMIBE,** subst. f.

*Zool.* Organisme non chlorophyllien unicellulaire entre 0,02 et 0,5 mm). Les **amibes** se déplacent u moyen de pseudopodes et se nourrissent en mprisonnant leur proie par phagocytose ; elles se eproduisent d'une façon asexuée, par divisions ellulaires successives. De nombreuses **amibes** ivent dans l'eau, d'autres dans le sol, certaines arasitent le tube digestif des Mammifères, donnant eu à des amibiases. 1845 ; lat. sc. *amoeba*, du gr. *ameibein*, « changer ; alterner » ; [amib].

**AMIBIASE,** subst. f.

*Pathol.* Maladie parasitaire due à des amibes, affectant le gros intestin (dysenterie amibienne), avec parfois des complications touchant d'autres viscères. Déb. XX^e s. ; ☞ *amibien* ; [amibjaz].

**AMIBIEN, IENNE,** adj. et subst. m. plur.

**Adj.** Relatif aux amibes : *Une hépatite **amibienne**.* **Subst.** *Zool.* Ordre d'animaux unicellulaires au orps déformable ; au sing. : *Un **amibien**.* 1853 ; ☞ *amibe* ; [amibjɛ̃, jɛn].

**AMIBOÏDE,** adj.

Qui ressemble ou se rapporte aux amibes. 1865 ; ☞ *amibe* + *-oïde* ; [amibɔid].

**AMICAL, ALE, AUX,** adj. et subst. f.

**Adj. 1.** Qui témoigne ou manifeste de l'amitié : *Un accueil **amical**.* **2.** Qui réunit des amis : *Une réunion **amicale**.* **3.** *Sp. Rencontre **amicale*** : match sans enjeu. **Subst.** Association de personnes liées par un intérêt, une activité, un caractère commun : *Une **amicale** d'anciens élèves, de boulistes.* Mil. XVIII^e s. ; lat. *amicalis* ; [amikal, o].

**AMICALEMENT,** adv.

De façon amicale. 1745 ; ☞ *amical* ; [amikalmɑ̃].

**AMICT,** subst. m.

*Cath.* Linge bénit que le prêtre place sur ses épaules avant de revêtir l'aube et de dire la messe. Mil. XII^e s. ; lat. chrét. *amictus* ; [ami].

**AMIDE,** subst. m.

*Chim.* Composé organique dérivant de l'ammoniac, $NH_3$, dont la molécule contient le groupement $-CONH_2$ caractéristique de la fonction **amide**. 1845 ; ☞ *ammoniac* ; [amid].

**AMIDISME,** subst. m.

*Relig.* Dévotion au bouddha Amida (*Amitābha*, en sanskrit), issue du bouddhisme du Grand Véhicule, dont le culte est répandu en Extrême-Orient, en partic. au Japon dans les sectes de la Terre pure (*Jōdo*). 1928 ; anthropon. *Amida* ; [amidism].

**AMIDON,** subst. m.

*Biochim.* Mélange de deux polymères, l'amylose et l'amylopectine. Il constitue la réserve glucidique principale de nombreux végétaux (tubercules de pomme de terre, de manioc, grains de céréales, etc.). On l'utilise dans l'alimentation, la pharmacie (émollient), la papeterie (colle), la blanchisserie (apprêt). 1302 ; lat. médiév. *amidum*, du lat. *amylum*, du gr. *amulon* ; [amidɔ̃].

**AMIDONNAGE,** subst. m.

Action d'amidonner ; le résultat de cette action. 1877 ; ☞ *amidonner* ; [amidɔnaʒ].

**AMIDONNER,** verbe trans. [3]

Empeser, imprégner d'amidon : ***Amidonner** un col de chemise.* 1581 ; ☞ *amidon* ; [amidɔne].

**AMIDONNERIE,** subst. f.

Usine où l'on produit de l'amidon. 1789 ; ☞ *amidon* ; [amidɔnʀi].

**AMIDONNIER, IÈRE,** adj. et subst.

**Adj.** Qui concerne l'amidon. **Subst.** Personne qui traite ou vend de l'amidon. 1680 ; ☞ *amidon* ; [amidɔnje, jɛʀ].

**AMIDOPYRINE,** subst. f.

*Pharm.* Substance antipyrétique et analgésique, peu utilisée de nos jours. V. 1960 ; formé de *amide* et du gr. *pur*, « feu » ; [amidopiʀin].

**AMINCIR,** verbe trans. [19]

**1.** Rendre plus mince : ***Amincir** une planche.* **2.** Ext. Faire paraître plus mince : *Ces rayures vous **amincissent**.* **Pronom.** Devenir plus mince. XIII^e s. ; ☞ *mince* + *a-*[1] ; [amɛ̃siʀ].

**AMINCISSEMENT,** subst. m.

Action d'amincir, fait de s'amincir ; état qui en résulte. XVIII^e s. ; ☞ *amincir* ; [amɛ̃sismɑ̃].

**AMINE,** subst. f.

*Chim.* Nom générique des dérivés de l'ammoniac, $NH_3$, obtenus par substitution d'une chaîne hydrocarbonée aux atomes d'hydrogène de l'ammoniac. 1865 ; ☞ *ammoniac* ; [amin].

**A MINIMA,** loc. adj. inv.

*Dr. Appel **a minima*** : appel que le ministère public interjette lorsqu'il estime que la peine prononcée est trop faible. 1683 ; lat. jur. *a minima poena*, « de la plus petite peine » ; [aminima].

**AMINO-ACIDE,** subst. m.

*Biochim.* Nom générique des composés organiques possédant une fonction amine ($-NH_2$) et une fonction acide (synon. *acide aminé*). ▸ ***Amino-acides** constitutifs des protéines* : ensemble des 20 **amino-acides** dont l'association forme les protéines, principaux constituants de la matière vivante. V. 1920 ; ☞ *acide* + *amino-* ; plur. *amino-acides*, var. *aminoacide* ; [aminoasid].

**AMINO-ACIDURIE,** subst. f.

*Biol.* et *Pathol.* Présence d'amino-acides dans l'urine. XX^e s. ; ☞ *amino-acide* ; plur. *amino-acidu-ries*, var. *aminoacidurie* ; [aminoasidyʀi].

**AMINOGÈNE,** subst. m.

*Chim.* Nom du groupement fonctionnel $-NH_2$ caractérisant la fonction amine primaire. 1920 ; formé de *amino-* et de *-gène* ; [aminoʒɛn].

**AMINOPLASTE,** subst. m.

*Chim.* Matière plastique (résine synthétique) résultant de l'action de l'urée sur le formol. 1948 ; formé de *amino-* et de *-plaste* ; [aminɔplast].

**AMINOSIDES,** subst. m. plur.

*Pharm.* Famille d'antibiotiques bactéricides, parfois toxiques pour le rein ou l'appareil auditif. **Au sing.** *La néomycine est un **aminoside**.* XX^e s. ; ☞ *oside* + *amino-* ; [aminɔzid].

**AMIRAL, ALE, AUX,** subst. et adj.

**Subst. masc. 1.** Chef d'une flotte de guerre (vx). **2.** Officier du grade le plus élevé de la marine de guerre. **Subst. fém.** Femme d'un **amiral** (rare). **Adj.** Qualifie le navire à bord duquel se trouve l'**amiral** commandant une escadre ou, par ext., le principal navire d'une flottille. Déb. XIII^e s. (fin XI^e s., émir) ; ar. *'amīr al-'ālī*, « chef suprême » ; [amiʀal, o].

**AMIRAUTÉ,** subst. f.

**1.** Dignité, charge d'amiral. **2.** Corps des amiraux, administration supérieure de la Marine : *L'**Amirauté** britannique.* **3.** Méton. Siège de cette administration. Déb. XIV^e s. ; ☞ *amiral* ; [amiʀote].

**AMITIÉ,** subst. f.

**1.** Sentiment d'affection qui s'installe entre deux personnes et qui ne se fonde ni sur les liens de famille ni sur la passion amoureuse. **2.** Ext. Relation qui en résulte : *Le temps, qui fortifie les **amitiés**, affaiblit l'amour* (La Bruyère) ; ***Amitié** particulière*, liaison homosexuelle. **3.** Anal. Entente cordiale : *Un traité d'**amitié** entre deux nations.* **4.** Méton. Amabilité : *Faites-moi l'**amitié** de venir* ; au plur., paroles affectueuses : *Transmettez-lui mes **amitiés**.* Mil. XI^e s. ; lat. *amicitia* ; [amitje].

**AMITOSE,** subst. f.

*Biol.* Mode de division cellulaire observé chez certains organismes (champignons, algues), qui ne diffère de la mitose que parce que la double membrane nucléaire persiste durant tout le cycle (vieilli). 1889 ; ☞ *mitose* + *a-*[2] ; [amitoz].

**AMMOCÈTE,** subst. m.

*Zool.* Larve de la lamproie qui sert d'appât aux pêcheurs (synon. *lamprillon*). 1838 ; formé du gr. *ammos*, « sable », et *koitê*, « couche » ; [amɔsɛt].

**AMMONAL,** subst. m.

Explosif composé de nitrate d'ammonium et de poudre d'aluminium. 1909 ; crois. de *ammonium* et de *aluminium* ; plur. *ammonals* ; [amɔnal].

**AMMONIAC,** subst. m.

*Chim.* Le plus important des composés minéraux de l'azote, de formule $NH_3$. C'est un gaz incolore, suffocant, qui se trouve exceptionnellement dans l'atmosphère, dans le sol et dans les eaux naturelles ; il résulte alors de la décomposition anaérobie de matières organiques azotées ; empl. adj. : *Sel **ammoniac***, chlorure d'ammonium ; *Gaz **ammoniac**,* l'**ammoniac**. XIV^e s. ; lat. *sal ammoniacus*, « sel ammoniac », du gr. *ammôniakos*, « d'Ammon », par allus. au temple d'Ammon en Libye, près duquel on recueillait ce sel ; [amɔnjak].

CHIMIE – L'ammoniac est soluble dans l'eau ; sa solution s'appelle ammoniaque. Ce gaz est plus léger que l'air et il devient liquide à – 33 °C, à la pression atmosphérique. Chauffé, l'ammoniac se dissocie en azote et en hydrogène ; porté à 700 °C en présence d'oxygène ou d'air et d'un catalyseur, il donne de l'oxyde nitrique, NO, ou monoxyde d'azote. Les applications de l'ammoniac sont nombreuses : il sert à préparer l'acide nitrique, il est utilisé comme engrais sous forme de sels ammoniacaux et, liquéfié, dans les machines frigorifiques.

**AMMONIACAL, ALE, AUX,** adj.

*Chim.* Relatif à l'ammoniac ; qui en contient. ▸ *Sels **ammoniacaux*** : obtenus par réaction d'un acide avec l'ammoniac (les plus importants sont le chlorure, le nitrate, les phosphates et le carbonate d'ammonium). 1748 ; ☞ *ammoniac* ; [amɔnjakal, o].

**AMMONIAQUE,** subst. f.

*Chim.* Solution aqueuse de l'ammoniac. 1787 ; ☞ *ammoniac* ; [amɔnjak].

**AMMONIAQUÉ, ÉE,** adj.

Qui contient de l'ammoniac. 1838 ; ☞ *ammoniaque* ; [amɔnjake].

**AMMONISATION,** subst. f.

*Biol.* Processus par lequel les substances organiques azotées provenant des déjections et des cadavres sont converties en ions ammonium par les micro-organismes (champignons et bactéries) du sol. 1928 ; ☞ *ammoniac* ; [amɔnizasjɔ̃].

**AMMONITE,** subst. f.

*Paléont.* Mollusque fossile céphalopode dont la coquille, enroulée dans un plan, ressemble à une corne de bélier. Les **ammonites**, qui ont disparu en même temps que les dinosaures, caractérisent les terrains de l'ère secondaire. 1752 ; *Ammon*, dieu égyptien à tête de bélier ; [amɔnit].

*Ammonite.*

**AMMONIUM,** subst. m.

*Chim.* Groupement monovalent chargé positivement, $|NH_4|^+$, qui n'existe pas à l'état isolé et qui joue le même rôle qu'un cation métallique dans des composés comme $NH_4Cl$ (chlorure d'**ammonium**) ou $(NH_4)_2SO_4$ (sulfate d'**ammonium**). 1814 ; ☞ *ammoniaque* ; [amɔnjɔm].

**AMMONIURIE,** subst. f.

*Biol.* Élimination d'ammoniaque par les urines. 1890 ; ☞ *ammoniaque* + *-urie* ; [amɔnjyʀi].

**AMMOPHILE,** adj. et subst. f.

**Adj.** Qui vit ou se développe en terrain sablonneux. **Subst.** *Zool.* Insecte hyménoptère qui nourrit ses larves de chenilles paralysées et vit dans un terrier, dans le sable. 1829 ; lat. sc. *ammophila*, du gr. *ammos*, « sable », et *philos*, « ami » ; [amɔfil].

**AMNÉSIE,** subst. f.

Perte, temporaire ou définitive, de tout ou partie de la mémoire. 1771 ; gr. *amnêsia*, « oubli » ; [amnezi].

**AMNÉSIQUE,** adj. et subst.
Adj. Propre à l'amnésie ; qui souffre d'amnésie. Subst. Personne qui est atteinte d'amnésie. 1897 ; ☞ *amnésie* ; [amnezik].

**AMNIOCENTÈSE,** subst. f.
*Méd.* Prélèvement de liquide amniotique par ponction, pour détecter d'éventuelles anomalies du fœtus. V. 1970 ; ☞ *amnios* + *-centèse* ; [amnjosɛ̃tɛz].

**AMNIOS,** subst. m.
*Anat.* et *Zool.* La plus interne des trois membranes embryonnaires de la cavité amniotique, qui contient le fœtus chez les vertébrés amniotes. 1541 ; gr. *amnion* ; [amnjos].

**AMNIOSCOPIE,** subst. f.
*Méd.* Examen du liquide amniotique par transillumination des membranes au pôle inférieur de l'œuf. V. 1960 ; ☞ *amnios* + *-scopie* ; [amnjɔskɔpi].

**AMNIOTES,** subst. m. plur.
*Zool.* Groupe de vertébrés possédant trois annexes embryonnaires, dont l'amnios et l'allantoïde, qui le caractérisent ; empl. adj. : *Les Reptiles, les Oiseaux et les Mammifères sont* ***amniotes.*** Au sing. *L'homme est un* ***amniote.*** 1893 ; ☞ *amnios* ; [amnjɔt].

**AMNIOTIQUE,** adj.
Qui se rapporte à l'amnios : *Liquide* ***amniotique.*** 1814 ; ☞ *amnios* ; [amnjɔtik].

**AMNISTIABLE,** adj.
Qui peut être amnistié : *Délit* ***amnistiable.*** 1866 ; ☞ *amnistier* ; [amnistjabl].

**AMNISTIANT, ANTE,** adj.
Qui entraîne l'amnistie : *Une grâce* ***amnistiante.*** 1879 ; p. pr. de *amnistier* ; [amnistjɑ̃, ɑ̃t].

**AMNISTIE,** subst. f.
*Dr.* Loi qui prescrit l'oubli d'une catégorie d'infractions et qui en annule les conséquences pénales. 1546 ; gr. *amnêstia,* « oubli, pardon » ; [amnisti].

**AMNISTIER,** verbe trans. [6]
**1.** Faire bénéficier (qqn) d'une amnistie ; empl. adj. : *Libération des prisonniers* ***amnistiés*** ; empl. subst. : *Les* ***amnistiés*** *de la Commune.* **2.** Effacer (une infraction) par amnistie. 1795 ; ☞ *amnistie* ; [amnistje].

**AMOCHER,** verbe trans. [3]
Fam. **1.** Donner des coups à, défigurer (qqn) : ***Amocher*** *son voisin.* **2.** Abîmer, détériorer (qqch.). 1867 ; ☞ *moche* + *a-*[1] ; [amɔʃe].

**AMODIATAIRE,** subst.
*Dr.* Personne qui prend à ferme une terre ou qui exploite une mine par un contrat d'amodiation. 1513 ; ☞ *amodiateur* ; [amɔdjatɛʀ].

**AMODIATEUR, TRICE,** subst.
*Dr.* Personne qui amodie une terre ou une mine. 1381 ; ☞ *amodier* ; [amɔdjatœʀ, tʀis].

**AMODIATION,** subst. f.
*Dr.* **1.** Concession, bail à ferme d'un bien rural ou foncier moyennant une redevance. **2.** Convention entre le concessionnaire d'une mine et un tiers qui va l'exploiter moyennant une redevance. 1564 ; lat. médiév. *admodiatio* ; [amɔdjasjɔ̃].

**AMODIER,** verbe trans. [6]
*Dr.* Donner à ferme (un bien foncier ou minier) par un contrat d'amodiation. 1283 ; lat. médiév. *admodiare* ; [amɔdje].

**AMOINDRIR,** verbe trans. [19]
**1.** Rendre moindre, diminuer la valeur, l'importance de (qqch.). **2.** Affaiblir ; diminuer les forces de (qqn). Pronom. **1.** Devenir moindre. **2.** S'affaiblir. Fin XIIe s. ; ☞ *moindre* + *a-*[1] ; [amwɛ̃dʀiʀ].

**AMOINDRISSEMENT,** subst. m.
Action d'amoindrir, fait de s'amoindrir ; état qui en résulte. Fin XIIe s. ; ☞ *amoindrir* ; [amwɛ̃dʀismɑ̃].

**AMOK,** subst. m.
**1.** Crise de folie homicide, réputée particulière aux Malais. **2.** Individu en proie à une telle crise. 1832 ; angl. *amock,* du malais *âmuk,* « furie » ; [amɔk].

**AMOLLIR,** verbe trans. [19]
**1.** Rendre mou, malléable. **2.** Fig. Rendre faible : ***Amollir*** *la volonté, le courage.* Pronom. **1.** Devenir mou, plus tendre. **2.** Fig. S'affaiblir. Fin XIIe s. ; anc. fr. *mol,* « mou », + *a-*[1] ; [amɔliʀ].

**AMOLLISSANT, ANTE,** adj.
Qui amollit : *Un confort* ***amollissant.*** 1425 ; p. pr. de *amollir* ; [amɔlisɑ̃, ɑ̃t].

**AMOLLISSEMENT,** subst. m.
Action d'amollir, fait de s'amollir ; son résultat. 1549 ; ☞ *amollir* ; [amɔlismɑ̃].

**AMOME,** subst. m.
*Bot.* Plante herbacée de la famille des Zingibéracées, dont certaines espèces donnent des matières colorantes et des condiments : *Le gingembre et la cardamome sont des* ***amomes.*** 1213 ; lat. *amomum,* du gr. *amômon* ; [amɔm].

**AMONCELER,** verbe trans. [12]
**1.** Réunir en monceau, en tas. **2.** Fig. Accumuler. Pronom. **1.** Former un tas, s'amasser : *Les nuages* ***s'amoncellent*** *dans le ciel.* **2.** Fig. S'accumuler : *Des factures qui* ***s'amoncellent.*** 1125 ; anc. fr. *moncel,* « monceau », + *a-*[1] ; [amɔ̃sle].

**AMONCELLEMENT,** subst. m.
Action d'amonceler, fait de s'amonceler ; accumulation, amas. Fin XIIe s. ; ☞ *amonceler* ; [amɔ̃sɛlmɑ̃].

**AMONT,** subst. m.
**1.** Partie d'un cours d'eau située entre sa source et un point donné (anton. *aval*) ; empl. adj. inv., situé plus haut sur une pente : *Skieur, ski* ***amont.*** ▸ Loc. prép. **En amont de.** Plus près de la source par rapport à un point donné du cours : *Lyon est en* ***amont*** *de Valence, sur le Rhône.* **2.** Fig. **D'amont, en amont.** Qui intervient au début d'un processus : *Disloquer une filière en* ***amont*** ; *Produit* ***d'amont.*** Déb. XIIe s. ; formé de *à* et de *mont* ; [amɔ̃].

**AMORAL, ALE, AUX,** adj.
**1.** Exempt de toute considération morale : *Une œuvre* ***amorale.*** **2.** Qui, par nature, ignore les règles de la morale : *Un être dur, pas immoral, mais* ***amoral*** (Camus). 1885 ; ☞ *moral* + *a-*[2] ; [amɔʀal, o].

**AMORALISME,** subst. m.
**1.** *Philos.* Doctrine qui nie les lois de la morale – qui obligent et qui sanctionnent – au profit des lois de la nature. **2.** Absence de sens moral. 1905 ; ☞ *amoral* ; [amɔʀalism].

**AMORALITÉ,** subst. f.
Caractère de ce qui est amoral. 1885 ; ☞ *amoral* ; [amɔʀalite].

**AMORÇAGE,** subst. m.
**1.** Action d'amorcer. **2.** *Électr.* Phase qui précède l'établissement d'un régime de courant permanent dans un circuit. 1838 ; ☞ *amorcer* ; [amɔʀsaʒ].

**AMORCE,** subst. f.
**I. 1.** *Pêche.* Appât. ▸ Ext. Substance jetée dans l'eau ou autour d'un piège pour attirer le poisson ou le gibier. **2.** Fig. Ce qui attire (vx) : *Se laisser prendre à l'****amorce*** *des voluptés* (Corneille). **II. 1.** Élément qui commande un processus. ▸ Poudre détonante destinée à enflammer une charge ; capsule, gén. chargée de fulminate, qui détone sous une pression : *Un pistolet à* ***amorces.*** ▸ *Audiov.* Partie de film ou de ruban magnétique coloré destinée à mettre en place le dispositif. **2.** Méton. Phase initiale d'une réalisation : *L'****amorce*** *d'une rue* ; par ext., ébauche, commencement : *L'****amorce*** *des négociations.* Fin XIIIe s. ; anc. fr. *amordre,* « mordre » ; [amɔʀs].

**AMORCER,** verbe trans. [4]
**I. 1.** *Pêche.* Garnir (un hameçon) d'un appât. ▸ Ext. Attirer (le poisson, le gibier) en jetant une amorce. **2.** Fig. Attirer, séduire (vx). **II. 1.** Garnir d'une amorce (une charge, une arme). **2.** Anal. Effectuer l'opération nécessaire à la mise en route de (un appareil, un mécanisme) : ***Amorcer*** *une pompe.* **3.** Fig. Entreprendre la réalisation de (un ouvrage) ; par ext., ébaucher : ***Amorcer*** *un virage, un geste* ; ***Amorcer*** *une conversation.* XIVe s. ; ☞ *amorce* ; [amɔʀse].

**AMORÇOIR,** subst. m.
**1.** Vx. Petit instrument servant à amorcer les fusils à piston. **2.** *Pêche.* Ustensile servant à placer l'amorce dans l'eau. 1584 ; ☞ *amorcer* ; [amɔʀswaʀ].

**AMOROSO,** adv.
*Mus.* En mettant de la tendresse dans l'interprétation de la mélodie et de la lenteur dans le mouvement. 1768 ; ital. *amoroso,* « amoureux » ; [amɔʀozo].

**AMORPHE,** adj.
**1.** *Minér.* Qui n'a pas de structure cristalline, c.-à-d. dont les atomes, les ions ou les molécules ne sont pas rangés géométriquement : *Le verre est une substance* ***amorphe.*** **2.** Anal. Qui a une personnalité inconsistante ; apathique, mou. 1784 ; gr. *amorphos,* « sans forme » ; [amɔʀf].

**AMORTI, IE,** adj. et subst.
Adj. Affaibli, atténué. Subst. masc. *Sp.* Manière d'immobiliser ou de freiner adroitement une balle, un ballon : *Rater son* ***amorti.*** Subst. fém. Balle de tennis **amortie.** V. 1960 ; p. p. de *amortir* ; [amɔʀti].

**AMORTIR,** verbe trans. [19]
**1.** Rendre plus faible, atténuer l'effet de : *Le tem[…]* ***amortit*** *la vivacité des couleurs* ; ***Amortir*** *un cho[…]* **2.** Fig. Rendre moins vif, apaiser. **3.** *Fin.* ▸ Rem[…]bourser (une dette, un emprunt). ▸ Reconstituer [le] capital dépensé pour acheter un bien) par l'exploi[…]tation de ce dernier : ***Amortir*** *l'achat d'un immeub[…]* ou, par méton., ***Amortir*** *un immeuble.* Pronom. D[e]venir plus faible. Fin XIII[e] s. (fin XII[e] s., mourir) ; l[a]t. *admortire* ; [amɔʀtiʀ].

**AMORTISSABLE,** adj.
*Fin.* Que l'on peut amortir : *Une dette* ***amortissab[le]*** *en douze mois.* 1465 ; ☞ *amortir* ; [amɔʀtisab[…]

**AMORTISSEMENT,** subst. m.
**1.** Action d'amortir ; fait de s'amortir. **2.** *Archit.* O[r]nement placé au faîte d'un édifice pour en adouc[ir] les lignes. **3.** *Fin.* ▸ Extinction d'un crédit, d'u[ne] dette par remboursements périodiques. ▸ Enregi[s]trement comptable de la dépréciation financiè[re] d'un élément de l'actif. **4.** *Phys.* ***Amortissement*** *d'u[n] système oscillant* : diminution de la fréquence et [de] l'amplitude des oscillations due aux pertes d'énerg[ie] du système. 1263 ; ☞ *amortir* ; [amɔʀtismɑ̃].

**AMORTISSEUR, EUSE,** subst. m. et ad[j.]
Subst. Dispositif destiné à affaiblir les effets d'u[n] choc, d'un son, d'une oscillation : ***Amortisseurs*** *[…] suspension d'une voiture* ; ***Amortisseur*** *de parachut[e] d'atterrissage, de roulis.* Adj. Qui amortit, affaibli[t]. 1269 ; ☞ *amortir* ; [amɔʀtisœʀ, øz].

**AMOUR,** subst. m.
**I. 1.** Sentiment intense d'attachement affect[if] éprouvé pour qqn : ***Amour*** *filial, maternel* ; *Trait[er] qqn avec* ***amour*** ; *L'****amour*** *d'autrui,* qui porte à [l]e vouloir du bien ; *L'****amour*** *divin,* lien unissa[nt] l'homme à Dieu. **2.** Attirance affective et physiqu[e] unissant deux personnes ; liaison : *Vivre une histoi[re] d'****amour*** ; *Chagrin d'****amour*** ; empl. fém. plur. : *[L]e vert paradis des* ***amours*** *enfantines* (Baudelaire[)] ▸ Relations sexuelles : *Faire l'****amour*** *avec qqn* ; *[L]a saison des* ***amours,*** chez les animaux. **3.** Méto[n.] Personne aimée : *À ce soir, mon* ***amour*** ; par affaibli[s]sement : *Merci pour ton aide, tu es un* ***amour.*** **4.** *B.-[A.]* Représentation allégorique de l'**amour** ; cupidon *Peindre des* ***amours*** *joufflus.* **II. 1.** Attachemen[t] désintéressé à des valeurs, à des idéaux éthique[s,] politiques, religieux : *L'****amour*** *de la vérité* ; *L'****amou[r]*** *de la patrie* ; *L'****amour*** *du genre humain.* **2.** Goû[t] passionné, enthousiasme pour qqch. : *L'****amour*** *du je[u,] des chevaux* ; *Faire un travail avec* ***amour,*** avec zèl[e,] avec soin. **3.** Loc. **Un amour de.** Désigne ce qu[i] suscite l'enthousiasme (fam.) : *Un* ***amour*** *de voitur[e].* **III.** *Spéc.* **1.** *Bot.* ***Amour*** *en cage* : alkékenge. **2.** *Mu[s.]* *Viole d'****amour*** : instrument à sept cordes, de la famil[le] des violons. **3.** *Zool.* ***Amour*** *blanc* : poisson cyprini[dé] originaire de Chine, implanté dans les cours d'ea[u] d'Europe. 842 ; lat. *amor* ; fém. au plur. dans le sty[le] littér., au sens de « passion » ; [amuʀ].

*Amours,* sculptu[re] dans le pa[rc] du châte[au] de Versaille[s]

© J.-L. Bohin-Explorer

**AMOURACHER (S'),** verbe pronom. [3]
**S'amouracher de.** Se prendre d'une passion sou[…]daine et fugace pour (qqn) : ***S'amouracher*** *d'une mid[i]nette.* 1530 ; ital. *amoraccio,* « passion » ; [amuʀaʃe].

**AMOURETTE (I),** subst. f.
Liaison amoureuse passagère de peu d'importanc[e]. Fin XII[e] s. ; ☞ *amour* ; [amuʀɛt].

**AMOURETTE (II),** subst. f.
*Bot.* Arbre de la famille des Mimosacées : *Bo[is] d'****amourette,*** utilisé en marqueterie. 1531 ; m. f[r.] *amarouste,* du lat. médiév. *amarusta* ; [amuʀɛt].

**AMOURETTES,** subst. f. plur.
*Cuis.* Garniture à base de moelle épinière de bœu[f,] de mouton ou de veau. 1771 ; prob. anc. pro[v.] *amoretas,* « testicules du coq » ; [amuʀɛt].

**AMOUREUSEMENT,** adv.
1. Avec amour, tendrement. 2. Avec un soin atten-if. Fin XIIIe s. ; ☞ *amoureux* ; [amuʀøzmɑ̃].

**AMOUREUX, EUSE,** adj. et subst.
ADJ. 1. Qui éprouve de l'amour pour qqn, qui est épris : *Tomber, être* ***amoureux***. 2. Qui nourrit une passion pour qqch. : *Un peuple* ***amoureux*** *de la liberté.* 3. Qui exprime l'amour ; qui relève de l'amour (gén. physique) : *Regard* ***amoureux*** ; *Expériences* ***amoureuses***. SUBST. 1. Personne **amoureuse** d'une autre : *Un couple d'****amoureux*** ; au masc., dans le théâtre classique, celui qui aime une femme sans en être aimé. 2. Personne animée d'une passion pour qqch. : *Les* ***amoureux*** *de la musique baroque.* Mil. XIIe s. ; lat. pop. °*amorosus* ; [amuʀø, øz].

**AMOUR-PROPRE,** subst. m.
1. Vx. Attachement exclusif à sa propre personne. 2. Sentiment de dignité personnelle qui pousse à s'imposer à l'estime d'autrui : *Blessure d'****amour-propre*** ; *Manquer d'****amour-propre***. 1613 ; comp. de *amour* et de *propre* ; plur. *amours-propres* ; [amuʀpʀɔpʀ].

**AMOVIBILITÉ,** subst. f.
Caractère d'une personne, d'une chose amovible. 1748 ; ☞ *amovible* ; [amɔvibilite].

**AMOVIBLE,** adj.
1. Qui peut être révoqué d'un poste, déplacé, destitué : *Des fonctionnaires* ***amovibles*** ; par méton. : *Emploi* ***amovible***, dont le titulaire est **amovible**. 2. Qui peut être aisément retiré, enlevé : *Une doublure, une cloison* ***amovible***. Fin XVIIe s. ; lat. *amovere*, « détourner, écarter » ; [amɔvibl].

**AMPÉLIDACÉES,** subst. f. plur.
Vitacées. XIXe s. ; gr. *ampelos*, « vigne » ; [ɑ̃pelidase].

**AMPÉLOPSIS,** subst. m.
*Bot.* Vigne vierge. 1803 ; lat. sc. *ampelopsis*, du gr. *ampelos*, « vigne », et *opsis*, « apparence » ; [ɑ̃pelɔpsis].

**AMPÉRAGE,** subst. m.
Intensité d'un courant électrique (empl. critiqué). 1905 ; ☞ *ampère* ; [ɑ̃peʀaʒ].

**AMPÈRE,** subst. m.
*Phys.* Unité d'intensité de courant électrique (symb. : A), l'une des sept unités de base du système international. Multiple et sous-multiple les plus courants : le kiloampère ($10^3$ A) et le milliampère ($10^{-3}$ A). 1865 ; anthropon. *A. M. Ampère* ; [ɑ̃pɛʀ].

**AMPÈRE-HEURE,** subst. m.
*Phys.* Quantité d'électricité transportée en une heure par un courant de 1 ampère (symb. : Ah) ; 1 ampère-heure = 3 600 coulombs. 1890 ; comp. de *ampère* et de *heure* ; plur. *ampères-heures* ; [ɑ̃pɛʀœʀ].

**AMPÈREMÈTRE,** subst. m.
*Phys.* Appareil qui mesure l'intensité d'un courant électrique. 1883 ; ☞ *ampère* + *-mètre*[1] ; [ɑ̃pɛʀmɛtʀ].

**AMPHÉTAMINE,** subst. f.
*Pharm.* Médicament excitant du système nerveux central. Mil. XXe s. ; angl. *amphetamine* ; [ɑ̃fetamin].

**AMPHIBIE,** adj.
1. Qualifie un animal ou une plante qui peut vivre sur terre et dans l'eau ; empl. subst. masc. : *L'éléphant de mer est un* ***amphibie***. 2. Qui est conçu pour être utilisé sur terre ou dans l'eau : *Voiture* ***amphibie***. 3. *Milit. Opération* ***amphibie*** : menée par les forces terrestres et navales. 1553 ; gr. *amphibios*, « qui vit dans deux éléments » ; [ɑ̃fibi].

**AMPHIBIENS,** subst. m. plur.
*Zool.* Une des sept classes de l'embranchement des Vertébrés. Leur développement comporte le plus souvent un stade larvaire aquatique, au cours duquel la respiration est assurée par les branchies ; la plupart des **Amphibiens** les perdent à la métamorphose et passent alors à un mode de respiration pulmonaire, d'où leur nom. AU SING. *La grenouille est un* ***amphibien***. 1822 ; ☞ *amphibie* ; [ɑ̃fibjɛ̃].
ZOOLOGIE – Les premiers Amphibiens sont apparus à l'ère primaire, au Dévonien, à partir de l'évolution de certains groupes de poissons. Ils ont été les premiers vertébrés adaptés à la vie terrestre (c'est avec eux qu'a eu lieu la fameuse « sortie des eaux »). Les Amphibiens actuels sont répartis en deux superordres : les Anoures (crapauds et grenouilles) et les Urodèles (salamandres et tritons). Les Amphibiens sont en général ovipares ; leurs larves (têtards, dans le cas des Anoures) subissent une série de transformations (les métamorphoses) qui les conduisent à l'état adulte.

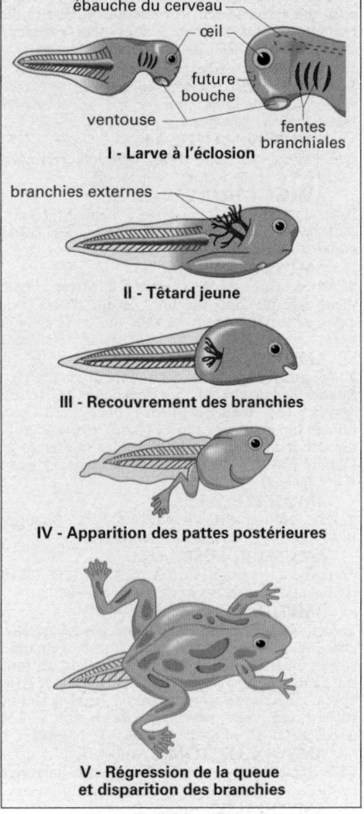


*De la larve à l'****amphibien*** *adulte.*

**AMPHIBOLE,** adj. et subst. f. plur.
ADJ. *Pathol. Stade* ***amphibole*** : intermédiaire entre le stade d'état et la défervescence, dans une maladie à fièvre. SUBST. *Minér.* Grande famille de minéraux des roches éruptives et métamorphiques, silicates de fer, de magnésium et d'aluminium hydratés, souv. de couleur sombre ; au sing. : *L'amiante, comme le jade, est une* ***amphibole***. 1611 ; gr. *amphibolos*, « équivoque » ; [ɑ̃fibɔl].

**AMPHIBOLITE,** subst. f.
*Pétrogr.* Roche métamorphique (schiste cristallin) riche en amphiboles, qui peut comporter un feldspath basique et un mica. 1815 ; ☞ *amphibole* ; [ɑ̃fibɔlit].

**AMPHIBOLOGIE,** subst. f.
*Rhét.* Construction de phrase donnant lieu à deux interprétations différentes ; double sens. 1546 ; lat. *amphibologia*, du gr. *amphibolos*, « équivoque », et *logos*, « parole » ; [ɑ̃fibɔlɔʒi].

**AMPHIBOLOGIQUE,** adj.
Qui présente une amphibologie. Fin XIVe s. ; lat. médiév. *amphibologicus* ; [ɑ̃fibɔlɔʒik].

**AMPHICTYON,** subst. m.
Représentant d'une cité ou d'un peuple dans une amphictyonie. XVIe s. ; gr. *amphiktuon* ; [ɑ̃fiktjɔ̃].

**AMPHICTYONIE,** subst. f.
*Antiq.* En Grèce, confédération religieuse ou politique qui siégeait autour d'un sanctuaire. 1762 ; gr. *amphiktuonia* ; [ɑ̃fiktjɔni].

**AMPHIGOURI,** subst. m.
1. Discours ou écrit burlesque, volontairement obscurci. 2. Ext. Propos ou écrit maladroit, confus et incompréhensible. 1738 ; p.-ê. gr. *amphi*, « autour », et *agoreuein*, « parler en public » ; [ɑ̃figuʀi].

**AMPHIGOURIQUE,** adj.
Qui a le caractère obscur de l'amphigouri : *Style* ***amphigourique***. 1748 ; ☞ *amphigouri* ; [ɑ̃figuʀik].

**AMPHIMIXIE,** subst. f.
*Biol.* Stade de la fécondation consistant en la fusion des gamètes mâle et femelle. Ainsi se forme le noyau, à *2n* chromosomes, du zygote, ou œuf fécondé. 1905 ; gr. *mixis*, « mélange », + *amphi-* ; [ɑ̃fimiksi].

**AMPHINEURES,** subst. m. plur.
*Zool.* Terme utilisé pour désigner conjointement des mollusques, sans yeux ni tentacules, les Aglacophores et les Polyplacophores. AU SING. *Le chiton est un* ***amphineure***. 1898 ; gr. *neura*, « nerf », + *amphi-* ; [ɑ̃finœʀ].

**AMPHIOXUS,** subst. m.
*Zool.* Petit animal marin du groupe des Chordés, qui vit caché dans le sable, se nourrissant d'algues et de petits animaux transportés par les courants d'eau qu'il produit en faisant frémir les cils de ses branchies. 1845 ; gr. *oxus*, « pointu », + *amphi-* ; [ɑ̃fjɔksys].

**AMPHIPODES,** subst. m. plur.
*Zool.* Ordre de crustacés supérieurs (Malacostracés) dépourvus de carapace et au corps aplati latéralement. AU SING. *Le talitre, ou puce de mer, est un* ***amphipode***. Déb. XIXe s. ; lat. sc. *amphipoda*, du gr. *amphi*, « double », et *pous*, « pied » ; [ɑ̃fipɔd].

**AMPHISBÈNE,** subst. m.
*Zool.* Reptile des régions chaudes, de la famille des Amphisbénidés, qui a l'aspect d'un serpent et dont la queue est aussi grosse que la tête. Les Anciens lui attribuaient la propriété de se déplacer aussi bien en arrière qu'en avant. Déb. XIIIe s. ; lat. *amphisbaena*, du gr. *amphisbaina*, « qui marche dans les deux sens » ; [ɑ̃fisbɛn].

**AMPHITHÉÂTRE,** subst. m.
1. *Antiq.* Chez les Romains, grand bâtiment de forme ronde ou ovale, garni de gradins, qui encercle une arène destinée aux spectacles : *L'****amphithéâtre*** *de Vespasien, ou Colisée, à Rome.* 2. Étage supérieur à gradins d'un théâtre. 3. Salle de cours à gradins, dans une université (abrév. fam. : amphi). 4. *Géol.* ***Amphithéâtre*** *morainique* : ensemble de moraines disposées en arc de cercle autour de l'extrémité d'une langue glaciaire. 1213 ; lat. *amphitheatrum*, du gr. *amphitheatron* ; [ɑ̃fiteatʀ].

**AMPHITRYON,** subst. m.
Hôte qui offre à dîner (littér.). 1752 ; anthropon. gr. *Amphitruôn* ; [ɑ̃fitʀijɔ̃].

**AMPHOLYTE,** subst. m.
*Biochim.* Substance ou espèce chimique (molécule ou ion) qui possède à la fois les caractères d'acide et de base, c.-à-d. qui, placée en milieu basique, se comporte comme un acide (capteur d'ions hydroxydes $OH^-$) et qui, placée dans un milieu acide, se comporte comme une base. 1920 ; gr. *lutos*, « qui peut être dissocié », + *ampho-* ; [ɑ̃fɔlit].

**AMPHORE,** subst. f.
*Antiq.* Vase en terre cuite à deux anses et à pied étroit, servant à transporter ou à conserver des grains ou des liquides. 1518 ; gr. *amphoreus* ; [ɑ̃fɔʀ].

**AMPHOTÈRE,** adj.
*Chim.* Caractérise une espèce chimique (molécule ou ion) qui peut se comporter à la fois comme un acide et comme une base. 1866 ; gr. *amphoteros*, « l'un et l'autre » ; [ɑ̃fɔtɛʀ].

**AMPLE,** adj.
1. Qui a de larges dimensions : *Les plis* ***amples*** *d'une jupe.* 2. Ext. Qui est abondant, très développé : *D'****amples*** *explications* ; *Style* ***ample***, riche ; *Faire plus* ***ample*** *connaissance.* Déb. XIIe s. ; lat. *amplus* ; [ɑ̃pl].

**AMPLECTIF, IVE,** adj.
*Bot.* Qui enveloppe entièrement un autre organe : *Feuille* ***amplective***. 1838 ; lat. *amplecti*, « embrasser » ; [ɑ̃plɛktif, iv].

**AMPLEMENT,** adv.
D'une manière ample ; largement : *C'est* ***amplement*** *suffisant.* Fin XIIe s. ; ☞ *ample* ; [ɑ̃pləmɑ̃].

**AMPLEUR,** subst. f.
1. Caractère de ce qui est ample : *L'****ampleur*** *d'une veste, d'un front* ; par anal. : *L'****ampleur*** *d'une voix*, son volume, sa portée. 2. Fig. Qualité de ce qui embrasse un domaine étendu : ***Ampleur*** *d'une connaissance, d'un débat* ; *L'****ampleur*** *d'un problème*, son importance. 1718 ; ☞ *ample* ; [ɑ̃plœʀ].

**AMPLIATIF, IVE,** adj.
*Dr.* Qui complète, développe ce qui a été écrit dans un acte précédent : *Mémoire* ***ampliatif***. XVe s. ; lat. *ampliare*, « augmenter » ; [ɑ̃pljatif, iv].

**AMPLIATION,** subst. f.
1. *Dr.* ▸ *Acte d'ampliation* : ampliatif (vx). ▸ Copie conforme d'un acte. 2. *Pathol.* ***Ampliation** thoracique* : augmentation du volume de la cage thoracique due à l'inspiration. 1339 ; lat. *ampliatio*, « requête d'un supplément d'enquête » ; [ɑ̃plijasjɔ̃].

**AMPLIFIANT, ANTE,** adj.
1. Qui amplifie. 2. *Log. Induction **amplifiante*** : procédé de pensée faisant passer de l'observation de quelques faits à une proposition générale. Déb. XX^e s. (1830, grossissant) ; p. pr. de *amplifier* ; [ɑ̃plifjɑ̃, ɑ̃t].

**AMPLIFICATEUR, TRICE,** adj. et subst. m.
Se dit de ce qui amplifie qqch. : *Appareil **amplificateur*** ; au fig. : *Le regret est un **amplificateur** du désir* (Proust). SUBST. *Techn.* 1. Appareil qui augmente l'amplitude d'un phénomène, en partic. d'un signal électrique : ***Amplificateur** de flux* ; ***Amplificateur** électronique.* 2. Élément central d'une chaîne haute-fidélité. XV^e s. ; lat. *amplificator* ; [ɑ̃plifikatœʀ, tʀis].

**AMPLIFICATION,** subst. f.
Action d'amplifier ; son résultat. XIV^e s. ; lat. *amplificatio* ; [ɑ̃plifikasjɔ̃].

**AMPLIFIER,** verbe trans. [6]
Augmenter les dimensions, l'intensité de : ***Amplifier** un son* ; au fig., exagérer l'importance de : ***Amplifier** une nouvelle.* PRONOM. Prendre de l'ampleur : *La rumeur **s'amplifie**.* XV^e s. ; lat. *amplificare* ; [ɑ̃plifje].

**AMPLITUDE,** subst. f.
1. Grandeur (vieilli) : ***Amplitude** d'un désert* ; au fig. : ***Amplitude** d'un sentiment.* 2. Écart entre les valeurs extrêmes d'une grandeur considérée : ***Amplitude** thermique annuelle*, écart entre les températures extrêmes relevées pendant une année en un point ; ***Amplitude** d'une marée*, écart entre le niveau de la pleine mer et celui de la basse mer suivante. 3. *Phys.* Fonction qui représente la valeur maximale d'une grandeur physique variant périodiquement dans le temps ou dans l'espace. 4. *Stat.* Écart entre la plus grande et la plus petite valeur d'une distribution statistique. 1495 ; lat. *amplitudo* ; [ɑ̃plityd].

**AMPOULE,** subst. f.
1. Fiole bombée à col étroit : *La sainte **ampoule***, renfermant le saint chrême utilisé pour le sacre des rois de France. 2. Petit récipient de verre effilé et entièrement fermé, utilisé pour conserver des liquides, gén. médicamenteux. 3. Ext. Récipient de verre contenant un filament de métal qui, porté à incandescence, produit de la lumière : ***Ampoule** électrique.* 4. *Pathol.* Cloque due à l'accumulation de sérosités entre le derme et l'épiderme. 5. *Sc. nat.* Ce qui rappelle une **ampoule** par sa forme renflée. 1174 ; lat. *ampulla* ; [ɑ̃pul].

**AMPOULÉ, ÉE,** adj.
Emphatique et boursouflé : *Style, discours **ampoulé**.* Mil. XVI^e s. ; ☞ *ampoule* ; [ɑ̃pule].

**AMPUTATION,** subst. f.
1. Action d'amputer ; son résultat. 2. *Pathol.* ***Amputation** congénitale* : absence, à la naissance, d'un membre ou d'une partie de membre. 1478 ; lat. *amputatio* ; [ɑ̃pytasjɔ̃].

**AMPUTÉ, ÉE,** adj.
Qui a subi une amputation, en parlant d'un membre ; par méton. : *Un blessé **amputé*** ou, empl. subst., *Un **amputé**.* 1834 ; p. p. de *amputer* ; [ɑ̃pyte].

**AMPUTER,** verbe trans. [3]
1. *Chir.* Retrancher (tout ou partie d'un membre, d'un organe saillant) par une opération chirurgicale : ***Amputer** un doigt* ; par méton. : ***Amputer** un blessé.* 2. Fig. Retrancher une partie importante de (un tout) : ***Amputer** une propriété de ses dépendances.* 1480 ; lat. *amputare* ; [ɑ̃pyte].

**AMUÏR (S'),** verbe pronom. [19]
*Phon.* Devenir muet, ne plus se prononcer, en parlant d'un phonème. Déb. XII^e s. ; lat. pop. °*admutire*, « rendre muet » ; [amɥiʀ].

**AMUÏSSEMENT,** subst. m.
Fait de s'amuïr : *L'**amuïssement** du « h » en français.* 1275 ; ☞ *s'amuïr* ; [amɥismɑ̃].

**AMULETTE,** subst. f.
Petit objet auquel la superstition attribue des vertus protectrices. 1558 ; lat. *amuletum* ; [amylɛt].

**AMURE,** subst. f.
*Mar.* 1. Cordage retenant au vent le point inférieur d'une voile : *Point d'**amure** et point d'écoute.* 2. Ext. Côté du bateau qui reçoit le vent : *Changer d'**amure***, virer de bord ; empl. subst. : *La règle du tribord-**amures***, donnant, entre deux voiliers, la priorité à celui qui reçoit le vent sur tribord ou à celui qui remonte le plus au vent, si tous deux naviguent tribord **amures**. 1634 ; ☞ *amurer* ; [amyʀ].

**AMURER,** verbe trans. [3]
Fixer (une voile) par son amure. 1552 ; esp. *amurar*, prob. de *muro*, « muraille d'un navire », du lat. *murus*, « mur » ; [amyʀe].

**AMUSANT, ANTE,** adj.
Qui amuse ; par ext., drôle, agréable, étonnant. 1694 ; p. pr. de *amuser* ; [amyzɑ̃, ɑ̃t].

**AMUSE-GUEULE,** subst. m.
Petit aliment, gén. salé, servi à l'apéritif (fam.). 1946 ; comp. de *amuser* et de *gueule* ; plur. *amuse-gueule(s)* ; [amyzgœl].

**AMUSEMENT,** subst. m.
1. Action d'amuser, de s'amuser. 2. Méton. Sentiment agréable ainsi procuré ; ce qui amuse : *Un **amusement** peu onéreux.* 1580 (fin XV^e s., perte de temps ; promesse trompeuse) ; ☞ *amuser* ; [amyzmɑ̃].

**AMUSER,** verbe trans. [3]
1. Détourner (qqn) de qqch. (vieilli et littér.) : ***Amuser** l'adversaire par des diversions.* 2. Divertir, égayer. ▸ Loc. ***Amuser** la galerie* : concentrer l'attention de son entourage sur soi (fam.). PRONOM. 1. Se divertir, jouer. 2. **S'amuser à.** Perdre son temps à ; prendre plaisir à. 1580 (1167, abuser) ; ☞ *muser* + *a-*[1] ; [amyze].

**AMUSETTE,** subst. f.
1. Petit amusement, frivolité. 2. Belg. Personne futile. 1653 ; ☞ *amuser* ; [amyzɛt].

**AMUSEUR, EUSE,** subst.
Personne qui amuse (parfois péj.). 1695 (1545, celui qui trompe) ; ☞ *amuser* ; [amyzœʀ, øz].

**AMYGDALE,** subst. f.
1. *Anat. **Amygdale** palatine* ou, empl. abs., ***Amygdale*** : chacune des deux glandes en forme d'amande, situées entre les piliers du voile du palais, au fond de la gorge. 2. *Neurologie.* Noyau de substance grise, appelé aussi noyau amygdalien, où arrivent et d'où partent des voies nerveuses. Fin XIV^e s. ; lat. *amygdala*, du gr. *amugdalê*, « amande » ; [amidal].

**AMYGDALECTOMIE,** subst. f.
*Chir.* Ablation totale des deux amygdales palatines. 1927 ; ☞ *amygdale* + *-ectomie* ; [amidalɛktɔmi].

**AMYGDALITE,** subst. f.
*Pathol.* Inflammation des amygdales palatines. Déb. XIX^e s. ; ☞ *amygdale* + *-ite* ; [amidalit].

**AMYLACÉ, ÉE,** adj.
Qui renferme de l'amidon ou qui en a les propriétés. 1776 ; lat. *amylum*, du gr. *amulon*, « amidon » ; [amilase].

**AMYLASE,** subst. f.
*Biochim.* Enzyme du suc pancréatique et de la salive, qui transforme les molécules géantes des sucres (celles de l'amidon et du glycogène) en maltose au cours de la digestion intestinale. 1875 ; lat. *amylum*, du gr. *amulon*, « amidon » ; [amilɑz].

**AMYLE,** subst. m.
*Chim.* Radical monovalent $C_5H_{11}$, présent dans de nombreux composés organiques. 1855 ; lat. *amylum*, du gr. *amulon*, « amidon » ; [amil].

**AMYLÈNE,** subst. m.
*Chim.* Hydrocarbure provenant de la déshydratation de l'alcool amylique. 1844 ; ☞ *amyle* ; [amilɛn].

**AMYLIQUE,** adj.
*Chim.* Qui comporte un radical amyle : *Alcool **amylique**.* 1858 ; ☞ *amyle* ; [amilik].

**AMYLOBACTER,** subst. m.
*Bactériol.* Ancien nom de bactéries anaérobies, qui se multiplient dans la panse des ruminants où elles provoquent la dégradation de l'amidon. 1885 ; ☞ *bactérie* + *amylo-* ; [amilɔbaktɛʀ].

**AMYLOÏDE,** adj.
*Biochim.* Qualifie des amas protéiques qui se forment hors des cellules nerveuses dans le cerveau des personnes atteintes de la maladie d'Alzheimer. 1865 ; formé de *amylo-* et de *-oïde* ; [amilɔid].

**AMYLOSE,** subst. f.
*Pathol.* Maladie due à l'infiltration des organes et des tissus par une substance complexe amyloïde (synon. *dégénérescence amyloïde*). 1898 ; formé de *amylo-* et de *-ose* ; [amiloz].

**AMYOTROPHIE,** subst. f.
*Pathol.* Atrophie des muscles striés. 1865 ; formé de *a-*[2], de *myo-* et de *-trophie* ; [amjɔtʀɔfi].

**AN,** subst. m.
1. Temps que met la Terre pour faire sa révolutio autour du Soleil (365,2422 jours solaires moyens) 2. Espace de douze mois ; unité de temps expriman l'âge, la durée : *Il a dix **ans*** ; *Récolter deux fois pa **an**.* ▸ Loc. *Bon **an**, mal **an*** : en moyenne sur plusieur années, une bonne compensant une mauvais 3. Année civile, du 1^er janvier au 31 décembre, dan le calendrier grégorien. ▸ Loc. *Jour de l'**an**, nouve **an**, premier de l'**an*** : premier jour de l'anné 4. Année prise dans une ère donnée : *L'**an** II de l République* ; *L'**an** mil.* ▸ Loc. *S'en soucier comme d l'**an** quarante* : s'en moquer éperdument (fam.) Mil. XI^e s. ; lat. *annus* ; [ɑ̃].

**ANA,** subst. m.
*Litt.* Recueil de pensées et d'anecdotes. 1722 suff. lat. *-ana* qui, ajouté à un nom d'auteur, sert à désigne ses œuvres ; plur. *ana(s)* ; [ana].

**ANABAPTISME,** subst. m.
*Relig.* Doctrine élaborée aux premiers temps de l Réforme, qui refusait le baptême des jeunes enfant et ne l'admettait que pour les adultes. 1564 ; gr chrét. *anabaptismos*, « nouveau baptême » ; [anabatism]

**ANABAPTISTE,** subst. et adj.
*Relig.* SUBST. Personne qui professe l'anabaptisme ADJ. Relatif à cette doctrine ; qui la professe 1526 ; gr. chrét. *anabaptizein*, « baptiser à nouveau » [anabatist].

**ANABLEPS,** subst. m.
*Zool.* Poisson de la mangrove, dont les yeux, divisé en deux hémisphères, sont adaptés à la vision dan l'air et sous l'eau. 1846 ; gr. *anablepein*, « lever le yeux » ; [anablɛps].

**ANABOLISANT, ANTE,** adj. et subst. m
Se dit d'une substance qui favorise l'anabolisme V. 1970 ; ☞ *anabolisme* ; [anabɔlizɑ̃, ɑ̃t].

**ANABOLISME,** subst. m.
*Physiol.* Première phase du métabolisme au cour de laquelle les matériaux nutritifs, provenant de l digestion des aliments, sont transformés en molé cules constitutives des tissus vivants. 1907 gr. *bolos*, « jet », + *ana-* ; [anabɔlism].

**ANABOLITE,** subst. m.
Produit formé au cours de l'anabolisme. 1922 gr. *bolos*, « jet », + *ana-* ; [anabɔlit].

**ANACARDE,** subst. m.
Fruit de l'anacardier. XIII^e s. ; lat. médiév. *anacardus* du gr. *kardia*, « cœur » ; [anakaʀd].

**ANACARDIACÉES,** subst. f. plur.
*Bot.* Famille d'arbres tropicaux de l'ordre des Sapin dales, qui comprend notamment le manguier, l pistachier. AU SING. *L'anacardier est une **anacardiacée**.* 1845 ; ☞ *anacarde* ; [anakaʀdjase].

**ANACARDIER,** subst. m.
*Bot.* Arbre de la famille des Anacardiacées, cultiv pour son fruit, l'anacarde (synon. *acajou à pommes*) 1768 ; ☞ *anacarde* ; [anakaʀdje].

**ANACHORÈTE,** subst. m.
1. *Relig.* Moine contemplatif retiré dans la solitud (anton. *cénobite*). 2. Ext. Personne qui vit frugale ment : *Repas d'**anachorète**.* Fin XII^e s. ; lat. eccl. *ana choreta*, du gr. *anakhôrêtês*, « qui se retire » ; [anakɔʀɛt]

**ANACHORÉTIQUE,** adj.
Propre aux anachorètes. 1845 ; ☞ *anachorète* [anakɔʀetik].

**ANACHRONIQUE,** adj.
1. Qui constitue ou présente un anachronisme 2. Ext. Démodé, désuet. 1866 ; ☞ *anachronisme* [anakʀɔnik].

**ANACHRONISME,** subst. m.
1. Erreur qui consiste à attribuer à une époque c qui appartient à une autre. 2. Méton. Objet doctrine ou personne en retard sur son temps 1625 ; gr. *khronos*, « temps », + *ana-* ; [anakʀɔnism]

**ANACOLUTHE,** subst. f.
*Rhét.* Rupture syntaxique dans la constructior d'une phrase par ellipse d'un ou de plusieurs d ses éléments. 1751 ; bas lat. *anacoluthon*, du gr *anakolouthos*, « sans suite » ; [anakɔlyt].

**ANACONDA,** subst. m.
*Zool.* Grand serpent aquatique d'Amérique du Sud non venimeux, constricteur et vivipare, qui peu atteindre 7 m de long (synon. *eunecte*). 1845 p.-ê. cinghalais *henakandaya*, par l'angl. ; [anakɔ̃da].

**ANACRÉONTIQUE,** adj.
1. Qui évoque les odes d'Anacréon. 2. Ext. D'ur

rotisme léger (littér.). ⚭ 1555 ; bas lat. *anacreontcus*, de l'anthropon. *Anacreon* ; [anakʀeɔ̃tik].

**ANACROUSE,** subst. f.
. *Antiq.* En prosodie, syllabe faible avant le premier emps marqué. **2.** *Mus.* Note ou petit groupe de otes introduisant un morceau et précédant la remière mesure. ⚭ 1838 ; gr. *anakrousis* ; [anakʀuz].

**ANAÉROBIE,** adj. et subst. m.
*iol.* Se dit d'un micro-organisme qui ne peut se évelopper au contact de l'air (anton. *aérobie*). ⚭ 1863 ; ☞ *aérobie* + *a-*[2] ; [anaeʀɔbi].

**ANAÉROBIOSE,** subst. f.
Aode de développement des micro-organismes naérobies. ⚭ 1890 ; ☞ *anaérobie* ; [anaeʀɔbjoz].

**ANAGLYPHE,** subst. m.
. *Antiq.* Ouvrage ciselé ou sculpté en bas relief. . Photographie stéréoscopique en deux couleurs omplémentaires, qui crée l'illusion du relief. ⚭ 1495 ; lat. chrét. *anaglyphus*, du gr. *anagluphê*, ciselure en relief » ; var. *anaglypte* ; [anaglif].

**ANAGLYPTIQUE,** adj.
. *Impr. Écriture, impression* ***anaglyptique*** : en relief l'intention des aveugles. **2.** *Phot.* Qui crée illusion du relief. ⚭ 1838 ; bas lat. *anaglypticus*, du r. *anagluptikos*, « ciselé en relief » ; [anagliptik].

**ANAGOGIE,** subst. f.
. *Relig.* Élévation de l'âme vers le divin. **2.** *Théol.* echerche du sens des Écritures. ⚭ 1495 ; lat. nédiév. *anagogia*, du gr. *anagôgê* ; [anagɔʒi].

**ANAGRAMME,** subst. f.
Aot ou phrase formé par les lettres interverties d'un utre mot ou d'une autre phrase : *« Amer » est anagramme de « rame »*. ⚭ 1571 ; gr. °*anagramma* ; nagʀam].

**ANAL, ALE, AUX,** adj.
. *Anat.* Qui se rapporte à l'anus. **2.** *Psychanal.* *Stade nal* : selon Freud, deuxième stade de la libido nfantile, qui succède au stade oral et précède le ade phallique. ⚭ 1805 ; ☞ *anus* ; [anal, o].

**ANALEPTIQUE,** adj. et subst. m.
*harm.* Se dit d'une substance qui rétablit les forces, ui stimule l'organisme. ⚭ 1555 ; bas lat. *analepcus*, du gr. *analêptikos* ; [analɛptik].

**ANALGÉSIE,** subst. f.
*Aéd.* Suppression ou atténuation de la sensibilité la douleur. ⚭ 1823 ; gr. *analgêsia* ; [analʒezi].

**ANALGÉSIQUE,** adj. et subst. m.
*Aéd.* Adj. Qui provoque l'analgésie. Adj. et Subst. *harm.* Se dit d'une substance **analgésique.** ⚭ 1866 ; ☞ *analgésie* ; [analʒezik].

**ANALITÉ,** subst. f.
*sychanal.* Ensemble des mécanismes psychiques és au stade anal. ⚭ Mil. XXe s. ; ☞ *anal* ; [analite].

**ANALOGIE,** subst. f.
. Rapport de ressemblance que l'on établit par omparaison d'éléments différents. **2.** *Ling.* Processus de création de nouvelles formes dans une angue par l'association de catégories différentes nais souvent confondues. **3.** *Log. Raisonnement par nalogie* : méthode qui consiste à conclure d'une essemblance partielle à une ressemblance plus énérale. ⚭ 1213 ; lat. *analogia*, du gr. *analogia*, proportion mathématique » ; [analɔʒi].

**ANALOGIQUE,** adj.
. Fondé sur l'analogie : *Un dictionnaire* ***analogique***, ui groupe les mots selon les rapports de sens. . Qui résulte de l'analogie : *Formation* ***analogique*** *'un mot.* ⚭ 1547 ; ☞ *analogie* ; [analɔʒik].

**ANALOGUE,** adj.
Qui présente une analogie avec : *Une démarche* ***anaogue*** *à la tienne* ; empl. subst. masc. : *Ce mot n'a pas* ***'analogue*** *en swahili.* ⚭ 1503 ; gr. *analogos* ; [analɔg].

**ANALPHABÈTE,** adj. et subst.
dj. Qui n'a pas appris à lire et à écrire. ubst. **1.** Personne **analphabète.** **2.** Ext. Individu gnare (péj.). ⚭ 1598 ; gr. *analphabêtos*, « qui ne sait *alpha* ni *bêta* » ; [analfabɛt].

**ANALPHABÉTISME,** subst. m.
tat d'une personne, d'une population analphabète. ⚭ 1907 ; ☞ *analphabète* ; [analfabetism].

**ANALYSABLE,** adj.
Que l'on peut analyser. ⚭ 1849 ; ☞ *analyser* ; nalizabl].

**ANALYSE,** subst. f.
. Action de décomposer un tout en ses éléments onstitutifs. **1.** Étude détaillée d'une œuvre, d'un texte, pour en saisir la structure ou les rapports entre ses éléments. ▸ Ext. Examen, étude minutieuse d'une conduite, d'un caractère ou d'une situation. ▸ *Ling.* ***Analyse*** *logique* : décomposition d'une phrase en ses propositions ; ***Analyse*** *grammaticale* : décomposition d'une phrase en ses éléments grammaticaux (sujet, verbe, compléments, etc.). **2.** *Chim.* Décomposition d'un corps en ses éléments constitutifs : ***Analyse*** *qualitative, quantitative.* **3.** *Écon.* Recherche, par des moyens quantitatifs (statistiques, épreuves de signification, modèles), des caractères d'un phénomène économique ou de son évolution. **4.** *Informat.* Décomposition d'un problème pour pouvoir en programmer les éléments (et le résoudre ainsi). **II.** Démarche permettant de résoudre, de déduire. **1.** *Log.* Décomposition par la pensée d'une notion en ses éléments, d'un genre en ses espèces, et utilisation de cette décomposition dans un raisonnement analytique. ▸ Loc. *En dernière* ***analyse*** : en définitive. **2.** *Math.* ***Analyse*** *combinatoire* (☞ *combinatoire*). **3.** Psychanalyse. ⚭ 1578 ; gr. *analusis*, « dissolution » ; [analiz].

MATHÉMATIQUES – L'analyse est une branche des mathématiques dont les concepts fondamentaux sont les notions de limite et de fonction continue. Ses développements comprennent, outre le calcul différentiel et intégral, l'analyse complexe, l'analyse fonctionnelle et l'analyse harmonique (équations différentielles, équations aux dérivées partielles...).

**ANALYSER,** verbe trans. [3]
**1.** Soumettre (qqch., qqn) à une analyse. **2.** Psychanalyser. ⚭ 1698 ; ☞ *analyse* ; [analize].

**ANALYSEUR,** subst. m.
**1.** Vx. Personne qui analyse. **2.** *Techn.* Appareil qui sert à l'analyse. ▸ *Acoust.* ***Analyseur*** *de sons* : dispositif mécanique ou électromagnétique permettant d'identifier les divers harmoniques d'un timbre. ▸ *Informat.* ***Analyseur*** *différentiel* : calculateur destiné à la résolution d'équations différentielles. ▸ *Opt.* Dispositif de détection de l'état de polarisation d'une vibration lumineuse : ***Analyseur*** *rectiligne, circulaire, elliptique* ; séparateur des éléments d'un rayonnement complexe. ⚭ 1791 ; ☞ *analyser* ; [analizœʀ].

**ANALYSTE,** subst.
**1.** Spécialiste de l'analyse (chimique, financière, informatique, etc.). **2.** Psychanalyste. ⚭ 1638 ; ☞ *analyse* ; [analist].

**ANALYSTE-PROGRAMMEUR, EUSE,** subst.
*Informat.* Spécialiste des travaux d'analyse et de la programmation correspondante. ⚭ V. 1960 ; comp. de *analyste* et de *programmeur* ; plur. *analystes-programmeurs, euses* ; [analist(ə)pʀɔgʀamœʀ, øz].

**ANALYTIQUE,** subst. f. et adj.
Subst. *Philos.* ▸ Chez Aristote, partie de la logique qui traite de la démonstration. ▸ ***Analytique*** *transcendantale* : chez Kant, recherche des formes a priori de l'entendement (☞ *catégorie*). Adj. **1.** Qui procède par analyse : *Esprit* ***analytique***, qui décompose méthodiquement (anton. *synthétique*). **2.** Qui présente une analyse ou qui en résulte : *Table* ***analytique.*** **3.** *Spéc.* ▸ *Chim. Chimie* ***analytique*** : qui étudie les substances et les transformations chimiques par des moyens **analytiques.** ▸ *Ling. Langues* ***analytiques*** : qui expriment les rapports grammaticaux par des mots distincts, spécialisés (prépositions, pronoms, par ex.). ▸ *Log. Jugement, énoncé* ***analytique*** : proposition dans laquelle le prédicat (ou attribut) est contenu dans le sujet (par ex. : « Les adolescents sont jeunes »). ▸ *Math. Géométrie* ***analytique*** : théorie associant des fonctions à des notions géométriques, par l'usage de systèmes de coordonnées, et permettant de faire correspondre des propriétés géométriques de certaines figures à des propriétés algébriques des équations associées. ▸ *Psychanal.* Psychanalytique. ⚭ 1578 ; lat. *analyticus*, du gr. *analutikos* ; [analitik].

**ANALYTIQUEMENT,** adv.
De manière analytique. ⚭ 1668 ; ☞ *analytique* ; [analitikmɑ̃].

**ANAMNÈSE,** subst. f.
**1.** *Psychanal.* Évocation de son passé par le patient. ▸ *Méd.* Renseignements que le malade fournit au praticien sur l'histoire de sa maladie. **2.** *Liturg.* Prière dite à l'issue de la consécration en mémoire de la passion et de la résurrection du Christ. ⚭ 1865 ; gr. *anamnêsis*, « action de rappeler à la mémoire » ; [anamnɛz].

**Anamorphose,** Descente de croix d'après Rubens, *peinture de Domenico Piola le Vieux (1627-1703). Musée des Beaux-Arts, Rouen.*

**ANAMORPHOSE,** subst. f.
*Opt.* et *Arts graph.* Déformation, par des procédés optiques ou graphiques, d'une image, qui apparaît cependant dans des proportions normales vue sous un certain angle ou réfléchie dans un miroir courbe ; par méton., l'image ainsi déformée. ⚭ 1751 ; gr. *anamorphoun*, « transformer » ; [anamɔʀfoz].

**ANANAS,** subst. m.
**1.** *Bot.* Plante tropicale de la famille des Broméliacées, cultivée pour son fruit. **2.** Ext. Ce fruit. ⚭ 1544 ; tupi-guarani *anană* ; [anana(s)].

**ANAPESTE,** subst. m.
*Versif.* Pied formé de deux syllabes brèves suivies d'une longue. ⚭ XVIe s. ; lat. *anapaestus*, du gr. *anapaistos*, « frappé à rebours » ; [anapɛst].

**ANAPHASE,** subst. f.
*Biol.* Troisième phase de la division cellulaire (mitose), au cours de laquelle les deux fuseaux chromatides migrent chacune vers un pôle du fuseau achromatique. ⚭ 1887 ; ☞ *phase* + *ana-* ; [anafɑz].

**ANAPHORE,** subst. f.
*Rhét.* Répétition d'un mot en tête de membres de phrase successifs, produisant un effet de symétrie ou de renforcement. ⚭ 1521 ; lat. *anaphora*, du gr. *anaphora*, « sens relatif d'un pronom » ; [anafɔʀ].

**ANAPHORIQUE,** adj. et subst. m.
*Ling.* Se dit d'un mot renvoyant à un membre de phrase déjà énoncé. ⚭ 1834 ; ☞ *anaphore* ; [anafɔʀik].

**ANAPHRODISIAQUE, adj. et subst. m.** Se dit d'une substance qui inhibe le désir sexuel. 1850 ; ☞ *anaphrodisie* ; [anafʀɔdizjak].

**ANAPHRODISIE, subst. f.** Diminution ou absence de l'appétit sexuel. 1808 ; gr. *anaphrodisia* ; [anafʀɔdizi].

**ANAPHYLACTIQUE, adj.** Relatif à l'anaphylaxie ; qui en résulte. 1908 ; ☞ *anaphylaxie* ; [anafilaktik].

**ANAPHYLAXIE, subst. f.** *Pathol.* Hypersensibilité paradoxale immédiate survenant après l'introduction d'un antigène chez un sujet qui y est déjà sensibilisé et qui ne devrait pas, en principe, y réagir. 1902 ; gr. *phulaxis*, « protection », + *ana-* ; [anafilaksi].

**ANARCHIE, subst. f.** **1.** *Pol.* État d'une société sans chef, sans gouvernement ; par ext., anarchisme. **2.** Désordre causé par une carence d'autorité ou par la dégradation des structures d'une société. **3.** Ext. Désorganisation, confusion. Fin XIVe s. ; gr. *anarkhia*, « absence de chef » ; [anaʀʃi].

**ANARCHIQUE, adj.** Qui présente les caractéristiques de l'anarchie. 1593 ; ☞ *anarchie* ; [anaʀʃik].

**ANARCHIQUEMENT, adv.** De manière anarchique. 1840 ; ☞ *anarchique* ; [anaʀʃikmɑ̃].

**ANARCHISANT, ANTE, adj.** Qui montre de la sympathie pour l'anarchisme ; qui tend vers l'anarchisme. 1928 ; p. pr. de *anarchiser* (rare), « rendre anarchique » ; [anaʀʃizɑ̃, ɑ̃t].

**ANARCHISME, subst. m.** **1.** *Pol.* Doctrine développée en Europe à la fin du XIXe s. puis au XXe s. par des penseurs comme Proudhon, Bakounine ou Kropotkine, qui vise à la disparition de l'État, à la suppression de toutes les contraintes pesant sur l'individu. **2.** Ext. Tendance au refus des règles, de l'ordre établi. 1840 ; ☞ *anarchie* ; [anaʀʃism].

©F. P. G. International-Explorer

*Manifestation en faveur des* **anarchistes** *Sacco et Vanzetti. Malgré une vague de protestations tant en Amérique qu'en Europe, ils furent exécutés en 1927.*

**ANARCHISTE, subst. et adj.** SUBST. **1.** *Pol.* Partisan de l'anarchisme (abrév. fam. : anar) : *Le drapeau noir des* ***anarchistes***. **2.** Ext. Personne qui refuse toute autorité ou règle. ADJ. Relatif à l'anarchisme : *Un mouvement populaire de tendance* ***anarchiste***. 1791 ; ☞ *anarchie* ; [anaʀʃist].

**ANARCHO-SYNDICALISME, subst. m.** *Pol.* Syndicalisme révolutionnaire né de la volonté d'une partie des anarchistes de faire des syndicats un instrument de lutte pour l'instauration d'une société sans État dans laquelle les affaires économiques seraient aux mains des travailleurs et de leurs associations. Fin XIXe s. ; comp. de *anarchisme* et de *syndicalisme* ; plur. *anarcho-syndicalismes*, var. *anarchosyndicalisme* ; [anaʀkosɛ̃dikalism].

**ANARCHO-SYNDICALISTE, subst. et adj.** *Pol.* SUBST. Partisan de l'anarcho-syndicalisme. ADJ. Relatif à l'anarcho-syndicalisme. Fin XIXe s. ; ☞ *anarcho-syndicalisme* ; plur. *anarcho-syndicalistes*, var. *anarchosyndicaliste* ; [anaʀkosɛ̃dikalist].

**ANARTHRIE, subst. f.** *Pathol.* Trouble du langage rendant impossible l'articulation d'un son. 1919 (1845, plante vivace australienne) ; gr. *anarthria* ; [anaʀtʀi].

**ANASARQUE, subst. f.** *Pathol.* Œdème généralisé des tissus sous-cutanés et des viscères, associé à des épanchements des séreuses (plèvre, péritoine). 1372 ; gr. *sarx*, « chair », + *ana-* ; [anazaʀk].

**ANASTIGMATIQUE, adj.** *Opt.* Qualifie une lentille ou un objectif corrigeant l'astigmatisme. 1897 ; ☞ *astigmatisme* + *a-*[2] ; var. *anastigmat(e)* ; [anastigmatik].

**ANASTOMOSE, subst. f.** **1.** *Anat.* Communication entre deux vaisseaux et, par ext., entre deux conduits de même nature. **2.** *Chir.* Abouchement. XVIe s. ; gr. *anastomôsis*, « ouverture » ; [anastɔmoz].

**ANASTOMOSER, verbe trans.** [3] *Chir.* Joindre par anastomose. PRONOM. *Anat.* S'unir par anastomose. 1717 ; ☞ *anastomose* ; [anastɔmoze].

**ANASTROPHE, subst. f.** *Ling.* Renversement de l'ordre habituel des mots (« Sa vie durant », au lieu de « Durant sa vie »). 1718 ; lat. *anastrophe*, du gr. *anastrophê* ; [anastʀɔf].

**ANATHÉMATISER, verbe trans.** [3] **1.** Frapper d'anathème. **2.** Ext. Blâmer, condamner avec force. 1395 ; lat. chrét. *anathematizare*, du gr. *anathematizein*, « maudire » ; [anatematize].

**ANATHÈME, subst.** MASC. **1.** *Relig.* Excommunication majeure, solennellement prononcée, frappant un hérétique ou une hérésie. **2.** Fig. Condamnation totale d'une personne, d'une opinion, d'un acte. MASC. et FÉM. Méton. Personne frappée d'**anathème**. 1174 ; lat. chrét. *anathema*, du gr. *anathêma*, « victime expiatoire » ; [anatɛm].

**ANATIDÉS, subst. m. plur.** *Zool.* Famille d'oiseaux de l'ordre des Ansériformes, qui comprend notamment les canards, les oies, les cygnes. AU SING. *La bernache est un* ***anatidé***. 1845 ; lat. *anas*, « canard » ; [anatide].

**ANATIFE, subst. m.** *Zool.* Crustacé cirripède pédonculé, dont la larve se fixe à des objets flottant en mer. 1808 ; apocope de *anatifère* (vx), du lat. *anas*, « canard », + *-fère* ; [anatif].

**ANATOMIE, subst. f.** **1.** Vx. Dissection. **2.** Étude scientifique de la structure, de la forme et de la disposition des organes des êtres vivants. **3.** Méton. Structure d'un organisme. **4.** Forme extérieure d'un corps. ▸ *B.-a.* Étude d'un corps pour sa représentation. 1370 ; bas lat. *anatomia*, du gr. *anatomê*, « dissection ; incision » ; [anatɔmi].

MÉDECINE – Les grands anatomistes de l'Antiquité furent Aristote, qui a créé l'anatomie comparée, Hérophile d'Alexandrie et Galien. Les anatomistes du Moyen Âge ont été arabes et persans (Rhazès, Avicenne), puis européens. Au XVIIe s. débute l'anatomie physiologique, avec Harvey (découverte de la circulation du sang) ; au XIXe s., Bichat crée l'anatomie des tissus, ou histologie, et l'anatomie générale se développe, avec ses branches aujourd'hui reconnues : ostéologie, myologie, arthr logie (étude et soin des articulations), angiolog anatomie des viscères, anatomie du systèm nerveux et anatomie pathologique, qui est l'étud anatomique des organes malades.

**ANATOMIQUE, adj.** **1.** Qui a trait à l'anatomie, à la dissection : *Ur planche* ***anatomique***. **2.** Qui est adapté à l'anatom humaine : *Un siège* ***anatomique***. 1546 ; bas la *anatomicus* ; [anatɔmik].

**ANATOMISTE, subst.** Spécialiste de l'anatomie. 1503 ; ☞ *anatomie* [anatɔmist].

**ANATOXINE, subst. f.** *Biol.* Toxine dont on a éliminé le pouvoir toxiqu mais qui a conservé ses propriétés immunisante qui est capable de déclencher dans l'organisme production d'anticorps. 1926 ; ☞ *toxine* + *ana* [anatɔksin].

**ANAVENIN, subst. m.** *Pharm.* Extrait de venin atténué entrant dans composition d'un vaccin antivenimeux. V. 197 ☞ *venin* + *ana-* ; [anavənɛ̃].

**ANCESTRAL, ALE, AUX, adj.** **1.** Qui remonte, qui est propre aux ancêtres. **2.** Ex Très ancien. 1853 ; ☞ *ancêtre* ; [ɑ̃sɛstʀal, o].

**ANCÊTRE, subst.** **1.** Ascendant à l'origine d'une famille, aïeul loin tain. **2.** Vieillard (fam.). **3.** Précurseur dans u domaine artistique, scientifique, etc. ▸ Espèce c catégorie dont une autre dérive : *Le blues est l'***ancêt** *du jazz.* PLUR. Ceux qui ont vécu longtemps avar nous : *Nos* ***ancêtres*** *les Gaulois.* XIIe s. ; lat. *ant cessor*, « éclaireur ; prédécesseur » ; [ɑ̃sɛtʀ].

**ANCHE, subst. f.** *Mus.* Languette fine et élastique, en roseau, en mét ou en paille, dont la vibration produit le son dar certains instruments à vent (saxophone, hautbo clarinette, accordéon, harmonica, etc.). PLUR. L instruments à anche. 1530 (1388, goulot c fontaine) ; anc. bas frq. *°ankya*, « canal de l'os » ; [ɑ̃

**ANCHOÏADE, subst. f.** Sauce à base d'anchois fondus dans l'huile. F XIXe s. ; prov. *anchouiado* ; var. *anchoyade* ; [ɑ̃ʃɔjad].

**ANCHOIS, subst. m.** *Zool.* Petit poisson clupéidé de la Méditerrané consommé surtout mariné et salé. 1546 ; an prov. *anchoia*, du lat. pop. *°apiua*, du gr. *aphuê* ; [ɑ̃ʃwa

**ANCHOYADE, voir ANCHOÏADE**

**ANCIEN, IENNE, adj. et subst.** ADJ. **1.** Qui existe depuis longtemps, qui date d'ur époque plus ou moins lointaine. ▸ Loc. *À l'ancienne* à la manière d'autrefois. **2.** Qui n'existe plus révolu : *L'Ancien Régime* ; *Les* ***anciens*** *francs.* **3.** Q n'a plus sa qualité, sa fonction antérieure : *U* ***ancien*** *élève.* **4.** Qui a de l'ancienneté. SUBST. **1.** Pe sonne qui a précédé une autre dans une fonctio **2.** Personne âgée. **3.** Objet ou construction d'épo que : *Une copie d'****ancien***. **4.** *Les* ***Anciens*** : les peupl

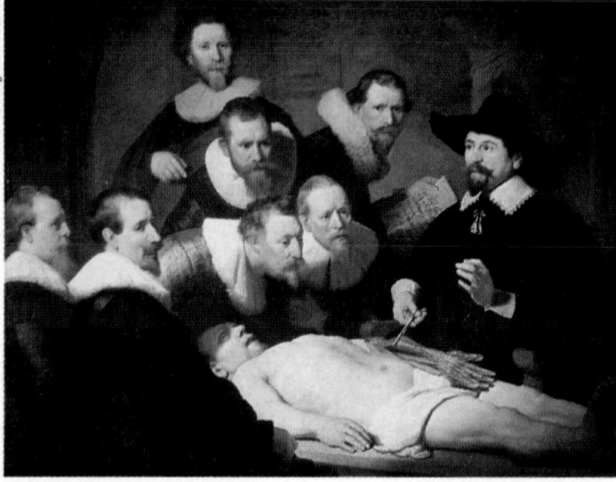

© Bridgeman-Giraudon

La Leçon d'**anatomie** du docteur Nicolas Pieterszoon Tulp, *peinture de Rembrand (1606-1669). Mauritshuis, La Haye* ou les auteurs de l'Antiquité. Mil. XIe s. ; lat. pop. °*antianu*, du lat. *ante*, « avant » ; [ɑ̃sjɛ̃, jɛn].

**ANCIENNEMENT, adv.**
Autrefois. 1155 ; ☞ *ancien* ; [ɑ̃sjɛnmɑ̃].

**ANCIENNETÉ, subst. f.**
**1.** Qualité, état de ce qui est ancien : *L'**ancienneté** d'une loi.* **2.** Temps écoulé depuis l'entrée en fonction de qqn : *Trois ans d'**ancienneté**.* 1174 ; ☞ *ancien* ; [ɑ̃sjɛnte].

**ANCILLAIRE, adj.**
Qui est propre aux servantes (vieilli). ▸ Loc. *Amours **ancillaires*** : liaisons avec des servantes. 1803 ; lat. *ancillaris*, de *ancilla*, « servante » ; [ɑ̃silɛʀ].

**ANCOLIE, subst. f.**
*Bot.* Plante herbacée de la famille des Renonculacées, à fleurs blanches, bleues ou roses, dont les pétales présentent un éperon. 1325 ; bas lat. *aquileia*, du lat. *aquilegus*, « qui recueille l'eau » ; [ɑ̃kɔli].

**ANCONÉ, subst. m.**
*Anat.* Muscle court et triangulaire, situé sur la face postérieure du coude, extenseur de l'avant-bras. 1727 ; lat. sc. *anconoeus*, du gr. *agkôn*, « coude » ; [ɑ̃kone].

**ANCRAGE, subst. m.**
**1.** *Mar.* Action d'ancrer un navire (vx). ▸ Ext. Dispositif servant à fixer une balise, à retenir un navire. ▸ Méton. Lieu de mouillage. **2.** *Constr.* Procédé de blocage d'un élément dans un support fixe : ***Ancrage** d'une dalle* ; *Point d'**ancrage***, point de fixation. **3.** Fig. Implantation : *L'**ancrage** d'un syndicat dans une entreprise.* 1468 ; ☞ *ancrer* ; [ɑ̃kʀaʒ].

**ANCRE, subst. f.**
**1.** *Mar.* Lourd grappin en acier à double crochet qui, fixé au bout d'une chaîne ou d'un câble, retient un navire en s'accrochant au fond : *Jeter, mouiller l'**ancre*** ; *Une **ancre** qui chasse*, qui ne croche pas le fond. **2.** Loc. ***Ancre** de salut* : ultime secours (vieilli) ; *Lever l'**ancre*** : s'en aller (fam.). **3.** Anal. ▸ *Bât.* Pièce de chaînage en fer (souv. en forme de croix ou en S) qui empêche l'écartement d'un mur. ▸ *Horlog.* Pièce de la forme d'une ancre. Mil. XIIe s. ; lat. *ancora*, du gr. *ankura* ; [ɑ̃kʀ].

**ANCRER, verbe trans.** [3]
**1.** *Mar.* Mettre à l'ancre (un navire). **2.** *Constr.* Bloquer (un élément) par ancrage ; maintenir (un mur) avec une ancre. **3.** Fig. Introduire durablement (une idée) : *Une opinion bien **ancrée**.* **Pronom.** Se fixer, s'établir. Mil. XIIe s. ; ☞ *ancre* ; [ɑ̃kʀe].

**ANDAIN, subst. m.**
*Agric.* **1.** Étendue d'herbe coupée à chaque enjambée du faucheur. **2.** Ext. La ligne d'herbe rejetée sur le bord de cet espace. Fin XIIe s. ; prob. lat. pop. °*ambitanus*, du lat. *ambitus*, « mouvement circulaire » ; [ɑ̃dɛ̃].

**ANDALOU, OUSE, adj. et subst.**
D'Andalousie. **Subst. masc.** Cheval de race **andalouse**. 1701 ; topon. *Andalousie* ; [ɑ̃dalu, uz].

**ANDANTE, adv. et subst. m.**
*Mus.* **Adv.** En jouant assez lentement, entre adagio et allégretto. **Subst.** Morceau à exécuter dans ce tempo. 1710 ; ital. *andante*, « qui va » ; [ɑ̃dɑ̃t] ou [andante].

**ANDANTINO, adv. et subst. m.**
*Mus.* **Adv.** D'une manière un peu plus allante qu'andante. **Subst.** Morceau à exécuter dans ce tempo. 1751 ; ital. *andantino*, dimin. de *andante* ; [ɑ̃dɑ̃tino] ou [andan-].

**ANDÉSITE, subst. f.**
*Pétrogr.* Roche éruptive d'origine volcanique, de teinte gén. sombre, composée principalement de plagioclase et de pyroxène. 1866 ; topon. *Andes* ; [ɑ̃dezit].

**ANDIN, INE, adj. et subst.**
Des Andes. 1838 ; topon. *Andes* ; [ɑ̃dɛ̃, in].

**ANDOUILLE, subst. f.**
**1.** *Alim.* Boyau farci de tripes ou de viandes cuites coupées en lanières, gén. consommé froid. **2.** Fig. Personne niaise (fam.) : *Ne fais pas l'**andouille** !* Fin XIIe s. ; bas lat. *inductilia*, « choses prêtes à être introduites dans » ; [ɑ̃duj].

**ANDOUILLER, subst. m.**
Branche inférieure des bois des Cervidés, dirigée vers l'avant. Mil. XIVe s. ; lat. *ant(e)ocularе*, « devant les yeux » ; [ɑ̃duje].

**ANDOUILLETTE, subst. f.**
Boyau farci d'intestin haché, gén. consommé chaud. 1451 ; ☞ *andouille* ; [ɑ̃dujɛt].

**ANDRÈNE, subst. m.**
*Zool.* Insecte de la famille des Apidés, qui fait son nid dans la terre. 1809 ; lat. sc. *andrena*, du gr. *anthrênê*, « frelon, abeille sauvage » ; [ɑ̃dʀɛn].

**ANDRINOPLE, subst. f.**
**1.** Teinture garance. **2.** Méton. Cotonnade bon marché, habituellement de couleur rouge. 1821 ; topon. *Andrinople*, auj. Edirne (Turquie) ; [ɑ̃dʀinɔpl].

**ANDROCÉE, subst. m.**
*Bot.* Ensemble des étamines d'une fleur. 1845 ; gr. *oikia*, « demeure », + *andro-* ; [ɑ̃dʀose].

**ANDROCÉPHALE, adj.**
Qui a une tête humaine : *Le sphinx égyptien est un lion **androcéphale**.* 1918 ; formé de *andro-* et de *-céphale* ; [ɑ̃dʀosefal].

*Silène **androcéphale**, bronze grec, Thèbes (fin VIe s. av. J.-C.). Musée du Louvre, Paris.*

**ANDROGÈNE, adj.**
*Physiol.* et *Pharm.* Qui provoque l'apparition, chez un être vivant, des caractères sexuels masculins : *Hormones **androgènes***, sécrétées notamment par les testicules (la plus puissante étant la testostérone) ; empl. subst. masc., substance hormonale mâle. 1951 ; formé de *andro-* et de *-gène* ; [ɑ̃dʀɔʒɛn].

**ANDROGENÈSE, subst. f.**
*Biol.* Développement d'un embryon sous l'influence des seuls chromosomes paternels, sans hérédité maternelle (le spermatozoïde féconde un ovule privé de noyau, donc de chromosomes). 1936 ; formé de *andro-* et de *-genèse* ; var. *androgénie* ; [ɑ̃dʀɔʒənɛz].

**ANDROGYNE, adj.**
**1.** Qui possède des caractères morphologiques du sexe opposé (synon. *hermaphrodite*) ; par ext., dont l'aspect et les attitudes sont à la fois ceux d'un homme et ceux d'une femme. ▸ Empl. subst. Personne **androgyne**. **2.** *Bot.* Se dit d'une plante réunissant des fleurs mâles et des fleurs femelles sur la même inflorescence. 1555 (XIVe s., composite) ; lat. *androgynus*, du gr. *androgunos* ; [ɑ̃dʀɔʒin].

**ANDROÏDE, subst. et adj.**
**Subst.** Automate, robot à l'apparence humaine. **Adj.** Qui ressemble à l'homme. XVIIe s. ; formé de *andro-* et de *-oïde* ; [ɑ̃dʀɔid].

**ANDROLOGIE, subst. f.**
Partie de la médecine qui étudie l'appareil génital masculin et sa pathologie. V. 1970 ; formé de *andro-* et de *-logie* ; [ɑ̃dʀɔlɔʒi].

**ANDROPAUSE, subst. f.**
*Méd.* Ensemble des transformations physiques et psychiques qui se manifestent chez l'homme entre cinquante-cinq et soixante-dix ans. 1952 ; crois. de *ménopause* et de *andro-* ; [ɑ̃dʀopoz].

**ANDROSTÉRONE, subst. f.**
*Biochim.* Hormone extraite de l'urine de l'homme, dérivée de la testostérone. 1931 ; crois. de *stérol* et de *hormone* + *andro-* ; [ɑ̃dʀɔsteʀɔn].

**ÂNE, subst. m.**
**1.** *Zool.* Mammifère de la famille des Équidés, plus petit que le cheval et aux longues oreilles. **2.** Fig. Personne bête et ignare. **3.** Loc. ***Âne** de Buridan* : personne hésitante ; *Le coup de pied de l'**âne*** : attaque sans danger contre un adversaire déchu ; *Faire l'**âne** pour avoir du son* : jouer le sot pour en tirer profit. Xe s. ; lat. *asinus* ; [ɑn].

*Âne.*

**ANÉANTIR, verbe trans.** [19]
**1.** Réduire à néant, détruire, annihiler. **2.** Ext. Priver (qqn) de ses capacités de réaction : *Ses échecs successifs l'ont **anéanti**.* **Pronom.** **1.** Cesser d'exister. **2.** Fig. Se perdre complètement : *S'**anéantir** dans le travail* ; *S'**anéantir** en l'autre.* Fin XIIe s. ; ☞ *néant* + *a-*[1] ; [aneɑ̃tiʀ].

**ANÉANTISSEMENT, subst. m.**
**1.** Fait d'anéantir. **2.** Fait d'être anéanti : *L'**anéantissement** d'une nation* ; au fig., extrême abattement. 1309 ; ☞ *anéantir* ; [aneɑ̃tismɑ̃].

**ANECDOTE, subst. f.**
Récit d'un petit fait au caractère amusant, intéressant, voire révélateur. Mil. XVIIe s. ; gr. *anekdotos*, « inédit » ; [anɛkdɔt].

**ANECDOTIQUE, adj.**
Qui relève de l'anecdote ; sans grande importance (souv. péj.). 1781 ; ☞ *anecdote* ; [anɛkdɔtik].

**ANÉMIANT, ANTE, adj.**
Qui anémie, affaiblit. 1832 ; p. pr. de *anémier* ; [anemjɑ̃, ɑ̃t].

**ANÉMIE, subst. f.**
**1.** *Pathol.* Appauvrissement du sang caractérisé par la réduction du nombre des globules rouges : *On connaît plus d'une cinquantaine de types d'**anémie**.* **2.** Ext. Affaiblissement, faiblesse. 1722 ; gr. *anaimia*, « manque de sang » ; [anemi].

**ANÉMIER, verbe trans.** [6]
*Pathol.* Rendre anémique. **Pronom.** Devenir anémique ; par ext., perdre sa vigueur, s'affaiblir. 1866 ; ☞ *anémie* ; [anemje].

**ANÉMIQUE, adj. et subst.**
**Adj.** Atteint d'anémie ; relatif à l'anémie. **Subst.** Personne souffrant d'anémie. 1877 ; ☞ *anémie* ; [anemik].

**ANÉMOGRAPHE, subst. m.**
Anémomètre enregistreur. 1877 ; formé de *anémo-* et de *-graphe* ; [anemɔgʀaf].

**ANÉMOMÈTRE, subst. m.**
Appareil servant à mesurer la vitesse du vent. Déb. XVIIIe s. ; formé de *anémo-* et de *-mètre*[1] ; [anemɔmɛtʀ].

**ANÉMONE, subst. f.**
**1.** *Bot.* Renonculacée des régions tempérées, dont on cultive plusieurs espèces ornementales. **2.** *Zool.* ***Anémone** de mer* : actinie. XIVe s. ; lat. *anemone*, du gr. *anemônê*, prob. de *anemos*, « vent » ; [anemɔn].

**ANÉMOPHILE, adj.**
*Bot.* Se dit des plantes, telles les Poacées, dont la pollinisation nécessite l'intervention du vent. 1893 ; formé de *anémo-* et de *-phile* ; [anemɔfil].

**ANÉMOPHILIE, subst. f.**
*Bot.* Pollinisation par le vent. 1928 ; ☞ *anémophile* ; [anemɔfili].

**ANENCÉPHALE, adj. et subst.**
Se dit d'un être dépourvu d'encéphale. 1822 ; ☞ *encéphale* + *a-*[2] ; [anɑ̃sefal].

**ANÉPIGRAPHE, adj.**
*Archéol.* Qualifie une médaille, un monument, un bas-relief, etc., ne portant aucune inscription. 1752 ; ☞ *épigraphe* + *a-*[2] ; [anepigʀaf].

**ANERGIE, subst. f.**
*Méd.* Disparition de l'allergie à une substance et de la faculté de réaction vis-à-vis de cette dernière. 1916 ; ☞ *allergie* + *a-*[2] ; [anɛʀʒi].

**ÂNERIE, subst. f.**
**1.** Ignorance digne d'un âne. **2.** Propos ou acte idiot. 1488 ; ☞ *âne* ; [ɑnʀi].

**ÂNESSE, subst. f.**
Femelle de l'âne. Déb. XIIe s. ; ☞ *âne* ; [ɑnɛs].

**ANESTHÉSIANT, ANTE, adj. et subst. m.**
**1.** Anesthésique. **2.** Fig. Qui endort : *L'influence* ***anesthésiante*** *de l'habitude* (Proust). 1866 ; p. pr. de *anesthésier* ; [anɛstezjɑ̃, ɑ̃t].

**ANESTHÉSIE, subst. f.**
**1.** *Méd.* Disparition, chez un patient, de la sensibilité en tant que faculté de sentir, d'éprouver des sensations, soit en vertu d'un état pathologique soit provoquée volontairement par une action physique ou chimique ; ensemble des techniques permettant d'obtenir l'**anesthésie**. **2.** Fig. État d'insensibilité. 1771 ; angl. *anaesthesia*, du gr. *anaisthêtos*, « qui ne sent pas » ; [anɛstezi].

**ANESTHÉSIER, verbe trans. [6]**
**1.** *Méd.* Insensibiliser par une anesthésie. **2.** Fig. Rendre indifférent, comme endormi : *Le chagrin l'a* ***anesthésié***. 1851 ; ☞ *anesthésie* ; [anɛstezje].

**ANESTHÉSIOLOGIE, subst. f.**
Partie de la médecine qui étudie l'anesthésie artificielle et ses applications chirurgicales. 1953 ; ☞ *anesthésie* + *-logie* ; [anɛstezjɔlɔʒi].

**ANESTHÉSIQUE, adj. et subst. m.**
*Méd.* Se dit d'une substance qui produit une insensibilité locale ou générale chez un patient : *Un* ***anesthésique*** *de synthèse*. 1847 ; ☞ *anesthésie* ; [anɛstezik].

**ANESTHÉSISTE, subst.**
Médecin qui pratique l'anesthésie. 1897 ; ☞ *anesthésie* ; [anɛstezist].

**ANETH, subst. m.**
*Bot.* Plante de la famille des Apiacées, appelée aussi faux anis, dont les feuilles et les fruits sont utilisés en pharmacie et comme aromates. XIIIe s. ; lat. *anethum* ; [anɛt].

**ANEURINE, subst. f.**
*Pharm.* Nom scientifique de la vitamine $B_1$, dont la carence provoque le béribéri. 1953 ; gr. *neuron*, « nerf », + *a-*[2] ; [anøʀin].

**ANÉVRISME, subst. m.**
*Pathol.* Poche formée par dilatation des parois d'une artère, où le sang peut coaguler. 1478 ; gr. *aneurusma*, « dilatation » ; var. *anévrysme* ; [anevʀism].

**ANFRACTUOSITÉ, subst. f.**
Creux irrégulier, de petite taille, dans un terrain, une roche, une partie du corps, etc. 1503 ; lat. *anfractuosus*, « tortueux » ; [ɑ̃fʀaktɥozite].

**ANGARIE, subst. f.**
*Dr. internat.* Réquisition par un État, en temps de guerre, de tout moyen de transport étranger, en partic. des navires, situé sur son territoire. 1808 (XVIe s., imposition, corvée) ; lat. jur. *angaria*, « corvée de charroi », du gr. *aggareia* ; [ɑ̃gaʀi].

**ANGE, subst. m.**
**1.** *Relig.* Être immatériel et libre, pur esprit, pouvant accomplir une mission divine auprès des hommes : ***Anges*** *de lumière*, bons **anges** ; ***Anges*** *des ténèbres*, **anges** déchus. ► Ext. *Ange gardien* : qui conseille ou qui protège chaque humain ; *Le bon, le mauvais ange de qqn* : personne dont l'influence est bénéfique, néfaste. ► Méton. Représentation d'un de ces êtres, gén. à figure humaine et pourvu d'ailes. **2.** Loc. *Un* ***ange*** *passe* : se dit lorsqu'un silence embarrassé vient interrompre une conversation ; *Discuter du sexe des* ***anges*** : perdre son temps en vaines discussions ; *Être aux* ***anges*** : ravi ; *Faiseuse d'****anges*** : avorteuse (pop.). **3.** Anal. Personne atteignant la perfection, morale ou physique : ***Ange*** *de vertu, de beauté*. **4.** *Zool.* Grand poisson de mer intermédiaire entre le requin et la raie. Mil. XIe s. ; lat. chrét. *angelus*, du gr. *aggelos*, « messager, envoyé » ; [ɑ̃ʒ].

**ANGÉIOLOGIE, voir ANGIOLOGIE**

**ANGÉITE, subst. f.**
*Pathol.* Nom générique de toutes les inflammations des vaisseaux (artérites, phlébites, etc.). 1855 ; gr. *aggeion*, « vaisseau », + *-ite* ; var. *angiite* ; [ɑ̃ʒeit].

**ANGÉLIQUE (I), adj.**
**1.** Propre aux anges. **2.** Ext. Digne d'un ange. Mil. XIIIe s. ; lat. chrét. *angelicus* ; [ɑ̃ʒelik].

**ANGÉLIQUE (II), subst. f.**
*Bot.* Plante aromatique, dont la tige et les pétioles sont utilisés en confiserie. 1555 ; ☞ *angélique* (I), prob. parce que cette plante était utilisée comme antidote de certains venins ; [ɑ̃ʒelik].

**ANGÉLISME, subst. m.**
Tendance à refuser les réalités humaines, à se considérer comme un pur esprit. 1939 ; lat. chrét. *angelus*, « ange » ; [ɑ̃ʒelism].

**ANGELOT, subst. m.**
*B.-a.* Petit ange. Fin XIIe s. ; *angele*, anc. forme de *ange* ; [ɑ̃ʒ(ə)lo].

**ANGÉLUS, subst. m.**
*Relig.* **1.** Prière qui commence par ce mot et que l'on récite le matin, à midi et le soir. **2.** Méton. La sonnerie de cloches invitant à cette prière. Fi[n] XVIIe s. ; lat. chrét. *angelus*, « ange » ; [ɑ̃ʒelys].

**ANGEVIN, INE, adj. et subst.**
D'Angers ou de l'Anjou : *La douceur* ***angevine***. Fi[n] XIe s. ; topon. lat. *Andegavinus*, contrée des Andegavi[s,] peuple gaulois ; [ɑ̃ʒ(ə)vɛ̃, in].

**ANGIECTASIE, subst. f.**
*Pathol.* Nom générique de toutes les dilatation[s] vasculaires. ☞ *ectasie* + *angi-* ; [ɑ̃ʒjɛktazi].

**ANGIITE, voir ANGÉITE**

**ANGINE, subst. f.**
*Pathol.* **1.** Inflammation de l'isthme du gosier et d[u] pharynx, qui compte de nombreuses variétés. **2.** *Angine de poitrine* : syndrome caractérisé par de[s] crises de douleurs constrictives violentes dans l[a] région précordiale, provoquées par l'effort et sou[-]vent dues à l'athérosclérose des artères coronaire[s] (synon. *angor*). Déb. XVIe s. ; lat. *angina* ; [ɑ̃ʒin].

**ANGINEUX, EUSE, adj.**
Relatif à l'angine ; empl. subst., personne qu[i] souffre de l'angine (rare). 1615 ; ☞ *angine* ; [ɑ̃ʒinø, øz].

**ANGIOCHOLITE, subst. f.**
*Pathol.* Inflammation des voies biliaires. Fi[n] XIXe s. ; gr. *kholê*, « bile », + *angio-* et *-ite* ; [ɑ̃ʒjokɔlit].

**ANGIOGRAPHIE, subst. f.**
Radiographie des vaisseaux après injection d'u[n] liquide opaque aux rayons X. 1952 (1808 description des vaisseaux) ; formé de *angio-* et d[e] *-graphie* ; [ɑ̃ʒjogʀafi].

**ANGIOLOGIE, subst. f.**
Partie de la médecine qui étudie les vaisseaux e[t] leurs maladies. 1740 (1576, incision) ; gr. *aggeio[-]logia* ; var. *angéiologie* ; [ɑ̃ʒjɔlɔʒi].

**ANGIOME, subst. m.**
*Pathol.* Tumeur vasculaire. 1869 ; formé de *angio[-]* et de *-ome* ; [ɑ̃ʒjom].

**ANGIOPLASTIE, subst. f.**
*Chir.* Opération visant à réparer ou à remodeler un vaisseau. V. 1960 ; formé de *angio-* et de *-plastie* ; [ɑ̃ʒjoplasti].

**ANGIOSPERME, adj. et subst. f. plur.**
*Bot.* **Adj.** Se dit d'une plante dont les graines sont enfermées dans des cavités closes, les fruits (anton. *gymnosperme*). **Subst.** Unité systématique regroupant les plantes dont les graines ne sont pas à nu ; au sing. : *Une* ***angiosperme***. 1740 ; ☞ *sperme* + *angio-* ; [ɑ̃ʒjospɛʀm].

**ANGLAIS, AISE, adj. et subst.**
D'Angleterre ; par ext., de Grande-Bretagne (empl abusif). **Adj.** *Crème* ***anglaise*** : au lait et au jaune d'œuf ; *Assiette* ***anglaise*** : plat de viandes froides. **Subst.** Loc. *Filer à l'****anglaise*** : partir discrètement ; *Élever un enfant à l'****anglaise*** : avec rigueur, sévérité

LES PRINCIPAUX TYPES DE FRUITS DES ANGIOSPERMES

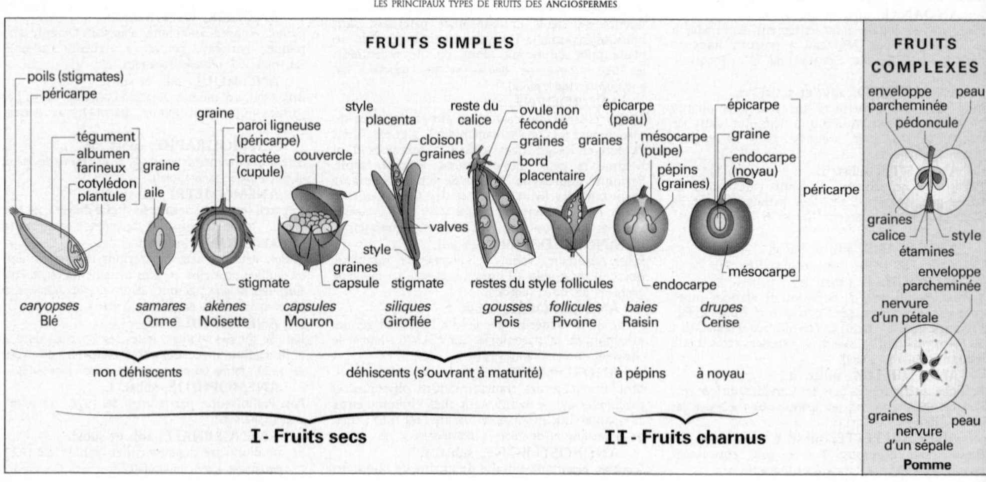

SUBST. MASC. Langue du groupe germanique, parlée surtout en Grande-Bretagne, aux États-Unis et dans l'ancien Empire britannique. SUBST. FÉM. **1.** Écriture cursive inclinée vers la droite. **2.** Boucle de cheveux spiralée, encadrant le visage (gén. au plur.). XII^e^ s. ; *Angles*, peuple germanique ; [ɑ̃glɛ, ɛz].

**ANGLAISER, verbe trans.** [3]
Couper les muscles abaisseurs de la queue de (un cheval) pour qu'elle reste à l'horizontale. 1788 ; loc. *couper la queue à l'anglaise* ; [ɑ̃gleze].

**ANGLE, subst. m.**
**1.** Espace délimité par la rencontre de deux lignes, de deux surfaces : *L'**angle** d'une table* ; *L'**angle** d'une pièce.* ► Loc. *Arrondir les **angles*** : atténuer les difficultés, faciliter les relations ; *Sous cet **angle*** : de ce point de vue. **2.** *Géom.* Portion de plan limitée par deux demi-droites (les côtés de l'**angle**) issues d'un même point (le sommet de l'**angle**) : ***Angle** plat*, dont les côtés sont dans le prolongement l'un de l'autre (180°) ; ***Angle** droit*, moitié d'un **angle** plat (90°) ; ***Angle** de deux plans* (☞ ***dièdre***). Fin XII^e^ s. ; lat. *angulus*, « coin » ; [ɑ̃gl].

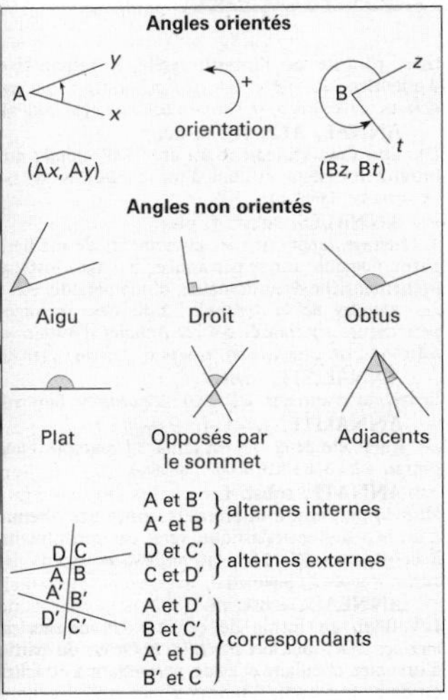

**Angles orientés**

A, x, y, orientation, +, B, z, t

$(\widehat{Ax, Ay})$ $(\widehat{Bz, Bt})$

**Angles non orientés**

Aigu — Droit — Obtus

Plat — Opposés par le sommet — Adjacents

D C A B A' B' D' C'

A et B', A' et B } alternes internes

D et C', C et D' } alternes externes

A et D', B et C', A' et D, B' et C } correspondants

*Types d'**angles**.*

**ANGLET, subst. m.**
*Archit.* Rainure à angle droit séparant deux saillies. 1762 (mil. XIII^e^ s., petit coin) ; ☞ *angle* ; [ɑ̃glɛ].

**ANGLICAN, ANE, adj. et subst.**
ADJ. Qui est relatif, qui appartient à l'anglicanisme. SUBST. Membre de l'Église **anglicane**. 1554 ; lat. médiév. *anglicanus* ; [ɑ̃glikɑ̃, an].

**ANGLICANISME, subst. m.**
Doctrine de l'Église réformée d'Angleterre, placée sous l'autorité du souverain depuis la rupture d'Henri VIII avec la papauté (XVI^e^ s.) ; ses rites et ses institutions. 1801 ; ☞ *anglican* ; [ɑ̃glikanism].

**ANGLICISER, verbe trans.** [3]
Donner le caractère anglais à (qqn ou qqch.). PRONOM. Adopter les usages anglais. Mil. XVIII^e^ s. ; lat. médiév. *anglicus*, « anglais » ; [ɑ̃glisize].

**ANGLICISME, subst. m.**
*Ling.* Tournure, locution spécifique à l'anglais ; emprunt à l'anglais. 1652 ; angl. *anglicism* ; [ɑ̃glisism].

**ANGLICISTE, subst.**
Spécialiste de la langue et de la civilisation anglaises. 1939 ; ☞ *anglicisme* ; [ɑ̃glisist].

**ANGLO-AMÉRICAIN, AINE, adj. et subst.**
D'origine à la fois anglaise et américaine. SUBST. MASC. Anglais parlé aux États-Unis. Fin XVIII^e^ s. ; ☞ *américain + anglo-* ; plur. *anglo-américains, aines* ; [ɑ̃gloameʀikɛ̃, ɛn].

**ANGLO-ARABE, adj.**
Qualifie un cheval issu d'un croisement entre pur-sang anglais et arabe ; empl. subst. : *Monter un **anglo-arabe**.* 1838 ; ☞ *arabe + anglo-* ; plur. *anglo-arabes* ; [ɑ̃gloaʀab].

**ANGLOMANIE, subst. f.**
Mode qui fait admirer et imiter tous les usages anglais (vieilli). 1754 ; formé de *anglo-* et de *-manie* ; [ɑ̃glɔmani].

**ANGLO-NORMAND, ANDE, adj. et subst. m.**
ADJ. **1.** Relatif à la culture normande, qui s'est épanouie en Angleterre et dans les îles de la Manche (les îles **anglo-normandes**) après la conquête de Guillaume le Conquérant, en 1066. **2.** Qui présente des caractères anglais et normands : *Cheval **anglo-normand**.* SUBST. Forme prise par le dialecte français de Normandie parlé entre le XI^e^ et le XIV^e^ s. des deux côtés de la Manche. 1796 ; ☞ *normand + anglo-* ; plur. *anglo-normands, andes* ; [ɑ̃glonɔʀmɑ̃, ɑ̃d].

**ANGLOPHILIE, subst. f.**
Propension à aimer les Anglais ou ce qui est anglais. Mil. XIX^e^ s. ; formé de *anglo-* et de *-philie* ; [ɑ̃glɔfili].

**ANGLOPHOBIE, subst. f.**
Aversion pour les Anglais ou ce qui est anglais. 1829 ; formé de *anglo-* et de *-phobie* ; [ɑ̃glɔfɔbi].

**ANGLOPHONE, adj. et subst.**
ADJ. De langue anglaise : *Un pays **anglophone**.* SUBST. Personne qui parle anglais. 1894 ; formé de *anglo-* et de *-phone* ; [ɑ̃glɔfɔn].

**ANGLO-SAXON, ONNE, adj. et subst.**
**1.** *Hist.* Se dit des peuples germaniques (Angles, Saxons, Jutes) qui envahirent la Grande-Bretagne dès le V^e^ s. ► Empl. subst. masc. Langue parlée par ces peuples. **2.** Ext. Se dit des peuples britanniques. ADJ. Relatif à ces peuples, à leur civilisation. Fin XVII^e^ s. ; ☞ *saxon + anglo-* ; plur. *anglo-saxons, onnes* ; [ɑ̃glosaksɔ̃, ɔn].

**ANGOISSANT, ANTE, adj.**
Qui cause une extrême inquiétude. 1306 ; p. pr. de *angoisser* ; [ɑ̃gwasɑ̃, ɑ̃t].

**ANGOISSE, subst. f.**
**1.** Ensemble de phénomènes psychophysiologiques liés à une situation de doute ou de peur à l'égard d'un malheur imminent, qui se manifestent par une sensation physique d'oppression. **2.** *Philos.* Selon les existentialistes, inquiétude métaphysique et morale de l'homme face à l'inconnu de son être, de son destin et de sa responsabilité. Déb. XII^e^ s. ; lat. *angustia*, « passage resserré » ; [ɑ̃gwas].

**ANGOISSÉ, ÉE, adj.**
Qui éprouve, manifeste de l'angoisse ; empl. subst., personne **angoissée**. P. p. de *angoisser* ; [ɑ̃gwase].

**ANGOISSER, verbe trans.** [3]
Causer de l'angoisse à. PRONOM. Éprouver de l'angoisse. Fin XI^e^ s. ; lat. chrét. *angustiare*, « mettre dans l'embarras » ; [ɑ̃gwase].

**ANGOLAIS, AISE, adj. et subst.**
De l'Angola. 1866 ; topon. *Angola* ; [ɑ̃gɔlɛ, ɛz].

**ANGON, subst. m.**
Javelot franc, à deux fers en forme de crocs. XV^e^ s. ; bas lat. *angon*, prob. du frq. °*ango*, « crochet » ; [ɑ̃gɔ̃].

**ANGOR, subst. m.**
*Pathol.* Angine de poitrine. 1845 ; lat. *angor*, « oppression physique » ; [ɑ̃gɔʀ].

**ANGORA, adj.**
**1.** *Zool.* Qualifie certains animaux (chat, chèvre, lapin) aux poils longs et soyeux : *Un chat, un lapin **angora*** ou, empl. subst. masc., *Un **angora**.* **2.** Méton. *De la laine **angora*** ou, empl. subst. masc., *De l'**angora*** : laine très légère faite de ces poils. 1792 ; topon. *Angora*, auj. Ankara (Turquie) ; [ɑ̃gɔʀa].

**ANGSTRÖM, subst. m.**
*Phys.* Unité de longueur valant $10^{-10}$ m (symb. : Å). 1920 ; anthropon. *A. J. Ångström* ; [ɑ̃gstʀœm].

**ANGUILLE, subst. f.**
*Zool.* **1.** Poisson téléostéen d'eau douce, mais qui se reproduit dans la mer des Sargasses, à peau glissante, d'allure sinueuse, de la famille des Anguillidés. ► Loc. *Il y a **anguille** sous roche* : qqch. se prépare en secret. **2.** Anal. ***Anguille** de mer* : congre ou lamproie. Mil. XII^e^ s. ; lat. *anguilla*, de *anguis*, « serpent » ; [ɑ̃gij].

**ANGUILLÈRE, subst. f.**
Vivier où l'on élève des anguilles (rare). XVI^e^ s. ; ☞ *anguille* ; var. *anguillière* ; [ɑ̃gijɛʀ].

**ANGUILLULE, subst. f.**
*Zool.* Ver rond (nématode) vivant en parasite de certaines plantes : ***Anguillule** du blé.* Il existe également une petite espèce d'**anguillule** vivant dans le vinaigre. 1845 ; ☞ *anguille* ; [ɑ̃gijyl].

**ANGULAIRE, adj.**
**1.** Qui forme un angle, qui comprend un ou plusieurs angles : *Une figure **angulaire**.* **2.** *Archit.* *Pierre **angulaire*** : pierre de fondation formant l'angle extérieur d'un bâtiment ; par ext., base, élément fondamental : *Pierre **angulaire** d'un système.* **3.** *Astron.* *Distance **angulaire** de deux astres, de deux points* : angle formé par les deux rayons visuels partant de l'œil de l'observateur et rejoignant ces astres ou ces points. **4.** *Phys.* Qualifie une grandeur associée à un mouvement circulaire. ► *Vitesse **angulaire*** : soit M un point matériel animé d'un mouvement circulaire sur un cercle de centre O et de rayon OM, on appelle vitesse **angulaire** du point M l'angle ω que parcourt le rayon OM en une unité de temps ; on la mesure en radians par seconde (rad/s). Fin XIV^e^ s. ; lat. *angularis* ; [ɑ̃gylɛʀ].

**ANGULEUX, EUSE, adj.**
**1.** Qui offre des saillies ou des renfoncements : *Visage **anguleux**.* **2.** Fig. *Caractère **anguleux*** : difficile, peu souple. **3.** *Math.* *Point **anguleux** d'une courbe* : point en lequel la courbe admet deux demi-tangentes non alignées. 1539 ; lat. *angulosus* ; [ɑ̃gylø, øz].

**ANGUSTICLAVE, subst. m.**
*Antiq. rom.* **1.** Bande étroite de pourpre bordant la tunique des chevaliers. **2.** Méton. Cette tunique ; le chevalier qui la portait. XVII^e^ s. ; lat. *angustus*, « étroit », et *clavus*, « bande » ; [ɑ̃gystiklav].

**ANGUSTURA, subst. f.**
*Bot.* Écorce de certains arbres d'Amérique du Sud, de la famille des Rutacées, qui contient un tonique amer employé comme fébrifuge ou, distillé, en apéritif. 1814 ; topon. *Angostura*, auj. Ciudad Bolívar (Venezuela) ; var. *angusture* ; [ɑ̃gystyʀa].

**ANHARMONIQUE, adj.**
*Géom.* *Rapport **anharmonique*** : birapport (vieilli). 1837 ; ☞ *harmonique + a-²* ; [anaʀmɔnik].

**ANHÉLATION, subst. f.**
*Pathol.* Essoufflement caractérisé par une respiration oppressée. XVI^e^ s. ; lat. *anhelatio* ; [anelasjɔ̃].

**ANHÉLER, verbe intrans.** [8]
Respirer difficilement, haleter. Fin XIII^e^ s. ; lat. *anhelare* ; [anele].

**ANHIDROSE, subst. f.**
*Pathol.* Abolition ou diminution de la sécrétion sudorale. 1843 ; gr. *hidrôs*, « sueur », + *a-²* ; var. *anidrose* ; [anidʀoz].

**ANHYDRE, adj.**
*Chim.* Qui ne contient pas d'eau. 1820 ; gr. *anudros* ; [anidʀ].

**ANHYDRIDE, subst. m.**
*Chim.* Molécule obtenue par déshydratation d'un acide, minéral ou organique : *L'**anhydride** sulfurique, $SO_3$, dérive de l'acide sulfurique, $H_2SO_4$, par perte d'une molécule d'eau, $H_2O$.* 1859 ; crois. de *anhydre* et de *acide* ; [anidʀid].

**ANHYDRITE, subst. f.**
*Minér.* Sulfate anhydre de calcium, plus dur que le gypse, dont il peut dériver. 1845 ; ☞ *anhydre* ; [anidʀit].

**ANICROCHE, subst. f.**
Incident, obstacle qui provoque un désagrément de courte durée (fam.). 1546 ; formé de *ani-*, p.-ê. de l'anc. fr. *ane*, « canard », et de *croche*, « crochet » ; [anikʀɔʃ].

**ANIDROSE, voir ANHIDROSE**

**ÂNIER, ÂNIÈRE, subst.**
Personne qui conduit un ou plusieurs ânes. Fin XII^e^ s. ; lat. *asinarius* ; [ɑnje, ɑnjɛʀ].

**ANILINE, subst. f.**
*Chim.* Nom d'une substance dont la molécule est un noyau benzénique porteur d'une fonction amine, de formule brute $C_6H_5NH_2$. On fabrique avec cette amine aromatique des matières colorantes. 1855 ; all. *Anilin*, du port. *anil*, de l'ar. *al-nīl*, « l'indigo » ; [anilin].

**ANIMADVERSION, subst. f.**
Désapprobation pouvant aller jusqu'à l'hostilité (littér. et vieilli). XVI^e^ s. (fin XII^e^ s., attention de l'esprit) ; lat. *aminadversio* ; [animadvɛʀsjɔ̃].

**ANIMAL (I), subst. m.**
**1.** Être vivant capable de se déplacer et doué de sensibilité : *L'homme est un **animal** doué de raison.*

Seuls les **animaux** constitués de nombreuses cellules forment une unité systématique homogène ; ce sont les métazoaires, qui ont en commun, notamment, un même mode de formation des gamètes. L'ensemble des protozoaires, ou **animaux** constitués d'une seule cellule, est en revanche très hétérogène. **2.** Être animé autre qu'un être humain ; bête : ***Animal** marin* ; *Les **animaux** sauvages, domestiques.* ▸ Ext. Personne brute, grossière. 🕮 Fin XII$^e$ s. ; lat. *animal*, de *anima*, « souffle de vie » ; plur. *animaux* ; [animal], plur. [-mo].

**ANIMAL (II), ALE, AUX, adj.**
**1.** Spécifique à l'animal, à l'être animé ; qui, en l'homme, est propre à l'animal. **2.** Spécifique à l'animal autre que l'être humain. 🕮 Fin XII$^e$ s. ; lat. *animalis*, « animé, vivant » ; [animal, o].

**ANIMALCULE, subst. m.**
Animal microscopique. 🕮 1564 ; ☞ *animal* (I) ; [animalkyl].

**ANIMALERIE, subst. f.**
**1.** Local pour animaux destinés aux expériences scientifiques. **2.** Magasin où l'on peut acheter des animaux. 🕮 Mil. XX$^e$ s. ; ☞ *animal* (I) ; [animalʀi].

**ANIMALIER, IÈRE, subst. et adj.**
Subst. masc. Artiste représentant des animaux ; en appos. : *Sculpteur **animalier**.* Subst. Personne chargée des soins aux animaux d'un parc, d'un laboratoire. Adj. Relatif aux animaux, à leur représentation : *Parc **animalier*** ; *Peinture **animalière**.* 🕮 XVIII$^e$ s. ; ☞ *animal* (I) ; [animalje, jɛʀ].

**ANIMALITÉ, subst. f.**
**1.** Ensemble des caractères spécifiques à l'animal. **2.** Règne animal. **3.** Part animale chez l'homme. 🕮 Fin XII$^e$ s. ; lat. *animalitas* ; [animalite].

*Objets de culte **animiste** en pays Lobi (Burkina).*

**ANIMATEUR, TRICE, adj. et subst.**
Adj. Qui donne de la vie, du mouvement. Subst. Celui ou celle qui anime un groupe, une activité : *L'**animateur** d'une équipe, d'un spectacle.* 🕮 1801 ; ☞ *animer* ; [animatœʀ, tʀis].

**ANIMATION, subst. f.**
**1.** Principe vital ; apparition de la vie animale ; venue de l'âme dans le corps (rare). **2.** Caractère de ce qui est plein de vitalité : *L'**animation** de la rue* ; expression de la vivacité d'un sentiment : *Parler avec **animation**.* **3.** Action de communiquer de l'entrain à un groupe. **4.** *Sociol.* Méthode utilisée par l'animateur pour conduire un groupe, favoriser sa participation à une activité, sa progression vers un objectif. **5.** *Cin.* Traitement image par image qui permet de donner, lors de la projection, l'impression du mouvement à des dessins, à des photographies, etc. 🕮 XIV$^e$ s. ; lat. *animatio*, de *anima*, « souffle de vie » ; [animasjɔ̃].

**ANIMÉ, ÉE, adj.**
**1.** Doué de vie, de mouvement. **2.** Plein d'animation. **3.** *Cin. Dessin **animé*** (☞ *dessin*). 🕮 XIV$^e$ s. ; p. p. de *animer* ; [anime].

**ANIMER, verbe trans.** [3]
**1.** Insuffler la vie à. **2.** Anal. Transmettre un mouvement à : *Le vent **anime** les ailes du moulin.* **3.** Remplir d'ardeur, de vivacité : ***Animer** une soirée, une classe* ; *L'impatience **animait** tous les regards.* **4.** Entraîner, être l'élément moteur de : *André Breton **anima** le groupe des surréalistes.* **5.** Inspirer, habiter, en parlant d'un sentiment : *Un désir de vengeance **animait** cet homme bafoué.* Pronom. **1.** Prendre vie : *Soudain, la créature de Frankenstein s'**anima**.* **2.** Devenir plus vif, plein d'entrain : *La conversation s'**anime**.* 🕮 Mil. XIV$^e$ s. ; lat. *animare* ; [anime].

*Uranus et ses **anneaux**. Dessin d'après des observations au télescope.*

**ANIMISME, subst. m.**
*Anthropol.* Croyance en l'existence d'une âme en tout être (animal) et en toute chose (végétal, minéral, etc.) dans la nature. ▸ *Relig.* Désigne l'ensemble des religions traditionnelles d'Afrique. 🕮 1781 ; lat. *anima*, « âme » ; [animism].

**ANIMISTE, adj. et subst.**
Adj. Propre, favorable à l'animisme. Subst. Adepte de l'animisme. 🕮 1780 ; lat. *anima*, « âme » ; [animist].

**ANIMOSITÉ, subst. f.**
**1.** Hostilité, malveillance qui porte à nuire à autrui. **2.** Ext. Vivacité agressive, dans un débat. 🕮 Fin XIV$^e$ s. ; lat. chrét. *animositas* ; [animozite].

**ANION, subst. m.**
*Phys.* Ion chargé d'électricité négative et qui peut, de ce fait, être recueilli sur une anode (anton. *cation*). 🕮 1838 ; gr. *anion*, « ce qui s'élève » ; [anjɔ̃].

**ANIONIQUE, adj.**
Relatif, propre à un anion : *Charge **anionique**.* 🕮 1935 ; ☞ *anion* ; [anjɔnik].

**ANIS, subst. m.**
*Bot.* Plante de la famille des Apiacées dont les diverses espèces (cumin, fenouil, **anis** étoilé...) sont utilisées pour leurs propriétés aromatiques et médicinales. 🕮 1236 ; lat. *anisum*, du gr. *anison* ; [ani(s)].

**ANISER, verbe trans.** [3]
Parfumer à l'anis. 🕮 1564 ; ☞ *anis* ; [anize].

**ANISETTE, subst. f.**
Boisson apéritive à base d'alcool sucré et d'anis vert. 🕮 1771 ; ☞ *anis* ; [anizɛt].

**ANISOGAMIE, subst. f.**
*Biol.* Reproduction sexuée par l'union de gamètes mâles et femelles d'une même espèce d'êtres vivants présentant des différences de taille et de mobilité (mais non pas de structure). 🕮 V. 1960 ; ☞ *isogamie* + *a-*$^2$ ; [anizɔgami].

**ANISOTROPE, adj.**
*Phys.* Qualifie un corps ou une substance dont les propriétés varient selon leur direction dans l'espace. 🕮 1872 ; ☞ *isotrope* + *a-*$^2$ ; [anizɔtʀɔp].

**ANISOTROPIE, subst. f.**
*Phys.* Qualité d'une substance, d'un corps anisotrope. 🕮 1895 ; ☞ *anisotrope* ; [anizɔtʀɔpi].

**ANKYLOSE, subst. f.**
**1.** *Pathol.* Blocage partiel ou total d'une articulation. **2.** Fig. Engourdissement : *L'**ankylose** de l'esprit.* 🕮 1564 ; gr. *agkulôsis* ; [ɑ̃kiloz].

**ANKYLOSER, verbe trans.** [3]
**1.** *Pathol.* Provoquer l'ankylose de (une articulation). **2.** Fig. Engourdir, rendre apathique. Pronom. Être atteint d'ankylose. 🕮 1749 ; ☞ *ankylose* ; [ɑ̃kiloze].

**ANKYLOSTOME, subst. m.**
*Zool.* Ver de l'embranchement des Némathelminthes, parasite de l'intestin grêle et responsabl d'anémies. 🕮 1881 ; lat. sc. *ankylostoma*, du gr *agkulos*, « recourbé », et *stoma*, « bouche » ; [ɑ̃kilostom]

**ANNAL, ALE, AUX, adj.**
*Dr.* Qui dure seulement un an : *Bail **annal*** ; qu produit ses effets au bout d'un an. 🕮 Déb. XII$^e$ s. lat. *annalis* ; [anal, o].

**ANNALES, subst. f. plur.**
**1.** Ouvrage rapportant les évènements de manièr chronologique, année par année ; par ext., histoir évènementielle d'un domaine, d'une période, etc. *Les **annales** de la tyrannie.* **2.** Revues, ouvrage périodiques spécialisés : « *Les **Annales** d'histoire* ». 🕮 1447 ; lat. *annales libri*, « livres de l'année » ; [anal]

**ANNALISTE, subst.**
Rédacteur d'annales. 🕮 1560 ; ☞ *annales* ; [analist]

**ANNALITÉ, subst. f.**
*Dr.* Caractère de ce qui est annal : *L'**annalité** d'un charge.* 🕮 1876 ; ☞ *annal* ; [analite].

**ANNATE, subst. f.**
*Hist.* Impôt, égal à la première année des revenu d'un bénéfice ecclésiastique, versé par son titulair à la papauté. 🕮 1641 ; lat. médiév. *annata*, du lat *annus*, « année » ; [an(n)at].

**ANNEAU, subst. m.**
**I. 1.** Bijou en forme de cercle : *Un **anneau** d mariage* ; *Des **anneaux** d'oreille.* **2.** Objet, ou parti d'un objet, circulaire et évidé, permettant d'attache ou de retenir qqch. : ***Anneau** d'amarrage* ; *L'**annea** d'une clé.* ▸ *Sp. Les **anneaux*** : agrès mobile formé d deux cercles métalliques fixés chacun à une cord suspendue. **II.** Ext. **1.** Tout objet ou figure évoquan un cercle : *Les **anneaux** d'un tronc d'arbre.* **2.** *Astron.* Zone de matière, d'aspect circulaire, composé d'une multitude de particules solides, gravitant dan le plan équatorial d'une planète : *Les **anneaux** d Saturne.* **3.** *Math.* Ensemble muni de deux lois d composition interne, la première (souv. notée + lui conférant une structure de groupe commutatif la seconde (souv. notée .) étant associative e distributive par rapport à la première. Si la second loi est commutative (resp. possède un élémen neutre), l'**anneau** est dit commutatif (resp. unitaire) : *L'ensemble ℤ des entiers relatifs est un **annea** commutatif unitaire par l'addition et la multiplication.* **4.** *Phys.* Appellation de divers phénomènes optique qui ont une apparence d'**anneau** : ***Anneaux** d Newton*, interférences des rayons lumineux au poin de contact d'une surface plane et d'une lentill convexe ; ***Anneau** d'Einstein*, image d'une étoile don les rayons lumineux sont déviés par la masse d'u astre situé sur leur passage. **5.** *Phys. nucl.* Dispositi utilisé pour effectuer des collisions de particules ***Anneau** de stockage.* **6.** *Zool.* Chacun des éléments identiques, qui composent le corps des Annélide et des Arthropodes : *Les **anneaux** d'un ver de terre.* 🕮 Mil. XI$^e$ s. ; lat. *annellus*, « petit anneau » ; [ano].

**ANNÉE, subst. f.**
**1.** *Astron.* Durée de la révolution de la Terre autou du Soleil ; par ext., durée de la révolution d'un astr autour d'un autre ou d'un point donné : ***Anné** vénusienne.* **2.** Unité conventionnelle de mesure du

temps fondée sur ces phénomènes : *L'année julienne et l'année grégorienne se réfèrent au mouvement apparent du Soleil ; Une année lunaire compte env. onze jours de moins qu'une année solaire.* ▸ *L'année civile* : établie selon le calendrier grégorien et allant du 1er janvier au 31 décembre ; *L'année 1950* : datée selon la chronologie chrétienne. **3.** Période de douze mois, à partir d'une date donnée : *Entrer dans sa vingtième année ; Déposer le bilan après trois années d'exercice.* **4.** Période d'activité annuelle dans un domaine précis : *Année scolaire, comptable.* PLUR. **1.** Décennie : *Les années soixante ; Les Années folles*, entre 1920 et 1930. **2.** Fig. *Voilà des années qu'il n'est pas venu* : très longtemps. Fin XIIe s. ; ☞ *an* ; [ane].

ASTRONOMIE – L'année tropique est la durée qui sépare deux équinoxes de printemps, c.-à-d. deux passages successifs du centre du Soleil sur l'équateur (☞ *gamma*), soit 365,242 198 79 j. L'année sidérale, temps qui sépare deux passages successifs du centre du Soleil au point gamma, vaut 365 j 6 h 9 min 10 s. L'année anomalistique est le temps qui sépare deux passages successifs du Soleil à son périgée, soit 365 j 6 h 13 min 53 s. Quant à l'année cosmique, ou grande année, elle représente la durée de la révolution du Soleil autour du centre de notre galaxie, soit quelque 250 millions d'années solaires.

**ANNÉE-LUMIÈRE, subst. f.**
*Astron.* Distance parcourue par la lumière en un an (symb. : a.l.). La vitesse de la lumière dans le vide étant voisine de 300 000 km/s, une **année-lumière** représente quelque 9 461 280 000 000 km, soit 0,307 parsec. 1877 ; comp. de *année* et de *lumière* ; plur. *années-lumière*, var. *année de lumière* ; [anelymjɛʀ].

**ANNELÉ, ÉE, adj. et subst. m. plur.**
ADJ. **1.** Agencé en boucles. **2.** Cerclé d'anneaux ou de raies circulaires : *Une stèle annelée.* SUBST. *Zool.* Annélides. 1544 ; p. p. de *anneler* ; [an(ə)le].

**ANNELER, verbe trans.** [12]
**1.** Agencer (une chevelure) en boucles (rare). **2.** Mettre un anneau au groin de (un porc), au mufle de (un taureau), pour l'immobiliser et l'empêcher de creuser le sol. 1398 ; *annel*, anc. forme de *anneau* ; [an(ə)le].

**ANNELET, subst. m.**
**1.** Petit anneau. **2.** *Archit.* Ornement circulaire sur les colonnes des ordres antiques. 1160 ; *annel*, anc. forme de *anneau* ; [an(ə)lɛ].

**ANNÉLIDES, subst. m. ou f. plur.**
*Zool.* Embranchement contenant tous les vers annelés, c.-à-d. composés de segments semblables, les anneaux, parfois porteurs de soies. AU SING. *La sangsue est un annélide.* 1802 ; lat. *annellus*, « petit anneau » ; [anelid].

**ANNEXE, adj. et subst. f.**
ADJ. **1.** Qui dépend d'un élément principal ou qui le complète : *Les bâtiments annexes d'une ferme ; Un budget annexe.* **2.** Ext. Secondaire : *Un problème annexe.* SUBST. **1.** Ce qui est rattaché à un élément principal : *Les annexes du château ; Une annexe de banque*, une succursale ; *L'annexe d'un voilier*, son canot auxiliaire. ▸ Pièce jointe à un document : *Voir les annexes en fin d'ouvrage.* **2.** *Anat.* *Annexes embryonnaires* : chez les Mammifères, parties formées par la vésicule ombilicale, l'allantoïde et l'amnios, présentes dans l'œuf fécondé mais extérieures au fœtus. Mil. XIIIe s. ; lat. *annexus*, « uni, joint » ; [anɛks].

**ANNEXER, verbe trans.** [3]
**1.** Joindre à un élément principal : *Annexer des pièces au dossier.* ▸ Loc. **Ci-annexé.** Ci-joint : *Ci-annexé la copie du contrat ; La copie ci-annexée.* **2.** Placer sous sa souveraineté : *Annexer une province.* PRONOM. S'attribuer. 1274 ; ☞ *annexe* ; [anɛkse].

**ANNEXION, subst. f.**
**1.** Prise de possession, action de rattacher : *L'annexion de la Bretagne à la France en 1532.* **2.** Méton. Territoire annexé. Fin XIVe s. ; ☞ *annexer* ; [anɛksjɔ̃].

**ANNEXIONNISTE, adj.**
Qui préconise l'annexion d'un pays à un autre : *Politique annexionniste* ; empl. subst., partisan d'une telle politique. 1853 ; ☞ *annexion* ; [anɛksjɔnist].

**ANNIHILATION, subst. f.**
**1.** Action d'annihiler ; état qui en résulte : *L'annihilation totale de sa personne.* **2.** *Dr.* Annulation (vieilli). **3.** *Phys.* Réaction entre une particule et son antiparticule, au cours de laquelle elles disparaissent pour produire des particules plus petites. 1377 ; bas lat. *adnihilatio* ; [aniilasjɔ̃].

**ANNIHILER, verbe trans.** [3]
**1.** Réduire à néant : *La maladie annihila chez lui toute volonté.* **2.** *Dr.* Abroger, rendre nul (vieilli). PRONOM. Détruire sa personnalité. 1302 ; bas lat. *adnihilare* ; [aniile].

**ANNIVERSAIRE, adj. et subst. m.**
ADJ. Qui évoque ou célèbre un évènement survenu le même jour d'une année antérieure : *Une messe anniversaire.* SUBST. Ce jour lui-même, qui revient chaque année : *Il recevra des cadeaux pour son anniversaire.* Fin XIIe s. ; lat. *anniversarius* ; [anivɛʀsɛʀ].

**ANNONCE, subst. f.**
**1.** Action de porter à la connaissance de qqn un évènement passé ou à venir : *L'annonce de la victoire stimula les énergies.* **2.** Anal. Signe précurseur : *Ces nuages sont une annonce de tempête.* **3.** *Jeux.* Déclaration faite au début d'une partie de cartes : *L'art des annonces au bridge.* **4.** *Presse.* Information autre que rédactionnelle : *Annonces légales*, insérées à la suite d'une décision judiciaire, par obligation légale ; *Annonces publicitaires ; Petite annonce*, texte bref par lequel on offre ou on demande des biens, des services. 1440 ; ☞ *annoncer* ; [anɔ̃s].

**ANNONCER, verbe trans.** [4]
**1.** Faire connaître (qqch.) : *Annoncer son départ.* ▸ Informer de l'arrivée de (un visiteur) : *Qui dois-je annoncer ?* **2.** Anal. Prédire ; être le signe avant-coureur de : *Ce vent annonce la pluie.* **3.** *Jeux.* Faire l'annonce de : *Annoncer deux trèfles.* ▸ Loc. *Annoncer la couleur* (☞ *couleur*). PRONOM. Se manifester ; se préparer à être : *L'été s'annonce chaud.* Fin XIe s. ; lat. *adnuntiare* ; [anɔ̃se].

**ANNONCEUR, subst. m.**
**1.** Vx. Comédien qui annonçait les spectacles. **2.** Personne ou entreprise qui fait insérer des communiqués publicitaires dans un organe de presse. 1752 (fin XIIe s., héraut) ; ☞ *annoncer* ; [anɔ̃sœʀ].

**ANNONCIATEUR, TRICE, adj. et subst. m.**
ADJ. Qui annonce, qui présage qqch. : *Signe annonciateur.* SUBST. *Télécomm.* Dispositif avertissant d'un appel. XVe s. ; lat. *annuntiator* ; [anɔ̃sjatœʀ, -tʀis].

**ANNONCIATION, subst. f.**
**1.** *Relig.* *L'Annonciation* : message par lequel l'ange Gabriel apprit à Marie qu'elle mettrait au monde le Messie ; fête commémorant cet évènement (le 25 mars). **2.** *B.-a.* Représentation de cette scène. Déb. XIIe s. ; lat. chrét. *annuntiatio* ; [anɔ̃sjasjɔ̃].

**ANNONCIER, IÈRE, subst.**
Personne chargée de la composition et de l'insertion des annonces dans un journal ou une revue. 1847 ; ☞ *annonce* ; [anɔ̃sje, -jɛʀ].

**ANNONE, subst. f.**
*Antiq. rom.* **1.** Ravitaillement en vivres pour une année, destiné à la population. **2.** L'administration en charge de cet approvisionnement ; l'impôt en nature perçu pour l'assurer. Déb. XIIe s. ; lat. *annona*, « récolte de l'année » ; [anɔn].

**ANNOTATEUR, TRICE, subst.**
Celui ou celle qui annote. 1552 ; ☞ *annoter* ; [anɔtatœʀ, -tʀis].

**ANNOTATION, subst. f.**
Action d'annoter un écrit ; par méton., le commentaire porté. XIVe s. ; lat. *annotatio* ; [anɔtasjɔ̃].

**ANNOTER, verbe trans.** [3]
**1.** Vx. *Dr.* Inventorier (des biens à saisir). **2.** Inscrire des remarques en marge de (un texte) ; commenter. XVe s. ; lat. *annotare* ; [anɔte].

**ANNUAIRE, subst. m.**
Publication annuelle offrant des renseignements sur une activité, un domaine : *L'annuaire des marées, du téléphone.* 1835 (1794, calendrier républicain) ; lat. *annuus*, « annuel » ; [anɥɛʀ].

**ANNUEL, ELLE, adj.**
**1.** Qui se produit, qui revient chaque année : *Une foire annuelle.* **2.** Qui dure un an. Fin XIe s. ; bas lat. *annualis* ; [anɥɛl].

**ANNUELLEMENT, adv.**
Chaque année. 1294 ; ☞ *annuel* ; [anɥɛlmɑ̃].

**ANNUITÉ, subst. f.**
**1.** Montant annuel que verse un débiteur à son créancier pour se libérer de sa dette. **2.** *Admin.* Unité équivalant à une année de service, servant au calcul des retraites. 1395 ; lat. médiév. *annuitas* ; [anɥite].

**ANNULAIRE (I), subst. m.**
Quatrième doigt de la main. 1539 ; bas lat. *digitus anularis*, « doigt propre à l'anneau » ; [anylɛʀ].

**ANNULAIRE (II), adj.**
Dont la forme évoque celle d'un anneau. 1546 ; lat. *an(n)ularius*, « dont on se sert pour fabriquer des anneaux » ; [anylɛʀ].

**ANNULATION, subst. f.**
**1.** *Dr.* Abrogation, action d'annuler un acte ; son résultat : *Annulation d'un mariage* ; par ext. : *Annulation d'une réservation.* **2.** *Psychanal.* Mécanisme de défense propre à la névrose obsessionnelle, par lequel un sujet tente d'effacer un acte, une pensée. 1320 ; ☞ *annuler* ; [anylasjɔ̃].

**ANNULER, verbe trans.** [3]
**1.** *Dr.* Rendre nul, sans effet : *Annuler un jugement.* **2.** Ext. Faire cesser ; décommander : *Annuler un abonnement, une réunion.* PRONOM. Se neutraliser : *Ces effets s'annulent.* XIIIe s. ; lat. chrét. *annullare*, « mépriser » ; [anyle].

**ANOBLIR, verbe trans.** [19]
Donner un titre de noblesse à : *Le roi l'anoblira.* 1326 ; ☞ *noble* + *a-*¹ ; [anɔbliʀ].

**ANOBLISSEMENT, subst. m.**
Action d'anoblir ; son résultat. 1345 ; ☞ *anoblir* ; [anɔblismɑ̃].

**ANODE, subst. f.**
*Phys.* Électrode, dite positive, par laquelle le courant électrique pénètre dans un appareil électrique (anton. *cathode*) : *L'anode d'une batterie.* 1838 ; angl. *anode*, du gr. *anodos*, « chemin qui monte » ; [anɔd].

**ANODIN, INE, adj.**
**1.** Vx. *Méd.* Qui calme la douleur : *Remède anodin.* **2.** Ext. Sans danger, bénin : *Plaie anodine.* ▸ Sans grande valeur ; terne : *Personnage anodin.* 1503 ; gr. *anôdunos*, « qui calme la douleur » ; [anɔdɛ̃, -in].

**ANODIQUE, adj.**
*Phys.* Relatif à l'anode. 1903 ; ☞ *anode* ; [anɔdik].

**ANODISATION, subst. f.**
Oxydation en surface de l'anode d'une cuve à électrolyse. V. 1950 ; ☞ *anode* ; [anɔdizasjɔ̃].

**ANODONTE, adj. et subst. m.**
ADJ. Qui n'a pas de dents. SUBST. *Zool.* Mollusque bivalve d'eau douce dont la charnière est dépourvue de dents, aussi appelé moule d'étang. 1805 ; gr. *anodous*, « sans dents » ; [anɔdɔ̃t].

**ANOMAL, ALE, AUX, adj.**
**1.** *Gramm.* Se dit d'une forme grammaticale irrégulière. **2.** Ext. Hors norme, aberrant. **3.** *Pathol.* Qualifie une affection atypique. 1174 ; bas lat. *anomalus*, du gr. *anômalos*, « irrégulier » ; [anɔmal, -o].

**ANOMALIE, subst. f.**
**1.** *Gramm.* Forme, construction aberrante, mais correcte : *Les anomalies de la conjugaison du verbe « aller ».* **2.** Ext. Bizarrerie, étrangeté. **3.** *Biol.* Déviation du type normal. 1570 ; lat. *anomalia*, du gr. *anômalia*, « irrégularité » ; [anɔmali].

**ANOMIE, subst. f.**
Absence de lois, de normes, de cohésion sociale. 1884 ; gr. *anomia* ; [anɔmi].

**ÂNON, subst. m.**
Petit de l'âne. Déb. XIIe s. ; ☞ *âne* ; [ɑnɔ̃].

**ANONE, subst. f.**
*Bot.* **1.** Petit arbre tropical donnant, selon l'espèce, différents fruits, telle la pomme cannelle. **2.** Fruit de cet arbre. 1556 ; esp. *anona* ; [anɔn].

**ÂNONNEMENT, subst. m.**
Fait d'ânonner. 1695 ; ☞ *ânonner* ; [ɑnɔnmɑ̃].

**ÂNONNER, verbe trans.** [3]
Lire, réciter (un texte) avec peine ou d'une voix atone ; empl. abs. : *Il ne sait qu'ânonner.* 1606 ; ☞ *ânon* ; [ɑnɔne].

**ANONYMAT, subst. m.**
État de qqch., de qqn qui est anonyme : *Vivre dans l'anonymat.* 1864 ; ☞ *anonyme* ; [anɔnima].

**ANONYME, adj.**
**1.** Qui n'a pas de nom ; dont on ignore l'identité ou qui la dissimule : *Délateur anonyme ; Lettre anonyme*, sans auteur ; empl. subst. : *La foule des anonymes.* **2.** Fig. Sans caractère, sans originalité : *Les bâtiments anonymes des cités-dortoirs.* **3.** *Dr. comm.* Qualifie une société par actions dont le nom n'est celui d'aucun de ses propriétaires. 1540 ; bas lat. *anonymus*, du gr. *anônumos* ; [anɔnim].

© Hellio/Van Ingen-Jacana

*Les flamants, blancs ou roses, appartiennent à l'ordre des Ansériformes.*

**ANONYMEMENT,** adv.
D'une manière anonyme. 1776 ; ☞ *anonyme* ; [anɔnimmɑ̃].

**ANOPHÈLE,** subst. m.
*Zool.* Genre de moustique dont la femelle peut être l'agent vecteur du paludisme. 1829 ; gr. *anôphelês*, « nuisible » ; [anɔfɛl].

**ANOPLOURES,** subst. m. plur.
*Zool.* Ordre d'insectes parasites des Mammifères, suceurs de sang, dépourvus d'ailes, de 4 à 6 mm de long. AU SING. *Le pou est un **anoploure**.* XIX$^e$ s. ; gr. *anoplos*, « désarmé », + *-oure* ; [anɔpluʀ].

**ANORAK,** subst. m.
Veste courte, chaude et imperméable, à capuchon. 1906 ; mot inuit ; [anɔʀak].

**ANORDIR,** verbe intrans. [19]
*Mar.* Tourner au nord, en parlant du vent (synon. *nordir*). 1783 ; ☞ *nord* + *a-*$^1$ ; [anɔʀdiʀ].

**ANOREXIE,** subst. f.
*Pathol.* Perte ou diminution de l'appétit. ▸ ***Anorexie mentale*** : refus de s'alimenter, qui touche en partic. le nourrisson et l'adolescente (anton. *boulimie*). 1584 ; lat. médiév. *anorexia*, du gr. *anorexia* ; [anɔʀɛksi].

**ANOREXIQUE,** adj. et subst.
ADJ. Relatif à l'anorexie ; qui souffre d'anorexie. SUBST. Personne qui souffre d'anorexie. 1903 ; ☞ *anorexie* ; [anɔʀɛksik].

**ANORGANIQUE,** adj.
*Méd.* Qualifie une affection qui n'est pas causée par une lésion organique. 1826 ; ☞ *organique* + *a-*$^2$ ; [anɔʀganik].

**ANORGASMIE,** subst. f.
Absence ou insuffisance d'orgasme. XX$^e$ s. ; ☞ *orgasme* + *a-*$^2$ ; [anɔʀgasmi].

**ANORMAL, ALE, AUX,** adj.
**1.** Qui ne correspond pas à une norme, à une règle ou à une habitude ; insolite : *Un bruit, un comportement **anormal**.* **2.** Qui est affecté d'une anomalie physique ou mentale ; empl. subst., personne **anormale**. 1236 ; lat. médiév. *anormalis* ; [anɔʀmal, o].

**ANORMALEMENT,** adv.
D'une manière anormale, dans des conditions anormales. 1860 ; ☞ *anormal* ; [anɔʀmalmɑ̃].

**ANORMALITÉ,** subst. f.
Caractère de ce qui est anormal. 1845 ; ☞ *anormal* ; [anɔʀmalite].

**ANOSMIE,** subst. f.
*Pathol.* Diminution ou perte totale de l'odorat. 1808 ; gr. *anosmos*, de *osmê*, « odeur » ; [anɔsmi].

**ANOURE,** adj. et subst. m. plur.
ADJ. Dépourvu de queue. SUBST. *Zool.* Ordre d'amphibiens dépourvus de queue à l'âge adulte ; au sing. : *Le crapaud est un **anoure**.* 1806 ; formé de *a-*$^2$ et de *-oure* ; [anuʀ].

**ANOXÉMIE,** subst. f.
*Pathol.* Diminution de la quantité d'oxygène contenue dans le sang. 1866 ; ☞ *oxygène* + *a-*$^2$ et *-émie* ; [anɔksemi].

**ANOXIE,** subst. f.
*Pathol.* Diminution de la quantité d'oxygène distribuée aux tissus par le sang dans une unité de temps. 1959 ; ☞ *oxygène* + *a-*$^2$ ; [anɔksi].

**ANSE,** subst. f.
**1.** Partie saillante en forme d'arc, qui permet de saisir un objet : *L'**anse** d'un vase, d'une tasse.* ▸ Loc. *Faire danser l'**anse** du panier* : prendre une commission sur des achats faits pour ses patrons, en parlant d'un domestique (fam.). **2.** Anal. Ce qui a la courbure d'une **anse**. ▸ *Archit. Arc en **anse** de panier* : arc surbaissé en demi-ovale. ▸ *Géogr.* Petite baie. Déb. XIII$^e$ s. ; lat. *ansa*, « poignée » ; [ɑ̃s].

**ANSÉ, ÉE,** adj.
Pourvu d'une anse : *Croix **ansée***, croix égyptienne en forme de T, surmontée d'une anse, symbole de l'immortalité. 1606 ; ☞ *anse* ; [ɑ̃se].

**ANSÉRIFORMES,** subst. m. plur.
*Zool.* Ordre d'oiseaux (sous-classe des Carinates) dont les trois orteils antérieurs sont réunis par une palmure, au bec large et plat et au plumage serré, qui vivent au bord de l'eau, tels les flamants, les canards. AU SING. *L'oie est un **ansériforme**.* 1907 ; lat. *anser*, « oie », + *-forme* ; [ɑ̃seʀifɔʀm].

**ANSÉRINE,** subst. f.
*Bot.* Nom vulgaire de certains chénopodes et de certaines potentilles. 1788 ; lat. *anser*, « oie », la forme des feuilles évoquant une patte d'oie ; [ɑ̃seʀin].

**ANTAGONIQUE,** adj.
Qui est en opposition. 1861 ; ☞ *antagonisme* ; [ɑ̃tagɔnik].

**ANTAGONISME,** subst. m.
**1.** *Physiol.* Action opposée de deux muscles, de deux organes, de deux substances. **2.** Rivalité, opposition entre deux individus, deux forces, deux principes. 1593 ; gr. *antagônisma*, « émulation », de *anta*, « face à face », et de *agônia*, « lutte » ; [ɑ̃tagɔnism].

**ANTAGONISTE,** adj. et subst.
ADJ. **1.** Contraire, opposé. **2.** *Physiol. Muscle **antagoniste*** : fonctionnant en antagonisme avec un autre ; empl. subst. masc. : *Le biceps est l'**antagoniste** du triceps.* SUBST. Adversaire, concurrent. 1575 ; gr. *antagônistês* ; [ɑ̃tagɔnist].

**ANTALGIQUE,** adj.
*Pharm.* Qui calme la douleur ; empl. subst. masc., médicament **antalgique**. 1793 ; ☞ *algie* + *anti-* ; [ɑ̃talʒik].

**ANTAN (D'),** loc. adj.
D'autrefois (littér.) : *Les neiges d'**antan**.* Mil. XII$^e$ s. ; lat. *ante annum*, « il y a un an » ; [dɑ̃tɑ̃].

**ANTARCTIQUE,** adj.
Qui se rapporte au pôle Sud et aux régions qui l'entourent. 1338 ; lat. *antarcticus*, du gr. *antarktikos*, de *arktos*, « Grande Ourse » ; [ɑ̃taʀktik].

**ANTE,** subst. f.
*Archit.* Pilastre carré qui maintient un jambage de porte ou qui forme l'angle d'un temple antique ; par ext., pilier d'encoignure. 1547 ; lat. *anta* ; [ɑ̃t].

**ANTEBOIS,** voir **ANTIBOIS**

**ANTÉCAMBRIEN, IENNE,** adj. et subst. m.
Précambrien (vieilli). 1959 ; ☞ *cambrien* + *anté-* ; [ɑ̃tekɑ̃bʀijɛ̃, jɛn].

**ANTÉCÉDENCE,** subst. f.
**1.** Antériorité. **2.** *Géol.* Phénomène caractérisant un cours d'eau encaissé dont le tracé a été influencé par une morphologie antérieure à un soulèvement régional. 1576 ; lat. *antecedentia*, de *antecedens*, « précédant » ; [ɑ̃tesedɑ̃s].

**ANTÉCÉDENT, ENTE,** adj. et subst. m.
ADJ. **1.** Antérieur, qui précède dans le temps (rare). **2.** *Géol.* Qui présente un phénomène d'antécédence. SUBST. **1.** *Gramm.* Terme, ou proposition, auquel se substitue un pronom relatif. **2.** *Log.* Proposition contenant une condition ou un énoncé dont résulte la conclusion. **3.** *Math.* Soit une relation R d'un ensemble E vers un ensemble F ; pour un élément *y* de F, un **antécédent** de *y* par R est un élément *x* de E (s'il existe et, dans ce cas, non nécessairement unique) relié à *y* par R ; si R est une application, *y* est l'image de *x* par R. SUBST. PLUR. Actes, faits appartenant au passé d'une personne et permettant d'expliquer un aspect de son présent : ***Antécédents** médicaux*, maladies, interventions chirurgicales survenues dans le passé. XIV$^e$ s. ; lat. *antecedens*, « précédant » ; [ɑ̃tesedɑ̃, ɑ̃t].

**ANTÉCHRIST,** subst. m.
**1.** *Théol.* Personnage qui, selon l'Apocalypse, s'opposera au Christ à l'approche de la fin des temps. **2.** Ext. Hérétique, faux prophète. Fin XI$^e$ s. ; lat. chrét. *antechristus*, du gr. chrét. *antikhristos* ; [ɑ̃tekʀist].

**ANTÉDILUVIEN, IENNE,** adj.
**1.** Antérieur au Déluge. **2.** Fig. Très vieux, démodé (souv. iron.). 1750 ; angl. *antediluvian*, du lat. *ante*, « avant », et *diluvium*, « déluge » ; [ɑ̃tedilyvjɛ̃, jɛn].

**ANTÉFIXE,** subst. f.
*Antiq.* Ornement masquant le vide des tuiles creuses, au bord des toits. 1845 ; lat. *antefixum* ; [ɑ̃tefiks].

**ANTÉHYPOPHYSE,** subst. f.
*Anat.* Lobe antérieur de l'hypophyse, qui sécrète nc tamment l'hormone de croissance (somatotrope et cinq hormones activant d'autres glandes endc crines. 1946 ; ☞ *hypophyse* + *anté-* ; [ɑ̃teipɔfiz

**ANTENAIS, AISE,** adj.
Qualifie un ovin qui a entre dix et dix-huit moi XIV$^e$ s. ; ☞ *antan* ; [ɑ̃t(ə)nɛ, ɛz].

**ANTENNATES,** subst. m. plur.
*Zool.* Sous-embranchement d'arthropodes, à an tennes et à mandibules, comprenant notammen les Insectes, les Crustacés et les Myriapodes (synor *Mandibulates*). AU SING. *Un **antennate**.* XX$^e$ s. ☞ *antenne* ; [ɑ̃tenat].

**ANTENNE,** subst. f.
**1.** *Mar.* Longue vergue. **2.** *Milit. Bâtiment en an**tenne*** : navire détaché d'une ligne de combat. ▸ Ex Petite unité détachée d'un organe central : *Antenr chirurgicale.* **3.** *Zool.* Organe sensoriel allongé mobile situé sur la tête de certains invertébrés *L'écrevisse a deux paires d'**antennes**.* ▸ Loc. *Avoir de **antennes*** : avoir de l'intuition ; *Avoir des antenn chez qqn* : être renseigné sur ce qui s'y passe. **4.** Ana Dispositif, gén. aérien, destiné à capter ou à émett des ondes électromagnétiques : ***Antenne** parabo lique.* ▸ Méton. Ce que diffuse une station de radi de télévision : *On ne voit que lui à l'**antenne*** ; *U présentateur interdit d'**antenne**.* Déb. XIII$^e$ s. ; la *antemna*, « vergue » ; [ɑ̃tɛn].

© Alin Buu-Gamma

*Antenne à réflecteur parabolique, orientable vers des satellites relais.*

**ANTENNISTE,** subst.
Installateur d'antennes de télévision. V. 1980 ☞ *antenne* ; [ɑ̃tenist].

**ANTÉPÉNULTIÈME,** adj.
Qui précède immédiatement l'avant-dernier. ▸ *Sy labe **antépénultième*** ou, empl. subst. fém., *Une ante **pénultième*** : syllabe qui précède l'avant-dernièr syllabe d'un mot. 1500 ; lat. médiév. *antepaenu timus* ; [ɑ̃tepenyltjɛm].

**ANTÉPOSER,** verbe trans. [3]
*Gramm.* Placer (un élément de la phrase) devar un autre ; empl. adj. : *Dans « piètre figure » « piètre » est un adjectif **antéposé**.* XX$^e$ s. (XVI$^e$ s préférer) ; ☞ *poser* + *anté-* ; [ɑ̃tepoze].

**ANTÉPOSITION,** subst. f.
*Gramm.* Situation d'un élément antéposé : *L'**ante position** de l'adjectif.* 1853 ; ☞ *position* + *anté-* [ɑ̃tepozisjɔ̃].

**ANTÉRIEUR, EURE,** adj.
**1.** Qui est devant, qui précède, dans l'espace o dans le temps. ▸ *Gramm.* Qui marque l'antériorité *Passé **antérieur*** (☞ *passé*) ; *Futur **antérieur*** (☞ *fu tur*). ▸ *Zool. Membres **antérieurs*** ou, empl. subst masc., *Les **antérieurs*** : les pattes avant. **2.** *Phon.* S dit d'un phonème qui a son point d'articulatio dans la partie avant de la cavité buccale. 1488 lat. *anterior* ; [ɑ̃teʀjœʀ].

**ANTÉRIEUREMENT,** adv.
À un moment, à une époque antérieure. 1611 ☞ *antérieur* ; [ɑ̃teʀjœʀmɑ̃].

**ANTÉRIORITÉ,** subst. f.
État de ce qui est antérieur dans le temps. 1553 ☞ *antérieur* ; [ɑ̃teʀjɔʀite].

**ANTÉROGRADE,** adj.
*Pathol. Amnésie **antérograde*** : amnésie de fixatio des souvenirs ou incapacité à se rappeler le évènements postérieurs à un accident traumatique XIX$^e$ s. ; formé de *antéro-* et de *-grade* ; [ɑ̃teʀɔgʀad]

**ANTÉVERSION,** subst. f.
*Anat.* Inclinaison vers l'avant, sur son axe vertical, d'un organe : *Antéversion de l'utérus.* 1833 ; lat. *versio*, de *vertere*, « tourner », + *anté-* ; [ɑ̃tevɛʀsjɔ̃].

**ANTHÉMIS,** subst. f.
*Bot.* Plante herbacée de la famille des Astéracées, dont plusieurs espèces portent le nom de camomille. 1615 ; lat. *anthemis*, du gr. *anthemis*, « camomille » ; [ɑ̃temis].

**ANTHÈRE,** subst. f.
*Bot.* Partie globuleuse de l'étamine, où se forment les grains de pollen. 1611 ; lat. *anthera*, du gr. *anthêros*, « fleuri » ; [ɑ̃tɛʀ].

**ANTHÉRIDIE,** subst. f.
*Bot.* Organe dans lequel se forment les gamètes mâles (anthérozoïdes) de certains végétaux (fougères, mousses). 1845 ; ☞ *anthère* ; [ɑ̃teʀidi].

**ANTHÉROZOÏDE,** subst. m.
*Bot.* Gamète mâle mobile des végétaux (synon. *spermatozoïde*). 1866 ; crois. de *anthère* et de *spermatozoïde* ; [ɑ̃teʀɔzɔid].

**ANTHÈSE,** subst. f.
*Bot.* Phase d'épanouissement de la fleur (synon. *floraison*). 1803 ; gr. *anthesis* ; [ɑ̃tɛz].

**ANTHOLOGIE,** subst. f.
**1.** Vx. Collection de fleurs. **2.** Recueil de morceaux choisis d'œuvres en vers ou en prose ; par ext. : *Une* **anthologie** *du cinéma.* ▸ Loc. *Morceau d'anthologie* : œuvre digne de figurer dans une **anthologie.** 1574 ; gr. *anthologia*, de *anthos*, « fleur » ; [ɑ̃tɔlɔʒi].

**ANTHONOME,** subst. m.
*Zool.* Petit charançon, nuisible notamment aux arbres fruitiers. 1838 ; gr. *anthonomos*, « qui se nourrit de fleurs » ; [ɑ̃tɔnɔm].

**ANTHOZOAIRES,** subst. m. plur.
*Zool.* Superclasse de cnidaires, qui sont toujours sous forme de polypes et possèdent un pharynx, tels les madrépores et les actinies. **Au sing.** *L'anémone de mer est un* **anthozoaire.** 1838 ; formé de *antho-* et de *-zoaire* ; [ɑ̃tɔzɔɛʀ].

**ANTHRACÈNE,** subst. m.
*Chim.* Hydrocarbure extrait des goudrons de houille, dont la molécule se compose de trois cycles benzéniques connectés de manière linéaire (formule $C_{14}H_{10}$). 1865 ; gr. *anthrax*, « charbon » ; [ɑ̃tʀasɛn].

**ANTHRACITE,** subst. m. et adj. inv.
**Subst.** *Pétrogr.* Charbon très pur ayant perdu ses matières volatiles, qui brûle en donnant une petite flamme, une chaleur intense et peu de cendres. **Adj.** De la couleur gris-noir de l'**anthracite** : *Un pardessus* **anthracite.** 1803 (1549, pierre précieuse rouge) ; gr. *anthrax*, « charbon » ; [ɑ̃tʀasit].

**ANTHRACNOSE,** subst. f.
*Bot.* Maladie cryptogamique pouvant toucher de nombreuses plantes (haricot, vigne, etc.). 1879 ; gr. *anthrax*, « charbon ; ulcère », et *nosos*, « maladie » ; [ɑ̃tʀaknoz].

**ANTHRACOSE,** subst. f.
*Pathol.* Maladie professionnelle causée par l'inhalation de poussières de charbon. 1866 ; gr. *anthrax*, « charbon », + *-ose* ; [ɑ̃tʀakoz].

**ANTHRAQUINONE,** subst. f.
*Chim.* Dérivé de l'anthracène, de formule $C_{14}H_8O_2$, entrant dans la fabrication de colorants. 1878 ; crois. de *anthracène* et de *quinone* ; [ɑ̃tʀakinɔn].

**ANTHRAX,** subst. m.
**1.** *Pathol.* Inflammation sous-cutanée due au staphylocoque doré, caractérisée par la multiplication des furoncles. **2.** *Zool.* Mouche parasite des abeilles, des guêpes, etc. 1495 ; gr. *anthrax*, « charbon ; ulcère » ; [ɑ̃tʀaks].

**ANTHRÈNE,** subst. m.
*Zool.* Coléoptère dont la larve ravage notamment les fourrures et les collections d'insectes dans les musées. 1775 ; gr. *anthrênê*, « frelon » ; [ɑ̃tʀɛn].

**ANTHROPIQUE,** adj.
*Géol.* Qualifie un sol, un paysage dont l'évolution est due à la présence et à l'action de l'homme : *Érosion* **anthropique.** V. 1970 ; gr. *anthrôpikos*, « humain » ; [ɑ̃tʀɔpik].

**ANTHROPOCENTRIQUE,** adj.
Qui fait preuve d'anthropocentrisme ou qui le dénote. 1876 ; ☞ *centre* + *anthropo-* ; [ɑ̃tʀɔposɑ̃tʀik].

**ANTHROPOCENTRISME,** subst. m.
Disposition de l'homme à se considérer comme le centre de l'univers. 1907 ; ☞ *anthropocentrique* ; [ɑ̃tʀɔposɑ̃tʀism].

**ANTHROPOGENÈSE,** subst. f.
**1.** Science qui étudie l'origine et le développement de l'espèce humaine. **2.** Cette origine. Formé de *anthropo-* et de *-genèse* ; var. *anthropogénèse*, *antropogénie* ; [ɑ̃tʀɔpoʒənɛz].

**ANTHROPOÏDE,** adj. et subst. m.
*Zool.* **Adj.** Qui présente des caractères analogues à ceux de l'homme : *Singes* **anthropoïdes.** **Subst.** Singe supérieur (gorille, orang-outan, chimpanzé, gibbon). 1838 ; gr. *anthrôpoeidês* ; [ɑ̃tʀɔpɔid].

**ANTHROPOLOGIE,** subst. f.
Étude des sociétés humaines et de leurs caractères différentiels, dans la perspective d'une connaissance globale de l'homme. ▸ ***Anthropologie*** *physique* : étude de la diversité humaine en ses aspects morphologiques, physiologiques et génétiques. ▸ ***Anthropologie*** *culturelle* : étude des conditions matérielles, symboliques et intellectuelles de la vie en société, sur la base des données issues de l'ethnographie et de l'ethnologie. ▸ ***Anthropologie*** *sociale* : étude des types d'organisation sociale, de leurs formes institutionalisées et incorporées. 1516 ; formé de *anthropo-* et de *-logie* ; [ɑ̃tʀɔpɔlɔʒi].

**ANTHROPOLOGIQUE,** adj.
Qui concerne l'homme en société ; qui relève de l'anthropologie : *Une théorie* **anthropologique.** Fin XVII^e s. ; ☞ *anthropologie* ; [ɑ̃tʀɔpɔlɔʒik].

**ANTHROPOLOGUE,** subst.
Spécialiste de l'anthropologie. 1808 ; gr. *anthrôpologos* ; var. *anthropologiste* ; [ɑ̃tʀɔpɔlɔg].

**ANTHROPOMÉTRIE,** subst. f.
Technique de mesure du corps humain et de ses parties (membres, organes, etc.). ▸ ***Anthropométrie*** *judiciaire* : méthode mise au point par Alphonse Bertillon vers 1880, qui permet d'identifier une personne d'après ses mesures et ses signes distinctifs (notamment ses empreintes digitales). 1755 ; formé de *anthropo-* et de *-métrie* ; [ɑ̃tʀɔpɔmetʀi].

**ANTHROPOMÉTRIQUE,** adj.
Relatif à l'anthropométrie : *Fiche* **anthropométrique.** 1840 ; ☞ *anthropométrie* ; [ɑ̃tʀɔpɔmetʀik].

**ANTHROPOMORPHE,** adj.
Dont la forme rappelle celle d'un être humain. 1803 ; gr. *anthrôpomorphos* ; [ɑ̃tʀɔpɔmɔʀf].

**ANTHROPOMORPHIQUE,** adj.
Qui relève de l'anthropomorphisme. 1829 ; ☞ *anthropomorphe* ; [ɑ̃tʀɔpɔmɔʀfik].

**ANTHROPOMORPHISME,** subst. m.
Tendance à attribuer des traits humains (physiques ou mentaux) à des divinités, à des phénomènes de la nature, à des animaux, à des objets, etc. 1749 ; gr. *anthrôpomorphos*, « à forme humaine » ; [ɑ̃tʀɔpɔmɔʀfism].

**ANTHROPONYME,** subst. m.
Nom de personne : *Le mot « cartésien » est dérivé de l'***anthroponyme** *« Descartes ».* XX^e s. ; formé de *anthropo-* et de *-onyme* ; [ɑ̃tʀɔpɔnim].

**ANTHROPONYMIE,** subst. f.
Étude des noms de personnes. 1938 ; formé de *anthropo-* et de *-onymie* ; [ɑ̃tʀɔpɔnimi].

**ANTHROPOPHAGE,** adj. et subst.
Qualifie ou désigne un homme ou une femme qui mange de la chair humaine. Fin XIII^e s. ; lat. *anthropophagus*, du gr. *anthrôpophagos* ; [ɑ̃tʀɔpɔfaʒ].

**ANTHROPOPHAGIE,** subst. f.
Fait d'être anthropophage. XVI^e s. ; bas lat. *anthropophagia*, du gr. *anthrôpophagia* ; [ɑ̃tʀɔpɔfaʒi].

**ANTHROPOPHILE,** adj.
Qualifie les végétaux et les animaux qui vivent dans l'environnement des humains. V. 1960 ; formé de *anthropo-* et de *-phile* ; [ɑ̃tʀɔpɔfil].

**ANTHROPOPITHÈQUE,** subst. m.
*Paléont.* Animal hypothétique que l'on considérait autrefois comme l'ancêtre du genre *Homo.* XIX^e s. ; lat. sc. *anthropopithecus*, du gr. *anthrôpos*, « homme », et *pithêkos*, « singe » ; [ɑ̃tʀɔpɔpitɛk].

**ANTHYLLIS,** subst. f.
*Bot.* Plante de la famille des Fabacées, dont une espèce, la vulnéraire, est fourragère. 1556 ; lat. *anthyllis*, « sorte d'ivette » ; var. *anthyllide* ; [ɑ̃tilis].

**ANTIADHÉSIF, IVE,** adj.
Se dit d'un revêtement qui empêche les aliments d'attacher. V. 1970 ; ☞ *adhésif* + *anti-* ; [ɑ̃tiadezif, iv].

**ANTIAÉRIEN, IENNE,** adj.
Qui s'oppose aux attaques aériennes : *Une batterie* **antiaérienne.** Déb. XX^e s. ; ☞ *aérien* + *anti-* ; [ɑ̃tiaeʀjɛ̃, jɛn].

**ANTIALCOOLIQUE,** adj.
Qui combat l'alcoolisme. 1909 ; ☞ *alcoolique* + *anti-* ; [ɑ̃tialkɔlik].

**ANTIALCOOLISME,** subst. m.
Lutte contre l'alcoolisme. 1909 ; ☞ *alcoolisme* + *anti-* ; [ɑ̃tialkɔlism].

**ANTIALLERGIQUE,** adj.
*Pharm.* Qui prévient ou combat les allergies ; empl. subst. masc., médicament **antiallergique.** V. 1980 ; ☞ *allergique* + *anti-* ; [ɑ̃tialɛʀʒik].

**ANTIAMARIL, ILE,** adj.
*Pharm.* Qui prévient la fièvre jaune : *Vaccination* **antiamarile.** Mil. XX^e s. ; ☞ *amaril* + *anti-* ; [ɑ̃tiamaʀil].

**ANTIAMÉRICANISME,** subst. m.
Hostilité envers les États-Unis et leur influence. 1948 ; ☞ *américanisme* + *anti-* ; [ɑ̃tiameʀikanism].

**ANTIASTHMATIQUE,** adj.
*Méd.* Qui calme ou soigne l'asthme ; empl. subst. masc., médicament **antiasthmatique.** ☞ *asthmatique* + *anti-* ; [ɑ̃tiasmatik].

**ANTIATOME,** subst. m.
Atome constitué d'antiparticules. Mil. XX^e s. ; ☞ *atome* + *anti-* ; [ɑ̃tiatom].

**ANTIATOMIQUE,** adj.
Qui protège de l'explosion et du rayonnement des armes atomiques : *Abri* **antiatomique.** 1945 ; ☞ *atomique* + *anti-* ; [ɑ̃tiatɔmik].

**ANTIBIOGRAMME,** subst. m.
*Biol.* Résultat d'une série de tests destinés à déterminer à quels antibiotiques sont résistantes les bactéries d'une souche particulière. V. 1960 ; ☞ *antibiotique* + *-gramme* ; [ɑ̃tibjɔgʀam].

**ANTIBIOTHÉRAPIE,** subst. f.
*Pharm.* Traitement par les antibiotiques. Mil. XX^e s. ; ☞ *antibiotique* + *-thérapie* ; [ɑ̃tibjɔteʀapi].

**ANTIBIOTIQUE,** adj. et subst. m.
*Pharm.* **Adj.** Qui empêche la prolifération de certains micro-organismes ou qui les détruit : *Traitement* **antibiotique.** **Subst.** Médicament, substance **antibiotique.** 1928 ; gr. *biôtikos*, « qui concerne la vie », + *anti-* ; [ɑ̃tibjɔtik].

MÉDECINE – Le pouvoir antibiotique de certaines moisissures a été découvert par Alexander Fleming en 1928 : au cours d'une expérience, il remarqua que la pénicilline, substance produite par le champignon *Penicillium notatum*, inhibait le développement de *Staphylococcus aureus*. Selon leur formule chimique, la manière dont ils agissent sur les micro-organismes et leurs effets chimiques, les antibiotiques ont été classés en familles : les bêta-lactamines (dont les pénicillines), les phénicoles (dont le chloramphénicol), les aminosides (dont la néomycine et la streptomycine), les tétracyclines, les polypeptides, les macrolides (dont l'érythromycine), les antistaphylococciques électifs, les rifamycines (dont la rifampicine).

**ANTIBLOCAGE,** adj. inv.
*Autom.* Qualifie un système qui permet de contrôler le freinage en empêchant les roues de se bloquer. XX^e s. ; ☞ *blocage* + *anti-* ; [ɑ̃tiblɔkaʒ].

**ANTIBOIS,** subst. m.
Baguette fixée sur le plancher le long des murs pour empêcher le contact des meubles avec ces derniers. 1582 ; orig. inc. ; var. *antebois* ; [ɑ̃tibwa].

**ANTIBROUILLAGE,** subst. m.
Dispositif visant à parer le brouillage des ondes électromagnétiques. Mil. XX^e s. ; ☞ *brouillage* + *anti-* ; [ɑ̃tibʀujaʒ].

**ANTIBROUILLARD,** subst. m. et adj. inv.
Se dit d'un phare dont le faisceau lumineux peut percer le brouillard. Mil. XX^e s. ; ☞ *brouillard* (I) + *anti-* ; [ɑ̃tibʀujaʀ].

**ANTIBRUIT,** adj. inv.
Conçu pour protéger du bruit ; qui lutte contre le bruit. 1952 ; ☞ *bruit* + *anti-* ; [ɑ̃tibʀɥi].

**ANTICALCAIRE,** adj.
Qui protège les appareils, les canalisations, le linge, la vaisselle contre le dépôt du calcaire de l'eau. V. 1970 ; ☞ *calcaire* + *anti-* ; [ɑ̃tikalkɛʀ].

**ANTICANCÉREUX, EUSE,** adj.
*Méd.* Qui combat le cancer : *Traitement* **anticancéreux** ; *Centre* **anticancéreux**, spécialisé dans la lutte contre le cancer. 1777 ; ☞ *cancéreux* + *anti-* ; [ɑ̃tikɑ̃seʀø, øz].

**ANTICATHODE,** subst. f.
*Phys.* Pièce métallique qui, disposée en face d'une cathode émettrice d'électrons, émet des rayons X. 1896 ; ☞ *cathode* + *anti-* ; [ɑ̃tikatɔd].

**ANTICHAMBRE,** subst. f.
Salle d'attente à l'entrée d'un appartement, d'un bureau. ▸ Loc. *Faire* ***antichambre*** : attendre longtemps d'être reçu par qqn. 1592 ; ital. *anticamera*, de *camera*, « chambre », + *anti-*, « devant » ; [ɑ̃tiʃɑ̃bʀ].

**ANTICHAR,** adj.
*Milit.* Conçu pour détruire les engins blindés ou pour leur faire obstacle : *Mines* ***antichars*** ; *Fossé* ***antichar***. 1928 ; ☞ *char* (I) + *anti-* ; [ɑ̃tiʃaʀ].

**ANTICHOC,** adj.
Qui protège des chocs : *Casque* ***antichoc*** ; conçu pour supporter les chocs : *Des montres* ***antichocs***. 1907 ; ☞ *choc* + *anti-* ; [ɑ̃tiʃɔk].

**ANTICHRÈSE,** subst. f.
*Dr.* Nantissement d'un bien immeuble. 1603 ; gr. *antikhresis*, « usage d'une chose pour une autre » ; [ɑ̃tikʀɛz].

**ANTICIPATION,** subst. f.
**1.** Action d'anticiper qqch. : *Rembourser par* ***anticipation***. **2.** Prévision ou description imaginaire de situations ou d'évènements futurs : *Roman d'****anticipation***. XVe s. ; lat. *anticipatio* ; [ɑ̃tisipasjɔ̃].

**ANTICIPER,** verbe trans. [3]
**Trans. dir. 1.** Accomplir (qqch.) avant le moment prévu : ***Anticiper*** *le remboursement d'une dette* ; empl. adj. : *Retraite* ***anticipée***. **2.** Prévoir : ***Anticiper*** *la réaction d'un adversaire*. **Trans. indir. Anticiper sur. 1.** Adapter sa conduite à (ce qui est prévisible ou annoncé) : ***Anticiper*** *sur le succès d'une démarche* ; empl. abs. : *N'****anticipons*** *pas !*, attendons la suite ! **2.** User de (qqch.) par avance : ***Anticiper*** *sur ses réserves*. 1356 ; lat. *anticipare*, « prendre par avance » ; [ɑ̃tisipe].

**ANTICLÉRICAL, ALE, AUX,** adj.
Hostile à l'influence du clergé dans la vie publique ; empl. subst., personne animée par ce sentiment. XIXe s. ; ☞ *clérical* + *anti-* ; [ɑ̃tikleʀikal, o].

**ANTICLÉRICALISME,** subst. m.
Attitude, doctrine ou politique anticléricale. 1907 ; ☞ *anticlérical* ; [ɑ̃tikleʀikalism].

**ANTICLINAL, ALE, AUX,** adj.
*Géol. Pli* ***anticlinal*** ou, empl. subst. masc., *Un* ***anticlinal*** : pli de l'écorce terrestre dont la convexité est tournée vers le haut (anton. *synclinal*). 1845 ; gr. *antiklinein*, « incliner en sens contraire » ; [ɑ̃tiklinal, o].

**ANTICOAGULANT, ANTE,** adj. et subst. m.
*Pharm.* Se dit d'une substance qui ralentit ou empêche la coagulation du sang. 1910 ; ☞ *coagulant* + *anti-* ; [ɑ̃tikɔagylɑ̃, ɑ̃t].

**ANTICOLONIALISME,** subst. m.
Opposition au colonialisme. 1903 ; ☞ *colonialisme* + *anti-* ; [ɑ̃tikɔlɔnjalism].

**ANTICOMMUNISME,** subst. m.
Hostilité au communisme. 1936 ; ☞ *communisme* + *anti-* ; [ɑ̃tikɔmynism].

**ANTICOMMUTATIF, IVE,** adj.
*Alg.* Se dit d'une opération où la permutation des deux éléments *x* et *y* sur lesquels on l'effectue produit un résultat de signe ou de sens contraire : *La soustraction est* ***anticommutative*** *dans l'ensemble* $\mathbb{R}$ *des nombres réels*. Mil. XXe s. ; ☞ *commutatif* + *anti-* ; [ɑ̃tikɔmytatif, iv].

**ANTICONCEPTIONNEL, ELLE,** adj.
Contraceptif : *Pilule* ***anticonceptionnelle***. 1905 ; ☞ *conception* + *anti-* ; [ɑ̃tikɔ̃sɛpsjɔnɛl].

**ANTICONFORMISME,** subst. m.
Manière de penser ou d'agir qui rejette les coutumes établies, les traditions, les normes usuelles. Mil. XXe s. ; ☞ *conformisme* + *anti-* ; [ɑ̃tikɔ̃fɔʀmism].

**ANTICONFORMISTE,** adj.
Qui dénote, qui manifeste un anticonformisme ; empl. subst. : *Une* ***anticonformiste*** *invétérée*. 1953 ; ☞ *conformiste* + *anti-* ; [ɑ̃tikɔ̃fɔʀmist].

**ANTICONSTITUTIONNEL, ELLE,** adj.
Contraire à la Constitution. 1774 ; ☞ *constitutionnel* + *anti-* ; [ɑ̃tikɔ̃stitysjɔnɛl].

**ANTICONSTITUTIONNELLEMENT,** adv.
De façon anticonstitutionnelle. 1803 ; ☞ *anticonstitutionnel* ; [ɑ̃tikɔ̃stitysjɔnɛlmɑ̃].

**ANTICORPS,** subst. m.
*Biol.* Protéine sécrétée au niveau des ganglions lymphatiques et produite en réponse au développement dans l'organisme de virus, de bactéries ou de parasites non bactériens. Les macromolécules superficielles des parasites internes constituent des antigènes dont certaines régions sont reconnues par quelques espèces d'**anticorps** spécifiques. La liaison de l'anticorps à l'antigène qui lui correspond est la première étape d'une série de réactions qui conduisent à la destruction des éléments étrangers. 1906 ; ☞ *corps* + *anti-* ; [ɑ̃tikɔʀ].

© P. Lorne-Explorer

*Un exemple d'****anticlinal*** *: le Chapeau de Gendarme, dans le Jura.*

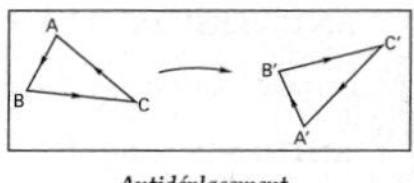


*Antidéplacement.*

**ANTICYCLIQUE,** adj.
*Écon.* Se dit d'une politique qui tente de remédier aux crises cycliques. V. 1960 ; ☞ *cyclique* + *anti-* ; [ɑ̃tisiklik].

**ANTICYCLONE,** subst. m.
*Météor.* Centre de hautes pressions atmosphériques (anton. *dépression*) : *L'****anticyclone*** *des Açores* ; *Un* ***anticyclone*** *thermique, dynamique*. 1874 ; ☞ *cyclone* + *anti-* ; [ɑ̃tisiklon].

**ANTICYCLONIQUE,** adj.
Qui a trait à un anticyclone. 1904 ; ☞ *anticyclone* ; [ɑ̃tisiklɔnik].

**ANTIDATER,** verbe trans. [3]
Apposer sur (un document) une date antérieure à celle de sa rédaction ou de sa signature. 1462 ; ☞ *dater* + *anti-* ; [ɑ̃tidate].

**ANTIDÉFLAGRANT, ANTE,** adj.
*Techn.* Conçu pour fonctionner en milieu inflammable sans provoquer d'explosion. V. 1960 ; ☞ *déflagration* + *anti-* ; [ɑ̃tideflagʀɑ̃, ɑ̃t].

**ANTIDÉMOCRATIQUE,** adj.
Qui n'est pas conforme à la démocratie. 1794 ; ☞ *démocratique* + *anti-* ; [ɑ̃tidemɔkʀatik].

**ANTIDÉPLACEMENT,** subst. m.
*Géom.* Transformation ponctuelle du plan (ou de l'espace) euclidien, qui conserve les distances et change l'orientation (rétrograde). Tout **antidéplacement** du plan euclidien est le composé d'une translation et d'une symétrie orthogonale par rapport à une droite (synon. *renversement*). Mil. XXe s. ; ☞ *déplacement* + *anti-* ; [ɑ̃tideplasmɑ̃].

**ANTIDÉPRESSEUR,** adj. m.
*Pharm.* Qui combat les états dépressifs et leurs manifestations ; empl. subst. masc., médicament **antidépresseur**. XXe s. ; ☞ *dépression* + *anti-* ; [ɑ̃tidepʀesœʀ].

**ANTIDÉRAPANT, ANTE,** adj.
Qui empêche le dérapage : *Pneus* ***antidérapants***. 1894 ; ☞ *déraper* + *anti-* ; [ɑ̃tideʀapɑ̃, ɑ̃t].

**ANTIDÉTONANT, ANTE,** adj.
Se dit d'un produit ajouté à un carburant pour éviter sa détonation dans un moteur à explosion ; empl. subst. : *Un* ***antidétonant***. 1927 ; ☞ *détonant* + *anti-* ; [ɑ̃tidetɔnɑ̃, ɑ̃t].

**ANTIDIPHTÉRIQUE,** adj.
*Pharm.* Propre à combattre la diphtérie : *Vaccin* ***antidiphtérique***. 1877 ; ☞ *diphtérique* + *anti-* ; [ɑ̃tidifteʀik].

**ANTIDIURÉTIQUE,** adj.
*Pharm.* Se dit d'une substance qui diminue le volume de l'urine ; empl. subst. masc., médicament **antidiurétique**. 1959 ; ☞ *diurétique* + *anti-* ; [ɑ̃tidjyʀetik].

**ANTIDOPAGE,** adj. inv.
Qui s'oppose au dopage : *Contrôle* ***antidopage***. Mil. XXe s. ; ☞ *dopage* + *anti-* ; [ɑ̃tidɔpaʒ].

**ANTIDOTE,** subst. m.
**1.** Substance propre à contrer l'action d'un toxique. **2.** Fig. Remède contre un désagrément : *Un* ***antidote*** *à l'ennui*. Mil. XIIIe s. ; lat. *antidotum*, « contre le poison » ; [ɑ̃tidɔt].

**ANTIÉCONOMIQUE,** adj.
Contraire aux principes de la bonne économie. 1860 ; ☞ *économique* + *anti-* ; [ɑ̃tiekɔnɔmik].

**ANTIÉMÉTIQUE,** adj.
*Pharm.* Se dit d'un remède propre à empêcher les vomissements ; empl. subst. masc., médicament **antiémétique**. 1795 ; ☞ *émétique* + *anti-* ; [ɑ̃tiemetik].

**ANTIENNE,** subst. f.
**1.** *Liturg.* Verset chanté avant et après un psaume. **2.** Fig. Propos que l'on ressasse. Fin XIIe s. ; lat. chrét. *antefana*, altér. de *antiphona*, d'orig. gr. ; [ɑ̃tjɛn].

**ANTIENZYME,** subst. f. ou m.
*Biochim.* Substance inhibant spécifiquement l'activité d'une enzyme. 1922 ; ☞ *enzyme* + *anti-* ; [ɑ̃tiɑ̃zim].

**ANTIÉPILEPTIQUE,** adj.
*Pharm.* Se dit d'un traitement qui combat l'épilepsie ; empl. subst. masc., médicament **antiépileptique**. 1752 ; ☞ *épileptique* + *anti-* ; [ɑ̃tiepilɛptik].

**ANTIESCLAVAGISTE,** adj.
Hostile, opposé à l'esclavage et à l'esclavagisme ; empl. subst., personne **antiesclavagiste**. 1866 ; ☞ *esclavagiste* + *anti-* ; [ɑ̃tiɛsklavaʒist].

**ANTIFASCISTE,** adj.
Qui s'oppose au fascisme, qui le combat ; empl. subst., personne ou militant **antifasciste**. 1930 ; ☞ *fasciste* + *anti-* ; [ɑ̃tifaʃist].

**ANTIFERROMAGNÉTISME,** subst. m.
*Phys.* Propriété de certains cristaux, comme l'oxyde de fer, l'oxyde de manganèse, dont les atomes, au-dessous d'une certaine température, présentent des moments magnétiques (grandeurs qui mesurent le magnétisme d'un corps) alternativement orientés dans des directions opposées (le moment résultant est alors nul). 1959 ; ☞ *ferromagnétisme* + *anti-* ; [ɑ̃tifeʀɔmaɲetism].

**ANTIFONGIQUE,** adj.
*Pharm.* Se dit d'une substance qui détruit les champignons ou qui s'oppose à leur développement (synon. *antimycosique*) ; empl. subst. masc., médicament **antifongique**. Mil. XXe s. ; lat. *fongus*, « champignon », + *anti-* ; [ɑ̃tifɔ̃ʒik].

**ANTIFRICTION,** subst. m.
Alliage limitant les effets du frottement sur les pièces d'un mécanisme ; empl. adj. inv. : *Métaux* ***antifriction***. 1866 ; ☞ *friction* + *anti-* ; [ɑ̃tifʀiksjɔ̃].

**ANTIFUMÉE,** subst. m.
Substance dont l'addition à un combustible en favorise la combustion et réduit l'émission de fumée ; empl. adj. inv. : *Des substances* ***antifumée***. V. 1970 ; ☞ *fumée* + *anti-* ; [ɑ̃tifyme].

**ANTI-G,** adj. inv.
Qui s'oppose à l'action de la gravité : *Un dispositif* ***anti-g***. 1956 ; abrév. de *antigravitationnel* ; [ɑ̃tiʒe].

**ANTIGANG, adj. inv.**
*Brigade* ***antigang*** ou, empl. subst. fém., *L'****antigang*** : brigade spécialisée dans la lutte contre le grand banditisme. V. 1960 ; *gang + anti-* ; [ɑ̃tigɑ̃g].

**ANTIGEL, subst. m. et adj. inv.**
Se dit d'un produit qui abaisse le point de congélation d'un liquide. 1923 ; *gel + anti-* ; [ɑ̃tiʒɛl].

**ANTIGÈNE, subst. m.**
*Biol.* Molécule biologique de grande taille, de nature protéique ou glucidique, libre ou localisée à la surface de cellules, qui peut déclencher la production d'anticorps chez un vertébré après avoir été injectée dans son milieu intérieur (réponse immunitaire). 1910 ; *gène + anti-* ; [ɑ̃tiʒɛn].

**ANTIGIVRANT, ANTE, adj.**
Se dit d'un produit ou d'un système qui prévient la formation de givre ; empl. subst. masc., produit **antigivrant**. 1949 ; *givrer + anti-* ; [ɑ̃tiʒivʀɑ̃, ɑ̃t].

**ANTIGOUVERNEMENTAL, ALE, AUX, adj.**
Qui s'oppose au gouvernement en place. 1832 ; *gouvernemental + anti-* ; [ɑ̃tiguvɛʀnəmɑ̃tal, o].

**ANTIGRAVITATION, subst. f.**
*Phys.* Force hypothétique, symétrique de la gravitation et de sens contraire. Mil. XX^e s. ; *gravitation + anti-* ; [ɑ̃tigʀavitasjɔ̃].

**ANTIHÉROS, subst. m.**
Personnage d'une fiction dépourvu des caractéristiques traditionnelles du héros. V. 1960 ; *héros + anti-* ; [ɑ̃tieʀo].

**ANTIHISTAMINIQUE, adj.**
*Pharm.* Qui combat les effets de l'histamine ; empl. subst. masc., médicament **antihistaminique**. 1939 ; *histaminique + anti-* ; [ɑ̃tiistaminik].

**ANTI-INFLAMMATOIRE, adj.**
*Pharm.* Qui combat l'inflammation ; empl. subst. masc., médicament **anti-inflammatoire**. XX^e s. ; *inflammatoire + anti-* ; plur. *anti-inflammatoires* ; [ɑ̃tiɛ̃flamatwaʀ].

**ANTIJEU, subst. m.**
*Sp.* Jeu contraire à l'esprit sportif : *Un geste d'****antijeu***. Mil. XX^e s. ; *jeu + anti-* ; [ɑ̃tiʒø].

**ANTIJUIF, IVE, adj.**
Qui est hostile aux Juifs : *Lois* ***antijuives*** *de Vichy.* V. 1900 ; *juif + anti-* ; [ɑ̃tiʒɥif, iv].

**ANTILITHIQUE, adj.**
*Pharm.* Qui prévient la formation de calculs ; empl. subst. masc., médicament **antilithique**. 1971 ; formé de *anti-* et de *-lithique* ; [ɑ̃tilitik].

**ANTILLAIS, AISE, adj. et subst.**
Des Antilles, en partic. des Petites Antilles. 1898 ; topon. *Antilles* ; [ɑ̃tijɛ, ɛz].

**ANTILOGARITHME, subst. m.**
*Math.* ***Antilogarithme*** *d'un nombre a* : nombre dont le logarithme est *a*. 1740 ; *logarithme + anti-* ; [ɑ̃tilɔgaʀitm].

© J.-M. Loubat-Gamma

*Antilope d'Afrique de l'Est à cornes recourbées, du genre* Damaliscus.

**ANTILOPE, subst. f.**
**1.** *Zool.* Mammifère artiodactyle, aux membres fins et à cornes arquées non caduques, de la famille des Bovidés, vivant essentiellement en Afrique (gnou, kob, addax, etc.) et en Asie (saïga). **2.** Méton. La peau de cet animal. 1607 (XIII^e s., animal fabuleux) ; lat. médiév. *antalopus*, du gr. byzantin, *antholôps* ; [ɑ̃tilɔp].

**ANTIMATIÈRE, subst. f.**
*Phys. part.* Matière constituée d'antiparticules. 1958 ; *matière + anti-* ; [ɑ̃timatjɛʀ].

**ANTIMÉRIDIEN, subst. m.**
Méridien situé à 180° d'un méridien terrestre donné. 1922 ; *méridien + anti-* ; [ɑ̃timeʀidjɛ̃].

**ANTIMILITARISME, subst. m.**
Hostilité aux institutions militaires et à leur esprit. 1903 ; *militarisme + anti-* ; [ɑ̃timilitaʀism].

**ANTIMISSILE, adj.**
*Milit.* Qui intercepte ou neutralise les missiles. V. 1960 ; *missile + anti-* ; [ɑ̃timisil].

**ANTIMITE, adj.**
Qui préserve les lainages et les fourrures des mites et de leurs larves ; empl. subst. masc., produit **antimite**. 1948 ; *mite + anti-* ; [ɑ̃timit].

**ANTIMITOTIQUE, adj.**
*Pharm.* Se dit d'un agent qui inhibe la mitose, bloquant ainsi la multiplication cellulaire ; empl. subst. masc. : *Traiter un cancer par des* ***antimitotiques***. 1958 ; *mitotique + anti-* ; [ɑ̃timitɔtik].

**ANTIMOINE, subst. m.**
*Chim.* Élément n° 51 de la table de Mendeleïev (symb. : Sb) ; masse atomique : 121,75 ; point de fusion : 630 °C ; point d'ébullition : 1 635 °C ; masse volumique : 6,7 g/cm$^3$. C'est un corps intermédiaire entre les métaux et les non-métaux, blanc bleuâtre, cassant, possédant l'éclat et les propriétés conductrices d'un métal. On l'utilise pour durcir certains alliages. Déb. XIV^e s. ; lat. *antimonium*, prob. de l'ar. *'iṯmid* ; [ɑ̃timwan].

**ANTIMONARCHIQUE, adj.**
Qui est opposé au régime monarchique. 1714 ; *monarchique + anti-* ; [ɑ̃timɔnaʀʃik].

**ANTIMONARCHISTE, adj. et subst.**
Adj. Hostile à la monarchie. Subst. Adversaire de la monarchie. 1845 ; *monarchiste + anti-* ; [ɑ̃timɔnaʀʃist].

**ANTIMONIATE, subst. m.**
Nom générique des sels et des solutions dérivés d'un oxyacide d'antimoine : ***Antimoniate*** *de plomb.* 1838 ; lat. *antimonium*, « antimoine » ; [ɑ̃timɔnjat].

**ANTIMONIÉ, ÉE, adj.**
Qui contient de l'antimoine. 1811 ; lat. *antimonium*, « antimoine » ; [ɑ̃timɔnje].

**ANTIMONIURE, subst. m.**
*Chim.* Antimoine combiné à un autre corps simple : *L'****antimoniure*** *d'hydrogène a pour formule* $H_3Sb$. 1838 ; lat. *antimonium*, « antimoine » ; [ɑ̃timɔnjyʀ].

**ANTIMYCOSIQUE, adj.**
*Pharm.* Antifongique. Mil. XX^e s. ; *mycosique + anti-* ; [ɑ̃timikɔzik].

**ANTINATIONAL, ALE, AUX, adj.**
Qui s'oppose aux intérêts de la nation. 1743 ; *national + anti-* ; [ɑ̃tinasjɔnal, o].

**ANTINAZI, IE, adj. et subst.**
Adj. Qui s'oppose au nazisme ou qui le combat. Subst. Personne ou militant **antinazi**. V. 1940 ; *nazi + anti-* ; [ɑ̃tinazi].

**ANTINEUTRINO, subst. m.**
*Phys. part.* Antiparticule du neutrino. 1958 ; *neutrino + anti-* ; [ɑ̃tinøtʀino].

**ANTINEUTRON, subst. m.**
*Phys. part.* Antiparticule du neutron. 1959 ; *neutron + anti-* ; [ɑ̃tinøtʀɔ̃].

**ANTINÉVRALGIQUE, adj.**
*Pharm.* Se dit d'un traitement qui apaise les névralgies ; empl. subst. masc., médicament **antinévralgique**. 1850 ; *névralgique + anti-* ; [ɑ̃tinevʀalʒik].

**ANTINOMIE, subst. f.**
Opposition ou contradiction entre deux idées, deux principes, entre thèse et antithèse, entre deux propositions logiques, etc. : *L'****antinomie*** *de l'honneur et de la passion chez Corneille.* 1546 ; lat. *antinomia*, du gr. *antinomia* ; [ɑ̃tinɔmi].

**ANTINOMIQUE, adj.**
Qui engendre ou constitue une antinomie (synon. *contradictoire*). 1853 ; *antinomie* ; [ɑ̃tinɔmik].

**ANTINUCLÉAIRE, adj.**
Hostile à l'exploitation de l'énergie nucléaire ; empl. subst. : *Manifestation d'****antinucléaires***. V. 1960 ; *nucléaire + anti-* ; [ɑ̃tinykleɛʀ].

**ANTIOXYDANT, ANTE, adj.**
Se dit d'un agent chimique qui ralentit ou empêche l'oxydation d'une substance (aliment, composé organique) et les dégradations qui en résulteraient ; empl. subst. masc., agent, produit **antioxydant**. V. 1960 ; *oxydant + anti-* ; [ɑ̃tiɔksidɑ̃, ɑ̃t].

**ANTIPALUDÉEN, ÉENNE, adj.**
*Pharm.* Qui prévient ou soigne le paludisme (synon. *antipaludique*) ; empl. subst. masc., médicament **antipaludéen**. V. 1970 ; *paludisme + anti-* ; [ɑ̃tipalydeɛ̃, eɛn].

**ANTIPAPE, subst. m.**
*Hist.* Pape dont l'élection est considérée par l'Église comme irrégulière. 1320 ; lat. médiév. *antipapa* ; [ɑ̃tipap].

**ANTIPARALLÈLE, adj.**
*Géom. Droites* ***antiparallèles*** *à une droite D* : paire de droites sécantes formant avec D des angles (non orientés) égaux. 1752 ; *parallèle + anti-* ; [ɑ̃tipaʀal(l)ɛl].

**ANTIPARASITE, adj.**
*Techn.* Dispositif qui tend à empêcher la formation et la diffusion des parasites radioélectriques ; empl. subst. masc., dispositif **antiparasite**. 1928 ; *parasite + anti-* ; [ɑ̃tipaʀazit].

**ANTIPARLEMENTAIRE, adj.**
Opposé au parlementarisme ; empl. subst. : *Un, une* ***antiparlementaire***. 1853 ; *parlementaire + anti-* ; [ɑ̃tipaʀləmɑ̃tɛʀ].

**ANTIPARLEMENTARISME, subst. m.**
Attitude d'hostilité ou de dénigrement envers le régime parlementaire. 1912 ; *parlementarisme + anti-* ; [ɑ̃tipaʀləmɑ̃taʀism].

**ANTIPARTICULE, subst. f.**
*Phys. part.* Particule ayant une charge et un nombre baryonique opposés à ceux de la particule correspondante. On nomme les **antiparticules** avec le même symbole surmonté d'un tiret. Ainsi, au proton P de masse M, de charge Q = +e, de nombre baryonique B = 1 correspond l'antiproton $\bar{P}$ de masse M, de charge Q = -e et de nombre baryonique B = -1. 1956 ; *particule + anti-* ; [ɑ̃tipaʀtikyl].

**ANTIPATHIE, subst. f.**
Sentiment d'hostilité spontanée et irraisonnée envers qqn. 1555 ; gr. *antipatheia* ; [ɑ̃tipati].

**ANTIPATHIQUE, adj.**
Qui inspire de l'antipathie (anton. *sympathique*). 1568 ; *antipathie* ; [ɑ̃tipatik].

**ANTIPATRIOTIQUE, adj.**
Contraire ou hostile aux intérêts de la patrie. 1768 ; *patriotique + anti-* ; [ɑ̃tipatʀijɔtik].

**ANTIPELLICULAIRE, adj.**
Qui empêche l'apparition des pellicules du cuir chevelu ou qui les combat : *Lotion* ***antipelliculaire***. 1852 ; *pellicule + anti-* ; [ɑ̃tipelikylɛʀ].

**ANTIPÉRISTALTIQUE, adj.**
*Pathol.* Qualifie des contractions anormales de l'intestin et de l'estomac qui se font de bas en haut. 1680 ; *péristaltique + anti-* ; [ɑ̃tipeʀistaltik].

**ANTIPERSONNEL, adj. inv.**
*Milit.* Qualifie les armes et engins destinés à tuer ou à blesser les personnes : *Mines* ***antipersonnel***. V. 1950 ; *personnel + anti-* ; [ɑ̃tipɛʀsɔnɛl].

**ANTIPHLOGISTIQUE, adj.**
*Pharm.* Anti-inflammatoire (vieilli). 1793 ; *phlogistique + anti-* ; [ɑ̃tiflɔʒistik].

**ANTIPHONAIRE, subst. m.**
*Liturg.* Recueil des chants et antiennes des offices du jour exécutés par le chœur. 1119 ; lat. médiév. *antiphonarium* ; [ɑ̃tifɔnɛʀ].

**ANTIPHRASE, subst. f.**
*Rhét.* Figure consistant, par ironie ou par euphémisme, à exprimer ce que l'on pense par son contraire (par ex. : « Joli travail, bravo ! »). Déb. XIV^e s. ; bas lat. *antiphrasis*, du gr. *antiphrasis* ; [ɑ̃tifʀaz].

**ANTIPODE, subst. m.**
**1.** Point du globe terrestre diamétralement opposé à un autre : *Le pôle Sud est l'****antipode*** *du pôle Nord* ; par ext. : *Partir aux* ***antipodes***, très loin. **2.** Fig. Ce qui est diamétralement opposé, contraire à qqch. : *Le génie est l'****antipode*** *de la médiocrité* ; *Un discours aux* ***antipodes*** *de la raison.* 1537 (1370, qui habite un point de la terre diamétralement opposé) ; lat. *antipodes*, du gr. *antipodos*, « qui a les pieds en sens opposé » ; [ɑ̃tipɔd].

**ANTIPODISTE, subst.**
Acrobate qui, allongé sur le dos, exécute des tours d'adresse avec les pieds. 1938 ; *antipode* ; [ɑ̃tipɔdist].

**ANTIPOÉTIQUE, adj.**
Qui est contraire à la poésie, à ses règles. 1766 ; *poétique* (I) *+ anti-* ; [ɑ̃tipɔetik].

**ANTIPOISON, adj. inv.**
*Centre* ***antipoison*** : centre médical spécialisé dans la prévention et le traitement des intoxications. V. 1970 ; ☞ *poison + anti-* ; [ɑ̃tipwazɔ̃].

**ANTIPOLIOMYÉLITIQUE, adj.**
*Pharm.* Qui prévient ou combat la poliomyélite. V. 1920 ; ☞ *poliomyélitique + anti-* ; [ɑ̃tipɔljɔmjelitik].

**ANTIPOLLUTION, adj. inv.**
Qui lutte contre la pollution. V. 1970 ; ☞ *pollution + anti-* ; [ɑ̃tipɔlysjɔ̃].

**ANTIPROTON, subst. m.**
*Phys. part.* Antiparticule du proton. 1956 ; ☞ *proton + anti-* ; [ɑ̃tipʀɔtɔ̃].

**ANTIPSYCHIATRIE, subst. f.**
*Psych.* Mouvement né en Grande-Bretagne dans les années soixante, qui, avec R. Laing et D. Cooper, remet en question les thèses de la psychiatrie traditionnelle et qui s'est notamment efforcé de démontrer que la schizophrénie n'est pas une déchéance neuro-organique, mais un processus psychologique par lequel le sujet tente de briser l'étau familial. V. 1970 ; ☞ *psychiatrie + anti-* ; [ɑ̃tipsikjatʀi].

**ANTIPYRÉTIQUE, adj.**
*Pharm.* Qui combat la fièvre ; empl. subst. masc., médicament **antipyrétique**. 1752 ; gr. *puretikos*, « fébrile », + *anti-* ; [ɑ̃tipiʀetik].

**ANTIPYRINE, subst. f.**
*Pharm.* Dénomination courante d'une substance qui combat la fièvre et la douleur. 1885 ; all. *Antipyrin*, du gr. *pur*, « fièvre » ; [ɑ̃tipiʀin].

**ANTIQUAILLE, subst. f.**
Objet ancien sans valeur (péj.). Fin XVe s. ; ital. *anticaglia*, « antiquité » ; [ɑ̃tikaj].

**ANTIQUAIRE, subst. m.**
**1.** Archéologue (vx). **2.** Marchand de meubles et d'objets d'art anciens. 1890 (fin XIIe s., copiste) ; lat. *antiquarius*, « scribe » ; [ɑ̃tikɛʀ].

**ANTIQUE, adj. et subst.**
**Adj. 1.** Qui remonte à une époque reculée ; en partic., qui appartient à l'Antiquité gréco-romaine : *Le polythéisme* ***antique***. **2.** Très âgé, passé de mode (iron.) : *Un* ***antique*** *galurin.* **Subst. masc.** Art de l'Antiquité classique : *Imiter l'****antique***. **Subst. fém. 1.** Œuvre d'art de l'Antiquité. **2.** *Impr.* Caractère d'imprimerie sans pleins ni déliés ni empattements. Fin XIIe s. ; lat. *antiquus* ; [ɑ̃tik].

**ANTIQUITÉ, subst. f.**
**1.** Caractère de ce qui est très ancien : *L'****antiquité*** *d'un peuple.* **2. L'Antiquité.** La période de l'histoire qui débute à la fin de la préhistoire et qui se termine, pour l'Europe et le Moyen-Orient, à la chute de l'Empire romain : *L'****Antiquité*** *assyro-babylonienne, égyptienne, gréco-romaine.* **3.** Méton. Objet remontant à cette période (gén. au plur.) : *Des* ***antiquités*** *égyptiennes* ; par ext., objet d'art, meuble anciens : *Une boutique d'****antiquités***. Fin XIe s. ; lat. *antiquitas* ; [ɑ̃tikite].

**ANTIRABIQUE, adj.**
*Pharm.* Qui protège de la rage : *Un sérum* ***antirabique***. 1865 ; ☞ *rabique + anti-* ; [ɑ̃tiʀabik].

**ANTIRACISTE, adj.**
Qui s'oppose au racisme ou qui le combat : *Une loi* ***antiraciste*** ; empl. subst., personne **antiraciste**. 1938 ; ☞ *raciste + anti-* ; [ɑ̃tiʀasist].

**ANTIRADIATION, adj. inv.**
Qui protège des radiations, en partic. de la radioactivité. V. 1960 ; ☞ *radiation* (II) + *anti-* ; [ɑ̃tiʀadjasjɔ̃].

**ANTIREFLET, adj.**
Qui réduit les reflets : *Verres* ***antireflets***. V. 1960 ; ☞ *reflet + anti-* ; [ɑ̃tiʀəflɛ].

**ANTIRÈGLEMENTAIRE, adj.**
Non conforme à un règlement. 1866 ; ☞ *règlementaire + anti-* ; var. *antiréglementaire* ; [ɑ̃tiʀɛgləmɑ̃tɛʀ].

**ANTIRELIGIEUX, EUSE, adj.**
Hostile à la religion, à la pensée religieuse. 1803 ; ☞ *religieux + anti-* ; [ɑ̃tiʀəliʒjø, øz].

**ANTIRÉPUBLICAIN, AINE, adj. et subst.**
**Adj.** Hostile à la république et aux républicains. **Subst.** Adversaire de la république. 1842 ; ☞ *républicain + anti-* ; [ɑ̃tiʀepyblikɛ̃, ɛn].

**ANTIRÉVOLUTIONNAIRE, adj. et subst.**
**Adj.** Qui s'oppose à la doctrine révolutionnaire ou à ses partisans. **Subst.** Personne hostile à la révolution, en partic. à celle de 1789. 1790 ; ☞ *révolutionnaire + anti-* ; [ɑ̃tiʀevɔlysjɔnɛʀ].

**ANTIRIDES, adj. et subst. m.**
Se dit d'un produit de beauté qui atténue les rides. 1917 ; ☞ *ride + anti-* ; var. *antiride* ; [ɑ̃tiʀid].

**ANTIROMAN, subst. m.**
*Litt.* **1.** Forme romanesque née en France dans les années cinquante, rejetant certains des principes du roman traditionnel, en partic. le déroulement d'une intrigue autour d'un héros dont la psychologie doit être mise en évidence. **2.** Œuvre relevant de ce genre. V. 1950 ; ☞ *roman* (I) + *anti-* ; [ɑ̃tiʀɔmɑ̃].

**ANTIROUILLE, adj. inv.**
Qui agit contre la rouille ; empl. subst. masc., produit **antirouille**. 1869 ; ☞ *rouille + anti-* ; [ɑ̃tiʀuj].

**ANTIROULIS, adj.**
Qui atténue le roulis ou prémunit contre ses effets. 1920 ; ☞ *roulis + anti-* ; [ɑ̃tiʀuli].

**ANTISCIENTIFIQUE, adj.**
Hostile à la pensée scientifique ou contraire à ses principes. 1828 ; ☞ *scientifique + anti-* ; [ɑ̃tisjɑ̃tifik].

**ANTISCORBUTIQUE, adj.**
*Pharm.* Qui a la propriété de prévenir ou de guérir le scorbut : *Vitamine* ***antiscorbutique***. 1671 ; ☞ *scorbutique + anti-* ; [ɑ̃tiskɔʀbytik].

**ANTISÈCHE, subst. f.**
Aide-mémoire discret qu'un élève utilise frauduleusement lors d'un examen (argot scol.). V. 1950 ; ☞ *sécher + anti-* ; [ɑ̃tisɛʃ].

**ANTISÉMITE, adj. et subst.**
**Adj.** Hostile aux Juifs : *Propagande* ***antisémite***. **Subst.** Partisan de l'antisémitisme. 1890 ; ☞ *sémite + anti-* ; [ɑ̃tisemit].

**ANTISÉMITISME, subst. m.**
Racisme dirigé contre les Juifs. 1886 ; ☞ *antisémite* ; [ɑ̃tisemitism].

**ANTISEPSIE, subst. f.**
*Méd.* Méthode qui consiste à combattre ou à prévenir les maladies infectieuses en détruisant systématiquement les bactéries. 1865 ; gr. *sêpsis*, « putréfaction », + *anti-* ; [ɑ̃tisɛpsi].

**ANTISEPTIQUE, adj.**
*Pharm.* Qui combat ou qui prévient l'infection ; empl. subst. masc., produit **antiseptique**. 1763 ; ☞ *septique + anti-* ; [ɑ̃tisɛptik].

**ANTISISMIQUE, adj.**
Conçu pour résister aux séismes. V. 1980 ; ☞ *sismique + anti-* ; [ɑ̃tisismik].

**ANTISOCIAL, ALE, AUX, adj.**
**1.** Contraire à l'ordre social. **2.** Contraire aux intérêts des plus démunis : *Une mesure* ***antisociale***. **3.** *Psychol.* Qui transgresse les règles de la société. 1784 ; ☞ *social + anti-* ; [ɑ̃tisɔsjal, o].

**ANTI-SOUS-MARIN, INE, adj.**
Qui sert à combattre les sous-marins : *Mines* ***anti-sous-marines***. 1948 ; ☞ *sous-marin + anti-* ; plur. *anti-sous-marins, ines* ; [ɑ̃tisumaʀɛ̃, in].

**ANTISPASMODIQUE, adj.**
*Pharm.* Qui calme les spasmes ; empl. subst. masc., produit **antispasmodique**. 1741 ; ☞ *spasmodique + anti-* ; [ɑ̃tispasmɔdik].

**ANTISTATIQUE, adj.**
*Phys.* Qui empêche ou diminue la production d'électricité statique ; empl. subst. masc., produit doté de propriétés **antistatiques**. V. 1970 ; ☞ *statique + anti-* ; [ɑ̃tistatik].

**ANTISTROPHE, subst. f.**
**1.** *Versif.* Second couplet qui fait écho au premier en reprenant sa forme et sa mélodie. **2.** *Rhét.* Figure consistant à répéter en les inversant deux termes dépendant l'un de l'autre (par ex. : « Un pour tous, tous pour un »). 1532 ; gr. *antistrophê*, « inversion » ; [ɑ̃tistʀɔf].

**ANTISUDORAL, ALE, AUX, adj.**
Qui combat la transpiration ; empl. subst. masc., produit **antisudoral**. 1853 ; ☞ *sudoral + anti-* ; [ɑ̃tisydɔʀal, o].

**ANTISYMÉTRIQUE, adj.**
*Math.* **1.** *Application* ***antisymétrique*** : application de plusieurs variables à valeurs dans un groupe additif dont l'image se change en son opposé quand on permute deux variables. **2.** *Relation* ***antisymétrique*** : relation binaire sur un ensemble E telle que, pour $x$ et $y$ éléments quelconques de E, si $x$ est en relation avec $y$ et si $y$ est en relation avec $x$, alors $x = y$. 1947 ; ☞ *symétrique + anti-* ; [ɑ̃tisimetʀik].

**ANTISYPHILITIQUE, adj.**
*Pharm.* Qui combat la syphilis ; empl. subst. masc. : *L'****antisyphilitique*** *majeur est la pénicilline.* 1774 ; ☞ *syphilitique + anti-* ; [ɑ̃tisifilitik].

**ANTITABAC, adj. inv.**
Qui lutte contre l'usage du tabac ; par ext. : *Bougie* ***antitabac***, qui résorbe la fumée du tabac. V. 1960 ; ☞ *tabac* (I) + *anti-* ; [ɑ̃titaba].

**ANTITERRORISTE, adj.**
Qui combat le terrorisme ; relatif à cette lutte. 1795 ; ☞ *terroriste + anti-* ; [ɑ̃titeʀɔʀist].

**ANTITÉTANIQUE, adj.**
*Pharm.* **1.** Qui préserve du tétanos ou qui le combat. **2.** Qui s'oppose à la tétanie (vieilli). 1819 ; ☞ *tétanique + anti-* ; [ɑ̃titetanik].

**ANTITHÈSE, subst. f.**
**1.** *Rhét.* Figure opposant, en les rapprochant, deux mots ou expressions contraires pour les mettre en relief par contraste (par ex. : « Une brûlure glacée »). **2.** *Philos.* Opposition de sens entre deux termes, deux propositions contraires ou contradictoires. ▸ Chez Kant, l'opposition à la thèse, dans une antinomie. ▸ Chez Hegel, la négation de la thèse, qui précède la synthèse. **3.** Ext. *L'****antithèse*** *de qqn, de qqch.* : son opposé ; ce qui contraste avec cette personne, cette chose. Mil. XVIe s. ; gr. *antithesis* ; [ɑ̃titɛz].

**ANTITHÉTIQUE, adj.**
Qui forme ou qui renferme une antithèse. Fin XVIIe s. ; gr. *antithetikos* ; [ɑ̃titetik].

**ANTITHYROÏDIEN, IENNE, adj.**
*Pharm.* Se dit d'une substance qui inhibe la formation des hormones thyroïdiennes ou qui diminue leur sécrétion, et qui peut être utilisée pour combattre l'hyperthyroïdie ; empl. subst. masc., médicament **antithyroïdien**. 1904 ; ☞ *thyroïdien + anti-* ; [ɑ̃titiʀɔidjɛ̃, jɛn].

**ANTITOXINE, subst. f.**
*Pharm.* Anticorps produit par certaines cellules de l'organisme pour combattre les effets d'une toxine. Plus les **antitoxines** sont abondantes, plus l'immunité est forte. 1892 ; ☞ *toxine + anti-* ; [ɑ̃titɔksin].

**ANTITOXIQUE, adj.**
*Méd.* Qui combat les effets d'une toxine. 1858 ; ☞ *toxique + anti-* ; [ɑ̃titɔksik].

**ANTITRUST, adj.**
*Écon.* Qui combat la création et le développement des trusts : *La loi* ***antitrust*** *américaine de 1890.* 1952 ; ☞ *trust + anti-* ; [ɑ̃titʀœst].

**ANTITUBERCULEUX, EUSE, adj.**
*Pharm.* Qui prévient ou guérit la tuberculose : *Vaccin* ***antituberculeux*** ; par ext. : *Centre* ***antituberculeux***. ▸ Empl. subst. masc., médicament qui combat la tuberculose. 1866 ; ☞ *tuberculeux + anti-* ; [ɑ̃titybɛʀkylø, øz].

**ANTITUSSIF, IVE, adj.**
*Pharm.* Qui calme la toux ; empl. subst. masc., médicament **antitussif**. 1970 ; lat. *tussis*, « toux », + *anti-* ; [ɑ̃titysif, iv].

**ANTIVARIOLIQUE, adj.**
*Pharm.* Qui prévient ou qui guérit la variole. 1804 ; ☞ *variole + anti-* ; [ɑ̃tivaʀjɔlik].

**ANTIVÉNÉNEUX, EUSE, adj.**
Qui a la propriété de combattre les poisons. ☞ *vénéneux + anti-* ; [ɑ̃tivenenø, øz].

**ANTIVENIMEUX, EUSE, adj.**
*Pharm. Sérum* ***antivenimeux*** : sérum utilisé pour lutter contre les effets d'un venin. 1897 ; ☞ *venimeux + anti-* ; [ɑ̃tivənimø, øz].

**ANTIVIRAL, ALE, AUX, adj.**
*Pharm.* Qui combat les virus ; empl. subst. masc., médicament **antiviral**. V. 1950 ; ☞ *viral + anti-* ; [ɑ̃tiviʀal, o].

**ANTIVOL, adj. inv. et subst. m.**
Se dit d'un dispositif qui protège contre le vol. 1949 ; ☞ *vol* (II) + *anti-* ; [ɑ̃tivɔl].

**ANTONOMASE, subst. f.**
*Rhét.* Figure consistant à remplacer un nom propre par une périphrase (« la capitale des Gaules » pour « Lyon ») ou à utiliser un nom propre comme nom commun (« un don Juan » pour « un séducteur »). Fin XIIIe s. ; lat. *antonomasia*, du gr. *antonomasia*, de *anti*, « à la place de », et *onoma*, « nom » ; [ɑ̃tɔnɔmaz].

**ANTONYME, subst. m.**
Terme opposé à un autre ou de sens contraire : *Blanc est l'****antonyme*** *de noir* ; *Garçon est l'****antonyme*** *de fille.* 1866 ; formé de *anti-* et de *-onyme* ; [ɑ̃tɔnim].

**ANTONYMIE, subst. f.**
Relation unissant deux antonymes. 1794 ; formé de *anti-* et de *-onymie* ; [ɑ̃tɔnimi].

**ANTRE, subst. m.**
**1.** Littér. Cavité naturelle, grotte pouvant servir de

refuge, d'abri : *L'antre d'un fauve* ; par anal., lieu inquiétant, dangereux : *L'antre des bandits*. **2.** *Anat.* Cavité de l'organisme : *Antre mastoïdien.* Mil. XIVe s. ; lat. *antrum*, « creux » ; [ɑ̃tʀ].

**ANURIE, subst. f.**
*Pathol.* Absence d'urine dans la vessie due à l'arrêt de la sécrétion rénale. 1863 ; formé de *a-*[2] et de *-urie* ; [anyʀi].

**ANUS, subst. m.**
*Anat.* Orifice du rectum, extrémité terminale du tube digestif. 1314 ; mot lat. ; [anys].

**ANXIÉTÉ, subst. f.**
**1.** Inquiétude très vive. **2.** *Psych.* État de trouble psychique lié à l'appréhension d'une menace réelle ou imaginaire, souv. indéfinissable. 1190 ; lat. *anxietas* ; [ɑ̃ksjete].

**ANXIEUX, EUSE, adj.**
**1.** Qui marque ou exprime l'anxiété. **2.** Qui éprouve de l'anxiété ; empl. subst. : *C'est une* ***anxieuse***. **3.** Loc. ***Être anxieux de*** : désireux de, impatient de. 1375 ; lat. *anxius* ; [ɑ̃ksjø, øz].

**ANXIOGÈNE, adj.**
*Psych.* Qui suscite l'anxiété : *Une situation, un produit* ***anxiogène***. V. 1970 ; ☞ *anxieux* + *-gène* ; [ɑ̃ksjɔʒɛn].

**ANXIOLYTIQUE, adj.**
*Pharm.* Qui apaise l'anxiété ou l'angoisse (synon. *sédatif, tranquillisant*) ; empl. subst. masc., médicament **anxiolytique**. V. 1970 ; ☞ *anxieux* + *-lytique* ; [ɑ̃ksjɔlitik].

**AORISTE, subst. m.**
*Ling.* Dans les conjugaisons grecque et sanskrite, temps qui exprime le début ou l'aboutissement d'une action, ou une action atemporelle, et qui prend souvent valeur de passé. 1548 ; lat. *aoristus*, du gr. *aoristos*, « indéfini, indéterminé » ; [aɔʀist].

**AORTE, subst. f.**
*Anat.* Artère qui prend naissance à la base du ventricule gauche du cœur, qui constitue le tronc du système artériel et qui comprend trois parties : la crosse de l'**aorte**, l'**aorte** thoracique et l'**aorte** abdominale. 1478 ; gr. *aortê* ; [aɔʀt].

**AORTIQUE, adj.**
Relatif à l'aorte. 1814 ; ☞ *aorte* ; [aɔʀtik].

**AORTITE, subst. f.**
*Pathol.* Inflammation des tuniques de l'aorte. 1842 ; ☞ *aorte* + *-ite* ; [aɔʀtit].

**AOÛT, subst. m.**
Huitième mois de l'année. Déb. XIIe s. ; lat. *augustus*, « d'Auguste » ; [u(t)].

**AOÛTAT, subst. m.**
*Zool.* Larve de trombidion, acarien qui, à la fin de l'été, se fixe sur la peau des animaux à sang chaud, provoquant des érythèmes cutanés et de fortes démangeaisons. 1898 ; ☞ *août* ; [auta].

**AOÛTEMENT, subst. m.**
*Hortic.* **1.** Accélération de la maturation des fruits. **2.** Lignification des rameaux avant l'hiver. 1838 ; anc. fr. *aoûter*, « moissonner » ; [(a)utmɑ̃].

**AOÛTIEN, IENNE, subst.**
Personne qui prend ses vacances au mois d'août (fam.). V. 1960 ; ☞ *août* ; [ausjɛ̃, jɛn].

**APACHE, subst. et adj.**
De la tribu indienne des Apaches. **Subst. masc.** Malfaiteur, voyou sévissant dans les grandes villes (vieilli). 1745 ; anglo-amér. *apache*, prob. d'orig. mexicaine ; [apaʃ].

**APAGOGIE, subst. f.**
*Rhét.* Démonstration de la vérité d'une proposition par la preuve de l'absurdité de son contraire. 1751 ; gr. *apagôgê*, « réduction » ; [apagɔʒi].

**APAISANT, ANTE, adj.**
Qui apaise. 1886 ; p. pr. de *apaiser* ; [apɛzɑ̃, ɑ̃t].

**APAISEMENT, subst. m.**
Action d'apaiser, fait de s'apaiser ; son résultat. Déb. XIIe s. ; ☞ *apaiser* ; [apɛzmɑ̃].

**APAISER, verbe trans.** [3]
**1.** Calmer : ***Apaiser*** *un agité* ; ***Apaiser*** *des craintes*. **2.** Satisfaire, assouvir (un besoin, un désir, etc.) : ***Apaiser*** *sa soif*. Mil. XIIe s. ; ☞ *paix* + *a-*[1] ; [apeze].

**APANAGE, subst. m.**
**1.** *Hist.* Fief concédé à un frère ou à un fils cadet du souverain et devant revenir à la couronne à l'extinction de leur descendance mâle. **2.** Fig. Privilège, bien exclusif : *Le droit de grâce est l'****apanage*** *du chef de l'État* ; *Vous n'avez pas l'****apanage*** *de la vertu*, vous n'en avez pas l'exclusivité. 1297 ; anc. fr. *apaner*, du lat. *panis*, « pain » ; [apanaʒ].

**APARTÉ, subst. m.**
**1.** *Théâtre.* Ce qu'un acteur dit à part soi et que seul le public est censé entendre. **2.** Conversation entre quelques personnes se tenant à l'écart des autres. 1640 ; ital. *a parte*, « à part » ; [apaʀte].

**APARTHEID, subst. m.**
En Afrique du Sud, régime de ségrégation raciale, aboli en 1991. 1954 ; afrikaans *apartheid*, « séparation » ; [apaʀtɛd].

© Gamma

*Au temps de l'****apartheid****, certains lieux étaient réservés à la population blanche.*

**APATHIE, subst. f.**
**1.** *Philos.* ▸ Chez les stoïciens, insensibilité voulue. ▸ État du sage qui méprise la douleur ou qui y est insensible. **2.** Indolence. **3.** *Psych.* Indifférence aux stimulus psycho-affectifs et inertie physique que l'on rencontre dans certains troubles neurologiques et dans certaines démences. 1375 ; lat. *apathia*, du gr. *apatheia*, « absence de passion » ; [apati].

**APATHIQUE, adj.**
Qui manifeste, qui dénote de l'apathie ; empl. subst., personne **apathique**. 1643 ; ☞ *apathie* ; [apatik].

**APATITE, subst. f.**
*Minér.* Phosphate de calcium, constituant principal de nombreuses roches éruptives et des phosphates sédimentaires utilisés comme engrais. 1802 ; all. *Apatite*, du gr. *apatân*, « tromper » ; [apatit].

**APATRIDE, subst. et adj.**
Se dit d'une personne qui n'a pas de nationalité légale. 1928 ; ☞ *patrie* + *a-*[2] ; [apatʀid].

**APAX, voir HAPAX**

**APEPSIE, subst. f.**
*Pathol.* Trouble de la digestion lié à la disparition de l'action fermentative du suc gastrique. 1550 ; gr. *apepsia*, « indigestion » ; [apɛpsi].

**APERCEPTION, subst. f.**
*Philos.* Perception consciente ; prise de conscience. 1714 ; ☞ *apercevoir*, d'apr. *perception* ; [apɛʀsɛpsjɔ̃].

**APERCEVOIR, verbe trans.** [38]
**1.** Voir, distinguer (malgré la distance, la gêne, les obstacles...) : ***Apercevoir*** *une voile à l'horizon*. **2.** Voir soudainement ou de façon fugitive : *Je l'****aperçus*** *dans l'escalier*. **3.** Fig. Comprendre, saisir par l'esprit : ***Apercevoir*** *les nuances d'un texte*. **Pronom.** Se rendre compte : *Je m'****aperçois*** *qu'il ment* ; *Qui s'****aperçoit*** *de ma détresse ?* Fin XIe s. ; ☞ *percevoir* + *a-*[1] ; [apɛʀsəvwaʀ].

**APERÇU, subst. m.**
**1.** Vue d'ensemble, exposé sommaire : *Ce n'est qu'un* ***aperçu*** *du programme*. **2.** Estimation approximative : ***Aperçu*** *d'un compte*. **3.** Remarque, observation esquissée : *Ce texte est plein d'****aperçus*** *judicieux*. 1760 (mil. XIIe s., avisé) ; p. p. de *apercevoir* ; [apɛʀsy].

**APÉRIODIQUE, adj.**
**1.** Qui n'est pas périodique. **2.** *Techn.* Qualifie un appareil dont l'organe mobile atteint sa position d'équilibre sans osciller. ▸ *Circuit* ***apériodique*** : ne possédant pas de période propre d'oscillation. 1898 ; ☞ *périodique* + *a-*[2] ; [apeʀjɔdik].

**APÉRITIF, IVE, adj. et subst. m.**
**Adj.** Qui stimule l'appétit : *Promenade* ***apéritive***. **Subst.** **1.** Boisson, gén. alcoolique, que l'on sert avant un repas (abrév. fam. : apéro). **2.** Méton. Brève réception où l'on sert des boissons **apéritives**. 1750 (XIIIe s., qui ouvre les voies d'élimination) ; lat. *aperitivus*, de *aperire*, « ouvrir » ; [apeʀitif, iv].

**APERTURE, subst. f.**
*Phon.* Ouverture du canal buccal au point d'articulation d'un phonème pendant son émission. 1916 (déb. XIVe s., intelligence) ; lat. *apertura*, « ouverture » ; [apɛʀtyʀ].

**APESANTEUR, subst. f.**
*Phys.* État d'un objet non soumis à la pesanteur terrestre ou placé dans un environnement en chute libre dans le champ de pesanteur terrestre (dans un satellite, un avion exécutant une parabole...). V. 1960 ; ☞ *pesanteur* + *a-*[2] ; [apəzɑ̃tœʀ].

**APÉTALE, adj. et subst. f.**
*Bot.* Se dit d'une plante dont les fleurs sont dépourvues de pétales : *Le chêne, la betterave sont des* ***apétales***. 1708 ; ☞ *pétale* + *a-*[2] ; [apetal].

**À-PEU-PRÈS, subst. m. inv.**
Ce qui est imprécis, vague, approximatif : *Votre rapport est plein d'****à-peu-près***. 1688 ; loc. adv. *à peu près* ; [apøpʀɛ].

**APEURER, verbe trans.** [3]
Effrayer (littér.) ; empl. adj., saisi par la peur : *Un enfant* ***apeuré***. 1868 ; ☞ *peur* + *a-*[1] ; [apœʀe].

**APEX, subst. m.**
**1.** *Anat.* Extrémité plus ou moins pointue de certains organes. **2.** *Astron.* Point du ciel, situé dans la constellation d'Hercule, vers lequel paraît se déplacer le système solaire, à la vitesse d'environ 20 km/s. 1863 ; lat. *apex*, « pointe » ; [apɛks].

**APHASIE, subst. f.**
*Pathol.* Perte plus ou moins importante de la mémoire des signes de communication : ***Aphasie*** *motrice*, incapacité d'exprimer sa pensée par la parole, le geste ou l'écriture. 1829 ; gr. *aphasia*, de *phasis*, « parole » ; [afazi].

**APHASIQUE, adj.**
Relatif à l'aphasie, atteint d'aphasie ; empl. subst., personne **aphasique**. 1865 ; ☞ *aphasie* ; [afazik].

**APHÉLIE, subst. m.**
*Astron.* Point de l'orbite d'un corps céleste qui est le plus éloigné du Soleil. 1690 ; lat. sc. *aphelium*, du gr. *apo*, « loin de », et *hêlios*, « soleil » ; [afeli].

**APHÉRÈSE, subst. f.**
*Ling.* Suppression d'un ou de plusieurs phonèmes au début d'un mot (par ex. : « car » pour « autocar »). 1521 ; lat. *aphaeresis*, du gr. *aphairesis*, « action d'enlever » ; [afeʀɛz].

**APHIDIENS, subst. m. plur.**
*Zool.* Famille de pucerons nuisibles aux plantes. **Au sing.** *Le phylloxéra est un* ***aphidien***. 1839 ; lat. sc. *aphis*, p.-ê. du gr. *apheidês*, « qui ruine » ; var. *Aphidés* ; [afidjɛ̃].

**APHONE, adj.**
Qui est privé de l'usage de la voix ; atteint d'une extinction de voix. 1834 ; gr. *aphônos* ; [afɔn].

**APHONIE, subst. f.**
*Pathol.* Perte plus ou moins importante de la voix. 1617 ; gr. *aphônia* ; [afɔni].

**APHORISME, subst. m.**
Proposition concise, formule courte, maxime. 1270 ; lat. *aphorismus*, du gr. *aphorismos* ; [afɔʀism].

**APHRODISIAQUE, adj. et subst. m.**
Se dit de ce qui stimule l'appétit sexuel. 1742 ; gr. *aphrodisiakos* ; [afʀɔdizjak].

**APHTE, subst. m.**
*Pathol.* Petite ulcération de la muqueuse buccale (à la jonction des gencives et de la lèvre ou sur la langue), parfois génitale. 1478 ; lat. *aphtae*, du gr. *aphthai*, de *aptein*, « brûler » ; [aft].

**APHTEUX, EUSE, adj.**
**1.** Caractérisé par la présence d'aphtes. **2.** *Vétér.* *Fièvre* ***aphteuse*** : maladie éruptive (développement d'aphtes sur la muqueuse labiale, dans l'espace interdigital et sur les trayons), épidémique, due à un virus qui atteint électivement les Bovidés. 1768 ; ☞ *aphte* ; [aftø, øz].

1. *Une fois les ruches enfumées, l'**apiculteur** peut les ouvrir sans aucun danger.*

2. *Ascension d'un **à-pic** en haute montagne.*

**APHYLLE, adj.**
*Bot.* Qualifie une plante dont la tige est dépourvue de feuilles. XVIIe s. ; gr. *aphullos* ; [afil].

**API, subst. m.**
*Pomme d'**api*** : petite pomme rouge vif et blanc. 1571 ; anthropon. *Appius*, qui aurait importé cette variété à Rome ; [api].

**APIACÉES, subst. f. plur.**
*Bot.* Ombellifères. Lat. *apium*, « ache » ; [apjase].

**À-PIC, subst. m.**
Forte dénivellation présentant une paroi verticale. 1934 ; loc. *à pic* ; plur. *à-pic(s)* ; [apik].

**APICAL, ALE, AUX, adj.**
**1.** *Anat.* Relatif à l'apex ; localisé dans l'apex. **2.** *Phon.* Dont l'articulation suppose l'application de la pointe de la langue contre les dents, les alvéoles ou le palais : *Consonne **apicale*** ou, empl. subst. fém., *Une **apicale***. 1838 ; lat. *apex*, « pointe » ; [apikal, o].

**APICOLE, adj.**
Relatif à l'apiculture. 1845 ; lat. *apis*, « abeille », + *-cole* ; [apikɔl].

**APICULTEUR, TRICE, subst.**
Personne qui élève des abeilles. 1845 ; lat. *apis*, « abeille », + *-culteur* ; [apikyltœʀ, tʀis].

**APICULTURE, subst. f.**
Art d'élever les abeilles pour récolter le miel, la cire, etc. 1845 ; lat. *apis*, « abeille », + *-culture* ; [apikyltyʀ].

**APIDÉS, subst. m. plur.**
*Zool.* Famille d'insectes hyménoptères, à laquelle appartiennent notamment les abeilles et les bourdons. **Au sing.** *Le xylocope est un **apidé***. 1842 ; lat. *apis*, « abeille » ; [apide].

**APIÉCEUR, EUSE, subst.**
*Cout.* Personne chargée du montage des vêtements (vx). 1836 ; *apiécer* (vx), « rapiécer » ; [apjesœʀ, øz].

**APIOL, subst. m.**
*Pharm.* Principe actif, fébrifuge, contenu dans les graines de persil. 1856 ; lat. *apium*, « persil » ; [apjɔl].

**APION, subst. m.**
*Zool.* Genre de charançon dont les larves rongent certaines fabacées. 1823 ; lat. sc. *apion*, du gr. *apion*, « poire » ; [apjɔ̃].

**APIQUER, verbe trans.** [3]
*Mar.* Mettre (un espar) en position verticale. 1687 ; loc. *à pic* ; [apike].

**APITOIEMENT, subst. m.**
Fait de s'apitoyer. 1842 ; ☞ *apitoyer* ; [apitwamɑ̃].

**APITOYER, verbe trans.** [17]
Susciter la pitié de (qqn). **Pronom.** **S'apitoyer sur.** Éprouver de la pitié pour. Déb. XIIIe s. ; ☞ *pitié* + *a-*[1] ; [apitwaje].

**APLACENTAIRE, adj. et subst. m.**
*Zool.* Qualifie ou désigne les mammifères dépourvus de placenta, tels les Marsupiaux. 1870 ; ☞ *placentaire* + *a-*[2] ; [aplasɑ̃tɛʀ].

**APLANÉTIQUE, adj.**
*Phys.* Qualifie un système optique corrigé de façon à donner une image non déformée de l'objet visé (la correction concerne l'aberration de sphéricité). 1865 ; angl. *aplanatic*, du gr. *aplanêtos*, « qui ne dévie pas ; sans illusions » ; [aplanetik].

**APLANIR, verbe trans.** [19]
**1.** Rendre plan, uni (ce qui ne l'est pas). **2.** Fig. Rendre plus aisé ; atténuer : ***Aplanir** des obstacles, des difficultés*. XIe s. ; ☞ *plan* (I) + *a-*[1] ; [aplaniʀ].

**APLANISSEMENT, subst. m.**
Action d'aplanir ; son résultat. XIVe s. ; ☞ *aplanir* ; [aplanismɑ̃].

**APLASIE, subst. f.**
*Pathol.* Arrêt ou insuffisance du développement d'un tissu ou d'un organe. 1865 ; gr. *plasis*, « action de former », + *a-*[2] ; [aplazi].

**APLAT, subst. m.**
*B.-a.* Surface unie, d'une seule teinte, dans une peinture, une gravure, etc. 1877 ; formé de *à* et de *plat* ; var. *à-plat* (plur. *à-plats*) ; [apla].

**APLATIR, verbe trans.** [19]
**1.** Rendre plat, écraser, plaquer ; empl. adj., rendu plat, dont la courbure est moins importante : *La Terre est **aplatie** aux pôles*. **2.** Battre à plate couture, humilier (fam.). **Pronom.** Fam. **1.** Tomber de tout son long. **2.** Fig. Adopter une attitude servile, s'abaisser : *S'**aplatir** devant les puissants*. 1331 ; ☞ *plat* + *a-*[1] ; [aplatiʀ].

**APLATISSAGE, subst. m.**
*Techn.* Action d'aplatir ; laminage ; compression. 1850 ; ☞ *aplatir* ; [aplatisaʒ].

**APLATISSEMENT, subst. m.**
Action d'aplatir ou de s'aplatir ; état de ce qui est aplati : *L'**aplatissement** de l'occipital*. Fin XIVe s. ; ☞ *aplatir* ; [aplatismɑ̃].

**APLATISSEUR, subst. m.**
Machine servant à écraser le grain destiné au bétail. 1741 ; ☞ *aplatir* ; [aplatisœʀ].

**APLATISSOIR, subst. m.**
*Techn.* Marteau, laminoir servant à aplatir les métaux. 1765 ; ☞ *aplatir* ; var. *une aplatissoire* ; [aplatiswaʀ].

**APLOMB, subst. m.**
**1.** Verticalité d'une ligne, d'un plan, indiquée par le fil à plomb. **2.** Ext. Stabilité, équilibre : *L'**aplomb** d'un mur, d'un cavalier*. **3.** Fig. Assurance, confiance en soi ; audace effrontée : *Quel **aplomb** !* **4.** Loc. ▸ *À l'**aplomb** de* : à la verticale de. ▸ *D'**aplomb*** : vertical ou suivant la verticale ; en équilibre stable ; au fig., en bonne santé. **Plur.** *Équit. Les **aplombs** d'un cheval* : la position de ses membres par rapport au sol. Déb. XIIIe s. ; formé de *à* et de *plomb* ; [aplɔ̃].

**APNÉE, subst. f.**
Arrêt plus ou moins prolongé de la respiration. 1611 ; lat. sc. *apnaea*, du gr. *apnoia* ; [apne].

**APOASTRE, subst. m.**
*Astron.* Point de l'orbite où la distance entre deux astres qui gravitent l'un autour de l'autre est maximale. Si l'astre principal est la Terre, l'**apoastre** est appelé apogée ; s'il s'agit du Soleil, il est appelé aphélie. V. 1960 ; ☞ *astre* + *apo-* ; [apoastʀ].

**APOCALYPSE, subst. f.**
**1.** *Relig.* Chez les juifs et les chrétiens, écrit contenant la révélation des secrets de l'avenir et, en partic., des signes annonçant la fin des temps. ▸ *L'**Apocalypse** de saint Jean* ou, empl. abs., *L'**Apocalypse*** : le dernier livre du Nouveau Testament, annonçant la parousie et le Jugement dernier. **2.** Terrible catastrophe. Mil. XIIe s. ; lat. chrét. *apocalypsis*, du gr. *apokalupsis*, « révélation divine » ; [apɔkalips].

**APOCALYPTIQUE, adj.**
**1.** Relatif aux apocalypses, en partic. à l'Apocalypse. **2.** Catastrophique, qui frappe de terreur, d'épouvante. 1532 ; gr. eccl. *apokaluptikos* ; [apɔkaliptik].

**APOCOPE, subst. f.**
*Ling.* Chute d'un ou de plusieurs sons ou syllabes à la fin d'un mot (par ex. : « métro » pour « métropolitain »). 1521 ; lat. *apocopa*, du gr. *apokopê*, « action de retrancher » ; [apɔkɔp].

**APOCRYPHE, adj. et subst. m.**
*Relig.* Se dit de certains livres qui se présentent comme inspirés par Dieu mais ne sont pas admis dans le canon des Écritures. **Adj.** Dont l'authenticité n'est pas établie ; douteux. Déb. XIIIe s. ; lat. chrét. *apocryphus*, du gr. *apokruphos*, « secret » ; [apɔkʀif].

**APOCYNACÉES, subst. f. plur.**
*Bot.* Famille de plantes de l'ordre des Gentianales, à suc laiteux. **Au sing.** *Le laurier-rose, comme la pervenche, est une **apocynacée***. 1789 ; lat. *apocynon*, du gr. *apokunon*, « plante fatale aux chiens » ; [apɔsinase].

**APODE, adj. et subst. m. plur.**
*Zool.* **Adj.** Dépourvu de pattes, de pieds : *Une larve **apode*** ; par ext., dépourvu de nageoires ventrales, en parlant de poissons comme l'anguille ou le congre. **Subst.** Groupe d'animaux caractérisés par l'absence de pattes ou de nageoires ; au sing. : *Le serpent est un **apode***. 1553 ; gr. *apous*, « sans pieds » ; [apɔd].

**APODICTIQUE, adj.**
*Philos. Proposition **apodictique*** : dont la vérité est incontestable ; *Jugement **apodictique*** : chez Kant, jugement exprimant une relation nécessaire (anton. *assertorique, problématique*). 1582 ; lat. *apodicticus*, du gr. *apodeiktikos*, « évident » ; [apɔdiktik].

**APOGAMIE, subst. f.**
*Biol.* Mode de reproduction asexuée qui passe cependant par certaines étapes de la reproduction sexuée et qui correspond donc à un type de parthénogenèse. On l'observe chez certaines espèces de champignons, d'algues et de plantes à fleurs (angiospermes). 1887 ; gr. *gamos*, « mariage », + *apo-* ; [apɔgami].

**APOGÉE, subst. m.**
**1.** *Astron.* Point de l'orbite d'un corps céleste décrivant autour de la Terre un mouvement de révolution réel ou apparent où ce corps est le plus éloigné de la Terre (anton. *périgée*). **2.** Fig. Plus haut degré, sommet : *Il est à l'**apogée** de son talent*. 1557 ; gr. *apogeion*, « qui part de la terre » ; [apɔʒe].

**APOLITIQUE, adj.**
Qui est neutre, qui se situe en dehors de la politique ; empl. subst., personne **apolitique**. 1927 ; ☞ *politique* (II) + *a-*[2] ; [apɔlitik].

**APOLLINIEN, IENNE, adj.**
Propre à Apollon. ▸ *Philos.* Qui marque, en partic. chez Nietzsche, la mesure, l'ordre, la sérénité (anton. *dionysiaque*). 1557 ; lat. *apollineus* ; [apɔlinjɛ̃, jɛn].

**APOLLON, subst. m.**
Jeune homme très beau. 1842 ; *Apollon*, dieu grec ; [apɔlɔ̃].

**APOLOGÉTIQUE, adj. et subst. f.**
**Adj.** Qui contient une apologie ; qui relève de l'apologie. **Subst.** Partie de la théologie qui a pour objet la défense et la justification du christianisme. XVe s. ; gr. *apologêtikos*, « justificatif » ; [apɔlɔʒetik].

**APOLOGIE, subst. f.**
Discours ou écrit visant à défendre et à justifier qqch., qqn, voire à en faire l'éloge. 1488 ; lat. chrét. *apologia*, du gr. *apologia* ; [apɔlɔʒi].

**APOLOGISTE, subst.**
**1.** Théologien versé dans l'apologétique. **2.** Personne qui fait une apologie. 1623 ; ☞ *apologie* ; [apɔlɔʒist].

**APOLOGUE, subst. m.**
Bref récit comportant un enseignement de caractère le plus souvent moral. XVe s. ; lat. *apologus*, du gr. *apologos* ; [apɔlɔg].

**APOMORPHINE, subst. f.**
*Pharm.* Composé synthétique dérivé de la morphine. 1872 ; ☞ *morphine* + *apo-* ; [apɔmɔʀfin].

**APONÉVROSE, subst. f.**
*Anat.* **1.** Tendon membraneux blanc nacré, aplati et très résistant, par lequel un muscle se fixe sur un os : ***Aponévrose** d'insertion*. **2.** Ext. Membrane fibreuse enveloppant un muscle. 1541 ; gr. *aponeurôsis* ; [apɔnevʀoz].

**APONÉVROTIQUE, adj.**
Relatif à une aponévrose. 1751 ; ☞ *aponévrose* ; [apɔnevʀɔtik].

**APOPHONIE, subst. f.**
*Ling.* Changement du timbre d'un son lorsque l'on passe d'une forme grammaticale à une autre : *« Je vais, tu vas » est une **apophonie***. 1842 ; formé de *apo-* et de *-phonie* ; [apɔfɔni].

**APOPHTEGME, subst. m.**
**1.** Sentence mémorable : *Les **apophtegmes** de Caton*. **2.** Ext. *Parler par **apophtegmes*** : par maximes, par adages. 1529 ; gr. *apophthegma* ; [apɔftɛgm].

**APOPHYSAIRE, adj.**
*Anat.* Relatif aux apophyses. 1846 ; ☞ *apophyse* ; [apɔfizɛʀ].

**APOPHYSE, subst. f.**
*Anat.* Éminence, saillie à la surface des os : ***Apophyses** articulaires*, qui permettent à certains os, par ex. aux vertèbres, de s'unir entre eux ; ***Apophyses** non articulaires*, **apophyses** de formes variées, tubérosité, crête, épine, etc. 1541 ; lat. *apophysis*, « partie supérieure ou inférieure du fût d'une colonne », du gr. *apophusis*, de *apo*, « loin de », et *phusis*, « croissance » ; [apɔfiz].

**APOPLECTIQUE, adj. et subst.**
Adj. Relatif à l'apoplexie. Subst. Personne prédisposée à l'apoplexie, victime de crises d'apoplexie. 1256 ; lat. *apoplecticus*, du gr. *apoplêktikos* ; [apɔplɛktik].

**APOPLEXIE, subst. f.**
*Pathol.* Interruption brutale, plus ou moins complète, des fonctions cérébrales, souv. due à une hémorragie cérébrale. XIIe s. ; lat. *apoplexia*, du gr. *apoplêxia* ; [apɔplɛksi].

**APORÉTIQUE, adj.**
*Philos.* Qui est arrêté par une difficulté ; qui débouche sur une impasse : *Les dialogues **aporétiques** de Platon.* 1866 ; gr. *aporêtikos*, « dubitatif » ; [apɔʀetik].

**APORIE, subst. f.**
*Philos.* Impasse, difficulté dans un raisonnement : *Penser ne consiste qu'à dépasser une **aporie**, ou à l'accepter.* Fin XVIIIe s. ; gr. *aporia*, « difficulté, obstacle » ; [apɔʀi].

**APOSTASIE, subst. f.**
**1.** *Relig.* Rejet total et public d'une religion, en partic. de la foi chrétienne. ▸ Renonciation sans dispense canonique à ses vœux, pour un religieux. **2.** Anal. Reniement d'une doctrine, d'une cause. Mil. XIIIe s. ; lat. eccl. *apostasia*, du gr. *apostasia* ; [apɔstazi].

**APOSTASIER, verbe intrans.** [6]
Faire acte d'apostasie. XVe s. ; ☞ *apostasie* ; [apɔstazje].

**APOSTAT, ATE, adj. et subst.**
Se dit d'une personne qui a apostasié. 1265 ; lat. eccl. *apostata*, du gr. *apostatês* ; [apɔsta, at].

**APOSTER, verbe trans.** [3]
Placer (qqn) à un poste de surveillance, notamment en vue d'un mauvais coup (vieilli). 1180 ; ital. *appostare*, « tendre un piège » ; [apɔste].

**A POSTERIORI, loc. adv.**
**1.** *Log.* En se fondant sur les données de l'expérience (anton. *a priori*) ; empl. adj. inv. : *Jugement **a posteriori**.* **2.** Ext. Après coup : *Intervention **a posteriori**.* 1626 ; lat. scol. *a posteriori*, « en partant de ce qui vient ensuite » ; [apɔsteʀjɔʀi].

**APOSTILLE, subst. f.**
**1.** *Dr.* Addition faite en marge ou au bas d'un texte. **2.** Brève recommandation accompagnant une requête. 1506 ; ☞ *apostiller* ; [apɔstij].

**APOSTILLER, verbe trans.** [3]
Mettre une apostille à. Mil. XVe s. ; anc. fr. *postille*, « glose, explication », + *a*-1 ; [apɔstije].

**APOSTOLAT, subst. m.**
**1.** *Relig.* Ministère, mission des apôtres ou de leurs successeurs (le collège des évêques unis au pape) ; par ext., évangélisation. **2.** Activité exigeant de l'abnégation. XIIIe s. ; lat. eccl. *apostolatus* ; [apɔstɔla].

**APOSTOLICITÉ, subst. f.**
*Théol.* Ce qui caractérise l'Église en tant qu'elle procède légitimement des apôtres, reste fidèle à leur message et poursuit leur mission. 1751 ; lat. *apostolicus*, « apostolique » ; [apɔstɔlisite].

**APOSTOLIQUE, adj.**
*Relig.* **1.** Propre aux apôtres. ▸ Qui procède des apôtres, est fidèle à leur doctrine et à leur mission : *L'Église une, sainte, catholique et **apostolique*** (dans le Credo) ; *Un zèle **apostolique**.* **2.** Relatif au Saint-Siège ; qui en émane ou en dépend : *Nonce **apostolique***, ambassadeur du Saint-Siège. XIIIe s. ; lat. *apostolicus*, du gr. *apostolikos* ; [apɔstɔlik].

**APOSTROPHE (I), subst. f.**
Signe graphique ('), marquant l'élision d'une voyelle. 1514 ; lat. *apostrophus*, du gr. *apostrophos*, « signe recourbé » ; [apɔstʀɔf].

**APOSTROPHE (II), subst. f.**
**1.** *Rhét.* Figure de style consistant à interpeller des personnes ou des choses personnifiées ; par ext., interpellation brusque et peu aimable. **2.** *Gramm.* *Mot mis en **apostrophe*** : mot désignant la personne ou la chose à laquelle on s'adresse (par ex. : « mes enfants » dans « Mes enfants, levez-vous »). 1520 ; lat. *apostropha*, du gr. *apostrophê*, « action de se détourner vers qqn » ; [apɔstʀɔf].

**APOSTROPHER, verbe trans.** [3]
**1.** *Rhét.* Adresser une apostrophe à (rare). **2.** Interpeller brusquement ou sans égard. 1672 (1611, se détourner ; rappeler) ; ☞ *apostrophe* (II) ; [apɔstʀɔfe].

**APOTHÉCIE, subst. f.**
*Bot.* Réceptacle élaboré par certains champignons ascomycètes, renfermant les corpuscules reproducteurs. 1822 ; gr. *apothêkê*, « dépôt » ; [apɔtesi].

**APOTHÈME, subst. m.**
*Géom.* Perpendiculaire abaissée du centre d'un polygone régulier sur un de ses côtés ; perpendiculaire menée du sommet d'une pyramide régulière, ou d'un cône de révolution, sur un des côtés du polygone, ou sur le cercle, de base. 1751 ; gr. *apothesis*, « action de mettre de côté », et *upothema*, « base » ; [apɔtɛm].

**APOTHÉOSE, subst. f.**
**1.** *Antiq.* Élévation d'un mortel au rang des dieux. **2.** Ext. Honneur exceptionnel rendu à qqn. **3.** Fig. Moment de grande réussite, apogée. ▸ Partie finale et la plus brillante d'un spectacle. 1581 ; lat. *apotheosis*, du gr. *apotheôsis* ; [apɔteoz].

**APOTHICAIRE, subst. m.**
Vx. Pharmacien. ▸ Loc. *Comptes d'**apothicaires*** : comptes mesquins, trop minutieux. Mil. XIIIe s. ; bas lat. *apothecarius*, « boutiquier » ; [apɔtikɛʀ].

**APÔTRE, subst. m.**
**I.** *Relig.* **1.** Chacun des douze disciples de Jésus. **2.** Ext. Propagateur de l'Évangile : *Saint François Xavier fut l'**apôtre** des Indes.* **II.** Anal. **1.** Personne qui propage ou défend une doctrine, une opinion, etc. : ***Apôtre** de la paix.* **2.** Loc. *Faire le bon **apôtre*** : contrefaire la bonté, l'intégrité. XIe s. ; lat. eccl. *apostolus*, du gr. *apostolos*, « envoyé » ; [apotʀ].

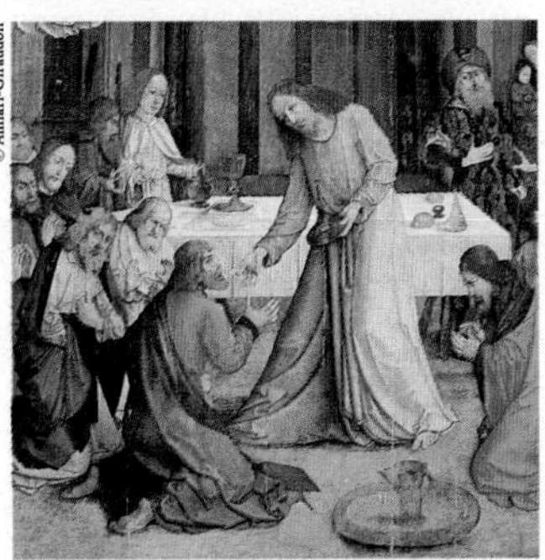

© Alinari-Giraudon

Communion des **apôtres** *(détail)*,
*peinture de Juste de Gand (v. 1435-1480).*
*Galerie nationale des Marches, Urbino.*

**APPALACHIEN, IENNE, adj.**
*Géomorph.* Des Appalaches, système montagneux de l'est des États-Unis : *Relief **appalachien**,* caractérisé par une série de crêtes et de vallées dérivées de la forme des plis, et dont l'altitude est limitée par des surfaces d'érosion anciennes. 1952 ; topon. *Appalaches* ; [apalaʃjɛ̃, jɛn].

**APPARAÎTRE, verbe intrans.** [73]
**1.** Se manifester soudain à la vue ; devenir visible : *La lune **apparut** dans le ciel ; La Vierge **apparut** aux enfants de Fatima.* **2.** Ext. Commencer à se manifester, venir à l'existence : *Les Trilobites **sont apparus** à l'ère primaire.* **3.** Fig. Se manifester aux sens ou à l'esprit : *La vérité est enfin **apparue**.* ▸ Sembler, se présenter comme : *Cet exploit **apparaît** irréalisable.* ▸ Empl. impers. *Il **apparaît** que* : il est clair que ; on constate que. Mil. XIe s. ; bas lat. *apparescere* ; se conjugue avec l'auxil. *être* ou, plus rarement, avec l'auxil. *avoir* ; [apaʀɛtʀ].

**APPARAT, subst. m.**
**1.** Éclat, faste, pompe : *Déployer un grand **apparat** ; Sabre d'**apparat**,* de cérémonie. **2.** ***Apparat** critique d'un texte* (☞ *appareil*). 1280 ; lat. *apparatus*, « ce qui est préparé » ; [apaʀa].

**APPARAUX, subst. m. plur.**
**1.** *Mar.* Matériel servant à la manœuvre et à la manutention, à bord d'un navire. **2.** *Sp.* Agrès de gymnastique. XIIe s. ; plur. anc. de *appareil* ; [apaʀo].

**APPAREIL, subst. m.**
**I.** Littér. et Vieilli. Déploiement des apprêts, des préparatifs destinés à donner de l'éclat à une cérémonie, à une manifestation : *L'**appareil** d'une fête ; Un funèbre **appareil**.* ▸ Tenue, toilette contribuant à mettre en valeur l'aspect de qqn : *Se montrer dans un somptueux **appareil** ; Dans le plus simple **appareil**,* nu. **II.** Ensemble d'éléments formant un tout et concourant à un même but. **1.** Ensemble des organismes régissant une institution, un État, etc. : *L'**appareil** policier ; L'**appareil** d'un syndicat, d'un parti...,* son organisation et ses cadres. **2.** ***Appareil** critique d'un texte* : notes et variantes qui l'accompagnent (synon. *apparat critique*). **3.** *Anat.* Ensemble des organes assurant une même fonction : ***Appareil** génital.* **4.** *Archit.* Agencement, disposition des éléments d'une maçonnerie : *Mur en petit **appareil** de pierres.* **5.** *Biol.* Ensemble d'organites et de molécules contribuant à une même fonction cellulaire : ***Appareil** de Golgi.* **III. 1.** Dispositif, machine, objet fait de pièces assemblées en vue de produire un résultat, d'exécuter un travail : ***Appareil** ménager ; **Appareil** photographique* ou, par ell., ***Appareil**.* ▸ Abs. Téléphone : *Qui est à l'**appareil** ?* **2.** *Aéron.* Avion : ***Appareil** long-courrier.* **3.** *Méd.* Dispositif palliant le mauvais fonctionnement ou la disparition de certains organes : ***Appareil** dentaire, orthopédique.* Mil. XIIe s. ; ☞ *appareiller* (I) ; [apaʀɛj].

**APPAREILLAGE, subst. m.**
**1.** Ensemble d'appareils, d'accessoires voués à un usage donné : ***Appareillage** de laboratoire.* **2.** *Mar.* Ensemble des manœuvres de départ d'un navire ; ce départ. **3.** *Méd.* Pose d'une prothèse ; cette prothèse. 1371 ; ☞ *appareiller* (I) ; [apaʀɛjaʒ].

**APPAREILLEMENT, subst. m.**
Action d'appareiller des choses, des personnes ou des animaux. 1820 ; ☞ *appareiller* (II) ; [apaʀɛjmɑ̃].

**APPAREILLER (I), verbe** [3]
Trans. **1.** Préparer (qqch.) en vue d'un emploi précis : ***Appareiller** un filet pour la pêche.* ▸ *Mar.* Équiper (un navire) de ce qui est nécessaire à la navigation. ▸ *Archit.* ***Appareiller** des pierres* : donner les mesures pour les faire tailler ; les disposer dans une maçonnerie. **2.** *Méd.* Pourvoir d'un appareil de prothèse : ***Appareiller** un handicapé.* Intrans. *Mar.* Effectuer les manœuvres d'appareillage ; quitter le mouillage. Fin XIe s. ; bas lat. *appariculare*, du lat. *apparare*, « préparer » ; [apaʀɛje].

**APPAREILLER (II), verbe trans.** [3]
**1.** Réunir, assortir (des choses ou des êtres semblables). **2.** Accoupler (des animaux). Déb. XIIe s. ; ☞ *pareil* + *a*-1 ; [apaʀɛje].

**APPAREMMENT, adv.**
En apparence ; vraisemblablement. 1564 (fin XIIe s., visiblement) ; ☞ *apparent* ; [apaʀamɑ̃].

**APPARENCE, subst. f.**
**1.** Aspect sous lequel une chose, un être, apparaît ou se présente : *Un homme de robuste **apparence** ;* par ext., trace, marque, vestige : *Conserver une **apparence** de jeunesse.* **2.** Aspect superficiel et souvent trompeur, non conforme à la réalité : *Ne pas se fier aux **apparences** ; Sauver les **apparences**,* dissimuler une réalité fâcheuse pour la réputation. ▸ Loc. *En **apparence*** : extérieurement. **3.** Caractère vraisemblable ou plausible de qqch. : *Selon toute **apparence**, il réussira.* **4.** *Philos.* Aspect sensible, phénoménal, par oppos. à la chose en soi, à la substance. Déb. XIIIe s. ; bas lat. *apparentia* ; [apaʀɑ̃s].

**APPARENT, ENTE, adj.**
**1.** Qui apparaît clairement à la vue ou à l'esprit ; visible : *Des poutres **apparentes**.* **2.** Qui n'est pas tel qu'on le voit ou qu'il paraît être : *Le mouvement **apparent** du Soleil autour de la Terre.* **3.** *Gramm.* **Sujet apparent.** Dans une tournure impersonnelle, sujet grammatical (opposé au sujet réel) : *Dans la phrase « Il est arrivé un accident », « il » est le sujet **apparent**, « un accident », le sujet réel.* 1155 ; lat. *apparens*, de *apparere*, « apparaître » ; [apaʀɑ̃, ɑ̃t].

**APPARENTÉ, ÉE,** adj.
**1.** Lié par des rapports de parenté. **2.** Fig. Qui présente des traits communs : *L'opium et autres drogues* ***apparentées****.* **3.** *Pol.* Allié par apparentement électoral ou par affinité politique : *Député non inscrit,* ***apparenté*** *au groupe socialiste.* 📖 1225 ; p. p. de *apparenter* ; [apaʀɑ̃te].

**APPARENTEMENT,** subst. m.
**1.** Fait d'être uni par des liens de parenté. **2.** *Pol.* Alliance électorale permettant à plusieurs partis de réunir leurs voix pour une répartition proportionnelle des sièges. 📖 1912 ; ☞ *apparenter* ; [apaʀɑ̃tmɑ̃].

**APPARENTER,** verbe trans. [3]
**1.** Rendre parent par alliance. **2.** Rendre proche de (qqch.) : *Ce style* ***apparente*** *ces deux œuvres.* **3.** *Pol.* Unir (des listes électorales) par apparentement. **Pronom. 1.** Se ressembler : *Ces visages, ces programmes* ***s'apparentent****.* **2. S'apparenter à.** S'unir à (une famille, un groupe social) ; au fig., ressembler à : *Il* ***s'apparentait*** *plus à l'animal qu'à l'humain.* 📖 Mil. XIIe s. ; ☞ *parent* + *a-*[1] ; [apaʀɑ̃te].

**APPARIEMENT,** subst. m.
Action d'apparier ; le résultat de cette action. 📖 1577 ; ☞ *apparier* ; [apaʀimɑ̃].

**APPARIER,** verbe trans. [6]
**1.** Assortir par paires ou par couples (littér.) : ***Apparier*** *des gants, des bêtes de trait.* **2.** Accoupler (un mâle et une femelle), pour les oiseaux en partic. ; empl. pronom. : *Les palombes se* ***sont appariées****.* 📖 XIIe s. ; anc. fr. *pairier*, « s'accoupler », + *a-*[1] ; [apaʀje].

**APPARITEUR,** subst. m.
**1.** *Hist.* Huissier d'une cour ecclésiastique. **2.** Huissier, dans une administration, en partic. dans une université. 📖 1332 ; lat. *apparitor* ; [apaʀitœʀ].

**APPARITION,** subst. f.
**1.** Action d'apparaître : *L'****apparition*** *d'une étoile dans le ciel.* ▸ Loc. *Faire une courte* ***apparition*** : rester très peu de temps. **2.** Fait de commencer à exister : *L'****apparition*** *de la vie sur terre* ; *L'****apparition*** *d'un courant de pensée.* **3.** Manifestation surnaturelle : *Les* ***apparitions*** *de la Vierge* ; par méton., fantôme. 📖 Fin XIIe s. ; lat. *apparitio* ; [apaʀisjɔ̃].

**APPAROIR,** verbe intrans.
*Dr. Faire* ***apparoir*** *de son droit* : en faire la preuve ; *Il* ***appert*** *de ce constat* : il en résulte. 📖 Fin XIe s. ; lat. *apparere* ; empl. uniquement à l'inf. et à la 3e pers. de l'ind. prés. ; [apaʀwaʀ].

**APPARTEMENT,** subst. m.
Habitation de plusieurs pièces située dans un immeuble. **Plur.** Ensemble de pièces dans une demeure luxueuse. 📖 1559 ; ital. *appartamento*, de l'esp. *apartamiento*, « action de s'écarter ; habitation » ; [apaʀtəmɑ̃].

**APPARTENANCE,** subst. f.
**1.** Fait d'appartenir à un pays, à une famille, à un groupe, etc. **2.** *Math.* Propriété qu'a un objet d'être un élément constitutif d'un ensemble, notée $\in$. 📖 Fin XIIe s. ; ☞ *appartenir* ; [apaʀtənɑ̃s].

**APPARTENIR,** verbe trans. indir. [22]
Appartenir à. **1.** Être la propriété de : *Cet objet lui* ***appartient*** ; *Cette île n'****appartient*** *plus à la France*, n'est plus sous sa dépendance. **2.** Faire partie de (qqch.) : *Il* ***appartient*** *à l'armée.* ▸ *Math. L'élément x* ***appartient*** *à l'ensemble E* ($x \in E$). **3.** Fig. Être propre à ; relever de ; concerner : *Ce problème* ***appartient*** *à la justice* ; empl. impers. : *Il vous* ***appartient*** *de décider*, il vous incombe de décider. **Pronom.** *Ne plus* ***s'appartenir*** : ne plus être indépendant. 📖 Mil. XIe s. ; bas lat. *appertinere*, de *pertinere*, « se rapporter » ; [apaʀtəniʀ].

**APPAS,** subst. m. plur.
Attraits (vx ou littér.) : *Les* ***appas*** *de la gloire* ; en partic., charmes physiques d'une femme (vieilli). 📖 Déb. XVIIe s. ; plur. anc. de *appât* ; [apɑ].

**APPASSIONATO,** adv.
*Mus.* Avec passion : *Jouer* ***appassionato****.* 📖 1898 ; mot ital. ; [apasjɔnato].

**APPÂT,** subst. m.
**1.** Pâture ou leurre utilisé pour piéger un animal. **2.** Fig. Ce qui excite le désir, la convoitise : *L'****appât*** *du gain.* 📖 XVIe s. ; ☞ *appâter* ; [apɑ].

**APPÂTER,** verbe trans. [3]
**1.** Vx. Gaver (des volailles). **2.** Attirer avec des appâts. **3.** Fig. Attirer (qqn) en excitant son désir. 📖 XVIe s. ; anc. fr. *past*, « nourriture », + *a-*[1] ; [apɑte].

**APPAUVRIR,** verbe trans. [19]
**1.** Rendre pauvre. **2.** Anal. Rendre moins fertile : ***Appauvrir*** *un sol* ; au fig. : ***Appauvrir*** *un style.* **Pronom.** Devenir pauvre ou moins fertile. 📖 1119 ; ☞ *pauvre* + *a-*[1] ; [apovʀiʀ].

**APPAUVRISSEMENT,** subst. m.
Action d'appauvrir ; état de ce qui est appauvri. 📖 XIIIe s. ; ☞ *appauvrir* ; [apovʀismɑ̃].

**APPEAU,** subst. m.
**1.** Instrument servant à imiter le cri des oiseaux pour les attirer. **2.** Oiseau dressé pour attirer ses congénères par ses cris (synon. *appelant*). 📖 1280 ; anc. fr. *appeaus*, var. de *appel* ; [apo].

**APPEL,** subst. m.
**1.** Action d'appeler qqn pour le faire venir : *Elle ne répond pas à son* ***appel*** ; *Un* ***appel*** *à l'aide* ; *L'****appel*** *du clairon.* ▸ ***Appel*** *téléphonique* : action d'appeler, fait d'être appelé par téléphone. ▸ *Milit.* Convocation sous les drapeaux. **2.** Action d'attirer l'attention par un signe : ***Appel*** *de la main* ; ***Appel*** *du pied*, invite. **3.** Action de nommer à haute voix des personnes pour s'assurer de leur présence : *Faire l'****appel*** ; *Manquer à l'****appel***, être absent. **4.** Invitation pressante ; demande : *L'****appel*** *du 18 juin 1940* ; au fig. : *L'****appel*** *des sens.* ▸ *Admin.* ***Appel*** *d'offres* : mise en concurrence de candidats pour un marché public. ▸ *Fin.* ***Appel*** *de fonds* : demande d'investissements. **5.** *Dr.* Recours à une juridiction supérieure afin de demander la réformation d'un jugement : *Une cour d'****appel*** ; *Faire* ***appel****.* ▸ Loc. *Sans* ***appel*** : irrévocablement. **6.** *Spéc.* ▸ *Sp.* Appui précédant le saut. ▸ *Techn.* ***Appel*** *d'air* : aspiration créée pour activer une combustion. 📖 Fin XIe s. ; ☞ *appeler* ; [apɛl].

**APPELANT, ANTE,** adj. et subst.
*Dr.* Se dit d'une personne qui fait appel d'une décision de justice. **Subst. masc.** Oiseau servant d'appeau. 📖 1390 ; p. pr. de *appeler* ; [ap(ə)lɑ̃, ɑ̃t].

**APPELÉ, ÉE,** adj. et subst. m.
**Adj.** ***Appelé*** *à* : destiné à. **Subst.** Personne qui accomplit son service militaire. 📖 1310 ; p. p. de *appeler* ; [ap(ə)le].

**APPELER,** verbe trans. [12]
**I. Trans. dir. 1.** Inviter (qqn) à venir, par un cri, un bruit ou un geste ; par ext. : ***Appeler*** *son chien* ; empl. abs. : ***Appeler*** *à l'aide*, demander du secours. ▸ ***Appeler*** *qqn au téléphone* : prendre contact avec lui par téléphone. **2.** Réclamer la présence de (qqn) : ***Appeler*** *le médecin* ; au fig., chercher à attirer, solliciter : ***Appeler*** *la libération de ses vœux* ; ***Appeler*** *l'attention de qqn.* ▸ *Dr.* ***Appeler*** *un témoin* : l'inviter à se présenter. ▸ *Milit.* ***Appeler*** *sous les drapeaux* : convoquer pour le service national ; mobiliser. **3.** Rendre nécessaire, demander : *Cette lettre* ***appelle*** *une réponse rapide* ; *Le devoir m'****appelle****.* ▸ Entraîner : *Le bien* ***appelle*** *le bien.* **Trans. indir. 1. Appeler de.** *Dr.* ***Appeler*** *d'un jugement* : s'adresser à une juridiction supérieure pour demander la réformation d'un jugement. **2. En appeler à.** S'en remettre à ; invoquer : *J'en* ***appelle*** *à votre bonté.* **II. Trans. dir. 1.** Pourvoir d'un nom ; désigner : *Il* ***a appelé*** *son fils Paul.* ▸ Empl. pronom. Avoir pour nom : *Paris* ***s'appelait*** *autrefois Lutèce* ; *Comment* ***t'appelles****-tu ?* ▸ Loc. ***Appeler*** *un chat un chat* : parler franchement, sans détour. **2.** Faire l'appel, en nommant tour à tour (les membres d'un groupe). 📖 Xe s. ; lat. *appellare*, « adresser la parole (à) » ; [ap(ə)le].

**APPELLATIF,** subst. m.
Mot utilisé pour appeler la personne à laquelle on s'adresse (« madame », « jeune homme », par ex.). 📖 XIVe s. ; lat. *appellativus* ; [apɛlatif] ou [-ela-].

**APPELLATION,** subst. f.
Façon de désigner ; nom : *« Papa »,* ***appellation*** *affectueuse du père.* ▸ ***Appellation*** *d'origine* : désignation qui garantit l'origine et la qualité d'un produit. 📖 Fin XIIe s. ; lat. *appellatio* ; [apɛlasjɔ̃] ou [-ela-].

**APPENDICE,** subst. m.
**1.** Partie qui prolonge une partie principale. **2.** *Anat.* Partie qui semble ajoutée à un organe, qui le prolonge : ***Appendice*** *caudal*, queue de certains animaux ; ***Appendice*** *iléo-cæcal ou vermiculaire* ou, par ell., *L'****appendice***, diverticule intestinal accolé au cæcum. **3.** Annexe d'un ouvrage. 📖 1233 ; lat. *appendix*, de *appendere*, « suspendre » ; [apɛ̃dis].

**APPENDICECTOMIE,** subst. f.
*Chir.* Ablation de l'appendice iléo-cæcal. 📖 1872 ; ☞ *appendice* + *-ectomie* ; [apɛ̃disɛktɔmi].

**APPENDICITE,** subst. f.
*Pathol.* Inflammation de l'appendice iléo-cæcal. 📖 1898 ; ☞ *appendice* + *-ite* ; [apɛ̃disit].

**APPENDICULAIRE,** adj. et subst. m. plur.
**Adj.** Relatif à un appendice ; qui lui ressemble. **Subst.** *Zool.* Classe de tuniciers marins dotés d'un appendice caudal et faisant partie du plancton ; au sing. : *Un* ***appendiculaire****.* 📖 1888 ; ☞ *appendice* ; [apɛ̃dikylɛʀ].

**APPENDRE,** verbe trans. [51]
Suspendre (vx). 📖 XIIIe s. (fin XIe s., appartenir à) ; lat. *appendere* ; [apɑ̃dʀ].

**APPENTIS,** subst. m.
**1.** *Bât.* Toit à une seule pente adossé à un mur. **2.** Ext. Remise adossée à un bâtiment plus élevé. 📖 XIIe s. ; ☞ *appendre* ; [apɑ̃ti].

**APPENZELL,** subst. m.
Fromage suisse à pâte cuite. 📖 XXe s. ; topon. *Appenzell*, canton suisse ; [apɛnzɛl].

**APPERTISATION,** subst. f.
Technique de conservation des aliments par stérilisation dans des récipients hermétiques. 📖 1928 ; anthropon. *Nicolas Appert*, son inventeur ; [apɛʀtizasjɔ̃].

**APPESANTIR,** verbe trans. [19]
Rendre plus pesant ; faire peser plus lourd (vieilli). **Pronom.** ***S'appesantir*** *sur un sujet* : s'y arrêter longuement. 📖 1119 ; ☞ *pesant* + *a-*[1] ; [apəzɑ̃tiʀ].

**APPESANTISSEMENT,** subst. m.
Action d'appesantir, de s'appesantir ; fait d'être appesanti. 📖 1570 ; ☞ *appesantir* ; [apəsɑ̃tismɑ̃].

**APPÉTENCE,** subst. f.
Tendance qui porte à satisfaire des envies, des besoins (en partic. alimentaires). 📖 1555 ; lat. *appetentia*, « recherche de qqch. » ; [apetɑ̃s].

**APPÉTISSANT, ANTE,** adj.
**1.** Qui stimule l'appétit. **2.** Fig. Qui attire, qui plaît. 📖 Fin XIVe s. ; ☞ *appétit* ; [apetisɑ̃, ɑ̃t].

**APPÉTIT,** subst. m.
Désir de satisfaire un besoin (en partic. alimentaire), de combler un manque : ***Appétit*** *charnel* ; ***Appétit*** *de gloire.* 📖 Fin XIIe s. ; lat. *appetitus*, « penchant naturel, instinct » ; [apeti].

**APPLAUDIR,** verbe [19]
**Intrans.** Battre des mains en signe d'approbation, d'admiration, d'enthousiasme : *L'assistance* ***applaudit*** *à tout rompre.* **Trans. dir.** Acclamer en battant des mains : ***Applaudir*** *un auteur, une tirade.* **Trans. indir.** Applaudir à. Approuver intellectuellement, moralement : *L'Europe entière* ***applaudit*** *à la justice de votre cause* (Marat). **Pronom.** ***S'applaudir*** *de qqch.* : s'en féliciter. 📖 1375 ; lat. *applaudere* ; [aplodiʀ].

**APPLAUDISSEMENT,** subst. m.
Action d'applaudir (gén. au plur.). 📖 1539 ; ☞ *applaudir* ; [aplodismɑ̃].

**APPLICABLE,** adj.
Qui peut être appliqué. 📖 1282 ; ☞ *appliquer* ; [aplikabl].

**APPLICAGE,** subst. m.
*Techn.* Action d'appliquer une pièce, un revêtement sur une surface. 📖 1823 ; ☞ *appliquer* ; [aplikaʒ].

**APPLICATEUR,** subst. m.
Dispositif qui permet de fixer un objet, d'appliquer un produit sur une surface ; empl. adj. : *Un rouleau* ***applicateur****.* 📖 1834 ; ☞ *appliquer* ; [aplikatœʀ].

**APPLICATION,** subst. f.
**1.** Action d'appliquer qqch. sur un objet : ***Application*** *d'une couche de peinture.* **2.** Action de mettre en œuvre, d'exécuter qqch. : *L'****application*** *d'une peine.* ▸ Utilisation ; mise en pratique : *Les* ***applications*** *d'une découverte scientifique.* **3.** Action de s'appliquer, de faire qqch. avec soin : *Cet élève manque d'****application****.* **4.** *Math.* ***Application*** *f définie sur l'ensemble E à valeurs dans l'ensemble F* : relation de E vers F telle qu'à chaque élément $x$ de E corresponde par $f$ un élément $y$ de F et un seul, ce que l'on note $y = f(x)$. 📖 1314 ; lat. *applicatio* ; [aplikasjɔ̃].

**APPLIQUE,** subst. f.
**1.** Toute pièce ornementale ou de renfort appliquée sur une autre. **2.** Appareil d'éclairage fixé sur un mur. 📖 1452 ; ☞ *appliquer* ; [aplik].

**APPLIQUÉ, ÉE,** adj.
**1.** Qui est attentif, soigneux, studieux : *Un enfant* ***appliqué****.* **2.** Qui met en pratique des résultats théoriques : *Recherche* ***appliquée*** ; *Sciences* ***appliquées****.* 📖 1350 ; p. p. de *appliquer* ; [aplike].

**APPLIQUER,** verbe trans. [3]
**1.** Mettre en pratique : ***Appliquer*** *une théorie, une loi.* **2.** Mettre (une chose) sur une autre de manière

à recouvrir, à plaquer, à superposer ou à laisser une empreinte ; par anal. : ***Appliquer** une bonne fessée* (fam.). **Pronom. 1.** Se fixer (sur qqch.). **2.** Fig. **S'appliquer à.** ▸ Convenir à ; concerner : *La loi **s'applique** à tous.* ▸ Apporter de l'attention, du soin à ; empl. abs. : *Je **m'applique** !* 1280 ; lat. *applicare*, « prendre une direction » ; [aplike].

**APPOGGIATURE, subst. f.**
*Mus.* Note d'ornement liée, brève ou longue, précédant une note principale. 1791 ; ital. *appoggiatura* ; var. *appogiature* ; [apɔ(d)ʒjatyʀ].

**APPOINT, subst. m.**
**1.** Complément d'une somme en petite monnaie : *Faire l'**appoint**.* **2.** Ce qui s'ajoute pour compléter : *Lit d'**appoint** ; Salaire d'**appoint**.* Mil. XIIe s. ; ☞ *appointer* (II) ; [apwɛ̃].

**APPOINTAGE, subst. m.**
*Techn.* Action d'appointer. 1866 ; ☞ *appointer* (I) ; [apwɛ̃taʒ].

**APPOINTÉ, ÉE, adj. et subst. m.**
**Adj.** Qui perçoit des appointements. **Subst.** Helv. Soldat de première classe. Fin XVIe s. ; p. p. de *appointer* (II) ; [apwɛ̃te].

**APPOINTEMENTS, subst. m. plur.**
Rémunération fixe et périodique attachée à un emploi. 1388 ; ☞ *appointer* (II) ; [apwɛ̃tmɑ̃].

**APPOINTER (I), verbe trans. [3]**
*Techn.* Rendre pointu, tailler en pointe ; aiguiser. Fin XIIe s. ; ☞ *pointe* + *a-*[1] ; [apwɛ̃te].

**APPOINTER (II), verbe trans. [3]**
Verser des appointements à. Fin XIIIe s. ; ☞ *point* (I) + *a-*[1] ; [apwɛ̃te].

**APPONTAGE, subst. m.**
*Aéron.* Action d'apponter ; son résultat. 1948 ; ☞ *apponter* ; [apɔ̃taʒ].

**APPONTEMENT, subst. m.**
*Mar.* Plate-forme destinée à l'accostage des bateaux. 1789 ; ☞ *pont* + *a-*[1] ; [apɔ̃tmɑ̃].

**APPONTER, verbe intrans. [3]**
*Aéron.* Se poser sur la piste d'un porte-avions, en parlant d'un avion, d'un hélicoptère. 1948 ; ☞ *pont* + *a-*[1] ; [apɔ̃te].

**APPORT, subst. m.**
**1.** Action d'apporter ; ce qui est apporté : *Un **apport** de fonds, de biens.* **2.** Fig. Contribution, part : *L'**apport** de la science.* 1140 ; ☞ *apporter* ; [apɔʀ].

**APPORTER, verbe trans. [3]**
**1.** Porter (qqch.) à qqn ; porter avec soi (qqch.) en un lieu : *Je vous ai **apporté** des bonbons ; Il doit **apporter** son dossier au tribunal* ; par anal. : *Le vent nous **apporte** la pluie.* **2.** Procurer, fournir ; produire (un effet) : ***Apporter** des informations ; **Apporter** des ennuis.* Xe s. ; lat. *apportare* ; [apɔʀte].

**APPOSER, verbe trans. [3]**
Poser sur qqch. : ***Apposer** un timbre sur une enveloppe ; **Apposer** sa signature.* ▸ Dr. ***Apposer** les scellés* : appliquer le sceau de justice sur une porte, un local, un document, etc., pour en interdire l'usage, l'accès. Déb. XIIe s. ; ☞ *poser* + *a-*[1] ; [apoze].

**APPOSITION, subst. f.**
**1.** Action d'apposer ; son résultat. **2.** *Gramm.* Mot ou groupe de mots juxtaposé à un autre, auquel il apporte une détermination supplémentaire : *Dans « un discours fleuve », « fleuve » est en **apposition**.* 1213 ; lat. *appositio* ; [apozisjɔ̃].

**APPRÉCIABLE, adj.**
**1.** Qui peut être apprécié, évalué, perçu. **2.** Ext. Qui a une certaine importance : *Des bénéfices **appréciables**.* 1486 ; ☞ *apprécier* ; [apʀesjabl].

**APPRÉCIATEUR, TRICE, adj. et subst.**
**Adj.** Qui apprécie, estime : *Un regard **appréciateur**.* **Subst.** Personne qui porte un jugement de valeur ou qui estime la valeur d'un objet. 1509 ; ☞ *apprécier* ; [apʀesjatœʀ, tʀis].

**APPRÉCIATIF, IVE, adj.**
Qui exprime une appréciation : *Jugement **appréciatif**.* 1615 ; ☞ *apprécier* ; [apʀesjatif, iv].

**APPRÉCIATION, subst. f.**
Action d'apprécier ; son résultat. 1389 ; bas lat. *appretiatio* ; [apʀesjasjɔ̃].

**APPRÉCIER, verbe trans. [6]**
**1.** Déterminer le prix de (qqch.) : *Faire **apprécier** ses biens par un expert* ; évaluer : ***Apprécier** une durée.* **2.** Fig. Porter un jugement, gén. favorable, sur (qqn, qqch.) ; par ext., aimer : ***Apprécier** l'opéra ; J'**apprécie** son humour.* **Pronom.** *Écon.* Augmenter de valeur : *Le franc **s'est apprécié** vis-à-vis du dollar.* 1391 ; lat chrét. *appretiare*, « déterminer, évaluer » ; [apʀesje].

*Apponta**ge** d'un chasseur Rafale M sur le porte-avions Foch.*

*L'**apprivoisement** des grands fauves suppose autorité et sang-froid.*

**APPRÉHENDER, verbe trans. [3]**
**1.** Saisir au corps, arrêter : ***Appréhender** un suspect.* **2.** *Philos.* et *Sc.* Saisir par l'esprit, comprendre : ***Appréhender** un phénomène.* **3.** Craindre ; s'inquiéter par avance de : ***Appréhender** le jugement d'autrui.* XIIIe s. ; lat. *apprehendere* ; [apʀeɑ̃de].

**APPRÉHENSION, subst. f.**
**1.** *Philos.* et *Sc.* Fait de saisir par l'intelligence. **2.** Crainte mal définie : *Éprouver de l'**appréhension** pour l'avenir.* 1265 ; bas lat. *apprehensio*, « compréhension » ; [apʀeɑ̃sjɔ̃].

**APPRENDRE, verbe trans. [52]**
**I. Trans. dir.** Acquérir la connaissance, la pratique de : ***Apprendre** la poterie.* **Trans. indir. Apprendre à** (+ inf.). ***Apprendre** à marcher ; **Apprendre** à se dominer* : en acquérir la capacité, l'expérience. **II. Trans. dir.** Transmettre la connaissance de ; communiquer une information sur : *Il m'**apprit** la vraie vie ; Qui vous l'**a appris** ?* **Trans. indir. Apprendre à** (+ inf.). *La lecture **apprend** à réfléchir.* Xe s. ; lat. *apprehendere*, « prendre, saisir » ; [apʀɑ̃dʀ].

**APPRENTI, IE, subst.**
**1.** Personne qui apprend un métier sous la direction d'un patron, d'un enseignant : *Un **apprenti** pâtissier.* **2.** Ext. Personne malhabile, qui manque d'expérience. Fin XIIe s. ; lat. pop. °*apprenditicius* ; [apʀɑ̃ti].

**APPRENTISSAGE, subst. m.**
**1.** Fait d'apprendre un métier manuel ; situation d'un apprenti : *Entrer en **apprentissage** chez un ébéniste.* **2.** Anal. Acquisition pratique d'un savoir : *L'**apprentissage** des langues.* **3.** Fig. Initiation par l'expérience de la vie : *L'**apprentissage** de la patience.* **4.** *Psychol.* Modification durable d'un comportement, résultant d'expériences répétées. 1395 ; ☞ *apprenti* ; [apʀɑ̃tisaʒ].

**APPRÊT, subst. m.**
**1.** Vieilli. Action d'apprêter ; préparatif (gén. au plur.) : *Les **apprêts** d'un gala.* **2.** *Techn.* Nom générique des diverses opérations visant à rendre un produit utilisable ou à conférer à certaines matières des propriétés nouvelles : *L'**apprêt** des textiles, du papier, etc.* ; par méton., substance utilisée à cet effet : *L'amidon, l'enduit sont des **apprêts** ; Passer une couche d'**apprêt** sur une surface à peindre.* **3.** Fig. Manque de naturel, affectation (littér.). 1306 ; ☞ *apprêter* ; [apʀɛ].

**APPRÊTAGE, subst. m.**
*Techn.* Action, manière d'apprêter ; façon dont une chose est apprêtée. 1750 ; ☞ *apprêter* ; [apʀɛtaʒ].

**APPRÊTER, verbe trans. [3]**
**1.** Vx. Rendre prêt pour un usage. **2.** Préparer (qqn) avec coquetterie ; empl. adj. : *Style **apprêté**,* qui manque de naturel, affecté. **3.** Littér. Préparer (des aliments) en les associant, en les garnissant. **4.** *Techn.* Donner de l'apprêt à (une matière). **Pronom. 1.** S'habiller avec soin, se parer (littér.) : ***S'apprêter** pour un mariage.* **2. S'apprêter à.** Être sur le point de : *Elle **s'apprêtait** à parler.* 980 ; lat. médiév. *appraestare*, du lat. *praesto*, « à la disposition de » ; [apʀete].

**APPRÊTEUR, EUSE, subst.**
*Techn.* Professionnel de l'apprêtage. 1552 ; ☞ *apprêter* ; [apʀɛtœʀ, øz].

**APPRIVOISEMENT, subst. m.**
Action d'apprivoiser ; le résultat de cette action. 1572 ; ☞ *apprivoiser* ; [apʀivwazmɑ̃].

**APPRIVOISER, verbe trans. [3]**
**1.** Rendre (un animal) moins sauvage. **2.** Fig. Rendre (qqn) plus sociable. **Pronom. 1.** Pouvoir être domestiqué. **2.** Devenir plus sociable. Déb. XIIIe s. ; lat. pop. °*apprivatiare*, du lat. *privatus*, « privé » ; [apʀivwaze].

**APPROBATEUR, TRICE, adj. et subst.**
**Adj.** Qui marque l'approbation : *Un sourire, un vote **approbateur**.* **Subst.** Personne qui approuve. 1534 ; lat. *approbator* ; [apʀɔbatœʀ, tʀis].

**APPROBATIF, IVE, adj.**
**1.** Qui exprime l'approbation. **2.** *Admin.* et *Dr.* Qui valide : *Visa **approbatif**.* 1574 ; bas lat. *approbativus* ; [apʀɔbatif, iv].

**APPROBATION, subst. f.**
Action d'approuver ; accord, agrément. 1295 ; lat. *approbatio* ; [apʀɔbasjɔ̃].

**APPROCHANT, ANTE, adj.**
**1.** Approximatif : *Un total **approchant**.* **2.** Analogue, comparable : *Jamais rien d'**approchant** ne se fit en ces lieux* (Corneille). **3.** Imminent (littér.) : *L'aube **approchante**.* 1555 ; p. pr. de *approcher* ; [apʀɔʃɑ̃, ɑ̃t].

**APPROCHE, subst. f.**
**1.** Vx. *Milit.* Mouvement exécuté pour assiéger, combattre. ▸ Loc. *Travaux d'**approche*** : travaux de sape et, au fig., moyens mis en œuvre pour atteindre un but. **2.** Fait d'aller à la rencontre de qqn, de qqch. ; le mouvement esquissé : *À son **approche**, je tremblai.* **3.** Ext. Proximité, imminence : *L'**approche** de l'hiver* ; au plur., abords : *Les embouteillages augmentent aux **approches** de la ville.* **4.** Fig. Démarche par laquelle on aborde ou on tente de cerner un sujet : *Une **approche** originale ; Texte d'une **approche** difficile.* Mil. XVe s. ; ☞ *approcher* ; [apʀɔʃ].

**APPROCHÉ, ÉE, adj.**
**1.** Pas tout à fait exact. **2.** *Math.* Se dit d'une grandeur voisine d'une grandeur réelle qu'on ne peut exprimer rigoureusement : *22/7 est une valeur **approchée** de* $\pi$. XVIIIe s. ; p. p. de *approcher* ; [apʀɔʃe].

**APPROCHER, verbe trans. [3]**
**Trans. dir. 1.** Placer plus près : ***Approcher** un siège.* **2.** Amener très près : *N'**approche** pas ce chien !* **3.** Réussir à rencontrer : ***Approcher** une vedette.* **4.** Fig. Être près d'atteindre : ***Approcher** la trentaine.* **Trans. indir. Approcher de. 1.** Venir plus près de : ***Approche**-toi de moi* ; empl. abs. : *Attention ! il **approche** !* **2.** Ext. Être près d'arriver à (un lieu, un moment) : ***Approcher** de la maison ; **Approcher** des fêtes* ; empl. abs. : *J'ai soif, heureusement nous **approchons** !* **3.** Fig. Être sur le point d'atteindre : ***Approcher** de la vérité.* **Pronom.** S'avancer plus près ; être près : *Ne **t'approche** pas du bord ; Les vacances **s'approchent**.* Fin XIe s. ; bas lat. *appropiare*, de *prope*, « près de » ; [apʀɔʃe].

**APPROFONDIR, verbe trans. [19]**
**1.** Creuser, rendre plus profond : ***Approfondir** un fossé.* **2.** Fig. Étudier à fond : ***Approfondir** le sujet.* 1287 ; ☞ *profond* + *a-*[1] ; [apʀɔfɔ̃diʀ].

**APPROFONDISSEMENT, subst. m.**
Action d'approfondir ; son résultat. 1578 (XIVe s., digestion) ; ☞ *approfondir* ; [apʀɔfɔ̃dismɑ̃].

**APPROPRIATION (I), subst. f.**
**1.** Action d'approprier, d'adapter qqch. à une finalité : *L'**appropriation** d'une œuvre au goût du jour.* **2.** Action de s'approprier qqch. 1521 (XIVe s., digestion) ; lat. médiév. *appropriatio* ; [apʀɔpʀijasjɔ̃].

**APPROPRIATION (II),** subst. f.
Belg. Action de rendre propre, nettoyage : ***Appropriation*** *d'une chambre.* XIXe s. ; lat. *proprius,* « propre » ; [apʀɔpʀijasjɔ̃].

**APPROPRIER (I),** verbe trans. [6]
**1.** Vx. Attribuer en propre. **2.** Adapter, rendre propre à une destination, à un usage déterminé : ***Approprier*** *ses dépenses à son revenu* ; empl. adj., qui convient : *Une solution* ***appropriée.*** PRONOM. Faire sa propriété de ; s'emparer de ; s'attribuer : ***S'approprier*** *des parties communes* ; ***S'approprier*** *une découverte.* 1209 ; lat. médiév. *appropriare,* « attribuer en propre » ; [apʀɔpʀije].

**APPROPRIER (II),** verbe trans. [6]
Belg. Maintenir propre, nettoyer : ***Approprier*** *la maison.* XIXe s. ; lat. *proprius,* « propre » ; [apʀɔpʀje].

**APPROUVER,** verbe trans. [3]
**1.** Considérer comme bon, juste ; agréer : ***Approuver*** *l'initiative, la conduite de qqn* ; par ext., donner raison à (qqn) : *Je vous* ***approuve*** *sans réserve.* **2.** *Admin.* et *Dr.* Autoriser par un acte officiel, ratifier, entériner. Mil. XIIIe s. (déb. XIIIe s., démontrer) ; lat. *approbare* ; [apʀuve].

**APPROVISIONNEMENT,** subst. m.
Action d'approvisionner ; provisions, fournitures. 1636 ; ☞ *approvisionner* ; [apʀɔvizjɔnmɑ̃].

**APPROVISIONNER,** verbe trans. [3]
**1.** Procurer ce qui est nécessaire à la subsistance de (qqn, une collectivité) ou au bon fonctionnement de (une organisation) : ***Approvisionner*** *en eau une population sinistrée* ; ***Approvisionner*** *l'armée en carburant.* **2.** Ext. ***Approvisionner*** *un compte en banque* : y verser de l'argent. **3.** *Arm.* Garnir le magasin de (une arme à feu). PRONOM. Se fournir. Déb. XVIe s. ; ☞ *provision* + *a-*[1] ; [apʀɔvizjɔne].

**APPROXIMATIF, IVE,** adj.
**1.** Qui est obtenu par approximation, approché. **2.** Vague, imprécis : *Une idée* ***approximative*** *des faits.* 1795 ; ☞ *approximation* ; [apʀɔksimatif, iv].

**APPROXIMATION,** subst. f.
**1.** Estimation imprécise. **2.** *Math.* Action de substituer à un objet mathématique (nombre, fonction, etc.) un autre suffisamment voisin en un sens précisé dans le contexte. **3.** *Phys.* Simplification consistant à négliger certains paramètres ou à les considérer comme ayant une valeur fixe : ***Approximation*** *de Galilée,* qui consiste à supposer que la variable temps *t* est indépendante du référentiel (ce que fait la physique classique, mais ce que refuse la physique relativiste). 1751 (1314, rapprochement) ; lat. médiév. *approximatio* ; [apʀɔksimasjɔ̃].

**APPROXIMATIVEMENT,** adv.
D'une manière approximative, à peu près. 1823 ; ☞ *approximatif* ; [apʀɔksimativmɑ̃].

**APPUI,** subst. m.
**1.** Ce qui sert de soutien : *L'****appui*** *d'une fenêtre, d'une voûte* ; au fig., protection, aide : *Un* ***appui*** *politique.* ► Loc. **À l'appui de.** Pour renforcer : *Apporter des preuves à l'****appui*** *de ses assertions* ; empl. abs. : *Confirmer un fait, preuves à l'****appui.*** **2.** Action d'appuyer, de s'appuyer : *Prendre* ***appui*** *sur un piton* ; *Barre, mur d'****appui*** ; *À hauteur d'****appui,*** au niveau des coudes. Fin XIIe s. ; ☞ *appuyer* ; [apɥi].

**APPUIE-TÊTE,** subst. m. inv.
Dispositif destiné à soutenir la tête ou à protéger la nuque en cas de choc. 1853 ; comp. de *appuyer* et de *tête* ; var. *appui-tête* (plur. *appuis-tête*) ; [apɥitɛt].

**APPUYÉ, ÉE,** adj.
Fortement marqué ; au fig., insistant, lourd : *Un éloge* ***appuyé.*** XIXe s. ; p. p. de *appuyer* ; [apɥije].

**APPUYER,** verbe [16]
TRANS. **1.** Maintenir à l'aide d'un support : ***Appuyer*** *un mur par des étais.* **2.** Poser (une chose) contre une autre qui la soutient : ***Appuyer*** *un meuble contre un mur* ; ***Appuyer*** *sa tête sur une épaule amie.* **3.** Fig. ► Renforcer, confirmer : ***Appuyer*** *une thèse sur des observations.* ► Cautionner, encourager : ***Appuyer*** *une candidature.* INTRANS. **1.** Faire peser, exercer une pression sur : ***Appuyer*** *sur l'accélérateur, sur une touche.* ► ***Appuyer*** *sur la gauche* : se diriger vers la gauche. **2.** Fig. Insister, mettre l'accent sur : ***Appuyer*** *sur un point important.* PRONOM. **1. S'appuyer sur, à, contre.** ► Se servir de (qqch., qqn) comme soutien : ***S'appuyer*** *sur ses béquilles, au chambranle, contre un arbre.* ► Fig. Se fonder sur, se référer à : ***S'appuyer*** *sur l'expérience* ; compter, se reposer sur : *Veuve, elle s'****appuyait*** *sur son aîné.* **2.** Faire (qqch.), subir (qqn) contre son gré (fam.) : ***S'appuyer*** *la vaisselle, un raseur.* Fin XIe s. ; lat. médiév. *appodiare,* « soutenir », du lat. *podium,* « base » ; [apɥije].

**APRAGMATISME,** subst. m.
*Psych.* Trouble psychique se manifestant par une incapacité à accomplir les actes de la vie courante. Mil. XXe s. ; ☞ *pragmatisme* + *a-*[2] ; [apʀagmatism].

**APRAXIE,** subst. f.
*Pathol.* Incapacité de faire des gestes coordonnés, sans atteinte des fonctions sensorielles ou motrices. 1906 ; gr. *apraxia,* « inaction » ; [apʀaksi].

**ÂPRE,** adj.
**1.** Rugueux, irrégulier (vieilli). **2.** D'une rudesse désagréable : *L'****âpre*** *hiver* ; *Un fruit* ***âpre,*** qui râpe la langue et le palais. **3.** Fig. Cruel, dur : *Des paroles* ***âpres*** ; *Une lutte* ***âpre,*** acharnée. ► Loc. ***Âpre*** *au gain* : cupide. Mil. XIIe s. ; lat. *asper* ; [ɑpʀ].

**APRÈS,** prép. et adv.
PRÉP. **1.** Postériorité dans le temps : *Je viendrai* ***après*** *le dîner* ; *Ils se sont séparés* ***après*** *trente ans de vie commune.* ► Succession ; répétition : *L'un* ***après*** *l'autre* ; *Jour* ***après*** *jour.* ► Cause : ***Après*** *ce qui s'est passé, il ne reviendra plus,* étant donné, à la suite de ce qui s'est passé. ► ***Après*** *quoi* : ensuite, **après** cela. ► Loc. conj. **Après que** (+ ind.). ***Après*** *qu'il eut parlé, tous se retirèrent.* **2.** Postériorité dans l'espace : *Tournez* ***après*** *le pont.* ► Derrière : *Marchez* ***après*** *moi* ; *C'est à vous ? – Non, je suis* ***après*** *cette dame.* **3.** Fig. ► Tendance vers : *Courir* ***après*** *l'argent,* chercher à en gagner par tous les moyens ; *Languir* ***après*** *qqch., qqn,* désirer ardemment, attendre avec impatience. ► Fam. *Être* ***après*** *qqn* : le harceler, l'importuner ; *Être* ***après*** *qqch.* : être en train de faire qqch. **4.** Subordination dans un ordre : *C'est la personne la mieux rémunérée* ***après*** *le directeur* ; *Être seul maître à bord* ***après*** *Dieu.* ► Formule de politesse : ***Après*** *vous.* **5.** Loc. prép. **D'après.** ► En se conformant à ; en se référant à : *Il faut juger d'****après*** *les faits.* ► Selon : *D'****après*** *lui, on ne pourra pas passer.* ► À l'imitation de : *C'est peint d'****après*** *nature.* ► S'il faut en croire : *D'****après*** *la rumeur, ce serait lui le coupable.* ADV. **1.** Postériorité dans le temps : *Je lui ai écrit, il m'a répondu trois mois* ***après*** ; *Déjeunons, nous verrons* ***après.*** ► *Et* ***après*** *?* : que s'est-il passé ? ; qu'adviendra-t-il ? ► Loc. ***Après*** *coup* : **après** ce qui est arrivé ; ***Après*** *tout* : tout bien considéré, finalement. **2.** Postériorité dans l'espace : *Vous voyez la mairie ? la poste se trouve juste* ***après*** ; *Ce n'est pas cette maison, c'est celle d'****après.*** ► Loc. **Ci-après.** Plus loin : *Voir ci-****après*** *la remarque 2.* Xe s. ; bas lat. *ad pressum,* « proche de », du lat. *pressus,* « serré » ; [apʀɛ].

**APRÈS-DEMAIN,** adv.
Le jour qui suit demain. Déb. XIIIe s. ; comp. de *après* et de *demain* ; [apʀɛd(ə)mɛ̃].

**APRÈS-GUERRE,** subst. m. ou f.
Période qui suit une guerre. 1919 ; comp. de *après* et de *guerre* ; plur. *après-guerres* ; [apʀɛgɛʀ].

**APRÈS-MIDI,** subst. m. ou f. inv.
Partie de la journée comprise entre midi et le soir. 1514 ; comp. de *après* et de *midi* ; [apʀɛmidi].

**APRÈS-RASAGE,** adj. inv. et subst. m.
Se dit du produit que l'on applique sur la peau pour adoucir le feu du rasoir. Mil. XXe s. ; comp. de *après* et de *rasage* ; plur. du subst. *après-rasage(s)* ; [apʀɛʀɑzaʒ].

**APRÈS-SKI,** subst. m.
Bottillon fourré que l'on chausse dans les stations de sport d'hiver quand on ne skie pas. 1941 ; comp. de *après* et de *ski* ; plur. *après-ski(s)* ; [apʀɛski].

**APRÈS-VENTE,** adj. inv.
*Service* ***après-vente*** *(S. A. V.)* : l'ensemble des services d'installation et de maintenance assurés par le vendeur d'un appareil ou par une entreprise spécialisée. V. 1960 ; comp. de *après* et de *vente* ; [apʀɛvɑ̃t].

**ÂPRETÉ,** subst. f.
Caractère de ce qui est âpre : ***Âpreté*** *d'un vin* ; au fig. : *Lutter avec* ***âpreté.*** 1190 ; lat. *asperitas* ; [ɑpʀəte].

**A PRIORI,** loc. adv.
**1.** *Log.* Indépendamment des données de l'expérience (anton. *a posteriori*) : *Raisonner* ***a priori*** ; empl. adj. : *Connaissance* ***a priori.*** **2.** Ext. Au premier abord, avant tout examen : ***A priori,*** *cela semble possible* ; empl. subst. masc. inv., idée toute faite, préjugé : *Avoir des* ***a priori*** *sur qqn.* 1626 ; lat. scol. *a priori,* « en partant de ce qui vient avant » ; [apʀijɔʀi].

**APRIORISME,** subst. m.
Attitude de pensée qui consiste à juger avant d'observer. 1877 ; ☞ *a priori* ; [apʀijɔʀism].

**À-PROPOS,** subst. m.
Qualité de ce qui arrive au bon moment, de ce qui est pertinent : *L'****à-propos*** *d'un geste.* ► Loc. *Esprit d'****à-propos*** : esprit de repartie. 1700 ; comp. de *à* et de *propos* ; [apʀɔpo].

*Apsara sculptée sur l'un des piliers du temple de Varadarajaswami (XVIe-XVIIe s.), en Inde.*

**APSARA,** subst. f.
*Myth.* Dans l'Inde ancienne, déesse inférieure représentée dansant ou chantant. 1823 ; skr. *apsaras,* d'orig. obsc. ; [apsaʀa].

**APSIDE,** subst. f.
*Astron.* Chacun des deux points extrêmes de l'orbite d'un astre (par ex., l'apogée et le périgée de la Lune, qui sont des points respectifs où cet astre est le plus éloigné et le plus rapproché de la Terre) : *Ligne des* ***apsides,*** le diamètre qui joint ces deux points. XVIe s. ; lat. *apsida,* du gr. *apsida* ; [apsid].

**APTE,** adj.
**1.** Qui présente des dispositions pour : ***Apte*** *au travail, au service militaire* ; par ell. : *Déclarer qqn* ***apte.*** **2.** *Dr.* Qui réunit les conditions requises pour : ***Apte*** *à tester.* 1145 ; lat. *aptus,* « bien joint » ; [apt].

**APTÈRE,** adj.
**1.** *Antiq. La Victoire* ***aptère*** : statue de la Victoire, sculptée sans ailes pour qu'elle demeure à Athènes. **2.** *Zool.* Dépourvu d'ailes, tels les Aptérygotes : *Insecte* ***aptère.*** 1751 ; gr. *apteros* ; [aptɛʀ].

**APTÉRYX,** subst. m.
*Zool.* Oiseau ratite de Nouvelle-Zélande, appelé aussi kiwi, de la taille d'une poule et à long bec fin. 1822 ; gr. *pterux,* « aile », + *a-*[2] ; [apteʀiks].

**APTITUDE,** subst. f.
**1.** Disposition naturelle ou acquise : ***Aptitude*** *à la peinture* ; ***Aptitude*** *professionnelle* ; ***Aptitude*** *au bonheur.* **2.** *Dr.* Capacité légale, juridique : ***Aptitude*** *à hériter.* 1373 ; bas lat. *aptitudo* ; [aptityd].

**APUREMENT,** subst. m.
*Fin.* **1.** ***Apurement*** *d'un compte* : vérification de l'exactitude d'un compte, qui permet au comptable d'être reconnu quitte. **2.** ***Apurement*** *d'un passif* : remboursement d'une dette ou paiement du solde débiteur d'un compte. 1388 ; ☞ *apurer* ; [apyʀmɑ̃].

**APURER,** verbe trans. [3]
*Fin.* Procéder à l'apurement de (un compte, un passif). 1611 (fin XIIe s., purifier) ; ☞ *pur* + *a-*[1] ; [apyʀe].

**APYRÉTIQUE,** adj.
*Méd.* Sans fièvre : *Maladie* ***apyrétique*** ; qui fait baisser la fièvre : *Médicament* ***apyrétique.*** 1808 ; lat. *apyretus,* du gr. *apuretos* ; [apiʀetik].

**APYREXIE,** subst. f.
*Méd.* Absence de fièvre ou période de rémission d'une fièvre intermittente. Fin XVIe s. ; gr. *apurexia* ; [apiʀɛksi].

**AQUACOLE,** adj.
**1.** Qui vit dans l'eau (vx). **2.** Relatif à l'aquaculture. 1877 ; formé de *aqua-* et de *-cole* ; var. *aquicole* ; [akwakɔl].

**AQUACULTEUR, TRICE,** subst.
Celui ou celle qui pratique l'aquaculture. 1866 ;

formé de *aqua-* et de *-culteur* ; var. *aquiculteur, trice* ; [akwakyltœʀ, tʀis].

**AQUACULTURE,** subst. f.
Élevage d'animaux aquatiques ; culture de plantes aquatiques. ⊠ 1864 ; formé de *aqua-* et de *-culture* ; var. *aquiculture* ; [akwakyltyʀ].

**AQUAFORTISTE,** subst.
Graveur à l'eau-forte. ⊠ 1853 ; ital. *acqua forte,* « eau forte » ; [akwafɔʀtist].

**AQUAMANILE,** subst. m.
Aiguière munie d'un bassin et que l'on utilise pour se laver les mains. ⊠ 1885 ; lat. *aquaemanile*, de *aqua*, « eau », et de *manus*, « main » ; [akwamanil].

**AQUAPLANAGE,** subst. m.
Perte d'adhérence des pneus d'une automobile sur une chaussée mouillée. ⊠ V. 1970 ; ☞ *aquaplane* ; recomm. off. pour *aquaplaning* ; [akwaplanaʒ].

**AQUAPLANE,** subst. m.
Planche tirée par un bateau à moteur et sur laquelle on tient en équilibre, la corde de traction dans les mains ; par ext., sport où l'on utilise cette planche. ⊠ 1928 ; ☞ *planer* (II) + *aqua-* ; [akwaplan].

**AQUAPLANING,** subst. m.
Anglic. Aquaplanage. ⊠ V. 1970 ; mot angl., d'apr. *aquaplane* ; [akwaplaniŋ].

**AQUARELLE,** subst. f.
**1.** Couleur que l'on délaye à l'eau. **2.** Procédé de peinture légère sur papier, utilisant ce type de couleur ; par méton., œuvre ainsi réalisée. ⊠ 1791 ; ital. *acquarella*, de *acqua*, « eau » ; [akwaʀɛl].

**AQUARELLISTE,** subst.
Celui ou celle qui peint à l'aquarelle. ⊠ 1829 ; ☞ *aquarelle* ; [akwaʀelist].

**AQUARIUM,** subst. m.
Réservoir à parois transparentes dans lequel on élève des poissons et des plantes aquatiques. ⊠ 1860 ; mot lat. ; [akwaʀjɔm].

**AQUATINTE,** subst. f.
Procédé de gravure à l'eau-forte qui imite le lavis ; par méton., œuvre ainsi obtenue. ⊠ 1819 ; ital. *acqua tinta*, « eau colorée » ; [akwatɛ̃t].

**AQUATINTISTE,** subst.
Graveur qui utilise l'aquatinte. ⊠ 1906 ; ☞ *aquatinte* ; [akwatɛ̃tist].

**AQUATIQUE,** adj.
**1.** Relatif à l'eau : *Un milieu* ***aquatique***. **2.** Qui vit dans l'eau ou au bord de l'eau : *Animal* ***aquatique***. ⊠ 1270 ; lat. *aquaticus* ; [akwatik].

**AQUAVIT,** subst. m.
Eau-de-vie scandinave. ⊠ 1923 ; suéd. *akvavit*, du lat. *acqua vitae*, « eau de vie » ; var. *akvavit* ; [akwavit].

**AQUEDUC,** subst. m.
**1.** Canal destiné à l'acheminement aérien ou souterrain de l'eau. **2.** *Anat.* Conduit reliant différents organes : ***Aqueduc*** *de Sylvius*, canal qui relie le troisième ventricule au quatrième en traversant le cerveau moyen dans toute sa longueur. ⊠ 1553 ; lat. *aquae ductus*, « conduit d'eau » ; [ak(ə)dyk].

**AQUEUX, EUSE,** adj.
**1.** *Anat.* Qui est de la nature de l'eau : *L'humeur* ***aqueuse*** *de l'œil*. **2.** Qui contient beaucoup d'eau : *La pastèque est un fruit* ***aqueux***. **3.** *Chim.* Dilué dans l'eau : *Solution* ***aqueuse***, dont le solvant est l'eau. ⊠ 1503 ; lat. *aquosus*, « humide » ; [akø, øz].

**AQUICOLE,** voir **AQUACOLE**

**AQUICULTEUR,** voir **AQUACULTEUR**

**AQUICULTURE,** voir **AQUACULTURE**

**AQUIFÈRE,** adj.
Qui contient de l'eau : *Sous-sol* ***aquifère***. ⊠ 1836 ; formé de *aqui-* et de *-fère* ; [akɥifɛʀ].

**AQUILIN, INE,** adj.
Qui évoque l'aigle : *Nez* ***aquilin***, en bec d'aigle. ⊠ Mil. XVe s. ; lat. *aquilinus* ; rare au fém. ; [akilɛ̃, in].

**AQUILON,** subst. m.
Littér. Vent du nord, violent et froid ; par méton., le nord. ⊠ Déb. XIIe s. ; lat. *aquilo* ; [akilɔ̃].

**AQUITANIEN, IENNE,** subst. m. et adj.
*Géol.* Subst. Premier étage géologique du Miocène, dont les dépôts du bassin d'Aquitaine, vieux d'env. 23 millions d'années, sont le type. Adj. De cette période. ⊠ 1882 ; topon. Aquitaine ; [akitanjɛ̃, jɛn].

**AQUOSITÉ,** subst. f.
Propriété de ce qui est aqueux. ⊠ 1314 ; lat. *aquositas* ; [akozite].

**Ar,** voir **ARGON**

**ARA,** subst. m.
*Zool.* Perroquet d'Amérique du Sud, de la famille des Psittacidés, au plumage éclatant et à longue queue. ⊠ 1558 ; apocope du tupi *araraca* ; [aʀa].

**ARABE,** adj. et subst.
De l'Arabie, des peuples sémitiques qui en sont issus, des peuples arabophones d'Orient et d'Afrique. Adj. Relatif à ces peuples, à leur civilisation. Subst. masc. Langue sémitique parlée, sous diverses formes, dans le monde **arabe**. ⊠ Fin XIe s. ; lat. *Arabs*, de l'ar. *'Arab*, « Arabes nomades, Bédouins » ; [aʀab].

**ARABESQUE,** subst. f.
**1.** *Arts déc.* Ornement formé d'un entrelacs de lettres, de lignes et de motifs floraux ou animaliers. **2.** Ext. Ligne sinueuse. **3.** *Chorégr.* Figure dans laquelle le danseur se tient en équilibre sur un pied. ⊠ 1555 ; ital. *arabesco*, « qui est propre aux Arabes » ; [aʀabɛsk].

**ARABICA,** subst. m.
**1.** *Bot.* Espèce de caféier originaire d'Abyssinie, très répandu dans le monde, cultivé surtout au Brésil ; graine que produit son fruit. **2.** Variété de café. ⊠ V. 1970 ; lat. *arabicus*, « arabe » ; [aʀabika].

**ARABIQUE,** adj.
D'Arabie : *La péninsule* ***Arabique***. ⊠ 1213 ; lat. *arabicus* ; [aʀabik].

**ARABISANT, ANTE,** subst.
Personne qui étudie la langue et la civilisation arabes. ⊠ 1838 (1637, d'Arabie) ; ☞ *arabe* ; [aʀabizɑ̃, ɑ̃t].

**ARABISER,** verbe [3]
Trans. Donner un caractère arabe à : ***Arabiser*** *une musique*. Intrans. S'adonner à l'étude de la langue arabe. ⊠ Mil. XVIIIe s. ; ☞ *arabe* ; [aʀabize].

**ARABISME,** subst. m.
**1.** *Ling.* Particularisme de la langue arabe. **2.** *Pol.* Idéologie favorable au rayonnement de la civilisation arabe. ⊠ 1740 ; ☞ *arabe* ; [aʀabism].

**ARABLE,** adj.
Labourable, cultivable : *Terre* ***arable***. ⊠ 1155 ; lat. *arabilis*, de *arare*, « labourer » ; [aʀabl].

**ARABOPHONE,** adj.
De langue arabe : *Un enfant* ***arabophone*** ; empl. subst., personne **arabophone**. ⊠ 1903 ; ☞ *arabe* + *-phone* ; [aʀabɔfɔn].

**ARAC,** voir **ARAK**

**ARACÉES,** subst. f. plur.
*Bot.* Famille d'arales à laquelle appartiennent notamment les philodendrons. Au sing. *L'arum est une* ***aracée***. ⊠ Déb. XIXe s. ; lat. *arum*, « arum » ; [aʀase].

**ARACHIDE,** subst. f.
*Bot.* **1.** Légumineuse de la famille des Fabacées, dont les principaux producteurs sont l'Inde, la Chine, le Soudan, le Sénégal et les États-Unis. **2.** Graine de cette plante, riche en huile, appelée aussi cacahuète. ⊠ 1801 ; lat. *arachidna*, du gr. *arakhidna*, « gesse » ; [aʀaʃid].

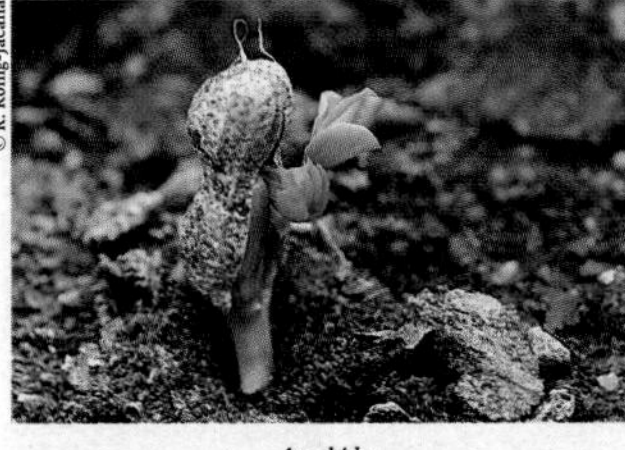
© R. Konig-Jacana

*Arachide.*

**ARACHNÉEN, ÉENNE,** adj.
**1.** De l'araignée. **2.** Fig. Dont la légèreté évoque une toile d'araignée (littér.) : *Tulle* ***arachnéen***. ⊠ 1857 ; gr. *arakhnê*, « araignée » ; [aʀakneɛ̃, eɛn].

**ARACHNIDES,** subst. m. plur.
*Zool.* Classe d'arthropodes chélicérates, qui réunit les scorpions, les Aranéides et les Acariens. Au sing. *La mygale est un* ***arachnide***. ⊠ 1809 ; gr. *arakhnê*, « araignée », + *-ide* ; [aʀaknid].

**ARACHNOÏDE,** subst. f.
*Anat.* L'une des trois méninges, située entre la méninge externe (dure-mère), sous laquelle elle est directement appliquée, et la méninge interne (pie-mère), dont elle est séparée par l'espace

| FIGURES (isolées, finales, médiales, initiales) | NOM | VALEUR |
|---|---|---|
| ا ـا ـا ا | alif | ā |
| ب ـب ـبـ بـ | bā' | b |
| ت ـت ـتـ تـ | tā' | t |
| ث ـث ـثـ ثـ | ṯā' | th, th *angl. sourd* |
| ج ـج ـجـ جـ | ǧīm | dj |
| ح ـح ـحـ حـ | ḥā' | h |
| خ ـخ ـخـ خـ | ḫā' | kh, ch *all.*, j *esp.* |
| د ـد ـد د | dāl | d |
| ذ ـذ ـذ ذ | ḏāl | dh, th *angl. sonore* |
| ر ـر ـر ر | rā' | r *roulé* |
| ز ـز ـز ز | zāy | z |
| س ـس ـسـ سـ | sīn | s |
| ش ـش ـشـ شـ | šīn | ch |
| ص ـص ـصـ صـ | ṣād | ṣ *emphat.* |
| ض ـض ـضـ ضـ | ḍād | ḍ *emphat.* |
| ط ـط ـطـ طـ | ṭā' | ṭ *emphat.* |
| ظ ـظ ـظـ ظـ | ẓā' | ẓ, *emphat.* |
| ع ـع ـعـ عـ | ʿayn | ʿ*laryngale* |
| غ ـغ ـغـ غـ | ġayn | rh, gh, r *grasseyé* |
| ف ـف ـفـ فـ | fā' | f |
| ق ـق ـقـ قـ | qāf | q *vélaire* |
| ك ـك ـكـ كـ | kāf | k |
| ل ـل ـلـ لـ | lām | l |
| م ـم ـمـ مـ | mīm | m |
| ن ـن ـنـ نـ | nūn | n |
| ه ـه ـهـ هـ | hā' | h |
| و ـو ـو و | wāw | ū, w |
| ي ـي ـيـ يـ | yā' | ī, w |

*L'alphabet* ***arabe***.

sous-arachnoïdien, qui contient le liquide céphalorachidien. ⊠ 1538 ; gr. *arakhnoeidês*, « semblable à une toile d'araignée » ; [aʀaknɔid].

**ARACHNOÏDIEN, IENNE,** adj.
*Anat.* Relatif à l'arachnoïde. ⊠ 1823 ; ☞ *arachnoïde* ; [aʀaknɔidjɛ̃, jɛn].

**ARACK,** voir **ARAK**

**ARAGONAIS, AISE,** adj. et subst.
D'Aragon. Subst. masc. Dialecte roman parlé en Aragon. Subst. fém. Danse populaire de cette région. ⊠ Mil. XIIe s. ; topon. *Aragon* (Espagne) ; [aʀagɔnɛ, ɛz].

**ARAGONITE,** subst. f.
*Minér.* Variété de carbonate de calcium qui, avec le temps, se transforme en calcite et qui constitue la coquille de la plupart des mollusques gastéropodes, le squelette des coraux et certaines concrétions de grottes. L'**aragonite** peut prendre une allure corallienne : on l'appelle alors fleur de fer (*flos ferri*). ⊠ 1823 ; topon. *Aragon* (Espagne) ; [aʀagɔnit].

**ARAIGNÉE,** subst. f.
**1.** *Zool.* Arthropode à quatre paires de pattes et à ventre non segmenté, qui a la particularité de tisser une toile, gén. pour piéger ses proies : *L'**araignée** domestique et l'épeire sont inoffensives.* ▸ Anal. ***Araignée** de mer* : crabe à longues pattes. ▸ Loc. *Avoir une **araignée** au plafond* : avoir l'esprit dérangé (fam.). **2.** *Bouch.* Pièce de bœuf à fibres longues. **3.** *Techn.* Crochet à plusieurs branches. Déb. XIII^e s. (déb. XII^e s., toile d'araignée) ; anc. fr. *araigne*, du lat. *aranea* ; [aʀeɲe].

**ARAIRE,** subst. m.
Charrue archaïque dont le soc fend la terre sans la retourner. Déb. XII^e s. ; lat. *aratrum* ; [aʀɛʀ].

**ARAK,** subst. m.
Liqueur obtenue par distillation de produits fermentés (riz, canne à sucre, fruits...). 1525 ; ar. *'araq*, « sueur ; liqueur ; arak » ; var. *arac*, *arack* ; [aʀak].

**ARALES,** subst. f. plur.
*Bot.* Ordre de plantes herbacées (herbes, lianes), souv. laticifères (contenant des latex), aux feuilles lobées ou composées, dont les fleurs sont très petites et les fruits charnus (baies). **Au sing.** *Le philodendron est une **arale**.* Déb. XIX^e s. ; lat. *arum* ; [aʀal].

**ARALIACÉES,** subst. f. plur.
*Bot.* Famille de plantes tropicales, ligneuses, parfois grimpantes, aux feuilles engainantes et dont les fruits sont des drupes ou des baies. **Au sing.** *Le lierre est la seule **araliacée** européenne.* Lat. sc. *araliaceae* ; [aʀaljase].

**ARAMÉEN, ÉENNE,** adj. et subst.
*Antiq.* Se dit de peuples qui s'établirent en Syrie et en Mésopotamie vers le XIII^e s. av. J.-C. **Subst. masc.** Groupe de langues sémitiques répandues dans tout le Proche-Orient pendant l'Antiquité. 1771 ; topon. *Aram*, nom biblique de la Syrie ; [aʀameɛ̃, ɛn].

**ARAMIDE,** adj.
*Techn.* Qualifie une fibre issue de résines synthétiques, utilisée dans la fabrication de matériaux composites pour sa grande résistance à la chaleur. 1974 ; crois. de *aromatique* et de *amide* ; [aʀamid].

**ARAMON,** subst. m.
*Vitic.* Cépage cultivé dans le Languedoc. 1873 ; topon. *Aramon* (Gard) ; [aʀamɔ̃].

**ARANÉIDES,** subst. m. plur.
*Zool.* Le plus important des ordres de la classe des Arachnides, qui regroupe plus de 20 000 espèces d'araignées. **Au sing.** *La tarentule est un **aranéide**.* 1803 ; lat. *aranea*, « araignée », + *-ide* ; [aʀaneid].

**ARASEMENT,** subst. m.
**1.** Action d'araser ; son résultat. **2.** *Bât.* Assise supérieure d'un mur. 1367 ; ☞ *araser* ; [aʀazmɑ̃].

**ARASER,** verbe trans. [3]
**1.** *Bât.* Mettre de niveau (un mur). **2.** *Géol.* User jusqu'à disparition (les saillies d'un relief). **3.** *Menuis.* Scier (une pièce de bois) pour limiter en longueur le tenon. Fin XII^e s. ; ☞ *ras* (I) + *a-*[1] ; [aʀaze].

**ARATOIRE,** adj.
Relatif au travail de la terre : *Instruments **aratoires**.* 1514 ; lat. *aratorius* ; [aʀatwaʀ].

**ARAUCARIA,** subst. m.
*Bot.* Conifère d'Amérique du Sud et d'Océanie, aux branches étalées, assez semblable au sapin et bien acclimaté en Europe. 1806 ; topon. *Arauco*, région du Chili ; [aʀokaʀja].

**ARAWAK,** subst. m.
*Ling.* Famille de langues parlées par les peuples indiens des îles Caraïbes et du Nouveau Continent. [aʀawak].

*Araucaria.*

© M. Viard-Jacana

**ARBALÈTE,** subst. f.
Arme de trait composée d'un arc d'acier monté sur un fût de bois, bandé à la main ou mécaniquement. Fin XI^e s. ; lat. *arcuballista*, de *arcus*, « arc », et de *ballista*, « baliste » ; [aʀbalɛt].

**ARBALÉTRIER,** subst. m.
**1.** Soldat armé d'une arbalète. **2.** *Bât.* Poutre inclinée d'une charpente. XII^e s. ; anc. fr. *arbalestre*, « arbalète » ; [aʀbaletʀije].

© Giraudon

*Arbalétrier. Détail de* Chasse en l'honneur de Charles Quint au château de Torgau, *peinture de Lucas Cranach (1472-1553). Musée du Prado, Madrid.*

**ARBALÉTRIÈRE,** subst. f.
Meurtrière cruciforme d'où l'on tirait à l'arbalète. 1174 ; anc. fr. *arbalestre*, « arbalète » ; [aʀbaletʀijɛʀ].

**ARBITRAGE,** subst. m.
**1.** Action d'arbitrer ; son résultat : ***Arbitrage** de l'O. N. U.* ; *Erreur d'**arbitrage**.* **2.** *Fin.* ***Arbitrage** boursier* : opération consistant à acheter et à vendre des valeurs différentes sur une même place ou des valeurs similaires sur plusieurs places, en profitant des écarts de cours. 1283 ; ☞ *arbitrer* ; [aʀbitʀaʒ].

**ARBITRAIRE,** adj. et subst. m.
**Adj.** Qui dépend de la seule volonté ; qui ne tient pas compte des faits, des règles, d'autrui : *Affirmation **arbitraire*** ; *Pouvoir **arbitraire***, despotique. **Subst. 1.** Caractère de ce qui est **arbitraire** : *L'**arbitraire** d'une décision.* **2.** Autorité ne reposant que sur le bon vouloir de celui qui l'exerce. **3.** *Ling.* *L'**arbitraire** du signe* : l'absence de relation nécessaire entre signifiant et signifié. 1397 ; lat. *arbitrarius* ; [aʀbitʀɛʀ].

**ARBITRAIREMENT,** adv.
D'une manière arbitraire. 1397 ; ☞ *arbitraire* ; [aʀbitʀɛʀmɑ̃].

**ARBITRAL, ALE, AUX,** adj.
**1.** Qui émane d'un arbitre : *Décision **arbitrale**.* **2.** Qui tient le rôle d'arbitre : *Commission **arbitrale**.* **3.** Qui est composé d'arbitres : *Congrès **arbitral**.* 1270 ; lat. *arbitralis* ; [aʀbitʀal, o].

© Photo New-Gamma

1

© P. Lorne-Jacana

2

1. *Arbitre de football infligeant un carton rouge au joueur fautif.*

2. *Arbousier à l'époque de la fructification.*

**ARBITRE (I),** subst. m.
**1.** *Dr.* Celui qui est désigné, par une autorité ou par les parties elles-mêmes, pour juger un différend, un litige. ▸ Collectivité à laquelle son poids (économique, militaire, etc.) permet d'imposer ses choix, d'influer sur une situation. **2.** Ext. Tierce personne que l'on prend à témoin dans une discussion, une querelle. **3.** Personne habilitée à diriger, suivant les règles, une rencontre sportive ou un jeu. 1213 ; lat. *arbiter*, « témoin » ; [aʀbitʀ].

**ARBITRE (II),** subst. m.
*Philos.* *Libre **arbitre*** : faculté de décider sans autre intervention que celle de sa volonté ; par ext., pouvoir de se déterminer. 1265 ; lat. *arbitrium*, « décision ; bon plaisir » ; [aʀbitʀ].

**ARBITRER,** verbe trans. [3]
Juger, régler en qualité d'arbitre : ***Arbitrer** un conflit social.* 1274 ; ☞ *arbitre* (I) ; [aʀbitʀe].

**ARBORÉ, ÉE,** adj.
**1.** Où les arbres sont clairsemés : *Savane **arborée**.* **2.** Belg. Planté d'arbres : *Jardin, colline **arborée**.* XVI^e s. ; p. p. de *arborer* ; [aʀbɔʀe].

**ARBORER,** verbe trans. [3]
**1.** Vx. *Mar.* Munir de mâts. **2.** Dresser haut et droit (comme un arbre) ; hisser : ***Arborer** un drapeau.* **3.** Ext. Afficher ostensiblement : ***Arborer** une décoration* ; au fig. : ***Arborer** un sourire.* Déb. XIV^e s. ; prob. ital. *arborare*, du lat. *arbor*, « arbre » ; [aʀbɔʀe].

**ARBORESCENCE,** subst. f.
**1.** *Bot.* État d'un végétal qui possède certaines caractéristiques d'un arbre. **2.** Anal. Ce qui évoque les ramifications d'un arbre : *L'**arborescence** d'un organigramme.* 1838 ; ☞ *arborescent* ; [aʀbɔʀesɑ̃s].

**ARBORESCENT, ENTE,** adj.
Qui a les caractères, la taille ou l'aspect d'un arbre : *Fougère **arborescente**.* 1553 ; lat. *arborescens*, de *arborescere*, « devenir un arbre » ; [aʀbɔʀesɑ̃, ɑ̃t].

**ARBORETUM,** subst. m.
*Bot.* Plantation expérimentale d'arbres d'espèces variées. 1862 ; mot lat. ; [aʀbɔʀetɔm].

**ARBORICOLE,** adj.
**1.** *Zool.* Qui vit sur les arbres : *Singe **arboricole**.* **2.** Relatif à l'arboriculture : *Technique **arboricole**.* 1863 ; formé de *arbori-* et de *-cole* ; [aʀbɔʀikɔl].

**ARBORICULTEUR, TRICE,** subst.
Personne qui pratique l'arboriculture. 1865 ; ☞ *arboriculture* ; [aʀbɔʀikyltœʀ, tʀis].

**ARBORICULTURE,** subst. f.
Culture des arbres : *Arboriculture **fruitière**.* 1838 ; formé de *arbori-* et de *-culture* ; [aʀbɔʀikyltyʀ].

**ARBORISATION,** subst. f.
*Minér.* Dessin naturel de certains minéraux, évoquant des ramifications ; par anal. : *Les **arborisations** du givre.* 1786 ; *arboriser* (rare), « doter d'arbres » ; [aʀbɔʀizasjɔ̃].

**ARBORISÉ, ÉE,** adj.
Qui présente des arborisations : *Schiste **arborisé**.* 1750 ; p. p. de *arboriser* (rare), « doter d'arbres » ; [aʀbɔʀize].

**ARBOUSE,** subst. f.
Fruit de l'arbousier, rouge et grenelé. 1557 ; prov. *arbousso*, du lat. *arbuteus* ; [aʀbuz].

**ARBOUSIER,** subst. m.
*Bot.* Nom vulgaire d'un arbre de la famille des Éricacées, dont les fruits aigrelets sont comestibles. 1562 ; ☞ *arbouse* ; [aʀbuzje].

**ARBOVIROSE,** subst. f.
*Pathol.* Nom générique des maladies, gén. intertropicales, dues à des arbovirus, telles la fièvre jaune ou la dengue. V. 1960 ; ☞ *arbovirus* ; [aʀboviʀoz].

**ARBOVIRUS,** subst. m.
*Biol.* Type de virus dont le premier connu fut le virus amaril, agent de la fièvre jaune. Les **arbovirus** ont pour vecteurs des arthropodes buveurs de sang (moustiques, tiques), et pour réservoirs des vertébrés (mammifères, oiseaux). V. 1960 ; crois. de l'anglo-amér. *arthropod-born*, « transporté par les Arthropodes », et de *virus* ; [aʀboviʀys].

**ARBRE,** subst. m.
**I.** Grand végétal vivace, dont la tige ligneuse, appelée fût ou tronc, se garnit de branches à partir d'une certaine hauteur : *Arbre fruitier, forestier ; Arbre de Judée* (☞ *gainier*). ▸ *Arbre de Noël* : conifère, gén. un sapin, décoré et illuminé, auquel on suspend des cadeaux à l'époque de Noël ; par méton., fête donnée pour distribuer ces cadeaux. ▸ *Arbre à palabres* : à l'ombre duquel les anciens aiment à se retrouver, en Afrique. **II.** Anal. **1.** *Arbre généalogique* : représentation graphique ramifiée, figurant la filiation des diverses branches d'une famille. **2.** *Anat. Arbre de vie* : arborisation que forme la substance blanche du cervelet. **3.** *Ling.* Schéma arborescent représentant une structure syntagmatique. **4.** *Mécan.* Longue pièce cylindrique qui transmet un mouvement ou le transforme : *Arbre à cames* (☞ *came*) ; *Arbre moteur*, entraîné directement par le moteur. 📖 Fin XIe s. ; lat. *arbor* ; [aʀbʀ].

**ARBRISSEAU,** subst. m.
**1.** Végétal ligneux de moins de 4 m de haut, dont la tige se ramifie dès la base. **2.** Ext. Petit arbre. 📖 Déb. XIIe s. ; lat. pop. °*arboriscellus* ; [aʀbʀiso].

**ARBUSTE,** subst. m.
**1.** Végétal ligneux ne dépassant pas 7 m de haut, mais dont la tige n'est pas ramifiée dès la base. **2.** Ext. Petit arbre. 📖 1495 ; lat. *arbustum* ; [aʀbyst].

**ARBUSTIF, IVE,** adj.
**1.** Relatif aux arbustes ; composé d'arbustes : *Massif **arbustif** ; Végétation **arbustive**.* **2.** Qui a l'aspect d'un arbuste. 📖 1551 ; ☞ *arbuste* ; [aʀbystif, iv].

**ARC,** subst. m.
**I.** Arme avec laquelle on lance des flèches, formée d'une tige flexible dont les extrémités sont reliées par une corde : *Bander son **arc**.* ▸ Loc. *Avoir plusieurs cordes à son **arc*** (☞ *corde*). **II.** Anal. **1.** Chose, forme, ligne qui rappelle un **arc** : *Décrire un **arc** ; L'**arc** des sourcils.* **2.** *Anat.* Partie d'un organe, structure anatomique en forme d'**arc** : *Arc aortique, viscéral, branchial.* **3.** *Archit.* Construction dessinant une ou plusieurs courbes et franchissant un espace : *Arc en plein cintre.* ▸ *Arc de triomphe* : monument commémoratif formé d'une grande arche, parfois accompagnée d'autres plus petites. **4.** *Géol. Arc insulaire* : chapelet d'îles volcaniques encerclant une fosse océanique. **5.** *Géom.* Portion de cercle ou de courbe : *Arc de 40 degrés.* **6.** *Phys. Arc électrique* : décharge entre deux conducteurs, qui produit une température élevée et une vive lumière. ▸ **À (l')arc.** Qui fonctionne selon ce principe : *Soudure à l'**arc** ; Lampe à **arc**.* **7.** *Physiol. Arc réflexe* : trajet que parcourt l'influx nerveux provoquant un réflexe. 📖 Fin XIe s. ; lat. *arcus* ; [aʀk].

**ARCADE,** subst. f.
**1.** *Archit.* Construction formée d'un arc de voûte et de ses piliers, délimitant une ouverture libre. **2.** Ext. Ce qui imite ou suggère une **arcade** : *Arcade de verdure ; **Arcade** sourcilière.* **Plur.** Portique, galerie à **arcades** : *Une rue bordée d'**arcades**.* 📖 1562 ; anc. prov. *arcada*, « arche », ou ital. *arcata* ; [aʀkad].

**ARCADIEN, IENNE,** adj. et subst.
D'Arcadie. **Adj.** Pastoral, idyllique (littér.). **Subst. masc.** Dialecte grec de l'Arcadie. 📖 1562 ; topon. *Arcadie* (Grèce) ; [aʀkadjɛ̃, jɛn].

**ARCANE,** subst. m.
**1.** *Alchimie.* Opération occulte dont le secret est connu des seuls initiés ; ce secret. **2.** Chacune des cartes du tarot divinatoire. **Plur.** Mystères, secrets : *Les **arcanes** de la diplomatie.* 📖 Déb. XIVe s. ; lat. *arcanum*, « secret » ; [aʀkan].

**ARCATURE,** subst. f.
*Archit.* Suite de petites arcades, ouvertes ou aveugles, à caractère décoratif. 📖 1845 ; ☞ *arc* ; [aʀkatyʀ].

**ARC-BOUTANT,** subst. m.
*Archit.* Arc de maçonnerie, extérieur à un édifice, servant à soutenir un mur en reportant la poussée de la voûte intérieure sur un contrefort ou culée. 📖 1387 ; comp. de *arc* et de *bouter* (vx), « soutenir une poussée » ; plur. *arcs-boutants* ; [aʀkbutɑ̃].

**ARC-BOUTER,** verbe trans. [3]
*Archit.* Soutenir au moyen d'un arc-boutant : ***Arc-bouter** une voûte.* **Pronom.** Prendre solidement appui sur une partie du corps (pieds, mains, dos) pour exercer une force de poussée ou de résistance : ***S'arc-bouter** contre un mur.* 📖 1604 ; ☞ *arc-boutant* ; [aʀkbute].

**ARC-DOUBLEAU,** subst. m.
*Archit.* Arc formant saillie sur la face intérieure d'une voûte. 📖 1399 ; comp. de *arc* et de *doubleau* ; plur. *arcs-doubleaux* ; [aʀkdublo].

**ARCEAU,** subst. m.
**1.** *Archit.* Partie cintrée d'un arc, d'une voûte, d'une ouverture : ***Arceau** d'une fenêtre.* **2.** Anal. Objet en forme d'arc : *Massif de fleurs bordé d'**arceaux** ; Les **arceaux** de sécurité.* 📖 Mil. XIIe s. ; ☞ *arc* ; [aʀso].

**ARC-EN-CIEL,** subst. m.
Arc lumineux où sont superposées les couleurs du spectre, apparaissant parfois au cours d'une averse et dû à la réfraction et à la réflexion de la lumière solaire dans les gouttes de pluie ; empl. adj. inv., multicolore, bariolé. 📖 Mil. XIIe s. ; comp. de *arc* et de *ciel* ; plur. *arcs-en-ciel* ; [aʀkɑ̃sjɛl].

**ARCHAÏQUE,** adj.
**1.** Qui appartient au passé : *Outil **archaïque**.* **2.** Ext. Périmé, désuet : *Préjugés **archaïques**.* **3.** *B.-a.* Qui précède immédiatement l'âge classique : *Sculpture grecque **archaïque**.* 📖 1776 ; gr. *arkhaikos* ; [aʀkaik].

**ARCHAÏSANT, ANTE,** adj.
Qui présente ou contient des archaïsmes ; qui recourt à l'archaïsme : *Un auteur, un roman **archaïsant**.* 📖 1932 ; p. pr. de *archaïser* (rare), « user d'archaïsmes » ; [aʀkaizɑ̃, ɑ̃t].

**ARCHAÏSME,** subst. m.
**1.** Caractère de ce qui est très ancien ou périmé. **2.** Ce qui, dans une œuvre artistique ou littéraire, imite la manière ou le style d'époques passées. **3.** *Ling.* Emploi d'un mot, d'une forme ou d'une construction qui ne sont plus en usage. 📖 1659 ; bas lat. *archaismos*, du gr. *arkhaismos*, de *arkhaios*, « ancien » ; [aʀkaism].

**ARCHAL,** subst. m. sing.
*Fil d'**archal*** : fil de laiton (vieilli). 📖 1170 ; lat. *aurichalcum*, « cuivre jaune », du gr. *oreikhalkos* ; [aʀʃal].

© A. Saucez-Explorer

1

© Thouvenin-Explorer

2

1. *Le tir à l'arc est aujourd'hui une discipline sportive admise aux jeux Olympiques.*

2. *Le parvis de la Grande Arche de la Défense, à Puteaux. À l'avant-plan, un mobile de Calder.*

**ARCHANGE,** subst. m.
*Théol.* Être immédiatement supérieur à l'ange, dans la hiérarchie angélique : *L'**archange** Gabriel.* 📖 Mil. XIIe s. ; lat. *archangelus*, du gr. *arkhaggelos* ; [aʀkɑ̃ʒ].

**ARCHANGÉLIQUE,** adj.
Propre à l'archange. 📖 1442 ; lat. *archangelicus*, du gr. *arkhaggelikos* ; [aʀkɑ̃ʒelik].

**ARCHANTHROPIEN, IENNE,** subst. m. et adj.
*Paléont.* **Subst.** Terme générique, auj. tombé en désuétude, regroupant les Pithécanthropes (pithécanthrope de Java, sinanthrope, atlanthrope, homme de Heidelberg), hommes fossiles appartenant tous au genre *Homo*. **Adj.** Relatif, propre à l'**archanthropien.** 📖 V. 1960 ; gr. *arkhaios*, « ancien », + *-anthrope* ; [aʀkɑ̃tʀɔpjɛ̃, jɛn].

**ARCHE (I),** subst. f.
*Relig.* **1.** *Arche de Noé* : vaisseau que Dieu ordonna à Noé de construire pour sauver du Déluge sa famille et les diverses espèces animales. **2.** *Arche d'alliance* : coffre que Dieu ordonna à Moïse de faire construire pour y placer les Tables de la Loi ; par ext., auj., armoire dans laquelle les juifs enferment les rouleaux de la Torah. 📖 1131 ; lat. *arca*, « coffre » ; [aʀʃ].

**ARCHE (II),** subst. f.
Partie d'un pont, d'un viaduc, etc., formée par une voûte et les piliers, ou culées, qui la supportent : *Pont à trois **arches**.* 📖 1170 ; lat. pop. °*arca*, du lat. *arcus*, « arc » ; [aʀʃ].

**ARCHÉE,** subst. f.
Portée d'un arc ; parcours d'une flèche. 📖 1177 ; lat. pop. °*arcata*, du lat. *arcus*, « arc » ; [aʀʃe].

**ARCHÉEN, ÉENNE,** subst. m. et adj.
*Géol.* **Subst.** Première période du Précambrien, qui remonte à 4 milliards d'années et aurait vu l'apparition de la vie et la différenciation des premières bactéries. **Adj.** Relatif à cette période : *Flore **archéenne**.* 📖 1866 ; gr. *arkhaios*, « ancien » ; [aʀkeɛ̃, eɛn].

**ARCHÉGONE,** subst. m.
*Bot.* Organe contenant l'oosphère (gamète femelle) chez les végétaux autres que les algues, les bactéries, les champignons et les lichens. 📖 1845 ; formé de *arché-* et de *-gone*[2] ; [aʀkegɔn].

**ARCHELLE,** subst. f.
Belg. Étagère simple, pourvue de crochets permettant d'y suspendre des ustensiles à anse. 📖 Pic. *achèle*, du lat. *axis*, « planche », d'apr. *arche* (II) ; [aʀʃɛl].

**ARCHÉOLOGIE,** subst. f.
**1.** Vx. Science des choses antiques. **2.** Science qui étudie les anciennes civilisations, fondée en partic. sur l'analyse des vestiges matériels qui en subsistent : ***Archéologie** préhistorique, classique, etc.* 📖 1599 ; gr. *arkhaiologia* ; [aʀkeɔlɔʒi].

**ARCHÉOLOGIQUE,** adj.
Relatif à l'archéologie : *Fouilles **archéologiques**.* 📖 1595 ; gr. *arkhaiologikos* ; [aʀkeɔlɔʒik].

**ARCHÉOLOGUE,** subst.
Spécialiste en archéologie. 📖 1812 ; ☞ *archéologie* ; [aʀkeɔlɔg].

**ARCHÉOMAGNÉTISME, subst. m.**
Paléomagnétisme. XXe s. ; ☞ *magnétisme + archéo-* ; [aʀkeomaɲetism].

**ARCHÉOPTÉRYX, subst. m.**
*Paléont.* Vertébré fossile du Jurassique, qui tient de l'oiseau par ses plumes et ses ailes, et du reptile par ses dents, ses griffes et sa longue queue. 1907 ; gr. *pterux*, « aile », + *archéo-* ; [aʀkeopteʀiks].

© Amos/P. H. R-Jacana

*Archéoptéryx.*

**ARCHER, subst. m.**
**1.** Soldat ou guerrier armé d'un arc ; par ext., tireur à l'arc. **2.** *Hist.* Sous l'Ancien Régime, officier subalterne de justice ou de police. 1174 ; ☞ *arc* ; [aʀʃe].

**ARCHÈRE, subst. f.**
Ouverture pratiquée dans une muraille, permettant le tir à l'arc ou à l'arbalète ; meurtrière. 1225 ; ☞ *arc* ; var. *archière* ; [aʀʃɛʀ].

**ARCHERIE, subst. f.**
**1.** Art du tir à l'arc. **2.** Équipement d'un archer. **3.** *Hist.* Au XIVe s., corporation ou troupe d'archers. Déb. XIVe s. ; ☞ *archer* ; [aʀʃəʀi].

**ARCHET, subst. m.**
**1.** *Mus.* Baguette souple entre les extrémités de laquelle sont tendus des crins de cheval, servant à faire vibrer, par frottement, les cordes de certains instruments (violon, viole, etc.). **2.** *Techn.* Nom de divers outils ou instruments en forme d'arc. **3.** *Zool.* Organe de l'appareil stridulant des Orthoptères. XIVe s. (fin XIIe s., mur cintré) ; ☞ *arc* ; [aʀʃɛ].

**ARCHÉTYPE, subst. m.**
**1.** *Philos.* Type idéal des choses sensibles : *Les Idées de Platon sont des* ***archétypes***. **2.** Anal. Modèle, symbole : *Mozart est l'****archétype*** *de l'enfant prodige.* Déb. XIIIe s. ; lat. *archetypus*, du gr. *arkhetupon*, « modèle primitif » ; [aʀketip].

**ARCHEVÊCHÉ, subst. m.**
**1.** Province ecclésiastique, territoire soumis à l'autorité d'un archevêque (synon. *archidiocèse*). **2.** Ville où se trouve un siège archiépiscopal. **3.** Résidence d'un archevêque ; par ext., ensemble des services de l'administration archiépiscopale. **4.** Archiépiscopat. 1138 ; ☞ *archevêque* ; [aʀʃəveʃe].

**ARCHEVÊQUE, subst. m.**
Évêque métropolitain placé à la tête d'une province ecclésiastique dont les évêques sont ses suffragants. Fin XIe s. ; lat. eccl. *archiepiscopus*, du gr. *arkhiepiskopos* ; [aʀʃəvɛk].

**ARCHICHANCELIER, subst. m.**
*Hist.* **1.** Titre porté dans le Saint Empire par les archevêques-électeurs de Mayence, de Trèves et de Cologne. **2.** Dignitaire, sous le premier Empire. 1240 ; lat. médiév. *archicancellarius* ; [aʀʃiʃɑ̃səlje].

**ARCHICUBE, subst. m.**
Ancien élève de l'École normale supérieure (argot scol.). 1883 ; ☞ *cube + archi-* ; [aʀʃikyb].

**ARCHIDIACRE, subst. m.**
Se disait d'un prélat chargé d'administrer une partie d'un diocèse, sous le contrôle d'un évêque. 1174 ; lat. chrét. *archidiaconus* ; [aʀʃidjakʀ].

**ARCHIDIOCÈSE, subst. m.**
Diocèse d'un archevêque. 1869 ; ☞ *diocèse + archi-* ; [aʀʃidjɔsɛz].

**ARCHIDUC, DUCHESSE, subst.**
Titre des princes ou des princesses de la maison d'Autriche. **Masc.** Titre nobiliaire conférant à un duc une supériorité sur les autres ducs. **Fém.** Titre transmis à l'épouse ou à la fille d'un **archiduc**. 1486 ; ☞ *duc + archi-* ; [aʀʃidyk, dyʃɛs].

**ARCHIDUCHÉ, subst. m.**
Seigneurie, domaine d'un archiduc. 1512 ; ☞ *duché + archi-* ; [aʀʃidyʃe].

**ARCHIÉPISCOPAL, ALE, AUX, adj.**
Qui appartient, qui est relatif à l'archevêque ; qui se rapporte à sa fonction. 1389 ; lat. médiév. *archiepiscopalis* ; [aʀʃiepiskɔpal, o].

**ARCHIÉPISCOPAT, subst. m.**
**1.** Fonction, dignité d'archevêque. **2.** Ext. Durée d'exercice de la charge d'un archevêque. 1490 ; lat. médiév. *archiepiscopatus* ; [aʀʃiepiskɔpa].

**ARCHIÈRE, voir ARCHÈRE**

**ARCHIMANDRITE, subst. m.**
**1.** Dans les Églises orientales, supérieur d'un monastère important ou d'un groupe de monastères. **2.** Titre honorifique accordé à certains ecclésiastiques de rite byzantin. 1560 ; bas lat. *archimandrites*, du gr. *arkhimandritês* ; [aʀʃimɑ̃dʀit].

**ARCHIMÉDIEN, IENNE, adj.**
**1.** Relatif à Archimède, à son œuvre. **2.** *Math.* Qualifie un groupe additif totalement ordonné qui vérifie l'axiome d'Archimède. Quels que soient les éléments $a > 0$ et $b \geqslant 0$ de ce groupe, on peut trouver un entier $n$ tel que $na \geqslant b$. 1902 ; anthropon. *Archimède* ; [aʀʃimedjɛ̃, jɛn].

**ARCHIPEL, subst. m.**
Groupe d'îles : *L'****archipel*** *des Galápagos.* XIVe s. ; ital. *arcipelago*, du gr. byzantin °*Arkhipelagos*, « mer principale », de *Aigaioin pelagos*, « mer Égée » ; [aʀʃipɛl].

**ARCHIPHONÈME, subst. m.**
*Ling.* Unité abstraite réunissant l'ensemble des particularités communes à deux phonèmes dont l'opposition peut être neutralisée : *L'****archiphonème*** *[E] recouvre les phonèmes [ɛ], comme dans « terre », et [e], comme dans « fée », dont l'opposition tend à disparaître en syllabe ouverte intermédiaire, par ex. dans « maison ».* 1929 ; ☞ *phonème + archi-* ; [aʀʃifɔnɛm].

**ARCHIPRÊTRE, subst. m.**
Titre conféré à certains curés, pouvant être lié à une fonction de supervision des autres prêtres (officiellement auj. *vicaire forain*). 1255 ; lat. chrét. *archipresbyter*, du gr. *arkhipresbuteros* ; [aʀʃipʀɛtʀ].

**ARCHIPTÈRES, subst. m. plur.**
*Zool.* Ordre d'insectes ressemblant aux Névroptères par leurs ailes et aux Orthoptères par leur mode de développement. **Au sing.** *La libellule est un* ***archiptère***. 1874 ; formé de *archi-* et de *-ptère* ; [aʀʃiptɛʀ].

**ARCHITECTE, subst.**
**1.** Professionnel diplômé qui conçoit et dirige la construction d'édifices et d'ensembles urbains. ▸ *Architecte naval* : ingénieur en construction navale chargé de la conception de bateaux, de plates-formes, etc. **2.** Ext. Toute personne qui conçoit ou construit qqch. : *Balzac est l'****architecte*** *de « la Comédie humaine » ; Le Grand* ***Architecte***, Dieu (littér.) ; par anal. : *Les termites se comportent instinctivement comme de grands* ***architectes***. 1510 ; lat. *architectus* ; [aʀʃitɛkt].

**ARCHITECTONIE, subst. f.**
Organisation architecturale d'un espace. 1943 ; gr. *arkhitektonia*, « architecture » ; [aʀʃitɛktɔni].

**ARCHITECTONIQUE, adj. et subst. f.**
**Adj.** Relatif à l'art de l'architecte, à la technique de l'architecture : *Les principes* ***architectoniques***. **Subst. 1.** Art, technique de la construction. **2.** Fig. Structure, organisation d'une œuvre : ***Architectonique*** *d'un cycle romanesque.* 1373 ; lat. *architectonicus*, du gr. *arkhitektonikos* ; [aʀʃitɛktɔnik].

**ARCHITECTURAL, ALE, AUX, adj.**
Relatif, propre à l'architecture. 1803 ; ☞ *architecture* ; [aʀʃitɛktyʀal, o].

**ARCHITECTURE, subst. f.**
**1.** Art de concevoir et de construire les édifices. **2.** Disposition d'un édifice ; par méton., l'édifice lui-même. **3.** Fig. Agencement, structure : *L'****architecture*** *d'un roman, d'une symphonie.* XVe s. ; lat. *architectura* ; [aʀʃitɛktyʀ].

**ARCHITECTURER, verbe trans. [3]**
Structurer, agencer (un ouvrage de l'esprit). 1820 ; ☞ *architecture* ; [aʀʃitɛktyʀe].

**ARCHITRAVE, subst. f.**
*Archit.* Partie basse d'un entablement, qui repose directement sur les chapiteaux des colonnes ou des pilastres. 1528 ; mot ital. ; [aʀʃitʀav].

**ARCHIVAGE, subst. m.**
Action d'archiver ; son résultat. V. 1960 ; ☞ *archiver* ; [aʀʃivaʒ].

**ARCHIVER, verbe trans. [3]**
Recueillir, classer et conserver parmi des archives. 1556 ; ☞ *archives* ; [aʀʃive].

**ARCHIVES, subst. f. plur.**
**1.** Ensemble de documents n'ayant plus d'usage courant, classés et conservés pour leur intérêt historique, juridique, etc. **2.** Méton. Lieu où sont conservés ces documents ; administration qui s'en occupe. 1416 ; bas lat. *archivum*, du gr. *arkheion*, « ce qui est ancien » ; [aʀʃiv].

**ARCHIVISTE, subst.**
**1.** Personne préposée à la garde et au classement d'archives. **2.** ***Archiviste-paléographe*** : diplômé de l'École nationale des chartes, spécialiste des documents anciens. 1701 ; ☞ *archives* ; [aʀʃivist].

**ARCHIVOLTE, subst. f.**
*Archit.* Chacune des moulures extérieures ornant le cintrage d'un portail, d'un arc. 1694 ; ital. *archivolto*, du lat. médiév. *archivoltum* ; [aʀʃivɔlt].

**ARCHONTAT, subst. m.**
*Antiq.* **1.** Dignité de l'archonte. **2.** Méton. Durée de sa magistrature. 1701 ; ☞ *archonte* ; [aʀkɔ̃ta].

**ARCHONTE, subst. m.**
*Antiq.* Haut magistrat, dans diverses cités grecques : ***Archonte*** *éponyme*, celui qui donnait son nom à l'année. XIIIe s. ; lat. *archon*, du gr. *arkhôn* ; [aʀkɔ̃t].

**ARÇON, subst. m.**
**1.** Chacune des deux pièces arquées formant l'armature de la selle. **2.** *Agric.* Branche, rameau, sarment ayant subi l'arcure. **3.** *Techn.* Nom de plusieurs instruments en forme d'archet, employés dans divers corps de métiers. Fin XIe s. ; lat. pop. °*arcio*, du lat. *arcus*, « arc » ; [aʀsɔ̃].

**ARCTIQUE, adj.**
Du pôle Nord et des régions qui l'avoisinent : *Le continent* ***arctique***. Fin XIIIe s. ; lat. *arcticus*, du gr. *arktikos*, de *arktos*, « Grande Ourse » ; [aʀktik].

**ARCURE, subst. f.**
**1.** Courbure en forme d'arc. **2.** *Agric.* Opération consistant à courber en arc une branche, un rameau ou un sarment pour les faire davantage fructifier. 1290 ; ☞ *arc* ; [aʀkyʀ].

**ARDÉIFORMES, subst. m. plur.**
*Zool.* Ancien nom des Ciconiiformes. Lat. *ardea*, « héron », + *-forme* ; [aʀdeifɔʀm].

**ARDEMMENT, adv.**
Avec ardeur. Fin XIIe s. ; ☞ *ardent* ; [aʀdamɑ̃].

**ARDENT, ENTE, adj.**
**1.** Qui est en feu, incandescent ou flamboyant : *Brasier* ***ardent***. **2.** Ext. Qui chauffe fortement ; qui donne une sensation de brûlure : *Soleil* ***ardent***. **3.** Anal. Qui évoque le feu : *Couleur* ***ardente***. **4.** Fig. Très vif, passionné, fervent : *Un désir* ***ardent***. **5.** Loc. *Chapelle* ***ardente*** : chapelle mortuaire éclairée par des cierges ; *Être sur des charbons* ***ardents*** (☞ *charbon*). **6.** Hist. *Chambre* ***ardente*** (☞ *chambre*). Fin Xe s. ; lat. *ardens*, « brûlant ; éclatant » ; [aʀdɑ̃, ɑ̃t].

**ARDEUR, subst. f.**
**1.** Chaleur très intense (littér.) : ***Ardeur*** *d'un feu.* **2.** Fig. Passion, énergie, vivacité, fougue : *Travailler avec* ***ardeur***. Déb. XIIe s. ; lat. *ardor* ; [aʀdœʀ].

**ARDILLON, subst. m.**
Pointe mobile d'une boucle de ceinture, de courroie. 1231 ; anc. bas frq. °*hard*, « fil tordu ; lien » ; [aʀdijɔ̃].

**ARDOISE, subst. f.**
**1.** *Pétrogr.* Roche schisteuse gris foncé, qui se sépare par feuilles. **2.** Plaque de cette roche, utilisée pour couvrir les toits. **3.** Tablette d'**ardoise** ou d'une autre matière, sur laquelle on peut écrire et dont on peut effacer la surface ; par méton., compte des sommes dues par un client payant à crédit (fam.) : *Avoir une* ***ardoise*** *à l'épicerie du coin.* Fin XIIe s. ; lat. pop. °*ardesia* ; [aʀdwaz].

**ARDOISÉ, ÉE, adj.**
De la couleur de l'ardoise. 1762 (1571, couvert d'ardoises) ; ☞ *ardoise* ; [aʀdwaze].

**ARDOISIER, IÈRE, adj. et subst.**
**Adj. 1.** Qui est de la nature de l'ardoise ou qui contient de l'ardoise : *Schiste* ***ardoisier***. **2.** Relatif à l'ardoise : *Exploitation* ***ardoisière***. **Subst. masc. 1.** Personne qui exploite une carrière d'ardoise ou qui y travaille. **2.** Belg. Couvreur. **Subst. fém.** Carrière d'ardoise. 1564 ; ☞ *ardoise* ; [aʀdwazje, jɛʀ].

**ARDU, UE, adj.**
**1.** D'accès difficile (rare) : *Montagne* ***ardue.*** **2.** Fig. Complexe, difficile à mener à bien : *Un problème* ***ardu*** *; Une tâche* ***ardue.*** XIV^e^ s. ; lat. *arduus* ; [aʀdy].

**ARE, subst. m.**
*Métrol.* Unité de mesure de surface (symb. : a), valant 100 $m^2$. 1793 ; lat. *area*, « aire » ; [aʀ].

**ARÉAGE, subst. m.**
Mesurage, en ares, de la surface d'une terre. 1803 ; ☞ *are* ; [aʀeaʒ].

**AREC, subst. m.**
*Bot.* Palmier d'Asie équatoriale ou des Antilles, à tige élancée, dont les feuilles pennées s'insèrent en touffe au sommet du stipe. L'espèce *Areca catechu* produit la noix d'**arec** ou noix de bétel. 1525 ; ital. *areca*, du port. *harequa* ; var. *aréquier* ; [aʀɛk].

**ARÉFLEXIE, subst. f.**
*Pathol.* Absence de réflexes. V. 1920 ; ☞ *réflexe* + *a-*[2] ; [aʀeflɛksi].

**ARÉIQUE, adj.**
*Géogr.* Se dit d'une région qui ne possède pas de réseau hydrographique permanent. 1926 ; gr. *rhein*, « couler », + *a-*[2] ; [aʀeik].

**ARELIGIEUX, EUSE, adj.**
Qui se tient en dehors de toute religion. 1906 ; ☞ *religieux* + *a-*[2] ; [aʀ(ə)liʒjø, øz].

**ARÉNACÉ, ÉE, adj.**
*Géol.* Qui a la consistance du sable. 1826 ; lat. *arenaceus*, de *arena*, « sable » ; [aʀenase].

**ARÉNAIRE, subst.**
**Masc.** *Antiq.* Gladiateur qui menait le combat dans l'arène. **Fém.** *Bot.* Plante de la famille des Caryophyllacées, appelée aussi sabline, poussant dans les sols sablonneux. 1807 ; lat. *arenarius* ; [aʀenɛʀ].

**ARÈNE (I), subst. f.**
**I. 1.** Sable (vieilli et littér.). **2.** *Pétrogr.* Sable argileux résultant de l'altération de roches granitiques ou métamorphiques. **II. 1.** *Antiq.* Aire centrale sablée d'un amphithéâtre où avaient lieu les jeux. ▸ Loc. *Descendre dans l'****arène*** : s'apprêter à lutter. **2.** Ext. Piste elliptique et sablée où se déroulent les corridas. **3.** Fig. Scène de discussion, d'affrontement d'idées contraires : *L'****arène*** *politique.* **Plur.** Ancien amphithéâtre romain : *Les* ***arènes*** *d'Arles* ; par ext., édifice consacré aux courses de taureaux. 1155 ; lat. *arena* ; [aʀɛn].

**ARÈNE (II), subst. m.**
*Chim.* Nom générique des hydrocarbures dont la molécule, qui ne comprend que des atomes de carbone et d'hydrogène, se referme sur elle-même et forme un cycle (synon. *hydrocarbure cyclique*). XX^e^ s. ; ☞ *aromatique* ; [aʀɛn].

**ARÉNICOLE, adj. et subst. f.**
*Zool.* **Adj.** Qui vit dans le sable. **Subst.** Ver de l'embranchement des Annélides, qui loge dans un tube en forme de U qu'il creuse dans les sables marins. 1801 ; ☞ *arène* (I) + *-cole* ; [aʀenikɔl].

**ARÉNISATION, subst. f.**
*Géol.* Transformation d'une roche en sable. Mil. XX^e^ s. ; ☞ *arène* (I) ; [aʀenizasjɔ̃].

**ARÉOLAIRE, adj.**
**1.** Relatif à l'aréole. **2.** *Géol. Érosion* ***aréolaire*** : érosion latérale (anton. *linéaire*). **3.** *Math. Vitesse* ***aréolaire*** : vitesse par rapport à un point O d'un mobile ponctuel M à trajectoire plane, dérivée par rapport au temps de l'aire balayée par le rayon OM. 1805 ; ☞ *aréole* ; [aʀeɔlɛʀ].

**ARÉOLE, subst. f.**
**1.** *Anat.* ▸ Cercle pigmenté qui entoure le mamelon du sein. ▸ Petite cavité située entre les vaisseaux capillaires de certains tissus. **2.** *Astron.* Halo entourant parfois la Lune. **3.** *Pathol.* Aire rosacée qui entoure un point enflammé. 1611 ; lat. *areola*, « petite surface » ; [aʀeɔl].

**ARÉOMÈTRE, subst. m.**
Instrument servant à mesurer la densité des liquides. 1679 ; gr. *araios*, « peu dense », + *-mètre*[1] ; [aʀeɔmɛtʀ].

**ARÉOMÉTRIE, subst. f.**
Mesure de la densité des liquides à l'aide d'un aréomètre. 1843 ; ☞ *aréomètre* ; [aʀeɔmetʀi].

**ARÉOPAGE, subst. m.**
**1.** *Antiq. L'****Aréopage*** : tribunal d'Athènes qui siégeait sur la colline consacrée au dieu Arès. **2.** Ext. Assemblée de personnes importantes ou compétentes (littér.). 1495 ; lat. *areopagus*, du topon. gr. *Areios pagos*, « colline d'Arès » ; [aʀeɔpaʒ].

**ARÉOSTYLE, subst. m.**
*Archit.* Édifice dont les colonnes sont séparées par un intervalle égal à trois ou quatre fois leur diamètre. 1547 ; lat. *araeostylos*, du gr. *araiostulos* ; [aʀeɔstil].

**ARÉQUIER, voir AREC**

**ARÊTE, subst. f.**
**I. 1.** *Zool.* Pièce allongée et pointue du squelette des poissons : *La grande* ***arête***, la colonne vertébrale du poisson ; *Les* ***arêtes***, ses côtes. **2.** *Bot.* Barbe de l'épi de certaines graminées, comme l'orge. **II. 1.** *Anat.* Ligne formée par la saillie d'un os : ***Arête*** *du tibia, du nez.* **2.** *Archit. Voûte d'****arête*** : voûte formée par l'intersection de deux voûtes en berceau. **3.** *Géogr.* Ligne de crête séparant deux versants d'un relief. **4.** *Géom.* ***Arête*** *d'un dièdre, d'un polyèdre* (☞ *dièdre, polyèdre*). Fin XII^e^ s. ; lat. *arista* ; [aʀɛt].

**ARÊTIER, subst. m.**
*Bât.* **1.** Pièce de charpente qui forme l'encoignure d'un comble, l'arête d'un toit. **2.** Bande, gén. de zinc ou de plomb, qui recouvre les angles des toits. 1309 ; ☞ *arête* ; [aʀetje].

**ARÊTIÈRE, adj. f. et subst. f.**
*Bât.* Qualifie ou désigne une tuile qui couvre l'arête d'un toit. 1329 ; ☞ *arête* ; [aʀɛtjɛʀ].

**ARGANIER, subst. m.**
*Bot.* Arbre épineux d'Afrique du Nord, dont le feuillage est apprécié par les chèvres et les chameaux. 1556 ; ar. *'argān* ; [aʀganje].

**ARGAS, subst. m.**
*Zool.* Acarien parasite externe des volailles, dont il suce le sang. 1796 ; mot gr. ; [aʀgas].

**ARGENT, subst. m.**
**1.** *Chim.* Métal noble monovalent, élément n° 47 de la table de Mendeleïev (symb. : Ag) ; masse atomique : 107,868 ; point de fusion : 962 °C ; point d'ébullition : 2 212 °C ; masse volumique à l'état solide : 10,5 g/$cm^3$. Métal blanc et brillant, inoxydable mais dont les sels noircissent à la lumière, l'**argent** existe dans la nature sous forme de minerais (sulfure, chlorure d'**argent** ; **argent** natif) et accompagne souvent des métaux communs comme le plomb. ▸ Empl. adj. inv. *Bleu* ***argent*** : bleu-gris éclatant. **2.** Monnaie faite dans ce métal et, par ext., toute monnaie, métallique, fiduciaire, etc. ; richesse que représente cette monnaie : ***Argent*** *liquide*, en numéraire ; *Homme, femme d'****argent***, qui lui accorde une grande importance, qui le fait fructifier. ▸ Loc. *Faire de l'****argent*** : s'enrichir ; *Faire un mariage d'****argent*** : épouser qqn pour sa fortune ; *En vouloir, en avoir pour son* ***argent*** : proportionnellement à la somme ou aux efforts dépensés. **3.** *Hérald.* Un des deux métaux, avec l'or, employés dans les armoiries, représenté blanc et uni. 881 ; lat. *argentum* ; [aʀʒɑ̃].

**ARGENTAGE, subst. m.**
Argenture. XIX^e^ s. ; ☞ *argenter* ; [aʀʒɑ̃taʒ].

**ARGENTAN, subst. m.**
Alliage de cuivre, de zinc et de nickel, d'une couleur proche de celle de l'argent. 1837 ; ☞ *argent* ; var. *argenton* ; [aʀʒɑ̃tɑ̃].

**ARGENTÉ, ÉE, adj.**
Qui a de l'argent, riche, fortuné (fam.). 1876 ; ☞ *argent* ; [aʀʒɑ̃te].

**ARGENTER, verbe trans.** [3]
**1.** Recouvrir d'une mince feuille ou d'une solution d'argent ; empl. adj. : *Des couverts* ***argentés.*** **2.** Donner l'éclat, la couleur de l'argent à (qqch.) ; empl. adj. : *Des tempes* ***argentées***, dont la teinte rappelle celle de l'argent. 1223 ; ☞ *argent* ; [aʀʒɑ̃te].

**ARGENTERIE, subst. f.**
Ensemble de pièces d'orfèvrerie en argent ; vaisselle, couverts en argent. 1562 (1289, fonds réservés aux dépenses extraordinaires du roi) ; ☞ *argent* ; [aʀʒɑ̃tʀi].

**ARGENTEUR, EUSE, subst.**
Personne dont le métier est d'argenter les métaux ou d'autres matériaux, tels le bois ou le verre. 1268 ; ☞ *argenter* ; [aʀʒɑ̃tœʀ, øz].

**ARGENTIER, subst. m.**
**1.** *Hist.* Officier de la maison d'un souverain, chargé de la gestion de certains fonds. **2.** *Le grand* ***argentier*** : le ministre des Finances (fam.). **3.** Meuble où l'on range l'argenterie. XIII^e^ s. ; lat. *argentarius* ; [aʀʒɑ̃tje].

**ARGENTIFÈRE, adj.**
Qui contient, renferme de l'argent : *Un gisement* ***argentifère.*** 1596 ; ☞ *argent* + *-fère* ; [aʀʒɑ̃tifɛʀ].

**ARGENTIN (I), INE, adj.**
Qui produit un son clair comme celui de l'argent : *Un timbre de voix* ***argentin.*** 1549 (XII^e^ s., d'argent) ; ☞ *argent* ; [aʀʒɑ̃tɛ̃, in].

**ARGENTIN (II), INE, adj. et subst.**
D'Argentine. 1838 ; topon. *Argentine* ; [aʀʒɑ̃tɛ̃, in].

**ARGENTIQUE, adj.**
*Chim.* Qualifie ou désigne un composé à base d'argent. 1838 ; ☞ *argent* ; [aʀʒɑ̃tik].

**ARGENTITE, subst. f.**
*Minér.* Sulfure naturel d'argent, aussi appelé argyrose. 1869 ; ☞ *argent* ; [aʀʒɑ̃tit].

**ARGENTON, voir ARGENTAN**

**ARGENTURE, subst. f.**
Application d'une couche d'argent sur un objet ; couche d'argent ainsi appliquée (synon. *argentage*). 1642 (XIV^e^ s., argent massif) ; ☞ *argent* ; [aʀʒɑ̃tyʀ].

**ARGIEN, IENNE, adj. et subst.**
*Antiq.* D'Argos ou de l'Argolide. 1559 ; topon. *Argos* (Grèce) ; [aʀʒjɛ̃, jɛn].

**ARGILE, subst. f.**
**1.** *Pétrogr.* Roche sédimentaire silico-alumineuse, provenant de la destruction de roches anciennes. Les multiples propriétés des **argiles** s'expliquent par la diversité des minéraux qui les constituent, sous forme de cristaux microscopiques. Les **argiles** proprement dites sont tendres et deviennent plastiques puis fluides dans l'eau ; elles durcissent à la cuisson, en changeant de couleur si elles renferment des oxydes de fer. Les **argiles** les plus courantes sont celles qui contiennent notamment de l'illite et de la kaolinite. **2.** Anal. Terre (littér.) : *Adam fut formé d'un peu d'****argile.*** **3.** Loc. *Colosse aux pieds d'****argile*** : pays, personnalité dont l'apparente puissance recèle une fragilité. Fin XII^e^ s. ; lat. *argilla*, « terre glaise » ; [aʀʒil].

**ARGILEUX, EUSE, adj.**
Qui contient de l'argile ; qui est formé d'argile. Mil. XII^e^ s. ; lat. *argillosus* ; [aʀʒilø, øz].

**ARGON, subst. m.**
*Chim.* Gaz rare inerte, élément n° 18 de la table de Mendeleïev (symb. : Ar) ; masse atomique : 39,948 ; point de fusion : – 189,2 °C ; point d'ébullition : – 185,7 °C. 1895 ; angl. *argon*, du gr. *argon*, « inerte » ; [aʀgɔ̃].

**ARGONAUTE, subst. m.**
*Zool.* Mollusque octopode des mers chaudes. Le mâle est petit, tandis que la femelle mesure jusqu'à 60 cm et sécrète une coquille, la nacelle, qui recueille sa ponte. 1809 ; gr. *Argonautês*, héros de la mythologie grecque ; [aʀgɔnot].

*Argonaute.*

**ARGOT, subst. m.**
**1.** Langage crypté dont se servaient autrefois les malfaiteurs, les gens du milieu. ▸ Langue familière mêlée de mots d'**argot**. **2.** Ext. Phraséologie propre à un groupe social ou professionnel : ***Argot*** *parisien* ; ***Argot*** *des casernes, des lycéens.* 1701 (1628, communauté des gueux) ; orig. obsc. ; [aʀgo].

**ARGOTIQUE, adj.**
Qui relève de l'argot. 1845 (1628, qui a trait à la communauté des gueux) ; ☞ *argot* ; [aʀgɔtik].

**ARGOTISME, subst. m.**
Expression argotique. 1839 ; ☞ *argot* ; [aʀgɔtism].

**ARGOUSIER, subst. m.**
*Bot.* Arbrisseau épineux à stolons souterrains, donnant de nombreux rejets, qui pousse surtout sur des sables humides et calcaires, et que l'on utilise pour former des haies. 1783 ; orig. obsc. ; [aʀguzje].

*L'aristotélisme a été sauvé de l'oubli par les lettrés arabes, qui en furent les premiers commentateurs (manuscrit persan du* XIII*e s. représentant Aristote et ses élèves).*



**ARGOUSIN, subst. m.**
1. Vx. Bas officier des galères. 2. Ext. Agent de police (péj.). XVe s. ; anc. catalan *algutzir* ; [aʀguzɛ̃].

**ARGUER, verbe trans.** [3]
**Trans. dir. 1.** Prendre pour argument ; conclure : *N'arguons rien de ce seul incident.* **2.** Prétexter : *J'arguai qu'une affaire urgente m'avait retenu.* **Trans. indir.** Arguer de. Prendre prétexte de : ***Arguer de*** *sa jeunesse.* XIIIe s. (1140, harceler) ; lat. *arguere*, « prouver » ; [aʀgɥe].

**ARGUMENT, subst. m.**
**1.** Affirmation ayant valeur de preuve ou de justification dans le cadre d'un raisonnement : *Être à court d'**arguments**.* **2.** Ext. Tout moyen de convaincre, sans l'aide d'un raisonnement : *Ses pleurs ont été l'**argument** décisif.* **3.** Résumé sommaire du sujet d'une œuvre littéraire, d'un film, etc. **4.** *Math.* ***Argument*** *d'un nombre complexe non nul z, noté arg (z)* : ensemble des nombres réels $\theta$ tels que $z = |z| (\cos \theta + i \sin \theta)$, $|z|$ étant le module de $z$ ; si $\theta_0$ est l'un d'eux, les autres sont de la forme $\theta_0 + 2k\pi$, $k$ entier relatif. Si $z$ est l'affixe du point M, arg ($z$) est la mesure de l'angle orienté (O*x*, OM). Fin XIIe s. ; lat. *argumentum* ; [aʀgymɑ̃].

**ARGUMENTAIRE, subst. m.**
**1.** Ensemble des arguments mis à l'appui d'un raisonnement. **2.** *Comm. Un **argumentaire** de vente* : liste des arguments fournis à un vendeur pour mettre en valeur un produit. V. 1970 ; ☞ *argument* ; [aʀgymɑ̃tɛʀ].

**ARGUMENTATEUR, TRICE, subst.**
Personne qui se plaît à argumenter (souv. péj.). 1539 ; bas lat. *argumentator* ; [aʀgymɑ̃tatœʀ, tʀis].

**ARGUMENTATION, subst. f.**
**1.** Action d'argumenter. **2.** Ensemble des raisonnements produits à titre d'arguments. Déb. XIVe s. ; lat. *argumentatio* ; [aʀgymɑ̃tasjɔ̃].

**ARGUMENTER, verbe** [3]
**Intrans.** Produire des arguments : *Je n'ergote pas, j'**argumente** !* **Trans.** Étayer (une thèse, un discours) au moyen d'arguments. Fin XIIe s. ; lat. *argumentari* ; [aʀgymɑ̃te].

**ARGUS, subst. m.**
**1.** Surveillant, espion difficile à abuser (littér. et vieilli). **2.** Publication spécialisée fournissant des informations précises, exhaustives et chiffrées : *« L'**Argus** de l'automobile ».* 1584 ; *Argus*, du gr. *Argos*, géant aux cent yeux de la mythologie grecque ; [aʀgys].

**ARGUTIE, subst. f.**
Raisonnement dont la subtilité outrée masque généralement le manque de sérieux. Déb. XVIe s. ; lat. *argutiae*, « loquacité ; subtilité » ; [aʀgysi].

**ARGYRISME, subst. m.**
*Pathol.* Intoxication par les sels d'argent. 1888 ; gr. *arguros*, « argent » ; [aʀʒiʀism].

**ARGYRONÈTE, subst. f.**
*Zool.* Araignée aquatique qui tisse, sous l'eau, une cloche qu'elle remplit d'air et dans laquelle elle vit. 1829 ; lat. sc. *argyroneta*, du gr. *arguros*, « argent », et *nein*, « filer » ; [aʀʒiʀɔnɛt].

**ARGYROSE, subst. f.**
*Minér.* Argentite. 1833 ; gr. *arguros*, « argent » ; [aʀʒiʀoz].

**ARIA, subst. f.**
*Mus.* Air composé pour une voix solo avec accompagnement instrumental : *Une **aria** de Bach.* 1703 ; ital. *aria*, « air » ; [aʀja].

**ARIANISME, subst. m.**
Hérésie chrétienne, répandue par Arius et ses disciples, qui niait la consubstantialité du Fils avec le Père (donc la nature divine du Christ), condamnée au concile de Nicée, en 325. 1568 ; ☞ *arien* ; [aʀjanism].

**ARIDE, adj.**
**1.** Dépourvu d'humidité, sec : *Une contrée **aride*** ; *Un climat **aride**.* **2.** Fig. *Un cœur **aride*** : dénué de sensibilité ; *Des études **arides*** : sans attrait ; *Un esprit **aride*** : improductif, stérile, sans originalité. Fin XIVe s. ; lat. *aridus* ; [aʀid].

**ARIDITÉ, subst. f.**
Caractère de ce qui est aride. Déb. XIIe s. ; lat. *ariditas* ; [aʀidite].

**ARIEN, ARIENNE, subst. et adj.**
**Subst.** Adepte de l'arianisme. **Adj.** Qui concerne l'arianisme : *L'hérésie **arienne**.* 1224 ; bas lat. *arianus*, de l'anthropon. *Arius*, hérésiarque d'Alexandrie ; [aʀjɛ̃, aʀjɛn].

**ARIETTE, subst. f.**
*Mus.* Pièce chantée, courte et légère, faisant office d'interlude entre deux actes d'une comédie ou d'un opéra bouffe. 1710 ; ital. *arietta* ; [aʀjɛt].

**ARILLE, subst. m.**
*Bot.* Expansion charnue tégumentaire qui se développe autour de la graine de certaines plantes, formant un faux fruit. 1808 ; lat. médiév. *arillus*, « pépin de raisin » ; [aʀij].

**ARIOSO, subst. m.**
*Mus.* Pièce vocale aux accents dramatiques, qui tient à la fois du récitatif et de l'air chanté, souv. incorporé au récitatif. 1837 ; ital. *arioso* ; [aʀjozo].

Arrestation d'**Arlequin** et de Colombine, *peinture d'Aldo Carpi (XXe s.). Coll. de l'artiste, Milan.*

**ARISER, verbe trans.** [3]
*Mar.* Réduire la surface de (une voile) en prenant un ou des ris ; empl. adj. : *Une voile **arisée**.* 1643 ; ☞ *ris* (II) + *a-*[1] ; var. *arriser* ; [aʀize].

**ARISTOCRATE, subst.**
**1.** *Hist.* Partisan d'un régime aristocratique. **2.** Membre de la noblesse héréditaire. **3.** Ext. Membre d'une élite (intellectuelle, d'affaires, etc.) : *Les **aristocrates** de la finance.* 1550 ; ☞ *aristocratie* ; abrév. fam. *aristo* ; [aʀistɔkʀat].

**ARISTOCRATIE, subst. f.**
**1.** Forme de gouvernement où le pouvoir est détenu par un petit nombre de personnes, que distingue le plus souvent leur naissance, parfois leur fortune ou des qualités qui leur seraient propres. **2.** Classe détenant ce pouvoir ; noblesse héréditaire. **3.** Ext. Minorité jouissant de certains privilèges ou se distinguant par certaines qualités : *L'**aristocratie** du savoir.* 1370 ; gr. *aristokratia*, « gouvernement des meilleurs » ; [aʀistɔkʀasi].

**ARISTOCRATIQUE, adj.**
**1.** Relatif à l'aristocratie. **2.** Fig. Qui est digne d'un aristocrate ; raffiné, élégant : *Un air **aristocratique**.* 1370 ; gr. *aristokratikos* ; [aʀistɔkʀatik].

**ARISTOLOCHE, subst. f.**
*Bot.* Plante ligneuse vivace de la famille des Aristolochiacées, dont une espèce, *Aristolochia clematis*, était utilisée comme plante médicinale. XVIe s. ; lat. *aristolochia*, du gr. *aristolokhia*, de *lokhos*, « accouchement » ; [aʀistɔlɔʃ].

**ARISTOTÉLICIEN, IENNE, adj. et subst.**
*Philos.* **Adj.** Propre à la doctrine d'Aristote : *Les catégories **aristotéliciennes**.* **Subst.** Partisan de la doctrine d'Aristote. 1668 ; lat. *aristotelicus*, « relatif à Aristote » ; [aʀistɔtelisjɛ̃, jɛn].

**ARISTOTÉLISME, subst. m.**
*Philos.* Doctrine issue des enseignements du philosophe grec Aristote. 1771 ; anthropon. gr. *Aristotelês*, « Aristote » ; [aʀistɔtelism].

PHILOSOPHIE – Système qui permit, au Moyen Âge, le renouvellement des philosophies arabe (Averroès), juive (Maimonide), puis chrétienne (saint Thomas d'Aquin), l'aristotélisme, ou plutôt la pensée d'Aristote (384-322 av. J.-C.), trouve son apport majeur dans le fondement de la logique. En réaction au platonisme, Aristote ramène la « science de l'être » à la compréhension de principes. Ainsi, l'*acte* et la *puissance* sont les principes du mouvement, et la *forme* celui de la nature. Sa physique, qui résista jusqu'à la révolution galiléenne, oppose les mécaniques céleste et sublunaire. Sa morale, dont le modèle est l'homme prudent, revient à une acquisition volontaire d'habitudes raisonnables. C'est en particulier par l'attention qu'il porte au langage comme principe de cohérence de notre expérience et par sa volonté de rendre une unité aux hommes et à *ce monde-ci* que la pensée d'Aristote continue d'être présente dans la philosophie contemporaine.

**ARITHMÉTICIEN, IENNE, subst.**
Spécialiste de l'arithmétique et de la théorie des nombres. 1404 ; ☞ *arithmétique* ; [aʀitmetisjɛ̃, jɛn].

**ARITHMÉTIQUE, subst. f. et adj.**
**Subst.** Branche des mathématiques étudiant les propriétés élémentaires des nombres entiers et rationnels. ► ***Arithmétique*** *moderne* : théorie étudiant les propriétés additives et multiplicatives des nombres, la répartition de certains d'entre eux, les racines entières d'équations algébriques, etc. **Adj.** Propre à l'**arithmétique** : *Opération **arithmétique*** ; *Moyenne, progression, valeur **arithmétique**.* Mil. XIIe s. ; lat. *arithmetica* ; [aʀitmetik].

**ARITHMÉTIQUEMENT, adv.**
De manière arithmétique. 1558 ; ☞ *arithmétique* ; [aʀitmetikmɑ̃].

**ARITHMOMANIE, subst. f.**
*Psych.* Besoin obsessionnel de dénombrer ou d'indexer ses actions à des nombres (par ex. compter ses pas, les marches d'un escalier qu'on emprunte, etc.). 1903 ; gr. *arithmos*, « nombre », + *-manie* ; [aʀitmɔmani].

**ARLEQUIN, INE, subst.**
**Masc. 1.** Personnage bouffon de la comédie italienne, dont le costume est un assemblage de triangles bariolés et qui porte un masque noir et un sabre de bois. ► Loc. *Habit d'arlequin* : œuvre

faite de morceaux empruntés à différents auteurs. **2.** Fig. Bouffon ; homme qui change souvent d'opinion. **Fém.** Femme portant un costume d'**arlequin.** 1585 ; *Hellequin*, génie malfaisant ; [aʀləkɛ̃, in].

**ARLEQUINADE, subst. f.**
Bouffonnerie, pitrerie à la manière d'Arlequin. 1726 ; ☞ *arlequin* ; [aʀləkinad].

**ARLÉSIEN, IENNE, adj. et subst.**
D'Arles. ▸ Loc. *Jouer l'**Arlésienne*** : ne jamais se montrer (par réf. à l'héroïne d'A. Daudet). 1866 ; topon. *Arles* (Bouches-du-Rhône) ; [aʀlezjɛ̃, jɛn].

**ARMADA, subst. f.**
**1.** *Hist. L'Invincible **Armada*** : immense flotte de guerre que fit armer Philippe II d'Espagne pour envahir l'Angleterre et qui fut détruite en 1588. **2.** Anal. Importante escadre aérienne ou navale ; par ext., grand nombre de personnes ou de choses. 1828 ; esp. *armada*, « armée navale » ; [aʀmada].

**ARMAGNAC, subst. m.**
Eau-de-vie de vin blanc distillée en Armagnac. 1845 ; topon. *Armagnac* ; [aʀmaɲak].

**ARMATEUR, subst. m.**
*Mar.* Personne qui équipe et exploite commercialement un navire ou une flottille. 1584 ; lat. *armator* ; [aʀmatœʀ].

**ARMATURE, subst. f.**
**1.** Pièce ou assemblage de pièces soutenant ou renforçant les diverses parties d'un ouvrage de maçonnerie, de charpente ; par anal. : *Un soutien-gorge à **armature**.* **2.** Fig. Ce qui confère à qqch. sa solidité, sa cohésion : *L'école forge l'**armature** du moi* (Mounier). **3.** *Mus.* Ensemble des signes d'altération (dièses, bémols) placés en début de portée pour notifier le ton d'une pièce musicale. Déb. XVIe s. ; lat. *armatura*, « armure » ; [aʀmatyʀ].

**ARME, subst. f.**
**1.** Tout instrument d'attaque ou de défense, individuel ou collectif : ***Arme** blanche ; **Arme** à feu ; L'**arme** nucléaire.* ▸ Loc. *Passer l'**arme** à gauche* : mourir (fam.). **2.** Fig. Tout moyen de se défendre ou d'attaquer : *L'ironie est son **arme** favorite.* **3.** *Milit.* Chacun des corps de l'armée (la cavalerie, l'infanterie, l'artillerie, le génie, le train). **Plur. 1.** *Hérald.* Signes symboliques figurant sur le blason d'une famille, d'une ville, d'une nation. **2.** *Milit. Le métier des **armes*** : la carrière militaire. ▸ Loc. *Être sous les **armes*** : être soldat ; *Passer par les **armes*** : fusiller ; *Déposer les **armes*** : se rendre ; *Fait d'**armes*** : exploit militaire ; *Faire ses premières **armes*** : débuter dans le métier de soldat et, par ext., dans toute autre activité. **3.** *Sp. Salle d'**armes*** : où l'on pratique l'escrime ; *Maître d'**armes*** : moniteur d'escrime. Fin XIe s. ; lat. *arma* ; [aʀm].

**ARMÉ, ÉE, adj. et subst. m.**
**Adj. 1.** Muni d'une ou de plusieurs armes. ▸ *Conflit **armé*** : guerre. **2.** *Techn.* Renforcé par l'incorporation de pièces métalliques : *Béton **armé**.* **Subst.** Action d'armer une arme à feu ; position de l'arme ainsi préparée. Fin Xe s. ; p. p. de *armer* ; [aʀme].

**ARMÉE, subst. f.**
**1.** Groupe de soldats commandés par un chef et équipés pour faire la guerre : *Une **armée** recrutée par un seigneur pour partir en croisade.* **2.** Grande unité combattante réunissant des régiments de plusieurs armes et affectée à des opérations déterminées : *La Grande **Armée**,* celle de Napoléon. **3.** Ensemble des troupes, des forces militaires levées et entretenues par un État pour sa défense et sa sécurité : *L'**armée** française ; Une **armée** de métier ; Le budget de l'**armée**.* ▸ Chacune des grandes forces spécialisées de l'**armée** d'un pays : *L'**armée** de terre, de l'air...* ▸ Unité regroupant plusieurs divisions : *La IIe **armée** américaine.* ▸ *Corps d'**armée*** : unité réunissant plusieurs régiments. **4.** Fig. Multitude, grande quantité : *Une **armée** de serveurs empressés.* Mil. XIVe s. ; p. p. de *armer* ; [aʀme].

**ARMEMENT, subst. m.**
**1.** Action d'armer, d'équiper pour le combat. **2.** Méton. Ensemble des moyens d'attaque et de défense équipant un soldat, une unité, un pays, etc. : *La course aux **armements**.* **3.** *Mar.* Action d'équiper un navire en vue de son utilisation ; par méton., activité de l'armateur. XIIIe s. ; ☞ *armer* ; [aʀməmɑ̃].

**ARMÉNIEN, IENNE, adj. et subst.**
De l'Arménie ou du peuple **arménien**. **Subst. masc.** Langue indo-européenne parlée par les Arméniens. 1740 ; topon. *Arménie* ; [aʀmenjɛ̃, jɛn].

**ARMER, verbe trans.** [3]
**1.** Équiper en armes ou en armement : ***Armer** les conscrits, un pays.* **2.** Fig. Fournir à (qqn) des moyens d'action : *Ses études l'**ont armé** pour la vie active.* **3.** Placer le chien de (une arme à feu) en position de tir : ***Armer** un fusil* ; par ext. : ***Armer** un mécanisme,* le rendre prêt à se déclencher. **4.** *Mar.* Équiper (un navire) des hommes et du matériel nécessaires à son exploitation. **Pronom.** Se munir d'une arme ; au fig. : *S'**armer** de courage ; S'**armer** contre l'adversité.* Fin Xe s. ; lat. *armare* ; [aʀme].

**ARMET, subst. m.**
Casque d'armure utilisé au XVIe s. XVIe s. ; ital. *elmetto*, de l'anc. fr. *helmet*, « petit heaume » ; [aʀmɛ].

**ARMILLAIRE, adj. et subst. m.**
**Adj.** *Sphère **armillaire*** : instrument de l'ancienne astronomie, fait de cercles emboîtés et articulés autour d'une sphère, censé représenter le mouvement des astres autour de la Terre et la mécanique céleste. **Subst.** *Bot.* Champignon parasite de certains arbres. 1557 ; lat. *armillarius*, de *armilla*, « bracelet » ; [aʀmilɛʀ].

**ARMILLES, subst. f. plur.**
*Archit.* Petites moulures entourant un chapiteau dorique. Fin XIIe s. ; lat. *armilla* ; [aʀmij].

**ARMISTICE, subst. m.**
Accord passé entre des belligérants, stipulant les conditions de suspension des hostilités : *La capitulation allemande de 1945 ne fut pas suivie d'un **armistice**.* 1680 ; lat. médiév. *armistitium* ; [aʀmistis].

**ARMOIRE, subst. f.**
**1.** Meuble de rangement, plus haut que large, et fermé par un ou plusieurs battants ; par anal. : *Une **armoire** à glace,* un individu de forte carrure (fam.). **2.** *Techn.* ▸ ***Armoire** frigorifique* : grand réfrigérateur. ▸ ***Armoire** électrique* : placard isolant enfermant une installation électrique. 1119 ; lat. *armarium*, « réserve d'armes » ; [aʀmwaʀ].

**ARMOIRIES, subst. f. plur.**
*Hérald.* Ensemble des signes et des ornements qui entrent dans la composition des blasons. Déb. XIVe s. ; anc. fr. *armoyer* ; [aʀmwaʀi].

**ARMOISE, subst. f.**
*Bot.* Plante type, aromatique ou médicinale, d'un genre comprenant notamment l'estragon, la citronnelle et le génépi. XIIe s. ; lat. *artemisia*, du gr. *artemisia*, « herbe d'Artémis » ; [aʀmwaz].

**ARMON, subst. m.**
Pièce du train d'une voiture à chevaux, où s'attache le timon. 1332 ; m. néerl. *arm*, « bras » ; [aʀmɔ̃].

**ARMORIAL, ALE, AUX, adj. et subst. m.**
**Adj.** Relatif aux armoiries : *Écu **armorial**.* **Subst.** Registre des armoiries d'une famille ou de la noblesse d'une région, d'un pays. 1611 ; ☞ *armoiries* ; [aʀmɔʀjal, o].

**ARMORICAIN, AINE, adj. et subst.**
De l'Armorique. **Subst. masc.** Dialecte celtique. 1838 ; bas lat. *armoricanus* ; [aʀmɔʀikɛ̃, ɛn].

**ARMORIER, verbe trans.** [6]
Orner d'armoiries ; empl. adj. : *Reliure **armoriée**.* Fin XVIIe s. ; ☞ *armoiries* ; [aʀmɔʀje].

**ARMURE, subst. f.**
**1.** *M. Â.* Équipement de protection métallique que revêtait l'homme d'armes. **2.** Fig. Protection, moyen de défense moral : *Une **armure** d'indifférence.* **3.** *Spéc.* ▸ *Électr.* Enveloppe de protection d'un câble. ▸ *Mus.* Armature. ▸ *Tiss.* Structure de tissage d'une étoffe. 1155 ; lat. *armatura* ; [aʀmyʀ].

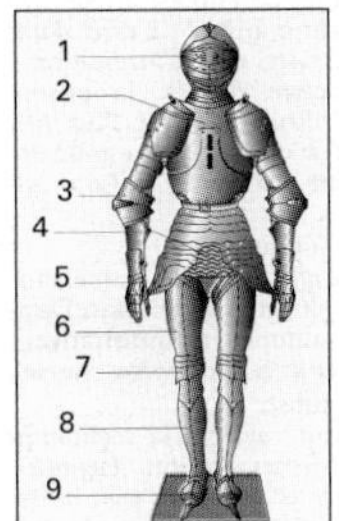


LES ÉLÉMENTS D'UNE ARMURE

1. *Bassinet.*
2. *Plastron.*
3. *Cubitière.*
4. *Cotte de mailles.*
5. *Gantelet.*
6. *Cuissard.*
7. *Genouillère.*
8. *Jambière.*
9. *Soleret.*

**ARMURERIE, subst. f.**
**1.** Profession de l'armurier. **2.** Magasin où sont entreposées des armes ; atelier où elles sont réparées ; boutique où elles sont vendues. 1364 ; ☞ *armure* ; [aʀmyʀʀi].

**ARMURIER, subst. m.**
**1.** Personne qui fabrique, répare, vend des armes. **2.** *Milit.* Sous-officier chargé de l'entretien des armes. Fin XIIIe s. ; ☞ *armure* ; [aʀmyʀje].

**ARNAQUE, subst. f.**
Escroquerie, duperie (fam.). 1833 ; ☞ *arnaquer* ; [aʀnak].

**ARNAQUER, verbe trans.** [3]
Voler, escroquer (fam.). 1835 ; argot *harnacher*, « amuser pour escroquer » ; [aʀnake].

**ARNAQUEUR, EUSE, subst.**
Escroc (fam.). 1895 ; ☞ *arnaquer* ; [aʀnakœʀ, øz].

**ARNICA, subst. f.**
**1.** *Bot.* Plante des montagnes, de la famille des Astéracées, toxique pour le système nerveux, appelée aussi tabac des Vosges. **2.** *Pharm. Teinture d'**arnica*** : remède contre les contusions et les entorses. 1697 ; lat. sc. *arnica*, p.-ê. du gr. *ptarmikê*, « qui fait éternuer » ; [aʀnika].

**AROLLE, subst. m. ou f.**
Helv. Pin montagnard. 1760 ; gallo-roman °*areilla*, du préroman °*arua* ; var. *arol(e)* ; [aʀɔl].

**AROMATE, subst. m.**
Substance végétale odoriférante utilisée en parfumerie, en pharmacie ou comme condiment. 1210 ; lat. *aromata* ; [aʀɔmat].

**AROMATHÉRAPIE, subst. f.**
*Pharm.* Utilisation thérapeutique d'huiles essentielles. V. 1970 ; ☞ *aromatique* + *-thérapie* ; [aʀɔmateʀapi].

**AROMATIQUE, adj.**
**1.** Qui est de la nature des aromates, ou qui en possède les propriétés odoriférantes. **2.** *Chim.* Qualifie les composés organiques dérivés du benzène ; empl. subst. masc., composé **aromatique.** XIIIe s. ; bas lat. *aromaticus* ; [aʀɔmatik].

**AROMATISANT, subst. m.**
Substance, produit de synthèse servant à aromatiser. V. 1960 ; p. pr. de *aromatiser* ; [aʀɔmatizɑ̃].

**AROMATISATION, subst. f.**
**1.** *Pharm.* Action d'aromatiser une préparation. **2.** *Chim.* Transformation en un carbure aromatique. XVIe s. ; ☞ *aromatiser* ; [aʀɔmatizasjɔ̃].

**AROMATISER, verbe trans.** [3]
Parfumer (une préparation culinaire, pharmaceutique) avec une substance aromatique. XIIIe s. (mil. Xe s., embaumer un corps) ; ☞ *aromate* ; [aʀɔmatize].

**ARÔME, subst. m.**
**1.** Principe odorant d'une substance. **2.** Ext. Parfum. 1125 ; lat. *aroma* ; var. *arome* (vx) ; [aʀom].

**ARONDE, subst. f.**
**1.** Vx. Hirondelle. **2.** *Menuis. Assemblage à, en queue d'**aronde*** : avec un tenon et une mortaise taillés en forme de queue d'hirondelle. Déb. XIIe s. ; lat. *hirundo* ; [aʀɔ̃d].

**ARPÈGE, subst. m.**
*Mus.* Accord dont les notes sont égrenées l'une après l'autre (anton. *accord plaqué*). 1751 ; ital. *arpeggio*, de *arpa*, « harpe » ; [aʀpɛʒ].

**ARPÉGER, verbe trans.** [9]
*Mus.* Jouer en arpèges : ***Arpéger** les accords.* 1751 ; ☞ *arpège* ; [aʀpeʒe].

**ARPENT, subst. m.**
**1.** Ancienne mesure de surface qui, selon les régions, allait de 20 à 50 ares. **2.** Québ. Mesure de longueur (58,47 m) ou de surface (34,20 a). 1086 ; lat. *arepennis* ; [aʀpɑ̃].

**ARPENTAGE, subst. m.**
Action de mesurer la superficie d'un terrain ; ensemble des techniques utilisées pour ce faire. 1293 ; ☞ *arpent* ; [aʀpɑ̃taʒ].

**ARPENTER, verbe trans.** [3]
**1.** Mesurer la superficie de (une terre), autrefois en arpents, auj. en ares. **2.** Fig. Parcourir (un espace) à grands pas. Mil. XIIIe s. ; ☞ *arpent* ; [aʀpɑ̃te].

**ARPENTEUR, EUSE, subst.**
**Masc.** Personne dont le métier est de relever les mesures d'un terrain. **Fém.** *Zool.* Chenille de la phalène, appelée géomètre. Déb. XIVe s. ; ☞ *arpenter* ; [aʀpɑ̃tœʀ, øz].

**ARPÈTE, subst.**
Jeune apprenti ou apprentie (fam.). 1858 ; all. *Arbeiter,* « travailleur » ; var. *arpette* ; [aʀpɛt].

**ARPION, subst. m.**
Argot. Pied ; par méton., orteil. 1827 (1628, main) ; prov. *arpi(h)oun,* « petite griffe » ; [aʀpjɔ̃].

**ARQUÉ, ÉE, adj.**
Courbé comme un arc : *Des sourcils fortement **arqués**.* 1530 ; p. p. de *arquer* ; [aʀke].

**ARQUEBUSADE, subst. f.**
Coup d'arquebuse (vx). 1475 ; ☞ *arquebuse* ; [aʀkəbyzad].

**ARQUEBUSE, subst. f.**
Arme d'épaule, utilisée à la Renaissance, que l'on faisait partir au moyen d'une mèche ou avec un rouet déclenchant une étincelle. 1475 ; all. *Hakenbüchse,* du néerl. *haakbus* ; [aʀkəbyz].

**ARQUEBUSIER, subst. m.**
Soldat armé d'une arquebuse ; fabricant d'arquebuses. Mil. XVIe s. ; ☞ *arquebuse* ; [aʀkəbyzje].

**ARQUER, verbe [3]**
**Trans.** Donner à (un objet, un matériau) la courbure d'un arc. **Intrans. 1.** *Techn.* Devenir courbe : *Une poutre qui **arque**.* **2.** Marcher, bouger (pop.). 1266 ; lat. *arcuare,* « courber en arc » ; [aʀke].

**ARRACHAGE, subst. m.**
Action d'arracher une plante, un végétal. 1597 ; ☞ *arracher* ; [aʀaʃaʒ].

**ARRACHÉ, subst. m.**
*Sp.* Mouvement d'un haltérophile qui soulève la barre au-dessus de sa tête d'un seul coup, bras tendus. ▸ Loc. **À l'arraché.** En faisant un effort considérable, presque désespéré : *Obtenir un contrat à l'**arraché**.* 1894 ; p. p. de *arracher* ; [aʀaʃe].

**ARRACHEMENT, subst. m.**
**1.** Action d'arracher ; son résultat. **2.** Fig. Séparation violente, brutale ; la souffrance qui en résulte. **3.** *Géomorph.* Cicatrice d'un éboulement. XIVe s. ; ☞ *arracher* ; [aʀaʃmɑ̃].

**ARRACHE-PIED (D'), loc. adv.**
De manière acharnée : *Travailler, lutter **d'arrache-pied**.* 1515 ; comp. de *arracher* et de *pied* ; [daʀaʃpje].

**ARRACHER, verbe trans. [3]**
**1.** Déraciner (une plante). **2.** Anal. Détacher, extraire (un objet) de son logement, au prix d'un certain effort : ***Arracher** une dent, un clou* ; au fig. : ***Arracher** un sourire à qqn.* **3.** Prendre de force : *Il m'**arracha** le livre des mains* ; au fig. : *La sonnerie l'**arracha** à ses rêveries.* **4.** Obtenir en luttant ou de justesse : ***Arracher** la victoire.* **Pronom. 1.** ***S'arracher** qqn ou qqch.* : se disputer sa présence ou sa possession. **2. S'arracher de, à.** Quitter avec peine : ***S'arracher** des bras de qqn* ; empl. abs., partir (pop.). **3.** Loc. *À **s'arracher** les cheveux* : désespérant (fam.). Déb. XIIe s. ; lat. *eradicare* ; [aʀaʃe].

**ARRACHEUR, EUSE, subst.**
Personne qui arrache : ***Arracheur** de betteraves.* ▸ Loc. *Mentir comme un **arracheur** de dents* : effrontément. **Fém.** Machine qui arrache des racines ou des tubercules. XIIIe s. ; ☞ *arracher* ; [aʀaʃœʀ, øz].

**ARRACHIS, subst. m.**
**1.** Action d'arracher un végétal. **2.** Plant arraché. 1260 ; ☞ *arracher* ; [aʀaʃi].

**ARRAISONNEMENT, subst. m.**
*Mar.* Action d'arraisonner un navire. 1866 ; ☞ *arraisonner* ; [aʀɛzɔnmɑ̃].

**ARRAISONNER, verbe trans. [3]**
**1.** Vx. Interpeller (qqn) pour tenter de le raisonner. **2.** *Mar.* Aborder (un navire) pour procéder à de multiples contrôles. Fin XIe s. ; ☞ *raisonner* + *a-*¹ ; [aʀɛzɔne].

**ARRANGEANT, ANTE, adj.**
Accommodant, conciliant : *Elle n'est guère **arrangeante**.* 1863 ; p. pr. de *arranger* ; [aʀɑ̃ʒɑ̃, ɑ̃t].

**ARRANGEMENT, subst. m.**
**1.** Action d'agencer, de mettre dans un certain ordre ; son résultat. **2.** Entente entre deux parties : *Conclure un **arrangement*** ; au plur., dispositions que l'on prend pour régler une situation. **3.** *Math.* ***Arrangement** de p éléments d'un ensemble E ayant n éléments* : sous-ensemble de *p* éléments de E rangés (choisis) dans un certain ordre. Le nombre d'**arrangements** de *p* éléments de E, noté $A_n^p$ ($1 \leqslant p \leqslant n$) est $A_n^p = n\,(n-1)\,(n-2)...(n-p+1)$. **4.** *Mus.* Adaptation d'un morceau ou d'une œuvre à une nouvelle orchestration, à un autre moyen instrumental ou vocal. XIIIe s. ; ☞ *arranger* ; [aʀɑ̃ʒmɑ̃].

**ARRANGER, verbe trans. [5]**
**1.** Mettre ou remettre dans un certain ordre qui plaît ou qui convient mieux, aménager, redisposer : ***Arranger** des fleurs dans un vase* ; par anal., présenter à son gré, au mépris de la vérité : ***Arranger** les faits.* **2.** Réparer : ***Arranger** une montre.* ▸ Par antiphr. ***Arranger** qqn* : le maltraiter en paroles ou physiquement (fam.). **3.** Régler (une dispute, un différend). **4.** Organiser : ***Arranger** une rencontre.* **5.** Convenir à : *Cet horaire l'**arrange** peu.* **6.** *Mus.* Réaliser un arrangement. **Pronom. 1.** Rendre son apparence plus plaisante : *Elle ne sait pas **s'arranger**.* **2.** S'améliorer : *Ses affaires **s'arrangent*** ; empl. fam. : *Il ne **s'arrange** pas !* **3.** Parvenir à un accord : ***S'arranger** entre amis.* **4.** ***S'arranger** pour* : faire en sorte que, de. **5.** ***S'arranger** de qqch.* : s'en accommoder. 1160 ; ☞ *ranger* (I) + *a-*¹ ; [aʀɑ̃ʒe].

**ARRANGEUR, EUSE, subst.**
Personne qui réalise des arrangements musicaux. Déb. XVIIe s. ; ☞ *arranger* ; [aʀɑ̃ʒœʀ, øz].

**ARRENTER, verbe trans. [3]**
Louer (une terre) moyennant une rente (vx). 1213 ; ☞ *rente* + *a-*¹ ; [aʀɑ̃te].

**ARRÉRAGER, verbe intrans. [5]**
Être en retard de paiement, en parlant d'une rente ou d'un loyer. Fin XIIIe s. ; ☞ *arrérages* ; [aʀeʀaʒe].

**ARRÉRAGES, subst. m. plur.**
Ce qui, d'une rente, est échu ou reste dû. 1267 ; *arrère,* anc. forme de *arrière* ; [aʀeʀaʒ].

**ARRESTATION, subst. f.**
*Just.* Action d'appréhender qqn pour le conduire devant une autorité policière ou judiciaire ; son résultat. 1370 ; ☞ *arrêter* ; [aʀɛstasjɔ̃].

**L'Arrestation** de Ravachol, *de Meyer (1892). Bibliothèque nationale, Paris.*

**ARRÊT, subst. m.**
**1.** Action de cesser ou de faire cesser (une action, un mouvement) ; son résultat : *Descendre avant l'**arrêt** du train* ; *Un **arrêt** de travail.* ▸ Loc. *Sans **arrêt*** : sans interruption. ▸ *Chasse. Chien d'**arrêt*** : qui s'arrête dès qu'il sent le gibier (anton. *chien courant*). **2.** Méton. Endroit où l'on est arrêté : *Un **arrêt** de bus* ; objet servant à arrêter : *L'**arrêt** d'une serrure.* **3.** *Just.* ▸ Arrestation, état d'arrestation : *Mandat d'**arrêt*** ; *La maison d'**arrêt**,* la prison. ▸ Décision d'un tribunal : *Rendre un **arrêt**.* **Plur.** *Milit.* Sanction consistant à consigner un militaire dans un local précis : *Être aux **arrêts**.* Fin XIIe s. ; ☞ *arrêter* ; [aʀɛ].

**ARRÊTÉ, ÉE, adj. et subst. m.**
**Adj. 1.** Décidé : *C'est une affaire **arrêtée**.* **2.** Inébranlable, sans appel : *Une opinion **arrêtée**.* **Subst.** Décision exécutoire d'une autorité administrative : ***Arrêté** préfectoral.* Fin XIIe s. ; p. p. de *arrêter* ; [aʀete].

**ARRÊTE-BŒUF, subst. m.**
*Bot.* Plante dont les racines avaient la réputation d'arrêter le soc des charrues (synon. *bugrane*). 1545 ; comp. de *arrêter* et de *bœuf* ; plur. *arrête-bœuf(s)* ; [aʀɛtbœf], plur. [-bø].

**ARRÊTER, verbe [3]**
**Trans. 1.** Interrompre, faire cesser (le mouvement, l'action de qqch.) ; immobiliser, retenir : ***Arrêter** un train dans sa course* ; ***Arrêter** une hémorragie* ; ***Arrêter** un compte,* le clore ; au fig. : ***Arrêter** son regard sur qqch.,* le figer sur qqch. **2.** Déterminer : ***Arrêter** un rendez-vous, son choix.* **3.** Mettre en état d'arrestation : *Au nom de la loi, je vous **arrête** !* **4.** *Spéc.* ▸ *Cout.* Stopper : ***Arrêter** une maille.* ▸ *Joaill.* ***Arrêter** une pierre* : la sertir. **Intrans.** Cesser de (empl. abusif) : ***Arrêter** de fumer* ; empl. abs. : *Ça suffit, **arrêtez** !* **Pronom. 1.** S'immobiliser, faire halte : ***S'arrêter** devant un tableau.* **2.** Cesser d'agir, de fonctionner : *Le moteur **s'arrête*** ; *La pendule **s'est arrêtée**.* **3.** Se terminer : *La route **s'arrête** là.* **4.** Prendre garde (à qqch.), fixer son attention (sur qqch.) : ***S'arrêter** sur un détail.* Déb. XIIe s. ; lat. pop. *°arrestare* ; [aʀete].

**ARRÊTISTE, subst. m.**
*Dr.* Juriste qui commente les arrêts des cours de justice (vx). 1762 ; ☞ *arrêter* ; [aʀetist].

**ARRÊTOIR, subst. m.**
*Techn.* Dispositif permettant d'arrêter le mouvement d'une pièce à l'intérieur d'un mécanisme. 1838 ; ☞ *arrêter* ; [aʀɛtwaʀ].

**ARRHES, subst. f. plur.**
Somme versée par le client à la conclusion d'un contrat, qui sert de garantie et de dédommagement en cas de dédit. Mil. XIIe s. ; lat. *arra,* « gage » ; [aʀ].

**ARRIÉRATION, subst. f.**
**1.** État de ce qui est arriéré. **2.** *Psych.* État d'une personne arriérée : *Syndrome d'**arriération** mentale.* Déb. XXe s. ; ☞ *arriérer* ; [aʀjeʀasjɔ̃].

**ARRIÈRE, adv., adj. inv. et subst. m.**
**Adv. 1.** Du côté opposé à l'avant : *Naviguer vent **arrière**,* avec le vent dans le dos. **2.** Loc. ▸ **En arrière.** Dans la direction opposée à l'avant : *Se balancer d'avant en **arrière*** ; *Retourner en **arrière*** ; par ell. : ***Arrière**, Satan !* ; *Faire machine en **arrière*** (vieilli) ou, par ell., *machine **arrière*** (☞ *machine*) ▸ Loc. prép. **En arrière de.** En retrait de, derrière : *Timide, il se tenait en **arrière** du groupe.* **Adj.** Qui est situé à l'**arrière** : *Les portes **arrière** d'un véhicule* ; *La malle **arrière**.* **Subst. 1.** Côté opposé à l'avant : *L'**arrière** d'un bâtiment, d'un véhicule* ; *Regarder vers l'**arrière**.* **2.** *Milit.* Zone ou population située en dehors des combats : *Prendre des nouvelles de l'**arrière**.* ▸ Au plur. Moyens logistiques situés en retrait du front : *Être coupé de ses **arrières*** ; au fig., possibilités de repli, solutions de rechange : *Protéger ses **arrières**.* **3.** *Sp.* Dans les sports collectifs, joueur placé en défense. Déb. XIIe s. ; lat. *ad retro,* « en arrière » ; [aʀjɛʀ].

**ARRIÉRÉ, ÉE, adj. et subst. m.**
**Adj. 1.** Qui reste impayé. **2.** Qui appartient à un temps révolu (péj.) : *Idées **arriérées**.* **3.** Qui manifeste un retard de développement : *Pays **arriéré**.* ▸ *Psych.* Dont le développement mental est insuffisant : *Une enfant **arriérée*** ; empl. subst., personne **arriérée**. **Subst. 1.** Retard de paiement. **2.** Ce qui est en retard : *Un **arriéré** de vacances.* 1740 ; p. p. de *arriérer* ; [aʀjeʀe].

**ARRIÈRE-BAN, subst. m.**
*Féod.* Levée des arrière-vassaux d'un seigneur : *Convoquer le ban et l'**arrière-ban*** (☞ *ban*). Mil. XIIe s. ; altér. de l'anc. fr. *herban,* « rachat de l'obligation de l'ost » ; plur. *arrière-bans* ; [aʀjɛʀbɑ̃].

**ARRIÈRE-BOUCHE, subst. f.**
Partie postérieure de la bouche. 1805 ; comp. de *arrière* et de *bouche* ; plur. *arrière-bouches* ; [aʀjɛʀbuʃ].

**ARRIÈRE-BOUTIQUE, subst. f.**
Local situé à l'arrière d'une boutique. 1508 ; comp. de *arrière* et de *boutique* ; plur. *arrière-boutiques* ; [aʀjɛʀbutik].

**ARRIÈRE-CERVEAU, subst. m.**
*Anat.* Partie postérieure du cerveau ; chez l'embryon, portion arrière du cerveau, d'où sont issus le bulbe rachidien, le pont de Varole et le cervelet (synon. *rhombencéphale*). 1879 ; comp. de *arrière* et de *cerveau* ; plur. *arrière-cerveaux* ; [aʀjɛʀsɛʀvo].

**ARRIÈRE-CHŒUR, subst. m.**
*Archit.* Chœur séparé du maître-autel par une grille ou un voile. 1708 ; comp. de *arrière* et de *chœur* ; plur. *arrière-chœurs* ; [aʀjɛʀkœʀ].

**ARRIÈRE-CORPS, subst. m. inv.**
*Archit.* Partie d'une construction située en retrait de la façade. 1546 ; comp. de *arrière* et de *corps* ; [aʀjɛʀkɔʀ].

**ARRIÈRE-COUR, subst. f.**
*Archit.* Cour située sur l'arrière d'un bâtiment.

◻ 1586 ; comp. de *arrière* et de *cour* ; plur. *arrière-cours* ; [aʀjɛʀkuʀ].

**ARRIÈRE-COUSIN, -COUSINE, subst.**
Cousin, cousine à un degré éloigné. ◻ 1752 ; comp. de *arrière* et de *cousin* (I) ; plur. *arrière-cousins, -cousines* ; [aʀjɛʀkuzɛ̃, -kuzin].

**ARRIÈRE-CUISINE, subst. f.**
*Archit.* Pièce de rangement située en retrait de la cuisine. ◻ 1913 ; comp. de *arrière* et de *cuisine* ; plur. *arrière-cuisines* ; [aʀjɛʀkɥizin].

**ARRIÈRE-FOND, subst. m.**
**1.** Partie la plus secrète d'une chose, d'un être ; tréfonds. **2.** Arrière-plan. ◻ 1842 ; comp. de *arrière* et de *fond* ; plur. *arrière-fonds* ; [aʀjɛʀfɔ̃].

**ARRIÈRE-GARDE, subst. f.**
**1.** *Milit.* Élément d'une formation militaire dont la mission est de protéger les arrières. ▸ Loc. *Mener des combats d'**arrière-garde*** : continuer à se battre alors qu'il n'y a plus d'espoir. **2.** Anal. Ensemble des partisans d'une théorie dépassée. ◻ Déb. XIIe s. ; comp. de *arrière* et de *garde* (I) ; plur. *arrière-gardes* ; [aʀjɛʀgaʀd].

**ARRIÈRE-GORGE, subst. f.**
Partie encore visible du pharynx, située derrière les amygdales. ◻ 1831 ; comp. de *arrière* et de *gorge* ; plur. *arrière-gorges* ; [aʀjɛʀgɔʀʒ].

**ARRIÈRE-GOÛT, subst. m.**
**1.** Goût qui persiste ou se manifeste après l'ingestion d'un mets, d'une boisson. **2.** Fig. Impression, souv. désagréable, laissée par qqch. ◻ Fin XVIIIe s. ; comp. de *arrière* et de *goût* ; plur. *arrière-goûts* ; [aʀjɛʀgu].

**ARRIÈRE-GRAND-MÈRE, subst. f.**
Mère du grand-père ou de la grand-mère. ◻ 1787 ; comp. de *arrière* et de *grand-mère* ; plur. *arrière-grand(s)-mères* ; [aʀjɛʀgʀɑ̃mɛʀ].

**ARRIÈRE-GRAND-ONCLE, subst. m.**
Frère de l'arrière-grand-père ou de l'arrière-grand-mère. ◻ 1866 ; comp. de *arrière* et de *grand-oncle* ; plur. *arrière-grands-oncles* ; [aʀjɛʀgʀɑ̃tɔ̃kl], plur. [-gʀɑ̃zɔ̃kl].

**ARRIÈRE-GRAND-PÈRE, subst. m.**
Père du grand-père ou de la grand-mère. ◻ 1787 ; comp. de *arrière* et de *grand-père* ; plur. *arrière-grands-pères* ; [aʀjɛʀgʀɑ̃pɛʀ].

**ARRIÈRE-GRANDS-PARENTS, subst. m. plur.**
Parents des grands-parents. ◻ Mil. XXe s. ; comp. de *arrière* et de *grands-parents* ; [aʀjɛʀgʀɑ̃paʀɑ̃].

**ARRIÈRE-GRAND-TANTE, subst. f.**
Sœur de l'arrière-grand-père ou de l'arrière-grand-mère. ◻ 1900 ; comp. de *arrière* et de *grand-tante* ; plur. *arrière-grand(s)-tantes* ; [aʀjɛʀgʀɑ̃tɑ̃t].

**ARRIÈRE-MAIN, subst. m.**
Train arrière d'un animal de selle. ◻ Fin XIIe s. ; comp. de *arrière* et de *main* ; plur. *arrière-mains* ; [aʀjɛʀmɛ̃].

**ARRIÈRE-NEVEU, -NIÈCE, subst.**
Fils, fille du neveu ou de la nièce. ◻ XIVe s. ; comp. de *arrière* et de *neveu, nièce* ; plur. *arrière-neveux, -nièces* ; [aʀjɛʀnəvø, -njɛs].

**ARRIÈRE-PAYS, subst. m. inv.**
Partie d'une région maritime en retrait du littoral. ◻ 1921 ; comp. de *arrière* et de *pays* (I) ; [aʀjɛʀpei].

**ARRIÈRE-PENSÉE, subst. f.**
Pensée que l'on garde cachée. ◻ 1587 ; comp. de *arrière* et de *pensée* (I) ; plur. *arrière-pensées* ; [aʀjɛʀpɑ̃se].

**ARRIÈRE-PETIT-FILS, -PETITE-FILLE, subst.**
Fils, fille des petits-enfants. ◻ 1559 au masc., 1637 au fém. ; comp. de *arrière* et de *petit-fils, petite-fille* ; plur. *arrière-petits-fils, -petites-filles* ; [aʀjɛʀpətifis, -pətitfij].

**ARRIÈRE-PETIT-NEVEU, -PETITE-NIÈCE, subst.**
Fils, fille d'un petit-neveu ou d'une petite-nièce. ◻ 1751 au masc., 1866 au fém. ; comp. de *arrière* et de *petit-neveu, petite-nièce* ; plur. *arrière-petits-neveux, -petites-nièces* ; [aʀjɛʀpətinəvø, -pətitnjɛs].

**ARRIÈRE-PETITS-ENFANTS, subst. m. plur.**
Enfants des petits-enfants. ◻ 1555 ; comp. de *arrière* et de *petits-enfants* ; [aʀjɛʀpətizɑ̃fɑ̃].

**ARRIÈRE-PLAN, subst. m.**
**1.** Ce qui est situé le plus loin de l'œil du spectateur ou au fond d'une perspective. **2.** Fig. Position secondaire : *Être relégué à l'**arrière-plan.*** ◻ 1811 ; comp. de *arrière* et de *plan* (I) ; plur. *arrière-plans* ; [aʀjɛʀplɑ̃].

**ARRIÈRE-PORT, subst. m.**
Partie la plus en retrait d'un port. ◻ 1866 ; comp. de *arrière* et de *port* (I) ; plur. *arrière-ports* ; [aʀjɛʀpɔʀ].

**ARRIÉRER, verbe trans.** [8]
Différer (vx) : ***Arriérer** un remboursement.* ◻ 1285 (1263, porter préjudice) ; ☞ *arrière* ; [aʀjeʀe].

**ARRIÈRE-SAISON, subst. f.**
Fin de l'automne. ◻ Fin XVe s. ; comp. de *arrière* et de *saison* ; plur. *arrière-saisons* ; [aʀjɛʀsɛzɔ̃].

**ARRIÈRE-SALLE, subst. f.**
Salle qui, dans les cafés, les restaurants, prolonge à l'arrière la salle principale. ◻ 1853 ; comp. de *arrière* et de *salle* ; plur. *arrière-salles* ; [aʀjɛʀsal].

**ARRIÈRE-TRAIN, subst. m.**
**1.** Partie postérieure du corps d'un quadrupède. **2.** Fesses d'une personne (fam.). ◻ 1827 ; comp. de *arrière* et de *train* ; plur. *arrière-trains* ; [aʀjɛʀtʀɛ̃].

**ARRIÈRE-VASSAL, subst. m.**
*Féod.* Vassal d'un suzerain lui-même vassal d'un autre seigneur. ◻ 1599 ; comp. de *arrière* et de *vassal* ; plur. *arrière-vassaux* ; [aʀjɛʀvasal], plur. [-so].

**ARRIÈRE-VOUSSURE, subst. f.**
*Archit.* Voûte couronnant l'embrasure intérieure d'une porte, d'une fenêtre. ◻ 1561 ; comp. de *arrière* et de *voussure* ; plur. *arrière-voussures* ; [aʀjɛʀvusyʀ].

**ARRIMAGE, subst. m.**
Action d'arrimer ; son résultat. ◻ 1398 ; ☞ *arrimer* ; [aʀimaʒ].

**ARRIMER, verbe trans.** [3]
**1.** Ranger (la cargaison d'un navire) selon son poids et la fixer solidement. **2.** Ext. Attacher avec soin (tout chargement). ◻ 1361 ; m. angl. *rimen*, « faire place à » ; [aʀime].

**ARRIMEUR, subst. m.**
Docker chargé d'arrimer la cargaison dans la cale d'un navire. ◻ 1398 ; ☞ *arrimer* ; [aʀimœʀ].

**ARRISER, voir ARISER**

**ARRIVAGE, subst. m.**
**1.** Arrivée à destination de marchandises, par tout moyen de transport. **2.** Méton. Ces marchandises : *Un **arrivage** de premier choix* ; par ext. : *Un **arrivage** de touristes* (fam.). ◻ 1260 ; ☞ *arriver* ; [aʀivaʒ].

**ARRIVANT, ANTE, subst.**
Personne qui arrive quelque part : *Fêter les nouveaux **arrivants**.* ◻ 1801 ; p. pr. de *arriver* ; [aʀivɑ̃, ɑ̃t].

**ARRIVÉ, ÉE, adj. et subst.**
**1.** Qualifie ou désigne celui ou celle qui a atteint sa destination : *Le premier **arrivé** sera le premier servi.* **2.** Se dit d'une personne qui a réussi socialement. ◻ XVIIIe s. ; p. p. de *arriver* ; [aʀive].

**ARRIVÉE, subst. f.**
**1.** Action d'arriver ; moment où a lieu cette action : *L'**arrivée** des vacanciers* ; *Heure d'**arrivée**.* **2.** Fig. Apparition : *L'**arrivée** de l'orage, du printemps.* **3.** Lieu où l'on arrive à destination : *L'**arrivée** d'une course* ; *À l'**arrivée**, un grog nous attendait.* **4.** *Techn.* Canalisation amenant un fluide : *Une **arrivée** d'eau.* ◻ 1527 ; p. p. de *arriver* ; [aʀive].

**ARRIVER, verbe intrans.** [3]
**I. 1.** Vx. *Mar.* Toucher la rive. ▸ Loc. ***Arriver** à bon port* : rejoindre sa destination sans problème. **2.** Parvenir au terme d'un déplacement : *Nous **arriverons** dimanche* ; par anal., déboucher sur : *Le chemin **arrivait** à une crique* ; par ext., s'élever à (un certain niveau) : *L'eau lui **arrivait** jusqu'aux genoux.* ▸ Loc. *Ne pas **arriver** à la cheville de qqn* : être loin de l'égaler. **3.** Venir : ***Arriver** par la route* ; ***Arriver** à l'improviste* ; ***Arriver** premier*, être classé premier ; par anal., être imminent, approcher : *Le froid **arrive**.* **II.** Fig. **1.** Atteindre un état, un but : ***Arriver** à la quarantaine* ; ***Arriver** à une conclusion.* ▸ Réussir : ***Arriver** à ses fins* ; ***Arriver** à comprendre.* ▸ Loc. *En **arriver** à* : être près de. **2.** Jouir d'une réussite sociale : ***Arriver** à force de travail.* **III.** Se produire, avoir lieu : *Un malheur n'**arrive** jamais seul* ; *Cela peut **arriver** à tout le monde* ; empl. impers. : *Il m'**arrive** une aventure peu banale* ; *Il **arrive** parfois qu'on se trompe.* ◻ Mil. XIe s. ; lat. *arripare*, de *ripa*, « rive » ; [aʀive].

**ARRIVISME, subst. m.**
Mentalité, comportement de l'arriviste. ◻ 1903 ; ☞ *arriviste* ; [aʀivism].

**ARRIVISTE, subst.**
Personne sans scrupule, qui veut réussir à tout prix. ◻ 1893 ; ☞ *arriver* ; [aʀivist].

**ARROCHE, subst. f.**
*Bot.* Plante de la famille des Chénopodiacées, à feuilles triangulaires, dont une espèce est comestible. ◻ XVe s. ; lat. *atriplex*, du gr. *atraplax*, « traduction » ; [aʀɔʃ].

**ARROGANCE, subst. f.**
Attitude qui allie la morgue à l'insolence. ◻ 1160 ; lat. *arrogantia* ; [aʀɔgɑ̃s].

**ARROGANT, ANTE, adj.**
Qui manifeste ou témoigne de l'arrogance ; empl. subst. : *Va contre un **arrogant** éprouver ton courage* (P. Corneille). ◻ XIIIe s. ; lat. *arrogans* ; [aʀɔgɑ̃, ɑ̃t].

**ARROGER (S'), verbe pronom.** [5]
S'octroyer indûment, s'approprier (qqch.) : ***Ils se sont arrogé** les bénéfices* ; *Les droits qu'il **s'est arrogés**.* ◻ 1538 (1484, adopter) ; lat. *arrogare* ; [aʀɔʒe].

**ARROI, subst. m.**
Train, équipage accompagnant un personnage (vx) : *Se déplacer en grand **arroi**.* ◻ 1285 ; anc. fr. *areer*, « arranger » ; [aʀwa].

**ARRONDI, IE, adj. et subst. m.**
**Adj. 1.** De forme approximativement ronde : *Des ciseaux à l'extrémité **arrondie**.* **2.** *Phon.* Qualifie certains phonèmes qui se prononcent en arrondissant les lèvres ([ə], [o], [y], [u], [my]...). **Subst. 1.** Profil, contour **arrondi** : *L'**arrondi** des épaules, d'un visage.* **2.** *Aéron.* Courbe décrite par la trajectoire d'un avion, lui permettant d'aborder tangentiellement la piste d'atterrissage. ◻ Fin XIIIe s. ; p. p. de *arrondir* ; [aʀɔ̃di].

**ARRONDIR, verbe trans.** [19]
**1.** Donner une forme arrondie à : *La maternité **arrondit** les hanches* ; ***Arrondir** les yeux*, les écarquiller d'étonnement. ▸ Loc. fig. ***Arrondir** les angles* : montrer un esprit conciliant ; ***Arrondir** le caractère*, l'assouplir. **2.** Accroître, augmenter : ***Arrondir** sa fortune, son domaine.* **3.** Substituer à (un nombre) le nombre rond le plus approchant de sa valeur réelle : ***Arrondir** une somme au franc supérieur.* **4.** *Spéc.* ▸ *Cout.* ***Arrondir** une jupe* : en tracer l'ourlet de sorte qu'il soit partout à égale distance du sol. ▸ *Mar.* ***Arrondir** un cap, un récif* : passer au large. **Pronom.** Devenir rond ; s'enfler ; grossir. ◻ Mil. XIIIe s. ; ☞ *rond* + *a-*[1] ; [aʀɔ̃diʀ].

**ARRONDISSAGE, subst. m.**
*Techn.* Action d'arrondir une chose : *L'**arrondissage** d'une meule.* ◻ 1838 ; ☞ *arrondir* ; [aʀɔ̃disaʒ].

**ARRONDISSEMENT, subst. m.**
**1.** Vieilli. Action d'arrondir, de s'arrondir ; son résultat. ▸ Fig. Extension (vx) : *L'**arrondissement** des frontières.* **2.** Ext. *Admin.* ▸ Division d'un département formant une circonscription et regroupant plusieurs cantons. ▸ Chacune des subdivisions de Paris, de Lyon et de Marseille. **3.** Action d'arrondir un nombre. ◻ 1458 ; ☞ *arrondir* ; [aʀɔ̃dismɑ̃].

**ARROSAGE, subst. m.**
Action d'arroser ; son résultat. ◻ 1611 ; ☞ *arroser* ; [aʀozaʒ].

**ARROSER, verbe trans.** [3]
**1.** Apporter l'eau nécessaire à : ***Arroser** la terre, les cultures* ; *La pluie **arrose** le jardin.* ▸ Loc. *Se faire **arroser*** : se faire mouiller par la pluie. **2.** Baigner, traverser, en parlant d'un cours d'eau : *Le Rhône **arrose** Lyon.* **3.** Mouiller d'un liquide quelconque : ***Arroser** un rôti avec son jus pendant la cuisson* ; ***Arroser** son café*, y ajouter un alcool. **4.** Accompagner (un repas) de vin ou de toute autre boisson alcoolisée. ▸ Fam. ***Arroser** un évènement* : le fêter en buvant de l'alcool ; empl. pronom. : *Ça **s'arrose** !* **5.** Fig. Verser un pot-de-vin, corrompre (fam.). **6.** *Milit.* Mitrailler, bombarder intensément (pop.). ◻ Déb. XIIe s. ; lat. pop. °*arrosare*, du lat. *ros*, « rosée » ; [aʀoze].

**ARROSEUR, EUSE, subst.**
Personne employée à l'arrosage : *Un **arroseur** municipal* ; *« L'**Arroseur** arrosé », film de Louis Lumière.* **Masc.** Dispositif d'arrosage automatique. **Fém.** Véhicule servant à l'arrosage des voies publiques. ◻ 1559 ; ☞ *arroser* ; [aʀozœʀ, øz].

**ARROSOIR, subst. m.**
Récipient portatif destiné à l'arrosage des plantes. ◻ 1365 ; ☞ *arroser* ; [aʀozwaʀ].

**ARROW-ROOT, subst. m.**
*Bot.* Plante d'Amérique tropicale dont les rhizomes fournissent une fécule comestible. ◻ 1831 ; angl. *arrowroot*, de *arrow*, « flèche », et de *root*, « racine » ; plur. *arrow-roots* ; [aʀoʀut].

**ARROYO, subst. m.**
Petit cours d'eau temporaire des régions tropicales, en partic. deltaïques. ◻ 1885 ; mot esp. ; [aʀojo].

**ARS, subst. m.**
*Hippol.* Point de jonction, chez le cheval, entre les membres antérieurs et le poitrail. 1213 ; lat. *armus*, « épaule (d'un animal) » ; [aʀ(s)].

**ARSENAL, subst. m.**
**1.** Lieu où l'on construit, répare, ravitaille et arme les navires de guerre : *L'**arsenal** de Toulon* ; par ext., atelier de fabrication des matériels de l'armée de terre (vx). **2.** Dépôt d'armes et de munitions ; grande quantité d'armes : *L'impressionnant **arsenal** des terrorristes.* **3.** Anal. Équipement, matériel, outillage spécifique : *L'**arsenal** de gouges du sculpteur* ; au fig., série de moyens d'action : *Un **arsenal** de lois.* Mil. XIIIe s. ; ital. *arsenale*, de l'ar. *dār al-ṣinā'a*, « atelier » ; plur. *arsenaux* ; [aʀsənal], plur. [-no].

**ARSÉNIATE, subst. m.**
*Chim.* Sel ou ester de l'acide arsénique, toxique, existant à l'état naturel dans certaines eaux thermales. 1782 ; ☞ *arsenic* ; [aʀsenjat].

**ARSENIC, subst. m.**
*Chim.* Élément no 33 de la table de Mendeleïev, intermédiaire entre les métaux et les non-métaux (symb. : As) ; masse atomique : 74,9216 ; point de fusion (sous 36 atmosphères) : 817 °C ; point de sublimation : 613 °C ; masse volumique : 5,7 g/cm³. L'**arsenic** peut se comporter soit comme un métal – il donne alors des sels d'**arsenic**, appelés arséniures –, soit comme un non-métal – donnant de l'acide arsénieux, de l'acide arsénique et des arséniates. 1393 ; lat. *arsenicum*, du gr. *arsenikon*, de *arsên*, « mâle » ; [aʀsənik].

**ARSENICAL, ALE, AUX, adj.**
Relatif à l'arsenic ; qui contient de l'arsenic : *Une potion **arsenicale**.* 1578 ; ☞ *arsenic* ; [aʀsənikal, o].

**ARSÉNIEUX, adj. m.**
*Chim.* Dérivé de l'arsenic : *Anhydride **arsénieux** ou arsenic blanc*, poison violent appelé aussi mort-aux-rats ($As_2O_3$). 1800 ; ☞ *arsenic* ; [aʀsenjø].

**ARSÉNIQUE, adj. m.**
*Chim.* Qualifie l'acide ($H_3AsO_4$) obtenu à partir de l'arsenic. XVIe s. ; lat. médiév. *arsenicus* ; [aʀsenik].

**ARSÉNITE, subst. m.**
*Chim.* Sel de l'acide arsénieux. 1803 ; ☞ *arsenic* ; [aʀsenit].

**ARSIN, adj. m.**
Endommagé par le feu, en parlant d'un bois sur pied, d'un arbre. Mil. XIIe s. ; anc. fr. *ars*, de *ardre*, « brûler » ; [aʀsɛ̃].

**ARSINE, subst. f.**
*Chim.* Corps dérivé de l'hydrogène, contenant de l'arsenic. Mil. XIXe s. ; ☞ *arsenic* ; [aʀsin].

**ARSOUILLE, subst.**
Argot. Voyou, canaille ; empl. adj. : *Une allure un peu **arsouille**.* 1792 ; orig. obsc. ; [aʀsuj].

**ART, subst. m.**
**I. 1.** Ensemble des connaissances théoriques et pratiques et de leurs applications propres à une activité, à un métier, à une technique : ***Art** militaire, vétérinaire* ; ***Art** culinaire* ; ***Art** oratoire.* ▸ *Un homme de l'**art*** : un spécialiste, en partic. un médecin. ▸ *Le grand **art*** : l'alchimie. ▸ Au plur. ***Arts** libéraux* : qui font appel aux facultés intellectuelles ; au Moyen Âge, les septs disciplines fondamentales de l'enseignement (grammaire, dialectique, rhétorique, arithmétique, géométrie, histoire, musique) ; ***Arts** mécaniques* : qui exigent un travail manuel ou mécanique ; ***Arts** ménagers* : ensemble des techniques visant à faciliter les tâches domestiques. **2.** Ext. Savoir-faire, aptitude, habileté : *L'**art** de plaire* ; *L'**art** de la conversation* ; *L'**art** de vivre*, disposition à rendre la vie agréable ; *L'**art** d'aimer* ; par iron. : *Avoir l'**art** de tout gâcher.* **II. 1.** Expression, à travers les créations humaines, d'un idéal de beauté : *Œuvres d'**art**.* ▸ Loc. *Dans les règles de l'**art*** : de manière correcte et selon la tradition ; *Pour l'amour de l'**art*** : gratuitement, pour le seul plaisir ; *L'**art** pour l'**art*** : l'**art** considéré comme un absolu. **2.** Ensemble des activités créatrices visant à cette expression : *Œuvre, objet d'**art*** ; *Amateur d'**art*** ; *Livre d'**art*** ; *Histoire de l'**art**.* **3.** Chacun des domaines où s'exercent ces activités créatrices : *L'**art** dramatique, lyrique* ; *Le septième **art***, le cinéma ; au plur. : *Les beaux-**arts*** ; *Les **arts** décoratifs* ; *Les **arts** plastiques* (☞ *plastique*) ; *Les **arts** mineurs*, l'orfèvrerie, la poterie, la reliure, etc. ; *Les **arts** d'agrément*, les **arts** mineurs pratiqués en amateur, telles la broderie ou l'aquarelle. **4.** Ensemble des œuvres d'un artiste, d'une école, d'une époque, d'un pays ou d'une culture : *L'**art** de Velázquez* ; *L'**art** abstrait* ; *L'**Art** nouveau*, se dit d'un style appliqué en partic. aux **arts** décoratifs et à l'architecture, apparu en Europe au début du XXe s. (☞ *nouveau*) ; *L'**art** polonais* ; *L'**art** asiatique.* **5.** Virtuosité, maîtrise de l'artiste : *L'**art** de Maria Callas.* Fin XIe s. ; lat. *ars* ; [aʀ].

**ARTEFACT, subst. m.**
Phénomène artificiel, observé lors d'une expérience, qui est le fait d'une intervention humaine. 1905 ; angl. *artefact*, du lat. *ars*, « art », et *facere*, « faire » ; var. *artéfact* ; [aʀtefakt].

**ARTEL, subst. m.**
**1.** Coopérative agricole ou artisanale, dans l'ancienne Russie. **2.** Ext. Toute association corporative. 1800 ; russe *artel'*, « association ; commune », prob. de l'ital. *artieri*, « artisans » ; [aʀtɛl].

**ARTÈRE, subst. f.**
**1.** *Anat.* Gros vaisseau qui conduit le sang du cœur à tout l'organisme. **2.** Anal. Importante voie de communication urbaine. 1213 ; lat. *arteria*, du gr. *artêria* ; [aʀtɛʀ].

**ARTÉRIECTOMIE, subst. f.**
*Chir.* Résection d'un segment d'artère. 1931 ; formé de *artéri-* et de *-ectomie* ; [aʀteʀjɛktɔmi].

**ARTÉRIEL, ELLE, adj.**
Qui se rapporte aux artères : *Tension, pression **artérielle*** ; *Sang **artériel***, sang rouge oxygéné. 1314 ; lat. médiév. *arterialis* ; [aʀteʀjɛl].

**ARTÉRIOGRAPHIE, subst. f.**
*Méd.* Radiographie des artères et de leurs canaux, après injection d'une substance opaque aux rayons X. Déb. XXe s. (1771, description des artères) ; formé de *artério-* et de *-graphie* ; [aʀteʀjɔɡʀafi].

**ARTÉRIOLE, subst. f.**
*Anat.* Branche terminale d'une artère, très fine, reliée aux capillaires. 1673 ; ☞ *artère* ; [aʀteʀjɔl].

**ARTÉRIOSCLÉREUX, EUSE, adj. et subst.**
*Pathol.* Se dit d'un malade atteint d'artériosclérose. **Adj.** Relatif ou propre à l'artériosclérose. 1907 ; ☞ *artériosclérose* ; [aʀteʀjɔskleʀø, øz].

**ARTÉRIOSCLÉROSE, subst. f.**
*Pathol.* Épaississement des fibres musculaires de la tunique moyenne et interne des artères, provoquant leur durcissement. 1833 ; ☞ *sclérose* + *artério-* ; [aʀteʀjɔskleʀoz].

**ARTÉRIOTOMIE, subst. f.**
*Chir.* Incision pratiquée dans la paroi d'une artère, le plus souvent pour extraire un caillot. Fin XVIe s. ; lat. médiév. *arteriotomia* ; [aʀteʀjɔtɔmi].

**ARTÉRITE, subst. f.**
*Pathol.* Nom générique des lésions inflammatoires ou dégénératives des artères, qui conduisent à l'épaississement de leur paroi ou à leur oblitération. 1836 ; ☞ *artère* + *-ite* ; [aʀteʀit].

**ARTÉSIEN, IENNE, subst. et adj.**
De l'Artois. **Adj.** *Puits **artésien*** : puits jaillissant alimenté par une nappe d'eau prisonnière entre deux couches imperméables, telle la nappe des Sables verts, dans l'Artois. 1530 (1242, monnaie de l'Artois) ; topon. *Artois* ; [aʀtezjɛ̃, jɛn].

**ARTHRITE, subst. f.**
*Pathol.* Inflammation, aiguë ou chronique, d'une articulation : ***Arthrite** déformante.* Fin XVIe s. ; bas lat. *arthritis*, du gr. *arthritis*, « goutte » ; [aʀtʀit].

*Coupe schématique d'un puits **artésien**.*

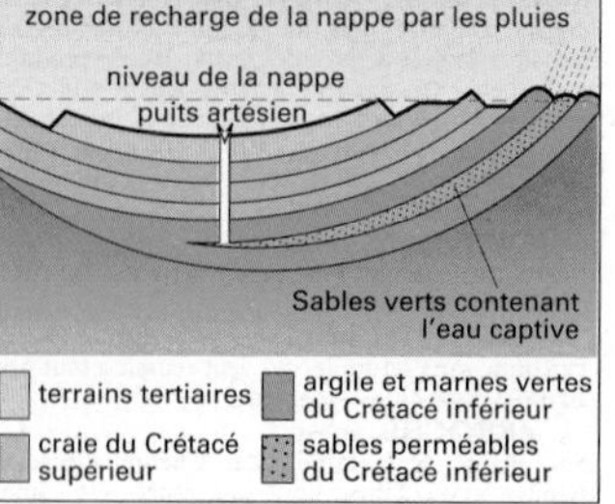


**ARTHRITIQUE, adj. et subst.**
*Pathol.* Se dit d'un malade souffrant d'arthrite ou d'arthritisme. **Adj.** Relatif ou propre à l'arthrite, à l'arthritisme. Fin XIIe s. ; lat. *arthriticus*, du gr. *arthritikos* ; [aʀtʀitik].

**ARTHRITISME, subst. m.**
*Pathol.* Maladie générale, en rapport avec des troubles du métabolisme, se manifestant par différentes pathologies telles que diabète, goutte, obésité (vieilli). 1865 ; ☞ *arthrite* ; [aʀtʀitism].

**ARTHRODÈSE, subst. f.**
*Chir.* Opération visant à bloquer définitivement une articulation malade. 1906 ; gr. *desis*, « action de lier », + *arthro-* ; [aʀtʀɔdɛz].

**ARTHROGRAPHIE, subst. f.**
*Méd.* Radiographie d'une articulation après injection d'un produit de contraste. 1958 ; formé de *arthro-* et de *-graphie* ; [aʀtʀɔɡʀafi].

**ARTHROPATHIE, subst. f.**
*Pathol.* Nom générique des différents types de maladies articulaires. 1865 ; formé de *arthro-* et de *-pathie* ; [aʀtʀɔpati].

**ARTHROPODES, subst. m. plur.**
*Zool.* Embranchement animal qui comprend notamment les Arachnides, les Crustacés et les Insectes. Ce sont des invertébrés dont le corps et les membres, recouverts de chitine, sont formés de parties distinctes, les métamères, reliées les unes aux autres par des articulations et qui portent chacune une paire d'appendices (antennes, pattes, mandibules). Leur système nerveux est placé sous le tube digestif : ce sont des hyponeuriens. Les **Arthropodes** rassemblent plus de la moitié des espèces vivantes. **Au sing.** *La langouste est un **arthropode**.* 1823 ; formé de *arthro-* et de *-pode* ; [aʀtʀɔpɔd].

**ARTHROSCOPIE, subst. f.**
*Méd.* Examen endoscopique de la cavité d'une articulation : ***Arthroscopie** du genou.* V. 1970 ; formé de *arthro-* et de *-scopie* ; [aʀtʀɔskɔpi].

**ARTHROSE, subst. f.**
*Pathol.* Affection chronique dégénérative non inflammatoire des articulations, dont les cartilages présentent des lésions, et qui atteint surtout le genou, la hanche (coxarthrose), les articulations des vertèbres et des doigts. 1644 (1611, articulation) ; gr. *arthrôsis*, « articulation » ; [aʀtʀoz].

**ARTICHAUT, subst. m.**
**1.** *Bot.* Plante potagère de la famille des Astéracées. **2.** Ext. Tête de cette plante, dont on consomme le fond et la base des feuilles : ***Artichaut** à la vinaigrette.* ▸ Loc. *Avoir un cœur d'**artichaut*** : être inconstant, en partic. en amour (fam.). Déb. XVIe s. ; ital. *articiocco* ; [aʀtiʃo].

**ARTICHAUTIÈRE, subst. f.**
Champ planté d'artichauts. 1600 ; ☞ *artichaut* ; [aʀtiʃotjɛʀ].

**ARTICLE, subst. m.**
**1.** Chacune des parties, en gén. numérotées, dont l'ensemble forme un texte de loi, un traité, un contrat... : ***Article** premier* ; ***Article** du Code pénal.* ▸ Loc. *Être à l'**article** de la mort* : à la fin de la vie. ▸ *Relig.* ***Article** de foi* : point fondamental d'une doctrine. **2.** Écrit formant un tout mais faisant partie d'un ensemble plus vaste : ***Articles** d'un dictionnaire* ; ***Article** de journal.* **3.** Objet destiné à la vente : ***Articles** de pêche.* ▸ Loc. *Faire l'**article*** : vanter les qualités d'une marchandise (fam.). **4.** *Gramm.* Mot précédant généralement le substantif, auquel il apporte une détermination particulière et dont il précise le genre et le nombre : ***Article** défini, indéfini, partitif.* **5.** *Zool.* Chacun des segments du corps d'un arthropode ou d'un annélide. Déb. XIIIe s. ; lat. *articulus* ; [aʀtikl].

**ARTICULAIRE, adj.**
Relatif aux articulations : *Douleur **articulaire**.* 1505 ; lat. *articularis* ; [aʀtikylɛʀ].

**ARTICULATION, subst. f.**
**1.** *Anat.* Jonction d'un os à un autre ; ensemble des éléments (cartilages, ligaments...) permettant cette jonction : ***Articulation** du coude.* ▸ Anal. Mécanisme permettant à deux pièces d'une machine de se mouvoir solidairement. **2.** *Dr.* Énumération, point par point, des faits qui motivent une action en justice : *L'**articulation** des mobiles.* **3.** Organisation des éléments d'un discours, d'un ouvrage, les uns par rapport aux autres. **4.** *Gramm.* Terme liant un membre de phrase à un autre, une phrase à une

autre. **5.** *Phon.* ▸ Ensemble des mouvements déterminant la disposition des organes phonateurs lors de l'émission des sons. ▸ Précision, netteté de la prononciation. 1478 ; lat. *articulatio* ; [aʀtikylasjɔ̃].

**ARTICULATOIRE, adj.**

*Phon.* Qui se rapporte à l'articulation phonétique. Fin XVIe s. ; ☞ *articulation* ; [aʀtikylatwaʀ].

**ARTICULÉ, ÉE, adj. et subst. plur.**

ADJ. **1.** Qui est formé de plusieurs parties reliées les unes aux autres : *Jouet **articulé**.* **2.** Formé de sons distincts, clairement reconnaissables : *Langage **articulé**.* SUBST. FÉM. *Bot.* Classe de plantes surtout répandues au Carbonifère, dont il ne subsiste que le genre *Equisetum* (prêle). SUBST. MASC. *Zool.* Arthropodes (vx). Fin XIIIe s. ; p. p. de *articuler* ; [aʀtikyle].

**ARTICULER, verbe trans.** [3]

**1.** Émettre (des sons vocaux) ; prononcer distinctement (des syllabes, des mots) : *Bien, mal **articuler** ses paroles* ; empl. abs. : ***Articulez !*** ; par ext., dire : *Il ne put **articuler** le moindre mot.* **2.** *Dr.* Énumérer (un texte) article par article. PRONOM. **1.** *Anat.* Former une articulation. **2.** Former un mécanisme articulé. **3.** S'organiser pour former un ensemble : *Un exposé qui s'**articule** autour de quatre thèmes.* XIIIe s. ; lat. *articulare* ; [aʀtikyle].

**ARTIFICE, subst. m.**

**1.** Procédé ingénieux : *Un **artifice** de construction.* **2.** Ruse, stratagème : *User d'**artifices** pour arriver à ses fins.* **3.** *Techn.* Projectile destiné à brûler (fusée incendiaire, de détresse...). ▸ *Feu d'**artifice*** : composition pyrotechnique variant les effets, les couleurs... ; au fig., jaillissement de formules, d'images éblouissantes, dans un propos. Mil. XIIIe s. ; lat. *artificium*, « métier ; état » ; [aʀtifis].

**ARTIFICIEL, ELLE, adj.**

**1.** Qui est le résultat d'une technique et non un produit de la nature : *Fleurs **artificielles** ; Lac **artificiel** ; Insémination **artificielle**.* **2.** Qui a été créé de toutes pièces : *Langue **artificielle*** ; qui ne répond pas à une nécessité : *Besoins **artificiels**.* **3.** Qui relève de l'arbitraire : *Classification **artificielle**.* **4.** Qui manque de naturel : *Politesse **artificielle**.* 1370 ; lat. *artificialis*, « fait avec art » ; [aʀtifisjɛl].

*Pièce d'**artillerie** ; **Artillerie** légère.* ▸ Loc. *La grosse **artillerie*** : les grands moyens. **2.** Ensemble des troupes employées à servir ce matériel : *Un sous-officier d'**artillerie**.* Déb. XIVe s. ; anc. fr. *artillier*, « équiper » ; [aʀtijʀi].

**ARTILLEUR, subst. m.**

Militaire servant dans l'artillerie. 1751 (1334, fabricant d'armes) ; anc. fr. *artillier*, « équiper » ; [aʀtijœʀ].

**ARTIMON, subst. m.**

*Mar.* **1.** Mât arrière d'un voilier qui en a au moins deux, moins haut que le mât principal et situé en avant de la barre. **2.** *Voile d'**artimon*** ou, par ell., *L'**artimon*** : voile gréée sur ce mât. 1246 ; prob. bas lat. *artimonus*, « voile du mât » ; [aʀtimɔ̃].

**ARTIODACTYLES, subst. m. plur.**

*Zool.* Sous-ordre d'ongulés possédant un nombre pair de doigts. AU SING. *Le porc est un **artiodactyle**.* 1878 ; gr. *artios*, « pair », + *-dactyle* ; [aʀtjɔdaktil].

**ARTISAN, ANE, subst.**

**1.** Personne exerçant un métier manuel pour son propre compte : ***Artisan** boulanger ; Maître **artisan**.* **2.** Loc. *Être l'**artisan** de* : l'auteur, le responsable de. 1546 ; ital. *artigiano*, de *arte*, « art » ; [aʀtizɑ̃, an].

**ARTISANAL, ALE, AUX, adj.**

**1.** Relatif à l'artisan, à l'artisanat : *Produit **artisanal**.* **2.** Rudimentaire, archaïque (souv. péj.) : *Travail **artisanal**.* 1924 ; ☞ *artisan* ; [aʀtizanal, o].

**ARTISANALEMENT, adv.**

De manière artisanale : *Charcuterie fabriquée **artisanalement**.* V. 1970 ; ☞ *artisanal* ; [aʀtizanalmɑ̃].

**ARTISANAT, subst. m.**

**1.** Activité, condition de l'artisan. **2.** Ensemble des artisans d'un pays. **3.** Production artisanale. Fin XIXe s. ; ☞ *artisan* ; [aʀtizana].

**ARTISTE, subst.**

**1.** Vx. Artisan. **2.** Personne qui se voue à la pratique des beaux-arts ; créateur d'œuvres d'art : *Atelier d'**artiste** ; **Artiste** peintre.* **3.** Interprète d'une œuvre théâtrale, musicale, cinématographique : *Un **artiste** lyrique ; Entrée des **artistes**.* **4.** Personne qui affiche son goût pour les arts ; anticonformiste : *Mener une vie d'**artiste*** ; empl. adj. : *Tempérament **artiste**.* 1395 ; lat. médiév. *artista*, du lat. *ars*, « art » ; [aʀtist].

**ARUM, subst. m.**

*Bot.* Plante herbacée de la famille des Aracées, des régions humides et marécageuses, à fruits charnus (baies rouges en épi), communément appelée pied-de-veau. Une espèce, cultivée dans le Midi comme plante ornementale, produit des fleurs blanches. 1389 ; lat. *arum*, du gr. *aron* ; [aʀɔm].

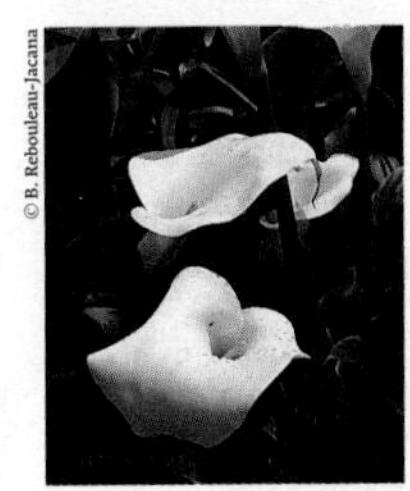

© B. Rebouleau-Jacana

*Arums à fleurs blanches de la variété dite d'Éthiopie.*

**ARUSPICE, subst. m.**

*Antiq.* Prêtre devin qui, dans la Rome antique, tirait ses prédictions de l'observation des entrailles des animaux offerts en sacrifice. 1375 ; lat. *haruspex* ; var. *haruspice* ; [aʀyspis].

**ARYEN, ENNE, subst. et adj.**

**1.** Des Aryas, peuple de l'Antiquité, ancêtres communs des Indiens et des Iraniens. **2.** D'une imaginaire race blanche supérieure issue de ce peuple, selon les doctrines racistes véhiculées notamment par les nazis. 1562 ; lat. *arianus* ou *arienus* ; [aʀjɛ̃, ɛn].

**ARYLE, subst. m.**

*Chim.* Radical organique, dérivé des composés aromatiques par élimination d'un atome d'hydrogène. XXe s. ; ☞ *aromatique* + *-yle* ; [aʀil].

**ARYTÉNOÏDE, adj. et subst. m.**

*Anat.* Se dit d'une petite pièce cartilagineuse paire

© Matsumoto-Explorer

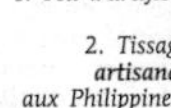

1. *Feu d'artifice.*

2. *Tissage artisanal aux Philippines.*

© A. Reffet-Explorer

**ARTIFICIELLEMENT, adv.**

D'une manière artificielle. XIIIe s. ; ☞ *artificiel* ; [aʀtifisjɛlmɑ̃].

**ARTIFICIER, subst. m.**

**1.** Spécialiste des feux d'artifice, qui les fabrique ou les tire. **2.** *Milit.* Spécialiste des engins explosifs ; en partic., spécialiste de leur neutralisation (synon. *démineur*). 1594 ; ☞ *artifice* ; [aʀtifisje].

**ARTIFICIEUSEMENT, adv.**

Littér. D'une manière artificieuse ; avec ruse. XIVe s. ; ☞ *artificieux* ; [aʀtifisjøzmɑ̃].

**ARTIFICIEUX, EUSE, adj.**

Littér. Qui recourt à l'artifice, à la ruse ; trompeur. Fin XIIIe s. ; lat. *artificiosus* ; [aʀtifisjø, øz].

**ARTILLERIE, subst. f.**

*Milit.* **1.** Ensemble du matériel composé des bouches à feu (canons, obusiers, mortiers), de leurs munitions et des véhicules servant à les transporter :

**ARTISTEMENT, adv.**

**1.** Avec art (vx). **2.** Avec goût : *Un appartement **artistement** décoré.* 1538 ; ☞ *artiste* ; [aʀtistəmɑ̃].

**ARTISTIQUE, adj.**

**1.** Relatif à l'art, aux œuvres d'art ; relatif aux artistes : *Trésors **artistiques** ; Un sens **artistique** ; Flou **artistique*** (☞ *flou*). **2.** Fait avec art, avec goût : *Décoration **artistique** ; Patinage **artistique*** (☞ *patinage*). 1808 ; ☞ *artiste* ; [aʀtistik].

**ARTISTIQUEMENT, adv.**

**1.** De manière artistique. **2.** Du point de vue de l'art. 1845 ; ☞ *artistique* ; [aʀtistikmɑ̃].

**ARTOCARPE, subst. m.**

*Bot.* Arbre tropical (Indo-Malaisie) de la famille des Moracées, à gros fruits charnus comestibles, aussi appelé arbre à pain. 1832 ; lat. sc. *artocarpus*, du gr. *artos*, « pain », et *karpos*, « fruit » ; var. *artocarpus* ; [aʀtɔkaʀp].

du larynx, de forme pyramidale. 1541 ; gr. *arutainoeidês*, « en forme d'aiguière » ; [aʀitenɔid].

**ARYTHMIE, subst. f.**

*Pathol.* Irrégularité du rythme cardiaque. 1890 ; gr. *arruthmia*, « absence de rythme » ; [aʀitmi].

**ARYTHMIQUE, adj.**

*Pathol.* Qui présente une arythmie : *Pouls **arythmique**.* 1865 ; gr. *arruthmos*, « sans rythme » ; [aʀitmik].

**AS, subst. m.**

**1.** *Antiq.* Unité de poids et de monnaie, chez les Romains. **2.** *Jeux.* Face d'un dé, moitié d'un domino marquée d'un seul point ; carte marquée d'un seul signe : ***As** de trèfle.* **3.** Nom donné parfois au numéro un (courses de chevaux, table de restaurant, etc.). **4.** Personne qui excelle dans son domaine ; champion : *Un **as** de l'aviation.* **5.** Loc. fam. *Être plein aux **as*** : très riche ; *Passer qqch. à l'**as*** : le dissimuler. 1174 ; mot lat. ; [ɑs].

**As**, voir **ARSENIC**

**ASBESTE, subst. m.**
*Minér.* Amiante. 1125 ; lat. *asbestos*, du gr. *asbestos*, « incombustible » ; [asbɛst].

**ASBESTOSE, subst. f.**
*Pathol.* Maladie des poumons due à l'inhalation de poussières d'asbeste. V. 1960 ; ☞ *asbeste* ; [asbɛstoz].

**ASCARIDE, subst. m.**
*Zool.* Ver nématode, parasite de l'intestin de vertébrés (homme, porc, cheval...). Déb. XIVe s. ; bas lat. *ascaris*, du gr. *askaris* ; var. *ascaris* ; [askaʀid].

**ASCARIDIOSE, subst. f.**
*Pathol.* Maladie due aux ascarides. XXe s. ; ☞ *ascaride* ; var. *ascaridiase* ; [askaʀidjoz].

**ASCENDANCE, subst. f.**
**1.** Mouvement ascendant décrit par un astre ou un courant aérien. **2.** Ligne généalogique qui permet de remonter de génération en génération : ***Ascendance** maternelle, paternelle* ; par ext., ensemble des générations ayant précédé qqn, origine : *Une **ascendance** paysanne.* Mil. XIXe s. (fin XVIIIe s., autorité) ; ☞ *ascendant* ; [asɑ̃dɑ̃s].

**ASCENDANT, ANTE, adj. et subst. m.**
**Adj. 1.** Qui s'élève, qui va en montant : *Sève **ascendante** ; Gamme **ascendante*** ; au fig., qui progresse : *Sa carrière suit une voie **ascendante**.* **2.** *Anat.* Qui se dirige de bas en haut : *Aorte **ascendante***, portion de l'aorte qui va du ventricule gauche à la crosse de l'aorte ; *Côlon **ascendant***, portion initiale du côlon. **3.** *Math.* Se dit d'une suite dont les termes vont croissant. **Subst. 1.** *Astron.* Mouvement d'un astre qui s'élève au-dessus de l'horizon : *La Lune est à son **ascendant**.* **2.** *Astrol.* Degré du zodiaque qui s'élève à l'horizon au moment de la naissance de qqn et qui influerait sur ses tendances et son destin : *Il est Bélier **ascendant** Lion.* **3.** Influence exercée sur qqn : *L'**ascendant** de Socrate sur ses disciples.* **4.** Parent dont qqn descend (souv. au plur.) : *Un **ascendant** direct.* 1363 ; lat. *ascendens*, de *ascendere*, « monter » ; [asɑ̃dɑ̃, ɑ̃t].

**ASCENSEUR, subst. m.**
Appareil servant à transporter verticalement des personnes d'un niveau à un autre, dans un bâtiment : *Cage, cabine, machinerie d'**ascenseur**.* ► Loc. *Renvoyer l'**ascenseur*** : rendre la pareille (fam.). 1867 (déb. XVIe s., celui qui monte un cheval) ; lat. *ascensum*, de *ascendere*, « monter » ; [asɑ̃sœʀ].

**ASCENSION, subst. f.**
**1.** Action de s'élever, de monter : *L'**ascension** d'un aérostat dans les airs.* ► *Théol.* Élévation de Jésus-Christ dans le ciel, quarante jours après sa résurrection ; par ext., fête qui célèbre cet événement : *Le jeudi de l'**Ascension**.* **2.** Action de gravir une montagne. **3.** Fig. Fait de s'élever dans la société, dans une carrière : *Une **ascension** fulgurante.* **4.** *Astron.* ***Ascension** droite* : une des deux coordonnées équatoriales d'un astre, qui représente l'angle que fait le cercle horaire de cet astre avec le cercle horaire du point vernal, gén. exprimée en heures, minutes et secondes. Fin XIIe s. ; lat. *ascensio* ; [asɑ̃sjɔ̃].

*Parachute **ascensionnel**.*

**ASCENSIONNEL, ELLE, adj.**
**1.** Qui progresse en s'élevant : *Trajectoire **ascensionnelle**.* **2.** Qui permet l'ascension : *Force, vitesse **ascensionnelle** ; Parachute **ascensionnel**.* 1698 ; ☞ *ascension* ; [asɑ̃sjɔnɛl].

**ASCENSIONNISTE, subst.**
Personne qui fait des ascensions en montagne (vieilli). 1872 ; ☞ *ascension* ; [asɑ̃sjɔnist].

**ASCÈSE, subst. f.**
Discipline de vie que l'on s'impose pour progresser vers la perfection spirituelle et morale. 1890 ; gr. *askêsis*, « exercice, pratique (d'un art) » ; [asɛz].

**ASCÈTE, subst.**
**1.** Personne qui s'impose l'ascétisme. **2.** Ext. Personne qui mène une vie austère. 1580 ; lat. chrét. *ascetes*, du gr. *askêtês*, « celui qui exerce un art, une profession » ; [asɛt].

**ASCÉTIQUE, adj.**
**1.** Relatif à l'ascétisme, aux ascètes : *Rigueur **ascétique**.* **2.** Ext. Austère : *Un visage **ascétique**.* 1673 ; lat. chrét. *asceticus* ; [asetik].

**ASCÉTISME, subst. m.**
**1.** Mode de vie consistant à s'imposer la pénitence, les privations, à lutter contre les exigences du corps afin de s'élever spirituellement. **2.** Ext. Vie austère. 1818 ; ☞ *ascète* ; [asetism].

*Ascétisme et méditation : une discipline et une pratique qui fondent la sagesse indienne.*

**ASCIDIE, subst. f.**
**I.** *Zool.* **Plur.** Classe d'invertébrés marins (Tuniciers), vivant seuls ou en colonies, fixés aux rochers des zones littorales. **Au sing.** *La cione est une **ascidie**.* **II.** *Bot.* Feuille ou extrémité d'une feuille en forme de petite outre ou de godet, parfois munie d'un couvercle, contenant un liquide dans lequel se noient des insectes qui sont digérés par la plante (appelée improprement carnivore). 1805 ; gr. *askidion*, « petite outre » ; [asidi].

**ASCITE, subst. f.**
*Pathol.* Accumulation anormale de liquide séreux dans la cavité péritonéale. 1363 ; lat. *ascites*, du gr. *askos*, « outre » ; [asit].

**ASCITIQUE, adj.**
Relatif à l'ascite ; qui s'accompagne d'ascite ; atteint d'ascite ; empl. subst., personne **ascitique**. 1701 ; ☞ *ascite* ; [asitik].

**ASCLÉPIADACÉES, subst. f. plur.**
*Bot.* Famille de l'ordre des Contortales, tropicale et subtropicale. **Au sing.** *L'asclépiade est une **asclépiadacée**.* 1839 ; ☞ *asclépiade* (II) ; [asklepjadase].

**ASCLÉPIADE (I), subst. m.**
*Versif.* Vers lyrique, dans la poésie grecque et latine ; empl. adj. : *Un vers **asclépiade**.* 1740 ; anthropon. *Asclépiade*, poète grec ; [asklepjad].

**ASCLÉPIADE (II), subst. f.**
*Bot.* Plante grimpante de la famille des Asclépiadacées, cultivée pour ses fleurs odoriférantes, de couleur rose. 1823 ; lat. *asclepias*, du gr. *asclepias*, « plante d'Asclépios » ; var. *un asclépias* ; [asklepjad].

**ASCOMYCÈTES, subst. m. plur.**
*Bot.* Classe de champignons (morilles, pezizes, levures) qui tire son nom de la présence, à une certaine phase de développement, de cellules d'un type spécial logées dans des sacs oblongs, les asques. **Au sing.** *La truffe est un **ascomycète**.* 1846 ; formé du gr. *askos*, « outre », et *mukês*, « champignon » ; [askɔmisɛt].

**ASCORBIQUE, adj.**
*Biol.* *Acide **ascorbique*** : vitamine C. 1932 ; ☞ *scorbut* + *a-*[2] ; [askɔʀbik].

**ASCOSPORE, subst. f.**
*Bot.* Spore apparaissant dans un asque, caractéristique des champignons ascomycètes. 1846 ; crois. du gr. *askos*, « outre », et de *spore* ; [askɔspɔʀ].

**ASDIC, subst. m.**
*Mar.* Appareil permettant de détecter les sous-marins au moyen d'ultrasons. 1945 ; acron. angl. de *Allied Submarine Detection Investigation Commitee* ; [asdik].

**ASE, subst. f.**
*Bot.* Gomme-résine malodorante provenant de la férule (*Asa foetida*). XIXe s. ; gr. *asê*, « dégoût » ; [ɑz].

**ASEPSIE, subst. f.**
*Méd.* **1.** Ensemble des méthodes préventives des maladies infectieuses consistant à empêcher l'introduction de microbes dans l'organisme. **2.** Absence de tout germe infectieux. Fin XIXe s. ; gr. *sêptos*, « putride », + *a-*[2] ; [asɛpsi].

**ASEPTIQUE, adj.**
*Méd.* **1.** Qui concerne l'asepsie. **2.** Exempt de tout germe infectieux : *Milieu **aseptique**.* Fin XIXe s. ; ☞ *asepsie* ; [asɛptik].

**ASEPTISATION, subst. f.**
Action d'aseptiser ; son résultat. 1907 ; ☞ *aseptiser* ; [asɛptizasjɔ̃].

**ASEPTISÉ, ÉE, adj.**
**1.** Qui a été rendu aseptique. **2.** Fig. Dépourvu de caractère, d'originalité : *Langage **aseptisé**.* 1897 ; p. p. de *aseptiser* ; [asɛptize].

**ASEPTISER, verbe trans. [3]**
Rendre aseptique, stériliser ; désinfecter : ***Aseptiser** une plaie, un local.* 1897 ; ☞ *aseptique* ; [asɛptize].

**ASEXUÉ, ÉE, adj.**
**1.** *Biol.* Qui n'a pas de sexe : *Plante **asexuée** ; Reproduction **asexuée***, sans présence de gamètes. **2.** Ext. Dont le sexe n'est pas clairement déterminé ; qui ne semble pas ressentir de besoins sexuels. 1866 ; lat. *sexus*, « sexe », + *a-*[2] ; [asɛksɥe].

**ASHKÉNAZE, subst. et adj.**
Désigne ou qualifie un Juif originaire d'Europe non méditerranéenne (anton. *Séfarade*) : *Les **Ashkénazes** d'Alsace.* XIXe s. ; anthropon. hébreu biblique désignant, au Moyen Âge, la diaspora d'Allemagne ; [aʃkenɑz].

**ASHRAM, subst. m.**
En Inde, monastère ou retraite groupant des disciples autour d'un gourou. V. 1960 ; skr. *âsrama*, « ermitage » ; [aʃʀam].

**ASIALIE, subst. f.**
*Pathol.* Absence de salive ; sécheresse buccale. 1855 ; gr. *sialon*, « salive », + *a-*[2] ; [asjali].

**ASIATE, subst.**
Rare et souv. péj. Personne originaire d'Asie ; empl. adj. : *Des femmes **asiates**.* 1879 ; ☞ *asiatique* ; [azjat].

**ASIATIQUE, adj. et subst.**
D'Asie. XVIe s. ; lat. *asiaticus* ; [azjatik].

**ASILAIRE, adj.**
Relatif à l'hôpital psychiatrique ou à l'asile de vieillards. 1955 ; ☞ *asile* (I) ; [azilɛʀ].

**ASILE (I), subst. m.**
**1.** *Hist.* Lieu inviolable où une personne en danger pouvait trouver refuge : *Un **asile** sacré* ; par ext., lieu où l'on se met à l'abri d'un danger : *Trouver **asile** chez des proches.* ► *Dr. internat. Droit d'**asile*** : protection accordée par un État aux réfugiés politiques. **2.** Fig. Lieu de repos, abri (littér.) : *Un **asile** de silence, de verdure.* **3.** Établissement d'assistance publique (vieilli) : ***Asile** de vieillards ; **Asile** d'aliénés ; **Asile** de nuit.* 1355 ; lat. *asylum* ; [azil].

**ASILE (II), subst. m.**
*Zool.* Insecte prédateur de la famille des Asilidés, au corps velu. 1582 ; lat. *asilus*, « taon » ; [azil].

**ASINIEN, IENNE, adj.**
Relatif ou propre à l'âne. XVIe s. ; lat. *asinnius*, de *asinus*, « âne » ; var. *asin, asine* (vx) ; [azinjɛ̃, jɛn].

**ASOCIABILITÉ subst. f.**
Incapacité à s'adapter à la vie en société (anton. *sociabilité*). V. 1960 ; ☞ *sociabilité* + *a-*[2] ; [asɔsjabilite].

**ASOCIAL, ALE, AUX, adj.**
Qui ne s'adapte pas à la vie sociale ou qui s'y oppose : *Un adolescent **asocial** ; Un comportement **asocial*** ; empl. subst., personne **asociale**. 1927 ; ☞ *social* + *a-*[2] ; [asɔsjal, o].

**ASOCIALITÉ, subst. f.**
*Sociol.* Fait d'être asocial, caractère d'une personne asociale. 1946 ; ☞ *asocial* ; [asɔsjalite].

**ASPARAGINE, subst. f.**
*Biochim.* Aminoacide présent notamment dans les germes des asperges, qui entre dans la composition des protéines et qui est porteur d'une fonction amide. 1822 ; ☞ *asparagus* ; [asparaʒin].

**ASPARAGUS, subst. m.**
*Bot.* Plante ornementale de la famille des Liliacées, dont on utilise le feuillage pour garnir les bouquets. 1797 ; lat. *asparagus*, « asperge » ; [asparagys].

**ASPARTAME, subst. m.**
*Pharm.* Pepside formé d'acide aspartique et de phénylalanine, utilisé comme succédané hypocalorique du sucre. V. 1970 ; angl. *aspartam* ; var. *aspartam* ; [aspartam].

**ASPE, subst. m.**
*Techn.* Appareil servant à dévider la soie des cocons. XIVe s. ; all. *Haspel*, « dévidoir » ; var. *asple* ; [asp].

**ASPECT, subst. m.**
**1.** Manière dont qqch. ou qqn se présente à la vue ou à l'esprit : *La forêt change d'**aspect** en automne* ; *Il a bien bel **aspect*** ; *Les multiples **aspects** du problème.* ▸ Loc. *À l'**aspect** de* : à la vue de. **2.** *Gramm.* Catégorie grammaticale désignant la manière dont le procès exprimé par le verbe apparaît au locuteur. L'**aspect**, que l'on distingue du temps ou du mode, peut être accompli, ou perfectif (« j'ai dormi »), inaccompli, ou imperfectif (« je dormais »), inchoatif (« je m'endors »), etc. Mil. XVe s. ; lat. *aspectus*, « regard ; perspective ; apparence » ; [aspɛ].

**ASPERGE, subst. f.**
**1.** *Bot.* Plante potagère de la famille des Liliacées, à tige souterraine, dont on mange les jeunes pousses (☞ *turion*). **2.** Fig. Personne grande et maigre (fam.). 1256 ; lat. *asparagus*, « asperge » ; [aspɛʀʒ].

**ASPERGER, verbe trans.** [5]
Arroser d'un liquide en fines gouttelettes ; éclabousser ; empl. pronom. : *S'**asperger** de parfum.* XIIe s. ; lat. *aspergere* ; [aspɛʀʒe].

**ASPERGÈS, subst. m.**
*Liturg.* **1.** Aspersoir. **2.** Antienne chantée ou récitée lors de l'aspersion des fidèles. 1352 ; lat. *asperges me Domine*, « tu m'aspergeras, Seigneur », premiers mots d'un verset du psaume 50 ; [aspɛʀʒɛs].

**ASPERGILLE, subst. f.**
*Bot.* Champignon ascomycète, moisissure qui peut, selon les espèces, se développer sur certaines substances (confiture, par ex.) ou induire une maladie, l'aspergillose. 1751 ; bas lat. *aspergillum*, « aspersoir » ; var. *aspergillus* ; [aspɛʀʒil].

**ASPERGILLOSE, subst. f.**
*Pathol.* Affection causée par le développement d'un champignon, *Aspergillus fumigatus*, qui touche les poumons (**aspergillose** pseudo-tuberculeuse) ou la peau (érythème, pustules, tumeurs sous-cutanées). 1897 ; ☞ *aspergille* + *-ose* ; [aspɛʀʒiloz].

**ASPERGILLUS, voir ASPERGILLE**

**ASPÉRITÉ, subst. f.**
**1.** Qualité de ce qui est âpre, présente un aspect rude, rugueux (rare) : *L'**aspérité** d'une pierre* ; au fig. : ***Aspérité** d'une voix.* **2.** Élément saillant d'une surface inégale (gén. au plur.) : *Les **aspérités** d'un mur.* Fin XIIe s. ; lat. *asperitas* ; [aspeʀite].

**ASPERMATISME, subst. m.**
*Pathol.* Impossibilité ou difficulté à éjaculer. 1808 ; ☞ *sperme* + *a-*[2] ; [aspɛʀmatism].

**ASPERME, adj.**
*Bot.* Qui ne produit pas de graines. 1838 ; gr. *aspermos*, « sans semence » ; [aspɛʀm].

**ASPERMIE, subst. f.**
*Pathol.* Absence de sperme. 1838 ; ☞ *sperme* + *a-*[2] ; [aspɛʀmi].

**ASPERSEUR, subst. m.**
Dispositif d'arrosage qui répartit l'eau en fines gouttelettes à la surface du sol. V. 1970 ; ☞ *aspersion* ; [aspɛʀsœʀ].

**ASPERSION, subst. f.**
**1.** Action d'asperger. **2.** *Liturg.* Sacramental de purification précédant la messe, au cours duquel le prêtre asperge les fidèles d'eau bénite. Mil. XIIe s. ; lat. *aspersio* ; [aspɛʀsjɔ̃].

**ASPERSOIR, subst. m.**
**1.** *Liturg.* Goupillon qui sert à l'aspersion d'eau bénite. **2.** Pomme d'arrosoir à petits trous (vieilli). 1345 ; lat. médiév. *aspersorium* ; [aspɛʀswaʀ].

**ASPHALTE, subst. m.**
**1.** Bitume naturel. **2.** Matériau constitué d'un mélange de bitume naturel ou artificiel et de calcaire, utilisé en partic. dans les travaux publics : *Chaussée revêtue d'**asphalte*** ; par méton., rue, trottoir asphaltés : *Arpenter l'**asphalte**.* Mil. XIIe s. ; bas lat. *asphaltus*, du gr. *asphaltos* ; [asfalt].

**ASPHALTER, verbe trans.** [3]
Revêtir d'asphalte. 1866 ; ☞ *asphalte* ; [asfalte].

**ASPHODÈLE, subst. m.**
*Bot.* Plante à bulbe de la famille des Liliacées à inflorescence en grappes. 1553 ; lat. *asphodelus* ; [asfɔdɛl].

**ASPHYXIANT, ANTE, adj.**
**1.** Qui provoque l'asphyxie : *Gaz **asphyxiant**.* **2.** Fig. Qui entrave l'épanouissement moral, intellectuel : *Un milieu **asphyxiant**.* 1846 ; p. pr. de *asphyxier* ; [asfiksjɑ̃, ɑ̃t].

**ASPHYXIE, subst. f.**
**1.** Difficulté ou arrêt de la respiration : *Mort par **asphyxie*** ; état pathologique dû à un manque d'oxygénation. **2.** Fig. Étouffement moral ou intellectuel ; blocage d'un processus : ***Asphyxie** de l'économie.* 1741 ; gr. *asphuxia*, « arrêt du pouls » ; [asfiksi].

**ASPHYXIÉ, ÉE, adj. et subst.**
Victime d'asphyxie. 1791 ; p. p. de *asphyxier* ; [asfiksje].

**ASPHYXIER, verbe trans.** [6]
Entraîner l'asphyxie de. Pronom. Être victime d'asphyxie ; causer sa propre asphyxie : *S'**asphyxier** au gaz.* 1791 ; ☞ *asphyxie* ; [asfiksje].

**ASPIC (I), subst. m.**
*Bot.* Grande lavande dont on extrait une huile essentielle. XIe s. ; anc. prov. *espic*, « épi » ; [aspik].

**ASPIC (II), subst. m.**
*Zool.* Serpent venimeux de la famille des Vipéridés. 1213 ; lat. *aspis*, du gr. *aspis* ; [aspik].

**ASPIC (III), subst. m.**
*Cuis.* Préparation refroidie prise dans une gelée formée au moule : ***Aspic** de poisson, de volaille.* 1742 ; p.-ê. *aspic* (II), par anal. de forme entre le moule et le serpent enroulé sur lui-même ; [aspik].

**ASPIDISTRA, subst. m.**
*Bot.* Liliacée ornementale, à grandes feuilles lisses vert foncé. Mil. XIXe s. ; gr. *aspis*, « bouclier », et *tupistra*, nom de plante ; [aspidistʀa].

**ASPIRANT, ANTE, adj. et subst.**
Adj. Qui aspire : *Pompe **aspirante**.* Subst. Personne qui a le désir d'accéder à une fonction, à un titre (vieilli). Subst. masc. *Milit.* Officier d'un grade immédiatement inférieur à celui de sous-lieutenant ou d'enseigne de vaisseau. 1496 ; p. pr. de *aspirer* ; [aspiʀɑ̃, ɑ̃t].

**ASPIRATEUR, TRICE, adj. et subst. m.**
Adj. Qui produit une aspiration : *Force **aspiratrice**.* Subst. Appareil servant à aspirer des fluides, des poussières ; appareil électroménager utilisé pour aspirer la poussière : *Passer l'**aspirateur*** ; ***Aspirateur**-balai.* 1826 ; ☞ *aspirer* ; [aspiʀatœʀ, tʀis].

**ASPIRATION, subst. f.**
**1.** Tension, élan vers un but, un idéal : *L'**aspiration** au bonheur* ; souhait : *Tenir compte des **aspirations** de chacun.* **2.** Action d'aspirer de l'air dans ses poumons (synon. *inspiration*) ; par ext., action d'aspirer un corps en utilisant le vide : *Tuyau d'**aspiration**.* ▸ *Phon.* Souffle accompagnant l'émission de certains sons : *L'**aspiration** du « h ».* Fin XIIe s. ; lat. *aspiratio*, « souffle » ; [aspiʀasjɔ̃].

**ASPIRATOIRE, adj.**
Qui exerce par aspiration ; qui est propre à l'aspiration. 1825 ; ☞ *aspirer* ; [aspiʀatwaʀ].

**ASPIRÉ, ÉE, adj.**
*Phon. Consonne **aspirée*** : dont la prononciation se fait en expirant de l'air. ▸ *« H » dit **aspiré*** : qui empêche l'élision et la liaison, par oppos. au « h » dit muet (par ex. : « le héros », mais « l'héroïne »). Fin XVIe s. ; p. p. de *aspirer* ; [aspiʀe].

**ASPIRER, verbe trans.** [3]
Trans. dir. **1.** Absorber (de l'air) en inspirant ; inhaler : ***Aspirer** la fumée de cigarette* ; absorber par la bouche : ***Aspirer** un liquide avec une paille.* **2.** Attirer en créant du vide : *Pompe qui **aspire** l'eau.* Trans. indir. **Aspirer à.** Désirer ardemment ; prétendre à : ***Aspirer** aux honneurs, au repos.* Fin XIIe s. ; lat. *aspirare*, « souffler vers » ; [aspiʀe].

**ASPIRINE, subst. f.**
*Pharm.* Médicament qui combat notamment la fièvre et la douleur. 1894 ; all. *Aspirin*, du lat. sc. *spiraea*, « spirée », plante qui contient naturellement de l'aspirine, + *a-*[2] ; [aspiʀin].

**ASPLE, voir ASPE**

**ASQUE, subst. m.**
*Bot.* Organe des champignons ascomycètes, où se forment les spores. 1845 ; gr. *askos*, « outre » ; [ask].

**ASSAGIR, verbe trans.** [19]
Rendre sage, calmer : *Le temps **assagit** les passions* ; empl. pronom. : *Il s'est **assagi** depuis un an.* Fin XIVe s. (XIIe s., faire connaître) ; ☞ *sage* + *a-*[1] ; [asaʒiʀ].

**ASSAGISSEMENT, subst. m.**
Action d'assagir ou de s'assagir ; son résultat. 1580 (XVe s., action de renseigner) ; ☞ *assagir* ; [asaʒismɑ̃].

**ASSAI, adv.**
*Mus.* Renforce une indication de tempo ; très : *Lento **assai**.* 1834 ; ital. *assai*, « beaucoup » ; [asaj].

**ASSAILLANT, ANTE, adj. et subst.**
Adj. Qui assaille. Subst. Personne, groupe qui mène un assaut, engage un combat (gén au masc.) : *Repousser les **assaillants*** ou, empl. coll., *l'**assaillant**.* 1167 ; p. pr. de *assaillir* ; [asajɑ̃, ɑ̃t].

**ASSAILLIR, verbe trans.** [31]
**1.** Attaquer brusquement ; se jeter vivement sur (qqn) pour engager la lutte. **2.** Ext. Harceler : *Il **assaillait** sa mère de questions* ; au fig., tourmenter : *Le doute l'**assaillait**.* Xe s. ; lat. *assilire*, « sauter sur » ; [asajiʀ].

**ASSAINIR, verbe trans.** [19]
**1.** Rendre sain, plus sain : ***Assainir** l'eau* ; ***Assainir** un quartier.* **2.** Fig. Ramener à un fonctionnement satisfaisant : ***Assainir** les comptes d'une entreprise.* 1774 ; ☞ *sain* + *a-*[1] ; [aseniʀ].

**ASSAINISSEMENT, subst. m.**
Action d'assainir ; son résultat. ▸ Ensemble des techniques employées dans le traitement des eaux usées : *Budget d'**assainissement** d'une commune.* XVIIIe s. ; ☞ *assainir* ; [asenismɑ̃].

**ASSAISONNEMENT, subst. m.**
**1.** *Cuis.* Action, manière d'assaisonner ; son résultat : *Un **assaisonnement** relevé.* **2.** Ext. Composition d'ingrédients (épices, aromates, sel...) destinée à relever un plat. **3.** Fig. Ce qui ajoute une touche piquante, donne de l'à-propos à qqch. (vieilli). 1538 ; ☞ *assaisonner* ; [asɛzɔnmɑ̃].

© Ch. Favardin-Jacana

© Th. Van Baelinghem-Jacana

1. *Asphodèles.*
2. *Aspic.*

**ASSAISONNER,** verbe trans. [3]
**1.** *Cuis.* Ajouter de l'assaisonnement à. **2.** Fig. Ajouter du piquant à (un propos, un acte). **3.** Frapper, injurier (fam.) : *Il s'est fait rudement* ***assaisonner.*** 1209 ; ☞ *saison* + *a-*¹ ; [asɛzɔne].

**ASSASSIN, INE,** subst. m. et adj.
**Subst.** Personne qui commet un meurtre avec préméditation ou de sang-froid : *La victime connaissait son* ***assassin.*** **Adj.** Littér. **1.** Qui tue : *Une main* ***assassine.*** **2.** Fig. Agressif, blessant : *Remarque* ***assassine*** ; provoquant : *Œillade* ***assassine.*** 1560 ; ital. *assassino*, p.-ê. de l'ar. *ḥašīšiyya*, « fumeurs de haschisch » ; [asasɛ̃, in].

**ASSASSINAT,** subst. m.
**1.** Meurtre commis avec préméditation. **2.** Fig. Acte qui détruit, ruine : *L'****assassinat*** *de la démocratie.* XVIᵉ s. ; ☞ *assassiner* ; [asasina].

**ASSASSINER,** verbe trans. [3]
**1.** Commettre un assassinat sur (qqn) ; au fig. : ***Assassiner*** *du regard*, foudroyer. **2.** Fig. Exiger de (qqn) une somme excessive en paiement de qqch. (fam.) : ***Assassiner*** *le client.* 1556 ; ital. *assassinare* ; [asasine].

**ASSAUT,** subst. m.
**1.** Action d'assaillir, d'attaquer un objectif : *Faire l'****assaut*** *d'une place forte* ; *Donner l'****assaut.*** ▸ Anal. *Prendre d'****assaut*** *un lieu* : s'y ruer. **2.** Fig. Attaque (littér.) : *Les* ***assauts*** *de la maladie.* **3.** *Sp.* Combat d'escrime. **4.** Loc. *Faire* ***assaut*** *de* : surenchérir, rivaliser de. 1100 ; lat. *assultus* ; [aso].

**ASSEAU,** subst. m.
*Techn.* Marteau de couvreur dont une extrémité est tranchante. 1870 ; lat. *ascia*, « hache » ; var. *une asse* ou *une assette* ; [aso].

**ASSÈCHEMENT,** subst. m.
Action d'assécher ; son résultat : *L'****assèchement*** *d'un étang.* 1549 ; ☞ *assécher* ; [asɛʃmɑ̃].

**ASSÉCHER,** verbe [8]
**Trans.** Enlever l'eau de ; mettre à sec : ***Assécher*** *un marais.* **Intrans.** *Mar.* Découvrir, rester à sec : *Ce chenal* ***assèche*** *dès la mi-marée.* Déb. XIIᵉ s. ; lat. *adsiccare*, « sécher » ; [aseʃe].

**ASSEMBLAGE,** subst. m.
**1.** Action d'assembler, d'ajuster entre eux des éléments ; son résultat : *L'****assemblage*** *des pièces d'un moteur.* **2.** Réunion de personnes, d'objets ou d'idées : *Un curieux* ***assemblage*** *de personnalités.* **3.** *Log.* Désigne une suite finie de symboles d'une théorie (synon. *chaîne*). **4.** *Informat.* *Langage d'****assemblage*** : langage de programmation utilisant des codes mnémoniques, et non des codes numériques (binaires), simplifiant la représentation des instructions directement exécutables par un ordinateur. 1493 ; ☞ *assembler* ; [asɑ̃blaʒ].

**ASSEMBLÉ,** subst. m.
*Chorégr.* Saut effectué en retombant les pieds joints. 1700 ; p. p. de *assembler* ; [asɑ̃ble].

**ASSEMBLÉE,** subst. f.
**1.** Réunion de personnes dans un même lieu : *Une joyeuse* ***assemblée.*** ▸ *Relig.* *L'****assemblée*** *des fidèles* : l'Église. **2.** Réunion des membres d'un groupe constitué en vue de délibérer : ***Assemblée*** *générale d'une société.* ▸ Corps constitué : *L'****Assemblée*** *nationale* ; lieu où se déroulent les séances : *Les couloirs de l'****Assemblée.*** 1155 ; p. p. de *assembler* ; [asɑ̃ble].

**ASSEMBLER,** verbe trans. [3]
**1.** Mettre ensemble, unir (des choses ou des personnes). **2.** Réunir (des éléments) pour former un tout : ***Assembler*** *les pièces d'un moteur.* **Pronom.** Se réunir, en parlant d'un groupe. Mil. XIᵉ s. ; lat. pop. °*assimulare*, du lat. *simul*, « ensemble » ; [asɑ̃ble].

**ASSEMBLEUR, EUSE,** subst.
Personne dont le métier consiste à assembler des pièces. **Fém.** *Impr.* Machine servant à assembler les feuilles imprimées en cahiers. **Masc.** *Informat.* Programme permettant de traduire des instructions mnémoniques en langage machine. 1281 ; ☞ *assembler* ; [asɑ̃blœʀ, øz].

**ASSÉNER,** verbe trans. [8]
Donner (un coup) avec violence ; au fig. : *Elle nous* ***asséna*** *son discours.* Mil. XIIᵉ s. ; anc. fr. *sen*, « direction dans laquelle on marche », + *a-*¹ ; var. *assener* [10] ; [asene].

**ASSENTIMENT,** subst. m.
Action d'approuver une idée, une proposition, de leur donner son acquiescement. 1181 ; lat. *assentire*, « approuver » ; [asɑ̃timɑ̃].

**ASSEOIR,** verbe trans. [46]
**1.** Mettre (qqn) en appui sur son séant : ***Asseyez*** *cet enfant.* **2.** Édifier sur une base stable : ***Asseoir*** *un sanctuaire sur une colline* ; au fig. : ***Asseoir*** *sa réputation.* **3.** *Fin.* ***Asseoir*** *l'impôt* : déterminer son assiette. **Pronom.** **1.** Installer son séant sur un siège. **2.** Loc. *Son opinion, je m'****assois*** *dessus* : je n'en tiens pas compte, je m'en moque (fam.). Fin Xᵉ s. ; lat. pop. °*adsedere*, du lat. *sedere*, « être assis » ; [aswaʀ].

**ASSERMENTÉ, ÉE,** adj.
**1.** Qui est tenu par un serment : *Témoin, garde-chasse* ***assermenté*** ; empl. subst., personne ***assermentée.*** **2.** *Hist.* Se dit d'un ecclésiastique ayant prêté serment à la Constitution civile du clergé de 1790. 1356 ; p. p. de *assermenter* ; [asɛʀmɑ̃te].

**ASSERMENTER,** verbe trans. [3]
Faire prêter serment à (qqn devant occuper une fonction). XIIᵉ s. ; ☞ *serment* + *a-*¹ ; [asɛʀmɑ̃te].

**ASSERTION,** subst. f.
Proposition, affirmative ou négative, que l'on énonce ou soutient comme vraie. 1294 ; lat. *adsertio*, « affirmation » ; [asɛʀsjɔ̃].

**ASSERTORIQUE,** adj.
*Philos.* Se dit d'un jugement qui énonce un fait, sans référence à sa modalité (anton. *apodictique*). 1838 ; all. *assertorisch* ; [asɛʀtɔʀik].

**ASSERVIR,** verbe trans. [19]
**1.** Réduire en esclavage ; soumettre à une autorité absolue. ▸ Fig. Tenir en son pouvoir ; empl. adj. : *Une population* ***asservie*** *par la peur.* **2.** *Techn.* Établir (entre deux éléments) une relation d'asservissement. Déb. XIIIᵉ s. ; ☞ *serf* + *a-*¹ ; [asɛʀviʀ].

**ASSERVISSEMENT,** subst. m.
**1.** Action d'asservir ; l'état de servitude qui en résulte : *L'****asservissement*** *du peuple gaulois par les Romains.* **2.** *Phys.* Action d'une grandeur physique imposant ses variations à une autre sans être influencée par elle. ▸ Ext. Relation entre ces deux grandeurs ; dispositif utilisant cette relation. 1443 ; ☞ *asservir* ; [asɛʀvismɑ̃].

**ASSERVISSEUR,** subst. m.
**1.** Celui qui asservit (rare). **2.** *Phys.* Organe de régulation utilisé en cybernétique. 1830 ; ☞ *asservir* ; [asɛʀvisœʀ].

**ASSESSEUR,** subst. m.
**1.** Celui qui siège auprès de qqn pour le seconder, voire le remplacer. **2.** *Dr.* Juge siégeant au côté du président du tribunal dans une juridiction collégiale et ayant voix délibérative. XIIIᵉ s. ; lat. *assessor*, « celui qui aide » ; [asɛsœʀ].

**ASSETTE,** voir **ASSEAU**

**ASSEZ,** adv.
**1.** Suffisamment : *Je n'ai pas* ***assez*** *d'argent* ; *Elle est* ***assez*** *jolie pour se permettre cette tenue.* **2.** Loc. ▸ *C'en est* ***assez*** *!, en voilà* ***assez*** *!,* ***assez*** *!* : cela suffit, la mesure est comble (marque l'exaspération). ▸ *En avoir* ***assez*** *de qqch. ou de qqn* : ne plus le supporter. **3.** Passablement (atténue légèrement le sens) : *Il vient* ***assez*** *souvent* ; *Elle est* ***assez*** *sage.* Fin Xᵉ s. ; lat. pop. °*adsatis* ; [ase].

**ASSIBILATION,** subst. f.
*Phon.* Transformation d'une occlusive en une sifflante (par ex. « t » dans « action » [aksjɔ̃]). 1877 ; lat. *adsibilare*, « siffler contre » ; [asibilasjɔ̃].

**ASSIDU, UE,** adj.
**1.** Dont la présence, les visites auprès de qqn sont régulières, qui est fidèle. **2.** Qui se rend avec constance là où il doit : *Être* ***assidu*** *aux cours.* **3.** Persévérant, tenace, appliqué ; par méton. : *Un travail* ***assidu.*** Fin XIᵉ s. ; lat. *assiduus* ; [asidy].

**ASSIDUITÉ,** subst. f.
Fait d'être assidu : *L'****assiduité*** *d'un ami, d'un étudiant* ; *L'****assiduité*** *à la tâche.* **Plur.** Zèle excessif dans la galanterie : *Importuner une dame de ses* ***assiduités.*** XIIᵉ s. ; lat. *assiduitas* ; [asidɥite].

**ASSIDÛMENT,** adv.
D'une manière assidue ; régulièrement. 1246 ; ☞ *assidu* ; [asidymɑ̃].

**ASSIÉGÉ, ÉE,** adj.
Qui subit un siège : *Ville* ***assiégée.*** ▸ Méton. Qui se trouve dans une place assiégée : *L'armée* ***assiégée*** ; empl. subst. : *Les* ***assiégés****,* troupe, population assiégée. 1564 ; p. p. de *assiéger* ; [asjeʒe].

**ASSIÉGEANT, ANTE,** adj. et subst.
Qualifie ou désigne une personne ou une troupe qui assiège. XVᵉ s. ; p. pr. de *assiéger* ; [asjeʒɑ̃, ɑ̃t].

**ASSIÉGER,** verbe trans. [9]
**1.** *Milit.* Soumettre (une place) à un siège. **2.** Anal. Cerner, encercler : *Les manifestants* ***assiégeaient*** *le ministère.* **3.** Fig. Presser, traquer : *Ses créanciers l'****assiégeaient.*** Déb. XIIᵉ s. ; prob. lat. pop. °*assedicare*, de °*sedicare*, « être assis » ; [asjeʒe].

**ASSIETTE,** subst. f.
**I. 1.** Manière d'être assis, placé (vx) ; par ext., équilibre : *L'****assiette*** *du cavalier* ; au fig., disposition d'esprit (vx). ▸ Loc. *Ne pas être dans son* ***assiette*** : ne pas être à son aise. **2.** Position stable d'un corps posé sur un autre : *L'****assiette*** *d'une poutre* ; par méton., base, support. **3.** Anal. *Dr.* Base d'un calcul : ***Assiette*** *de l'impôt.* **II.** Récipient individuel à fond plat ou creux, dans lequel on prend son repas : *Une* ***assiette*** *en porcelaine* ; par méton., son contenu : *Une* ***assiette*** *de soupe.* 1260 ; lat. pop. °*assedita*, de °*assedere*, « asseoir » ; [asjɛt].

**ASSIETTÉE,** subst. f.
Contenu d'une assiette. 1690 ; ☞ *assiette* ; [asjete].

**ASSIGNABLE,** adj.
Qui peut être assigné. Fin XVIIᵉ s. ; ☞ *assigner* ; [asiɲabl].

**ASSIGNAT,** subst. m.
**1.** Vx. Constitution d'une rente sur un bien. **2.** *Hist.* Certificat tenant lieu de papier-monnaie, émis de 1789 à 1796, dont la valeur était gagée sur les biens nationaux. Fin XIVᵉ s. ; ☞ *assigner* ; [asiɲa].

**ASSIGNATION,** subst. f.
*Dr.* **1.** Attribution, affectation : *L'****assignation*** *d'archives à une bibliothèque.* **2.** Affectation d'un fonds au paiement d'une rente, d'une dette. **3.** Acte d'huissier assignant qqn à comparaître. ▸ ***Assignation*** *à résidence* : obligation pour une personne de résider en un lieu déterminé. 1265 ; lat. *assignatio*, « répartition, partage » ; [asiɲasjɔ̃].

**ASSIGNER,** verbe trans. [3]
**1.** Attribuer par voie d'autorité ou de justice : ***Assigner*** *un logement à un fonctionnaire.* **2.** Affecter (un bien, un fonds) en paiement. **3.** Fixer, déterminer : ***Assigner*** *un délai à une mission.* **4.** *Dr.* ▸ Sommer (qqn) de comparaître. ▸ ***Assigner*** *qqn à résidence* : l'obliger à résider en un lieu déterminé. 1160 ; lat. *assignare* ; [asiɲe].

**ASSIMILABLE,** adj.
Qui peut être assimilé. 1803 ; ☞ *assimiler* ; [asimilabl].

**ASSIMILATEUR, TRICE,** adj.
Qui est apte à assimiler : *Organe* ***assimilateur*** ; au fig. : *Une intelligence* ***assimilatrice.*** 1626 ; ☞ *assimiler* ; [asimilatœʀ, tʀis].

**ASSIMILATION,** subst. f.
**1.** Capacité de bien intégrer un élément. ▸ *Physiol.* Processus biologique par lequel les êtres vivants transforment les matières qu'ils absorbent en leur propre substance ; par ext. : ***Assimilation*** *chlorophyllienne* (☞ *photosynthèse*). **2.** Faculté d'acquérir une connaissance, de comprendre. **3.** Processus par lequel une personne, un peuple s'insère dans un milieu étranger : *L'****assimilation*** *des immigrés* ; ***Assimilation*** *culturelle.* **4.** Démarche consistant à établir une similarité entre deux choses, deux personnes. 1374 ; lat. *assimilatio* ; [asimilasjɔ̃].

**ASSIMILÉ, ÉE,** adj. et subst. m.
**Adj.** Qui a fait l'objet d'une assimilation. **Subst.** Personne dont le statut correspond à une fonction, à une catégorie donnée sans qu'elle en ait le titre : *Cadres et* ***assimilés.*** 1560 ; p. p. de *assimiler* ; [asimile].

**ASSIMILER,** verbe trans. [3]
**1.** Intégrer, faire sien. ▸ *Physiol.* Intégrer et transformer en sa propre substance : *Les plantes* ***assimilent*** *le dioxyde de carbone de l'air.* ▸ Anal. Intégrer à un groupe social, à une culture, à une société : ***Assimiler*** *des immigrants.* ▸ Fig. Comprendre : ***Assimiler*** *une notion philosophique.* **2.** Considérer comme semblable ou comparable : ***Assimiler*** *la vie à une comédie.* **Pronom.** **1.** Se rendre semblable en perdant ses caractéristiques : *Pourquoi refusent-ils de s'****assimiler*** *?* **2.** Se comparer à, s'estimer l'égal de : *S'****assimiler*** *à un grand esprit.* 1495 ; lat. *assimilare*, de *similis*, « semblable » ; [asimile].

**ASSIS, ISE,** adj.
**1.** Qui se tient en appui sur son séant ; par méton. : *Place* ***assise****,* où l'on peut s'asseoir. ▸ *Dr.* *Magistra-*

*ture* ***assise*** : dont les membres rendent la justice **assis** (anton. *magistrature debout* ou *du parquet*). **2.** Fig. Stable, solidement établi. XIIᵉ s. ; p. p. de *asseoir* ; [asi, iz].

**ASSISE, subst. f.**

**1.** *Archit.* Rang horizontal de pierres, de briques, etc., sur lequel on élève une construction, un mur. **2.** Fig. Base, fondement : *Les* ***assises*** *de l'État, d'une théorie.* **3.** *Spéc.* ▸ *Biol.* Couche de cellules de même type. ▸ *Géol.* Ensemble de strates qui se distinguent par des caractères lithologiques ou paléontologiques particuliers. **Plur. 1.** *M. Â.* Assemblée, gén. judiciaire. **2.** *Dr.* ▸ Session d'une juridiction criminelle : *Président des* ***assises***. ▸ La cour elle-même, investie du pouvoir de juger les personnes mises en accusation : *Cour d'****assises*** ou, par ell., *Les* ***assises*** ; par méton., lieu où se tient cette cour. **3.** Congrès, réunion plénière d'un groupement syndical, politique, associatif, etc. : *Tenir ses* ***assises***. Déb. XIIIᵉ s. ; p. p. de *asseoir* ; [asiz].

**ASSISTANAT, subst. m.**

**1.** *Enseign.* Fonction d'assistant. **2.** Fait d'être assisté (souv. péj.). V. 1960 ; ☞ *assistant* ; [asistana].

**ASSISTANCE, subst. f.**

**I. 1.** Action d'assister, de participer à qqch. (rare) : *L'****assistance*** *à l'office de la messe.* **2.** Méton. Assemblée, auditoire : *Une* ***assistance*** *clairsemée.* **II. 1.** Action d'assister qqn dans son travail. **2.** Action de secourir qqn : *Une condamnation pour non-****assistance*** *à personne en danger* ; *Prêter* ***assistance*** *à qqn.* **3.** Aide institutionnelle. ▸ *L'****Assistance*** *publique* ou, empl. abs., *L'****Assistance*** : organisme jadis chargé de venir en aide aux déshérités, en partic. aux enfants orphelins ou abandonnés (auj. *Aide sociale*) ; administration qui gère les hôpitaux publics. ▸ ***Assistance*** *technique* : aide aux pays en voie de développement. **4.** Service de dépannage, d'aide, fourni par contrat à ses clients par le vendeur d'un bien : *Contrat d'****assistance***. **5.** *Dr.* Intervention légale dans les actes d'une personne frappée d'incapacité. 1422 ; ☞ *assister* ; [asistɑ̃s].

**ASSISTANT, ANTE, subst.**

**I. Masc. plur.** Ensemble des personnes qui assistent à qqch., assistance. **II. 1.** Personne qui assiste, seconde qqn : ***Assistant*** *médical, décorateur* ; ***Assistante*** *de recherche.* **2.** ▸ ***Assistant(e)*** *social(e)* : personne chargée d'apporter informations et aide à ceux qui ont des difficultés matérielles ou morales. ▸ ***Assistante*** *maternelle* : nourrice agréée par un centre de P. M. I. (protection maternelle infantile). **3.** *Enseign.* ▸ Auxiliaire d'un professeur d'université, qui s'occupe en partic. des travaux dirigés. ▸ Étudiant étranger qui, dans un collège, un lycée, seconde un professeur de langue. 1400 ; p. pr. de *assister* ; [asistɑ̃, ɑ̃t].

**ASSISTÉ, ÉE, adj. et subst.**

Se dit d'une personne qui bénéficie d'une assistance sociale, juridique ou financière. **Adj. 1.** Qui bénéficie des avancées technologiques dans certains domaines. **2.** *Informat.* **Assisté par ordinateur.** Qui met en œuvre les techniques informatiques : *Dessin* ***assisté*** *par ordinateur (D. A. O.).* **3.** *Techn.* Doté d'un système permettant de réguler l'effort fourni par l'utilisateur : *Voiture à direction* ***assistée***. XVᵉ s. ; p. p. de *assister* ; [asiste].

**ASSISTER, verbe trans. [3]**

**Trans. indir. Assister à.** Être présent à ; être témoin de : ***Assister*** *à un match ; On* ***assiste*** *à une baisse des revenus.* **Trans. dir. 1.** Seconder (qqn). **2.** Fournir aide et protection à. ▸ ***Assister*** *un mourant* : rester à ses côtés. Déb. XIVᵉ s. ; lat. *adsistere* ; [asiste].

**ASSOCIATIF, IVE, adj.**

**1.** Qui a trait aux associations : *Un mouvement* ***associatif***. **2.** *Math. Loi* ***associative*** : une loi de composition interne $*$ sur un ensemble E est **associative** si, quels que soient les éléments $a$, $b$ et $c$ de E, $a * (b * c)$ est égal à $(a * b) * c$. Dans $\mathbb{R}$, l'addition et la multiplication sont **associatives**, mais pas la soustraction. **3.** *Psychol.* Qui concerne l'association des idées : *Mémoire* ***associative*** ; *Processus* ***associatifs***. 1488 ; ☞ *associer* ; [asɔsjatif, iv].

**ASSOCIATION, subst. f.**

**1.** Action d'associer, de s'associer ; son résultat : ***Association*** *de mots, de capitaux, de deux artisans.* **2.** Groupement permanent de personnes autour d'intérêts communs : ***Association*** *culturelle, sportive, commerciale.* ▸ ***Association*** *régie par la loi du 1ᵉʳ juillet 1901* : à but non lucratif. **3.** *Biol.* et *Sc. nat.* Union d'espèces vivantes, qui constituent une nouvelle unité biologique : *Un lichen est l'****association*** *d'une algue et d'un champignon.* **4.** *Psychanal.* ***Association libre*** : méthode consistant à laisser un sujet exprimer ce qui lui vient à la conscience (idées, images, désirs), sans censure volontaire. **5.** *Psychol.* ***Association d'idées*** : phénomène mental par lequel la venue à la conscience d'une image ou d'une idée entraîne immédiatement le surgissement d'une autre image ou idée. 1408 ; ☞ *associer* ; [asɔsjasjɔ̃].

**ASSOCIATIONNISME, subst. m.**

**1.** *Philos.* Doctrine qui fait de l'association des états de conscience élémentaires (sensations, images) le principe de toute vie mentale. **2.** *Pol.* Doctrine socialiste développée au XIXᵉ s. prônant le regroupement libre des producteurs. 1877 ; angl. *associationism* ; [asɔsjasjɔnism].

**ASSOCIATIVITÉ, subst. f.**

*Math.* Propriété d'une loi associative. 1888 ; ☞ *associatif* ; [asɔsjativite].

**ASSOCIÉ, ÉE, adj. et subst.**

Se dit d'une personne liée à d'autres par des intérêts communs : *Les* ***associés*** *d'une entreprise commerciale* ; *Membre* ***associé***, titre donné, dans certaines académies, à des personnalités étrangères. 1510 ; p. p. de *associer* ; [asɔsje].

**ASSOCIER, verbe trans. [6]**

**1.** Mettre ensemble, joindre, réunir : ***Associer*** *des mots, des concepts.* **2.** Faire participer (qqn) à qqch. : ***Associer*** *ses amis à son succès.* **Pronom. 1.** Former un tout cohérent, harmonieux : *Des couleurs qui* ***s'associent*** *bien.* **2. S'associer à, avec.** S'unir, se lier à (qqn) dans une entreprise ; au fig., participer à : ***S'associer*** *à la douleur de qqn*, la partager. 1238 ; lat. *associare* ; [asɔsje].

**ASSOIFFÉ, ÉE, adj.**

**1.** Qui a grand-soif, altéré. **2.** Fig. **Assoiffé de.** Qui désire ardemment, avec avidité : *Un homme* ***assoiffé*** *de pouvoir.* 1607 ; p. p. de *assoiffer* ; [aswafe].

**ASSOIFFER, verbe trans. [3]**

Donner soif à (qqn), altérer. 1607 ; ☞ *soif* + *a-*[1] ; [aswafe].

**ASSOLEMENT, subst. m.**

*Agric.* Méthode qui consiste à faire alterner les cultures d'année en année pour obtenir un rendement optimal sans épuiser le sol : ***Assolement*** *triennal*, alternance de trois cultures, chacune ne revenant sur la même sole qu'une fois tous les trois ans. 1800 ; ☞ *assoler* ; [asɔlmɑ̃].

**ASSOLER, verbe trans. [3]**

*Agric.* Diviser (une terre) en soles pour y faire alterner les cultures. 1374 ; ☞ *sole* (I) + *a-*[1] ; [asɔle].

**ASSOMBRIR, verbe trans. [19]**

Obscurcir, rendre sombre : *De gros nuages* ***assombrissent*** *le ciel* ; au fig. : *Cette nouvelle* ***assombrit*** *mon humeur.* **Pronom.** Devenir sombre ; au fig. : *Son visage* ***s'assombrit***. 1597 ; ☞ *sombre* + *a-*[1] ; [asɔ̃bʀiʀ].

**ASSOMBRISSEMENT, subst. m.**

Action d'assombrir, fait de s'assombrir ; son résultat. 1801 ; ☞ *assombrir* ; [asɔ̃bʀismɑ̃].

**ASSOMMANT, ANTE, adj.**

Qui assomme, ennuie (fam.) : *Un dîner* ***assommant***. Fin XVIᵉ s. ; p. pr. de *assommer* ; [asɔmɑ̃, ɑ̃t].

**ASSOMMER, verbe trans. [3]**

**1.** Étourdir, faire s'évanouir ou tuer (qqn, un animal) d'un coup violent sur la tête. **2.** Fig. ▸ Accabler, priver de toute réaction : *Cette chaleur m'****assomme***. ▸ Ennuyer au plus haut point (fam.). Fin XIIᵉ s. ; ☞ *somme* (I) + *a-*[1] ; [asɔme].

**ASSOMMOIR, subst. m.**

**1.** Instrument, piège servant à assommer (vx) : *Un* ***assommoir*** *à oiseaux.* **2.** Fig. *Coup d'****assommoir*** : évènement imprévu qui cause un choc. **3.** Débit de boissons, cabaret servant des alcools de qualité inférieure (vx et pop.) : *L'****assommoir*** *du père Colombe* (Zola). 1700 ; ☞ *assommer* ; [asɔmwaʀ].

**ASSOMPTION, subst. f.**

**1.** *Relig.* Élévation miraculeuse de la Vierge Marie, corps et âme, au ciel (☞ *dormition*). **2.** *L'****Assomption*** : fête, observée le 15 août, qui célèbre cet évènement. **3.** *Log.* Proposition posée en vue d'en démontrer une autre. ▸ La mineure du syllogisme. ▸ Hypothèse (anglic.). **4.** *Philos.* Acte d'assumer, de prendre à son compte ; en partic., acceptation de sa nature, de sa finitude. Fin XIIᵉ s. ; lat. *assumptio*, « action de prendre, d'admettre » ; [asɔ̃psjɔ̃].

**ASSOMPTIONNISTE, subst. m.**

*Cath.* Membre d'une congrégation, fondée à Nîmes en 1845 par l'abbé Emmanuel d'Alzon, qui exerce son action dans l'enseignement, la presse et les missions en Europe et au Proche-Orient. 1900 ; ☞ *assomption* ; [asɔ̃psjɔnist].

**ASSONANCE, subst. f.**

**1.** Répétition vocalique d'un même son. **2.** *Versif.* Homophonie de la dernière voyelle accentuée de plusieurs mots : *« Grave » et « malade » font une* ***assonance***, *« grave » et « batave » font une rime.* 1690 ; esp. *asonancia*, du lat. *assonare*, « répondre en écho » ; [asɔnɑ̃s].

**ASSONANCÉ, ÉE, adj.**

Qui comporte une ou des assonances : *Une chanson* ***assonancée***. 1892 ; ☞ *assonance* ; [asɔnɑ̃se].

**ASSONANT, ANTE, adj.**

Qui produit une assonance. 1721 ; lat. *assonans*, de *assonare*, « répondre en écho » ; [asɔnɑ̃, ɑ̃t].

**ASSORTI, IE, adj.**

**1.** Qui est en harmonie : *Une peinture* ***assortie*** *aux rideaux* ; empl. abs. : *Des amants* ***assortis***. **2.** Fourni, approvisionné : *Un étalage bien* ***assorti***. **Plur.** *Bonbons* ***assortis*** : variés. XIVᵉ s. ; p. p. de *assortir* ; [asɔʀti].

**ASSORTIMENT, subst. m.**

**1.** Rapport harmonieux de choses mises ensemble : *Un* ***assortiment*** *raffiné de couleurs.* **2.** Assemblage varié de choses de même nature : ***Assortiment*** *de gâteaux.* ▸ *Comm.* Collection de marchandises : ***Assortiment*** *de bijoux.* XVᵉ s. ; ☞ *assortir* ; [asɔʀtimɑ̃].

**ASSORTIR, verbe trans. [19]**

**1.** Unir (des choses ou des personnes qui s'accordent) : ***Assortir*** *des couleurs, des couples* ; ***Assortir*** *son chapeau à sa robe*, les harmoniser. **2.** Pourvoir de ce qui est nécessaire (vieilli) : ***Assortir*** *un magasin.* **3.** ***Assortir*** *un constat de preuves* : le compléter par des preuves. **Pronom. 1.** S'accorder. **2.** S'accompagner (de). XIVᵉ s. ; ☞ *sorte* + *a-*[1] ; [asɔʀtiʀ].

**ASSOUPI, IE, adj.**

**1.** Somnolent, à moitié endormi. **2.** Fig. Calmé, atténué : *Une passion* ***assoupie***. XVIᵉ s. (XVᵉ s., atténué) ; p. p. de *assoupir* ; [asupi].

*L'Assommoir, affiche de Théophile Steinlen (1859-1923) pour la pièce de théâtre adaptée du roman d'Émile Zola. Musée des Arts décoratifs, Paris.*

**ASSOUPIR, verbe trans.** [19]
**1.** Endormir légèrement : *Ce repas nous **a assoupis**.* **2.** Fig. Atténuer, faire oublier : *Le temps **assoupit** les querelles.* **Pronom. 1.** Se laisser aller à un sommeil léger. **2.** Fig. S'atténuer. XVIe s. (XVe s., atténuer les mauvaises suites de qqch.) ; bas lat. *assopire,* du lat. *sopire,* « endormir » ; [asupiʀ].

**ASSOUPISSEMENT, subst. m.**
**1.** Fait de s'assoupir, d'être assoupi. **2.** Fig. Fait de se calmer, de s'atténuer. 1531 ; ☞ *assoupir* ; [asupismɑ̃].

**ASSOUPLIR, verbe trans.** [19]
Rendre souple, plus souple : ***Assouplir** du linge* ; au fig. : ***Assouplir** une discipline, ses mœurs.* **Pronom.** Devenir plus souple. 1564 (XIIe s., faiblir) ; ☞ *souple* + *a-*[1] ; [asupliʀ].

**ASSOUPLISSANT, subst. m.**
Produit que l'on ajoute à l'eau de rinçage du linge (synon. *assouplisseur*). XXe s. (1866, qui assouplit) ; p. pr. de *assouplir* ; [asuplisɑ̃].

**ASSOUPLISSEMENT, subst. m.**
Action d'assouplir ; son résultat. Mil. XIXe s. ; ☞ *assouplir* ; [asuplismɑ̃].

**ASSOURDIR, verbe trans.** [19]
**1.** Rendre momentanément sourd. **2.** Fig. Lasser à force de paroles ou de bruit. **3.** Atténuer (un son). **Pronom. 1.** Devenir moins sonore. **2.** *Phon.* Devenir sourde, en parlant d'une consonne sonore. 1120 ; ☞ *sourd* + *a-*[1] ; [asuʀdiʀ].

**ASSOURDISSANT, ANTE, adj.**
Qui assourdit : *Une détonation **assourdissante**.* 1811 ; p. pr. de *assourdir* ; [asuʀdisɑ̃, ɑ̃t].

**ASSOURDISSEMENT, subst. m.**
**1.** Action d'assourdir ; état qui en résulte. **2.** *Phon.* Assimilation d'une consonne sonore à une sourde. 1596 ; ☞ *assourdir* ; [asuʀdismɑ̃].

**ASSOUVIR, verbe trans.** [19]
Satisfaire pleinement (un besoin, un désir, une passion) : ***Assouvir** sa faim, son ambition, sa colère.* Fin XIIe s. ; lat. pop. °*assopire,* « dormir », et anc. fr. *assevir,* « achever » ; [asuviʀ].

**ASSOUVISSEMENT, subst. m.**
Action d'assouvir un besoin, un désir ; état de plénitude qui en résulte. 1340 ; ☞ *assouvir* ; [asuvismɑ̃].

**ASSUÉTUDE, subst. f.**
*Méd.* et *Pathol.* Accoutumance de l'organisme à un nouveau milieu, à une substance ; dépendance : ***Assuétude** médicamenteuse.* 1885 ; lat. *assuetudo,* « habitude » ; [asɥetyd].

**ASSUJETTI, IE, adj. et subst.**
**Adj.** Soumis à un assujettissement. **Subst.** Personne tenue de payer un impôt, de s'affilier à un organisme. Mil. XVe s. ; p. p. de *assujettir* ; [asyʒeti].

**ASSUJETTIR, verbe trans.** [19]
**1.** Asservir, ranger sous ses lois : *Les Francs **assujettirent** les Gallo-Romains.* **2.** Soumettre à une obligation : ***Assujettir** un propriétaire à un impôt.* **3.** Immobiliser, fixer : ***Assujettir** une plante à un tuteur.* Mil. XVe s. ; ☞ *sujet* + *a-*[1] ; [asyʒetiʀ].

**ASSUJETTISSANT, ANTE, adj.**
Qui assujettit, astreint : *Une tâche **assujettissante**.* 1688 ; p. pr. de *assujettir* ; [asyʒetisɑ̃, ɑ̃t].

**ASSUJETTISSEMENT, subst. m.**
Action d'assujettir qqn ; état de dépendance qui en résulte. 1572 ; ☞ *assujettir* ; [asyʒetismɑ̃].

**ASSUMER, verbe trans.** [3]
Endosser, prendre à son compte (un état, une responsabilité) ; accepter les conséquences de : ***Assumer** une fonction, un risque, sa condition.* **Pronom.** Se prendre en charge ; s'accepter. XVe s. ; lat. *assumere* ; [asyme].

**ASSURABLE, adj.**
Susceptible d'être couvert par un contrat d'assurance. 1866 ; ☞ *assurer* ; [asyʀabl].

**ASSURANCE, subst. f.**
**1.** Certitude, conviction : *J'ai l'**assurance** qu'il viendra.* **2.** Ext. Confiance en soi, aplomb. **3.** Méton. Promesse, garantie : *Donner des **assurances** de sa bonne foi.* **4.** Fait de garantir qqn, qqch. ; contrat par lequel un assureur, moyennant une prime, s'engage à indemniser un assuré d'un éventuel dommage : *Compagnie d'**assurances** ; Contracter une **assurance** vie.* ▸ ***Assurances** sociales* : organisme, auj. absorbé par la Sécurité sociale, qui garantit les assurés contre la maladie, l'invalidité, la vieillesse. Fin XIIe s. ; ☞ *assurer* ; [asyʀɑ̃s].

**ASSURÉ, ÉE, adj. et subst.**
**Adj. 1.** Qui dénote de l'assurance ; ferme : *Une démarche **assurée**.* **2.** Tenu pour certain : *Une victoire **assurée**.* **3.** Qui est garanti par un contrat d'assurance : *Une maison **assurée**.* **Subst.** Bénéficiaire d'un contrat d'assurance ou d'un régime d'assurances sociales. 1155 ; p. p. de *assurer* ; [asyʀe].

**ASSURÉMENT, adv.**
De manière certaine : *Il parlera ? – **Assurément** !* Mil. XIIe s. ; ☞ *assuré* ; [asyʀemɑ̃].

**ASSURER, verbe trans.** [3]
**1.** Garantir, préserver des accidents : ***Assurer** son avenir.* ▸ Garantir ou faire garantir par un contrat d'assurance : *Quelle compagnie vous **assure** ?* ; ***Assurer** son mobilier.* ▸ *Alp.* ***Assurer** qqn* : le retenir, le protéger d'une chute. **2.** Consolider, fixer, stabiliser : ***Assurer** un plancher d'échafaudage* ; au fig. : ***Assurer** son pouvoir.* **3.** Procurer durablement : *Son métier lui **assure** de bons revenus* ; par ext., permettre le bon fonctionnement, la réussite de (qqch.) : ***Assurer** la garde* ; ***Assurer** l'élection d'un ami.* ▸ Abs. Être à la hauteur (fam.) : *Ne t'inquiète pas, j'**assure** !* **4.** Donner pour indubitable : *Je t'**assure** que tout ira bien.* **Pronom. 1.** Vérifier : ***Assurez-vous** que vous n'avez rien oublié.* ▸ ***S'assurer** de qqch.* : en acquérir la certitude. **2.** Se prémunir (contre un accident) ; se garantir par un contrat d'assurance : ***S'assurer** contre le vol* ; empl. abs., souscrire un contrat d'assurance. **3.** Faire en sorte d'obtenir : ***S'assurer** les services d'un avocat.* ▸ ***S'assurer** de qqn* : se procurer son concours (vieilli) ; s'en emparer (littér.). Déb. XIIe s. ; bas lat. *assecurare,* « protéger » ; [asyʀe].

**ASSUREUR, subst. m.**
Agent, courtier d'une compagnie d'assurances. 1550 ; ☞ *assurer* ; [asyʀœʀ].

**ASSYRIEN, IENNE, adj. et subst.**
De l'Assyrie. **Subst. masc.** Ancienne langue sémitique. 1688 ; topon. *Assyrie* ; [asiʀjɛ̃, jɛn].

**ASSYRIOLOGIE, subst. f.**
Science qui a pour objet l'histoire et la civilisation assyriennes et, par ext., de tous les autres peuples de la Mésopotamie ancienne. 1866 ; topon. *Assyrie* + *-logie* ; [asiʀjɔlɔʒi].

**ASTASIE, subst. f.**
*Pathol.* Perte, totale ou non, de la faculté de se tenir debout. 1865 ; gr. *astasia,* « instabilité » ; [astazi].

**ASTATE, subst. m.**
*Chim.* Élément n° 85 de la table de Mendeleïev (symb. : At) ; masse atomique : 210 ; point de fusion : 302 °C ; point d'ébullition : 337 °C. C'est un élément du groupe des halogènes, très instable et radioactif. 1956 ; lat. sc. *astatus,* du gr. *astatos,* « instable » ; [astat].

**ASTATIQUE, adj.**
**1.** *Pathol.* Atteint d'astasie. **2.** *Phys.* *Système **astatique*** : qui reste en équilibre, quelle que soit sa position. 1842 ; gr. *astatos,* « instable » ; [astatik].

**ASTER, subst. m.**
**1.** *Bot.* Plante angiosperme de la famille des Astéracées, tel l'**aster** de Chine ou reine-marguerite. **2.** *Biol.* Ensemble des filaments rayonnants qui entourent le centrosome au début de la mitose. 1549 ; lat. *aster,* du gr. *astêr,* « étoile » ; [asteʀ].

*Asters.*

**ASTÉRACÉES, subst. f. plur.**
*Bot.* Composées. Lat. *aster,* du gr. *astêr,* « étoile » ; [asteʀase].

**ASTÉRIDES, subst. m. plur.**
*Zool.* Nom savant des étoiles de mer qui constituent l'une des classes de l'embranchement des Échinodermes. **Au sing.** *L'astérie est un **astéride**.* 1838 ; ☞ *astérie* ; [asteʀid].

**ASTÉRIE, subst. f.**
*Zool.* Étoile de mer. 1729 ; gr. *asterias,* « poisson à la peau étoilée » ; [asteʀi].

**ASTÉRISQUE, subst. m.**
*Typogr.* Signe (*) qui, accolé à un mot, indique un renvoi ou annonce une information convenue. 1570 ; lat. médiév. *asteriscus,* du gr. *asteriskos,* « petite étoile » ; [asteʀisk].

**ASTÉROÏDE, subst. m.**
*Astron.* Petite planète, de moins de mille kilomètres de diamètre, évoluant en gén. entre les orbites de Mars et de Jupiter. 1751 ; gr. *aster* + *-oïde* ; [asteʀɔid].

**ASTHÉNIE, subst. f.**
*Pathol.* Affaiblissement général de l'organisme. 1790 ; gr. *astheneia,* « manque de vigueur » ; [asteni].

**ASTHÉNIQUE, adj. et subst.**
**Adj.** Qui souffre d'asthénie ; qui s'accompagne d'asthénie, en parlant d'une affection. **Subst.** Sujet atteint d'asthénie. 1814 ; ☞ *asthénie* ; [astenik].

**ASTHÉNOSPHÈRE, subst. f.**
*Géol.* Partie profonde (située sous la lithosphère) du manteau terrestre, faite d'olivine et de pyroxène (péridotite). Visqueuse (la température y dépasse 1 250 °C) et épaisse d'env. 160 km, elle commence entre 80 et 140 km de profondeur. C'est sur l'**asthénosphère** que « flottent » les plaques continentales. 1914 ; gr. *astheneia,* « faiblesse », + *-sphère* ; [astenɔsfɛʀ].

**ASTHMATIQUE, adj. et subst.**
**Adj.** Relatif à l'asthme : *Bronchite **asthmatique*** ; qui a de l'asthme. **Subst.** Personne atteinte d'asthme. XIVe s. ; lat. *asthmaticus,* du gr. *asthmatikos* ; [asmatik].

**ASTHME, subst. m.**
*Pathol.* Syndrome respiratoire caractérisé par des crises de dyspnée expiratoire. XIVe s. (XIIIe s., angoisse) ; lat. *asthma,* du gr. *asthma,* « essoufflement » ; [asm].

**ASTI, subst. m.**
Vin blanc mousseux produit dans la région d'Asti, en Italie. 1894 ; topon. *Asti* (Italie) ; [asti].

**ASTICOT, subst. m.**
*Zool.* Larve de mouche qui se nourrit de substances animales et sert d'appât pour la pêche. 1828 ; orig. obsc. ; [astiko].

**ASTICOTER, verbe trans.** [3]
Harceler, taquiner (fam.). Mil. XVIIIe s. ; m. fr. *dasticoter,* « jargonner, contredire, ennuyer », de l'all. *daß dich Gott...,* « que Dieu te... » ; [astikɔte].

**ASTIGMATE, adj. et subst.**
Se dit d'une personne qui souffre d'astigmatisme. 1877 ; gr. *stigmê,* « point », + *a-*[2] ; [astigmat].

**ASTIGMATISME, subst. m.**
**1.** *Pathol.* Défaut de courbure des milieux réfringents de l'œil, qui empêche les rayons du point lumineux de converger en un point sur la rétine, d'où une vision trouble. **2.** *Opt.* Défaut d'un système optique qui ne donne pas d'un point une image ponctuelle. 1877 ; gr. *stigmê,* « point », + *a-*[2] ; [astigmatism].

**ASTIQUAGE, subst. m.**
Action d'astiquer. 1866 ; ☞ *astiquer* ; [astikaʒ].

**ASTIQUER, verbe trans.** [3]
Faire reluire en frottant : ***Astiquer** des casseroles.* 1833 ; *astic* (rare), « polissoir de cuir » ; [astike].

**ASTRAGALE, subst. m.**
**1.** *Anat.* Os du tarse qui repose sur le calcanéum et s'articule avec le tibia et le péroné. **2.** *Archit.* Moulure ronde séparant le fût et le chapiteau d'une colonne. **3.** *Bot.* Plante fourragère, dont une espèce fournit la gomme adragante. 1546 ; lat. *astragalus,* du gr. *astragalos,* « vertèbre ; talon » ; [astʀagal].

**ASTRAKAN, subst. m.**
Fourrure bouclée de jeune agneau karakul. 1775 ; topon. *Astrak(h)an* (Russie) ; [astʀakɑ̃].

**ASTRAL, ALE, AUX, adj.**
**1.** *Astrol.* Relatif aux astres et à leur influence : *Thème, signe **astral**.* **2.** *Occult.* *Corps **astral*** : aura. 1533 ; bas lat. *astralis* ; [astʀal, o].

**ASTRE, subst. m.**
**1.** *Astron.* Corps céleste naturel, observable à l'œil nu ou à l'aide d'instruments (télescopes, radiotélescopes). Il peut produire l'énergie lumineuse qu'il émet, tels le Soleil et les étoiles, ou la réfléchir, telle la Lune. **2.** *Astrol.* Corps céleste supposé

influencer le destin humain : *Consulter les* **astres** ; *Être né sous un* **astre** *favorable.* XII$^{e}$ s. ; lat. *astrum*, du gr. *astron*, « corps céleste » ; [astʀ].

**ASTREIGNANT, ANTE, adj.**
Qui astreint : *Un règlement* **astreignant**. Fin XIX$^{e}$ s. ; p. pr. de *astreindre* ; [astʀɛɲɑ̃, ɑ̃t].

**ASTREINDRE, verbe trans.** [53]
Obliger, soumettre (qqn) à qqch. de pénible ; empl. pronom. : *S'astreindre à un régime.* Fin XII$^{e}$ s. ; lat. *astringere*, « serrer, lier » ; [astʀɛ̃dʀ].

**ASTREINTE, subst. f.**
**1.** *Dr.* Condamnation contraignant un débiteur à verser une somme déterminée par jour de retard dans l'exécution d'une obligation. **2.** Ext. Obligation rigoureuse ; contrainte. ▸ Loc. *Être d'***astreinte** : devoir rester disponible pour toute nécessité de service. 1875 ; p. p. de *astreindre* ; [astʀɛ̃t].

**ASTRINGENCE, subst. f.**
Qualité de ce qui est astringent. 1838 ; ☞ *astringent* ; [astʀɛ̃ʒɑ̃s].

**ASTRINGENT, ENTE, adj. et subst. m.**
*Pharm.* Se dit d'une substance qui resserre les tissus. ADJ. Âpre : *Saveur* **astringente**. 1537 ; lat. *astringens*, de *astringere*, « resserrer » ; [astʀɛ̃ʒɑ̃, ɑ̃t].

**ASTROBLÈME, subst. m.**
*Astron.* Trace de l'impact d'un astéroïde à la surface de la Terre ou d'une autre planète. Gr. *blêma*, « coup, blessure », + *astro-* ; [astʀɔblɛm].

**ASTROCYTE, subst. m.**
*Anat.* Cellule de la névroglie (tissu de soutien du système nerveux central) dont les prolongements protoplasmiques lui confèrent une forme étoilée. 1912 ; formé de *astro-* et de *-cyte* ; [astʀɔsit].

**ASTROCYTOME, subst. m.**
*Pathol.* Tumeur bénigne du cerveau, du cervelet ou, plus rarement, de la moelle épinière, constituée aux dépens des astrocytes. V. 1920 ; ☞ *astrocyte* + *-ome* ; [astʀɔsitom].

**ASTROLABE, subst. m.**
*Astron.* **1.** Instrument ancien, d'origine arabe, dont on se servait pour déterminer la hauteur des astres sur l'horizon. **2.** Appareil destiné à déterminer des positions d'étoiles ou une position géographique par l'observation du passage des étoiles par un cercle de hauteur déterminée. Mil. XII$^{e}$ s. ; lat. médiév. *astrolabium*, du gr. *astrolabion* ; [astʀɔlab].

**ASTROLOGIE, subst. f.**
Art divinatoire qui se fonde sur l'influence présumée des astres, de leur mouvement, de leurs aspects, pour déterminer le comportement des hommes et leur destin. Mil. XIII$^{e}$ s. ; lat. *astrologia*, du gr. *astrologia*, « étude des astres » ; [astʀɔlɔʒi].

**ASTROLOGIQUE, adj.**
Qui concerne l'astrologie. 1680 (XVI$^{e}$ s., qui a trait à l'astronomie) ; ☞ *astrologie* ; [astʀɔlɔʒik].

**ASTROLOGUE, subst.**
Personne qui pratique l'astrologie. XIV$^{e}$ s. ; lat. *astrologus*, du gr. *astrologos*, « astronome » ; [astʀɔlɔg].

**ASTROMÉTRIE, subst. f.**
Ensemble des techniques permettant de déterminer les positions des astres. 1846 ; formé de *astro-* et de *-métrie* ; [astʀɔmetʀi].

**ASTRONAUTE, subst.**
Personne qui pilote un astronef ou qui participe à un voyage spatial dans un astronef (synon. *cosmonaute, spationaute*). 1928 ; formé de *astro-* et de *-naute* ; [astʀonot].

**ASTRONAUTIQUE, subst. f.**
Science et technique de la navigation dans l'espace. 1928 ; formé de *astro-* et de *-nautique* ; [astʀonotik].

SCIENCES et TECHNIQUES – L'ère de la conquête spatiale s'ouvre aux États-Unis en 1926, avec le premier lancement d'une fusée à propergol liquide, conçue par Robert Goddard. D'autres tirs suivent, en Allemagne (1931) et en U. R. S. S. (1933), mais la première fusée moderne est le V2, à usage militaire, mis au point en 1942 par l'Allemand Wernher von Braun. Elle servira de modèle aux Russes et aux Américains pour la construction de leurs missiles balistiques, dont dériveront leurs lanceurs civils jusqu'aux années quatre-vingt. Les Soviétiques sont les premiers à lancer un satellite artificiel, Spoutnik 1, le 4 octobre 1957 ; la réplique américaine arrive le 1$^{er}$ février 1958, avec le lancement, sous la direction de von Braun, du satellite Explorer 1. La Lune est atteinte pour la première fois en 1959, par la sonde Luna 2 (U. R. S. S.). Le premier homme à voler dans l'espace, le Soviétique Iouri Gagarine, à bord de Vostok 1, le 12 avril 1961, sera suivi par l'Américain John Glenn, le 20 février 1962. Les États-Unis et l'U. R. S. S. procèdent à de nombreux tirs, ayant pour objectif de mettre en orbite des satellites de télécommunication, d'explorer Mars et Vénus, d'organiser des rendez-vous dans l'espace. Le 21 juillet 1969, les Américains Neil Armstrong et Edwin Aldrin sont les premiers hommes à marcher sur la Lune, après l'alunissage du vaisseau Apollo 11. En 1971, les Soviétiques lancent la première station orbitale, Saliout 1 ; celle des Américains, Skylab, ne sera opérationnelle qu'en 1973. Les Américains s'orientent alors vers la fabrication de lanceurs de grande capacité réutilisables, les navettes spatiales (premier vol le 12 avril 1981), alors que les Soviétiques réalisent des stations orbitales habitables en permanence. Fruit de la course aux armements, l'épopée spatiale, à laquelle participent désormais l'Europe occidentale (notamment la France), la Chine et le Japon, se poursuit à présent avec des objectifs surtout scientifiques et commerciaux : l'étude de la Terre et des objets célestes de la Galaxie, le développement des télécommunications.

*L'***astronaute** *Neil Armstrong effectuant ses premiers pas sur la Lune le 21 juillet 1969.*

Portrait de Ptolémée, *peinture sur bois de Juste de Gand (v. 1435-1480). L'***astronome** *grec tient en main une sphère armillaire. Musée du Louvre, Paris.*

**ASTRONEF, subst. m.**
Véhicule qui se déplace dans l'espace intersidéral. Mil. XX$^{e}$ s. ; ☞ *nef* + *astro-* ; [astʀɔnɛf].

**ASTRONOME, subst.**
Scientifique dont la spécialité est l'astronomie. 1549 ; gr. *astronomos* ; [astʀɔnɔm].

**ASTRONOMIE, subst. f.**
Science qui a pour objet l'étude de l'Univers et des corps célestes qui le composent. 1160 ; lat. *astronomia*, du gr. *astronomia* ; [astʀɔnɔmi].

SCIENCES et DÉCOUVERTES – Les connaissances astronomiques des Anciens, fruit de l'observation à l'œil nu, sont très rudimentaires, appliquées à leur vie pratique et indissociables de leur religion. Même si les Chaldéens connaissent les points cardinaux, donnent approximativement les périodes et les trajectoires de la Lune, du Soleil et de certaines planètes, il faut attendre la naissance de la science grecque, au VI$^{e}$ s. av. J.-C., avec Thalès et Pythagore, puis les observations d'Hipparque (II$^{e}$ s. av. J.-C.) – qui fonde la trigonométrie et découvre la précession des équinoxes – pour que soient faites les premières grandes découvertes astronomiques. Ptolémée, au II$^{e}$ s. apr. J.-C., fait la synthèse, dans l'*Almageste*, des connaissances acquises pendant six siècles : la Terre est un corps céleste isolé dans l'espace ; elle est sphérique, sans haut ni bas ; autour d'elle, centre immobile de l'Univers, la Lune et le Soleil décrivent des cercles fixes ; en plus de ces deux astres, seuls cinq autres, Mercure, Vénus, Mars, Jupiter et Saturne, modifient leurs positions relatives ; celle des étoiles, fixe, est consignée dans un important catalogue. Cette vision de l'Univers dominera encore à la fin du Moyen Âge, jusqu'à ce que Copernic (1473-1543) relance la théorie de l'héliocentrisme et que Galilée (1564-1642) mette en usage la lunette astronomique, qui permet d'enrichir les catalogues d'étoiles et, avec une précision inconnue auparavant, d'étudier la structure des astres. Puis Newton (1642-1727) fait entrer l'astronomie dans l'ère moderne en expliquant le mouvement des corps célestes par la théorie de la gravitation. Depuis le XIX$^{e}$ s., le champ d'étude ne se limite plus au système solaire, mais s'étend aux étoiles. Le XX$^{e}$ s. voit se développer l'astronomie stellaire, grâce à la construction de puissants télescopes, à l'apparition de la radio-astronomie, au lancement des sondes spatiales. L'essor de l'astronomie se confond alors avec celui de l'astrophysique.

**ASTRONOMIQUE, adj.**
**1.** Qui concerne l'astronomie. **2.** Fig. Très grand : *Un nombre* **astronomique** ; excessif (souv. fam.) : *Une somme* **astronomique**. XIV$^{e}$ s. ; bas lat. *astronomicus*, du gr. *astronomikos* ; [astʀɔnɔmik].

**ASTROPHYSICIEN, IENNE, subst.**
Savant dont la spécialité est l'astrophysique. 1964 ; ☞ *astrophysique* ; [astʀofizisjɛ̃, jɛn].

**ASTROPHYSIQUE, subst. f.**
*Astron.* Étude de la nature physique, de la formation et de l'évolution des objets célestes, des matières interstellaires et intergalactiques. V. 1900 ; ☞ *physique* (I) + *astro-* ; [astʀofizik].

SCIENCES – La naissance de l'astrophysique, au milieu du XIX$^{e}$ s., a été rendue possible par la découverte de l'analyse spectrale du rayonnement électromagnétique des astres, puis par celle de la photographie, qui permet d'enregistrer les observations et de les comparer, de faire apparaître des étoiles invisibles avec les seuls télescopes, d'examiner en même temps et à loisir des milliers d'astres. De la combinaison de ces deux inventions est née la spectrographie, technique fondamentale pour l'étude de la structure de l'Univers. Après la Seconde Guerre mondiale apparaît la radio-astronomie, qui permet d'analyser le rayonnement radioélectrique des corps célestes. Enfin, les télescopes géants, la généralisation du calcul par ordinateur, les sondes spatiales (à partir des années soixante) – qui autorisent l'étude des sources cosmiques de rayonnements X, ultraviolets et gamma – ouvrent l'ère d'une exploration systématique de l'Univers, apportant des renseignements majeurs sur son origine, son état et son évolution. DÉCOUVERTES – Exploitées à l'aide d'un appareil théorique (théories einsteiniennes de la relativité, physique quantique, physique des particules), les observations fournies par l'analyse spectrale et la radioastronomie ont permis, notamment, de mettre en évidence la structure spirale de la Galaxie, l'existence des quasars, des pulsars, des étoiles à neutrons, du rayonnement fossile, des trous noirs, de comprendre l'évolution physico-chimique d'une étoile et de formuler l'hypothèse du big-bang, sur laquelle est bâti le modèle d'Univers généralement admis.

**ASTUCE, subst. f.**
1. Vx. Ruse conçue pour tromper ou nuire. 2. Ingéniosité, inventivité : *Faire preuve d'**astuce***; par méton., procédé pratique, ingénieux : *Les **astuces** du métier.* 3. Plaisanterie, jeu de mots (fam.) : *Je n'ai pas compris son **astuce**.* Fin XIIIe s. ; lat. *astutia*, « savoir-faire ; finesse » ; [astys].

**ASTUCIEUSEMENT, adv.**
D'une manière astucieuse : *C'est **astucieusement** élaboré.* 1532 ; ☞ *astucieux* ; [astysjøzmɑ̃].

**ASTUCIEUX, EUSE, adj.**
Qui fait preuve d'astuce ; conçu avec astuce : *Un procédé **astucieux**.* 1495 ; ☞ *astuce* ; [astysjø, øz].

**ASYMBOLIE, subst. f.**
*Pathol.* Absence ou perte de l'aptitude à utiliser et à comprendre les symboles, les signes. 1901 ; ☞ *symbole* + *a*-[2] ; [asɛ̃bɔli].

**ASYMÉTRIE, subst. f.**
Absence, défaut de symétrie. 1691 ; ☞ *symétrie* + *a*-[2] ; [asimetʀi].

**ASYMÉTRIQUE, adj.**
Qui n'est pas symétrique. 1825 ; ☞ *asymétrie* ; [asimetʀik].

**ASYMPTOMATIQUE, adj.**
*Pathol.* Se dit d'une maladie qu'aucun symptôme clinique ne permet d'identifier. Mil. XXe s. ; ☞ *symptôme* + *a*-[2] ; [asɛ̃ptɔmatik].

**ASYMPTOTE, subst. f. et adj.**
*Math.* SUBST. ***Asymptote** à une branche infinie d'une courbe* : droite telle que la distance d'un point de la courbe à cette droite tend vers 0 quand le point s'éloigne indéfiniment (une des coordonnées au moins tend vers l'infini) le long de la courbe. ADJ. *Courbes **asymptotes*** : deux courbes ayant chacune un arc paramétré sur le même intervalle sont **asymptotes** quand le paramètre $t$ tend vers $t_0$ (éventuellement infini), si la distance mutuelle des points associés sur les courbes, $P(t)$ et $Q(t)$, tend vers 0 quand $t$ tend vers $t_0$. 1638 ; gr. *asumptôtos*, « qui ne s'affaisse pas » ; [asɛ̃ptɔt].

**ASYNCHRONE, adj.**
1. Qui n'est pas synchrone. 2. *Électr.* Dont la vitesse n'est pas dépendante de la fréquence du courant : *Moteur à courant alternatif **asynchrone**.* 1905 ; ☞ *synchrone* + *a*-[2] ; [asɛ̃kʀon].

**ASYNDÈTE, subst. f.**
*Rhét.* Suppression des liaisons grammaticales entre des mots ou des phrases : *« Bon gré mal gré » est une expression formée par **asyndète**.* 1863 ; bas lat. *asyndeton*, du gr. *asúndeton* ; [asɛ̃dɛt].

**ASYNERGIE, subst. f.**
*Pathol.* Trouble de la coordination des mouvements. Fin XIXe s. ; ☞ *synergie* + *a*-[2] ; [asinɛʀʒi].

**ASYSTOLIE, subst. f.**
*Pathol.* Ensemble des phénomènes dus à l'insuffisance cardio-vasculaire (vieilli). Mil. XIXe s. ; ☞ *systole* + *a*-[2] ; [asistɔli].

**At, voir ASTATE**

**ATARAXIE, subst. f.**
*Philos.* Paix intérieure atteinte grâce à la maîtrise ou à la mise à distance des passions, pour les épicuriens, les stoïciens et les sceptiques. 1580 ; gr. *ataraxia*, « absence de trouble » ; [ataʀaksi].

**ATARAXIQUE, adj.**
Relatif à l'ataraxie. 1866 ; ☞ *ataraxie* ; [ataʀaksik].

**ATAVIQUE, adj.**
Transmis par atavisme : *Des caractères **ataviques**.* 1876 ; ☞ *atavisme* ; [atavik].

**ATAVISME, subst. m.**
1. *Biol.* Réapparition chez un individu, après une ou plusieurs générations, de caractères dits récessifs. 2. Ext. Transmission de traits héréditaires ou tenus pour tels : *Alcoolisme dû à l'**atavisme***; par anal., tradition, permanence de comportements au sein d'une communauté, d'un métier. 1838 ; lat. *atavus*, « quatrième aïeul » ; [atavism].

**ATAXIE, subst. f.**
*Pathol.* Absence de coordination des mouvements volontaires, liée à des maladies neurologiques : ***Ataxie** statique*, impossibilité de garder l'immobilité. 1741 ; gr. *ataxia*, « désordre » ; [ataksi].

**ATAXIQUE, adj. et subst.**
ADJ. Relatif à l'ataxie ; atteint d'ataxie. SUBST. Individu atteint d'ataxie. 1798 ; ☞ *ataxie* ; [ataksik].

**ATÈLE, subst. m.**
*Zool.* Singe d'Amérique, de la famille des Cébidés, auquel la longueur de ses membres et de sa queue a valu le surnom de singe-araignée. 1806 ; gr. *atelês*, « inachevé », l'atèle n'ayant pas de pouces ; [atɛl].

*Léger, agile et doté de membres démesurément longs, l'**atèle** peut accéder aux branches les plus élevées des arbres.*

**ATÉLECTASIE, subst. f.**
*Pathol.* Condensation rétractile du poumon, caractérisée par un aplatissement des alvéoles et une rétraction locale. 1865 ; gr. *atelês*, « inachevé », et *ektasis*, « extension » ; [atelɛktazi].

**ATELIER, subst. m.**
1. Vx. Tas de bois ; chantier où travaillaient des artisans du bois. 2. Ext. Tout local, ouvert ou fermé, où travaillent des artisans, des ouvriers, des artistes, soit isolé, soit incorporé dans un ensemble plus vaste (**ateliers** d'une usine) ou dans une habitation (**atelier** d'un peintre). ▸ *Hist. **Ateliers** nationaux* : chantiers de terrassement créés en 1848, en France, pour remédier au chômage. 3. Section d'une usine où l'on se livre à un même travail ; par anal., groupe de travail, de réflexion. 4. Méton. Le personnel d'un **atelier**. ▸ *B.-a.* Ensemble des élèves travaillant sous la direction d'un maître dans un **atelier**. 5. Loge maçonnique ; local où elle se réunit. 1332 ; anc. fr. *astelle*, « éclat de bois » ; [atəlje].

*Une **athlète** olympique : Marie-José Pérec.*

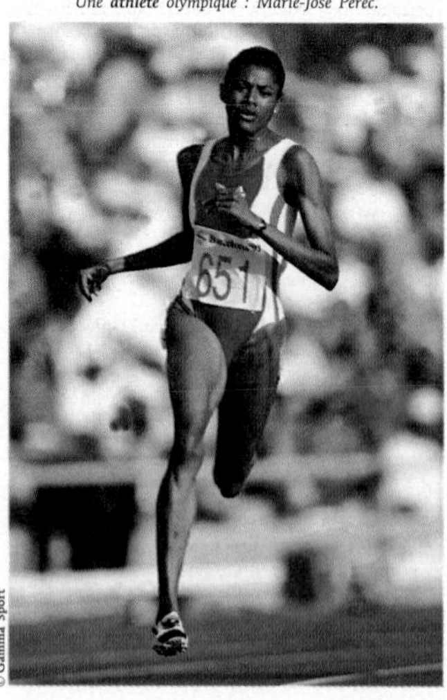



**ATELLANE, subst. f.**
*Antiq.* Farce introduite à Rome au Ier s. av. J.-C., dont les personnages ont survécu dans la commedia dell'arte (souv. au plur.). 1557 ; lat. *atellana*, « pièce d'Atella », ville où naquit ce genre ; [atɛlan].

**ATÉMI, subst. m.**
*Sp.* Dans les arts martiaux japonais, coup porté avec la main, le coude, le genou, le pied... sur un point vulnérable. 1950 ; jap. *atemi* ; var. *atemi* (inv.) ; [atemi].

**A TEMPO, loc. adv.**
*Mus.* En revenant au tempo initial du morceau. 1842 ; ital. *a tempo*, « au temps » ; [atɛmpo].

**ATEMPOREL, ELLE, adj.**
1. *Ling.* Qualifie une forme verbale qui n'indique pas un temps. 2. Qui est en dehors du temps ; que le temps ne concerne pas (rare). 1933 ; ☞ *temporel* + *a*-[2] ; [atɑ̃pɔʀɛl].

**ATERMOIEMENT, subst. m.**
1. *Dr.* Délai accordé par un créancier pour le paiement d'une dette. 2. Ext. Action d'atermoyer, de différer (gén. au plur.) : *Assez d'**atermoiements** !* 1605 ; ☞ *atermoyer* ; [atɛʀmwamɑ̃].

**ATERMOYER, verbe** [17]
TRANS. Vx. *Dr.* Remettre à plus tard (un paiement). INTRANS. Chercher à gagner du temps. Déb. XIIIe s. ; anc. fr. *termoier*, « tarder », + *a*-[1] ; [atɛʀmwaje].

**ATHANOR, subst. m.**
1. Alambic des alchimistes. 2. Ext. Fourneau de laboratoire (vieilli). Fin XIIIe s. ; ar. *al-tannûr*, « le four » ; [atanɔʀ].

**ATHÉE, subst. et adj.**
Se dit d'une personne qui nie l'existence de Dieu ou des dieux. ADJ. Qui dénote l'athéisme : *Le matérialisme **athée**.* 1547 ; lat. chrét. *atheos*, du gr. *atheos*, « qui ne croit pas aux dieux » ; [ate].

**ATHÉISME, subst. m.**
1. *Philos.* Doctrine qui nie l'existence de Dieu (ou des dieux) et, plus largement, de tout ordre divin. 2. Ext. Comportement, habitudes d'un individu ou d'une société athée. 1555 ; ☞ *athée* ; [ateism].

**ATHÉMATIQUE, adj.**
*Ling.* Qui n'est pas thématique. 1888 ; ☞ *thématique* + *a*-[2] ; [atematik].

**ATHÉNÉE, subst. m.**
1. *Antiq.* En Grèce, lieu de rencontre des rhéteurs, poètes et philosophes. 2. Belg. Établissement public d'enseignement secondaire. 1740 ; bas lat. *athenaeum*, du gr. *Athênaion*, « temple d'Athéna » ; [atene].

**ATHERMANE, adj.**
*Techn.* Imperméable à la chaleur : *Enceinte **athermane***, parfaitement isolante. 1836 ; gr. *thermainein*, « chauffer », + *a*-[2] ; [atɛʀman].

**ATHERMIQUE, adj.**
*Phys.* Se dit d'une réaction qui s'effectue sans dégagement ni absorption de chaleur. 1853 ; ☞ *thermique* + *a*-[2] ; [atɛʀmik].

**ATHÉROME, subst. m.**
*Pathol.* Formation de plaques jaunâtres de cholestérol dans la tunique interne d'une artère, qui peuvent s'ulcérer ou se calcifier et qui donnent naissance à l'athérosclérose. XVIe s. ; gr. *athêrôma*, « boule de matière graisseuse » ; [ateʀom].

**ATHÉROSCLÉROSE, subst. f.**
*Pathol.* Maladie vasculaire due à la formation d'athéromes. 1949 ; all. *Atherosklerose*, du gr. *athêrôma*, « boule de matière graisseuse », et de *Sklerose*, « sclérose » ; [ateʀoskleʀoz].

**ATHÉTOSE, subst. f.**
*Pathol.* Maladie nerveuse qui fait accomplir involontairement des gestes lents et ondulants. 1865 ; anglo-amér. *athetosis*, du gr. *athetos*, « non fixé » ; var. *athésie* ; [atetoz].

**ATHÉTOSIQUE, adj.**
1. Qui concerne l'athétose. 2. Qui en est affecté ; empl. subst., personne **athétosique**. Déb. XXe s. ; ☞ *athétose* ; [atetɔzik].

**ATHLÈTE, subst.**
1. *Antiq.* Sportif participant aux épreuves des jeux publics (lutte, course, lancer du disque, etc.). 2. Personne pratiquant l'athlétisme ; par ext. : *Un **athlète**, un homme au corps puissant et musclé.* 1327 ; lat. *athleta*, du gr. *athlêtês* ; [atlɛt].

**ATHLÉTIQUE,** adj.
**1.** Relatif à l'athlétisme : *Jeux* ***athlétiques***. **2.** Puissant et musclé comme un athlète : *Allure* ***athlétique***. 1534 ; lat. *athleticus*, du gr. *athlêtikos* ; [atletik].

**ATHLÉTISME,** subst. m.
Ensemble des disciplines sportives (courses, sauts et lancers) à caractère individuel : *Faire de l'****athlétisme*** ; *Un championnat d'****athlétisme***. 1855 ; ☞ *athlète* ; [atletism].

**ATHREPSIE,** subst. f.
*Pathol.* Grave carence alimentaire ou dénutrition, chez le nourrisson. 1865 ; gr. *threpsis*, « nutrition », + *a-*[2] ; [atrɛpsi].

**ATHYMIE,** subst. f.
*Psych.* Désintéressement affectif et inactivité, en partic. chez le schizophrène. 1790 ; gr. *athumia*, « découragement » ; [atimi].

**ATIGER, voir ATTIGER**

**ATLANTE,** subst. m.
*Archit.* Statue d'homme supportant un entablement ou une corniche (synon. *télamon*). 1547 ; ital. *atlante*, de *Atlas*, héros de la mythologie grecque ; [atlɑ̃t].

**ATLANTIQUE,** adj.
Qui concerne l'océan Atlantique et les pays qui le bordent : *L'Alliance* ***atlantique***. 1546 (XIVe s., de l'Atlas) ; lat. *atlanticus*, du gr. *atlantikos* ; [atlɑ̃tik].

**ATLANTISME,** subst. m.
Politique d'alliance scellée par le pacte de l'Atlantique Nord. Mil. XXe s. ; ☞ *atlantique* ; [atlɑ̃tism].

**ATLAS,** subst. m.
**1.** Recueil de cartes géographiques. **2.** Ext. Recueil de planches joint à un ouvrage. **3.** *Anat.* Première vertèbre cervicale, articulée avec l'occipital. 1585 ; *Atlas*, héros de la mythologie grecque ; [atlɑs].

**ATMAN,** subst. m.
*Relig.* L'âme humaine, dans le brahmanisme et l'hindouisme. 1838 ; skr. *âtman*, « soi » ; [atman].

**ATMOSPHÈRE,** subst. f.
**1.** Couche gazeuse qui entoure un astre, retenue par la gravitation : *L'****atmosphère*** *terrestre*. **2.** Ext. Air ambiant : *L'****atmosphère*** *parfumée de cette chambre*. **3.** Fig. Ambiance, milieu : *L'****atmosphère*** *du quartier Latin*. **4.** *Métrol.* Unité usuelle de pression équivalente à $1{,}01.10^5$ pascals (symb. : atm). 1665 ; gr. *atmos*, « vapeur humide », et *sphaira*, « sphère » ; [atmɔsfɛʀ].

ASTRONOMIE – L'atmosphère terrestre a pour principaux composants de l'oxygène, de l'azote, du dioxyde de carbone, des gaz rares (argon, néon, krypton, xénon, radon) et de l'ozone. 90 % de sa masse est située à moins de 16 km d'altitude. Elle se structure en plusieurs couches que l'on peut classer selon différents paramètres (thermique, chimique et électromagnétique). Vénus possède une atmosphère beaucoup plus épaisse que celle de la Terre, alors que Mercure, la Lune et la plupart des autres satellites en sont dépourvus. Les étoiles et les planètes géantes sont essentiellement gazeuses. Le terme « atmosphère » désigne alors leur partie la plus externe, celle dont provient la lumière qu'elles émettent ou réfléchissent.

**ATMOSPHÉRIQUE,** adj.
**1.** Relatif à l'atmosphère : *Pression* ***atmosphérique***. **2.** *Mécan. Moteur* ***atmosphérique*** : dont l'air qui alimente les cylindres est à la pression **atmosphérique**. 1781 ; ☞ *atmosphère* ; [atmɔsfeʀik].

**ATOLL,** subst. m.
*Géogr.* Île ou ensemble d'îles coralliennes en forme d'anneau encerclant un lagon peu profond. 1611 ; angl. *atoll*, de *atolu*, mot d'une langue des Maldives ; [atɔl].

**ATOME,** subst. m.
**1.** *Philos.* Particule de matière insécable, éternelle, homogène et infiniment petite. ► Loc. *Avoir des* ***atomes*** *crochus* (☞ *crochu*). **2.** *Chim.* Système de très petite dimension (de l'ordre du nanomètre), constituant, avec d'autres systèmes identiques, les éléments chimiques, c.-à-d. la substance des corps simples. **3.** Fig. Très petite quantité de qqch. : *Chaque* ***atome*** *de silence* (Valéry). XIVe s. ; lat. *atomus*, du gr. *atomos*, « que l'on ne peut couper, insécable » ; [atom].

PHYSIQUE – Un atome est composé d'un noyau central, très dense, porteur d'un nombre Z de charges électriques positives (Z est appelé nombre de charge ou numéro atomique), entouré d'un nuage de Z électrons, chargés négativement, plus petits et plus légers que le noyau. Ces charges s'équilibrant, l'atome est neutre électriquement. Tout atome est caractérisé par deux nombres : le nombre de charge Z, qui est le nombre de particules chargées positivement – les protons – contenues dans le noyau, mais aussi le nombre d'électrons (négatifs) qui se meuvent autour du noyau ; le nombre de masse A, qui est le nombre de particules contenues dans le noyau, à savoir les Z protons et un nombre N de particules neutres, appelées neutrons (on a donc $A = Z + N$).

CHIMIE – L'atome peut aussi se définir comme la plus petite partie d'un élément chimique qui peut entrer en combinaison avec une autre. Ces combinaisons résultent des liaisons qui s'établissent entre les atomes (électriquement neutres), dites liaisons de covalence, ou entre les ions (par perte ou gain d'électrons), dites liaisons ioniques.

**ATOME-GRAMME,** subst. m.
*Chim.* Masse, exprimée en grammes, d'une mole d'atomes d'un élément. 1933 ; comp. de *atome* et de *gramme* ; plur. *atomes-grammes* ; [atomgʀam].

**ATOMICITÉ,** subst. f.
**1.** *Chim.* Nombre d'atomes contenus dans une molécule d'un corps. **2.** *Écon.* ***Atomicité*** *d'un marché* : état d'un marché où le nombre important d'acheteurs ou de vendeurs permet à la libre concurrence, fondée sur la loi de l'offre et de la demande, de fonctionner. 1865 ; ☞ *atomique* ; [atɔmisite].

**ATOMIQUE,** adj.
**1.** Vx ou *Philos.* Relatif à l'atome ; relatif à l'atomisme antique. **2.** *Phys.* et *Chim.* Relatif à l'atome : *Masse* ***atomique***, rapport de la masse d'un atome au douzième de la masse du carbone 12 ; *Unité de masse* ***atomique***, unité de mesure valant $1{,}660\,56.10^{-27}$ kilogramme ; *Nombre* ou *Numéro* ***atomique***, nombre d'électrons (ou de protons) d'un élément, servant de numéro d'ordre dans la classification périodique des éléments (☞ *table de Mendeleïev*) ; *Énergie* ***atomique***, énergie dégagée dans les réactions (fission, fusion) intéressant le noyau de l'atome (synon. préférable *énergie nucléaire, énergie thermonucléaire*). **3.** Qui utilise l'énergie nucléaire ou qui la produit : *Arme* ***atomique*** ; *Centrale* ***atomique***. 1585 ; ☞ *atome* ; [atɔmik].

**ATOMISATION,** subst. f.
Action d'atomiser ; son résultat. 1928 ; ☞ *atomiser* ; [atɔmizasjɔ̃].

**ATOMISER,** verbe trans. [3]
**1.** Réduire (un corps solide ou liquide) en fines particules ; au fig. : ***Atomiser*** *une société*, détruire son unité, sa cohésion. **2.** Détruire au moyen d'une arme nucléaire. 1928 ; ☞ *atome* ; [atɔmize].

**ATOMISEUR,** subst. m.
Dispositif servant à projeter des particules en suspension dans un gaz ou dans un liquide : ***Atomiseur*** *à parfum*. 1928 ; ☞ *atomiser* ; [atɔmizœʀ].

**ATOMISME,** subst. m.
*Philos.* **1.** ***Atomisme*** *antique* : conception selon laquelle la matière est composée d'atomes éternels, insécables et en nombre infini, qui se meuvent dans le vide, ne différant que par la forme, la position et la grandeur, et se réunissent ou se séparent dans un mouvement perpétuel et purement mécanique : *L'****atomisme*** *de Leucippe et de Démocrite, d'Épicure, de Lucrèce*. **2.** ***Atomisme*** *logique* : conception analytique du langage développée par Bertrand Russell et Ludwig Wittgenstein, selon laquelle « la compréhension des propositions générales dépend de façon intangible de celle des propositions élémentaires ». 1751 ; ☞ *atome* ; [atɔmism].

**ATOMISTE,** subst. et adj.
ADJ. *Philos.* Relatif à l'atomisme antique. SUBST. **1.** *Philos.* Adepte de l'atomisme antique. **2.** *Phys.* Scientifique qui se consacre à la physique nucléaire ; en appos. : *Savant* ***atomiste***. 1751 ; ☞ *atome* ; [atɔmist].

**ATOMISTIQUE,** adj. et subst. f.
ADJ. **1.** *Philos.* Relatif à l'atomisme. **2.** Caractérise ce qui est divisé en infimes particules : *Un ensemble* ***atomistique***. SUBST. **1.** *Chim.* Science fondée sur la notion d'atome. **2.** *Phys. nucl.* Théorie de la structure des atomes. 1834 ; ☞ *atomiste* ; [atɔmistik].

**ATONAL, ALE, AUX,** adj.
*Mus.* Qui obéit aux principes de l'atonalité. 1935 ; ☞ *tonal* + *a-*[2] ; [atɔnal, o].

**ATONALITÉ,** subst. f.
*Mus.* Système de composition, théorisé au début du XXe s. par A. Schœnberg, qui abolit le système tonal et modal et qui utilise de manière égalisée tous les degrés de la gamme chromatique. 1928 ; ☞ *tonalité* + *a-*[2] ; [atɔnalite].

**ATONE,** adj.
**1.** *Pathol.* Qui souffre d'atonie. **2.** Ext. Qui manque d'énergie ; vague, inexpressif : *Regard* ***atone***. **3.** *Phon.* Qui n'est pas accentué : *Syllabe* ***atone***. 1813 ; gr. *atonos*, « non tendu » ; [atɔn].

**ATONIE,** subst. f.
**1.** *Pathol.* Relâchement, défaut de tonicité d'un organe contractile : ***Atonie*** *d'un muscle*. **2.** Ext. État de fatigue physique et morale. XIVe s. ; lat. *atonia*, du gr. *atonia*, « langueur » ; [atɔni].

**ATONIQUE,** adj.
Qui découle de l'atonie ; qui manque de tonicité : *Un intestin* ***atonique***. 1585 ; ☞ *atonie* ; [atɔnik].

**ATOUR,** subst. m.
PLUR. Ce qui compose la toilette d'une femme : *Se parer de ses plus beaux* ***atours***. SING. *Hist. Dame d'****atour*** : qui présidait à la toilette d'une reine. Fin XIIe s. ; *atourner* (rare), « parer » ; [atuʀ].

**ATOUT,** subst. m.
**1.** *Jeux.* Dans un jeu de cartes, couleur qui l'emporte sur toutes les autres et avec laquelle on peut couper : *As d'****atout***. **2.** Fig. Avantage : *Avoir tous les* ***atouts*** *de son côté*. 1440 ; formé de *à* et de *tout* ; [atu].

**ATOXIQUE,** adj.
*Méd.* Qui n'est pas toxique. 1838 ; ☞ *toxique* + *a-*[2] ; [atɔksik].

**ATRABILAIRE,** adj.
**1.** Vx. *Méd.* Relatif à l'atrabile. **2.** Fig. et Littér. Enclin à l'irascibilité, bilieux : *Un vieillard* ***atrabilaire*** ; empl. subst., personne **atrabilaire**. 1546 ; ☞ *atrabile* ; [atʀabilɛʀ].

**ATRABILE,** subst. f.
*Méd.* Pour les Anciens, mélancolie causée par la bile noire (vx). Fin XVIe s. ; lat. *atra bilis*, « bile noire » ; [atʀabil].

**ÂTRE,** subst. m.
Foyer de la cheminée ; par méton., la cheminée elle-même. XIIe s. ; lat. pop. *astracum*, « dalle », du gr. *ostrakon*, « coquille ; tesson » ; [ɑtʀ].

**ATRÉSIE,** subst. f.
*Pathol.* Occlusion partielle ou totale d'un conduit naturel. 1838 ; gr. *trêsis*, « trou », + *a-*[2] ; [atʀezi].

**ATRIUM,** subst. m.
**1.** *Antiq.* Cour d'une villa romaine, encadrée de portiques, dont le toit est percé d'une large ouverture centrale. **2.** Anal. Parvis carré, entouré de portiques, des premières églises chrétiennes. **3.** *Anat.* Partie du cœur de l'embryon qui deviendra l'oreillette. 1547 ; mot lat. ; [atʀijɔm].

**ATROCE,** adj.
**1.** Qui est d'une cruauté affreuse : *Un tyran* ***atroce***. **2.** Ext. Très pénible : *Une douleur* ***atroce*** ; par exagér. : *Un goût* ***atroce***. 1392 ; lat. *atrox* ; [atʀɔs].

**ATROCEMENT,** adv.
De manière atroce. 1533 ; ☞ *atroce* ; [atʀɔsmɑ̃].

**ATROCITÉ,** subst. f.
**1.** Caractère de ce qui est atroce. **2.** Méton. Action atroce, cruelle ou, par ext., propos calomnieux (gén. au plur.). Mil. XIVe s. ; lat. *atrocitas* ; [atʀɔsite].

**ATROPHIE,** subst. f.
Diminution du volume d'un organe, d'un tissu, d'une cellule, qui entraîne son fonctionnement défectueux : ***Atrophie*** *musculaire* ; ***Atrophie*** *d'un bourgeon*. 1538 ; bas lat. *atrophia*, du gr. *atrophia*, « dépérissement » ; [atʀɔfi].

**ATROPHIER,** verbe trans. [6]
**1.** Provoquer l'atrophie de : *L'alitement prolongé* ***atrophie*** *les muscles* ; empl. adj. : *Un membre* ***atrophié***. **2.** Fig. Réduire, affaiblir : *C'est une triste chose qu'un homme qui* ***a atrophié*** *son cœur au profit de son cerveau* (Rolland). PRONOM. Être atteint d'atrophie : *Un organe qui* ***s'atrophie*** ; au fig. : *Sa sensibilité* ***s'est atrophiée***. Mil. XIXe s. ; ☞ *atrophie* ; [atʀɔfje].

**ATROPINE,** subst. f.
*Biochim.* Alcaloïde extrait de la belladone, utilisé en médecine pour ses propriétés antispasmodiques, qui provoque notamment l'augmentation de la pression artérielle, la dilatation de la pupille et la paralysie du nerf pneumogastrique. 1836 ; lat. sc. *atropa*, « belladone », du gr. *Atropos*, Parque qui tranche le fil de la vie ; [atʀɔpin].

**ATTABLER,** verbe trans. [3]
Faire asseoir à table (vieilli) : *Attabler les enfants.* PRONOM. **1.** S'asseoir à table pour prendre un repas, travailler, etc. **2.** Ext. Se mettre à : *S'attabler à la besogne.* 1443 ; ☞ *table* + *a-*[1] ; [atable].

**ATTACHANT, ANTE,** adj.
Qui suscite un intérêt affectif ; que l'on aime : *Un enfant attachant.* XVIIe s. ; p. pr. de *attacher* ; [ataʃɑ̃, ɑ̃t].

**ATTACHE,** subst. f.
**1.** Ce qui sert à attacher : *L'attache d'une malle.* **2.** Jointure des membres : *Avoir les attaches fines,* avoir des chevilles et des poignets fins. **3.** Fig. Lien affectif, relation (souv. au plur.) : *Il a conservé des attaches dans cette ville.* **4.** *Mar. Port d'attache* : où un navire est immatriculé. 1155 ; ☞ *attacher* ; [ataʃ].

**ATTACHÉ, ÉE,** subst.
Personne assurant certaines fonctions, notamment dans une ambassade, un cabinet ministériel : *Un attaché militaire.* ▸ *Attaché(e) de presse* : personne chargée des relations avec les médias, de la communication externe, dans une entreprise, un organisme. XIIe s. ; p. p. de *attacher* ; [ataʃe].

**ATTACHÉ-CASE,** subst. m.
Mallette rigide servant de porte-documents. 1921 ; angl. *attaché case,* « mallette d'attaché d'ambassade », du fr. *attaché* et de l'angl. *case,* « mallette » ; plur. *attachés-cases* ; [ataʃekɛz].

**ATTACHEMENT,** subst. m.
**1.** Lien affectif avec qqn ou qqch. : *Prouver son attachement à qqn ; Attachement au passé, aux plaisirs.* **2.** *Constr.* Relevé quotidien des travaux exécutés par une entreprise. 1231 ; ☞ *attacher* ; [ataʃmɑ̃].

**ATTACHER,** verbe [3]
TRANS. **1.** Fixer à qqch. : *Attacher un chien* ; faire tenir ensemble au moyen d'un lien : *Attacher ses cheveux* ; fermer par une boucle, un bouton, un crochet : *Attacher une ceinture.* **2.** Fig. Unir durablement à qqn ou à qqch. : *Attacher son nom à la défense d'une cause* ; spéc., unir par un lien affectif : *Plus rien ne m'attache à lui.* **3.** Accorder : *Il attache trop d'importance à cette affaire.* INTRANS. Coller au fond d'un récipient pendant la cuisson : *L'omelette a attaché* ; par ext. : *Une poêle qui attache.* PRONOM. S'attacher à. **1.** Se fixer à, coller à. **2.** Se lier à (qqn, qqch.) : *Elle s'est attachée à ce chat.* **3.** S'appliquer à, s'occuper de (qqch., faire qqch.) : *S'attacher à découvrir la vérité ; S'attacher à des détails.* Fin XIe s. ; anc. fr. *estachier,* de l'anc. bas frq. °*stakka,* « pieu » ; [ataʃe].

**ATTAGÈNE,** subst. m.
*Zool.* Petit coléoptère dont la larve s'attaque aux tissus épais et aux fourrures. 1802 ; lat. sc. *attagenus,* du gr. *attagên,* nom d'un oiseau ; [ataʒɛn].

**ATTAQUABLE,** adj.
Qui peut être attaqué ; vulnérable. 1587 ; ☞ *attaquer* ; [atakabl].

**ATTAQUANT, ANTE,** adj. et subst.
Se dit de qqn, d'un groupe qui attaque : *Une équipe de football qui manque de bons attaquants ; L'armée attaquante.* 1787 ; p. pr. de *attaquer* ; [atakɑ̃, ɑ̃t].

**ATTAQUE,** subst. f.
**1.** Action violente, agression : *Une attaque à main armée.* ▸ *Milit.* Assaut : *Une attaque aérienne.* ▸ *Sp.* Action offensive et, par ext., ensemble des joueurs qui attaquent : *La ligne d'attaque au rugby.* **2.** Action corrosive : *Une forêt victime des attaques de pluies acides.* **3.** Fig. Critique violente, hostile : *Être l'objet des attaques d'une certaine presse.* **4.** Action d'attaquer, d'entamer ; début : *L'attaque d'une œuvre musicale.* ▸ Loc. *Être d'attaque* : être en bonne forme (fam.). **5.** *Pathol.* Accès subit d'un état pathologique : *Attaque de goutte, d'épilepsie* ; empl. abs. : *Une attaque,* une attaque d'apoplexie. 1596 ; ☞ *attaquer* ; [atak].

**ATTAQUER,** verbe trans. [3]
**1.** Entreprendre une action violente contre, agresser ; assaillir : *Attaquer un passant ; Attaquer l'ennemi.* **2.** Détériorer : *L'acide sulfurique attaque la craie.* **3.** Fig. Contester violemment, avec force : *L'opposition attaque le gouvernement ; Attaquer une réputation.* ▸ *Dr. Attaquer qqn en justice* : intenter une action judiciaire contre qqn. **4.** Commencer, entamer : *Attaquer un repas, une danse.* PRONOM. S'attaquer à. **1.** S'en prendre à (qqn, qqch.). **2.** Fig. *S'attaquer à un problème* : en chercher la solution. 1540 ; ital. *attacare,* « assaillir » ; [atake].

**ATTARDÉ, ÉE,** adj.
**1.** Qui s'est mis en retard : *Des écoliers, des clients attardés.* **2.** Fig. Qui est suranné : *Des convictions attardées.* **3.** Qui est en retard dans son développement intellectuel : *Un enfant attardé* ; empl. subst. : *Nous n'admettons pas ici les attardées ni les idiotes* (Colette). Fin XIXe s. ; ☞ *tard* + *a-*[1] ; [ataʀde].

**ATTARDER (S'),** verbe pronom. [3]
**1.** Se mettre en retard, rester quelque part plus longtemps que prévu, flâner : *Le lièvre s'attarda et perdit la course.* **2.** Consacrer trop de temps : *S'attarder à des futilités.* Fin XIIe s. ; ☞ *tard* + *a-*[1] ; [ataʀde].

**ATTEINDRE,** verbe trans. [53]
TRANS. DIR. **1.** Arriver à (un lieu) : *Le train atteindra Bonn à 9 heures* ; au fig. : *Atteindre son but ; Il atteint sa vingtième année.* **2.** Parvenir au niveau de : *Le fleuve atteint la cote d'alerte.* **3.** Parvenir à toucher (qqch.), gén. pour le prendre : *Il est si grand qu'il peut atteindre le lustre ; Atteindre le pot de miel posé sur l'armoire.* **4.** Frapper, blesser : *La balle l'atteignit en plein front* ; au fig. : *Son insulte atteignit mon honneur.* TRANS. INDIR. Atteindre à. Parvenir à (littér.) : *Atteindre à la perfection.* Déb. XIIe s. ; lat. *attingere* ; [atɛ̃dʀ].

**ATTEINTE,** subst. f.
**1.** Action ou possibilité d'atteindre : *Une île hors d'atteinte,* hors de portée. **2.** Blessure physique ou morale : *Une atteinte imprévue aussi bien que mortelle* (Corneille) ; *Les atteintes du froid, de l'âge.* ▸ Loc. *Porter atteinte à* : porter préjudice à. Fin XIIIe s. ; p. p. de *atteindre* ; [atɛ̃t].

**ATTELAGE,** subst. m.
**1.** Action ou manière d'atteler des animaux de trait : *Attelage à la française,* les chevaux sur une seule file ; *Attelage à l'allemande,* sur deux files parallèles. **2.** Ensemble des animaux attelés : *Un attelage de chiens de traîneau ; Un attelage fringant.* **3.** *Techn.* Dispositif servant à atteler des véhicules entre eux. Fin XVIe s. ; ☞ *atteler* ; [at(ə)laʒ].

© F. Latreille-Explorer

*Attelage de chiens de traîneau au Groenland.*

**ATTELER,** verbe trans. [12]
**1.** Attacher (un animal de trait) à un véhicule : *Atteler les bœufs à la charrue* ; empl. adj. : *Course de trot attelé,* où l'on attelle le cheval à un sulky. **2.** Anal. Relier (un véhicule) à un autre véhicule : *Atteler la locomotive au convoi.* **3.** Fig. Mettre (qqn) à un travail : *Atteler des écoliers à un devoir* ; empl. pronom. : *S'atteler à une tâche urgente.* Fin XIIe s. ; lat. *attelare,* « conduire jusqu'au bout » ; [at(ə)le].

**ATTELLE,** subst. f.
**1.** Pièce du collier d'attelage, où sont attachés les traits. **2.** *Chir.* Lame rigide (en bois, en plastique, etc.) qui maintient immobile un membre fracturé. Fin XIIe s. ; bas lat. *astella,* « éclat de bois » ; [atɛl].

**ATTENANT, ANTE,** adj.
Qui est voisin, contigu : *Les prairies attenantes* ; au fig. : *Un loyer et les charges attenantes,* qui lui sont liées. 1395 (1360, parent) ; p. pr. de *attenir* (vx), « jouxter » ; [at(ə)nɑ̃, ɑ̃t].

**ATTENDRE,** verbe trans. [51]
**1.** Rester en un lieu, patienter jusqu'à l'arrivée de (qqn, qqch.) : *Ne vous pressez pas, je vous attends ; Attendre l'autobus, une lettre* ; empl. abs. : *Ce travail peut attendre.* ▸ Loc. *Attendre qqn au tournant* (☞ *tournant*). **2.** S'abstenir d'agir avant (que qqch. se produise) : *Attendre l'occasion favorable ; J'attends d'être guéri pour sortir.* **3.** Compter sur, espérer la venue de : *Attendre qqn comme le Messie ; Attendre un enfant,* être enceinte. ▸ Empl. trans. indir. *Attendre après qqn, qqch.* : avoir besoin de, désirer. **4.** Loc. ▸ *En attendant* : entre-temps ; en tout cas. ▸ *En attendant que* (+ subj.), *en attendant de* (+ inf.) : jusqu'au moment où, de. PRONOM. S'attendre à. Espérer, prévoir, compter sur : *Je m'attends au pire ; Il s'attend (à ce) que je vienne.* XIe s. ; lat. *attendere,* « tendre vers, être attentif à » ; [atɑ̃dʀ].

**ATTENDRIR,** verbe trans. [19]
**1.** Rendre tendre (qqch.) : *Attendrir une pièce de bœuf.* **2.** Fig. Émouvoir, atténuer la résistance de, adoucir : *Heureuse si mes pleurs peuvent vous attendrir* (Racine) ; *Attendrir la rigueur paternelle* ; empl. pronom. : *Ne vous attendrissez pas sur vous-même !* Fin XIIIe s. (fin XIIe s., faiblir, s'émouvoir) ; ☞ *tendre* (II) + *a-*[1] ; [atɑ̃dʀiʀ].

**ATTENDRISSANT, ANTE,** adj.
Qui attendrit, qui émeut : *Un spectacle attendrissant.* 1717 ; p. pr. de *attendrir* ; [atɑ̃dʀisɑ̃, ɑ̃t].

**ATTENDRISSEMENT,** subst. m.
Fait de s'attendrir : *Une certaine défaillance du cœur qui venait d'un excès d'attendrissement* (Rousseau). 1561 ; ☞ *attendrir* ; [atɑ̃dʀismɑ̃].

**ATTENDRISSEUR,** subst. m.
*Bouch.* Appareil servant à attendrir la viande. V. 1960 ; ☞ *attendrir* ; [atɑ̃dʀisœʀ].

**ATTENDU,** prép. et subst. m.
PRÉP. Étant donné, vu : *Attendu ma fortune, rien ne peut m'arriver !* ▸ Loc. conj. *Attendu que* (+ ind.) : étant donné que. SUBST. *Dr.* Chacun des alinéas d'un jugement, d'une requête, etc., motivant une décision et commençant par « **attendu** que » (gén. au plur.). 1340 ; p. p. de *attendre* ; [atɑ̃dy].

**ATTENTAT,** subst. m.
**1.** Action violente et criminelle contre des biens, des personnes, une communauté, un symbole (souv. dans un contexte politique) : *L'attentat contre le président Kennedy* ; au fig., ce qui offense : *Ces couleurs sont un attentat contre le bon goût.* **2.** *Dr. Attentat à la pudeur* : acte contraire aux mœurs commis sur une personne. 1326 ; lat. *attemptatum,* de *attemptare,* « attaquer » ; [atɑ̃ta].

**ATTENTATOIRE,** adj.
Qui porte préjudice à qqch. : *Une décision attentatoire à la sécurité.* 1690 ; ☞ *attentat* ; [atɑ̃tatwaʀ].

**ATTENTE,** subst. f.
**1.** Fait d'attendre qqn ou qqch. : *Qu'en l'attente de ce qu'on aime une heure est fâcheuse à passer* (Corneille) ; *Une salle, un salon d'attente,* aménagé pour ceux qui attendent. **2.** Temps pendant lequel on attend : *Une attente qui n'en finit pas.* **3.** Espoir, crainte ; prévision : *Répondre à l'attente de ses parents ; Contre toute attente, il a réussi.* Mil. XIe s. ; lat. °*attendita,* de *attendere,* « attendre » ; [atɑ̃t].

**ATTENTER,** verbe trans. indir. [3]
Attenter à. Agir contre (qqn ou qqch.), souv. avec violence ou criminellement : *Attenter à la vie de qqn, à l'honneur d'une famille ; Attenter à ses jours,* se suicider ; *Attenter aux mœurs.* 1302 ; lat. *attentare,* « entreprendre, attaquer » ; [atɑ̃te].

**ATTENTIF, IVE,** adj.
**1.** Qui fait preuve d'attention : *Un élève très attentif.* **2.** Qui requiert de l'attention ; fait avec soin : *Une analyse attentive des problèmes.* **3.** Qui est plein de prévenances : *Quel ami attentif !* XIVe s. ; lat. *attentus* ; [atɑ̃tif, iv].

**ATTENTION,** subst. f.
**1.** Action de concentrer son esprit sur un objet donné ; capacité de concentrer ainsi son esprit : *L'attention du guetteur ; Prêter attention à qqch. ; Relâcher son attention.* **2.** Prévenance, égard : *Il avait pour sa maîtresse des attentions charmantes.* **3.** Loc. ▸ *Faire attention* : prendre garde ; empl. interj. : *Attention ! c'est glissant !* ▸ **Faire attention que** (+ ind.). Bien noter que : *Faites attention que la banque ferme à midi.* ▸ **Faire attention (à ce) que** (+ subj.). Veiller à ce que : *Faites attention (à ce) que personne ne se perde.* 1536 ; lat. *attentio,* « action de tendre son esprit » ; [atɑ̃sjɔ̃].

**ATTENTIONNÉ, ÉE,** adj.
Plein d'attention, prévenant, obligeant : *Des enfants attentionnés.* 1823 ; ☞ *attention* ; [atɑ̃sjɔne].

**ATTENTISME,** subst. m.
Attitude consistant à différer ses décisions en attendant que les évènements se précisent ; opportunisme. 1941 ; ☞ *attente* ; [atɑ̃tism].

**ATTENTISTE,** adj.
Qui fait preuve d'attentisme ; empl. subst. : *C'est un, une* ***attentiste.*** 1941 ; ☞ *attente* ; [atɑ̃tist].

**ATTENTIVEMENT,** adv.
De manière attentive : *Examiner* ***attentivement*** *un texte.* 1538 ; ☞ *attentif* ; [atɑ̃tivmɑ̃].

**ATTÉNUANT, ANTE,** adj.
*Dr. Circonstances* ***atténuantes*** : faits qui atténuent la responsabilité d'un accusé et qui sont laissés à l'appréciation discrétionnaire du juge. Déb. XIXe s. ; p. pr. de *atténuer* ; [atenɥɑ̃, ɑ̃t].

**ATTÉNUATEUR,** subst. m.
*Techn.* Dispositif servant à atténuer l'amplitude d'un signal électrique. 1948 ; ☞ *atténuer* ; [atenɥatœʀ].

**ATTÉNUATION,** subst. f.
**1.** Action d'atténuer, d'affaiblir ; son résultat : *L'****atténuation*** *d'une douleur.* **2.** *Dr.* ***Atténuation*** *de peine* : diminution de la peine prononcée par application de circonstances atténuantes. **3.** *Méd.* Affaiblissement de la virulence d'un micro-organisme en vue de la préparation d'un vaccin : ***Atténuation*** *d'un virus.* 1345 ; lat. *attenuatio* ; [atenɥasjɔ̃].

**ATTÉNUER,** verbe trans. [3]
Rendre moins fort, moins grave, moins violent : ***Atténuer*** *une souffrance* ; *Rien n'****atténue*** *sa responsabilité* ; empl. pronom. : *Cette impression tend à s'****atténuer.*** Déb. XIIe s. ; lat. *attenuare* ; [atenɥe].

**ATTERRAGE,** subst. m.
*Mar.* **1.** Espace maritime au voisinage de la terre. **2.** Point d'un rivage où un navire peut aborder. 1542 ; *atterer* (rare), « aborder » ; [ateʀaʒ].

**ATTERREMENT,** subst. m.
État d'une personne atterrée. 1845 (XIVe s., action de renverser par terre) ; ☞ *atterrer* ; [atɛʀmɑ̃].

**ATTERRER,** verbe trans. [3]
**1.** Vx. Renverser par terre. **2.** Fig. Accabler, consterner : *Cette nouvelle nous a* ***atterrés.*** 1160 ; ☞ *terre* + *a-*[1] ; [ateʀe].

**ATTERRIR,** verbe intrans. [19]
**1.** *Mar.* Toucher terre, accoster. **2.** *Aéron.* Se poser sur le sol : *L'avion a* ***atterri*** *en catastrophe* ; par ext. : ***Atterrir*** *sur la Lune*, alunir. **3.** Arriver brusquement (fam.) : *Ma main a* ***atterri*** *sur sa figure.* 1611 (1344, se remplir de terre) ; ☞ *terre* + *a-*[1] ; [ateʀiʀ].

**ATTERRISSAGE,** subst. m.
**1.** *Mar.* Action d'atterrir : *Les écueils rendent l'****atterrissage*** *difficile.* **2.** *Aéron.* Action de se poser sur le sol de la Terre et, par ext., sur le sol de la Lune ou d'un autre astre : ***Atterrissage*** *d'une sonde sur Mars.* 1835 ; ☞ *atterrir* ; [ateʀisaʒ].

**ATTERRISSEMENT,** subst. m.
*Géol.* Dépôt de terre, de sable, de graviers qui grossit les rives des cours d'eau ou le littoral. 1332 ; *atterrir* (vx), « se remplir de terre » ; [ateʀismɑ̃].

**ATTESTATION,** subst. f.
**1.** Action d'attester, oralement ou par écrit ; déclaration par laquelle on atteste l'existence, l'authenticité de qqch. **2.** *Ling.* Exemple de l'emploi d'un mot, d'une tournure dans un texte. Mil. XIIIe s. ; lat. *attestatio* ; [atɛstasjɔ̃].

**ATTESTER,** verbe trans. [3]
**1.** Vx. Prendre à témoin ; en appeler à : ***Attester*** *les dieux.* **2.** Certifier (qqch.) : *J'****atteste*** *la présence de Mlle Sophie au lycée, le 25 juin* ; empl. adj. : *Mot* ***attesté,*** dont il existe des exemples connus, datés. **3.** Montrer : *Cette réalisation* ***atteste*** *une* (ou *d'une*) *grande maîtrise.* Déb. XIIIe s. ; lat. *adtestor* ; [atɛste].

**ATTICISME,** subst. m.
**1.** Pureté du style et de l'expression propre aux écrivains grecs de l'Attique, au Ve s. av. J.-C. **2.** Ext. Pureté et élégance du style chez un écrivain. 1543 ; lat. *atticismus*, du gr. *attikismos* ; [atisism].

**ATTIÉDIR,** verbe trans. [19]
Littér. **1.** Rendre tiède : *Les brises marines* ***attiédissent*** *les hivers* ; empl. pronom. : *Le temps s'****attiédit.*** **2.** Fig. Affaiblir ou émousser : ***Attiédir*** *le zèle de qqn* ; empl. pronom. : *Son courage s'****attiédit.*** Fin XIIe s. ; ☞ *tiédir* + *a-*[1] ; [atjediʀ].

**ATTIÉDISSEMENT,** subst. m.
Action d'attiédir, fait de s'attiédir ; son résultat. 1594 ; ☞ *attiédir* ; [atjedismɑ̃].

**ATTIFEMENT,** subst. m.
Action ou manière d'attifer, de s'attifer (fam. et péj.). Mil. XIIIe s. ; ☞ *attifer* ; [atifmɑ̃].

**ATTIFER,** verbe trans. [3]
Parer, vêtir d'une manière ridicule avec mauvais goût (fam. et péj.) ; empl. pronom. : *Tu as vu comment elle s'est* ***attifée !*** Déb. XIIIe s. ; anc. fr. *tifer*, « parer, orner », + *a-*[1] ; [atife].

**ATTIGER,** verbe intrans. [5]
Exagérer (fam. et vieilli). 1808 ; prob. esp. *aquejar*, « tourmenter » ; var. *atiger* ; [atiʒe].

**ATTIQUE,** adj. et subst. m.
Adj. Relatif, propre à l'Attique, territoire de l'ancienne Athènes, et à ses habitants : *Le dialecte* ***attique*** ; *Goût, finesse* ***attique*** ; *Sel* ***attique,*** plaisanterie fine. Subst. **1.** Dialecte ionien des habitants de l'Attique. **2.** *Archit.* Étage qui couronne le haut d'un édifice et en masque le toit. XVe s. ; lat. *atticus*, du gr. *attikos* ; [at(t)ik].

**ATTIRAIL,** subst. m.
**1.** Ensemble d'objets divers destinés à un usage précis (vieilli) : *L'****attirail*** *d'un pêcheur.* **2.** Ext. Ensemble d'objets disparates et encombrants (fam.) : *Se déplacer avec tout son* ***attirail.*** XVe s. ; anc. fr. *atir(i)er*, « accommoder, arranger » ; plur. *attirails* ; [atiʀaj].

**ATTIRANCE,** subst. f.
Force par laquelle un être se sent attiré vers qqn ou qqch. : *L'****attirance*** *des plaisirs* ; *L'****attirance*** *du vide.* 1855 ; ☞ *attirer* ; [atiʀɑ̃s].

**ATTIRANT, ANTE,** adj.
Qui attire, séduit, charme, plaît : *Une femme très* ***attirante.*** 1548 ; p. pr. de *attirer* ; [atiʀɑ̃, ɑ̃t].

**ATTIRER,** verbe trans. [3]
**1.** Exercer sur (qqch., qqn) une force ou une action physique qui le fait venir à soi ou vers un lieu déterminé : *L'aimant* ***attire*** *la limaille de fer* ; *Il la prit par le bras et l'****attira*** *dans sa chambre.* **2.** Inciter à venir en un lieu : *Ce spectacle* ***attire*** *les foules.* ► Appeler, solliciter : *J'****attire*** *votre attention sur ce point.* **3.** Exercer sur (qqn) un attrait, plaire, séduire : *Ce projet de voyage ne m'****attire*** *guère* ; *Cette femme l'****attire*** *et l'effraie tout à la fois.* **4.** Provoquer, occasionner : *Cette affaire ne lui* ***attira*** *que des ennuis* ; empl. pronom. : *S'****attirer*** *la sympathie, la colère de tous.* Fin XIIIe s. ; ☞ *tirer* + *a-*[1] ; [atiʀe].

**ATTISER,** verbe trans. [3]
**1.** Ranimer (un feu) en rapprochant les tisons, en avivant la flamme. **2.** Fig. Exciter, rendre plus intense, violent : ***Attiser*** *une querelle, une passion.* 1140 ; lat. pop. °*attitiare*, du lat. *titio*, « tison » ; [atize].

**ATTITRÉ, ÉE,** adj.
**1.** Qui est chargé d'une fonction, d'un rôle, à l'exclusion de tout autre : *Défenseur* ***attitré*** ; *Médecin* ***attitré.*** **2.** Habituel, réservé : *Avoir un siège* ***attitré.*** XIIe s. ; p. p. de *attitrer* (rare), « nommer en titre » ; [atitʀe].

**ATTITUDE,** subst. f.
**1.** Position que l'on donne à son corps : ***Attitude*** *raide, gracieuse.* **2.** Manière de se tenir qui révèle un état d'esprit particulier, comportement : ***Attitude*** *insolente, craintive* ; *Se composer une* ***attitude.*** **3.** Fig. Ensemble des opinions et des réactions d'un individu ou d'un groupe face à une situation donnée. 1637 ; ital. *attitudine* ; [atityd].

**ATTORNEY,** subst. m.
Homme de loi, en Grande-Bretagne, au Canada et aux États-Unis. ► ***Attorney*** *général* : ministre de la Justice, aux États-Unis. 1768 ; angl. *attorney*, du norm. *aturné*, « chargé de » ; [atɔʀne].

**ATTOUCHEMENT,** subst. m.
Action d'effleurer, de toucher légèrement de la main ; caresse. Fin XIIe s. ; ☞ *toucher* (I) + *a-*[1] ; [atuʃmɑ̃].

**ATTRACTIF, IVE,** adj.
**1.** Qui a la propriété d'attirer : *Le pouvoir* ***attractif*** *de l'aimant* ; au fig. : *Être le pôle* ***attractif.*** **2.** Séduisant, attrayant (empl. critiqué) : *Une beauté* ***attractive.*** 1270 ; bas lat. *attractivus* ; [atʀaktif, iv].

**ATTRACTION (I),** subst. f.
**1.** Action d'attirer. **2.** *Phys.* Force qui tend à rapprocher deux corps : ***Attraction*** *universelle* (☞ *gravitation*). **3.** Anal. Force qui attire une personne vers une autre ou vers qqch. : *L'****attraction*** *de la ville et de ses plaisirs.* **4.** *Gramm.* Modification d'une forme ou d'un mode sous l'influence d'une forme ou d'un mode voisins : ***Attraction*** *du genre* ; ***Attraction*** *modale.* XIIIe s. ; bas lat. *attractio* ; [atʀaksjɔ̃].

**ATTRACTION (II),** subst. f.
**1.** Ce qui attire le public : *La tour penchée est une* ***attraction*** *de Pise* ; divertissement, loisirs : *Un parc d'****attractions.*** **2.** Partie d'un spectacle de cirque, de music-hall. **3.** Personne, chose attirant les curieux (fam.). 1835 ; angl. *attraction* ; [atʀaksjɔ̃].

*Une* ***attraction*** *foraine classique : le manège.*

**ATTRAIRE,** verbe trans. [58]
**1.** Vx. Attirer (qqn). **2.** *Dr.* ***Attraire*** *qqn en justice* : lui intenter un procès. Fin XIe s. ; lat. *attrahere* ; [atʀɛʀ].

**ATTRAIT,** subst. m.
**1.** Qualité de ce qui attire, plaît, séduit : *L'****attrait*** *de la nouveauté.* ► *Les* ***attraits*** *d'une femme* : sa beauté, ses charmes. **2.** Penchant : *Éprouver de l'****attrait*** *pour qqn, qqch.* Fin XIIe s. ; p. p. de *attraire* ; [atʀɛ].

**ATTRAPADE,** subst. f.
Réprimande (fam.). 1936 ; ☞ *attraper* ; [atʀapad].

**ATTRAPAGE,** subst. m.
Attrapade. 1869 ; ☞ *attraper* ; [atʀapaʒ].

**ATTRAPE,** subst. f.
**1.** Vx. Piège pour capturer des animaux. **2.** Fig. Tromperie, farce (vieilli). **3.** Méton. Objet servant à faire une farce (gén. au plur.) : *Magasin de farces et* ***attrapes.*** Mil. XIIIe s. ; ☞ *attraper* ; [atʀap].

**ATTRAPE-MOUCHE(S),** subst. m.
**1.** *Bot.* Plante de la famille des Droséracées, dont les feuilles se referment sur les insectes qui la visitent. **2.** Piège à mouches. 1700 ; comp. de *attraper* et de *mouche* ; plur. *attrape-mouches* ; [atʀapmuʃ].

**ATTRAPE-NIGAUD,** subst. m.
Tromperie grossière. 1798 ; comp. de *attraper* et de *nigaud* ; plur. *attrape-nigauds* ; [atʀapnigo].

**ATTRAPER,** verbe trans. [3]
**1.** Prendre (un animal) au piège : ***Attraper*** *un lapin au lacet.* **2.** Saisir (qqch., qqn en mouvement) : *Cours un peu que je t'****attrape !*** ; ***Attraper*** *un ballon.* ► Ext. Empoigner d'un geste vif : *Il* ***attrapa*** *son fusil et tira.* ► ***Attraper*** *le train, l'autobus* : arriver juste à temps pour le prendre. **3.** Fig. Tromper, duper : *Se laisser* ***attraper*** *par de belles promesses* ; empl. adj. : *Te voilà bien* ***attrapé !,*** désagréablement surpris. **4.** Être victime de (qqch. de fâcheux) : ***Attraper*** *un mauvais coup.* ► Contracter (une maladie) : ***Attraper*** *un rhume* ; empl. pronom. : *La grippe s'****attrape*** *facilement*, se transmet. **5.** Gronder, réprimander (fam.). Fin XIIe s. ; ☞ *trappe* (I) + *a-*[1] ; [atʀape].

**ATTRAYANT, ANTE,** adj.
Qui a de l'attrait, attirant, séduisant : *Une offre* ***attrayante.*** 1283 ; p. pr. de *attraire* ; [atʀɛjɑ̃, ɑ̃t].

**ATTREMPAGE,** subst. m.
Action d'attremper. ☞ *attremper* ; [atʀɑ̃paʒ].

**ATTREMPER,** verbe trans. [3]
*Techn.* Chauffer graduellement (un four, un pot). 1771 (XIe s., harmoniser) ; ☞ *tremper* + *a-*[1] ; [atʀɑ̃pe].

**ATTRIBUABLE,** adj.
Qui doit ou peut être attribué (à) : *Cette erreur m'est* ***attribuable.*** Déb. XVIe s. ; ☞ *attribuer* ; [atʀibɥabl].

**ATTRIBUER,** verbe trans. [3]
**1.** Accorder (qqch.) à qqn dans un partage, une répartition : ***Attribuer*** *son rôle à chacun.* ► Ext. Allouer, octroyer : ***Attribuer*** *des crédits supplémentaires* ; ***Attribuer*** *une fonction, un avantage* ; prêter : *Il vous* ***attribue*** *de bien mauvaises intentions.* **2.** Mettre sur le compte de, imputer : ***Attribuer*** *sa fatigue à une maladie* ; *À qui* ***attribuez****-vous cette erreur ?* ; empl. adj. : *« J'ai failli attendre », mot* ***attribué*** *à Louis XIV.* Pronom. S'adjuger, s'approprier : *S'****attribuer*** *le meilleur morceau* ; *Il s'****attribue*** *tout le mérite.* 1313 ; lat. *attribuere* ; [atʀibɥe].

**ATTRIBUT, subst. m.**
**1.** Ce qui est propre à qqn, à qqch. ; signe distinctif : *Le langage articulé est l'**attribut** de l'homme.* **2.** Objet emblématique caractérisant une fonction, un personnage : *La foudre est l'**attribut** de Zeus.* **3.** *Gramm.* Terme indiquant une qualité, un état du sujet ou du complément d'objet direct, auxquels il est relié par un verbe dit attributif (contenant toujours l'idée du verbe « être ») : *Dans « Elle semble inquiète », « inquiète » est **attribut** du sujet « elle » ; Dans « On la croit innocente », « innocente » est **attribut** du complément d'objet direct « la ».* **4.** *Log.* Tout caractère affirmé ou nié du sujet d'une proposition (synon. *prédicat*). **5.** *Philos.* Caractère essentiel d'une substance : *Dans la philosophie cartésienne, la matière a pour **attributs** l'étendue et le mouvement.* ◻ XIVe s. ; lat. médiév. *attributum*, « chose donnée » ; [atʀiby].

**ATTRIBUTAIRE, subst. et adj.**
*Dr.* Qualifie ou désigne une personne qui bénéficie d'une attribution. ◻ 1874 ; lat. médiév. *attributum*, « chose donnée » ; [atʀibytɛʀ].

**ATTRIBUTIF, IVE, adj.**
**1.** *Dr.* Qui énonce une attribution : *Acte **attributif** de droit.* **2.** *Gramm.* Relatif à l'attribut. ► *Verbe **attributif*** : qui relie un attribut au sujet ou à l'objet (par ex. : « être », « devenir », « sembler », « paraître »). **3.** *Log. Proposition **attributive*** : qui affirme ou nie un caractère du sujet. ◻ 1516 ; lat. médiév. *attributum*, « chose donnée » ; [atʀibytif, iv].

**ATTRIBUTION, subst. f.**
**1.** Action d'attribuer : ***Attribution** d'une œuvre à un auteur.* ► *Dr.* Dotation d'un bien, d'un droit dans un partage. **2.** *Gramm. Complément d'**attribution*** : complément d'objet secondaire introduit par les prépositions « à » ou « pour », désignant la personne ou la chose au bénéfice ou au détriment desquelles est accomplie l'action (par ex., dans « Il accorde une prime à tout le personnel », « à tout le personnel » est complément d'**attribution** de « accorde »). **Plur.** Droits, pouvoirs liés à une fonction, à un corps, à un service : *Cela entre-t-il dans vos **attributions** ?* ◻ 1370 ; lat. *attributio* ; [atʀibysjɔ̃].

**ATTRISTANT, ANTE, adj.**
Qui attriste, affligeant, pénible : *Une histoire **attristante**.* ◻ XVIe s. ; p. pr. de *attrister* ; [atʀistɑ̃, ɑ̃t].

**ATTRISTER, verbe trans.** [3]
Rendre triste ; empl. pronom. : ***S'attrister** d'un échec.* ◻ XVe s. ; ☞ *triste* + *a-*1 ; [atʀiste].

**ATTRITION, subst. f.**
**1.** *Pathol.* ► Écorchure causée par un frottement. ► Violente contusion. **2.** *Théol.* Dans la religion catholique, regret du péché causé par la crainte du châtiment ; contrition imparfaite. ◻ 1314 ; bas lat. *attritio*, « action de broyer » ; [atʀisjɔ̃].

**ATTROUPEMENT, subst. m.**
Action de s'attrouper ; ensemble des individus attroupés : *Les forces de l'ordre dispersèrent l'**attroupement**.* ◻ Fin XVIe s. ; ☞ *attrouper* ; [atʀupmɑ̃].

**ATTROUPER, verbe trans.** [3]
Assembler (des personnes) en un groupe plus ou moins tumultueux ; empl. pronom. : *Les curieux **s'attroupaient**.* ◻ 1205 ; ☞ *troupe* + *a-*1 ; [atʀupe].

**ATYPIE, subst. f.**
Fait de ne pas être conforme à un type de référence. ◻ V. 1970 ; ☞ *type* + *a-*2 ; [atipi].

**ATYPIQUE, adj.**
**1.** Qui n'appartient pas à un type déterminé ou qui s'en écarte ; qui ne peut être classé. **2.** *Pathol. Tumeur **atypique*** : tumeur dont les cellules ont une taille et une forme différentes du type normal. ◻ 1808 ; ☞ *type* + *a-*2 ; [atipik].

**ATYPISME, subst. m.**
Atypie. ◻ XIXe s. ; ☞ *type* + a-2 ; [atipism].

**AU, voir À**

**Au, voir OR (I)**

**AUBADE, subst. f.**
Concert donné à l'aube en l'honneur de qqn, sous ses fenêtres ou à sa porte. ◻ Déb. XVe s. ; anc. prov. *albada*, du lat. *alba*, « blanche » ; [obad].

**AUBAINE, subst. f.**
**1.** *Féod. Droit d'**aubaine*** : en vertu duquel la succession d'un étranger non naturalisé devenait la propriété du seigneur. **2.** Ext. Profit, revenu inespéré : *Profitons de l'**aubaine** !* ◻ 1237 ; *aubain* (vx), « étranger », p.-ê. du lat. *alibanus*, « d'ailleurs » ; [obɛn].

**AUBE (I), subst. f.**
*Liturg.* Longue tunique blanche, à manches, que les officiants revêtent sous la chasuble, ainsi que les premiers communiants. ◻ Mil. XIe s. ; lat. chrét. *alba vestis*, « robe blanche » ; [ob].

**AUBE (II), subst. f.**
**1.** Lumière blanchâtre du soleil levant, précédant l'aurore ; moment où le soleil se lève : *L'**aube** pointe ; Se lever à l'**aube**.* **2.** Fig. Commencement : *L'**aube** de la gloire ; L'**aube** de la vie.* ◻ Fin XIe s. ; lat. pop. °*alba*, du lat. *albus*, « blanc, clair » ; [ob].

**AUBE (III), subst. f.**
**1.** Chacune des palettes d'une roue hydraulique : *Roue à **aubes** d'un moulin à eau, d'un bateau à vapeur.* **2.** *Techn.* Partie d'une turbine où le fluide est canalisé. ◻ 1283 (fin XIe s., planchette reliant les arçons d'une selle) ; prob. lat. pop. °*alapa*, « gifle » ; [ob].

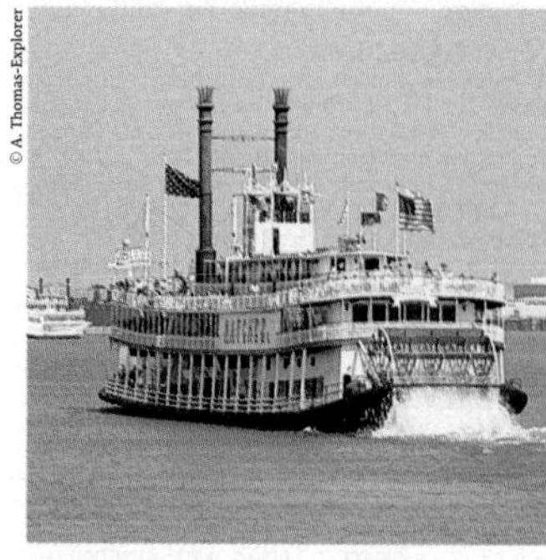
© A. Thomas-Explorer

*Bateau à **aubes** sur le Mississippi.*

**AUBÉPINE, subst. f.**
*Bot.* Arbrisseau épineux de la famille des Malacées, aux fleurs blanches ou roses très odorantes, aussi appelé épine blanche (ou rose), épine de mai. ◻ XIIIe s. ; lat. pop. °*albispinus*, du lat. *albus spinus*, « prunier sauvage blanc » ; [obepin].

**AUBÈRE, adj. et subst. m.**
Se dit d'un cheval dont la robe est mêlée de poils blancs et alezans. **Subst.** Cette couleur de robe. ◻ 1555 ; esp. *hobero*, « tacheté » ; [obɛʀ].

**AUBERGE, subst. f.**
**1.** Vx. Maison où l'on peut se restaurer et dormir en dépensant peu. ► Loc. *Nous ne sommes pas sortis de l'**auberge*** : les ennuis sont loin d'être finis (fam.) ; ***Auberge** espagnole* : lieu où l'on ne trouve que ce que l'on y apporte, par allus. aux anciennes **auberges** d'Espagne. **2.** Établissement d'apparence rustique, doté d'un bon confort et d'un service soigné, situé gén. à la campagne. ► ***Auberge** de (la) jeunesse* : lieu d'accueil peu onéreux des jeunes qui voyagent. ◻ 1606 (1477, droit de gîte) ; prov. mod. *aubergo*, « hôtellerie » ; [obɛʀʒ].

**AUBERGINE, subst. f. et adj. inv.**
**Subst.** *Bot.* Plante potagère de la famille des Solanacées, cultivée pour son fruit long et violacé ; le fruit de cette plante. **Adj.** De la couleur violet foncé de l'**aubergine**. ◻ 1750 ; catalan *alberginia*, de l'ar. *al-bāḏinǧān*, d'orig. persane ; [obɛʀʒin].

**AUBERGISTE, subst.**
Personne qui tient une auberge. ◻ 1667 ; ☞ *auberge* ; [obɛʀʒist].

**AUBETTE, subst. f.**
**1.** Vx. Petite cabane. **2.** Région. (Ouest) et Belg. Abri où l'on attend les transports en commun (synon. *Abribus*) ; kiosque à journaux. ◻ Fin XVe s. ; m. fr. *hobe*, « cabane », du m. haut all. *hūbe*, « coiffe » ; [obɛt].

**AUBIER, subst. m.**
*Bot.* Partie périphérique du tronc et des branches d'un arbre, située sous l'écorce, formée de cellules ligneuses encore vivantes où la sève circule, tandis que le cœur du bois (le duramen) devient sec et plus sombre. ◻ XIVe s. ; lat. *alburnum*, de *albus*, « blanc » ; [obje].

**AUBIN, subst. m.**
*Équit.* Allure défectueuse d'un cheval qui galope des antérieurs et trotte des postérieurs. ◻ 1478 (XIIIe s., race de petit cheval anglais ou irlandais) ; anc. fr. *hober*, « bouger, remuer » ; [obɛ̃].

**AUBURN, adj. inv.**
*Cheveux **auburn*** : châtains ou bruns avec des reflets cuivrés. ◻ 1817 ; angl. *auburn*, de l'anc. fr. *auborne*, « blond » ; [obœʀn].

**AUCUBA, subst. m.**
*Bot.* Arbuste ornemental originaire d'Asie, de la famille des Cornacées, à feuilles persistantes vert et jaune. ◻ 1796 ; p.-ê. jap. *aoki* ; [okyba].

**AUCUN, UNE, adj. et pron. indéf.**
**Adj.** **1.** Valeur positive. Quelque (vx ou littér.) : *Voyez-vous **aucune** personne qui puisse vous aider ?* **2.** Valeur négative (avec « ne » ou précédé de « sans »). Pas un, nul : *Il n'a **aucun** scrupule ; **Aucune** personne ne s'est encore présentée.* **Pron.** **1.** Valeur positive. Quelqu'un, qui que ce soit, un parmi : *Il y arrivera mieux qu'**aucun** d'eux ; Je doute qu'**aucun** de ses amis puisse l'aider.* ► **D'aucuns.** Certains, plusieurs (vx ou littér., parfois iron.) : *D'**aucuns** pensent que nous avons tort.* **2.** Valeur négative (avec « ne » ou précédé de « sans »). Personne : ***Aucun** n'a voulu répondre ; Dix personnes sont passées sans qu'**aucune** ne vînt à son secours.* ◻ Fin Xe s. ; lat. pop. °*al(i)cunu*, du lat. *aliquem unum*, « un certain » ; l'adj. ne s'emploie qu'au sing., sauf avec un subst. ne s'utilisant qu'au plur. ; [okœ̃, yn].

**AUCUNEMENT, adv.**
En aucune manière, nullement. ◻ XIIe s. ; ☞ *aucun* ; [okynmɑ̃].

**AUDACE, subst. f.**
**1.** Courage d'entreprendre des actions risquées, hardiesse : *De l'**audace**, encore de l'**audace**, toujours de l'**audace**, et la France est sauvée !* (Danton). **2.** Méton. Acte bravant un certain conformisme (gén. au plur.) : *Les **audaces** de ce jeune chorégraphe.* **3.** Effronterie, aplomb. ◻ 1130 ; lat. *audacia* ; [odas].

**AUDACIEUSEMENT, adv.**
Avec audace. ◻ 1330 ; ☞ *audacieux* ; [odasjøzmɑ̃].

**AUDACIEUX, EUSE, adj.**
Qui a de l'audace ; qui fait preuve d'audace : *Des théories **audacieuses*** ; empl. subst. : *La fortune sourit aux **audacieux**.* ◻ 1495 ; ☞ *audace* ; [odasjø, øz].

**AU-DEDANS, voir DEDANS**

**AU-DEHORS, voir DEHORS**

**AU-DELÀ, voir DELÀ**

**AU-DESSOUS, voir DESSOUS**

**AU-DESSUS, voir DESSUS**

**AU-DEVANT, voir DEVANT**

**AUDIBILITÉ, subst. f.**
Fait d'être audible, qualité de ce qui est audible. ◻ Fin XIXe s. ; ☞ *audible* ; [odibilite].

**AUDIBLE, adj.**
Qui est perceptible par l'oreille : *Fréquence **audible*** ; empl. subst. masc. : *Aux limites de l'**audible**.* ◻ 1488 ; bas lat. *audibilis* ; [odibl].

**AUDIENCE, subst. f.**
**1.** Attention accordée à celui ou à celle qui parle. ► Ext. Intérêt du public pour qqch. ou qqn : *Ce roman rencontre une large **audience** ; Mesurer l'**audience** d'un média*, son taux d'écoute. **2.** Entretien accordé par une personne de haut rang : *Solliciter une **audience**.* **3.** *Dr.* Séance au cours de laquelle un tribunal entend les plaidoiries et prononce son jugement. ◻ XIIe s. ; lat. *audientia* ; [odjɑ̃s].

**AUDIMAT, subst. m. inv.**
Audimètre utilisé par les chaînes de télévision ; par méton., l'audience mesurée. ◻ V. 1980 ; crois. de *audimètre* et de *automatique* ; n. déposé ; [odimat].

**AUDIMÈTRE, subst. m.**
Appareil placé sur un récepteur de radio ou de télévision et qui mesure l'audience des différentes émissions ou des stations. ◻ V. 1960 (1836, audiomètre) ; formé de *audio-* et de *-mètre*1 ; [odimɛtʀ].

**AUDIMÉTRIE, subst. f.**
Mesure de l'audience d'une station de radio ou de télévision, de leurs émissions. ◻ V. 1970 ; ☞ *audimètre* ; [odimetʀi].

**AUDIMUTITÉ, subst. f.**
*Pathol.* Mutité congénitale ne s'accompagnant pas de surdité. ◻ 1909 ; ☞ *mutité* + *audi-* ; [odimytite].

**AUDIO, adj. inv.**
Relatif à l'enregistrement ou à la transmission des sons. ◻ V. 1980 ; lat. *audio*, « j'entends » ; [odjo].

**AUDIOCONFÉRENCE,** subst. f.
Conférence organisée entre des personnes éloignées qui communiquent à l'aide du téléphone et de la télécopie. V. 1980 ; ☞ *conférence* + *audio-* ; [odjokɔ̃feʀɑ̃s].

**AUDIOFRÉQUENCE,** subst. f.
Fréquence des sons audibles, utilisée pour reproduire et transmettre des sons ; en appos. : *Amplificateur **audiofréquence**,* de basse fréquence. V. 1960 ; ☞ *fréquence* + *audio-* ; [odjofʀekɑ̃s].

**AUDIOGRAMME,** subst. m.
*Méd.* Courbe représentant le degré de sensibilité auditive d'un sujet. 1951 ; formé de *audio-* et de *-gramme* ; [odjogʀam].

**AUDIOLOGIE,** subst. f.
*Méd.* Science de l'audition. XXe s. ; formé de *audio-* et de *-logie* ; [odjolɔʒi].

**AUDIOMÈTRE,** subst. m.
Appareil de mesure de l'acuité auditive ou du degré d'intensité d'un signal radioélectrique. 1865 ; formé de *audio-* et de *-mètre*[1] ; [odjomɛtʀ].

**AUDIOMÉTRIE,** subst. f.
*Méd.* et *Phys.* Ensemble des méthodes qui servent à mesurer l'acuité auditive d'un sujet, en faisant varier la hauteur et l'intensité d'un son. XXe s. ; ☞ *audiomètre* ; [odjometʀi].

**AUDIONUMÉRIQUE,** adj.
Qualifie un disque dont les sons sont enregistrés sous forme de signaux numériques : *Le disque compact est un disque **audionumérique**.* V. 1980 ; ☞ *numérique* + *audio-* ; [odjonymeʀik].

**AUDIOPHONE,** subst. m.
Petit appareil acoustique placé près de l'oreille d'un malentendant pour renforcer les sons. 1898 ; formé de *audio-* et de *-phone* ; [odjofɔn].

**AUDIOPROTHÉSISTE,** subst.
Praticien spécialiste des prothèses auditives. V. 1960 ; ☞ *prothésiste* + *audio-* ; [odjopʀɔtezist].

**AUDIOVISUEL, ELLE,** adj. et subst. m.
Adj. Qui utilise de façon complémentaire le son et l'image, surtout dans la communication. Subst. Ensemble de ces moyens et de ces techniques ; en partic., ensemble des chaînes de télévision. Mil. XXe s. ; ☞ *visuel* + *audio-* ; [odjovizɥɛl].

**AUDIT,** subst. m.
Procédure de contrôle de la comptabilité d'une entreprise et vérification de l'exécution de ses objectifs en matière de gestion ; par méton., personne chargée de cette mission. V. 1970 ; angl. *audit,* du lat. *auditus,* « audition » ; [odit].

**AUDITEUR, TRICE,** subst.
1. Celui ou celle qui écoute un discours, un concert, une émission de radio, un professeur. ► *Enseign.* ***Auditeur** libre* : personne admise à suivre les cours sans être élève ou sans passer les examens. 2. *Dr.* ***Auditeur** au Conseil d'État, à la Cour des comptes* : fonctionnaire recruté par concours, au grade le plus bas de la hiérarchie de ces corps de l'État ; ***Auditeur** de justice* : titre des élèves de l'École nationale de la magistrature. 1230 ; lat. *auditor* ; [oditœʀ, tʀis].

**AUDITIF, IVE,** adj.
Qui concerne l'organe ou le sens de l'ouïe : *L'acuité **auditive** ; Le nerf **auditif**.* Fin XIVe s. ; lat. *auditum,* de *audire,* « entendre » ; [oditif, iv].

**AUDITION,** subst. f.
1. *Physiol.* Perception des sons ; fonction du sens de l'ouïe, dont l'excitant est l'ensemble des vibrations mécaniques émises par un objet producteur de sons (voix humaine, instrument de musique, etc.) et dont l'organe est l'oreille. 2. Action d'entendre, fait d'être entendu. ► *Dr.* ***Audition** des témoins* : action d'entendre des témoins en justice. ► *Spectacles.* Présentation par un artiste d'un fragment de son répertoire en vue de se faire engager : *Passer une **audition**.* 3. *Comptab.* ***Audition** de compte* : examen de la comptabilité d'une société. 1295 ; lat. *auditio* ; [odisjɔ̃].

**AUDITIONNER,** verbe [3]
*Spectacles.* Trans. Écouter (un artiste) au cours d'une audition destinée à juger ses aptitudes. Intrans. Donner une audition. 1793 ; ☞ *audition* ; [odisjɔne].

**AUDITOIRE,** subst. m.
1. Ensemble de ceux qui écoutent (un discours, un concert, une émission de radio), ou qui assistent à un spectacle. 2. Belg. et Helv. Salle de cours, amphithéâtre. XIIIe s. ; lat. *auditorium* ; [oditwaʀ].

**AUDITORIUM,** subst. m.
Salle aménagée pour l'audition d'œuvres musicales, théâtrales, de conférences, pour l'audition et l'enregistrement d'émissions de radio ou de télévision, etc. 1866 ; mot lat. ; [oditɔʀjɔm].

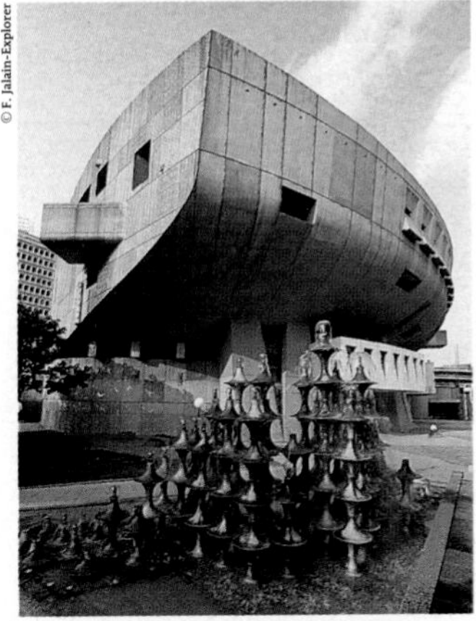

© F. Jalain-Explorer

*L'auditorium Maurice-Ravel à Lyon.*

**AUGE,** subst. f.
1. Récipient de pierre, de bois ou de métal dans lequel on donne à manger ou à boire à certains animaux domestiques. 2. *Spéc.* ► *Bât.* Récipient dans lequel les maçons préparent le plâtre, le ciment, etc. ► *Géogr.* ***Auge** glaciaire* : vallée en U creusée par une langue glaciaire. ► *Techn.* Rigole où passe l'eau nécessaire à la mise en mouvement de la roue d'un moulin. ► *Zool.* Cavité entre les deux branches du maxillaire inférieur d'un quadrupède. Fin XIe s. ; lat. *alveus,* « cavité » ; [oʒ].

**AUGÉE,** subst. f.
Capacité d'une auge ; son contenu : *Une **augée** de mortier.* Mil. XVe s. ; ☞ *auge* ; [oʒe].

**AUGET,** subst. m.
1. Petite auge pour oiseaux. 2. *Techn. Roue à **augets*** : roue hydraulique à la circonférence de laquelle sont fixés des petits godets. 1415 (fin XIIe s., panier) ; ☞ *auge* ; [oʒɛ].

**AUGMENT,** subst. m.
*Ling.* Préverbe, affixe s'ajoutant au radical des verbes de certaines langues indo-européennes, notamment le grec ancien. XIIIe s. ; lat. *augmentum* ; [ɔgmɑ̃].

**AUGMENTATIF, IVE,** adj. et subst. m.
*Ling.* Se dit des préfixes (« par- », « archi- », « re- », etc.), des suffixes (« -issime », « -asser », etc.) qui intensifient le sens d'un mot. 1370 ; ☞ *augmenter* ; [ɔgmɑ̃tatif, iv].

**AUGMENTATION,** subst. f.
1. Action d'augmenter ; son résultat. 2. *Écon.* ***Augmentation** de capital* : élévation du capital social d'une entreprise par incorporation d'actifs, de biens en nature ou de numéraire ; empl. abs., accroissement de salaire. 3. *Tricot.* Ajout d'une ou de plusieurs mailles sur un rang. 1372 (déb. XIVe s., action de célébrer) ; bas lat. *augmentatio* ; [ɔgmɑ̃tasjɔ̃].

**AUGMENTER,** verbe [3]
Trans. 1. Rendre plus grand en ajoutant une chose de même nature : ***Augmenter** son épargne.* 2. Rendre plus élevé : ***Augmenter** les prix.* ► ***Augmenter** le salaire d'une personne* : accroître sa rémunération ; par méton. : ***Augmenter** un salarié.* Intrans. Croître : *La population **augmente** rapidement ; Sa peur **augmente** avec la nuit.* Pronom. Se développer (littér.) : *L'allégresse du cœur s'**augmente** à la répandre* (Molière). XIVe s. ; lat. *augmentare* ; [ɔgmɑ̃te].

**AUGURAL, ALE, AUX,** adj.
*Antiq.* Relatif aux augures. 1548 ; lat. *auguralis* ; [ogyʀal, o].

**AUGURE (I),** subst. m.
Présage, signe céleste annonçant l'avenir. ► Loc. *Être de bon, de mauvais **augure*** : présager une issue heureuse, malheureuse. Mil. XIIe s. ; lat. *augurium* ; [ogyʀ].

**AUGURE (II),** subst. m.
1. *Antiq.* Prêtre qui observe et interprète les signes célestes comme le vol ou la nourriture des oiseaux. 2. Personne qui prédit ou qui prétend prédire l'avenir. 1355 ; lat. *augur* ; [ogyʀ].

**AUGURER,** verbe trans. [3]
1. *Antiq.* Prédire à partir de signes, d'auspices. 2. Ext. Conjecturer, pressentir (l'issue d'un évènement). Mil. XIVe s. ; lat. *augurare,* « prendre les augures » ; [ogyʀe].

**AUGUSTE (I),** adj.
Qui a un caractère solennel et vénérable, qui est digne de respect : *Une **auguste** assemblée.* XVe s. (1243, titre conféré à Octave) ; lat. *augustus,* « consacré par les augures » ; [ogyst].

**AUGUSTE (II),** subst. m.
Clown au maquillage violent et burlesque qui donne la réplique au clown blanc. 1898 ; prénom *Auguste* (par antiphr.) ; [ogyst].

**AUGUSTIN, INE,** subst.
*Cath.* Religieux, religieuse qui suit la règle de saint Augustin : *Un couvent d'**augustines**.* XIVe s. ; anthropon. *saint Augustin* ; [ogystɛ̃, in].

**AUGUSTINIEN, IENNE,** adj. et subst.
Adj. 1. Qui concerne saint Augustin et sa doctrine. 2. Relatif aux religieux de l'ordre des Augustins. Subst. Partisan de l'augustinisme. 1740 ; anthropon. *saint Augustin* ; [ogystinjɛ̃, jɛn].

**AUGUSTINISME,** subst. m.
*Philos.* et *Relig.* Doctrine issue de la pensée de saint Augustin. 1845 ; anthropon. *saint Augustin* ; [ogystinism].

**AUJOURD'HUI,** adv.
1. Le jour où l'on est : *Il part **aujourd'hui**.* 2. Ext. Actuellement, maintenant : *Vous êtes **aujourd'hui** ce qu'autrefois je fus* (Corneille). ► Loc. *C'est pour **aujourd'hui** ou pour demain ?* : traduit l'impatience (fam.). XIIe s. ; contraction de *à le jour d'hui,* de l'anc. fr. *hui, hai,* « le jour où l'on est », du lat. *hodie,* « en ce jour » ; [oʒuʀdɥi].

**AULA,** subst. f.
Helv. Amphithéâtre ; grande salle, dans un établissement public ou scolaire. 1866 ; lat. *aula,* « cour d'une maison » ; [ola].

**AULIQUE,** adj.
1. Vx. Relatif à la cour d'un roi. 2. *Hist. Conseil **aulique*** : tribunal suprême du Saint Empire romain germanique. 1546 ; lat. *aulicus,* du gr. *aulikos* ; [olik].

**AULNAIE,** subst. f.
Terrain planté d'aulnes. Fin XIIe s. ; bas lat. *alnetum* ; var. *aunaie* ; [o(l)nɛ].

**AULNE,** subst. m.
*Bot.* Arbre de la famille des Bétulacées, voisin du bouleau, commun le long des cours d'eau. Déb. XIIIe s. ; lat. *alnus* ; var. *aune* (II) ; [o(l)n].

**AULOFFÉE,** subst. f.
*Mar.* Mouvement d'un voilier qui lofe, remonte dans le lit du vent (anton. *abattée*). 1771 ; formé de *au* et de *lof* ; var. *aulofée* ; [olɔfe].

**AUMÔNE,** subst. f.
1. Don fait par charité aux pauvres : *Demander l'**aumône**.* 2. Fig. Faveur : *Faire l'**aumône** d'une parole aimable.* Xe s. ; lat. chrét. *elemosina* ; [omon].

**AUMÔNERIE,** subst. f.
1. Charge d'aumônier. 2. Administration centrale s'occupant des aumôniers d'une collectivité : ***Aumônerie** militaire.* 3. Local affecté à l'aumônier. 1190 ; ☞ *aumône* ; [omonʀi].

**AUMÔNIER,** subst. m.
1. *Hist.* Ecclésiastique qui distribuait les aumônes et desservait la chapelle d'un personnage important : *Grand **aumônier** de France,* titre du premier **aumônier** de la cour du roi. 2. Ministre d'un culte chargé de l'enseignement de la religion et des offices religieux dans un établissement, une collectivité : ***Aumônier** d'hôpital.* 1174 (XIe s., celui qui reçoit l'aumône) ; lat. chrét. *elemosynarius* ; [omonje].

**AUMÔNIÈRE,** subst. f.
Bourse que l'on portait à la ceinture. Fin XIIe s. ; ☞ *aumône* ; [omonjɛʀ].

**AUMUSSE,** subst. f.
Ornement de fourrure que les chanoines portaient sur le bras en allant à l'office (vx) ; symbole du canonicat. Fin XIIe s. ; lat. médiév. *almutia* ; [omys].

**AUNAIE,** voir **AULNAIE**

**AUNE (I),** subst. f.
**1.** Ancienne unité de longueur (1,20 m env.), qui servait surtout à mesurer les tissus ; par méton., tissu mesuré ainsi : *Dix **aunes** de drap.* **2.** Loc. ► *À l'**aune** de* : en prenant pour référence. ► *Juger les autres à son **aune*** : d'après soi-même. Fin XIe s. ; prob. anc. bas frq. *alina* ; [on].

**AUNE (II),** voir **AULNE**

**AUNÉE,** subst. f.
*Bot.* Plante de la famille des Astéracées, à fleurs jaunes, commune dans les lieux humides. XIIIe s. ; anc. fr. *eaune*, du bas lat. *elena* ; [one].

**AUPARAVANT,** adv.
Avant tel fait, telle action servant de référence : *Un mois **auparavant**.* XIVe s. ; formé de *au*, de *par* (I) et de *avant* ; [oparavɑ̃].

**AUPRÈS,** adv.
**1.** Tout près (littér.) : *La maison est ombragée, un cèdre poussant tout **auprès**.* **2.** Loc. prép. **Auprès de.** ► Tout près de, à côté de, chez : *Restez **auprès** de moi ; Il est revenu vivre **auprès** des siens* ; en représentation officielle chez : *Ambassadeur de France **auprès** du Saint-Siège.* ► En s'adressant à, en recourant à : *Faire une demande **auprès** du ministre.* ► Dans l'opinion de : *Il passe pour un idiot **auprès** d'elle.* ► En comparaison de : *Qu'est l'amour **auprès** de la gloire ?* 1424 ; ☞ *près* + *a-*[1] devenu *au-* ; [opʀɛ].

**AUQUEL,** voir **LEQUEL**

**AURA,** subst. f.
**1.** Vx. Souffle du vent. **2.** Atmosphère qui semble entourer qqn ou qqch. : *Une **aura** de mystère, de bonheur.* ► *Occult.* Halo émanant d'un corps humain, visible des seuls initiés. **3.** *Pathol.* Sensation qui annonce, chez certains sujets, les crises d'asthme et d'épilepsie. Fin XIIe s. ; lat. *aura*, « atmosphère » ; [ɔʀa].

**AURANTIACÉES,** subst. f. plur.
*Bot.* Famille de plantes dicotylédones dont font parties les agrumes, tels les citrus (synon. *Rutacées*). **Au sing.** *La rue est une **aurantiacée**.* [ɔʀɑ̃tjase].

**AURÉLIE,** subst. f.
*Zool.* Méduse acalèphe, rose ou blanche, commune dans les mers de la zone tempérée. 1845 ; ital. *aurelio*, « doré », du lat. *aurum*, « or » ; [ɔʀeli].

**AURÉOLE,** subst. f.
**1.** *B.-a.* Cercle lumineux dont les peintres entourent ordinairement la tête du Christ, des anges et des saints (synon. *nimbe*). **2.** Halo perçu par l'œil autour d'objets, d'astres, etc. **3.** Anal. Ce qui évoque une **auréole** par la forme, la couleur, etc. : *Une **auréole** de fumée, de cheveux roux.* ► Trace vaguement circulaire : *Ce détachant a laissé une **auréole**.* **4.** Fig. Prestige, gloire. Fin XIIIe s. ; lat. chrét. *aureola corona*, « couronne d'or » ; [ɔʀeɔl].

Vierge et l'Enfant en majesté entourés d'anges, *peinture de Cenni di Pepi, dit Cimabue (v. 1240-v. 1302). Musée du Louvre, Paris. Tous les personnages ont le visage ceint d'une **auréole**.*

**AURÉOLER,** verbe trans. [3]
**1.** Entourer d'une auréole. **2.** Fig. Parer de (une vertu) ; empl. adj. : *Il revint tout **auréolé** de gloire.* 1866 ; ☞ *auréole* ; [ɔʀeɔle].

**AURICULAIRE,** adj. et subst. m.
**Adj. 1.** Qui se rapporte à l'oreille : *Pavillon **auriculaire**.* ► *Témoin **auriculaire*** : qui a entendu de ses propres oreilles ce dont il témoigne. **2.** Qui se rapporte aux oreillettes du cœur (la droite et la gauche) : *Artères, parois **auriculaires**.* **Subst.** Cinquième doigt de la main. 1532 ; lat. *auricularius* ; [ɔʀikylɛʀ].

**AURICULE,** subst. f.
**1.** *Anat.* Lobe de l'oreille (synon. *lobule*). ► Ext. Oreille externe. ► Anal. Chacun des petits appendices qui recouvrent extérieurement les oreillettes du cœur. **2.** *Bot.* Plante de la famille des Primulacées, appelée vulgairement oreille-d'ours. **3.** *Zool.* Crête de plumes que portent certains oiseaux, tel le hibou, de part et d'autre de la tête ou des yeux. 1377 ; lat. *auricula*, « oreille » ; [ɔʀikyl].

**AURICULOTHÉRAPIE,** subst. f.
Méthode thérapeutique consistant à stimuler certains points du pavillon de l'oreille. V. 1970 ; lat. *auricula*, « oreille », + *-thérapie* ; [ɔʀikyloteʀapi].

**AURIFÈRE,** adj.
Qui contient de l'or : *Sable, rivière, montagne **aurifère**.* 1535 ; lat. *aurifer* ; [ɔʀifɛʀ].

**AURIFICATION,** subst. f.
*Dent.* Action d'aurifier ; son résultat. 1863 ; ☞ *aurifier* ; [ɔʀifikasjɔ̃].

**AURIFIER,** verbe trans. [6]
*Dent.* Obturer (une dent) avec de l'or. 1863 ; lat. *aurum*, « or » ; [ɔʀifje].

**AURIGE,** subst. m.
*Antiq.* Conducteur de char : *L'**aurige** de Delphes.* 1823 ; lat. *auriga*, « cocher » ; [ɔʀiʒ].

*Statue en bronze d'un **aurige** (Ve s. av. J.-C., détail) trouvée dans le sanctuaire d'Apollon Pythien à Delphes. Musée de Delphes.*

**AURIGNACIEN, IENNE,** subst. m. et adj.
*Préhist.* **Subst.** Culture du début du Paléolithique supérieur, qui est apparue, en Eurasie occidentale, il y a 40 000 ans et a duré 15 000 ans. **Adj.** Relatif à l'**Aurignacien** : *Un site **aurignacien**.* 1907 ; topon. *Aurignac* (Haute-Garonne) ; [ɔʀiɲasjɛ̃, jɛn].

**PRÉHISTOIRE** – L'industrie de l'Aurignacien est marquée par le perfectionnement des outils de pierre, débités en lames, retouchés et différenciés (grattoirs, burins), et par l'apparition des outils d'os. On assiste aussi à cette époque, qui voit l'expansion d'*Homo sapiens sapiens*, à un changement des structures d'habitation : en raison du climat froid dominant, les hommes s'installent dans des grottes et des abris-sous-roche. C'est là que l'on trouve les premières peintures pariétales (sur les parois des cavernes-sanctuaires), telles que les animaux de la grotte Chauvet ou les mains de la grotte Cosquer, et des sépultures à parures funéraires, comme celles des cinq squelettes de Cro-Magnon. Les plus anciennes statuettes anthropomorphes et des flûtes à plusieurs trous témoignent du caractère moderne de cette culture.

**AURIQUE (I),** adj.
*Mar.* Se dit d'une voile trapézoïdale. 1788 ; p.-ê. néerl. *oorig*, « en forme d'oreille » ; [ɔʀik].

**AURIQUE (II),** adj.
*Chim.* Qui contient de l'or : *Un sel **aurique** ; Traitement **aurique**,* traitement médical aux sels d'or. 1842 ; lat. *aurum*, « or » ; [ɔʀik].

**AUROCHS,** subst. m.
*Zool.* Bovidé sauvage disparu, mais dont la race vient d'être recréée en forêt de Rambouillet. 1414 ; m. haut all. *urohse* ; [ɔʀɔk].

*Aurochs, peinture pariétale de la grotte de Lascaux (v. 15000 av. J.-C.).*

**AURORAL, ALE, AUX,** adj.
**1.** De l'aurore ; qui en a la couleur ou l'éclat (littér.). **2.** Qui a lieu à l'aurore. **3.** Relatif à l'aurore boréale. 1859 ; ☞ *aurore* ; [ɔʀɔʀal, o].

**AURORE,** subst. f. et adj. inv.
**Subst. 1.** Lueur qui suit l'aube et précède immédiatement le lever du soleil. ► Loc. *Se lever aux **aurores*** : se lever très tôt (fam.). **2.** Fig. Commencement, naissance (littér.) : *L'**aurore** de la vie,* la jeunesse. **3.** *Astron.* ***Aurore** polaire (boréale ou australe)* : arc lumineux qui se produit dans les hautes couches de l'atmosphère, sous l'effet de l'excitation de l'air par l'arrivée de particules électrisées en provenance du Soleil. On observe ces **aurores** à proximité des pôles à cause de l'existence du champ magnétique terrestre, qui canalise les particules vers ces régions. **Adj. 1.** D'un jaune rosé. **2.** *Cuis.* *Sauce **aurore*** : faite de fond de volaille, de purée de tomates et de beurre. XIIIe s. ; lat. *aurora* ; [ɔʀɔʀ].

*Aurore boréale en Alaska.*

**AUSCULTATION,** subst. f.
**1.** Vx. Action d'écouter. **2.** *Méd.* Examen consistant à écouter les bruits d'un organe (le cœur, les poumons) à des fins de diagnostic : ***Auscultation** immédiate,* par application directe de l'oreille sur le corps du malade ; ***Auscultation** médiate,* à l'aide d'un stéthoscope. 1570 ; lat. *auscultatio* ; [ɔskyltasjɔ̃].

**AUSCULTATOIRE,** adj.
*Méd.* Relatif à l'auscultation. Fin XIXe s. ; ☞ *auscultation* ; [ɔskyltatwaʀ].

**AUSCULTER,** verbe trans. [3]
Pratiquer l'auscultation de. Déb. XVIe s. ; lat. *auscultare*, « écouter » ; [ɔskylte].

**AUSPICE,** subst. m.
Gén. au plur. **1.** *Antiq.* Signe qu'interprétaient les prêtres romains pour prévoir l'avenir (vol ou chant des oiseaux, par ex.) : *Prendre les **auspices**.* **2.** Ext. Présage : *Sous de funestes, sous d'heureux **auspices**.* **3.** Loc. *Sous les **auspices** de* : sous la protection de. 1366 ; lat. *auspicium* ; [ɔspis].

**AUSSI,** adv. et conj.
ADV. **1.** Autant, également, pareillement : *Tu es **aussi** grand que moi* ; *Il court **aussi** vite que lui* ; *Sa femme est blonde, sa fille **aussi**.* ▸ Loc. **Aussi bien que.** Comme : *Le sandre, **aussi** bien que le brochet, est un carnassier.* **2.** À ce point (souv. avec ell. du second terme de la comparaison) : *Je ne le pensais pas **aussi** gentil (que cela).* **3.** En outre, de plus : *Jouer à la belote ne lui suffit pas, il joue **aussi** au bridge !* **4.** Suivi du subjonctif (au sens de « si », qui est préférable) : ***Aussi** puissante qu'elle fût, vous l'auriez méprisée.* CONJ. C'est pourquoi, en conséquence : *Il faisait chaud, **aussi** ôta-t-elle sa veste.* ▸ D'ailleurs (littér.) : *Je ne l'accompagnerai pas à l'opéra ; **aussi** bien s'en moque-t-elle, je crois.* Déb. XII^e s. ; formé de l'anc. fr. *al*, altér. de *aliud*, « autre chose », et de *si* (II) ; [osi].

**AUSSIÈRE,** voir **HAUSSIÈRE**

**AUSSITÔT,** adv.
**1.** Au moment même, sans tarder, sur-le-champ, tout de suite : *On l'appela, il arriva **aussitôt*** ; ***Aussitôt** après son licenciement, il quitta la France.* ▸ Loc. ***Aussitôt** dit, **aussitôt** fait.* **2.** Loc. conj. **Aussitôt que.** Dès que : ***Aussitôt** qu'il eut dîné, il partit.* XIII^e s. ; formé de *aussi* et de *tôt* ; [osito].

**AUSTÉNITE,** subst. f.
Constituant des aciers, dont le taux varie selon la vitesse de trempe. 1903 ; anthropon. *Austen*, métallurgiste anglais ; [ɔstenit].

**AUSTÈRE,** adj.
**1.** Qui ne s'accorde que le strict nécessaire ; d'une grande rigueur, sévère : *Un savant **austère*** ; *Une discipline **austère**.* **2.** Qui exclut toute fantaisie : *Un bâtiment **austère**.* Déb. XII^e s. ; lat. *austerus*, du gr. *austêros* ; [ɔstɛʀ].

**AUSTÈREMENT,** adv.
De manière austère. XIV^e s. ; ☞ *austère* ; [ɔstɛʀmɑ̃].

**AUSTÉRITÉ,** subst. f.
Caractère de ce qui est austère. ▸ *Politique d'**austérité*** : qui vise à réduire les dépenses de l'État et des entreprises. PLUR. *Cath.* Mortifications des sens et de l'esprit. XIII^e s. ; lat. *austeritas* ; [ɔsteʀite].

**AUSTRAL, ALE, ALS ou AUX,** adj.
Situé au sud du globe : *Terres **australes***, régions proches du pôle Sud (anton. *boréal*). 1372 ; lat. *australis*, de *auster*, « le vent du midi » ; [ɔstʀal, o].

**AUSTRALOPITHÈQUE,** subst. m.
*Paléont.* L'un des deux genres d'hominidés (l'autre étant le genre *Homo*), dont le nom savant est *Australopithecus*. Il regroupe quatre espèces : la plus ancienne remonte à 4,5 millions d'années et la plus récente a disparu il y a environ 1 million d'années ; il a précédé sur la Terre le genre *Homo*, auquel appartient l'espèce humaine actuelle. Tous les vestiges fossiles des **Australopithèques** ont été retrouvés en Afrique australe (au Transvaal), en Afrique orientale (au Kenya, en Tanzanie, dans la vallée de l'Olduvai) et en Éthiopie (vallée de l'Omo, Hadar). Lucy, **australopithèque** femelle de l'espèce *afarensis*, dont le squelette a été découvert en 1974, aurait vécu il y a 3,4 millions d'années. 1955 ; lat. sc. *australopithecus*, du lat. *australis*, « austral », et du gr. *pithêkos*, « singe » ; [ɔstʀalɔpitɛk].

**AUSTRONÉSIEN, IENNE,** adj. et subst.
*Anthropol.* Se dit de populations originaires d'Indonésie et répandues dans les archipels du Pacifique et de l'océan Indien. ADJ. *Langues **austronésiennes*** : parlées dans ces archipels, tels le polynésien, l'indonésien. 1930 ; topon. *Austronésie*, ensemble des terres d'Océanie ; [ɔstʀonezjɛ̃, jɛn].

**AUTAN,** subst. m.
*Météor.* Vent violent qui souffle sur le Languedoc : ***Autan** blanc*, sec, qui vient du sud-est ; ***Autan** noir*, pluvieux, qui vient d'Espagne. 1545 ; anc. prov. *auta*, du lat. *altanus*, « (vent) de haute mer » ; [otɑ̃].

**AUTANT,** adv.
**1.** Marque l'égalité de valeur, de quantité, de nombre : *Il y a **autant** de filles que de garçons*, le même nombre ; *Je l'aime **autant** qu'elle m'aime*, avec une égale ferveur ; *J'admire Racine **autant** que Corneille*, au même titre ; *Il y a **autant** à boire qu'à manger*, en même quantité ; *Je l'ai aidé **autant** que j'ai pu*, comme ; *J'en voudrais **autant***, pareillement, semblablement ; *Je peux en faire **autant***, aussi bien, la même chose. **2.** Marque l'intensité, le degré : *Il n'a jamais plu **autant***, à ce point ; *Je ne pensais pas qu'il avait **autant** d'ennemis*, un tel nombre ; *Avez-vous déjà vu **autant** d'argent ?*, une telle quantité. **3.** **Autant... autant...** Introduit une corrélation ou une opposition : ***Autant** il peut être gai un jour, **autant** il peut être triste le lendemain.* ▸ ***Autant** de têtes, **autant** d'avis* : il n'y a pas deux personnes qui pensent de façon identique. **4.** Loc. ▸ **D'autant.** Dans la même proportion : *Vous pouvez augmenter d'**autant** la somme que vous m'offrez si vous voulez que je vous cède ce livre.* ▸ **D'autant plus, moins, mieux.** Encore plus, moins, mieux : *Si vous allez à cette soirée, je m'y rendrai d'**autant** plus volontiers.* ▸ **Pour autant.** Malgré cela, cependant : *Il dort peu, mais il n'est pas fatigué pour **autant**.* **5.** Loc. conj. ▸ **Autant que.** Dans la mesure où : *Il m'écoutera **autant** qu'il continuera à vivre ici* ; ***Autant** que faire se peut.* ▸ **D'autant que.** Vu que, attendu que : *Vous devriez partir, d'**autant** qu'il n'y a plus rien à faire.* ▸ **D'autant plus, moins, mieux que.** Encore plus, moins, mieux vu que : *Je lui en veux d'**autant** moins qu'il ne l'a pas fait exprès.* Déb. XII^e s. ; lat. pop. *ali tantu*, du lat. *alterum tantum*, « une autre fois autant » ; [otɑ̃].

**AUTARCIE,** subst. f.
État d'un groupe ou d'un pays se suffisant à lui-même, vivant en économie fermée. 1896 (1793, frugalité) ; gr. *autarkeia* ; [otaʀsi].

**AUTARCIQUE,** adj.
Fondé sur l'autarcie. 1928 ; ☞ *autarcie* ; [otaʀsik].

**AUTEL,** subst. m.
**1.** *Relig.* Élévation de terre ou table consacrée aux sacrifices et aux offrandes que l'on adresse aux dieux. **2.** *Liturg.* Table où l'on célèbre la messe ; par ext., la religion, l'Église : *L'alliance du trône et de l'**autel**.* **3.** Loc. *Dresser des **autels** à qqn* : le couvrir d'honneurs ; *Sacrifier la qualité sur l'**autel** du profit* : privilégier celui-ci au détriment de celle-là. Fin XI^e s. ; lat. *altare* ; [otɛl].

**AUTEUR,** subst. m.
**1.** Personne qui est à l'origine de qqch., inventeur, instigateur, responsable : *L'**auteur** d'un crime.* **2.** Personne qui produit une œuvre artistique. ▸ Loc. *Film d'**auteur*** : film qui révèle le talent artistique de son réalisateur. ▸ *Dr. Droits d'**auteur*** : droits d'exploitation exclusifs d'un **auteur** sur son œuvre ; revenus ainsi perçus ; *À compte d'**auteur*** : financé par l'**auteur** lui-même. **3.** Écrivain ; par méton. : *Lire un **auteur***, lire son œuvre. Fin XII^e s. ; lat. *auctor*, « instigateur » ; [otœʀ].

**AUTHENTICITÉ,** subst. f.
Qualité, caractère de ce qui est authentique. 1557 ; ☞ *authentique* ; [otɑ̃tisite].

**AUTHENTIFICATION,** subst. f.
Action d'authentifier ; son résultat. 1933 ; ☞ *authentifier* ; [otɑ̃tifikasjɔ̃].

**AUTHENTIFIER,** verbe trans. [6]
**1.** Rendre authentique, légaliser (un document) : ***Authentifier** un testament.* **2.** Constater, certifier le caractère authentique de : ***Authentifier** un tableau.* 1860 ; ☞ *authentique* ; [otɑ̃tifje].

**AUTHENTIQUE,** adj.
**1.** *Dr. Acte **authentique*** : rédigé par un officier ministériel ou une institution judiciaire (par oppos. à un acte sous seing privé) ; par ext., certifié conforme à l'original : *Une copie **authentique**.* **2.** Dont l'origine, la nature, la réalité est incontestable : *Un fait **authentique*** ; *Un **authentique** dessin de Picasso.* **3.** Fig. Qui exprime la vérité profonde de l'être : *Un sentiment **authentique**.* 1211 ; bas lat. *authenticus*, du gr. *authentikos* ; [otɑ̃tik].

**AUTHENTIQUEMENT,** adv.
De manière authentique, avec authenticité. Déb. XIV^e s. ; ☞ *authentique* ; [otɑ̃tikmɑ̃].

**AUTISME,** subst. m.
*Psych.* État de repli sur soi qui interdit toute relation avec les autres, voire toute conscience de la réalité extérieure : *L'**autisme** infantile précoce*, schizophrénie infantile accompagnée, notamment, d'une absence de langage. 1923 ; all. *Autismus*, du gr. *autos*, « soi-même » ; [otism].

**AUTISTE,** adj. et subst.
Se dit d'un sujet atteint d'autisme. 1923 ; ☞ *autisme* ; [otist].

**AUTISTIQUE,** adj.
*Psych.* Relatif à l'autisme : *Pensée **autistique***, forme de pensée caractérisant le repli sur soi et le refus du monde extérieur. 1927 ; all. *autistisch* ; [otistik].

**AUTO,** subst. f.
Automobile, voiture. 1896 ; apocope de *automobile* ; [oto].

**AUTO-ACCUSATEUR, TRICE,** adj. et subst.
*Psych.* ADJ. Qui fait porter l'accusation sur le sujet lui-même, en gén. névrotiquement : *Comportement **auto-accusateur**.* SUBST. Sujet enclin à l'auto-accusation. 1946 ; ☞ *accusateur* + *auto-* ; plur. *auto-accusateurs, trices*, var. *autoaccusateur, trice* ; [otoakyzatœʀ, tʀis].

**AUTO-ACCUSATION,** subst. f.
**1.** *Psych.* État névrotique se manifestant par des accusations imaginaires ou peu fondées qu'un sujet porte contre lui-même. **2.** Fait de s'accuser soi-même. 1903 ; ☞ *accusation* + *auto-* ; plur. *auto-accusations*, var. *autoaccusation* ; [otoakyzasjɔ̃].

**AUTO-ADHÉSIF, IVE,** adj.
Autocollant. V. 1970 ; ☞ *adhésif* + *auto-* ; plur. *auto-adhésifs, ives*, var. *autoadhésif, ive* ; [otoadezif, iv].

**AUTO-ALLUMAGE,** subst. m.
*Mécan.* Combustion spontanée anormale du mélange carburant dans un moteur à explosion. 1924 ; ☞ *allumage* + *auto-* ; plur. *auto-allumages*, var. *autoallumage* ; [otoalymaʒ].

**AUTO-ANALYSE,** subst. f.
*Psychanal.* Analyse du sujet par lui-même, sans l'aide d'un thérapeute. 1923 ; ☞ *analyse* + *auto-* ; plur. *auto-analyses*, var. *autoanalyse* ; [otoanaliz].

**AUTO-ANTICORPS,** subst. m. inv.
*Biol.* Anticorps produit par le système immunitaire d'un individu, qui est traité comme un antigène. ☞ *anticorps* + *auto-* ; var. *autoanticorps* ; [otoɑ̃tikɔʀ].

**AUTO-ANTIGÈNE,** subst. m.
*Biol.* Antigène qui suscite, dans certains désordres du système immunitaire, la formation d'anticorps réagissant contre lui. ☞ *antigène* + *auto-* ; plur. *auto-antigènes*, var. *autoantigène* ; [otoɑ̃tiʒɛn].

**AUTOBIOGRAPHIE,** subst. f.
Biographie d'un auteur rédigée par lui-même. 1838 ; ☞ *biographie* + *auto-* ; [otobjɔgʀafi].

**AUTOBIOGRAPHIQUE,** adj.
Qui relève de l'autobiographie : *Récit **autobiographique**.* 1832 ; ☞ *biographie* + *auto-* ; [otobjɔgʀafik].

**AUTOBRONZANT, ANTE,** adj. et subst. m.
Se dit d'un produit cosmétique qui fait bronzer sans l'action du soleil. V. 1980 ; p. pr. de *bronzer* + *auto-* ; [otobʀɔ̃zɑ̃, ɑ̃t].

**AUTOBUS,** subst. m.
Grand véhicule automobile utilisé pour les transports en commun urbains (abrév. fam. : bus). 1906 ; crois. de *auto* et de *omnibus* ; [otobys] ou [ɔtɔ-].

**AUTOCAR,** subst. m.
Grand véhicule automobile destiné aux transports collectifs routiers (abrév. fam. : car). 1895 ; angl. *autocar*, « automobile » ; [otokaʀ] ou [ɔtɔ-].

**AUTOCARISTE,** subst.
Propriétaire, exploitant d'une société d'autocars. V. 1960 ; ☞ *autocar* ; [otokaʀist] ou [ɔtɔ-].

**AUTOCASSABLE,** adj.
Dont on peut casser l'extrémité sans l'aide d'une lime, en parlant d'une ampoule de verre. V. 1970 ; ☞ *cassable* + *auto-* ; [otokasabl].

**AUTOCATALYSE,** subst. f.
*Chim.* Action catalytique (accélération d'une réaction) exercée par un composé résultant d'une réaction de catalyse sur cette catalyse elle-même. 1905 ; ☞ *catalyse* + *auto-* ; [otokataliz].

**AUTOCENSURE,** subst. f.
Fait de censurer soi-même ses écrits ou ses paroles. V. 1960 ; ☞ *censure* + *auto-* ; [otosɑ̃syʀ].

**AUTOCÉPHALE,** adj.
*Dr. canon.* Se dit d'une Église orthodoxe dont la hiérarchie ne relève d'aucune juridiction patriarcale extérieure à sa nation : *L'Église **autocéphale** de Chypre.* 1732 ; formé de *auto-* et de *-céphale* ; [otosefal].

**AUTOCHENILLE,** subst. f.
Véhicule militaire ou d'exploration à chenilles. 1922 ; formé de *auto* et de *chenille* ; [otoʃ(ə)nij].

**AUTOCHROME, adj. et subst. f.**
*Phot.* ADJ. Qui enregistre les couleurs : *Procédé* ***autochrome***. SUBST. Plaque autochrome. 🕮 1906 ; formé de *auto-* et de *-chrome* ; [otokʀom].

**AUTOCHTONE, subst. et adj.**
SUBST. Individu dont les ancêtres sont à l'origine du peuplement du lieu où il vit (synon. *aborigène, indigène*). ADJ. **1.** Qui est originaire du lieu où il habite. **2.** *Géol.* Qui s'est formé sur place, en parlant d'un terrain. 🕮 1559 ; gr. *autokhthôn*, de *autos*, « soi-même », et de *khthôn*, « terre » ; [otokton].

**AUTOCINÉTIQUE, adj.**
*Phys.* Capable de se mettre en mouvement sans avoir recours à une impulsion extérieure. 🕮 Mil. XX^e s. ; ☞ *cinétique* + *auto-* ; [otosinetik].

**AUTOCLAVE, adj. et subst. m.**
ADJ. Qui se ferme hermétiquement de soi-même. SUBST. Récipient métallique à fermeture hermétique qui résiste à de fortes pressions et qui sert à la stérilisation, à la cuisson d'aliments, etc. 🕮 1820 ; lat. *clavis*, « clé », + *auto-* ; [otoklav].

**AUTOCOLLANT, ANTE, adj. et subst. m.**
ADJ. Qui adhère par simple pression : *Étiquette* ***autocollante***. SUBST. Étiquette ou vignette **autocollante**. 🕮 V. 1970 ; ☞ *collant* + *auto-* ; [otokɔlɑ̃, ɑ̃t].

**AUTOCOMMUTATEUR, subst. m.**
*Télécomm.* Dispositif établissant automatiquement une liaison téléphonique, à partir d'un signal constitué d'un numéro d'appel. 🕮 1911 ; ☞ *commutateur* + *auto-* ; [otokɔmytatœʀ].

**AUTOCONDUCTION, subst. f.**
*Phys.* Production de courant dans un corps non relié à un circuit, mais placé à l'intérieur d'un solénoïde. 🕮 1894 ; ☞ *conduction* + *auto-* ; [otokɔ̃dyksjɔ̃].

**AUTOCONSOMMATION, subst. f.**
*Écon.* Consommation de produits, en partic. agricoles, par leur producteur. 🕮 1952 ; ☞ *consommation* + *auto-* ; [otokɔ̃sɔmasjɔ̃].

**AUTOCORRECTION, subst. f.**
**1.** Correction spontanée d'un sujet par lui-même. **2.** *Logiciel d'****autocorrection*** : outil pédagogique permettant de corriger soi-même ses erreurs, notamment dans l'apprentissage d'une langue. 🕮 V. 1960 ; ☞ *correction* + *auto-* ; [otokɔʀɛksjɔ̃].

**AUTOCRATE, subst. m.**
**1.** Monarque absolu. **2.** Ext. Despote, dictateur, tyran. 🕮 1768 ; gr. *autokratês* ; le fém., *autocratrice*, est rare ; [otokʀat].

**AUTOCRATIE, subst. f.**
**1.** Régime politique qui confère à un souverain un pouvoir absolu. **2.** Ext. Pouvoir abusif. 🕮 Fin XVIII^e s. ; ☞ *autocrate* ; [otokʀasi].

**AUTOCRATIQUE, adj.**
**1.** Qui relève de l'autocratie : *Un régime* ***autocratique***. **2.** Ext. Despotique, tyrannique. 🕮 1768 ; ☞ *autocrate* ; [otokʀatik].

**AUTOCRITIQUE, subst. f.**
**1.** Jugement critique que l'on porte sur son propre comportement : *Faire son* ***autocritique*** ; empl. adj. : *Un esprit* ***autocritique***. **2.** *Pol.* Critique, effectuée par un militant, de sa propre action politique, par rapport à la ligne de son parti. 🕮 1866 ; ☞ *critique* (II) + *auto-* ; [otokʀitik].

**AUTOCUISEUR, subst. m.**
Autoclave servant à cuire les aliments à la vapeur. 🕮 1917 ; ☞ *cuiseur* + *auto-* ; [otokɥizœʀ].

**AUTODAFÉ, subst. m.**
**1.** *Hist.* Cérémonie organisée par l'Inquisition en Espagne et au Portugal, surtout au XVI^e s., au cours de laquelle les hérétiques et les impies étaient condamnés à être brûlés vifs ; supplice par le feu. **2.** Anal. Destruction par le feu, en partic. d'ouvrages jugés dangereux ou pernicieux : ***Autodafé*** *de livres*. 🕮 1689 ; port. *auto da fe*, « acte de foi » ; [otodafe].

**AUTODÉFENSE, subst. f.**
**1.** Action de se défendre soi-même face à un agresseur, sans faire appel à la police. **2.** *Biol.* et *Méd.* Système de défense propre à un organisme. 🕮 V. 1900 ; ☞ *défense* + *auto-* ; [otodefɑ̃s].

**AUTODÉRISION, subst. f.**
Fait de se tourner soi-même en dérision. 🕮 V. 1980 ; ☞ *dérision* + *auto-* ; [otodeʀizjɔ̃].

**AUTODESTRUCTEUR, TRICE, adj.**
*Psychol.* Qui vise à se détruire soi-même : *Un comportement* ***autodestructeur***. 🕮 1946 ; ☞ *destructeur* + *auto-* ; [otodɛstʀyktœʀ, tʀis].

**AUTODESTRUCTION, subst. f.**
*Psychol.* Destruction de soi par soi-même. 🕮 1898 ; ☞ *destruction* + *auto-* ; [otodɛstʀyksjɔ̃].

**AUTODÉTERMINATION, subst. f.**
**1.** *Pol.* Libre détermination du statut politique d'un pays par sa population. **2.** *Psychol.* Fait de se déterminer par sa volonté propre. 🕮 1907 ; ☞ *détermination* + *auto-* ; [otodetɛʀminasjɔ̃].

**AUTODICTÉE, subst. f.**
Exercice scolaire qui consiste à retranscrire, de mémoire, un texte. 🕮 V. 1970 ; ☞ *dictée* + *auto-* ; [otodikte].

**AUTODIDACTE, adj. et subst.**
Se dit d'une personne qui n'a pas eu de maître, qui s'est instruite par elle-même : *Un peintre* ***autodidacte***. 🕮 1557 ; gr. *autodidaktos* ; [otodidakt].

**AUTODISCIPLINE, subst. f.**
Discipline qu'un individu ou un groupe s'impose librement à lui-même. 🕮 1919 ; ☞ *discipline* + *auto-* ; [otodisiplin].

**AUTODROME, subst. m.**
Circuit fermé aménagé pour recevoir des essais ou des courses automobiles. 🕮 1909 ; ☞ *automobile* + *-drome* ; [otodʀom].

**AUTO-ÉCOLE, subst. f.**
École où l'on enseigne le code de la route et la conduite automobile. 🕮 V. 1900 ; comp. de *auto* et de *école* ; plur. *auto-écoles* ; [otoekɔl].

**AUTO-ÉROTISME, subst. m.**
Recherche d'une satisfaction érotique ou sexuelle solitaire. 🕮 1916 ; ☞ *érotisme* + *auto-* ; plur. *auto-érotismes*, var. *autoérotisme* ; [otoeʀɔtism].

**AUTO-EXCITATEUR, TRICE, adj.**
*Électr.* Dont le courant alimentant les inducteurs est fourni par l'induit même. 🕮 1881 ; ☞ *excitateur* + *auto-* ; plur. *auto-excitateurs, trices*, var. *autoexcitateur, trice* ; [otoɛksitatœʀ, tʀis].

**AUTOFÉCONDATION, subst. f.**
*Biol.* Processus de fécondation de certains animaux parasites (ténias) et de certains végétaux dans lequel les gamètes mâle et femelle proviennent d'un même individu (synon. *autogamie*). 🕮 1888 ; ☞ *fécondation* + *auto-* ; [otofekɔ̃dasjɔ̃].

**AUTOFINANCEMENT, subst. m.**
*Écon.* Financement des investissements d'une entreprise réalisé sur ses bénéfices ; financement d'une collectivité publique par ses ressources propres. 🕮 1913 ; ☞ *financement* + *auto-* ; [otofinɑ̃smɑ̃].

**AUTOFINANCER, verbe trans. [4]**
Utiliser ses ressources propres pour financer (un investissement). PRONOM. Financer soi-même son entreprise. 🕮 V. 1970 ; ☞ *financer* + *auto-* ; [otofinɑ̃se].

**AUTOFOCUS, adj.**
Se dit d'un appareil photographique, d'une caméra, d'un projecteur dont la mise au point est automatique ; empl. subst. masc., appareil **autofocus**. 🕮 V. 1980 ; angl. *autofocus*, de *to focus*, « mettre au point » ; [otofɔkys].

**AUTOGAMIE, subst. f.**
*Biol.* Autofécondation. 🕮 1904 ; formé de *auto-* et de *-gamie* ; [otogami].

**AUTOGÈNE, adj.**
**1.** Qui a été fait par soi-même, qui existe par soi-même (vx). **2.** *Techn. Soudure* ***autogène*** : soudure faite exclusivement par fusion de deux pièces d'un même métal. 🕮 1840 ; gr. *autogenês* ; [otoʒɛn].

**AUTOGÉRÉ, ÉE, adj.**
Qui est géré par l'ensemble de ceux qui y travaillent, en parlant d'une entreprise, d'une collectivité : *Usine* ***autogérée***. 🕮 V. 1970 ; p. p. de *gérer* + *auto-* ; [otoʒeʀe].

**AUTOGESTION, subst. f.**
Gestion d'une entreprise, d'une collectivité par l'ensemble de ceux qui y travaillent. 🕮 V. 1960 ; ☞ *gestion* + *auto-* ; [otoʒɛstjɔ̃].

**AUTOGESTIONNAIRE, adj.**
Relatif à l'autogestion ou qui la prône : *Politique* ***autogestionnaire***. 🕮 1970 ; ☞ *autogestion* ; [otoʒɛstjɔnɛʀ].

**AUTOGIRE, subst. m.**
*Aéron.* Aéronef dont la sustentation est assurée par un rotor, et la propulsion horizontale par un moteur à hélice ou un turbopropulseur. 🕮 1923 ; esp. *autogiro*, du gr. *autos*, « soi-même », et *guros*, « cercle » ; [otoʒiʀ].

**AUTOGRAPHE, adj. et subst. m.**
ADJ. Qui est écrit de la main même de l'auteur : *Une lettre* ***autographe***. SUBST. Lettre, signature ou document écrit de la main même d'une personne célèbre. 🕮 1553 ; gr. *autographos* ; [otogʀaf].

**AUTOGRAPHIE, subst. f.**
*Techn.* Procédé de reproduction par impression d'un texte ou d'un dessin tracé avec une encre grasse ; reproduction ainsi obtenue. 🕮 1800 ; ☞ *autographe* ; [otogʀafi].

**AUTOGRAPHIER, verbe trans. [6]**
Reproduire (un écrit, un dessin) par autographie. 🕮 1829 ; ☞ *autographie* ; [otogʀafje].

**AUTOGREFFE, subst. f.**
*Chir.* Transfert d'un tissu d'un point à un autre sur un même individu. 🕮 1920 ; ☞ *greffe* + *auto-* ; [otogʀɛf].

**AUTOGUIDAGE, subst. m.**
*Techn.* Procédé permettant à un mobile (avion, fusée) de se diriger automatiquement vers son but. 🕮 1951 ; ☞ *guidage* + *auto-* ; [otogidaʒ].

**AUTOGUIDÉ, ÉE, adj.**
*Techn.* Qui se dirige par autoguidage : *Un missile* ***autoguidé***. 🕮 1950 ; p. p. de *guider* + *auto-* ; [otogide].

**AUTO-IMMUN, UNE, adj.**
Qui relève de l'auto-immunité : *Maladie* ***auto-immune***, maladie dans laquelle l'organisme produit des auto-anticorps. 🕮 V. 1970 ; ☞ *immun* + *auto-* ; plur. *auto-immuns, unes* ; [otoim(m)œ̃, yn].

**AUTO-IMMUNITÉ, subst. f.**
*Biol.* Maladie du système immunitaire caractérisée par la production d'immunoglobines, ou anticorps, capables de se fixer sur des molécules protéiques ou glucidiques propres à l'organisme. Le bon fonctionnement d'un organisme nécessite la reconnaissance des molécules dites du « soi », afin d'éviter l'autodestruction. Dans les cas de maladies auto-immunes, cette identification du « soi » ne se produit pas correctement puisque certaines des molécules propres à l'individu sont considérées comme étrangères. 🕮 ☞ *immunité* + *auto-* ; plur. *auto-immunités* ; [otoim(m)ynite].

**AUTO-INDUCTANCE, subst. f.**
*Électr.* Grandeur, souv. notée L, qui s'exprime par le quotient du flux d'induction magnétique à travers le circuit par l'intensité du courant qui le parcourt. 🕮 ☞ *inductance* + *auto-* ; plur. *auto-inductances* ; [otoɛ̃dyktɑ̃s].

**AUTO-INDUCTION, subst. f.**
*Électr.* Induction électromagnétique prenant naissance dans un circuit électrique à la suite des variations du courant qui le parcourt. 🕮 1890 ; ☞ *induction* + *auto-* ; plur. *auto-inductions* ; [otoɛ̃dyksjɔ̃].

**AUTO-INFECTION, subst. f.**
*Pathol.* Infection due à des germes préexistant dans l'organisme et qui éclate à l'occasion d'une augmentation de la virulence de ces germes, ou d'une diminution de la résistance de l'organisme à leur égard. 🕮 1883 ; ☞ *infection* + *auto-* ; plur. *auto-infections* ; [otoɛ̃fɛksjɔ̃].

**AUTO-INTOXICATION, subst. f.**
*Pathol.* Ensemble des troubles provoqués par des substances toxiques élaborées dans l'organisme lui-même, soit par suite d'un déficit des fonctions d'excrétion, soit par une mauvaise utilisation des aliments par l'organisme (diabète, par ex.). 🕮 1887 ; ☞ *intoxication* + *auto-* ; plur. *auto-intoxications* ; [otoɛ̃tɔksikasjɔ̃].

**AUTOLYSAT, subst. m.**
*Biol.* Produit de l'autolyse. 🕮 Déb. XX^e s. ; ☞ *autolyse* ; [otoliza].

**AUTOLYSE, subst. f.**
**1.** *Biol.* Autodestruction spontanée d'une cellule, d'un tissu ou d'un organe sous l'influence d'enzymes destructrices des protéines, produites par cet organe ou par cette cellule. **2.** *Psych.* Suicide. 🕮 Déb. XX^e s. ; formé de *auto-* et de *-lyse* ; [otoliz].

**AUTOMATE, subst. m.**
**1.** Robot, appareil muni d'un dispositif mécanique ou électrique interne lui permettant de simuler les mouvements d'un être animé ; au fig., individu passif semblant se comporter comme un **automate**. **2.** *Informat.* Système d'enchaînement automatique d'opérations arithmétiques ou logiques. **3.** Helv. Distributeur automatique. 🕮 1534 ; gr. *automatos* ; [otomat].

**AUTOMATICITÉ, subst. f.**
Caractère de ce qui est automatique. 🕮 1906 ; ☞ *automatique* ; [otomatisite].

1 © Charlon-Gamma

2 © A. Benainous-Gamma

AUTOMOBILES

1. *Panhard-Levassor. Musée Schlumpf, Mulhouse.*
2. *Bugatti Roadster type 55.*
3. *Citroën 2 CV.*
4. *Rolls-Royce.*
5. *Ferrari GTO.*
6. *Peugeot 405 (Paris-Dakar).*
7. *Renault (Grand Prix de formule 1 d'Allemagne).*
8. *Assemblage de la Renault Safrane.*

3 © K. Straiton-Explorer

4 © G. de Laubier-Gamma

5 © A. Denize-Gamma

6 © A. Denize-Gamma

7 © De Barre-Gamma

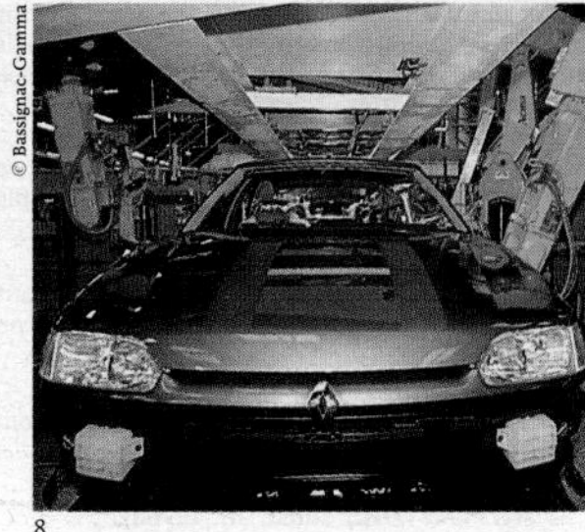
8 © Bassignac-Gamma

**AUTOMATION,** subst. f.
*Techn.* **1.** Automatisation. **2.** Ensemble des théories et des techniques concernant les systèmes automatiques. 1956 ; mot anglo-amér. ; [otomasjɔ̃].

**AUTOMATIQUE,** adj. et subst.
Adj. **1.** Qui s'accomplit sans intervention de la volonté, d'une manière inconsciente : *Un geste* ***automatique*** ; *L'écriture* ***automatique*** *des surréalistes*, produite sous la dictée de l'inconscient. **2.** Qui, une fois déclenché, fonctionne par des moyens mécaniques, électriques ou électroniques, sans intervention d'un opérateur : *Portillon* ***automatique*** ; *Distributeur* ***automatique*** *de billets* ; *Traduction* ***automatique***, assistée par ordinateur. **3.** Qui se produit de façon prévisible, régulière : *Un avancement* ***automatique***. ► Qui doit forcément arriver (fam.) : *Il oublie ses clés tous les matins, c'est* ***automatique***. Subst. masc. **1.** Arme **automatique**. **2.** *L'****automatique*** : réseau téléphonique sans opérateurs. Subst. fém. *Sc.* et *Techn.* Ensemble des sciences et des techniques intervenant dans la conception et la mise en œuvre de systèmes et d'appareils fonctionnant sans intervention humaine. 1751 ; ☞ *automate* ; [otomatik].

**AUTOMATIQUEMENT,** adv.
De manière automatique. 1834 ; ☞ *automatique* ; [otomatikmɑ̃].

**AUTOMATISATION,** subst. f.
*Techn.* **1.** Action d'automatiser (un procédé, un système) : *L'****automatisation*** *de la fabrication a permis la production en masse.* **2.** Ext. Équipement d'une entreprise en machines automatiques. 1875 ; ☞ *automatiser* ; [otomatizasjɔ̃].

**AUTOMATISER,** verbe trans. [3]
*Techn.* Rendre automatique (un procédé, un système). Fin XVIIIe s. ; ☞ *automate* ; [otomatize].

**AUTOMATISME,** subst. m.
**1.** Caractère d'un acte, d'une activité exécutée de façon machinale, sans la participation de la volonté ni de l'intelligence : *Réagir par pur* ***automatisme*** ; *Des* ***automatismes*** *de pensée.* **2.** *Physiol.* Fonctionnement spontané d'un organe : ***Automatisme*** *cardiaque.* **3.** *Techn.* Fonctionnement automatique d'un appareil, d'un dispositif : ***Automatisme*** *de réglage.* Mil. XVIIIe s. ; ☞ *automate* ; [otomatism].

**AUTOMÉDICATION,** subst. f.
Fait de se prescrire soi-même un traitement médical ; prise d'un tel traitement. V. 1970 ; ☞ *médication* + *auto-* ; [otomedikasjɔ̃].

**AUTOMÉDON,** subst. m.
Cocher (littér.). 1776 ; gr. *Automedôn*, nom du conducteur du char d'Achille ; [otomedɔ̃].

**AUTOMITRAILLEUSE,** subst. f.
Automobile blindée armée de mitrailleuses et parfois d'un canon. 1906 ; formé de *auto* et de *mitrailleuse* ; [otomitʀajøz].

**AUTOMNAL, ALE, AUX,** adj.
**1.** D'automne : *Les couleurs, les brumes* ***automnales***. **2.** *Astron.* *Point* ***automnal*** : l'un des deux points dits équinoxiaux (l'autre est le point vernal) où l'équateur céleste coupe l'écliptique. 1119 ; lat. *autumnalis* ; [otɔnal, o].

**AUTOMNE,** subst. m.
**1.** Saison de l'année située entre l'été et l'hiver (dans l'hémisphère Nord, du 22 ou 23 septembre au 21 ou 22 décembre). **2.** Fig. et Littér. Moment de la vie qui précède la vieillesse, maturité : *L'****automne*** *de la vie* ; par ext., déclin : *Voilà que j'ai touché l'****automne*** *des idées* (Baudelaire). 1231 ; lat. *autumnus* ; [otɔn].

**AUTOMOBILE,** adj. et subst. f.
Adj. Qui se meut de soi-même ; qui est mû par un moteur électrique, à explosion, etc. (synon. *automoteur*) : *Canot* ***automobile***. Subst. Véhicule léger, à moteur, doté gén. de quatre roues et destiné au transport des personnes ; empl. adj., relatif aux véhicules **automobiles** : *Course, circulation* ***automobile***. 1866 ; ☞ *mobile* + *auto-* ; [otɔmobil].

**AUTOMOBILISME,** subst. m.
Ensemble des activités liées à l'automobile ; sport automobile. 1896 ; ☞ *automobile* ; [otɔmɔbilism].

**AUTOMOBILISTE,** subst.
Personne qui conduit ou qui utilise une automobile. 1898 ; ☞ *automobile* ; [otɔmɔbilist].

**AUTOMORPHISME,** subst. m.
*Math.* Endomorphisme qui est une bijection de E, ensemble muni d'une structure algébrique, sur E : *Les rotations de l'espace vectoriel* $\mathbb{R}^2$ *sont des* ***automorphismes***. V. 1950 ; formé de *auto-* et de *-morphisme* ; [otomɔʀfism].

**AUTOMOTEUR, TRICE,** adj. et subst.
ADJ. Qui se meut de soi-même à l'aide d'un moteur (synon. *automobile*). SUBST. FÉM. *Ch. de fer.* Véhicule propulsé par un moteur électrique, qui se déplace sur rails. SUBST. MASC. Péniche à moteur. 1834 ; ☞ *moteur* + *auto-* ; [otomɔtœʀ, tʀis].

**AUTOMUTILATION,** subst. f.
Action de s'infliger à soi-même une mutilation. V. 1900 ; ☞ *mutilation* + *auto-* ; [otomytilasjɔ̃].

**AUTONEIGE,** subst. f.
Véhicule automobile équipé de chenilles, permettant de circuler sur la neige. 1934 ; formé de *auto* et de *neige* ; [otonɛʒ].

**AUTONETTOYANT, ANTE,** adj.
*Four* ***autonettoyant*** : conçu pour éliminer les dépôts graisseux en les brûlant par pyrolyse ou catalyse. V. 1970 ; ☞ *nettoyant* + *auto-* ; [otonetwajɑ̃, ɑ̃t].

**AUTONOME,** adj.
**I.** *Pol.* **1.** Qui se gouverne par ses propres lois : *Nation* ***autonome*** ; qui s'administre soi-même de façon indépendante : *Région, port* ***autonome*** ; par méton. : *Budget* ***autonome.*** **2.** Qui conteste le système établi en rejetant toute organisation politique ; empl. subst. : *Les* ***autonomes*** *du XIVᵉ arrondissement.* **II.** Anal. **1.** Qui agit et décide par soi-même, qui ne dépend pas d'autrui moralement, intellectuellement ou matériellement : *Mener une existence* ***autonome*** ; *Cet enfant est de plus en plus* ***autonome.*** **2.** Qui est conçu ou qui fonctionne comme une entité indépendante. **3.** *Philos. Conscience, volonté* ***autonome*** : qui se détermine librement, qui n'obéit qu'à la raison. 1751 ; gr. *autonomos* ; [otonɔm].

**AUTONOMIE,** subst. f.
**1.** *Pol.* Fait de se gouverner par ses propres lois, de s'administrer librement : ***Autonomie*** *d'une province* ; ***Autonomie*** *financière.* **2.** Anal. Faculté de se déterminer par soi-même ; indépendance morale, intellectuelle, matérielle : *Le besoin d'****autonomie*** *de l'adolescent.* **3.** *Philos.* Droit qu'a toute personne de déterminer librement les règles auxquelles elle se soumet (synon. *liberté*). **4.** *Techn.* Distance que peut parcourir un véhicule, un avion, sans refaire le plein de carburant. 1596 ; gr. *autonomia* ; [otonɔmi].

**AUTONOMISME,** subst. m.
*Pol.* Fait d'être autonomiste ; doctrine des autonomistes : *L'****autonomisme*** *basque, catalan, corse, irlandais.* 1926 ; ☞ *autonomie* ; [otonɔmism].

**AUTONOMISTE,** subst.
*Pol.* Partisan de l'autonomie ; empl. adj. : *Mouvement* ***autonomiste*** *basque.* 1870 ; ☞ *autonome* ; [otonɔmist].

**AUTONYME,** subst. m. et adj.
*Ling.* Se dit d'un mot ou d'un signe qui, dans un énoncé, renvoie à lui-même en tant que mot ou signe : *Dans « Landau prend un s au pluriel », « landau » est un* ***autonyme*** ; *il s'agit d'un emploi* ***autonyme*** *de ce mot.* 1957 ; formé de *auto-* et de *-onyme* ; [otonim].

**AUTOPLASTIE,** subst. f.
*Chir.* Transplantation d'un greffon cutané prélevé sur le sujet lui-même. 1836 ; formé de *auto-* et de *-plastie* ; [otoplasti].

**AUTOPOMPE,** subst. f.
Camion muni d'une pompe à incendie. 1928 ; formé de *auto* et de *pompe* (II) ; [otopɔ̃p].

**AUTOPORTANT, ANTE,** adj.
*Archit.* Dont la stabilité ne dépend pas d'un support, mais de la structure seule : *Voûte* ***autoportante.*** 1948 ; ☞ *portant* + *auto-* ; [otopɔʀtɑ̃, ɑ̃t].

**AUTOPORTEUR, EUSE,** adj.
*Archit.* Autoportant. 1957 ; ☞ *porteur* + *auto-* ; [otopɔʀtœʀ, øz].

**AUTOPORTRAIT,** subst. m.
Portrait qu'un artiste fait de lui-même. 1928 ; ☞ *portrait* + *auto-* ; [otopɔʀtʀɛ].

**AUTOPROCLAMER (S'),** verbe pronom. [3]
S'octroyer de sa propre autorité tel statut, telle dignité et les proclamer ; empl. adj. : *République* ***autoproclamée.*** V. 1970 ; ☞ *proclamer* + *auto-* ; [otopʀoklame].

**AUTOPROPULSÉ, ÉE,** adj.
*Techn.* Qui se propulse de lui-même, en parlant d'un véhicule, d'une fusée : *Projectile* ***autopropulsé,*** missile. 1951 ; p. p. de *propulser* + *auto-* ; [otopʀɔpylse].

**AUTOPSIE,** subst. f.
**1.** *Méd.* Examen systématique d'un cadavre, notamment pour déterminer les causes de la mort : ***Autopsie*** *médico-légale,* en cas de décès suspect. **2.** Fig. Examen méticuleux et approfondi : *Faire l'****autopsie*** *d'un crime.* 1573 ; gr. *autopsia,* « action de voir de ses propres yeux » ; [otɔpsi].

**AUTOPSIER,** verbe trans. [6]
Pratiquer une autopsie sur. 1857 ; ☞ *autopsie* ; [otɔpsje].

**AUTOPUNITION,** subst. f.
*Psych.* Conduite fréquente dans les cas de névrose et de psychose, par laquelle un sujet se punit lui-même en réponse à un sentiment de culpabilité non motivé par une faute : *Les comportements d'échec sont une forme d'****autopunition.*** 1929 ; ☞ *punition* + *auto-* ; [otopynisjɔ̃].

**AUTORADIO,** subst. m.
Récepteur radiophonique équipant une automobile. 1956 ; formé de *auto* et de *radio* ; [otoʀadjo].

**AUTORAIL,** subst. m.
*Ch. de fer.* Véhicule autonome, équipé d'un ou de plusieurs moteurs Diesel, roulant sur rails et conçu pour le transport des voyageurs sur les lignes secondaires. 1928 ; formé de *auto* et de *rail* ; plur. *autorails* ; [otoʀaj].

**AUTORÉGLAGE,** subst. m.
*Techn.* Possibilité qu'a un appareil, une installation de retrouver automatiquement son régime initial de fonctionnement après une perturbation. V. 1930 ; ☞ *réglage* + *auto-* ; [otoʀeglaʒ].

**AUTORÉGULATEUR, TRICE,** adj.
Qui opère sa propre régulation. Fin XIXᵉ s. ; ☞ *régulateur* + *auto-* ; [otoʀegylatœʀ, tʀis].

**AUTORÉGULATION,** subst. f.
**1.** *Techn.* Régulation automatique d'une machine. **2.** *Physiol.* Ensemble des phénomènes qui permettent à un organisme d'assurer sa propre régulation afin de maintenir son équilibre interne (☞ *homéostasie*). 1878 ; ☞ *régulation* + *auto-* ; [otoʀegylasjɔ̃].

**AUTOREVERSE,** adj. inv.
Qui retourne automatiquement la bande en fin de lecture, en parlant d'un magnétophone, d'un magnétoscope, etc. V. 1980 ; angl. *autoreverse,* de *to reverse,* « retourner » ; [otoʀəvɛʀs] ou [-ʀivœʀs].

**AUTORISATION,** subst. f.
**1.** Action d'autoriser ; son résultat : *Accorder l'****autorisation*** *de partir* ; *Agir sans* ***autorisation.*** **2.** Méton. Document écrit par lequel on autorise : *Présenter une* ***autorisation.*** 1419 ; ☞ *autoriser* ; [otɔʀizasjɔ̃].

Portrait charge, un **autoportrait** de Paul Gauguin (1848-1903). National Gallery of Art, Washington.

© J.-L. Charmet-Explorer

**AUTORISÉ, ÉE,** adj.
**1.** Dont l'autorité est reconnue : *Un avis* ***autorisé*** ; *De l'avis même des personnes* ***autorisées.*** **2.** Qui a bénéficié d'une autorisation, licite : *Visites* ***autorisées*** ; *Stationnement* ***autorisé.*** 1316 ; p. p. de *autoriser* ; [otɔʀize].

**AUTORISER,** verbe trans. [3]
**1.** Vx. Revêtir d'une autorité, accréditer (qqn) : *Le roi* ***autorisait*** *les magistrats.* **2.** Rendre licite (qqch.) : *La loi* ***autorise*** *le mariage à quinze ans et trois mois pour les filles.* **3.** Permettre, rendre possible : *L'amélioration de son état* ***autorise*** *désormais tous les espoirs.* **4.** Accorder à (qqn) le droit, la possibilité de : *Rien ne t'****autorise*** *à agir de la sorte* ; *Vous n'êtes pas* ***autorisé*** *à fumer ici.* PRONOM. **1.** S'accorder : *Je m'****autorise*** *une pause.* **2. S'autoriser à.** Se donner le droit de : *Elle s'est enfin* ***autorisée*** *à prendre des vacances.* **3. S'autoriser de.** Se prévaloir de, se recommander de (littér.) : *Je m'****autoriserai*** *de notre amitié pour le rencontrer.* XIIᵉ s. ; lat. médiév. *auctorizare,* « confirmer » ; [otɔʀize].

**AUTORITAIRE,** adj.
**1.** Qui exerce une autorité absolue, en parlant d'un souverain. **2.** Propre à un système politique autocratique : *Régime* ***autoritaire.*** **3.** Qui impose sa volonté et ne tolère pas la contradiction : *Un père* ***autoritaire*** ; par méton. : *Un ton, un air* ***autoritaire.*** 1865 ; ☞ *autorité* ; [otɔʀitɛʀ].

**AUTORITAIREMENT,** adv.
Avec autorité. 1875 ; ☞ *autoritaire* ; [otɔʀitɛʀmɑ̃].

**AUTORITARISME,** subst. m.
**1.** Caractère d'un régime politique autoritaire. **2.** Caractère, comportement d'une personne autoritaire. 1870 ; ☞ *autoritaire* ; [otɔʀitaʀism].

**AUTORITÉ,** subst. f.
**1.** Pouvoir, conféré par la loi ou par une position hiérarchique, de commander, d'imposer l'obéissance : *L'****autorité*** *du chef de l'État* ; *L'****autorité*** *parentale* ; *Avoir* ***autorité*** *sur qqn* ; *Déléguer son* ***autorité.*** ▸ Loc. *D'****autorité*** : de son propre chef, sans consulter personne. **2.** Ext. *Dr.* Force exécutoire d'une décision de justice, d'une loi : ***Autorité*** *de la chose jugée.* **3.** Méton. Organisme public, groupe de personnes exerçant une **autorité** légale : *L'****autorité*** *administrative, judiciaire* ; *Les* ***autorités*** *militaires* ; *S'adresser aux* ***autorités*** *compétentes.* **4.** Aptitude à se faire obéir, à imposer la considération, le respect : *Ce professeur n'a aucune* ***autorité*** *sur ses élèves* ; qualité de celui qui est reconnu comme référence morale ou intellectuelle : *Jouir d'une* ***autorité*** *naturelle.* **5.** Personne réputée pour sa compétence dans un domaine précis : *C'est une* ***autorité*** *en matière d'histoire médiévale.* ▸ Loc. *Faire* ***autorité*** : être reconnu comme référence, en parlant de qqn, de qqch. 1174 (1121, écrit authentique) ; lat. *auctoritas* ; [otɔʀite].

**AUTOROUTE,** subst. f.
**1.** Large route sans intersections, à deux chaussées séparées, chacune à plusieurs voies et à sens unique, conçue pour la circulation automobile à grande vitesse. **2.** Fig. ***Autoroutes*** *de l'information* : réseaux de télécommunication à haut débit, permettant l'échange d'un grand nombre de données (texte, images, son). 1927 ; formé de *auto* et de *route* d'apr. l'ital. *autostrada* ; [otoʀut].

**AUTOROUTIER, IÈRE,** adj.
Relatif aux autoroutes : *Le réseau* ***autoroutier.*** 1957 ; ☞ *autoroute* ; [otoʀutje, jɛʀ].

**AUTOSATISFACTION,** subst. f.
Contentement de soi (souv. péj.). V. 1960 ; ☞ *satisfaction* + *auto-* ; [otosatisfaksjɔ̃].

**AUTOSCOPIE,** subst. f.
**1.** *Psych.* Hallucination par laquelle on croit s'apercevoir par dédoublement. **2.** Technique de pédagogie audiovisuelle permettant l'analyse en groupe de son propre comportement filmé. 1924 ; formé de *auto-* et de *-scopie* ; [otoskɔpi].

**AUTOSOME,** subst. m.
*Biol.* Tout chromosome qui n'est pas un chromosome sexuel. 1936 ; ☞ *chromosome* + *auto-* ; [otozom].

**AUTO-STOP,** subst. m. sing.
Pratique consistant à arrêter une voiture en lui faisant signe, pour se faire transporter gratuitement (abrév. fam. : stop). 1941 ; comp. de *auto* et de l'angl. *stop,* de *to stop,* « arrêter » ; [otostɔp].

**AUTO-STOPPEUR, EUSE,** subst.
Personne qui fait de l'auto-stop. 1953 ; ☞ *auto-stop* ; plur. *auto-stoppeurs, euses* ; [otostɔpœʀ, øz].

**AUTOSUFFISANCE,** subst. f.
Capacité à subvenir à ses propres besoins : ***Autosuffisance** énergétique d'un pays.* V. 1960 ; ☞ *suffisance* + *auto-* ; [otosyfizɑ̃s].

**AUTOSUFFISANT, ANTE,** adj.
Qui subvient à ses propres besoins, en parlant d'une personne, d'un pays. Fin XX^e s. ; ☞ *suffisant* + *auto-* ; [otosyfizɑ̃, ɑ̃t].

**AUTOSUGGESTION,** subst. f.
Démarche par laquelle on se persuade soi-même de qqch. ; illusion que l'on forge dans son esprit. 1887 ; ☞ *suggestion* + *auto-* ; [otosygʒɛstjɔ̃].

**AUTOTOMIE,** subst. f.
*Zool.* Mutilation réflexe que s'inflige un animal pour échapper à un danger : *L'**autotomie** de la queue chez le lézard.* 1882 ; formé de *auto-* et de *-tomie* ; [ototɔmi].

**AUTOTOXINE,** subst. f.
*Biol.* Toxine fabriquée par un organisme et qui lui est nuisible : *Certaines bactéries sécrètent des **autotoxines** qui ralentissent ou empêchent leur développement.* 1944 ; ☞ *toxine* + *auto-* ; [ototɔksin].

**AUTOTRACTÉ, ÉE,** adj.
*Techn.* Doté d'un dispositif de traction autonome. V. 1970 ; p. p. de *tracter* + *auto-* ; [ototʀakte].

**AUTOTRANSFUSION,** subst. f.
*Méd.* Transfusion à un sujet de son propre sang, conservé à cet effet. 1932 ; ☞ *transfusion* + *auto-* ; [ototʀɑ̃sfyzjɔ̃].

**AUTOTROPHE,** adj.
*Biol.* Qui élabore des substances organiques à partir d'éléments minéraux, en parlant de végétaux et de certaines bactéries (anton. *hétérotrophe*). 1905 ; formé de *auto-* et de *-trophe* ; [ototʀɔf].

**AUTOTROPHIE,** subst. f.
*Biol.* Fait, pour un organisme vivant, d'être autotrophe. Mil. XX^e s. ; ☞ *autotrophe* ; [ototʀɔfi].

**AUTOUR (I),** subst. m.
*Zool.* Oiseau rapace diurne de la famille des Falconidés. L'espèce répandue dans l'hémisphère Nord, y compris en France, est l'**autour** des palombes, employé en fauconnerie. Fin XI^e s. ; prob. gallo-roman *auceptor*, du lat. *accipiter* ; [otuʀ].

**AUTOUR (II),** adv.
Dans l'espace avoisinant : *Ils avaient allumé un feu, et ils dansaient **autour** ; C'est une grande maison, avec des vignes tout **autour**,* de tous côtés. LOC. PRÉP. **Autour de. 1.** Dans l'espace environnant : *Il regarda **autour** de lui, comme s'il cherchait qqn.* ▸ Fig. Sur le thème de, à propos de : *Organiser un débat **autour** du platonisme.* **2.** En faisant le tour de : *La Terre tourne **autour** du Soleil.* ▸ Fig. *Ils tournent tous **autour** d'elle* : ils cherchent à la séduire (fam.). ▸ Loc. *Tourner **autour** du pot* : ne pas aller directement au fait, tenter d'éluder la question. **3.** Près de : *Ils se pressaient **autour** de leur idole, qui venait de quitter sa loge.* ▸ Fig. *Il ne se doutait pas de ce qui se passait **autour** de lui* : près de lui et à son insu. **4.** Approximativement, vers : *Je reviendrai **autour** de dix heures et demie.* Déb. XII^e s. ; formé de *au* et de *tour* (II) ; [otuʀ].

**AUTOVACCIN,** subst. m.
*Méd.* Vaccin élaboré à partir de cultures microbiennes prélevées sur le sujet auquel il doit être administré. 1926 ; ☞ *vaccin* + *auto-* ; [otovaksɛ̃].

**AUTRE,** adj., pron. indéf. et subst. m.
ADJ. **1.** Différent, distinct : *Faites-moi une **autre** proposition ; La réalité est tout **autre** ; Il est revenu **autre**,* transformé, changé. **2.** En plus : *Désirez-vous **autre** chose ?* **3.** Ressemblant en étant différent : *Certains voient en lui un **autre** Socrate.* **4.** Supérieur : *Méfiez-vous, c'est un tout **autre** homme à qui vous aurez affaire.* ▸ Loc. *C'est une **autre** paire de manches* : qqch. de bien plus difficile (fam.). **5.** Différent dans le temps : *Elle me l'a dit l'**autre** jour,* récemment ; *Nous nous verrons une **autre** fois,* plus tard. **6.** Littér. **Autre... autre...** ; **Une chose... autre chose...** Ceci est différent de cela et a une valeur supérieure : ***Autre** est de punir un enfant, **autre** de l'éduquer ; Une chose est d'affirmer, **autre** chose de prouver.* ▸ Loc. proverb. ***Autres** temps, **autres** mœurs* : les mœurs changent avec les époques. **7.** Loc. ***Autre** part* : en un lieu différent, ailleurs ; *D'**autre** part* : en outre, par ailleurs. ▸ *D'une part..., d'**autre** part...* : sert à présenter chacun des points d'une alternative. **8.** Renforcement des pronoms « nous », « vous », « eux » : *Mais qu'admirez-vous tant en lui, vous **autres** hommes ?* (La Fontaine). **9.** Avec « l'un » juxtaposé ou coordonné par « et », « ou », « ni » : *Ils sont passés sur l'une et l'**autre** rive.* PRON. **1.** Représente un terme (désignant une personne ou une chose différente) exprimé ou sous-entendu : *Cet exemplaire est beau, mais je préfère l'**autre** ; D'un instant à l'**autre** ; D'**autres** lui en voudraient, moi non.* ▸ Loc. *Entre **autres*** : parmi diverses choses, notamment. ▸ Fam. *À d'**autres** !* : vous ne me ferez pas croire cela ; *Comme dit l'**autre*** : comme on dit ; *J'en ai vu d'**autres*** : j'ai connu des situations plus pénibles ; *Il n'en fait jamais d'**autres*** : il fait toujours les mêmes bêtises. **2.** Avec « l'un » juxtaposé ou coordonné par « et », « ou », « ni » : *L'un et l'**autre** a refusé ; Aimez-vous les uns les **autres**.* ▸ Loc. *L'un dans l'**autre*** : en moyenne, c'est équivalent ; *C'est tout l'un ou tout l'**autre*** : il ne saurait y avoir de moyen terme entre ces extrêmes. SUBST. *Philos.* **1.** Toute conscience que le sujet perçoit comme extérieure et s'opposant à lui : *C'est le rapport à l'**autre** qui permet au sujet de construire sa personnalité.* **2.** Ce qui est hétérogène, changeant, divers, multiple..., par oppos. à ce qui est homogène, stable, un... (anton. *même*). X^e s. ; lat. *alter* ; [otʀ].

**AUTREFOIS,** adv.
Dans une époque révolue, jadis. Fin XII^e s. ; formé de *autre* et de *fois* ; [otʀəfwa].

**AUTREMENT,** adv.
**1.** Différemment : *Nous devons agir **autrement** ; Parlez-moi **autrement** !* ▸ Loc. **Autrement dit.** En d'autres termes : *Il a échoué à l'examen, **autrement** dit, il redouble.* **2.** Sans quoi, sinon : *Cessez, **autrement** je m'en vais !* **3.** Bien davantage, beaucoup plus : *Cet exercice est **autrement** difficile que le précédent.* **4. Pas autrement.** Guère (fam.) : *Je ne suis pas **autrement** surpris qu'il démissionne.* Fin XI^e s. ; ☞ *autre* ; [otʀəmɑ̃].

**AUTRUCHE,** subst. f.
**1.** *Zool.* Très grand oiseau ratite de l'ordre des Struthioniformes, qui vit en bandes dans les régions semi-arides d'Afrique et du Proche-Orient, et qui peut être domestiqué. **2.** Loc. ▸ *Faire l'**autruche*** ou *Mener la politique de l'**autruche*** : refuser de considérer en face les problèmes ou les dangers, telle une **autruche** qui, dit-on, enfouit sa tête dans le sable lorsqu'elle se sent menacée. ▸ *Estomac d'**autruche*** : qui peut tout digérer. 1130 ; lat. pop. °*austruthio* ; [otʀyʃ].

© J.-P. Hervy-Explorer

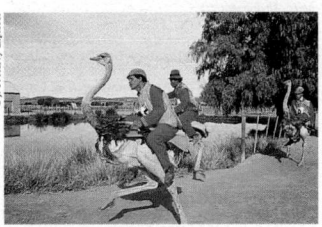

*Course d'autruches en Afrique du Sud.*

**AUTRUCHON,** subst. m.
Petit de l'autruche. 1374 ; ☞ *autruche* ; [otʀyʃɔ̃].

**AUTRUI,** pron. indéf.
L'autre, le prochain ; les autres personnes en général : *Convoiter le bien d'**autrui** ; Nous avons inventé **autrui**, comme **autrui** nous a inventés* (Éluard). Fin XI^e s. ; anc. cas oblique de *autre* ; [otʀɥi].

**AUTUNITE,** subst. f.
*Minér.* Phosphate naturel de calcium et d'uranium. 1866 ; topon. *Autun* (Saône-et-Loire) ; [otynit].

**AUVENT,** subst. m.
Petit toit en saillie sur une façade, protégeant de la pluie le seuil d'une maison ; par anal. : *Un **auvent** de tente, de caravane.* 1180 ; prob. orig. gaul. ; [ovɑ̃].

**AUXILIAIRE,** adj. et subst.
ADJ. **1.** Qui vient au secours, qui aide, qui supplée : *Troupes **auxiliaires**.* **2.** *Gramm.* ▸ *Verbes **auxiliaires*** ou, empl. subst. masc., *Les **auxiliaires*** : les verbes (« avoir » et « être ») qui, perdant leur signification, servent à former les temps composés. ▸ **Verbes semi-auxiliaires.** Verbes servant à exprimer les nuances de temps, de mode ou d'aspect (« aller », « faillir », « laisser », « faire », « devoir », etc.) : *Dans la phrase « Il va partir », « va » est un semi-**auxiliaire** marquant le futur proche.* SUBST. **1.** Personne qui apporte une aide, un secours. **2.** *Admin.* Employé non titulaire. **3.** *Dr.* ***Auxiliaire** de justice* : personne qui contribue à l'administration de la justice (avocat, notaire, etc.). **4.** *Méd.* ***Auxiliaire** médical* : praticien non médecin (infirmier, sage-femme, etc.). 1512 ; lat. *auxiliaris*, « qui secourt » ; [ɔksiljɛʀ].

**AUXINE,** subst. f.
*Biol.* Hormone végétale de croissance. V. 1920 ; gr. *auxein*, « accroître » ; [ɔksin].

**AUXQUELS,** voir **LEQUEL**

**AVACHI, IE,** adj.
**1.** Informe, pour avoir été trop porté : *Un pantalon **avachi**.* **2.** Fig. Mou, sans énergie : *Une pose **avachie**.* 1542 ; p. p. de *avachir* ; [avaʃi].

**AVACHIR,** verbe trans. [19]
**1.** Déformer, rendre mou (rare). **2.** Faire perdre son énergie à ; empl. abs. : *La chaleur **avachit**.* PRONOM. **1.** Perdre sa fermeté, sa forme : *Un pull qui s'**avachit**.* **2.** Se laisser aller, se tenir mollement. 1395 ; prob. frq. °*waikjan*, « amollir » ; [avaʃiʀ].

**AVACHISSEMENT,** subst. m.
Fait de s'avachir ; l'état qui en résulte. 1864 ; ☞ *avachir* ; [avaʃismɑ̃].

**AVAL (I),** subst. m.
**1.** Partie d'un cours d'eau située entre son embouchure et un point donné (anton. *amont*). ▸ Loc. **En aval de.** Plus près de l'embouchure par rapport à un point donné du cours : *Arles est en **aval** d'Avignon, sur le Rhône.* **2.** Fig. **D'aval, en aval.** Qui intervient à la fin d'un processus. Fin XI^e s. ; formé de *à* et de *val* ; le plur., *avals*, est rare ; [aval].

**AVAL (II),** subst. m.
**1.** *Dr.* Engagement à payer en cas de défaillance du signataire (synon. *caution*). **2.** Ext. Approbation ; soutien. 1673 ; orig. obsc. ; plur. *avals* ; [aval].

© E. Dragesco-Jacana

*Avalanche dans le massif du Karakorum (partie pakistanaise du Cachemire).*

**AVALANCHE,** subst. f.
**1.** Coulée de neige qui dévale une montagne : *L'**avalanche** a tout emporté.* ▸ *Couloir d'**avalanche*** : trajet emprunté par les **avalanches**. ▸ *Cône d'**avalanche*** : dépôt de pierres ou de boue qui se forme progressivement au pied d'un couloir d'**avalanche**.

**2.** Fig. Arrivée soudaine d'une grande masse de choses : *Une **avalanche** de factures.* 1572 ; crois. de *avaler*, « descendre », et du savoyard *lavanche*, « coulée de neige », du bas lat. *labina*, « éboulement » ; [avalɑ̃ʃ].

**AVALER,** verbe trans. [3]
**1.** Vx. Abaisser (qqch.) ; empl. abs., descendre un cours d'eau. **2.** Faire descendre par le gosier : ***Avaler** un liquide, une bouchée* ; par ext., manger rapidement (fam.) : ***Avaler** son dîner.* **3.** Fig. ***Avaler** un livre* : le lire très vite ; ***Avoir avalé** sa langue* : rester silencieux ; ***Avaler** ses mots* : mal articuler. **4.** Fam. Accepter : *Un reproche difficile à **avaler**.* ► Loc. ***Avaler** des couleuvres* (☞ *couleuvre*). ► Ext. Croire : *Elle **avale** tout ce qu'il dit.* Fin XIe s. ; ☞ *aval* (I) ; [avale].

**AVALEUR, EUSE,** subst.
**1.** Personne qui mange ou boit goulûment (fam. et péj.). **2.** ***Avaleur** de sabres* : artiste forain qui fait entrer des lames de métal dans son gosier. Déb. XVe s. ; ☞ *avaler* ; [avalœʀ, øz].

**AVALISER,** verbe trans. [3]
**1.** *Dr.* Cautionner par un aval. **2.** Ext. Soutenir, approuver (un projet, une décision). 1875 ; ☞ *aval* (II) ; [avalize].

**AVALISEUR, EUSE,** subst. et adj.
*Dr.* Se dit d'une personne qui donne son aval. 1934 ; ☞ *avaliser* ; [avalizœʀ, øz].

**AVALISTE,** subst. et adj.
*Dr.* Avaliseur. 1845 ; ☞ *aval* (II) ; [avalist].

**AVALOIR,** subst. m.
*Bât.* **1.** Partie d'une cheminée, entre le foyer et le conduit, servant à l'aspiration des fumées. **2.** Goulet d'évacuation vers l'égout. XIIIe s. ; ☞ *avaler* ; [avalwaʀ].

**À-VALOIR,** subst. m. inv.
*Fin.* Acompte versé sur une créance. 1718 ; comp. de *à* et de *valoir* ; [avalwaʀ].

**AVALOIRE,** subst. f.
Pièce du harnais d'un cheval qui ceint la partie inférieure des cuisses. XIIIe s. ; ☞ *avaler* ; var. *un avaloir* ; [avalwaʀ].

**AVANCE,** subst. f.
**1.** Action d'avancer, de se porter en avant : *L'**avance** irrésistible des assaillants.* **2.** Fait de précéder, dans l'espace ou dans le temps : *Prendre de l'**avance** ; L'**avance** d'un coureur sur le peloton.* ► Loc. *À l'**avance**, par **avance**, d'**avance**, en **avance*** : par anticipation, avant le moment fixé. **3.** Paiement versé par anticipation : *Demander une **avance** sur son salaire.* ► *Cin.* ***Avance** sur recettes* : aide à la production, remboursable grâce aux futures recettes d'un film. **4.** *Techn.* Déplacement d'un outil relativement à la pièce à usiner. PLUR. Premières démarches en vue de nouer une relation ou d'obtenir une réconciliation. ► *Faire des **avances*** : entreprendre des manœuvres de séduction. 1468 (XIVe s., avantage) ; ☞ *avancer* ; [avɑ̃s].

**AVANCÉ, ÉE,** adj.
**1.** Qui est situé en avant : *Poste **avancé**.* **2.** Qui est éloigné du commencement : *Saison déjà bien **avancée** ; **Avancé** en âge*, vieux. **3.** Précoce, en avance : *Enfant **avancé** pour son âge.* ► ***Idées avancées*** : progressistes. **4.** *Viande **avancée*** : qui commence à se gâter. 1507 ; p. p. de *avancer* ; [avɑ̃se].

**AVANCÉE,** subst. f.
**1.** Progression, mouvement en avant : *L'**avancée** victorieuse d'une armée* ; au fig., progrès : *Les **avancées** de la raison.* **2.** *Archit.* Partie en saillie : *L'**avancée** d'un balcon.* 1782 ; p. p. de *avancer* ; [avɑ̃se].

**AVANCEMENT,** subst. m.
**1.** Action d'avancer ; son résultat. **2.** Fig. Progression dans une carrière ; promotion : *Obtenir de l'**avancement**.* 1174 ; ☞ *avancer* ; [avɑ̃smɑ̃].

**AVANCER,** verbe [4]
TRANS. **1.** Porter, pousser en avant : ***Avancer** une table ; **Avancez** un peu le buste.* **2.** Fig. ***Avancer** une opinion* : la mettre en avant, la proposer pour vraie. **3.** Réaliser, effectuer (qqch.) plus tôt que prévu : ***Avancer** son départ.* **4.** Faire progresser : ***Avancer** un travail.* **5.** Payer par avance (vieilli) ; prêter (une somme d'argent). INTRANS. **1.** Aller vers l'avant. **2.** Être plus avant dans le temps : *Cette montre **avance**.* **3.** Fig. Progresser. **4.** Faire saillie. PRONOM. Se porter en avant ; au fig. : *S'**avancer** en âge*, vieillir. 1155 ; lat. pop. °*abantiare* ; [avɑ̃se].

**AVANIE,** subst. f.
Injure publique ; humiliation (littér.). 1287 ; ital. *avania*, du gr. médiév. *abania*, « calomnie » ; [avani].

**AVANT,** prép., adv., subst. m. et adj. inv.
PRÉP. **1.** Marque l'antériorité dans le temps ou dans l'espace : *Revenez **avant** minuit ; C'est la maison qui se trouve **avant** le carrefour.* ► Loc. prép. *Prenez conseil **avant** d'agir.* ► Loc. conj. *Il veut partir **avant** que la nuit tombe.* **2.** Marque la priorité dans un ordre : *Dans l'armée de l'air, le capitaine est **avant** le lieutenant.* ADV. **1.** Marque l'antériorité dans le temps ou dans l'espace : *Nous partirons à 20 heures, mais nous dînerons **avant** ; Garez-vous près de la mairie, car nos bureaux sont situés juste **avant**.* **2.** Précédé de certains adverbes (« fort », « plus », « très », « trop »...), marque l'éloignement, la progression dans l'espace ou dans le temps : *N'allez pas plus **avant**, vous vous égareriez ; Ils ont roulé fort **avant** dans la soirée.* **3.** Loc. ► *En **avant*** : devant soi ; *Mettre qqch. ou qqn en **avant*** : le faire valoir, l'alléguer ; *Se mettre en **avant*** : se faire valoir ; *En **avant** !* : ordre d'attaquer ou d'avancer. ► **Avant tout.** D'abord, surtout : ***Avant** tout, il faut que vous vous calmiez.* ► ***Avant** peu* : bientôt. SUBST. **1.** Partie antérieure de qqch. : *L'**avant** d'un voilier s'étend de l'étrave au grand mât.* ► Loc. *Aller de l'**avant**, donner de l'**avant*** : s'engager franchement dans une action. **2.** *Milit.* Zone des combats. **3.** *Sp.* Joueur de la ligne d'attaque. ADJ. Qui est situé à l'avant d'un véhicule : *Les roues, les sièges **avant**.* Mil. Xe s. ; bas lat. *abante*, du lat. *ab*, « en », et *ante*, « avant » ; [avɑ̃].

**AVANTAGE,** subst. m.
**1.** Ce qui fonde une différence favorable : *Peser les **avantages** et les inconvénients d'une situation ; Il a sur nous l'**avantage** de sa fortune ; Est-ce un **avantage** de vivre à Paris ? ; L'**avantage** du nombre* ; au plur. : *Les **avantages** d'une femme*, ses rondeurs (vieilli). ► Loc. *Tirer **avantage** de qqch.* : en tirer profit ; ***Avantages** en nature* : rémunération en d'autres valeurs que l'argent (nourriture, logement, etc.). **2.** *Sp.* Au tennis, chaque point marqué après l'égalité à 40. Fin XIIe s. ; ☞ *avant* ; [avɑ̃taʒ].

**AVANTAGER,** verbe trans. [5]
**1.** Donner un avantage à (qqn) ; favoriser : *La nature l'**avait avantagé** en tout ; Il **avantage** encore son fils !* **2.** Mettre en valeur : *Cette robe l'**avantage**.* XIIIe s. ; ☞ *avantage* ; [avɑ̃taʒe].

**AVANTAGEUSEMENT,** adv.
De manière avantageuse. Déb. XVe s. ; ☞ *avantageux* ; [avɑ̃taʒøzmɑ̃].

**AVANTAGEUX, EUSE,** adj.
**1.** Qui procure un avantage : *Un contexte **avantageux** ; Un contrat **avantageux**.* ► *Un prix **avantageux*** : qui permet de faire des économies. **2.** Qui flatte, met en valeur : *Un portrait **avantageux**.* **3.** *Un ton, un air **avantageux*** : suffisant, fat (péj.). 1418 ; ☞ *avantage* ; [avɑ̃taʒø, øz].

**AVANT-BASSIN,** subst. m.
*Mar.* Partie du port qui précède le bassin principal. 1888 ; comp. de *avant* et de *bassin* ; plur. *avant-bassins* ; [avɑ̃basɛ̃].

**AVANT-BEC,** subst. m.
*Archit.* Éperon en saillie qui protège du courant la pile d'un pont. 1488 ; comp. de *avant* et de *bec* ; plur. *avant-becs* ; [avɑ̃bɛk].

**AVANT-BRAS,** subst. m. inv.
*Anat.* Partie du bras allant du poignet au coude. 1553 (1291, partie d'armure) ; comp. de *avant* et de *bras* ; [avɑ̃bʀa].

**AVANT-CENTRE,** subst. m.
Dans les sports d'équipe, joueur placé au centre de la ligne des attaquants. V. 1900 ; comp. de *avant* et de *centre* ; plur. *avants-centres* ; [avɑ̃sɑ̃tʀ].

**AVANT-CORPS,** subst. m. inv.
*Archit.* Partie de bâtiment en saillie sur la façade (anton. *arrière-corps*). 1671 ; comp. de *avant* et de *corps* ; [avɑ̃kɔʀ].

**AVANT-COUR,** subst. f.
Cour qui précède la cour principale. 1564 ; comp. de *avant* et de *cour* ; plur. *avant-cours* ; [avɑ̃kuʀ].

**AVANT-COUREUR,** adj. m.
Qui annonce, qui laisse présager un évènement : *Signes **avant-coureurs**.* XIVe s. ; comp. de *avant* et de *coureur* ; plur. *avant-coureurs* ; [avɑ̃kuʀœʀ].

**AVANT-DERNIER, IÈRE,** adj. et subst.
Se dit de celui ou de celle qui précède immédiatement le dernier. 1740 ; comp. de *avant* et de *dernier* ; plur. *avant-derniers, ières* ; [avɑ̃dɛʀnje, jɛʀ].

**AVANT-GARDE,** subst. f.
**1.** *Milit.* Partie d'une armée qui précède le gros des troupes. **2.** Anal. Mouvement littéraire, artistique dont le principe réside dans l'innovation et la rupture avec la tradition. **3.** Loc. *Être à l'**avant-garde*** être à la pointe du progrès ; *D'**avant-garde*** : novateur, audacieux, expérimental. Mil. XIIe s. ; comp. de *avant* et de *garde* (I) ; plur. *avant-gardes* ; [avɑ̃gaʀd].

**AVANT-GARDISME,** subst. m.
Volonté d'être à l'avant-garde. 1936 ; ☞ *avant-garde* ; plur. *avant-gardismes* ; [avɑ̃gaʀdism].

**AVANT-GARDISTE,** adj. et subst.
ADJ. Qui se situe à l'avant-garde dans le domaine littéraire, artistique. SUBST. MASC. Milicien des jeunesses fascistes mussoliniennes. SUBST. Personne avant-gardiste. 1932 ; ☞ *avant-garde* ; plur. *avant-gardistes* ; [avɑ̃gaʀdist].

**AVANT-GOÛT,** subst. m.
Sensation anticipée de l'effet d'un évènement. 1610 ; comp. de *avant* et de *goût* ; plur. *avant-goûts* ; [avɑ̃gu].

**AVANT-GUERRE,** subst. f. ou m.
Période qui a précédé une guerre, en partic. l'une des deux guerres mondiales. 1918 ; comp. de *avant* et de *guerre* ; plur. *avant-guerres* ; [avɑ̃gɛʀ].

**AVANT-HIER,** adv.
Le jour qui a précédé hier. Fin XIIe s. ; comp. de *avant* et de *hier* ; [avɑ̃tjɛʀ].

**AVANT-MAIN,** subst. f.
**1.** Partie antérieure de la main, du côté de la paume (vieilli). **2.** Partie antérieure du cheval, située en avant de la main du cavalier. Fin XVIe s. ; comp. de *avant* et de *main* ; plur. *avant-mains* ; [avɑ̃mɛ̃].

**AVANT-MIDI,** subst. m. ou f. inv.
Belg. et Québ. Matin. 1772 ; comp. de *avant* et de *midi* ; masc. en Belgique, fém. au Canada ; [avɑ̃midi].

**AVANT-MONT,** subst. m.
*Géogr.* Relief qui précède une chaîne montagneuse. 1899 ; comp. de *avant* et de *mont* ; plur. *avant-monts* ; [avɑ̃mɔ̃].

**AVANT-PORT,** subst. m.
*Mar.* **1.** Partie avancée d'un port. **2.** Port construit en aval d'un autre dans l'embouchure d'un fleuve. 1792 ; comp. de *avant* et de *port* (I) ; plur. *avant-ports* ; [avɑ̃pɔʀ].

**AVANT-POSTE,** subst. m.
*Milit.* Poste de défense avancé. 1797 ; comp. de *avant* et de *poste* (II) ; plur. *avant-postes* ; [avɑ̃pɔst].

**AVANT-PREMIÈRE,** subst. f.
Présentation d'un spectacle, d'un film à la presse avant la première représentation publique. 1892 ; comp. de *avant* et de *première* ; plur. *avant-premières* ; [avɑ̃pʀəmjɛʀ].

**AVANT-PROJET,** subst. m.
Plan, ébauche d'un projet. 1845 ; comp. de *avant* et de *projet* ; plur. *avant-projets* ; [avɑ̃pʀɔʒɛ].

**AVANT-PROPOS,** subst. m. inv.
Brève introduction d'un livre. 1556 ; comp. de *avant* et de *propos* ; [avɑ̃pʀɔpo].

**AVANT-SCÈNE,** subst. f.
Partie de la scène d'un théâtre située entre la fosse d'orchestre et le rideau. ► *Loge d'**avant-scène*** ou, par méton., ***Avant-scène*** : loge située sur les côtés de l'avant-scène. 1570 ; comp. de *avant* et de *scène* ; plur. *avant-scènes* ; [avɑ̃sɛn].

**AVANT-TOIT,** subst. m.
*Archit.* Partie en saillie d'un toit. 1368 ; comp. de *avant* et de *toit* ; plur. *avant-toits* ; [avɑ̃twa].

**AVANT-TRAIN,** subst. m.
**1.** Partie avant d'un véhicule (vieilli). **2.** *Zool.* Partie antérieure du corps d'un quadrupède (tête, poitrail, membres antérieurs). 1599 ; comp. de *avant* et de *train* ; plur. *avant-trains* ; [avɑ̃tʀɛ̃].

**AVANT-VEILLE,** subst. f.
Le jour qui a précédé la veille. XIIIe s. ; comp. de *avant* et de *veille* ; plur. *avant-veilles* ; [avɑ̃vɛj].

**AVARE,** adj. et subst.
ADJ. **1.** Qui fait preuve d'avarice. **2.** Qui dépense avec parcimonie ; très économe. ► **Avare de.** Peu prodigue de : *Il est **avare** de commentaires.* **3.** Anal. *Une terre **avare*** : qui donne de maigres récoltes. SUBST. Personne qui accumule argent et biens sans en faire usage. Fin XIIe s. ; lat. *avarus* ; [avaʀ].

**AVARICE,** subst. f.
**1.** Attachement excessif aux richesses, à l'argent ;

un des sept péchés capitaux. **2.** Besoin maladif 'accumuler des biens. 1121 ; lat. *avaritia* ; avaris].

**AVARICIEUX, EUSE, adj. et subst.**
vare (vieilli). 1283 ; ☞ *avarice* ; [avarisjø, øz].

**AVARIE, subst. f.**
)ommage subi par un navire ou par sa cargaison ; ar ext., tout dommage survenu à un véhicule de ransport, à son chargement. XIIIe s. ; génois *avaria*, e l'ar. *'awariyya*, « marchandises avariées » ; [avari].

**AVARIÉ, ÉE, adj.**
. Qui a subi une avarie. **2.** Endommagé, gâté, en arlant d'une denrée périssable. 1723 ; ☞ *avarie* ; [avarje].

**AVARIER, verbe trans. [6]**
:auser une avarie à (qqch.) ; endommager. **Pronom.** Se gâter. 1807 ; ☞ *avarié* ; [avarje].

**AVATAR, subst. m.**
. *Relig.* Dans l'hindouisme, chacune des incarnaions du dieu Vishnou. **2.** Ext. Transformation, nétamorphose. **3.** Incident, malheur (empl. abusif ; én. au plur.). 1800 ; skr. *avatāra* ; [avatar].

**AVEC, prép. et adv.**
. **Prép.** Exprime divers types de relations entre des ersonnes, ou entre des personnes et des choses. . En compagnie de : *Il viendra* **avec** *son frère.* **2.** À égard de, envers : *Avec les autres, il est toujours rès aimable.* **3.** Association, adhésion : *Il s'est marié vec Élise* ; *Je suis d'accord* **avec** *vous.* **4.** Conforménent à : *Je pense,* **avec** *Voltaire, que nous devons ultiver notre jardin.* **5.** Hostilité : *Il est toujours en rain de se battre* **avec** *son frère.* **6.** S'agissant de : *Avec André, on ne sait jamais à quoi s'en tenir.* . Selon : *Avec lui, il n'y a que la famille qui compte.* . Loc. prép. **D'avec.** Marque la séparation : *Elle a ivorcé d'avec Henri.* **II. Prép.** Exprime divers types le rapports ou de circonstances. **1.** Moyen : *Il se éplace* **avec** *une canne*, à l'aide de sa canne ; *Il fait oujours la vinaigrette* **avec** *de la moutarde*, à base de noutarde. **2.** Caractérisation : *Je veux une maison vec un jardin.* **3.** Manière : *Il donne* **avec** *parcimonie.* . Temps : *Il se lève toujours* **avec** *le soleil*, en même emps que le soleil. ▸ *Avec le temps, tout finit par 'arranger* : le temps nous aide à oublier les mauvais noments. **5.** Cause : *Avec ce brouillard, nous n'avons u continuer à rouler.* **6.** Condition : *Avec un peu l'aide, j'y serais arrivé.* **7.** Concession, opposition : *Avec ce temps, il veut tout de même sortir* ; *Avec tout on savoir, il n'a pas su répondre.* **III. Adv.** Exprime ne idée d'accompagnement (fam.) : *Je pensais qu'il vait oublié son dossier, mais il est parti* **avec**. Mil. e s. ; anc. fr. *avuec*, du lat. *apud hoc*, « avec cela » ; [avɛk].

**AVELINE, subst. f.**
Noix de l'avelinier. XIIIe s. ; lat. *nux abellana*, « noix 'Abella » (ville de Campanie) ; [av(ə)lin].

**AVELINIER, subst. m.**
*Bot.* Variété de noisetier aux fruits oblongs (avelines). XIIIe s. ; ☞ *aveline* ; [av(ə)linje].

**AVE MARIA, subst. m. inv.**
Prière chrétienne à la Vierge Marie : *Chanter l'Ave Maria.* 1285 ; lat. chrét. *ave Maria*, « salut Marie » ; ar. *Ave* ; [avemarja].

**AVEN, subst. m.**
*Géol.* Cavité naturelle dans un sol calcaire, due aux nfiltrations d'eau. 1889 ; anc. fr. *avenc* ; [avɛn].

**AVENANT (I), ANTE, adj.**
Qui attire par son allure, ses manières agréables. Fin XIe s. ; anc. fr. *avenir*, « convenir » ; [av(ə)nɑ̃, ɑ̃t].

**AVENANT (II), subst. m.**
*Dr.* Pièce additionnelle à un contrat, dont elle spécifie les modifications. 1759 (fin XIIIe s., ce qui evient à qqn) ; anc. fr. *a(d)venir*, « arriver » ; [av(ə)nɑ̃].

**AVENANT (À L'), loc. adv.**
De même, pareillement, en accord : *Les volets n'ouvraient pas, et tout le reste était* **à l'avenant**. 1278 ; ☞ *avenant* (II) ; [alav(ə)nɑ̃].

**AVÈNEMENT, subst. m.**
**1.** Vx. Arrivée, venue. ▸ *Relig.* *L'avènement du Messie* : la venue du Christ parmi les hommes. **2.** Élévation au pouvoir souverain : *L'avènement du roi Louis XIV.* **3.** Installation d'un nouvel ordre des choses : *L'avènement de la république.* Mil. XIIe s. ; anc. fr. *a(d)venir*, « arriver » ; [avɛnmɑ̃].

**AVENIR, subst. m.**
**1.** Temps à venir, futur : *J'ai réinventé le passé pour voir la beauté de l'avenir* (Aragon). ▸ Loc. *À l'avenir* : dorénavant, dans le futur. **2.** Méton. Ce qui sera dans les temps à venir : *Prévoir l'avenir* ; *S'interroger sur l'avenir.* ▸ Situation future : *Cet enfant est promis à un bel avenir.* **3.** Les générations futures, la postérité : *Travailler pour l'avenir.* 1427 (fin XIVe s., succès) ; formé de *à* et de *venir* ; [av(ə)nir].

**AVENT, subst. m.**
*Relig.* Période de quatre semaines précédant Noël, pendant laquelle les chrétiens se préparent à cette fête. 1119 ; lat. *adventus*, « avènement » ; [avɑ̃].

**AVENTURE, subst. f.**
**1.** Vx. Ce qui doit arriver, destinée. ▸ Loc. *Dire la bonne* **aventure** *à qqn* : lui prédire l'avenir. **2.** Ce qui peut arriver, hasard (vieilli) : *Courir l'***aventure**. ▸ Loc. *D'***aventure** ou *Par* **aventure** : par hasard ; *À l'***aventure** : sans but. **3.** Évènement imprévu et notable : *Il lui est arrivé une drôle d'***aventure** ; *Les* **aventures** *de Sindbad le Marin.* ▸ Anal. *Une* **aventure** *amoureuse, galante* : une liaison passagère, parfois charnelle. **4.** Entreprise hasardeuse : *Tenter l'***aventure**, s'engager dans une entreprise dont le succès est incertain. XIe s. ; lat. pop. °*adventura*, « ce qui doit arriver » ; [avɑ̃tyr].

**AVENTURER, verbe trans. [3]**
Exposer à des risques : **Aventurer** *une somme d'argent, sa réputation.* ▸ Empl. adj. Qui est engagé dans une aventure ; risqué, hasardeux. **Pronom.** Se risquer, se hasarder : *S'***aventurer** *en montagne sans guide.* Mil. XIIIe s. ; ☞ *aventure* ; [avɑ̃tyre].

**AVENTUREUSEMENT, adv.**
De manière aventureuse. Mil. XIVe s. ; ☞ *aventureux* ; [avɑ̃tyrøzmɑ̃].

**AVENTUREUX, EUSE, adj.**
**1.** Qui aime l'aventure : *Un homme* **aventureux**. **2.** Plein d'aventures : *Une vie* **aventureuse**. **3.** Qui présente des aléas, risqué : *Un plan* **aventureux**. Fin XIIe s. ; ☞ *aventure* ; [avɑ̃tyrø, øz].

**AVENTURIER, IÈRE, subst.**
**1.** Personne qui recherche l'aventure, qui court le monde. **2.** Personne qui ne s'embarrasse pas de scrupules pour parvenir à ses fins. **Masc.** *Hist.* Mercenaire ; pirate. XVe s. ; ☞ *aventure* ; [avɑ̃tyrje, jɛr].

**AVENTURINE, subst. f.**
*Minér.* Variété de quartz contenant des inclusions de mica, utilisée en joaillerie. Fin XVIIIe s. ; ☞ *aventure*, un ouvrier ayant laissé choir par aventure de la limaille dans le verre en fusion ; [avɑ̃tyrin].

**AVENTURISME, subst. m.**
Tendance à prendre des décisions hâtives et hasardeuses. 1906 ; ☞ *aventure* ; [avɑ̃tyrism].

**AVENU, UE, adj.**
*Nul et non* **avenu** : considéré comme inexistant. 1765 ; anc. fr. *a(d)venir*, « arriver » ; [av(ə)ny].

**AVENUE, subst. f.**
Large allée, gén. bordée d'arbres ; par ext., large artère urbaine. 1549 (1160, approche) ; anc. fr. *a(d)venir*, « arriver » ; [av(ə)ny].

**AVÉRER, verbe trans. [8]**
Reconnaître ou faire reconnaître la vérité de (rare) : **Avérer** *une nouvelle.* **Pronom. 1.** Être reconnu vrai (littér.) ; empl. adj. : *Hypothèse* **avérée**. **2.** Se révéler : *Il s'***avère** *un compagnon agréable* ; empl. impers. : *Il s'***avère** *qu'il m'est impossible de venir.* 1125 ; lat. médiév. *a(d)verare* ; [avere].

**AVERS, subst. m.**
*Numism.* Face d'une monnaie, d'une médaille qui présente l'effigie (anton. *revers*). 1845 ; lat. *adversus*, « qui est en face de » ; [avɛr].

**AVERSE, subst. f.**
Pluie subite, abondante et brève ; par ext. : *Une* **averse** *de neige.* Fin XVIIe s. ; ☞ *verse (à)* ; [avɛrs].

**AVERSION, subst. f.**
Violente répulsion, extrême répugnance : *Avoir de l'***aversion** *pour* (ou, vieilli, *contre*) *qqn.* ▸ Loc. *Avoir en* **aversion** : détester. 1636 (XIIIe s., égarement) ; lat. *aversio*, « action de détourner » ; [avɛrsjɔ̃].

**AVERTI, IE, adj.**
Informé, instruit ; expérimenté : *Un public* **averti**, connaisseur ; *Destiné à un public* **averti**, aux personnes qui ne risquent pas d'être choquées. ▸ Loc. proverb. *Un homme* **averti** *en vaut deux.* XVIe s. ; p. p. de *avertir* ; [avɛrti].

**AVERTIR, verbe trans. [19]**
Prévenir, informer : **Avertir** *de son départ* ; mettre en garde : *Je vous* **avais** *pourtant* **averti**. Fin XIIe s. ; lat. *advertere*, « tourner vers » ; [avɛrtir].

**AVERTISSEMENT, subst. m.**
**1.** *Litt.* Courte préface destinée à attirer l'attention du lecteur sur certains points d'un ouvrage. **2.** Action d'avertir, mise en garde. **3.** Remontrance, sanction : *Infliger, recevoir un* **avertissement**. **4.** Avis relatif à l'impôt et envoyé au contribuable. XIVe s. ; ☞ *avertir* ; [avɛrtismɑ̃].

**AVERTISSEUR, EUSE, adj. et subst. m.**
**Adj.** Qui avertit : *Son dernier mot* **avertisseur** *et menaçant* (Proust). **Subst.** Dispositif destiné à émettre un signal d'avertissement : **Avertisseur** *sonore.* 1281 ; ☞ *avertir* ; [avɛrtisœr, øz].

**AVEU, subst. m.**
**1.** *Féod.* Acte par lequel un suzerain reconnaissait qqn pour vassal, ou réciproquement. ▸ Loc. *Homme sans* **aveu** : sans engagement ; par ext., sans foi ni loi. **2.** Action d'avouer ; ce qui est avoué : *Que de peine à faire un* **aveu** *sincère !* (Bossuet). ▸ Loc. *Passer aux* **aveux** : reconnaître sa culpabilité ; *De l'***aveu** *de* : au témoignage de. 1283 ; ☞ *avouer* ; [avø].

**AVEUGLANT, ANTE, adj.**
**1.** Qui éblouit : *Éclair* **aveuglant**. **2.** Fig. Incontestable : *Une évidence* **aveuglante**. Mil. XVIe s. ; p. pr. de *aveugler* ; [avœglɑ̃, ɑ̃t].

**AVEUGLE, adj. et subst.**
**Adj. 1.** Qui est privé de la vue. ▸ *Anat.* *Point* **aveugle** : zone de la rétine dépourvue de cellules visuelles. **2.** Fig. ▸ Qui manque totalement de clairvoyance, de lucidité : *Les hommes sont* **aveugles** *sur le bien et sur le mal* (Fénelon). ▸ Qui agit sans réflexion, de façon désordonnée ; par métaph. : *La fortune est* **aveugle**. ▸ Qui trouble le jugement, ne permet pas la réflexion : *Une confiance* **aveugle**. **3.** *Archit.* *Fenêtre, façade* **aveugle** : qui ne laisse pas passer le jour. **Subst. 1.** Personne privée du sens de la vue. **2.** Fig. Personne manquant de jugement, ignorante : *Ce sont de pauvres* **aveugles** *que Dieu éclairera un jour* (Chateaubriand). ▸ Loc. *En* **aveugle** : comme un aveugle et, au fig., sans réflexion, sans discernement. XIe s. ; bas lat. *ab oculis*, « privé d'yeux » ; [avœgl].

**AVEUGLEMENT, subst. m.**
**1.** Privation de la vue (vieilli). **2.** Fig. Absence de discernement, de sens critique. Fin XIIe s. ; ☞ *aveugle* ; [avœgləmɑ̃].

**AVEUGLÉMENT, adv.**
Sans réflexion, comme un aveugle : *Suivre* **aveuglément** *un chef.* XVe s. ; ☞ *aveugler* ; [avœglemɑ̃].

**AVEUGLER, verbe trans. [3]**
**1.** Rendre aveugle. **2.** Ext. Éblouir : *La lumière du soleil nous* **aveugle**. **3.** Fig. Priver de jugement, de discernement : *Sa passion l'***aveugle**. **4.** *Techn.* **Aveugler** *une fenêtre* : la boucher ; **Aveugler** *une voie d'eau* : la colmater. **Pronom.** Refuser de voir la réalité, s'illusionner : *Il s'***aveugle** *sur les capacités de son fils.* XIe s. ; ☞ *aveugle* ; [avœgle].

**AVEUGLETTE (À L'), loc. adv.**
**1.** Comme un aveugle, à tâtons : *Avancer* **à l'aveuglette**. **2.** Fig. Au hasard : *Partir* **à l'aveuglette**. 1457 ; ☞ *aveugle* ; [alavœglɛt].

**AVEULIR, verbe trans. [19]**
Littér. Rendre veule. **Pronom.** Devenir veule. 1876 (XIVe s., réduire à néant) ; ☞ *veule* + *a-*[1] ; [avølir].

**AVEULISSEMENT, subst. m.**
Action d'aveulir, de s'aveulir ; état d'une personne aveulie. 1884 ; ☞ *aveulir* ; [avølismɑ̃].

**AVIAIRE, adj.**
Qui concerne les oiseaux : *Virus* **aviaire**. 1912 ; lat. *aviarus*, de *avis*, « oiseau » ; [avjɛr].

**AVIATEUR, TRICE, subst.**
Personne qui pilote un avion ou qui fait partie de l'équipage. 1863 ; lat. *avis*, « oiseau » ; [avjatœr, tris].

**AVIATION, subst. f.**
**1.** Navigation aérienne au moyen d'appareils plus lourds que l'air : *Terrain d'***aviation**. **2.** Méton. Ensemble des services assurant la navigation aérienne : **Aviation** *commerciale, militaire, postale.* **3.** Technique de la fabrication et de l'équipement des avions. **4.** *Milit.* Arme aérienne. 1863 ; lat. *avis*, « oiseau » ; [avjasjɔ̃].

TRANSPORTS – C'est dans les dernières années du XVIIIe s. que le Britannique George Cayley énonce les principes de ce qui va devenir l'aviation. Les recherches, très actives, aboutissent v. 1840 au premier envol d'un modèle réduit d'aéroplane à vapeur. Mais c'est en 1890 que le Français Clément Ader réussit le premier à faire décoller un « plus lourd que l'air » : *Éole*, muni d'un moteur à vapeur de 20 chevaux, parcourra 50 mètres à 20 centimètres du sol... Les premiers véritables aviateurs seront les frères Wright, qui effectuent quatre vols

AVIONS

1. *Avro (Grande-Bretagne, 1910).*

2. *McDonnell-Douglas, moyen-courrier DC9 (1er vol, 1965).*

3. *Concorde, premier avion de transport civil supersonique (1er vol, 1969).*

4. *Airbus A319 (1er vol, 1995) et A340 (1er vol, 1991).*

5. *Alpha Jet 80 de la Patrouille de France (1er vol, 1973).*

6. *Bombardier lance-missiles Mirage 2000 N (1er vol, 1983).*

7. *Avion-cargo Airbus Beluga, le plus gros du monde (1er vol, 1994).*

1 © Gamma

© S. Frances-Explorer
2

© G. Finel
3

© P. Piel-Gamma
© Sugar-Explorer
4

5

© Meunier-Wysocki-Explorer
6

© G. Bouquillon-Gamma
7

(de 36,6 à 284 mètres) le 17 décembre 1903 à Kitty Hawk (Caroline du Nord), à bord du *Wright-Flyer*, avion équipé d'un moteur à explosion. L'aviation prend alors son essor : Alberto Santos-Dumont obtient en 1906 les trois premiers records du monde homologués ; Henri Farman parcourt en 1908 le premier kilomètre en circuit fermé ; Louis Blériot traverse la Manche en 37 minutes, le 25 juillet 1909. En 1927, l'Américain Charles Lindbergh réalise la première traversée sans escale de l'Atlantique Nord, de New York à Paris, en 33 heures 30 minutes. Il faudra attendre le mois d'août 1939 pour voir voler le premier avion à turboréacteur (le Heinkel 178, un appareil allemand) et 1952 pour qu'apparaisse un appareil civil de ce type, le Comet (Grande-Bretagne), qui cédera la place, en octobre 1958, au long-courrier Boeing 707. En janvier 1976 est mis en service le Concorde, premier supersonique civil, conçu par l'industrie franco-britannique.

**AVICOLE, adj.**
Qui concerne l'aviculture. 📖 1877 ; lat. *avis*, « oiseau », + *-cole* ; [avikɔl].

**AVICULTEUR, TRICE, subst.**
Éleveur de volailles, d'oiseaux. 📖 1888 ; lat. *avis*, « oiseau », + *-culteur* ; [avikyltœʀ, tʀis].

**AVICULTURE, subst. f.**
Élevage des volailles, des oiseaux. 📖 1888 ; lat. *avis*, « oiseau », + *-culture* ; [avikyltyʀ].

**AVIDE, adj.**
**1.** Qui manifeste un désir ardent de qqch. : *Être **avide** de tendresse.* ▸ Abs. Cupide ; vorace. **2.** Qui exprime l'avidité : *Une bouche **avide**.* 📖 1470 ; lat. *avidus* ; [avid].

**AVIDEMENT, adv.**
Avec avidité. 📖 1555 ; ☞ *avide* ; [avidmɑ̃].

**AVIDITÉ, subst. f.**
Désir très vif, immodéré de qqch. : *Manger avec **avidité**.* 📖 1389 ; lat. *aviditas* ; [avidite].

**AVIFAUNE, subst. f.**
*Zool.* Ensemble des oiseaux qui font partie de la faune d'un lieu, d'un écosystème. 📖 V. 1960 ; formé du lat. *avis*, « oiseau », et de *faune* (II) ; [avifon].

**AVILIR, verbe trans.** [19]
**1.** Rendre vil, méprisable. **2.** Abaisser la valeur de (qqch.), déprécier (littér.) : ***Avilir** les principes moraux.* PRONOM. Se rendre méprisable, se rabaisser. 📖 XIIIe s. ; ☞ *vil* + *a-*[1] ; [aviliʀ].

**AVILISSANT, ANTE, adj.**
Qui avilit : *Une brimade, une décision **avilissante**.* 📖 1771 ; p. pr. de *avilir* ; [avilisɑ̃, ɑ̃t].

**AVILISSEMENT, subst. m.**
Action d'avilir, de s'avilir ; état qui en résulte : *Tomber dans l'**avilissement**.* 📖 1587 ; ☞ *avilir* ; [avilismɑ̃].

**AVINÉ, ÉE, adj.**
**1.** Qui a bu trop de vin. **2.** Ext. Qui révèle l'ivresse : *Un regard **aviné**.* 📖 XIIIe s. ; p. p. de *aviner* ; [avine].

**AVINER, verbe trans.** [3]
*Techn.* Imbiber de vin (un récipient neuf) : ***Aviner** un tonneau.* PRONOM. Boire sans modération 📖 XIIIe s. (XIIe s., fournir en vin) ; ☞ *vin* + *a-*[1] ; [avine

**AVION, subst. m.**
Aéronef plus lourd que l'air, dont la sustentatio est assurée par des ailes et qui se déplace à l'aid d'un ou de plusieurs moteurs (synon. vieil *aéroplane*) : *Avion de ligne, de combat* ; *Avion moyen-long-courrier.* 📖 1875 ; lat. *avis*, « oiseau » ; [avjɔ̃].

**AVION-CARGO, subst. m.**
Avion aménagé pour le transport exclusif du fre 📖 XXe s. ; comp. de *avion* et de *cargo* ; plur. *avion cargos* ; [avjɔ̃kaʀgo].

**AVIONNERIE, subst. f.**
Québ. Usine où l'on construit des avions. 📖 1890 ☞ *avion* ; [avjɔnʀi].

**AVIONNEUR, subst. m.**
Constructeur d'avions, en partic. de cellule d'avions. 📖 1890 ; ☞ *avion* ; [avjɔnœʀ].

**AVIRON, subst. m.**
**1.** *Mar.* Rame. **2.** *Sp.* Canotage à bord d'embarca tions propulsées au moyen d'**avirons**. 📖 1155 ; an fr. *avironner*, de *viron*, « tour, cercle » ; [aviʀɔ̃].

**AVIS, subst. m.**
**1.** Opinion sur un sujet : *Vous êtes la seule de vot **avis*** (Mme de Sévigné) ; appréciation, jugement *Avis défavorable.* ▸ Loc. *Être d'**avis** que, de* : estime qu'il serait nécessaire ou sage que, de. **2.** Conse

donné à qqn : *Avis amical, charitable.* **3.** Annonce destinée à informer, notification : *Avis au public, à la population* ; *Avis de concours, de nomination.* **4.** Opinion officielle exprimée après une consultation : *Avis du Conseil d'État.* 1135 ; formé de *à* et de l'anc. fr. *vis*, du lat. *visum*, « ce qui semble » ; [avi].

**AVISÉ, ÉE, adj.**
Dont le jugement découle de la réflexion et qui agit avec à-propos et intelligence : *Un ministre* ***avisé.*** Fin XIIe s. ; p. p. de *aviser* (I) ; [avize].

**AVISER (I), verbe trans.** [3]
TRANS. DIR. Apercevoir soudainement (littér.) : *Aviser un siège encore libre.* TRANS. INDIR. **Aviser à.** Réfléchir à (littér.) : *Or* ***avisons*** *aux lieux qu'il vous faut habiter* (La Fontaine). PRONOM. **1.** Prendre conscience, se rendre compte : *Il* ***s'avisa*** *qu'il était minuit.* **2.** Imaginer, se faire une idée de : *Personne ne* ***s'avise****, de lui-même, du mérite d'autrui* (La Bruyère). **3. S'aviser de.** Oser, se permettre : *Ne vous* ***avisez*** *pas de mentir !* Mil. XIe s. ; ☞ *viser* (I) + *a-*[1] ; [avize].

**AVISER (II), verbe trans.** [3]
Avertir par un avis, informer : *Je vous* ***avise****, mon très bon ami, que vous êtes un sot* (Soulié). XIIIe s. ; ☞ *avis* ; [avize].

**AVISO, subst. m.**
*Mar.* **1.** Bâtiment léger et rapide qui portait des avis, du courrier (vx). **2.** Petit navire de guerre employé pour escorter les convois, surveiller les eaux territoriales. 1772 ; esp. *barca de aviso*, « barque pour porter des avis » ; [avizo].

**AVITAILLEMENT, subst. m.**
**1.** Action d'avitailler. **2.** Méton. Ce dont un navire est pourvu. XVe s. ; ☞ *avitailler* ; [avitajmɑ̃].

**AVITAILLER, verbe trans.** [3]
Pourvoir (un navire, un avion) en vivres, en carburant, etc. XIIIe s. ; anc. fr. *vitaille*, « vivres », + *a-*[1] ; [avitaje].

**AVITAILLEUR, subst. m.**
Navire servant à avitailler un autre navire ; dispositif servant à avitailler un avion. Fin XIVe s. ; ☞ *avitailler* ; [avitajœʀ].

**AVITAMINOSE, subst. f.**
*Pathol.* Trouble résultant d'une carence en vitamines, que l'on désigne par la lettre représentant la vitamine qui fait défaut : ***Avitaminose*** *A, B* (entraîne le béribéri), *C* (entraîne le scorbut), *D* (entraîne le rachitisme). 1919 ; ☞ *vitamine* + *a-*[2] et *-ose* ; [avitaminoz].

**AVIVAGE, subst. m.**
Action d'aviver, de donner de l'éclat. 1723 ; ☞ *aviver* ; [avivaʒ].

**AVIVÉ, ÉE, adj. et subst. m.**
Se dit d'une pièce de bois dont les arêtes ont été rendues vives. XIIe s. ; p. p. de *aviver* ; [avive].

**AVIVEMENT, subst. m.**
*Chir.* Action de mettre une plaie à vif avant de la suturer. Déb. XIIIe s. ; ☞ *aviver* ; [avivmɑ̃].

**AVIVER, verbe trans.** [3]
**1.** Rendre plus vif, plus ardent : ***Aviver*** *le teint* ; ***Aviver*** *le feu.* **2.** Fig. Accroître, attiser (un sentiment, un désir) : ***Aviver*** *une passion, des regrets.* **3.** *Chir.* ***Aviver*** *une plaie* : la mettre à vif pour mieux la suturer, pour qu'elle cicatrise mieux. **4.** *Techn.* ► Donner de l'éclat à (une couleur). ► Polir (un métal, du marbre). ► Tailler à vive arête (une poutre). Déb. XIIe s. ; ☞ *vif* + *a-*[1] ; [avive].

**AVOCAILLON, subst. m.**
Avocat médiocre (fam. et péj.). 1893 ; ☞ *avocat* (I) ; [avɔkajɔ̃].

**AVOCASSERIE, subst. f.**
Chicane d'avocat (fam. et péj.). Mil. XIVe s. ; ☞ *avocat* (I) ; [avɔkasʀi].

**AVOCASSIER, IÈRE, adj.**
**1.** Relatif aux avocats (vx) : *Les mœurs* ***avocassières.*** **2.** Qui procède comme un avocat (péj.). 1838 ; ☞ *avocat* (I) ; [avɔkasje, jɛʀ].

**AVOCAT (I), ATE, subst.**
**1.** Auxiliaire de justice qui conseille, assiste ou représente ses clients et qui plaide pour eux devant les tribunaux : ***Avocat*** *de la défense, de la partie civile.* ► ***Avocat****-conseil* : chargé de conseiller une société. ► ***Avocat*** *général* : magistrat du ministère public, chargé de suppléer le procureur général. **2.** Fig. Personne qui défend les intérêts de qqn, de qqch. : *Se faire l'****avocat*** *d'un projet, d'un ami.* ► *Cath.* ***Avocat*** *du diable* : membre de la chancellerie romaine chargé de plaider contre la personne qui fait l'objet d'un procès en béatification, en canonisation ; au fig., défenseur d'une cause peu défendable ou personne qui se plaît à contredire autrui. Fin XIIe s. ; lat. *advocatus*, « défenseur » ; [avɔka, at].

**AVOCAT (II), subst. m.**
Fruit comestible de l'avocatier, en forme de poire, à peau verte ou noire et riche en matières grasses. 1684 ; esp. *avocado*, du nahuatl *auacatl* ; [avɔka].

*Avocatier.*

**AVOCATIER, subst. m.**
*Bot.* Arbre originaire d'Amérique tropicale, de la famille des Lauracées, cultivé pour son fruit. 1776 ; ☞ *avocat* (II) ; [avɔkatje].

**AVOCETTE, subst. f.**
*Zool.* Oiseau aquatique de l'ordre des Charadriiformes, au bec recourbé vers le haut. 1760 ; orig. obsc. ; [avɔsɛt].

*Avocette.*

**AVOINE, subst. f.**
**1.** *Bot.* Céréale de la famille des Poacées : ***Avoine*** *cultivée* ; *Folle* ***avoine****,* avoine sauvage. **2.** Grain de cette plante, servant à l'alimentation des chevaux et de la volaille. XIIe s. ; lat. *avena* ; [avwan].

**AVOIR (I), verbe trans.** [2]
**I.** Exprime, avec de multiples nuances, la possession en un sens concret. **1.** Posséder, disposer de : ***Avoir*** *une voiture, un logement* ; ***Avoir*** *de bons revenus.* ► ***Avoir*** *les moyens,* ***avoir*** *de quoi* : être fortuné (fam.). **2.** Obtenir, entrer en possession de : *Il* ***a eu*** *un emploi de journaliste* ; *Vous* ***aurez*** *votre bac.* **3.** Porter sur soi : *Avez-vous vos papiers ?* **II.** Exprime la possession au sens figuré. **1.** Présenter (tel caractère physique ou moral) : ***Avoir*** *de beaux yeux* ; ***Avoir*** *du talent, de l'esprit, mauvais caractère.* **2.** Jouir de, bénéficier de : *Nous* ***avons eu*** *du soleil toute la journée.* **3.** Être dans une relation d'amitié, de parenté avec : ***Avoir*** *des amis, des sœurs* ; ***Avoir*** *des enfants.* **4.** Éprouver, ressentir : ***Avoir*** *chaud, froid* ; ***Avoir*** *du chagrin* ; ***Avoir*** *pitié.* **5.** Être âgé de : ***Avoir*** *trente ans.* **III.** Loc. **1. En avoir pour.** Obtenir une chose pour (tel prix) : *J'en* ***ai eu*** *pour cent francs* ; mettre (tel temps) à faire qqch. : *Nous en* ***avons*** *pour cinq minutes.* **2.** Fam. ► **En avoir après qqn, avoir qqch. contre qqn.** S'en prendre à qqn, en vouloir à qqn : *Mais qu'****avez****-vous donc contre lui ?* ► **Avoir qqn.** Le conquérir ; le duper : *Il ne se laisse pas facilement séduire, mais elle a fini par l'****avoir*** ; *Je l'****ai*** *bien* ***eu.*** **3. Avoir à** (+ inf.). Devoir, être dans l'obligation de : *J'****ai*** *à lui parler.* **4. Avoir beau** (+ inf.). Faire vainement : *Il* ***a*** *beau se reposer, il est toujours fatigué.* **5. Il y a.** Tournure impersonnelle servant à affirmer l'existence d'une chose ou à indiquer une durée : *Il y* ***a*** *un verre sur la table* ; *Il y* ***a*** *deux ans qu'il est parti.* ► *Il n'y* ***a*** *qu'à* : il suffit de (fam.). ► *Il n'y en* ***a*** *que pour lui* : on ne parle que de lui, on ne fait attention qu'à lui. **IV.** Verbe auxiliaire. Sert à former les temps composés des verbes transitifs, de la plupart des verbes intransitifs, ainsi que ceux des verbes « être » et « avoir ». Fin IXe s. ; lat. *habere* ; [avwaʀ].

**AVOIR (II), subst. m.**
**1.** Ensemble des biens que l'on possède. **2.** *Comptab.* Partie d'un compte où sont portées les sommes dues (anton. *doit*). ► Crédit dont on dispose chez un commerçant : *Préférer un remboursement à un* ***avoir.*** ► ***Avoir*** *fiscal* : somme versée par avance au Trésor public et venant en déduction de l'impôt (synon. *crédit d'impôt*). Mil. XIe s. ; ☞ *avoir* (I) ; [avwaʀ].

**AVOIRDUPOIS, subst. m.**
Système de mesure de masse utilisé dans les pays anglo-saxons et appliqué à toutes les marchandises, sauf aux métaux précieux et aux médicaments. 1669 ; angl. *avoirdupois*, du fr. *avoir* (I) et *poids* ; var. *avoirdupoids* ; [avwaʀdypwa].

**AVOISINANT, ANTE, adj.**
Qui est proche, dans le voisinage. 1793 ; p. pr. de *avoisiner* ; [avwazinɑ̃, ɑ̃t].

**AVOISINER, verbe trans.** [3]
**1.** Se trouver dans le voisinage de. **2.** Fig. Ressembler à, confiner à : *Il était plongé dans une telle douleur qu'elle* ***avoisinait*** *la folie* (Balzac). 1554 ; ☞ *voisin* + *a-*[1] ; [avwazine].

**AVORTEMENT, subst. m.**
Interruption de grossesse, naturelle ou volontaire. Fin XIIe s. ; ☞ *avorter* ; [avɔʀtəmɑ̃].

**AVORTER, verbe intrans.** [3]
**1.** Accoucher d'un fœtus non viable. **2.** Ext. Ne pas atteindre son plein développement, en parlant d'une plante. **3.** Fig. Échouer, en parlant d'une entreprise ; empl. adj. : *Un projet* ***avorté.*** Déb. XIIe s. ; lat. *abortare* ; [avɔʀte].

**AVORTEUR, EUSE, subst.**
Personne qui fait avorter des femmes illégalement (péj.). 1894 ; ☞ *avorter* ; [avɔʀtœʀ, øz].

**AVORTON, subst. m.**
**1.** Fœtus né avant terme (vieilli). **2.** Plante ou animal au développement incomplet. **3.** Ext. Être humain de petite taille, chétif (péj.). Déb. XIIIe s. ; ☞ *avorter* ; [avɔʀtɔ̃].

**AVOUABLE, adj.**
Qui peut être avoué sans honte : *Employer des moyens* ***avouables.*** 1302 ; ☞ *avouer* ; [avwabl].

**AVOUÉ, subst. m.**
**1.** *Féod.* Seigneur laïc chargé de défendre les droits temporels d'une institution ecclésiastique. **2.** *Dr.* Officier ministériel seul habilité à représenter les parties devant la cour d'appel. Fin XIe s. ; lat. *advocatus*, « défenseur » ; [avwe].

**AVOUER, verbe trans.** [3]
**1.** *Féod.* Reconnaître pour suzerain (celui dont on a reçu un fief). **2.** Anal. Reconnaître pour sien (littér.) : ***Avouer*** *un fils.* **3.** Admettre, reconnaître pour vrai : *J'****avoue*** *mon ignorance* ; ***Avouez*** *que c'est une bonne affaire.* **4.** Reconnaître que l'on est l'auteur de (une action blâmable) : ***Avouer*** *une erreur, une faute* ; empl. abs. : *Il* ***a avoué****,* il a reconnu sa culpabilité ; empl. adj. : *Faute* ***avouée*** *est à moitié pardonnée.* PRONOM. Admettre que l'on est (tel) : *S'****avouer*** *incompétent.* Fin XIIe s. ; lat. *advocare*, « appeler auprès de soi » ; [avwe].

**AVOYER, subst. m.**
Helv. Premier magistrat, dans certains cantons helvétiques. 1319 ; var. de *avoué* ; [avwaje].

**AVRIL, subst. m.**
Quatrième mois de l'année. ► *Poisson d'****avril*** : petite farce que l'on fait traditionnellement le 1er **avril.** Fin XIe s. ; lat. *aprilis* ; [avʀil].

**AVULSION, subst. f.**
*Chir.* Action d'arracher. XIVe s. ; lat. *avulsio* ; [avylsjɔ̃].

**AVUNCULAIRE, adj.**
Relatif à un oncle, à une tante. Fin XVIIIe s. ; lat. *avunculus*, « oncle maternel » ; [avɔ̃kylɛʀ].

**AVUNCULAT, subst. m.**
*Anthropol.* Système d'organisation sociale dans lequel le rôle de l'oncle maternel est plus important que celui du père. 1936 ; lat. *avunculus*, « oncle maternel » ; [avɔ̃kyla].

**AXE, subst. m.**
**1.** Ligne réelle ou fictive autour de laquelle s'effectue une rotation : *L'axe de la Terre.* **2.** Ligne réelle ou imaginaire qui passe par le milieu d'une chose et la divise en deux parties, en principe symétriques : *L'axe du corps, du visage.* ► Ext. Voie de communication majeure reliant deux régions, deux grandes villes : *L'axe Paris-Lyon.* **3.** Orientation, direction générale : *Axe d'une politique.* **4.** *Anat. L'axe cérébro-spinal* : l'encéphale et la moelle épinière. **5.** *Astron. L'axe du monde* : droite fictive dont les extrémités sont les pôles de la sphère céleste. **6.** *Bot.* L'ensemble racine-tige de la plante (ou radicule-tigelle de la plantule). **7.** *Hist.* Alliance conclue en 1936 entre l'Allemagne hitlérienne et l'Italie fasciste : *Les puissances de l'Axe.* **8.** *Math.* Droite munie d'un repère. ► *Axe de symétrie d'une figure* : axe d'une symétrie par laquelle la figure est globalement invariante. ► *Axe d'un cercle* : droite perpendiculaire au plan du cercle et passant par son centre. ► *Axe d'une symétrie* (☞ *symétrie*) ; *Axe d'une rotation* (☞ *rotation*). **9.** *Techn.* Pièce rigide et allongée autour de laquelle s'effectue un mouvement de rotation ou qui sert à transmettre un mouvement : *Axe d'une roue* ; *Axe de transmission.* 1372 ; lat. *axis*, « essieu d'un char » ; [aks].

**AXEL, subst. m.**
En patinage artistique, saut accompagné d'une rotation d'un tour et demi. V. 1960 ; anthropon. *Axel Polsen*, patineur suédois ; [aksɛl].

**AXÉNIQUE, adj.**
Qualifie un être vivant élevé depuis sa naissance dans un milieu exempt de tout germe. Mil. XXe s. ; gr. *xenos*, « étranger », + *a-²* ; var. *axène* ; [aksenik].

**AXÉNISATION, subst. f.**
*Méd.* Élevage en milieu stérile. V. 1970 ; gr. *xenos*, « étranger », + *a-²* ; [aksenizasjɔ̃].

**AXER, verbe trans. [3]**
**1.** Orienter selon un axe défini. **2.** Fig. Organiser autour d'une idée directrice : *Axer une réflexion sur des problèmes concrets.* 1562 ; ☞ *axe* ; [akse].

**AXIAL, ALE, AUX, adj.**
Qui se rapporte à un axe : *Un déplacement axial.* ► *Techn. Éclairage axial d'une rue* : suspendu dans l'axe d'une rue. 1853 ; ☞ *axe* ; [aksjal, o].

**AXILE, adj.**
Qui constitue un axe ; qui est sur un axe : *La tige est un organe axile.* 1697 ; lat. *axis*, « axe » ; [aksil].

**AXILLAIRE, adj.**
**1.** *Anat.* Qui appartient à l'aisselle ou à son voisinage : *Ganglion axillaire* ; *Artère axillaire.* **2.** *Bot.* Qui prend naissance dans l'angle formé par la tige avec une feuille ou un rameau : *Un bourgeon axillaire.* **3.** *Zool.* Qui est situé à la base de l'aile d'un insecte. 1363 ; bas lat. *axilla*, « petite aile » ; [aksilɛʀ].

**AXIOLOGIE, subst. f.**
*Philos.* Théorie des valeurs éthiques, esthétiques, épistémologiques. 1902 ; gr. *axios*, « qui vaut », + *-logie* ; [aksjɔlɔʒi].

**AXIOLOGIQUE, adj.**
*Philos.* Relatif aux valeurs : *Une approche axiologique de la vérité.* 1927 ; ☞ *axiologie* ; [aksjɔlɔʒik].

**AXIOMATIQUE, adj. et subst. f.**
Adj. **1.** Qui a le caractère d'un axiome : *Une vérité axiomatique.* **2.** Qui procède par déduction à partir d'une proposition première : *Une théorie axiomatique.* Subst. **1.** Étude critique des axiomes (vx). **2.** Corps de propositions à partir duquel une science établit ses déductions. 1547 ; gr. *axiômatikos*, « qui a un air d'autorité » ; [aksjɔmatik].

**AXIOMATISATION, subst. f.**
Fait d'axiomatiser un corps de connaissances. 1936 ; ☞ *axiomatiser* ; [aksjɔmatizasjɔ̃].

**AXIOMATISER, verbe trans. [3]**
Organiser sous forme d'axiomes ; formaliser. V. 1930 ; ☞ *axiomatique* ; [aksjɔmatize].

**AXIOME, subst. m.**
*Philos.* **1.** Proposition reçue pour vraie sans le secours d'une démonstration, du fait de son évidence psychologique ou de sa primauté logique : *Axiome de l'intuition*, identité, posée par Kant, entre l'intuition d'un phénomène et ses grandeurs extensives. **2.** Principe logique universel, règle générale de pensée, par oppos. au postulat, qui ne régit qu'un ensemble précis de propositions : *Le principe de contradiction, axiome fondamental de la théorie de la science chez Aristote.* **3.** Dans un système hypothético-déductif, toute proposition qui ne se déduit pas d'une autre et qui est posée par hypothèse en vue d'une démonstration. 1547 ; lat. *axioma*, du gr. *axiôma*, « principe évident » ; [aksjom].

**AXIS, subst. m.**
*Anat.* Deuxième vertèbre du cou. 1697 ; lat. *axis*, « axe » ; [aksis].

**AXOLOTL, subst. m.**
*Zool.* Larve d'un amphibien urodèle du Mexique, l'ambystome, qui a l'aspect d'un petit lézard gris tacheté de noir. 1640 ; esp. *ajolote*, du nahuatl *axolotl* ; [aksɔlɔtl].

**AXONE, subst. m.**
*Anat.* Prolongement du corps cellulaire d'un neurone, enveloppé d'une gaine de myéline (synon. *cylindraxe*). 1803 ; gr. *axôn*, « axe » ; [akson].

**AXONGE, subst. f.**
Graisse de porc fondue, utilisée en pharmacie et en cuisine sous le nom de saindoux. Déb. XIVe s. ; lat. *axungia*, « graisse de porc » ; [aksɔ̃ʒ].

**AYANT CAUSE, subst. m.**
*Dr.* Personne qui tient un droit d'une autre (synon. *ayant droit*). Déb. XIVe s. ; formé du p. pr. de *avoir* (I) et de *cause* ; plur. *ayants cause* ; [ɛjɑ̃koz].

**AYANT DROIT, subst. m.**
*Dr.* **1.** Ayant cause. **2.** Personne qui a des droits à qqch. 1835 ; formé du p. pr. de *avoir* (I) et de *droit* (I) ; plur. *ayants droit* ; [ɛjɑ̃dʀwa].

**AYATOLLAH, subst. m.**
Titre donné à certains chefs religieux de l'islam chiite. V. 1980 ; ar. *'āyat Allāh*, « signe de Dieu » ; [ajatɔla].

**AYE-AYE, subst. m.**
*Zool.* Petit lémurien de Madagascar, aux grands yeux et à longue queue, qui vit dans les arbres. 1805 ; orig. obsc. ; plur. *ayes-ayes* ; [ajaj].

**AZALÉE, subst. f.**
*Bot.* Arbuste de la famille des Éricacées, originaire d'Asie, cultivé pour ses belles fleurs. Fin XVIIIe s. ; lat. sc. *azalea*, du gr. *azaleos*, « desséché » ; [azale].

**AZÉOTROPE, adj. et subst. m.**
*Phys.* Se dit d'un mélange de deux liquides de concentration déterminée qui bout à température constante (le mélange se comporte alors comme un corps pur). 1933 ; gr. *zein*, « bouillir », + *a-²* et *-trope* ; [azeɔtʀɔp].

**AZEROLE, subst. f.**
Petit fruit jaune de l'azerolier, dont on fait des confitures. 1553 ; anc. aragonais *azarolla*, de l'ar. *al-za'rūr* ; [azʀɔl].

**AZEROLIER, subst. m.**
*Bot.* Espèce de rosacée cultivée dans le Midi pour son fruit. 1628 ; ☞ *azerole* ; [azʀɔlje].

**AZILIEN, IENNE, subst. m. et adj.**
*Préhist.* Subst. Faciès culturel préhistorique défini à partir d'une industrie d'outils de petite taille et de galets peints, correspondant à la fin du Paléolithique et au Mésolithique en Europe occidentale. Adj. De cette culture. 1893 ; topon. *Mas-d'Azil* (Ariège) ; [aziljɛ̃, jɛn].

**AZIMUT, subst. m.**
**1.** Angle formé par le plan vertical passant par un point donné et le plan méridien du lieu d'observation, compté dans le sens des aiguilles d'une montre à partir du sud en astronomie et à partir du nord en géodésie. **2.** Loc. *Tous azimuts* : dans toutes les directions. 1544 ; esp. *acimut*, de l'ar. *al-sumūt*, « les chemins, les directions » ; [azimyt].

**AZIMUTAL, ALE, AUX, adj.**
Qui mesure ou représente les azimuts. 1694 ; ☞ *azimut* ; [azimytal, o].

**AZIMUTÉ, ÉE, adj.**
Qui est fou, déboussolé (fam.). 1937 ; ☞ *azimut* ; [azimyte].

**AZOÏQUE (I), adj.**
*Géol.* Qualifie un terrain apparemment dépourvu de traces de vie animale ou végétale : *Un grès azoïque.* 1866 ; gr. *zôon*, « être vivant », + *a-²* ; [azɔik].

**AZOÏQUE (II), adj.**
*Chim.* Se dit de composés organiques contenant le radical —N=N— (deux atomes d'azote liés par une double liaison). 1885 ; ☞ *azote* ; [azɔik].

**AZOOSPERMIE, subst. f.**
*Pathol.* Absence de spermatozoïdes dans le sperme. 1890 ; gr. *zôon*, « animal », et *sperma*, « semence », + *a-²* ; [azoospɛʀmi].

**AZOTE, subst. m.**
*Chim.* Gaz incolore et inodore, élément n° 7 de la table de Mendeleïev (symb. : N) ; masse atomique : 14,0067 ; point de fusion : – 210 °C ; point d'ébullition : – 195 °C ; masse volumique de la molécule $N_2$ : 1,03 g/cm³. L'**azote** représente environ 78 % de l'air atmosphérique, et il est présent, à l'état combiné, dans les minéraux (nitrates, sels ammoniacaux) et dans la matière vivante (protéines). La molécule d'**azote** est elle-même composée de deux atomes d'**azote**. 1787 ; gr. *zôtikos*, « vital », + *a-²* (parce que la vie n'est pas possible dans ce gaz) ; [azɔt].

**AZOTÉ, ÉE, adj.**
Qui contient de l'azote : *Engrais azoté.* 1826 ; ☞ *azote* ; [azɔte].

**AZOTÉMIE, subst. f.**
*Biol.* et *Pathol.* Présence de produit azoté (urée, urates) dans le sang. V. 1920 ; ☞ *azote* ; [azɔtemi].

**AZOTÉMIQUE, adj.**
Qui concerne l'azotémie. 1926 ; ☞ *azotémie* ; [azɔtemik].

**AZOTEUX, EUSE, adj.**
Qui contient de l'azote, qui est nitreux. 1823 ; ☞ *azote* ; [azɔtø, øz].

**AZOTOBACTÉRIACÉES, subst. f. plur.**
*Bactériol.* Famille de bactéries Gram – aérobies vivant dans le sol, capables d'utiliser l'azote atmosphérique pour en faire des ions ammonium. La présence de ces bactéries dans le sol exerce donc une influence bénéfique sur les plantes qui savent utiliser les ions ammonium. Formé de *azote* et de *bactériacée* ; [azɔtobakteʀjase].

**AZOTURE, subst. m.**
*Chim.* Sel de l'acide azothydrique. 1812 ; ☞ *azote* ; [azɔtyʀ].

**AZOTURIE, subst. f.**
*Biol* et *Pathol.* Quantité d'azote présente dans l'urine. 1855 ; ☞ *azote* + *-urie* ; [azɔtyʀi].

**AZULEJO, subst. m.**
Carreau de faïence émaillée orné de motifs gén. bleus, utilisé au Portugal, au Brésil et en Espagne pour revêtir les murs. 1848 ; esp. *azulejo*, de *azul*, « bleu » ; [azulexo] ou [-su-].

**AZUR, subst. m.**
**1.** Couleur bleu clair intense : *Un ciel d'azur* ; par ext., le ciel. ► *La Côte d'Azur* : littoral touristique de la Provence. **2.** *Chim.* Matière colorante bleu foncé obtenue par grillage de deux sels de cobalt, la smaltine et la cobaltine. **3.** *Hérald.* Émail bleu des armoiries : *Champ d'azur.* **4.** *Joaill.* Nom ancien du lapis-lazuli. Fin XIe s. ; lat. médiév. *azurium*, de l'ar. *lāzaward*, « lapis-lazuli » ; [azyʀ].

**AZURAGE, subst. m.**
*Techn.* Addition d'un colorant légèrement bleuté au cours du blanchiment d'un textile, d'un linge, d'un papier, pour en parfaire la blancheur. 1846 ; ☞ *azurer* ; [azyʀaʒ].

**AZURÉ, ÉE, adj.**
De la couleur de l'azur. 1280 ; ☞ *azur* ; [azyʀe].

**AZURÉEN, ÉENNE, adj.**
De la Côte d'Azur : *La flore azuréenne.* ☞ *azur* ; [azyʀeɛ̃, eɛn].

**AZURER, verbe trans. [3]**
**1.** Teindre ou peindre en bleu d'azur. **2.** *Techn.* Soumettre à l'azurage. 1549 (XIVe s., emplir de l'azur céleste) ; ☞ *azur* ; [azyʀe].

**AZURITE, subst. f.**
*Minér.* Carbonate hydraté et naturel de cuivre. 1838 ; ☞ *azur* ; [azyʀit].

**AZYGOS, adj. inv. et subst. f.**
*Anat.* Adj. Impair, en parlant d'un organe dont la disposition par rapport à l'axe médian du corps est dissymétrique : *Les veines azygos*, placées de part et d'autre de la colonne vertébrale. Subst. Chacune des veines azygos : *La grande azygos*, qui monte à droite de la colonne vertébrale ; *Les petites azygos*, situées à gauche, en arrière de l'aorte. 1541 ; gr. *azugos*, « non apparié » ; [azigɔs].

**AZYME, adj.**
Qui est sans levain. ► *Pain azyme* : consommé par les juifs pendant la semaine de la Pâque ; empl. subst. : *Fête des Azymes*, célébrée par les juifs en souvenir de la sortie d'Égypte. XIIIe s. ; lat. chrét. *azymus*, du gr. *azumos*, de *zumê*, « levain » ; [azim].

*Ballets Moïsseïev.* © Bernand

**B, subst. m. inv.**
**1.** Deuxième lettre et première consonne de l'alphabet. Elle ne se prononce pas lorsque, précédée d'une consonne, elle est placée à la fin d'un mot (« plomb ») ; devant une occlusive sourde ou une sifflante, elle se prononce [p] (« obtus », « obsolète ») ; dans tous les autres cas, elle note l'occlusive bilabiale sonore [b]. **2.** Abrév. et Symb. ► *Chim.* B : bore. ► *Métrol.* b : bel, barn ; °B : degré Baumé. ► *Mus.* Note correspondant au *si* dans le système anglo-saxon, au *si* bémol dans le système germanique. [be].

**Ba, voir BARYUM**

**B.A., subst. f.**
Bonne action, dans le langage des scouts. Déb. XX[e] s. ; abrév. de *bonne action* ; [bea].

**B.A.-BA, subst. m. inv.**
Rudiment, connaissance de base dans un domaine : *Le* **b.a.-ba** *de l'arithmétique.* 1870 ; de l'épellation *b a* qui fait *ba*, 1re leçon de lecture ; var. *b-a, ba, b.a.ba, b a-ba* ; [beaba].

**BABA (I), subst. m.**
**1.** Gâteau rond, d'origine polonaise, à pâte levée, imbibé de rhum ou de kirsch. **2.** Argot. Fesses. ► Loc. *L'avoir dans le* **baba** : se faire avoir. 1767 ; mot polonais ; [baba].

**BABA (II), adj.**
Frappé d'étonnement ou d'admiration (fam.). 1790 ; orig. onomat. ; [baba].

**BABA COOL, subst.**
Anglic. et Fam. Personne dont le style de vie est un héritage du mouvement hippie, qui marqua les années soixante (abrév. : baba). V. 1970 ; comp. du hindi *bābā*, « papa », et de l'angl. *cool*, « calme » ; plur. *babas cool* ; [babakul].

**BABÉLISME, subst. m.**
Utilisation simultanée et confuse de plusieurs langues ; expression incohérente de la pensée. 1866 ; topon. *Babel*, « Babylone » ; [babelism].

**BABEURRE, subst. m.**
Liquide aigrelet, aussi appelé lait de beurre, qui reste après le barattage. 1530 ; formé de *bas* (I) et de *beurre* ; [babœʁ].

**BABIL, subst. m.**
**1.** Profusion de paroles futiles. **2.** Bavardage enfantin, léger et vif. Mil. XVe s. ; ☞ *babiller* ; [babil].

**BABILLAGE, subst. m.**
Jeu vocal, non articulé, du nourrisson. XVIe s. ; ☞ *babiller* ; [babijaʒ].

**BABILLARD, ARDE, adj. et subst.**
Qualifie ou désigne une personne qui babille volontiers : *Silence, les* **babillards** *!* **Subst. fém.** Billet, lettre (argot.) : *Griffonner une* **babillarde.** Mil. XVIe s. ; ☞ *babiller* ; [babijaʀ, aʀd].

**BABILLER, verbe intrans.** [3]
**1.** Bavarder, tenir des propos futiles ou peu clairs (péj.). **2.** Parler avec volubilité, comme les enfants. **3.** Anal. Pousser son cri, en parlant de certains oiseaux : *Le merle siffle ou* **babille.** Fin XIIe s. ; orig. onomat. ; [babije].

**BABINE, subst. f.**
Lèvre pendante de certains animaux : *Le chameau retroussait sa* **babine.** **Plur.** Lèvres d'une personne (fam.). ► Loc. *Se lécher les* **babines** : se délecter par avance. Mil. XVe s. ; orig. onomat. ; [babin].

**BABIOLE, subst. f.**
Objet de peu de valeur ; par ext., chose sans importance, bagatelle. 1582 ; ital. *babbola*, « bêtise, enfantillage » ; [babjɔl].

**BABIROUSSA, subst. m.**
*Zool.* Cochon sauvage à peau nue des îles Moluques, dont les canines sont de fortes défenses très recourbées. 1764 ; malais *bābirūssa*, de *bābi*, « cochon », et de *rūsa*, « cerf » ; [babiʀusa].

© J. Poulard-Jacana

*Babiroussa.*

**BABISME, subst. m.**
Mouvement religieux post-islamique prêché par l'Iranien Ali Mohammad Shirazi, dit el-Bab. XIXe s. ; ar. *bāb*, « porte » ; [babism].

**BÂBORD, subst. m.**
*Mar.* Côté gauche d'un navire, en regardant vers la proue (anton. *tribord*). 1484 ; néerl. *bakboord*, de *bak*, « dos », et de *boord*, « bord » ; [babɔʀ].

**BÂBORDAIS, subst. m.**
*Mar.* Marin de la bordée de bâbord, qui relaie son homologue, le tribordais, dans les quarts. 1694 ; ☞ *bâbord* ; [babɔʀdɛ].

**BABOUCHE, subst. f.**
Chaussure orientale en forme de pantoufle sans contrefort ni talon. 1542 ; turc *pāpuš*, du persan *pā*, « pied », et *puš*, « couvrir » ; [babuʃ].

**BABOUIN, subst. m.**
*Zool.* Singe cynocéphale d'Afrique, plus marcheur (plantigrade) que grimpeur, au long museau glabre, et présentant de grandes callosités fessières. Il vit de préférence dans des sites rocheux, en bandes très nombreuses divisées en petits groupes où un mâle règne sur plusieurs femelles. Déb. XIIIe s. ; orig. onomat. ; [babwɛ̃].

**BABOUVISME, subst. m.**
Doctrine du révolutionnaire Gracchus Babeuf, fondateur du communisme égalitaire, prônant en partic. la collectivisation de la terre. 1840 ; anthropon. *Babeuf* ; [babuvism].

**BABY, subst. m.**
**1.** Vx. Bébé. **2.** Demi-dose de whisky. 1704 ; angl. *baby*, du m. angl. *baban*, d'orig. onomat. ; plur. *babys* ou *babies* ; [bebi], plur. [bebi] ou [-biz].

**BABY-BOOM, subst. m.**
*Démogr.* Accroissement soudain de la natalité (anglic.). 1954 ; angl. *baby boom*, de *baby*, « bébé », et de *boom*, « hausse » ; plur. *baby-booms*, var. *baby-boum* (plur. *baby-boums*) ; [babibum] ou [be-].

**BABY-FOOT, subst. m. inv.**
Jeu consistant à manipuler des tiges coulissantes où sont fixées des figurines, sur une table représentant un terrain de football ; par méton., la table. 1951 ; angl. *Baby-foot*, de *baby*, « petit », et de *foot*, apocope de *football* ; n. déposé ; [babifut].

**BABYLONIEN, IENNE, adj. et subst.**
De Babylone. **Subst. masc.** Langue parlée et écrite à Babylone. 1550 ; topon. *Babylone* ; [babilɔnjɛ̃, jɛn].

**BABY-SITTER, subst.**
Personne payée pour garder les enfants en l'absence des parents. 1953 ; angl. *baby-sitter*, de *baby*, « bébé », et de *to sit*, « couver » ; plur. *baby-sitters* ; [babisitœʀ] ou [be-].

**BABY-SITTING, subst. m.**
Travail d'un, d'une baby-sitter. V. 1960 ; angl. *baby-sitting*, de *baby*, « bébé », et de *to sit*, « couver » ; plur. *baby-sittings* ; [babisitiŋ] ou [be-].

**BAC (I), subst. m.**
**1.** Embarcation à fond plat, assurant le passage d'une rive à l'autre d'un fleuve ou d'un lac. **2.** Caisse, récipient ou cuve servant à divers usages : *Un* **bac** *à légumes* ; *Un* **bac** *de brasseur* ; *Un* **bac** *de stockage de pétrole.* Fin XIIe s. ; lat. pop. °*baccu*, « récipient » ; [bak].

**BAC (II), subst. m.**
Baccalauréat (fam.). 1880 ; apocope de *baccalauréat* ; [bak].

**BACANTE, voir BACCHANTE (II)**

*Femelle babouin du Cap et son petit.*

© A. Sycholt-Gamma

**BACCALAURÉAT,** subst. m.
Premier grade universitaire français, sanctionnant les études secondaires ; l'examen qui donne accès à ce grade : *L'oral du* ***baccalauréat.*** 1680 ; lat. médiév. *baccalaureatus*, de *baccalaureus*, altér. de *baccalarius*, « bachelier » ; [bakaloʀea].

**BACCARA,** subst. m.
Jeu de cartes où le dix (appelé **baccara**) équivaut à zéro, et qui oppose plusieurs joueurs, les pontes, à un banquier. 1851 ; prob. prov. *bacarra* ; [bakaʀa].

**BACCARAT,** subst. m.
Cristal fabriqué dans la manufacture de Baccarat ; objet taillé dans ce cristal. 1897 ; topon. *Baccarat* (Meurthe-et-Moselle) ; [bakaʀa].

**BACCHANALE,** subst. f.
PLUR. *Antiq. rom.* Fêtes qui célébraient Bacchus. SING. et PLUR. **1.** Anal. Danse pleine de fracas et de couleur de certains ballets et opéras : ***La bacchanale*** *de « Tannhaüser », de R. Wagner.* **2.** Ext. Fête tumultueuse ; orgie. 1355 ; lat. *bacchanalia*, « fêtes de Bacchus » ; [bakanal].

**BACCHANTE (I),** subst. f.
**1.** *Antiq. rom.* Prêtresse de Bacchus. **2.** Ext. Femme prise de délire sensuel ; dévergondée (péj.). 1559 ; lat. *bacchans*, « délirant sous l'inspiration de Bacchus » ; [bakɑ̃t].

**BACCHANTE (II),** subst. f.
Fam. Grosse moustache aux extrémités tombantes (gén. au plur.). 1875 ; p.-ê. *bacchante* (I), par allus. à leur chevelure ; var. *bacante* ; [bakɑ̃t].

**BACCIFÈRE,** adj.
*Bot.* Qui porte des baies. 1592 ; lat. *bacca*, « baie », + *-fère* ; [baksifɛʀ].

**BACCIFORME,** adj.
*Bot.* En forme de baie. 1819 ; lat. *bacca*, « baie », + *-forme* ; [baksifɔʀm].

**BÂCHAGE,** subst. m.
Action de couvrir d'une bâche : *Le* ***bâchage*** *d'une remorque.* XIXe s. ; ☞ *bâcher* ; [bɑʃaʒ].

**BÂCHE,** subst. f.
**1.** Pièce de toile robuste et imperméable utilisée comme protection. **2.** *Géomorph.* Dépression sur une grève, qui retient l'eau à marée basse. **3.** *Hortic.* Coffre muni d'un châssis vitré, servant à abriter du froid les plantes délicates et les semis. **4.** *Techn.* Réservoir d'eau d'une chaudière. 1741 (1572, hotte, filet) ; p.-ê. anc. fr. *baschoe*, « sorte de hotte », du lat. *bascauda*, « cuvette » ; [bɑʃ].

**BACHELIER, IÈRE,** subst.
MASC. **1.** *Féod.* Jeune aspirant chevalier apprenant le métier des armes sous la conduite d'un seigneur. **2.** Jeune homme ayant obtenu un grade universitaire (vx) : *Un* ***bachelier*** *en droit.* MASC. et FÉM. Titulaire du baccalauréat. Fin XIe s. ; lat. pop. °*baccalaris* ; [baʃəlje, jɛʀ].

**BÂCHER,** verbe trans. [3]
Couvrir (qqch.) d'une bâche. 1751 (XVIe s., *bâché*, vêtu) ; ☞ *bâche* ; [bɑʃe].

**BACHI-BOUZOUK,** subst. m.
Cavalier irrégulier de l'armée ottomane, au XIXe s. 1863 ; mot d'orig. turque signifiant « mauvaise tête » ; plur. *bachi-bouzouks* ; [baʃibuzuk].

**BACHIQUE,** adj.
*Antiq. rom.* Relatif au dieu Bacchus ; par ext. : *Un poème* ***bachique****, qui célèbre le vin.* Fin XVe s. ; lat. *bacchicus* ; [baʃik].

**BACHOT (I),** subst. m.
Petite barque à fond plat, petit bac. 1539 ; wallon *bache* ; [baʃo].

**BACHOT (II),** subst. m.
Baccalauréat (fam. et vieilli) : *Passer son* ***bachot.*** 1856 ; ☞ *bachelier* ; [baʃo].

**BACHOTAGE,** subst. m.
Action de bachoter (fam.). 1892 ; ☞ *bachoter* ; [baʃɔtaʒ].

**BACHOTER,** verbe intrans. [3]
Préparer un examen, gén. le baccalauréat, en ne révisant que ce qui est utile à son obtention, sans se préoccuper d'approfondir ses connaissances (fam.). Fin XIXe s. ; ☞ *bachot* (II) ; [baʃɔte].

**BACILLAIRE,** adj.
**1.** *Bactériol.* Relatif à un bacille. **2.** *Pathol.* Dû à un bacille ; qui porte un bacille de Koch ; empl. subst., personne tuberculeuse. 1838 (1832, animalcule) ; ☞ *bacille* ; [basil(l)ɛʀ].

**BACILLE,** subst. m.
*Bactériol.* Nom donné à toutes les bactéries, souv. pathogènes, qui ont la forme d'un bâtonnet : ***Bacille*** *d'Eberth*, de la typhoïde ; ***Bacille*** *d'Hansen*, de la lèpre ; ***Bacille*** *de Koch*, de la tuberculose. 1838 ; lat. sc. *bacillus*, « bâtonnet » ; [basil].

**BACILLIFORME,** adj.
Qui a la forme d'un bacille. Mil. XIXe s. ; ☞ *bacille* + *-forme* ; [basil(l)ifɔʀm].

**BACILLOSE,** subst. f.
*Pathol.* Maladie provoquée par un bacille, en partic. par le bacille de la tuberculose. 1906 ; ☞ *bacille* + *-ose* ; [basil(l)oz].

**BACILLURIE,** subst. f.
*Pathol.* Présence de bacilles dans les urines, en partic. du bacille de Koch. 1909 ; ☞ *bacille* + *-urie* ; [basil(l)yʀi].

**BACKGAMMON,** subst. m.
Jeu de dés d'origine galloise, proche du jacquet. 1834 ; angl. *backgammon*, du m. angl. *gamen*, « jeu », et de l'angl. *back*, « en arrière » ; [bakgamɔn].

**BACKGROUND,** subst. m.
Arrière-plan, contexte d'une action, d'un évènement (anglic.). 1953 ; angl. *background*, de *back*, « en arrière », et de *ground*, « sol » ; [bakgʀaund].

**BÂCLAGE,** subst. m.
Fam. Fait de bâcler une tâche ; son résultat. 1751 ; ☞ *bâcler* ; [bɑklaʒ].

**BÂCLE,** subst. f.
Traverse permettant de fermer, de l'intérieur, portes et fenêtres. 1866 ; ☞ *bâcler* ; [bɑkl].

**BÂCLER,** verbe trans. [3]
**1.** Vx. Fermer (une porte, une fenêtre) de l'intérieur, au moyen d'une bâcle. **2.** Fam. Exécuter (une tâche) à la hâte, sans rigueur ni soin ; empl. adj. : *Un devoir* ***bâclé.*** 1292 ; prob. lat. pop. °*bacculare*, du lat. *baculum*, « bâton » ; [bɑkle].

**BACON,** subst. m.
Pièce de lard, maigre, salée et fumée. 1834 ; angl. *bacon*, de l'anc. fr. *bacon*, « jambon » ; [bekɔn].

**BACTÉRICIDE,** adj. et subst. m.
Se dit d'une substance chimique, d'un agent biologique qui détruit les bactéries. 1897 ; ☞ *bactérie* + *-cide* ; [bakteʀisid].

**BACTÉRIDIE,** subst. f.
*Bactériol.* Ancien nom de la bactérie responsable de la maladie du charbon. 1865 ; ☞ *bactérie* ; [bakteʀidi].

**BACTÉRIE,** subst. f.
*Bactériol.* Être vivant unicellulaire, de très petite dimension, qui se développe dans les milieux les plus variés. Seule une infime minorité des **bactéries** s'attaque aux êtres vivants ; la plupart vivent dans le sol et les eaux et ont un rôle fondamental dans le fonctionnement de la biosphère en participant au recyclage de la matière organique provenant des déchets rejetés hors de l'organisme et des êtres morts. 1842 ; lat. sc. *bacterium*, « petit bâton » ; [bakteʀi].

BACTÉRIOLOGIE – La systématique bactérienne moderne se fonde en premier lieu sur la structure de la paroi bactérienne, les caractères aérobie et anaérobie n'étant pris en compte que secondairement. Les bactéries sont distribuées selon quatre grandes divisions en rapport avec la structure de leur enveloppe, ou paroi : les Mendosicutes, ou Archébactéries ; les Gracilicutes, ou Eubactéries Gram- ; les Firmicutes, ou Eubactéries Gram+ ; et les Tenericutes, considérées comme des Eubactéries Gram+ ayant perdu leur paroi. Dix-sept embranchements ont été répartis entre ces quatre divisions.

**BACTÉRIEN, IENNE,** adj.
Qui se rapporte aux bactéries : *L'A. D. N.* ***bactérien*** ; qui est dû aux bactéries : *Une infection* ***bactérienne.*** 1888 ; ☞ *bactérie* ; [bakteʀjɛ̃, jɛn].

**BACTÉRIOLOGIE,** subst. f.
Branche de la biologie qui étudie les bactéries par des méthodes spécifiques (observations microscopiques, colorations, cultures, méthodes de la biologie moléculaire, etc.). 1888 ; formé de *bactério-* et de *-logie* ; [bakteʀjɔlɔʒi].

**BACTÉRIOLOGIQUE,** adj.
Qui concerne la bactériologie : *Analyse* ***bactériologique*** ; par ext. : *Guerre* ***bactériologique****, utilisant des bactéries pathogènes pour décimer les populations.* 1888 ; ☞ *bactériologie* ; [bakteʀjɔlɔʒik].

**BACTÉRIOLOGISTE,** subst.
Spécialiste de la bactériologie. 1895 ; formé de *bactério-* et de *-logiste* ; var. *bactériologue* ; [bakteʀjɔlɔʒist].

**BACTÉRIOPHAGE,** subst. m.
*Bactériol.* Virus qui peut infecter et souv. détruire des bactéries (synon. *phage*). 1918 ; formé de *bactério-* et de *-phage* ; [bakteʀjɔfaʒ].

**BACTÉRIOSTATIQUE,** adj. et subst. m.
*Bactériol.* Qualifie ou désigne une substance qui empêche la multiplication des bactéries. 1946 ; formé de *bactério-* et de *-statique* ; [bakteʀjɔstatik].

**BACUL,** subst. m.
Partie du harnais d'une bête de trait, formant une croupière : *Le* ***bacul*** *d'un mulet.* 1466 ; crois. de *battre* et de *cul* ; [baky].

**BADABOUM,** interj.
Onomatopée évoquant le bruit d'une chute : ***Badaboum !*** *le voilà par terre !* 1873 ; orig. onomat. ; [badabum].

**BADAMIER,** subst. m.
*Bot.* Arbre tropical de la famille des Combrétacées, dont certaines espèces oléagineuses donnent des sucs utilisés en cosmétologie ou dans la fabrication des vernis. 1790 ; persan *bādām*, « amande » ; [badamje].

**BADAUD, AUDE,** subst.
Flâneur dont la curiosité s'alimente du spectacle de la rue ; empl. adj. : *Un esprit* ***badaud.*** 1552 (1532, sot, niais) ; anc. prov. *badau*, de *badar*, « rester bouche bée » ; [bado, od].

**BADERNE,** subst. f.
**1.** *Mar.* Tresse épaisse faite de vieux cordages (vx). **2.** Ext. Individu, en partic. chef militaire, borné et inapte à servir (fam. et péj.). 1773 ; p.-ê. prov. *baderno*, ou gr. *pterna*, « pied d'un mât » ; [badɛʀn].

**BADGE,** subst. m.
**1.** Dans le scoutisme, insigne de tissu, souv. cousu à l'uniforme, dont la couleur indique l'ancienneté, la spécialité ou le mérite. **2.** Insigne, gén. agrafé, indiquant une appartenance, une opinion ou servant de moyen d'identification. Déb. XXe s. ; angl. *badge*, « emblème d'un chevalier » ; [badʒ].

**BADIANE,** subst. f.
*Bot.* Plante de la famille des Winteracées. Une espèce de **badiane** fournit l'anis étoilé, dont les graines sont utilisées en pharmacie et dans la fabrication de boissons anisées. 1681 ; persan *bādiān*, « anis » ; [badjan].

**BADIGEON,** subst. m.
*Bât.* Enduit souvent coloré, à base de lait de chaux. 1676 ; orig. obsc. ; [badiʒɔ̃].

**BADIGEONNAGE,** subst. m.
*Bât.* et *Méd.* Action de badigeonner ; son résultat. 1829 ; ☞ *badigeonner* ; [badiʒɔnaʒ].

**BADIGEONNER,** verbe trans. [3]
**1.** *Bât.* Enduire de badigeon (un mur, une façade). **2.** *Pharm.* Enduire (la peau, une muqueuse) d'une préparation pharmaceutique : ***Badigeonner*** *une plaie.* 1701 ; ☞ *badigeon* ; [badiʒɔne].

**BADIGEONNEUR,** subst. m.
**1.** *Bât.* Ouvrier spécialisé dans les travaux de badigeonnage. **2.** Fig. Peintre sans talent (péj.). 1820 ; ☞ *badigeonner* ; [badiʒɔnœʀ].

**BADIGOINCES,** subst. f. plur.
Argot. Lèvres ; joues : *Se caler les* ***badigoinces****,* manger avidement. 1532 ; p.-ê. crois. de *bader* (vx), « bavarder », et de *goincer* (vx), « crier comme un porc » ; [badigwɛ̃s].

**BADIN (I), INE,** adj.
Qui fait preuve d'un esprit enjoué, espiègle : *Être d'un naturel* ***badin****,* enclin à plaisanter ; *Un poème* ***badin****,* écrit dans un style léger ; empl. subst. : *Faire le* ***badin.*** 1680 (1452, fou, sot) ; prov. *badin*, « nigaud » ; [badɛ̃, in].

**BADIN (II),** subst. m.
*Aéron.* Appareil mesurant la vitesse relative d'un avion par rapport au vent. 1929 ; anthropon. *Raoul-Édouard Badin*, son inventeur ; [badɛ̃].

**BADINAGE,** subst. m.
Comportement léger, insouciant ; en partic., propos galant. 1541 ; ☞ *badin* (I) ; [badinaʒ].

**BADINE,** subst. f.
Baguette mince et souple pouvant servir de cravache ou de petite canne d'ornement. 1743 ; ☞ *badiner* ; [badin].

**BADINER,** verbe intrans. [3]
. Plaisanter, s'amuser. **2.** Traiter les choses avec ;égèreté : *« On ne **badine** pas avec l'amour », comédie 'Alfred de Musset.* 1549 ; ☞ *badin* (I) ; [badine].

**BADINERIE,** subst. f.
Chose que l'on dit ou que l'on fait en badinant ; ivertissement espiègle et léger ; par ext., conversa- ion frivole. 1547 ; ☞ *badin* (I) ; [badinʀi].

**BAD-LANDS,** subst. f. plur.
*Géogr.* Terres argileuses ravinées par l'érosion tor- entielle (anglic.). V. 1960 ; anglo-amér. *bad lands,* alque du fr. *mauvaises terres* ; var. *badlands* ; [badlɑ̃ds].

**BADMINTON,** subst. m.
eu de volant proche du tennis, où les échanges se ont par-dessus un filet placé à hauteur d'homme. 1882 ; topon. angl. *Badminton House,* château du loucestershire ; [badmintɔn].

**BAFFE,** subst. f.
Gifle (fam.). 1435 ; orig. onomat. ; [baf].

**BAFFLE,** subst. m.
Anglic. Écran acoustique rigide sur lequel se fixe le aut-parleur ; par ext., enceinte acoustique. 1948 ; angl. *baffle,* « écran » ; [bafl].

**BAFOUER,** verbe trans. [3]
. Outrager, railler avec mépris : ***Bafouer** un homme aincu.* ► Ext. Enfreindre impudemment : ***Bafouer** a loi.* **2.** Tromper : ***Bafouer** son mari.* Fin XVIe s. ; -ê. altér. du m. fr. *beffer,* « berner », d'apr. *battre* et *fou* ; bafwe].

**BAFOUILLAGE,** subst. m.
locution confuse, propos embrouillé. 1878 ; ☞ *bafouiller* ; [bafujaʒ].

**BAFOUILLE,** subst. f.
ettre (fam.). 1914 ; ☞ *bafouiller* ; [bafuj].

**BAFOUILLER,** verbe intrans. [3]
arler de manière confuse, incohérente ; bredouil- er : *La peur le fait **bafouiller*** ; empl. trans. : ***afouiller** des mercis.* Fin XIXe s. ; prob. altér. du arler lyonnais *barfouiller,* crois. de *barboter* et de *fouiller,* 'apr. *bafouer* ; [bafuje].

**BAFOUILLEUR, EUSE,** subst.
ersonne qui bafouille. 1878 ; ☞ *bafouiller* ; bafujœʀ, øz].

**BÂFRER,** verbe trans. [3]
am. Manger goulûment ; empl. pronom. : *Il se âfra de choucroute.* 1507 ; orig. onomat. ; [bɑfʀe].

**BÂFREUR, EUSE,** subst.
ersonne qui bâfre la nourriture (fam.). 1571 ; ☞ *bâfrer* ; [bɑfʀœʀ, øz].

**BAGAD,** subst. m.
*Mus.* Formation utilisant les instruments tradition- els de la Bretagne (binious, bombardes, tam- ours). Breton *bagad,* « ensemble » ; plur. *bagads* ou *agadou* ; [bagad], plur. [-du].

**BAGAGE,** subst. m.
. Ensemble des objets et effets que l'on emporte vec soi en voyage : *Une mallette pour tout **bagage**.* Loc. *Plier **bagage*** : s'enfuir, partir. **2.** Ext. Élément u bagage (valise, sac...) : *Un **bagage** à main.* ► *Milit.* e matériel transporté par une armée en campagne. Loc. *Avec armes et **bagages*** : avec tout ce que l'on ossède. **3.** Fig. Ensemble des connaissances, des xpériences accumulées (fam.) : *Il n'a qu'un maigre agage intellectuel.* Mil. XIIIe s. ; *bagues* (vx), p.-ê de anc. prov. *baga,* « sac » ; [bagaʒ].

**BAGAGISTE,** subst. m.
Employé responsable de la manutention des ba- ages, spéc. dans un hôtel. 1928 ; ☞ *bagage* ; bagaʒist].

**BAGARRE,** subst. f.
. Rixe, mêlée brutale et désordonnée. **2.** Fig. Débat iolent, compétition intense (fam.) : *Une **bagarre** ratoire.* 1628 ; prob. prov. *bagarro,* du basque *atzarre,* « réunion, assemblée » ; [bagaʀ].

**BAGARRER,** verbe intrans. [3]
am. Lutter âprement : *Il faut **bagarrer** dur pour éussir.* PRONOM. Se quereller, se battre ; par ext., utter (pour obtenir qqch.) : *Tu dois te **bagarrer** pour arder ton poste.* 1905 ; ☞ *bagarre* ; [bagaʀe].

**BAGARREUR, EUSE,** adj. et subst.
e dit d'une personne recherchant la bagarre ou, u fig., combative (fam.). 1927 ; ☞ *bagarrer* ; bagaʀœʀ, øz].

**BAGASSE,** subst. f.
ésidu fibreux de la canne à sucre après traitement. 1724 ; esp. *bagazo,* « marc », de *baga,* « baie » ; [bagas].

**BAGATELLE,** subst. f.
**1.** Vx. Objet de peu de valeur ou inutile. **2.** Chose de peu d'importance, vétille (fam.) : *Se fâcher pour une **bagatelle**.* **3.** Somme d'argent dérisoire : *Il l'a payé une **bagatelle*** ; par iron. : *Cela m'a coûté la **bagatelle** de un million de francs.* **4.** *La **bagatelle*** : l'amour physique (fam.). 1548 ; ital. *bagatella,* « tour de bateleur » ; [bagatɛl].

**BAGNARD,** subst. m.
Homme condamné aux travaux forcés (synon. *forçat*) ; au fig. : *Une vie de **bagnard**,* très pénible. 1831 ; ☞ *bagne* ; [baɲaʀ].

**BAGNE,** subst. m.
**1.** Lieu de détention des condamnés aux travaux forcés ; par méton., peine des travaux forcés. **2.** Fig. Lieu de travail pénible. 1609 ; ital. *bagno,* du lat. *balneum,* « bain » ; [baɲ].

© M. Evans-Explorer

*Forçats français en partance pour le **bagne** de Guyane.*

**BAGNOLE,** subst. f.
Fam. **1.** Vieille voiture. **2.** Ext. Automobile : *Prête-moi ta **bagnole**.* 1840 ; prob. *banne,* « tombereau », d'apr. *carriole* ; [baɲɔl].

**BAGOU,** subst. m.
Bavardage volubile qui tend à duper (fam.). XVIe s. ; anc. fr. *bagouler,* « parler inconsidérément » ; var. *bagout* ; [bagu].

**BAGUAGE,** subst. m.
**1.** Action de baguer, en partic. un oiseau. **2.** *Arboric.* Entaille visant à favoriser la fructification. 1838 ; ☞ *baguer* (I) ; [bagaʒ].

© B. Rebouleau-Jacana

*Baguage d'un martinet noir.*

**BAGUE,** subst. f.
**1.** Anneau que l'on passe au doigt. ► Loc. *Avoir la **bague** au doigt* : être marié. **2.** Anal. Tout objet de forme annulaire : *La **bague** d'un cigare,* anneau de papier qui en porte la marque. ► *Archit.* Moulure ceinturant une colonne. ► *Mar.* Anneau en fer, en bois ou en cordage. ► *Techn.* Pièce métallique maintenant deux éléments d'une machine. ► *Zool.* Anneau de métal ou de plastique fixé à la patte des oiseaux pour les identifier, pour suivre leurs déplacements. **3.** *Jeu de **bagues*** : jeu d'adresse qui consistait, pour un cavalier, à enlever à l'aide d'une lance des anneaux suspendus à un poteau. 1360 ; prob. néerl. *bag(g)e* ; [bag].

**BAGUENAUDE,** subst. f.
**1.** Fruit du baguenaudier, qui a la forme d'une petite vessie remplie d'air. **2.** Flânerie. XVe s. ; prob. languedocien *baganaudo,* « fruit ; niaiserie » ; [bagnod].

**BAGUENAUDER,** verbe intrans. [3]
**1.** Vx. Passer son temps à des choses vaines. **2.** Se promener en flânant ; empl. pronom. : *Se **baguenauder** le nez en l'air.* 1466 ; ☞ *baguenaude* ; [bagnode].

**BAGUENAUDIER,** subst. m.
*Bot.* Arbuste ornemental de la famille des Fabacées. 1539 ; ☞ *baguenaude* ; [bagnodje].

**BAGUER (I),** verbe trans. [3]
**1.** Garnir d'une bague, d'un anneau ; empl. adj. : *Colonne **baguée**,* dont le corps est garni d'anneaux. **2.** Ext. Munir d'une bague. ► *Techn.* Maintenir (une pièce) par une ou plusieurs bagues. ► *Zool.* Fixer un anneau à la patte de (un oiseau). **3.** *Arboric.* Inciser en cercle l'écorce de (un arbre fruitier en fleur) pour accélérer la fructification et bloquer la descente de la sève. XVe s. ; ☞ *bague* ; [bage].

**BAGUER (II),** verbe trans. [3]
*Cout.* Réunir (deux épaisseurs de tissu) à grands points allongés invisibles sur l'endroit. 1680 (1450, emballer) ; *bagues* (vx), « habits, bagages » ; [bage].

**BAGUETTE,** subst. f.
**1.** Petit bâton mince et allongé : ***Baguette** d'officier, de sourcier ; **Baguette** de chef d'orchestre ; **Baguette** magique,* instrument des magiciens, des fées. ► Loc. *Mener qqn à la **baguette*** : durement, avec autorité ; *D'un coup de **baguette** magique* : comme par enchantement. **2.** Chacun des deux bâtonnets utilisés comme couverts en Extrême-Orient. **3.** *Alim.* Pain parisien long et mince. **4.** *Archit.* et *Menuis.* Petite moulure arrondie ou plate. **5.** *Mus.* ***Baguettes** de tambour* : les deux petits bâtons avec lesquels on bat la caisse ou, au fig., cheveux raides (fam.). 1510 ; ital. *bacchetta,* « petit bâton », du lat. *baculum,* « bâton » ; [bagɛt].

**BAGUIER,** subst. m.
**1.** Petit coffret où l'on range bagues et bijoux. **2.** *Bijout.* Série d'anneaux utilisée pour déterminer la dimension d'une bague selon la grosseur du doigt. 1562 ; ☞ *bague* ; [bagje].

**BAH,** interj.
Exclamation exprimant le doute, l'indifférence, la désinvolture. Fin XIIe s. ; onomat. ; [bɑ].

**BAHAÏSME,** subst. m.
Mouvement syncrétique religieux, fondé en Iran à la fin du XIXe s. par Mirza Hoseyn Ali Nuri, qui réforma le babisme. XIXe s. ; *Bahā' Allāh,* titre du fondateur de cette secte ; var. *béhaïsme* ; [baaism].

**BAHT,** subst. m.
Unité monétaire de la Thaïlande. [bat].

**BAHUT,** subst. m.
**1.** Coffret transportable en bois ou en osier, recouvert de cuir clouté, utilisé au Moyen Âge. **2.** Meuble rustique, large et bas. **3.** *Archit.* Chaperon bombé d'un mur d'appui. **4.** *Hortic.* Bombement d'une allée ou d'une plate-bande favorisant l'écoulement des eaux. **5.** Lycée, pension, collège (argot scol.). **6.** Automobile, camion, taxi (fam.). XIIIe s. ; orig. obsc. [bay].

**BAI, BAIE,** adj. et subst. m.
Se dit d'un cheval dont la robe est brun-rouge et dont la crinière et les extrémités sont noires. Fin XIIe s. ; lat. *badius,* « brun-rouge » ; [bɛ].

**BAIE (I),** subst. f.
*Bot.* Fruit charnu à pépins (par oppos. à la drupe, qui est un fruit à noyau). Toute **baie** comporte un épicarpe (la peau), un mésocarpe (la pulpe), et un endocarpe renfermant les graines : *La myrtille, la mûre, le raisin sont des **baies**.* XIe s. ; lat. *baca* ; [bɛ].

**BAIE (II),** subst. f.
*Archit.* Ouverture pratiquée dans un mur : *Une **baie** libre,* sans porte ni fenêtre. 1119 ; *baer,* anc. forme de *bayer* ; [bɛ].

*La baie d'Along (Viêt Nam).*

© Gutierrez-Explorer

**BAIE (III),** subst. f.
*Géogr.* Échancrure du littoral, plus ou moins profonde : *La* **baie** *de La Baule.* 1422 (1360, *Baie,* nom de la baie de Bourgneuf) ; p.-ê. *baer,* anc. forme de *bayer,* d'apr. le m. fr. *baee,* « saline » ; [bɛ].

**BAIGNADE,** subst. f.
**1.** Action de se baigner. **2.** Méton. Endroit où l'on peut se baigner. 1796 ; ☞ *baigner* ; [bɛɲad].

**BAIGNER,** verbe [3]
**Trans. 1.** Tremper, plonger dans un liquide : ***Baigner*** *un enfant malade.* **2.** Ext. Border d'eau : *La France* ***est baignée*** *par quatre mers* ; arroser : *La Seine* ***baigne*** *le Bassin parisien.* ▸ Anal. Imbiber, mouiller : ***Baigner*** *son front d'eau froide* ; empl. adj. : *Visage* ***baigné*** *de larmes.* **3.** Fig. Environner, imprégner : *La lumière* ***baignait*** *le jardin.* **Intrans. 1.** Être plongé, immergé (dans un liquide). ▸ Loc. fam. ***Baigner*** *dans son sang* : en être couvert ; *Ça* ***baigne*** *(dans l'huile)* : tout marche bien. **2.** Être imprégné, environné par qqch. : *La ville* ***baignait*** *dans la brume.* **Pronom.** Se plonger dans l'eau et s'y ébattre ; prendre un bain. 1155 ; bas lat. *balneare* ; [beɲe].

**BAIGNEUR, EUSE,** subst.
**1.** Vx. Tenancier ou surveillant d'un établissement de bains. **2.** Personne qui se baigne. **Masc. 1.** Poupon de Celluloïd que l'enfant peut baigner. **2.** Anal. Petite figurine remplaçant parfois la fève de la galette des Rois. 1310 ; lat. *balneator* ; [bɛɲœʀ, øz].

**BAIGNOIRE,** subst. f.
**1.** Cuve dans laquelle on peut prendre un bain. **2.** Loge de rez-de-chaussée, au théâtre. XIIIe s. ; ☞ *baigner* ; [bɛɲwaʀ].

**BAIL,** subst. m.
**1.** *Dr.* Contrat par lequel on laisse à qqn la jouissance d'une chose pour un prix et un temps déterminés : ***Bail*** *commercial.* ▸ Acte de location d'un logement. **2.** Loc. *Ça fait un* ***bail*** : cela fait longtemps (fam.). Mil. XIIe s. ; ☞ *bailler* ; plur. *baux* ; [baj], plur. [bo].

**BAILLE,** subst. f.
*Mar.* **1.** Baquet. **2.** Argot. ▸ Mauvais bateau. ▸ Méton. Eau ; par ext., la mer : *Tomber à la* ***baille.*** ▸ *La* ***Baille*** : l'École navale. 1340 (déb. XIIIe s., nourrice) ; bas lat. *bajula,* « chose qui porte » ; [baj].

**BÂILLEMENT,** subst. m.
**1.** Action de bâiller. **2.** Anal. État de ce qui est entrouvert. Déb. XIIe s. ; ☞ *bâiller* ; [bɑjmɑ̃].

**BAILLER,** verbe trans. [3]
Donner (vx). ▸ Loc. *La* ***bailler*** *belle, bonne à qqn* : le duper par de belles, bonnes paroles. Déb. XIIe s. ; lat. *bajulare,* « porter » ; [baje].

**BÂILLER,** verbe intrans. [3]
**1.** Ouvrir largement la bouche sous l'effet de la faim, de la fatigue ou de l'ennui. **2.** Anal. Être entrouvert, mal ajusté : *Sa chemise* ***bâille.*** Déb. XIIe s. ; bas lat. *batac(u)lare* ; [bɑje].

**BAILLEUR, ERESSE,** subst.
*Dr.* Personne qui donne à bail, qui loue : *Un* ***bailleur*** *d'immeubles* ; empl. adj. : *Une société* ***bailleresse.*** **Masc.** ***Bailleur*** *de fonds* : personne qui fournit des capitaux, qui commandite. 1321 ; ☞ *bailler* ; [bajœʀ, əʀɛs].

**BAILLI,** subst. m.
*Hist.* **1.** Officier royal chargé de fonctions administratives et, surtout, judiciaires. **2.** À partir du milieu du XIIIe s., officier sédentarisé placé à la tête d'une circonscription. Mil. XIIe s. ; p.-ê. anc. fr. *baillir,* « administrer » ; [baji].

**BAILLIAGE,** subst. m.
*Hist.* **1.** Tribunal du bailli. **2.** Sous l'Ancien Régime, circonscription placée sous la juridiction d'un bailli. Mil. XIIIe s. ; ☞ *bailli* ; [bajaʒ].

**BÂILLON,** subst. m.
Morceau de tissu, tampon, que l'on met sur ou dans la bouche de qqn pour l'empêcher de crier. 1462 ; ☞ *bâiller* ; [bɑjɔ̃].

**BÂILLONNEMENT,** subst. m.
Action de bâillonner ; état qui en résulte. 1842 ; ☞ *bâillonner* ; [bɑjɔnmɑ̃].

**BÂILLONNER,** verbe trans. [3]
Mettre un bâillon à ; au fig. : ***Bâillonner*** *le peuple,* l'empêcher de s'exprimer. 1530 ; ☞ *bâillon* ; [bɑjɔne].

**BAIN,** subst. m.
**1.** Action de plonger, de se plonger dans l'eau : *Prendre un bon* ***bain.*** ▸ Fig. *Mettre qqn dans le* ***bain*** : l'initier à une tâche ou le compromettre. **2.** Méton. Liquide dans lequel on se plonge : *Un* ***bain*** *d'eau salée* ; par ext. : ***Bain*** *de bouche,* solution pour les soins buccaux. **3.** Anal. Exposition du corps à un élément naturel ; immersion dans un milieu quelconque : *Un* ***bain*** *de soleil* ; *Un* ***bain*** *de vapeur.* ▸ Ext. ***Bain*** *de foule* : contact direct avec la foule. **4.** Récipient dans lequel on se plonge : *Vider le* ***bain.*** **5.** *Techn.* Préparation liquide dans laquelle on plonge un corps pour le transformer : ***Bain*** *colorant, fixateur.* **Plur.** Établissement public où l'on se baigne ; par ext., lieu où l'on suit une cure thermale : *Aller aux* ***bains.*** Fin XIe s. ; lat. pop. °*baneum,* du lat. *balneum* ; [bɛ̃].

© Explorer

*Bain de foule pour le Premier ministre britannique Winston Churchill, en mai 1945.*

**BAIN-MARIE,** subst. m.
**1.** Eau en ébullition dans laquelle on plonge un récipient contenant un aliment à chauffer ou à cuire doucement. **2.** Méton. Récipient servant à la cuisson au **bain-marie.** 1516 ; comp. de *bain* et de *Marie-la-Juive,* alchimiste, qui aurait inventé ce procédé ; plur. *bains-marie* ; [bɛ̃maʀi].

**BAÏONNETTE,** subst. f.
**1.** *Arm.* Lame pointue que l'on ajuste au bout du fusil avant un combat au corps à corps. **2.** Anal. Dispositif de fixation comparable à celui de cette arme : *Lampe, ampoule à* ***baïonnette.*** 1572 ; topon. *Bayonne* (Pyrénées-Atlantiques) ; [bajɔnɛt].

**BAÏRAM,** subst. m.
Chez les Turcs, nom des deux fêtes musulmanes qui suivent le ramadan. 1541 ; turc *bairam,* « fête » ; var. *bayram, beïram* ; [bajʀam].

**BAISE,** subst. f.
**1.** Pratique de l'amour physique (vulg.). **2.** Belg. Baiser affectueux. V. 1970 ; ☞ *baiser* (I) ; [bɛz].

**BAISE-EN-VILLE,** subst. m. inv.
Petit sac contenant ce qu'il faut pour passer la nuit hors de chez soi (fam.). 1934 ; comp. de *baiser* (I), de *en* et de *ville* ; [bɛzɑ̃vil].

**BAISEMAIN,** subst. m.
Geste de politesse envers une femme ou un souverain, qui consiste à effleurer sa main d'un baiser. 1306 ; formé de *baiser* (I) et de *main* ; [bɛzmɛ̃].

**BAISEMENT,** subst. m.
*Relig.* Action de baiser un objet rituel. Fin XIIe s. ; ☞ *baiser* (I) ; [bɛzmɑ̃].

**BAISER (I),** verbe trans. [3]
**1.** Donner un baiser à, poser ses lèvres sur (qq. ou qqch.), en signe d'affection ou de respec **2.** Vulg. ▸ Posséder charnellement ; empl. abs., fair l'amour. ▸ Ext. Tromper, duper : *Se faire* ***baise*** Mil. Xe s. ; lat. *basiare,* « donner un baiser » ; [beze

**BAISER (II),** subst. m.
Action d'appliquer ses lèvres sur qqn, qqch. ▸ Lo ***Baiser*** *de Judas* : manifestation hypocrite d'affectio Mil. Xe s. ; ☞ *baiser* (I) ; [beze].

**BAISOTER,** verbe trans. [3]
Couvrir de nombreux petits baisers. 1556 ☞ *baiser* (I) ; [bɛzɔte].

**BAISSE,** subst. f.
**1.** Fait de baisser, de descendre ; au fig. : *Une* ***baiss*** *d'influence.* **2.** *Fin.* Diminution de prix, de valeur *La* ***baisse*** *des actions.* ▸ *Bourse. Jouer à la* ***baisse*** spéculer sur la **baisse** des cours. 1577 (1250, lie bas, souv. marécageux) ; ☞ *baisser* ; [bɛs].

**BAISSER,** verbe [3]
**Trans. 1.** Descendre (qqch.), mettre plus bas ***Baisser*** *le drapeau.* **2.** Incliner, diriger vers le bas ***Baisser*** *les yeux.* ▸ Loc. ***Baisser*** *les bras* : s'avouc vaincu ; *Foncer tête* ***baissée*** : sans réfléchir. **3.** Dimi nuer la hauteur, la force, l'intensité, la valeur d (qqch.) : ***Baisser*** *le son.* **Intrans. 1.** Diminuer d hauteur, décliner : *Le niveau de l'eau* ***baisse*** ; au fig diminuer d'intensité : *La lumière* ***baisse.*** **2.** Dimi nuer de prix, de valeur : *Les loyers* ***baissent.*** **3.** Perdr de sa vigueur physique ou intellectuelle. **Pronom.** S rapprocher du sol, s'incliner, se courber : *Il se* ***baiss*** *pour franchir la porte.* Fin XIe s. ; lat. pop. °*bassiare* du bas lat. *bassus,* « bas » ; [bese].

**BAISSIER,** subst. m.
*Bourse.* Spéculateur qui escompte une baisse de cours. 1829 ; ☞ *baisse* ; [bɛsje].

**BAISSIÈRE,** subst. f.
Enfoncement, dans un champ labouré, retenar l'eau de pluie. Fin XIIe s. ; ☞ *baisser* ; [besjɛʀ].

**BAJOUE,** subst. f.
**1.** Partie latérale de la tête de certains animau (veau, porc, etc.). **2.** Ext. Grosse joue pendante Fin XIVe s. ; formé de *bas* (I) et de *joue* ; [baʒu].

**BAJOYER,** subst. m.
**1.** *Trav. publ.* Partie latérale d'une chambre d'éclus **2.** Ext. Butée d'un pont ; mur consolidant les berge d'un cours d'eau. 1751 ; crois. de *bajoue* et d *jouyer* (vx), « bajoyer » ; [baʒwaje].

**BAKCHICH,** subst. m.
Fam. Pourboire ; pot-de-vin. Mil. XIXe s. ; tur *bakšiš,* « pourboire », du persan *baxšeš,* « don » ; [bakʃiʃ

**BAKÉLITE,** subst. f. inv.
*Chim.* Résine synthétique obtenue par condensatio d'un phénol avec l'aldéhyde formique, imitar l'ambre ou l'écaille. 1907 ; anthropon. *L. H. Baek land,* son inventeur ; n. déposé ; [bakelit].

**BAKLAVA,** subst. m.
Gâteau oriental au miel et aux amandes. 1853 mot turc ; [baklava].

**BAL,** subst. m.
**1.** Réunion dansante. ▸ Loc. *Conduire le* ***bal*** : dirige une action. **2.** Lieu où l'on se réunit pour danse XIIe s. ; anc. fr. *baller,* « danser » ; plur. *bals* ; [bal

**BALADE,** subst. f.
Fam. Action de se balader ; parcours ainsi effectu 1855 ; ☞ *balader* ; [balad].

**BALADER,** verbe trans. [3]
Fam. Promener : ***Balader*** *son chien.* **Pronom.** S promener. ▸ Par ell. du pron. *Envoyer* ***balader*** *qqn* le rejeter, s'en débarrasser. 1836 (1422, chante des ballades) ; ☞ *ballade* ; [balade].

**BALADEUR, EUSE,** adj. et subst.
**Adj.** Qui se balade, ne reste pas en place : *Humeu* ***baladeuse*** ; *Main* ***baladeuse*** (fam.). **Subst. fém. 1.** Pe tite voiture à bras de marchand ambulant. **2.** Lamp électrique portative munie d'un très long fi **Subst. masc. 1.** Poste de radio, lecteur portatif d bandes magnétiques ou de disques compacts **2.** *Autom.* Pignon mobile. **3.** *Horlog.* Roue monté sur un axe et pouvant prendre deux positions 1846 (1455, escroc) ; ☞ *balader* ; [baladœʀ, øz

**BALADIN,** subst. m.
**1.** Vx. Danseur d'intermèdes burlesques. **2.** Ext Tout saltimbanque, bouffon ou comédien ambu lant. Mil. XVIe s. ; ☞ *ballade,* p.-ê d'apr. l'anc. f *galopin,* « messager » ; [baladɛ̃].

© C. Lenars-Explorer

*Le balafon, un instrument de musique traditionnel d'Afrique de l'Ouest.*

**BALAFON, subst. m.**
*Mus.* Instrument à percussion africain, formé de lames et de calebasses creuses (synon. *marimba*). 1688 ; malinké *bala*, « instrument de musique », et *fo*, « parler, jouer d'un instrument » ; [balafɔ̃].

**BALAFRE, subst. f.**
**1.** Longue blessure causée par une arme tranchante, en partic. au visage. **2.** Méton. La cicatrice de cette blessure. 1505 ; crois. de l'anc. fr. *leffre*, « lèvre », et de *balèvre*, « lèvre inférieure », par anal. entre les lèvres d'une plaie et celles du visage ; [balafʀ].

**BALAFRÉ, ÉE, adj. et subst.**
Adj. Marqué d'une ou de plusieurs balafres. Subst. Personne au visage **balafré**. ▸ *Le Balafré* : surnom du duc Henri Ier de Guise. 1546 ; p. p. de *balafrer* ; [balafʀe].

**BALAFRER, verbe trans.** [3]
Marquer d'une balafre. Déb. XVIe s. ; ☞ *balafre* ; [balafʀe].

**BALAI, subst. m.**
**1.** Ustensile de nettoyage servant à chasser ou à rassembler la poussière, à pousser les détritus, composé d'un long manche auquel est fixé un faisceau de fibres ou une brosse. ▸ *Balai mécanique* : ensemble de brosses rotatives montées sur un petit chariot placé au bout d'un manche. ▸ Loc. *Coup de balai* : licenciement massif du personnel d'une entreprise ; *Du balai !* : dehors, à la porte ! (fam.). **2.** Dernier autobus, métro ou train qui transporte les voyageurs attardés (fam.). ▸ *Sp. Voiture-balai* (voir ce mot). **3.** Anal. ▸ *Aéron.* Levier de commande longitudinale et latérale d'un avion (aussi appelé *manche à balai*). ▸ *Autom. Balai d'essuie-glace* : lame de caoutchouc qui nettoie le pare-brise. ▸ *Électr.* Pièce conductrice assurant le contact entre un organe tournant et un organe fixe, par frottement. ▸ *Fauconn.* et *Vén.* Queue d'un oiseau de proie ; extrémité de la queue d'un chien. **4.** Année d'âge (fam.) : *Il a quarante balais.* Fin XIIe s. ; prob. breton *balazu*, « genêt » ; [balɛ].

**BALAI-BROSSE, subst. m.**
Balai muni d'une brosse, gén. en chiendent. Mil. XXe s. ; comp. de *balai* et de *brosse* ; plur. *balais-brosses* ; [balɛbʀɔs].

**BALAIS, adj. m.**
*Minér.* D'une couleur rose ou violacée, en parlant d'un rubis. Déb. XIIIe s. ; lat. médiév. *balascius*, du topon. persan *Badaxšān*, auj. région d'Afghanistan ; [balɛ].

**BALAISE, voir BALÈZE**

**BALALAÏKA, subst. f.**
*Mus.* Instrument d'origine russe, à trois cordes pincées (accordées par quartes), à caisse triangulaire et à manche long. 1768 ; mot russe ; [balalaika].

**BALANCE (I), subst. f.**
**1.** Instrument qui sert à peser, à mesurer la masse d'un corps par comparaison avec une masse étalon : *Balance romaine, de Roberval, à plateaux* ; par ext., tout dispositif de pesée : *Balance automatique, électronique.* **2.** Anal. Petit filet de pêche dont la forme rappelle le plateau d'une **balance** et que l'on utilise pour pêcher les crustacés. **3.** Fig. Action de juger ; fait de comparer des évènements, des situations : *La balance de la Justice.* ▸ Loc. *Mettre en balance* : peser le pour et le contre ; *Faire pencher la balance en faveur de qqn, d'une idée* : intervenir en sa faveur ; *Mettre tout son poids dans la balance* : user de toute son influence. **4.** *Astron. La Balance* : constellation de l'hémisphère austral. **5.** *Astrol.* Septième signe du zodiaque (23 septembre-22 octobre) ; par méton. : *Une Balance*, personne née sous ce signe. **6.** *Écon. Balance commerciale* : solde des exportations et des importations d'un État ; *Balance des comptes* : solde des créances et des dettes d'un État ; *Balance des paiements* : document comptable présentant toutes les opérations d'échange (biens, services, capitaux) d'un État avec l'extérieur. **7.** *Techn. Balance de Coulomb* : appareil de précision servant à mesurer des forces de très faible intensité ; *Balance de courant* : appareil de mesure électrique ; *Balance sonore* : dispositif de réglage de l'intensité sonore entre plusieurs voies d'un amplificateur. Fin XIIe s. ; lat. pop. **bilancia*, du lat. *bis*, « deux fois », et *lanx*, « plateau » ; [balɑ̃s].

**BALANCE (II), subst. f.**
Argot. Personne qui dénonce un criminel ; indicateur ; mouchard. V. 1930 ; ☞ *balancer* ; [balɑ̃s].

**BALANCÉ, ÉE, adj. et subst. m.**
Adj. Équilibré, harmonieux : *Les phrases balancées de Bossuet.* ▸ *Une femme bien balancée* : bien faite (fam.). Subst. Mouvement de balancement : *Le balancé d'un cheval au trot.* ▸ *Chorégr.* Pas exécuté en se balançant d'un pied sur l'autre, sans se déplacer. XXe s. ; p. p. de *balancer* ; [balɑ̃se].

**BALANCELLE (I), subst. f.**
*Mar.* Embarcation à voile, utilisée en Méditerranée, pointue à ses extrémités et équipée d'avirons. 1823 ; génois *barancella*, crois. de *paransella*, « bateau de pêche », et de *bansa*, « balance » ; [balɑ̃sɛl].

**BALANCELLE (II), subst. f.**
Banquette de jardin abritée par un toit en tissu et mobile comme une balançoire. V. 1930 ; ☞ *balance* (I) ; [balɑ̃sɛl].

**BALANCEMENT, subst. m.**
**1.** Mouvement alternatif par lequel un corps s'écarte de part et d'autre de son point d'équilibre. **2.** Fig. Indécision, hésitation. **3.** État d'équilibre, d'harmonie : *Le balancement des lignes d'un dessin.* **4.** *Spéc.* ▸ *Méd. Balancement organique, fonctionnel* : équilibre, compensation entre deux organes, deux fonctions. ▸ *Océanogr. Zone de balancement des marées* : partie de la côte que la mer recouvre et découvre, zone intertidale. 1487 ; ☞ *balancer* ; [balɑ̃smɑ̃].

**BALANCER, verbe** [4]
Trans. **1.** Imprimer à (qqch., qqn) un mouvement de balancier, de va-et-vient : *Balancer les bras* ; *Balancer un berceau.* **2.** Fig. et Vieilli. Comparer, mettre en balance : *Balancer le pour et le contre* ; compenser, contrebalancer : *Le pouvoir de l'Assemblée nationale balance celui du gouvernement.* **3.** Équilibrer, rendre harmonieux : *Balancez vos phrases, votre style en sera meilleur.* **4.** Fam. Lancer, jeter : *De rage, elle balança le verre contre le mur* ; par anal. : *Balancer une gifle.* ▸ Fig. *Balancer une nouvelle sur les ondes* : la communiquer ; *Balancer son amant* : s'en débarrasser. **5.** Dénoncer (argot.). Intrans. **1.** Osciller : *La barque balance sur l'eau.* **2.** Être dans l'incertitude : *Entre les deux, mon cœur balance.* Pronom. **1.** Se mouvoir alternativement d'un côté à l'autre : *Ne te balance pas sur ta chaise !* ; empl. abs., faire de la balançoire. **2.** *S'en balancer* : s'en moquer (fam.). Mil. XIIe s. ; ☞ *balance* (I) ; [balɑ̃se].

© S. Frances-Explorer

*Pirogue à* **balancier**.

**BALANCIER, subst. m.**
**1.** Pièce dont les oscillations assurent la régulation d'un mécanisme : *Balancier d'une horloge.* **2.** Anal. ▸ Longue perche utilisée par les funambules pour se maintenir en équilibre. ▸ Ensemble de pièces de bois fixées en dehors d'une embarcation pour la stabiliser : *Balancier d'une pirogue.* **3.** *Techn.* Machine qui servait à frapper les monnaies. **4.** *Zool.* Chacun des deux petits appendices qui, chez les insectes diptères, remplacent les ailes postérieures et assurent l'équilibre pendant le vol. 1601 ; ☞ *balancer* ; [balɑ̃sje].

**BALANCINE, subst. f.**
**1.** *Mar.* Filin qui, du haut d'un mât, sert à soutenir ou à régler un espar. **2.** *Aéron.* Lame d'acier ou roulette placée au bout des ailes d'un avion, servant à le stabiliser quand il se déplace au sol. 1516 ; ☞ *balancer* ; [balɑ̃sin].

**BALANÇOIRE, subst. f.**
Dispositif permettant de se balancer. ▸ *Balançoire à bascule* : longue planche de bois en équilibre sur un pivot, à chaque extrémité de laquelle s'assoit une personne. ▸ *Balançoire de portique* : siège suspendu par des cordes (synon. vieilli *escarpolette*). 1530 ; ☞ *balancer* ; [balɑ̃swaʀ].

© Giraudon

La **Balançoire**, *peinture d'Auguste Renoir (1841-1919). Musée d'Orsay, Paris.*

**BALANE, subst. f.**
*Zool.* Crustacé cirripède vivant dans une cavité cylindrique, fixé sur les rochers littoraux (synon. *gland de mer*). 1551 ; lat. *balanus*, du gr. *balanos*, « gland de chêne », par anal. ; [balan].

**BALANITE, subst. f.**
*Pathol.* Inflammation affectant la muqueuse recouvrant le gland. 1823 ; lat. *balanus*, « gland », + *-ite* ; [balanit].

**BALATA, subst.**
Masc. *Bot.* Arbre d'Amérique tropicale qui fournit une gomme. Fém. Méton. Cette gomme, que l'on utilise pour fabriquer des objets durs. 1722 ; prob. mot tupi ; [balata].

**BALAYAGE, subst. m.**
**1.** Action de balayer. **2.** Légère décoloration de la chevelure, mèche par mèche. **3.** *Techn.* Fait de parcourir une surface, en parlant d'un faisceau d'électrons : *Microscope à balayage* ; *Balayage d'un écran de télévision.* 1633 ; ☞ *balayer* ; [balɛjaʒ].

**BALAYER, verbe trans.** [15]
**1.** Nettoyer (le sol) avec un balai : *Balayer la cour.* **2.** Enlever à l'aide d'un balai (ce qui recouvre le sol) : *Balayer les gravats.* ▸ Loc. *Balayer devant sa porte* : mettre de l'ordre dans ses propres affaires, plutôt que de s'occuper de celles des autres. **3.** Ext. ▸ Emporter, éliminer : *La crue a tout balayé.* ▸ Parcourir, explorer (un espace, une surface) : *Un rayon balaie le ciel.* **4.** Fig. Repousser : *Balayer les préjugés*, s'en débarrasser (fam.). Fin XIIIe s. ; ☞ *balai* ; [baleje].

**BALAYETTE, subst. f.**
Petit balai. XIIIe s. ; ☞ *balai* ; [balɛjɛt].

**BALAYEUR, EUSE,** subst.
Personne chargée de balayer les rues. **FÉM.** Machine servant à balayer la chaussée. XIIIe s. ; ☞ *balayer* ; [balɛjœʀ, øz].

**BALAYURES,** subst. f. plur.
Poussière et détritus amassés au moyen d'un balai. Fin XIVe s. ; ☞ *balayer* ; [balɛjyʀ].

**BALBOA,** subst. m.
Unité monétaire de la République de Panamá. [balbɔa].

**BALBUTIEMENT,** subst. m.
**1.** Fait de balbutier ; paroles balbutiées. **2.** Début hésitant, tâtonnement (gén. au plur.) : *Les* ***balbutiements*** *d'un art.* 1750 ; ☞ *balbutier* ; [balbysimɑ̃].

**BALBUTIER,** verbe [6]
**INTRANS. 1.** Parler difficilement en butant sur chaque mot, comme si l'on bégayait. **2.** Tâtonner, en être à ses débuts, en parlant d'une technique, d'une science. **TRANS.** Formuler avec gêne ou hésitation : ***Balbutier*** *des excuses, quelques mots d'anglais.* Fin XIVe s. ; lat. *balbutire* ; [balbysje].

**BALBUZARD,** subst. m.
*Zool.* Oiseau de proie de l'ordre des Falconiformes, appelé parfois aigle pêcheur. 1170 ; angl. *bald buzzard*, « buse chauve » ; [balbyzaʀ].

© F. Polking-Jacana

*Le* ***balbuzard****, rapace diurne, se nourrit de poissons.*

**BALCON,** subst. m.
**1.** *Archit.* Plate-forme débordant la façade d'un bâtiment, entourée d'une balustrade et communiquant avec l'intérieur ; par ext., la balustrade. **2.** Galerie d'une salle de spectacle. **3.** *Mar.* Rambarde de sécurité située à la proue ou à la poupe d'un yacht. 1404 ; ital. *balcone* ; [balkɔ̃].

**BALCONNET,** subst. m.
**1.** *Archit.* Balustrade de protection servant d'appui à une fenêtre. **2.** Soutien-gorge dégageant le haut de la poitrine. 1926 ; ☞ *balcon* ; [balkɔnɛ].

**BALDAQUIN,** subst. m.
**1.** *Archit.* Petite construction composée d'un dais et de colonnes, placée gén. au-dessus d'un trône, d'un autel ou d'un catafalque. **2.** Structure légère munie de tentures, placée au-dessus d'un lit. 1352 ; ital. *baldacchino*, « drap de soie », du topon. *Bagdad* (Iraq) ; [baldakɛ̃].

**BALE,** voir **BALLE (I)**

**BALEINE,** subst. f.
**1.** *Zool.* Cétacé de très grande taille (jusqu'à 30 m et plus de 150 t), dont la bouche est garnie de fanons et qui se nourrit de plancton : ***Baleine*** *à bosse*, rorqual ; ***Baleine*** *franche*, à museau étroit. **2.** Lame flexible, autrefois tirée des fanons de la **baleine**, qui sert à renforcer un corset ; par ext., armature d'un parapluie. **3.** Loc. *Rire comme une* ***baleine*** : rire à gorge déployée (fam.). Fin XIe s. ; lat. *ballaena*, du gr. *phallaina* ; [balɛn].

**BALEINÉ, ÉE,** adj.
Garni de baleines, en parlant d'un corset, d'un parapluie. 1364 ; ☞ *baleine* ; [balɛne].

**BALEINEAU,** subst. m.
Petit de la baleine. 1694 ; ☞ *baleine* ; [balɛno].

**BALEINIER, IÈRE,** adj. et subst.
*Mar.* **ADJ.** Relatif à la pêche à la baleine : *Port* ***baleinier****.* **SUBST. FÉM.** Embarcation légère, longue et pointue, équipée pour le harponnage des baleines ; par anal., canot de même forme, placé aujourd'hui sur de gros navires. **SUBST. MASC.** Navire équipé pour la chasse et le traitement en mer des baleines ; par méton., marin embarqué sur un tel navire. Fin XIVe s. ; ☞ *baleine* ; [balɛnje, jɛʀ].

**BALÉNOPTÈRE,** subst. m.
*Zool.* Nom scientifique du rorqual, lequel, à la différence de la baleine franche, possède un aileron dorsal. 1820 ; ☞ *baleine* + *-ptère* ; var. *un baleinoptère* ; [balenɔptɛʀ].

**BALÈSE,** voir **BALÈZE**

**BALÈVRE,** subst. f.
*Constr.* **1.** Saillie d'un élément sur une surface. **2.** Bavure sur une surface à lisser : *Poncer les* ***balèvres*** *d'un enduit.* XIIe s. ; ☞ *lèvre* ; [balɛvʀ].

**BALÈZE,** adj.
Fam. Fort ; empl. subst. : *Un grand* ***balèze****.* 1927 ; prov. *balès*, « grotesque » ; var. *balèse, balaise* ; [balɛz].

**BALISAGE,** subst. m.
Action de baliser ; son résultat. 1467 ; ☞ *baliser* ; [balizaʒ].

**BALISE (I),** subst. f.
**1.** Dispositif (fixe ou flottant, optique, sonore ou radioélectrique) signalant les limites d'une voie et ses dangers. **2.** *Aéron.* et *Mar.* Émetteur radioélectrique permettant de connaître une position. **3.** *Informat.* En photocomposition ou dans un logiciel de traitement de texte, repère permettant d'attribuer des caractéristiques à un élément dûment identifié. 1475 ; port. *baliza*, du lat. *palus*, « pieu » ; [baliz].

**BALISE (II),** subst. f.
Fruit du balisier. 1832 ; ☞ *balisier* ; [baliz].

**BALISER,** verbe [3]
**TRANS.** Marquer, jalonner de balises. **INTRANS.** Avoir peur (fam.). XVe s. ; ☞ *balise* (I) ; [balize].

**BALISEUR,** subst. m.
**1.** Personne chargée de poser et d'entretenir des balises. **2.** *Mar.* Navire équipé pour la pose et l'entretien de balises. 1516 ; ☞ *baliser* ; [balizœʀ].

**BALISIER,** subst. m.
*Bot.* Plante tropicale de la famille des Cannacées, à fleurs décoratives, dont le rhizome est riche en féculents et dont les graines, noires et brillantes, servent à faire des chapelets. 1651 ; prob. caraïbe *baliri* ; [balizje].

**BALISTE,** subst.
**FÉM.** *Hist.* Machine de guerre utilisée, de l'Antiquité au Moyen Âge, pour lancer des projectiles et des traits. **MASC.** *Zool.* Poisson osseux tropical dont l'aiguillon dorsal se dresse comme une **baliste**. 1546 ; lat. *ballista*, du gr. *ballein*, « lancer » ; [balist].

**BALISTICIEN, IENNE,** subst.
Spécialiste de la balistique. 1907 ; ☞ *balistique* ; [balistisjɛ̃, jɛn].

**BALISTIQUE,** adj. et subst. f.
**ADJ.** Relatif aux projectiles : *Trajectoire* ***balistique*** ; *Engin* ***balistique****,* fusée, missile. **SUBST.** Science du mouvement des projectiles et, en gén., des corps soumis à la force gravitationnelle. 1647 ; lat. sc. *ballistica*, du lat. *ballista*, « baliste » ; [balistik].

**BALIVAGE,** subst. m.
*Sylvic.* Marquage des arbres à épargner lors d'une coupe. 1669 ; ☞ *baliveau* ; [balivaʒ].

**BALIVEAU,** subst. m.
**1.** *Sylvic.* Jeune arbre préservé lors d'une coupe afin qu'il puisse croître en futaie. **2.** *Constr.* Perche dressée comme support vertical d'un échafaudage. 1274 ; p.-ê. anc. fr. *baif*, « étonné » ; [balivo].

**BALIVERNE,** subst. f.
Propos ou écrit futile, gén. erroné (souv. au plur.) : *Trêve de* ***balivernes*** *! passons aux choses sérieuses !* 1464 ; orig. obsc. ; [balivɛʀn].

**BALKANIQUE,** adj.
Des Balkans. 1886 ; topon. *Balkans* ; [balkanik].

**BALKANISATION,** subst. f.
*Pol.* Morcellement d'une entité territoriale et politique en plusieurs petits États. 1941 ; ☞ *balkanique* ; [balkanizasjɔ̃].

**BALKANISER,** verbe trans. [3]
*Pol.* Fragmenter par balkanisation. V. 1960 ; topon. *Balkans* ; [balkanize].

**BALLADE,** subst. f.
**1.** Vx. Poème chanté et destiné à la danse. **2.** *Litt.* ▸ Poème composé de strophes égales suivies d'un refrain, qui se termine par un envoi et dont la forme s'est fixée au XIVe s. ▸ Poème de forme libre inspiré de thèmes historiques ou légendaires. **3.** *Mus.* Composition libre, souv. pour piano, s'inspirant d'une **ballade** : *Les* ***ballades*** *de Chopin.* Mil. XIIIe s. ; anc. prov. *ballar*, « danser » ; [balad].

**BALLANT, ANTE,** adj. et subst. m.
**SUBST. 1.** *Mar.* Extrémité libre d'un cordage amarré. **2.** Oscillation d'un objet : *Le chariot, trop chargé, avait du* ***ballant****.* **ADJ.** Qui se balance, qui pend. ▸ Loc. *Rester les bras* ***ballants*** : demeurer inactif. XVIIe s. ; p. pr. de *baller* ; [balɑ̃, ɑ̃t].

**BALLAST,** subst. m.
**1.** *Mar.* Lest composé de graviers, de cailloux. ▸ Compartiment étanche servant, sur un navire, au lestage, au transport de l'eau, des carburants ou, sur un sous-marin, au réglage de la plongée. **2.** *Ch. de fer.* Remblai de pierres concassées servant d'assise aux traverses des voies ferrées ; le matériau de ce remblai. 1375 ; mot m. bas all. ; [balast].

**BALLASTER,** verbe trans. [3]
**1.** *Mar.* Équilibrer (un navire) en remplissant ou

1

© S. Cordier-Jacana

2

© M. Le Coz-Explorer

1. ***Baleine*** *à bosse.*

2. ***Balise*** *en cours d'entretien.*

en vidant ses ballasts. **2.** *Ch. de fer.* Garnir de ballast (une voie ferrée). 🕮 1859 ; ☞ *ballast* ; [balaste].

**BALLE (I), subst. f.**
*Bot.* Pellicule qui enveloppe les grains des céréales. 🕮 Déb. XIIIe s. ; p.-ê. gaul. °*balu* ; var. *bale* ; [bal].

**BALLE (II), subst. f.**
Gros paquet de marchandises enveloppées et ficelées. 🕮 Fin XIIIe s. ; anc. bas frq. °*balla* ; [bal].

**BALLE (III), subst. f.**
**1.** Petite sphère, gén. élastique, utilisée dans de nombreux sports et jeux : *Balle de tennis, de golf.* **2.** Loc. *Saisir la **balle** au bond* : réagir avec à-propos ; *Renvoyer la **balle*** : répondre avec vivacité ; *Se renvoyer la **balle*** : se rejeter mutuellement une responsabilité. ▸ *Enfant de la **balle*** : personne dont les parents étaient comédiens, musiciens ou saltimbanques. **3.** *Arm.* Projectile de faible calibre. 🕮 1534 ; ital. du Nord *balla* ; [bal].

**BALLE (IV), subst. f.**
Franc (fam.) : *Rends-moi mes mille **balles** !* 🕮 1797 (1655, livre) ; prob. *balle* (III) ; [bal].

**BALLER, verbe intrans.** [3]
**1.** Vx. Danser, sauter. **2.** Balancer, osciller (vieilli) : *Ses jambes **ballaient** dans le vide.* 🕮 Fin XIIe s. ; bas lat. *ballare*, « danser » ; [bale].

**BALLERINE, subst. f.**
**1.** Danseuse de ballet. **2.** Chaussure de femme, légère, plate et échancrée, évoquant un chausson de danse. 🕮 1858 ; ital. *ballerina*, de *ballare*, « danser » ; [balʀin].

**BALLET, subst. m.**
**1.** Spectacle chorégraphique et musical conçu pour la scène et présenté seul ou comme intermède d'une pièce de théâtre ou d'un opéra. ▸ *Compagnie de **ballet(s)*** ou, par ell., ***Ballet(s)*** : troupe montant de tels spectacles. ▸ *Corps de **ballet*** : l'ensemble des danseurs attachés à un théâtre, à l'exclusion des étoiles. ▸ ***Ballet** blanc* : typique du style romantique et caractérisé par les vaporeux tutus blancs des danseuses. **2.** Méton. *Mus.* Partition écrite pour un ballet. **3.** Anal. Ensemble d'évolutions évoquant une danse : ***Ballet** diplomatique* ; ***Ballet** d'hélicoptères.* 🕮 1598 ; ital. *balletto*, de *ballo*, « bal » ; [balɛ].
DANSE – Le ballet occidental a son origine dans le divertissement de cour italien de la Renaissance, qui se répand dans toute l'Europe, du masque élisabéthain au fastueux *Ballet comique de la reine*, commandé par Henri IV en 1581. Le mariage de la chorégraphie, de la scénographie et de la musique s'accomplit grâce à Lully, créateur de la comédie-ballet et de l'opéra-ballet. Le XVIIIe s. donne à la danse un support narratif, avec les « ballets en action » de Noverre, et fixe les canons d'un art qui culminera à l'ère romantique avec *Giselle* (1841). Puis le ballet, devenu un ingrédient obligé de l'opéra, s'enlise dans l'académisme, malgré Delibes, qui lui rend une belle fraîcheur (*Coppélia*, 1870). Grâce au Français Marius Petipa et à Tchaïkovski (*le Lac des cygnes*, 1877, *Casse-Noisette*, 1892), le ballet classique brille de ses derniers feux en Russie, d'où viendra le renouveau, avec les Ballets russes de Diaghilev, qui inaugurent à Paris, en 1909, l'ère du ballet moderne, ouvert à toutes les formes d'art novatrices. Multiplication des troupes à travers le monde, éclectisme d'un répertoire allant du néoclassicisme à l'avant-garde caractérisent les décennies suivantes, qui aboutiront tant au raffinement de Roland Petit qu'à la pureté stylistique de George Balanchine ou à l'efficacité de Jerome Robbins. Plus austères, les recherches de Martha Graham, commencées dès les années trente, se poursuivront avec Merce Cunningham, tandis que Maurice Béjart entend faire du ballet une sorte de célébration collective accessible au plus large public et que la violence grinçante de Pina Bausch apparaît parfaitement accordée aux sensibilités de la fin de ce siècle.

**BALLETOMANE, adj. et subst.**
Amateur fervent de ballet. 🕮 1931 ; ☞ *ballet* + *-mane*[2] ; var. *ballettomane* ; [balɛtɔman].

**BALLON (I), subst. m.**
**1.** Vessie de caoutchouc gonflée d'air et gainée, en gén. de cuir, que l'on utilise dans de nombreux jeux d'équipe : *Le **ballon** rond du football, ovale du rugby.* **2.** Vessie en caoutchouc léger, gonflée d'air ou d'un gaz qui lui permet de s'envoler, avec laquelle jouent les enfants : ***Ballon** de baudruche.* **3.** *Aéron.* Aérostat

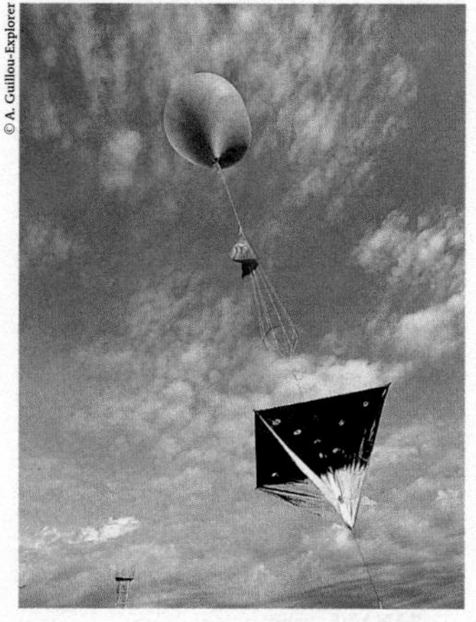


*Ballon-sonde.*

gonflé d'un gaz plus léger que l'air. ▸ ***Ballon** dirigeable* (☞ *dirigeable*). ▸ ***Ballon** d'essai* : ballon lancé pour connaître la direction du vent ou, au fig., expérience isolée destinée à sonder l'opinion. **4.** *Chim.* et *Biol.* Vase de verre de forme sphérique utilisé en laboratoire ; par ext. : *Un verre **ballon**,* verre à boire de cette forme ; par méton. : *Un **ballon** de beaujolais.* **5.** *Méd.* ***Ballon** d'oxygène* : réservoir contenant de l'oxygène ou, au fig., ce qui a un effet revivifiant. **6.** *Techn.* ***Ballon** d'eau chaude* : chauffe-eau électrique muni d'un réservoir. 🕮 1557 (1549, bombe pour les feux d'artifice) ; ital. du Nord *bal(l)one* ; [balɔ̃].

**BALLON (II), subst. m.**
*Géogr.* Montagne des Vosges, au sommet arrondi : *Le **ballon** d'Alsace.* 🕮 1561 ; all. *Belchen* ; [balɔ̃].

**BALLONNÉ, ÉE, adj.**
**1.** Qui est gonflé, distendu, en parlant du ventre. **2.** *Chorégr.* *Pas **ballonné*** : petit saut effectué sur une seule jambe, l'autre étant levée et effectuant des battements. 🕮 1835 ; p. p. de *ballonner* ; [balɔne].

**BALLONNEMENT, subst. m.**
Gonflement de l'abdomen dû à l'accumulation de gaz intestinaux. 🕮 1835 ; ☞ *ballonner* ; [balɔnmɑ̃].

**BALLONNER, verbe trans.** [3]
Produire le ballonnement de : *Les sodas **ballonnent** le ventre.* 🕮 1584 ; ☞ *ballon* (I) ; [balɔne].

**BALLONNET, subst. m.**
**1.** Petit ballon. **2.** *Météor.* Petit ballon de baudruche utilisé pour observer la force et la direction des vents. 🕮 1874 ; ☞ *ballon* (I) ; [balɔnɛ].

**BALLON-SONDE, subst. m.**
*Météor.* Ballon équipé pour l'étude météorologique de la haute atmosphère. 🕮 Fin XIXe s. ; comp. de *ballon* (I) et de *sonde* ; plur. *ballons-sondes* ; [balɔ̃sɔ̃d].

**BALLOT, subst. m.**
**1.** Petite balle ; paquet de marchandises ou de vêtements. **2.** Fig. et Fam. Lourdaud, imbécile ; empl. adj. : *Ça fait **ballot**.* 🕮 1406 ; ☞ *balle* (II) ; [balo].

**BALLOTE, subst. f.**
*Bot.* Plante à fleurs mauves, poussant gén. dans les décombres et dont la mauvaise odeur est caractéristique. 🕮 1545 ; gr. *ballôtê* ; [balɔt].

**BALLOTIN, voir BALLOTTIN**

**BALLOTTAGE, subst. m.**
**1.** Vx. Action de voter avec des petites boules, dites ballottes. **2.** Situation, dans un scrutin majoritaire à deux tours, où aucun candidat n'a obtenu la majorité absolue des suffrages exprimés. 🕮 1520 ; ☞ *ballotter* ; [balɔtaʒ].

**BALLOTTEMENT, subst. m.**
**1.** Mouvement d'un corps ballotté. **2.** Fig. Hésitation, indécision. 🕮 1829 (1586, élection au moyen de ballottes) ; ☞ *ballotter* ; [balɔtmɑ̃].

**BALLOTTER, verbe** [3]
TRANS. Secouer en tous sens, balancer : *La mer nous a **ballottés*** ; au fig. : *Voilà comment les hommes sont **ballottés** par la fortune* (Voltaire). INTRANS. Être secoué en tous sens. 🕮 1611 (1492, élire au moyen de ballottes) ; *ballotte* (vx), « petite boule » ; [balɔte].

**BALLOTTIN, subst. m.**
Emballage en carton pour confiseries. 🕮 Mil. XXe s. (1771, petit ballot) ; ☞ *ballot* ; var. *ballotin* ; [balɔtɛ̃].

**BALLOTTINE, subst. f.**
*Cuis.* Viande désossée et servie en rouleau. 🕮 1739 ; *ballotte* (vx), « petite boule » ; [balɔtin].

**BALL-TRAP, subst. m.**
**1.** Appareil à ressort qui lance en l'air des cibles en argile pour le tir au fusil. **2.** Cette pratique de tir. 🕮 Fin XIXe s. ; angl. *ball*, « balle », et *trap*, « ressort » ; plur. *ball-traps* ; [baltʀap].

**BALLUCHON, subst. m.**
Petit paquet de linge et d'effets personnels enveloppés dans un tissu noué. 🕮 1821 ; ☞ *balle* (II) ; var. *baluchon* ; [balyʃɔ̃].

**BALNÉAIRE, adj.**
Relatif aux bains de mer : *Station **balnéaire**,* lieu de vacances aménagé, situé au bord de la mer. 🕮 1865 ; lat. *balnearius* ; [balneɛʀ].

**BALNÉATION, subst. f.**
*Méd.* Immersion, partielle ou totale, du corps dans un milieu liquide (en gén. dans l'eau), à des fins thérapeutiques. 🕮 XVe s. ; lat. médiév. *balneatio* ; [balneasjɔ̃].

**BALNÉOTHÉRAPIE, subst. f.**
*Méd.* Traitement par les bains (d'eau douce ou salée, de boue, de soleil, etc.). 🕮 1865 ; lat. *balneum*, « bain », + *-thérapie* ; [balneoteʀapi].

**BALOURD, OURDE, subst. et adj.**
Se dit d'une personne maladroite, sans finesse ; par méton. : *Un air **balourd**.* SUBST. MASC. *Mécan.* Déséquilibre affectant une pièce tournante excentrée. 🕮 1482 ; m. fr. *bellourd*, « épais ; informe » ; [baluʀ, uʀd].

**BALOURDISE, subst. f.**
**1.** Caractère d'une personne, d'un comportement balourd. **2.** Méton. Propos ou action d'une personne balourde. 🕮 1640 ; ☞ *balourd* ; [baluʀdiz].

**BALSA, subst. m.**
*Bot.* Arbre de la famille des Bombacacées, dont le bois, très léger, est utilisé pour fabriquer des modèles réduits. 🕮 1752 ; mot esp. ; [balza].

**BALSAMIER, subst. m.**
*Bot.* Baumier. 🕮 1165 ; lat. *balsamum*, « baume » ; [balzamje].

**BALSAMINE, subst. f.**
*Bot.* Plante herbacée des régions tropicales et tempérées, de la famille des Balsaminacées, dont les capsules, une fois mûres, éclatent au moindre contact en projetant leurs graines. *Impatiens balsamina* est la **balsamine** des jardins. 🕮 1545 ; lat. *balsamum*, « baume » ; [balzamin].

**BALSAMIQUE, adj.**
Qui présente les propriétés du baume, en partic. ses propriétés odoriférantes ; qui contient un baume. 🕮 1516 ; lat. *balsamum*, « baume » ; [balzamik].

**BALTE, adj. et subst.**
De la mer Baltique et des pays qui la bordent (synon. vieilli *baltique*). ADJ. **1.** *Les langues **baltes*** ou, empl. subst. masc., *Le **balte*** : groupe de langues indo-européennes (lituanien, letton, etc.). **2.** *Les pays **baltes*** : Lettonie, Estonie, Lituanie. 🕮 1928 ; ☞ *baltique* ; [balt].

**BALTHAZAR, subst. m.**
**1.** Festin somptueux et très animé (littér.). **2.** Méton. Bouteille de champagne équivalant à seize bouteilles normales. 🕮 1851 ; anthropon. *Balthazar*, dernier roi de Babylone ; var. *balthasar* ; [baltazaʀ].

**BALTIQUE, adj.**
Balte (vieilli). 🕮 1751 ; all. *baltisch*, du topon. lat. *Baltis*, « Scandinavie » ; [baltik].

**BALUCHON, voir BALLUCHON**

**BALUSTRADE, subst. f.**
**1.** *Archit.* Alignement de balustres réunis par une tablette à hauteur d'appui. **2.** Ext. Tout garde-corps ajouré. 🕮 Mil. XVIe s. ; ital. *balaustrata* ; [balystʀad].

**BALUSTRE, subst. m.**
**1.** *Archit.* Colonnette courte et renflée, gén. assemblée en série et soutenant une tablette d'appui. **2.** Anal. Colonnette ornant le dossier d'une chaise. **3.** *Compas à **balustre*** ou, par ell., *Un **balustre*** : compas à réglage de précision. 🕮 1529 ; ital. *balaustro*, du lat. *balaustium*, « fleur du grenadier sauvage » ; [balystʀ].

**BALZACIEN, IENNE,** adj.
Qui est propre à Honoré de Balzac ou à son œuvre. 1872 ; anthropon. *Honoré de Balzac* ; [balzasjɛ̃, jɛn].

**BALZAN, ANE,** adj. et subst. f.
ADJ. *Cheval balzan* : qui porte une tache blanche au bas des membres. SUBST. Tache blanche qui caractérise un cheval **balzan**. Mil. XVIe s. ; ital. *balzano* ; [balzɑ̃, an].

**BAMBARA,** subst. et adj.
De l'ethnie des Bambaras, peuple d'Afrique occidentale. SUBST. MASC. Langue du groupe mandé parlée en Afrique de l'Ouest. Fin XIXe s. ; [bɑ̃baʀa].

**BAMBIN, INE,** subst.
Jeune enfant. 1575 ; ital. *bambino* ; [bɑ̃bɛ̃, in].

**BAMBOCHADE,** subst. f.
1. *B.-a.* Tableau représentant une scène rustique, grotesque ou burlesque. 2. Ext. Débauche festive, ripaille (fam. et vieilli). 1747 ; ital. *bambocciata*, de *Bamboccio*, « le Pantin », surnom du peintre Pieter Van Laer, maître de ce genre ; [bɑ̃bɔʃad].

**BAMBOCHE (I),** subst. f.
Grande marionnette (vx). 1680 ; ital. *bamboccio*, « pantin » ; [bɑ̃bɔʃ].

**BAMBOCHE (II),** subst. f.
Ripaille, fête (fam. et vieilli) : *Faire **bamboche***. Fin XVIIIe s. ; ☞ *bambochade* ; [bɑ̃bɔʃ].

**BAMBOCHER,** verbe intrans. [3]
Faire la fête (fam. et vieilli). Déb. XIXe s. ; ☞ *bamboche* (II) ; [bɑ̃bɔʃe].

**BAMBOU,** subst. m.
1. *Bot.* Poacée arborescente à tige cylindrique ligneuse jalonnée de nœuds cloisonnants, qui peut atteindre 40 m de hauteur. 2. Loc. fam. *Coup de **bambou*** : insolation ; facture excessive. 1598 ; port. *bambu*, d'une langue de l'ouest de l'Inde ; [bɑ̃bu].

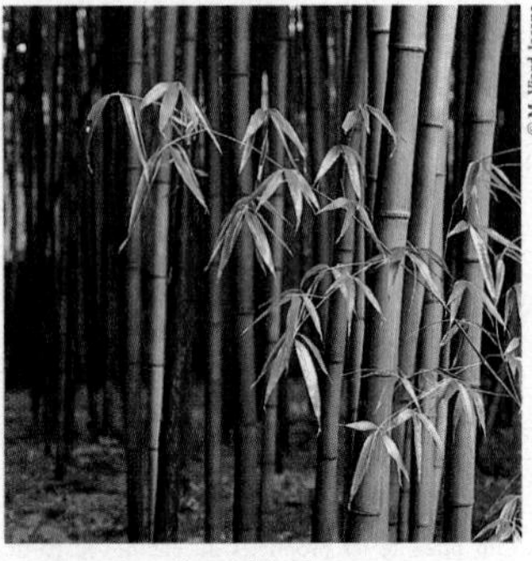
© M. Viard-Jacana

*Bosquet de **bambous**.*

**BAMBOULA,** subst.
MASC. Vx. Tambour africain. FÉM. Danse africaine (vx). ► Loc. *Faire la **bamboula*** : faire la fête (fam.). 1688 ; guinéen *kam-bumbulu*, « tambour » ; [bɑ̃bula].

**BAMBOUSERAIE,** subst. f.
Plantation de bambous. Mil. XXe s. ; ☞ *bambou* ; [bɑ̃buzʀɛ].

**BAN (I),** subst. m.
I. 1. *Féod.* Proclamation publique d'un suzerain, en partic. pour convoquer ses vassaux à la guerre. ► Ext. Ceux qui ont été ainsi convoqués ; au fig. : *Convoquer le **ban** et l'arrière-**ban***, faire appel à tous. 2. Proclamation administrative fixant le début de certains travaux agricoles ; par ext. : *Faire publier les **bans***, annoncer un mariage, une naissance. 3. *Milit.* Mouvement de tambour qui accompagne une annonce, une cérémonie ; au fig., salve d'applaudissements : *Un **ban** pour le cuisinier !* II. *Hist.* 1. Condamnation à l'exil. 2. Dans le Saint Empire romain, déchéance des droits d'un prince ; par ext. : *Être au **ban** de la société*, être rejeté et méprisé. Déb. XIIe s. ; anc. bas frq. °*ban*, « loi dont la transgression entraîne une peine » ; [bɑ̃].

**BAN (II),** subst. m.
*Hist.* Titre du gouverneur dans les marches slaves du royaume de Hongrie. 1697 ; serbo-croate *ban*, « maître » ; [bɑ̃].

**BANAL, ALE, ALS** ou **AUX,** adj.
1. *Féod.* Que les vassaux étaient obligés d'utiliser, contre une redevance versée au seigneur : *Un four, un moulin **banal***. 2. Commun, sans originalité, ordinaire (souv. péj.) : *Une **banale** histoire de voisinage* ; empl. subst. masc. : *Sombrer dans le **banal***. 1247 ; ☞ *ban* (I) ; plur. *banaux* au sens 1, *banals* au sens 2 ; [banal], plur. [-nal] ou [-no].

**BANALEMENT,** adv.
De manière banale. 1280 ; ☞ *banal* ; [banalmɑ̃].

**BANALISATION,** subst. f.
Action de banaliser ; son résultat. 1906 ; ☞ *banaliser* ; [banalizasjɔ̃].

**BANALISER,** verbe trans. [3]
1. *Dr.* Placer sous le droit commun (des locaux, un terrain, etc.). 2. Rendre banal, ordinaire. ► ***Banaliser** une voiture de police* : lui enlever tout signe distinctif. 3. *Ch. de fer.* ***Banaliser** une voie* : l'équiper pour une circulation à double sens. 1842 ; ☞ *banal* ; [banalize].

**BANALITÉ,** subst. f.
1. *Féod.* Droit du seigneur d'imposer à ses sujets l'usage de moyens lui appartenant (moulin, four, pressoir, etc.), en échange d'une redevance. 2. Caractère de ce qui est banal : *La **banalité** de ses pensées* ; par méton. : *Débiter des **banalités***, des évidences, des clichés. 1555 ; ☞ *banal* ; [banalite].

**BANANE,** subst. f.
1. Fruit du bananier, baie allongée, à peau jaune, plus ou moins farineuse et sucrée, qui pousse en régimes. La variété la plus fine est la figue-**banane**, de taille plus petite que la **banane** ordinaire. 2. Anal. ► Décoration militaire (fam.). ► Butoir de pare-chocs d'une voiture. ► Mèche gominée portée au-dessus du front. ► Sorte de sac à courroie, que l'on porte ceinturé autour de la taille. ► *Électr.* Fiche mâle à broche unique. 3. Loc. *Peau de **banane*** : obstacle mis sournoisement sur la route de qqn. 1598 ; port. *banana*, prob. d'orig. bantoue ; [banan].

**BANANERAIE,** subst. f.
Plantation de bananiers. 1838 ; ☞ *bananier* ; [bananʀɛ].

**BANANIER, IÈRE,** subst. m. et adj.
SUBST. 1. *Bot.* Plante herbacée de la famille des Musacées, cultivée pour ses fruits (bananes) groupés en régimes. 2. *Mar.* Cargo climatisé servant à transporter les bananes. ADJ. Qui a trait à la culture et au commerce des bananes. ► *Pol. République **bananière*** : démocratie apparente, régie en fait par les intérêts privés de grandes sociétés commerciales. 1604 ; ☞ *banane* ; [bananje, jɛʀ].

**BANAT,** subst. m.
Circonscription administrative gouvernée par un ban : ***Banat** de Temesvár*. 1838 ; ☞ *ban* (II) ; [bana].

**BANC,** subst. m.
1. Siège étroit et allongé où peuvent tenir assises plusieurs personnes : *Un **banc** public* ; *Les **bancs** de l'école*. 2. Ext. Siège réservé : *Le **banc** des ministres*, à l'Assemblée nationale ; *Le **banc** des accusés*, au tribunal. 3. *Techn.* Assemblage de bois ou de métal utilisé en artisanat ou dans l'industrie : ***Banc** de menuisier* ; ***Banc** de montage*. ► ***Banc** d'essai* : bâti sur lequel on place les moteurs pour les tester ou, au fig., épreuve à laquelle est soumis un débutant. 4. Anal. ► Amas de matériaux divers formant une couche : ***Banc** de sable, d'argile*. ► ***Banc** de poissons* : regroupement de poissons d'une même espèce. XIe s. ; lat. pop. °*bancus*, du germ. °*bank* ; [bɑ̃].

**BANCABLE,** adj.
*Fin.* Se dit d'un titre de créance pouvant être réescompté par la Banque de France. 1877 ; ☞ *banque* ; var. *banquable* ; [bɑ̃kabl].

**BANCAIRE,** adj.
Qui se rapporte à la banque : *Le secteur **bancaire***. Déb. XIXe s. ; ☞ *banque* ; [bɑ̃kɛʀ].

**BANCAL, ALE, ALS,** adj. et subst. m.
ADJ. 1. Qui a les jambes tordues ; qui boite. 2. Anal. Se dit d'un objet instable : *Une table **bancale***. 3. Fig. Déséquilibré, manquant de rigueur : *Un raisonnement **bancal***. SUBST. Sabre de cavalerie à lame courbe (argot milit.). 1747 (1426, étoffe servant à recouvrir un banc) ; anc. prov. *bancal* ; [bɑ̃kal].

**BANCHE,** subst. f.
*Bât.* Panneau de coffrage utilisé pour construire des murs en pisé ou en béton ; le coffrage lui-même. 1785 (1484, fond marin) ; ☞ *banc* ; [bɑ̃ʃ].

**BANCHER,** verbe trans. [3]
*Bât.* Coffrer (un voile, un mur) à l'aide de banches. 1953 ; ☞ *banche* ; [bɑ̃ʃe].

**BANCO,** adj. et subst. m.
ADJ. Vx. Se disait d'une monnaie dont la valeur ne dépendait pas du change. SUBST. *Tenir le **banco*** ou *Faire **banco*** : tenir seul l'enjeu contre la banque, au baccara par ex. ► Empl. interj. ***Banco** !* : exclamation annonçant cette décision. 1679 ; ital. *banco*, « banque » ; [bɑ̃ko].

**BANCOULIER,** subst. m.
*Bot.* Arbre du genre aleurite dont le fruit fournit une huile comestible. 1808 ; topon. *Bancouler* (Sumatra) ; [bɑ̃kulje].

**BANCROCHE,** adj.
1. Vx. Boiteux. 2. Bancal (fam.). 1730 ; crois. de *bancal* et de *croche* (I), « crochu » ; [bɑ̃kʀɔʃ].

**BANC-TITRE,** subst. m.
*Cin.* et *Télév.* Dispositif permettant l'incrustation de textes sur une image filmée. Comp. de *banc* et de *titre* ; plur. *bancs-titres* ; [bɑ̃titʀ].

**BANDAGE,** subst. m.
1. Bande de métal ou de caoutchouc dont on entoure la jante d'une roue. 2. Application d'une bande de tissu sur une blessure ou une partie du corps ; par méton., le résultat obtenu ou la bande ainsi utilisée. 3. Action de tendre : *Le **bandage** d'un arc*. Déb. XVIe s. ; ☞ *bander* ; [bɑ̃daʒ].

**BANDAGISTE,** subst.
Personne qui fabrique, qui vend des bandages chirurgicaux. 1701 ; ☞ *bandage* ; [bɑ̃daʒist].

**BANDANA,** subst. m.
Petit carré de coton, imprimé d'un motif particulier. V. 1980 ; hindi *bandhnu* ; [bɑ̃dana].

**BANDANT, ANTE,** adj.
Vulg. Qui provoque une excitation sexuelle, une érection ; au fig., passionnant. 1920 ; p. pr. de *bander* ; [bɑ̃dɑ̃, ɑ̃t].

**BANDE (I),** subst. f.
1. Morceau de tissu, de papier, de métal ou de matière plastique long et étroit, utilisé pour panser, renforcer, lier, protéger, décorer, etc. ► ***Bande** molletière* : tissu dont les soldats s'entouraient les mollets. ► ***Bande** Velpeau* : tissu élastique utilisé pour panser des blessures. 2. Ruban en matériaux divers utilisé comme support. ► ***Bande** perforée* : ruban cartonné ou en matière plastique, sur lequel des informations étaient codées au moyen de perforations. ► ***Bande** magnétique* : utilisée pour enregistrer des sons, des images, des données numérisées, etc. ► ***Bande** vidéo* : conçue pour des enregistrements audiovisuels. 3. Zone étroite et allongée : ***Bande** de terrain*. 4. Bord élastique d'un billard. ► Loc. *Par la **bande*** : indirectement. 5. *Archit.* ***Bande** lombarde* : type de décoration des façades dans l'art roman. 6. *Litt.* ***Bande** dessinée (B. D.)* : forme complexe alliant la planche et la case, le texte et l'image, le mouvement et la fixité pour raconter une histoire. 7. *Hérald.* Pièce honorable qui va de l'angle droit du chef à l'angle gauche de la pointe. 8. *Milit.* Dispositif d'assemblage des munitions d'une arme automatique. 9. *Phys.* ***Bande** de fréquences* : zone du spectre hertzien. Déb. XIIe s. ; frq. °*binda*, « lien » ; [bɑ̃d].

LITTÉRATURE – La première bande dessinée date de 1827 ; on la doit au Genevois Rodolphe Töpffer. Elle sera suivie, en 1889, par les œuvres de Christophe (*la Famille Fenouillard, le Sapeur Camember*...). En 1905, Pinchon crée le personnage de Bécassine. La même année, les États-Unis découvrent la bande dessinée de qualité, avec *Little Nemo*, de Winsor McCay, qui sera suivi à partir de 1912 par *Flash Gordon*, d'Alex Raymond, *Mandrake*, de Lee Falk et Phil Davis, *Popeye*, de Segar... Dans le Vieux Monde, l'année 1925 est celle de la bulle, qui apparaît pour la première fois dans *Zig et Puce*, d'Alain Saint-Ogan. En 1929 Hergé inaugure les aventures de Tintin. C'est l'âge d'or de la B. D. franco-belge, qui a maintenant ses hebdomadaires (*Tintin, Spirou*...). Blake et Mortimer, Lucky Luke, les Schtroumpfs, Spirou, Gaston Lagaffe... sont autant de personnages qui ont vu le jour dans les années quarante et cinquante, et auxquels sont associés les noms d'Edgar P. Jacobs, de Morris, de Peyo, de Franquin... En France, à partir de 1959, le journal *Pilote* consacre des auteurs tels que Goscinny et Uderzo (*Astérix*), Greg (*Achille Talon*), Cabu (*le Grand Duduche*), Gotlib... Après

DES HÉROS DE LA BANDE DESSINÉE

1. *Bécassine, de Pinchon et Caumery, 1905.* © Éd. Gautier-Languereau

2. *Little Nemo, de Winsor McCay, 1905.*

3. *Mickey (dessin animé, 1928), d'Ub Iwerks et Walt Disney, 1930.* © The Walt Disney Compagny

4. *Félix le Chat (dessin animé, 1919), d'Otto Messmer, 1923.*

5. *Zorro, d'Alex Toth et Johnston McCulley, 1990.*

6. *Popeye, d'Elzie Cr. Segar, 1929.*

7. *Gaston, d'André Franquin, 1957.*

8. *Corto Maltese* (Fable de Venise), *d'Hugo Pratt, 1967.*

9. *Lucky Luke, de Morris, 1946.*

10. *John Difool, de Moebius et Jodorowsky, 1980.*

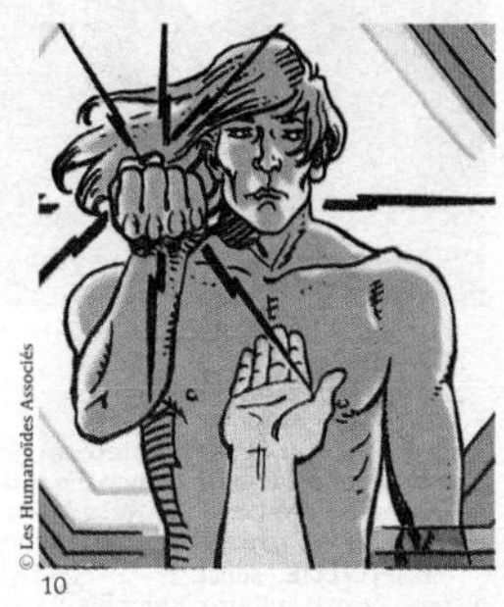


1968, les mensuels se multiplient, ainsi que les collections d'albums : la B. D. a rejoint le monde du livre. D'abord destinée à la jeunesse, elle s'adresse à présent aussi aux adultes, qui ne tardent pas à lui reconnaître le titre d'art à part entière, le neuvième.

**BANDE (II),** subst. f.
**1.** Troupe de soldats réunis sous une même bannière. **2.** Anal. Réunion de personnes ayant des points communs : *Une **bande** d'escrocs, d'écoliers* ; par ext., pour renforcer une injure collective : *Bande d'assassins !* **3.** Groupe d'animaux vivant ensemble. **4.** Loc. *Faire **bande** à part* : se tenir à l'écart. 1360 ; anc. prov. *banda*, « troupe, compagnie » ; [bɑ̃d].

**BANDE (III),** subst. f.
*Mar.* **1.** Côté (vx). **2.** Inclinaison prise par un navire déséquilibré par sa cargaison ou par le vent : *Donner de la **bande**.* Déb. XVIe s. (fin XIVe s., côte maritime) ; anc. prov. *banda*, « bord, lisière » ; [bɑ̃d].

**BANDÉ, ÉE,** adj.
*Hérald.* Qui est décoré de bandes : *Un écu **bandé**.* 1690 ; ☞ *bande* (I) ; [bɑ̃de].

**BANDE-ANNONCE,** subst. f.
*Cin.* et *Télév.* Montage d'extraits d'un film, d'une émission, projeté à des fins publicitaires avant diffusion intégrale. XXe s. ; comp. de *bande* (I) et de *annonce* ; plur. *bandes-annonces* ; [bɑ̃danɔ̃s].

**BANDEAU,** subst. m.
**1.** Bande (gén. de tissu) servant à ceindre le front ; serre-tête. ▸ ***Bandeau** royal* : diadème. **2.** Ext. Morceau d'étoffe dont on couvre les yeux de qqn pour l'empêcher de voir. ▸ Loc. *Se mettre un **bandeau** sur les yeux* : s'abuser. **3.** *Archit.* Moulure plate et unie qui entoure une baie de porte, de fenêtre. **4.** *Presse.* Titre placé au-dessus de la manchette d'un journal. Fin XIIe s. ; ☞ *bande* (I) ; [bɑ̃do].

**BANDELETTE,** subst. f.
**1.** Petite bande de tissu. **2.** *Archit.* Moulure plate et étroite. 1377 ; ☞ *bande* (I) ; [bɑ̃dlɛt].

**BANDER,** verbe trans. [3]
**1.** Entourer et serrer (qqch.) avec une bande : ***Bander** un bras blessé.* **2.** Couvrir d'un bandeau (les yeux de qqn). **3.** Ext. Tendre avec effort : ***Bander** la corde d'un arc* ; ***Bander** ses muscles* ; empl. abs., avoir une érection (vulg.). Mil. XIIe s. ; ☞ *bande* (I) ; [bɑ̃de].

**BANDERILLE,** subst. f.
*Taurom.* Dard enrubanné planté par le torero dans le garrot du taureau. 1782 ; esp. *banderilla* ; [bɑ̃dʀij].

**BANDERILLERO,** subst. m.
*Taurom.* Torero qui plante des banderilles pour affaiblir le taureau. 1783 ; mot esp. ; [bɑ̃d(e)ʀijeʀo].

**BANDEROLE,** subst. f.
**1.** Petite bannière terminée en double pointe, arborée au sommet d'un mât, d'une lance, etc. **2.** Anal. Longue bande de tissu qui porte des inscriptions : *Les **banderoles** des manifestants.* 1446 ; ital. *banderuola* ; [bɑ̃dʀɔl].

**BANDE-SON,** subst. f.
*Cin.* Bande magnétique sur laquelle sont enregistrés les sons d'un film ; par ext., l'ensemble des sons d'un film. XXe s. ; comp. de *bande* (I) et de *son* (II) ; plur. *bandes-son* ; [bɑ̃dsɔ̃].

**BANDICOOT,** subst. m.
*Zool.* Genre de petit mammifère marsupial d'Australie, insectivore, ressemblant à un gros rat et capable de sauter à la manière des kangourous. Télougou *pandi-kuku*, « cochon-rat » ; [bɑ̃dikut].

**BANDIT,** subst. m.
**1.** Vx. Banni, hors-la-loi. **2.** Personne qui vit d'actes criminels : *Un **bandit** de grands chemins.* **3.** Ext. Personne à la morale douteuse : *Ce financier est un **bandit**.* ▸ *Petit **bandit*** : enfant coquin, par exagér. hypocoristique. 1621 ; ital. *bandito* ; [bɑ̃di].

**BANDITISME,** subst. m.
Pratique de bandit ; ensemble des actes commis par des bandits. 1853 ; ☞ *bandit* ; [bɑ̃ditism].

**BANDONÉON,** subst. m.
Petit accordéon de forme hexagonale, mis au point par l'Allemand Heinrich Band vers 1840, utilisé surtout dans les orchestres de tango. 1928 ; anthropon. *Heinrich Band* ; [bɑ̃dɔneɔ̃].

**BANDOULIÈRE, subst. f.**
Bande de cuir ou de tissu qui sert à suspendre une arme, un sac, etc. ▸ Loc. *En* **bandoulière** : pendu de l'épaule à la hanche opposée. 1586 ; catalan *bandolera*, de *bandoler*, « bandit » ; [bɑ̃duljɛʀ].

**BANG, interj. et subst. m.**
Interj. Onomatopée exprimant le bruit d'une explosion, d'un coup de feu. Subst. *Bang supersonique* : déflagration résultant du dépassement de la vitesse du son par un avion. Mil. XXe s. ; onomat. angl. ; plur. *bang(s)* ; [bɑ̃g].

**BANIAN, subst. m.**
**1.** Membre d'une caste brahmanique de commerçants. **2.** *Bot.* Nom d'un figuier de l'Inde de la famille des Moracées, aux racines adventives aériennes, appelé aussi figuier des **banians**, parce que les commerçants tamouls s'installaient à l'ombre de cet arbre. 1575 ; tamoul *vāṇiyan*, « commerçant » ; [banjɑ̃].

© M. Tracy-Jacana

*Banian.*

**BANJO, subst. m.**
*Mus.* Instrument à cordes pincées, proche de la guitare, composé d'un long manche et d'une caisse de résonance tendue d'une membrane. 1858 ; anglo-amér. *banjo*, prob. de l'esp. *bandurria* ; [bɑ̃(d)ʒo].

**BANLIEUE, subst. f.**
**1.** *Féod.* Espace autour d'une ville, large d'environ une lieue, où un juge proclamait les bans. **2.** Ext. Ensemble des localités qui environnent une grande ville : *Une* **banlieue** *industrielle.* ▸ Abs. *La* **banlieue** : celle de Paris. **3.** Belg. Train omnibus. 1185 ; formé de *ban* (I) et de *lieue* ; [bɑ̃ljø].

**BANLIEUSARD, ARDE, subst. et adj.**
Adj. Relatif à la banlieue. Subst. Habitant de la banlieue. 1900 ; ☞ *banlieue* ; [bɑ̃ljøzaʀ, aʀd].

**BANNE, subst. f.**
**1.** Vx. Charrette. **2.** Ext. Bâche servant d'auvent à une devanture. **3.** Anal. Grand panier d'osier. Fin XIIe s. ; bas lat. *benna*, « chariot en osier » ; [ban].

**BANNERET, subst. m.**
*Féod.* Seigneur ayant assez de vassaux pour les mener au combat sous sa propre bannière. 1283 ; ☞ *bannière* ; [banʀɛ].

**BANNETON, subst. m.**
**1.** Coffre percé et immergé, utilisé pour conserver des poissons vivants. **2.** Panier d'osier sans anse dans lequel le boulanger fait lever son pain. 1284 ; ☞ *banne* ; [bantɔ̃].

**BANNETTE, subst. f.**
**1.** Petit panier d'osier. **2.** *Mar.* Couchette. XIIIe s. ; ☞ *banne* ; [banɛt].

**BANNI, IE, adj. et subst.**
Se dit d'une personne exilée, proscrite. 1209 (fin XIe s., convoqué par ban) ; p. p. de *bannir* ; [bani].

**BANNIÈRE, subst. f.**
**1.** *Féod.* Enseigne sous laquelle se rangeaient les vassaux d'un seigneur en guerre. **2.** Ext. Étendard de ralliement ; emblème d'un pays, d'un groupe. **3.** Loc. *C'est la croix et la* **bannière** : se dit d'une tâche difficile ; *Se ranger sous la* **bannière** *de qqn* : le suivre, le soutenir. Fin XIIe s. ; ☞ *ban* (I) ; [banjɛʀ].

© Giraudon

Les Noces de Corentin Le Guerveur et d'Anne-Marie Kerinvel, *peinture de Victor Marie Roussin (1812-1903). Un* **banquet** *traditionnel en Bretagne. Musée des Beaux-Arts, Quimper.*

**BANNIR, verbe trans.** [19]
**1.** Condamner à quitter un territoire (littér.). **2.** Fig. Écarter, exclure, chasser : **Bannir** *toute crainte* ; **Bannir** *le confort de sa vie.* 1204 (fin XIe s., convoquer par ban) ; anc. bas frq. *°bannjan*, « convoquer des troupes » ; [baniʀ].

**BANNISSEMENT, subst. m.**
*Dr.* Condamnation à l'exil ; sa durée. Déb. XIIIe s. ; ☞ *bannir* ; [banismɑ̃].

**BANQUABLE, voir BANCABLE**

**BANQUE, subst. f.**
**1.** Établissement public ou privé spécialisé dans le commerce de l'argent, la gestion des fonds, les prêts, achats, paiements, etc. ; par méton., le siège de cet établissement : **Banque** *centrale* ; **Banque** *d'émission*, qui émet la monnaie ; **Banque** *de France* ; *Compte en* **banque** ; *Succursale d'une* **banque**. **2.** *Informat.* **Banque** *de données* : ensemble de données numérisées, gérées et classées. **3.** *Jeux.* Somme d'argent dont dispose le meneur de certains jeux pour payer ceux qui gagnent contre lui. **4.** *Méd.* Organisme qui recueille et conserve des organes et des matières organiques : **Banque** *du sang* ; **Banque** *du sperme* ; **Banque** *d'organes.* 1458 ; ital. *banca* ; [bɑ̃k].

**BANQUER, verbe intrans.** [3]
Payer (fam.). 1899 ; ☞ *banque* ; [bɑ̃ke].

**BANQUEROUTE, subst. f.**
**1.** *Dr.* Impossibilité délictuelle de tenir ses engagements financiers, de payer ce que l'on doit ; faillite. ▸ **Banqueroute** *d'État* : cessation du paiement des créances et des rentes par l'État. **2.** Fig. Échec complet : *Une existence en* **banqueroute**. 1466 ; ital. *bancarotta*, « banc rompu », car au Moyen Âge on cassait le comptoir du banquier en faillite ; [bɑ̃kʀut].

**BANQUEROUTIER, IÈRE, subst.**
Personne qui a fait banqueroute. 1536 ; ☞ *banqueroute* ; [bɑ̃kʀutje, jɛʀ].

*Baobab.*

© S. Cordier-Jacana

**BANQUET, subst. m.**
Festin, grand repas où de nombreux convives célèbrent un évènement : *Un* **banquet** *de mariage.* 1309 ; prob. ital. *banchetto*, « petit banc » ; [bɑ̃kɛ].

**BANQUETER, verbe intrans.** [14]
**1.** Participer à un banquet. **2.** Ext. Prendre part à un bon repas. Fin XIVe s. ; ☞ *banquet* ; [bɑ̃k(ə)te].

**BANQUETEUR, EUSE, subst.**
Personne qui a l'habitude de banqueter. 1532 ; ☞ *banqueter* ; [bɑ̃k(ə)tœʀ, øz].

**BANQUETTE, subst. f.**
**1.** Siège de forme allongée, avec ou sans dossier, rembourré ou canné. **2.** *Spéc.* ▸ *Archit.* Banc de pierre intégré à l'embrasure d'une fenêtre. ▸ *Milit.* **Banquette** *de tir* : talus de terre ménagé devant une tranchée pour abriter les tireurs. ▸ *Théâtre.* Banc placé sur les côtés d'une scène ; par ext. : *Jouer devant les* **banquettes**, devant une salle presque vide. ▸ *Trav. publ.* Chemin qui longe une voie ou muret qui borde une route de montagne. 1681 (1417, selle) ; anc. prov. *banqueta*, du fr. *banc* ; [bɑ̃kɛt].

**BANQUIER, IÈRE, subst.**
Personne se livrant au commerce de l'argent ; directeur ou propriétaire d'une banque. ▸ Ext. Personne qui prête de l'argent à une autre à titre privé (fam.). Masc. *Jeux.* Celui qui tient la banque. Mil. XIIIe s. ; ital. *banchiero* ; [bɑ̃kje, jɛʀ].

© Giraudon

Un **banquier** et sa femme, *peinture de Marinus Van Reymerswaele (v. 1493-1567). Musée des Beaux-Arts, Nantes.*

**BANQUISE, subst. f.**
Amas de glaces des régions polaires, provenant de la congélation de l'eau de mer : *La dérive de la* **banquise**. 1773 ; scand. *pakis*, de l'anc. nord. *pakki*, « paquet », et *iss*, « glace » ; [bɑ̃kiz].

**BANQUISTE, subst. m.**
Bateleur, saltimbanque ou forain. 1789 ; *banque* (vx), « tréteau de bateleur », de *banc* ; [bɑ̃kist].

**BANTOU, OUE, adj. et subst.**
Des Bantous, ensemble de peuples d'Afrique. Subst. masc. Groupe assez homogène de langues africaines parlées au sud de l'équateur, tel le swahili. 1885 ; bantou *bantu*, « hommes » ; [bɑ̃tu].

**BANTOUSTAN, subst. m.**
Territoire alloué aux ethnies bantoues, en Afrique du Sud. V. 1960 ; mot afrikaans ; [bɑ̃tustɑ̃].

**BANYULS, subst. m.**
Vin doux du Roussillon. 1891 ; topon. *Banyuls-sur-Mer* (Pyrénées-Orientales) ; [banuls].

**BAOBAB, subst. m.**
*Bot.* Arbre d'Afrique tropicale, de la famille des Bombacées, caractérisé par l'épaisseur de son tronc

(jusqu'à 6 ou 7 m de diamètre). Son bois est peu résistant et son fruit, le pain de singe, a la grosseur d'une orange. 1592 ; ar. *Abū Ḥibāb*, « Père aux graines », par métaph. ; [baɔbab].

**BAPTÊME,** subst. m.
**1.** *Relig.* Sacrement par lequel on entre dans la communauté des chrétiens : *Nom de **baptême**,* reçu au moment du **baptême** ; par méton., la cérémonie qui accompagne ce sacrement. **2.** Anal. Bénédiction d'un objet, d'un train, d'un bateau : *Le **baptême** du « Redoutable ».* **3.** Fig. Première expérience, initiation : *Il reçut son **baptême** du feu à Verdun,* c'est là qu'il combattit pour la première fois ; ***Baptême** de l'air,* premier vol. XI^e s. ; lat. chrét. *baptisma*, du gr. *baptisma*, « ablution, lavage rituel » ; [batɛm].

**BAPTISER,** verbe trans. [3]
**1.** *Relig.* Donner le baptême à. **2.** Ext. Donner un prénom à. **3.** Anal. Bénir (qqch.) et lui donner un nom : ***Baptiser** une rue, une cloche, un bateau.* **4.** Fam. Asperger ; empl. adj. : *C'est du lait **baptisé** !,* additionné d'eau. XI^e s. ; lat. chrét. *baptizare*, du gr. *baptizein*, « immerger » ; [batize].

**BAPTISMAL, ALE, AUX,** adj.
Qui est propre au baptême : *Fonts **baptismaux**,* bassin d'eau bénite utilisé pour les baptêmes. XII^e s. ; ☞ *baptême* ; [batismal, o].

**BAPTISME,** subst. m.
*Relig.* **1.** Doctrine d'après laquelle le baptême ne peut être administré qu'à des adultes et par immersion complète. **2.** Église protestante (aussi appelée *anabaptisme* par ses adversaires) fondée au XVII^e s., qui s'attache à une lecture littérale de la Bible. 1863 ; angl. *baptism*, du lat. chrét. *baptisma*, « baptême » ; [batism].

**BAPTISTAIRE,** adj.
Qui constate le baptême : *Registre **baptistaire** ; Extrait **baptistaire*** ou, empl. subst. masc., *Le **baptistaire**,* extrait de baptême. 1564 ; lat. chrét. *baptizare*, « baptiser » ; [batistɛʀ].

**BAPTISTE,** adj. et subst.
**Adj.** Relatif au baptisme : *École **baptiste**.* **Subst.** Adepte du baptisme. 1751 ; lat. chrét. *baptista*, « celui qui donne le baptême », nom donné à Jean ; [batist].

**BAPTISTÈRE,** subst. m.
Petite construction attenante à une cathédrale, à une basilique, où s'administre le baptême ; par ext., chapelle des fonts baptismaux. Fin XI^e s. ; lat. chrét. *baptisterium*, « fonts baptismaux » ; [batistɛʀ].

**BAQUET,** subst. m.
**1.** Petite cuve de bois servant à divers usages domestiques. **2.** Anal. *Siège-**baquet*** ou, par ell., ***Baquet*** : siège bas d'une voiture de sport ou de course. 1300 ; ☞ *bac* (I) ; [bakɛ].

**BAQUETURES,** subst. f. plur.
Vin qui tombe dans le baquet placé au-dessous du tonneau mis en perce. 1719 ; ☞ *baquet* ; [bak(ə)tyʀ].

**BAR (I),** subst. m.
*Zool.* Poisson téléostéen de la famille des Serranidés, appelé aussi loup ou loup de mer. Il vit dans l'Atlantique et la Méditerranée, et sa chair est très recherchée. Fin XII^e s. ; m. néerl. *baerse* ; [baʀ].

**BAR (II),** subst. m.
**1.** Débit de boissons où l'on consomme debout devant un long comptoir. ▸ ***Bar**-tabac* : café où l'on vend du tabac, des cigarettes. ▸ Loc. *Un pilier de **bar*** : personne qui fréquente assidûment les **bars**. **2.** Méton. Le comptoir d'un café ou d'un restaurant. ▸ Ext. Comptoir installé chez un particulier ; petit meuble dans lequel on range les boissons et les verres. 1833 ; angl. *bar*, apocope de *barroom*, de *bar*, « barre », et de *room*, « pièce » ; [baʀ].

**BAR (III),** subst. m.
*Métrol.* Unité légale de mesure de pression (symb. : bar) valant $10^5$ pascals, utilisée pour mesurer la pression atmosphérique. Déb. XX^e s. ; gr. *barus*, « lourd » ; [baʀ].

**BARAGOUIN,** subst. m.
Fam. Langage incorrect et inintelligible ; par ext., langue étrangère incompréhensible. 1532 (1391, étranger, barbare) ; prob. breton *bara*, « pain », et *gwin*, « vin » ; [baʀagwɛ̃].

**BARAGOUINAGE,** subst. m.
Manière de parler difficile à comprendre (fam.). 1546 ; ☞ *baragouiner* ; [baʀagwinaʒ].

**BARAGOUINER,** verbe [3]
Fam. **Trans.** Parler (une langue) de manière incorrecte, inintelligible : ***Baragouiner** l'italien.* **Intrans.** S'exprimer de manière incompréhensible pour les autres. 1578 ; ☞ *baragouin* ; [baʀagwine].

**BARAGOUINEUR, EUSE,** subst.
Personne qui baragouine (fam.). 1669 ; ☞ *baragouiner* ; [baʀagwinœʀ, øz].

**BARAKA,** subst. f.
Chance (fam.) : *Avoir la **baraka**.* 1912 ; ar. *baraka*, « bénédiction » ; [baʀaka].

**BARAQUE,** subst. f.
**1.** Construction rudimentaire, gén. en planches, servant d'abri provisoire ou de réserve utilitaire : *Une **baraque** de chasseurs ; Une **baraque** à outils.* **2.** Ext. Maison d'apparence misérable. ▸ Logement, maison au confort rudimentaire (fam.). **3.** Fam. Entreprise. ▸ Loc. *Casser la **baraque*** : ruiner les projets de qqn ou obtenir un vif succès. Déb. XVI^e s. ; catalan *barraca*, « hutte » ; [baʀak].

**BARAQUÉ, ÉE,** adj.
Fam. De carrure imposante ; empl. subst. masc. : *Un **baraqué**.* 1954 ; ☞ *baraque* ; [baʀake].

**BARAQUEMENT,** subst. m.
**1.** Ensemble de baraques, de logements improvisés, rudimentaires : *On installa à la hâte des **baraquements** pour les sinistrés.* **2.** *Milit.* Installation de troupes dans des baraques (vx). 1574 ; *baraquer* (rare), « loger dans des baraques » ; [baʀakmɑ̃].

**BARAQUER,** verbe intrans. [3]
S'agenouiller, en parlant d'un dromadaire, d'un chameau. 1937 ; ar. *baraka*, « s'agenouiller » ; [baʀake].

**BARATERIE,** subst. f.
**1.** Vx. Supercherie. **2.** *Dr. mar.* Manœuvre frauduleuse combinée par le capitaine ou l'équipage d'un navire au préjudice de ses armateurs ou de ses assureurs. 1306 ; anc. fr. *barater*, « tromper » ; [baʀatʀi].

**BARATIN,** subst. m.
Boniment, bavardage mensonger et flatteur (fam.) : *Faire son **baratin**.* 1926 (1911, portefeuille vide substitué par un complice) ; anc. fr. *barater*, « tromper » ; [baʀatɛ̃].

**BARATINER,** verbe [3]
Fam. **Trans.** Parler d'abondance pour convaincre, duper ou séduire (qqn) : *Le vendeur **baratina** longtemps sa cliente.* **Intrans.** Faire du baratin : *Arrête de **baratiner** !* 1911 ; ☞ *baratin* ; [baʀatine].

**BARATINEUR, EUSE,** subst. et adj.
Se dit d'un individu qui a l'habitude de baratiner (fam.). 1935 ; ☞ *baratiner* ; [baʀatinœʀ, øz].

**BARATTAGE,** subst. m.
Action de baratter (la crème du lait). 1845 ; ☞ *baratter* ; [baʀataʒ].

**BARATTE,** subst. f.
Récipient ou appareil servant au barattage. 1549 ; ☞ *baratter* ; [baʀat].

**BARATTER,** verbe trans. [3]
Battre (la crème du lait) pour obtenir le beurre. XVI^e s. ; anc. fr. *barater*, « s'agiter » ; [baʀate].

**BARBACANE,** subst. f.
**1.** *Fortif.* Au Moyen Âge, ouvrage avancé, percé de meurtrières, défendant un point stratégique (pont, passage) ; meurtrière. **2.** *Archit.* Ouverture étroite pratiquée dans un mur pour faciliter l'écoulement des eaux ou l'aération. Mil. XII^e s. ; prob. ar. ou persan ; [baʀbakan].

**BARBANT, ANTE,** adj.
Qui barbe, ennuyeux (fam.) : *Un voisin **barbant** ; Une soirée **barbante**.* 1907 ; p. pr. de *barber* ; [baʀbɑ̃, ɑ̃t].

**BARBAQUE,** subst. f.
Fam. Viande de boucherie de qualité inférieure ; par ext., toute viande. 1873 ; p.-ê. esp. du Mexique *barbacoa*, « gril servant à fumer la viande » ; [baʀbak].

**BARBARE,** adj. et subst.
**1.** *Antiq.* Se disait d'une personne étrangère au monde grec ou gréco-romain et, par anal., étrangère à la chrétienté : *Peuples **barbares*** ; par méton. : *Langue **barbare**.* **2.** Qualifie ou désigne qqn aux manières rudes et grossières, qui est peu policé : *Ce **barbare** n'a pas remercié ses hôtes* ; par méton. : *Des mœurs **barbares**.* **3.** Se dit d'une personne cruelle, féroce, impitoyable : *Des soldats **barbares*** ; par méton. : *Une coutume **barbare**.* **Adj.** Qui n'est pas conforme aux usages en vigueur, qui heurte le goût : *Un style **barbare**.* 1308 ; lat. *barbarus* ; [baʀbaʀ].

**BARBARESQUE,** adj. et subst.
De l'ancienne Barbarie (Afrique du Nord) : *États **barbaresques**,* États établis par les Turcs ottomans dans le Maghreb arabisé. 1611 (1556, barbare) ; ital. *barbaresco* ; [baʀbaʀɛsk].

**BARBARIE,** subst. f.
**1.** Cruauté ou violence exercée par un oppresseur : *Un acte de **barbarie**.* **2.** État de ce qui n'est pas civilisé : *Vivre dans la **barbarie**.* **3.** Manque de finesse heurtant les usages : ***Barbarie** de style, de langage.* 1495 ; lat. *barbaria*, d'abord empl. à propos de l'Italie par les Grecs ; [baʀbaʀi].

**BARBARISME,** subst. m.
Faute de langue qui se caractérise par l'emploi impropre ou la déformation d'un mot : *« Ils croivent » est un **barbarisme**.* Mil. XII^e s. ; lat. *barbarismus*, « expression vicieuse » ; [baʀbaʀism].

**BARBE (I),** subst. f.
**I. 1.** Ensemble de poils qui poussent sur le menton, la lèvre et les joues de l'homme : *Une **barbe** de huit jours,* qui n'a pas été rasée depuis huit jours. ▸ Ensemble de ces poils qu'on laisse pousser sur le menton et les joues : *Porter la **barbe** et la moustache.* **2.** Loc. fam. *Au nez et à la **barbe** de qqn* : ouvertement et comme pour le provoquer ; *Parler dans sa **barbe*** : marmonner ; *Avoir de la **barbe** au menton* : devenir adulte ; *La **barbe** !* : assez ! ; *Quelle **barbe** !* : quel ennui ! **II.** Anal. **1.** *Bot.* Pointe des épis de certaines poacées : ***Barbes** d'épis d'orge.* **2.** *Confis.* ***Barbe** à papa* : friandise faite de filaments de sucre enroulés autour d'un bâtonnet. **3.** *Techn.* ▸ Bavure sur un ouvrage métallique. ▸ Irrégularités sur les bords d'une feuille de papier. **4.** *Zool.* ▸ Touffe de longs poils qui poussent sous la mâchoire de certains animaux : ***Barbe** de bouc.* ▸ ***Barbes** de poisson* : nageoires cartilagineuses. ▸ ***Barbes** de baleine* : filaments des fanons. ▸ Chacun des filaments d'une plume d'oiseau. Mil. XI^e s. ; lat. *barba* ; [baʀb].

**BARBE (II),** subst. m.
Cheval de selle originaire d'Afrique du Nord ; en appos. : *Un cheval **barbe**.* 1534 ; ital. *barbero*, de *Barberia*, « Barbarie » ; [baʀb].

**BARBEAU (I),** subst. m.
**1.** *Zool.* Poisson d'eau douce à barbillons, de la famille des Cyprinidés, apprécié pour sa chair. **2.** Souteneur, proxénète (fam.). Fin XII^e s. ; lat. pop. °*barbellus*, « barbillon » ; [baʀbo].

**BARBEAU (II),** subst. m.
*Bot.* Autre nom du bleuet ; en appos. : *Une robe bleu **barbeau**.* 1642 ; ☞ *barbe* (I) ; [baʀbo].

**BARBECUE,** subst. m.
**1.** Appareil de cuisson permettant de griller des aliments en plein air. **2.** Méton. Repas en plein air où l'on utilise cet appareil. 1956 ; anglo-amér. *barbecue*, de l'hisp.-amér. *barbacoa* ; [baʀbəkju].

**BARBELÉ, ÉE,** adj.
Garni de pointes ou de barbes : *Une flèche **barbelée** ; Un fil de fer **barbelé*** ou, empl. subst. masc., *Un **barbelé**,* utilisé comme clôture ou pour défendre un accès. Déb. XII^e s. ; anc. fr. *barbel*, « pointe » ; [baʀbəle].

**BARBELURE,** subst. f.
Pointe, entaille dans le métal rappelant les barbes d'un épi (gén. au plur.) : *Les **barbelures** d'une flèche.* XIV^e s. ; anc. fr. *barbel*, « pointe » ; [baʀbəlyʀ].

**BARBER,** verbe trans. [3]
Fam. Ennuyer, déranger : *Ce film me **barbe** ! ; Tu me **barbes**.* **Pronom.** S'ennuyer. 1882 (1397, raser la barbe) ; ☞ *barbe* (I) ; [baʀbe].

**BARBET,** subst. m.
*Zool.* **1.** Chien d'arrêt à poil long et frisé, à l'origine gardien de troupeaux ; en appos. : *Chien **barbet**.* **2.** Nom vulgaire du barbeau (poisson). Fin XIII^e s. ; ☞ *barbe* (I) ; [baʀbɛ].

**BARBICHE,** subst. f.
Petite barbe effilée limitée au menton ; par anal. : *La **barbiche** de la chèvre.* 1842 (XVII^e s., petit chien) ; ☞ *barbe* (I) ; [baʀbiʃ].

**BARBICHETTE,** subst. f.
Petite barbiche (fam.). 1913 ; ☞ *barbiche* ; [baʀbiʃɛt].

**BARBICHU, UE,** adj.
Fam. Qui porte une barbiche ; empl. subst. masc. : *Un **barbichu**.* 1927 ; ☞ *barbiche* ; [baʀbiʃy].

**BARBIER,** subst. m.
Artisan dont le métier est de tailler ou de raser la barbe et les cheveux des hommes, et qui pratiquait autrefois certains actes chirurgicaux. Déb. XIII^e s. ; ☞ *barbe* (I) ; [baʀbje].

**BARBILLON, subst. m.**
1. *Zool.* Expansion cylindrique souple, à rôle sensoriel, que de nombreux poissons de la famille des Cyprinidés portent sous la bouche. 2. Jeune proxénète (fam.). 1371 ; ☞ *barbeau* (I) ; [baʀbijɔ̃].

**BARBITAL, subst. m.**
*Pharm.* Barbiturique à action lente. 1959 ; ☞ *barbiturique* ; plur. *barbitals* ; [baʀbital].

**BARBITURIQUE, adj. et subst. m.**
SUBST. *Chim.* et *Pharm.* Nom générique de dérivés de l'urée, dont le noyau (la malonyl-urée) a été synthétisé en 1863 par l'Allemand Baeyer. On connaît actuellement une vingtaine de molécules de **barbituriques**, utilisées comme hypnotiques, anxiolytiques, antiépileptiques ou anesthésiants. ADJ. Qualifie le radical chimique à la base des barbituriques : *Acide **barbiturique** ; Poison **barbiturique**.* 1864 ; angl. *barbituric*, de l'all. *Barbitursäure*, « acide barbiturique », et de *uric*, « urique » ; [baʀbityʀik].

**BARBITURISME, subst. m.**
*Pathol.* Intoxication par les barbituriques. 1953 ; ☞ *barbiturique* ; [baʀbityʀism].

**BARBON, subst. m.**
Vieillard (vieilli et péj.). XVIe s. ; ital. *barbone*, de *barba*, « barbe » ; [baʀbɔ̃].

**BARBOTAGE, subst. m.**
1. Action de barboter dans l'eau. 2. Eau additionnée de farine ou de son, dont on abreuve le bétail. 3. Action de voler, de dérober (fam.). 4. *Chim.* Passage d'un gaz à travers un liquide visant à le purifier, à le combiner à d'autres corps. XIXe s. (1562, remède de bonne femme) ; ☞ *barboter* ; [baʀbɔtaʒ].

**BARBOTE, subst. f.**
*Zool.* Nom commun de deux poissons d'eau douce, la lotte commune et la loche franche. Déb. XIIIe s. ; ☞ *barboter* ; var. *barbotte* ; [baʀbɔt].

**BARBOTER, verbe** [3]
INTRANS. 1. S'agiter, patauger dans l'eau, dans la vase, en parlant de certains oiseaux : *Les canards **barbotent**.* 2. Anal. Piétiner dans la boue ; par ext., s'amuser dans l'eau. 3. *Chim. Faire **barboter** un gaz* : le faire passer à travers un liquide. TRANS. Dérober, voler (fam.) : *Le chat avait **barboté** un morceau de poulet ; Je me suis fait **barboter** mon portefeuille.* Déb. XIIIe s. ; orig. obsc. ; [baʀbɔte].

**BARBOTEUR, EUSE, subst.**
1. Personne qui barbote dans l'eau. 2. Voleur, voleuse (fam.). FÉM. Vêtement d'enfant sans manches et à culotte courte légèrement bouffante. 1680 (1500, qui marmonne) ; ☞ *barboter* ; [baʀbɔtœʀ, øz].

**BARBOTIN, subst. m.**
1. *Mar.* Couronne de métal permettant d'entraîner la chaîne d'une ancre. 2. Anal. Roue dentée entraînant la chenille d'un véhicule tout-terrain. 1867 ; anthropon. *Barbotin*, capitaine de frégate ; [baʀbɔtɛ̃].

**BARBOTINE, subst. f.**
1. *Techn.* Pâte d'argile délayée dans de l'eau, servant à coller des éléments de décor ou à fabriquer des poteries par coulage. 2. Méton. Poterie décorée selon ce procédé. 1532 ; ☞ *barboter* ; [baʀbɔtin].

**BARBOTTE, voir BARBOTE**

**BARBOUILLAGE, subst. m.**
1. Action de barbouiller ; son résultat (synon. *barbouillis*). 2. Peinture grossièrement exécutée. 3. *Techn.* Couche de peinture appliquée à la brosse. 1588 ; ☞ *barbouiller* ; [baʀbujaʒ].

*Certains considèrent les tags comme de simples **barbouillages**.*

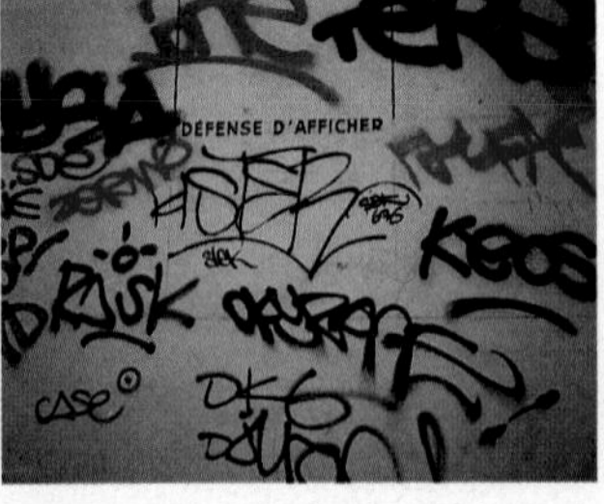


© S. Husain-Gamma

**BARBOUILLE, subst. f.**
Peinture médiocre (fam. et péj.). 1927 ; ☞ *barbouiller* ; [baʀbuj].

**BARBOUILLER, verbe trans.** [3]
1. Souiller, tacher : ***Barbouiller** d'encre un cahier.* ▸ ***Barbouiller** du papier* : écrire beaucoup ou, au fig., écrire des textes sans intérêt (fam.). 2. Couvrir grossièrement d'une couche de couleur : ***Barbouiller** une porte de peinture.* 3. Peindre de façon médiocre, sans art ni talent. 4. Fam. Rendre nauséeux ; par ext. : *Ce plat m'a **barbouillé** l'estomac.* XVe s. ; prob. *barboter*, d'apr. *souiller*, *brouiller* ; [baʀbuje].

**BARBOUILLEUR, EUSE, subst.**
Personne qui barbouille (un support) ; en partic., mauvais écrivain, piètre auteur (fam. et péj.). 1532 ; ☞ *barbouiller* ; [baʀbujœʀ, øz].

**BARBOUILLIS, subst. m.**
Barbouillage. ☞ *barbouiller* ; [baʀbuji].

**BARBOUZE, subst. f.**
Fam. 1. Barbe. 2. Membre d'un service secret, d'une police parallèle. 1926 ; ☞ *barbe* (I) ; [baʀbuz].

**BARBU, UE, adj. et subst.**
Se dit de qqn qui porte la barbe. ADJ. *Zool.* Pourvu de barbes, en parlant d'une plume d'oiseau. 1213 ; lat. *barbatus*, de *barba*, « barbe » ; [baʀby].

**BARBUE, subst. f.**
*Zool.* Poisson de mer plat à chair savoureuse, proche du turbot. XIIIe s. ; ☞ *barbu* ; [baʀby].

**BARBULE, subst. f.**
*Zool.* Petit crochet maintenant les barbes des plumes d'oiseau entre elles. 1838 ; lat. *barbula* ; [baʀbyl].

**BARCAROLLE, subst. f.**
1. Chanson des gondoliers vénitiens. 2. Ext. Pièce vocale ou instrumentale à trois ou six temps, évoquant les chansons des gondoliers : *Les « **Barcarolles** » de Fauré.* 1767 ; ital. *barcar(u)ola*, de *barcarolo*, « gondolier » ; [baʀkaʀɔl].

**BARCASSE, subst. f.**
*Mar.* 1. Embarcation peu fiable (péj.). 2. Grande barque utilisée pour le chargement ou le déchargement d'un navire qui ne peut se mettre à quai. 1820 ; p.-ê. ital. *barcaccia* ; [baʀkas].

**BARD, subst. m.**
Civière à claire-voie utilisée pour le transport à bras de marchandises. Fin XIIe s. ; orig. obsc. ; [baʀ].

**BARDA, subst. m.**
1. Paquetage d'un soldat (argot milit.). 2. Fam. Chargement que l'on transporte avec soi ; par ext., ensemble d'objets hétéroclites en désordre. 1848 ; ar. *barda'a*, « bât rembourré » ; [baʀda].

**BARDAGE, subst. m.**
1. Transport de fardeaux au moyen de bards ; transport de matériaux sur un chantier de construction. 2. *Constr.* Assemblage de bardeaux. 3. Assemblage de planches protégeant un ouvrage d'art. 1837 (1638, charge d'un bard) ; ☞ *barder* (II) ; [baʀdaʒ].

**BARDANE, subst. f.**
*Bot.* Plante astéracée, à fleurs pourpres, dont les fruits s'accrochent aux toisons des animaux et aux habits. Mil. XIIIe s. ; lat. médiév. *bardana* ; [baʀdan].

**BARDE (I), subst. f.**
1. Armure qui protégeait le cheval, au combat ou dans les tournois. 2. Anal. Fine tranche de lard enveloppant une pièce de viande ou une volaille qui doit être rôtie. XVe s. (1220, couverture d'âne faite de laine) ; ar. *barda'a*, « bât rembourré » ; [baʀd].

**BARDE (II), subst. m.**
Poète celte qui célébrait les héros et leurs exploits ; par ext., poète lyrique. 1512 ; lat. *bardus* ; [baʀd].

**BARDEAU (I), subst. m.**
Planchette servant à couvrir les toits ou les façades. Mil. XIVe s. ; orig. obsc. ; [baʀdo].

**BARDEAU (II), voir BARDOT**

**BARDER (I), verbe trans.** [3]
1. Vx. Protéger (un cheval ou un soldat) au moyen d'une armure. ▸ Fig. Garnir, couvrir à profusion ; empl. adj. : *Avoir la poitrine **bardée** de médailles ; Un texte **bardé** de citations.* 2. Renforcer : ***Barder** une vitrine d'un épais blindage.* ▸ Fig. Garantir, protéger : *Être **bardé** contre les coups du destin.* 3. *Cuis.* Entourer (une viande, une volaille, etc.) de tranches de lard. 1493 ; ☞ *barde* (I) ; [baʀde].

**BARDER (II), verbe trans.** [3]
Charger et transporter (qqch.) sur un bard : ***Barder** du fumier* ; par ext., transporter (des matériaux) sur un chantier. 1751 ; ☞ *bard* ; [baʀde].

**BARDER (III), verbe intrans.** [3]
Devenir dangereux, pénible (fam.) : *Ça va **barder** ; Ça **barde**.* 1894 (1889, en argot milit., trimer) ; orig. obsc. ; empl. impers. uniquement ; [baʀde].

**BARDIS, subst. m.**
*Mar.* Cloison de planches installée dans les cales d'un navire pour retenir les marchandises chargées en vrac. XVIe s. ; ☞ *bardeau* (I) ; [baʀdi].

**BARDIT, subst. m.**
Chant de guerre des anciens Germains. 1644 ; lat. *barditus* ; [baʀdi].

**BARDOT, subst. m.**
*Zool.* Hybride, gén. stérile, issu du croisement d'un cheval et d'une ânesse. 1367 ; ar. *barda'a*, « bât rembourré » ; var. *bardeau* (II) ; [baʀdo].

**BARÈME, subst. m.**
Répertoire de nombres permettant d'obtenir rapidement, par un système de correspondance, le résultat d'un calcul ; table de tarifs, de notes, etc. 1803 ; anthropon. *François Barrême*, mathématicien ; [baʀɛm].

**BARESTHÉSIE, subst. f.**
*Physiol.* Sensibilité des tissus profonds (os, muscles, etc.) à la pesanteur ou à la pression. Déb. XXe s. ; ☞ *bar* (III) + *-esthésie* ; [baʀɛstezi].

**BARGE (I), subst. f.**
*Mar.* 1. Bateau à fond plat ressemblant à une péniche et pouvant être équipé d'une voile ou d'un moteur. 2. Embarcation sans équipage, remorquée ou poussée par un autre navire et servant à transporter des marchandises. Déb. XIIe s. ; bas lat. *barca*, « barque » ; [baʀʒ].

**BARGE (II), subst. f.**
Région. (Centre et Ouest). Meule de foin rectangulaire. 1453 ; prob. gaul. °*barga* ; [baʀʒ].

**BARGE (III), subst. f.**
*Zool.* Oiseau échassier au long bec, habitant les marais, également appelé bécasse de mer. 1532 ; p.-ê. lat. pop. °*bardea* ; [baʀʒ].

**BARGUIGNER, verbe intrans.** [3]
Fam. 1. Vx. Marchander. 2. Hésiter : *Il n'y a pas à **barguigner**.* Fin XIIe s. ; lat. médiév. *barcaniare*, prob. d'orig. germ. ; [baʀgiɲe].

**BARIGOULE, subst. f.**
1. *Bot.* Nom usuel d'un champignon des bois, le lactaire délicieux. 2. *Cuis. Artichauts à la **barigoule*** : artichauts farcis d'un hachis de champignons, de lard et d'ail, que l'on barde et fait sauter dans l'huile d'olive. 1742 ; prov. *berigoulo*, prob. du lat. *maurucula*, « morille » ; [baʀigul].

**BARIL, subst. m.**
1. Petit tonneau ; par méton., son contenu. 2. *Métrol.* Unité de mesure de volume utilisée pour le pétrole (159 litres). Fin XIIe s. ; gallo-roman °*barriculus*, prob. dimin. de °*barrica*, « barrique » ; [baʀil].

**BARILLET, subst. m.**
1. Petit baril. 2. Pièce cylindrique appartenant à un mécanisme. ▸ *Arm. **Barillet** d'un révolver* : cylindre mobile dans lequel se placent les cartouches. ▸ *Horlog.* Boîte maintenant le ressort d'une montre ou d'une pendule. ▸ *Serr.* Bloc de sûreté de certaines serrures. Fin XIIe s. ; ☞ *baril* ; [baʀijɛ].

**BARIOLAGE, subst. m.**
Action de barioler ; son résultat. 1694 ; ☞ *barioler* ; [baʀjɔlaʒ].

**BARIOLÉ, ÉE, adj.**
1. Coloré de tons vifs et disparates, bigarré : *Un tapis **bariolé**.* 2. Hétérogène : *Un univers pittoresque, grouillant et **bariolé*** (Gilson). 1546 ; anc. fr. *barré* et *riolé*, « rayé » ; [baʀjɔle].

**BARIOLER, verbe trans.** [3]
Recouvrir ou peindre (qqch.) de couleurs vives, sans harmonie ; chamarrer. 1690 ; ☞ *bariolé* ; [baʀjɔle].

**BARJO, adj.**
Fam. Un peu fou, extravagant ; empl. subst. : *C'est un vrai **barjo** !* Déb. XXe s. ; verlan de *jobard* ; var. *barjot* ; [baʀʒo].

**BARLONG, ONGUE, adj.**
*Archit.* De forme rectangulaire et disposé perpendiculairement à l'axe du bâtiment. 1549 (fin XIIe s., très long) ; prob. lat. pop. °*bislongus*, « deux fois plus long que large » ; [baʀlɔ̃, ɔ̃g].

**BARLOTIÈRE, subst. f.**
Traverse en fer du châssis maintenant les panneaux d'un vitrail. 1791 ; ☞ *barre* ; [baʀlɔtjɛʀ].

1

2

3

4

5

LE BAROQUE EN ART ET EN ARCHITECTURE

1. *Autel de l'église de la Wies (Bavière, v. 1750), de style baroque et rococo.*

2. *Anges sculptés dans le marbre, détail du monument à Paolo di Sangro (XVIIIe s.), œuvre de Giulio Mencaglia. Chapelle Sansevero, Naples.*

3. Le Coup de lance, *peinture de Pierre Paul Rubens (1577-1640). Musée royal des Beaux-Arts, Anvers.*

4. *Sculptures de l'église de la Wies.*

5. *La cathédrale de Salzbourg (déb. XVIIe s.), de pur style baroque.*

**BARMAID, subst. f.**
Serveuse de bar (anglic.). 1861 ; angl. *barmaid*, de *bar*, « bar », et de *maid*, « servante » ; [baʀmɛd].

**BARMAN, subst. m.**
Garçon de bar, serveur (anglic.). 1873 ; angl. *barman*, de *bar*, « bar », et de *man*, « homme » ; plur. *barmans* ou *barmen* ; [baʀman], plur. [-man] ou [-mɛn].

**BAR-MITSVA, subst. f. inv.**
Cérémonie marquant la majorité religieuse, chez les juifs. Hébreu *bar-mitswa* ; [baʀmitsva].

**BARN, subst. m.**
*Phys. part.* Unité de mesure de section efficace d'une cible frappée par un flux de particules incidentes (symb. : b), égale à $10^{-28}$ mètres carrés. 1950 ; mot angl. ; [baʀn].

**BARNABITE, subst. m.**
Religieux de l'ordre des clercs réguliers de Saint-Paul, dont les fondateurs s'assemblèrent en 1530 dans l'église Saint-Barnabé de Milan. Déb. XVIIe s. ; anthropon. *saint Barnabé* ; [baʀnabit].

**BARNACHE, voir BERNACHE**

**BARNACLE, voir BERNACHE**

**BAROGRAPHE, subst. m.**
**1.** Baromètre enregistreur (vieilli). **2.** Altimètre enregistreur. 1877 ; formé de *baro-* et de *-graphe* ; [baʀɔgʀaf].

**BAROMÈTRE, subst. m.**
**1.** Instrument utilisé pour mesurer la pression atmosphérique : *Le* ***baromètre*** *à mercure de Torricelli.* **2.** Fig. Indicateur de tendance : *Le taux de change est le* ***baromètre*** *de notre commerce extérieur.* 1666 ; angl. *barometer*, du gr. *baros*, « pesanteur », et *metron*, « mesure » ; [baʀɔmɛtʀ].

**BAROMÉTRIQUE, adj.**
Qui a trait au baromètre ou à la mesure de la pression atmosphérique : *L'échelle* ***barométrique*** ; *Une variation* ***barométrique***. 1752 ; ☞ *baromètre* ; [baʀɔmetʀik].

**BARON (I), ONNE, subst.**
Masc. **1.** *Féod.* Seigneur relevant directement du roi ; détenteur d'une baronnie. **2.** Titre de noblesse supérieur à celui de chevalier et inférieur à celui de vicomte. **3.** Anal. Personnage influent dans son domaine, en partic. en économie et en politique : *Un* ***baron*** *de la finance.* **4.** Complice d'un bonneteur, d'un camelot (argot.). Fém. **1.** Détentrice d'une baronnie. **2.** Épouse d'un baron (titre de noblesse). Xe s. ; anc. bas frq. *°baro*, « homme libre » ; [baʀɔ̃, ɔn].

**BARON (II), subst. m.**
*Bouch. Baron d'agneau, de mouton* : pièce comprenant les gigots, la selle et les filets. 1928 ; prob. angl. *baron of beef*, « gros morceau de bœuf » ; [baʀɔ̃].

**BARONNAGE, subst. m.**
**1.** *Féod.* Ensemble des barons. **2.** État, qualité de baron. Fin XIe s. ; ☞ *baron* (I) ; [baʀɔnaʒ].

**BARONNET, subst. m.**
En Angleterre, titre héréditaire, intermédiaire entre celui de chevalier et celui de baron. 1660 ; angl. *baronet*, du fr. *baron* (I) ; [baʀɔnɛ].

**BARONNIE, subst. f.**
*Féod.* Terre seigneuriale conférant le titre de baron à son possesseur. Mil. XIIe s. ; ☞ *baron* (I) ; [baʀɔni].

**BAROQUE, adj. et subst.**
Adj. **1.** Vx. *Joaill.* Qualifie une perle de forme irrégulière. **2.** Ext. Qui surprend par sa bizarrerie : *Un accoutrement* ***baroque*** ; *Une idée* ***baroque***. **3.** *B.-a.* Qualifie un style architectural et décoratif qui s'est développé à partir du XVIe s. en réaction contre celui de la Renaissance. ▸ Anal. *Musique, littérature* ***baroque*** : caractérisée par ce style ; *Période* ***baroque*** : qui s'étend du XVIe s. (XVIIe s. pour la musique) au XVIIIe s. environ. Subst. **1.** Le style, l'art baroque : *Rubens est un des maîtres du* ***baroque*** *flamand.* **2.** Artiste inspiré par ce style : *Les grands* ***baroques*** *italiens.* 1531 ; port. *barroco*, « perle irrégulière » ; [baʀɔk].

BEAUX-ARTS – Né à Rome au milieu du XVIe s., le style baroque s'est principalement développé en architecture (le Bernin, Borromini) et s'est étendu, en Espagne, puis en Europe centrale et du Nord, jusqu'à la réaction néoclassique de la seconde moitié du XVIIe s. Intimement lié à la Contre-Réforme catholique, il opposait à l'harmonie classique de la Renaissance, suspectée de paganisme, la ligne courbe, le mouvement et l'expression décorative et dramatique. Tous les arts plastiques seront influencés par cette tendance, qui sera toutefois peu sensible en France.

MUSIQUE – En rupture avec le *stilo antico* de la Renaissance, le *stilo moderno* a été également qualifié de baroque par analogie chronologique, géographique et idéologique. Il a consisté en un abandon des anciennes structures polyphoniques, au profit de la monodie accompagnée, avec prépondérance de la basse continue. Jusqu'au classicisme viennois (seconde moitié du XVIIIe s.), le baroque musical s'est illustré dans l'opéra, la cantate puis le concerto grosso, de Monteverdi à Haendel.

LITTÉRATURE – La période baroque, en littérature, couvre la fin du XVIe s. et la première moitié du XVIIe s. Elle fut marquée notamment par Góngora en Espagne et par Agrippa d'Aubigné, Robert Garnier et Jean de Rotrou en France.

**BAROQUISME,** subst. m.
Caractère d'une œuvre d'art qui appartient au style baroque ou qui évoque ce style. 1939 ; ☞ *baroque* ; [baʀɔkism].

**BAROSCOPE,** subst. m.
*Phys.* Appareil permettant de mesurer une pression par rapport à la pression atmosphérique. 1850 ; formé de *baro-* et de *-scope* ; [baʀɔskɔp].

**BAROUD,** subst. m.
Combat, bagarre (argot milit.). ▸ Loc. ***Baroud** d'honneur* : combat sans espoir livré pour l'honneur. 1924 ; mot d'orig. berbère ; [baʀud].

**BAROUDEUR, EUSE,** subst.
Fam. Personne qui aime le baroud ; aventurier. 1923 ; *barouder* (rare), « se battre » ; [baʀudœʀ, øz].

**BAROUF,** subst. m.
Fam. Bruit, vacarme ; scandale : *La sortie de cet ouvrage a fait un de ces **baroufs** !* 1878 ; sabir algérien *barūfa*, « dispute », de l'argot marseillais *baroufa*, de l'ital. *baruffa*, « procès » ; var. *barouf1e* ; [baʀuf].

**BARQUE,** subst. f.
**1.** Petit bateau, embarcation de faible capacité : ***Barque** à rames, à voile ou à moteur.* **2.** Loc. *Mener la **barque*** : diriger ; *(Bien) mener sa **barque*** : arriver à ses fins. 1238 ; bas lat. *barca* ; [baʀk].

**BARQUETTE,** subst. f.
**1.** Petite barque. **2.** Ext. Petit récipient léger servant à conditionner certains fruits ou légumes, des plats cuisinés : *Une **barquette** de fraises* ; *Une **barquette** en aluminium.* **3.** Anal. Pâtisserie de forme ovale : *Une **barquette** aux fruits.* 1238 ; ☞ *barque* ; [baʀkɛt].

**BARRACUDA,** subst. m.
*Zool.* Poisson carnassier (jusqu'à 3 m de long) de la famille des Sphyrénidés, qui vit dans les mers chaudes 1848 ; mot esp. ; [baʀakyda] ou [-ku-].

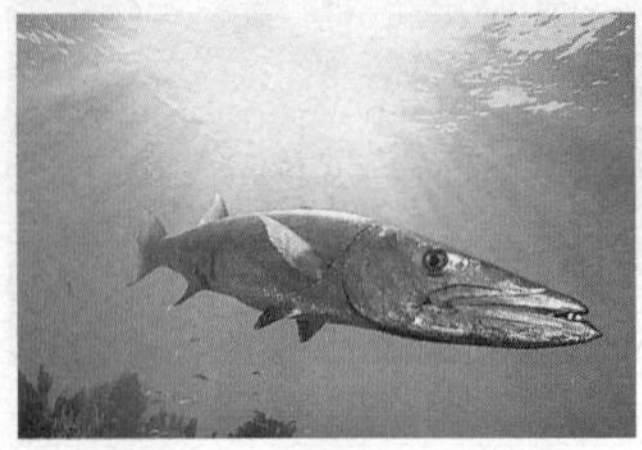
© K. Amsler-Jacana

*Barracuda.*

**BARRAGE,** subst. m.
**I. 1.** Action de barrer, de fermer un passage : *Le **barrage** d'une route.* ▸ Loc. *Faire **barrage** à* : s'opposer à. **2.** *Milit. Tir de **barrage*** : tir d'artillerie destiné à stopper une offensive ennemie. **3.** *Sp. Match de **barrage*** : qui doit départager des équipes ou des concurrents à égalité dans une compétition. **II. 1.** Ce qui ferme un passage : *Forcer un **barrage** de police.* **2.** Fig. Obstacle, difficulté. ▸ *Psych.* Arrêt brusque dans le discours, dans la réalisation d'un acte. **3.** *Trav. publ.* Ouvrage construit sur un cours d'eau pour le dériver, pour créer une retenue d'eau qui servira à l'irrigation ou pour utiliser sa force hydraulique comme source d'énergie : ***Barrage** hydroélectrique.* ▸ ***Barrage-poids*** : qui résiste à la pression de l'eau par sa seule masse. ▸ ***Barrage-voûte*** : dont la courbe convexe qu'il dessine permet de répartir la poussée de l'eau sur les côtés. **4.** *Géomorph. Lac de **barrage*** : retenue d'eau en arrière d'une coulée volcanique qui a barré une vallée. XIIe s. ; ☞ *barre* ; [baʀaʒ].

**BARRAGISTE,** subst. m.
**1.** Employé chargé de la manœuvre des vannes d'un barrage (vieilli). **2.** *Sp.* Équipe ou joueur qui doit disputer des épreuves de barrage. 1845 ; ☞ *barrage* ; [baʀaʒist].

**BARRE,** subst. f.
**I. 1.** Pièce longue, droite et étroite, de matière rigide (bois, métal, etc.) : ***Barre** d'appui d'une fenêtre* ; *Donner un coup de **barre** de fer* ; par anal., objet de forme approchante : *Une **barre** de chocolat* ; *Une **barre** d'or*, un lingot. **2.** Loc. ▸ *Une **barre** sur l'estomac* : une douleur aiguë ; *Une **barre** sur la poitrine* : une douleur oppressante. ▸ Fam. *Un coup de **barre*** : une fatigue soudaine ; *C'est le coup de **barre** !* : c'est très cher ; *De l'or en **barre*** : une valeur sûre. **3.** *Just.* Barrière qui séparait les juges du public, dans une salle d'audience ; endroit où comparaissent les témoins et où plaident les avocats : *Appeler un témoin à la **barre**.* **4.** *Mar.* Pièce étroite et horizontale qui commande le gouvernail ; par ext., tout dispositif de commande du gouvernail : ***Barre** à roue.* ▸ Loc. *Tenir la **barre*** : diriger, être à la tête de. **5.** *Mécan. **Barre** d'accouplement* : qui relie les roues directrices, assure leur parallélisme ; ***Barre** de torsion* : tige élastique assurant la suspension d'un véhicule. **6.** *Mines. **Barre** à mine* : pièce métallique à la pointe biseautée, servant à forer des trous de mine. **7.** *Phys. nucl. **Barre** de commande* : tige mobile, faite d'un matériau absorbant les neutrons (cadmium, bore), que l'on insère au cœur d'un réacteur pour commander ou contrôler le nombre de réactions nucléaires. **8.** ▸ *Danse.* Tringle horizontale fixée contre un mur, sur laquelle les danseurs prennent appui lors de leurs exercices ; par méton., ces exercices : *Faire sa **barre**.* ▸ *Gymnastique.* Nom de divers agrès formés d'une ou de deux traverses horizontales fixées sur des montants verticaux : ***Barre** fixe* ; ***Barres** parallèles, asymétriques.* ▸ *Haltérophilie. **Barre** à disques* : aux extrémités de laquelle sont fixés les poids. ▸ *Saut.* Traverse horizontale à franchir : *Passer la **barre** des...*, franchir la hauteur de et, au fig., le niveau, le seuil de (une valeur) ; *Mettre haut la **barre***, la porter à une hauteur plus élevée et, au fig., hausser le niveau de ses exigences, de ses objectifs. **II.** Anal. **1.** *Géogr.* Crête rocheuse aiguë et verticale : *La **barre** des Écrins, dans les Alpes.* **2.** *Océanogr.* ▸ Déferlement des vagues sur des hauts-fonds. ▸ Rides de sable gén. parallèles à la côte. **3.** *Zool.* Espace entre les incisives, ou les canines, et les molaires, chez les Équidés, les Bovidés et le lapin : *On appuie le mors sur les **barres** du cheval.* **4.** *Typogr.* Trait oblique ou horizontal symbolisant la division : ***Barre** de fraction.* ▸ *Mus. **Barre** de mesure* : ligne verticale délimitant les mesures sur une portée ; *Double **barre*** : indiquant la fin du morceau. **Plur.** Ancien jeu de course-poursuite entre deux équipes dont les camps étaient limités par une **barre** tracée au sol. ▸ Loc. *Avoir **barre** sur qqn* : avoir l'avantage sur lui ou, au fig., être en mesure de lui imposer sa volonté. Déb. XIIe s. ; lat. pop. °*barra* ; [baʀ].

**BARRÉ, ÉE,** adj. et subst. m.
**Adj. 1.** Fermé par une barre, un barrage : *Route **barrée**.* ▸ *Pathol. Dent **barrée*** : dont la racine recourbée rend l'extraction difficile. **2.** Rayé d'un trait. ▸ *Fin. Chèque **barré*** : biffé d'une double barre afin qu'il ne soit payable qu'auprès d'un établissement bancaire. ▸ *Hérald. Écu **barré*** : divisé en un nombre pair de parties égales dans le sens d'une diagonale qui part de l'angle gauche et descend vers l'angle droit. **3.** *Sp.* Se dit d'un équipage ou d'un bateau dirigé, dans une course d'aviron, par un barreur : *Un deux **barré**.* **Subst.** *Mus.* Action de plaquer avec l'index plusieurs cordes sur le manche d'une guitare, d'un banjo, etc. XIIe s. ; p. p. de *barrer* ; [baʀe].

**BARREAU,** subst. m.
**1.** Petite barre de bois ou de métal pouvant servir de clôture ou de support : *Les **barreaux** d'une cellule* ; *Les **barreaux** d'une échelle.* **2.** *Just.* Enceinte, autrefois fermée par une barrière, réservée aux avocats dans un tribunal. ▸ Méton. Profession d'avocat ; ensemble des avocats d'une juridiction : *Le **barreau** de Versailles.* 1285 ; ☞ *barre* ; [baʀo].

**BARREMENT,** subst. m.
*Fin.* Action de barrer un chèque. 1890 (XIVe s., exception) ; ☞ *barrer* ; [baʀmɑ̃].

**BARRER,** verbe trans. [3]
**1.** Bloquer (qqch.) au moyen d'une barre : ***Barrer** la porte de la grange.* ▸ Québ. Fermer à clé. **2.** Ext. Fermer, obstruer (un passage) : ***Barrer** une route* ; au fig. : *Cette bévue lui **barre** la route du succès.* **3.** Marquer d'un ou de plusieurs traits ; rayer, biffer : ***Barrer** un chèque* ; ***Barrer** un mot* ; par anal., être en travers de : *Une cicatrice lui **barrait** la joue.* **4.** *Mar.* Tenir la barre de (une embarcation). **Pronom.** Partir (fam.) : *Allez, on se **barre** !* 1144 ; ☞ *barre* ; [baʀe].

**BARRETTE (I),** subst. f.
Bonnet carré à trois ou quatre cornes des ecclésiastiques ; au fig. : *Recevoir la **barrette***, accéder au cardinalat. 1366 ; ital. *berretta*, « chapeau » ; [baʀɛt].

**BARRETTE (II),** subst. f.
**1.** Petite barre. **2.** Bijou étroit et allongé que l'on agrafe au corsage. **3.** Ext. Ruban de décoration monté sur une petite barre : ***Barrette** de la Légion d'honneur.* **4.** Pince servant à maintenir les cheveux. Déb. XVe s. ; ☞ *barre* ; [baʀɛt].

**BARREUR, EUSE,** subst.
**1.** Personne qui tient la barre d'un bateau. **2.** *Sp.* Personne qui rythme la cadence dans une course d'aviron. 1752 ; ☞ *barrer* ; [baʀœʀ, øz].

**BARRICADE,** subst. f.
**1.** Amas d'objets destiné à barrer une rue lors d'un affrontement. ▸ Loc. *Passer de l'autre côté de la **barricade*** : passer au parti adverse. **2.** Ext. Insurrection, émeute : *Les journées des **Barricades**, durant la Fronde.* XVIe s. ; ☞ *barrique* ; [baʀikad].

**BARRICADER,** verbe trans. [3]
**1.** Obstruer (une voie d'accès) par une barricade. **2.** Fermer solidement (une ouverture) : ***Barricader** ses fenêtres.* **Pronom. 1.** Se retrancher derrière une barricade. **2.** S'enfermer (en un lieu). 1588 ; ☞ *barricade* ; [baʀikade].

**BARRIÈRE,** subst. f.
**1.** Assemblage de pièces de métal ou de bois, souv. à claire-voie, formant clôture ou fermant un passage. ▸ Porte qui fermait l'entrée d'une ville ; poste de perception de l'octroi établi à cet endroit. ▸ ***Barrière** de dégel* : signalisation interdisant aux véhicules lourds l'accès d'une route en période de dégel. **2.** Anal. Obstacle naturel : *Une **barrière** de montagnes.* **3.** Fig. Difficulté impossible à surmonter : *Des **barrières** psychologiques* ; *La **barrière** de la langue.* **4.** *Écon.* Mesure réglementant la libre circulation des biens et des personnes : ***Barrières** douanières.* XIVe s. ; ☞ *barre* ; [baʀjɛʀ].

**BARRIQUE,** subst. f.
Fût d'une capacité d'env. 200 l ; son contenu : *Une **barrique** de vin.* 1455 ; gascon *barrica* ; [baʀik].

© F. Gohier-Explorer

*Le **barrage** de Glencanyon, sur le Colorado.*

**BARRIR,** verbe intrans. [19]
Pousser son cri, en parlant de l'éléphant ou du rhinocéros. 1546 ; lat. *barrire*, de *barrus*, « éléphant » ; [baʀiʀ].

**BARRISSEMENT,** subst. m.
Cri de l'éléphant ou du rhinocéros. 1863 ; ☞ *barrir* ; [baʀismɑ̃].

**BARROT,** subst. m.
*Mar.* Madrier reliant les couples d'un navire et soutenant les planches du pont. 1382 ; ☞ *barre* ; [baʀo].

**BARTAVELLE,** subst. f.
*Zool.* Oiseau de la famille des Phasianidés, proche de la perdrix rouge, qui vit dans les montagnes. 1740 ; prov. *bartavello* ; [baʀtavɛl].

**BARTHOLINITE,** subst. f.
*Pathol.* Inflammation de la glande de Bartholin (glande située dans la paroi vaginale, qui contribue à la lubrification du vagin). Anthropon. *Bartholin*, anatomiste danois ; [baʀtɔlinit].

**BARTONIEN,** subst. m.
*Géol.* Étage de l'ère tertiaire, situé entre le Lutétien et le Priabonien, dernier étage de l'Éocène (il y a env. 40 millions d'années). 1886 ; topon. *Barton* (Angleterre) ; [baʀtɔnjɛ̃].

**BARYCENTRE,** subst. m.
*Math.* Généralisation de la notion de centre de gravité. Dans un plan ou dans l'espace, étant donné des points $M_1$... $M_n$ et des nombres réels $\alpha_1$... $\alpha_n$, si $\alpha_1 + \alpha_2 + ... + \alpha_n \neq 0$, il existe un unique point G tel que $\alpha_1 \overrightarrow{GM_1} + \alpha_2 \overrightarrow{GM_2} + ... + \alpha_n \overrightarrow{GM_n} = 0$ ; G est le **barycentre** des points $M_i$ affectés des coefficients $\alpha_i$ (si $\alpha_1 = \alpha_2 = ... = \alpha_n$, G est le centre de gravité des points $M_i$). 1877 ; ☞ *centre* + *bary-* ; [baʀisɑ̃tʀ].

**BARYE,** subst. f.
*Métrol.* Unité de pression, sous-multiple du pascal (1 barye = 0,1 Pa). 1922 ; gr. *barus*, « lourd » ; [baʀi].

**BARYMÉTRIE,** subst. f.
Évaluation du poids des animaux d'après leurs mensurations. 1898 ; formé de *bary-* et de *-métrie* ; [baʀimetʀi].

**BARYON,** subst. m.
*Phys. part.* Terme qui s'applique aux particules lourdes sensibles aux interactions fortes : *Le proton, le neutron et les hypérons, sont des* **baryons**. V. 1960 ; gr. *barus*, « lourd » ; [baʀjɔ̃].

**BARYONIQUE,** adj.
Relatif aux baryons. XX^e s. ; ☞ *baryon* ; [baʀjɔnik].

**BARYTE,** subst. f.
*Chim.* Nom donné à l'oxyde de baryum, BaO, et à l'hydroxyde qui résulte de l'action de l'oxyde BaO sur l'eau, $Ba(OH)_2$. L'oxyde est un bon déshydratant ; l'hydroxyde est soluble dans l'eau bouillante et donne, après refroidissement, des cristaux dont la solution est appelée eau de **baryte**. Fin XVIII^e s. ; gr. *barus*, « lourd » ; [baʀit].

**BARYTINE,** subst. f.
*Minér.* Sulfate de baryum, $BaSO_4$, minéral blanc très lourd utilisé pour alourdir la boue des forages pétroliers. 1787 ; ☞ *baryte* ; [baʀitin].

**BARYTON,** subst. m.
*Mus.* **1.** Une des trois voix masculines, située entre le ténor et la basse. **2.** Méton. Chanteur qui possède cette voix ; en appos. : *Saxophone* **baryton**, qui a cette tessiture. 1803 ; gr. *barutonos*, « à la voix grave », de *barus*, « grave », et de *tonos*, « ton » ; [baʀitɔ̃].

**BARYUM,** subst. m.
*Chim.* Élément n° 56 de la table de Mendeleïev (symb. : Ba) ; masse atomique : 137,34 ; point de fusion : 729 °C ; point d'ébullition : 1 637 °C ; masse volumique : 3,6 g/cm$^3$ à l'état solide. C'est un métal alcalino-terreux bivalent qui s'unit à l'oxygène pour donner la baryte et le bioxyde $BaO_2$. On le trouve dans la nature sous forme de barytine. 1813 ; angl. *barium*, du gr. *barus*, « lourd » ; [baʀjɔm].

**BARZOÏ,** subst. m.
Lévrier russe de grande taille, à poil long. V. 1930 ; russe *borzoj* ; [baʀzɔj].

**BAS (I), BASSE,** adj., subst. m. et adv.
**Adj. 1.** Qui est peu élevé par rapport à un plan, à un niveau donné : *Une maison* **basse** ; *Le soleil est* **bas** *sur l'horizon* ; *Le ciel est* **bas**, chargé de nuages ; *Mer, marée* **basse**. **2.** Qui est incliné vers le sol : *Marcher la tête* **basse**. ► Loc. fam. *Avoir l'oreille, la queue* **basse** : être penaud, déconfit ; *Faire main* **basse** *sur qqch.* : le voler, s'en emparer. **3.** Qui se situe dans la partie inférieure de qqch. : *La* **basse** *ville* ; *Les* **basses** *Alpes* ; *La* **basse** *Égypte*, sa partie la plus proche de la mer. ► Loc. *En ce* **bas** *monde, ici-***bas** : sur la terre (anton. *au-delà*). **4.** Qui appartient à la partie la plus tardive d'une époque historique, d'une langue : *Le Bas-Empire romain* ; *Le* **bas** *latin*. **5.** Peu élevé dans une graduation : *Températures* **basses** ; *Un courant de* **basse** *tension* ; *Des prix* **bas** ; *Une note* **basse**, grave ; par anal. : *Parler à voix* **basse**, doucement. ► Fig. Peu élevé dans une hiérarchie sociale ou morale : *Le* **bas** *peuple* ; *Le* **bas** *clergé* ; *Avoir de* **basses** *intentions* ; *Un personnage* **bas**, vil, mesquin. ► Loc. *Le* **bas** *âge* : la prime enfance ; *Au* **bas** *mot* : au minimum. **Subst. 1.** La partie inférieure de qqch. : *Le* **bas** *d'une armoire, du visage* ; *Note de* **bas** *de page*. **2.** Loc. *Connaître des hauts et des* **bas** : une succession de bons et de mauvais moments. **Adv. 1.** À faible altitude : *Voler* **bas**. **2.** Avec une faible intensité : *Parler tout* **bas**. **3.** *Voir, lire plus* **bas** : dans la suite du texte. **4.** Loc. *Être bien* **bas** : être mal en point ; *Mettre* **bas** *les armes* : les déposer, se rendre ; *Mettre* **bas** : accoucher, pour un animal ; *En* **bas**, *au* **bas** *de* : au-dessous, au pied de ; *À* **bas** *Untel !* : exclamation marquant l'hostilité envers qqn. 1119 ; bas lat. *bassus* ; [bɑ, bɑs].

**BAS (II),** subst. m.
**1.** Vêtement féminin, en maille, qui gaine le pied et la jambe : *Bas de laine, de coton, de soie* ; **Bas** *(de) Nylon* ; *Enfiler une paire de* **bas**. **2.** Fig. **Bas** *de laine* : cachette où l'on met ses économies ; par méton., économies. 1552 ; ell. de *bas-de-chausses* ; [bɑ].

**BASAL, ALE, AUX,** adj.
**1.** *Anat. Membrane* **basale** ou, empl. subst. fém., *La* **basale** : membrane qui sépare les cellules épithéliales des tissus environnants. **2.** *Physiol. Métabolisme* **basal** : quantité d'énergie dépensée par un organisme adulte (c.-à-d. qui n'a plus de besoins de croissance) au repos, à jeun depuis douze heures et placé dans une enceinte calorimétrique dont la température est constante et telle qu'il n'ait à lutter ni contre le froid ni contre la chaleur. **3.** Fig. Primordial, fondamental (rare) : *Un enseignement* **basal**. 1838 ; ☞ *base* ; [bazal, o].

**BASALTE,** subst. m.
*Pétrogr.* Roche volcanique lourde, noire, contenant principalement des feldspaths à dominante calcique et sodique, du pyroxène et de l'olivine. Les **basaltes** se présentent sous la forme de coulées, de filons ou de scories ; les **basaltes** océaniques constituent la croûte terrestre au fond des océans. 1553 ; lat. *basaltes* ; [bazalt].

**BASALTIQUE,** adj.
*Géol.* Qui est constitué de basalte ou qui l'évoque : *Laves* **basaltiques** ; *Coulée* **basaltique**. 1787 ; ☞ *basalte* ; [bazaltik].

*Orgues* **basaltiques** *dans le Devil's Postline National Monument, en Californie.*

**BASANE,** subst. f.
**1.** Peau de mouton tannée, utilisée en maroquinerie, en reliure, etc. **2.** Peau souple dont on garnit les culottes des cavaliers ; par méton. : *La* **basane**, la cavalerie (argot milit.). Mil. XII^e s. ; anc. prov. *besana* ; [bazan].

**BASANÉ, ÉE,** adj. et subst.
Qui est de couleur brune ou qui a été bruni par le soleil, le grand air, en parlant de la peau, du teint. 1507 ; p. p. de *basaner* ; [bazane].

**BASANER,** verbe trans. [3]
Donner à (la peau) une teinte basanée. 1507 ; ☞ *basane* ; [bazane].

**BAS-BLEU,** subst. m.
Femme pédante qui se pique de littérature (vieilli). Fin XVIII^e s. ; angl. *blue-stocking* ; plur. *bas-bleus* ; [bɑblø].

**BAS-CÔTÉ,** subst. m.
**1.** *Archit.* Nef latérale d'une église, gén. moins élevée que la nef principale. **2.** Espace ménagé sur le côté d'une route, accessible aux piétons. 1676 ; comp. de *bas* (I) et de *côté* ; plur. *bas-côtés* ; [bɑkote].

**BASCULANT, ANTE,** adj.
Qui bascule ou peut être basculé : *Une benne* **basculante** ; *Un fauteuil* **basculant**. 1922 ; p. pr. de *basculer* ; [baskylɑ̃, ɑ̃t].

**BASCULE,** subst. f.
**1.** Levier mobile appuyé sur un pivot de telle sorte que l'une de ses extrémités s'élève quand on pèse sur l'autre. **2.** Ext. Mouvement analogue à celui du levier : *Fauteuil à* **bascule**. **3.** Fig. *Politique de* **bascule** : consistant à s'appuyer alternativement sur deux partis, deux États opposés. **4.** Appareil de pesage à plateau servant à mesurer des masses lourdes par un système de contrepoids. **5.** *Électron.* Dispositif formé de deux composants couplés, de telle sorte que l'un des transistors est bloqué lorsque l'autre débite du courant, la situation s'inversant lorsque survient une autre impulsion. 1466 ; *baculer* (vx), « frapper le derrière de qqn contre terre » ; [baskyl].

**BASCULEMENT,** subst. m.
Action de basculer, de renverser. 1893 ; ☞ *basculer* ; [baskylmɑ̃].

**BASCULER,** verbe [3]
**Intrans. 1.** Faire un mouvement de bascule. **2.** Se renverser, chavirer. **3.** Fig. Passer brusquement d'une opinion, d'une situation à l'opinion, à la situation opposée : **Basculer** *d'un camp à l'autre* ; **Basculer** *dans la misère*. **Trans. 1.** Renverser en déséquilibrant. **2.** Fig. **Basculer** *un appel téléphonique* : l'orienter vers un autre destinataire. Fin XVI^e s. (1377, battre, frapper sur le derrière) ; comp. de *bas* et de *cul* ; [baskyle].

**BASCULEUR,** subst. m.
*Techn.* Dispositif qui fait basculer un conteneur, un wagon, etc., pour le décharger. 1905 ; ☞ *basculer* ; [baskylœʀ].

**BAS-DE-CASSE,** subst. m. inv.
*Impr.* Minuscule d'imprimerie. Comp. de *bas* (I) et de *casse* (IV) ; var. *bas de casse* ; [bɑdkɑs].

**BAS-DE-CHAUSSES,** subst. m. inv.
Partie des chausses qui va des genoux aux pieds. 1538 ; comp. de *bas* (I) et de *chausse* ; [bɑdʃos].

**BASE,** subst. f.
**1.** Partie inférieure d'un corps : *La* **base** *d'une montagne, du crâne*. ► Cette partie, servant d'assise, de soutènement : *La* **base** *d'un bâtiment, d'une colonne*. **2.** Fig. Principe, fondement (d'une idée, d'un principe) : *Jeter les* **bases** *d'une doctrine, d'un accord* ; composant essentiel : *Le riz est la* **base** *de l'alimentation des Asiatiques*. ► Loc. *Avoir de bonnes* **bases** : des connaissances solides ; *Être à la* **base** *de* : à l'origine de ; *Sur la* **base** *de* : en prenant comme référence ; *À* **base** *de* : essentiellement constitué de ; *De* **base** : fondamental, essentiel. **3.** *Chim.* Composé très répandu en chimie minérale et en chimie organique, dont la définition a évolué depuis deux siècles. La vieille définition, « corps qui agit sur un acide pour donner un sel et de l'eau », a été remplacée par celle de Lewis (1923), « substance chimique capable de partager une paire d'électrons », et par celle de Brønsted, « substance chimique qui peut accepter des protons ». Les **bases** minérales les plus importantes sont la chaux, la soude, la potasse et l'ammoniaque. En biochimie, les **bases** les plus importantes sont les **bases** azotées. **4.** *Cosmétiques.* Crème incolore que l'on applique sur le visage pour le préparer au maquillage. **5.** *Électron.* Électrode intermédiaire d'un transistor. **6.** *Informat.* **Base** *de données* : ensemble de données structuré et géré de façon évolutive. **7.** *Ling.* Mot radical auquel on ajoute des flexions pour former des dérivés. **8.** *Math.* ► *Alg.* **Base** *d'un espace vectoriel E sur un corps K* : famille des vecteurs $\overrightarrow{e_1}, \overrightarrow{e_2} ... \overrightarrow{e_p}$ telle que tout vecteur $\overrightarrow{v}$ de E s'exprime de façon unique sous la forme $\overrightarrow{v} = x_1\overrightarrow{e_1} + x_2\overrightarrow{e_2} + ... + x_p\overrightarrow{e_p}$, les $x_i$ étant des éléments de K ; toute autre **base** de E comporte alors

exactement $p$ éléments, et $p$ est la dimension de E. ▸ *Arithm. Base d'un système de numération (de position)* : nombre de symboles utilisés dans ce système ; nombre d'unités d'ordre $n$ nécessaire pour former une unité d'ordre $n + 1$ (☞ *position*). ▸ *Géom. Base d'une figure géométrique* : élément particularisé de la figure (côté d'un triangle, face d'un polyèdre, par ex.). **9.** *Milit.* Zone pourvue de toutes les installations nécessaires au stationnement de forces militaires : ***Base** navale* ; *Regagner la **base*** ; ***Base** d'opérations*, d'où partent les missions. ▸ Ext. Lieu aménagé pour une activité particulière : ***Base** de loisirs*. **10.** *Pol.* Ensemble des inscrits d'un parti, d'un syndicat, considérés par rapport aux dirigeants. 📖 Déb. XIIe s. ; lat. *basis*, du gr. *basis*, « marche ; assise » ; [bɑz].

**BASE-BALL, subst. m.**
*Sp.* Jeu de balle dérivé du cricket, opposant deux équipes de neuf joueurs, très populaire aux États-Unis. 📖 1889 ; anglo-amér. *baseball*, de *base*, « jalon », et de *ball*, « balle » ; plur. *base-balls*, var. *baseball* ; [bɛzbol].

**BASELLE, subst. f.**
*Bot.* Plante tropicale grimpante de la famille des Basellacées, dont les feuilles se consomment comme des épinards. 📖 1750 ; mot d'orig. indienne ; [bazɛl].

**BASER, verbe trans.** [3]
**1.** Vx. *Archit.* Élever (une construction) sur une base. **2.** Fig. Appuyer, fonder (empl. critiqué) : ***Baser** une accusation sur des faits*. **3.** *Milit.* Attacher à une base : *Le cuirassé **était basé** à Toulon*. **Pronom. Se baser sur.** Se fonder sur (empl. critiqué). 📖 1401 ; ☞ *base* ; [bɑze].

**BAS-FOND, subst. m.**
**1.** Élévation d'un fond marin ou fluvial, assez éloignée de la surface pour permettre une navigation aisée. **2.** Terrain bas, enfoncé, souv. humide. **Plur.** Quartier d'une ville où règnent la misère et la délinquance ; par ext., la pègre. 📖 1690 ; comp. de *bas* (I) et de *fond* ; plur. *bas-fonds* ; [bɑfɔ̃].

**BASIC, subst. m.**
*Informat.* Langage de programmation. 📖 V. 1960 ; acron. angl. de *Beginner's All-Purpose Symbolic Instruction Code*, « code symbolique universel pour enseigner aux débutants » ; [bazik].

**BASICITÉ, subst. f.**
*Chim.* Caractère basique d'une solution ; état d'un milieu basique, caractérisé par un pH supérieur à 7. 📖 1838 ; ☞ *basique* ; [bazisite].

**BASIDE, subst. f.**
*Bot.* Type de cellule en forme de massue, située au niveau de l'hyménium des Basidiomycètes, produisant des spores externes appelées basidiospores. 📖 Mil. XIXe s. ; ☞ *base* ; [bazid].

**BASIDIOMYCÈTES, subst. m. plur.**
*Bot.* Classe de champignons caractérisés par la présence de basides à un moment donné de leur développement. **Au sing.** *L'agaric est un **basidiomycète***. 📖 1885 ; lat. *basidium*, « baside », + *-mycète* ; [bazidjomisɛt].

**BASILAIRE, adj.**
*Anat.* Qualifie tout organe placé à la base de qqch. : *Un appendice **basilaire***. 📖 1314 ; ☞ *base* ; [bazilɛʀ].

**BASILEUS, subst. m.**
*Hist.* Titre de l'empereur de Byzance. 📖 1864 ; gr. *basileus*, « roi, souverain » ; [bazilœs] ou [-leys].

**BASILIC (I), subst. m.**
**1.** *Myth.* Reptile fabuleux que les Anciens croyaient capable de tuer de son seul regard. **2.** *Zool.* Grand lézard à crête dorsale d'Amérique tropicale, voisin de l'iguane. 📖 Déb. XIIe s. ; lat. *basiliscus*, du gr. *basiliskos*, « petit roi » ; [bazilik].

**BASILIC (II), subst. m.**
*Bot.* Plante de la famille des Lamiacées, très parfumée, servant de condiment ou d'aromate. 📖 1393 ; bas lat. *basilicum*, du gr. *basilikon*, « plante royale » ; [bazilik].

**BASILICAL, ALE, AUX, adj.**
Qui est caractéristique d'une basilique : *Plan **basilical***. 📖 1897 ; ☞ *basilique* (II) ; [bazilikal, o].

**BASILIQUE (I), adj.**
*Anat. Veine **basilique*** ou, empl. subst. fém., *La **basilique*** : l'un des deux grands troncs veineux du bras (l'autre est la veine céphalique). 📖 Fin XIVe s. ; gr. *basilikê*, « royale » ; [bazilik].

**BASILIQUE (II), subst. f.**
**1.** *Antiq. rom.* Édifice rectangulaire dont les larges nefs bordées de colonnes s'achevaient en hémicycle et qui servait aussi bien de tribunal que de lieu de promenade et de commerce. **2.** *Archit.* Église chrétienne bâtie sur le modèle romain. **3.** *Cath.* ▸ Chacune des quatre églises majeures de Rome. ▸ Titre honorifique dont le pape honore certaines grandes églises : *La **basilique** de Lourdes*. 📖 1495 ; lat. *basilica*, du gr. *basilikê stoa*, « portique où siège le roi » ; [bazilik].

**BASIN, subst. m.**
*Text.* **1.** Étoffe tissée avec une chaîne en fil et une trame en coton. **2.** Étoffe damassée à effets de bandes longitudinales. 📖 1299 ; ital. *bambagino*, du lat. médiév. *bambax*, « coton » ; [bazɛ̃].

**BASIQUE, adj.**
**1.** De base, fondamental. **2.** *Chim.* Qui possède les caractères d'une base : *Solution **basique***. **3.** *Pétrogr. Roche **basique*** : caractérisée par un taux de silice inférieur à 55 %. 📖 1564 ; ☞ *base* ; [bɑzik].

**BAS-JOINTÉ, ÉE, adj.**
Se dit d'un cheval dont les paturons se rapprochent de l'horizontale. 📖 1660 ; comp. de *bas* (I) et de *jointé* (rare), « joint » ; plur. *bas-jointés, ées* ; [baʒwɛ̃te].

**BASKET, subst. f.**
Chaussure de sport couvrant la cheville, en toile forte et à semelle de caoutchouc antidérapante. 📖 1953 ; ☞ *basket-ball* ; [baskɛt].

**BASKET-BALL, subst. m.**
*Sp.* Jeu opposant deux équipes de cinq joueurs qui doivent envoyer le ballon dans le panier suspendu et percé du camp adverse (abrév. : basket). 📖 1898 ; anglo-amér. *basketball*, de *basket*, « panier », et de *ball*, « ballon » ; plur. *basket-balls* ; [baskɛtbol].

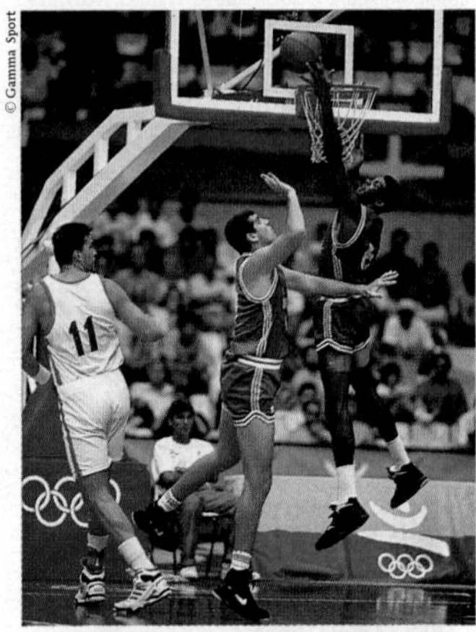

***Basket-ball** : la rencontre Lituanie-Brésil aux jeux Olympiques de Barcelone (1992).*

**BASKETTEUR, EUSE, subst.**
*Sp.* Personne qui pratique le basket-ball. 📖 1934 ; ☞ *basket-ball* ; [baskɛtœʀ, øz].

**BAS-MÂT, subst. m.**
*Mar.* Partie inférieure et principale d'un mât dont la dimension nécessite un assemblage. 📖 1831 ; comp. de *bas* (I) et de *mât* ; plur. *bas-mâts* ; [bɑma].

**BASOCHE, subst. f.**
**1.** *Dr.* Sous l'Ancien Régime, association des clercs des parlements de Paris et de certaines villes de province. **2.** Ext. Ensemble des gens de loi (fam. et péj.). 📖 XVe s. ; lat. *basilica*, « basilique » ; [bazɔʃ].

**BASOCHIEN, IENNE, adj. et subst. m.**
**Adj.** Propre à la basoche. **Subst.** Membre de la basoche. 📖 1480 ; ☞ *basoche* ; [bazɔʃjɛ̃, jɛn].

**BASOPHILE, adj.**
*Biol.* Se dit d'éléments biologiques qui fixent électivement les colorants basiques. 📖 1922 ; ☞ *base* + *-phile* ; [bazɔfil].

**BASQUAISE, adj. f. et subst. f.**
Du Pays basque. ▸ *Poulet **basquaise*** ou *à la **basquaise*** : préparé avec des tomates, des poivrons et du jambon cru. 📖 XIXe s. ; ☞ *basque* (II) ; [baskɛz].

**BASQUE (I), subst. f.**
Partie d'un vêtement, descendant plus ou moins bas au-dessous de la taille : *Les **basques** d'une jaquette*. ▸ Loc. *S'accrocher aux **basques** de qqn* : le suivre partout (fam.). 📖 1351 ; prob. prov. *basto*, « repli d'étoffe », d'apr. *basquine* ; [bask].

**BASQUE (II), adj. et subst.**
Du Pays basque. **Subst. masc. 1.** Langue agglutinante parlée par les Basques, d'origine inconnue. **2.** *Tambour de **basque*** : petit tambour muni de cymbales, de grelots. 📖 1578 ; lat. *Vasco* ; [bask].

**BASQUINE, subst. f.**
*Cost.* Jupe large et bouffante portée par les femmes basques et espagnoles. 📖 1532 ; esp. *basquina*, de *basco*, « du Pays basque » ; [baskin].

**BAS-RELIEF, subst. m.**
Sculpture en légère saillie sur un fond : *Un **bas-relief** égyptien*. 📖 1547 ; ital. *bassorilievo*, de *basso*, « bas », et de *rilievo*, « relief » ; plur. *bas-reliefs* ; [bɑʀəljɛf].

**BASSE (I), subst. f.**
*Mar.* Banc de roche ou de corail qui est proche de la surface mais reste immergé à marée basse. 📖 1484 ; ☞ *bas* (I) ; [bɑs].

**BASSE (II), subst. f.**
*Mus.* **1.** Partie instrumentale ou vocale d'un morceau qui fait entendre les sons les plus graves et qui constitue, en gén., l'accompagnement d'une mélodie : ***Basse** continue*, qui ne s'interrompt pas durant le morceau ; ***Basse** chiffrée* (☞ *chiffrer*). **2.** Voix d'homme la plus grave ; chanteur qui a cette voix. **3.** Instrument le plus grave de sa famille : *Une **basse** de viole* ; *Une **basse** électrique*. **Plur.** Grosses cordes d'un piano, d'une guitare, etc. 📖 1512 ; ital. *basso*, « bas » ; [bɑs].

**BASSE-COUR, subst. f.**
**1.** Cour où l'on élève les petits animaux de la ferme et les volailles. **2.** Méton. L'ensemble des animaux qu'on y élève. 📖 XIIIe s. ; comp. de *bas* (I) et de *cour* ; plur. *basses-cours* ; [bɑskuʀ].

**BASSE-FOSSE, subst. f.**
Cachot creusé dans les soubassements des constructions fortifiées du Moyen Âge. 📖 Fin XVe s. ; comp. de *bas* (I) et de *fosse* ; plur. *basses-fosses* ; [bɑsfos].

**BASSEMENT, adv.**
De manière basse, mesquine. 📖 1690 (1174, à voix basse) ; ☞ *bas* (I) ; [bɑsmɑ̃].

**BASSESSE, subst. f.**
**1.** État de ce qui est en bas, inférieur (vx) : *La **bassesse** d'un siège* ; au fig. : *La **bassesse** d'une condition sociale, d'une naissance*. **2.** Manque de grandeur morale : *La **bassesse** d'une conduite*. **3.** Méton. Action honteuse (souv. au plur.) : *Faire des **bassesses***. 📖 Déb. XIIe s. ; ☞ *bas* (I) ; [bɑsɛs].

**BASSET (I), subst. m.**
*Zool.* Chien courant, aux pattes courtes et torses. 📖 1606 ; ☞ *bas* (I) ; [bɑsɛ].

**BASSET (II), subst. m.**
*Mus. Cor de **basset*** : clarinette de tessiture basse (vx). 📖 XIXe s. ; ital. *bassetto* ; [bɑsɛ].

**BASSE-TAILLE, subst. f.**
**1.** Vx. *Sculpt.* Bas-relief. **2.** *Mus.* Voix située entre celle de baryton et celle de basse (vieilli). 📖 1528 ; comp. de *bas* (I) et de *taille* ; plur. *basses-tailles* ; [bɑstaj].

**BASSIN, subst. m.**
**1.** Récipient portatif, creux, de forme ovale ou ronde : *Un **bassin** en faïence pour se laver les mains* ; *Le **bassin** d'un barbier*. ▸ Récipient à fond plat que l'on glisse sous un malade alité pour recueillir ses selles. ▸ Plat ou vase servant à recueillir les offrandes de la messe. **2.** Ext. Ouvrage de maçonnerie, grand ou petit, ornemental ou utilitaire, destiné à contenir de l'eau : *Les **bassins** du château de Versailles* ; *Le grand **bassin** d'une piscine* ; *Un **bassin** d'alevinage*. **3.** Anal. ***Bassin** de mouillage* : plan d'eau limité par les quais et les digues, où peut accoster un navire ; ***Bassin** à flot* : enceinte accessible à haute mer, fermée par une écluse qui maintient un niveau d'eau constant. **4.** *Anat.* Ceinture osseuse des vertébrés supérieurs, composée des deux os iliaques, du sacrum et du coccyx, articulés entre eux, qui sert de base au tronc et qui s'appuie sur les membres inférieurs. La surface intérieure du **bassin** est divisée par un relief circulaire (le détroit supérieur) en deux parties : le grand **bassin**, en haut, et le petit **bassin**, ou excavation pelvienne, en bas. **5.** *Géogr.* Région drainée par un cours d'eau et ses affluents, comprenant le territoire d'alimentation et les

vallées des différents cours d'eau. **6.** *Géol.* ***Bassin sédimentaire*** : partie superficielle de l'écorce terrestre, en forme de dépression, qui a été comblée par des sédiments au cours des temps géologiques ; ***Bassin intracontinental*** : dépression au cœur d'un continent, où est souvent logé un lac, une mer intérieure. **7.** *Géol. appliquée.* Domaine d'extraction d'un matériau utile : *Le* ***bassin*** *houiller du Nord-Pas-de-Calais.* Fin XII^e s. ; lat. pop. °*baccinus* ; [basɛ̃].

**BASSINE, subst. f.**
Bassin circulaire, large et profond, destiné à divers usages domestiques ou techniques ; par méton., son contenu. 1500 ; ☞ *bassin* ; [basin].

**BASSINER, verbe trans.** [3]
**1.** Humecter : ***Bassiner*** *le front d'un malade.* **2.** Réchauffer (un lit) à l'aide d'une bassinoire. **3.** Agacer (qqn) par des propos oiseux ou ressassés (fam.). Fin XIV^e s. ; ☞ *bassin* ; [basine].

**BASSINET, subst. m.**
**1.** *Féod.* Calotte de fer portée sous le heaume ; casque du XIV^e s. **2.** *Arm.* Cavité de la platine d'une arme à feu à silex, qui recevait la poudre d'amorce. **3.** Petit bassin à offrandes. ► Loc. *Cracher au* ***bassinet*** : donner de l'argent à contrecœur (fam.). **4.** *Anat.* Partie du rein en forme d'entonnoir, qui recueille l'urine et qui est reliée à la vessie par l'uretère. Déb. XIII^e s. ; ☞ *bassin* ; [basinɛ].

**BASSINOIRE, subst. f.**
Bassin de métal muni d'un long manche et d'un couvercle percé, que l'on remplissait de braises et que l'on promenait dans le lit pour le chauffer. 1454 ; ☞ *bassiner* ; [basinwaʀ].

**BASSISTE, subst.**
*Mus.* Instrumentiste qui joue de la contrebasse ou de la guitare basse. 1838 ; ☞ *basse* (II) ; [bɑsist].

**BASSON, subst. m.**
**1.** *Mus.* Instrument à vent, en bois, à anche double et à perce conique, constituant la basse de la famille des hautbois. **2.** Méton. Joueur de **basson** (synon. *bassoniste*). 1613 ; ital. *bassone* ; [bɑsɔ̃].

**BASTA, interj.**
Fam. Mot exprimant l'exaspération, la lassitude, etc. (synon. *assez !, ça suffit !*). 1534 ; ital. *basta*, de *bastare*, « suffire » ; var. *baste* (I) ; [basta].

**BASTAGUE, voir BASTAQUE**

**BASTAING, voir BASTING**

**BASTAQUE, subst. f.**
*Mar.* Hauban mobile raidi du côté d'où vient le vent. 1898 ; anc. angl. *baec*, « arrière », et *staeg*, « hauban » ; var. *bastague* ; [bastak].

**BASTE (I), voir BASTA**

**BASTE (II), subst. f.**
**1.** Panier accroché au bât d'un animal. **2.** Récipient de bois utilisé pour transporter la vendange. Déb. XIII^e s. ; *bast*, anc. forme de *bât* ; [bast].

**BASTERNE, subst. f.**
*Antiq.* et *M. Â.* Litière à l'usage des femmes, portée à dos de mulet ; par ext., litière placée sur un char à bœufs. 1751 ; bas lat. *basterna* ; [bastɛʀn].

**BASTIDE, subst. f.**
**1.** *M. Â.* Ouvrage de fortification provisoire (synon. *bastille*) ; dans le Midi, ville neuve fortifiée. **2.** En Provence, ferme isolée et, par ext., maison de campagne. 1305 ; anc. prov. *bastida*, « ville nouvellement bâtie » ; [bastid].

**BASTIDON, subst. m.**
Petite bastide provençale : *Un* ***bastidon*** *perdu au milieu des vignes.* 1867 ; prov. *bastidoun* ; [bastidɔ̃].

**BASTILLE, subst. f.**
**1.** *Fortif.* Ouvrage défensif, en pierre ou en bois, placé à l'entrée d'une ville ; château fort. **2.** *La* ***Bastille*** : ancienne forteresse et prison de Paris. 1370 ; anc. prov. *bastida*, « bastide » ; [bastij].

**BASTING, subst. m.**
*Bât.* Poutre de résineux, à arêtes vives, de section intermédiaire entre celle du madrier et celle du chevron (65 × 165 mm env.). 1877 ; angl. *batten*, du fr. *bâton* ; var. *bastaing* ; [bastɛ̃].

**BASTINGAGE, subst. m.**
*Mar.* **1.** Vx. Ensemble de caissons à hamacs disposés le long des parois du pont d'un bâtiment de guerre, qui servait de protection. **2.** Ext. Parapet, fixe ou mobile, bordant le pont. 1747 ; *bastinguer* (rare), « garnir de toiles matelassées » ; [bastɛ̃gaʒ].

**BASTION, subst. m.**
**1.** *Fortif.* Ouvrage disposé en saillie sur l'enceinte d'une place forte. **2.** Fig. Ce qui constitue un soutien ferme, une défense efficace : *Cuba, dernier* ***bastion*** *du communisme.* XV^e s. ; ital. *bastione* ; [bastjɔ̃].

**BASTON, subst. f. et m.**
Bagarre générale (argot.) : *La* ***baston*** *du samedi soir.* 1926 ; ☞ *bastonner* ; [bastɔ̃].

**BASTONNADE, subst. f.**
Volée de coups de bâton, parfois administrée par châtiment. 1482 ; ☞ *bâton* ; [bastɔnad].

**BASTONNER, verbe trans.** [3]
Battre à coups de bâton. **PRONOM.** Se battre (argot.). Déb. XIII^e s. ; ☞ *bâton* ; [bastɔne].

**BASTOS, subst. f.**
Balle d'arme à feu (argot.). 1916 ; *Bastos*, marque de cigarettes ; [bastos].

**BASTRINGUE, subst. m.**
**1.** Vx. Air populaire de contredanse, composé après l'exécution de Louis XVI, sur lequel le peuple dansait des farandoles. **2.** Fam. Bal populaire ; par méton., orchestre bruyant : *Une musique de* ***bastringue.*** ► Ext. Vacarme, chahut : *Faire du* ***bastringue.*** ► Ensemble d'objets divers, attirail. 1794 ; orig. obsc. ; [bastʀɛ̃g].

**BAS-VENTRE, subst. m.**
Partie du ventre au-dessous du nombril. 1636 ; comp. de *bas* (I) et de *ventre* ; plur. *bas-ventres* ; [bɑvɑ̃tʀ].

**BÂT, subst. m.**
Harnachement en bois placé sur le dos des bêtes de somme pour fixer un fardeau. ► Loc. *C'est là que le* ***bât*** *blesse* : c'est là le point sensible, l'aspect embarrassant de la situation. XIII^e s. ; lat. pop. °*bastum*, de °*bastare*, « porter » ; [bɑ].

**BATACLAN, subst. m.**
Fam. Attirail encombrant. ► Loc. *Et tout le* ***bataclan*** : et tout le reste. 1761 ; orig. obsc. ; [bataklɑ̃].

**BATAILLE, subst. f.**
**1.** *Milit.* Combat qui oppose deux armées : ***Bataille*** *aérienne, terrestre* ; *La* ***bataille*** *de la Marne* ; *Champ de* ***bataille*** ; ***Bataille*** *rangée* (☞ *rangé*). **2.** Ext. Querelle, lutte violente, ou combat engagé par jeu : *C'est l'imagination qui perd les* ***batailles*** (J. de Maistre) ; *Une* ***bataille*** *de boules de neige.* **3.** Loc. *En* ***bataille*** : en désordre ; *Cheval de* ***bataille*** : sujet de prédilection. **4.** *Jeux.* ► Jeu de cartes où les joueurs tirent chacun une carte, la plus forte l'emportant sur la plus faible. ► ***Bataille*** *navale* : jeu de société où chacun des partenaires figure des navires de guerre sur une grille et doit couler, en repérant sa position, la flotte ennemie. Fin XI^e s. ; bas lat. *batalia*, de *battualia*, « combat d'escrime » ; [bataj].

**BATAILLER, verbe intrans.** [3]
**1.** Vx. Livrer bataille, combattre. **2.** Fig. Discuter avec ardeur et ténacité. **3.** Lutter avec âpreté : ***Batailler*** *contre qqn, qqch.* ; ***Batailler*** *pour obtenir qqch.* Déb. XII^e s. ; ☞ *bataille* ; [bataje].

**BATAILLEUR, EUSE, adj.**
Qui aime le combat ; querelleur ; empl. subst., personne **batailleuse** : *Ce garnement est un* ***batailleur.*** Déb. XIII^e s. ; ☞ *bataille* ; [batajœʀ, øz].

**BATAILLON, subst. m.**
**1.** Vx. Troupe au combat. **2.** Unité militaire formée de plusieurs compagnies : ***Bataillon*** *d'infanterie légère d'Afrique* (abrév. argot. : bat' d'Af'), ancienne unité disciplinaire. **3.** Ext. Groupe important de personnes, grande quantité de choses. 1543 ; ital. *battaglione*, de *battaglia*, « bataille » ; [batajɔ̃].

**BÂTARD, ARDE, adj.**
**1.** Qui est né hors mariage : *Un enfant* ***bâtard*** ; empl. subst. : *Une petite* ***bâtarde*** ; *Les* ***bâtards*** *du roi.* **2.** Anal. Qui n'est pas de race pure, en parlant d'un animal : *Un chien* ***bâtard*** ou, empl. subst., *Un* ***bâtard.*** **3.** Ext. Qui relève de deux genres différents : *Une solution* ***bâtarde.*** ► *Archit. Porte* ***bâtarde*** : ni petite ni cochère. ► *Boulangerie. Pain* ***bâtard*** ou, empl. subst. masc., *Un* ***bâtard*** : du même poids qu'une baguette mais plus court et plus large. ► *Écriture* ***bâtarde*** ou, empl. subst. fém., ***Bâtarde*** : intermédiaire entre la ronde et la coulée. 1089 ; lat. médiév. *bastardus* ; [bɑtaʀ, aʀd].

**BATARDEAU, subst. m.**
**1.** *Trav. publ.* Barrage, digue provisoire destinée à assécher le lit d'un cours d'eau afin de pouvoir y faire des travaux. **2.** *Mar.* Caisson étanche que l'on applique contre la partie de la coque que l'on veut radouber. 1409 ; m. fr. *bastard* ; [bataʀdo].

**BÂTARDISE, subst. f.**
**1.** État d'un enfant bâtard. **2.** Qualité de ce qui est bâtard. Mil. XVI^e s. ; ☞ *bâtard* ; [bɑtaʀdiz].

**BATAVE, adj. et subst.**
**1.** Des Bataves, peuple germanique qui occupait la région de l'embouchure du Rhin. **2.** Ext. Des Pays-Bas. 1740 ; lat. *Batavi* ; [batav].

**BATAVIA, subst. f.**
Variété de laitue à feuilles larges, dentelées et croquantes. 1771 ; topon. lat. *Batavia*, « pays des Bataves » ; [batavja].

**BATAVIQUE, adj.**
*Larme* ***batavique*** : goutte de verre pointue obtenue en versant du verre fondu dans de l'eau froide. 1803 ; ☞ *batave* ; [batavik].

**BATAYOLE, subst. f.**
*Mar.* Montant vertical, de fer ou de cuivre, servant de support à une rambarde. Mil. XVI^e s. ; prob. ital. *battagliola*, de *battaglia*, « bataille » ; [batajɔl].

**BATEAU (I), subst. m.**
**1.** Ouvrage flottant conçu et équipé pour la navigation ; spéc., embarcation de faible tonnage : ***Bateau*** *à voiles, à vapeur* ; ***Bateau*** *de pêche, de plaisance.* ► En appos. Qualifie ce qui a la forme courbe d'un **bateau** : *Une encolure* ***bateau*** ; *Des lits* ***bateau.*** **2.** Abaissement du trottoir permettant l'accès d'une voiture à un garage, à une cour. 1138 ; m. fr. *batel*, de l'anglo-norm. *bat* ; [bato].

**BATEAU (II), subst. m.**
Fam. Histoire inventée de toutes pièces pour mystifier qqn : *Monter un* ***bateau*** ; *Mener qqn en* ***bateau.*** ► Empl. adj. inv. Rebattu, éculé : *Un sujet, des questions* ***bateau.*** 1866 ; prob. anc. fr. *bastel*, « instrument d'escamoteur », d'apr. *bateleur* ; [bato].

**BATEAU-CITERNE, subst. m.**
Navire spécialement équipé pour transporter des liquides. 1867 ; comp. de *bateau* (I) et de *citerne* ; plur. *bateaux-citernes* ; [batositɛʀn].

**BATEAU-FEU, subst. m.**
Bateau arborant des feux à l'extrémité de ses mâts, ancré dans les endroits dangereux (synon. *bateau-phare*). Fin XIX^e s. ; comp. de *bateau* (I) et de *feu* (I) ; plur. *bateaux-feux* ; [batofø].

**BATEAU-LAVOIR, subst. m.**
Ponton établi au bord d'un cours d'eau, servant de lavoir aux blanchisseuses. 1886 ; comp. de *bateau* (I) et de *lavoir* ; plur. *bateaux-lavoirs* ; [batolavwaʀ].

**BATEAU-MOUCHE, subst. m.**
Bateau assurant un service de promenades sur la Seine, à Paris. 1870 ; comp. de *bateau* (I) et de *mouche* ; plur. *bateaux-mouches* ; [batomuʃ].

**BATEAU-PHARE, subst. m.**
Bateau-feu. Mil. XIX^e s. ; comp. de *bateau* (I) et de *phare* ; plur. *bateaux-phares* ; [batofaʀ].

**BATEAU-PILOTE, subst. m.**
Bateau qui guide les navires dans leurs manœuvres d'entrée et de sortie de port. 1866 ; comp. de *bateau* (I) et de *pilote* ; plur. *bateaux-pilotes* ; [batopilɔt].

**BATEAU-POMPE, subst. m.**
Bateau léger, équipé de pompes puissantes, utilisé pour lutter contre l'incendie, gén. dans une zone portuaire. 1882 ; comp. de *bateau* (I) et de *pompe* (II) ; plur. *bateaux-pompes* ; [batopɔ̃p].

**BATEAU-PORTE, subst. m.**
Caisson flottant en bois calfaté qui sert de porte pour une écluse ou un bassin de radoub. 1808 ; comp. de *bateau* (I) et de *porte* (I) ; plur. *bateaux-portes* ; [batopɔʀt].

**BATÉE, subst. f.**
Récipient métallique, peu profond et conique, dans lequel les orpailleurs lavent les sables aurifères. 1868 ; ☞ *battre* ; [bate].

**BATELAGE, subst. m.**
**1.** Service de bateaux assurant une liaison entre deux navires ou entre un navire au mouillage et la côte. **2.** Méton. Droit ou salaire versé au batelier. 1443 ; *batel*, anc. forme de *bateau* (I) ; [batlaʒ].

**BATELÉE, subst. f.**
Charge d'un bateau (vieilli). XIII^e s. ; *batel*, anc. forme de *bateau* (I) ; [batle].

**BATELET, subst. m.**
Petit bateau à rames (littér.). XIV^e s. ; *batel*, anc. forme de *bateau* (I) ; [batlɛ].

**BATELEUR, EUSE, subst.**
Personne qui exécute des tours d'adresse, de force, de bouffonnerie dans les foires ou sur les places publiques (vieilli). XIII^e s. ; prob. anc. fr. *bastel*, « instrument d'escamoteur » ; [batlœʀ, øz].

**BATELIER, IÈRE, adj. et subst.**
SUBST. Marinier naviguant sur les rivières et les canaux ; en partic., personne transportant des passagers d'une rive à l'autre d'une rivière : *Charon était le* ***batelier*** *des Enfers.* ADJ. Qui concerne la batellerie : *Compagnie* ***batelière.*** 📖 1275 ; *batel*, anc. forme de *bateau* (I) ; [batəlje, jɛʀ].

**BATELLERIE, subst. f.**
**1.** Industrie du transport fluvial ; par méton., ensemble des professionnels de cette industrie. **2.** Ensemble des bateaux destinés à la navigation fluviale. 📖 1390 ; *batel*, anc. forme de *bateau* (I) ; [batɛlʀi].

© P. Gleizes-Explorer

*La batellerie demeure un important moyen de transport des marchandises.*

**BÂTER, verbe trans.** [3]
Mettre un bât sur (une bête de somme). ▸ Loc. *Âne* ***bâté*** : personne d'une bêtise accablante. 📖 1549 ; ☞ *bât* ; [bɑte].

**BAT-FLANC, subst. m. inv.**
**1.** Pièce de bois séparant deux chevaux dans une écurie ; par ext., cloison en bois séparant les lits d'un dortoir. **2.** Plancher surélevé ou plate-forme rabattable servant de lit aux soldats ou aux détenus. 📖 1881 ; comp. de *battre* et de *flanc* ; [baflɑ̃].

**BATH, adj. inv.**
Beau, agréable (fam. et vieilli) : *Elle est* ***bath,*** *cette maison.* 📖 1846 ; orig. obsc. ; [bat].

**BATHOLITE, subst. m.**
*Géol.* Massif de roches d'origine profonde (par ex. granite), en forme de dôme, qui traverse les couches superficielles de l'écorce terrestre. 📖 1928 ; formé de *batho-* et de *-lite* ; [batɔlit].

**BATHONIEN, IENNE, adj. et subst. m.**
*Géol.* SUBST. Étage supérieur du Jurassique moyen (il y a env. 160 millions d'années). ADJ. Relatif à cet étage. 📖 1863 ; topon. *Bath* (Angleterre) ; [batɔnjɛ̃, jɛn].

**BATHYAL, ALE, AUX, adj.**
*Océanogr.* Se dit des fonds immergés entre 200 et 3 000 m de profondeur. L'étage **bathyal** correspond à une pente généralement faible (de 3 à 6°), mais parfois forte en bordure de chaînes de montagnes. 📖 1928 ; gr. *bathus*, « profond » ; [batjal, o].

**BATHYMÈTRE, subst. m.**
*Océanogr.* Appareil utilisé pour mesurer les profondeurs sous-marines. 📖 1810 ; formé de *bathy-* et de *-mètre*[1] ; [batimɛtʀ].

**BATHYMÉTRIE, subst. f.**
*Océanogr.* Mesure des profondeurs sous-marines. 📖 1838 ; formé de *bathy-* et de *-métrie* ; [batimetʀi].

**BATHYPÉLAGIQUE, adj.**
*Océanogr.* Qui se rapporte au domaine aquatique océanique compris entre 200 et 3 000 m de profondeur. 📖 Gr. *pelagos*, « mer », + *bathy-* ; [batipelaʒik].

**BATHYSCAPHE, subst. m.**
*Océanogr.* Engin de plongée autonome destiné à l'exploration des grandes profondeurs sous-marines. 📖 V. 1950 ; formé de *bathy-* et de *-scaphe* ; [batiskaf].

**BATHYSPHÈRE, subst. f.**
*Océanogr.* Sphère d'acier à hublots, reliée à la surface par un câble, qui était destinée à l'observation du milieu sous-marin en grande profondeur. 📖 1928 ; ☞ *sphère* + *bathy-* ; [batisfɛʀ].

**BÂTI, IE, adj. et subst. m.**
ADJ. **1.** *Terrain* ***bâti*** : sur lequel on a élevé un ou plusieurs bâtiments. **2.** Fig. Proportionné, en parlant d'une personne : *Un nageur bien* ***bâti.*** SUBST. **1.** Châssis, assemblage destiné à supporter ou à consolider qqch. : *Un* ***bâti*** *d'encadrement* ; *Le* ***bâti*** *d'un échafaudage.* **2.** *Cout.* Assemblage provisoire et grossier des pièces d'un vêtement : *Le* ***bâti*** *d'une jupe.* 📖 XIIe s. ; p. p. de *bâtir* ; [bɑti].

**BATIFOLAGE, subst. m.**
Action de batifoler (fam.) : *Cessez ce* ***batifolage !*** 📖 1532 ; ☞ *batifoler* ; [batifɔlaʒ].

**BATIFOLER, verbe intrans.** [3]
Fam. Folâtrer, s'ébattre avec joie ; passer son temps à des frivolités. 📖 1532 ; p.-ê. anc. prov. *batifol*, « moulin à battre » ; [batifɔle].

**BATIFOLEUR, EUSE, subst.**
Personne aimant à batifoler (fam.). 📖 1835 ; ☞ *batifoler* ; [batifɔlœʀ, øz].

**BATIK, subst. m.**
Technique de teinture sur soie consistant à appliquer des réserves à la cire sur le tissu avant de le tremper dans divers bains de couleur ; par méton., l'étoffe ainsi traitée. 📖 1845 ; mot javanais ; [batik].

**BÂTIMENT, subst. m.**
**1.** Vx. Action de bâtir. **2.** Toute construction à usage de logement, d'abri, etc. **3.** Secteur d'activité regroupant tous les métiers relatifs à ce type de construction. **4.** Navire, gén. de fort tonnage, destiné à la navigation en mer : *Un* ***bâtiment*** *de guerre.* 📖 Fin XIIe s. ; ☞ *bâtir* ; [bɑtimɑ̃].

**BÂTIR, verbe trans.** [19]
**1.** Élever (une construction) sur le sol, en assemblant des matériaux : ***Bâtir*** *un immeuble.* **2.** Fig. Construire, fonder : ***Bâtir*** *un empire* ; ***Bâtir*** *sa réputation* ; ***Bâtir*** *un roman*, l'agencer. **3.** *Cout.* Assembler provisoirement à grands points les pièces de (un vêtement). 📖 Déb. XIIe s. ; anc. bas frq. °*bastjan*, « assembler, construire en entrelaçant des fils de chanvre, des brindilles » ; [bɑtiʀ].

**BÂTISSE, subst. f.**
**1.** Gros œuvre d'un bâtiment. **2.** Grand bâtiment sans caractère. 📖 1762 (1636, action de bâtir) ; altér. du m. fr. *bastissement* ; [bɑtis].

**BÂTISSEUR, EUSE, subst.**
Personne qui bâtit ou fait bâtir : *Un* ***bâtisseur*** *de villes* ; au fig. : *Un* ***bâtisseur*** *d'utopies.* 📖 1539 ; ☞ *bâtir* ; [bɑtisœʀ, øz].

**BATISTE, subst. f.**
Toile fine et blanche, gén. de lin ou de chanvre, parfois de coton ou de soie. 📖 1401 ; prob. *battre* ; [batist].

**BÂTON, subst. m.**
**1.** Morceau de bois allongé, plus ou moins cylindrique, qui peut servir d'appui ou d'arme : *Un* ***bâton*** *de pèlerin, de berger, d'aveugle* ; *Une volée de coups de* ***bâton*** ; ***Bâton*** *de vieillesse*, dont s'aide le vieillard pour marcher ou, au fig., soutien moral d'une personne âgée ; ***Bâtons*** *de ski*, munis d'une rondelle et servant d'appui au skieur. ▸ Emblème d'autorité : ***Bâton*** *pastoral*, crosse de l'évêque ; ***Bâton*** *de maréchal*, symbole de la dignité de maréchal de France ou, au fig., poste le plus haut auquel on parvient. **2.** Anal. ▸ Objet allongé de forme cylindrique : *Un* ***bâton*** *de réglisse, de craie, de rouge à lèvres.* ▸ Trait vertical que tracent les enfants qui apprennent à écrire ou à compter. ▸ *Écriture* ***bâton*** : sans empattements. **3.** *Un* ***bâton*** : 10 000 francs (fam.). **4.** Loc. *Mettre des* ***bâtons*** *dans les roues* : faire obstacle à la bonne marche d'une affaire, aux projets de qqn ; *Une vie de* ***bâton*** *de chaise* : une vie déréglée (par réf. au **bâton** servant à déplacer la chaise à porteurs) ; *Conversation à* ***bâtons*** *rompus* : menée librement, en changeant souvent de sujets (par réf. au **bâton** servant à frapper le tambour). **5.** *Archit.* ***Bâtons*** *rompus* : motif ornemental en baguettes ou boudins brisés. **6.** *Hérald.* Bande dont la largeur est réduite. 📖 Fin XIe s. ; lat. pop. °*basto*, de °*bastare*, « porter » ; [bɑtɔ̃].

**BÂTONNAT, subst. m.**
Mandat de bâtonnier ; durée de ce mandat. 📖 1832 ; ☞ *bâtonnier* ; [bɑtɔna].

**BÂTONNER, verbe trans.** [3]
Frapper à coups de bâton. 📖 Déb. XIIIe s. (1174, importuner) ; ☞ *bâton* ; [bɑtɔne].

**BÂTONNET, subst. m.**
**1.** Petit bâton. **2.** Anal. Objet en forme de petit bâton : *Un* ***bâtonnet*** *d'encens.* **3.** *Anat.* ***Bâtonnets*** *de la rétine* : prolongements du corps des cellules de la rétine, sensibles à l'intensité de la lumière, la vision des couleurs étant la fonction des cônes. 📖 Déb. XIIe s. ; ☞ *bâton* ; [bɑtɔnɛ].

**BÂTONNIER, subst. m.**
Avocat élu par ses confrères pour présider le conseil de leur ordre. 📖 1332 ; ☞ *bâton* ; [bɑtɔnje].

**BATOUDE, subst. f.**
Tremplin de cirque, long et très flexible. 📖 1879 ; ital. *battuta*, « coup d'envoi de la balle » ; [batud].

**BATRACIENS, subst. m. plur.**
*Zool.* Amphibiens. 📖 1806 ; gr. *batrakhos*, « grenouille » ; [batʀasjɛ̃].

**BATTAGE, subst. m.**
**1.** Action de battre : *Le* ***battage*** *des tapis, de la laine, du coton.* **2.** Fig. Publicité tapageuse : *Faire du* ***battage*** *autour d'un film.* **3.** *Spéc.* ▸ *Agric.* Séparation des grains des épis, des cosses qui les enveloppent. ▸ *Métall.* Martelage : ***Battage*** *de l'or*, pour le réduire en feuilles. 📖 1329 ; ☞ *battre* ; [bataʒ].

**BATTANT (I), ANTE, adj.**
**1.** *Une pluie* ***battante*** : très violente. **2.** Qui va et vient : *La queue* ***battante*** *d'un chien* ; *Une porte* ***battante.*** **3.** Loc. *À 6 heures* ***battantes***, ou ***battant*** : à 6 heures précises ; *Guitare* ***battant*** *neuve*, ou ***battant*** *neuf* : toute neuve ; *Le cœur* ***battant*** : avec émotion ; *Tambour* ***battant*** : promptement, rondement. 📖 Fin XIIe s. ; p. pr. de *battre* ; [batɑ̃, ɑ̃t].

**BATTANT (II), subst. m.**
**1.** Pièce mobile suspendue à l'intérieur d'une cloche et qui, en tapant contre sa paroi, la fait sonner. **2.** Partie mobile d'une porte, d'une fenêtre : *Fenêtre à deux* ***battants.*** **3.** *Techn.* Partie mobile d'un mécanisme, d'une machine venant battre contre une autre. **4.** Argot. Cœur (synon. *palpitant*). 📖 Fin XIIIe s. ; p. pr. de *battre* ; [batɑ̃].

**BATTANT (III), ANTE, subst.**
Sportif pugnace ; personne énergique, combative. 📖 1907 ; p. pr. de *battre*, p.-ê. d'apr. l'angl. *battling*, « combatif » ; [batɑ̃, ɑ̃t].

**BATTE, subst. f.**
**1.** Outil servant à battre, à aplanir, etc. : ***Batte*** *de terrassier, de carreleur, de blanchisseuse.* **2.** *Sp.* ***Batte*** *de cricket, de base-ball* : bâton servant à renvoyer la balle. 📖 1331 (XIIIe s., clenche de loquet) ; ☞ *battre* ; [bat].

**BATTÉE, subst. f.**
Partie du dormant où vient battre une porte. 📖 1838 (1680, quantité de matériau battu en une fois) ; ☞ *battre* ; [bate].

**BATTELLEMENT, subst. m.**
*Constr.* Rang de tuiles en débord, de pente moindre, terminant le bas d'un toit. 📖 1690 ; p.-ê. anc. fr. *bataillier*, « garnir de remparts » ; [batɛlmɑ̃].

**BATTEMENT, subst. m.**
**1.** Choc qui se répète par intervalles ou mouvement alterné et rapide ; par méton., le bruit ainsi produit : *Le* ***battement*** *d'un volet* ; *Le* ***battement*** *du tambour, de la pluie sur le toit* ; *Un* ***battement*** *d'ailes, de paupières* ; *Des* ***battements*** *de jambes* ; ***Battement*** *de mains*, applaudissement. **2.** Pulsation d'un organe : *Les* ***battements*** *du cœur* ; *Le* ***battement*** *du pouls.* **3.** Intervalle de temps, coupure : *Un* ***battement*** *entre deux représentations.* **4.** *Phys.* Variation périodique du passage simultané de deux oscillations de fréquences voisines $f_1$ et $f_2$ par la même valeur maximale ; la fréquence des **battements** $f = |f_1 - f_2|$. 📖 Déb. XIIe s. ; ☞ *battre* ; [batmɑ̃].

**BATTERIE, subst. f.**
**I.** Vx. Querelle, rixe. **II. 1.** ***Batterie*** *de cuisine* : ensemble des ustensiles, à l'origine en métal battu, qui vont au feu ; au fig., nombreuses décorations militaires arborées par qqn (fam.). **2.** Ext. Ensemble d'éléments ou d'appareils de même nature et usage ; série : *Une* ***batterie*** *de projecteurs.* ▸ *Électr.* Ensemble d'éléments produisant du courant électrique : *Une* ***batterie*** *d'accumulateurs* ; par ell. : *La* ***batterie*** *d'une voiture* ; au fig. : *Recharger ses* ***batteries***, reprendre

des forces. ▸ *Psychol.* ***Batterie de tests*** : série de tests d'aptitude. ▸ *Élevage en* ***batterie*** : selon lequel les animaux sont élevés de façon fortement automatisée, dans des box individuels. **III.** *Milit.* **1.** Réunion de pièces d'artillerie : *Une* ***batterie*** *aérienne, antichar, côtière.* ▸ Loc. *Mettre en* ***batterie*** : en position ; *Dresser, changer ses* ***batteries*** : ses plans, l'organisation des moyens mis en œuvre ; *Démasquer, dévoiler ses* ***batteries*** : révéler soudainement ses intentions. **2.** Unité d'un régiment d'artillerie. **IV.** *Mus.* **1.** Manière de battre le tambour. **2.** Ensemble des instruments à percussion d'un orchestre. **3.** Instrument constitué de plusieurs percussions et joué par un seul musicien. **V.** *Chorégr.* Mouvement de ciseaux des jambes pendant un pas ou un saut ; série de pas, de sauts battus. Fin XII^e s. ; ☞ *battre* ; [batʀi].

**BATTEUR, EUSE, subst.**
**1.** Personne qui pratique le battage (du grain, des métaux, etc.). **2.** *Mus.* Personne qui joue de la batterie. **3.** *Sp.* Joueur de cricket ou de base-ball chargé de renvoyer la balle avec une batte. **Masc. 1.** *Cuis.* Ustensile ou appareil ménager servant à battre, à émulsionner. **2.** *Text.* Machine à battre le coton. **3.** *Agric.* Cylindre rotatif muni de battes, principal organe d'une **batteuse**. **Fém.** Machine agricole servant à égrener céréales ou légumineuses. 1204 ; ☞ *battre* ; [batœʀ, øz].

**BATTITURES, subst. f. plur.**
*Techn.* Parcelles jaillissant du métal battu à chaud. 1573 ; ital. *battitura*, de *battere*, « battre » ; [batityʀ].

**BATTLE-DRESS, subst. m. inv.**
Tenue de combat, en partic. veste courte de toile faisant partie de cette tenue (anglic.). 1949 ; anglo-amér. *battledress*, de *battle*, « bataille », et de *dress*, « tenue » ; [batɛldʀɛs].

**BATTOIR, subst. m.**
**1.** Instrument en bois servant à battre : *Un* ***battoir*** *à linge*, sorte de palette ; *Le* ***battoir*** *d'un fléau*, sa partie mobile. **2.** Main large et épaisse (fam.). Déb. XIII^e s. ; ☞ *battre* ; [batwaʀ].

**BATTRE, verbe [61]**
**Trans. dir. 1.** Frapper (qqch.) à coups répétés, avec un instrument : ***Battre*** *le linge* ; ***Battre*** *le blé*, pour séparer les grains des épis ; ***Battre*** *un métal*, le travailler au marteau ; *Le droit régalien de* ***battre*** *monnaie* ; ***Battre*** *tambour*, en jouer. ▸ Loc. *Il faut* ***battre*** *le fer pendant qu'il est chaud* : il faut profiter sans tarder d'une situation propice ; ***Battre*** *la campagne* (☞ *campagne*) ; ***Battre*** *le pavé* : marcher sans but ; ***Battre*** *pavillon d'un pays* : naviguer sous son pavillon ; ***Battre*** *la chamade* (☞ *chamade*). **2.** Heurter : *Les vagues* ***battent*** *la digue.* **3.** Agiter, remuer. ▸ Fouetter avec un batteur de cuisine : ***Battre*** *des œufs, une crème.* ▸ Mélanger : ***Battre*** *les cartes.* ▸ *Mus.* ***Battre*** *la mesure* : la rythmer. **4.** Frapper (qqn, un animal) de coups répétés : ***Battre*** *un pauvre chien à mort* ; *Cesse de* ***battre*** *ta sœur !* ▸ ***Battre*** *sa coulpe* (☞ *coulpe*). **5.** Fig. Infliger une défaite à (un adversaire, un ennemi) ; vaincre : *Les Français* ***battirent*** *les Prussiens à Iéna* ; ***Être battu*** *à une élection.* ▸ *Sp.* ***Battre*** *un record* : accomplir la meilleure performance. **Trans. indir. Battre de.** Faire des mouvements alternatifs rapides avec : ***Battre*** *des cils, des mains, des ailes.* **Intrans.** Être animé de battements plus ou moins rapides : *L'horloge* ***bat*** *régulièrement.* **Pronom. 1.** Lutter : *La chèvre de monsieur Seguin s'est* ***battue*** *toute la nuit* ; *Se* ***battre*** *contre l'envahisseur, contre une idéologie.* **2.** Se combattre mutuellement : *Ils se* ***battent*** *comme des chiffonniers.* Mil. XI^e s. ; lat. *battere*, de *battuere*, « frapper le visage de qqn » ; [batʀ].

**BATTU, UE, adj.**
**1.** Qui a reçu ou reçoit régulièrement des coups : *Un enfant* ***battu***, martyrisé. ▸ Loc. *Un air de chien* ***battu*** : apeuré et pitoyable. **2.** Vaincu : *Se déclarer* ***battu.*** **3.** *Terre* ***battue*** : durcie par pilonnage ou par foulage. ▸ Loc. *Sortir des sentiers* ***battus*** : éviter la banalité. **4.** Fig. Qui semble épuisé, abattu : *Des yeux* ***battus****, une mine* ***battue.*** **5.** *Chorégr.* Qui s'accompagne de battements de jambes : *Un saut* ***battu.*** XII^e s. ; p. p. de *battre* ; [baty].

**BATTUE, subst. f.**
Action de battre en ligne les bois et les champs pour en faire sortir le gibier et, par ext., pour chercher qqn qui s'y est égaré ou caché. Fin XV^e s. ; p. p. de *battre* ; [baty].

**BATTURE, subst. f.**
Québ. Zone battue par les vagues et découverte à marée basse. Fin XII^e s. ; ☞ *battre* ; [batyʀ].

**BAU, subst. m.**
*Mar.* Traverse principale d'un navire, maintenant l'écartement des murailles et supportant les bordages des ponts. Déb. XIII^e s. ; anc. bas frq. °*balk*, « poutre » ; [bo].

**BAUD, subst. m.**
*Télécomm.* Unité de vitesse de transmission d'une information, qui mesure le nombre de signaux électriques transférés par seconde sur un canal donné. 1929 ; anthropon. *Émile Baudot* ; [bo].

**BAUDELAIRIEN, IENNE, adj.**
Qui se rapporte à Baudelaire, à son œuvre ou à son style : *Le spleen* ***baudelairien.*** 1884 ; anthropon. *Charles Baudelaire* ; [bodlɛʀjɛ̃, jɛn].

**BAUDET, subst. m.**
**1.** Âne mâle reproducteur. **2.** Âne (fam.). ▸ Loc. *Être chargé comme un* ***baudet*** : très chargé. Mil. XVI^e s. ; anc. fr. *baud*, « impudique » ; [bodɛ].

**BAUDRIER, subst. m.**
**1.** Bande de cuir ou d'étoffe portée en écharpe et supportant le fourreau ou l'étui d'une arme, le ceinturon, etc. **2.** Harnais de sécurité préservant un ouvrier, un alpiniste d'une chute. 1387 ; prob. anc. fr. *baldrei* ; [bodʀije].

**BAUDROIE, subst. f.**
*Zool.* Poisson marin de la famille des Lophiidés, à grosse tête portant des tentacules (synon. *lotte de mer*). XVI^e s. ; prov. *baudroi* ; [bodʀwa].

© H. Chaumeton-Jacana
*Tête de baudroie.*

**BAUDRUCHE, subst. f.**
**1.** Membrane de caoutchouc ou d'une matière élastique très fine, dont on fait notamment des ballons. **2.** Fig. Personne sans consistance. 1690 ; orig. obsc. ; [bodʀyʃ].

**BAUGE, subst. f.**
Gîte fangeux d'un sanglier ; par ext., pièce mal tenue, désordonnée (fam.) : *En voilà une* ***bauge*** *!* 1482 ; prob. var. de *bauche* (vx), « torchis » ; [boʒ].

**BAUHINIE, subst. f.**
*Bot.* Genre d'arbre ou d'arbrisseau des régions tropicales de la famille des Césalpiniacées, à fleurs blanches ou purpurines. 1751 ; anthropon. *Jean* et *Gaspard Bauhin*, botanistes ; [boini].

**BAUME, subst. m.**
**1.** *Bot.* Composé résineux sécrété par certaines plantes qui contiennent des acides benzoïques et cinnamiques, servant à des usages médicaux (élixirs, onguents) ou technologiques (vernis, résines, parfumerie). **2.** *Pharm.* Onguent propre à adoucir ou à guérir les blessures, à base de résines de certaines plantes ou à base d'huiles ou de solutions alcooliques, employé en onction, en friction. ▸ Fig. Ce qui adoucit les douleurs morales : *Vous me mettez du* ***baume*** *au cœur.* Mil. XII^e s. ; lat. *balsamum*, du gr. *balsamon*, d'orig. hébr. ; [bom].

**BAUMIER, subst. m.**
*Bot.* Nom de divers arbres sécrétant des baumes (synon. *balsamier*). Déb. XIII^e s. ; ☞ *baume* ; [bomje].

**BAUQUIÈRE, subst. f.**
*Mar.* Ceinture intérieure d'un navire liant entre eux les couples et soutenant les baux. XVI^e s. ; *bauch*, anc. forme de *bau* ; [bokjɛʀ].

**BAUXITE, subst. f.**
*Pétrogr.* Roche sédimentaire rose ou rougeâtre, surtout constituée d'hydrates d'alumine. Les **bauxites** résultent de l'altération de roches comme

© D. Reperant-Explorer
*Les Baux-de-Provence, site éponyme de la bauxite, découverte en 1821.*

le granite ou les argiles sous un climat tropical (au Crétacé, en France), ce qui explique que les principales réserves actuelles se situent dans la zone intertropicale. 1837 ; topon. *Les Baux-de-Provence* (Bouches-du-Rhône) ; [boksit].

**BAVARD, ARDE, adj. et subst.**
**Adj. 1.** Qui parle beaucoup et sans retenue. **2.** Qui parle trop, ne sait pas garder un secret. **Subst.** Personne bavarde. 1532 ; ☞ *bave* ; [bavaʀ, aʀd].

**BAVARDAGE, subst. m.**
**1.** Action de bavarder. **2.** Médisance, ragot (gén. au plur.). 1746 ; ☞ *bavard* ; [bavaʀdaʒ].

**BAVARDER, verbe intrans. [3]**
**1.** Parler beaucoup, futilement. **2.** Tenir des propos indiscrets ou médisants. **3.** Anal. Crier, en parlant d'oiseaux, telle la pie. 1539 ; ☞ *bavard* ; [bavaʀde].

**BAVAROIS, OISE, adj. et subst.**
De Bavière. **Subst. masc.** ou **fém.** Entremets à base de mousse aromatisée durcie à la gélatine. 1660 ; topon. *Bavaria*, anc. forme de *Bavière* ; [bavaʀwa, waz].

**BAVASSER, verbe intrans. [3]**
Bavarder (fam. et péj.). 1584 ; ☞ *baver* ; [bavase].

**BAVE, subst. f.**
**1.** Salive visqueuse qui s'écoule de la bouche d'un être humain ou de la gueule d'un animal : *La* ***bave*** *d'un bébé* ; *La* ***bave*** *écumeuse d'un chien enragé.* **2.** Ext. Sécrétion visqueuse de certains mollusques : *La* ***bave*** *des escargots.* **3.** Fig. Propos médisant, calomnie. Déb. XIV^e s. ; prob. lat. pop. °*baba*, onomat. évoquant le babil mêlé de salive des bébés ; [bav].

**BAVER, verbe intrans. [3]**
**1.** Laisser couler de la bave : *Petit enfant qui* ***bave*** ; *La rage fait* ***baver.*** **2.** Anal. Se répandre en débordant, en souillant : *Peinture, encre qui* ***bave.*** **3.** Fig. et Fam. ***Baver*** *d'admiration, d'envie* : laisser paraître ces sentiments, ne pas pouvoir les réprimer ; ***Baver*** *sur qqn, qqch.* : les dénigrer. ▸ Loc. *En* ***baver*** : endurer une chose pénible. Déb. XIV^e s. ; ☞ *bave* ; [bave].

**BAVETTE, subst. f.**
**1.** Bavoir. **2.** Partie haute d'un tablier, d'une salopette ; rabat fixé au col de la robe d'avocat. **3.** Loc. *Tailler une* ***bavette*** : bavarder (fam.). **4.** *Bouch.* Partie de l'abdomen du bœuf, qui touche l'aloyau. XIII^e s. ; ☞ *bave* ; [bavɛt].

**BAVEUX, EUSE, adj.**
Qui bave. ▸ *Omelette* ***baveuse*** : peu cuite et moelleuse à l'intérieur. Déb. XII^e s. ; ☞ *bave* ; [bavø, øz].

**BAVOCHER, verbe intrans. [3]**
*Impr.* et *Grav.* **1.** Déborder, altérer un contour ou un trait, en parlant de l'encre. **2.** Être imprimé avec des bavures, sans netteté : *Cette épreuve* ***bavoche.*** 1676 ; ☞ *baver* ; [bavɔʃe].

**BAVOIR, subst. m.**
Pièce de tissu que l'on attache au cou des bébés pour absorber leur bave (synon. *bavette*). 1717 (mil. XV^e s., lieu où l'on bavarde) ; ☞ *baver* ; [bavwaʀ].

**BAVOLET, subst. m.**
Ancienne coiffe de paysanne couvrant la nuque. Fin XVI^e s. (1556, drapeau) ; formé de *bas* (I) et de l'anc. fr. *volet*, « sorte de voile » ; [bavɔlɛ].

**BAVURE, subst. f.**
**1.** *Techn.* Saillie, trace laissée par les joints du moule sur un objet moulé. **2.** Trace produite par une encre qui bave : *Un cahier plein de* ***bavures.*** **3.** Erreur plus ou moins grave dans l'accomplissement d'une tâche, d'une mission. **4.** Loc. *Un travail sans* ***bavure*** : irréprochable. Déb. XIV^e s. ; ☞ *baver* ; [bavyʀ].

**BAYADÈRE,** subst. f.
Danseuse rituelle de l'Inde ; par ext., danseuse professionnelle. ► En appos. *Étoffe **bayadère*** : à larges rayures multicolores. 1638 ; port. *balhadeira* ; [bajadɛʀ].

**BAYER,** verbe intrans. [15]
**1.** Vx. Ouvrir tout grand la bouche. **2.** Loc. ***Bayer** aux corneilles* : être distrait, rêvasser. Déb. XII^e s. ; lat. pop. °*batare*, d'orig. onomat. ; verbe défectif ; [baje].

**BAYOU,** subst. m.
*Géogr.* Bras d'eau plus ou moins stagnante, en Louisiane. 1699 ; choctaw (langue amérindienne) *bàjuk*, « petite rivière » ; [baju].

**BAYRAM,** voir **BAÏRAM**

**BAZAR,** subst. m.
**1.** Marché public, en Afrique du Nord et au Moyen-Orient. **2.** Magasin proposant une grande variété d'articles, spéc. à usage domestique. ► Loc. *De **bazar*** : de qualité inférieure. **3.** Fig. Lieu où tout est en désordre (fam.) : *Cette chambre est un véritable **bazar** !* **4.** Ensemble d'objets disparates (fam.) : *Il est sorti avec tout son **bazar**.* **5.** Chahut, tapage (fam.). 1432 ; persan *bāzār*, « marché couvert » ; [bazaʀ].

© Giraudon

Le Bazar des tapis dans le Kahan Khalil au Caire *(détail), peinture de Louis Cl. Mouchot (1830-1891). Musée des Beaux-Arts et d'Archéologie, Rennes.*

**BAZARDER,** verbe trans. [3]
Se débarrasser rapidement de (qqch.), s'en défaire en le cédant à bas prix ou en le jetant (fam.). 1846 ; ☞ *bazar* ; [bazaʀde].

**BAZOOKA,** subst. m.
*Arm.* Lance-roquettes antichar portatif. 1945 ; mot anglo-amér. ; [bazuka].

**Be,** voir **BÉRYLLIUM**

**BEAGLE,** subst. m.
Petit chien courant utilisé pour chasser le lapin et le lièvre. 1888 ; mot angl. ; [bigl].

**BÉANCE,** subst. f.
**1.** État de ce qui est béant. **2.** *Pathol.* Dilatation de l'ouverture d'un organe. Déb. XIII^e s. ; ☞ *béant* ; [beɑ̃s].

**BÉANT, BÉANTE,** adj.
Grand ouvert : *La gueule **béante** d'un animal.* Mil. XVI^e s. ; p. pr. de *béer* ; [beɑ̃, beɑ̃t].

**BÉARNAIS, AISE,** subst. et adj.
Du Béarn. **Adj.** *Cuis. Sauce **béarnaise*** : sauce émulsionnée aux œufs, au beurre fondu et à l'estragon. 1465 ; topon. *Béarn* ; [beaʀnɛ, ɛz].

**BÉAT, BÉATE,** adj.
**1.** Bienheureux. **2.** Ext. Qui fait montre d'une satisfaction un peu niaise : *Un optimisme, un sourire **béat**.* Fin XIII^e s. ; lat. *beatus*, « heureux » ; [bea, beat].

**BÉATEMENT,** adv.
De manière béate : *Le chat se prélassait **béatement** au soleil.* 1860 ; ☞ *béat* ; [beatmɑ̃].

**BÉATIFICATION,** subst. f.
*Cath.* Acte officiel (au terme d'une procédure canonique) par lequel le pape béatifie une personne défunte : *La **béatification** prélude souvent à la canonisation.* 1374 ; lat. médiév. *beatificatio* ; [beatifikasjɔ̃].

**BÉATIFIER,** verbe trans. [6]
*Cath.* Proclamer bienheureux : *Pie X **béatifia** Jeanne d'Arc en 1909.* 1361 ; lat. chrét. *beatificare* ; [beatifje].

**BÉATIFIQUE,** adj.
*Théol.* Qui procure la béatitude : *Vision **béatifique**,* contemplation de Dieu par les élus. Mil. XV^e s. ; lat. chrét. *beatificus* ; [beatifik].

**BÉATITUDE,** subst. f. -
**1.** *Théol.* Félicité éternelle des élus. ► *Les **Béatitudes*** : les huit vertus conduisant à la vie éternelle, énumérées par Jésus-Christ dans le Sermon sur la montagne. **2.** Ext. Sérénité, bonheur parfait. Mil. XIII^e s. ; lat. chrét. *beatitudo* ; [beatityd].

**BEATNIK,** subst.
Membre d'une mouvance sociale et littéraire de contestation de la société industrielle, née en Californie dans les années cinquante. V. 1960 ; anglo-amér. *beatnik*, formé de *beat generation*, « génération foutue », et du yiddish *-nik* ; [bitnik].

**BEAU, BEL, BELLE,** adj. et subst.
**Adj. 1.** Qui éveille un plaisir esthétique : *De très **beaux** poèmes* ; *Elle est **belle** comme le jour.* ► Loc. *Se faire **beau**, **belle*** : s'apprêter, se parer ; *Pour les **beaux** yeux de qqn* : sans rien attendre en retour ; *Ça me fait une **belle** jambe* : ça ne me sert à rien (fam.). **2.** Admirable par ses qualités morales, excellent : *Un **beau** geste* ; *Un **bel** esprit* ; *Le **beau** monde*, la brillante société ; *Un **beau** parleur*, un brillant causeur ou, péj., un phraseur ; *Être **beau** joueur*, savoir perdre avec bonne grâce ; par ell. et par antiphr. : *En faire de **belles***, commettre des sottises. **3.** Remarquable, notable : ***Belle** prise !* ; *Une **belle** somme* ; *C'est un **beau** menteur.* ► Loc. Par antiphr. : *La **belle** affaire !*, c'est sans importance. **4.** Agréable, plaisant : *Avoir une **belle** situation* ; *Un **beau** soleil.* ► Loc. *Il fait **beau** temps* ou, par ell., *Il fait **beau*** : le temps est agréable ; *Mourir de sa **belle** mort* : de vieillesse et sans souffrir ; *Dormir à la **belle** étoile* : dehors. **5.** Loc. *La bailler **belle** à qqn* (☞ *bailler*) ; *Au **beau** milieu de* : en plein milieu de ; *Avoir **beau** jeu de* (+ inf.) : réussir facilement à ; *Un **beau** jour* : un certain jour. ► Empl. adv. *De plus **belle*** : de nouveau et davantage ; ***Bel** et bien* : vraiment ; *Avoir **beau*** (+ inf.) : faire des efforts inutiles pour ; *Il ferait **beau** voir que* : il serait scandaleux que. **Subst. masc. 1.** *Le **beau*** : ce qui suscite l'admiration, en partic. esthétique. ► Loc. fam. *C'est du **beau** !* : c'est honteux ! **2.** Homme élégant (vx) : *Un vieux **beau***, un homme âgé qui cherche encore à séduire. ► Loc. *Faire le **beau*** : se dresser sur ses pattes de derrière, en parlant d'un chien ou se rengorger, en parlant d'une personne. **Subst. fém. 1.** Femme au physique attrayant : *Courtiser les **belles*** ; *La **belle** de qqn*, la femme dont il est amoureux. **2.** *Jeux.* Dernière manche, décisive, d'une partie. ► Ext. *Se faire la **belle*** : s'évader (pop.). 900 ; lat. *bellus*, « gracieux, élégant » ; le masc. de l'adj. *bel* est obligatoire devant un subst. commençant par une voyelle ou un *h* muet et dans quelques loc. figées (*Philippe le Bel*), facultatif devant et précédant un autre adj. (*bel et bon*) ; [bo, bɛl].

**BEAUCERON, ONNE,** adj. et subst.
De la Beauce. **Subst. masc.** Chien de berger français. 1823 ; topon. *Beauce* ; [bosʀɔ̃, ɔn].

**BEAUCOUP,** adv.
**1.** Énormément, considérablement. ► Avec un verbe. *Il dort **beaucoup*** ; *Elle me plaît **beaucoup**.* ► Avec un comparatif. *Il est allé **beaucoup** trop lentement* ; *Il va **beaucoup** mieux qu'avant.* **2. Beaucoup de** (+ subst.). Une quantité importante, un grand nombre de : *Il a **beaucoup** d'amis* ; ***Beaucoup** de gens attendent.* ► Empl. pronom. ***Beaucoup** pensent qu'il démissionnera.* **3. De beaucoup.** Nettement : *Elle est de **beaucoup** la plus intelligente.* ► *Il s'en faut de **beaucoup** (que)* : il y a une grande différence, un manque trop important (pour que). **4. Pour beaucoup.** De manière déterminante, favorable : *S'ils ont réussi, il y est pour **beaucoup**.* XIII^e s. ; formé de *beau* et de *coup* ; [boku].

**BEAUF,** subst. m.
Fam. **1.** Beau-frère. **2.** Petit-bourgeois borné, réactionnaire et phallocrate ; empl. adj. : *Il est trop **beauf**.* Mil. XX^e s. ; abrév. de *beau-frère* ; [bof].

**BEAU-FILS,** subst. m.
**1.** Fils que le conjoint a eu d'une précédente union. **2.** Gendre. 1530 (mil. XV^e s., jeune élégant) ; comp. de *beau* et de *fils* ; plur. *beaux-fils* ; [bofis].

**BEAUFORT,** subst. m.
Fromage savoyard qui ressemble au gruyère. Topon. *Beaufort* (Savoie) ; [bofɔʀ].

**BEAU-FRÈRE,** subst. m.
**1.** Frère du conjoint. **2.** Époux de la sœur. 1386 ; comp. de *beau* et de *frère* ; plur. *beaux-frères* ; [bofʀɛʀ].

**BEAUJOLAIS,** subst. m.
Vin produit dans la région du Beaujolais. Fin XIX^e s. ; topon. *Beaujolais* ; [boʒɔlɛ].

**BEAU-PÈRE,** subst. m.
**1.** Père du conjoint. **2.** Conjoint de la mère d'un enfant né d'un premier lit. XIII^e s. ; comp. de *beau* et de *père* ; plur. *beaux-pères* ; [bopɛʀ].

**BEAUPRÉ,** subst. m.
*Mar.* Mât de ***beaupré*** ou ***Beaupré*** : mât oblique ou horizontal prolongeant la proue d'un voilier. 1350 ; anglo-norm. *bosprete* ; [bopʀe].

**BEAUTÉ,** subst. f.
**1.** Qualité de ce qui est beau, esthétiquement remarquable : *La **beauté** d'un enfant* ; *La **beauté** grecque.* ► Loc. *De toute **beauté*** : très beau ; *Elle est en **beauté*** : plus belle qu'à l'ordinaire. **2.** Méton. Personne belle : *Une **beauté***, une belle femme ; chose belle : *Les **beautés** de l'Égypte.* **3.** Caractère de ce qui est estimable moralement : *Pour la **beauté** du geste* ; *Terminer qqch. en **beauté***, brillamment. **4.** Ensemble des soins apportés au visage et au corps : *Un salon de **beauté*** ; *Se refaire une **beauté***, se remaquiller. Fin XI^e s. ; ☞ *beau* ; [bote].

**BEAUX-ARTS,** subst. m. plur.
Ensemble des arts dont l'objet traditionnel est de représenter le beau (arts plastiques et, parfois, musique et danse) : *L'École nationale supérieure des **beaux-arts*** ou, par ell., *Les **Beaux-Arts***, à Paris. 1661 ; comp. de *beau* et de *art* ; [bozaʀ].

**BEAUX-PARENTS,** subst. m. plur.
Le père et la mère du conjoint. 1793 ; comp. de *beau* et de *parent* ; [bopaʀɑ̃].

**BÉBÉ,** subst. m.
**1.** Enfant en bas âge, nourrisson : *Attendre un **bébé***, être enceinte ; *Un **bébé**-éprouvette*, conçu par fécondation in vitro ; *Faire le **bébé***, se comporter puérilement. ► Loc. *Jeter le **bébé** avec l'eau du bain* : perdre l'essentiel en voulant éliminer une difficulté accessoire. **2.** Ext. Petit d'un animal : ***Bébé** phoque.* Mil. XVIII^e s. ; orig. onomat., d'apr. l'angl. *baby* ; [bebe].

**BÉBÊTE,** adj. et subst.
Niais (fam.). Mil. XIX^e s. ; ☞ *bête* ; [bebɛt].

**BE-BOP,** subst. m.
*Mus.* Style de jazz qui s'est développé à partir de 1940 aux États-Unis, notamment sous l'impulsion de Charlie Parker ; par ext., danse exécutée sur cette musique (abrév. : bop). V. 1950 ; anglo-amér. *bebop* ; plur. *be-bops*, var. *bebop* ; [bibɔp].

**BEC,** subst. m.
**I.** *Zool.* Organe saillant, formé des deux mandibules cornées qui recouvrent les maxillaires supérieur et inférieur des Oiseaux : *Un oisillon ouvrant son **bec**.* ► Méton. *Les **becs** crochus* : les Rapaces ; *Les **becs** droits* : les Corvidés. ► Loc. *Se défendre **bec** et ongles* : avec acharnement ; *Nez en **bec** d'aigle* : crochu ; *Rester le **bec** dans l'eau* : démuni, dépité. **II.** Anal. **1.** Fam. Bouche d'une personne : *La cigarette au **bec**.* ► Loc. *Clouer le **bec** à qqn* : lui imposer le silence ; *Prise de **bec*** : dispute ; *Un fin **bec*** : un gourmet. **2.** Partie saillante et pointue d'un objet : *Le **bec** verseur d'une casserole.* **3.** *Mus.* Embouchure de certains instruments à vent : *Le **bec** d'une clarinette* ; *Flûte à **bec**.* **4.** *Archit.* Partie saillante à la base de la pile d'un pont, destinée à briser le courant et à détourner les objets flottants. **5.** *Géogr.* Langue de terre au confluent de deux cours d'eau : *Le **bec** d'Ambès*, entre Garonne et Dordogne. **6.** *Techn.* Brûleur à gaz : *Un **bec** Bunsen* ; ***Bec** de gaz*, ancien lampadaire alimenté au gaz. Déb. XII^e s. ; lat. *beccus* ; [bɛk].

**BÉCANE,** subst. f.
**1.** Toute machine sur laquelle on travaille (argot.). **2.** Bicyclette ; par ext., véhicule à deux roues (fam.). 1870 (1841, mauvaise locomotive) ; orig. obsc. ; [bekan].

**BÉCARD,** subst. m.
*Pêche.* Saumon, truite ou brochet ayant atteint une certaine taille. 1540 ; ☞ *bec* ; [bekaʀ].

**BÉCARRE,** subst. m.
*Mus.* Signe placé avant une note (♮) pour annuler l'effet d'un dièse ou d'un bémol ; empl. adj. : *Des « si » bécarres.* 1425 ; ital. *bequadro*, du lat. médiév. *b quadratum*, « *b* à panse carrée » ; [bekaʀ].

**BÉCASSE,** subst. f.
**1.** *Zool.* Oiseau échassier migrateur de la famille des Charadriidés, caractérisé par son long bec. **2.** Fig. Femme sotte (péj.). Fin XIIe s. ; ☞ *bec* ; [bekas].

**BÉCASSEAU,** subst. m.
*Zool.* **1.** Petit de la bécasse (synon. *béchot*). **2.** Petit échassier au bec plus court que celui de la bécasse. 1537 ; ☞ *bécasse* ; [bekaso].

**BÉCASSINE,** subst. f.
*Zool.* Oiseau de la famille des Charadriidés, proche de la bécasse, qui niche dans les marais. 1552 ; ☞ *bécasse* ; [bekasin].

**BEC-CROISÉ,** subst. m.
*Zool.* Passereau granivore des forêts de conifères, de la famille des Fringillidés, dont le bec se croise à son extrémité. 1751 ; comp. de *bec* et de *croisé* ; plur. *becs-croisés* ; [bɛkkʀwaze].

**BEC-DE-CANE,** subst. m.
Serrure dont le pêne se manœuvre sans clé, au moyen d'une béquille ou d'un bouton ; la poignée d'une telle serrure. XVIe s. ; comp. de *bec* et de *cane* ; plur. *becs-de-cane* ; [bɛkdəkan].

**BEC-DE-CORBEAU,** subst. m.
*Techn.* Pince coupante ; outil tranchant dont l'extrémité est incurvée. 1835 ; comp. de *bec* et de *corbeau* ; plur. *becs-de-corbeau* ; [bɛkdəkɔʀbo].

**BEC-DE-CORBIN,** subst. m.
*Techn.* Nom de divers outils dont l'extrémité est aiguë et incurvée. 1453 ; comp. de *bec* et de l'anc. fr. *corbin*, « corbeau » ; plur. *becs-de-corbin* ; [bɛkdəkɔʀbɛ̃].

**BEC-DE-LIÈVRE,** subst. m.
*Pathol.* Malformation congénitale qui consiste en une fissure de la lèvre supérieure. 1560 ; comp. de *bec* et de *lièvre* ; plur. *becs-de-lièvre* ; [bɛkdəljɛvʀ].

**BEC-DE-PERROQUET,** subst. m.
*Pathol.* Ostéophyte vertébral. XXe s. ; comp. de *bec* et de *perroquet* ; plur. *becs-de-perroquet* ; [bɛkdəpɛʀɔkɛ].

**BECFIGUE,** subst. m.
Nom donné, dans le midi de la France, à divers passereaux qui se nourrissent de fruits (en partic. de figues). 1539 ; ital. *beccafico*, de *beccare*, « becqueter », et *fico*, « figue » ; [bɛkfig].

**BEC-FIN,** subst. m.
*Zool.* Nom donné à des oiseaux à bec fin et effilé (fauvettes, rossignols, etc.). 1843 ; comp. de *bec* et de *fin* (II) ; plur. *becs-fins* ; [bɛkfɛ̃].

**BÊCHAGE,** subst. m.
Action de bêcher ; son résultat. 1611 ; ☞ *bêcher* ; [bɛʃaʒ].

**BÉCHAMEL,** subst. f.
*Cuis. Une sauce **Béchamel** ou Une **béchamel*** : sauce blanche faite d'un roux blanc délayé dans du lait. 1735 ; anthropon. *Louis de Béchamel*, maître d'hôtel de Louis XIV ; var. *béchamelle* ; [beʃamɛl].

**BÊCHE,** subst. f.
**1.** Outil de jardinage servant à retourner la terre, fait d'une large lame de fer plate et tranchante adaptée à un manche. **2.** *Artill. **Bêche** de crosse* : soc fixant au sol un affût de canon. XIIe s. ; ☞ *bêcher* (I) ; [bɛʃ].

**BÊCHE-DE-MER,** subst. m.
Bichlamar. Plur. *bêches-de-mer* ; [bɛʃdəmɛʀ].

**BÊCHER (I),** verbe trans. [3]
Retourner (la terre) avec une bêche. XIIe s. ; prob. lat. pop. °*bessicare*, de *bessus*, « bêche » ; [beʃe].

**BÊCHER (II),** verbe trans. [3]
Fam. **1.** Vx. Critiquer, dénigrer. **2.** Snober : *Tu nous **bêches** !* ; empl. abs., considérer autrui avec dédain. Mil. XIXe s. ; prob. *bêcher* (I) ; [beʃe].

**BÊCHEUR, EUSE,** subst.
Personne hautaine et prétentieuse (fam.). Mil. XIXe s. ; ☞ *bêcher* (II) ; [bɛʃœʀ, øz].

**BEC-JAUNE,** voir **BÉJAUNE**

**BÉCOT,** subst. m.
Petit baiser (fam.). 1794 ; ☞ *bec* ; [beko].

**BÉCOTER,** verbe trans. [3]
Fam. Donner des bécots à (qqn). PRONOM. Échanger des baisers : *Les amoureux qui s'**bécotent** sur les bancs publics* (Brassens). 1830 ; ☞ *bécot* ; [bekɔte].

**BECQUÉE,** subst. f.
Quantité de nourriture qu'un oiseau prend dans son bec pour se nourrir ou pour nourrir ses petits : *Donner la **becquée*** ; par anal. : *Donner la **becquée** à un enfant.* XIVe s. ; ☞ *bec* ; var. *béquée* ; [beke].

© E. Pott-Jacana

© P. Nief-Jacana

1. *Bécasseau arborant son plumage d'été.*

2. *Rossignol donnant la becquée.*

**BECQUEREL,** subst. m.
Unité d'activité d'une source radioactive (symb. : Bq), qui correspond à la désintégration de 1 atome par seconde. V. 1970 ; anthropon. *Henri Becquerel* ; [bɛkʀɛl].

**BECQUET,** subst. m.
**1.** Vx. Petit bec. **2.** *Impr.* Morceau de papier ajouté en marge d'un manuscrit ou d'une épreuve pour signaler une correction. **3.** *Théâtre.* Partie de texte ajoutée ou transformée pendant les répétitions. **4.** *Autom.* Élément de carrosserie destiné à améliorer les qualités aérodynamiques d'une voiture. Fin XIIe s. ; ☞ *bec* ; var. *béquet* ; [bekɛ].

**BECQUETANCE,** subst. f.
Nourriture (fam.). 1880 ; ☞ *becqueter* ; var. *bectance* ; [bɛktɑ̃s].

**BECQUETER,** verbe trans. [14]
**1.** Piquer, pincer, attraper avec le bec, en parlant d'un oiseau (var. *béqueter*) : ***Becqueter** le grain.* **2.** Fam. Manger (var. *becter*). 1451 ; ☞ *bec* ; [bɛk(ə)te].

**BEDAINE,** subst. f.
Panse, ventre rebondi (fam.) : *Se remplir la **bedaine**.* 1400 ; prob. anc. fr. *boudine*, « nombril » ; [bədɛn].

**BÉDANE,** subst. m.
*Techn.* Ciseau d'acier trempé, plus épais que large. 1596 ; formé de *bec* et de l'anc. fr. *ane*, « canard » ; [bedan].

**BEDEAU,** subst. m.
Employé laïque d'une église, préposé au service matériel et au bon déroulement des offices. Fin XIIe s. ; anc. bas frq. °*bidil* ; [bədo].

**BÉDÉGAR,** subst. m.
*Bot.* Galle spongieuse qui apparaît sur les rosiers et les églantiers, produite par la larve d'un cynipidé. XIIIe s. ; persan *bādāvard*, « chardon béni », de *bād*, « vent, souffle », et de *āvardan*, « apporter » ; [bedegaʀ].

**BEDON,** subst. m.
Gros ventre, bedaine (fam.). 1462 (1404, sorte de tambour) ; prob. *bedaine* ; [bədɔ̃].

**BEDONNANT, ANTE,** adj.
Qui bedonne, ventripotent : *Une silhouette **bedonnante**.* 1868 ; p. pr. de *bedonner* ; [bədɔnɑ̃, ɑ̃t].

**BEDONNER,** verbe intrans. [3]
Fam. Prendre du ventre ; avoir du ventre. 1868 (1507, résonner) ; ☞ *bedon* ; [bədɔne].

**BÉDOUIN, INE,** subst. et adj.
Du peuple des Bédouins, nomades des déserts d'Arabie, du Proche-Orient et de l'Afrique du Nord : *Les langues **bédouines**.* Fin XIIe s. ; ar. dial. *badwān*, « habitant du désert » ; [bedwɛ̃, in].

**BÉE,** adj. f.
*Être, rester, demeurer bouche **bée*** : avoir la bouche ouverte d'étonnement, d'admiration ou, au fig., être stupéfait, ébahi. XIIe s. ; p. p. de *béer* ; [be].

**BÉER,** verbe intrans. [7]
**1.** Être grand ouvert. **2.** Être bouche bée : ***Béer** de curiosité.* 1121 ; var. de *bayer* ; [bee].

**BEFFROI,** subst. m.
**1.** *M. Â.* Tour d'assaut mobile en bois. **2.** Tour d'une ville (parfois clocher d'église) contenant une cloche ou un carillon. **3.** Méton. Cloche ou carillon d'un **beffroi** : *Sonner le **beffroi**.* 1155 ; prob. anc. bas frq. °*bergfripu*, « préserve la paix » ; [befʀwa].

**BÉGAIEMENT,** subst. m.
**1.** Fait de bégayer. **2.** Fig. Première tentative, gén. maladroite (gén. au plur. ; synon. *balbutiement*). 1538 ; ☞ *bégayer* ; [begɛmɑ̃].

**BÉGAYANT, ANTE,** adj.
Qui bégaie. XVe s. ; p. pr. de *bégayer* ; [begɛjɑ̃, ɑ̃t].

**BÉGAYER,** verbe intrans. [15]
**1.** Souffrir d'un trouble de la parole caractérisé par la répétition saccadée de sons ou de syllabes et par la difficulté à les enchaîner au reste du mot. **2.** Ext. S'exprimer de façon maladroite, hésitante ; empl. trans. : *Il **bégaya** des remerciements.* **3.** Fig. *L'histoire **bégaie*** : elle produit de fâcheuses répliques des errements du passé. 1416 ; ☞ *bègue* ; [begeje].

© Rouxaime-Jacana

*Bégonia.*

**BÉGONIA,** subst. m.
**1.** *Bot.* Plante originaire d'Amérique tropicale, que l'on cultive pour ses fleurs aux couleurs vives. **2.** Loc. *Charrier dans les **bégonias*** : exagérer (fam.). 1706 ; anthropon. *Bégon*, intendant général de Saint-Domingue au XVIIe s. ; [begɔnja].

**BÉGU, UË,** adj. et subst.
Se dit d'un cheval dont les incisives présentent un aspect juvénile qui masque son âge. 1690 ; orig. obsc. ; [begy].

*Le **beffroi** de la Grand-Place de Bruges.*

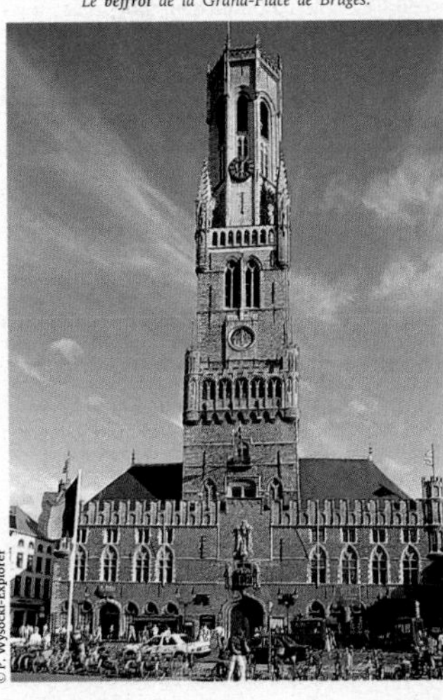

© P. Wysocki-Explorer

**BÈGUE,** adj. et subst.
Se dit d'une personne qui bégaie : *Camille Desmoulins était **bègue**.* 1235 ; anc. fr. *béguer,* « bégayer » ; [bɛg].

**BÉGUETER,** verbe intrans. [13]
Pousser son cri, en parlant de la chèvre. 1556 ; anc. fr. *béguer,* « bégayer » ; [beg(ə)te].

**BÉGUEULE,** adj. et subst.
Qualifie ou désigne une personne prude ou qui feint de l'être (gén. au fém.). 1746 (1470, bouche bée) ; crois. de *bée* et de *gueule* ; [begœl].

**BÉGUIN,** subst. m.
**1.** Bonnet s'attachant sous le menton, tel celui des béguines. **2.** Fam. Passion, amour éphémère : *Elle a le **béguin** pour Séraphin* ; par méton., personne qui en est l'objet : *Voilà son nouveau **béguin**.* 1387 ; ☞ *béguine* ; [begɛ̃].

**BÉGUINAGE,** subst. m.
Communauté de béguines, en partic. en Belgique et aux Pays-Bas ; bâtiments qui l'abritent. 1277 ; ☞ *béguine* ; [beginaʒ].

*Le **béguinage** de Bruges.*

**BÉGUINE,** subst. f.
Femme vivant dans une communauté religieuse, qui prononce des vœux pour le temps de sa vie communautaire. XIIIe s. ; p.-ê. m. néerl. *beg(g)aert* ; [begin].

**BÉGUM,** subst. f.
Titre indien, gén. tenu pour l'équivalent de « princesse ». 1653 ; turc *bigim,* « princesse » ; [begɔm].

**BÉHAÏSME,** voir **BAHAÏSME**

**BÉHAVIORISME,** subst. m.
*Philos.* Doctrine prétendant faire de la psychologie une science objective, en limitant son champ d'étude aux manifestations apparentes, c.-à-d. au comportement, et en en excluant les données non vérifiables, telle l'introspection. V. 1920 ; anglo-amér. *behaviorism,* de *behavior,* « comportement » ; var. *behaviorisme, behaviourisme* (anglic.) ; [beavjɔʀism].

**BÉHAVIORISTE,** adj. et subst.
**Adj.** Relatif, propre au béhaviorisme. **Subst.** Adepte du béhaviorisme. V. 1920 ; anglo-amér. *behaviorist* ; var. *behavioriste, behaviourist* (anglic.) ; [beavjɔʀist].

**BEIGE,** adj.
**1.** *Text.* Qui n'a subi ni teinture ni blanchiment, en parlant d'un fil, d'une toile (vieilli). **2.** Ext. D'une couleur marron très clair ; empl. subst. masc., cette couleur : *Un **beige** pâle.* Déb. XIIIe s. ; orig. obsc. ; [bɛʒ].

**BEIGNE,** subst.
**Fém.** Fam. Bosse, ecchymose due à une chute ou à un coup (vx) ; par méton., coup, gifle. **Masc.** Québ. Beignet en forme d'anneau. 1378 ; p.-ê. celt. *buno,* « souche » ; [bɛɲ].

**BEIGNET,** subst. m.
*Cuis.* Pâte frite, enrobant gén. un autre aliment : ***Beignets** au crabe.* XIVe s. ; ☞ *beigne* ; [bɛɲɛ].

**BEÏRAM,** voir **BAÏRAM**

**BÉJAUNE,** subst. m.
**1.** *Fauconn.* Jeune oiseau de proie, dont la partie membraneuse du bec est encore jaune. **2.** Fig. Jeune homme sans expérience ; nigaud. Fin XIIIe s. ; crois. de *bec* et de *jaune* ; var. *bec-jaune* (plur. *becs-jaunes*) ; [beʒon].

**BÉKÉ,** subst. et adj.
Se dit d'un créole des Antilles françaises : *L'impératrice Joséphine était une **béké**.* Mot créole ; [beke].

**BEL (I),** voir **BEAU**

**BEL (II),** subst. m.
*Métrol.* ▸ Logarithme décimal du rapport $P_1/P_2$ de deux puissances, quelle que soit leur nature (mécanique, électrique, etc.). ▸ Unité de niveau sonore (symb. : B) établie par référence à un seuil conventionnel d'audibilité. 1928 ; anthropon. *Graham Bell,* physicien américain ; [bɛl].

**BÉLANDRE,** subst. f.
Péniche hollandaise qui navigue à la voile et dont le mât se rabat. 1600 ; néerl. *bijlander* ; [belɑ̃dʀ].

**BÊLANT, ANTE,** adj.
**1.** Qui bêle. **2.** Fig. Qui évoque le bêlement du mouton ou son instinct grégaire (fam.) : *Un moralisme **bêlant**.* XIIe s. ; p. pr. de *bêler* ; [bɛlɑ̃, ɑ̃t].

**BEL CANTO,** subst. m. inv.
*Mus.* Art du chant issu de l'opéra italien, privilégiant l'agilité technique et l'expressivité vocale. 1895 ; ital. *bel canto,* « beau chant » ; [bɛlkɑ̃to].

**BÊLEMENT,** subst. m.
**1.** Cri du mouton ou, par ext., de la chèvre. **2.** Fig. et Fam. Plainte, gémissement (gén. au plur.). 1539 ; ☞ *bêler* ; [bɛlmɑ̃].

**BÉLEMNITE,** subst. f.
*Paléont.* Mollusque céphalopode fossile proche de la seiche, caractéristique des terrains de l'ère secondaire et qui a disparu à la fin du Crétacé. 1751 ; gr. *belemnon,* « flèche » ; [belɛmnit].

**BÊLER,** verbe intrans. [3]
**1.** Pousser son cri, en parlant du mouton ou de la chèvre. **2.** Fig. et Fam. Geindre, se plaindre ; empl. trans. : ***Bêler** des cantiques.* XIIe s. ; lat. *balare* ; [bɛle].

**BELETTE,** subst. f.
*Zool.* Petit mammifère carnivore de la famille des Mustélidés, bas sur pattes et au museau allongé. Fin XIIIe s. ; altér. de *belle petite (bête)* ; [bəlɛt].

**BELGE,** adj. et subst.
De Belgique : *Le franc **belge**.* 1528 ; lat. *Belgae* ; [bɛlʒ].

**BELGICISME,** subst. m.
*Ling.* Expression ou tour propre au français parlé en Belgique. 1857 ; topon. *Belgique* ; [bɛlʒisism].

**BÉLIER,** subst. m.
**1.** *Zool.* Mâle de la brebis, aux cornes annelées et spiralées. ▸ En appos. : *Lapin **bélier**,* gros lapin français aux oreilles tombantes. **2.** *Astron.* Constellation de l'hémisphère boréal. **3.** *Astrol.* *Le **Bélier*** : signe zodiacal (21 mars-20 avril). **4.** *Hist.* Grosse poutre munie d'une masse de métal à une extrémité, dont se servaient les assaillants pour enfoncer une porte ou ouvrir une brèche dans une muraille. ▸ Anal. Masse suspendue à une chaîne ou à un câble, avec laquelle on démolit les murs. **5.** *Techn.* *Coup de **bélier*** : choc produit dans une conduite d'eau lorsque l'écoulement est brusquement interrompu. ▸ ***Bélier** hydraulique* : machine utilisant ce phénomène de surpression pour élever le niveau d'eau dans une colonne. 1412 ; anc. fr. *belin,* p.-ê. du néerl. *belhamel,* « mouton à clochette » ; [belje].

**BÉLIÈRE,** subst. f.
**1.** Anneau auquel est suspendu le battant d'une cloche. **2.** Anal. ▸ Anneau servant à suspendre une médaille, un encensoir, etc. ▸ Clochette attachée au bélier menant le troupeau. 1402 ; lat. médiév. *belleria,* du m. néerl. *belle,* « cloche » ; [beljɛʀ].

**BÉLINOGRAMME,** subst. m.
*Télécomm.* Document transmis par bélinographe (abrév. fam. : bélino). 1928 ; anthropon. *Édouard Belin,* inventeur du procédé, + *-gramme* ; [belinɔgʀam].

**BÉLINOGRAPHE,** subst. m.
*Télécomm.* Machine qui servait à transmettre des images fixes par le réseau téléphonique. 1907 ; anthropon. *Édouard Belin,* son inventeur, + *-graphe* ; [belinɔgʀaf].

**BÉLÎTRE,** subst. m.
**1.** Vx. Mendiant. **2.** Ext. Coquin (vieilli). 1408 ; p.-ê. néerl. *bedelare* ; [belitʀ].

**BELLADONE,** subst. f.
*Bot.* Plante herbacée de la famille des Solanacées, dont les baies, noires, sont vénéneuses. Stupéfiant très toxique, la **belladone** contient des alcaloïdes, notamment de l'atropine, utilisée pour dilater la pupille et accélérer le rythme cardiaque. 1602 (XVe s., molène) ; ital. *bella donna,* « belle dame » ; [bɛl(l)adɔn].

**BELLÂTRE,** subst. m.
Bel homme affichant une suffisance un peu niaise. 1740 (1546, assez beau) ; ☞ *beau* ; [bɛlɑtʀ].

**BELLE,** voir **BEAU**

**BELLE-DAME,** subst. f.
**1.** *Zool.* Nom d'un papillon diurne, appelé aussi vanesse du chardon. **2.** *Bot.* ▸ Nom vulgaire de la belladone. ▸ Autre nom de l'arroche. 1611 ; comp. de *beau* et de *dame* (I) ; plur. *belles-dames* ; [bɛldam].

**BELLE-DE-JOUR,** subst. f.
**1.** *Bot.* Liseron dont les fleurs se referment le soir. **2.** Prostituée qui exerce le jour. 1762 ; comp. de *beau* et de *jour* ; plur. *belles-de-jour* ; [bɛldəʒuʀ].

**BELLE-DE-NUIT,** subst. f.
**1.** *Bot.* Mirabilis, qui ne s'épanouit que la nuit. **2.** Prostituée qui exerce la nuit. 1680 ; comp. de *beau* et de *nuit* ; plur. *belles-de-nuit* ; [bɛldənɥi].

**BELLE-DOCHE,** subst. f.
Belle-mère (pop.). 1935 ; comp. de *beau* et de l'argot *doche,* « mère » ; plur. *belles-doches* ; [bɛldɔʃ].

**BELLE-FAMILLE,** subst. f.
Famille du conjoint. 1896 ; comp. de *beau* et de *famille* ; plur. *belles-familles* ; [bɛlfamij].

**BELLE-FILLE,** subst. f.
**1.** Bru. **2.** Fille que le conjoint a eue d'une autre union. 1470 ; comp. de *beau* et de *fille* ; plur. *belles-filles* ; [bɛlfij].

**BELLEMENT,** adv.
De belle manière (vieilli). Xe s. ; ☞ *beau* ; [bɛlmɑ̃].

**BELLE-MÈRE,** subst. f.
**1.** Nouvelle femme du père (synon. vieilli *marâtre*). **2.** Mère du conjoint. 1400 ; comp. de *beau* et de *mère* (I) ; plur. *belles-mères* ; [bɛlmɛʀ].

**BELLES-LETTRES,** subst. f. plur.
Les œuvres littéraires, considérées comme fondement d'une culture et comme domaine savant : *L'Académie des inscriptions et **belles-lettres**,* l'une des cinq compagnies de l'Institut de France. 1691 ; comp. de *beau* et de *lettre* ; [bɛllɛtʀ].

**BELLE-SŒUR,** subst. f.
**1.** Sœur du conjoint. **2.** Épouse du frère. 1423 ; comp. de *beau* et de *sœur* ; plur. *belles-sœurs* ; [bɛlsœʀ].

**BELLICISME,** subst. m.
Amour de la guerre. ▸ Attitude ou doctrine préconisant le recours à la guerre pour régler les conflits internationaux. 1871 ; lat. *bellicus,* « belliqueux » ; [bɛllisism] ou [beli-].

**BELLICISTE,** adj.
Qui fait preuve de bellicisme ; qui pousse à la guerre ; empl. subst., personne **belliciste**. 1871 ; lat. *bellicus,* « belliqueux » ; [bɛllisist] ou [beli-].

1

2

1. *Belette.*
2. *Baies de belladone.*

**BELLIFONTAIN, AINE,** adj. et subst.
De Fontainebleau. Topon. *Fontainebleau* (Seine-et-Marne) ; [bɛlifɔ̃tɛ̃, ɛn] ou [beli-].

**BELLIGÉRANCE,** subst. f.
État d'un pays, d'un peuple en guerre. 1874 ; ☞ *belligérant* ; [bɛliʒeʀɑ̃s] ou [beli-].

**BELLIGÉRANT, ANTE,** adj. et subst.
Adj. Qui est en guerre : *Les parties **belligérantes**.* Subst. **1.** État qui prend part à une guerre (gén. au plur.). **2.** Combattant d'une armée régulière. 1744 ; lat. *belligerans*, de *belligerare*, « faire la guerre » ; [bɛliʒeʀɑ̃, ɑ̃t] ou [beli-].

**BELLIQUEUX, EUSE,** adj.
**1.** Qui aime la guerre ; qui pousse à la guerre (anton. *pacifiste*). **2.** Ext. Querelleur, agressif (anton. *pacifique, paisible*). Mil. XVe s. ; lat. *bellicosus* ; [bɛlikø, øz] ou [beli-].

**BELLUAIRE,** subst. m.
**1.** *Antiq. rom.* Gladiateur qui combattait les fauves. **2.** Ext. Dompteur (littér.). 1853 ; lat. *bellua*, « bête sauvage » ; [bɛl(l)ɥɛʀ].

**BELON,** subst. f.
Huître plate et ronde, de grande renommée. 1953 ; topon. *Belon*, rivière de Bretagne ; [bəlɔ̃].

**BELOTE,** subst. f.
Jeu de cartes qui se pratique à deux, à trois ou à quatre. ► Loc. ***Belote et rebelote !*** (☞ *rebelote*). 1926 ; p.-ê. anthropon. *F. Belot*, qui aurait perfectionné ce jeu ; [bəlɔt].

**BÉLUGA,** subst. m.
**1.** *Zool.* ► Cétacé de la famille des Delphinaptéridés, qui vit dans les mers arctiques et qui mesure de 3,5 à 4,5 m. ► Grand esturgeon de la mer Noire ou de la Caspienne ; en appos. : *Esturgeon **béluga**.* ► Région. (Bretagne). Dauphin. **2.** *Alim.* Caviar très recherché, produit par l'esturgeon **béluga**. **3.** *Mar.* Petit yacht rapide. 1575 ; russe *beluga*, de *bely'*, « blanc » ; var. *bélouga* ; [beluga].

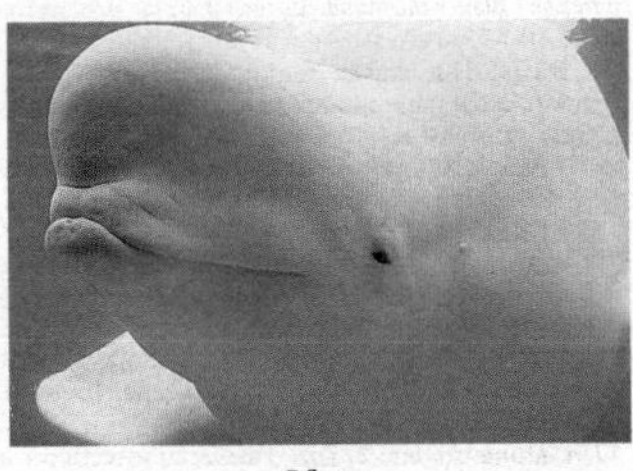


*Béluga.*

**BELVÉDÈRE,** subst. m.
**1.** Petite construction bâtie sur une hauteur, d'où la vue est dégagée. **2.** Ext. Terrasse naturelle offrant un point de vue. 1512 ; ital. *belvedere*, de *bello*, « beau », et de *vedere*, « voir » ; [bɛlvedɛʀ].

**BÉMOL,** subst. m.
*Mus.* Signe d'altération (♭) qui abaisse d'un demi-ton la note qu'il précède ; placé dans l'armature de la clé, il altère la note à toutes les octaves et pour tout le morceau, à moins qu'un bécarre n'en suspende l'effet : *Le double **bémol** baisse la note d'un ton* ; empl. adj. : *Des « si » **bémol(s)**.* ► Loc. fam. ***Mettre un bémol*** : parler moins haut ou modérer ses manières. XIVe s. ; ital. *b molle*, « *b* à panse ronde » ; [bemɔl].

**BÉMOLISER,** verbe trans. [3]
*Mus.* Affecter (une note, une tonalité) d'un bémol. 1752 ; ☞ *bémol* ; [bemɔlize].

**BEN,** adv.
Fam. Bien ; eh bien ! : ***Ben**, vous ! vous ne manquez pas de culot.* XIIe s. ; altér. de *bien* ; [bɛ̃].

**BÉNARD (I), ARDE,** adj. et subst. f.
Adj. **1.** Se dit d'un verrou, d'une serrure que l'on peut actionner des deux côtés du vantail à l'aide d'une clé pleine. **2.** ***Clé bénarde*** : clé actionnant un tel verrou. Subst. Serrure **bénarde**. 1442 ; *bernard* (vx), « niais » ; [benaʀ, aʀd].

**BÉNARD (II),** subst. m.
Pantalon (argot.). 1881 ; anthropon. *Bénard*, tailleur ; [benaʀ].

*Investiture d'un moine **bénédictin**, détail d'une miniature (XIe s.). Abbaye du Mont-Cassin.*

**BÉNÉDICITÉ,** subst. m.
*Cath.* Prière d'action de grâces dite avant le repas, commençant par le mot latin *benedicite*. Fin XIIe s. ; lat. *benedicite*, « bénissez » ; [benedisite].

**BÉNÉDICTIN, INE,** subst. et adj.
*Relig.* Adj. Relatif à saint Benoît ou à l'ordre des Bénédictins : *La liturgie **bénédictine**.* Subst. **1.** Religieux ou religieuse qui suit la règle édictée par saint Benoît de Nursie v. 529 au mont Cassin, précisée aux Xe et XIe s. par les abbés de Cluny et de Cîteaux : *Un couvent de **bénédictins**.* **2.** Fig. Érudit qui s'adonne au travail : *Une œuvre de **bénédictin**,* qui nécessite beaucoup de soins, de patience. XIIIe s. ; anthropon. lat. *Benedictus*, « Benoît » ; [benediktɛ̃, in].

**BÉNÉDICTINE,** subst. f. inv.
Liqueur fabriquée à l'origine par les bénédictins de l'abbaye de Fécamp. 1878 ; ☞ *bénédictin* ; n. déposé ; [benediktin].

**BÉNÉDICTION,** subst. f.
*Relig.* **1.** Faveur divine : *Les **bénédictions** du ciel.* ► Évènement heureux ; bienfait : *Cet enfant est une **bénédiction** !* **2.** Acte (sacramental) par lequel un prêtre appelle la protection divine sur qqn. ► Cérémonie, geste (gén. en signe de croix, chez les chrétiens) exprimant cet appel : ***Bénédiction** nuptiale* ; ***Bénédiction** « urbi et orbi »* (☞ *urbi et orbi*). ► Ext. Aspersion rituelle d'eau bénite sur un objet, voué ou non au culte : ***Bénédiction** d'un navire.* **3.** Loc. ***Donner sa bénédiction à qqn*** : l'autoriser à entreprendre qqch., l'approuver. XIIIe s. ; lat. chrét. *benedictio* ; [benediksjɔ̃].

**BÉNÉFICE,** subst. m.
**I. 1.** Vx. Bienfait. **2.** Avantage, privilège : *Le **bénéfice** d'une solide instruction.* ► *Dr. canon.* ***Bénéfice** ecclésiastique* ou, empl. abs., ***Bénéfice*** : charge ecclésiastique dotée d'un revenu ; résidence de son titulaire. ► *Féod.* Concession d'une terre ou de droits, faite par un suzerain à un vassal. **3.** *Dr.* Faveur accordée par la loi : ***Bénéfice** du doute,* en vertu duquel le juge relaxe ou acquitte un accusé dont la culpabilité ne lui semble pas établie ; ***Bénéfice** d'inventaire,* faculté pour un héritier de n'accepter une succession que dans la mesure où son inventaire ne fait pas apparaître un excédent du passif sur l'actif recueilli. **II.** Ext. Gain financier, profit réalisé par une entreprise : ***Bénéfice** net,* obtenu après déduction des charges ; *Participation des salariés aux **bénéfices**.* Fin XIIe s. ; lat. *beneficium*, « bienfait » ; [benefis].

**BÉNÉFICIAIRE,** adj. et subst.
Adj. Qui dégage un profit : *Une société **bénéficiaire**.* Subst. Personne à qui revient un bénéfice. 1609 ; lat. médiév. *beneficiarius* ; [benefisjɛʀ].

**BÉNÉFICIER (I),** subst. m.
*Dr. canon.* Détenteur d'un bénéfice ecclésiastique. 1272 ; lat. médiév. *beneficiarius* ; [benefisje].

**BÉNÉFICIER (II),** verbe trans. indir. [6]
**1. Bénéficier de.** Jouir de (un avantage) : *Il **bénéficie** d'un bon environnement.* **2. Bénéficier à.** Être à l'avantage de : *Cette mesure **bénéficiera** aux plus pauvres.* XIIIe s. ; lat. médiév. *beneficiare*, « munir d'un bénéfice » ; [benefisje].

**BÉNÉFIQUE,** adj.
Qui a une influence favorable ; bienfaisant. 1532 ; lat. *beneficus* ; [benefik].

**BENÊT,** subst. m. et adj. m.
Sot, niais : *Un grand **benêt** ; Il est un peu **benêt**.* 1530 ; anc. norm. *benest*, altér. de *benoît* ; [bənɛ].

**BÉNÉVOLAT,** subst. m.
Activité non rémunérée, effectuée par une personne de son plein gré. 1954 ; ☞ *bénévole* ; [benevɔla].

**BÉNÉVOLE,** adj.
**1.** Dévoué ; par ext., qui exerce une activité volontaire sans contrepartie financière : *Un professeur **bénévole*** ; empl. subst. : *Les **bénévoles** d'une association.* **2.** Exécuté gratuitement : *Un service **bénévole**.* 1282 ; lat. *benevolus* ; [benevɔl].

**BÉNÉVOLEMENT,** adv.
De manière bénévole ; gratuitement. 1557 ; ☞ *bénévole* ; [benevɔlmɑ̃].

**BENGALI,** adj. et subst.
Du Bengale. Subst. masc. **1.** Langue indo-européenne parlée au Bengale et langue officielle du Bangladesh. **2.** *Zool.* Passereau d'Asie ou d'Afrique, de la famille des Plocéidés, aux couleurs vives, souv. élevé en volière. 1760 ; mot hindi ; [bɛ̃gali].

**BÉNIGNITÉ,** subst. f.
Caractère de ce qui est sans gravité : *La **bénignité** d'une maladie* (anton. *malignité*). 1865 (fin XIIe s., bienveillance) ; lat. *benignitas*, « bonté » ; [beniɲite].

**BÉNIN, IGNE,** adj.
**1.** Vx. Bon : *Êtes-vous d'humeur **bénigne** ce soir ?* **2.** Ext. Sans conséquence grave : *Un accident **bénin**.* 1670 (fin XIIe s., bienveillant) ; lat. *benignus*, « bienveillant » ; [benɛ̃, iɲ].

**BÉNI-OUI-OUI,** subst. m. inv.
Personne qui approuve en toute circonstance les actes, les propos d'une autorité (fam.). V. 1950 ; comp. de l'ar. *beni*, « les fils de », et de *oui* ; [beniwiwi].

**BÉNIR,** verbe trans. [19]
**1.** *Relig.* ► Combler de ses bienfaits, en parlant de Dieu : *Dieu vous **bénisse** !* ; empl. adj. : *Une famille **bénie** du ciel.* ► Appeler la grâce ou la protection divine sur, en parlant d'un prêtre : ***Bénir** l'assistance.* ► Consacrer : ***Bénir** une église* ; par ext. : *L'aumônier **a béni** les drapeaux.* **2.** Glorifier ; rendre un hommage reconnaissant à : *Je **bénis** ce pays qui m'a accueilli.* Fin XIe s. ; lat. *benedicere*, « dire du bien de » ; [beniʀ].

**BÉNIT, ITE,** adj.
*Relig.* Rituellement consacré : *L'eau **bénite**.* ► Loc. ***C'est pain bénit*** : cela tombe à point (fam.). 1493 ; anc. fr. *beneït*, de *beneïr*, du lat. pop. °*benedictum* ; [beni, it].

**BÉNITIER,** subst. m.
**1.** *Relig.* Vasque contenant l'eau bénite. ► Loc. ***Grenouille de bénitier*** : bigot. **2.** *Zool.* Mollusque du genre tridacne, pouvant mesurer jusqu'à 1 m de long, dont une des valves peut constituer un **bénitier**. 1281 ; anc. fr. *benoitier*, de *eaubenoitier*, « vase à eau bénite » ; [benitje].

**BENJAMIN, INE,** subst.
**1.** Le plus jeune d'une famille et, par ext., d'un groupe. **2.** Jeune sportif appartenant à la catégorie d'âge comprise entre celle des poussins et celle des minimes. Déb. XVIIIe s. ; *Benjamin*, le plus jeune fils de Jacob, dans la Bible ; [bɛ̃ʒamɛ̃, in].

**BENJOIN,** subst. m.
Résine aromatique produite par le styrax (arbre d'Asie méridionale), utilisée en médecine et en parfumerie. 1479 ; catalan *benjui*, de l'ar. *lubān ǧawī*, « encens de Java » ; [bɛ̃ʒwɛ̃].

**BENNE,** subst. f.
**1.** Tombereau ; grande caisse servant au transport de matériaux. ► Caisson gén. mobile, monté sur le châssis d'un véhicule : ***Benne** basculante ; Camion à **benne**.* **2.** Cabine de téléphérique. 1579 ; var. nord. de *banne*, « tombereau » ; [bɛn].

**BENOÎT, OÎTE,** adj.
**1.** Doux, paisible (vieilli). **2.** Patelin, qui a un air doucereux (littér.). Déb. XIIe s. ; lat. *benedictus*, « béni » ; [bənwa, wat].

**BENOÎTE, subst. f.**
*Bot.* Plante herbacée de la famille des Rosacées, à fleurs jaunes ou blanches, appelée aussi herbe de Saint-Benoît, dont certaines espèces sont dotées de vertus stimulantes et astringentes. XIIe s. ; ☞ *benoît*, prob. à cause des grandes vertus de cette plante ; [bənwat].

**BENOÎTEMENT, adv.**
De manière doucereuse, affectée (littér.). 1823 ; ☞ *benoît* ; [bənwatmɑ̃].

**BENTHIQUE, adj.**
*Océanogr.* Qui concerne le benthos : *Animal, zone* ***benthique***. 1907 ; ☞ *benthos* ; [bɛ̃tik].

**BENTHOS, subst. m.**
*Océanogr.* Ensemble des êtres vivants qui se développent en liaison intime avec le fond des mers, qu'ils y soient fixés superficiellement, enfouis dans le sédiment ou qu'ils se déplacent à sa surface : *Le* ***benthos*** *littoral, abyssal.* Fin XIXe s. ; gr. *benthos*, « profondeur » ; [bɛ̃tɔs].

**BENTONITE, subst. f.**
*Pétrogr.* Argile de la famille des smectites, provenant de l'altération d'une cendre volcanique et utilisée pour ses propriétés dégraissantes. 1928 ; topon. *Fort Benton* (États-Unis) ; [bɛ̃tɔnit].

**BENZÈNE, subst. m.**
*Chim.* Hydrocarbure liquide, incolore et volatil, qui existe à l'état naturel dans les goudrons de houille, desquels on sait l'isoler par distillation (formule : $C_6H_6$). Les six atomes de carbone que cette molécule contient formant un cycle, le **benzène** est un arène. 1835 ; ☞ *benzoïque* ; [bɛ̃zɛn].

**BENZÉNIQUE, adj.**
*Chim.* Relatif au benzène ; du benzène. 1878 ; ☞ *benzène* ; [bɛ̃zenik].

**BENZINE, subst. f.**
**1.** *Chim.* ► Benzène (vx). ► Liquide à base de benzol rectifié, utilisé comme solvant, comme détachant. **2.** Helv. Essence. 1833 ; all. *Benzin* ; [bɛ̃zin].

**BENZOATE, subst. m.**
*Chim.* Nom générique des sels de l'acide benzoïque : *Benzoate de calcium, de sodium.* 1787 ; ☞ *benzoïque* ; [bɛ̃zɔat].

**BENZODIAZÉPINE, subst. f.**
*Pharm.* Nom générique de substances dotées de propriétés anxiolytiques, hypnotiques et antiépileptiques (abrév. : B. Z. D.). V. 1950 ; *diazépine*, agent pharmacologique, + *benzo-* ; [bɛ̃zodjazepin].

**BENZOÏQUE, adj.**
*Chim.* Qualifie l'acide obtenu à partir du benzène, de formule $C_6H_5COOH$, isolé dès le XVIIe s. à partir de la résine de benjoin. Cet acide est un antiseptique facile à éliminer par les urines, sédatif et anesthésiant. La cocaïne est un de ses dérivés. 1787 ; lat. *benzoinum*, « benjoin » ; [bɛ̃zɔik].

**BENZOL, subst. m.**
*Chim.* Mélange de benzène et de deux autres arènes, le toluène et le xylène, qui peut servir de carburant. 1840 ; ☞ *benzoïque* ; [bɛ̃zɔl].

**BENZOLISME, subst. m.**
*Pathol.* Intoxication professionnelle due au benzol. 1938 ; ☞ *benzol* ; [bɛ̃zɔlism].

**BENZOYLE, subst. m.**
*Chim.* Radical monovalent $C_6H_5CO-$, dérivé de l'acide benzoïque. 1832 ; ☞ *benzoïque* ; [bɛ̃zɔil].

**BENZYLE, subst. m.**
*Chim.* Radical monovalent $C_6H_5CH_2-$ que l'on retrouve, par ex., dans l'alcool benzylique $C_6H_5CH_2OH$. 1840 ; ☞ *benzoïque* ; [bɛ̃zil].

**BÉOTIEN, IENNE, adj. et subst.**
De Béotie, contrée de l'ancienne Grèce. **Subst.** Personnage inculte et grossier ; personne profane dans un domaine. 1715 ; gr. *boiôtios* ; [beɔsjɛ̃, jɛn].

**BÉOTISME, subst. m.**
Manière d'être ou attribut du béotien, lourdeur d'esprit (rare). 1835 ; ☞ *béotien* ; [beɔtism].

**Bq,** voir **BECQUEREL**

**BÉQUÉE,** voir **BECQUÉE**

**BÉQUET,** voir **BECQUET**

**BÉQUETER,** voir **BECQUETER**

**BÉQUILLARD, ARDE, adj. et subst.**
Se dit d'une personne qui marche avec des béquilles (fam.). 1656 ; ☞ *béquille* ; [bekijaʀ, aʀd].

**BÉQUILLE, subst. f.**
**1.** Bâton de soutien aidant à marcher, muni d'une traverse où vient s'appuyer l'aisselle ou la main. **2.** Dispositif d'appui servant à immobiliser un véhicule, à tenir qqch. : ***Béquille*** *de moto* ; ***Béquilles*** *de bateau*, le maintenant droit à marée basse. **3.** Poignée de serrure en bec-de-cane. 1611 ; *béquillon* (vx), « petit bec » ; [bekij].

**BÉQUILLER, verbe [3]**
**Intrans.** Marcher en s'aidant de béquilles (fam.). **Trans.** Étayer avec une béquille ; munir (un navire) de ses béquilles. 1656 ; ☞ *béquille* ; [bekije].

**BER, subst. m.**
**1.** Vx. Berceau. **2.** *Mar.* Charpente supportant un navire lors de sa construction et de sa mise à l'eau. **3.** Ridelle d'une charrette. Mil. XIIe s. ; lat. pop. °*bertium*, « berceau » ; [bɛʀ].

**BERBÈRE, adj. et subst. m.**
Des Berbères, peuple d'Afrique du Nord. **Subst.** Langue sémitique parlée par les Berbères. 1844 ; ar. *barbar*, « barbares » ; [bɛʀbɛʀ].

**BERBÉRIDACÉES, subst. f. plur.**
*Bot.* Famille de plantes angiospermes de la zone tempérée, dont le type est le berbéris (épine-vinette). **Au sing.** *La pivoine est une* ***berbéridacée***. 1853 ; lat. sc. *berberis*, « épine-vinette » ; [bɛʀbeʀidase].

**BERCAIL, subst. m.**
**1.** Vx. Bergerie. **2.** Le sein de l'Église (comme refuge des fidèles) ; par anal., famille, foyer : *Rentrer au* ***bercail***. 1379 ; lat. pop. °*vervicale*, du lat. *vervex*, « mouton » ; plur. *bercails* (rare) ; [bɛʀkaj].

**BERÇANTE, adj. et subst. f.**
Québ. *Chaise* ***berçante*** ou, par ell., *Une* ***berçante*** : chaise à bascule. 1930 ; p. pr. de *bercer* ; [bɛʀsɑ̃t].

**BERCE, subst. f.**
*Bot.* Plante de la famille des Apiacées, à fleurs blanches, de grande taille, qui croît en terrain humide. 1694 ; orig. obsc. ; [bɛʀs].

**BERCEAU, subst. m.**
**I. 1.** Lit de très jeune enfant, qui peut gén. être balancé. ► Loc. *Dès le* ***berceau*** : dès le plus jeune âge. **2.** Fig. Origine, lieu de naissance : *Le* ***berceau*** *d'une civilisation.* **II.** Anal. **1.** *Archit.* *Voûte en* ***berceau*** : engendrée par un arc en plein cintre. **2.** *Artill.* Organe courbé entre le frein et l'affût d'un canon. **3.** *Grav.* Ciseau à petites dents utilisé avec un mouvement de balancement. **4.** *Hortic.* Treillage en voûte pour plantes grimpantes. **5.** *Mar.* Ber. **6.** *Mécan.* Support de moteur. 1472 ; anc. fr. *bers*, du lat. pop. °*berciolum*, « petit berceau » ; [bɛʀso].

**BERCELONNETTE, subst. f.**
Berceau léger monté sur deux pieds incurvés ou suspendu à deux montants. 1787 (1777, couverture de berceau) ; topon. *Barcelone* (Espagne), réputée au XVIIIe s. pour ses couvertures de laine ; [bɛʀsəlɔnɛt].

**BERCEMENT, subst. m.**
**1.** Action de bercer. **2.** Mouvement lent et doux de va-et-vient : *Le* ***bercement*** *des flots.* 1584 ; ☞ *bercer* ; [bɛʀsəmɑ̃].

**BERCER, verbe trans. [4]**
**1.** Balancer doucement dans un berceau ; par anal. : ***Bercer*** *un enfant dans ses bras* ; *Les vagues* ***berçaient*** *l'équipage* ; au fig. : *Son enfance* ***a été bercée*** *de légendes.* **2.** Calmer (littér.) : ***Bercer*** *son chagrin.* **3.** Leurrer : ***Bercer*** *qqn de vains espoirs* ; empl. pronom. : *Se* ***bercer*** *d'illusions.* 1220 ; anc. fr. *bers*, « berceau » ; [bɛʀse].

**BERCEUR, EUSE, adj. et subst. f.**
**Adj.** Qui berce. **Subst. 1.** Chanson fredonnée pour endormir un enfant ; morceau de musique dont le rythme s'en approche : ***Berceuses*** *de Chopin.* **2.** Québ. Berçante. 1835 ; ☞ *bercer* ; [bɛʀsœʀ, øz].

**BÉRET, subst. m.**
Coiffure souple, plate et ronde, resserrée à la base par une lisière : ***Béret*** *basque.* 1835 ; béarn. *berret*, du bas lat. *birrum*, « capote à capuchon » ; [beʀɛ].

**BERGAMASQUE, adj. et subst.**
De Bergame, ville de Lombardie. **Subst. fém.** Danse originaire de Bergame, en faveur au XVIIIe s. 1549 ; ital. *bergamasco* ; [bɛʀgamask].

**BERGAMOTE, subst. f.**
**1.** Fruit du bergamotier, dont on tire une essence aromatique. **2.** Méton. ► Cette essence. ► Bonbon parfumé à la **bergamote**. 1694 (1536, variété de poire) ; ital. *bergamotta*, p.-ê. du turc *beg armudi*, « poire du bey » ; [bɛʀgamɔt].

**BERGAMOTIER, subst. m.**
*Bot.* Arbre de la famille des Rutacées, proche de l'oranger, cultivé pour ses fruits. 1810 ; ☞ *bergamote* ; [bɛʀgamɔtje].

**BERGE (I), subst. f.**
**1.** Talus, gén. naturel, bordant un cours d'eau ou un lac. **2.** Méton. Voie longeant un fleuve. 1380 ; prob. lat. pop. °*barica*, d'orig. celte ; [bɛʀʒ].

**BERGE (II), subst. f.**
Année d'âge, en parlant d'une personne (fam.) : *Fêter ses vingt* ***berges***. 1836 ; tsigane *berj*, « an » ; [bɛʀʒ].

**BERGER, ÈRE, subst.**
**1.** Personne qui garde les moutons ou, par ext., un troupeau de bêtes : *La houlette du* ***berger***. ► Loc. *L'étoile du* ***berger*** : la planète Vénus. **2.** Fig. Guide. ► Prêtre, pasteur. **Masc.** Chien de **berger** : *Le briard est un bon* ***berger*** ; par ext., ce chien, utilisé pour la garde ou la défense : ***Berger*** *allemand.* Fin XIIe s. ; lat. pop. °*vervecarius*, du lat. *vervex*, « mouton » ; [bɛʀʒe, ɛʀ].

**BERGÈRE, subst. f.**
*Ameubl.* Large fauteuil, aux joues et aux accoudoirs pleins, et dont le siège est garni d'un coussin. 1746 ; ☞ *berger*, les tapisseries du fauteuil représentant souvent des scènes pastorales ; [bɛʀʒɛʀ].

**BERGERIE, subst. f.**
**1.** Bâtiment qui abrite les ovins. ► Loc. *Introduire le loup dans la* ***bergerie*** (☞ *loup*). **2.** Ensemble de comptoirs formant une enceinte, dans un grand magasin. **3.** *Litt.* et *B.-a.* Récit ou tableau évoquant les amours des bergers. XIIe s. ; ☞ *berger* ; [bɛʀʒəʀi].

**BERGERONNETTE, subst. f.**
**1.** Vx. Jeune bergère. **2.** *Zool.* Passereau insectivore à longue queue très mobile, vivant au bord de l'eau et dans le voisinage des troupeaux (synon. *hochequeue*, *lavandière*). Mil. XIIIe s. ; ☞ *berger* ; [bɛʀʒəʀɔnɛt].

**BERGSONISME, subst. m.**
*Philos.* Doctrine d'Henri Bergson. 1906 ; anthropon. *Henri Bergson* ; [bɛʀksɔnism].

**PHILOSOPHIE** – D'abord critique de l'idéalisme kantien, puis du scientisme, toute la pensée de Bergson s'est développée à partir des concepts de

Berger des Pyrénées *(détail), peinture de Marie R. Bonheur (1822-1899). Musée Condé, Chantilly.*

durée et d'intuition : une durée qualitative et vécue, par opposition au temps scientifique, issue de l'expérience et sans cesse y retournant ; une intuition comme connaissance immédiate et globale de la seule réalité concrète et irréductible, l'intériorité. Dénominateur commun à tout le vivant, la durée est, pour Bergson, le pont entre l'individu et l'univers tout entier, en même temps que le moyen d'atteindre la transcendance. Philosophie de l'autonomie de l'esprit, qui place l'humain, libre de tout déterminisme, au sommet de l'évolution, le bergsonisme apparaît comme une tentative de restauration de la métaphysique à l'âge de la science.

**BÉRIBÉRI, subst. m.**
*Pathol.* Maladie due à une carence en vitamine $B_1$, répandue en Asie et qui provoque notamment des œdèmes et des troubles cardiaques ou sensitifs. 1617 ; néerl. *beriberi*, du malais ; [beʀibeʀi].

**BÉRIL, voir BÉRYL**

**BERK, interj.**
Exclamation exprimant le dégoût. V. 1960 ; onomat. ; var. *beurk* ; [bɛʀk].

**BERKÉLIUM, subst. m.**
*Chim.* Élément n° 97 de la table de Mendeleïev (symb. : Bk) ; masse atomique : 249. C'est un élément transuranien de la famille des actinides, produit par Glenn Seaborg en 1949, dans le cyclotron de l'université de Berkeley ; il est instable (radioactif), et la période radioactive de l'isotope 249 est de 314 jours. 1950 ; topon. *Berkeley* (Californie) ; [bɛʀkeljɔm].

**BERLINE, subst. f.**
**1.** Véhicule hippomobile à quatre roues muni de portières vitrées et d'une capote (vx). **2.** Automobile fermée à quatre portes (vieilli). **3.** Wagonnet utilisé dans les mines. 1718 ; topon. *Berlin* ; [bɛʀlin].

**BERLINGOT, subst. m.**
**1.** Bonbon en forme de tétraèdre. **2.** Emballage tétraédrique contenant un liquide. 1618 ; ital. *berlingozzo*, « sorte de macaron » ; [bɛʀlɛ̃go].

**BERLUE, subst. f.**
*Avoir la* **berlue** : percevoir qqch. qui n'existe pas ; au fig., se méprendre. XIII<sup>e</sup> s. ; orig. obsc. ; [bɛʀly].

**BERME, subst. f.**
**1.** *Fortif.* Espace étroit entre le pied d'un rempart et le fossé. **2.** Chemin entre une levée de terre et le bord d'un canal, d'un fossé ou d'une route. 1611 ; néerl. *barm*, « accotement » ; [bɛʀm].

**BERMUDA, subst. m.**
Short dont les jambes descendent jusqu'au-dessus du genou. V. 1960 ; anglo-amér. *Bermuda shorts*, « short porté aux Bermudes » ; [bɛʀmyda].

**BERMUDIEN, IENNE, adj. et subst.**
Des Bermudes. ADJ. *Mar. Gréement* **bermudien** : à voile trapézoïdale. 1792 ; anglo-amér. *bermudian* ; [bɛʀmydjɛ̃, jɛn].

**BERNACHE, subst. f.**
*Zool.* **1.** Oie sauvage migratrice ; empl. adj. : *Une oie* **bernache**. **2.** Autre nom de l'anatife, crustacé marin. 1600 ; orig. obsc. ; var. *barnache, barnacle, bernacle* ; [bɛʀnaʃ].

**BERNARDIN, INE, subst.**
*Relig.* Religieux, religieuse de l'ordre de Saint-Benoît, réformé au XII<sup>e</sup> s. par saint Bernard. 1512 ; anthropon. *saint Bernard* ; [bɛʀnaʀdɛ̃, in].

**BERNARD-L'ERMITE, subst. m. inv.**
*Zool.* Crustacé décapode qui se loge dans des coquilles abandonnées (synon. *pagure*). 1554 ; languedocien *bernat l'ermito* ; var. *bernard-l'hermite* ; [bɛʀnaʀlɛʀmit].

**BERNE, subst. f.**
**1.** *Mar. Pavillon en* **berne** : hissé à mi-drisse en signe de deuil ou de détresse. **2.** Ext. *Drapeau en* **berne** : hissé à mi-hauteur ou enroulé sur la hampe en signe de deuil. 1676 ; néerl. *berm*, « bord » ; [bɛʀn].

**BERNER, verbe trans.** [3]
Tromper (qqn) en le ridiculisant. 1486 ; p.-ê. anc. fr. *berner*, « vanner le blé », de *bren*, « son » ; [bɛʀne].

**BERNIQUE (I), interj.**
Exclamation de dépit ou exprimant un refus (fam. et vieilli) : *Non ! rien !...* **bernique** ! 1725 ; prob. var. norm.-pic. de l'anc. fr. *bren*, « excrément » ; [bɛʀnik].

**BERNIQUE (II), subst. f.**
*Zool.* Autre nom de la patelle. 1742 ; breton *bernic* ; var. *bernicle* ; [bɛʀnik].

**BERSAGLIER, subst. m.**
*Milit.* Fantassin de l'armée italienne. 1867 ; ital. *bersagliere*, de l'anc. fr. *berser*, « tirer à l'arc » ; plur. *bersagliers* ou *bersaglieri* ; [bɛʀsaglije] ou [-aljeʀ], plur. [-aljeʀi].

**BERTHE, subst. f.**
*Cost.* Col large et arrondi ou petite pèlerine ornant un décolleté. 1847 ; anthropon. *Berthe*, mère de Charlemagne ; [bɛʀt].

**BERTHON, subst. m.**
*Mar.* Canot pliant en toile imperméable. XIX<sup>e</sup> s. ; anthropon. *Berthon*, son inventeur ; [bɛʀtɔ̃].

**BERTILLONNAGE, subst. m.**
Système d'identification des criminels, fondé sur l'anthropométrie. 1897 ; anthropon. *Alphonse Bertillon*, son inventeur ; [bɛʀtijɔnaʒ].

**BÉRYL, subst. m.**
*Minér.* Silicate de béryllium et d'aluminium, dont les variétés transparentes ou colorées donnent des pierres précieuses (émeraude, aigue-marine). Les **béryls** opaques constituent le minerai de béryllium. 1125 ; lat. *beryllus*, du gr. *bêrullos* ; var. *béril* ; [beʀil].

**BÉRYLLIUM, subst. m.**
*Chim.* Élément n° 4 de la table de Mendeleïev (symb. : Be) ; masse atomique : 9,0122 ; point de fusion : 1 278 °C ; point d'ébullition : 2 970 °C (sous pression) ; masse volumique : 1,85 g/cm³. C'est un métal alcalino-terreux bivalent, très réactif, utilisé dans les industries aéronautique et nucléaire. 1838 ; ☞ *béryl* ; [beʀiljɔm].

**BERZINGUE (À TOUT), loc. adv.**
À toute allure, très vite (fam.). 1935 ; ☞ *brindezingue* ; var. *à toute berzingue* ; [atubɛʀzɛ̃g].

**BESACE, subst. f.**
**1.** Long sac de matière souple ouvert en son milieu, qui, posé sur l'épaule, retombe en deux poches. **2.** Ext. Grand sac. **3.** *Constr. Assise en* **besace** : dont les pierres sont disposées alternativement en longueur et en largeur. Déb. XIII<sup>e</sup> s. ; bas lat. *bisaccia*, de *bis*, « deux fois », et de *saccus*, « sac » ; [bəzas].

**BESAIGUË, subst. f.**
**1.** *M. Â.* Arme en forme de hache à deux tranchants opposés. **2.** *Techn.* ► Outil de charpentier dont une extrémité forme un ciseau et l'autre un bédane. ► Marteau de vitrier. 1160 ; lat. pop. °*bisacuta*, « à deux tranchants » ; [bəzegy].

**BESANT, subst. m.**
**1.** Ancienne monnaie d'or ou d'argent frappée à Byzance. **2.** *Archit.* Disque ornant les bandeaux et les archivoltes, dans le style roman. **3.** *Hérald.* Figure ronde, d'or ou d'argent, sans marque. 1100 ; bas lat. *byzantius nummus* ; [bəzɑ̃].

**BÉSEF, adv.**
Beaucoup (fam.) : *C'est pas* **bésef** ! 1861 ; ar. d'Afrique du Nord *bezzāf* ; var. *bézef* ; [bezɛf].

**BÉSICLES, subst. f. plur.**
**1.** Vx. Grosses lunettes rondes. **2.** Lunettes (iron.). 1328 ; anc. fr. *bericle*, crois. de *béryl*, pierre dont on faisait des loupes, et de *escarbocle*, « variété de grenat rouge » ; var. *besicles* ; [bezikl].

**BÉSIGUE, subst. m.**
Jeu de cartes à la mode au XIX<sup>e</sup> s. 1820 ; orig. obsc. ; [bezig].

**BESOGNE, subst. f.**
**1.** Vx. Besoin, nécessité. **2.** Travail qu'il faut effectuer ; ouvrage. ► Loc. *Basse* **besogne** : tâche rebutante ou, au fig., inavouable, vile ; *Aller vite en* **besogne** : brûler les étapes. XII<sup>e</sup> s. ; prob. anc. bas frq. °*bisunnia*, « soin, souci » ; [bəzɔɲ].

**BESOGNER, verbe intrans.** [3]
Accomplir des travaux pénibles (vieilli). Fin XIII<sup>e</sup> s. (1120, être dans le besoin, manquer de) ; anc. bas frq. °*bisunnjôn*, « se soucier de » ; [bəzɔɲe].

**BESOGNEUX, EUSE, adj.**
**1.** Nécessiteux (vx). **2.** Qui exécute avec effort, application, une besogne peu gratifiante ; empl. subst., personne **besogneuse**. 1170 (XI<sup>e</sup> s., qui a besoin de) ; ☞ *besogne* ; [bəzɔɲø, øz].

**BESOIN, subst. m.**
**1.** Nécessité ; désir de ce dont on ressent la privation : *Éprouver, satisfaire un* **besoin** ; *La publicité crée des* **besoins** *artificiels.* ► *Faire ses* **besoins** : uriner ou déféquer (fam.). **2.** Ext. Dénuement : *Être dans le* **besoin**, manquer du nécessaire. **3.** Loc. ► **Avoir besoin.** Ressentir comme nécessaire, utile : *J'ai* **besoin** *d'un délai* ; *Elle a* **besoin** *de repos* ; *Les hommes ont* **besoin** *de respirer pour vivre* ; *Il a* **besoin** *que tu sois là.* ► Empl. impers. **Être besoin.** Être nécessaire : *Est-il* **besoin** *de vous le rappeler ?* ; *Si* **besoin** *est, répète-le-lui.* ► *En cas de* **besoin** ; *Au* **besoin** : s'il le faut. PLUR. Ce qui est nécessaire à qqch. : *Les* **besoins** *en énergie* ; *Pour les* **besoins** *de la cause*, pour la servir ; *Subvenir aux* **besoins** *de qqn*, lui procurer les moyens de vivre. XI<sup>e</sup> s. ; prob. anc. bas frq. °*bisunni*, « soin, besoin » ; [bəzwɛ̃].

**BESSEMER, subst. m.**
*Métall.* Machine convertissant la fonte en acier par insufflation d'air comprimé. 1886 ; anthropon. *sir Henry Bessemer*, son inventeur ; [bɛsmɛʀ].

**BESSON, ONNE, subst.**
Vieilli. Jumeau, jumelle ; empl. adj. : *Des sœurs* **bessonnes**. Mil. XIII<sup>e</sup> s. ; lat. pop. °*bissus*, du lat. *bis*, « deux fois » ; [besɔ̃, ɔn].

**BESTIAIRE (I), subst. m.**
**1.** *Litt.* Recueil de fables animalières, au Moyen Âge ; inventaire d'animaux, réels ou imaginaires. **2.** *B.-a.* Représentation d'un ensemble d'animaux ; iconographie animalière. Déb. XII<sup>e</sup> s. ; lat. médiév. *bestiarium*, du lat. *bestia*, « bête » ; [bɛstjɛʀ].

**BESTIAIRE (II), subst. m.**
*Antiq. rom.* Homme qui combattait les fauves dans le cirque ou qui leur était livré. 1495 ; lat. *bestiarius*, de *bestia*, « bête » ; [bɛstjɛʀ].

**BESTIAL, ALE, AUX, adj.**
Qui tient de la bête : *Des penchants* **bestiaux**. Fin XII<sup>e</sup> s. ; lat. chrét. *bestialis* ; [bɛstjal, o].

**BESTIALEMENT, adv.**
D'une manière bestiale. Fin XII<sup>e</sup> s. ; ☞ *bestial* ; [bɛstjalmɑ̃].

**BESTIALITÉ, subst. f.**
**1.** Caractère bestial d'une personne, d'un comportement. **2.** Zoophilie. XIII<sup>e</sup> s. ; lat. médiév. *bestialitas*, « caractère de ce qui est propre à la bête » ; [bɛstjalite].

**BESTIAUX, subst. m. plur.**
Les animaux de la ferme, à l'exclusion des animaux de basse-cour ; au sing. : *Un* **bestiau**, un animal. Déb. XV<sup>e</sup> s. ; anc. fr. *bestial*, du lat. *bestia*, « bête » ; [bɛstjo].

**BESTIOLE, subst. f.**
Petite bête : *Une* **bestiole** *inoffensive.* Fin XII<sup>e</sup> s. ; lat. *bestiola*, de *bestia*, « bête » ; [bɛstjɔl].

**BÊTA (I), ASSE, adj. et subst.**
Se dit d'une personne niaise (fam.) : *Gros* **bêta** *!*, appellation affectueuse. 1584 ; ☞ *bête* ; [bɛta, as].

**BÊTA (II), subst. m. inv.**
**1.** Deuxième lettre de l'alphabet grec, qui s'écrit $\beta$ ou ϐ en minuscule, et *B* en majuscule, correspondant au *b*, *B* de l'alphabet français. **2.** *Astron.* Deuxième étoile d'une constellation, en intensité lumineuse (la première étant désignée par la lettre alpha) : **Bêta** *de la Grande Ourse était appelée Mérak par les astronomes arabes.* **3.** *Phys. nucl. Les particules* **bêta** : électrons ou positrons (particules $\beta^+$) qui constituent l'un des trois rayonnements qu'émettent les substances radioactives. 1838 ; gr. *bêta* ; [bɛta].

**BÊTABLOQUANT, ANTE, adj. et subst. m.**
*Pharm.* Se dit d'une substance qui inhibe les fibres cardio-accélératrices des nerfs cardiaques. V. 1970 ; formé de *bêta* (II) et du p. pr. de *bloquer* ; [bɛtablɔkɑ̃, ɑ̃t].

MÉDECINE – Pour ralentir un cœur qui bat trop vite, il faut empêcher les fibres cardio-accélératrices d'agir. Or, ces dernières libèrent à leur extrémité de l'adrénaline et de la noradrénaline, qui excitent des récepteurs spécifiques appelés récepteurs bêta. Les bêtabloquants sont des substances qui paralysent ces récepteurs et les rendent insensibles à l'action de l'adrénaline.

**BÉTAIL, subst. m. sing.**
Ensemble des animaux d'élevage d'une ferme, à l'exception de la volaille : *Gros* **bétail**, bovins, chevaux, mulets ; *Petit* **bétail**, porcs, moutons, chèvres ; *Pièce, tête de* **bétail**, l'un de ces animaux. 1213 ; ☞ *bête* ; [betaj].

**BÉTAILLÈRE, subst. f.**
Véhicule servant à transporter du bétail. Déb. XX<sup>e</sup> s. ; ☞ *bétail* ; [betajɛʀ].

**BÊTATHÉRAPIE, subst. f.**
*Méd.* Traitement par les rayons bêta. 1923 ; ☞ *bêta* (II) + *-thérapie* ; [bɛtateʀapi].

**BÊTATRON, subst. m.**
*Phys. part.* Accélérateur circulaire de particules bêta. 1948 ; crois. de *bêta* (II) et de *cyclotron* ; [bɛtatʀɔ̃].

**BÊTE,** subst. f. et adj.
**Subst. 1.** Tout animal, à l'exception de l'homme : *Nos amies les bêtes.* ▸ Loc. *Chercher la petite **bête*** : faire des objections futiles ; *Reprendre du poil de la **bête*** : retrouver ses forces, se ressaisir. ▸ *Vén.* Gibier : ***Bête** noire*, sanglier ; au fig. : *Être la **bête** noire de qqn*, susciter son hostilité. **2.** *Relig. La **Bête*** : animal fantastique symbolisant l'Antéchrist dans l'Apocalypse. **3.** Homme assimilé à l'animal pour son manque d'esprit, ses mœurs ou sa force. ▸ Loc. fam. *Une **bête** de scène* : un artiste qui s'y exprime totalement et à merveille ; ***Bête** à concours* : étudiant ambitieux qui réussit en travaillant beaucoup ; *Souffrir comme une **bête*** : souffrir beaucoup. **Subst. plur. 1.** Bétail : *Rentrer les **bêtes**.* **2.** *Antiq. rom.* Les animaux féroces du cirque : *Jeter qqn aux **bêtes**.* **3.** Vermine. **Adj. 1.** Qui manque d'intelligence ou d'attention, idiot : *Il est plus **bête** que méchant* ; *L'âge **bête**,* l'adolescence. **2.** Qu'on aurait pu éviter, regrettable : *Un accident **bête**.* ▸ Loc. *C'est **bête*** : c'est stupide, c'est facile. ⌧ Fin XIe s. ; lat. *bestia* ; [bɛt].

**BÉTEL,** subst. m.
**1.** *Bot.* Poivrier grimpant d'Indo-Malaisie, de la famille des Pipéracées. **2.** Méton. Mélange masticatoire tonique et astringent, composé notamment de feuilles de **bétel**, de chaux et de noix d'arec. ⌧ 1515 ; port. *betel*, du malayalam *vettila* ; [betɛl].

**BÊTEMENT,** adv.
D'une manière bête. ▸ Loc. *Tout **bêtement*** : tout simplement. ⌧ XIVe s. ; ☞ *bête* ; [bɛtmɑ̃].

**BÊTIFIER,** verbe [6]
**Trans.** Rendre (qqn) bête. **Intrans.** Se comporter de façon niaise ou puérile. ⌧ 1777 ; ☞ *bête* ; [betifje].

**BÊTISE,** subst. f.
**1.** Faiblesse de l'intelligence, du jugement. **2.** Acte, propos stupide ou maladroit : *Il ne cesse de faire des **bêtises**.* **3.** Détail, chose sans importance : *Se fâcher pour des **bêtises**.* **4.** *Confis. **Bêtise** de Cambrai* : bonbon à la menthe. ⌧ XVe s. ; ☞ *bête* ; [betiz].

**BÊTISIER,** subst. m.
Recueil amusant des bêtises dites par les membres d'un groupe, d'une profession : *Le **bêtisier** de l'Assemblée nationale.* ⌧ Déb. XIXe s. ; ☞ *bêtise* ; [betizje].

**BÉTOINE,** subst. f.
*Bot.* Plante lamiacée des bois, à fleurs mauves ou jaunes. ⌧ XIIe s. ; lat. *betonica, vettonica*, « plante des Vettones (peuple d'Espagne) » ; [betwan].

**BÉTON,** subst. m.
**1.** Matériau de construction très résistant, qui résulte de l'agrégation de granulats (gravillons) et de sable par un liant (ciment, le plus souv.) : ***Béton** armé*, coulé sur une armature en acier. **2.** Méton. *Le **béton*** : les constructions, la ville moderne (péj.). **3.** Fig. Ce qui est sans faille (fam.) : *Un argument en **béton**.* **4.** *Sp. Faire, jouer le **béton*** : au football, rallier tous les joueurs en défense. ⌧ XIIe s. ; lat. *bitumen*, « bitume » ; [betɔ̃].

**BÉTONNAGE,** subst. m.
Action de bétonner ; par méton., maçonnerie en béton. ⌧ 1838 ; ☞ *bétonner* ; [betɔnaʒ].

**BÉTONNÉ, ÉE,** adj.
**1.** Qui est exécuté, renforcé avec du béton. **2.** Fig. et Fam. En parlant d'un avis, d'une œuvre, d'une personne, sans faille, inattaquable ; endurci. ⌧ 1838 ; p. p. de *bétonner* ; [betɔne].

**BÉTONNER,** verbe [3]
**Trans. 1.** Construire (qqch.) en béton ; renforcer (qqch.) avec du béton. **2.** Fig. Rendre solide, inattaquable : ***Bétonner** sa position.* **Intrans.** *Sp.* Jouer le béton. ⌧ 1838 ; ☞ *béton* ; [betɔne].

**BÉTONNIÈRE,** subst. f.
Machine servant à fabriquer le béton par malaxage de ses constituants (synon. impropre *bétonneuse*). ⌧ 1873 ; ☞ *béton* ; [betɔnjɛʀ].

**BETTE,** subst. f.
*Bot.* Plante proche de la betterave, de la famille des Chénopodiacées, cultivée pour ses feuilles et ses côtes. ⌧ Déb. XIIe s. ; lat. *beta* ; var. *blette* ; [bɛt].

**BETTERAVE,** subst. f.
*Bot.* Plante potagère de la famille des Chénopodiacées, cultivée pour son sucre ou comme légume : ***Betterave** sucrière* ; ***Betterave** rouge.* ⌧ 1600 ; formé de *bette* et de *rave* ; [bɛtʀav].

**BETTERAVIER, IÈRE,** adj. et subst. m.
**Adj.** Relatif à la betterave. **Subst.** Producteur de betterave. ⌧ 1840 ; ☞ *betterave* ; [bɛtʀavje, jɛʀ].

**BÉTULACÉES,** subst. f. plur.
*Bot.* Famille d'arbres et d'arbustes de l'ordre des Fabales, à feuilles caduques, qui comprend le bouleau, le noisetier, le charme, etc. **Au sing.** *L'aulne est une **bétulacée**.* ⌧ 1838 ; lat. *betulla*, « bouleau » ; [betylase].

**BÉTYLE,** subst. m.
*Antiq.* En Orient, pierre dressée symbolisant la demeure d'un dieu ou le dieu lui-même. ⌧ 1586 ; lat. *baetulus*, du gr. *baitulos*, « maison sacrée » ; [betil].

**BEUGLANT, ANTE,** subst.
**Masc.** Café-concert populaire, à la fin du XIXe s. (vx). **Fém.** Fam. **1.** Chanson hurlée. **2.** Protestation bruyante. ⌧ 1580 ; p. pr. de *beugler* ; [bøglɑ̃, ɑ̃t].

**BEUGLEMENT,** subst. m.
**1.** Cri des bovins. **2.** Anal. Hurlement prolongé (fam.). ⌧ 1539 ; ☞ *beugler* ; [bøgləmɑ̃].

**BEUGLER,** verbe intrans. [3]
**1.** Pousser son cri, en parlant d'un bovidé. **2.** Anal. Émettre un son violent et désagréable, hurler (fam.) : *Les haut-parleurs **beuglaient*** ; empl. trans. : ***Beugler** un ordre.* ⌧ 1580 (mil. XIIe s., corner) ; anc. fr. *bugle*, du lat. *buculus*, « jeune bœuf » ; [bøgle].

**BEUR,** subst.
Fam. Jeune né en France de parents maghrébins immigrés ; empl. adj. : *Une chanteuse **beur**.* ⌧ V. 1980 ; apocope de l'interversion syllabique de *arabe* ; fém. *beur, beure, beurette* ; [bœʀ].

**BEURK,** voir **BERK**

**BEURRE,** subst. m.
**1.** Matière grasse alimentaire que l'on obtient en battant la crème du lait de vache : *Une motte de **beurre*** ; en appos. : *Des gants **beurre** frais*, jaune pâle. **2.** Ext. *Cuis.* Préparation, sauce à base de **beurre** : *Un **beurre** d'ail* ; *Un **beurre** blanc, noir.* **3.** Anal. Corps gras d'origine végétale : ***Beurre** de cacao, de muscade.* **4.** Loc. fam. *Compter pour du **beurre*** : pour rien ; *Faire son **beurre*** : s'enrichir ; *Mettre du **beurre** dans les épinards* : améliorer sa situation matérielle ; *Œil au **beurre** noir* : cerné d'un hématome. ⌧ Déb. XIIe s. ; lat. *butyrum*, du gr. *bouturon* ; [bœʀ].

**BEURRÉ (I),** subst. m.
Variété de poire fondante : ***Beurré** d'Anjou* ; ***Beurré** Hardy.* ⌧ 1536 ; p. p. de *beurrer* ; [bœʀe].

**BEURRÉ (II), ÉE,** adj.
**1.** Enduit de beurre. **2.** Ivre (fam.) : *Il est encore rentré **beurré** !* ⌧ XXe s. ; p. p. de *beurrer* ; [bœʀe].

**BEURRER,** verbe trans. [3]
Enduire (qqch.) de beurre ; empl. adj. : *Une tartine **beurrée**.* **Pronom.** S'enivrer (fam.) : *Il se **beurre** tous les jours.* ⌧ XIIIe s. ; ☞ *beurre* ; [bœʀe].

**BEURRERIE,** subst. f.
**1.** Établissement où l'on fabrique du beurre. **2.** Industrie du beurre. ⌧ 1836 ; ☞ *beurre* ; [bœʀʀi].

**BEURRIER, IÈRE,** subst. et adj.
**Subst.** Vx. Personne qui vend du beurre. **Subst. masc.** Récipient, gén. couvert, servant à conserver ou à présenter le beurre. **Adj.** Relatif au beurre. ⌧ 1270 ; ☞ *beurre* ; [bœʀje, jɛʀ].

**BEUVERIE,** subst. f.
Réunion où l'on boit beaucoup : *Tituber au sortir d'une **beuverie**.* ⌧ Fin XIIe s. ; ☞ *boire* ; [bøvʀi].

**BÉVATRON,** subst. m.
*Phys. part.* Accélérateur circulaire de protons, qui fonctionne comme le synchrotron à électrons. ⌧ 1953 ; crois. de *BeV* (unité valant 1 milliard d'électronvolts) et de *cyclotron* ; [bevatʀɔ̃].

**BÉVUE,** subst. f.
Erreur grossière, faux pas : *Cette **bévue** ravivera les querelles.* ⌧ 1642 ; ☞ *vue* + *bé-*, préf. péj. ; [bevy].

**BEY,** subst. m.
*Hist.* Titre porté par les officiers supérieurs, les hauts fonctionnaires ou les souverains vassaux du sultan, dans l'Empire ottoman. ⌧ 1423 ; turc *beg*, « seigneur » ; [bɛ].

**BEYLICAT,** subst. m.
*Hist.* **1.** Souveraineté du bey. **2.** Ville ou province soumise à l'autorité d'un bey. ⌧ 1922 ; turc *beglik*, « juridiction d'un bey » ; [bɛlika].

**BEYLISME,** subst. m.
Attitude morale du héros stendhalien, individualiste et passionné. ⌧ 1812 ; anthropon. *Henri Beyle*, dit *Stendhal* ; [bɛlism].

**BÉZEF,** voir **BÉSEF**

**BÉZOARD,** subst. m.
Concrétion qui se forme dans l'estomac de certains animaux, à laquelle on attribuait des vertus curatives ou magiques. ⌧ XVe s. ; ar. *bāzahr*, du persan *pādzahr*, « ce qui préserve du poison » ; [bezɔaʀ].

**Bi,** voir **BISMUTH**

**BIAIS, BIAISE,** adj. et subst. m.
**Adj.** Qui est disposé obliquement : *Porte **biaise**.* **Subst. 1.** Direction oblique : *Le **biais** d'un pont.* **2.** Fig. Aspect sous lequel on considère qqch. : *Aborder une question par son meilleur **biais**.* ▸ Moyen détourné de résoudre une difficulté : *Trouver un **biais**.* **3.** Loc. **De biais ; En biais.** Obliquement : *Affronter un problème de **biais*** ; *Marcher en **biais**.* **4.** *Cout.* Diagonale d'un tissu. **5.** *Stat.* Distorsion systématique d'une estimation, résultant d'un choix d'échantillon inadéquat. ⌧ Mil. XIIIe s. ; anc. prov. *biais*, « détour », prob. du lat. pop. *°biaxius*, « à deux axes » ; [bjɛ, bjɛz].

**BIAISÉ, ÉE,** adj.
Qui est légèrement faussé ; déformé : *Un compte **biaisé**.* ⌧ 1402 ; p. p. de *biaiser* ; [bjeze].

**BIAISER,** verbe [3]
**Intrans. 1.** Être de biais, aller en biais (vieilli). **2.** Fig. User de moyens détournés : *Il cherche à **biaiser**.* **Trans.** *Stat.* ***Biaiser** un échantillon* : y introduire un biais. ⌧ 1402 ; ☞ *biais* ; [bjeze].

**BIARROT, OTE,** adj. et subst.
De Biarritz : *Le rugby **biarrot**.* ⌧ Fin XIXe s. ; topon. *Biarritz* (Pyrénées-Atlantiques) ; [bjaʀo, ɔt].

**BIATHLON,** subst. m.
*Sp.* Épreuve associant la course de ski de fond et le tir à la carabine. ⌧ 1958 ; gr. *athlon*, « combat », + *bi-*, d'après *pentathlon* ; [biatlɔ̃].

**BIAURICULAIRE,** adj.
*Physiol.* Relatif aux deux oreilles ou aux deux oreillettes du cœur (synon. *binauriculaire*). ⌧ 1868 ; ☞ *auriculaire* + *bi-* ; [biɔʀikylɛʀ].

**BIAXE,** adj.
**1.** *Opt.* Qui possède deux axes optiques : *Un cristal **biaxe**.* **2.** *Phys.* Qualifie un milieu biréfringent dans lequel existent en tout point deux directions privilégiées dénommées axes optiques : *Le mica est un milieu **biaxe**.* ⌧ 1892 ; ☞ *axe* + *bi-* ; [biaks].

**BIBELOT,** subst. m.
Petit objet d'ornement : *Une étagère pleine de **bibelots**.* ⌧ 1427 ; prob. onomat. *bib* ; [biblo].

*Récolte de la **betterave** à sucre.*

**BIBERON,** subst. m.
Récipient muni d'une tétine, servant à allaiter les nourrissons : *Stériliser un* **biberon** ; *Donner le* **biberon** *à un bébé.* ► Méton. Son contenu. 🕮 1835 (1301, bec d'un vase) ; prob. lat. eccl. *biber(e)*, « boisson » ; [bibʀɔ̃].

**BIBERONNER,** verbe intrans. [3]
Boire beaucoup de vin, d'alcool (fam.). 🕮 Fin XIX^e s. (1852, donner le biberon) ; ☞ *biberon* ; [bibʀɔne].

**BIBI (I),** subst. m.
Petit chapeau de femme. 🕮 Déb. XIX^e s. ; p.-ê. apocope de *bibelot* ; [bibi].

**BIBI (II),** pron.
Moi (fam.) : *Le gâteau est pour* **bibi** ! 🕮 1878 ; onomat. *bi* ; [bibi].

**BIBINE,** subst. f.
Boisson alcoolisée de mauvaise qualité (fam.). 🕮 1890 ; prob. *biberon* ; [bibin].

**BIBLE,** subst. f.
**1.** *Relig. La* **Bible** : recueil des textes sacrés du judaïsme et du christianisme (Ancien Testament) et du seul christianisme (Nouveau Testament). **2.** Méton. Livre contenant ces textes : *J'ai acheté une* **bible**. **3.** Anal. Ouvrage de référence dans un domaine donné. **4.** *Papier* **bible** : papier d'imprimerie, résistant et très mince. 🕮 Déb. XIII^e s. ; lat. chrét. *biblia*, du gr. *biblia*, « livres sacrés » ; [bibl].

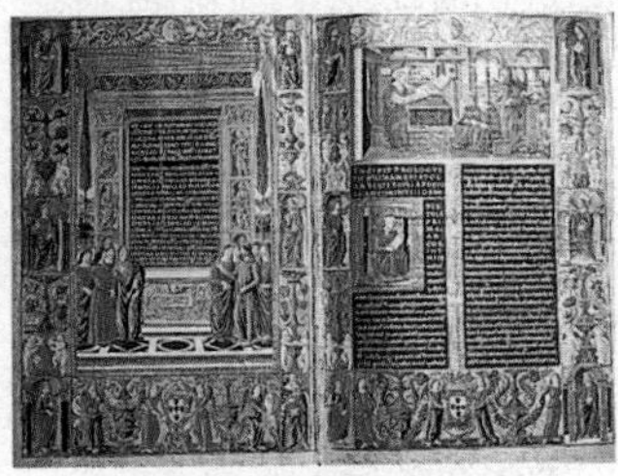

Bible de Jeronimos (*XVI^e s.*). *Lisbonne.*

**BIBLIOBUS,** subst. m.
Véhicule aménagé en bibliothèque de prêt. 🕮 1930 ; crois. de *bibliothèque* et de *autobus* ; [bibli(j)obys].

**BIBLIOGRAPHE,** subst.
**1.** Personne spécialisée dans la connaissance de tout ce qui a trait aux livres, à l'édition. **2.** Personne qui établit des bibliographies. 🕮 1752 (1665, personne qui fait des catalogues de livres) ; gr. *biblion*, « livre », + *-graphe* ; [bibli(j)ɔgʀaf].

**BIBLIOGRAPHIE,** subst. f.
**1.** Science des documents écrits, en partic. des livres (recherche, transcription, analyse, classification, etc.). **2.** Répertoire des écrits relatifs à un sujet ou à un auteur donné. 🕮 1633 ; gr. *biblion*, « livre », + *-graphie* ; [bibli(j)ɔgʀafi].

**BIBLIOGRAPHIQUE,** adj.
Relatif à la bibliographie : *Une notice* **bibliographique**. 🕮 Fin XVIII^e s. ; ☞ *bibliographie* ; [bibli(j)ɔgʀafik].

**BIBLIOLOGIE,** subst. f.
Ensemble des disciplines ayant pour objet le livre (bibliothéconomie, psychologie de la lecture, etc.). 🕮 1845 ; gr. *biblion*, « livre », + *-logie* ; [bibli(j)ɔlɔʒi].

**BIBLIOMANE,** subst.
Personne qui a la passion de collectionner les livres, en partic. ceux qui sont rares et précieux. 🕮 XVII^e s. ; gr. *biblion*, « livre », + *-mane*[2] ; [bibli(j)ɔman].

**BIBLIOMANIE,** subst. f.
Passion du bibliomane. 🕮 1654 ; gr. *biblion*, « livre », + *-manie* ; [bibli(j)ɔmani].

**BIBLIOPHILE,** subst.
Personne qui aime et recherche les livres rares, anciens ou précieux. 🕮 1740 ; gr. *biblion*, « livre », + *-phile* ; [bibli(j)ɔfil].

**BIBLIOPHILIE,** subst. f.
Amour des livres rares, anciens ou précieux. 🕮 1845 ; gr. *biblion*, « livre », + *-philie* ; [bibli(j)ɔfili].

**BIBLIOTHÉCAIRE,** subst.
Responsable d'une bibliothèque. 🕮 1546 ; lat. *bibliothecarius* ; [bibli(j)ɔtekɛʀ].

**BIBLIOTHÉCONOMIE,** subst. f.
Discipline qui a pour objet les règles de gestion et d'organisation des bibliothèques. 🕮 1845 ; crois. de *bibliothèque* et de *économie* ; [bibli(j)ɔtekɔnɔmi].

**BIBLIOTHÈQUE,** subst. f.
**1.** Salle, bâtiment public ou privé où sont rangés de nombreux livres qui peuvent être consultés : *La* **Bibliothèque** *nationale de France* ; *Une* **bibliothèque** *de prêt.* **2.** Meuble à rayonnages où l'on range des livres. **3.** Collection de livres : *Sa* **bibliothèque** *est surtout constituée de romans.* ► Ensemble d'ouvrages de même nature publiés chez un même éditeur : *La « **Bibliothèque** verte ».* 🕮 1493 ; lat. *bibliotheca*, du gr. *bibliothêkê*, de *biblion*, « livre », et *thêkê*, « coffre » ; [bibli(j)ɔtɛk].

*Salle de lecture de la* **Bibliothèque** *nationale, à Paris.*

**BIBLIQUE,** adj.
**1.** Propre à la Bible : *Personnage* **biblique**. **2.** Relatif à la Bible : *Exégèse* **biblique**. **3.** Inspiré par la Bible : *Simplicité* **biblique**. 🕮 1623 ; lat. médiév. *biblicus*, « qui contient la Sainte Écriture » ; [biblik].

**BIBLIQUEMENT,** adv.
*Connaître* **bibliquement** : posséder charnellement (littér.). 🕮 1923 ; ☞ *biblique* ; [biblikmɑ̃].

**BICAMÉRISME,** subst. m.
Système politique dans lequel le pouvoir législatif est partagé entre deux assemblées, deux chambres. 🕮 1843 ; lat. *camera*, « chambre », + *bi-* ; var. *bicaméralisme* ; [bikameʀism].

**BICARBONATE,** subst. m.
*Chim.* Sel résultant de la combinaison d'une base (soude, potasse) avec une proportion d'acide carbonique double de celle d'un carbonate neutre : *La formule du* **bicarbonate** *de sodium est* $NaHCO_3$, *c'est un hydrogénocarbonate.* 🕮 1825 ; ☞ *carbonate* + *bi-* ; [bikaʀbɔnat].

**BICARRÉ, ÉE,** adj.
*Math. Équation* **bicarrée** : équation du quatrième degré où l'inconnue ne figure qu'avec des puissances paires, type $ax^4 + bx^2 + c = 0$. 🕮 1866 ; ☞ *carré* (I) + *bi-* ; [bikaʀe].

**BICENTENAIRE,** adj. et subst. m.
Adj. Qui est deux fois centenaire : *Une demeure* **bicentenaire**. Subst. Deux centième anniversaire d'un évènement : *Le* **bicentenaire** *de la Révolution française.* 🕮 1885 ; ☞ *centenaire* + *bi-* ; [bisɑ̃tnɛʀ].

**BICÉPHALE,** adj.
**1.** Qui a deux têtes : *Un monstre* **bicéphale**. **2.** Fig. Qui a deux chefs : *Un pouvoir* **bicéphale**. 🕮 1835 ; formé de *bi-* et de *-céphale* ; [bisefal].

**BICEPS,** subst. m.
**1.** *Anat.* Muscle possédant deux tendons, ou chefs, à une extrémité : **Biceps** *brachial*, muscle fléchisseur de l'avant-bras ; **Biceps** *crural* ou *fémoral*, muscle fléchisseur de la jambe. **2.** Loc. *Avoir des* **biceps** : être fort, musclé (fam.). 🕮 Fin XVI^e s. ; lat. *biceps*, de *bis*, « deux fois », et de *caput*, « tête » ; [bisɛps].

**BICHE,** subst. f.
**1.** Femelle du cerf : *Une* **biche** *aux abois* ; par métaph. : *Avoir des yeux de* **biche**, de grands yeux doux. **2.** *Ma* **biche** : terme d'affection adressé à une femme, à une fillette (fam.). 🕮 Mil. XII^e s. ; lat. pop. °*bistia*, « bête » ; [biʃ].

**BICHELAMAR,** voir **BICHLAMAR**

**BICHER,** verbe intrans. [3]
Fam. Se réjouir (vx). ► Loc. *Ça* **biche** : ça va bien. 🕮 1845 ; lat. *beccus*, « bec » ; [biʃe].

**BICHETTE,** subst. f.
**1.** Petite biche ou jeune biche. **2.** *Ma* **bichette** : terme d'affection (fam.). 🕮 Fin XII^e s. ; ☞ *biche* ; [biʃɛt].

**BICHLAMAR,** subst. m.
Langue créole des îles du Pacifique, constituée spontanément par un mélange d'anglais (90 %) et de mélanésien. 🕮 1911 ; port. *biche do mar*, « bête de la mer » ; var. *bichelamar* ; [biʃlamaʀ].

**BICHLORURE,** subst. m.
*Chim.* Sel renfermant deux atomes de chlore dans sa molécule. 🕮 1848 ; ☞ *chlorure* + *bi-* ; [biklɔʀyʀ].

**BICHON, ONNE,** subst.
Petit chien, croisement d'épagneul et de barbet, aux longs poils soyeux et frisés, et au nez court. 🕮 1588 ; aphérèse de *barbichon* ; [biʃɔ̃, ɔn].

**BICHONNAGE,** subst. m.
Action de bichonner ; fait de se bichonner (fam.). 🕮 Fin XVIII^e s. ; ☞ *bichonner* ; [biʃɔnaʒ].

**BICHONNER,** verbe trans. [3]
**1.** Vx. Friser (une moustache, des cheveux) comme le poil d'un bichon (fam.). **2.** Ext. Arranger avec soin, coquettement. **3.** Fig. Choyer (qqn) ; entourer de soins attentifs. 🕮 1690 ; ☞ *bichon* ; [biʃɔne].

**BICHROMATE,** subst. m.
*Chim.* Sel (d'ammonium, de potassium, etc.) possédant l'anion bivalent $(Cr_2O_7)^{2-}$, utilisé comme fixateur en photographie. 🕮 1838 ; ☞ *chromate* + *bi-* ; [bikʀɔmat].

**BICHROMIE,** subst. f.
*Impr.* Impression en deux couleurs ; par méton., illustration ainsi imprimée. 🕮 V. 1960 ; formé de *bi-* et de *-chromie* ; [bikʀɔmi].

**BICIPITAL, ALE, AUX,** adj.
*Anat.* Qui se rapporte au biceps. 🕮 1805 ; lat. *biceps* ; [bisipital, o].

**BICKFORD,** subst. m.
*Techn.* Mèche de sûreté à combustion lente, servant à l'allumage des explosifs. 🕮 1888 ; anthropon. *William Bickford*, son inventeur ; [bikfɔʀd].

**BICOLORE,** adj.
Qui a deux couleurs. 🕮 1838 ; formé de *bi-* et de *-colore* ; [bikɔlɔʀ].

**BICONCAVE,** adj.
Qui offre deux surfaces concaves opposées : *Lentille* **biconcave**. 🕮 1838 ; ☞ *concave* + *bi-* ; [bikɔ̃kav].

**BICONVEXE,** adj.
Qui offre deux surfaces convexes opposées : *Lentille* **biconvexe**. 🕮 1838 ; ☞ *convexe* + *bi-* ; [bikɔ̃vɛks].

**BICOQUE,** subst. f.
**1.** Vx. Petite ville ou place mal fortifiée. **2.** Maisonnette d'aspect médiocre, inconfortable (fam.). **3.** Ext. Maison (fam. et souv. péj.) : *J'ai une* **bicoque** *à la campagne* ; par méton., les habitants d'une maison. 🕮 1611 ; ital. *bicocca*, « petit fort » ; [bikɔk].

**BICORNE,** subst. m.
Chapeau à deux pointes : **Bicorne** *de polytechnicien* ; empl. adj., qui a deux cornes (rare). 🕮 1302 ; lat. *bicornis* ; [bikɔʀn].

**BICOT (I),** subst. m.
Fam. Chevreau (synon. *biquet*). 🕮 1892 ; ☞ *bique* ; [biko].

**BICOT (II),** subst. m.
Terme injurieux et raciste désignant un indigène d'Afrique du Nord. 🕮 Fin XIX^e s. ; aphérèse de *arbicot*, de l'ar. dial. *'arbî*, « arabe » ; [biko].

**BICULTURALISME,** subst. m.
Coexistence institutionnelle de deux cultures, en partic. de deux langues, dans un même État (par ex. en Belgique et au Canada). 🕮 V. 1960 ; ☞ *biculturel* ; [bikyltyʀalism].

**BICULTUREL, ELLE,** adj.
Qui possède deux cultures : *Le Canada est un pays* **biculturel**. 🕮 1959 ; ☞ *culturel* + *bi-* ; [bikyltyʀɛl].

**BICUSPIDE,** adj.
*Anat.* Pourvu de deux pointes : *Une dent* **bicuspide**. 🕮 1805 ; ☞ *cuspide* + *bi-* ; [bikyspid].

**BICYCLE,** subst. m.
Vélocipède qui avait deux roues de diamètres différents, que l'on appelait aussi grand bi. 🕮 1869 ; ☞ *cycle* (II) + *bi-*, d'apr. *tricycle* ; [bisikl].

1

2

© F. Huguier-Explorer

© M. Graham-Gamma

1. *La bicyclette est en Chine le moyen de locomotion le plus courant.*

2. *Bidonville dans les faubourgs du Cap, en Afrique du Sud.*

**BICYCLETTE,** subst. f.
Véhicule à deux roues de même diamètre, muni d'un pédalier entraînant la roue arrière par l'intermédiaire d'une chaîne. 1880 ; ☞ *bicycle* ; [bisiklɛt].

TRANSPORTS – L'ancêtre de la bicyclette est la draisienne, qui fut inventée en 1817 par l'Allemand Drais von Sauerbronn. En 1861, le Français Pierre Michaux a l'idée de munir cet engin d'une manivelle à pédales actionnant directement la roue avant. Afin d'augmenter le développement, on agrandit le diamètre de la roue avant : c'est le bicycle, ou grand bi. La bicyclette à roue arrière motrice est lancée en 1880, mais il faudra attendre 1887 pour qu'elle soit dotée de pneumatiques, inventés par Dunlop, et 1902 pour qu'elle reçoive un système de freinage par câbles et patins.

**BIDASSE,** subst. m.
Simple soldat (fam.). 1900 ; anthropon. *Bidasse*, héros de la chanson *Avec l'ami Bidasse* ; [bidas].

**BIDE,** subst. m.
Fam. **1.** Ventre : *Gras du* ***bide***. ▸ Loc. *En avoir dans le* ***bide*** : être courageux. **2.** Échec, insuccès : *Un auteur qui accumule les* ***bides***. ▸ Loc. *Faire un* ***bide*** : subir un échec total. 1885 ; ☞ *bidon* ; [bid].

**BIDENT,** subst. m.
Fourche à deux dents. 1838 ; ☞ *dent* + *bi-* ; [bidɑ̃].

**BIDET,** subst. m.
**1.** Petit cheval de selle ; par ext., cheval (fam. et péj.). **2.** Anal. Appareil sanitaire bas et de forme allongée, servant à la toilette intime. 1564 ; prob. anc. fr. *bider*, « trotter » ; [bidɛ].

**BIDOCHE,** subst. f.
Viande (fam.). 1829 ; p.-ê. *bidet*, « cheval » ; [bidɔʃ].

**BIDON,** subst. m.
**1.** Récipient portatif fermé par un bouchon, servant à transporter un liquide : ***Bidon*** *d'essence* ; ***Bidon*** *de campeur, de soldat*. ▸ Méton. Le contenu du **bidon** : *J'ai mis deux* ***bidons*** *d'huile dans le moteur*. **2.** Ventre (fam.). **3.** Fam. Tromperie, bluff : *C'est du* ***bidon*** ! ; empl. adj. inv. : *Témoignages* ***bidon***, faux, factices ; *Il est* ***bidon***, on ne peut s'y fier. 1523 ; p.-ê. anc. nord. *bida*, « vase » ; [bidɔ̃].

**BIDONNANT, ANTE,** adj.
Qui fait rire, très amusant (fam.). V. 1950 ; p. pr. de *bidonner* ; [bidɔnɑ̃, ɑ̃t].

**BIDONNER,** verbe trans. [3]
Fam. Falsifier, truquer : ***Bidonner*** *les résultats d'une enquête*. **Pronom.** Rire, s'amuser. 1928 ; ☞ *bidon* ; [bidɔne].

**BIDONVILLE,** subst. m.
Ensemble d'habitations précaires et insalubres, construites à la périphérie d'une grande ville avec des matériaux récupérés (bidons, tôles, etc.). 1953 ; formé de *bidon* et de *ville* ; [bidɔ̃vil].

**BIDOUILLAGE,** subst. m.
Fam. Action de bidouiller ; son résultat. V. 1980 ; ☞ *bidouiller* ; [bidujaʒ].

**BIDOUILLER,** verbe trans. [3]
Réparer ou modifier en bricolant (fam.) : ***Bidouiller*** *sa Mobylette, un logiciel*. V. 1980 ; ☞ *bidule* + dial. *-ouiller* ; [biduje].

**BIDULE,** subst. m.
Petit objet quelconque dont on ne sait pas ou plus le nom (fam.). V. 1940 ; orig. obsc. ; [bidyl].

**BIEF,** subst. m.
**1.** Partie d'un cours d'eau comprise entre deux chutes, deux rapides. ▸ Partie d'un canal comprise entre deux écluses : ***Bief*** *d'aval, d'amont*. **2.** Canal de dérivation qui conduit l'eau vers une machine hydraulique. 1635 (déb. XII^e s., lit d'un cours d'eau) ; gaul. °*bedum*, « canal, fossé » ; [bjɛf].

**BIELLE,** subst. f.
*Mécan.* Tige rigide articulée à ses deux extrémités, reliant deux pièces mobiles et servant à transmettre ou à transformer un mouvement : *Système* ***bielle-manivelle***, transformant un mouvement rectiligne en un mouvement circulaire (notamment dans un moteur à explosion). ▸ *Autom. Couler une* ***bielle*** : provoquer sa fusion en la laissant fonctionner alors que le graissage est insuffisant. 1684 (1527, manivelle de vielle) ; orig. obsc. ; [bjɛl].

**BIELLETTE,** subst. f.
*Mécan.* Petite bielle. 1921 ; ☞ *bielle* ; [bjɛlɛt].

**BIÉLORUSSE,** adj. et subst.
De Biélorussie. **Subst. masc.** Langue du groupe slave oriental parlée en Biélorussie. XX^e s. ; russe *Belorusiâ*, de *bely'*, « blanc », et de *Rosiâ*, « Russie » ; [bjelɔʀys].

**BIEN,** adv., interj., adj. inv. et subst. m.
**Adv. 1.** De manière conforme à ce que l'on considère comme satisfaisant, correct : *Nous avons été* ***bien*** *reçus* ; *Elle écrit* ***bien*** ; *Un ouvrage* ***bien*** *conçu*. ▸ Loc. **Faire bien.** Faire ce qui convient : *Vous faites* ***bien*** *de partir car la nuit va tomber* ; *Tu as* ***bien*** *fait d'avouer*. **2.** De manière conforme aux usages, à la morale : *Il s'est toujours* ***bien*** *conduit* ; *Quand il le faut, il sait se tenir* ***bien***. **3.** Évoque le degré, l'intensité, la quantité. ▸ Très, tout à fait : *Elle semble* ***bien*** *soucieuse* ; *Faites* ***bien*** *attention* ; *Je suis* ***bien*** *sûr d'avoir raison*. ▸ Beaucoup : *J'espère* ***bien*** *la revoir* ; *C'est* ***bien*** *mieux ainsi*. ▸ Réellement, vraiment : *Est-ce-****bien*** *lui ?* ; *C'est* ***bien*** *ce que je craignais*. ▸ Formellement, expressément : *Nous l'avions pourtant* ***bien*** *précisé*. ▸ Au moins : *Elle a* ***bien*** *quarante ans*. ▸ Loc. **Bien de.** De nombreux, beaucoup : *Il a couru* ***bien*** *des risques* ; *Vous avez* ***bien*** *de la chance*. ▸ Loc. conj. de coordination. **Bien plus.** Plus encore, en outre : *Il l'a aimée,* ***bien*** *plus, il serait mort pour elle*. **4.** Sert à justifier une assertion, à nuancer une affirmation. ▸ Puisque : *Il a* ***bien*** *parlé pendant une heure, pourquoi me tairais-je ?* ▸ Pourtant : *Il faut* ***bien*** *que nous terminions*. ▸ Volontiers : *J'irais* ***bien*** *avec vous, mais j'ai trop de travail*. ▸ Loc. **Bien vouloir.** Consentir à : *Je veux* ***bien*** *vous aider*. ▸ Formule de politesse : *Je vous prie de* ***bien*** *vouloir*, je sollicite de votre bienveillance ; *Je vous prie de vouloir* ***bien***, je vous ordonne de. **5.** Loc. conj. ▸ **Bien que.** Encore que, quoique : ***Bien*** *qu'il plût à verse, il voulut sortir* ; ***Bien*** *qu'ayant beaucoup de soucis, il restait amène*. ▸ **Si bien que.** De sorte que : *Il faisait beau, si* ***bien*** *que nous sommes allés nous promener*. **Interj. 1.** Marque l'approbation, l'accord : ***Bien*** ! ; *Fort* ***bien*** ! ▸ Marque la résignation : *Eh* ***bien*** ! *soit*. **2.** Marque l'interrogation, l'étonnement : *Eh* ***bien*** ! *allez-vous enfin vous décider ?* ; *Eh* ***bien*** ! *jamais je n'aurais pu imaginer cela !* **Adj. 1.** Satisfaisant, parfait : *C'est* ***bien*** *ainsi* ; *Elle est très* ***bien*** *dans ce rôle*. ▸ En bonne forme, en bonne santé : *Je la trouve* ***bien*** *en ce moment* ; *Il est* ***bien***, *pour un homme de quatre-vingts ans*. ▸ À l'aise : *On se sent* ***bien*** *chez vous*. ▸ En bons termes : *Il est* ***bien*** *avec tout le monde*. ▸ Conforme à la morale : *Ce n'est pas* ***bien*** *de parler ainsi de ses parents*. **2.** Distingué, convenable d'un point de vue social ; qui a des qualités : *C'est un homme* ***bien*** ; *Ce sont des gens très* ***bien***. **Subst. 1.** Ce qui fonde la morale, ce qui est conforme à la morale : *Aspirer au* ***bien*** ; *Discerner le* ***bien*** *du mal* ; *Le souverain* ***bien*** ; *Faire le* ***bien***, la charité. **2.** Ce qui est utile, avantageux, favorable : *Il a agi pour ton* ***bien*** ; *Ce remède lui a fait du* ***bien*** ; *Le* ***bien*** *général, le* ***bien*** *commun*, l'intérêt de tous. **3.** Ce que l'on possède, ce dont on peut disposer : *Avoir du* ***bien***, *des* ***biens*** ; *La santé est le plus grand des* ***biens***. **4.** *Spéc.* ▸ *Dr.* Chose ou droit susceptible de faire partie d'un patrimoine : ***Biens*** *corporels, incorporels* ; ***Biens*** *meubles, immeubles* ; *Séparation de* ***biens***, *communauté de* ***biens***. ▸ *Écon.* Ce qui est apte à satisfaire un besoin : ***Biens*** *et services* ; ***Biens*** *de consommation, de production*. ▸ *Hist.* ***Biens*** *nationaux* : ensemble des biens confisqués sous la Révolution pour servir de gage aux assignats. X^e s. ; lat. *bene* ; [bjɛ̃].

**BIEN-AIMÉ, ÉE,** adj. et subst.
**Adj.** Qui est l'objet d'une affection particulière : *Mon neveu* ***bien-aimé***. **Subst.** Personne qu'on aime : *Il est avec sa* ***bien-aimée***. 1417 ; comp. de *bien* et du p. p. de *aimer* ; plur. *bien-aimés, ées* ; [bjɛ̃neme].

**BIEN-DIRE,** subst. m. inv.
Art de s'exprimer élégamment (littér.). Fin XVI^e s. ; comp. de *bien* et de *dire* (I) ; [bjɛ̃diʀ].

**BIEN-ÊTRE,** subst. m. inv.
**1.** Impression agréable que procure la satisfaction des besoins du corps et de l'esprit. **2.** Prospérité, confort matériel. 1555 ; comp. de *bien* et de *être* (I) ; [bjɛ̃nɛtʀ].

**BIENFAISANCE,** subst. f.
**1.** Inclination à faire du bien à autrui, générosité, bonté (littér.). **2.** Pratique du bien dans un intérêt social, charité : *Œuvre de* ***bienfaisance*** ; *Les bureaux d'aide sociale ont remplacé les bureaux de* ***bienfaisance***. Fin XIV^e s. ; ☞ *bienfaisant* ; [bjɛ̃fəzɑ̃s].

**BIENFAISANT, ANTE,** adj.
**1.** Qui s'attache à faire du bien à autrui. **2.** Ext. Dont l'action est bénéfique, salutaire : *Les effets* ***bienfaisants*** *d'un sirop*. Fin XII^e s. ; formé de *bien* et du p. pr. de *faire* (I) ; [bjɛ̃fəzɑ̃, ɑ̃t].

**BIENFAIT,** subst. m.
**1.** Action généreuse à l'égard d'autrui ; don, service rendu : *Louer le Seigneur pour ses* ***bienfaits***. **2.** Ext. Avantage, résultat heureux : *Les* ***bienfaits*** *du progrès technique*. Déb. XII^e s. ; p. p. de *bienfaire* (vx) ; [bjɛ̃fɛ].

**BIENFAITEUR, TRICE,** subst.
Personne qui fait du bien, auteur de bienfaits : *Un généreux* ***bienfaiteur*** ; empl. adj. : *Être membre* ***bienfaiteur*** *d'une association*. Fin XII^e s. ; ☞ *bienfait* ; [bjɛ̃fɛtœʀ, tʀis].

**BIEN-FONDÉ,** subst. m.
**1.** Dr. Légitimité, conformité au droit : *Le* ***bien-fondé*** *d'une requête*. **2.** Ext. Conformité à une règle, à la raison : *Je reconnais le* ***bien-fondé*** *de votre indignation*. 1886 ; comp. de *bien* et de *fondé* ; plur. *bien-fondés* ; [bjɛ̃fɔ̃de].

**BIEN-FONDS,** subst. m.
Dr. Bien immeuble (gén. au plur.). 1803 ; comp. de *bien* et de *fonds* ; plur. *biens-fonds* ; [bjɛ̃fɔ̃].

**BIENHEUREUX, EUSE,** adj. et subst.
**Adj. 1.** Qui jouit d'un bonheur parfait. ▸ Empl. subst. *Dormir comme un* ***bienheureux*** : profondément (fam.). **2.** Ext. Qui rend très heureux : *Une* ***bienheureuse*** *rencontre*. **Subst.** *Relig.* ▸ Personne qui est élue par Dieu et promise à la béatitude céleste. ▸ Personne qui a été béatifiée par l'Église catho-

lique : *De nombreux **bienheureux** n'ont pas encore été canonisés.* Fin XIIe s. ; formé de *bien* et de *heureux* ; [bjɛ̃nœʀø, øz].

**BIEN-JUGÉ, subst. m.**
*Dr.* Conformité au droit, à la loi. 1752 ; comp. de *bien* et du p. p. de *juger* (I) ; plur. *bien-jugés* ; [bjɛ̃ʒyʒe].

**BIENNAL, ALE, AUX, adj. et subst. f.**
ADJ. **1.** Qui dure deux ans : *Un plan **biennal**.* **2.** Qui revient tous les deux ans : *Une fête **biennale**.* SUBST. Manifestation organisée tous les deux ans : *La **biennale** de Venise.* 1550 ; bas lat. jur. *biennalis*, du lat. *bis*, « deux fois », et *annus*, « an » ; [bjenal, o].

**BIEN-PENSANT, ANTE, adj.**
Dont les idées sont conformes à la tradition ; qui pense de manière conservatrice (souv. iron. ou péj.) : *La bourgeoisie **bien-pensante** de province* ; empl. subst. : *« La Grande Peur des **biens-pensants** », œuvre de Bernanos.* 1798 ; comp. de *bien* et de *pensant* ; plur. *bien-pensants, antes* ; [bjɛ̃pɑ̃sɑ̃, ɑ̃t].

**BIENSÉANCE, subst. f.**
Qualité de ce qui est conforme aux normes d'une société, à ses usages : *Violer les règles de la **bienséance**.* 1534 ; ☞ *bienséant* ; [bjɛ̃seɑ̃s].

**BIENSÉANT, ANTE, adj.**
Qui respecte la bienséance, qu'il est convenable de faire, de dire ou de penser : *Est-il **bienséant**, monsieur, de vous conduire ainsi ?* XIIIe s. ; formé de *bien* et de *séant* ; [bjɛ̃seɑ̃, ɑ̃t].

**BIENTÔT, adv.**
**1.** Rapidement, en un temps très court : *L'affaire était urgente et fut **bientôt** réglée.* **2.** Prochainement, dans peu de temps : *Promettez de revenir **bientôt** !* ▸ Loc. ***À bientôt !*** : formule adressée à qqn dont on prend congé et que l'on pense revoir très vite. XIVe s. ; formé de *bien* et de *tôt* ; [bjɛ̃to].

**BIENVEILLANCE, subst. f.**
**1.** Inclination à désirer le bonheur d'autrui : *Amour, **bienveillance** pour les malheureux, guerre éternelle aux oppresseurs !* (Robespierre). **2.** Attitude favorable et indulgente à l'égard de qqn. Fin XIIe s. ; ☞ *bienveillant* ; [bjɛ̃vɛjɑ̃s].

**BIENVEILLANT, ANTE, adj.**
Qui fait preuve de bienveillance : *Un professeur **bienveillant*** ; par ext. : *Un regard **bienveillant**.* Fin XIIe s. (fin XIIe s., ami) ; formé de *bien* et de *veillant*, anc. p. pr. de *vouloir* ; [bjɛ̃vɛjɑ̃, ɑ̃t].

**BIENVENU, UE, adj.**
Qui arrive au moment opportun ; qui est accueilli favorablement : *Un repos **bienvenu*** ; empl. subst. : *Soyez les **bienvenus** ; Votre avis sera le **bienvenu**.* XIIIe s. ; formé de *bien* et de *venu* ; [bjɛ̃v(ə)ny].

**BIENVENUE, subst. f.**
*Souhaiter la **bienvenue** à qqn* : lui exprimer le plaisir que l'on a de le recevoir. ▸ ***Bienvenue** à bord, parmi nous* : formule d'accueil. Fin XIIIe s. ; ☞ *bienvenu* ; [bjɛ̃v(ə)ny].

**BIÈRE (I), subst. f.**
Cercueil : *Mise en **bière**.* XIe s. (XIe s., brancard pour porter les morts) ; anc. bas frq. °*bëra* ; [bjɛʀ].

**BIÈRE (II), subst. f.**
Boisson alcoolique fermentée, préparée à partir de malt et aromatisée avec du houblon : ***Bière** brune, blonde, rousse* ; ***Bière** à la pression* ; *Un demi, un bock, une canette de **bière**.* ▸ Loc. *Ce n'est pas de la petite **bière*** : ce n'est pas sans importance (fam.). 1429 ; m. néerl. *bier*, « houblon » ; [bjɛʀ].

BRASSERIE – La cervoise (sans houblon) des Gaulois a été remplacée au XVe s. par la bière germanique (avec des fleurs de houblon). La fabrication de la bière comprend d'abord le brassage : le malt moulu en farine est mélangé à de l'eau, chauffé, puis filtré. Le moût ainsi obtenu est additionné de houblon et porté à ébullition. Il est ensuite refroidi et ensemencé de levures avant de subir les fermentations principale (de cinq à dix jours) et secondaire (de deux à huit semaines). La bière est ensuite filtrée, puis soutirée et mise en fûts ou en bouteilles, pour conserver le gaz carbonique obtenu lors de la fermentation.

**BIERGOL, voir DIERGOL**

**BIÈVRE, subst. m.**
*Zool.* **1.** Vx. Castor. **2.** Nom d'une espèce de harle, *Mergus merganser*, ou harle **bièvre**, de la famille des Anatidés. XIIe s. ; gaul. °*bèbros*, « castor » ; [bjɛvʀ].

**BIFACE, subst. m. et adj.**
SUBST. *Préhist.* Outil de pierre taillé par enlèvement d'éclats sur les deux faces, en forme d'amande ou à pointe triangulaire, caractéristique des étages abbevillien, acheuléen et moustérien du Paléolithique inférieur et moyen. ADJ. Qui possède deux faces : *Un silex **biface*** ; *Un miroir **biface**.* 1920 ; ☞ *face* + *bi-* ; [bifas].

**BIFFAGE, subst. m.**
Action de biffer ; son résultat. 1808 (1732, examen) ; ☞ *biffer* ; [bifaʒ].

**BIFFE, subst. f.**
**1.** Vx. Tissu rayé ; par ext., chiffon. **2.** Métier des chiffonniers (pop.). **3.** Infanterie (argot milit.). XIIIe s. ; orig. obsc. ; [bif].

**BIFFER, verbe trans. [3]**
Barrer (ce qui est écrit) pour le supprimer. 1576 ; ☞ *biffe* ; [bife].

**BIFFETON, subst. m.**
Billet que s'échangent des détenus (argot.) ; par ext., billet de banque (fam.). 1860 ; ☞ *biffe* ; [biftɔ̃].

**BIFFIN, subst. m.**
**1.** Chiffonnier (pop.). **2.** Fantassin (argot milit.). 1836 ; ☞ *biffe* ; [bifɛ̃].

**BIFFURE, subst. f.**
Trait par lequel on biffe. 1580 ; ☞ *biffer* ; [bifyʀ].

**BIFIDE, adj.**
*Biol.* Partiellement fendu dans le sens de la longueur : *Sabot **bifide**.* 1772 ; lat. *bifidus* ; [bifid].

**BIFIDUS, subst. m.**
*Bactériol.* Bactérie anaérobie utilisée comme ferment lactique dans l'industrie alimentaire : *Yaourt au **bifidus**.* 1900 ; lat. *bifidus*, « fendu en deux » ; [bifidys].

**BIFILAIRE, adj.**
*Électr.* Constitué de deux fils électriques. L'enroulement **bifiliaire**, à travers un circuit, rend l'inductance et le flux d'induction nuls. 1873 ; ☞ *fil* + *bi-* ; [bifilɛʀ].

**BIFOCAL, ALE, AUX, adj.**
*Opt.* Qui possède deux distances focales différentes : *Lunettes **bifocales***, dont les verres sont divisés en deux parties, l'une permettant la vision rapprochée et l'autre la vision à distance. V. 1930 ; ☞ *focal* + *bi-* ; [bifɔkal, o].

**BIFTECK, subst. m.**
Tranche de bœuf à griller ou à poêler ; par ext. : ***Bifteck** de cheval.* ▸ Loc. *Gagner son **bifteck*** : gagner sa vie, avoir un gagne-pain ; *Défendre son **bifteck*** : ses intérêts. 1735 ; angl. *beefsteak*, « tranche de bœuf » ; [biftɛk].

**BIFURCATION, subst. f.**
**1.** Division en deux branches, en deux voies : *La **bifurcation** d'une tige, d'une voie ferrée.* **2.** Point où une voie de communication se divise en deux. **3.** Fig. Alternative. Fin XVIe s. ; ☞ *bifurquer* ; [bifyʀkasjɔ̃].

**BIFURQUER, verbe intrans. [3]**
**1.** Se diviser en deux branches, en deux voies. **2.** Changer de direction : *Après l'auberge, il faut **bifurquer** vers la droite.* **3.** Fig. Changer d'orientation : ***Bifurquer** vers une autre carrière* ; *La discussion a **bifurqué**.* Fin XVIe s. ; lat. *bifurcus*, « en forme de fourche » ; [bifyʀke].

**BIGAME, adj. et subst.**
Se dit d'une personne qui est mariée à deux personnes en même temps. Mil. XVe s. (fin XIIIe s., veuf remarié) ; lat. eccl. *bigamus*, « veuf remarié » ; [bigam].

**BIGAMIE, subst. f.**
État d'une personne bigame : *En France, la **bigamie** est un délit.* Mil. XVe s. (fin XIVe s., état de celui qui est remarié) ; ☞ *bigame* ; [bigami].

**BIGARADE, subst. f.**
Orange amère utilisée notamment pour la fabrication du curaçao. 1651 ; prov. *bigarrado* ; [bigaʀad].

**BIGARADIER, subst. m.**
*Bot.* Arbre du genre *Citrus*, cultivé pour son fruit, la bigarade. 1751 ; ☞ *bigarade* ; [bigaʀadje].

**BIGARRÉ, ÉE, adj.**
**1.** Qui a des couleurs variées. **2.** Composé d'éléments disparates : *Une foule **bigarrée**.* Mil. XVe s. ; prob. m. fr. *garre*, « de deux couleurs », + *bi-* ; [bigaʀe].

**BIGARREAU, subst. m.**
Variété de cerise rouge et blanche, à chair ferme. 1583 ; ☞ *bigarrer* ; [bigaʀo].

**BIGARRER, verbe trans. [3]**
Marquer de bigarrures. 1530 ; ☞ *bigarré* ; [bigaʀe].

**BIGARRURE, subst. f.**
Juxtaposition de couleurs ou d'éléments variés ou disparates. 1530 ; ☞ *bigarrer* ; [bigaʀyʀ].

**BIG-BANG, subst. m. sing.**
*Astron.* Terme introduit en cosmologie de manière ironique par l'astronome et mathématicien britannique Fred Hoyle, et utilisé en 1948 par le physicien Gamow dans sa théorie de la cosmologie évolutive. Il décrit aujourd'hui l'explosion primordiale qui aurait donné naissance à l'Univers, il y a env. 10 à 12 milliards d'années. 1956 ; anglo-amér. *big bang*, de *big*, « grand », et de *bang*, onomat. ; var. *big bang* ; [bigbɑ̃g].

**BIGHORN, subst. m.**
*Zool.* Mouton sauvage d'Amérique du Nord, de la sous-famille des Ovins, aux grosses cornes spiralées. 1928 ; anglo-amér. *bighorn*, « grande corne » ; [bigɔʀn].

**BIGLER, verbe [3]**
Fam. et Vieilli. INTRANS. Loucher. TRANS. Regarder avec curiosité ou convoitise : ***Bigler** la vitrine d'un bijoutier.* XVIe s. ; prob. lat. pop. °*bisoculare* ; [bigle].

**BIGLEUX, EUSE, adj. et subst.**
Se dit d'une personne qui louche ou qui a une mauvaise vue (fam.). 1936 ; *bigle* (vx), « qui louche » ; [biglø, øz].

**BIGNONIA, subst. m.**
*Bot.* Plante grimpante type de la famille des Bignoniacées, cultivée pour ses longues fleurs orangées. 1694 ; anthropon. *abbé Bignon*, protecteur du botaniste Tournefort ; var. *une bignone* ; [biɲɔnja].

**BIGNONIACÉES, subst. f. plur.**
*Bot.* Famille d'arbres, de plantes ligneuses angiospermes des régions tropicales, dont le type est le bignonia. AU SING. *Le calebassier est une **bignoniacée**.* 1821 ; ☞ *bignonia* ; [biɲɔnjase].

**BIGOPHONE, subst. m.**
**1.** *Mus.* Instrument gén. en métal dans lequel on chante et dont la membrane fait vibrer la voix. **2.** Ext. Téléphone (fam.). 1890 ; anthropon. *Bigot*, inventeur de l'instrument de musique, + *-phone* ; [bigɔfɔn].

**BIGORNE, subst. f.**
**1.** *Techn.* Enclume de forme allongée, aux deux extrémités pointues, utilisée en ferronnerie, en orfèvrerie, etc. **2.** *Mar.* Ciseau servant à couper les clous qui gênent le calfatage. **3.** Boxe, rixe (fam.). 1389 ; lat. *bicornis*, « qui a deux cornes » ; [bigɔʀn].

**BIGORNEAU, subst. m.**
**1.** Petite bigorne. **2.** Anal. *Zool.* Mollusque gastéropode comestible, à coquille spiralée, aussi appelé vigneau, escargot de mer ou brelin. 1423 ; ☞ *bigorne* ; [bigɔʀno].

**BIGORNER, verbe trans. [3]**
**1.** *Techn.* Marteler (un matériau) sur la bigorne. **2.** Pop. Endommager ; empl. pronom., se bagarrer. 1680 ; ☞ *bigorne* ; [bigɔʀne].

**BIGOT, OTE, adj.**
Qualifie une personne dont la piété s'exprime de manière bornée et excessive ; empl. subst. : *Un **bigot**, une **bigote**.* ▸ Ext. *Une éducation **bigote**.* 1425 (1165, surnom donné aux Normands) ; m. angl. *bigodd !*, « par Dieu ! » ; [bigo, ɔt].

**BIGOTERIE, subst. f.**
Dévotion outrée et mesquine ; pruderie. Mil. XVe s. ; ☞ *bigot* ; [bigɔtʀi].

*Femmes portant la bigoudène.*

**BIGOUDEN, ÈNE, adj. et subst.**
De la région de Pont-l'Abbé. SUBST. MASC. ou FÉM. Haute coiffe de coton ou de lin encore portée par les femmes de cette région. Fin XIXe s. ; mot breton ; [bigudɛ̃, ɛn].

**BIGOUDI, subst. m.**
Petit cylindre autour duquel on enroule les cheveux mèche par mèche, afin qu'ils bouclent. 1852 ; orig. obsc. ; [bigudi].

**BIGRE, subst. m. et interj.**
Fam. SUBST. Bougre : *C'est un drôle de* **bigre** ; **Bigre** *d'animal !* INTERJ. Exclamation exprimant l'étonnement, la surprise : **Bigre** *! quel froid !* 1743 ; altér. de *bougre* ; [bigʀ].

**BIGREMENT, adv.**
Extrêmement (fam.). 1861 ; ☞ *bigre* ; [bigʀəmɑ̃].

**BIGUE, subst. f.**
*Techn.* Engin de levage formé de poutres assemblées par le haut et soutenant un palan, utilisé notamment dans les ports pour soulever de lourdes charges. 1694 ; prov. *biga*, « chevron, solive » ; [big].

**BIGUINE, subst. f.**
Danse antillaise à quatre temps. 1935 ; prob. mot des Antilles ; [bigin].

**BIHEBDOMADAIRE, adj.**
Qui a lieu, qui paraît deux fois par semaine : *Une revue* **bihebdomadaire** ou, empl. subst. masc., *Un* **bihebdomadaire**. 1866 ; ☞ *hebdomadaire* + *bi-* ; [biɛbdɔmadɛʀ].

**BIHOREAU, subst. m.**
*Zool.* Oiseau nocturne de la famille des Ardéidés, proche du héron et qui se nourrit de proies aquatiques. XIVe s. ; prob. m. fr. *buor(t)*, « butor » ; [biɔʀo].

**BIJECTIF, IVE, adj.**
*Math.* Se dit d'une application d'un ensemble E sur un ensemble F telle que tout élément de F a un antécédent et un seul dans E par l'application. Mil. XXe s. ; ☞ *bijection* ; [biʒɛktif, iv].

**BIJECTION, subst. f.**
*Math.* Application bijective. Mil. XXe s. ; ☞ *injection* + *bi-* ; [biʒɛksjɔ̃].

**BIJOU, subst. m.**
**1.** Petit objet destiné à la parure, que la matière, le travail rendent précieux ou original : *Un* **bijou** *en or* ; *Un coffret à* **bijoux**. **2.** Fig. Objet, ouvrage remarquable pour ses qualités artistiques, sa facture délicate, son élégance : *Cette église est un* **bijou** *de l'art baroque.* XIVe s. ; breton *bizou*, « anneau pour le doigt », de *biz*, « doigt » ; plur. *bijoux* ; [biʒu].

*Femme berbère parée de* **bijoux**.

**BIJOUTERIE, subst. f.**
**1.** Fabrication, industrie des bijoux : **Bijouterie** *en gros, fantaisie.* **2.** Magasin où l'on vend des bijoux, des montres. **3.** Ensemble des objets fabriqués ou vendus par le bijoutier : **Bijouterie** *en or.* XIVe s. ; ☞ *bijou* ; [biʒutʀi].

**BIJOUTIER, IÈRE, subst.**
Fabricant, vendeur de bijoux ; empl. adj., qui concerne la fabrication de bijoux : *L'industrie* **bijoutière**. 1701 (fin XVIIe s., qui aime les bijoux) ; ☞ *bijou* ; [biʒutje, jɛʀ].

**BIKINI, subst. m. inv.**
Maillot de bain composé d'un slip et d'un soutien-gorge de dimensions réduites (vieilli). 1946 ; topon. *Bikini*, atoll des îles Marshall ; n. déposé ; [bikini].

**BILABIAL, ALE, AUX, adj.**
*Phon.* Qualifie un phonème labial qui se prononce avec la participation des deux lèvres : *Le « p », en français, est une consonne* **bilabiale** ; empl. subst. fém. : *Une* **bilabiale**. 1908 ; ☞ *labial* + *bi-* ; [bilabjal, o].

**BILABIÉ, ÉE, adj.**
*Bot.* Se dit d'une corolle, d'un calice divisé en deux lèvres. 1842 ; lat. *labium*, « lèvre », + *bi-* ; [bilabje].

**BILAME, subst. m.**
*Techn.* Ensemble de deux lames métalliques minces, soudées et aux coefficients de dilatation différents, que l'on utilise dans les thermostats et dans les disjoncteurs. 1886 ; ☞ *lame* + *bi-* ; [bilam].

**BILAN, subst. m.**
**1.** *Comm.* et *Fin.* Inventaire des comptes d'une entreprise industrielle ou commerciale, réalisé à une date donnée et dressant l'état de l'actif et du passif : *Établir un* **bilan** ; *Déposer son* **bilan**, transmettre au tribunal de commerce la situation de son passif et de son actif en déclarant son état de cessation de paiement. **2.** Ext. Évaluation chiffrée à l'issue d'une guerre, d'une catastrophe : *Le* **bilan** *de l'attentat est terrible.* **3.** Fig. Résultat global : **Bilan** *d'un voyage, d'une existence.* ▸ *Méd.* **Bilan** *de santé* : examen complet permettant d'apprécier l'état de santé général d'un individu. 1584 ; ital. *bilancio*, de *bilanciare*, « peser, mettre en équilibre » ; [bilɑ̃].

**BILATÉRAL, ALE, AUX, adj.**
**1.** Qui comporte deux côtés ; qui se rapporte aux deux côtés : *Stationnement* **bilatéral**. **2.** Qui a deux côtés symétriques. **3.** *Spéc.* ▸ *Bot.* Se dit des parties d'une plante disposées de part et d'autre d'un organe central. ▸ *Dr.* Se dit d'un contrat qui engage et oblige chacune des deux parties. ▸ *Méd.* Qui affecte les deux côtés du corps : *Une coxarthrose* **bilatérale**. 1804 ; ☞ *latéral* + *bi-* ; [bilateʀal, o].

**BILBOQUET, subst. m.**
**1.** Jeu consistant à lancer une boule percée et reliée par un fil à un petit bâton au bout duquel elle doit s'enfiler. **2.** Anal. Figurine lestée de plomb qui reste toujours debout (vieilli). **3.** *Impr.* Petit ouvrage, tel que carte de visite, faire-part, etc. 1534 ; prob. crois. du m. fr. *biller*, « jeter une boule », et *bouquet*, « petite boule » ; [bilbɔkɛ].

**BILE, subst. f.**
**1.** *Physiol.* Liquide de couleur jaune foncé ou verdâtre, visqueux et amer, sécrété par le foie et accumulé dans la vésicule biliaire, d'où il est excrété dans le duodénum lors de la digestion. La **bile** contribue à la digestion des graisses. **2.** Loc. *Se faire de la* **bile** : se faire du souci (fam.). 1539 ; lat. *bilis* ; [bil].

**BILER (SE), verbe pronom.** [3]
S'inquiéter, se faire du souci (fam.) : *Ne te* **bile** *pas trop !* 1894 ; ☞ *bile* ; [bile].

**BILEUX, EUSE, adj.**
Qui se fait de la bile, du souci (fam.). 1611 ; ☞ *bile* ; [bilø, øz].

**BILHARZIA, subst. f.**
*Zool.* Ver plat des régions tropicales, de la classe des Trématodes, dont la larve est un parasite du système veineux de l'homme. 1881 ; anthropon. *Bilharz* ; var. *bilharzie* ; [bilaʀzja].

**BILHARZIOSE, subst. f.**
*Pathol.* Parasitose due à la larve de bilharzia, pouvant entraîner des insuffisances rénale et hépatique, et des lésions vésicales cancérigènes. Fin XIXe s. ; ☞ *bilharzia* + *-ose* ; [bilaʀzjoz].

**BILIAIRE, adj.**
Qui concerne la bile : *Les sels* **biliaires** ; *La vésicule* **biliaire**. 1687 ; ☞ *bile* ; [biljɛʀ].

**BILIEUX, EUSE, adj.**
**1.** Qui résulte d'une hypersécrétion de bile : *Un teint* **bilieux**. **2.** Fig. Qui est d'humeur mélancolique et irritable : *De petits jésuites* **bilieux** (Béranger) ; empl. subst., personne **bilieuse**. 1557 ; lat. *biliosus* ; [biljø, øz].

**BILIGENÈSE, subst. f.**
*Physiol.* Élaboration de la bile par le foie. V. 1920 ; ☞ *bile* + *-genèse* ; [biliʒənɛz].

**BILINÉAIRE, adj.**
*Math.* Qualifie une application de deux variables vectorielles à valeurs vectorielles qui, pour chaque valeur d'une des variables, est une application linéaire de l'autre. V. 1960 ; ☞ *linéaire* + *bi-* ; [bilineɛʀ].

**BILINGUE, adj.**
**1.** Qui parle, possède deux langues : *Être* **bilingue** ; empl. subst., personne **bilingue**. **2.** Méton. Où l'on parle deux langues : *Région* **bilingue**. **3.** Qui est rédigé en deux langues : *Dictionnaire, édition* **bilingue**. 1826 (XVe s., fourbe) ; lat. *bilinguis*, « habile en deux langues » ; [bilɛ̃g].

**BILINGUISME, subst. m.**
**1.** Pratique courante de deux langues. **2.** Utilisation de deux langues officielles dans un même pays : *Le* **bilinguisme** *belge.* 1918 ; ☞ *bilingue* ; [bilɛ̃gɥism].

**BILIRUBINE, subst. f.**
*Physiol.* Principal pigment biliaire des carnivores, de couleur jaune rougeâtre. 1865 ; formé de *bile* et du lat. *rubens*, « rouge » ; [biliʀybin].

**BILIVERDINE, subst. f.**
*Physiol.* Pigment de la bile des herbivores, des oiseaux et des animaux à sang froid. 1856 ; crois. de *bile* et de *vert* ; [biliveʀdin].

**BILL, subst. m.**
Projet de loi soumis au Parlement, en Grande-Bretagne ; par ext., la loi votée. 1669 ; angl. *bill*, de l'anc. fr. *bul(l)e*, « sceau » ; [bil].

**BILLARD, subst. m.**
**1.** Jeu pratiqué sur une table rectangulaire à rebords et qui consiste à pousser une bille avec une queue, le but étant qu'elle touche successivement deux autres billes. ▸ Ext. **Billard** *japonais, américain* : variantes de ce jeu ; **Billard** *électrique* : flipper. **2.** Méton. ▸ Table à rebords, recouverte d'un tapis vert, sur laquelle on joue au **billard**. ▸ Fig. Table d'opération (fam.) : *Passer sur le* **billard**, subir une intervention chirurgicale. **3.** Lieu public où l'on pratique le jeu de **billard**. 1558 (1399, bâton pour jouer aux billes ou aux boules) ; ☞ *bille* (II) ; [bijaʀ].

**BILLE (I), subst. f.**
**1.** Petite boule, pleine et dure. **2.** Boule d'ivoire ou de matière synthétique avec laquelle on joue au billard. **3.** Petite boule de verre ou de pierre qui sert à des jeux d'enfants : *Grosse* **bille**, calot ; *Jouer aux* **billes**. **4.** Loc. *Partir* **bille** *en tête* : en allant droit au but ; *Retirer, reprendre ses* **billes** : se retirer d'une affaire, se désengager d'une action ; *Placer ses* **billes** : se mettre en bonne position. **5.** Anal. Tête (fam.) : *Elle a une bonne* **bille**. **6.** *Techn. Roulement à* **billes** : système de liaison utilisé pour des glissières, des roulements, etc., dans lequel une ou plusieurs **billes** d'acier permettent d'éviter le contact direct entre les pièces en rotation. ▸ *Stylo à* **bille** ou *Stylo-***bille** : stylo dont la pointe est remplacée par une **bille** ; par anal. : *Déodorant à* **bille**. 1164 ; anc. bas frq. °*bikkil*, « dé » ; [bij].

**BILLE (II), subst. f.**
Pièce de bois brute destinée à être équarrie. Fin XIVe s. ; lat. médiév. *billia*, « tronc d'arbre » ; [bij].

**BILLET, subst. m.**
**1.** Bref message écrit : **Billet** *doux.* **2.** *Journ.* Article court sur un sujet d'actualité. **3.** Petit imprimé, ticket donnant accès à un lieu : **Billet** *de théâtre* ; **Billet** *d'avion.* ▸ *Jeux.* **Billet** *de loterie, de tombola.* **4.** *Comm.* Écrit par lequel le souscripteur s'engage à payer une somme déterminée à une certaine date, traite : *Escompter, souscrire un* **billet** ; **Billet** *au porteur.* ▸ Loc. *Je vous en fiche (donne) mon* **billet** : je vous le certifie (fam.). **5.** *Fin.* **Billet** *de banque* : papier-monnaie émis par la banque centrale d'un pays. 1459 ; anc. fr. *billette*, « sauf-conduit » ; [bijɛ].

**BILLETTE, subst. f.**
**1.** Bois de chauffage fendu. **2.** *Métall.* Lingot d'acier laminé. **3.** *Hérald.* Pièce de blason en forme de rectangle. **4.** *Archit.* Moulure caractéristique du style roman, formée d'une suite de deux demi-cylindres. 1414 ; ☞ *bille* (II) ; [bijɛt].

**BILLETTERIE, subst. f.**
**1.** Ensemble des opérations d'émission et de délivrance des billets (spectacles, loteries, etc.) ; par méton., lieu où l'on délivre les billets : **Billetterie** *d'un musée.* **2.** Ext. Distributeur automatique de billets de banque ou de billets de transport. 1973 ; ☞ *billet* ; [bijɛtʀi].

**BILLETTISTE, subst.**
**1.** Personne qui délivre des billets de spectacle ou de transport. **2.** Journaliste chargé d'écrire un billet. XXe s. ; ☞ *billet* ; [bijɛtist].

**BILLEVESÉE, subst. f.**
Propos creux, dénué de sens (gén. au plur.) : *Je suis accablé de tant de riens, si surchargé de* **billevesées** (Voltaire). XVe s. ; formé de *bille*, d'orig. obsc., et de *vesé*, « ventru, gonflé », de *veze*, « cornemuse » ; [bilvəze] ou [bij-].

**BILLION, subst. m.**
**1.** Vx. Milliard ($10^9$). **2.** Million de millions ($10^{12}$), soit mille milliards (rare). 1520 ; ☞ *million* + *bi-* ; [biljɔ̃].

**BILLON,** subst. m.
1. *Fin.* ▸ Vx. Monnaie composée de cuivre et d'une faible dose d'argent. ▸ Monnaie dont la valeur réelle est différente de celle du métal avec lequel elle est faite. 2. *Agric.* Talus de terre entre deux sillons, fait de deux ados, créé par la charrue lors du labourage. Fin XIIIe s. ; *bille* (II) ; [bijɔ̃].

**BILLONNAGE,** subst. m.
*Agric.* Labourage en billons. 1835 ; *billon* ; [bijɔnaʒ].

**BILLOT,** subst. m.
1. Tronçon de bois épais et aplani, servant d'appui pour différents travaux : ***Billot** de boucherie ; Couper du bois sur un **billot**.* 2. Bloc de bois sur lequel reposait la tête des condamnés à la décapitation. 3. Pièce de bois attachée au cou d'un animal (vache, cheval, chien de chasse) pour entraver ses mouvements. XIVe s. ; *bille* (II) ; [bijo].

**BILOBÉ, ÉE,** adj.
Qui a deux lobes. 1788 ; *lobe* + *bi-* ; [bilɔbe].

**BILOCULAIRE,** adj.
*Sc. nat.* Qui possède deux cavités : *Un estomac **biloculaire**.* 1771 ; *locule* (rare), « petite bourse », du lat. *loculus*, « espace réduit », + *bi-* ; [bilɔkylɛʀ].

**BIMANE,** adj.
Qui a deux mains à pouces opposables : *L'homme est **bimane*** ou, empl. subst., *un **bimane**.* 1627 ; lat. *manus*, « main », + *bi-* ; [biman].

**BIMBELOTERIE,** subst. f.
1. Fabrication ou commerce de bibelots. 2. Méton. Ensemble de bibelots. 1751 ; *bimbelot* (vx), var. de *bibelot* ; [bɛ̃blɔtʀi].

**BIMBELOTIER, IÈRE,** subst.
Personne qui fabrique ou qui vend des bibelots. Fin XVe s. ; *bimbelot* (vx), var. de *bibelot* ; [bɛ̃blɔtje, jɛʀ].

**BIMENSUEL, ELLE,** adj.
Qui a lieu ou qui paraît deux fois par mois : *Une publication **bimensuelle*** ou, empl. subst. masc., *Un **bimensuel**.* Mil. XIXe s. ; *mensuel* + *bi-* ; [bimɑ̃sɥɛl].

**BIMESTRE,** subst. m.
Durée de deux mois. 1832 ; lat. *bimestris* ; [bimɛstʀ].

**BIMESTRIEL, ELLE,** adj.
Qui a lieu ou qui paraît tous les deux mois : *Une revue **bimestrielle*** ou, empl. subst. masc., *Un **bimestriel**.* 1899 ; *bimestre* ; [bimɛstʀi(j)ɛl].

**BIMÉTAL,** subst. m. inv.
*Techn.* Objet métallique (gén. câble d'acier) recouvert d'un autre métal. 1924 ; *métal* + *bi-* ; n. déposé ; [bimetal].

**BIMÉTALLIQUE,** adj.
1. *Écon.* Relatif au bimétallisme. 2. *Techn.* Qui est composé de deux métaux. 1876 ; *bimétallisme* ; [bimetalik].

**BIMÉTALLISME,** subst. m.
*Écon.* Système monétaire fondé sur deux étalons, en gén. l'or et l'argent. 1875 ; *métal* + *bi-* ; [bimetalism].

**BIMÉTALLISTE,** adj.
*Écon.* Qui a trait au bimétallisme : *La France et les États-Unis restèrent longtemps **bimétallistes*** ; empl. subst., partisan du bimétallisme. 1890 ; *bimétallisme* ; [bimetalist].

**BIMILLÉNAIRE,** adj. et subst. m.
Adj. Qui dure depuis deux mille ans. Subst. Deux millième anniversaire d'un évènement. 1855 ; *millénaire* + *bi-* ; [bimil(l)enɛʀ].

**BIMOTEUR,** adj.
Qui est doté de deux moteurs : *Un avion **bimoteur*** ou, empl. subst. masc., *Un **bimoteur**.* 1928 ; *moteur* + *bi-* ; [bimɔtœʀ].

**BINAGE,** subst. m.
*Agric.* Action de biner. 1311 ; *biner* ; [binaʒ].

**BINAIRE,** adj.
1. Qui est composé de deux éléments : *L'acide chlorhydrique HCl est un composé **binaire**.* 2. *Arithm. Numération **binaire*** : système de numération à base 2. Si 0 et 1 sont les symboles utilisés, les entiers naturels sont successivement représentés par 0, 1, 10, 11, 100, 101, 110, etc. 3. *Math. Relation **binaire** dans un ensemble E* : relation de E vers E (concernant donc des couples d'éléments de E). 4. *Astron. Étoile **binaire*** ou, empl. subst. fém., *Une **binaire*** : ensemble de deux astres tournant autour du centre de masse du système. 5. *Mus. Mesure **binaire*** : dont chaque temps peut se partager en deux durées égales ; *Rythme **binaire*** : à deux temps. ▸ Anal. *L'octosyllabe a un rythme **binaire**.* 1554 ; bas lat. *binarius* ; [binɛʀ].

**BINARD,** subst. m.
*Techn.* Chariot bas utilisé pour transporter des pierres de taille (vieilli). 1668 ; prob. lat. *bini*, « paire, couple » ; var. *binart* ; [binaʀ].

**BINATIONAL, ALE, AUX,** adj.
1. Qui a une double nationalité. 2. Qui relève de deux pays. 1948 ; *national* + *bi-* ; [binasjɔnal, o].

**BINAURICULAIRE,** adj.
Biauriculaire. 1875 ; crois. du lat. *bini*, « paire », et de *auriculaire* ; [binɔʀikylɛʀ].

**BINER,** verbe [3]
Trans. *Agric.* Sarcler avec une binette pour éliminer les mauvaises herbes : ***Biner** son potager.* Intrans. *Cath.* Célébrer deux messes le même jour, en parlant d'un prêtre. 1269 ; lat. pop. °*binare*, « retourner la terre une seconde fois » ; [bine].

**BINETTE (I),** subst. f.
*Agric.* Instrument utilisé pour biner la terre. 1651 ; *biner* ; [binɛt].

**BINETTE (II),** subst. f.
Visage (fam.) : *Il fait une drôle de **binette**.* 1844 ; p.-ê. aphérèse de *trombinette*, de *trombine* ; [binɛt].

**BINEUSE,** subst. f.
*Agric.* Machine servant au binage. 1928 ; *biner* ; [binøz].

**BINGO,** subst. m.
Loterie publique répandue dans les pays anglo-saxons. 1944 ; anglo-amér. *bingo*, p.-ê. de l'onomat. *bing* ; [bingo].

**BINIOU,** subst. m.
*Mus.* Cornemuse bretonne. 1799 ; mot breton ; [binju].

© R. Mattes-Explorer

*Joueurs de biniou au festival de Lorient.*

**BINOCLARD, ARDE,** subst.
Personne qui porte des lunettes (fam. et péj.). 1885 ; *binocle* ; [binɔklaʀ, aʀd].

**BINOCLE,** subst. m.
Lunettes sans branches que l'on pince sur le nez. Plur. Lunettes (fam.). 1827 (1677, télescope double) ; lat. sc. *binoculus*, du lat. *bini*, « paire », et *oculus*, « œil » ; [binɔkl].

**BINOCULAIRE,** adj.
1. *Physiol.* Qui concerne les deux yeux : *Vision **binoculaire**.* 2. *Opt.* Qui possède deux oculaires : *Télescope, microscope **binoculaire**.* 1681 ; crois. du lat. *bini*, « paire », et de *oculaire* ; [binɔkylɛʀ].

**BINÔME,** subst. m.
1. *Alg.* Somme algébrique à deux termes dans lesquels figurent une ou plusieurs variables ($ax + b$, $xy^2 + cy$, par ex.). 2. *Math. **Binôme** de Newton* : formule qui donne le développement d'une puissance entière quelconque d'une somme de deux termes (gén. d'un anneau commutatif) : $(a + b)^n = a^n + C_n^1\, a^{n-1}\, b + C_n^2\, a^{n-2}\, b^2 + ... + C_n^p\, a^{n-p}\, b^p + ... + C_n^{n-1}\, ab^{n-1} + b^n$ (pour $C_n^p$ : voir *combinaison*). 3. Dans les grandes écoles, compagnon de travail régulier d'un élève (argot.). 1554 ; prob. lat. médiév. *binomium*, du lat. *bis*, « deux », et *nomen*, « nom, terme » ; [binom].

**BINOMIAL, ALE, AUX,** adj.
*Math.* ▸ *Coefficient **binomial*** : coefficient du binôme de Newton. ▸ *Loi **binomiale*** : loi de probabilité d'une variable aléatoire X, dont l'ensemble des valeurs prises est la suite des entiers 0, 1, 2, ..., $n$, et telle que la probabilité pour que $X = k$, $0 \leqslant k \leqslant n$, est $P\,(X = k) = C_n^k\, p^k\, (1 - p)^{n-k}$, où $0 < p < 1$, $n$ et $p$ étant les paramètres de la loi. Mil. XVe s. ; *binôme* ; [binɔmjal, o].

**BINTJE,** subst. f.
Variété de pomme de terre à chair farineuse. 1947 ; mot néerl. ; [bintʃ].

**BIOACOUSTIQUE,** subst. f.
*Zool.* Étude des sons qu'émettent les animaux pour communiquer. XXe s. ; *acoustique* + *bio-* ; [bjoakustik].

**BIOBIBLIOGRAPHIE,** subst. f.
*Litt.* Étude rassemblant la biographie et la bibliographie d'un auteur. 1899 ; *bibliographie* + *bio-* ; [bjobibli(j)ɔgʀafi].

**BIOCARBURANT,** subst. m.
Carburant d'origine végétale. 1985 ; *carburant* + *bio-* ; [bjokaʀbyʀɑ̃].

**BIOCATALYSEUR,** subst. m.
*Biol.* Macromolécule biologique, le plus souvent de nature protéique, qui augmente de manière spectaculaire la vitesse d'une réaction biochimique particulière (synon. *enzyme*). V. 1960 ; *catalyseur* + *bio-* ; [bjokatalizœʀ].

**BIOCÉNOSE,** subst. f.
*Biol.* Association d'animaux et de végétaux vivant en équilibre dynamique plus ou moins stable. 1908 ; all. *Biozönose*, du gr. *bios*, « vie », et *koinôsis*, « communauté » ; var. *biocœnose* ; [bjosenoz].

**BIOCHIMIE,** subst. f.
Partie de la chimie qui étudie les molécules constituant la matière vivante et les processus chimiques dont elles sont l'objet. 1838 ; *chimie* + *bio-* ; [bjoʃimi].

**BIOCHIMIQUE,** adj.
Qui se rapporte à la biochimie. 1838 ; *biochimie* ; [bjoʃimik].

**BIOCHIMISTE,** subst.
Spécialiste de la biochimie. 1820 ; *biochimie* ; [bjoʃimist].

**BIOCLIMAT,** subst. m.
*Climatol.* Ensemble des conditions climatiques d'un lieu déterminé qui exercent une influence sur le développement des êtres vivants. XXe s. ; *climat* + *bio-* ; [bjoklima].

**BIOCLIMATIQUE,** adj.
*Climatol.* 1. Qui se rapporte au bioclimat. 2. Qui concerne la bioclimatologie. V. 1960 ; *climatique* + *bio-* ; [bjoklimatik].

**BIOCLIMATOLOGIE,** subst. f.
Science qui étudie l'incidence du climat sur le développement des êtres vivants. V. 1960 ; *climatologie* + *bio-* ; [bjoklimatɔlɔʒi].

**BIOCŒNOSE,** voir **BIOCÉNOSE**

**BIOCOMPATIBLE,** adj.
Qui est compatible avec un organisme vivant : *Un revêtement **biocompatible**.* V. 1970 ; *compatible* + *bio-* ; [bjokɔ̃patibl].

**BIODÉGRADABLE,** adj.
*Biochim.* Susceptible d'être dégradé par l'action des bactéries ou d'agents biologiques présents dans la nature : *Emballages **biodégradables**.* V. 1960 ; angl. *biodegradable* ; [bjodegʀadabl].

**BIODÉGRADATION,** subst. f.
*Biochim.* Processus de destruction de certaines substances grâce à l'action de micro-organismes particuliers. V. 1960 ; angl. *biodegradation* ; [bjodegʀadasjɔ̃].

**BIOÉLECTRICITÉ,** subst. f.
*Biol.* Ensemble des phénomènes électriques qui se manifestent chez les êtres vivants. Mil. XXe s. ; *électricité* + *bio-* ; [bjoelɛktʀisite].

**BIOÉLÉMENT,** subst. m.
*Biochim.* Élément constitutif des tissus vivants. V. 1960 ; *élément* + *bio-* ; [bjoelemɑ̃].

**BIOÉNERGÉTIQUE,** adj.
Relatif à la bioénergie. 1911 ; *énergétique* + *bio-* ; [bjoenɛʀʒetik].

**BIOÉNERGIE,** subst. f.
1. *Biochim.* Énergie renouvelable résultant des transformations chimiques de la biomasse. 2. *Psychol.* Thérapie de l'école américaine, qui cherche à rétablir l'équilibre psychosomatique d'un sujet en libérant son énergie vitale. V. 1970 ; *énergie* + *bio-* ; [bjoenɛʀʒi].

**BIOÉTHIQUE,** subst. f.
Ensemble des problèmes éthiques posés par les progrès de la biologie (notamment génétique) et de la médecine. V. 1980 ; *éthique* + *bio-* ; [bjoetik].

**BIOGENÈSE, subst. f.**
**1.** Théorie selon laquelle tout être vivant ne peut être produit que par un autre être vivant, opposée à celle de la génération spontanée (vieilli). **2.** Étude des conditions qui ont présidé à l'apparition de la vie sur la Terre. Déb. XXe s. ; angl. *biogenesis*, du gr. *bios*, « vie », et *genêsis*, « génération » ; [bjoʒənɛz].

**BIOGÉOGRAPHIE, subst. f.**
Partie de la géographie qui étudie la répartition des animaux et des végétaux dans la biosphère, et les relations qu'ils entretiennent avec leur milieu biologique. 1907 ; ☞ *géographie* + *bio-* ; [bjoʒeɔgʀafi].

**BIOGRAPHE, subst.**
Auteur d'une ou de plusieurs biographies. Fin XVIIe s. ; formé de *bio-* et de *-graphe* ; [bjɔgʀaf].

**BIOGRAPHIE, subst. f.**
Relation écrite de la vie d'une personne. 1721 ; formé de *bio-* et de *-graphie* ; [bjɔgʀafi].

**BIOGRAPHIQUE, adj.**
Relatif à la biographie : *Recherches* ***biographiques***. 1800 ; ☞ *biographie* ; [bjɔgʀafik].

**BIO-INDUSTRIE, subst. f.**
Exploitation à l'échelle industrielle des biotechnologies. V. 1970 ; ☞ *industrie* + *bio-* ; plur. *bio-industries* ; [bjoɛ̃dystʀi].

**BIOLOGIE, subst. f.**
Ensemble des sciences relatives aux êtres vivants ; étude des phénomènes et des lois qui les caractérisent : ***Biologie*** *générale, animale, végétale, humaine* ; ***Biologie*** *cellulaire*, étude de la cellule vivante, de sa physiologie ; ***Biologie*** *moléculaire*, étude des phénomènes de la vie au niveau des macromolécules synthétisées par les différentes cellules de l'organisme, grâce à l'existence d'un code génétique présent dans tous les noyaux cellulaires. 1802 ; all. *Biologie*, du gr. *bios*, « vie », et *logos*, « discours » ; [bjɔlɔʒi].

**BIOLOGIQUE, adj.**
**1.** Relatif à la biologie. **2.** Ext. Qui a trait à la vie : *Père* ***biologique***, dont le sperme est à l'origine de la conception de l'enfant (synon. *père génétique*, anton. *père adoptif*). 1832 ; ☞ *biologie* ; [bjɔlɔʒik].

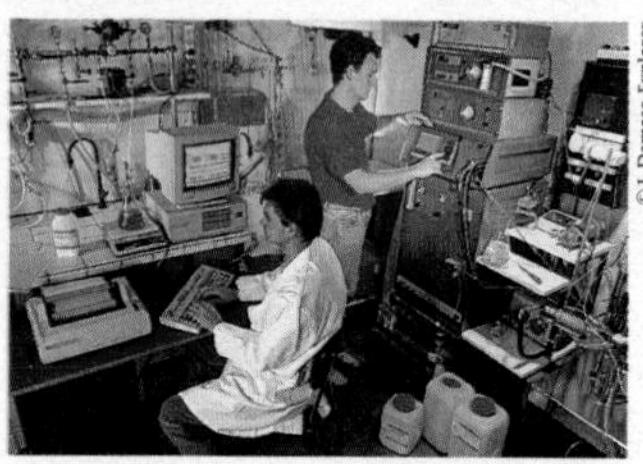
© J. Damase-Explorer

*Laboratoire de génie* ***biologique*** *à Clermont-Ferrand.*

**BIOLOGISME, subst. m.**
Doctrine qui prétend interpréter la totalité du domaine humain en fonction des seules indications biologiques. 1936 ; ☞ *biologie* ; [bjɔlɔʒism].

**BIOLOGISTE, subst.**
Spécialiste de la biologie ; empl. adj. : *Médecin* ***biologiste***, qui pratique des examens (hématologiques, histologiques, etc.) en laboratoire. 1832 ; ☞ *biologie* ; [bjɔlɔʒist].

**BIOLUMINESCENCE, subst. f.**
*Biol.* Émission de lumière par des êtres vivants, due en général à des réactions enzymatiques et que l'on observe chez certains insectes (lampyres, lucioles), mollusques (pholades, céphalopodes), poissons des grandes profondeurs, ainsi que chez certains champignons (clitocybe de l'olivier) et chez des algues unicellulaires et des bactéries. V. 1930 ; ☞ *luminescence* + *bio-* ; [bjolyminesɑ̃s].

**BIOMAGNÉTISME, subst. m.**
*Biol.* Sensibilité des êtres vivants au champ magnétique terrestre et aux champs magnétiques artificiels de même intensité. 1858 ; ☞ *magnétisme* + *bio-* ; [bjomaɲetism].

**BIOMASSE, subst. f.**
Totalité de la masse des êtres vivants occupant la biosphère ou une de ses portions : *La* ***biomasse*** *océanique.* V. 1960 ; ☞ *masse* (II) + *bio-* ; [bjomas].

**BIOMATÉRIAU, subst. m.**
*Méd.* Matériau toléré par les tissus vivants, servant à réaliser des prothèses. V. 1980 ; ☞ *matériau* + *bio-* ; [bjomateʀjo].

**BIOME, subst. m.**
Chacun des grands écosystèmes de notre planète (océan, forêt, etc.). Gr. *bios*, « vie » ; [bjom].

**BIOMÉCANIQUE, subst. f.**
Application des lois de la mécanique à l'étude biologique et physiologique des organismes. 1898 ; ☞ *mécanique* + *bio-* ; [bjomekanik].

**BIOMÉTRIE, subst. f.**
Application des méthodes quantitatives et statistiques aux phénomènes biologiques. 1838 ; formé de *bio-* et de *-métrie* ; [bjometʀi].

**BIONIQUE, subst. f.**
Science qui a pour objet l'application à la mécanique et à l'électronique de ce que nous enseigne l'étude des phénomènes de la vie et des êtres vivants. V. 1960 ; anglo-amér. *bionics*, crois. de *biology* et de *electronics* ; [bjɔnik].

**BIOPHYSIQUE, subst. f.**
Application des méthodes et des lois de la physique à la biologie. V. 1920 ; angl. *biophysics* ; [bjofizik].

**BIOPSIE, subst. f.**
*Méd.* Prélèvement, sur un sujet vivant, d'un fragment de tissu en vue d'un examen au microscope. 1879 ; formé de *bio-* et de *-opsie* ; [bjɔpsi].

**BIORYTHME, subst. m.**
*Biol.* Variation périodique d'un phénomène biologique, que prend pour objet la chronobiologie : *Les battements du cœur constituent le* ***biorythme*** *cardiaque.* 1972 ; anglo-amér. *biorhythm* ; [bjoʀitm].

**BIOSCIENCES, subst. f. plur.**
Ensemble des sciences relatives aux êtres vivants. ☞ *science* + *bio-* ; [bjosjɑ̃s].

**BIOSPHÈRE, subst. f.**
Ensemble de tous les écosystèmes de la planète Terre, c.-à-d. de tous les milieux de vie et de tous les êtres vivants. 1838 ; ☞ *sphère* + *bio-* ; [bjosfɛʀ].

**BIOSTASIE, subst. f.**
*Géol.* Période de stabilité climatique et tectonique pendant laquelle la couverture végétale joue un rôle de filtre stabilisateur et protège le sol sous-jacent des effets de l'érosion. Formé de *bio-* et de *-stasie* ; [bjostazi].

**BIOSYNTHÈSE, subst. f.**
Formation d'une substance organique dans les cellules d'un organisme. 1955 ; ☞ *synthèse* + *bio-* ; [bjosɛ̃tɛz].

**BIOTE, subst. m.**
*Biol.* L'ensemble de toutes les formes de vie animale et végétale, dans un écosystème donné. 1955 ; gr. *bios*, « vie » ; [bjɔt].

**BIOTECHNIQUE, subst. f.**
Biotechnologie. Mil. XXe s. ; ☞ *technique* + *bio-* ; [bjotɛknik].

**BIOTECHNOLOGIE, subst. f.**
Ensemble des techniques qui, grâce à des micro-organismes, permettent d'opérer des synthèses ou des transformations, dans l'industrie chimique ou pharmaceutique (synon. *biotechnique*). V. 1980 ; ☞ *technologie* + *bio-* ; [bjotɛknɔlɔʒi].

**BIOTHÉRAPIE, subst. f.**
*Méd.* et *Pharm.* Traitement par des substances provenant de la culture d'êtres vivants (levures, ferments lactiques), ou par des produits physiologiques. 1909 ; formé de *bio-* et de *-thérapie* ; [bjoteʀapi].

**BIOTIQUE, adj.**
Qui concerne les êtres vivants et leur développement, ainsi que l'action qu'exercent certains organismes vivants sur d'autres : *Les facteurs* ***biotiques***. V. 1960 (1845, relatif à la vie) ; bas lat. *bioticus*, du gr. *biotikos*, « qui permet de vivre » ; [bjɔtik].

**BIOTITE, subst. f.**
*Minér.* Mica de couleur noire. 1848 ; anthropon. *Jean-Baptiste Biot*, physicien français ; [bjɔtit].

**BIOTOPE, subst. m.**
*Biol.* Milieu biologique déterminé correspondant, par ses caractères écologiques relativement stables, aux besoins vitaux d'un ensemble d'animaux et de végétaux. 1947 ; gr. *topos*, « lieu », + *bio-* ; [bjɔtɔp].

**BIOTYPE, subst. m.**
*Biol.* et *Anthropol.* Ensemble de caractères anatomiques, physiologiques et génétiques propres à un groupe d'individus. 1946 ; ☞ *type* + *bio-* ; [bjɔtip].

**BIOTYPOLOGIE, subst. f.**
Science dont l'objet est de déterminer, de définir et de classer les biotypes. 1925 ; ☞ *typologie* + *bio-* ; [bjotipɔlɔʒi].

**BIOXYDE, subst. m.**
Dioxyde (vx). 1838 ; ☞ *oxyde* + *bi-* ; [bi(j)ɔksid].

**BIP, subst. m.**
**1.** Bref signal acoustique émis par certains appareils : *Le* ***bip*** *d'un répondeur téléphonique.* **2.** Méton. Appareil émettant un tel signal. V. 1950 ; onomat. ; var. *bip-bip* (plur. *bips-bips*) ; [bip].

**BIPALE, adj.**
*Techn.* Pourvu de deux pales : *Hélice* ***bipale***. V. 1960 ; ☞ *pale* (I) + *bi-* ; [bipal].

**BIPARTI, voir BIPARTITE**

**BIPARTISME, subst. m.**
*Pol.* Répartition des forces politiques d'un État en deux partis principaux : *Le* ***bipartisme*** *britannique.* 1948 ; ☞ *bipartite* ; [bipaʀtism].

**BIPARTITE, adj.**
**1.** Qui se divise en deux parties. **2.** *Pol.* Composé de deux partis : *Gouvernement* ***bipartite***, résultant de l'accord de deux partis ; *Discussions* ***bipartites***, entre deux interlocuteurs, deux groupes. Mil. XIVe s. ; lat. *bipartitus* ; var. *biparti, ie* ; [bipaʀtit].

**BIPARTITION, subst. f.**
Division en deux parties. 1751 ; lat. *bipartitio* ; [bipaʀtisjɔ̃].

**BIPASSE, subst. m.**
*Techn.* et *Chir.* Dérivation disposée sur le trajet d'un fluide : *Un pontage artériel est un* ***bipasse***. Déb. XXe s. ; angl. *bypass*, de *by*, « proche, secondaire », et de *pass*, « passage » ; [bipas].

**BIP-BIP, voir BIP**

**BIPÈDE, adj. et subst.**
Se dit d'un être qui marche sur deux pieds. SUBST. MASC. **1.** Être humain. **2.** *Équit.* Ensemble de deux jambes d'un cheval : ***Bipède*** *latéral.* 1598 ; lat. *bipes* ; [bipɛd].

**BIPENNE (I), subst. f.**
*Antiq. rom.* Hache à deux tranchants symétriques. 1703 ; lat. *bipennis* ; [bipɛn].

**BIPENNE (II), voir BIPENNÉ**

**BIPENNÉ, ÉE, adj.**
**1.** *Bot.* *Feuille* ***bipennée*** : aux pétioles secondaires disposés en arête de poisson. **2.** *Zool.* Muni de deux ailes. 1803 ; ☞ *penné* + *bi-* ; var. *bipenne* ; [bipɛn].

**BIPHASÉ, ÉE, adj.**
*Électr.* Qualifie un système électrique de courant sinusoïdal comprenant deux phases et offrant des tensions égales mais de signe contraire. Déb. XXe s. ; ☞ *phase* + *bi-* ; [bifaze].

*La forêt vierge : un* ***biotope*** *tropical.*

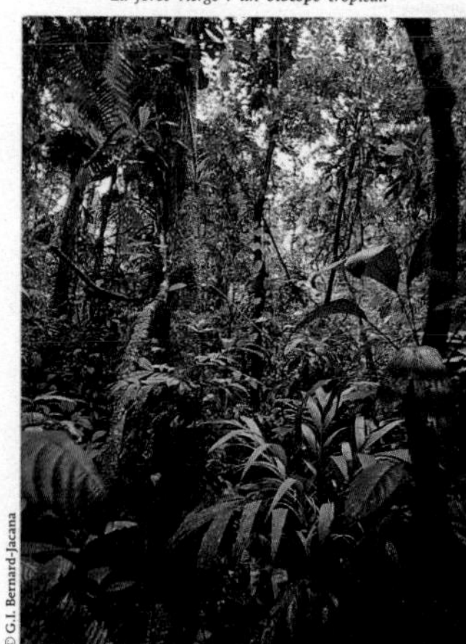
© G.I. Bernard-Jacana

**BIPIED,** subst. m.
*Arm.* Support du canon d'un fusil-mitrailleur en forme de V renversé. XXe s. ; ☞ *pied* + *bi-* ; [bipje].

**BIPLACE,** adj.
Qui a deux places : *Véhicule* ***biplace*** ou, empl. subst. masc., *Un* ***biplace.*** 1917 ; ☞ *place* + *bi-* ; [biplas].

**BIPLAN,** subst. m.
*Aéron.* Avion possédant deux plans de sustentation superposés ; empl. adj. : *Planeur* ***biplan.*** 1875 ; ☞ *plan* (I) + *bi-* ; [biplɑ̃].

**BIPOINT,** subst. m.
*Géom.* Couple de points. Mil. XXe s. ; ☞ *point* (I) + *bi-* ; [bipwɛ̃].

**BIPOLAIRE,** adj.
**1.** Qui possède deux pôles : *Aimant* ***bipolaire.*** **2.** *Math. Coordonnées* ***bipolaires*** *d'un point M du plan par rapport à deux points O et O'* : couple (r, r') où r (resp. r') est la distance de M à O (resp. à O'). 1838 ; ☞ *polaire* + *bi-* ; [bipɔlɛʀ].

**BIPOLARISATION,** subst. f.
*Pol.* Situation dans laquelle les tendances politiques d'un pays se regroupent en deux blocs. V. 1970 ; ☞ *bipolaire* ; [bipɔlaʀizasjɔ̃].

**BIPOLARITÉ,** subst. f.
État de ce qui est bipolaire. 1838 ; ☞ *bipolaire* ; [bipɔlaʀite].

**BIPOUTRE,** adj.
*Techn.* Qui comporte deux poutres parallèles. 1927 ; ☞ *poutre* + *bi-* ; [bipufʀ].

**BIQUADRATIQUE,** adj.
*Alg.* Du quatrième degré. 1834 ; ☞ *quadratique* + *bi-* ; [bikwadʀatik].

**BIQUE,** subst. f.
Fam. Chèvre. ▶ Loc. *Crotte de* ***bique*** : quantité négligeable ; *Grande* ***bique*** : grande fille osseuse ; *Vieille* ***bique*** : vieille femme détestable. 1509 ; p.-ê. crois. de *biche* et de *bouc* ; [bik].

**BIQUET, ETTE,** subst.
Fam. **1.** Petit de la chèvre. **2.** Terme d'affection. 1668 ; ☞ *bique* ; [bikɛ, ɛt].

**BIQUOTIDIEN, IENNE,** adj.
Qui s'effectue, qui arrive deux fois par jour. 1876 ; ☞ *quotidien* + *bi-* ; [bikɔtidjɛ̃, jɛn].

**BIRAPPORT,** subst. m.
*Math.* ▶ ***Birapport*** *de quatre nombres réels ou complexes a, b, c, d, deux à deux distincts* : le nombre noté $[a, b, c, d] = \frac{c-a}{c-b} \cdot \frac{d-b}{d-a}$. ▶ ***Birapport*** *de quatre points A, B, C, D d'une droite* : **birapport** de leurs abscisses par rapport à un repère de la droite. Ce nombre, $\frac{\overline{AC}}{\overline{BC}} \cdot \frac{\overline{BD}}{\overline{AD}}$, ne dépend pas du repère choisi et se conserve par projection des quatre points sur une autre droite. V. 1960 ; ☞ *rapport* + *bi-* ; [biʀapɔʀ].

**BIRBE,** subst. m.
*Vieux* ***birbe*** : vieillard ennuyeux (fam. et vieilli). 1836 ; ital. *birba*, « coquin » ; [biʀb].

**BIRÉACTEUR,** subst. m.
Avion muni de deux réacteurs. V. 1950 ; ☞ *réacteur* + *bi-* ; [biʀeaktœʀ].

**BIRÉFRINGENCE,** subst. f.
*Opt.* Dédoublement d'un faisceau lumineux après son passage dans certains milieux transparents dont l'exemple type est le spath d'Islande (cristal à structure lamellaire). 1878 ; ☞ *biréfringent* ; [biʀefʀɛ̃ʒɑ̃s].

**BIRÉFRINGENT, ENTE,** adj.
*Opt.* Qui possède la propriété de biréfringence. 1842 ; ☞ *réfringent* + *bi-* ; [biʀefʀɛ̃ʒɑ̃, ɑ̃t].

**BIRÈME,** subst. f.
*Antiq.* Galère à double rangée de rameurs de chaque côté. 1541 ; lat. *biremis* ; [biʀɛm].

**BIRIBI,** subst. m.
**1.** Vx. Jeu de hasard ressemblant au loto. **2.** Unité disciplinaire d'Afrique (argot milit.) : *Aller à Biribi.* 1719 ; ital. *biribisso*, « jeu de hasard » ; [biʀibi].

**BIRMAN, ANE,** adj. et subst.
De Birmanie. Subst. masc. Langue du groupe tibéto-birman parlée en Birmanie. 1838 ; topon. *Birmanie* ; [biʀmɑ̃, an].

**BIROTOR,** adj. et subst. m.
*Techn.* Se dit d'un appareil doté de deux rotors : *Hélicoptère* ***birotor.*** V. 1960 ; ☞ *rotor* + *bi-* ; [biʀɔtɔʀ].

**BIROUTE,** subst. f.
**1.** Manche à air (argot milit.). **2.** Pénis (argot.). 1914 ; orig. obsc. ; [biʀut].

**BIRR,** subst. m.
Unité monétaire de l'Éthiopie. [biʀ].

**BIS (I), BISE,** adj.
D'un gris soutenu ou gris-beige : *Toile de lin* ***bise,*** non blanchie ; *Pain* ***bis,*** coloré par le son contenu dans la farine. Fin XIe s. ; orig. obsc. ; [bi, biz].

**BIS (II),** adv., interj. et subst. m.
Adv. Indique le doublement d'un numéro, d'une subdivision : *Il habite au 3* ***bis*** *; Article 34* ***bis.*** ▶ *Mus.* Indication de répétition (couplet, phrase). Interj. Cri invitant à la répétition de ce que l'on vient de voir, d'entendre : *«* ***Bis*** *!* ***bis*** *! », s'exclamait le public.* Subst. Deuxième exécution d'un morceau de musique, d'une chanson, etc. : *Exécuter un* ***bis.*** 1690 ; lat. *bis*, « deux fois » ; [bis].

**BISAÏEUL, EULE,** subst.
Père ou mère d'un aïeul (littér.) : *Les* ***bisaïeuls,*** les arrière-grands-parents. 1283 ; ☞ *aïeul* + *bis-* ; [bizajœl].

**BISAIGUË,** subst. f.
**1.** Outil de cordonnier utilisé pour polir le tour des semelles. **2.** Outil de charpentier ou de vitrier (synon. *besaiguë*). 1751 ; ital. *bisegolo*, de *bis*, « deux fois », et de *segolo*, « serpe » ; [bizɛgy].

**BISANNUEL, ELLE,** adj.
**1.** Qui se produit ou réapparaît tous les deux ans. **2.** *Bot. Plante* ***bisannuelle*** ou, empl. subst. fém., *Une* ***bisannuelle*** : plante dont le cycle évolutif est de deux ans. 1762 ; ☞ *annuel* + *bis-* ; [bizanɥɛl].

**BISBILLE,** subst. f.
Brouille, mésentente passagère (fam.). 1677 ; ital. *bisbiblio*, « murmure » ; [bizbij] ou [bis-].

**BISBROUILLE,** subst. f.
Belg. Bisbille. XXe s. ; crois. de *bisbille* et de *brouille* ; [bizbʀuj] ou [bis-].

**BISCAÏEN, ENNE,** adj. et subst.
De la province espagnole de Biscaye. Subst. masc. *Artill.* Mousquet à longue portée ; par méton., balle ou mitraille dont on le chargeait. 1555 ; topon. *Biscaye* ; var. *biscayen, enne* ; [biskajɛ̃, ɛn].

**BISCORNU, UE,** adj.
**1.** Qui a une forme irrégulière, curieuse : *Un arbre* ***biscornu.*** **2.** Fig. Bizarre, alambiqué : *Un esprit* ***biscornu.*** 1390 ; ☞ *cornu* + *bis-* ; [biskɔʀny].

**BISCOTEAU,** subst. m.
Biceps (fam.) : *Il a de gros* ***biscoteaux.*** 1930 ; crois. de *biceps* et de *costaud* ; [biskɔto].

**BISCOTIN,** subst. m.
Petit biscuit sec et cassant, spécialité du Midi. 1680 ; ital. *biscottino* ; [biskɔtɛ̃].

**BISCOTTE,** subst. f.
Tranche de pain de mie industriellement séchée et dorée au four. 1807 ; ital. *biscotto*, de *bis*, « deux fois », et de *cotto*, « cuit » ; [biskɔt].

**BISCOTTERIE,** subst. f.
Fabrique de biscottes. Mil. XXe s. ; ☞ *biscotte* ; [biskɔtʀi].

**BISCUIT,** subst. m.
**I. 1.** Galette de farine cuite puis déshydratée, utilisée autrefois comme ration alimentaire dans l'armée : ***Biscuit*** *de soldat.* ▶ Loc. *S'embarquer sans* ***biscuit*** : se lancer sans précaution dans une aventure (fam.). **2.** Pâtisserie à base de farine, d'œufs et de sucre. **II.** Porcelaine cuite non émaillée ; par méton., pièce ainsi obtenue : *Un* ***biscuit*** *de Sèvres.* 1538 ; ☞ *cuire* + *bis-* ; [biskɥi].

**BISCUITER,** verbe trans. [3]
Obtenir le durcissement de (une faïence, une porcelaine) en la chauffant au four. 1845 ; ☞ *biscuit* ; [biskɥite].

**BISCUITERIE,** subst. f.
Fabrication des biscuits alimentaires ; entreprise qui les fabrique. Fin XIXe s. ; ☞ *biscuit* ; [biskɥitʀi].

**BISCUITIER,** subst. m.
Fabricant de biscuits. ☞ *biscuit* ; [biskɥitje].

**BISE (I),** subst. f.
**1.** Vent du nord ou du nord-est, sec et froid. **2.** Hiver (littér.) : *Quand la* ***bise*** *fut venue* (La Fontaine). Déb. XIIe s. ; lat. médiév. *biza*, du germ. °*bisjo*, « vent du nord-est » ; [biz].

**BISE (II),** subst. f.
Baiser sur la joue (fam.) : *Faire la* ***bise,*** embrasser. 1911 ; ☞ *biser* (II) ; [biz].

**BISEAU,** subst. m.
*Techn.* **1.** Bord d'un objet taillé en oblique : *Le* ***biseau*** *d'un miroir.* **2.** Méton. Outil dont l'extrémité est en **biseau.** 1451 ; prob. altér. de *biais* ; [bizo].

**BISEAUTAGE,** subst. m.
Action de biseauter ; son résultat. 1863 ; ☞ *biseauter* ; [bizotaʒ].

**BISEAUTER,** verbe trans. [3]
**1.** *Techn.* Tailler en biseau. **2.** Marquer la tranche de (certaines cartes à jouer), en vue de tricher. 1743 ; ☞ *biseau* ; [bizote].

**BISER (I),** verbe intrans. [3]
*Agric.* Devenir gris-noir, en parlant de céréales. 1690 ; ☞ *bis* (I) ; [bize].

**BISER (II),** verbe trans. [3]
Donner un baiser, une bise à (fam.). 1866 ; lat. *basiare*, « baiser » ; [bize].

**BISET,** subst. m.
*Zool.* Oiseau de l'ordre des Columbiformes, de couleur gris bleuté, appelé aussi pigeon de roche. 1552 (fin XIIe s., étoffe bise) ; ☞ *bis* (I) ; [bizɛ].

**BISEXUALITÉ,** subst. f.
**1.** *Biol.* Caractère d'un organisme animal ou végétal bisexué. **2.** *Psychanal.* Notion freudienne selon laquelle tout être humain aurait une constitution psychique à la fois féminine et masculine. **3.** Caractère d'une personne qui entretient des relations bisexuelles. 1946 ; ☞ *sexualité* + *bi-* ; [bisɛksɥalite].

**BISEXUÉ, ÉE,** adj.
*Biol.* **1.** Qui produit des gamètes des deux sexes. **2.** Qui appartient aux deux sexes ; hermaphrodite : *Le lombric, l'escargot, le ténia, la sangsue sont* ***bisexués.*** 1845 ; ☞ *bisexuel* ; [bisɛksɥe].

**BISEXUEL, ELLE,** adj.
**1.** Qui a trait à la bisexualité : *Tendances* ***bisexuelles.*** **2.** Qui entretient des relations amoureuses et sexuelles avec des hommes et des femmes indifféremment ; empl. subst., personne **bisexuelle.** 1826 ; ☞ *sexe* + *bi-* ; [bisɛksɥɛl].

**BISMUTH,** subst. m.
*Chim.* Élément n° 83 de la table de Mendeleïev (symb. : Bi) ; masse atomique : 208,980 ; point de fusion : 271 °C ; point d'ébullition : 1 560 °C ; masse volumique : 9,8 g/cm³. C'est un métal que l'on trouve naturellement sous forme de sulfure de **bismuth**, $Bi_2S_3$, dont on l'extrait par grillage ; il ressemble à l'antimoine par ses propriétés physiques. Il est utilisé dans des alliages à bas point de fusion et dans les produits pharmaceutiques (pansement digestif, par ex.). 1562 ; topon. all. *Wismut* (Saxe) ; [bismyt].

**BISON,** subst. m.
*Zool.* Bovidé sauvage au cou bossu, au front large encadré de courtes cornes et à épais collier laineux : *Le* ***bison*** *américain est bien plus gros et bien plus fort que le* ***bison*** *européen.* 1307 ; lat. *bison*, d'orig. germ. ; [bizɔ̃].

*Troupeau de* ***bisons*** *(Dakota du Sud).*



**BISONTIN, INE,** adj. et subst.
De Besançon. Lat. *Bisontii*, « les habitants de Besançon » ; [bizɔ̃tɛ̃, in].

**BISOU,** subst. m.
Baiser, bise (fam.) : *Faire un* ***bisou*** *avant de se coucher.* V. 1900 ; ☞ *bise* (II) ; [bizu].

**BISQUE,** subst. f.
*Cuis.* Potage à base de coulis de crustacés : *Une* ***bisque*** *de homard.* Déb. XVIIe s. ; p.-ê. dial. norm. *bisque*, « boisson aigre » ; [bisk].

**BISQUER,** verbe intrans. [3]
Être de mauvaise humeur (fam.) : *Faire* **bisquer** *qqn*, le faire enrager. Déb. XVIIIe s. ; p.-ê. prov. *biscain*, « chagrin, méchant », les Biscaïens ayant une mauvaise réputation ; [biske].

**BISSE (I),** subst. m.
Helv. Canal d'irrigation amenant l'eau de la montagne à une terre cultivée : *Les* **bisses** *valaisans.* 1569 ; anc. fr. *biez*, « bief » ; [bis].

**BISSE (II),** subst. f.
*Hérald.* Sorte de couleuvre, guivre. 1694 ; ital. *biscia*, « serpent », du lat. *bestia*, « bête » ; [bis].

**BISSECTEUR, TRICE,** subst. f. et adj.
*Géom.* **Bissectrice**, *ou droite* **bissectrice**, *du couple de demi-droites* $(Ox, Oy)$ : axe $\Delta$ de la symétrie orthogonale transformant $Ox$ en $Oy$. La demi-droite $Oz$ (resp. $Oz'$), intersection de $\Delta$ avec le secteur angulaire saillant (resp. rentrant) associé à $(Ox, Oy)$, est dite **bissectrice** intérieure (resp. extérieure) de $\widehat{(Ox, Oy)}$ et on a $\widehat{(Ox, Oz)} = \widehat{(Oz, Oy)}$, $\widehat{(Ox, Oz')} = \widehat{(Oz', Oy)}$. ADJ. *Plans* **bissecteurs** *de deux plans sécants P et P'* : ensemble des points équidistants de ces deux plans, formé de deux plans perpendiculaires Q et Q', de même intersection que P et P'. Chaque dièdre défini par P et P' a son angle divisé en deux angles égaux par le demi-plan de Q ou de Q' qu'il contient. 1857 ; ☞ *secteur* + *bi-* ; [bisɛktœʀ, tʀis].

**BISSECTION,** subst. f.
*Géom.* Division en deux parties égales. 1751 ; ☞ *section* + *bi-* ; [bisɛksjɔ̃].

**BISSEL,** subst. m.
*Ch. de fer.* Essieu pivotant et porteur de certaines locomotives, qui facilite leur inscription dans les courbes. Fin XIXe s. ; anthropon. *Bissel*, ingénieur américain ; [bisɛl].

**BISSER,** verbe trans. [3]
**1.** Demander un bis à (qqn) : **Bisser** *un musicien.* **2.** Exécuter une seconde fois : **Bisser** *une chanson.* 1820 ; ☞ *bis* (II) ; [bise].

**BISSEXTE,** subst. m.
Jour ajouté au mois de février du calendrier julien ou grégorien une fois tous les quatre ans (vieilli). XIIe s. ; lat. *bisextus*, « deux fois sixième », car le bissexte était placé après le 6e jour avant les calendes de mars (24 février) et le doublait ; [bisɛkst].

**BISSEXTILE,** adj. f.
Qualifie l'année qui comporte un 366e jour (le 29 février) : *L'année* **bissextile** *revient presque toujours tous les quatre ans.* 1555 ; bas lat. *bissextilis* ; [bisɛkstil].

**BISTORTE,** subst. f.
*Bot.* Plante de montagne, de la famille des Polygonacées, à fleurs roses et à rhizome tordu. XIIIe s. ; lat. *bistorta*, de *bis*, « deux fois », et de *torta*, « tordue » ; [bistɔʀt].

**BISTOUILLE,** subst. f.
**1.** Vx. Mauvaise eau-de-vie (pop.). **2.** Dans le Nord, café additionné d'alcool. Déb. XXe s. ; p.-ê. *touiller* + *bis-* ; var. *bistrouille* ; [bistuj].

**BISTOURI,** subst. m.
*Chir.* Instrument à lame courte qui sert à inciser les chairs. ▸ Ext. **Bistouri** *électrique* : instrument à aiguille utilisant le courant à haute fréquence, pour sectionner les tissus et coaguler le sang. 1464 ; ital. *bistorino*, « poignard de Pistoia (Toscane) » ; [bistuʀi].

**BISTOURNER,** verbe trans. [3]
**1.** *Vétér.* Tordre les vaisseaux des testicules de (un animal) pour le châtrer. **2.** Tordre (un objet), le tourner dans un sens contraire à sa direction naturelle (vieilli). 1678 (1175, mal tourner) ; ☞ *tourner* + *bis-* ; [bistuʀne].

**BISTRE,** subst. m. et adj. inv.
SUBST. Substance colorante composée de suie et de gomme, utilisée notamment dans la peinture au lavis. ADJ. De couleur brun grisâtre : *Des teintes* **bistre**. Déb. XVIe s. ; orig. obsc. ; [bistʀ].

**BISTRER,** verbe trans. [3]
Donner une couleur bistre à (qqch.). 1809 ; ☞ *bistre* ; [bistʀe].

**BISTRO,** voir **BISTROT**

**BISTROQUET,** subst. m.
Bistrot, troquet (fam.). 1926 ; crois. de *bistrot* et de *troquet* ; [bistʀɔkɛ].

**BISTROT, OTE,** subst.
Fam. Tenancier, tenancière de café (vieilli). MASC. Café modeste, petit restaurant : *Le* **bistrot** *du coin* ; *Pilier de* **bistrot** ; en appos. : *Style* **bistrot**, style décoratif particulier aux **bistrots** du début du XXe s. 1884 ; p.-ê. poitevin *bistraud*, « petit domestique » ; var. du masc. *bistro* ; [bistʀo, ɔt].

Un **bistrot** *(détail), peinture de Foujita (1886-1968). Musée d'Art moderne de la Ville de Paris.*

**BISTROUILLE,** voir **BISTOUILLE**

**BISULFATE,** subst. m.
*Chim.* Sulfate hydrogéné d'un métal (synon. *hydrogénosulfate*). 1846 ; ☞ *sulfate* + *bi-* ; [bisylfat].

**BISULFITE,** subst. m.
*Chim.* Sulfite hydrogéné d'un métal (synon. *hydrogénosulfite*) : $NaHSO_3$ *est le* **bisulfite** *de sodium.* 1838 ; ☞ *sulfite* + *bi-* ; [bisylfit].

**BIT,** subst. m.
*Informat.* **1.** Élément d'une chaîne binaire (0 ou 1). **2.** Unité de mesure des informations binaires. 1959 ; angl. *bit*, crois. de *binary*, « binaire », et de *digit*, « chiffre » ; [bit].

**BITE,** subst. f.
Pénis, membre viril (vulg.). 1584 ; prob. anc. fr. *abiter*, « toucher à, s'approcher de » ; var. *bitte* ; [bit].

**BITERROIS, OISE,** adj. et subst.
De Béziers : *La première ligne de rugby* **biterroise**. Lat. *Baeterrae*, « Béziers » ; [bitɛʀwa, waz].

**BITONAL, ALE, ALS** ou **AUX,** adj.
Qui utilise deux tonalités : *Musique* **bitonale**. Déb. XXe s. ; ☞ *tonal* + *bi-* ; [bitɔnal, o].

**BITONIAU,** subst. m.
Petit objet, petit bouton, etc., dont on ignore le nom exact (fam.) : *Appuyez sur le* **bitoniau**. V. 1990 ; p.-ê. *bitte* (I) ; [bitɔnjo].

**BITORD,** subst. m.
*Mar.* Cordage de fils de chanvre tordus ensemble et goudronnés. 1690 ; ☞ *tordre* + *bi-* ; [bitɔʀ].

**BITOS,** subst. m.
Chapeau (argot.). 1926 ; orig. inc. ; [bitos].

**BITTE (I),** subst. f.
*Mar.* Pièce cylindrique fixée verticalement sur le pont d'un navire ou sur un quai, autour de laquelle on enroule les amarres. Fin XIVe s. ; anc. nord. *biti*, « poutre transversale d'un toit » ; [bit].

**BITTE (II),** voir **BITE**

**BITTER,** subst. m.
Liqueur apéritive, alcoolisée ou non, à base d'extraits de substances amères (orange, citron, quinquina, etc.). 1721 ; all. *bitter*, « amer » ; [bitɛʀ].

**BITTURE,** voir **BITURE**

**BITTURER (SE),** voir **BITURER (SE)**

**BITUMAGE,** subst. m.
Action de bitumer ; son résultat. 1866 ; ☞ *bitumer* ; [bitymaʒ].

**BITUME,** subst. m.
**1.** Matière organique ou dérivée du pétrole, composée d'hydrocarbures, visqueuse ou solide, de couleur noirâtre, utilisée comme revêtement des chaussées et des trottoirs. **2.** Méton. Le sol ainsi recouvert. Mil. XIIe s. ; lat. *bitumen* ; [bitym].

**BITUMER,** verbe trans. [3]
Enduire, revêtir de bitume : **Bitumer** *une chaussée.* 1544 ; ☞ *bitume* ; [bityme].

**BITUMEUX, EUSE,** adj.
Qui a le caractère du bitume ; qui contient du bitume, qui est fait avec : *Couche* **bitumeuse**. Fin XIIIe s. ; ☞ *bitume* ; [bitymø, øz].

**BITUMINEUX, EUSE,** adj.
Qui contient du bitume ; qui en a les caractéristiques : *Schistes, calcaires* **bitumineux**. Déb. XIVe s. ; lat. *bituminosus* ; [bityminø, øz].

**BITURE,** subst. f.
**1.** *Mar.* Partie de câble ou de chaîne élongée sur le pont d'un navire, qui file librement lorsqu'on mouille l'ancre : *Prendre une bonne* **biture**, prendre une longueur de chaîne suffisante. **2.** Loc. fam. *Prendre une* **biture** : se soûler ; *À toute* **biture** : à toute allure. Déb. XVIe s. ; ☞ *bitte* (I) ; var. *bitture* ; [bityʀ].

**BITURER (SE),** verbe pronom. [3]
Se soûler (fam.). 1834 ; ☞ *biture* ; var. *se bitturer* ; [bityʀe].

**BIUNIVOQUE,** adj.
*Math.* Bijectif (vieilli) : *Application* **biunivoque**. 1956 ; ☞ *univoque* + *bi-* ; [biynivɔk].

**BIVALENCE,** subst. f.
Caractère de ce qui est bivalent. Mil. XXe s. ; ☞ *bivalent* ; [bivalɑ̃s].

**BIVALENT, ENTE,** adj.
**1.** *Chim.* Qualifie un atome ou un radical chimique qui peut s'entourer de deux liaisons et qui a pour valence 2 (synon. *divalent*) : *L'oxygène est* **bivalent**. **2.** Fig. Qui a deux valeurs, deux fonctions, deux aspects. 1923 ; formé de *bi-* et de *-valent* ; [bivalɑ̃, ɑ̃t].

**BIVALVE,** adj. et subst. m.
ADJ. **1.** *Zool.* Qui possède deux valves unies par un muscle : *Un mollusque* **bivalve**. **2.** *Bot.* Qui se compose de deux parties identiques : *Un noyau* **bivalve**. SUBST. Coquille composée de deux valves ; par méton., le mollusque qu'elle contient : *L'huître est un* **bivalve**. SUBST. PLUR. Classe de mollusques, aussi appelés lamellibranches. 1716 ; ☞ *valve* + *bi-* ; [bivalv].

**BIVEAU,** subst. m.
*Techn.* Équerre à branches mobiles utilisée par les tailleurs de pierre et les fondeurs de caractères d'imprimerie. 1568 ; anc. fr. *baivel*, de *baif*, « béant » ; [bivo].

**BIVITELLIN, INE,** adj.
*Biol.* Se dit de jumeaux ou de jumelles provenant de deux œufs différents, dont les vitellus et les placentas sont séparés (synon. *dizygote*). Mil. XXe s. ; lat. *vitellus*, « jaune d'œuf », + *bi-* ; [bivitelɛ̃, in].

**BIVOUAC,** subst. m.
**1.** Vx. Garde de nuit d'un camp. **2.** Campement provisoire d'une troupe en plein air : *Installer un* **bivouac**. **3.** Ext. Campement pour la nuit : *Un* **bivouac** *en montagne.* **4.** Méton. Lieu du campement. 1650 ; suisse all. *Biwacht*, « patrouille supplémentaire de nuit » ; [bivwak].

**BIVOUAQUER,** verbe intrans. [3]
S'installer en bivouac ; camper. 1791 ; ☞ *bivouac* ; [bivwake].

**BIZARRE,** adj.
Qui déroute par son caractère inhabituel : *Une odeur* **bizarre** ; *Des idées* **bizarres** ; empl. subst. masc. : *Aimer le* **bizarre**. Mil. XVIe s. ; ital. *bizzarro*, « extravagant » ; [bizaʀ].

**BIZARREMENT,** adv.
De manière bizarre. 1587 ; ☞ *bizarre* ; [bizaʀmɑ̃].

**BIZARRERIE,** subst. f.
**1.** Caractère bizarre de qqn ou de qqch. ; étrangeté : *La **bizarrerie** de mon vieil oncle.* **2.** Méton. Chose bizarre, curieuse : *Les **bizarreries** de l'orthographe.* 1555 ; ☞ *bizarre* ; [bizaʀʀi].

**BIZARROÏDE,** adj.
Bizarre, curieux (fam.). V. 1920 ; ☞ *bizarre* + *-oïde*, d'apr. les mots scientifiques ; [bizaʀɔid].

**BIZUT,** subst. m.
**1.** Élève de première année d'une grande école ou d'une classe préparatoire (argot scol.). **2.** Ext. Nouveau venu, débutant. 1843 ; orig. obsc. ; var. *bizuth* ; [bizy].

**BIZUTAGE,** subst. m.
Action de bizuter (argot scol.). 1949 ; ☞ *bizuter* ; [bizytaʒ].

**BIZUTER,** verbe trans. [3]
Faire subir à (de nouveaux élèves), en guise d'initiation, une série d'épreuves et de brimades (argot scol.). 1949 ; ☞ *bizut* ; [bizyte].

**BIZUTH,** voir **BIZUT**

**Bk,** voir **BERKÉLIUM**

**BLA-BLA,** subst. m. inv.
Verbiage destiné à tromper ou à endormir l'attention (fam.). 1945 ; orig. onomat. ; var. *bla-bla-bla* ; [blabla].

**BLACK,** subst. et adj.
Fam. Subst. *Un, une Black* : personne de race noire. Adj. *Musique, culture **black*** : des Noirs. V. 1980 ; angl. *black*, « noir » ; inv. en genre ; [blak].

**BLACK-BASS,** subst. m. inv.
*Zool.* Perche noire d'Amérique, introduite en Europe au XIXe s. (synon. *achigan*). 1907 ; anglo-amér. *black bass*, « perche noire » ; [blakbas].

**BLACKBOULER,** verbe trans. [3]
**1.** Vx. Voter contre (un candidat), en déposant une boule noire dans l'urne. **2.** Ext. Rejeter (qqn) lors d'une élection, d'un examen (fam.). 1837 ; angl. *to blackball*, de *black*, « noir », et de *ball*, « boule » ; [blakbule].

**BLACK JACK,** subst. m.
Jeu de cartes américain ressemblant au vingt-et-un, pratiqué dans les casinos. V. 1980 ; mot angl. ; plur. *black jacks*, var. *black-jack* (plur. *black-jacks*) ; [blak(d)ʒak].

**BLACK-OUT,** subst. m. inv.
**1.** Mesure de défense antiaérienne consistant à plonger dans l'obscurité totale une ville, un lieu. **2.** Ext. Silence observé volontairement ou imposé sur une information, un évènement : *Faire le **black-out** sur un enlèvement.* 1941 ; angl. *blackout*, de *black*, « noir », et de *out*, « dehors » ; [blakaut].

**BLACK-ROT,** subst. m.
Maladie, due à un champignon, qui atteint divers végétaux en marquant leurs feuilles de taches noires. 1878 ; anglo-amér. *black rot*, de *black*, « noir », et de *rot*, « pourriture » ; plur. *black-rots* ; [blakʀɔt].

**BLAFARD, ARDE,** adj.
Pâle, sans éclat : *Teint, visage **blafard** ; Ciel **blafard**.* 1342 ; m. haut all. *bleichvar* ; [blafaʀ, aʀd].

**BLAFF,** subst. m.
*Cuis.* Plat créole constitué de poissons et de crustacés marinés et cuits dans un court-bouillon épicé. XXe s. ; mot créole ; [blaf].

**BLAGUE,** subst. f.
**I.** Petite poche de cuir servant à contenir du tabac. **II. 1.** Faconde (vx). **2.** Bêtise, action inconsidérée : *Pas de **blague** !*, pas d'imprudence. **3.** Histoire mystificatrice : *Raconter des **blagues**.* **4.** Ext. Farce, plaisanterie : *Une bonne **blague**.* 1721 ; néerl. *balg*, « gaine, enveloppe » ; [blag].

**BLAGUER,** verbe [3]
Intrans. **1.** Dire des blagues : *Comment le croire ? Il **blague** toujours !* **2.** Prendre à la légère : *Ne **blaguez** pas avec l'honneur !* Trans. Railler par plaisanterie : *On le **blaguait** sur sa coupe de cheveux ratée.* 1808 ; ☞ *blague* ; [blage].

**BLAGUEUR, EUSE,** subst.
Personne qui blague volontiers ; empl. adj. : *Un ton **blagueur**.* 1808 ; ☞ *blaguer* ; [blagœʀ, øz].

**BLAIR,** subst. m.
Nez (argot.). 1872 ; apocope de *blaireau* ; [blɛʀ].

**BLAIREAU,** subst. m.
**1.** *Zool.* Mammifère carnivore de la famille des Mustélidés, bas sur pattes, au pelage gris-roux et au museau porcin, qui pèse de 15 à 20 kg et mesure environ 70 cm. De mœurs nocturnes, il vit en famille dans des terriers profonds où il peut hiberner jusqu'à cinq mois. **2.** Méton. ► Pinceau en poils de **blaireau**, utilisé en peinture, en dorure. ► Brosse ronde qui sert à savonner la barbe avant le rasage. 1312 ; anc. fr. *bler*, « tacheté », du frq. °*blari* ; [blɛʀo].

**BLAIRER,** verbe trans. [3]
*Ne pas **blairer** qqn* : éprouver de l'antipathie pour qqn (fam.). 1914 ; ☞ *blair* ; [bleʀe].

**BLÂMABLE,** adj.
Qui mérite d'être blâmé : *Tu es **blâmable** ; Une conduite **blâmable**.* Fin XIIIe s. ; ☞ *blâmer* ; [blɑmabl].

**BLÂME,** subst. m.
**1.** Réprobation, condamnation morale : *Encourir le **blâme**.* **2.** Sanction disciplinaire envers un salarié, un militaire, un élève, etc. : *Recevoir un **blâme**.* Fin XIe s. ; ☞ *blâmer* ; [blɑm].

**BLÂMER,** verbe trans. [3]
**1.** Désapprouver, juger défavorablement ; empl. abs. : *Sans la liberté de **blâmer**, il n'est pas d'éloge flatteur* (Beaumarchais). **2.** Infliger un blâme à. Mil. XIe s. ; lat. pop. °*blastemare*, du lat. chrét. *blasphemare* ; [blɑme].

**BLANC, BLANCHE,** adj. et subst.
Adj. **1.** Qui est d'une couleur telle qu'elle renvoie la totalité des fréquences du spectre lumineux ; qui est de la couleur du lait, de la neige : *Papier **blanc** ; Le mont **Blanc**.* **2.** D'une couleur claire, par oppos. à des choses de même catégorie qui sont d'une couleur foncée : *Vin **blanc** ; Bois **blanc** ; Viande **blanche** ; Armes **blanches***, armes à lame, brillantes, par oppos. aux armes à feu, bronzées. ► *Électroménager. Produits **blancs*** : réfrigérateurs, machines à laver, etc. (anton. *produits bruns*). ► Pâle : *Être **blanc** de peur.* **3.** Vierge, sans écriture : *Remettre copie **blanche** à un examen* ; au fig., innocent, pur : *On l'a acquitté, mais il n'est pas **blanc** pour autant.* **4.** Fig. Qui est sans effet : *Vote **blanc** ; Mariage **blanc***, non consommé ; *Examen **blanc***, non sanctionné ; *Nuit **blanche***, sans sommeil. ► Loc. *Faire chou **blanc*** : ne pas réussir ; *Donner carte **blanche** à qqn* : lui donner toute liberté pour agir. Subst. masc. **1.** Couleur **blanche** : *Un **blanc** immaculé ; **Blanc** cassé.* ► Matière colorante **blanche** : ***Blanc** de zinc ; **Blanc** d'Espagne.* ► Vin **blanc** : *Un verre de **blanc** ; **Blanc** de **blanc(s)***, obtenu à partir de raisin **blanc**. ► Ensemble du linge de maison : *Le rayon du **blanc**.* ► Vêtements **blancs** : *Porter du **blanc** ; Se marier en **blanc***, avec une robe **blanche**, symbole de pureté. ► Loc. **À blanc.** *Métal chauffé à **blanc*** : soumis à une telle chaleur qu'il blanchit ; *Tirer à **blanc*** : avec des balles inoffensives, ou sans balles ; *Saigner à **blanc*** : vider totalement de son sang ou, au fig., exploiter complètement (qqn). **2.** Partie **blanche** ou claire de qqch. : ***Blanc** de poulet ; **Blanc** de l'œil.* ► Espace libre dans un texte : *Laisser un **blanc** avant la date.* ► Loc. *Chèque en **blanc*** : signé par l'émetteur sans indication de montant ou de destinataire. Subst. fém. *Mus.* Valeur de note équivalant à la moitié d'une ronde ou à deux noires. Subst. Personne de race **blanche** : *Les **Blancs** sont minoritaires en Afrique du Sud.* Fin Xe s. ; germ. °*blank* ; [blɑ̃, blɑ̃ʃ].

**BLANC-BEC,** subst. m.
**1.** Vx. Celui qui n'a pas encore de barbe au menton.

*Blaireau.*

© Y. Arthus-Bertrand-Jacana

**2.** Ext. Jeune homme aussi prétentieux qu'ignorant (péj.). 1752 ; comp. de *blanc* et de *bec* ; plur. *blancs-becs* ; [blɑ̃bɛk].

**BLANC-ÉTOC,** subst. m.
*Sylvic.* Déboisement total (synon. *coupe à blanc*). Déb. XVIIIe s. ; comp. de *blanc* (vx), « privé de », et de *étoc*, « tronc d'arbre » ; plur. *blancs-étocs*, var. *blanc-estoc* (plur. *blancs-estocs*) ; [blɑ̃ketɔk].

**BLANCHAILLE,** subst. f.
*Pêche.* Petits poissons blancs que l'on utilise comme appât. 1694 ; ☞ *blanc* ; [blɑ̃ʃaj].

**BLANCHÂTRE,** adj.
Qui est proche de la couleur blanche. 1372 ; ☞ *blanc* ; [blɑ̃ʃɑtʀ].

**BLANCHET,** subst. m.
*Impr.* Revêtement de caoutchouc tapissant le cylindre d'impression dans le procédé offset ; ce cylindre. 1680 (XIIIe s., tissu blanc) ; ☞ *blanc* ; [blɑ̃ʃɛ].

**BLANCHEUR,** subst. f.
Qualité de ce qui est blanc : *La **blancheur** d'un lis.* Déb. XIIe s. ; ☞ *blanc* ; [blɑ̃ʃœʀ].

**BLANCHIMENT,** subst. m.
**1.** Action de peindre en blanc ; son résultat : ***Blanchiment** d'une façade à la chaux.* **2.** *Techn.* Opération chimique qui supprime la coloration naturelle du tissu, du bois, etc. **3.** Fig. Action de blanchir de l'argent. 1600 ; ☞ *blanchir* ; [blɑ̃ʃimɑ̃].

**BLANCHIR,** verbe [19]
Trans. **1.** Rendre blanc, éclaircir : *Un dentifrice qui **blanchit** les dents ; L'eau de Javel **blanchit** le linge.* ► *Techn.* Enduire d'une couche de blanc : ***Blanchir** un mur.* ► *Typogr. **Blanchir** un texte* : en augmenter les blancs, les interlignes. **2.** Rendre propre, nettoyer : ***Blanchir** du linge* ; empl. adj. : *Un employé nourri, logé, **blanchi**.* ► *Cuis.* Ébouillanter (des aliments) pour les rendre plus digestes ou améliorer leur goût. **3.** Fig. Laver d'un soupçon, disculper : *Il a été **blanchi** par l'enquête* ; par ext. : ***Blanchir** de l'argent*, le réintroduire dans un circuit financier classique pour en masquer l'origine frauduleuse. Intrans. Devenir blanc : *Ses cheveux **blanchissent**.* Déb. XIIe s. ; ☞ *blanc* ; [blɑ̃ʃiʀ].

**BLANCHISSAGE,** subst. m.
**1.** Action de blanchir le linge. **2.** *Techn.* Raffinage du sucre brut. 1539 ; ☞ *blanchir* ; [blɑ̃ʃisaʒ].

**BLANCHISSANT, ANTE,** adj.
**1.** Qui devient blanc. **2.** Qui rend blanc : *L'action **blanchissante** de l'eau de Javel.* XVIe s. ; p. pr. de *blanchir* ; [blɑ̃ʃisɑ̃, ɑ̃t].

**BLANCHISSEMENT,** subst. m.
Fait de devenir blanc : *Le **blanchissement** des cheveux.* 1356 ; ☞ *blanchir* ; [blɑ̃ʃismɑ̃].

**BLANCHISSERIE,** subst. f.
**1.** Établissement spécialisé dans le blanchissage du linge. **2.** Métier ou corporation des blanchisseurs. 1671 ; ☞ *blanchir* ; [blɑ̃ʃisʀi].

**BLANCHISSEUR, EUSE,** subst.
Professionnel du lavage et du repassage du linge. 1530 ; ☞ *blanchir* ; [blɑ̃ʃisœʀ, øz].

**BLANC-MANGER,** subst. m.
*Cuis.* Entremets fait d'une gelée à base de lait et de poudre d'amande. Fin XIIIe s. ; comp. de *blanc* et de *manger* (II) ; plur. *blancs-mangers* ; [blɑ̃mɑ̃ʒe].

**BLANC-SEING,** subst. m.
Signature apposée au bas d'un document avant qu'une tierce personne n'en achève la rédaction ; par méton., ce document. ► Loc. *Donner, obtenir un **blanc-seing*** : l'autorisation d'agir à son gré. 1573 ; comp. de *blanc* et de *seing* ; plur. *blancs-seings* ; [blɑ̃sɛ̃].

**BLANDICE,** subst. f.
Littér. Ce qui flatte, séduit (gén. au plur.) : *Les charmes et **blandices** d'un langoureux été.* Fin XIIIe s. ; lat. *blanditia*, « caresse » ; [blɑ̃dis].

**BLANQUETTE,** subst. f.
**1.** *Vitic.* Variété de vigne du Languedoc ; par méton., vin blanc mousseux fait avec le raisin de cette vigne : *Une **blanquette** de Limoux.* **2.** *Cuis.* Ragoût de viande blanche : *Une **blanquette** de veau.* 1600 ; prov. *blanqueto*, de *blanco*, « blanc » ; [blɑ̃kɛt].

**BLANQUISME,** subst. m.
*Pol.* Doctrine socialiste révolutionnaire qui influença notamment le syndicalisme. 1870 ; anthropon. *Auguste Blanqui* ; [blɑ̃kism].

**BLAPS,** subst. m.
*Zool.* Grand coléoptère noir vivant dans les lieux obscurs. 1775 ; gr. *blaptein*, « nuire » ; [blaps].

**BLASE, subst. m.**
Argot. **1.** Nom : *Drôle de* **blase** *!* **2.** Nez. 🕮 1889 ; apocope de *blason* ; var. *blaze* ; [blɑz].

**BLASÉ, ÉE, adj.**
Rendu insensible ou indifférent par l'abus de plaisirs ou l'effet de l'habitude ; empl. subst. : *Jouer les* **blasés**. 🕮 1762 ; p. p. de *blaser* ; [blɑze].

**BLASER, verbe trans.** [3]
**1.** Émousser (le sens du goût) à force d'excès : *L'alcool* **blase** *le palais.* **2.** Rendre insensible, indifférent aux émotions ; empl. pronom. : *À Bayreuth, il se* **blasa** *de l'opéra.* 🕮 1740 ; prob. m. néerl. *blasen*, « gonfler » ; [blɑze].

**BLASON, subst. m.**
**1.** *Hérald.* Ensemble des armoiries figurant sur l'écu d'une famille, d'une ville, d'un État : *L'art du* **blason**, l'héraldique. ► Loc. *Redorer son* **blason** : rétablir son rang, sa réputation. **2.** *Litt.* Brève poésie satirique ou élogieuse : *Un* **blason** *de Clément Marot.* 🕮 XII^e s. ; orig. obsc. ; [blɑzɔ̃].

**BLASONNER, verbe trans.** [3]
*Hérald.* **1.** Représenter, décrire ou interpréter (des armoiries) selon les règles de l'art. **2.** Orner (un écu) : *Une nef* **blasonne** *l'écusson de Paris.* 🕮 1389 ; ☞ *blason* ; [blɑzɔne].

**BLASPHÉMATEUR, TRICE, subst.**
Personne qui blasphème ; empl. adj. : *Un mécréant* **blasphémateur**. 🕮 1389 ; lat. chrét. *blasphemator* ; [blasfematœʀ, -tʀis].

**BLASPHÉMATOIRE, adj.**
Qui relève du blasphème ou en contient explicitement : *Livre* **blasphématoire**. 🕮 1532 ; ☞ *blasphémer* ; [blasfematwaʀ].

**BLASPHÈME, subst. m.**
**1.** Parole ou écrit qui outrage Dieu, la religion, le sacré. **2.** Ext. Propos attaquant une personne, une valeur jugée respectable. 🕮 Fin XII^e s. ; lat. chrét. *blasphemia*, du gr. *blasphêmia* ; [blasfɛm].

**BLASPHÉMER, verbe** [8]
**Intrans.** Proférer un, des blasphèmes (contre qqn, qqch.) : *Blasphémer contre Dieu.* **Trans.** Outrager par des blasphèmes (littér.). 🕮 Fin XII^e s. ; lat. chrét. *blasphemare*, du gr. *blasphêmein* ; [blasfeme].

**BLASTODERME, subst. m.**
*Embryol.* Couche de cellules constituant la paroi de la blastula. 🕮 Déb. XIX^e s. ; formé de *blasto-* et de *-derme* ; [blastɔdɛʀm].

**BLASTOGENÈSE, subst. f.**
*Embryol.* Formation du blastoderme. 🕮 1894 ; formé de *blasto-* et de *-genèse* ; [blastɔʒənɛz].

**BLASTOMÈRE, subst. m.**
*Embryol.* Nom donné aux cellules provenant des premières divisions de l'œuf fécondé. 🕮 1877 ; formé de *blasto-* et de *-mère*[1] ; [blastɔmɛʀ].

**BLASTOMYCÈTES, subst. m. plur.**
*Bot.* Famille de champignons dont la reproduction s'opère par bourgeonnement. **Au sing.** *La levure de bière est un* **blastomycète**. 🕮 1869 ; formé de *blasto-* et de *-mycète* ; [blastɔmisɛt].

**BLASTOMYCOSE, subst. f.**
*Pathol.* Nom générique de toutes les affections dues à un blastomycète. 🕮 1909 ; ☞ *mycose* + *blasto-* ; [blastɔmikoz].

**BLASTOPORE, subst. m.**
*Embryol.* Orifice de l'intestin primitif, ou archentéron, chez l'embryon au stade gastrula. 🕮 1865 ; gr. *poros*, « passage », + *blasto-* ; [blastɔpɔʀ].

**BLASTULA, subst. f.**
*Embryol.* Deuxième stade du développement de l'embryon (intermédiaire entre les stades morula et gastrula), qui se présente alors sous l'aspect d'une sphère creuse microscopique. 🕮 1897 ; gr. *blastos*, « germe » ; [blastyla].

**BLATÉRER, verbe intrans.** [8]
Pousser son cri, en parlant du chameau ou du bélier. 🕮 Fin XVII^e s. ; lat. *blaterare*, « bavarder » ; [blateʀe].

**BLATTE, subst. f.**
*Zool.* Insecte dictyoptère, gén. coureur (certaines **blattes** volent), brun, au corps aplati et aux longues antennes, nocturne et craignant la lumière, qui vit surtout dans les cuisines, les dépôts (synon. *cafard*, *cancrelat*). 🕮 1534 ; lat. *blatta* ; [blat].

**BLAZE, voir BLASE**

**BLAZER, subst. m.**
Veste légère, initialement à rayures de couleurs vives, portée dans les collèges anglais ; par ext., veste de sport, gén. en flanelle. 🕮 1920 ; angl. *blazer*, de *to blaze*, « flamboyer » ; [blazɛʀ] ou [-zœʀ].

**BLÉ, subst. m.**
**1.** *Bot.* et *Agric.* Céréale de la famille des Poacées, à l'inflorescence en épi caractéristique et dont le grain joue un rôle important dans l'alimentation (farine, pain, pâtes) : *Blé tendre*, froment ; *Blé dur* ; *Blé noir*, sarrasin. **2.** Argent (argot.). **3.** Loc. *Manger son* **blé** *en herbe* : dépenser par avance un revenu ; *Être fauché comme les* **blés** : être sans un sou (fam.). 🕮 Fin XI^e s. ; anc. bas frq. °*blad*, « produit de la terre », de l'indo-européen °*bhlē*, « fleur, feuille » ; [ble].

© Giraudon

*Le battage du* **blé** *avec des bœufs, peinture murale (XVI^e-XIV^e s. av. J.-C.). Thèbes (Égypte), Vallée des Nobles.*

**BLÈCHE, adj.**
**1.** Vx. Mou, faible, en parlant d'une personne. **2.** Argot. Mauvais ; laid. 🕮 1596 ; norm. *blesche*, de l'anc. fr. *blece*, « blet, blette » ; [blɛʃ].

**BLED, subst. m.**
**1.** En Afrique du Nord, campagne. **2.** Ext. Village reculé, agglomération isolée, n'offrant ni commodités ni distractions (fam. et péj.). 🕮 Fin XIX^e s. ; ar. dial. *blād*, « contrée, pays » ; [blɛd].

**BLÊME, adj.**
**1.** Très pâle, d'une blancheur inhabituelle ou maladive, en parlant d'un visage, d'un teint. **2.** Ext. Blafard, terne (littér.) : *Une lueur* **blême**. 🕮 XIV^e s. ; ☞ *blêmir* ; [blɛm].

**BLÊMIR, verbe** [19]
**Intrans.** Devenir blême : *Blêmir de colère, de peur.* **Trans.** Rendre blême (vx). 🕮 Fin XI^e s. ; anc. bas frq. °*blesmjan*, de °*blasmi*, « couleur pâle » ; [blemiʀ].

**BLÊMISSEMENT, subst. m.**
Fait de devenir blême. 🕮 1190 ; ☞ *blêmir* ; [blemismɑ̃].

**BLENDE, subst. f.**
*Minér.* Sulfure (ZnS), principal minerai de zinc. 🕮 1751 ; all. *Blende*, de *blenden*, « éblouir » ; [blɛ̃d].

**BLENNIE, subst. f.**
*Zool.* Petit poisson marin ou d'eau douce, à la peau nue recouverte de mucus, de la famille des Blenniidés, appelé aussi baveuse. 🕮 1558 ; lat. sc. *blennius*, du lat. *blendius* ; [bleni].

**BLENNORRAGIE, subst. f.**
*Pathol.* Maladie infectieuse, sexuellement transmissible, due au gonocoque, qui se manifeste notamment par une inflammation de l'urètre chez l'homme et de la vulve, du vagin et de l'utérus chez la femme (synon. fam. *chaude-pisse*). 🕮 1798 ; gr. *blenna*, « mucus », et *rhagê*, « éruption » ; [blenɔʀaʒi].

**BLÉPHARITE, subst. f.**
*Pathol.* Inflammation du bord de la paupière. 🕮 1790 ; gr. *blepharon*, « paupière », + *-ite* ; [blefaʀit].

**BLÈSEMENT, subst. m.**
*Pathol.* Trouble de la parole qui consiste à substituer une consonne faible à une consonne forte (*z* à la place de *j*, par ex.) : *Le zézaiement est un* **blèsement**. 🕮 1834 ; ☞ *bléser* ; [blɛzmɑ̃].

**BLÉSER, verbe intrans.** [8]
Parler avec le défaut de blèsement. 🕮 Déb. XIII^e s. ; anc. fr. *blois*, du lat. *blaesus*, « bègue » ; [bleze].

**BLÉSITÉ, subst. f.**
Blèsement. 🕮 1803 ; ☞ *bléser* ; [blezite].

**BLÉSOIS, OISE, adj. et subst.**
De Blois. 🕮 Topon. *Blois* (Loir-et-Cher) ; [blezwa, waz].

**BLESSANT, ANTE, adj.**
Qui blesse moralement : *Des propos* **blessants**. 🕮 1145 ; p. pr. de *blesser* ; [blesɑ̃, ɑ̃t].

**BLESSÉ, ÉE, adj.**
**1.** Qui est atteint d'une ou de plusieurs blessures ; empl. subst., personne **blessée** : *Les* **blessés** *de guerre, de la route* ; *Évacuer les* **blessés**. **2.** Fig. Qui souffre d'une blessure morale ; qui a été offensé : *Un père cruellement* **blessé** *dans son orgueil.* 🕮 Mil. XII^e s. ; p. p. de *blesser* ; [blese].

**BLESSER, verbe trans.** [3]
**1.** Infliger une blessure à : *Il le* **blessa** *mortellement d'un coup de couteau* ; causer une plaie à, rendre douloureux : *Ces chaussures me* **blessent** *le pied* ; empl. pronom. : *Il s'est* **blessé** *en bricolant.* ► Loc. *C'est là que le bât* **blesse** (☞ *bât*). **2.** Anal. Causer une sensation désagréable à : *Ce bruit de sirène me* **blesse** *les oreilles.* **3.** Fig. Offenser (qqn) : *Son indifférence me* **blesse**. 🕮 Mil. XI^e s. ; gallo-roman °*blettiare*, « meurtrir », de l'anc. bas frq. °*blettjan* ; [blese].

**BLESSURE, subst. f.**
**1.** Lésion, plaie produite accidentellement ou volontairement sur un organisme vivant : *Une* **blessure** *mortelle, bénigne.* **2.** Fig. Atteinte, souffrance morale ; offense : **Blessure** *d'amour-propre* ; *Rouvrir une* **blessure**, raviver une douleur morale. 🕮 Mil. XII^e s. ; ☞ *blesser* ; [blesyʀ].

**BLET, BLETTE, adj.**
**1.** Trop mûr, en parlant d'un fruit : *Poire, figue* **blette**. **2.** Qui évoque la couleur, l'aspect d'un fruit trop mûr : *Être* **blet** *de peur.* 🕮 Fin XIII^e s. ; anc. fr. *blece*, de *blecier*, « meurtrir (des fruits pour les faire mûrir) » ; [blɛ, blɛt].

**BLETTE, voir BETTE**

**BLETTIR, verbe intrans.** [19]
Devenir blet, trop mûr, en parlant d'un fruit. 🕮 1338 ; ☞ *blet* ; [bletiʀ].

**BLEU, BLEUE, adj. et subst. m.**
**Adj.** **1.** Qui est d'une couleur intermédiaire entre le vert et l'indigo du spectre solaire ; qui est d'une couleur approchant celle d'un ciel sans nuages, de l'eau profonde : *Des yeux* **bleu** *foncé* ; *La ligne* **bleue** *des Vosges* ; empl. subst. fém. : *La grande* **bleue**, la Méditerranée. **2.** Dont la peau est livide, d'une couleur tirant sur le **bleu** : *Être* **bleu** *de colère, de froid.* ► *Maladie* **bleue** : malformation du cœur entraînant une coloration **bleue** de la peau ; par méton. : *Un enfant* **bleu**, atteint de la maladie **bleue**. **3.** Fig. Qui évoque la pureté, la douceur, voire le merveilleux : *Des rêves* **bleus** ; *Fleur* **bleue** (☞ *fleur*). ► *Conte* **bleu** : récit fabuleux ; par ext., discours trompeur. ► *Le sang* **bleu** : la noblesse. **4.** *Spéc.* ► *Cuis. Un cordon(-)***bleu** (☞ *cordon*) ; *Un bifteck* **bleu** : à peine cuit. ► *Fin. Carte* **bleue** : carte de paiement (n. déposé). ► *Mar. Le ruban* **bleu** : trophée qui récompensait le transatlantique détenant le record de vitesse. ► *Milit. Casque* **bleu** (☞ *casque*).

© Archives-Explorer

*Un* **bleu** *de l'armée républicaine lors des guerres de Vendée.*

► *Urban. Zone* **bleue** : quartier où le stationnement des véhicules est règlementé. **Subst.** **1.** La couleur **bleue**, une des sept couleurs fondamentales du spectre : *Un soir fait de rose et de* **bleu** *mystique* (Baudelaire) ; par ext., nuance de cette couleur : **Bleu** *marine*, **bleu** *nuit*, **bleu** *outremer*. **2.** Méton. Vêtement de travail de couleur **bleue** : *Porter un* *bleu* ; ***Bleu** de chauffe*, combinaison. **3.** Personne habillée de **bleu.** ▸ *Les **bleus*** : nom donné par les chouans aux soldats de la première République ; par ext., désigne les républicains par rapport aux royalistes. ▸ *Un **bleu*** : une nouvelle recrue dans l'armée et, par ext., un novice. **4.** Matière colorante **bleue** : ***Bleu** de cobalt, de Prusse* ; *Passer le linge au **bleu***, le tremper dans une eau bleutée pour le blanchir. **5.** Marque bleutée apparaissant sur la peau à la suite d'un coup ; au fig. : *Avoir des **bleus** à l'âme.* **6.** Loc. *N'y voir que du **bleu*** : ne s'apercevoir de rien (fam.). **7.** *Spéc.* ▸ *Alim.* Fromage dont la pâte contient des moisissures **bleues** : ***Bleu** d'Auvergne, de Bresse.* ▸ *Cuis. Au **bleu*** : façon de cuisiner certains poissons, en les jetant vifs dans un court-bouillon. ▸ *Jeux.* Craie dont on frotte le procédé d'une queue de billard. ▸ *Télécomm.* Télégramme (vx). Déb. XIIe s. ; anc. bas frq. °*blao* ; plur. *bleus, bleues* ; [blø].

**BLEUÂTRE, adj.**
D'une couleur tirant sur le bleu. 1493 ; ☞ *bleu* ; [bløɑtʀ].

**BLEUET, subst. m.**
*Bot.* **1.** Plante à fleurs bleues de la famille des Astéracées, aussi appelée barbeau, qui pousse dans les champs de blé et dans leur voisinage. **2.** Québ. Myrtille. 1380 ; ☞ *bleu* ; var. *bluet* ; [bløɛ].

**BLEUIR, verbe [19]**
**Trans.** Rendre bleu : ***Bleuir** un métal.* **Intrans.** Devenir bleu : *Les montagnes **bleuissaient** à l'horizon.* Fin XIIIe s. ; ☞ *bleu* ; [bløiʀ].

**BLEUISSEMENT, subst. m.**
Action de rendre bleu ; fait de devenir bleu. 1838 ; ☞ *bleu* ; [bløismɑ̃].

**BLEUSAILLE, subst. f.**
Nouvelle recrue (argot milit.). 1865 ; ☞ *bleu* ; [bløzɑj].

**BLEUTÉ, ÉE, adj.**
Qui est légèrement teinté de bleu : *Des verres **bleutés**.* 1845 ; ☞ *bleu* ; [bløte].

**BLIAUD, subst. m.**
*M. Â.* Longue tunique que portaient les hommes et les femmes. Fin XIe s. ; orig. obsc. ; var. *bliaut* ; [blijo].

**BLINDAGE, subst. m.**
**1.** Action de blinder ; son résultat. **2.** Ensemble des matériaux utilisés pour blinder ; en partic., revêtement de plaques métalliques qui protègent un navire, un véhicule, une porte, etc. Déb. XVIIIe s. ; ☞ *blinder* ; [blɛ̃daʒ].

**BLINDE, subst. f.**
*Milit.* Pièce de bois qui soutient les fascines d'un abri, d'une tranchée (gén. au plur.). 1628 ; all. *Blinde*, « installation destinée à dissimuler un ouvrage fortifié », de *blenden*, « aveugler » ; [blɛ̃d].

**BLINDÉ, ÉE, adj.**
**1.** Qui est recouvert d'un blindage : *Abri, train **blindé*** ; *Porte **blindée**.* ▸ *Milit. Véhicule **blindé*** ou, empl. subst. masc., *Un **blindé*** : char d'assaut ; par méton. : *Division **blindée***, composée de ces engins. **2.** Difficile à émouvoir, à impressionner (fam.). **3.** Ivre (fam.). 1834 ; p. p. de *blinder* ; [blɛ̃de].

**BLINDER, verbe trans. [3]**
**1.** Vx. Pourvoir de blindes (un abri, une construction fortifiée). **2.** Équiper d'un blindage de protection : ***Blinder** un wagon, un vaisseau.* **3.** Fig. et Fam. Endurcir, rendre insensible aux contrariétés ; empl. pronom. : *Se **blinder** contre les épreuves.* **4.** *Spéc.* ▸ *Électr.* Isoler (un appareil, un câble) au moyen d'un blindage : ***Blinder** une lampe, un écran d'ordinateur.* ▸ *Trav. publ.* Consolider (les parois d'un ouvrage). 1678 ; ☞ *blinde* ; [blɛ̃de].

**BLINI, subst. m.**
*Alim.* Petite crêpe épaisse d'origine russe, gén. servie tiède avec du caviar ou du poisson fumé. 1883 ; russe *blin* ; var. *un blinis* ; [blini], plur. [-nis].

**BLINQUER, verbe intrans. [3]**
Belg. Briller, reluire (fam.) : *Faire **blinquer** les cuivres.* Néerl. *blinken* ; [blɛ̃ke].

**BLISTER, subst. m.**
Conditionnement en plastique de certaines marchandises : *Des ampoules vendues sous **blister**.* V. 1970 ; angl. *blister*, « bulle, soufflure » ; [blistɛʀ].

**BLITZ, subst. m.**
**1.** *Hist.* Nom donné par les Anglais aux bombardements de Londres par l'aviation allemande, en 1940-1941. **2.** *Jeux.* Partie d'échecs que l'on joue à un rythme très rapide. V. 1940 ; angl. *blitz*, apocope de l'all. *Blitzkrieg*, de *Blitz*, « éclair », et *Krieg*, « guerre » ; [blits].

**BLIZZARD, subst. m.**
Vent du Grand Nord, violent et glacial, chargé de neige. 1888 ; anglo-amér. *blizzard*, d'orig. obsc. ; [blizaʀ].

© C. Rey-Explorer

*Blizzard au mont McKinley, en Alaska.*

**BLOC, subst. m.**
**1.** Masse compacte, homogène, sans forme définie : *Un **bloc** de pierre, de neige.* **2.** Anal. Ensemble d'éléments formant un tout : *Un **bloc** de papier* ; *Un **bloc** de maisons.* ▸ *Hist.* et *Pol. Le **bloc** national* : coalition majoritaire de formations de droite (1919-1924) ; *Le **bloc** de l'Est* : rassemblant, après la dernière guerre mondiale, les pays communistes d'Europe de l'Est et l'U. R. S. S. **3.** Prison ; salle de police (fam.). **4.** Loc. ▸ *Faire **bloc*** : s'unir. ▸ *D'un **bloc*** ou *En **bloc*** : en totalité. ▸ **À bloc.** Complètement, à fond : *Serrer un écrou à **bloc*** ; au fig. : *Être gonflé à **bloc***, plein d'énergie. **5.** *Spéc.* ▸ *Chir. **Bloc** opératoire* : ensemble des installations réservées aux interventions chirurgicales. ▸ *Géol. **Bloc** tectonique* : compartiment de terrain, délimité par les cassures de l'écorce terrestre, qui peut être soulevé (horst), affaissé (graben) ou basculé ; ***Bloc** erratique* : rocher isolé, transporté par les glaciers lors de leur avancée (au Quaternaire) et abandonné loin des reliefs. ▸ *Informat.* Séquence de caractères traitée comme une unité dans une mémoire ou dans un fichier. ▸ *Pathol. **Bloc** cardiaque* : trouble du rythme cardiaque dû au fait que l'onde d'excitation du muscle cardiaque se propage difficilement (ou ne se propage pas) dans le système nerveux propre au cœur. ▸ *Philatélie.* Ensemble d'au moins quatre timbres attachés entre eux. ▸ *Sp. **Bloc** de départ* : appareil fixé au sol, permettant au coureur de caler ses pieds avant de s'élancer sur la piste (recomm. off. pour *starting-block*). 1409 (1262, tronc pour les aumônes) ; m. néerl. *bloc*, « tronc abattu » ; [blɔk].

**BLOCAGE, subst. m.**
**I.** *Bât.* Ensemble de matériaux (pierrailles, cailloux, débris de moellons...) utilisés pour combler les vides entre les parements d'un mur (synon. *blocaille*). **II. 1.** Action de bloquer ; son résultat : ***Blocage** d'un écrou par un contre-écrou.* **2.** Fig. Action d'interrompre un processus : ***Blocage** des prix, des salaires*, mesure empêchant autoritairement leur hausse. **3.** *Psychol.* Incapacité d'un sujet à agir ou à réagir dans une situation génératrice de troubles émotionnels. 1547 ; ☞ *bloquer* ; [blɔkaʒ].

**BLOCAILLE, subst. f.**
*Bât.* Blocage. 1549 ; ☞ *bloc* ; [blɔkaj].

**BLOC-CYLINDRES, subst. m.**
*Autom.* Bloc de métal renfermant les cylindres d'un moteur. V. 1960 ; comp. de *bloc* et de *cylindre* ; plur. *blocs-cylindres* ; [blɔksilɛ̃dʀ].

**BLOC-DIAGRAMME, subst. m.**
*Géogr.* Représentation d'une zone géographique, en coupe et en perspective, montrant le rapport entre le relief et la structure du sol. 1959 ; comp. de *bloc* et de *diagramme* ; plur. *blocs-diagrammes* ; [blɔkdjagʀam].

**BLOCKHAUS, subst. m.**
**1.** *Milit.* Ouvrage fortifié en béton armé, servant de poste d'observation et de défense. **2.** Ext. *Mar.* Poste de commandement blindé, sur un bâtiment de guerre. Fin XVIIIe s. ; all. *Blockhaus*, de *Block*, « madrier », et de *Haus*, « maison » ; [blɔkos].

**BLOC-MOTEUR, subst. m.**
*Autom.* Groupe comportant le moteur, l'embrayage et la boîte de vitesses d'un véhicule. 1904 ; comp. de *bloc* et de *moteur* ; plur. *blocs-moteurs* ; [blɔkmɔtœʀ].

**BLOC-NOTES, subst. m.**
**1.** Bloc de papier aux feuilles détachables. **2.** Ext. *Journ.* Rubrique d'informations factuelles ou de notes personnelles sur l'actualité. Fin XIXe s. ; comp. de *bloc* et de *note* ; plur. *blocs-notes* ; [blɔknɔt].

**BLOCUS, subst. m.**
**1.** *Milit.* Investissement, siège d'une ville, d'un port, d'un pays ou d'une position militaire, visant à empêcher toute communication avec l'extérieur : *Lever le **blocus*** ; *Forcer un **blocus**.* **2.** Ext. ***Blocus** économique* : ensemble de mesures visant à priver un pays de tout échange commercial avec le reste du monde. 1350 ; m. néerl. *blochuus*, « maison en madriers » ; [blɔkys].

**BLOND, BLONDE, adj. et subst.**
**Adj. 1.** Qui est d'une couleur claire, proche du jaune et tirant sur le doré, en parlant des cheveux, des poils. ▸ Méton. Qui a les cheveux **blonds** : *Une femme **blonde*** ; *Ces chères têtes **blondes***, les enfants. **2.** Qui est de couleur jaune clair (souv. par oppos. à *brun*) : *Miel **blond**.* **Subst.** Personne aux cheveux **blonds** : *Une jolie **blonde**.* **Subst. masc.** La couleur **blonde** : *D'Antin était d'un fort beau **blond*** (Saint-Simon). **Subst. fém. 1.** Bière **blonde**. **2.** Cigarette **blonde**. **3.** *Text.* Dentelle de soie, faite au fuseau, de couleur écrue à l'origine : *Un volant de **blonde**.* Fin XIe s. ; prob. germ. °*blund* ; [blɔ̃, blɔ̃d].

**BLONDASSE, adj.**
Qui est d'un blond terne ; empl. subst. : *Une **blondasse***, femme aux cheveux blonds décolorés (fam. et péj.). Mil. XVIIIe s. ; ☞ *blond* ; [blɔ̃das].

**BLONDEUR, subst. f.**
Caractère de ce qui est blond : *La **blondeur** des blés.* Fin XIIIe s. ; ☞ *blond* ; [blɔ̃dœʀ].

**BLONDIN (I), INE, subst.**
Jeune personne aux cheveux blonds. **Masc.** Jeune homme élégant qui courtise les femmes (vieilli). 1651 ; ☞ *blond* ; [blɔ̃dɛ̃, in].

**BLONDIN (II), subst. m.**
*Techn.* Appareil de levage et de transport de matériaux, constitué par une benne évoluant sur des câbles aériens fixés à deux pylônes. 1927 ; *Blondin*, surnom de l'acrobate *J.-Fr. Gravelet* ; [blɔ̃dɛ̃].

**BLONDINET, ETTE, subst.**
Enfant blond. 1842 ; ☞ *blondin* (I) ; [blɔ̃dinɛ, ɛt].

**BLONDIR, verbe [19]**
**Intrans.** Devenir blond. ▸ *Cuis. Faire **blondir** des oignons* : les faire rissoler dans un corps gras jusqu'à ce qu'ils prennent une teinte blonde. **Trans.** Rendre blond. Fin XIIe s. ; ☞ *blond* ; [blɔ̃diʀ].

**BLOOMER, subst. m.**
Culotte bouffante resserrée au haut des cuisses. 1929 ; anthropon. *Amelia Jenks Bloomer*, militante américaine des droits de la femme ; [blumœʀ].

**BLOQUER, verbe trans. [3]**
**I.** Réunir en un bloc ; grouper : *Ce professeur a pu **bloquer** ses cours sur trois jours.* ▸ *Bât.* Combler (les interstices d'un mur) avec un mortier. ▸ Empl. adj. *Pol. Vote **bloqué*** : procédure obligeant les parlementaires à se prononcer en bloc sur un projet de loi (et non article par article). **II.** Immobiliser. **1.** Cerner, investir (une place) par un blocus : ***Bloquer** un port* ; par méton. : ***Bloquer** une flotte.* **2.** Empêcher de bouger : ***Bloquer** une vis*, la serrer ; ***Bloquer** le ballon*, le stopper ; *Les glaces **bloquent** le navire.* ▸ Empl. adj. *Rester **bloqué** chez soi à cause de la grève.* **3.** Interdire le fonctionnement de : *L'arthrose **bloquait** ses articulations* ; ***Bloquer** ses freins.* **4.** Barrer, obstruer : *Les manifestants **bloquent** l'avenue.* **5.** Fig. Empêcher (un processus) d'évoluer ou d'aboutir : ***Bloquer** des pourparlers.* ▸ ***Bloquer** les prix* : en empêcher la hausse. ▸ Inhiber, perturber ; empl. pronom. : *Cet enfant se **bloque** à la moindre remarque.* Mil. XVe s. ; ☞ *bloc* ; [blɔke].

**BLOTTIR (SE), verbe pronom. [19]**
**1.** Se recroqueviller, se pelotonner : *Se **blottir** sous sa couette.* **2.** Ext. Se réfugier, se mettre en sûreté : *L'enfant se **blottit** dans les bras de sa mère.* 1552 ; prob. bas all. *blotten*, « écraser » ; [blɔtiʀ].

**BLOUSE (I),** subst. f.
*Jeux.* Chacun des six trous d'un ancien billard ou d'un billard américain. 1680 (1600, creux recevant les balles du jeu de paume) ; orig. inc. ; [bluz].

**BLOUSE (II),** subst. f.
**1.** Vêtement de travail, en forme de longue chemise, que l'on porte par-dessus ses vêtements afin de les protéger : ***Blouse** d'écolier* ; ***Blouse** blanche de médecin, d'infirmière* ; par méton. : *Les **blouses** blanches*, l'ensemble du personnel médical. **2.** Ext. Chemisier ample de femme. 1788 ; orig. inc. ; [bluz].

**BLOUSER (I),** verbe trans. [3]
Duper, abuser (fam.). 1654 ; *blouse* (I) ; [bluze].

**BLOUSER (II),** verbe intrans. [3]
*Cout.* Bouffer, ainsi qu'une blouse, à la ceinture, aux épaules, etc. 1935 ; ☞ *blouse* (II) ; [bluze].

**BLOUSON,** subst. m.
**1.** Veste courte, serrée à la taille, souv. en tissu solide ou en cuir. **2.** Méton. ***Blouson** noir* : jeune voyou portant un **blouson** de cuir noir (vieilli) ; ***Blouson** doré* : jeune oisif des beaux quartiers tombé dans la délinquance. 1922 ; ☞ *blouse* (II) ; [bluzɔ̃].

**BLOUSSE,** subst. f.
*Text.* Masse de laine résiduelle issue du peignage ; filaments trop courts pour être cardés. 1752 ; p.-ê. prov. *lano blouso*, « laine courte » ; [blus].

**BLUE-JEAN,** subst. m.
Pantalon en toile bleue très résistante, renforcé de surpiqûres (abrév. fam. : jean ou jeans). 1954 ; anglo-amér. *blue jeans*, de *blue*, « bleu », et de *jean*, « pantalon de toile de coton » ; plur. *blue-jeans*, var. *blue-jeans* (inv.) ; [bludʒin(s)], plur. [-dʒins].

**BLUES,** subst. m.
**1.** Chant de travail des Noirs d'Amérique, dont le rythme lent, à quatre temps, traduit la souffrance attachée à la condition d'esclave. **2.** Genre musical qui s'en est inspiré, et dans lequel le jazz puis le rock ont trouvé leurs racines : *Danser sur un air de **blues***. **3.** Loc. *Avoir le **blues*** : être cafardeux, mélancolique. 1927 ; anglo-amér. *blues*, par ell. de *blue devils*, « démons bleus » d'où « idées noires » ; [bluz].

**BLUET,** voir **BLEUET**

**BLUETTE,** subst. f.
**1.** Vx. Petite étincelle, scintillement. **2.** *Litt.* Petit ouvrage léger et plein d'esprit, sans prétention ; badinerie. Déb. XVI^e s. ; prob. dimin. de l'anc. fr. °*belue*, « étincelle » ; [blyɛt].

**BLUFF,** subst. m.
**1.** *Jeux.* Tactique par laquelle un joueur de poker cherche à tromper l'adversaire en lui faisant croire que son jeu est plus fort ou plus faible qu'il n'est en réalité. **2.** Ext. Mensonge, propos exagéré, fausse audace visant à intimider autrui ou à susciter son admiration. 1840 ; mot anglo-amér. ; [blœf].

**BLUFFER,** verbe [3]
INTRANS. Pratiquer le bluff, au poker ; par ext., tenter de faire illusion (fam.) : *Cesse donc de **bluffer**, je sais qui tu es !* TRANS. Leurrer, tenter d'impressionner : *L'élève **bluffe** son professeur avec de fausses citations.* 1884 ; ☞ *bluff* ; [blœfe].

**BLUFFEUR, EUSE,** subst. et adj.
Se dit d'une personne qui recourt au bluff dans ses actions, ses propos. 1895 ; ☞ *bluffer* ; [blœfœʀ, øz].

**BLUSH,** subst. m.
Fard à joues (anglic.). V. 1970 ; angl. *blush*, « rougeur » ; plur. *blushs* ou *blushes* ; [blœʃ].

**BLUTAGE,** subst. m.
Action de séparer le son de la farine ou de tamiser une matière pulvérulente. 1556 ; ☞ *bluter* ; [blytaʒ].

**BLUTER,** verbe trans. [3]
Passer (de la farine) au blutoir. 1170 ; m. haut all. *biuteln* ; [blyte].

**BLUTERIE,** subst. f.
**1.** Tamis rotatif utilisé pour bluter. **2.** Lieu où la farine est blutée. 1325 ; ☞ *bluter* ; [blytʀi].

**BLUTOIR,** subst. m.
Tamis utilisé dans les opérations de blutage. 1315 ; ☞ *bluter* ; [blytwaʀ].

**BOA,** subst. m.
**1.** *Zool.* Serpent non venimeux d'Amérique tropicale, type de la famille des Boïdés, qui peut mesurer jusqu'à 4 m et qui étouffe sa proie : ***Boa** constricteur.* **2.** Anal. Longue écharpe de plumes que portaient les élégantes. 1372 ; mot lat. ; [bɔa].

**BOAT PEOPLE,** subst. m. inv.
Réfugié qui tente de fuir son pays à bord d'un navire de fortune (gén. au plur.). V. 1980 ; angl. *boat people*, de *boat*, « bateau », et de *people*, « gens » ; [botpipœl].

© D. Clement-Explorer
*Le bocage normand.*

© S. Cordier-Jacana
*Boa constricteur.*

**BOB,** subst. m.
Chapeau rond en toile, au bord rabattu. 1950 ; anglo-amér. *Bob*, dimin. de *Robert* ; [bɔb].

**BOBARD,** subst. m.
Fam. Mensonge ; fausse rumeur. Déb. XX^e s. ; prob. anc. fr. *bober*, « tromper », d'orig. onomat. ; [bɔbaʀ].

**BOBÈCHE,** subst. f.
Pièce d'un chandelier, en forme de coupelle, destinée à recueillir la cire des bougies. 1335 ; prob. orig. onomat. ; [bɔbɛʃ].

**BOBINAGE,** subst. m.
**1.** *Techn.* Action d'enrouler du fil ou une matière flexible autour d'une bobine. **2.** *Électr.* Ensemble de conducteurs d'une machine formant un même circuit électrique. 1809 ; ☞ *bobiner* ; [bɔbinaʒ].

**BOBINE,** subst. f.
**1.** Cylindre muni de rebords, sur lequel on enroule du fil ou un matériau souple ; par méton., ce support, assorti de la matière enroulée : *Une **bobine** de laine.* **2.** Fig. Visage, physionomie (fam.) : *Une drôle de **bobine**.* **3.** *Électr.* Enroulement d'un fil électrique isolé sur un cylindre creux ou un noyau en fer doux : ***Bobine** d'allumage*, comportant deux enroulements isolés l'un de l'autre et produisant une haute tension électrique alternative. 1410 ; prob. orig. onomat. ; [bɔbin].

**BOBINEAU,** subst. m.
**1.** Petite bobine. **2.** *Spéc.* ► *Impr.* Partie centrale d'une bobine de papier destinée à des rotatives. ► *Télév.* et *Radio.* Bref document enregistré sur bande magnétique. ► *Tiss.* Petite bobine d'un métier à tisser. 1567 ; ☞ *bobine* ; var. *bobinot* ; [bɔbino].

**BOBINER,** verbe trans. [3]
Enrouler sur une bobine. 1352 ; ☞ *bobine* ; [bɔbine].

**BOBINETTE,** subst. f.
Pièce de bois mobile destinée à maintenir une porte fermée (vx) : *Tire la chevillette et la **bobinette** cherra* (Perrault). 1696 ; ☞ *bobine* ; [bɔbinɛt].

**BOBINEUR, EUSE,** subst.
Personne chargée du bobinage. FÉM. Machine à bobiner. 1559 ; ☞ *bobiner* ; [bɔbinœʀ, øz].

**BOBINIER, IÈRE,** subst.
Personne qui effectue les bobinages électriques. 1941 (1751, bobinoir) ; ☞ *bobine* ; [bɔbinje, jɛʀ].

**BOBINOIR,** subst. m.
Machine servant à étirer et à bobiner la laine. Déb. XIX^e s. ; ☞ *bobiner* ; [bɔbinwaʀ].

**BOBINOT,** voir **BOBINEAU**

**BOBO,** subst. m.
Fam. **1.** Petite douleur physique, dans le langage enfantin. **2.** Ext. Affection sans gravité : *Un rhume n'est qu'un petit **bobo**.* XV^e s. ; onomat. ; [bobo].

**BOBONNE,** subst. f.
Pop. et Péj. **1.** Épouse. **2.** Femme qui se complaît dans les activités domestiques. 1833 ; ☞ *bon* ; [bɔbɔn].

**BOBSLEIGH,** subst. m.
Traîneau muni d'un frein et d'une direction, utilisé pour glisser à très vive allure sur des pistes de neige glacée ; sport pratiqué avec cet engin (abrév. fam. : bob). 1899 ; anglo-amér. *bobsleigh*, de *bob*, « patin de traîneau », et de *sleigh*, « traîneau » ; [bɔbslɛg] ou [-slɛ].

**BOBTAIL,** subst. m.
Chien de berger au poil long et rêche. 1922 ; angl. *bobtail*, « queue (d'un cheval) coupée » ; plur. *bobtails* ; [bɔbtɛl].

**BOCAGE,** subst. m.
**1.** Petit bois naturel, aux arbres courts et clairsemés (littér.). **2.** *Géogr.* Type de paysage rural caractéristique de l'ouest de la France, où les champs sont bordés de haies vives : *Le **bocage** vendéen, normand.* 1138 ; norm. *bosc*, « bois » ; [bɔkaʒ].

**BOCAGER, ÈRE,** adj.
Relatif ou propre au bocage : *Des oiseaux **bocagers**.* 1584 ; ☞ *bocage* ; [bɔkaʒe, ɛʀ].

**BOCAL,** subst. m.
**1.** Récipient cylindrique, gén. en verre, à col très court et à large ouverture : *Un **bocal** de cornichons.* **2.** Globe de verre, ouvert au sommet, servant d'aquarium. 1532 ; ital. *boccale*, du gr. *baukalis*, « vase à rafraîchir » ; plur. *bocaux* ; [bɔkal], plur. [-ko].

**BOCARD,** subst. m.
*Techn.* Machine à broyer les minerais. 1741 ; altér. de l'all. *Pochwerk*, « moulin à écraser le minerai », de *pochen*, « frapper », et de *Werk*, « appareil » ; [bɔkaʀ].

**BOCARDER,** verbe trans. [3]
*Techn.* Broyer à l'aide d'un bocard. 1751 ; ☞ *bocard* ; [bɔkaʀde].

**BOCHE,** subst. et adj.
Allemand (péj. et vieilli) : *Soldats **boches**.* 1886 (1862, *têtes de boches*, têtes de bois) ; aphérèse de *caboche*, « tête », ou de *alboche* (vx), « allemand » ; [bɔʃ].

**BOCK,** subst. m.
**1.** Verre à bière contenant 0,25 l autrefois, 0,12 l aujourd'hui ; par méton., son contenu. **2.** Récipient muni d'un tube terminé par une canule, servant aux lavements. 1862 ; all. *Bock*, « bière de Bavière », altér. de *Einbeckbier*, « bière d'Einbeck » ; [bɔk].

**BODHISATTVA,** subst. m.
*Relig.* Dans le bouddhisme du Grand Véhicule, être destiné à l'Éveil mais qui renonce à devenir un bouddha pour faire bénéficier les autres êtres de ses mérites sur leur chemin vers le nirvana. 1859 ; skr. *bodhisattva* « être d'Éveil », de *bodhi*, « sagesse ; Éveil », et de *sattva*, « état ; être » ; [bɔdisatva].

**BODY,** subst. m.
Sous-vêtement féminin d'un seul tenant, dont le bas se termine en slip (anglic.). Mil. XX^e s. ; angl. *body*, « corps » ; plur. *bodys* ou *bodies* ; [bɔdi].

**BODY-BUILDING,** subst. m.
Culturisme (anglic.). V. 1980 ; angl. *body-building*, de *body*, « corps », et de *building*, « construction » ; plur. *body-buildings*, var. *bodybuilding* ; [bɔdibildiŋ] ou [-byl-].

**BOËSSE,** subst. f.
Outil servant à ébarber le métal. 1728 ; prov. *gratta-boyssa*, « gratte !, balaye ! » ; [bwɛs].

**BOËTTE,** subst. f.
*Pêche.* Appât pour pêcher en mer. 1672 ; breton *boued*, « nourriture, pâture » ; var. *boette, boëte, boitte, bouette* ; [bwɛt].

**BŒUF,** subst. m.
**1.** *Zool.* Mâle châtré de la famille des Bovidés ; par

ext., nom usuel d'autres bovidés : *Bœuf musqué* ; *Bœuf à bosse*, zébu. **2.** Méton. ▸ *Bouch.* Viande de bœuf ; morceau de bœuf : *Un rôti de **bœuf**.* ▸ *Cuis. Un **bœuf** bourguignon* ; *Bœuf à la ficelle* ; *Bœuf mode.* **3.** Loc. *Fort comme un **bœuf*** : très fort ; *Travailler comme un **bœuf*** : travailler dur, sans manifester de fatigue ; *Souffler comme un **bœuf*** : ahaner ; *Un vent à décorner les **bœufs*** (☞ *décorner*) ; *Mettre la charrue devant, avant les **bœufs*** (☞ *charrue*). ▸ Empl. adj. inv. *Un effet **bœuf*** : considérable, impressionnant (fam.). **4.** *Faire un **bœuf*** : se réunir entre musiciens de jazz, pour jouer et improviser par plaisir (fam.). Déb. XIIe s. ; lat. *bos* ; [bœf], plur. [bø].

**BOF,** interj.
Soupir exprimant l'indifférence, la lassitude. V. 1970 ; onomat. ; [bɔf].

**BOGGIE,** voir **BOGIE**

**BOGHEI,** subst. m.
Cabriolet hippomobile à deux roues. 1796 ; angl. *buggy* ; var. *boguet, buggy* ; [bɔgɛ].

**BOGIE,** subst. m.
*Ch. de fer.* Chariot à deux ou trois essieux, situé sous l'extrémité d'une locomotive ou d'un wagon, leur permettant de prendre les courbes. 1843 ; angl. *bogie*, d'orig. inc. ; var. *boggie* ; [bɔʒi].

**BOGOMILE,** subst.
*Relig.* Chrétien hérétique des Balkans, adepte de la doctrine du pope Bogomil (Xe s.). 1732 ; gr. byzantin *bogomilos*, de l'anthropon. *Bogomil* ; [bɔgɔmil].

**BOGUE (I),** subst. f.
*Bot.* Enveloppe de la châtaigne, du marron, de la faine et des graines de certaines fabacées, hérissée de piquants. 1537 ; prob. breton *bolc'h*, « cosse de lin », du gaul. °*bulga*, « sac » ; [bɔg].

**BOGUE (II),** subst. m.
*Informat.* Défaut d'un système ou d'un logiciel, qui en perturbe le fonctionnement (recomm. off. pour *bug*). V. 1980 ; angl. *bug*, « bestiole » ; [bɔg].

**BOGUET,** voir **BOGHEI**

**BOHÈME,** subst.
**1.** Vx. Bohémien. **2.** Personne (gén. artiste) qui vit au jour le jour, en marge de la société et de ses règles ; empl. adj. : *Un caractère, des allures **bohèmes**.* Fém. ▸ Genre de vie des **bohèmes**. ▸ Ensemble de **bohèmes** : *La **bohème** littéraire.* 1372 ; lat. médiév. *Bohemus*, du topon. lat. *Boihaemum*, « pays des Boii, Bohême » ; [bɔɛm].

**BOHÉMIEN, IENNE,** adj. et subst.
Adj. Vx. De Bohême. Subst. *Un **Bohémien*** : membre d'un peuple nomade d'Europe centrale, aussi appelé Gitan, Tsigane, Romanichel, Zingaro ; par ext. : *Un **bohémien***, un vagabond. 1467 ; topon. *Bohême* (Tchéquie) ; [bɔemjɛ̃, jɛn].

**BOILLE,** subst. f.
Helv. Grand bidon à lait (synon. *bouille*). 1624 ; p.-ê. lat. pop. °*buttula*, de *buttis*, « tonneau » ; [bɔj].

**BOIRE,** verbe trans. [70]
**1.** Avaler (un liquide, une boisson) : ***Boire** du café* ; empl. abs. : ***Boire** glacé* ; *Donne-lui tout de même à **boire**, dit mon père* (Hugo) ; *Faire **boire** les chevaux.* ▸ Abs. Prendre une boisson alcoolique : ***Buvons** à nos amours !* ; *Chanson à **boire*** ; par ext., s'enivrer ou être alcoolique : *Mais tu **as bu** !* ; *Depuis ce jour, il **boit**.* **2.** Anal. Absorber : *La terre a vite **bu** la pluie.* **3.** Fig. S'imprégner, se délecter de : *Il **buvait** ses paroles* ; ***Boire** qqn des yeux*, le regarder intensément. **4.** Loc. *Ce n'est pas la mer à **boire*** : ce n'est pas si difficile ; ***Boire** du petit lait* : jubiler ; *Un spectacle où il y a à **boire** et à manger* : où il y a du bon et du mauvais ; ***Boire** le bouillon* : faire faillite (fam.) ; *Avoir toute honte **bue*** : ne plus avoir honte de rien, pour avoir trop subi ou fait subir d'humiliations (littér.) ; *Qui **a bu boira*** : qui a failli faillira. ▸ Empl. subst. *En oublier, en perdre le **boire** et le manger* : être entièrement préoccupé, passionné par qqch. Xe s. ; lat. *bibere* ; [bwaʀ].

**BOIS,** subst. m.
**I. 1.** Espace planté ou naturellement recouvert d'arbres, moins vaste qu'une forêt : *Le **bois** de Chaville* ; *Le **bois** de Boulogne* ou, par ell., *Le **Bois**.* ▸ Ext. Forêt (gén. au plur.) : *Robin des **bois*** ; *Fraises des **bois**.* **2.** Matière ligneuse, plus ou moins dure, composant le tronc, les rameaux et les racines des arbres, et dans laquelle circule la sève. **3.** Ext. Matière, provenant principalement des troncs d'arbres, propre à être travaillée : ***Bois** de charpente, de menuiserie, d'ébénisterie* ; ***Bois** dur, précieux, blanc,*

*Maison en bois à Novgorod.*

*exotique.* **4.** Loc. *Un visage de **bois*** : impassible, peu aimable ; *Langue de **bois*** : manière figée dont s'expriment les hommes politiques ; *Je ne suis pas de **bois*** : je ne suis pas insensible ; *Faire flèche de tout **bois*** (☞ *flèche*) ; *Toucher du **bois*** : faire un geste superstitieux et conjuratoire ; *Avoir la gueule de **bois*** : avoir la bouche sèche, empâtée après un excès de boissons alcooliques (fam.) ; *Chèque en **bois*** : sans provision (fam.). **II.** Méton. Objet en **bois** ; partie en **bois** d'un objet : *Un **bois** de lit*, le châssis supportant le sommier ; *Le **bois** d'une raquette*, son cadre. ▸ Loc. *Les **bois** de justice* : l'échafaud et la guillotine. ▸ *B.-a.* Gravure sur **bois**. ▸ *Sp.* Au golf, club en **bois**. Plur. **1.** Ramure des Cervidés. **2.** *Mus.* Les instruments à vent faits de **bois** (par oppos. aux cuivres) tels le cor anglais, le basson, la clarinette, etc. **3.** *Sp.* Poteaux de but, au football (fam.) : *Garder les **bois**.* Fin XIe s. ; prob. anc. bas frq. °*bosk*, « buisson » ; [bwa].

**BOISAGE,** subst. m.
**1.** *Menuis.* Action d'habiller de bois une surface ; son résultat. **2.** *Constr.* Action d'étayer, de consolider avec du bois, gén. un chantier souterrain ; le bois utilisé à cette fin. 1610 ; ☞ *boiser* ; [bwazaʒ].

**BOISÉ, ÉE,** adj.
Planté d'arbres. 1690 ; p. p. de *boiser* ; [bwaze].

**BOISEMENT,** subst. m.
Action de planter des arbres pour former un bois ou une forêt. 1823 ; ☞ *boiser* ; [bwazmɑ̃].

**BOISER,** verbe trans. [3]
**1.** *Constr.* Garnir de bois ou renforcer avec du bois. **2.** Planter d'arbres. 1671 ; ☞ *bois* ; [bwaze].

**BOISERIE,** subst. f.
Ouvrage de menuiserie à fonction de revêtement ou de décoration : *Les **boiseries** d'une porte, d'une fenêtre, d'un mur.* 1700 ; ☞ *bois* ; [bwazʀi].

**BOISEUR,** subst. m.
*Constr.* Ouvrier qui confectionne ou entretient le boisage. 1796 ; ☞ *boiser* ; [bwazœʀ].

**BOISSEAU,** subst. m.
**1.** Ancienne mesure de capacité, variable selon les lieux, correspondant au contenu d'un récipient cylindrique portant ce nom : *Un **boisseau** de grains, de charbon.* ▸ Loc. *Mettre, garder sous le **boisseau*** : dissimuler. **2.** *Bât.* Élément creux emboîtable servant à former des conduits d'évacuation : *Des **boisseaux** de cheminée.* **3.** *Techn.* Trou conique d'un robinet, dans lequel s'emboîte la clé de serrage. Fin XIIe s. ; prob. anc. fr. *boisse*, « mesure de blé », du gaul. °*bosta*, « creux de la main » ; [bwaso].

**BOISSELIER,** subst. m.
Artisan spécialisé dans la boissellerie (vx). 1338 ; ☞ *boisseau* ; [bwasəlje].

**BOISSELLERIE,** subst. f.
Fabrication et commerce de divers ustensiles en bois, tels que boisseaux, tamis, bobines, pinces à linge, etc. (vx). 1751 ; ☞ *boisseau* ; [bwasɛlʀi].

**BOISSON,** subst. f.
Liquide destiné à être bu : ***Boisson** chaude.* ▸ **Boisson** alcoolique : *Débit de **boissons*** ; *Être pris de **boisson**,* être ivre. Sing. Alcoolisme : *La **boisson** le perdra.* XIIIe s. ; bas lat. *bibitio*, « action de boire » ; [bwasɔ̃].

**BOÎTE,** subst. f.
**1.** Récipient de dimensions variables, gén. muni d'un couvercle, destiné à contenir des objets : ***Boîte** en carton* ; ***Boîte** de conserve* ; par méton., son contenu : *Il a dévoré la **boîte** de bonbons.* ▸ ***Boîte** aux lettres* : qui reçoit le courrier ; ***Boîte** à idées* : urne destinée à recevoir des suggestions écrites ; ***Boîte** à tabac* : tabatière ; ***Boîte** à ouvrage* : contenant les ustensiles de couture ; ***Boîte** à outils* ; ***Boîte** à gants*, vide-poche placé dans l'habitacle d'une automobile. ▸ Loc. *Mettre qqn en **boîte*** : se moquer de lui, sans méchanceté (fam.). **2.** Anal. Cavité, réceptacle contenant un organe ou un mécanisme. ▸ *Anat. **Boîte** crânienne* : partie osseuse contenant l'encéphale. ▸ *Autom. **Boîte** de vitesses* : organe d'un véhicule à moteur contenant les engrenages qui permettent de changer les rapports de vitesse. ▸ *Biol. **Boîte** de Pétri* : récipient en verre destiné à recevoir des cultures de micro-organismes. ▸ *Électron. **Boîte** noire* : appareil enregistrant divers paramètres relatifs au fonctionnement d'un avion, d'un véhicule de transport, d'une machine. ▸ *Télécomm. **Boîte** postale* : casier à lettres loué par une société ou un particulier dans un bureau de poste. **3.** Fig. et Fam. Lieu où l'on travaille : *Patron d'une grosse **boîte**.* ▸ ***Boîte** à bac* : lycée privé préparant au baccalauréat. **4.** ***Boîte** de nuit* : discothèque. Mil. XIIe s. ; lat. pop. °*buxita*, du lat. *pyxis*, du gr. *puxis*, « coffret » ; [bwat].

**BOITEMENT,** subst. m.
Action de boiter. 1539 ; ☞ *boiter* ; [bwatmɑ̃].

**BOITER,** verbe intrans. [3]
**1.** Marcher en inclinant son corps d'un côté ou, alternativement, des deux côtés. **2.** Anal. Être bancal, en parlant d'un objet : *Ma chaise **boite**.* **3.** Fig. Manquer d'harmonie, de cohérence (littér.) : *Un raisonnement qui **boite**.* 1539 ; ☞ *boiteux* ; [bwate].

**BOITERIE,** subst. f.
Mouvement d'une personne, d'un animal qui boite ; claudication. 1803 ; ☞ *boiteux* ; [bwatʀi].

**BOITEUX, EUSE,** adj.
**1.** Qui boite, en parlant d'une personne, d'un animal ; empl. subst. : *Un **boiteux**, une **boiteuse**.* **2.** Ext. Qui est bancal, en parlant d'un objet. **3.** Qui manque de cohérence ou d'harmonie : *Une explication **boiteuse*** ; *Une phrase **boiteuse**.* 1226 ; ☞ *boite* ; [bwatø, øz].

**BOÎTIER,** subst. m.
**1.** Boîte compartimentée destinée au rangement d'instruments particuliers : ***Boîtier** de chirurgie.* **2.** Boîte renfermant un mécanisme : ***Boîtier** de montre* ; ***Boîtier** d'appareil photo.* 1596 (fin XIIIe s., fabricant de boîtes) ; ☞ *boîte* ; [bwatje].

**BOITILLER,** verbe intrans. [3]
Boiter légèrement. 1867 ; ☞ *boiter* ; [bwatije].

**BOITON,** subst. m.
Helv. Porcherie. 1506 ; prob. gaul. °*boteg*, « étable » ; [bwatɔ̃].

**BOIT-SANS-SOIF,** subst. m. inv.
Buveur invétéré, ivrogne (fam.). 1872 ; comp. de *boire*, de *sans* et de *soif* ; [bwasɑ̃swaf].

**BOITTE,** voir **BOËTTE**

**BOL (I),** subst. m.
**1.** Vx. *Pharm.* ▸ ***Bol** d'Arménie* : variété d'argile autrefois utilisée comme médicament. ▸ Grosse pilule ovoïde. **2.** Ext. *Physiol. **Bol** alimentaire* : boule formée d'aliments mastiqués et déglutis au cours d'un même repas. 1256 ; bas lat. *bolus*, « boulette », du gr. *bôlos*, « motte de terre, boule » ; [bɔl].

**BOL (II),** subst. m.
**1.** Récipient hémisphérique, gén. utilisé pour servir des boissons : *Un **bol** à cidre* ; par méton., contenu d'un **bol** : *Un **bol** de riz.* **2.** Loc. *Prendre un **bol** d'air* : aller respirer au grand air. 1760 ; angl. *bowl* ; [bɔl].

**BOL (III),** subst. m.
Fam. **1.** Chance : *Avoir du **bol*** ; *Coup de **bol**.* **2.** Loc. *En avoir ras le **bol*** : en avoir assez. V. 1940 (1872, postérieur, anus) ; ☞ *bol* (II) ; [bɔl].

**BOLCHEVIK,** subst. m.
**1.** *Hist.* Membre de la tendance majoritaire du Parti ouvrier social-démocrate russe, dirigée par Lénine. **2.** Ext. Communiste (péj.). 1918 ; russe *bolchevik*, « partisan de la majorité » ; [bɔlʃevik] ou [-ʃe-].

**BOLCHEVIQUE,** adj.
Relatif au bolchevisme : *La révolution **bolchevique**.* 1927 ; ☞ *bolchevik* ; [bɔlʃəvik] ou [-ʃe-].

**BOLCHEVISME,** subst. m.
Doctrine politique des bolcheviks. Déb. XXe s. ; ☞ *bolchevik* ; [bɔlʃevism] ou [-ʃe-].

**BOLDO,** subst. m.
*Bot.* Arbre du Chili, de la famille des Monimiacées, dont les feuilles sont utilisées pour leurs propriétés thérapeutiques. 1834 ; mot esp. d'Amérique ; [bɔldo].

**BOLDUC,** subst. m.
Ruban coloré et léger servant à ficeler, à décorer un paquet. 1871 ; topon. *Bois-le-Duc* (Pays-Bas) ; [bɔldyk].

**BOLÉE,** subst. f.
Contenu d'un bol : *Une **bolée** de cidre.* 1892 ; ☞ *bol* (II) ; [bole].

**BOLÉRO,** subst. m.
**1.** Danse espagnole à trois temps, à pas sautés ; air de cette danse. **2.** *Mus.* Composition inspirée du boléro espagnol : *Le « **Boléro** » de Ravel.* **3.** *Cost.* Veste sans manches ni boutons, dégageant la taille. 1803 ; esp. *bolero*, « danseur » ; [bɔleʀo].

**BOLET,** subst. m.
*Bot.* Champignon basidiomycète de la famille des Bolétacées, charnu, dont certaines espèces sont comestibles (les cèpes), d'autres vénéneuses (le **bolet** satan). Déb. XIVe s. ; lat. *boletus* ; [bɔlɛ].

**BOLIDE,** subst. m.
**1.** Vx. *Astron.* Météore très brillant. ▸ Loc. *Passer comme un **bolide*** : très vite. **2.** Anal. Véhicule très rapide. 1570 (1548, sonde) ; lat. *bolis*, du gr. *bolis*, « trait » ; [bɔlid].

**BOLIER,** voir **BOULIER (I)**

**BOLIVAR,** subst. m.
**1.** Chapeau haut de forme, à large bord, à la mode dans les années 1820. **2.** Unité monétaire du Venezuela. 1819 ; anthropon. *Simon Bolívar* ; [bɔlivaʀ].

**BOLIVIANO,** subst. m.
Unité monétaire de la Bolivie. V. 1990 ; topon. *Bolivie* ; [bɔlivjano].

**BOLIVIEN, IENNE,** adj. et subst.
De Bolivie. Topon. *Bolivie* ; [bɔlivjɛ̃, jɛn].

**BOLLANDISTE,** subst. m.
Membre d'une société savante fondée par le jésuite Jean Bolland et chargée de collecter, de vérifier et de publier l'histoire de la vie des saints (*Acta sanctorum*). 1732 ; anthropon. *Jean Bolland* ; [bɔlɑ̃dist].

**BOLLARD,** subst. m.
Bitte d'amarrage de grande dimension, pour les navires de fort tonnage. 1943 ; mot angl. ; [bɔlaʀ].

**BOLOMÈTRE,** subst. m.
*Phys.* Appareil qui mesure l'énergie rayonnante. L'onde mesurée (infrarouge, visible ou ultraviolette) tombe sur un corps absorbant dont la résistance électrique varie en fonction du flux d'énergie rayonnante absorbé. Fin XIXe s. ; angl. *bolometer*, du gr. *bolê*, « jet », et *metron*, « mesure » ; [bɔlɔmɛtʀ].

**BOMBAGE,** subst. m.
**1.** Action de rendre convexe : *Le **bombage** d'un verre*, son cintrage à chaud. **2.** Action de dessiner ou d'écrire avec de la peinture en bombe ; l'inscription ainsi réalisée. 1863 ; ☞ *bomber* ; [bɔ̃baʒ].

**BOMBANCE,** subst. f.
Festin, ripaille (fam.) : *Faire **bombance**,* festoyer. 1560 (fin XIIe s., arrogance) ; prob. onomat. *bob*, exprimant l'idée de gonflement ; [bɔ̃bɑ̃s].

**BOMBARDE,** subst. f.
**1.** *Mus.* ▸ Instrument à vent, proche du hautbois, qui accompagne souvent le biniou en Bretagne. ▸ Jeu d'orgue à anche battante, au son grave et puissant. **2.** *M. Â.* Pièce d'artillerie qui tirait des boulets de pierre (synon. *bouche à feu*). 1342 ; lat. *bombus*, « bruit retentissant » ; [bɔ̃baʀd].

**BOMBARDEMENT,** subst. m.
**1.** Action de bombarder : ***Bombardement** tactique,* visant à détruire des objectifs déterminés (troupes armées, foyer d'artillerie, moyens de communication, etc.) ; ***Bombardement** stratégique,* à fort potentiel de destruction, susceptible d'agir comme moyen de dissuasion. **2.** *Phys. part.* Action de diriger sur une cible un flux de particules élémentaires. 1697 ; ☞ *bombarder* ; [bɔ̃baʀdəmɑ̃].

**BOMBARDER,** verbe trans. [3]
**1.** Tirer des obus, larguer des bombes sur : ***Bombarder** une ville* ; par ext., lancer, en grand nombre, des projectiles sur : ***Bombarder** les voitures de boules de neige.* **2.** Fig. Presser, harceler : ***Bombarder** qqn de questions.* **3.** Nommer soudainement à un poste, à une dignité (fam.) : *Il vient d'être **bombardé** ministre.* **4.** *Phys. part.* Projeter des particules élémentaires à grande vitesse sur (une cible). 1515 ; ☞ *bombarde* ; [bɔ̃baʀde].

**BOMBARDIER,** subst. m.
**1.** Vx. Soldat qui servait une bombarde, artilleur. **2.** *Aéron.* ▸ Aviateur chargé du lancement des bombes. ▸ Avion de bombardement. 1431 ; ☞ *bombarde* ; [bɔ̃baʀdje].

**BOMBARDON,** subst. m.
*Mus.* Instrument à vent, le plus grave de la famille des bombardes, que l'on utilise dans les fanfares. 1869 ; ital. *bombardone* ; [bɔ̃baʀdɔ̃].

**BOMBE (I),** subst. f.
**1.** Engin explosif qui éclate en tombant : *L'anarchiste Vaillant lança une **bombe** en pleine Chambre des députés.* ▸ Projectile de forme et de calibre variables, rempli d'une matière explosive ou incendiaire, lancé en gén. d'un bombardier : *Dresde, détruite par une pluie de **bombes*** ; ***Bombe** à retardement* ; ***Bombe** atomique.* ▸ Loc. *Faire l'effet d'une **bombe*** : répandre la stupeur. **2.** Anal. ***Bombe** volcanique* : fragment de lave projeté par un volcan ; ***Bombe** à eau* : projectile en papier, rempli d'eau, fabriqué par les enfants ; ***Bombe** glacée* : dessert glacé ; ***Bombe** de cavalier* : casquette rigide à calotte hémisphérique. ▸ Récipient contenant un liquide, une substance sous pression ; atomiseur : ***Bombe** insecticide* ; ***Bombe** à raser* ; ***Bombe** de peinture.* 1640 ; ital. *bomba*, du lat. *bombus*, « boulet » ; [bɔ̃b].

**BOMBE (II),** subst. f.
Fam. Festin ; fête joyeuse où l'on mange et boit en abondance : *Faire la **bombe** à Saint-Germain-des-Prés.* 1881 ; prob. apocope de *bombance* ; [bɔ̃b].

**BOMBEMENT,** subst. m.
Renflement ; état de ce qui est bombé : *Un **bombement** de torse.* 1694 ; ☞ *bomber* ; [bɔ̃bmɑ̃].

**BOMBER,** verbe [3]
**I. Trans.** Rendre convexe : *L'alizé **bombait** la voilure.* ▸ Loc. ***Bomber** le torse* : le redresser, faire le fier. **Intrans. 1.** Présenter un renflement : *Ce parquet **bombe** sous l'effet de l'humidité* ; empl. adj. : *Un front **bombé**.* **2.** Aller très vite (fam.) : *La moto **bombait** sur l'autoroute.* **II. Trans.** Dessiner, écrire (qqch.) avec une peinture en bombe. 1690 ; ☞ *bombe* (I) ; [bɔ̃be].

**BOMBONNE,** voir **BONBONNE**

**BOMBYX,** subst. m.
*Zool.* Insecte lépidoptère type de la famille des Bombycidés, dont l'espèce *Bombyx mori*, **bombyx** du mûrier, a pour chenille le ver à soie. Déb. XVIe s. ; lat. *bombyx*, du gr. *bombux*, « ver à soie » ; [bɔ̃biks].

**BÔME,** subst. f.
*Mar.* Espar horizontal sur lequel on envergue la partie basse d'une grand-voile. 1793 ; néerl. *boom*, « mât » ; [bom].

**BON, BONNE,** adj., adv. et subst. m.
**Adj. 1.** Qui offre les qualités attendues ; qui correspond bien à sa nature, qui remplit bien sa fonction : *Une **bonne** terre* ; *Un **bon** gouvernement* ; *Une **bonne** constitution* ; *Trouver la **bonne** réponse.* ▸ Conforme aux convenances, à la morale : *Une **bonne** conduite* ; *Les **bonnes** mœurs.* ▸ Qui plaît ; agréable, utile : *Un **bon** dîner* ; *Une **bonne** affaire* ; *De **bonnes** vacances* ; *Une **bonne** farce.* ▸ Important ou largement suffisant : *Une **bonne** averse* ; *J'attends depuis un **bon** moment.* ▸ Loc. *C'est **bon** !* : cela suffit !, c'est d'accord ! **2.** Qui manifeste de la bonté ; qui veut ou fait le bien : *La nature a fait l'homme heureux et **bon** mais [...] la société le déprave* (Rousseau) ; *Ce **bon** monsieur Vincent,* saint Vincent de Paul ; *Un **bon** geste,* généreux ; *Le **bon** Dieu.* **3.** Loc. *À quoi **bon** ?* : c'est inutile ; *De **bon** matin* : tôt ; *Il est **bon** de* : il est souhaitable, utile de ; ***Bon** pour le service* : apte au service. **Adv.** *Tenir **bon*** : résister ; *Sentir **bon*** : dégager une odeur agréable ; *Il fait **bon*** : le temps est agréable. **Subst. 1.** Ce qui est **bon** : *Il y a du **bon** dans ce malheur* ; *Le **bon** et le mauvais d'une chose* ; *Les **bons** et les méchants.* **2.** Document écrit donnant droit à une prestation (en monnaie ou en nature) ou qui atteste un paiement : ***Bon** de commande, de livraison* ; ***Bon** de réquisition* ; ***Bon** de caisse* ; ***Bon** du Trésor,* obligation émise par le ministère des Finances. ▸ *Impr.* ***Bon** à tirer* : formule autorisant l'impression d'un texte après une ultime correction des épreuves ; par méton., l'épreuve corrigée : *C'est l'auteur qui signe le **bon** à tirer.* 881 ; lat. *bonus* ; au masc., l'adj. se dénasalise (*bon usage* : [bɔnyzaʒ]) ; [bɔ̃, bɔn].

**BONACE,** subst. f.
*Mar.* Calme plat de la mer (vx) : *La **bonace** après la tempête.* Déb. XIIIe s. ; lat. pop. °*bonacia*, d'apr. le lat. *malacia*, du gr. *malakia*, « mollesse » ; [bɔnas].

**BONAPARTISME,** subst. m.
**1.** Attachement à Napoléon Bonaparte, à sa dynastie et au régime impérial qu'il a fondé. **2.** Système politique de Bonaparte, repris par son neveu Napoléon III ; par ext., régime autoritaire reposant sur le plébiscite. 1816 ; anthropon. *Bonaparte* ; [bɔnapaʀtism].

**BONAPARTISTE,** adj. et subst.
**Adj.** Qui a trait au bonapartisme ; qui adhère au bonapartisme. **Subst.** Partisan du bonapartisme. 1816 ; anthropon. *Bonaparte* ; [bɔnapaʀtist].

**BONASSE,** adj.
D'une bonté excessive, par faiblesse de caractère ou simplicité d'esprit (fam. et souv. péj.) : *Cacher un solide égoïsme sous un air **bonasse**.* Fin XVe s. ; p.-ê. *bon*, ou *bonace*, ou ital. *bonaccio* ; [bɔnas].

**BONBON,** subst. m.
**1.** Friandise faite essentiellement de sucre, aromatisée et colorée : *Un **bonbon** acidulé, au miel, à l'anis.* **2.** Belg. Biscuit sec. **3.** Loc. *Coûter **bonbon*** : coûter cher (fam.). 1604 ; ☞ *bon* ; [bɔ̃bɔ̃].

**BONBONNE,** subst. f.
Grosse bouteille pansue, à col très court (synon. *dame-jeanne*) : *Une **bonbonne** en verre* ; *Une **bonbonne** d'huile.* 1845 ; prov. *boumbouno*, de *bombe* (I) ; var. *bombonne* ; [bɔ̃bɔn].

**BONBONNIÈRE,** subst. f.
**1.** Boîte à bonbons. **2.** Anal. Petite maison ; appartement coquet. Fin XVIIIe s. ; ☞ *bonbon* ; [bɔ̃bɔnjɛʀ].

**BON-CHRÉTIEN,** subst. m.
Variété de grosse poire sucrée et très parfumée. XVe s. ; comp. de *bon* et de *chrétien* ; plur. *bons-chrétiens* ; [bɔ̃kʀetjɛ̃].

**BOND,** subst. m.
**1.** Saut brusque et vif : *Franchir l'obstacle d'un **bond*** ; *La grenouille avance par **bonds**.* **2.** Fig. Progression soudaine et importante : *Les prix ont fait un **bond*** ; *Cette découverte représente un **bond** en avant.* **3.** Loc. *Faire faux **bond*** : manquer à ses engagements ; *Saisir la balle au **bond*** : saisir l'occasion avec à-propos. Déb. XVe s. ; ☞ *bondir* ; [bɔ̃].

**BONDE,** subst. f.
**1.** Orifice pratiqué au milieu d'une douve de tonneau et permettant de le remplir ou de le vider ; par méton., bouchon de cet orifice. **2.** Ouverture dans la partie basse d'un étang, permettant de le vider périodiquement ; système servant à obstruer ou à libérer cette ouverture. ▸ Ext. Orifice d'écoulement d'un évier, d'une baignoire, etc. 1332 ; p.-ê. gaul. °*bunda*, « base, sol » ; [bɔ̃d].

**BONDÉ, ÉE,** adj.
Plein, comble : *Un autobus **bondé**.* Fin XIXe s. ; p. p. de *bonder* (rare), « remplir jusqu'à la bonde » ; [bɔ̃de].

**BONDÉRISATION,** subst. f.
*Techn.* Opération consistant à revêtir les métaux ferreux d'une couche de protection contre la rouille. 1934 ; angl. *bonderizing*, de *Bonder* (n. déposé) ; [bɔ̃deʀizasjɔ̃].

**BONDIEUSERIE,** subst. f.
Fam. et Péj. **1.** Bigoterie. **2.** Méton. Objet de piété sans qualité artistique (gén. au plur.). 1865 ; *bon Dieu* ; [bɔ̃djøzʀi].

**BONDIR,** verbe intrans. [19]
**1.** Faire un ou des bonds ; sauter : ***Bondir** de pierre en pierre.* **2.** Ext. S'élancer : *Il **bondit** sur moi.* **3.** Fig. Réagir vivement, sous le coup d'une émotion : ***Bondir** de colère.* XIIIe s. (fin XIe s., retentir) ; lat. pop. °*bombitire*, du lat. *bombire*, « bourdonner » ; [bɔ̃diʀ].

**BONDISSEMENT,** subst. m.
Action de bondir (littér.). 1547 (1379, bruit retentissant) ; ☞ *bondir* ; [bɔ̃dismɑ̃].

**BONDON,** subst. m.
Bouchon en bois qui ferme la bonde d'un tonneau. Déb. XIVe s. ; ☞ *bonde* ; [bɔ̃dɔ̃].

**BONDRÉE,** subst. f.
*Zool.* Rapace diurne de la famille des Falconidés, qui se nourrit surtout de guêpes. 1534 ; prob. breton *bondrask*, « grive » ; [bɔ̃dʀe].

**BONGO,** subst. m.
*Mus.* Instrument à percussion, d'origine latino-américaine, composé de deux petits tambours liés que l'on bat des doigts et des paumes. Mot esp. ; [bɔ̃go].

**BONHEUR,** subst. m.
1. Chance : *C'est un* **bonheur** *de vous trouver là.* ► Loc. *Au petit* **bonheur** *(la chance)* : au hasard ; *Par* **bonheur** : heureusement. 2. Littér. Effet particulièrement réussi : *Des* **bonheurs** *d'expression.* ► Avec **bonheur.** De manière admirable, parfaite : *Il allie avec* **bonheur** *talent et modestie.* 3. État de parfaite satisfaction intérieure, félicité. Déb. XII^e s. ; formé de *bon* et de *heur* ; [bɔnœʀ].

**BONHEUR-DU-JOUR,** subst. m.
*Ameubl.* Petit bureau de dame muni de tiroirs et de casiers de rangement disposés en retrait. Mil. XVIII^e s. ; comp. de *bonheur* et de *jour* ; plur. *bonheurs-du-jour* ; [bɔnœʀdyʒuʀ].

**BONHOMIE,** subst. f.
Caractère d'un être bon, aux manières simples. 1736 ; ☞ *bonhomme* ; [bɔnɔmi].

**BONHOMME,** subst. m. et adj.
SUBST. 1. Vx. Homme bon ; par ext., homme simple, naïf. ► Loc. *Aller son petit* **bonhomme** *de chemin* : mener tranquillement ses affaires. 2. Homme, individu (fam.) : *Un drôle de* **bonhomme.** 3. Jeune garçon : *Un petit* **bonhomme.** 4. Figuration schématique d'un homme : *Dessiner des* **bonshommes** ; *Un* **bonhomme** *de neige.* ADJ. Simple, bienveillant, qui montre de la bonhomie (vieilli) : *Des allures* **bonhommes.** Fin XII^e s. ; formé de *bon* et de *homme* ; plur. du subst. *bonshommes*, plur. de l'adj. *bonhommes* ; [bɔnɔm], plur. du subst. [bõzɔm].

**BONI,** subst. m.
*Fin.* Excédent d'une somme prévue pour une dépense ; bénéfice. 1612 ; lat. *aliquid boni*, « qqch. de bon » ; [bɔni].

**BONICHE,** voir **BONNICHE**

**BONIFICATION,** subst. f.
1. Action de rendre meilleur. ► Action d'assainir une terre : *La* **bonification** *des marais Pontins.* 2. Action d'accorder un avantage financier. ► Méton. Cet avantage ; par anal., point supplémentaire octroyé dans une épreuve sportive, un concours. 1584 ; ☞ *bonifier* ; [bɔnifikasjɔ̃].

**BONIFIER,** verbe trans. [6]
1. Amender (une terre) ; rendre meilleur (un produit) ; empl. pronom. : *Ce bordeaux se* **bonifie** *en vieillissant.* 2. *Fin.* Faire bénéficier d'un boni ; empl. adj. : *Prêt* **bonifié**, dont les intérêts sont allégés par une bonification. Mil. XV^e s. ; prob. ital. *bonificare*, « améliorer » ; [bɔnifje].

**BONIMENT,** subst. m.
Discours des charlatans, des camelots visant à attirer le public ; par ext., propos mensonger visant à séduire ou à tromper (fam.). 1827 ; argot *bon(n)ir*, « raconter de bonnes histoires » ; [bɔnimɑ̃].

**BONIMENTER,** verbe intrans. [3]
Vieilli. Faire du boniment ; raconter des boniments. 1883 ; ☞ *boniment* ; [bɔnimɑ̃te].

**BONIMENTEUR, EUSE,** subst.
Personne qui bonimente (vieilli). 1894 ; ☞ *bonimenter* ; [bɔnimɑ̃tœʀ, øz].

**BONITE,** subst. f.
*Zool.* Thon de la Méditerranée. Déb. XVI^e s. ; esp. *bonito* ; [bɔnit].

**BONJOUR,** subst. m. et interj.
SUBST. Salutation : *Donnez-lui mon* **bonjour** ; *Un petit* **bonjour** *de la main.* ► Loc. *Simple comme* **bonjour** : très facile. INTERJ. Formule de politesse adressée à qqn que l'on rencontre dans la journée : **Bonjour,** *mademoiselle !* XV^e s. (déb. XIII^e s., jour favorable) ; formé de *bon* et de *jour* ; [bõʒuʀ].

**BONNE,** subst. f.
Employée de maison, chargée de tâches domestiques, nourrie et logée par son employeur (vieilli) : *Une* **bonne** *à tout faire.* ► *Une* **bonne** *d'enfants* : qui s'occupe des enfants. 1708 ; ☞ *bon* ; [bɔn].

**BONNEMENT,** adv.
*Tout* **bonnement** : tout simplement. Mil. XVI^e s. (fin XII^e s., avec bonté) ; ☞ *bon* ; [bɔnmɑ̃].

**BONNET,** subst. m.
1. Vx. Étoffe servant à faire des coiffes. 2. Coiffure souple, sans bord : **Bonnet** *de nuit*, que l'on portait pour dormir ; **Bonnet** *phrygien* (☞ *phrygien*) ; **Bonnet** *d'âne*, que l'on faisait porter aux cancres. 3. Anal. ► Chacune des poches d'un soutien-gorge. ► *Zool.* Une des poches de l'estomac des Ruminants, dans laquelle l'herbe ingurgitée est mise en pelote. 4. Loc. fam. *C'est* **bonnet** *blanc et blanc* **bonnet** : c'est la même chose ; *Avoir la tête près du* **bonnet** : être irascible ; *Opiner du* **bonnet** : donner son accord ; *Parler à son* **bonnet** : se parler à soi-même ; *Un gros* **bonnet** : un personnage important. Mil. XII^e s. ; p.-ê. lat. médiév. *abonnis*, « bandeau servant de coiffure » ; [bɔnɛ].

*Bonheur-du-jour à panneaux de porcelaine de Sèvres (XIX^e s.). Musée Condé, Chantilly.*

La Rencontre ou **Bonjour** Monsieur Courbet, *peinture de Gustave Courbet (1819-1877). Musée Fabre, Montpellier.*

**BONNETEAU,** subst. m.
Jeu d'argent où le parieur doit retrouver une carte parmi trois qui ont été retournées et mélangées sous ses yeux ; au fig., escroquerie. 1708 ; ☞ *bonneteur* ; [bɔnto].

**BONNETERIE,** subst. f.
Fabrication ou commerce d'articles de lingerie à mailles ; par méton., ces articles (chaussettes, bas, etc.). XV^e s. ; ☞ *bonnet* ; [bɔnɛtʀi] ou [-n(ə)-].

**BONNETEUR,** subst. m.
1. Vx. Escroc. 2. Joueur de bonneteau. XV^e s. ; *bonneter* (vx), « se montrer empressé » ; [bɔntœʀ].

**BONNETIER, IÈRE,** subst.
Personne qui fabrique ou vend de la bonneterie. FÉM. Petite armoire à une porte où l'on rangeait coiffes et bonnets. 1390 ; ☞ *bonnet* ; [bɔntje, jɛʀ].

**BONNETTE,** subst. f.
1. *Mar.* Petite voile d'appoint hissée par vent portant. 2. *Fortif.* Ouvrage à deux faces formant un angle saillant. 3. *Opt.* ► Verre traité adapté à l'oculaire d'un instrument astronomique. ► Lentille utilisée pour modifier la distance focale d'un objectif photographique. 1382 ; ☞ *bonnet* ; [bɔnɛt].

**BONNICHE,** subst. f.
Bonne (pop. et péj.). 1900 ; ☞ *bonne* ; var. *boniche* ; [bɔniʃ].

**BONSAÏ,** subst. m.
Arbre en pot modelé et nanifié, notamment en taillant les rameaux et les racines. V. 1970 ; jap. *bonsai*, de *bon*, « plateau », et de *sai*, « planter » ; var. *bonzaï* ; [bõnzaj].

**BONSOIR,** subst. m. et interj.
SUBST. Salutation adressée à qqn le soir ou en fin d'après-midi . INTERJ. Formule d'accueil ou d'adieu : **Bonsoir,** *entrez donc !* ; **Bonsoir,** *à demain !* XV^e s. ; formé de *bon* et de *soir* ; [bõswaʀ].

**BONTÉ,** subst. f.
1. Qualité d'une personne moralement bonne ; bienveillance ; altruisme : **Bonté** *d'âme.* ► Loc. *Avoir la* **bonté** *de* : avoir l'amabilité de. 2. Qualité d'une chose qui répond à ce que l'on attend d'elle (rare) : *La* **bonté** *d'une terre.* 3. Empl. interj. **Bonté** *divine !* : marquant la surprise, l'indignation (fam.). PLUR. Actions, gestes exprimant la **bonté** : *Il nous comble de ses* **bontés.** Fin XI^e s. ; lat. *bonitas* ; [bõte].

**BONUS,** subst. m.
1. Rémunération supplémentaire obtenue en plus de son dû, prime. 2. Réduction du montant d'une prime d'assurance automobile, accordée au conducteur qui n'a pas provoqué de sinistre pendant une certaine période (anton. *malus*). 1930 ; angl. *bonus*, du lat. *bonus*, « bon » ; [bɔnys].

**BONZAÏ,** voir **BONSAÏ**

**BONZE,** subst. m.
1. *Relig.* Prêtre, moine bouddhiste. 2. Fig. Personnage influent, imbu de son autorité (péj.) : *Affronter les vieux* **bonzes** *de son parti.* 1570 ; port. *bonzo*, « bonze », du jap. *bōzu*, « prêtre » ; le fém., *bonzesse*, est vieilli ; [bõz].

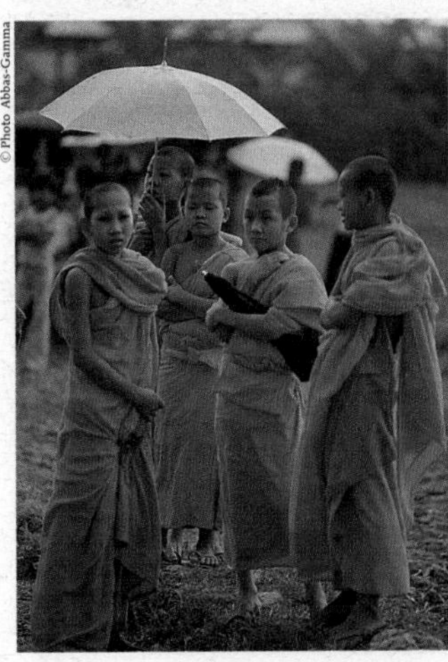
*Jeunes bonzes.*

**BONZERIE,** subst. f.
Monastère bouddhiste (vieilli). 1846 ; ☞ *bonze* ; [bõzʀi].

**BOOGIE-WOOGIE,** subst. m.
*Mus.* Style de jazz, proche du blues, qui fit son apparition dans les années trente aux États-Unis, d'abord joué à la guitare, puis au piano et orchestré sur un rythme rapide, ponctué d'une formule d'accompagnement constante à la basse ; par ext., la danse exécutée sur cette musique. 1948 ; anglo-amér. *boogie-woogie*, d'orig. onomat. ; plur. *boogie-woogies* ; [bugiwugi].

**BOOKMAKER,** subst. m.
*Jeux.* Personne qui prend et inscrit des paris sur les courses de chevaux. 1855 ; angl. *bookmaker*, de *book*, « livre », et de *maker*, « celui qui fait » ; [bukmɛkœʀ].

**BOOLÉEN, ÉENNE, adj.**
*Math.* Qualifie des concepts et des structures étudiés par le logicien et mathématicien britannique George Boole : *Anneau de Boole*, ou **booléen**, anneau commutatif unitaire dans lequel tout élément $x$ vérifie $x^2 = x$. 🕮 V. 1960 ; anthropon. *George Boole* ; var. *booléien, ienne, boolien, ienne* ; [buleɛ̃, eɛn].

**BOOM, subst. m.**
**1.** *Fin.* Hausse soudaine de valeurs boursières. **2.** Ext. Développement rapide : ***Boom** économique, démographique.* 🕮 1907 (1885, réclame tapageuse) ; anglo-amér. *boom*, d'orig. onomat. ; [bum].

**BOOMERANG, subst. m.**
**1.** Arme de jet des aborigènes d'Australie constituée d'une pièce de bois courbe qui, si elle manque sa cible, peut revenir à son point de départ. **2.** Loc. *Effet **boomerang*** : effet qui se retourne contre l'auteur d'un acte. 🕮 1863 ; angl. *boomerang*, prob. d'une langue d'Australie ; [bumʀɑ̃g].

© C. et J. Lenars-Explorer

*Boomerang lancé par un aborigène d'Australie.*

**BOOSTER, subst. m.**
**1.** *Astronaut.* Propulseur auxiliaire qui augmente la poussée d'une fusée au décollage (recomm. off. *accélérateur, propulseur auxiliaire*). **2.** Amplificateur annexe d'un autoradio (recomm. off. *suramplificateur*). 🕮 1934 ; mot anglo-amér. ; [bustœʀ].

**BOOTLEGGER, subst. m.**
*Hist.* Trafiquant qui, à l'époque de la prohibition aux États-Unis, se livrait à la contrebande d'alcool. 🕮 1928 ; anglo-amér. *bootlegger*, « celui qui cache sa bouteille dans sa botte » ; [butlegœʀ].

**BOP, subst. m.**
*Mus.* Be-bop. 🕮 V. 1950 ; abrév. de *be-bop* ; [bɔp].

**BOQUETEAU, subst. m.**
Petit bois ; bouquet d'arbres. 🕮 1598 ; pic. *boquet* ; [bɔkto].

**BORA, subst. f.**
Vent violent, froid et sec, d'origine continentale, soufflant l'hiver sur la côte dalmate. 🕮 1664 ; ital. *bora*, du lat. *boreas*, « vent du nord ; septentrion » ; [bɔʀa].

**BORAIN, voir BORIN**

**BORASSE, subst. m.**
*Bot.* Palmier à larges feuilles dont les fruits et les bourgeons sont comestibles (synon. *rônier*). 🕮 1842 ; lat. sc. *borassus*, du gr. *borassos*, « datte » ; var. *borassus* ; [bɔʀas].

**BORATE, subst. m.**
*Chim.* Sel ou ester de l'acide borique : ***Borate** de sodium.* 🕮 1787 ; ☞ *borax* ; [bɔʀat].

**BORAX, subst. m.**
*Chim.* Nom courant du borate hydraté de sodium, utilisé notamment comme décapant. 🕮 1256 ; lat. médiév. *borax*, de l'ar. *būraq*, du persan *bura* ; [bɔʀaks].

**BORBORYGME, subst. m.**
**1.** Bruit causé par des déplacements de gaz dans l'estomac ou l'intestin. **2.** Anal. Propos confus ; bruit étrange. 🕮 1564 ; gr. *borborugmos* ; [bɔʀbɔʀigm].

**BORCHTCH, subst. m.**
*Cuis.* Potage traditionnel russe, à base de choux et de betteraves. 🕮 1867 ; russe *borš*, « potage de chou » ; var. *bortsch* ; [bɔʀʃtʃ].

**BORD, subst. m.**
**I.** *Mar.* **1.** Extrémité supérieure du bordé d'un navire : *Un vaisseau de haut **bord***, haut sur l'eau ; *Jeter qqch., qqn par-dessus **bord***, le jeter à la mer. **2.** Chaque côté d'un navire : ***Bord** au vent*, exposé au vent ; *Virer de **bord***, changer d'amure. ▸ Ext. Distance parcourue entre deux virements : *Tirer des **bords***, louvoyer. ▸ Fig. Camp, parti, opinion : *De quel **bord** est-il ?* **3.** Méton. Le bateau lui-même : *Le capitaine est seul maître à **bord*** ; *Livre de **bord***, où sont consignées toutes les données et décisions d'une navigation. ▸ Anal. Véhicule : *Prendre un auto-stoppeur à son **bord**.* ▸ Loc. *Avec les moyens du **bord*** : avec ce qui est immédiatement disponible. **II. 1.** Contour, limite, extrémité d'une surface : *Le **bord** de la route*, le côté ; *Le **bord** d'un lit, d'une table.* **2.** Ce qui limite un contenant : *Le **bord** d'un verre, d'une bassine.* ▸ Loc. *À ras **bord*** : complètement. **3.** Anal. Rive, rivage : *Le **bord** de l'eau, d'un fleuve.* **4.** Loc. *Sur les **bords*** : légèrement (fam.). ▸ **Au bord de.** Près de : *Vivre au **bord** de la mer* ; au fig. : *Être au **bord** des larmes*, sur le point de pleurer. 🕮 Déb. XII^e s. ; anc. bas frq. °*bord* ; [bɔʀ].

**BORDAGE, subst. m.**
**1.** *Mar.* Chacune des planches, des tôles recouvrant la membrure d'un navire, et dont l'ensemble forme le bordé ; par ext., le bordé. **2.** Québ. Bordure gelée d'un cours d'eau. 🕮 XVI^e s. (1476, ce qui borde) ; ☞ *bord* ; [bɔʀdaʒ].

**BORDE, subst. f.**
Métairie, installée à l'origine près d'une seigneurie (vx). 🕮 1531 (fin XII^e s., cabane) ; anc. bas frq. °*borda*, « maison de planches » ; [bɔʀd].

**BORDÉ, subst. m.**
**1.** *Mar.* Ensemble des bordages. **2.** Galon avec lequel on borde vêtements et tissus d'ameublement. 🕮 1669 ; p. p. de *border* ; [bɔʀde].

**BORDEAUX, subst. m. et adj. inv.**
Subst. Vin produit par les vignobles du Bordelais. Adj. De la couleur rouge foncé du vin. 🕮 1800 ; topon. *Bordeaux* (Gironde) ; [bɔʀdo].

**BORDÉE, subst. f.**
*Mar.* **1.** Distance parcourue par un voilier sans virer de bord. **2.** Partie de l'équipage affectée à un bord : ***Bordée** de tribord*, les tribordais. **3.** Ensemble des canons disposés sur un bord ; par méton., la décharge simultanée de ces canons. **4.** Loc. fam. *Tirer une **bordée*** : aller de bar en bar ; *Lâcher une **bordée** d'insultes* : une grande quantité d'insultes. 🕮 1546 ; ☞ *bord* ; [bɔʀde].

**BORDEL, subst. m.**
Fam. **1.** Maison de prostitution. **2.** Fig. Désordre ; tapage. 🕮 Déb. XIII^e s. ; ☞ *borde* ; [bɔʀdɛl].

**BORDELAIS, AISE, adj. et subst.**
De Bordeaux ou de sa région. Subst. fém. **1.** Futaille de 225 l env., utilisée dans le commerce des vins de Bordeaux. **2.** Bouteille de vin contenant env. 75 cl. 🕮 XIII^e s. ; lat. médiév. *burdigalensis* ; [bɔʀdəlɛ, ɛz].

**BORDÉLIQUE, adj.**
Fam. Très désordonné ; qui présente du désordre. 🕮 V. 1960 ; ☞ *bordel* ; [bɔʀdelik].

**BORDER, verbe trans. [3]**
**1.** Constituer le bord de (qqch.) ; longer : *Les arbres qui **bordent** une route.* **2.** *Mar.* Garnir (un navire) de bordages (vieilli). ▸ ***Border** une voile* : la tendr en raidissant son écoute (anton. *choquer*). **3.** Garn (qqch.) d'un bord : ***Border** le revers d'un vêtemen* ▸ ***Border** un lit* : rabattre les draps et les couvertur sous le matelas ; par méton. : ***Border** qqn dans s lit.* 🕮 Fin XII^e s. ; ☞ *bord* ; [bɔʀde].

**BORDEREAU, subst. m.**
Document récapitulatif où sont relevées des opér tions commerciales, financières, fiscales, etc. 🕮 F XV^e s. ; ☞ *bord* ; [bɔʀdəʀo].

**BORDERIE, subst. f.**
Petite métairie (région.). 🕮 1311 ; lat. médi *bordaria* ; [bɔʀdəʀi].

**BORDIER, IÈRE, adj. et subst.**
Adj. *Géogr.* *Mer **bordière*** : qui borde un océa Adj. et Subst. Helv. Riverain. 🕮 1687 ; ☞ *bor* [bɔʀdje, jɛʀ].

**BORDIGUE, subst. f.**
Enceinte de claies placée en bord de mer po capturer ou retenir des poissons. 🕮 1613 ; pro *bordigo* ; var. *bourdigue* ; [bɔʀdig].

**BORDURE, subst. f.**
**1.** Ce qui garnit un bord pour l'orner ou consolider : ***Bordure** d'une tapisserie, d'un miro* **2.** Ce qui longe, occupe un bord : *La **bordure** de forêt* ; *Une **bordure** de fleurs.* ▸ Loc. prép. *En bordu de* : sur le bord de. **3.** *Mar.* Bord inférieur d'un voile. 🕮 1240 ; ☞ *border* ; [bɔʀdyʀ].

**BORE, subst. m.**
*Chim.* Élément n° 5 de la table de Mendeleïev (symb. B) ; masse atomique : 10,811 ; point de fusion 2 300 °C ; point d'ébullition : 3 650 °C ; masse volu mique : 2,34 g/cm³. C'est un non-métal trivalent qu l'on extrait de l'anhydride borique $B_2O_3$. Il forme d nombreux composés stables avec des métau (borures, borates). 🕮 1809 ; ☞ *borax* ; [bɔʀ].

**BORÉAL, ALE, ALS ou AUX, adj.**
*Géogr.* De l'hémisphère Nord, en partic. des régio arctiques (anton. *austral*). 🕮 1495 ; bas lat. *boreali* du lat. *boreas*, « vent du nord ; septentrion » ; [bɔʀeal, o]

**BORGNE, adj.**
**1.** Qui ne voit que d'un œil ; qui a perdu un œil empl. subst., personne **borgne**. **2.** Fig. ▸ Mal éclairé *Une impasse **borgne*** ; par ext., malfamé : *Un hôt **borgne**.* ▸ Qui ne comporte aucune ouverture : *M **borgne*** ; *Trou **borgne***, qui ne traverse pas complète ment une cloison. 🕮 Fin XII^e s. ; orig. obsc. ; [bɔʀɲ]

**BORIE, subst. f.**
Petite bâtisse en pierre sèche que l'on trouve da le midi de la France. 🕮 XIX^e s. ; bas lat. *boari* « bouverie », du lat. *bos*, « bœuf » ; [bɔʀi].

**BORIN, INE, adj. et subst.**
Du Borinage. 🕮 Topon. *Borinage* (Belgique) ; va *borain* ; [bɔʀɛ̃, in].

**BORIQUE, adj.**
*Chim.* Qualifie un composé du bore : *Anhydri **borique*** ; *Acide **borique**.* 🕮 1818 ; ☞ *bore* ; [bɔʀik]

*Forêt boréale en Alaska.*

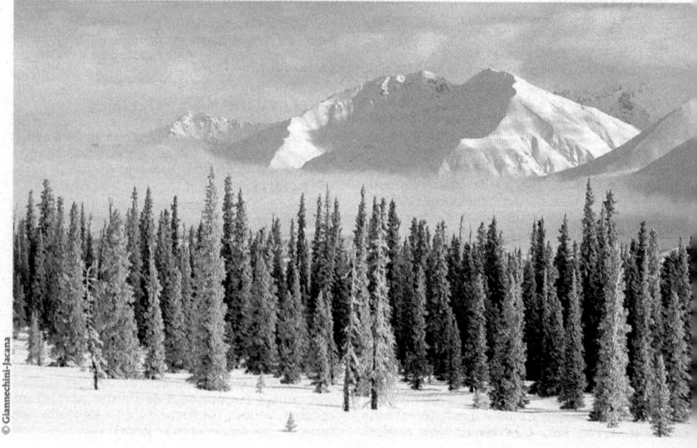
© Giannechini-Jacana

**BORNAGE,** subst. m.
. Action de borner, de délimiter une propriété en osant des bornes ; son résultat. **2.** *Mar.* Navigation ôtière (vieilli). 1260 ; ☞ *borne* ; [bɔʀnaʒ].

**BORNE,** subst. f.
. Objet, en partic. pierre, érigé pour délimiter un errain, servir de repère : *Borne kilométrique*, qui ndique les distances sur une route ; par méton. : *inq bornes*, cinq kilomètres (fam.). **2.** Anal. Dispo-itif aisément repérable : *Borne d'incendie*, bouche 'arrivée d'eau fixée sur un trottoir pour approvi-ionner les pompiers ; *Les bornes téléphoniques de autoroute*. **3.** *Spéc.* ▸ *Électr.* Point de connexion d'un ircuit. ▸ *Math. Borne inférieure (supérieure) d'une artie A d'un ensemble ordonné* : le plus grand ninorant (le plus petit majorant) de A. Toute partie ninorée (majorée) de ℝ possède une **borne** infé-ieure (supérieure). **Plur. 1.** Frontières : *Les bornes 'un État* ; au fig. : *Les bornes du savoir*. **2.** Loc. ▸ Sans ornes. Infini : *Un bonheur sans bornes*. ▸ *Passer, épasser les bornes* : exagérer, abuser. Déb. XIIe s. ; t. pop. °*bodina*, « arbre frontière » ; [bɔʀn].

**BORNÉ, ÉE,** adj.
. Qui a des bornes ; par ext., limité par un obstacle, estreint : *Un horizon borné*. **2.** Fig. Dont les facultés ntellectuelles sont limitées ; obtus. **3.** *Math.* Se dit 'une partie d'un ensemble ordonné à la fois najorée et minorée. XVe s. ; p. p. de *borner* ; [bɔʀne].

**BORNE-FONTAINE,** subst. f.
etite fontaine en forme de borne. 1835 ; comp. e *borne* et de *fontaine* ; plur. *bornes-fontaines* ; ɔʀn(ə)fɔ̃tɛn].

© Duc d'Orléans-Gamma

*Borne-fontaine* de la piazza Retonda, à Rome.

**BORNER,** verbe trans. [3]
. Délimiter par des bornes : *Borner un champ*. . Ext. Limiter : *Ce toit borne la vue*. **Pronom.** Se orner à. Se limiter à : *Se borner à l'essentiel*. Mil. I[e] s. ; ☞ *borne* ; [bɔʀne].

**BORNOYER,** verbe [17]
ntrans. Regarder d'un œil, en tenant l'autre fermé, our vérifier si un alignement est juste ou une urface plane. **Trans.** Garnir (un mur, une voie) de alons pour bâtir, creuser en ligne droite. 1676 déb. XIIIe s., regarder de biais) ; ☞ *borgne* ; [bɔʀnwaje].

**BORRAGINACÉES,** subst. f. plur.
ot. Famille de plantes angiospermes, qui comprend otamment la bourrache, le myosotis. **Au sing.** *L'hé-iotrope est une borraginacée*. 1775 ; lat. *borrago*, bourrache » ; var. *borraginées* ; [bɔʀaʒinase].

**BORRÉLIOSE,** subst. f.
*Pathol.* Nom générique des affections causées par les orrélias, bactéries parasites, dont les vecteurs sont es poux et les tiques, et qui provoquent des fièvres écurrentes. *Borrélia*, bactérie, + *-ose* ; [bɔʀeljoz].

**BORT,** subst. m.
'ariété de diamant, impropre à la bijouterie, utilisée lans l'industrie. 1867 ; orig. obsc. ; [bɔʀt].

**BORTSCH,** voir **BORCHTCH**

**BORURE,** subst. m.
*Chim.* Composé du bore. 1820 ; ☞ *bore* ; [bɔʀyʀ].

**BOSCO,** subst. m.
*Mar.* Maître de manœuvre. 1860 ; altér. argot. de l'angl. *bosseman* ; [bɔsko].

**BOSKOOP,** subst. f.
Variété de pomme à chair ferme, au goût acidulé et à la peau rugueuse gris-vert et rouge. 1952 ; topon. *Boskoop* (Pays-Bas) ; [bɔskɔp].

**BOSNIAQUE,** subst. et adj.
De Bosnie. **Subst. masc.** Dialecte slave parlé en Bosnie. 1832 ; topon. *Bosnie* ; var. *bosnien, ienne* ; [bɔsnjak].

**BOSON,** subst. m.
*Phys. part.* Particule de l'une des deux grandes classes constitutives de la matière. Pour les parti-cules élémentaires, ce sont les **bosons** qui assurent les interactions entre les fermions, jouant le rôle d'un « ciment » particulaire. Leurs propriétés statis-tiques sont décrites par la fonction de Bose-Einstein. 1958 ; anthropon. *Jagadish Chunder Bose*, physicien indien ; [bozɔ̃].

**BOSQUET,** subst. m.
Petit bois ; par anal., groupe d'arbres ou de buissons aménagé. 1549 ; prob. mot prov. ; [bɔskɛ].

**BOSS,** subst. m.
Patron (fam.). 1869 ; mot anglo-amér. ; [bɔs].

**BOSSAGE,** subst. m.
**1.** *Archit.* Saillie en pierre destinée à l'ornement. **2.** *Mécan.* Saillie sur une pièce métallique. 1627 ; *bosser* (vx), « former une bosse » ; [bɔsaʒ].

**BOSSA-NOVA,** subst. f.
Musique brésilienne influencée par le jazz et proche de la samba ; danse exécutée sur cette musique. V. 1960 ; brés. *bossa nova*, « vague nouvelle » ; plur. *bossas-novas* ; [bɔsanɔva].

**BOSSE,** subst. f.
**I. 1.** Protubérance due à une déformation de la colonne vertébrale : *Les bosses de Polichinelle*. ▸ Loc. *Avoir roulé sa bosse* : avoir beaucoup voyagé (fam.). **2.** Enflure due à un choc : *Des plaies et des bosses*. **3.** Protubérance dorsale naturelle de certains ani-maux : *Les bosses du chameau*. **4.** *Anat.* Protubérance naturelle de certains os du crâne, tenue autrefois pour être le signe d'une aptitude, d'un don ; au fig. : *Avoir la bosse des maths*, être doué en cette matière. **II.** Anal. **1.** Relief plus ou moins arrondi d'une sur-face plane : *Les bosses d'un terrain* ; *Un couvercle plein de bosses*. **2.** *Sculpt. Ouvrage en ronde bosse* : statue autour de laquelle l'observateur peut tourner. **3.** *Or-fèvr.* Relief donné à une pièce. **III.** *Mar.* Cordage : *Bosse de ris* ; *Bosse d'amarrage*. Mil. XIIe s. ; prob. lat. pop. °*bottia*, d'orig. obsc. ; [bɔs].

**BOSSELAGE,** subst. m.
*Orfèvr.* Ornementation en relief. 1718 ; ☞ *bosseler* ; [bɔslaʒ].

**BOSSELER,** verbe trans. [12]
**1.** *Orfèvr.* Travailler en bosse ; empl. adj. : *Un étain bosselé*. **2.** Déformer par des bosses. Fin XIIe s. ; ☞ *bosse* ; [bɔsle].

**BOSSELLEMENT,** subst. m.
Action de bosseler ; état de ce qui est bosselé. 1818 ; ☞ *bosseler* ; [bɔsɛlmɑ̃].

**BOSSELURE,** subst. f.
Déformation due à des bosses. Mil. XVIe s. ; ☞ *bosseler* ; [bɔslyʀ].

**BOSSER,** verbe [3]
**Trans.** *Mar.* Attacher avec une bosse. **Intrans.** Tra-vailler (fam.). 1516 (fin XIIe s., former des bosses) ; ☞ *bosse* ; [bɔse].

**BOSSETTE,** subst. f.
**1.** Ornement en bosse sur le harnais d'un cheval. **2.** Gros clou à tête ronde des tapissiers. **3.** Renfle-ment sur la détente d'une arme à feu. 1352 (fin XIIe s., petite bosse) ; ☞ *bosse* ; [bɔsɛt].

**BOSSEUR, EUSE,** adj. et subst.
Se dit d'une personne qui travaille beaucoup (fam.). 1908 ; ☞ *bosser* ; [bɔsœʀ, øz].

**BOSSOIR,** subst. m.
*Mar.* Appareil de levage utilisé pour la manœuvre des ancres, des embarcations auxiliaires. 1678 ; ☞ *bosse* ; [bɔswaʀ].

**BOSSU, UE,** adj. et subst.
**Adj.** Dont le squelette déformé fait apparaître une bosse sur le dos ou le thorax ; par ext., qui se tient voûté. **Subst.** Personne **bossue**. ▸ Loc. *Rire comme un bossu* : rire aux éclats (fam.). Fin XIIe s. ; ☞ *bosse* ; [bɔsy].

**BOSSUER,** verbe trans. [3]
Déformer par des bosses ; empl. adj. : *Un front bossué*. 1564 ; *bossu* (vx), « inégal, déformé par des bosses » ; [bɔsɥe].

**BOSTON,** subst. m.
**1.** Jeu de cartes apparenté au whist. **2.** Valse lente. 1800 ; topon. *Boston* (États-Unis) ; [bɔstɔ̃] au sens 1, [bɔstɔn] au sens 2.

**BOSTRYCHE,** subst. m.
*Zool.* Insecte coléoptère de la famille des Bostrychidés, à corselet velu, qui creuse des galeries dans les troncs ou les branches des arbres et se nourrit de bois. 1803 ; gr. *bostrukhos*, « boucle de cheveux » ; [bɔstʀiʃ].

**BOT, BOTE,** adj.
*Pathol.* Qui est marqué par une déformation congénitale ou acquise, due à une rétraction des muscles et des tendons : *Avoir le pied* **bot** ; *Main* **bote**. XIIe s. ; orig. obsc. ; [bo, bɔt].

**BOTANIQUE,** adj. et subst. f.
**Adj.** Qui concerne la connaissance des végétaux : *Les recherches* **botaniques** ; *Les premiers jardins* **botaniques** *datent de 1544*. **Subst.** Science qui a pour objet l'étude des végétaux et dont les branches principales sont la cytologie, l'histologie, l'anato-mie, la physiologie et la taxinomie végétales. 1611 ; gr. *botanikos*, de *botanê*, « herbe » ; [bɔtanik].

**BOTANISTE,** subst.
Spécialiste de la botanique. 1676 ; ☞ *botanique* ; [bɔtanist].

**BOTHRIOCÉPHALE,** subst. m.
*Zool.* Ver cestode dont certaines espèces, voisines du ténia, parasitent l'intestin grêle de l'homme et de nombreux mammifères, et dont la larve se développe chez certains poissons et chez les petits crustacés d'eau douce. 1824 ; gr. *bothrion*, « fos-sette », et *kephalê*, « tête » ; [bɔtʀijosefal].

**BOTTE (I),** subst. f.
**1.** Assemblage de végétaux de même nature liés ensemble : *Une* **botte** *de poireaux*. ▸ Loc. *Chercher une aiguille dans une* **botte** *de foin* : chercher qqch. qu'il est impossible de trouver. **2.** Ext. *Une* **botte** *de soie* : assemblage d'écheveaux de soie. Fin XIIe s. ; m. néerl. *bote*, « touffe de lin » ; [bɔt].

**BOTTE (II),** subst. f.
**1.** Chaussure qui enferme le pied et la jambe, et parfois le bas de la cuisse : *Bottes de cavalier, d'égou-tier* ; *Botte de caoutchouc*. **2.** Loc. *Être à la* **botte** *de qqn* : lui être entièrement soumis (fam.) ; *Être sous la* **botte** *de* : subir la tyrannie de ; *Bruits de* **bottes** : préparatifs de guerre (vieilli) ; *En avoir plein les* **bottes** : en avoir assez (fam.) ; *Chausser ses* **bottes** *de sept lieues* : aller très vite (vieilli) ; *Cirer, lécher les* **bottes** *de qqn* : le flatter (fam.). Fin XIIe s. ; orig. obsc. ; [bɔt].

**BOTTE (III),** subst. f.
*Escr.* Coup porté avec une épée ou un fleuret. 1590 ; ital. *botta*, « coup » ; [bɔt].

**BOTTELAGE,** subst. m.
Action de botteler ; son résultat. 1636 (1351, droit payé sur le foin ou la paille) ; ☞ *botteler* ; [bɔtlaʒ].

**BOTTELER,** verbe trans. [12]
Lier en bottes : **Botteler** *la récolte de foin*. 1328 ; ☞ *botte* (I) ; [bɔtle].

**BOTTELEUR, EUSE,** subst.
Personne qui bottelle. **Fém.** Machine à botteler. 1391 ; ☞ *botteler* ; [bɔtlœʀ, øz].

**BOTTER,** verbe trans. [3]
**1.** Chausser (qqn) de bottes ; fournir (qqn) en bottes. **2.** Donner un coup de pied à (fam.) : *Il faudrait lui* **botter** *les fesses*. ▸ Abs. *Sp.* Frapper un ballon du pied. **3.** Loc. *Ça me* **botte** : ça me plaît (fam.). Déb. XIIIe s. ; ☞ *botte* (II) ; [bɔte].

**BOTTIER,** subst. m.
Fabricant, marchand de bottes, de chaussures sur mesure. Fin XVe s. ; ☞ *botte* (II) ; [bɔtje].

**BOTTILLON,** subst. m.
Petite botte montant au-dessus de la cheville. 1863 ; ☞ *botte* (II) ; [bɔtijɔ̃].

**BOTTIN,** subst. m. inv.
Annuaire des abonnés au téléphone. ▸ *Le Bottin mondain* : répertoire de personnes considérées comme socialement importantes. 1867 ; anthro-pon. *Sébastien Bottin* ; n. déposé ; [bɔtɛ̃].

**BOTTINE,** subst. f.
Chaussure montante et ajustée, gén. pourvue de boutons ou de lacets. 1367 ; ☞ *botte* (II) ; [bɔtin].

**BOTULISME, subst. m.**
*Pathol.* Intoxication due à l'ingestion de la toxine de *Clostridium botulinum*, bacille qui infecte la viande avariée ou les conserves mal préparées. La maladie était mortelle jusqu'à la découverte de la vaccination et de la sérothérapie antibotulinique. 1922 ; lat. *botulus*, « boudin ; boyau » ; [bɔtylism].

**BOUBOU, subst. m.**
Tunique ample et longue portée en Afrique noire. 1867 ; malinké *bubu*, « singe ; peau de ce singe » ; [bubu].

**BOUBOULER, verbe intrans.** [3]
Pousser son cri, en parlant du hibou. 1829 ; orig. onomat., d'apr. le lat. *bubo*, « hibou » ; [bubule].

**BOUC, subst. m.**
**1.** Mâle de la chèvre. ▸ ***Bouc émissaire*** : **bouc** que le prêtre hébraïque chargeait, le jour du Yom Kippour, des péchés d'Israël avant de le chasser dans le désert ; au fig., personne que l'on rend responsable de toutes les erreurs, de tous les maux. **2.** Anal. Petite barbe pointue : *Porter le **bouc**.* Déb. XIIe s. ; prob. gaul. °*bucco* ; [buk].

**BOUCAN (I), subst. m.**
Claie de bois utilisée par les Amérindiens pour fumer la viande ; par méton., la viande ainsi préparée. XVIe s. ; tupi *mokaém* ; [bukɑ̃].

**BOUCAN (II), subst. m.**
Tapage (fam.). 1797 (déb. XVIIe s., lieu de débauche) ; p.-ê. *boucaner* (vx), « faire le bouc » ; [bukɑ̃].

**BOUCANER, verbe** [3]
**Trans. 1.** Fumer (une viande, un poisson). **2.** Ext. Dessécher, tanner ; empl. adj. : *Un teint **boucané**.* **Intrans.** Mener la vie des boucaniers. 1575 ; ☞ *boucan* (I) ; [bukane].

**BOUCANIER, subst. m.**
*Hist.* **1.** Aventurier qui chassait le bœuf américain, dont il boucanait la viande et vendait les peaux. **2.** Ext. Pirate des Caraïbes. 1654 ; ☞ *boucan* (I) ; [bukanje].

**BOUCAU, subst. m.**
Région. (Midi). Entrée d'un port. 1538 ; prov. *bouco*, « bouche » ; [buko].

**BOUCAUD, subst. m.**
Crevette grise (région.). V. 1960 ; ☞ *bouc* ; var. *boucot* ; [buko].

**BOUCHAGE, subst. m.**
Action de boucher ; son résultat. 1811 (1751, terre détrempée servant à boucher le trou de coulée dans les hauts fourneaux) ; ☞ *boucher* (II) ; [buʃaʒ].

**BOUCHARDE, subst. f.**
*Bât.* **1.** Marteau de tailleur de pierre, à deux têtes carrées garnies de pointes. **2.** Rouleau de métal muni d'aspérités, utilisé pour piquer une surface de ciment frais. 1600 ; orig. obsc. ; [buʃaʀd].

**BOUCHARDER, verbe trans.** [3]
Travailler (un matériau) avec une boucharde. 1866 ; ☞ *boucharde* ; [buʃaʀde].

**BOUCHE, subst. f.**
**I. 1.** *Anat.* Cavité située dans la partie inférieure du visage de l'homme, bordée par les lèvres et séparée en deux parties, le vestibule buccal et la cavité buccale, contenant notamment la langue. La **bouche** est le premier segment du tube digestif. **2.** Méton. ▸ Les lèvres : *Une **bouche** sensuelle.* ▸ Personne, en tant qu'elle mange : *Trop de **bouches** à nourrir* ; *Une fine **bouche***, un gourmet. **3.** Loc. *Arriver la **bouche** en cœur* : en minaudant ; *Ôter le pain de la **bouche** à qqn* : le priver de ses moyens de subsistance ; *Garder pour la bonne **bouche*** : garder le meilleur pour la fin ; *Avoir plein la **bouche** de* : parler sans cesse de (fam.) ; *Avoir l'eau à la **bouche*** : être en appétit. **4.** Ext. La cavité buccale de certains animaux (en partic. du cheval, de l'âne et des poissons). **II.** Anal. Ouverture, entrée de qqch. : ***Bouche** d'égout, d'aération* ; ***Bouche** de métro* ; ***Bouche** d'incendie*, à laquelle les pompiers raccordent leurs tuyaux. ▸ *Milit.* Partie d'une arme à feu par où sort le projectile ; par ext. : ***Bouche** à feu*, pièce d'artillerie. **Plur.** *Géogr.* Embouchure : *Les **bouches** du Rhône, du Nil.* Mil. XIe s. ; lat. *bucca* ; [buʃ].

**BOUCHÉ, ÉE, adj.**
**1.** Comblé, obstrué, encombré : *Une canalisation, une voie **bouchée*** ; par ext., masqué : *Un horizon **bouché**.* ▸ Fig. *Une carrière **bouchée*** : sans avenir. **2.** Ext. Fermé : *Une bouteille **bouchée*** ; par méton. : *Du vin, du cidre **bouché***, conservé en bouteille. **3.** Fig. *Une personne **bouchée*** : qui met du temps à comprendre (fam.). XVIe s. ; p. p. de *boucher* (II) ; [buʃe].

*Femmes dinkas vêtues de **boubous**, dans le sud du Soudan.*

© C. Hires-Gamma

*Le « capitaine » William Kidd (1645-1701), **boucanier** écossais.*

© M. Evans-Explorer

**BOUCHE-À-BOUCHE, subst. m. inv.**
*Méd.* Méthode de respiration artificielle consistant à insuffler, par la bouche, de l'air de ses propres poumons dans ceux d'une personne asphyxiée. V. 1960 ; ☞ *bouche* ; [buʃabuʃ].

**BOUCHÉE, subst. f.**
**1.** Quantité de nourriture solide introduite dans la bouche en une fois : *Déguster un plat à petites **bouchées**.* ▸ Loc. *Pour une **bouchée** de pain* : pour un prix insignifiant ; *Sans perdre une **bouchée*** : sans rien laisser échapper ; *Ne faire qu'une **bouchée** de qqch.* : en venir à bout facilement ; *Mettre les **bouchées** doubles* : aller plus vite. **2.** *Cuis.* ▸ Croûte de pâte feuilletée garnie de viande ou de poisson en sauce : ***Bouchée** à la reine.* ▸ Confiserie fourrée : ***Bouchée** au chocolat.* Déb. XIIe s. ; ☞ *bouche* ; [buʃe].

**BOUCHER (I), ÈRE, subst.**
**Subst. masc. 1.** Vx. Celui qui tue le bétail, découpe et vend sa chair crue. **2.** Fig. et Péj. ▸ Homme sanguinaire. ▸ Dentiste ou chirurgien maladroit. **Subst.** Personne qui fait commerce de viande, qui tient une boucherie : ***Boucher**-charcutier* ; en appos. : *Garçon **boucher***, aide du **boucher**. Fin XIIe s. ; ☞ *bouc* ; [buʃe, ɛʀ].

**BOUCHER (II), verbe trans.** [3]
**1.** Combler (une cavité) : ***Boucher** une fissure, un trou.* **2.** Ext. Fermer (une ouverture, un orifice) : ***Boucher** une fenêtre.* **3.** Anal. Faire obstacle à, obstruer : ***Boucher** une issue* ; ***Boucher** une route*, l'encombrer. **4.** Fig. Masquer : ***Boucher** la vue.* **5.** Loc. *En **boucher** un coin à qqn* : l'étonner, l'épater (fam.). **Pronom.** *Se **boucher** les oreilles, les yeux* : les couvrir des mains ou, au fig., refuser d'entendre, de voir, de comprendre. Fin XIIIe s. ; anc. fr. *bousche*, « poignée de paille, fagot » ; [buʃe].

**BOUCHERIE, subst. f.**
**1.** Commerce de la viande. **2.** Magasin où l'on vend de la viande. **3.** Fig. Massacre, tuerie. Déb. XIIIe s. ; ☞ *boucher* (I) ; [buʃʀi].

**BOUCHE-TROU, subst. m.**
Personne dont la présence ne tient qu'à une place laissée vacante (fam.). Déb. XIXe s. (1688, dernier enfant d'une femme) ; comp. de *boucher* (II) et de *trou* ; plur. *bouche-trous* ; [buʃtʀu].

**BOUCHON, subst. m.**
**1.** Poignée de paille, utilisée en partic. pour brosser le poil d'un cheval ; par anal. : *Du linge en **bouchon***, chiffonné. **2.** Objet servant à fermer l'orifice d'un récipient, d'un tuyau : ***Bouchon** de liège, de verre* ; *Un **bouchon** enfoncé ou vissé.* ▸ Anal. Tout ce qui obstrue un conduit, empêche une circulation : *Un **bouchon** de cérumen au fond de l'oreille* ; *Les **bouchons** sur la route des vacances.* **3.** Cochonnet du jeu de pétanque. ▸ Loc. *Pousser le **bouchon** un peu loin* : exagérer (fam.). **4.** Flotteur qui indique toute tension exercée sur une ligne de pêche. XIVe s. (fin XIIIe s., buisson) ; anc. fr. *bousche*, « poignée de paille, fagot » ; [buʃɔ̃].

**BOUCHONNAGE, subst. m.**
Action de bouchonner un animal, en partic. un cheval. 1907 ; ☞ *bouchonner* ; [buʃɔnaʒ].

**BOUCHONNÉ, ÉE, adj.**
Qui a un goût de bouchon de liège : *Un vi **bouchonné**.* XXe s. ; ☞ *bouchon* ; [buʃɔne].

**BOUCHONNEMENT, subst. m.**
Bouchonnage. 1853 ; ☞ *bouchonner* ; [buʃɔnmɑ̃]

**BOUCHONNER, verbe** [3]
**Trans. 1.** ***Bouchonner** un cheval* : le brosser, l frictionner avec un bouchon de paille ou un brosse, pour le nettoyer, en partic. de sa sueur, o pour activer sa circulation. **2.** ***Bouchonner** du linge* le mettre en bouchon, le chiffonner. **Intrans.** For mer un bouchon, un embouteillage (fam. 1551 ; ☞ *bouchon* ; [buʃɔne].

**BOUCHONNIER, IÈRE, subst.**
Personne qui fabrique, qui vend des bouchons d liège. 1763 ; ☞ *bouchon* ; [buʃɔnje, jɛʀ].

**BOUCHOT, subst. m.**
Ensemble de claies et de pieux plantés en bord d mer, servant à la culture des moules. 1834 poitevin *bouchot*, du lat. médiév. *buccaudum*, du la *bucca*, « bouche » ; [buʃo].

**BOUCLAGE, subst. m.**
**1.** Action de boucler ; son résultat. **2.** Ext. Encercle ment d'une zone urbaine par l'armée ou la polic **3.** Fig. Fermeture d'un lieu de travail. **4.** *Press* Achèvement du travail rédactionnel et, par ext., d l'édition d'un journal. **5.** *Techn.* Connexion de deu circuits électriques, de deux canalisations. 1841 ☞ *boucler* ; [buklaʒ].

**BOUCLE, subst. f.**
**1.** Anneau, en gén. métallique, de forme et d dimension variables, muni d'une traverse et souver d'un ou de plusieurs ardillons, assurant la fermetu réglable d'une ceinture. **2.** Objet en forme d'an neau : ***Boucle** d'oreille*, anneau et, par ext., bijo porté à l'oreille. **3.** Anal. Ce qui s'enroule su soi-même en forme d'anneau : ***Boucle** de lacet* ***Boucle** de cheveux* ; méandres, courbes : ***Boucles** d'u fleuve, d'une route.* ▸ Loc. *La **boucle** est bouclée* : c'es fini, on revient au point de départ. **4.** *Informa* Dans un programme, ensemble d'instruction permettant la répétition d'une opération jusqu'à c qu'une condition donnée soit remplie. XIIe s. (fi XIe s., partie centrale du bouclier) ; lat. *buccula*, « petit joue » ; [bukl].

**BOUCLÉ, ÉE, adj.**
**1.** Qui porte une boucle : *Des souliers **bouclés**.* **2.** Ex Qui est fermé. **3.** *Une chevelure **bouclée*** : frisé XIVe s. ; p. p. de *boucler* ; [bukle].

**BOUCLER, verbe** [3]
**Trans. 1.** Attacher, serrer, fermer avec une boucle ***Boucler** son soulier.* ▸ ***Boucler** sa valise* : la fermer ou au fig., se préparer à partir. **2.** Ext. Fermer : ***Boucl** sa porte*, la verrouiller ; au fig., ne plus vouloir voi personne. ▸ Loc. *La **boucler*** : se taire (fam.). **3.** Fi ▸ ***Boucler** une zone* : en interdire toute entrée o sortie. ▸ ***Boucler** qqn* : l'emprisonner (fam.). ▸ ***Bou cler** un parcours, un circuit* : revenir au point d départ. ▸ ***Boucler** un travail* : le terminer (fam. **4.** *Vétér.* Mettre un anneau dans les naseaux d (un taureau), le groin de (un porc). **Intrans. 1.** De

heveux qui **bouclent** : qui se mettent en boucles. . *Informat.* Exécuter des instructions en boucle. XIVe s. ; ☞ *boucle* ; [bukle].

**BOUCLETTE, subst. f.**
etite boucle. Fin XIIIe s. (XIIe s., petite bosse de ouclier) ; ☞ *boucle* ; [buklɛt].

**BOUCLIER, subst. m.**
. Arme défensive portée au bras, à l'origine dans un ombat à l'arme blanche, auj. par des forces d'interention civiles : **Bouclier** *d'un C. R. S.* ▸ Loc. *Levée de* **oucliers** : protestation unanime ; *Faire un* **bouclier** *e son corps* : protéger qqn en exposant son corps au anger. **2.** Ext. Tout dispositif de protection : **Bouclier** *hermique*, qui protège un engin spatial de l'échauffeent lors de sa rentrée dans l'atmosphère ; au fig. : **ouclier** *atomique*, dispositif fondé sur la mise en lace, à titre préventif, d'armes nucléaires. **3.** *Géol.* 'aste territoire, très stable, formé de terrains très nciens, aplanis et nivelés par l'érosion : *Le* **bouclier** *anadien, sibérien.* 1268 ; *écu bouclier* (vx), « écu arni d'une boucle » ; [buklije].

**BOUCOT, voir BOUCAUD**

**BOUDDHA, subst. m.**
. *Relig.* Dans le bouddhisme, celui qui a atteint a vérité suprême, l'Éveil, et s'est ainsi libéré du cycle es réincarnations. **2.** Méton. Statue représentant n **bouddha**, souv. dans la posture du lotus. 1754 ; skr. *buddha*, « éveillé » ; [buda].

© K. Straiton-Explorer

*Choix de* **bouddhas** *dans une boutique thaïlandaise.*

**BOUDDHIQUE, adj.**
Relatif au bouddhisme : *Les textes* **bouddhiques**. 1840 ; *Bouddha* ; [budik].

**BOUDDHISME, subst. m.**
Doctrine philosophique et religieuse fondée en Inde, au VIe s. av. J.-C., par Gautama (le Bouddha), très répandue en Extrême-Orient. 1830 ; *Bouddha*, du skr. *Buddha*, « l'Éveillé », surnom de Gautama ; [budism].
RELIGION – Apparu en Inde, dont il est aujourd'hui presque entièrement absent, le bouddhisme fut introduit à Ceylan dès le IIIe s. av. J.-C., en Chine au Ier s. de notre ère, et il poursuivit son expansion dans toute l'Asie du Sud-Est, jusqu'au Japon et en Indonésie. Malgré l'influence, à partir du XIIe s., de l'islam et celle, plus proche de nous, des régimes communistes, c'est encore la grande religion de l'Asie du Sud-Est : il est notamment religion d'État au Sri Lanka et en Thaïlande. Son enseignement s'inscrit dans une croyance en la réincarnation, mais il propose un moyen de sortir du cercle des renaissances. Représenté aujourd'hui au Sri Lanka, en Birmanie, en Thaïlande, au Laos et au Cambodge, le bouddhisme du Petit Véhicule (Hinayana, puis Theravada), plus proche de la doctrine primitive, propose une démarche individuelle vers la Délivrance à partir du message du Bouddha, qui consiste en quatre « nobles vérités » : tout homme peut constater l'existence fondamentale de la douleur, en reconnaître l'origine, qui est le désir, et définir alors les conditions de son arrêt et les moyens de la faire cesser. Le Mahayana, ou Grand Véhicule, que l'on trouve au Népal, au Viêt Nam, en Chine, en Corée et au Japon, introduit, outre un système philosophique et une pratique de la méditation plus développés, la possibilité du transfert des mérites : les bodhisattvas contribuent à la libération des autres êtres. Le Vajrana, ou Véhicule du diamant, est une forme de bouddhisme tantrique qui s'est développée, à partir du Xe s., au Tibet, au Sikkim, au Bhoutan et en Mongolie.

**BOUDDHISTE, subst. et adj.**
SUBST. Adepte du bouddhisme : *Le plus illustre* **bouddhiste** *de l'histoire de l'Inde fut le roi Ashoka.* ADJ. Qui appartient au bouddhisme : *Monastère* **bouddhiste**. 1840 ; *Bouddha* ; [budist].

**BOUDER, verbe** [3]
INTRANS. Exprimer son mécontentement par le mutisme et une attitude maussade. TRANS. Manifester du mécontentement, de l'hostilité ou de l'indifférence envers (qqn, qqch.). Mil. XIVe s. ; prob. orig. onomat. ; [bude].

**BOUDERIE, subst. f.**
Action de bouder ; attitude de qqn qui boude. 1690 ; ☞ *bouder* ; [budʀi].

**BOUDEUR, EUSE, adj. et subst. f.**
ADJ. Qui boude souvent : *Un enfant* **boudeur** ; par méton. : *Une mine* **boudeuse**. SUBST. *Ameubl.* Siège double à un seul dossier, où deux personnes s'assoient dos à dos. 1680 ; ☞ *bouder* ; [budœʀ, øz].

**BOUDIN, subst. m.**
**1.** Charcuterie faite d'un boyau rempli de sang et de graisse de porc : **Boudin** *noir* ; **Boudin** *blanc*, à base de viande blanche et de lait. ▸ Loc. *Tourner en eau de* **boudin** : se détériorer complètement, en parlant d'une situation, d'un débat (fam.). **2.** Anal. Objet en forme de long cylindre plus ou moins souple. ▸ *Archit.* Moulure demi-cylindrique, à la base d'une colonne. ▸ *Ch. de fer.* Saillie interne de la jante d'une roue. ▸ *Mar.* Bourrelet qui entoure une embarcation pour amortir les chocs. ▸ *Mines.* Fusée servant à la mise à feu d'une mine. ▸ *Techn. Ressort à* **boudin** : constitué d'une spirale métallique. Fin XIIIe s. ; orig. obsc. ; [budɛ̃].

**BOUDINÉ, ÉE, adj.**
**1.** Serré dans un vêtement trop étroit. **2.** *Des doigts* **boudinés** : gros et courts. Mil. XVIIIe s. ; ☞ *boudin* ; [budine].

**BOUDINER, verbe trans.** [3]
**1.** *Techn.* Donner à (une matière) une forme de boudin. **2.** Serrer exagérément (qqn), en parlant d'un vêtement (fam.). 1838 ; ☞ *boudin* ; [budine].

**BOUDOIR, subst. m.**
**1.** Petit salon de dame (littér. et vieilli). **2.** Biscuit allongé saupoudré de sucre. Déb. XVIIIe s. ; ☞ *bouder* ; [budwaʀ].

**BOUE, subst. f.**
**1.** Terre, poussière gorgée d'eau, que l'on trouve sur le sol : *Patauger dans la* **boue**. ▸ Loc. *Traîner qqn dans la* **boue** : le diffamer ; *Tirer qqn de la* **boue** : le sortir de la misère, du vice. **2.** Anal. Dépôt résiduel. ▸ *Géol.* Sédiment plus fin que le sable : **Boue** *calcaire et* **boue** *argileuse se transforment en roche dure (calcaire) ou tendre (argile).* ▸ *Méd.* Mélange de terre, d'éléments minéraux et d'eau aux propriétés thérapeutiques. ▸ *Techn.* Déchet industriel (gén. au plur.) : **Boues** *radioactives.* **3.** Fig. Abjection : *Âmes de* **boue** *qui n'adorez que l'or* (Robespierre). Fin XIIe s. ; gaul. °*bawa*, « saleté » ; [bu].

**BOUÉE, subst. f.**
**1.** *Mar.* Corps flottant, fixé par une attache au fond de l'eau, qui sert à signaler un danger, l'emplacement d'un mouillage ou à baliser un chenal : *Laisser les* **bouées** *vertes à tribord* ; **Bouée** *lumineuse.* **2.** Objet insubmersible constitué d'un anneau en caoutchouc gonflable, que l'on utilise pour se maintenir à la surface de l'eau. ▸ **Bouée** *de sauvetage* : anneau, en gén. de liège, qu'on lance à une personne tombée à l'eau. 1394 ; prob. m. néerl. *boeye* ; [bwe].

**BOUETTE, voir BOËTTE**

**BOUEUX, EUSE, adj. et subst. m.**
ADJ. Qui est couvert de boue ; qui en présente la consistance. SUBST. Éboueur (fam.). Fin XIIe s. ; ☞ *boue* ; [bwø, øz].

**BOUFFANT, ANTE, adj. et subst. m.**
ADJ. Qui bouffe : *Coiffure* **bouffante** ; *Pantalon* **bouffant**. ▸ *Papier* **bouffant** : sans apprêt et d'aspect grenu. SUBST. Effet d'ampleur donné à un vêtement, à une coiffure. XVe s. ; p. pr. de *bouffer* ; [bufɑ̃, ɑ̃t].

**BOUFFARDE, subst. f.**
Fam. Grosse pipe à tuyau court ; par ext., pipe. 1821 ; ☞ *bouffée* ; [bufaʀd].

**BOUFFE (I), subst. f.**
Fam. Nourriture ; par ext., repas. V. 1926 (1363, balle d'avoine) ; ☞ *bouffer* ; [buf].

**BOUFFE (II), adj.**
*Mus.* Qui relève du genre lyrique léger et gai, originaire d'Italie : *Opéra* **bouffe**. 1791 ; ital. *buffo*, « ridicule, qui provoque le rire » ; [buf].

**BOUFFÉE, subst. f.**
**1.** Souffle d'air intermittent : *Recevoir une* **bouffée** *d'air marin.* **2.** Air expiré ou inspiré par la bouche ou le nez : *Une* **bouffée** *de tabac.* **3.** Anal. **Bouffée** *de chaleur* : sensation brusque de chaleur au visage ; **Bouffée** *de fièvre* : accès passager de fièvre. **4.** Fig. Manifestation brève et soudaine d'un sentiment : *Une* **bouffée** *de haine.* 1174 ; ☞ *bouffer* ; [bufe].

**BOUFFER, verbe** [3]
INTRANS. **1.** Vx. Gonfler les joues. **2.** Se gonfler ; prendre du volume : *Sa jupe* **bouffait** *au vent.* TRANS. Fam. **1.** Manger, en gén. goulûment ; empl. abs. : **Bouffer** *à la cantine.* **2.** Loc. **Bouffer** *des kilomètres* : rouler beaucoup ; **Bouffer** *du patron, du curé* : les détester ; **Bouffer** *de la vache enragée* : vivre des moments difficiles. ▸ Empl. pronom. *Se laisser* **bouffer** *par qqch. ou qqn* : se laisser accaparer par lui ; *Se* **bouffer** *le nez* : se quereller. XIIe s. ; rad. onomat. °*buff-*, évoquant ce qui est gonflé ; [bufe].

**BOUFFETTE, subst. f.**
Nœud bouffant de rubans, de laine ou de soie, servant d'ornement. 1409 ; ☞ *bouffer* ; [bufɛt].

**BOUFFEUR, EUSE, subst.**
Fam. Gros mangeur ; au fig. : **Bouffeur** *de curé*, anticlérical. XVIe s. ; ☞ *bouffer* ; [bufœʀ, øz].

**BOUFFI, IE, adj.**
**1.** Enflé, gonflé : *Des yeux* **bouffis** *de fatigue.* ▸ *Hareng* **bouffi** ou, empl. subst. masc., *Un* **bouffi** : hareng saur peu fumé. **2.** Fig. Empli : **Bouffi** *de vanité.* XIIe s. ; p. p. de *bouffir* ; [bufi].

**BOUFFIR, verbe** [19]
TRANS. Gonfler : *L'alcool a fini par* **bouffir** *ses traits.* INTRANS. Augmenter de volume. XIIe s. ; var. de *bouffer* ; [bufiʀ].

**BOUFFISSURE, subst. f.**
État de ce qui est bouffi (en partic. des chairs) ; au fig., emphase (littér.) : *La* **bouffissure** *d'un style.* 1582 ; ☞ *bouffir* ; [bufisyʀ].

**BOUFFON, ONNE, subst. et adj.**
SUBST. MASC. *Hist.* Celui dont le rôle était de faire rire, au théâtre, à la cour : *Le* **bouffon** *du roi.* SUBST. Personne qui fait rire facilement ; par ext., personne au comportement grotesque. ADJ. Qui suscite le rire par ses manières, son aspect ; extravagant, ridicule : *Voilà une situation* **bouffonne** ! 1530 ; ital. *buffone* ; [bufɔ̃, ɔn].

Un **bouffon** *dénommé à tort don Antonio « l'Anglais », peinture de Velázquez (1599-1660). Musée du Prado, Madrid.*

© Giraudon

**BOUFFONNER,** verbe intrans. [3]
1. Vx. Tenir le rôle du bouffon. 2. Ext. Plaisanter (vieilli). ☞ 1549 ; ☞ *bouffon* ; [bufɔne].

**BOUFFONNERIE,** subst. f.
Parole, action bouffonne ; caractère d'une personne, d'une chose bouffone. ☞ 1539 ; ☞ *bouffon* ; [bufɔnʀi].

**BOUGAINVILLÉE,** subst. f.
*Bot.* Plante grimpante ornementale de la famille des Nyctaginacées, à bractées rouge violacé. ☞ 1809 ; anthropon. *Louis Antoine de Bougainville*, navigateur français ; var. *un bougainvillier* ; [bugɛ̃vile].

© W. Wisniewski-Jacana

*Fleur de* **bougainvillée.**

**BOUGE,** subst. m.
1. Petite chambre. 2. Hôtel misérable, mal famé ; par ext., taudis. 3. *Mar.* Convexité transversale des ponts d'un navire. 4. *Techn.* Partie renflée ou incurvée d'un objet. ☞ Déb. XIIIe s. (fin XIIe s., valise, coffre) ; lat. *bulga*, « bourse de cuir » ; [buʒ].

**BOUGEOIR,** subst. m.
Petit support de bougie, muni d'un plateau et gén. d'une anse. ☞ 1531 ; ☞ *bougie* ; [buʒwaʀ].

**BOUGEOTTE,** subst. f.
Fam. *Avoir la* **bougeotte** : ne pas pouvoir rester en place, remuer sans cesse ou, par ext., se déplacer, voyager souvent. ☞ 1859 ; ☞ *bouger* ; [buʒɔt].

**BOUGER,** verbe [5]
INTRANS. 1. Remuer ; faire un mouvement : *Ne* **bougeons** *plus !* ; changer de lieu, sortir de chez soi : *Je ne* **bouge** *pas aujourd'hui.* 2. Fam. Changer ; s'altérer : *Les tarifs n'ont pas* **bougé**. 3. Se mettre en action pour protester : *Les Balkans* **bougent**. TRANS. Fam. Déplacer, remuer (qqch.). ▸ Loc. *Ne pas* **bouger** *le petit doigt* : ne pas faire le moindre geste pour aider qqn. ☞ Mil. XIIe s. ; lat. pop. °*bullicare*, du lat. *bullire*, « bouillonner » ; [buʒe].

**BOUGIE,** subst. f.
1. Bâtonnet, gén. cylindrique, formé d'une mèche entourée de cire ou de paraffine, dont la flamme constitue un moyen d'éclairage. 2. Anal. ▸ *Autom.* Appareil d'allumage d'un moteur à explosion. ▸ *Chir.* Sonde que l'on utilise pour explorer ou dilater un canal. 3. *Phys.* Ancienne unité d'intensité lumineuse, auj. remplacée par la candela. ☞ 1493 (1300, cire dont on fait les chandelles) ; topon. *Bougie*, de l'ar. *Biǧāya* (Algérie) ; [buʒi].

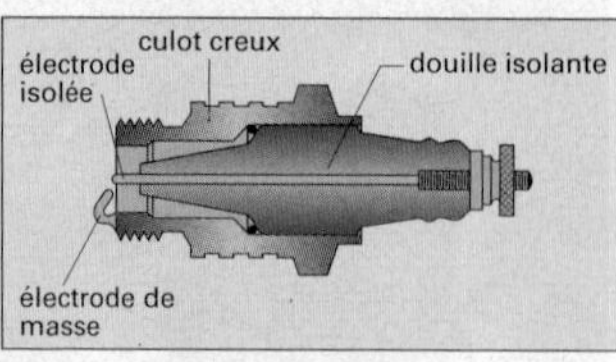


*Schéma d'une* **bougie** *d'allumage.*

**BOUGNAT,** subst. m.
Fam. et Vieilli. Marchand de charbon tenant un débit de boissons ; par ext., cafetier. ☞ 1889 ; aphérèse de *charbougna*, « charbonnier », d'apr. *Auvergnat* ; [buɲa].

**BOUGON, ONNE,** adj.
Qui bougonne ; qui exprime la mauvaise humeur : *Un air* **bougon** ; empl. subst. : *Un petit* **bougon**. ☞ 1803 ; ☞ *bougonner* ; [bugɔ̃, ɔn].

**BOUGONNEMENT,** subst. m.
Action de bougonner ; paroles marmonnées. ☞ 1858 ; ☞ *bougonner* ; [bugɔnmɑ̃].

**BOUGONNER,** verbe intrans. [3]
Gronder entre ses dents ; murmurer, maugréer pour manifester son mécontentement. ☞ 1798 (1611, bâcler un ouvrage) ; orig. obsc. ; [bugɔne].

**BOUGRAN,** subst. m.
1. Étoffe très fine. 2. Ext. Toile gommée que l'on utilise pour renforcer la doublure d'un vêtement. ☞ Mil. XIIe s. ; altér. du topon. *Boukhara* (Ouzbékistan) ; [bugʀɑ̃].

**BOUGRE, BOUGRESSE,** subst. et interj.
Fam. SUBST. 1. Mauvais drôle. ▸ Loc. *Bougre de* : espèce de (péj.). 2. Individu : *Un bon* **bougre**. INTERJ. Marque l'étonnement, l'admiration : **Bougre** *! quelle histoire !* ☞ 1450 (1172, hérétique) ; bas lat. *bulgarus*, « bulgare » ; [bugʀ, bugʀɛs].

**BOUGREMENT,** adv.
Très (fam.). ☞ Déb. XVIIIe s. ; ☞ *bougre* ; [bugʀəmɑ̃].

**BOUI-BOUI,** subst. m.
Café, restaurant médiocre (fam.). ☞ 1847 ; p.-ê. argot *bouis*, « lieu de débauche » ; plur. *bouis-bouis* ; [bwibwi].

**BOUIF,** subst. m.
Cordonnier (argot. et vx). ☞ 1867 ; argot *ribouis*, « savetier » ; [bwif].

**BOUILLABAISSE,** subst. f.
1. *Cuis.* Plat provençal de poissons bouillis et aromatisés, souv. servi avec des croûtons et de la rouille. 2. Fig. Mélange hétéroclite. ☞ Mil. XIXe s. ; prov. *boui-abaisso*, « bous et abaisse » ; [bujabɛs].

**BOUILLANT, ANTE,** adj.
1. Qui bout : *Eau* **bouillante** ; par exagér., très chaud : *Un café* **bouillant**. 2. Fig. Ardent, emporté : *Un cœur* **bouillant**. ☞ 1120 ; p. pr. de *bouillir* ; [bujɑ̃, ɑ̃t].

**BOUILLASSE,** subst. f.
Boue (fam.). ☞ Déb. XXe s. ; crois. de *boue* et de *bouillie* ; [bujas].

**BOUILLE (I),** subst. f.
1. Hotte de vendangeur (région.). 2. Helv. Boille. ☞ XIVe s ; mot d'orig. préromane ; [buj].

**BOUILLE (II),** subst. f.
Visage (fam.) : *Il a une bonne* **bouille**. ☞ Fin XIXe s. ; apocope de l'argot *bouillotte* ; [buj].

**BOUILLEUR,** subst. m.
1. Personne qui distille une substance alcoolique. ▸ **Bouilleur** *de cru* : propriétaire qui distille sa récolte pour son propre compte. 2. *Techn.* ▸ Cylindre destiné à accroître la surface de chauffe d'une chaudière. ▸ Élément d'un appareil frigorifique à absorption, dans lequel la compression du fluide réfrigérant permet d'alimenter le condenseur. ☞ 1783 ; ☞ *bouillir* ; [bujœʀ].

**BOUILLI, IE,** adj. et subst. m.
ADJ. 1. Porté à ébullition ; cuit dans de l'eau bouillante. 2. Qui a été traité par un liquide en ébullition : *Du cuir* **bouilli**. SUBST. Viande **bouillie**. ☞ 1317 ; p. p. de *bouillir* ; [buji].

**BOUILLIE,** subst. f.
1. *Cuis.* Aliment plus ou moins épais, fait de farine et de liquide bouillis ensemble : *La* **bouillie** *de bébé*. 2. Ext. Tout mélange pâteux. ▸ **Bouillie** *bourguignonne* : liquide à base de sulfate de cuivre utilisé pour traiter la vigne. 3. Loc. ▸ *En* **bouillie** : écrasé. ▸ Fam. *De la* **bouillie** *pour les chats* : se dit d'un exposé incompréhensible ; *Réduire en* **bouillie** : démolir. ☞ XIIe s. ; p. p. de *bouillir* ; [buji].

**BOUILLIR,** verbe intrans. [34]
1. S'agiter en formant des bulles sous l'influence de la chaleur, en parlant d'un liquide : *L'eau* **bout** *à 100 °C*. 2. Ext. Être cuit, chauffé dans un liquide en ébullition : *La viande* **bout** ; *Faire* **bouillir** *à grand feu*. 3. Méton. Contenir un liquide qui **bout** : *La casserole* **bout**. ▸ Loc. *De quoi faire* **bouillir** *la marmite* : de quoi subvenir à ses besoins. 4. Fig. **Bouillir** *de colère, d'impatience* : être emporté par la colère, l'impatience. ☞ Mil. XIIe s. (1080, jaillir) ; lat. *bullire*, « bouillonner » ; [bujiʀ].

**BOUILLISSAGE,** subst. m.
*Techn.* 1. Première opération de blanchiment de la pâte à papier. 2. En sucrerie, cuisson d'un jus sucré avant sa concentration, afin de précipiter les sels de calcium. ☞ 1765 ; ☞ *bouillir* ; [bujisaʒ].

**BOUILLOIRE,** subst. f.
Récipient en métal, à anse et à bec, utilisé pour faire bouillir de l'eau. ☞ 1740 ; ☞ *bouillir* ; [bujwaʀ].

**BOUILLON,** subst. m.
1. Grosses bulles qui se forment dans un liqui[de] en ébullition : *Arrêter la cuisson au premier* **bouillo[n]** par ext., agitation d'un liquide qui forme des bulle[s] *De gros* **bouillons** *d'écume*. 2. Eau dans laquelle [o]n a fait bouillir des aliments : *Un* **bouillon** *de légum[es]* ▸ Loc. fam. *Boire un* **bouillon** : avaler de l'eau e[n] nageant ou, au fig., subir un échec ; **Bouillon** *d'on[ze] heures* : breuvage empoisonné. 3. *Bactériol.* **Bouill[on]** *de culture* : milieu liquide destiné à la culture d[e] micro-organismes ou, au fig., milieu favorable à développement. 4. *Cout.* Pli bouffant. 5. *Pres[se]* Exemplaires invendus d'une publication. 6. *Tech[n.]* Bulle d'air restée dans le verre ou le métal fond[u]. ☞ Mil. XIIe s. ; ☞ *bouillir* ; [bujɔ̃].

**BOUILLON-BLANC,** subst. m.
*Bot.* Plante de la famille des Scrofulariacées, air[si] nommée à cause du duvet blanc qui la recouv[re] (synon. *molène*). ☞ 1456 ; comp. de *bouillon* et [de] *blanc* ; plur. *bouillons-blancs* ; [bujɔ̃blɑ̃].

**BOUILLONNANT, ANTE,** adj.
1. Qui bouillonne. 2. Fig. Qui est en effervescenc[e]. ☞ XVIe s. ; p. pr. de *bouillonner* ; [bujɔnɑ̃, ɑ̃t].

**BOUILLONNÉ,** subst. m.
*Cout.* Étoffe qui fait des bouillons. ☞ 1843 ; p. [p.] de *bouillonner* ; [bujɔne].

**BOUILLONNEMENT,** subst. m.
1. Agitation d'un liquide qui bouillonne. 2. Fi[g.] Effervescence. ☞ 1582 ; ☞ *bouillonner* ; [bujɔnm[ɑ̃]].

**BOUILLONNER,** verbe [3]
INTRANS. 1. Produire des bouillons : *La source* **bou[illonne]**. 2. Fig. S'agiter : *Il* **bouillonne** *de colè[re]*. 3. *Presse.* Avoir de nombreux invendus. TRANS. *Co[ut.]* Faire des bouillons à (une étoffe). ☞ Déb. XIIIe s[.] ; ☞ *bouillon* ; [bujɔne].

**BOUILLOTTE,** subst. f.
1. Vx. Bouilloire. 2. Récipient contenant de l'ea[u] chaude et servant à se réchauffer, à chauffer un l[it]. ☞ 1788 ; ☞ *bouillir* ; [bujɔt].

**BOUILLOTTER,** verbe intrans. [3]
Bouillir doucement. ☞ 1834 ; ☞ *bouillir* ; [bujɔte].

**BOUKHA,** subst. f.
Eau-de-vie de figue. ☞ Ar. *buḫā* ; [buxa].

**BOULAIE,** subst. f.
Terrain planté de bouleaux. ☞ 1294 ; anc. fr. *bo[ule]* « bouleau » ; [bulɛ].

**BOULANGE,** subst. f.
1. Vx. Produit de la mouture du blé. 2. Métier o[u] commerce du boulanger (fam.). 3. *Bois de* **boulang[e]** bois utilisé pour chauffer le four à pain. ☞ 183[0] ; ☞ *boulanger* (II) ; [bulɑ̃ʒ].

**BOULANGER (I), ÈRE,** subst.
Personne dont le métier est de faire et de vend[re] du pain ; empl. adj. : *Pommes* **boulangères**, pomm[es] de terre tranchées finement et cuites avec d[es] oignons. ☞ Fin XIIe s. ; anc. pic. *boulenc*, « celui q[ui] fabrique des pains ronds » ; [bulɑ̃ʒe, ɛʀ].

**BOULANGER (II),** verbe [5]
TRANS. Pétrir (la pâte) pour faire du pain. INTRAN[S.] Faire du pain. ☞ XVe s. ; ☞ *boulanger* (I) ; [bulɑ̃ʒe].

**BOULANGERIE,** subst. f.
1. Fabrication et vente du pain. 2. Méton. Boutiq[ue] du boulanger. ☞ 1314 ; ☞ *boulanger* (I) ; [bulɑ̃ʒʀ[i]].

**BOULANGISME,** subst. m.
*Hist.* Mouvement politique antiparlementaire et na[]tionaliste, né à la fin du XIXe s. autour du génér[al] Boulanger. ☞ 1887 ; anthropon. *Boulanger* ; [bulɑ̃ʒism].

**BOULBÈNE,** subst. f.
*Pétrogr.* Région. (Sud-Ouest). Terre argileuse d'or[i]gine alluviale. ☞ 1796 ; gascon *boulbeno* ; [bulbɛn].

**BOULE,** subst. f.
1. Objet de forme sphérique : *Boule de cristal* ; **Bou[le]** *de gui*. ▸ Loc. *Faire* **boule** *de neige* : s'accroît[re] progressivement. 2. Sphère en bois ou en mét[al] utilisée dans divers jeux : *Boule de billard*. ▸ *Jeu [de]* **boules** *(pétanque et* **boule** *lyonnaise)* : consistant [à] lancer des **boules** et à atteindre un but. ▸ *La* **boul[e]** jeu de hasard voisin de la roulette. 3. Tête (fam.) *Perdre la* **boule**. 4. Loc. ▸ **En boule**. En forme d[e] **boule** : *Se rouler en* **boule**, se blottir ; au fig. : *Se mett[re] en* **boule**, en colère. ▸ Anal. *Avoir une* **boule** *dans [la] gorge, à l'estomac* : une gêne due à l'angoiss[e]. 5. *Math.* **Boule** *ouverte (resp. fermée, ou disque) [de] centre a et de rayon r dans un espace métrique* ensemble des éléments de cet espace dont [la] distance à *a* est strictement inférieure (res[p.] inférieure ou égale) à *r*. ☞ Fin XIIe s. ; lat. *bulla*, « bu[lle] d'air » ; [bul].

**BOULÊ,** subst. f.
*Antiq. gr.* Haute assemblée d'une cité, en partic. celle d'Athènes. Mot gr. ; [bulɛ].

**BOULEAU,** subst. m.
*Bot.* Arbre des régions froides et tempérées, de la famille des Bétulacées, à écorce blanche, dont le bois est utilisé en menuiserie et en papeterie. 1516 ; anc. fr. *boul,* du lat. pop. °*betullus* ; [bulo].

**BOULE-DE-NEIGE,** subst. f.
*Bot.* Variété de viorne dont les fleurs ont la forme de boules de neige. 1816 ; comp. de *boule* et de *neige* ; plur. *boules-de-neige* ; [buldənɛʒ].

**BOULEDOGUE,** subst. m.
**1.** Petit dogue à la mâchoire proéminente. **2.** Fig. Personne peu engageante. 1741 ; angl. *bulldog,* de *bull,* « taureau », et de *dog,* « chien » ; [buldɔg].

**BOULER,** verbe [3]
**Intrans.** Fam. Tomber et rouler par terre comme une boule. ▸ Loc. *Envoyer* ***bouler*** *qqn* : le rejeter rudement. **Trans.** ***Bouler*** *les cornes d'un taureau* : garnir leurs pointes de boules. Mil. XVI^e^ s. (1390, faire rouler) ; ☞ *boule* ; [bule].

**BOULET,** subst. m.
**1.** *Artill.* Projectile sphérique, en pierre ou en métal, dont on chargeait les canons. ▸ Loc. *Tirer à* ***boulets*** *rouges sur qqn* : le critiquer violemment ; *Arriver comme un* ***boulet*** *de canon* : très vite. **2.** Boule en métal attachée au pied d'un détenu ; au fig., charge contraignante. **3.** Aggloméré de charbon de forme ovoïde. **4.** *Hippol.* Renflement que forme, chez le cheval, l'articulation du canon et du paturon. 1347 ; ☞ *boule* ; [bulɛ].

**BOULETÉ, ÉE,** adj.
*Hippol.* Se dit d'un cheval dont le boulet est porté en avant à la suite du raccourcissement des tendons des muscles fléchisseurs. 1678 ; ☞ *boulet* ; [bulte].

**BOULETTE,** subst. f.
**1.** Petite boule que l'on façonne à la main. ▸ *Cuis.* Petite boule de viande hachée, de pâte ou de purée de légumes. **2.** Fig. Sottise (fam.). Fin XIV^e^ s. ; ☞ *boule* ; [bulɛt].

**BOULEVARD,** subst. m.
**1.** Vx. *Fortif.* Terre-plein situé en avant des remparts. **2.** Méton. Promenade plantée d'arbres, située gén. sur les anciens remparts d'une ville. **3.** Large voie urbaine (abrév. : bd) : ***Boulevards*** *extérieurs* ; *Les Grands* ***Boulevards,*** à Paris, les voies menant de la place de la République à la place de la Madeleine. ▸ *Théâtre de* ***boulevard*** : genre de théâtre léger, représenté à l'origine sur les Grands **Boulevards.** Mil. XIV^e^ s. ; m. néerl. *bolwerc,* « bastion » ; [bulvaʀ].

**BOULEVARDIER, IÈRE,** adj.
Propre au théâtre de boulevard et, par ext., à son esprit. 1867 ; ☞ *boulevard* ; [bulvaʀdje, jɛʀ].

**BOULEVERSANT, ANTE,** adj.
Émouvant, troublant. 1863 ; p. pr. de *bouleverser* ; [bulvɛʀsɑ̃, ɑ̃t].

**BOULEVERSEMENT,** subst. m.
**1.** Grand désordre. **2.** Fig. Trouble intense, grande perturbation : ***Bouleversement*** *des habitudes* ; ***Bouleversement*** *économique.* 1579 ; ☞ *bouleverser* ; [bulvɛʀsəmɑ̃].

**BOULEVERSER,** verbe trans. [3]
**1.** Mettre sens dessus dessous. **2.** Modifier brutalement : *Le départ de son frère a* ***bouleversé*** *sa vie.* **3.** Jeter (qqn) dans un grand trouble : *Son sourire me* ***bouleverse.*** 1557 ; crois. de *bouler* et de *verser* ; [bulvɛʀse].

**BOULIER (I),** subst. m.
*Pêche.* Filet traîné par les bateaux sur le sable le long des côtes. 1681 ; prov. *boulié* ; var. *bolier* ; [bulje].

**BOULIER (II),** subst. m.
Appareil composé de tringles parallèles sur lesquelles coulissent des boules, que l'on utilise pour compter. 1863 ; ☞ *boule* ; [bulje].

**BOULIMIE,** subst. f.
**1.** *Pathol.* Sensation récurrente et irrépressible de faim, liée à des troubles psychiques (anton. *anorexie*). **2.** Fig. Désir intense (de qqch.). 1594 ; gr. *boulimia,* « faim de bœuf, grande faim » ; [bulimi].

**BOULIMIQUE,** adj. et subst.
Se dit d'une personne atteinte de boulimie. **Adj.** Relatif à la boulimie. 1838 ; ☞ *boulimie* ; [bulimik].

**BOULIN,** subst. m.
**1.** Trou ou pot servant d'abri ou de nid aux pigeons. **2.** Anal. *Bât.* Trou pratiqué dans un mur pour supporter une pièce de bois d'un échafaudage ; par méton., poutre engagée dans ce trou. 1486 ; orig. obsc. ; [bulɛ̃].

© Bridgeman-Giraudon A. D. A. G. P., Paris, 1996

Boulevard des Capucines et théâtre du Vaudeville, *peinture de Jean Beraud (1849-1936). Christie's, Londres.*

**BOULINE,** subst. f.
*Mar.* Cordage utilisé sur une voile carrée pour lui faire prendre le vent de côté. ▸ Loc. *Aller à la* ***bouline*** : serrer le vent. 1155 ; angl. *bowline,* « corde de proue » ; [bulin].

**BOULINGRIN,** subst. m.
Parterre de gazon, souv. entouré de bordures ou de talus. 1663 ; angl. *bowling green,* « terrain pour le jeu de boules sur gazon » ; [bulɛ̃gʀɛ̃].

**BOULINIER,** subst. m.
*Mar.* Voilier naviguant à la bouline, serrant le vent (vieilli). 1687 ; ☞ *bouline* ; [bulinje].

**BOULISTE,** subst.
Personne qui pratique le jeu de boules. Fin XIX^e^ s. ; ☞ *boule* ; [bulist].

**BOULOCHER,** verbe intrans. [3]
Former des petites boules, en parlant des fibres d'un tissu soumis à un frottement. V. 1960 ; ☞ *boule* ; [bulɔʃe].

**BOULODROME,** subst. m.
Espace aménagé pour jouer aux boules. 1903 ; ☞ *boule* + *-drome* ; [bulodʀom].

**BOULOIR,** subst. m.
Outil de maçon servant à remuer le mortier. 1751 ; *bouler* (vx), « remuer en fouillant » ; [bulwaʀ].

**BOULON,** subst. m.
Pièce de fixation composée d'une vis et d'un écrou. ▸ Loc. *Resserrer les* ***boulons*** : reprendre en main une situation par une plus grande sévérité ou une organisation plus efficace. Déb. XIV^e^ s. (XIII^e^ s., petite masse ronde) ; ☞ *boule* ; [bulɔ̃].

**BOULONNAGE,** subst. m.
Action de fixer au moyen de boulons ; son résultat. 1855 ; ☞ *boulonner* ; [bulɔnaʒ].

**BOULONNAIS, AISE,** adj. et subst.
**1.** Du Boulonnais. **2.** De Boulogne-sur-Mer. **3.** De Boulogne-Billancourt. **Subst. masc.** Cheval de trait trapu et robuste, d'une race originaire du Boulonnais. Déb. XVI^e^ s. ; topon. *Boulogne* ; [bulɔnɛ, ɛz].

**BOULONNER,** verbe [3]
**Trans.** Fixer au moyen de boulons. **Intrans.** Travailler (fam.). 1690 ; ☞ *boulon* ; [bulɔne].

**BOULONNERIE,** subst. f.
**1.** Fabrique de boulons et des accessoires qui leur sont associés. **2.** Méton. Commerce des boulons. 1866 ; ☞ *boulon* ; [bulɔnʀi].

**BOULOT (I), OTTE,** adj.
Petit et grassouillet (fam.) : *Une femme* ***boulotte*** ou, empl. subst. fém., *Une* ***boulotte.*** Déb. XIX^e^ s. ; ☞ *boule* ; [bulo, ɔt].

**BOULOT (II),** subst. m.
Travail (fam.) : *Un petit* ***boulot,*** un emploi précaire et mal rémunéré. 1900 ; p.-ê. *boulotter* (vx), « mener une vie tranquille » ; [bulo].

**BOULOTTER,** verbe trans. [3]
Manger (fam.). 1843 ; p.-ê. *boulot* (vx), « boule de pain » ; [bulɔte].

**BOUM (I),** interj. et subst. m.
**Interj.** Onomatopée imitant le bruit de ce qui tombe ou explose. **Subst.** **1.** Bruit fort. **2.** Fig. Succès brutal et retentissant. **3.** Loc. *En plein* ***boum*** : en pleine activité. 1835 ; onomat. ; [bum].

**BOUM (II),** subst. f.
Soirée dansante de jeunes gens, surprise-partie. V. 1960 ; aphérèse de *surboum* ; [bum].

**BOUMER,** verbe intrans. [3]
*Ça* ***boume*** *?* : ça va ? (pop.). 1929 ; ☞ *boum* (I) ; [bume].

**BOUQUET (I),** subst. m.
*Zool.* **1.** Lapin mâle ou lièvre (rare). **2.** Grosse crevette rose. 1859 (XII^e^ s., petit bouc) ; ☞ *bouc* ; [bukɛ].

**BOUQUET (II),** subst. m.
**1.** Bosquet : *Un* ***bouquet*** *d'arbres.* **2.** Assemblage de feuillages ou de fleurs : *Un* ***bouquet*** *de roses.* ▸ ***Bouquet*** *garni* : réunion de plantes aromatiques. **3.** *Œnol.* Parfum, arôme d'un vin. **4.** Dernier tir de fusées d'un feu d'artifice. ▸ Loc. *C'est le* ***bouquet !*** : c'est le comble ! (fam.). Déb. XV^e^ s. ; norm.-pic. *bouquet,* de *bosc,* « bois » ; [bukɛ].

**BOUQUETÉ, ÉE,** adj.
**1.** Garni de bouquets d'arbres. **2.** Se dit d'un vin qui a du bouquet. XVII^e^ s. ; p. p. de *bouqueter* (vx), « garnir de fleurs ; donner du bouquet à » ; [buk(ə)te].

**BOUQUETIÈRE,** subst. f.
Femme qui vend des petits bouquets de fleurs dans les lieux publics. 1562 ; ☞ *bouquet* (II) ; [buk(ə)tjɛʀ].

**BOUQUETIN,** subst. m.
*Zool.* Chèvre sauvage à longues cornes annelées, de la famille des Bovidés, qui vit en haute montagne et qui est de la taille d'un grand chamois. 1240 ; prob. anc. haut all. *steinboch,* de *stein,* « rocher », et de *boch,* « bouc » ; [buktɛ̃].

© D. Simon-Gamma

***Bouquetins.***

**BOUQUIN (I),** subst. m.
Livre (fam.). 1459 ; m. néerl. *boec* ; [bukɛ̃].

**BOUQUIN (II),** subst. m.
**1.** Vieux bouc. **2.** Lièvre ou lapin mâle. XVI^e^ s. ; ☞ *bouc* ; [bukɛ̃].

**BOUQUINER,** verbe intrans. [3]
**1.** Rechercher les vieux livres (vieilli). **2.** Lire (fam.). 1611 ; ☞ *bouquin* (I) ; [bukine].

**BOUQUINISTE,** subst.
Personne dont le métier est de vendre des livres d'occasion, en partic. sur les quais de la Seine, à Paris. 1752 ; ☞ *bouquin* (I) ; [bukinist].

© J.-P. Nacivet-Explorer

*Éventaires de **bouquinistes**.*

**BOURBE,** subst. f.
Boue épaisse qui se dépose au fond d'une eau stagnante. 1223 ; prob. gaul. °*borvo* ; [buʀb].

**BOURBEUX, EUSE,** adj.
Plein de bourbe. 1552 ; ☞ *bourbe* ; [buʀbø, øz].

**BOURBIER,** subst. m.
**1.** Dépression pleine de boue. **2.** Fig. Affaire ou situation difficile. 1220 ; ☞ *bourbe* ; [buʀbje].

**BOURBILLON,** subst. m.
*Pathol.* Masse filamenteuse blanchâtre, formée de tissu nécrosé, que l'on trouve dans un furoncle. 1690 ; ☞ *bourbe* ; [buʀbijɔ̃].

**BOURBON,** subst. m.
Whisky à base de maïs, fabriqué aux États-Unis. 1930 ; topon. *Bourbon*, comté du Kentucky ; [buʀbɔ̃].

**BOURBONIEN, IENNE,** adj.
Relatif à la maison de Bourbon : *Un profil **bourbonien**,* présentant un nez long et busqué. 1559 ; *maison de Bourbon* ; [buʀbɔnjɛ̃, jɛn].

**BOURDAINE,** subst. f.
*Bot.* Arbuste d'Eurasie, de la famille des Rhamnacées, aussi appelé aulne noir, dont les tiges sont utilisées en vannerie et dont l'écorce a des vertus laxatives. XIIIe s. ; orig. obsc. ; [buʀdɛn].

**BOURDE,** subst. f.
Faute, bévue (fam.) : *Commettre une **bourde**.* XVIIIe s. (1180, mensonge) ; orig. obsc. ; [buʀd].

**BOURDIGUE, voir BORDIGUE**

**BOURDON (I),** subst. m.
**1.** Bâton de pèlerin. **2.** *Cout.* Ganse. ▸ *Point de **bourdon*** : point de broderie en relief. XIIe s. ; bas lat. *burdo*, « mulet » ; [buʀdɔ̃].

© A. Larivière-Jacana

*Bourdon en train de butiner.*

**BOURDON (II),** subst. m.
**1.** *Zool.* ▸ Insecte hyménoptère social de la famille des Apidés, au corps velu, qui vit dans des nids souterrains. ▸ *Faux **bourdon*** : abeille mâle. **2.** *Mus.* Note grave, en basse continue, émise par certains instruments. **3.** Grosse cloche au son grave. **4.** Loc. *Avoir le **bourdon*** : être mélancolique (fam.). Déb. XIIIe s. ; prob. orig. onomat. ; [buʀdɔ̃].

**BOURDON (III),** subst. m.
*Typogr.* Omission d'un mot ou d'un passage dans un texte composé. 1690 ; ☞ *bourde* ; [buʀdɔ̃].

**BOURDONNEMENT,** subst. m.
**1.** Bruit continu que font les insectes en volant. **2.** Anal. Bruit sourd, confus. ▸ *Pathol. **Bourdonnement** d'oreille* : trouble d'origine organique consistant en une sensation sonore. 1545 ; ☞ *bourdonner* ; [buʀdɔnmɑ̃].

**BOURDONNER,** verbe intrans. [3]
**1.** Faire entendre un son grave et continu. **2.** Anal. Émettre un bruit plus ou moins fort ; au fig., s'agiter : *La ville **bourdonne**.* ▸ *Pathol. Avoir les oreilles qui **bourdonnent*** : ressentir un bourdonnement. Déb. XIIIe s. ; ☞ *bourdon* (II) ; [buʀdɔne].

**BOURG,** subst. m.
Petite ville de caractère rural où se tiennent foires et marchés. Fin XIe s. ; lat. *burgus*, « tour fortifiée », et bas lat. *burgus*, « ensemble d'habitations fortifiées » ; [buʀ].

**BOURGADE,** subst. f.
Petit bourg. 1418 ; anc. prov. *borgada* ; [buʀgad].

**BOURGEOIS, OISE,** subst. et adj.
Subst. **1.** *M. Â.* Habitant d'une ville commerçante jouissant de certains privilèges. **2.** Sous l'Ancien Régime, personne n'appartenant ni à la noblesse ni au clergé et n'exerçant pas un métier manuel : *« Le **Bourgeois** gentilhomme », comédie de Molière.* **3.** Depuis la Révolution, individu appartenant à la classe moyenne. ▸ Personne conformiste, bien-pensante (péj.). **4.** Helv. Personne possédant le droit de cité communal. **Subst. fém.** Épouse (fam.). **Adj. 1.** Relatif à la bourgeoisie et au **bourgeois** : *Une maison **bourgeoise**.* **2.** Conformiste (péj.). : *Préjugés **bourgeois**.* **3.** Confortable ; aisé : *Cuisine **bourgeoise**,* simple, mais de bonne qualité. Fin XIe s. ; ☞ *bourg* ; [buʀʒwa, waz].

© Ph. Roy-Explorer

Les **Bourgeois** de Calais,
*sculpture d'Auguste Rodin (1840-1917).*

**BOURGEOISEMENT,** adv.
D'une manière bourgeoise. ▸ *Habiter **bourgeoisement** un appartement* : sans s'y livrer à une activité professionnelle. 1654 ; ☞ *bourgeois* ; [buʀʒwazmɑ̃].

**BOURGEOISIAL, ALE, AUX,** adj.
Helv. Relatif à la bourgeoisie et à ses droits. 1669 ; ☞ *bourgeois* ; [buʀʒwazjal, o].

**BOURGEOISIE,** subst. f.
**1.** *M. Â.* Qualité d'habitant d'une cité. **2.** Sous l'Ancien Régime, ensemble des bourgeois. **3.** Depuis la Révolution, classe sociale aisée n'exerçant pas de métier manuel. **4.** *Pol.* Selon le marxisme, classe dominante, dans un régime capitaliste (anton. *prolétariat*). 1240 ; ☞ *bourgeois* ; [buʀʒwazi].

**BOURGEON,** subst. m.
**1.** *Bot.* Formation végétative ou florale contenant le méristème, à partir duquel se développent les différents organes d'une plante : ***Bourgeon** terminal*, situé à l'extrémité de la tige, qui assure sa croissance et engendre les feuilles ; ***Bourgeon** axillaire*, situé à l'aisselle des feuilles ; ***Bourgeon** adventif*, qui apparaît sur les racines, les tigelles ou même les feuilles à la suite d'une blessure de la plante. **2.** Anal. Excroissance de chair (vieilli). **3.** *Anat. **Bourgeons** gustatifs* : organes récepteurs du goût, composés de cellules rassemblées en petits amas dans les parties latérales des papilles de la muqueuse linguale. Déb. XIIe s. ; lat. pop. °*burrio*, du bas lat. *burra*, « bourre, amas de poils » ; [buʀʒɔ̃].

**BOURGEONNEMENT,** subst. m.
**1.** *Bot.* Développement des bourgeons. ▸ Mode d reproduction caractéristique des levures. **2.** *Pathol* Développement de bourgeons de chair sur une plaie **3.** *Zool.* Mode de multiplication asexuée, typiqu notamment de certaines méduses, des éponges o des coraux (synon. *gemmiparité*). 1600 ; ☞ *bour geonner* ; [buʀʒɔnmɑ̃].

**BOURGEONNER,** verbe intrans. [3]
**1.** *Bot.* Produire des bourgeons ; se reproduire pa bourgeonnement. **2.** Anal. Se couvrir de boutons *Son nez **bourgeonne**.* Déb. XIIe s. ; ☞ *bourgeon* [buʀʒɔne].

**BOURGMESTRE,** subst. m.
En Allemagne, en Belgique, en Suisse et aux Pays-Bas premier magistrat d'une ville, dont les fonctions son analogues à celles de maire. 1309 ; m. néerl. *borge meester*, « maître du bourg » ; [buʀgmɛstʀ].

**BOURGOGNE,** subst. m.
Vin des vignobles de Bourgogne. Fin XVIIe s. ; topon *Bourgogne* ; [buʀgɔɲ].

**BOURGUIGNON, ONNE,** adj. et subst
De la Bourgogne. **Adj.** *Cuis. Bœuf **bourguignon*** ou empl. subst. masc., *Un **bourguignon*** : viande de bœu accommodée avec du vin rouge et des oignons XIIe s. ; lat. *Burgundio*, « Burgonde » ; [buʀgiɲɔ̃, ɔn]

**BOURLINGUER,** verbe intrans. [3]
**1.** *Mar.* Rouler et tanguer sur une mer forte. **2.** Ext et Fam. Voyager ; mener une vie aventureuse Fin XVIIIe s. ; orig. obsc. ; [buʀlɛ̃ge].

**BOURLINGUEUR, EUSE,** subst. et adj
Se dit d'une personne qui voyage beaucoup (fam.) 1896 ; ☞ *bourlinguer* ; [buʀlɛ̃gœʀ, øz].

**BOURRACHE,** subst. f.
*Bot.* Plante de la famille des Borraginacées, à grandes fleurs bleues, qui a des vertus sudorifiques et diurétiques. 1256 ; lat. médiév. *borrago*, de l'ar *Abū 'Araq*, « Père la Sueur » (par métaph.) ; [buʀaʃ].

**BOURRADE,** subst. f.
Coup donné du poing, du coude, etc., pour pousse qqn : *Une **bourrade** amicale.* 1553 ; ☞ *bourrer* [buʀad].

**BOURRAGE,** subst. m.
**1.** Action de bourrer qqch. ; son résultat. ▸ Méton Matière servant à bourrer. ▸ Loc. ***Bourrage** de crâne* propagande intensive (fam.). **2.** *Techn.* Dysfonctionnement d'une machine qui bourre : ***Bourrag** d'une photocopieuse.* 1465 ; ☞ *bourrer* ; [buʀaʒ]

**BOURRASQUE,** subst. f.
Coup de vent impétueux et bref. 1548 ; prob. ital *burrasca* ; [buʀask].

**BOURRATIF, IVE,** adj.
Se dit d'un aliment qui bourre (fam.). Mil. XXe s. ☞ *bourrer* ; [buʀatif, iv].

**BOURRE (I),** subst. f.
**1.** Amas de poils d'origine animale, utilisé pour l rembourrage d'objets et la fabrication du feutre ; par ext., déchets textiles utilisés à ces mêmes fins. ▸ Loc. *De première **bourre*** : de premier ordre (fam.). **2.** *Arm.* Tampon maintenant en place la charg d'une arme à feu. **3.** *Bot.* Duvet cotonneux des bourgeons de certaines plantes. Fin XIIe s. ; bas lat. *burra*, « étoffe grossière » ; [buʀ].

**BOURRE (II),** subst. f.
Fam. *Être à la **bourre*** : être en retard ; être pressé Déb. XXe s. ; ☞ *bourrer* ; [buʀ].

**BOURRE (III),** subst. m.
Policier (argot. et vieilli). 1910 ; argot *bourrique* « agent » ; [buʀ].

**BOURRÉ, ÉE,** adj.
**1.** Trop rempli : *Une valise **bourrée**.* **2.** Ivre (fam.) 1519 ; p. p. de *bourrer* ; [buʀe].

**BOURREAU,** subst. m.
**1.** Personne qui exécutait les peines corporelles ordonnées par la justice, en partic. la peine de mort (synon. *exécuteur des hautes œuvres*). **2.** Personne qui fait volontairement souffrir autrui : *Un **bourreau** d'enfants.* ▸ Loc. ***Bourreau** des cœurs* : séducteur ***Bourreau** de travail* : travailleur acharné. Déb XIVe s. ; ☞ *bourrer* ; [buʀo].

**BOURRÉE,** subst. f.
Danse et air à deux ou à trois temps de certaines régions du centre de la France (Berry, Auvergne, etc.). 1642 ; p.-ê. *bourrée* (vx), « fagot », car elle se dansait autour d'un feu ; [buʀe].

**BOURRELÉ, ÉE, adj.**
Torturé moralement : *Bourrelé de remords.* ꝏ 1554 ; p. p. de *bourreler* (rare), « tourmenter » ; [buʀle].

**BOURRÈLEMENT, subst. m.**
Torture morale. ꝏ 1580 ; *bourreler* (rare), « tourmenter » ; [buʀɛlmɑ̃].

**BOURRELET, subst. m.**
**1.** Coussinet rond placé sur la tête pour y poser une charge (vx). **2.** Garniture rembourrée dont on obstrue les ouvertures d'une maison. **3.** Proéminence, saillie. ▸ *Anat.* Renflement de chair : *Les* **bourrelets** *d'une cicatrice* ; *Des* **bourrelets** *de graisse* ou, par ell., *Des* **bourrelets**, plis adipeux à certains endroits du corps. ꝏ 1752 (1386, couronne de bourre servant de base aux coiffures des femmes) ; ☞ *bourre* (I) ; [buʀlɛ].

**BOURRELIER, IÈRE, subst.**
Personne qui fabrique, vend et répare des harnais et des articles en cuir. ꝏ Fin XIIIe s. ; anc. fr. *bourrel*, « collier de bourre » ; [buʀəlje, jɛʀ].

**BOURRELLERIE, subst. f.**
Métier du bourrelier ; lieu où il exerce. ꝏ Fin XIIIe s. ; anc. fr. *bourrel*, « collier de bourre » ; [buʀɛlʀi].

**BOURRER, verbe** [3]
**Trans. 1.** Vx. Maltraiter. ▸ Loc. **Bourrer** *qqn de coups* : lui asséner des coups répétés. **2.** Remplir de bourre (un coussin, une arme, etc.). **3.** Remplir (qqch.) au maximum, en tassant : **Bourrer** *une pipe, un poêle.* **4.** Fam. Faire manger (qqn) avec excès : **Bourrer** *un enfant de bonbons* ; empl. abs. : *Un plat qui* **bourre**, qui remplit l'estomac. **5.** Loc. **Bourrer** *le crâne de qqn* : lui raconter des histoires invraisemblables, l'abuser (fam.). **Intrans. 1.** *Chasse.* Courir après le gibier et lui enlever du poil en le mordant, en parlant d'un chien. **2.** Se presser, aller très vite (fam.) : *Il va falloir* **bourrer** *pour ne pas rater le train.* **3.** *Techn.* Tomber en panne à cause d'une accumulation anormale de matière (papier, pellicule, etc.), en parlant d'un appareil : *Imprimante qui* **bourre**. **Pronom. 1.** Manger avec excès (fam.) : *Se* **bourrer** *de pain.* **2.** S'enivrer (pop.). ꝏ 1332 ; ☞ *bourre* (I) ; [buʀe].

**BOURRETTE, subst. f.**
Soie grossière qui enveloppe le cocon ; étoffe tissée avec cette soie. ꝏ 1423 ; ☞ *bourre* (I) ; [buʀɛt].

**BOURRICHE, subst. f.**
Panier allongé et fermé, utilisé pour le transport des produits de la mer, du gibier ; son contenu : *Une* **bourriche** *d'huîtres.* ꝏ 1526 ; orig. obsc. ; [buʀiʃ].

**BOURRICHON, subst. m.**
Tête (fam.) : *Monter le* **bourrichon** *à qqn*, l'exciter ; *Se monter le* **bourrichon**, se faire des illusions. ꝏ 1860 ; ☞ *bourriche* ; [buʀiʃɔ̃].

**BOURRICOT, subst. m.**
Âne de petite taille (fam.). ꝏ 1872 ; prob. esp. *borrico*, « âne » ; [buʀiko].

**BOURRIDE, subst. f.**
*Cuis.* Soupe de poissons liée avec des jaunes d'œufs et de l'ailloli, d'origine provençale. ꝏ 1735 ; prov. *bourrido*, de *boulido*, « ce qu'on fait bouillir » ; [buʀid].

**BOURRIN, subst. m.**
Mauvais cheval (pop.). ꝏ Déb. XXe s. ; dial. de l'Ouest *bourrin*, « âne » ; [buʀɛ̃].

**BOURRIQUE, subst. f.**
Fam. **1.** Âne ou ânesse. ▸ Loc. *Faire tourner qqn en* **bourrique** : l'abrutir à force de taquineries ou d'exigences. **2.** Fig. Individu sot et buté : *Quelle* **bourrique** ! ꝏ 1603 ; esp. *borrico*, « âne », du lat. *buricus*, « petit cheval » ; [buʀik].

**BOURROIR, subst. m.**
*Techn.* Tige, pilon servant à bourrer, à tasser, à pousser. ꝏ 1758 ; ☞ *bourrer* ; [buʀwaʀ].

**BOURRU, UE, adj.**
**1.** Qui a l'aspect rugueux et grossier de la bourre : *Laine* **bourrue**. ▸ Anal. *Vin* **bourru** : vin nouveau, non encore fermenté ; *Lait* **bourru** : lait fraîchement tiré. **2.** Fig. Qui se comporte de façon brusque, peu aimable ; par méton. : *Un air* **bourru**. ꝏ XVIe s. ; ☞ *bourre* (I) ; [buʀy].

**BOURSE (I), subst. f.**
**1.** Petit sac fermé par un cordon, où l'on met son argent. ▸ Loc. *Tenir les cordons de la* **bourse** : gérer les finances du ménage, de la collectivité ; *Sans* **bourse** *délier* : sans avoir à payer. **2.** Méton. Argent disponible, ressources financières : *Quand la* **bourse** *se rétrécit, la conscience s'élargit* (du Fail) ; *À la portée de toutes les* **bourses**, que tout le monde peut acheter. **3.** Allocation consentie à un élève, à un étudiant

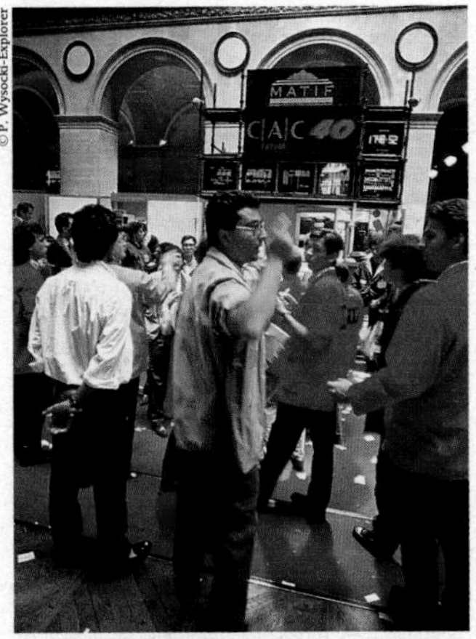

*La Bourse de Paris.*

© P. Wysocki-Explorer

pour lui permettre de poursuivre ses études : **Bourse** *de recherche.* **4.** *Anat.* Membrane en forme de poche située dans une articulation : **Bourse** *séreuse, synoviale.* ▸ *Les* **bourses** : l'enveloppe des testicules (synon. *scrotum*). ꝏ Mil. XIIe s. ; bas lat. *byrsa*, « cuir », du gr. *bursa*, « peau » ; [buʀs].

**BOURSE (II), subst. f.**
**1.** Lieu public où des agents de change, des négociants, des courtiers effectuent des transactions sur des valeurs ou des marchandises : *La* **Bourse** *des changes*, où s'établit le taux de change des monnaies ; *La* **Bourse** *de commerce*, où s'achètent les matières premières et les marchandises en gros. ▸ *La* **Bourse** *des valeurs* ou, par ell., *La* **Bourse** : où sont négociées les valeurs mobilières ; *Une société cotée en* **Bourse**. **2.** Ensemble des opérations traitées à la **Bourse** des valeurs ; les valeurs cotées en **Bourse** : *La* **Bourse** *monte, s'effondre.* **3.** Ensemble des opérateurs en **Bourse** : *La* **Bourse** *est anxieuse.* **4.** Anal. ▸ Endroit où sont évalués, négociés divers objets : *La* **Bourse** *du timbre, des livres.* ▸ *La* **Bourse** *du travail* : lieu de réunion des syndicats d'une ville ou d'une région, où sont centralisés divers services d'intérêt collectif. ꝏ 1549 ; p.-ê. anthropon. *Van der Burse*, famille noble de Bruges, dont l'hôtel, orné de trois bourses, servait de lieu de réunion aux commerçants ; [buʀs].

**BOURSE-À-PASTEUR, subst. f.**
*Bot.* Plante de la famille des Brassicacées, au fruit en forme de cœur. ꝏ Mil. XIVe s. ; comp. de *bourse* (I) et de *pasteur* ; plur. *bourses-à-pasteur* ; [buʀsapastœʀ].

**BOURSICOTAGE, subst. m.**
Action de boursicoter. ꝏ 1864 ; ☞ *boursicoter* ; [buʀsikɔtaʒ].

**BOURSICOTER, verbe intrans.** [3]
Faire de petites opérations boursières. ꝏ 1841 (1580, épargner) ; *boursicot* (vx), « petite bourse » ; [buʀsikɔte].

**BOURSICOTEUR, EUSE, subst.**
Personne qui boursicote. ꝏ 1858 ; ☞ *boursicoter* ; [buʀsikɔtœʀ, øz].

**BOURSIER (I), IÈRE, subst.**
Personne qui bénéficie d'une bourse d'études ou de recherche. ꝏ 1430 (XIIIe s., trésorier) ; ☞ *bourse* (I) ; [buʀsje, jɛʀ].

**BOURSIER (II), IÈRE, subst. et adj.**
**Subst.** Personne qui exerce une activité professionnelle à la Bourse. **Adj.** Relatif à la Bourse : *Les activités* **boursières**. ꝏ 1512 ; ☞ *bourse* (II) ; [buʀsje, jɛʀ].

**BOURSOUFLAGE, subst. m.**
Action de boursoufler ; état de ce qui est boursouflé. ꝏ 1765 ; ☞ *boursoufler* ; [buʀsuflaʒ].

**BOURSOUFLÉ, ÉE, adj.**
**1.** Qui présente un gonflement anormal : *Un visage* **boursouflé**. **2.** Fig. Emphatique et creux : *Un langage* **boursouflé**. ꝏ Déb. XIIIe s. ; formé de *soufflé* et du rad. onomat. *bou-*, exprimant le gonflement ; [buʀsufle].

**BOURSOUFLEMENT, subst. m.**
Boursouflage. ꝏ 1590 ; ☞ *boursoufler* ; [buʀsufləmɑ̃].

**BOURSOUFLER, verbe trans.** [3]
Rendre boursouflé : *La maladie lui a* **boursouflé** *les paupières* ; empl. pronom. : *La peinture se* **boursoufle** *sous la flamme du chalumeau.* ꝏ 1530 ; ☞ *boursouflé* ; [buʀsufle].

**BOURSOUFLURE, subst. f.**
**1.** Gonflement que présente par endroits une surface : *La peinture fait des* **boursouflures**. **2.** Fig. Caractère emphatique et creux d'un écrit, d'un discours. ꝏ 1532 ; ☞ *boursoufler* ; [buʀsuflyʀ].

**BOUSCUEIL, subst. m.**
Québ. Formation d'amas de glace sous l'action du vent, de la marée ou du courant. ꝏ 1928 ; ☞ *bousculer* ; [buskœj].

**BOUSCULADE, subst. f.**
**1.** Désordre, remous dans une foule. **2.** Fig. Grande hâte, empressement : *La* **bousculade** *des départs en vacances.* ꝏ 1848 ; ☞ *bousculer* ; [buskylad].

**BOUSCULER, verbe trans.** [3]
**1.** Renverser, déranger (qqch.) en heurtant avec force : **Bousculer** *un vase, des papiers* ; au fig. : **Bousculer** *des préjugés, des traditions.* **2.** Pousser, écarter brutalement (qqn). **3.** Fig. Faire se dépêcher ; rudoyer, brusquer : *Ne le* **bouscule** *pas trop, il est fatigué* ; *Être* **bousculé** : être accaparé par de nombreuses affaires. **Pronom. 1.** Se presser en se poussant mutuellement : *Les gens se* **bousculaient** *devant le stade.* **2.** Fig. Arriver de façon désordonnée : *Les excuses se* **bousculaient** *sur ses lèvres.* ꝏ 1798 ; formé du m. fr. *bousser*, « frapper, heurter », et de *culer*, « marcher à reculons » ; [buskyle].

**BOUSE, subst. f.**
Excrément des bovins. ꝏ Déb. XIIIe s. ; orig. obsc. ; [buz].

**BOUSEUX, subst. m.**
Paysan (fam. et péj.). ꝏ 1885 ; ☞ *bouse* ; [buzø].

**BOUSIER, subst. m.**
*Zool.* Coléoptère de la famille des Scarabéidés, qui fait des boulettes de bouse pour nourrir ses larves. ꝏ 1762 ; ☞ *bouse* ; [buzje].

*Bousiers roulant leur boulette.*

© J.-P. Champroux-Jacana

**BOUSILLAGE, subst. m.**
**1.** *Constr.* Mélange de chaume et d'argile détrempée servant de mortier (synon. *torchis*). **2.** Anal. Fam. ▸ Travail hâtif et mal fait. ▸ Détérioration. ꝏ 1521 ; ☞ *bousiller* ; [buzijaʒ].

**BOUSILLER, verbe** [3]
**Intrans.** *Constr.* Maçonner avec du bousillage. **Trans.** Fam. **1.** Exécuter (un travail) de manière hâtive et peu soignée. **2.** Détériorer (qqch.) : **Bousiller** *un moteur.* **3.** Tuer (qqn). ꝏ 1554 ; ☞ *bouse* ; [buzije].

**BOUSILLEUR, EUSE, subst.**
**1.** Vx. *Constr.* Ouvrier qui construit en bousillage. **2.** Anal. Personne qui travaille mal. ꝏ 1480 ; ☞ *bousiller* ; [buzijœʀ, øz].

**BOUSIN (I), subst. m.**
**1.** Surface friable d'une pierre de taille. **2.** Tourbe de mauvaise qualité. ꝏ 1611 ; ☞ *bouse* ; [buzɛ̃].

**BOUSIN (II), subst. m.**
**1.** Vx. Bouge (argot.). **2.** Tapage (fam.). ꝏ Fin XVIIIe s. ; angl. pop. *to booze*, « s'enivrer » ; [buzɛ̃].

**BOUSSOLE, subst. f.**
Instrument contenant une aiguille aimantée mobile qui indique la direction du pôle Nord magnétique : *S'orienter à la* **boussole**. ▸ Loc. *Perdre la* **boussole** : perdre la tête (fam.). ꝏ 1527 ; ital. *bussola*, du bas lat. *buxis*, « boîte » ; [busɔl].

**BOUSTIFAILLE, subst. f.**
Nourriture (pop.). ꝏ 1821 ; ☞ *bouffer* ; [bustifaj].

**BOUSTROPHÉDON,** subst. m.
Type d'écriture archaïque (en partic. des Grecs et des Étrusques) dans laquelle les lignes se lisaient alternativement de gauche à droite et de droite à gauche. ☞ XVIe s. ; gr. *boustrophêdon*, de *bous*, « bœuf », et de *strophas*, « qui se meut en tournant » ; [bustʀɔfedɔ̃].

**BOUT,** subst. m.
**I. 1.** Extrémité d'un objet, gén. allongé : *S'asseoir au* **bout** *de la table* ; *Le petit* **bout** *de la queue du chat.* ▸ Loc. *Mettre* **bout** *à* **bout** : à la suite ; *Ne pas voir plus loin que le* **bout** *de son nez* : manquer de discernement ; *Tenir à* **bout** *de bras* : soutenir seul, avec effort ; *Avoir un mot sur le* **bout** *de la langue* : ne pas le trouver, tout en étant sûr de le connaître ; *Du* **bout** *des lèvres* : sans conviction, de mauvaise grâce ; *Brûler la chandelle par les deux* **bouts** : vivre dans l'excès ; *Ne pas joindre les deux* **bouts** : manquer d'argent ; *Tenir le bon* **bout** : être près de réussir ; *Tirer à* **bout** *portant* : l'arme très près de la cible. **2.** Limite d'un espace : *J'habite au* **bout** *de la rue.* ▸ Loc. *De* **bout** *en* **bout**, *d'un* **bout** *à l'autre* : entièrement ; *À tout* **bout** *de champ* : en toute occasion. **3.** Terme d'une durée : *Le* **bout** *du mois.* ▸ Loc. *Venir à* **bout** *de* : réussir à achever, triompher de ; *Être à* **bout** *de* : à court de ; empl. abs. : *Être à* **bout**, exaspéré, épuisé. **II. 1.** Fragment, morceau de qqch. : **Bout** *de pain, de papier.* ▸ Ext. Partie d'un espace ou d'une durée : *Marcher un* **bout** *de chemin ensemble* ; *Attendre un bon* **bout** *de temps.* ▸ Loc. *Économies de* **bouts** *de chandelle* (☞ *chandelle*). ▸ *Cin.* **Bout** *d'essai* : courte séquence tournée pour juger un acteur avant de l'engager. **2.** Chose, personne petite : *Acheter un* **bout** *de terrain* ; *Un petit* **bout**, un petit enfant (fam.). **III.** *Mar.* (Se prononce [but].) **1.** Proue d'un navire : **Bout** *au vent*, face au vent (synon. *vent debout*). **2.** Cordage. ☞ Fin XIIe s. (déb. XIIe s., coup) ; ☞ *bouter* ; [bu].

**BOUTADE,** subst. f.
Trait d'esprit inattendu, fantaisiste, souv. paradoxal. ☞ 1580 ; ☞ *bouter* ; [butad].

**BOUTARGUE,** subst. f.
*Cuis.* Mets préparé avec des œufs de poisson pressés, séchés et fumés. ☞ 1441 ; ar. *baṭāriḫ*, de *baṭraḫ* ; var. *poutargue* ; [butaʀg].

**BOUT-DEHORS,** subst. m.
*Mar.* Espar horizontal qui prolonge l'étrave, permettant l'envoi d'un foc supplémentaire. ☞ 1690 ; comp. de *bout* et de *dehors* ; plur. *bouts-dehors*, var. *boute-hors* (inv.) ; [budəɔʀ].

**BOUTE-EN-TRAIN,** subst. m. inv.
**1.** *Élev.* Mâle utilisé pour reconnaître les femelles en chaleur (juments et brebis, notamment). **2.** Fig. Personne qui, dans une réunion, sait mettre de l'animation, de la gaieté. ☞ 1694 ; comp. de *bouter* et de *en train*, « en mouvement » ; [butɑ̃tʀɛ̃].

**BOUTEFEU,** subst. m.
**1.** Vx. Bâton garni à son extrémité d'une mèche servant à mettre le feu à la charge du canon ; par méton., celui qui mettait le feu. **2.** Fig. Personne qui attise les différends (fam. et vieilli). ☞ 1324 ; formé de *bouter* et de *feu* (I) ; [butfø].

**BOUTE-HORS,** voir **BOUT-DEHORS**

**BOUTEILLE,** subst. f.
**1.** Récipient à goulot étroit, destiné à contenir un liquide : **Bouteille** *en verre, en plastique* ; **Bouteille** *d'encre, d'eau, de lait.* ▸ Récipient de 75 cl environ, destiné à contenir du vin (par oppos. à *litre*). ▸ Loc. *Couleur vert* **bouteille** : vert foncé ; *Avoir, prendre de la* **bouteille** : de l'âge, de l'expérience (fam.) ; *C'est la* **bouteille** *à l'encre* : c'est très confus, obscur, insoluble ; *Lancer une* **bouteille** *à la mer* : envoyer un appel au secours. **2.** Méton. Liquide contenu dans une **bouteille**, en partic. de vin : *Que de poètes à jeun ont chanté la* **bouteille** *!* (Voltaire) ; *Boire une bonne* **bouteille**. ▸ Loc. *Être porté sur la* **bouteille** : s'adonner à la boisson (fam.). **3.** Ext. Récipient métallique destiné à contenir un gaz sous pression : **Bouteille** *d'oxygène, d'air comprimé.* **4.** *Phys.* **Bouteille** *de Leyde* : condensateur rudimentaire, construit à Leyde en 1745. **Plur.** *Mar.* Lieux d'aisances des officiers sur un navire. ☞ XIIe s. ; bas lat. *buticula*, de *buttis*, « sorte de vase », du gr. *bouttis*, « récipient tronconique » ; [butɛj].

**BOUTEILLER,** subst. m.
*Hist.* Officier chargé de l'intendance du vin à une table royale ou seigneuriale : *Le grand* **bouteiller** *de France.* ☞ 1160 ; lat. médiév. *buticularius* ; var. *boutillier* ; [buteje].

**BOUTEILLERIE,** subst. f.
Établissement où l'on fabrique des bouteilles ; par ext., fabrication, commerce des bouteilles. ☞ 1845 ; ☞ *bouteille* ; [butɛjʀi].

**BOUTER,** verbe trans. [3]
Pousser dehors (vieilli) : **Bouter** *l'ennemi hors de la ville.* ☞ XIe s. ; anc. bas frq. °*botan*, « pousser, frapper » ; [bute].

**BOUTEROLLE,** subst. f.
**1.** *Arm.* Garniture métallique fixée au bas d'un fourreau d'épée. **2.** *Serr.* Pièce cylindrique fendue servant à guider le bout de la clé ; chacune des fentes de la clé. **3.** *Techn.* Outil à tête concave servant à arrondir l'extrémité d'un rivet. ☞ 1401 (1202, ce qui garnit l'extrémité de qqch.) ; ☞ *bouter* ; [butʀɔl].

**BOUTEROUE,** subst. f.
Borne placée le long d'un mur, à l'angle d'un édifice, à l'entrée d'une porte cochère, etc., pour les protéger des roues de voiture. ☞ 1631 ; formé de *bouter* et de *roue* ; [butʀu].

**BOUTEUR,** subst. m.
*Trav. publ.* Engin de terrassement, monté sur chenilles, portant une lame d'acier mobile à l'avant (synon. *bulldozer*). ☞ V. 1970 ; ☞ *bouter* ; [butœʀ].

**BOUTILLIER,** voir **BOUTEILLER**

**BOUTIQUE,** subst. f.
**1.** Local dans lequel un artisan ou un commerçant exerce son activité, expose et vend sa marchandise : **Boutique** *d'un cordonnier* ; **Boutique** *de mode* ; par ext. : *Fermer* **boutique**, cesser une activité. **2.** Travail (fam.) : *Parler* **boutique**, de sujets professionnels. **3.** *Pêche.* Caisse percée et immergée où les pêcheurs conservent leurs prises. ☞ 1242 ; anc. prov. *botica*, du gr. *apothêkê*, « magasin, dépôt » ; [butik].

**BOUTIQUIER, IÈRE,** subst.
Personne qui tient une boutique (souv. péj.) ; empl. adj. : *Esprit* **boutiquier**, étriqué, mesquin. ☞ 1414 ; ☞ *boutique* ; [butikje, jɛʀ].

**BOUTISSE,** subst. f.
*Bât.* Brique ou pierre de taille placée en longueur dans l'épaisseur d'un mur, présentant son petit côté en parement (anton. *panneresse*) ; en appos. : *Pierre* **boutisse**. ☞ 1444 ; ☞ *bouter* ; [butis].

**BOUTOIR,** subst. m.
**1.** Extrémité de la tête du sanglier ou du porc (groin et canines). **2.** Fig. et Fam. *Coup de* **boutoir** : attaque brutale (souv. au plur.). ☞ 1611 (1361, instrument de maréchal-ferrant) ; ☞ *bouter* ; [butwaʀ].

**BOUTON,** subst. m.
**1.** *Bot.* Bourgeon : **Bouton** *à bois, à feuilles, à fleurs* ; spéc., fleur avant l'éclosion : **Bouton** *de rose* ; *Fleur en* **bouton**. **2.** Anal. Petite tumeur arrondie à la surface de la peau : *Un* **bouton** *de fièvre.* **3.** Petite pièce, le plus souv. circulaire, servant d'attache ou d'ornement à un vêtement : **Bouton** *de chemise.* **4.** Ext. ▸ Objet, pièce de forme saillante et arrondie. ▸ *Sp.* **Bouton** *de fleuret* : que l'on fixe à l'extrémité de la lame pour la rendre inoffensive. ▸ *Techn.* Petit élément servant à actionner divers dispositifs : **Bouton** *électrique* ; **Bouton** *de porte.* ☞ XIIe s. ; ☞ *bouter* ; [butɔ̃].

**BOUTON-D'ARGENT,** subst. m.
*Bot.* Renoncule des lieux humides et ombragés, à fleurs blanches. ☞ 1808 ; comp. de *bouton* et de *argent* ; plur. *boutons-d'argent* ; [butɔ̃daʀʒɑ̃].

**BOUTON-D'OR,** subst. m.
*Bot.* Renoncule à fleurs jaune d'or ; empl. adj. inv., de la couleur de cette fleur : *Des jupes* **bouton-d'or**. ☞ 1775 ; comp. de *bouton* et de *or* (I) ; plur. *boutons-d'or* ; [butɔ̃dɔʀ].

**BOUTONNAGE,** subst. m.
**1.** Action de boutonner un vêtement. **2.** Manière dont se boutonne un vêtement : *Veste à double* **boutonnage**. ☞ 1867 ; ☞ *boutonner* ; [butɔnaʒ].

**BOUTONNER,** verbe [3]
**Intrans.** Se couvrir, être couvert de boutons, en parlant d'une plante ; par ext. : *Son visage* **boutonne**. **Trans. 1.** Fermer (un vêtement) au moyen de boutons ; empl. pronom. : *Veste qui se* **boutonne** *à droite.* **2.** *Sp.* Toucher (son adversaire), à l'escrime. ☞ Fin XIIe s. ; ☞ *bouton* ; [butɔne].

**BOUTONNEUX, EUSE,** adj.
Dont la peau est couverte de boutons : *Un jeune homme* **boutonneux**. ☞ 1866 (1577, qui a des boutons, en parlant d'une plante) ; ☞ *bouton* ; [butɔnø, øz].

**BOUTONNIER, IÈRE,** subst.
Personne qui fabrique ou vend des boutons. ☞ Fin XIIIe s. ; ☞ *bouton* ; [butɔnje, jɛʀ].

**BOUTONNIÈRE,** subst. f.
**1.** Petite fente pratiquée dans un vêtement pour le passage d'un bouton : **Boutonnière** *brodée.* **2.** *Chir.* Petite incision. **3.** *Géol.* Entaille produite par l'érosion dans la voûte d'un anticlinal. ☞ 1596 (1353, garniture faite de boutons) ; ☞ *bouton* ; [butɔnjɛʀ].

**BOUTON-PRESSION,** subst. m.
*Cout.* Système de boutonnage constitué de deux pièces s'emboîtant par pression (synon. *pression*). ☞ 1928 ; comp. de *bouton* et de *pression* ; plur. *boutons-pression* ; [butɔ̃pʀesjɔ̃].

**BOUTRE,** subst. m.
*Mar.* Petit voilier arabe, effilé à l'avant et surélevé à l'arrière. ☞ Mil. XIXe s. ; p.-ê. angl. *boat*, « bateau » ; [butʀ].

**BOUT-RIMÉ,** subst. m.
*Litt.* Pièce de vers composée sur des rimes imposées ; au plur., ces rimes. ☞ 1648 ; comp. de *bout* et du p. p. de *rimer* ; plur. *bouts-rimés* ; [buʀime].

**BOUTURAGE,** subst. m.
*Hortic.* Multiplication des végétaux par bouture. ☞ 1845 ; ☞ *bouturer* ; [butyʀaʒ].

**BOUTURE,** subst. f.
*Hortic.* Fragment prélevé sur un végétal et qui, planté en terre, y prend racine. ☞ 1583 (1446, plante) ; ☞ *bouter* ; [butyʀ].

**BOUTURER,** verbe trans. [3]
*Hortic.* Multiplier (des végétaux) par bouture. ☞ 1838 ; ☞ *bouture* ; [butyʀe].

**BOUVERIE,** subst. f.
Étable à bœufs. ☞ Fin XIIe s. ; ☞ *bœuf* ; [buvʀi].

**BOUVET,** subst. m.
*Menuis.* Rabot servant à former des rainures ou des languettes. ☞ 1600 (1305, jeune bœuf) ; ☞ *bœuf*, par allus. au sillon fait par le bœuf de labour ; [buvɛ].

**BOUVETEUSE,** subst. f.
*Menuis.* Machine pouvant faire en même temps les rainures et les languettes des lames de parquet. ☞ 1929 ; *bouveter*, « raboter au bouvet » ; [buvtøz].

**BOUVIER, IÈRE,** subst.
Personne qui garde ou qui conduit les bœufs. **Masc. 1.** *Astron.* Constellation de l'hémisphère boréal située dans le prolongement de la queue de la Grande Ourse. ▸ *Vide du* **Bouvier** : vide cosmique de 300 millions d'années-lumière de largeur, situé à environ 1 milliard d'années-lumière de la Terre. **2.** *Zool.* Nom de grands chiens de berger, dont le type est le **bouvier** des Flandres. ☞ 1119 ; prob. bas lat. *bovarius*, « marchand de bœufs » ; [buvje, jɛʀ].

**BOUVIÈRE,** subst. f.
*Zool.* Poisson de la famille des Cyprinidés, dont le mâle, à la teinte rosée, sert d'appât pour la pêche au brochet, et dont la femelle pond dans la coquille des moules d'eau douce. ☞ 1611 ; p.-ê. *boue* ; [buvjɛʀ].

**BOUVILLON,** subst. m.
Jeune bœuf. ☞ XVe s. ; ☞ *bœuf* ; [buvijɔ̃].

**BOUVREUIL,** subst. m.
*Zool.* Passereau frugivore et granivore à dos gris, à ventre rouge, aux ailes et à la queue noires, de la famille des Fringillidés. ☞ 1721 ; prob. *bœuf*, à cause de la forme trapue de cet oiseau ; [buvʀœj].

**BOVARYSME,** subst. m.
Propension à cultiver une image illusoire de soi, à compenser son insatisfaction par le romanesque, l'imaginaire. ☞ 1865 ; *Bovary*, nom de l'héroïne éponyme du roman de Flaubert ; [bɔvaʀism].

**BOVIDÉS,** subst. m. plur.
*Zool.* Famille de mammifères artiodactyles ruminants, comprenant notamment les bovins, les ovins, les caprins. **Au sing.** *La gazelle est un* **bovidé**. ☞ 1838 ; lat. *bos*, « bœuf » ; [bɔvide].

**BOVIN, INE,** adj. et subst. m.
**Adj. 1.** Qui est relatif au bœuf : *La race* **bovine**. **2.** Fig. Lourd, inexpressif (péj.) : *Un air* **bovin**. **Subst.** Animal domestique dont le géniteur est le taureau et la femelle, la vache. ☞ Déb. XIIe s. ; lat. *bovinus* ; [bɔvɛ̃, in].

**BOVINÉS,** subst. m. plur.
*Zool.* Sous-famille de bovidés comprenant le bœuf, le buffle, etc. **Au sing.** *Le bison est un* **boviné**. ☞ 1898 ; lat. *bos*, « bœuf » ; [bɔvine].

**BOWLING,** subst. m.
Jeu de quilles sur piste, d'origine américaine ; endroit où il se pratique. ☞ V. 1980 ; mot anglo-amér. ; [buliŋ].

**BOX (I),** subst. m.
**1.** Stalle d'une écurie accueillant un seul cheval. **2.** Compartiment, partiellement cloisonné ou

fermé, d'une salle commune, d'un lieu public. 3. Loge où se tient l'accusé pendant son procès. 4. Emplacement fermé réservé à une automobile, dans un garage. 1839 (1777, loge de théâtre) ; angl. *box*, « boîte » ; plur. *box(es)* ; [bɔks].

**BOX (II), subst. m.**
Cuir obtenu par tannage au chrome de la peau de veau : *Un portefeuille en* **box** *noir.* 1899 ; ell. de *box-calf*, de l'angl. *box*, « boîte », ou de l'anthropon. *Joseph Box*, bottier anglais, et de *calf*, « veau » ; [bɔks].

**BOXE, subst. f.**
*Sp.* Sport de combat dans lequel deux adversaires munis de gants spéciaux s'affrontent à coups de poing (**boxe** anglaise) ou à coups de poing et de pied (**boxe** française, thaïlandaise). 1792 ; angl. *box*, « coup » ; [bɔks].

© P. Aventurier-Gamma
*Boxe thaïlandaise.*

**BOXER (I), verbe [3]**
INTRANS. *Sp.* Pratiquer la boxe ; disputer un combat de boxe. TRANS. Frapper à coups de poing (fam.). 1779 ; angl. *to box*, « battre ; boxer » ; [bɔkse].

**BOXER (II), subst. m.**
Chien de garde, variété de dogue à robe fauve ou tachetée. 1952 ; all. *Boxer*, « boxeur » ; [bɔksɛʀ].

**BOXEUR, EUSE, subst.**
Personne qui pratique la boxe. 1788 ; angl. *boxer* ; [bɔksœʀ, øz].

**BOX-OFFICE, subst. m.**
Cote de succès d'un spectacle, d'un film, etc., établie d'après le nombre d'entrées. 1950 ; anglo-amér. *box office*, « guichet de location » ; plur. *box-offices* ; [bɔksɔfis].

**BOXON, subst. m.**
Fam. 1. Maison de prostitution. 2. Fig. Chahut, désordre. 1837 (1811, cabaret) ; angl. pop. *boxon*, « cabinet particulier de taverne » ; [bɔksɔ̃].

**BOY, subst. m.**
1. Serviteur indigène, dans les anciennes colonies. 2. Danseur faisant partie d'un ensemble, dans un spectacle de music-hall : *Les girls et les* **boys** *d'une revue.* 1890 (1672, garçon qui nettoie les bateaux, en Angleterre) ; angl. *boy*, « garçon » ; [bɔj].

**BOYARD, subst. m.**
*Hist.* Noble de pays slaves, en partic. de Russie, et de Roumanie. 1415 ; russe *boārin*, « seigneur » ; [bɔjaʀ].

**BOYAU, subst. m.**
1. Intestin d'animal : **Boyau** *de porc, de chat* ; au plur., intestin de l'homme (fam.) : *Rendre tripes et* **boyaux**, vomir. ▸ Mince corde faite avec la membrane intestinale de certains animaux et servant à équiper des instruments de musique, des raquettes, etc. 2. Anal. Conduit, tuyau flexible. ▸ Mince gaine de caoutchouc toilé, gonflée à l'air et collée sur les jantes des bicyclettes de course. 3. Passage étroit : **Boyau** *de mine.* Fin XIe s. ; lat. *botellus*, « petite saucisse » ; [bwajo].

**BOYAUDERIE, subst. f.**
Traitement et transformation des boyaux ; lieu où l'on effectue ces opérations. 1835 ; ☞ *boyau* ; [bwajodʀi].

**BOYAUDIER, IÈRE, subst.**
Personne employée au traitement des boyaux. 1680 ; ☞ *boyau* ; [bwajodje, jɛʀ].

**BOYAUTER (SE), verbe pronom. [3]**
Se tordre de rire (fam. et vieilli). 1901 ; ☞ *boyau* ; [bwajote].

**BOYCOTT, subst. m.**
Boycottage (anglic.). 1888 ; mot angl. ; [bɔjkɔt].

**BOYCOTTAGE, subst. m.**
Sanction concertée consistant à rompre toute relation avec un pays, une entreprise ou un individu : *Le* **boycottage** *de l'Iraq voté par l'O. N. U.* ; **Boycottage** *d'un commerçant* ; par méton. : **Boycottage** *d'un produit.* ▸ Ext. Refus de prendre part à une action ou à un évènement : **Boycottage** *d'une élection.* 1881 ; ☞ *boycotter* ; [bɔjkɔtaʒ].

**BOYCOTTER, verbe trans. [3]**
Procéder au boycottage de. 1880 ; angl. *to boycott*, de l'anthropon. *Charles Boycott*, intendant anglais qui a subi un tel traitement en Irlande en 1880 ; [bɔjkɔte].

**BOY-SCOUT, subst. m.**
1. Scout (vieilli). 2. Fig. Personne naïve, pleine de bonne volonté. 1910 ; angl. *boy scout*, « garçon éclaireur » ; plur. *boy-scouts* ; [bɔjskut].

**Bq, voir BECQUEREL**

**Br, voir BROME (II)**

**BRABANÇON, ONNE, adj. et subst.**
Du Brabant. SUBST. FÉM. *La* **Brabançonne** : hymne national belge. ADJ. *Cheval* **brabançon** ou, empl. subst. masc., *Un* **brabançon** : cheval de trait appartenant à une race originaire du Brabant. Fin XIIe s. ; lat. médiév. *brebantio* ; [bʀabɑ̃sɔ̃, ɔn].

**BRABANT, subst. m.**
*Agric.* Charrue métallique dotée de roues et d'un timon : **Brabant** *double*, à deux socs. 1800 ; topon. *Brabant*, province belge ; [bʀabɑ̃].

**BRACELET, subst. m.**
1. Bijou (anneau ou chaîne) qui se porte le plus souvent autour du poignet : *Un* **bracelet** *de perles, en or* ; **Bracelet** *de montre*, ruban tenant la montre au poignet. 2. **Bracelet** *de force* : manchon de cuir qui maintient le poignet de certains travailleurs manuels, de certains sportifs. 1415 (mil. XIIe s., petit bras) ; ☞ *bras* ; [bʀaslɛ].

**BRACELET-MONTRE, subst. m.**
Montre maintenue autour du poignet par un bracelet. 1909 ; comp. de *bracelet* et de *montre* (II) ; plur. *bracelets-montres* ; [bʀaslɛmɔ̃tʀ].

**BRACHIAL, ALE, AUX, adj.**
*Anat.* Qui se rapporte au bras : *Artère* **brachiale** ; empl. subst. masc. : *Le* **brachial** *antérieur*, le muscle fléchisseur du bras. 1541 ; lat. *brachialis*, de *brachium*, « bras » ; [bʀakjal, o].

**BRACHIATION, subst. f.**
*Zool.* Mode de déplacement de certains singes arboricoles qui se balancent de branche en branche à l'aide de leurs seuls bras. V. 1960 ; prob. angl. *brachiation*, du lat. *brachium*, « bras » ; [bʀakjasjɔ̃].

**BRACHIOPODES, subst. m. plur.**
*Zool.* Embranchement d'animaux marins possédant une coquille bivalve avec une valve dorsale et une valve ventrale (contrairement aux Lamellibranches, qui possèdent une valve droite et une valve gauche), très florissant au Primaire et au Secondaire. AU SING. *Un* **brachiopode** *fossile.* 1805 ; lat. *brachium*, « bras », + *-pode* ; [bʀakjɔpɔd].

**BRACHYCÉPHALE, adj. et subst.**
*Anthropol.* Qualifie ou désigne une personne dont le crâne est arrondi et peu allongé. 1836 ; formé de *brachy-* et de *-céphale* ; [bʀakisefal].

**BRACHYCÈRE, adj. et subst. m.**
*Zool.* Qualifie ou désigne les insectes diptères dont les antennes sont très courtes, telles les mouches. 1790 ; formé de *brachy-* et de *-cère* ; [bʀakisɛʀ].

**BRACHYOURES, subst. m. plur.**
*Zool.* Sous-ordre de crustacés décapodes dont l'abdomen, court, est rabattu sous le céphalothorax. On les appelle communément crabes. AU SING. *L'étrille est un* **brachyoure**. 1801 ; formé de *brachy-* et de *-oure* ; [bʀakjuʀ].

**BRACONNAGE, subst. m.**
Action de braconner ; délit que constitue cette action. 1834 (1228, droit du seigneur sur une fille qui se marie) ; ☞ *braconnier* ; [bʀakɔnaʒ].

**BRACONNER, verbe intrans. [3]**
Chasser ou pêcher sans permis, en des lieux réservés et à des périodes interdites ou avec des engins prohibés. 1718 (1228, exercer le droit de braconnage) ; ☞ *braconnier* ; [bʀakɔne].

**BRACONNIER, IÈRE, subst.**
Personne qui se livre au braconnage. 1655 (fin XIIe s., valet qui s'occupe des chiens de chasse) ; anc. fr. *bracon*, « chien braque » ; [bʀakɔnje, jɛʀ].

**BRACONNIÈRE, subst. f.**
Partie d'une armure, qui protégeait le corps à partir du bassin jusqu'à mi-cuisses. 1309 ; orig. obsc. ; [bʀakɔnjɛʀ].

**BRACTÉE, subst. f.**
*Bot.* Petite feuille qui recouvre la fleur avant son éclosion. 1783 ; lat. *bractea*, « feuille de métal » ; [bʀakte].

**BRADAGE, subst. m.**
Action de brader. V. 1960 ; ☞ *brader* ; [bʀadaʒ].

**BRADEL (À LA), loc. adj.**
*Cartonnage à la* **Bradel** ou, empl. subst. masc., *Un* **bradel** : reliure légère où le bloc des cahiers est emboîté dans une couverture en carton. 1850 ; anthropon. *Bradel*, d'une famille de relieurs parisiens ; [alabʀadɛl].

**BRADER, verbe trans. [3]**
1. Vx. Gaspiller, gâter. 2. Ext. Vendre à bas prix. 3. Fig. Abandonner, sacrifier (ce qu'on avait le devoir de sauvegarder) : **Brader** *un territoire.* 1867 (mil. XVe s., gâter par le feu) ; m. néerl. *braden*, « rôtir » ; [bʀade].

**BRADERIE, subst. f.**
Vente publique, par des particuliers ou des commerçants, de marchandises à bas prix. 1867 ; ☞ *brader* ; [bʀadʀi].

**BRADEUR, EUSE, subst.**
Personne qui brade ; au fig. : *Un* **bradeur** *d'empire.* 1957 ; ☞ *brader* ; [bʀadœʀ, øz].

**BRADYCARDIE, subst. f.**
*Méd.* Ralentissement du rythme cardiaque (au-dessous de soixante pulsations par minute). 1893 ; gr. *bradus*, « lent », + *-cardie* ; [bʀadikaʀdi].

**BRADYPE, subst. m.**
*Zool.* Autre nom de l'aï, ou paresseux. 1826 ; lat. sc. *bradypus*, du gr. *bradupous*, « à la démarche lente », de *bradus*, « lent », et *pous*, « pied » ; [bʀadip].

**BRAGUETTE, subst. f.**
Ouverture verticale pratiquée sur le devant d'un pantalon. 1547 ; *brague* (vx), « culotte » ; [bʀagɛt].

**BRAHMANE, subst. m.**
Membre de la classe sacerdotale, la plus élevée des quatre classes composant la société indienne. 1298 ; skr. *brāhmana*, « brahmane », du nom du dieu *Brahmā* ; [bʀaman].

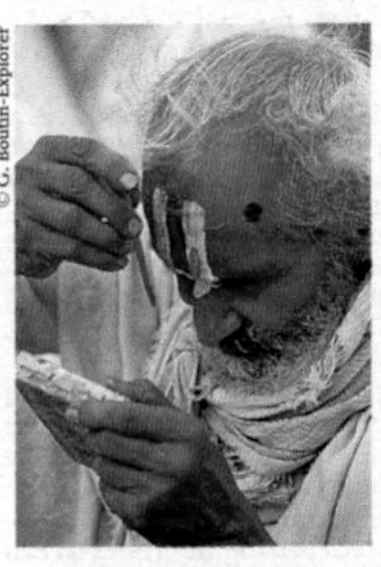
© G. Boutin-Explorer
*Brahmane peignant sur son visage des signes rituels.*

**BRAHMANIQUE, adj.**
Qui appartient au brahmanisme ; relatif aux brahmanes. 1830 ; ☞ *brahmanisme* ; [bʀamanik].

**BRAHMANISME, subst. m.**
Système religieux intermédiaire entre le védisme, dont il conserve la plupart des divinités, et l'hindouisme. 1801 ; ☞ *brahmane* ; [bʀamanism].

**BRAI, subst. m.**
1. *Techn.* Résidu solide de la distillation de goudrons, de pétroles et d'autres matières organiques, utilisé notamment dans la fabrication d'enduits d'étanchéité. 2. *Pathol. Maladie du* **brai** : provoquée par la manipulation du **brai** et se traduisant par des troubles cutanés, voire des cancers. 1309 ; *brayer* (vx), « enduire de goudron » ; [bʀɛ].

**BRAIE, subst. f.**
*Hist.* Pantalon ample des Gaulois, des Germains, que l'on portait encore au Moyen Âge (gén. au plur.). Fin XIIe s. ; lat. pop. °*braca*, souv. au plur., *bracae*, « pantalon », d'orig. gaul. ; [bʀɛ].

**BRAIEMENT, voir BRAIMENT**

**BRAILLARD, ARDE, adj.**
Fam. Qui braille ; empl. subst. : *Quel* **braillard**, *ce chanteur !* 1528 ; ☞ *brailler* ; var. *brailleur, euse* ; [bʀɑjaʀ, aʀd].

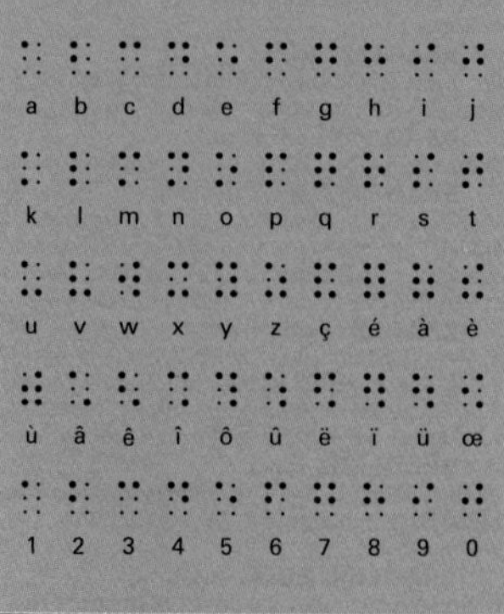


*L'écriture Braille.*

**BRAILLE, subst. m.**
Système d'écriture à l'usage des aveugles, où les caractères (lettres, chiffres, signes mathématiques, de ponctuation, de musique...) sont des groupes de points en relief : *Écrire en* ***braille.*** 1927 ; anthropon. *Louis Braille*, son inventeur ; [bʀaj].

**BRAILLEMENT, subst. m.**
Fam. Action de brailler ; éclat de voix de celui qui braille. 1590 ; ☞ *brailler* ; [bʀajmɑ̃].

**BRAILLER, verbe intrans.** [3]
Fam. Crier ; parler, pleurer, chanter d'une façon assourdissante ; empl. trans. : ***Brailler*** *des injures, une chanson.* Déb. XIII^e s. ; lat. pop. °*bragulare*, de °*bragere*, « braire » ; [bʀaje].

**BRAILLEUR, voir BRAILLARD**

**BRAIMENT, subst. m.**
Cri de l'âne. 1590 (1160, cri) ; ☞ *braire* ; var. *braiement* ; [bʀemɑ̃].

**BRAINSTORMING, subst. m.**
Anglic. Méthode de travail en groupe où chacun fait des suggestions, donne des idées pour mener à bien un projet ou pour résoudre un problème ; par méton., la réunion organisée selon cette méthode. V. 1960 ; anglo-amér. *brainstorming*, de *brain*, « cerveau », et de *storm*, « tempête » ; recomm. off. *remue-méninges* ; [bʀɛnstɔʀmiŋ].

**BRAIN-TRUST, subst. m.**
Groupe de spécialistes, d'experts, de conseillers au service d'une entreprise, d'un homme politique (anglic.). 1933 ; anglo-amér. *brain trust*, « trust du cerveau » ; plur. *brain-trusts* ; [bʀɛntʀœst].

**BRAIRE, verbe intrans.** [58]
**1.** Pousser son cri, en parlant de l'âne. **2.** Ext. Brailler (fam.). **3.** Loc. *Ça me fait* ***braire*** : cela m'ennuie profondément (fam.). 1640 (1100, crier) ; lat. pop. °*bragere* ; verbe défectif ; [bʀɛʀ].

**BRAISAGE, subst. m.**
*Cuis.* Cuisson à couvert et à feu très doux : *Le* ***braisage*** *des viandes.* 1957 ; ☞ *braiser* ; [bʀɛzaʒ].

**BRAISE, subst. f.**
Bois réduit par combustion à l'état de charbon ardent : *Le rougeoiement des* ***braises.*** ► Loc. *Des yeux de* ***braise*** : brillants ; *Être sur la* ***braise*** : être très inquiet ou très impatient (fam.) ; *Souffler sur la* ***braise*** : attiser un différend, une dispute. Fin XII^e s. ; orig. obsc. ; [bʀɛz].

**BRAISER, verbe trans.** [3]
*Cuis.* Faire cuire (un aliment) à couvert et à feu doux ; empl. adj. : *Bœuf* ***braisé.*** 1767 ; ☞ *braise* ; [bʀeze].

**BRAISIÈRE, subst. f.**
*Cuis.* Marmite dont le couvercle en creux peut recevoir de l'eau (autrefois des braises), utilisée pour les cuissons à l'étouffée. 1735 ; ☞ *braise* ; [bʀezjɛʀ].

**BRAME, subst. m.**
*Vén.* Cri du cerf et de certains cervidés au moment du rut. 1787 ; ☞ *bramer* ; var. *bramement* ; [bʀam].

**BRAMER, verbe intrans.** [3]
**1.** Pousser son cri, en parlant d'un cervidé : *La biche* ***brame*** *au clair de lune* (Vigny). **2.** Fig. Crier, se lamenter (péj.). 1528 ; anc. prov. *bramar*, « chanter ; braire » ; [bʀame].

**BRAN, subst. m.**
**1.** Résidu grossier du son ; par anal. : ***Bran*** *de scie*, sciure de bois. **2.** Excrément (vieilli ou région.). Déb. XIII^e s. ; lat. pop. °*brennus*, « son » ; var. *bren* ; [bʀɑ̃].

**BRANCARD, subst. m.**
**1.** Chacune des deux barres en bois situées dans le prolongement d'une charrette et entre lesquelles est attelé l'animal de trait. ► Loc. *Ruer dans les* ***brancards*** : regimber, se rebeller. **2.** Bras d'une civière ; par méton., la civière elle-même. 1429 (1380, chariot) ; ☞ *branche* ; [bʀɑ̃kaʀ].

**BRANCARDIER, subst. m.**
Personne chargée de transporter malades ou blessés sur un brancard. Mil. XVII^e s. ; ☞ *brancard* ; [bʀɑ̃kaʀdje].

**BRANCHAGE, subst. m.**
Ensemble des branches d'un arbre : *Un* ***branchage*** *dense* ; par anal. : ***Branchage*** *d'un cerf*, sa ramure. PLUR. Petites branches coupées : *Ramasser des* ***branchages*** *pour faire un fagot.* Mil. XV^e s. ; ☞ *branche* ; [bʀɑ̃ʃaʒ].

**BRANCHE, subst f.**
**1.** Tige d'un arbre, se formant à partir du tronc : *Une* ***branche*** *maîtresse, une* ***branche*** *secondaire* ; *Une* ***branche*** *d'aubépine.* ► Loc. *Être comme l'oiseau sur la* ***branche*** : être dans une situation précaire, instable ; *Se raccrocher, se rattraper aux* ***branches*** : saisir la moindre occasion pour se tirer d'un faux pas ; *Scier la* ***branche*** *sur laquelle on est assis* : compromettre inconsciemment sa situation. ► *Cuis. Épinards, céleris en* ***branches*** : avec tiges et feuilles. **2.** Anal. Ramification, division d'un objet, d'un organe... : *Chandelier à sept* ***branches*** ; *Les deux* ***branches*** *d'un fleuve.* ► *Anat.* Ramification d'un gros vaisseau, d'un nerf. ► *Archit.* Nervure : ***Branches*** *d'ogive.* ► *Math.* Un arc paramétré d'un plan admet une **branche** infinie relative à la valeur $t_0$ du paramètre si, dans un repère fixé, l'une des coordonnées (au moins) du point $M(t)$ de l'arc tend vers l'infini quand $t$ tend vers $t_0$. **3.** Fig. Domaine du savoir, spécialité : *Les* ***branches*** *de l'enseignement* ; *La génétique est l'une des* ***branches*** *de la biologie.* **4.** *Écon.* Secteur d'activité : *La* ***branche*** *« surgelés » d'un groupe agroalimentaire* ; *Des négociations salariales par* ***branches.*** **5.** *Généalogie.* Chacune des familles issues d'une même souche : *La* ***branche*** *des Valois.* ► Loc. *Avoir de la* ***branche*** : de l'allure, de la distinction. Fin X^e s. ; bas lat. *branca*, « patte » ; [bʀɑ̃ʃ].

**BRANCHÉ, ÉE, adj.**
Fam. **1.** Qui est au courant de tout ce qui est dans l'air du temps, à la mode : *Une grand-mère très* ***branchée*** ; empl. subst., personne **branchée**. **2.** ***Être branché*** *(par) qqch.* : être intéressé par cette chose, bien la connaître. V. 1960 ; p. p. de *brancher* ; [bʀɑ̃ʃe].

**BRANCHEMENT, subst. m.**
**1.** Action de brancher qqch. ; résultat de cette action : *Vérifier tous les* ***branchements.*** **2.** Canalisation, conduite ou fil électrique amenant l'eau, le gaz, le téléphone ou l'électricité de la concession distributrice à l'usager. 1853 (XVI^e s., production de branches) ; ☞ *branche* ; [bʀɑ̃ʃmɑ̃].

**BRANCHER, verbe** [3]
INTRANS. Percher sur les branches d'un arbre, en parlant d'un oiseau : *Les faisans* ***branchent*** ou, empl. pronom., *se* ***branchent*** *pour dormir.* TRANS. **1.** Pendre (vx) : ***Brancher*** *un brigand.* **2.** Relier (une conduite, une canalisation, un fil électrique) au circuit principal : ***Brancher*** *l'eau, le gaz* ; mettre en marche (un appareil) : ***Brancher*** *l'aspirateur, la radio.* ► Empl. pronom. : *Un poste qui se* ***branche*** *sur secteur* ; par anal. : *Se* ***brancher*** *sur la F. M.* **3.** Fig. Orienter (une conversation) sur un sujet (fam.) : *Si vous le* ***branchez*** *(sur le) bouddhisme tibétain, vous en avez pour des heures !* **4.** Intéresser (fam.) : *Ça te* ***brancherait*** *d'aller au théâtre ?* 1510 (XIV^e s., fait de se percher) ; ☞ *branche* ; [bʀɑ̃ʃe].

**BRANCHIAL, ALE, AUX, adj.**
*Zool.* Qui concerne les branchies ou qui leur appartient. 1770 ; ☞ *branchie* ; [bʀɑ̃ʃjal, o].

**BRANCHIE, subst. f.**
*Zool.* Organe respiratoire à paroi mince des animaux aquatiques, dans lequel circule du sang, qui capte l'oxygène dissous dans l'eau, tout en perdant du dioxyde de carbone ainsi que, en gén., de l'ammoniac (fonction excrétrice). Les **branchies** se rencontrent chez certains vers marins de l'embranchement des Annélidés, chez les Mollusques, le[s] Crustacés, les Poissons et les larves des Amphibien[s]. 1690 ; lat. *branchiae*, du gr. *bragkhia* ; [bʀɑ̃ʃi].

**BRANCHIOPODES, subst. m. plur.**
*Zool.* Sous-classe de petits crustacés aquatiques do[nt] les branchies sont portées par les pattes. AU SING. *L[a] daphnie est un* ***branchiopode.*** 1803 ; ☞ *branchi[e]* + *-pode* ; [bʀɑ̃kjɔpɔd].

**BRANCHU, UE, adj.**
Dont le branchage est dense : *Chêne* ***branchu*** ; pa[r] anal. : *Cerf* ***branchu***, pourvu de grands bois. M[il.] XII^e s. ; ☞ *branche* ; [bʀɑ̃ʃy].

**BRANDADE, subst. f.**
*Cuis.* Purée de morue émulsionnée à l'huile d'oli[ve] et additionnée de crème fraîche, parfois d'ail pi[lé] et de pommes de terre. 1788 ; prov. *brandado*, d[e] *brandar*, « remuer » ; [bʀɑ̃dad].

**BRANDE, subst. f.**
**1.** Végétation propre aux sous-bois des forêts d[e] pins (fougères, ajoncs, genêts, bruyères). **2.** Ex[t.] Sorte de bruyère qui pousse sur les sols infertiles [;] par méton., ce type de sol. **3.** Fagot de bruyère enduit d'une substance inflammable. 147[?] (1378, champ de bruyères) ; anc. fr. *brander*, « s'embra[ser] » ; [bʀɑ̃d].

**BRANDEBOURG, subst. m.**
Passementerie (galon, broderie) entourant un boutonnière ou en tenant lieu : *Une redingote* ***brandebourgs.*** 1752 (XVII^e s., casaque à galons) topon. *Brandebourg*, État d'Allemagne ; [bʀɑ̃dbuʀ].

**BRANDEBOURGEOIS, OISE, subst. et adj.**
De Brandebourg ou du Brandebourg (ville et pro[-]vince d'Allemagne du Nord) : *Les « Concertos brande[-]bourgeois », de J.-S. Bach.* Topon. *Brandebourg* ; [bʀɑ̃dbuʀʒwa, waz].

**BRANDIR, verbe trans.** [19]
**1.** Lever à bout de bras (qqch.) à titre de menace ***Brandir*** *une épée* ; ***Brandir*** *le poing.* **2.** Agiter à bou[t] de bras (qqch.) pour attirer l'attention : ***Brandi[r]*** *une pancarte.* **3.** Fig. Présenter, objecter avec véhé[-]mence (une chose abstraite) : ***Brandir*** *le règlement* *Les dirigeants* ***ont brandi*** *la menace de licenciements* Fin XI^e s. ; anc. fr. °*brand*, « épée » ; [bʀɑ̃diʀ].

**BRANDON, subst. m.**
**1.** Torche de paille enflammée. **2.** Anal. Débri[s] incandescent éjecté d'un feu. ► Fig. *Jeter le* ***brando[n]*** *de la révolte, de la discorde* : la provoquer, l'attiser **3.** *Dr.* Bâton garni de paille que l'on plantait e[n] bordure d'un champ dont la récolte était saisi (vieilli) : *Saisie-****brandon*** (☞ *saisie*). XII^e s. ; an[c.] bas frq. °*brand*, « tison » ; [bʀɑ̃dɔ̃].

**BRANDY, subst. m.**
Eau-de-vie de fruit, notamment de raisin. 1688 angl. *brandy*, de *brand(e) wine*, « vin distillé » ; [bʀɑ̃di].

**BRANLANT, ANTE, adj.**
**1.** Qui branle, instable : *Un tabouret* ***branlant.*** ► Lo[c.] *Château* ***branlant*** : personne mal assurée sur se[s] jambes (en partic. un petit enfant). **2.** Fig. Chance[-]lant, mal assuré : *Une autorité* ***branlante.*** XIV^e s. p. pr. de *branler* ; [bʀɑ̃lɑ̃, ɑ̃t].

**BRANLE, subst. m.**
**1.** Balancement, oscillation : *Sonner les cloches à tou[t]* ***branle***, à toute volée. ► Méton. *Mar.* Hamac (vieilli) **2.** Première impulsion. ► Loc. *(Se) mettre en* ***branle*** (se) mettre en action ; *Donner le* ***branle*** *à une affaire* la mettre en train. **3.** Ancienne danse des XVI^e e[t]

LE SYSTÈME **BRANCHIAL**
1. *Entrée de l'eau.*
2. *Opercule.*
3. *Branchie.*
4. *Ouïe (sortie de l'eau).*

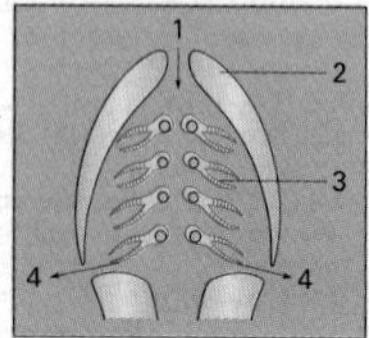

XVII^e s., dans laquelle les danseurs se tenaient par la main ; air de cette danse. XII^e s. ; ☞ *branler* ; [bʀɑ̃l].

**BRANLE-BAS, subst. m. inv.**
**1.** *Mar.* Tâche du matelot, consistant à déplier ou à replier son branle (vx). ▶ ***Branle-bas de combat*** : ordre de prendre toutes les mesures nécessaires pour se préparer au combat. **2.** Ext. Activité fébrile en vue de préparer une opération importante ou lors d'un évènement imprévu : *Ce fut un* ***branle-bas*** *général.* 1687 ; comp. de *branle* et de *bas* (I) ; [bʀɑ̃lba].

**BRANLÉE, subst. f.**
**1.** Son d'une cloche qui branle. **2.** Masturbation (vulg.). **3.** *Prendre une* ***branlée*** : subir une défaite (fam.). 1936 ; ☞ *branler* ; [bʀɑ̃le].

**BRANLEMENT, subst. m.**
Hochement, balancement : *Un* ***branlement*** *du menton.* Mil. XIV^e s. ; ☞ *branler* ; [bʀɑ̃lmɑ̃].

**BRANLER, verbe [3]**
**Trans. 1.** ***Branler*** *la tête, le chef* : secouer la tête de droite à gauche ou de haut en bas. **2.** Vulg. Masturber (qqn) ; empl. pronom. : ***Se branler***. **3.** Fig. et Pop. Fabriquer, faire : *Qu'est-ce que tu* ***branles*** *? ; S'en* ***branler***, s'en moquer. **Intrans. 1.** Bouger : *Avoir une dent qui* ***branle***. **2.** Être instable, manquer d'assise : *Cette chaise* ***branle***. ▶ *Outil qui* ***branle*** *dans le manche* : qui est mal emmanché ; au fig. : *Son affaire* ***branle*** *dans le manche*, est mal engagée. Fin XI^e s. ; anc. fr. *brandeler*, « osciller, vaciller » ; [bʀɑ̃le].

**BRANLETTE, subst. f.**
**1.** Manière de pêcher en secouant la ligne. **2.** Masturbation (vulg.). 1836 ; ☞ *branler* ; [bʀɑ̃lɛt].

**BRANLEUR, EUSE, subst.**
Vaurien, paresseux (fam.). Déb. XX^e s. (1690, qui branle) ; ☞ *branler* ; rare au fém. ; [bʀɑ̃lœʀ, -øz].

**BRANQUIGNOL, subst. m.**
Fam. Personnage étrange, un peu fou ; incapable. 1900 ; *branque* (vx), « benêt », d'orig. obsc. ; [bʀɑ̃kiɲɔl].

**BRAQUAGE, subst. m.**
**1.** Action de braquer : *Rayon de* ***braquage***, du plus petit cercle décrit par les roues extérieures d'un véhicule ; *Angle de* ***braquage***, angle maximal formé par les roues avec l'axe longitudinal du véhicule, lorsque le volant est tourné à fond. **2.** Attaque à main armée (fam.). Fin XIX^e s. ; ☞ *braquer* ; [bʀakaʒ].

**BRAQUE, subst. m. et adj.**
**Subst.** Chien d'arrêt à poil ras, aux oreilles pendantes. **Adj.** Dont la conduite est extravagante et imprévisible (fam.). XV^e s. ; prob. ital. *bracco*, du germ. °*brakko*, « chien de chasse » ; [bʀak].

**BRAQUEMART, subst. m.**
**1.** Vx. Courte et lourde épée. **2.** Anal. Pénis (fam.). 1392 ; m. néerl. *breecmes*, « couperet, sarcloir, serpe » ; [bʀakmaʀ].

**BRAQUER, verbe trans. [3]**
**1.** ***Braquer*** *les roues d'un véhicule* : les orienter pour tourner ; empl. abs. : ***Braque*** *à fond !* **2.** Pointer (une arme) vers sa cible : *Il* ***braque*** *son fusil sur la porte d'entrée.* ▶ Ext. Mettre en joue (qqn) ; attaquer avec une arme (argot.) : ***Braquer*** *une banque, une bijouterie.* **3.** Anal. Diriger (des jumelles, un projecteur, etc.) sur, vers ; par ext. : ***Braquer*** *les yeux sur*, fixer son regard sur. **4.** Fig. ***Braquer*** *qqn contre qqch., qqn* : l'amener à une attitude d'opposition butée contre qqch. ou qqn ; *Être* ***braqué*** *contre qqch., qqn* : être hostile à qqch. ou à qqn. **Pronom.** S'obstiner, se buter. 1546 ; prob. lat. pop. °*brachitare*, du lat. *brachium*, « bras » ; [bʀake].

**BRAQUET, subst. m.**
*Mécan.* Rapport de démultiplication entre le plateau du pédalier et le pignon de la roue arrière d'une bicyclette : *Utiliser un petit* ***braquet*** *dans les côtes.* 1928 ; angl. *bracket* ; [bʀakɛ].

**BRAQUEUR, EUSE, subst.**
Fam. Personne qui effectue un braquage (de banque, par ex.). 1947 ; ☞ *braquer* ; [bʀakœʀ, -øz].

**BRAS, subst. m.**
**I. 1.** *Anat.* Partie du membre supérieur de l'homme, située entre l'épaule et le coude : *L'humérus est l'os du* ***bras***. **2.** Ext. Le membre supérieur tout entier, bras et avant-bras : *Lever les* ***bras*** *; Être au garde-à-vous, les* ***bras*** *le long du corps ; Marcher au* ***bras*** *de qqn ; Se jeter dans les* ***bras*** *de qqn ; Avoir les* ***bras*** *chargés de cadeaux ; Aller* ***bras*** *dessus,* ***bras*** *dessous.* **3.** Méton. Manche d'un vêtement : *Faufiler le* ***bras*** *d'une veste.* ▶ Loc. *En* ***bras*** *de chemise* : sans veste.

Vue antérieure — Vue postérieure

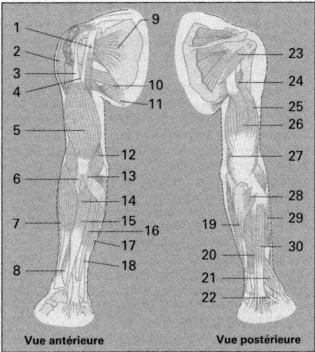

LES MUSCLES DU **BRAS** ET DE L'AVANT-**BRAS**
1. *Coraco-brachial.* 2. *Deltoïde.* 3. *Longue portion du biceps.* 4. *Courte portion du biceps.* 5. *Biceps.* 6. *Tendon du biceps.* 7. *1^{er} radial.* 8. *Long fléchisseur propre du pouce.* 9. *Sous-scapulaire.* 10. *Grand rond.* 11. *Grand dorsal.* 12. *Brachial antérieur.* 13. *Expansion aponévrotique.* 14. *Rond pronateur.* 15. *Grand palmaire.* 16. *Petit palmaire.* 17. *Cubital antérieur.* 18. *Fléchisseur commun superficiel.* 19. *Cubital antérieur.* 20. *Cubital postérieur.* 21. *Court extenseur du pouce.* 22. *Long extenseur du pouce.* 23. *Sous-épineux.* 24. *Grand rond.* 25. *Vaste externe.* 26. *Longue portion du triceps.* 27. *Vaste interne.* 28. *Anconé.* 29. *Long supinateur.* 30. *Extenseur commun.*

**4.** Loc. *Accueillir à* ***bras*** *ouverts* : avec chaleur ; *Baisser les* ***bras*** : renoncer à lutter ; *Rester les* ***bras*** *croisés* : ne rien faire ; *Couper les* ***bras*** *et les jambes* : frapper de stupeur ; *Les* ***bras*** *m'en tombent* : j'en suis très surpris, déçu. **5.** Symbole du pouvoir, de la force : *Le* ***bras*** *de Dieu ; Le* ***bras*** *séculier*, la puissance temporelle, par oppos. à celle de l'Église, sous l'Ancien Régime. ▶ Loc. fam. *Jouer les gros* ***bras*** : chercher à impressionner par sa force physique ; *Engager une partie de* ***bras*** *de fer* : une lutte acharnée ; *Avoir le* ***bras*** *long* : beaucoup d'influence. **6.** Personne qui agit, travaille : *On a besoin de* ***bras*** *; C'est lui la tête et moi les* ***bras***. ▶ Loc. *Être le* ***bras*** *droit de qqn* : son principal collaborateur. **7.** *Hippol.* ***Bras*** *d'un cheval* : partie de son membre antérieur, allant de l'épaule au genou ; ***Bras*** *d'une pieuvre* : un de ses tentacules. **II.** Anal. **1.** Partie d'un objet évoquant la forme d'un bras : *Les* ***bras*** *d'une croix ; Les* ***bras*** *d'un fauteuil*, ses accoudoirs ; *Les* ***bras*** *d'une brouette, d'un brancard*, les tiges permettant de les déplacer ; ***Bras*** *d'une vigne*, tiges issues du tronc. **2.** *Géogr.* Division d'un cours d'eau partagé par des îles : ***Bras*** *mort*, séparé du courant principal ; ***Bras*** *de mer*, passage, détroit. **3.** *Mécan.* ***Bras*** *de levier* : distance d'une force à son point d'appui. Fin XI^e s. ; lat. *brac(c)hium*, du gr. *brakhiôn* ; [bʀa].

**BRASAGE, subst. m.**
*Techn.* Action de braser des pièces métalliques ; son résultat. 1866 ; ☞ *braser* ; [bʀazaʒ].

**BRASER, verbe trans. [3]**
*Techn.* Souder (des pièces métalliques) au moyen d'un autre métal dont le point de fusion est inférieur à celui de ces pièces : ***Braser*** *du cuivre avec des fils d'argent.* 1578 (déb. XIII^e s., embraser) ; ☞ *braise* ; [bʀaze].

**BRASERO, subst. m.**
Bassin métallique monté sur un trépied, que l'on remplit de braises pour se chauffer en plein air. 1722 ; esp. *brasero*, de *brasa*, « braise » ; [bʀazeʀo].

**BRASIER, subst. m.**
Feu de braises ; par ext., objet, matière en feu : *La ferme n'était plus qu'un* ***brasier*** ; au fig. : *Le* ***brasier*** *des sens.* XII^e s. ; ☞ *braise* ; [bʀazje].

**BRASILLER, verbe [3]**
**Trans.** Faire griller sur la braise (rare) : ***Brasiller*** *une côte de bœuf.* **Intrans.** Rougeoyer comme la braise : *La bougie se mit à* ***brasiller*** *; La mer* ***brasillait*** *au soleil couchant.* 1223 ; ☞ *braise* ; [bʀazije].

**BRAS-LE-CORPS (À), loc. adv.**
*Prendre, saisir à* ***bras-le-corps*** : saisir, entourer en serrant étroitement dans ses bras ; au fig. : *Prendre une difficulté à* ***bras-le-corps***, l'aborder de front, sans détour. Mil. XV^e s ; comp. de *bras* et de *corps* ; [abʀalkɔʀ].

**BRASQUE, subst. f.**
*Techn.* Mélange réfractaire utilisé pour le revêtement intérieur des fours, des creusets. 1757 ; ital. *brasca*, « poudre de charbon servant à chauffer le minerai » ; [bʀask].

**BRASSAGE (I), subst. m.**
**1.** Action de brasser la bière ; son résultat. **2.** Mélange : ***Brassage*** *des gaz, de l'air* ; au fig. : ***Brassage*** *des cultures, des populations.* 1331 (1324, action de mélanger des métaux) ; ☞ *brasser* (I) ; [bʀasaʒ].

**BRASSAGE (II), subst. m.**
*Mar.* Action de brasser, d'orienter une vergue. 1867 ; ☞ *brasser* (II) ; [bʀasaʒ].

**BRASSARD, subst. m.**
**1.** Vx. Partie d'une armure qui protégeait le bras. **2.** Pièce en cuir qui protège le bras de certains travailleurs ou sportifs. **3.** Ext. Bande d'étoffe que l'on porte autour du bras comme signe distinctif : ***Brassard*** *d'infirmier ;* ***Brassard*** *de deuil.* 1546 ; ital. *bracciale* ; [bʀasaʀ].

**BRASSE, subst. f.**
**1.** *Mar.* Ancienne mesure équivalente à cinq pieds, soit 1,620 mètre, utilisée pour exprimer la longueur des cordages et la profondeur de l'eau. **2.** *Sp.* Nage sur le ventre, dans laquelle bras et jambes sont alternativement déployés et regroupés : ***Brasse*** *papillon* (☞ *papillon*). ▶ Ext. Distance parcourue dans l'eau à chaque mouvement de cette nage : *Il était à quelques* ***brasses*** *de la rive.* 1409 (fin XI^e s., les deux bras) ; lat. *brachia*, « les bras » ; [bʀas].

**BRASSÉE, subst. f.**
Ce que les deux bras peuvent entourer, porter : *Une* ***brassée*** *de foin, de cadeaux.* XIII^e s. (fin XII^e s., mesure de longueur) ; ☞ *bras* ; [bʀase].

**BRASSER (I), verbe trans. [3]**
**1.** ***Brasser*** *la bière* : la fabriquer en procédant au mélange de l'eau et du malt, puis à la fermentation du moût. **2.** Anal. Remuer pour obtenir un mélange : ***Brasser*** *une pâte, un métal en fusion.* **3.** Fig. ***Brasser*** *l'air, du vent* : s'agiter vainement en tous sens ; ***Brasser*** *des affaires* : traiter de nombreuses affaires en même temps (souv. péj.) ; ***Brasser*** *des millions* : posséder et faire fructifier beaucoup d'argent. Fin XII^e s. ; gallo-roman °*braciare* ; [bʀase].

**BRASSER (II), verbe trans. [3]**
*Mar.* Agir sur (une vergue) pour orienter la voile dans la direction souhaitée. Fin XVII^e s. ; ☞ *bras* ; [bʀase].

**BRASSERIE, subst. f.**
**1.** Établissement où l'on brasse la bière ; par ext., industrie de la bière. **2.** Méton. Café-restaurant, gén. spacieux, où l'on sert notamment un large choix de bières. 1371 ; ☞ *brasser* (I) ; [bʀasʀi].

**BRASSEUR, EUSE, subst.**
**1.** Fabricant de bière : *Les grands* ***brasseurs*** *de Belgique* ; grossiste en bière. **2.** Fig. ***Brasseur*** *d'affaires* : personne qui traite de nombreuses affaires (parfois péj.). Mil. XIII^e s. ; ☞ *brasser* (I) ; [bʀasœʀ, -øz].

**BRASSICACÉES, subst. f. plur.**
*Bot.* Crucifères. Lat. *brassica*, « chou » ; [bʀasikase].

**BRASSIÈRE, subst. f.**
**1.** Corsage très ajusté (vx). **2.** Chemise pour nouveau-né, à manches longues, en laine ou en coton, qui s'attache dans le dos. **3.** *Mar.* ***Brassière*** *de sauvetage* : gilet de sauvetage. 1341 (1278, garniture placée sous l'armure) ; ☞ *bras* ; [bʀasjɛʀ].

**BRASSIN, subst. m.**
*Techn.* Cuve où l'on brasse la bière ; son contenu. 1680 (fin XII^e s., intrigue) ; ☞ *brasser* (I) ; [bʀasɛ̃].

**BRASURE, subst. f.**
*Techn.* Soudure obtenue en brasant du métal ; métal utilisé pour braser. 1803 ; ☞ *braser* ; [bʀazyʀ].

**BRAVACHE, subst. m. et adj.**
**Subst.** Personne qui se donne des airs de brave, fanfaron. **Adj.** Qui affecte la bravoure : *Un air* ***bravache***. 1570 ; ital. *bravaccio*, « personne arrogante » ; [bʀavaʃ].

**BRAVADE, subst. f.**
**1.** Attitude ou acte de défi insolent : *Il s'est engagé dans l'armée par* ***bravade***. **2.** Fanfaronnade. 1547 ; ital. *bravata*, de *bravare*, « braver » ; [bʀavad].

**BRAVE, adj.**
**1.** Qui affronte avec courage le danger ou les difficultés : *Un homme* ***brave*** ; par méton. : *Un air* ***brave*** ; empl. subst. : *Que vienne la paix des* ***braves***

(de Gaulle). **2.** Honnête et bon : *Un **brave** homme.* ▸ Gentil, mais simplet (péj.) : *C'est un **brave** garçon.* ⌘ Déb. XIVe s. ; ital. *bravo*, « courageux », prob. du lat. *barbarus*, « barbare » ; se place après le subst. au sens 1, avant au sens 2 ; [bʀav].

**BRAVEMENT, adv.**
Avec bravoure. ⌘ 1465 ; ☞ *brave* ; [bʀavmɑ̃].

**BRAVER, verbe trans.** [3]
**1.** Affronter sans crainte et résolument : ***Braver** un péril, la mort* ; ***Braver** la foule.* **2.** Défier avec orgueil, provoquer : ***Braver** les convenances, l'autorité, les lois* ; ***Braver** qqn*, lui tenir tête. ⌘ Déb. XVIe s. ; ☞ *brave* ; [bʀave].

**BRAVO, interj. et subst. m.**
**Interj.** Exclamation utilisée pour applaudir, pour exprimer son enthousiasme : ***Bravo**, l'artiste !* ; par iron. : *Tout est à recommencer, **bravo** !* **Subst.** Applaudissement (gén. au plur.) : *Il y eut des hourras et des **bravos**.* ⌘ 1738 ; mot ital. ; [bʀavo].

**BRAVOURE, subst. f.**
**1.** Qualité d'une personne brave ; en partic., courage guerrier. **2.** *Mus. Morceau de **bravoure*** : destiné à mettre en valeur le brio, la virtuosité technique de l'interprète ; par anal. : *Morceau de **bravoure** d'un discours.* ⌘ 1648 ; ital. *bravura* ; [bʀavuʀ].

**BRAYER, subst. m.**
**1.** Vx. Ceinture qui tient les braies. **2.** Courroie de cuir soutenant le battant d'une cloche. **3.** *Bât.* Cordage servant à hisser les matériaux de construction. ⌘ Déb. XIIe s. ; ☞ *braie* ; [bʀeje].

**BREAK (I), subst. m.**
**1.** Vx. Voiture à cheval découverte et à quatre roues. **2.** Voiture automobile carrossée en fourgonnette : *Choisir un modèle **break**.* ⌘ 1830 ; mot angl. ; [bʀɛk].

**BREAK (II), subst. m.**
**1.** *Mus.* Dans le jazz, silence observé par l'orchestre, soit pour introduire un solo, soit pour ménager un suspens. **2.** *Sp.* ▸ Dans un match de boxe ou de catch, ordre donné par l'arbitre d'interrompre le corps à corps. ▸ *Faire le **break*** : au tennis, creuser l'écart avec son adversaire en prenant son service. ⌘ 1909 ; mot anglo-amér. ; [bʀɛk].

**BREAKFAST, subst. m.**
Petit déjeuner à l'anglaise. ⌘ 1865 ; angl. *breakfast*, de *to break*, « briser », et de *fast*, « jeûne » ; [bʀɛkfœst].

**BREBIS, subst. f.**
**1.** Femelle adulte du bélier : *Fromage de **brebis**.* ▸ Loc. ***Brebis** galeuse* : personne jugée indésirable dans un groupe. **2.** *Relig.* Se dit symboliquement du chrétien fidèle au Christ, comparé à un berger (souv. au plur.) : *Le Bon Pasteur et ses **brebis**.* ⌘ Déb. XIIe s. ; lat. pop. °*berbix*, du lat. *vervex*, « mouton » ; [bʀəbi].

**BRÈCHE (I), subst. f.**
**1.** Ouverture, volontaire ou accidentelle, faite dans une clôture, un mur, etc. : *La mer déchaînée avait ouvert une **brèche** dans la digue* ; en partic., ouverture pratiquée par les assaillants dans une enceinte fortifiée. ▸ Loc. *S'engouffrer dans la **brèche*** : profiter d'une faiblesse de l'adversaire pour prendre le dessus ; *Battre en **brèche** qqn ou qqch.* : l'attaquer violemment ; *Être toujours sur la **brèche*** : constamment en activité. **2.** Ébréchure sur le bord d'une assiette, sur la lame d'un couteau, etc. **3.** *Géogr.* Échancrure dans une barrière montagneuse, souv. utilisée comme passage : *La **brèche** de Roncevaux.* ⌘ 1119 ; prob. anc. bas frq. °*breka* ; [bʀɛʃ].

**BRÈCHE (II), subst. f.**
*Pétrogr.* Roche composée d'éléments de grande taille et anguleux, liés de façon naturelle par un ciment ou une matrice. ⌘ 1611 ; prob. ital. *breccia* ; [bʀɛʃ].

**BRÉCHET, subst. m.**
*Zool.* Crête osseuse ou cartilagineuse présente sur le sternum de tous les oiseaux, sauf des Ratites. ⌘ XIVe s. ; prob. m. angl. *brusket* ; [bʀeʃɛ].

**BREDOUILLAGE, subst. m.**
Action de bredouiller ; paroles indistinctes, confuses. ⌘ XVIIe s. ; ☞ *bredouiller* ; [bʀədujaʒ].

**BREDOUILLE, subst. f. et adj.**
**Subst.** Au jeu de trictrac, situation dans laquelle un joueur gagne par douze points à zéro (vieilli). **Adj.** Qui n'a rien pris, rien obtenu : *Rentrer **bredouille** de la chasse* ; *Sortir **bredouille** d'une négociation.* ⌘ 1611 (1534, embarrassé) ; orig. obsc. ; [bʀəduj].

**BREDOUILLEMENT, subst. m.**
Bredouillage. ⌘ 1611 ; ☞ *bredouiller* ; [bʀədujmɑ̃].

**BREDOUILLER, verbe intrans.** [3]
S'exprimer de façon indistincte et confuse ; empl. trans. : ***Bredouiller** des remerciements.* ⌘ 1564 ; anc. fr. *bredeler*, prob. du lat. *britto*, « breton » ; [bʀəduje].

**BREDOUILLEUR, EUSE, subst.**
Personne qui bredouille. ⌘ 1642 ; ☞ *bredouiller* ; [bʀədujœʀ, øz].

**BREF (I), BRÈVE, adj., subst. f. et adv.**
**Adj. 1.** Qui est de courte durée : *Dans les plus **brefs** délais* ; *Jeter un **bref** coup d'œil* ; *Une note **brève**.* ▸ *Phon. Voyelle, syllabe **brève*** ou, empl. subst. fém., *Une **brève*** : prononcée rapidement (anton. *longue*). **2.** Ext. Exprimé en peu de mots, concis : *Un **bref** communiqué.* **3.** De petite taille (vx) : *Pépin le **Bref**.* **Subst.** *Journ.* Information rédigée en quelques lignes. **Adv.** Pour résumer, pour conclure : ***Bref**, je m'y refuse.* ▸ Loc. *En **bref*** : en résumé. ⌘ Mil. XIe s. ; lat. *brevis*, « court » ; [bʀɛf, bʀɛv].

**BREF (II), subst. m.**
*Cath.* Lettre pontificale concernant des affaires privées, plus courte que la bulle : *Solliciter, obtenir un **bref**.* ⌘ 1557 (fin XIe s., message) ; lat. *brevis* ; [bʀɛf].

**BREGMA, subst. m.**
*Anat.* Point de jonction entre l'os frontal et les deux os pariétaux du crâne. ⌘ Gr. *bregma*, « sommet du crâne » ; [bʀɛgma].

**BRELAN, subst. m.**
*Jeux.* Groupe de trois cartes de même valeur : ***Brelan** de rois.* ⌘ 1690 (mil. XIIe s., table de jeu) ; anc. haut all. *bretling*, « petite planche » ; [bʀəlɑ̃].

**BRÊLER, verbe trans.** [3]
Assembler (un chargement) à l'aide de cordages. ⌘ 1863 ; anc. fr. *brael*, « ceinture » ; [bʀele].

**BRELOQUE, subst. f.**
**1.** Petit bijou de peu de valeur, que l'on attache à une chaîne, à un bracelet. **2.** Batterie de tambour appelant les soldats à rompre les rangs (vieilli). ▸ Loc. *Battre la **breloque*** : fonctionner irrégulièrement et, au fig., divaguer (fam. et vieilli). ⌘ Mil. XVe s. ; p.-ê. orig. onomat. ; [bʀəlɔk].

**BRÈME (I), subst. f.**
*Zool.* Poisson cyprinidé d'eau douce à corps plat. ⌘ XIIe s. ; anc. bas frq. °*brahsima* ; [bʀɛm].

**BRÈME (II), subst. f.**
Carte à jouer (argot.). ⌘ 1821 ; orig. obsc. ; [bʀɛm].

**BREN, voir BRAN**

**BRÉSIL, subst. m.**
*Bot.* Arbre tropical de la famille des Césalpiniacées, dont le bois donne un colorant rouge et qui a donné son nom au Brésil : ***Brésil** de Pernambouc.* ⌘ 1168 ; anc. fr. *breze*, « braise » ; var. *brésillet* ; [bʀezil].

**BRÉSILIEN, IENNE, adj. et subst.**
Du Brésil. **Subst. masc.** La langue portugaise parlée au Brésil. ⌘ 1578 ; topon. *Brésil* ; [bʀeziljɛ̃, jɛn].

**BRÉSILLER, verbe** [3]
**Trans. 1.** Teindre avec du brésil. **2.** Émietter, réduire en menus fragments (littér.) : ***Brésiller** du sucre.* **Intrans.** et **Pronom.** Tomber en poussière. ⌘ 1346 ; ☞ *brésil* ; [bʀezije].

**BRÉSILLET, voir BRÉSIL**

**BRETÈCHE, subst. f.**
**1.** *M. Â.* Loge fortifiée, sur la façade d'un édifice militaire. **2.** *Archit.* Loggia. **3.** *Hérald.* Rangée de créneaux. ⌘ 1155 ; bas lat. *brittisca*, « fortification bretonne » ; var. *bretesse* ; [bʀətɛʃ].

**BRETELLE, subst. f.**
**1.** Courroie passée à l'épaule pour porter une charge : ***Bretelle** de fusil.* **2.** Bande de tissu élastique ou de cuir servant à retenir un pantalon (gén. au plur.) ; par ext. : ***Bretelles** de soutien-gorge* ; ***Bretelles** d'une robe.* ▸ Loc. *Remonter les **bretelles** à qqn* : le réprimander (fam.). **3.** Anal. ▸ *Ch. de fer.* Jonction en oblique reliant deux voies ferrées parallèles. ▸ ***Bretelle** d'autoroute* : voie d'accès et de sortie d'une autoroute. ⌘ Fin XIIIe s. ; anc. haut all. *brittil*, « rêne, bride » ; [bʀətɛl].

**BRETESSE, voir BRETÈCHE**

**BRETON, ONNE, adj. et subst.**
De Bretagne. **Subst. masc.** Langue celtique parlée dans la basse Bretagne. ⌘ Fin XIe s. ; lat. *Britto*, peuple celte établi en Angleterre ; [bʀətɔ̃, ɔn].

**BRETONNANT, ANTE, adj.**
Qui perpétue les traditions bretonnes ; en partic., qui parle breton : *Bretagne **bretonnante** et Bretagne gallo.* ⌘ Fin XIIIe s. ; ☞ *breton* ; [bʀətɔnɑ̃, ɑ̃t].

**BRETTE, subst. f.**
**1.** Vx. Longue épée de duel. **2.** Belg. Dispute, altercation. **3.** *Bât.* Outil de maçon, muni de dents, servant à exécuter un crépi grossier. ⌘ XVIe s. ; anc. fr. *bret*, du lat. *britto*, « breton » ; [bʀɛt].

**BRETTELER, verbe trans.** [12]
*Bât.* Strier (une façade, un mur) à l'aide d'une brette. ⌘ 1690 ; ☞ *brette* ; var. *bretter* ; [bʀɛtle].

**BRETTEUR, subst. m.**
**1.** Amateur de combats à l'épée (vieilli). **2.** Personne querelleuse (péj.). ⌘ 1653 ; ☞ *brette* ; [bʀɛtœʀ].

**BRETZEL, subst. m.**
Biscuit alsacien garni de gros sel ou de cumin, en forme de 8, qui accompagne souvent la bière. ⌘ 1492 ; all. *Brezel*, du lat. *brachium*, « bras » ; [bʀɛtzɛl].

**BREUVAGE, subst. m.**
**1.** Boisson préparée à des fins particulières (littér.) : ***Breuvage** magique.* **2.** Québ. Boisson non alcoolisée. **3.** *Vétér.* Potion médicinale. ⌘ Fin XIIe s. ; anc. fr. *boivre*, « boire » ; [bʀœvaʒ].

**BRÈVE, voir BREF (I)**

**BREVET, subst. m.**
**1.** *Hist.* Acte sans sceau, délivré par le roi, accordant à qqn une grâce, un bénéfice ou un titre : *Un **brevet** de noblesse, de pension.* **2.** *Dr.* ▸ *Acte en **brevet*** : acte notarié dont l'original est remis aux parties. ▸ ***Brevet** d'invention* : titre remis par les pouvoirs publics à l'auteur d'une découverte ou d'une invention, et qui lui en confère la propriété exclusive. **3.** *Enseign.* Diplôme décerné par l'État, attestant un certain niveau de connaissances ou d'aptitudes : ***Brevet** de technicien supérieur (B. T. S.)* ; ***Brevet** d'études du premier cycle (B. E. P. C.)* ; par anal. : ***Brevet** de pilote, de secourisme.* **4.** Fig. Garantie : ***Brevet** de vertu.* ⌘ 1680 (1160, écrit) ; ☞ *bref* (II) ; [bʀəvɛ].

**BREVETÉ, ÉE, adj.**
**1.** Qui a obtenu un brevet : *Pilote **breveté**.* **2.** Qui est garanti, protégé par un brevet : *Procédé **breveté**.* ⌘ 1835 ; p. p. de *breveter* ; [bʀəv(ə)te].

**BREVETER, verbe trans.** [14]
**1.** Attribuer un brevet à (qqn). **2.** Protéger (qqch.) par un brevet : *Faire **breveter** une invention.* ⌘ 1751 ; ☞ *brevet* ; [bʀəv(ə)te].

**BRÉVIAIRE, subst. m.**
**1.** *Cath.* Livre regroupant l'office divin et les prières qui doivent être dits ou lus chaque jour par les prêtres, les religieux : ***Bréviaire** romain* ; par méton., l'ensemble de ces prières : *Réciter son **bréviaire**.* **2.** Fig. Livre fréquemment consulté pour en tirer un enseignement personnel : *Il avait fait des « Mémoires » de Saint-Simon son **bréviaire**.* ⌘ Mil. XIIe s. ; lat. *breviarium*, « abrégé, sommaire » ; [bʀevjɛʀ].

**BRÉVILIGNE, adj. et subst.**
Se dit d'un homme ou d'un animal aux membres courts et au corps trapu (anton. *longiligne*) : *Un cheval **bréviligne**.* ⌘ V. 1920 ; formé du lat. *brevis*, « court », et de *ligne* ; [bʀeviliɲ].

**BRÉVITÉ, subst. f.**
*Phon.* Caractère d'une syllabe ou d'une voyelle brève. ⌘ 1819 ; lat. *brevitas* ; [bʀevite].

**BRIARD, ARDE, adj. et subst.**
De la Brie. **Subst. masc.** Chien de berger français à poil long. ⌘ 1838 ; topon. *Brie* ; [bʀijaʀ, aʀd].

**BRIBE, subst. f.**
**1.** Parcelle, fragment : *Il n'y a plus une **bribe** de pain.* **2.** Fig. Fragment (gén. au plur.) : *Des **bribes** de phrases* ; *Par **bribes***, par petits morceaux. ▸ Ext. Savoir fragmentaire : *Il possède quelques **bribes** d'allemand.* ⌘ Fin XIIIe s. ; orig. onomat. ; [bʀib].

**BRIC-À-BRAC, subst. m. inv.**
**1.** Amas de toutes sortes d'objets, souv. usagés, destinés à la revente : *Un marchand de **bric-à-brac*** ; par méton., boutique de brocanteur. **2.** Ensemble disparate et désordonné d'objets sans valeur. **3.** Fig. Fatras (péj.) : *Un **bric-à-brac** d'idées confuses.* ⌘ Déb. XIXe s. ; comp. de deux onomat. ; [bʀikabʀak].

**BRIC ET DE BROC (DE), loc. adv.**
En rassemblant des éléments de nature et de provenance diverses (fam.) : *Un salon meublé **de bric et de broc**.* ⌘ 1808 ; comp. de deux onomat. ; [dəbʀikedəbʀɔk].

**BRICK (I), subst. m.**
*Mar.* Ancien navire à deux mâts gréés de voiles carrées. ▸ ***Brick-goélette*** : navire dont le grand mât est gréé en goélette et le mât de misaine en brick. ⌘ 1781 ; angl. *brig*, apocope de *brigantine* ; [bʀik].

**BRICK (II), subst. m.**
Fine crêpe fourrée, gén. à l'œuf ou au thon, et frite. ⌘ V. 1960 ; ar. de Tunisie *brīk* ; [bʀik].

**BRICOLAGE,** subst. m.
**1.** Action de bricoler : *Être peu doué pour le* ***bricolage*** ; par ext. : *Rayon* ***bricolage*** *d'un magasin.* **2.** Travail, gén. manuel, d'amateur (parfois péj.) : *Un* ***bricolage*** *provisoire.* 1927 ; ☞ *bricoler* ; [bʀikɔlaʒ].

**BRICOLE,** subst. f.
**1.** *M. Â.* Catapulte à courroies. **2.** Sangle de cuir servant à tirer ou à porter une charge : ***Bricole*** *de déménageur.* **3.** Partie rembourrée du harnais passant sur le poitrail du cheval. **4.** Menue besogne ; par ext., chose de peu de valeur : *Acheter des* ***bricoles*** *pour les enfants.* **5.** Ennui (fam.) : *Il va s'attirer des* ***bricoles.*** **6.** *Pêche.* Ligne garnie d'un hameçon double ou triple. 1360 ; ital. *briccola*, « catapulte » ; [bʀikɔl].

**BRICOLER,** verbe [3]
**Intrans. 1.** *Vén.* Aller de côté et d'autre, en parlant d'un chien de chasse. **2.** Gagner sa vie en effectuant des petits travaux : ***Bricoler*** *à droite, à gauche.* **3.** Se livrer à des travaux d'installation ou de réparation : *Il aime* ***bricoler.*** **Trans. 1.** Arranger, fabriquer (qqch.), souv. de manière ingénieuse. **2.** Réparer (qqch.) de façon sommaire : ***Bricoler*** *un grille-pain.* 1480 ; ☞ *bricole* ; [bʀikɔle].

**BRICOLEUR, EUSE,** subst.
Personne qui bricole ; empl. adj. : *Un tempérament* ***bricoleur.*** 1938 (1778, chien qui s'écarte de la piste) ; ☞ *bricoler* ; [bʀikɔlœʀ, øz].

**BRIDE,** subst. f.
**1.** *Équit.* Pièce du harnais composée du mors, des montants, de la têtière, du frontal et des rênes, placée sur la tête du cheval pour le diriger : *Mettre la* ***bride*** ; par méton., les rênes : *Mener un cheval par la* ***bride***, le tenir par les rênes en marchant à son côté. ▸ Loc. *Laisser la* ***bride*** *sur le cou* ou *Lâcher la* ***bride*** : permettre à son cheval d'aller librement et, au fig., donner toute liberté à qqn ; *Serrer la* ***bride*** ou *Tenir la* ***bride*** *haute, courte* : maintenir fermement son cheval et, au fig., ne laisser aucune liberté d'action à qqn ; *Aller à* ***bride*** *abattue, à toute* ***bride*** : au grand galop et, au fig., sans retenue ; *Tenir un cheval, une personne en* ***bride*** : le réfréner ; *Tourner* ***bride*** : faire demi-tour et, au fig., changer d'avis, faire volte-face. **2.** Anal. ▸ *Cout.* Suite de points de renfort d'une boutonnière ; sorte de boucle de fil servant de boutonnière ; ensemble de fils reliant les parties d'une broderie. ▸ *Pathol.* Bande de tissu conjonctif reliant anormalement deux organes en faisant adhérence, dans un abcès, une plaie profonde. ▸ *Techn.* Lien métallique destiné à unir différents éléments d'un objet, à consolider un objet, à assembler deux tubes, deux tuyaux, etc. Déb. XIII^e s. ; prob. m. haut all. *bridel*, « rêne » ; [bʀid].

**BRIDÉ, ÉE,** adj.
**1.** *Oie* ***bridée*** : à laquelle on a passé une plume dans le bec pour l'empêcher de franchir les clôtures ; au fig., personne niaise, crédule (vieilli). **2.** Qui est trop serré dans un vêtement. **3.** *Yeux* ***bridés*** : dont la paupière supérieure présente un repli cutané à son angle interne. XVI^e s. ; p. p. de *brider* ; [bʀide].

**BRIDER,** verbe trans. [3]
**1.** Passer la bride à (un cheval). **2.** Ext. Gêner, serrer, en parlant d'un vêtement. **3.** Fig. Contenir, réprimer, réfréner : ***Brider*** *un élan.* **4.** *Spéc.* ▸ *Cout.* ***Brider*** *une boutonnière* : l'arrêter par un point aux deux extrémités. ▸ *Cuis.* ***Brider*** *une volaille* : lui ficeler pattes et ailes. ▸ *Mar.* ***Brider*** *des cordages* : les lier étroitement. ▸ *Mécan.* ***Brider*** *un moteur* : limiter sa puissance. ▸ *Techn.* Consolider, réunir des éléments par une bride en métal. 1395 (XIII^e s., tendre le fil d'une fileuse) ; ☞ *bride* ; [bʀide].

**BRIDGE (I),** subst. m.
Jeu de cartes, dérivé du whist, qui se joue à quatre (deux équipes de deux). 1893 ; anglo-amér. *bridge*, p.-ê. d'orig. russe ; [bʀidʒ].

**BRIDGE (II),** subst. m.
Prothèse dentaire fixe remplaçant une ou plusieurs dents manquantes, et qui forme un pont entre deux dents saines, sur lesquelles elle s'appuie. 1907 ; angl. *bridge*, « pont » ; [bʀidʒ].

**BRIDGER,** verbe intrans. [5]
Jouer au bridge. 1906 ; ☞ *bridge* (I) ; [bʀidʒe].

**BRIDGEUR, EUSE,** subst.
Joueur de bridge. 1893 ; ☞ *bridge* (I) ; [bʀidʒœʀ, øz].

**BRIDON,** subst. m.
*Équit.* Bride simple à mors brisé. 1611 ; ☞ *bride* ; [bʀidɔ̃].

**BRIE,** subst. m.
Fromage fermenté à pâte molle, fabriqué dans la Brie. 1643 ; topon. *Brie* ; [bʀi].

**BRIEFER,** verbe trans. [3]
Informer, mettre au courant (anglic.) : ***Briefer*** *un collègue.* V. 1970 ; ☞ *briefing* ; [bʀife].

**BRIEFING,** subst. m.
Anglic. **1.** *Aéron.* Réunion d'un équipage avant un départ en mission, pour lui communiquer les dernières instructions. **2.** Ext. Réunion de travail destinée à fixer des objectifs, à mettre en place une organisation. V. 1945 ; mot angl. ; [bʀifiŋ].

**BRIÈVEMENT,** adv.
En peu de mots : *S'expliquer* ***brièvement.*** Déb. XII^e s. ; anc. fr. *brief*, « bref » ; [bʀi(j)ɛvmɑ̃].

**BRIÈVETÉ,** subst. f.
**1.** Courte durée d'une action ou d'un état : *La* ***brièveté*** *de la vie.* **2.** Concision : *La* ***brièveté*** *d'une réponse, d'un discours.* Fin XII^e s. ; anc. fr. *brief*, « bref » ; [bʀijɛvte].

**BRIGADE,** subst. f.
**1.** *Milit.* ▸ Unité placée sous l'autorité d'un chef unique et intégrée dans une division : ***Brigade*** *d'infanterie* ; ***Brigade*** *des sapeurs-pompiers de Paris* ; *Général de* ***brigade.*** ▸ ***Brigade*** *de gendarmerie* : unité installée dans chaque chef-lieu de canton. **2.** Subdivision de la police, en charge d'un domaine particulier : ***Brigade*** *des mineurs* ; ***Brigade*** *mondaine, antigang.* **3.** Équipe d'ouvriers ou d'employés : ***Brigade*** *de cuisine* ; ***Brigade*** *de balayeurs.* Fin XIV^e s. ; ital. *brigata*, « troupe, bande » ; [bʀigad].

**BRIGADIER,** subst. m.
**1.** *Milit.* ▸ Officier supérieur, dans certaines armées. ▸ Général de brigade (fam.). ▸ Militaire pourvu du grade le moins élevé, dans l'artillerie, la cavalerie, les blindés et le train (synon. *caporal*) : ***Brigadier-chef***, au grade immédiatement supérieur. **2.** Ext. Chef d'une brigade, d'un groupe de personnes spécialisées dans une même tâche. **3.** *Mar.* Premier matelot. **4.** *Théâtre.* Bâton avec lequel le régisseur frappe les trois coups annonçant le lever de rideau. 1640 ; ☞ *brigade* ; [bʀigadje].

**BRIGAND,** subst. m.
**1.** *M. Â.* Soldat n'appartenant pas à une armée régulière. **2.** Personne qui se livre au brigandage (vieilli) : *Un fier* ***brigand*** *de la contrée* (Hugo). **3.** Ext. Homme malhonnête, escroc. 1350 ; ital. *brigante*, de *briga*, « troupe » ; [bʀigɑ̃].

**BRIGANDAGE,** subst. m.
**1.** Vol, pillage commis par des bandes armées. **2.** Ext. Escroquerie à grande échelle, concussion, exaction : ***Brigandage*** *financier.* 1410 ; ☞ *brigand* ; [bʀigɑ̃daʒ].

**BRIGANDINE,** subst. f.
*Hist.* Cuirasse formée de plaques d'acier, en usage aux XV^e et XVI^e s. 1411 ; ☞ *brigand* ; [bʀigɑ̃din].

**BRIGANTIN,** subst. m.
Navire à deux mâts portant une voilure carrée, semblable au brick (vx). XIV^e s. ; ital. *brigantino*, « petit bâtiment rapide » ; [bʀigɑ̃tɛ̃].

**BRIGANTINE,** subst. f.
*Mar.* Grande voile carrée enverguée sur la corne d'artimon. 1480 ; ☞ *brigantin* ; [bʀigɑ̃tin].

**BRIGUE,** subst. f.
Manœuvre détournée visant à triompher d'un concurrent ou à obtenir un avantage, un poste (littér.) : *Obtenir qqch. par* ***brigue***, *à force de* ***brigues.*** Fin XV^e s. (1314, dispute, querelle) ; ital. *briga*, « querelle » ; [bʀig].

**BRIGUER,** verbe trans. [3]
**1.** Chercher à obtenir par brigue. **2.** Ext. Chercher à obtenir, convoiter ardemment : ***Briguer*** *l'Élysée.* 1518 (1478, se quereller) ; ☞ *brigue* ; [bʀige].

**BRILLAMMENT,** adv.
De manière brillante : *Il a* ***brillamment*** *réussi ses études.* 1787 ; ☞ *brillant* ; [bʀijamɑ̃].

**BRILLANCE,** subst. f.
**1.** Qualité de ce qui est brillant (littér.) : *La* ***brillance*** *d'une chevelure.* **2.** *Astron.* Luminance (rare). 1928 ; ☞ *brillant* ; [bʀijɑ̃s].

**BRILLANT, ANTE,** adj. et subst. m.
**Adj. 1.** Qui brille : *Un regard* ***brillant*** *de fièvre.* **2.** Fig. ▸ Qui se manifeste avec éclat, qui sort du commun : *Une* ***brillante*** *réception* ; *Une* ***brillante*** *carrière.* ▸ Remarquable par ses dons, ses qualités intellectuelles ou artistiques : *Un élève* ***brillant*** ; *Une* ***brillante*** *interprétation.* **Subst. 1.** Éclat, qualité de ce qui brille : *Le* ***brillant*** *d'un acier poli* ; au fig. : *Le* ***brillant*** *d'un esprit, d'une conversation.* **2.** *Joaill.* Forme d'une pierre précieuse taillée à facettes ; par méton., diamant ainsi taillé. 1564 ; p. pr. de *briller* ; [bʀijɑ̃, ɑ̃t].

**BRILLANTAGE,** subst. m.
Action de brillanter ; son résultat. 1947 ; ☞ *brillanter* ; [bʀijɑ̃taʒ].

**BRILLANTER,** verbe trans. [3]
**1.** *Joaill.* Tailler (une pierre) en brillant ; empl. adj. : *Une émeraude* ***brillantée.*** **2.** Agrémenter d'ornements brillants : ***Brillanter*** *un tissu.* **3.** *Techn.* Donner un aspect brillant à : ***Brillanter*** *un métal en le polissant.* 1740 ; ☞ *brillant* ; [bʀijɑ̃te].

**BRILLANTINE,** subst. f.
Huile ou onguent parfumé destiné à lustrer les cheveux. 1867 (1823, étoffe brillante) ; ☞ *brillant* ; [bʀijɑ̃tin].

**BRILLER,** verbe intrans. [3]
**1.** Émettre ou réfléchir une lumière vive : *Le soleil, la lune* ***brillent*** ; par anal. : *Avoir les yeux qui* ***brillent*** ; *Faire* ***briller*** *de l'argenterie, des chaussures*, les faire reluire. **2.** Fig. Se distinguer par ses qualités, ses dons, etc. : ***Briller*** *par son intelligence* ; ***Briller*** *en société* ; par iron. : ***Briller*** *par son absence.* 1564 ; ital. *brillare* ; [bʀije].

**BRIMADE,** subst. f.
**1.** Épreuve que les anciens font subir aux nouveaux, dans un régiment ou certaines grandes écoles (vieilli). **2.** Ext. Vexation. 1818 ; ☞ *brimer* ; [bʀimad].

**BRIMBALER,** verbe [3]
Bringuebaler (vieilli) : ***Brimbaler*** *les cloches*, les secouer. Mil. XVI^e s. (mil. XV^e s., jouir d'une femme) ; crois. du lat. *ballare*, « danser », et du m. fr. *brimber*, « mendier » ; [bʀɛ̃bale].

**BRIMBORION,** subst. m.
Chose de peu de valeur ou, au fig., sans importance (gén. au plur.). 1611 (mil. XV^e s., menue prière bredouillée) ; crois. du lat. eccl. *breviarium*, « bréviaire », et de *bribe* ; [bʀɛ̃bɔʀjɔ̃].

**BRIMER,** verbe trans. [3]
Soumettre (qqn) à des brimades ou, par ext., à des tracasseries. 1826 ; prob. dial. du Nord-Ouest *brimer*, « geler », crois. de *brume* et de *frimas* ; [bʀime].

**BRIN,** subst. m.
**1.** Jeune pousse d'un végétal : ***Brin*** *d'herbe* ; ***Brin*** *de persil, de muguet* ; au fig. : *Un beau* ***brin*** *de fille*, une belle fille, bien bâtie. **2.** Ext. Fragment long et mince de qqch. d'origine organique : ***Brin*** *de paille, d'osier* ; ***Brin*** *de laine, de tabac.* **3.** Loc. **Un brin (de).** Un peu (de) : *Faire un* ***brin*** *de causette* ; *Pas un* ***brin*** *de vent* ; *Il est un* ***brin*** *jaloux.* **4.** *Techn.* Chacun des fils constituant un cordage. **5.** *Text.* Filament délié de chanvre ou de lin : *Toile de* ***brin*** ou, par ell., ***Brin.*** Fin XIV^e s. ; orig. obsc. ; [bʀɛ̃].

**BRINDEZINGUE,** adj.
Fam. et Vieilli. **1.** Un peu fou. **2.** Ivre. 1756 ; formé de *brinde* (vx), « action de boire », et de *zingue* (pop.), « zinc (de bar) » ; [bʀɛ̃dzɛ̃g].

**BRINDILLE,** subst. f.
Menue branche, en gén. de bois mort : *Jeter des* ***brindilles*** *dans le feu.* 1551 ; ☞ *brin* ; [bʀɛ̃dij].

**BRINELL,** subst. m.
*Techn.* Machine servant à faire des essais de dureté sur les métaux, graduée en degrés **Brinell** ; ces essais. 1928 ; anthropon. *J. A. Brinell* ; [bʀinɛl].

**BRINGEURE,** subst. f.
Zébrure de poils noirs sur la robe, gén. rouge, d'un animal (chien, cheval, bovin). XX^e s. ; *bringé* (rare), « rayé » ; [bʀɛ̃ʒyʀ].

**BRINGUE (I),** subst. f.
**1.** Helv. ▸ Vx. Toast. ▸ Querelle. ▸ Rengaine. **2.** Noce, foire (fam.) : *Faire la* ***bringue.*** Déb. XVII^e s. ; all. *bring dirs*, « je te porte (un toast) » ; [bʀɛ̃g].

**BRINGUE (II),** subst. f.
**1.** Cheval mal bâti, chétif. **2.** Anal. *Grande* ***bringue*** : femme grande et dégingandée (fam.). 1738 ; prob. dial. norm. *bringue*, « morceau » ; [bʀɛ̃g].

**BRINGUEBALER,** verbe [3]
**Trans.** Vx. Secouer. **Intrans.** Osciller de manière désordonnée (synon. *cahoter*). 1835 ; altér. de *brimbaler* ; var. *brinquebaler* ; [bʀɛ̃g(ə)bale].

**BRINGUER,** verbe intrans. [3]
**1.** Helv. ▸ Porter un toast. ▸ Insister ; empl. pronom., se quereller (fam.). **2.** Faire la bringue (fam.). 1542 ; ☞ *bringue* (I) ; [bʀɛ̃ge].

**BRINQUEBALER,** voir **BRINGUEBALER**

**BRIO,** subst. m.
**1.** *Mus.* Virtuosité dans l'exécution d'une pièce. **2.** Ext. Talent brillant : *Discourir avec* ***brio.*** 1812 ; ital. *brio*, « éclat », prob. d'orig. gaul. ; [bʀijo].

**BRIOCHE,** subst. f.
**1.** Pâtisserie faite d'une pâte levée très légère, de forme ronde, surmontée d'une boule. **2.** Anal. Ventre rebondi (fam.) : *Prendre de la* ***brioche.*** 1404 ; norm. *brier*, « broyer » ; [bʀijɔʃ].

**BRIOCHÉ, ÉE,** adj.
Se dit d'un pain qui a le goût et la consistance de la brioche. 1952 ; ☞ *brioche* ; [bʀijɔʃe].

**BRIOCHIN, INE,** adj. et subst.
De Saint-Brieuc. Anthropon. lat. *sanctus Briochus*, « saint Brieuc » ; [bʀijɔʃɛ̃, in].

**BRIQUE,** subst. f.
**1.** Matériau de construction fait d'argile moulée, séchée et cuite au four, de forme gén. parallélépipédique : ***Brique*** *creuse, pleine* ; ***Brique*** *réfractaire* (☞*réfractaire*) ; ***Brique*** *crue*, simplement séchée au soleil ; *Maison en* ***brique****(s)*. ▸ Empl. adj. inv. D'une couleur brun-rouge : *Un teint* ***brique.*** **2.** Anal. ▸ Matière moulée en forme de parallélépipède : ***Brique*** *de verre, de savon.* ▸ Emballage de cette forme : ***Brique*** *de lait.* **3.** Argot. Liasse de billets d'une valeur de 1 million d'anciens francs (10 000 F) ; par ext., la somme équivalente. **4.** *Mar.* ***Brique*** *à pont* : pierre de grès fin servant à briquer. 1292 (1204, palet) ; néerl. *bricke* ; [bʀik].

**BRIQUER,** verbe trans. [3]
**1.** *Mar.* Frotter (un pont) avec une brique, après l'avoir lavé. **2.** Ext. Nettoyer en frottant énergiquement : ***Briquer*** *sa voiture* ; empl. adj. : *Un intérieur* ***briqué.*** 1850 (1532, remplir de briques) ; ☞ *brique* ; [bʀike].

**BRIQUET (I),** subst. m.
Chien courant de petite taille, bon chasseur, à poil long. Mil. XV^e s. ; p.-ê. *braque* ; [bʀikɛ].

**BRIQUET (II),** subst. m.
**1.** Vx. Petite pièce d'acier que l'on frottait sur un silex pour en faire jaillir des étincelles. **2.** Ext. Petit instrument permettant d'obtenir une flamme : ***Briquet*** *à gaz, à essence* ; ***Briquet*** *jetable.* 1735 ; m. fr. *briquet*, « morceau » ; [bʀikɛ].

**BRIQUETAGE,** subst. m.
**1.** Maçonnerie de briques. **2.** Enduit simulant un revêtement en brique par un jeu de lignes tracées. 1394 ; ☞ *brique* ; [bʀik(ə)taʒ].

**BRIQUETER,** verbe trans. [14]
**1.** Construire avec des briques ; paver de briques. **2.** Parer (un mur) d'un briquetage. 1418 ; ☞ *brique* ; [bʀik(ə)te].

**BRIQUETERIE,** subst. f.
Usine, établissement où l'on fabrique des briques. 1407 ; ☞ *brique* ; [bʀikɛtʀi].

**BRIQUETIER,** subst. m.
**1.** Ouvrier d'une briqueterie. **2.** Fabricant de briques. 1503 ; ☞ *brique* ; [bʀik(ə)tje].

**BRIQUETTE,** subst. f.
**1.** Petite brique. **2.** Tourbe, poussière de charbon agglomérée en petites briques et servant de combustible. 1612 ; ☞ *brique* ; [bʀikɛt].

**BRIS,** subst. m.
**1.** Action de briser ou de se briser ; son résultat : ***Bris*** *de vitres, de vaisselle.* **2.** *Dr.* Destruction intentionnelle (d'une clôture, d'un scellé, d'une porte), constituant un délit. **3.** *Mar.* Débris d'un navire après un naufrage (vx). 1413 ; ☞ *briser* ; [bʀi].

**BRISANT, ANTE,** subst. m. et adj.
Subst. **1.** Rocher à fleur d'eau, récif sur lequel la mer se brise ; au plur., par méton., vague se brisant sur les rochers. **2.** Anal. Ouvrage immergé destiné à briser les lames : *Les* ***brisants*** *protègent la jetée.* Adj. *Arm.* Dont la vitesse de détonation et le pouvoir de combustion sont très élevés, en parlant d'un explosif. 1529 ; p. pr. de *briser* ; [bʀizɑ̃, ɑ̃t].

**BRISCARD,** subst. m.
*Hist.* Soldat de métier chevronné ; par ext. : *Vieux* ***briscard***, homme doté d'une longue expérience dans un domaine particulier (fam.). 1861 ; ☞ *brisque* ; var. *brisquard* ; [bʀiskaʀ].

**BRISE,** subst. f.
**1.** Vent peu violent. **2.** *Mar.* Vent faible ou modéré, dont la force varie de 1 à 5 sur l'échelle de Beaufort : *Légère, petite, jolie, bonne, forte* ***brise.*** **3.** Vent d'origine thermique. ▸ ***Brise*** *de terre* : vent léger soufflant le soir et la nuit, de la terre réchauffée dans la journée vers la mer. ▸ ***Brise*** *de montagne ou d'amont* : soufflant la nuit des sommets vers la vallée. 1598 ; esp. *brisa*, « vent du nord-est » ; [bʀiz].

**BRISÉ, ÉE,** adj.
**1.** *Archit.* ▸ *Arc* ***brisé*** : arc aigu, dont les deux branches se rejoignent en pointe au faîte (par oppos. au plein cintre). ▸ *Comble* ***brisé*** : dont un même versant présente deux pentes différentes. **2.** *Cuis.* *Pâte* ***brisée*** : composée de farine, de beurre, de sel et d'eau, à mélanger rapidement. **3.** *Géom.* *Ligne* ***brisée*** : composée de segments de droites formant une suite d'angles non plats. **4.** *Hérald.* *Écu* ***brisé*** : qui porte une brisure. **5.** *Techn.* *Volet* ***brisé*** : dont les panneaux se replient les uns sur les autres. XVI^e s. ; p. p. de *briser* ; [bʀize].

**BRISÉES,** subst. f. plur.
*Vén.* Petites branches que le veneur rompt et laisse pendre, pour marquer la voie de la bête : *Faire des* ***brisées.*** ▸ Loc. *Suivre les* ***brisées*** *de qqn* : suivre son exemple ; *Marcher sur les* ***brisées*** *de qqn* : tenter de le supplanter sur son propre terrain. XIII^e s. ; ☞ *briser* ; [bʀize].

**BRISE-FER,** subst. m. inv.
Brise-tout. 1862 ; comp. de *briser* et de *fer* ; [bʀizfɛʀ].

**BRISE-GLACE(S),** subst. m.
**1.** *Trav. publ.* Éperon de maçonnerie placé en amont d'une pile de pont pour la protéger des glaces flottantes. **2.** *Mar.* Éperon placé à l'étrave d'un bateau pour briser la glace ; bateau ainsi équipé pour naviguer dans les mers arctiques. 1704 ; comp. de *briser* et de *glace* ; plur. *brise-glace(s)* ; [bʀizglas].

© Geopress-Explorer

*Brise-glace dans l'océan Arctique.*

**BRISE-JET,** subst. m.
Tuyau qu'on adapte à un robinet pour limiter la force du jet et le diriger. 1906 ; comp. de *briser* et de *jet* (I) ; plur. *brise-jet(s)* ; [bʀizʒɛ].

**BRISE-LAMES,** subst. m. inv.
**1.** *Trav. publ.* Ouvrage édifié à l'entrée d'un port pour le protéger de la houle du large. **2.** *Mar.* Tôle fixée sur le pont d'un navire pour briser les lames. 1818 ; comp. de *briser* et de *lame* ; [bʀizlam].

**BRISEMENT,** subst. m.
Action de briser ou de se briser (littér.) : *Le* ***brisement*** *de la vague* ; au fig. : ***Brisement*** *de cœur*, tristesse profonde (vieilli). Fin XII^e s. ; ☞ *briser* ; [bʀizmɑ̃].

**BRISE-MOTTES,** subst. m. inv.
Rouleau denté servant à écraser les mottes de terre. 1796 ; comp. de *briser* et de *motte* ; [bʀizmɔt].

**BRISER,** verbe [3]
Trans. **1.** Mettre en pièces, casser : ***Briser*** *une vitre, une assiette* ; au fig., réduire à néant, détruire : ***Briser*** *une révolte, une grève.* ▸ Loc. ***Briser*** *la glace avec qqn* : entamer le dialogue avec lui. **2.** Interrompre le cours de : ***Briser*** *une amitié, une carrière* ; ***Briser*** *un entretien* ; empl. abs. : ***Brisons*** *là !*, cessons cette conversation ! **3.** Harasser, accabler physiquement ou moralement : *Être* ***brisé*** *de fatigue, de chagrin* ; ***Briser*** *le cœur*, affliger profondément. Intrans. **1.** *Mar.* Écumer, en parlant des crêtes des vagues fouettées par le vent. **2.** *Vén.* Marquer le chemin d'un gibier par des brisées. Pronom. **1.** Se casser. **2.** Échouer, être anéanti : *Ses espoirs se* ***brisèrent.*** **3.** *Mar.* Déferler : *La vague se* ***brise.*** Fin XI^e s. ; bas lat. *brisare*, « fouler le raisin » ; [bʀize].

**BRISE-TOUT,** subst. m. inv.
Fam. Personne maladroite qui casse tout ce qu'elle touche (synon. *brise-fer*). 1364 ; comp. de *briser* et de *tout* ; [bʀiztu].

**BRISEUR, EUSE,** subst.
Personne qui brise, détruit qqch. : ***Briseur*** *de grève*, ouvrier qui refuse de participer à une grève ou que l'on engage à la place d'un gréviste. Fin XII^e s. ; ☞ *briser* ; [bʀizœʀ, øz].

**BRISE-VENT,** subst. m. inv.
*Agric.* Palissade ou rideau d'arbres destiné à protéger les cultures des méfaits du vent. 1690 ; comp. de *briser* et de *vent* ; [bʀizvɑ̃].

**BRISIS,** subst. m.
*Archit.* Versant inférieur du comble brisé d'un toit à la Mansart. 1676 ; ☞ *briser* ; [bʀizi].

**BRISKA,** subst. m.
Cabriolet à quatre roues, utilisé en Russie comme calèche de voyage, malle-poste ou traîneau (vx). 1830 ; polonais *bryczka*, « voiture légère » ; [bʀiska].

**BRISQUARD,** voir **BRISCARD**

**BRISQUE,** subst. f.
**1.** Jeu de cartes (synon. *mariage*). **2.** *Milit.* Galon indiquant les campagnes et les rengagements d'un soldat. 1752 ; orig. obsc. ; [bʀisk].

**BRISTOL,** subst. m.
Carton satiné de belle qualité utilisé pour la fabrication de cartes de visite et d'invitation ; par ext., ce type de cartes. 1836 ; angl. *Bristolboard*, « carton de Bristol » ; [bʀistɔl].

**BRISURE,** subst. f.
**1.** Cassure : *La* ***brisure*** *d'une tasse* ; par ext., débris : ***Brisures*** *de marrons glacés.* **2.** *Hérald.* Pièce d'armoirie qui modifie un écu pour différencier plusieurs branches d'une famille. **3.** *Techn.* Joint d'articulation de deux pièces de menuiserie ou de serrurerie : *La* ***brisure*** *d'un volet.* XII^e s. ; ☞ *briser* ; [bʀizyʀ].

**BRITANNIQUE,** adj. et subst.
De Grande-Bretagne. 1512 ; lat. *britannicus*, « de Bretagne » ; [bʀitanik].

**BRITTONIQUE,** adj. et subst. m.
Adj. Relatif aux peuples celtes qui envahirent la Grande-Bretagne et s'y installèrent au I^er mill. av. J.-C. Subst. Rameau des langues celtiques comprenant le breton et le gallois (l'autre étant le gaélique). Fin XIX^e s. ; lat. *britto*, « breton » ; [bʀitɔnik].

**BRIZE,** subst. f.
*Bot.* Plante poacée des prairies et des bois dont les épillets tremblotent au vent. 1557 ; gr. *briza* ; [bʀiz].

**BROC,** subst. m.
Récipient à bec verseur et à anse utilisé pour transporter des liquides ; par méton., son contenu. 1379 ; prov. *broc*, p.-ê. du gr. *brokhis*, « encrier » ; [bʀo].

**BROCANTE,** subst. f.
**1.** Commerce d'objets d'occasion, de curiosités : *Une foire à la* ***brocante.*** **2.** Magasin où l'on vend ces objets. 1782 ; ☞ *brocanter* ; [bʀɔkɑ̃t].

*Un étal de brocante.*

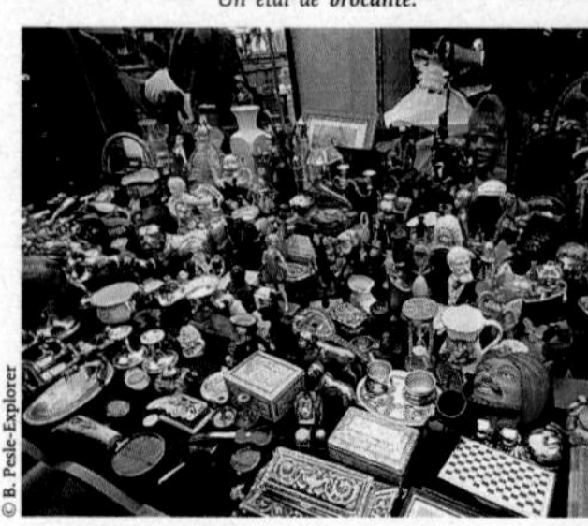
© B. Pesle-Explorer

**BROCANTER,** verbe intrans. [3]
Faire commerce de brocante. 1696 ; néerl. *brok*, ou haut all. *brocken*, « fragment » ; [bʀɔkɑ̃te].

**BROCANTEUR, EUSE,** subst.
Personne qui fait commerce de brocante. 1694 ; ☞ *brocanter* ; [bʀɔkɑ̃tœʀ, øz].

**BROCARD (I),** subst. m.
Sarcasme, quolibet (littér.) : *Essuyer des* ***brocards***. Fin XIVe s. ; m. fr. *broquer*, « lancer des propos blessants » ; [bʀɔkaʀ].

**BROCARD (II),** subst. m.
*Vèn.* Chevreuil mâle âgé d'un an. 1394 ; norm.-pic. *broque*, « broche » ; [bʀɔkaʀ].

**BROCARDER,** verbe trans. [3]
Lancer des paroles piquantes à, se moquer de (littér.). XVe s. ; ☞ *brocard* (I) ; [bʀɔkaʀde].

**BROCART,** subst. m.
*Tiss.* Soierie brodée de fils d'or et d'argent : *Une robe à* ***brocarts***. 1519 ; ital. *broccato*, « broché » ; [bʀɔkaʀ].

**BROCATELLE,** subst. f.
**1.** *Tiss.* Tissu broché imitant le brocart. **2.** Anal. Marbre de couleurs variées. 1519 ; ital. *broccatello*, de *broccato*, « broché » ; [bʀɔkatɛl].

**BROCCIO,** subst. m.
Fromage blanc corse, à base de lait de brebis ou de chèvre. V. 1960 ; corse *brocciu* ; var. *bruccio*, *brocciu* ; [bʀɔtʃjo].

**BROCHAGE,** subst. m.
**1.** *Tiss.* Procédé de tissage d'une étoffe, consistant à ajouter des fils d'or, d'argent, de soie, etc. de manière qu'ils forment des dessins en relief. **2.** *Impr.* Procédé qui consiste à assembler, à coudre ou à coller et à encarter les feuilles d'un livre ; le résultat obtenu. **3.** *Méd.* Contention d'une fracture à l'aide de broches métalliques. **4.** *Techn.* Procédé d'usinage d'une pièce métallique utilisant une broche pour usiner ou calibrer des trous ou des profils extérieurs. 1822 ; ☞ *brocher* ; [bʀɔʃaʒ].

**BROCHANT, ANTE,** adj.
*Hérald.* ***Pièce brochante*** : qui recouvre partiellement une autre. XVe s. ; p. pr. de *brocher* ; [bʀɔʃɑ̃, ɑ̃t].

**BROCHE,** subst. f.
**1.** *Cuis.* Tige de métal pointue sur laquelle on enfile une pièce de viande à rôtir : *Un poulet à la* ***broche***. **2.** *Chir.* Tige métallique utilisée pour contenir une fracture. **3.** *Électr.* Tige constituant la partie mâle d'une connexion électrique. **4.** *Joaill.* Bijou que l'on agrafe sur un vêtement à l'aide d'une épingle. **5.** *Serr.* Tige de fer d'une serrure, pénétrant dans le trou d'une clé forée. **6.** *Techn.* ► Partie tournante d'une machine-outil, servant à usiner un trou, une pièce. ► Cheville servant à boucher le trou fait au foret dans un tonneau. **7.** *Tiss.* Tige métallique sur laquelle on enfile les bobines d'un métier à filer. **8.** *Vèn.* Défense de sanglier. 1121 ; lat. pop. °*brocca*, du lat. *brocchus*, « proéminent » ; [bʀɔʃ].

**BROCHÉ,** subst. m.
Tissu broché. XVIIIe s. ; p. p. de *brocher* ; [bʀɔʃe].

**BROCHER,** verbe [3]
**Trans. 1.** Vx. Piquer de l'éperon. **2.** *Impr.* Procéder aux différentes opérations de brochage de (un livre). **3.** *Techn.* Usiner (un trou) au moyen d'une broche. **4.** *Tiss.* Tisser (une étoffe) par brochage ; par ext. : *Une robe* ***brochée*** *de paillettes*. **Intrans.** *Hérald.* Recouvrir partiellement d'autres pièces, en parlant d'une pièce ou d'un meuble. ► Loc. ***Brochant*** *sur le tout* : de surcroît, pour comble de malheur (iron.). Fin XIe s. ; ☞ *broche* ; [bʀɔʃe].

**BROCHET,** subst. m.
*Zool.* Poisson d'eau douce de la famille des Ésocidés, très vorace, à la mâchoire garnie de dents nombreuses et pointues, apprécié pour sa chair. Fin XIIIe s. ; ☞ *broche*, par anal. de forme ; [bʀɔʃɛ].

**BROCHETON,** subst. m.
Jeune brochet. Fin XIVe s. ; ☞ *brochet* ; [bʀɔʃtɔ̃].

**BROCHETTE,** subst. f.
**1.** *Cuis.* Petite broche à pointe acérée servant à faire rôtir des morceaux de viande, de poisson ou de légumes ; par méton., aliments ainsi rôtis. **2.** Petite épingle sur laquelle on enfile des décorations, des médailles, etc. ; au fig., rangée de personnes (fam.) : *Au premier rang, une* ***brochette*** *de journalistes*. 1393 (fin XIIe s., pointe acérée) ; ☞ *broche* ; [bʀɔʃɛt].

**BROCHEUR, EUSE,** subst.
**1.** *Impr.* Personne qui broche des livres. **2.** *Tiss.* Personne chargée du brochage des tissus. **Fém.** *Impr.* Machine à brocher des livres. **Masc.** *Tiss.* Métier à tisser le broché. 1751 (1680, tricoteur) ; ☞ *brocher* ; [bʀɔʃœʀ, øz].

**BROCHURE,** subst. f.
**1.** *Tiss.* Motif ornemental d'un broché. **2.** *Impr.* Brochage ; par méton., mince ouvrage, opuscule broché : *Une* ***brochure*** *publicitaire*. 1377 ; ☞ *brocher* ; [bʀɔʃyʀ].

**BROCOLI,** subst. m.
*Bot.* Petit chou-fleur vert, à pomme gén. multiple, originaire d'Italie du Sud, dont on consomme les tiges et les fleurs. 1560 ; ital. *broccoli*, « pousses de chou » ; [bʀɔkɔli].

**BRODEQUIN,** subst. m.
**1.** *Antiq.* Chaussure lacée, de forte étoffe ou de peau, montant jusqu'à mi-mollet ; au théâtre, chaussure des comédiens, par oppos. au cothurne des tragédiens. **2.** Chaussure de marche, montante. **Plur.** *Hist.* Instrument de torture composé de planches écrasant les jambes d'un inculpé. 1476 (déb. XIVe s., sorte d'étoffe) ; orig. obsc. ; [bʀɔdkɛ̃].

**BRODER,** verbe trans. [3]
**1.** Orner de broderies (un tissu) : ***Broder*** *une nappe*. **2.** Fig. Enjoliver (une histoire) en inventant des détails (vieilli) : *Quel roman me* ***brodez****-vous là ?* ; empl. abs. : *Relater les faits sans* ***broder***. **3.** *Mus.* Ajouter des fioritures à (un thème musical) : *Un castrat* ***brodant*** *un air de Scarlatti*. Mil. XIIe s. ; germ. °*bruzdan* ou anc. bas frq. °*brozdon* ; [bʀɔde].

**BRODERIE,** subst. f.
**1.** Travail d'ornementation d'une étoffe ou d'un canevas, consistant à exécuter, à la main ou à la machine, des motifs avec des fils de couleur, d'or ou d'argent, ou encore des paillettes ou des perles ; par méton., l'ouvrage ainsi obtenu. ► Industrie et commerce de ces ouvrages. **2.** *Mus.* Ensemble de notes d'ornements, de fioritures agrémentant un thème musical. Fin XIIIe s. ; ☞ *broder* ; [bʀɔdʀi].

**BRODEUR, EUSE,** subst.
Personne qui fabrique des broderies. **Fém.** Machine à broder. Fin XIIIe s. ; ☞ *broder* ; [bʀɔdœʀ, øz].

**BROIEMENT,** subst. m.
**1.** Broyage (rare ou littér.). **2.** *Chir.* Écrasement d'une partie du corps (tissus, os, etc.). XVe s. ; ☞ *broyer* ; [bʀwamɑ̃].

**BROMATE,** subst. m.
*Chim.* Sel de l'acide bromique. 1838 ; ☞ *brome* (II) ; [bʀɔmat].

**BROME (I),** subst. m.
*Bot.* Plante herbacée très commune de la famille des Poacées, qui pousse surtout en terrain inculte. 1559 ; lat. *bromos*, du gr. *bromos*, « avoine » ; [bʀom].

**BROME (II),** subst. m.
*Chim.* Élément no 35 de la table de Mendeleïev (symb. : Br) ; masse atomique : 79,904 ; point de fusion : – 7 °C ; point d'ébullition : 59 °C ; masse volumique (à l'état solide) : 3,12 g/cm$^3$. Le **brome** est un non-métal, halogène et fluide très toxique, obtenu à partir des dépôts salins et des eaux marines. Il est soluble dans l'eau, l'éther, le chloroforme et le sulfure de carbone. 1826 ; gr. *brômos*, « puanteur » ; [bʀom].

**BROMÉLIACÉES,** subst. f. plur.
*Bot.* Famille de plantes herbacées ou ligneuses, tropicales. **Au sing.** *L'ananas est une* ***broméliacée***. 1819 ; lat. sc. *bromelia*, de l'anthropon. *Bromel*, botaniste suédois ; [bʀɔmeljase].

**BROMHYDRIQUE,** adj.
*Chim.* Qualifie un acide qui résulte de l'association du brome avec l'hydrogène. 1845 ; ☞ *brome* (II) + *-hydrique* ; [bʀɔmidʀik].

**BROMIQUE,** adj.
*Chim.* Qui se rapporte au brome : *Acide* ***bromique***, acide oxygéné du brome, de formule $HBrO_3$. 1838 ; ☞ *brome* (II) ; [bʀɔmik].

**BROMISME,** subst. m.
*Pathol.* Intoxication par le brome et ses composés (en partic. le bromure de potassium). 1877 ; ☞ *brome* (II) ; [bʀɔmism].

**BROMURE,** subst. m.
**1.** *Chim.* Composé du brome et d'un métal : ***Bromure*** *de sodium, de plomb, d'argent, de mercure*. Le **bromure** d'argent noircit à la lumière : cette propriété est utilisée pour préparer des émulsions photographiques. **2.** *Impr.* et *Arts graph.* Papier photographique au **bromure** d'argent ; par méton., épreuve de photogravure ou de photocomposition exécutée sur ce papier. 1828 ; ☞ *brome* (II) ; [bʀɔmyʀ].

**BRONCHE,** subst. f.
*Anat.* Chacun des deux conduits fibrocartilagineux qui prolongent la trachée et qui pénètrent dans les poumons. Les branches collatérales des **bronches** et toutes les branches qui en dérivent constituent l'arbre bronchique. 1560 ; lat. méd. *bronchia*, du gr. *brogkhia* ; [bʀɔ̃ʃ].

**BRONCHECTASIE,** subst. f.
*Pathol.* Dilatation anormale des bronches. 1855 ; ☞ *bronche* + *-ectasie* ; var. *bronchiectasie* ; [bʀɔ̃ʃɛktazi].

**BRONCHER,** verbe intrans. [3]
**1.** Faire un faux pas, trébucher (vieilli) : *Épuisé, le cheval* ***bronchait*** *à chaque pas*. **2.** Fig. Réagir, protester par un geste, une parole (gén. à la forme négative) : *Obéir sans* ***broncher*** ; *Que personne ne* ***bronche !*** Fin XVIe s. (1176, pencher en avant) ; lat. pop. °*bruncare* ; [bʀɔ̃ʃe].

**BRONCHIECTASIE,**
voir **BRONCHECTASIE**

**BRONCHIOLE,** subst. f.
*Anat.* Ramification terminale des bronches intralobulaires (on appelle ainsi chaque ramification du tronc bronchique qui pénètre dans un lobule pulmonaire) ; elle se termine dans le cul-de-sac des alvéoles pulmonaires. 1877 ; ☞ *bronche* ; [bʀɔ̃ʃjɔl].

**BRONCHIQUE,** adj.
Relatif aux bronches. 1560 ; ☞ *bronche* ; [bʀɔ̃ʃik].

**BRONCHITE,** subst. f.
*Pathol.* Inflammation de la muqueuse des bronches. Lorsqu'elle se maintient pendant des années, on parle de **bronchite** chronique ou de **bronchite** obstructive. 1823 ; ☞ *bronche* + *-ite* ; [bʀɔ̃ʃit].

**BRONCHITEUX, EUSE,** adj. et subst.
Se dit d'une personne qui est sujette à la bronchite. 1892 ; ☞ *bronchite* ; [bʀɔ̃ʃitø, øz].

**BRONCHITIQUE,** adj. et subst.
Se dit d'une personne atteinte de bronchite. **Adj.** Propre aux bronches. 1865 ; ☞ *bronchite* ; [bʀɔ̃ʃitik].

**BRONCHO-PNEUMONIE,** subst. f.
*Pathol.* Inflammation grave des bronches et du tissu (parenchyme) pulmonaire, caractérisée par de la toux et une respiration difficile, souvent consécutive à une maladie infectieuse. 1838 ; comp. de *bronche* et de *pneumonie* ; plur. *broncho-pneumonies*, var. *bronchopneumonie* ; [bʀɔ̃kɔpnømɔni].

**BRONCHORRHÉE,** subst. f.
*Pathol.* Expectoration abondante de mucus bronchique, manifestation de la bronchite chronique. 1833 ; ☞ *bronche* + *-rrhée* ; [bʀɔ̃kɔʀe].

**BRONCHOSCOPIE,** subst. f.
*Méd.* Examen de l'intérieur des bronches pratiqué à l'aide d'un tube optique (bronchoscope). 1922 ; ☞ *bronche* + *-scopie* ; [bʀɔ̃kɔskɔpi].

**BRONTOSAURE,** subst. m.
*Paléont.* Reptile géant (dinosaurien) du Jurassique, de l'ordre des Saurischiens, herbivore à long cou et à longue queue. Les squelettes du genre *Brontosaurus* permettent d'évaluer leur longueur à plus de 20 m. 1890 ; gr. *brontê*, « tonnerre », et *sauros*, « lézard » ; [bʀɔ̃tozɔʀ].

**BRONZAGE,** subst. m.
**1.** Action de bronzer (un objet, un matériau) ; son résultat. **2.** Fait de hâler au soleil ou sous l'action de radiations artificielles ; la teinte de la peau ainsi bronzée. 1845 ; ☞ *bronzer* ; [bʀɔ̃zaʒ].

**BRONZE,** subst. m.
**1.** Alliage de cuivre et d'étain dans lequel le cuivre est très dominant (synon. vieilli *airain*) ; par méton., objet d'art en **bronze** : *Le mobilier Empire est souvent orné de* ***bronzes*** *dorés*. ► Fig. *De* ***bronze*** : dur, inflexible (littér.). ► Loc. *Couler dans le* ***bronze*** : représenter par une statue, une médaille et, au fig., rendre impérissable. **2.** *Préhist.* *Âge du* ***bronze*** : époque où est apparue la métallurgie du **bronze**, variable selon les régions, et qui appartient à la préhistoire, à la protohistoire ou à l'histoire. 1511 ; ital. *bronzo* ; [bʀɔ̃z].

**BRONZER,** verbe [3]
**Trans. 1.** Enduire de bronze ou d'une substance de même couleur : ***Bronzer*** *un plâtre*. **2.** Donner une couleur bleuâtre à (un objet métallique) en l'oxydant à l'air chaud : ***Bronzer*** *un ressort* ; au fig., endurcir (vieilli). **3.** Brunir, hâler : *Le soleil lui*

*bronze le visage* ; empl. adj. : *Avoir le teint* ***bronzé.*** **Intrans.** Prendre une couleur brune, en parlant de la peau ; par méton. : *Il* ***bronze*** *vite.* 📖 Mil. xvie s. ; ☞ *bronze* ; [bʀɔ̃ze].

**BRONZEUR, EUSE, subst.**
Spécialiste du bronzage : *Un* ***bronzeur*** *sur métaux.* 📖 1867 ; ☞ *bronze* ; [bʀɔ̃zœʀ, øz].

**BRONZIER, IÈRE, subst.**
Personne qui fond et sculpte des objets en bronze. 📖 1846 ; ☞ *bronze* ; [bʀɔ̃zje, jɛʀ].

**BROOK, subst. m.**
Obstacle de steeple-chase formé par un fossé rempli d'eau. 📖 1846 ; angl. *brook*, « ruisseau » ; [bʀuk].

**BROQUETTE, subst. f.**
Petit clou à tête plate, utilisé par les tapissiers. 📖 1565 ; var. norm.-pic. de *brochette* ; [bʀɔkɛt].

**BROSSAGE, subst. m.**
Action de brosser. 📖 1837 ; ☞ *brosser* ; [bʀɔsaʒ].

**BROSSE, subst. f.**
**1.** Instrument de nettoyage fait de poils (naturels ou synthétiques), de crins, de soies, fixés sur un support que l'on tient en main : ***Brosse*** *à chaussures* ; empl. abs. : *Se donner un coup de* ***brosse***, se coiffer ; par anal. : *Cheveux en* ***brosse***, coupés court et droit. ▸ Loc. *Passer la* ***brosse*** *à reluire à qqn* : le flatter servilement (fam.). **2.** *B.-a.* Pinceau plat, et gén. large, utilisé pour appliquer les couleurs ou les vernis. **3.** *Bât.* Pinceau rond et large en fibres assez grossières : *Fait à la* ***brosse***, exécuté rapidement. **4.** *Sylvic.* ***Brosse*** *d'un bois* : haie qui le borde et le protège. **5.** *Zool.* ***Brosse*** *de l'abeille* : rangée de poils située sur les pattes postérieures et servant à ramasser le pollen. 📖 Déb. xive s. (mil. xiie s., broussailles) ; p.-ê. lat. pop. °*bruscia*, « pousse d'arbre » ; [bʀɔs].

**BROSSER, verbe** [3]
**Trans. 1.** Laver, nettoyer, frotter avec une brosse : ***Brosser*** *ses cheveux, un dallage.* **2.** Peindre, ébaucher à la brosse : ***Brosser*** *un paysage* ; au fig., exposer à grands traits, sans entrer dans les détails. **3.** Belg. Ne pas assister à (fam.) : *Il a* ***brossé*** *le cours d'histoire.* **4.** *Jeux.* ***Brosser*** *les cartes avant de jouer* : les battre, les mélanger. **5.** *Sp.* ***Brosser*** *une balle de golf* : lui donner un effet de rotation. **Intrans.** *Vèn.* Passer à travers les broussailles. **Pronom. 1.** Se nettoyer (les ongles, les dents) ou se démêler (les cheveux) à l'aide d'une brosse. **2.** Fig. et Abs. Devoir renoncer à ce que l'on attendait (fam.). 📖 1374 ; ☞ *brosse* ; [bʀɔse].

**BROSSERIE, subst. f.**
Fabrication et commerce de brosses, pinceaux, balais, etc. 📖 1832 ; ☞ *brosse* ; [bʀɔsʀi].

**BROSSIER, IÈRE, subst.**
Personne qui fabrique ou vend des brosses. 📖 1597 ; ☞ *brosse* ; [bʀɔsje, jɛʀ].

**BROU, subst. m.**
**1.** Enveloppe de la coque des fruits à écale, tels que la noix ou l'amande : *En séchant, le* ***brou*** *vire rapidement au noir.* **2.** Méton. ***Brou*** *de noix* : teinture brune issue du **brou** macéré de la noix ; par ext., cette couleur. 📖 xvie s. ; var. de *brout* ; [bʀu].

**BROUET, subst. m.**
Aliment semi-liquide (littér.) : *Le* ***brouet*** *noir*, potage grossier des anciens Spartiates. 📖 xiiie s. ; anc. fr. *breu*, du germ. °*brod*, « bouillon » ; [bʀuɛ].

**BROUETTE, subst. f.**
**1.** Vx. Sorte de chaise à un seul porteur montée sur deux roues (synon. *vinaigrette*). **2.** Petite carriole à une roue, manœuvrée à l'aide de deux brancards, qui sert à transporter à bras d'homme des petites charges ; par méton., la charge elle-même : *Ajouter trois* ***brouettes*** *de terre.* **3.** Fig. Véhicule lent (fam.). 📖 1202 ; anc. fr. °*beroue*, du bas lat. *birota*, « véhicule à deux roues » ; [bʀuɛt].

**BROUETTÉE, subst. f.**
Contenu d'une brouette. 📖 1304 ; p. p. de *brouetter* ; [bʀuete].

**BROUETTER, verbe trans.** [3]
**1.** Transporter à l'aide d'une brouette. **2.** Transporter dans des conditions rudimentaires (fam.) : *Il nous a* ***brouettés*** *dans sa vieille voiture.* 📖 1304 ; ☞ *brouette* ; [bʀuete].

**BROUHAHA, subst. m.**
**1.** Bruit d'approbation ou de désaccord d'un public (vieilli). **2.** Ext. Rumeur confuse émanant d'une foule : *Le* ***brouhaha*** *d'un hall de gare.* 📖 1548 ; prob. altér. onomat. de l'hébreu *bārūkh habbā*, « béni soit celui qui vient » ; [bʀuaa].

© L. Peneau-Explorer

*Dans la* ***brousse*** *du Kenya, la chasse est désormais interdite.*

**BROUILLAGE, subst. m.**
Perturbation, volontaire ou non, affectant une transmission radioélectrique : ***Brouillage*** *radio.* 📖 1576 ; ☞ *brouiller* ; recomm. off. *embrouillage* ; [bʀujaʒ].

**BROUILLAMINI, subst. m.**
Embrouillamini (vieilli). 📖 1566 ; lat. *boli armenii*, « bol d'Arménie », d'apr. *brouiller* ; [bʀujamini].

**BROUILLARD (I), subst. m.**
**1.** *Météor.* Concentration, près du sol, de gouttelettes d'eau en suspension dans l'air, qui réduit la visibilité ; par ext., atmosphère opaque : *Un* ***brouillard*** *de fumée.* **2.** Fig. Confusion de l'esprit, qui empêche une réflexion claire. **3.** Loc. fam. *Foncer dans le* ***brouillard*** : agir vite, sans discernement ; *Être dans le* ***brouillard*** : ne pas bien comprendre une situation. 📖 xve s. ; anc. fr. *brouillas* ; [bʀujaʀ].

**BROUILLARD (II), subst. m.**
Registre de commerce sur lequel on inscrit au fur et à mesure les opérations journalières (synon. *main courante*). 📖 Déb. xvie s. ; ☞ *brouiller* ; [bʀujaʀ].

**BROUILLASSE, subst. f.**
Brouillard léger qui tombe en pluie fine. 📖 1863 ; ☞ *brouillasser* ; [bʀujas].

**BROUILLASSER, verbe impers.** [3]
*Il* ***brouillasse*** : il tombe de la brouillasse. 📖 1834 ; anc. fr. *brouillas*, « brouillard » ; [bʀujase].

**BROUILLE, subst. f.**
Désaccord entre des personnes qui avaient des rapports affectueux : ***Brouille*** *familiale* ; *Être en* ***brouille***, en mauvais termes. 📖 1617 ; ☞ *brouiller* ; [bʀuj].

**BROUILLER, verbe trans.** [3]
**1.** Altérer, rendre trouble : ***Brouiller*** *un vin.* **2.** Ext. Mettre en désordre ; mêler : *Elle lui* ***brouilla*** *les cheveux d'un geste affectueux* ; empl. adj. : *Œufs* ***brouillés***, battus et remués pendant leur cuisson. **3.** Anal. Rendre trouble : ***Brouiller*** *la vue* ; *L'alcool lui* ***brouille*** *le teint* ; empl. pronom. : *Le temps se* ***brouille.*** **4.** Fig. Rendre confus : ***Brouiller*** *les idées* ; fâcher : ***Brouiller*** *des amis* ; ***Être brouillé*** *avec l'orthographe.* **5.** Loc. ***Brouiller*** *les pistes* : rendre plus difficile une recherche ; ***Brouiller*** *les cartes* : modifier les données d'une situation à son profit. **6.** *Télécomm.* ***Brouiller*** *une émission radiophonique* : la rendre difficile à entendre. 📖 1219 ; gallo-roman °*brodiculare*, du germ. °*brod*, « bouillon » ; [bʀuje].

**BROUILLERIE, subst. f.**
Petite brouille passagère (vieilli). 📖 1418 ; ☞ *brouiller* ; [bʀujʀi].

**BROUILLEUR, subst. m.**
*Télécomm.* Dispositif utilisé pour perturber un système de communication. 📖 1937 (1411, charlatan) ; ☞ *brouiller* ; [bʀujœʀ].

**BROUILLON, ONNE, adj. et subst. m.**
**Adj.** Confus, qui manque d'ordre, de méthode : *Un élève* ***brouillon*** ; *Une activité* ***brouillonne.*** **Subst.** Ébauche griffonnée d'un texte, avant sa mise en forme définitive : *Le* ***brouillon*** *d'une lettre* ; *Écrire au* ***brouillon.*** 📖 1529 ; ☞ *brouiller* ; [bʀujɔ̃, ɔn].

**BROUILLONNER, verbe trans.** [3]
Rédiger rapidement, au brouillon : ***Brouillonner*** *un billet.* 📖 1900 ; ☞ *brouillon* ; [bʀujɔne].

**BROUILLY, subst. m.**
Vin d'un cru réputé du Beaujolais. 📖 Topon. *Brouilly* (Rhône) ; [bʀuji].

**BROUSSAILLE, subst. f.**
**1.** Végétation sauvage composée d'arbustes et de ronces, dans les sous-bois ou les terrains en friche (gén. au plur.). **2.** Anal. *Barbe, cheveux en* ***broussaille*** : hirsutes, drus et désordonnés. 📖 Mil. xiie s. ; ☞ *brosse* ; [bʀusaj].

**BROUSSAILLEUX, EUSE, adj.**
**1.** Couvert de broussailles. **2.** Anal. Épais, hirsute : *Des sourcils* ***broussailleux.*** 📖 1611 ; ☞ *broussaille* ; [bʀusajø, øz].

**BROUSSARD, ARDE, subst.**
Personne qui vit dans la brousse et qui la connaît bien. 📖 1885 ; ☞ *brousse* (II) ; [bʀusaʀ, aʀd].

**BROUSSE (I), subst. f.**
Fromage de Provence, fait avec du lait de brebis ou de chèvre. 📖 1505 ; prov. *broce*, « lait caillé », du got. °*brūkja*, « ce qui est brisé » ; [bʀus].

**BROUSSE (II), subst. f.**
**1.** Végétation caractéristique de l'Afrique tropicale et de l'Australie (le bush), composée de petits arbres, d'arbustes et de broussailles : *Un feu de* ***brousse.*** **2.** Ext. En Afrique, contrée éloignée de la ville, souv. couverte de cette végétation : *Médecin de* ***brousse.*** **3.** Anal. Toute région isolée (fam.). 📖 1876 ; prov. *brousso*, « broussaille » ; [bʀus].

**BROUSSIN, subst. m.**
Excroissance du tronc de certains arbres (synon. *loupe*). 📖 xiiie s. ; p.-ê. anc. fr. *bruis*, du lat. *bruscum*, « nœud de l'érable » ; [bʀusɛ̃].

**BROUT, subst. m.**
**1.** Jeune pousse des taillis. **2.** *Vétér.* *Mal de* ***brout*** : inflammation intestinale des bestiaux qui mangent trop de **brout**. 📖 Déb. xiie s. ; germ. °*brust*, « bourgeon » ; [bʀu].

**BROUTAGE, subst. m.**
Action de brouter (synon. *broutement*). 📖 1845 ; ☞ *brouter* ; [bʀutaʒ].

**BROUTARD, subst. m.**
Jeune veau sevré et mis au pâturage. 📖 1867 ; ☞ *brouter* ; [bʀutaʀ].

**BROUTEMENT, subst. m.**
Broutage. 📖 1562 ; ☞ *brouter* ; [bʀutmɑ̃].

**BROUTER, verbe** [3]
**Trans.** En parlant d'un mammifère, manger (de l'herbe, des jeunes pousses), en les arrachant sur place. **Intrans.** *Techn.* Fonctionner de façon irrégulière et saccadée, en parlant d'un mécanisme : *L'embrayage* ***broute.*** 📖 Fin xiie s. ; *brost*, anc. forme de *brout* ; [bʀute].

**BROUTILLE, subst. f.**
**1.** Vx. Branche menue. **2.** Fig. Objet ou fait sans valeur, sans intérêt (souv. au plur.). 📖 1329 ; ☞ *brout* ; [bʀutij].

**BROWNIEN, IENNE, adj.**
*Phys.* Qualifie le mouvement perpétuel et irrégulier de petites particules de dimensions inférieures ou égales à un micromètre, placées dans une goutte de liquide ou dans un gaz (particules **browniennes**). 📖 1863 ; anthropon. *R. Brown*, botaniste écossais qui observa ce phénomène ; [bʀonjɛ̃, jɛn].

**BROWNING, subst. m.**
Pistolet automatique à chargeur d'un calibre de 7,65 mm. 📖 1906 ; anthropon. *J. M. Browning* ; [bʀoniŋ].

**BROYAGE,** subst. m.
Action de broyer, de réduire plus ou moins finement. ☙ 1838 ; ☞ *broyer* ; [bʀwajaʒ].

**BROYAT,** subst. m.
Produit fin obtenu par broyage. ☙ V. 1920 ; ☞ *broyer* ; [bʀwaja].

**BROYER,** verbe trans. [17]
**1.** Réduire en petites parcelles par choc ou par pression : *Broyer des os avec ses dents.* **2.** Ext. Écraser par accident : *La machine lui a broyé trois doigts* ; au fig., briser moralement. **3.** Loc. *Broyer du noir* : être déprimé. ☙ XIII^e s. ; prob. germ. °*brekan*, « briser » ; [bʀwaje].

**BROYEUR, EUSE,** adj. et subst.
**Adj.** Qui broie : *L'appareil* **broyeur** *d'un insecte*, ses mandibules. **Subst.** Personne chargée de broyer. **Subst. masc.** Machine à broyer : *Évier à* **broyeur**. **Subst. fém.** Machine à broyer le chanvre ou le lin. ☙ 1422 ; ☞ *broyer* ; [bʀwajœʀ, øz].

**BRU,** subst. f.
Épouse du fils (synon. *belle-fille*). ☙ Fin XII^e s. ; bas lat. des Balkans *brutis*, d'orig. got. ; [bʀy].

**BRUANT,** subst. m.
*Zool.* Petit passereau des prés et des jardins, de la famille des Fringillidés, dont il existe plusieurs espèces : **Bruant** *fou, jaune, des neiges, lapon, etc.* ☙ 1370 ; var. de *bruyant* ; [bʀɥɑ̃].

**BRUCCIO,** voir **BROCCIO**

**BRUCELLA,** subst. f.
*Bactériol.* Genre de bacille dont une espèce infecte les Caprins et les Ovins (c'est l'agent de la fièvre de Malte) et une autre les Bovins (c'est l'agent de l'avortement épizootique des Bovidés et des Porcins). ☙ 1886 ; anthropon. *David Bruce*, médecin australien ; [bʀysɛla].

**BRUCELLES,** subst. f. plur.
*Techn.* Pince fine à ressort, utilisée pour saisir de très petits objets. ☙ 1751 ; lat. médiév. *brucella*, du bas lat. *bursella* ; [bʀysɛl].

**BRUCELLOSE,** subst. f.
*Pathol.* Maladie infectieuse du bétail, due à une brucella, transmise à l'homme par le lait ou directement, caractérisée par une fièvre intermittente, irrégulière, avec sueurs et douleurs diverses, et qui peut se compliquer d'arthrite chronique, d'accidents nerveux, etc. (synon. *fièvre de Malte, mélitococcie*). ☙ 1946 ; ☞ *brucella* + *-ose* ; [bʀyseloz].

**BRUCHE,** subst. f.
*Zool.* Coléoptère de la famille des Bruchidés, dont les larves vivent dans les fruits et dans les graines des légumineuses (pois, haricots...). ☙ 1775 ; bas lat. *bruchus*, du gr. *broukhos*, « sauterelle » ; [bʀyʃ].

**BRUCINE,** subst. f.
*Biol.* et *Biochim.* Alcaloïde très toxique, voisin de la strychnine, que l'on extrait de la noix vomique, graine de l'arbrisseau *Strychnos nux vomica*. ☙ 1823 ; lat. sc. *brucea*, de l'anthropon. *James Bruce*, voyageur écossais ; [bʀysin].

**BRUGNON,** subst. m.
Hybride de pêche à peau lisse et à noyau adhérent, dont la saveur est proche de celle de la prune. ☙ 1600 ; anc. prov. *brinho*, du lat. pop. °*prunea*, « prune » ; [bʀyɲɔ̃].

**BRUINE,** subst. f.
Petite pluie très fine, persistante, que provoque la condensation du brouillard. ☙ 1538 (déb. XII^e s., brouillard épais) ; lat. *pruina*, « gelée blanche » ; [bʀɥin].

**BRUINER,** verbe impers. [3]
Tomber, en parlant de la bruine : *Il* **bruina** *toute la soirée.* ☙ 1680 (1551, endommager par la brume) ; ☞ *bruine* ; [bʀɥine].

**BRUINEUX, EUSE,** adj.
Chargé de bruine : *Une atmosphère* **bruineuse** ; *Pluie* **bruineuse**, qui tombe en bruine. ☙ 1867 (XIII^e s., brumeux) ; ☞ *bruine* ; [bʀɥinø, øz].

**BRUIR,** verbe trans. [19]
*Text.* Assouplir (des étoffes) à la vapeur. ☙ XVIII^e s. (XII^e s., brûler) ; bas frq. °*brojan*, « échauder » ; [bʀɥiʀ].

**BRUIRE,** verbe intrans. [19]
Produire un bruit confus, léger. ☙ Déb. XII^e s. ; lat. pop. °*brugere*, du lat. *rugire*, « rugir », et *bragere*, « braire » ; verbe défectif ; [bʀɥiʀ].

**BRUISSEMENT,** subst. m.
Bruit faible et continu : *Le* **bruissement** *des ailes de l'oiseau.* ☙ 1495 ; ☞ *bruire* ; [bʀɥismɑ̃].

**BRUISSER,** verbe intrans. [3]
Bruire (empl. critiqué). ☙ 1894 ; ☞ *bruire* ; [bʀɥise].

**BRUIT,** subst. m.
**1.** Retentissement, renom : *Cette pièce a fait grand* **bruit**. **2.** Ensemble de sons produit par des vibrations irrégulières, perceptibles par l'ouïe : *Les* **bruits** *de la rue* ; par ext., sensation auditive presque désagréable : *Loi contre le* **bruit**. ► *Phys.* Perturbation sonore qui se superpose à un signal utile. **3.** Information, rumeur répandue dans le public : *Répandre des* **bruits**. ► Loc. *Cela fera du* **bruit** *dans Landerneau* : ce sera la cause de bien des commérages. ☙ 1138 ; ☞ *bruire* ; [bʀɥi].

**BRUITAGE,** subst. m.
Reconstitution en studio des sons aptes à évoquer une action d'un film ou d'un spectacle : *Le* **bruitage** *d'une bataille.* ☙ 1948 ; ☞ *bruiter* ; [bʀɥitaʒ].

**BRUITER,** verbe trans. [3]
*Techn.* Réaliser le bruitage de (un film, une émission de radio, etc.). ☙ 1834 ; ☞ *bruit* ; [bʀɥite].

**BRUITEUR, EUSE,** subst.
Personne qui réalise des bruitages. ☙ 1923 ; ☞ *bruit* ; [bʀɥitœʀ, øz].

**BRÛLAGE,** subst. m.
Action de brûler. ► Opération qui consiste à détruire les broussailles par le feu. ► Traitement appliqué à des cheveux fourchus dont on passe la pointe à la flamme. ► *Bât.* Action d'attaquer les anciennes couches de peinture à la flamme. ☙ Fin XVI^e s. ; ☞ *brûler* ; [bʀylaʒ].

**BRÛLANT, ANTE,** adj. et subst. m.
**Adj. 1.** Dont émane une chaleur intense ; qui brûle : *Le radiateur était* **brûlant**. **2.** Qui éprouve une sensation de chaleur : *Un malade* **brûlant** *de fièvre.* **3.** Fig. Qui témoigne d'ardeur, passionné : *Des sentiments* **brûlants** ; par ext., qui soulève des passions : *Un sujet d'actualité* **brûlant**. **Subst.** Belg. *Avoir le* **brûlant** : ressentir des brûlures d'estomac. ☙ XII^e s. ; p. pr. de *brûler* ; [bʀylɑ̃, ɑ̃t].

**BRÛLÉ, ÉE,** adj. et subst. m.
**Adj. 1.** Consumé, détruit par le feu : *Une maison* **brûlée** ; qui a trop cuit : *Un gâteau* **brûlé** ; empl. subst., personne victime de brûlures : *Le service des grands* **brûlés**. **2.** Fig. Exalté : *Une tête* **brûlée**, une personne intrépide ; qui a perdu tout crédit (fam.) : *Il est* **brûlé**. **Subst.** Ce qui est carbonisé : *Une odeur de* **brûlé** ; au fig. : *Ça sent le* **brûlé**, cela tourne mal. ☙ XII^e s. ; p. p. de *brûler* ; [bʀyle].

**BRÛLE-GUEULE,** subst. m.
Pipe dont le tuyau est très court. ☙ 1735 ; comp. de *brûler* et de *gueule* ; plur. *brûle-gueule(s)* ; [bʀylgœl].

**BRÛLE-PARFUM(S),** subst. m.
Récipient ajouré dans lequel on brûle des parfums. ☙ 1785 ; comp. de *brûler* et de *parfum* ; plur. *brûle-parfums* ; [bʀylpaʀfœ̃].

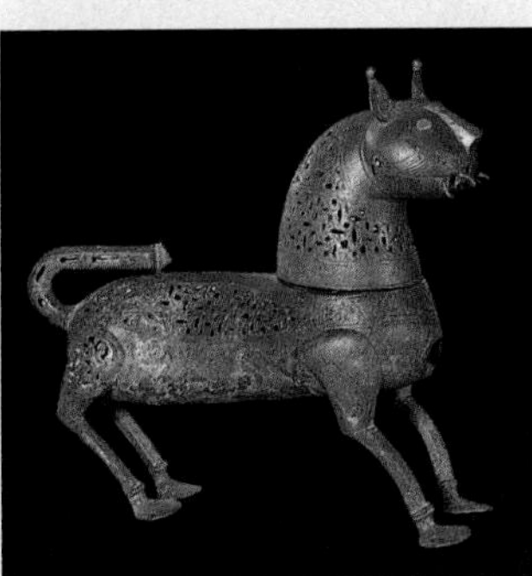
© Lauros-Giraudon

*Lion* **brûle-parfum**, *bronze du Khorasan, Iran (XII^e s.). Musée du Louvre, Paris.*

**BRÛLE-POURPOINT (À),** loc. adv.
De façon abrupte, brusquement. ☙ 1701 (1648, à bout portant) ; comp. de *brûler* et de *pourpoint* ; [abʀylpuʀpwɛ̃].

**BRÛLER,** verbe [3]
**Trans. 1.** Détruire par le feu : **Brûler** *des ordures, des mauvaises herbes.* ► Faire périr sur un bûcher : *On a* **brûlé** *Jeanne d'Arc.* ► Loc. **Brûler** *ses vaisseaux* : s'engager dans une affaire en s'ôtant tout moyen de reculer. **2.** Utiliser comme source d'énergie : **Brûler** *du mazout.* **3.** Endommager par le feu, par un produit caustique : *Cet acide* **brûle** *la peau.* **4.** Produire une sensation de chaleur vive sur : *La neige* **brûle** *les doigts* ; au fig., enflammer : *L'envie de parler me* **brûlait** *les lèvres.* ► Loc. *L'argent lui* **brûle** *les doigts* : il ne peut pas le conserver longtemps. ► **Brûler** *un feu rouge* : ne pas s'y arrêter. **Intrans. 1.** Se consumer par le feu : *Le bois* **brûle** *dans la cheminée.* ► Éclairer, chauffer : *La lampe a* **brûlé** *toute la nuit.* **2.** Être altéré par le feu, une cuisson trop longue, un acide, etc. : *Le gratin a* **brûlé**. **3.** Être très chaud : *La peau* **brûle** *sous ce soleil intense.* **4.** Loc. ► **Brûler de** (+ subst.). Ressentir une chaleur intense à cause de : **Brûler** *de fièvre* ; au fig., éprouver passionnément : **Brûler** *de désir.* ► **Brûler de** (+ inf.). Être impatient de : *Je* **brûle** *de lui dire la vérité.* ► **Brûler** *pour qqn* : en être très amoureux. **Pronom.** Subir les effets du feu ou d'une chaleur intense. ► Loc. *Se* **brûler** *les ailes* : céder à une tentation fatale ; *Se* **brûler** *la cervelle* : se tirer une balle dans la tête. ☙ Déb. XII^e s. ; prob. crois. de l'anc. fr. *usler*, du lat. *ustulare*, et de l'anc. fr. *bruir*, « brûler » ; [bʀyle].

**BRÛLERIE,** subst. f.
**1.** Lieu où l'on torréfie du café. **2.** Lieu où l'on distille de l'eau-de-vie. ☙ 1783 (1417, action de brûler) ; ☞ *brûler* ; [bʀylʀi].

**BRÛLEUR, EUSE,** subst.
Personne qui travaille dans une brûlerie. **Masc.** Dispositif qui permet le réglage de la combustion : *Le* **brûleur** *d'une chaudière.* ☙ 1666 (XIII^e s., celui qui met le feu) ; ☞ *brûler* ; [bʀylœʀ, øz].

**BRÛLIS,** subst. m.
*Agric.* Action de défricher une terre en brûlant la végétation afin d'enrichir le sol ; par méton., la terre ainsi défrichée : *Culture sur* **brûlis**. ☙ Fin XII^e s. ; ☞ *brûler* ; [bʀyli].

**BRÛLOIR,** subst. m.
Appareil utilisé pour torréfier le café. ☙ 1784 ; ☞ *brûler* ; [bʀylwaʀ].

**BRÛLOT,** subst. m.
**1.** Vx. *Mar.* Embarcation incendiaire lancée contre la flotte ennemie. ► Objet, idée, écrit susceptible de déclencher un scandale : *Un* **brûlot** *gauchiste.* **2.** Eau-de-vie sucrée puis flambée. **3.** Québ. Moustique dont la piqûre produit une sensation de brûlure. ☙ 1627 ; ☞ *brûler* ; [bʀylo].

**BRÛLURE,** subst. f.
**1.** Lésion provoquée par le feu, le froid, certains rayonnements ou des produits caustiques ; par anal., sensation de chaleur intense, d'irritation : *Des* **brûlures** *dans la gorge.* **2.** Marque laissée par qqch. qui a brûlé : *Des* **brûlures** *de fer à repasser.* ☙ Déb. XIII^e s. ; ☞ *brûler* ; [bʀylyʀ].

**BRUMAIRE,** subst. m.
Deuxième mois du calendrier républicain, commençant le 22 ou le 23 octobre, trente jours après l'équinoxe d'automne : *Le coup d'État du 18* **brumaire**, le coup d'État de Bonaparte, en 1799. ☙ 1793 ; ☞ *brume* ; [bʀymɛʀ].

**BRUMASSE,** subst. f.
Brume légère. ☙ XV^e s. ; ☞ *brume* ; [bʀymas].

**BRUME,** subst. f.
**1.** Brouillard léger, permettant la visibilité au-delà de 1 km : *Les* **brumes** *matinales* ; au fig. : *Les* **brumes** *de l'alcool.* **2.** *Mar.* Brouillard. ☙ 1562 (1265, période des jours les plus courts) ; lat. *bruma*, « jour du solstice d'hiver » ; [bʀym].

**BRUMER,** verbe impers. [3]
*Il* **brume** : il y a de la brume. ☙ 1867 ; ☞ *brume* ; [bʀyme].

**BRUMEUX, EUSE,** adj.
**1.** Couvert de brume : *Ciel* **brumeux**. **2.** Fig. Qui manque de clarté, de netteté : *Raisonnement, esprit* **brumeux**. ☙ 1787 ; ☞ *brume* ; [bʀymø, øz].

**BRUMISATEUR,** subst. m. inv.
Atomiseur que l'on utilise pour les soins du visage. ☙ V. 1970 ; ☞ *brume* ; n. déposé ; [bʀymizatœʀ].

**BRUN, BRUNE,** adj. et subst.
**Adj.** D'une couleur entre le roux et le noir. ► Méton. Qui a les cheveux **bruns** ou noirs, le teint **brun**. ► *Électroménager. Produits* **bruns** : télévisions, chaînes hi-fi, etc., par oppos. aux produits blancs. **Subst.** Personne aux cheveux **bruns** ou noirs. **Subst. masc.** La

couleur **brune.** SUBST. FÉM. **1.** *À la brune* : à la tombée du soir (littér.). **2.** Bière **brune. 3.** Cigarette **brune.** Fin XIe s. ; germ. °*brun* ; [bʀœ̃, bʀyn].

**BRUNANTE, subst. f.**
Québ. Crépuscule : *Sortir à la* **brunante**, à la tombée de la nuit. 1810 ; ☞ *brunir* ; [bʀynɑ̃t].

**BRUNÂTRE, adj.**
Dont la couleur se rapproche du brun. 1557 ; ☞ *brun* ; [bʀynɑtʀ].

**BRUNCH, subst. m.**
Repas pris dans la matinée, tenant lieu de petit déjeuner et de déjeuner (anglic.). V. 1970 ; angl. *brunch*, crois. de *breakfast*, « petit déjeuner », et de *lunch*, « déjeuner » ; [bʀœnʃ].

**BRUNET, ETTE, subst.**
Petit brun, petite brune (vieilli). Fin XIIe s. (mil. XIIe s., étoffe noire et fine) ; ☞ *brun* ; [bʀynɛ, ɛt].

**BRUNI, subst. m.**
*Techn.* Partie d'un métal qui a subi le brunissage (anton. *mat*). 1808 ; ☞ *brunir* ; [bʀyni].

**BRUNIR, verbe [19]**
TRANS. **1.** *Techn.* Procéder au brunissage de (un objet en métal). **2.** Rendre brun. INTRANS. Devenir brun ; bronzer : *Elle a* **bruni** *à la plage.* 1538 (fin XIe s., qui brille) ; ☞ *brun* ; [bʀyniʀ].

**BRUNISSAGE, subst. m.**
**1.** *Techn.* Opération consistant à polir un métal ou à roder une pièce métallique. **2.** *Cuis.* Fait de brunir les aliments cuits au four à micro-ondes. 1680 ; ☞ *brunir* ; [bʀynisaʒ].

**BRUNISSEMENT, subst. m.**
Fait de devenir brun ; bronzage de la peau. 1873 (1587, action de brunir les métaux) ; ☞ *brunir* ; [bʀynismɑ̃].

**BRUNISSEUR, EUSE, subst. et adj.**
SUBST. Ouvrier chargé du brunissage des métaux. ADJ. *Cuis. Papier, plat* **brunisseur** : favorisant le brunissage des aliments. 1313 ; ☞ *brunir* ; [bʀynisœʀ, øz].

**BRUNISSOIR, subst. m.**
*Techn.* Outil servant au brunissage. 1564 ; ☞ *brunir* ; [bʀyniswaʀ].

**BRUNISSURE, subst. f.**
*Techn.* **1.** Poli d'un métal, obtenu par brunissage. **2.** Action de brunir une étoffe ; son résultat. 1429 ; ☞ *brunir* ; [bʀynisyʀ].

**BRUSHING, subst. m. inv.**
Coiffage des cheveux mèche par mèche avec une brosse ronde et un sèche-cheveux (anglic.). V. 1960 ; mot angl. ; n. déposé ; [bʀœʃiŋ].

**BRUSQUE, adj.**
**1.** Qui agit avec rudesse ; brutal : *Personne* **brusque** ; *Mouvement* **brusque**. **2.** Qui arrive soudainement ; imprévu : *Un* **brusque** *redoux.* 1549 (1373, aigre, en parlant du vin) ; ital. *brusco*, « âpre » ; [bʀysk].

**BRUSQUEMENT, adv.**
**1.** Avec brusquerie. **2.** Soudainement : *Il est mort* **brusquement**. 1534 ; ☞ *brusque* ; [bʀyskəmɑ̃].

**BRUSQUER, verbe trans. [3]**
**1.** Traiter (qqn) de manière brusque : *Ne* **brusquez** *pas trop votre vieille mère.* **2.** Hâter, précipiter : *Ne* **brusquez** *pas les choses, les évènements.* Mil. XVIIe s. (fin XVIe s., tenter la fortune) ; ☞ *brusque* ; [bʀyske].

**BRUSQUERIE, subst. f.**
**1.** Rudesse dans le comportement : *Sa* **brusquerie** *le rend insupportable.* **2.** Caractère de ce qui est brusque, subit. 1666 ; ☞ *brusque* ; [bʀyskəʀi].

**BRUT, BRUTE, adj.**
**1.** Vx. Qui est à l'état sauvage : *Une bête* **brute**. **2.** Qui est dans son état naturel, qui n'a pas subi de transformation : *Marbre, bois* **bruts**. ▸ *Pétrole* **brut** ou, empl. subst. masc., *Du* **brut** : pétrole non raffiné. **3.** Qui n'a subi qu'une première transformation : *Toile* **brute**. ▸ *Champagne* **brut** ou, empl. subst. masc., *Une bouteille de* **brut** : très sec, qui n'a subi qu'une fermentation. ▸ Loc. **Brut** *de décoffrage* : sans élaboration, sans nuance. **4.** *Comm. Poids* **brut** : poids total, y compris le contenant ; empl. adv. : *Ce chargement pèse cent tonnes* **brut**. **5.** *Écon.* Calculé sans les déductions, taxes, etc. (anton. *net*) : *Salaire* **brut** ou, empl. subst. masc., *Le* **brut** ; empl. adv. : *Gagner cinq mille francs* **brut**. **6.** *B.-a. Art* **brut** : concept forgé par Dubuffet en 1945 et désignant toute forme d'art spontané, produit par des personnes étrangères au milieu de l'art (malades mentaux, autodidactes). Fin XIIIe s. ; lat. *brutus*, « stupide » ; [bʀyt].

**BRUTAL, ALE, AUX, adj.**
**1.** Vx. Qui tient de la brute. **2.** Qui agit avec violence, rudesse : *Un mari* **brutal** ; empl. subst., personne **brutale**. **3.** Qui se manifeste de façon rude, abrupte, sans nuance : *Une franchise* **brutale**. **4.** Soudain, inattendu : *Transformation* **brutale**. XIVe s. ; lat. médiév. *brutalis* ; [bʀytal, o].

**BRUTALEMENT, adv.**
**1.** De façon brutale : *Il lui a parlé* **brutalement**. **2.** Soudain : *C'est arrivé* **brutalement**. 1428 ; ☞ *brutal* ; [bʀytalmɑ̃].

**BRUTALISER, verbe trans. [3]**
Traiter de manière brutale, violente : *Ce mauvais maître* **brutalise** *son chien.* 1704 (1572, rendu bestial) ; ☞ *brutal* ; [bʀytalize].

**BRUTALITÉ, subst. f.**
**1.** Caractère d'une personne brutale ; acte brutal, violent (souv. au plur.) : *Des* **brutalités** *policières.* **2.** Caractère violent ou soudain de qqch. : *La* **brutalité** *d'une attaque.* 1540 ; ☞ *brutal* ; [bʀytalite].

**BRUTE, subst. f.**
**1.** Vx. Animal, en tant que réduit à ses instincts. **2.** Individu dépourvu d'intelligence et de sensibilité : *Une* **brute** *épaisse* ; par exagér. : *Travailler comme une* **brute**. **3.** Individu violent, brutal : *Frapper comme une* **brute**. 1547 ; ☞ *brut* ; [bʀyt].

**BRUXELLOIS, OISE, adj. et subst.**
De Bruxelles. ▸ *Cuis. À la* **bruxelloise** : se dit des garnitures ou des apprêts d'œufs comprenant des choux de Bruxelles et des endives braisées. Fin XIVe s. ; topon. *Bruxelles* (Belgique) ; [bʀysɛlwa, waz].

**BRUYAMMENT, adv.**
De manière bruyante, à grand bruit ; au fig., avec éclat. Fin XIIIe s. ; ☞ *bruyant* ; [bʀɥijamɑ̃].

**BRUYANT, ANTE, adj.**
**1.** Qui fait du bruit : *Un spectacle* **bruyant** ; par ext., qui se manifeste avec excès. **2.** Où il y a beaucoup de bruit : *Une rue* **bruyante**. Fin XIIe s. ; p. pr. de *bruire* ; [bʀɥijɑ̃, ɑ̃t].

**BRUYÈRE, subst. f.**
**1.** *Bot.* Plante ligneuse, aux fleurs violettes ou roses, de la famille des Éricacées qui pousse sur la lande et dans les lieux arides. ▸ *Pipe de* **bruyère** : taillée dans le bois de la racine de cette plante. **2.** Méton. Lieu où pousse la **bruyère** : *Les* **bruyères** *bretonnes.* **3.** *Spéc.* ▸ *Bot. Terre de* **bruyère** : terreau composé de sables et de débris organiques. ▸ *Zool. Coq de* **bruyère** : gallinacé sauvage, aussi appelé tétras. Fin XIIe s. ; lat. pop. °*brucaria*, du bas lat. *brucus* ; [bʀyjɛʀ] ou [bʀɥi-].

*Bruyères et ajoncs dans la lande bretonne.*

**BRYOLOGIE, subst. f.**
Branche de la botanique qui étudie les mousses. 1838 ; gr. *bruon*, « mousse », + *-logie* ; [bʀijɔlɔʒi].

**BRYONE, subst. f.**
*Bot.* Plante herbacée, grimpante, à fleurs verdâtres, de la famille des Cucurbitacées, dont on extrait un purgatif. 1256 ; lat. *bryonia*, du gr. *bruônia* ; [bʀijɔn].

**BRYOPHYTES, subst. f. plur.**
*Bot.* Embranchement de petits végétaux à tige et à feuilles vertes, mais sans racines ni fleurs, telles les mousses et les hépatiques, qui affectionnent des endroits humides. AU SING. *L'anthocéros, plante de la classe des Hépatiques, est une* **bryophyte**. 1924 ; gr. *bruon*, « mousse », + *-phyte* ; [bʀijɔfit].

**BRYOZOAIRES, subst. m. plur.**
*Zool.* Embranchement d'animaux coloniaux marins. La colonie, de forme très variable (par ex. arbusculaire, évoquant alors une mousse), est constituée de nombreuses unités appelées zoécies. AU SING. *La cristatelle est un* **bryozoaire**. 1838 ; gr. *bruon*, « mousse », + *-zoaire* ; [bʀijɔzɔɛʀ].

**BUANDERIE, subst. f.**
**1.** Local aménagé pour y faire la lessive. **2.** Québ. Blanchisserie. 1471 ; ☞ *buandier* ; [byɑ̃dʀi].

**BUANDIER, IÈRE, subst.**
SUBST. FÉM. Vx. Employée qui s'occupait de la lessive. SUBST. **1.** Personne chargée des machines dans une blanchisserie. **2.** Personne effectuant le premier blanchiment des toiles neuves. 1408 ; *buer* (vx), « lessiver » ; [byɑ̃dje, jɛʀ].

**BUBALE, subst. m.**
*Zool.* Grande antilope d'Afrique, aux cornes évasées en forme de lyre. 1752 ; lat. *bubalus*, du gr. *boubalos* ; [bybal].

**BUBON, subst. m.**
*Pathol.* Grosseur inflammatoire des ganglions lymphatiques pouvant caractériser certaines maladies (syphilis, peste, etc.). 1314 ; bas lat. *bubo*, « tumeur », du gr. *boubôn*, « aine » ; [bybɔ̃].

**BUBONIQUE, adj.**
*Pathol.* Qui est accompagné de bubons : *Peste* **bubonique**. 1892 ; ☞ *bubon* ; [bybɔnik].

**BUCCAL, ALE, AUX, adj.**
Relatif, propre à la bouche : *Par voie* **buccale**, par la bouche. 1735 ; lat. *bucca*, « bouche » ; [bykal, o].

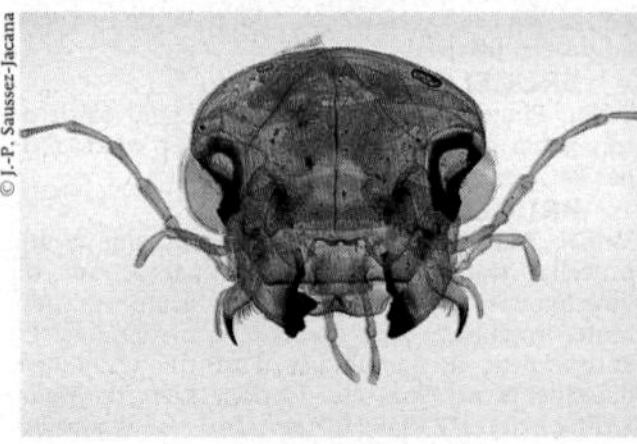

*Pièces* **buccales** *d'un dytique.*

**BUCCIN, subst. m.**
**1.** *Antiq.* Trompette à pavillon formé en gueule de monstre. **2.** *Zool.* Mollusque gastéropode du littoral atlantique, comestible, appelé aussi bulot. 1372 ; lat. *buccinum*, de *bucina*, « trompette » ; [byksɛ̃].

**BUCCINATEUR, subst. m.**
**1.** *Antiq.* Celui qui sonnait du buccin. **2.** *Anat.* Muscle de la joue qui permet de tirer en arrière les commissures des lèvres ; empl. adj. : *Muscle* **buccinateur**. 1611 (1549, panégyriste) ; lat. *bucinator*, « joueur de trompette » ; [byksinatœʀ].

**BUCCODENTAIRE, adj.**
Qui concerne la bouche et les dents. XXe s. ; ☞ *dentaire* (I) + *bucco-* ; var. *bucco-dentaire* (plur. *bucco-dentaires*) ; [bykodɑ̃tɛʀ].

**BUCCOGÉNITAL, ALE, AUX, adj.**
Qui concerne la bouche et les organes génitaux. XXe s. ; ☞ *génital* + *bucco-* ; var. *bucco-génital, ale, aux* ; [bykoʒenital, o].

**BÛCHE (I), subst. f.**
**1.** Tronçon de bois, rondin destiné à être brûlé dans une cheminée, un poêle : *Fendre des* **bûches**. ▸ **Bûche** *de Noël* : grosse **bûche** placée dans la cheminée la veille de Noël, qui devait brûler toute la nuit ; par anal., gâteau roulé en forme de **bûche**, traditionnel lors des repas de Noël. **2.** Fig. Personne bornée (fam.). Mil. XIIe s. ; lat. pop. °*buska*, « bosquet » ; [byʃ].

**BÛCHE (II), subst. f.**
Fam. Chute. ▸ Loc. *Prendre une* **bûche** : tomber. 1875 ; prob. *bûcher* (I) ; [byʃ].

**BÛCHER (I), verbe trans. [3]**
**1.** Dégrossir à la hache (une pièce de bois). **2.** Travailler (un sujet) avec acharnement (fam.) ; empl. abs. : *Il a* **bûché** *toute la nuit.* Mil. XIVe s. (fin XIIe s., frapper à la porte) ; ☞ *bûche* (I) ; [byʃe].

**BÛCHER (II), subst. m.**
**1.** Lieu où l'on entrepose le bois de chauffage.

**2.** Amas de bois destiné à l'incinération des morts ou sur lequel on brûlait les condamnés au supplice du feu ou les livres interdits ; par méton., le supplice du feu : *Jeanne d'Arc fut condamnée au **bûcher**.* XIIIe s. ; ☞ *bûche* (I) ; [byʃe].

**BÛCHERON, ONNE,** subst.
Personne dont le métier est d'abattre des arbres. 1550 ; anc. fr. *boscheron,* de *bosc,* « bois », d'apr. *bûche* (I) ; [byʃʀɔ̃, ɔn].

**BÛCHETTE,** subst. f.
**1.** Petit morceau de bois sec. **2.** Petit bâton utilisé pour apprendre à compter. Fin XIIe s. ; ☞ *bûche* (I) ; [byʃɛt].

**BÛCHEUR, EUSE,** subst. et adj.
Se dit d'une personne qui travaille beaucoup, avec acharnement (fam.). Mil. XIXe s. ; ☞ *bûcher* (I) ; [byʃœʀ, øz].

**BUCOLIQUE,** adj.
**1.** *Litt.* Qui prend pour thème la vie pastorale : *Poésie **bucolique*** ; empl. subst. fém., poème pastoral, églogue : *Les « **Bucoliques** », de Virgile.* **2.** Ext. Qui évoque les charmes de la vie champêtre : *Une scène **bucolique**.* Fin XIIIe s. ; lat. *bucolicus,* du gr. *boukolikos,* « relatif aux bouviers » ; [bykɔlik].

© Giraudon

Le Pont *(détail),*
*un paysage **bucolique** peint par François Boucher (1703-1770).*
*Musée du Louvre, Paris.*

**BUCRANE,** subst. m.
*Archit.* Ornement architectural de l'Antiquité et de la Renaissance, représentant une tête de bœuf décharnée aux cornes ornées de guirlandes de fleurs. 1803 ; bas lat. *bucranium,* « tête de bœuf » ; var. *bucrâne* ; [bykʀan].

© Giraudon

*Stèle funéraire d'Amemptus ornée d'un **bucrane**.*
*Musée du Louvre, Paris.*

**BUDGET,** subst. m.
**1.** Compte des dépenses et des recettes publiques, en gén. pour l'année à venir, pour un exercice donné : ***Budget** de l'État, d'une collectivité.* **2.** État prévisionnel des recettes et des dépenses locales (d'une entreprise, d'une famille, etc.) ; par ext., somme susceptible de couvrir certaines dépenses : *Le **budget** d'un ménage ; Établir son **budget** pour la rentrée scolaire ; Boucler son **budget**.* 1764 ; angl. *budget,* de l'anc. fr. *bougette,* « petit sac de cuir » ; [bydʒɛ].

**BUDGÉTAIRE,** adj.
Relatif au budget : *Prévisions **budgétaires** ; Situation **budgétaire**.* 1825 ; ☞ *budget* ; [bydʒetɛʀ].

**BUDGÉTER,** verbe trans. [8]
Budgétiser. 1872 ; ☞ *budget* ; [bydʒete].

**BUDGÉTISATION,** subst. f.
Inscription au budget. 1953 ; ☞ *budgétiser* ; [bydʒetizasjɔ̃].

**BUDGÉTISER,** verbe trans. [3]
Inscrire (une dépense ou une charge) au budget (synon. *budgéter*). 1953 ; ☞ *budget* ; [bydʒetize].

**BUDGÉTIVORE,** adj. et subst.
Se dit de qqn qui émarge au budget de l'État ou de qqch. qui grève le budget de l'État (péj. et iron.). 1846 ; ☞ *budget* + *-vore* ; [bydʒetivɔʀ].

**BUÉE,** subst. f.
Vapeur d'eau que dégage un corps humide plus chaud que l'air ambiant ou vapeur d'eau qui se dépose sur un corps froid par condensation : *La **buée** qui sort des naseaux d'un cheval ; Vitres couvertes de **buée**.* 1836 (déb. XIIIe s., lessive) ; gallo-roman °*bucata,* « lessive » ; [bɥe].

**BUFFET,** subst. m.
**1.** Table garnie de mets, de boissons, dressée à l'occasion d'une réception : *Les invités se pressent devant le **buffet*** ; par méton., ces mets eux-mêmes : ***Buffet** campagnard.* ▸ Brasserie installée dans une gare. **2.** Meuble de salle à manger, de cuisine, servant à ranger la vaisselle, les couverts, les provisions, etc. : ***Buffet** rustique.* **3.** Anal. Ventre (fam.). **4.** *Spéc.* ▸ *Mus.* Menuiserie d'un orgue renfermant son mécanisme. ▸ *Archit.* ***Buffet** d'eau* : fontaine de jardin murale, à vasques disposées en gradins. 1547 (mil. XIIe s., escabeau) ; orig. obsc. ; [byfɛ].

**BUFFETIER, IÈRE,** subst.
Personne qui tient un buffet de gare (vieilli). 1874 ; ☞ *buffet* ; [byftje, jɛʀ].

**BUFFLE,** subst. m.
*Zool.* Mammifère ruminant à grandes cornes, de la famille des Bovidés, voisin du bœuf, dont il existe plusieurs espèces africaines ou asiatiques : ***Buffle** nain ; **Buffle** des savanes ; **Buffle** cafre.* Fin XIIe s. ; ital. *buffalo,* du lat. *bubalus* ; le fém., *bufflesse* ou *bufflonne,* est rare ; [byfl].

**BUFFLETERIE,** subst. f.
**1.** Méthode de chamoisage des peaux de bœuf ou de buffle. **2.** Partie en cuir de l'équipement d'un soldat, en partic. ce qui soutient les armes et les munitions. 1792 ; ☞ *buffle* ; [byflɛtʀi] ou [-flə-].

**BUFFLON,** subst. m.
Petit du buffle. 1845 ; ☞ *buffle* ; var. *buffletin* ; [byflɔ̃].

**BUG,** voir **BOGUE (II)**

**BUGGY,** voir **BOGHEI**

**BUGLE (I),** subst. f.
*Bot.* Plante herbacée de la famille des Labiées, dont la plus connue est la **bugle** rampante, ou herbe de Saint-Laurent, à fleurs bleues, des sous-bois humides. Fin XIIIe s. ; lat. médiév. *bugula* ; [bygl].

**BUGLE (II),** subst. m.
*Mus.* Instrument à pistons, de la famille des cuivres, utilisé notamment dans les fanfares. 1845 ; angl. *bugle,* de *bugle-horn,* « cor en corne de bœuf », de l'anc. fr. *bugle,* « jeune bœuf » ; [bygl].

**BUGLOSSE,** subst. f.
*Bot.* Plante herbacée à fleurs bleues, de la famille des Borraginacées, qui pousse sur les terrains pauvres. 1372 ; bas lat. *buglosa,* du gr. *bouglôsson,* « langue de bœuf » ; [byglɔs].

**BUGNE,** subst. f.
Fine bande de pâte, frite dans l'huile et saupoudrée de sucre, spécialité lyonnaise. 1810 (mil. XVIIIe s., tumeur) ; forme franco-prov. de *beigne* ; [byɲ].

**BUGRANE,** subst. f.
*Bot.* Plante épineuse à fleurs bleues ou roses, de la famille des Fabacées, appelée aussi arrête-bœuf. 1379 ; prob. bas lat. *bucranium,* du gr. *boukranion,* « tête de bœuf » ; [bygʀan].

**BUILDING,** subst. m.
Immeuble moderne très haut, souv. occupé par des bureaux, typique des villes des États-Unis (anglic. vieilli). 1895 ; anglo-amér. *building,* de *to build,* « construire » ; [bildiŋ] ou [byl-].

**BUIRE,** subst. f.
*Archéol.* Broc ou cruche qui servait à contenir l'eau, le lait ou l'huile. Fin XIIe s. ; p.-ê. anc. bas frq. °*buri,* « récipient » ; [bɥiʀ].

**BUIS,** subst. m.
**1.** *Bot.* Arbrisseau à feuilles persistantes, de la famille des Buxacées, très apprécié pour l'ornement des jardins. ▸ *Relig.* ***Buis** bénit* : branche que l'on bénit le jour des Rameaux, pour commémorer l'entrée de Jésus-Christ à Jérusalem. **2.** Méton. Le bois, très dur, de cet arbrisseau, utilisé pour son grain jaune et fin : *Peigne, flûte de **buis** ; Pièces d'échecs en **buis**.* 1360 (mil. XIIe s., bois) ; lat. *buxus* ; [bɥi].

**BUISSON,** subst. m.
**1.** Touffe d'arbustes et d'arbrisseaux sauvages : *Se cacher derrière les **buissons** ; Arbre en **buisson**,* arbre fruitier nain taillé en forme de **buisson** ou arbre taillé pour ne pas s'élever au-dessus de trois mètres. ▸ *Relig. Le **buisson** ardent* : qui prit feu sans se consumer quand Dieu apparut à Moïse. **2.** *Cuis.* Mets dressé en pyramide : ***Buisson** d'écrevisses.* Fin XIe s. ; anc. fr. *boisson,* « petit bois » ; [bɥisɔ̃].

**BUISSON-ARDENT,** subst. m.
*Bot.* Nom vulgaire du pyracantha, arbuste ornemental à fleurs blanches et à baies rouge orangé. 1680 ; comp. de *buisson* et de *ardent* ; plur. *buissons-ardents* ; [bɥisɔ̃aʀdɑ̃].

**BUISSONNEUX, EUSE,** adj.
Couvert de buissons ; qui a la forme d'un buisson. Fin XIIe s. ; ☞ *buisson* ; [bɥisɔnø, øz].

**BUISSONNIER, IÈRE,** adj.
**1.** Qui vit dans les buissons : *Merle **buissonnier**.* **2.** Loc. *Faire l'école **buissonnière*** : manquer la classe pour musarder. 1580 (1538, lieu couvert de buissons) ; ☞ *buisson* ; [bɥisɔnje, jɛʀ].

**BULBAIRE,** adj.
*Anat.* Relatif aux bulbes, notamment au bulbe rachidien. 1865 ; ☞ *bulbe* ; [bylbɛʀ].

**BULBE,** subst. m.
**1.** *Bot.* Organe souterrain de certaines plantes, de forme renflée, constitué d'un bourgeon enveloppé de feuilles réduites à des écailles, qui sont remplies des réserves nutritives qui permettront à la plante de reprendre sa croissance aérienne au printemps : *La jacinthe, l'ail, l'oignon sont des plantes à **bulbe**.*

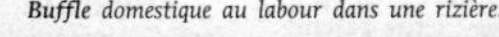

*Buffle domestique au labour dans une rizière.*

© Ph. Roy-Explorer

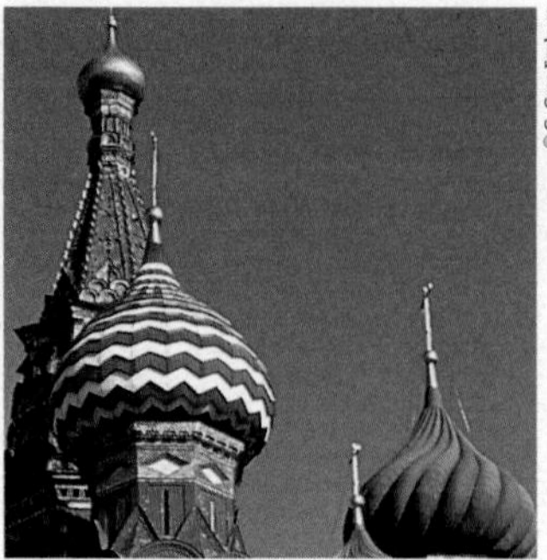


*Les **bulbes** de l'église Basile-le-Bienheureux, à Moscou.*

**2.** *Anat.* Partie renflée d'un organe : ***Bulbe*** *de l'urètre* ; ***Bulbe*** *pileux* ; ***Bulbe*** *rachidien* ou, par ell., ***Bulbe.*** **3.** *Archit.* Dôme terminé par une pointe : *Églises à* ***bulbes****, en Russie.* 1505 (XVᵉ s., scille maritime) ; lat. *bulbus* ; [bylb].

ANATOMIE – Le bulbe rachidien est situé entre la moelle épinière (qu'il prolonge) et l'encéphale proprement dit (le cerveau). Il est constitué de cordons de substance blanche, formés de fibres sensitives (qui montent vers le cerveau) ou motrices (qui conduisent l'influx nerveux des centres supérieurs vers la moelle épinière) ; ces formations sont appelées pyramides antérieures, ou olives bulbaires. C'est dans la partie inférieure du bulbe que se croisent les fibres provenant des hémisphères cérébraux, de sorte que l'hémisphère gauche commande la partie droite du corps et l'hémisphère droit la partie gauche.

**BULBEUX, EUSE, adj.**
**1.** *Bot.* Pourvu d'un bulbe. **2.** En forme de bulbe. 1545 ; lat. *bulbosus* ; [bylbø, øz].

**BULBILLE, subst. f.**
*Bot.* Bourgeon développé en petit bulbe qui, une fois détaché de la plante mère, assure sa reproduction : *Les* ***bulbilles*** *de l'ail.* 1836 ; ☞ *bulbe* ; [bylbij].

**BULGARE, adj. et subst.**
De Bulgarie. SUBST. MASC. Langue slave parlée en Bulgarie. 1606 ; bas lat. *Bulgares* ; [bylgaʀ].

**BULLAIRE, subst. m.**
*Cath.* Recueil de bulles et de brefs pontificaux ; par méton., scribe qui les transcrivait ou les recopiait. 1690 ; lat. médiév. *bullarius* ; [bylɛʀ].

**BULLDOZER, subst. m.**
**1.** Anglic. Engin de terrassement à chenilles (recomm. off. *bouteur*). **2.** Fig. Personne entreprenante, qui balaie les obstacles (fam.). 1927 ; anglo-amér. *bulldozer*, de *to bulldoze*, « menacer, intimider » ; [byldozœʀ].

**BULLE (I), subst. f.**
**1.** *Antiq. rom.* Petite boule de métal que portaient autour du cou les jeunes Romains de famille patricienne. **2.** *Hist.* Sceau de forme circulaire authentifiant un acte, un décret ; par méton., cet acte lui-même. **3.** *Cath.* ***Bulle*** *pontificale* : lettre patente et publique du pape, revêtue d'un sceau de plomb, portant sur des affaires de première importance. XIIIᵉ s. ; lat. médiév. *bulla*, « sceau de métal » ; [byl].

**BULLE (II), subst. f.**
**1.** Petite quantité d'un gaz, de forme sphérique, contenue à l'intérieur d'un liquide ou d'une matière en fusion et que l'effervescence, l'ébullition fait monter à la surface : *Les* ***bulles*** *du champagne* ; ***Bulles*** *d'oxygène, d'air* ; ***Bulle*** *de savon*, globe formé d'une fine pellicule d'eau savonneuse emplie d'air ; *Niveau à* ***bulle*** (☞ *niveau*). ► Loc. *Coincer la* ***bulle*** : ne rien faire (fam.). **2.** Fig. Endroit où l'on se sent protégé, hors des soucis du monde : *Il vit dans sa* ***bulle.*** **3.** *Méd.* Lieu stérile où sont placés des enfants atteints de déficience immunitaire ; en appos. : *Des bébés-****bulle.*** **4.** *Pathol.* Vésicule de l'épiderme emplie de sérosité, phlyctène. **5.** Dans la bande dessinée, espace, délimité par une ligne courbe, qui contient les paroles, les pensées d'un personnage (synon. *phylactère*). **6.** La note zéro (argot scol.) : *Avoir une* ***bulle*** *en maths.* Fin XVIᵉ s. ; lat. *bulla*, « bulle d'air » ; [byl].

**BULLE (III), subst. m. inv.**
Papier jaunâtre d'une pâte peu raffinée ; en appos. : *Papier* ***bulle.*** 1785 ; orig. inc. ; [byl].

**BULLÉ, ÉE, adj.**
Se dit d'un matériau qui contient ou présente des bulles : *Verre* ***bullé.*** 1834 ; ☞ *bulle* (II) ; [byle].

**BULLER, verbe intrans.** [3]
Paresser, coincer la bulle (fam.). V. 1970 ; ☞ *bulle* (II) ; [byle].

**BULLETIN, subst. m.**
**1.** Information communiquée au public par un organisme officiel ou privé. ► ***Bulletin*** *de santé* : rapport délivré par un médecin sur l'état de santé d'une personne, en partic. d'un homme d'État. ► *Enseign.* ***Bulletin*** *scolaire* : rapport contenant les notes d'un élève et les appréciations des professeurs. ► *Journ.* Article, gén. bref ; périodique d'information destiné à un public particulier : ***Bulletin*** *paroissial* ; par anal., résumé des nouvelles du jour, à la radio, à la télévision. **2.** Papier imprimé ou manuscrit servant à voter : *Vote à* ***bulletin*** *secret* ; ***Bulletin*** *blanc, nul.* **3.** Attestation, certificat : ***Bulletin*** *de naissance, de décès* ; ***Bulletin*** *de salaire.* ► ***Bulletin-réponse*** (plur. ***bulletins-réponses***) : imprimé à remplir et à renvoyer à un organisme en réponse à une question. 1532 ; anc. fr. *bullette*, « sceau ; certificat » ; [byltɛ̃].

**BULLEUX, EUSE, adj.**
**1.** *Géomorph.* Qui présente des bulles : *Sable* ***bulleux.*** **2.** *Pathol.* *Râle* ***bulleux*** : qui fait entendre un bruit particulier à l'auscultation, les cavités pulmonaires contenant des sécrétions pathologiques ; *Dermatose* ***bulleuse*** : qui présente des bulles. 1814 ; ☞ *bulle* (II) ; [bylø, øz].

**BULL-FINCH, subst. m.**
*Hippisme.* Obstacle de steeple-chase constitué d'un talus surmonté d'une haie. 1862 ; angl. *bullfinch*, altér. de *bull-fence*, « clôture à taureaux » ; plur. *bull-finch(es)* ; [bulfinʃ].

**BULLIONISME, subst. m.**
Doctrine monétaire adoptée par l'Espagne au XVIᵉ s., qui consistait à accumuler les stocks de métaux précieux. Angl. *bullion*, « lingot » ; [byljɔnism].

**BULL-TERRIER, subst. m.**
Petit chien de chasse à poil ras, bon ratier, d'origine anglaise. 1859 ; comp. de l'angl. *bulldog*, « chien taureau », et de *terrier* ; plur. *bull-terriers* ; [bultɛʀje].

**BULOT, subst. m.**
*Zool.* Nom commun du buccin. 1877 ; orig. obsc. ; [bylo].

**BUNGALOW, subst. m.**
**1.** Maison indienne de plain-pied, entourée d'une véranda. **2.** Ext. Construction légère, souv. en bois et sans étage, gén. habitée à titre temporaire : *L'été, il louait un* ***bungalow*** *face à la mer.* 1829 ; angl. *bungalow*, du hindi *baṃgâla*, « du Bengale » ; [bœ̃galo].

**BUNKER (I), subst. m.**
*Sp.* Au golf, fosse sableuse. 1902 ; angl. *bunker*, « banc, coffre » ; [bœnkœʀ].

**BUNKER (II), subst. m.**
*Milit.* Casemate, abri souterrain que construisaient les Allemands pendant la Seconde Guerre mondiale ; par ext., abri fortifié. V. 1942 ; all. *Bunker*, « soute à charbon » ; [bunkɛʀ] ou [-kœʀ].

**BUPRESTE, subst. m.**
*Zool.* Coléoptère de la famille des Buprestidés, gén. de forme allongée, de couleur brillante et phytophage. 1372 ; lat. *buprestis*, du gr. *bouprêstis*, « qui gonfle les bœufs » ; [bypʀɛst].

**BURALISTE, subst.**
Personne qui tient un bureau : *Le* ***buraliste*** *d'une perception, d'une poste* ; en partic., personne qui tient un bureau de tabac. XVIIᵉ s. ; ☞ *bureau* ; [byʀalist].

**BURE (I), subst. f.**
Étoffe rude et grossière en laine brune ; par méton., vêtement fait de cette étoffe : *La* ***bure*** *des moines franciscains.* 1441 ; prob. lat. pop. °*bura* ; [byʀ].

**BURE (II), subst. m.**
Puits qui relie différentes galeries d'une mine. 1751 ; liégeois *bur(e)*, de l'anc. haut all. *bur*, « maison » ; [byʀ].

**BUREAU, subst. m.**
**1.** Table, munie ou non de tiroirs, sur laquelle on écrit, on travaille : *S'asseoir à son* ***bureau.*** **2.** Méton. Pièce où est installé ce meuble : *Il s'est enfermé dans son* ***bureau.*** **3.** Ext. Local où travaillent les employés d'une administration, d'une entreprise : *Arriver en retard au* ***bureau*** ; *Personnel de* ***bureau*** ; *Chef de* ***bureau*** ; par méton., l'ensemble des employés travaillant dans le même service : *Tout le* ***bureau*** *a participé à la collecte.* **4.** Établissement, service ouvert au public fournissant une prestation particulière : ***Bureau*** *d'aide sociale* ; ***Bureau*** *de poste* ; ***Bureau*** *de tabac* ; ***Bureau*** *de vote.* ► Guichet : ***Bureau*** *de location.* **5.** Nom donné à certains organismes : ***Bureau*** *international du travail (B. I. T.).* **6.** Instance dirigeant les travaux d'une assemblée, d'un parti, d'un syndicat : ***Bureau*** *politique* ; *Élire les membres du* ***bureau.*** 1361 (mil. XIIᵉ s., étoffe grossière) ; p.-ê. lat. pop. °*bura*, « étoffe grossière » ; [byʀo].

**BUREAUCRATE, subst.**
Péj. **1.** Fonctionnaire, employé administratif disposant abusivement des pouvoirs qui sont les siens auprès du public. **2.** Employé de bureau. 1792 ; ☞ *bureaucratie* ; [byʀokʀat].

**BUREAUCRATIE, subst. f.**
**1.** Influence pesante d'un appareil administratif ; pouvoir des bureaucrates : *La* ***bureaucratie*** *soviétique.* **2.** Méton. L'ensemble des fonctionnaires considérés comme des bureaucrates (péj.). Mil. XVIIIᵉ s. ; ☞ *bureau*, d'apr. *démocratie* ; [byʀokʀasi].

**BUREAUCRATIQUE, adj.**
Qui relève de la bureaucratie. 1798 ; ☞ *bureaucratie* ; [byʀokʀatik].

**BUREAUCRATISER, verbe trans.** [3]
Transformer en bureaucratie. 1876 ; ☞ *bureaucrate* ; [byʀokʀatize].

**BUREAUTIQUE, subst. f. inv.**
Ensemble des techniques informatiques et télématiques destinées à automatiser le travail de bureau. V. 1980 ; ☞ *bureau*, d'apr. *informatique* ; n. déposé ; [byʀotik].

**BURELÉ, ÉE, adj.**
*Hérald.* Rayé par des burelles : *Un écusson* ***burelé*** ; par anal. : *Un timbre-poste* ***burelé***, rayé. 1235 ; anc. fr. *burel*, « étoffe rayée » ; [byʀle].

**BURELLE, subst. f.**
*Hérald.* Bande horizontale sur un écu. XVᵉ s. ; anc. fr. *burel*, « étoffe rayée » ; var. *burèle* ; [byʀɛl].

**BURETTE, subst. f.**
**1.** *Liturg.* Petit flacon contenant le vin ou l'eau de messe, ou les saintes huiles. **2.** Petite fiole à goulot étroit où l'on garde du vinaigre, de l'huile. **3.** Récipient à long bec verseur servant à graisser un mécanisme. **4.** *Chim.* Récipient de verre, gén. gradué, servant aux analyses. XIIIᵉ s. ; ☞ *buire* ; [byʀɛt].

**BURGAU, subst. m.**
Coquillage nacré ; par méton., nacre fournie par sa coquille, servant à fabriquer les boutons (synon. *burgaudine*). 1563 ; orig. inc. ; [byʀgo].

**BURGAUDINE, subst. f.**
Nacre du burgau. 1654 ; ☞ *burgau* ; [byʀgodin].

**BURGRAVE, subst. m.**
*Hist.* Commandant d'un bourg, d'une place forte, dans le Saint Empire germanique ; par ext., châtelain. 1413 ; m. haut all. *burcgrâve*, « châtelain » ; [byʀgʀav].

**BURIN, subst. m.**
**1.** *B.-a.* Ciseau d'acier dont on se sert pour graver le métal ou sculpter le bois : *Gravure au* ***burin*** ; par méton., œuvre ainsi obtenue. **2.** *Techn.* Ciseau d'acier servant à couper le métal. 1420 ; prob. ital. *burino*, du lombard °*boro*, « forêt » ; [byʀɛ̃].

**BURINÉ, ÉE, adj.**
Gravé au burin ; par anal. : *Visage, traits* ***burinés***, marqués de rides profondes. 1554 ; p. p. de *buriner* ; [byʀine].

**BURINER, verbe trans.** [3]
**1.** Graver, sculpter au burin. **2.** *Techn.* Travailler (une pièce de métal) au burin. 1549 ; ☞ *burin* ; [byʀine].

**BURINEUR, subst. m.**
Ouvrier chargé d'ôter au burin les bavures de métal sur une pièce. 1599 ; ☞ *buriner* ; [byʀinœʀ].

**BURKINABÉ, adj. et subst.**
Du Burkina Faso. XXᵉ s. ; [byʀkinabe].

**BURLAT, subst. f.**
Grosse cerise rouge foncé, variété de bigarreau. Mil. XXᵉ s. ; anthropon. *Burlat* ; [byʀla].

**BURLESQUE,** adj. et subst. m.
ADJ. Comique, bouffon, d'une fantaisie extravagante : *Film, pièce* **burlesque** ; *Personnage* **burlesque**. SUBST. **1.** Caractère **burlesque** de qqch. : *Le* **burlesque** *d'un comportement.* **2.** Le genre **burlesque**, en littérature, au cinéma ; par méton., auteur pratiquant ce genre. 1594 ; ital. *burlesco*, de *burla*, « farce » ; [byʀlɛsk].

**BURNOUS,** subst. m.
Manteau en laine, à capuchon, porté par les hommes dans le Maghreb : *Le* **burnous** *rouge des spahis* ; par anal., manteau de la même coupe pour les jeunes enfants. 1478 ; ar. *burnus*, du gr. *birros*, « capote à capuchon » ; [byʀnu(s)].

**BURON,** subst. m.
Abri de pierre utilisé par les bergers auvergnats comme fromagerie. Fin XII^e^ s. ; germ. °*būr*, « cabane » ; [byʀɔ̃].

**BURSITE,** subst. f.
*Pathol.* Inflammation des bourses séreuses des articulations. V. 1970 ; du lat. *bursa*, « bourse », + *-ite* ; [byʀsit].

**BUS (I),** subst. m.
Autobus (fam.). 1893 ; aphérèse de *omnibus* ; [bys].

**BUS (II),** subst. m.
*Informat.* L'ensemble des conducteurs électriques transmettant les données à l'intérieur d'un ordinateur ou d'un périphérique. 1907 ; aphérèse angl. de *omnibus* ; [bys].

**BUSARD,** subst. m.
*Zool.* Rapace diurne à longues ailes, de la famille des Falconidés, qui se rencontre surtout près des marais ; l'espèce la plus courante en France est le **busard** harpaye, ou **busard** des roseaux. Fin XII^e^ s. ; anc. fr. *bu(i)son*, « buse » ; [byzaʀ].

**BUSC,** subst. m.
**1.** Vx. *Cost.* Baleine en métal servant à maintenir le devant d'un corset. **2.** *Arm.* Coude de la crosse d'un fusil. **3.** *Trav. publ.* Saillie sur laquelle viennent buter les portes d'une écluse. 1835 (1545, corset) ; prob. crois. de l'ital. *busto*, « corset », et *busco*, « brin » ; [bysk].

**BUSE (I),** subst. f.
**1.** Tuyau de grosse section permettant l'écoulement d'un fluide. **2.** Pièce raccordée au conduit d'un appareil de chauffage, destiné à l'évacuation des fumées, du gaz : *Buse d'une chaudière.* **3.** *Métall.* Conduit d'aération dans un haut fourneau. **4.** *Autom.* Pièce réglant l'entrée de l'air dans un carburateur. XIII^e^ s. ; anc. fr. *busel*, du lat. *bucina*, « trompette » ; [byz].

**BUSE (II),** subst. f.
**1.** *Zool.* Rapace diurne de la famille des Falconidés, qui se nourrit de rongeurs, de reptiles et de petits oiseaux. **2.** Fig. Personne ignorante et sotte (fam.) : *Triple* **buse** ! 1460 ; anc. fr. *bu(i)son*, du lat. *buteo* ; [byz].

© M. Danegger-Jacana

*Buses variables.*

**BUSER,** verbe trans. [3]
Belg. Recaler (qqn) à un examen et, par ext., à une épreuve quelconque. ☞ *buse* (II) ; [byze].

**BUSH,** subst. m.
*Géogr.* Couverture végétale propre à certaines régions sèches (Afrique orientale, Madagascar, Australie) composée de buissons serrés et d'arbres isolés. 1860 ; mot angl. ; [buʃ].

**BUSHIDO,** subst. m.
Code d'honneur féodal du Japon. XX^e^ s. ; jap. *bushi*, « guerrier », et *dō*, « voie » ; [buʃido].

**BUSINESS,** subst. m.
Anglic. fam. **1.** Travail (vieilli) : *J'ai changé de* **business**. **2.** Affaire (souv. embrouillée) : *Il a monté un* **business** *pas très catholique.* **3.** Monde des affaires, du commerce. 1876 ; angl. *business*, de *busy*, « occupé » ; [biznɛs].

**BUSINESSMAN,** subst. m.
Homme d'affaires (anglic.). 1871 ; mot angl. ; plur. *businessmans* ou *businessmen* ; [biznɛsman], plur. [-mɛn].

**BUSQUÉ, ÉE,** adj.
**1.** Vx. Muni d'un busc : *Décolleté* **busqué**. **2.** Qui présente une courbure convexe : *Nez* **busqué**. XVI^e^ s. ; p. p. de *busquer* ; [byske].

**BUSQUER,** verbe trans. [3]
**1.** Vx. Garnir d'un busc (un corset). **2.** Arquer, rendre convexe (vieilli). XVI^e^ s. ; ☞ *busc* ; [byske].

**BUSSEROLE,** subst. f.
*Bot.* Arbuste du genre arbousier, de la famille des Éricacées, dont les fruits (arbouses) sont comestibles, et dont une espèce est appelée raisin d'ours. 1775 ; prov. *bouisserolo*, de *bouis*, « buis » ; [bysʀɔl].

**BUSTE,** subst. m.
**1.** Partie du corps allant de la taille au cou : *Redresser le* **buste**. ▸ Poitrine féminine. **2.** *Sculpt.* Représentation de la tête et du haut du torse, sans les bras : *Un* **buste** *de marbre* ; par ext. : *Se faire peindre, photographier en* **buste**. 1546 ; ital. *busto*, du lat. *bustum*, « bûcher funèbre ; tombeau » ; [byst].

**BUSTIER,** subst. m.
Corsage ou sous-vêtement féminin très décolleté, sans manches ni bretelles, qui moule le buste. V. 1950 ; ☞ *buste* ; [bystje].

**BUT,** subst. m.
**1.** Point que l'on vise ; cible : *Atteindre, manquer le* **but**. ▸ *Sp.* Endroit (cage) où l'on doit faire entrer un ballon, un palet, pour marquer un point : *Gardien de* **but** ; par méton. : *Marquer un* **but**. **2.** Ext. Point que l'on se propose d'atteindre physiquement : *Le* **but** *du voyage.* **3.** Fig. Finalité, intention : *Tendre vers un* **but** ; *Avoir un* **but** *dans la vie.* ▸ Loc. *Aller droit au* **but** : agir sans détour. ▸ Loc. prép. *Dans le* **but** *de* : afin de (empl. critiqué). **4.** *Gramm. Complément, proposition circonstanciels de* **but** : indiquent dans quelle intention, vers quel **but** s'accomplit l'action. **5.** Loc. *De* **but** *en blanc* : à brûle-pourpoint, brusquement. 1552 (1245, droit sans restriction) ; prob. anc. nord. °*but*, « billot », servant de cible au tir à l'arc ; [by(t)].

**BUTADIÈNE,** subst. m.
*Chim.* Hydrocarbure de formule $C_4H_6$, dont un isomère entre dans la fabrication du caoutchouc synthétique. 1913 ; crois. de *butane* et de *diéthylène* ; [bytadjɛn].

**BUTANE,** subst. m. et adj.
*Chim.* Hydrocarbure saturé de formule brute $C_4H_{10}$, gazeux à l'état naturel, utilisé comme combustible domestique. 1890 ; ☞ *butyle* ; [bytan].

**BUTANIER,** subst. m.
Navire conçu pour le transport du butane liquéfié. 1950 ; ☞ *butane* ; [bytanje].

**BUTÉ, ÉE,** adj.
Têtu, obstiné : *Il ne veut rien comprendre, il est* **buté** ; par méton. : *Air* **buté**. P. p. de *buter* (I) ; [byte].

**BUTÉE,** subst. f.
**1.** *Archit.* Pièce de maçonnerie destinée à supporter une poussée, la pression d'une voûte (synon. *culée*) : **Butée** *d'une arche.* **2.** *Techn.* Pièce destinée à supporter un effort axial : *La* **butée** *d'un tiroir.* **3.** *Mécan.* Épaulement destiné à arrêter le mouvement d'une pièce. 1636 ; p. p. de *buter* (I) ; [byte].

**BUTÈNE,** subst. m.
*Chim.* Hydrocarbure éthylénique entrant dans la préparation du butadiène. 1845 ; ☞ *butyle* ; [bytɛn].

**BUTER (I),** verbe [3]
INTRANS. **1.** Être arrêté dans un mouvement, cogner : *La porte* **bute** *contre un meuble.* **2.** Achopper ; heurter le pied (contre un obstacle) : **Buter** *contre le trottoir* ; empl. abs., trébucher. **3.** Fig. Se heurter (à une difficulté) : **Buter** *sur un problème.* TRANS. **1.** Étayer, soutenir : **Buter** *une voûte.* **2.** Pousser (qqn) au refus, à l'entêtement ; braquer. PRONOM. Faire preuve d'un entêtement obstiné : *Il se* **bute** *à la moindre remarque.* 1539 (1289, aboutir à, en parlant d'une terre) ; ☞ *but* ; [byte].

**BUTER (II),** voir **BUTTER (II)**

**BUTEUR,** subst. m.
*Sp.* Joueur qui marque des buts, au football ; joueur qui tire les coups de pied arrêtés, au rugby. 1907 ; ☞ *but* ; [bytœʀ].

**BUTIN,** subst. m.
**1.** Bien pris à l'ennemi après la victoire. **2.** Ext. Produit d'un vol, d'un pillage : *Les malfaiteurs se partagèrent le* **butin**. **3.** Fig. Résultat d'une recherche laborieuse : *Les plongeurs n'ont remonté de l'épave qu'un maigre* **butin**. 1350 ; prob. m. bas all. *būte*, « partage, échange » ; [bytɛ̃].

**BUTINER,** verbe [3]
INTRANS. Recueillir le pollen de fleur en fleur : *Les abeilles* **butinent**. TRANS. **1.** Récolter le pollen de (une fleur) : *Abeille qui* **butine** *la lavande.* **2.** Fig. Glaner çà et là : **Butiner** *des informations.* 1718 (1350, partager le butin) ; ☞ *butin* ; [bytine].

**BUTINEUR, EUSE,** adj.
Qui butine : *Insecte* **butineur** ; empl. subst. fém., abeille **butineuse**. 1845 (1443, officier préposé au butin) ; ☞ *butiner* ; [bytinœʀ, øz].

**BUTOIR (I),** subst. m.
**1.** Outil servant à sculpter le bois. **2.** Outil composé d'une lame emmanchée aux deux bouts, servant à racler le cuir. 1790 ; prob. altér. de *boutoir* ; [bytwaʀ].

**BUTOIR (II),** subst. m.
**1.** Objet, pièce dont le rôle est de bloquer le mouvement d'un autre : **Butoir** *de porte.* ▸ *Ch. de fer.* Obstacle placé à l'extrémité d'une voie, contre lequel viennent buter les tampons d'une locomotive ou d'un wagon. **2.** Fig. *Date* **butoir** : dernier délai. 1845 ; ☞ *buter* (I) ; [bytwaʀ].

**BUTOME,** subst. m.
*Bot.* Plante herbacée à feuilles engainantes, de la famille des Butomacées, appelée aussi jonc fleuri, qui pousse au bord de l'eau. 1694 ; bas lat. *butomos*, du gr. *boutomos*, « qui coupe la langue des bœufs » ; [bytɔm].

**BUTOR,** subst. m.
**1.** *Zool.* Oiseau échassier de l'ordre des Ardéiformes, au plumage fauve, également appelé bœuf d'eau. **2.** Fig. Personnage grossier, malappris, goujat (vieilli). Fin XII^e^ s. ; prob. lat. pop. °*buti-taurus*, du lat. *butio*, « butor », et *taurus*, « taureau » ; [bytɔʀ].

**BUTTAGE,** subst. m.
Action de butter une plante. 1835 ; ☞ *butter* (I) ; [bytaʒ].

**BUTTE,** subst. f.
**1.** Petit tertre, hauteur : *La* **butte** *Montmartre, à Paris.* **2.** *Milit.* Monticule naturel ou artificiel auquel on adosse une cible : **Butte** *de tir.* ▸ Loc. *Être en* **butte** *à* : être la cible de, être exposé à. **3.** *Agric.* Petit amas de terre accumulé au pied d'une plante. 1375 (1225, endroit à atteindre) ; ☞ *but* ; [byt].

**BUTTER (I),** verbe trans. [3]
*Agric.* Entourer (une plante) d'une butte de terre : **Butter** *des pommes de terre.* 1694 ; ☞ *butte* ; [byte].

**BUTTER (II),** verbe trans. [3]
Tuer (fam.) : *Se faire* **butter**. 1830 (1827, être guillotiné) ; argot *butte*, « échafaud » ; var. *buter* (II) ; [byte].

**BUTTOIR,** subst. m.
*Agric.* Petite charrue employée pour le buttage. 1835 ; ☞ *butter* (I) ; [bytwaʀ].

**BUTYLE,** subst. m.
*Chim.* Radical monovalent correspondant au butane et à ses dérivés, de formule $C_4H_9$. 1854 ; ☞ *butyrique* ; [bytil].

**BUTYLÈNE,** subst. m.
*Chim.* Butène. XIX^e^ s. ; ☞ *butyle* ; [bytilɛn].

**BUTYLIQUE,** adj.
Qui contient le radical butyle, qui en dérive. 1854 ; ☞ *butyle* ; [bytilik].

**BUTYRATE,** subst. m.
*Chim.* Sel de l'acide butyrique. 1819 ; ☞ *butyrique* ; [bytiʀat].

**BUTYREUX, EUSE,** adj.
Qui a l'apparence ou les propriétés du beurre : *Taux* **butyreux** *du lait*, sa teneur en matière grasse. 1560 ; lat. *butyrum*, « beurre » ; [bytiʀø, øz].

**BUTYRINE,** subst. f.
*Biochim.* Corps gras naturel qui est le constituant principal du beurre. 🕮 1819 ; ☞ *butyrique* ; [bytiʀin].

**BUTYRIQUE,** adj.
*Chim.* Qui est relatif au beurre : *Acide* **butyrique**, présent dans le beurre sous forme de butyrine ; *Fermentation* **butyrique**, qui transforme certaines substances en acide **butyrique** sous l'action de divers micro-organismes. 🕮 1819 ; lat. *butyrum*, « beurre » ; [bytiʀik].

**BUTYROMÈTRE,** subst. m.
Instrument servant à déterminer la quantité de matière grasse contenue dans le lait ou dans la crème. 🕮 1863 ; lat. *butyrum*, « beurre », + *-mètre*[1] ; [bytiʀɔmɛtʀ].

**BUVABLE,** adj.
**1.** Que l'on peut boire sans désagrément : *Ce vin est très* **buvable** ; potable : *L'eau courante n'est pas* **buvable** *en ce moment.* **2.** *Pharm.* Se dit d'un médicament à prendre par voie buccale : *Ampoule* **buvable**. **3.** Fig. Supportable (surtout en empl. négatif) : *Ce personnage n'est pas* **buvable**. 🕮 Déb. XIVe s. (1275, buveur) ; ☞ *boire* ; [byvabl].

**BUVARD,** subst. m.
**1.** Sous-main recouvert d'un papier poreux qui absorbe l'encre. **2.** *Du papier* **buvard** ou, par ell., *Un* **buvard** : ce papier ; par méton., feuille de ce papier : *Un* **buvard** *d'écolier.* 🕮 1830 (1828, papier non collé) ; ☞ *boire* ; [byvaʀ].

**BUVÉE,** subst. f.
*Agric.* Boisson destinée aux bestiaux, constituée d'eau et de farine délayée. 🕮 1700 (fin XIIe s., rasade) ; ☞ *boire* ; [byve].

**BUVETIER, IÈRE,** subst.
Personne qui tient une buvette (vx). 🕮 1585 ; ☞ *buvette* ; [byvtje, jɛʀ].

L'Empereur Justinien, *détail d'une mosaïque murale (VIe s.) de la basilique byzantine Saint-Vital, à Ravenne.*

© Giraudon

**BUVETTE,** subst. f.
Endroit sommairement équipé, comptoir où l'on sert à boire : *Buvette d'une gare, d'un théâtre.* ► Lieu où l'on prend les eaux dans une station thermale. 🕮 1624 (1534, action de boire) ; ☞ *boire* ; [byvɛt].

**BUVEUR, EUSE,** subst. et adj.
**1.** Personne qui s'adonne à la boisson : *Un* **buveur** *invétéré.* **2.** Personne qui boit ; personne qui boit habituellement telle ou telle boisson : **Buveur** *d'eau, de café.* 🕮 Fin XIIe s. ; ☞ *boire* ; [byvœʀ, øz].

**BUXACÉES,** subst. f. plur.
*Bot.* Famille d'arbres et d'arbustes à petites feuilles simples. AU SING. *Le buis est une* **buxacée**. 🕮 1857 ; lat. *buxus*, « buis » ; [byksase].

**BYE-BYE,** interj.
Au revoir ! (fam.). 🕮 1934 ; mot angl. ; [bajbaj].

**BY-PASS,** subst. m. inv.
Bipasse. 🕮 V. 1922 ; mot angl. ; [bajpas].

**BYSSE,** voir **BYSSUS**

**BYSSINOSE,** subst. f.
*Pathol.* Maladie des poumons due à l'inhalation de poussière de coton. 🕮 1877 ; gr. *bussinos*, « de lin, de coton » ; [bisinoz].

**BYSSUS,** subst. m.
**1.** *Antiq.* Tissu de lin très fin que l'on teignait de pourpre. **2.** *Zool.* Faisceau de filaments soyeux sécrétés par une glande de certains mollusques lamellibranches, leur permettant de se fixer. 🕮 Fin XIIIe s. ; lat. *byssus*, du gr. *bussos* ; var. *bysse* ; [bisys].

**BYZANTIN, INE,** adj. et subst.
De Byzance ou de l'Empire byzantin. ADJ. Qui est d'une subtilité excessive, par réf. aux discussions théologiques qui avaient lieu à Byzance : *Querelle* **byzantine**. 🕮 1732 (1338, monnaie de Byzance) ; bas lat. *byzantinus* ; [bizɑ̃tɛ̃, in].

**BYZANTINISME,** subst. m.
Tendance aux discussions oiseuses, aux querelles byzantines. 🕮 1838 ; ☞ *byzantin* ; [bizɑ̃tinism].

*Cascade.* © Stock Image

**C, subst. m. inv.**
**1.** Troisième lettre et deuxième consonne de l'alphabet. À l'initiale, elle se prononce [k] (gutturale sourde), sauf devant *e*, *i* et *y*, devant lesquels elle se prononce [s] (sifflante sourde), et devant *h*, avec lequel on la prononce, selon les cas, [ʃ] ou [k] ; munie d'une cédille (*ç*), elle se prononce toujours [s]. Les règles de prononciation du *c* à la fin ou au milieu d'un mot sont plus complexes (et peu respectées dans la langue courante). **2.** Abrév. et Symb. ▸ C : chiffre romain valant 100. ▸ *Chim.* C : carbone. ▸ *Math.* **C** : ensemble des nombres complexes. ▸ *Mus.* C : la note *do*, dans la notation anglo-saxonne et germanique. ▸ *Phys.* C : coulomb ; °C : degré Celsius ; *c* : vitesse de la lumière dans le vide. [se].

**Ca, voir CALCIUM**

**ÇA (I), voir CELA**

**ÇA (II), subst. m. inv.**
*Psychanal. Le ça* : selon Freud, instance psychique constituant le pôle pulsionnel de la personnalité. 1946 ; all. *es*, pron. neutre ; [sa].

**ÇÀ, adv. et interj.**
Adv. **1.** Vx. Ici, à cet endroit-ci. **2.** Çà et là. De côté et d'autre : *Voyager çà et là.* Interj. Exprime la surprise, l'impatience : *Ah çà ! je ne l'aurais pas cru ! ; Çà ! vous ne l'emporterez pas au paradis !* XIIe s. ; lat. pop. *ecce hac*, « voici ; par ici » ; [sa].

**CAB, subst. m.**
Cabriolet dont le cocher est placé sur un siège surélevé, derrière les voyageurs. 1848 ; angl. *cab*, apocope de *cabriolet* ; [kab].

**CABALE, subst. f.**
**1.** Vx. Kabbale. **2.** Ext. Nom donné à tout système ésotérique visant à mettre l'homme en communication avec le surnaturel. **3.** Fig. Intrigue plus ou moins secrète menée contre qqn, contre une œuvre : *Monter une **cabale*** ; par méton., ceux qui participent à une cabale. 1532 ; hébreu *qabbālāh*, « tradition reçue » ; [kabal].

**CABALER, verbe intrans.** [3]
Provoquer une cabale ; y participer. 1621 ; ☞ *cabale* ; [kabale].

**CABALISTE, voir KABBALISTE**

**CABALISTIQUE, adj.**
**1.** Vx. Kabbalistique. **2.** Ext. Relatif à la science occulte, à l'ésotérisme, à la magie. **3.** Fig. Incompréhensible, mystérieux : *Des signes **cabalistiques**.* 1532 ; ☞ *cabaliste* ; [kabalistik].

**CABAN, subst. m.**
**1.** Veste de marin, à capuchon, en étoffe épaisse. **2.** Ext. Longue veste en gros drap. 1448 ; sicilien *cabbanu*, de l'ar. *qabā*, « tunique » ; [kabɑ̃].

**CABANE, subst. f.**
**1.** Abri de petites dimensions et de construction sommaire. **2.** Abri pour les animaux : ***Cabane** à lapins.* **3.** Prison (argot.). **4.** Québ. ***Cabane** à sucre* : bâtisse où l'on traite la sève d'érable. 1387 ; prov. *cabana*, du bas lat. *capanna* ; [kaban].

**CABANEMENT, subst. m.**
*Mar.* Plongée brusque et accidentelle de l'arrière d'un navire lors de son lancement, de sa mise à l'eau. ☞ *cabaner* ; [kabanmɑ̃].

**CABANER, verbe** [3]
*Mar.* Trans. Renverser (une embarcation) sur le sol, la quille en l'air, pour l'entretenir ou la réparer. Intrans. Chavirer. 1783 (1605, loger dans une cabane) ; ☞ *cabane* ; [kabane].

**CABANON, subst. m.**
**1.** Vx. Cachot où l'on enfermait les fous jugés dangereux. **2.** Petite cabane. **3.** Région. (Provence). Petit logis à la campagne ou en bord de mer. Mil. XVIIIe s. ; ☞ *cabane* ; [kabanɔ̃].

**CABARET (I), subst. m.**
**1.** Vx. Établissement où l'on servait des boissons et des repas : *Villon fréquentait le **cabaret** « La Pomme de pin ».* **2.** Lieu de divertissement où l'on peut boire, manger, danser ou assister à un spectacle. **3.** Petit coffre contenant un service à liqueurs (vieilli). 1275 ; m. néerl. *cabret*, de l'anc. pic. *camberete*, « petite chambre » ; [kabaʀɛ].

**CABARET (II), subst. m.**
*Bot.* Plante de la famille des Dipsacacées, genre *Dipsacus* (12 espèces). *Dipsacus silvestris* est le **cabaret** des oiseaux, ou cardère sauvage. 1538 ; lat. *baccaris*, du gr. *bakkaris*, plante dont on tirait un parfum ; [kabaʀɛ].

**CABARETIER, IÈRE, subst.**
Personne qui tient un cabaret. XIVe s. ; ☞ *cabaret* (I) ; [kabaʀ(ə)tje, jɛʀ].

**CABAS, subst. m.**
**1.** Panier en fibres végétales souples, servant à porter des fruits. **2.** Ext. Sac à provisions. 1364 ; prov. *cabas*, prob. du bas lat. *capax*, « qui contient » ; [kabɑ].

**CABASSET, subst. m.**
Casque de métal sans visière, à bords plats et étroits. 1284 ; ☞ *cabas* ; [kabasɛ].

**CABERNET, subst. m.**
Cépage rouge cultivé princ. dans le Bordelais et en Anjou. 1866 ; p.-ê. lat. *caput*, cépage de vigne noire ; [kabɛʀnɛ].

**CABESTAN, subst. m.**
*Mar.* Treuil à axe vertical permettant de tirer ou de haler une charge importante. 1382 ; p.-ê. prov. *cabestran*, de *cabestre*, « corde de poulie » ; [kabɛstɑ̃].

**CABIAI, subst. m.**
*Zool.* Rongeur sud-américain de grande taille (jusqu'à 1,20 m de long), de la famille des Hydrochœridés, aussi appelé cochon d'eau. 1575 ; tupi *capivara*, de *capii*, « herbe », et de *vara*, « celui qui mange » ; [kabjɛ].

**CABILLAUD, subst. m.**
**1.** Nom commun de la morue fraîche. **2.** Églefin (empl. abusif). XIIIe s. ; m. néerl. *cab(b)eliau* ; [kabijo].

**CABILLOT, subst. m.**
*Mar.* Cheville très résistante, gén. en bois, utilisée pour l'amarrage des manœuvres courantes. 1687 ; prov. *cabilhot* ; [kabijo].

**CABIN-CRUISER, subst. m.**
Sorte de yacht à moteur. V. 1960 ; angl. *cabin cruiser*, de *cabin*, « cabine », et de *cruiser*, « croiseur » ; plur. *cabin-cruisers* ; [kabinkʀuzœʀ].

**CABINE, subst. f.**
**1.** *Mar.* Petite chambre, à bord d'un bateau. **2.** Ext. Espace, habitacle aménagé pour le conducteur, le pilote ou l'équipage, dans un avion, un engin spatial, une locomotive, etc. **3.** Anal. Construction de taille réduite à usage spécifique : ***Cabine** de bain* ; ***Cabine** téléphonique.* 1759 (1364, maison de jeu) ; orig. obsc. ; [kabin].

**CABINET, subst. m.**
**I. 1.** Petite pièce retirée où l'on s'isole pour travailler, pour s'entretenir en particulier, etc. **2.** Dans un logement, petite pièce à usage déterminé : ***Cabinet** de toilette*, petite salle d'eau, souvent attenante à une chambre ; ***Cabinet** d'aisance* ou, empl. abs., *Les **cabinets***, lieu destiné aux besoins naturels. **3.** Local où l'on conserve, où l'on expose des objets d'art, d'étude, ou des curiosités : *Un **cabinet** d'anatomie, de dessins.* ▸ Département spécialisé d'une bibliothèque ou d'un musée : *Le **cabinet** des Estampes de la Bibliothèque nationale.* **4.** Local où s'exercent certaines professions libérales : ***Cabinet** d'un avocat* ; par méton., ensemble des affaires, de la clientèle de celui qui exerce une profession libérale. **5.** Ext. Dans un jardin, petit pavillon fait d'un treillage ou d'une maçonnerie légère : *Un **cabinet** de verdure.* **II.** Meuble à compartiments, à portes et à tiroirs utilisé pour ranger des objets précieux, des documents, etc. **III.** *Pol.* **1.** Ensemble des membres d'un gouvernement (vieilli). **2.** Ext. Ensemble des collaborateurs d'un chef d'État, d'un ministre, d'un haut fonctionnaire, etc. 1491 ; ☞ *cabine* ; [kabinɛ].

**CÂBLAGE, subst. m.**
**1.** Action de câbler. **2.** Fabrication d'un câble. **3.** Ensemble des connexions d'un appareil, d'un dispositif électrique ou électronique. 1877 ; ☞ *câbler* ; [kɑblaʒ].

**CÂBLE, subst. m.**
**I. 1.** Cordage très résistant fait de fils métalliques ou de fibres textiles : ***Câble** de levage, de traction.* **2.** Cordon de passementerie. **3.** *Archit.* Moulure en forme de cordage. **II.** *Techn.* **1.** Faisceau de fils conducteurs, nu ou recouvert d'une gaine isolante : ***Câble** électrique* ; ***Câble** télégraphique.* **2.** Anal. ***Câble** hertzien* : faisceau d'ondes hertziennes. **3.** Méton. Câblogramme, message transmis par **câble** : *Je vous répondrai par **câble**.* Fin XIIe s. ; bas lat. *capulum*, « espèce de corde » ; [kɑbl].

**CÂBLÉ, ÉE, adj. et subst. m.**
Adj. **1.** Construit, obtenu par câblage : *Réseau **câblé**.* **2.** Muni d'un câble : *Ancre **câblée**.* **3.** Fig. Au courant, au fait des dernières nouveautés (fam.) : *Un jeune homme **câblé**.* Subst. **1.** Fil à coudre obtenu en tordant ensemble plusieurs fils : *Du **câblé** six fils.* **2.** Gros cordon de passementerie servant à attacher des tableaux, à relever des tentures, etc. 1690 ; p. p. de *câbler* ; [kɑble].

**CÂBLEAU, subst. m.**
*Mar.* Petit cordage servant à amarrer des embarcations. 1404 ; ☞ *câble* ; var. *câblot* ; [kɑblo].

**CÂBLER, verbe trans.** [3]
**1.** Assembler et tordre ensemble (plusieurs fils ou plusieurs cordes) pour faire un câble. **2.** Établir les connexions entre les différents éléments de (un dispositif, un appareil électrique, etc.). **3.** Transmettre (un message) par câble : ***Câbler** une dépêche.* **4.** Équiper (un territoire) d'un réseau de télécommunication par câble. 1680 ; ☞ *câble* ; [kɑble].

**CÂBLEUR, EUSE, subst.**
**1.** Personne qui fabrique des câbles. **2.** Personne spécialisée dans le câblage des appareils électriques ou électroniques. 1955 ; ☞ *câble* ; [kɑblœʀ, øz].

**CÂBLIER, subst. m.**
Navire poseur de câbles sous-marins. Déb. XXᵉ s. ; ☞ *câble* ; [kɑblije].

**CÂBLISTE, subst.**
*Télév.* Agent chargé de manipuler les câbles de la caméra lors de la prise de vues. V. 1970 ; ☞ *câble* ; [kɑblist].

**CÂBLOGRAMME, subst. m.**
Télégramme transmis par câble. 1888 ; anglo-amér. *cablegram* ; [kɑblɔgʀam].

**CÂBLOT, voir CÂBLEAU**

**CABOCHARD, ARDE, adj. et subst.**
Entêté (fam.). 1579 ; ☞ *caboche* ; [kabɔʃaʀ, aʀd].

**CABOCHE, subst. f.**
**1.** Tête (fam.) : *Avoir la **caboche** dure*, être entêté. **2.** Petit clou à large tête utilisé en cordonnerie. Fin XIIᵉ s. ; anc. fr. *caboce*, « tête » ; [kabɔʃ].

**CABOCHON, subst. m.**
**1.** *Joaill.* Pierre fine ou précieuse, polie mais non taillée ; par ext. : *Le **cabochon** d'une carafe de cristal.* **2.** Clou à tête ornée, utilisé dans l'ameublement, la tapisserie, etc. 1380 ; ☞ *caboche* ; [kabɔʃɔ̃].

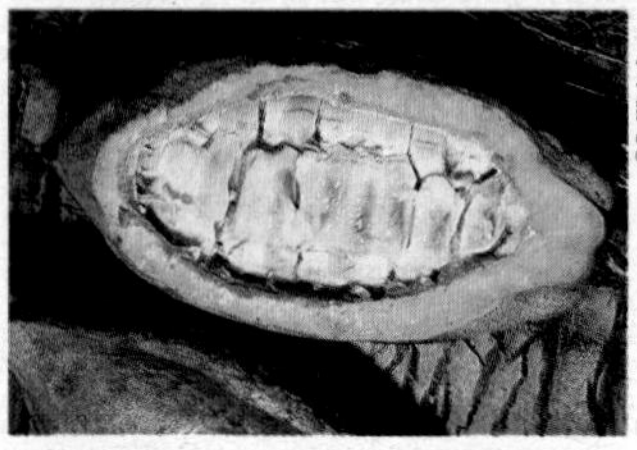
© R. König-Jacana

*La cabosse contient de 20 à 40 graines.*

**CABOSSE, subst. f.**
Fruit du cacaoyer. 1752 ; anc. fr. *caboce*, « tête » ; [kabɔs].

**CABOSSER, verbe trans.** [3]
Faire des bosses ou des creux à ; défoncer, déformer : ***Cabosser** une carrosserie, un chapeau.* Déb. XIVᵉ s. ; ☞ *bosse* + préf. péj. *ca-* ; [kabɔse].

**CABOT (I), subst. m.**
Chien (fam.). 1821 ; orig. obsc. ; [kabo].

**CABOT (II), subst. m. et adj. m.**
Cabotin : *Un drame joué par quelques vieux **cabots** ; Il est assez **cabot**.* 1847 ; apocope de *cabotin* ; [kabo].

**CABOT (III), subst. m.**
Caporal (argot.). 1881 ; prob. altér. de *caporal*, d'apr. *cabot* (I) ; [kabo].

**CABOTAGE, subst. m.**
Navigation de port en port, à peu de distance des côtes. 1678 ; ☞ *caboter* ; [kabɔtaʒ].

**CABOTER, verbe intrans.** [3]
Pratiquer le cabotage. 1678 ; p.-ê. esp. *cabo*, « cap » ; [kabɔte].

**CABOTEUR, subst. m.**
**1.** Marin qui fait du cabotage (vieilli). **2.** Bateau qui pratique le cabotage. 1277 ; prob. *caboter* ; [kabɔtœʀ].

**CABOTIN, INE, subst. et adj.**
**Subst. 1.** Vx. Comédien ambulant. **2.** Mauvais acteur, au jeu trop affecté (péj.). **3.** Ext. Personne qui se fait remarquer par des manières affectées, des attitudes théâtrales. **Adj.** *Un air, un ton **cabotin*** : affecté. 1807 ; p.-ê. anthropon. *Cabotin*, comédien ambulant sous Louis XIII ; [kabɔtɛ̃, in].

**CABOTINAGE, subst. m.**
**1.** Vx. Métier de comédien ambulant. **2.** Façon de jouer, comportement d'un cabotin. 1805 ; ☞ *cabotiner* ; [kabɔtinaʒ].

**CABOTINER, verbe intrans.** [3]
Se conduire en cabotin. Fin XVIIIᵉ s. ; ☞ *cabotin* ; [kabɔtine].

**CABOULOT, subst. m.**
Petit café, cabaret à la clientèle populaire (pop. et vieilli). Mil. XIXᵉ s. ; crois. de *cabane* et du franc-comtois *boulo(t)*, « petit réduit » ; [kabulo].

**CABRAGE, subst. m.**
**1.** Mouvement d'un animal, en partic. d'un cheval, qui se cabre. **2.** Anal. Mouvement de qqch. qui se redresse vers l'avant : ***Cabrage** d'une moto.* 1886 ; ☞ *cabrer* ; [kabʀaʒ].

**CABRER, verbe trans.** [3]
**1.** Faire se dresser (un animal, en partic. un cheval) sur ses membres postérieurs. **2.** Anal. ***Cabrer** un avion* : en relever l'avant. **3.** Fig. ***Cabrer** une personne* : provoquer en elle une réaction de rejet, de révolte. **Pronom. 1.** Se dresser sur ses membres postérieurs, en parlant d'un animal, en partic. d'un cheval. **2.** Fig. Se dresser, se révolter (contre qqch. ou qqn). Fin XIIᵉ s. ; prob. anc. prov. *cabra*, « chèvre » ; [kabʀe].

**CABRI, subst. m.**
**1.** Petit de la chèvre, chevreau. **2.** Chèvre sans cornes, d'Afrique noire et de l'archipel des Mascareignes. Fin XIVᵉ s. ; anc. prov. *cabrit*, du lat. *capra*, « chèvre » ; [kabʀi].

**CABRIOLE, subst. f.**
**1.** Petit bond exécuté en jouant : *Faire des **cabrioles**.* **2.** *Chorégr.* Saut dans lequel un danseur frappe ses jambes l'une contre l'autre avant de retrouver le sol. **3.** *Équit.* Saut d'un cheval qui se cabre puis détache une ruade avant que ses membres antérieurs ne touchent le sol. Mil. XVIᵉ s. ; ital. *capriola*, « femelle du chevreuil », d'apr. *cabri* ; [kabʀijɔl].

**CABRIOLER, verbe intrans.** [3]
Faire des cabrioles. 1584 ; ☞ *cabriole* ; [kabʀijɔle].

**CABRIOLET, subst. m.**
**1.** Voiture hippomobile légère, à deux roues, munie d'une capote rabattable ; par ext., automobile décapotable. **2.** Siège, fauteuil de salon à dossier légèrement incurvé. 1755 ; ☞ *cabrioler* ; [kabʀijɔlɛ].

**CABUS, subst. m. et adj. m.**
Se dit d'une variété de chou pommé à feuilles lisses. XIIIᵉ s. ; anc. prov. *cabus*, du lat. *caput*, « tête » ; [kaby].

**CACA, subst. m.**
**1.** Excrément, dans le langage enfantin. **2.** Ext. Ordure, déchet (fam.). **3.** ***Caca** d'oie* : couleur jaune verdâtre ; empl. adj. inv. : *Des manteaux **caca** d'oie.* Déb. XVIᵉ s. ; lat. *cacare*, « chier » ; [kaka].

**CACABER, verbe intrans.** [3]
Pousser son cri, en parlant de la perdrix ou de la caille. Fin XVIᵉ s. ; bas lat. *cacabare*, du gr. *kakkabidzein*, de *kakkabê*, « perdrix » ; [kakabe].

**CACAHUÈTE, subst. f.**
Fruit de l'arachide. 1801 ; esp. *cacahuete*, du nahuatl *tlacacahuatl* ; var. *cacahouète* ; [kakawɛt].

**CACAO, subst. m.**
Graine du cacaoyer, dont on tire une poudre qui sert à la fabrication du chocolat ou qui fournit, après extraction des matières grasses qu'elle renferme (beurre de **cacao**), le **cacao** en poudre, soluble. 1532 ; esp. *cacao*, du nahuatl *cacahuatl* ; [kakao].

**CACAOTÉ, ÉE, adj.**
Qui contient du cacao : *Un entremets **cacaoté**.* 1947 ; ☞ *cacao* ; [kakaɔte].

**CACAOYER, subst. m.**
*Bot.* Arbre tropical de la famille des Sterculiacées, cultivé pour ses graines. 1686 ; ☞ *cacao* ; var. *cacaotier* ; [kakaɔje].

**CACARDER, verbe intrans.** [3]
Pousser son cri, en parlant de l'oie. 1613 ; orig. onomat. ; [kakaʀde].

**CACATOÈS, subst. m.**
*Zool.* Oiseau grimpeur de la famille des Psittacidés, dont la tête est ornée d'une huppe chamarrée. 1652 ; port. *cacatua*, du malais *kakatuwa* ; var. *kakatoès* ; [kakatɔɛs].

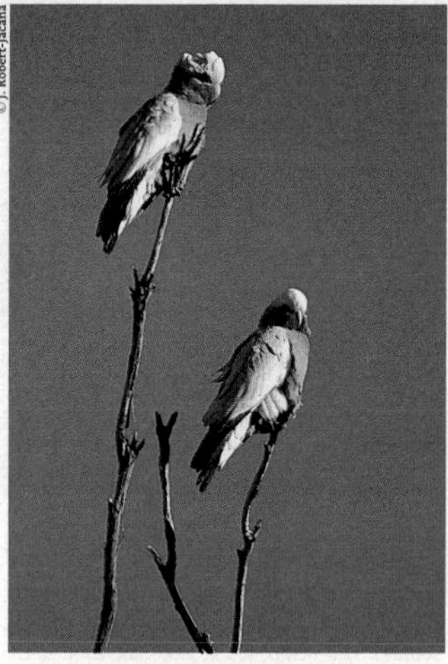
© J. Robert-Jacana

*Cacatoès rosalbins d'Australie.*

**CACATOIS, subst. m.**
*Mar.* **1.** Petite voile carrée gréée au-dessus de la voile appelée perroquet. **2.** Mât qui supporte cette voile. 1835 ; var. de *cacatoès* ; [kakatwa].

**CACHALOT, subst. m.**
*Zool.* Grand mammifère cétacé odontocète, de la famille des Physétéridés, qui se nourrit notamment de gros calmars. 1628 ; prob. esp. *cachalote*, du port. *cachalote*, de *cachola*, « grosse tête » ; [kaʃalo].

**CACHE (I), subst. f.**
Lieu secret propre à dissimuler qqch. ou qqn. Mil. XVIᵉ s. ; prob. *cacher* (I) ; [kaʃ].

**CACHE (II), subst. m.**
**1.** Objet destiné à faire écran. **2.** *Impr.* Feuille opaque utilisée pour masquer les parties d'un texte ou d'une image qui ne doivent pas être reproduites. **3.** *Phot.* Feuille opaque intercalée au tirage entre le film et la surface sensible afin d'obtenir les contrastes voulus. 1870 ; ☞ *cacher* (I) ; [kaʃ].

**CACHE-CACHE, subst. m. inv.**
Jeu d'enfants dans lequel l'un des joueurs cherche les autres, qui se sont cachés. 1778 ; ☞ *cacher* (I) ; [kaʃkaʃ].

**CACHE-COL, subst. m.**
Écharpe étroite protégeant le cou. 1842 (1532, ornement de cou) ; comp. de *cacher* (I) et de *col* ; plur. *cache-col(s)* ; [kaʃkɔl].

**CACHE-CORSET, subst. m.**
Sous-vêtement féminin voilant le buste par-dessus le corset. 1899 ; comp. de *cacher* (I) et de *corset* ; plur. *cache-corset(s)* ; [kaʃkɔʀsɛ].

**CACHECTIQUE, adj.**
*Pathol.* Relatif à la cachexie ; atteint de cachexie ; empl. subst., personne **cachectique**. 1538 ; bas lat. *cachecticus*, du gr. *kakhektikos* ; [kaʃɛktik].

**CACHE-ENTRÉE, subst. m.**
Pièce mobile masquant l'entrée de clé d'une serrure. XIXᵉ s. ; comp. de *cacher* (I) et de *entrée* ; plur. *cache-entrée(s)* ; [kaʃɑ̃tʀe].

**CACHEMIRE, subst. m.**
**1.** Tissu doux et fin obtenu par le tissage des poils de chèvre du Cachemire ou du Tibet : *Écharpe de **cachemire**.* **2.** Méton. Tricot de **cachemire**. 1803 ; topon. *Cachemire* ; var. *cashmere* (anglic.) ; [kaʃmiʀ].

**CACHE-MISÈRE, subst. m. inv.**
Vêtement ample permettant de dissimuler des habits en mauvais état. 1847 ; comp. de *cacher* (I) et de *misère* ; [kaʃmizɛʀ].

**CACHE-NEZ, subst. m. inv.**
**1.** Vx. Masque de velours que portaient les femmes au XVIᵉ s. **2.** Longue écharpe protégeant du froid le cou et le bas du visage. 1536 ; comp. de *cacher* (I) et de *nez* ; [kaʃne].

**CACHE-POT, subst. m.**
1. Vx. Loc. *À cache-pot* : en cachette, frauduleusement. 2. Enveloppe ou vase décoratif servant à dissimuler un pot de fleurs. 1684 ; comp. de *cacher* (I) et de *pot* ; plur. *cache-pot(s)* ; [kaʃpo].

**CACHE-POUSSIÈRE, subst. m. inv.**
Long manteau que l'on utilisait en voyage pour se protéger de la poussière (vx). 1876 ; comp. de *cacher* (I) et de *poussière* ; [kaʃpusjɛʀ].

**CACHER (I), verbe trans.** [3]
1. Mettre dans un lieu secret ; soustraire à la vue, aux recherches : *Cacher des armes* ; *Cacher un évadé.* 2. Masquer, couvrir : *Cachez ce sein que je ne saurais voir* (Molière) ; *Les nuages cachent les étoiles.* 3. Fig. Taire, ne pas exprimer, dissimuler : *Cacher sa haine* ; *Cacher son incompétence sous des discours.* ▸ Loc. *Cacher son jeu* : laisser ignorer ses intentions, les moyens que l'on a de les réaliser. PRONOM. 1. Se soustraire aux regards, aux recherches ; se dissimuler. 2. Se cacher de. Dissimuler à (qqn) ce que l'on fait, ce que l'on dit : *Se cacher de ses parents.* ▸ *Il me vole et il ne s'en cache pas* : il le fait ouvertement. XIIIe s. ; lat. pop. °*coacticare*, « serrer », du lat. *coactare*, « contraindre » ; [kaʃe].

**CACHER (II), ÈRE, voir KACHER**

**CACHE-RADIATEUR, subst. m.**
Revêtement, pièce d'ameublement servant à masquer un radiateur. 1935 ; comp. de *cacher* (I) et de *radiateur* ; plur. *cache-radiateur(s)* ; [kaʃʀadjatœʀ].

**CACHE-SEXE, subst. m.**
Petite pièce de vêtement couvrant le sexe. Fin XIXe s. ; comp. de *cacher* (I) et de *sexe* ; plur. *cache-sexe(s)* ; [kaʃsɛks].

**CACHET, subst. m.**
I. 1. Petit sceau utilisé pour imprimer, gén. sur de la cire, un signe distinctif, par ex. des armes ; par méton., l'empreinte apposée au moyen de ce sceau. ▸ *Hist. Lettre de cachet* : lettre portant le cachet du roi, contenant gén. l'ordre d'emprisonner ou d'exiler qqn. 2. Ext. Tampon, gén. en caoutchouc, utilisé pour apposer une empreinte à l'encre ; par méton., cette empreinte : *Le cachet de la poste.* 3. Fig. Marque distinctive, caractéristique : *Cette peinture porte bien le cachet de l'artiste* ; originalité, charme particulier : *Un petit port plein de cachet.* II. Rémunération versée à un artiste pour un engagement déterminé : *Le cachet d'un musicien.* ▸ Loc. *Courir le cachet* : pour un professeur, chercher à donner des leçons particulières (vieilli) ou, pour un artiste, chercher du travail. III. 1. Enveloppe de pain azyme contenant un médicament en poudre. 2. Comprimé (empl. abusif) : *Un cachet d'aspirine.* 1464 ; ☞ *cacher* (I) ; [kaʃɛ].

**CACHE-TAMPON, subst. m. inv.**
Jeu d'enfants dans lequel un joueur dissimule un objet que les autres doivent découvrir. 1835 ; comp. de *cacher* (I) et de *tampon* ; [kaʃtɑ̃pɔ̃].

**CACHETER, verbe trans.** [14]
1. Sceller avec de la cire : *Cacheter un colis.* ▸ Empl. adj. : *Bouteille cachetée* ; par méton. : *Vin cacheté.* 2. Fermer en collant (une lettre, un pli). 1464 ; ☞ *cachet* ; [kaʃte].

**CACHETTE, subst. f.**
Lieu où l'on peut aisément cacher ou se cacher. ▸ Loc. *En cachette* : en secret, de façon dissimulée. 1559 ; ☞ *cacher* (I) ; [kaʃɛt].

**CACHEXIE, subst. f.**
*Pathol.* Dégradation de l'état général d'un malade, qui est d'une maigreur extrême, caractéristique de la phase finale d'une maladie chronique. 1537 ; bas lat. *cachexia*, du gr. *kakhexia*, de *kakos*, « mauvais », et de *hexis*, « disposition » ; [kaʃɛksi].

**CACHOT, subst. m.**
1. Cellule exiguë, basse et sombre où l'on met un prisonnier à l'isolement. 2. Ext. La prison en général. 1550 ; ☞ *cacher* (I) ; [kaʃo].

**CACHOTTERIE, subst. f.**
Attitude qui consiste à cacher des choses de peu d'importance ; affectation de mystère : *Un air de cachotterie* ; *Faire des cachotteries.* Déb. XVIIIe s. ; *cachotter* (rare), « faire des cachotteries » ; [kaʃɔtʀi].

**CACHOTTIER, IÈRE, adj. et subst.**
Se dit d'une personne qui aime à faire des cachotteries. 1670 ; *cachotter* (rare), « faire des cachotteries » ; [kaʃɔtje, jɛʀ].

**CACHOU, subst. m.**
SUBST. 1. Substance brune aux propriétés astringentes et toniques, préparée à partir du bois d'*Acacia catechu* ; empl. adj. inv., de la couleur du cachou. 2. Pastille aromatisée au cachou. 1651 ; port. *cacho*, du tamoul *kāšu* ; [kaʃu].

**CACHUCHA, subst. f.**
Danse populaire d'Andalousie. 1836 ; mot esp. ; [katʃutʃa].

**CACIQUE, subst. m.**
1. Chef de certaines tribus d'Indiens d'Amérique latine. 2. Ext. Personnalité influente (péj.). 3. Premier admis au concours d'entrée à l'École normale supérieure et, par ext., à un concours quelconque (argot.). 1515 ; esp. *cacique*, de l'arawak des Antilles ; [kasik].

**CACOCHYME, subst. et adj.**
Se dit d'une personne dont la santé est fragile, en partic. d'une personne âgée faible et malade. 1478 ; bas lat. *cacochymus*, du gr. *kakokhumos*, de *kakos*, « mauvais », et de *khumos*, « suc, humeur » ; [kakɔʃim].

**CACODYLATE, subst. m.**
*Chim.* Sel de l'acide cacodylique, dérivé de l'arsenic, jadis utilisé en thérapeutique. 1843 ; all. *Kakodyl*, du gr. *kakôdês*, « qui sent mauvais » ; [kakɔdilat].

**CACOGRAPHE, subst.**
Personne qui écrit mal, qui fait des fautes (littér.). 1820 ; ☞ *cacographie* ; [kakɔgʀaf].

**CACOGRAPHIE, subst. f.**
Écriture fautive ou mal calligraphiée (littér.). XVIe s. ; gr. *kakos*, « mauvais », + *-graphie* ; [kakɔgʀafi].

**CACOLET, subst. m.**
Bât de cheval ou de mulet, composé d'un double siège à dossier, utilisé pour le transport de voyageurs ou de blessés. 1819 ; béarn. *cacoulet*, p.-ê. du basque *kakoletak*, « siège en bois recourbé » ; [kakɔlɛ].

**CACOLOGIE, subst. f.**
Locution ou expression contraire au bon usage de la langue. 1835 (1611, injure) ; gr. *kakologia*, de *kakos*, « mauvais », et de *logos*, « parole » ; [kakɔlɔʒi].

**CACOPHONIE, subst. f.**
1. Rencontre de syllabes, de mots désagréable à l'oreille. 2. Mélange de voix, de sons discordants. 1587 ; gr. *kakophônia*, de *kakos*, « mauvais », et de *phônê*, « voix » ; [kakɔfɔni].

**CACOPHONIQUE, adj.**
Qui est désagréable à l'oreille ; qui constitue une cacophonie. 1853 ; ☞ *cacophonie* ; [kakɔfɔnik].

**CACTACÉES, subst. f. plur.**
*Bot.* Famille de plantes angiospermes appartenant à la catégorie des plantes grasses (dites aussi succulentes), dont les formes sont caractéristiques (boules, colonnes, etc.) et dont les feuilles sont réduites à des aiguilles. Leurs fruits sont des baies souvent épineuses. AU SING. *Le cactus est une cactacée.* 1850 ; ☞ *cactus* ; var. *cactées* ; [kaktase].

© J.-P. Thomas-Jacana

*Un massif de cactacées.*

**CACTUS, subst. m.**
*Bot.* Plante de la famille des Cactacées, genre *Cactus.* On appelle aussi cactus, par analogie mais de façon abusive, d'autres cactacées qui lui ressemblent, comme l'oponce. 1781 (1627, sorte de chardon) ; lat. *cactus*, du gr. *kaktos*, « cardon » ; [kaktys].

**CADASTRAL, ALE, AUX, adj.**
Relatif au cadastre : *Un registre cadastral.* XVIIIe s. ; ☞ *cadastre* ; [kadastʀal, o].

**CADASTRE, subst. m.**
1. Ensemble des documents précisant les limites des propriétés et biens-fonds d'une commune, ainsi que les noms de leurs propriétaires. 2. Ext. Administration ayant pour fonction d'établir, de mettre à jour, de conserver ces documents. XVIe s. ; prov. *cadastre*, du gr. byzantin *katastikhon*, « registre » ; [kadastʀ].

**CADASTRER, verbe trans.** [3]
1. Établir le cadastre de (un territoire). 2. Inscrire (un terrain, une propriété) au cadastre. Fin XVIIIe s. ; ☞ *cadastre* ; [kadastʀe].

**CADAVÉREUX, EUSE, adj.**
Qui ressemble ou qui fait penser à un cadavre : *Un visage cadavéreux.* 1546 ; lat. *cadaverosus* ; [kadaveʀø, øz].

**CADAVÉRIQUE, adj.**
1. Relatif, propre à un cadavre : *Rigidité cadavérique.* 2. Cadavéreux : *Une pâleur cadavérique.* Fin XVIIIe s. ; lat. *cadaver*, « cadavre » ; [kadaveʀik].

**CADAVRE, subst. m.**
1. Corps d'un homme ou d'un animal mort : *Pratiquer l'autopsie d'un cadavre.* ▸ Fig. *Cadavre ambulant* : personne étique, paraissant en très mauvaise santé (fam.). 2. Bouteille vide, entièrement bue (fam.). XVIe s. ; lat. *cadaver* ; [kadɑvʀ].

**CADDIE (I), subst. m.**
Personne qui porte le matériel du joueur de golf sur le terrain. XIXe s. ; angl. *caddie*, « commissionnaire », du fr. *cadet* ; var. *caddy* ; [kadi].

**CADDIE (II), subst. m. inv.**
Petit chariot à roulettes permettant aux clients, dans un commerce, aux voyageurs, dans une gare ou un aéroport, de transporter leurs achats, leurs bagages. 1952 ; anglo-amér. *caddie*, ell. de *caddie cart*, « chariot de caddie » ; n. déposé ; [kadi].

**CADE, subst. m.**
*Bot.* Nom d'un genévrier de Provence, *Juniperus oxycedrus*, dont on extrait un goudron, l'huile de cade, utilisé en médecine vétérinaire et en dermatologie. 1518 ; prov. *cade*, du bas lat. *catanum* ; [kad].

**CADEAU, subst. m.**
1. Fête, divertissement offert à une dame (vx). 2. Présent, chose que l'on offre à qqn : *Un cadeau d'anniversaire.* ▸ Loc. proverb. *Les petits cadeaux entretiennent l'amitié.* 3. Loc. *C'est pas un cadeau* : c'est qqch., ou qqn, de déplaisant (fam.) ; *Un cadeau empoisonné* : une chose qui risque de procurer plus d'ennuis que de satisfactions ; *Ne pas faire de cadeau à qqn* : être dur et exigeant avec lui. 1656 (1416, lettre capitale ornée) ; anc. prov. *capdel*, « capitaine », du lat. *caput*, « tête » ; [kado].

**CADENAS, subst. m.**
Serrure mobile munie d'un arceau que l'on peut introduire dans des pitons fermés ou dans un anneau : *Fermer une caisse au cadenas.* 1540 ; anc. prov. *cadenat*, du lat. *catena*, « chaîne » ; [kadna].

**CADENASSER, verbe trans.** [3]
Fermer au moyen d'un cadenas. 1569 ; ☞ *cadenas* ; [kadnase].

**CADENCE, subst. f.**
1. Succession régulière d'actions, de mouvements, de sons : *La cadence des vagues.* 2. Rythme d'exécution d'un travail : *Cadence de production.* ▸ *Cadence de tir d'une arme* : nombre de coups tirés à la minute. 3. Rythme d'un texte, d'une phrase, d'un vers, résultant de la succession des accents toniques ou des coupes : *Des vers d'une cadence harmonieuse.* 4. Loc. *En cadence* : en mesure, selon un rythme régulier. 5. *Chorégr.* Mesure qui règle les mouvements d'un danseur. 6. *Mus.* ▸ Succession d'accords qui marquent la suspension ou la terminaison d'une phrase. ▸ Dans un concerto, passage de virtuosité réservé au soliste avant la conclusion d'un mouvement. 1520 ; ital. *cadenza*, du lat. *cadere*, « tomber ; se terminer » ; [kadɑ̃s].

**CADENCER, verbe trans.** [4]
1. Imprimer un rythme agréable pour l'oreille à (qqch.) : *Cadencer un vers.* 2. Ext. Faire adopter une cadence à (ses mouvements) : *Cadencer sa marche.* 1597 ; ☞ *cadence* ; [kadɑ̃se].

**CADÈNE, subst. f.**
*Mar. Cadène de haubans* : pièce métallique fixe servant à amarrer et à rider les haubans contre les bordages. 1678 (1540, chaîne de forçat) ; prob. ital. du Nord *cadena*, « chaîne » ; [kadɛn].

**CADENETTE, subst. f.**
Longue tresse de cheveux que les soldats de l'infanterie française, puis les muscadins, laissaient pendre de chaque côté de leur visage. 1655 ; anthropon. *seigneur de Cadenet* ; [kad(ə)nɛt].

**CADET, ETTE, adj. et subst.**
SUBST. **1.** Celui ou celle qui est né après un frère ou une sœur ; le plus jeune des enfants. **2.** Ext. Personne plus jeune qu'une autre. **3.** Loc. *C'est le **cadet** de mes soucis* : c'est qqch. qui me préoccupe fort peu (fam.). **4.** *Milit.* Jeune gentilhomme qui apprenait le métier des armes. ▸ Élève d'une école d'officiers, dans certains pays. **5.** *Sp.* Jeune sportif appartenant à la catégorie comprise entre celle des minimes et celle des juniors. ADJ. **1.** *Frère **cadet*** : plus jeune. **2.** *Branche **cadette*** : dans une famille, branche issue d'un **cadet**. 1466 ; gascon *capdet*, « chef », du prov. *capdel*, « capitaine » ; [kadɛ, ɛt].

**CADI, subst. m.**
Magistrat, juge musulman dont la compétence s'étend au domaine religieux. Déb. XIIIe s. ; ar. *al-qāḍī*, de *qaḍā*, « juger » ; [kadi].

**CADMIAGE, subst. m.**
*Techn.* Revêtement d'une surface métallique par un dépôt électrolytique de cadmium. V. 1930 ; ☞ *cadmier* ; [kadmjaʒ].

**CADMIE, subst. f.**
*Métall.* Suie contenant une forte proportion d'oxyde de zinc et formant des dépôts dans divers fours métallurgiques. 1400 ; lat. *cadmia*, du gr. *kadmeia petra*, « pierre de Cadmos » ; [kadmi].

**CADMIER, verbe trans.** [6]
Effectuer le cadmiage de (une surface). XXe s. ; ☞ *cadmium* ; [kadmje].

**CADMIUM, subst. m.**
*Chim.* Métal blanc, peu oxydable, qui forme, avec le magnésium, le zinc et le béryllium, la famille des métaux terreux. Élément n° 48 de la table de Mendeleïev (symb. : Cd) ; masse atomique : 112,41 ; point de fusion : 321 °C ; point d'ébullition : 770 °C ; masse volumique : 8,6 g/cm$^3$. Toxique, le **cadmium** est utilisé pour protéger d'autres métaux contre l'altération par l'air. 1820 ; all. *Kadmium*, du gr. *kadmeia* ; [kadmjɔm].

**CADOGAN, voir CATOGAN**

**CADRAGE, subst. m.**
**1.** Détermination des dimensions d'un document, sur une épreuve d'imprimerie, de photocomposition. **2.** *Cin.* et *Phot.* Mise en place et détermination des limites du sujet que l'on veut photographier ou filmer, au moyen du viseur d'un appareil photographique ou d'une caméra. 1923 (1866, ensemble de cadres) ; ☞ *cadrer* (II) ; [kɑdʀaʒ].

**CADRAN, subst. m.**
**1.** Surface plane portant les chiffres des heures et munie d'un style dont l'ombre projetée indique l'heure : ***Cadran** solaire, lunaire.* **2.** Ext. Surface où sont généralement inscrits les chiffres des heures et des minutes, devant laquelle se déplacent les aiguilles d'une montre, d'une horloge, etc. **3.** Anal. Surface portant des divisions ou des repères, devant laquelle se déplace une aiguille indiquant une mesure, une direction, etc. : ***Cadran** d'un baromètre, d'une boussole* ; par ext. : ***Cadran** numérique* ; *Téléphone à **cadran**.* Fin XIIIe s. ; lat. *quadrans*, « quart de l'as » (unité de mesure) ; [kadʀɑ̃].

**CADRAT, subst. m.**
*Impr.* Petit bloc de métal, plus bas que ceux qui portent les caractères, utilisé pour obtenir le blanc des alinéas, pour remplir les lignes creuses, etc. 1625 ; lat. *quadratum*, « carré » ; [kadʀa].

**CADRATIN, subst. m.**
**1.** *Impr.* Cadrat dont la largeur correspond à la hauteur du corps de caractère employé. **2.** Ext. En photocomposition, blanc de même valeur. 1688 ; ☞ *cadrat* ; [kadʀatɛ̃].

**CADRATURE, subst. f.**
*Horlog.* Assemblage des pièces assurant le mouvement des aiguilles d'une montre, d'une horloge, etc. 1751 ; lat. *quadratura*, « quadrature » ; [kadʀatyʀ].

**CADRE, subst. m.**
**I. 1.** Bordure de bois, de métal ou d'une autre matière entourant un tableau, une photographie, une glace, etc. ; par méton., le tableau et la bordure qui l'entoure : *Il faut que j'accroche ce **cadre** au mur.* **2.** Fig. ▸ Limites dans lesquelles s'exerce une fonction, une activité : *Cela sort du **cadre** de mes attributions.* ▸ Plan d'un ouvrage de l'esprit : *Expliquez-moi simplement le **cadre** de votre thèse.* **II. 1.** Châssis, armature de certains objets : ***Cadre** d'une bicyclette, d'un métier à tisser, d'une fenêtre.* **2.** ***Cadre** de déménagement* : caisse de grandes dimensions servant au transport des meubles. **3.** *Apic.* Dans une ruche, bâti amovible où les abeilles établissent leurs rayons. **4.** *Mar.* Couchette de toile tendue sur un châssis. **III.** Environnement, paysage, milieu : *Une jolie maison dans un **cadre** verdoyant.* **IV. 1.** Registre du personnel de la fonction publique, classé par catégories : *Être rayé des **cadres**,* libéré ou licencié. ▸ Méton. Chacune de ces catégories ; le personnel. **2.** Salarié exerçant une fonction d'encadrement, de contrôle, etc., dans une entreprise. **3.** *Milit.* ***Cadre** de réserve* : ensemble des officiers généraux qui, en raison de leur âge, ne sont plus en activité, mais qui restent à la disposition du ministre. 1549 (1354, quartier de lune) ; ital. *quadro*, « carré ; cadre » ; [kɑdʀ].

**CADRER (I), verbe intrans.** [3]
S'accorder, concorder : *Cette théorie est séduisante, mais elle ne **cadre** pas avec l'expérience.* 1539 ; lat. *quadrare*, « être conforme » ; [kɑdʀe].

**CADRER (II), verbe trans.** [3]
Effectuer le cadrage de. V. 1920 ; ☞ *cadre* ; [kɑdʀe].

**CADREUR, EUSE, subst.**
*Cin.* et *Télév.* Technicien qui manie une caméra et qui est chargé de composer l'image selon les indications du metteur en scène ou du réalisateur. 1952 ; ☞ *cadrer* (II) ; [kɑdʀœʀ, øz].

**CADUC, UQUE, adj.**
**1.** Qui touche à sa fin : *Bâtiment **caduc*** ; *Âge **caduc**.* **2.** Qui est périmé, qui n'a plus cours : *Une loi **caduque**.* **3.** *Bot.* et *Zool.* Qualifie un organe qui se détache et se renouvelle à intervalles réguliers : *Feuilles **caduques*** ; *Cornes **caduques**.* 1346 ; lat. *caducus*, « qui tombe ; périssable » ; [kadyk].

**CADUCÉE, subst. m.**
**1.** *Myth.* Emblème du dieu grec Hermès, composé de deux serpents entrelacés entourant une baguette de laurier surmontée de deux ailes. **2.** Emblème adopté par le corps médical, composé d'un faisceau de baguettes autour duquel s'enroule un serpent et que surmonte un miroir. 1508 ; lat. *caduceus*, du gr. *kêrukeion*, « insigne des hérauts » ; [kadyse].

**CADUCIFOLIÉ, ÉE, adj.**
**1.** *Bot.* Dont les feuilles sont caduques. **2.** *Forêt **caducifoliée*** : forêt composée d'arbres aux feuilles caduques. Formé de *caduc* et de *folié* ; [kadysifɔlje].

**CADUCITÉ, subst. f.**
État de ce qui est caduc. 1479 ; ☞ *caduc* ; [kadysite].

**CADUQUE, subst. f.**
*Anat.* Couche superficielle de la muqueuse d'un utérus gravide, qui se détache au moment de l'accouchement et est évacuée avec le placenta. 1833 ; ☞ *caduc* ; [kadyk].

**CÆCUM, subst. m.**
*Anat.* Cul-de-sac constituant la partie initiale du gros intestin, situé sous l'abouchement de l'intestin grêle et se prolongeant vers le bas par l'appendice vermiforme (ou appendice). 1538 ; lat. *caecum intestinum*, « intestin aveugle » ; [sekɔm].

**CAFARD, ARDE, subst.**
Fam. et Péj. **1.** Personne faussement dévote ou vertueuse ; hypocrite : *N'écoute pas les leçons de ce **cafard*** ; empl. adj. : *Une mine **cafarde**.* **2.** Délateur, mouchard. MASC. **1.** Nom usuel de la blatte. **2.** Fig. Tristesse, idées noires (fam.) : *Avoir le **cafard*** ; *Une crise de **cafard**.* 1512 ; ar. *kāfir*, « incroyant ; faux dévot » ; [kafaʀ, aʀd].

**CAFARDAGE, subst. m.**
Action de cafarder qqn (fam.). Fin XVIIIe s. ; ☞ *cafarder* ; [kafaʀdaʒ].

**CAFARDER, verbe** [3]
Fam. TRANS. Dénoncer (qqn). INTRANS. Être triste, avoir des idées noires. 1867 (1508, tenir un langage de cafard) ; ☞ *cafard* ; [kafaʀde].

**CAFARDEUR, EUSE, subst. et adj.**
Se dit d'une personne qui cafarde (fam.). XIXe s. ; ☞ *cafarder* ; [kafaʀdœʀ, øz].

**CAFARDEUX, EUSE, adj.**
**1.** Qui a le cafard. **2.** Qui exprime ou suscite la tristesse, la mélancolie : *Un paysage **cafardeux*** ; *Un air **cafardeux**.* 1919 ; ☞ *cafard* ; [kafaʀdø, øz].

**CAFÉ, subst. m.**
**1.** Graine du caféier ; par méton., caféier : *Une plantation de **café**.* **2.** Denrée constituée par les graines du caféier après torréfaction : *Je vais acheter du **café** à l'épicerie.* **3.** Breuvage obtenu à partir des graines du caféier torréfiées et moulues : ***Café** noir* ; ***Café** crème*, additionné de crème ou, le plus souv., de lait. ▸ Méton. Moment où l'on prend le **café** : *Mangeons tranquillement, nous parlerons affaires au **café**.* ▸ Loc. *C'est fort de **café*** : cela passe la mesure, c'est incroyable. **4.** Établissement public où l'on consomme du **café** et d'autres boissons ; bar : *Cet individu passe sa vie dans les **cafés**.* 1610 ; turc *qahve*, de l'ar. *qahwa* ; [kafe].

SOCIÉTÉ – La boisson à base de café a été découverte par des voyageurs dans l'Empire ottoman au XVe s. En 1510, on la signale au Caire, et en 1555 on peut en boire à Istanbul et dans tout l'Empire ottoman. Elle fait son apparition à Paris en 1645, et on la trouve à Londres au milieu du XVIIe s. À Paris, le café va devenir une mode ; des Arméniens vêtus à la turque le vendent dans les rues. Les premiers débits de café ouvrent leurs portes : l'un, près de la place Saint-Sulpice, est tenu par un Arménien – Hartarioun – qui se fait appeler Pascal ; un autre, également tenu par un Arménien – Maliban –, s'installe rue de Buci ; le troisième, le *Procope* (du nom de son propriétaire, le Sicilien Procopio dei Coltelli), existe encore aujourd'hui. Au XVIIIe s., on compte près de huit cents boutiques de café. À partir de cette époque, le café se répand dans tout le monde occidental, et ce sont les Européens qui en assurent et en contrôlent la production et la vente.

**CAFÉ-CONCERT, subst. m.**
Établissement où, jusqu'en 1914, l'on pouvait boire et fumer en assistant à des spectacles de variétés (abrév. fam. : caf' conc'). 1852 ; comp. de *café* et de *concert* ; plur. *cafés-concerts* ; [kafekɔ̃sɛʀ].

**CAFÉIER, subst. m.**
*Bot.* Arbre de la famille des Rubiacées, dont le fruit, le café, est une drupe de la taille et de la couleur d'une cerise rouge très mûre. La principale espèce est *Coffea arabica*, d'Abyssinie, cultivée dans la zone tropicale et, surtout, au Brésil. 1715 ; ☞ *café* ; [kafeje].

*Rameau de **caféier** avec ses fruits.*

**CAFÉIÈRE, subst. f.**
Plantation de caféiers. 1797 ; ☞ *café* ; [kafejɛʀ].

**CAFÉINE, subst. f.**
*Biochim.* Alcaloïde extrait du café, du thé, de la noix de cola, etc., et doté de propriétés stimulantes et antimigraineuses. 1823 ; ☞ *café* ; [kafein].

**CAFÉISME, subst. m.**
Intoxication par la caféine. 1878 ; ☞ *café* ; [kafeism].

**CAFETAN, subst. m.**
**1.** Long vêtement de cérémonie oriental, richement brodé et fourré. **2.** Robe fourrée des Juifs d'Europe centrale et du Proche-Orient. 1537 ; turc *kaftan*, du persan *xaftān*, « cuirasse » ; var. *caftan* ; [kaftɑ̃].

**CAFETER, voir CAFTER**

**CAFÉTÉRIA, subst. f.**
Établissement ou local situé dans une entreprise, un grand magasin, une université, etc., où l'on peut consommer des boissons et prendre un repas, le plus souvent en libre-service. V. 1930 ; anglo-amér. *cafeteria*, d'orig. esp. ; [kafeteʀja].

**CAFETEUR, voir CAFTEUR**

**CAFÉ-THÉÂTRE, subst. m.**
Petite salle où l'on peut boire et où se produisent des artistes, dans des spectacles, des pièces de théâtre souvent en marge des formes traditionnelles. V. 1970 ; comp. de *café* et de *théâtre* ; plur. *cafés-théâtres* ; [kafeteɑtʀ].

**CAFETIER, IÈRE,** subst.
Personne qui tient un café. 1740 (1680, marchand de café en grains) ; ☞ *café* ; rare au fém. ; [kaftje, jɛʀ].

**CAFETIÈRE,** subst. f.
**1.** Appareil ménager servant à la préparation du café. **2.** Récipient utilisé pour servir le café. **3.** Tête (pop.). 1690 ; ☞ *café* ; [kaftjɛʀ].

**CAFOUILLAGE,** subst. m.
Fam. Fait de cafouiller ; la confusion qui en résulte. 1901 (déb. XVIIIe s., menus objets sans valeur) ; ☞ *cafouiller* ; [kafujaʒ].

**CAFOUILLER,** verbe intrans. [3]
Fam. **1.** Agir, raisonner ou discourir de façon confuse, désordonnée, inopérante. **2.** Fonctionner mal, par à-coups : *Moteur qui **cafouille**.* Déb. XVIIIe s. ; crois. de *cacher* (I) et de *fouiller* ; [kafuje].

**CAFOUILLEUX, EUSE,** adj. et subst.
Fam. SUBST. Personne qui agit ou raisonne de façon désordonnée. ADJ. *Un récit **cafouilleux*** : embrouillé, confus. 1896 ; ☞ *cafouiller* ; var. *cafouilleur, euse* ; [kafujø, øz].

**CAFTAN,** voir **CAFETAN**

**CAFTER,** verbe [3]
Dénoncer, moucharder (fam.). 1900 ; altér. de *cafarder* ; var. *cafeter* [3] ; [kafte].

**CAFTEUR, EUSE,** subst. et adj.
Se dit d'une personne qui cafte (fam.) : *Tu n'es qu'un **cafteur** ! ; Non, je ne suis pas **cafteuse**.* 1900 ; ☞ *cafter* ; var. *cafeteur, euse* ; [kaftœʀ, øz].

**CAGE,** subst. f.
**I.** Espace clos, habitacle de dimensions variables, en gén. muni de barreaux ou de grillage, dans lequel on tient enfermés des êtres vivants : *La **cage** aux lions ; Un oiseau en **cage** ; Louis XI enfermait ses ennemis dans des **cages** de fer.* **II.** Anal. **1.** *Anat. **Cage** thoracique* : squelette du thorax, formé par les vertèbres dorsales, les côtes et le sternum. **2.** *Archit. **Cage** d'escalier, d'ascenseur* : espace où est placé un escalier, où se déplace un ascenseur ; l'ascenseur lui-même (vieilli). **3.** *Mar. **Cage** d'hélice* : cadre dans lequel tourne une hélice. **4.** *Mines. **Cage** d'extraction* : benne à déplacement vertical dans laquelle prennent place les berlines et le personnel d'un puits. **5.** *Sp.* Cadre muni d'un filet, délimitant les buts au football, au handball, etc. Fin XIIe s. ; lat. *cavea* ; [kaʒ].

**CAGEOT,** subst. m.
Emballage à claire-voie, en bois léger, servant au transport des légumes, des fruits, etc. 1873 (1467, petite cage) ; ☞ *cage* ; [kaʒo].

**CAGETTE,** subst. f.
Petit cageot. 1928 (1321, petite cage) ; ☞ *cage* ; [kaʒɛt].

**CAGIBI,** subst. m.
Réduit, minuscule pièce destinée au rangement. 1911 ; dial. de l'Ouest *cagibi*, « cahute » ; [kaʒibi].

**CAGNA,** subst. f.
Argot. **1.** Abri, gén. souterrain, dans une tranchée. **2.** Ext. Cabane. 1914 ; annamite *cai-nha*, « maison rudimentaire » ; [kaɲa].

**CAGNARD,** subst. m.
Région. (Provence). **1.** Abri rudimentaire, ensoleillé et protégé du vent. **2.** Le soleil, lorsqu'il est ardent : *Quel **cagnard**, ce matin !* 1460 ; anc. prov. *canha*, « chienne » ; [kaɲaʀ].

**CAGNE,** voir **KHÂGNE**

**CAGNEUX (I), EUSE,** adj.
Qui a les genoux tournés en dedans. Déb. XVIIe s. ; *cagne* (rare), « chienne » ; [kaɲø, øz].

**CAGNEUX (II),** voir **KHÂGNEUX**

**CAGNOTTE,** subst. f.
**1.** *Jeux.* Boîte, corbeille dans laquelle les joueurs déposent de l'argent ; par ext., caisse commune d'une association, d'un groupe de personnes. **2.** Méton. Somme recueillie dans une **cagnotte** ; par ext., économies. 1801 ; prov. *cagnoto*, « petite cuve (utilisée pour la vendange) » ; [kaɲɔt].

**CAGOT, OTE,** subst. et adj.
Se dit d'une personne qui est faussement dévote, hypocrite. SUBST. *Hist.* Dans le sud-ouest de la France, personne proscrite, mise à l'écart de la société, descendant sans doute de lépreux. 1535 ; béarn. *cagot*, « lépreux blanc » ; [kago, ɔt].

**CAGOTERIE,** subst. f.
Manière d'être et d'agir du cagot. Fin XVIe s. ; ☞ *cagot* ; [kagɔtʀi].

**CAGOU,** subst. m.
*Zool.* Échassier terrestre nocturne, de la famille des Rhynochétidés, à bec et à pattes rouges, au plumage cendré, qui vit dans les forêts de Nouvelle-Calédonie. Orig. inc. ; [kagu].

**CAGOULARD,** subst. m.
*Hist.* Membre de la Cagoule, organisation secrète d'extrême droite. 1937 ; *Cagoule* ; [kagulaʀ].

**CAGOULE,** subst. f.
**1.** Vêtement de religieux, sans manches, muni d'un capuchon. **2.** Capuchon couvrant complètement la tête et percé d'ouvertures à l'endroit des yeux. **3.** Sorte de passe-montagne. Fin XIIe s. ; lat. chrét. *cuculla*, « vêtement de moine » ; [kagul].

© Fox-Liaison-Gamma

*Vêtus de robes et de **cagoules**, les membres du Ku Klux Klan brandissent des croix enflammées pour effrayer les Noirs et les empêcher d'exercer leurs droits de citoyens américains.*

**CAHIER,** subst. m.
**1.** Assemblage de feuilles de papier cousues ou attachées ensemble, destiné à l'écriture manuscrite, au dessin, etc. : ***Cahier** de brouillon ; **Cahier** de comptes.* **2.** *Impr.* Grande feuille imprimée, puis pliée et découpée au format voulu, qui, assemblée avec d'autres, constitue un livre, une brochure, etc. : *Un **cahier** de seize pages.* **3.** Ouvrage littéraire d'un genre proche des mémoires, du journal, ou se présentant comme tel : *« Le **Cahier** noir », de Mauriac.* **4.** *Dr. **Cahier** des charges* : document qui détermine les modalités de conclusion et d'exécution des marchés publics ou, par ext., de tout contrat. PLUR. **1.** Publication périodique : *Les « **Cahiers** de la quinzaine », fondés par Péguy.* **2.** *Hist.* Mémoires adressés au souverain et contenant des demandes, des observations, etc. : ***Cahiers** de doléances.* Fin XIIe s. ; lat. *quaterni*, « par quatre » ; [kaje].

**CAHIN-CAHA,** loc. adv.
Tant bien que mal, péniblement. XVe s. ; orig. onomat., p.-ê. d'apr. *cahot* ; [kaɛ̃kaa].

**CAHORS,** subst. m.
Vin de la région de Cahors. Topon. *Cahors* (Lot) ; [kaɔʀ].

**CAHOT,** subst. m.
**1.** Secousse, soubresaut d'un véhicule roulant sur un terrain inégal. **2.** Méton. Irrégularité d'une voie, accident de terrain provoquant un **cahot** : *Éviter les **cahots**.* Mil. XVe s. ; ☞ *cahoter* ; [kao].

**CAHOTANT, ANTE,** adj.
**1.** Qui fait cahoter : *Une route **cahotante**.* **2.** Qui cahote. 1798 ; p. pr. de *cahoter* ; [kaɔtɑ̃, ɑ̃t].

**CAHOTER,** verbe [3]
TRANS. **1.** Secouer par des cahots, ballotter (gén. un véhicule). **2.** Métaph. Maltraiter : *La vie l'a **cahoté**.* INTRANS. Être secoué par des cahots. 1564 ; p.-ê. m. néerl. °*hotten*, « secouer », + préf. péj. *ca-* ; [kaɔte].

**CAHOTEUX, EUSE,** adj.
Qui provoque des cahots (synon. *cahotant*). Mil. XIXe s. ; ☞ *cahot* ; [kaɔtø, øz].

**CAHUTE,** subst. f.
Abri rudimentaire, pauvre cabane. XIIIe s. ; p.-ê. *hutte*, croisé avec *cabane* ou *caverne* ; [kayt].

**CAÏD,** subst. m.
**1.** Dignitaire musulman d'Afrique du Nord, dont les attributions sont celles d'un juge, d'un administrateur et d'un chef de police. **2.** Anal. Homme fort et dur, capable de s'imposer (fam.) : *Faire le **caïd**.* **3.** Chef de bande, chef d'un réseau de malfaiteurs (argot.) : *Un **caïd** de la drogue.* Déb. XIVe s. ; ar. *qā'id*, « chef, commandant » ; [kaid].

**CAILLASSE,** subst. f.
**1.** Pierre broyée utilisée pour construire des chaussées. **2.** Pierraille, cailloux (fam.) : *Marcher dans la **caillasse**.* **3.** *Pétrogr.* Calcaire de mauvaise qualité. 1846 ; ☞ *caillou* ; [kajas].

**CAILLE,** subst. f.
*Zool.* Oiseau migrateur des champs et des prés, au plumage brun tacheté, de la famille des Phasianidés. Déb. XIIe s. ; lat. *quaccola*, d'orig. onomat. ; [kaj].

**CAILLÉ,** subst. m.
Partie solide du lait coagulé, utilisée pour fabriquer le fromage (synon. *caillebotte*). Déb. XIVe s. ; p. p. de *cailler* ; [kaje].

**CAILLEBOTIS,** subst. m.
**1.** Treillis, assemblage de lattes ou de rondins, que l'on pose sur un sol humide, meuble ou boueux, pour s'en isoler. **2.** Grille d'aération posée au sol. 1678 ; ☞ *caillebotte* ; var. *caillebottis* ; [kajbɔti].

**CAILLEBOTTE,** subst. f.
Caillé. 1546 ; *caillebotter* (rare), « cailler » ; [kajbɔt].

**CAILLEBOTTIS,** voir **CAILLEBOTIS**

**CAILLER,** verbe [3]
TRANS. Figer, faire prendre en caillots, coaguler : *La présure **caille** le lait.* INTRANS. et PRONOM. **1.** Se figer, se coaguler, se mettre en caillots : *Le sang (se) **caille**.* **2.** Anal. Être gelé, avoir froid (pop.) : *Je me **caille** ; Ça **caille** !* Déb. XIIe s. ; lat. *coagulare* ; [kaje].

**CAILLETEAU,** subst. m.
Jeune caille. 1372 ; ☞ *caille* ; [kajto].

**CAILLETTE,** subst. f.
*Zool.* Quatrième poche de l'estomac des Ruminants, seule partie sécrétrice de sucs digestifs, d'où est extraite la présure. 1393 ; anc. fr. °*cail(le)*, « présure ; organe digestif dont on fait la présure » ; [kajɛt].

**CAILLOT,** subst. m.
Petite masse de liquide coagulé : *Des **caillots** de lait.* ▸ *Méd.* Masse de sang coagulé : *Le **caillot** sanguin est formé de globules rouges prisonniers d'un réseau de filaments de fibrine.* Fin XVIe s. ; *caille* (vx), « petite masse de lait caillé » ; [kajo].

**CAILLOU,** subst. m.
**1.** Fragment de roche : *Un galet est un **caillou** roulé par les eaux.* **2.** Morceau de cristal de roche utilisé en joaillerie. **3.** Tête, crâne (fam.) : *Il n'a rien dans le **caillou**, il est idiot.* Fin XIIe s. ; gaul. °*caljo*, « pierre » ; plur. *cailloux* ; [kaju].

**CAILLOUTAGE,** subst. m.
**1.** Action de caillouter ; son résultat. **2.** Revêtement, pavage de cailloux. **3.** Béton constitué de cailloux noyés dans un mortier de ciment. **4.** Pâte de faïence fine, faite d'argile et de quartz ou de silex pulvérisé ; poterie, objet fabriqué avec cette pâte. Déb. XVIIe s. ; ☞ *caillou* ; [kajutaʒ].

**CAILLOUTER,** verbe trans. [3]
Empierrer, garnir de cailloux : ***Caillouter** une route.* 1769 ; ☞ *caillou* ; [kajute].

**CAILLOUTEUX, EUSE,** adj.
Plein de cailloux ; couvert de cailloux : *Un champ **caillouteux**.* Fin XVIe s. ; ☞ *caillou* ; [kajutø, øz].

**CAILLOUTIS,** subst. m.
**1.** Cailloux concassés servant à l'empierrement des chemins, des routes ; par méton., l'empierrement ainsi réalisé. **2.** *Géol.* Dépôt sédimentaire formé par une accumulation de cailloux apportés par l'eau ou amassés au pied d'un fort relief. 1700 ; ☞ *caillou* ; [kajuti].

**CAÏMAN,** subst. m.
**1.** *Zool.* Crocodilien d'Amérique tropicale, de la famille des Alligatoridés, qui peut atteindre 4 m de long. **2.** Agrégé répétiteur ou directeur d'études, à l'École normale supérieure (argot scol.). 1584 ; esp. *caymán*, d'orig. caraïbe ; [kaimɑ̃].

*Caïman.*

© F. Gohier-Jacana

**CAÏQUE, subst. m.**
Embarcation légère, autrefois à voiles ou à rames, aujourd'hui munie d'un moteur, naviguant princ. en mer Égée et sur le Bosphore. 1579 ; turc *kayık*, « sorte de bateau à rames » ; [kaik].

**CAIRN, subst. m.**
**1.** Tumulus de pierres et de terre élevé par les Celtes. **2.** Anal. Petite pyramide de pierres laissée par des alpinistes, des explorateurs pour témoigner de leur passage ou marquer un repère. 1797 ; écossais *carne*, du gaélique *carn*, « tas de pierres » ; [kɛʀn].

**CAISSE, subst. f.**
**I. 1.** Grande boîte, coffre de bois ou de métal servant à l'emballage ou au transport de marchandises ; par méton., le contenu de cette boîte : *Une **caisse** d'oranges*. **2.** Ext. Boîte de rangement : ***Caisse** à outils*. **II. 1.** Coffre, meuble ou tiroir où l'on dépose de l'argent, des valeurs, etc. : ***Caisse** enregistreuse*. ▸ Méton. Contenu de la **caisse** : *Ce gredin a filé avec la **caisse** ; **Caisse** noire*, fonds n'apparaissant pas dans une comptabilité officielle. **2.** Guichet, comptoir, bureau où s'accomplissent des opérations de paiement ou de versement : *Passer à la **caisse***. **3.** Organisme privé ou public qui gère des fonds placés en dépôt : ***Caisse** d'épargne ; **Caisse** des dépôts et consignations*. **III. 1.** Boîte, structure rigide renfermant et protégeant un mécanisme, un ensemble fragile : ***Caisse** d'horlogerie*, renfermant les pièces du mouvement. **2.** Carcasse de la carrosserie d'un véhicule ; par méton., automobile (fam.). **3.** *Anat.* ***Caisse** du tympan* : cavité située derrière le tympan, où sont logés les osselets de l'oreille. **4.** *Mus.* Cylindre d'un instrument à percussion ; par méton., cet instrument lui-même : *Grosse **caisse***, grand tambour que l'on frappe avec une mailloche. ▸ ***Caisse** de résonance* : partie creuse d'un instrument à cordes, qui amplifie les sons produits par la vibration des cordes. 1365 ; anc. prov. *caissa*, du lat. *capsa*, « caisse (pour enfermer des livres) » ; [kɛs].

**CAISSETTE, subst. f.**
Petite caisse. 1569 ; ☞ *caisse* ; [kɛsɛt].

**CAISSIER, IÈRE, subst.**
Personne qui tient la caisse d'une banque, d'un commerce, etc. 1585 ; ☞ *caisse* ; [kesje, jɛʀ].

**CAISSON, subst. m.**
**1.** *Archit.* Compartiment creux d'un plafond, souvent orné de moulures, de sculptures, de peintures. **2.** *Mar.* ***Caisson** étanche* : compartiment étanche d'un navire, destiné à améliorer sa flottabilité. **3.** *Trav. publ.* Très grande caisse, enceinte étanche permettant de travailler au sec au-dessous du niveau de l'eau. ▸ *Pathol. Mal des **caissons*** : ensemble des troubles et des accidents dus à une décompression trop rapide. **4.** Loc. *Se faire sauter le **caisson*** : se tirer une balle dans la tête (fam.). 1418 ; anc. prov. *caisson*, de *caissa*, « caisse » ; [kɛsɔ̃].

**CAJOLER, verbe [3]**
**Intrans.** Chanter, pousser son cri, en parlant du geai. **Trans. 1.** Prodiguer des marques de tendresse, des paroles affectueuses à (qqn). **2.** Chercher à obtenir les faveurs de (qqn) par des manières et des propos flatteurs : *Il apprenait à caresser les grands et à **cajoler** les forts* (Flaubert). 1579 ; p.-ê. m. fr. *gayoler*, « caqueter », d'apr. *cage* ; [kaʒɔle].

**CAJOLERIE, subst. f.**
Action de cajoler ; paroles ou manières cajoleuses. Déb. XVIIe s. ; ☞ *cajoler* ; [kaʒɔlʀi].

**CAJOLEUR, EUSE, subst.**
Personne qui cajole ; empl. adj. : *Un chat, des mots **cajoleurs***. 1585 ; ☞ *cajoler* ; [kaʒɔlœʀ, øz].

**CAJOU, subst. m.**
Fruit de l'anacardier, dont on consomme l'amande, grillée et salée, appelée noix de **cajou** (synon. *anacarde*). 1602 ; tupi *cajú* ; [kaʒu].

**CAJUN, adj. et subst.**
Des **Cajuns**, habitants francophones de la Louisiane : *Le parler **cajun** ; La musique **cajun***. 1885 ; altér. de *Acadien* ; inv. en genre ; [kaʒœ̃].

**CAKE, subst. m.**
Gâteau à pâte levée, garni de raisins secs et de fruits confits. 1795 ; angl. *cake*, « gâteau » ; [kɛk].

**CAKE-WALK, subst. m.**
**1.** Danse syncopée à deux temps, d'origine noire américaine, en vogue vers 1900. **2.** La musique qui l'accompagnait. 1895 ; anglo-amér. *cake walk*, de l'angl. *cake*, « gâteau », et *walk*, « marche » ; plur. *cake-walks* ; [kɛkwɔk].

**cal, voir CALORIE**

**Cal, voir CALORIE**

**CAL, subst. m.**
**1.** *Pathol.* Durillon, épaississement corné de la peau, dû à des frottements répétés. **2.** Tissu osseux qui soude les deux parties d'un os fracturé. **3.** *Bot.* Bourrelet, excroissance qui se forme aux endroits où une plante a subi une cassure, une blessure. XIIIe s. ; lat. *callus*, « durillon » ; plur. *cals* ; [kal].

**CALABRAIS, AISE, adj. et subst.**
De Calabre. **Subst. masc.** Dialecte roman parlé en Calabre. 1555 ; topon. *Calabre*, région d'Italie ; [kalabʀɛ, ɛz].

**CALAGE (I), subst. m.**
Arrêt brutal d'un moteur. 1863 ; ☞ *caler* (I) ; [kalaʒ].

**CALAGE (II), subst. m.**
**1.** Action de caler, de stabiliser, de mettre d'aplomb au moyen d'une cale. **2.** Réglage précis d'un dispositif, d'une machine ; en partic., mise en place de la forme d'impression sur une machine à imprimer. 1866 ; ☞ *caler* (II) ; [kalaʒ].

**CALAISON, subst. f.**
*Mar.* Tirant d'eau (vieilli). 1730 ; ☞ *caler* (I) ; [kalɛzɔ̃].

**CALAMAR, voir CALMAR**

**CALAMBAC, subst. m.**
Bois odoriférant exotique, utilisé en ébénisterie ou en marqueterie. 1525 ; port. *calambac*, du malais *kalambac* ; var. *calambour* ; [kalɑ̃bak].

**CALAME, subst. m.**
**1.** Tige de roseau utilisée par les Anciens pour l'écriture. **2.** Ext. Plume, stylo. 1540 ; lat. *calamus*, du gr. *kalamos*, « roseau » ; [kalam].

**CALAMINE, subst. f.**
**1.** *Pétrogr.* Minerai de zinc qui peut être constitué d'un carbonate ou d'un silicate. **2.** Couche d'oxyde qui apparaît sur les pièces métalliques fortement chauffées. **3.** Dépôt charbonneux produit par la combustion d'un carburant dans un moteur à explosion. XIIIe s. ; lat. médiév. *calamina*, du lat. *cadmia*, « cadmie » ; [kalamin].

**CALAMISTRER, verbe trans. [3]**
**1.** Vieilli. Faire friser, boucler (les cheveux) : *Je vais vous adoniser et **calamistrer** de la belle façon* (Gautier). **2.** Ext. Lustrer, gominer ; empl. adj. : *Des mèches **calamistrées***. Fin XIVe s. ; lat. *calamistratus*, « frisé » ; [kalamistʀe].

**CALAMITE, subst. f.**
*Bot.* **1.** *Poudre de **calamite*** : gomme-résine que l'on recueille dans la tige de certains roseaux. **2.** Plante fossile, à tige et à rhizome articulés, caractéristique de l'ère secondaire (Permien). Fin XVIe s. ; lat. médiév. *calamita*, du gr. *kalamos*, « roseau » ; [kalamit].

**CALAMITÉ, subst. f.**
**1.** Fléau, désastre, malheur public. **2.** Grande infortune, grave revers, pour un particulier. Déb. XIVe s. ; lat. *calamitas* ; [kalamite].

**CALAMITEUX, EUSE, adj.**
**1.** Qui abonde en calamités : *Une époque **calamiteuse***. **2.** Fam. Qui subit de nombreux malheurs ; pitoyable : *Un personnage **calamiteux***. XVe s. ; lat. *calamitosus* ; [kalamitø, øz].

**CALANCHER, verbe intrans. [3]**
Mourir (argot.). 1846 ; ☞ *caler* (I), p.-ê. d'apr. *flancher* ; [kalɑ̃ʃe].

**CALANDRE (I), subst. f.**
*Zool.* Alouette méditerranéenne de la famille des Alaudidés, à gros bec jaune. Déb. XIIIe s. ; anc. prov. *calandra*, du lat. pop. °*calandra*, du gr. *kalandros* ; [kalɑ̃dʀ].

© A. Philippon-Explorer
*Calanque dans la région de Cassis.*

**CALANDRE (II), subst. f.**
**1.** *Techn.* Machine à cylindres servant à lustrer les étoffes, à glacer le papier, à laminer les matières plastiques, etc. **2.** *Autom.* Garniture, souv. métallique, placée devant le radiateur. 1483 ; bas lat. °*colendra*, du gr. *kulindros*, « cylindre » ; [kalɑ̃dʀ].

**CALANDRE (III), subst. f.**
*Zool.* Insecte de la famille des Curculionidés, charançon qui s'attaque aux céréales. 1504 ; prob. var. de *charançon* ; [kalɑ̃dʀ].

**CALANDRER, verbe trans. [3]**
*Techn.* Faire passer dans une calandre. XVe s. ; ☞ *calandre* (II) ; [kalɑ̃dʀe].

**CALANQUE, subst. f.**
En Méditerranée, crique étroite et profonde, bordée d'escarpements rocheux. 1678 ; prov. *calanco*, de °*cala*, « abri de montagne » ; [kalɑ̃k].

**CALAO, subst. m.**
*Zool.* Terme désignant tous les oiseaux de la famille des Bucérotidés, munis d'un bec énorme et recourbé, surmonté à sa base d'une protubérance osseuse, ou casque. 1778 ; mot malais ; [kalao].

**CALBOMBE, voir CALEBOMBE**

**CALCAIRE, adj. et subst. m.**
**Adj. 1.** *Minér.* Qui est constitué de carbonate de calcium. **2.** Ext. Qui contient du carbonate de calcium. **Subst.** *Pétrogr.* Roche sédimentaire composée essentiellement de carbonate de calcium. 1751 ; lat. *calcarius*, de *calx*, « chaux » ; [kalkɛʀ].

**CALCANÉUM, subst. m.**
*Anat.* L'os le plus volumineux du tarse, situé sous l'astragale et qui forme le talon. 1541 ; bas lat. *calcaneum*, « talon » ; [kalkaneɔm].

**CALCÉDOINE, subst. f.**
*Minér.* Pierre faite de fibres de quartz et d'opale, dont de nombreuses variétés peuvent être colorées,

© R. Gaillarde-Gamma
*Une calandre prestigieuse : celle de la Rolls-Royce.*

*Calice en calcédoine. Art byzantin (XIe s.). Trésor de Saint-Marc, Venise.*
© Lauros-Giraudon

*Petit calao à bec jaune d'Afrique du Sud.*

comme la cornaline (rouge) ou la chrysoprase (verte). Déb. XII^e s. ; topon. lat. *Calchedon*, « Chalcédoine », ville située en face de Byzance ; [kalsedwan].

**CALCÉMIE, subst. f.**
*Méd.* Taux de calcium contenu dans le sang. 1951 ; lat. *calx*, « chaux » ; [kalsemi].

**CALCIFICATION, subst. f.**
**1.** *Physiol.* Processus qui aboutit à la formation des os par dépôt de sels calcaires (carbonates et phosphates de calcium). **2.** *Pathol.* Dépôt anormal de sels calcaires dans différents tissus organiques, en partic. dans les articulations. 1867 ; lat. *calx*, « chaux » ; [kalsifikasjɔ̃].

**CALCIFIÉ, ÉE, adj.**
**1.** *Physiol.* Qui résulte d'une calcification : *Un nodule* ***calcifié***. **2.** *Pétrogr.* Transformé en carbonate de chaux. 1765 ; lat. *calx*, « chaux » ; [kalsifje].

**CALCINATION, subst. f.**
Action de calciner ; fait de se calciner. 1516 ; lat. médiév. *calcinatio* ; [kalsinasjɔ̃].

**CALCINER, verbe trans.** [3]
**1.** *Chim.* Transformer (des pierres calcaires) en chaux, par l'action d'une chaleur intense. **2.** Ext. ▸ Soumettre à une chaleur intense. ▸ Brûler, griller, carboniser ; empl. adj. : *Un plat* ***calciné***. XIV^e s. ; lat. médiév. *calcinare*, du lat. *calx*, « chaux » ; [kalsine].

**CALCIQUE, adj.**
Relatif au calcium ou à la chaux ; qui en contient : *Un feldspath* ***calcique*** *est un minéral riche en calcium.* 1838 ; lat. *calx*, « chaux » ; [kalsik].

**CALCITE, subst. f.**
*Minér.* Carbonate naturel de calcium cristallisé, d'origine biologique (squelette, coquille) ou chimique (précipitation), que l'on trouve dans les eaux douces ou marines. 1867 ; all. *Calcit*, du lat. *calx*, « chaux » ; [kalsit].

**CALCITONINE, subst. f.**
*Physiol.* Hormone thyroïdienne dont l'action réduit le taux de calcium dans le sang. V. 1960 ; crois. de *calcium* et de *tonus* ; [kalsitɔnin].

**CALCIUM, subst. m.**
*Chim.* Élément métallique n° 20 de la table de Mendeleïev (symb. : Ca) ; masse atomique : 40,08 ; point de fusion : 850 °C ; point d'ébullition 1 484 °C ; masse volumique : 1,55 g/cm$^3$. C'est un métal alcalino-terreux bivalent, qui donne, avec l'eau, une base peu soluble, la chaux ($Ca(OH)_2$). Les sels de **calcium** existent en quantités énormes dans la nature. Le **calcium** est un des éléments indispensables à l'organisme. Les oxydes de **calcium** sont la chaux vive (CaO) et la chaux éteinte ($Ca(OH)_2$), qui est une base forte, caustique ; le sulfate de **calcium** hydraté est le gypse, dont on tire le plâtre. 1808 ; lat. *calx*, « chaux » ; [kalsjɔm].

**CALCIURIE, subst. f.**
*Méd.* Teneur des urines en calcium. 1956 ; lat. *calx*, « chaux », + *-urie* ; [kalsjyʀi] ou [-siy-].

**CALCUL (I), subst. m.**
**I. 1.** Exécution d'opérations élémentaires (addition, soustraction, multiplication, division) sur les nombres (synon. *arithmétique élémentaire*) : ***Calcul*** *mental*, exécuté de tête. **2.** Toute manipulation de règles opératoires (abstraites ou non) : ***Calcul*** *différentiel, intégral, matriciel, vectoriel.* **II. 1.** Évaluation de la probabilité de qqch. ; estimation : *D'après les* ***calculs***, *l'emprunt d'État devrait connaître un franc succès.* **2.** Prévision et combinaison de moyens à mettre en œuvre pour la réussite d'une entreprise : *Un* ***calcul*** *adroit.* ▸ Préméditation intéressée ou malveillante : *Il a su déjouer leurs* ***calculs*** *sournois.* 1484 ; ☞ *calculer* ; [kalkyl].

**CALCUL (II), subst. m.**
*Pathol.* Concrétion pierreuse qui se développe dans certains organes (vésicule, voies biliaires, reins, vessie). 1546 ; lat. *calculus*, « caillou » ; [kalkyl].

**CALCULATEUR, TRICE, subst. et adj.**
Se dit d'une personne qui sait effectuer des calculs, qui est habile dans la prévision, la combinaison de plans ou de projets, ou qui n'agit que par calcul, de façon intéressée. **Subst. masc.** Machine de traitement de l'information, capable d'effectuer des opérations numériques, logiques ou analogiques. **Subst. fém.** Machine électronique conçue pour effectuer des opérations arithmétiques. 1546 ; ☞ *calculer* ; [kalkylatœʀ, tʀis].

**CALCULER, verbe** [3]
**Trans. 1.** Déterminer par le calcul : ***Calculer*** *un prix, une trajectoire.* **2.** Apprécier, évaluer par le raisonnement : ***Calculer*** *ses chances, son élan.* **3.** Combiner, préméditer ; préparer avec soin : ***Calculer*** *ses gestes, ses paroles.* **Intrans. 1.** Faire une ou des opérations de calcul : *Machine, règle à* ***calculer***, servant à faire des calculs. **2.** Dépenser avec parcimonie ; faire des calculs d'argent. 1372 ; bas lat. *calculare*, du lat. *calculus*, « caillou (de la table à calculer) » ; [kalkyle].

**CALCULETTE, subst. f.**
Machine à calculer électronique de poche. Fin XX^e s. ; ☞ *calcul* (I) ; [kalkylɛt].

**CALCULEUX, EUSE, adj.**
*Pathol.* Qui contient des calculs. 1540 ; lat. *calculosus* ; [kalkylø, øz].

**CALDARIUM, subst. m.**
*Antiq. rom.* Bain chaud, étuve des thermes. 1838 ; lat. *caldarium* ; [kaldaʀjɔm].

**CALDEIRA, subst. f.**
*Géol.* Grand cratère volcanique, souvent de plusieurs kilomètres de diamètre, créé par l'effondrement de la chambre magmatique, vidée de sa lave par les éruptions précédentes. 1902 ; port. *caldeira*, de l'hisp.-amér. *caldera*, « cratère » ; var. *caldera* ; [kaldɛʀa].

**CALDOCHE, subst. et adj.**
Se dit d'un membre de la communauté blanche de Nouvelle-Calédonie. **Adj.** Relatif à cette communauté. V. 1960 ; topon. *Calédonie* ; [kaldɔʃ].

**CALE (I), subst. f.**
**1.** Partie d'un navire située sous le pont, qui reçoit la cargaison ; chacun de ses compartiments. ▸ Loc. *Être à fond de* ***cale*** : être sans ressources, dans la misère (fam.). **2.** Partie inclinée d'un quai, servant au chargement et au déchargement des bateaux. **3.** Plan incliné où les bateaux sont mis en chantier ou réparés : ***Cale*** *de construction, de halage.* **4.** ***Cale*** *sèche* ou ***Cale*** *de radoub* : bassin muni d'une écluse où l'on peut mettre un navire à sec pour le réparer. Déb. XIII^e s. ; ☞ *caler* (I) ; [kal].

**CALE (II), subst. f.**
Pièce de bois, de métal servant à stabiliser ou à immobiliser un objet. 1611 ; prob. all. *Keil* ; [kal].

**CALÉ, ÉE, adj.**
Fam. **1.** Instruit, fort : *Un élève* ***calé*** *en mathématiques.* **2.** Difficile : *Un exercice* ***calé***. 1884 (1782, bien établi, riche) ; p. p. de *caler* (II) ; [kale].

**CALEBASSE, subst. f.**
**1.** Fruit du calebassier, arbre tropical de la famille des Bignoniacées, qui, évidé et séché, est utilisé comme récipient ou comme caisse de résonance en musique. **2.** Tête (argot.). 1527 ; esp. *calabaza* ; [kalbas].

**CALEBOMBE, subst. f.**
Argot. Chandelle, bougie ; par ext., lampe électrique. 1894 ; orig. obsc. ; var. *calbombe* ; [kalbɔ̃b].

**CALÈCHE, subst. f.**
**1.** Voiture à quatre roues tirée par des chevaux, suspendue, découverte, munie à l'arrière d'une capote à soufflet et à l'avant d'un siège surélevé. **2.** Anal. Au XVIII^e s., coiffure de femme se repliant comme un soufflet. 1656 ; all. *Kalesche*, du tchèque *kolesa* ; [kalɛʃ].

**CALEÇON, subst. m.**
**1.** Sous-vêtement d'homme, comportant des jambes : ***Caleçon*** *long, court.* ▸ ***Caleçon*** *de bain* : maillot de bain masculin. **2.** Pantalon féminin moulant, en maille. 1563 ; ital. *calzone*, de *calza*, « chausse » ; [kalsɔ̃].

**CALEÇONNADE, subst. f.**
Spectacle de boulevard, plus ou moins scabreux (péj.). Déb. XX^e s. ; ☞ *caleçon* ; [kalsɔnad].

**CALÉDONIEN, IENNE, adj.**
**I. 1.** De Calédonie. **2.** *Géol. Plissements* ***calédoniens*** : plissements de l'ère primaire qui, juste après le Cambrien, de l'Ordovicien au début du Dévonien, ont édifié une chaîne de montagnes couvrant, en Europe, le nord des îles Britanniques et l'ouest de la péninsule scandinave. **II.** De Nouvelle-Calédonie. 1732 ; topon. *Calédonie*, anc. nom de l'Écosse ; [kaledɔnjɛ̃, jɛn].

**CALÉFACTION, subst. f.**
**1.** Action de chauffer. **2.** *Phys.* Phénomène par lequel une goutte d'eau projetée sur une surface très chaude prend la forme d'une petite sphère et ne s'évapore que lentement parce qu'elle est soutenue par sa propre vapeur. XIV^e s. ; bas lat. *calefactio*, « action de chauffer (un bain) » ; [kalefaksjɔ̃].

**CALEMBOUR, subst. m.**
Jeu de langage consistant à combiner des mots de sens différents, à inverser des syllabes afin d'obtenir un énoncé phonétiquement identique ou très proche : *« Mais qu'alors y faire ? » (calorifère) est un* ***calembour*** *simpliste.* 1768 ; p.-ê. apocope de *calembourdaine*, var. de *calembredaine* ; [kalɑ̃buʀ].

**CALEMBREDAINE, subst. f.**
Propos fantaisiste, futile et parfois trompeur (gén. au plur.). 1798 ; prob. altér. dial. de *bredouiller* + préf. péj. *ca-* ; [kalɑ̃bʀədɛn].

**CALENDES, subst. f. plur.**
*Antiq.* Premier jour du mois dans le calendrier romain. ▸ Loc. *Renvoyer qqch. aux* ***calendes*** *grecques* : à une date qui risque fort de ne jamais arriver (le calendrier grec n'ayant jamais eu de **calendes**). Déb. XII^e s. ; lat. *calendae* ; [kalɑ̃d].

**CALENDRIER, subst. m.**
**1.** Système de mesure du temps à l'échelle du mois ou de l'année, établi par référence à des phénomènes astronomiques : *Le* ***calendrier*** *lunaire des Babyloniens ; Le* ***calendrier*** *solaire des Égyptiens ; Le* ***calendrier*** *julien, grégorien ; Le* ***calendrier*** *républicain.* **2.** Méton. Objet (gén. un tableau imprimé) indiquant la liste des jours d'une année, par semaines et par mois. **3.** Fig. Suite d'évènements dont on prévoit les dates précises : *Le* ***calendrier*** *de l'année scolaire ; Le* ***calendrier*** *des rencontres de football.* 1119 ; lat. *calendarium*, « livre de comptes », de *calendae*, « calendes » ; [kalɑ̃dʀije].

Civilisation – Le calendrier grégorien, qui est le nôtre, fut institué par le pape Grégoire XIII en 1582, afin de corriger le retard progressif du calendrier julien sur le Soleil. Il repose sur les principes suivants : le jour est divisé en 24 heures ; l'année compte 365 jours, ou 366 lorsqu'elle est bissextile ; il y a une année bissextile tous les 4 ans, mais, pour assurer la coïncidence avec l'observation astronomique du mouvement du Soleil, on supprime 3 années bissextiles tous les 400 ans. Ainsi définie, l'année grégorienne coïncide presque avec l'année tropique.

*Le* ***calendrier*** *aztèque, solaire, comprenait dix-huit mois de vingt jours, auxquels s'ajoutaient cinq jours dits néfastes. Couvent de la Rabida, Andalousie.*

**CALE-PIED, subst. m.**
Dispositif fixé à la pédale d'une bicyclette, servant à maintenir le pied. 1928 ; comp. de *caler* (II) et de *pied* ; plur. *cale-pieds* ; [kalpje].

**CALEPIN, subst. m.**
**1.** Petit carnet de poche : *J'inscris votre adresse sur mon **calepin**.* **2.** Belg. Cartable. 1845 (1534, dictionnaire) ; ital. *calepino*, « dictionnaire », de l'anthropon. *Ambrogio Calepino*, lexicographe italien ; [kalpɛ̃].

**CALER (I), verbe [3]**
**I.** *Mar.* TRANS. Abaisser, faire descendre (une voile, une vergue). INTRANS. Enfoncer dans l'eau : *Le bateau **calait** trop pour remonter le chenal.* **II.** TRANS. *Mécan.* Arrêter soudainement le fonctionnement de : *En débrayant, j'ai **calé** le moteur.* INTRANS. **1.** *Mécan.* Cesser de tourner, en parlant d'un moteur. **2.** Fig. et Fam. ▸ Céder : *Il est trop fier, il ne **calera** jamais !* ▸ Ne plus avoir faim : *Je **cale** !* Fin XIIe s. ; anc. prov. *calar*, « abaisser », du gr. *khalan*, « détendre » ; [kale].

**CALER (II), verbe trans. [3]**
Mettre de niveau ou immobiliser à l'aide d'une cale : ***Caler** une chaise bancale ; **Caler** une brouette avec une pierre.* PRONOM. Prendre appui sur qqch., s'installer confortablement : *Se **caler** avec des oreillers.* 1676 ; ☞ *cale* (II) ; [kale].

**CALETER, voir CALTER**

**CALFAT, subst. m.**
*Mar.* Ouvrier qui calfate les navires. 1611 ; ☞ *calfater* ; [kalfa].

**CALFATER, verbe trans. [3]**
*Mar.* Bourrer d'étoupe goudronnée les joints ou les interstices de (un bordage, un pont de navire), afin de le rendre étanche. XIVe s. ; ital. *calafatare*, du bas lat. *calefectare*, « chauffer » ; [kalfate].

**CALFEUTRAGE, subst. m.**
Action de calfeutrer, de se calfeutrer ; son résultat. 1575 ; ☞ *calfeutrer* ; [kalføtʀaʒ].

**CALFEUTRER, verbe trans. [3]**
Boucher les joints de (une porte, une fenêtre) avec des bourrelets, pour empêcher l'air froid, le bruit de pénétrer. PRONOM. Rester frileusement enfermé chez soi ; au fig. : *Se **calfeutrer** dans la routine.* Fin XIVe s. ; altér. de *calfater*, d'apr. *feutre* ; [kalføtʀe].

**CALIBRAGE, subst. m.**
**1.** Action de calibrer. **2.** *Impr.* Évaluation de l'encombrement d'un texte à imprimer ; nombre de lignes, de signes octroyés à un texte dans un journal, un livre, etc. 1838 ; ☞ *calibrer* ; [kalibʀaʒ].

**CALIBRE, subst. m.**
**1.** Diamètre intérieur d'un objet creux de forme arrondie : ***Calibre** d'un tuyau.* ▸ Diamètre de l'âme d'une arme à feu : *Un canon de **calibre** 75 (mm)* ; par méton., l'arme elle-même (fam.) : *Il menaça le caissier de son **calibre**.* **2.** Diamètre extérieur d'un objet cylindrique ou sphérique : ***Calibre** d'un fruit* ; par ext., grosseur, importance d'un objet. **3.** Méton. Étalon de mesure ; instrument servant à mesurer un **calibre**. **4.** Fig. Valeur morale ou intellectuelle ; envergure : *Il n'est pas du tout du même **calibre** que son père.* 1478 ; ar. *qâlab*, « moule à métaux », du gr. *kalopous*, « forme en bois pour fabriquer des chaussures » ; [kalibʀ].

**CALIBRER, verbe trans. [3]**
**1.** Donner à (un objet) le calibre, les dimensions voulues : ***Calibrer** un cylindre.* **2.** Mesurer le calibre, les dimensions de : ***Calibrer** des fruits, des poissons.* **3.** *Impr.* Évaluer l'encombrement de (un texte à imprimer). 1552 ; ☞ *calibre* ; [kalibʀe].

**CALIBREUR, EUSE, subst.**
**1.** Personne qui calibre. **2.** *Techn.* Machine utilisée pour calibrer. 1845 ; ☞ *calibrer* ; [kalibʀœʀ, øz].

**CALICE (I), subst. m.**
**1.** *Antiq.* Coupe servant à boire. **2.** *Liturg.* Vase sacré, muni d'un pied, dans lequel le prêtre consacre le vin lors de l'Eucharistie : *Un **calice** de vermeil.* **3.** Loc. *Boire le **calice** jusqu'à la lie* : endurer jusqu'à son terme et dans toute son étendue une cruelle épreuve. Fin XIIe s. ; lat. *calix*, du gr. *kulix* ; [kalis].

**CALICE (II), subst. m.**
**1.** *Bot.* Ensemble des sépales d'une fleur. **2.** *Anat.* Partie du rein donnant naissance au bassinet. 1575 ; lat. *calyx*, du gr. *kalux*, « enveloppe de la fleur » ; [kalis].

**CALICIFORME, adj.**
En forme de calice. 1838 ; ☞ *calice* (II) + *-forme* ; [kalisifɔʀm].

**CALICOT, subst. m.**
**1.** Grossière étoffe de coton : *Des rideaux de **calicot**.* **2.** Méton. Banderole de **calicot** portant un slogan, une inscription publicitaire, etc. 1613 ; topon. *Calicut*, ville de la côte de Malabar (Inde) ; [kaliko].

**CALIER, subst. m.**
*Mar.* Marin chargé d'arrimer les marchandises dans la cale d'un navire, et de les surveiller. 1845 ; ☞ *cale* (I) ; [kalje].

**CALIFAT, subst. m.**
**1.** Dignité de calife. **2.** Méton. Territoire sur lequel il exerce son autorité : *Le **califat** de Cordoue, de Bagdad* ; durée de son règne : *Les Arabes ont conquis la Perse sous le **califat** d'Omar.* 1560 ; ☞ *calife* ; var. *khalifat* ; [kalifa].

**CALIFE, subst. m.**
Successeur du prophète Mahomet comme chef spirituel et temporel des musulmans. Déb. XIIIe s. ; ar. *ḫalifa* ; var. *khalife* ; [kalif].

*Un **calife** : Ali Ben Bahmed et son escorte devant Constantine, peinture de Théodore Chassériau (1819-1856). Château de Versailles.*

**CALIFORNIUM, subst. m.**
*Chim.* Élément n° 98 de la table de Mendeleïev (symb. : Cf) ; masse atomique : 251. C'est un élément transuranien radioactif. 1953 ; topon. *Californie* (États-Unis) ; [kalifɔʀnjɔm].

**CALIFOURCHON (À), loc. adv.**
Avec les jambes de part et d'autre d'une monture, d'un siège ou d'un support ; à cheval : *S'asseoir à **califourchon** sur une chaise.* 1262 ; crois. de *caler* (II) et de *fourche* ; [akalifuʀʃɔ̃].

**CÂLIN, INE, adj. et subst. m.**
ADJ. Qui aime recevoir ou prodiguer des cajoleries, des caresses : *Une enfant **câline*** ; doux, caressant : *Un regard **câlin**.* SUBST. Échange de gestes affectueux, de caresses : *Faire un **câlin**.* 1833 (1593, gueux qui cherche à émouvoir) ; ☞ *câliner* ; [kɑlɛ̃, in].

**CÂLINER, verbe trans. [3]**
Entourer de gestes, de mots caressants et tendres ; dorloter : ***Câliner** son enfant, son aimée.* 1808 (1616, *se caliner*, être indolent) ; prob. norm. *caliner*, du lat. pop. °*calina*, du lat. *calere*, « être chaud » ; [kɑline].

**CÂLINERIE, subst. f.**
Attitude faite de gestes, de propos câlins ; cajolerie. 1831 ; ☞ *câliner* ; [kɑlinʀi].

**CALIORNE, subst. f.**
*Mar.* Gros palan à poulies multiples. 1634 ; prov. *caliourno*, p.-ê. de *cau*, « gros câble » ; [kaljɔʀn].

**CALISSON, subst. m.**
Friandise provençale en forme de losange, faite d'amandes pilées et dont le dessus est glacé. 1838 ; prov. *canisson*, « claie de pâtissier », du bas lat. *cannicius*, « fait de roseaux » ; [kalisɔ̃].

**CALLEUX, EUSE, adj.**
**1.** Qui présente des callosités ; rêche, endurci : *Main **calleuse**.* **2.** *Anat.* *Corps **calleux*** : lame de substance blanche de 1 cm d'épaisseur env., qui relie les deux hémisphères cérébraux. XIVe s. ; lat. *callosus*, « qui présente des cals » ; [kalø, øz].

**CALL-GIRL, subst. f.**
Prostituée que les clients joignent par téléphone (anglic.). V. 1960 ; angl. *call girl*, de *to call*, « appeler », et de *girl*, « fille » ; plur. *call-girls* ; [kolgœʀl].

**CALLIGRAMME, subst. m.**
*Litt.* Texte dont les mots sont disposés de manière à former un dessin (qui en évoque gén. le thème). 1918 ; formé par Apollinaire à partir de *calligraphie* et de *idéogramme* ; [kaligʀam].

**CALLIGRAPHE, subst.**
**1.** Expert en calligraphie. **2.** Ext. Personne à l'écriture élégante. 1751 ; gr. *kalligraphos*, de *kallos*, « beauté », et de *graphein*, « écrire » ; [kaligʀaf].

**CALLIGRAPHIE, subst. f.**
**1.** Art de tracer avec élégance et soin les caractères de l'écriture : *La **calligraphie** des copistes du Moyen*

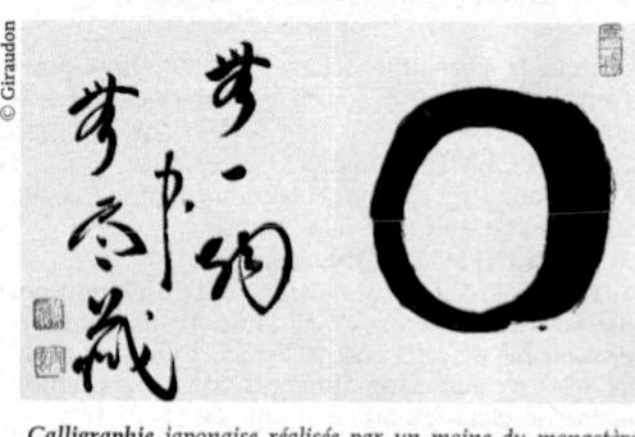



*Calligraphie japonaise réalisée par un moine du monastère Daitokuji, à Kyôto. Coll. partic., Paris.*

*Âge* ; par méton., le texte obtenu, considéré comme œuvre d'art : *Une vente de **calligraphies** chinoises.* **2.** Ext. Belle écriture appliquée. 1569 ; gr. *kalligraphia*, « belle écriture » ; [kaligʀafi].

**CALLIGRAPHIER, verbe trans. [6]**
**1.** Écrire (un texte) selon l'art de la calligraphie. **2.** Ext. Écrire avec application : ***Calligraphier** des menus.* 1844 ; ☞ *calligraphie* ; [kaligʀafje].

**CALLIGRAPHIQUE, adj.**
Relatif à la calligraphie. 1823 ; ☞ *calligraphie* ; [kaligʀafik].

**CALLIPYGE, adj.**
Aux fesses rondes et harmonieuses : *Une statue **callipyge**,* représentant une femme aux fesses et aux hanches très larges. 1794 ; gr. *kallipugos* ; [kalipiʒ].

*La Vénus **callipyge**, réplique romaine d'une statue grecque du IVe s. av. J.-C. Musée archéologique national, Naples.*

**CALLOSITÉ, subst. f.**
Durcissement et épaississement localisés de la peau, dus à des pressions ou à des frottements répétés. 1314 ; lat. *callositas* ; [kalozite].

**CALMANT, ANTE, adj. et subst. m.**
ADJ. **1.** Qui apaise la douleur physique ou l'excitation psychique : *Une tisane **calmante**.* **2.** Anal. Qui apporte le calme, la tranquillité : *Des paroles*

*calmantes.* **Subst.** Remède qui apaise la douleur physique, l'excitation nerveuse : *Prendre un **calmant** pour dormir.* 1726 ; p. pr. de *calmer* ; [kalmɑ̃, ɑ̃t].

**CALMAR, subst. m.**
*Zool.* Mollusque céphalopode de l'ordre des Décapodes, parfois appelé encornet, dont la coquille est réduite à un axe creux (la plume), dont le corps est allongé et qui sécrète un liquide noir. 1552 ; ital. *calamaro*, du lat. *calamaria theca*, « boîte à roseaux pour écrire », à cause de l'encre qu'il sécrète ; var. *calamar* ; [kalmaʀ].

**CALME, subst. m. et adj.**
**Subst. 1.** Absence totale de vent rendant la mer immobile ; tranquillité absolue de l'atmosphère : *Le **calme** plat précède souvent la tempête.* **2.** Anal. Absence d'animation, de trouble : *Le **calme** de la nuit* ; sang-froid, flegme ; paix, quiétude. **3.** Loc. *Du **calme** !* : restez tranquille ! **Adj. 1.** Qui est tranquille, sans agitation : *Une avenue **calme*** ; qui a un caractère paisible, pondéré : *Un homme **calme*** ; qui est apaisé : *Le malade est **calme**, ce soir.* **2.** Que ne perturbe aucun trouble ni violence : *Une rentrée sociale **calme**.* **3.** Dont l'activité est restreinte : *Les affaires sont encore **calmes**.* 1418 ; prob. langue ibér., du gr. *kauma*, « forte chaleur » ; [kalm].

**CALMEMENT, adv.**
Avec calme. 1552 ; ☞ *calme* ; [kalməmɑ̃].

**CALMER, verbe trans. [3]**
**1.** Rendre calme ou plus calme ; apaiser : *Poséidon **calmait** la mer d'un mot* ; ***Calmer** des esprits échauffés.* **2.** Diminuer l'intensité de (une sensation, un sentiment, un besoin) ; soulager : *Un sirop pour **calmer** la toux.* **Pronom.** Devenir calme, s'apaiser : ***Calme**-toi !* ; *La douleur ne se **calmait** pas.* Mil. XVe s. ; ☞ *calme* ; [kalme].

**CALMIR, verbe intrans. [19]**
*Mar.* Se calmer : *Le vent **calmit**.* 1787 ; var. de *calmer* ; [kalmiʀ].

**CALO, subst. m.**
Argot espagnol contenant de nombreux emprunts à la langue des Gitans. 1941 ; mot par lequel les Gitans se désignent eux-mêmes ; [kalo].

**CALOMEL, subst. m.**
*Chim.* Chlorure mercureux autrefois utilisé comme laxatif. 1751 ; gr. *kalos*, « beau », et *metas*, « noir » ; [kalɔmɛl].

**CALOMNIATEUR, TRICE, subst.**
Personne qui calomnie ; empl. adj. : *Un écrit **calomniateur**.* Déb. XIIIe s. ; lat. *calumniator*, « celui qui fait un emploi abusif de la loi » ; [kalɔmnjatœʀ, tʀis].

**CALOMNIE, subst. f.**
Accusation mensongère visant à discréditer qqn. XIVe s. ; lat. *calumnia*, « accusation fausse portée devant les tribunaux » ; [kalɔmni].

**CALOMNIER, verbe trans. [6]**
Porter de fausses accusations contre (qqn) pour le discréditer : ***Calomnier** lâchement son rival.* 1375 ; lat. *calumniari*, « intenter de fausses accusations devant les tribunaux » ; [kalɔmnje].

**CALOMNIEUX, EUSE, adj.**
Qui constitue une calomnie ; qui contient des calomnies : *Des propos **calomnieux**.* 1312 ; bas lat. *calomniosus*, « faux, trompeur » ; [kalɔmnjø, øz].

**CALORIE, subst. f.**
**1.** *Phys.* Ancienne unité de quantité de chaleur (symb. : cal), l'unité légale étant le joule, définie comme l'énergie calorifique nécessaire pour élever la température de 1 g d'eau de 14,5 °C à 15,5 °C sous la pression atmosphérique normale et équivalant à 4,185 5 joules. **2.** *Diét.* Unité qui détermine la valeur énergétique d'un aliment (symb. : Cal). 1845 ; lat. *calor*, « chaleur » ; [kalɔʀi].

**CALORIFÈRE, adj. et subst. m.**
**Adj.** Qui véhicule, diffuse de la chaleur : *Une gaine **calorifère**.* **Subst.** Appareil destiné au chauffage d'un édifice par diffusion d'eau chaude vers des radiateurs ou d'air chaud vers des bouches de chaleur (vieilli). 1807 ; lat. *calor*, « chaleur », + *-fère* ; [kalɔʀifɛʀ].

**CALORIFIQUE, adj.**
**1.** *Phys.* Qui produit de la chaleur : *Rayons **calorifiques*** ; *Capacité **calorifique** d'un système*, quantité de chaleur absorbée par le système lorsque sa température s'élève de 1 K. **2.** *Diét.* Qui mesure l'apport en calories d'un aliment : *Valeur **calorifique**.* Fin XVIe s. ; lat. *calorificus*, « qui échauffe » ; [kalɔʀifik].

**CALORIFUGE, adj. et subst. m.**
Se dit d'une matière qui ne diffuse pas la chaleur ou qui en empêche la déperdition. 1890 ; lat. *calor*, « chaleur », + *-fuge* ; [kalɔʀifyʒ].

**CALORIFUGER, verbe trans. [5]**
Isoler à l'aide d'un matériau calorifuge. 1926 ; ☞ *calorifuge* ; [kalɔʀifyʒe].

**CALORIMÈTRE, subst. m.**
*Phys.* Appareil servant à mesurer la quantité de chaleur fournie ou reçue par un système, lors d'une réaction ou d'une transformation. 1789 ; lat. *calor*, « chaleur », + *-mètre*[1] ; [kalɔʀimɛtʀ].

**CALORIMÉTRIE, subst. f.**
*Phys.* Ensemble des méthodes de mesure des quantités de chaleur échangées. 1803 ; lat. *calor*, « chaleur », + *-métrie* ; [kalɔʀimetʀi].

**CALORIQUE, subst. m. et adj.**
**Subst. 1.** Vx. Au XVIIIe s., fluide hypothétique considéré comme indestructible et censé véhiculer la chaleur d'un corps à un autre. **2.** Ext. Quantité de chaleur (à partir de 1845, on dira calorie). **Adj.** Relatif à la chaleur ; qui contient, transmet de la chaleur : *Les vibrations lumineuses, **caloriques** et sonores.* 1792 ; lat. *calor*, « chaleur » ; [kalɔʀik].

**CALORISATION, subst. f.**
*Techn.* Chauffage d'une pièce métallique au contact d'une autre matière (aluminium, par ex.), qui confère à cette pièce des qualités particulières de ductilité, de dureté, etc. 1925 ; *caloriser* (rare), « recouvrir d'aluminium à haute température » ; [kalɔʀizasjɔ̃].

**CALOT (I), subst. m.**
**1.** Région. Coquille de noix ; par ext., la noix. **2.** Anal. Au jeu de billes, la plus grosse des billes. **3.** Œil (argot.). 1690 ; m. fr. *cale*, « noix » ; [kalo].

**CALOT (II), subst. m.**
Coiffure militaire oblongue sans bord, portée sur le haut du crâne. 1751 ; *cale* (vx), « coiffure » ; [kalo].

**CALOTIN, subst. m.**
Fam. Prêtre ; par ext., dévot, partisan du clergé ou du cléricalisme (péj.). 1717 ; ☞ *calotte* ; [kalɔtɛ̃].

**CALOTTE, subst. f.**
**1.** Bonnet arrondi qu'on pose sur le crâne : ***Calotte** grecque*, à gland ; ***Calotte** de chirurgien.* **2.** Petite coiffure plate et ronde des ecclésiastiques : *La **calotte** violette de l'évêque* ; par méton., le clergé ou ses partisans : *À bas la **calotte** !*, slogan anticlérical. **3.** Fam. Tape sur la tête ; gifle. **4.** *Anat.* ***Calotte** crânienne* : partie postéro-supérieure de la boîte crânienne. **5.** *Archit.* Partie supérieure d'une voûte sphérique peu cintrée. **6.** *Géogr.* ***Calotte** glaciaire* : glacier recouvrant les régions polaires. 1394 ; *cale* (vx), « coiffure » ; [kalɔt].

**CALQUE, subst. m.**
**1.** Copie exacte d'un dessin obtenue à l'aide d'un papier transparent appelé papier-**calque** ; par méton., ce papier. **2.** Fig. Imitation fidèle ou servile : *Certains sonnets de Ronsard sont le **calque** de sonnets italiens.* **3.** *Ling.* Transposition littérale d'un mot d'une langue dans une autre : *Le mot « gratte-ciel » est le **calque** de l'anglais « sky-scraper ».* 1762 ; ital. *calco* ; [kalk].

**CALQUER, verbe trans. [3]**
**1.** Reproduire à l'aide d'un papier-calque. **2.** Fig. Imiter fidèlement : *Ces courtisans **calquent** les manières du roi* ou, par ext., ***calquent** leurs manières sur celles du roi.* 1642 ; ital. *calcare*, du lat. *calcare*, « fouler, presser » ; [kalke].

**CALTER, verbe intrans. [3]**
Pop. Partir en courant ; fuir. 1798 ; prob. *caler* (I) ; var. *caleter* ; [kalte].

**CALUMET, subst. m.**
**1.** *Bot.* Roseau d'Amérique du Nord servant à faire des tuyaux de pipes. **2.** Ext. Pipe à long tuyau des Indiens d'Amérique : *Fumer le **calumet** de la paix.* 1609 ; forme norm.-pic. de *chalumeau* ; [kalymɛ].

**CALVADOS, subst. m.**
Eau-de-vie de cidre fabriquée en Normandie (abrév. : calva). 1884 ; topon. *Calvados* ; [kalvados].

**CALVAIRE, subst. m.**
**1.** Représentation de la crucifixion du Christ, en partic. peinte ou sculptée. ▶ Croix, en gén. dressée sur une butte, commémorant la Passion : *Les **calvaires** bretons.* **2.** Fig. Longue épreuve ; souffrance profonde : *Le **calvaire** des poilus à Verdun.* 1704 ; lat. chrét. *calvaria*, de l'araméen *gulgoltâ*, « crâne », nom donné, par anal. de forme, à la colline où fut crucifié le Christ ; [kalvɛʀ].

**CALVILLE, subst. f.**
Variété de pomme originaire de Normandie, à la peau rouge ou blanche et à la chair savoureuse. 1544 ; topon. *Calleville* (Eure) ; [kalvil].

**CALVINISME, subst. m.**
**1.** Doctrine du réformateur Calvin, caractérisée par l'affirmation de la prédestination des élus, l'impuissance de la pénitence dans l'économie du salut, la négation du purgatoire et de la Présence réelle de Dieu dans l'Eucharistie et par l'élection du pasteur. **2.** Ext. La communauté des fidèles professant cette doctrine. 1570 ; anthropon. *Jean Calvin* ; [kalvinism].

**CALVINISTE, adj. et subst.**
**Adj.** Relatif, propre au calvinisme ; adepte du calvinisme. **Subst.** Personne qui suit la doctrine de Calvin : *Les **calvinistes** de Genève.* 1562 ; anthropon. *Jean Calvin* ; [kalvinist].

**CALVITIE, subst. f.**
Absence totale ou partielle de cheveux. XIVe s. ; lat. *calvities*, de *calvus*, « chauve » ; [kalvisi].

**CALYPSO, subst. m.**
**1.** Danse originaire des Antilles, qui était peut-être une sorte de langage mimé clandestin des anciens esclaves. **2.** Ext. La musique qui l'accompagne. V. 1960 ; anglo-amér. *calypso*, du nom de la nymphe Calypso ; [kalipso].

**CAMAÏEU, subst. m.**
**1.** Pierre fine composée de deux couches de même couleur, mais de tons différents. **2.** Peinture utilisant les différentes nuances d'une seule couleur : *En **camaïeu**, en dégradé* ; *Elle est vêtue dans un **camaïeu** de bleu.* Fin XIIe s. ; orig. obsc. ; plur. *camaïeux* ou *camaïeus* ; [kamajø].

**CAMAIL, subst. m.**
**1.** *M. Â.* Capuchon en mailles de fer couvrant la tête, le cou et les épaules des hommes d'armes. **2.** Courte pèlerine s'arrêtant au milieu de la poitrine, avec ou sans capuchon, portée par les dignitaires de l'Église. **3.** Anal. ▶ Masque avec lequel les apiculteurs se protègent pour s'occuper des ruches. ▶ Partie haute de la housse d'apparat d'un cheval. ▶ Ensemble des longues plumes couvrant le cou et le poitrail du coq. Fin XIIe s. ; anc. prov. *capmalh* ou *capmail* ; plur. *camails* ; [kamaj].

**CAMALDULE, subst.**
Religieux, cénobite ou ermite, de l'ordre des Camaldules fondé par saint Romuald. V. 1960 ; topon. *Camaldoli*, localité de Toscane où fut créé l'ordre ; [kamaldyl].

**CAMARADE, subst.**
**Masc.** Compagnon d'armes. **Masc.** et **Fém. 1.** Personne avec laquelle on partage une activité, des contraintes : ***Camarade** de travail, d'école.* **2.** Ext. Personne avec laquelle des souvenirs communs ont permis de tisser des liens de familiarité, d'amitié : *Depuis les vacances, ils sont devenus d'excellents **camarades**.* **3.** Appellation en usage dans certains partis politiques et syndicats de gauche ou dans une société révolutionnaire : *« **Camarade** officier », disait-on dans l'armée Rouge.* Fin XVIe s. (mil. XVIe s., au fém., chambrée de soldats) ; esp. *camarada* ; [kamaʀad].

**CAMARADERIE, subst. f.**
Liens qui existent entre des camarades. 1671 ; ☞ *camarade* ; [kamaʀadʀi].

**CAMARD, ARDE, adj. et subst.**
Se dit d'une personne ou d'un visage dont le nez est aplati : *Socrate était, dit-on, un **camard*** ; par ext. : *Un nez **camard**.* **Subst. fém.** *La **Camarde*** : la Mort, qui est représentée sans nez (fam.). 1534 ; ☞ *camus* ; [kamaʀ, aʀd].

**CAMARGUAIS, AISE, adj. et subst.**
De la Camargue. ▶ *Un **camarguais*** : cheval de race **camarguaise**. 1877 ; topon. *Camargue* ; [kamaʀgɛ, ɛz].

**CAMARILLA, subst. f.**
**1.** Conseil secret d'un souverain d'Espagne, en gén. constitué de familiers. **2.** Ext. Coterie de courtisans entourant et influençant plus ou moins un personnage important. 1824 ; esp. *camarilla*, de *camara*, « chambre » ; [kamaʀija].

**CAMBIAL (I), ALE, AUX, adj.**
Relatif aux opérations de change. 1872 ; ital. *cambiale*, de *cambio*, « change » ; [kɑ̃bjal, o].

**CAMBIAL (II), ALE, AUX, adj.**
Qui appartient au cambium. 1892 ; ☞ *cambium* ; [kɑ̃bjal, o].

**CAMBISTE, subst. m.**
Personne qui effectue des opérations de change. 1675 ; ital. *cambista*, de *cambio*, « change » ; [kɑ̃bist].

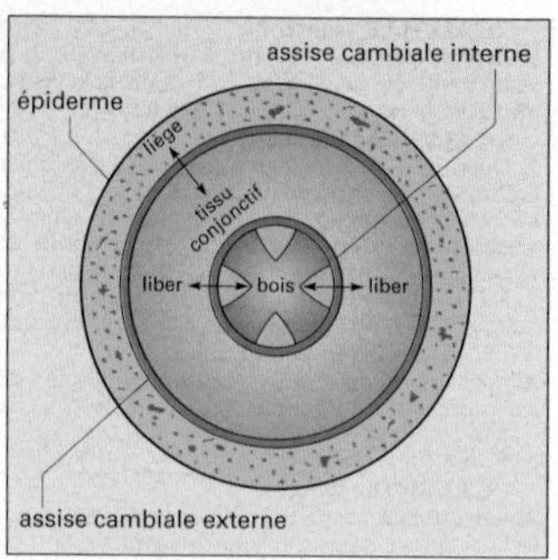


*Croissance en épaisseur des tiges et des racines d'un arbre à partir du* ***cambium.***

**CAMBIUM,** subst. m.
*Bot.* Tissu végétal formé de cellules indifférenciées qui prolifèrent très rapidement. On rencontre ces cellules dans certaines parties de la tige et des racines des gymnospermes et des angiospermes dicotylédones, où elles constituent deux assises circulaires. Elles prolifèrent en produisant le bois vers l'intérieur de la tige et le liber vers l'extérieur. 1515 ; lat. médiév. *cambium*, du lat. *cambiare*, « changer » ; [kɑ̃bjɔm].

**CAMBODGIEN, IENNE,** adj. et subst.
Du Cambodge (synon. *khmer*). **Subst. masc.** Langue parlée au Cambodge. 1878 ; topon. *Cambodge* ; [kɑ̃bɔdʒjɛ̃, jɛn].

**CAMBOUIS,** subst. m.
Graisse ou huile (d'un moteur, d'une machine) qui s'est oxydée et noircie à l'usage : *Une salopette maculée de* ***cambouis.*** 1393 ; orig. inc. ; [kɑ̃bwi].

**CAMBRÉ, ÉE,** adj.
**1.** Courbé : *Une poutre* ***cambrée*** *par la chaleur.* **2.** Arqué ; cintré : *Un joli pied* ***cambré*** *; Il a la taille* ***cambrée*** ou, par méton., *Il est* ***cambré.*** 1611 ; p. p. de *cambrer* ; [kɑ̃bʀe].

**CAMBRER,** verbe trans. [3]
Cintrer ; courber en arc. **Pronom.** Se redresser en creusant les reins et en bombant le torse, souvent dans une attitude aguicheuse ou de défi. 1530 (XIIIe s., *se cambrer*, faire un détour) ; norm.-pic. *cambre*, « courbé », du lat. *camurus*, « recourbé » ; [kɑ̃bʀe].

**CAMBRIEN, IENNE,** subst. m. et adj.
*Géol.* **Subst.** Première période de l'ère primaire, ou Paléozoïque inférieur, qui se caractérise par l'apparition et le développement des premiers fossiles dans chacun des embranchements. Le **Cambrien** a commencé il y a 540 millions d'années et duré 40 millions d'années. **Adj.** De cette période : *Un fossile* ***cambrien.*** 1838 ; angl. *cambrian*, « du pays de Galles » ; [kɑ̃bʀijɛ̃, jɛn].

**CAMBRIOLAGE,** subst. m.
Vol qualifié, commis après violation de domicile. 1898 ; ☞ *cambrioler* ; [kɑ̃bʀijɔlaʒ].

**CAMBRIOLER,** verbe trans. [3]
Dévaliser (un local) en y pénétrant par effraction, escalade ou avec des fausses clés : *On a* ***cambriolé*** *la bijouterie.* 1847 ; *cambriole* (vx), « chambre » ; [kɑ̃bʀijɔle].

**CAMBRIOLEUR, EUSE,** subst.
Personne qui commet un cambriolage. 1828 ; *cambriole* (vx), « chambre » ; [kɑ̃bʀijɔlœʀ, øz].

**CAMBROUSSE,** subst. f.
Fam. et Péj. Coin retiré de province ; campagne. 1866 ; prov. *cambrousso*, « bouge, cambuse », de *cambra*, « chambre » ; [kɑ̃bʀus].

**CAMBRURE,** subst. f.
**1.** Caractère de ce qui est cambré : *La* ***cambrure*** *de la taille, du pied, d'une poutre.* **2.** Partie d'une chaussure, située au niveau de la voûte plantaire. 1537 ; ☞ *cambrer* ; [kɑ̃bʀyʀ].

**CAMBUSE,** subst. f.
**1.** *Mar.* Réserve où sont entreposés les vivres ; cuisine d'un bateau. **2.** Ext. Cantine d'un chantier (fam.). **3.** Maison mal tenue (péj.). 1773 ; néerl. *kombuis*, du m. bas all. *kabûse, kambûse*, « réduit servant de cuisine et de lieu de repos sur un navire » ; [kɑ̃byz].

**CAME (I),** subst. f.
*Mécan.* Pièce arrondie présentant une saillie ou une encoche et servant à transformer un mouvement : *Arbre à* ***cames***, qui déclenche l'ouverture et la fermeture des soupapes d'un moteur à explosion. 1751 ; all. *Kamm*, « peigne ; came » ; [kam].

**CAME (II),** subst. f.
Argot. Marchandise illicite. ► Drogue. 1928 ; apocope de *camelote* ; [kam].

**CAMÉ, ÉE,** subst. et adj.
Se dit d'une personne qui se drogue, toxicomane (argot.). V. 1950 ; p. p. de *se camer* ; [kame].

**CAMÉE,** subst. m.
**1.** Pierre fine composée de couches de couleurs nuancées, sculptée en relief. **2.** Peinture réalisée en camaïeu de gris. 1752 ; ital. *cam(m)eo* ; [kame].

**CAMÉLÉON,** subst. m.
**1.** *Zool.* Reptile de la famille des Chaméléonidés, que l'on trouve en Afrique et à Madagascar, insectivore, qui a la faculté de changer de couleur selon l'environnement dans lequel il se trouve. **2.** Fig. Personne dont l'opinion, la conduite varient au gré des circonstances (péj.) ; en appos. : *La cour [...], peuple* ***caméléon***, *peuple singe du maître* (La Fontaine). XIIe s. ; lat. *chamaeleon*, du gr. *khamaileôn*, « lion qui se traîne à terre » ; [kameleɔ̃].

**CAMÉLIA,** subst. m.
*Bot.* Arbrisseau asiatique de la famille des Théacées, cultivé pour ses fleurs et dont l'une des espèces est le théier. 1819 ; lat. sc. *camellia*, créé par Linné en 1764 en l'honneur de Kamel, jésuite botaniste du XVIIe s. ; [kamelja].

***Camélia*** *de la variété* japonica.

**CAMÉLIDÉS,** subst. m. plur.
*Zool.* Famille de ruminants digitigrades acclimatés aux régions arides, tels les chameaux et les dromadaires de l'Ancien Monde, les vigognes et les guanacos d'Amérique. **Au sing.** *Le lama est un* ***camélidé.*** 1867 ; lat. *camelus*, « chameau » ; [kamelide].

**CAMELINE,** subst. f.
*Bot.* Plante de la famille des Brassicacées, dont les graines contiennent une huile siccative autrefois utilisée en peinture. 1549 ; bas lat. *chamaemelina herba*, de *chamaemelon*, « camomille » ; var. *caméline* ; [kamlin].

**CAMELLE,** subst. f.
Tas de sel accumulé près d'un marais salant lors de la récolte. 1863 ; prov. *camello*, « chamelle ; grand tas » ; [kamɛl].

**CAMELOT,** subst. m.
**1.** Marchand ambulant qui vend des articles de piètre qualité : *Un bagou de* ***camelot.*** **2.** Crieur de journaux (vieilli). ► *Les* ***camelots*** *du roi* : nom donné dans l'entre-deux-guerres aux vendeurs (gén. des étudiants) de *l'Action française* et, par ext., aux militants monarchistes. 1821 ; *cameloter* (vx), « fabriquer de la camelote ; vendre sur la voie publique » ; [kamlo].

**CAMELOTE,** subst. f.
**1.** Marchandise médiocre, de piètre valeur. **2.** Marchandise volée (argot.). 1751 ; prob. *camelotier* (vx), « fabricant d'objets de pacotille » ; [kamlɔt].

**CAMEMBERT,** subst. m.
**1.** Fromage à pâte molle, de forme ronde et plate, fabriqué en Normandie avec du lait de vache : *Un* ***camembert*** *bien fait.* **2.** Anal. Graphique circulaire divisé en parts : *Faire apparaître les résultats d'une élection sur un* ***camembert.*** 1867 ; topon. *Camembert* (Orne) ; [kamɑ̃bɛʀ].

**CAMER (SE),** verbe pronom. [3]
Se droguer (argot.). 1952 ; ☞ *came* (II) ; [kame].

**CAMÉRA,** subst. f.
Appareil de prises de vues permettant d'obtenir des images animées : *La* ***caméra*** *des frères Lumière.* ► ***Caméra vidéo*** : qui utilise la technique de la vidéo. 1838 ; anglo-amér. *movie camera*, « caméra pour films de cinéma », du lat. sc. *camera obscura*, « chambre noire » ; [kameʀa].

**CAMÉRAMAN,** subst. m.
*Audiov.* Opérateur de prises de vues (anglic.). 1919 ; angl. *cameraman*, de *camera*, « caméra », et de *man*, « homme » ; var. *caméraman* (plur. *cameramen*), recomm. off. *cadreur* ; [kameʀaman].

**CAMÉRIER,** subst. m.
**1.** Officier (clerc ou laïque) au service personnel du pape. **2.** Valet de chambre d'un personnage de haut rang. 1671 (1350, économe d'un couvent) ; ital. *cameriere*, de *camera*, « chambre » ; [kameʀje].

**CAMÉRISTE,** subst. f.
**1.** Dame d'honneur, suivante d'une princesse dans les cours d'Espagne, du Portugal ou d'Italie. **2.** Ext. Femme de chambre. 1741 ; esp. *camarista*, de *cámara*, « chambre » ; [kameʀist].

**CAMERLINGUE,** subst. m.
Cardinal exerçant, notamment au nom du Sacré Collège, le pouvoir temporel du pape pendant la vacance du Saint-Siège. 1418 ; ital. *camerlingo*, du germ. *kamerling*, « chambellan » ; [kamɛʀlɛ̃g].

**CAMÉSCOPE,** subst. m. inv.
Caméra vidéo portative intégrant un magnétoscope. V. 1980 ; crois. de *caméra* et de *magnétoscope* ; n. déposé ; [kameskɔp].

**CAMION (I),** subst. m.
**1.** Vx. Charrette, hippomobile ou tirée à bras d'hommes, servant à transporter des marchandises lourdes. **2.** Gros véhicule automobile utilisé pour le transport des marchandises. 1352 ; orig. obsc. ; [kamjɔ̃].

**CAMION (II),** subst. m.
Très petite épingle utilisée pour les travaux d'aiguille délicats. 1496 ; orig. obsc. ; [kamjɔ̃].

**CAMION (III),** subst. m.
Grand vase de forme arrondie dans lequel les peintres mélangent les couleurs. 1845 ; p.-ê. *camion* (I) ; [kamjɔ̃].

**CAMION-CITERNE,** subst. m.
Camion servant à transporter les liquides en vrac. 1949 ; comp. de *camion* (I) et de *citerne* ; plur. *camions-citernes* ; [kamjɔ̃sitɛʀn].

**CAMIONNAGE,** subst. m.
Transport par camion. 1820 ; ☞ *camion* (I) ; [kamjɔnaʒ].

**CAMIONNETTE,** subst. f.
Petit camion automobile. 1922 ; ☞ *camion* (I) ; [kamjɔnɛt].

**CAMIONNEUR,** subst. m.
**1.** Vx. Cheval de trait pour camion hippomobile. **2.** Chauffeur de camion ; personne qui dirige une entreprise de camionnage. 1554 ; ☞ *camion* (I) ; [kamjɔnœʀ].

**CAMISARD,** subst. m.
Protestant des Cévennes insurgé après la révocation de l'édit de Nantes. 1688 ; languedocien *camiso*, « chemise », par réf. à la chemise blanche qu'ils portaient par-dessus leurs vêtements pour être reconnus des leurs lors des émeutes ; [kamizaʀ].

**CAMISOLE,** subst. f.
**1.** Vx. Blouse à manches portée par-dessus la chemise. **2.** Vêtement de nuit féminin (vieilli) : *Elle portait une* ***camisole*** *de flanelle.* **3.** ***Camisole de force*** : chemise à manches fermées qui servait autrefois à neutraliser les malades mentaux au comportement très agité ; au fig. : ***Camisole*** *chimique*, thérapeutique médicamenteuse utilisée pour apaiser les malades agités. 1547 ; prov. *camisola*, de *camisa*, « chemise » ; [kamizɔl].

**CAMOMILLE,** subst. f.
*Bot.* Plante herbacée aromatique de la famille des Astéracées, herbe à tisane ou plante médicinale selon les espèces. 1365 ; lat. médiév. *camomilla*, du lat. *chamaemelon*, du gr. *khamaimêlon*, « pomme du sol » ; [kamɔmij].

**CAMOUFLAGE,** subst. m.
**1.** Action de camoufler ; son résultat. **2.** *Télécomm.* Codage d'un message radio ou téléphonique. 1887 ; ☞ *camoufler* ; [kamuflaʒ].

**CAMOUFLER,** verbe trans. [3]
**1.** Déguiser, falsifier : ***Camoufler** un vin, une voiture volée, des papiers d'identité.* **2.** *Milit.* Dissimuler à la vue : ***Camoufler** un canon sous des branchages.* **3.** Fig. Dissimuler (une erreur, une faute, un comportement) : *Le flatteur **camoufle** ses intentions.* 1836 (1821, se déguiser) ; ☞ *camouflet*, par anal. entre la fumée et l'idée de dissimulation ; [kamufle].

**CAMOUFLET,** subst. m.
**1.** Vx. Facétie qui consistait à souffler une bouffée de fumée au visage de qqn. **2.** Affront, vexation. **3.** *Milit.* Charge explosive souterraine destinée à provoquer un éboulement dans une galerie ennemie. 1611 ; anc. fr. *mouflet*, « souffle », + préf. péj. *ca-* ; [kamuflɛ].

**CAMP,** subst. m.
**1.** *Milit.* Espace clos et protégé où stationnent, à titre provisoire ou permanent, des troupes militaires : ***Camp** d'instruction* ; ***Camp** retranché*, place forte, avec l'ensemble de ses fortifications ; par méton., les troupes qui y sont installées. **2.** Ext. ▸ Installation de scouts, de campeurs, de nomades : *Un feu de **camp*** ; ***Camp** volant*, installation de fortune, éphémère. ▸ Installation où sont regroupées des personnes internées : ***Camp** de redressement* ; ***Camp** de concentration* (☞ *concentration*). **3.** *Sp.* Partie de terrain que chacune des équipes engagées occupe et défend : *Toute la partie s'est jouée dans le **camp** des bleus* ; par méton., l'équipe elle-même : *Le **camp** des rouges était le plus fort.* **4.** Groupe qui s'affronte à un autre, rivalise avec lui : *Être dans un **camp*** ; *Changer de **camp**.* **5.** Loc. *Lever le **camp*** : partir, s'en aller ; *Ficher le **camp*** : partir rapidement (fam.). Fin XVe s. ; forme norm.-pic. ou prov. de *champ* ; [kɑ̃].

**CAMPAGNARD, ARDE,** adj. et subst.
**Adj.** Qui vit à la campagne : *Gentilhomme **campagnard*** ; de la campagne : *Accent **campagnard*** ; *Buffet **campagnard***, table dressée, garnie de produits du terroir. **Subst.** Habitant de la campagne. 1611 ; ☞ *campagne* ; [kɑ̃paɲaʀ, aʀd].

**CAMPAGNE,** subst. f.
**1.** Vaste étendue de pays sans relief important. **2.** Champs, cultivées, à l'écart des villes : *La **campagne** alsacienne* ; *Pain de **campagne***, fait à la manière paysanne. ▸ Loc. *En rase **campagne*** : à découvert ; *Battre la **campagne*** : la parcourir, l'explorer ou, au fig., divaguer ; *Faire une partie de **campagne*** : passer une journée à la **campagne**. **3.** *Milit.* ▸ Zone servant de théâtre à des opérations de guerre : *Se battre en rase **campagne**.* ▸ Ext. Ensemble des opérations effectuées sur un terrain précis pendant une période limitée : *La **campagne** de Russie.* ▸ Activité des troupes en temps de guerre : *Tenue de **campagne***, tenue du soldat au combat, en manœuvres. ▸ Loc. *Se mettre en **campagne*** : entreprendre une opération de guerre ou, au fig., entreprendre une recherche active. **4.** Ensemble des opérations et des moyens mis en œuvre pendant un temps déterminé, en vue d'obtenir un résultat : ***Campagne** de presse*, opération orchestrée en vue d'alerter ou d'influencer l'opinion ; ***Campagne** électorale*, ensemble des activités de propagande par lesquelles un candidat ou un parti incite les électeurs à voter en sa faveur. **5.** *Mar.* Période d'activité qui s'écoule entre le départ d'un bateau et son retour au port : ***Campagne** du thon.* 1536 ; forme norm.-pic. de l'anc. fr. *champa(i)gne* ; [kɑ̃paɲ].

**CAMPAGNOL,** subst. m.
*Zool.* Petit rongeur fouisseur de la famille des Microtidés, qui inflige de graves dommages aux cultures. 1758 ; ital. *campagnoli*, « de la campagne » ; [kɑ̃paɲɔl].

**CAMPANE,** subst. f.
**1.** Vx. Clochette attachée au cou des bestiaux. **2.** *Archit.* Chapiteau en forme de cloche renversée. Fin XIIe s. ; bas lat. *campana*, « cloche » ; [kɑ̃pan].

**CAMPANIEN (I), IENNE,** adj. et subst.
De Campanie. **Subst. masc.** Dialecte parlé en Campanie. 1732 ; topon. *Campanie* ; [kɑ̃panjɛ̃, jɛn].

**CAMPANIEN (II), IENNE,**
**subst. m. et adj.**
*Géol.* Qualifie ou désigne un étage du Crétacé supérieur défini en Champagne-de-Saintonge. 1857 ; topon. *Champagne* ; [kɑ̃panjɛ̃, jɛn].

**CAMPANILE,** subst. m.
**1.** Clocher attenant à une église. **2.** Petite construction surmontant un bâtiment, destinée à abriter des cloches ou une horloge. 1586 ; ital. *campanile*, « clocher » ; [kɑ̃panil].

**CAMPANULACÉES,** subst. f. plur.
*Bot.* Famille de plantes dicotylédones dont les fleurs, aux pétales soudés, ont la forme d'une petite cloche. **Au sing.** *La raiponce est une **campanulacée**.* 1809 ; ☞ *campanule* ; [kɑ̃panylase].

**CAMPANULE,** subst. f.
*Bot.* Plante herbacée type de la famille des Campanulacées, dont les fleurs en forme de clochettes sont bleues, violettes ou blanches. 1694 ; lat. médiév. *campanula*, « petite cloche » ; [kɑ̃panyl].

**CAMPÉ, ÉE,** adj.
**1.** Solidement établi : *Elle était **campée** sur ses jambes.* **2.** Ext. *Jeune femme bien **campée*** : bien bâtie. **3.** Fig. *Personnage bien **campé*** : présenté, décrit avec force. 1690 ; p. p. de *camper* ; [kɑ̃pe].

**CAMPÊCHE,** subst. m.
*Bot.* Arbre d'Amérique centrale de la famille des Césalpiniacées, qui fournit un bois dur dit bois de **campêche**, dont on extrait un colorant rouge servant à teinter de mauvais vins. 1603 ; topon. *Campeche* (Mexique) ; [kɑ̃pɛʃ].

**CAMPEMENT,** subst. m.
**1.** Action de camper. **2.** Méton. Ensemble des aménagements, des équipements du lieu où l'on campe : *Un **campement** de toile* ; ce lieu lui-même ; bivouac : *Un **campement** de Gitans.* **3.** Ext. Installation de fortune, temporaire. 1584 ; ☞ *camper* ; [kɑ̃pmɑ̃].

**CAMPER,** verbe [3]
**Trans. 1.** Établir dans un camp (vieilli) : ***Camper** une armée.* **2.** Ext. Mettre en place, poser (qqch.) avec détermination : ***Camper** son chapeau sur sa tête.* **3.** Représenter, figurer avec force et netteté : ***Camper** un personnage, un récit.* **Pronom.** Se dresser avec hardiesse : *Il se **campa** devant la porte pour en interdire l'accès.* **Intrans. 1.** *Milit.* S'installer dans un camp, en parlant de troupes en campagne ; par ext., bivouaquer : *Ils **campèrent** sur les rives du fleuve.* **2.** Faire du camping. **3.** Fig. S'installer temporairement : *Arrivés à l'improviste, ils durent **camper** dans le salon.* 1465 ; ☞ *camp* ; [kɑ̃pe].

**CAMPEUR, EUSE,** subst.
Personne qui fait du camping. 1933 ; ☞ *camper* ; [kɑ̃pœʀ, øz].

**CAMPHRE,** subst. m.
*Chim.* **1.** Essence blanche, semi-transparente, à l'odeur très marquée, extraite du camphrier, utilisée comme antimite ou pour aromatiser des onguents, des pommades. **2.** Anal. Substance aux propriétés voisines extraite de la menthe (**camphre** de menthe ou menthol) ou du thym (**camphre** du thym ou thymol). XIIIe s. ; lat. médiév. *camphora*, de l'ar. *kāfūr* ; [kɑ̃fʀ].

**CAMPHRÉ, ÉE,** adj. et subst. f.
**Adj. 1.** Vx. Alcoolisé (pop.). **2.** Qui renferme du camphre : *Huile **camphrée**.* **3.** Qui provient du camphre ; qui l'évoque : *Odeur **camphrée**.* **Subst.** *Bot.* Nom usuel du camphorosma, plante dont les feuilles dégagent une odeur de camphre quand on les froisse. 1564 ; *camphrer* (vx), « mêler de camphre » ; [kɑ̃fʀe].

**CAMPHRIER,** subst. m.
*Bot.* Arbre de la famille des Lauracées, qui fournit le camphre vrai. 1751 ; ☞ *camphre* ; [kɑ̃fʀije].

**CAMPING,** subst. m.
**1.** Manière de visiter un pays, une région ou de passer des vacances installé en plein air, en dormant sous une tente. **2.** Méton. Terrain réservé et aménagé pour les campeurs. 1905 ; angl. *camping*, « fait de loger dans un camp ; campement » ; [kɑ̃piŋ].

**CAMPING-CAR,** subst. m.
Camionnette aménagée pour le camping. V. 1970 ; comp. de *camping* et de l'angl. *car*, « automobile » ; plur. *camping-cars*, recomm. off. *auto-caravane* ; [kɑ̃piŋkaʀ].

**CAMPING-GAZ,** subst. m. inv.
Petit réchaud au gaz butane. V. 1960 ; comp. de *camping* et de *gaz* ; n. déposé ; [kɑ̃piŋgɑz].

**CAMPOS,** subst. m.
Répit, délassement accordé pendant une activité (fam. et vieilli) : *Il leur donna **campos**.* XVe s. ; argot lat. des écoliers *campos dare, habere*, « donner, avoir la permission d'aller aux champs » ; var. *campo* ; [kɑ̃po].

**CAMPUS,** subst. m.
Large espace, quelquefois verdoyant, où sont répartis les bâtiments de la vie universitaire. 1958 ; lat. *campus*, « large espace, place » ; [kɑ̃pys].

**CAMUS, USE,** adj. et subst.
**Adj.** Qui a le nez court et plat (synon. *camard*) ; par ext. : *Un nez **camus**.* **Subst. masc.** Nom vulgaire du dauphin (pop.). **Subst. fém.** *La **Camuse*** : la Mort (fam.). 1221 ; p.-ê. anc. prov. *camus*, « niais » ; [kamy, yz].

**CANADA,** subst. f.
Pomme reinette, rouge ou grise. 1873 ; topon. *Canada* ; plur. *canada(s)* ; [kanada].

**CANADAIR,** subst. m. inv.
Avion muni de réservoirs d'eau, utilisé dans la lutte contre les incendies de forêt. V. 1970 ; n. déposé ; [kanadɛʀ].

**CANADIANISME,** subst. m.
*Ling.* Idiotisme propre au français tel qu'il est parlé au Canada. 1930 ; angl. *canadianism*, « idiome propre aux Canadiens, en partic. aux Canadiens français » ; [kanadjanism].

**CANADIEN, IENNE,** adj. et subst.
Du Canada. 1732 ; topon. *Canada* ; [kanadjɛ̃, jɛn].

**CANADIENNE,** subst. f.
**1.** Charrue munie de plusieurs petits socs. **2.** Canoë aux extrémités relevées. **3.** Petite tente, plus longue que haute. **4.** Veste de toile doublée de peau de mouton. 1925 ; ☞ *canadien* ; [kanadjɛn].

**CANAILLE,** subst. f. et adj.
**Subst. 1.** Coll. Ensemble des personnes jugées méprisables, dans une ville, un groupe social (vieilli) : *Les gueux et la **canaille** se retrouvaient à la cour des Miracles.* **2.** Personne dénuée d'honnêteté, fripouille, gredin : *Il n'y a de la vei que pour les **canailles*** ; enfant importun (fam.) : *Petite **canaille** !* **Adj.** Vulgaire, effronté, provoquant : *Un sourire **canaille**.* Fin XVe s. ; ital. *canaglia*, « troupe de chiens » ; [kanɑj].

**CANAILLERIE,** subst. f.
**1.** Caractère et comportement d'une canaille. **2.** Acte méprisable, malhonnête. 1821 ; ☞ *canaille* ; [kanɑjʀi].

**CANAL,** subst. m.
**1.** Vx. Lit d'une rivière. **2.** Voie navigable artificielle : *Le Grand **Canal** de Venise* ; *Le **canal** de Suez* ; par anal., bras de mer étroit : *Le **canal** de Mozambique.* **3.** Ext. Toute voie, naturelle ou artificielle, permettant le passage d'un fluide : *Un **canal** d'adduction d'eau.* **4.** Fig. Moyen d'acheminement d'une information : *J'ai appris votre arrivée par le **canal** de la rumeur publique.* **5.** *Anat.* Nom de divers conduits tubulaires assurant des fonctions de circulation ou d'excrétion : *Le **canal** thoracique* ; *Les **canaux** biliaires* ; *Le **canal** rachidien*, formé par la superposition des trous vertébraux, et où est logée la moelle épinière. **6.** *Audiov.* Domaine des fréquences utilisées par un émetteur. Déb. XIIe s. ; lat. *canalis*, « conduite d'eau » ; plur. *canaux* ; [kanal], plur. [-no].

**CANALICULE,** subst. m.
*Anat.* Petit canal, ramification d'un canal plus important : *Les **canalicules** biliaires.* 1820 ; ☞ *canal* ; [kanalikyl].

**CANALISATION,** subst. f.
**1.** Action de canaliser. **2.** Structure tubulaire servant au transport à distance de liquides, de substances énergétiques ; conduite, oléoduc : ***Canalisation** d'eau, de pétrole.* 1823 ; ☞ *canaliser* ; [kanalizasjɔ̃].

**CANALISER,** verbe trans. [3]
**1.** Aménager (un cours d'eau) pour le rendre navigable. **2.** Équiper (une région, un pays) d'un système de canaux. **3.** Fig. Orienter dans un sens déterminé ; drainer : ***Canaliser** les clients* ; ***Canaliser** des informations.* 1829 ; ☞ *canal* ; [kanalize].

**CANANÉEN, ÉENNE,** subst. et adj.
Du pays de Canaan. **Subst. masc.** Groupe de langues sémitiques qui comprend l'ougaritique, le moabite, le phénicien et l'hébreu. Déb. XIIIe s. ; topon. *Canaan* ; [kananeɛ̃, eɛn].

**CANAPÉ,** subst. m.
**1.** Large siège pourvu d'un dossier et gén. d'accoudoirs, où plusieurs personnes peuvent prendre place. ► *Canapé-lit* : pouvant se convertir en lit. **2.** *Cuis.* Petite tranche de pain sur laquelle on dispose différents mets. 1648 ; lat. *conopeum*, « moustiquaire », du gr. *kônôps*, « moustique » ; [kanape].

**CANAQUE,** subst. et adj.
Se dit des autochtones de Nouvelle-Calédonie. **Adj.** Relatif à cette population. 1867 ; hawaïen *kanaka*, « homme » ; var. *kanak*, *ake* ; [kanak].

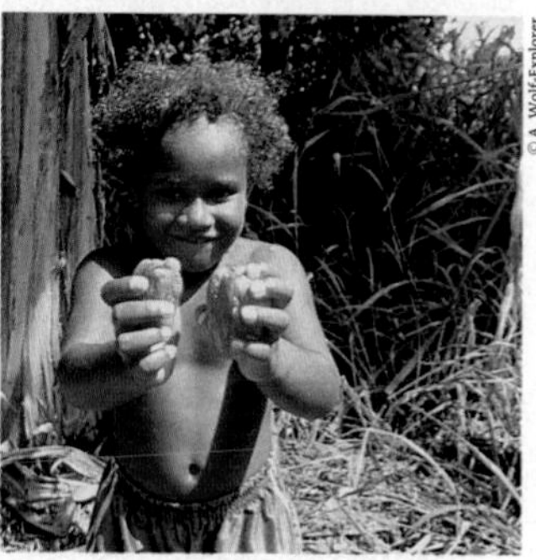
© A. Wolf-Explorer

*Petit garçon **canaque** au milieu de la végétation néo-calédonienne.*

**CANAR,** subst. m.
*Mines.* Tube où circule l'air puisé dans les galeries pour ventiler les culs-de-sac. 1905 ; lat. *canalis*, « tube, tuyau » ; [kanaʀ].

**CANARD,** subst. m.
**1.** *Zool.* Oiseau palmipède, au bec jaune assez large, bon voilier et bon nageur, de la famille des Anatidés. Le **canard** commun, ou **canard** colvert, est la souche sauvage, migratrice, du groupe ; le **canard** de Barbarie, ou **canard** musqué, est l'espèce domestique, recherchée pour sa chair ; le **canard** mandarin, originaire de Chine, fut introduit en Europe v. 1830. ► En appos. *Bois **canards*** : morceaux de bois flottés qui restent dans l'eau ; *Bleu **canard*** : bleu foncé tirant sur le vert ; *Chien **canard*** : chien dressé pour la chasse dans les marais. **2.** Loc. *Marcher comme un **canard*** : en se dandinant ; *Mon petit **canard*** : appellation affectueuse ; ***Canard** boiteux* : se dit d'un animal ou d'une personne qui se distingue par quelque anomalie, ou d'une entreprise devenue difficilement gérable. **3.** Morceau de sucre trempé dans du café ou de l'alcool (fam.). **4.** *Journ.* Fausse nouvelle parue dans la presse ; par ext., journal sans grande valeur et peu fiable ; journal. **5.** *Mus.* Son criard, fausse note. XIIIe s. ; prob. orig. onomat. ; [kanaʀ].

© Ph. Prigent-Jacana

*Couple de **canards** colverts ; à droite, le mâle.*

**CANARDEAU,** subst. m.
Jeune canard (synon. *caneton*). 1547 ; ☞ *canard* ; [kanaʀdo].

**CANARDER,** verbe [3]
**Trans.** Faire feu sur (qqn) à partir d'une position abritée, comme à la chasse au canard (fam.) : *Ils **canardaient** tous ceux qui voulaient passer le pont.* **Intrans.** *Mar.* Embarquer de l'eau par l'avant, en parlant d'un navire qui tangue. XVIe s. ; ☞ *canard* ; [kanaʀde].

**CANARDIÈRE,** subst. f.
**1.** Mare où l'on élève des canards. **2.** Lieu aménagé pour prendre des canards au filet, sur un étang ou un marais. **3.** Long fusil utilisé pour chasser le canard. **4.** Abri du chasseur de canard. 1665 ; ☞ *canard* ; [kanaʀdjɛʀ].

**CANARI,** subst. m.
*Zool.* Oiseau de couleur jaune, de la famille des Fringillidés, originaire des îles Canaries. ► Empl. adj. inv. De la couleur jaune du **canari** : *Des vestes **canari**.* 1583 ; esp. *canario* ; [kanaʀi].

**CANASSON,** subst. m.
Fam. **1.** Mauvais cheval ; par ext., cheval. **2.** Vieille prostituée. 1866 ; argot *canard*, « mauvais cheval » ; [kanasɔ̃].

**CANASTA,** subst. f.
Jeu de cartes consistant, avec 2 jeux de 52 cartes et 4 jokers, à réaliser des séries de 7 cartes de même valeur. V. 1950 ; hisp.-amér. *canasta*, du lat. *canistrum*, « panier » ; [kanasta].

**CANCAN (I),** subst. m.
Bavardage calomnieux, ragot (gén. au plur.). 1554 ; lat. *quamquam*, « quoique », conj. employée dans les disputes d'école ; [kɑ̃kɑ̃].

**CANCAN (II),** subst. m.
**1.** Danse tapageuse à la mode dans les bals populaires de la seconde moitié du XIXe s. **2.** *French cancan* : nom donné par les Anglais à une danse acrobatique au rythme endiablé présentée dans certains cabarets. 1829 ; ☞ *canard* ; [kɑ̃kɑ̃].

**CANCANER (I),** verbe intrans. [3]
**1.** Faire des cancans. **2.** Pousser son cri, en parlant du canard. Déb. XIXe s. ; ☞ *cancan* (I) ; [kɑ̃kane].

**CANCANER (II),** verbe intrans. [3]
Danser le cancan. 1838 ; ☞ *cancan* (II) ; [kɑ̃kane].

**CANCANIER, IÈRE,** adj. et subst.
Se dit d'une personne qui fait, qui colporte des cancans. 1834 ; ☞ *cancan* (I) ; [kɑ̃kanje, jɛʀ].

**CANCEL,** voir **CHANCEL**

**CANCER,** subst. m.
**1.** *Astron.* *Le **Cancer*** : constellation du zodiaque, située entre les Gémeaux et le Lion, dont les étoiles sont peu brillantes ; le Soleil s'y lève entre le 22 juin et le 22 juillet. **2.** *Astrol.* Quatrième signe du zodiaque, correspondant à cette période ; par méton., personne née sous ce signe. **3.** *Géogr.* *Tropique du **Cancer*** : parallèle du globe terrestre de latitude 23° 26′ N. **4.** *Pathol.* Nom attribué à toutes les tumeurs dites malignes, qui s'étendent rapidement et qui ont tendance à essaimer en diverses parties de l'organisme. ► Fig. Mal sournois. 1372 ; lat. *cancer*, « écrevisse, crabe » ; [kɑ̃sɛʀ].

**MÉDECINE** – L'apparition d'un cancer est liée à l'action d'un agent cancérigène, qui peut être chimique, physique (une radiation, par ex. les rayons ultraviolets), viral, génétique ou immunitaire. Le processus de cancérisation peut se résumer ainsi : l'agent cancérigène est fixé (ou reçu, s'il s'agit d'une radiation) par une cellule ; il modifie un ou plusieurs gènes de l'A. D. N. cellulaire (le ou les gènes modifiés sont nommés oncogènes ou gènes du cancer) ; la cellule porteuse de l'oncogène, devenue cancéreuse, se multiplie anarchiquement, et il en résulte une tumeur ; les cellules cancéreuses se dispersent dans l'organisme, véhiculées par le sang, la lymphe ou tout simplement l'eau de l'organisme, et s'implantent dans un tissu ou dans un organe (os, viscère, par ex.), où elles se multiplient, formant une nouvelle tumeur microscopique, appelée métastase. La coopération internationale, les statistiques, les progrès de la biologie ont permis de mieux comprendre et de mieux décrire les processus cancéreux, et ainsi de perfectionner l'approche thérapeutique.

**CANCÉREUX, EUSE,** adj. et subst.
*Méd.* **Adj.** Qui concerne le cancer : *Une tumeur **cancéreuse**.* **Subst.** Personne atteinte d'un cancer. 1743 ; bas lat. *cancerosus* ; [kɑ̃seʀø, øz].

**CANCÉRIGÈNE,** adj. et subst. m.
*Pathol.* Qualifie ou désigne une substance susceptible de provoquer ou d'aggraver un cancer (synon. *carcinogène*, *oncogène*). V. 1920 ; ☞ *cancer* + *-gène* ; var. *cancérogène* ; [kɑ̃seʀiʒɛn].

**CANCÉRISATION,** subst. f.
*Pathol.* Transformation d'un tissu, d'une tumeur bénigne, de cellules saines en cancer. V. 1920 ; ☞ *cancériser* ; [kɑ̃seʀizasjɔ̃].

**CANCÉRISER,** verbe trans. [3]
*Pathol.* Transformer en cancer. **Pronom.** Se transformer en cancer. V. 1920 ; ☞ *cancer* ; [kɑ̃seʀize].

**CANCÉROGÈNE,** voir **CANCÉRIGÈNE**

**CANCÉROLOGIE,** subst. f.
*Méd.* Science qui étudie les causes et le traitement du cancer (synon. *oncologie*). V. 1920 ; formé de *cancéro-* et de *-logie* ; [kɑ̃seʀɔlɔʒi].

**CANCÉROLOGUE,** subst.
Médecin spécialisé dans l'étude et le traitement du cancer. V. 1920 ; formé de *cancéro-* et de *-logue* ; [kɑ̃seʀɔlɔg].

**CANCOILLOTTE,** subst. f.
Fromage de Franche-Comté. 1881 ; mot franc-comtois ; [kɑ̃kwajɔt].

**CANCRE,** subst. m.
**1.** *Zool.* Crabe tourteau. **2.** Avare ; miséreux (vx) : *Cancres, hères, pauvres diables* (La Fontaine). **3.** Écolier paresseux dont les résultats scolaires sont très mauvais. Fin XIIIe s. ; lat. *cancer* ; [kɑ̃kʀ].

**CANCRELAT,** subst. m.
*Zool.* Autre nom de la blatte. 1704 ; néerl. *kakkerlak*, d'apr. *cancre* ; [kɑ̃kʀəla].

**CANDELA,** subst. f.
Unité de mesure d'intensité lumineuse (symb. : cd). 1949 ; lat. *candela*, « chandelle » ; [kɑ̃dela].

**CANDÉLABRE,** subst. m.
**1.** Chandelier à plusieurs branches : ***Candélabre** en fer forgé* ; par méton. : *Allumer un **candélabre**.* **2.** Haute colonne métallique supportant des foyers lumineux et destinée à l'éclairage de la voie publique (vieilli). **3.** *Archit.* Couronnement représentant une torchère. XIe s. ; lat. *candelabrum*, de *candela*, « chandelle » ; [kɑ̃delabʀ].

**CANDEUR,** subst. f.
**1.** Blancheur, éclat (littér.) : *La **candeur** de l'aube.* **2.** Sincérité d'une âme simple, sans détours ; innocence : *La **candeur** de l'enfance.* **3.** Naïveté de jugement (péj.). Déb. XIVe s. ; lat. *candor* ; [kɑ̃dœʀ].

**CANDI,** adj. m.
**1.** *Sucre **candi*** : épuré, puis liquéfié et transformé en gros cristaux. **2.** *Fruits **candis*** : enveloppés d'une couche de sucre **candi**. 1256 ; ar. *qindīd*, « sucre de canne » ; [kɑ̃di].

**CANDIDAT, ATE,** subst.
Personne qui postule une fonction, un titre ; en partic., personne qui se présente à un examen ou à une élection. 1546 (1284, soldat d'élite) ; lat. *candidatus*, « vêtu de blanc », par réf. à la toge des postulants aux fonctions publiques à Rome ; [kɑ̃dida, at].

**CANDIDATURE,** subst. f.
Fait d'être candidat ; état, situation de candidat. 1825 ; ☞ *candidat* ; [kɑ̃didatyʀ].

**CANDIDE,** adj.
**1.** D'un blanc éclatant (littér.). **2.** Qui montre de la candeur ; ingénu, naïf : *Un ton **candide**.* XVe s. ; lat. *candidus*, « éclatant » ; [kɑ̃did].

**CANDIR,** verbe [19]
**Trans.** **1.** Faire fondre (du sucre) jusqu'à ce qu'il se cristallise. **2.** Enrober de sucre candi. **Intrans.** et **Pronom.** Se cristalliser, en parlant du sucre : *La confiture (se) **candit**.* 1600 ; ☞ *candi* ; [kɑ̃diʀ].

**CANE,** subst. f.
*Zool.* **1.** Canard femelle. **2.** Nom de diverses espèces d'oiseaux aquatiques : *La **cane** sauvage.* Mil. XIVe s. ; ☞ *canard* ; [kan].

**CANEPETIÈRE,** subst. f.
*Zool.* Petite outarde, à pattes fortes et au long cou, de la famille des Otididés. 1547 ; formé de *cane* et de *petière*, de *pet* ; [kanpətjɛʀ].

**CANÉPHORE,** subst. f.
**1.** *Antiq. gr.* Jeune fille qui portait sur sa tête, dans les cérémonies religieuses, une corbeille emplie d'offrandes et d'objets sacrés. **2.** *Archit.* Sculpture de **canéphore**, pouvant servir de support. 1570 ; gr. *kanêphoros*, de *kaneon*, « corbeille », et de *phoros*, « qui porte » ; [kanefɔʀ].

**CANER (I),** verbe intrans. [3]
Céder devant le danger, se dérober comme une cane apeurée (fam.). 1821 ; ☞ *cane* ; [kane].

**CANER (II),** verbe intrans. [3]
Argot. **1.** S'enfuir. **2.** Mourir. 1821 ; ☞ *canne* ; var. *caner* ; [kane].

**CANETIÈRE,** subst. f.
**1.** Ouvrière qui enroule le fil de soie sur les canettes. **2.** Machine qui recharge les canettes. 1867 ; ☞ *canette* (I) ; var. *cannetière* ; [kantjɛʀ].

**CANETON,** subst. m.
Petit du canard. 1530 ; ☞ *canette* (II) ; [kantɔ̃].

**CANETTE (I),** subst. f.
Petite bobine cylindrique sur laquelle on enroule le fil, dans une machine à coudre ou dans la navette d'un métier à tisser. 1260 ; génois *cannetta*, du lat. *canna*, « roseau » ; var. *cannette* ; [kanɛt].

**CANETTE (II),** subst. f.
Petite cane. 1461 ; ☞ *cane* ; [kanɛt].

**CANETTE (III),** subst. f.
Petite bouteille ou boîte métallique (de 20 à 35 cl), contenant gén. de la bière. 1723 (XIIIe s., vase) ; *canne* (vx), « cruche » ; var. *cannette* ; [kanɛt].

**CANEVAS,** subst. m.
**1.** *Text.* Grosse toile empesée et à jour sur laquelle on exécute des tapisseries ou des broderies (gén. en suivant le tracé d'un dessin) ; par méton., l'ouvrage ainsi réalisé : *Encadrer son* ***canevas***. **2.** Anal. Ensemble des points relevés pour établir une carte. **3.** Ext. Esquisse, grandes lignes d'une œuvre, d'un projet ; plan sommaire. 1509 ; crois. de l'anc. fr. *chanevas*, « fait de toile », et de l'anc. pic. *canevach*, du lat. médiév. *canapus*, « chanvre » ; [kanva].

**CANGUE,** subst. f.
Dans l'ancienne Chine, carcan fixé sur les épaules d'un condamné, emprisonnant son cou et ses poignets. 1687 ; port. *canga* ; [kɑ̃g].

**CANICHE,** subst. m.
**1.** Chien barbet à poil frisé. **2.** Personne montrant un empressement obséquieux (péj.). 1743 ; ☞ *cane*, ce chien aimant l'eau ; [kaniʃ].

**CANICULAIRE,** adj.
**1.** Relatif à la canicule. **2.** Ext. Torride. 1478 ; bas lat. *canicularis* ; [kanikylɛʀ].

**CANICULE,** subst. f.
**1.** La saison des grandes chaleurs, pendant laquelle le Soleil et Sirius se lèvent en même temps. **2.** Ext. Forte chaleur : *En pleine* ***canicule*** *seules les fontaines apportaient un peu de fraîcheur*. Fin XVe s. ; lat. *canicula*, « petite chienne », nom donné par les Romains à l'étoile Sirius, du gr. *kuôn*, « chien » ; [kanikyl].

**CANIDÉS,** subst. m. plur.
*Zool.* Famille de mammifères carnivores à laquelle appartiennent notamment les genres *Canis* (chiens, loups, coyotes, chacals, dingos) et *Vulpes* (renards). Les **Canidés** possèdent des griffes non rétractiles, des dents carnassières et broyeuses, et sont dotés d'un encéphale bien développé. AU SING. *Le loup est un* ***canidé***. 1834 ; lat. *canis*, « chien » ; [kanide].

**CANIF,** subst. m.
**1.** Vx. Lame ajustée à un manche pour tailler les plumes. **2.** *Techn.* Lame fine utilisée pour graver. **3.** Ext. Petit couteau à une ou plusieurs lames qui s'escamotent dans le manche. **4.** Loc. *Donner un coup de* ***canif*** *dans le contrat* : être infidèle (fam.). XIIe s. ; anc. bas frq. °*knif*, « couteau » ; [kanif].

**CANIN, INE,** adj.
Qui a rapport au chien : *C'est un lévrier digne d'une exposition* ***canine***. Fin XIVe s. ; lat. *caninus* ; [kanɛ̃, in].

**CANINE,** subst. f.
Dent pointue située entre les molaires et les incisives, bien développée chez les Carnivores. 1541 ; ☞ *canin* ; [kanin].

**CANISSE,** voir **CANNISSE**

**CANITIE,** subst. f.
Blanchiment des cheveux et des poils. XIIIe s. ; lat. *canities* ; [kanisi].

**CANIVEAU,** subst. m.
**1.** Rigole en pente douce ménagée le long d'un trottoir ou d'une chaussée pour faciliter l'écoulement des eaux. **2.** *Bât.* Pierre creusée en son milieu pour permettre l'évacuation des liquides ; élément moulé ayant la même fonction. **3.** *Techn.* Petite tranchée maçonnée renfermant des conduits, des câbles, etc. 1694 ; orig. inc. ; [kanivo].

**CANNABIS,** subst. m.
*Bot.* Plante herbacée à tige dressée, de la famille des Cannabinacées, communément appelée chanvre indien, cultivée pour ses fibres textiles et, dans certaines régions, pour la production de haschisch. 1846 ; lat. *cannabis* ; [kanabis].

**CANNAGE,** subst. m.
Action de canner un siège ; son résultat : *Admirez le* ***cannage*** *de ce fauteuil*. 1872 ; ☞ *canner* (I) ; [kanaʒ].

**CANNAIE,** subst. f.
Plantation de roseaux. Fin XIIe s. ; ☞ *canne* ; [kanɛ].

**CANNE,** subst. f.
**1.** *Bot.* Nom donné à plusieurs espèces de plantes à tige droite, creuse et articulée par intervalles, comme celle du roseau. ▸ ***Canne** à sucre* : espèce tropicale de la famille des Poacées, dont la moelle des tiges contient du saccharose. **2.** Rotin découpé et fendu utilisé pour canner des sièges (gén. au plur.). **3.** Bâton, parfois sculpté et orné, sur lequel on s'appuie en marchant. ▸ ***Canne** blanche* : canne d'aveugle et, par méton., aveugle. ▸ ***Canne**-épée* : dans laquelle est dissimulée une lame. **4.** Anal. Jambe (argot.) : *En avoir plein les* ***cannes***, être fatigué de marcher. **5.** Gaule flexible dont on se sert pour la pêche à la ligne. ▸ *Sp.* Crosse de golf (vieilli). ▸ *Techn.* Long tube métallique utilisé pour souffler le verre. Mil. XIIIe s. ; lat. *canna*, « roseau » ; [kan].

**CANNEBERGE,** subst. f.
*Bot.* Plante de la famille des Éricacées, qui pousse dans les tourbières de montagne et donne un fruit comestible. 1665 ; orig. inc. ; [kanbɛʀʒ].

**CANNELER,** verbe trans. [12]
Orner de cannelures ; empl. adj. : *Les colonnes* ***cannelées*** *des temples antiques*. 1342 ; ☞ *canne* ; [kanle].

**CANNELIER,** subst. m.
*Bot.* Arbre de la famille des Lauracées, dont l'écorce fournit la cannelle. 1575 ; ☞ *cannelle* (I) ; [kanəlje].

**CANNELLE (I),** subst. f.
*Bot.* Écorce, dépourvue de son épiderme, du cannelier, utilisée comme aromate en cuisine. XIIe s. ; ☞ *canne* ; [kanɛl].

**CANNELLE (II),** subst. f.
Robinet en bois d'un tonneau ou d'une cuve. 1496 ; ☞ *canne* ; [kanɛl].

**CANNELLONI,** subst. m.
*Alim.* Pâte roulée en forme de tube et garnie d'une farce. 1918 ; ital. *cannelloni*, « grands tubes », de *canna*, « roseau » ; plur. *cannelloni(s)* ; [kanelɔni] ou [-nɛllɔ-].

**CANNELURE,** subst. f.
**1.** *Archit.* Moulure fine, creuse et longue qui enjolive des éléments architecturaux ou des ouvrages de menuiserie : *Une porte, une colonne à* ***cannelures***. ▸ Anal. Longue entaille qui sillonne une surface. **2.** *Bot.* Strie de la tige de certaines plantes. 1545 ; ital. *cannellatura* ; [kan(ə)lyʀ].

**CANNER (I),** verbe trans. [3]
Garnir le cadre, le dossier de (un siège) en y disposant des tiges de canne ou, par ext., des lanières entrecroisées. 1613 ; ☞ *canne* ; [kane].

**CANNER (II),** voir **CANER (II)**

**CANNETIÈRE,** voir **CANETIÈRE**

**CANNETILLE,** subst. f.
**1.** *Cout.* Fil d'or ou d'argent utilisé en broderie. **2.** *Mus.* Mince fil de laiton disposé en spirale autour de certaines cordes d'instruments. 1535 ; esp. *cañutillo*, du lat. *canna*, « roseau » ; [kantij].

**CANNETTE,** voir **CANETTE (I)** et **(III)**

**CANNEUR,** voir **CANNIER**

**CANNIBALE,** subst. et adj.
Se dit d'une personne anthropophage. ADJ. **1.** Qui est anthropophage : *Une tribu* ***cannibale*** ; par ext., qualifie un animal qui mange des animaux appartenant à la même espèce que lui. **2.** Féroce, cruel : *Un sourire* ***cannibale***. SUBST. MASC. Belg. Toast au steak tartare. 1515 ; esp. *canibal*, de l'arawak *caniba*, « hardi », désignant les Caraïbes antillais ; [kanibal].

**CANNIBALISME,** subst. m.
**1.** Anthropophagie. **2.** Fig. Sauvagerie, férocité. **3.** *Psychanal.* Fantasme lié, selon Freud, au stade oral du développement psychosexuel, et qui s'exprime par le désir de dévorer l'être aimé. 1797 ; ☞ *cannibale* ; [kanibalism].

**CANNIER, IÈRE,** subst.
**1.** Vx. Artisan qui fabrique des cannes. **2.** Celui ou celle qui canne les sièges. 1769 ; ☞ *canne* ; var. *canneur, euse* ; [kanje, jɛʀ].

**CANNISSE,** subst. f.
En Provence, roseau utilisé pour la fabrication de treillis à claire-voie. 1600 ; prov. *canisso*, du bas lat. *cannicius* ; var. *canisse* ; [kanis].

**CANOË,** subst. m.
**1.** Embarcation légère utilisée princ. sur les rivières et manœuvrée à la pagaie. **2.** Activité sportive de ceux qui s'en servent. 1867 ; anglo-amér. *canoe*, de l'esp. *canoa*, de l'arawak des Bahamas ; [kanɔe].

*Un canidé du sud de l'Afrique : le renard du Cap.*

© Clem Haagner-Jacana

*Le canoë, un sport de compétition.*

© Gamma

**CANON (I),** subst. m.
**1.** *Relig.* ▸ Ensemble des règles concernant une foi religieuse ou la discipline qui en découle : *Le **canon** bouddhique* ; en partic., loi de l'Église. ▸ Empl. adj. : *Le droit **canon***, droit interne de l'Église, catholique ou orthodoxe (synon. *canonique*). ▸ ***Canon** des Écritures* : ensemble des textes sacrés reconnus comme canoniques dans les religions juive et chrétienne. ▸ Table servant à calculer certaines dates de fêtes mobiles dans le calendrier grégorien (en partic. celle de Pâques). **2.** Chez les Anciens, liste des auteurs considérés comme des modèles dans un genre ; par ext., ce qui constitue la référence dans un domaine particulier : *Les **canons** de la mode.* **3.** *Mus.* Composition polyphonique dans laquelle toutes les voix chantent la même mélodie en commençant à des moments différents. **4.** *Sculpt.* Norme déterminant les proportions parfaites des figures. ▸ Empl. adj. inv. Superbe, formidable (fam.). Déb. XIIe s. ; lat. *canon*, du gr. *khanôn* ; [kanɔ̃].

**CANON (II),** subst. m.
**I. 1.** Bouche à feu lançant des projectiles lourds (jadis des boulets, de nos jours des obus) ; par méton., l'artillerie : *On fit donner le **canon**.* **2.** Partie en forme de tube d'une arme à feu portative, dans laquelle est guidé le projectile : ***Canon** lisse, rayé* ; *Baïonnette au **canon** !* **3.** *Phys.* ***Canon** à électrons* : dispositif produisant un faisceau d'électrons animés d'une très grande vitesse. **4.** ***Canon** à neige* : appareil permettant de fabriquer de la neige artificielle et de la projeter sur des pistes de ski. **II. 1.** Ruban, dentelle ornant le haut-de-chausses, au genou (vx). **2.** Partie d'une serrure qui guide la tige de la clé. **3.** Partie du membre d'un cheval située entre le genou et le boulet. 1338 (1282, bobine) ; ital. *cannone*, de *canna*, « tuyau » ; [kanɔ̃].

**CAÑON,** voir **CANYON**

**CANONIAL (I), ALE, AUX,** adj.
Établi par les canons de l'Église catholique : *Heures **canoniales***, parties de l'office divin chantées ou lues à diverses heures du jour. XIIe s. ; ☞ *canon* (I) ; [kanɔnjal, o].

**CANONIAL (II), ALE, AUX,** adj.
Relatif aux chanoines. Fin XIIe s. ; lat. *canonicus*, « chanoine » ; var. *canonical, ale, aux* ; [kanɔnjal, o].

**CANONICAT,** subst. m.
**1.** Bénéfice attaché à la fonction de chanoine, de chanoinesse. **2.** Office de chanoine. 1611 ; lat. eccl. *canonicatus*, de *canonicus*, « chanoine » ; [kanɔnika].

**CANONIQUE,** adj.
**1.** *Relig.* Conforme aux canons d'une religion, d'une Église : *Livres **canoniques***, livres de l'Écriture sainte que l'Église catholique reconnaît comme inspirés par Dieu. ▸ *Âge **canonique*** : âge requis par le droit canon pour l'exercice de certaines fonctions ; par ext., âge avancé (iron.). **2.** *Math.* Se dit de la forme naturelle, intrinsèque, de certains objets ou de certaines représentations mathématiques. ▸ *Base **canonique** de $K^n$, où K est un corps* : base du K-espace vectoriel $K^n$ constituée des vecteurs (1, 0, 0..., 0), (0, 1, 0..., 0) ..., (0, 0..., 0, 1). 1321 (1250, droit payé aux évêques en Orient) ; lat. *canonicus*, du gr. *kanonikos*, « relatif aux règles » ; [kanɔnik].

**CANONISATION,** subst. f.
Acte par lequel le pape inscrit une personne au nombre des saints : *Un procès de, en **canonisation**.* Fin XIIIe s. ; ☞ *canoniser* ; [kanɔnizasjɔ̃].

**CANONISER,** verbe trans. [3]
Inscrire au catalogue des saints. XIIIe s. ; lat. chrét. *canonizare*, du gr. *kanonizein*, « régler » ; [kanɔnize].

**CANONISTE,** subst. m.
Expert en droit canon. Déb. XVe s. ; ☞ *canon* (I) ; [kanɔnist].

**CANONNADE,** subst. f.
*Artill.* Succession de coups de canon. 1552 ; prob. ital. *cannonata* ; [kanɔnad].

**CANONNER,** verbe trans. [3]
**1.** *Artill.* Pilonner à coups de canon. **2.** *Mar.* ***Canonner** une voile* : l'enrouler. 1534 ; ☞ *canon* (II) ; [kanɔne].

**CANONNIER,** subst. m.
Artilleur affecté au service des canons. 1383 (1382, fabricant de canons) ; ☞ *canon* (II) ; [kanɔnje].

**CANONNIÈRE,** subst. f.
*Mar.* Petit bâtiment de guerre équipé de canons : *Une **canonnière** fluviale.* 1834 (déb. XVe s., meurtrière) ; ☞ *canon* (II) ; [kanɔnjɛʀ].

**CANOPE,** subst. m.
*Antiq.* Dans l'ancienne Égypte, urne funéraire dans laquelle étaient conservées les entrailles d'une momie et dont le couvercle représentait la tête d'une divinité ; empl. adj. : *Vase **canope**.* 1838 ; topon. gr. *Kanôbos*, ville d'Égypte ; [kanɔp].

© Giraudon

***Canope**, terre cuite étrusque (VIe s. av. J.-C.). Musée du Louvre, Paris.*

**CANOT,** subst. m.
Embarcation légère, sans pont, mue à la rame, à la voile ou par un moteur gén. hors-bord. 1519 ; esp. *canoa*, de l'arawak des Bahamas ; [kano].

**CANOTAGE,** subst. m.
Action de canoter. 1843 ; ☞ *canoter* ; [kanɔtaʒ].

**CANOTER,** verbe intrans. [3]
Naviguer, se promener en canot, en barque. Mil. XIXe s. ; ☞ *canot* ; [kanɔte].

**CANOTEUR, EUSE,** subst.
Personne qui s'adonne au canotage. XXe s. ; ☞ *canoter* ; [kanɔtœʀ, øz].

**CANOTIER, IÈRE,** subst.
Vx. Canoteur. MASC. **1.** Marin assurant la manœuvre d'un canot. **2.** Chapeau de paille à fond plat, porté à l'origine par les canoteurs. Fin XVIe s. ; ☞ *canot* ; [kanɔtje, jɛʀ].

**CANTABILE,** subst. m. et adj.
*Mus.* Se dit d'un morceau joué de manière lente et expressive ; empl. adv. : *Jouer **cantabile**.* 1757 ; ital. *cantabile*, « aisé à chanter », du bas lat. *cantabilis*, « digne d'être chanté » ; [kɑ̃tabile].

**CANTAL,** subst. m.
Fromage de lait de vache, à pâte pressée non cuite, fabriqué en Auvergne. 1643 ; topon. *Cantal* ; plur. *cantals* ; [kɑ̃tal].

**CANTALOUP,** subst. m.
Melon sphérique, aux côtes saillantes, dont la chair orangée est très sucrée. 1703 ; prob. topon. *Cantalupo*, localité proche de Rome ; [kɑ̃talu].

**CANTATE,** subst. f.
*Mus.* Pièce profane ou sacrée, chantée à une ou à plusieurs voix avec accompagnement instrumental. 1703 ; ital. *cantata*, de *cantare*, « chanter » ; [kɑ̃tat].

**CANTATRICE,** subst. f.
Interprète féminine de chant classique ou d'opéra. 1762 ; ital. *cantatrice*, du lat. *cantatrix* ; [kɑ̃tatʀis].

**CANTER,** subst. m.
**1.** *Turf.* Galop d'allure réduite d'un cheval à l'entraînement ou se rendant au départ d'une course. **2.** Ext. Course d'entraînement. 1862 ; angl. *canter*, du topon. *Canterbury*, par réf. à l'allure lente des chevaux des pèlerins ; [kɑ̃tɛʀ] ou [-tœʀ].

**CANTHARIDE,** subst. f.
*Zool.* Coléoptère vert doré, aux élytres courts, de la famille des Méloïdés, aussi appelé mouche d'Espagne. 1314 ; lat. *cantharis*, du gr. *kantharis* ; [kɑ̃taʀid].

**CANTILÈNE,** subst. f.
**1.** *M. Â.* Poème chanté, lyrique ou épique : *La « **Cantilène** de sainte Eulalie » (v. 880) est le plus ancien poème en langue française.* **2.** Ext. Court poème d'inspiration lyrique ; complainte chantée ; mélodie évoquant celle d'une complainte. Fin XVe s. ; lat. *cantilena*, « petit chant, refrain » ; [kɑ̃tilɛn].

**CANTINE,** subst. f.
**1.** Coffre, malle solide contenant les effets et objets d'une personne, en partic. d'un militaire. **2.** *Milit.* Cuisine et lieu de distribution des vivres d'une troupe en campagne. ▸ Ext. Service assurant les repas d'une collectivité ; réfectoire. 1680 ; ital. *cantina*, « cave, cellier » ; [kɑ̃tin].

© Giraudon

*Périssoires, peinture de Gustave Caillebotte (1848-1894). Ces **canots**, étroits comme des pirogues, chaviraient facilement. Musée des Beaux-Arts et d'Archéologie, Rennes.*

**CANTINIER, IÈRE,** subst.
Personne qui tient une cantine. 1762 ; ☞ *cantine* ; [kɑ̃tinje, jɛʀ].

**CANTIQUE,** subst. m.
Chant d'action de grâces, hymne : *Le **Cantique** des **cantiques**, dans la Bible.* Déb. XIIe s. ; lat. *canticum*, « chant » ; [kɑ̃tik].

**CANTON,** subst. m.
**1.** Subdivision administrative d'un département français, regroupant plusieurs communes, instaurée en 1789. **2.** Au Canada, division cadastrale de 259 $km^2$. **3.** En Suisse, chacun des vingt-trois États formant la Confédération. **4.** *Ch. de fer.* Partie d'une voie ferrée relevant d'une brigade de cheminots. **5.** *Hérald.* Pièce carrée occupant l'angle dextre ou senestre d'un écu. Mil. XIIIe s. ; anc. prov. *canton*, « coin, angle » ; [kɑ̃tɔ̃].

**CANTONADE,** subst. f.
**1.** Vx. Chacun des deux côtés d'une scène de théâtre, appelés côté jardin (à gauche) et côté cour (à droite). **2.** Ext. Coulisses d'un théâtre. ▸ Loc. *Parler à la **cantonade*** : vers les coulisses, ou, au fig., sans s'adresser à une personne précise. 1694 (1455, angle de deux rues) ; prov. *cantonada*, « angle » ; [kɑ̃tɔnad].

**CANTONAL, ALE, AUX,** adj.
Relatif à un canton. ▸ *Élections **cantonales*** ou, empl. subst. fém., *Les **cantonales*** : en France, élections des conseils généraux. ▸ *Gouvernement **cantonal*** : en Suisse, gouvernement de chacun des États de la Confédération. 1817 ; ☞ *canton* ; [kɑ̃tɔnal, o].

**CANTONNEMENT,** subst. m.
**1.** *Milit.* Installation provisoire (parfois chez l'habitant) des troupes ; campement. **2.** Méton. Lieu où bivouaquent ces troupes. **3.** *Dr.* Limitation judiciaire, réserve relative aux droits d'un créancier. Déb. XVIIIe s. ; ☞ *cantonner* ; [kɑ̃tɔnmɑ̃].

**CANTONNER,** verbe [3]
TRANS. **1.** Installer (des troupes) quelque part, leur faire prendre un cantonnement. **2.** Isoler, maintenir dans certaines limites : ***Cantonner** des malades contagieux* ; au fig., limiter l'activité de (qqn) à un domaine déterminé. INTRANS. Être établi : *Un détachement blindé **cantonnait** près du village.* PRONOM. **1.** S'isoler dans un lieu : *L'alchimiste se **cantonnait** dans son laboratoire.* **2.** Fig. S'occuper exclusivement de qqch. : *Il se **cantonnait** dans l'étude du latin.* Mil. XIVe s. ; ☞ *canton* ; [kɑ̃tɔne].

**CANTONNIER,** subst. m.
**1.** Ouvrier qui travaille à l'entretien de la voirie : *Un **cantonnier** municipal.* **2.** *Ch. de fer.* Ouvrier chargé de maintenir en état un canton de voie ferrée. 1832 (1628, prisonnier) ; ☞ *canton* ; [kɑ̃tɔnje].

**CANTONNIÈRE, subst. f.**
**1.** Vx. Draperie garnissant les colonnes du pied d'un lit à baldaquin. **2.** Tenture encadrant le haut d'une fenêtre et cachant la partie supérieure des rideaux. **3.** Renfort métallique disposé à chaque angle d'une malle. 1603 (XVIe s., ce qui garnit les coins de qqch.) ; *canton* (vx), « coin » ; [kɑ̃tɔnjɛʀ].

**CANULAR, subst. m.**
**1.** Dans le langage des normaliens, brimade infligée par les anciens aux nouveaux (argot.). **2.** Ext. Fausse information, mystification. 1883 ; apocope de *canularium*, latinisation plaisante de *canuler* ; [kanylaʀ].

**CANULE, subst. f.**
*Méd.* Petit tuyau, souple ou rigide, que l'on introduit dans un orifice (naturel ou artificiel) ou dans une cavité de l'organisme pour y pratiquer une injection, un drainage, un lavage, etc. XVe s. (1314, petit roseau) ; lat. *cannula*, « petit roseau » ; [kanyl].

**CANULER, verbe trans.** [3]
**1.** Ennuyer par des propos réitérés (pop.) : *Cesse de me **canuler** avec tes radotages !* **2.** Mystifier par un canular (argot.). 1830 ; ☞ *canule* ; [kanyle].

**CANUT, USE, subst.**
Ouvrier, ouvrière qui tissait la soie dans les fabriques lyonnaises : *La révolte des **canuts** lyonnais, en 1831.* 1831 ; p.-ê. *canette* (I) ; [kany, yz].

**CANYON, subst. m.**
**1.** *Géogr.* Gorge étroite et profonde creusée par un cours d'eau dans un massif rocheux : *Le **canyon** du Verdon.* **2.** *Géomorph.* Vallée sous-marine longue et étroite qui entaille profondément le talus continental entre 200 et 4 000 m, dans le prolongement d'une vallée fluviatile (le **canyon** du Zaïre) ou non (le Gouf de Capbreton). 1877 ; esp. *cañon*, prob. de *calle*, « route », du lat. *callis*, « sentier » ; var. *cañon* ; [kanjɔ̃] ou [-jɔn].

**CANZONE, subst. f.**
**1.** *Litt.* Poème lyrique italien composé de stances égales, sauf la dernière, plus courte. **2.** *Mus.* ▸ Chant polyphonique italien, de caractère populaire. ▸ Composition pour instruments, née de ce chant. Fin XVIIIe s. ; ital. *canzone*, du lat. *cantio*, « chant » ; plur. *canzoni* ou *canzones* ; [kɑ̃dzɔne].

**CAOUA, subst. m.**
Café (pop.). 1863 ; ar. *qahwa* ; [kawa].

**CAOUANNE, subst. f.**
*Zool.* Nom usuel des tortues géantes des mers tropicales, de la famille des Chélonidés. 1643 ; mot caraïbe ; var. *caouane* ; [kawan].

**CAOUTCHOUC, subst. m.**
**1.** Gomme élastique et imperméable provenant de la coagulation du latex, sécrétion récoltée par la saignée de certains arbres, en partic. de l'hévéa : *Des bottes en **caoutchouc**.* ▸ ***Caoutchouc** synthétique* : élastomère produit par la polymérisation de molécules d'hydrocarbures. **2.** Méton. Objet de **caoutchouc** ou garni de **caoutchouc** ; élastique ; vêtement imperméable. **3.** *Bot. Arbre à **caoutchouc*** : arbre originaire d'Amérique tropicale et du Sud-Est asiatique, dont une espèce, *Ficus elastica*, a été introduite en Europe comme plante d'appartement. 1736 ; langue indienne du Pérou ; [kautʃu].

**CAOUTCHOUTER, verbe trans.** [3]
Recouvrir, enduire de caoutchouc : ***Caoutchouter** une toile.* 1844 ; ☞ *caoutchouc* ; [kautʃute].

**CAOUTCHOUTEUX, EUSE, adj.**
Dont l'aspect ou la consistance rappelle le caoutchouc. 1908 ; ☞ *caoutchouc* ; [kautʃutø, øz].

**CAP, subst. m.**
**1.** Vx. Tête. ▸ Loc. *Équipé de pied en **cap*** : complètement. **2.** *Géogr.* Pointe de terre qui s'avance dans la mer : *Le **cap** Horn.* ▸ Fig. Étape difficile ou déterminante : *Elle a passé le **cap** de la trentaine.* **3.** *Mar.* Direction de la proue d'un navire : *Mettre le **cap** sur Valparaiso* ; *Tenir le **cap** N.-N.-O.* ▸ Fig. Orientation, ligne : *Le changement de **cap** du gouvernement.* XIVe s. ; anc. prov. *cap*, « tête » ; [kap].

**CAPABLE, adj.**
**1.** Qui peut faire ou ressentir qqch. : *Il est **capable** de courir très vite* ; *Être **capable** de bons sentiments.* **2.** Compétent, habile : *Un employé **capable** et honnête.* **3.** *Dr.* Qui remplit les conditions requises par la loi pour exercer certains droits : *Un enfant n'est pas **capable** juridiquement.* **4.** *Géom. Arc **capable**, relatif à un angle* $\alpha$ *et à deux points A et B* : ensemble des points M du plan tels que l'angle orienté (MA, MB) soit constant et égal à $\alpha$, arc de cercle

© F. Gohier-Jacana

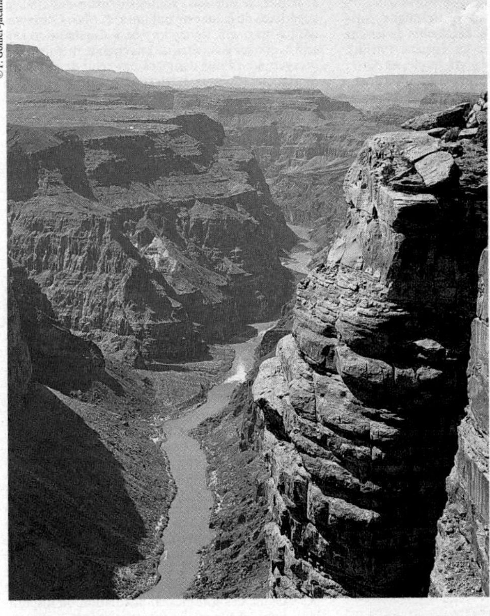

*Le Grand **Canyon** du Colorado (États-Unis).*

d'extrémités A et B. Mil. XIVe s. ; lat. chrét. *capabilis*, du lat. *capere*, « prendre, recevoir, contenir » ; [kapabl].

**CAPACITAIRE, adj. et subst. m.**
ADJ. *Suffrage **capacitaire*** : dans un système censitaire, droit de vote accordé à des citoyens ne pouvant pas payer l'impôt minimal mais possédant un niveau d'instruction reconnu. SUBST. Personne titulaire d'une capacité en droit ou préparant ce diplôme. 1834 ; ☞ *capacité* ; [kapasitɛʀ].

**CAPACITÉ, subst. f.**
**I. 1.** Contenance d'un récipient : *Le litre est une mesure de **capacité**.* **2.** *Spéc.* ▸ *Phys. **Capacité** d'un accumulateur* : quantité d'électricité qu'il peut restituer lors de sa décharge. ▸ *Physiol. **Capacité** crânienne* : volume de la boîte crânienne ; ***Capacité** pulmonaire* ou ***Capacité** vitale* : volume d'air maximal que les poumons peuvent contenir entre une inspiration et une expiration. **II. 1.** Aptitude à faire ou à ressentir qqch. : *Faire preuve d'une grande **capacité** de travail.* **2.** Compétence, talent (souv. au plur.) : *Répartir les tâches selon les **capacités** de chacun.* **3.** ***Capacité** en droit* : diplôme délivré à des étudiants non bacheliers après deux années d'études de droit. **4.** *Dr.* Aptitude légale à exercer certains droits : *Les aliénés ne disposent pas de la **capacité** civile.* 1314 ; lat. *capacitas* ; [kapasite].

**CAPARAÇON, subst. m.**
**1.** *Hist.* Armure, housse d'ornement dont on couvrait les chevaux : ***Caparaçon** de tournoi.* **2.** Anal. Couverture protégeant le cheval des intempéries et des insectes. 1498 ; anc. esp. *caparazón*, p.-ê. de *capa*, « manteau » ; [kapaʀasɔ̃].

**CAPARAÇONNER, verbe trans.** [3]
Recouvrir d'un caparaçon. PRONOM. Se protéger, s'endurcir : *Se **caparaçonner** contre la calomnie.* 1546 ; ☞ *caparaçon* ; [kapaʀasɔne].

**CAPE (I), subst. f.**
**1.** Vêtement de dessus plus ou moins long, ample et sans manches, avec ou sans capuchon. **2.** Court manteau de cérémonie, porté sur les épaules : ***Cape** de renard bleu.* **3.** Anal. ▸ Pièce d'étoffe, rouge ou rose, avec laquelle le torero excite le taureau dans l'arène. ▸ Feuille de tabac enveloppant un cigare. **4.** Loc. *Roman, film de **cape** et d'épée* : qui conte des aventures chevaleresques ; *Rire sous **cape*** : à la dérobée, discrètement. Mil. XVe s. ; prov. *capa* ; [kap].

*Chevalier montant un cheval richement **caparaçonné**, miniature (XIVe s.). Musée Condé, Chantilly.*

© Giraudon

**CAPE (II), subst. f.**
*Mar.* Manœuvre de gros temps consistant à placer un bateau en travers du vent, voilure ou vitesse réduite, pour le faire dériver : *Prendre la **cape**.* 1484 ; norm. *cape*, « manteau ; grande voile » ; [kap].

**CAPELAGE, subst. m.**
*Mar.* Ensemble des boucles des manœuvres disposées autour de la tête d'un mât ou à l'extrémité d'une vergue ; par méton., point de la vergue où se fixe le **capelage**. 1771 ; ☞ *capeler* ; [kaplaʒ].

**CAPELAN, subst. m.**
*Zool.* **1.** Poisson de mer de la famille des Gadidés, osseux et de couleur grisâtre, appelé morue en Méditerranée. **2.** Petit salmonidé de l'Atlantique abondant près de Terre-Neuve, utilisé comme appât pour la pêche à la morue. 1525 ; anc. prov. *capelan*, « curé », du lat. médiév. *cappellanus*, « chapelain » ; [kaplɑ̃].

**CAPELER, verbe trans.** [12]
*Mar.* Garnir (une vergue) d'un capelage ; par ext., entourer avec une boucle. 1687 ; *capel* (vx), du bas lat. *cappellus*, « coiffe » ; [kaple].

**CAPELET, subst. m.**
*Vétér.* Tumeur qui se développe à la pointe du jarret du cheval. 1678 ; prov. *capelet*, « chapelet » ; [kaplɛ].

**CAPELINE,** subst. f.
**1.** Vx. *Milit.* Casque muni d'un couvre-nuque, porté autrefois par les fantassins. **2.** Ext. Coiffe de femme descendant sur la nuque et les épaules (vieilli). **3.** Chapeau de femme à large bord souple. 1367 ; anc. prov. *capelina*, « casque de fer » ; [kaplin].

**CAPELLA (A),** voir **A CAPPELLA**

**CAPÉTIEN, IENNE,** adj. et subst.
De la dynastie des Capétiens, descendants d'Hugues Capet. **Adj.** Relatif à cette dynastie et à son époque. XIVe s. ; anthropon. *Capet* ; [kapesjɛ̃, jɛn].

**CAPEYER,** verbe intrans. [3]
*Mar.* Prendre la cape ; rester à la cape. 1484 ; ☞ *cape* (II) ; [kapeje].

**CAPHARNAÜM,** subst. m.
Lieu où s'entassent pêle-mêle des objets très divers ; désordre. 1833 (1649, prison) ; topon. biblique *Capharnaüm* (Galilée) ; [kafaʀnaɔm].

**CAP-HORNIER,** subst. m.
**1.** Grand voilier qui franchissait le cap Horn. **2.** Méton. Marin, capitaine de ce voilier. 1948 ; topon. *cap Horn* ; plur. *cap-horniers* ; [kapɔʀnje].

**CAPILLAIRE,** adj. et subst. m.
**Adj. 1.** Qui concerne les cheveux. **2.** Anal. Fin, ténu comme un cheveu. ▸ *Anat. Un vaisseau* ***capillaire*** ou, empl. subst. masc., *Un* ***capillaire*** : fin vaisseau réunissant les artérioles et les veinules, et assurant les échanges gazeux et nutritifs entre le sang et les cellules. ▸ *Phys. Tube* ***capillaire*** : tube fin plongé dans un liquide, dans lequel ce liquide s'élève par une force d'aspiration dite, par ext., force **capillaire**. **Subst.** *Bot.* Fougère à pétioles très fins qui pousse dans les fentes des rochers et des murs. 1314 ; lat. *capillaris*, de *capillus*, « cheveu » ; [kapilɛʀ].

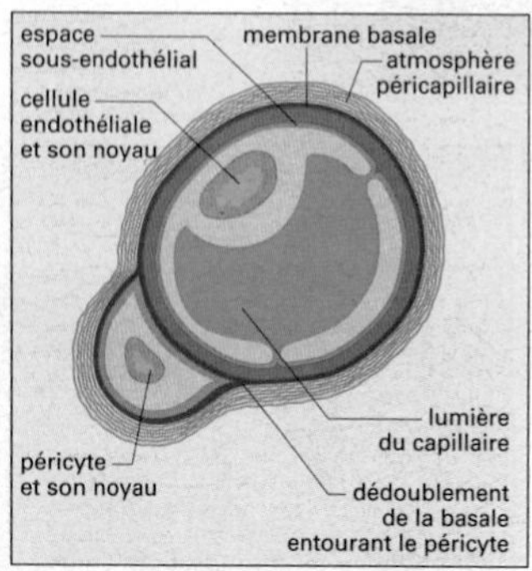


*STRUCTURE D'UN* ***CAPILLAIRE*** *SANGUIN*
*La couche intérieure est réduite à quelques cellules endothéliales, séparées de l'atmosphère péricapillaire par une membrane basale. L'atmosphère péricapillaire est faite de fibres de réticuline et d'éléments lymphatiques (notamment de mastocytes).*

**CAPILLARITÉ,** subst. f.
**1.** État de ce qui est ténu, fin comme un cheveu. **2.** *Phys.* Phénomène par lequel un liquide tend à monter, comme aspiré par la surface, à travers un corps poreux ou le long d'un tube capillaire. 1820 ; ☞ *capillaire* ; [kapilaʀite].

**CAPILOTADE,** subst. f.
**1.** *Cuis.* Mets composé de restes de viande coupés menu et cuisinés en ragoût : *Une* ***capilotade*** *de faisan.* **2.** Anal. État de ce qui est réduit en miettes et, au fig., écrasé, ruiné : *Quelle* ***capilotade*** *que la défaite de la France en 1940 !* ▸ Loc. *En* ***capilotade*** : en triste état ; douloureux. 1542 ; prob. esp. *capirotada*, « hachis d'herbes, d'œufs et d'ail » ; [kapilɔtad].

**CAPISTON,** subst. m.
Capitaine (argot milit.). 1881 ; ☞ *capitaine* ; [kapistɔ̃].

**CAPITAINE,** subst. m.
**1.** Chef militaire (littér.). **2.** *Milit.* ▸ Officier des armées de terre et de l'air dont le grade se situe entre ceux de lieutenant et de commandant. ▸ Appellation du lieutenant de vaisseau qui ne commande pas un bâtiment. ▸ ***Capitaine*** *de corvette, de frégate, de vaisseau* : grades successifs des officiers supérieurs de la marine militaire. **3.** *Mar.* Commandant d'un navire de commerce. ▸ ***Capitaine*** *au long cours* : officier de la marine marchande titulaire d'un brevet aujourd'hui remplacé par celui de **capitaine** de 1re classe de la navigation maritime, qui lui permet d'exercer les commandements à la mer les plus importants. **4.** *Sp.* Chef d'une équipe. **5.** *Zool.* En Afrique, poisson à la chair très appréciée. 1288 ; bas lat. *capitaneus*, « qui domine », du lat. *caput*, « tête » ; [kapitɛn].

**CAPITAINERIE,** subst. f.
**1.** *Hist.* Charge attribuée à certains officiers royaux ; par méton., territoire qu'ils administraient. **2.** Bureau du capitaine d'un port de commerce ou de plaisance. 1339 ; ☞ *capitaine* ; [kapitɛnʀi].

**CAPITAL (I), ALE, AUX,** adj.
**1.** Qui concerne la tête de qqn ; qui peut la lui coûter. ▸ *Peine* ***capitale*** : consistant à trancher la tête d'un condamné et, par ext., peine de mort. **2.** Qui est placé en tête de qqch. (vieilli) : *Lettre* ***capitale***, majuscule. **3.** De première importance, essentiel : *Une découverte scientifique* ***capitale*** ; *Il est* ***capital*** *que vous acheviez ce travail.* ▸ *Les sept péchés* ***capitaux*** : l'orgueil, l'envie, l'avarice, la gourmandise, la colère, la luxure et la paresse, générateurs de tous les autres. Déb. XIIIe s. ; lat. *capitalis* ; [kapital, o].

**CAPITAL (II),** subst. m.
**1.** Somme d'argent possédée ou prêtée (synon. *principal*) : *Rembourser le* ***capital*** *d'une dette après en avoir payé les intérêts.* **2.** Ensemble des biens que l'on détient, monétaires ou autres : *Disposer d'un joli* ***capital***. **3.** Ensemble des moyens de production d'une entreprise (biens financiers, immobiliers et mobiliers, immatériels, etc.) : ***Capital*** *social*, somme des apports fournis par les actionnaires d'une société commerciale à sa création et sur laquelle ils n'ont aucun droit de prélèvement. **4.** Ensemble des valeurs, des sommes en circulation ou disponibles pour d'éventuels investissements (gén. au plur.) : *La fuite des* ***capitaux*** ; ***Capitaux*** *flottants*, en quête de placements rentables à court terme et changeant rapidement de place financière ; ***Capitaux*** *fébriles*, à vocation spéculative, jouant notamment sur les variations des changes et des taux d'intérêt. ▸ Abs. Ensemble des richesses, nées en partic. des ressources naturelles et du travail, permettant de produire des nouveaux biens ou des revenus : *« Le* ***Capital*** *», de Karl Marx.* ▸ Méton. Puissance que représentent les propriétaires de ces richesses, les capitalistes : *L'ogre affamé du* ***Capital*** (Zola). **5.** Fig. Patrimoine intellectuel ou moral ; acquis immatériel : *La santé est un* ***capital*** *précieux.* 1567 ; ☞ *capital* (I), d'apr. l'ital. *capitale*, « partie principale d'une richesse » ; plur. *capitaux* ; [kapital], plur. [-to].

**CAPITALE,** subst. f.
**I. 1.** Ville où siège le gouvernement d'un État : *Washington,* ***capitale*** *fédérale des États-Unis* ; par ext., ville où siègent les services administratifs d'une région : *Clermont-Ferrand,* ***capitale*** *de l'Auvergne.* **2.** Anal. Ville qui détient la primauté, qui se distingue dans un domaine particulier : *Montélimar,* ***capitale*** *du nougat.* **II.** Lettre plus grande que les autres, souv. au dessin différent, que l'on place notamment au début d'une phrase ou d'un nom propre (synon. *majuscule*) : *Imprimer un titre en* ***capitales*** ; *Petite* ***capitale***, dont la hauteur est celle d'une minuscule. 1416 ; ☞ *capital* (I), par ell. de *ville* au sens I et de *lettre* au sens II ; [kapital].

**CAPITALISATION,** subst. f.
**1.** Action de capitaliser : ***Capitalisation*** *d'une rente.* **2.** ***Capitalisation*** *boursière* : évaluation de l'actif net d'une société à partir de la cotation de ses actions en Bourse. 1838 ; ☞ *capitaliser* ; [kapitalizasjɔ̃].

**CAPITALISER,** verbe trans. [3]
**1.** Faire grossir (un capital) en y intégrant les intérêts ou les bénéfices qu'il procure ; transformer en capital : ***Capitaliser*** *les intérêts d'un plan d'épargne.* ▸ Abs. Thésauriser, amasser de l'argent au lieu de le dépenser. **2.** Fig. Accumuler de manière profitable : *Notre équipe a* ***capitalisé*** *de précieuses victoires.* Fin XVIIIe s. ; ☞ *capital* (II) ; [kapitalize].

**CAPITALISME,** subst. m.
**1.** Système économique et social fondé sur la propriété privée des moyens de production et de circulation des biens, la libre concurrence et la recherche du profit. **2.** Méton. L'ensemble des forces capitalistes, c.-à-d. des sociétés propriétaires des moyens de production et d'échange. 1842 (1753, état du riche) ; ☞ *capital* (II) ; [kapitalism].

ÉCONOMIE – Né de la concentration initiale de capitaux entre les mains de quelques-uns, le capitalisme a subi plusieurs transformations au cours de l'histoire : le capitalisme marchand des usuriers et des financiers du bas Moyen Âge a fait place au capitalisme commercial du XVIe et du XVIIe s., avec l'apparition des manufactures, puis au capitalisme industriel moderne, avant de devenir un capitalisme financier. Il a été tempéré, à partir du XIXe s., par la législation économique et sociale imposée par les États, tant sous la pression des forces du travail que dans le cadre de la concurrence politique.

**CAPITALISTE,** subst. et adj.
**Subst. 1.** Personne qui investit des capitaux dans une entreprise et qui possède tout ou partie des moyens de production de cette dernière. **2.** Ext. Personne fortunée ; ploutocrate (péj.). **Adj.** Relatif au capitalisme. 1798 (1759, personne riche) ; ☞ *capital* (II) ; [kapitalist].

**CAPITAN,** subst. m.
Fanfaron, matamore. 1637 (déb. XVIe s., chef militaire) ; ital. *capitano*, « capitaine », qui devint le nom d'un soldat ridicule de la commedia dell'arte ; [kapitɑ̃].

**CAPITATION,** subst. f.
*Hist.* Impôt créé sous Louis XIV, qui frappait tous les Français en fonction de leurs signes extérieurs de richesse. 1584 ; bas lat. *capitatio*, « taxe par tête » ; [kapitasjɔ̃].

**CAPITEUX, EUSE,** adj.
Qui enivre les sens, grisant : *Un vin* ***capiteux*** ; au fig., excitant, troublant : *Une* ***capiteuse*** *Andalouse.* XVe s. (fin XIVe s., obstiné) ; ital. *capitoso*, du lat. *caput*, « tête » ; [kapitø, øz].

**CAPITOLE,** subst. m.
Édifice public, siège de la vie municipale et administrative dans certaines grandes villes. 1673 (fin XIIe s., curie romaine) ; topon. lat. *Capitolium*, colline de Rome, de *caput*, « tête ; sommet » ; [kapitɔl].

**CAPITOLIN, INE,** adj.
Du Capitole, à Rome. ▸ *La triade* ***capitoline*** : les trois divinités Jupiter, Junon et Minerve. 1554 ; lat. *capitolinus* ; [kapitɔlɛ̃, in].

**CAPITON,** subst. m.
**1.** Bourre de soie ou de laine servant à rembourrer des sièges, des coussins. **2.** Méton. Petite surface délimitée par les piqûres qui maintiennent un rembourrage. **3.** *Anat.* Épaisseur graisseuse située dans le tissu sous-cutané. 1386 ; ital. *capitone*, « fil de soie irrégulier » ; [kapitɔ̃].

**CAPITONNAGE,** subst. m.
Action de capitonner ; partie capitonnée d'un ouvrage. 1871 ; ☞ *capitonner* ; [kapitɔnaʒ].

**CAPITONNER,** verbe trans. [3]
Garnir de capiton, en piquant le tissu à intervalles réguliers : ***Capitonner*** *le dossier d'un sofa.* ▸ Empl. adj. *Une porte* ***capitonnée*** ; au fig. : *Une ambiance* ***capitonnée***, feutrée, confortable. 1842 (1546, se couvrir la tête) ; ☞ *capiton* ; [kapitɔne].

**CAPITOUL,** subst. m.
*Hist.* Officier municipal de Toulouse, au Moyen Âge et sous l'Ancien Régime. 1389 ; anc. prov. *capitol*, du lat. eccl. *capitulum*, « assemblée de moines » ; [kapitul].

**CAPITULAIRE (I),** adj.
*Dr. canon.* Relatif à un chapitre de chanoines, de religieux : *Mense, salle* ***capitulaire***. XIIIe s. ; lat. médiév. *capitularis*, du lat. eccl. *capitulum*, « assemblée de moines » ; [kapitylɛʀ].

**CAPITULAIRE (II),** adj.
Relatif à un chapitre de livre : *Lettre* ***capitulaire*** ou, empl. subst. fém., *La* ***capitulaire***, grande lettre enluminée ornant le début d'un chapitre. Déb. XVe s. ; lat. médiév. *capitularis*, « qui marque le début d'un chapitre », du lat. *capitulum*, « chapitre » ; [kapitylɛʀ].

**CAPITULAIRE (III),** adj. et subst. m.
*Hist.* **Adj.** Qui est divisé en articles, en parlant d'un règlement concernant les affaires civiles : *Édits* ***capitulaires***. **Subst.** Ordonnance des rois francs. 1611 ; bas lat. *capitulum*, « article de loi » ; [kapitylɛʀ].

**CAPITULARD, ARDE,** adj. et subst.
Péj. **Adj.** Prêt à abandonner le combat, à capituler ; défaitiste. **Subst.** Personne défaitiste. 1871 ; ☞ *capituler* ; [kapitylaʀ, aʀd].

**CAPITULATION, subst. f.**
**1.** *Dr. internat.* Convention qui engage une puissance à respecter certains droits et privilèges octroyés à une catégorie de personnes, sur les territoires soumis à sa juridiction. **2.** *Hist.* Convention qui garantissait le statut des chrétiens dans l'Empire ottoman : *Les* ***capitulations*** *de François I*[er] *avec les Turcs.* **3.** *Milit.* Convention entre belligérants, réglant la reddition à l'ennemi d'une place forte ou d'une armée : ***Capitulation*** *sans conditions*, par laquelle le vaincu doit accepter toutes les exigences du vainqueur. **4.** Fig. Abandon d'une position soutenue un temps avec intransigeance. Déb. XVIe s. ; lat. médiév. *capitulatio* ; [kapitylasjɔ̃].

**CAPITULE, subst. m.**
*Bot.* Type d'inflorescence caractérisé par l'insertion de nombreuses petites fleurs serrées les unes contre les autres sur un même pédoncule. 1732 ; lat. *capitulum*, « petite tête » ; [kapityl].

**CAPITULER, verbe intrans.** [3]
**1.** Vx. Régler un arrangement entre deux parties ; négocier. **2.** *Milit.* Traiter avec un ennemi des conditions d'une capitulation ; s'avouer vaincu, rendre les armes : *La ville de Sedan* ***capitula*** *le 3 septembre 1870.* **3.** Fig. Renoncer, céder devant qqn ou qqch. après avoir résisté plus ou moins longtemps. 1611 (fin XIVe s., diviser en parties) ; lat. médiév. *capitulare*, « énumérer ; convenir », du lat. *capitulum*, « chapitre » ; [kapityle].

**CAPON, ONNE, subst. et adj.**
Se dit d'une personne couarde, lâche (fam. et vieilli). 1808 (1628, gueux) ; orig. obsc. ; [kapɔ̃, ɔn].

**CAPONNIÈRE, subst. f.**
**1.** *Fortif.* Tranchée abritée reliant les différents ouvrages d'une place forte. **2.** Anal. *Ch. de fer.* Niche ménagée dans les parois d'un tunnel. 1671 ; ital. *cap(p)oniera*, « cage où l'on engraisse les chapons » ; [kapɔnjɛʀ].

**CAPORAL, subst. m.**
**1.** Militaire du grade le moins élevé dans l'infanterie et l'aviation : ***Caporal****-chef*, de grade intermédiaire entre **caporal** et sergent. ▸ *Le Petit* ***Caporal*** : surnom donné à Napoléon Ier par ses soldats. **2.** Tabac français ordinaire. Déb. XVIe s. ; ital. *caporale*, « principal », de *capo*, « chef » ; plur. *caporaux* ; [kapɔʀal], plur. [-ʀo].

**CAPORALISER, verbe trans.** [3]
Soumettre au caporalisme ou à son esprit. 1867 ; ☞ *caporal* ; [kapɔʀalize].

**CAPORALISME, subst. m.**
**1.** Régime politique où les militaires exercent une influence prédominante. **2.** Ext. Autoritarisme mesquin. 1852 ; ☞ *caporal* ; [kapɔʀalism].

**CAPOT (I), subst. m.**
**1.** Vx. Sorte de manteau à capuchon. **2.** Pièce couvrante, destinée à protéger qqch. : *Le* ***capot*** *d'une voiture.* **3.** *Mar.* ▸ Petite bâche protectrice : *Le* ***capot*** *d'un compas.* ▸ Abri léger construit au-dessus d'une ouverture ; par méton., cette ouverture : *Pénétrer dans un sous-marin par le* ***capot***. 1541 ; ☞ *cape* (I) ; [kapo].

**CAPOT (II), adj. inv.**
*Jeux.* Qui n'a fait aucune levée, en parlant d'un joueur (en partic. de belote) : *Tu es* ***capot*** *!* 1642 ; p.-ê. *capot* (I) ; [kapo].

**CAPOTAGE (I), subst. m.**
Action de munir une voiture d'une capote ; disposition de cette capote (vx). 1875 ; ☞ *capoter* (II) ; [kapɔtaʒ].

**CAPOTAGE (II), subst. m.**
**1.** Accident d'un véhicule qui capote. **2.** Échec (fam.). 1907 ; ☞ *capoter* (I) ; [kapɔtaʒ].

**CAPOTE, subst. f.**
**1.** Long manteau ample, sans manches et parfois à capuchon. **2.** Ext. Manteau de militaire. **3.** Chapeau féminin, retenu par des brides. **4.** Grosse toile imperméable servant de toit à un véhicule et qui se replie à la manière d'un soufflet. **5.** ***Capote*** *anglaise* : préservatif masculin (fam.). 1688 ; ☞ *capot* (I) ; [kapɔt].

**CAPOTER (I), verbe intrans.** [3]
**1.** *Mar.* Se retourner sens dessus dessous, chavirer. **2.** Anal. Se renverser, culbuter, en parlant d'un véhicule : *L'avion* ***capota*** *en touchant la piste.* **3.** Fig. Échouer (fam.) : *Une indiscrétion fit* ***capoter*** *notre plan.* 1792 ; *faire capot* (vx), « chavirer » ; [kapɔte].

**CAPOTER (II), verbe trans.** [3]
Relever la capote de (un véhicule). 1877 ; ☞ *capote* ; [kapɔte].

**CAPPELLA (A), voir A CAPPELLA**

**CAPPUCCINO, subst. m.**
Café additionné de lait ou de chantilly. XXe s. ; ital. *cappuccino*, « capucin ; cappuccino » ; [kaputʃino].

**CÂPRE, subst. f.**
Bouton à fleurs de certaines espèces de câpriers, qui, confit dans le vinaigre, constitue un condiment. 1474 ; ital. *cappero*, du lat. *capparis* ; [kɑpʀ].

**CAPRICANT, ANTE, adj.**
**1.** *Pathol.* Saccadé, inégal, en parlant du pouls. **2.** Sautillant, irrégulier : *Une démarche* ***capricante*** ; par anal. : *Une humeur* ***capricante***, inconstante. 1589 ; lat. *capra*, « chèvre » ; [kapʀikɑ̃, ɑ̃t].

**CAPRICCIO, subst. m.**
*Mus.* Morceau composé pour instruments, de forme libre : *Le «* ***Capriccio*** *italien », de Tchaïkovski.* Fin XIXe s. ; ital. *capriccio*, « caprice » ; [kapʀisjo] ou [-pʀitʃ(j)o].

**CAPRICE, subst. m.**
**1.** Décision ou envie soudaine, irraisonnée et passagère : *Agir par* ***caprice*** ; *Faire des* ***caprices***. **2.** Amourette ; inclination vive et éphémère : *Elle ne fut pour lui qu'un simple* ***caprice***. **3.** Anal. Variation brusque et imprévisible (gén. au plur.) : *Les* ***caprices*** *du destin.* **4.** *B.-a.* Œuvre d'inspiration libre (synon. *fantaisie*). 1558 ; ital. *capriccio* ; [kapʀis].

**CAPRICIEUX, EUSE, adj.**
**1.** Porté à agir par caprice, à faire des caprices : *Un vieillard* ***capricieux*** ; empl. subst., personne **capricieuse**. **2.** Qui est soumis à des changements soudains et imprévisibles : *Un ciel* ***capricieux***. XVIe s. ; ital. *capriccioso* ; [kapʀisjø, øz].

**CAPRICORNE, subst. m.**
**1.** *Myth.* Animal fabuleux, à corps et à tête de chèvre, à queue de poisson, que Zeus aurait métamorphosé en constellation. **2.** *Astron.* Dixième constellation zodiacale, visible dans l'hémisphère austral. **3.** *Astrol.* Dixième signe du zodiaque (21 décembre-19 janvier). **4.** *Géogr. Tropique du* ***Capricorne*** : parallèle du globe terrestre de latitude 23° 26′ S. **5.** *Zool.* Nom usuel des coléoptères du genre *Cerambyx*, qui vivent dans le tronc des arbres (synon. *longicorne*). Déb. XIIe s. ; lat. *capricornus*, de *caper*, « bouc », et de *cornus*, « corne » ; [kapʀikɔʀn].

**CÂPRIER, subst. m.**
*Bot.* Arbuste épineux de la famille des Capparidacées, dont certaines espèces donnent les câpres. 1517 ; ☞ *câpre* ; [kɑpʀije].

**CAPRIFOLIACÉES, subst. f. plur.**
*Bot.* Famille de plantes à pétales soudés, comprenant essentiellement des arbustes tels le chèvrefeuille, la viorne, etc. AU SING. *Le sureau est une* ***caprifoliacée***. 1809 ; lat. *caprifolium*, « chèvrefeuille » ; [kapʀifɔljase].

**CAPRIN, INE, adj. et subst. m. plur.**
ADJ. Relatif à la chèvre. SUBST. Caprinés. Mil. XIIIe s. ; lat. *caprinus*, de *caper*, « bouc » ; [kapʀɛ̃, in].

**CAPRINÉS, subst. m. plur.**
*Zool.* Sous-famille de bovidés dont le type est la chèvre et qui contient notamment les mouflons et les bouquetins (synon. *Caprins*). AU SING. *Le tahr, grande chèvre sauvage d'Asie, est un* ***capriné***. 1907 ; ☞ *caprin* ; [kapʀine].

**CAPRIQUE, adj.**
*Chim. Acide* ***caprique*** : acide gras, volatil, présent dans le beurre de lait de chèvre et de vache, de formule $CH_3$–$(CH_2)_8$–COOH (synon. *acide décanoïque*). 1816 ; lat. *capra*, « chèvre » ; [kapʀik].

**CAPSIDE, subst. f.**
*Biol.* Structure composée de molécules protidiques renfermant la molécule d'acide nucléique d'un virus, et donnant de ce fait sa forme au virus. 1959 ; lat. *capsa*, « boîte » ; [kapsid].

**CAPSIEN, subst. m.**
*Préhist.* Faciès culturel de la fin du Paléolithique en Afrique du Nord. Topon. *Capsa*, anc. nom de Gafsa (Tunisie) ; [kapsjɛ̃].

**CAPSULAGE, subst. m.**
Action de garnir d'une capsule ; son résultat. 1878 ; ☞ *capsuler* ; [kapsylaʒ].

**CAPSULAIRE, adj.**
*Bot.* Qui s'ouvre de lui-même, en parlant d'un fruit sec déhiscent. 1690 ; ☞ *capsule* ; [kapsylɛʀ].

**CAPSULE, subst. f.**
**1.** *Anat.* Enveloppe fibreuse de certains organes, tel le péricarde, autour du cœur. **2.** Anal. Petit objet qui enveloppe ou coiffe qqch. ▸ Gélule : *Des* ***capsules*** *solubles de médicaments.* ▸ Calotte métallique recouvrant le goulot d'une bouteille. **3.** *Arm.* Godet de cuivre contenant la poudre fulminante des fusils anciens. **4.** *Astronaut.* Module spatial, élément détachable et récupérable d'un véhicule plus grand (vaisseau, cabine). **5.** *Bot.* Fruit sec déhiscent à plusieurs graines. 1478 ; lat. *capsula*, « coffret », de *capsa*, « boîte, caisse » ; [kapsyl].

**CAPSULER, verbe trans.** [3]
Coiffer d'une capsule (le goulot d'une bouteille). 1845 ; ☞ *capsule* ; [kapsyle].

**CAPTABLE, adj.**
*Audiov.* Que l'on peut capter au moyen d'un appareil récepteur. 1958 ; ☞ *capter* ; [kaptabl].

**CAPTAGE, subst. m.**
Action de capter, en partic. de l'eau, par forage, canalisation, etc. 1863 ; ☞ *capter* ; [kaptaʒ].

**CAPTAL, subst. m.**
*M. Â.* Chef militaire, en Gascogne. Fin XIVe s. ; anc. prov. *captal*, du lat. *capitalis*, « chef » ; plur. *captals* ; [kaptal].

**CAPTATEUR, TRICE, subst. et adj.**
SUBST. *Dr.* Personne qui cherche à obtenir ou qui a obtenu, par des manœuvres répréhensibles, un bien auquel elle n'a pas droit. ADJ. *Psychanal.* Qui a tendance à dominer ou à investir la personnalité d'autrui : *Une mère* ***captatrice***. 1606 ; lat. *captator* ; [kaptatœʀ, tʀis].

**CAPTATIF, IVE, adj.**
*Psychanal.* Qui dénote une personnalité captatrice : *Amour* ***captatif***. 1946 ; ☞ *capter* ; [kaptatif, iv].

**CAPTATION, subst. f.**
**1.** Action de recueillir, de saisir qqch. : ***Captation*** *de l'énergie solaire.* **2.** *Dr.* Ensemble de manœuvres visant à se faire consentir un bien, un avantage : ***Captation*** *d'héritage.* **3.** *Psychanal.* Action d'investir la personnalité d'autrui. XIVe s. ; lat. *captatio* ; [kaptasjɔ̃].

**CAPTATOIRE, adj.**
*Dr.* Qui se rapporte à la captation. 1771 ; bas lat. *captatorius* ; [kaptatwaʀ].

**CAPTER, verbe trans.** [3]
**1.** S'efforcer d'obtenir ou de retenir, souv. de manière artificieuse : ***Capter*** *l'attention.* ▸ *Dr.* S'emparer par la ruse de (qqch. à quoi on n'a pas droit) : ***Capter*** *un legs.* **2.** Recueillir, saisir ; amener vers un lieu d'utilisation : ***Capter*** *les eaux du fleuve pour irriguer la plaine.* ▸ Intercepter, recevoir à l'aide d'un appareil récepteur : ***Capter*** *un message de détresse.* **3.** Fig. Percevoir : ***Capter*** *une odeur, un bruit.* XVe s. ; lat. *captare* ; [kapte].

**CAPTEUR, subst. m.**
*Phys.* Tout dispositif qui recueille un phénomène physique, l'identifie et le transforme en un signal électrique ou électronique. ▸ ***Capteur*** *solaire* : qui transforme en énergie le rayonnement solaire. Fin XVIIIe s. ; bas lat. *captor*, « celui qui prend » ; [kaptœʀ].

**CAPTIEUX, EUSE, adj.**
Destiné ou propre à tromper, à troubler ou à séduire sous des apparences de vérité : *Des arguments* ***captieux***. Fin XIVe s. ; lat. *captiosus*, « trompeur » ; [kapsjø, øz].

**CAPTIF, IVE, adj.**
**1.** Qui a été capturé, fait prisonnier (littér.) : *Une armée* ***captive*** ; qui est privé de liberté : *Hitler rendit* ***captive*** *une grande partie de l'Europe* ; empl. subst. : *La guerre dans Lesbos me fit votre* ***captive*** (Racine). **2.** Ext. ▸ *Ballon* ***captif*** : aérostat retenu au sol par un long câble. ▸ *Nappe* ***captive*** : nappe d'eau souterraine, située entre deux couches de roches imperméables. **3.** Fig. Qui est tenu en sujétion, soumis : *Être* ***captif*** *de ses préjugés.* 1450 ; lat. *captivus*, « prisonnier » ; [kaptif, iv].

**CAPTIVANT, ANTE, adj.**
Qui capte l'attention ; qui fascine. 1842 ; p. pr. de *captiver* ; [kaptivɑ̃, ɑ̃t].

**CAPTIVER, verbe trans.** [3]
**1.** Vx. Maintenir prisonnier. **2.** Exercer une emprise sur (qqn), en envoûtant ou en séduisant ; retenir tout l'intérêt, toute l'attention de : *Son récit me* ***captiva***. XVe s. ; bas lat. *captivare* ; [kaptive].

**CAPTIVITÉ, subst. f.**
État d'une personne captive ; situation d'un prisonnier : *Des compagnons de **captivité**.* ✉ XIIIe s. ; lat. *captivitas* ; [kaptivite].

**CAPTURE, subst. f.**
**1.** Action de capturer : *La **capture** d'un assassin, d'un fauve* ; la prise elle-même : *Exhiber fièrement sa **capture**.* **2.** *Géogr.* Détournement naturel d'une partie des eaux d'une rivière au profit d'un cours d'eau voisin dont l'érosion remontante a recoupé le lit de cette rivière. **3.** *Phys.* Acquisition d'une particule ou d'un électron par un noyau atomique. ✉ 1406 ; lat. *captura* ; [kaptyʀ].

**CAPTURER, verbe trans.** [3]
**1.** S'emparer de, prendre par la violence ou la ruse (un être vivant ou une chose mobile) : ***Capturer** un lion* ; ***Capturer** un navire au cours d'une bataille.* **2.** *Géogr.* Détourner (le cours d'une rivière) pour en récupérer les eaux. ✉ XVIe s. ; ☞ *capture* ; [kaptyʀe].

**CAPUCE, subst. m.**
Capuchon terminé en pointe que portent certains religieux. ✉ 1606 ; ital. *cappuccio* ; [kapys].

**CAPUCHE, subst. f.**
Coiffure féminine formée d'un capuchon prolongé d'une courte pèlerine tombant sur les épaules. ▸ Ext. Capuchon. ✉ 1507 ; ☞ *cape* (I) ; [kapyʃ].

**CAPUCHON, subst. m.**
**1.** Partie supérieure d'un vêtement, amovible ou non, dont on se recouvre la tête. **2.** Anal. Élément qui coiffe un objet pour le fermer ou le protéger ; bouchon : ***Capuchon** de stylo* ; ***Capuchon** de cheminée d'une locomotive*, pièce de tôle garnissant l'extrémité du tuyau. ✉ 1542 ; ☞ *capuche* ; [kapyʃɔ̃].

**CAPUCIN, INE, subst.**
*Cath.* Membre d'une branche missionnaire réformée de l'ordre des Franciscains, fondée au XVIe s. pour restaurer la simplicité et la rigueur de la règle primitive. MASC. **1.** *Vèn.* Lièvre. **2.** *Zool.* Singe d'Amérique de la famille des Cébidés, à queue préhensile et à longue barbe (synon. *sajou, sapajou, saï*). ✉ 1542 ; ital. *cappuccino*, « qui porte un capuchon » ; [kapysɛ̃, in].

© M. Antonio-Jacana

*Capucin.*

**CAPUCINADE, subst. f.**
Propos moralisateur et convenu, ridicule ou hypocrite (vieilli). ✉ 1724 ; ☞ *capucin* ; [kapysinad].

**CAPUCINE, subst. f.**
*Bot.* Nom commun d'une plante ornementale de la famille des Tropéolacées, aux coloris divers : *Tropaeolum majus* est jaune, *Tropaeolum speciosum* est pourpre. ✉ 1694 ; ☞ *capuce* ; [kapysin].

**CAPULET, subst. m.**
Capuchon que portaient les femmes des Pyrénées. ✉ 1826 ; béarn. *capulet*, prob. du lat. pop. °*cappullus* ; [kapylɛ].

**CAQUE, subst. f.**
Tonneau où l'on entasse les harengs salés ou fumés. ▸ Loc. proverb. *La **caque** sent toujours le hareng* : on ne fait pas disparaître la trace de ses origines. ✉ Mil. XIIIe s. ; anc. nord. *kaggi, kaggr*, « tonneau » ; [kak].

**CAQUELON, subst. m.**
Poêlon de terre ou de fonte. ✉ XVIIIe s. ; dial. além. et als. *kakel, kachel*, « casserole de terre » ; [kaklɔ̃].

**CAQUER, verbe trans.** [3]
**1.** Préparer (le poisson) avant de le mettre en caque. **2.** Ext. Mettre en caque. ✉ 1340 ; m. néerl. *caken*, « inciser un hareng pour le vider » ; [kake].

**CAQUET, subst. m.**
**1.** Gloussement de la poule qui va pondre ou qui vient de pondre. **2.** Fig. et Fam. Bavardage futile ou importun. ▸ Loc. *Rabattre le **caquet** à qqn* : le faire taire. ✉ Mil. XVe s. ; ☞ *caqueter* ; [kakɛ].

**CAQUETAGE, subst. m.**
**1.** Action de caqueter. **2.** Bavardage. ✉ 1556 ; ☞ *caqueter* ; [kaktaʒ].

**CAQUETER, verbe intrans.** [14]
**1.** Glousser avant ou après la ponte, en parlant d'oiseaux de basse-cour. **2.** Fig. Bavarder sans retenue, parfois avec malveillance (fam.). ✉ Mil. XVe s. ; orig. onomat. ; [kakte].

**CAR (I), conj. de coordination**
Sert, en donnant une tonalité subjective, à apporter la raison, la justification d'une assertion qui vient d'être formulée : *J'ai peur **car** je suis seul* ; *Je ne sors pas **car** il pleut* ; empl. subst. masc. inv. (péj.) : *Toujours des mais, des si, des **car** !* ✉ Xe s. ; lat. *quare*, « c'est pourquoi » ; [kaʀ].

**CAR (II), subst. m.**
Autocar. ✉ 1928 ; aphérèse de *autocar* ; [kaʀ].

**CARABE, subst. m.**
*Zool.* Coléoptère de la famille des Carabidés, au corps allongé, qui se nourrit de vers, d'escargots, d'insectes : *Le **carabe** doré est surnommé jardinière.* ✉ 1668 ; lat. *carabus*, sorte de crabe, du gr. *karabos* ; [kaʀab].

© A. Carrara-Jacana

*Carabe.*

**CARABIN, subst. m.**
**1.** Vx. Soldat de cavalerie légère armé d'une carabine. **2.** Aide-chirurgien (vx) ; par ext., étudiant en médecine (fam.) : *Plaisanteries de **carabin***, d'esprit douteux, morbide. ✉ Fin XVIe s. ; p.-ê. m. fr. *(e)scarrabin*, « ensevelisseur des pestiférés » ; [kaʀabɛ̃].

**CARABINE, subst. f.**
Sorte de fusil léger, gén. à canon rayé. ✉ Fin XVIe s. ; ☞ *carabin* ; [kaʀabin].

**CARABINÉ, ÉE, adj.**
**1.** *Mar. Vent **carabiné*** : qui souffle avec force et par intermittence. **2.** Fig. Puissant, violent (fam.) : *Une toux **carabinée**.* ✉ 1687 ; p. p. de *carabiner* (vx), « souffler en tempête » ; [kaʀabine].

**CARABINIER, subst. m.**
**1.** *Hist.* Du XVIIe au XIXe s., soldat armé d'une carabine, dont le rôle était de harceler l'ennemi. **2.** Douanier espagnol ; gendarme italien. ▸ Loc. *Arriver comme les **carabiniers*** : trop tard (par allus. à l'opérette *les Brigands*, d'Offenbach). ✉ 1634 ; ☞ *carabine* ; [kaʀabinje].

**CARACAL, subst. m.**
*Zool.* Félidé proche du lynx, aux oreilles noires et à la robe fauve, vivant en Afrique de l'Est et en Asie du Sud-Ouest. ✉ 1664 ; esp. *caracal*, du turc *karakulak*, « oreille noire » ; plur. *caracals* ; [kaʀakal].

**CARACO, subst. m.**
**1.** Corsage ample et court, à manches longues, porté par-dessus la jupe. **2.** Sous-vêtement féminin, ajusté sur le buste. ✉ 1774 ; orig. inc. ; [kaʀako].

**CARACOLE, subst. f.**
**1.** *Équit.* Suite de voltes ou de demi-voltes que l'on fait exécuter à un cheval ; par ext., cabriole. **2.** Anal. *Archit. Escalier en **caracole*** : en colimaçon. ✉ 1611 ; esp. *caracol*, « escargot » ; [kaʀakɔl].

**CARACOLER, verbe intrans.** [3]
**1.** Faire des caracoles, en parlant d'un cheval ou de son cavalier. **2.** Anal. Gambader ; avancer en bondissant, allègrement ; au fig. : ***Caracoler** en tête du palmarès.* ✉ 1642 ; ☞ *caracole* ; [kaʀakɔle].

**CARACTÈRE, subst. m.**
**I. 1.** Signe d'écriture : *Les **caractères** chinois sont des idéogrammes.* **2.** Ext. Symbole ou signe utilisé dans différentes sciences : ***Caractères** algébriques.* **3.** *Typogr.* Bloc portant en relief un signe d'écriture, utilisé, après encrage, pour l'impression : ***Caractères** romains, italiques, gras* ; par ext., au sing., dessin, forme distinctive des **caractères** d'une même fonte. **II. 1.** Ce qui constitue le propre de qqch. ; trait distinctif, particulier : *Le **caractère** confidentiel d'un rapport.* ▸ Abs. Originalité ; cachet : *Beaucoup de **caractère**, ce petit manoir !* ▸ *Sc. **Caractère** spécifique d'une espèce* : son trait distinctif, qui n'appartient qu'à elle (le **caractère** spécifique des Mammifères est de posséder des mamelles). **2.** Ensemble des traits psychiques et moraux, des manières d'être et d'agir qui composent la personnalité d'un individu : *Le **caractère** slave, latin* ; *Avoir (un) bon **caractère***, être facile à vivre, accommodant. ▸ Abs. Force d'âme, énergie ou courage : *Le **caractère**, vertu des temps difficiles* (de Gaulle). ▸ *Litt.* Type significatif de la nature humaine, incarné par un personnage : *Le **caractère** d'Alceste* ; *Les « **Caractères** » de La Bruyère.* **3.** *Biol. **Caractères** héréditaires* : expression d'un ou de plusieurs gènes correspondant à une particularité transmissible selon les lois de l'hérédité, répartis, selon la génétique, en **caractères** dominants et **caractères** récessifs. **4.** *Psychol.* Ensemble des dispositions, des tendances stables d'un individu, dont l'étude systématique (☞ *caractérologie*) permet la classification en types humains. ✉ 1274 ; lat. *character*, du gr. *kharaktêr*, « empreinte » ; [kaʀaktɛʀ].

**CARACTÉRIEL, ELLE, adj. et subst.**
*Psychol.* Qualifie ou désigne un sujet présentant des troubles du caractère (conduite affective et sociale anormale). ADJ. Relatif au caractère : *Étude **caractérielle**.* ✉ Mil. XIXe s. ; ☞ *caractère* ; [kaʀaktеʀjɛl].

**CARACTÉRISATION, subst. f.**
Action ou fait de caractériser. ✉ 1840 ; ☞ *caractériser* ; [kaʀakteʀizasjɔ̃].

**CARACTÉRISÉ, ÉE, adj.**
Nettement marqué, typique, reconnaissable ; évident. ✉ Mil. XVIIe s. ; p. p. de *caractériser* ; [kaʀakteʀize].

**CARACTÉRISER, verbe trans.** [3]
**1.** Décrire, souligner le ou les caractères distinctifs de : *Proust **caractérise** avec subtilité ses personnages.* **2.** Constituer le trait particulier de : *La maladresse qui le **caractérise*** ; empl. pronom. : *Son style se **caractérise** par une profusion d'adverbes.* ✉ 1512 ; ☞ *caractère* ; [kaʀakteʀize].

**CARACTÉRISTIQUE, adj. et subst. f.**
ADJ. Qui définit, qui distingue qqn ou qqch. ; typique. SUBST. **1.** Ce qui fait l'originalité, la spécificité de qqn ou de qqch. ; signe distinctif : *Les **caractéristiques** techniques d'un missile.* **2.** *Math. **Caractéristique** d'un logarithme décimal log $x$* : sa partie entière ; dans l'écriture décimale de $x$, si $x \geqslant 1$, c'est $n - 1$, $n$ étant le nombre de chiffres avant la virgule ; si $0 < x < 1$, c'est $-p$, $p$ étant la place du premier chiffre non nul après la virgule (2 pour log 431 et -3 pour log 0,0041). **3.** *Philos. **Caractéristique** universelle* : projet énoncé par Leibniz, consistant à établir une langue **caractéristique** universelle qui jouerait pour la pensée le rôle que joue l'algèbre relativement aux nombres, et qui a servi de point de départ aux logiques symboliques modernes. ✉ 1550 ; gr. *kharaktêristikos*, « qui sert à distinguer » ; [kaʀakteʀistik].

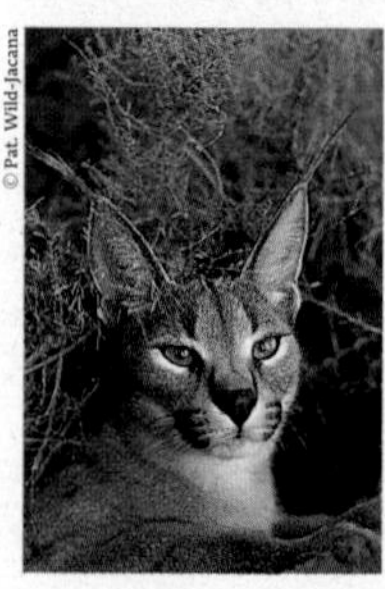
© Pat. Wild-Jacana

*Le caracal vit à la lisière des bosquets de la savane.*

**CARACTÉROLOGIE, subst. f.**
*Anthropol.* et *Psychol.* Science classificatrice des caractères humains selon leurs traits psychologiques dominants. 1909 ; all. *Charakterologie*, du gr. *kharaktêr*, « trait distinctif », et *logos*, « science, étude » ; [kaʀaktеʀɔlɔʒi].

**CARACUL, voir KARAKUL**

**CARAFE, subst. f.**
**1.** Bouteille, en verre ou en cristal, bombée à col étroit : *Un bordeaux servi dans une* ***carafe*** ; par méton., son contenu. **2.** Tête (pop.). **3.** Loc. fam. *Rester en* ***carafe*** : être abandonné brusquement, attendre. 1642 ; ital. *caraffa*, p.-ê. de l'ar. *qarrûfa*, « bouteille très ventrue » ; [kaʀaf].

**CARAFON, subst. m.**
Petite carafe ; par méton., son contenu. 1677 ; ☞ *carafe* ; [kaʀafɔ̃].

**CARAÏBE, adj. et subst.**
Des Caraïbes. Subst. masc. Groupe de langues amérindiennes, originaire des Caraïbes. 1568 ; langue indigène *karib* ; [kaʀaib].

**CARAÏTE, voir KARAÏTE**

**CARAMBOLAGE, subst. m.**
**1.** Au billard, coup par lequel on carambole. **2.** Ext. Série de heurts, de collisions, en partic. entre véhicules (fam.). 1812 ; ☞ *caramboler* ; [kaʀɑ̃bɔlaʒ].

**CARAMBOLE, subst. f.**
**1.** *Bot.* Baie jaune, fruit du carambolier, petit arbre de la famille des Oxalidées. **2.** Anal. Bille rouge, au billard. 1602 ; prob. esp. *carambola* ; [kaʀɑ̃bɔl].

**CARAMBOLER, verbe [3]**
Intrans. Au billard, toucher deux billes d'un coup avec la sienne. Trans. Heurter (fam.) : ***Caramboler*** *une voiture.* Fin xviiie s. ; ☞ *carambole* ; [kaʀɑ̃bɔle].

**CARAMBOUILLAGE, subst. m.**
Escroquerie consistant à revendre au comptant une marchandise non encore payée (synon. *une carambouille*). 1900 ; altér. de l'argot *carambole*, « vol à l'étalage » ; [kaʀɑ̃bujaʒ].

**CARAMBOUILLEUR, EUSE, subst.**
Personne qui se livre au carambouillage. 1926 ; *carambouiller* (vx), « revendre des marchandises non payées » ; [kaʀɑ̃bujœʀ, øz].

**CARAMEL, subst. m. et adj. inv.**
Subst. **1.** Produit brun et odorant résultant du chauffage du sucre ou d'une matière sucrée : *Une crème nappée de* ***caramel***. **2.** Méton. Bonbon à base de **caramel**. Adj. D'une couleur brun clair tirant sur le roux. 1680 ; esp. *caramelo*, prob. du bas lat. *calamellus*, « petit roseau » ; [kaʀamɛl].

**CARAMÉLISER, verbe trans. [3]**
**1.** Réduire en caramel (du sucre, de la mélasse, etc.). ▸ Empl. intrans. et pronom. Se transformer en caramel ; par ext., en prendre la consistance, la couleur : *Le rôti (se)* ***caramélise***. **2.** Enduire de caramel. 1825 ; ☞ *caramel* ; [kaʀamelize].

**CARAPACE, subst. f.**
**1.** Tégument solide protégeant une partie plus ou moins étendue du corps de certains animaux (crustacés, insectes, mammifères, reptiles, tortues). **2.** Anal. Surface dure qui recouvre, isole qqch. : *La* ***carapace*** *d'acier d'un cuirassé* ; au fig. : *Une* ***carapace*** *d'indifférence.* 1688 ; esp. *carapacho* ; [kaʀapas].

**CARAPATER (SE), verbe pronom. [3]**
Partir en courant, se sauver (pop.). 1867 ; crois. de l'argot *se car(r)er*, « se cacher », et de *patte* (I) ; [kaʀapate].

**CARAQUE, subst. f. et adj.**
Subst. *Mar.* Grand voilier de commerce, très haut sur l'eau, utilisé jusqu'au xviie s. Adj. *Porcelaine* ***caraque*** : fine porcelaine rapportée d'Asie par ce type de bateau. Mil. xiiie s. ; prob. génois *carraca*, de l'ar. *ḥarrâqa*, « barque » ; [kaʀak].

**CARAT, subst. m.**
**1.** Unité de masse utilisée en joaillerie pour estimer les pierres précieuses, qui équivaut à 0,2 g. **2.** Unité utilisée en orfèvrerie, mesurant la quantité d'or fin contenue dans un alliage : *Or à 24* ***carats***, or pur ; *Or à 18* ***carats***, alliage contenant 18/24 d'or pur. **3.** Loc. *Le dernier* ***carat*** : la dernière limite (fam.). 1355 ; ital. *carato*, de l'ar. *qîrâṭ*, du gr. *keration*, « graine de caroube ; petit poids » ; [kaʀa].

**CARAVAGISME, subst. m.**
*Peint.* Courant esthétique se réclamant du Caravage, proposant une manière de peindre fondée sur l'opposition brutale de l'ombre et de la lumière. 1941 ; anthropon. *le Caravage* ; [kaʀavaʒism].

Le Pèlerinage à La Mecque, *peinture de Léon Adolphe Auguste Belly (1827-1877). De nombreuses* ***caravanes*** *convergeaient autrefois vers les lieux saints d'Arabie. Musée du Louvre, Paris.*

**CARAVANE, subst. f.**
**1.** Colonne de voyageurs traversant ensemble, à pied ou à dos d'animal, des contrées difficiles. **2.** Ext. Groupe de personnes ou de véhicules se déplaçant ensemble. **3.** Roulotte remorquée par une automobile et aménagée pour le camping. Fin xiie s. ; persan *kârvân*, p.-ê. du skr. *karabha*, « chameau » ; [kaʀavan].

**CARAVANIER, IÈRE, subst. et adj.**
Subst. masc. Personne qui conduit une caravane. Subst. Adepte du caravaning. Adj. Qui concerne les caravanes : *Piste* ***caravanière***. 1673 ; ☞ *caravane* ; [kaʀavanje, jɛʀ].

**CARAVANING, subst. m.**
Camping en caravane. V. 1930 ; angl. *caravaning*, de *caravan*, « caravane », d'apr. *camping* ; [kaʀavaniŋ].

**CARAVANSÉRAIL, subst. m.**
En Orient, vaste abri (cour ou bâtiment) pour les hommes et les bêtes des caravanes. 1432 ; persan *kârvân*, « caravane », et *sarây*, « demeure, maison » ; plur. *caravansérails* ; [kaʀavɑ̃seʀaj].

**CARAVELLE, subst. f.**
*Mar.* Bateau léger et rapide, à voiles latines, utilisé aux xve et xvie s. 1438 ; port. *caravela*, du bas lat. *carabus*, « barque recouverte de peaux » ; [kaʀavɛl].

**CARBAMATE, subst. m.**
*Chim.* Sel ou ester de l'acide carbamique. 1868 ; ☞ *carbamique* ; [kaʀbamat].

**CARBAMIQUE, adj.**
*Chim.* Se dit de l'amide $NH_2CO_2H$, provenant de l'acide carbonique, inconnu à l'état libre, mais connu par ses sels et ses esters : *Acide* ***carbamique***. 1868 ; *carbamide* (rare), « urée » ; [kaʀbamik].

**CARBET, subst. m.**
**1.** Aux Antilles, abri pour engins de pêche. **2.** En Guyane, grande case construite en matériaux rudimentaires. 1614 ; mot d'orig. tupi ; [kaʀbɛ].

**CARBOCHIMIE, subst. f.**
Branche de la chimie industrielle englobant les divers procédés de transformation de la houille et de ses dérivés. xxe s. ; ☞ *chimie* + *carbo-* ; [kaʀboʃimi].

**CARBOGÈNE, subst. m.**
Mélange gazeux de 90 % d'oxygène moléculaire $O_2$ et de 10 % de gaz carbonique $CO_2$, agissant comme stimulant du centre respiratoire et pouvant être employé pour ranimer les asphyxiés. Fin xixe s. ; formé de *carbo-* et de *-gène* ; [kaʀbɔʒɛn].

**CARBONADE, subst. f.**
*Cuis.* **1.** Viande grillée sur des charbons. **2.** En Flandre, ragoût de bœuf à la bière. xiiie s. ; ital. *carbonata*, de *carbone*, « charbon » ; var. *carbonnade* ; [kaʀbɔnad].

**CARBONADO, subst. m.**
*Techn.* Diamant noir utilisé pour le forage des roches. 1888 ; port. *carbonado*, « charbonneux » ; [kaʀbɔnado].

**CARBONARISME, subst. m.**
*Hist.* Mouvement politique secret du début du xixe s., apparu dans le royaume de Naples pour lutter contre la domination napoléonienne, qui s'est répandu ensuite en Italie contre les Autrichiens et qui inspira la Charbonnerie française. 1818 ; ☞ *carbonaro* ; [kaʀbɔnaʀism].

**CARBONARO, subst. m.**
Adepte du carbonarisme. 1818 ; ital. *carbonaro*, « charbonnier », par allus. aux cabanes de charbonniers où se réunissaient les conspirateurs ; plur. *carbonaros* ou *carbonari* ; [kaʀbɔnaʀo], plur. [-ʀo] ou [-ʀi].

**CARBONATE, subst. m.**
*Chim.* Sel ou ester de l'acide carbonique. 1787 ; ☞ *carbone* ; [kaʀbɔnat].

**CARBONATÉ, ÉE, adj.**
Qui est constitué de carbonate ou qui en contient : *Une roche* ***carbonatée*** ; *Une eau minérale* ***carbonatée***. 1801 ; ☞ *carbonate* ; [kaʀbɔnate].

**CARBONE, subst. m.**
*Chim.* Élément n° 6 de la table de Mendeleïev (symb. : C) ; masse atomique : 12,011 ; point de fusion : 3 550 °C ; point d'ébullition : 4 827 °C ; masse volumique : 2,26 g/cm³. Le **carbone** existe à l'état naturel et pur sous forme de diamant et, le plus souvent, sous forme de graphite. Élément de base des charbons et des molécules organiques, dont il constitue en quelque sorte le squelette, il est spécifique de la matière vivante. Le **carbone** 14 est un isotope radioactif du **carbone**, utilisé dans certaines méthodes de datation. 1787 ; lat. *carbo*, « charbon » ; [kaʀbɔn].

LE CYCLE DU CARBONE

*A. Émissions telluriques (volcans, par ex.). B. $CO_2$ fossilisé (roches calcaires). 1. Matières organiques (glucides, lipides, protides). 2. Matières organiques fossiles (houille, pétrole...). 3. Respiration des animaux et des végétaux. 4. Fermentation (champignons, bactéries). 5. Combustion par l'homme (bois de chauffage, grillage des aliments, incendies...). 6. Combustion par l'homme ou accidentelle. 7. Gaz carbonique de l'air atmosphérique. 8. $CO_2$ dissous. 9. Transformation du carbone inorganique en carbone organique par photosynthèse ou chimiosynthèse bactérienne.*

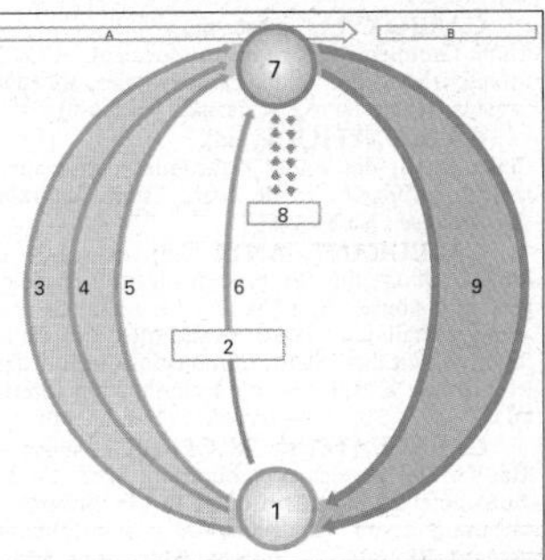

**CARBONÉ, ÉE,** adj.
*Chim.* Qui contient du carbone : *Chaîne* **carbonée**, squelette d'une molécule organique composé uniquement d'atomes de carbone susceptibles de fixer des atomes d'hydrogène ou divers groupements chimiques. 1787 ; ☞ *carbone* ; [kaʀbɔne].

**CARBONIFÈRE,** subst. m. et adj.
*Géol.* SUBST. Période de l'histoire de la Terre, à la fin de l'ère primaire, qui a commencé il y a 360 millions d'années et a duré 65 millions d'années. ADJ. **1.** Qui appartient au **Carbonifère** : *La flore et la faune* **carbonifères**. **2.** Qui contient du charbon : *Un sol* **carbonifère**. 1838 ; ☞ *carbone* + *-fère* ; [kaʀbɔnifɛʀ].

GÉOLOGIE – Le Carbonifère est l'âge du charbon, pendant lequel, de l'Amérique du Nord à l'Europe occidentale, des forêts littorales se transforment en grands gisements de houille, tandis que se produisent les plissements hercyniens qui créent les chaînes de montagnes hercyniennes. C'est au Carbonifère qu'apparaissent les premières plantes à fleur (angiospermes), les premiers conifères, les premiers reptiles (de petite taille et à vie terrestre) et que se produit la différenciation des poissons osseux.

**CARBONIQUE,** adj.
*Chim.* Qualifie divers dérivés du carbone : *Anhydride* **carbonique**, composé oxygéné du carbone appelé aussi dioxyde de carbone, de formule $CO_2$ ; *Neige* **carbonique**, dioxyde de carbone solidifié, utilisé comme réfrigérant. 1787 ; ☞ *carbone* ; [kaʀbɔnik].

**CARBONISATION,** subst. f.
Transformation d'une substance en charbon, en partic. par combustion. 1789 ; lat. *carbo*, « charbon » ; [kaʀbɔnizasjɔ̃].

**CARBONISER,** verbe trans. [3]
**1.** Transformer (une substance) en charbon : *Carboniser du bois*. **2.** Ext. ▸ Détruire par le feu. ▸ Rôtir à l'excès ; empl. adj. : *Viande* **carbonisée**. 1803 ; lat. *carbo*, « charbon » ; [kaʀbɔnize].

**CARBONNADE,** voir **CARBONADE**

**CARBONYLE,** subst. m.
*Chim.* Groupement carboné bivalent CO (le carbone, C, est lié par une double liaison à l'oxygène, O), caractéristique des aldéhydes et des cétones. 1878 ; ☞ *carbone* + *-yle* ; [kaʀbɔnil].

**CARBORUNDUM,** subst. m. inv.
*Techn.* Siliciure de carbone synthétique dont la dureté est équivalente à celle du corindon, utilisé comme abrasif. 1894 ; angl. *carborundum*, crois. de *carbon*, « charbon », et de *corundum*, « corindon » ; n. déposé ; [kaʀbɔʀɔ̃dɔm].

**CARBOXYHÉMOGLOBINE,** subst. f.
*Biochim.* Combinaison, difficilement dissociable, de l'oxyde de carbone avec l'hémoglobine, qui se forme très aisément au cours de l'intoxication par l'oxyde de carbone en réduisant l'hémoglobine disponible pour transporter l'oxygène. XXe s. ; ☞ *hémoglobine* + *carbo-* et *oxy-* ; [kaʀbɔksiemɔglɔbin].

**CARBOXYLASE,** subst. f.
*Biochim.* Enzyme qui catalyse la fixation sur un substrat organique de dioxyde de carbone, et dont une sorte, la pyruvate **carboxylase**, participe à la production des molécules de glucose, et une autre, l'acétylcoenzyme A-**carboxylase**, contrôle la biosynthèse des acides gras. XXe s. ; ☞ *carboxyle* ; [kaʀbɔksilaz].

**CARBOXYLE,** subst. m.
*Chim.* Groupement carboné monovalent –COOH, caractéristique des acides carboxyliques. 1890 ; formé de *carbo-*, de *oxy-* et de *-yle* ; [kaʀbɔksil].

**CARBOXYLIQUE,** adj.
*Chim.* Se dit des acides organiques contenant le radical carboxyle, et de leurs esters. 1890 ; ☞ *carboxyle* ; [kaʀbɔksilik].

**CARBURANT, ANTE,** adj. et subst. m.
ADJ. *Métall.* Qualifie un produit ou un procédé qui permet d'ajouter du carbone à un métal ou à un alliage métallique : *Poudre* **carburante** ; *Procédé par fusion* **carburante**. SUBST. Combustible utilisé dans les moteurs à explosion ou à combustion interne. Déb. XXe s. ; p. pr. de *carburer* ; [kaʀbyʀɑ̃, ɑ̃t].

**CARBURATEUR, TRICE,** adj. et subst. m.
ADJ. Vx. Qui permet la carburation. SUBST. Organe d'un moteur à explosion où se fait le mélange du carburant et de l'air nécessaire à son fonctionnement. 1866 ; ☞ *carbure* ; [kaʀbyʀatœʀ, tʀis].

**CARBURATION,** subst. f.
**1.** *Techn.* Enrichissement en carbone d'un métal ou d'un alliage métallique : *Carburation du fer dans l'industrie de l'acier*. **2.** Ext. *Autom.* Formation d'un mélange gazeux composé d'un carburant et d'un comburant, en l'occurrence l'air, qui contient l'oxygène nécessaire à la combustion explosive du carburant. 1866 ; ☞ *carbure* ; [kaʀbyʀasjɔ̃].

**CARBURE,** subst. m.
*Chim.* Composé binaire (dont la molécule ne contient que deux atomes différents) du carbone. Le méthane, $CH_4$, est un **carbure** d'hydrogène ou hydrocarbure. Il existe également des **carbures** métalliques, comme le **carbure** de calcium, $CaC_2$. 1787 ; ☞ *carbone* ; [kaʀbyʀ].

**CARBURÉACTEUR,** subst. m.
*Techn.* Carburant pouvant alimenter un moteur à réaction ou à turbine. 1959 ; crois. de *carburant* et de *réacteur* ; [kaʀbyʀeaktœʀ].

**CARBURER,** verbe [3]
TRANS. *Techn.* Ajouter du carbone à (un métal, un alliage métallique). INTRANS. **1.** *Autom.* Réaliser le mélange de carburant et d'air nécessaire au fonctionnement d'un moteur à explosion. **2.** Ext. Fonctionner : *Le moteur* **carbure** *mal*. ▸ Fam. *Alors, ça* **carbure** *?* : ça va bien ? ; **Carburer** *au rouge* : avoir l'habitude de boire beaucoup de vin rouge. 1907 ; ☞ *carbure* ; [kaʀbyʀe].

**CARCAILLER,** verbe intrans. [3]
Pousser son cri, en parlant de la caille. 1621 ; orig. onomat. ; var. *courcailler* ; [kaʀkaje].

**CARCAJOU,** subst. m.
*Zool.* Nom vulgaire d'un blaireau d'Amérique du Nord, de la famille des Mustélidés. 1703 ; mot indien du Canada ; [kaʀkaʒu].

**CARCAN,** subst. m.
**1.** Collier de fer avec lequel on attachait un condamné au poteau d'exposition ; par méton., la peine elle-même. **2.** Anal. Ce qui serre le cou. **3.** Fig. Ce qui contraint : *Le* **carcan** *des préjugés*. Déb. XIIe s. ; lat. médiév. *carcan(n)um* ; [kaʀkɑ̃].

**CARCASSE,** subst. f.
**1.** Ensemble des ossements décharnés d'un animal, encore reliés les uns aux autres : *Une* **carcasse** *de bison*. ▸ Animal de boucherie dépecé et éviscéré, prêt à être vendu. ▸ *La* **carcasse** *d'une volaille* : ce qui en reste quand on a ôté les ailes, les cuisses et les blancs. **2.** Anal. Corps humain (fam.). **3.** Ext. Armature d'un objet : **Carcasse** *d'un parapluie* ; charpente d'un ouvrage en construction : **Carcasse** *d'un navire* ; ce qui reste d'une chose détruite : *Des* **carcasses** *de voitures calcinées*. 1556 ; p.-ê. anc. fr. *charcois* ; [kaʀkas].

**CARCEL,** adj. inv. et subst. f.
Se dit d'une lampe à huile dont l'alimentation est régulée par un système de rouages et de pistons : *Des* **carcels** ; *Des lampes* **Carcel**. 1824 ; anthropon. *Carcel*, horloger qui inventa cette lampe ; [kaʀsɛl].

**CARCÉRAL, ALE, AUX,** adj.
Relatif à la prison, au régime pénitentiaire. 1959 ; lat. *carcer*, « prison » ; [kaʀseʀal, o].

**CARCINOGÈNE,** adj.
*Pathol.* Qui peut provoquer le développement d'un cancer (synon. *cancérigène*). V. 1920 ; formé de *carcino-* et de *-gène* ; [kaʀsinɔʒɛn].

**CARCINOLOGIE,** subst. f.
**1.** Branche de la zoologie relative aux Crustacés. **2.** Partie de la médecine qui étudie et traite les cancers (synon. *cancérologie, oncologie*). 1842 ; formé de *carcino-* et de *-logie* ; [kaʀsinɔlɔʒi].

**CARCINOME,** subst. m.
*Pathol.* Tumeur épithéliale maligne, dont il existe autant de variétés qu'il y a de tissus épithéliaux (synon. *épithélioma*). 1545 ; lat. *carcinoma*, du gr. *karkinôma* ; [kaʀsinom].

**CARDAGE,** subst. m.
Action de carder ; son résultat. 1765 ; ☞ *carder* ; [kaʀdaʒ].

**CARDAMINE,** subst. f.
*Bot.* Plante herbacée de la famille des Brassicacées, appelée aussi cressonnette, aimant les lieux humides. 1545 ; lat. *cardamina* ou gr. *kardaminê*, du gr. *kardamon*, « cresson » ; [kaʀdamin].

**CARDAMOME,** subst. f.
*Bot.* Plante de l'Inde, de la famille des Zingibéracées, dont le fruit, la **cardamome** de Siam, renferme des graines qui servent de condiment. Fin XIIe s. ; lat. *cardamomum*, du gr. *kardamômon* ; [kaʀdamɔm].

**CARDAN,** subst. m.
Mode de suspension articulée permettant à un objet de conserver une même position malgré les oscillations de son support. ▸ *Mar. Un compas, un réchaud monté sur* **cardan** : restant à l'horizontale quels que soient les mouvements du bateau. ▸ *Mécan. Joint de* **Cardan** ou, par ell., *Un* **cardan** : articulation reliant l'arbre secondaire de la boîte de vitesses d'une automobile à l'arbre de transmission. 1866 ; anthropon. *J. Cardan* ; [kaʀdɑ̃].

**CARDE (I),** subst. f.
**1.** *Bot.* Tête épineuse du chardon à foulon, ou cardère, dont on se servait autrefois pour peigner le drap et carder la laine. **2.** *Text.* Peigne de cardeur, formé d'une planchette en bois garnie de pointes métalliques ; machine à carder. XIIIe s. ; pic. *carde*, du lat. *carduus*, « chardon » ; [kaʀd].

**CARDE (II),** subst. f.
Côte médiane comestible des feuilles de certaines plantes (cardon, bette). 1536 ; prov. *cardo*, du lat. *carduus*, « chardon » ; [kaʀd].

**CARDÉ, ÉE,** adj. et subst.
ADJ. et SUBST. MASC. Se dit d'une matière textile dont les fibres sont démêlées grossièrement et non peignées. SUBST. FÉM. Quantité de matière **cardée** en même temps : *Une* **cardée** *de laine*. 1394 ; p. p. de *carder* ; [kaʀde].

**CARDER,** verbe trans. [3]
Démêler (des fibres textiles) à l'aide d'une carde : **Carder** *du crin* ; par méton. : **Carder** *un matelas*, lui redonner de l'épaisseur. XIIIe s. ; ☞ *carde* (I) ; [kaʀde].

**CARDÈRE,** subst. f.
*Bot.* Chardon de la famille des Dipsacacées, tel que le chardon à foulon (utilisé jadis pour le cardage des laines), et le chardon sauvage, ou cabaret des oiseaux. 1775 ; prob. prov. *cardayro*, de *cardar*, « carder » ; [kaʀdɛʀ].

**CARDEUR, EUSE,** subst.
Personne dont le métier est de carder les fibres textiles ou les matelas. FÉM. Machine à carder. 1337 ; ☞ *carder* ; [kaʀdœʀ, øz].

**CARDIA,** subst. m.
*Anat.* Orifice d'entrée de l'estomac. 1556 ; lat. médiév. *cardia*, du gr. *kardia* ; [kaʀdja].

**CARDIAL, ALE, AUX,** adj.
Qui concerne le cardia. V. 1930 ; ☞ *cardia* ; [kaʀdjal, o].

**CARDIALGIE,** subst. f.
*Pathol.* **1.** Douleur dans la région précordiale (en avant du cœur). **2.** Douleur au niveau du cardia. 1546 ; lat. médiév. *cardialgia*, « maladie du cœur », du gr. *kardialgia*, « maux d'estomac » ; [kaʀdjalʒi].

**CARDIAQUE,** adj. et subst.
*Méd.* ADJ. Qui concerne le cœur. SUBST. Personne qui souffre d'une maladie de cœur. 1372 ; lat. *cardiacus*, du gr. *kardiakos*, « maladie du cœur ou de l'estomac » ; [kaʀdjak].

**CARDIGAN,** subst. m.
Gilet de tricot ras du cou, à manches longues et boutonné sur le devant. 1945 ; angl. *cardigan*, de l'anthropon. *comte de Cardigan* ; [kaʀdigɑ̃].

*Cardinal d'Amérique du Nord.*

**CARDINAL (I),** subst. m.
**1.** *Cath.* Haut dignitaire de l'Église, dont la fonction principale est d'élire le pape, au sein du Sacré Collège réuni en conclave, de l'assister et de le conseiller durant son pontificat : *Création de*

*nouveaux* ***cardinaux*** *par le pape.* **2.** *Zool.* Passereau d'Amérique qui se distingue par son plumage écarlate. Fin XII^e s. ; lat. eccl. *cardinalis*, du lat. *cardo*, « pivot » ; plur. *cardinaux* ; [kaʀdinal], plur. [-no].

**CARDINAL (II), ALE, AUX, adj. et subst. m.**

Adj. **1.** Principal, fondamental. ▸ *Les quatre vertus* ***cardinales*** *du chrétien* : la justice, la prudence, la force et la tempérance, sur lesquelles repose la morale et qui doivent régler les relations entre les hommes. ▸ *Les quatre points* ***cardinaux*** : le nord, le sud, l'est et l'ouest, qui servent à déterminer la position de tous les autres points. **2.** *Gramm. Nom de nombre* ***cardinal****, adjectif numéral* ***cardinal*** : qui expriment une quantité définie, la quantité d'éléments d'un ensemble (un, deux, ..., cent, mille, par ex.). Subst. *Math.* Extension de la notion de nombre d'éléments d'un ensemble fini. Le **cardinal** d'un ensemble E est la classe des ensembles qui ont même puissance que E (noté Card (E) ou |E|). Le **cardinal** de l'ensemble des entiers (resp. des nombres réels) se note aleph zéro (resp. aleph un). 1279 ; lat. *cardinalis*, « qui sert de pivot » ; [kaʀdinal, o].

**CARDINALAT, subst. m.**

Dignité de cardinal. 1508 ; lat. médiév. *cardinalatus* ; [kaʀdinala].

**CARDINALICE, adj.**

Propre aux cardinaux : *La pourpre* ***cardinalice.*** 1829 ; ital. *cardinalizio* ; [kaʀdinalis].

**CARDIOGRAMME, subst. m.**

*Méd.* Tracé mécanographique traduisant les modifications de la paroi ventriculaire gauche pendant la contraction cardiaque (synon. *apexogramme*). 1901 ; formé de *cardio-* et de *-gramme* ; [kaʀdjɔgʀam].

**CARDIOGRAPHE, subst. m.**

*Méd.* Appareil servant à enregistrer, à l'aide d'un capteur, les pulsations maximales de la pointe du cœur (choc apexien) à travers la paroi thoracique et à tracer un cardiogramme. 1832 ; formé de *cardio-* et de *-graphe* ; [kaʀdjɔgʀaf].

**CARDIOGRAPHIE, subst. f.**

*Méd.* Enregistrement de l'activité cardiaque fournissant un cardiogramme. 1793 ; formé de *cardio-* et de *-graphie* ; [kaʀdjɔgʀafi].

**CARDIOLOGIE, subst. f.**

*Méd.* Spécialité qui étudie le cœur et ses maladies. 1762 ; formé de *cardio-* et de *-logie* ; [kaʀdjɔlɔʒi].

**CARDIOLOGUE, subst.**

Médecin dont la spécialité est la cardiologie. Déb. XX^e s. ; ☞ *cardiologie* ; [kaʀdjɔlɔg].

**CARDIOMÉGALIE, subst. f.**

*Pathol.* Augmentation du volume cardiaque. 1920 ; formé de *cardio-* et de *-mégalie* ; [kaʀdjomegali].

**CARDIOMYOPATHIE, subst. f.**

*Pathol.* Affection primitive et grave du muscle cardiaque. Mil. XX^e s. ; ☞ *myopathie* + *cardio-* ; [kaʀdjɔmjɔpati].

**CARDIOPATHIE, subst. f.**

*Pathol.* Terme générique désignant l'ensemble des affections cardiaques. 1855 ; formé de *cardio-* et de *-pathie* ; [kaʀdjɔpati].

**CARDIO-PULMONAIRE, adj.**

*Méd.* Qui se rapporte au cœur et aux poumons. 1878 ; ☞ *pulmonaire* + *cardio-* ; plur. *cardio-pulmonaires*, var. *cardiopulmonaire* ; [kaʀdjɔpylmɔnɛʀ].

**CARDIO-RESPIRATOIRE, adj.**

*Méd.* Qui se rapporte à la physiologie du cœur et de l'appareil respiratoire. 1896 ; ☞ *respiratoire* + *cardio-* ; plur. *cardio-respiratoires*, var. *cardiorespiratoire* ; [kaʀdjɔʀɛspiʀatwaʀ].

**CARDIOTHYRÉOSE, subst. f.**

*Pathol.* Affection cardiaque liée à un dysfonctionnement du corps thyroïde (hypothyroïdie ou hyperthyroïdie). On emploie surtout ce terme au sujet des complications cardiaques de l'hyperthyroïdie. 1934 ; ☞ *thyroïde* + *cardio-* et *-ose* ; [kaʀdjotiʀeoz].

**CARDIOTOMIE, subst. f.**

*Chir.* Incision du cœur. 1848 ; formé de *cardio-* et de *-tomie* ; [kaʀdjɔtɔmi].

**CARDIOTONIQUE, adj. et subst. m.**

*Pharm.* Se dit d'une substance qui augmente la tonicité du muscle cardiaque : *La digitaline est un* ***cardiotonique.*** V. 1920 ; ☞ *tonique* (I) + *cardio-* ; [kaʀdjɔtɔnik].

**CARDIO-VASCULAIRE, adj.**

*Méd.* Qui concerne à la fois le cœur et les vaisseaux. 1910 ; ☞ *vasculaire* + *cardio-* ; plur. *cardio-vasculaires*, var. *cardiovasculaire* ; [kaʀdjɔvaskylɛʀ].

**CARDITE (I), subst. f.**

*Zool.* Mollusque des mers chaudes. 1755 ; lat. *cardia*, « cœur » ; [kaʀdit].

**CARDITE (II), subst. f.**

*Pathol.* Maladie inflammatoire des parois du cœur : *Le rhumatisme articulaire aigu peut se compliquer d'une* ***cardite.*** 1792 ; prob. lat. sc. *carditis*, du lat. *cardia*, « cœur » ; [kaʀdit].

**CARDON, subst. m.**

*Bot.* et *Agric.* Plante potagère de la famille des Astéracées, proche de la bette. XII^e s. ; anc. prov. *cardo(n)*, du bas lat. *cardo*, « chardon » ; [kaʀdɔ̃].

**CARÊME, subst. m.**

**1.** *Relig.* Temps liturgique de quarante jours, allant du mercredi des Cendres au dimanche des Rameaux (ou au samedi saint, en excluant les dimanches), pendant lequel les chrétiens sont invités à préparer la fête de Pâques par la pénitence et le jeûne. ▸ Loc. *Face de* ***carême*** : visage amaigri ou maussade ; *Tomber comme mars en* ***carême*** : se produire, arriver inévitablement. **2.** Ext. ▸ Série de prêches ou de conférences de **carême** : *Les* ***carêmes*** *de Massillon, de Bossuet.* ▸ Jeûne. 1119 ; lat. pop. *°quaresima*, du lat. chrét. *quadragesima*, « quarantième » ; [kaʀɛm].

**CARÊME-PRENANT, subst. m.**

Vieilli. **1.** *Relig.* Les trois jours gras précédant le carême. **2.** Méton. Personne masquée et costumée pour les jours gras. Fin XII^e s. ; comp. de *carême* et du p. pr. de *prendre* (vx), « s'engager dans » ; plur. *carêmes-prenants* ; [kaʀɛmpʀənɑ̃].

**CARÉNAGE, subst. m.**

**1.** *Mar.* Action de caréner un bâtiment (de la barque au paquebot) ; par méton., lieu où l'on carène (bassin, plan incliné, etc.) **2.** *Techn.* Carrosserie profilée de manière aérodynamique. 1678 ; ☞ *caréner* ; [kaʀenaʒ].

**CARENCE, subst. f.**

**1.** Absence ou insuffisance importante de qqch. : *La* ***carence*** *en gibier d'une forêt trop fréquentée.* ▸ État de défaillance d'une personne ou d'une institution qui ne remplit pas ses devoirs : *Dénoncer la* ***carence*** *de l'O. N. U.* **2.** *Dr.* Absence de biens ou de ressources d'un débiteur : *Procès-verbal de* ***carence***, dressé lors d'une saisie ou d'un inventaire ; *Délai de* ***carence***, pendant lequel une personne n'est pas indemnisée. **3.** *Pathol.* Insuffisance ou défaut dans l'organisme d'éléments indispensables à son équilibre : ***Carence*** *en fer.* **4.** *Psychol.* ***Carence*** *affective* : manque ou insuffisance de relations affectives avec la mère, chez le jeune enfant. Mil. XV^e s. ; bas lat. *carentia*, « indigence » ; [kaʀɑ̃s].

**CARÈNE, subst. f.**

**1.** *Mar.* Partie de la coque d'un navire située sous la ligne de flottaison ; par méton., carénage : *Un paquebot mis en* ***carène.*** **2.** *Bot.* Réunion, en forme de **carène**, des deux pétales inférieurs de la corolle des Papilionacées. 1246 ; anc. génois *carena*, du lat. *carina*, « demi-coquille de noix » ; [kaʀɛn].

**CARÉNER, verbe trans. [8]**

**1.** *Mar.* Réparer, nettoyer et repeindre la carène de (un navire mis à sec) ; empl. intrans., passer au carénage : *Ce cargo n'a pas* ***caréné*** *depuis des lustres.* **2.** *Techn.* Doter (la carrosserie d'un véhicule) d'un profil aérodynamique. 1643 ; ☞ *carène* ; [kaʀene].

**CARENTIEL, ELLE, adj.**

*Pathol.* Qui résulte d'une carence ; qui présente une ou des carences. 1955 ; ☞ *carence* ; [kaʀɑ̃sjɛl].

**CARESSANT, ANTE, adj.**

**1.** Qui aime à donner ou à recevoir des caresses, câlin : *Une enfant* ***caressante.*** **2.** Ext. Qui exprime la douceur, la tendresse : *Un regard* ***caressant*** ; au fig., agréable, délicat comme le frôlement d'une caresse : *Les rayons* ***caressants*** *d'un soleil d'automne.* 1642 ; p. pr. de *caresser* ; [kaʀɛsɑ̃, ɑ̃t].

**CARESSE, subst. f.**

**1.** Geste, attouchement marquant l'affection, la tendresse ou le désir : *Le chat ronronnait sous les rudes* ***caresses*** *de son maître* ; *Une* ***caresse*** *amoureuse* ; par ext., effleurement délicat : *La* ***caresse*** *du vent, des flots.* **2.** Affirmation appuyée de bienveillance ou d'estime ; flatterie (littér. et vieilli) : *Je vous vois accabler un homme de* ***caresses*** (Molière). 1534 ; ital. *carezza*, du lat. *carus*, « cher » ; [kaʀɛs].

**CARESSER, verbe trans. [3]**

**1.** Faire une ou des caresses à ; cajoler ; toucher tendrement : ***Caresser*** *la joue d'un enfant* ; par ext., frôler, effleurer délicatement : *Ses doigts* ***caressaient*** *les touches du piano.* **2.** Fig. Enjôler (vieilli) ; flatter : ***Caresser*** *la vanité de qqn.* **3.** Se complaire dans, nourrir (une idée). 1410 ; ital. *carezzare*, « chérir » ; [kaʀɛse].

**CARET (I), subst. m.**

*Text.* Dévidoir sur lequel les cordiers enroulent le fil au fur et à mesure qu'ils le fabriquent. 1382 ; norm.-pic. *caret*, de *car*, « char » ; [kaʀɛ].

**CARET (II), subst. m.**

*Zool.* Tortue des mers chaudes, de la famille des Chélonidés, à écailles et dont la mâchoire supérieure est recourbée en un bec crochu. 1640 ; mot caraïbe ; [kaʀɛ].

**CAREX, subst. m.**

*Bot.* Plante herbacée à feuilles coupantes, de la famille des Cypéracées, aussi appelée laîche. 1778 ; mot lat. ; [kaʀɛks].

**CARGAISON, subst. f.**

**1.** Ensemble des marchandises d'un navire de commerce : *Une* ***cargaison*** *d'armes.* **2.** Ext. Quantité importante (fam.). 1554 ; anc. gascon *cargueson*, de l'anc. prov. *cargar*, « charger (un navire) » ; [kaʀgɛzɔ̃].

**CARGO, subst. m.**

Navire de commerce utilisé pour le transport de marchandises : ***Cargo*** *bananier, méthanier* ; ***Cargo*** *mixte*, pouvant aussi embarquer quelques passagers. 1907 ; angl. *cargo boat*, de l'esp. *cargo*, « charge », et de *boat*, « navire » ; [kaʀgo].

**CARGUE, subst. f.**

*Mar.* Cordage servant à carguer les voiles. 1634 ; ☞ *carguer* ; [kaʀg].

**CARGUER, verbe trans. [3]**

*Mar.* Replier et amarrer (une voile) sur un mât, une vergue : ***Carguez*** *la grand-voile !* 1690 (1611, pencher sur le côté, pour un bateau) ; lat. tardif *carricare*, « charger », par une langue méridionale ; [kaʀge].

**CARI, subst. m.**

**1.** Condiment d'origine indienne, composé d'épices pulvérisées (gingembre, piment, coriandre, etc.) : *Du poulet au* ***cari.*** **2.** Méton. Plat préparé avec ce condiment : *Un* ***cari*** *d'agneau.* 1602 ; port. *cari*, du tamoul *kari* ; var. *cary, curry* ; [kaʀi].

**CARIACOU, subst. m.**

*Zool.* Petit cervidé des forêts d'Amérique du Nord. 1761 ; prob. brésilien *cuguacu-apara* ; [kaʀjaku].

**CARIANT, ANTE, adj.**

Qui entraîne des caries dentaires (synon. *cariogène*). V. 1970 ; p. pr. de *carier* ; [kaʀjɑ̃, ɑ̃t].

*Cariatides sculptées par Jacques Sarazin (1588-1660) pour le pavillon de l'Horloge du palais du Louvre, à Paris.*

**CARIATIDE, subst. f.**

*Archit.* **1.** Statue féminine servant de colonne à un temple grec. **2.** Pilastre sculpté représentant une femme dont la tête soutient une corniche, un balcon, etc. 1546 ; ital. *cariatide*, du lat. *caryatides*, du gr. *karuatides*, « femmes de Karyes » ; var. *caryatide* ; [kaʀjatid].

© T. Walker-Jacana

*Caribou d'Alaska.*

**CARIBOU, subst. m.**
Québ. Nom du renne de Sibérie et d'Amérique du Nord. 1609 ; algonquin *xalipu* ; [kaʀibu].

**CARICATURAL, ALE, AUX, adj.**
**1.** Qui relève de la caricature ; qui prête à la caricature par son aspect exagéré ou grotesque. **2.** Ext. Qui déforme la réalité, par outrance ou simplisme : *Une vision **caricaturale** de la société.* 1842 ; ☞ *caricature* ; [kaʀikatyʀal, o].

**CARICATURE, subst. f.**
**1.** Dessin, peinture représentant de manière outrée ou grotesque un personnage, une situation, par la mise en relief d'un aspect ridicule ou déplaisant : *Les **caricatures** politiques de Daumier* ; par ext., description satirique : *M. Jourdain, savoureuse **caricature** du bourgeois.* **2.** Fig. Ce qui suggère une réalité, mais n'en est qu'une image déformée ou mensongère : *Une **caricature** de procès.* 1740 ; ital. *caricatura*, de *caricare*, « charger » ; [kaʀikatyʀ].

**CARICATURER, verbe trans. [3]**
**1.** Représenter (qqn, une situation) en caricature ; par ext., présenter de manière drôle ou satirique : *Une chanson qui **caricature** l'armée.* **2.** Fig. Déformer (une réalité) en l'exagérant ou en la simplifiant à l'excès : *Vous **caricaturez** mes propos !* 1801 ; ☞ *caricature* ; [kaʀikatyʀe].

**CARICATURISTE, subst.**
Auteur de caricatures. 1803 ; ☞ *caricature* ; [kaʀikatyʀist].

**CARIE, subst. f.**
**1.** *Pathol.* Inflammation tuberculeuse des os qui aboutit à la destruction du tissu osseux ; en partic. : ***Carie** dentaire*, formation d'une ou de plusieurs cavités dans une dent, qui aboutit à sa destruction. **2.** Anal. *Agric.* ▸ ***Carie** du blé* : infection des grains de blé, qui se transforment en pourriture sous l'effet de l'ergot de seigle. ▸ ***Carie** des arbres* : altération des vaisseaux ligneux, qui conduit à la putréfaction d'un arbre. 1537 ; lat. *caries*, « pourriture » ; [kaʀi].

**CARIÉ, ÉE, adj.**
Attaqué par une carie. Mil. XVI^e s. ; ☞ *carie* ; [kaʀje].

**CARIER, verbe trans. [6]**
Détruire lentement (un tissu osseux, dentaire, végétal) par la carie. Fin XVI^e s. ; ☞ *carie* ; [kaʀje].

**CARILLON, subst. m.**
**1.** Jeu de cloches de tons différents que des maillets frappent de l'extérieur : *Le **carillon** d'un beffroi.* **2.** Sonnerie allègre produite par ces cloches. **3.** Ext. Sonnette, cloche : *Le **carillon** électrique d'une porte d'entrée.* **4.** Système qui permet à une horloge de sonner les heures sur une petite mélodie ; par méton., cette horloge. 1345 (1190, parchemin plié en quatre) ; lat. pop. °*quadrinionem*, « ensemble formé de quatre objets » ; [kaʀijɔ̃].

**CARILLONNEMENT, subst. m.**
Action de carillonner ; son émis par un carillon. 1890 ; ☞ *carillonner* ; [kaʀijɔnmɑ̃].

**CARILLONNER, verbe [3]**
**Intrans. 1.** Faire entendre un carillon : *Les cloches **carillonnent** gaiement.* **2.** Ext. Sonner avec insistance à une porte d'entrée. **Trans. 1.** Annoncer par des carillons : *Tous les clochers **carillonnaient** la victoire* ; empl. adj. : *Une fête **carillonnée**,* fête solennelle annoncée par des carillons. **2.** Fig. Faire savoir à grand bruit : *Il **carillonne** partout qu'il a gagné le gros lot.* XV^e s. ; ☞ *carillon* ; [kaʀijɔne].

**CARILLONNEUR, subst. m.**
Personne qui sonne le carillon. 1601 ; ☞ *carillonner* ; [kaʀijɔnœʀ].

**CARINATES, subst. m. plur.**
*Zool.* Sous-classe d'oiseaux dotés sur le sternum d'une crête saillante, le bréchet, où s'insèrent les muscles pectoraux : *Tous les oiseaux sont des **carinates** sauf les ratites et les manchots.* **Au sing.** *Le moineau est un **carinate**.* V. 1920 ; lat. *carina*, « demi-coquille de noix » ; [kaʀinat].

**CARIOCA, adj. et subst.**
De Rio de Janeiro. Topon. *Carioca*, rivière de la région de Rio ; [kaʀjɔka].

**CARIOGÈNE, adj.**
Cariant. V. 1970 ; ☞ *carie* + *-gène* ; [kaʀjɔʒɛn].

**CARISTE, subst. m.**
Conducteur d'engin de manutention, dans un entrepôt, une usine, etc. V. 1970 ; prob. lat. *carrus*, « chariot » ; [kaʀist].

**CARITATIF, IVE, adj.**
**1.** *Relig.* Qui a trait à la charité. **2.** Qui a pour objet de secourir, d'assister les plus démunis. Déb. XIV^e s. ; lat. médiév. *caritativus* ; [kaʀitatif, iv].

**CARLIN (I), subst. m.**
Ancienne monnaie de Naples ; monnaie de plusieurs États italiens. 1367 ; ital. *carlino*, de l'anthropon. *Carlo*, Charles I^er d'Anjou, roi de Naples ; [kaʀlɛ̃].

**CARLIN (II), subst. m.**
Petit chien à poil ras, au museau noir et écrasé. 1800 ; prob. anthropon. *Carlin*, surnom de l'acteur italien Carlo Bertinazzi, dont le masque noir d'Arlequin évoquait le museau du chien ; [kaʀlɛ̃].

**CARLINE, subst. f.**
*Bot.* Chardon de la famille des Astéracées, genre *Carlina*, dont la racine a des propriétés sudorifiques. 1545 ; orig. obsc. ; [kaʀlin].

**CARLINGUE, subst. f.**
**1.** *Mar.* Longue pièce de bois parallèle à la quille, venant renforcer de l'intérieur son assemblage avec la structure de la coque. **2.** *Aéron.* Partie interne du fuselage d'un avion. 1382 ; anc. nord. *kerling*, « contrequille où s'implante le mât » ; [kaʀlɛ̃g].

**CARLISME, subst. m.**
Mouvement politique espagnol favorable au prétendant don Carlos et à ses descendants, aux XIX^e et XX^e s. 1831 ; anthropon. esp. *Carlos*, Charles de Bourbon, comte de Molina ; [kaʀlism].

**CARLISTE, adj. et subst.**
**Subst.** Partisan du carlisme. **Adj.** Relatif, favorable au carlisme. Déb. XIX^e s. ; ☞ *carlisme* ; [kaʀlist].

**CARMAGNOLE, subst. f.**
*Hist.* **1.** Veste étroite à col tombant et à courtes basques, portée sous la Révolution française. **2.** Sorte de ronde dansée dans le Midi au XVIII^e s., puis à Paris par les révolutionnaires. 1791 ; dauphinois *carmagnòla*, du topon. *Carmagnola*, ville du Piémont d'où est originaire cette veste ; [kaʀmaɲɔl].

**CARME, subst. m.**
*Cath.* Religieux de l'ordre contemplatif de Notre-Dame du Mont-Carmel ; en partic. : *Les **Carmes** déchaux*, ou *déchaussés*, qui suivent la réforme de saint Jean de la Croix, en 1593 ; empl. adj. : *Des pères **carmes**.* Déb. XIV^e s. ; topon. *Carmel*, mont de Palestine ; [kaʀm].

**CARMEL, subst. m.**
Couvent de carmélites. 1156 ; topon. *Carmel*, mont de Palestine ; [kaʀmɛl].

**CARMELINE, adj. f. et subst. f.**
*Laine **carmeline*** ou, par ell., ***Carmeline*** : laine de la vigogne. 1723 ; esp. *carmelina* ; [kaʀməlin].

**CARMÉLITE, subst. f.**
*Cath.* Religieuse de l'ordre contemplatif de Notre-Dame du Mont-Carmel ; en partic. : *Les **Carmélites** déchaussées*, qui suivent la réforme de sainte Thérèse d'Avila, en 1562 ; empl. adj. : *Sœurs **carmélites**.* 1317 ; ☞ *carmel* ; [kaʀmelit].

**CARMIN, subst. m. et adj. inv.**
**Subst.** Substance colorante d'un rouge éclatant, tirée à l'origine de la cochenille ; par méton., cette couleur rouge. **Adj.** De la teinte du **carmin** : *Des rideaux **carmin**.* Mil. XII^e s. ; orig. obsc. ; [kaʀmɛ̃].

**CARMINATIF, IVE, adj.**
*Pharm.* Se dit d'une substance qui stimule les sécrétions gastriques et salivaires, ainsi que la motilité de l'intestin, et qui fait expulser les gaz de ce dernier (vieilli) : *Un remède **carminatif**.* XV^e s. ; lat. médiév. *carminativus*, du lat. *carminare*, « carder ; nettoyer » ; [kaʀminatif, iv].

**CARMINÉ, ÉE, adj.**
**1.** D'une couleur tirant sur le carmin. **2.** Qui contient du carmin. 1784 ; ☞ *carmin* ; [kaʀmine].

**CARNAGE, subst. m.**
Action de tuer, de massacrer en grand nombre ; tuerie sanglante. XII^e s. ; prob. norm.-pic. *charnage*, de l'anc. fr. *char*, « chair » ; [kaʀnaʒ].

**CARNASSIER, IÈRE, adj. et subst.**
**Adj. 1.** *Zool.* ▸ Qui se nourrit de proies animales vivantes. ▸ *Dent **carnassière*** ou, empl. subst. fém., *Une **carnassière*** : dent coupante des Carnivores. **2.** Fig. Qui exprime la cruauté ou l'avidité : *Un sourire **carnassier**.* **Subst. masc.** Mammifère **carnassier**. **Subst.** Personne qui aime se nourrir de viande ; par métaph., personne d'une grande férocité. 1501 ; prov. *carnacier*, « bourreau » ; [kaʀnasje, jɛʀ].

© T. Walker-Jacana

*Comme tous les félins, le puma est pourvu de solides dents **carnassières**.*

**CARNASSIÈRE, subst. f.**
Sac dans lequel le chasseur met le gibier. 1743 ; prov. *carnassiero* ; [kaʀnasjɛʀ].

**CARNATION, subst. f.**
Coloration naturelle de la chair, de la peau humaine : *Une **carnation** diaphane.* XV^e s. ; ital. *carnagione*, de *carne*, « viande, chair » ; [kaʀnasjɔ̃].

**CARNAU, voir CARNEAU**

**CARNAVAL, subst. m.**
**1.** Période de réjouissances collectives allant de l'Épiphanie au mercredi des Cendres ; en partic., les trois jours gras, qui précèdent ce dernier. **2.** Méton. Ces fêtes et divertissements profanes eux-mêmes, marqués en gén. par des mascarades, des défilés : *Le **carnaval** de Nice.* **3.** Mannequin grotesque qui symbolise le **carnaval** et que l'on promène dans les défilés : *Brûler **Carnaval**.* 1268 ; ital. *carnevalo*, du lat. médiév. *carnelevare*, « ôter la viande » ; plur. *carnavals* ; [kaʀnaval].

**CARNAVALESQUE, adj.**
Qui concerne le carnaval ; qui l'évoque par son ton tapageur ou grotesque : *Une séance **carnavalesque** au Parlement.* 1845 ; ital. *carnavalesco* ; [kaʀnavalɛsk].

**CARNE, subst. f.**
Fam. **1.** Viande coriace. **2.** Vieux cheval, rosse ; au fig., personne détestable, méchante. 1835 ; norm. *carne*, « charogne » ; [kaʀn].

**CARNÉ, ÉE, adj.**
**1.** Couleur de chair : *Des tons **carnés**.* **2.** *Alim.* Composé essentiellement de viande : *Régime **carné**.* 1669 ; lat. *caro*, « chair » ; [kaʀne].

**CARNEAU, subst. m.**
Orifice d'un foyer, qui sert à évacuer la fumée ou des flammes. 1832 (XIII^e s., crêneau) ; *carner*, var. pic. de *crener*, « entailler » ; var. *carnau* ; [kaʀno].

© E. Scorcelletti-Gamma

*Le carnaval de Venise est renommé pour la beauté et l'étrangeté de ses masques.*

**CARNET, subst. m.**
**1.** Livret, petit cahier sur lequel on note des renseignements d'ordre divers : ***Carnet** d'adresses* ; ***Carnet** scolaire, de santé* ; ***Carnet** de bord*, sur un navire. ▸ Registre, livre de comptes : ***Carnet** de commandes.* **2.** Réunion de feuillets imprimés, de tickets détachables : ***Carnet** de chèques, de timbres.* **3.** Rubrique d'un journal consacrée à certains aspects de la vie sociale : ***Carnet** rose* ; ***Carnet** mondain.* 1416 ; anc. fr. *caer(n)* ; [kaʀnɛ].

**CARNIER, subst. m.**
Petite gibecière. 1762 ; anc. prov. *carnier*, « gibecière » ; [kaʀnje].

**CARNIFICATION, subst. f.**
*Pathol.* Altération du parenchyme (tissu spécialisé) pulmonaire, qui prend l'aspect et la consistance d'un tissu musculaire. On la rencontre dans les congestions pulmonaires chroniques des cardiaques et dans certaines bronchopneumonies. 1700 ; *carnifier* (vx), « se changer en chair » ; [kaʀnifikasjɔ̃].

**CARNIVORE, subst. m. plur. et adj.**
*Zool.* Adj. Qui se nourrit de chair (d'animaux vivants ou morts) : *Un poisson **carnivore*** ; par anal. : *Plante **carnivore***, qui se nourrit d'insectes ; *Personne **carnivore***, qui aime manger de la viande. Subst. Ordre de mammifères qui se nourrissent essentiellement de chair ; au sing., animal appartenant à cet ordre. 1556 ; lat. *carnivorus*, de *caro*, « chair », et de *vorare*, « dévorer » ; [kaʀnivɔʀ].

ZOOLOGIE – L'ordre des Carnivores regroupe les Pinnipèdes (otaries, phoques, morses), mammifères aquatiques dont les membres antérieurs fonctionnent comme des palettes natatoires, et les Fissipèdes. C'est surtout d'après les dents que sont définies les familles de Fissipèdes. Le rôle des incisives est très réduit. Les canines servent essentiellement à tuer la proie (sauf chez les charognards, comme l'hyène). Un rôle particulier est joué par la 4e prémolaire supérieure et la 1re molaire inférieure, les carnassières, qui fonctionnent, avec les autres prémolaires, comme les lames d'une paire de ciseaux et permettent de découper des morceaux de chair. Chez les plus strictement carnassiers, c.-à-d. les Félidés, il n'y a, en arrière des carnassières, qu'une très petite molaire. Il y a davantage de molaires broyeuses dans les groupes plus omnivores.

**CAROLIN, INE, adj.**
Qui remonte à l'époque de Charlemagne : *L'écriture **caroline**.* 1485 ; anthropon. lat. *Carolus*, « Charles » ; [kaʀɔlɛ̃, in].

**CAROLINGIEN, IENNE, adj. et subst.**
De la dynastie des Carolingiens. Adj. Relatif à cette dynastie, à son époque. 1643 ; lat. médiév. *Karolingi*, du lat. *Carolus*, « Charles » ; [kaʀɔlɛ̃ʒjɛ̃, jɛn].

**CAROLUS, subst. m.**
*Hist.* Monnaie faite d'un alliage de cuivre et d'argent (ou d'or), émise sous Charles VIII. xve s. ; anthropon. lat. *Carolus*, « Charles » ; [kaʀɔlys].

**CARONADE, subst. f.**
Canon court, à tir rapide, utilisé dans la marine aux xviiie et xixe s. 1783 ; angl. *carronade*, du topon. *Carron* (Écosse) ; [kaʀɔnad].

**CARONCULE, subst. f.**
**1.** *Anat.* Petite excroissance de chair : ***Caroncule** de l'hymen*, vestige de l'hymen déchiré ; ***Caroncules** lacrymales*, situées dans l'angle interne des deux yeux. **2.** *Zool.* Excroissance charnue située sur la tête de certains oiseaux (coq, dindon, etc.). Mil. xvie s. ; lat. *caruncula* ; [kaʀɔ̃kyl].

**CAROTÈNE, subst. m.**
*Biochim.* Pigment rouge orangé, soluble dans les lipides, responsable de la coloration de divers organes végétaux, et qui est à l'origine des vitamines du groupe A. 1924 ; ☞ *carotte* ; [kaʀɔtɛn].

**CAROTIDE, subst. f. et adj. f.**
*Anat.* Désigne ou qualifie chacune des artères conduisant le sang oxygéné vers la tête. La **carotide** primitive gauche part de la crosse aortique, la **carotide** primitive droite part d'un autre tronc artériel issu lui aussi de la crosse aortique. Elles montent le long du cou et bifurquent au-dessus du cartilage thyroïde en donnant chacune une **carotide** externe et une **carotide** interne. 1541 ; gr. *karôtides*, de *karoun*, « endormir, engourdir » ; [kaʀɔtid].

**CAROTIDIEN, IENNE, adj.**
Relatif aux carotides. 1805 ; ☞ *carotide* ; [kaʀɔtidjɛ̃, jɛn].

**CAROTTAGE, subst. m.**
**1.** Petit larcin (fam.). **2.** *Géol.* Découpage et extraction d'échantillons cylindriques de terrain appelés carottes ; par anal., étude des sous-sols en vue de rechercher de l'eau, des minerais, etc. 1844 ; ☞ *carotte* ; [kaʀɔtaʒ].

**CAROTTE, subst. f. et adj. inv.**
Subst. **1.** *Bot.* Plante potagère à grosse racine, de la famille des Apiacées, dont les espèces et variétés domestiques sont cultivées pour leur sucre et leurs vitamines. **2.** Méton. Racine comestible de cette plante. **3.** Anal. Objet dont la forme évoque celle de la racine de la **carotte** : ***Carotte** de tabac*, bâton de tabac à chiquer ; ***Carotte** du bureau de tabac*, son enseigne ; ***Carotte** de sondage*, échantillon de forme cylindrique prélevé lors d'un forage de terrain. **4.** Loc. *Utiliser la **carotte** et le bâton* : menacer et récompenser alternativement ; *Les **carottes** sont cuites* : l'affaire est perdue (fam.). Adj. De la couleur orange de la **carotte** : *Des cheveux **carotte**.* 1393 ; lat. *carota* ; [kaʀɔt].

**CAROTTER, verbe trans.** [3]
**1.** Dérober, extorquer (qqch.) à qqn en abusant de sa crédulité (fam.) : *Il lui a **carotté** son goûter.* **2.** *Géol.* Prélever une carotte dans (un terrain). 1732 ; ☞ *carotte* ; [kaʀɔte].

**CAROTTEUR, EUSE, subst.**
Personne qui commet de menues escroqueries (fam.). Mil. xixe s. (1752, joueur timoré) ; ☞ *carotter* ; var. *carottier, ière* ; [kaʀɔtœʀ, øz].

**CAROTTIER, subst. m.**
*Géol.* Outil placé à l'extrémité des tubes de forage, destiné à découper un échantillon que l'on veut extraire des couches profondes. 1929 ; ☞ *carotte* ; [kaʀɔtje].

**CAROUBE, subst. f.**
Gousse oblongue contenant une pulpe comestible douce et sucrée, fruit du caroubier. xiie s. ; lat. médiév. *carubia*, de l'ar. *ḫarrūba* ; [kaʀub].

**CAROUBIER, subst. m.**
*Bot.* Arbre méditerranéen à feuilles persistantes, de la famille des Césalpiniacées, dont le fruit est la caroube. 1553 ; ☞ *caroube* ; [kaʀubje].

**CAROUGE, subst. f.**
**1.** Caroube. **2.** Bois du caroubier. 1606 ; var. de *caroube* ; [kaʀuʒ].

**CARPACCIO, subst. m.**
*Cuis.* Plat composé de fines tranches de bœuf cru assaisonnées de citron et d'huile d'olive. V. 1980 ; anthropon. *Carpaccio*, peintre vénitien ; [kaʀpatʃ(j)o].

**CARPE (I), subst. f.**
**1.** *Zool.* Poisson d'eau douce de la famille des Cyprinidés, à la bouche édentée pourvue de quatre barbillons, et dont la chair est comestible. **2.** Loc. *Bâiller comme une **carpe*** : bâiller fréquemment et sans retenue ; *Être muet comme une **carpe*** : garder obstinément le silence. **3.** *Sp. Saut de **carpe*** : saut qui consiste, pour un sportif allongé sur le dos, à se relever d'un coup de reins, sans se servir des mains. Fin xiiie s. ; bas lat. *carpa* ; [kaʀp].

**CARPE (II), subst. m.**
*Anat.* Ensemble des huit os courts qui constituent le poignet et qui sont répartis en deux rangées, soit, du pouce vers l'auriculaire : le scaphoïde, le semi-lunaire, le pyramidal, le pisiforme ; le trapèze, le trapézoïde, le grand os du **carpe** et l'os crochu. 1546 ; gr. *karpos*, « jointure ; poignet » ; [kaʀp].

**CARPEAU, subst. m.**
Jeune carpe. Fin xiiie s. ; ☞ *carpe* (I) ; [kaʀpo].

**CARPELLE, subst. m.**
*Bot.* Élément foliacé qui porte les ovules d'une plante. Chez les Gymnospermes, l'unique **carpelle** de chaque fleur femelle reste largement ouvert, les ovules étant disposés à l'intérieur. Chez les Angiospermes, les **carpelles** de chaque fleur sont plus ou moins soudés entre eux, l'ensemble constituant le pistil de la fleur et contenant les ovules. 1838 ; gr. *karpos*, « fruit » ; [kaʀpɛl].

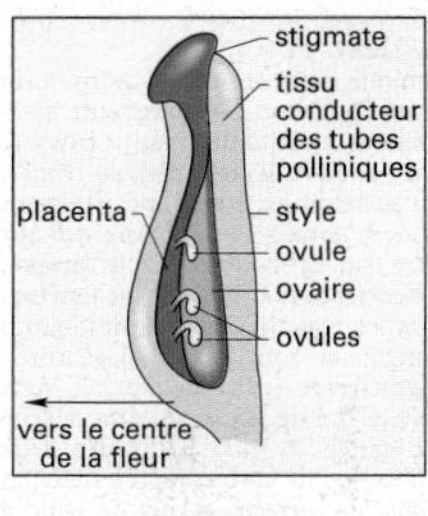


*Coupe longitudinale du **carpelle** des Angiospermes.*

**CARPETTE, subst. f.**
**1.** Petit tapis. **2.** Fig. Individu, servile (fam.). 1863 (1582, tenture) ; angl. *carpet*, de l'ital. *carpita*, « tissu servant à recouvrir des meubles » ; [kaʀpɛt].

**CARPETTIER, subst. m.**
Fabricant de moquettes ou de carpettes. 1909 ; ☞ *carpette* ; [kaʀpetje].

**CARPICULTURE, subst. f.**
Élevage des carpes. 1929 ; ☞ *carpe* (I) + *-culture* ; [kaʀpikyltyʀ].

**CARPIEN, IENNE, adj.**
Du carpe. 1837 ; ☞ *carpe* (II) ; [kaʀpjɛ̃, jɛn].

**CARPILLON, subst. m.**
Petit de la carpe. 1579 ; ☞ *carpe* (I) ; [kaʀpijɔ̃].

**CARPOCAPSE, subst. f.**
*Zool.* Petit insecte lépidoptère dont la chenille attaque certains fruits, notamment les pommes et les prunes. 1845 ; lat. sc. *carpocapsa*, du gr. *karpos*, « fruit », et *kaptein*, « dévorer » ; [kaʀpokaps].

**CARQUOIS, subst. m.**
Étui à flèches. Fin xiie s. ; gr. médiév. *tarkasion*, du persan *tirkaš* ; [kaʀkwa].

**CARRARE, subst. m.**
Marbre blanc provenant de Carrare ; par méton., sculpture taillée dans ce marbre. 1755 ; topon. *Carrare* (Toscane) ; [kaʀaʀ].

**CARRE, subst. f.**
**1.** Épaisseur d'un objet plat coupé à angles droits : ***Carre** d'une plaque de verre.* **2.** Baguette d'acier bordant la semelle d'un ski ; tranchant de l'arête d'un patin à glace. xve s. (fin xiie s., coin, côté du heaume) ; ☞ *carrer* ; [kaʀ].

**CARRÉ (I), ÉE, adj.**
**I. 1.** *Math.* **1.** *Géom.* Qui a ses quatre côtés égaux et ses angles droits : *Figure **carrée*** ; *Tour **carrée**.* ▸ *Mètre, centimètre **carré*** : surface d'un carré dont le côté mesure un mètre, un centimètre (symb. : $m^2$, $cm^2$). **2.** *Arithm. Racine **carrée*** (☞ *racine*). **3.** *Alg. Matrice **carrée*** : tableau de nombres qui comporte autant de colonnes que de lignes. **II. 1.** Dont la forme est approximativement celle du carré géométrique : *Un champ **carré*** ; *Une enceinte **carrée**.* ▸ *Voile **carrée*** : voile quadrangulaire soutenue par une vergue perpendiculaire au mât ; par méton. : *Voilier **carré***, gréé avec de telles voiles. **2.** Dont les contours sont à angles droits : *Avoir les épaules **carrées*** ; *Bout **carré** d'une chaussure.* **3.** Fig. Franc, direct : *Une attitude, une réponse **carrée***, nette et sans ambiguïté. xiie s. ; lat. *quadratus*, de *quadrare*, « rendre carré » ; [kaʀe].

**CARRÉ (II),** subst. m.
**I.** *Math.* **1.** *Géom.* Quadrilatère plan dont les côtés sont égaux et les angles droits. L'aire d'un **carré** dont le côté est de mesure *a* est $a^2$, **carré** du nombre *a*. **2.** *Arithm.* et *Alg.* Produit d'un nombre ou d'un facteur par lui-même : *Carré de a = a.a,* noté $a^2$ ; *Carré de ax + 2 = (ax + 2)·(ax + 2), noté (ax + 2)*$^2$ ; *Carré dans un anneau A,* élément *x* de A tel qu'il existe un élément *y* (non nécessairement unique) de A vérifiant $y^2 = x$ (-1 est un **carré** dans ℂ, pas dans ℝ). **II. 1.** Espace dont le contour est plus ou moins carré : *Carré de jardin,* petit terrain quadrangulaire qui, dans un jardin potager, est réservé à la culture d'une même espèce ; *Carré de transept,* dans une église, intersection de la nef et du transept. **2.** Objet de forme carrée : *Carré de tissu* ; *Carré de l'Est,* fromage à pâte molle. **3.** *Spéc.* ▸ *Bouch. Carré d'agneau, de porc* : ensemble des côtelettes d'agneau, de porc. ▸ *Jeux.* Réunion de quatre cartes semblables : *Carré d'as, de valets.* ▸ *Mar.* Sur un navire, salle à manger réservée aux officiers. Fin XV$^e$ s. ; lat. *quadratum* ; [kaʀe].

**CARREAU,** subst. m.
**1.** Plaque de céramique, de pierre, etc., dont on revêt un sol ou un mur. **2.** Méton. Le pavement ainsi constitué, notamment celui d'une rue : *Laver le* **carreau** ; en partic. : *Le* **carreau** *des Halles, du Temple,* lieux parisiens où autrefois les marchands étalaient leurs marchandises à terre. ▸ Loc. *Étendre qqn sur le* **carreau** : le tuer ; au fig. : *Rester sur le* **carreau**, échouer dans une entreprise. **3.** Vitre d'une fenêtre : *Casser, remplacer un* **carreau**. **4.** Chacune des figures de forme quadrangulaire dont l'assemblage constitue un motif symétrique (gén. au plur.) : *Veste à* **carreaux**. **5.** Helv. Carré de jardin. **6.** *Arm.* Flèche d'arbalète à base carrée. **7.** *Jeux.* L'une des deux couleurs rouges d'un jeu de cartes, représentée par un losange : *Dame de* **carreau**. ▸ Loc. *Se tenir à* **carreau** : se tenir sur ses gardes (fam.). **8.** *Mines.* Aire de stockage du minerai. XI$^e$ s. ; lat. pop. °*quadrellus,* du lat. *quadrus,* « carré » ; [kaʀo].

**CARRÉE,** subst. f.
Chambre ou chambrée (argot.). 1878 (XIII$^e$ s., ardoise) ; ☞ *carré* (I) ; [kaʀe].

**CARREFOUR,** subst. m.
**1.** Endroit où se coupent au moins trois voies. **2.** Lieu de rencontre et d'échange : **Carrefour** *de la mode* ; par méton., réunion organisée pour débattre d'une question. **3.** Loc. *Se trouver à un* **carrefour** : avoir un choix décisif à faire. Déb. XII$^e$ s. ; bas lat. *quadrifurcus,* « à quatre fourches » ; [kaʀfuʀ].

**CARRELAGE,** subst. m.
**1.** Action de carreler. **2.** Pavement fait de carreaux. 1611 ; ☞ *carreler* ; [kaʀlaʒ].

**CARRELER,** verbe trans. [12]
**1.** Quadriller. **2.** Garnir de carreaux : **Carreler** *une salle de bains.* Fin XII$^e$ s. ; anc. fr. *quarrel,* « carreau » ; [kaʀle].

**CARRELET,** subst. m.
**1.** *Zool.* Poisson de mer plat, de la famille des Pleuronectidés, voisin de la limande et aussi appelé plie. **2.** *Pêche.* Filet carré tendu sur deux arceaux croisés reliés à une perche. **3.** *Techn.* ▸ Grosse aiguille, droite ou courbe, à pointe carrée, dont se servent les cordonniers, les selliers, etc. ▸ Règle ou lime à quatre faces. 1360 ; anc. fr. *quarrel,* « carreau » ; [kaʀlɛ].

**CARRELEUR,** subst. m.
Ouvrier spécialisé dans la pose des carrelages. 1463 ; ☞ *carreler* ; [kaʀlœʀ].

**CARRÉMENT,** adv.
**1.** En carré, à angle droit (rare) : *Motifs disposés* **carrément**. **2.** Fig. Avec netteté et assurance (fam.) : *Parler, y aller* **carrément**. XIII$^e$ s. ; ☞ *carré* (I) ; [kaʀemɑ̃].

**CARRER,** verbe trans. [3]
**1.** Rendre carré : **Carrer** *un bloc de marbre.* **2.** *Arithm.* **Carrer** *un nombre* : l'élever au carré. PRONOM. S'installer confortablement (dans un siège). Fin XII$^e$ s. ; lat. *quadrare* ; [kaʀe].

**CARRICK,** subst. m.
**1.** Voiture hippomobile légère. **2.** Ample redingote à plusieurs collets. 1805 ; angl. *curricle,* du lat. *curriculum,* « char de course » ; [kaʀik].

**CARRIER,** subst. m.
Personne qui exploite une carrière, ou y travaille. Déb. XIII$^e$ s. ; ☞ *carrière* (I) ; [kaʀje].

**CARRIÈRE (I),** subst. f.
Lieu d'où l'on extrait des matériaux de construction (pierre, sable, gravier, etc.) : *Une* **carrière** *de gypse à ciel ouvert.* Fin XII$^e$ s. ; lat. pop. °*quadraria,* du bas lat. *quadrus lapis,* « pierre de taille » ; [kaʀjɛʀ].

**CARRIÈRE (II),** subst. f.
**1.** Vx. Champ de courses. **2.** Ensemble des étapes d'une profession ; temps pendant lequel on l'exerce : *Faire* **carrière** *dans la banque* ; *Une* **carrière** *sportive* ; empl. abs. : *La* **Carrière**, la **carrière** diplomatique. **3.** *Astron.* Trajectoire d'un astre. **4.** *Équit.* Grand manège découvert. 1534 ; prob. ital. *carriera,* du lat. pop. °*carraria,* « voie pour chars » ; [kaʀjɛʀ].

© A. Giannoni-Jacana

**Carrière** *de calcaire ornemental en Côte-d'Or.*

**CARRIÉRISME,** subst. m.
Manière d'agir et de penser du carriériste (péj.). 1908 ; ☞ *carrière* (II) ; [kaʀjeʀism].

**CARRIÉRISTE,** subst.
Personne pour qui faire carrière est un but en soi, au détriment parfois des considérations morales. 1909 ; ☞ *carrière* (II) ; [kaʀjeʀist].

**CARRIOLE,** subst. f.
Véhicule hippomobile à deux roues, utilisé jadis dans les campagnes. 1587 ; anc. prov. *carriola,* « brouette » ; [kaʀjɔl].

**CARROSSABLE,** adj.
Praticable par un véhicule : *Chemin, voie,* **carrossable**. 1825 ; ☞ *carrosse* ; [kaʀɔsabl].

**CARROSSAGE,** subst. m.
**1.** Action de carrosser un véhicule. **2.** Inclinaison donnée aux extrémités des essieux d'une voiture afin de lui assurer une meilleure stabilité. 1873 ; ☞ *carrosser* ; [kaʀɔsaʒ].

**CARROSSE,** subst. m.
**1.** Voiture hippomobile de grand luxe, à quatre roues, suspendue et couverte. **2.** Loc. *La cinquième roue du* **carrosse** : personne que l'on traite comme quantité négligeable. 1574 ; ital. *car(r)ozza,* de *carro,* « char » ; [kaʀɔs].

**CARROSSER,** verbe trans. [3]
**1.** Vx. Véhiculer (qqn) en carrosse. **2.** Pourvoir (un véhicule) d'une carrosserie. 1828 ; ☞ *carrosse* ; [kaʀɔse].

**CARROSSERIE,** subst. f.
**1.** Ensemble des techniques relatives à l'habillage d'un véhicule, notamment d'une automobile ; commerce des carrossiers. **2.** L'ensemble des pièces travaillées, montées sur un châssis, qui constitue l'habillage d'une voiture ; par ext., habillage d'un gros appareil ménager. 1833 ; ☞ *carrosse* ; [kaʀɔsʀi].

**CARROSSIER,** subst. m.
**1.** Vx. Fabricant de carrosses. **2.** Concepteur ou réalisateur de carrosseries ; ouvrier spécialisé dans la réparation des carrosseries de voiture. 1677 (1589, cocher) ; ☞ *carrosse* ; [kaʀɔsje].

**CARROUSEL,** subst. m.
**1.** Manifestation équestre où des quadrilles évoluent en formant des figures variées ; par méton., lieu où elle se tient. **2.** Fig. Tourbillon de gens ou de véhicules dans un espace réduit. **3.** Belg. et Helv. Manège de foire. **4.** *Phot.* Support circulaire à fentes où on loge les diapositives que l'on veut projeter. 1596 ; napol. *carusello,* jeu équestre ; [kaʀuzɛl].

**CARROYAGE,** subst. m.
Quadrillage. 1917 ; ☞ *carreau* ; [kaʀwajaʒ].

**CARROYER,** verbe trans. [17]
Exécuter ou appliquer un carroyage sur : **Carroyer** *une toile.* V. 1950 ; ☞ *carroyage* ; [kaʀwaje].

**CARRURE,** subst. f.
**1.** Largeur du dos d'une personne ou d'un vêtement à la hauteur des épaules : *Il a une* **carrure** *imposante* ; *Veste étroite de* **carrure**. **2.** Fig. Capacité, envergure nécessaire pour assumer une tâche importante : *Avoir la* **carrure** *d'un chef.* Fin XII$^e$ s. ; ☞ *carrer* ; [kaʀyʀ].

**CARTABLE,** subst. m.
Sac d'écolier, gén. muni de compartiments à soufflets. 1810 (1635, registre) ; lat. médiév. °*cartabulum,* « registre » ; [kaʀtabl].

**CARTE,** subst. f.
**1.** Chacun des 32 ou des 52 petits rectangles de carton léger, marqués au verso d'une couleur (pique, cœur, carreau, trèfle) et d'une valeur (as, roi, dame, valet, 10, 9, etc.), dont l'ensemble constitue un jeu : **Cartes** *à jouer* ; *Faire un tour de* **cartes** ; *Tirer les* **cartes**, dire la bonne aventure. ▸ Loc. *Brouiller les* **cartes** : compliquer volontairement une situation ; *Jouer* **cartes** *sur table* : agir franchement ; *Jouer sa dernière* **carte** : courir sa dernière chance ; *Château de* **cartes** : entreprise fragile, qu'un rien peut abattre. **2.** Support plus ou moins rigide, constituant un document personnel d'ordre administratif ou d'usage courant : **Carte** *d'identité, d'électeur, de séjour* ; **Carte** *grise,* servant à identifier un véhicule ; **Carte** *de crédit* ; **Carte** *d'abonnement, de réduction* ; **Carte** *de visite* ou, par ell., **Carte**, petit rectangle de bristol sur lequel figurent les coordonnées d'une personne ou d'une entreprise. **3.** Rectangle de carton mince destiné à la correspondance : **Carte** *postale,* dont le recto est illustré et le verso réservé à l'écriture ; **Carte** *de vœux* ; **Carte** *d'invitation.* ▸ Loc. *Donner, avoir* **carte** *blanche* : toute liberté d'action, de choix. **4.** Liste des mets et des boissons proposés par un restaurant : **Carte** *des vins* ; *Manger à la* **carte**, en composant soi-même son menu, dont on choisit les plats dans la **carte**. **5.** *Géogr.* Représentation conventionnelle d'une partie de la surface terrestre : *Une* **carte** *de France, d'Europe* ; **Carte** *d'état-major* ; **Carte** *au 1/100 000,* sur laquelle 1 cm représente 1 km ; par ext. : **Carte** *de la Lune* ; **Carte** *du ciel* ; **Carte** *géologique,* représentation des affleurements des différents terrains par des couleurs et des signes conventionnels. **6.** *Informat.* **Carte** *à puce* : mince support rigide renfermant une mémoire électronique. 1393 ; lat. *charta,* « papier sur lequel on écrit » ; [kaʀt].

© Giraudon

Les Joueurs de **cartes**, *peinture de Paul Cézanne (1839-1906). Musée d'Orsay, Paris.*

**CARTEL (I),** subst. m.
**1.** Vx. Avis écrit de provocation en duel ; défi dans une joute ou un tournoi. **2.** Cartouche entourant une inscription, des armoiries. **3.** Motif ornemental entourant une pendule murale ; par méton., cette pendule elle-même. 1527 ; ital. *cartello,* « placard, avis » ; [kaʀtɛl].

**CARTEL (II),** subst. m.
**1.** *Écon.* Alliance entre des entreprises d'un même secteur en vue de contrôler le marché et de réduire ou de faire disparaître la concurrence : *Le* **cartel** *de l'acier.* **2.** *Pol.* Alliance de plusieurs forces politiques pour une action commune : *Le* **Cartel** *des gauches.* 1906 ; all. *Kartell* ; [kaʀtɛl].

**CARTE-LETTRE,** subst. f.
Feuille de papier à bords gommés qui, pliée et collée, se poste comme une lettre. 1890 ; comp. de *carte* et de *lettre* ; plur. *cartes-lettres* ; [kaʀtəlɛtʀ].

**CARTELLISATION,** subst. f.
*Écon.* Constitution d'un cartel d'entreprises. V. 1960 ; ☞ *cartel* (II) ; [kaʀtelizasjɔ̃].

**CARTER,** subst. m.
*Techn.* Enveloppe rigide protégeant un mécanisme : *Carter d'une chaîne de bicyclette, d'un moteur, d'une boîte de vitesses.* 1891 ; anthropon. *J. Harrison Carter*, inventeur anglais de ce dispositif ; [kaʀtɛʀ].

**CARTE-RÉPONSE,** subst. f.
Carte sur laquelle est imprimé un questionnaire que l'on renvoie à son expéditeur. V. 1970 ; comp. de *carte* et de *réponse* ; plur. *cartes-réponses* ; [kaʀt(ə)ʀepɔ̃s].

**CARTERIE,** subst. f. inv.
Magasin dans lequel on vend des cartes postales. V. 1970 ; ☞ *carte* ; n. déposé ; [kaʀt(ə)ʀi].

**CARTÉSIANISME,** subst. m.
Philosophie de Descartes et des cartésiens. 1667 ; ☞ *cartésien* ; [kaʀtezjanism].

**PHILOSOPHIE** – Le terme « cartésianisme » recouvre habituellement la philosophie de Descartes et celle de ses disciples, au nombre desquels on retient notamment Bossuet, Fénelon, Malebranche et les philosophes de Port-Royal. Du système cartésien, extrêmement riche et varié, on peut retenir la volonté de substituer une pensée aussi exacte que les mathématiques à l'incertitude du savoir médiéval. C'est à cette fin que sera élaboré le *Discours de la méthode*, ensemble de règles fondé sur le doute, où la célèbre formule *Cogito ergo sum* (« Je pense donc je suis ») deviendra le modèle de toute vérité – elle-même garantie par Dieu. Considérant l'homme concret, Descartes le conçoit comme l'union, voulue par Dieu, de deux substances distinctes : l'âme et le corps. L'influence de Descartes, centrale dans les écrits de Leibniz et de Spinoza, se retrouve encore chez Kant, dans la primauté accordée au sujet pensant sur l'objet pensé. Au XXe s., c'est toute la phénoménologie de Husserl qui prend sa source dans les « méditations cartésiennes ».

**CARTÉSIEN, IENNE,** adj.
**1.** Qui relève de la philosophie de Descartes ou de ses disciples : *Le cogito **cartésien*** ; *Esprit **cartésien***, esprit méthodique, rationaliste, systématique (souv. péj.) ; empl. subst. : *Les **cartésiens***, les disciples, proches ou lointains, de Descartes. **2.** *Math.* ▸ *Produit **cartésien** de deux ensembles E et F* : ensemble, noté $E \times F$, des couples $(x, y)$ où $x \in E$ et $y \in F$ (si $E \neq F$, $E \times F \neq F \times E$). ▸ *Repère **cartésien*** : triplet $(O, \vec{\imath}, \vec{\jmath})$ dans le plan, quadruplet $(O, \vec{\imath}, \vec{\jmath}, \vec{k})$ dans l'espace, où O est un point, l'origine du repère, et $(\vec{\imath}, \vec{\jmath})$ et $(\vec{\imath}, \vec{\jmath}, \vec{k})$ sont des bases des espaces vectoriels $\mathbb{R}^2$ et $\mathbb{R}^3$. ▸ *Coordonnées **cartésiennes** d'un point M dans un repère d'origine* O : coordonnées du vecteur $\overrightarrow{OM}$ dans la base du repère. ▸ *Équation **cartésienne** d'une courbe plane (resp. d'une surface) par rapport à un repère **cartésien*** : relation de la forme $f(x, y) = 0$ (resp. $f(x, y, z) = 0$) donnant une condition nécessaire et suffisante pour que le point de coordonnées $(x, y)$ (resp. $(x, y, z)$) dans ce repère appartienne à la courbe (resp. à la surface). 1665 ; anthropon. lat. *Cartesius*, « Descartes » ; [kaʀtezjɛ̃, jɛn].

**CARTIER,** subst. m.
**1.** Fabricant de cartes à jouer. **2.** Papier servant à fabriquer ces cartes. Déb. XVIe s. ; ☞ *carte* ; [kaʀtje].

**CARTILAGE,** subst. m.
*Anat.* Variété de tissu conjonctif dont les cellules et les fibres sont contenues dans une substance fondamentale voisine du collagène. On le rencontre dans certains organes, dont il constitue la charpente (nez, pavillon de l'oreille), à l'extrémité des os et dans toutes les articulations. 1314 ; lat. *cartilago* ; [kaʀtilaʒ].

**CARTILAGINEUX, EUSE,** adj.
Qui a trait au cartilage ou qui est fait de cartilage. 1314 ; lat. *cartilaginosus* ; [kaʀtilaʒinø, øz].

**CARTISANE,** subst. f.
Petit morceau de carton recouvert de fil d'or, d'argent ou de soie, destiné à donner du relief à une broderie ou à ornementer un tissu. 1642 ; orig. obsc. ; [kaʀtizan].

**CARTOGRAMME,** subst. m.
Représentation graphique, schématique, de mesures statistiques. 1888 ; ☞ *cartographie* + *-gramme* ; [kaʀtɔgʀam].

**CARTOGRAPHE,** subst.
Spécialiste de la cartographie. 1829 ; ☞ *carte* + *-graphe* ; [kaʀtɔgʀaf].

**CARTOGRAPHIE,** subst. f.
**1.** Art d'établir des cartes géographiques, géologiques ou autres ; science ayant pour objet l'étude de ces cartes : ***Cartographie** urbaine.* **2.** Ext. Représentation spatiale de phénomènes non géographiques : ***Cartographie** chromosomique.* 1832 ; ☞ *carte* + *-graphie* ; [kaʀtɔgʀafi].

**CARTOGRAPHIER,** verbe trans. [6]
**1.** Établir la carte géographique de (une région). **2.** Ext. Représenter (un phénomène) à l'aide de schémas, de diagrammes. 1906 ; ☞ *cartographie* ; [kaʀtɔgʀafje].

**CARTOGRAPHIQUE,** adj.
Relatif à la cartographie. 1832 ; ☞ *cartographie* ; [kaʀtɔgʀafik].

**CARTOMANCIE,** subst. f.
Art de prédire l'avenir au moyen de tarots ou d'autres cartes à jouer. 1803 ; ☞ *carte* + *-mancie* ; [kaʀtɔmɑ̃si].

**CARTOMANCIEN, IENNE,** subst.
Personne qui pratique la cartomancie. 1803 ; ☞ *cartomancie* ; [kaʀtɔmɑ̃sjɛ̃, jɛn].

**CARTON,** subst. m.
**1.** Matériau plus ou moins épais et rigide, à base de pâte à papier, gén. obtenu par collage de feuilles juxtaposées, et présentant des faces lisses ou cannelées : *Un décor en **carton*** ; ***Carton** bitumé*, rendu étanche. **2.** Méton. ▸ Boîte, emballage en **carton** : ***Carton** à chaussures, à chapeau*, dont le format est adapté à ces objets ; ***Carton** à dessins*, large portefeuille où l'on range des dessins, des plans, etc. ▸ Modèle esquissé à la même échelle que l'œuvre à exécuter (gén. au plur.) : *Les **cartons** de Le Brun, de Raphaël*, séries de compositions destinées à être exécutées en tapisserie. ▸ Carte : ***Carton** d'invitation* ; *Laisser son **carton** chez qqn*, sa carte de visite. ▸ Carte à jouer : *Taper le **carton***, jouer aux cartes (fam.). ▸ Petit carré servant de cible au tir : *Faire un joli **carton***, bien grouper son tir ou, au fig. (fam.), réussir brillamment. **3.** *Cartogr.* Encadrement représentant, sur une carte géographique, une région de cette carte, à une échelle différente. ▸ *Sp.* ***Carton** jaune, rouge* : matérialisant un avertissement ou une exclusion à l'encontre d'un joueur fautif. Déb. XVIe s. ; ital. *cartone*, de *carta*, « papier » ; [kaʀtɔ̃].

**CARTON-FEUTRE,** subst. m.
Carton goudronné composé de fibres textiles, utilisé pour assurer l'étanchéité des toitures. Comp. de *carton* et de *feutre* ; plur. *cartons-feutres* ; [kaʀtɔ̃føtʀ].

**CARTONNAGE,** subst. m.
**1.** Fabrication artisanale ou industrielle d'objets en carton : *Les métiers du **cartonnage**.* **2.** Emballage ou objet en carton. **3.** Reliure en carton, gén. recouverte de toile. 1785 ; ☞ *carton* ; [kaʀtɔnaʒ].

**CARTONNER,** verbe [3]
**Trans. 1.** Garnir de carton. **2.** Relier (un livre) avec du carton. **3.** Concentrer ses attaques verbales sur (fam.) : *Il m'a **cartonné** tant qu'il a pu.* **Intrans.** Fam. Jouer aux cartes ; au fig., réussir avec éclat ou, par antiphr., faire des dégâts. 1751 ; ☞ *carton* ; [kaʀtɔne].

**CARTONNERIE,** subst. f.
**1.** Fabrique de carton. **2.** Branche de l'économie relative à la fabrication et au commerce du carton. 1751 ; ☞ *carton* ; [kaʀtɔnʀi].

**CARTONNEUX, EUSE,** adj.
Qui évoque le carton par son aspect ou sa consistance. 1876 ; ☞ *carton* ; [kaʀtɔnø, øz].

**CARTONNIER, IÈRE,** adj. et subst. m.
**Adj. 1.** Cartonneux. **2.** *Guêpe **cartonnière*** : qui bâtit son nid avec une substance cartonneuse. **Subst. 1.** Fabricant de carton ; personne travaillant dans le cartonnage. **2.** Meuble de bureau destiné au rangement des dossiers. 1680 ; ☞ *carton* ; [kaʀtɔnje, jɛʀ].

**CARTON-PAILLE,** subst. m.
Carton issu d'une pâte à papier à base de paille hachée. Comp. de *carton* et de *paille* ; plur. *cartons-pailles* ; [kaʀtɔ̃paj].

**CARTON-PÂTE,** subst. m.
Matériau malléable fait de déchets de papier et de colle, utilisé pour réaliser des moulages, des décors. ▸ Loc. *De, en **carton-pâte*** : factice, dont l'apparence fait illusion (péj.). 1860 ; comp. de *carton* et de *pâte* ; plur. *cartons-pâtes* ; [kaʀtɔ̃pɑt].

**CARTON-PIERRE,** subst. m.
Carton ayant la dureté et l'aspect de la pierre, obtenu après séchage d'un mélange de pâte à papier et de poudre minérale : *Des moulures en **carton-pierre**.* 1801 ; comp. de *carton* et de *pierre* ; plur. *cartons-pierres* ; [kaʀtɔ̃pjɛʀ].

**CARTOON,** subst. m.
Anglic. Chacun des dessins entrant dans la composition d'un film d'animation ; par ext., ce film. 1930 ; angl. *cartoon*, « dessin » ; [kaʀtun].

**CARTOPHILE,** subst.
Personne qui collectionne les cartes postales. V. 1970 ; ☞ *carte* + *-phile* ; [kaʀtɔfil].

**CARTOPHILIE,** subst. f.
Goût prononcé pour la collection des cartes postales. V. 1970 ; ☞ *cartophile* ; [kaʀtɔfili].

**CARTOTHÈQUE,** subst. f.
Salle ou meuble servant à la conservation et au classement des cartes géographiques et, par ext., des cartes, des fiches perforées, etc. 1931 ; ☞ *carte* + *-thèque* ; [kaʀtɔtɛk].

**CARTOUCHE (I),** subst. m.
**1.** *B.-a.* Ornement sculpté ou trompe-l'œil figurant gén. une carte en partie enroulée, destiné à mettre en valeur des armoiries ou une inscription. **2.** Ext. Partie encadrée au bas d'un plan, d'une carte, recevant un titre, une légende. **3.** Dans l'ancienne Égypte, rectangle ovalisé entourant les noms d'un pharaon, d'un notable. 1546 ; ital. *cartoccio*, « cornet de papier » ; [kaʀtuʃ].

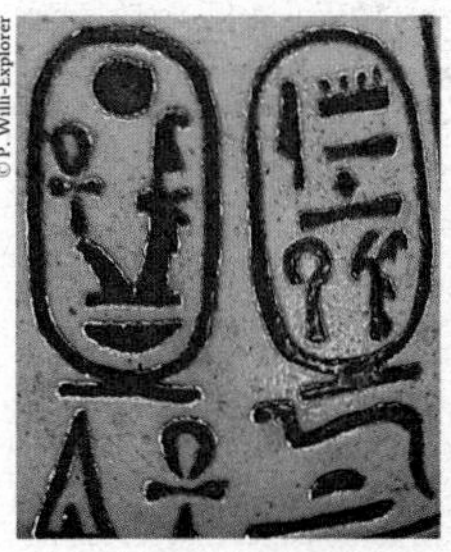
© P. Willi-Explorer

*Cartouches portant les noms d'Aménophis III, détail d'un vase égyptien (XIVe s. av. J.-C.). Musée du Louvre, Paris.*

**CARTOUCHE (II),** subst. f.
**1.** Ensemble de la charge et de la balle constituant la munition d'une arme à feu portative ; en partic., étui ou douille cylindrique contenant la charge explosive et muni d'une amorce : ***Cartouche** à plombs.* **2.** Ext. Enveloppe contenant un explosif : ***Cartouche** de dynamite.* **3.** Anal. Conditionnement de plusieurs articles de même nature réunis : ***Cartouche** de cigarettes.* **4.** Récipient contenant la recharge d'encre d'un stylo, ou de gaz d'un briquet. 1571 ; ital. *cartoccio*, « cornet de papier » ; [kaʀtuʃ].

**CARTOUCHERIE,** subst. f.
Fabrique de cartouches ; local où elles sont entreposées. 1872 ; ☞ *cartouche* (II) ; [kaʀtuʃʀi].

**CARTOUCHIÈRE,** subst. f.
Sacoche ou ceinturon aménagé pour recevoir des cartouches. 1840 ; ☞ *cartouche* (II) ; [kaʀtuʃjɛʀ].

**CARTULAIRE,** subst. m.
Registre où sont inscrits les titres de propriété et les privilèges temporels d'une église ou d'un monastère. 1340 ; lat. médiév. *chartularium*, « recueil d'actes » ; [kaʀtylɛʀ].

**CARVI,** subst. m.
*Bot.* Plante de la famille des Apiacées, appelée aussi faux cumin ou anis des Vosges, utilisée en cuisine comme condiment, et en pharmacie comme diurétique. 1256 ; lat. médiév. *carvi* ; [kaʀvi].

**CARY,** voir **CARI**

**CARYATIDE,** voir **CARIATIDE**

**CARYOCINÈSE,** subst. f.
*Biol.* Description du comportement des noyaux au cours de la mitose. 1896 ; gr. *karuon*, « noyau », et *kinêsis*, « mouvement » ; var. *karyokinèse* ; [kaʀjɔsinɛz].

**CARYOGAMIE, subst. f.**
*Biol.* Phase de la fécondation d'un ovule par un spermatozoïde au cours de laquelle les noyaux de ces deux gamètes – alors appelés pronucleus mâle et pronucleus femelle – fusionnent. Ils mettent en commun, dans le nouveau noyau ainsi formé, leurs *n* chromosomes respectifs (pour l'espèce humaine, *n* = 23), ce qui confère au noyau de l'œuf fécondé (appelé alors zygote) 2*n* chromosomes (46 pour l'espèce humaine) porteurs des gènes paternels et maternels. 1906 ; gr. *karuon*, « noyau », et *gamos*, « mariage » ; [kaʀjɔgami].

**CARYOLYTIQUE, adj.**
*Biol.* Qui provoque la mort du noyau d'une cellule, dont la chromatine se dissout dans le cytoplasme (effet possible d'un médicament anticancéreux, par ex.). Gr. *karuon*, « noyau », et *lusis*, « dissolution » ; [kaʀjɔlitik].

**CARYOPHYLLACÉES, subst. f. plur.**
*Bot.* Famille d'arbustes et d'herbacées à tige renflée portant des nœuds, tel l'œillet. **Au sing.** *La saponaire est une* ***caryophyllacée.*** XIXe s. ; lat. *caryophyllum*, « giroflier », du gr. *karuophullon*, « clou de girofle » ; [kaʀjɔfilase].

**CARYOPSE, subst. m.**
*Bot.* Fruit sec caractéristique des Poacées, dont les téguments de la graine sont soudés au péricarpe. 1834 ; gr. *karuon*, « noix », et *opsis*, « apparence » ; [kaʀjɔps].

**CARYOTYPE, subst. m.**
*Biol.* Équipement chromosomique caractéristique d'une espèce donnée. Il comprend *n* paires de chromosomes (*n* chromosomes paternels et *n* chromosomes maternels), dont le nombre *n*, la taille et la forme diffèrent pour chaque espèce. Toutes les paires sauf une sont composées de deux chromosomes identiques, appelés aussi autosomes. Une seule paire est composée de deux chromosomes différents, appelés pour cette raison hétérochromosomes, allosomes, hétérosomes ou idiochromosomes selon les auteurs ; ils sont porteurs, entre autres, de gènes déterminant le sexe de l'individu, c'est pourquoi on les nomme aussi chromosomes sexuels ou gonosomes. V. 1960 ; gr. *karuon*, « noyau », + *-type* ; [kaʀjotip].

**CAS (I), subst. m.**
**1.** Évènement particulier, circonstance, conjoncture : *Examiner tous les cas possibles.* ▸ Loc. *Le* ***cas*** *échéant* : à l'occasion ; *En aucun* ***cas*** : quoi qu'il advienne ; *En cas de, au cas où* : si, à supposer que ; *C'est le cas de le dire* (fam.). **2.** Situation résultant d'un ensemble de circonstances : *Exposer son* ***cas*** ; ***Cas*** *d'égalité des triangles.* **3.** ***Cas*** *social* : situation critique d'une personne, nécessitant une prise en charge de la société ; par méton., la personne elle-même. **4.** Loc. *Faire cas de* : accorder beaucoup d'intérêt à, estimer. **5.** *Dr.* ▸ Situation au regard de la loi : ***Cas*** *litigieux* ; ***Cas*** *d'espèce*, non prévu par les lois existantes. ▸ Motif juridiquement valable : ***Cas*** *de divorce, de nullité.* **6.** *Pathol.* Manifestation d'une maladie chez un individu d'une espèce : *Quelques* ***cas*** *de méningite* ; par méton., cet individu lui-même : *Ce malade est un* ***cas*** *désespéré.* **7.** *Relig.* ***Cas*** *de conscience* : difficulté à accomplir ce que la foi, la morale commande de faire en une circonstance définie et, par ext., scrupule. Déb. XIIIe s. ; lat. *casus*, de *cadere*, « tomber » ; [kɑ].

**CAS (II), subst. m.**
*Gramm.* Chacune des formes que prennent certains mots (substantifs, adjectifs, pronoms, participes) selon leur fonction grammaticale, dans les langues à flexion : *Le nominatif est le* ***cas*** *du sujet.* Mil. XIIIe s. ; lat. *casus*, d'apr. le gr. *ptôsis*, « chute » ; [kɑ].

**CASANIER, IÈRE, adj.**
**1.** Qui se plaît à rester chez soi ; empl. subst., personne **casanière.** **2.** Qui dénote ce goût : *Vie* ***casanière.*** 1558 (1315, prêteur d'argent) ; ital. *casaniere*, de *casana*, « boutique de prêteur » ; [kazanje, jɛʀ].

**CASAQUE, subst. f.**
**1.** Vx. Court manteau autrefois porté par les mousquetaires. ▸ Loc. *Tourner* ***casaque*** : s'enfuir ; changer d'avis, de parti. **2.** Blouson de jockey. **3.** Chemisier féminin, flottant jusqu'aux hanches. 1413 ; prob. turc *kazak*, « aventurier » ; [kazak].

**CASAQUIN, subst. m.**
**1.** Vx. Courte casaque d'homme. **2.** Corsage de paysanne, descendant sur la jupe. 1546 ; ☞ *casaque* ; [kazakɛ̃].

**CASBAH, subst. f.**
Forteresse, palais d'un souverain ou, par ext., partie haute d'une ville, en Afrique du Nord. 1735 ; ar. *qaṣaba* ; var. *kasbah* ; [kazba].

**CASCABEL, subst. m.**
*Zool.* Seule espèce sud-américaine de serpents à sonnette, de la famille des Vipéridés. 1867 ; esp. *cascabel*, « grelot ; serpent à sonnette », du lat. pop. °*cascabellus*, « clochette » ; [kaskabɛl].

**CASCADE, subst. f.**
**1.** Chute d'eau plus ou moins haute, due à une brusque dénivellation dans le cours d'un fleuve ou d'une rivière. **2.** Anal. Ce qui tombe en abondance, selon un mouvement ondulatoire : ***Cascade*** *de cheveux* ; suite de rebondissements successifs et accélérés : ***Cascade*** *de rires.* **3.** Exercice périlleux effectué par un cascadeur. 1640 ; ital. *cascata*, de *cascare*, « tomber » ; [kaskad].

**CASCADER, verbe intrans. [3]**
Tomber en cascade (rare). 1771 ; ☞ *cascade* ; [kaskade].

**CASCADEUR, EUSE, subst. et adj.**
**Subst.** **1.** Vx. Personne de mœurs légères (fam.). **2.** Acteur comique qui improvise des bouffonneries. **3.** Acrobate ; doublure d'un acteur chargée de jouer les scènes dangereuses d'un film. **Adj.** Qui dénote une vie dissolue (fam. et vieilli) : *Allures* ***cascadeuses.*** 1859 ; ☞ *cascader* ; [kaskadœʀ, øz].

**CASCARA, subst. f.**
*Bot.* Arbuste tropical dont l'écorce, séchée et pulvérisée, est utilisée pour ses propriétés purgatives. 1890 ; esp. *cascara*, « écorce » ; [kaskaʀa].

**CASCATELLE, subst. f.**
Petite cascade. 1740 ; ital. *cascatella* ; [kaskatɛl].

© P. Maître-Gamma

*Une case dans la région du lac Kivu, au Zaïre.*

**CASE (I), subst. f.**
**1.** Vx. Cabane. **2.** Habitation, gén. de construction légère, des indigènes de certains pays tropicaux. XIIIe s. ; lat. *casa*, par le port. au sens 2 ; [kɑz].

**CASE (II), subst. f.**
**1.** Chacun des espaces carrés ou rectangulaires d'une surface délimités par des lignes horizontales et verticales : ***Cases*** *d'un échiquier* ; *Cocher une* ***case*** ; au fig. : *Se retrouver à la* ***case*** *départ*, constater qu'on n'a pas progressé dans une entreprise. **2.** Ext. Chacun des compartiments d'un meuble de rangement, d'une boîte, etc. **3.** Québ. et Helv. Boîte postale. **4.** Loc. *Avoir une* ***case*** *vide, une* ***case*** *en moins* : être simple d'esprit (fam.). 1650 ; esp. *casa*, « compartiment d'un jeu d'échecs » ; [kɑz].

**CASÉEUX, EUSE, adj.**
Qui est constitué de caséine précipitée ; qui est de la nature du fromage. 1559 ; lat. *caseus*, « fromage » ; [kazeø, øz].

**CASÉIFICATION, subst. f.**
**1.** Transformation du lait en fromage, par précipitation de la caséine. **2.** *Pathol.* Formation d'une nécrose caséeuse, nécrose tissulaire engendrée par le bacille tuberculeux. 1894 ; lat. *caseus*, « fromage » ; [kazeifikasjɔ̃].

**CASÉINE, subst. f.**
*Biochim.* Phosphoprotéine (protéine dont la molécule est composée d'une chaîne dite protéique d'acides aminés et d'un groupement non protéique contenant du phosphore) présente notamment dans le lait des Mammifères, et qui est la base des fromages. 1832 ; lat. *caseus*, « fromage » ; [kazein].

**CASEMATE, subst. f.**
*Milit.* Abri fortifié, souterrain ou en surfac 1559 ; ital. *casamatta* ; [kɑzmat].

**CASER, verbe trans. [3]**
**1.** Ranger dans une case. **2.** Fam. ▸ Placer avec plu ou moins de difficulté (qqn ou qqch.) dans un lieu *Pourrai-je* ***caser*** *tous mes livres ?* ; *Réussir à* ***caser*** *tou le monde.* ▸ Installer (qqn) dans un emploi (fam. **Pronom.** Fam. Trouver une place ou un emploi ; s marier : *Il* ***s'est casé****, non sans mal.* 1796 (156 loger qqch.) ; ☞ *case* (II) ; [kɑze].

**CASERET, subst. m.**
Petit panier en osier où l'on fait égoutter fromage ; moule à fromage. 1549 ; lat. *casearici* de *caseus*, « fromage » ; var. *une caserette* ; [kazʀɛ].

**CASERNE, subst. f.**
**1.** Bâtiment réservé au logement des soldats ; pa ext., casernement. **2.** Méton. Ensemble des soldat d'une même **caserne** : *La* ***caserne*** *dort.* 1680 (m XVIe s., abri sur un rempart) ; anc. prov. *cazerna*, « group de quatre personnes » ; [kazɛʀn].

**CASERNEMENT, subst. m.**
**1.** Vx. Action de caserner ; son résultat. **2.** Ensemb des bâtiments d'une caserne. 1800 ; ☞ *caserner* [kazɛʀnəmɑ̃].

**CASERNER, verbe trans. [3]**
Loger (des militaires) dans une caserne. 1718 ☞ *caserne* ; [kazɛʀne].

**CASERNIER, IÈRE, subst. m. et adj.**
**Subst.** Militaire chargé de l'entretien d'une casern et de son matériel quand elle n'est pas occupée pa des troupes. **Adj.** Qui évoque la caserne. 1838 ☞ *caserne* ; [kazɛʀnje, jɛʀ].

**CASH, adv. et subst. m.**
Anglic. fam. **Adv.** Au comptant : *Payer cas* **Subst.** Argent liquide. 1894 ; mot angl. ; [kaʃ].

**CASHER, voir KACHER**

**CASH-FLOW, subst. m.**
*Fin.* Ensemble des disponibilités constituant la ca pacité d'autofinancement d'une entreprise (synon *marge brute d'autofinancement*). V. 1970 ; ang *cash flow*, de *cash*, « argent liquide », et de *flo* « écoulement » ; plur. *cash-flows* ; [kaʃflo].

**CASHMERE, voir CACHEMIRE**

**CASIER, subst. m.**
**1.** Nasse servant à la pêche aux gros crustacés : *U* ***casier*** *à langoustes.* **2.** Meuble de rangement form d'un ensemble de cases : *Un* ***casier*** *à bouteilles, livres* ; par méton., une des cases d'un **casier.** **3.** *D* ▸ ***Casier*** *judiciaire* : répertoire des condamnation prononcées contre qqn par une juridiction pénale ▸ ***Casier*** *fiscal* : répertoire des impositions et de amendes. XIVe s. (XIIIe s., panier) ; prob. anc. fr. *chasie* « panier », d'apr. *case* ; [kɑzje].

**CASIMIR, subst. m.**
Étoffe de laine croisée, fine et légère (vx). 1686 angl. *cassimer*, var. du topon. *Cachemire* ; [kazimiʀ].

**CASINO, subst. m.**
Établissement public où se pratiquent des jeu d'argent et qui comprend des salles de spectacle e de restauration. 1740 ; ital. *casino*, « petite ma son » ; [kazino].

© E. Pott-Jacana

*Casoar.*

**CASOAR, subst. m.**
**1.** *Zool.* Oiseau coureur d'Australie, de Nouvelle Guinée et des Moluques, de l'ordre des Struthion

›rmes, portant une excroissance cornée sur le ›ont. 2. Anal. Plumet rouge et blanc du shako des ›aint-cyriens. 1665 ; angl. *cassowary*, d'un dial. de ›ouvelle-Guinée ou des Moluques ; [kasɔaʀ].

**CASPIEN, IENNE, adj. et subst.**
›e la mer Caspienne et des régions qui l'environ›ent. 1546 ; lat. *caspianus* ; [kaspjɛ̃, jɛn].

**CASQUE, subst. m.**
. Coiffure, souv. métallique, destinée à protéger la ›te des combattants : *Casque de fantassin.* ► *Casque* ›*eu* : soldat de la force d'intervention de l'O. N. U. . Tout couvre-chef protecteur : *Casque de pompier,* › *motocycliste.* 3. *Techn.* ► Dispositif fait de deux ›outeurs montés sur un support qui enserre la tête : ›*asque téléphonique, de baladeur.* ► Sèche-cheveux en ›rme de **casque.** 4. *Bot.* Prolongement des pétales ›u des sépales de certaines fleurs, dont la forme ›oque celle d'un **casque** : *Le casque de l'aconit.* . *Zool.* Mollusque gastéropode dont la coquille, ›en développée, bossuée, est très recherchée par les ›bricants de bijoux. Fin XVI^e s. ; esp. *casco*, du lat. ›p. °*quassicare* ; [kask].

**CASQUÉ, ÉE, adj.**
›oiffé d'un casque. 1734 ; ☞ *casque* ; [kaske].

**CASQUER, verbe [3]**
›op. **Trans.** Payer. **Intrans.** Subir le contrecoup de. › 1844 (1835, tomber dans un piège) ; ital. *cascare*, tomber » ; [kaske].

**CASQUETTE, subst. f.**
. Coiffure plate, souple ou rigide, à visière : ›*asquette d'aviateur, de jockey.* 2. Fig. Fonction ›am.) : *Il porte deux casquettes, celle de cuisinier* › *celle de cocher.* 1813 ; ☞ *casque* ; [kaskɛt].

**CASSABLE, adj.**
›ui peut se casser, qui peut être cassé. XV^e s. ; ☞ *casser* ; [kasabl].

**CASSAGE, subst. m.**
›ction de casser : *Cassage de pierres, des mottes.* › 1838 ; ☞ *casser* ; [kasaʒ].

**CASSANDRE (I), subst. m.**
›ieillard ridicule. 1798 ; *Cassandrino*, personnage ›e la commedia dell'arte ; [kasɑ̃dʀ].

**CASSANDRE (II), subst. f.**
›ersonne dont on ne prend pas au sérieux les ›rédictions funestes. 1845 ; *Cassandre*, personnage ›e la mythologie grecque ; [kasɑ̃dʀ].

**CASSANT, ANTE, adj.**
. Qui peut se casser facilement : *Cassant comme* ›*u verre.* 2. Fig. Qui manifeste une autorité sèche, ›atégorique : *Parler d'un ton cassant.* 1549 ; p. pr. ›e *casser* ; [kasɑ̃, ɑ̃t].

**CASSATE, subst. f.**
›ranche de glace, gén. à la fraise, dont le cœur à ›a vanille est enrobé de crème aux fruits confits. › V. 1950 ; ital. *cassata* ; [kasat].

**CASSATION (I), subst. f.**
›r. Action par laquelle une autorité légale casse un ›cte, un jugement, une procédure : *Cassation d'un* ›*estament.* ► *La Cour de cassation* : instance judi›iaire suprême qui a compétence pour casser une ›écision rendue en dernier ressort, en cas de ›iolation du droit ou de vice de forme. 1413 ; ☞ *casser* ; [kasasjɔ̃].

**CASSATION (II), subst. f.**
›*lus.* Divertissement musical du XVIII^e s. pour ins›ruments à cordes et à vent, gén. exécuté en plein ›ir. XVIII^e s. ; ital. *cassazione*, « départ » ; [kasasjɔ̃].

**CASSAVE, subst. f.**
. *Bot.* Racine du manioc. 2. Méton. Galette faite ›vec la fécule extraite de cette racine. 1529 ; sp. *cazabe* ; [kasav].

**CASSE (I), subst. f.**
. *Bot.* Nom vulgaire du cassier. 2. Pulpe du fruit ›u *Cassia fistula*, aux propriétés laxatives. 1256 ; ›t. *cassia*, « arbre à cannelle », du gr. *kassia* ; [kɑs].

**CASSE (II), subst. f.**
›*echn.* 1. Sorte de récipient (bassin, poêlon) utilisé ›n fonderie. 2. *Casse de verrier* : grande cuiller ›ervant à débarrasser le verre en fusion de ses ›mpuretés. 1341 ; anc. prov. *cassa*, du lat. médiév. ›*attia*, « creuset » ; [kɑs].

**CASSE (III), subst.**
›**ÉM.** 1. Vx. Sanction condamnant un officier à ›tre dégradé. 2. Action de casser ou de se casser ; ›tat qui en résulte : *Un bruit de casse* ; *Payer la casse.* 3. Commerce du ferrailleur : *Envoyer un véhicule à la casse*, à la ferraille. 4. *Vinic.* Maladie bactérienne du vin : *Casse brune, ferrique.* **Masc.** Vol avec effraction (argot.). 1640 ; ☞ *casser* ; [kɑs].

**CASSE (IV), subst. f.**
*Impr.* Boîte plate sans couvercle divisée en petits casiers inégaux dans lesquels on classe les caractères typographiques. ► *Haut de casse* : partie supérieure, contenant les majuscules, les lettres accentuées et les signes de ponctuation ; *Bas de casse* : partie inférieure, contenant les minuscules et, par méton., la minuscule. 1675 ; ital. *cassa*, « caisse » ; [kɑs].

**CASSÉ, ÉE, adj.**
1. Brisé ; hors d'usage. 2. Fig. *Un vieil homme cassé* : plié, voûté ; *Une démarche cassée* : fatiguée ; *Voix cassée* : faible, éraillée. 3. *Blanc cassé* : légèrement teinté de gris ou de brun. 4. *Cost. Col cassé* : aux extrémités rabattues. XII^e s. ; p. p. de *casser* ; [kɑse].

**CASSEAU, subst. m.**
*Impr.* 1. Moitié de casse contenant les caractères mis en réserve. 2. Petite casse contenant les caractères spéciaux ; par méton., ces caractères. 1723 ; ☞ *casse* (IV) ; [kɑso].

**CASSE-COU, subst.**
**I. Masc.** Endroit où l'on risque de tomber : *Ce sentier est un véritable casse-cou* ; empl. adj. inv. : *Un escalier casse-cou.* ► Loc. *Crier casse-cou à qqn* : le prévenir d'un danger. **II. Masc.** et **Fém.** Personne qui s'expose à un danger, plus par irréflexion que par témérité ; empl. adj. inv. : *Des enfants casse-cou.* 1718 ; comp. de *casser* et de *cou* ; plur. *casse-cou(s)* en I, inv. en II ; [kɑsku].

**CASSE-CROÛTE, subst. m. inv.**
1. Vx. Instrument servant à broyer le pain pour les vieillards. 2. Fam. Repas sommaire, collation rapide ou sandwich (synon. *casse-graine*). 1803 ; comp. de *casser* et de *croûte* ; [kɑskʀut].

**CASSE-CUL, subst. inv. et adj. inv.**
Casse-pieds (vulg.). 1949 (1718, chute sur le derrière) ; comp. de *casser* et de *cul* ; [kɑsky].

**CASSE-GUEULE, subst. m. et adj.**
Fam. Se dit d'un lieu périlleux, d'une entreprise aléatoire (synon. *casse-cou*). 1808 ; comp. de *casser* et de *gueule* ; plur. *casse-gueule(s)* ; [kɑsgœl].

**CASSEMENT, subst. m.**
*Cassement de tête* : fatigue intellectuelle due à un problème difficile à résoudre, éprouvant (fam.). 1845 (XIII^e s., action de casser) ; ☞ *casser* ; [kɑsmɑ̃].

**CASSE-NOISETTE(S), subst. m.**
Instrument à deux branches servant à casser les noisettes. 1680 ; comp. de *casser* et de *noisette* ; plur. *casse-noisettes* ; [kɑsnwazɛt].

**CASSE-NOIX, subst. m. inv.**
Instrument proche du casse-noisettes, servant à casser les noix. 1564 ; comp. de *casser* et de *noix* ; [kɑsnwa].

**CASSE-PIEDS, subst. inv. et adj. inv.**
Fam. Se dit d'une personne importune, ennuyeuse : *Être aux prises avec un casse-pieds.* **Adj.** Ennuyeux, agaçant : *Un film casse-pieds.* 1948 ; comp. de *casser* et de *pied* ; [kɑspje].

**CASSE-PIERRE(S), subst. m.**
*Bot.* Nom vulgaire de la pariétaire. XVI^e s. ; comp. de *casser* et de *pierre* ; plur. *casse-pierre* ; [kɑspjɛʀ].

**CASSE-PIPE, subst. m.**
1. **Casse-pipe(s).** Tir forain où les cibles sont des pipes en terre. 2. Fam. **Casse-pipe.** Zone de combat très exposée ; guerre : *Aller au casse-pipe.* Fin XIX^e s. ; comp. de *casser* et de *pipe* ; plur. *casse-pipe(s)* en 1, *casse-pipe* en 2 ; [kɑspip].

**CASSER, verbe [3]**
**Trans.** 1. Briser, mettre en pièces par un choc, un coup, une pression : *Casser du bois, des œufs, une vitre.* ► Loc. fam. *Ça ne casse rien* : cela n'a rien d'extraordinaire ; *À tout casser* : époustouflant, au maximum ; *Casser la croûte* : manger. 2. Ext. Endommager : *Casser un moteur.* 3. Briser (un membre), disjoindre (une articulation). ► Loc. fam. *Casser la gueule à qqn* : le frapper avec brutalité ; *Casser les oreilles* : assourdir ; *Casser les pieds* : importuner. 4. Abattre physiquement ou moralement : *Être cassé par la fatigue* ; *Casser l'enthousiasme.* 5. Interrompre (un processus) : *Casser une grève.* ► *Casser les prix* : provoquer leur chute. 6. Révoquer (qqn) : *Casser un officier*, le dégrader. 7. *Dr. Casser un jugement, un arrêt* : l'annuler (☞ *cassation*). **Intrans.** Se rompre : *La branche cassa net.* **Pronom.** 1. Se briser (un membre) ; se disjoindre (une articulation). ► Loc. fam. *Se casser la figure, la gueule* : tomber ; *Se casser la tête* : réfléchir. 2. Abs. S'en aller (fam.). Déb. XII^e s. ; bas lat. *quassare*, « agiter fortement » ; [kɑse].

**CASSEROLE, subst. f.**
1. Ustensile de cuisine de forme cylindrique, à fond plat et à manche, utilisé pour cuire des aliments. 2. Ce qui produit un son discordant, désagréable (fam.) : *Ce piano est une casserole* ; *Chanter comme une casserole*, chanter faux. 3. Loc. *Passer à la casserole* : subir un sort fâcheux, un traitement pénible. 1583 ; ☞ *casse* (II) ; [kasʀɔl].

**CASSE-TÊTE, subst. m.**
1. Massue de guerre de peuplades sauvages ; par anal., bâton flexible ou nerf de bœuf plombé à une extrémité. 2. Bruit assourdissant. 3. Fig. Travail intellectuel éprouvant : *Traduire ce texte est un vrai casse-tête.* 4. *Casse-tête chinois* : jeu d'assemblage qui requiert beaucoup de patience et d'attention. 1706 (1690, vin qui monte à la tête) ; comp. de *casser* et de *tête* ; plur. *casse-tête(s)* au sens 1, *casse-tête* aux autres sens ; [kɑstɛt].

**CASSETIN, subst. m.**
*Impr.* Chacun des petits compartiments de la casse. 1552 ; ital. *cassettino*, « petite caisse » ; [kastɛ̃].

**CASSETTE, subst. f.**
1. Petit coffre renfermant des bijoux, des objets précieux, de l'argent. 2. Méton. Biens, revenus particuliers d'un prince. 3. *Techn.* Petit boîtier contenant une bande magnétique pour magnétophone ou magnétoscope. 1348 ; anc. fr. *casse*, « caisse » ; [kasɛt].

**CASSEUR, EUSE, subst.**
1. Personne dont le métier est de casser : *Casseur de pierres.* 2. Personne qui vend des pièces de voitures mises à la casse. 3. Personne qui se livre à des déprédations, à des actes de vandalisme au cours d'une manifestation. 4. Voleur par effraction (argot.). 1558 ; ☞ *casser* ; [kɑsœʀ, øz].

**CASSIE, subst. f.**
*Bot.* Genre de mimosa appelé aussi acacia de Farnèse, dont les graines sont employées en parfumerie. 1694 ; prov. *cacio*, « fleur de l'acacia » ; [kasi].

**CASSIER, subst. m.**
*Bot.* Arbuste de la famille des Césalpiniacées ; par méton., son fruit, qui produit la casse. 1512 ; ☞ *casse* (I) ; [kasje].

**CASSINE, subst. f.**
1. Vx. Petite maison de campagne isolée. 2. Bicoque (vx et péj.). 1509 ; ital. *cassina*, du lat. médiév. *cassina*, « cabane » ; [kasin].

**CASSIS (I), subst. m.**
1. Rigole ménagée en travers d'une route pour permettre l'écoulement des eaux. 2. Ext. Brusque dénivelé qui creuse transversalement une chaussée. 1488 ; ☞ *casser* ; [kasi(s)].

**CASSIS (II), subst. m.**
1. *Bot.* Arbrisseau de la famille des Saxifragacées, aux fruits noirs, en grappes. 2. Méton. Le fruit lui-même. 3. Liqueur, appelée aussi crème de **cassis**, fabriquée à partir de ce fruit. 4. Tête (argot.). 1552 ; ☞ *casse* (I) ; [kasis].

**CASSITÉRITE, subst. f.**
*Minér.* Principal minerai d'étain, $SnO_2$, qui était extrait, à l'âge du bronze, dans les îles Cassitérides, au sud de l'Angleterre. 1832 ; gr. *kassiteros*, « étain » ; [kasiteʀit].

**CASSOLETTE, subst. f.**
1. Vase fermé par un couvercle ajouré, où l'on fait brûler des parfums. 2. Petit récipient individuel pouvant aller au four, dans lequel on présente certains mets, en partic. des hors-d'œuvre. 1529 ; *cassole* (vx), « petit récipient » ; [kasɔlɛt].

**CASSON, subst. m.**
1. Pain de sucre fin informe. 2. *Techn.* Fragment de verre cassé, destiné à être fondu. Mil. XIV^e s. ; ☞ *casser* ; [kasɔ̃].

**CASSONADE, subst. f.**
Sucre qui n'a été raffiné qu'une fois. 1574 ; prob. anc. prov. *cassonada* ; [kasɔnad].

**CASSOULET, subst. m.**
*Cuis.* Ragoût de filets d'oie, de canard, de porc ou de mouton confits et de haricots blancs. 1897 ; languedocien *cassoulet*, « plat cuit au four » ; [kasulɛ].

**CASSURE, subst. f.**
**1.** Endroit d'un objet où il est cassé. **2.** Fig. Rupture, coupure : *La **cassure** d'une relation.* **3.** *Cout.* Pli du rabat d'un col, d'une manchette. 1333 ; ☞ *casser* ; [kɑsyʀ].

**CASTAGNE, subst. f.**
**1.** Région. (Sud-Ouest). Châtaigne. **2.** Argot. Coup de poing ; par ext., bagarre. 1898 ; prob. gascon *castagne* ; [kastaɲ].

**CASTAGNETTES, subst. f. plur.**
*Mus.* Instrument à percussion composé de deux petites pièces, gén. en bois, que l'on fait claquer l'une contre l'autre dans la main. 1585 ; esp. *castañetas*, de *castaña*, « châtaigne » ; [kastaɲɛt].

**CASTE, subst. f.**
**1.** Groupe social héréditaire, fermé, dont les membres pratiquent l'endogamie et se distinguent gén. des autres par leur fonction sociale, leur activité professionnelle : *En Inde, le régime des **castes** a été officiellement aboli en 1947.* **2.** Anal. Groupe social fermé, se distinguant par ses mœurs, ses préjugés, et jaloux de ses droits ou de ses privilèges : *L'esprit de **caste**.* **3.** *Zool.* Chez les insectes sociaux, ensemble des individus adultes assurant les mêmes fonctions : *La **caste** des ouvrières chez les abeilles.* 1659 (1615, race) ; port. *casta*, « race » ; [kast].

**CASTEL, subst. m.**
Petit château, manoir, gentilhommière. Déb. XVIIIe s. ; mot prov. ; [kastɛl].

**CASTELET, subst. m.**
**1.** *M. Â.* Petit château. **2.** Ext. Manoir. **3.** Anal. Théâtre de marionnettes. 1872 ; mot prov. ; [kastəlɛ].

**CASTELPERRONIEN, IENNE, subst. m. et adj.**
*Préhist.* SUBST. Culture du Paléolithique moyen (entre -35 000 et -30 000 ans), probablement liée aux derniers hommes de Neandertal et caractérisée par le développement de l'industrie osseuse. ADJ. Relatif, propre à cette culture. Topon. *Châtelperron* (Allier) ; var. *châtelperronien, ienne* ; [kastɛlpeʀɔnjɛ̃, jɛn].

**CASTILLAN, ANE, adj. et subst.**
De Castille. SUBST. MASC. Langue officielle de l'Espagne (synon. *espagnol*). Déb. XVIe s. ; esp. *castellano*, du topon. *Castilla*, « Castille » ; [kastijɑ̃, an].

**CASTINE, subst. f.**
*Techn.* Calcaire utilisé comme fondant dans la fabrication de la fonte. Déb. XVIIe s. ; all. *Kalkstein*, de *Kalk*, « calcaire », et de *Stein*, « pierre » ; [kastin].

**CASTING, subst. m.**
Choix des acteurs et des figurants, pour un spectacle, un film, etc. (anglic.). V. 1970 ; mot angl. ; recomm. off. *distribution artistique* ; [kastiŋ].

**CASTOR, subst. m.**
**1.** *Zool.* Mammifère rongeur type de la famille des Castoridés, assez grand (de 70 à 80 cm), au pelage brun-gris, doté d'une queue longue de 38 cm et large de 12 cm, et de deux glandes rectales sécrétant un produit musqué, le castoréum, qui lui sert à marquer son territoire. **2.** Méton. Fourrure de cet animal. ▸ Chapeau d'homme en poils de **castor**. **3.** Fig. *Mouvement des **castors*** : association de particuliers qui bâtissent leurs maisons en commun. Déb. XIIe s. ; lat. *castor*, du gr. *kastôr* ; [kastɔʀ].

ZOOLOGIE – Les castors vivent sur les berges des fleuves et des rivières, en sédentaires, dans des huttes qu'ils construisent avec des branchages et de la boue. Animal nocturne, strictement végétarien, bon nageur (il peut rester jusqu'à 15 min sous l'eau), polygame (il vit avec deux ou trois femelles), le castor a été longtemps recherché pour sa fourrure soyeuse.

**CASTORETTE, subst. f.**
Peau traitée de manière à rappeler la fourrure du castor. 1925 ; ☞ *castor* ; [kastɔʀɛt].

**CASTORÉUM, subst. m.**
Sécrétion produite par les glandes sexuelles du castor, utilisée jadis en pharmacie, auj. en parfumerie. XIIIe s. ; lat. *castoreum* ; [kastɔʀeɔm].

**CASTRAMÉTATION, subst. f.**
*Antiq.* Art d'établir un camp militaire. 1555 ; lat. médiév. *castrametatio*, du lat. *castrum*, « camp », et *metatio*, « mesurage » ; [kastʀametasjɔ̃].

**CASTRAT, subst. m.**
**1.** Mâle castré. **2.** Chanteur que l'on a castré avant l'adolescence, pour préserver le registre aigu de sa voix. 1749 ; ital. *castrato*, « châtré » ; [kastʀa].

**CASTRATEUR, TRICE, adj.**
*Psychanal.* Qui favorise ou provoque une angoisse de castration : *Mère **castratrice**.* V. 1930 ; ☞ *castration* ; [kastʀatœʀ, tʀis].

**CASTRATION, subst. f.**
**1.** Privation, ablation des organes de la reproduction. **2.** *Psychanal.* *Complexe de **castration*** : crainte liée à la fonction symbolique du pénis ou à la menace de son ablation. Fin XIVe s. ; lat. *castratio* ; [kastʀasjɔ̃].

**CASTRER, verbe trans.** [3]
Pratiquer la castration sur. 1906 ; lat. *castrare* ; [kastʀe].

**CASTRISME, subst. m.**
Mouvance révolutionnaire inspirée par Fidel Castro ; politique qui en découle. V. 1960 ; anthropon. *Fidel Castro* ; [kastʀism].

**CASTRISTE, adj. et subst.**
ADJ. Favorable au castrisme ; relatif au castrisme ou à ses partisans. SUBST. Partisan du castrisme. V. 1960 ; anthropon. *Fidel Castro* ; [kastʀist].

**CASUARINA, subst. m.**
*Bot.* Genre unique de la famille des Casuarinacées, appelé bois-de-fer à cause de son bois très dur. On extrait de son écorce une matière riche en tanin, servant à teindre la laine et la soie (synon. *filao*). 1778 ; lat. sc. *casuarina*, de *casoaris*, « casoar », cet arbre ayant des rameaux plumeux ; [kazɥaʀina].

**CASUEL (I), ELLE, adj. et subst. m.**
ADJ. **1.** Soumis au hasard, aux circonstances ; contingent : *Des profits **casuels**.* **2.** Belg. Fragile ; hasardeux. SUBST. Revenu aléatoire, variable. ▸ *Dr. canon.* Honoraires licites attachés à certaines célébrations religieuses (mariages, funérailles, etc.). Fin XIVe s. ; lat. *casualis*, « fortuit » ; [kɑzɥɛl].

**CASUEL (II), ELLE, adj.**
*Gramm.* Relatif aux cas et aux langues qui en possèdent. Mil. XIXe s. ; lat. *casualis* ; [kɑzɥɛl].

**CASUISTE, subst. m.**
**1.** Théologien qui pratique la casuistique. **2.** Ext. Personne qui use de subtilités pour justifier ce qui est condamnable (péj.). 1611 ; prob. esp. *casuista*, du lat. scol. *casus*, « cas de conscience » ; [kɑzɥist].

**CASUISTIQUE, subst. f. et adj.**
SUBST. **1.** Partie de la théologie morale consacrée à l'étude des cas de conscience. **2.** Ext. Recours à des arguties en matière de morale. ADJ. Qui a trait à la **casuistique**. 1829 ; ☞ *casuiste* ; [kɑzɥistik].

**CASUS BELLI, subst. m. inv.**
Fait pouvant motiver une guerre entre États. Mil. XIXe s. ; lat. *casus belli*, « cas de guerre » ; [kɑzysbɛlli].

**CATABATIQUE, adj.**
*Météor.* Qualifie un vent descendant, comme les vents soufflant sur les flancs de la calotte glaciaire du Groenland. Mil. XXe s. ; gr. *katabatikos*, de *katabainein*, « descendre » ; [katabatik].

**CATABOLISME, subst. m.**
*Biochim.* Ensemble des réactions impliquées dans la dégradation des molécules biologiques, et qui concourent en partic. à reconstituer le stock d'A. T. P. dont les cellules ont besoin en permanence pour continuer à vivre. 1897 ; ☞ *métabolisme* + *cata-* ; [katabɔlism].

**CATABOLITE, subst. m.**
*Biochim.* Substance formée au cours du catabolisme. V. 1960 ; ☞ *catabolisme* ; [katabɔlit].

**CATACHRÈSE, subst. f.**
*Rhét.* Figure de style qui consiste à employer un terme au-delà de son sens strict, par ex. « à cheval sur une chaise » ou « les ailes d'un château ». 1557 ; lat. *catachresis*, du gr. *katakhrêsis*, « abus » ; [katakʀɛz].

**CATACLYSME, subst. m.**
**1.** Bouleversement causé par un phénomène naturel (séisme, raz-de-marée, etc.). **2.** Fig. Bouleversement profond affectant une société, un individu : *Le **cataclysme** de juin 1940.* 1553 ; lat. *cataclysmos*, du gr. *kataklusmos*, « déluge » ; [kataklism].

**CATACLYSMIQUE, adj.**
Qui est de la nature d'un cataclysme ; qui évoque un cataclysme. 1863 ; ☞ *cataclysme* ; synon. *cataclysmal, ale, aux* ; [kataklismik].

**CATACOMBE, subst. f.**
**1.** Cimetière souterrain : *À Rome, les premiers chrétiens se réunissaient dans les **catacombes**.* **2.** Ext. Carrière souterraine où sont réunis des ossements : *Les **catacombes** de Paris.* Fin XIIIe s. ; lat. chrét. *catacumbae*, du gr. *kata*, « en bas », et de *tumb[…]* « tombe » ; gén. au plur. ; [katakɔ̃b].

**CATADIOPTRE, subst. m.**
Dispositif optique renvoyant la lumière vers s[…] source d'émission, utilisé en signalisation et po[…] équiper les véhicules (synon. *Cataphote*). M[…] XXe s. ; ☞ *catadioptrique* ; [katadjɔptʀ].

**CATADIOPTRIQUE, adj.**
Qualifie un système optique composé de miroi[…] et de lentilles. 1751 ; crois. de *catoptrique* et […] *dioptrique* ; [katadjɔptʀik].

**CATAFALQUE, subst. m.**
Estrade sur laquelle on dépose le cercueil lors d'u[…] cérémonie funéraire, ou qui le symbolise lors d'u[…] commémoration. 1690 ; ital. *catafalco*, du lat. po[…] *catafalicum*, « échafaud » ; [katafalk].

**CATAIRE (I), subst. f.**
*Bot.* Plante de la famille des Lamiacées, appelée aus[…] herbe-aux-chats parce que son odeur attire c[…] animaux. 1733 ; lat. sc. *cattaria*, du lat. *cattu[…]* « chat » ; var. *chataire* ; [katɛʀ].

**CATAIRE (II), adj.**
*Pathol.* *Frémissement **cataire*** : palpitation cardiaqu[…] rappelant le ronronnement du chat. 1863 ; la[…] *cattus*, « chat » ; [katɛʀ].

**CATALAN, ANE, adj. et subst.**
De Catalogne. SUBST. MASC. Langue romane, parl[…] surtout en Catalogne. 1452 ; catalan *català*, c[…] topon. *Catalunya*, « Catalogne » ; [katalɑ̃, an].

**CATALECTIQUE, adj.**
*Versif.* Se dit d'un vers grec ou latin auquel manq[…] le dernier pied. 1644 ; lat. *catalecticus*, du g[…] *katalêktikos*, « qui se termine » ; [katalɛktik].

**CATALEPSIE, subst. f.**
*Pathol.* Perte momentanée de la contractilité volo[…]taire des muscles, en relation avec une augmenta[…]tion anormale de la tonicité musculaire. Il en résul[…] pour le sujet une inertie motrice qui peut durer plu[…] ou moins longtemps. 1507 ; bas lat. *catalepsia*, c[…] gr. *katalêpsis*, « prise ; paralysie » ; [katalɛpsi].

**CATALEPTIQUE, adj.**
**1.** Relatif, propre à la catalepsie : *Sommeil **catalepti[…]que**.* **2.** Atteint de catalepsie ; empl. subst., person[…] **cataleptique**. 1704 ; bas lat. *catalepticus*, du g[…] *katalêptikos* ; [katalɛptik].

**CATALOGAGE, subst. m.**
Action de cataloguer ; son résultat. 1928 ; ☞ *ca[…]taloguer* ; [katalɔgaʒ].

**CATALOGUE, subst. m.**
**1.** Liste énumérative et méthodique de personn[…] ou de choses formant une collection, un tout ; p[…] méton., livre, brochure contenant cette liste. **2.** Ex[…] Brochure présentant une liste de marchandises […] leur prix. Mil. XIIIe s. ; bas lat. *catalogus*, du g[…] *katalogos* ; [katalɔg].

**CATALOGUER, verbe trans.** [3]
**1.** Inscrire dans un catalogue : ***Cataloguer** des livre[…]* dresser le catalogue de : ***Cataloguer** une bibliothèqu[…]* **2.** Fig. Ranger, classer une fois pour toutes (péj.) *Il est **catalogué** parmi les idiots.* 1801 ; ☞ *cat[…]logue* ; [katalɔge].

**CATALPA, subst. m.**
*Bot.* Arbre ornemental à très grandes feuilles, d[…] la famille des Bignoniacées, originaire d'Amériq[…] du Nord, haut de 15 m et cultivé pour sa beaut[…] 1771 ; angl. *catalpa*, d'une langue amérindienn[…] [katalpa].

**CATALYSE, subst. f.**
*Chim.* Action physico-chimique par laquelle ce[…]tains corps, même en très petite quantité, sa[…] intervenir directement dans une réaction, l'accél[…]rent ou, lorsque plusieurs réactions sont possible[…] en favorisent une au détriment des autres. 1836[…] gr. *katalusis*, « décomposition, dissolution » ; [kataliz].

**CATALYSER, verbe trans.** [3]
**1.** *Chim.* Provoquer ou accélérer (une réaction) p[…] catalyse. **2.** Fig. Déclencher, susciter (une réa[…]tion) : *Cet orateur **catalyse** les oppositions.* 1838[…] ☞ *catalyse* ; [katalize].

**CATALYSEUR, subst. m.**
**1.** *Chim.* Substance qui modifie la vitesse d'u[…] réaction par sa seule présence et se retrouve intac[…] à la fin de la réaction. **2.** Fig. Personne, chos[…] évènement ou fait qui provoque une réactio[…] 1884 ; ☞ *catalyser* ; [katalizœʀ].

**CATALYTIQUE, adj.**
*iim.* Relatif à la catalyse ; qui entraîne une catalyse : *ot catalytique*, pot qui limite, par catalyse, les éma- ıtions polluantes des automobiles. 1836 ; gr. *talutikos*, « propre à dissoudre » ; [katalitik].

**CATAMARAN, subst. m.**
. Radeau fait de troncs accolés, utilisé dans l'océan dien. **2.** Bateau possédant deux coques parallèles. 1699 ; tamoul *kattumaram*, de *katta*, « lier », et de *aram*, « bois » ; [katamaʀɑ̃].

**CATAPHOTE, subst. m. inv.**
atadioptre. V. 1931 ; gr. *kata*, « contre », et *phôs*, umière » ; n. déposé ; [katafɔt].

**CATAPLASME, subst. m.**
*ıarm.* Préparation de consistance pâteuse, gén. vulsive, que l'on place entre deux linges pour ppliquer sur la peau. 1390 ; lat. *cataplasma*, du *kataplasma* ; [kataplasm].

**CATAPLEXIE, subst. f.**
*ıthol.* **1.** Vx. Apoplexie foudroyante. **2.** Perte sou- ıine, partielle ou complète, du tonus, de courte ırée, sans évanouissement et très souvent liée à narcolepsie. 1752 ; gr. *kataplêxis*, « stupeur » ; ataplɛksi].

**CATAPULTAGE, subst. m.**
ction de catapulter ; son résultat. Déb. XXe s. ; ☞ *catapulter* ; [katapyltaʒ].

**CATAPULTE, subst. f.**
Machine de guerre utilisée dans l'Antiquité et au oyen Âge pour lancer des projectiles. **2.** Dispositif propulsion, permettant notamment le décollage s avions à bord des porte-avions. 1355 ; lat. *tapulta*, du gr. *katapaltês* ; [katapylt].

**CATAPULTER, verbe trans.** [3]
Lancer au moyen d'une catapulte. **2.** Ext. Lancer ec force, projeter : *L'explosion l'**a catapulté** contre mur.* **3.** Fig. Placer brusquement (qqn) dans un ste très élevé (fam.) : *Il **a été catapulté** en quelques ois à la direction de l'entreprise.* Déb. XXe s. ; ☞ *catapulte* ; [katapylte].

**CATARACTE (I), subst. f.**
*thol.* Maladie oculaire entraînant une opacifi- tion du cristallin, responsable d'une cécité plus moins complète. Mil. XIVe s. ; bas lat. *cataracta*, lat. *cataracta*, « chute d'eau » ; [kataʀakt].

**CATARACTE (II), subst. f.**
Importante chute d'eau, sur le cours d'un fleuve, une rivière. **2.** Anal. *La pluie tombe en **cataractes*** : ondamment et violemment. 1549 (1479, pluies rentielles) ; lat. *cataracta*, du gr. *kataraktês* ; ıtaʀakt].

**CATARHINIENS, subst. m. plur.**
*ol.* Unité systématique dépendant de l'ordre des imates et désignant les singes anthropomorphes Afrique et d'Asie. Les **Catarhiniens** se caractéri- nt par l'absence totale de queue et le fait que leur comotion dans les arbres s'effectue avec les bras. ur face, la paume de leurs mains et leurs plantes pieds sont dépourvues de poils. AU SING. *Le gorille un **catarhinien*** ; empl. adj. : *Un singe **catarhinien**.* 1821 ; gr. *rhis*, « nez », + *cata-* ; [kataʀinjɛ̃].

**CATARRHE, subst. m.**
*thol.* Nom donné jadis à toutes les inflammations s muqueuses accompagnées d'une hypersécrétion s glandes de la région concernée. Fin. XIVe s. ; s lat. *catarrhus*, du gr. *katarrhous* ; [kataʀ].

**CATARRHEUX, EUSE, adj.**
Relatif, propre au catarrhe. **2.** Qui souffre de tarrhe ; empl. subst., personne **catarrheuse**. 1478 ; bas lat. *catarr(h)osus* ; [kataʀø, øz].

**CATASTROPHE, subst. f.**
Évènement désastreux : *Une **catastrophe** aérienne, roviaire.* ▶ En appos. *Film **catastrophe*** : qui relate ı accident mettant en péril la vie de nombreuses rsonnes. **2.** Ext. Évènement aux conséquences s graves : *Une **catastrophe** économique.* **3.** Loc. catastrophe. D'urgence, pour éviter un péril ıminent : *Atterrissage en **catastrophe*** ; en toute ıte (fam.) : *Il est parti en **catastrophe**.* **4.** *Litt.* ènement funeste et décisif qui amène le dénoue- ent d'une œuvre littéraire. **5.** *Math. Théorie des tastrophes* : théorie élaborée par le mathématicien ınçais René Thom, visant à décrire les disconti- ıités pouvant se présenter dans l'évolution des stèmes les plus divers, à partir d'un nombre inimal de discontinuités types, les **catastrophes** élémentaires, et à construire le modèle dynamique continu le plus simple pouvant engendrer (combiné avec des **catastrophes** élémentaires) un phénomène (ou une morphologie) donné. 1552 ; lat. *catastropha*, du gr. *katastrophê* ; [katastʀɔf].

**CATASTROPHER, verbe trans.** [3]
Stupéfier, accabler, consterner (fam.). 1896 ; ☞ *catastrophe* ; [katastʀɔfe].

**CATASTROPHIQUE, adj.**
Qui a le caractère d'une catastrophe, d'un désastre. 1845 ; ☞ *catastrophe* ; [katastʀɔfik].

**CATASTROPHISME, subst. m.**
**I.** *Géol.* **1.** Théorie énoncée par le Français Georges Cuvier en 1812, selon laquelle les fossiles correspondraient à des espèces disparues à la suite de cataclysmes géologiques dont le déluge biblique serait le type. Cette thèse a été ruinée par les travaux des partisans de l'évolutionnisme. **2.** Théorie qui fait appel à des catastrophes répétées mais mineures pour expliquer le caractère discontinu des dépôts qui constituent les séries sédimentaires géologiques. **II.** Fig. Propension pessimiste à envisager en permanence des désastres, des catastrophes. 1845 ; ☞ *catastrophe* ; [katastʀɔfism].

**CATATONIE, subst. f.**
*Psych.* Syndrome rencontré surtout chez les schizophrènes, caractérisé par l'inertie musculaire (si l'on étend le bras d'un catatonique, ce bras reste tendu, dans la même position, jusqu'à la crampe) et parfois l'indifférence au monde extérieur. 1888 ; all. *Katatonie*, du gr. *kata*, « en dessous », et *tonos*, « tension » ; [katatɔni].

**CATATONIQUE, adj.**
**1.** Relatif, propre à la catatonie : *Stupeur **catatonique**.* **2.** Atteint de catatonie ; empl. subst., personne **catatonique**. 1903 ; ☞ *catatonie* ; [katatɔnik].

**CATCH, subst. m.**
*Sp.* Lutte libre où presque toutes les prises sont permises : ***Catch** à quatre.* V. 1920 ; angl. *catch as catch can*, « attrape comme tu peux » ; [katʃ].

*Le **catch**, un sport dans lequel le spectacle tient une grande place.*

**CATCHER, verbe intrans.** [3]
Pratiquer le catch. 1952 ; ☞ *catch* ; [katʃe].

**CATCHEUR, EUSE, subst.**
Personne qui pratique le catch. 1949 ; ☞ *catch* ; [katʃœʀ, øz].

**CATÉCHÈSE, subst. f.**
*Relig.* **1.** Enseignement oral de la religion, dans l'Église primitive. **2.** Ext. Instruction religieuse chrétienne des baptisés. 1574 ; lat. chrét. *catechesis*, du gr. *katêkhêsis* ; [kateʃɛz].

**CATÉCHISATION, subst. f.**
*Relig.* Action de catéchiser. 1787 ; ☞ *catéchiser* ; [kateʃizasjɔ̃].

**CATÉCHISER, verbe trans.** [3]
**1.** *Relig.* Enseigner à (une personne baptisée) la religion chrétienne. **2.** Fig. et Péj. Endoctriner (qqn) ; faire la leçon à (qqn). 1374 ; lat. chrét. *catechizare*, du gr. *katêkhizein* ; [kateʃize].

**CATÉCHISME, subst. m.**
**1.** *Relig.* Enseignement des principes de la religion chrétienne aux baptisés. ▶ Méton. Livre contenant cet enseignement ; cours où il est dispensé : *Aller au **catéchisme**.* **2.** Ext. Ouvrage résumant les principes d'une doctrine, d'une religion ; par méton., ce qui constitue le credo d'une personne. 1374 ; lat. chrét. *catechismus* ; [kateʃism].

**CATÉCHISTE, subst.**
Personne qui enseigne le catéchisme. 1578 ; lat. chrét. *catechista*, du gr. *katêkhistês* ; [kateʃist].

**CATÉCHISTIQUE, adj.**
Qui concerne le catéchisme ou son enseignement. 1752 ; ☞ *catéchiste* ; [kateʃistik].

**CATÉCHUMÉNAT, subst. m.**
État du catéchumène. Déb. XVIIIe s. ; ☞ *catéchumène* ; [katekymena].

**CATÉCHUMÈNE, subst.**
**1.** Personne qui reçoit un enseignement religieux pour se préparer au baptême. **2.** Anal. Personne que l'on initie à qqch. 1374 ; lat. chrét. *catechumenus* ; [katekymɛn].

**CATÉGORÈME, subst. m.**
*Philos.* Notion définissant ce qui peut être affirmé d'un sujet ou des relations entre sujet et prédicat (genre, espèce, différence, propre, accident). 1555 ; gr. *katêgorêma* ; [kategɔʀɛm].

**CATÉGORICITÉ, subst. f.**
*Log.* Qualité d'une théorie déductive dont tous les modèles ont une même structure. V. 1960 ; ☞ *catégorique* ; [kategɔʀisite].

**CATÉGORIE, subst. f.**
**1.** *Philos.* Classe peu déterminée visant des contenus de la connaissance concrète : *Les **catégories** d'Aristote.* **2.** Ext. Classe dans laquelle on range des objets, des individus de même nature ou qui possèdent des caractères communs : *Une **catégorie** de fonctionnaires ; Un hôtel de deuxième **catégorie**.* ▶ ***Catégorie** socioprofessionnelle* : ensemble hiérarchisé de personnes réunies suivant des caractéristiques professionnelles et salariales. **3.** *Ling.* Chacune des classes organisant les éléments du discours suivant des critères sémantiques et syntaxiques : ***Catégories** grammaticales.* 1564 ; bas lat. *categoria*, du gr. *katêgoria* ; [kategɔʀi].

PHILOSOPHIE – Dans la pensée d'Aristote, les catégories de l'être constituent les différentes classes de l'être (ou de prédicats) attribuées à un sujet. Au nombre de dix, elles sont : substance, quantité, qualité, relation, lieu, temps, position, possession, action et passion. Chez Kant, les catégories correspondent aux concepts fondamentaux de l'entendement. Au nombre de douze, elles sont rangées sous les quatre premières catégories aristotéliciennes. La philosophie contemporaine a renouvelé la pensée catégorielle en l'abordant sous l'angle de l'analyse du langage.

**CATÉGORIEL, ELLE, adj.**
**1.** *Philos. Un système **catégoriel*** : qui est fondé sur un découpage en catégories de l'être, de l'entendement, de la perception, etc. (synon. *catégorial*). **2.** Relatif à une ou des catégories professionnelles ou salariales : *Revendications **catégorielles**.* 1943 ; ☞ *catégorie* ; [kategɔʀjɛl].

**CATÉGORIQUE, adj.**
**1.** *Philos. Proposition, jugement **catégorique*** : qui ne comprend ni condition ni alternative (anton. *hypothétique*). ▶ *L'impératif **catégorique** de Kant* (☞ *impératif*). **2.** Qui est clair et ne laisse subsister aucun doute ; qui est sans réplique : *Refus **catégorique**.* ▶ Ext. *Être **catégorique*** : se montrer très affirmatif. 1495 ; bas lat. *categoricus*, du gr. *katêgorikos*, « affirmatif » ; [kategɔʀik].

**CATÉGORIQUEMENT, adv.**
De manière catégorique. 1552 ; ☞ *catégorique* ; [kategɔʀikmɑ̃].

**CATÉGORISATION, subst. f.**
Action de classer par catégories ; son résultat. 1866 ; ☞ *catégoriser* ; [kategɔʀizasjɔ̃].

**CATÉGORISER, verbe trans.** [3]
Classer, ranger par catégories. 1845 ; ☞ *catégorie* ; [kategɔʀize].

**CATELLE, subst. f.**
Helv. Carreau d'un poêle de faïence. 1409 ; all. *Kachel* ; [katɛl].

**CATÉNAIRE, adj. et subst. f.**
*Ch. de fer.* Se dit du fil d'alimentation en énergie électrique des locomotives, des tramways ou des trolleybus et du système de suspension qui le maintient au-dessus de la voie. ADJ. *Anat.* Relatif à une chaîne de ganglions, par ex. à celle des ganglions sympathiques. 1928 (1838, polypiers) ; lat. sc. *catenaria*, du lat. *catena*, « chaîne » ; [katenɛʀ].

**CATGUT,** subst. m.
*Chir.* Lien d'origine organique, résorbable, utilisé pour les sutures ou les ligatures. 1871 ; angl. *catgut,* « boyau de chat » ; [katgyt].

**CATHARE,** adj. et subst.
Subst. Membre d'une secte religieuse manichéenne active du XIe au XIIIe s. en Europe, en partic. dans le midi de la France. Adj. Relatif, propre aux cathares : *Un château **cathare**.* 1688 ; lat. médiév. *cathari,* du gr. *catharos,* « pur » ; [kataʀ].

**CATHARISME,** subst. m.
Doctrine des cathares. 1947 ; ☞ *cathare* ; [kataʀism].

RELIGION – Le catharisme (aux origines mazdéennes) soutient que l'Univers est le siège d'un combat entre le Bien et le Mal, et que les êtres humains sont des âmes déchues qui se réincarnent jusqu'à ce qu'elles connaissent l'illumination par Jésus-Christ. La doctrine, via Constantinople, s'est répandue en Occident, et particulièrement en terre languedocienne, où les cathares ont été appelés albigeois. Dotés de leurs propres évêques, ils se considéraient comme une Église et menaçaient l'Église catholique dans l'intégrité de sa foi et de son unité. Le pape Innocent III lança contre eux une croisade (1209) qui fut menée à son terme par Louis VIII puis Blanche de Castille (1229). Le catharisme survécut néanmoins jusqu'au XVIe s.

**CATHARSIS,** subst. f.
**1.** *Philos.* Selon Aristote, processus par lequel le spectateur d'une tragédie se libère de ses affects en endossant fictivement ceux du héros souffrant. **2.** *Psychanal.* Terme repris par Breuer et Freud pour expliquer comment certains symptômes de l'hystérie peuvent disparaître à l'évocation de souvenirs douloureux jusque-là refoulés. 1865 ; gr. *katharsis,* « purgation » ; [kataʀsis].

**CATHARTIQUE,** adj.
**1.** Qui purifie, libère. **2.** *Psychanal.* Qualifie une thérapie fondée sur l'hypnose consistant à faire revivre au patient un souvenir traumatisant pour le libérer d'un mal-être. 1598 ; gr. *kathartikos,* « qui purifie » ; [kataʀtik].

**CATHÉDRAL, ALE, AUX,** adj.
Relatif au siège de l'autorité épiscopale. Fin XIIe s. ; lat. chrét. *cathedralis* ; [katedʀal, o].

© Lauros-Giraudon

*La **cathédrale** Saint-Samson à Dol-de-Bretagne, en Ille-et-Vilaine (XIIIe-XVIe s.).*

**CATHÉDRALE,** subst. f.
**1.** Église mère d'un diocèse, où siège l'évêque. **2.** *Reliure à la **cathédrale*** : ornée de motifs néogothiques, en vogue à l'époque romantique. **3.** *Techn. Verre **cathédrale*** : translucide, d'aspect martelé. 1666 ; ell. de *église cathédrale* ; [katedʀal].

**CATHÈDRE,** subst. f.
**1.** Siège liturgique de l'évêque, dans une cathédrale. **2.** Siège gothique muni d'un haut dossier. 1599 ; lat. *cathedra,* « chaise » ; [katɛdʀ].

**CATHERINETTE,** subst. f.
Jeune fille encore célibataire à vingt-cinq ans qui célèbre la Sainte-Catherine, fête traditionnelle des ouvrières de la mode : *On dit que les **catherinettes** coiffent sainte Catherine.* 1882 ; anthropon. *sainte Catherine* ; [katʀinɛt].

**CATHÉTER,** subst. m.
*Méd.* Tube flexible servant à explorer ou à dilater un conduit, un orifice, ou à perfuser un vaisseau. 1538 ; gr. *kathetêr* ; [kateteʀ].

**CATHÉTÉRISME,** subst. m.
*Méd.* Introduction d'un cathéter dans un conduit naturel, à des fins diagnostiques ou thérapeutiques : ***Cathétérisme** cardiaque, laryngé.* 1658 ; gr. *kathetêrismos* ; [kateteʀism].

**CATHÉTOMÈTRE,** subst. m.
*Topogr.* Instrument servant à mesurer la distance verticale entre deux points ou deux plans horizontaux. 1853 ; gr. *kathetos,* « vertical », + *-mètre*[1] ; [katetɔmɛtʀ].

**CATHODE,** subst. f.
*Phys.* **1.** Électrode reliée au pôle négatif d'un générateur de courant continu (d'une batterie, par ex.), par laquelle sortent les électrons, dans une expérience d'électrolyse. **2.** Électrode de potentiel négatif, source d'électrons : ***Cathode** incandescente.* 1838 ; gr. *kathodos,* « descente » ; [katɔd].

**CATHODIQUE,** adj.
*Phys.* et *Techn.* Qui concerne une cathode ou qui est émis par elle : *Le tube **cathodique** d'un récepteur de télévision.* 1897 ; ☞ *cathode* ; [katɔdik].

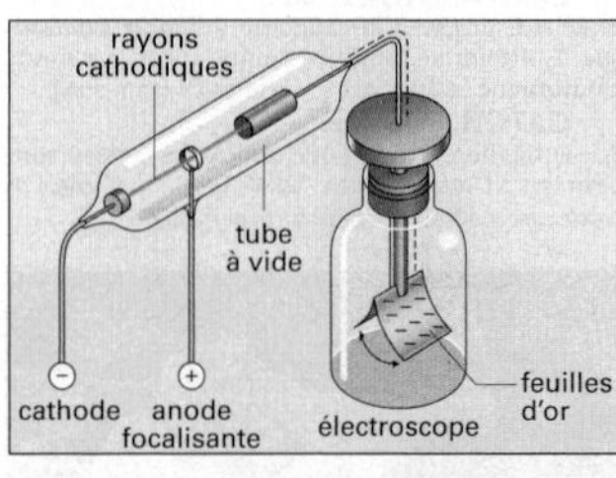


EXPÉRIENCE DE JEAN PERRIN
*Les rayons **cathodiques** émis par la **cathode** sont reçus dans un cylindre de métal relié au plateau d'un électroscope à feuilles d'or. Ces dernières commencent alors à diverger, ce qui met en évidence le transport de charges électriques par les rayons **cathodiques**.*

**CATHOLICISME,** subst. m.
Religion des chrétiens de l'Église catholique romaine, qui reconnaissent l'autorité suprême du pape en matière de dogme et de morale. 1598 ; ☞ *catholique* ; [katɔlisism].

RELIGION – Le catholicisme rassemble aujourd'hui plus d'un milliard de chrétiens dont l'unité se veut garantie par le principe de l'autorité pastorale : celle des évêques, successeurs des apôtres, et surtout celle du pape, successeur de saint Pierre et reconnu comme le vicaire du Christ sur la terre. La doctrine du catholicisme est d'essence double : elle repose sur l'Écriture (Ancien et Nouveau Testament), éclairée non par le libre examen, comme chez les protestants, mais par la Tradition – le second fondement –, c.-à-d. l'ensemble des rites, des vérités et des dogmes définis par les Pères de l'Église, les papes et les conciles (notamment les conciles de Nicée, en 325, de Chalcédoine, en 451, et de Trente, en 1563). Citons parmi les points fondamentaux de la doctrine et de la pratique catholiques : la Présence réelle du Christ dans l'Eucharistie (transsubstantiation), la faculté des sept sacrements d'accorder ou de raffermir la grâce, la croyance que le salut dépend de la foi mais aussi des œuvres de chacun, le rôle exemplaire des saints et le culte qui leur est dû (tout spécialement à la première des saintes, la Vierge Marie).

**CATHOLICITÉ,** subst. f.
**1.** Vocation à l'universalité, dans le temps et dans l'espace, de l'Église catholique romaine. **2.** Conformité à la doctrine de l'Église catholique romair **3.** Méton. Ensemble des catholiques. 157 ☞ *catholique* ; [katɔlisite].

**CATHOLICOS,** subst. m.
*Relig.* Chef des Églises arménienne ou nestorienn Gr. *katholikos,* « universel » ; [katɔlikɔs].

**CATHOLIQUE,** adj. et subst.
Adj. **1.** Qui appartient au catholicisme ; q professe, pratique le catholicisme. **2.** Qui est ur verselle, dans le temps et dans l'espace, en parla de l'Église qui reconnaît le pape pour son ch **3.** Fig. *Un procédé pas très **catholique*** : q suscite la méfiance (fam.). Subst. Personne q professe le catholicisme (abrév. fam. : cathc XIIIe s. ; lat. chrét. *catholicus,* du gr. *katholikc* « universel » ; [katɔlik].

**CATI,** subst. m.
*Text.* Meilleure tenue et lustre donnés à un tis par pressage. 1606 ; p. p. de *catir* ; [kati].

**CATIMINI (EN),** loc. adv.
En cachette, discrètement, subrepticement. XIVe s. ; p.-ê. gr. *katamênia,* « menstrues » ; [ɑ̃katimir

**CATIN,** subst. f.
Fam. et Vieilli. Femme de mauvaises mœurs ; prc tituée. XVIe s. ; dimin. de *Catherine* ; [katɛ̃].

**CATION,** subst. m.
*Phys.* Ion chargé d'électricité positive (et qui dirige vers la cathode – négative – d'une cuve électrolyse). Il peut s'agir d'un atome isolé (hydr gène, métal) ou d'un groupement d'atomes. charge d'un **cation** se mesure en quantité éléme taire d'électricité, *e* (valeur absolue de la charge l'électron, soit $1{,}6.10^{-19}$ C), et l'on indique nombre de charges élémentaires qu'il porte : H $Na^{+}$, $K^{+}$ sont des **cations** monovalents ; $Ca^{2+}$, Mr sont des **cations** bivalents ; $Mn^{4+}$ est un **catic** tétravalent, etc. 1838 ; ☞ *ion* + *cata-* ; [katjɔ̃].

**CATIR,** verbe trans. [19]
**1.** *Text.* Donner du lustre et du corps à (une étoff en la pressant. **2.** *Orfèvr.* Appliquer de l'or sur filets de (une pièce à dorer). XIVe s. ; lat. pc °*coactire,* du lat. *cogere,* « rassembler » ; [katiʀ].

**CATLEYA,** voir **CATTLEYA**

**CATOBLÉPAS,** subst. m.
*Myth.* Animal fantastique au long cou grêle et do la tête, très lourde, traînait à terre. 1552 ; l *catoblepas,* « taureau d'Afrique », du gr. *katôblepon,* « c regarde en bas » ; [katɔblepɔs].

**CATOGAN,** subst. m.
**1.** Coiffure consistant à attacher les cheveux sur nuque au moyen d'un ruban ; ce ruban. **2.** E Façon de couper les crins de la queue d'un chev 1768 ; anthropon. *Cadogan,* général anglais ai coiffé ; var. *cadogan* ; [katɔgɑ̃].

**CATOPTRIQUE,** adj. et subst. f.
*Phys.* Adj. Relatif à la réflexion de la lumiè Subst. Partie de l'optique qui étudie la réflexion la lumière. 1584 ; gr. *katoptrikos,* « qui concerne miroirs » ; [katɔptʀik].

**CATTLEYA,** subst. m.
*Bot.* Nom de genre d'une orchidée américaine a fleurs mauves. 1845 ; lat. sc. *cattleya,* de l'anth pon. *W. Cattley,* botaniste anglais ; var. *catleya* ; [katlɛj

© G. Leroy-Terquem-Jacana

*Le **cattleya**, une orchidée cultivée pour sa beauté.*

**CAUCASIEN, IENNE,** subst. et adj.
Du Caucase. Adj. *Langues **caucasiennes*** : langu autochtones de cette région, dont la principale

le géorgien (synon. *caucasique*). 1554 ; topon. lat. *Caucasus*, du gr. *Kaukasos* ; [kokazjɛ̃, jɛn].

**CAUCHEMAR, subst. m.**
1. Rêve effrayant, angoissant. 2. Anal. Chose, idée, situation ou personne qui tourmente, dont on a peur ou horreur, ou, par hyperb., qui importune. Fin XIVe s. ; pic. *cauchemar*, de *cauchier*, « fouler, presser », et de *mare*, du m. néerl. *mare*, « fantôme nocturne » ; [kɔʃmaʀ].

**CAUCHEMARDER, verbe intrans.** [3]
Faire des cauchemars (fam.). 1840 ; ☞ *cauchemar* ; [kɔʃmaʀde].

**CAUCHEMARDESQUE, adj.**
Semblable à un cauchemar ; peuplé de cauchemars. 1919 ; ☞ *cauchemar* ; synon. *cauchemardeux, euse* ; [kɔʃmaʀdɛsk].

Les Souffleurs, *gravure extraite des* Caprices de Goya *(1746-1828). Le peintre présente une vision* **cauchemardesque** *de son époque pour en faire apparaître les travers.*

**CAUDAL, ALE, AUX, adj.**
*Anat.* Relatif à la queue, à la partie postérieure du corps : *Un appendice* ***caudal*** ; *La nageoire* ***caudale*** ou, empl. subst. fém., *La* ***caudale***, par laquelle se termine la queue d'un poisson, d'un cétacé, d'un crustacé. 1800 ; lat. *cauda*, « queue » ; [kodal, o].

**CAUDATAIRE, subst.**
1. Personne qui porte la traîne d'un souverain, d'un pontife, d'un grand personnage, lors des cérémonies ; empl. adj. : *Gentilhomme* ***caudataire***. 2. Fig. Personne obséquieuse et bassement flatteuse (littér.). 1546 ; lat. médiév. *caudatarius*, du lat. *cauda*, « queue » ; [kodatɛʀ].

**CAUDÉ, ÉE, adj.**
Pourvu d'une queue : *Animal* ***caudé*** ; *Comète* ***caudée***. 1690 ; lat. *cauda*, « queue » ; [kode].

**CAUDILLO, subst. m.**
1. En Amérique hispanique, dictateur. 2. Titre porté à partir de 1936 par le général espagnol Franco. 1941 ; esp. *caudillo*, « capitaine », du lat. *capitellum*, de *caput*, « tête » ; [kaodijo].

**CAUDRETTE, subst. f.**
*Pêche.* Filet à crustacés en forme de poche, monté sur un cerceau. 1769 ; pic. *cauderette*, de *caudière*, « chaudière » ; [kodʀɛt].

**CAULERPE, subst. f.**
*Bot.* Désigne un genre d'algue marine à tige fixée au sol dont on connaît de nombreuses espèces, comme *Caulerpa taxifolia*, surnommée algue tueuse, qui s'est répandue à partir de la Méditerranée, en éliminant les autres végétaux. Lat. *caulis*, du gr. *kaulos*, « tige », et *herpein*, « ramper » ; [kolɛʀp].

**CAULESCENT, ENTE, adj.**
*Bot.* Se dit d'une plante qui possède une tige. 1783 ; lat. *caulis*, du gr. *kaulos*, « tige » ; [kolesɑ̃, ɑ̃t].

**CAURI, subst. m.**
*Zool.* Nom donné à la coquille d'un mollusque de la famille des Cypréidés (synon. *porcelaine*). Sa beauté, sa blancheur expliquent sans doute que le **cauri** ait longtemps servi de monnaie en Afrique et en Inde. 1615 ; tamoul *kauri* ; var. *cauris* ; [koʀi].

**CAUSAL, ALE, ALS ou AUX, adj.**
1. Qui est de l'ordre de la cause, qui la concerne ou qui la constitue : *Lien* ***causal***. 2. *Ling.* ► *Conjonction* ***causale*** : qui exprime le rapport de cause (par ex. : *comme, parce que, puisque*). ► *Proposition* ***causale*** ou, empl. subst. fém., *Une* ***causale*** : subordonnée circonstancielle donnant la raison de l'action qu'exprime le verbe de la principale. XVe s. ; lat. *causalis* ; [kozal, o].

**CAUSALGIE, subst. f.**
*Pathol.* Syndrome douloureux associant une impression de brûlure cuisante, une altération de la peau, qui devient rouge, et une hyperesthésie cutanée, dû à une lésion des nerfs. 1864 ; gr. *kausis*, « brûlure », + *-algie* ; [kozalʒi].

**CAUSALITÉ, subst. f.**
*Philos.* Rapport d'une cause à un effet : *Suivant le principe de* ***causalité***, *il n'existe pas d'effet sans cause.* 1375 ; bas lat. *causalitas* ; [kozalite].

**CAUSANT, ANTE, adj.**
Qui aime à causer, loquace (fam.). 1676 ; p. pr. de *causer* (II) ; [kozɑ̃, ɑ̃t].

**CAUSATIF, IVE, adj. et subst. m.**
*Ling.* Se dit d'une forme verbale dans laquelle le sujet est la cause de l'action, sans la faire lui-même (☞ *factitif*) : *« Il l'a fait venir » est une proposition* ***causative***. XVe s. ; bas lat. *causativus* ; [kozatif, iv].

**CAUSE, subst. f.**
**I. 1.** Ce par quoi une chose existe, arrive ; ce qui est responsable d'un effet : *Chercher la* ***cause*** *d'un processus.* 2. Motif, raison : *Quelle est la* ***cause*** *de sa colère ?* 3. *Dr.* Ce qui justifie qu'une personne s'engage envers une autre : ***Cause*** *d'une convention.* 4. Loc. prép. *À* ***cause*** *de* : en raison ou en considération de, par la faute de ; *Pour* ***cause*** *de* : en raison de. **II. 1.** Affaire pour laquelle on intente une action en justice ; procès : *Plaider une* ***cause***. ► Loc. *Être en* ***cause*** : être en question, concerné ; *Mettre en* ***cause*** : rendre responsable, incriminer ; *En tout état de* ***cause*** : quoi qu'il en soit ; *En désespoir de* ***cause*** : en ultime recours. 2. Ext. Ensemble d'intérêts, parti, idée que l'on s'attache à soutenir : *La* ***cause*** *de la liberté.* ► Loc. *Prendre fait et* ***cause*** *pour* : soutenir, prendre le parti de. XIIe s. ; lat. *causa* ; [koz].

PHILOSOPHIE – Dans la pensée d'Aristote, le concept de cause prend quatre sens : cause formelle, cause matérielle, cause efficiente et cause finale. Au Moyen Âge, les scolastiques distingueront la cause première (qui n'est causée par rien), la cause principale et la cause instrumentale (l'ouvrier et l'outil), la cause directe (qui produit) et la cause indirecte (qui laisse faire), etc. On voit ensuite, chez Descartes, Leibniz et Spinoza, la notion de cause s'étendre au rapport logique, pour devenir la prémisse dont on peut déduire qu'une proposition est vraie. Plus qu'une simple succession invariable, la relation de causalité est, chez Kant, « absolument générale, et même nécessaire ». De cette variété sémantique on ne retient plus aujourd'hui que la cause efficiente et la cause finale, désignant respectivement le phénomène (ou l'être) responsable d'un effet (ou d'une action) et le but en vue duquel est accomplie une action. Toutefois, la philosophie contemporaine a pratiqué une critique radicale du principe de causalité, en relation avec le recul du concept de cause dans l'explication scientifique.

**CAUSER (I), verbe trans.** [3]
Être la cause de, occasionner (qqch.). Fin XIIIe s. ; ☞ *cause* ; [koze].

**CAUSER (II), verbe** [3]
INTRANS. 1. S'entretenir familièrement (avec qqn) : *Elles* ***causaient*** *gentiment.* 2. Ext. Parler trop ou de façon indiscrète, malveillante (fam.) : *Ne t'affiche plus avec lui, cela fait* ***causer***. TRANS. INDIR. **1. Causer de.** Parler de : *J'aime bien* ***causer*** *de poésie avec vous* ; par ell. : ***Causons*** *politique un moment.* **2. Causer à.** Parler à (pop.) : *C'est à vous que je* ***cause***. Fin XIIIe s. ; lat. *causari*, « plaider ; disputer » ; [koze].

**CAUSERIE, subst. f.**
1. Entretien familier. 2. Exposé sans prétention devant un auditoire. 1545 ; ☞ *causer* (II) ; [kozʀi].

**CAUSETTE, subst. f.**
Petite conversation familière (fam.) : *Faire la* ***causette*** *à qqn.* 1790 ; ☞ *causer* (II) ; [kozɛt].

**CAUSEUR, EUSE, subst. et adj.**
Se dit d'une personne qui aime à causer. 1534 ; ☞ *causer* (II) ; [kozœʀ, øz].

**CAUSEUSE, subst. f.**
Petit canapé à deux places, censé favoriser la conversation. 1787 ; ☞ *causer* (II) ; [kozøz].

**CAUSSE, subst. m.**
*Géogr.* Plateau calcaire de la France du Sud-Ouest et du Centre. 1791 ; mot prov. ; [kos].

**CAUSTICITÉ, subst. f.**
1. Qualité d'une substance caustique. 2. Fig. Aptitude, disposition à s'exprimer de façon blessante ; caractère mordant, incisif : *La* ***causticité*** *d'une épigramme.* 1738 ; ☞ *caustique* (I) ; [kostisite].

**CAUSTIQUE (I), adj. et subst. m.**
Se dit d'une substance qui attaque les tissus organiques. ADJ. Cinglant, mordant dans la satire, la moquerie : *Avoir l'esprit* ***caustique***. Fin XIVe s. ; lat. *causticus*, du gr. *kaustikos*, « brûlant » ; [kostik].

**CAUSTIQUE (II), subst. f.**
*Opt.* Surface tangente aux rayons lumineux d'un faisceau issu d'un même point dans l'espace et ayant traversé certains instruments optiques imparfaits. Au voisinage de la **caustique** passe un grand nombre de rayons, ce qui donne une accumulation de lumière si l'on y place un écran. 1751 ; ☞ *caustique* (I), en réf. à l'ardeur des rayons ; [kostik].

**CAUTÈLE, subst. f.**
1. Prudence rusée (littér.). 2. *Dr. canon.* Réserve, prudence : *Absolution à* ***cautèle***, sous condition. Fin XIIIe s. ; lat. *cautela* ; [kotɛl].

**CAUTELEUX, EUSE, adj.**
Qui agit avec cautèle ; sournois et rusé. Fin XIIIe s. ; ☞ *cautèle* ; [kotlø, øz].

**CAUTÈRE, subst. m.**
*Méd.* Substance médicamenteuse ou instrument destiné à brûler un tissu malade pour le détruire. ► Loc. *Un* ***cautère*** *sur une jambe de bois* : un expédient inefficace (fam.). Fin XIIIe s. ; prob. lat. *cauterium*, du gr. *kautêrion* ; [kotɛʀ].

**CAUTÉRISATION, subst. f.**
*Méd.* Destruction d'un tissu au moyen d'un cautère. 1314 ; lat. médiév. *cauterisatio* ; [koteʀizasjɔ̃].

**CAUTÉRISER, verbe trans.** [3]
*Méd.* Brûler au cautère. 1314 ; bas lat. *cauterizare*, du gr. *kautêriazein*, « marquer au fer chaud » ; [koteʀize].

**CAUTION, subst. f.**
1. Garantie d'un engagement pris pour soi-même ou pour autrui ; par méton., somme versée en garantie. 2. Ext. Garantie, soutien moral apporté par une personne jouissant d'un crédit important. 3. Méton. Personne qui se porte garante. 4. Loc. *Sujet à* ***caution*** : douteux, suspect. Mil. XIIIe s. ; lat. *cautio*, « précaution, prudence » ; [kosjɔ̃].

**CAUTIONNEMENT, subst. m.**
1. Engagement que prend un tiers envers le créancier d'accomplir une obligation en cas de défaillance du débiteur. 2. Méton. Somme d'argent ou valeurs déposées pour garantir d'éventuelles créances ou pour répondre à certaines exigences administratives. 1535 ; ☞ *cautionner* ; [kosjɔnmɑ̃].

**CAUTIONNER, verbe trans.** [3]
1. S'engager à remplir les obligations de (qqn) s'il n'y satisfaisait pas. 2. Ext. Approuver, appuyer de son autorité (qqn, des idées, une entreprise, etc.). 1334 ; ☞ *caution* ; [kosjɔne].

**CAVAILLON (I), subst. m.**
Variété de melon cultivée dans le sud de la France. 1866 ; topon. *Cavaillon* (Vaucluse) ; [kavajɔ̃].

**CAVAILLON (II), subst. m.**
*Vitic.* Bande de terre comprise entre les ceps, que les charrues ordinaires ne peuvent pas labourer. XIXe s. ; prov. *cavalhon*, du lat. *caballio* ; [kavajɔ̃].

**CAVALCADE, subst. f.**
1. Chevauchée, promenade d'un groupe de personnes à cheval ; par méton., groupe de gens à cheval. 2. Ext. Défilé de cavaliers, de chars décorés : ***Cavalcade*** *de mardi gras.* 3. Fig. Course désordonnée et bruyante. 1349 ; prob. ital. *cavalcata*, de *cavalcare*, « chevaucher » ; [kavalkad].

**CAVALCADOUR, adj. m.**
*Écuyer* ***cavalcadour*** ou, empl. subst. masc, *Un* ***cavalcadour*** : écuyer chargé autrefois de s'occuper des chevaux et des équipages d'un prince ou d'un roi (vx). 1549 ; p.-ê. ital. *cavalcatore*, « cavalier » ; [kavalkaduʀ].

**CAVALE (I), subst. f.**
Jument (littér.). 1552 ; prob. ital. *cavalla*, du lat. *caballa* ; [kaval].

**CAVALE (II), subst. f.**
Évasion (pop.) : *Être en* ***cavale***, être évadé, en fuite. 1829 ; ☞ *cavaler* ; [kaval].

**CAVALER, verbe** [3]
**Intrans.** **1.** Vx. Chevaucher. **2.** Courir, fuir (fam.). **3.** Fig. Courir d'une aventure amoureuse à l'autre (pop.) **Trans.** Importuner, ennuyer (pop.) : *Tu commences à me* ***cavaler***. **Pronom.** S'enfuir (pop.). 1585 ; ☞ *cavale* (I) ; [kavale].

**CAVALERIE, subst. f.**
**1.** *Milit.* ▸ Troupe de cavaliers. ▸ Partie de l'armée regroupant les formations autrefois montées, de nos jours blindées. **2.** Ext. Ensemble de chevaux. **3.** *Comm.* Fraude consistant à se procurer des fonds par des opérations fictives : *Traites de* ***cavalerie***. Déb. XIV^e s. ; ital. *cavalleria* ; [kavalʀi].

**CAVALEUR, EUSE, subst. et adj.**
Se dit d'une personne qui recherche les aventures galantes (pop.). 1901 ; ☞ *cavaler* ; [kavalœʀ, øz].

**CAVALIER, IÈRE, subst. et adj.**
**Subst.** **1.** Personne montant à cheval. **2.** Celui ou celle qui forme un couple avec une personne de sexe opposé, pour danser, se rendre à une réception, etc. ▸ Loc. *Faire* ***cavalier*** *seul* : agir isolément. **Subst. masc.** **1.** Soldat servant dans la cavalerie. **2.** Pièce du jeu d'échecs. **3.** *Doc.* Petite pièce que l'on fixe sur des fiches, des dossiers, pour les classer. **4.** *Fortif.* Amas de terre élevé pour permettre à l'artillerie de dominer les positions ennemies. **5.** *Papet.* Format de papier (46 × 62 cm). **6.** *Techn.* Clou recourbé en U. **7.** *Trav. publ.* Amas de terre, talus longeant une route, une voie ferrée, etc. **Adj.** **1.** Propre aux **cavaliers** : *Esprit* ***cavalier***. **2.** Destiné aux **cavaliers** : *Allée* ***cavalière***. **3.** Par réf. à l'allure d'un **cavalier**, libre, aisé (littér.) ; par ext., qui ne s'embarrasse pas du respect des convenances (péj.) : *Je l'ai trouvé bien* ***cavalier*** *avec ta mère* ; *Propos* ***cavaliers***. **4.** *B.-a. Perspectives* ***cavalières*** : établies d'un point de vue rejeté à l'infini ; *Vue* ***cavalière*** : d'un point de vue élevé. XV^e s. ; ital. *cavaliere* ; [kavalje, jɛʀ].

**CAVALIÈREMENT, adv.**
De manière cavalière, déplaisante. 1642 (1614, généreusement) ; ☞ *cavalier* ; [kavaljɛʀmɑ̃].

**CAVATINE, subst. f.**
Air d'opéra, bref et doux. 1768 ; ital. *cavatina*, de *cavata*, « fait de tirer un son » ; [kavatin].

**CAVE (I), adj.**
**1.** Creux, enfoncé, en parlant d'une partie du corps : *Des yeux* ***caves***, enfoncés dans leurs orbites. **2.** *Anat. Veines* ***caves*** *inférieure et supérieure* : grosses veines drainant le sang veineux de la circulation de retour vers l'oreillette droite du cœur. **3.** *Chronologie.* Qui n'est pas complet : *Lune* ***cave*** ; *Mois* ***cave***, mois lunaire de 29 jours, par oppos. aux mois pleins, de 30 jours. Fin XII^e s. ; lat. *cavus*, « creux » ; [kav].

**CAVE (II), subst. f.**
**1.** Partie souterraine d'une construction, souv. voûtée : *Une* ***cave*** *à charbon*. **2.** Ext. ▸ Ce local, aménagé en cabaret : *Un concert de jazz dans une* ***cave*** *de Saint-Germain-des-Prés*. ▸ Lieu souterrain où l'on conserve le vin : *Visiter les* ***caves*** *du Bordelais* ; par méton., les vins de la **cave** : *La* ***cave*** *prestigieuse d'un grand restaurant*. **3.** Anal. Petit meuble où l'on range du vin, des liqueurs ; par ext. : *Une* ***cave*** *à cigares, à parfums*. Mil. XIII^e s. (fin XII^e s., caverne) ; lat. *cava*, « fossé » ; [kav].

**CAVE (III), subst. f.**
*Jeux.* Somme qu'un joueur engage en début de partie (synon. *mise*) : *Un poker à cent francs la* ***cave***. 1690 ; ☞ *caver* (II) ; [kav].

**CAVE (IV), adj. et subst. m.**
Argot. Se dit d'une personne qui se laisse berner, duper ou qui n'est pas du « milieu ». 1882 ; prob. *cavé* (rare), « homme simple » ; [kav].

**CAVEAU, subst. m.**
**1.** Vx. Petite cave. **2.** Ext. Café littéraire, cabaret de chansonniers. **3.** Sépulture, tombe : *Un* ***caveau*** *de famille*. Fin XIII^e s. ; ☞ *cave* (II) ; [kavo].

**CAVEÇON, subst. m.**
Demi-cercle métallique fixé à la muserolle, auquel on attache la longe pour faire travailler un jeune cheval. Fin XVI^e s. ; ital. *cavezzone*, de *cavezza*, « bride » ; [kavsɔ̃].

**CAVÉE, subst. f.**
Chemin creux, dans un bois, une forêt. 1642 ; p. p. de *caver* (I) ; [kave].

**CAVER (I), verbe trans.** [3]
Creuser, percer (vx) : *Pies, corbeaux nous* ***ont*** *les yeux* ***cavés*** (Villon). Mil. XII^e s. ; p.-ê. lat. *cavare* ; [kave].

**CAVER (II), verbe** [3]
**Intrans.** et **Trans.** Miser au jeu (vieilli). **Trans.** Tromper, escroquer (argot.). 1642 ; ital. *cavare*, « tirer de sa poche ; dévêtir » ; [kave].

**CAVERNE, subst. f.**
**1.** Anfractuosité naturelle, dans une roche ou sous terre. **2.** *Pathol.* Cavité qui se forme dans un parenchyme, en partic. dans un poumon tuberculeux. XII^e s. ; lat. *caverna*, « grotte » ; [kavɛʀn].

**CAVERNEUX, EUSE, adj.**
**1.** Qui comporte des creux : *Le saule* ***caverneux*** *nous prêtait son tronc vide* (Lamartine). **2.** Fig. *Une voix, un son* ***caverneux*** : grave et profond, qui semble sortir d'une caverne. **3.** *Anat. Corps* ***caverneux*** *de la verge* : organes, au nombre de deux, qui, gonflés de sang, produisent une érection. Fin XIII^e s. ; lat. *cavernosus*, « percé de trous » ; [kavɛʀnø, øz].

**CAVERNICOLE, adj. et subst. m.**
Qualifie ou désigne un animal adapté à la vie dans les cavernes. 1874 ; ☞ *caverne* ; [kavɛʀnikɔl].

**CAVET, subst. m.**
*Archit.* Moulure concave au profil en quart de cercle. 1545 ; ital. *cavetto*, de *cavo*, « creux » ; [kavɛ].

**CAVIAR, subst. m.**
**1.** Mets à base d'œufs d'esturgeon salés ou marinés ; par ext. : ***Caviar*** *de saumon, de brochet* ; par anal. : ***Caviar*** *d'aubergine*. **2.** Encre noire servant à caviarder, à censurer un texte. 1432 ; vénitien *caviaro*, du turc *havyar* ; [kavjaʀ].

**CAVIARDER, verbe trans.** [3]
Fam. Recouvrir d'encre noire (un texte que l'on censure). 1907 ; ☞ *caviar* ; [kavjaʀde].

**CAVICORNE, adj. et subst. m.**
*Zool.* Se dit parfois d'une famille de mammifères ruminants à cornes creuses montées sur les axes osseux dépendant du crâne. 1839 ; lat. *cavus*, « creux », et *cornu*, « corne » ; [kavikɔʀn].

**CAVISTE, subst.**
Employé chargé des vins chez un producteur ou un restaurateur. Fin XVII^e s. ; ☞ *cave* (II) ; [kavist].

**CAVITAIRE, adj.**
*Pathol.* Qui concerne une caverne de poumon tuberculeux. 1838 ; ☞ *cavité* ; [kavitɛʀ].

**CAVITATION, subst. f.**
*Phys.* Formation de cavités, qui se remplissent de gaz ou de vapeur, dans un liquide mis en mouvement, par ex. par des ondes ultrasonores, par une hélice de bateau ou par une turbine tournant à grande vitesse. La **cavitation** se produit lorsque la pression hydrostatique du liquide devient inférieure, du fait de ces mouvements, à la tension de vapeur de ce liquide. 1902 ; angl. *cavitation*, de *cavity*, « cavité » ; [kavitasjɔ̃].

**CAVITÉ, subst. f.**
Espace creux dans un corps solide. XIII^e s. ; bas lat. *cavitas* ; [kavite].

**Cd, voir CADMIUM**

**cd, voir CANDELA**

**Ce, voir CÉRIUM**

**CE (I), CETTE, CES, adj. dém.**
Désigne d'une manière précise le substantif auquel il se rapporte. **1.** Sert à situer la personne, la chose évoquée. ▸ Dans l'espace : *Regardez* ***ce*** *livre,* ***cette*** *montre en or,* ***cet*** *arbre*. ▸ Dans le temps : *Il fait beau,* ***ce*** *matin* ; ***Cette*** *année, la récolte a été (sera) bonne* ; *Passez un de* ***ces*** *jours*. **2.** Sert à présenter, à mettre en valeur ce dont on parle : ***Ces*** *efforts,* ***ces*** *sacrifices n'auront donc servi à rien*. ▸ Dans un tour exclamatif, peut traduire l'étonnement, l'admiration ou l'indignation : ***Ce*** *Caruso, quel ténor !* ; ***Ces*** *Bertin !... comme ils sont méprisants !* **3.** Renforcé par les particules adverbiales « -ci » ou « -là » : ***Cette*** *semaine-ci*, présente ou qui vient ; ***Cette*** *semaine-là*, passée ; ***Cette*** *rue-ci ou* ***cette*** *rue-là ?*, la plus proche ou la plus éloignée ? ▸ Avec une nuance d'admiration ou de mépris : ***Cette*** *femme-là est une sainte* ; *Vous fréquentez* ***ces*** *gens-là ?* 842 ; lat. pop. °*ecce istum*, « celui que voici » ; *ce* devient *cet* devant une voyell[e] ou un *h* muet ; [sə, sɛt, se].

**CE (II), pron. dém. inv.**
Pronom neutre permettant à celui qui parle d[e] désigner la chose qu'il a dans l'esprit. **I.** Repren[d] ou annonce un terme de la phrase. **1.** (Le plu[s] souvent avec « être »). *Gouverner,* ***c'****est prévoi[r]* (Thiers) ; ***Ce*** *n'est pas gai, votre histoire !* ; ***Ce*** *son[t] d'excellents amis*. ▸ Dans des tours interrogatifs : *Est-****ce*** *possible ?* ; *Est-****ce*** *qu'il dort ?* **2.** Ceci ; cela (v[x]) ou dans certaines loc. figées) : *Sur* ***ce***, immédiatement après cela ; *Pour* ***ce*** *faire* ; ***Ce*** *faisant* ; ***Ce*** *m[e] semble*. **II.** Met en relief un terme de la phrase (ave[c] « être »). **1.** Introduit une situation, une descrip[-]tion : ***C'****était pendant l'horreur d'une profonde nui[t]* (Racine). **2.** Sert à identifier, à souligner ave[c] insistance un élément, en le détachant : ***C'****est lui l'assassin !* ; ***C'****est ainsi et pas autrement* ; ***C'****est à lu[i] de parler, maintenant*. ▸ Avec un pronom relatif dans les présentatifs : ***C'****est moi qui décide* ; ***C'****est a[u] repos qu'elle aspire* ; ***C'****est trois jours qu'il me faudrai[t] pour être prêt*. ▸ ***C'****est que* : c'est parce que. **III.** Ser[t] d'antécédent à un pronom relatif (sujet ou compl.) **1.** ***Ce*** *que j'entends ne me plaît guère* ; *Donnez-lui c[e] dont il a besoin*. **2.** Comme, combien (fam.) : ***C[e]*** *que tu es sotte !* X^e s. ; lat. pop. °*ecce hoc*, « voi[ci] ceci » ; s'élide en *c'* devant *e* et en *ç'* devant *a* ; [sə].

**CÉANS, adv.**
Dans ce lieu, ici (vx) : *Le maître de* ***céans***. XII^e s. ; formé de *çà* et de l'anc. fr. *enz*, « dedans » ; [seɑ̃].

**CÉBIDÉS, subst. m. plur.**
*Zool.* Famille de singes d'Amérique, à queu[e] préhensile et à pouce non opposable, à laquell[e] appartiennent les atèles, les capucins et les singe[s] hurleurs. **Au sing.** *Le sapajou est un* ***cébidé***. G[r.] *kebos*, « singe » ; [sebide].

**CEBUANO, subst. m.**
Langue indonésienne parlée au centre des Philip[-]pines. [sebwano].

**CECI, pron. dém. inv.**
**1.** Désigne ce qui est très proche, ce que l'on a sou[s] les yeux et que parfois l'on montre : *«* ***Ceci*** *est mo[n] corps,* ***ceci*** *est mon sang », dit le prêtre lorsqu'il élèv[e] l'hostie et le calice* ; *Comme* ***ceci*** *est étrange* **2.** Annonce ce qui va être dit (à la différence d[e] *cela*, qui renvoie à ce qui précède) : *Écoutez bie[n]* ***ceci*** *: le départ est annulé* ; *À* ***ceci*** *près que...* **3.** E[n] opposition avec « cela », indique, entre deux choses celle qui est la plus proche (dans l'énoncé, dan[s] l'espace...) : *L'hôtel était sordide mais le paysag[e] splendide,* ***ceci*** *faisant presque oublier cela*. XIII^e s. ; formé de *ce* (II) et de *ci* (I) ; [səsi].

**CÉCIDIE, subst. f.**
*Bot.* Galle des végétaux, qui peut être produite pa[r] certains insectes pondant sur les feuilles ou dan[s] les bourgeons. 1904 ; gr. *kêkis* ; [sesidi].

**CÉCITÉ, subst. f.**
**1.** Privation du sens de la vue ; état d'une personn[e] aveugle. **2.** Fig. Aveuglement. **3.** *Pathol.* ***Cécité*** *psy[-]chique* : incapacité à reconnaître les objets ; ***Cécit[é]*** *verbale* : incapacité à comprendre le sens des mot[s] écrits. 1223 ; lat. *caecitas*, de *caecus*, « aveugle » [sesite].

**CÉDER, verbe** [8]
**Trans. dir.** **1.** Abandonner, laisser (qqch.) à qqn ***Céder*** *son poste, son siège*. ▸ Loc. ***Céder*** *du terrain* reculer ; *Ne le* ***céder*** *en rien à qqn, à qqch.* : ne lu[i] être inférieur en rien ; ***Céder*** *le pas à qqn* : s'efface devant lui. **2.** Transférer (un bien) par cession vendre : ***Céder*** *un bail*. **Trans. indir.** **Céder à.** S[e] soumettre à, se laisser fléchir par ; succomber à ***Céder*** *à l'ennemi, au chantage* ; ***Céder*** *à la tentation* empl. abs. : *Je ne* ***céderai*** *pas*. **Intrans.** **1.** Ne pa[s] résister : ***Céder*** *devant l'évidence* ; ***Céder*** *sur certain[s] points*. **2.** S'affaisser, se rompre sous l'effet d'un pression, d'un poids : *Le toit* ***a cédé*** *sous l'épaiss[e] couche de neige*. **3.** Cesser : *Sa rancune* ***céda*** *enfin* 1377 ; lat. *cedere*, « s'en aller » ; [sede].

**CÉDI, subst. m.**
Monnaie du Ghana. [sedi].

**CÉDILLE, subst. f.**
Signe orthographique que l'on place sous la lettr[e] *c* pour lui donner le son [s] devant *a*, *o* et *u* *« Soupçon » s'écrit avec un « c »* ***cédille***. 1611 ; esp. *cerilla*, « petit *z* » ; [sedij].

**CÉDRAIE, subst. f.**
Lieu planté de cèdres. ꕥ Déb. XX^e s. ; ☞ *cèdre* ; [sedʀɛ].

**CÉDRAT, subst. m.**
Fruit du cédratier, ressemblant à un gros citron, au zeste épais et parfumé, et dont on fait une liqueur, la cédratine : *Quelques écorces de* ***cédrat*** *confites.* ꕥ 1680 ; ital. *cedrato*, du lat. *citrus*, « citronnier » ; [sedʀa].

**CÉDRATIER, subst. m.**
*Bot.* Arbre de la famille des Rutacées, variété *bajoura* du citronnier médical *Citrus medica.* ꕥ 1823 ; ☞ *cédrat* ; [sedʀatje].

**CÈDRE, subst. m.**
*Bot.* Conifère de la famille des Pinacées, genre *Cedrus*, célèbre pour sa grande taille et sa longévité : *Le pays des* ***cèdres***, le Liban. ꕥ Déb. XII^e s. ; lat. *cedrus*, du gr. *kedros* ; [sɛdʀ].

**CÉDRIÈRE, subst. f.**
Québ. Lieu planté de cèdres blancs, également appelés thuyas. ꕥ 1676 ; ☞ *cèdre* ; [sedʀijɛʀ].

**CÉDULAIRE, adj.**
*Impôt* ***cédulaire*** : qui touchait une certaine catégorie de revenus. ꕥ 1796 ; ☞ *cédule* ; [sedylɛʀ].

**CÉDULE, subst. f.**
**1.** *Dr.* Reconnaissance écrite d'une dette, d'un engagement (vx). **2.** *Fisc.* Feuillet de déclaration de certaines catégories de revenus ; par méton., type d'imposition, supprimé en 1948. ꕥ Fin XII^e s. ; lat. *schedula*, de *scheda*, « feuillet » ; [sedyl].

**CÉGÉTISTE, adj. et subst.**
De la Confédération générale du travail (☞ *confédération*). ꕥ 1908 ; sigle *C. G. T.* ; [seʒetist].

**CEINDRE, verbe trans. [53]**
**1.** Placer, disposer autour de (une partie du corps, en partic. la tête) : ***Ceindre*** *le front du vainqueur d'une couronne de lauriers.* **2.** Ext. Entourer, cerner : *Des remparts de granite* ***ceignent*** *Saint-Malo.* ꕥ XI^e s. ; lat. *cingere*, « entourer » ; [sɛ̃dʀ].

**CEINTURAGE, subst. m.**
Action de ceinturer qqch. ► *Le* ***ceinturage*** *des arbres* : le marquage des arbres à abattre. ꕥ 1867 ; ☞ *ceinturer* ; [sɛ̃tyʀaʒ].

**CEINTURE, subst. f.**
**I. 1.** Bande que l'on fixe autour de la taille pour maintenir ou orner un vêtement : *Une* ***ceinture*** *de cuir* ; *Les* ***ceintures*** *des judokas*, dont la couleur indique le niveau. **2.** Méton. Partie du corps où se met la **ceinture**, taille : *Nous avions de l'eau jusqu'à la* ***ceinture***. **3.** Anal. ***Ceintures*** *de sécurité* : qui équipent les sièges d'un avion, d'une voiture ; ***Ceinture*** *de sauvetage* : qui permet de flotter dans l'eau ; ***Ceinture*** *orthopédique* : corset. ► *M. Â.* ***Ceinture*** *de chasteté* : entrave de fer cadenassée autour du bassin d'une femme, pour prévenir toute tentative d'adultère. **4.** Loc. *Se serrer la* ***ceinture*** : se priver de nourriture ou, par ext., faire des économies (fam.). **II. 1.** Ce qui entoure, encercle qqch. : *La* ***ceinture*** *d'un fauteuil* ; *La* ***ceinture*** *verte d'une ville*, les espaces de verdure qui la bordent ; *Une ligne d'autobus, de chemin de fer de* ***ceinture***, qui fait le tour d'une agglomération. **2.** *Anat.* Ensemble des os qui rattachent les membres au tronc : ***Ceinture*** *scapulaire*, omoplate et clavicule ; ***Ceinture*** *pelvienne*, sacrum et os iliaques. **3.** *Astron.* ***Ceintures*** *de Van Allen* : au nombre de deux (l'une située vers 3 500 km et l'autre entre 20 000 et 25 000 km d'altitude à l'équateur), ce sont des **ceintures** de radiations qui entourent la Terre, ayant pour axe la ligne des pôles, et dans lesquelles sont piégées des particules d'énergie élevée. ꕥ Déb. XII^e s. ; lat. *cinctura*, « tissu entourant la taille » ; [sɛ̃tyʀ].

**CEINTURER, verbe trans. [3]**
**1.** Entourer d'une ceinture ; par ext., encercler : *De hauts murs* ***ceinturent*** *le palais.* **2.** Saisir, immobiliser (qqn) par la taille : ***Ceinturer*** *son agresseur.* ꕥ 1549 ; ☞ *ceinture* ; [sɛ̃tyʀe].

**CEINTURON, subst. m.**
**1.** Épaisse ceinture militaire à laquelle peuvent se suspendre des pièces d'équipement (des armes notamment). **2.** Ext. Grosse ceinture. ꕥ 1579 ; ☞ *ceinture* ; [sɛ̃tyʀɔ̃].

**CELA, ÇA, pron. dém. inv.**
**1.** En oppos. à « ceci », désigne une chose plus éloignée ou renvoie à ce qui a déjà été exprimé : *Ceci est à moi,* ***cela*** *est à lui* ; ***Cela*** *dit, nous pouvons encore en discuter.* **2.** Cette chose, cette idée (souv. remplacé par « **ça** » dans le langage courant) : *Cela vous convient-il ?* ; *Oui, c'est* ***cela***. **3.** Cette personne (péj.) : *Et* ***cela*** *se croit intelligent !* **4.** Sert à renforcer (fam.) : *Comment* ***cela*** *?* ; *Ah ! pour* ***cela***, *oui !* ꕥ XIII^e s. ; formé de *ce* (I) et de *là* ; [s(ə)la, sa].

**CÉLADON, adj. inv. et subst. m.**
Adj. D'une couleur vert tendre : *Des rideaux* ***céladon***. Subst. **1.** La couleur **céladon**. **2.** Porcelaine recouverte d'un émail craquelé vert pâle : *Des* ***céladons*** *chinois.* ꕥ 1617 ; *Céladon*, personnage de *l'Astrée*, d'Honoré d'Urfé ; [seladɔ̃].

**CÉLÉBRANT, subst. m.**
Prêtre qui célèbre la messe, officiant. ꕥ Mil. XIV^e s. ; p. pr. de *célébrer* ; [selebʀɑ̃].

**CÉLÉBRATION, subst. f.**
Action de célébrer. ꕥ Fin XII^e s. ; lat. *celebratio* ; [selebʀasjɔ̃].

**CÉLÈBRE, adj.**
**1.** Vx. Solennel, somptueux. **2.** Dont le nom est connu ; fameux, réputé. ꕥ 1532 ; lat. *celeber*, « fréquenté par une foule nombreuse » ; [selɛbʀ].

**CÉLÉBRER, verbe trans. [8]**
**1.** Accomplir (un rite, un office religieux) : ***Célébrer*** *un baptême* ; ***Célébrer*** *la messe.* **2.** Marquer (un évènement ou son rappel) par une cérémonie ; commémorer : *Le 18 juin, les Anglais* ***célèbrent*** *la victoire de Waterloo.* **3.** Faire l'éloge (souv. public) de : *Ronsard me* ***célébrait*** *du temps que j'étais belle* (Ronsard). ꕥ Déb. XII^e s. ; lat. *celebrare* ; [selebʀe].

**CÉLÉBRITÉ, subst. f.**
**1.** Vx. Solennité. **2.** Renommée ; grande notoriété : *La triste* ***célébrité*** *de Landru.* **3.** Méton. Personne très connue : *Il côtoie des* ***célébrités***. ꕥ XIV^e s. ; lat. *celebritas* ; [selebʀite].

**CELER, verbe trans. [11]**
Tenir secret, taire. ꕥ Mil. XI^e s. ; lat. *celare* ; [səle].

**CÈLERI, subst. m.**
*Bot.* Plante potagère de la famille des Apiacées. La sélection a produit deux variétés de **cèleri**, l'une à grosse racine consommable (**cèleri**-rave) et l'autre à pétiole développé, dont on consomme les côtes (**cèleri** en branches). ꕥ 1419 ; lombard *seleri* ; var. *céleri* ; [sɛlʀi].

**CÉLÉRIFÈRE, subst. m.**
Ancien véhicule composé de deux roues reliées par un cadre en bois, que l'on faisait avancer en prenant appui sur le sol avec les pieds. ꕥ 1819 ; lat. *celer*, « rapide », + *-fère* ; [seleʀifɛʀ].

**CÉLÉRITÉ, subst. f.**
**1.** Grande rapidité d'action ; promptitude : *Exécuter une tâche avec* ***célérité***. **2.** *Phys.* Vitesse de propagation d'une onde. ꕥ 1358 ; lat. *celeritas* ; [seleʀite].

**CÉLESTA, subst. m.**
*Mus.* Instrument à clavier, au timbre très pur, qui produit les sons par percussion de petits marteaux en feutre sur des lames de métal. ꕥ 1886 ; mot créé par l'inventeur A. Mustel, d'apr. *céleste* ; [selɛsta].

**CÉLESTE, adj.**
**1.** Qui est propre au ciel, en tant que séjour des bienheureux ; par ext., divin : *Le* ***céleste*** *courroux*, la colère de Dieu. **2.** Relatif au ciel, en tant qu'espace au-dessus de la Terre : *La voûte* ***céleste*** ; *La mécanique* ***céleste***. **3.** Fig. Pur ; délicieux : *Un sourire* ***céleste***. ► *Mus. Le registre* ***céleste*** *d'un orgue* : à la sonorité douce et limpide. ꕥ Mil. XI^e s. ; lat. *caelestis*, de *caelum*, « ciel » ; [selɛst].

**CÉLESTIN, subst. m.**
Religieux d'un ancien ordre d'ermites fondé au XIII^e s. ꕥ Mil. XIII^e s. ; anthropon. *Célestin V*, fondateur de l'ordre ; [selɛstɛ̃].

**CÉLIBAT, subst. m.**
État d'une personne qui, ayant l'âge d'être mariée, ne l'est pas : *L'Église catholique romaine exige le* ***célibat*** *de ses prêtres.* ꕥ 1549 ; lat. *caelibatus* ; [seliba].

**CÉLIBATAIRE, adj. et subst.**
Se dit d'une personne vivant dans le célibat. Adj. *Phys. Un électron* ***célibataire*** : qui n'est pas apparié. ꕥ 1711 ; ☞ *célibat* ; [selibatɛʀ].

**CÉLIOSCOPIE, voir CŒLIOSCOPIE**

**CELLA, subst. f.**
*Archéol.* Sanctuaire d'un temple (synon. *naos*). ꕥ 1759 ; lat. *cella* ; [sela] ou [sɛlla].

**CELLE, voir CELUI**

**CELLE-CI, CELLE-LÀ, voir CELUI-CI**

**CELLÉRIER, IÈRE, subst.**
Dans un couvent, religieux ou religieuse responsable de l'économat ; empl. adj. : *La sœur* ***cellérière***. ꕥ Fin XII^e s. ; lat. eccl. *cellararius* ; [seleʀje, jɛʀ].

**CELLIER, subst. m.**
Local frais où l'on conserve du vin, des provisions. ꕥ Déb. XII^e s. ; bas lat. *cellarium*, « magasin » ; [selje].

**CELLOPHANE, subst. f. inv.**
Pellicule souple et transparente obtenue à partir de la cellulose, servant notamment à emballer des produits alimentaires. ꕥ 1926 ; ☞ *cellulose* + *-phane* ; n. déposé ; [selɔfan].

**CELLULAIRE, adj.**
**1.** Relatif à la cellule, espace clos et exigu : *La vie* ***cellulaire*** *du moine.* ► *Fourgon* ***cellulaire*** : qui transporte les prisonniers dans des compartiments séparés. **2.** *Biol.* ► Relatif aux cellules des êtres vivants : *Biologie, analyse* ***cellulaire***. ► Formé de cellules : *Tissu* ***cellulaire***. **3.** *Géol.* et *Techn.* Formé d'alvéoles : *Un sol, une roche* ***cellulaire*** ; *Plastique* ***cellulaire***. ꕥ 1740 ; ☞ *cellule* ; [selylɛʀ].

**CELLULASE, subst. f.**
*Biochim.* Enzyme sécrétée, par ex., par certaines bactéries qui se trouvent dans le tube digestif des Ruminants et qui leur permet de digérer les molécules de cellulose. ꕥ 1911 ; ☞ *cellule* ; [selylaz].

**CELLULE, subst. f.**
**I. 1.** Petite pièce où l'on vit retiré, à l'écart des autres : *Une* ***cellule*** *de couvent, de prison.* **2.** Fig. Élément constitutif d'un ensemble organisé : *La* ***cellule*** *familiale* ; *Sections et* ***cellules*** *du parti communiste* ; par ext., petit groupe d'étude ou de réflexion : *Des mesures d'urgence prises par la* ***cellule*** *de crise de l'Élysée.* **II.** *Spéc.* **1.** *Biol.* Unité de base de tout être vivant : *La vie proprement dite commence avec la* ***cellule*** (Teilhard de Chardin) ; ***Cellule*** *végétale,*

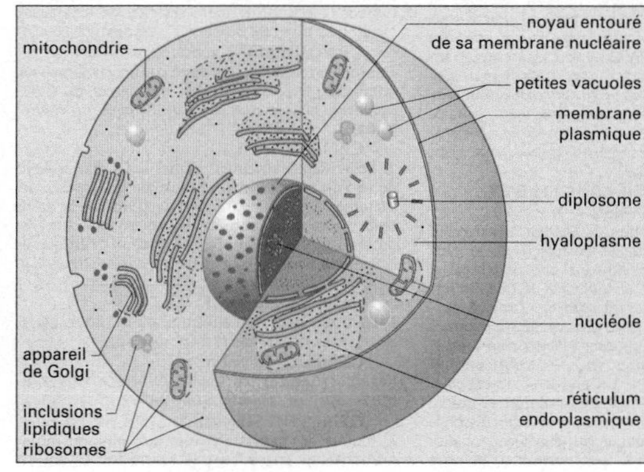


*Les principaux éléments d'une* ***cellule*** *animale type.*

animale ; *Une* **cellule** *nerveuse, hépatique.* **2.** *Aéron.* Ensemble formé par le fuselage et les ailes d'un avion. **3.** *Apic.* Alvéole d'un rayon de cire. **4.** *Techn.* ► *Cellule photoélectrique* : dispositif transformant des signaux lumineux en signaux électriques. ► *Cellule de lecture d'une platine* : dispositif qui capte les signaux sonores d'un disque. ► *Cellule d'appareil photographique* : dispositif permettant de régler le temps d'exposition. 1429 ; lat. *cellula* ; [selyl].

BIOLOGIE – Certains êtres vivants sont formés d'une seule cellule, ce sont les protistes. Animaux et végétaux pluricellulaires sont eux constitués de nombreux types de cellules différentes. Cette différenciation cellulaire aboutit à la formation des tissus, des organes et de l'organisme entier dans toute sa complexité. Toutes les cellules sont limitées par une membrane plasmique, mais selon qu'elles appartiennent à un organisme procaryote (les bactéries) ou eucaryote (tous les autres êtres vivants), leur contenu ne comporte aucune compartimentation ou par contre se trouve cloisonné en organites par un système de membranes internes. Seuls les eucaryotes possèdent un noyau, un réticulum endoplasmique, un appareil de Golgi, des lysosomes et des mitochondries. Chez les bactéries, la molécule géante d'A. D. N. qui constitue le matériel génétique est directement au contact du cytoplasme ; chez les eucaryotes, l'A. D. N. est réparti en plusieurs molécules entre les chromosomes contenus dans le noyau.

**CELLULITE, subst. f.**

*Pathol.* Inflammation des tissus cellulaires, en partic. des cellules de l'hypoderme (**cellulite** dite superficielle), qui se manifeste par des indurations et des douleurs névralgiques locales. 1873 ; ☞ *cellule* + *-ite* ; [selylit].

**CELLULOÏD, subst. m. inv.**

Matière plastique très inflammable résultant de l'action du camphre sur la nitrocellulose : *Des vieux films en* **Celluloïd** ; *Un col en* **Celluloïd**. 1877 ; ☞ *cellulose* ; n. déposé ; [selylɔid].

**CELLULOSE, subst. f.**

*Biochim.* Polymère de glucose, synthétisé par les cellules végétales et qui constitue la majeure partie de leurs membranes. 1840 ; ☞ *cellule* ; [selyloz].

**CELLULOSIQUE, adj.**

Qui contient de la cellulose. 1878 ; ☞ *cellulose* ; [selylozik].

**CELTE, adj.**

Celtique. 1732 ; lat. *Celtae* ; [sɛlt].

**CELTIQUE, adj. et subst. m.**

Adj. Relatif aux Celtes et à leur civilisation. Subst. Groupe de langues indo-européennes parlées par les Celtes, subsistant auj. au pays de Galles, en Bretagne, en Écosse et en Irlande. 1732 ; lat. *Celticus*, désignant les Celtes d'Espagne ; [sɛltik].

**CELTISANT, ANTE, subst.**

Spécialiste du monde, de la culture et des langues celtiques. 1866 ; ☞ *celte* ; [sɛltizɑ̃, ɑ̃t].

**CELUI, CELLE, pron. dém.**

**1.** Suivi d'un complément (introduit par « de », « du », « des ») ou d'une relative, désigne la personne ou la chose dont on parle : *J'aime le style de Racine et* **celui** *de Montherlant* ; *Je suis* **celui** *qui a le mieux travaillé.* **2.** Désigne une personne ou un groupe de manière indéterminée : *Malheur à* **celui** *par qui le scandale arrive !* ; **Ceux** *des châteaux et* **ceux** *des corons.* **3.** Loc. *Faire* **celui, celle** *qui...* : faire semblant de... Xe s. ; lat. pop. °*ecce illui* ; au sens 1, l'accord du verbe est gén. régi par le pron., plur. *ceux, celles* ; [səlɥi, sɛl], plur. [sø].

**CELUI-CI, CELUI-LÀ, CELLE-CI, CELLE-LÀ, pron. dém.**

**I.** Employés en corrélation. **1.** Servent à mettre en opposition le plus proche (**celui-ci**) et le plus lointain (**celui-là**) dans l'espace, dans le temps ou dans un énoncé : *J'ai lu tout Zola et tout Balzac, je préfère* **celui-ci** *(Balzac) à* **celui-là** *(Zola).* **2.** Servent à distinguer dans une diversité des personnes ou des choses sans les opposer : *Voulez-vous* **celui-ci** *ou* **celui-là** *?* **II.** Employés seuls. **1.** Expriment un choix : *Je prends* **celui-ci**. **2.** **Celui-là** sert à rappeler ce qui a été dit ; **celui-ci** sert à annoncer ce qui va être dit : *J'ai deux arguments. Vous connaissez le premier.* **Celui-là** *ne vous a pas convaincu,* **celui-ci** *vous séduira.* **3.** **Celui-là** peut exprimer diverses nuances. ► L'insistance, quand il est l'antécédent d'un pronom relatif : **Celui-là** *seul sera sauvé, qui aura cru.* ► Un sentiment, positif ou négatif, éprouvé pour qqn ou qqch. : *Ah !* **celui-là**, *c'était quelqu'un !* ; *Je ne m'attendais pas à* **celle-là** *de votre part !* XIVe s. ; comp. de *celui* et de *ci* (I) ou de *là* ; plur. *ceux-ci, ceux-là, celles-ci, celles-là* ; [səlɥisi, səlɥila, sɛlsi, sɛlla], plur. [søsi, søla].

**CÉMENT, subst. m.**

**1.** *Anat.* Tissu calcifié recouvrant l'ivoire de la racine des dents. **2.** *Métall.* Matière solide, liquide ou gazeuse qui, sous l'action de la chaleur, se diffuse à la surface d'un métal, le rendant plus résistant. 1573 ; lat. *caementum*, « moellon » ; [semɑ̃].

**CÉMENTATION, subst. f.**

*Métall.* Opération consistant à modifier les propriétés d'un métal en le portant à haute température au contact d'un cément : *La* **cémentation** *de l'acier par le carbone.* 1620 ; ☞ *cimentation* ; [semɑ̃tasjɔ̃].

**CÉMENTER, verbe trans.** [3]

Traiter (un métal) par cémentation. 1675 ; ☞ *cément* ; [semɑ̃te].

**CÉNACLE, subst. m.**

**1.** *Relig.* Salle où Jésus-Christ, entouré de ses disciples, institua l'Eucharistie. **2.** Anal. Réunion d'un nombre restreint de personnes ayant des affinités : *Un* **cénacle** *politique.* Déb. XIIIe s. ; lat. *cenaculum*, « salle à manger » ; [senakl].

**CENDRE, subst. f.**

**1.** Poudre résiduelle d'une matière consumée : *Cendre de charbon, de cigarette.* **2.** *Pétrogr.* **Cendres** *volcaniques* : fines particules cristallisées provenant de la pulvérisation de la lave. Plur. **1.** Restes d'un cadavre incinéré ; par ext., dépouille mortelle : *Paix à ses* **cendres**. **2.** *Relig.* ► Dans la Bible et pour les juifs, signe de deuil : *Se couvrir la tête de* **cendres**. ► *Mercredi des* **Cendres** : premier jour du carême, dans la liturgie catholique, où l'on marque le front des fidèles avec de la **cendre** de rameaux bénits, en signe de pénitence. XIe s. ; lat. *cinis* ; [sɑ̃dʀ].

**CENDRÉ, ÉE, adj.**

**1.** De couleur grise, comme celle de la cendre : *Une chevelure blond* **cendré**. **2.** *Astron. Lumière* **cendrée** : lumière bleuâtre que reflète la partie de la Lune non exposée au Soleil. 1314 ; ☞ *cendre* ; [sɑ̃dʀe].

**CENDRÉE, subst. f.**

**1.** Vx. Les cendres d'un foyer de cheminée. **2.** Plomb très fin utilisé pour la chasse au menu gibier et le lestage des lignes de pêche. **3.** *Sp.* Agglomérat de mâchefer pilé et de sable dont on revêt la piste d'un stade. Déb. XIIIe s. ; ☞ *cendre* ; [sɑ̃dʀe].

**CENDRER, verbe trans.** [3]

**1.** Recouvrir de cendre : **Cendrer** *une chaussée verglacée.* **2.** Donner une teinte gris bleuté à : **Cendrer** *une chevelure.* 1588 ; ☞ *cendre* ; [sɑ̃dʀe].

**CENDREUX, EUSE, adj.**

**1.** Qui a l'aspect, la couleur de la cendre : *Un visage* **cendreux**. **2.** Qui contient de la cendre : *Un terrain* **cendreux**. Déb. XIIIe s. ; ☞ *cendre* ; [sɑ̃dʀø, øz].

**CENDRIER, subst. m.**

**1.** Tiroir d'un poêle, où tombe la cendre (vieilli). **2.** Petit récipient dans lequel les fumeurs font tomber la cendre de leur cigarette, de leur cigare ou de leur pipe. Déb. XIIIe s. ; ☞ *cendre* ; [sɑ̃dʀije].

**CENDRILLON, subst. f.**

Femme ou jeune fille qui reste confinée à la maison et effectue le gros des tâches ménagères. 1796 ; *Cendrillon*, héroïne d'un conte de Perrault, de *cendre* ; [sɑ̃dʀijɔ̃].

**CÈNE, subst. f.**

**1.** *Relig.* Repas au cours duquel le Christ, la veille de sa Passion, institua, entouré de ses apôtres, les sacrements de l'Eucharistie et de l'Ordre. ► *La sainte* **cène** : commémoration de ce repas, chez les protestants. **2.** Méton. Représentation artistique de cet évènement : *« La* **Cène** *», célèbre fresque de Léonard de Vinci.* Fin Xe s. ; lat. *cena*, « dîner » ; [sɛn].

**CENELLE, subst. f.**

Baie rouge, fruit de l'aubépine ou du houx. Fin XIIe s. ; p.-ê. lat. *acinus*, « baie » ; [s(ə)nɛl].

**CENELLIER, subst. m.**

Région. (Centre) et Québ. Aubépine. 1878 ; ☞ *cenelle* ; var. *senellier* ; [sənelje].

**CÉNESTHÉSIE, subst. f.**

Ensemble des sensations internes, plus ou moins diffuses, qui engendrent le sentiment qu'ont les individus de leur moi corporel. 1838 ; gr. *koinos* « commun », et *aisthêsis*, « sensibilité » ; [senɛstezi].

**CÉNESTHOPATHIE, subst. f.**

*Pathol.* Trouble de la sensibilité interne, caractéris par une sensation corporelle parfois douloureuse dont le sujet reconnaît l'irréalité. 1907 ; ☞ *cénesthésie* + *-pathie* ; [senɛstɔpati].

**CÉNOBITE, subst. m.**

Religieux qui, dans les premiers siècles du christianisme, vivait en communauté (anton. *anachorète*) au fig. : *Une vie de* **cénobite**, austère. XIIIe s. lat. chrét. *coenobita*, du lat. *coenobium*, « communauté monastère » ; [senɔbit].

**CÉNOTAPHE, subst. m.**

Tombeau monumental érigé à la mémoire d'un mort, mais qui ne renferme pas son corps. 1501 lat. *cenotaphium*, du gr. *kenotaphion*, « tombeau vide » [senɔtaf].

**CÉNOZOÏQUE, adj.**

*Géol. Ère* **cénozoïque** ou, empl. subst. masc., *L* **Cénozoïque** : qui comprend l'ère tertiaire et l'èr quaternaire. 1924 ; angl. *coenozoic* ; [senɔzɔik].

**CENS, subst. m.**

**1.** *Antiq. rom.* Recensement quinquennal des citoyens et estimation de leur fortune, afin de défini leur taux d'imposition et leurs obligations militaires. **2.** *Féod.* Redevance due au seigneur du fie par le propriétaire d'une terre. **3.** *Pol.* **Cens** *électoral* seuil minimal d'imposition exigé sous certain régimes politiques pour être électeur ou éligible Fin XIIe s. ; lat. *census* ; [sɑ̃s].

**CENSÉ, ÉE, adj.**

Qui est présumé, supposé : *Elle est* **censée** *rentre demain.* 1611 ; *censer* (vx), « censurer, réformer », d lat. *censere*, « estimer, juger » ; [sɑ̃se].

**CENSÉMENT, adv.**

Comme on peut le présumer ; selon toute apparence. 1852 ; ☞ *censé* ; [sɑ̃semɑ̃].

**CENSEUR, subst. m.**

**1.** *Antiq. rom.* Magistrat qui, sous la République était chargé d'établir le cens et de surveiller le mœurs. **2.** Toute personne qui donne volontiers de leçons aux autres et critique durement leur opinions ou leur conduite : *S'ériger en* **censeur** **3.** Personne chargée de contrôler les écrits, le œuvres littéraires, cinématographiques, etc., avant d'en autoriser la parution. **4.** *Enseign.* Personne qui dans un lycée, organise l'enseignement et veille au maintien de la discipline (auj. *proviseur adjoint*) Déb. XIIIe s. ; lat. *censor* ; [sɑ̃sœʀ].

**CENSIER, IÈRE, adj. et subst.**

*Féod.* Se dit d'une personne redevable ou bénéficiaire du cens. Adj. *Registre* **censier** ou, empl. subst. masc *Un* **censier** : registre contenant la liste des personne redevables du cens. Fin XIIe s. ; ☞ *cens* ; [sɑ̃sje, jɛʀ]

**CENSITAIRE, adj. et subst. m.**

Subst. **1.** *Féod.* Personne qui devait payer le cens **2.** Personne que son niveau d'imposition autorisait dans certains régimes politiques, à être électeur ou éligible. Adj. Relatif au cens électoral : *Le suffrag* **censitaire** *fut supprimé en 1848.* 1718 ; lat *censitus* ; [sɑ̃sitɛʀ].

**CENSIVE, subst. f.**

*Féod.* Tenure soumise au cens ; par ext., le cen lui-même. Mil. XIIIe s. ; lat. médiév. *censiva* ; [sɑ̃siv]

**CENSORAT, subst. m.**

**1.** *Antiq. rom.* Temps pendant lequel un censeu exerçait sa fonction. **2.** *Enseign.* Fonction du censeur, dans un lycée. 1878 ; ☞ *censeur* ; [sɑ̃sɔʀa]

**CENSORIAL, ALE, AUX, adj.**

Relatif à la censure ou aux censeurs : *Une juridiction* **censoriale**. 1760 ; lat. *censorius* ; [sɑ̃sɔʀjal, o].

**CENSURABLE, adj.**

Qui doit ou peut être censuré. 1656 ; ☞ *censurer* ; [sɑ̃syʀabl].

**CENSURE, subst. f.**

**1.** *Antiq. rom.* Magistrature du censeur, sous la République. **2.** Action de critiquer les paroles ou la conduite de qqn : *Être soumis à la* **censure** *permanent de ses proches.* **3.** *Relig.* ► Sanction prise par un évêque ou par le pape contre une personne ou une communauté. ► Condamnation par l'Église d'un ouvrage ou d'une doctrine. **4.** Contrôle des pouvoirs publics s'exerçant sur les œuvres intellectuelles et artistiques, ou sur la presse : *Commission* censure. **5.** *Pol.* *Motion de censure* : blâme voté par une assemblée parlementaire et pouvant entraîner la démission du gouvernement. **6.** *Psychanal.* Selon Freud, contrôle exercé au seuil de la conscience par le moi, qui refoule dans l'inconscient les éléments inavouables. 1387 ; lat. *censura*, « jugement » ; [sɑ̃syʀ].

**CENSURER,** verbe trans. [3]

Juger sévèrement, blâmer (vieilli) : *Faites-vous des amis prompts à vous **censurer*** (Boileau). **2.** Prononcer, dans le cadre d'une fonction officielle, la censure contre (qqn ou qqch.) : *Les « Provinciales », de Pascal, furent **censurées** par Rome* ; par ext., interdire tout ou partie de (qqch.) : ***Censurer** un film, une émission.* **3.** *Pol.* ***Censurer** le gouvernement* : voter contre lui une motion de censure. **4.** *Psychanal.* Refouler. 1518 ; ☞ *censure* ; [sɑ̃syʀe].

**CENT (I),** adj. num. et subst. m.

**Adj. card. 1.** Dix fois dix : ***Cent** mètres* ; *Trois **cents** exemplaires* ; *Treize **cents** personnes* ; *Six **cent** trente francs.* **2.** Un grand nombre de : *Il a toujours **cent** choses à faire.* **3.** Loc. *Faire les quatre **cents** coups* : mener une vie agitée, désordonnée ; *Faire les **cent** pas* : aller et venir en attendant qqn ; *Être aux **cent** coups* : très anxieux ; *Attendre **cent** sept ans* : indéfiniment. ▸ **Cent fois.** Très souvent : *Répéter **cent** fois la même chose* ; entièrement : *Tu as **cent** fois raison.* **Adj. ord.** Qui se situe en centième position ; qui porte le numéro **cent** : *Page **cent*** ; *L'an trois **cent**.* **Subst. 1.** Le nombre **cent** : *Il ne sait compter que jusqu'à **cent**.* ▸ **Pour cent (%).** Pour chaque centaine d'unités : *Un placement à trois pour **cent**.* **2.** Le numéro **cent**. **3.** Centaine : *Un **cent** d'œufs.* **4.** Loc. *À **cent** pour **cent*** : complètement ; *Gagner des mille et des **cents*** : gagner beaucoup d'argent (fam.). Fin xᵉ s. ; lat. *centum* ; l'adj. num. card. prend un *s* lorsqu'il est multiplié par un nombre et qu'il n'est pas suivi d'un autre num., l'adj. num. ord. est inv., le subst. prend un *s* dès lors qu'il est précédé d'un art. ou d'un adj. num. plur. ; [sɑ̃].

**CENT (II),** subst. m.

Centième partie de certaines unités monétaires, tels le dollar, le florin. 1835 ; anglo-amér. *cent*, « centième » ; var. can. *cenne* ou *une cent* ; [sɛnt].

**CENTAINE,** subst. f.

**1.** *Arithm.* Ensemble formé par cent unités : *Dix **centaines** font mille* ; troisième ordre d'unités, après les unités simples et les dizaines : *La colonne des **centaines**.* **2.** Ensemble d'environ cent unités : *Une **centaine** de manifestants* ; *Des **centaines**,* beaucoup. Fin xiiᵉ s. ; bas lat. *centena* ; [sɑ̃tɛn].

**CENTAURE,** subst. m.

**1.** *Myth.* Créature légendaire, moitié homme et moitié cheval. **2.** *Astron.* *Le **Centaure*** : constellation située dans l'hémisphère austral. Fin xiiᵉ s. ; lat. *centaurus*, du gr. *kentauros* ; [sɑ̃tɔʀ].

**CENTAURÉE,** subst. f.

*Bot.* Plante de la famille des Astéracées, de la même tribu que les chardons et les artichauts, telle que le bleuet et la jacée. La grande **centaurée** est médicinale. Déb. xivᵉ s. ; lat. *centaurea*, du gr. *kentaureion*, « plante du centaure (Chiron) » ; [sɑ̃tɔʀe].

**CENTAVO,** subst. m.

Centième partie de l'unité monétaire dans des pays d'Amérique latine. V. 1960 ; mot esp. ; [sɑ̃tavo].

**CENTENAIRE,** adj. et subst.

**Adj.** Qui existe depuis au moins cent ans : *Une maison **centenaire**.* **Subst.** Personne ayant cent ans révolus : *Un alerte **centenaire**.* **Subst. masc.** Anniversaire célébré tous les cent ans : *On célébra en 1992 le cinquième **centenaire** de la découverte de l'Amérique.* 1539 (1370, qui contient cent) ; lat. *centenarius*, « de cent » ; [sɑ̃t(ə)nɛʀ].

**CENTENIER,** subst. m.

**1.** *Antiq. rom.* Centurion. **2.** *M. Â.* Celui qui commandait cent hommes de garde. 1284 ; bas lat. *centenarius*, « centurion » ; [sɑ̃tənje].

**CENTÉSIMAL, ALE, AUX,** adj.

Qui est divisé en centièmes : *L'échelle thermométrique **centésimale** fut définie par Celsius.* 1804 ; lat. *centesimus*, « centième » ; [sɑ̃tezimal, o].

**CENT-GARDE,** subst. m.

*Hist.* Soldat de la garde personnelle de Napoléon III. 1854 ; comp. de *cent* (I) et de *garde* (II) ; plur. *cent-gardes* ; [sɑ̃gaʀd].

**CENTIARE,** subst. m.

Centième partie de l'are, équivalant à un mètre carré (symb. : ca). 1793 ; ☞ *are* + *centi-* ; [sɑ̃tjaʀ].

**CENTIÈME,** adj.

**Adj. num. ord.** Qui se situe au rang marqué par le numéro cent ; empl. subst. : *Le, la **centième**.* ▸ *Théâtre.* *La **centième** représentation* ou, empl. subst., *La **centième**.* **Adj.** Qui constitue une fraction d'un tout divisé en cent parties égales ; empl. subst. masc. : *Le centimètre est le **centième** du mètre.* Fin xiiᵉ s. ; lat. *centesimus* ; [sɑ̃tjɛm].

**CENTIGRADE,** adj. et subst. m.

**Adj.** *Thermodynamique.* Vieilli. Divisé en cent degrés : *Thermomètre **centigrade**.* ▸ Méton. *Degré **centigrade*** ou, empl. subst. masc., *Un **centigrade*** : degré Celcius. **Subst.** *Géom.* Centième partie du grade (symb. : cgr). 1811 ; formé de *centi-* et de *-grade* ; [sɑ̃tigʀad].

**CENTIGRAMME,** subst. m.

Centième partie du gramme (symb. : cg). 1795 ; ☞ *gramme* + *centi-* ; [sɑ̃tigʀam].

**CENTILAGE,** subst. m.

*Stat.* Division de l'ensemble des valeurs prises par une variable (un caractère) en cent classes de même effectif (fréquence). 1951 ; ☞ *centile* ; [sɑ̃tilaʒ].

**CENTILE,** subst. m.

*Stat.* Chacune des quatre-vingt-dix-neuf valeurs bornes supérieures des classes du centilage d'une distribution statistique (l'effectif cumulé des valeurs de la variable statistique inférieures au *p*-ième **centile** représente *p* %, au plus, de l'effectif global). V. 1960 ; prob. angl. *centile*, aphérèse de *percentile*, de *per cent*, « pour cent » ; [sɑ̃til].

**CENTILITRE,** subst. m.

Centième partie du litre (symb. : cl). 1800 ; ☞ *litre* (II) + *centi-* ; [sɑ̃tilitʀ].

**CENTIME,** subst. m.

**1.** Centième partie du franc. **2.** Ext. Menue somme d'argent. 1793 ; ☞ *cent* (I) ; [sɑ̃tim].

**CENTIMÈTRE,** subst. m.

**1.** Centième partie du mètre (symb. : cm). **2.** Ext. Distance infime. **3.** *Cout.* Ruban gradué en **centimètres**. 1793 ; ☞ *mètre* (II) + *centi-* ; [sɑ̃timɛtʀ].

**CENTIMÉTRIQUE,** adj.

Qui est gradué en centimètres : *Ruban **centimétrique**.* 1912 ; ☞ *centimètre* ; [sɑ̃timetʀik].

**CENTON,** subst. m.

**1.** Vx. Vêtement confectionné avec plusieurs morceaux de tissus différents. **2.** Anal. Composition littéraire ou musicale faite d'extraits d'œuvres d'un ou de plusieurs auteurs : *Un **centon** de l'« Iliade »* ; par méton., l'extrait lui-même : *Placer des **centons** dans une conversation.* 1570 ; lat. *cento* ; [sɑ̃tɔ̃].

**CENTRAGE,** subst. m.

**1.** Action de centrer (qqch.). **2.** *Techn.* Opération consistant à déterminer l'axe central d'une pièce ou à la fixer suivant cet axe : ***Centrage** d'une roue.* 1834 ; ☞ *centrer* ; [sɑ̃tʀaʒ].

**CENTRAL, ALE, AUX,** adj. et subst.

**Adj. 1.** *Géom.* Qui est situé au centre d'une figure. ▸ *Symétrie **centrale*** : symétrie par rapport à un point, son centre. **2.** Ext. Qui est situé près du centre ; qui constitue le centre d'un ensemble plus étendu : *Court **central** de tennis* ; *L'Amérique **centrale**.* ▸ *Les Empires **centraux*** : avant 1919, l'Allemagne et l'Autriche-Hongrie, situés au centre de l'Europe. **3.** Qui commande un ensemble organisé ; d'où tout part et où tout converge : *Administration **centrale**.* ▸ *Système nerveux **central*** : l'encéphale et la moelle épinière. ▸ *Chauffage **central*** (☞ *chauffage*). ▸ Qui prévaut : *Thème **central** d'une œuvre.* ▸ *Maison **centrale*** ou, empl. subst. fém., *Une **centrale*** : prison pour les détenus condamnés à des peines supérieures à un an. **Subst. masc.** *Télécomm.* Organe **central** de réception et d'émission des communications : ***Central** téléphonique.* **Subst. fém. 1.** Usine productrice d'électricité : ***Centrale** marémotrice, nucléaire.* **2.** Groupement, confédération : ***Centrale** d'achats* ; ***Centrale** syndicale.* 1377 ; lat. *centralis* ; [sɑ̃tʀal, o].

**CENTRALIEN, IENNE,** subst.

Élève, ancien élève de l'École centrale des arts et manufactures. xxᵉ s. ; *École centrale* ; [sɑ̃tʀaljɛ̃, jɛn].

**CENTRALISATEUR, TRICE,** adj.

Qui centralise : *La politique **centralisatrice** de Louis XIV affaiblit la noblesse.* 1838 ; ☞ *centraliser* ; [sɑ̃tʀalizatœʀ, tʀis].

**CENTRALISATION,** subst. f.

Action de centraliser ; son résultat : ***Centralisation** des offres d'emploi* ; ***Centralisation** administrative.* Fin xviiiᵉ s. ; ☞ *centraliser* ; [sɑ̃tʀalizasjɔ̃].

**CENTRALISER,** verbe trans. [3]

**1.** Regrouper en un même point : ***Centraliser** les informations.* **2.** Ramener à un centre unique de direction. 1790 ; ☞ *central* ; [sɑ̃tʀalize].

**CENTRALISME,** subst. m.

*Pol.* Système qui repose sur la centralisation des pouvoirs. ▸ ***Centralisme** démocratique* : principe d'organisation défini par Lénine, longtemps en vigueur dans les partis communistes. 1842 ; ☞ *central* ; [sɑ̃tʀalism].

**CENTRANTHE,** subst. m.

*Bot.* Plante de la famille des Valérianacées, à fleurs rouges, roses ou blanches. L'espèce *Centranthus ruber* est la valériane rouge. 1805 ; lat. sc. *kentranthus*, du gr. *kentron*, « aiguillon », et *anthos*, « fleur » ; [sɑ̃tʀɑ̃t].

**CENTRE,** subst. m.

**I. 1.** *Géom.* Point équidistant de tous les points d'un cercle ou d'une sphère. ▸ ***Centre** de symétrie d'une figure* : point (s'il existe) tel que tous les points de la figure soient deux à deux symétriques par rapport à lui. **2.** Milieu approximatif d'une étendue quelconque : ***Centre** d'un pays, d'une ville.* **3.** *Spéc.* ▸ *Pol.* Ensemble des sièges situés au milieu de l'hémicycle, dans une assemblée parlementaire ; par méton., courant politique situé entre la gauche et la droite. ▸ *Sp.* Au football, passe effectuée d'une aile vers le centre du terrain. **II.** Point d'attraction et d'impulsion de forces, au cœur d'un système. **1.** Pôle où se concentrent et d'où rayonnent certaines activités : ***Centre** sidérurgique* ; ***Centre** commercial.* **2.** Organisme public ou privé à vocation spécifique : ***Centre** hospitalier* ; ***Centre** des impôts* ; ***Centre** culturel.* **3.** Fig. ▸ Point où se concentrent diverses forces ou influences : ***Centre** d'intérêt.* ▸ Point essentiel d'une théorie, d'une doctrine : *Le **centre** de la question.* **4.** *Spéc.* ▸ *Anat.* ***Centre** nerveux* : groupement de neurones en un point précis du système nerveux, d'où partent les influx commandant certains organes. ▸ *Météor.* ***Centre** d'action* : dépression ou anticyclone stable, déterminant un type de temps. ▸ *Phys.* ***Centre** de gravité* : point par lequel passe la résultante des forces qui agissent sur un corps. Fin xiiiᵉ s. ; lat. *centrum*, « pointe sèche du compas », du gr. *kentron*, « aiguillon » ; [sɑ̃tʀ].

**CENTRÉ, ÉE,** adj.

**1.** Qui a un centre. **2.** Fig. *Être **centré** sur soi-même* : être son propre centre d'intérêt. **3.** Helv. *Quartier **centré*** : situé au centre ou près du centre d'une agglomération. **4.** *Opt.* *Système **centré*** : ensemble de surfaces optiques ayant le même axe. **5.** *Stat.* *Variable **centrée*** : variable statistique dont la moyenne arithmétique des valeurs possibles est nulle (à toute variable est associée une variable **centrée**). 1699 ; p. p. de *centrer* ; [sɑ̃tʀe].

**CENTRER,** verbe trans. [3]

**1.** Placer au centre, ajuster au milieu d'une surface, d'une ligne : ***Centrer** le personnage sur le cliché* ; ***Centrer** son tir.* **2.** Fig. Orienter, diriger vers qqch. : *Il **centra** son discours sur la crise économique.* **3.** *Techn.* Déterminer l'axe central de (une pièce) ; l'y fixer : ***Centrer** une roue.* 1699 ; ☞ *centre* ; [sɑ̃tʀe].

**CENTREUR,** subst. m.

Dispositif de centrage sur une machine, un appareil. 1842 ; ☞ *centrer* ; [sɑ̃tʀœʀ].

**CENTRE-VILLE,** subst. m.

Ensemble plus ou moins étendu des quartiers situés au cœur d'une ville. Comp. de *centre* et de *ville* ; plur. *centres-villes* ; [sɑ̃tʀəvil].

**CENTRIFUGATION,** subst. f.

*Techn.* Action de dissocier des substances de densités différentes, en utilisant la force centrifuge. 1897 ; ☞ *centrifuger* ; [sɑ̃tʀifygasjɔ̃].

**CENTRIFUGE,** adj.

**1.** *Phys.* Se dit d'une force qui, dans un mouvement de rotation, tend à exercer une poussée du centre vers la périphérie (anton. *centripète*). **2.** *Physiol.* Se dit de l'influx nerveux qui se propage d'un centre nerveux vers les organes périphériques par l'intermédiaire des fibres nerveuses dites, elles aussi, **centrifuges** : *Les influx nerveux moteurs sont des influx **centrifuges**.* 1700 ; lat. sc. *centrifuga*, du lat. *centrum*, « centre », et *fuga*, « fuite » ; [sɑ̃tʀifyʒ].

**CENTRIFUGER,** verbe trans. [5]

Exposer à la force centrifuge : ***Centrifuger** le lait, le sang.* 1871 ; ☞ *centrifuge* ; [sɑ̃tʀifyʒe].

**CENTRIFUGEUSE, subst. f.**
Machine assurant la centrifugation ; en partic., appareil ménager servant à produire, par centrifugation, des jus de légumes ou de fruits. Fin XIX^e s. ; ☞ *centrifuger* ; var. *un centrifugeur* ; [sɑ̃tʀifyʒøz].

**CENTRIOLE, subst. m.**
*Biol.* Organite cylindrique de 0,3 à 0,6 µm de long, situé dans un petit domaine cytoplasmique à proximité du noyau d'une cellule, le centrosome (il y a deux **centrioles** dans un centrosome). Les **centrioles** jouent un rôle capital dans la formation du fuseau achromatique chez de nombreux organismes, mais sont néanmoins absents des cellules des vrais champignons et des végétaux à fleurs. 1910 ; ☞ *centre* ; [sɑ̃tʀijɔl].

**CENTRIPÈTE, adj.**
**1.** *Phys.* Se dit d'une force qui, dans un mouvement de rotation, tend à exercer une poussée de la périphérie vers le centre (anton. *centrifuge*). **2.** *Physiol.* Se dit d'un influx nerveux se dirigeant de la périphérie du corps vers un centre nerveux : *Les influx nerveux sensitifs sont des influx* ***centripètes****.* 1700 ; lat. sc. *centripeta*, du lat. *centrum*, « centre », et *petere*, « gagner, aller vers » ; [sɑ̃tʀipɛt].

**CENTRISME, subst. m.**
*Pol.* Manière de penser et d'agir propre au centre : *Le* ***centrisme*** *est-il une doctrine ou une attitude ?* 1936 ; ☞ *centre* ; [sɑ̃tʀism].

**CENTRISTE, adj. et subst.**
*Pol.* ADJ. Du centre. SUBST. Personne qui appartient au centre. 1922 ; ☞ *centre* ; [sɑ̃tʀist].

**CENTROMÈRE, subst. m.**
*Biol.* Constriction visible durant la mitose au niveau des chromosomes condensés. C'est à l'endroit du **centromère** que les microtubules du fuseau achromatique s'associent aux chromosomes. V. 1970 ; formé de *centro-* et de *-mère*[1] ; [sɑ̃tʀɔmɛʀ].

**CENTROSOME, subst. m.**
*Biol.* Zone cytoplasmique, au voisinage du noyau cellulaire, où se trouvent les deux centrioles. 1894 ; formé de *centro-* et de *-some* ; [sɑ̃tʀozom].

**CENT-SUISSE, subst. m.**
*Hist.* Soldat de la compagnie qui constitua, de 1481 à 1792, la garde des rois de France. 1732 ; comp. de *cent* (I) et de *Suisse* ; plur. *cent-suisses* ; [sɑ̃sɥis].

**CENTUMVIR, subst. m.**
*Antiq. rom.* Chacun des magistrats d'un tribunal permanent qui jugeait les affaires civiles, notamment celles de succession, et qui, à l'origine, comptait cent cinq membres. 1636 ; lat. *centumvir*, de *centum*, « cent », et de *vir*, « homme » ; [sɑ̃tɔmviʀ].

**CENTUPLE, adj. et subst. m.**
ADJ. Qui vaut cent fois autant. SUBST. **1.** Valeur cent fois supérieure : *Dix mille est le* ***centuple*** *de cent.* **2.** Loc. **Au centuple.** Beaucoup plus, en plus grande quantité : *Dieu vous le rendra au* ***centuple****.* Fin XIV^e s. ; lat. chrét. *centuplus* ; [sɑ̃typl].

**CENTUPLER, verbe [3]**
TRANS. **1.** Multiplier par cent : ***Centupler*** *un nombre.* **2.** Ext. Accroître énormément : ***Centupler*** *sa fortune.* INTRANS. Devenir cent fois plus grand, en parlant de ce qui est nombrable ou quantifiable ; s'accroître considérablement. Mil. XVI^e s. ; ☞ *centuple* ; [sɑ̃typle].

**CENTURIE, subst. f.**
**1.** *Antiq. rom.* ► Unité politique et administrative composée de cent citoyens. ► La plus petite subdivision de la légion, forte de cent hommes. **2.** *Litt.* Ouvrage divisé par siècles. XII^e s. ; lat. *centuria* ; [sɑ̃tyʀi].

**CENTURION, subst. m.**
*Antiq. rom.* Officier qui commandait une centurie. Fin XII^e s. ; lat. *centurio* ; [sɑ̃tyʀjɔ̃].

**CÉNURE, subst. m.**
*Vétér.* Ténia vivant dans l'intestin du chien et dont la larve se développe surtout dans le cerveau des moutons. 1929 ; lat. sc. *coenurus*, du gr. *koinos*, « commun », et *oura*, « queue » ; var. *cœnure* ; [senyʀ].

**CEP, subst. m.**
**1.** Pied de vigne ; bois de vigne. **2.** Pièce de charrue à laquelle on fixe l'arrière du soc. Déb. XI^e s. ; lat. *cippus*, « pieu ; tronc » ; var. du sens 1 *sep* ; [sɛp].

**CÉPAGE, subst. m.**
Variété de plant de vigne cultivée en un lieu déterminé : *Le cabernet, le pinot noir sont des* ***cépages****.* 1573 ; ☞ *cep* ; [sepaʒ].

**CÈPE, subst. m.**
*Bot.* Variété de champignon comestible, très appréciée, appartenant à la famille des bolets. 1798 ; gascon *cep*, du lat. *cippus*, « tronc » ; [sɛp].

**CÉPÉE, subst. f.**
*Sylvic.* Touffe de nouvelles pousses sortant d'une souche. Fin XII^e s. ; ☞ *cep* ; [sepe].

**CEPENDANT, adv. et conj.**
ADV. **1.** Vx. Pendant ce temps-là, au même moment : *Or, que faisaient* ***cependant*** *vos amis ?* **2.** Loc. conj. **Cependant que.** Tandis que : *La victime agonise,* ***cependant*** *que l'assassin court encore.* CONJ. Néanmoins, toutefois : *Les médecins le disaient condamné,* ***cependant*** *il est toujours là.* Fin XIII^e s. ; formé de *ce* (II) et de *pendant* (II) ; [s(ə)pɑ̃dɑ̃].

**CÉPHALÉE, subst. f.**
*Pathol.* Mal de tête violent et chronique (synon. *céphalalgie*). 1570 ; lat. *cephalaea*, du gr. *kephalaia* ; [sefale].

**CÉPHALIQUE, adj.**
Relatif à la tête. 1314 ; bas lat. *cephalicus*, du gr. *kephalikos* ; [sefalik].

**CÉPHALOPODES, subst. m. plur.**
*Zool.* Classe de mollusques comprenant actuellement les seiches, les calmars, les pieuvres et les nautiles. Les premiers ont un squelette interne : os de seiche, « plume » de calmar, analogue au rostre des bélemnites fossiles. La coquille cloisonnée du nautile (Tétrabranchiaux) est enroulée comme celle des ammonites, mais son tube interne (siphon) se situe dans l'axe, et non sur le bord ventral (externe). Parmi les Dibranchiaux, on distingue les Décapodes (10 bras : seiches, calmars) et les Octopodes (8 bras : pieuvres). Leur système nerveux est très évolué, et leur cerveau est un des plus complexes de tous les cerveaux d'Invertébrés ; leurs yeux sont remarquablement proches de ceux des Vertébrés. AU SING. *Le nautile est un* ***céphalopode****.* 1798 ; formé de *céphalo-* et de *-pode* ; [sefalopɔd].

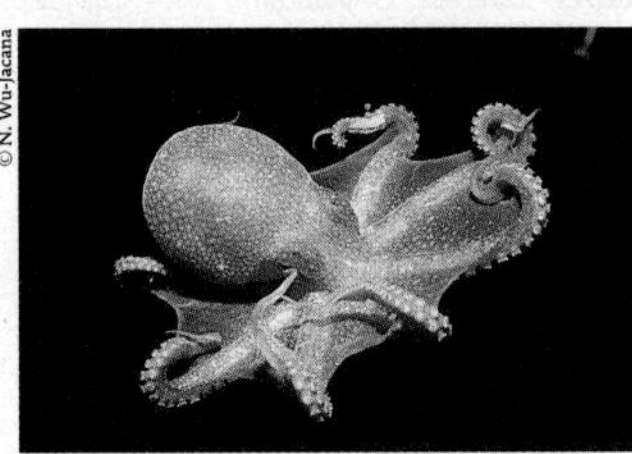
© N. Wu-Jacana

*La pieuvre fait partie de la classe des* ***Céphalopodes****.*

**CÉPHALO-RACHIDIEN, IENNE, adj.**
*Physiol.* Qui se rapporte à l'encéphale et au rachis : *Liquide* ***céphalo-rachidien****,* liquide clair contenu dans les cavités du cerveau (ventricules), de la moelle épinière (canal de l'épendyme) et entre les deux méninges les plus intérieures. 1858 ; ☞ *rachidien* + *céphalo-* ; plur. *céphalo-rachidiens, iennes*, var. *céphalorachidien, ienne* ; [sefaloʀaʃidjɛ̃, jɛn].

**CÉPHALOSPORINE, subst. f.**
*Biol., Biochim.* et *Pharm.* Nom générique d'un groupe d'antibiotiques de la famille des bêtalactamines, dont la variété naturelle est extraite d'un champignon voisin du *Penicillium*. V. 1970 ; angl. *cephalosporin*, du gr. *kephalê*, « tête », et *spora*, « semence » ; [sefalospɔʀin].

**CÉPHALOTHORAX, subst. m.**
*Zool.* Partie antérieure du corps de certains arthropodes, que l'on peut interpréter comme résultant de la soudure de la tête et du thorax. 1843 ; ☞ *thorax* + *céphalo-* ; [sefalotɔʀaks].

**CÉPHÉIDE, subst. f.**
*Astron.* Nom générique d'une classe d'étoiles variables dont le prototype est l'étoile δ de la constellation boréale Céphée. Les **céphéides** se caractérisent par des variations d'éclat de période bien déterminée. Elles ont ainsi joué un rôle important dans l'histoire de l'astronomie en permettant la mesure des distances intergalactiques. 1927 ; *Céphée*, roi légendaire d'Éthiopie ; [sefeid].

**CÉRAMBYX, subst. m.**
*Zool.* Coléoptère xylophage appartenant à la famil[le] des Cérambycidés (synon. *capricorne*). 1775 ; la[t.] sc. *cerambyx*, du gr. *kerambux*, « capricorne » ; [seʀɑ̃biks]

**CÉRAME, subst. m. et adj.**
SUBST. *Archéol.* Vase de terre cuite en usage dans l[a] Grèce ancienne. ADJ. *Grès* ***cérame*** : grès vitrifié dan[s] la masse. 1751 ; gr. *keramon*, « vaisselle d'argile » [seʀam].

**CÉRAMIQUE, adj. et subst. f.**
ADJ. Relatif à l'art du potier : *Pâte* ***céramique*** SUBST. **1.** Art du potier ; travail de la terre cuite, d[e] la faïence, du grès, de la porcelaine : *La* ***céramiq[ue]*** *chinoise.* **2.** Méton. Substance obtenue par cuisso[n] de la matière argileuse : *Vase de* ***céramique*** ; l'obj[et] façonné lui-même : *Une superbe* ***céramique****.* **3.** Mat[é]riau manufacturé inorganique. 1806 ; gr. *keram[i]kos*, « d'argile » ; [seʀamik].

*Assiette à décor chinois,* ***céramique*** *de la manufactu[re] de Rouen (XVIII^e s.). Musée d'Art et d'Archéologie, Moulins.*
© Giraudon

**CÉRAMISTE, subst.**
Personne qui pratique l'art de la céramique ; e[n] appos. : *Artisan* ***céramiste****.* 1836 ; ☞ *céramique* [seʀamist].

**CÉRASTE, subst. m.**
*Zool.* Serpent venimeux, appelé aussi vipère cornu[e] de la famille des Vipéridés, qui vit dans le sab[le] (Afrique du Nord, Asie). 1213 ; lat. *cerastes*, d[u] gr. *kerastês*, de *keras*, « corne » ; [seʀast].

**CÉRAT, subst. m.**
*Pharm.* Pommade à base de cire et d'huile. 1539 lat. *ceratum*, du gr. *kêrôtos*, « mêlé de cire » ; [seʀa].

*Héraclès emmenant* ***Cerbère*** *avec l'aide d'Athéna, scène d'une amphore à tableau de style attique à figures rouges (v. 520-510 av. J.-C.). Musée du Louvre, Paris.*
© Lauros-Giraudon

**CERBÈRE, subst. m.**
Gardien, portier, concierge intraitable (fam.) 1576 ; lat. *Cerberus*, du gr. *Kerberos*, « Cerbère », no[m] donné, dans la mythologie grecque, au chien à trois têt[es] qui gardait les Enfers ; [sɛʀbɛʀ].

**CERCAIRE, subst. f.**
*Zool.* Stade larvaire final des Trématodes (classe d[e] vers plats parasites qui se fixent à leurs hôtes pa[r] des ventouses). L'homme est infesté notammen[t] par deux **cercaires** : *Fasciola hepatica*, ou grand[e] douve du foie, et le genre *Schistosoma*, agent de[s] bilharzioses. 1800 ; lat. sc. *cercaria*, du gr. *kerko[s]* « queue » ; [sɛʀkɛʀ].

**CERCE, subst. f.**
*Techn.* **1.** Gabarit servant à donner à une pièce o[u] à un ouvrage une courbure déterminée. **2.** Larg[e] bande de bois entourant les cribles ou les tami[s]. 1567 (déb. XII^e s., menuiserie entourant une meule d[e] moulin) ; lat. pop. °*circa*, « enceinte » ; [sɛʀs].

**CERCEAU,** subst. m.
**1.** Mince lame circulaire de bois ou de métal maintenant ensemble les douves d'une futaille. **2.** Tige circulaire ou semi-circulaire servant d'armature ou de support à une bâche, à une crinoline, etc. **3.** Cercle de bois ou de métal que les enfants font rouler devant eux, en le guidant avec une baguette. Déb. XIIIe s. (XIIe s., anneau, cercle) ; bas lat. *circellus,* « petit cercle » ; [sɛʀso].

**CERCLAGE,** subst. m.
**1.** Action de cercler ; son résultat. **2.** *Méd.* Opération par laquelle on resserre le col de l'utérus pour prévenir un avortement spontané. 1819 ; ☞ *cercler* ; [sɛʀklaʒ].

**CERCLE,** subst. m.
**I. 1.** *Géom.* Courbe plane, ensemble des points situés à égale distance (le rayon) d'un point fixe (le centre). **2.** Ext. Circonférence du **cercle** ainsi défini : *Tracer un cercle.* **3.** Ligne imaginaire bornant une section de la sphère terrestre : *Cercle arctique.* **II. 1.** Pièce circulaire dont on enserre ou garnit un objet : *Cercles d'un tonneau.* **2.** Anal. Ensemble de personnes ou de choses disposées en rond : *Élargir le cercle des danseurs ; Un cercle de collines entourait la ville.* **III.** Fig. **1.** Petit groupe de personnes que des affinités réunissent : *Un cercle d'amis* ; par méton., lieu où elles se retrouvent : *Cercle de jeu.* **2.** Espace circonscrit dans lequel s'exerce une activité ou l'action, l'influence de qqn, de qqch. **3.** Loc. *Cercle vicieux* : raisonnement défectueux qui consiste à supposer ce que l'on doit prouver et à donner pour preuve ce que l'on a supposé ou, par ext., enchaînement d'idées, de faits qui ramène toujours au point de départ. 1160 ; lat. *circulus* ; [sɛʀkl].

**CERCLER,** verbe trans. [3]
Garnir d'un ou de plusieurs cercles ou cerceaux : *Cercler une barrique ; Une bayadère aux bras cerclés de bracelets d'or.* XIIe s. ; ☞ *cercle* ; [sɛʀkle].

**CERCOPITHÈQUE,** subst. m.
*Zool.* Singe catarhinien (à narines rapprochées), de la superfamille des Cynomorphes (singes à queue non préhensile). Arboricoles et dotés de callosités fessières petites, séparées par une zone velue, les **cercopithèques** vivent en bandes composées de plusieurs groupes familiaux (harems), dans les forêts africaines, du Sénégal et du Soudan jusqu'en Afrique du Sud. 1553 ; lat. *cercopithecus,* du gr. *kerkopithêkos,* « singe à grande queue » ; [sɛʀkɔpitɛk].

**CERCUEIL,** subst. m.
Longue caisse destinée à recevoir un cadavre ; bière : *Tyrans, descendez au cercueil* (« Chant du départ »). XIe s. ; gr. *sarkophagos,* « qui consume la chair » ; [sɛʀkœj].

**CÉRÉALE,** subst. f.
Plante aux grains farineux, gén. de la famille des Poacées, cultivée en vue de l'alimentation humaine ou animale : *Le blé, l'avoine, le riz sont des céréales.* Plur. Ces grains eux-mêmes, à la base de certains produits alimentaires : *Consommer des céréales tous les matins.* Mil. XVIe s. ; lat. *cerealis,* « qui a trait à Cérès, déesse des Moissons » ; [seʀeal].

**CÉRÉALICULTURE,** subst. f.
Culture des céréales. 1929 ; ☞ *céréale* + *-culture* ; [seʀealikyltyʀ].

**CÉRÉALIER, IÈRE,** adj. et subst. m.
Adj. Qui concerne les céréales : *Culture céréalière.* Subst. **1.** Navire destiné au transport des céréales. **2.** Exploitant agricole spécialisé dans la production de céréales. 1951 ; ☞ *céréale* ; [seʀealje, jɛʀ].

**CÉRÉBELLEUX, EUSE,** adj.
*Anat.* Qui concerne le cervelet. 1814 ; lat. *cerebellum,* « petite cervelle » ; [seʀebelø, øz].

**CÉRÉBRAL, ALE, AUX,** adj.
**1.** *Anat.* Relatif au cerveau ; qui en fait partie : *Localisations cérébrales ; Hémisphères cérébraux.* **2.** Qui concerne la pensée, l'intellect : *Activité cérébrale ; Tempérament cérébral,* caractérisé par la prédominance de l'activité intellectuelle ; empl. subst., personne douée d'un tel tempérament. Déb. XVIIe s. ; lat. *cerebrum,* « cerveau » ; [seʀebʀal, o].

**CÉRÉBRALITÉ,** subst. f.
**1.** Activité du cerveau. **2.** Caractère cérébral d'une personne. 1892 ; ☞ *cérébral* ; [seʀebʀalite].

**CÉRÉBRO-SPINAL, ALE, AUX,** adj.
*Anat.* Qui concerne l'encéphale et la moelle épinière : *L'axe cérébro-spinal ; Méningite cérébro-spinale.* 1845 ; ☞ *spinal* + *cérébro-* ; var. *cérébrospinal, ale, aux* ; [seʀebʀospinal, o].

**CÉRÉMONIAL,** subst. m.
**1.** Ensemble des règles qui commandent l'ordonnancement d'une cérémonie religieuse : *Le cérémonial de l'Église* ; par méton., recueil des règles concernant une cérémonie liturgique. **2.** Convenances sociales, formalités de politesse : *Être attaché au cérémonial.* 1374 ; bas lat. *caerimonialis* ; plur. *cérémonials* ; [seʀemɔnjal].

**CÉRÉMONIE,** subst. f.
**1.** Ensemble des formes d'apparat qui entourent une célébration religieuse ou laïque ; la célébration elle-même : *Une cérémonie de baptême, de remise des prix ; Le maître des cérémonies.* **2.** Témoignage de déférence réglé sur les conventions d'usage : *Saluer avec cérémonie* ; au plur., marques excessives de politesse. ▶ Loc. *Sans cérémonie* : sans façon, avec simplicité. XIIIe s. ; lat. *caerimonia,* « respect religieux » ; [seʀemɔni].

**CÉRÉMONIEL, ELLE,** adj.
Qui se rapporte aux cérémonies : *Pratiques cérémonielles.* 1374 ; ☞ *cérémonie* ; [seʀemɔnjɛl].

**CÉRÉMONIEUSEMENT,** adv.
De manière cérémonieuse. 1828 (1378, selon les règles) ; ☞ *cérémonieux* ; [seʀemɔnjøzmɑ̃].

**CÉRÉMONIEUX, EUSE,** adj.
**1.** Qui fait preuve de formalisme dans l'observance des règles de politesse ; maniéré : *[Le misanthrope] est civil et cérémonieux* (La Bruyère). **2.** Ext. *Un ton cérémonieux* : recherché, qui manque de naturel. 1458 ; ☞ *cérémonie* ; [seʀemɔnjø, øz].

**CERF,** subst. m.
*Zool.* Ruminant de la famille des Cervidés, genre *Cervus.* Le **cerf** mesure entre 1,20 m et 1,50 m au garrot, entre 1,65 m et 2,50 m de longueur, et il peut atteindre 400 kg. La femelle du **cerf** est la biche et son petit le faon ; le jeune mâle s'appelle hère. Les bois du **cerf** sont des formations osseuses qui partent de l'os frontal ; ils poussent sous forme de dagues chez le jeune mâle, qu'on appelle alors un daguet. Les dagues tombent au printemps suivant leur apparition et repoussent peu après. Il s'ajoute chaque année une pointe (☞ *andouiller*) sur chaque bois ; en doublant le nombre de pointes qu'il y a sur un des deux bois, on obtient le nombre de cors. Fin XIe s. ; lat. *cervus* ; [sɛʀ].

**CERFEUIL,** subst. m.
*Bot.* Plante de la famille des Apiacées. *Anthriscus cerefolium,* le **cerfeuil** commun, est une herbe aromatique. XIIe s. ; lat. *chaerephyllum,* du gr. *khairein,* « se réjouir », et *phullon,* « feuille » ; [sɛʀfœj].

**CERF-VOLANT (I),** subst. m.
*Zool.* Nom commun d'un grand coléoptère dont le nom savant est *Lucanus cervus* (synon. *lucane*). Ses mandibules évoquent la forme des bois d'un cerf. 1611 ; comp. de *cerf* et de *voler* (II) ; plur. *cerfs-volants* ; [sɛʀvɔlɑ̃].

© P. Thomas-Explorer

*Cerfs-volants.*

**CERF-VOLANT (II),** subst. m.
Objet constitué d'une armature légère tendue de tissu ou de papier, attaché à une longue ficelle et que l'on fait se mouvoir dans les airs en le dirigeant depuis le sol. 1669 ; p.-ê. *serpe volante* (vx), « serpent volant » ; plur. *cerfs-volants* ; [sɛʀvɔlɑ̃].

**CERF-VOLISTE,** subst.
Personne qui fabrique ou qui fait voler des cerfs-volants. XXe s. ; ☞ *cerf-volant* (II) ; plur. *cerfs-volistes* ; [sɛʀvɔlist].

**CÉRIFÈRE,** adj.
Qui produit de la cire : *Une plante, un insecte cérifère.* 1863 ; lat. *cera,* « cire », + *-fère* ; [seʀifɛʀ].

**CERISAIE,** subst. f.
Lieu, terrain planté de cerisiers. 1397 ; ☞ *cerise* ; [s(ə)ʀizɛ].

**CERISE,** subst. f. et adj. inv.
Subst. Fruit charnu, de couleur rouge ou jaune, de type drupe, produit par le cerisier. ▶ Loc. *Aux cerises* : au printemps ; *Avoir la cerise* : être malchanceux (fam.). Adj. De couleur rouge vif. Fin XIIe s. ; bas lat. *ceresium,* du gr. *kerasion* ; [s(ə)ʀiz].

**CERISETTE,** subst. f.
Boisson à base de cerise. 1907 (1310, petite cerise) ; ☞ *cerise* ; [s(ə)ʀizɛt].

**CERISIER,** subst. m.
**1.** *Bot.* Arbre de la famille des Amygdalacées, genre *Prunus* (*Prunus avium* est le **cerisier** doux, *Prunus cerasus* est le griottier). **2.** Bois de cet arbre, de couleur claire, utilisé en ébénisterie. Fin XIIe s. ; ☞ *cerise* ; [s(ə)ʀizje].

**CÉRITE,** subst. f.
*Minér.* Silicate hydraté naturel de cérium. 1804 ; ☞ *cérium* ; [seʀit].

**CÉRITHE,** subst. m.
*Zool.* Mollusque gastéropode du genre *Cerithium,* remarquable par sa coquille en forme de toupie très allongée, qui vit en milieu marin. 1757 ; lat. sc. *cerithium,* du gr. *kêrukion,* « coquillage » ; var. *cérite* ; [seʀit].

**CÉRIUM,** subst. m.
*Chim.* Élément n° 58 de la table de Mendeleïev (symb. : Ce) ; masse atomique : 140,12 ; point de fusion : 798 °C ; point d'ébullition : 3 257 °C ; masse volumique : 6,7 g/cm³. C'est un métal gris et brillant de la famille des terres rares (on s'en sert notamment pour faire des pierres à briquet). 1803 ; *Cérès,* nom donné à une planète découverte peu avant ce métal ; [seʀjɔm].

**CERNE,** subst. m.
**1.** Cercle bleuâtre entourant parfois les yeux d'une personne fatiguée ou malade (gén. au plur.). **2.** Zone circulaire plus ou moins nette autour de qqch. : *Un détachant de mauvaise qualité laisse des cernes sur le tissu* (synon. *auréole*). **3.** *Bot.* Chacun des cercles concentriques apparaissant sur la section transversale d'un tronc d'arbre. **4.** *B.-a.* Trait appuyé soulignant un contour, dans un dessin, une peinture. Mil. XIVe s. (1119, cercle) ; lat. *circinus,* « compas ; cercle », de *circus,* « cercle » ; [sɛʀn].

**CERNÉ, ÉE,** adj.
Marqué d'un cerne : *Avoir les yeux cernés.* 1694 ; p. p. de *cerner* ; [sɛʀne].

**CERNEAU,** subst. m.
Noix encore verte ; par ext., la partie comestible qu'elle contient. Fin XIIIe s. ; ☞ *cerner (les noix)* ; [sɛʀno].

**CERNER,** verbe trans. [3]
**1.** Être disposé en cercle autour de (qqch.) : *Un lac que cernent les montagnes* ; entourer : *Cerner de bleu les contours d'un motif.* **2.** Encercler (un lieu) pour en bloquer toutes les issues : *La ville était cernée.* **3.** Fig. *Cerner un problème* : en définir le contenu et les limites. **4.** *Cerner les noix* : les extraire de leur coque. **5.** *Arboric.* ▶ *Cerner un arbre au pied* : creuser à sa base un fossé circulaire afin de le déraciner plus facilement. ▶ *Cerner un tronc, une branche* : lui enlever, en l'incisant, un anneau d'écorce. Déb. XIIIe s. ; lat. *circinare,* « parcourir en formant un cercle ; arrondir » ; [sɛʀne].

**CERS,** subst. m.
Vent froid soufflant de l'ouest sur le Languedoc et le Roussillon. 1552 ; lat. *circius,* « vent du nord-ouest » ; [sɛʀs].

**CERTAIN, AINE,** adj., pron. indéf. et subst. m.
Adj. Exprime la certitude, la précision. **1.** Qui est assuré, indubitable : *Cela est certain ; Il est certain qu'ils réussiront.* **2.** Qui est sûr (de qqch.), en parlant d'une personne : *Es-tu certain d'avoir raison ?* **3.** Fixé à l'avance, déterminé : *Une date certaine ; Un taux certain.* **4.** *Math.* *Évènement certain* : dont la probabilité est égale à 1 (dans un espace probabilisé). Adj. indéf. Exprime l'incertitude, l'hésitation, la mise en doute. **1.** Au plur. (sans article). Quelques, un nombre indéterminé de : *Certains*

*passages sont à revoir* ; *Je vous communiquerai* ***certaines*** *preuves.* **2.** Au sing. Exprime une indétermination, une restriction, une atténuation : *Un* ***certain*** *temps* ; *Il a un* ***certain*** *courage* ; *Une dame d'un* ***certain*** *âge.* **3.** Avec un nom de personne ou désignant qqn, sert à exprimer qu'on ne connaît qu'imparfaitement la personne ; marque le dédain ou l'ignorance feinte : *J'ai rencontré un* ***certain*** *Bertau, que vous connaissez* ; *Un* ***certain*** *M. Méry ose prétendre que je me trompe.* **4.** Permet de ne pas nommer ce qui est parfaitement connu, voire de déprécier : *Une* ***certaine*** *presse qui ne s'intéresse qu'au sensationnel.* **Pron. 1.** Représente, de manière imprécise, une partie d'un ensemble, d'un groupe : ***Certains*** *de ses amis l'ont alors abandonné.* **2.** Représente un nombre indéterminé de personnes : ***Certains*** *vous diront que vous devriez renoncer* ; *Selon* ***certains***... **Subst. 1.** Ce qui est **certain** : *Il ne faut pas laisser le* ***certain*** *pour l'incertain.* **2.** *Fin.* Monnaie prise comme terme fixe de comparaison pour apprécier les variations d'une autre : *Paris donne le* ***certain*** *à Londres*, les variations de la livre sterling sont mesurées par rapport au franc, supposé fixe. Mil. XII^e^ s. ; lat. pop. °*certanus* ; [sɛʀtɛ̃, ɛn].

**CERTAINEMENT, adv.**
**1.** De façon certaine, assurée : *Savez-vous* ***certainement*** *d'où il vient ?* **2.** Probablement : *C'est* ***certainement*** *une très gentille personne.* **3.** Assurément, évidemment (renforce une affirmation ou une négation) : *En désirez-vous de nouveau ? – Mais* ***certainement*** *!* ; *Souhaitez-vous la connaître ? –* ***Certainement*** *pas !* Mil. XII^e^ s. ; ☞ *certain* ; [sɛʀtɛnmɑ̃].

**CERTES, adv.**
**1.** Assurément : *Oui,* ***certes*** ; ***Certes*** *non !* **2.** Exprime une concession : *Vous avez* ***certes*** *raison, mais...* Mil. XI^e^ s. ; lat. pop. °*certas*, du lat. *certo* ; [sɛʀt].

**CERTIFICAT, subst. m.**
**1.** Document écrit authentifiant un fait, délivré par une autorité compétente : ***Certificat*** *de travail* ; ***Certificat*** *médical* ; ***Certificat*** *de propriété*, acte par lequel un fonctionnaire ou un agent public atteste l'existence d'un droit sur une chose ou sur une valeur. **2.** *Enseign.* Diplôme attestant le succès à un examen ou à un concours. 1380 ; lat. médiév. *certificatum* ; [sɛʀtifika].

**CERTIFICATEUR, adj. m. et subst. m.**
*Dr.* Se dit d'une personne qui certifie la solvabilité d'une autre qui s'est portée caution : *Notaire* ***certificateur.*** 1611 ; lat. médiév. *certificator*, « celui qui certifie » ; [sɛʀtifikatœʀ].

**CERTIFICATION, subst. f.**
*Dr.* Garantie donnée par écrit de l'authenticité d'une pièce, d'une signature, etc. 1310 ; lat. médiév. *certificatio*, « assurance, confirmation » ; [sɛʀtifikasjɔ̃].

**CERTIFIÉ, ÉE, adj. et subst.**
Titulaire du capes ou du capet (voir p. 1204) : *Un professeur* ***certifié*** ; *Les agrégés et les* ***certifiés.*** V. 1950 ; p. p. de *certifier* ; [sɛʀtifje].

**CERTIFIER, verbe trans.** [6]
**1.** Affirmer la réalité ou la vérité de (qqch.) : *Je vous le* ***certifie.*** **2.** *Dr.* Authentifier par un acte écrit : ***Certifier*** *une caution* ; empl. adj. : *Copie* ***certifiée*** *conforme.* Fin XII^e^ s. ; lat. chrét. *certificare*, « confirmer qqn, l'assurer » ; [sɛʀtifje].

**CERTITUDE, subst. f.**
**1.** Caractère de ce qui est certain ou jugé tel : *La* ***certitude*** *objective des mathématiques* ; ce qui est certain : *Il viendra, c'est une* ***certitude.*** **2.** Croyance ferme de l'esprit à ce qu'il tient pour assuré : *L'expérience finit toujours par ébranler nos* ***certitudes.*** Fin XIV^e^ s. ; bas lat. *certitudo* ; [sɛʀtityd].

**CÉRULÉEN, ÉENNE, adj.**
D'un bleu d'azur profond (littér.). 1797 ; *cérulé* (rare), du lat. *caeruleus* ; [seʀyleɛ̃, eɛn].

**CÉRUMEN, subst. m.**
*Physiol.* Substance grasse et jaunâtre, sécrétée par les glandes sébacées du conduit auditif externe. 1726 ; lat. médiév. *caerumen*, du lat. *cera*, « cire » ; [seʀymɛn].

**CÉRUMINEUX, EUSE, adj.**
**1.** Qui a la nature du cérumen : *Matière* ***cérumineuse.*** **2.** *Glandes* ***cérumineuses*** : qui sécrètent du cérumen. 1735 ; ☞ *cérumen* ; [seʀyminø, øz].

**CÉRUSE, subst. f.**
*Chim.* et *Peint.* Pigment blanc extrait du carbonate de plomb, dont on se servait comme fard ou en peinture : *L'usage de la* ***céruse*** *est interdit depuis 1915 en raison de sa toxicité.* XIII^e^ s. ; lat. *cerussa* ; [seʀyz].

**CÉRUSÉ, ÉE, adj.**
*Ében.* Qualifie un bois dont les pores ont été comblés par une pâte qui contenait autrefois de la céruse. 1952 ; ☞ *céruse* ; [seʀyze].

**CERVAISON, subst. f.**
*Vén.* Bonne saison pour la chasse au cerf. XIII^e^ s. ; lat. *cervus*, « cerf » ; [sɛʀvɛzɔ̃].

**CERVEAU, subst. m.**
**I.** *Anat.* **1.** Partie la plus volumineuse de l'encéphale, située au-dessus du cervelet, formée des hémisphères cérébraux et enveloppée d'une couche continue de substance grise de 3 ou 4 mm d'épaisseur, le cortex. **2.** Ext. Encéphale. **II. 1.** Siège de la pensée, des facultés mentales. **2.** Méton. Personne considérée sous l'angle de ses facultés intellectuelles : *C'est un* ***cerveau***, une personne d'intelligence supérieure. **3.** Métaph. ▸ Centre de commandement, d'organisation : *La salle des ordinateurs est un peu le* ***cerveau*** *de notre société.* ▸ Personne qui conçoit, organise une entreprise, une opération : *On a arrêté le* ***cerveau*** *du hold-up.* ▸ ***Cerveau*** *électronique* : calculateur, ordinateur, dispositif de commande de certains appareils. Déb. XII^e^ s. ; lat. *cerebellum*, « cervelle » ; [sɛʀvo].

**CERVELAS, subst. m.**
*Cuis.* Saucisson cuit, court et pansu, fait de chair finement hachée et épicée. 1552 ; ital. *cervellato*, du lat. *cerebellum*, « cervelle » ; [sɛʀvəla].

**CERVELET, subst. m.**
*Anat.* Partie de l'encéphale située sous les hémisphères cérébraux, en arrière du tronc cérébral. Composé de deux hémisphères séparés par une région médiane, le vermis, c'est l'organe du système nerveux qui contrôle l'équilibre et la coordination des mouvements ; il n'intervient pas dans les processus mentaux. 1611 ; ☞ *cerveau* ; [sɛʀvəlɛ].

**CERVELLE, subst. f.**
**1.** Substance constitutive du cerveau. **2.** Cerveau des animaux, en partic. lorsqu'il est destiné à une préparation culinaire : ***Cervelle*** *de veau à la Chivry.* **3.** Siège des facultés mentales : *Être sans* ***cervelle***, étourdi. **4.** Méton. Personne définie par ses facultés intellectuelles : *C'est une petite* ***cervelle.*** **5.** Loc. *Se brûler la* ***cervelle*** : se tirer une balle dans la tête. Déb. XII^e^ s. ; lat. *cerebella* ; [sɛʀvɛl].

**CERVICAL, ALE, AUX, adj.**
*Anat.* **1.** Qui se rapporte au cou : *Vertèbre* ***cervicale.*** **2.** Qui concerne le col de l'utérus ou de la vessie : *Canal* ***cervical*** ; *Glaire* ***cervicale.*** Mil. XVI^e^ s. ; lat. *cervix*, « cou » ; [sɛʀvikal, o].

**CERVICALGIE, subst. f.**
*Pathol.* Douleur dans la région du cou ou de la nuque. XX^e^ s. ; lat. *cervix*, « cou », + *-algie* ; [sɛʀvikalʒi].

**CERVICITE, subst. f.**
*Pathol.* Terme désignant deux affections : l'inflammation du col de la vessie, ou une cystite limitée à cette région ; l'inflammation du col utérin chez la femme. Lat. *cervix*, « cou », + *-ite* ; [sɛʀvisit].

**CERVIDÉS, subst. m. plur.**
*Zool.* Famille de ruminants (ordre des Artiodactyles) remarquables par leurs bois, représentée par le cerf, le chevreuil, l'élan, le wapiti, etc. **Au sing.** *Le renne, comme le daim, est un* ***cervidé.*** 1886 ; lat. *cervus*, « cerf » ; [sɛʀvide].

**CERVOISE, subst. f.**
Sorte de bière d'orge ou de blé consommée dans l'Antiquité et au Moyen Âge. Fin XII^e^ s. ; lat. *cervesia* ; [sɛʀvwaz].

**CES, voir CE (I)**

**CÉSALPINIACÉES, subst. f. plur.**
*Bot.* Famille de plantes légumineuses des pays chauds. **Au sing.** *L'arbre de Judée est une* ***césalpiniacée.*** Mil. XIX^e^ s. ; anthropon. *Césalpin*, botaniste italien ; [sezalpinjase].

**CÉSAR (I), subst. m.**
**1.** *Antiq. rom.* Titre donné aux onze premiers empereurs qui ont succédé à Jules César (d'Auguste à Domitien), puis, à partir d'Hadrien (14^e^ empereur), à l'héritier présomptif de l'Empire (distingué ainsi de l'empereur régnant, qui avait le titre d'Auguste). **2.** Ext. Titre des empereurs du Saint Empire romain germanique. **3.** Anal. Empereur, souverain absolu : *Napoléon fut un* ***césar.*** Mil. XIII^e^ s. ; anthropon. *Jules César* ; [sezaʀ].

**CÉSAR (II), subst. m.**
Récompense cinématographique décernée chaque année en France. V. 1980 ; anthropon. *César*, sculpteur du trophée ; [sezaʀ].

**CÉSARIEN, IENNE, adj.**
**1.** Relatif à Jules César. **2.** Relatif aux régimes autoritaires ou dictatoriaux de nature militaire. 1527 ; lat. *caesarianus* ; [sezaʀjɛ̃, jɛn].

**CÉSARIENNE, subst. f.**
*Chir.* Opération consistant à inciser l'utérus gravide pour délivrer la mère quand une naissance par voie naturelle est impossible. Fin XVI^e^ s. ; lat. *caesar*, « enfant mis au monde par incision » ; [sezaʀjɛn].

**CÉSARISME, subst. m.**
*Pol.* Despotisme, gouvernement autoritaire d'une personne portée au pouvoir par le peuple. 1849 ; ☞ *césar* (I) ; [sezaʀism].

**CÉSIUM, subst. m.**
*Chim.* Élément n° 55 de la table de Mendeleïev (symb. : Cs) ; masse atomique : 132,905 ; point de fusion : 28,4 °C ; point d'ébullition : 671,4 °C ; masse volumique : 1,9 g/cm$^3$. C'est un métal alcalin qui sert à la fabrication de cellules photoélectriques. 1866 ; lat. *caesius*, « bleu » ; [sezjɔm].

**CESSANT, ANTE, adj.**
Loc. ***Toute(s) affaire(s) cessante(s)*** : sur-le-champ, avant toute autre chose. 1666 ; p. pr. de *cesser* ; [sɛsɑ̃, ɑ̃t].

**CESSATION, subst. f.**
**1.** Action ou fait de cesser ; interruption, arrêt : ***cessation*** *de travail, de poursuites.* **2.** *Dr.* ***Cessation*** *de paiements* : situation d'un commerçant, d'une entreprise dont l'actif est trop faible pour lui permettre d'honorer ses dettes. XIV^e^ s. ; lat. *cessatio*, « lenteur ; retard » ; [sɛsasjɔ̃].

**CESSE, subst. f.**
**1.** *N'avoir (pas) de* ***cesse*** *que* (+ subj. et « ne » explétif) : ne pas s'arrêter avant que. **2.** *Sans* ***cesse*** : sans arrêt, sans répit. 1155 ; ☞ *cesser* ; [sɛs].

**CESSER, verbe** [3]
**Intrans.** Prendre fin : *La pluie a* ***cessé.*** **Trans. dir.** Arrêter, mettre fin à : ***Cesser*** *le combat.* **Trans. indir.** Cesser de. Ne pas continuer de : ***Cesser*** *de fumer* ; *Le chien ne* ***cessait*** *(pas) d'aboyer.* XI^e^ s. ; lat. *cessare*, de *cedere*, « céder » ; [sese].

**CESSEZ-LE-FEU, subst. m. inv.**
Dans un conflit, arrêt des combats. Fin XIX^e^ s. ; comp. de *cesser* et de *feu* (I) ; [seselfø].

**CESSIBILITÉ, subst. f.**
*Dr.* Qualité de ce qui peut être cédé. 1845 ; ☞ *cessible* ; [sesibilite].

**CESSIBLE, adj.**
*Dr.* Qui peut être cédé. 1607 ; lat. *cessum*, de *cedere*, « céder » ; [sesibl].

**CESSION, subst. f.**
*Dr.* Action de céder à un autre un bien, un titre ou un droit que l'on détient. 1266 ; lat. jur. *cessio* ; [sesjɔ̃].

**CESSIONNAIRE, subst.**
*Dr.* Bénéficiaire d'une cession. 1675 (1520, celui qui fait une cession) ; ☞ *cession* ; [sesjɔnɛʀ].

**C'EST-À-DIRE, loc.**
**Loc. adv.** Permet de préciser une information en lui ajoutant une explication, une correction, une qualification : *Il m'a prêté l'argent dont j'avais besoin,* ***c'est-à-dire*** *cinq mille francs* ; *Le Petit Caporal,* ***c'est-à-dire*** *Napoléon.* **Loc. conj.** C'est-à-dire que. Introduit une explication, une restriction, une conséquence : *Il n'a pas plu depuis des semaines,* ***c'est-à-dire*** *que la récolte est perdue.* 1306 ; formé de *ce* (II), de *être* (I) et de *dire* (I) ; [sɛtadiʀ].

**CESTE (I), subst. m.**
*Antiq.* **1.** Lanière de cuir garnie de plomb dont les pugilistes s'entouraient les mains pour combattre. **2.** Méton. Ce pugilat. XV^e^ s. ; lat. *cestus* ; [sɛst].

**CESTE (II), subst. m.**
**1.** Ceinture (littér.) : *Le* ***ceste*** *de la beauté et le manteau des rois* (J. de Maistre). **2.** *Zool.* Animal marin, long, plat et translucide, qui appartient au plancton. 1547 ; lat. *cestus*, du gr. *kestos*, « ceinture brodée d'Aphrodite » ; var. *ceston* ; [sɛst].

**CESTODES, subst. m. plur.**
*Zool.* Classe de l'embranchement des Plathelminthes ou Vers plats. À l'état adulte, les **Cestodes** possèdent un organe de fixation par lequel ils s'accrochent au tube digestif des hôtes qu'ils

parasitent, et ils ont un tronc constitué d'anneaux (parfois plusieurs centaines). **Au sing.** *Le ténia, ou ver solitaire, est un* ***cestode.*** 1823 ; altér. de *cestoïde* (rare), du lat. *cestus*, du gr. *kestos*, « ceinture » ; [sɛstɔd].

**CESTON, voir CESTE (II)**

**CÉSURE, subst. f.**
1. *Versif.* et *Mus.* Repos, coupure rythmique ménagée à l'intérieur d'un vers, d'une phrase musicale. **2.** Ext. Coupure, séparation. 1537 ; lat. *caesura*, « coupure » ; [sezyʀ].

**CET, CETTE, voir CE (I)**

**CÉTACÉS, subst. m. plur.**
*Zool.* Ordre aquatique de mammifères, classiquement divisé en deux sous-ordres, les Odontocètes (**cétacés** pourvus de dents : dauphins, cachalots, etc.) et les Mysticètes (**cétacés** à fanons : baleines, rorquals). **Au sing.** *Le béluga est un* ***cétacé.*** 1542 ; prob. lat. *cetacea*, de *cetus*, « gros poisson », du gr. *kêtos*, « gros animal aquatique » ; [setase].

**CÉTANE, subst. m.**
*Chim.* Hydrocarbure saturé ($CH_3(CH_2)_{14}{-}CH_3$). ▸ *Indice de* ***cétane*** : qui caractérise l'aptitude à l'allumage d'un gazole. 1900 ; lat. *cetus*, du gr. *kêtos*, « gros animal aquatique » ; [setan].

**CÉTEAU, subst. m.**
Petite sole allongée, triangulaire, vivant en Méditerranée et dans le golfe de Gascogne. [seto].

**CÉTÉRACH, subst. m.**
*Bot.* Fougère commune appartenant à la famille des Aspléniacées, dont les feuilles présentent des lobes alternés. 1314 ; lat. médiév. *ceteraceum* ; var. *cétérac* ; [seteʀak].

**CÉTOGÈNE, adj.**
*Pathol.* Qui entraîne la formation de corps cétoniques dans l'organisme. XXe s. ; ☞ *cétone* + *-gène* ; [setoʒɛn].

**CÉTOINE, subst. f.**
*Zool.* Insecte coléoptère de la famille des Scarabéidés, qui vit sur les fleurs et les arbres. La **cétoine** dorée, espèce la plus connue en France, est d'une couleur vert métallique ; elle est souvent présente sur les roses, d'où son surnom hanneton des roses. 1790 ; lat. sc. *cetonia*, d'orig. inc. ; [setwan].

**CÉTONE, subst. f.**
*Chim.* Fonction chimique caractérisée par le groupement carboxyle C=O entre deux radicaux R et R'. Le composé $(CH_3)_2$ C=O est le propanone, communément appelé acétone. 1927 ; aphérèse de *acétone* ; [setɔn].

**CÉTONÉMIE, subst. f.**
*Pathol.* Présence de corps cétoniques dans le sang ; leur taux. Mil. XXe s. ; ☞ *cétone* + *-émie* ; [setɔnemi].

**CÉTONIQUE, adj.**
**1.** *Chim.* Se dit d'un composé porteur de la fonction cétone : *Un acide* ***cétonique.*** **2.** *Pathol. Corps* ***cétoniques*** : l'acétone et ses précurseurs métaboliques. 1899 ; ☞ *cétone* ; [setɔnik].

**CÉTONURIE, subst. f.**
*Pathol.* Présence de corps cétoniques dans l'urine ; leur taux de présence. XXe s. ; ☞ *cétone* + *-urie* ; [setɔnyʀi].

**CÉTOSE, subst. f.**
*Pathol.* Augmentation du taux de corps cétoniques dans l'organisme. 1897 ; ☞ *cétone* + *-ose* ; [setoz].

**CEUX, voir CELUI**

**CEUX-CI, CEUX-LÀ, voir CELUI-CI**

**CEYLANAIS, voir CINGHALAIS**

**Cf, voir CALIFORNIUM**

**ch, voir CHEVAL-VAPEUR**

**CHABICHOU, subst. m.**
Fromage de chèvre fabriqué dans le Poitou. 1877 ; limousin *chabro*, « chèvre » ; [ʃabiʃu].

**CHABLE, subst. m.**
*Bât.* Corde de levage. XIIe s. ; bas lat. *capalum*, « espèce de corde » ; [ʃabl].

**CHABLER (I), verbe trans.** [3]
***Chabler*** *les noix* : gauler les noix (région.). Fin XIVe s. ; p.-ê. anc. fr. *cadable*, « catapulte » ; [ʃable].

**CHABLER (II), verbe trans.** [3]
*Bât.* Hisser (des pierres, des matériaux) au moyen d'un chable. 1680 ; ☞ *chable* ; [ʃable].

**CHABLIS, subst. m.**
Vin blanc sec de la région de Chablis, en Bourgogne. 1837 ; topon. *Chablis* (Yonne) ; [ʃabli].

**CHABOT, subst. m.**
*Zool.* Nom donné à divers poissons à grosse tête, d'eau douce ou marine, en partic. à ceux du genre *Cottus.* Fin XIVe s. ; orig. obsc. ; [ʃabo].

**CHABRAQUE, subst. f.**
**1.** Pièce d'étoffe ou fourrure dont on garnissait la selle des chevaux de cavalerie. **2.** Ext. Femme de mœurs légères, laide ou excentrique, suivant les régions (péj.). 1803 ; all. *Schabraque*, du turc *çaprak* ; [ʃabʀak].

**CHABROT, subst. m.**
Région. (Sud-Ouest). **1.** Mélange de vin rouge et de bouillon. **2.** Loc. *Faire* ***chabrot*** : ajouter du vin au reste de sa soupe et boire le tout en portant l'assiette à ses lèvres. 1876 ; lat. *capreolus*, de *capra*, « chèvre », le périgourdin *béue à chabro* signifiant « boire comme une chèvre » ; var. *chabrol* ; [ʃabʀo].

**CHACAL, subst. m.**
**1.** *Zool.* Mammifère carnivore de la famille des Canidés. Les **chacals** vivent en bandes ; leurs mœurs sont nocturnes et ils se nourrissent de proies vivantes ou de charognes. **2.** Fig. Personne rusée, avide, cruelle et sans pitié pour les faibles. 1646 ; persan *šaqâl* ; plur. *chacals* ; [ʃakal].

© D. Nigel-Jacana

*Chacal.*

**CHA-CHA-CHA, subst. m. inv.**
Danse mexicaine dérivée de la rumba. Mil. XXe s. ; orig. onomat. ; [tʃatʃatʃa].

**CHACHLIK, subst. m.**
*Cuis.* Brochette de mouton mariné, spécialité du Caucase. 1825 ; mot d'orig. caucasienne ; [ʃaʃlik].

**CHACONNE, subst. f.**
**1.** Ancienne danse originaire d'Espagne, à trois temps, au rythme lent, en vogue aux XVIIe et XVIIIe s. **2.** *Mus.* Pièce instrumentale dérivant de cette danse et consistant en variations sur un court thème répété à la basse. 1653 ; esp. *chacona* ; var. *chacone* ; [ʃakɔn].

**CHACUN, UNE, pron. indéf.**
**1.** Toute personne, toute chose prise séparément dans un ensemble : ***Chacun*** *de ses amis lui a remis un cadeau* ; *Ces boîtes de collection valent* ***chacune*** *une petite fortune.* **2.** Abs. Toute personne : *À* ***chacun*** *ses goûts* ; *Que* ***chacun*** *fasse son devoir.* ▸ Loc. *Tout un* ***chacun*** ou, vieilli, *Un* ***chacun*** : tout le monde. Déb. XIIe s. ; lat. pop. *cascunum*, crois. de *quisque unus*, « chaque un », et de *catunum*, « un à un » ; [ʃakœ̃, yn].

**CHADBURN, subst. m.**
*Mar.* Appareil transmetteur d'ordres de la passerelle à la salle des machines. 1932 ; anthropon. *Chadburn*, constructeur de cet appareil ; [ʃadbœʀn].

**CHADOUF, subst. m.**
Appareil à bascule utilisé en Égypte et en Tunisie pour puiser l'eau. 1854 ; ar. d'Égypte *šādûf* ; [ʃaduf].

**CHÆNICHTYS, subst. m.**
Poisson des mers froides, dont le sang ne possède pas de globules rouges. Gr. *khainein*, « ouvrir la bouche », et *ikhthus*, « poisson » ; [keniktis].

**CHAFIISME, subst. m.**
L'une des quatre grandes écoles juridiques de l'islam, fondée au VIIIe s. Anthropon. *al-Šâfi'i*, fondateur de cette école ; [ʃafiism].

**CHAFOUIN, INE, subst. et adj.**
**Subst.** Vx. Personne à la mine sournoise. **Adj.** Sournois, rusé : *Un visage* ***chafouin.*** Fin XVe s. ; crois. de *chat* et de *fouin* (vx), « mâle de la fouine » ; [ʃafwɛ̃, in].

**CHAGRIN (I), INE, adj. et subst. m.**
**Adj. 1.** Qui éprouve de la peine, de la tristesse, pour une cause précise (vieilli) : *La déchéance de son fils l'a rendue* ***chagrine.*** **2.** Enclin à la tristesse, à la morosité, au pessimisme, en parlant d'un tempérament (littér.) : *Une humeur* ***chagrine.*** **3.** Qui engendre la mélancolie : *Un paysage* ***chagrin.*** **Subst. 1.** Humeur maussade, morosité (vx). **2.** Peine, tristesse, souffrance morale due à un évènement précis : *Un* ***chagrin*** *d'amour* ; *Un* ***chagrin*** *d'enfant.* 1389 ; ☞ *chagriner* ; [ʃagʀɛ̃, in].

**CHAGRIN (II), subst. m.**
**1.** Cuir grenu fait de peau de cheval, d'âne, de mouton, etc., souv. utilisé en reliure. **2.** Fig. *Une peau de* ***chagrin*** : une chose (matérielle ou abstraite) qui rétrécit de plus en plus, jusqu'à disparaître (par allus. au roman de Balzac). Fin XVIe s. ; turc *çagrı* ; [ʃagʀɛ̃].

**CHAGRINANT, ANTE, adj.**
Qui cause du chagrin (rare). 1695 ; p. pr. de *chagriner* (I) ; [ʃagʀinɑ̃, ɑ̃t].

**CHAGRINER (I), verbe trans.** [3]
**1.** Causer du chagrin, de la peine à : *Tu me* ***chagrines.*** **2.** Ext. Importuner, tracasser : *Qu'est-ce qui te* ***chagrine ?*** 1424 ; formé de *cha* (p.-ê. *chat*) et de *grigner*, « grincer des dents, être maussade » ; [ʃagʀine].

**CHAGRINER (II), verbe trans.** [3]
Préparer (une peau) de manière à en faire du chagrin. 1784 ; ☞ *chagrin* (II) ; [ʃagʀine].

**CHAH, subst. m.**
Titre que les souverains de Perse, puis d'Iran, ont porté jusqu'en 1979. 1559 ; persan *šāh* ; var. *shah*, *schah* ; [ʃa].

**CHAHUT, subst. m.**
**1.** Danse désordonnée, à la mode entre 1830 et 1850 (vieilli). **2.** Ext. Agitation bruyante, vacarme. ▸ Tapage organisé dans une classe : *Un* ***chahut*** *d'écoliers.* 1821 ; ☞ *chahuter* ; [ʃay].

**CHAHUTER, verbe** [3]
**Intrans. 1.** Danser le chahut (vieilli). **2.** Ext. Faire du tapage, du chahut. **3.** *Mar.* Tanguer, en parlant d'une embarcation. **Trans. 1.** Mettre en désordre (qqch.) : ***Chahuter*** *son lit.* **2.** Fig. ▸ Bouleverser (qqn). ▸ Bouleverser (un ordre établi) : ***Chahuter*** *le règlement.* **3.** Soumettre (un professeur) à un chahut. 1821 ; orig. obsc. ; [ʃayte].

**CHAHUTEUR, EUSE, subst. et adj.**
Se dit d'une personne qui chahute. 1837 ; ☞ *chahuter* ; [ʃaytœʀ, øz].

**CHAI, subst. m.**
Magasin en rez-de-chaussée, où l'on entrepose les vins, les eaux-de-vie (synon. *cellier*). 1482 ; prob. gaul. *caio* ; [ʃɛ].

© F. Jalain-Explorer

*Chai dans le Minervois.*

**CHAÎNAGE, subst. m.**
**1.** Action de mesurer au moyen d'une chaîne d'arpenteur. **2.** *Bât.* Armature qui renforce une construction en empêchant les murs de s'écarter ; sa mise en place. 1605 ; ☞ *chaîner* ; [ʃɛnaʒ].

**CHAÎNE, subst. f.**
**I. 1.** Suite de maillons, d'anneaux, gén. métalliques, engagés les uns dans les autres, servant à lier, à fermer, à soutenir, à suspendre, etc. : ***Chaîne*** *d'un forçat* ; ***Chaîne*** *d'un animal* ; ***Chaîne*** *d'une ancre* ; *Porter une* ***chaîne*** *en or.* ▸ Au plur. Dispositif que l'on adapte aux pneus d'une voiture pour rouler sur la neige ou le verglas. **2.** Fig. État de servitude,

de captivité : *Maintenir un peuple dans les* ***chaînes*** ; *Rompre ses* ***chaînes***, retrouver la liberté. ▸ Ext. Lien affectif ou moral entre des personnes (gén. au plur., souv. péj.) : *Les chaînes du mariage.* **3.** *Chaîne d'arpenteur* : décamètre utilisé pour les mesures de terrain. **4.** *Mécan.* ***Chaîne*** *de vélo* ; ***Chaîne*** *de transmission* : **chaîne** sans fin destinée à transmettre le mouvement entre deux axes parallèles munis chacun d'une roue dentée. **II. 1.** Succession, assemblage d'éléments ou d'objets semblables : ***Chaîne*** *de montagnes* ; ***Chaîne*** *de saucisses.* **2.** Suite d'évènements formant un tout cohérent : *La* ***chaîne*** *des saisons.* **3.** *Alim.* ***Chaîne*** *du froid* : suite des opérations de préparation, de transport, de distribution des produits congelés ou surgelés. **4.** *Bât.* Pilier intégré dans un mur et servant à lui donner de la solidité. **5.** *Chim.* ***Chaîne*** *carbonée* : succession d'atomes de carbone liés entre eux, squelette de tous les composés organiques, qui peut être linéaire ou cyclique (refermée sur elle-même, le dernier atome étant relié au premier). **6.** *Comm.* Ensemble d'entreprises, d'établissements réunis sous une même administration : *Une* ***chaîne*** *hôtelière.* ▸ ***Chaîne*** *volontaire* : association d'entreprises qui opèrent en commun le choix des fournisseurs, les achats, etc. **7.** *Écol.* ***Chaîne*** *alimentaire* : lien unissant les espèces (du végétal au carnivore), chacune se nourrissant de la précédente. **8.** *Électron.* Ensemble d'appareils servant à la reproduction du son : ***Chaîne*** *haute-fidélité.* **9.** *Log.* Assemblage, suite finie de symboles d'une théorie. **10.** *Phys.* **Réaction en chaîne.** Mécanisme chimique dans lequel une réaction initiale forme des produits (particules, atomes ou molécules) instables qui réagissent à leur tour en donnant un produit final, mais aussi une nouvelle individualité physique ou chimique instable qui réagit à son tour, engendrant ainsi une longue succession de réactions. ▸ Fig. Suite d'évènements déclenchés les uns par les autres. **11.** *Télév.* ▸ Réseau d'émetteurs diffusant le même programme. ▸ Organisme ou société qui produit et diffuse des émissions sur un canal donné. **12.** *Text.* Ensemble des fils parallèles tendus sur le métier, entre lesquels passe la trame. **III. 1.** Ensemble de personnes placées les unes à la suite des autres pour transmettre un objet : *Faire la* ***chaîne.*** **2.** Ensemble de personnes mises en relation afin de réaliser un objectif commun : *Une* ***chaîne*** *de solidarité.* **3.** *Travail à la* ***chaîne*** : organisation du travail dans laquelle le produit à fabriquer défile, à une cadence régulière, devant les ouvriers, chargés chacun d'une seule opération, toujours la même. ▸ ***Chaîne*** *de fabrication, de montage* : ensemble des installations et des appareils conçus pour permettre le travail à la **chaîne.** ▸ *À la* ***chaîne*** : en série. Déb. XIIe s. ; lat. *catena* ; [ʃɛn].

**CHAÎNER, verbe trans.** [3]
**1.** Mesurer avec une chaîne d'arpenteur. **2.** Munir de chaînes (les pneus d'un véhicule). **3.** *Bât.* Faire le chaînage de. Déb. XVIIe s. ; ☞ *chaîne* ; [ʃene].

**CHAÎNETTE, subst. f.**
**1.** Petite chaîne. **2.** *Cout.* *Point de* ***chaînette*** : point réalisé au crochet ou à l'aiguille et dont l'aspect évoque une chaîne. Fin XIIe s. ; ☞ *chaîne* ; [ʃɛnɛt].

**CHAÎNEUR, EUSE, subst.**
Personne qui mesure avec une chaîne d'arpenteur. 1836 ; ☞ *chaîner* ; [ʃɛnœʀ, øz].

**CHAÎNIER, subst. m.**
Artisan, ouvrier qui forge des chaînes. 1795 ; ☞ *chaîne* ; [ʃenje].

**CHAÎNON, subst. m.**
**1.** Maillon, anneau d'une chaîne. **2.** Fig. Élément d'une série, nécessaire pour en assurer la continuité : *Du singe à l'homme, on a longtemps recherché le* ***chaînon*** *manquant.* **3.** *Géol.* Petite montagne. 1390 (v. 1200, corde de gibet) ; ☞ *chaîne* ; [ʃɛnɔ̃].

**CHAINTRE, subst. m. ou f.**
Bande de terre non labourée située à chaque extrémité d'un champ et permettant aux machines agricoles de faire demi-tour. 1405 ; p.-ê. lat. *cancer*, « treillis, grillage ; borne » ; [ʃɛ̃tʀ].

**CHAIR, subst. f.**
**I. 1.** *Anat.* Substance molle constituée des tissus musculaire et conjonctif, composante essentielle du corps humain et animal (par oppos. au squelette ou à la peau) : *Avoir la* ***chair*** *à vif* ; *En* ***chair*** *et en os*, en personne. **2.** Ext. Aspect extérieur de cette substance ; peau, carnation : ***Chairs*** *rebondies* ; ***Chair*** *satinée* ; *Bien en* ***chair***, replet. ▸ Empl. adj. inv. *Couleur* ***chair*** ou, par ell., ***Chair*** : beige rosé. ▸ ***Chair*** *de poule* : aspect granuleux que prend la peau sous l'effet du froid, de la peur, etc. **3.** Partie comestible de certains animaux et végétaux : *Poisson à* ***chair*** *délicate* ; ***Chair*** *moelleuse d'une volaille* ; ***Chair*** *d'un fruit, d'un champignon.* ▸ *Cuis.* ***Chair*** *à saucisse* : hachis de porc cru, utilisé comme farce. ▸ Viande : *Le vendredi,* ***chair*** *ne mangeras.* **II. 1.** La nature humaine, le corps humain, par oppos. à l'esprit, à l'âme : *Souffrir dans sa* ***chair*** ; *Ses enfants sont la* ***chair*** *de sa* ***chair*** ; *La résurrection de la* ***chair.*** **2.** Les instincts, les sens, en partic. l'amour physique : *La* ***chair*** *est triste, hélas ! et j'ai lu tous les livres* (Mallarmé) ; *L'œuvre, l'acte de* ***chair***, les rapports sexuels. Mil. XIe s. ; lat. *caro* ; [ʃɛʀ].

**CHAIRE, subst. f.**
**1.** Siège en bois à haut dossier et accoudoirs, souv. sculpté, en usage au Moyen Âge et à la Renaissance. **2.** Fonction, dignité pontificale : *La* ***chaire*** *de saint Pierre*, la **chaire** pontificale ou, au fig., la papauté. **3.** Tribune d'où un prédicateur s'adresse à l'assemblée. **4.** Estrade ou tribune d'un professeur ; par méton., charge de professeur dans une université, une grande école : *Il vient d'être nommé titulaire de la* ***chaire*** *de sanskrit.* XIIe s. ; lat. *cathedra*, « siège à dossier » ; [ʃɛʀ].

**CHAISE, subst. f.**
**1.** Siège individuel à dossier, sans bras : ***Chaise*** *de cuisine* ; ***Chaise*** *pliante.* ▸ ***Chaise*** *longue* : siège de repos en toile, souv. pliable et inclinable, sur lequel on peut étendre les jambes. ▸ Vieilli. ***Chaise*** *percée* : siège aménagé pour la satisfaction des besoins naturels ; ***Chaise*** *à porteurs* : petite cabine munie d'un siège et équipée de brancards, dans laquelle on se faisait transporter à bras d'hommes ; ***Chaise*** *de poste* : voiture hippomobile autrefois utilisée pour le transport rapide du courrier et des voyageurs. **2.** Loc. *Mener une vie de bâton de* ***chaise*** : une vie dissolue ; *Être assis entre deux* ***chaises*** : dans une position équivoque ou incertaine, entre deux partis, deux situations. **3.** *Spéc.* ▸ *Archit.* Assemblage de pièces de charpente soutenant une construction, clocher, moulin à vent, etc. ▸ *Just.* ***Chaise*** *électrique* : siège muni d'électrodes, utilisé surtout aux États-Unis pour l'exécution des condamnés à mort. ▸ *Mar.* Sangle, cordage ou planchette suspendue servant de siège mobile pour travailler le long de la coque ou du mât. 1420 ; var. de *chaire* ; [ʃɛz].

**CHAISIER, IÈRE, subst.**
**1.** Personne qui loue des chaises dans un lieu public. **2.** Personne qui fabrique des chaises. 1838 (1781, loueur de chaises à porteurs) ; ☞ *chaise* ; [ʃɛzje, jɛʀ].

**CHALAND (I), subst. m.**
**1.** Grande embarcation à fond plat servant au transport de marchandises sur les cours d'eau et dans les ports. **2.** *Milit.* ***Chaland*** *de débarquement* : embarcation à fond plat conçue pour débarquer des troupes et du matériel. Déb. XIIe s. ; gr. byzantin *khelandion* ; [ʃalɑ̃].

**CHALAND (II), ANDE, subst.**
Client d'une boutique, d'un commerce (vx) : *Attirer le* ***chaland.*** 1174 ; p. pr. de *chaloir* ; [ʃalɑ̃, ɑ̃d].

**CHALANDISE, subst. f.**
**1.** Vx. Clientèle d'un commerce. **2.** *Zone de* ***chalandise*** : zone au sein de laquelle s'exerce l'attraction d'un magasin, d'une localité. 1566 (1267, accointance) ; ☞ *chaland* (II) ; [ʃalɑ̃diz].

**CHALAZE, subst. f.**
**1.** *Bot.* Chez les Angiospermes, région périphérique de l'ovule où le faisceau des vaisseaux libéro-ligneux s'épanouit. **2.** *Zool.* Chacun des deux filaments d'albumine entortillés situés de part et d'autre du jaune d'œuf. 1792 ; gr. *khalaza*, « grêlon » ; [kalaz].

**CHALAZION, subst. m.**
*Pathol.* Petite tumeur due à l'inflammation chronique de petites glandes sébacées situées dans la paupière. 1538 ; ☞ *chalaze* ; [ʃalazjɔ̃].

**CHALCOGRAPHIE, subst. f.**
**1.** Vx. Gravure sur métal, en partic. sur cuivre. **2.** Méton. Atelier où sont effectuées ces gravures ; lieu où elles sont conservées ou exposées : *La* ***chalcographie*** *du Louvre.* 1617 ; formé de *chalco-* et de *-graphie* ; [kalkɔgʀafi].

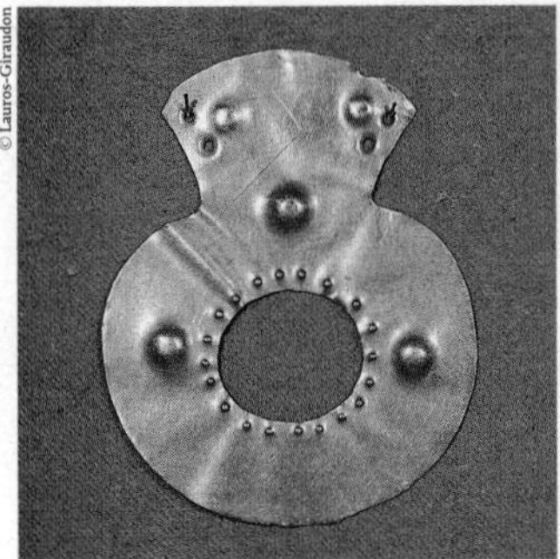


*Pièce d'orfèvrerie de la période* ***chalcolithique****, représentant une idole (2000-1800 av. J.-C.). Musée archéologique, Zagreb.*

**CHALCOLITHIQUE, adj. et subst. m.**
*Préhist.* Se dit de l'âge du cuivre, période de transition entre le Néolithique et l'âge du bronze. XIXe s. ; formé de *chalco-* et de *-lithique* ; [kalkɔlitik].

**CHALCOPYRITE, subst. f.**
*Minér.* Sulfure double naturel de cuivre et de fer, qui constitue un minerai de cuivre. 1753 ; ☞ *pyrite* + *chalco-* ; [kalkopiʀit].

**CHALDÉEN, ÉENNE, adj. et subst.**
De Chaldée. **Subst. masc.** Langue sémitique que parlaient les Chaldéens. Fin XVIe s. ; topon. *Chaldée* (Mésopotamie) ; [kaldeɛ̃, eɛn].

**CHÂLE, subst. m.**
**1.** Longue pièce d'étoffe dont les Orientaux s'entourent la tête, la taille ou les épaules. **2.** Ext. Carré ou triangle d'étoffe dont les femmes s'enveloppent les épaules : ***Châle*** *de soie* ; par anal. : *Col* ***châle***, croisé et à revers arrondis. Mil. XVIIe s. ; hindi *šāl* ; [ʃɑl].

**CHALENGE, subst. m.**
**1.** *Sp.* Épreuve sportive à l'issue de laquelle celui qui remporte le titre ou le trophée le conserve jusqu'à sa remise en jeu lors de l'épreuve suivante ; par méton., le trophée lui-même. **2.** Anal. Entreprise difficile dans laquelle on se lance par défi. 1885 ; angl. *challenger*, de l'anc. fr. *chalenge*, « défi » ; var. *challenge* (anglic.) ; [ʃalɑ̃ʒ] ou [tʃalɛndʒ].

**CHALENGEUR, subst. m.**
**1.** *Sp.* Personne qui tente de conquérir le titre mis en jeu lors d'un chalenge. **2.** Anal. Concurrent, rival (notamment dans les domaines économique et politique). 1902 ; ☞ *chalenge* ; var. *challenger* (anglic.) ; [ʃalɑ̃ʒœʀ] ou [tʃalɛndʒœʀ].

**CHALET, subst. m.**
**1.** Abri de berger, en montagne. **2.** Habitation de montagne, gén. en bois, dotée d'un long balcon et d'un toit à deux pentes ; par anal., maison construite dans ce style. 1723 ; romand *chalet*, du lat. *cala* ; [ʃalɛ].

**CHALEUR, subst. f.**
**I. 1.** Qualité de ce qui est chaud ; température élevée d'un lieu, d'un corps, etc. : *À la* ***chaleur*** *du feu.* ▸ Température de l'air : *Une* ***chaleur*** *torride, humide* ; *Une forte* ***chaleur*** ; au plur. : *La période des grandes* ***chaleurs.*** **2.** *Phys.* Mode de transfert de l'énergie d'un corps à un autre, qui ne correspond pas à un travail. L'énergie ainsi transférée se nomme quantité de **chaleur.** On parle de **chaleur** spécifique, ou massique, pour la quantité de **chaleur** nécessaire pour élever la température d'une unité de masse de 1 degré. **3.** *Physiol.* Température du corps propre à chaque espèce : *La* ***chaleur*** *animale.* ▸ *Pathol.* État de malaise et de fièvre dû à une élévation de la température du corps : *Bouffées de* ***chaleur*** ; *Coup de* ***chaleur.*** **4.** *Zool.* *Être en* ***chaleur*** : rechercher le mâle, en parlant des femelles des Mammifères. **II.** Fig. **1.** Caractère vif, harmonieux (d'une ambiance, par ex.). **2.** Ardeur des sentiments, enthousiasme : *Il m'a reçu avec* ***chaleur*** ; *Défendre une cause avec* ***chaleur*** ; *La* ***chaleur*** *d'une voix, d'un regard.* Déb. XIIe s. ; lat. *calor* ; [ʃalœʀ].

**CHALEUREUSEMENT, adv.**
D'une manière chaleureuse. 1360 ; ☞ *chaleureux* ; [ʃalœʀøzmɑ̃].

**CHALEUREUX, EUSE,** adj.
Qui manifeste de la chaleur, de la sympathie ; enthousiaste. Fin XIVe s. ; ☞ *chaleur* ; [ʃaløʀø, øz].

**CHÂLIT,** subst. m.
Cadre de lit en bois ou en métal. 1174 (1160, lit de parade pour un mort) ; lat. pop. °*catalectus*, prob. crois. de *catasta*, « estrade », et de *lectus*, « lit » ; [ʃali].

**CHALLENGE,** voir **CHALENGE**

**CHALLENGER,** voir **CHALENGEUR**

**CHALOIR,** verbe impers.
*Peu me* (ou *m'en*) ***chaut*** : peu m'importe. IXe s. ; lat. *calere*, « être chaud ; être sur des charbons ardents » ; ce verbe n'est plus guère employé que dans des loc. figées ; [ʃalwaʀ].

**CHALOUPE,** subst. f.
*Mar.* Grand canot à rames ou à moteur, utilisé pour naviguer dans les ports ou pour assurer le service d'un navire. 1522 ; m. fr. *chaloppe*, « coquille de noix », ou néerl. *sloep*, « embarcation » ; [ʃalup].

**CHALOUPÉ, ÉE,** adj.
Se dit d'une démarche, d'une danse très balancée. 1867 ; p. p. de *chalouper* ; [ʃalupe].

**CHALOUPER,** verbe intrans. [3]
Marcher ou danser en se balançant, à la façon d'une chaloupe qui roule sur les flots. 1858 ; ☞ *chaloupe* ; [ʃalupe].

**CHALUMEAU,** subst. m.
**1.** Vx. Tige de roseau ou de paille. **2.** Anal. Fin tuyau de matière plastique : *Boire avec un* ***chalumeau***, avec une paille. **3.** *Mus.* ▸ Flûte rustique en roseau. ▸ Registre grave de la clarinette. **4.** *Techn.* Appareil produisant une flamme de température très élevée, utilisé pour découper ou souder des métaux, travailler le verre, etc. Mil. XIIe s. ; bas lat. *calamellus*, « petit roseau » ; [ʃalymo].

**CHALUT,** subst. m.
Filet de pêche de forme conique traîné par un bateau. 1753 ; orig. obsc. ; [ʃaly].

**CHALUTAGE,** subst. m.
Pêche au chalut. 1867 ; ☞ *chalut* ; [ʃalytaʒ].

**CHALUTIER,** subst. m.
**1.** Bateau équipé d'un chalut. **2.** Pêcheur qui se sert d'un chalut. 1866 ; ☞ *chalut* ; [ʃalytje].

**CHAMADE,** subst. f.
**1.** Vx. Batterie de tambour ou sonnerie par laquelle des assiégés annonçaient leur décision de capituler. **2.** Fig. *Cœur qui bat la* ***chamade*** : qui bat très vite, sous l'effet d'une forte émotion. 1570 ; piémontais *ciamada*, du lat. *clamare*, « crier » ; [ʃamad].

**CHAMÆROPS,** voir **CHAMÉROPS**

**CHAMAILLER,** verbe trans. [3]
Vx. Chercher querelle à. **Pronom.** Se disputer bruyamment sans motif sérieux. Déb. XIVe s. ; prob. crois. de l'anc. fr. *chapler*, « tailler en pièces », et de *maillier*, « donner des coups » ; [ʃamaje].

**CHAMAILLERIE,** subst. f.
Dispute, chicane pour des riens (fam.). Fin XVIIe s. ; ☞ *chamailler* ; [ʃamajʀi].

**CHAMAILLEUR, EUSE,** subst. et adj.
Désigne ou qualifie une personne portée à se chamailler. 1571 ; ☞ *chamailler* ; [ʃamajœʀ, øz].

**CHAMAN,** subst. m.
Prêtre du chamanisme, qui, par les techniques de l'extase, est censé entrer en communication avec des esprits. 1699 ; prob. russe *šaman*, « prêtre, magicien », du toungouse *shâman*, « moine » ; var. *shaman* ; [ʃaman].

**CHAMANISME,** subst. m.
Ensemble de pratiques magico-religieuses répandues surtout en Asie centrale et en Sibérie. 1801 ; ☞ *chaman* ; [ʃamanism].

**CHAMARRER,** verbe trans. [3]
**1.** Garnir d'éléments décoratifs, de dorures, ornementer ; empl. adj. : *Une robe* ***chamarrée*** *de rubans* ; *Un style* ***chamarré***. **2.** Ext. Parer de vives couleurs (littér.) : *Coquelicots, bleuets et pâquerettes* ***chamarraient*** *la prairie.* 1557 ; *chamarre* (vx), « longue casaque », de l'esp. *zamarra*, « vêtement de berger » ; [ʃamaʀe].

**CHAMARRURE,** subst. f.
**1.** Ensemble des ornements chamarrant un habit. **2.** Ext. Bariolage. 1595 ; ☞ *chamarrer* ; [ʃamaʀyʀ].

**CHAMBARD,** subst. m.
**1.** Chambardement. **2.** Désordre, tumulte (fam.) : *Un* ***chambard*** *de tous les diables.* 1881 ; ☞ *chambarder* ; [ʃɑ̃baʀ].

**CHAMBARDEMENT,** subst. m.
Bouleversement, révolution (fam.). 1881 (1855, bataille) ; ☞ *chambarder* ; [ʃɑ̃baʀdəmɑ̃].

**CHAMBARDER,** verbe trans. [3]
Fam. **1.** Bouleverser, mettre en désordre : ***Chambarder*** *une maison.* **2.** Fig. Révolutionner : ***Chambarder*** *l'ordre établi.* 1847 ; orig. obsc. ; [ʃɑ̃baʀde].

**CHAMBELLAN,** subst. m.
*Hist.* Gentilhomme de la cour qui était chargé du service de la chambre d'un prince : *Grand* ***chambellan***, le plus élevé en dignité. Mil. XIIe s. ; anc. bas frq. °*kamerling* ; [ʃɑ̃belɑ̃] ou [-bɛl(l)ɑ̃].

**CHAMBERTIN,** subst. m.
Grand vin rouge de Bourgogne. 1806 ; topon. *Gevrey-Chambertin* (Côte-d'Or) ; [ʃɑ̃bɛʀtɛ̃].

**CHAMBOULEMENT,** subst. m.
Action de chambouler (fam.). XXe s. ; ☞ *chambouler* ; [ʃɑ̃bulmɑ̃].

**CHAMBOULER,** verbe trans. [3]
Mettre sens dessus dessous (fam.). 1915 (1807, chanceler) ; mot lorrain ; [ʃɑ̃bule].

**CHAMBRANLE,** subst. m.
Bordure en bois ou en pierre encadrant une fenêtre, une porte ou une cheminée : *Un* ***chambranle*** *de marbre.* 1313 ; lat. *camerandus*, de *camerare*, « construire en forme de voûte » ; [ʃɑ̃bʀɑ̃l].

**CHAMBRE,** subst. f.
**I. 1.** Vx. Pièce d'une demeure (synon. *salle*) : *Travailler en* ***chambre***, chez soi ; *Musique de* ***chambre***, exécutée par un petit nombre de musiciens, autrefois jouée dans la **chambre** des princes. **2.** Pièce où l'on dort : ***Chambre*** *à coucher* ; ***Chambre*** *d'enfant, d'amis* ; ***Chambre*** *d'hôtel* ; *Femme de* ***chambre*** ; *Garder la* ***chambre***, rester couché, en parlant d'un malade ; *Faire* ***chambre*** *à part*, ne pas dormir dans la même **chambre**, en parlant d'un couple. **3.** Méton. Les meubles d'une **chambre** : *Une* ***chambre*** *de style Louis XVI.* **II. 1.** Local spécialement aménagé pour un usage bien défini : ***Chambre*** *froide*, équipée pour la réfrigération ; ***Chambre*** *de chauffe*, compartiment des chaudières, dans un navire. **2.** ***Chambre*** *à gaz* : pièce où a lieu l'exécution des condamnés à mort, dans certains États des États-Unis ; dans les camps d'extermination nazis, local où l'on exterminait les déportés au moyen de gaz toxiques. **3.** *Spéc.* ▸ *Anat.* ***Chambre*** *antérieure de l'œil* : cavité située entre l'iris et la cornée, qui contient l'humeur aqueuse ; ***Chambre*** *postérieure de l'œil* : cavité située entre l'iris et le cristallin. ▸ *Arm.* Compartiment où l'on place la cartouche, à l'arrière du canon d'une arme à feu. ▸ *Autom.* ***Chambre*** *de combustion* : partie du cylindre d'un moteur à explosion où a lieu la combustion du carburant ; ***Chambre*** *à air* : boyau disposé à l'intérieur d'un pneu et qui contient de l'air sous pression. ▸ *Bot.* ***Chambre*** *pollinique* : cavité située au sommet de l'ovule, qui contient les gamètes mâles avant qu'ils fécondent les gamètes femelles, affleurant au fond de cette **chambre**. ▸ *Opt.* ***Chambre*** *noire* : boîte quasi close, n'ayant qu'une très petite ouverture munie en gén. d'une lentille à l'opposé de laquelle se forme une image renversée des objets extérieurs. ▸ *Phys. part.* ***Chambre*** *d'ionisation* : détecteur permettant de déterminer la trajectoire d'une particule chargée. **III.** Lieu de réunion de certaines assemblées ; par méton., les personnes assemblées. **1.** Assemblée parlementaire : *La* ***Chambre*** *des députés*, l'Assemblée nationale (vieilli) ; *La* ***Chambre*** *des communes, la* ***Chambre*** *des Lords*, les deux assemblées parlementaires britanniques. **2.** Organisme professionnel, régional ou national : ***Chambre*** *de commerce et d'industrie* ; ***Chambre*** *syndicale.* **3.** Tribunal ou section d'un tribunal : ***Chambre*** *civile, correctionnelle* ; ***Chambre*** *de la cour d'appel* ; ***Chambre*** *ardente*, tribunal de l'Ancien Régime qui jugeait des affaires graves d'hérésie, d'empoisonnement, etc. Mil. XIe s. ; lat. *camera*, du gr. *kamara*, « voûte » ; [ʃɑ̃bʀ].

*Peinture sur sable réalisée par un* ***chaman*** *navajo guérisseur.*

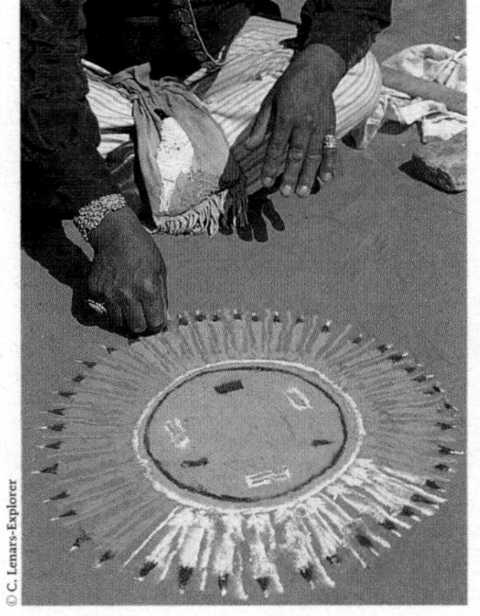

© C. Lenars-Explorer

**CHAMBRÉE,** subst. f.
**1.** Ensemble des personnes, notamment des soldats, couchant dans une même chambre. **2.** Méton. Cette chambre : *Camarades de* ***chambrée***. 1539 (1377, mesure de fourrage) ; ☞ *chambre* ; [ʃɑ̃bʀe].

**CHAMBRER,** verbe trans. [3]
**1.** Vx. Tenir (qqn) enfermé dans une chambre. **2.** Fig. et Fam. Prendre (qqn) à part pour le convaincre ou le circonvenir ; par ext., railler, se moquer de (qqn). **3.** ***Chambrer*** *un vin* : le mettre à la température ambiante avant de le servir. 1678 ; ☞ *chambre* ; [ʃɑ̃bʀe].

**CHAMBRETTE,** subst. f.
Petite chambre. 1174 ; ☞ *chambre* ; [ʃɑ̃bʀɛt].

**CHAMBRIER,** subst. m.
*Hist.* Jusqu'en 1545, officier chargé de l'intendance de la chambre du roi et de la garde du trésor royal. Fin XIIe s. ; ☞ *chambre* ; [ʃɑ̃bʀije].

**CHAMBRIÈRE,** subst. f.
**1.** Vx. Femme de chambre. **2.** Fouet léger à long manche utilisé pour le dressage des chevaux. **3.** Béquille servant à maintenir droite une charrette dételée. Fin XIIe s. ; ☞ *chambre* ; [ʃɑ̃bʀijɛʀ].

**CHAMEAU,** subst. m.
**1.** *Zool.* Ruminant de la famille des Camélidés, genre *Camelus*. On distingue deux espèces : *Camelus dromedarius*, ou dromadaire (à une bosse), et *Camelus bactrianus*, ou **chameau** de Bactriane (à deux bosses). Le premier est le **chameau** du Sahara, d'où il s'est répandu au Moyen-Orient ; le second provient de l'Asie centrale. La domestication du **chameau** du Sahara semble avoir commencé en Arabie ; il était inconnu des Sumériens, mais connu des Mésopotamiens et des Égyptiens. Il a joué un rôle important dans l'histoire des populations nomades d'Iraq, d'Arabie et du Sahara, qui l'utilisaient comme animal de selle ou de somme et qui consommaient son lait et sa viande. **2.** Fig. Personne hargneuse, méchante. **3.** *Mar.* Ensemble de caissons à air que l'on fixe aux flancs d'un navire pour le soulever quand il doit franchir des hauts-fonds. Fin XIe s. ; lat. *camelus*, du gr. *kamêlos* ; [ʃamo].

**CHAMELIER,** subst. m.
Celui qui conduit et soigne des chameaux. Déb. XVe s. ; prob. bas lat. *camelarius* ; [ʃaməlje].

***Chamelier*** *et son* ***chameau***,
*bas-relief de l'Apadana, Persépolis,*
*Iran (période achéménide, VIe-IVe s. av. J.-C.).*

© Giraudon

**CHAMELLE,** subst. f.
Femelle du chameau. Fin XII^e s. ; ☞ *chameau* ; [ʃamɛl].

**CHAMELON,** subst. m.
Petit du chameau. 1845 ; ☞ *chameau* ; [ʃam(ə)lɔ̃].

**CHAMÉROPS,** subst. m.
*Bot.* Palmier nain, de la famille des Arécacées, répandu sur le pourtour méditerranéen et utilisé comme arbuste ornemental. 1615 ; lat. *chamaerops*, du gr. *khamairôps*, « buisson rampant » ; var. *chamœrops* ; [kameʀɔps].

**CHAMITO-SÉMITIQUE,** adj. et subst. m.
*Ling.* Se dit d'une famille de langues d'Asie et d'Afrique comprenant notamment le berbère, le copte, la branche couchitique (Afrique orientale) et le groupe des langues sémitiques. Mil. XIX^e s. ; comp. de *chamitique*, « du pays de Cham », et de *sémitique* ; plur. *chamito-sémitiques* ; [kamitosemitik].

**CHAMOIS,** subst. m. et adj. inv.
**Subst. 1.** *Zool.* Ruminant de la famille des Bovidés, espèce *Rupicapra rupicapra*. C'est un animal au pelage roux, avec une raie noire sur l'échine, dont la hauteur au garrot est de 75 à 80 cm et la longueur de 1,30 m. Les **chamois** vivent en hardes dans les hautes montagnes d'Europe. Au sens strict, le **chamois** est la forme alpine, la forme pyrénéenne, très légèrement différente, étant l'isard. **2.** *Peau de* **chamois** : peau de cet animal ou d'un animal voisin

© M. Danegger-Jacana

*Chamois aux aguets.*

(mouton, agneau, daim, antilope) apprêtée et assouplie ; par méton. : *Une veste en* **chamois**. **3.** *Sp.* Épreuve de ski consistant en un slalom spécial ; le titre et l'insigne sanctionnant le succès à cette épreuve. **Adj.** De couleur jaune clair. Fin XII^e s. ; bas lat. *camox* ; [ʃamwa].

**CHAMOISAGE,** subst. m.
Procédé utilisé pour assouplir la peau de certains animaux. 1866 ; ☞ *chamoiser* ; [ʃamwazaʒ].

**CHAMOISER,** verbe trans. [3]
**1.** Préparer (une peau) à la façon d'une peau de chamois. **2.** *Text.* Donner la couleur chamois à (une étoffe). Fin XIV^e s. (fin XII^e s., meurtrir) ; ☞ *chamois* ; [ʃamwaze].

**CHAMOISERIE,** subst. f.
**1.** Lieu où l'on chamoise les peaux. **2.** Méton. Ces peaux. 1723 ; ☞ *chamoiser* ; [ʃamwazʀi].

**CHAMOISINE,** subst. f.
Pièce de tissu souple, gén. de couleur jaune, servant à astiquer les meubles, les chromes. 1952 ; ☞ *chamois* ; [ʃamwazin].

**CHAMP,** subst. m.
**I.** Espace cultivable, gén. délimité par des haies, situé à la campagne : *Un* **champ** *de blé* ; *Un* **champ** *de tulipes.* **Plur.** La campagne : *Courir à travers* **champs** ; *Travaux des* **champs**. **II. 1.** Espace couvert et plat, réservé à une activité déterminée : **Champ** *de courses* ; **Champ** *de foire* ; **Champ** *de Mars*, dans la Rome antique, lieu réservé aux manœuvres militaires et à certaines réunions du peuple. **2.** Espace plat et délimité : **Champ** *clos*, terrain entouré de barrières, où se déroulaient, au Moyen Âge, des combats singuliers ou des tournois. ▸ Loc. **Prendre du champ.** Se donner de l'espace en parlant d'un cavalier qui prend son élan ; mettre une certaine distance entre soi et ses poursuivants ; au fig., prendre du recul pour mieux réfléchir. **3.** *Milit.* **Champ** *de bataille* : zone à l'intérieur de laquelle se déroulent ou ont eu lieu des opérations de guerre. ▸ Loc. *Mourir au* **champ** *d'honneur* : mourir pour son pays ; *Sonner aux* **champs** : sonner du clairon pour rendre les honneurs. **4.** Fig. Étendue d'un domaine d'activité : *Limiter son* **champ** *d'observation* ; *Avoir le* **champ** *libre* : avoir toute liberté d'agir. **5.** Loc. *Sur-le-***champ** : immédiatement ; *À tout bout de* **champ** (fam.) : à chaque instant, à tout propos. **III.** *Spéc.* **1.** *B.-a.* et *Hérald.* Fond sur lequel on représente qqch. : **Champ** *d'un écu, d'une médaille, d'un tableau.* **2.** *Chir.* **Champ** *opératoire* : endroit du corps, délimité par des linges stériles, où le chirurgien opère ; par méton., ces linges. **3.** *Ling.* **Champ** *lexical* : ensemble des mots relatifs à un même thème ; **Champ** *sémantique* : ensemble des sens d'un mot. **4.** *Math.* **Champ** *de vecteurs défini sur un ouvert du plan, de l'espace, de* $\mathbb{R}^u$ : application différentiable de U dans l'espace vectoriel $\mathbb{R}^2$, $\mathbb{R}^3$ ou $\mathbb{R}^u$. **5.** *Opt.* Portion de l'espace saisie par l'œil ou par un instrument de visée : **Champ** *visuel* ; **Champ** *d'une caméra* ; *Largeur, profondeur de* **champ**. **6.** *Phys.* **Champ** *de forces* : espace situé au voisinage d'un corps, au sein duquel agissent des forces spécifiques ; **Champ** *magnétique* : celui qui règne au voisinage d'un aimant. **7.** *Psychol.* **Champ** *de conscience* : totalité du contenu psychique vécu par un sujet conscient à un moment donné. Fin XI^e s. ; lat. *campus*, « plaine » ; [ʃɑ̃].

**CHAMPAGNE (I),** subst. f.
**1.** *Géogr.* Vaste étendue de terrains calcaires (vieilli) ; par méton. : *Fine* **champagne**, eau-de-vie issue des premiers crus de la Champagne charentaise. **2.** *Hérald.* Pièce occupant le quart inférieur de l'écu. Déb. XII^e s. ; bas lat. °*campania*, « plaine, campagne » ; [ʃɑ̃paɲ].

**CHAMPAGNE (II),** subst. m. et adj. inv.
**Subst.** Vin mousseux que l'on produit en Champagne. **Adj.** De la couleur du champagne. 1704 ; topon. *Champagne* ; [ʃɑ̃paɲ].

**CHAMPAGNISATION,** subst. f.
*Vinic.* Procédé champenois consistant à rendre un vin mousseux en le mettant en bouteille avant la seconde fermentation. 1878 ; ☞ *champagniser* ; [ʃɑ̃paɲizasjɔ̃].

**CHAMPAGNISER,** verbe trans. [3]
*Vinic.* Soumettre (un vin) à la champagnisation. 1839 ; ☞ *champagne* (II) ; [ʃɑ̃paɲize].

**CHAMPART,** subst. m.
**1.** *Féod.* Quote-part de la récolte due par le paysan à son seigneur. **2.** *Agric.* Mélange de blé, de seigle et d'orge semés ensemble en vue de nourrir le bétail. 1270 ; lat. médiév. *campartum* ; [ʃɑ̃paʀ].

**CHAMPENOIS, OISE,** adj. et subst.
De Champagne. **Subst. masc.** Dialecte médiéval, puis patois parlé en Champagne. **Subst. fém.** Bouteille d'une contenance de 77,5 cl, réservée au conditionnement du champagne. Fin XII^e s. ; topon. *Champagne* ; [ʃɑ̃pənwa, waz].

**CHAMPÊTRE,** adj.
**1.** Relatif aux champs : *Les travaux* **champêtres**. **2.** De la campagne ; qui évoque la campagne : *Les plaisirs* **champêtres** ; *Un roman* **champêtre**. **3.** *Spéc.* ▸ *Admin.* Garde **champêtre** : agent chargé de la police dans les communes rurales. ▸ *Myth.* Divinités **champêtres** : celles qui présidaient aux travaux des champs. XI^e s. ; lat. *campester*, « de plaine » ; [ʃɑ̃pɛtʀ].

**CHAMPI, ISSE,** subst. et adj.
Se dit d'un enfant conçu ou trouvé dans les champs (vx) : *« François le* **Champi** *», roman de George Sand.* 1390 ; ☞ *champ* ; var. *champis, isse* ; [ʃɑ̃pi, is].

**CHAMPIGNON,** subst. m.
**1.** *Bot.* Végétal cryptogame appartenant à l'embranchement des Thallophytes, caractérisé par l'absence de chlorophylle et par la présence de cellules à noyau typique. **2.** Anal. Objet ou phénomène dont la forme évoque celle du champignon : *Appuyer sur le* **champignon**, sur l'accélérateur d'une automobile (fam.) ; **Champignon** *atomique*, nuage qui se forme après une explosion nucléaire. **3.** Loc. *Pousser comme un* **champignon** : se développer très vite ; *Ville* **champignon** : agglomération nouvelle, rapidement édifiée. 1398 ; anc. fr. *champignuel*, du lat. pop. °*campaniolus*, « produit de la campagne » ; [ʃɑ̃piɲɔ̃].

**BOTANIQUE** – Cryptogames dépourvus de vaisseaux qui conduiraient la sève, les champignons ne possèdent ni fleurs, ni fruits, ni graines. Ils sont généralement composés de deux parties : un ensemble de filaments ténus, microscopiques et enchevêtrés, le mycélium ou thalle, formé de cellules à noyaux parfaits et qui constitue l'appareil végétatif du champignon (c'est ce thalle qui prolifère, se reproduit, se nourrit, etc.) ; un élément charnu (qui peut ne pas exister), dont la forme évoque souvent un « chapeau » muni d'un « pied », qui est une fructification née du mycélium. Certaines espèces de champignons sont comestibles, d'autres vénéneuses, voire mortelles.

**CHAMPIGNONNIÈRE,** subst. f.
Lieu, souv. souterrain, où l'on cultive des champignons. 1694 ; ☞ *champignon* ; [ʃɑ̃piɲɔnjɛʀ].

**CHAMPION, ONNE,** subst.
**1.** *Hist.* Celui qui combattait en champ clos, à titre personnel ou pour le compte d'autrui. **2.** Fig. Défenseur d'une cause : *Champion de la justice, de la foi.* **3.** *Sp.* Vainqueur d'une épreuve ; empl. adj. : *Équipe* **championne**, qui a triomphé dans un championnat. ▸ Ext. Sportif qui se distingue dans sa discipline : *La course réunissait les plus grands* **champions**. ▸ Anal. Personne remarquable dans un domaine (parfois iron.) : *Un* **champion** *de la paresse* ; empl. adj. masc. : *Elle est* **champion** *pour dire des bêtises* ; *C'est* **champion** *!*, remarquable, extraordinaire. XII^e s. ; germ. °*kampjo*, du lat. *campus*, « champ de bataille » ; [ʃɑ̃pjɔ̃, ɔn].

**CHAMPIONNAT,** subst. m.
Épreuve, compétition sportive officielle dont le vainqueur est proclamé champion. 1877 ; ☞ *champion* ; [ʃɑ̃pjɔna].

**CHAMPLEVER,** verbe trans. [10]
**1.** *Grav.* Tailler au ciseau (les contours d'une figure) dans l'épaisseur d'une plaque de métal pour réaliser une gravure en relief. **2.** *B.-a.* Creuser (une surface de métal) pour y incruster de la pâte d'émail ; empl. adj. : *Des émaux* **champlevés**. 1753 ; formé de *champ*, « fond », et de *lever*, « ôter » ; [ʃɑ̃l(ə)ve].

**CHAMSIN,** voir **KHAMSIN**

**CHANÇARD, ARDE,** adj. et subst.
Se dit d'une personne qui a de la chance (fam.). 1859 ; ☞ *chance* ; [ʃɑ̃saʀ, aʀd].

**CHANCE,** subst. f.
**1.** Vx. Coup de dé ; les points qui en résultent. **2.** Tour heureux ou malheureux que peut prendre un évènement, une situation ; hasard : *J'abandonne à leur* **chance** *et mes sens et mon âme* (Lamartine). ▸ Loc. *Courir, tenter sa* **chance** : essayer. **3.** Hasard heureux : *Il a eu de la* **chance**. ▸ Loc. *Porter* **chance** : porter bonheur ; *C'est bien ma* **chance** *!* : quelle déveine ! **4.** Probabilité qu'un évènement ait lieu (gén. au plur.) : *Il a toutes les* **chances** *de réussir son examen.* ▸ Loc. *Donner sa* **chance** *à qqn* : lui donner la possibilité de réussir. Fin XII^e s. ; lat. *cadentia* de *cadere*, « tomber » ; [ʃɑ̃s].

**CHANCEL,** subst. m.
**1.** *Archit.* Balustrade entourant le chœur d'une église. **2.** *Hist.* Lieu, ceint d'une balustrade, où était conservé le sceau de l'État. Mil. XII^e s. ; lat. chrét. *cancellus*, « barreau » ; var. *chanceau, cancel* ; [ʃɑ̃sɛl].

**CHANCELANT, ANTE,** adj.
**1.** Qui chancelle. **2.** Fig. Fragile : *Une santé, une foi* **chancelante**. 1190 ; p. pr. de *chanceler* ; [ʃɑ̃s(ə)lɑ̃, ɑ̃t].

**CHANCELER,** verbe intrans. [12]
**1.** Pencher de côté et d'autre en menaçant de tomber. **2.** Fig. S'affaiblir, hésiter : *Pourtant toute espérance en mon esprit* **chancelle** (Régnier). Fin XI^e s. ; lat. *cancellare*, « disposer en forme de treillis » ; [ʃɑ̃s(ə)le].

**CHANCELIER,** subst. m.
**1.** *Hist.* Dignitaire qui gardait le sceau royal. **2.** Le détenteur des sceaux, dans une institution : *Le grand* **chancelier** *de la Légion d'honneur* ; *Le* **chancelier** *d'une ambassade.* **3.** *Pol.* **Chancelier** *fédéral* : chef du gouvernement, en Allemagne et en Autriche ; **Chancelier** *de l'Échiquier* : ministre des Finances, en Grande-Bretagne. Mil. XI^e s. ; bas lat. *cancellarius*, « appariteur posté à la barrière séparant la cour de justice du public » ; [ʃɑ̃səlje].

**CHANCELIÈRE,** subst. f.
Coussin ou boîte dont l'intérieur est fourré et où l'on glisse les pieds pour les mettre au chaud. 1762 ; p.-ê. *chancelier* ; [ʃɑ̃səljɛʀ].

**CHANCELLERIE,** subst. f.
**1.** *Hist.* Lieu où l'on scellait les actes avec le sceau du souverain, de l'État. **2.** *Grande* **chancellerie** : administration chargée de tout ce qui concerne la Légion d'honneur. **3.** Les services d'un consulat, d'une ambassade ; par méton., l'ambassade elle-

même. **4.** Ext. L'administration centrale du ministère de la Justice. 1174 ; ☞ *chancelier* ; [ʃɑ̃səlje].

**CHANCEUX, EUSE, adj.**
**1.** Qui dépend du hasard (vieilli) : *Cette affaire est bien **chanceuse**.* **2.** Qui est favorisé par la chance ; empl. subst., personne qui a de la chance. 1606 ; ☞ *chance* ; [ʃɑ̃sø, øz].

**CHANCIR, verbe intrans.** [19]
Moisir, se gâter (vieilli). 1508 ; prob. altér. de l'anc. fr. *chanir*, « blanchir » ; [ʃɑ̃siʀ].

**CHANCRE, subst. m.**
**1.** *Pathol.* Terme qui désignait jadis de petits ulcères cutanés, réservé de nos jours aux ulcérations vénériennes de la peau et des muqueuses, et à celles qui servent de porte d'entrée à certaines maladies infectieuses : ***Chancre** induré, **chancre** syphilitique*, premier symptôme de la syphilis, accompagné d'adénopathie et qui disparaît au bout d'un mois environ ; ***Chancre** lépreux*, lésion au lieu de contage, qui peut être la seule manifestation de la lèpre pendant plusieurs années ; ***Chancre** mou*, ulcération locale non indurée, due au bacille de Ducrey (synon. *chancrelle*). ▸ Loc. *Manger comme un **chancre*** : avec excès (fam.). **2.** Fig. Ce qui ronge, dévore : *La concussion, **chancre** de la vie publique.* **3.** *Bot.* Sorte de plaie affectant certains arbres. XIIe s. ; lat. *cancer* ; [ʃɑ̃kʀ].

**CHANCRELLE, subst. f.**
*Pathol.* Chancre mou. 1861 ; ☞ *chancre* ; [ʃɑ̃kʀɛl].

**CHANDAIL, subst. m.**
Tricot de laine épais, à manches longues, qu'on enfile par la tête et qui couvre le torse. 1894 ; altér. de *marchand d'ail*, tricot porté par les vendeurs de légumes aux halles de Paris ; plur. *chandails* ; [ʃɑ̃daj].

**CHANDELEUR, subst. f.**
*Cath.* Fête célébrée le 2 février, commémorant la présentation de l'Enfant Jésus au Temple et la purification de la Vierge, et qui tire son nom des chandelles bénites autrefois portées en procession. 1119 ; lat. pop. °*festa candelorum*, « fête des chandelles » ; [ʃɑ̃d(ə)lœʀ].

**CHANDELIER (I), subst. m.**
**1.** Support destiné à porter des chandelles, des bougies ou des cierges. ▸ ***Chandelier** à sept branches* : dans la religion juive, objet du culte. **2.** Fig. Personne qui détourne sur elle la jalousie d'un mari, afin de protéger le véritable amant (vx) : *« Le **Chandelier** », comédie de Musset.* **3.** *Mar.* Support métallique vertical : ***Chandelier** de lisse, de blinde.* 1160 ; lat. *candelabrum* ; [ʃɑ̃dəlje].

© Giraudon

*Chandelier à sept branches, miniature, Bible hébraïque de Joseph Assarfati (XIIIe s.). Bibliothèque nationale, Lisbonne.*

**CHANDELIER (II), IÈRE, subst.**
Personne qui fabrique ou vend des chandelles (vx). 1294 ; ☞ *chandelle* ; [ʃɑ̃dəlje, jɛʀ].

**CHANDELLE, subst. f.**
**1.** Bâton de suif ou de toute autre matière combustible enveloppant une mèche tressée, utilisé pour l'éclairage. **2.** Loc. *Le jeu n'en vaut pas la **chandelle*** : le résultat ne vaut pas l'effort fourni ; *Devoir une fière **chandelle** à qqn* : lui être particulièrement redevable ; *Brûler la **chandelle** par les deux bouts* : ruiner sa santé, gaspiller ses biens à force d'excès ; *Économies de bouts de **chandelle*** : économies infimes, mesquines ; *Tenir la **chandelle*** : être un tiers complaisant dans une aventure galante ; *Voir trente-six **chandelles*** : avoir un éblouissement à la suite d'un choc violent. **3.** *Spéc.* ▸ *Aéron.* Figure d'acrobatie consistant en une rapide ascension verticale. ▸ *Pyrotechnie. **Chandelle** romaine* : fusée de feu d'artifice. ▸ *Sp.* Coup, au football, au tennis, consistant à envoyer la balle très haut. 1119 ; lat. *candela* ; [ʃɑ̃dɛl].

**CHANFREIN (I), subst. m.**
**1.** *M. Â.* Pièce d'armure qui couvrait la tête du destrier. **2.** Méton. Partie de la tête du cheval et de certains mammifères délimitée par le front et les naseaux. Fin XIIe s. ; formé de *chan*, d'orig. obsc., et de *frein*, du lat. *frenum*, « mors » ; [ʃɑ̃fʀɛ̃].

**CHANFREIN (II), subst. m.**
*Techn.* Surface oblique obtenue en abattant l'arête d'une pièce de bois, de métal, etc. XVe s. ; *chanfraindre* (vx), « tailler en biseau » ; [ʃɑ̃fʀɛ̃].

**CHANGE, subst. m.**
**I.** Vx. Action d'échanger. ▸ Loc. *Gagner, perdre au **change*** : être favorisé ou lésé lors d'un échange. **II. 1.** Opération par laquelle les billets de banque sont convertis en monnaie, ou l'inverse. **2.** Transaction concernant des valeurs mobilières : *Agent de **change**.* ▸ *Lettre de **change*** : titre par lequel qqn (le tireur) donne l'ordre à son débiteur (le tiré) de payer à un tiers (le bénéficiaire) une somme définie à une date déterminée. **3.** Conversion d'une somme d'argent en devises étrangères : *Cours des **changes** ; Bureau de **change*** ; par ext., taux auquel s'effectue cette conversion. **III.** *Vén.* Ruse d'une bête traquée qui lance ses poursuivants sur la piste d'un autre animal. ▸ Loc. *Donner le **change** à qqn* : lui dissimuler ses intentions, le tromper, par son comportement, son attitude. **IV.** ***Change** complet* : couche-culotte jetable. Mil. XIIe s. ; ☞ *changer* ; [ʃɑ̃ʒ].

**CHANGEANT, ANTE, adj.**
**1.** Qui change souvent : *Esprit **changeant**.* **2.** Qui peut changer d'aspect : *Les reflets **changeants** d'une soie.* XIIe s. ; p. pr. de *changer* ; [ʃɑ̃ʒɑ̃, ɑ̃t].

**CHANGEMENT, subst. m.**
**1.** Action de transformer ; modification, transformation : ***Changement** d'attitude ; **Changement** d'état d'une substance.* **2.** Renouvellement, remplacement : ***Changement** de personnel ; **Changement** d'une pièce défectueuse.* **3.** Fait de passer d'un lieu à un autre : ***Changement** de train, d'adresse.* **4.** Ce qui bouleverse l'ordre établi, les habitudes : *Refuser le **changement**.* **5.** *Autom. **Changement** de vitesse* : dispositif mécanique servant à modifier le rapport entre la vitesse de rotation du moteur et celle des roues. Déb. XIIe s. ; ☞ *changer* ; [ʃɑ̃ʒmɑ̃].

**CHANGER, verbe** [5]
**Trans. dir. 1.** Céder (une chose) en échange d'une autre, troquer. ▸ Convertir (une monnaie) en une autre : ***Changer** des francs en lires.* **2.** Remplacer (une personne ou une chose) par une autre personne ou une autre chose de même nature : ***Changer** ses employés, sa voiture* ; par méton. : ***Changer** un bébé, un enfant*, lui mettre une couche propre, des vêtements propres. **3.** Transformer : ***Changer** le plomb en or.* **4.** Déplacer, transporter : ***Changer** qqch. de place.* ▸ Loc. ***Changer** son fusil d'épaule* : adopter une autre conduite. **Trans. indir. Changer de. 1.** Quitter (une personne) pour une autre : ***Changer** de garagiste.* **2.** Quitter (un lieu) pour un autre : ***Changer** de place*, occuper une autre place ; ***Changer** de domicile.* **3.** Remplacer (une chose, une situation) par une autre : ***Changer** de voiture, de métier.* ▸ Loc. ***Changer** d'avis comme de chemise* : faire preuve de versatilité dans ses opinions (fam.). **Intrans.** Devenir autre, se transformer : *Le temps **change**.* **Pronom. 1. Changer** de vêtements : *Il **se change** pour dîner.* **2. Se changer en.** Se transformer en (littér.) : *La chrysalide **se change** en papillon.* Déb. XIIe s. ; bas lat. *cambiare*, « troquer » ; [ʃɑ̃ʒe].

**CHANGEUR, EUSE, subst.**
Personne qui exécute des opérations de change contre une rémunération. **Masc. 1.** Croupier attaché au change des jetons, des monnaies. **2.** Dispositif assurant le changement automatique des disques audio. **3.** Appareil qui peut recevoir des billets ou des pièces et délivrer automatiquement la somme correspondante en monnaie ou en jetons. XIIe s. ; ☞ *changer* ; [ʃɑ̃ʒœʀ, øz].

**CHANLATTE, subst. f.**
*Bât.* Chevron biseauté sur lequel s'appuie la première rangée (en bas d'un versant) de tuiles ou d'ardoises d'un toit. 1262 ; formé de *chant* (II) et de *latte* ; [ʃɑ̃lat].

**CHANOINE, subst. m.**
*Relig.* **1.** Dignitaire ecclésiastique membre du chapitre d'une cathédrale, d'une collégiale ou d'une basilique (**chanoine** séculier). **2.** Nom de certains religieux appartenant à une communauté (**chanoine** régulier). Déb. XIIe s. ; lat. chrét. *canonicus*, du gr. *kanonikos*, « conforme aux canons de l'Église » ; [ʃanwan].

**CHANOINESSE, subst. f.**
**1.** *Hist.* Fille d'origine noble qui vivait dans une communauté sans être tenue par des vœux ; fille qui jouissait d'une prébende. **2.** *Relig.* Nom de certaines religieuses appartenant à une communauté. **3.** *Cuis.* Nonnette. 1264 ; ☞ *chanoine* ; [ʃanwanɛs].

**CHANSON, subst. f.**
**1.** Composition destinée à être chantée, formée de couplets et, en gén., d'un refrain ; par ext., bruit harmonieux : ***Chanson** du vent, des cigales.* ▸ Loc. *Connaître la **chanson*** : savoir ce qui va se dire (fam.). **2.** *Litt. **Chanson** de geste* : poème épique du Moyen Âge. Déb. XIIe s. ; lat. *cantio* ; [ʃɑ̃sɔ̃].

**CHANSONNER, verbe trans.** [3]
Railler par des chansons satiriques (vx). 1734 (1584, jouer d'un instrument) ; ☞ *chanson* ; [ʃɑ̃sɔne].

**CHANSONNETTE, subst. f.**
Petite chanson qui traite d'un sujet peu profond. Fin XIIe s. ; ☞ *chanson* ; [ʃɑ̃sɔnɛt].

**CHANSONNIER, IÈRE, subst.**
**1.** Compositeur de chansons (vx). **2.** Artiste qui compose des textes ou des chansons satiriques ou comiques et qui les interprète. **Masc.** Recueil de chansons. XIVe s. ; ☞ *chanson* ; [ʃɑ̃sɔnje, jɛʀ].

**CHANT (I), subst. m.**
**1.** Émission par la voix d'une suite de sons musicaux ; par méton., la succession de sons ainsi produite. **2.** Composition poétique destinée à être chantée : *Un **chant** de victoire.* **3.** Genre de musique vocale : *Le **chant** grégorien.* **4.** Partie mélodique de la musique instrumentale. **5.** Anal. Cri ou bruit émis par certains animaux : *Le **chant** du coq, des cigales.* **6.** Loc. *Le **chant** du cygne* : la dernière œuvre, supposée la plus importante, d'un artiste ; *Le **chant** des sirènes* : discours enjôleur et trompeur. **7.** *Litt.* Pièce lyrique ou épique, gén. en vers ; chacune de ses subdivisions : *Les **chants** de l'« Iliade », de l'« Énéide ».* Déb. XIIe s. ; lat. *cantus* ; [ʃɑ̃].

**CHANT (II), subst. m.**
*Techn.* Face la plus étroite d'un objet parallélépipédique : *Poser de **chant** une brique, une solive.* Mil. XIIe s. ; lat. *canthus*, « bande de fer qui entoure la roue » ; [ʃɑ̃].

**CHANTAGE, subst. m.**
**1.** Délit consistant à menacer qqn de révélations compromettantes ou diffamatoires pour lui extorquer de l'argent ou tout autre avantage. **2.** Ext. Procédé consistant à exercer des pressions psychologiques sur qqn pour l'obliger à agir. 1839 ; ☞ *chanter* ; [ʃɑ̃taʒ].

**CHANTANT, ANTE, adj.**
**1.** Qui chante : *Le Fou **chantant***, surnom de Charles Trenet. **2.** Qui est mélodieux : *Un air **chantant**.* **3.** Que l'on peut chanter facilement : *Une musique **chantante**.* 1281 ; p. pr. de *chanter* ; [ʃɑ̃tɑ̃, ɑ̃t].

**CHANTEAU, subst. m.**
**1.** Vx. Morceau coupé à un grand pain ou, par anal., à une pièce de tissu. **2.** *Mus.* Pièce de bois augmentant la largeur de la table ou du fond d'un violon, d'un violoncelle. Mil. XIIe s. ; ☞ *chant* (II) ; [ʃɑ̃to].

**CHANTEFABLE, subst. f.**
*Litt.* **1.** Récit du Moyen Âge alternant vers chantés et prose récitée. **2.** Anal. Poème lyrique. XIIIe s. ; formé de *chanter* et de *fable* ; [ʃɑ̃t(ə)fabl].

**CHANTEPLEURE, subst. f.**
**1.** Entonnoir à long tuyau à trous, servant à transvaser un liquide. **2.** Ext. Robinet fixé sur un tonneau. **3.** *Archit.* Barbacane. Mil. XIIIe s. ; formé de *chanter* et de *pleurer* ; [ʃɑ̃t(ə)plœʀ].

**CHANTER, verbe** [3]
**Intrans. 1.** Émettre avec la voix une succession de sons musicaux : ***Chanter** à tue-tête ; **Chanter** en chœur* ; par anal. : *Le rossignol, le vent **chante**.* **2.** Métaph. *Des lendemains qui **chantent*** : un avenir heureux. **3.** Loc. *Faire **chanter** qqn* : exercer sur lui un chantage. **Trans. 1.** Exécuter, interpréter (une chanson ou un chant). **2.** Célébrer, louer (qqn ou qqch.) : *Je **chante** les armes et le héros fameux* (Virgile). **3.** Dire, inventer (fam.) : *Qu'est-ce que tu **chantes** là ?* Xe s. ; lat. *cantare* ; [ʃɑ̃te].

**CHANTERELLE (I),** subst. f.
1. *Mus.* Corde la plus aiguë d'un instrument à manche, en partic. du violon. ► Loc. *Appuyer sur la chanterelle* : insister sur un point sensible. 2. *Chasse.* Oiseau mis en cage pour servir d'appeau. 1552 ; ☞ *chanter* ; [ʃɑ̃tʀɛl].

**CHANTERELLE (II),** subst. f.
*Bot.* Champignon basidiomycète de l'ordre des Polyporales, en forme d'entonnoir garni de lamelles. La **chanterelle** jaune, vraie **chanterelle** ou girolle, est comestible et très recherchée. Les trompettes de la mort sont elles aussi des **chanterelles**. 1752 ; lat. sc. *cantharellus*, du gr. *kantharos*, « coupe » ; [ʃɑ̃tʀɛl].

**CHANTEUR, EUSE,** subst. et adj.
Subst. 1. Personne qui chante, en partic. artiste professionnel : *Chanteur d'opéra, de charme.* 2. *Maître chanteur* : individu qui pratique le chantage. Adj. Qui chante (gén. en parlant d'un animal) : *Un merle chanteur.* XIIe s. ; lat. *cantor* ; [ʃɑ̃tœʀ, øz].

**CHANTIER,** subst. m.
1. Pièce de bois ou bloc de pierre servant de cale, de support ; madrier soutenant des tonneaux de vin dans une cave ; assemblage de bois maintenant la quille d'un navire en construction. 2. Méton. Lieu où sont entreposés des matériaux : *Un chantier de bois, de charbon.* ► Ext. Terrain sur lequel sont entrepris de gros travaux (réparation, démolition, construction) : *Travailler sur un chantier* ; *Chantier naval*, entreprise de construction de navires. 3. Fig. Lieu où règne le désordre (fam.). 4. Loc. *Mettre un ouvrage en chantier, sur le chantier* : le commencer, y travailler. Déb. XIIIe s. ; lat. *cantherius*, « cheval de charge ; chevron, appui » ; [ʃɑ̃tje].

**CHANTIGNOLE,** subst. f.
*Bât.* 1. Pièce de bois soutenant les pannes de la charpente d'un toit. 2. Brique peu épaisse utilisée dans la construction des cheminées. 1676 ; m. fr. *chantille*, « brique mince » ; var. *chantignolle* ; [ʃɑ̃tiɲɔl].

**CHANTILLY,** subst. inv.
Fém. *La crème Chantilly* ou, par ell., *La chantilly* (☞ *crème*). Masc. Dentelle au fuseau, à mailles hexagonales. 1831 ; topon. *Chantilly* (Oise) ; [ʃɑ̃tiji].

**CHANTOIR,** subst. m.
Belg. Puits naturel où s'engouffre un ruisseau. Fin XIIIe s. ; wallon *tchanter*, « chanter » ; [ʃɑ̃twaʀ].

**CHANTONNEMENT,** subst. m.
Action de chantonner ; air chanté à mi-voix. 1834 ; ☞ *chantonner* ; [ʃɑ̃tɔnmɑ̃].

**CHANTONNER,** verbe [3]
Chanter à mi-voix. 1538 ; ☞ *chanter* ; [ʃɑ̃tɔne].

**CHANTOUNG,** subst. m.
Tissu de soie léger, d'origine chinoise. 1929 ; topon. *Shandong* (Chine) ; var. *shantung* ; [ʃɑ̃tuŋ].

**CHANTOURNER,** verbe trans. [3]
*Techn.* Découper ou évider (gén. une pièce de bois) selon un profil donné : *Chantourner le pied d'un meuble.* 1694 (1611, sinuer comme un ruisseau) ; formé de *chant* (II) et de *tourner* ; [ʃɑ̃tuʀne].

**CHANTRE,** subst. m.
1. Vx. Chanteur. 2. Celui qui chante dans un service religieux. ► *Grand chantre* : maître de chœur d'une cathédrale, d'un monastère. 3. *Litt.* Poète épique ou lyrique ; au fig., laudateur : *L. S. Senghor, le chantre de la négritude.* 1227 ; lat. *cantor* ; [ʃɑ̃tʀ].

**CHANVRE,** subst. m.
*Bot.* Plante de la famille des Cannabinacées, originaire d'Asie centrale, dont le fruit est le chènevis. Le **chanvre** cultivé, *Cannabis sativa*, est connu depuis l'Antiquité pour ses propriétés textiles. La variété *Cannabis sativa indica*, ou **chanvre** indien, est une drogue euphorisante. 1089 ; lat. *cannabis*, du gr. *kannabis* ; [ʃɑ̃vʀ].

**CHANVRIER, IÈRE,** adj. et subst.
Adj. Relatif au chanvre. Subst. Personne qui le travaille ou le cultive. 1680 ; ☞ *chanvre* ; [ʃɑ̃vʀije, jɛʀ].

**CHAOS,** subst. m.
1. *Myth.* Espace infini préexistant à toutes choses. 2. *Relig.* Néant ou confusion précédant la Création. 3. Fig. Désordre, confusion profonde. 4. *Géomorph.* Accumulation de rochers, par érosion du matériau meuble qui les séparait (sable, granite altéré). 1377 ; lat. *chaos*, du gr. *khaos* ; [kao].

**CHAOTIQUE,** adj.
1. Relatif au chaos originel. 2. Dont l'aspect évoque le chao ; désordonné. 1838 ; ☞ *chaos* ; [kaɔtik].

**CHAOUCH,** subst. m.
Huissier, au Moyen-Orient ; appariteur, en Afrique du Nord. 1547 ; turc *čāuš* ; [ʃauʃ].

**CHAPARDAGE,** subst. m.
Fam. Action de chaparder ; son résultat. 1871 ; ☞ *chaparder* ; [ʃapaʀdaʒ].

**CHAPARDER,** verbe trans. [3]
Fam. Dérober, voler (des choses de peu de valeur). 1859 ; argot milit. d'orig. obsc. ; [ʃapaʀde].

**CHAPARDEUR, EUSE,** adj.
Fam. Qui commet des petits larcins ; empl. subst. : *Quel chapardeur, ce chat !* 1859 ; ☞ *chaparder* ; [ʃapaʀdœʀ, øz].

**CHAPE,** subst. f.
1. Vx. Cape. 2. Long manteau sans manches, agrafé par-devant, porté par les ecclésiastiques dans certaines cérémonies. 3. Anal. Ce qui couvre qqch. : *Une chape de neige* ; au fig. : **Chape** *de plomb*, chaleur qui écrase, paralyse ou fardeau moral. 4. *Spéc.* ► *Autom.* Couche de gomme constituant la bande de roulement d'un pneu. ► *Techn.* Monture métallique retenant l'axe d'une pièce pivotante, d'une poulie. ► *Bât.* Couche d'un matériau qui consolide et aplanit un sol ou assure l'étanchéité d'un ouvrage : *Chape de béton.* XIe s. ; bas lat. *cappa*, « capuchon ; manteau à capuchon » ; [ʃap].

**CHAPÉ, ÉE,** adj.
1. Qui est revêtu d'une chape. 2. *Hérald.* *Écu chapé* : sur lequel deux lignes obliques partent du milieu du bord supérieur pour aboutir de part et d'autre de la pointe. 1558 ; ☞ *chape* ; [ʃape].

*Le chaos de Roquesaltes, dans le causse Noir, entre la Jonte et la Dourbie (sud du Massif central).*

© D. Casimiro-Explorer

© Alinari-Giraudon

*Chapelle du palais Pitti, Florence.*

**CHAPEAU,** subst. m.
I. 1. Coiffure, aux matières et aux formes variées, que l'on met sur la tête pour sortir : *Chapeau de paille* ; *Chapeau melon.* 2. Loc. ► *Tirer son chapeau à qqn* ou *Donner un coup de chapeau à qqn* : le féliciter ; empl. abs. : *Chapeau !*, bravo ! (fam.). ► *Porter le chapeau* : être désigné comme le coupable, le responsable (fam.). ► *Travailler du chapeau* : avoir l'esprit dérangé (fam.). 3. *Relig.* Emblème du cardinalat : *Recevoir le chapeau.* II. Anal. 1. *Bot.* Partie supérieure de nombreux champignons. 2. *Journ.* Court paragraphe placé en tête d'un article, dont il résume les informations essentielles. 3. *Mécan.* Pièce qui en couvre et en protège une autre : *Chapeau de roue* (☞ *roue*) ; au fig. : *Sur les chapeaux de roue*, à toute allure (fam.). 4. *Mus.* *Chapeau chinois* : instrument composé d'un manche garni de croissants et de cercles de cuivre sur lesquels sont fixés des grelots. 5. *Zool.* *Chapeau chinois* : patelle. Déb. XIIe s. ; bas lat. *cappellus*, « coiffe » ; [ʃapo].

**CHAPEAUTER,** verbe trans. [3]
1. Coiffer d'un chapeau. 2. Fig. Contrôler, diriger (une personne ou un groupe de personnes). Fin XIXe s. ; ☞ *chapeau* ; [ʃapote].

**CHAPELAIN,** subst. m.
*Relig.* 1. Vx. Bénéficier titulaire d'une chapelle. 2. Prêtre qui assure le service d'une chapelle privée. 1155 ; ☞ *chapelle* ; [ʃaplɛ̃].

**CHAPELET,** subst. m.
1. Vx. Couronne de fleurs. 2. Anal. Objet de dévotion, formé de cinq dizaines de petits grains (pour les Ave) séparées par de plus gros grains (pour les Pater), servant à compter les prières que l'on récite ; par méton., les prières récitées. 3. Succession de choses de même nature : *Chapelet d'oignons* ; *Chapelet d'îles* ; *Chapelet d'injures.* ► *Archit.* Baguette ornementale figurant une suite de grains oblongs ou ronds. ► *Techn.* *Chapelet hydraulique* : chaîne sans fin, munie de godets ou de plateaux et servant à élever l'eau. Déb. XIIIe s. ; anc. fr. *chapel*, « chapeau » ; [ʃaplɛ].

**CHAPELIER, IÈRE,** subst.
Fabricant ou marchand de chapeaux ; empl. adj. : *Industrie chapelière* ; *Malle chapelière*, aménagée pour le rangement des chapeaux (vx). XIIIe s. ; anc. fr. *chapel*, « chapeau » ; [ʃapəlje, jɛʀ].

**CHAPELLE,** subst. f.
1. Vx. Lieu consacré abritant une relique : *La Sainte-Chapelle.* 2. Petit édifice religieux, oratoire, public ou privé, dépourvu des pleins droits paroissiaux : *Chapelle d'un château, d'un hospice.* 3. Enceinte pourvue d'un autel secondaire, ménagée dans une église. ► *Chapelle ardente* (☞ *ardent*). 4. Corps des ecclésiastiques qui desservent une **chapelle** ; ensemble des musiciens et des chanteurs d'une église : *Maître de chapelle.* 5. Fig. Groupe d'intellectuels, d'artistes, formant un cercle très fermé ; coterie : *Querelles de chapelle.* Déb. XIIe s. ; lat. médiév. *capella*, « manteau (chape) de saint Martin », la 1re chapelle ayant abrité cette relique à la cour des rois francs ; [ʃapɛl].

**CHAPELLENIE,** subst. f.
*Relig.* Dignité ou bénéfice d'un chapelain. 1278 ; ☞ *chapelain* ; [ʃapɛlni].

**CHAPELLERIE,** subst. f.
Fabrication ou commerce des chapeaux. 1268 ; ☞ *chapelier* ; [ʃapɛlʀi].

**CHAPELURE,** subst. f.
*Cuis.* Pain séché et réduit en fines miettes. Fin XIVe s. ; *chapeler* (rare), « réduire en miettes », du bas lat. *capulare*, « découper (un mets) » ; [ʃaplyʀ].

**CHAPERON,** subst. m.
1. Vx. Coiffure à bourrelet se terminant par une queue. 2. Ext. Bande d'étoffe que les femmes utilisaient comme coiffure. 3. Bourrelet circulaire enrichi d'hermine que portent sur l'épaule gauche certains magistrats, docteurs ou professeurs. 4. Fig. Personne respectable chargée de surveiller une jeune fille ou de l'accompagner. 5. *Bât.* Couronnement d'un mur servant à assurer l'écoulement des eaux de pluie. 6. *Fauconn.* Coiffe de cuir utilisée pour couvrir la tête et les yeux des rapaces au repos. Déb. XIIe s. ; ☞ *chape* ; [ʃapʀɔ̃].

**CHAPERONNER,** verbe trans. [3]
1. Couvrir d'un chaperon. 2. Accompagner (gén. une jeune fille) en qualité de chaperon. XIIe s. ; ☞ *chaperon* ; [ʃapʀɔne].

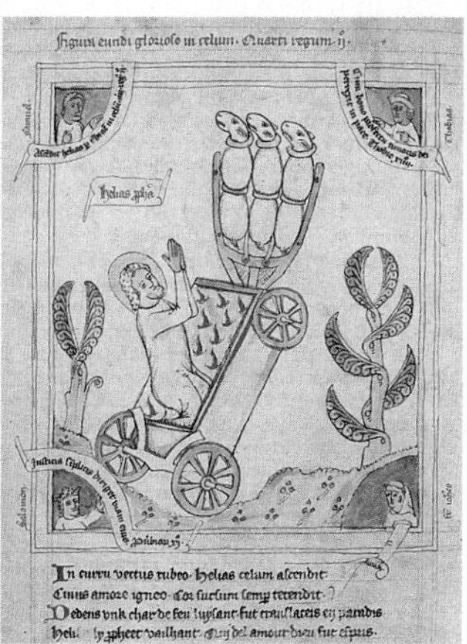

© Giraudon

*Élie s'élevant au ciel dans son* **char**, *miniature.* Recueil d'écrits de saint Benoît, *de Jean de Stavelot (v. 1435). Musée Condé, Chantilly.*

**CHAPITEAU, subst. m.**
**1.** *Archit.* Élément évasé qui couronne le fût d'une colonne et qui supporte l'entablement d'une voûte : *Un* **chapiteau** *corinthien, roman.* **2.** Ext. Corniche d'un meuble. **3.** Tente d'un cirque. **4.** Couvercle d'un alambic. Mil. XIIe s. ; lat. *capitellum*, de *caput*, « tête ; sommet » ; [ʃapito].

**CHAPITRE, subst. m.**
**I. 1.** Chacune des parties divisant un livre : *Terminer la lecture d'un* **chapitre**. **2.** Fig. Matière, sujet : *Il ne badine pas sur le* **chapitre** *de l'argent.* **3.** *Fin.* **Chapitre** *budgétaire* : division d'un budget faite en fonction de la nature des dépenses ou de leur destination. **II.** *Relig.* Assemblée tenue par des religieux ou par les chanoines d'une cathédrale, d'une collégiale ; par méton., le corps qu'ils forment : *Le doyen du* **chapitre**. ▸ Loc. *Avoir voix au* **chapitre** : avoir qualité ou autorité pour se faire entendre, pour donner son avis sur une question. 1119 ; lat. *capitulum*, « partie d'un écrit ; réunion de chanoines au début de laquelle on lisait un chapitre de la règle », de *caput*, « tête ; sommet » ; [ʃapitʀ].

**CHAPITRER, verbe trans.** [3]
**1.** Vx. Réprimander (un ecclésiastique) en plein chapitre. **2.** Anal. Tancer (qqn), faire la leçon à (qqn). Mil. XVe s. ; ☞ *chapitre* ; [ʃapitʀe].

**CHAPKA, subst. f.**
Bonnet de fourrure qui recouvre la nuque et les oreilles. Fin XVIe s. ; russe *šapka* ; [ʃapka].

**CHAPON, subst. m.**
**1.** Jeune coq châtré que l'on engraisse pour la table. **2.** Morceau de pain aillé ou trempé dans un bouillon. Mil. XIIe s. ; lat. pop. °*cappo* ; [ʃapɔ̃].

**CHAPONNER, verbe trans.** [3]
Châtrer (un jeune coq). XIIIe s. ; ☞ *chapon* ; [ʃapɔne].

**CHAPSKA, subst. m.**
Coiffure militaire, d'origine polonaise, adoptée par les lanciers du premier et du second Empire. 1831 ; polonais *czapka* ; var. *schapska* ; [ʃapska].

**CHAPTALISATION, subst. f.**
Action de chaptaliser. Fin XIXe s. ; ☞ *chaptaliser* ; [ʃaptalizasjɔ̃].

**CHAPTALISER, verbe trans.** [3]
Ajouter du sucre à (du moût de raisin) avant fermentation, afin d'augmenter la teneur en alcool du vin. Fin XIXe s. ; anthropon. *Jean-Antoine Chaptal*, inventeur de ce procédé ; [ʃaptalize].

**CHAQUE, adj. indéf.**
**1.** Qui fait partie d'un ensemble, mais qui est considéré isolément : **Chaque** *peuple a sa langue, ses traditions.* **2.** Chacun (empl. critiqué) : *Ces œufs coûtent deux francs* **chaque**. Fin XIIe s. ; *chascun* (vx), du lat. pop. °*casquunus* ; [ʃak].

**CHAR (I), subst. m.**
**1.** *Antiq.* Voiture à deux roues ouverte à l'arrière, tirée par des chevaux, que l'on utilisait dans les combats, les jeux ou pour certaines cérémonies : *Une course de* **chars**. ▸ Métaph. *Le* **char** *d'Apollon* : le soleil ; *Le* **char** *de l'État [...] navigue sur un volcan* (Monnier). **2.** Voiture à traction animale, gén. à quatre roues (vieilli) : **Char** *à bœufs.* ▸ **Char** *funèbre* : corbillard. **3.** Voiture décorée pour certaines fêtes publiques : *Un* **char** *de carnaval.* **4.** Québ. Wagon ; automobile. **5.** *Milit.* Véhicule blindé et chenillé, pourvu d'un canon, de mitrailleuses, etc. : *Un* **char** *d'assaut.* **6.** *Sp.* **Char** *à voile* : véhicule sur roues ou patins à glace, muni d'une voile et se déplaçant grâce à la force du vent. Fin XIe s. ; lat. *carrus*, « chariot » ; [ʃaʀ].

**CHAR (II), subst. m.**
**1.** Bluff (argot.). **2.** Plaisanterie, blague (fam.) : *Arrête ton* **char** ! 1901 (1881, vol) ; apocope de *charriage* ; var. *charre* ; [ʃaʀ].

**CHARABIA, subst. m.**
**1.** Vx. Patois auvergnat. **2.** Ext. Langage inintelligible ou très spécialisé, jargon (péj.) : *Un* **charabia** *de juriste.* 1802 ; p.-ê. prov. *charrá*, « causer, converser » ; [ʃaʀabja].

**CHARADE, subst. f.**
Jeu qui consiste à faire deviner un mot à partir de la définition d'un homonyme de chacune de ses syllabes, puis de celle du mot entier ; par ex. : « Mon premier n'est pas propre (sale), mon second n'est pas court (long), on bavarde dans mon tout (salon) ». 1770 ; prob. prov. *charrado*, « causerie, conversation », d'orig. onomat. ; [ʃaʀad].

**CHARADRIIDÉS, subst. m. plur.**
*Zool.* Famille d'oiseaux échassiers caractérisés par une tête assez forte, un cou court, un bec moyen et dur. Ce sont des oiseaux vivant à terre et ne faisant pas de nids. Ils déposent leurs œufs à même le sol, dans des anfractuosités. Au sing. *La bécasse, comme le vanneau, est un* **charadriidé**. 1867 ; gr. *kharadrios*, « pluvier » ; [kaʀadʀiide].

**CHARADRIIFORMES, subst. m. plur.**
*Zool.* Ordre d'oiseaux échassiers. Au sing. *Le pluvier, comme la mouette, est un* **charadriiforme**. V. 1960 ; ☞ *charadriidés* + *-forme* ; [kaʀadʀiifɔʀm].

**CHARALES, voir CHAROPHYTES**

**CHARANÇON, subst. m.**
*Zool.* Nom attribué à divers coléoptères de la famille des Curculionidés, dont les larves dévorent les végétaux. Ils ont tous une tête allongée en forme de rostre, terminée par les pièces buccales. Les plus connus et les plus nuisibles sont les balanins, qui s'attaquent aux noisettes et aux glands, les calandres, dévoreurs de céréales et les anthonomes, ennemis des arbres fruitiers. 1465 ; prob. gaul. °*karantionos*, « petit cerf » ; [ʃaʀɑ̃sɔ̃].

**CHARBON, subst. m.**
**I. 1.** Matière combustible solide, noire, qui contient surtout du carbone et qui résulte de la fossilisation de végétaux. **2.** Roche stratifiée, que l'on répartit en anthracite, houille, lignite et tourbe. **3.** Cette matière, utilisée comme combustible : *Se chauffer au* **charbon**. **II. 1.** Produit de la combustion incomplète de substances végétales ou animales : *Faire cuire des brochettes d'agneau au* **charbon** *de bois.* ▸ Loc. *Être sur des* **charbons** *ardents* : très impatient ; très inquiet. **2.** *Arts graph.* Fusain. **3.** *Chim.* ▸ **Charbon** *animal* : obtenu par la calcination d'os en vase clos et utilisé comme décolorant. ▸ **Charbon** *actif* : **charbon** végétal (utilisé notamment dans les masques à gaz) spécialement traité pour accroître son pouvoir adsorbant. **4.** *Pharm.* Médicament constitué de **charbon** végétal, gén. utilisé pour soigner les affections intestinales. **5.** *Techn.* Chacun des balais d'un système électrique rotatif : *Changer les* **charbons** *d'une dynamo.* **III. 1.** *Pathol.* Maladie infectieuse, commune aux animaux domestiques et à l'homme (chez lequel on l'appelle parfois pustule maligne), décrite pour la première fois en 1780 par le Français Chabert. Elle est due à une bactérie, *Bacillus anthracis*, qui libère une endotoxine instable. La vaccination anticharbonneuse, efficace, a été mise au point par Pasteur en 1880-1881. **2.** *Bot.* Maladie des plantes provoquée par des champignons de l'ordre des Ustilaginales, caractérisée par la formation d'une poussière noire. Déb. XIIe s. ; lat. *carbo* ; [ʃaʀbɔ̃].

**CHARBONNAGE, subst. m.**
Exploitation d'un gisement de houille (gén. au plur.). Fin XIVe s. ; ☞ *charbon* ; [ʃaʀbɔnaʒ].

**CHARBONNER, verbe** [3]
Trans. **1.** Noircir avec du charbon : **Charbonner** *une muraille.* **2.** Dessiner avec un charbon : **Charbonner** *un dessin.* Intrans. Se transformer en charbon. Fin XIIe s. ; ☞ *charbon* ; [ʃaʀbɔne].

**CHARBONNERIE, subst. f.**
*Hist.* Mouvement révolutionnaire organisé en société secrète sous la Restauration, inspiré du carbonarisme. 1838 ; ital. *carboneria*, de *carbonaro*, « charbonnier » ; [ʃaʀbɔnʀi].

**CHARBONNEUX, EUSE, adj.**
**1.** Qui contient du charbon ; qui en rappelle l'aspect : *Des yeux* **charbonneux**, noircis de fard. **2.** *Pathol.* Relatif à la maladie du charbon. Déb. XVIIe s. ; ☞ *charbon* ; [ʃaʀbɔnø, øz].

**CHARBONNIER, IÈRE, subst. et adj.**
Subst. Artisan qui fabrique du charbon de bois ; commerçant qui vend du charbon. ▸ Loc. *Avoir la foi du* **charbonnier** : croire en Dieu sans se poser de questions ; **Charbonnier** *est maître chez soi* : chacun se comporte chez soi comme il lui plaît. Subst. masc. **1.** *Hist.* Membre de la charbonnerie. **2.** *Mar.* Cargo transportant le charbon. Subst. fém. **1.** Partie d'une forêt, dans laquelle on fait le charbon de bois. **2.** *Zool.* Mésange à tête noire. Adj. Relatif au charbon, à son exploitation ou à son commerce : *Industrie* **charbonnière**. Fin XIIe s. ; lat. *carbonarius* ; [ʃaʀbɔnje, jɛʀ].

**CHARCUTER, verbe trans.** [3]
**1.** Découper avec maladresse (de la viande) ; par ext. : *Ce chirurgien m'a* **charcuté**, m'a opéré sans habileté, avec maladresse (péj.). **2.** Fig. Saccager en retranchant (fam.) : **Charcuter** *un texte.* Fin XVIe s. ; ☞ *charcutier* ; [ʃaʀkyte].

**CHARCUTERIE, subst. f.**
**1.** Industrie ou commerce de la viande de porc cuite ou salée. **2.** Méton. Produit à base de viande de porc ou, par ext., d'autres animaux : *Une assiette de* **charcuterie**. **3.** Magasin où l'on vend des produits de ce type. 1549 ; ☞ *charcutier* ; [ʃaʀkytʀi].

**CHARCUTIER, IÈRE, subst.**
Personne qui prépare et qui vend de la charcuterie. 1464 ; formé de *chair* et de *cuit* ; [ʃaʀkytje, jɛʀ].

**CHARDON, subst. m.**
*Bot.* **1.** Nom vulgaire de diverses plantes épineuses de la famille des Astéracées, dont le **chardon** béni (*Cnicus benedictus*) ou le **chardon** de Marie (*Sylibum marianum*). **2.** Anal. Toute plante épineuse ressemblant aux **chardons** : **Chardon** *bleu* ; **Chardon** *à foulon* (synon. *cardère*). 1086 ; bas lat. *cardo*, du lat. *carduus*, « chardon ; artichaut » ; [ʃaʀdɔ̃].

**CHARDONNAY, subst. m.**
Cépage cultivé en Bourgogne et en Champagne, en vue d'élaborer des vins blancs de qualité. Topon. *Chardonnay* ; var. *chardonay* ; [ʃaʀdɔnɛ].

**CHARDONNERET, subst. m.**
*Zool.* Petit oiseau de la famille des Fringillidés, sédentaire et granivore (il mange volontiers les graines du chardon, d'où son nom), au plumage multicolore. 1479 ; ☞ *chardon* ; [ʃaʀdɔnʀɛ].

**CHARENTAIS, AISE, subst. et adj.**
Des Charentes. Subst. fém. Pantoufle confortable en étoffe épaisse. 1866 ; topon. *Charente* ; [ʃaʀɑ̃tɛ, ɛz].

**CHARGE, subst. f.**
**I.** Ce qui pèse physiquement. **1.** Action de charger : *Effectuer la* **charge** *d'un wagon* ; *Rupture de* **charge**, déchargement des marchandises lors d'un changement de moyen de transport. ▸ **Prise en charge.** Fait, pour un chauffeur de taxi, de prendre à son bord un passager ; somme forfaitaire que ce dernier doit payer. **2.** Méton. Ce qui est ou peut être transporté (par qqn, un animal, un véhicule...) : *La* **charge** *d'un âne, d'un navire* ; **Charge** *utile d'un camion*, poids maximal de son chargement. **II.** Ce dont il convient de munir un instrument, une machine en vue de son emploi. **1.** *Arm.* Quantité de poudre, de projectiles, etc., utilisée dans une arme à feu, une mine : **Charge** *d'un pistolet* ; **Charge** *de dynamite.* **2.** *Électr.* Quantité d'électricité accumulée ou naturellement présente dans un corps : *La* **charge** *d'une batterie* ; *La* **charge** *négative de l'électron.* ▸ Fig. Psychol. **Charge** *affective* : contenu émotionnel qui accompagne une représentation. **3.** *Phys. nucl.* **Charge** *nucléaire* :

quantité de combustible placée dans un réacteur nucléaire ou dans une bombe. **4.** *Techn.* Substance ajoutée à une matière souple pour lui donner du poids, de l'épaisseur. **III.** Ce qui pèse moralement, qui constitue une obligation. **1.** Responsabilité : *Avoir un enfant à* ***charge*** ; *Avoir* ***charge*** *d'âme.* ► *Les devoirs de la* ***charge*** : les obligations inhérentes à une fonction, à une dignité. **2.** Contrainte financière (gén. au plur.) : *Les* ***charges*** *d'un ménage*, ses dépenses obligées ; ***Charges*** *locatives*, couvrant les frais collectifs d'entretien et ajoutées au loyer ; ***Charges*** *sociales*, versées par l'employeur à divers organismes sociaux. ► Loc. *À* ***charge*** *de revanche* : à condition de rendre la pareille. **3.** Office ministériel conféré par l'autorité publique : ***Charge*** *de notaire, de greffier.* **4.** *Dr. civil.* Obligation légale résultant d'un contrat : *Cahier des* ***charges***. **5.** *Dr. pénal.* Ce qui étaye une accusation (gén. au plur.) : *Examen des* ***charges***, des preuves ou indices pesant sur un prévenu ; *Témoin à* ***charge***. **IV.** *Litt.* et *B.-a.* Action de grossir, d'outrer les traits d'un personnage, d'un milieu ; son résultat : *Portrait* ***charge***, caricature. **V.** *Milit.* Attaque impétueuse dans une bataille : *La* ***charge*** *de la cavalerie* ; *Avancer au pas de* ***charge***. ► Anal. *La* ***charge*** *d'un animal.* ► Loc. *Revenir à la* ***charge*** : réitérer sa demande, ses observations. Déb. XII^e s. ; ☞ *charger* ; [ʃaʀʒ].

**CHARGÉ, ÉE, adj. et subst.**

**Adj. 1.** Qui supporte une charge : *Un baudet* ***chargé***. **2.** Anal. ► Alourdi : *Avoir l'estomac* ***chargé***. ► Couvert : *Un ciel* ***chargé*** *de nuages.* **3.** Fig. Exagéré : *Un portrait* ***chargé***, outré, caricaturé. **4.** *Arm.* Qui est garni de munitions : *Un fusil* ***chargé***. **5.** *Électr.* Qui a accumulé de l'électricité : *Une batterie* ***chargée***. **Subst.** Personne qui a une charge morale, matérielle : ***Chargé*** *de famille* ; ***Chargé*** *de cours*, professeur de l'enseignement supérieur non titulaire d'une chaire ; ***Chargé*** *d'affaires*, agent diplomatique ; ***Chargé*** *de mission*, fonctionnaire à qui est confiée une mission. XII^e s. ; p. p. de *charger* ; [ʃaʀʒe].

**CHARGEMENT, subst. m.**

Action de charger ; par méton., la charge elle-même : *Le* ***chargement*** *d'un camion.* 1694 (1253, obligation) ; ☞ *charger* ; [ʃaʀʒəmɑ̃].

**CHARGER, verbe trans.** [5]

**I. 1.** Placer une charge sur (un véhicule, un animal, un homme) : ***Charger*** *un navire, un âne, un porteur.* **2.** Prendre (qqch.) pour le transporter : ***Charger*** *un sac sur son dos* ; ***Charger*** *des caisses dans un wagon.* ► Prendre en charge, en parlant d'un chauffeur de taxi ou d'un chauffeur-livreur (fam.) : ***Charger*** *un client, une marchandise.* **3.** Peser sur, alourdir : *Ces livres* ***chargent*** *l'étagère* ; par anal. : *Ce dîner m'a* ***chargé*** *l'estomac.* **4.** Couvrir abondamment : *Un plat* ***chargé*** *de fruits.* **II.** Pourvoir (qqch.) de ce qui est nécessaire à son fonctionnement : ***Charger*** *un pistolet, une batterie, une caméra.* **III. 1.** Accabler : ***Charger*** *le contribuable d'impôts.* **2.** Accuser, rendre responsable (qqn) : ***Charger*** *un prévenu, un complice.* **3.** Confier à : ***Charger*** *un préfet d'une mission, un avocat d'une cause.* **4.** *Litt.* et *B.-a.* Exagérer, rendre caricatural : ***Charger*** *un portrait.* **IV.** *Milit.* Attaquer : ***Charger*** *l'armée ennemie.* ► Anal. *L'éléphant* ***charge*** *le chasseur* ; empl. abs. : *Attention, il* ***charge*** ! **Pronom. Se charger de.** Endosser la responsabilité de ; prendre soin de : *Se* ***charger*** *d'un enfant, d'une tâche.* Fin. XI^e s. ; bas lat. °*carricare* ; [ʃaʀʒe].

**CHARGEUR, EUSE, subst.**

**Masc. 1.** ► Celui qui charge des matériaux, des marchandises (vieilli). ► *Mar.* Propriétaire ou expéditeur d'une cargaison. **2.** *Techn.* ► Dispositif amovible qui contient des cartouches et qui permet d'approvisionner une arme à feu à répétition : *Le* ***chargeur*** *d'un fusil d'assaut.* ► Appareil électrique utilisé pour recharger un accumulateur : *Un* ***chargeur*** *de batterie.* ► Boîte étanche à la lumière, contenant la pellicule sensible d'un appareil photographique, d'une caméra. **Fém.** *Techn.* Engin utilisé pour ramasser des matériaux et pour les déposer dans une benne. 1332 ; ☞ *charger* ; [ʃaʀʒœʀ, øz].

**CHARIA, subst. f.**

Corps canonique de lois de la religion islamique. Mil. XX^e s. ; ar. *šarī'a* ; [ʃaʀja].

**CHARIOT, subst. m.**

**1.** Véhicule à quatre roues servant à transporter des bagages, des fardeaux ou des personnes : ***Chariot*** *de foin* ; ***Chariot*** *de mine* ; ***Chariot*** *à bagages*, dans les gares ; ***Chariot*** *élévateur*, qui élève des charges, des palettes. ► Table roulante : ***Chariot*** *de restaurant* ; ***Chariot*** *de réfectoire*, utilisé pour desservir les tables ; ***Chariot*** *à pansements*, dans un hôpital. **2.** *Cin.* Plate-forme mobile, servant à déplacer une caméra sur des rails. **3.** *Techn.* Dans une machine, pièce qui se déplace à l'horizontale : ***Chariot*** *de machine à écrire, de métier à tisser* ; *Un tour à* ***chariot***, utilisé pour usiner des pièces. 1285 ; ☞ *charrier* ; [ʃaʀjo].

**CHARIOTER, verbe trans.** [3]

Usiner (une pièce) en utilisant un tour à chariot. 1889 ; ☞ *chariot* ; [ʃaʀjɔte].

**CHARISMATIQUE, adj.**

**1.** *Théol.* Relatif au charisme (rare). ► *Renouveau* ***charismatique*** : mouvement de chrétiens qui recherchent, à travers une ferveur spirituelle renouvelée, spontanée et souv. collective, la manifestation du charisme. **2.** Ext. *Chef* ***charismatique*** : qui exerce un ascendant, une fascination sur les foules et qui en tire prestige et autorité. 1928 ; ☞ *charisme* ; [kaʀismatik].

**CHARISME, subst. m.**

**1.** *Théol.* Don surnaturel accordé par Dieu à un croyant ou à un groupe de croyants : *Le* ***charisme*** *des grands mystiques.* **2.** Ext. Ascendant irrésistible, autorité qu'une personne, en partic. un homme politique, exerce sur autrui. 1879 ; gr. *kharisma* ; [kaʀism].

**CHARITABLE, adj.**

**1.** Qui manifeste de la charité à l'égard des autres ; qui fait volontiers l'aumône : *Un homme* ***charitable***. **2.** Ext. Qui est inspiré par la charité : *Un conseil* ***charitable***. Fin XII^e s. ; ☞ *charité* ; [ʃaʀitabl].

**CHARITABLEMENT, adv.**

De manière charitable. XIII^e s. ; ☞ *charitable* ; [ʃaʀitabləmɑ̃].

**CHARITÉ, subst. f.**

**1.** *Théol.* Amour, venant de Dieu, pour Dieu et pour son prochain (troisième vertu théologale). ► *Filles, Sœurs, Fils de la* ***Charité*** : congrégations religieuses. **2.** Ext. Bienveillance manifestée à l'égard d'autrui, fraternité. **3.** Acte charitable, secours : *Faire la* ***charité***, faire l'aumône ; *Vivre de* ***charités***, vivre de dons ; *Vente de* ***charité***, au profit d'une œuvre de bienfaisance. X^e s. ; lat. *caritas*, « cherté ; amour, affection, tendresse » ; [ʃaʀite].

**CHARIVARI, subst. m.**

**1.** Vx. Concert discordant exécuté lors du remariage d'une veuve. **2.** Ext. Manifestation bruyante de désapprobation. **3.** Vacarme, tapage : *Les voisins se livrent à un vrai* ***charivari***. 1316 ; p.-ê. lat. *caribaria*, du gr. *karêbaria*, « lourdeur dans la tête » ; [ʃaʀivaʀi].

**CHARLATAN, subst. m.**

**1.** Vx. Marchand ambulant, bonimenteur qui vendait des drogues et arrachait les dents sur les places publiques. **2.** Ext. Guérisseur qui prétend connaître des remèdes magiques ; par anal., médecin incompétent et peu scrupuleux. **3.** Personne qui abuse de la crédulité d'autrui. 1572 ; ital. *ciarlatano* ; [ʃaʀlatɑ̃].

**CHARLATANERIE, voir CHARLATANISME**

**CHARLATANESQUE, adj.**

Propre au charlatanisme ; digne d'un charlatan. Fin XVI^e s. ; ☞ *charlatan* ; [ʃaʀlatanɛsk].

**CHARLATANISME, subst. m.**

Comportement d'un charlatan. 1736 ; ☞ *charlatan* ; var. *charlatanerie* ; [ʃaʀlatanism].

**CHARLEMAGNE (FAIRE), loc. verbale**

Se retirer du jeu après avoir gagné et sans proposer de revanche. Déb. XIX^e s. ; anthropon. *Charlemagne* ; [fɛʀʃaʀləmaɲ].

**CHARLESTON, subst. m.**

Danse très rapide créée par les Noirs du sud des États-Unis et qui fut très en vogue en Europe dans les années vingt. 1929 ; topon. *Charleston* (Caroline du Sud) ; [ʃaʀlɛstɔn].

**CHARLOT, subst. m.**

Individu peu digne de confiance ou incompétent (fam.). XX^e s. ; *Charlot*, personnage créé par Charlie Chaplin ; [ʃaʀlo].

**CHARLOTTE, subst. f.**

**1.** *Cuis.* Entremets composé de crème, parfois accompagnée de fruits, entourée de biscuits à la cuiller : *Une* ***charlotte*** *aux fruits rouges, au chocolat.* **2.** Bonnet de femme (vieilli). 1804 ; prénom *Charlotte* ; [ʃaʀlɔt].

**CHARMANT, ANTE, adj.**

**1.** Plein de charme, de grâce ; séduisant : *Une jeune femme* ***charmante*** ; *Le prince* ***charmant***, l'homme idéal dont rêvent les jeunes filles (souv. iron.). **2.** Ext. Plaisant, agréable : *Un* ***charmant*** *paysage* ; par antiphr., très désagréable : *C'est* ***charmant*** ! 1550 ; p. pr. de *charmer* ; [ʃaʀmɑ̃, ɑ̃t].

**CHARME (I), subst. m.**

**1.** Formule magique, incantatoire ; l'effet qui en résulte : *Prononcer un* ***charme*** ; *Jeter un* ***charme*** *sur qqn.* ► Méton. Breuvage ou objet qui produit un envoûtement : *Confectionner des* ***charmes***. ► Loc. *Se porter comme un* ***charme*** : être en excellente santé ; *Être sous le* ***charme*** : subjugué. **2.** Ext. Caractère séduisant, agréable de qqch. ou de qqn : *Le* ***charme*** *de ce petit village, de votre conversation.* ► Loc. *Faire du* ***charme*** *à qqn* : essayer de lui plaire (fam.). **Plur.** Attraits physiques d'une femme. Mil. XII^e s. ; lat. *carmen*, « incantation » ; [ʃaʀm].

**CHARME (II), subst. m.**

**1.** *Bot.* Arbre de la famille des Bétulacées, à bois blanc et dense, très répandu en France. **2.** Méton. Le bois de cet arbre, utilisé pour le chauffage. Fin XII^e s. ; lat. *carpinus* ; [ʃaʀm].

**CHARMER, verbe trans.** [3]

**1.** Soumettre à une opération magique, à un enchantement ; ensorceler : *La fée* ***charma*** *le crapaud.* **2.** Ext. Séduire, captiver : ***Charmer*** *son auditoire.* **3.** Procurer une vive satisfaction à (qqn) : *Cette nouvelle me* ***charme***. ► Formule de politesse : *Je suis* ***charmé*** *de votre visite.* Mil. XII^e s. ; ☞ *charme* (I) ; [ʃaʀme].

**CHARMEUR, EUSE, subst. et adj.**

**Subst. 1.** Vx. Personne qui se livre à la magie, qui use de charmes. **2.** Ext. Personne qui séduit, qui plaît. **Adj.** Qui cherche à plaire : *Un sourire* ***charmeur***. Mil. XV^e s. ; ☞ *charmer* ; [ʃaʀmœʀ, øz].

**CHARMILLE, subst. f.**

**1.** Rangée de charmes taillés de manière à former une palissade. **2.** Ext. Berceau, allée de verdure ou de fleurs : *Se reposer sous la* ***charmille***. 1669 ; ☞ *charme* (II) ; [ʃaʀmij].

**CHARNEL, ELLE, adj.**

**1.** Relatif à la chair : *L'enveloppe* ***charnelle*** ; *Le monde* ***charnel***, opposé au monde spirituel. **2.** Qui concerne les sens, la sensualité, en partic. l'instinct sexuel : *Plaisirs* ***charnels***. X^e s. ; lat. chrét. *carnalis*, du lat. *caro*, « chair » ; [ʃaʀnɛl].

**CHARNELLEMENT, adv.**

Physiquement ; de manière charnelle. XII^e s. ; ☞ *charnel* ; [ʃaʀnɛlmɑ̃].

**CHARNIER, subst. m.**

**1.** Vx. Lieu où l'on conservait la viande. **2.** Ext. Lieu où sont entassés, sans sépulture, de nombreux cadavres. XII^e s. ; lat. *carnarium* ; [ʃaʀnje].

**CHARNIÈRE, subst. f.**

**1.** Attache constituée de deux pièces enclavées l'une dans l'autre, l'une fixe, l'autre pouvant décrire un mouvement de rotation autour de leur axe commun : ***Charnière*** *d'une porte, d'un compas.* **2.** Fig. Transition, jonction : *À la* ***charnière*** *de deux siècles* ; en appos. : *Une œuvre, une date* ***charnière***. **3.** *Spéc.* ► *Anat.* ***Charnière*** *lombo-sacrée* : articulation située entre la dernière vertèbre lombaire et le sacrum.

*Charnières de plis.*

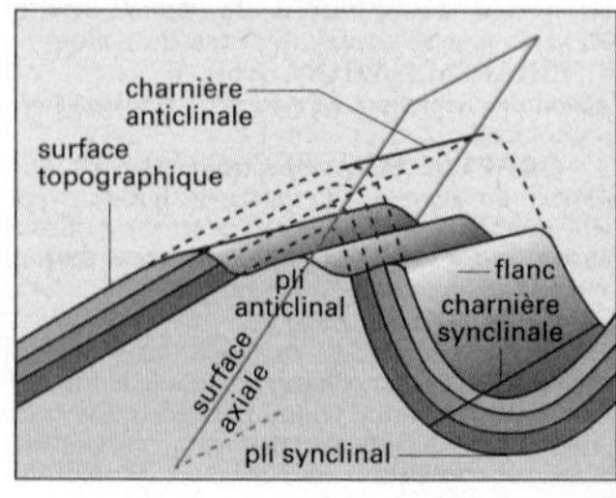

▸ *Géol.* Endroit où se rejoignent les deux flancs d'un pli. ▸ *Milit.* Point de jonction de deux éléments d'un système stratégique. ▸ *Philatélie.* Petit morceau de papier gommé plié en deux, servant à fixer les timbres sur un album. XIIe s. ; prob. anc. fr. *charne*, « pivot », du lat. *cardo*, « gond ; point cardinal ; pôle » ; [ʃaRnjɛR].

**CHARNU, UE, adj.**
**1.** Formé de chair : *Le corps des mollusques est essentiellement **charnu**.* **2.** Bien fourni en chair : *Des lèvres, des cuisses **charnues*** ; par ext., à propos de certains végétaux, dont la consistance rappelle celle de la chair : *Des fruits **charnus**.* Déb. XIIIe s. ; lat. pop. °*carnutus* ; [ʃaRny].

**CHAROGNARD, subst. m.**
**1.** Animal qui se nourrit de charognes : *Le vautour est un **charognard**.* **2.** Anal. Personne qui tire profit du malheur d'autrui (péj.). 1894 ; ☞ *charogne* ; [ʃaRɔɲaR].

© Ferrero/Labat-Jacana

*Au Kenya, le vautour de Ruppell est un **charognard** omniprésent.*

**CHAROGNE, subst. f.**
**1.** Cadavre putréfié d'un animal ; par ext., cadavre humain en état de décomposition (très péj.). **2.** Personnage odieux, crapule (injure) : *Salaud ! **Charogne** !* (Camus). Déb. XIIe s. ; lat. pop. °*caronia* ; [ʃaRɔɲ].

**CHAROLAIS, AISE, adj. et subst.**
**1.** De Charolles ou du Charolais. **2.** *Bouch.* Qualifie ou désigne un bovin appartenant à une race dont la viande est très appréciée. 1732 ; topon. *Charolles* (Saône-et-Loire) ; [ʃaRɔlɛ, ɛz].

**CHAROPHYTES, subst. f. plur.**
*Bot.* Groupe de plantes qui ont longtemps figuré parmi les algues vertes à cause de leur aspect, alors qu'on tend aujourd'hui à les rapprocher des végétaux supérieurs (reproduction sexuée). **Au sing.** *Le chara est une **charophyte** qui vit en eau douce.* Lat. *chara*, « crambe », + *-phyte* ; var. *Charales* ; [kaRɔfit].

**CHARPENTAGE, subst. m.**
Travail de charpenterie, construction d'une charpente. 1255 ; ☞ *charpenter* ; [ʃaRpɑ̃taʒ].

**CHARPENTE, subst. f.**
**1.** Assemblage de pièces de bois, de métal, de béton, constituant l'ossature d'une construction : *La **charpente** d'une maison.* **2.** Anal. *La **charpente** du corps humain* : son squelette. **3.** Fig. Structure d'un ouvrage : *La **charpente** d'un roman.* **4.** *Bot.* Ensemble des branches maîtresses d'un arbre. 1563 ; p.-ê. *charpenter* ou anc. fr. *charpent*, « statue ; corps » ; [ʃaRpɑ̃t].

**CHARPENTÉ, ÉE, adj.**
**1.** Qui a une charpente. **2.** Anal. Doté d'une constitution robuste : *Un gaillard solidement **charpenté**.* **3.** Fig. *Une œuvre bien **charpentée*** : bien structurée. Fin XIIe s. ; p. p. de *charpenter* ; [ʃaRpɑ̃te].

**CHARPENTER, verbe trans.** [3]
**1.** Tailler (des pièces de bois) pour en faire les éléments d'une charpente. **2.** Fig. Construire, donner une structure rigoureuse à (un discours, une œuvre, etc.). Fin XIIe s. ; prob. *charpentier* ; [ʃaRpɑ̃te].

**CHARPENTERIE, subst. f.**
**1.** Métier, art du charpentier. **2.** Chantier de charpente. Fin XIIe s. ; ☞ *charpentier* ; [ʃaRpɑ̃tRi].

**CHARPENTIER, subst. m.**
Artisan, ouvrier ou entrepreneur spécialisé dans les travaux de charpente. Fin XIIe s. ; lat. °*carpentarius*, « charron » ; [ʃaRpɑ̃tje].

**CHARPIE, subst. f.**
**1.** Vx. *Méd.* Matière floconneuse, obtenue par effilage de vieux tissus, qui servait à faire des pansements. **2.** *Réduire en **charpie*** : déchiqueter, mettre en lambeaux, en morceaux et, au fig., écharper, anéantir. Déb. XIVe s. ; prob. p. p. de l'anc. fr. *charpir*, « mettre en charpie » ; [ʃaRpi].

**CHARRE, voir CHAR (II)**

**CHARRETÉE, subst. f.**
Contenu d'une charrette : *Une **charretée** de fourrage.* 1086 ; ☞ *charrette* ; [ʃaRte].

**CHARRETIER, IÈRE, adj. et subst.**
**Subst.** Personne qui conduit une charrette. ▸ Loc. *Jurer comme un **charretier*** : proférer sans cesse des jurons très grossiers. **Adj.** *Chemin **charretier*** : où passent des charrettes. Fin XIIe s. ; ☞ *charrette* ; [ʃaRtje, jɛR].

**CHARRETON, subst. m.**
**1.** Vx. Charretier. **2.** Petite charrette sans ridelles. **3.** Ext. Voiture à bras ; son contenu. Fin XIIe s. ; ☞ *charrette* ; var. *charretin* ; [ʃaRtɔ̃].

**CHARRETTE, subst. f.**
**1.** Voiture à deux roues, à brancard simple ou double, à ridelles, servant au transport de fardeaux : ***Charrette** à bras*, tirée par une ou deux personnes. **2.** ***Charrette** anglaise* : petite voiture hippomobile à deux roues. **3.** Fig. et Fam. ▸ Travail intensif et urgent : *Être **charrette***, être pressé, en retard. ▸ Ensemble de personnes licenciées, exclues, expulsées, etc. Fin XIe s. ; ☞ *char* (I) ; [ʃaRɛt].

**CHARRIAGE, subst. m.**
**1.** Action de charrier, fait d'être charrié ; résultat de cette action, de ce fait. **2.** *Géol.* Poussée latérale provoquant le déplacement horizontal d'un terrain : *Nappe de **charriage***, terrain ainsi déplacé. 1240 ; ☞ *charrier* ; [ʃaRjaʒ].

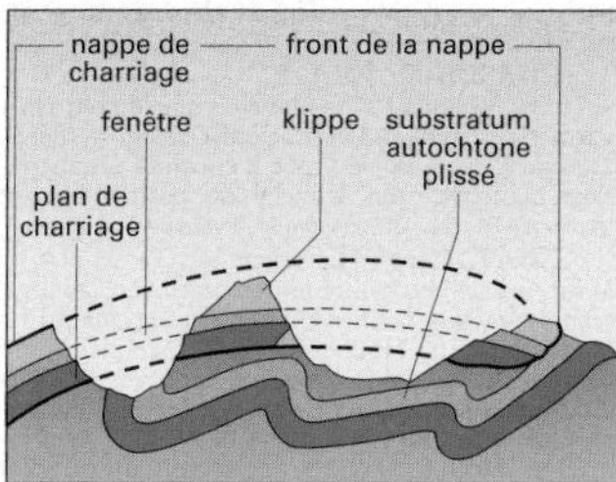


*Schéma d'une nappe de **charriage**.*

**CHARRIER, verbe trans.** [6]
**1.** Transporter dans une charrette, un chariot. **2.** En parlant d'un cours d'eau, d'un liquide en mouvement, entraîner, emporter. **3.** Fig. et Fam. ***Charrier** qqn* : s'en moquer ; empl. abs., plaisanter, exagérer : *Tu **charries** !* Fin XIe s. ; ☞ *char* (I) ; [ʃaRje].

**CHARROI, subst. m.**
**1.** Vx. Chariot. **2.** Transport par chariot, par charrette, par tombereau. **3.** *Milit.* Convoi, train (vx). Mil. XIIe s. ; ☞ *charroyer* ; [ʃaRwa].

**CHARRON, subst. m.**
Artisan qui fabrique et répare des chariots, des charrettes, des tombereaux, etc., et, en partic., les roues de ces véhicules. 1268 ; ☞ *char* (I) ; [ʃaRɔ̃].

**CHARRONNAGE, subst. m.**
Activité du charron. 1690 ; ☞ *charron* ; [ʃaRɔnaʒ].

**CHARROYER, verbe trans.** [17]
Transporter par charrette, par chariot, etc. Déb. XIIIe s. ; ☞ *char* (I) ; [ʃaRwaje].

**CHARRUAGE, subst. m.**
**1.** Labourage à la charrue. **2.** Méton. Étendue de terre labourable en une journée avec une charrue. XIIIe s. ; ☞ *charrue* ; [ʃaRyaʒ].

**CHARRUE, subst. f.**
Machine agricole servant au labourage. ▸ Loc. *Mettre la **charrue** devant, avant les bœufs* : commencer par où il faudrait finir. Fin XIIe s. ; lat. *carruca*, « char d'apparat », d'orig. gaul. ; [ʃaRy].

**CHARTE, subst. f.**
**1.** *M. Â.* Écrit solennel consignant des droits, des privilèges, des titres, etc. **2.** Ensemble des lois constitutionnelles d'un État, concédées par le souverain : *La **Charte** de 1814, octroyée par Louis XVIII.* **3.** Ensemble de règles, de principes fondamentaux : *La **Charte** des Nations unies.* Mil. XIe s. ; lat. *charta*, « papier » ; [ʃaRt].

**CHARTE-PARTIE, subst. f.**
*Dr. mar.* Écrit, titre constatant un contrat d'affrètement. 1372 ; comp. de *charte* et de *partir*, « séparer » ; plur. *chartes-parties* ; [ʃaRt(ə)paRti].

**CHARTER, subst. m.**
Avion affrété pour un groupe de personnes qui le remplit entièrement, ce qui permet de réduire le coût du billet. V. 1970 ; angl. *charter*, de *to charter*, « louer, affréter » ; [ʃaRtɛR] ou [tʃaRtœR].

**CHARTISME, subst. m.**
*Hist.* Entre 1838 et 1848, mouvement réformiste anglais dont le programme, contenu dans la Charte du peuple, réclamait notamment le suffrage universel. 1846 ; angl. *chartism* ; [ʃaRtism].

**CHARTISTE (I), subst.**
**1.** Partisan de la Charte de 1814. **2.** Spécialiste des chartes anciennes ; en partic., élève de l'École nationale des chartes. XIXe s. ; ☞ *charte* ; [ʃaRtist].

**CHARTISTE (II), adj. et subst.**
**Subst.** Partisan du chartisme. **Adj.** Relatif au chartisme. 1845 ; angl. *chartist* ; [ʃaRtist].

**CHARTREUSE, subst. f.**
**1.** Couvent de chartreux. **2.** Anal. Maison de campagne isolée. ▸ Dans le Bordelais, type de maison basse et longue. **3.** Liqueur aromatique préparée par les moines de la Grande-**Chartreuse**. Fin XIe s. ; topon. *Chartreuse*, près de Grenoble, où saint Bruno fonda un monastère en 1084 ; [ʃaRtRøz].

**CHARTREUX, EUSE, subst.**
*Cath.* Religieux, religieuse de l'ordre contemplatif fondé par saint Bruno. **Masc.** *Zool.* Chat d'une race au poil gris bleuté. 1330 ; ☞ *chartreuse* ; [ʃaRtRø, øz].

**CHARTRIER, subst. m.**
**1.** Recueil de chartes. **2.** Méton. Lieu où les chartes sont conservées. **3.** Gardien des chartes. 1370 ; *chartre*, var. anc. de *charte* ; [ʃaRtRije].

**CHAS, subst. m.**
**1.** Trou d'une aiguille, par lequel on passe le fil. **2.** *Techn.* Carré de métal troué au centre pour permettre le passage du fil à plomb. Déb. XIIIe s. ; orig. obsc. ; [ʃɑ].

**CHASSE, subst. f.**
**I. 1.** Action de chercher, de poursuivre le gibier pour le capturer ou le tuer : ***Chasse** à l'ours* ; ***Chasse** à courre* ; *Aller à la **chasse*** ; par anal. : ***Chasse** aux papillons.* **2.** Terrain réservé à la **chasse** : *Posséder une **chasse**.* **3.** Gibier pris ou tué. **4.** *Être en **chasse*** : en parlant des femelles d'animaux, être en chaleur. **II. 1.** Action de chercher à s'emparer de qqn, à se procurer qqch. : *Une **chasse** à l'homme* ; ***Chasse** aux autographes* ; *Prendre en **chasse***, poursuivre. **2.** *Milit.* *Aviation de **chasse*** ou, par ell., ***Chasse*** : aviation chargée de combattre et de détruire les avions ennemis en vol. **III.** *Techn.* **1.** ***Chasse** d'eau* : dispositif de vidange par écoulement rapide d'eau. **2.** *Mécan.* Jeu laissé à certaines parties d'une machine. **3.** *Typogr.* Encombrement latéral d'un caractère. Fin XIIe s. ; ☞ *chasser* ; [ʃas].

**CHÂSSE, subst. f.**
**1.** Coffre où l'on conserve les reliques d'un saint, d'une sainte. **2.** Monture, encadrement : ***Châsse** d'une pierre précieuse, d'un verre de lunette.* Mil. XIIe s. ; lat. *capsa*, « caisse » ; [ʃɑs].

© Lauros-Giraudon

*Châsse de saint Calminius, émail (mil. XIIIe s.). Musée Dobrée, Nantes.*

**CHASSÉ, subst. m.**
*Chorégr.* Pas de danse latéral, dans lequel un pied semble chasser l'autre. 1700 ; p. p. de *chasser* ; [ʃase].

**CHASSE-CLOU, subst. m.**
Outil servant à enfoncer les clous de façon que leur tête ne fasse plus saillie. Mil. XIXe s. ; comp. de *chasser* et de *clou* ; plur. *chasse-clous* ; [ʃasklu].

**CHASSÉ-CROISÉ, subst. m.**
**1.** *Chorégr.* Figure dans laquelle les deux partenaires passent l'un devant l'autre en faisant un chassé. **2.** Fig. ▸ Échange simultané de situations, de places : *Un **chassé-croisé** de fonctionnaires.* ▸ Suite de démarches sans coordination ni résultat (péj.). 1839 ; comp. de *chassé* et de *croisé* ; plur. *chassés-croisés* ; [ʃasekʀwaze].

**CHASSELAS, subst. m.**
Cépage donnant un raisin de table blanc. 1673 ; topon. *Chasselas* (Saône-et-Loire) ; [ʃasla].

**CHASSE-MARÉE, subst. m. inv.**
**1.** Vx. Voiture servant à transporter la marée sur les marchés. **2.** *Mar.* Petit bâtiment à trois mâts, gén. équipé pour la pêche. 1260 ; comp. de *chasser* et de *marée* ; [ʃasmaʀe].

**CHASSE-MOUCHE(S), subst. m.**
Petit instrument en forme de balai ou d'éventail, servant à chasser les mouches. 1555 ; comp. de *chasser* et de *mouche* ; plur. *chasse-mouches* ; [ʃasmuʃ].

**CHASSE-NEIGE, subst. m. inv.**
**1.** Dispositif ou engin conçu pour déblayer la neige sur une voie ferrée, une route, etc. **2.** *Sp.* Position qu'utilisent les skieurs débutants pour freiner, consistant à écarter les talons. 1834 ; comp. de *chasser* et de *neige* ; [ʃasnɛʒ].

**CHASSE-PIERRES, subst. m. inv.**
Dispositif adapté à l'avant d'une locomotive pour dégager la voie de tout obstacle. 1842 ; comp. de *chasser* et de *pierre* ; [ʃaspjɛʀ].

**CHASSEPOT, subst. m.**
Fusil à baïonnette en service dans l'armée française de 1866 à 1874. 1866 ; anthropon. *Antoine Chassepot*, armurier qui inventa ce fusil ; [ʃaspo].

**CHASSER, verbe** [3]
**Trans. 1.** Poursuivre, guetter (un animal) pour le capturer ou le tuer ; empl. abs., aller à la chasse. **2.** Congédier, faire partir, obliger à quitter un lieu : ***Chasser** un importun* ; ***Chasser** l'ennemi de ses positions.* **3.** Pousser plus loin, faire disparaître : *Le vent **chasse** les nuages* ; au fig. : ***Chasser** l'ennui.* **Intrans. 1.** Se déplacer : *Les nuages **chassent** vers l'est.* ▸ Se déporter, déraper : *La voiture a **chassé** dans le virage.* **2.** *Chorégr.* Exécuter un chassé. **3.** *Mar.* ***Chasser** sur son ancre* : dériver en entraînant son ancre, en parlant d'un bateau au mouillage. **4.** *Typogr.* S'étaler, occuper de l'espace, en parlant d'un caractère : *Le « m » **chasse** plus que le « i ».* Déb. XIIe s. ; lat. pop. °*captiare*, « prendre, attraper » ; [ʃase].

**CHASSERESSE, adj. f. et subst. f.**
Se dit d'une femme qui chasse (littér.) : *Diane **chasseresse**,* divinité de la Chasse chez les Romains. Déb. XIVe s. ; ☞ *chasser* ; [ʃasʀɛs].

**CHASSEUR, EUSE, subst.**
**1.** Personne qui chasse, qui pratique la chasse ; par ext., animal qui chasse, prédateur. **2.** Personne qui recherche qqch. ou qqn avec ténacité : ***Chasseur** d'autographes* ; ***Chasseur** de têtes,* professionnel du recrutement de personnel de direction ; ***Chasseur** d'images,* personne qui recherche des sujets intéressants à photographier ou à filmer. **Masc. 1.** Dans un hôtel, un restaurant, groom employé comme portier ou coursier. **2.** *Milit.* ▸ Soldat de certains corps d'infanterie ou de cavalerie : ***Chasseur** alpin.* ▸ *Aéron.* Appareil ou pilote de chasse. ▸ *Mar. **Chasseur** de mines* : navire conçu pour la recherche et la destruction des mines. Déb. XIIe s. ; ☞ *chasser* ; le fém. est rare ; [ʃasœʀ, øz].

**CHASSIE, subst. f.**
Sécrétion gluante et jaunâtre qui se dépose sur le bord des paupières. Déb. XIIe s. ; prob. lat. pop. *caccita*, du lat. *cacare*, « chier » ; [ʃasi].

**CHASSIEUX, EUSE, adj.**
Qui a de la chassie : *Yeux **chassieux**.* Déb. XIIe s. ; ☞ *chassie* ; [ʃasjø, øz].

**CHÂSSIS, subst. m.**
**1.** Cadre fixe ou mobile qui enchâsse ou supporte qqch. : ***Châssis** d'une porte.* **2.** *Hortic.* Abri vitré et plat qui protège les semis. **3.** *Impr.* Cadre métallique dans lequel était fixée la composition en plomb. **4.** *Mécan.* Assemblage rigide supportant la caisse et le moteur d'un véhicule, d'une machine. **5.** *Peint.* Cadre sur lequel on tend la toile. **6.** *Phot.* Boîtier plat dans lequel se trouve le film, la plaque sensible d'un appareil photographique. Mil. XIIe s. ; ☞ *châsse* ; [ʃɑsi].

**CHASTE, adj.**
**1.** Qui pratique la chasteté : *Les **chastes** sœurs,* les Muses. **2.** Qui est pur, innocent ; qui respecte la pudeur, la décence : *Amour **chaste**.* 1130 ; lat. *castus*, « pur de, exempt de » ; [ʃast].

**CHASTEMENT, adv.**
De manière chaste. 1130 ; ☞ *chaste* ; [ʃastəmɑ̃].

**CHASTETÉ, subst. f.**
**1.** Abstention des plaisirs charnels lorsqu'ils sont jugés illicites ; par ext., tempérance sexuelle, maîtrise des sens : ***Chasteté** conjugale.* **2.** Abstinence sexuelle totale : *Faire vœu de **chasteté**.* **3.** Qualité ou état d'une personne, d'une attitude chaste : ***Chasteté** d'un regard* ; *Vivre dans la **chasteté**.* 1180 ; lat. *castitas* ; [ʃastəte].

**CHASUBLE, subst. f.**
**1.** *Liturg.* Vêtement sans manches que le prêtre met par-dessus l'aube et l'étole, pour célébrer la messe. **2.** Anal. *Robe **chasuble*** : robe à encolure échancrée, sans manches, sous laquelle on porte un haut. Fin XIIe s. ; bas lat. *casub(u)la*, « vêtement » ; [ʃazybl].

**CHAT, CHATTE, subst.**
**Masc. 1.** *Zool.* Petit mammifère carnivore au museau court, aux oreilles triangulaires et aux griffes rétractiles, de la famille des Félidés. Le genre *Felis* compte une vingtaine d'espèces, dont *Felis sylvestris* ou **chat** sauvage, qui vit dans les forêts d'Europe, et *Felis catus*, ou **chat** domestique, qui regroupe diverses races : **chat** persan, **chat** siamois, **chat** angora, **chat** de gouttière ou européen, etc. Le **chat** peut être tigré, roux, écaille de tortue, etc. Animal de compagnie, chasseur de souris, il est de caractère indépendant et ronronne lorsqu'il est serein. Il est probablement originaire d'Égypte, où il faisait l'objet d'un culte. **2.** Loc. *Être comme chien et **chat*** : ne pas se supporter ; *Jouer au **chat** et à la souris* : s'épier en permanence ; *Appeler un **chat** un **chat*** : dire les choses franchement ; *Il n'y a pas de quoi fouetter un **chat*** (fam.) : ce n'est pas très grave ; *Donner sa langue au **chat*** : renoncer à résoudre une devinette, une énigme ; *Il n'y a pas un **chat*** : il n'y a personne ; *Avoir un **chat** dans la gorge* : être enroué ; *Faire une toilette de **chat*** : se laver sommairement. **3.** Jeu de poursuite, où l'un des joueurs, le **chat**, doit toucher un des autres joueurs, qui devient à son tour le **chat** : *Jouer à **chat**, à **chat** perché.* **Fém. 1. Chat** femelle. **2.** Sexe d'une femme (vulg.). Fin XIIe s. ; bas lat. *cattus* ; [ʃa, ʃat].

**CHÂTAIGNE, subst. f.**
**1.** Fruit comestible du châtaignier, contenu dans une bogue. **2.** Anal. ***Châtaigne** d'eau* : fruit épineux de la macre. **3.** Coup de poing (fam.). XIIe s. ; lat. *castanea*, du gr. *kastanon* ; [ʃatɛɲ].

**CHÂTAIGNERAIE, subst. f.**
Terrain planté de châtaigniers ; plantation de châtaigniers. 1538 ; ☞ *châtaignier* ; [ʃatɛɲ(ə)ʀɛ].

**CHÂTAIGNIER, subst. m.**
**1.** *Bot.* Arbre de la famille des Fagacées, genre *Castanea*, dont l'espèce *Castanea sativa* est courante dans nos régions. Un **châtaignier** peut vivre plusieurs siècles et atteindre 35 m de haut ; son fruit est la châtaigne, riche en amidon. **2.** Bois de cet arbre. XIIe s. ; ☞ *châtaigne* ; [ʃateɲe].

**CHÂTAIN, AINE, adj.**
D'un brun clair, surtout en parlant des cheveux : *Des reflets **châtains*** ; empl. subst. masc., cette couleur. ▸ Méton. Qui a les cheveux de cette teinte : *Une femme **châtain** ou **châtaine**.* Fin XIIe s. ; ☞ *châtaigne* ; le fém. est rare ; [ʃatɛ̃, ɛn].

**CHATAIRE, voir CATAIRE (I)**

**CHÂTEAU, subst. m.**
**1.** ***Château** fort* : demeure féodale fortifiée ; par ext., forteresse ancienne. **2.** Résidence seigneuriale ou royale : *Le **château** de Versailles.* **3.** Vaste demeure rurale, de noble aspect. **4.** Propriété viticole, donnant son nom à un cru : *Domaine de **Château**-Margaux* ; *Boire un **château**-figeac.* **5.** Loc. *Vie de **château*** : vie de luxe et d'oisiveté ; ***Château** de cartes* : construction faite avec des cartes à jouer et, au fig., entreprise vouée à l'échec ; *Bâtir des **châteaux** en Espagne* : former des projets chimériques. **6.** *Mar.* Superstructure construite sur le pont supérieur d'un navire. **7.** *Techn.* ***Château** d'eau* : réservoir surélevé, servant à la distribution de l'eau. Déb. XIIe s. ; lat. *castellum*, « redoute » ; [ʃɑto].

**CHATEAUBRIAND, subst. m.**
*Cuis.* Tranche épaisse de filet de bœuf grillée. 1865 ; p.-ê. anthropon. *Chateaubriand*, écrivain dont le cuisinier aurait créé la recette ; var. *châteaubriant* ; [ʃatobʀijɑ̃].

**CHÂTELAIN, AINE, subst.**
**1.** *Féod.* Maître ou maîtresse de château. **2.** Ext. Propriétaire ou locataire d'un château ; au fém., son épouse. 1155 ; lat. *castellanus*, « celui qui habite un château fort » ; [ʃɑt(ə)lɛ̃, ɛn].

**CHÂTELAINE, subst. f.**
**1.** Chaîne de ceinture féminine. **2.** Chaîne d'une montre de gousset. 1828 ; ell. de *chaîne châtelaine* ; [ʃɑt(ə)lɛn].

**CHÂTELET, subst. m.**
Petit château fort. 1155 ; anc. fr. *chastel*, « château » ; [ʃɑt(ə)lɛ].

**CHÂTELLENIE, subst. f.**
*Féod.* Seigneurie et juridiction d'un seigneur châtelain. XIIe s. ; ☞ *châtelain* ; [ʃatɛlni].

**CHÂTELPERRONIEN, voir CASTELPERRONIEN**

**CHAT-HUANT, subst. m.**
*Zool.* Nom d'un rapace nocturne, appelé aussi hulotte, de la famille des Strigidés, espèce *Stryx aluco*. C'est un oiseau gris et blanc, aux yeux bordés d'une collerette brune et dont le cri évoque un bref miaulement. Fin XIIIe s. ; altér. en *chat* et en *huer*, du judéo-français *javan*, du bas lat. *cavannus*, « chouette » ; plur. *chats-huants* ; [ʃaɥɑ̃].

**CHÂTIER, verbe trans.** [6]
**1.** Punir avec sévérité, corriger : ***Châtier** un coupable* ; ***Châtier** une insolence.* **2.** Rendre le plus pur, le plus correct possible : ***Châtier** son langage.* Xe s. ; lat. *castigare*, de *castus*, « pur » ; [ʃɑtje].

**CHATIÈRE, subst. f.**
**1.** Petite ouverture ménagée au bas d'une porte pour laisser passer les chats. **2.** Ouverture servant à l'aération des combles. Fin XIIIe s. ; ☞ *chat* ; [ʃatjɛʀ].

**CHÂTIMENT, subst. m.**
Peine sévère, punition infligée pour corriger. Mil. XIIe s. ; ☞ *châtier* ; [ʃɑtimɑ̃].

**CHATOIEMENT, subst. m.**
Reflet brillant et mouvant d'une étoffe, d'une pierrerie, etc. Fin XVIIIe s. ; ☞ *chatoyer* ; [ʃatwamɑ̃].

**CHATON (I), subst. m.**
**1.** Jeune chat. **2.** *Bot.* Inflorescence duveteuse de végétaux dits amentifères, évoquant l'aspect soyeux de l'extrémité de la queue du chat. ▸ Ext. Petit amas laineux de poussière (synon. *mouton*). 1261 ; ☞ *chat* ; [ʃatɔ̃].

**CHATON (II), subst. m.**
*Bijout.* Partie d'une bague où est sertie une pierre, une perle, etc. ; par ext. : ***Chaton** d'une chevalière,*

© S. Cordier-Explorer

© C. Nardin-Explorer

*Chasser : une nécessité pour ce Bochiman du Kalahari.*

*Chasser l'image : une aventure passionnante.*

où le chiffre est gravé. ⌧ Mil. XIIe s. ; anc. bas frq. °kasto, « boîte » ; [ʃatɔ̃].

**CHATOUILLE, subst. f.**
Fam. Chatouillement (gén. au plur.) : *Craindre les **chatouilles**.* ⌧ 1787 ; ☞ *chatouiller* ; [ʃatuj].

**CHATOUILLEMENT, subst. m.**
**1.** Action de chatouiller ; son résultat. **2.** Anal. Démangeaison légère, picotement. ⌧ XIIIe s. ; ☞ *chatouiller* ; [ʃatujmɑ̃].

**CHATOUILLER, verbe trans.** [3]
**1.** Effleurer la peau de (qqn) par des attouchements qui provoquent un rire convulsif : ***Chatouiller** qqn sous la plante des pieds.* **2.** Exciter agréablement : ***Chatouiller** l'odorat.* ► Fig. Flatter : ***Chatouiller** l'orgueil de qqn* ; par antiphr., irriter, agacer (fam.). ⌧ Déb. XIIIe s. ; p.-ê. orig. onomat. ; [ʃatuje].

**CHATOUILLEUX, EUSE, adj.**
**1.** Sensible au chatouillement : *Un enfant **chatouilleux** ; Un cheval **chatouilleux**,* sensible à la cravache et aux éperons. **2.** Fig. Ombrageux, susceptible (fam.). ⌧ XIVe s. ; ☞ *chatouiller* ; [ʃatujø, øz].

**CHATOUILLIS, subst. m.**
Chatouillement léger (fam.). ⌧ 1891 ; ☞ *chatouiller* ; [ʃatuji].

**CHATOYANT, ANTE, adj.**
Qui chatoie ; au fig. : *Un style **chatoyant**.* ⌧ Mil. XVIIIe s. ; p. pr. de *chatoyer* ; [ʃatwajɑ̃, ɑ̃t].

**CHATOYER, verbe intrans.** [17]
Briller d'un éclat changeant selon les jeux de la lumière : *Pierre précieuse, étoffe qui **chatoie**.* ⌧ 1742 ; ☞ *chat,* dont l'œil brille de reflets irisés ; [ʃatwaje].

**CHÂTRER, verbe trans.** [3]
**1.** Rendre stérile par la castration. **2.** Ext. ***Châtrer** un melon, un fraisier* : en enlever certaines fleurs, les stolons. **3.** Fig. ***Châtrer** un texte, un discours* : l'affaiblir, le mutiler. ⌧ 1121 ; lat. *castrare* ; [ʃɑtʀe].

**CHATTE, voir CHAT**

**CHATTEMITE, subst. f.**
Personne affectant un air humble et doux pour séduire ou tromper : *Faire la **chattemite**.* ⌧ 1295 ; formé de *chatte* et de *mite*, anc. nom pop. du chat ; [ʃatmit].

**CHATTERIE, subst. f.**
**1.** Geste câlin, cajolerie. **2.** Friandise. ⌧ XVIe s. ; ☞ *chat* ; [ʃatʀi].

**CHATTERTON, subst. m.**
Ruban adhésif isolant, utilisé notamment sur des câbles ou des fils électriques. ⌧ 1882 ; anthropon. *Chatterton,* inventeur anglais de ce ruban ; [ʃatɛʀtɔn].

**CHAT-TIGRE, subst. m.**
*Zool.* Grand chat sauvage, tel l'ocelot. ⌧ 1688 ; comp. de *chat* et de *tigre* ; plur. *chats-tigres* ; [ʃatigʀ].

**CHAUD, CHAUDE, adj., adv. et subst. m.**
Adj. **1.** Qui possède ou dégage de la chaleur ; qui est d'une température supérieure à celle du corps humain : *Eau **chaude** ; Vêtements **chauds**,* qui protègent du froid ; au fig. : *Des nouvelles toutes **chaudes**,* récentes. ► Loc. *Pleurer à **chaudes** larmes* : abondamment. **2.** Plein d'ardeur, d'enthousiasme : *De **chauds** admirateurs.* ► Loc. *Avoir la tête **chaude**, le sang **chaud*** : être impulsif, s'emporter facilement. **3.** Sensuel (pop.) : *Un **chaud** lapin,* un homme qui recherche les plaisirs sexuels. **4.** Très violent, très grave : *L'alerte a été **chaude** ; Le printemps sera **chaud**,* marqué par une agitation politique ou sociale ; *Point **chaud**,* endroit exposé où peut naître une crise, un conflit. **5.** *Couleurs **chaudes*** : à dominante rouge ou jaune. Adv. **1.** *Manger, boire, servir **chaud*** : rapidement après avoir chauffé. **2.** *Il fait **chaud*** : la température ambiante est élevée. **3.** *Avoir **chaud*** : éprouver une sensation de chaleur ; au fig. : *J'ai eu **chaud**,* je l'ai échappé belle (fam.). **4.** *À **chaud*** : en chauffant ou, au fig., sur le moment, de toute urgence. Subst. **1.** Chaleur (fam.) : *Un coup de **chaud**.* **2.** *Attraper un **chaud** et froid* : un refroidissement. ⌧ Fin XIe s. ; lat. *cal(i)dus* ; [ʃo, ʃod].

**CHAUDEAU, subst. m.**
*Cuis.* Lait chaud, sucré et aromatisé, versé sur des œufs. ⌧ Fin XIIe s. ; formé de *chaud* et de *eau* ; [ʃodo].

**CHAUDEMENT, adv.**
**1.** De manière à avoir chaud : *Équipez-vous **chaudement** !* **2.** Fig. Avec ardeur, vive sympathie : *Recommander **chaudement**.* ⌧ Fin XIIe s. ; ☞ *chaud* ; [ʃodmɑ̃].

**CHAUDE-PISSE, subst. f.**
Blennorragie (pop.). ⌧ XIIIe s. ; comp. de *chaud* et de *pisser* ; plur. *chaudes-pisses* ; [ʃodpis].

**CHAUD-FROID, subst. m.**
*Cuis.* Mets composé de morceaux de gibier ou de volaille cuits en sauce et servis froids nappés de gelée. ⌧ 1864 ; comp. de *chaud* et de *froid* ; plur. *chauds-froids* ; [ʃofʀwa].

**CHAUDIÈRE, subst. f.**
**1.** Vx. Grand récipient servant à faire chauffer, bouillir, cuire qqch. : *Une **chaudière** de teinturier.* **2.** Appareil dans lequel l'eau est chauffée ou transformée en vapeur pour servir au chauffage, à la production d'énergie, etc. ⌧ Déb. XIIe s. ; bas lat. *cal(i)daria,* « chaudron » ; [ʃodjɛʀ].

**CHAUDRON, subst. m.**
Récipient profond en cuivre ou en fonte, à anse mobile, employé autrefois dans les cuisines de campagne ; son contenu. ⌧ Mil. XIIe s. ; ☞ *chaudière* ; [ʃodʀɔ̃].

**CHAUDRONNERIE, subst. f.**
**1.** Travail des métaux par martelage, emboutissage, estampage, etc., en vue de la fabrication d'ustensiles, d'appareils à usage domestique ou industriel. **2.** Méton. Lieu où s'effectue ce travail ; les objets ainsi produits. ⌧ 1611 ; ☞ *chaudron* ; [ʃodʀɔnʀi].

**CHAUDRONNIER, IÈRE, subst.**
Personne qui fabrique, vend et répare de la petite chaudronnerie ; personne qui travaille dans la chaudronnerie industrielle. ⌧ 1277 ; ☞ *chaudron* ; [ʃodʀɔnje, jɛʀ].

**CHAUFFAGE, subst. m.**
**1.** Action de chauffer ; résultat de cette action. **2.** Manière de chauffer : ***Chauffage** à l'électricité, au gaz* ; ***Chauffage** central,* système de distribution de chaleur à plusieurs pièces ou appartements, à partir d'une source unique ; ***Chauffage** urbain,* provenant d'une centrale et alimentant des quartiers entiers. **3.** Méton. Appareil ou installation servant à fournir de la chaleur. ⌧ Déb. XIIIe s. ; ☞ *chauffer* ; [ʃofaʒ].

**CHAUFFAGISTE, subst. m.**
Spécialiste de l'installation et de la maintenance du chauffage central. ⌧ V. 1960 ; ☞ *chauffage* ; [ʃofaʒist].

**CHAUFFANT, ANTE, adj.**
Qui donne de la chaleur : *Une couverture **chauffante**.* ⌧ 1929 ; p. pr. de *chauffer* ; [ʃofɑ̃, ɑ̃t].

**CHAUFFARD, subst. m.**
Conducteur imprudent et dangereux (fam.). ⌧ 1898 ; ☞ *chauffeur* ; [ʃofaʀ].

**CHAUFFE, subst. f.**
Action de produire de la chaleur dans une chaudière et de la distribuer à travers un circuit de chauffage ; durée de cette opération. ► *Surface de **chauffe*** : partie d'un appareil de chauffage se trouvant en contact avec la source de chaleur. ► *Bleu de **chauffe*** : épaisse combinaison de travail. ⌧ 1701 (XIVe s., combustible) ; ☞ *chauffer* ; [ʃof].

**CHAUFFE-ASSIETTE(S), subst. m.**
Appareil servant à chauffer les assiettes. ⌧ 1845 ; comp. de *chauffer* et de *assiette* ; plur. *chauffe-assiettes* ; [ʃofasjɛt].

**CHAUFFE-BAIN, subst. m.**
Appareil permettant de chauffer l'eau destinée à la toilette. ⌧ 1899 ; comp. de *chauffer* et de *bain* ; plur. *chauffe-bain(s)* ; [ʃofbɛ̃].

**CHAUFFE-BIBERON, subst. m.**
Petit bain-marie électrique utilisé pour chauffer les biberons. ⌧ V. 1960 ; comp. de *chauffer* et de *biberon* ; plur. *chauffe-biberons* ; [ʃofbibʀɔ̃].

**CHAUFFE-EAU, subst. m. inv.**
Appareil servant à produire de l'eau chaude pour l'usage domestique. ⌧ 1902 ; comp. de *chauffer* et de *eau* ; [ʃofo].

**CHAUFFE-PIEDS, subst. m. inv.**
Chaufferette. ⌧ 1381 ; comp. de *chauffer* et de *pied* ; [ʃofpje].

**CHAUFFE-PLAT(S), subst. m.**
Accessoire de table permettant de tenir les plats au chaud. ⌧ 1890 ; comp. de *chauffer* et de *plat* ; plur. *chauffe-plats* ; [ʃofpla].

**CHAUFFER, verbe** [3]
Trans. **1.** Rendre chaud ou plus chaud : ***Chauffer** du lait* ; ***Chauffer** un local.* **2.** Procurer une sensation de chaleur à : *Un alcool qui **chauffe** la gorge.* **3.** Fig. et Fam. Exciter, mettre dans des dispositions favorables : ***Chauffer** l'auditoire.* ► ***Chauffer** un candidat* : le soumettre à une préparation intensive. Intrans. **1.** Devenir chaud : *Le café **chauffe*** ; devenir trop chaud : *Le moteur **chauffe**, il faut ralentir.* **2.** Produire, dégager de la chaleur : *Le soleil **chauffe**.* ► Loc. *Ça va **chauffer*** : ça va prendre une tournure animée ou violente (fam.). Pronom. **1.** S'exposer à la chaleur. **2.** **Chauffer** l'endroit où l'on se trouve, où l'on vit : *Se **chauffer** au bois.* ► Loc. *Montrer de quel bois on se **chauffe*** : montrer quelles réactions l'on est capable d'avoir (fam.). ⌧ Mil. XIIe s. ; lat. pop. °*calefare,* du lat. *calefacere,* « rendre chaud » ; [ʃofe].

**CHAUFFERETTE, subst. f.**
**1.** Boîte munie d'un couvercle, que l'on emplissait de braise pour se chauffer les pieds. **2.** Petit appareil, gén. électrique, utilisé pour se chauffer les pieds, les mains. ⌧ 1379 ; ☞ *chauffer* ; [ʃofʀɛt].

**CHAUFFERIE, subst. f.**
Local où sont installées des chaudières. ⌧ 1873 (1334, chauffage) ; ☞ *chauffer* ; [ʃofʀi].

**CHAUFFEUR, subst. m.**
**1.** Personne chargée de la conduite et de la surveillance du feu d'une forge, d'une chaudière, d'un four, etc. **2.** Ext. Conducteur, gén. professionnel, d'un véhicule automobile : ***Chauffeur** de bus.* ⌧ 1680 ; ☞ *chauffer* ; [ʃofœʀ].

**CHAUFFEUSE, subst. f.**
Chaise basse utilisée pour s'installer près du feu ; par ext., sorte de fauteuil bas sans bras. ⌧ 1830 ; ☞ *chauffer* ; [ʃoføz].

**CHAUFOUR, subst. m.**
Four à chaux (vieilli). ⌧ 1248 ; formé de *chaux* et de *four* ; [ʃofuʀ].

**CHAUFOURNIER, subst. m.**
Personne qui travaille dans un chaufour. ⌧ XIIIe s. ; ☞ *chaufour* ; [ʃofuʀnje].

**CHAULAGE, subst. m.**
Action de chauler ; le résultat de cette action. ⌧ 1764 ; ☞ *chauler* ; [ʃolaʒ].

**CHAULER, verbe trans.** [3]
**1.** *Agric.* Traiter à la chaux : ***Chauler** un champ,* l'amender en y répandant de la chaux ; ***Chauler** un arbre,* enduire son tronc de lait de chaux pour le préserver des parasites. **2.** *Bât.* ***Chauler** une façade* : la blanchir à la chaux. ⌧ 1372 ; ☞ *chaux* ; [ʃole].

**CHAULEUSE, subst. f.**
Machine servant à répandre de la chaux ou une autre substance. ⌧ 1929 ; ☞ *chauler* ; [ʃoløz].

**CHAUMAGE, subst. m.**
*Agric.* **1.** Action de chaumer. **2.** Période où l'on chaume. ⌧ 1393 ; ☞ *chaumer* ; [ʃomaʒ].

**CHAUMARD, subst. m.**
*Mar.* Pièce de l'accastillage du pont d'un navire, servant à guider les amarres. ⌧ 1846 ; orig. inc. ; [ʃomaʀ].

**CHAUME, subst. m.**
**1.** *Bot.* Tige creuse et cylindrique des Poacées. **2.** Partie inférieure de la tige des céréales, qui reste sur pied après la moisson. **3.** Paille utilisée pour la couverture de certaines habitations : *Un toit de **chaume**.* ⌧ 1195 ; lat. *calamus,* du gr. *kalamos,* « roseau » ; [ʃom].

**CHAUMER, verbe trans.** [3]
*Agric.* Arracher le chaume de (un champ moissonné). ⌧ 1355 ; ☞ *chaume* ; [ʃome].

**CHAUMIÈRE, subst. f.**
**1.** Maison au toit de chaume. **2.** Ext. Humble demeure. ⌧ 1666 ; ☞ *chaume* ; [ʃomjɛʀ].

**CHAUMINE, subst. f.**
Petite chaumière (vx). ⌧ 1486 ; ☞ *chaume* ; [ʃomin].

**CHAUSSANT, ANTE, adj.**
Qui sert à chausser ; par ext., qui chausse bien le pied. ⌧ 1690 ; p. pr. de *chausser* ; [ʃosɑ̃, ɑ̃t].

**CHAUSSE, subst. f.**
**1.** Vx. Vêtement masculin qui gainait les jambes à partir de la ceinture (gén. au plur.). **2.** *Techn.* Entonnoir en étoffe utilisé pour filtrer des liquides épais. ⌧ XIIe s. ; lat. pop. °*calcea,* du lat. *calceus,* « soulier » ; [ʃos].

**CHAUSSÉE, subst. f.**
**1.** Talus retenant l'eau d'un étang, d'une rivière, etc., ou servant de chemin. **2.** Partie médiane d'une route ou d'une rue, réservée à la circulation des véhicules : *Traverser la **chaussée**.* **3.** *Géogr.* Long écueil affleurant la surface de la mer : *La **chaussée** de Sein.* ⌧ Mil. XIIe s. ; lat. pop. °*calceata,* prob. du lat. *calx,* « chaux » ; [ʃose].

**CHAUSSE-PIED, subst. m.**
Lame incurvée servant à faire glisser le talon dans la chaussure. 1549 ; comp. de *chausser* et de *pied* ; plur. *chausse-pieds* ; [ʃospje].

**CHAUSSER, verbe trans.** [3]
**I. 1.** Mettre à ses pieds (des chaussures, des skis, etc.) ; par ell. : ***Chausser** du 40*, faire cette pointure. **2.** Engager les pieds dans : ***Chausser** les étriers.* **3.** Anal. ***Chausser** des lunettes* : les ajuster sur son nez. **II.** Méton. **1.** Mettre des chaussures à : ***Chausser** un enfant.* **2.** Fournir en chaussures : *Ce bottier **chausse** mon père* ; empl. pronom. : *Je me **chausse** à Londres.* **3.** Aller au pied de : *Ces souliers vous **chaussent** bien* ; empl. abs. : *Ces escarpins **chaussent** grand.* **4.** Anal. ***Chausser** un véhicule* : garnir ses roues de pneus. **5.** *Agric.* ***Chausser** une plante* : entourer son pied de terre, de fumier, etc. Fin XI^e s. ; lat. *calceare*, de *calceus*, « soulier » ; [ʃose].

**CHAUSSE-TRAPPE, subst. f.**
**1.** Moyen de défense constitué par un pieu placé au fond d'un trou camouflé ou par un assemblage de pointes acérées. **2.** Trou recouvert pour cacher un piège ; au fig., embûche, difficulté. Déb. XIII^e s. ; altér. de l'anc. fr. *chauchier*, « fouler », et de *treper*, « sauter », d'apr. *chausser* et *trappe* (I) ; plur. *chausse-trappes*, var. *chausse-trape* (plur. *-trapes*) ; [ʃostʀap].

**CHAUSSETTE, subst. f.**
Vêtement tricoté qui enveloppe le pied et le bas de la jambe. Mil. XII^e s. ; ☞ *chausse* ; [ʃosɛt].

**CHAUSSEUR, subst. m.**
Fabricant ou marchand de chaussures. 1883 ; ☞ *chausser* ; [ʃosœʀ].

**CHAUSSON, subst. m.**
**1.** Chaussure souple d'intérieur ; par ext., chaussette tricotée pour les bébés. **2.** Chaussure souple employée pour pratiquer certains exercices : ***Chausson** de danse.* **3.** *Cuis.* Pâtisserie fourrée faite d'un rond de pâte replié : ***Chausson** aux pommes.* XII^e s. ; ☞ *chausse* ; [ʃosɔ̃].

**CHAUSSURE, subst. f.**
**1.** Accessoire du vêtement, souv. en cuir, qui couvre et protège le pied. ► Loc. *Trouver **chaussure** à son pied* : trouver la personne ou la chose qui convient. **2.** Méton. Industrie, commerce de la **chaussure**. Fin XII^e s. ; ☞ *chausser* ; [ʃosyʀ].

**CHAUT, voir CHALOIR**

**CHAUVE, adj.**
**1.** Qui n'a pas ou presque pas de cheveux ; empl. subst. : *Un **chauve** séduisant.* **2.** Dépourvu de végétation ; dénudé, pelé (littér.) : *Colline **chauve**.* **3.** *Bot.* *Cyprès **chauve*** : à feuillage caduc. Fin XII^e s. ; lat. *calvus* ; [ʃov].

**CHAUVE-SOURIS, subst. f.**
*Zool.* Nom courant des mammifères volants de l'ordre des Chiroptères. Fin XII^e s. ; prob. comp. de *chauve* et de *souris* ; plur. *chauves-souris* ; [ʃovsuʀi].

**CHAUVIN, INE, adj. et subst.**
**Adj.** Qui fait preuve d'un patriotisme exacerbé ; par ext., qui manifeste une propension ridicule à n'aimer que son pays, sa ville, etc. **Subst.** Personne **chauvine**. 1843 ; *N. Chauvin*, type du soldat patriote de l'Empire ; [ʃovɛ̃, in].

**CHAUVINISME, subst. m.**
Caractère de ce qui est chauvin, de ceux qui sont chauvins. Mil. XIX^e s. ; ☞ *chauvin* ; [ʃovinism].

**CHAUVIR, verbe intrans.** [23]
***Chauvir** des oreilles* : dresser les oreilles, en parlant d'un cheval, d'un mulet, d'un âne. XIII^e s. ; prob. lat. *cavannus*, « chouette » ; conjugaison 19 au sing. du prés. de l'ind. et de l'impér. ; [ʃoviʀ].

**CHAUX, subst. f.**
**1.** *Chim.* Oxyde de calcium produit par la calcination d'une pierre à chaux ou de calcaire dans un four spécial, le chaufour. Ses variétés ont de nombreuses utilisations dans l'agriculture ou l'industrie : ***Chaux** vive*, dépourvue d'eau et très caustique, qui sert, entre autres, à dissoudre les cadavres ; ***Chaux** éteinte*, hydroxyde de calcium, qui, étendu d'eau, devient du lait de **chaux**, employé comme badigeon ; *Eau de **chaux***, solution pharmaceutique. **2.** Loc. *Bâti à **chaux** et à sable* : robuste, solide. 1155 ; lat. *calx* ; [ʃo].

**CHAVIREMENT, subst. m.**
Fait de chavirer. 1838 ; ☞ *chavirer* ; [ʃaviʀmɑ̃].

**CHAVIRER, verbe** [3]
**Intrans. 1.** Se renverser, se retourner, notamment en parlant d'un bateau. **2.** Fig. Sombrer, disparaître : *Sa raison **chavire**.* **Trans. 1.** Renverser, retourner. **2.** Fig. Bouleverser, émouvoir : *Il est tout **chaviré** par cette nouvelle.* 1687 ; prov. *cap-vira* « (se) tourner la tête en bas » ; [ʃaviʀe].

**CHEBEC, subst. m.**
*Mar.* Trois-mâts méditerranéen aux formes effilées, naviguant à la voile et à l'aviron. 1758 ; catalan *xabec*, de l'ar. pop. *šabbāk* ; var. *chébec, chebek* ; [ʃebɛk].

**CHÈCHE, subst. m.**
En Afrique du Nord, et en partic. au Sahara, longue écharpe portée en turban. 1657 ; ar. *šāš*, « étoffe de turban » ; [ʃɛʃ].

**CHÉCHIA, subst. f.**
Coiffure rouge et cylindrique, ornée d'un gland, répandue en Afrique. 1575 ; ar. *šāšiyya*, « calotte », de *Šāš*, anc. nom de *Tachkent* ; [ʃeʃja].

**CHECK-LIST, subst. f.**
*Aéron.* Liste d'opérations permettant de vérifier le fonctionnement des équipements d'un avion, d'une fusée, etc., avant son envol (anglic.). 1953 ; angl. *checklist*, « liste de contrôle » ; plur. *check-lists*, recomm. off. *liste de vérification* ; [(t)ʃɛklist].

**CHECK-UP, subst. m. inv.**
Anglic. **1.** *Méd.* Bilan de santé. **2.** Ext. *Faire passer un **check-up** à un véhicule* : contrôler son fonctionnement. V. 1960 ; angl. *checkup*, « vérification complète » ; recomm. off. *examen de santé* ; [(t)ʃɛkœp].

**CHEDDAR, subst. m.**
Fromage anglais à pâte dure, de couleur jaunâtre. Fin XIX^e s. ; topon. *Cheddar* (Angleterre) ; [ʃedaʀ].

**CHEDDITE, subst. f.**
Type d'explosif à base de chlorate de potassium ou de sodium et de dinitrotoluène. 1908 ; topon. *Chedde* (Haute-Savoie) ; [ʃedit].

**CHEF, subst. m.**
**I. 1.** Vx. Tête. **2.** Loc. *Au premier **chef*** : avant tout, au plus haut point ; *De son propre **chef*** : de son initiative. **3.** *Dr.* ***Chef** d'accusation* : point sur lequel porte l'accusation. **4.** *Hérald.* Pièce qui occupe le tiers supérieur de l'écu. **II. 1.** Personne qui occupe le premier rang, qui dirige : *Le **chef** de l'État* ; *Un **chef** d'entreprise* ; ***Chef** de famille*, sur qui repose la responsabilité de la famille ; ***Chef** spirituel*, dont l'influence est prépondérante. ► Personne qui sait se faire obéir, qui est douée pour le commandement ; champion, as (fam.) : *Se débrouiller comme un **chef*** ; *Il a un tempérament de **chef**.* **2.** Personne investie d'une part d'autorité, au sein d'une hiérarchie : ***Chef** de cabinet* ; ***Chef** cuisinier* ou, empl. abs., ***Chef***, celui qui est à la tête des cuisines d'un restaurant ; ***Chef** de produit*, dans une entreprise, responsable du suivi, notamment commercial, d'un produit, d'une gamme de produits ; ***Chef** d'orchestre*, musicien qui dirige l'orchestre pour l'exécution d'une œuvre ; ***Chef** d'escadron(s), adjudant-**chef**, **chef** de peloton, de section* : militaires gradés exerçant un commandement. **3.** Loc. **En chef.** Ayant fonction de **chef** : *Rédacteur en **chef**.* Fin IX^e s. ; lat. *caput* ; [ʃɛf].

**CHEF-D'ŒUVRE, subst. m.**
**1.** *Hist.* Ouvrage probatoire qui conférait la maîtrise à un compagnon. **2.** Ext. Œuvre d'art proche de la perfection. Fin XIII^e s. ; comp. de *chef* et de *œuvre* ; plur. *chefs-d'œuvre* ; [ʃɛdœvʀ].

**CHEFFERIE, subst. f.**
**1.** En Afrique, territoire soumis à l'autorité politique et religieuse d'un chef. **2.** Ancienne circonscription territoriale du génie et des eaux et forêts (auj. *arrondissement*). **3.** Québ. Direction d'un parti politique. 1845 ; ☞ *chef* ; [ʃɛfʀi].

**CHEF-GARDE, subst. m.**
Belg. Contrôleur des chemins de fer. XIX^e s. ; comp. de *chef* et de *garde* (II) ; plur. *chefs-gardes* ; [ʃɛfgaʀd].

**CHEF-LIEU, subst. m.**
Centre administratif d'une circonscription territoriale : ***Chef-lieu** de département*, préfecture. XIV^e s. (1257, manoir principal) ; comp. de *chef* et de *lieu* (I) ; plur. *chefs-lieux* ; [ʃɛfljø].

**CHEFTAINE, subst. f.**
Jeune fille ou femme s'occupant d'un groupe, dans un mouvement de scouts. V. 1920 ; angl. *chieftain*, de l'anc. fr. *chevetaigne*, « capitaine » ; [ʃɛftɛn].

**CHEIKH, subst. m.**
**1.** Chez les Arabes, titre honorifique donné à une personnalité, à un homme d'un grand âge, etc. **2.** Chef d'une tribu arabe. 1309 ; ar. *šayḫ*, « vieillard » ; var. *cheik, scheik* ; [ʃɛk].

**CHEIRE, subst. f.**
*Géogr.* Dans le Massif central, coulée de lave dont les scories ont rendu le terrain stérile. 1886 ; auvergnat *cheire*, du lat. pop. °*carium*, « rocher » ; [ʃɛʀ].

**CHÉIROPTÈRES, voir CHIROPTÈRES**

**CHÉLATE, subst. m.**
*Chim.* Composé métallique dont la molécule comprend un ion métallique central lié à un nombre déterminé de molécules ou d'ions possédant au moins deux atomes pouvant se fixer sur l'ion métallique, à l'image d'une bille (l'ion métallique) prise entre les deux mâchoires d'une pince. Mil. XX^e s. ; gr. *khêlê*, « pince » ; [kelat].

**CHÉLATEUR, subst. m.**
*Chim.* Molécule ou ion possédant au moins deux atomes pouvant se fixer sur un ion métallique pour former un chélate. Mil. XX^e s. ; ☞ *chélate* ; [kelatœʀ].

**CHELEM, subst. m.**
**1.** *Jeux.* Au bridge, au whist, au boston, etc., fait de remporter les 13 levées (grand **chelem**) ou 12 levées (petit **chelem**). **2.** *Sp.* Fait de gagner tous les tournois annuels importants, ou tous les matchs d'un tournoi annuel. 1785 ; angl. *slam* ; var. *schelem* ; [ʃlɛm].

**CHÉLICÉRATES, subst. m. plur.**
*Zool.* Sous-embranchement d'arthropodes caractérisés par la présence de chélicères, tels les Arachnides. **Au sing.** *Le scorpion est un **chélicérate**.* 1901 ; ☞ *chélicère* ; [keliseʀat].

**CHÉLICÈRE, subst. f.**
*Zool.* Appendice, souv. venimeux, aussi appelé antenne-pince, situé en avant du céphalothorax des Arachnides. Pour l'engourdir, les araignées attrapent leur proie avec leur paire de **chélicères**. 1846 ; lat. sc. *chelicera*, du gr. *khêlê*, « pince », et *keras*, « corne » ; [kelisɛʀ].

**CHÉLIDOINE, subst. f.**
*Bot.* Plante de la famille des Papavéracées, dont le genre *Chelidonium* compte deux espèces : la grande **chélidoine** (*Chelidonium majus*), appelée aussi herbe aux verrues ou herbe de l'hirondelle, qui contient un latex très corrosif (alcaloïde), et la petite **chélidoine** (*Chelidonium laciniatum*). Déb. XII^e s. ; lat. *chelidonia*, du gr. *khelidonion*, de *khelidôn*, « hirondelle » ; [kelidwan].

**CHELLÉEN, ÉENNE, adj. et subst. m.**
*Paléont.* Abbevillien (vieilli). 1882 ; topon. *Chelles* (Seine-et-Marne) ; [ʃeleɛ̃, eɛn].

**CHÉLOÏDE, subst. f.**
*Pathol.* Tumeur cutanée en forme de pince d'écrevisse, parfois douloureuse, qui peut être spontanée ou se développer sur une lésion antérieure, en partic. une cicatrice opératoire. 1818 ; formé de *chélo-* et de *-oïde* ; [kelɔid].

**CHÉLONIENS, subst. m. plur.**
*Zool.* Ordre de reptiles, appelés aussi tortues, dont le squelette est dépourvu de fosse temporale. Les **Chéloniens** ont le corps enfermé dans une carapace formée d'une coque, soudée aux vertèbres et aux côtes, et d'un plastron ventral unis latéralement. Les membres, adaptés à la nage chez les espèces aquatiques, sortent de la carapace ; les doigts sont enveloppés de peau, et seules les griffes font saillie. Les mâchoires, édentées, sont recouvertes d'un bec corné. Parmi les familles de **chéloniens**, plusieurs sont fossiles. **Au sing.** *Le caret est un **chélonien**.* 1800 ; gr. *khelônê*, « tortue » ; [kelɔnjɛ̃].

**CHEMIN, subst. m.**
**I. 1.** Voie de terre reliant un point à un autre : ***Chemin** forestier* ; ***Chemin** creux*, encaissé entre deux talus. **2.** Anal. ***Chemin** de table* : bande de lingerie dont on décore une table ; ***Chemin** d'escalier* : long et étroit tapis fixé sur les marches. **3.** *Fortif.* ***Chemin** de ronde* : passage courant derrière ou sur une enceinte. **II. 1.** Espace à parcourir, distance, trajet : *J'ai fait le **chemin** en voiture* ; *Faire du **chemin***, parcourir une grande distance et, au fig., progresser, réussir dans la vie, etc. ; ***Chemin** faisant*, durant le trajet. **2.** Itinéraire, direction que l'on doit suivre : *Demander son **chemin**.* **3.** Fig. Conduite à suivre pour parvenir à un but : *Prendre le **chemin** de la gloire* ; *Tracer le **chemin***, montrer l'exemple ; *Être dans le droit **chemin***, respecter les règles de la morale. **4.** *Math.* ***Chemin** dans un graphe* : suite d'arcs telle que l'extrémité terminale de chacun coïncide avec

l'extrémité initiale du suivant. **5.** *Relig.* ***Chemin de croix*** : dans une église, ensemble des quatorze tableaux ou symboles représentant les étapes de la Passion. Fin XIe s. ; lat. pop. °*camminus* ; [ʃ(ə)mɛ̃].

**CHEMIN DE FER,** subst. m.
**1.** Voie formée de deux rails métalliques parallèles sur lesquels roulent les trains (vieilli). **2.** Ext. Moyen de transport qui utilise des véhicules empruntant ce type de voie. **3.** Méton. Entreprise, administration qui gère les transports par voie ferrée (souv. au plur.) : *Il travaille dans les* ***chemins de fer.*** **4.** *Jeux.* Variété de baccara. **5.** *Presse.* Plan d'un magazine établi page par page pour en suivre la fabrication. 1784 ; comp. de *chemin* et de *fer* ; plur. *chemins de fer* ; [ʃ(ə)mɛ̃d(ə)fɛʀ].

**TRANSPORTS** – C'est en 1804 que Richard Trevithick fait rouler pour la première fois, en Angleterre, un train de wagons tiré par une locomotive à vapeur sur une voie ferrée. Tout au long du XIXe s., le chemin de fer va étendre ses réseaux à travers l'Europe, l'Amérique du Nord, les Indes, jusqu'à triompher des autres modes de transport terrestre. La locomotive à vapeur, unique mode de traction au XIXe s., est peu à peu supplantée par les locomotives électrique et Diesel, qui l'emportent aujourd'hui presque partout. L'apogée du chemin de fer est atteint dans la première moitié du XXe s. : la France compte 42 600 km de voies en 1932 ; le trafic des marchandises et des voyageurs ne cesse de croître jusque dans les années soixante. Mais, face à la concurrence des transports aérien et routier, le réseau va ensuite se contracter (29 316 km en France en 1995). Toutefois, les dessertes urbaines (métro, tramway, train de banlieue) et l'apparition des trains à grande vitesse concourent au maintien d'un trafic élevé de voyageurs. Le chemin de fer, qui a constitué l'un des moteurs de la révolution industrielle du XIXe s., a puissamment contribué au développement économique des pays qui l'ont adopté.

**CHEMINEAU,** subst. m.
Vagabond (vx). 1896 ; ☞ *chemin* ; [ʃ(ə)mino].

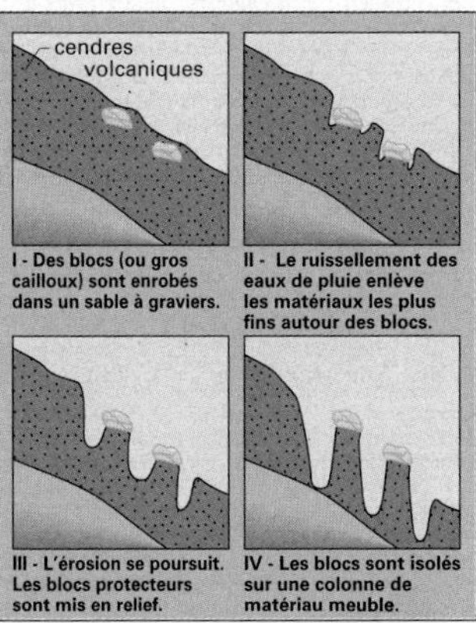

cendres volcaniques
I - Des blocs (ou gros cailloux) sont enrobés dans un sable à graviers.
II - Le ruissellement des eaux de pluie enlève les matériaux les plus fins autour des blocs.
III - L'érosion se poursuit. Les blocs protecteurs sont mis en relief.
IV - Les blocs sont isolés sur une colonne de matériau meuble.


*Formation des* ***cheminées*** *de fées.*

**CHEMINÉE,** subst. f.
**1.** Ouvrage, gén. de maçonnerie, comprenant un foyer ouvert où l'on fait du feu, et un conduit d'évacuation de la fumée. **2.** Partie de cet ouvrage servant d'encadrement au foyer : ***Cheminée*** *de marbre.* **3.** Conduit d'évacuation de la fumée ; partie de ce conduit qui dépasse du toit : ***Cheminée*** *abattue par le vent* ; par ext. : ***Cheminée*** *d'aération*, conduit d'aération d'un local ; par anal. : ***Cheminée*** *d'une locomotive.* **4.** *Alp.* Passage étroit, quasi vertical, dans une paroi rocheuse ou glaciaire. **5.** *Géol.* Canal d'ascension des gaz et des laves d'un volcan. **6.** *Géomorph.* ***Cheminée de(s) fée(s)*** : colonne sculptée par l'érosion, coiffée d'un bloc résistant et protecteur (synon. *demoiselle coiffée*). Fin XIIe s. ; bas lat. *caminata*, du lat. *caminus*, « âtre » ; [ʃ(ə)mine].

**CHEMINEMENT,** subst. m.
**1.** Action de cheminer ; avance lente et progressive. **2.** *Milit.* Itinéraire protégé. **3.** *Topogr.* Procédé de levée de plans par mesures au long d'une ligne polygonale. Fin XIIIe s. ; ☞ *cheminer* ; [ʃ(ə)minmɑ̃].

**CHEMINER,** verbe intrans. [3]
**1.** Avancer, faire du chemin, le plus souv. à pied, régulièrement et lentement ; par ext. : *Le sentier* ***chemine*** *dans le vallon* ; au fig. : *L'idée* ***chemine*** *dans les esprits.* **2.** *Milit.* Progresser par des travaux d'approche ; suivre un cheminement. **3.** *Topogr.* Faire une levée par cheminement. Fin XIIe s. ; ☞ *chemin* ; [ʃ(ə)mine].

**CHEMINOT,** subst. m.
Ouvrier ou agent des chemins de fer. 1891 ; ☞ *chemin de fer* ; [ʃ(ə)mino].

**CHEMISAGE,** subst. m.
*Techn.* Action de garnir d'une chemise ou d'un revêtement protecteur ; par méton., ce revêtement. 1892 ; ☞ *chemiser* ; [ʃ(ə)mizaʒ].

Garibaldi à Caprera, *peint par Vicenzo Cabianca (1837-1902), porte la* ***chemise*** *rouge qui fut l'uniforme des patriotes italiens. Palais Pitti, Florence.*

**CHEMISE,** subst. f.
**I. 1.** Vêtement d'étoffe, gén. légère, qui couvre le buste, se boutonne sur le devant, comporte des manches et le plus souvent un col. **2.** ***Chemise de nuit*** : robe plus ou moins longue que l'on porte pour dormir. **3.** *Hist. Les* ***Chemises*** *rouges* : les volontaires garibaldiens ; *Les* ***Chemises*** *noires* : les membres des milices fascistes italiennes ; *Les* ***Chemises*** *brunes* : les formations paramilitaires du parti national-socialiste allemand. **II. 1.** Feuille double légèrement cartonnée servant à classer des documents. **2.** *Bât.* Revêtement protecteur en maçonnerie ou en crépi. **3.** *Mécan.* Enveloppe, interne ou externe, protégeant une pièce mécanique, un projectile, etc. Xe s. ; bas lat. *camisia* ; [ʃ(ə)miz].

**CHEMISER,** verbe trans. [3]
**1.** *Cuis.* Garnir (un moule) de papier beurré pour faciliter le démoulage. **2.** *Techn.* Procéder au chemisage de. 1838 ; ☞ *chemise* ; [ʃ(ə)mize].

**CHEMISERIE,** subst. f.
Industrie, fabrique, magasin de chemises et de lingerie masculine. 1845 ; ☞ *chemise* ; [ʃ(ə)mizʀi].

**CHEMISETTE,** subst. f.
Chemise ou corsage à manches courtes. Déb. XIIIe s. ; ☞ *chemise* ; [ʃ(ə)mizɛt].

**CHEMISIER, IÈRE,** subst.
Personne qui confectionne ou vend des chemises. **MASC.** Corsage, blouse de femme, rappelant la forme d'une chemise d'homme. Déb. XIXe s. ; ☞ *chemise* ; [ʃ(ə)mizje, jɛʀ].

**CHÊNAIE,** subst. f.
Lieu planté de chênes. 1240 ; ☞ *chêne* ; [ʃɛnɛ].

**CHENAL,** subst. m.
**1.** Passage étroit, naturel ou artificiel, permettant de naviguer entre des écueils, des îles, etc., ou donnant accès à un port. **2.** ***Chenal*** *d'étiage* : lit d'une rivière à ses plus basses eaux. **3.** Courant d'eau pratiqué pour le service d'un moulin, d'une usine. Déb. XIIIe s. ; anc. fr. *chanel*, du lat. *canalis*, « canal » ; plur. *chenaux* ; [ʃənal], plur. [-no].

**CHENAPAN,** subst. m.
Fam. Vaurien ; garnement, galopin. 1739 ; all. *Schnapphahn*, « bandit de grand chemin » ; [ʃ(ə)napɑ̃].

**CHÊNE,** subst. m.
**1.** *Bot.* Arbre de la famille des Fagacées, genre *Quercus* (plus de 200 espèces, hémisphère Nord). Cet arbre, dont le fruit est le gland, peut atteindre 30 m de hauteur. *Quercus suber* (**chêne**-liège), dont l'écorce donne le liège, et *Quercus coccifera* (**chêne** kermès), qui abrite la cochenille, ont un feuillage persistant. *Quercus pubescens* (**chêne** pubescent) et *Quercus sessiliflora* (**chêne** rouvre) sont des espèces à feuilles caduques. **2.** Méton. Le bois de cet arbre : *Une armoire en* ***chêne*** *massif.* **3.** Loc. *Être fort, solide comme un* ***chêne*** : être très robuste, en excellente santé. Fin XIe s. ; gaul. *cassanus* ; [ʃɛn].

**CHÊNEAU,** subst. m.
Jeune chêne. 1555 ; ☞ *chêne* ; [ʃɛno].

**CHÉNEAU,** subst. m.
*Bât.* Conduit longeant la base d'un toit pour recueillir les eaux de pluie et les diriger vers le tuyau de descente (synon. *gouttière*). 1459 ; altér. de *chenau*, forme dial. de *chenal* ; [ʃeno].

**CHÊNE-LIÈGE,** subst. m.
*Bot.* Variété de chêne, typique surtout du Bassin méditerranéen, à feuilles persistantes et dont le cambium externe (première écorce) fournit le liège : *Démascler un* ***chêne-liège.*** 1793 ; comp. de *chêne* et de *liège* ; plur. *chênes-lièges* ; [ʃɛnljɛʒ].

**CHENET,** subst. m.
Chacune des deux pièces en métal que l'on place sur l'âtre d'une cheminée pour surélever les bûches et faciliter leur combustion. Fin XIIIe s. ; ☞ *chien*, des têtes de chien ayant jadis orné ces objets ; [ʃ(ə)nɛ].

**CHÈNEVIÈRE,** subst. f.
Plantation de chanvre. 1226 ; lat. pop. °*canaparia*, du lat. *canapus*, « chanvre » ; [ʃɛnvjɛʀ].

**CHÈNEVIS,** subst. m.
Graine de chanvre dont on nourrit les oiseaux en volière. Déb. XIIIe s. ; lat. pop. °*canaputium*, du lat. *canapus*, « chanvre » ; [ʃɛnvi].

**CHENIL,** subst. m.
**1.** Lieu où on loge les chiens. ► Établissement où on élève et vend des chiens. **2.** Fig. Logement mal tenu (fam.). 1387 ; lat. pop. °*canile*, du lat. *canis*, « chien » ; [ʃ(ə)nil].

**CHENILLE,** subst. f.
**1.** *Zool.* Larve d'insecte caractérisée par la présence de « fausses pattes » sur son abdomen. C'est le type de larve des Lépidoptères. On en trouve aussi chez certains hyménoptères. **2.** Anal. ► Passementerie de velours évoquant la **chenille** par son aspect ; en appos. : *Un pull* ***chenille.*** ► *Mécan.* Bande métallique articulée, fermée sur elle-même, séparant du sol les roues d'un véhicule motorisé et permettant un déplacement sur tout terrain : *Tracteur, char à* ***chenilles.*** 1214 ; lat. pop. °*canicula*, « petite chienne », par anal. de forme avec la tête de la chenille ; [ʃ(ə)nij].

**CHENILLÉ, ÉE,** adj.
Équipé de chenilles : *Tracteur* ***chenillé.*** Déb. XXe s. (1611, tissu évoquant la chenille) ; ☞ *chenille* ; [ʃ(ə)nije].

**CHENILLETTE,** subst. f.
**1.** *Bot.* Plante potagère à gousse, dont l'aspect évoque une chenille. **2.** *Milit.* Petit véhicule militaire monté sur chenilles. Mil. XIIIe s. ; ☞ *chenille* ; [ʃ(ə)nijɛt].

**CHÉNOPODE,** subst. m.
*Bot.* Plante herbacée, de la famille des Chénopodiacées, des régions chaudes et tempérées, commune dans les cultures. 1842 ; lat. sc. *chenopodium*, du gr. *khênopous*, « patte d'oie » ; [kenɔpɔd].

**CHÉNOPODIACÉES,** subst. f. plur.
*Bot.* Famille de plantes vivaces dont plusieurs espèces, comme la salicorne, constituent un des composants principaux de la végétation des marais salants. **AU SING.** *La betterave, comme l'épinard, est une* ***chénopodiacée*** *cultivée pour l'alimentation.* 1819 ; ☞ *chénopode* ; [kenɔpɔdjase].

**CHENU, UE,** adj.
Dont les cheveux ont blanchi sous l'effet de l'âge : *Vieillard* ***chenu*** ; par anal. : *Arbre* ***chenu***, à la cime dégarnie. XIe s. ; lat. *canutus*, « blanchi » ; [ʃəny].

**CHEPTEL,** subst. m.
**1.** *Dr.* Contrat de bail par lequel une partie cède à l'autre un fonds de bétail à garder et à entretenir selon des conditions convenues ; par méton., le fonds donné à bail : ***Cheptel*** *vif*, les animaux ; ***Cheptel*** *mort*, les locaux et le matériel d'exploitation. **2.** Ext. L'ensemble du bétail d'une ferme, d'une contrée, d'un pays : *Le* ***cheptel*** *bovin normand.* Déb. XIIe s. ; anc. fr. *chatel*, du lat. *capitale*, « bien principal » ; [ʃɛptɛl].

**CHÈQUE, subst. m.**
**1.** Titre de paiement par lequel le titulaire d'un compte donne ordre à sa banque de verser une somme au profit d'un tiers ou au sien propre : ***Chèque** en blanc*, signé mais sur lequel le montant à payer n'est pas indiqué ; ***Chèque** sans provision* ou, fam., *en bois*, tiré sur un compte au crédit insuffisant. **2.** Ext. ***Chèque** restaurant* : ticket par lequel un employeur prend en charge une partie du repas d'un employé ; ***Chèque** de voyage* : émis par une banque et permettant au porteur de toucher des fonds dans ses succursales, à l'étranger notamment. 1788 ; angl. *check*, « contrôle » ; [ʃɛk].

**CHÉQUIER, subst. m.**
Carnet de chèques délivré par une banque au titulaire d'un compte. 1877 ; ☞ *chèque* ; [ʃekje].

**CHER, CHÈRE, adj. et adv.**
**Adj. 1.** Qui est l'objet d'une tendre affection, d'un grand attachement : *Écrire à un ami très **cher*** ; *Se réfugier dans ses **chères** études.* ▸ Dans les formules de politesse ou d'amitié : ***Chère** Madame* ; ***Chers** compatriotes* ; *Très **chers** frères.* ▸ Empl. subst. *Mon **cher**.* **2.** Dont le prix est élevé : *Ce qui est rare est **cher*** ; *Un livre pas **cher*** ; par méton. : *Un artisan trop **cher**.* **Adv.** En exigeant ou en payant un prix élevé : *Vendre, acheter **cher*** ; au fig. : *Sa franchise lui a coûté **cher***, elle lui a attiré de graves ennuis. Fin Xᵉ s. ; lat. *carus* ; [ʃɛʀ].

**CHERCHER, verbe trans.** [3]
**Trans. dir. 1.** S'employer à trouver ou à retrouver (qqch., qqn) ; s'appliquer à obtenir, à découvrir (ce dont on a besoin ou envie) : ***Chercher** ses gants, ses clés* ; *Où étiez-vous ? je vous **cherche** depuis des heures* ; ***Chercher** une secrétaire* ; ***Chercher** du travail* ; ***Chercher** les compliments, la gloire* ; ***Chercher** la solution d'une énigme, des arguments.* ▸ Loc. ***Chercher** midi à quatorze heures* : compliquer les choses. **2.** Aller au-devant de (qqch. de fâcheux) : ***Chercher** l'accident, les ennuis.* **3.** Prendre, quérir (précédé d'un verbe de mouvement) : *Venez me **chercher** à 10 heures* ; *Je vais **chercher** du pain.* ▸ Loc. *Ça va **chercher** dans les* (+ un montant) : cela coûte environ (fam.). **Trans. indir. Chercher à.** Tâcher de, s'efforcer de : ***Chercher** à convaincre, à comprendre.* Fin XIᵉ s. ; bas lat. *circare*, « faire le tour » ; [ʃɛʀʃe].

**CHERCHEUR, EUSE, subst. et adj.**
**Subst.** Personne qui cherche, tente de découvrir qqch. : ***Chercheurs** d'or, de trésor* ; empl. abs., personne qui s'adonne à des travaux de recherche scientifique : *Enseignants et **chercheurs**.* **Subst. masc.** *Astron.* Petite lunette fixée sur un télescope et servant à délimiter son champ d'observation. **Adj. 1.** *Un esprit **chercheur*** : désireux de connaître, de découvrir. **2.** *Milit. Fusée à tête **chercheuse*** : munie d'un équipement électronique qui la dirige vers une cible donnée, en corrigeant s'il en est besoin sa trajectoire. 1538 ; ☞ *chercher* ; [ʃɛʀʃœʀ, øz].

**CHÈRE, subst. f.**
**1.** Vx. Visage, en tant qu'expression de bon ou de mauvais accueil à autrui : *Ne sachant quelle **chère** me faire* (Mme de Sévigné). **2.** Ext. Repas ; nourriture (littér.) : *Faire bonne **chère***, bien manger. Fin XIᵉ s. ; bas lat. *cara*, du gr. *kara*, « visage » ; [ʃɛʀ].

**CHÈREMENT, adv.**
**1.** Vx. À un prix élevé. **2.** Fig. Au prix de grands efforts ou sacrifices : *Un succès **chèrement** acquis.* ▸ Loc. *Vendre **chèrement** sa vie* : mourir après s'être farouchement défendu. **3.** Avec tendresse, affection : *J'entretiens **chèrement** son souvenir.* Fin XIᵉ s. ; ☞ *cher* ; [ʃɛʀmɑ̃].

**CHERGUI, subst. m.**
Vent chaud et sec, soufflant au Maroc (☞ *sirocco*). XXᵉ s. ; ar. du Maroc *šargī*, « vent d'est » ; [ʃɛʀgi].

**CHÉRI, IE, adj. et subst.**
**Adj.** Que l'on aime tendrement ; par ext., préféré entre tous : *L'Enfant **chéri** de la victoire*, surnom de Masséna. **Subst.** Terme d'affection utilisé entre familiers ou intimes : *Bonjour, mes **chéris*** ; *Qui a sonné, **chérie** ?* 1669 ; p. p. de *chérir* ; [ʃeʀi].

**CHÉRIF, subst. m.**
**1.** Descendant de Mahomet par sa fille Fatima. **2.** Ext. Prince arabe. 1528 ; ar. *šarīf*, « descendant du Prophète » ; [ʃeʀif].

**CHÉRIFIEN, IENNE, adj.**
**1.** Relatif à un chérif. **2.** *L'État **chérifien*** : le Maroc. 1869 ; ☞ *chérif* ; [ʃeʀifjɛ̃, jɛn].

**CHÉRIR, verbe trans.** [19]
**1.** Aimer (qqn) avec une particulière tendresse : ***Chérir** ses parents.* **2.** Ext. Éprouver un profond attachement pour (qqch.) : *On **chérit** sa liberté* ; ***Chérir** un souvenir.* 1155 ; ☞ *cher* ; [ʃeʀiʀ].

**CHERRY, subst. m.**
Liqueur de cerise. 1855 ; angl. *cherry brandy*, « eau-de-vie de cerise » ; plur. *cherrys* ou *cherries* ; [ʃeʀi].

**CHERTÉ, subst. f.**
Caractère de ce qui est coûteux : *La **cherté** des grands vins.* Mil. XIIᵉ s. (Xᵉ s., tendresse) ; ☞ *cher* ; [ʃɛʀte].

**CHÉRUBIN, subst. m.**
**Plur.** *Théol.* Deuxième chœur de la première hiérarchie des anges : *Séraphins, **chérubins** et trônes.* **Sing.** et **Plur. 1.** Méton. Sa représentation peinte ou sculptée, en tête d'enfant ailée. **2.** Ext. Jeune enfant. Fin XIᵉ s. ; lat. chrét. *cherub*, de l'hébreu *kᵉrūbīm* ; [ʃeʀybɛ̃].

**CHERVIS, subst. m.**
*Bot.* Plante aquatique, cultivée pour sa racine comestible à la saveur douce. 1256 ; ar. *karawiyā*, du gr. *karon* ; [ʃɛʀvi].

**CHESTER, subst. m.**
Fromage anglais à pâte ferme, d'une couleur orangée. 1845 ; topon. *Chester* (Angleterre) ; [ʃɛstɛʀ].

**CHÉTIF, IVE, adj.**
**1.** D'une constitution faible et fragile : *Un enfant pâle et **chétif**.* **2.** Misérable ; insuffisant : *Moi, **chétif** mortel* (Chateaubriand) ; *Des gains **chétifs**.* Mil. XIIᵉ s. (Xᵉ s., prisonnier) ; lat. pop. °*cactivus*, crois. du lat. *captivus* et du gaul. °*cactos*, « prisonnier » ; [ʃetif, iv].

**CHÉTOGNATHES, subst. m. plur.**
*Zool.* Embranchement renfermant notamment le genre planctonique *Sagitta*, petits animaux allongés dont la tête, recouverte d'un capuchon, porte de puissants crochets leur permettant d'attaquer des proies. **Au sing.** *Un minuscule **chétognathe**.* 1878 ; lat. sc. *chaetognatha*, du gr. *khaitē*, « crinière », et *gnathos*, « mâchoire » ; [ketɔgnat].

**CHEVAINE, voir CHEVESNE**

**CHEVAL, subst. m.**
**I. 1.** *Zool.* Mammifère de la famille des Équidés. Toutes les espèces connues à l'heure actuelle, sauf le **cheval** de Prjevalski, sont domestiques. Le **cheval** présente une adaptation à la course résidant dans l'extrême finesse de ses membres antérieurs et postérieurs. On répartit les **chevaux** suivant trois gabarits : lourd (**cheval** de trait, voire de boucherie), moyen (**cheval** de course) et poney (1,47 m au garrot). **2.** Méton. ▸ Viande de cet animal. ▸ Équitation : *Faire du **cheval**.* **3.** Loc. ▸ *À **cheval*** : sur le dos d'un **cheval**. ▸ *À **cheval** sur qqch.* : à califourchon sur qqch. ou, au fig., très strict sur tel point ; par ext. : *Des vacances à **cheval** sur juillet et août*, qui empiètent sur ces mois. ▸ ***Cheval** de bataille* : sujet, argument favori. ▸ *Monter sur ses grands **chevaux*** : s'emporter, parler avec hauteur. ▸ *Une fièvre de **cheval*** : violente ; *Un remède de **cheval*** : puissant. **II. 1.** Objet, figure représentant ou évoquant un **cheval** : *Un manège de **chevaux** de bois* ; *Petits **chevaux***, jeu de société où l'on fait avancer des pions à tête de **cheval** ; *Se faire une queue de **cheval***, nouer ses cheveux derrière la nuque. **2.** *Hist.* ***Cheval** de Troie* : grand **cheval** de bois dans lequel se dissimulèrent des guerriers grecs pour pénétrer par ruse dans Troie ou, au fig., ce qui favorise une ingérence, une immixtion. **3.** *Mécan.* Abrév. de **cheval**-vapeur ; par ext. : ***Cheval** fiscal*, unité utilisée pour taxer selon leur puissance les différentes catégories de véhicules (symb. : CV). **4.** *Milit.* ***Cheval** de frise* : poutre hérissée de fil de fer barbelé, utilisée comme barrage. **5.** *Sp.* ***Cheval** d'arçons* (inv.) : appareil de gymnastique formé d'un cylindre monté sur pieds, muni de deux poignées, sur lequel on exécute sauts et voltiges. Fin XIᵉ s. ; lat. *caballus*, « mauvais cheval » ; plur. *chevaux* ; [ʃ(ə)val], plur. [-vo].

**CHEVALEMENT, subst. m.**
**1.** *Bât.* Sorte d'étai soutenant certains ouvrages de maçonnerie. **2.** *Mines.* Armature supportant les câbles d'extraction d'un puits. 1694 ; ☞ *chevaler* ; [ʃ(ə)valmɑ̃].

**CHEVALER, verbe trans.** [3]
*Bât.* Soutenir (un mur, une façade) à l'aide d'un chevalement. XIIIᵉ s. ; ☞ *cheval* ; [ʃ(ə)vale].

**CHEVALERESQUE, adj.**
**1.** Relatif à la chevalerie : *Idéal, roman **chevaleresque**.* **2.** Ext. Qui a les vertus d'un chevalier : *Un adversaire **chevaleresque*** ; *Une bravoure **chevaleresque**.* 1642 ; ital. *cavalleresco*, d'apr. *chevalier* ; [ʃ(ə)valʀɛsk].

**CHEVALERIE, subst. f.**
**1.** *M. Â.* Institution militaire de caractère religieux dont les membres, presque toujours issus de la noblesse, devaient faire preuve de qualités telles que la bravoure, la fidélité au suzerain, la piété, la protection des faibles et la courtoisie envers les dames : *La **chevalerie** connut son apogée aux XIIᵉ et XIIIᵉ s.* ▸ Méton. Rang de chevalier ; l'ensemble des chevaliers : *Don Quichotte, illustre figure de la **chevalerie** errante.* **2.** Ordre militaire et religieux voué à la défense de la chrétienté contre les infidèles : *Les ordres de **chevalerie** du Saint-Sépulcre, du Temple, de Malte.* **3.** Institution honorifique créée par un souverain, un État pour récompenser certains mérites ou services rendus. Mil. XIIᵉ s. (fin XIᵉ s., exploit chevaleresque) ; ☞ *chevalier* ; [ʃ(ə)valʀi].

**CHEVALET, subst. m.**
**1.** Tréteau de bois utilisé par certains artisans pour tenir à hauteur voulue l'objet qu'ils travaillent ; en partic., support pour un tableau en cours d'exécution. **2.** *Hist.* Instrument de torture sur lequel le condamné était mis à cheval et immobilisé, les jambes lentement disloquées par de lourds poids. **3.** *Mus.* Petite pièce de bois qui soutient et sépare

*Cheval.*

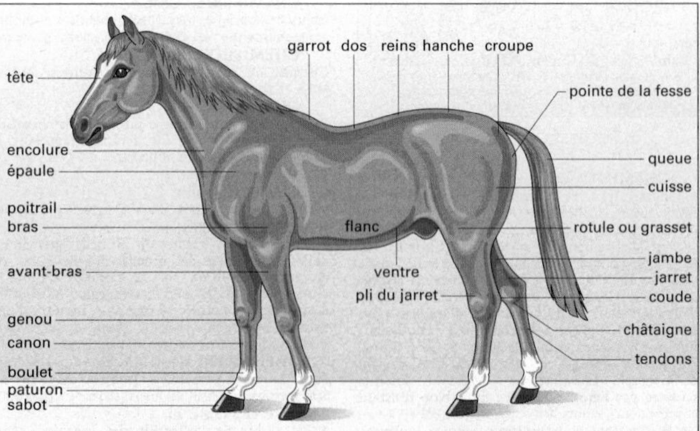

les cordes tendues d'un instrument à archet. 1429 (XIIIe s., petit cheval) ; ☞ *cheval* ; [ʃ(ə)valɛ].

**CHEVALIER, subst. m.**

**I. 1.** *M. Â.* Noble admis dans la chevalerie, après avoir été adoubé par un parrain, gén. un compagnon d'armes : *Bayard, je veux aujourd'hui être fait **chevalier** par vos mains* (François Ier, au soir de Marignan) ; *Un **chevalier** manquant à ses devoirs était déclaré félon* ; *Les **chevaliers** de la Table ronde*, les compagnons du roi Arthur. ▸ Loc. *Se faire le **chevalier** de qqn* : prendre sa défense, lui venir en

© Giraudon

Don Quichotte et Sancho Pança, *peinture d'Alexandre Gabriel Decamps (1803-1860). Le héros de Cervantès était surnommé le **Chevalier** à la triste figure. Musée des Beaux-Arts, Pau.*

aide ; ***Chevalier** servant* : homme prévenant et empressé envers une femme ; ***Chevalier** d'industrie* : escroc, individu sans scrupule (péj.). **2.** Membre d'un ordre militaire et religieux : *Les **chevaliers** teutoniques, de l'ordre du Temple* ; par ext., personne reçue dans un ordre honorifique au grade le moins élevé : *Être nommé **chevalier** de la Légion d'honneur.* **3.** Titre de noblesse, situé au-dessous de baron en France et de baronnet en Angleterre. **4.** *Antiq. rom.* Citoyen appartenant à l'ordre équestre, intermédiaire entre la classe des patriciens et celle des plébéiens. **II.** *Zool.* **1.** Oiseau échassier insectivore, fréquentant les rivages et les marais. **2.** Poisson des mers chaudes, aux couleurs vives, prédateur et grégaire. Fin XIe s. ; bas lat. *caballarius*, « cavalier » ; [ʃ(ə)valje].

**CHEVALIÈRE, subst. f.**

*Bijout.* Bague à grand chaton gravé d'armoiries ou d'initiales. 1821 ; ☞ *chevalier* ; [ʃ(ə)valjɛʀ].

**CHEVALIN, INE, adj.**

**1.** Qui se rapporte au cheval : *Les races **chevalines*** ; *Une boucherie **chevaline**.* **2.** Fig. Qui évoque le cheval : *Profil **chevalin**.* 1119 ; lat. *caballinus* ; [ʃ(ə)valɛ̃, in].

**CHEVAL-VAPEUR, subst. m.**

*Métrol.* Ancienne unité de puissance équivalant à 736 watts environ (symb. : ch). 1822 ; comp. de *cheval* et de *vapeur* (I) ; plur. *chevaux-vapeur* ; [ʃ(ə)valvapœʀ], plur. [-vo-].

**CHEVAUCHANT, ANTE, adj.**

Qui chevauche, déborde sur qqch. : *Orteils **chevauchants**.* 1808 ; p. pr. de *chevaucher* ; [ʃ(ə)voʃɑ̃, ɑ̃t].

**CHEVAUCHÉE, subst. f.**

**1.** Promenade à cheval : *Une **chevauchée** matinale.* **2.** Expédition d'un groupe de cavaliers. Fin XIIe s. ; p. p. de *chevaucher* ; [ʃ(ə)voʃe].

**CHEVAUCHEMENT, subst. m.**

État de choses qui chevauchent, débordent les unes sur les autres : ***Chevauchement** de dents, de tuiles.* XVe s. ; ☞ *chevaucher* ; [ʃ(ə)voʃmɑ̃].

**CHEVAUCHER, verbe [3]**

**INTRANS. 1.** Aller, courir à cheval. **2.** Se croiser, se recouvrir partiellement, en parlant de choses : *Des dents qui **chevauchent*** ; empl. pronom. : *Les ardoises se **chevauchent** régulièrement.* ▸ *Typogr. Des lignes, des lettres qui **chevauchent*** : qui ne sont pas droites, qui débordent les unes sur les autres. **TRANS.** Être à cheval sur (une monture), à califourchon sur (qqch.). Fin XIe s. ; bas lat. *caballicare* ; [ʃ(ə)voʃe].

**CHEVAU-LÉGERS, subst. m. plur.**

*Hist.* Corps de cavalerie légère, créé sous Louis XII et supprimé en 1815 ; au sing., militaire appartenant à ce corps. 1495 ; comp. de *cheval* et de *léger* ; [ʃ(ə)voleʒe].

**CHEVÊCHE, subst. f.**

*Zool.* Petite chouette qui niche dans les vieux murs et les creux des arbres. Fin XIIIe s. ; prob. lat. pop. *cavannus*, « chouette » ; [ʃ(ə)vɛʃ].

**CHEVELU, UE, adj.**

**1.** Pourvu d'une chevelure abondante ; empl. subst. (péj.) : *Une bande de **chevelus*** ; par méton. : *La Gaule **chevelue**,* dont les habitants portaient les cheveux longs. **2.** Garni de cheveux : *Le cuir **chevelu**,* peau du crâne sur laquelle poussent les cheveux. **3.** Anal. ▸ *Astron. Comète **chevelue*** : auréolée d'une lumière diffuse. ▸ *Bot. Racine **chevelue*** : aux nombreuses radicelles ; empl. subst. masc., ensemble de ces radicelles. Fin XIe s. ; ☞ *cheveu* ; [ʃəv(ə)ly].

**CHEVELURE, subst. f.**

**1.** Ensemble des cheveux : *Une **chevelure** abondante.* **2.** *Astron.* Auréole brillante et nébuleuse enveloppant le noyau d'une comète. Fin XIe s. ; prob. bas lat. *capillatura*, « arrangement des cheveux » ; [ʃəv(ə)lyʀ].

**CHEVESNE, subst. m.**

*Zool.* Poisson d'eau douce à grosse tête large, appelé aussi meunier, de la famille des Cyprinidés, espèce *Leuciscus cephalus*. Déb. XIIIe s. ; lat. pop. °*capitinem*, altér. de *capitonem*, « qui a une grosse tête » ; var. *chevaine*, *chevenne* ; [ʃ(ə)vɛn].

**CHEVET, subst. m.**

**1.** Partie supérieure du lit, où repose la tête : *Table de **chevet**,* placée près de la tête du lit ; *Livre de **chevet**,* qu'on lit avant de s'endormir ou, par ext., qu'on aime particulièrement ; *Accourir, rester au **chevet** d'un malade*, à ses côtés, auprès de son lit. **2.** *Archit.* Partie d'une église située à la tête de la nef, au-delà du chœur. Fin XIIe s. ; lat. *capitium*, « corsage à passer par la tête », de *caput*, « tête » ; [ʃ(ə)vɛ].

**CHEVÊTRE, subst. m.**

**1.** Vx. Licou. **2.** Anal. *Archit.* Pièce de charpente dans laquelle viennent s'emboîter les solives d'un plancher. Déb. XIIe s. ; lat. *capistrum*, « courroie » ; [ʃ(ə)vɛtʀ].

**CHEVEU, subst. m.**

**1.** Poil qui recouvre le crâne de l'homme (gén. au plur.) : *Des **cheveux** longs, frisés, teints* ; *Perdre ses **cheveux*** ; empl. coll. : *Avoir le **cheveu** ras, brillant.* **2.** Loc. ▸ *Une femme en **cheveux*** : nu-tête (vieilli). ▸ Fam. *À faire dresser les **cheveux** sur la tête* : terrifiant ; *Fendre, couper les **cheveux** en quatre* : se perdre en complications, en subtilités ; *Ne touchez pas à un seul de ses **cheveux** !* : ne lui faites aucun mal ! ; *Un raisonnement tiré par les **cheveux*** : forcé, artificiel ; *Arriver comme un **cheveu** sur la soupe* : de façon inopportune ; *Il s'en est fallu d'un **cheveu*** : de presque rien. **3.** Anal. ***Cheveux** d'ange* : vermicelles très fins ou, par anal., guirlande de décoration. Mil. XIe s. ; lat. *capillus* ; [ʃ(ə)vø].

**CHEVEU-DE-VÉNUS, subst. m.**

*Bot.* Nom usuel d'une fougère, l'adiante, aussi appelée capillaire. 1556 ; comp. de *cheveu* et de *Vénus* ; plur. *cheveux-de-Vénus* ; [ʃ(ə)vød(ə)venys].

**CHEVILLARD, subst. m.**

Boucher en gros, vendant la viande à la cheville. 1856 ; ☞ *cheville* ; [ʃ(ə)vijaʀ].

**CHEVILLE, subst. f.**

**I. 1.** Tige de bois ou de métal servant à assembler des pièces ou à boucher un trou : *Remplacer les **chevilles** d'une armoire* ; *Obstruer une voie d'eau avec une **cheville** conique* ; ***Cheville** ouvrière*, grosse **cheville** supportant l'effort principal, dans un mécanisme. ▸ Ext. Petit morceau de bois, de plastique ou de métal que l'on place dans un mur et dans lequel une vis pourra être serrée. ▸ Loc. *Être en **cheville** avec qqn* : lui être associé (fam.) ; *Être la **cheville** ouvrière d'une affaire, d'une action* : y jouer un rôle déterminant, essentiel. **2.** *Bouch.* Barre métallique où l'on suspend les carcasses d'animaux dans un abattoir : *Vendre, acheter de la viande à la **cheville**.* **3.** *Mus.* Petite pièce de bois ou de métal servant à régler les cordes d'un instrument. **4.** *Versif.* Mot, expression de remplissage dont l'utilité est de soutenir la rime ou le rythme d'un vers. **II.** *Anat.* Saillie osseuse de l'articulation du pied, formée par les protubérances du tibia et du péroné ; partie de la jambe située entre le bas du mollet et le pied. ▸ Loc. *Ne pas arriver à la **cheville** de qqn* : lui être sans conteste inférieur ; *Avoir les **chevilles** qui enflent* : se montrer prétentieux (fam.). Mil. XIIe s. ; lat. pop. °*cavicula*, du lat. *clavicula*, « petite clé » ; [ʃ(ə)vij].

**CHEVILLER, verbe trans. [3]**

Ajuster, faire tenir à l'aide de chevilles ; empl. adj. : *Avoir l'âme **chevillée** au corps*, présenter une grande résistance vitale. Mil. XIIe s. ; ☞ *cheville* ; [ʃ(ə)vije].

**CHEVILLETTE, subst. f.**

Petite cheville ; petite pièce d'ancienne fermeture de porte : *Tire la **chevillette** et la bobinette cherra* (Perrault). Fin XIIIe s. ; ☞ *cheville* ; [ʃ(ə)vijɛt].

**CHEVIOT, subst. m.**

Mouton des monts Cheviot, en Écosse. 1856 ; topon. *Cheviot* (Écosse) ; [ʃəvjo].

**CHEVIOTTE, subst. f.**

Laine douce et fine du cheviot ; tissu léger fait avec cette laine. 1872 ; ☞ *cheviot* ; [ʃəvjɔt].

**CHÈVRE, subst. f.**

**1.** *Zool.* Mammifère de la famille des Bovidés, sous-famille des Caprinés, genre *Capra*. La **chèvre** domestique, *Capra hircus*, descend probablement de la **chèvre** sauvage, *Capra aegagrus*. Le mâle de la **chèvre** est le bouc, son petit est le chevreau. On élève la **chèvre** pour son lait. ▸ *Du fromage de **chèvre*** ou, par ell., *Du **chèvre*** : du fromage à base de lait de **chèvre** ; *Un sentier de **chèvres***, très escarpé. ▸ Loc. fam. *Ménager la **chèvre** et le chou* : s'entendre, composer avec deux parties opposées ; *Faire devenir **chèvre** qqn* : le faire enrager. **2.** *Techn.* ▸ Appareil muni d'un treuil et d'une poulie, servant à lever des charges. ▸ Support sur lequel on appuie une pièce de bois à découper. 1119 ; lat. *capra* ; [ʃɛvʀ].

**CHEVREAU, subst. m.**

**1.** Petit de la chèvre. **2.** Méton. ▸ Viande de cet animal. ▸ Peau tannée, cuir très souple de chèvre ou de **chevreau**. Fin XIIe s. ; ☞ *chèvre* ; [ʃəvʀo].

**CHÈVREFEUILLE, subst. m.**

*Bot.* Arbrisseau ornemental de la famille des Caprifoliacées, très odoriférant. Fin XIIe s. ; bas lat. °*caprifolium*, « feuille de chèvre » ; [ʃɛvʀəfœj].

**CHEVRETTE, subst. f.**

**1.** Petite ou jeune chèvre. **2.** Femelle du chevreuil. **3.** Petit chenet ; trépied de fer qui supporte les casseroles sur le feu. Mil. XVe s. (fin XIIIe s., instrument de musique) ; ☞ *chèvre* ; [ʃəvʀɛt].

**CHEVREUIL, subst. m.**

*Zool.* Mammifère de la famille des Cervidés, genre *Capreolus*. C'est un animal fin, aux membres grêles (1 m à 1,35 m de longueur ; 60 à 75 cm de hauteur au garrot ; 15 à 30 kg), dont la livrée roussit en été et dont les bois sont moins imposants que ceux du cerf (une dague, deux andouillers séparés par une fourche), mais rugueux (les rugosités s'appellent des perlures). Sa femelle est la chevrette, le jeune mâle est un brocard, les petits du **chevreuil** sont des chevrotins ou des chevrillards. Déb. XIIe s. ; lat. *capreolus* ; [ʃəvʀœj].

**CHEVRIER, IÈRE, subst.**

Personne qui mène paître les chèvres. 1241 ; lat. *caprarius* ; [ʃəvʀije, jɛʀ].

**CHEVRILLARD, subst. m.**

Petit du chevreuil. 1739 ; ☞ *chevreuil* ; [ʃəvʀijaʀ].

**CHEVRON, subst. m.**

**1.** *Bât.* Longue pièce de bois soutenant les lattes sur lesquelles on fixe la couverture d'un bâtiment. **2.** Anal. Objet présentant la forme d'un V renversé. ▸ *Hérald.* Double bande plate en V retourné. ▸ *Milit.* Galon indiquant l'ancienneté ou le grade, cousu sur la manche gauche de l'uniforme. ▸ *Text. Tissu à **chevrons*** : décoré de motifs en zigzag. Mil. XIIe s. ; lat. pop. °*caprionem*, du lat. *capra*, « chèvre » ; [ʃəvʀɔ̃].

**CHEVRONNÉ, ÉE, adj.**
1. *Bât.* Fixé par des chevrons : *Poutre **chevronnée**.* 2. *Hérald.* Garni de chevrons. 3. *Milit.* Qui porte des chevrons d'ancienneté (vieilli) : *Un soldat **chevronné**.* ▸ Fig. Expérimenté. ▣ Déb. XIII^e s. ; p. p. de *chevronner*, « garnir de chevrons » ; [ʃəvʀɔne].

**CHEVROTAIN, subst. m.**
*Zool.* Petit mammifère ruminant d'Afrique ou d'Asie, sans cornes, de la famille des Tragulidés. ▣ XVIII^e s. ; ☞ *chevrotin* ; [ʃəvʀɔtɛ̃].

**CHEVROTANT, ANTE, adj.**
Qui chevrote : *Parler d'une voix **chevrotante**.* ▣ 1835 ; p. pr. de *chevroter* ; [ʃəvʀɔtɑ̃, ɑ̃t].

**CHEVROTEMENT, subst. m.**
Action de chevroter ; tremblement de la voix. ▣ 1542 ; ☞ *chevroter* ; [ʃəvʀɔtmɑ̃].

**CHEVROTER, verbe intrans. [3]**
1. Bêler, en parlant de la chèvre. 2. Ext. Parler, chanter d'une voix qui tremble. ▣ XIII^e s. ; *chevrot* (vx), « chevreau » ; [ʃəvʀɔte].

**CHEVROTIN, subst. m.**
1. Petit du chevreuil de moins de six mois, avant qu'il devienne chevrillard. 2. Peau de chevreau corroyée. 3. Petit fromage de chèvre. ▣ 1596 (fin XIII^e s., chevreau) ; *chevrot* (vx), « chevreau » ; [ʃəvʀɔtɛ̃].

**CHEVROTINE, subst. f.**
Balle de petit calibre ou gros plomb qu'on utilise pour chasser le chevreuil et le gros gibier. ▣ 1697 ; ☞ *chevrotin* ; [ʃəvʀɔtin].

**CHEWING-GUM, subst. m.**
Gomme à mâcher parfumée. ▣ 1904 ; anglo-amér. *chewing gum* ; plur. *chewing-gums* ; [ʃwiŋɡɔm].

**CHEZ, prép.**
À l'intérieur de (avec diverses nuances). 1. Dans le domicile, la maison de : ***Chez** moi* ; ***Chez** mes amis.* 2. Dans la communauté de ; parmi : ***Chez** les Américains* ; ***Chez** les auteurs classiques* ; ***Chez** les Mammifères.* 3. Dans le caractère, la nature de : *C'est l'humour que j'aime **chez** elle.* ▸ Dans l'œuvre de : ***Chez** Descartes.* ▣ Mil. XII^e s ; lat. *casa*, « maison » ; [ʃe].

**CHEZ-SOI, subst. m. inv.**
Domicile où l'on vit (fam.). ▣ 1690 ; comp. de *chez* et de *soi* ; se compose également avec les pron. *toi, moi, elle, lui, nous, vous, elles* et *eux* ; [ʃeswa].

**CHIADER, verbe trans. [3]**
Préparer, exécuter avec soin (fam.). ▣ 1863 ; *chiade* (vx), « brimade » ; [ʃjade].

**CHIALER, verbe intrans. [3]**
1. Vx. Pousser son cri, en parlant d'un chien. 2. Fam. Pleurer ; se lamenter. ▣ 1844 ; p.-ê. m. fr. *chiau*, « petit chien », prob. d'apr. *chier des yeux*, « pleurer » ; [ʃjale].

**CHIANT, ANTE, adj.**
Ennuyeux, pénible (vulg.). ▣ 1920 ; p. pr. de *chier* ; [ʃjɑ̃, ɑ̃t].

**CHIANTI, subst. m.**
Vin rouge de la région de Chianti, à la saveur piquante. ▣ 1866 ; topon. *Chianti* (Toscane) ; [kjɑ̃ti].

**CHIARD, subst. m.**
Jeune enfant (fam.). ▣ 1894 (déb. XVI^e s., celui qui chie) ; ☞ *chier* ; [ʃjaʀ].

**CHIASMA, subst. m.**
*Anat.* Croisement des nerfs optiques. ▣ 1821 ; gr. *khiasmos*, « disposition en croix » ; [kjasma].

**CHIASME, subst. m.**
*Rhét.* Figure de style consistant à inverser l'ordre des termes dans deux membres de phrase successifs (par ex. : « Il faut manger pour vivre et non pas vivre pour manger »). ▣ 1838 (1538, signe de la lettre χ) ; gr. *khiasmos*, « disposition en croix » ; [kjasm].

**CHIASSE, subst. f.**
Vulg. 1. Diarrhée. 2. Fig. *Avoir la **chiasse*** : avoir très peur. ▣ 1894 (1578, impureté) ; ☞ *chier* ; [ʃjas].

**CHIBOUQUE, subst. f.**
Pipe orientale à long tuyau de bois. ▣ 1831 ; ar. *šubuk*, du turc *çubuk*, « tuyau, pipe » ; var. *un chibouk* ; [ʃibuk].

**CHIC, subst. m., adj. et interj.**
SUBST. 1. Vx. Habileté à exécuter des peintures à effet (péj.). ▸ *De **chic*** : sans préparation ni modèle, par la seule imagination. 2. Ext. Facilité à réussir qqch. ; par iron. : *Il a le **chic** pour tout gâcher !* 3. Distinction, prestance. ▸ *Bon **chic** bon genre (B. C. B. G.)* : d'une élégance bourgeoise et un peu compassée. ADJ. 1. Élégant : *Clientèle **chic*** ; *Des restaurants **chics**.* 2. Gentil, bienveillant (fam.) : *Une **chic** fille* ; *C'est **chic** de sa part.* INTERJ. Marque le plaisir, l'enthousiasme (fam.) : ***Chic** ! on va au cinéma !* ▣ 1793 ; all. *Schick*, « bon ordre, convenance » ; l'adj. est inv. en genre ; [ʃik].

**CHICANE, subst. f.**
1. *Dr.* Subtilité de procédure qui suscite des difficultés dans un procès. ▸ *Gens de **chicane*** : hommes de loi. 2. Ext. Contestation de mauvaise foi sur un point de détail, querelle : *Il me cherche **chicane** à tout propos.* 3. Passage tortueux à travers une série d'obstacles : *Les **chicanes** d'un circuit automobile, d'un parcours de slalom* ; *En **chicane**,* en zigzag. ▸ *Techn.* Dispositif servant à ralentir l'écoulement d'un fluide. ▣ 1582 ; ☞ *chicaner* ; [ʃikan].

**CHICANER, verbe [3]**
INTRANS. Se livrer à des chicanes, chipoter : *Ne **chicanons** pas sur les mots !* TRANS. Contester injustement à (qqn) une possession, un bénéfice ; critiquer : *Elle m'a **chicané** cinq malheureux centimes.* ▣ 1461 ; prob. crois. de l'onomat. *tchik*, donnant une idée de petitesse, et de *ricaner* ; [ʃikane].

**CHICANERIE, subst. f.**
Action de chicaner ; goût pour la chicane. ▣ XV^e s. ; ☞ *chicaner* ; [ʃikanʀi].

**CHICANEUR, EUSE, subst.**
Personne encline à chicaner, à ergoter ; empl. adj. : *Un collègue **chicaneur**.* ▣ Mil. XV^e s. ; ☞ *chicaner* ; [ʃikanœʀ, øz].

**CHICANIER, IÈRE, adj.**
Qui se plaît à chicaner ; empl. subst., chicaneur. ▣ Fin XVI^e s. ; ☞ *chicaner* ; [ʃikanje, jɛʀ].

**CHICANO, subst. et adj.**
Se dit d'un Mexicain émigré aux États-Unis (fam.). ▣ V. 1980 ; esp. du Mexique *chicano*, aphérèse de *mexicano*, « mexicain » ; [tʃikano].

**CHICHE (I), adj.**
1. Avare, pingre. 2. Fig. **Chiche de.** Peu généreux en : *Se montrer **chiche** de compliments.* 3. Rare, peu abondant : *Une lumière **chiche**.* ▣ Fin XII^e s. ; prob. orig. onomat. ; [ʃiʃ].

**CHICHE (II), subst. m.**
1. *Bot.* Plante à fleurs blanches, de la famille des Fabacées, appelée pois **chiche**. L'espèce principalement cultivée dans le monde méditerranéen donne une graine comestible. 2. Méton. La graine elle-même (empl. seulement en appos. à *pois*) : *Manger des pois **chiches** avec le couscous.* ▣ 1244 ; anc. fr. *cice*, du lat. *cicer*, prob. d'apr. *chiche* (I) ; [ʃiʃ].

**CHICHE (III), interj.**
Fam. Exclamation marquant un défi : ***Chiche** que j'y arrive !* ; *Tu n'oseras pas. – **Chiche** !* ; empl. adj. : *Être **chiche** de* (+ inf.), être assez audacieux pour. ▣ 1866 ; prob. *chiche* (I) ; [ʃiʃ].

**CHICHE-KEBAB, subst. m.**
*Cuis.* Brochette de mouton ou d'agneau. ▣ Mil. XX^e s. ; turc *şişkebap* ; plur. *chiche(s)-kebab(s)* ; [ʃiʃkebab].

**CHICHEMENT, adv.**
De façon chiche, parcimonieuse : *Vivre **chichement**.* ▣ 1539 ; ☞ *chiche* (I) ; [ʃiʃmɑ̃].

**CHICHI, subst. m.**
Fam. 1. Manières affectées dues au respect excessif des usages (gén. au plur.) : *Faire des **chichis**.* 2. Ext. Luxe prétentieux, observation exagérée des convenances. ▣ 1866 ; prob. orig. onomat. ; [ʃiʃi].

**CHICHITEUX, EUSE, adj. et subst.**
Se dit d'une personne qui fait des chichis (fam.). ▣ 1920 ; ☞ *chichi* ; [ʃiʃitø, øz].

**CHICLÉ, subst. m.**
Latex tiré du sapotillier et utilisé dans la fabrication du chewing-gum. ▣ 1922 ; esp. *chicle* ; [(t)ʃikle].

**CHICON, subst. m.**
1. Nom vulgaire de la laitue romaine, plante de la famille des Astéracées. 2. Belg. Endive de Bruxelles. ▣ 1651 ; prob. altér. de *chicorée* ; [ʃikɔ̃].

**CHICORÉE, subst. f.**
1. *Bot.* Plante herbacée de la famille des Astéracées. L'espèce *Cichorium endivia* est la **chicorée** frisée, consommée en salade, et l'espèce *Cichorium intybus* donne la **chicorée** à café. 2. Racine de **chicorée** torréfiée ; par méton., infusion préparée à partir de cette racine. ▣ XIII^e s. ; lat. médiév. *cicorea*, du lat. *cichoreum*, du gr. *kikhorion* ; [ʃikɔʀe].

**CHICOT, subst. m.**
1. Reste d'un tronc, d'une branche brisée ou coupée. 2. Anal. Morceau restant d'une dent cassée ou cariée. ▣ 1553 ; orig. onomat. ; [ʃiko].

**CHICOTE, subst. f.**
Fouet à lanières nouées, en usage dans l'Afrique coloniale. ▣ 1840 ; mot port. ; var. *chicotte* ; [ʃikɔt].

**CHICOTER, verbe intrans. [3]**
1. Vx. Chercher querelle pour des vétilles (pop.). 2. Anal. Couiner, en parlant de la souris (rare). ▣ 1583 ; prob. *chicaner* ; [ʃikɔte].

**CHICOTIN, subst. m.**
Suc amer extrait de l'aloès ou de la coloquinte (vx). ▣ XV^e s. ; ar. *suquṭrī*, du topon. *Socotora* (Yémen) ; [ʃikɔtɛ̃].

**CHICOTTE, voir CHICOTE**

**CHIÉE, subst. f.**
Grande quantité (fam.). ▣ 1834 ; p. p. de *chier* ; [ʃje].

**CHIEN, CHIENNE, subst.**
I. *Zool.* MASC. Mammifère carnivore type de la famille des Canidés, dont l'espèce *Canis familiaris* a donné, par élevage et sélection, de très nombreuses races ; espèces voisines : chacals, coyotes, dingos et loups. ▸ Loc. *Entre **chien** et loup* : au crépuscule. FÉM. Femelle du **chien**. II. Dans des expressions se référant à l'aspect, au caractère, ou à la vie d'un **chien**. 1. *Être coiffé à la **chien*** : avec une frange ; *Avoir du **chien*** : du charme. 2. *Quel **chien**, quelle **chienne** !* : quelle personne avare, dure ! ; *Une humeur, un caractère de **chien*** : détestable ; *Se regarder en **chiens** de faïence* (☞ *faïence*) ; empl. adj. : *Il est **chien** avec sa femme* ; *Je ne suis pas **chienne**, je te pardonne.*

© Lauros-Giraudon

*Cave canem (« Attention au chien »), mosaïque de pavement provenant de Pompéi (av. 79). Musée national d'Archéologie, Naples.*

▸ *Nom d'un **chien** !* (juron). ▸ ***Chien** de caserne* : adjudant. 3. *Mener une vie de **chien*** : une vie pénible ; *Malade comme un **chien*** : très malade ; *Se donner un mal de **chien*** : faire beaucoup d'efforts ; *Traiter qqn comme un **chien*** : sans ménagement. III. MASC. *Spéc.* 1. *Jeux.* Aux tarots, cartes restantes après distribution. 2. *Mar. Coup de **chien*** : tempête subite. 3. *Presse.* ***Chiens** écrasés* : rubrique des faits divers (fam.). 4. *Techn.* Pièce qui guide le percuteur d'une arme à feu. ▸ Loc. *En **chien** de fusil* : recroquevillé. 5. *Zool.* ***Chien** de mer* : petit squale (☞ *roussette*). ▣ Fin XI^e s. ; lat. *canis* ; [ʃjɛ̃, ʃjɛn].

**CHIEN-ASSIS, subst. m.**
*Archit.* Lucarne que l'on ouvre en saillie dans la pente d'un toit pour éclairer des combles. ▣ 1841 ; comp. de *chien* et de *asseoir* ; plur. *chiens-assis* ; [ʃjɛ̃asi].

**CHIENDENT, subst. m.**
1. *Bot.* Plante de la famille des Poacées, nuisible aux cultures en raison de ses puissantes racines. 2. Fig. Difficulté, embarras (fam.). ▣ 1551 ; formé de *chien* et de *dent* ; [ʃjɛ̃dɑ̃].

**CHIENLIT, subst.**
Vx. Personnage de carnaval grotesque et répugnant. FÉM. 1. Mascarade. 2. Ext. Désordre ; confusion généralisée : *La réforme oui, la **chienlit** non* (de Gaulle en mai 1968). ▣ 1534 ; formé de *chier*, de *en* (I) et de *lit* ; [ʃjɑ̃li].

**CHIEN-LOUP, subst. m.**
Nom courant du berger allemand. ▣ 1775 ; comp. de *chien* et de *loup*, d'apr. l'angl. *wolf-dog* ; plur. *chiens-loups* ; [ʃjɛ̃lu].

**CHIENNERIE,** subst. f.
**1.** Vx. Groupe de chiens. **2.** Fig. Dureté ; avarice. ◻ Déb. XIIIe s. ; ☞ *chien* ; [ʃjɛnʀi].

**CHIER,** verbe intrans. [6]
Vulg. **1.** Déféquer. **2.** Fig. *Faire **chier** qqn* : l'importuner ; *Se faire **chier*** : s'ennuyer, peiner. ▸ *À **chier*** : mauvais, très laid. ◻ Déb. XIIIe s. ; lat. *cacare* ; [ʃje].

**CHIFFE,** subst. f.
**1.** Étoffe usagée ou de mauvaise qualité. **2.** Fig. ***Chiffe** molle* : personne sans caractère, sans courage. ◻ 1611 ; anc. fr. *chipe*, « chiffon », d'apr. *chiffre*, « objet sans valeur » ; [ʃif].

**CHIFFON,** subst. m.
**1.** Morceau d'étoffe, de vieux linge. **2.** Ext. Vêtement fripé. **3.** Anal. ▸ ***Chiffon** de papier* : papier froissé et, au fig., document sans valeur. ▸ En appos. *Papier **chiffon*** : papier de luxe fabriqué avec du tissu. **Plur.** Mode féminine (fam.) : *Parler **chiffons**.* ◻ 1609 ; ☞ *chiffe* ; [ʃifɔ̃].

**CHIFFONNADE,** subst. f.
*Cuis.* Salade coupée en lamelles, servie en garniture, crue ou fondue au beurre. ◻ 1750 ; ☞ *chiffonner* ; [ʃifɔnad].

**CHIFFONNAGE,** subst. m.
Action de chiffonner, de froisser ; état de ce qui est chiffonné : *Le **chiffonnage** d'une robe.* ◻ 1835 (1740, contrariété) ; ☞ *chiffonner* ; synon. *chiffonnement* ; [ʃifɔnaʒ].

**CHIFFONNÉ, ÉE,** adj.
**1.** Froissé : *Un papier **chiffonné**.* **2.** Anal. Fatigué, brouillé : *Les traits **chiffonnés**.* **3.** Fig. Contrarié. ◻ XVIIe s. ; p. p. de *chiffonner* ; [ʃifɔne].

**CHIFFONNER,** verbe trans. [3]
**1.** Froisser (une étoffe, du papier). **2.** Fig. Tracasser, contrarier. ◻ 1657 ; ☞ *chiffon* ; [ʃifɔne].

**CHIFFONNIER, IÈRE,** subst.
Personne qui ramasse des chiffons, des vieux objets pour les revendre. ▸ Loc. *Se battre, se disputer comme des **chiffonniers*** : avec violence, bruyamment ; *Être vêtu comme un **chiffonnier*** : être mal habillé. **Masc.** Petite commode haute et étroite, à tiroirs superposés. ◻ 1640 ; ☞ *chiffon* ; [ʃifɔnje, jɛʀ].

**CHIFFRABLE,** adj.
Que l'on peut évaluer, mesurer en chiffres : *Une quantité **chiffrable**.* ◻ 1875 ; ☞ *chiffrer* ; [ʃifʀabl].

**CHIFFRAGE,** subst. m.
**1.** Action d'évaluer en chiffres ; son résultat. **2.** Action de coder un message ; son résultat. **3.** *Mus.* Fait, manière de chiffrer un accord. ◻ 1853 ; ☞ *chiffrer* ; [ʃifʀaʒ].

**CHIFFRE,** subst. m.
**1.** Caractère servant à représenter des nombres : ***Chiffres** arabes*, 1, 2, 3, 4, 5, 6, 7, 8, 9, 0 ; ***Chiffres** romains*, I, V, X, L, C, D, M. **2.** Nombre représenté par ce ou ces **chiffres** : *Le **chiffre** de la population* ; ***Chiffre** rond*, nombre entier, sans fraction. ▸ ***Chiffre** d'affaires* : montant des recettes d'une entreprise réalisées entre deux bilans. **3.** Écriture secrète formée de lettres ou de **chiffres** suivant une convention. ▸ *Service du **chiffre*** : service d'une armée, d'un ministère, chargé de transcrire et de déchiffrer les dépêches secrètes. **4.** Combinaison de lettres initiales entrelacées : *Faire graver son **chiffre** sur des couverts.* **5.** *Mus.* Caractère indiquant les accords que comporte la basse. ◻ XIIIe s. ; lat. médiév. *cifra*, de l'ar. *ṣifr*, « zéro » ; [ʃifʀ].

Numérotation indienne (IIIe s. av. J.-C.)

Numérotation indienne (Xe s.)

Numérotation arabe occidentale (Xe s.)

Numérotation arabe orientale (Xe s.)

Numérotation européenne (XVe s.)

*Évolution des signes numériques indiens aboutissant à nos **chiffres** (au XVe s., le 4, le 5 et le 7 n'ont pas encore leur forme actuelle).*

**CHIFFREMENT,** subst. m.
Opération consistant à chiffrer un message, un document. ◻ Déb. XVIIe s. ; ☞ *chiffrer* ; [ʃifʀəmɑ̃].

**CHIFFRER,** verbe [3]
**Trans. 1.** Calculer, évaluer en chiffres : ***Chiffrer** les résultats d'une opération financière.* **2.** Numéroter : ***Chiffrer** les pages d'un document.* **3.** Coder (un message) en chiffres ; empl. adj. : *Dépêche **chiffrée**.* **4.** Orner de chiffres, d'initiales. **5.** *Mus.* Indiquer (les accords d'une basse) par des chiffres. **Intrans.** Coûter cher (fam.) : *Ça commence à **chiffrer**.* **Pronom. 1. Se chiffrer à.** S'élever à (une somme). **2. Se chiffrer par, en.** Se compter en : *Le coût de ces réparations se **chiffre** en milliards.* ◻ 1515 ; ☞ *chiffre* ; [ʃifʀe].

**CHIFFREUR, EUSE,** subst.
Personne qui transcrit des messages en langage chiffré ; par ext., employé attaché au service du chiffre. ◻ 1529 ; ☞ *chiffre* ; [ʃifʀœʀ, øz].

**CHIGNOLE,** subst. f.
**1.** Mauvaise voiture (pop.). **2.** Perceuse à main ou électrique. ◻ 1901 (1753, dévidoir) ; anc. fr. *ceoingnole*, du lat. *ciconia*, « cigogne » ; [ʃiɲɔl].

**CHIGNON,** subst. m.
Coiffure féminine qui consiste à ramasser les cheveux sur la nuque ou sur le haut de la tête. ▸ Loc. *Se crêper le **chignon*** : se disputer, se battre entre femmes (fam.). ◻ 1746 (fin XIIe s., nuque) ; lat. pop. °*catenio*, du lat. *catena*, « chaîne » ; [ʃiɲɔ̃].

**CHIHUAHUA,** subst. m.
Très petit chien d'agrément, d'origine mexicaine. ◻ 1858 ; topon. *Chihuahua* (Mexique) ; [ʃiwawa].

**CHIISME,** subst. m.
*Relig.* Doctrine minoritaire de l'islam, commune à divers groupements, qui ne reconnaît qu'Ali (gendre de Mahomet) et ses descendants comme successeurs du Prophète (s'opposant ainsi au sunnisme) : *Le **chiisme** iranien.* ◻ XIXe s. ; ar. *šī'isme* ; var. *shiisme* ; [ʃiism].

**CHIITE,** adj. et subst.
**Adj.** Qui concerne le chiisme. **Subst.** Musulman qui appartient à l'une des nombreuses sectes **chiites**. ◻ XVIIe s. ; ar. *šī'ī*, « partisan » ; var. *shiite* ; [ʃiit].

**CHILOM,** subst. m.
Pipe à long tuyau terminé par un petit entonnoir, qui sert à fumer le haschisch. ◻ V. 1970 ; persan *calam* ; var. *shilom* ; [ʃilɔm].

**CHIMÈRE,** subst. f.
**1.** *Myth.* Monstre fabuleux au corps de chèvre, à tête de lion et à queue de dragon. **2.** Fig. Vaine rêverie ; fantasme, utopie : *Rien de grand ne se fait sans **chimères*** (Renan). **3.** *Biol.* Organisme constitué par des cellules et des tissus provenant de deux espèces différentes et coexistant en symbiose. Le plus souvent, il s'agit d'une plante créée artificiellement par greffe, composée de tissus de types génétiquement différents. **4.** *Zool.* Gros poisson des grands fonds. ◻ Déb. XIIIe s. ; lat. *chimaera*, du gr. *khimaira* ; [ʃimɛʀ].

**CHIMÉRIQUE,** adj.
**1.** Qui tient de la chimère ; utopique : *Une ambition **chimérique**.* **2.** Qui se nourrit de chimères : *Un esprit **chimérique**.* ◻ 1580 ; ☞ *chimère* ; [ʃimeʀik].

**CHIMIE,** subst. f.
**1.** Science qui étudie la constitution, la nature et les propriétés des corps matériels, simples ou composés, les moyens de les obtenir et les réactions qui s'effectuent entre eux. ▸ ***Chimie** générale* : qui a pour objet les lois générales des réactions chimiques. ▸ ***Chimie** physique* : qui étudie les conditions physiques dans lesquelles se produisent les réactions chimiques (l'influence de la lumière, de la chaleur, etc.). ▸ ***Chimie** inorganique* ou, vx, *minérale* : qui étudie les corps qui ne sont pas des composés du carbone, à l'exception des oxydes de carbone et des sels appelés carbonates. ▸ ***Chimie** organique* : qui a pour objet d'étude les composés du carbone présents dans les êtres vivants ou produits par eux (☞ *biochimie*). ▸ ***Chimie** appliquée* : qui concerne les applications industrielles, pharmaceutiques, etc., de la **chimie**. **2.** Fig. Transformation d'une réalité matérielle, humaine ou spirituelle à la suite d'interactions plus ou moins inconnues : *La **chimie** du langage, de la société.* ◻ 1554 ; lat. médiév. *chimia*, du gr. médiév. *khêmeia*, « alchimie » ; [ʃimi].

**CHIMIOLUMINESCENCE,** subst. f.
*Chim.* Émission de rayonnement lumineux (phénomène dit de luminescence) par un composé gazeux, liquide ou solide, l'énergie nécessaire étant fournie par un autre processus qu'une élévation de température, en l'occurrence par des réactions chimiques. ◻ 1929 ; ☞ *luminescence* + *chimio-* ; var. *chimiluminescence* ; [ʃimjolyminesɑ̃s].

**CHIMIORÉSISTANCE,** subst. f.
Résistance d'un organisme à la chimiothérapie ou à l'action d'agents chimiques. ◻ XXe s. ; ☞ *résistance* + *chimio-* ; [ʃimjoʀezistɑ̃s].

**CHIMIOSYNTHÈSE,** subst. f.
*Biochim.* et *Biol.* Processus métabolique développé par certaines bactéries qui, selon les espèces, exploitent l'oxydation du méthane, du soufre et de ses composés, du fer, etc., pour synthétiser l'adénosine triphosphate, qui peut être utilisée pour la production des molécules biologiques, ce qui correspond à un mode de nutrition autotrophe. ◻ 1935 ; ☞ *synthèse* + *chimio-* ; [ʃimjosɛ̃tɛz].

**CHIMIOTACTISME,** subst. m.
*Biol.* Comportement manifesté par des organismes mobiles unicellulaires ou pluricellulaires qui, mis en présence d'une substance diffusible particulière, se dirigent vers l'emplacement de cette substance (**chimiotactisme** positif) ou s'en éloignent (**chimiotactisme** négatif). ◻ 1899 ; ☞ *tactisme* + *chimio-* ; [ʃimjotaktism].

**CHIMIOTHÉRAPIE,** subst. f.
*Pharm.* Traitement de certaines maladies infectieuses, et surtout des cancers, par des substances chimiques (abrév. fam. : chimio). ◻ 1911 ; formé de *chimio-* et de *-thérapie* ; [ʃimjoteʀapi].

**CHIMIOTHÉRAPIQUE,** adj.
Qui a trait à la chimiothérapie. ◻ 1922 ; ☞ *chimiothérapie* ; [ʃimjoteʀapik].

**CHIMIQUE,** adj.
**1.** Relatif à la chimie. **2.** Obtenu par une application de la chimie : *Industrie, produit **chimique**.* ◻ Fin XVIe s. ; lat. médiév. *chemicus*, « alchimique » ; [ʃimik].

**CHIMIQUEMENT,** adv.
Selon les lois de la chimie : *Une eau **chimiquement** pure.* ◻ 1610 ; ☞ *chimique* ; [ʃimikmɑ̃].

**CHIMISME,** subst. m.
Ensemble des processus qui régissent un phénomène chimique, en partic. au sein d'un organisme vivant. ◻ 1838 ; ☞ *chimie* ; [ʃimism].

**CHIMISTE,** subst.
Personne qui étudie ou pratique la chimie. ◻ 1548 ; ☞ *chimie* ; [ʃimist].

*Le **chimpanzé** « pêche » les termites avec une brindille, dont il a su faire un outil.*

**CHIMPANZÉ,** subst. m.
*Zool.* Grand singe catarhinien arboricole (1,70 m pour le mâle, poids maximal de l'ordre de 80 kg), qui vit en petits groupes (moins de 15 individus) sous la direction d'un mâle dominant, dans les forêts d'Afrique tropicale et équatoriale. Son régime, omnivore, est surtout végétarien. ◻ 1738 ; mot issu d'une langue du Congo ; [ʃɛ̃pɑ̃ze].

**CHINAGE,** subst. m.
*Text.* Action de chiner. ◻ 1753 ; ☞ *chiner* (I) ; [ʃinaʒ].

**CHINCHARD,** subst. m.
*Zool.* Poisson de l'ordre des Perciformes. ◻ 1785 ; anc. fr. *chinche*, « punaise » ; [ʃɛ̃ʃaʀ].

**CHINCHILLA, subst. m.**
**1.** *Zool.* Rongeur d'Amérique, de la famille des Chinchillidés, dont la fourrure soyeuse grise ou blanche est très recherchée. **2.** Méton. Sa fourrure. 1598 ; mot esp. ; [ʃɛ̃ʃila].

**CHINE (I), subst. m.**
**1.** Porcelaine de Chine : *Des assiettes en **chine*** ; par méton. : *Un **chine** ancien.* **2.** Papier de luxe, tiré du bambou. 1854 ; topon. *Chine* ; [ʃin].

**CHINE (II), subst. f.**
Fam. **1.** Vente ambulante : *Faire la **chine**.* **2.** Brocante. 1873 ; ☞ *chiner* (II) ; [ʃin].

**CHINÉ, ÉE, adj.**
Composé de fils de couleurs mélangées : *Un tapis **chiné**.* 1753 ; p. p. de *chiner* (I) ; [ʃine].

**CHINER (I), verbe trans. [3]**
*Text.* **1.** Teindre (un fil) de différentes couleurs. **2.** Tisser (une étoffe) de fils de diverses couleurs. 1753 ; topon. *Chine* ; [ʃine].

**CHINER (II), verbe trans. [3]**
Fam. **1.** Chercher (des objets anciens ou d'occasion) ; empl. abs., fureter chez les brocanteurs, les antiquaires. **2.** Railler, taquiner (vieilli). 1844 ; prob. aphérèse de *échiner* ; [ʃine].

**CHINETOQUE, subst.**
Chinois (pop. et péj.). 1918 ; mot de l'argot des marins ; [ʃintɔk].

**CHINEUR, EUSE, subst.**
Fam. **1.** Brocanteur. **2.** Personne qui aime chercher des objets de brocante. **3.** Moqueur, railleur (vieilli). 1847 ; ☞ *chiner* (II) ; [ʃinœʀ, øz].

**CHINOIS, OISE, adj. et subst.**
De Chine. **Adj.** Subtil et compliqué : *Casse-tête **chinois*** ; *Supplice **chinois***, cruel et raffiné. **Subst. masc. 1.** *Ling.* Langue parlée en Chine, aux nombreuses formes dialectales, qui s'écrit au moyen d'idéogrammes. ▸ Loc. *C'est du **chinois*** : c'est incompréhensible. **2.** *Cuis.* ▸ Kumquat confit (vx). ▸ Passoire conique. 1602 ; topon. *Chine* ; [ʃinwa, waz].

© Giraudon

Paysan travaillant dans la rizière, *gravure **chinoise** de l'époque Qing (1644-1911). Free Library, Philadelphie.*

**CHINOISER, verbe intrans. [3]**
Ergoter (fam.). 1841 ; ☞ *chinois* ; [ʃinwaze].

**CHINOISERIE, subst. f.**
**1.** Bibelot, œuvre d'art, décor provenant de Chine ou dans le goût chinois : *Une boutique de **chinoiseries**.* **2.** Complication inutile (fam., souv. au plur.) : *Les **chinoiseries** d'un esprit retors.* 1836 ; ☞ *chinois* ; [ʃinwazʀi].

**CHINOOK, subst. m.**
Vent chaud et sec des montagnes Rocheuses. 1925 ; mot d'une langue amérindienne ; [ʃinuk].

**CHINTZ, subst. m.**
*Text.* Toile de coton imprimée à l'aspect satiné, utilisée comme tissu d'ameublement. 1730 ; altér. de l'angl. *chints*, du hindi *chint* ; [ʃints].

**CHIONIS, subst. m.**
*Zool.* Oiseau blanc charadriiforme du littoral antarctique, assez semblable à un pigeon. 1828 ; lat. sc. *chionis*, du gr. *kiôn*, « neige » ; [kjɔnis].

**CHIOT, subst. m.**
Jeune chien. 1552 ; anc. fr. *chael*, du lat. *catellus* ; [ʃjo].

**CHIOTTE, subst. f.**
**Plur.** Cabinet d'aisances (vulg.). **Sing.** et **Plur. 1.** Fig. Ennui (fam.) : *Quelle **chiotte** !* **2.** Automobile (pop.). 1787 ; ☞ *chier* ; [ʃjɔt].

**CHIOURME, subst. f.**
**1.** Vx. Ensemble des rameurs d'une galère. **2.** Ext. Ensemble des condamnés d'un bagne. Déb. XIV^e s. ; ital. *ciurma*, du bas lat. *celeusma*, « chant qui rythme le mouvement des rameurs » ; [ʃjuʀm].

**CHIPER, verbe trans. [3]**
Fam. Subtiliser (un objet de peu de valeur) : *Il m'a **chipé** mon stylo* ; au fig. : ***Chiper** la place de qqn.* 1759 ; anc. fr. *chipe*, « rognure d'étoffe » ; [ʃipe].

**CHIPEUR, EUSE, adj.**
Fam. Qui a l'habitude de commettre des petits larcins ; empl. subst., personne **chipeuse**. 1828 ; ☞ *chiper* ; [ʃipœʀ, øz].

**CHIPIE, subst. f.**
Fam. Femme acariâtre ; fillette gâtée, insupportable. 1821 ; p.-ê. crois. de *chiper* et de *pie* (I) ; [ʃipi].

**CHIPOLATA, subst. f.**
*Cuis.* **1.** Vx. Ragoût italien à l'oignon et aux ciboules. **2.** Méton. Longue saucisse de porc. 1742 ; ital. *cipollata*, de *cipolla*, « oignon » ; [ʃipɔlata].

**CHIPOTAGE, subst. m.**
Action de chipoter (fam.). 1671 ; ☞ *chipoter* ; [ʃipɔtaʒ].

**CHIPOTER, verbe intrans. [3]**
Fam. **1.** Ergoter, lésiner sur des détails : *Il **chipote** pour trois francs six sous !* **2.** Manger avec lenteur, du bout des dents et sans plaisir : ***Chipoter** dans son assiette.* 1561 (1458, contrarier) ; anc. fr. *chipe*, « rognure d'étoffe » ; [ʃipɔte].

**CHIPOTEUR, EUSE, adj. et subst.**
Se dit d'une personne qui chipote (fam.). 1585 ; ☞ *chipoter* ; [ʃipɔtœʀ, øz].

**CHIPPENDALE, subst. m. inv. et adj. inv.**
Qualifie ou désigne un style de mobilier anglais du XVIII^e s., à ornements contournés, gén. en acajou : *Des fauteuils **chippendale**.* 1922 ; anthropon. *Chippendale*, ébéniste anglais ; [ʃipɛndal].

**CHIPS, subst. f. plur.**
Pommes de terre coupées en très fines lamelles et frites : *Un paquet de **chips*** ou, en appos., *de pommes **chips*** ; au sing., une de ces lamelles : *Prends une **chips** !* 1920 ; angl. *chip*, « copeau de bois » ; [ʃips].

**CHIQUE (I), subst. f.**
*Zool.* Puce des pays tropicaux qui s'insinue sous la peau des hommes ou des animaux. 1640 ; mot d'orig. caraïbe ; [ʃik].

**CHIQUE (II), subst. f.**
**1.** Dose de tabac à mâcher. ▸ Loc. fam. *Couper la **chique** à qqn* : le stupéfier ; *Avaler sa **chique*** : mourir. **2.** Anal. Enflure de la joue, due au mal de dents (fam.). **3.** Belg. Bonbon. 1792 ; ☞ *chiquer* ; [ʃik].

**CHIQUÉ, ÉE, adj. et subst. m.**
**Adj.** Vx. Qui dénote du chic, de l'élégance. **Subst.** Fam. Attitude affectée ; par ext., simulation : *C'est du **chiqué**.* 1837 ; ☞ *chic* ; [ʃike].

**CHIQUENAUDE, subst. f.**
**1.** Petit coup donné avec un doigt plié contre le pouce et brusquement détendu. **2.** Fig. Faible impulsion. 1530 ; orig. obsc. ; [ʃiknod].

**CHIQUER, verbe intrans. [3]**
Mâcher du tabac ; empl. trans. : ***Chiquer** du tabac.* 1792 ; orig. onomat. ; [ʃike].

**CHIROGNOMONIE, subst. f.**
Étude du caractère d'une personne par l'observation de ses mains. 1843 ; gr. *gnômôn*, « juge », + *chiro-* ; [kiʀɔgnɔmɔni].

**CHIROGRAPHAIRE, adj.**
*Dr.* Qui est écrit de la main des parties, sous seing privé : *Créance, créancier **chirographaire***, qui ne bénéficie d'aucune garantie (hypothèque, caution, etc.). 1532 ; lat. *chirographarius* ; [kiʀɔgʀafɛʀ].

**CHIROGRAPHIE, subst. f.**
Étude des lignes de la main. 1839 ; formé de *chiro-* et de *-graphie* ; [kiʀɔgʀafi].

**CHIROMANCIE, subst. f.**
Divination du caractère et de l'avenir d'une personne par l'observation de la forme ou des lignes de sa main. Fin XIV^e s. ; lat. médiév. *chiromantia*, du gr. *kheir*, « main », et *manteia*, « divination » ; [kiʀɔmɑ̃si].

**CHIROMANCIEN, IENNE, subst.**
Personne qui pratique la chiromancie. 1546 ; ☞ *chiromancie* ; [kiʀɔmɑ̃sjɛ̃, jɛn].

**CHIROPRACTEUR, subst. m.**
Personne qui pratique la chiropraxie. 1938 ; anglo-amér. *chiropractor*, du gr. *kheir*, « main », et *praktikos*, « qui agit » ; recomm. off. *chiropraticien, ienne* ; [kiʀɔpʀaktœʀ].

**CHIROPRAXIE, subst. f.**
*Méd.* Traitement de certaines affections par des manipulations vertébrales. XX^e s. ; angl. *chiropractic*, du gr. *kheir*, « main », et *praxis*, « mouvement » ; var. *chiropractie* ; [kiʀɔpʀaksi].

**CHIROPTÈRES, subst. m. plur.**
*Zool.* Ordre de mammifères communément appelés chauves-souris. Leurs membres antérieurs sont dotés d'une fine membrane, le patagium, qui s'étend entre les doigts démesurés de la main et le talon du membre postérieur. **Au sing.** *La roussette est un **chiroptère**.* 1838 ; formé de *chiro-* et de *-ptère* ; var. *chéiroptères* ; [kiʀɔptɛʀ].

**ZOOLOGIE** – L'aspect des Chiroptères est celui d'un rat ou d'une souris, leur pelage est doux et court, les pavillons de leurs oreilles sont gén. grands et mobiles. Leurs orteils portent des griffes grâce auxquelles ils s'accrochent à un support pour dormir ou se reposer. Les plus grands chiroptères appartiennent à l'espèce *Pteropus vampyrus* (de Java) ; ils mesurent 42 cm de longueur pour 1,42 m d'envergure. Les Chiroptères s'accouplent en automne, et les femelles mettent bas après la léthargie hivernale ; elles ont un instinct maternel très développé. Ce sont des animaux qui volent très rapidement, de nuit ; ils se repèrent par écholocation, en émettant des ultrasons qui se réfléchissent sur les obstacles et reviennent à leurs oreilles, à la manière des ondes électromagnétiques d'un radar (procédé dit du sonar).

**CHIROUBLES, subst. m.**
Vin rouge réputé du Beaujolais. Topon. *Chiroubles* (Rhône) ; [ʃiʀubl].

**CHIRURGICAL, ALE, AUX, adj.**
Relatif ou propre à la chirurgie : *Intervention **chirurgicale*** ; *Instruments **chirurgicaux**.* 1370 ; lat. médiév. *chirurgicalis* ; [ʃiʀyʀʒikal, o].

**CHIRURGIE, subst. f.**
Partie de la thérapeutique qui consiste à pratiquer des interventions, manuelles et instrumentales, sur les parties externes ou internes de l'organisme ; par méton., service de **chirurgie** d'un hôpital. Fin XII^e s. ; lat. *chirurgia*, du gr. *kheirourgia*, « travail manuel » ; [ʃiʀyʀʒi].

**CHIRURGIEN, IENNE, subst.**
Médecin spécialiste en chirurgie. 1175 ; ☞ *chirurgie* ; le fém. est rare ; [ʃiʀyʀʒjɛ̃, jɛn].

**CHIRURGIEN-DENTISTE, subst. m.**
Praticien diplômé spécialiste des soins de la bouche, des dents et des maxillaires. XIX^e s. ; comp. de *chirurgien* et de *dentiste* ; plur. *chirurgiens-dentistes* ; [ʃiʀyʀʒjɛ̃dɑ̃tist].

**CHISTERA, subst. m. ou f.**
Long instrument d'osier, recourbé et concave, fixé au poignet d'un pelotari et qui sert à envoyer la balle contre le fronton. 1907 ; basque *xistera*, du lat. *cistella*, « petite corbeille » ; [ʃisteʀa].

**CHITINE, subst. f.**
*Zool.* Substance organique azotée dérivée de la cellulose, qui contribue à constituer la cuticule emmaillotant le corps des Arthropodes ainsi qu'une partie de leurs organes internes. 1821 ; gr. *khitôn*, « tunique » ; [kitin].

**CHITINEUX, EUSE, adj.**
Formé de chitine ; qui contient de la chitine. 1876 ; ☞ *chitine* ; [kitinø, øz].

**CHITON, subst. m.**
**1.** *Antiq.* Tunique des anciens Grecs. **2.** *Zool.* Mollusque marin dont la coquille est constituée de plusieurs plaques calcaires articulées et qui adhère aux rochers du littoral. 1866 ; gr. *khitôn*, « tunique » ; [kitɔ̃].

**CHIURE, subst. f.**
Excrément d'insecte. 1642 ; ☞ *chier* ; [ʃjyʀ].

**CHLAMYDE,** subst. f.
*Antiq. gr.* Manteau court, fixé sur l'épaule par une agrafe. ☞ Déb. XVIe s. ; lat. *chlamys*, du gr. *khlamus*, « manteau » ; [klamid].

**CHLAMYDIA,** subst. f.
*Bactériol.* Bactérie vivant dans les cellules et responsable chez l'homme de nombreuses infections pulmonaires, oculaires ou urogénitales. ☞ V. 1960 ; lat. sc. *chlamydia*, du gr. *khlamus*, « manteau » ; plur. *chlamydiae* ou *chlamydias* ; [klamidja], plur. [-dje].

**CHLAMYDOMONAS,** subst. f.
*Bot.* Algue verte unicellulaire flagellée de l'ordre des Volvocales, dont il existe plusieurs centaines d'espèces dans les eaux douces. ☞ V. 1960 ; gr. *khlamus*, « manteau », et *monas*, « unité » ; [klamidɔmɔnas].

**CHLEUH, CHLEUHE,** adj. et subst.
**Adj.** Relatif aux peuples berbères de l'Atlas (Maroc). **Subst.** et **Adj.** Qualifie ou désigne un Allemand, en partic. un soldat lors de la Seconde Guerre mondiale (fam. et péj.). ☞ 1866 ; berbère *šlöḥ*, tribu marocaine ; var. *schleu*, *schleue* ; [ʃlø].

**CHLINGUER,** voir **SCHLINGUER**

**CHLOASMA,** subst. m.
*Pathol.* Ensemble de taches pigmentaires d'origine hormonale, de forme irrégulière, apparaissant sur le visage et constituant notamment ce que l'on appelle le masque de grossesse. L'usage d'une pilule contraceptive peut également provoquer un **chloasma**. ☞ 1855 ; gr. *khloasma*, « teinte vert pâle » ; [klɔasma].

**CHLORAGE,** subst. m.
Opération par laquelle on soumet un tissu à l'action du chlore. ☞ 1891 ; ☞ *chlore* ; [klɔʀaʒ].

**CHLORAL,** subst. m.
*Chim.* Composé organique huileux, à l'odeur pénétrante, voire irritante, qui sert à la préparation du chloroforme et que l'on utilisait comme narcotique (il a été abandonné en raison des intoxications qu'il provoquait). ☞ 1831 ; crois. de *chlore* et de *alcool* ; plur. *chlorals* ; [klɔʀal].

**CHLORAMPHÉNICOL,** subst. m. inv.
*Pharm.* Antibiotique naturel, élaboré par le champignon *Streptomyces venezuela*, ou synthétique, actif contre les salmonelles, et en partic. contre l'agent de la typhoïde, *Salmonella typhi*. ☞ 1947 ; ☞ *chlore* ; n. déposé ; [klɔʀɑ̃fenikɔl].

**CHLORATE,** subst. m.
*Chim.* Nom générique des sels de l'acide chlorique, dont les plus communs sont le **chlorate** de potassium ($KClO_3$) et le **chlorate** de sodium ($NaClO_3$). ☞ 1816 ; ☞ *chlore* ; [klɔʀat].

**CHLORATION,** subst. f.
**1.** Purification ou stérilisation de l'eau par l'action du chlore. **2.** *Chim.* Substitution, dans une molécule, d'un atome de chlore à un atome d'hydrogène. ☞ 1922 ; ☞ *chlore* ; [klɔʀasjɔ̃].

**CHLORE,** subst. m.
*Chim.* Élément chimique n° 17 de la table de Mendeleïev (symb. : Cl) ; masse atomique : 35,453. Il existe sous forme d'une molécule diatomique, le dichlore (symb. : $Cl_2$) ; point de fusion - 101 °C ; point d'ébullition - 34,6 °C. C'est un non-métal de la famille des halogènes (qui comprend aussi l'iode et le brome), très répandu dans la nature sous formé de chlorure de sodium (NaCl), qui est le sel marin. Dans les conditions normales de température et de pression, le **chlore** est un gaz de couleur jaune verdâtre, à l'odeur extrêmement suffocante, facile à liquéfier et soluble dans l'eau (la solution est appelée eau de **chlore**). Ce corps, très électronégatif, se combine facilement à l'hydrogène et aux métaux, avec lesquels il donne, respectivement, l'acide chlorhydrique (HCl) et des chlorures métalliques tels que NaCl, KCl, $AgCl_2$, etc. (chlorures de sodium, de potassium, d'argent). ☞ 1814 ; gr. *khlôros*, « vert » ; [klɔʀ].

**CHLORÉ, ÉE,** adj.
*Chim.* Qui contient du chlore. ☞ 1838 ; ☞ *chlore* ; [klɔʀe].

**CHLORELLE,** subst. f.
*Bot.* Algue verte d'eau douce, unicellulaire, utilisée dans la composition d'aliments pour le bétail. ☞ 1929 ; gr. *khlôros*, « vert » ; [klɔʀɛl].

**CHLOREUX, EUSE,** adj.
*Chim. Acide* **chloreux** : acide théorique non isolé ($HClO_2$). ☞ 1824 ; ☞ *chlore* ; [klɔʀø, øz].

**CHLORHYDRATE,** subst. m.
*Chim.* Sel de l'acide chlorhydrique et d'une base azotée. ☞ XIXe s. ; formé de *chlore* et de *hydrate* ; [klɔʀidʀat].

**CHLORHYDRIQUE,** adj.
*Chim. Acide* **chlorhydrique** : chlorure d'hydrogène (HCl) en solution (synon. *esprit de sel*) ; *Gaz* **chlorhydrique** : chlorure d'hydrogène à l'état gazeux. ☞ 1834 ; formé de *chlore* et de *hydrique* ; [klɔʀidʀik].

**CHLORITE,** subst.
**Masc.** *Chim.* Sel de l'acide chloreux, acide théorique non isolé. **Fém.** *Minér.* **1.** Mica vert. **2.** Minéral microscopique constituant certaines argiles. ☞ 1831 ; ☞ *chlore* ; [klɔʀit].

**CHLOROFIBRE,** subst. f.
Fibre synthétique à base de chlorure de vinyle. ☞ V. 1970 ; ☞ *fibre* + *chloro-* ; [klɔʀofibʀ].

**CHLOROFORME,** subst. m.
*Chim.* Composé organique dérivé du méthane, de formule $CHCl_3$, dont les propriétés anesthésiques ont été découvertes par Pierre Flourens, puis appliquées à l'homme en 1847. On a cessé de l'utiliser en chirurgie depuis un demi-siècle, en raison de sa toxicité pour le cœur et le foie, pouvant entraîner la mort. ☞ 1834 ; ☞ *formique (acide)* + *chloro-* ; [klɔʀɔfɔʀm].

**CHLOROFORMER,** verbe trans. [3]
**1.** Anesthésier au chloroforme. **2.** Fig. Endormir : **Chloroformer** *l'opinion publique*. ☞ 1856 ; ☞ *chloroforme* ; [klɔʀɔfɔʀme].

**CHLOROMÉTRIE,** subst. f.
*Techn.* Dosage du chlore, en partic. dans un chlorure décolorant. ☞ 1831 ; ☞ *chlore* + *-métrie* ; [klɔʀɔmetʀi].

**CHLOROPHYCÉES,** subst. f. plur.
*Bot.* Autre nom de la classe des Algues vertes. ☞ XIXe s. ; formé de *chloro-* et de *-phycées* ; [klɔʀɔfise].

**CHLOROPHYLLE,** subst. f.
*Bot.* Pigment contenu dans des organites (présents dans toutes les cellules végétales) appelés chloroplastes, qui est responsable de la teinte verte des végétaux. Exposée à la lumière, la **chlorophylle** libère des électrons et commence un cycle complexe d'oxydation, la photosynthèse, qui aboutit à la synthèse, par la plante, des glucides dont elle a besoin pour se nourrir. ☞ 1817 ; formé de *chloro-* et de *-phylle* ; [klɔʀɔfil].

**CHLOROPHYLLIEN, IENNE,** adj.
*Bot.* Qui se rapporte à la chlorophylle : *L'assimilation* **chlorophyllienne**, la photosynthèse. ☞ 1874 ; ☞ *chlorophylle* ; [klɔʀɔfiljɛ̃, jɛn].

**CHLOROPICRINE,** subst. f.
*Chim.* Dérivé nitré du chloroforme, encore appelé trichloronitrométhane, employé pour détruire les espèces jugées nuisibles, ou encore comme gaz de combat, compte tenu de ses propriétés lacrymogènes. ☞ 1878 ; ☞ *picrique (acide)* + *chloro-* ; [klɔʀɔpikʀin].

**CHLOROPLASTE,** subst. m.
*Bot.* Enclave (plaste) de la cellule végétale, contenant des molécules de chlorophylle. ☞ Fin XIXe s. ; ☞ *chlorophylle* + *-plaste* ; [klɔʀɔplast].

**CHLOROSE,** subst. f.
**1.** Vx. *Pathol.* Anémie due à un manque de fer. **2.** *Bot.* Carence en chlorophylle provoquant un jaunissement des feuilles : **Chlorose** *de la vigne*. ☞ Déb. XVIIe s. ; gr. *khlôros*, « vert » ; [klɔʀoz].

**CHLORPROMAZINE,** subst. f.
*Pharm.* Neuroleptique majeur, dont l'effet est essentiellement sédatif. ☞ 1952 ; ☞ *prométhazine* + *chloro-* ; [klɔʀpʀɔmazin].

**CHLORURE,** subst. m.
*Chim.* Sel de l'acide chlorhydrique, HCl, de la forme NaCl, KCl, AgCl (**chlorure** de sodium, de potassium, d'argent), $CaCl_2$ (**chlorure** de chaux), et, gén., de tout sel formé avec l'ion $Cl^-$. ☞ 1815 ; ☞ *chlore* ; [klɔʀyʀ].

**CHLORURÉ, ÉE,** adj.
*Chim.* Qui est changé en chlorure ou qui en contient. ☞ XIXe s. ; ☞ *chlorure* ; [klɔʀyʀe].

**CHLORURER,** verbe trans. [3]
*Chim.* Mélanger avec du chlore ; changer en chlorure. ☞ 1863 ; ☞ *chlorure* ; [klɔʀyʀe].

**CHNOQUE,** voir **SCHNOCK**

**CHNOUF,** voir **SCHNOUFF**

**CHOANE,** subst. f.
*Anat.* Orifice postérieur des fosses nasales, communiquant avec le rhinopharynx. ☞ 1546 ; gr. *khoanê*, « entonnoir » ; [kɔan].

**CHOC,** subst. m.
**1.** Heurt brusque entre des corps : *Le* **choc** *des gouttes de pluie contre la vitre* ; *Un* **choc** *entre deux véhicules*. ▸ *Météor.* **Choc** *en retour* : effet produit par la foudre en un lieu distant de l'endroit où elle est tombée ou, au fig., contrecoup d'un évènement. **2.** Affrontement d'adversaires : *Le* **choc** *de deux armées*. **3.** Fig. Conflit, antagonisme : *Le* **choc** *des opinions, des cultures*. **4.** Loc. ▸ *Soutenir* ou, fam., *Tenir le* **choc** : résister ; *Troupes de* **choc** : spécialement entraînées pour les opérations difficiles ; *Curé, patron de* **choc** : combatif, toujours en première ligne. **5.** Émotion violente pouvant provoquer un traumatisme psychologique : *Être sous le* **choc**. ▸ En appos. Qui surprend, dérange ; qui produit de l'effet : *Des prix* **chocs** ; *Des photos* **chocs**. **6.** *Pathol.* État aigu accompagné d'un déséquilibre circulatoire grave : *État de* **choc** ; **Choc** *thermique*. ☞ 1521 ; ☞ *choquer* ; [ʃɔk].

**CHOCHOTTE,** adj. et subst. f.
Se dit d'une personne très maniérée (fam.). ☞ Déb. XXe s. ; p.-ê. var. de *cocotte* ; [ʃɔʃɔt].

**CHOCOLAT,** subst. m. et adj. inv.
**Subst. 1.** Produit alimentaire solide à base de cacao et de sucre, constituant une friandise appréciée : *Une tablette de* **chocolat** *aux noisettes* ; *Un* **chocolat**, un bonbon au **chocolat**. **2.** Méton. Boisson préparée avec du **chocolat** : *Une tasse de* **chocolat** ; *Un* **chocolat** *chaud*. **Adj. 1.** D'une couleur brun-rouge, comme le **chocolat** : *Des rubans* **chocolat**. **2.** Loc. *Être* **chocolat** : être dupé, privé de ce que l'on espérait (fam.). ☞ 1598 ; esp. *chocolate*, du nahuatl ; [ʃɔkɔla].

**CHOCOLATÉ, ÉE,** adj.
Qui contient du chocolat ; qui a le goût du chocolat. ☞ 1771 ; ☞ *chocolat* ; [ʃɔkɔlate].

**CHOCOLATERIE,** subst. f.
**1.** Industrie du chocolat ; établissement qui en fabrique ou en vend. **2.** Ensemble des produits à base de chocolat. ☞ 1867 ; ☞ *chocolat* ; [ʃɔkɔlatʀi].

**CHOCOLATIER, IÈRE,** subst.
Personne qui fabrique ou vend du chocolat ; empl. adj. : *L'industrie* **chocolatière**. **Fém.** Récipient utilisé pour servir du chocolat chaud. ☞ 1671 ; ☞ *chocolat* ; [ʃɔkɔlatje, jɛʀ].

**CHOCOTTES,** subst. f. plur.
**1.** Dent (argot.). **2.** Loc. *Avoir les* **chocottes** : avoir peur (fam.). ☞ Fin XIXe s. ; p.-ê. var. de *chicot* ; [ʃɔkɔt].

**CHOÉPHORE,** subst.
*Antiq. gr.* Personne qui portait les offrandes aux morts. ☞ 1838 ; gr. *khoêphoros* ; [kɔefɔʀ].

**CHŒUR,** subst. m.
**I. 1.** *Antiq. gr.* Dans la tragédie, groupe d'acteurs (choreutes) qui commentaient le développement de l'action. **2.** *Mus.* Ensemble de chanteurs interprétant un même morceau : *Les* **chœurs** *de l'Opéra* ; par méton., morceau chanté par un **chœur** : *Les* **chœurs** *d'« Aïda »* ; au fig., groupe de personnes défendant le même point de vue : *Le* **chœur** *des créanciers*. ▸ Loc. *En* **chœur** : à l'unisson ; unanimement. **3.** *Théol. Les neuf* **chœurs** *des anges* : les neuf ordres répartis en trois hiérarchies. **II.** *Archit.* Partie de l'église, située entre la nef et le chevet, où officient les prêtres et les chantres : *Le* **chœur** *d'une cathédrale*. ▸ *Enfant de* **chœur** : enfant qui sert la messe ; au fig. : *Ce n'est pas un enfant de* **chœur**, il a perdu sa naïveté. ☞ Déb. XIIe s. ; lat. *chorus*, du gr. *khoros* ; [kœʀ].

**CHOIR,** verbe intrans. [50]
**1.** Tomber (littér.) : *Ils ont* **chu** *de haut*. **2.** Fig. *Laisser* **choir** *qqn ou qqch.* : l'abandonner. ☞ Fin Xe s. ; lat. *cadere* ; verbe défectif ; [ʃwaʀ].

**CHOISI, IE,** adj.
**1.** Qui a été sélectionné : *Morceaux* **choisis**, anthologie. **2.** Ext. Qui se distingue par son élégance, son raffinement : *L'élite la plus* **choisie** (Proust). ☞ XVIIe s. ; p. p. de *choisir* ; [ʃwazi].

**CHOISIR,** verbe trans. [19]
**1.** Se décider par préférence pour (qqn, qqch.) : **Choisir** *un cadeau, un métier* ; *Il a* **choisi** *de partir*. ▸ Loc. proverb. *Entre deux maux, il faut* **choisir** *le moindre*. ▸ Abs. *À présent, il faut* **choisir** : se déterminer, se décider. **2.** Distinguer ; désigner : **Choisir** *ses amis* ; **Choisir** *qqn pour un poste*. **Pronom.** *Se* **choisir** *un successeur* : désigner son successeur. ☞ XIIe s. (1050, distinguer) ; got. *kausjan*, « goûter ; éprouver » ; [ʃwaziʀ].

**CHOIX,** subst. m.
**1.** Action de choisir ; son résultat : *Faire le bon **choix**.* **2.** Liberté, possibilité de choisir : *Avoir l'embarras du **choix**.* **3.** Méton. Ensemble de personnes ou de choses entre lesquelles il est possible de choisir : *Cette boutique offre un grand **choix** d'objets* ; ensemble de personnes ou de choses choisies : *Un **choix** de poésies*, un florilège. **4.** Loc. *De **choix*** : de qualité. 1155 ; ☞ *choisir* ; [ʃwa].

**CHOLAGOGUE,** adj. et subst. m.
*Pharm.* Se dit d'une substance qui facilite l'évacuation de la bile renfermée dans la vésicule et les voies biliaires. Fin XVIe s. ; gr. *kholagôgos*, de *kholê*, « bile », et de *agôgos*, « qui conduit » ; [kɔlagɔg].

**CHOLÉCYSTECTOMIE,** subst. f.
*Chir.* Ablation de la vésicule biliaire. 1899 ; ☞ *cystectomie* + *cholé-* ; [kɔlesistɛktɔmi].

**CHOLÉCYSTITE,** subst. f.
*Pathol.* Inflammation de la vésicule biliaire. 1838 ; ☞ *cystite* + *cholé-* ; [kɔlesistit].

**CHOLÉCYSTOGRAPHIE,** subst. f.
*Méd.* Examen radiographique de la vésicule biliaire. Fin XIXe s. ; ☞ *cystographie* + *cholé-* ; [kɔlesistɔgʀafi].

**CHOLÉCYSTOSTOMIE,** subst. f.
*Chir.* Incision de la vésicule biliaire avec abouchement à la peau. 1891 ; ☞ *cystostomie* + *cholé-* ; [kɔlesistɔstɔmi].

**CHOLÉDOQUE,** adj. m.
*Anat. Canal **cholédoque*** ou, empl. subst. masc., *Le **cholédoque*** : canal qui conduit la bile au duodénum. Fin XVIe s. ; gr. *kholêdokos* ; [kɔledɔk].

**CHOLÉMIE,** subst. f.
*Biol.* Présence d'éléments de la bile dans le sang. 1859 ; formé de *cholé-* et de *-émie* ; [kɔlemi].

**CHOLÉRA,** subst. m.
*Pathol.* Infection intestinale très contagieuse due à une bactérie, *Vibrio cholerae*, découverte par Robert Koch en 1883, et à sa variété *Vibrio El Tor*, connue depuis 1897 ; ce germe est transmis par l'eau ou par contage humain. Caractérisé par des troubles digestifs graves (diarrhées, vomissements) entraînant une déshydratation aiguë et une hypothermie, le **choléra** évolue spontanément vers la mort en deux ou trois jours au maximum. Maladie épidémique, il se combat par la prophylaxie (assainissement des eaux, hygiène et vaccination anticholérique). 1546 ; lat. *cholera*, du gr. *kholera* ; [kɔleʀa].

**CHOLÉRÉTIQUE,** adj. et subst. m.
*Pharm.* Qualifie ou désigne une substance qui stimule la sécrétion biliaire. 1929 ; gr. *airetikos*, « qui prend », + *cholé-* ; [kɔleʀetik].

**CHOLÉRIFORME,** adj.
*Pathol.* Qui rappelle le choléra : *Symptômes **cholériformes**.* 1863 ; ☞ *choléra* + *-forme* ; [kɔleʀifɔʀm].

**CHOLÉRINE,** subst. f.
*Pathol.* Ensemble de signes avant-coureurs du choléra ; forme atténuée du choléra. 1838 ; ☞ *choléra* ; [kɔleʀin].

**CHOLÉRIQUE,** adj.
**1.** Qui a trait au choléra : *Diarrhée **cholérique**.* **2.** Qui est atteint du choléra ; empl. subst., personne **cholérique**. 1814 (mil. XIIIe s., bilieux) ; lat. *cholericus*, du gr. *kholerikos* ; [kɔleʀik].

**CHOLESTÉROL,** subst. m.
*Biol.* et *Biochim.* Lipide de la catégorie des stérols qui participe à la constitution des membranes biologiques animales où il joue le rôle indispensable de régulateur de fluidité. Présent souvent en grande quantité dans les corps gras d'origine animale, le **cholestérol**, qui est normalement synthétisé par les cellules hépatiques à partir de l'acétylcoenzyme A, se trouve souvent en excès dans la circulation sanguine et il tend à s'accumuler dans la paroi des artères et dans la bile, où il peut former des calculs. 1816 ; gr. *sterros*, « consistant », + *cholé-* ; [kɔlɛsteʀɔl].

**CHOLESTÉROLÉMIE,** subst. f.
Taux de cholestérol dans le sang. 1878 ; ☞ *cholestérol* + *-émie* ; [kɔlɛsteʀɔlemi].

**CHOLINE,** subst. f.
*Biochim.* Alcool aminé qui intervient dans la composition de certains phospholipides membranaires et de l'acétylcoenzyme A. 1861 ; gr. *kholê*, « bile » ; [kɔlin].

**CHOLINERGIQUE,** adj.
*Biochim.* et *Biol.* Qualifie d'une part les fibres nerveuses qui, sous l'effet d'une excitation, libèrent à leur extrémité (au niveau d'une synapse) une substance appelée acétylcholine et, d'autre part, les récepteurs (structures moléculaires) sensibles à son action (l'acétylcholine est un neurotransmetteur). V. 1960 ; angl. *cholinergic*, de *choline* et du gr. *ergon*, « travail » ; [kɔlinɛʀʒik].

**CHOLINESTÉRASE,** subst. f.
*Biochim.* Enzyme rendant inactive l'acétylcholine en l'hydrolysant. 1935 ; formé de *choline* et de *estérase* ; [kɔlinɛsteʀɑz].

**CHOLIQUE,** adj.
*Biochim.* Qui est présent dans la bile : *Un acide **cholique**.* 1838 ; gr. *kholê*, « bile » ; [kɔlik].

**CHOLURIE,** subst. f.
*Biol.* Présence de pigments biliaires dans l'urine, à un taux élevé en cas d'ictère. 1907 ; formé de *cholé-* et de *-urie* ; [kɔlyʀi].

**CHÔMAGE,** subst. m.
**1.** Vx. Suspension du travail, les jours chômés. **2.** Cessation temporaire d'activité d'une entreprise : ***Chômage** technique*, dû au ralentissement de l'activité ou au manque de matières premières ; ***Chômage** partiel*, portant sur une partie du temps de travail. **3.** Inactivité professionnelle forcée, due à la perte de son emploi ou à l'impossibilité d'en trouver un : *Être au **chômage**.* ▸ Méton. Situation économique générale de la population active privée d'emploi : *La courbe du **chômage*** ; allocation d'assurance accordée aux personnes privées d'emploi (fam.) : *Toucher le **chômage**.* 1273 ; ☞ *chômer* ; [ʃomaʒ].

**CHÔMÉ, ÉE,** adj.
Où l'on ne travaille pas : *Fête **chômée** et carillonnée.* 1690 ; p. p. de *chômer* ; [ʃome].

**CHÔMER,** verbe [3]
Trans. Célébrer (une fête religieuse ou civile) en cessant le travail : ***Chômer** Noël.* Intrans. **1.** Ne pas avoir de travail : *Presque toute la famille **chômait**.* **2.** Ext. Suspendre son activité économique : *Cette usine **chôme** depuis trois mois.* **3.** Loc. *Ne pas **chômer*** : s'activer sans répit (fam.). XIIe s. ; bas lat. *caumare*, « se reposer pendant la chaleur », du gr. *kauma*, « chaleur » ; [ʃome].

**CHÔMEUR, EUSE,** subst.
Travailleur qui ne trouve pas d'emploi : *Embaucher de jeunes **chômeurs**.* 1876 ; ☞ *chômer* ; [ʃomœʀ, øz].

**CHONDRICHTYENS,** subst. m. plur.
*Zool.* Classe de poissons cartilagineux (par oppos. aux poissons osseux, les Ostéichtyens), qui comprend les Sélaciens (squales, torpilles) et les Holocéphales (chimères). Ces poissons ont un crâne constitué d'une seule pièce, une bouche ventrale surmontée d'un rostre ; leur télencéphale est très développé et ils possèdent des organes sensoriels variés et spécialisés, sensibles à la température, aux vibrations, etc. Ils sont ovipares ou ovovivipares, et même parfois vivipares, et ils vivent en haute mer ou près des côtes. Au sing. *La raie est un **chondrichtyen**.* 1958 ; gr. *khondros*, « cartilage », et *ikhthus*, « poisson » ; [kɔ̃dʀiktjɛ̃].

**CHONDRIOME,** subst. m.
*Biol.* Ensemble des mitochondries présentes dans le cytoplasme d'une cellule. 1922 ; gr. *khondrion*, « granule » ; [kɔ̃dʀijom].

**CHONDRIOSOME,** subst. m.
*Biol.* Mitochondrie (vieilli). 1931 ; gr. *khondrion*, « granule », + *-some* ; [kɔ̃dʀijozom].

**CHONDROBLASTE,** subst. m.
*Biol.* Terme qui désigne les cellules cartilagineuses jeunes, qui sont les précurseurs des chondrocytes. 1897 ; formé de *chondro-* et de *-blaste* ; [kɔ̃dʀoblast].

**CHONDROCYTE,** subst. m.
*Biol.* Cellule du cartilage parvenue à maturité, après être passée par le stade de chondroblaste. Déb. XXe s. ; formé de *chondro-* et de *-cyte* ; [kɔ̃dʀosit].

**CHONDROME,** subst. m.
*Pathol.* Tumeur bénigne cartilagineuse, apparaissant gén. dans les doigts. Déb. XXe s. ; gr. *khondros*, « cartilage », + *-ome* ; [kɔ̃dʀom].

**CHONDROSTÉENS,** subst. m. plur.
*Zool.* Un des trois superordres d'Actinoptérygiens (poissons osseux à nageoires rayonnées) dont le squelette n'est pas complètement ossifié. Au sing. *L'esturgeon est un **chondrostéen**.* 1911 ; gr. *osteon*, « os », + *chondro-* ; [kɔ̃dʀɔsteɛ̃].

**CHOPE,** subst. f.
Récipient à anse, parfois à couvercle, dans lequel on boit la bière ; son contenu : *Il a bu sa **chope** et il est parti.* 1845 ; als. *schoppe* ; [ʃɔp].

**CHOPER,** verbe trans. [3]
Fam. **1.** Arrêter, saisir (qqn) : *Se faire **choper** par les gendarmes.* **2.** Dérober. **3.** Ext. Attraper (qqch.) : *J'ai **chopé** une bonne grippe !* 1800 ; var. de *chopper* (vx), « trébucher » ; [ʃɔpe].

**CHOPINE,** subst. f.
**1.** Vx. Mesure de capacité d'une demi-pinte, soit 0,466 l à Paris. ▸ Québ. Demi-pinte, soit 0,568 l. **2.** Pop. Demi-bouteille de vin ; par méton., son contenu. XIIe s. ; m. bas all. *Schopen*, « puisoir de brasseur » ; [ʃɔpin].

**CHOP SUEY,** subst. m.
*Cuis.* Plat chinois de légumes émincés et sautés, gén. accompagnés de lamelles de viande. Prob. angl. *to chop*, « hacher », et chinois *sui*, « menu » ; plur. *chop sueys* ; [ʃɔpsy] ou [-soj].

**CHOQUANT, ANTE,** adj.
Qui n'est pas conforme à la bienséance, à la morale ou aux usages : *Une opinion **choquante*** ; qui surprend de manière déplaisante : *Contraste **choquant**.* 1650 ; p. pr. de *choquer* ; [ʃɔkɑ̃, ɑ̃t].

**CHOQUÉ, ÉE,** adj.
**1.** Qui a reçu un choc. **2.** Fig. Qui est scandalisé. XIIIe s. ; p. p. de *choquer* ; [ʃɔke].

**CHOQUER,** verbe trans. [3]
**1.** Frapper, percuter plus ou moins brutalement (vieilli) : *Le lourd portail **choquait** le mur* ; ***Choquons** nos verres !*, trinquons ! (fam.). **2.** Fig. Offusquer par ses paroles, sa conduite : *Tes manières me **choquent*** ; froisser, blesser : ***Choquer** la pudeur.* **3.** Détonner, surprendre désagréablement : *Un détail qui **choque** la vue.* **4.** *Mar.* Donner du mou à (une écoute, une amarre) en la filant par à-coups successifs. **5.** *Psych.* Traumatiser. 1230 ; orig. obsc. ; [ʃɔke].

**CHORAL, ALE, ALS ou AUX,** adj. et subst. m.
*Mus.* Adj. Relatif au chœur : *Une mélodie **chorale*** ; *Des styles **chorals** ou **choraux**.* Subst. **1.** Pièce vocale, à caractère religieux, composée pour un chœur : *Un **choral** de Luther.* **2.** Ext. Œuvre instrumentale sur le thème d'un **choral** : *Les **chorals** pour orgue de Bach.* 1331 ; lat. médiév. *choralis* ; plur. de l'adj. masc. *chorals* ou *choraux*, plur. du subst. *chorals* ; [kɔʀal, o].

**CHORALE,** subst. f.
Ensemble de chanteurs qui interprètent des œuvres écrites pour chœur : *La **chorale** de la paroisse.* 1926 ; ell. de *société chorale* ; [kɔʀal].

**CHORDE,** subst. f.
*Biol. et Embryol.* Axe élastique cellulaire de l'embryon des Vertébrés et de deux embranchements voisins (les Urochordés et les Céphalochordés), constitué de cellules du mésoblaste. C'est l'axe primitif de l'embryon, situé entre le système nerveux primitif dorsal et le tube digestif ventral, et l'ébauche de la future colonne vertébrale de l'animal, qui sera modelée sur elle. La **chorde** disparaît à une certaine étape de la vie embryonnaire et, chez l'animal adulte, il n'en subsiste plus que des vestiges (chez l'Homme, la partie centrale molle du disque intervertébral). Fin XIXe s. ; lat. *chorda*, « boyau » ; synon. *corde dorsale* ; [kɔʀd].

**CHORDÉS,** subst. m. plur.
*Zool.* Terme englobant tous les animaux qui, à un stade quelconque de leur évolution embryonnaire, possèdent une chorde. Il existe trois embranchements de **chordés** : les Urochordés, dont la chorde est localisée dans la queue chez l'embryon et disparaît ensuite, représentés par les Tuniciers ; les Céphalochordés, qui possèdent une chorde complète à l'état embryonnaire, représentés par une famille, les Branchiostomidés ; les Vertébrés. 1946 ; ☞ *chorde* ; var. *cordés* ; [kɔʀde].

**CHORÉE,** subst. f.
*Pathol.* **1.** Affection nerveuse qui se manifeste par des gestes incontrôlés et convulsifs (synon. *danse de Saint-Guy*). **2.** Ext. Syndrome pathologique de certaines affections : ***Chorée** paralytique* ; ***Chorée** sénile.* 1792 (1558, danse) ; lat. *chorea*, du gr. *khoreia*, « danse en groupe » ; [kɔʀe].

**CHORÈGE,** subst. m.
*Antiq. gr.* Citoyen qui finançait et organisait un chœur de danse. XVIe s. ; lat. *choragus*, du gr. *khorêgos* ; [kɔʀɛʒ].

**CHORÉGIE,** subst. f.
*Antiq. gr.* Fonction de chorège. **Plur.** Manifestation musicale à laquelle participent plusieurs chorales. 1832 ; gr. *khorêgia* ; [kɔʀeʒi].

**CHORÉGRAPHE,** subst.
Artiste qui met en scène un ballet. 1786 ; ☞ *chorégraphie* ; [kɔʀegʀaf].

**CHORÉGRAPHIE,** subst. f.
**1.** Vx. Art de transcrire sur papier des figures de danse. **2.** Art de mettre en scène un ballet. **3.** Ext. Pratique et art de la danse. 1701 ; gr. *khoreia*, « danse en groupe », + *-graphie* ; [kɔʀegʀafi].

**CHORÉGRAPHIQUE,** adj.
Qui a trait à la chorégraphie ou, par ext., à la danse. 1786 ; ☞ *chorégraphie* ; [kɔʀegʀafik].

**CHOREUTE,** subst. m.
*Antiq. gr.* Membre d'un chœur, dans le théâtre. 1866 ; gr. *khoreutês* ; [kɔʀøt].

**CHORIAMBE,** subst. m.
*Versif.* Pied de la prosodie ancienne, formé d'un trochée et d'un iambe. 1644 ; lat. *choriambus*, du gr. *khoriambos* ; var. *choriambe* ; [kɔʀjɑ̃b].

**CHORION,** subst. m.
**1.** *Embryol.* Membrane externe de l'œuf fécondé, chez les mammifères placentaires. Le **chorion**, riche en capillaires sanguins, pénètre dans la paroi de l'utérus maternel ; il joue un rôle fondamental dans la nutrition de l'embryon. **2.** *Biol.* Tissu conjonctif tapissant les épithéliums des cavités ouvertes sur le milieu extérieur (tube digestif, voies respiratoires, urinaires et génitales). 1541 ; gr. *khorion*, « membrane enveloppant le fœtus » ; [kɔʀjɔ̃].

**CHORISTE,** subst.
Personne qui chante dans un chœur ou une chorale. 1359 ; lat. médiév. *chorista* ; [kɔʀist].

**CHORIZO,** subst. m.
Saucisson espagnol assaisonné au piment rouge. Mil. XIXe s. ; mot esp. ; [(t)ʃɔʀizo].

**CHOROÏDE,** subst. f.
*Anat.* Couche pigmentaire et vascularisée enveloppant le globe oculaire, située entre la sclérotique et la rétine ; empl. adj. : *Membrane choroïde.* 1538 ; gr. *khorioeidês*, de *khorion*, « membrane » ; [kɔʀɔid].

**CHOROÏDIEN, IENNE,** adj.
Qui se rapporte à la choroïde. 1805 ; ☞ *choroïde* ; [kɔʀɔidjɛ̃, jɛn].

**CHORUS,** subst. m.
**1.** *Faire chorus* : reprendre à l'unisson, en chœur, ce qui vient d'être chanté en solo et, au fig., se joindre bruyamment à d'autres pour exprimer le même avis. **2.** *Mus.* Ensemble des mesures d'un thème de jazz sur lequel les solistes improvisent ; par ext., improvisation d'un soliste de jazz. XVIe s. ; lat. *chorus*, « chœur » ; [kɔʀys].

**CHOSE,** subst. f.
**I.** Désigne, en gén., tout ce qui est concevable. **1.** Ce qui existe, a une réalité : *Toute* **chose** *a été créée par Dieu* ; *Les* **choses** *de la vie.* **2.** Objet matériel, inanimé : *Ce magasin regorge de bonnes* **choses** ; *Les êtres et les* **choses**. **3.** ▸ Loc. *Appeler les* **choses** *par leur nom* : parler franchement. ▸ Loc. proverb. **Chose** *promise,* **chose** *due.* **4.** *Dr.* Bien que l'on possède. **5.** *Philos.* **Chose** *en soi* : réalité absolue, en partic. chez Kant, qui la désigne comme « noumène » (par oppos. au « phénomène », objet de connaissance). **II.** Désigne une situation, un évènement, une abstraction. **1.** Fait, circonstance : *Il m'est arrivé une* **chose** *incroyable.* **2.** Situation, conjoncture, affaire : *La* **chose** *tourne mal* ; *Tirer la* **chose** *au clair*, élucider l'affaire. ▸ *Dr.* **Chose** *jugée* : affaire jugée, faisant autorité entre les parties. **3.** Action, activité humaine : *Faire les* **choses** *à demi, à moitié* ; *La moindre des* **choses**, le moins que l'on puisse faire. **4.** Paroles, propos (gén. au plur.) : *Dire des* **choses** *intéressantes* ; *Parler de* **choses** *et d'autres.* **5.** Loc. *Laisser faire les* **choses** : ne pas intervenir ; *Aller au fond des* **choses** : examiner minutieusement ; *Regarder les* **choses** *en face* : ne pas s'aveugler ; *Toutes* **choses** *égales d'ailleurs* : en supposant que le reste ne change pas. **III. 1.** Remplace (parfois au masc.) un nom oublié ou que l'on ne veut pas mentionner (fam.) : *Mme* **Chose** ; **Chose** *m'a dit...* **2.** ▸ Loc. pronom. indéf. masc. *Quelque* **chose** : une réalité indéterminée. ▸ Loc. *Peu de* **chose**, *pas grand-***chose** : presque rien ; *Autre* **chose** : une réalité différente ; *Avant toute* **chose** : d'abord, en premier lieu. ▸ Empl. adj. inv. *Être, se sentir tout* **chose**, *toute* **chose** : mal à l'aise, bizarre, souffrant (fam.). 842 ; lat. *causa*, « affaire » ; [ʃoz].

**CHOSIFICATION,** subst. f.
Démarche intellectuelle tendant à chosifier, à réifier. 1831 ; ☞ *chose* ; [ʃozifikasjɔ̃].

**CHOSIFIER,** verbe trans. [6]
*Philos.* Considérer comme une chose, ramener à l'état de chose (une idée, un être) ; empl. adj. : *La conscience* **chosifiée**. 1943 ; ☞ *chose* ; [ʃozifje].

**CHOTT,** subst. m.
*Géogr.* Cuvette des régions arides d'Afrique du Nord, qui contient un lac salé, souv. asséché. 1857 ; ar. *šaṭṭ*, « rivière, rive » ; [ʃɔt].

**CHOU,** subst. m.
**1.** *Bot.* Plante de la famille des Brassicacées ; le **chou** potager est *Brassica oleracea*, variété *acephala*. **2.** Fig. et Fam. Personne chérie, enfant adoré (au fém., choute) : *Mon petit* **chou**. ▸ Empl. adj. inv. Joli, mignon, gentil : *Une robe* **chou** ; *C'est* **chou** *!* **3.** Loc. fam. *Une feuille de* **chou** : un journal médiocre ; *Partir planter ses* **choux** : se retirer à la campagne ; *C'est bête comme* **chou** : c'est simple à en être bête ; *Être dans les* **choux** : en mauvaise posture ; *Faire* **chou** *blanc* : échouer ; *Ménager la chèvre et le* **chou** (☞ *chèvre*) ; *Rentrer dans le* **chou** : attaquer franchement (pop.). **4.** *Spéc.* Par anal. de forme. ▸ *Cuis.* Petit gâteau rond soufflé, souv. fourré de crème. ▸ *Mode.* Ruban à nombreux replis gonflés, comme les feuilles d'un **chou**. XIIe s. ; lat. *caulis* ; plur. *choux* ; [ʃu].

**CHOUAN,** subst. m.
*Hist.* Membre de l'insurrection royaliste pendant la Révolution française, dans les provinces de l'Ouest : **Chouans** *de Bretagne, d'Anjou.* 1793 ; *Jean Chouan*, surnom de Jean Cottereau, chef des insurgés de l'Ouest, dont le signe de ralliement était le cri du *chouan*, forme régionale désignant le *hibou* ; [ʃwɑ̃].

**CHOUANNERIE,** subst. f.
Mouvement insurrectionnel des chouans. 1794 ; ☞ *chouan* ; [ʃwanʀi].

**CHOUCAS,** subst. m.
*Zool.* Petite corneille noire au cou gris de la famille des Corvidés. 1530 ; prob. orig. onomat. ; [ʃuka].

**CHOUCHEN,** subst. m.
Région. (Bretagne). Hydromel. Mot breton ; [ʃuʃɛn].

**CHOUCHOU, OUTE,** subst.
Personne préférée, favorite (fam.) : *La* **chouchoute** *du professeur.* 1788 ; ☞ *chou* ; [ʃuʃu, ut].

**CHOUCHOUTER,** verbe trans. [3]
Entourer (qqn) de soins et d'affection, choyer (fam.). 1842 ; ☞ *chouchou* ; [ʃuʃute].

**CHOUCROUTE,** subst. f.
*Cuis.* **1.** Préparation de choux blancs émincés et fermentés dans une saumure aromatisée au genièvre. **2.** Plat de **choucroute** cuite accompagnée de pommes vapeur et de charcuteries variées : **Choucroute** *alsacienne.* **3.** Loc. *Pédaler dans la* **choucroute** : s'activer en vain (fam.). 1739 ; als. *surkrut*, de l'all. *Sauerkraut*, « herbe sure » ; [ʃukʀut].

**CHOUETTE (I),** subst. f.
**1.** *Zool.* Rapace nocturne de la famille des Strigidés, genres *Surnia* (**chouette** épervière des pays nordiques), *Strix* (**chouette** vraie), *Speotyto* (**chouette** des terriers), *Ketupa* (**chouette** pêcheuse d'Indo-Malaisie), *Ninox* (**chouette** à aiguillon). L'espèce *Tyto alba* est la **chouette** effraie, commune en France. La **chouette** ulule ou chuinte. **2.** Fig. et Fam. *Yeux de* **chouette** : gros yeux ronds ; *Vieille* **chouette** : personne, en gén. vieille femme, désagréable, méchante, acariâtre. Mil. XIe s. ; crois. de l'anc. fr. *çuete* et de *choe*, « choucas » ; [ʃwɛt].

**CHOUETTE (II),** adj.
Fam. Joli, chic ; sympathique : *Une* **chouette** *maison* ; *Elle est* **chouette**, *ta sœur !* ▸ Empl. interj. **Chouette** *alors !* : chic alors ! Déb. XIXe s. ; prob. empl. fig. de *chouette* (I) ; [ʃwɛt].

**CHOU-FLEUR,** subst. m.
*Bot.* Variété *botrytis* du chou potager *Brassica oleracea*, dont on consomme la pomme blanche et dense. 1611 ; comp. de *chou* et de *fleur* ; plur. *choux-fleurs* ; [ʃuflœʀ].

**CHOUIA,** subst. m.
Petite quantité (fam.) : *Un* **chouia** *de cognac.* 1866 ; ar. maghrébin *šuya* ou *šweyya* ; [ʃuja].

**CHOULEUR,** subst. m.
*Techn.* Machine équipée d'une benne, servant à ramasser et à charger des matériaux. 1954 ; norm. *chouler*, « pousser » ; [ʃulœʀ].

**CHOU-NAVET,** subst. m.
*Bot.* Variété de chou, *Brassica napus*, à grosse racine comestible. 1732 ; comp. de *chou* et de *navet* ; plur. *choux-navets* ; [ʃunavɛ].

**CHOUQUETTE,** subst. f.
*Cuis.* Petit chou pâtissier parsemé de grains de sucre. 1950 ; prob. *chou* ; [ʃukɛt].

**CHOU-RAVE,** subst. m.
*Bot.* Variété du chou potager *Brassica oleracea*, dont on consomme la racine renflée. XVIe s. ; comp. de *chou* et de *rave* ; plur. *choux-raves* ; [ʃuʀav].

**CHOURAVER,** verbe trans. [3]
Dérober (fam.). 1938 ; romani *tchorav* ; [ʃuʀave].

**CHOW-CHOW,** subst. m.
Lointain descendant du loup boréal, à poils longs, jadis utilisé en Chine comme chien de garde, chien comestible et chien de chasse. Il fut introduit en Europe en 1880, et son élevage a commencé en Angleterre en 1887. 1957 ; anglo-chinois *chow-chow*, « mélangé » ; plur. *chows-chows* ; [ʃoʃo].

**CHOYER,** verbe trans. [17]
**1.** Être plein d'attentions pour (qqn) ; combler d'affection ; empl. adj. : *Un enfant* **choyé**. **2.** Fig. **Choyer** *un projet, un rêve* : l'entretenir, le cultiver. XIIIe s. ; orig. obsc. ; [ʃwaje].

**CHRÉMATISTIQUE,** adj. et subst. f.
Se dit d'une partie de l'économie qui traite de la production des richesses. 1839 ; gr. *khrêmatistikos*, de *khrêmata*, « les biens » ; [kʀematistik].

**CHRÊME,** subst. m.
*Liturg. Le saint* **chrême** : huile consacrée mêlée de baume, utilisée dans l'administration de certains sacrements par les Églises catholique et orthodoxe. Mil. XIIe s. ; lat. chrét. *chrisma*, du gr. *khrisma*, « onguent » ; [kʀɛm].

**CHRÉMEAU,** subst. m.
*Relig.* Bonnet de linge fin dont on coiffe un enfant après le baptême. XIIe s. ; ☞ *chrême* ; [kʀemo].

Le Vendéen, *aquarelle de Julien Le Blant (XIXe s.). Son costume est celui, traditionnel, que portaient les* **chouans** *insurgés contre la République en 1793. Musée d'Art et d'Histoire, Cholet.*

*Vase polychrome en forme de* **chouette**, *céramique grecque de la période archaïque, de style protocorinthien (VIIIe-VII[e] s. av. J.-C.). Musée du Louvre, Paris.*

**CHRESTOMATHIE,** subst. f.
*Litt.* Recueil didactique de textes tirés d'œuvres classiques. 🕮 1623 ; gr. *khrêstomatheia*, de *khrestos*, « utile », et de *manthanein*, « apprendre » ; [kʀɛstɔmati].

**CHRÉTIEN, IENNE,** adj. et subst.
Qualifie ou désigne une personne baptisée, qui a foi en Jésus-Christ, qui professe le christianisme : *Le roi Très-**Chrétien**,* le roi de France. **Adj.** Relatif à Jésus-Christ ou au christianisme : *L'ère **chrétienne**,* qui commence à la naissance du Christ. 🕮 842 ; lat. *christianus*, du gr. *khristianos* ; [kʀetjɛ̃, jɛn].

**CHRÉTIEN, IENNE-DÉMOCRATE,** adj. et subst.
*Pol.* Se dit d'une personne qui appartient à un des partis démocrates-chrétiens d'Europe du Nord. **Adj.** Qui se réfère à un de ces partis. 🕮 Comp. de *chrétien* et de *démocrate* ; plur. *chrétiens, iennes-démocrates* ; [kʀetjɛ̃demɔkʀat], fém. [-tjɛn-].

**CHRÉTIENNEMENT,** adv.
D'une manière conforme au christianisme ; en chrétien. 🕮 1546 ; ☞ *chrétien* ; [kʀetjɛnmɑ̃].

**CHRÉTIENTÉ,** subst. f.
Ensemble des nations chrétiennes ; ensemble des chrétiens qui peuplent la terre. 🕮 XI^e^ s. ; lat. *christianitas* ; [kʀetjɛ̃te].

**CHRIS-CRAFT,** subst. m. inv.
Type de canot à moteur ; par ext., et abusivement, tout canot dont le moteur reste fixé à l'intérieur de la coque (anton. *hors-bord*). 🕮 1952 ; angl. *Chris Craft*, de *craft*, « embarcation » ; n. déposé ; [kʀiskʀaft].

**CHRISME,** subst. m.
Monogramme du Christ, formé d'un *khi* grec ($\chi$) joint à un *rhô* ($\rho$). 🕮 1819 ; bas lat. *chresimon*, « signe placé en marge d'un manuscrit pour indiquer un passage remarquable », du gr. *khrêsimos*, « utile » ; [kʀism].

**CHRIST,** subst. m.
**1.** *Le Christ* ou *Christ* : nom donné à Jésus, l'oint du Seigneur. **2.** Méton. *B.-a.* Représentation de Jésus-Christ : *Un **christ** de Rouault.* 🕮 X^e^ s. ; lat. chrét. *christus*, du gr. *khristos*, « oint, consacré » ; [kʀist].

**CHRISTIANIA,** subst. m.
*Sp.* Au ski, virage ou arrêt exécuté en gardant les skis parallèles, par oppos. au chasse-neige. 🕮 1906 ; topon. *Christiania*, auj. Oslo (Norvège) ; [kʀistjanja].

**CHRISTIANISATION,** subst. f.
Action de christianiser ; son résultat. 🕮 1843 ; ☞ *christianiser* ; [kʀistjanizasjɔ̃].

**CHRISTIANISER,** verbe trans. [3]
**1.** Convertir (qqn) au christianisme. **2.** Marquer d'un caractère chrétien : ***Christianiser** des rites païens.* 🕮 Fin XVI^e^ s. ; lat. chrét. *christianizare*, « être chrétien » ; [kʀistjanize].

**CHRISTIANISME,** subst. m.
Religion monothéiste fondée par Jésus-Christ vers l'an 30 de notre ère, d'abord répandue dans l'ensemble de l'Empire romain (I^er^-V^e^ s.), et qui est l'une des principales religions de l'humanité. 🕮 Mil. XIII^e^ s. ; lat. chrét. *christianismus*, du gr. *khristianismos* ; [kʀistjanism].

RELIGION – Le christianisme, religion révélée, repose sur la personne et l'enseignement de Jésus-Christ, tels qu'ils se présentent dans le Nouveau Testament, accomplissant les promesses de l'Ancien Testament. La foi chrétienne professe l'existence d'un Dieu unique et éternel, en trois Personnes consubstantielles, créateur de toutes choses : Père, Fils et Saint-Esprit (mystère de la Sainte-Trinité). Le Fils (Jésus-Christ), qui a pris chair de la Vierge Marie, unit en une personne les natures humaine et divine (mystère de l'Incarnation). Messie annoncé par les Prophètes, Dieu fait homme, Jésus se charge des péchés de l'humanité et meurt sur la Croix pour le salut de tous (mystère de la Rédemption) – par l'Eucharistie, son sacrifice se perpétue jusqu'à la fin des temps. Ressuscité le troisième jour qui suit sa mort, il monte aux cieux, d'où il reviendra à la fin du monde, pour juger les vivants et les morts et établir le Royaume de Dieu. En dépit des divergences d'ordre doctrinal ou ecclésiologique qu'elles tentent aujourd'hui de combler (☞ *œcuménisme*), les grandes confessions chrétiennes (catholique, orthodoxe, protestante) s'accordent sur l'adhésion à ce dogme.

**CHRISTIQUE,** adj.
Qui se rapporte à Jésus-Christ. 🕮 Fin XIX^e^ s. ; ☞ *Christ* ; [kʀistik].

**CHRISTOLOGIE,** subst. f.
*Théol.* Branche de la théologie qui traite de la personne et des natures humaine et divine du Christ. 🕮 1836 ; ☞ *Christ* + *-logie* ; [kʀistɔlɔʒi].

**CHROMAGE,** subst. m.
Action de chromer un métal, un cuir ; son résultat. 🕮 1927 ; ☞ *chromer* ; [kʀomaʒ].

**CHROMATE,** subst. m.
*Chim.* Sel ternaire (comportant trois atomes différents) de chrome ; par ex. : $K_2CrO_4$ est le **chromate** de potassium. Les **chromates** neutres (dépourvus d'hydrogène) sont le plus souvent jaunes. 🕮 1797 ; ☞ *chrome* ; [kʀɔmat].

**CHROMATIDE,** subst. f.
*Biol.* Chacune des deux parties (copies identiques) d'un chromosome, après sa fissuration, au moment de la mitose. Au niveau de la prophase, chaque chromosome apparaît constitué par l'association étroite de deux **chromatides** sœurs, transitoirement unies de manière physique au niveau du centromère. C'est d'abord à cet emplacement qu'intervient la séparation des **chromatides** (chacune deviendra un nouveau chromosome), les bras chromatidiens maintenant entre elles un contact fugace. 🕮 V. 1950 ; angl. *chromatid*, du gr. *khrôma*, « couleur » ; [kʀɔmatid].

**CHROMATINE,** subst. f.
*Biol.* Substance fixant facilement des colorants basiques, contenu du noyau cellulaire pendant l'interphase et qui, lorsque commence la division cellulaire, s'individualise en des petits bâtonnets appelés chromosomes. 🕮 1893 ; all. *Chromatin*, du gr. *khrôma*, « couleur » ; [kʀɔmatin].

**CHROMATIQUE,** adj.
**1.** *Mus.* *Gamme **chromatique*** : formée de la succession des douze demi-tons (intervalles **chromatiques**) de l'octave. **2.** *Opt.* Qui est relatif aux couleurs : *Spectre **chromatique*** ; *Aberration **chromatique**,* défaut d'un système optique dû à la dispersion du spectre **chromatique**. **3.** *Biol.* *Réduction **chromatique*** : réduction du nombre de chromosomes lors de la méiose. 🕮 XIV^e^ s. ; lat. *chromaticus*, du gr. *khrômatikos* ; [kʀɔmatik].

**CHROMATOGRAMME,** subst. m.
Diagramme obtenu par le procédé dit de chromatographie. 🕮 1937 ; formé de *chromato-* et de *-gramme* ; [kʀɔmatɔgʀam].

**CHROMATOGRAPHIE,** subst. f.
*Chim.* Méthode d'identification des constituants d'un mélange (gazeux ou liquide) consistant à tremper une bandelette de papier tenue verticalement dans le liquide à analyser. Les constituants dissous remontent, par capillarité, plus ou moins haut sur le papier, selon leur degré d'adsorption par lui ; à la fin, on obtient une série de taches distinctes, que l'on révèle à l'aide d'un réactif coloré. 🕮 1929 ; formé de *chromato-* et de *-graphie* ; [kʀɔmatɔgʀafi].

**CHROMATOPHORE,** subst. m.
*Biol.* Cellule pigmentaire des tissus de la peau, pouvant en modifier la coloration par déplacement de grains de pigment en son sein. 🕮 XIX^e^ s. ; formé de *chromato-* et de *-phore* ; [kʀɔmatɔfɔʀ].

**CHROMATOPSIE,** subst. f.
**1.** *Physiol.* Fait de percevoir les couleurs. **2.** *Pathol.* Anomalie dans la vision des couleurs. 🕮 1948 ; formé de *chromato-* et de *-opsie* ; [kʀɔmatɔpsi].

**CHROME,** subst. m.
*Chim.* Élément n° 24 de la table de Mendeleïev (symb. : Cr) ; masse atomique : 51,996 ; point de fusion : 1 857 °C ; point d'ébullition : 2 672 °C ; masse volumique : 7,2 g/cm³. C'est un métal de la même famille que le molybdène et le tungstène, que l'on trouve dans la nature à l'état de chromite. Inaltérable à l'air, il est utilisé pour recouvrir les objets en cuivre et en fer – par électrolyse – et on l'emploie dans la fabrication des aciers spéciaux. 🕮 1797 (1562, dièse) ; gr. *khrôma*, « couleur » ; [kʀom].

**CHROMER,** verbe trans. [3]
*Techn.* **1.** Recouvrir (un métal) d'une fine pellicule de chrome, par électrolyse. **2.** Tanner (un cuir), en employant des sels de chrome. 🕮 1929 ; ☞ *chrome* ; [kʀome].

**CHROMEUR,** subst. m.
Ouvrier spécialisé dans le chromage par électrolyse. 🕮 XX^e^ s. ; ☞ *chromer* ; [kʀomœʀ].

**CHROMIQUE,** adj.
*Chim.* Qualifie les composés du chrome trivalent. 🕮 1798 ; ☞ *chrome* ; [kʀomik].

**CHROMISTE,** subst.
*Techn.* Spécialiste des couleurs, en photogravure. 🕮 1883 ; ☞ *chromolithographie* ; [kʀomist].

**CHROMITE,** subst. f.
*Minér.* Espèce minérale de la famille des spinelles. 🕮 1830 ; ☞ *chrome* ; [kʀomit].

**CHROMO,** subst.
**Fém.** Chromolithographie. **Masc.** Reproduction en couleurs de qualité médiocre (péj.). 🕮 1872 ; apocope de *chromolithographie* ; [kʀomo].

**CHROMODYNAMIQUE,** subst. f.
*Phys.* Théorie quantique des interactions fortes, comme celles entre quarks, par l'intermédiaire de gluons considérés comme étant les quanta d'un champ dit champ de couleur. 🕮 XX^e^ s. ; ☞ *dynamique* + *chromo-* ; [kʀomodinamik].

**CHROMOGÈNE,** adj.
Qui engendre la couleur ; qui permet la pigmentation. 🕮 1894 ; formé de *chromo-* et de *-gène* ; [kʀomoʒɛn].

**CHROMOLITHOGRAPHIE,** subst. f.
**1.** Technique lithographique de reproduction en couleurs d'une image. **2.** Méton. Image obtenue. 🕮 1837 ; ☞ *lithographie* + *chromo-* ; [kʀomolitɔgʀafi].

**CHROMOSOME,** subst. m.
*Biol.* Organite nucléaire en forme de petit bâtonnet. L'ensemble des **chromosomes** d'une cellule, grâce à la molécule d'A. D. N. que chacun d'entre eux contient, renferme son patrimoine héréditaire. 🕮 1891 ; formé de *chromo-* et de *-some* ; [kʀomozom].

BIOLOGIE – Présents dans le noyau sous forme de très longs filaments d'A. D. N. associés à des protéines, les chromosomes constituent la chromatine en dehors de la mitose. Chez les animaux et les plantes à fleurs, seules les cellules reproductrices ne possèdent qu'un seul exemplaire de chaque chromosome (état haploïde) dont l'ensemble, appelé caryotype, est constant pour une espèce donnée. La majorité des cellules possède deux exemplaires (état diploïde) de chaque chromosome ; on en compte 46, soit 2 × 23, dans l'espèce humaine.

**CHROMOSOMIQUE,** adj.
Relatif au chromosome. 🕮 1931 ; ☞ *chromosome* ; [kʀomozomik].

**CHROMOSPHÈRE,** subst. f.
*Astron.* Région de l'atmosphère solaire située entre la photosphère, d'où provient l'essentiel de la lumière visible, et la couronne. La température y varie de 5 000 à 100 000 °C. La **chromosphère** est observable directement lors d'une éclipse totale du Soleil, pendant que la photosphère est cachée par la Lune ; sa couleur est rougeâtre. On peut l'observer en dehors des éclipses en sélectionnant des radiations au moyen d'un filtre optique. 🕮 1877 ; formé de *chromo-* et de *-sphère* ; [kʀomosfɛʀ].

*Chronaxie et rhéobase.*

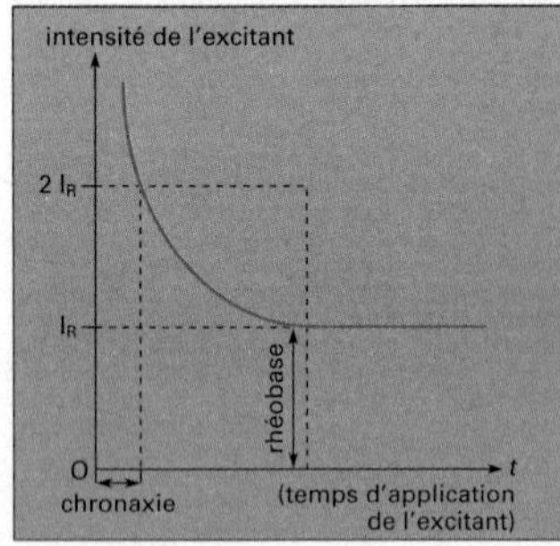


**CHRONAXIE,** subst. f.
*Physiol.* Temps de passage d'un courant électrique nécessaire pour exciter un muscle quand on utilise une intensité double de la rhéobase. 🕮 1909 ; gr. *axia*, « valeur », + *chrono-* ; [kʀɔnaksi].

**CHRONICITÉ,** subst. f.
État de ce qui est chronique. 🕮 1835 ; ☞ *chronique* (II) ; [kʀonisite].

© Giraudon

Froissart offrant une copie de ses **Chroniques** à la duchesse de Bourgogne. Enluminure (XIV^e s.).

© L.Y. Loirat-Explorer

Statue **chryséléphantine** d'Athéna.

© Morel-Gamma

Une des **chutes** qui jalonnent le cours inférieur de l'Iguaçu, à la frontière du Brésil et de l'Argentine.

**CHRONIQUE (I),** subst. f.
**1.** Recueil de faits historiques relatés dans l'ordre de leur déroulement : *Les **chroniques** des croisades.* **2.** Ext. Récit évènementiel, réel ou imaginaire : *La **chronique** des Rougon-Macquart, de Zola.* **3.** Ensemble de rumeurs, de ragots : *Défrayer la **chronique**.* **4.** *Journ.* Article de presse, partie d'une émission de radio ou de télévision traitant régulièrement d'un domaine particulier. Déb. XII^e s. ; lat. *chronica*, du gr. *khronika*, « annales » ; [kʀɔnik].

**CHRONIQUE (II),** adj.
**1.** *Méd.* Se dit d'une maladie à évolution lente et qui s'installe définitivement dans l'organisme. **2.** Fig. Qui dure depuis longtemps, qui se prolonge. 1314 ; bas lat. *chronicus* ; [kʀɔnik].

**CHRONIQUEUR, EUSE,** subst.
MASC. Auteur de chroniques historiques. MASC. et FÉM. *Journ.* Personne tenant une chronique dans un journal, une revue, une émission radiophonique ou télévisuelle. XIV^e s. ; ☞ *chronique* (I) ; [kʀɔnikœʀ, øz].

**CHRONO,** subst. m.
Chronomètre (fam.). Apocope de *chronomètre* ; [kʀono].

**CHRONOBIOLOGIE,** subst. f.
Branche de la biologie qui étudie la variation des phénomènes biologiques en fonction du temps ; elle a mis en évidence l'existence de rythmes biologiques. V. 1970 ; ☞ *biologie* + *chrono-* ; [kʀɔnobjɔlɔʒi].

**CHRONOGRAPHE,** subst. m.
**1.** *Horlog.* Chronomètre. **2.** *Phys.* Appareil de précision qui, grâce à un procédé d'enregistrement, peut mesurer la durée d'un phénomène ou d'une action. 1869 (1488, chroniqueur) ; formé de *chrono-* et de *-graphe* ; [kʀɔnɔgʀaf].

**CHRONOLOGIE,** subst. f.
**1.** Science dont l'objet est d'établir les dates des évènements historiques. **2.** Succession dans le temps d'évènements historiques : *La **chronologie** du second Empire* ; par ext., suite de faits dans une durée déterminée : *La **chronologie** d'une semaine.* **3.** Méton. Tableau présentant une **chronologie** commentée. 1579 ; gr. *khronologia*, de *khronos*, « temps », et de *logos*, « discours » ; [kʀɔnɔlɔʒi].

**CHRONOLOGIQUE,** adj.
Qui appartient à la chronologie : *Classer par ordre **chronologique**.* 1584 ; ☞ *chronologie* ; [kʀɔnɔlɔʒik].

**CHRONOLOGIQUEMENT,** adv.
Selon un ordre chronologique. 1827 ; ☞ *chronologique* ; [kʀɔnɔlɔʒikmɑ̃].

**CHRONOMÉTRAGE,** subst. m.
Action de chronométrer ; son résultat. 1894 ; ☞ *chronométrer* ; [kʀɔnɔmetʀaʒ].

**CHRONOMÈTRE,** subst. m.
**1.** *Horlog.* Montre d'une grande exactitude qui permet de mesurer la durée d'une action en minutes, secondes, fractions de seconde (abrév. fam. : chrono). **2.** *Mar.* Instrument de bord d'un navire qui donne l'heure exacte et permet de calculer les longitudes. 1701 ; formé de *chrono-* et de *-mètre*[1] ; [kʀɔnɔmɛtʀ].

**CHRONOMÉTRER,** verbe trans. [8]
Mesurer avec un chronomètre la durée de (une action) : ***Chronométrer** une course* ou, par ext., *un coureur.* 1893 ; ☞ *chronomètre* ; [kʀɔnɔmetʀe].

**CHRONOMÉTREUR, EUSE,** subst.
Personne préposée au chronométrage. 1892 ; ☞ *chronométrer* ; [kʀɔnɔmetʀœʀ, øz].

**CHRONOMÉTRIE,** subst. f.
**1.** *Phys.* Étude, science de la mesure du temps. **2.** *Techn.* Fabrication de chronomètres. 1838 ; formé de *chrono-* et de *-métrie* ; [kʀɔnɔmetʀi].

**CHRONOMÉTRIQUE,** adj.
Qui relève de la chronométrie ou du chronomètre. 1832 ; ☞ *chronomètre* ; [kʀɔnɔmetʀik].

**CHRONOPHOTOGRAPHIE,** subst. f.
Procédé qui, au moyen d'une succession de photographies, permet d'analyser le mouvement. 1887 ; ☞ *photographie* + *chrono-* ; [kʀɔnɔfɔtɔgʀafi].

**CHRYSALIDE,** subst. f.
*Zool.* Nymphe de lépidoptère, qui passe de l'état de chenille à celui de papillon, protégée par un cocon ; ce cocon. ▸ Loc. *Sortir de sa **chrysalide*** : s'épanouir ou prendre son essor. 1593 ; lat. *chrysalis*, du gr. *khrusallis*, de *khrusos*, « or » ; [kʀizalid].

**CHRYSANTHÈME,** subst. m.
*Bot.* Plante de la famille des Astéracées, genre *Chrysanthemum* (env. 250 espèces, surtout méditerranéennes). La souche des **chrysanthèmes** horticoles est *Chrysanthemum indicum* (Chine, Japon), et l'espèce *Chrysanthemum leucanthemum* est la marguerite des prés. 1543 ; lat. *chrysanthemon*, du gr. *khrusanthemon* ; [kʀizɑ̃tɛm].

**CHRYSÉLÉPHANTIN, INE,** adj.
Qui est fait d'or et d'ivoire : *La statue **chryséléphantine** d'Athéna Parthénos.* 1863 ; gr. *elephantinos*, « d'ivoire », + *chryso-* ; [kʀizelefɑ̃tɛ̃, in].

**CHRYSOBÉRYL,** subst. m.
*Minér.* Pierre fine constituée d'aluminate naturel de béryllium, d'une couleur allant du jaune vieil or au vert. 1834 ; ☞ *béryl* + *chryso-* ; [kʀizobeʀil].

**CHRYSOCALE,** subst. m.
*Métall.* Alliage de cuivre, de zinc et d'étain, à l'aspect proche de celui de l'or. 1372 ; gr. *khalkos*, « cuivre », + *chryso-* ; [kʀizɔkal].

**CHRYSOLITHE,** subst. f.
*Minér.* Pierre fine transparente, de teinte jaune verdâtre (variété de péridot). 1121 ; lat. *chrysolithus*, du gr. *khrusolithos* ; var. *chrysolite* ; [kʀizɔlit].

**CHRYSOMÈLE,** subst. f.
*Zool.* Petit insecte coléoptère au corps brillant. Les insectes de ce genre, comme le doryphore, vivent aux dépens des végétaux. 1789 ; formé de *chryso-* et de *-mèle* ; [kʀizɔmɛl].

**CHTHONIEN,** voir **CHTONIEN**

**CH'TIMI,** subst. et adj.
Du nord de la France (fam.). SUBST. MASC. Patois des Français du Nord. Déb. XX^e s. ; p.-ê. dial. du Nord *ch'*, « ce », *ti*, « toi », et *mi*, « moi » ; var. *chtimi* ; [ʃtimi].

**CHTONIEN, IENNE,** adj.
*Myth.* Qui a trait au monde souterrain : *Divinités **chtoniennes**.* 1819 ; gr. *khthôn*, « terre » ; var. *chthonien, ienne* ; [ktɔnjɛ̃, jɛn].

**CHTOUILLE,** subst. f.
Argot. Blennorragie ; par ext., syphilis. 1889 ; altér. de *jetouille*, de *jeter* ; [ʃtuj].

**CHUCHOTEMENT,** subst. m.
**1.** Action de chuchoter. **2.** Méton. Parole chuchotée. **3.** Anal. Bruissement léger. 1579 ; ☞ *chuchoter* ; synon. *chuchotis* ; [ʃyʃɔtmɑ̃].

**CHUCHOTER,** verbe [3]
INTRANS. **1.** Parler à voix basse. **2.** Anal. Produire un bruit léger et confus : *Le feuillage **chuchote** sous la brise.* TRANS. Dire à voix basse : ***Chuchoter** un secret.* 1611 ; orig. onomat. ; [ʃyʃɔte].

**CHUCHOTEUR, EUSE,** subst.
Personne qui chuchote, qui aime à chuchoter. 1690 ; ☞ *chuchoter* ; [ʃyʃɔtœʀ, øz].

**CHUINTANT, ANTE,** adj.
**1.** Qui émet un chuintement. **2.** *Phon. Consonne **chuintante*** ou, empl. subst. fém., *Une **chuintante*** : consonne fricative, telle que [ʃ] ou [ʒ]. 1819 ; p. pr. de *chuinter* ; [ʃɥɛ̃tɑ̃, ɑ̃t].

**CHUINTEMENT,** subst. m.
Fait de chuinter ; son résultat. 1873 ; ☞ *chuinter* ; [ʃɥɛ̃tmɑ̃].

**CHUINTER,** verbe intrans. [3]
**1.** Pousser son cri, en parlant de la chouette. **2.** *Phon.* Prononcer une consonne chuintante ; en partic., prononcer défectueusement une sifflante en chuintante. ▸ Anal. Émettre un bruit pareil à un sifflement sourd, par frottement d'air : *La locomotive à vapeur **chuintait**.* 1776 ; orig. onomat. ; [ʃɥɛ̃te].

**CHURRIGUERESQUE,** adj.
*Archit.* Se dit d'un style baroque outré qui s'est développé en Espagne au début du XVIII^e s. 1893 ; esp. *churrigueresco*, de l'anthropon. *Churriguera*, architecte ; [tʃuʀigeʀɛsk] ou [ʃy-].

**CHUT,** interj.
Se dit pour réclamer le silence. XVI^e s. ; orig. onomat. ; [ʃyt].

**CHUTE,** subst. f.
**I. 1.** Fait de choir, de tomber du fait de la pesanteur : *Faire une mauvaise **chute**.* ▸ Loc. *Point de **chute*** : endroit où tombe un corps ou, au fig., endroit où l'on arrive, où l'on se fixe. **2.** Action de se détacher de son support : ***Chute** des feuilles.* **3.** Ext. Brusque baisse, diminution : ***Chute** de tension* ; ***Chute** de température* ; *La **chute** du jour*, le moment qui précède immédiatement la nuit. **4.** Méton. ▸ Partie finale d'une chose en pente : *La **chute** d'un toit* ; *La **chute** des reins*, le bas du dos (fam.). ▸ Excédent inutilisé d'une matière : ***Chutes** de tissu, de bois.* **II.** Fig. **1.** Action de déchoir : *Aller vers sa **chute*** ; *La **chute** de l'homme*, le péché originel. **2.** Action de s'effondrer, de succomber : *La **chute** de l'Empire romain* ; *La **chute** d'une citadelle*, sa reddition. **3.** Forte diminution : *La **chute** d'une monnaie, de la natalité.* **III.** *Spéc.* **1.** *Hydrol. **Chute** d'eau* : mouvement vertical d'un cours d'eau, dû à une importante dénivellation. **2.** *Jeux.* Aux cartes, levée demandée et non faite : *Trois de **chute**.* **3.** *Phon.* Disparition de la prononciation d'une voyelle, d'une consonne. **4.** *Litt. **Chute** d'un récit* : sa fin, parfois inattendue. **5.** *Pathol.* Descente d'un organe. **6.** *Théâtre. **Chute** du rideau* : fin du spectacle. XIV^e s. ; anc. fr. *cheoite*, p. p. de *choir* ; [ʃyt].

**CHUTER,** verbe intrans. [3]
**1.** Choir, tomber (fam.). **2.** Ext. Diminuer fortement : *Les prix ont **chuté**.* **3.** Fig. Échouer. ▸ *Jeux.* Ne pas remplir son contrat, aux cartes. 1823 ; ☞ *chute* ; [ʃyte].

**CHUTNEY, subst. m.**
Condiment aigre-doux et épicé, composé de fruits et de légumes cuits ou macérés dans du vinaigre sucré. V. 1960 ; angl. *chutney*, du hindi ; [ʃœtnɛ].

**CHYLE, subst. m.**
*Physiol.* Liquide blanchâtre, constitué de lymphe et de gouttelettes graisseuses, qui se trouve dans les vaisseaux chylifères de l'intestin grêle et qui sera conduit par le réseau lymphatique jusqu'à la circulation sanguine. Fin XIVe s. ; lat. méd. *chylus*, du gr. *khulos*, « suc » ; [ʃil].

**CHYLIFÈRE, adj. et subst. m.**
*Physiol.* Se dit des vaisseaux portant le chyle de l'intestin grêle au canal thoracique. 1666 ; ☞ *chyle* + *-fère* ; [ʃilifɛʀ].

**CHYME, subst. m.**
*Physiol.* Produit de la digestion gastrique avant sa pénétration dans le duodénum. XVe s. ; lat. méd. *chymus*, du gr. *khumos*, « suc, humeur » ; [ʃim].

**Ci, voir CURIE (II)**

**CI (I), adv.**
Marque la proximité dans l'espace et dans le temps. Employé le plus souvent, pour former des locutions, en corrélation. **1.** Avec un adjectif ou un participe (*ci-joint, ci-inclus, ci-annexé*) : *Vous trouverez* ***ci****-joint notre devis.* **2.** Avec certains adverbes (*ci-après, ci-contre, ci-dessus, ci-dessous, ci-devant*) : *Voyez la remarque* ***ci****-dessous.* **3.** Avec « de » et « par » : *De-***ci** *de-là*, de côté et d'autre ; *Par-***ci** *par-là*, en divers endroits. **4.** Avec un nom précédé d'un adjectif démonstratif : *Cet homme-***ci**. **5.** Avec un pronom démonstratif : *Celui-***ci***, ceux-***ci**. **6.** Avec le verbe « gésir », dans la loc. verbale **ci**-gît. Xe s. ; lat. *ecce hic*, de *ecce*, « voici », qui renforce *hic*, « ici » ; [si].

**CI (II), pron. dém.**
Fam. Ceci : ***Ci*** *et ça*, ceci et cela ; *Comme* ***ci*** *comme ça*, à peu près, ni trop bien ni trop mal. 1794 ; aphérèse de *ceci* ; [si].

**CI-ANNEXÉ, voir ANNEXER**

**CIAO, interj.**
Au revoir ; salut ! (fam.). Mil. XXe s. ; ital. *ciao*, de l'anc. vénitien *sc'iavo*, « esclave » ; var. *tchao* ; [tʃao].

**CI-APRÈS, voir APRÈS**

**CIBICHE, subst. f.**
Cigarette (argot.). 1881 ; var. de *cigarette* ; [sibiʃ].

**CIBISTE, subst.**
Personne qui communique avec d'autres par le moyen de la C. B., ou *citizen's band*, bande de fréquence utilisable par le public. V. 1980 ; initiales angl. *C. B.* ; recomm. off. *cébiste* ; [sibist].

**CIBLE, subst. f.**
**1.** Plaque utilisée comme but, sur laquelle on tire avec une arme de jet ou une arme à feu. **2.** Ext. Objectif animé ou inanimé sur lequel on tire avec une arme : *Choisir pour* ***cible*** ; *Être pris comme* ***cible*** ; au fig. : *Être la* ***cible*** *de railleries acerbes.* **3.** *Phys. nucl.* Substance, élément soumis à un bombardement de particules. **4.** *Public.* Ensemble des consommateurs visés par une campagne ; par ext., objectif d'une stratégie de vente. 1693 ; dial. além. de Suisse *schibe*, de l'all. *Scheibe* ; [sibl].

**CIBLER, verbe trans.** [3]
*Public.* **1.** Adapter (un produit) à un public de consommateurs. **2.** Méton. Déterminer, circonscrire (une clientèle). V. 1970 ; ☞ *cible* ; [sible].

**CIBOIRE, subst. m.**
**1.** Vx. Ciborium. **2.** *Liturg.* Vase sacré en métal précieux où sont conservées les hosties consacrées pour la communion. XIIe s. ; lat. eccl. *ciborium*, du gr. *kibôrion*, « fruit du nénuphar servant de coupe » ; [sibwaʀ].

**CIBORIUM, subst. m.**
*Archit.* Baldaquin soutenu par des colonnes, érigé au-dessus de l'autel de certaines églises. Mil. XIXe s. ; lat. eccl. *ciborium* ; [sibɔʀjɔm].

**CIBOULE, subst. f.**
*Bot.* Plante de la famille des Liliacées, espèce *Allium fistulosum*, qui donne un condiment à saveur d'oignon, mais moins sucré (synon. *cive*). 1288 ; prov. *cebula*, du bas lat. *cepulla*, du lat. *caepa*, « oignon » ; [sibul].

**CIBOULETTE, subst. f.**
*Bot.* Plante de la famille des Liliacées, espèce *Allium schoenoprasum*, dont les feuilles fines et tubulées, hachées, servent de condiment (synon. *civette*). 1486 ; ☞ *ciboule* ; [sibulɛt].

**CIBOULOT, subst. m.**
Tête, crâne (pop.) : *Se creuser le* ***ciboulot.*** 1883 ; ☞ *ciboule*, d'apr. *boule* ; [sibulo].

**CICATRICE, subst. f.**
**1.** Trace laissée par une blessure ou une lésion après guérison. **2.** Métaph. Marque laissée par un évènement passé douloureux : *Les* ***cicatrices*** *de la guerre, de l'amour.* 1314 ; lat. *cicatrix* ; [sikatʀis].

**CICATRICIEL, ELLE, adj.**
Relatif à une cicatrice. 1863 ; ☞ *cicatrice* ; [sikatʀisjɛl].

**CICATRICULE, subst. f.**
*Biol.* Petit disque germinatif de l'œuf non incubé des oiseaux et des reptiles. XVIe s. ; lat. *cicatricula*, « petite cicatrice » ; [sikatʀikyl].

**CICATRISANT, ANTE, adj. et subst. m.**
Se dit d'un produit qui aide à cicatriser : *Baume* ***cicatrisant.*** XVe s. ; p. pr. de *cicatriser* ; [sikatʀizɑ̃, ɑ̃t].

**CICATRISATION, subst. f.**
Action de cicatriser, de se cicatriser ; son résultat. 1314 ; ☞ *cicatriser* ; [sikatʀizasjɔ̃].

**CICATRISER, verbe** [3]
**Trans.** *Méd.* Faire guérir (une plaie), régénérer ses tissus. **Intrans.** et **Pronom.** **1.** *Méd.* Se refermer, en parlant d'une plaie. **2.** Fig. S'apaiser, guérir : *Les blessures de l'âme jamais ne* ***cicatrisent.*** Déb. XIVe s. ; lat. médiév. *cicatrizare* ; [sikatʀize].

**CICÉRO, subst. m.**
*Typogr.* **1.** Vx. Caractère créé au XVe s. pour la première édition des œuvres de Cicéron. **2.** Unité de mesure, de douze points (synon. *douze*). 1550 ; anthropon. lat. *Cicero*, « Cicéron » ; [siseʀo].

**CICÉRONE, subst. m.**
Professionnel servant de guide aux touristes ; par ext., guide occasionnel. Mil. XVIIIe s. ; ital. *cicerone*, de l'anthropon. lat. *Cicero*, « Cicéron », par allus. à la prolixité des guides romains ; [siseʀɔn].

**CICLOSPORINE, voir CYCLOSPORINE**

**CICONIIDÉS, subst. m. plur.**
*Zool.* Famille d'oiseaux de l'ordre des Ciconiiformes, ou Ardéiformes, échassiers au bec puissant dont le genre *Ciconia* (cigogne) est le type. **Au sing.** *La cigogne blanche, que l'on trouve en France, est un* ***ciconiidé.*** 1846 ; lat. *ciconia*, « cigogne » ; [sikɔniide].

**CICONIIFORMES, subst. m. plur.**
*Zool.* Ordre d'oiseaux échassiers renfermant, par ex., les cigognes. Ces oiseaux sont souvent migrateurs et vivent dans les pays tempérés ou chauds. **Au sing.** *Ce magnifique ciconiidé est un* ***ciconiiforme.*** XIXe s. ; lat. *ciconia*, « cigogne », + *-forme* ; [sikɔniifɔʀm].

**CI-CONTRE, voir CONTRE**

**CICUTINE, subst. f.**
*Biochim.* Alcaloïde mortel extrait de la ciguë. 1824 ; lat. *cicuta*, « ciguë » ; [sikytin].

**CI-DESSOUS, voir DESSOUS**

**CI-DESSUS, voir DESSUS**

**CI-DEVANT, voir DEVANT**

**CIDRE, subst. m.**
Boisson légèrement alcoolique faite de jus de pomme fermenté. Mil. XIIe s. ; lat. chrét. *sicera*, du gr. *sikera*, de l'hébreu *šekar*, « boisson fermentée » ; [sidʀ].

**CIDRERIE, subst. f.**
**1.** Industrie de la fabrication du cidre. **2.** Lieu où on le fabrique. 1872 ; ☞ *cidre* ; [sidʀəʀi].

**CIEL, subst. m.**
**I. 1.** Voûte qui s'étend au-dessus de nos têtes, limitée par l'horizon : *Un* ***ciel*** *bleu, nuageux.* ▸ *Des yeux bleu* ***ciel*** : couleur du **ciel**. **2.** Loc. *À* ***ciel*** *ouvert* : à l'air libre ; *Sous d'autres* ***cieux*** : en d'autres lieux ; *Tomber du* ***ciel*** : arriver inopinément et au bon moment, ou être stupéfait ; *Remuer* ***ciel*** *et terre* : mettre tout en œuvre pour réussir. **3.** *Astron.* Espace infini dans lequel évoluent les corps célestes. **II.** Fig. **1.** *Astrol.* Ensemble des astres influant sur le destin. **2.** *Relig.* Séjour de la divinité, paradis : *Monter au* ***ciel*** ; par méton., la divinité elle-même, Dieu : *Prier le* ***ciel.*** **3.** Loc. *Lever les yeux au* ***ciel*** : prendre Dieu à témoin ; *Être au septième* ***ciel*** : au comble du bonheur. ▸ Empl. interj. Exprime la surprise, l'étonnement : ***Ciel*** *! mon mari !* **III.** Anal. **1.** *Ameubl.* ***Ciel*** *de lit* : dais placé au-dessus d'un lit. **2.** *Peint.* Représentation du ciel : *Les* ***ciels*** *chargés de Guardi.* **3.** *Techn.* Voûte d'une excavation : *Un* ***ciel*** *de mine.* IXe s. ; lat. *caelum* ; plur. *ciels* (sens concrets) et *cieux* (sens abstraits) ; [sjɛl], plur. [sjø].

**CIERGE, subst. m.**
**1.** Longue bougie en usage dans les églises : *Brûler un* ***cierge*** *à un saint*, lui adresser une requête ou des remerciements. **2.** *Bot.* Cactus géant d'Amérique tropicale. 1119 ; lat. *cereus*, de *cera*, « cire » ; [sjɛʀʒ].

**CIGALE, subst. f.**
*Zool.* **1.** Insecte stridulant de l'ordre des Homoptères, très répandu en région méditerranéenne, où il vit dans les arbres, dont il suce la sève. Sa larve peut rester enfouie dans la terre plusieurs années. **2.** ***Cigale*** *de mer* : nom usuel d'un crustacé décapode, le scyllare, réputé pour sa chair, plus fine que celle de la langouste. Mil. XVe s. ; prov. *cigala*, du lat. *cicada* ; [sigal].

**CIGARE, subst. m.**
**1.** Rouleau de feuilles de tabac que l'on fume. **2.** Tête (argot.). **3.** Belg. Réprimande. 1688 ; esp. *cigarro*, p.-ê. du maya *zicar*, « fumer » ; [sigaʀ].

**CIGARETTE, subst. f.**
Tabac haché menu et entouré d'un cylindre de papier, que l'on fume. 1830 ; ☞ *cigare* ; [sigaʀɛt].

**CIGARIÈRE, subst. f.**
Ouvrière qui fabrique des cigares. 1869 ; ☞ *cigare*, d'apr. l'esp. *cigarrera* ; [sigaʀjɛʀ].

**CIGARILLO, subst. m.**
Petit cigare. 1866 ; mot esp. ; [sigaʀijo].

**CI-GÎT, voir GÉSIR**

**CIGOGNE, subst. f.**
*Zool.* Oiseau échassier migrateur de la famille des Ciconiidés, genre *Ciconia*, qui compte deux espèces en France : *Ciconia ciconia* (**cigogne** blanche) et *Ciconia nigra* (**cigogne** noire), très rare. Son petit est le cigogneau. 1113 ; anc. prov. *cegonha*, du lat. *ciconia* ; [sigɔɲ].

*Un hôte familier en Alsace et en Allemagne : la* ***cigogne.***

**CIGUË, subst. f.**
**1.** *Bot.* Plante vénéneuse de la famille des Apiacées, genre *Cicuta*, dont on extrait un alcaloïde mortel, la cicutine. **2.** Méton. Poison extrait de la **ciguë**, que l'on faisait boire, dans l'ancienne Athènes, aux condamnés à mort. Déb. XIIIe s. ; anc. fr. *cëue*, du lat. *cicuta* ; [sigy].

**CI-INCLUS, voir INCLUS**

**CI-JOINT, voir JOINT (I)**

**CIL, subst. m.**
**1.** Poil raide et court qui pousse sur le bord des paupières et protège l'œil : *Avoir de longs* ***cils.*** **2.** *Biol.* ***Cils*** *vibratiles* : prolongements de certaines cellules, qui leur permettent de se mouvoir ou de créer un courant dans le milieu liquide qui les entoure. XIIe s. ; lat. *cilium* ; [sil].

**CILIAIRE, adj.**
**1.** Relatif au cil. **2.** *Anat. Muscle* ***ciliaire*** : muscle annulaire implanté autour de la cornée, qui règle l'accommodation de l'œil. 1665 ; lat. *cilium*, « cil » ; [siljɛʀ].

**CILICE, subst. m.**
Tunique rêche ou ceinture de crin, portée à même la peau par mortification. XIIIe s. ; lat. *cilicium*, « étoffe en poil de chèvre (de Cilicie) » ; [silis].

**CILIÉ, ÉE, adj. et subst. m. plur.**
**Adj.** Pourvu de cils. **Subst.** *Zool.* Embranchement de protozoaires dont la cellule renferme deux noyaux, l'un de type végétatif, l'autre de type

reproducteur ; au sing. : *La paramécie est un **cilié**.* 1786 ; lat. sc. *ciliatus* ; [silje].

**CILLEMENT, subst. m.**
Action de ciller. 1530 ; ☞ *ciller* ; [sijmɑ̃].

**CILLER, verbe** [3]
**Intrans.** **1.** Battre des paupières. **2.** Fig. *Ne pas ciller* : rester impassible. **Trans.** *Ciller un faucon* : lui coudre les paupières. XIIe s. ; ☞ *cil* ; [sije].

**CIMAISE, subst. f.**
**1.** *Archit.* Moulure supérieure d'une corniche. **2.** *Menuis.* Moulure couronnant un lambris d'appui. **3.** Méton. Mur d'une salle d'exposition où les tableaux sont présentés à hauteur d'œil ; système d'accrochage métallique réglable des œuvres d'art. Mil. XIIe s. ; lat. *cymatium*, du gr. *kumation* ; var. vieillie *cymaise* ; [simɛz].

**CIME, subst. f.**
**1.** Sommet pointu d'un arbre, d'une montagne, etc. **2.** Fig. Apogée : *Les **cimes** de l'esprit.* Fin XIIe s. ; lat. *cyma*, du gr. *kuma*, « chose enflée » ; [sim].

**CIMENT, subst. m.**
**1.** *Bât.* Poudre d'argile et de calcaire obtenue par cuisson et qui, mélangée à l'eau, donne une matière durcissant à l'air, utilisée pour lier des matériaux. **2.** Anal. Toute pâte durcissante servant de liant : ***Ciments** dentaires.* **3.** Fig. Ce qui peut unir : *Le **ciment** de l'amitié.* **4.** *Pétrogr.* Cristallisation qui soude entre eux les grains d'un sédiment et comble l'ensemble des vides (la porosité) intergranulaires. Fin XIIe s. ; lat. *caementum* ; [simɑ̃].

**CIMENTATION, subst. f.**
**1.** Action de cimenter ; son résultat. **2.** *Pétrogr.* Consolidation des sédiments meubles par précipitation de minéraux entre les grains. **3.** *Mines.* Injection de laitance de ciment en vue de rendre étanche un sol aquifère. 1845 ; ☞ *cimenter* ; [simɑ̃tasjɔ̃].

**CIMENTER, verbe trans.** [3]
**1.** Recouvrir, fixer avec du ciment. **2.** Fig. Raffermir : *Les épreuves **cimentent** l'amitié.* 1287 ; ☞ *ciment* ; [simɑ̃te].

**CIMENTERIE, subst. f.**
**1.** Industrie du ciment. **2.** Fabrique de ciment. V. 1950 ; ☞ *ciment* ; [simɑ̃tʀi].

**CIMENTIER, subst. m.**
Ouvrier qui fabrique ou utilise du ciment. 1680 ; ☞ *ciment* ; [simɑ̃tje].

**CIMETERRE, subst. m.**
Sabre oriental, courbe, plus large à l'extrémité qu'à la garde. Mil. XVe s. ; ital. *scimitarra*, du persan *šamšir*, « épée » ; [simtɛʀ].

**CIMETIÈRE, subst. m.**
**1.** Terrain dans lequel sont inhumés les morts : *Le **cimetière** du Père-Lachaise.* **2.** Anal. ***Cimetière** de voitures* : lieu où l'on entasse les véhicules hors d'usage. 1155 ; lat. chrét. *cimiterium*, du gr. *koimêtêrion* ; [simtjɛʀ].

© R. Mattes-Explorer

*Cimetière orthodoxe traditionnel à Serpinta, en Roumanie.*

**CIMIER, subst. m.**
**1.** Ornement fixé à la cime d'un casque. **2.** *Hérald.* Figure placée au-dessus du timbre de l'écu. Déb. XIIIe s. ; ☞ *cime* ; [simje].

**CIMMÉRIEN, IENNE, subst. et adj.**
*Antiq.* Se dit d'un peuple indo-européen. **Adj.** Qualifie la région nord de la mer Noire (actuelle Crimée), occupée par ce peuple jusqu'au VIIe s. av. J.-C. : *Bosphore **cimmérien***, le détroit de Kertch. 1559 ; lat. *Cimmerii*, du gr. *Kimmerioi* ; [simeʀjɛ̃, jɛn].

**CINABRE, subst. m.**
*Minér.* Minerai naturel du mercure, de couleur rouge. C'est un sulfure de mercure, HgS (souv. accompagné de mercure libre), que l'on grille pour en extraire le mercure. XIIIe s. ; lat. *cinnabaris*, du gr. *kinnabari* ; [sinabʀ].

**CINCHONINE, subst. f.**
*Biochim.* Principal alcaloïde tiré de l'écorce du quinquina (synon. *quinine*). 1820 ; lat. sc. *chinchona*, « quinquina », de l'anthropon. *comtesse de Chinchón*, qui rapporta le quinquina du Pérou en Espagne ; [sɛ̃kɔnin].

**CINCLE, subst. m.**
*Zool.* ***Cincle** plongeur* : passereau qui vit au bord des rivières, en Eurasie et au nord-ouest de l'Afrique (synon. *merle d'eau*). Il mesure environ 18 cm et se nourrit en marchant au fond de l'eau. 1780 ; gr. *kigklos*, « merle d'eau » ; [sɛ̃kl].

**CINÉ, subst. m.**
Cinéma (fam.). 1905 ; apocope de *cinéma* ; [sine].

**CINÉASTE, subst.**
Auteur ou réalisateur de films. 1922 ; ☞ *ciné* ; [sineast].

**CINÉ-CLUB, subst. m.**
Club de cinéphiles, organisant des projections-débats ; par méton., salle servant à ces activités. 1920 ; comp. de *ciné* et de *club* (I) ; plur. *ciné-clubs* ; [sineklœb].

© Giboux-Gamma

*Trucages et effets spéciaux sont des outils de l'art **cinématographique**. Ici, le tournage de King Kong (1933).*

**CINÉMA, subst. m.**
**1.** Technique d'enregistrement et de projection de vues animées : *Le **cinéma** muet, parlant* ; *Studios de **cinéma**.* **2.** Art de réaliser des films, appelé septième art ; par méton., l'ensemble des œuvres cinématographiques d'un auteur, d'un pays : *Le **cinéma** de René Clair* ; *Le **cinéma** italien.* ▸ Loc. fig. et fam. *Faire du **cinéma*** : des caprices ; *Se faire son **cinéma*** : s'illusionner. **3.** Industrie cinématographique : *Le monde du **cinéma**.* **4.** Salle où l'on projette des films : ***Cinéma** de quartier.* 1899 ; apocope de *cinématographe* ; [sinema].

HISTOIRE – S'inspirant des procédés d'enregistrement photographique du mouvement expérimentés à la fin du XIXe s., les frères Lumière conçurent la caméra moderne et organisèrent la première projection publique le 12 décembre 1895. Suivirent trois innovations décisives : la couleur, exploitée dès 1913 avec le Gaumontcolor et développée dans les années trente (Technicolor, Kodachrome, Agfacolor, etc.) ; le son synchrone, inauguré en 1927 dans *le Chanteur de jazz* ; l'anamorphose, mise au point par Henri Chrétien dans les années vingt et popularisée en 1953 avec le CinémaScope.

**CINÉMASCOPE, subst. m. inv.**
*Le **CinémaScope*** : procédé par anamorphose de prise de vues cinématographiques de format 1 × 2,55, et de projection sur écran large. 1953 ; ☞ *cinéma* + *-scope* ; n. déposé ; [sinemaskɔp].

**CINÉMATHÈQUE, subst. f.**
**1.** Organisme qui rassemble, conserve, restaure et présente au public des films du monde entier. **2.** Méton. Salle où ont lieu ces projections. 1921 ; ☞ *cinéma* + *-thèque* ; [sinematɛk].

**CINÉMATIQUE, adj. et subst. f.**
*Phys.* **Adj.** Relatif au mouvement, à la science du mouvement. **Subst.** Partie de la mécanique qui étudie les mouvements des particules et des corps, indépendamment des forces qui les produisent. 1834 ; gr. *kinêma*, « mouvement » ; [sinematik].

**CINÉMATOGRAPHE, subst. m.**
**1.** Appareil inventé par les frères Lumière en 1895, qui donne l'illusion du mouvement par projection rapide d'images fixes. **2.** Cinéma (vx). 1895 ; formé de *cinémato-* et de *-graphe* ; [sinematɔgʀaf].

**CINÉMATOGRAPHIE, subst. f.**
Technique, industrie et art du cinéma. 1897 ; ☞ *cinématographe* ; [sinematɔgʀafi].

**CINÉMATOGRAPHIQUE, adj.**
Relatif, propre au cinéma. 1896 ; ☞ *cinématographe* ; [sinematɔgʀafik].

**CINÉMOMÈTRE, subst. m.**
Indicateur de vitesse. 1904 ; formé de *cinémo-* et de *-mètre*[1] ; [sinemɔmɛtʀ].

**CINÉ-PARC, subst. m.**
Québ. Cinéma en plein air où l'on peut voir le film depuis son automobile. V. 1970 ; comp. de *ciné* et de *parc* ; plur. *ciné-parcs* ; [sinepaʀk].

**CINÉPHILE, subst. et adj.**
Se dit d'une personne qui aime le cinéma et a une vaste culture cinématographique. 1912 ; ☞ *ciné* + *-phile* ; [sinefil].

**CINÉRAIRE (I), adj.**
Qui est destiné à renfermer les cendres d'un mort : *Urne **cinéraire**.* 1732 ; bas lat. *cinerarius*, du lat. *cinis*, « cendre » ; [sineʀɛʀ].

**CINÉRAIRE (II), subst. f.**
*Bot.* Plante cosmopolite aux feuilles cendrées de la famille des Astéracées, communément appelée séneçon. L'espèce *Senecio cruentus*, originaire des îles Canaries, est la souche des **cinéraires** ornementales. XIXe s. ; lat. sc. *cineraria*, du lat. *cinis*, « cendre » ; [sineʀɛʀ].

**CINÉRAMA, subst. m. inv.**
Procédé cinématographique utilisant la juxtaposition, sur un écran large, de trois images issues de trois projecteurs. Mil. XXe s. ; anglo-amér. *cinerama*, crois. de *cinema* et de *panorama* ; n. déposé ; [sineʀama].

**CINÉRITE, subst. f.**
*Pétrogr.* Cendre volcanique stratifiée au fond d'anciens lacs. 1845 ; lat. *cinis*, « cendre » ; [sineʀit].

**CINÉROMAN, subst. m.**
**1.** Film à épisodes (vieilli). **2.** Roman-photo extrait d'un film. 1909 ; formé de *ciné* et de *roman* (I) ; var. *ciné-roman* (plur. *ciné-romans*) ; [sineʀɔmɑ̃].

**CINESTHÉSIE, voir KINESTHÉSIE**

**CINESTHÉSIQUE, voir KINESTHÉSIQUE**

**CINÉTIQUE, adj. et subst. f.**
**Adj.** **1.** *Phys.* Qui se rapporte au mouvement ou qui est dû au mouvement. ▸ *Énergie **cinétique*** : l'énergie **cinétique** K d'une particule de masse $m$ animée d'un mouvement de vitesse $v$ est la quantité d'énergie $K = mv^2/2$ si la vitesse de la particule est petite par rapport à la célérité $c$ de la lumière (vitesse dite non relativiste). Un solide de masse M est assimilable à un système de particules ; son énergie **cinétique** est égale à $K = Mv^2/2$ s'il est animé d'un mouvement de translation. Dans le cas d'une particule dont la vitesse $v$ serait relativiste, c.-à-d. non négligeable par rapport à la célérité $c$ de la lumière dans le vide, son énergie **cinétique** est donnée par la relation (einsteinienne) $K = mv^2/\sqrt{1-\beta^2}$, avec $\beta = v/c$. **2.** *B.-a.* *Art **cinétique*** : forme contemporaine d'art plastique fondée sur l'insertion dans l'œuvre d'un mouvement réel ou virtuel. **Subst.** **1.** *Phys.* Étude des mouvements. **2.** *Chim.* Étude des vitesses de réaction. 1877 ; gr. *kinêtikos*, « qui met en mouvement » ; [sinetik].

**CINÉTIR, subst. m.**
*Milit.* Tir sur cible mobile. Mil. XXe s. ; ☞ *tir* + *ciné-* ; [sinetiʀ].

**CINGHALAIS, AISE, adj. et subst.**
De Ceylan (Sri Lanka depuis 1972). **Subst. masc.** Langue indo-aryenne parlée au Sri Lanka, où elle est instituée langue officielle. 1751 ; angl. *Cingalese*, du skr. *Sinhala*, « Ceylan » ; var. *ceylanais, aise* ; [sɛ̃galɛ, ɛz].

**CINGLANT, ANTE, adj.**
Qui cingle : *Vent **cinglant*** ; au fig. : *Une remarque **cinglante**.* XIXe s. (XIVe s., flexible) ; p. pr. de *cingler* (II) ; [sɛ̃glɑ̃, ɑ̃t].

**CINGLÉ, ÉE, adj. et subst.**
Fou (fam.). 1925 (1882, ivre) ; p. p. de *cingler* (II) ; [sɛ̃gle].

**CINGLER (I),** verbe intrans. [3]
*Mar.* Faire voile, faire route vers un point déterminé. Fin XI^e^ s. ; anc. nord. *sigla* ; [sɛ̃gle].

**CINGLER (II),** verbe trans. [3]
**1.** Frapper fort avec un objet fin et flexible : *Cingler un chameau.* **2.** Anal. Fouetter, gén. en parlant des éléments : *La grêle nous* ***cinglait*** *le visage.* **3.** Fig. Atteindre (qqn) par des paroles acerbes. **4.** *Bât.* Marquer (une surface) de lignes au moyen d'un cordeau enduit de poudre bleue. **5.** *Techn.* Battre (le fer) pour le forger ou le corroyer. Fin XII^e^ s. ; prob. altér. de *sangler* ; [sɛ̃gle].

**CINNAMOME,** subst. m.
*Bot.* Arbre ou arbuste tropical et subtropical, de la famille des Lauracées, dont l'écorce est utilisée depuis l'Antiquité pour produire arômes et dérivés médicaux. *Cinnamomum camphora* fournit le camphre par distillation du bois ; la cannelle est tirée de *Cinnamomum cassia* (Chine) et de *Cinnamomum zeylandicum* (Sri Lanka). Déb. XIII^e^ s. ; lat. *cinnamomum*, du gr. *kinnamômon* ; [sinamɔm].

**CINOCHE,** subst. m.
Cinéma (fam.). 1935 ; ☞ *cinéma* ; [sinɔʃ].

**CINQ,** adj. num. inv. et subst. m. inv.
**Adj. card.** Quatre plus un : *Les* ***cinq*** *sens.* ▸ Loc. *J'arrive dans* ***cinq*** *minutes* : tout de suite (fam.). **Adj. ord. 1.** Cinquième. **2.** Qui porte le numéro **cinq** : *La chambre* ***cinq*** ; empl. subst. : *La* ***cinq.*** **Subst. 1.** Le nombre **cinq** : ***Cinq*** *est un nombre premier.* ▸ Loc. *Recevoir qqn* ***cinq*** *sur* ***cinq*** : l'entendre parfaitement (fam.). **2.** Le numéro **cinq** ; élément d'un jeu (carte, dé, domino) portant **cinq** marques : *Le* ***cinq*** *de carreau ; Amener trois* ***cinq*** *; Avoir le double* ***cinq.*** ▸ Loc. *En* ***cinq*** *sec* : très vite (fam.). **3.** Chiffre qui représente le nombre **cinq** : *Ses* ***cinq*** *ressemblent à des deux que l'on aurait mis à l'envers.* Fin XI^e^ s. ; lat. pop. *cinque*, du lat. *quinque* ; [sɛ̃k].

**CINQ-À-SEPT,** subst. m. inv.
Rendez-vous de fin d'après-midi entre gens mondains ou, par ext., entre amants. 1882 ; comp. de *cinq* et de *sept* ; [sɛ̃kasɛt].

**CINQUANTAINE,** subst. f.
**1.** Ensemble de cinquante unités ou environ. **2.** Âge précis ou approximatif de cinquante ans. Déb. XIII^e^ s. ; ☞ *cinquante* ; [sɛ̃kɑ̃tɛn].

**CINQUANTE,** adj. num. inv. et subst. m. inv.
**Adj. card.** Cinq fois dix : ***Cinquante*** *personnes ; Il va fêter ses* ***cinquante*** *ans.* ▸ Loc. *Je te l'ai dit* ***cinquante*** *fois* : un très grand nombre de fois (fam.). **Adj. ord. 1.** Cinquantième : *Se reporter à la page* ***cinquante.*** **2.** Qui porte le numéro **cinquante.** **Subst. 1.** Le nombre **cinquante** : ***Cinquante*** *est un multiple de cinq.* **2.** Le numéro **cinquante.** Fin XI^e^ s. ; lat. pop. *cinquaginta*, du lat. *quinquaginta* ; [sɛ̃kɑ̃t].

**CINQUANTENAIRE,** adj. et subst. m.
**Adj.** Qui atteint cinquante années d'existence : *Une institution* ***cinquantenaire.*** **Subst.** Cinquantième anniversaire. 1796 ; ☞ *cinquante*, d'apr. *centenaire* ; [sɛ̃kɑ̃tnɛʀ].

**CINQUANTIÈME,** adj. et subst.
**Adj. num. ord. 1.** Qui occupe un rang correspondant au nombre cinquante : *Il a obtenu la* ***cinquantième*** *place.* **Adj.** Qui résulte de la division d'un tout en cinquante parties égales. **Subst.** Personne qui occupe le **cinquantième** rang : *Être le, la* ***cinquantième*** *sur la liste.* **Subst. masc.** Une des cinquante parties égales d'un tout : *Ils percevront dix* ***cinquantièmes*** *de l'héritage.* Déb. XIII^e^ s. ; ☞ *cinquante* ; [sɛ̃kɑ̃tjɛm].

**CINQUIÈME,** adj. et subst. f.
**Adj. num. ord.** Qui occupe un rang correspondant au nombre cinq : *Il est au* ***cinquième*** *étage* ; empl. subst. : *Le, la* ***cinquième.*** **Adj.** Qui constitue une fraction d'un tout divisé également en cinq. ▸ Empl. subst. masc. Cette fraction : *Un* ***cinquième*** *de la récolte a été détruit.* **Subst.** Deuxième classe du premier cycle de l'enseignement secondaire : *Il est en* ***cinquième*** ; par ell. : *C'est un* ***cinquième.*** XII^e^ s. ; ☞ *cinq* ; [sɛ̃kjɛm].

**CINQUIÈMEMENT,** adv.
En cinquième lieu. 1550 ; ☞ *cinquième* ; [sɛ̃kjɛmmɑ̃].

**CINTRAGE,** subst. m.
*Techn.* Action de cintrer une pièce ; son résultat. 1869 ; ☞ *cintrer* ; [sɛ̃tʀaʒ].

**CINTRE,** subst. m.
**1.** *Archit.* Courbure intérieure d'un arc ou d'une voûte : *Le* ***cintre*** *d'un dôme ; En plein* ***cintre***, qui forme un demi-cercle. **2.** *Bât.* Échafaudage de soutien épousant la courbure d'un arc, d'une voûte pendant sa construction. **3.** *Théâtre.* Partie haute de la scène, où l'on remonte les décors (souv. au plur.). **4.** Support incurvé pourvu d'un crochet, servant à suspendre un vêtement à une tringle. 1300 ; ☞ *cintrer* ; [sɛ̃tʀ].

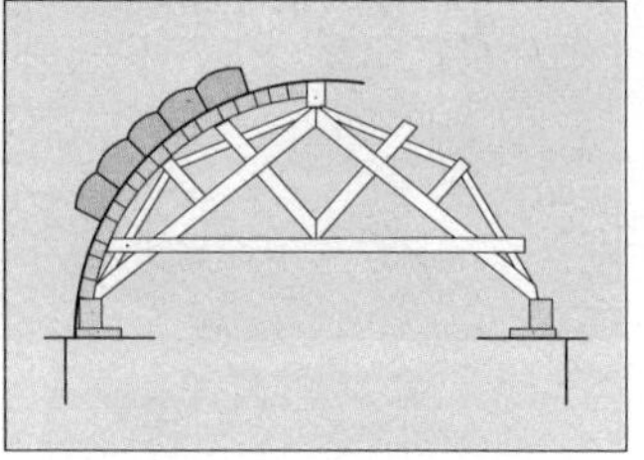

***Cintre*** *en cours de construction.*

**CINTRER,** verbe trans. [3]
**1.** *Archit.* Bâtir en cintre. **2.** *Cout.* Rendre ajusté à la taille : ***Cintrer*** *une robe.* **3.** *Techn.* Donner une forme courbe à (une pièce). 1349 ; lat. pop. °*cincturare*, « ceindre » ; [sɛ̃tʀe].

**CINTREUSE,** subst. f.
*Techn.* Machine servant à cintrer des pièces. 1927 ; ☞ *cintrer* ; [sɛ̃tʀøz].

**CIPAYE,** subst. m.
*Hist.* Soldat des Indes à la solde d'une armée européenne, en partic. anglaise : *La révolte des* ***cipayes****, en 1857.* 1758 ; angl. *sepay*, du port. *sipae*, du persan *sepāhi*, « soldat », de *sepāh*, « armée » ; [sipaj].

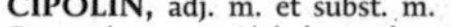

**CIPOLIN,** adj. m. et subst. m.
**Adj.** Propre à une variété de marbre au veinage concentrique. **Subst.** Marbre métamorphique veiné de vert et de blanc, originaire d'Italie. Fin XVII^e^ s. ; ital. *cipollino*, de *cipolla*, « oignon » ; [sipɔlɛ̃].

**CIPPE,** subst. m.
*Archéol.* Petite stèle funéraire en forme de colonne tronquée. 1718 ; lat. *cippus* ; [sip].

**CIRAGE,** subst. m.
**1.** Action de cirer. **2.** Méton. Produit servant à nourrir et à faire briller le cuir. **3.** Loc. *Être dans le* ***cirage*** : ne rien voir et, par ext., ne pas avoir les idées claires (fam.). 1557 ; ☞ *cire* ; [siʀaʒ].

**CIRCADIEN, IENNE,** adj.
*Physiol.* Se dit d'un rythme biologique dont la périodicité est proche de vingt-quatre heures. V. 1960 ; lat. *circa diem*, « presque un jour » ; [siʀkadjɛ̃, jɛn].

**CIRCAÈTE,** subst. m.
*Zool.* Rapace diurne de la famille des Falconidés, qui se nourrit de serpents et de reptiles. *Circaetus gallicus*, ou **circaète** jean-le-blanc, est une espèce protégée. 1820 ; gr. *kirkos*, « faucon », et *aetos*, « aigle » ; [siʀkaɛt].

***Circaète****, également appelé jean-le-blanc ou milan blanc.*

**CIRCONCIRE,** verbe trans. [64]
Opérer la circoncision sur. XII^e^ s. ; lat. *circumcidere*, « couper autour » ; [siʀkɔ̃siʀ].

**CIRCONCISION,** subst. f.
**1.** Ablation du prépuce pratiquée pour des raisons culturelles ou médicales. ▸ Excision rituelle des jeunes garçons juifs et musulmans. **2.** Méton. Fête chrétienne (1^er^ janvier) célébrant la **circoncision** du Christ. 1170 ; lat. chrét. *circumcisio* ; [siʀkɔ̃sizjɔ̃].

**CIRCONFÉRENCE,** subst. f.
**1.** *Géom.* Longueur ou périmètre d'un cercle, qui vaut $2\pi R$, R étant le rayon du cercle considéré. **2.** Ext. Pourtour d'un objet, d'un lieu : ***Circonférence*** *d'un arbre, d'un village.* 1267 ; lat. *circumferentia*, de *circumferre*, « porter autour » ; [siʀkɔ̃feʀɑ̃s].

**CIRCONFLEXE,** adj.
**1.** *Gramm. Accent* ***circonflexe.*** ▸ Signe d'accentuation grec (῀) qui représente une accentuation aiguë suivie d'une accentuation grave sur la même voyelle. ▸ Signe d'accentuation français (^) qui se place sur une voyelle pour indiquer la chute d'une lettre de l'ancienne orthographe (« hôpital » pour « hospital », « âge » pour « eage »), pour signaler la prononciation allongée de certaines voyelles (« infâme », « verdâtre »), pour distinguer des homonymes (« sûr », « sur ») ; empl. subst. masc : *Un* ***circonflexe.*** **2.** Ext. Qui est en forme d'accent **circonflexe** : *Des sourcils* ***circonflexes.*** ▸ *Anat. Veines, nerfs* ***circonflexes*** : de forme sinueuse. 1529 ; bas lat. *circumflexus*, de *circumflectere*, « prononcer une syllabe longue » ; [siʀkɔ̃flɛks].

**CIRCONLOCUTION,** subst. f.
*Rhét.* Figure de langage visant à exprimer indirectement sa pensée ; précaution oratoire : *Après de longues* ***circonlocutions****, il en vint enfin au fait.* XIII^e^ s. ; lat. *circumlocutio* ; [siʀkɔ̃lɔkysjɔ̃].

**CIRCONSCRIPTIBLE,** adj.
*Géom.* Qui peut être circonscrit : *Polygone* ***circonscriptible****, qui s'inscrit dans un cercle.* XV^e^ s. ; lat. *circumscriptus*, de *circumscribere*, « tracer un cercle autour » ; [siʀkɔ̃skʀiptibl].

Un assaut repoussé, *gravure de G. F. Atkinson (XIX^e^ s.). Les troupes britanniques mirent près d'un an à mater la révolte des* ***cipayes.*** *British Library, Londres.*

**CIRCONSCRIPTION,** subst. f.
**1.** Division administrative, religieuse ou militaire d'un territoire : *Le député de la 3ᵉ* ***circonscription.*** **2.** *Géom.* Action de circonscrire une figure à une autre. Fin XIIᵉ s. ; lat. *circumscriptio,* « cercle tracé, espace limité » ; [siʀkɔ̃skʀipsjɔ̃].

**CIRCONSCRIRE,** verbe trans. [67]
**1.** Entourer par une ligne, une limite : ***Circonscrire*** *un jardin par une haie.* **2.** Empêcher de s'étendre, contenir : ***Circonscrire*** *un incendie, une épidémie.* **3.** Fig. Cerner, délimiter : ***Circonscrire*** *un projet.* **4.** *Géom.* ***Circonscrire*** *un cercle à un polygone* : tracer un cercle, s'il existe, passant par les sommets de ce polygone ; ***Circonscrire*** *une sphère à un polyèdre* : trouver la sphère, si elle existe, passant par tous les sommets de ce polyèdre ; ***Circonscrire*** *un cylindre, un cône à une surface* : déterminer le cylindre ou le cône dont toutes les génératrices sont tangentes à cette surface. 1370 ; lat. *circumscribere,* « tracer un cercle autour » ; [siʀkɔ̃skʀiʀ].

**CIRCONSPECT, ECTE,** adj.
Qui agit avec circonspection ; qui la dénote. Fin XIIIᵉ s. ; lat. *circumspectus* ; [siʀkɔ̃spɛ(kt), ɛkt].

**CIRCONSPECTION,** subst. f.
Prudence, réserve dont on fait preuve dans ses propos ou ses actes. XIIIᵉ s. ; lat. *circumspectio,* « action de regarder autour » ; [siʀkɔ̃spɛksjɔ̃].

**CIRCONSTANCE,** subst. f.
**1.** Particularité, élément accessoire qui accompagne et nuance une situation ou un fait (gén. au plur.) : *Les* ***circonstances*** *d'un accident* ; *Un concours de* ***circonstances,*** un hasard, une coïncidence. **2.** Cette situation présente, ce fait précis : *Profiter de la* ***circonstance.*** **3.** Loc. **De circonstance.** Approprié à une situation déterminée : *Prendre un air de* ***circonstance.*** **4.** *Dr. Des* ***circonstances*** *atténuantes, aggravantes* : susceptibles de diminuer, d'augmenter la peine encourue. XIIIᵉ s. ; lat. *circumstantia,* de *circumstare,* « être autour, entourer » ; [siʀkɔ̃stɑ̃s].

**CIRCONSTANCIÉ, ÉE,** adj.
Qui fait état de toutes les circonstances, qui est détaillé, précis : *Un récit* ***circonstancié.*** 1468 ; ☞ *circonstance* ; [siʀkɔ̃stɑ̃sje].

**CIRCONSTANCIEL, ELLE,** adj.
**1.** *Gramm.* Se dit d'un complément qui indique les circonstances secondaires (lieu, temps, cause...) de l'action principale décrite par le verbe. **2.** Ext. Qui a trait aux circonstances, qui est opportun (littér.) : *Des paroles* ***circonstancielles.*** 1747 ; ☞ *circonstance* ; [siʀkɔ̃stɑ̃sjɛl].

**CIRCONVALLATION,** subst. f.
*Fortif.* Tranchée fortifiée cernant une place assiégée, établie par l'assaillant pour se protéger d'une armée qui viendrait secourir les assiégés : *La* ***circonvallation*** *d'Alésia.* 1640 ; bas lat. *circumvallatio,* « action de bloquer » ; [siʀkɔ̃valasjɔ̃].

**CIRCONVENIR,** verbe trans. [22]
**1.** Vx. Entourer (qqn ou qqch.) de toutes parts. **2.** Fig. Agir envers (qqn) en usant d'artifices, de ruses, pour parvenir à ses fins. Mil. XIVᵉ s. ; lat. *circumvenire,* « venir autour ; assiéger » ; [siʀkɔ̃v(ə)niʀ].

**CIRCONVOISIN, INE,** adj.
Qui est situé autour (littér.). 1387 ; lat. médiév. *circumvicinus* ; [siʀkɔ̃vwazɛ̃, in].

**CIRCONVOLUTION,** subst. f.
**1.** Enroulement autour d'un axe, d'un point : *Les* ***circonvolutions*** *d'une coquille.* **2.** *Anat.* ***Circonvolutions*** *de l'intestin* : ses replis ; ***Circonvolutions*** *cérébrales* : saillies sinueuses de l'enveloppe cérébrale. Fin XIIIᵉ s. ; lat. *circumvolutus,* « enroulé autour » ; [siʀkɔ̃vɔlysjɔ̃].

**CIRCUIT,** subst. m.
**1.** Chemin qui fait le tour d'un lieu : *Le* ***circuit*** *des murailles.* **2.** Itinéraire sinueux qui ramène gén. au point de départ : ***Circuit*** *touristique* ; par ext., détour. **3.** Parcours d'une épreuve sportive : ***Circuit*** *du Tour de France* ; par méton., piste fermée destinée aux courses automobiles : *Le* ***circuit*** *du Mans.* ► Piste constituée d'éléments emboîtés sur laquelle on fait circuler des voitures miniatures. **4.** Loc. fam. *Mettre qqch., qqn dans le* ***circuit*** : en usage, en activité ; *Hors* ***circuit*** : hors d'usage, à l'écart. **5.** *Écon.* Ensemble des étapes par lesquelles passe un produit : ***Circuit*** *de distribution* ; ***Circuit*** *monétaire.* **6.** *Électr.* Ensemble d'appareils disposés entre les bornes d'une source d'énergie électrique et reliés par des conducteurs, dans lequel circule le courant : *Ouvrir, fermer un* ***circuit*** ; *Tension aux bornes d'un* ***circuit,*** différence de potentiel à la sortie du générateur. **7.** *Électron.* ***Circuit*** *imprimé* : dépôt métallique placé sur un support isolant ; ***Circuit*** *intégré* : ensemble de composants électroniques miniaturisés (synon. *puce*). **8.** *Techn.* Ensemble des dispositifs (tuyaux, vannes, pompes, etc.) permettant à un fluide de circuler : ***Circuit*** *de chauffage central.* XIIIᵉ s. ; lat. *circuitus,* « action de faire le tour » ; [siʀkɥi].

**CIRCULAIRE,** adj. et subst. f.
**Adj. 1.** Qui a la forme d'un cercle ou qui l'évoque : *Scie* ***circulaire.*** **2.** Qui décrit un cercle : *Regard, mouvement* ***circulaire.*** **3.** Qui fait revenir à son point de départ : *Itinéraire* ***circulaire*** ; par méton. : *Billet* ***circulaire.*** ► *Log. Raisonnement* ***circulaire*** : cercle vicieux. **4.** *Math. Fonction* ***circulaire*** : fonction trigonométrique (sinus, cosinus, tangente, etc.). **Subst.** Lettre reproduite à plusieurs exemplaires, et adressée simultanément à plusieurs destinataires, en vue d'informer ou de donner des instructions : ***Circulaire*** *ministérielle, administrative.* XIIIᵉ s. ; bas lat. *circularis,* de *circulus,* « cercle » ; [siʀkylɛʀ].

**CIRCULANT, ANTE,** adj.
Qui est en circulation : *Le sang* ***circulant*** ; *Capitaux* ***circulants.*** 1745 ; p. pr. de *circuler* ; [siʀkylɑ̃, ɑ̃t].

**CIRCULARITÉ,** subst. f.
Caractère de ce qui est circulaire : *La* ***circularité*** *d'un mouvement* ; par métaph. : *La* ***circularité*** *d'un raisonnement.* XVIᵉ s. ; ☞ *circulaire* ; [siʀkylaʀite].

**CIRCULATION,** subst. f.
**1.** Mouvement continu et circulaire d'un fluide : *La* ***circulation*** *sanguine* ou, par ell., *La* ***circulation*** ; ***Circulation*** *d'eau dans un appareil de chauffage* ; ***Circulation*** *de l'air,* son renouvellement. **2.** Va-et-vient sur les voies de communication : ***Circulation*** *automobile, ferroviaire, aérienne.* **3.** *Écon.* Mouvement de biens, de marchandises : ***Circulation*** *monétaire* ; par ext. : *La libre* ***circulation*** *des idées, des hommes.* ► Loc. *Retirer qqch. de la* ***circulation*** : ne plus le diffuser, ne plus le fabriquer ; *Disparaître de la* ***circulation*** : ne plus donner signe de vie (fam.). 1361 ; lat. *circulatio,* « orbite, circuit (d'un astre) » ; [siʀkylasjɔ̃].

LA CIRCULATION DU SANG

*1. Artère pulmonaire (sang non oxygéné).*
*2. Oreillette droite.*
*3. Veine cave inférieure.*
*4. Orifice tricuspide.*
*5. Ventricule droit.*
*6. Capillaires de la veine porte.*
*7. Veine porte hépatique.*
*8. Foie.*
*9. Veine cave inférieure.*
*10. Capillaires pulmonaires.*
*11. Veine pulmonaire (sang oxygéné).*
*12. Crosse aortique.*
*13. Oreillette gauche.*
*14. Orifice mitral.*
*15. Ventricule gauche.*
*16. Aorte.*
*17. Capillaires de l'intestin.*
*18. Capillaires.*

**CIRCULATOIRE,** adj.
*Physiol.* Qui concerne la circulation du sang : *L'appareil* ***circulatoire*** ; *Il est atteint de troubles* ***circulatoires.*** 1549 ; ☞ *circuler* ; [siʀkylatwaʀ].

**CIRCULER,** verbe intrans. [3]
**1.** Se mouvoir en un mouvement circulaire, pour un fluide : *Le sang* ***circule*** *dans tout le corps.* **2.** Aller et venir, se déplacer sur les voies de communication : *Ce bus ne* ***circule*** *pas le dimanche.* **3.** Déambuler, aller d'un lieu à un autre : *C'est un négociant qui* ***circule*** *beaucoup.* **4.** Passer de main en main : *Des faux billets* ***circulaient*** *depuis un mois.* **5.** Fig. Se propager, être colporté : *Cette rumeur* ***circule*** *dans toute la ville.* 1361 ; lat. *circulari,* « aller, se répandre de côté et d'autre » ; [siʀkyle].

**CIRCUMAMBULATION,** subst. f.
Pratique religieuse qui consiste à faire le tour d'un lieu sacré, d'un monument, etc. : *La* ***circumambulation*** *des musulmans autour de la Kaaba.* V. 1970 ; *ambulation* (rare), « marche », + *circum-* ; [siʀkɔmɑ̃bylasjɔ̃].

**CIRCUMDUCTION,** subst. f.
Mouvement de rotation autour d'un axe ou d'un point central : ***Circumduction*** *d'un bras.* 1562 ; lat. *circumductio,* de *circumducere,* « conduire autour, conduire en cercle » ; [siʀkɔmdyksjɔ̃].

**CIRCUMLUNAIRE,** adj.
*Astron.* Qui entoure la Lune, qui tourne autour. V. 1960 ; ☞ *lunaire* (I) + *circum-* ; [siʀkɔmlynɛʀ].

**CIRCUMNAVIGATION,** subst. f.
Périple maritime autour d'un continent ou de la Terre : *La* ***circumnavigation*** *de Magellan.* 1788 ; ☞ *navigation* + *circum-* ; [siʀkɔmnavigasjɔ̃].

**CIRCUMPOLAIRE,** adj.
**1.** Qui est ou qui se produit autour d'un pôle : *Expédition* ***circumpolaire.*** **2.** *Astron.* Proche d'un pôle céleste, au-dessus de l'horizon : *Étoiles* ***circumpolaires.*** 1700 ; ☞ *polaire* + *circum-* ; [siʀkɔmpɔlɛʀ].

**CIRCUMSTELLAIRE,** adj.
*Astron.* Qui se trouve autour d'une étoile. V. 1960 ; ☞ *stellaire* + *circum-* ; [siʀkɔmstɛl(l)ɛʀ].

**CIRCUMTERRESTRE,** adj.
*Astron.* Qui se trouve ou se fait autour de la Terre. 1878 ; ☞ *terrestre* + *circum-* ; [siʀkɔmtɛʀɛstʀ].

**CIRE,** subst. f.
**1.** Matière molle, jaunâtre, sécrétée par les abeilles : *Les alvéoles de* ***cire*** *des ruches.* ► Ext. Substance végétale ou minérale de composition voisine : *L'arbre à* ***cire.*** ► Anal. Cérumen : *Bouchon de* ***cire.*** **2.** Substance à base de **cire** naturelle : ***Cire*** *à encaustiquer, à cacheter.* ► Méton. Objet en **cire** : *Les* ***cires*** *du musée Grévin.* **3.** *Zool.* Membrane couvrant la base du bec de certains oiseaux. Fin XIIᵉ s. ; lat. *cera* ; [siʀ].

**CIRÉ, ÉE,** adj. et subst. m.
**Adj. 1.** Enduit de cire ou de cirage : *Parquet* ***ciré*** ; *Chaussures* ***cirées.*** **2.** *Toile* ***cirée*** : imperméabilisée par un vernis. **Subst.** Vêtement imperméable en toile huilée ou plastifiée. 1230 ; p. p. de *cirer* ; [siʀe].

**CIRER,** verbe trans. [3]
Enduire de cire ou de cirage. Fin XIIᵉ s. ; ☞ *cire* ; [siʀe].

**CIREUR, EUSE,** subst.
Personne qui cire. **Fém.** Appareil utilisé pour cirer les parquets. 1837 ; ☞ *cirer* ; [siʀœʀ, øz].

**CIREUX, EUSE,** adj.
Qui rappelle la cire par sa couleur ou son aspect : *Une substance* ***cireuse*** ; *Un visage* ***cireux,*** blafard. Déb. XVIᵉ s. ; ☞ *cire* ; [siʀø, øz].

**CIRIER, IÈRE,** adj. et subst.
**Adj. 1.** Qui sécrète de la cire : *Abeille* ***cirière*** ou, empl. subst. fém., *Une* ***cirière.*** **2.** *Bot. Arbre* ***cirier*** ou, empl. subst. masc., *Un* ***cirier*** : arbre qui produit une résine semblable à la cire. **Subst.** Personne qui modèle la cire ; marchand d'objets en cire. Déb. XIIIᵉ s. ; ☞ *cire* ; [siʀje, jɛʀ].

**CIRON,** subst. m.
**1.** *Zool.* Minuscule animal vivant sur les déchets et les aliments, tel l'acarien du fromage. **2.** Métaph. Être de très petite taille. XIᵉ s. ; anc. bas frq. °*seuro* ; [siʀɔ̃].

**CIRQUE, subst. m.**
1. *Antiq. rom.* Vaste espace ovale entouré de gradins, où les Romains organisaient des jeux publics (courses de chars, combats de gladiateurs, etc.). 2. Piste circulaire ceinte de gradins, où sont présentés des numéros d'acrobatie, de clowns, de domptage, etc. : *Les gens du **cirque***; par méton., l'entreprise organisatrice : *Le **cirque** Gruss.* 3. Fig. Désordre, pagaille (fam.) : *Quel **cirque** !* 4. *Géogr.* Espace circulaire entouré de parois abruptes : *Le **cirque** de Gavarnie*; par anal., dépression circulaire à la surface de la Lune ou de Mars. XIVe s. ; lat. *circus*, « cercle ; enceinte circulaire » ; [siʀk].

**CIRRE, subst. m.**
1. *Bot.* Rameau filiforme servant d'organe de fixation à certaines plantes grimpantes (synon. *vrille*). 2. *Zool.* Appendice très fin et saillant de certains animaux (oiseaux, vers, mollusques). 1545 ; lat. *cirrus*, « boucle de cheveux » ; var. *cirrhe* ; [siʀ].

**CIRRHOSE, subst. f.**
*Pathol.* Maladie hépatique chronique. Les **cirrhoses** ont pour caractère commun des scléroses du tissu interstitiel du foie, avec mort progressive des cellules hépatiques. Elles peuvent avoir pour conséquence l'apparition de cancers hépato-cellulaires. La cause de 80 % de ces affections est l'alcoolisme. 1805 ; gr. *kirros*, « jaunâtre », + *-ose* ; [siʀoz].

**CIRRHOTIQUE, adj. et subst.**
Adj. Relatif aux cirrhoses ; atteint de cirrhose. Subst. Malade atteint de cirrhose. 1892 ; ☞ *cirrhose* ; [siʀɔtik].

**CIRRIPÈDES, subst. m. plur.**
*Zool.* Sous-classe de crustacés marins à carapace, possédant six paires de pattes thoraciques terminées par des cirres. Au sing. *La balane est un **cirripède**.* 1805 ; ☞ *cirre* + *-pède* ; [siʀipɛd].

**CIRROCUMULUS, subst. m.**
*Météor.* Nuage, constitué de petits cristaux de glace, conférant au ciel un aspect moutonné. 1865 ; formé de *cirrus* et de *cumulus* ; [siʀokymylys].

**CIRROSTRATUS, subst. m.**
*Météor.* Nuage plat et sans épaisseur, situé entre 3 000 et 4 000 m d'altitude (☞ *nuage*). 1865 ; formé de *cirrus* et de *stratus* ; [siʀostʀatys].

**CIRRUS, subst. m.**
*Météor.* Nuage qui forme des traînées, souv. parallèles. 1854 ; lat. *cirrus*, « boucle de cheveux » ; [siʀys].

**CIRSE, subst. m.**
*Bot.* Chardon de la famille des Astéracées, abondant sur les terres incultes et dans les lieux humides. XVIe s. ; lat. *cirsion*, du gr. *kirsion* ; [siʀs].

**CISAILLE, subst. f.**
1. Grande paire de ciseaux utilisée pour couper des métaux ou élaguer des arbres (gén. au plur.) : ***Cisailles** de jardinier.* 2. Appareil coupant à deux lames, dont l'une est mobile : ***Cisaille** de zingueur.* 3. Déchet de métal. 1214 ; lat. pop. °*cisacula*, « instrument servant à couper » ; [sizɑj].

**CISAILLEMENT, subst. m.**
1. Action de cisailler ; son résultat. 2. Anal. Entaillage d'un matériau par frottement ou par glissement, aboutissant à la rupture. 3. Croisement à niveau de deux flux de circulation : ***Cisaillement** de voies ferrées.* 1635 ; ☞ *cisailler* ; [sizɑjmɑ̃].

**CISAILLER, verbe trans. [3]**
1. Couper avec des cisailles. 2. User (du métal) par cisaillement. 3. Croiser à niveau (une voie de circulation). 1450 ; ☞ *cisaille* ; [sizɑje].

**CISALPIN, INE, adj.**
Qui se trouve en deçà des Alpes, vu de Rome : *Gaule **cisalpine** ; République **cisalpine**,* dont la capitale était Milan. 1596 ; lat. *cisalpinus* ; [sizalpɛ̃, in].

**CISEAU, subst. m.**
1. Instrument dont l'extrémité est dotée d'une lame de métal tranchante, utilisé pour travailler le bois, la pierre, le métal : ***Ciseau** d'orfèvre, de sculpteur.* 2. *Sp.* En lutte, prise par laquelle on immobilise l'adversaire en croisant les jambes autour de lui. Plur. 1. Outil composé de deux lames d'acier tranchantes, croisées sur un pivot : *Une paire de **ciseaux**.* 2. *Sp. Sauter en **ciseaux*** : en hauteur, en faisant passer les jambes l'une après l'autre. Mil. XIIe s. ; lat. pop. °*cisellum*, du lat. *caedere*, « couper » ; [sizo].

**CISÈLEMENT, subst. m.**
1. Action de ciseler ; son résultat. 2. *Vitic.* Action d'enlever les grains de raisin abîmés pour éviter le pourrissement de la grappe. 1635 ; ☞ *ciseler* ; synon. *ciselage* ; [sizɛlmɑ̃].

© Giraudon

Au **cirque** Fernando : l'écuyère, *peinture d'Henri de Toulouse-Lautrec (1864-1901). The Art Institute, Chicago.*

**CISELER, verbe trans. [11]**
1. Sculpter minutieusement au ciseau : *Cellini **cisela** la salière de François Ier.* 2. Fig. Travailler finement (une œuvre) : ***Ciseler** ses harmonies.* Déb. XIIIe s. ; anc. fr. *cisel*, « ciseau » ; [siz(ə)le].

**CISELET, subst. m.**
Petit ciseau de graveur, d'orfèvre. 1491 ; anc. fr. *cisel*, « ciseau » ; [siz(ə)lɛ].

**CISELEUR, subst. m.**
Artisan qui cisèle. Fin XVe s. ; ☞ *ciseler* ; [siz(ə)lœʀ].

**CISELURE, subst. f.**
Action, art de ciseler ; par méton., ornement ciselé. 1307 ; ☞ *ciseler* ; [siz(ə)lyʀ].

**CISOIRES, subst. f. plur.**
*Techn.* Cisaille de chaudronnier, de tôlier, munie d'un manche monté sur un pied. XIIIe s. ; lat. *cisorium* ; [sizwaʀ].

**CISTE (I), subst. m.**
*Bot.* Arbuste à fleurs blanches ou roses de la famille des Cistacées, genre *Cistus* (20 espèces, méditerranéennes). *Cistus ladaniferus* fournit le ladanum, résine aromatique. 1557 ; lat. *cistos*, du gr. *kisthos* ; [sist].

**CISTE (II), subst. f.**
1. *Antiq.* Panier rituel utilisé pour les mystères de Dionysos, de Déméter ou de Cybèle. 2. *Archéol.* Sarcophage constitué de dalles de pierre, de type mégalithique. 1771 (fin XIIIe s., coffre servant de cercueil) ; lat. *cista*, « corbeille, coffre », du gr. *kistê* ; [sist].

**CISTERCIEN, IENNE, adj. et subst.**
De l'ordre monastique de Cîteaux : *Abbaye **cistercienne**.* 1447 ; lat. médiév. *cisterciensis*, du topon. lat. *Cistercium*, « Cîteaux » ; [sistɛʀsjɛ̃, jɛn].

**CISTRE, subst. m.**
Instrument de musique, à manche et à doubles cordes pincées, en vogue au XVIe et au XVIIe s. 1559 ; m. fr. *citre*, du lat. *cithara*, « cithare » ; [sistʀ].

**CISTRON, subst. m.**
*Génét.* et *Biochim.* Segment d'A. D. N. correspondant à un gène formant une unité fonctionnelle qui peut intervenir dans les phénomènes de mutation et de recombinaison des gènes. V. 1960 ; altér. de *test cis-trans*, test qui définit ce gène ; [sistʀɔ̃].

**CISTUDE, subst. f.**
*Zool.* Reptile chélonien de la famille des Émydés, telle la tortue d'eau carnassière, qui vit surtout dans la vase des marais. La **cistude** d'Europe, *Emys orbicularis*, peut vivre plus d'une centaine d'années. 1775 ; lat. sc. *cistudo*, du lat. *cista*, « corbeille, coffre », et *testudo*, « tortue » ; [sistyd].

**CITADELLE, subst. f.**
1. Place fortifiée permettant de surveiller et de défendre une ville. 2. Fig. Centre de défense ou de propagation d'idées : *Rome, **citadelle** du catholicisme.* 1495 ; ital. *cittadella*, « petite cité » ; [sitadɛl].

**CITADIN, INE, adj. et subst.**
Adj. Relatif à la ville : *Une population **citadine**.* Subst. Personne qui habite la ville. Déb. XIVe s. ital. *cittadino*, « habitant de la cité » ; [sitadɛ̃, in].

**CITATEUR, TRICE, subst.**
Personne qui cite (un auteur, un texte). 1696 ; ☞ *citer* ; [sitatœʀ, tʀis].

**CITATION, subst. f.**
1. *Dr.* Convocation en justice : ***Citation** à comparaître.* 2. Propos ou écrits rapportés : *Texte truffé de **citations**.* 3. *Milit.* Proclamation du fait d'armes d'un soldat ou d'une unité : ***Citation** à l'ordre du régiment.* XIVe s. ; bas lat. *citatio* ; [sitasjɔ̃].

**CITÉ, subst. f.**
1. *Antiq.* Fédération de tribus dotée d'institutions religieuses et politiques ; par méton., le territoire, la ville et les citoyens de cette fédération : *« La **Cité** antique », étude de Fustel de Coulanges.* ► Loc. *Avoir droit de **cité*** : jouir des privilèges de citoyen ou, au fig., être admis, toléré. 2. *M. Â.* Ville, gén. ceinte de murs, dotée d'une certaine autonomie. 3. Partie ancienne d'une ville, qui en constitue le cœur : *L'île de la **Cité**,* à Paris ; *La **Cité** interdite,* le palais impérial de Pékin. 4. Ext. Ville. 5. Groupe de bâtiments formant un ensemble : ***Cité** ouvrière, universitaire.* 6. *Relig. **Cité** sainte* : ville honorée par les fidèles d'une religion ; *« La **Cité** de Dieu », œuvre de saint Augustin* : le paradis. Fin Xe s. ; lat. *civitas* ; [site].

**CITÉ-DORTOIR, subst. f.**
*Urban.* Ville de banlieue essentiellement vouée au

© J. F. Hellio/N. Van Ingen-Jacana

Cistude.

© P. Tetrel-Explorer

*La **cité** de Carcassonne. Érigées au XIIIe s., sous le règne de Saint Louis, les fortifications ont été restaurées au XIXe s. par Viollet-le-Duc.*

logement. ⚭ XXe s. ; comp. de *cité* et de *dortoir* ; plur. *cités-dortoirs* ; [sitedɔʀtwaʀ].

**CITÉ-JARDIN, subst. f.**
*Urban.* Ensemble d'habitations renfermant de nombreux espaces verts. ⚭ 1904 ; comp. de *cité* et de *jardin* ; plur. *cités-jardins* ; [siteʒaʀdɛ̃].

**CITER, verbe trans.** [3]
**1.** *Dr.* Convoquer (qqn) devant la justice. **2.** Reproduire les propos ou les écrits de (qqn) : ***Citer** Montherlant.* **3.** Indiquer de façon précise : ***Citer** des noms, des dates.* **4.** *Milit.* Honorer (un soldat, une unité) d'une citation. ⚭ XIIIe s. ; lat. *citare* ; [site].

**CITÉRIEUR, EURE, adj.**
En deçà d'une ligne fixée par rapport à l'observateur : *Poméranie **citérieure**,* en deçà de l'Oder, depuis Berlin. ⚭ Déb. XVIe s. ; lat. *citerior* ; [siteʀjœʀ].

**CITERNE, subst. f.**
**1.** Réservoir où sont recueillies les eaux de pluie. **2.** Ext. Cuve où l'on conserve des liquides (vin, huile, carburant). ► *Un wagon-**citerne**, un camion-**citerne*** : servant à transporter des liquides. ⚭ Fin XIIe s. ; lat. *cisterna,* de *cista,* « coffre » ; [sitɛʀn].

**CITHARE, subst. f.**
*Mus.* **1.** Dans l'Antiquité, instrument à cordes pincées, doté d'une grande caisse de résonance. **2.** En Europe centrale, instrument à caisse plate et à cordes pincées ou frappées. ⚭ Fin XIVe s. ; lat. *cithara,* du gr. *kithara,* « sorte de luth » ; [sitaʀ].

**CITHARÈDE, subst.**
*Antiq.* Chanteur qui s'accompagnait d'une cithare ; en appos. : *Apollon **citharède**.* ⚭ 1562 ; lat. *citharoedus,* du gr. *kitharôdos* ; [sitaʀɛd].

**CITHARISTE, subst.**
Joueur de cithare. ⚭ Déb. XIIIe s. ; lat. *citharista,* du gr. *kitharistês* ; [sitaʀist].

**CITOYEN, ENNE, subst.**
**1.** *Antiq.* Personne jouissant d'un droit de cité. **2.** Ressortissant d'un pays, en partic. d'un État républicain, qui y jouit des droits civiques, assortis de devoirs : *Le **Citoyen** de Genève,* J.-J. Rousseau ; *Le Roi-**Citoyen**,* Louis-Philippe Ier. **3.** Individu quelconque ou suspect (fam. et péj.). **4.** *Hist.* Sous la Révolution, titre substitué à « monsieur », « madame ». ⚭ XIIe s. ; ☞ *cité* ; [sitwajɛ̃, ɛn].

**CITOYENNETÉ, subst. f.**
Qualité de citoyen. ⚭ 1783 ; ☞ *citoyen* ; [sitwajɛnte].

**CITRATE, subst. m.**
*Biochim.* Sel de l'acide citrique. ⚭ 1782 ; lat. *citrus,* « citron » ; [sitʀat].

**CITRIN, INE, adj.**
**1.** De couleur jaune citron. **2.** *Minér. Pierre **citrine*** ou, empl. subst. fém., *Une **citrine*** : pierre semi-précieuse (quartz jaune), également appelée fausse topaze. ⚭ XIIe s. ; lat. médiév. *citrinus* ; [sitʀɛ̃, in].

**CITRIQUE, adj.**
*Biochim.* Qualifie l'acide organique qu'on extrait de nombreux fruits, dont les citrons, les oranges, les groseilles, etc. L'acide **citrique** a pour formule $COOH-CH_2-C(OH)(COOH)-CH_2-COOH$. ⚭ 1782 ; lat. *citrus,* « citron » ; [sitʀik].

**CITRON, subst. m. et adj. inv.**
**Subst. 1.** Fruit du citronnier, agrume d'un jaune pâle, donnant un jus acide. ► ***Citron** vert* : lime. **2.** Tête (pop.). **Adj.** De la couleur du **citron**. ⚭ XIIIe s. ; p.-ê. bas lat. *citrum,* « fruit du cédratier » ; [sitʀɔ̃].

**CITRONNADE, subst. f.**
Boisson fraîche constituée d'eau sucrée et de jus ou de sirop de citron. ⚭ 1844 ; ☞ *citron* ; [sitʀɔnad].

**CITRONNÉ, ÉE, adj.**
Qui contient du jus de citron ou qui est aromatisé au citron. ⚭ 1621 ; ☞ *citron* ; [sitʀɔne].

**CITRONNELLE, subst. f.**
**1.** *Bot.* Nom de diverses plantes (verveine odorante, mélisse, armoise...) de familles différentes contenant des composés organiques comme le citral, le citronellal ou le citronellol, qui se rencontrent aussi dans les essences de citron. **2.** Liqueur à base de zestes de citron. ⚭ Déb. XVIIe s. ; ☞ *citron* ; [sitʀɔnɛl].

**CITRONNIER, subst. m.**
**1.** *Bot.* Arbre de la famille des Rutacées, genre *Citrus,* dont le fruit est le citron. **2.** Méton. Bois du **citronnier**. ⚭ 1486 ; ☞ *citron* ; [sitʀɔnje].

**CITROUILLE, subst. f.**
**1.** *Bot.* Nom de plusieurs espèces de cucurbitacées. La vraie **citrouille**, *Cucurbita pepo,* est une courge volumineuse, de couleur orangée. **2.** Anal. Grosse tête (fam.). ⚭ 1256 ; lat. médiév. *citrolus,* du bas lat. *citrium* ; [sitʀuj].

**CITRUS, subst. m.**
*Bot.* Genre de la famille des Rutacées auquel appartiennent onze espèces (citronnier, oranger, pamplemoussier, etc.). ⚭ 1744 ; lat. sc. *citrus,* du bas lat. *citrum,* « fruit du cédratier » ; [sitʀys].

**ÇIVAÏSME, voir SHIVAÏSME**

**CIVE, subst. f.**
*Bot.* Ciboule. ⚭ Fin XIIe s. ; lat. *caepa,* « oignon » ; [siv].

**CIVELLE, subst. f.**
*Zool.* Nom donné aux jeunes anguilles qui, après être nées dans la mer des Sargasses, vivent leur période larvaire en traversant l'Atlantique du sud-ouest vers le nord-est. Elles apparaissent par milliards sur les côtes européennes et remontent les fleuves jusqu'à atteindre le point où elles deviendront des anguilles jaunes. On les appelle aussi anguilles de verre, à cause de leur transparence, ou bouirons, en Méditerranée. ⚭ 1555 ; p.-ê. lat. *caecus,* « aveugle » ; [sivɛl].

**CIVET, subst. m.**
*Cuis.* Ragoût de gibier à poil (lièvre, lapin, chevreuil, marcassin), préparé avec du vin rouge et des oignons. ⚭ XIIIe s. ; ☞ *cive* ; [sivɛ].

**CIVETTE (I), subst. f.**
*Zool.* Petit mammifère carnivore de la famille des Viverridés, dont les glandes anales sécrètent une substance à forte odeur de musc, le viverreum. Le genre *Viverra* est celui de la **civette** d'Asie, et le genre *Civettictis* celui de la **civette** d'Afrique. ⚭ XVe s. ; catalan *civetta,* de l'ar. *zabād* ; [sivɛt].

**CIVETTE (II), subst. f.**
*Bot.* Ciboulette. ⚭ 1549 ; ☞ *cive* ; [sivɛt].

**CIVIÈRE, subst. f.**
Dispositif composé d'une toile tendue sur des brancards, servant à transporter blessés, malades ou divers fardeaux. ⚭ XIIe s. ; orig. obsc. ; [sivjɛʀ].

**CIVIL, ILE, adj. et subst. m.**
**Adj. 1.** Qui concerne la cité, la communauté nationale : *Guerre **civile**,* entre citoyens d'un même État. ► *Année **civile*** : du 1er janvier au 31 décembre ; *Jour **civil*** : de 0 heure à 24 heures. **2.** Qui concerne le citoyen en tant que personne privée : *État **civil*** ; *Code **civil*** ; *Droit **civil**,* qui règle l'état des personnes, des biens, des contrats ; *Responsabilité **civile**,* qui incombe au citoyen à l'égard d'autrui. ► *Dr. Partie **civile*** : partie qui demande réparation d'un préjudice subi, dans un procès au pénal. **3.** Qui n'est pas militaire : *Autorités **civiles*** ; *Vie **civile**.* **4.** Qui n'est pas religieux : *Mariage **civil**.* **5.** Courtois, poli (littér.) : *Des propos fort **civils**.* **Subst. 1.** *Un **civil*** : celui qui n'est ni militaire ni religieux. ► Loc. *En **civil*** : qui ne porte pas l'uniforme. **2.** *Le **civil*** : la vie **civile**, la condition de **civil**. **3.** *Dr.* Domaine du droit **civil** : *Plaider au **civil**.* ⚭ 1290 ; lat. *civilis* ; [sivil].

**CIVILEMENT, adv.**
**1.** *Dr.* En matière civile : *Être **civilement** incapable.* **2.** Sans cérémonie religieuse : *Se marier **civilement**.* **3.** Poliment (littér.). ⚭ 1370 ; ☞ *civil* ; [sivilmɑ̃].

**CIVILISATEUR, TRICE, adj.**
Qui civilise ; qui répand, propage la civilisation. ⚭ 1829 ; ☞ *civiliser* ; [sivilizatœʀ, tʀis].

**CIVILISATION, subst. f.**
**1.** Ensemble des valeurs, institutions, connaissances, arts, techniques, etc., d'une société : *La **civilisation** grecque.* **2.** État de développement culturel ou matériel tenu pour élevé. **3.** Action de civiliser ; fait de se civiliser. ⚭ XVIIIe s. ; ☞ *civiliser* ; [sivilizasjɔ̃].

**CIVILISÉ, ÉE, adj.**
**1.** Qui est considéré comme évolué ; empl. subst., personne **civilisée**. **2.** Policé. ⚭ 1568 ; p. p. de *civiliser* ; [sivilize].

**CIVILISER, verbe trans.** [3]
**1.** Amener (un peuple, une société) à un état de développement tenu pour supérieur. **2.** Rendre plus sociable, plus poli. ⚭ 1568 ; ☞ *civil* ; [sivilize].

**CIVILISTE, subst.**
*Dr.* Spécialiste du droit civil. ⚭ XIXe s. ; ☞ *civil* ; [sivilist].

**CIVILITÉ, subst. f.**
Respect des convenances (littér.). **Plur.** Démonstrations de politesse, de courtoisie. ⚭ XVIe s. (1370, communauté organisée) ; lat. *civilitas* ; [sivilite].

**CIVIQUE, adj.**
**1.** Du citoyen ; relatif au citoyen comme membre de la cité : *Droits **civiques*** ; *Instruction **civique**,* qui prépare au rôle de citoyen. **2.** Qui est propre au bon citoyen : *Comportement **civique*** ; *Sens **civique**,* sens que l'on a de ses responsabilités de citoyen. ⚭ 1504 ; lat. *civicus,* « du citoyen » ; [sivik].

**CIVISME, subst. m.**
Sens civique. ⚭ 1770 ; lat. *civis,* « citoyen » ; [sivism].

**Cl, voir CHLORE**

**cl, voir CENTILITRE**

**CLABAUD, subst. m.**
*Vèn.* Chien de chasse qui clabaude. ⚭ 1501 ; p.-ê. dial. °*claber,* de *clapper* ; [klabo].

**CLABAUDAGE, subst. m.**
**1.** *Vèn.* Aboiement d'un chien qui clabaude. **2.** Fig. Criaillerie ; propos médisants. ⚭ 1567 ; ☞ *clabauder* ; [klabodaʒ].

**CLABAUDER, verbe intrans.** [3]
**1.** *Vèn.* En parlant d'un chien, aboyer hors des voies du gibier. **2.** Fig. Criailler contre qqn ; se répandre en médisances. ⚭ 1564 ; ☞ *clabaud* ; [klabode].

**CLABAUDERIE, subst. f.**
Criaillerie ; médisance. ⚭ 1611 ; ☞ *clabauder* ; [klabodʀi].

**CLABOT, voir CRABOT**

**CLABOTAGE, voir CRABOTAGE**

**CLABOTER (I), voir CRABOTER**

**CLABOTER (II), verbe intrans.** [3]
Mourir (argot.). ⚭ 1899 ; dial. *claboter,* « faire claquer des sabots », d'orig. onomat. ; [klabɔte].

**CLAC, interj.**
Traduit un bruit sec, un claquement. ⚭ Fin XVe s. ; onomat. ; [klak].

**CLACTONIEN, IENNE, subst. m. et adj.**
*Préhist.* **Subst.** Premier type d'industrie sur éclats du Paléolithique inférieur, qui suit la culture des galets taillés de *Homo habilis* et qui est celle de *Homo erectus.* **Adj.** De cette industrie. ⚭ Topon. *Clacton-on-Sea* (Angleterre) ; [klaktɔnjɛ̃, jɛn].

**CLADE, subst. m.**
*Biol.* Groupe d'êtres vivants dont l'origine, dans le grand arbre de l'évolution, est la même. Les Chordés, par ex., forment un **clade**. ⚭ V. 1960 ; gr. *klados,* « branche, rameau » ; [klad].

**CLADOCÈRES, subst. m. plur.**
*Zool.* Ordre de crustacés branchiopodes pourvus d'une carapace bivalve, d'yeux sessiles, de grandes antennes, et qui vivent en eau douce. **Au sing.** *La puce d'eau est un **cladocère**.* ⚭ XIXe s. ; gr. *klados,* « branche, rameau », + *-cère* ; [kladɔsɛʀ].

**CLAFOUTIS, subst. m.**
*Cuis.* Sorte de flan aux fruits. ⚭ Mil. XIXe s. ; mot d'un dial. du Centre, de l'anc. fr. *claufir,* « fixer avec des clous », du lat. *clavo figere* ; [klafuti].

**CLAIE, subst. f.**
**1.** Treillis à claire-voie, en osier. **2.** Anal. Ouvrage à claire-voie servant de palissade, de plateau, etc. ⚭ 1155 ; gaul. °*cleta* ; [klɛ].

**CLAIR, CLAIRE, adj., adv. et subst. m.**
**Adj. 1.** Qui émet de la lumière ou qui la reflète : *Un feu très **clair**.* **2.** Translucide, transparent ; limpide : *Une eau **claire**.* **3.** Qui est bien éclairé : *Une pièce **claire**.* **4.** Qui n'est pas foncé : *Des robes vert **clair**.* **5.** Peu dense : *Un potage **clair**.* **6.** Net, pur, cristallin, en parlant d'un son. **7.** Fig. Facile à comprendre : *Discours **clair*** ; par méton. : *Avoir un esprit **clair**,* juger avec netteté. ► Évident, manifeste : *Il t'aime, c'est **clair**.* **Adv. 1.** *Il fait **clair*** : il fait jour. **2.** *Voir **clair*** : voir de façon nette et distincte ou, au fig., avoir l'esprit pénétrant. **3.** *Parler **clair*** : d'une voix nette ou, au fig., franchement. **Subst. 1.** Clarté, lumière : ***Clair** de lune.* **2.** Loc. ► *Mettre, tirer au **clair*** : rendre intelligible, élucider. ► *En **clair*** : de façon compréhensible, ou sans codage. ► *Le plus **clair** de* : l'essentiel de, ou ce qui ressort de. **3.** *B.-a. Les **clairs** d'un tableau* : ses parties les plus **claires**. ⚭ XIe s. ; lat. *clarus* ; [klɛʀ].

**CLAIRANCE, subst. f.**
*Physiol. **Clairance** rénale d'une substance* : volume (en ml) de plasma sanguin épuré de cette substance (par élimination rénale) en 1 min. Ce coefficient mesure donc la qualité de la fonction rénale. ⚭ V. 1970 ; angl. *clearance,* d'apr. *clair* ; [klɛʀɑ̃s].

**CLAIRE, subst. f.**
Bassin où l'on affine les huîtres : *Fines de **claire**.* ⚭ Déb. XVIIIe s. ; ☞ *clair* ; [klɛʀ].

**CLAIREMENT,** adv.
De manière claire. Fin XIIe s. ; ☞ *clair* ; [klɛʀmɑ̃].

**CLAIRET, ETTE,** adj.
**1.** Clair, pâle : *Vin **clairet*** ou, empl. subst. masc., *Un **clairet***, vin rouge léger, peu coloré. **2.** Peu épais : *Une sauce **clairette***. Mil. XIIe s. ; ☞ *clair* ; [klɛʀɛ, ɛt].

**CLAIRETTE,** subst. f.
**1.** Cépage blanc du Midi. **2.** Méton. Vin mousseux issu de ce cépage. Mil. XIXe s. ; ☞ *clairet* ; [klɛʀɛt].

**CLAIRE-VOIE,** subst. f.
**1.** Ouvrage, en partic. clôture, formé de lattes, de pièces non jointes. **2.** Loc. *À **claire-voie*** : qui est ajouré. **3.** *Archit.* Rangée de baies des parties supérieures de la nef d'une église. 1344 ; comp. de *clair* et de *voie* ; plur. *claires-voies* ; [klɛʀvwa].

**CLAIRIÈRE,** subst. f.
**1.** Espace dégarni d'arbres, dans un bois, une forêt. **2.** *Text.* Dans une étoffe, endroit où le tissage est moins serré. Mil. XVIe s. ; ☞ *clair* ; [klɛʀjɛʀ].

*Le Reniement de saint Pierre (détail), peinture de Georges de La Tour (1593-1652), un maître du **clair-obscur**. Musée des Beaux-Arts, Nantes.*

© Giraudon

**CLAIR-OBSCUR,** subst. m.
**1.** *Peint.* Façon de moduler la lumière sur un fond sombre, qui suggère le relief, la profondeur ; par méton., gravure, tableau ainsi traité : *Un **clair-obscur** de Rembrandt.* **2.** Ext. Effet de lumière dans l'ombre ; lumière tamisée. 1596 ; ital. *chiaroscuro* ; plur. *clairs-obscurs* ; [klɛʀɔpskyʀ].

**CLAIRON,** subst. m.
*Mus.* **1.** Instrument à vent de la famille des cuivres, à une ou deux boucles, sans pistons ni clés ; par méton., personne, en partic. soldat, qui en joue. **2.** Un des jeux de l'orgue. **3.** Deuxième registre de la clarinette. Fin XIIIe s. ; ☞ *clair* ; [klɛʀɔ̃].

**CLAIRONNANT, ANTE,** adj.
Qui rappelle le son clair et retentissant du clairon. Déb. XXe s. ; p. pr. de *claironner* ; [klɛʀɔnɑ̃, ɑ̃t].

**CLAIRONNER,** verbe [3]
Intrans. **1.** Jouer du clairon (rare). **2.** Parler d'une voix retentissante. Trans. Proclamer bruyamment, à tous les vents : ***Claironner** un succès.* 1559 ; ☞ *clairon* ; [klɛʀɔne].

**CLAIRSEMÉ, ÉE,** adj.
**1.** Semé de façon espacée : *Gazon **clairsemé*** ; par anal., disséminé, épars : *Des arbres **clairsemés***. **2.** Fig. Peu nombreux : *Un public **clairsemé***. XIIIe s. ; formé de *clair* et du p. p. de *semer* ; [klɛʀsəme].

**CLAIRVOYANCE,** subst. f.
**1.** Vx. Capacité de voir distinctement. **2.** Discernement, perspicacité. **3.** *Parapsychol.* Faculté de percevoir de façon extrasensorielle. 1580 ; formé de *clair* et de *voyance* (vx), « vue » ; [klɛʀvwajɑ̃s].

**CLAIRVOYANT, ANTE,** adj.
**1.** Vx. Doté d'une bonne vue. **2.** Intelligent, perspicace. **3.** *Parapsychol.* Doué de clairvoyance ; empl. subst., personne **clairvoyante**. 1121 ; formé de *clair* et de *voyant* ; [klɛʀvwajɑ̃, ɑ̃t].

**CLAM,** subst. m.
*Zool.* Mollusque marin bivalve de forme triangulaire (*Venus mercenaria*), dont la chair est très appréciée. 1870 ; mot angl. ; [klam].

**CLAMECER,** voir **CLAMSER**

**CLAMER,** verbe trans. [3]
Exprimer avec véhémence : ***Clamer** son innocence.* Fin XIe s. ; lat. *clamare* ; [klame].

**CLAMEUR,** subst. f.
Cri confus émanant d'une foule. Mil. XIe s. ; lat. *clamor* ; [klamœʀ].

**CLAMP,** subst. m.
Pince à branches servant, dans les interventions chirurgicales, à empêcher les hémorragies. 1873 ; mot angl. ; [klɑ̃p].

**CLAMSER,** verbe intrans. [3]
Mourir (argot.). 1867 ; p.-ê. altér. de *crampe* ; var. *clamecer* [4] (défectif) ; [klamse].

**CLAN,** subst. m.
**1.** En Écosse et en Irlande, ensemble de familles ayant un ancêtre commun. **2.** Fig. Coterie, faction : *L'esprit de **clan*** ; par ext., groupement de malfaiteurs : *Règlement de comptes entre **clans***. **3.** *Anthropol.* Groupe humain dont les membres se réclament d'un ancêtre commun, le plus souvent mythique, en vertu d'un mode de filiation exclusif (en ligne paternelle ou maternelle). 1750 ; angl. *clan*, du gaélique *clann*, « descendance, famille » ; [klɑ̃].

**CLANDESTIN, INE,** adj. et subst.
Se dit d'une personne qui agit en cachette, souv. illégalement : *Un passager **clandestin***, qui se cache pour voyager sans papiers ou sans billet. Adj. Qui se fait en cachette, souv. illégalement : *Travail **clandestin***. Mil. XIVe s. ; lat. *clandestinus* ; [klɑ̃dɛstɛ̃, in].

**CLANDESTINEMENT,** adv.
De manière clandestine. 1398 ; ☞ *clandestin* ; [klɑ̃dɛstinmɑ̃].

**CLANDESTINITÉ,** subst. f.
**1.** Caractère de ce qui est clandestin. **2.** État de ceux qui mènent une vie clandestine. **3.** *Dr.* Défaut de publicité entraînant la nullité de certains actes ou droits : ***Clandestinité** d'un mariage.* Fin XVIe s. ; ☞ *clandestin* ; [klɑ̃dɛstinite].

**CLANIQUE,** adj.
Relatif au clan, au clanisme. 1936 ; ☞ *clan* ; [klanik].

**CLANISME,** subst. m.
**1.** *Anthropol.* Organisation sociale fondée sur l'appartenance à un clan. **2.** *Sociol.* Comportement qui fait primer les règles d'un groupe sur celles de la société. V. 1980 ; ☞ *clan* ; [klanism].

**CLAPET,** subst. m.
**1.** Élément mobile d'une soupape. **2.** Fig. Bouche, en tant qu'organe de la parole (fam.) : ***Ferme ton clapet !*** 1516 ; ☞ *clapper* ; [klapɛ].

**CLAPIER,** subst. m.
**1.** Vx. Ensemble de terriers de lapins. **2.** Ext. Cage, cabane à lapins. **3.** Fig. Logis insalubre, taudis. 1210 ; prov. *clapier*, de *clap*, « tas de pierre » ; [klapje].

**CLAPIR,** verbe intrans. [19]
Pousser son cri, en parlant du lapin. 1701 ; var. de *glapir* ; [klapiʀ].

**CLAPIR (SE),** verbe pronom. [19]
Se blottir, se cacher dans un trou, en parlant d'un lapin (rare). 1718 ; ☞ *clapier* ; [klapiʀ].

**CLAPOT,** subst. m.
Agitation de la surface de l'eau due à de petites vagues serrées. 1888 ; ☞ *clapoter* ; [klapo].

**CLAPOTEMENT,** subst. m.
Action de clapoter ; clapotis. 1832 ; ☞ *clapoter* ; synon. vieilli *clapotage* ; [klapɔtmɑ̃].

**CLAPOTER,** verbe intrans. [3]
Produire un clapotis. 1833 (1611, frapper qqch. avec la main) ; orig. onomat. ; [klapɔte].

**CLAPOTIS,** subst. m.
Agitation de l'eau due à des vaguelettes qui s'entrechoquent ; le bruit qui en résulte. 1792 ; ☞ *clapoter* ; [klapɔti].

**CLAPPEMENT,** subst. m.
Bruit sec que l'on émet en détachant brusquement la langue du palais. 1831 ; ☞ *clapper* ; [klapmɑ̃].

**CLAPPER,** verbe intrans. [3]
Produire un clappement. 1832 (XIIIe s., frapper) ; orig. onomat. ; [klape].

**CLAQUAGE,** subst. m.
**1.** *Pathol.* Rupture des fibres musculaires ou tendineuses, gén. due à un effort intense. **2.** *Électr.* Destruction d'un isolant due à une tension excessive. 1901 ; ☞ *claquer* ; [klakaʒ].

**CLAQUE (I),** subst. f.
**I. 1.** Coup porté du plat de la main ; gifle : *Tête à **claques***, personne exaspérante. **2.** Méton. Groupe de personnes payées pour applaudir un artiste, un spectacle, etc. **3.** Loc. *En avoir sa **claque*** : être exténué ou excédé (fam.). **II. 1.** Partie de la chaussure qui couvre l'avant-pied. **2.** Québ. Caoutchouc enveloppant la chaussure pour la protéger de la boue. 1306 ; orig. onomat. ; [klak].

**CLAQUE (II),** subst. m.
Chapeau haut de forme à ressort, que l'on peut aplatir ; en appos. : *Un chapeau **claque***. 1750 ; ☞ *claque* (I) ; [klak].

**CLAQUE (III),** subst. m.
Maison de prostitution ou de jeu (argot.). 1883 ; ☞ *claquer* ; [klak].

**CLAQUEMENT,** subst. m.
Fait de claquer ; bruit de ce qui claque. 1552 ; ☞ *claquer* ; [klakmɑ̃].

**CLAQUEMURER,** verbe trans. [3]
Enfermer dans un lieu étroit. Pronom. Se tenir enfermé. 1644 ; p.-ê. *claquemur*, ancien jeu d'enfants, formé de *claque* (I) et de *mur* ; [klakmyʀe].

**CLAQUER,** verbe [3]
Intrans. **1.** Produire un bruit bref et sonore : *Coup de feu qui **claque***. ▸ Loc. fam. ***Claquer** du bec* : être affamé ; ***Claquer** des dents* : avoir froid ou peur. **2.** Se briser, se casser (fam.) : *Verre qui **claque***. **3.** Mourir (pop.). Trans. **1.** Fermer violemment : ***Claquer** la porte.* **2.** Gifler. **3.** Épuiser (fam.) : ***Claquer** sa monture.* **4.** Dépenser, gaspiller (fam.) : ***Claquer** sa paie.* Pronom. **1.** S'épuiser (pop.). **2.** *Pathol.* Se faire un claquage (à) : *Se **claquer** un tendon.* 1508 ; orig. onomat. ; [klake].

**CLAQUET,** subst. m.
Petite latte placée sur la trémie d'un moulin, qui claque sans arrêt. Fin XVe s. ; p.-ê. *claqueter* ; [klakɛ].

**CLAQUETER,** verbe intrans. [14]
Craqueter, en parlant de la cigogne. 1530 ; ☞ *claquer* ; [klak(ə)te].

**CLAQUETTE,** subst. f.
**1.** Instrument formé de deux planchettes articulées que l'on fait claquer pour donner certains signaux (synon. *claquoir*). **2.** *Cin.* Cet instrument, muni d'un panneau où l'on note les références d'une prise de vues. Plur. Plaquettes de métal fixées aux semelles des chaussures, que l'on fait claquer pour rythmer une danse ; par méton., ce type de danse. 1539 ; ☞ *claquer* ; [klakɛt].

**CLAQUOIR,** subst. m.
Claquette. 1875 ; ☞ *claquer* ; [klakwaʀ].

**CLARIAS,** subst. m.
*Zool.* Poisson de la famille des Clariidés qui vit dans les marécages africains et qui peut respirer hors de l'eau. Lat. sc. *clarias* ; [klaʀjas].

**CLARIFICATION,** subst. f.
Action de clarifier ; son résultat. 1474 ; ☞ *clarifier* ; [klaʀifikasjɔ̃].

**CLARIFIER,** verbe trans. [6]
**1.** Rendre plus compréhensible : ***Clarifier** sa pensée.* **2.** Ext. Éclaircir, purifier (un liquide). 1391 (fin XIIe s., rendre illustre) ; lat. eccl. *clarificare*, « glorifier », du lat. *clarus*, « clair, illustre » ; [klaʀifje].

**CLARINE,** subst. f.
Clochette que l'on suspend au cou du bétail. Fin XVIe s. ; *clarin* (vx), « clairon », de *clair* ; [klaʀin].

**CLARINETTE,** subst. f.
*Mus.* Instrument à vent de la famille des bois, à bec et à anche simple, garni de clés. 1753 ; prob. prov. *clarin*, « hautbois » ; [klaʀinɛt].

**CLARINETTISTE,** subst.
Personne qui joue de la clarinette. 1834 ; ☞ *clarinette* ; [klaʀinɛtist].

**CLARISSE,** subst. f.
Religieuse de l'ordre contemplatif fondé en 1212 par sainte Claire. 1631 ; lat. médiév. *clarissa*, de l'anthropon. lat. *Clara*, « Claire » ; [klaʀis].

**CLARTÉ,** subst. f.
**1.** Lumière : ***Clarté** du jour, de la lune.* **2.** Transparence ; luminosité : ***Clarté** de l'eau* ; ***Clarté** d'une chambre.* **3.** Caractère de ce qui est facile à comprendre ; netteté, précision : *Parler avec **clarté**.* **4.** ***Clarté** d'esprit* : lucidité. Plur. Connaissances, notions (vieilli) : *Avoir des **clartés** sur un sujet.* Xe s. ; lat. *claritas*, de *clarus*, « clair, illustre » ; [klaʀte].

1

2

3

4

LE **CLASSICISME** EN ART ET EN ARCHITECTURE

1. Le Mariage de la Vierge, *peinture sur bois de Raphaël (1483-1520). Pinacothèque de Brera, Milan.*

2. Vue du château de Versailles en 1668, *peinture de Pierre Patel (1605-1676). Musée national du château de Versailles. L'ensemble constitue un pur exemple du classicisme du* XVII^e *s. en France.*

3. L'Amour sacré et profane, *peinture de Titien (v. 1490-1576). Galerie Borghèse, Rome.*

4. Le Parnasse, *peinture de Nicolas Poussin (1594-1665). Musée du Prado, Madrid.*

**CLASH,** subst. m.
Rupture ou conflit brutal, violent (anglic. fam.). V. 1960 ; angl. *clash,* « fracas » ; [klaʃ].

**CLASSE,** subst. f.
**I. 1.** Groupe, compris dans un ensemble plus large, de personnes, de choses ayant des fonctions ou des caractères communs ; catégorie : *Musique destinée à une certaine* **classe** *d'auditeurs.* **2.** Ensemble de personnes défini selon des critères sociologiques, historiques, économiques, etc. : *Lutte des* **classes** ; **Classe** *ouvrière.* ▸ Anal. **Classe** *politique* : toutes les personnes dont l'activité principale est la politique (élus, chefs de parti, etc.). **3.** *Spéc.* ▸ *Math.* **Classe** *d'équivalence dans un ensemble muni d'une relation d'équivalence* $\mathcal{R}$ : sous-ensemble constitué d'éléments deux à deux équivalents suivant la relation $\mathcal{R}$. ▸ *Stat.* Chacun des intervalles d'une partition de l'ensemble des valeurs prises par une variable statistique. ▸ *Zool.* et *Bot.* Chacune des grandes divisions d'un embranchement (☞ *systématique*) : **Classe** *des Mammifères, des Diatomées.* **II. 1.** Catégorie, rang attribué en fonction de l'importance, de la qualité, de la valeur : *Voiture de seconde* **classe** ; *Soldat de première* **classe**. **2.** Qualité, valeur ; distinction : *Cette femme a de la* **classe**. **III. 1.** Chacun des degrés d'études, dans un établissement scolaire : **Classe** *de sixième.* **2.** Enseignement scolaire ; séance consacrée à une discipline scolaire : *Livres de* **classe** ; **Classe** *de mathématiques* ; **Classe** *de neige,* **classe** *verte,* séjour à la montagne, à la campagne d'une **classe** d'écoliers accompagnés de leur professeur. **3.** Groupe d'élèves assistant au même cours : *C'est le plus turbulent de la* **classe**. **4.** Salle où est dispensé un enseignement scolaire. ▸ Loc. *Aller en* **classe** : à l'école. **Plur.** *Faire ses* **classes** : recevoir l'instruction militaire de base et, par ext., apprendre les rudiments d'une matière, d'un métier, etc. Mil. XIV^e s. ; lat. *classis,* « division des citoyens » ; [klɑs].

**CLASSEMENT,** subst. m.
**1.** Action de classer ; son résultat. **2.** Manière de classer, d'être classé : **Classement** *alphabétique.* **3.** Rang attribué à qqn : *Améliorer son* **classement** *au championnat.* 1784 ; ☞ *classer* ; [klasmɑ̃].

**CLASSER,** verbe trans. [3]
**1.** Ranger, distribuer par classes ou dans un ordre donné : **Classer** *des livres.* **2.** Ranger dans une classe, une catégorie : *On* **classe** *le kiwi parmi les oiseaux.* ▸ **Classer** *un individu* : le juger définitivement (péj.). **3.** Assigner à (qqn, qqch.) un rang selon le mérite, la valeur, la qualité ; empl. pronom. : *Il s'est* **classé** *cinquième.* **4.** **Classer** *un monument, un mobilier, un site* : placer sa sauvegarde sous le contrôle de l'État. **5.** Fig. **Classer** *une affaire* : ranger son dossier, la considérer comme réglée. 1756 ; ☞ *classe* ; [klase].

**CLASSEUR,** subst. m.
Portefeuille, chemise ou meuble à compartiments servant à classer des documents. 1811 ; ☞ *classer* ; [klasœʀ].

**CLASSICISME,** subst. m.
**1.** Idéal, doctrine, ensemble de tendances esthétiques apparus en France au XVII^e s., inspirés par l'admiration des Anciens, et se caractérisant par la recherche de l'ordre, de la clarté, de l'équilibre, etc. **2.** Ext. Caractère des œuvres, des artistes, des époques, etc., que l'on peut qualifier de classiques : *Le* **classicisme** *du style de Montherlant.* **3.** Caractère de ce qui est classique, conforme aux traditions. 1817 ; ☞ *classique* ; [klasisism].

**BEAUX-ARTS** – En architecture, en peinture et en sculpture, le terme « classicisme » désigne toute esthétique s'inspirant de l'Antiquité classique et visant à restaurer les principes d'harmonie et d'équilibre qui l'ont fondée : contrairement au baroque, qui privilégie « le mouvement, le changement », le classicisme recherche « le parfait et l'achevé » (H. Wölfflin). Né en Italie à la Renaissance (Bramante, Palladio, les Carrache), ce courant s'est plus particulièrement identifié à l'art français du XVIIe s. (Poussin, Le Brun, Mansart), acquérant un statut officiel avec la fondation de l'Académie royale de peinture et de sculpture, en 1648. Après une éclipse, le classicisme retrouvera dans la seconde moitié du XVIIIe s. la faveur des artistes européens. Ce sera le « néoclassicisme » (David, Thorvaldsen).

MUSIQUE – Le classicisme musical s'est cristallisé dans deux périodes : aux XVIIe et XVIIIe s., en France, de Lully à Rameau, puis, à l'échelle européenne, du milieu du XVIIIe s. (avec l'abandon de la basse continue et le développement des formes symphoniques) au début du XIXe s., d'abord en Allemagne (école de Mannheim), ensuite à Vienne, avec Haydn, Mozart et Beethoven. Opposé par convention au baroque et au romantisme, il sera revendiqué au XXe s. par de nombreux musiciens européens « néoclassiques » (Hindemith, Poulenc, Malipiero), en réaction contre le vérisme, l'impressionnisme, l'expressionnisme ou le dodécaphonisme.

**CLASSIFICATEUR, TRICE, subst. et adj.**
ADJ. Qui classifie. SUBST. Personne qui établit des classifications. SUBST. MASC. Chose servant à classifier. 1783 ; ☞ *classifier* ; [klasifikatœʀ, tʀis].

**CLASSIFICATION, subst. f.**
**1.** Distribution, répartition par classes, par catégories. **2.** *Doc.* ***Classification** décimale universelle (C. D. U.)* : mode de **classification** des ouvrages d'une bibliothèque fondé sur la numérotation décimale. **3.** *Bot.* et *Zool.* ***Classification** binominale* : désignation de chaque espèce vivante (plante ou animal) par deux mots latins indiquant respectivement son genre et son espèce à l'intérieur du genre (ex. : le citronnier est l'espèce *limonia* du genre *Citrus*, on le nomme *Citrus limonia*). **4.** *Chim.* ***Classification** périodique des éléments* (☞ *élément*). 1752 ; ☞ *classifier* ; [klasifikasjɔ̃].

**CLASSIFICATOIRE, adj.**
**1.** Qui constitue une classification ; qui y contribue. **2.** *Anthropol.* *Parenté **classificatoire*** : représentation de la parenté où les consanguins sont répartis entre des classes d'individus auxquels est appliqué le même terme (anton. *parenté descriptive*). 1874 ; ☞ *classification* ; [klasifikatwaʀ].

**CLASSIFIER, verbe trans. [6]**
Procéder à la classification de ; empl. abs., établir des classifications. Déb. XVIe s. ; lat. °*classificare*, de *classis*, « classe », et de *facere*, « faire » ; [klasifje].

**CLASSIQUE, adj. et subst. m.**
ADJ. **1.** Qui appartient à l'Antiquité grecque et romaine. ▸ *Études **classiques*** : du latin et du grec. **2.** Qui appartient au classicisme ; qui en relève. **3.** Dans le processus d'évolution artistique d'une civilisation, se dit de l'époque où s'équilibrent adresse technique et sens de la mesure, de l'ordre : *En Grèce, la période **classique** précède la période hellénistique.* **4.** Qui est tenu pour un modèle ; qui sert de référence : *Ouvrage **classique**.* **5.** *Musique **classique*** : composée du milieu du XVIIIe jusqu'au début du XIXe s. et, par ext., musique des grands compositeurs occidentaux. **6.** Conforme à l'usage, traditionnel. **7.** Banal, habituel : *Erreur **classique**.* **8.** *Écon.* *École **classique*** : groupe d'économistes de la fin du XVIIIe et du début du XIXe s., tenus pour les fondateurs de l'économie politique. **9.** *Milit.* *Armes **classiques*** : qui ne sont ni nucléaires, ni bactériologiques, ni chimiques (synon. *conventionnelles*). SUBST. **1.** Auteur, ouvrage **classique** : *Connaître ses **classiques**.* **2.** **Le classique.** ▸ L'art **classique**, en partic. la musique : *J'aime le **classique**.* ▸ Ce qui est traditionnel, conforme à l'usage. 1548 ; lat. *classicus*, « de première classe » ; [klasik].

LITTÉRATURE – On nomme « classiques » des écrivains du XVIIe s. tels que Boileau, Bossuet, Molière, Racine, Perrault, La Fontaine ou La Rochefoucauld, qui, au-delà de leur originalité propre, partagent le culte de l'Antiquité grecque et romaine, ont le souci de la clarté, de la mesure, de l'équilibre, et s'intéressent à la « nature humaine ». Ils recherchent la perfection de la forme en la soumettant à des règles strictes et à une rhétorique épurée, dans le dessein d'aboutir au « naturel », à la correspondance parfaite entre le sujet et sa représentation.

**CLASSIQUEMENT, adv.**
D'une manière classique, traditionnelle ou habituelle. 1809 ; ☞ *classique* ; [klasikmɑ̃].

**CLASTIQUE, adj.**
**1.** *Anat.* *Pièces **clastiques*** : artificielles et démontables. **2.** *Géol.* Qui résulte d'un processus de fracturation ; par ext., composé de débris : *Roche **clastique**.* **3.** *Psych.* Se dit d'une crise au cours de laquelle le sujet manifeste avec violence sa destructivité. Déb. XIXe s. ; gr. *klastos*, « brisé » ; [klastik].

**CLAUDICANT, ANTE, adj.**
Boiteux (littér.). 1495 ; lat. *claudicare*, « boiter » ; [klodikɑ̃, ɑ̃t].

**CLAUDICATION, subst. f.**
Fait de claudiquer (littér.). ▸ ***Claudication** intermittente* : irrégularité pathologique de la marche, d'origine vasculaire. Fin XIIIe s. ; lat. *claudicatio* ; [klodikasjɔ̃].

**CLAUDIQUER, verbe intrans. [3]**
Boiter (littér.). Déb. XVIe s. ; ☞ *claudicant* ; [klodike].

**CLAUSE, subst. f.**
*Dr.* Disposition particulière d'un acte juridique : *Les **clauses** d'un traité.* ▸ ***Clause** de style* : qui figure dans tous les actes juridiques de même nature ou, au fig., formule consacrée et sans grande signification. ▸ ***Clause** compromissoire pénale, résolutoire* (☞ *compromissoire, pénal, résolutoire*). 1463 (XIIe s., fin de vers) ; prob. lat. médiév. *clausa*, du lat. *claudere*, « clore » ; [kloz].

**CLAUSTRA, subst. m.**
Cloison légère ajourée. Mil. XXe s. ; lat. *claustra*, « clôture » ; [klostʀa].

**CLAUSTRAL, ALE, AUX, adj.**
**1.** Qui est relatif ou qui appartient au cloître. **2.** Fig. Qui évoque l'austérité du cloître. 1394 ; lat. médiév. *claustralis*, de *claustrum*, « cloître » ; [klostʀal, o].

**CLAUSTRATION, subst. f.**
**1.** Séjour prolongé dans un cloître ou, par ext., dans un lieu clos et isolé. **2.** *Psych.* Réclusion volontaire et pathologique. 1791 ; ☞ *claustrer* ; [klostʀasjɔ̃].

**CLAUSTRER, verbe trans. [3]**
Enfermer (qqn) dans un cloître ou, par ext., dans un lieu clos et isolé. PRONOM. S'enfermer, s'isoler. XVIIIe s. ; ☞ *claustral* ; [klostʀe].

**CLAUSTROMANIE, subst. f.**
*Psych.* Tendance pathologique à s'imposer une claustration. ☞ *claustrer* + *-manie* ; [klostʀomani].

**CLAUSTROPHOBE, subst. et adj.**
Se dit d'une personne atteinte de claustrophobie. 1904 ; ☞ *claustrer* + *-phobe* ; [klostʀofɔb].

**CLAUSTROPHOBIE, subst. f.**
*Psych.* Crainte maladive de se trouver dans un espace clos. 1890 ; ☞ *claustrer* + *-phobie* ; [klostʀofɔbi].

**CLAUSULE, subst. f.**
*Rhét.* Dernier membre d'un vers, d'une strophe, d'une période oratoire. 1552 (1323, clause) ; lat. *clausula*, « fin de phrase ; clause » ; [klozyl].

**CLAVAIRE, subst. f.**
*Bot.* Champignon basidiomycète dont la forme évoque une massue dressée ou qui présente des ramifications charnues. 1778 ; lat. sc. *clavaria*, du lat. *clava*, « massue » ; [klavɛʀ].

**CLAVEAU (I), subst. m.**
*Archit.* Pierre en forme de coin faisant partie de l'appareil d'une plate-bande, d'un arc, d'une voûte. 1455 (mil. XIIe s., clou) ; lat. *clavis*, « clé » ; [klavo].

**CLAVEAU (II), subst. m.**
*Vétér.* **1.** Virus de la clavelée. **2.** Substance purulente des éruptions de la clavelée, utilisée notamment comme vaccin. Déb. XIIIe s. ; bas lat. *clavellus*, « bouton, pustule » ; [klavo].

**CLAVECIN, subst. m.**
*Mus.* Instrument à cordes pincées, comportant un ou plusieurs claviers : *Les suites pour **clavecin**, de J.-S. Bach.* 1611 ; lat. médiév. *clavicymbalum*, du lat. *clavis*, « clé », et *cymbalum*, « cymbale » ; [klav(ə)sɛ̃].

**CLAVECINISTE, subst.**
Personne qui joue du clavecin. 1695 ; ☞ *clavecin* ; [klav(ə)sinist].

**CLAVELÉ, ÉE, adj.**
Qui est atteint par la clavelée. 1546 ; ☞ *clavelée* ; synon. *claveleux, euse* ; [klav(ə)le].

**CLAVELÉE, subst. f.**
*Vétér.* Maladie contagieuse du mouton, due à un ultravirus et caractérisée par une éruption de vésicules sur la peau et les muqueuses. 1464 ; anc. fr. *clavel*, « claveau (II) » ; [klav(ə)le].

**CLAVELEUX, voir CLAVELÉ**

**CLAVELISER, verbe trans. [3]**
*Vétér.* Inoculer le virus de la clavelée à (un mouton) afin de le vacciner contre cette maladie. 1832 ; ☞ *clavelée* ; [klav(ə)lize].

**CLAVER, verbe trans. [3]**
*Archit.* Mettre en place la clef de (une voûte, un arc). XIXe s. ; prov. *clavar*, du lat. *clavis*, « clé » ; [klave].

**CLAVETAGE, subst. m.**
**1.** *Chir.* Opération consistant à poser un greffon osseux, formant clavette, entre le tibia et l'astragale. **2.** *Techn.* Action de rendre solidaires ou de bloquer deux pièces mécaniques par une clavette ; l'assemblage ainsi obtenu. 1892 ; ☞ *claveter* ; [klav(ə)taʒ].

**CLAVETER, verbe trans. [14]**
Fixer ou assembler par une ou plusieurs clavettes. 1861 ; ☞ *clavette* ; [klav(ə)te].

**CLAVETTE, subst. f.**
Petite cheville, gén. métallique, conique ou prismatique, utilisée pour assembler deux pièces. Mil. XVIe s. (1160, petite clé) ; lat. *clavis*, « clé » ; [klavɛt].

**CLAVICORDE, subst. m.**
*Mus.* Instrument à clavier et à cordes frappées, ancêtre du piano. 1514 ; lat. médiév. *clavicordium*, du lat. *clavis*, « clé », et *corda*, « corde » ; [klavikɔʀd].

**CLAVICULE, subst. f.**
*Anat.* Os long, en forme d'S, qui s'articule avec le sternum et avec l'acromion de l'omoplate, et qui forme avec cette dernière le squelette de l'épaule. 1541 ; lat. *clavicula*, « petite clé » ; [klavikyl].

**CLAVIER, subst. m.**
**1.** Ensemble des touches de certains instruments de musique à cordes ou à vent. **2.** Ext. Ensemble des touches de divers appareils : ***Clavier** d'un ordinateur, d'un téléphone.* **3.** Fig. Ensemble des qualités, des moyens dont on dispose ; gamme, ensemble des degrés, des nuances dans un domaine donné : *Jouer sur le **clavier** des sentiments.* 1419 (XIIe s., gardien des clés) ; lat. *clavis*, « clé » ; [klavje].

**CLAVISTE, subst.**
Personne qui compose des textes sur une machine à clavier. XIXe s. ; ☞ *clavier* ; [klavist].

**CLAYÈRE, subst. f.**
Parc à huîtres clôturé par des claies. 1856 ; ☞ *claie* ; [klɛjɛʀ].

**CLAYETTE, subst. f.**
**1.** Cageot ; petite claie. **2.** Anal. Étagère amovible d'un réfrigérateur. 1863 ; ☞ *claie* ; [klɛjɛt].

**CLAYMORE, subst. f.**
*Hist.* Épée écossaise. Déb. XIXe s. ; angl. *claymore*, du gaélique *claidheamh mòr*, « grand sabre » ; [klɛmɔʀ].

**CLAYON, subst. m.**
**1.** Petite claie servant à faire égoutter les fromages, sécher les fruits, etc. **2.** Claie servant de clôture. Déb. XIVe s. ; ☞ *claie* ; [klɛjɔ̃].

**CLAYONNAGE, subst. m.**
**1.** Assemblage de pieux et de fascines formant une claie, destiné à soutenir des terres. **2.** Ext. Clôture faite d'un assemblage de branches. **3.** Méton. Fabrication et installation de ces ouvrages. 1694 ; ☞ *clayon* ; [klɛjɔnaʒ].

**CLAYONNER, verbe trans. [3]**
Garnir de clayonnages. 1845 ; ☞ *clayon* ; [klɛjɔne].

**CLÉ ou CLEF, subst. f.**
**I. 1.** Instrument métallique servant à ouvrir et à fermer une serrure. ▸ Loc. *Fermer à **clé*** : au moyen d'une **clé** ; *Mettre sous **clé*** : enfermer ; *Mettre la **clé** sous la porte* : déménager furtivement et, par ext., liquider sa société ; ***Clés** en main* : se dit d'une usine prête à l'emploi, d'un logement immédiatement habitable ; *Prendre la **clef** des champs* : se sauver, s'évader ; *Les **clefs** de saint Pierre* : symbole de l'autorité du Saint-Siège. **2.** Fig. Lieu, point stratégique commandant un accès : *Malte, **clé** de la Méditerranée orientale.* ▸ En appos. *Position(-)**clé** ; Secteur(-)**clé**, industrie(-)**clé**, rôle(-)**clé*** : d'importance capitale ; *Mot(-)**clé*** : caractéristique du contenu d'un texte. **3.** Métaph. Ce qui ouvre l'accès à qqch. : *L'exportation est la **clé** de la croissance.* ▸ Fig. *La **clé** d'une œuvre* : ce qui permet de la comprendre ; *La **clé** d'une énigme* : sa solution ; *Livre à **clé*** : où sont déguisés des personnages et des faits réels. **4.** *Mus.* Signe placé en début de portée, qui permet d'attribuer à une note écrite une hauteur déterminée de l'échelle sonore : ***Clé** de « fa ».* ▸ Loc. *À la **clé*** : en début de portée ou, au fig., comme suite logique, prévisible. **II. 1.** Outil servant à serrer et à desserrer, à tendre et à détendre, etc. : ***Clé** à molette.*

**2.** *Archit.* ***Clef de voûte*** : claveau central d'un arc, d'une voûte et, au fig., point ou élément essentiel d'un système, d'un ensemble, etc. **3.** *Mus.* Pièce mobile permettant d'ouvrir et de fermer les trous d'un instrument à vent. **4.** *Sp.* Prise de lutte, de judo, permettant d'immobiliser l'adversaire. Fin XIe s. ; lat. *clavis* ; on peut le plus souvent écrire indifféremment *clé* ou *clef*, mais *clé* semble préférable dans les emplois modernes et en appos., tandis que la graphie *clef* apparaît dans certaines loc. figées ; [kle].

**CLEAN, adj. inv.**
Qui a un aspect propre, soigné (anglic. fam.). V. 1980 ; mot angl. ; [klin].

**CLEARING, subst. m.**
Anglic. *Fin.* Procédé de compensation de dettes et de créances entre banques ou entre pays. ▸ *Accord de* ***clearing*** : accord entre les pays qui veulent établir un système de compensation permanente dans leurs échanges. 1833 ; mot angl. ; [kliʀiŋ].

**CLÉBARD, subst. m.**
Chien (fam.). 1934 ; ☞ *clebs* ; [klebaʀ].

**CLEBS, subst. m.**
Chien (fam.). 1863 ; ar. *kalb*, « chien » ; [klɛps].

**CLÉDAR, subst. m.**
Helv. Barrière à claire-voie fermant un accès. 1716 ; prob. anc. prov. *cleda*, « claie » ; [kledaʀ].

**CLÉMATITE, subst. f.**
*Bot.* Plante grimpante de la famille des Renonculacées, dont on cultive de nombreuses espèces ornementales. XVIe s. ; lat. *clematitis*, du gr. *klêmatitis* ; [klematit].

**CLÉMENCE, subst. f.**
**1.** Vertu consistant à épargner les coupables ou à atténuer leur châtiment. **2.** Fig. *La* ***clémence*** *de la température* : sa douceur. 1268 ; lat. *clementia* ; [klemɑ̃s].

**CLÉMENT, ENTE, adj.**
**1.** Qui fait preuve de clémence ; par ext., empreint de douceur, bienveillant : *Des paroles* ***clémentes***. **2.** Fig. *Un temps, un hiver* ***clément*** : doux, peu rigoureux. 1213 ; lat. *clemens* ; [klemɑ̃, ɑ̃t].

**CLÉMENTINE, subst. f.**
Fruit du clémentinier, proche de la mandarine, avec laquelle on le confond souvent. Déb. XXe s. ; anthropon. *père Clément*, qui créa ce fruit v. 1902 ; [klemɑ̃tin].

**CLÉMENTINIER, subst. m.**
*Bot.* Hybride supposé du bigaradier et du mandarinier, dont le fruit est la clémentine. 1947 ; ☞ *clémentine* ; [klemɑ̃tinje].

**CLENCHE, subst. f.**
**1.** Levier du loquet d'une porte, qui se cale sur le mentonnet pour la maintenir fermée. **2.** Belg. Poignée de porte. Mil. XIIIe s. ; anc. bas frq. °*klinka*, du m. bas all. *klinke*, d'orig. onomat. ; [klɑ̃ʃ].

**CLEPHTE, subst. m.**
*Hist.* Grec réfugié dans les montagnes pendant l'occupation turque et qui vivait de brigandage. Déb. XIXe s. ; gr. mod. *klephthês*, du gr. anc. *kleptês*, « voleur » ; var. *klephte* ; [klɛft].

**CLEPSYDRE, subst. f.**
Horloge ancienne mesurant le temps par un écoulement régulier d'eau dans un récipient gradué. 1377 ; lat. *clepsydra*, du gr. *klepsudra* ; [klɛpsidʀ].

**CLEPTOMANE, subst. et adj.**
Se dit d'une personne souffrant de cleptomanie. 1896 ; gr. *kleptein*, « voler », + *-mane*[2] ; var. *kleptomane* ; [klɛptɔman].

**CLEPTOMANIE, subst. f.**
*Psych.* Tendance pathologique à commettre des vols. 1840 ; gr. *kleptein*, « voler », + *-manie* ; var. *kleptomanie* ; [klɛptɔmani].

**CLERC, subst. m.**
**1.** *Relig.* Celui qui est entré dans l'état ecclésiastique (anton. *laïque*). **2.** Ext. Homme instruit, lettré ; intellectuel : *Ne pas être grand* ***clerc*** *en la matière*, ne pas y entendre grand-chose. **3.** Employé d'une étude d'officier public ou ministériel : ***Clerc*** *d'avoué*. ▸ Loc. *Un pas de* ***clerc*** : faute, bévue due à l'inexpérience ou à l'imprudence. Xe s. ; lat. chrét. *clericus*, « membre du clergé », du gr. *klêros*, « héritage » ; [klɛʀ].

**CLERGÉ, subst. m.**
Ensemble des ecclésiastiques d'un culte, d'un pays, etc. : *Le* ***clergé*** *anglican* ; *Le* ***clergé*** *de France*. Déb. XIIe s. ; lat. chrét. *clericatus*, « état de clerc » ; [klɛʀʒe].

**CLERGIE, subst. f.**
*Hist.* ***Privilège de clergie*** : privilège en vertu duquel un clerc était jugé par des tribunaux ecclésiastiques. 1155 ; ☞ *clerc* ; [klɛʀʒi].

**CLERGYMAN, subst. m.**
*Relig.* Pasteur protestant anglo-saxon. 1818 ; mot angl. ; plur. *clergymans* ou *clergymen* ; [klɛʀʒiman], plur. [-man] ou [-mɛn].

**CLÉRICAL, ALE, AUX, adj.**
**1.** Relatif au clergé. **2.** Relatif ou favorable au cléricalisme ; empl. subst., partisan du cléricalisme. 1374 ; lat. chrét. *clericalis* ; [kleʀikal, o].

**CLÉRICALISME, subst. m.**
Opinion favorable à l'intervention du clergé dans les affaires publiques (parfois péj.). 1855 ; ☞ *clérical* ; [kleʀikalism].

**CLÉRICATURE, subst. f.**
État, condition des ecclésiastiques. 1429 ; lat. médiév. *clericatura* ; [kleʀikatyʀ].

**CLÉROUCHIE, voir CLÉROUQUIE**

**CLÉROUQUE, subst. m.**
*Antiq.* Colon militaire athénien, qui restait citoyen d'Athènes. Mil. XIXe s. ; gr. *klêroukhos*, « celui qui possède un lot » ; [kleʀuk].

**CLÉROUQUIE, subst. f.**
*Antiq.* Colonie de clérouques. 1877 ; ☞ *clérouque* ; var. *clérouchie* ; [kleʀuki].

**CLIC, interj. et subst. m.**
Interj. Évoque un déclic, le bruit sec d'un claquement. Subst. Bruit sec et bref. ▸ *Phon.* Son claquant produit par une double occlusion du conduit vocal (à l'avant de la bouche et au niveau du palais mou), utilisé dans certaines langues d'Afrique australe (var. *click*). 1578 ; onomat. ; [klik].

**CLICHAGE, subst. m.**
Action de clicher. 1809 ; ☞ *clicher* ; [kliʃaʒ].

**CLICHÉ, subst. m.**
**1.** *Typogr.* Plaque reproduisant en relief une page composée, une gravure, une illustration, et servant à leur impression. **2.** *Phot.* Image négative d'une photo ; par ext., photo. **3.** Fig. Expression toute faite, lieu commun. 1809 ; p. p. de *clicher* ; [kliʃe].

**CLICHER, verbe trans.** [3]
*Typogr.* Réaliser un cliché de (une page, une gravure, etc.). 1803 ; orig. onomat. ; [kliʃe].

**CLICHEUR, EUSE, subst.**
Personne chargée du clichage ; en appos. : *Un ouvrier* ***clicheur***. 1835 ; ☞ *clicher* ; [kliʃœʀ, øz].

**CLICK, voir CLIC**

**CLIENT, ENTE, subst.**
**1.** *Antiq. rom.* Personne qui se plaçait sous le patronage d'un citoyen noble, riche ou puissant. **2.** Personne qui achète des biens ou des services : *Les* ***clients*** *d'un magasin, d'un avocat*. 1345 ; lat. *cliens*, « protégé d'un patron » ; [klijɑ̃, ɑ̃t].

**CLIENTÈLE, subst. f.**
**1.** Ensemble des clients : *La* ***clientèle*** *d'un médecin* ; *La* ***clientèle*** *d'un patricien romain*. **2.** Fait d'être client : *Retirer sa* ***clientèle*** *à qqn*, cesser d'être son client. 1352 ; lat. *clientela* ; [klijɑ̃tɛl].

**CLIENTÉLISME, subst. m.**
Pratique politique consistant à traiter les électeurs comme une clientèle que l'on s'attache par diverses faveurs (péj.). V. 1980 ; ☞ *clientèle* ; [klijɑ̃telism].

**CLIGNEMENT, subst. m.**
Action de cligner ; résultat de cette action. Fin XIIIe s. ; ☞ *cligner* ; [kliɲ(ə)mɑ̃].

**CLIGNER, verbe** [3]
Trans. dir. ***Cligner*** *les yeux* : battre des paupières ou, par ext., fermer les yeux à demi pour mieux voir. Trans. indir. **Cligner de.** **1.** ***Cligner*** *des yeux* : cligner les yeux. **2.** ***Cligner*** *de l'œil* : faire un signe de l'œil (à qqn). Intrans. **1.** Se fermer et s'ouvrir rapidement, en parlant des yeux, des paupières. **2.** Anal. Clignoter, en parlant d'une source lumineuse : *Des étoiles qui* ***clignent***. 1155 ; p.-ê. bas lat. °*cludiniare*, du lat. *cludere*, « fermer » ; [kliɲe].

**CLIGNOTANT, ANTE, adj. et subst. m.**
Adj. Qui clignote. Subst. **1.** Avertisseur lumineux intermittent. ▸ Sur un véhicule, indicateur lumineux de changement de direction. **2.** Fig. Indicateur économique ; signal révélant une situation anormale : *Les* ***clignotants*** *sont au rouge*. 1546 ; p. pr. de *clignoter* ; [kliɲɔtɑ̃, ɑ̃t].

**CLIGNOTEMENT, subst. m.**
Action, fait de clignoter ; le résultat de cette action, de ce fait. 1546 ; ☞ *clignoter* ; [kliɲɔtmɑ̃].

**CLIGNOTER, verbe intrans.** [3]
**1.** Cligner fréquemment ; empl. trans. indir. (rare) : ***Clignoter*** *des yeux*. **2.** S'allumer et s'éteindre par intermittence, en parlant d'une source lumineuse. XIIIe s. ; ☞ *cligner* ; [kliɲɔte].

**CLIMAT, subst. m.**
**1.** Ensemble des conditions météorologiques et atmosphériques d'un lieu donné. ▸ Loc. *Sous ces* ***climats*** : dans ce pays. **2.** Fig. Atmosphère morale, ambiance, circonstances psychologiques, sociales : *Un* ***climat*** *de guerre*. Fin XIIIe s. ; lat. *clima*, du gr. *klima*, « inclinaison du ciel » ; [klima].

**CLIMATÈRE, subst. m.**
*Physiol.* Période critique (inconstante et d'inégale importance selon les sujets) qui survient au moment de la ménopause chez les femmes et, à un moindre degré, de l'andropause chez les hommes. 1546 ; lat. *climacter*, du gr. *klimaktêr*, « degré d'une échelle ; étape » ; [klimatɛʀ].

**CLIMATÉRIQUE, adj. et subst. f.**
*Antiq.* Qualifie ou désigne toute année de la vie humaine multiple de 7 ou de 9, considérée comme critique. Subst. *La grande* ***climatérique*** : la soixante-troisième année. 1554 ; lat. *climactericus*, du gr. *klimaktêr*, « degré d'une échelle ; étape » ; [klimateʀik].

**CLIMATIQUE, adj.**
Relatif au climat. ▸ ***Station climatique*** : au climat bienfaisant. Fin XIXe s. ; ☞ *climat* ; [klimatik].

**CLIMATISATION, subst. f.**
**1.** Action de climatiser. **2.** Installation destinée à produire cet effet. V. 1920 ; ☞ *climatiser* ; [klimatizasjɔ̃].

**CLIMATISER, verbe trans.** [3]
**1.** Maintenir (un local, une enceinte) à une température, à un taux d'humidité déterminés. **2.** Munir d'une climatisation, d'un climatisateur. Déb. XXe s. ; ☞ *climat* ; [klimatize].

**CLIMATISEUR, subst. m.**
Appareil de climatisation. Mil. XXe s. ; ☞ *climatiser* ; [klimatizœʀ].

**CLIMATISME, subst. m.**
Ensemble des questions médicales et administratives relatives aux stations climatiques, et des moyens mis en œuvre pour leur fonctionnement. 1947 ; ☞ *climatique* ; [klimatism].

**CLIMATOLOGIE, subst. f.**
Science dont l'objet est l'étude des phénomènes climatiques. 1834 ; ☞ *climat* + *-logie* ; [klimatɔlɔʒi].

**CLIMATOLOGIQUE, adj.**
Relatif à la climatologie. 1838 ; ☞ *climatologie* ; [klimatɔlɔʒik].

**CLIMATOLOGUE, subst.**
Spécialiste de la climatologie. V. 1950 ; ☞ *climatologie* ; var. *climatologiste* ; [klimatɔlɔg].

**CLIMATOPATHOLOGIE, subst. f.**
*Méd.* Étude des effets pathogènes du climat sur l'organisme. XXe s. ; formé de *climat* et de *pathologie* ; [klimatopatɔlɔʒi].

**CLIMATOTHÉRAPIE, subst. f.**
*Méd.* Utilisation thérapeutique des effets des climats sur l'organisme. 1876 ; formé de *climat* et de *thérapie* ; [klimatoteʀapi].

**CLIMAX, subst. m.**
**1.** *Rhét.* Figure par laquelle le discours s'élève ou descend par degrés successifs et réguliers. **2.** Point de saturation ou d'intensité maximale : *Le* ***climax*** *d'un milieu naturel*, l'état idéal vers lequel tendent la flore et la faune. **3.** *Méd.* et *Physiol.* *Le* ***climax*** *d'une maladie* : son stade le plus intense. 1753 ; gr. *klimax*, « échelle ; gradation » ; [klimaks].

**CLIN, subst. m.**
*Mar.* Disposition des bordages d'une embarcation se recouvrant partiellement l'un l'autre. Déb. XVIe s. ; néerl. *klinkwerk*, « bordage à clin » ; [klɛ̃].

**CLIN D'ŒIL, subst. m.**
Battement rapide de la paupière, gén. destiné à faire signe à qqn : *Un* ***clin d'œil*** *complice*. ▸ Loc. *En un* ***clin d'œil*** : en un instant, très vite. Mil. XVe s. ; comp. de *cligner* et de *œil* ; plur. *clins d'œil* ou *clins d'yeux* ; [klɛ̃dœj], plur. [-dœj] ou [-djø].

**CLINFOC, subst. m.**
*Mar.* Foc léger dont le point d'amure est fixé sur un bout-dehors, en avant du grand foc. 1792 ; néerl. *klein fok*, « petit foc » ; [klɛ̃fɔk].

**CLINICAT, subst. m.**
Fonction de chef de clinique. 1866 ; ☞ *clinique* ; [klinika].

**CLINICIEN, IENNE, subst.**
Médecin qui étudie les maladies par examen direct des malades. 1838 ; ☞ *clinique* ; [klinisjɛ̃, jɛn].

**CLINIQUE,** adj. et subst. f.
ADJ. **1.** *Méd.* Qui se fait au lit du malade : *Observation **clinique** ; Examen **clinique**,* premier temps de l'examen d'un malade (interrogation, inspection, palpation, percussion, auscultation) ; *Signe **clinique**,* symptôme qui s'observe au chevet du malade, sans appareillage (par oppos. aux signes biologiques, radiologiques, etc.). **2.** Ext. *Psychologie **clinique*** : investigation de la personnalité d'un sujet par un entretien non directif et par la simple observation extérieure. SUBST. **1.** Enseignement médical donné dans un service hospitalier avec présentation des malades. **2.** Méton. Service hospitalier dirigé par un professeur de faculté de médecine. ▶ Ext. Établissement hospitalier privé. ⊠ XVII^e s. ; lat. *clinicus,* du gr. *klinikos,* de *klinê,* « lit » ; [klinik].

**CLINIQUEMENT,** adv.
Selon une approche clinique ; du point de vue clinique : *Il fut déclaré **cliniquement** mort.* ⊠ 1852 ; ☞ *clinique* ; [klinikmɑ̃].

**CLINOMÈTRE,** subst. m.
Instrument servant à mesurer l'inclinaison d'un plan, d'une ligne par rapport à un plan horizontal. ⊠ 1846 ; formé de *clino-* et de *-mètre*[1] ; [klinɔmɛtʀ].

**CLINORHOMBIQUE,** adj.
*Minér.* Monoclinique. ⊠ 1873 ; angl. *clinorhombic,* de *rhombic,* « rhombique », + *clino-* ; [klinoʀɔ̃bik].

**CLINQUANT, ANTE,** subst. m. et adj.
SUBST. **1.** Ornement fait de lamelles brillantes d'or, d'argent ou d'autres métaux, dont on rehausse des parures, des broderies, etc. **2.** Anal. **Le clinquant.** Médiocre imitation de métaux précieux, de pierreries : *En fait de bijoux, ce n'était que du **clinquant**.* **3.** Fig. Éclat trompeur, souv. tapageur. ADJ. Qui a un éclat trop voyant ; qui est brillant, mais de peu de valeur. ⊠ Mil. XV^e s. ; var. de *cliquant,* de l'anc. fr. *cliquer,* « retentir, résonner » ; [klɛ̃kɑ̃, ɑ̃t].

**CLIP (I),** subst. m.
Anglic. Bijou muni d'une pince à ressort ; cette pince. ⊠ 1936 ; angl. *clip,* « agrafe » ; [klip].

**CLIP (II),** subst. m.
Anglic. Film très court destiné à illustrer une chanson, à promouvoir un produit, etc. (synon. *vidéoclip*). ⊠ V. 1980 ; anglo-amér. *clip,* « extrait » ; [klip].

**CLIPPER,** subst. m.
*Mar.* Grand voilier aux formes élancées, conçu pour le transport rapide de marchandises sur de longues distances. ⊠ 1845 ; anglo-amér. *clipper,* de *to clip,* « couper, fendre » ; [klipœʀ].

**CLIQUE,** subst. f.
**1.** Groupe d'individus peu recommandables (péj.). **2.** Ensemble des tambours et des clairons d'une musique militaire : *La fanfare s'avance, **clique** en tête.* ⊠ 1694 ; anc. fr. *cliquer,* « retentir, résonner » ; [klik].

**CLIQUER,** verbe intrans. [3]
Actionner le bouton de la souris d'un ordinateur. ⊠ V. 1980 ; angl. *to click,* « faire un bruit sec » ; [klike].

**CLIQUES,** subst. f. plur.
*Prendre ses **cliques** et ses claques* : s'en aller en emportant toutes ses affaires (fam.). ⊠ 1932 ; région. *cliques,* « jambes », d'orig. onomat. ; [klik].

**CLIQUET,** subst. m.
*Mécan.* Petite pièce mobile placée autour d'un axe pour empêcher une roue dentée de tourner à l'envers. ⊠ Fin XIII^e s. ; anc. fr. *cliquer,* « retentir, résonner » ; [klikɛ].

**CLIQUETER,** verbe intrans. [14]
Produire un cliquetis. ⊠ XIII^e s. ; anc. fr. *cliquer,* « retentir, résonner » ; [klik(ə)te].

**CLIQUETIS,** subst. m.
**1.** Succession de bruits secs et aigus, produits par des objets qui s'entrechoquent : ***Cliquetis** de chaînes.* **2.** *Autom.* Bruit anormal provenant de la chambre de combustion du moteur. ⊠ XIII^e s. ; ☞ *cliqueter* ; synon. *cliquètement, cliquettement* ; [klik(ə)ti].

**CLIQUETTE,** subst. f.
Instrument fait de deux ou trois plaquettes de bois, de métal, etc., réunies par une charnière, que l'on frappe l'une contre l'autre pour en tirer un bruit sec et sonore. ⊠ XIII^e s. ; anc. fr. *cliquer,* « retentir, résonner » ; [klikɛt].

**CLISSE,** subst. f.
**1.** Petite claie servant à égoutter les fromages. **2.** Gaine d'osier, de jonc protégeant les bouteilles des chocs. ⊠ Mil. XII^e s. ; aphérèse de *éclisse* ; [klis].

**CLISSER,** verbe trans. [3]
Garnir d'une clisse. ⊠ 1461 ; ☞ *clisse* ; [klise].

**CLITOCYBE,** subst. m.
*Bot.* Champignon de la famille des Agaricacées. Certaines espèces sont vénéneuses, mais non mortelles, d'autres, comestibles, sont très appréciées. ⊠ 1841 ; gr. *klitos,* « pente », et *kubê,* « tête » ; [klitosib].

**CLITORIDECTOMIE,** subst. f.
*Chir.* Ablation du clitoris. ⊠ Mil. XX^e s. ; ☞ *clitoris* + *-ectomie* ; [klitɔʀidɛktɔmi].

**CLITORIDIEN, IENNE,** adj.
**1.** Relatif au clitoris. **2.** Se dit d'une femme dont la sexualité **clitoridienne** est développée ; empl. subst. fém. : *Une **clitoridienne**.* ⊠ 1838 ; ☞ *clitoris* ; [klitɔʀidjɛ̃, jɛn].

**CLITORIS,** subst. m.
*Anat.* Organe érectile de l'appareil génital féminin situé à l'angle supérieur des petites lèvres. ⊠ 1611 ; gr. *kleitoris,* prob. de *kleiein,* « fermer » ; [klitɔʀis].

**CLIVAGE,** subst. m.
**1.** Action de cliver ; fait de se cliver. **2.** Fig. Distinction, séparation, division : *Les **clivages** sociaux.* **3.** *Psychanal.* ***Clivage** du moi* : coexistence de deux tendances contradictoires, l'une poussant le moi à ignorer la réalité objective lorsqu'il est soumis à une pulsion, l'autre le poussant à la prendre en considération. ⊠ 1753 ; ☞ *cliver* ; [klivaʒ].

**CLIVER,** verbe trans. [3]
Fendre, tailler (un minéral, un cristal) dans le sens de ses couches lamellaires, de ses plans de rupture : ***Cliver** un diamant.* PRONOM. **1.** Se fendre, se séparer en couches, suivant des plans de rupture : *L'ardoise se **clive**.* **2.** Fig. Se scinder, se diviser : *L'opinion publique risque de se **cliver** sur ce sujet.* ⊠ 1582 ; néerl. *klieven,* « fendre » ; [klive].

**CLOACAL, ALE, AUX,** adj.
*Zool.* Du cloaque : *Membrane **cloacale**.* ⊠ 1838 ; ☞ *cloaque* ; [klɔakal, o].

**CLOAQUE,** subst. m.
**1.** Égout, lieu destiné à recevoir des immondices et des eaux usées : *Le grand **cloaque** de la Rome antique.* **2.** Ext. Poche d'eau croupie et infecte ; lieu répugnant, malpropre. **3.** Fig. Foyer de corruption morale, sociale et intellectuelle. **4.** *Zool.* Portion terminale du tube digestif de certains animaux, où aboutissent les voies urinaires, intestinales et génitales. ⊠ Mil. XIV^e s. ; lat. *cloaca,* « égout » ; [klɔak].

**CLOCHARD, ARDE,** subst.
Dans les villes, personne qui n'a ni domicile fixe ni travail, qui vit d'expédients et pratique la mendicité (fam.). ⊠ Fin XIX^e s. ; ☞ *cloche* (I) ; [klɔʃaʀ, aʀd].

**CLOCHARDISATION,** subst. f.
Fait de se clochardiser, d'être réduit à l'état de clochard. ⊠ Mil. XX^e s. ; ☞ *clochardiser* ; [klɔʃaʀdizasjɔ̃].

**CLOCHARDISER,** verbe trans. [3]
Réduire (qqn) à l'état de clochard, (qqch.) à la misère ; empl. adj. : *Banlieue **clochardisée**.* PRONOM. Être pris dans un processus d'appauvrissement et de marginalisation. ⊠ Mil. XX^e s. ; ☞ *clochard* ; [klɔʃaʀdize].

**CLOCHE (I),** subst. f.
**I. 1.** Instrument de métal, souv. de bronze, en forme de coupe renversée, dont on tire des sons en le frappant au moyen d'un battant ou d'un marteau. **2.** Loc. *Entendre un seul son de **cloche**, plusieurs sons de **cloche*** : dans une affaire, entendre l'avis d'une seule partie, les avis de différentes parties ; *Déménager à la **cloche** de bois* : clandestinement. **II.** Anal. **1.** Ustensile ou couvercle de verre, de métal, etc., en forme de **cloche** : *Pendule sous **cloche**.* **2.** *Chapeau **cloche*** : hémisphérique, à bords rabattus ; *Jupe **cloche*** : évasée vers le bas. **3.** ***Cloche** à plongeur* : engin submersible permettant de travailler sous l'eau. **4.** *Chim.* Appareil de verre, de métal, etc., servant à isoler certains corps, afin d'étudier leurs réactions à divers traitements. **5.** *Stat. Courbe en **cloche*** : courbe en forme de **cloche**, illustrant la loi de probabilité de Laplace-Gauss. **III.** Fam. **1.** Personne idiote, incapable ; empl. adj. : *Un élève **cloche**.* **2.** Loc. *Se taper la **cloche*** : faire un bon repas. ⊠ Déb. XII^e s. ; bas lat. *clocca* ; [klɔʃ].

**CLOCHE (II),** subst. f.
Pop. L'ensemble des clochards ; leur mode de vie. ⊠ Fin XIX^e s. ; ☞ *clochard* ; [klɔʃ].

**CLOCHE-PIED (À),** loc. adv.
Sur un seul pied, en sautillant. ⊠ XV^e s. ; comp. de *clocher* (I) et de *pied* ; [aklɔʃpje].

**CLOCHER (I),** verbe intrans. [3]
Fam. **1.** Boiter : ***Clocher** du pied gauche.* **2.** Fig. Être défectueux ; aller mal, de travers. ⊠ Déb. XII^e s. ; lat. pop. °*cloppicare,* « boiter » ; [klɔʃe].

**CLOCHER (II),** subst. m.
Construction, souv. en forme de tour, destinée à abriter des cloches : *Le **clocher** de l'église.* ▶ Loc. *Esprit de **clocher*** : attachement exagéré et borné à son village, à sa ville, au milieu où l'on vit ; *Querelle de **clocher*** : purement locale, portant sur des riens. ⊠ Mil. XII^e s. ; ☞ *cloche* (I) ; [klɔʃe].

**CLOCHETON,** subst. m.
**1.** Petit clocher. **2.** *Archit.* Ornement en forme de petit clocher qui coiffe certains éléments d'un édifice ; pinacle. ⊠ Fin XVII^e s. ; ☞ *clocher* (II) ; [klɔʃtɔ̃].

**CLOCHETTE,** subst. f.
**1.** Petite cloche. **2.** *Bot.* Fleur dont l'ensemble des pétales, ou corolle, est en forme de petite cloche : ***Clochettes** des bois* ; cette corolle : ***Clochettes** du muguet.* ⊠ Déb. XIII^e s. ; ☞ *cloche* (I) ; [klɔʃɛt].

**CLODO,** subst.
Clochard (fam.). ⊠ 1926 ; crois. de *clochard* et de *crado,* de *cradingue* ; [klodo].

**CLOISON,** subst. f.
**1.** Paroi légère, non portante, séparant les pièces d'un bâtiment, d'une habitation, etc. ▶ *Mar. **Cloisons** étanches* : séparations hermétiques, de sûreté. **2.** Ext. Séparation intérieure d'une boîte, d'un tiroir. **3.** Fig. Ce qui divise les gens, les groupes, les activités : *Abattre les **cloisons** entre les disciplines.* **4.** *Spéc.* ▶ *Anat.* Membrane scindant une cavité naturelle en deux, ou isolant deux cavités : ***Cloison** nasale.* ▶ *Bot.* Enveloppe partageant les loges à l'intérieur de certains fruits. ⊠ 1534 (fin XII^e s., enceinte fortifiée) ; lat. pop. °*clausio,* « fermeture » ; [klwazɔ̃].

**CLOISONNAGE,** subst. m.
Action de cloisonner ; résultat de cette action. ⊠ 1505 ; ☞ *cloison* ; [klwazɔnaʒ].

**CLOISONNÉ, ÉE,** adj.
**1.** Partagé par des cloisons. **2.** *Joaill. Émail **cloisonné*** ou, empl. subst. masc., *Le **cloisonné*** : émail dont les motifs sont enchâssés dans un fin cloisonnement métallique parfois précieux. ⊠ 1752 ; ☞ *cloison* ; [klwazɔne].

*Fibule en **cloisonné** d'époque mérovingienne (448-751). Musée national du Bargello, Florence.* © Giraudon

**CLOISONNEMENT,** subst. m.
**1.** Séparation par des cloisons. **2.** Fig. Division, séparation : *Le **cloisonnement** des idéologies.* ⊠ 1845 ; ☞ *cloisonner* ; [klwazɔnmɑ̃].

**CLOISONNER,** verbe trans. [3]
Diviser, séparer par des cloisons. ⊠ 1803 ; ☞ *cloison* ; [klwazɔne].

**CLOISONNISME,** subst. m.
*B.-a.* Technique picturale élaborée par Gauguin et par l'école de Pont-Aven v. 1890, mettant en œuvre des aplats de couleur aux contours nettement marqués, en réaction contre le flou impressionniste (synon. *synthétisme*). ⊠ Fin XIX^e s. ; ☞ *cloisonner* ; [klwazɔnism].

**CLOÎTRE,** subst. m.
**1.** Partie d'un monastère interdite aux laïques ; par ext., monastère. **2.** Galerie couverte d'un monastère, d'une cathédrale, entourant un jardin carré. ⊠ XII^e s. ; lat. *claustrum,* « barrière ; lieu clos » ; [klwɑtʀ].

**CLOÎTRER,** verbe trans. [3]
**1.** Enfermer dans un monastère ; empl. adj. : *Un moine **cloîtré**.* **2.** Ext. Tenir (qqn) enfermé, à l'écart. PRONOM. Se retirer du monde ; au fig., s'isoler mentalement. ⊠ 1690 ; ☞ *cloître* ; [klwatʀe].

**CLONAGE,** subst. m.
*Biol.* Technique permettant d'obtenir, par culture, de nombreuses cellules vivantes identiques à partir d'une cellule unique. ⊠ V. 1970 ; ☞ *cloner* ; [klonaʒ].

**CLONE, subst. m.**
. *Biol.* et *Génét.* Population dont tous les individus nt issus d'un ancêtre unique par multiplication ɛgétative et peuvent donc être considérés comme ɛnétiquement identiques (aux mutations près). ne colonie bactérienne est typiquement un **clone**. . *Informat.* Copie de l'unité centrale d'un modèle ordinateur personnel réputé, produite à moindre oût et compatible avec tous les matériels de la amme. 1923 ; angl. *clone*, du gr. *klôn*, « jeune ousse » ; [klon].

**CLONER, verbe trans.** [3]
*iol.* Reproduire (un individu, une population, etc.) ar clonage. V. 1980 ; ☞ *clone* ; [klone].

**CLONIQUE, adj.**
*athol.* Qualifie une série de contractions musulaires brèves et involontaires. 1808 ; gr. *klonos*, mouvement tumultueux » ; [klɔnik].

**CLONUS, subst. m.**
*athol.* Série de contractions rapides, déclenchées ar l'étirement soudain d'un muscle. 1862 ; gr. *onos*, « mouvement tumultueux » ; [klɔnys].

**CLOPE, subst.**
op. **Masc.** Mégot de cigarette. **Fém.** Ext. Cigarette. Déb. xxᵉ s. ; orig. obsc. ; [klɔp].

**CLOPIN-CLOPANT, loc. adv.**
n boitillant ; par ext., avec des hauts et des bas : *a va clopin-clopant*. 1668 ; anc. fr. *clopin*, « boiux », et *clopant*, « boitant » ; [klɔpɛ̃klɔpɑ̃].

**CLOPINER, verbe intrans.** [3]
Marcher en boitillant. 1155 ; anc. fr. *clopin*, boiteux » ; [klɔpine].

**CLOPINETTES, subst. f. plur.**
oc. *Des clopinettes* : rien, ou presque rien (fam.). 1925 ; ☞ *clope* ; [klɔpinɛt].

**CLOPORTE, subst. m.**
. *Zool.* Crustacé terrestre de l'ordre des Isopodes, ui vit sans carapace, et dans les lieux sombres et ous les pierres, dont on connaît plusieurs genres egroupant plus de 150 espèces. **2.** Fig. Individu épugnant (péj.). xiiiᵉ s. ; prob. crois. de *clore* et de *orte* (I), l'animal se repliant dès qu'on le touche ; [klɔpɔrt].

**CLOQUE, subst. f.**
. *Arboric.* Maladie des feuilles des arbres, en partic. e celles du pêcher, provoquée par un champignon. . *Pathol.* Petite vésicule, à la surface de la peau, emplie de sérosité, résultant d'une brûlure, d'un rottement, d'une piqûre d'insecte, etc. (synon. *hlyctène*) ; par anal., boursouflure d'air dans une ouche de peinture, dans du verre, du plâtre, etc. 1750 ; norm.-pic. *cloque*, « cloche » ; [klɔk].

**CLOQUÉ, ÉE, adj.**
. Qui présente des cloques. **2.** *Text.* *Étoffe* **cloquée** u, empl. subst. masc., *Du* **cloqué** : étoffe de coton u de soie gaufrée. xixᵉ s. ; ☞ *cloque* ; [klɔke].

**CLOQUER, verbe** [3]
**rans.** *Text.* Gaufrer. **Intrans.** et **Pronom.** Se couvrir e cloques. 1869 ; ☞ *cloque* ; [klɔke].

**CLORE, verbe trans.** [80]
. Murer, boucher ; fermer : *Clore un accès, une orte*. **2.** Entourer d'une enceinte, enclore : *Clore ne ville, un parc*. **3.** Fig. Mettre un terme à : *Clore n débat, un compte*. Déb. xiiᵉ s. ; lat. *claudere*, fermer » ; verbe défectif ; [klɔr].

**CLOS (I), CLOSE, adj.**
**1.** Qui est fermé : *Volets clos* ; *Yeux clos, mi-clos*. Loc. *Trouver porte close* : ne pas trouver une ersonne à son domicile ; *Maison close* : maison e prostitution ; *À huis clos* (☞ *huis*) ; *En vase los* : isolément. **2.** Qui est clôturé : *Ville close*. **3.** Achevé : *Session close* ; *L'incident est clos*. ▸ Loc. *À la nuit close* : à la nuit tombée. xiiᵉ s. ; p. p. de *lore* ; [klo, kloz].

**CLOS (II), subst. m.**
**1.** Terrain, gén. cultivé, délimité par une enceinte, ne palissade, des haies, etc. : *Clos mitoyen* ; *Clos e vigne*. **2.** Ext. Domaine d'exploitation viticole ; e vin qu'on y produit. Mil. xiiᵉ s. ; lat. médiév. *clausum*, « espace clos » ; [klo].

**CLOSEAU, subst. m.**
Petit clos. Déb. xivᵉ s. ; ☞ *clos* (II) ; [klozo].

**CLOSERIE, subst. f.**
**1.** Petit clos, gén. pourvu d'une maisonnette. **2.** *Hist.* À Paris, au xixᵉ s., jardin d'attractions publiques : *La closerie des Lilas*. 1449 ; ☞ *clos* (II) ; [klozri].

**CLÔTURE, subst. f.**
**1.** Ouvrage qui entoure un espace ou enclôt un bâtiment : *Clôture d'un chœur* ; *Clôture électrique*. **2.** Fig. Achèvement de qqch. : *Séance de clôture*. **3.** *Relig.* Règle monastique qui interdit aux religieux de sortir ; par méton., partie d'un monastère interdite aux laïques. Mil. xiiᵉ s. ; bas lat. *clausura*, « action de fermer » ; [klotyʀ].

**CLÔTURER, verbe trans.** [3]
**1.** Ceindre d'une clôture : *Clôturer un pré*. **2.** Fig. Achever, mettre fin à (empl. critiqué) : *Clôturer un festival*. Fin xviiiᵉ s. ; ☞ *clôture* ; [klotyʀe].

**CLOU, subst. m.**
**1.** Tige métallique à bout pointu, à tête plate ou sans tête, que l'on plante afin d'assembler deux pièces, de fixer ou de suspendre qqch. : *Arracher un clou* ; par méton. : *Les clous*, passage clouté (fam.). **2.** Loc. fam. *Enfoncer le clou* : insister ; *Maigre comme un clou* : très maigre ; *River son clou à qqn* : le faire taire par un argument solide ; *Ça ne vaut pas un clou* : ça ne vaut rien ; *Vieux clou* : véhicule en mauvais état ; *Le clou du spectacle* : l'attraction la plus remarquable ; *Mettre un objet au clou* : en gage, au mont-de-piété. **3.** *Spéc.* ▸ *Bot.* *Clou de girofle* : bouton de giroflier, utilisé comme épice. ▸ *Pathol.* Furoncle (fam.). Fin xiᵉ s. ; lat. *clavus* ; [klu].

**CLOUAGE, subst. m.**
Action ou manière de clouer. 1611 ; ☞ *clouer* ; [kluaʒ].

**CLOUER, verbe trans.** [3]
**1.** Assembler, fixer à l'aide de clous : *Clouer des planches*. **2.** Fig. Immobiliser : *Clouer au lit*. **3.** Loc. *Clouer le bec à qqn* : le faire taire (fam.). xiiᵉ s. ; ☞ *clou* ; [klue].

**CLOUTAGE, subst. m.**
Action de planter des clous ; son résultat. 1900 ; ☞ *clouter* ; [klutaʒ].

**CLOUTÉ, ÉE, adj.**
Garni de clous : *Souliers cloutés*. ▸ *Passage clouté* : passage pour piétons, délimité naguère par deux lignes de clous, auj. par des bandes parallèles collées sur la chaussée. xviᵉ s. ; p. p. de *clouter* ; [klute].

**CLOUTER, verbe trans.** [3]
Garnir de clous. Fin xiiiᵉ s. ; *cloueter* (vx), de *clouet*, « petit clou » ; [klute].

**CLOUTERIE, subst. f.**
Fabrication, commerce des clous et objets analogues. Déb. xiiiᵉ s. ; *clouet* (vx), « petit clou » ; [klutʀi].

**CLOUTIER, IÈRE, subst.**
Personne qui fabrique ou vend des clous. 1228 ; prob. °*clouetier* (vx), de *clouet*, « petit clou » ; [klutje, jɛʀ].

**CLOVISSE, subst. f.**
*Zool.* Palourde (région.). 1611 ; prov. *clauvisso*, de *claure*, « clore » ; [klɔvis].

**CLOWN, subst. m.**
**1.** Artiste de cirque, grimé et accoutré de façon grotesque, qui fait rire par ses numéros, ses farces. **2.** Fig. Personne qui fait rire par ses pitreries. 1823 ; angl. *clown*, « paysan ; bouffon » ; le fém., *clownesse*, est rare ; [klun].

© P. Piel-Gamma

*Le* **clown**, *un personnage de la farce populaire qui nous vient d'Angleterre.*

**CLOWNERIE, subst. f.**
Farce de clown ; au fig., pitrerie. Mil. xixᵉ s. ; ☞ *clown* ; [klunʀi].

**CLOWNESQUE, adj.**
**1.** Qui est propre au clown. **2.** Fig. Qui est digne d'un clown. 1878 ; ☞ *clown* ; [klunɛsk].

**CLOYÈRE, subst. f.**
Panier à claire-voie utilisé pour transporter du poisson, des huîtres ; son contenu. 1771 ; anc. fr. *cloie*, « claie » ; [klwajɛʀ] ou [klɔ-].

**CLUB (I), subst. m.**
**1.** *Hist.* Au xviiiᵉ s., société où l'on discutait d'affaires politiques ou philosophiques : *Le club des Jacobins*. **2.** Cercle privé, mondain : *Le Jockey-Club* ; par méton. : *Passer à son* **club**. ▸ En appos. *Cravate* **club** : à rayures obliques ; *Fauteuil* **club** : de cuir, large et profond. **3.** Ext. Association dont les membres ont des intérêts communs : **Club** *d'investissement, de bridge*. 1702 ; mot angl. ; [klœb].

**CLUB (II), subst. m.**
*Sp.* Canne de golf. 1882 ; angl. *club*, de l'anc. nord. *klubba*, « bâton » ; [klœb].

**CLUBISTE, subst.**
Membre d'un club. 1784 ; ☞ *club* (I) ; [klœbist] ou [kly-].

**CLUNISIEN, IENNE, adj. et subst.**
*Relig.* De l'ordre monastique de Cluny. 1864 ; topon. *Cluny* (Saône-et-Loire) ; [klynizjɛ̃, jɛn].

**CLUPÉIDÉS, subst. m. plur.**
*Zool.* Famille regroupant des poissons osseux (téléostéens), tels les harengs, les sardines, les aloses, etc. **Au sing.** *Le sprat est un* **clupéidé**. 1838 ; lat. *clupea*, « alose » ; [klypeide].

**CLUSE, subst. f.**
*Géomorph.* Vallée traversant un pli anticlinal. 1538 ; lat. médiév. *clusa*, « col, gorge, défilé », du lat. *cludere*, « fermer » ; [klyz].

**CLYSTÈRE, subst. m.**
Vx. Lavement ; par ext., seringue servant à l'administrer. 1256 ; lat. *clyster*, du gr. *klustêr* ; [klistɛʀ].

**cm**, voir **CENTIMÈTRE**

**Cm**, voir **CURIUM**

**CNÉMIDE, subst. f.**
*Antiq. gr.* Jambière des soldats, gén. en métal garni de cuir. 1838 ; gr. *knêmis* ; [knemid].

**CNIDAIRES, subst. m. plur.**
*Zool.* Embranchement d'animaux invertébrés diploblastiques munis de cellules urticantes, tels que l'anémone de mer, le corail étoilé, etc. **Au sing.** *La méduse est un* **cnidaire**. xixᵉ s. ; lat. sc. *cnidarius*, du gr. *knidê*, « ortie » ; [knidɛʀ].

**Co**, voir **COBALT**

**COACCUSÉ, ÉE, subst.**
*Dr.* Personne qui est accusée avec une ou plusieurs autres d'un délit. 1752 ; ☞ *accusé* + *co-* ; [koakyze].

**COACH, subst. m.**
**1.** Automobile fermée à deux portes et à quatre places, dont les sièges avant se rabattent (vieilli). **2.** *Sp.* Entraîneur d'une équipe. 1832 ; angl. *coach*, du fr. *coche*, « voiture » ; plur. *coachs* ou *coaches* ; [kotʃ].

**COACQUÉREUR, subst. m.**
*Dr.* Personne qui acquiert qqch. en commun avec une ou plusieurs autres personnes. 1617 ; ☞ *acquéreur* + *co-* ; [koakeʀœʀ].

**COADJUTEUR, TRICE, subst.**
Religieuse, religieux qui seconde la supérieure ou le supérieur d'un couvent. **Masc.** Évêque auxiliaire adjoint par le pape à un évêque résidentiel, auquel il pourra succéder. Fin xiiiᵉ s. ; lat. médiév. *coadiutor*, « celui qui aide » ; [koadʒytœʀ, tʀis].

**COADMINISTRATEUR, TRICE, subst.**
Personne qui partage avec d'autres la charge d'administrateur. 1862 ; ☞ *administrateur* + *co-* ; [koadministʀatœʀ, tʀis].

**COAGULABLE, adj.**
Qui peut se coaguler, être coagulé. 1860 ; ☞ *coaguler* ; [kɔagylabl].

**COAGULANT, ANTE, adj. et subst. m.**
Se dit d'une substance qui provoque la coagulation d'un liquide, en partic. du sang (☞ *hémostatique*). 1827 ; p. pr. de *coaguler* ; [kɔagylɑ̃, ɑ̃t].

**COAGULATEUR, TRICE, adj.**
Qui produit la coagulation. 1854 ; ☞ *coaguler* ; [kɔagylatœʀ, tʀis].

**COAGULATION, subst. f.**
*Biol.* et *Biochim.* Processus physico-chimique selon lequel un liquide organique (sang, lymphe, lait, albumine) se transforme en une masse solide ou pâteuse, en une sorte de gelée qu'on nomme le coagulum ou le caillot. xivᵉ s. ; lat. *coagulatio* ; [kɔagylasjɔ̃].

**COAGULER, verbe** [3]
**Trans.** Faire passer (une substance organique) d'un état liquide à un état solide : **Coaguler** *le lait*, le cailler. **Intrans.** et **Pronom.** Se figer en un caillot. xiiiᵉ s. ; lat. *coagulare* ; [kɔagyle].

**COAGULUM, subst. m.**
Produit de la coagulation d'un liquide (synon. *caillot*). 1700 ; lat. *coagulum*, « présure » ; [kɔagylɔm].

**COALESCENCE, subst. f.**
*Méd.* Adhérence de deux surfaces en contact (lors de la cicatrisation d'une plaie, par ex.). 1537 ; lat. *coalescere*, « s'unir » ; [kɔalesɑ̃s].

**COALISÉ, ÉE, adj. et subst.**
Se dit de qqn ou de qqch. qui fait partie d'une coalition. Fin XVIIIe s. ; p. p. de *coaliser* ; [kɔalize].

**COALISER, verbe trans. [3]**
Lier, associer pour une lutte commune : ***Coaliser** des partis.* PRONOM. S'unir, former une coalition. 1790 ; ☞ *coalition* ; [kɔalize].

**COALITION, subst. f.**
**1.** Alliance momentanée d'États, de peuples contre un ennemi commun. **2.** Ext. Alliance circonstancielle entre partis politiques, personnes, etc., dans la poursuite d'un intérêt commun. **3.** Entente entre ouvriers, patrons, industriels en vue d'obtenir des avantages économiques, professionnels (vieilli). 1544 ; lat. *coalitus*, de *coalescere*, « s'unir » ; [kɔalisjɔ̃].

**COALTAR, subst. m.**
Goudron de houille. ▸ Loc. *Être dans le **coaltar*** : hébété, à demi conscient (fam.). 1850 ; angl. *coal-tar*, de *coal*, « charbon », et de *tar*, « goudron » ; [koltaʀ].

**COAPTATION, subst. f.**
*Chir.* Intervention qui consiste à rapprocher, par pression ou par manipulation, deux parties d'un organe accidentellement séparées (bords d'une plaie, os fracturé, articulation luxée). 1824 (XIVe s., action de compléter) ; lat. chrét. *coaptatio*, « ajustement, harmonie » ; [kɔaptasjɔ̃].

**COARCTATION, subst. f.**
*Pathol.* Resserrement d'un conduit, d'un canal : *La **coarctation** d'une artère.* 1478 ; lat. *coarctatio*, « action de serrer » ; [koaʀktasjɔ̃].

**COASSEMENT, subst. m.**
Cri émis par le crapaud et la grenouille. 1600 ; ☞ *coasser* ; [kɔasmɑ̃].

**COASSER, verbe intrans. [3]**
Pousser son cri, en parlant du crapaud ou de la grenouille. 1554 ; lat. *coaxare*, du gr. *koax*, onomat. ; [kɔase].

**COASSOCIÉ, ÉE, subst.**
Chacun des associés d'une entreprise, d'une société. 1596 ; ☞ *associé* + *co-* ; [koasɔsje].

**COASSURANCE, subst. f.**
Assurance contractée auprès de plusieurs assureurs pour couvrir un même risque. V. 1900 ; ☞ *assurance* + *co-* ; [koasyʀɑ̃s].

**COATI, subst. m.**
*Zool.* Petit mammifère carnivore de la famille des Procyonidés, plantigrade, au museau très allongé et à la longue queue annelée, originaire d'Amérique tropicale. 1558 ; mot tupi ; [kɔati].

**COB (I), subst. m.**
Cheval demi-sang d'aspect trapu et robuste. 1880 ; mot angl. ; [kɔb].

**COB (II), voir KOB**

**COBÆA, voir COBÉA**

**COBALT, subst. m.**
**1.** *Chim.* Élément n° 27 de la table de Mendeleïev (symb. : Co) ; masse atomique : 58,933 ; point de fusion : 1 495 °C ; point d'ébullition : 2 870 °C ; masse volumique : 8,92 g/cm$^3$. Métal ductile, de la même famille chimique que le chrome, le manganèse, le fer et le nickel, auquel il ressemble beaucoup (les minerais de **cobalt** et de nickel sont souvent mélangés, sous forme de sulfures), le **cobalt** est relativement rare. Ses propriétés sont intermédiaires entre celles du fer et du nickel. **2.** *Phys. nucl.* Le **cobalt** naturel est stable, mais il existe un isotope radioactif, le **cobalt** 60, générateur de rayons bêta (électrons) et gamma (radioactivité), qu'on utilise pour traiter certaines tumeurs cancéreuses. Mil. XVIe s. ; all. *Kobalt*, de *Kobold*, nom d'un lutin censé hanter les mines ; [kɔbalt].

**COBALTOTHÉRAPIE, subst. f.**
*Méd.* Traitement de certaines tumeurs cancéreuses à l'aide des rayonnements émis par le cobalt radioactif. V. 1960 ; ☞ *cobalt* + *-thérapie* ; var. *cobalthérapie* ; [kɔbaltoteʀapi].

**COBAYE, subst. m.**
**1.** *Zool.* Petit rongeur de la famille des Caviidés. *Cavia porcellus* est le **cobaye** domestique ou cochon d'Inde, élevé aussi comme animal de laboratoire. **2.** Fig. Sujet d'expérience (fam.) : *Servir de **cobaye**.* 1820 ; port. *cobaya*, prob. du tupi *sabúya* ; [kɔbaj].

**COBÉA, subst. m.**
*Bot.* Plante grimpante originaire d'Amérique tropicale, à grandes fleurs bleues en forme de cloche. 1811 ; lat. sc. *cobaea*, de l'anthropon. *Cobo*, jésuite missionnaire espagnol ; var. *cobæa*, *cobée* ; [kɔbea].

**COBELLIGÉRANT, ANTE, subst. m. et adj.**
Se dit d'un pays qui prend part à une guerre aux côtés d'un ou de plusieurs autres pays, sans avoir d'alliance formelle avec eux. 1954 ; ☞ *belligérant* + *co-* ; [kobeliʒeʀɑ̃, ɑ̃t] ou [-bɛlli-].

**COBOL, subst. m.**
*Informat.* Langage de programmation évolué, approprié à la solution des problèmes de gestion. V. 1960 ; acron. de l'angl. *Common Business Oriented Language* ; [kɔbɔl].

**COBRA, subst. m.**
*Zool.* Nom vulgaire de serpents de la famille des Élapidés, genres *Naja* et *Ophiophagus*, qui vivent dans les arbres ou au sol, en milieu humide. Leur morsure peut être mortelle. Le **cobra** royal est l'espèce *Ophiophagus hannah*, d'Asie méridionale et de l'archipel indo-malais : il mesure plus de 4 m de long et mène une vie nocturne. 1587 ; port. *cobra de capelo*, « couleuvre à capuchon » ; [kɔbʀa].

**COCAÏNE, subst. f.**
*Biochim.* Alcaloïde extrait des feuilles d'*Erythroxyl[on] coca* (☞ *coca*). C'est une poudre blanchât[re] cristalline, soluble dans les solvants organiqu[es] dont on s'est servi comme anesthésique local. C'[est] aussi un stupéfiant dont l'usage prolongé pe[ut] engendrer une toxicomanie grave (abrév. fam. coco, coke). 1856 ; ☞ *coca* ; [kɔkain].

**COCAÏNOMANE, subst.**
Toxicomane usant de cocaïne. 1905 (18[..] médecin soignant par la cocaïne) ; ☞ *cocaïne* + *-mane* [kɔkainɔman].

**COCAÏNOMANIE, subst. f.**
Toxicomanie due à la cocaïne. 1890 ; ☞ *coca[ïne]* + *-manie* ; [kɔkainɔmani].

**COCARCINOGÈNE, adj. et subst. m.**
*Pathol.* Se dit d'un facteur qui, associé avec d'autr[es] peut provoquer la formation d'un cancer. XXe s. ; ☞ *carcinogène* + *co-* ; [kokaʀsinɔʒɛn].

**COCARD, voir COQUARD**

**COCARDE, subst. f.**
**1.** Insigne rond aux couleurs d'une nation, d'[un] parti, d'un groupe porté jadis sur la coiffure. **2.** E[xt.] Insigne rond aux couleurs nationales : *Voiture **cocarde**.* **3.** Ornement en ruban. 1468 ; m. *coquard*, « sot, fat », de *coq* (I) ; [kɔkaʀd].

**COCARDIER, IÈRE, adj.**
Qui fait preuve d'un patriotisme chauvin [et] militariste. 1858 ; ☞ *cocarde* ; [kɔkaʀdje, jɛʀ].

**COCASSE, adj.**
Dont l'étrangeté prête à rire, burlesque : *Une situ[a]tion **cocasse** ; Une allure **cocasse**.* 1742 ; var. du fr. *coquard*, « sot, fat » ; [kɔkas].

**COCASSERIE, subst. f.**
**1.** Caractère de ce qui est cocasse. **2.** Méton. Cho[se,] propos cocasse. 1836 ; ☞ *cocasse* ; [kɔkasʀi].

**COCCIDIE, subst. f.**
*Zool.* Nom de plusieurs protozoaires parasit[es] d'invertébrés et de vertébrés, parmi lesquels [on] compte les hématozoaires, ou plasmodies, agen[ts] du paludisme. La **coccidie** *Eimeira perforans* lo[ge] dans le foie du lapin, y causant des kystes ou d[es] tumeurs. XIXe s. ; formé de *cocci-* et de *-ide* ; [kɔksi...]

**COCCIDIOSE, subst. f.**
*Vétér.* Grave maladie hépatique, due à divers[es] coccidies, qui touche surtout les animaux d'éleva[ge] (volailles, ruminants, porc et lapin). 190[.] ☞ *coccidie* + *-ose* ; [kɔksidjoz].

**COCCINELLE, subst. f.**
*Zool.* Insecte coléoptère aux antennes et aux patt[es] rétractiles, aux élytres gén. rouges à points noi[rs,] surnommé bête à bon Dieu. La **coccinelle** *Novi[us] cardinalis* a sauvé les cultures d'agrumes de Califo[r]nie et d'Europe dévastées par la cochenille *Icer[ya] purchasi*, dont elle est le prédateur naturel. 175[.] lat. sc. *coccinella*, du lat. *coccinus*, « écarlate » ; [kɔksin...]

© S. Cordier-Jacana

*Coati.*

© J.-L. Dubois-Jacana

*Cobra en position d'attaque.*

© H. Veiller-Jacana

*Coccinelle.*

**COAUTEUR, subst. m.**
**1.** Chacun des auteurs collaborant à une œuvre commune : *Erckmann et Chatrian sont des **coauteurs**.* **2.** *Dr.* Individu partageant avec d'autres la responsabilité d'un acte criminel ou délictueux. 1863 ; ☞ *auteur* + *co-* ; [kootœʀ].

**COAXIAL, ALE, AUX, adj.**
**1.** Qui a un axe commun avec un autre élément dans un ensemble : *Des cylindres **coaxiaux**.* **2.** *Télécomm.* *Câble **coaxial*** : câble composé de deux conducteurs concentriques isolés l'un de l'autre. 1911 ; ☞ *axial* + *co-* ; [koaksjal, o].

**COCA, subst.**
MASC. *Bot.* Arbuste andin (Pérou, Colombie, Bolivie) de la famille des Érythroxylacées, dont les feuilles fournissent un alcaloïde, la cocaïne. FÉM. Substance extraite de la feuille de **coca**. 1568 ; esp. *coca*, d'une langue indigène du Pérou ; [kɔka].

**COCAGNE, subst. f.**
**1.** Réjouissance (vx). ▸ Loc. *Pays de **cocagne*** : pays d'abondance ; *Vie de **cocagne*** : vie de plaisirs. **2.** *Mât de **cocagne*** : mât glissant dont le sommet est pourvu de divers objets que l'on doit décrocher. Mil. XIIIe s. ; orig. obsc. ; [kɔkaɲ].

**COCCOLITE, subst. m.**
*Paléont.* Plaque calcaire microscopique provena[nt] du squelette de certaines algues vertes unicell[u]laires, dont l'accumulation au fond de la mer, [au] Crétacé supérieur, est à l'origine notamment de [la] craie du bassin de Paris. 1876 ; formé de *cocc[o-]* et de *-lite* ; [kɔkɔlit].

**COCCYGIEN, IENNE, adj.**
Relatif au coccyx : *Vertèbres **coccygiennes**.* 175[.] ☞ *coccyx* ; [kɔksiʒjɛ̃, jɛn].

**COCCYX, subst. m.**
*Anat.* Os triangulaire constitué par les dernièr[es]

ɛrtèbres de la colonne, qui sont soudées entre elles. 1541 ; gr. *kokkux*, « coucou », le coccyx ressemblant bec du coucou ; [kɔksis].

**COCHE (I), subst. f.**
Entaille pratiquée dans un matériau (vieilli). Anal. Toute marque servant de repère. 1175 ; ig. obsc. ; [kɔʃ].

**COCHE (II), subst. m.**
*oche d'eau* : grande barque fluviale halée par des ɛevaux, transportant voyageurs et marchandises x). 1249 ; p.-ê. anc. néerl. °*cogge* ou bas lat. *udica*, « sorte de bateau » ; [kɔʃ].

**COCHE (III), subst. m.**
. Grande voiture couverte, tirée par des chevaux, ıi transportait des voyageurs (vx) : *« Le Coche la Mouche », fable de La Fontaine.* **2.** Loc. fam. *anquer, rater le coche* : laisser filer l'occasion ; *ire la mouche du coche* : s'agiter en vain. 1545 ; ob. hongrois *kocsi* ; [kɔʃ].

**COCHENILLE, subst. f.**
. *Zool.* Insecte de l'ordre des Homoptères. ► Ext. om donné abusivement à plusieurs insectes ɔmoptères, gén. nuisibles. **2.** Méton. La teinture uge, aussi appelée carmin, fournie par la **coche-lle** mexicaine. Fin XVIe s. ; esp. *cochinilla* ; [kɔʃnij].

**COCHER (I), verbe trans.** [3]
Entailler d'une coche. **2.** Anal. Marquer d'un père : ***Cocher** un paragraphe.* Déb. XIVe s. ; ☞ *coche* (I) ; [kɔʃe].

**COCHER (II), subst. m.**
onducteur d'une voiture à cheval. ► Loc. *Fouette, cher !* : allons-y, en route ! 1560 ; ☞ *coche* (III) ; ɔʃe].

**CÔCHER, verbe trans.** [3]
ouvrir (la femelle), en parlant d'oiseaux mâles, ı partic. du coq. Déb. XIIIe s. ; lat. *calcare*, « fouler, étiner » ; [koʃe].

**COCHÈRE, adj. f.**
*rte cochère* : porte à double battant permettant ıx voitures d'accéder à la cour intérieure d'un ıtiment. 1611 ; ☞ *coche* (III) ; [kɔʃɛʀ].

**COCHET, subst. m.**
une coq. Déb. XIIIe s. ; ☞ *coq* (I) ; [kɔʃɛ].

**COCHEVIS, subst. m.**
ɔol. Nom vulgaire des alouettes huppées. Le **coche-is** huppé, plus grand que l'alouette ordinaire, est espèce *Galerida cristata.* 1289 ; orig. obsc. ; [kɔʃvi].

**COCHLÉAIRE, adj.**
elatif à la cochlée. 1805 ; lat. *cochlea*, « escar-ɔt » ; [kɔkleɛʀ].

**COCHLÉARIA, subst. m.**
ɔt. Plante herbacée de la famille des Brassicacées, enre *Cochlearia* (20 espèces, méditerranéennes), ɔnt les feuilles ont la forme d'une cuiller. La princi-ale espèce est *Cochlearia officinalis*, cultivée autrefois our ses propriétés antiscorbutiques. 1599 ; lat. sc. *ɔchlearia*, du lat. *cochlear*, « cuiller » ; [kɔklearja].

**COCHLÉE, subst. f.**
*nat.* Partie de l'oreille interne constituée d'une avité enroulée en spirale dans laquelle se trouve canal cochléaire, qui contient les cellules senso-elles de l'audition (synon. *limaçon*). 1845 ; lat. *ɔchlea*, « escargot » ; [kɔkle].

**COCHON, ONNE, subst. et adj.**
**Subst. masc. 1.** *Zool.* Mammifère omnivore de la amille des Suidés, genre *Sus*. L'espèce *Sus scrofa* ɔmprend le **cochon** domestique, c.-à-d. le porc, le **cochon** sauvage, le sanglier. La femelle est la uie, les jeunes sont les gorets, porcelets ou ɔchonnets. Le **cochon** grogne. ► Anal. ***Cochon** 'Inde* : cobaye ; ***Cochon** de mer* : marsouin. **2.** Mé-ɔn. Viande de porc : *Manger du **cochon**.* **3.** Loc. am. *Un tour de **cochon*** : un vilain tour ; *Tête de **ɔchon*** : mauvais caractère ; *Temps de **cochon*** : exécrable ; *Copains comme **cochons*** : inséparables ; *u lard ou du **cochon*** : chose mal définie. **II.** Fam. Péj. **Subst. 1.** Personne très sale. **2.** Personne icieuse, impudique. **3.** Personne malhonnête, mal-aisante. **Adj.** Obscène, pornographique : *Blague **ɔchonne**.* 1091 ; orig. obsc. ; [kɔʃɔ̃, ɔn].

**COCHONCETÉ, subst. f.**
ochonnerie, acte, propos grossier (fam.). 1891 ; ☞ *cochon* ; [kɔʃɔ̃ste].

**COCHONNAILLE, subst. f.**
nsemble varié de morceaux de charcuterie (fam.). 1788 ; ☞ *cochon* ; [kɔʃɔnɑj].

**COCHONNER, verbe** [3]
**Intrans.** Mettre bas, en parlant de la truie (vieilli). **Trans.** Fam. **1.** Salir, souiller. **2.** Négliger, bâcler (un travail). 1403 ; ☞ *cochon* ; [kɔʃɔne].

**COCHONNERIE, subst. f.**
Fam. et Péj. **1.** État de saleté. **2.** Méton. Chose sale ou de mauvaise qualité. **3.** Acte ou propos grossier, obscène. **4.** Acte déloyal ou malveillant. 1688 ; ☞ *cochon* ; [kɔʃɔnʀi].

**COCHONNET, subst. m.**
**1.** Jeune cochon. **2.** Petite boule en bois qui sert de cible, au jeu de boules. XIIIe s. ; ☞ *cochon* ; [kɔʃɔnɛ].

**COCHYLIS, subst. m.**
*Zool.* Papillon de la famille des Phaloniidés, dont la larve est un dangereux parasite de la vigne. 1844 ; lat. sc. *co(n)chylis*, du gr. *kogkhulion*, « coquillage d'où l'on tire la pourpre » ; var. *conchylis* ; [kɔkilis].

**COCKER, subst. m.**
Petit chien de chasse du type épagneul, à poil long et à oreilles tombantes. 1863 ; angl. *cocker*, de *to cock*, « chasser la bécasse » ; [kɔkɛʀ].

**COCKNEY, subst.**
Habitant des quartiers populaires de Londres. **Masc.** L'anglais parlé dans ces quartiers ; empl. adj. : *L'accent **cockney**.* 1750 ; angl. *cockney*, du m. angl. *co(c)keney*, « œuf de coq ; personnage efféminé » ; [kɔknɛ].

**COCKPIT, subst. m.**
**1.** *Mar.* Creux aménagé à l'arrière d'un yacht, où se tient le barreur. **2.** Anal. ► *Aéron.* Cabine d'un pilote d'avion. ► *Autom.* Habitacle d'un pilote de voiture de course. 1878 ; angl. *cockpit*, de *cock*, « coq », et de *pit*, « fosse » ; [kɔkpit].

© Gamma
*Cockpit de l'Airbus A340.*

**COCKTAIL, subst. m.**
**1.** Boisson mêlant diverses substances, alcoolisée ou non. **2.** Méton. Réception mondaine de fin d'après-midi. **3.** Fig. Toute combinaison d'éléments : *Un **cocktail** de parfums* ; ***Cocktail** Molotov*, projectile explosif. 1836 (1755, homme abâtardi) ; anglo-amér. *cocktail*, de *cocktailed horse*, « cheval bâtard à la queue coupée » ; plur. *cocktails* ; [kɔktɛl].

**COCO (I), subst. m.**
**1.** Drupe, fruit du cocotier. Son noyau, la noix de **coco**, est formé d'une substance blanche, le coprah, riche en huile, renfermant un liquide, le lait de **coco**. Il est enveloppé d'un mésocarpe fibreux qu'on appelle coir et dont on tire une filasse servant à faire des brosses et des étoffes grossières. **2.** Boisson à base de citron, de réglisse et d'eau (vieilli). 1525 ; port. *coco*, « tête hérissée ; croque-mitaine » ; [koko].

**COCO (II), subst. m.**
Fam. **1.** Œuf, dans le parler enfantin. **2.** Enfant ou être aimé. **3.** Individu louche (péj.). **Plur.** Haricots nains aux grains ronds. 1792 ; orig. onomat. ; [koko].

**COCOLER, verbe trans.** [3]
Helv. Câliner, chouchouter (fam.). ☞ *coco* (II) ; [kɔkɔle].

**COCON, subst. m.**
**1.** *Zool.* Enveloppe filée par certaines chenilles pour y achever leur métamorphose ; par anal., gaine soyeuse dont les araignées entourent leurs œufs. **2.** Fig. Lieu où l'on se sent bien à l'abri. 1600 ; prov. *coucoun*, « coque d'œuf » ; [kɔkɔ̃].

**COCONTRACTANT, ANTE, subst.**
*Dr.* Chacune des parties qui s'engagent par un même contrat ; empl. adj. : *La partie **cocontractante**.* XVIe s. ; ☞ *contractant* + *co-* ; [kokɔ̃tʀaktɑ̃, ɑ̃t].

**COCORICO, subst. m.**
**1.** Cri du coq. **2.** Anal. *Pousser des **cocoricos*** : exprimer sa fierté nationale, pour un Français. 1547 ; onomat. ; var. *coquerico* ; [kɔkɔʀiko].

**COCOTER, voir COCOTTER**

**COCOTERAIE, subst. f.**
Lieu planté de cocotiers. 1929 ; ☞ *cocotier* ; [kɔkɔtʀɛ].

**COCOTIER, subst. m.**
*Bot.* Variété de palmier de la famille des Arécacées, dont le fruit, comestible, est le coco. ► Loc. *Secouer le **cocotier*** : éliminer les gens jugés trop âgés ou peu efficaces. 1677 ; ☞ *coco* (I) ; [kɔkɔtje].

© Rouan-Jacana
*Cocotier chargé de noix.*

**COCOTTE (I), subst. f.**
Fam. **1.** Poule, dans le parler enfantin ; par ext. : ***Cocotte** en papier*, pliage évoquant une poule. **2.** Anal. Petite fille ou femme ; par ext., surnom donné à un cheval ou à une jument : *Hue, **cocotte** !* **3.** Femme légère, entretenue ; demi-mondaine (vieilli). Déb. XIXe s. ; orig. onomat. ; [kɔkɔt].

**COCOTTE (II), subst. f.**
Récipient épais muni d'un couvercle, utilisé pour les cuissons prolongées. ► *Une **Cocotte-Minute*** : un autocuiseur (n. déposé). 1807 ; m. fr. *cocasse*, altér. de *coquemar* ; [kɔkɔt].

**COCOTTER, verbe intrans.** [3]
Sentir mauvais (fam.). 1881 ; ☞ *cocotte* (I) ; var. *cocoter* ; [kɔkɔte].

**COCRÉANCIER, IÈRE, subst.**
*Dr.* Chacun des créanciers d'un même débiteur. 1753 ; ☞ *créancier* + *co-* ; [kokʀeɑ̃sje, jɛʀ].

**COCTION, subst. f.**
**1.** *Physiol.* Digestion des aliments. **2.** *Techn.* Transformation de substances par la cuisson (vieilli). 1575 ; lat. *coctio*, « cuisson ; digestion » ; [kɔksjɔ̃].

**COCU, UE, subst. et adj.**
Fam. Se dit d'une personne victime d'une infidélité conjugale ou amoureuse. ► Loc. *Une veine de **cocu*** : une chance insolente. XIVe s. ; var. de *coucou*, oiseau réputé infidèle ; [kɔky].

**COCUAGE, subst. m.**
État d'une personne qui est cocue (fam.). 1513 ; ☞ *cocu* ; [kɔkyaʒ].

**COCUFIER, verbe trans.** [6]
Faire cocu (fam.). 1660 ; ☞ *cocu* ; [kɔkyfje].

**COCYCLIQUE, adj.**
*Géom. Points **cocycliques*** : situés sur un même cercle. XXe s. ; ☞ *cyclique* + *co-* ; [kosiklik].

**CODA, subst. f.**
**1.** *Mus.* Section sur laquelle s'achève un morceau. **2.** *Chorégr.* Dernière partie d'un pas de deux. 1838 ; ital. *coda*, « queue » ; [kɔda].

**CODAGE, subst. m.**
Action de coder ; son résultat. 1957 ; ☞ *coder* ; [kɔdaʒ].

**CODE, subst. m.**
**I. 1.** *Dr. rom.* Recueil des lois et des prescriptions en vigueur : *Le **code** de Justinien.* **2.** *Dr.* Ensemble ordonné des lois propres à un domaine particulier ; par méton., le livre qui regroupe ces lois : *Le **Code** civil, pénal.* **3.** ***Code** de la route* : ensemble des règles qui s'appliquent à la circulation routière ; par ext. : *Les feux de **code** d'une automobile* ou, par ell., *Les **codes**,* phares de puissance modérée prescrits en cas de croisement ou par faible visibilité. **4.** Fig. Ensemble de préceptes qu'il convient d'observer : ***Code** d'honneur, de déontologie* ; ***Code** de bonne conduite*, engagement réciproque à ne pas se nuire. **II.** En-

semble de signes convenus permettant la communication. **1.** Système de symboles permettant de transcrire et de transmettre une information : *Code Morse* ; *Code électronique d'une porte*, combinaison de chiffres ou de lettres qui en déclenche l'ouverture ; *Code postal*, les cinq chiffres indiquant le département et le bureau distributeur. ▸ *Mar. Code international de signaux* : liste de signaux utilisés par les navires. **2.** Système de transcription permettant de crypter un message et de le retranscrire en clair : *Code diplomatique* ; *Nom de code.* ▸ *Code confidentiel* : clé d'accès électronique. 1236 ; lat. *codex*, « tablette pour écrire ; registre » ; [kɔd].

GÉNÉTIQUE – La spécificité d'une chaîne protéique réside dans la nature et l'ordre d'association des acides aminés (20 espèces) qui la constituent. Ces informations sont enregistrées au niveau de la succession des bases azotées (4 espèces) des nucléotides constituant une molécule d'A. R. N. messager ou de l'un des brins d'A. D. N. d'un gène. Les règles permettant de passer du langage nucléotique rédigé avec 4 lettres au langage protéique à 20 lettres constituent le code génétique.

**CODE-BARRES,** subst. m.
Code constitué de barres verticales apposées sur un produit, permettant son identification par lecture optique. XXe s. ; comp. de *code* et de *barre* ; plur. *codes-barres*, var. *code à barres* ; [kɔdbaʀ].

**CODÉBITEUR, TRICE,** subst.
*Dr.* Chacune des personnes qui sont conjointement débitrices d'un même créancier. 1611 ; ☞ *débiteur* + *co-* ; [kodebitœʀ, tʀis].

**CODÉINE,** subst. f.
*Pharm.* Alcaloïde extrait de l'opium, utilisé comme antitussif et dont l'abus entraîne une dépendance. 1832 ; gr. *kôdeia*, « tête de plante » ; [kɔdein].

**CODEMANDEUR, ERESSE,** subst. et adj.
*Dr.* Se dit d'une personne qui forme une demande en justice avec une ou plusieurs autres personnes. 1771 ; ☞ *demandeur* + *co-* ; [kodəmɑ̃dœʀ, əʀɛs].

**CODER,** verbe trans. [3]
Crypter au moyen d'un système de transcription ; empl. adj. : *Message codé.* 1954 ; ☞ *code* ; [kɔde].

**CODÉTENTEUR, TRICE,** subst.
*Dr.* Personne qui détient un bien, un droit, etc., conjointement avec une ou plusieurs autres ; par ext. : *Le codétenteur d'un record.* Mil. XVIe s. ; ☞ *détenteur* + *co-* ; [kodetɑ̃tœʀ, tʀis].

**CODÉTENU, UE,** subst.
*Dr.* Personne détenue avec d'autres en un même lieu. 1828 ; ☞ *détenu* + *co-* ; [kodet(ə)ny].

**CODEUR,** subst. m.
Dispositif électronique réalisant automatiquement le codage des données. V. 1960 ; ☞ *coder* ; [kɔdœʀ].

**CODEX,** subst. m.
**1.** *Hist.* ▸ *Antiq. rom.* Ensemble de planchettes de cire reliées entre elles, que les Romains utilisaient comme support pour écrire. ▸ *M. Â.* Livre formé de feuilles de parchemin. **2.** Recueil d'anciens manuscrits servant de références : *Les codex amérindiens.* **3.** *Pharm.* Recueil officiel des médicaments et des formules de pharmacie autorisés. 1512 ; lat. *codex*, « tablette pour écrire ; registre » ; [kɔdɛks].

*Miniature extraite du codex de Capodilista (XVe s.). Bibliothèque municipale, Padoue.*

© Alinari-Giraudon

**CODICILLAIRE,** adj.
*Dr.* Contenu dans un codicille : *Clause codicillaire.* 1562 ; ☞ *codicille* ; [kɔdisilɛʀ].

**CODICILLE,** subst. m.
*Dr.* Disposition ajoutée à un testament pour le modifier. 1269 ; bas lat. *codicillus*, « tablette » ; [kɔdisil].

**CODIFICATION,** subst. f.
Action de codifier ; le résultat de cette action. 1819 ; ☞ *code* ; [kɔdifikasjɔ̃].

**CODIFIER,** verbe trans. [6]
**1.** *Dr.* Réunir (des lois) en un code. **2.** Ext. Rendre rationnel ; normaliser. 1831 ; ☞ *code* ; [kɔdifje].

**CODIRECTEUR, TRICE,** subst.
Personne qui dirige une entreprise conjointement avec une ou plusieurs autres. 1771 ; ☞ *directeur* + *co-* ; [kodiʀɛktœʀ, tʀis].

**CODIRECTION,** subst. f.
Direction exercée conjointement par plusieurs personnes. 1866 ; ☞ *direction* + *co-* ; [kodiʀɛksjɔ̃].

**CODOMINANCE,** subst. f.
*Génét.* Situation où un organisme hétérozygote pour deux formes alléliques d'un même gène exprime de la même façon chacune des caractéristiques correspondant à ces deux allèles. V. 1970 ; ☞ *dominance* + *co-* ; [kodɔminɑ̃s].

**CODON,** subst. m.
*Biochim.* et *Génét.* Groupement de trois ribonucléotides des bases azotées adénine, guanine, uracile et cytosine, faisant partie d'une séquence polynucléotidique codante d'A. R. N. messager. De la succession des **codons** portés par un A. R. N. découlent la nature et la position des acides aminés impliqués dans la constitution d'une chaîne protéique. V. 1970 ; angl. *codon*, de *code* ; [kɔdɔ̃].

**CODONATAIRE,** subst. et adj.
*Dr.* Se dit d'une personne qui bénéficie d'une donation conjointement avec d'autres. 1762 ; ☞ *donataire* + *co-* ; [kodɔnatɛʀ].

**CODONATEUR, TRICE,** subst. et adj.
*Dr.* Se dit d'une personne qui effectue une donation conjointement avec d'autres. Mil. XIXe s. ; ☞ *donateur* + *co-* ; [kodɔnatœʀ, tʀis].

**COÉDITER,** verbe trans. [3]
Éditer (une œuvre) conjointement avec d'autres éditeurs. Mil. XXe s. ; ☞ *éditer* + *co-* ; [koedite].

**COÉDITEUR, TRICE,** subst. et adj.
Se dit d'un éditeur qui coédite un ouvrage. Mil. XXe s. ; ☞ *éditeur* + *co-* ; [koeditœʀ, tʀis].

**COÉDITION,** subst. f.
Édition d'un ouvrage effectuée par plusieurs éditeurs. Mil. XXe s. ; ☞ *édition* + *co-* ; [koedisjɔ̃].

**COEFFICIENT,** subst. m.
**1.** *Math.* ***Coefficient** angulaire*, ou *directeur, d'une droite* : par rapport à un repère cartésien, si la droite n'est pas parallèle à l'axe des ordonnées, nombre réel $m$ dans l'équation de la droite $y = mx + p$ (synon. *pente*) ; ***Coefficient** d'une fonction polynôme réelle ou complexe* : chacun des nombres multipliant une puissance de la variable. **2.** *Phys.* Grandeur caractérisant une propriété physique d'un système : ***Coefficient** d'absorption de radiations, de viscosité.* **3.** *Stat.* ***Coefficient** de corrélation de deux variables aléatoires* : nombre mesurant le degré de liaison de ces variables, égal au quotient de leur covariance par le produit de leurs écarts types. **4.** *Enseign.* Nombre qui définit la valeur relative d'une épreuve dans un examen. 1750 ; ☞ *efficient* + *co-* ; [koefisjɑ̃].

**CŒLACANTHE,** subst. m.
*Zool.* Grand poisson de la sous-classe des Actinistiens, que l'on croyait éteint depuis la fin d Crétacé. Il s'agit de l'espèce unique *Latimer chalumnae*, découverte en 1938 dans l'océan Indie et considérée comme un fossile vivant. Mil. XIXe s lat. sc. *coelacanthus*, du gr. *koilos*, « creux », et *acanth* « épine » ; [selakɑ̃t].

*Un fossile vivant : le cœlacanthe.*

© Geraud-Gamma

**CŒLENTÉRÉS,** subst. m. plur.
*Zool.* Ancien groupe d'invertébrés aquatiques, subd visé aujourd'hui en deux embranchements di tincts, les Cnidaires et les Cténaires. AU SING. *I méduse, comme le corail, est un **cœlentéré**.* 189( gr. *koilos*, « creux », et *enteron*, « intestin » ; [selɑ̃teʀe

**CŒLIAQUE,** adj.
*Anat.* Qui concerne la cavité abdominale et l viscères de l'appareil digestif : *Tronc **cœliaque***, tror artériel se détachant de l'aorte sous le diaphragm et se divisant en trois branches qui vont irrigu le foie, l'estomac, la rate et le pancréas. 154 lat. *coeliacus*, du gr. *koliakos* ; [seljak].

**CŒLIOSCOPIE,** subst. f.
*Méd.* Examen visuel direct de la cavité abdomina au moyen d'un instrument, appelé endoscop introduit à travers la paroi abdominale. V. 197( formé de *cœlio-* et de *-scopie* ; var. *célioscopie* [seljɔskɔpi].

**CŒLOMATE,** subst. m.
*Zool.* Animal pourvu d'un cœlome (anton. *acœl mate*) : *Les Vertébrés sont des **cœlomates**.* 189( ☞ *cœlome* ; [selomat].

**CŒLOME,** subst. m.
*Zool.* Cavité comprise entre les deux feuillets d mésoderme, chez les animaux triploblastique 1890 (1838, ulcère de la cornée) ; gr. *koilôma* ; [selon

**CŒLOMIQUE,** adj.
*Biol.* Relatif au cœlome : *La cavité **cœlomiqu*** 1893 ; ☞ *cœlome* ; [selɔmik].

**CŒNURE,** voir **CÉNURE**

**COENZYME,** subst. f. ou m.
*Biochim.* Molécule organique complexe, non prot ique, qui, associée à une protéine enzymatiqu (apoenzyme), lui permet d'être active. 1922 ☞ *enzyme* + *co-* ; [koɑ̃zim].

**COÉQUIPIER, IÈRE,** subst.
Chacun des membres d'une même équipe. 1907 ☞ *équipier* + *co-* ; [koekipje, jɛʀ].

**COERCIBLE,** adj.
*Phys.* Qui peut être comprimé. 1766 ; *coercer* (vx « contenir, réprimer » ; [kɔɛʀsibl].

**COERCITIF, IVE,** adj.
**1.** *Dr.* Qui exerce ou peut exercer une coercitior **2.** Ext. Qui contraint : *Mesures **coercitives**.* **3.** *Phy Champ **coercitif*** : champ magnétique capable d'an nuler une aimantation. 1559 ; lat. *coercitum*, d *coercere*, « réprimer » ; [kɔɛʀsitif, iv].

**COERCITION,** subst. f.
**1.** *Dr.* Pression, contrainte légale exercée sur qq pour l'obliger à respecter la loi. **2.** Ext. Contrain exercée sur qqn. 1255 ; lat. *coercitio* ; [kɔɛʀsisjɔ̃

**COÉTERNEL, ELLE,** adj.
*Théol.* Qui partage l'éternité avec d'autres : *Le Pèr le Fils et le Saint-Esprit sont **coéternels**.* Fin XIIe s. lat. chrét. *coaeternalis* ; [koetɛʀnɛl].

**COÉTERNITÉ,** subst. f.
*Théol.* Éternité partagée par les trois Personnes di vines. 1530 ; lat. chrét. *coaeternitas* ; [koetɛʀnite

**CŒUR,** subst. m.
**I. 1.** *Anat.* et *Zool.* Organe moteur de la circulatio sanguine. Réduit à un vaisseau un peu différent de autres chez les animaux diploblastiques, il a déj l'aspect, chez l'escargot, d'un petit organe qui puls (avec une seule oreillette et un seul ventricule). Che les Amphibiens, les Reptiles, les Oiseaux et le Mammifères, il a l'apparence et les fonctions d'u muscle creux de forme ovoïde, logé dans le thorax *Les battements du **cœur*** ; *Une greffe du **cœur*** ; *Ur maladie de **cœur**.* **2.** Ext. La poitrine ; l'estomac : *Serre sur son **cœur*** ; *Avoir mal au **cœur***, la nausée. **3.** Ana Ce dont la forme rappelle un **cœur** : *Un cœu d'ivoire* ; *La bouche en **cœur***, arrondie et expriman une ingénuité feinte. ▸ *Jeux.* Une des quatre couleu d'un jeu de cartes, dont les points sont représenté par des **cœurs** : *Le dix de **cœur**.* **4.** Fig. ▸ Ce qui es central, tel le **cœur** dans l'organisme : ***Cœur** d laitue.* ▸ Milieu : *Vivre au **cœur** des montagnes* ; *L **cœur** de l'hiver.* ▸ Ce qui est essentiel : *Le **cœur** d'u projet, d'un débat.* ▸ *Phys. nucl.* ***Cœur** d'un réacteur* partie du réacteur où se trouve le combustibl

ucléaire et où s'opère la fission. **II.** Siège des entiments. **1.** Amour ; passion, tendresse : *Peines e cœur* ; *Courrier du cœur* ; par méton. : *Un cœur prendre*, une personne libre de toute attache moureuse. **2.** Intuition, spontanéité : *Le cœur a ses aisons que la raison ne connaît pas* (Pascal) ; *Cri u cœur* ; *Ouvrir son cœur*, se confier. ▸ Loc. *En avoir cœur net* : se libérer de ses doutes. **3.** Conscience norale ; bonté : *Manquer de cœur*, être insensible ; voir bon cœur ; *Avoir le cœur sur la main*, être énéreux. ▸ Essence, intimité de l'être : *Dieu sonde s reins et les cœurs*, connaît le fond de chacun. **4.** Courage, vertu : *Rodrigue, as-tu du cœur ?* Corneille) ; *Richard Cœur de Lion*, surnom de ichard Ier d'Angleterre. ▸ Zèle, ardeur : *Du cœur l'ouvrage* ; *Prendre qqch. à cœur*, avec intérêt, érieux ; *Le cœur n'y est plus*, le découragement agne. **5.** Humeur : *Je n'ai pas le cœur à rire* ; *Avoir cœur lourd* ; *De bon cœur*, volontiers ; *Si le cœur vous n dit*, si vous le désirez. **6.** Loc. **Par cœur.** De némoire : *Apprendre un poème par cœur* ; parfaitement : *Je vous connais par cœur.* **7.** *Relig. Le Sacré Cœur* : symbole de l'amour infini du Christ pour 'humanité ; par méton. : *La fête du Sacré-Cœur* ; *La asilique du Sacré-Cœur*. 📖 Mil. XIe s. ; lat. *cor* ; [kœʀ].
**PHYSIOLOGIE** – Le cœur est un muscle creux situé dans le thorax, qui assure par ses contractions la circulation du sang dans tout l'organisme. Il est divisé en quatre cavités : deux oreillettes reçoivent les veines et deux ventricules donnent naissance aux artères ; chaque oreillette communique exclusivement avec le ventricule situé de son côté. À droite, le sang qui a perdu son oxygène arrive par les veines caves dans l'oreillette droite, puis passe dans le ventricule droit, avant de repartir par l'artère pulmonaire vers les poumons, où il sera oxygéné. À gauche, le sang oxygéné venant des poumons par les veines pulmonaires passe de l'oreillette gauche dans le ventricule gauche avant de repartir par l'aorte vers l'organisme. Le cœur est irrigué par les artères coronaires. Il est enveloppé par une membrane, le péricarde ; une autre, l'endocarde, tapisse l'intérieur du muscle cardiaque lui-même, le myocarde. Ce dernier est composé de cellules musculaires striées dont certaines permettent la conduction de l'influx nerveux qui commande en partie les battements du cœur (rythme cardiaque).

**COEXISTENCE, subst. f.**
**1.** Existence simultanée. **2.** *Coexistence pacifique* : état de paix, d'apparente conciliation entre des puissances dont les régimes politiques ou les intérêts économiques sont opposés. 📖 1554 ; ☞ *existence + co-* ; [kɔɛgzistɑ̃s].

**COEXISTER, verbe intrans.** [3]
Exister ensemble, dans le même temps. 📖 1554 ; ☞ *exister + co-* ; [kɔɛgziste].

**COEXTENSIF, IVE, adj.**
*Log.* Qui présente la même extension : *Concepts coextensifs.* 📖 1893 ; ☞ *extensif + co-* ; [kɔɛkstɑ̃sif, iv].

**COFACTEUR, subst. m.**
**1.** Facteur qui agit conjointement avec d'autres. **2.** *Biochim.* Substance dont l'action renforce celle d'une autre substance active. 📖 XXe s. ; ☞ *facteur + co-* ; [kofaktœʀ].

**COFFRAGE, subst. m.**
*Constr.* **1.** Dispositif de planches ou de panneaux servant à étayer une tranchée, une galerie de mine, un puits en cours de creusement. **2.** Moule dans lequel on coule un matériau (plâtre, béton) à durcir. **3.** Action de poser ce dispositif ou ce moule. 📖 1838 ; ☞ *coffre* ; [kɔfʀaʒ].

**COFFRE, subst. m.**
**1.** Meuble de rangement, muni d'un couvercle : *Coffre à jouets.* **2.** Boîte métallique à serrure où l'on dépose des objets de valeur : *Coffre à bijoux* ; *Salle des coffres d'une banque* ; au fig. : *Les coffres de l'État*, les finances publiques. **3.** Anal. ▸ *Autom.* Malle à bagages, gén. située à l'arrière de la voiture. ▸ *Mar.* Coque centrale d'un navire ; caisson flottant permettant aux bateaux de s'amarrer. ▸ *Mus. Le coffre d'un instrument* : sa caisse de résonance. **4.** Fig. Cage thoracique (fam.) : *Avoir du coffre*, avoir une voix puissante et profonde ou, au fig., avoir de l'aplomb. 📖 1165 ; lat. *cophinus*, « couffin » ; [kɔfʀ].

**COFFRE-FORT, subst. m.**
Armoire métallique blindée, parfois scellée dans un mur, munie d'une serrure de sûreté et où l'on enferme des objets de valeur. 📖 1543 ; comp. de *coffre* et de *fort* ; plur. *coffres-forts* ; [kɔfʀəfɔʀ].

**COFFRER, verbe trans.** [3]
**1.** Emprisonner (fam.). **2.** *Constr.* Équiper d'un coffrage : *Coffrer une dalle.* 📖 1562 (1544, mettre dans un coffre) ; ☞ *coffre* ; [kɔfʀe].

**COFFRET, subst. m.**
**1.** Petit coffre : *Coffret à bijoux.* **2.** Anal. Emballage rigide et de facture soignée : *Coffret de disques compacts.* 📖 Déb. XIVe s. ; ☞ *coffre* ; [kɔfʀɛ].

**COFFREUR, subst. m.**
*Constr.* Ouvrier spécialiste du coffrage. 📖 1955 ; ☞ *coffrer* ; [kɔfʀœʀ].

**COFINANCEMENT, subst. m.**
Financement effectué par plusieurs organismes. 📖 XXe s. ; ☞ *financement + co-* ; [kofinɑ̃smɑ̃].

**COFINANCER, verbe trans.** [4]
Financer grâce à un système de cofinancement. 📖 XXe s. ; ☞ *financer + co-* ; [kofinɑ̃se].

**COFONDATEUR, TRICE, subst.**
Personne qui crée ou fonde qqch. avec d'autres. 📖 1892 ; ☞ *fondateur + co-* ; [kofɔ̃datœʀ, tʀis].

**COGÉRANCE, subst. f.**
*Dr.* Gérance partagée entre plusieurs personnes. 📖 1866 ; ☞ *gérance + co-* ; [koʒeʀɑ̃s].

**COGÉRANT, ANTE, subst.**
*Dr.* Personne qui gère au sein d'une cogérance. 📖 1900 ; ☞ *gérant + co-* ; [koʒeʀɑ̃, ɑ̃t].

**COGÉRER, verbe trans.** [8]
*Dr.* Gérer avec une ou plusieurs autres personnes. 📖 V. 1970 ; ☞ *gérer + co-* ; [koʒeʀe].

**COGESTION, subst. f.**
*Dr.* Gestion en commun d'un organisme ; en partic., gestion d'une entreprise exercée par son chef et les représentants des salariés. 📖 1945 ; ☞ *gestion + co-* ; [koʒɛstjɔ̃].

**COGITATION, subst. f.**
**1.** *Philos.* Action d'attacher sa pensée à un objet (vieilli). **2.** Ext. Réflexion (fam. et iron.). 📖 Mil. XIIe s. ; lat. *cogitatio* ; [kɔʒitasjɔ̃].

**COGITER, verbe intrans.** [3]
Fam. Se livrer à des réflexions ; empl. trans. : *Que cogites-tu encore ?* 📖 1450 ; lat. *cogitare* ; [kɔʒite].

**COGITO, subst. m. inv.**
*Philos.* Dans le système cartésien, intuition immédiate établissant, après le doute méthodique, la certitude de l'existence de l'être comme sujet pensant. 📖 1834 ; lat. *cogito ergo sum*, « je pense, donc je suis », formule de Descartes dans le *Discours de la méthode* ; [kɔʒito].

**COGNAC, subst. m.**
Eau-de-vie de raisin corsée et très réputée, produite dans les Charentes ; par méton., verre de **cognac**. 📖 Déb. XIXe s. ; topon. *Cognac* (Charente) ; [kɔɲak].

**COGNASSIER, subst. m.**
*Bot.* Arbre fruitier de la famille des Malacées. L'espèce *Cydonia vulgaris* donne les coings ; l'espèce *Cydonia japonica* est un arbuste ornemental, à fleurs écarlates. 📖 1558 ; *cognasse*, « coing sauvage » ; [kɔɲasje].

**COGNAT, subst. m.**
*Dr. rom.* Parent par les femmes (anton. *agnat*). 📖 Déb. XIVe s. ; lat. *cognatus* ; [kɔgna].

**COGNATION, subst. f.**
*Dr. rom.* Parenté biologique ; en partic., parenté par les femmes. 📖 1170 ; lat. *cognatio* ; [kɔgnasjɔ̃].

**COGNE, subst. m.**
Agent de police, gendarme (argot.). 📖 1800 ; ☞ *cogner* ; [kɔɲ].

**COGNÉE, subst. f.**
Hache à long manche et à fer étroit, utilisée pour abattre les arbres ou fendre le bois. ▸ Loc. *Jeter le manche après la cognée* : abandonner une entreprise par découragement. 📖 Fin XIe s. ; lat. médiév. *cuneata*, « en forme de coin » ; [kɔɲe].

**COGNEMENT, subst. m.**
**1.** Action de cogner. **2.** Méton. Bruit sourd résultant d'un heurt ; en partic., bruit anormal produit par un moteur. 📖 1604 ; ☞ *cogner* ; [kɔɲmɑ̃].

**COGNER, verbe** [3]
**TRANS. DIR. 1.** Vx. Taper sur (qqch.) à l'aide d'un instrument : *Cogner un clou.* **2.** Heurter accidentellement : *Les branches cognaient la fenêtre* ; empl. pronom. réfl. : *Se cogner le genou.* ▸ Loc. *Se cogner la tête contre les murs* : s'efforcer d'échapper à une situation désespérée. **3.** Frapper (pop.) : *L'ivrogne cogne sa femme.* **TRANS. INDIR.** Cogner à, contre, sur. Frapper, heurter contre : *Cogner à la porte, contre la vitre.* **INTRANS.** Produire des coups sourds et répétés : *Le volet a cogné toute la nuit* ; *Son cœur cognait fort.* ▸ Loc. *Ça cogne !* : le soleil tape dur (fam.). 📖 Fin XIIe s. ; ☞ *coin* ; [kɔɲe].

**COGNITIF, IVE, adj.**
**1.** *Philos.* Qui concerne la connaissance. **2.** Qui relève de la cognition : *Psychologie cognitive* ; *Sciences cognitives*, psychologie, neurobiologie, logique, etc. 📖 Fin XIVe s. ; lat. médiév. *cognitivus* ; [kɔgnitif, iv].

**COGNITION, subst. f.**
*Philos.* Processus d'acquisition du savoir. 📖 Déb. XIVe s. ; lat. *cognitio* ; [kɔgnisjɔ̃].

**COGNITIVISME, subst. m.**
*Psychol.* Étude des processus cognitifs. 📖 Fin XXe s. ; ☞ *cognitif* ; [kɔgnitivism].

**COHABITATION, subst. f.**
**1.** Fait de cohabiter. **2.** Ext. Vie commune d'un couple d'époux ou de concubins. **3.** *Pol.* Situation dans laquelle coexistent un président de la République et un gouvernement de tendances opposées. 📖 XIIIe s. ; lat. chrét. *cohabitatio* ; [koabitasjɔ̃].

**COHABITER, verbe intrans.** [3]
**1.** Habiter ensemble au même endroit. **2.** Ext. Vivre maritalement. **3.** Fig. Se côtoyer sans heurts : *Les idéologies les plus diverses cohabitaient à la faculté.* 📖 Fin XIVe s. ; lat. chrét. *cohabitare* ; [koabite].

**COHÉRENCE, subst. f.**
**1.** Harmonie logique d'ordre intellectuel qui exclut la contradiction interne : *Cohérence d'un raisonnement.* ▸ Solidarité : *Cohérence d'un groupe.* **2.** Liaison étroite des divers éléments constituant un corps (vx). 📖 1524 ; lat. *cohaerentia*, « cohésion » ; [koeʀɑ̃s].

**COHÉRENT, ENTE, adj.**
**1.** Vx. Dont les éléments sont homogènes. **2.** Fig. ▸ Dont les parties s'enchaînent avec harmonie et logique : *Des phrases cohérentes* ; *Un tout parfaitement cohérent.* ▸ Qualifie un groupe dont les membres sont solidaires. 📖 1539 ; lat. *cohaerens*, de *cohaerere*, « être attachés ensemble » ; [koeʀɑ̃, ɑ̃t].

**COHÉREUR, subst. m.**
*Phys.* Premier appareil détecteur d'ondes hertziennes, inventé par Branly. 📖 1890 ; lat. *cohaerere*, « être attachés ensemble » ; [koeʀœʀ].

**COHÉRITER, verbe intrans.** [3]
*Dr.* Hériter d'une succession avec d'autres héritiers. 📖 1866 ; ☞ *hériter + co-* ; [koeʀite].

**COHÉRITIER, IÈRE, subst.**
Personne qui hérite avec d'autres d'une succession. 📖 1411 ; ☞ *héritier + co-* ; [koeʀitje, jɛʀ].

**COHÉSIF, IVE, adj.**
Qui unit, assure la cohésion. 📖 Fin XIXe s. ; ☞ *cohésion* ; [koezif, iv].

**COHÉSION, subst. f.**
**1.** Propriété qui assure la cohérence physique d'un corps. **2.** Fig. ▸ Qualité d'un groupe dont les membres sont étroitement unis : *Cohésion d'une équipe.* ▸ Caractère d'un ensemble dont les éléments s'organisent avec logique : *Cohésion d'un témoignage.* 📖 1740 ; lat. *cohaesum*, de *cohaerere*, « être attachés ensemble » ; [kɔezjɔ̃].

**COHORTE, subst. f.**
**1.** *Antiq. rom.* Subdivision militaire correspondant au dixième de la légion (env. 600 hommes) : *Les cohortes prétoriennes constituaient un corps d'élite.* **2.** Ext. Troupe armée (gén. au plur.). ▸ *Les célestes cohortes* : les anges, les élus. **3.** Groupe dense de personnes (fam.) : *La cohorte des journalistes assiégeait l'Élysée.* **4.** *Démogr.* Ensemble d'individus qui vivent en même temps le même évènement. 📖 1213 ; lat. *cohors* ; [kɔɔʀt].

**COHUE, subst. f.**
**1.** Foule nombreuse et tumultueuse : *C'était une cohue d'humains et de bêtes mélangés* (Maupassant). **2.** Méton. Désordre, confusion, bousculade : *La cohue des grands départs.* 📖 1638 (XIIIe s., halle) ; breton *koc'hu*, « halle » ; [kɔy].

**COI, COITE, adj.**
**1.** Vx. Tranquille, silencieux (littér.). **2.** Loc. *Demeurer, se tenir coi* : ne pas bouger ; *En rester coi* : être muet de stupeur (rare au fém.). 📖 Fin XIe s. ; lat. pop. °*quetus*, du lat. *quietus*, « au repos » ; [kwa, kwat].

**COIFFAGE, subst. m.**
**1.** Action de coiffer. **2.** *Dent.* Fait de recouvrir d'un

enduit protecteur une dent cariée. ⊠ 1849 ; ☞ *coiffer* ; [kwafaʒ].

**COIFFANT, ANTE, adj.**
Qui coiffe bien : *Une coupe très* ***coiffante.*** ⊠ XXᵉ s. ; p. pr. de *coiffer* ; [kwafɑ̃, ɑ̃t].

**COIFFE, subst. f.**
**1.** Coiffure traditionnelle des paysannes, en tissu ou en dentelle, variant selon les régions : *Les* ***coiffes*** *bretonnes.* **2.** Coiffure traditionnelle des religieuses. **3.** Doublure de chapeau, de képi. **4.** *Spéc.* ▸ *Anat.* Membrane qui recouvre parfois la tête du fœtus au moment de l'accouchement. ▸ *Bot.* Enveloppe recouvrant les mousses ou la racine des végétaux. ▸ *Arm.* Extrémité d'obus, de fusée, protégeant sa charge utile. ▸ *Reliure.* Rebord au dos d'un volume. ⊠ Fin XIᵉ s. ; bas lat. *cofia* ; [kwaf].

**COIFFÉ, ÉE, adj.**
**1.** Qui porte une coiffure. **2.** Dont les cheveux sont disposés d'une certaine façon, peigné : *Un enfant bien* ***coiffé*** ; *Être* ***coiffé*** *en brosse, sur le côté.* **3.** Loc. fam. *Être né* ***coiffé*** : avoir beaucoup de chance (par réf. à la coiffe fœtale, que l'on considérait comme un gage de bonheur). ⊠ XIIIᵉ s. ; p. p. de *coiffer* ; [kwafe].

**COIFFER, verbe trans.** [3]
**I. 1.** Couvrir la tête de (qqn). **2.** Mettre (une coiffure) sur sa tête ; empl. pronom. : *Se* ***coiffer*** *d'un béret.* ▸ Loc. ***Coiffer*** *la mitre* : devenir évêque ; ***Coiffer*** *sainte Catherine* : n'être pas encore mariée à vingt-cinq ans, en parlant d'une jeune femme. **3.** Fig. Contrôler, diriger : *Il* ***coiffe*** *plusieurs services* ; ***Coiffer*** *au poteau* : dépasser (un concurrent) sur la ligne d'arrivée. **II.** Discipliner les cheveux de, peigner ; empl. pronom. : *Se* ***coiffer*** *au carré.* ⊠ Fin XIIIᵉ s. ; ☞ *coiffe* ; [kwafe].

**COIFFEUR, EUSE, subst.**
Personne dont la profession est d'arranger et de couper les cheveux et la barbe. **Fém.** *Ameubl.* Petite table de toilette à tiroirs, munie d'une glace, devant laquelle les femmes se coiffent et se maquillent. ⊠ 1669 ; ☞ *coiffer* ; [kwafœʀ, øz].

**COIFFURE, subst. f.**
**1.** Accessoire d'habillement servant à couvrir ou à orner la tête. **2.** Disposition des cheveux sur la tête : ***Coiffure*** *en brosse* ; ***Coiffure*** *à la Jeanne d'Arc*, courte et raide, avec une frange. **3.** Ext. Art de coiffer ; métier du coiffeur : *Un salon de* ***coiffure.*** ⊠ Déb. XVIᵉ s. ; ☞ *coiffer* ; [kwafyʀ].

**COIN, subst. m.**
**I. 1.** Morceau de bois ou de métal prismatique servant à fendre des matériaux, à caler ou à assujettir certaines pièces. ▸ Loc. *Enfoncer un* ***coin*** : introduire un élément de division (dans un ensemble, entre des personnes). **2.** Matrice d'acier gravée en creux, utilisée pour frapper les monnaies et médailles. ▸ Loc. *Cette opinion est frappée au* ***coin*** *du bon sens* : elle en porte la marque. **II. 1.** Espace formé par un angle saillant ou rentrant : *Les* ***coins*** *d'une pièce, d'une table* ; *Le* ***coin*** *de la rue* ; par ell. : *Le boulanger du* ***coin***, à proximité. **2.** Ext. Petite étendue de terrain, espace restreint : *Un* ***coin*** *de terre* ; *Au* ***coin*** *du feu*, près de la cheminée ; *Le* ***coin*** *cuisine* ; *Le petit* ***coin***, les cabinets (pop.). **3.** Lieu retiré du monde : *Un* ***coin*** *tranquille* ; *Dans ce petit* ***coin*** *sombre avec mon noir chagrin* (Molière). **4.** Loc. *Un regard, un sourire en* ***coin*** : méfiant, ironique ; *Mettre un enfant au* ***coin*** : le punir ; *Rester dans son* ***coin*** : ne pas se mêler aux autres ; *En boucher un* ***coin*** *à qqn* : l'épater (fam.) ; *Voyager aux quatre* ***coins*** *du globe* : partout dans le monde. ⊠ XIIᵉ s. ; lat. *cuneus* ; [kwɛ̃].

**COINCÉ, ÉE, adj.**
**1.** Bloqué : *La porte est* ***coincée*** ; *Être* ***coincé*** *chez soi.* **2.** Fig. Timide, inhibé (fam.) : *Un sourire* ***coincé.*** ⊠ XVIIIᵉ s. ; p. p. de *coincer* ; [kwɛ̃se].

**COINCER, verbe trans.** [4]
**1.** Fixer avec des coins : ***Coincer*** *des rails.* **2.** Immobiliser, bloquer : ***Coincer*** *une pièce dans un étau* ; empl. abs. : *La serrure* ***coince.*** **3.** Fig. et Fam. ▸ Retenir (qqn) : *Il l'a* ***coincée*** *dans l'escalier.* ▸ Mettre dans l'embarras ; arrêter : *La police a* ***coincé*** *le pickpocket.* **4.** Loc. ***Coincer*** *la bulle* : ne rien faire, dormir (fam.). **Pronom.** Se bloquer : *Le tiroir s'est* ***coincé.*** ⊠ 1773 ; ☞ *coin* ; [kwɛ̃se].

**COINCHER, verbe intrans.** [3]
*Jeux.* Contrer, aux cartes ; empl. adj. : *La manille* ***coinchée.*** ⊠ XIXᵉ s. ; forme norm.-pic. de *coincer* ; [kwɛ̃ʃe].

**COÏNCIDENCE, subst. f.**
**1.** *Géom.* État de deux figures qui se superposent (synon. *identité*). **2.** Fait de coïncider, de se produire simultanément. **3.** Hasard, concours de circonstances : *Vous ici ! quelle heureuse* ***coïncidence*** *!* ⊠ 1464 ; ☞ *coïncider* ; [kɔɛ̃sidɑ̃s].

**COÏNCIDENT, ENTE, adj.**
Qui coïncide : *Des figures, des histoires* ***coïncidentes.*** ⊠ 1534 ; ☞ *coïncider* ; [kɔɛ̃sidɑ̃, ɑ̃t].

**COÏNCIDER, verbe intrans.** [3]
**1.** *Géom.* Se superposer exactement : *Deux cercles de même rayon et de même centre* ***coïncident.*** **2.** Fig. Avoir lieu en même temps : *Leurs séjours* ***coïncidèrent.*** **3.** S'accorder en tout point : *Son récit* ***coïncidait*** *avec celui de son camarade.* ⊠ Fin XIVᵉ s. ; lat. médiév. *coincidere*, « tomber ensemble en un même point » ; [kɔɛ̃side].

**COIN-COIN, subst. m. inv.**
Son rappelant le cri du canard. ⊠ 1858 ; orig. onomat. ; [kwɛ̃kwɛ̃].

**COÏNCULPÉ, ÉE, subst.**
Chacun des individus inculpés pour un même délit. ⊠ 1869 ; ☞ *inculpé* + *co-* ; [kɔɛ̃kylpe].

**COING, subst. m.**
Fruit jaune du cognassier, aux vertus astringentes, que l'on consomme cuit en raison de son âpreté : *Une gelée de* ***coing.*** ⊠ XIᵉ s. ; lat. *cotoneum*, du gr. *Kudônia mala*, « pomme de Kydonia » ; [kwɛ̃].

**COÏT, subst. m.**
Acte d'accouplement, chez l'homme ou chez l'animal : ***Coït*** *interrompu*, retrait du pénis avant l'éjaculation, à des fins contraceptives. ⊠ 1379 ; lat. *coitus*, « action de se joindre » ; [kɔit].

**COÏTER, verbe intrans.** [3]
S'accoupler. ⊠ 1859 ; ☞ *coït* ; [kɔite].

**COKE (I), subst. m.**
*Techn.* Résidu solide obtenu par distillation de certaines houilles grasses et formant un combustible ne contenant qu'une très faible fraction de matières volatiles. ⊠ 1758 ; mot angl. ; [kɔk].

**COKE (II), subst. f.**
Cocaïne (fam.). ⊠ 1912 ; abrév. de *cocaïne* ; [kɔk].

**COKÉFACTION, subst. f.**
*Techn.* Transformation de la houille ou des résidus lourds du pétrole en coke. ⊠ 1921 ; ☞ *cokéfier* ; [kɔkefaksjɔ̃].

**COKÉFIER, verbe trans.** [6]
Transformer en coke. ⊠ 1911 ; ☞ *coke* (I) ; [kɔkefje].

**COKERIE, subst. f.**
Usine où l'on fabrique le coke ou les produits qui en dérivent. ⊠ 1882 ; ☞ *coke* (I) ; [kɔkʀi].

**COL, subst. m.**
**1.** Vx. Cou. ▸ Loc. *Se hausser, se pousser du* ***col*** : étaler ses mérites. **2.** Anal. Partie resserrée d'un récipient : ***Col*** *d'un vase.* **3.** Méton. Partie d'un vêtement qui entoure le cou : ***Col*** *roulé* ; *Faux* ***col***, col amovible d'une chemise et, au fig., mousse d'un verre de bière (fam.). ▸ Loc. ***Col*** *blanc* : employé de bureau ; ***Col****-bleu* : ouvrier ou marin. **4.** *Spéc.* ▸ *Anat.* Partie rétrécie de certains os : ***Col*** *du fémur* ; resserrement d'un organe constituant un passage : ***Col*** *de l'utérus.* ▸ *Géogr.* Abaissement d'une ligne de crête montagneuse facilitant le passage d'un versant à l'autre : *Franchir un* ***col.*** ⊠ Fin XIᵉ s. ; lat. *collum* ; [kɔl].

**COLA, voir KOLA**

**COLATEUR, subst. m.**
*Techn.* Canal d'écoulement des eaux surabondantes. ⊠ 1886 ; lat. *colare*, « filtrer » ; [kɔlatœʀ].

**COLATIER, voir KOLATIER**

**COLATURE, subst. f.**
*Pharm.* Filtrage d'un liquide ; produit résultant de cette opération. ⊠ 1495 ; bas lat. *colatura*, du lat. *colare*, « filtrer » ; [kɔlatyʀ].

**COLBACK, subst. m.**
**1.** *Milit.* Bonnet à poil des cavaliers d'Empire, fermé par une poche conique de drap. **2.** Cou (argot.) *Saisir qqn par le* ***colback.*** ⊠ 1653 ; turc *kalpak* « bonnet à poil » ; [kɔlbak].

**COLBERTISME, subst. m.**
*Écon.* Doctrine mercantiliste appliquée en France à la fin du XVIIᵉ s., qui prône l'accumulation maximale de métaux précieux grâce à un protectionnisme rigoureux et au développement de l'industrie et du commerce extérieur sous la tutelle de l'État. ⊠ 1797 ; anthropon. *Colbert* ; [kɔlbɛʀtism].

**COLCHICINE, subst. f.**
*Biochim.* Substance alcaloïde toxique, extraite du colchique, qui empêche les cellules de se multiplier en bloquant leur mitose au stade de la métaphase. Elle est utilisée dans le traitement de la goutte. ⊠ 1838 ; ☞ *colchique* ; [kɔlʃisin].

**COLCHIQUE, subst. m.**
*Bot.* Plante herbacée vénéneuse de la famille des Liliacées, dont une espèce fournit la colchicine. ⊠ 1545 ; m. fr. *colchicum*, du gr. *kolkhikon*, « herbe de Colchide (pays de l'empoisonneuse Médée) » ; [kɔlʃik].

**COLCOTAR, subst. m.**
*Chim.* Oxyde ferrique également appelé rouge de Venise, dont on se sert pour le polissage des verres. ⊠ 1492 ; ar. *qulquṭār* ; [kɔlkɔtaʀ].

**COLD-CREAM, subst. m.**
*Pharm.* Crème dermatologique adoucissante, composée de blanc de baleine, de cire, d'huile et d'eau de rose (anglic.). ⊠ 1827 ; angl. *cold cream* « crème froide » ; plur. *cold-creams* ; [kɔldkʀim].

**COL-DE-CYGNE, subst. m.**
*Techn.* Pièce de plomberie dont la double courbure rappelle le cou d'un cygne. ⊠ 1832 ; comp. de *col* et de *cygne* ; plur. *cols-de-cygne* ; [kɔldəsiɲ].

**COLECTOMIE, subst. f.**
*Chir.* Ablation partielle ou totale du côlon. ⊠ 1891 ; ☞ *côlon* + *-ectomie* ; [kɔlɛktɔmi].

**COLÉE, subst. f.**
*Féod.* Coup symbolique porté sur la nuque d'un nouveau chevalier par son parrain lors de l'adoubement. ⊠ Fin XIᵉ s. ; ☞ *col* ; [kɔle].

**COLÉGATAIRE, subst.**
*Dr.* Chacun des bénéficiaires d'un même legs. ⊠ 1596 ; ☞ *légataire* + *co-* ; [kolegatɛʀ].

**COLÉOPTÈRES, subst. m. plur.**
*Zool.* Ordre d'insectes broyeurs ptérygotes dont les ailes antérieures sont des élytres durs recouvrant comme un étui les ailes postérieures. Les ***coléoptères***, qui totalisent près de 300 000 espèces, sont divisés en de nombreux sous-ordres, dont les Adéphages (carnassiers, prédateurs) et les Polyphages (à l'odorat très développé). **Au sing.** *La coccinelle est un* ***coléoptère.*** ⊠ 1754 ; lat. sc. *coleoptera*, du gr. *koleopteros*, de *koleos*, « fourreau », et de *pteron*, « aile » ; [kɔleɔptɛʀ].

© P. Tetrel-Explorer

*Le col de l'Izoard (Hautes-Alpes).*

© S. Krasemann-Explorer

*Le dynaste hercule, un* ***coléoptère*** *remarquable par sa taille et le développement de ses mandibules.*

**COLÈRE,** subst. f.
Profond mécontentement qui s'extériorise par des paroles, des actes agressifs ou violents : *Se mettre en colère ; Une colère noire.* ▸ *Relig.* L'un des sept péchés capitaux. 1416 (XIIIe s., bile) ; lat. *cholera*, du gr. *kholera*, « maladie bilieuse » ; [kɔlɛʀ].

**COLÉREUX, EUSE,** adj. et subst.
Se dit d'une personne qui est encline à la colère : *Un enfant coléreux.* Adj. Qui marque la colère : *Une voix coléreuse.* 1574 ; ☞ *colère* ; [kɔleʀø, øz].

**COLÉRIQUE,** adj.
D'un caractère coléreux. Fin XIVe s. (déb. XIIIe s., bilieux) ; lat. *cholericus*, « bilieux » ; [kɔleʀik].

**COLÉUS,** subst. m.
*Bot.* Plante ornementale de la famille des Lamiacées, genre *Coleus* (zones chaudes de l'Ancien Monde), qui compte 150 espèces dont certaines fournissent des tubercules comestibles. 1866 ; lat. sc. *coleus*, du gr. *koleos*, « fourreau » ; [kɔleys].

**COLIBACILLE,** subst. m.
*Bactériol.* Bactérie Gram– en forme de bâtonnet, qui vit dans l'intestin de l'homme et des mammifères, de l'espèce *Escherichia coli.* À partir d'elle, on peut isoler des souches inoffensives pour l'homme et d'autres qui ont une action pathogène et donnent des colibacilloses. 1895 ; ☞ *bacille* + *coli-* ; [kɔlibasil].

**COLIBACILLOSE,** subst. f.
*Pathol.* Infection provoquée par le colibacille. 1897 ; ☞ *colibacille* + *-ose* ; [kɔlibasiloz].

**COLIBRI,** subst. m.
*Zool.* Oiseau de la famille des Trochilidés (synon. *oiseau-mouche*). Sa taille varie, selon l'espèce, de celle d'une hirondelle à celle d'un bourdon ; il possède un plumage aux reflets métalliques ; son vol est très rapide (plus de 50 battements d'ailes à la seconde pour *Pygmornis rubra*, du Brésil, qui ne pèse que 2 grammes). 1640 ; orig. obsc. ; [kɔlibʀi].

*Colibri.*


**COLICITANT, ANTE,** subst. et adj.
*Dr.* Se dit de chacun des bénéficiaires d'une vente par licitation. 1835 ; ☞ *liciter* + *co-* ; [kɔlisitɑ̃, ɑ̃t].

**COLIFICHET,** subst. m.
Petit objet de décoration, bijou sans valeur ; par ext., ornement superflu ou de mauvais goût. 1640 ; m. fr. *coeffichier* ; [kɔlifiʃɛ].

**COLIMAÇON,** subst. m.
**1.** Vx. Escargot. **2.** Loc. **En colimaçon.** En spirale : *Escalier en colimaçon.* 1529 ; altér. du norm.-pic. *calimachon*, de *écale* et de *limaçon* ; [kɔlimasɔ̃].

**COLIN (I),** subst. m.
*Zool.* Poisson osseux de la famille des Gadidés, appelé aussi lieu ou lieu noir. *Merluccius merluccius*, ou merlu, est le **colin** des poissonniers parisiens. Fin XIVe s. ; prob. m. fr. *cole*, du néerl. *kole* ; [kɔlɛ̃].

**COLIN (II),** subst. m.
*Zool.* Oiseau d'Amérique de la famille des Phasianidés, de petite taille, proche de la caille. *Colinus virginianus* est le **colin** de Virginie, dont le mâle porte une huppe érectile. 1759 ; *Colin*, dimin. de Nicolas ; [kɔlɛ̃].

**COLINÉAIRE,** adj.
**1.** *Math.* Se dit de deux vecteurs non nuls $u$ et $v$ d'un espace vectoriel sur un corps K, s'il existe un scalaire $k \in K$ tel que $u = kv$ (on a alors aussi $v = k^{-1}u$). **2.** *Géom. Vecteurs colinéaires dans le plan* : vecteurs de même direction. XXe s. ; ☞ *linéaire* + *co-* ; [kɔlineɛʀ].

**COLINÉARITÉ,** subst. f.
*Math.* Propriété, pour des vecteurs, d'être colinéaires. XXe s. ; ☞ *linéarité* + *co-* ; [kɔlineaʀite].

**COLINEAU, voir COLINOT**

**COLIN-MAILLARD,** subst. m.
Jeu collectif dans lequel un joueur aux yeux bandés doit attraper et identifier le joueur qui le remplacera. 1534 ; comp. des noms *Colin* et *Maillard* ; plur. *colin-maillards* ; [kɔlɛ̃majaʀ].

**COLINOT,** subst. m.
*Zool.* Colin de petite taille. Mil. XXe s. ; ☞ *colin* (I) ; var. *colineau* ; [kɔlino].

**COLIN-TAMPON,** subst. m. sing.
*Se soucier de qqch., de qqn comme de colin-tampon* : n'en faire aucun cas. 1695 (1578, batterie de tambour des régiments suisses) ; comp. de *Colin* et de *tampon*, « tambour » ; [kɔlɛ̃tɑ̃pɔ̃].

**COLIQUE (I),** subst. f.
**1.** *Pathol.* Affection douloureuse du côlon ; par ext., douleur abdominale, vive et spasmodique : *Colique hépatique, néphrétique.* **2.** Diarrhée (fam.). Mil. XIIIe s. ; lat. médiév. *colica*, du bas lat. *colica passio*, « maladie du côlon » ; [kɔlik].

**COLIQUE (II),** adj.
*Anat.* Du côlon : *Artères coliques.* 1475 ; lat. *colicus*, du gr. *kôlikos*, « qui souffre du côlon » ; [kɔlik].

**COLIS,** subst. m.
Tout objet empaqueté en vue d'être transporté ou expédié : *Recevoir un colis postal.* 1723 ; ital. *colli*, « chargements portés sur le cou » ; [kɔli].

**COLISTIER, IÈRE,** subst.
Chacun des candidats figurant sur une même liste électorale. 1926 ; ☞ *liste* (II) + *co-* ; [kɔlistje, jɛʀ].

**COLITE,** subst. f.
*Pathol.* Inflammation du côlon : *Colite spasmodique.* 1824 ; ☞ *côlon* + *-ite* ; [kɔlit].

**COLITIGANT, ANTE,** adj.
*Dr.* Qualifie les personnes engagées dans le même procès : *Parties colitigantes.* XIVe s. ; *litigant*, « celui qui a un litige », + *co-* ; [kɔlitigɑ̃, ɑ̃t].

**COLLABORATEUR, TRICE,** subst.
**1.** Personne qui concourt à un travail commun ; personne adjointe à une autre pour l'aider : *Des collaborateurs compétents.* **2.** *Hist.* Partisan de la collaboration sous l'occupation allemande (abrév. péj. : collabo). 1755 ; bas lat. *collaborare*, « travailler avec qqn » ; [kɔl(l)abɔʀatœʀ, tʀis].

**COLLABORATION,** subst. f.
**1.** Action de travailler en commun, de participer à une œuvre commune : *Apporter sa collaboration à un journal.* **2.** *Hist.* Politique d'étroite coopération avec l'Allemagne nazie, menée par le gouvernement de Vichy de 1940 à 1944 : *Laval fut condamné à mort et exécuté pour collaboration avec l'ennemi.* 1829 (1753, travaux communs du couple) ; lat. médiév. *collaboratio* ; [kɔl(l)abɔʀasjɔ̃].

**COLLABORER,** verbe [3]
Trans. indir. Collaborer à. Travailler en collaboration à (qqch.) : *Collaborer à une encyclopédie.* Intrans. Agir en collaborateur ; en partic. pendant l'occupation allemande de 1940 à 1944 (péj.) : *Il a refusé de collaborer.* 1830 ; bas lat. *collaborare*, « travailler avec qqn » ; [kɔl(l)abɔʀe].

Verre, as de trèfle, paquet de cigarettes *(détail), collage et fusain sur papier de Pablo Picasso (1881-1973). Musée Picasso, Paris.*

**COLLAGE,** subst. m.
**1.** Action de coller, de faire adhérer ; son résultat : *Le collage d'une marqueterie.* **2.** Fig. Concubinage (fam. et vieilli). **3.** *Spéc.* ▸ *B.-a.* Procédé consistant à coller sur une toile des éléments disparates : *Un collage de Braque.* ▸ *Œnol.* Clarification du vin à l'aide d'une substance collante qui accroche les particules en suspension. ▸ *Techn.* Action d'imprégner le papier de colle afin de le rendre moins absorbant. 1544 ; ☞ *coller* ; [kɔlaʒ].

**COLLAGÈNE,** subst. m.
*Biochim.* Molécule protéique très abondante dans les milieux extracellulaires. On connaît plus d'une quinzaine d'espèces de collagènes, qui ont en commun de comporter des parties plus ou moins importantes de trois chaînes polypeptidiques formant une structure de câble à trois brins. 1873 ; ☞ *colle* + *-gène* ; [kɔlaʒɛn].

**COLLAGÉNOSE,** subst. f.
*Pathol.* Groupe de maladies qui ont pour caractère commun la dégénérescence du collagène à la suite de réactions allergiques. 1956 ; ☞ *collagène* + *-ose* ; [kɔlaʒenoz].

**COLLANT, ANTE,** adj. et subst.
Adj. **1.** Qui est conçu pour coller : *Papier collant.* **2.** Qui adhère comme la colle : *Des mains collantes*, poisseuses ; *Du riz collant*, trop cuit ; au fig. : *Une personne collante*, dont on ne peut se défaire (fam.). **3.** *Un vêtement collant* : très ajusté. Subst. masc. Maillot ou pantalon en maille épousant la forme du corps : *Collant de danse* ; en partic., sous-vêtement féminin combinant en une pièce la culotte et les bas. Subst. fém. Argot scol. **1.** Convocation à un examen. **2.** Feuille de résultats d'un candidat, en partic. au baccalauréat. 1572 ; p. pr. de *coller* ; [kɔlɑ̃, ɑ̃t].

**COLLAPSUS,** subst. m.
**1.** *Pathol.* ▸ *Collapsus cardiaque* (ou *cardio-vasculaire*) ou, empl. abs., *Collapsus* : syndrome qui apparaît brutalement, caractérisé par des sueurs froides, un pouls rapide et imperceptible, et la chute spectaculaire de la tension artérielle. ▸ *Collapsus pulmonaire* : affaissement du tissu pulmonaire, qui peut être dû à un épanchement pleural, à un épanchement d'air ou de gaz dans la cavité pleurale, ou à une tumeur. ▸ *Collapsus ventriculaire* : aplatissement des ventricules cérébraux dû à une hypotension du liquide céphalo-rachidien. **2.** Fig. Profonde lassitude physique ou morale. 1785 ; lat. *collapsus*, de *collabi*, « s'affaisser » ; [kɔlapsys].

**COLLARGOL,** subst. m. inv.
Argent colloïdal aux propriétés antiseptiques. 1907 ; crois. de *colloïde*, de *argent* et de *alcool* ; n. déposé ; [kɔlaʀgɔl].

**COLLATÉRAL, ALE, AUX,** adj.
**1.** Qui est situé de côté par rapport à qqch. ▸ *Anat. Nerf, vaisseau collatéral* : détaché du tronc principal et suivant une direction parallèle. ▸ *Archit. Nef collatérale* : chacun des bas-côtés de la nef principale d'une église ; empl. subst. masc. : *Les collatéraux*, les bas-côtés. ▸ *Géogr. Points collatéraux* : situés à égale distance de deux points cardinaux (N.-E., S.-E., S.-O., N.-O.). **2.** *Dr. Parents collatéraux* : qui ne descendent pas directement les uns des autres ; empl. subst. : *Un frère est un collatéral privilégié, oncles et tantes sont des collatéraux ordinaires.* Fin XIIIe s. ; lat. médiév. *collateralis* ; [kɔlateʀal, o].

**COLLATEUR,** subst. m.
*Dr. canon.* Celui qui conférait un bénéfice ecclésiastique. Mil. XVe s. ; bas lat. *collator*, du lat. *conferre*, « conférer » ; [kɔlatœʀ].

**COLLATION (I),** subst. f.
**1.** Vx. Réunion entre moines, qui précédait un souper léger ; ce souper. **2.** Ext. Repas léger : *Prendre une collation après le spectacle.* Déb. XIIIe s. ; lat. chrét. *collatio*, « conférence » ; [kɔlasjɔ̃].

**COLLATION (II),** subst. f.
**1.** *Dr. canon.* Action de conférer un bénéfice ecclésiastique : *La collation d'une cure par l'évêque.* **2.** *Enseign.* Action d'accorder un grade universitaire ou un titre. 1276 ; bas lat. *collatio*, du lat. *conferre*, « conférer » ; [kɔlasjɔ̃].

**COLLATION (III),** subst. f.
*Édition.* Action de comparer un texte avec l'original, pour vérifier sa conformité. XIVe s. ; lat. *collatio*, « comparaison, confrontation » ; [kɔlasjɔ̃].

**COLLATIONNEMENT,** subst. m.
Action de collationner ; son résultat. Mil. XIXe s. ; ☞ *collationner* ; [kɔlasjɔnmɑ̃].

**COLLATIONNER,** verbe trans. [3]
**1.** *Édition.* Confronter (un texte, une copie) avec l'original ; confronter (deux éditions) pour s'assurer de leur conformité. **2.** *Impr.* Vérifier le bon ordre des feuillets, des cahiers de (un livre), après assemblage. 1345 ; ☞ *collation* (III) ; [kɔlasjɔne].

**COLLE,** subst. f.
**1.** Substance gluante utilisée pour assembler deux surfaces et les faire adhérer entre elles : *Colle forte ; Colle à bois.* ▸ Loc. *Pot de colle* : personne dont on

ne peut se débarrasser (fam.) ; *Vivre à la colle* : en concubinage (pop.). **2.** Argot scol. ▸ Contrôle préparant à un examen ; par ext., question difficile, délicate. ▸ Consigne, retenue : *Deux heures de colle !* 1268 ; lat. pop. °*colla*, du gr. *kolla* ; [kɔl].

**COLLECTE, subst. f.**
**1.** *Liturg.* Prière de la messe, qui précède l'Épître. **2.** *Hist.* Levée des impôts. **3.** Action de recueillir des dons et, par ext., des éléments de même nature. ▸ Action de rassembler certains objets en vue d'un traitement défini : *La collecte des ordures ménagères.* $\text{XIII}^{e}$ s. ; lat. *collecta*, de *colligere*, « réunir, rassembler » ; [kɔlɛkt].

**COLLECTER, verbe trans.** [3]
Recueillir par une collecte ; rassembler. Déb. $\text{XIV}^{e}$ s. ; ☞ *collecte* ; [kɔlɛkte].

**COLLECTEUR, TRICE, subst. et adj.**
**Subst.** Celui ou celle qui collecte qqch. **Subst. masc. 1.** *Hist.* et Québ. Percepteur : *Collecteur d'impôts.* **2.** *Spéc.* Dispositif ou équipement servant à recueillir, à rassembler. ▸ *Électr.* Ensemble de lames de cuivre recueillant le courant d'une dynamo. ▸ *Techn.* Canalisation recevant les évacuations de conduites secondaires. ▸ *Télécomm. Collecteur d'ondes* : capteur d'ondes hertziennes. **Adj.** Qui capte, recueille qqch. : *Égout collecteur*, dans lequel aboutissent des égouts adjacents. 1315 ; lat. médiév. *collector*, « percepteur » ; [kɔlɛktœʀ, tʀis].

**COLLECTIF, IVE, adj. et subst. m.**
**Adj. 1.** Qui concerne un ensemble de personnes : *Responsabilité collective.* **2.** Qui est fait en commun, à plusieurs : *Une œuvre collective* ; *Un sport collectif*, d'équipe. **3.** *Gramm.* Qualifie un terme singulier désignant un ensemble de personnes ou de choses : *« Foule », « dizaine » sont des noms collectifs* ou, empl. subst. masc., *des collectifs.* **Subst. 1.** *Pol. Collectif budgétaire* : loi de finances rectificative. **2.** Comité : *Un collectif étudiant.* $\text{XIII}^{e}$ s. ; lat. *collectivus*, de *colligere*, « réunir » ; [kɔlɛktif, iv].

**COLLECTION, subst. f.**
**1.** Ensemble d'objets de même nature, que l'on réunit pour leur qualité esthétique, leur rareté ou leur valeur affective : *Une collection d'armes, de papillons* ; *Les collections du Louvre.* **2.** Ext. Grand nombre (fam.). **3.** Série d'ouvrages édités ayant un trait commun (auteur, thème ou présentation) ; recueil des numéros d'un périodique. **4.** Ensemble de produits nouveaux proposés par un fabricant, en partic. par une maison de couture : *Les collections d'été.* **5.** *Pathol.* Amas de liquide dans une cavité. Déb. $\text{XIV}^{e}$ s. ; lat. *collectio* ; [kɔlɛksjɔ̃].

**COLLECTIONNER, verbe trans.** [3]
**1.** Faire collection de. **2.** Fig. Accumuler (fam.) : *Collectionner les succès, les amendes.* 1840 ; ☞ *collection* ; [kɔlɛksjɔne].

**COLLECTIONNEUR, EUSE, subst.**
Personne qui fait une ou des collections. 1828 ; ☞ *collection* ; [kɔlɛksjɔnœʀ, øz].

**COLLECTIVEMENT, adv.**
D'une manière collective. 1568 ; ☞ *collectif* ; [kɔlɛktivmɑ̃].

**COLLECTIVISATION, subst. f.**
Action de collectiviser ; son résultat. 1871 ; ☞ *collectiviser* ; [kɔlɛktivizasjɔ̃].

**COLLECTIVISER, verbe trans.** [3]
Rendre une collectivité maîtresse de (tout ou partie des moyens de production et d'échange). 1871 ; ☞ *collectif* ; [kɔlɛktivize].

**COLLECTIVISME, subst. m.**
**1.** Doctrine prônant l'appropriation collective des moyens de production et d'échange. **2.** Ext. Système économique et social fondé sur cette doctrine. Mil. $\text{XIX}^{e}$ s. ; ☞ *collectif* ; [kɔlɛktivism].

**COLLECTIVISTE, adj. et subst.**
Partisan du collectivisme. **Adj.** Relatif au collectivisme. 1869 ; ☞ *collectivisme* ; [kɔlɛktivist].

**COLLECTIVITÉ, subst. f.**
**1.** Ensemble, gén. organisé, d'individus réunis par une même origine ou par des intérêts et des buts communs : *La collectivité nationale* ; *Vivre en collectivité.* **2.** Division administrative jouissant d'une personnalité morale : *Collectivités locales*, communes, départements, etc. Mil. $\text{XIX}^{e}$ s. ; ☞ *collectif* ; [kɔlɛktivite].

**COLLÈGE, subst. m.**
**I. 1.** Corps de personnes investies d'une même fonction ou d'une même dignité : *Les collèges d'artisans de la Rome antique* ; *Collège de chanoines*, chapitre ; *Le Sacré Collège*, l'ensemble des cardinaux. **2.** *Collège électoral* : ensemble des électeurs d'une même catégorie appelés à voter lors d'une élection politique au suffrage universel ou d'une élection professionnelle. **II. 1.** Vieilli ou Belg. Établissement d'enseignement privé : *Un collège de jésuites.* **2.** Établissement d'enseignement secondaire du premier cycle (de la sixième à la troisième incluse). **3.** Établissement d'enseignement supérieur : *Le Collège de France.* Déb. $\text{XIV}^{e}$ s. ; lat. *collegium* ; [kɔlɛʒ].

**COLLÉGIAL, ALE, AUX, adj.**
**1.** Qui se rapporte à un collège de chanoines : *Une église collégiale* ou, empl. subst. fém., *Une collégiale*, qui n'est pas une cathédrale mais possède comme elle un collège de chanoines. **2.** Qui est exercé collectivement, par plusieurs membres disposant de pouvoirs égaux : *Une direction collégiale.* **3.** Québ. *Cours collégial* ou, empl. subst. masc., *Un collégial* : établissement d'enseignement général et professionnel, situé entre le secondaire et l'université. 1350 ; bas lat. *collegialis* ; [kɔleʒjal, o].

**COLLÉGIALEMENT, adv.**
D'une manière collégiale. $\text{XX}^{e}$ s. ; ☞ *collégial* ; [kɔleʒjalmɑ̃].

**COLLÉGIALITÉ, subst. f.**
Qualité de ce qui est collégial : *La collégialité épiscopale.* V. 1960 ; ☞ *collégial* ; [kɔleʒjalite].

**COLLÉGIEN, IENNE, subst.**
**1.** Élève d'un collège. **2.** Fig. Personne naïve, sans expérience. 1743 ; ☞ *collège* ; [kɔleʒjɛ̃, jɛn].

**COLLÈGUE, subst.**
**1.** Chacune des personnes remplissant une même charge, exerçant une même fonction : *Un juge, un ministre, un professeur et leurs collègues.* **2.** Ext. Personne travaillant au même endroit que d'autres : *Des collègues de bureau.* **3.** Région. (Midi). Camarade. Déb. $\text{XVI}^{e}$ s. ; lat. *collega* ; [kɔl(l)ɛg].

**COLLEMBOLES, subst. m. plur.**
*Zool.* Ordre de petits insectes qui sont dépourvus d'ailes et ne se métamorphosent pas. **Au sing.** *Un collembole.* [kɔlɑ̃bɔl].

**COLLENCHYME, subst. m.**
*Bot.* Tissu de soutien des végétaux, essentiellement constitué de cellulose. 1866 ; gr. *kolla*, « gomme, colle », et *enkhuma*, « épanchement » ; [kɔlɑ̃ʃim].

**COLLER, verbe** [3]
**Trans. dir. 1.** Assembler, fixer avec de la colle : *Coller des étiquettes* ; par anal., faire adhérer : *La sueur collait ses cheveux.* **2.** Appuyer, appliquer étroitement : *Coller son oreille contre la cloison* ; empl. adj., au fig. : *Les yeux collés sur l'écran* ; empl. pronom. : *Les curieux se collaient aux barrières.* **3.** Fig. et Fam. ▸ Ne pas lâcher (qqn), importuner. ▸ Placer, mettre : *Coller qqn en prison.* ▸ Donner, infliger : *Coller une gifle.* ▸ Se décharger de (qqch.) sur qqn : *Il m'a collé toute la vaisselle* ; empl. pronom. : *Se coller à un travail*, s'y atteler. **4.** Argot scol. ▸ Punir par une consigne : *Le proviseur a collé toute la classe.* ▸ Recaler à un examen. ▸ Mettre dans l'impossibilité de répondre : *J'ai réussi à le coller sur Napoléon.* **5.** *Spéc.* ▸ *Œnol. Coller du vin* : le clarifier. ▸ *Techn.* Imprégner de colle pour donner de l'apprêt, pour rendre moins absorbant. **Trans. indir.** Coller à. **1.** Adhérer à : *La boue collait à nos souliers* ; empl. abs. : *Ce timbre ne colle pas.* **2.** Fig. ▸ Ne pas quitter (fam.) : *Cette peur qui lui colle à la peau.* ▸ Correspondre à, être adapté étroitement à : *Bien coller à son sujet.* **Intrans.** Convenir ; bien aller (fam.) : *Ça ne colle plus entre eux.* 1320 ; ☞ *colle* ; [kɔle].

**COLLERETTE, subst. f.**
**1.** Bande de tissu plissée et empesée qui se portait autour du cou (vx). **2.** Garniture froncée ou plissée bordant l'encolure d'un vêtement. **3.** Anal. ▸ *Bot.* Couronne encerclant la partie supérieure du pied de certains champignons. ▸ *Techn.* Couronne, bague entourant l'extrémité d'un tuyau, d'un conduit. 1309 ; ☞ *collier* ; [kɔlʀɛt].

**COLLET, subst. m.**
**1.** Petit col (vieilli). ▸ Loc. *Saisir qqn au collet* : l'arrêter, l'immobiliser ; *Être collet monté* : rigide, guindé. **2.** Piège formé d'un nœud coulant : *Un renard pris au collet.* **3.** *Spéc.* ▸ *Anat.* Partie intermédiaire entre la racine et la couronne anatomique d'une dent. ▸ *Bot.* Point de naissance de la tige d'une plante. ▸ *Bouch.* Collier. ▸ *Techn.* Pièce en saillie bordant un objet : *Le collet d'une bouteille*, le renflement entourant le goulot. 1280 (déb. $\text{XII}^{e}$ s., cou) ; ☞ *col* ; [kɔlɛ].

**COLLETER (SE), verbe pronom.** [14]
**1.** Se battre. **2.** Fig. Affronter : *Se colleter avec la misère.* Fin $\text{XVI}^{e}$ s. ; ☞ *collet* ; [kɔlte].

**COLLETEUR, subst. m.**
Personne qui tend des collets pour prendre le gibier. 1752 ; ☞ *collet* ; [kɔltœʀ].

**COLLEUR, EUSE, subst.**
Personne dont le métier est de coller qqch. : *Un colleur d'affiches.* **Fém.** *Techn.* Machine utilisée pour certains collages ; en partic., instrument servant à réunir les plans d'un film lors du montage. 1544 ; ☞ *coller* ; [kɔlœʀ, øz].

**COLLEY, subst. m.**
Race de chiens de berger, d'origine écossaise, au pelage abondant et au museau fin et allongé. 1877 ; angl. *collie*, d'orig. gaélique ; [kɔlɛ].

**COLLIER, subst. m.**
**1.** Cercle de cuir ou de métal enserrant le cou d'un animal et permettant de l'attacher. **2.** Pièce de harnais, fixée au cou d'un animal de trait. ▸ Loc. *Donner un coup de collier* : fournir un effort important et ponctuel (fam.) ; *Être franc du collier* : se comporter loyalement, sans arrière-pensée ; *Reprendre le collier* : se remettre au travail après un temps d'interruption. **3.** Bijou, parure ornant le cou : *Collier de fleurs, de perles* ; chaîne portée par les dignitaires de certains ordres : *Le grand collier de la Légion d'honneur.* **4.** Anal. ▸ Pelage ou plumage du cou d'un animal, dont la couleur diffère de celle du reste du corps. ▸ Petite barbe taillée formant un demi-cercle au bas du visage. **5.** *Spéc.* ▸ *Bouch.* Partie d'un animal située entre la tête et la naissance de l'épaule. ▸ *Techn.* Bague de serrage (d'un tube). Fin $\text{XII}^{e}$ s. ; lat. *collare* ; [kɔlje].

**COLLIGER, verbe trans.** [5]
**1.** Réunir dans un recueil : *Colliger des poèmes, des lois.* **2.** Rassembler (des éléments de connaissance) pour faire une synthèse. 1539 ; lat. *colligere*, « recueillir, réunir » ; [kɔl(l)iʒe].

**COLLIMATEUR, subst. m.**
*Techn.* **1.** Appareil de visée assurant un pointage précis : *Le collimateur de tir d'un canon.* ▸ Loc. *Avoir qqn dans le collimateur* : le surveiller de près, avec hostilité (fam.). **2.** Instrument d'optique qui fournit un faisceau de rayons parallèles. 1866 ; ☞ *collimation* ; [kɔlimatœʀ].

**COLLIMATION, subst. f.**
*Techn.* Action d'orienter un instrument d'optique. 1646 ; lat. *collimare*, var. fautive de *collineare*, « viser » ; [kɔl(l)imasjɔ̃].

**COLLINE, subst. f.**
Léger relief au sommet arrondi : *Les sept collines de Rome.* 1555 ; bas lat. *collina*, du lat. *collis* ; [kɔlin].

**COLLISION, subst. f.**
**1.** Heurt entre deux corps ; choc : *Deux autocars sont entrés en collision.* **2.** Fig. Opposition violente, affrontement. **3.** *Phys. part.* Interaction entre deux ou plusieurs particules, qui peut être naturelle ou artificielle (provoquée dans un collisionneur) et qui modifie leurs mouvements : *Temps de collision*, intervalle de temps qui sépare deux collisions proches. Fin $\text{XIV}^{e}$ s. ; lat. *collisio* ; [kɔl(l)izjɔ̃].

PHYSIQUE DES PARTICULES – Selon la nature de l'interaction mise en jeu, la collision est dite électromagnétique, gravitationnelle, forte ou faible (ce sont les qualificatifs des quatre interactions fondamentales de la nature). Lorsque deux particules interagissent, leur état est changé du fait du passage de l'une dans le champ de l'autre ; cette modification se fait par échange entre les deux particules d'une particule intermédiaire qui dépend de la nature de l'interaction (c'est un photon dans une collision électromagnétique, un graviton dans une collision gravitationnelle, un gluon dans une interaction forte, un boson intermédiaire dans une interaction faible).

**COLLISIONNEUR, subst. m.**
*Phys. part.* Accélérateur de particules permettant de réaliser des interactions entre deux ou plusieurs particules. Ces interactions ne sont pas des chocs entre particules, mais des échanges de matière, d'énergie, etc. V. 1980 ; ☞ *collision* ; [kɔl(l)izjɔnœʀ].

**COLLOCATION, subst. f.**
**1.** Placement d'une personne, d'une chose relativement à d'autres. **2.** *Dr.* Détermination par le juge

de l'ordre des créanciers lors de la répartition de biens saisis ; par méton. : *Toucher sa **collocation**.* XIVe s. ; lat. *collocatio*, « disposition » ; [kɔlɔkasjɔ̃].

**COLLODION, subst. m.**
*Chim.* Solution de nitrocellulose dans un mélange d'éther et d'alcool, employée en pharmacie, en photographie, et entrant dans la composition de certains explosifs. 1850 ; lat. sc. *collodium*, du gr. *kollôdês*, « visqueux » ; [kɔlɔdjɔ̃].

**COLLOÏDAL, ALE, AUX, adj.**
*Phys.* et *Chim.* Relatif à un colloïde ; qui en a la constitution : *Solution **colloïdale***, pseudo-solution, appelée aussi sol, composée d'une phase liquide (eau, alcool, éther, par ex.) et d'une phase solide qui ne se dissout pas, mais qui reste à l'état de très petites particules (micelles) de 0,1 à 0,001 $\mu$m environ, disposées dans le milieu (la phase) liquide. 1855 ; ☞ *colloïde* ; [kɔlɔidal, o].

**COLLOÏDE, subst. m.**
*Phys.* et *Chim.* Système constitué de fines particules qui sont, selon les cas, des réunions d'atomes tous identiques (or colloïdal, par ex.) ou de molécules identiques, ou qui sont elles-mêmes des molécules géantes (albumine). Ces « miettes » atomiques ou moléculaires sont appelées micelles et sont maintenues dans un état de dispersion par les répulsions électriques qui s'exercent entre elles : on dit qu'elles forment un système dispersé. 1845 ; angl. *colloid*, du gr. *kolla*, « colle » ; [kɔlɔid].

**COLLOQUE, subst. m.**
**1.** Conversation : *« **Colloque** sentimental », poème de Verlaine.* **2.** Discussion sur un point de doctrine : *Le **colloque** de Poissy, en 1561.* **3.** Rencontre entre spécialistes qui échangent des points de vue sur un thème donné. 1495 ; lat. *colloquium*, « entretien » ; [kɔl(l)ɔk].

**COLLOQUER, verbe trans.** [3]
**1.** *Dr.* Établir (une liste de créanciers) par ordre de priorité. **2.** Belg. Interner ; incarcérer. XIIe s. ; lat. *collocare*, « placer, disposer » ; [kɔl(l)ɔke].

**COLLURE, subst. f.**
*Techn.* **1.** Action de coller. **2.** Endroit où deux surfaces sont collées, raccord : *Remplacer les **collures** d'un vieux film.* 1611 ; ☞ *coller* ; [kɔlyʀ].

**COLLUSION, subst. f.**
Entente secrète visant à tromper ou à nuire. 1321 ; lat. *collusio* ; [kɔl(l)yzjɔ̃].

**COLLUSOIRE, adj.**
*Dr.* Accompli par collusion. 1336 ; ☞ *collusion* ; [kɔl(l)yzwaʀ].

**COLLUTOIRE, subst. m.**
*Pharm.* Remède antiseptique que l'on applique (en badigeonnages ou en pulvérisations) sur les muqueuses de la bouche ou de la gorge. 1803 ; lat. *collutum*, de *colluere*, « laver, nettoyer » ; [kɔlytwaʀ].

**COLLUVION, subst. f.**
*Géol.* Dépôt sédimentaire alimenté par les reliefs adjacents. V. 1960 ; ☞ *alluvion* + *co-* ; [kɔl(l)yvjɔ̃].

**COLLYBIE, subst. f.**
*Bot.* Champignon de la famille des Agaricacées, à basides courtes, à chair non grenue, comestible et qui croît sur les souches d'arbres, d'où son nom vulgaire, souchette. Lat. sc. *collybia*, du gr. *kollubos*, « petite pièce de monnaie » ; [kɔlibi].

**COLLYRE, subst. m.**
*Pharm.* Liquide médicamenteux que l'on instille dans l'œil, sur la cornée ou la conjonctive. Fin XIIe s. ; lat. *collyrium*, du gr. *kollurion*, « onguent » ; [kɔliʀ].

**COLMATAGE, subst. m.**
Action de colmater ; le résultat de cette action. 1845 ; ☞ *colmater* ; [kɔlmataʒ].

**COLMATER, verbe trans.** [3]
**1.** *Agric.* Remblayer (un sol déprimé, marécageux ou infertile) en laissant se déposer le limon d'eaux détournées de leur cours. **2.** Obturer : ***Colmater** une voie d'eau.* **3.** Anal. *Milit.* Reconstituer (un front enfoncé) par des renforts. **4.** Fig. Combler (une lacune) ; arranger (qqch.) vaille que vaille : ***Colmater** un déficit* ; ***Colmater** une union menacée.* 1820 ; ital. *colmata*, de *colmare*, « combler », du lat. *culmen*, « sommet » ; [kɔlmate].

**COLOBE, subst. m.**
*Zool.* Singe catarhinien d'Afrique, de la famille des Cercopithécidés. C'est un singe arboricole de grande taille (jusqu'à 1,50 m), avec une longue queue ; son régime alimentaire est exclusivement végétarien. 1836 ; lat. sc. *colobus*, du gr. *kolobos*, « mutilé », à cause de ses pouces réduits ; [kɔlɔb].

**COLOCASE, subst. f.**
*Bot.* Plante tropicale aracée, au rhizome riche en féculents. 1547 ; lat. *colocasia*, du gr. *kolokasia*, nom de la racine d'une plante égyptienne ; [kɔlɔkɑz].

**COLOCATAIRE, subst.**
Personne qui est locataire d'un logement, dans un même immeuble que d'autres. 1834 ; ☞ *locataire* + *co-* ; [kolɔkatɛʀ].

**COLOCATION, subst. f.**
Situation des colocataires. Mil. XXe s. ; ☞ *location* + *co-* ; [kolɔkasjɔ̃].

**COLOGARITHME, subst. m.**
*Math.* Le **cologarithme** d'un réel $a$ strictement positif est le logarithme de l'inverse de $a$, noté coln $a$ (resp. colg $a$) s'il s'agit de logarithmes népériens (resp. décimaux) : $\operatorname{coln} a = \ln (1/a) = -\ln a$. 1891 ; ☞ *logarithme* + *co-* ; [kolɔgaʀitm].

**COLOMBAGE, subst. m.**
**1.** *Archit.* Mur en charpente dont les intervalles sont comblés par du torchis, un plâtras ou des briques. **2.** Ext. Les poutres apparentes de ce mur : *Les maisons à **colombages** du vieux Rouen.* 1340 ; anc. fr. *colombe*, « colonne » ; [kɔlɔ̃baʒ].

© Lauros-Giraudon

*Colombages de l'ancien hôtel de ville de Bamberg (Bavière).*

**COLOMBE, subst. f.**
**1.** *Zool.* Nom donné, sans distinction de sexe, à certains pigeons. **2.** Pigeon blanc, symbole de pureté et de paix, par allus. à la **colombe** qui rapporta un rameau d'olivier à Noé, annonçant la fin du Déluge. ▸ *Pol.* Partisan des solutions pacifistes (anton. *faucon*). ▸ *Relig.* Forme que prit l'Esprit saint, selon les Évangiles, pour descendre jusqu'à Jésus, le jour de son baptême. **3.** Fig. Jeune fille douce et candide. Déb. XIIe s. ; lat. *columba* ; [kɔlɔ̃b].

**COLOMBIER (I), subst. m.**
Tour abritant un élevage de pigeons ; pigeonnier. Déb. XIIe s. ; lat. *columbarium* ; [kɔlɔ̃bje].

**COLOMBIER (II), subst. m.**
Grand format de papier (0,60 à 0,63 m × 0,80 à 0,90 m). 1739 ; anthropon. *Colombier*, son fabricant ; [kɔlɔ̃bje].

**COLOMBIN (I), INE, adj. et subst.**
**Adj.** D'une couleur qui oscille entre le rouge et le violet (synon. *gorge-de-pigeon*). **Subst. masc.** *Zool.* Pigeon sauvage, proche du ramier. **Subst. fém.** Fiente des pigeons et des oiseaux de basse-cour, que l'on utilise comme engrais. Déb. XIIIe s. ; lat. *columbinus* ; [kɔlɔ̃bɛ̃, in].

**COLOMBIN (II), subst. m.**
**1.** Long cylindre d'argile molle servant à fabriquer une poterie sans l'aide du tour. **2.** Étron (fam.). 1844 ; p.-ê. anc. fr. *colombe*, « colonne » ; [kɔlɔ̃bɛ̃].

**COLOMBINE, subst. f.**
Femme costumée en Colombine dans un bal masqué. 1831 ; *Colombine*, personnage de la commedia dell'arte ; [kɔlɔ̃bin].

**COLOMBO, subst. m.**
*Bot.* Plante d'Afrique tropicale de la famille des Ménispermacées, utilisée pour ses propriétés apéritives et astringentes. Fin XVIIIe s. ; bantou *kalumb*, par réf. à la ville de Colombo (Sri Lanka) ; [kɔlɔ̃bo].

**COLOMBOPHILE, adj.**
Qui élève et dresse des pigeons voyageurs : *Un centre **colombophile*** ; empl. subst. : *Une réunion de **colombophiles**.* 1855 ; ☞ *colombe* + *-phile* ; [kɔlɔ̃bɔfil].

**COLOMBOPHILIE, subst. f.**
Art d'élever et de dresser des pigeons voyageurs. 1878 ; ☞ *colombophile* ; [kɔlɔ̃bɔfili].

**COLON (I), subst. m.**
**1.** *Antiq. rom.* Soldat qui recevait en fin de service un lot prélevé sur les terres conquises. **2.** *Hist.* Sous le Bas-Empire romain et au Moyen Âge, paysan libre, mais attaché à la terre qu'il travaille. ▸ *Dr.* Métayer. **3.** Personne ayant quitté la métropole pour s'établir dans une colonie, en exploiter la terre et les ressources (anton. *métropolitain*) ; par ext., tout habitant d'une colonie (anton. *indigène*). **4.** Ext. ▸ Enfant qui séjourne dans une colonie de vacances. ▸ Condamné d'une colonie pénitentiaire (vieilli). Déb. XIVe s. ; lat. *colonus*, de *colere*, « cultiver » ; [kɔlɔ̃].

**COLON (II), subst. m.**
Monnaie du Costa Rica et du Salvador. Esp. *colón*, de l'anthropon. *Colón*, « (Christophe) Colomb » ; plur. *colones*, var. *colón* ; [kɔlɔn], plur. [-nɛs].

**CÔLON, subst. m.**
*Anat.* Partie la plus longue du gros intestin (env. 1,50 m), qui va du cæcum au rectum et comprend quatre parties : le **côlon** ascendant, qui monte verticalement de la fosse iliaque droite jusqu'au sommet de l'hypocondre droit (sous le gril costal) ; le **côlon** transverse, qui traverse l'abdomen de droite à gauche, en guirlande ; le **côlon** descendant, qui commence au niveau de la rate (angle splénique du **côlon**) et descend jusqu'à la crête iliaque ; le **côlon** sigmoïde ou **côlon** pelvien, en forme de S allongé, qui va jusqu'au sacrum, puis devient le rectum. Le **côlon** ne sécrète aucune enzyme (la digestion est terminée), mais la présence de nombreuses bactéries (qui constituent la flore intestinale) permet la réabsorption de nombreux produits (eau, sels biliaires, etc.). 1314 ; lat. *colon*, du gr. *kôlon* ; [kolɔ̃].

**COLONAT, subst. m.**
**1.** *Antiq. rom.* Statut, condition du colon. **2.** *Hist.* Métayage du colon. 1811 ; ☞ *colon* (I) ; [kɔlɔna].

**COLONEL, ELLE, subst.**
**Masc.** *Milit.* Officier supérieur, commandant un régiment dans les armées de terre ou de l'air. **Fém.** Femme d'un colonel. 1534 ; ital. *colonnello*, de *colonna*, « colonne d'une armée » ; [kɔlɔnɛl].

**COLONIAL, ALE, AUX, adj. et subst.**
**Adj.** Relatif aux colonies : *Expansion **coloniale*** ; *Style **colonial***. ▸ *Milit.* *Troupes **coloniales*** : désignation, entre 1900 et 1961, des actuelles troupes de marine. **Subst.** Personne ayant vécu longtemps dans les colonies. **Subst. fém.** *Milit.* Ensemble des troupes **coloniales**. **Subst. masc.** Soldat d'une de ces troupes. 1776 ; ☞ *colonie* ; [kɔlɔnjal, o].

**COLONIALISME, subst. m.**
*Pol.* Courant de pensée qui prône la conquête et l'exploitation par la métropole de territoires extérieurs. 1910 ; ☞ *colonial* ; [kɔlɔnjalism].

**COLONIALISTE, adj. et subst.**
**Adj.** Relatif au colonialisme ; qui s'en inspire ; qui y est favorable. **Subst.** Partisan du colonialisme. 1910 ; ☞ *colonial* ; [kɔlɔnjalist].

**COLONIE, subst. f.**
**1.** *Antiq.* Groupe de personnes ayant quitté leur pays pour en peupler, en exploiter un autre : *Les **colonies** grecques de Sicile.* **2.** Territoire conquis par une puissance étrangère qui le tient sous sa dépendance politique, culturelle et économique : *Les **colonies** espagnoles d'Amérique du Sud* ; *L'émancipation des **colonies**.* **3.** Ensemble des ressortissants de même origine établis sur un sol étranger : *La **colonie** française de Singapour* ; par ext. : *La **colonie** bretonne de Montparnasse.* **4.** ***Colonie** pénitentiaire* : établissement qui recevait les condamnés aux peines dites coloniales ; maison spéciale qui regroupait les jeunes délinquants (vieilli). **5.** ***Colonie** de vacances* : groupe d'enfants encadrés par des moniteurs, séjournant à la campagne, à la mer ou à la montagne. **6.** *Zool.* Réunion d'animaux vivant en

communauté : *Une **colonie** d'abeilles, de fous de Bassan* ; par anal. : *Une **colonie** de bactéries, d'algues.* 1308 ; lat. *colonia*, de *colere*, « cultiver » ; [kɔlɔni].

**COLONISATEUR, TRICE, adj. et subst.**
ADJ. Qui fonde une ou des colonies ; qui procède à une colonisation : *Le génie **colonisateur** des Romains.* SUBST. Celui qui pratique la colonisation. 1841 ; ☞ *coloniser* ; [kɔlɔnizatœʀ, tʀis].

**COLONISATION, subst. f.**
Action de coloniser ; son résultat : *Les grandes étapes de la **colonisation** européenne se succédèrent du XVIe au XIXe s.* 1769 ; ☞ *colonie* ; [kɔlɔnizasjɔ̃].

**COLONISÉ, ÉE, adj. et subst.**
Se dit d'une personne ou d'un peuple soumis à la colonisation. XIXe s. ; p. p. de *coloniser* ; [kɔlɔnize].

**COLONISER, verbe trans.** [3]
**1.** Transformer en colonie (un territoire étranger) ; peupler de colons. **2.** Anal. Se répandre dans, envahir, en parlant de micro-organismes, de plantes. 1790 ; ☞ *colonie* ; [kɔlɔnize].

**COLONNADE, subst. f.**
*Archit.* Suite, enfilade de colonnes : *Les **colonnades** du Palais-Royal.* 1675 ; ☞ *colonne* ; [kɔlɔnad].

**COLONNE, subst. f.**
**I.** *Archit.* **1.** Élément cylindrique et vertical supportant un édifice : *La base, le fût et le chapiteau d'une **colonne** ; Les **colonnes** doriques du Parthénon.* **2.** Monument commémoratif, constitué par une **colonne** érigée isolément : *La **colonne** Trajane ; La **colonne** Vendôme.* **II.** Ce qui s'élève, se dresse telle une colonne. **1.** *Anat.* ***Colonne** vertébrale* : pièce maîtresse du squelette de l'homme et des animaux vertébrés, formée par les vertèbres reliées entre elles. **2.** *Bât.* ***Colonne** montante* : conduit reliant les étages d'un immeuble, où sont regroupées les canalisations d'eau, de gaz et d'électricité. **3.** *Hist.* *Les **colonnes** d'Hercule* : les montagnes qui bornent le détroit de Gibraltar, limite du monde antique. **4.** *Math.* ***Colonne** d'une matrice, d'un déterminant* α (☞ *matrice*). **5.** *Phys.* Masse de fluide à l'intérieur d'un récipient cylindrique vertical : ***Colonne** barométrique*, masse de mercure dans un tube de baromètre ; par ext. : *Une **colonne** de fumée.* **6.** *Typogr.* Chacun des blocs de texte verticaux qui se partagent une page : *Cinq **colonnes** à la une*, toute la largeur de la première page d'un journal ; ***Colonne** de chiffres*, chiffres alignés les uns en dessous des autres. **III. 1.** *Milit.* Troupe en mouvement, disposée en file étroite : *En **colonne** par deux ; Une **colonne** de blindés.* ► *Cinquième **colonne*** : partisans clandestins, dans un pays, d'une puissance ennemie. **2.** Anal. File de personnes ; par ext. : *Une **colonne** de fourmis rouges.* Déb. XIIe s. ; lat. *columna* ; [kɔlɔn].

**COLONNETTE, subst. f.**
*Archit.* Petite colonne. 1546 ; ☞ *colonne* ; [kɔlɔnɛt].

**COLOPATHIE, subst. f.**
*Pathol.* Toute affection du côlon. 1929 ; gr. *kôlon*, « côlon », + *-pathie* ; [kɔlɔpati].

**COLOPHANE, subst. f.**
Résine dure produite par la distillation de la térébenthine, avec laquelle on frotte les crins de l'archet d'un instrument à cordes. XIIIe s. ; lat. *resina colophonia*, « résine de Colophon (ville d'Asie Mineure) » ; [kɔlɔfan].

**COLOPHON, subst. m.**
*Impr.* Mention finale d'un ouvrage ; achevé d'imprimer. 1888 ; gr. *kolophôn*, « faîte ; fin » ; [kɔlɔfɔ̃].

**COLOQUINTE, subst. f.**
*Bot.* Plante de la famille des Cucurbitacées. *Citrullus vulgaris* est le melon d'eau, *Citrullus colocynthis*, la **coloquinte** officinale (vénéneuse). Fin XIIIe s. ; lat. *colocynthis*, du gr. *kolokunthis* ; [kɔlɔkɛ̃t].

**COLORANT, ANTE, adj. et subst. m.**
Se dit d'une substance qui colore : *Un **colorant** alimentaire ; Un shampoing **colorant**.* 1690 ; p. pr. de *colorer* ; [kɔlɔʀɑ̃, ɑ̃t].

**COLORATION, subst. f.**
Action de colorer ; aspect de ce qui est coloré : *Se faire une **coloration**, teindre ses cheveux.* 1370 ; ☞ *colorer* ; [kɔlɔʀasjɔ̃].

**COLORER, verbe trans.** [3]
**1.** Donner une certaine couleur à : ***Colorer** un vitrail.* **2.** Aviver la couleur de : *Le rouge de la honte **colora** son front.* **3.** Fig. ► Embellir, rehausser (littér.) : ***Colorer** un récit d'images pittoresques.* ► Empreindre de ; empl. adj. : *Un refus **coloré** de regret.* XIIe s. ; ☞ *couleur*, d'apr. le lat. *colorare* ; [kɔlɔʀe].

**COLORIAGE, subst. m.**
Action de colorier ; son résultat : *Un album de **coloriages**.* 1830 ; ☞ *colorier* ; [kɔlɔʀjaʒ].

**COLORIER, verbe trans.** [6]
Mettre des couleurs sur : ***Colorier** un fond de carte.* 1550 ; ☞ *coloris* ; [kɔlɔʀje].

**COLORIMÈTRE, subst. m.**
*Chim.* Appareil servant à déterminer une couleur par comparaison avec un échantillon étalonné. 1855 ; lat. *color*, « couleur », + *-mètre*[1] ; [kɔlɔʀimɛtʀ].

**COLORIMÉTRIE, subst. f.**
*Chim.* Ensemble des méthodes et des techniques permettant de définir et de comparer les couleurs par référence à trois paramètres : la longueur d'onde dominante (du rouge au violet) ; la luminance, qui mesure la clarté d'une couleur ; la saturation (degré de pureté de la couleur considérée). 1900 ; ☞ *colorimètre* ; [kɔlɔʀimetʀi].

**COLORIS, subst. m.**
**1.** *Peint.* Effet que donne l'emploi et l'agencement des couleurs : *Les **coloris** sombres du Greco.* **2.** Ext. Éclat, teinte particulière d'un visage, d'une fleur, d'un fruit. 1615 ; ital. *colorito*, de *colorire*, « colorier » ; [kɔlɔʀi].

**COLORISATION, subst. f.**
*Cin.* Mise en couleur d'un film noir et blanc par un procédé électronique. V. 1980 (1690, changement de couleur) ; angl. *colorization*, du lat. *color*, « couleur » ; [kɔlɔʀizasjɔ̃].

**COLORISER, verbe trans.** [3]
*Cin.* Procéder à la colorisation de (un film noir et blanc). V. 1990 ; angl. *to colorize*, du lat. *color*, « couleur » ; [kɔlɔʀize].

**COLORISTE, subst.**
**1.** Peintre qui se distingue par la qualité, l'éclat de ses coloris : *Les **coloristes** vénitiens* ; par ext., artiste pour qui la couleur prime sur le trait. **2.** Artiste qui colorie des gravures, des estampes. **3.** Spécialiste du choix ou de la création de coloris, dans l'industrie. 1660 ; ☞ *coloris* ; [kɔlɔʀist].

**COLOSCOPIE, subst. f.**
*Méd.* Méthode d'exploration visuelle du côlon à l'aide d'un fibroscope introduit par voie rectale. V. 1970 ; gr. *kôlon*, « côlon », + *-scopie* ; [kɔlɔskɔpi].

**COLOSSAL, ALE, AUX, adj.**
**1.** Aux dimensions extraordinaires ; gigantesque : *Un édifice **colossal**.* **2.** Fig. Immense, considérable : *Une fortune **colossale** ; Une erreur **colossale**.* Fin XVe s. ; ☞ *colosse* ; [kɔlɔsal, o].

**COLOSSE, subst. m.**
**1.** Statue d'une grandeur exceptionnelle : *Le **colosse** de Rhodes.* **2.** Anal. Homme à la carrure et à la force impressionnantes. **3.** Loc. *Un **colosse** aux pieds d'argile* : personne, entreprise dont la puissance apparente repose sur des bases fragiles. XVe s. ; lat. *colossus*, du gr. *kolossos* ; [kɔlɔs].

© Giraudon

1

© Lauros-Giraudon

2

1. *Statues **colossales** du temple de Thoutmosis III, Karnak (Égypte, XVe s. av. J.-C.).*

2. *Le **Colporteur**, dessin d'Antoine Watteau (1684-1721). Musée Bonnat, Bayonne.*

**COLOSTOMIE, subst. f.**
*Chir.* Opération qui consiste à créer un anus artificiel en abouchant le côlon descendant à la peau. V. 1970 ; gr. *kôlon*, « côlon », + *-stomie* ; [kɔlɔstɔmi].

**COLOSTRUM, subst. m.**
*Physiol.* Substance laiteuse sécrétée avant la montée de lait, dans les premiers jours suivant l'accouchement. Fin XVIe s. ; mot lat. ; [kɔlɔstʀɔm].

**COLPORTAGE, subst. m.**
**1.** Action de colporter ; activité du colporteur. ► *Littérature de **colportage*** : ensemble d'ouvrages populaires vendus par les colporteurs, du XVIe au XIXe s. **2.** Fig. Diffusion, révélation de rumeurs, de bruits. 1723 ; ☞ *colporter* ; [kɔlpɔʀtaʒ].

**COLPORTER, verbe trans.** [3]
**1.** Porter (des marchandises) pour les vendre de porte en porte. **2.** Fig. Diffuser, répandre auprès de nombreuses personnes (souv. péj.) : ***Colporter** des ragots.* 1539 ; altér. de l'anc. fr. *comporter*, du lat. *comportare*, « transporter » ; [kɔlpɔʀte].

**COLPORTEUR, EUSE, subst.**
Marchand qui colporte ses articles ; au fig. : *Un **colporteur** de nouvelles alarmantes.* 1388 ; altér. de l'anc. fr. *comporteur* ; [kɔlpɔʀtœʀ, øz].

**COLPOSCOPIE, subst. f.**
*Méd.* Exploration du vagin et du col de l'utérus au moyen d'un appareil optique appelé colposcope. V. 1970 ; gr. *kolpos*, « vagin », + *-scopie* ; [kɔlpɔskɔpi].

**COLT, subst. m.**
**1.** Révolver mis au point par Samuel Colt en 1835. **2.** Pistolet automatique à chargeur, de calibre 11,43 mm. 1895 ; anthropon. *Samuel Colt* ; [kɔlt].

**COLTINAGE, subst. m.**
Action de coltiner. 1878 ; ☞ *coltiner* ; [kɔltinaʒ].

**COLTINER, verbe trans.** [3]
**1.** Vx. Porter avec effort (un fardeau) sur le cou et les épaules. **2.** Ext. Porter (une charge très lourde) : ***Coltiner** des bagages* (fam.). PRONOM. Se charger de, être aux prises avec (fam.) : *Je me **suis coltiné** toute la vaisselle.* 1835 (déb. XVIIIe s., arrêter) ; var. de *colletiner* (vx), de *collet* ; [kɔltine].

**COLUBRIDÉS, subst. m. plur.**
*Zool.* Famille de serpents comprenant des opisthoglyphes (pourvus de crochets à venin situés en arrière de la bouche) et des aglyphes (dépourvus de crochets venimeux). AU SING. *Le serpent royal, destructeur de crotales, est un **colubridé**.* XIXe s. ; lat. *colubra*, « couleuvre » ; [kɔlybʀide].

**COLUMBARIUM, subst. m.**
**1.** *Antiq. rom.* Dans les nécropoles, monument à niches destinées à recevoir les urnes funéraires des esclaves et des affranchis. **2.** Bâtiment, gén. dans un cimetière, où sont déposées les urnes cinéraires. 1752 ; lat. *columbarium*, « colombier » ; [kɔlɔ̃baʀjɔm].

**COLUMBIFORMES, subst. m. plur.**
*Zool.* Ordre d'oiseaux carinates aux orteils antérieurs gén. libres, à bec faible pourvu de narines à la base. Ce sont de bons voiliers. AU SING. *La tourterelle est un **columbiforme**.* Fin XIXe s. ; lat. *columba*, « colombe », + *-forme* ; [kɔlɔ̃bifɔʀm].

**COLVERT, subst. m.**
*Zool.* Canard sauvage, le plus répandu dans le monde, qui est la souche de nos canards domestiques. 1866 ; formé de *col* et de *vert* ; var. *col-vert* (plur. *cols-verts*) ; [kɔlvɛʀ].

**COLZA, subst. m.**
*Bot.* Plante annuelle à fleurs jaunes (*Brassica napus oleifera*) que l'on cultive notamment pour ses graines, dont on extrait l'huile de **colza**. 1664 ; néerl. *koolzaad*, « graine de chou » ; [kɔlza].

**COLZATIER, subst. m.**
Personne, entreprise agricole qui cultive le colza. Mil. XXe s. ; ☞ *colza* ; [kɔlzatje].

**COMA, subst. m.**
*Pathol.* État caractérisé par une prostration presque totale ou totale (assoupissement profond), avec

perte de la conscience, de la vigilance, de la sensibilité, etc., mais avec conservation des fonctions respiratoire et circulatoire. Divers critères cliniques permettent d'apprécier le niveau d'un **coma** (échelle dite de Glasgow) : **coma** vigil (il subsiste une certaine vigilance, accompagnée de délire) ; **coma** d'intensité moyenne (le malade réagit très peu aux excitations) ; **coma** profond ; **coma** dépassé (synon. *mort cérébrale*). 1658 ; gr. *kôma*, « sommeil profond » ; [kɔma].

**COMANDANT, ANTE,** subst.
*Dr.* Personne qui, avec d'autres, confère un mandat à un tiers. 1878 ; ☞ *mandant* + *co-* ; [komɑ̃dɑ̃, ɑ̃t].

**COMANDATAIRE,** subst.
*Dr.* Personne qui partage avec d'autres un mandat. XIXe s. ; ☞ *mandataire* + *co-* ; [komɑ̃datɛʀ].

**COMATEUX, EUSE,** adj.
**1.** Relatif au coma. **2.** Méton. Qui est dans le coma ou à demi conscient ; empl. subst., personne **comateuse**. 1616 ; gr. *kôma*, « sommeil profond » ; [kɔmatø, øz].

**COMBAT,** subst. m.
**I. 1.** Affrontement d'adversaires, armés ou non : ***Combat*** *de gladiateurs* ; ***Combat*** *à mains nues.* ▸ Épreuve opposant deux sportifs : ***Combat*** *de boxe.* ▸ Loc. *Hors de* ***combat*** : incapable de poursuivre la lutte. **2.** Phase d'une bataille militaire : *Reprise des* ***combats*** ; ***Combat*** *aérien* ; *Partir au* ***combat.*** ▸ Loc. *Tenue, gaz de* ***combat*** : de guerre. **II.** Fig. **1.** Opposition de forces contradictoires : *La vie est un* ***combat*** ; *Le* ***combat*** *des sentiments.* **2.** Lutte morale ou physique : ***Combat*** *contre la maladie.* **3.** Engagement en faveur d'une idée, d'une cause : ***Combat*** *pour la liberté* ; *Ce n'est qu'un début, continuons le* ***combat !*** 1538 ; ☞ *combattre* ; [kɔ̃ba].

**COMBATIF, IVE,** adj.
**1.** Qui est ardent au combat : *La valeur* ***combative*** *d'une armée.* **2.** Porté à la lutte, agressif : *Tempérament* ***combatif.*** 1893 ; ☞ *combattre* ; [kɔ̃batif, iv].

**COMBATIVITÉ,** subst. f.
Inclination naturelle à se battre ; au fig., disposition au combat des idées. 1837 ; ☞ *combattre* ; [kɔ̃bativite].

**COMBATTANT, ANTE,** adj. et subst.
**Adj.** Qui combat, qui est engagé dans un combat militaire : *Unité* ***combattante.*** **Subst.** Personne qui se bat : *Et le combat cessa, faute de* ***combattants*** (Corneille). **Subst. masc. 1.** *Milit.* *Ancien* ***combattant*** : soldat ayant participé à un conflit et reconnu comme tel. **2.** *Zool.* ▸ Oiseau échassier qui doit son nom aux combats que se livrent les mâles. ▸ Poisson d'Asie aux vives couleurs, qui est très agressif pendant la période nuptiale. 1100 ; p. pr. de *combattre* ; [kɔ̃batɑ̃, ɑ̃t].

**COMBATTRE,** verbe [61]
**Trans. 1.** Se battre contre : ***Combattre*** *l'ennemi.* **2.** Lutter contre, s'opposer à : ***Combattre*** *le froid* ; ***Combattre*** *une théorie.* **Intrans. 1.** Livrer combat : *Les boxeurs ont bien* ***combattu.*** **2.** Lutter, mener une action (pour ou contre qqch.) : ***Combattre*** *contre les inégalités.* 1100 ; lat. pop. °*combattere* ; [kɔ̃batʀ].

**COMBE,** subst. f.
**1.** *Géomorph.* Dans un relief plissé de type jurassien, dépression allongée, résultant de l'érosion des roches tendres affleurant au cœur d'un anticlinal dont le creux axial est dominé par deux escarpements calcaires (non érodés), les crêts. **2.** Ext. Grande vallée ou modeste vallon. Fin XIIe s. ; gaul. °*cumba* ; [kɔ̃b].

**COMBIEN,** adv. et subst. m. inv.
**Adv. 1.** Quel nombre, quelle quantité : ***Combien*** *de personnes viendront ?* ; ***Combien*** *vous dois-je ?* ; empl. exclam. : ***Combien*** *de fois ne te l'ai-je pas dit !* ▸ À valeur de pronom : ***Combien*** *viendront ?* ; ***Combien*** *sont morts !* **2.** À quel point, si, tellement : *Tu n'imagines pas* ***combien*** *elle t'aime !* ▸ Loc. *Il est honnête, ô* ***combien !*** : très honnête. **Subst.** **Le combien.** Sert à interroger sur la date, le rang, la fréquence (fam.) : *Nous sommes le* ***combien ?*** ; *Tu es le* ***combien*** *en chimie ?* ; *Le train passe tous les* ***combien ?*** XIIe s. ; formé de l'anc. fr. *com*, « comme », et de *bien* ; [kɔ̃bjɛ̃].

**COMBINABLE,** adj.
Que l'on peut combiner. 1787 ; ☞ *combiner* ; [kɔ̃binabl].

**COMBINAISON,** subst. f.
**1.** Réunion de plusieurs éléments selon un ordre déterminé : ***Combinaison*** *de couleurs.* **2.** Ensemble de mesures, de calculs permettant la réussite d'une entreprise : *Des* ***combinaisons*** *hasardeuses* ; *Trouver la* ***combinaison*** *gagnante au tiercé, au Loto.* **3.** Suite ordonnée de chiffres, de lettres constituant le code d'ouverture d'un coffre-fort, d'un cadenas. **4.** *Chim.* Composé chimique dont les éléments sont dans des proportions définies, par oppos. aux mélanges, dont les proportions constitutives sont variables : *Le lait est un mélange qui contient notamment des graisses et des sucres, qui sont des* ***combinaisons*** *moléculaires.* **5.** *Cost.* ▸ Sous-vêtement féminin à fines bretelles tenant lieu de bustier et de jupon. ▸ Vêtement de travail, de sport, d'une seule pièce : ***Combinaison*** *d'aviateur,* ***combinaison*** *de ski.* **6.** *Math.* ***Combinaison*** *de p éléments d'un ensemble E à n éléments (où* $0 < p \leqslant n$*)* : toute partie de E comportant $p$ éléments. Le nombre de ces **combinaisons**, noté $C^p_n$ ou $\binom{n}{p}$, est : $C^p_n = \dfrac{n!}{p!\,(n-p)!}$, nombre de **combinaisons** de $n$ objets pris $p$ à $p$. XIVe s. ; bas lat. *combinatio* ; [kɔ̃binɛzɔ̃].

**COMBINARD, ARDE,** adj. et subst.
Se dit d'une personne qui recourt à des ruses, à des combines (fam.). 1920 ; ☞ *combiner* ; [kɔ̃binaʀ, aʀd].

**COMBINAT,** subst. m.
*Écon.* En U. R. S. S., regroupement sous une même autorité d'industries complémentaires : *Un* ***combinat*** *métallurgique.* 1939 ; russe *kombinat*, de *kombinirovat'*, « combiner » ; [kɔ̃bina].

**COMBINATEUR,** subst. m.
*Électr.* Appareil coordonnant les circuits de moteurs électriques. 1877 (déb. XVIIIe s., celui qui combine) ; ☞ *combiner* ; [kɔ̃binatœʀ].

**COMBINATOIRE,** adj. et subst. f.
**Adj.** Relatif aux combinaisons ; qui forme des combinaisons : *Intelligence* ***combinatoire.*** ▸ *Math.* Qualifie la partie des mathématiques qui étudie l'existence, le dénombrement, les propriétés intrinsèques de configurations d'ensembles discrets ayant elles-mêmes des propriétés données : *Analyse* ***combinatoire,*** théorie des ensembles finis. **Subst.** Système de pensée abstraite qui regroupe, en les combinant, un grand nombre de concepts, d'éléments, de phénomènes : *L'algèbre peut être considérée soit comme une méthode générale de calcul, soit comme une* ***combinatoire.*** 1732 ; ☞ *combiner* ; [kɔ̃binatwaʀ].

**COMBINE,** subst. f.
Fam. Procédé astucieux, souv. malhonnête, utilisé à des fins déterminées : *Il ne marchera jamais dans la* ***combine.*** ▸ Loc. *Être dans la* ***combine*** : dans le secret (d'une affaire aventureuse). 1906 ; abrév. de *combinaison* ; [kɔ̃bin].

**COMBINÉ, ÉE,** adj. et subst. m.
**Adj.** Qui est dans une combinaison : *La force et l'intelligence* ***combinées.*** ▸ *Milit.* *Opération* ***combinée*** : qui met en jeu plusieurs armes. **Subst. 1.** *Aéron.* Appareil réunissant les caractéristiques de l'avion et de l'hélicoptère. **2.** *Cost.* Sous-vêtement féminin formé par la réunion d'une gaine et d'un soutien-gorge. **3.** *Sp.* Réunion d'épreuves différentes dans une compétition de ski : ***Combiné*** *alpin.* **4.** *Télécomm.* Partie d'un appareil téléphonique comprenant l'écouteur et le microphone : *Il raccrocha le* ***combiné.*** XVIIIe s. ; p. p. de *combiner* ; [kɔ̃bine].

**COMBINER,** verbe trans. [3]
**1.** Arranger, unir (des éléments) dans un certain ordre. ▸ *Chim.* Unir (des corps simples) pour obtenir un composé. **2.** Élaborer, organiser à des fins précises : ***Combiner*** *un plan* ; manigancer, tramer (fam.) : *Qu'est-ce qu'il peut bien* ***combiner ?*** **Pronom.** S'harmoniser : *Ces tissus se* ***combinent*** *bien.* Fin XIIIe s. ; bas lat. *combinare*, « unir deux choses » ; [kɔ̃bine].

**COMBLANCHIEN,** subst. m.
*Bât.* Variété de calcaire du Jurassique moyen, proche du marbre et utilisé dans le bâtiment pour le dallage ou le revêtement. 1881 ; topon. *Comblanchien* (Côte-d'Or) ; [kɔ̃blɑ̃ʃjɛ̃].

**COMBLE (I),** subst. m.
**1.** L'apogée, le plus haut degré d'un sentiment, d'un état : *Le* ***comble*** *du ridicule.* ▸ Loc. *C'est le* ***comble,*** *c'est un* ***comble*** : c'est trop fort ; *Pour* ***comble*** : en plus de tout le reste, par surcroît. **2.** *Archit.* Charpente, structure supportant le toit : ***Comble*** *à la Mansart.* ▸ Ext. Volume intérieur, utilisable ou perdu, situé immédiatement sous la toiture (gén. au plur.) : *Aménager les* ***combles.*** ▸ Loc. *De fond en* ***comble*** : de la cave au grenier, entièrement ; au fig. : *Il faut revoir la question de fond en* ***comble.*** XIIe s. ; lat. *cumulus*, « tas, amoncellement » ; [kɔ̃bl].

**COMBLE (II),** adj.
**1.** Qui est plein, auquel on ne peut rien ajouter. **2.** Qui est plein de monde : *La pièce était* ***comble.*** ▸ Loc. *Faire salle* ***comble*** : remplir de monde une salle de spectacle. Fin XIIe s. ; ☞ *combler* ; [kɔ̃bl].

**COMBLEMENT,** subst. m.
Action de combler, de boucher ; son résultat : *Le* ***comblement*** *d'une fosse.* 1515 ; ☞ *combler* ; [kɔ̃bləmɑ̃].

**COMBLER,** verbe trans. [3]
**1.** Remplir jusqu'à ras bord ; au fig., satisfaire pleinement : *Vous me* ***comblez.*** **2.** Donner en abondance à : *Il la* ***comble*** *de bienfaits.* **3.** Boucher (une cavité) ; au fig. : ***Combler*** *un manque, un déficit.* Mil. XIIe s. ; lat. *cumulare*, « amonceler » ; [kɔ̃ble].

**COMBURANT, ANTE,** adj. et subst. m.
*Chim.* Se dit d'un corps qui, en se combinant avec un autre, donne lieu à la combustion de ce dernier. Ainsi, l'oxygène, en se combinant au carbone, permet sa combustion, le produit obtenu étant le dioxyde de carbone $CO_2$ : l'oxygène est le **comburant** et le carbone le combustible de la réaction. **Subst.** *Astronaut.* Désigne le composé chimique qui fournit l'oxygène nécessaire à la combustion d'un combustible dans un moteur-fusée. 1789 (XIVe s., sens médical) ; lat. *comburens*, de *comburere*, « brûler » ; [kɔ̃byʀɑ̃, ɑ̃t].

**COMBUSTIBILITÉ,** subst. f.
Caractère d'un corps, d'une matière combustible. 1571 ; ☞ *combustible* ; [kɔ̃bystibilite].

**COMBUSTIBLE,** adj. et subst. m.
**Adj.** Qui peut brûler : *La paille et le papier sont* ***combustibles.*** **Subst.** Substance que l'on fait brûler pour produire de la chaleur : *La tourbe est un piètre* ***combustible.*** ▸ ***Combustible*** *nucléaire* : matière (uranium, plutonium) qui, par fission ou fusion, entretient une réaction en chaîne dans un réacteur nucléaire. ☞ *combustion* ; [kɔ̃bystibl].

**COMBUSTION,** subst. f.
**1.** Fait, pour un corps, de se consumer par le feu. **2.** *Chim.* Combinaison d'un corps avec l'oxygène ; phénomène résultant de cette oxydation : ***Combustion*** *lente,* sans dégagement appréciable de chaleur ; ***Combustion*** *vive,* produisant chaleur et lumière ; ***Combustion*** *instantanée,* explosion. XIIe s. ; bas lat. *combustio* ; [kɔ̃bystjɔ̃].

**COMÉDIE,** subst. f.
**1.** Vx. Pièce de théâtre, sans considération de genre ; par méton., le spectacle représenté : *Jouer la* ***comédie*** ; le lieu : *Se rendre à la* ***comédie*** ; la troupe : *La* ***Comédie****-Italienne.* **2.** Pièce de théâtre qui s'appuie sur des effets comiques, sur le ridicule des situations, des personnages : *Une* ***comédie*** *de Molière* ; *Une* ***comédie*** *de boulevard* ; le genre comique. **3.** Ext. ▸ *Cin.* Film présentant les caractères d'une **comédie** : *Une* ***comédie*** *américaine.* ▸ ***Comédie*** *musicale* : film, spectacle où se mêlent musique, chant et danse. **4.** Fig. Attitude feinte : *C'est de la* ***comédie !*** ; caprice : *Vas-tu arrêter ta* ***comédie ?*** XIVe s. ; lat. *comoedia*, du gr. *kômôdia* ; [kɔmedi].

**COMÉDIEN, IENNE,** subst.
**1.** Personne qui interprète un rôle dans une œuvre dramatique ; acteur : ***Comédien*** *de théâtre, de cinéma.* **2.** Fig. Personne aux manières théâtrales, affectées ; personne simulant une attitude : *Cet enfant n'est pas malade, c'est un* ***comédien*** ; empl. adj. : *Son côté* ***comédien.*** Mil. XVIe s. ; ☞ *comédie* ; [kɔmedjɛ̃, jɛn].

**COMÉDON,** subst. m.
Bouchon de matière sébacée qui obture un pore de la peau (synon. *point noir*). 1858 ; lat. *comedo*, « mangeur » ; [kɔmedɔ̃].

**COMESTIBILITÉ,** subst. f.
Caractère de ce qui est comestible. 1825 ; ☞ *comestible* ; [kɔmɛstibilite].

**COMESTIBLE,** adj. et subst. m.
**Adj.** Qui peut être consommé par l'homme : *Chair (d'un animal)* ***comestible*** ; *Champignon* ***comestible.*** **Subst.** Produit alimentaire (gén. au plur.) : *Boutique de* ***comestibles.*** XVe s. ; lat. médiév. *comestibilis*, du lat. *comedere*, « manger » ; [kɔmɛstibl].

**COMÉTAIRE,** adj.
*Astron.* Qui se rapporte aux comètes : *Un système* ***cométaire.*** 1760 ; ☞ *comète* ; [kometɛʀ].

**COMÈTE,** subst. f.
*Astron.* Astre du système solaire qui gravite autour du Soleil selon une orbite parabolique ou elliptique. ▸ Loc. *Tirer des plans sur la* ***comète*** : élaborer des projets plus ou moins chimériques. Mil. XIIe s. ; lat. *cometes*, du gr. *komêtês*, « astre chevelu » ; [kɔmɛt].

ASTRONOMIE – Les comètes qui suivent une orbite parabolique passent une ou deux fois à travers le système solaire, puis s'éloignent à l'infini, tandis que celles qui parcourent une orbite elliptique y repassent à des intervalles de temps réguliers et sont donc appelées comètes périodiques. Une comète se compose de trois parties : un noyau (diamètre pouvant atteindre 100 km), constitué d'un mélange de glaces, de poussières et de graviers ; une chevelure entourant le noyau (diamètre compris entre 50 000 et 250 000 km), constituée par les gaz et les poussières qu'il expulse à mesure qu'il se rapproche du Soleil ; une queue, d'une longueur pouvant atteindre 300 millions de kilomètres et composée de particules ionisées repoussées par le vent solaire. Certaines comètes périodiques sont célèbres : la comète prédite par Halley en 1682 revient tous les soixante-seize ans (dernier passage en 1986, prochain passage en 2062). Parfois, la trajectoire des comètes est fortement perturbée par les grosses planètes ; c'est ce qui a causé la collision spectaculaire, en juillet 1994, de la comète Shœmaker-Lévy avec Jupiter.

**COMICE,** subst. m.
PLUR. *Antiq. rom.* Assemblée délibérante du peuple. SING. et PLUR. *Comice agricole* : assemblée de cultivateurs, d'éleveurs destinée à améliorer les techniques agricoles. ▸ Empl. adj. *Poire* ***comice*** ou, par ell., *Une* ***comice*** : poire à chair fondante. Mil. XIVe s. ; lat. *comitium* ; [kɔmis].

**COMICIAL,** voir **COMITIAL**

**COMIQUE,** adj. et subst.
ADJ. **1.** Qui se rapporte à la comédie, au théâtre (vieilli) : *Opéra* ***comique***. **2.** Ext. Qui provoque le rire : *Un effet* ***comique***. SUBST. **1.** Comédien spécialisé dans les rôles **comiques** : *Un* ***comique*** *troupier*. **2.** Fig. Personne qui amuse les autres ou qui manque de sérieux : *C'est un petit* ***comique***. SUBST. MASC. Ce qui relève du genre **comique** : *Le* ***comique*** *de situation*. ▸ Ce qui fait rire : *C'est du plus haut* ***comique***. XIVe s. ; lat. *comicus*, « relatif au théâtre » ; [kɔmik].

**COMITÉ,** subst. m.
Réunion restreinte de personnes choisies ou élues par une assemblée, une association, un parti, pour statuer sur certaines questions : *Le* ***comité*** *central du Parti communiste français* ; *Un* ***comité*** *exécutif* ; *Le* ***comité*** *de lecture d'une maison d'édition*. ▸ ***Comité*** *d'entreprise (C. E.)* : composé de représentants du personnel et du chef d'entreprise, consulté sur les questions professionnelles et chargé des œuvres sociales. ▸ Loc. *En petit* ***comité*** : entre intimes. Mil. XVIIe s. ; angl. *committee* ; [kɔmite].

**COMITIAL, ALE, AUX,** adj.
**1.** *Antiq. rom.* Relatif aux comices (var. *comicial*). **2.** *Pathol. Mal* ***comitial*** : épilepsie. Mil. XIVe s. ; lat. *comitialis* ; [kɔmisjal, o].

**COMITIALITÉ,** subst. f.
*Pathol.* Épilepsie se manifestant par des crises généralisées convulsives (synon. *grand mal*, *haut mal*). ☞ *comitial* ; [kɔmisjalite].

**COMMA,** subst. m.
*Mus.* Très petit intervalle entre deux notes théoriquement semblables (*do* dièse et *ré* bémol, par ex.), qui est égal à 5 savarts et non perceptible par l'oreille. 1552 ; lat. *comma*, du gr. *komma*, « membre de phrase » ; [kɔma].

**COMMAND,** subst. m.
*Dr.* Acheteur réel d'un bien, non signalé sur l'acte de transmission : *Déclaration de* ***command***, acte par lequel on nomme le véritable acquéreur ou adjudicataire d'un bien, où l'on signale sa véritable identité. Mil. XIe s. ; ☞ *commander* ; [kɔmɑ̃].

**COMMANDANT,** subst. m.
*Milit.* **1.** Celui qui a en charge un commandement militaire : ***Commandant*** *en chef*. **2.** Titre d'un officier supérieur de l'armée de terre ou de l'air dont le grade se situe entre celui de capitaine et celui de lieutenant-colonel : *L'insigne de* ***commandant*** *comprend quatre galons*. **3.** Officier, quel que soit son grade, qui commande un bâtiment de la marine de guerre. **4.** Ext. ▸ *Mar.* Officier qui commande un navire marchand : *Le* ***commandant*** *d'un cargo*. ▸ *Aéron.* et *Astronaut.* ***Commandant*** *de bord* : personne qui commande un avion de ligne ou un vaisseau spatial. 1661 ; p. pr. de *commander* ; [kɔmɑ̃dɑ̃].

**COMMANDE,** subst. f.
**I. 1.** *Comm.* Ordre par lequel un client demande une marchandise ou un service selon des conditions financières et un délai précis : *Passer, prendre une* ***commande*** ; *Bon de* ***commande***. **2.** Méton. La marchandise elle-même : *Livrer, recevoir une* ***commande***. **3.** Loc. ▸ *Sur* ***commande*** : sur ordre. ▸ **De commande.** Imposé ou négocié ou, au fig., forcé, artificiel, simulé : *Un sourire de* ***commande***. **II. 1.** *Techn.* Dispositif, pièce mécanique permettant le déclenchement ou le fonctionnement d'une machine, d'un véhicule : ***Commande*** *manuelle* ; ***Commande*** *à distance* ; *Manette, levier de* ***commande***. **2.** Loc. *Être aux* ***commandes*** : piloter ou, au fig., diriger une affaire, une entreprise. 1680 (1213, dépôt, garde) ; ☞ *commander* ; [kɔmɑ̃d].

**COMMANDEMENT,** subst. m.
**1.** Action de commander : *Aptitude au* ***commandement*** ; par méton., ordre donné : *À mon* ***commandement***, *rompez !* **2.** Pouvoir de commander ; autorité : *Prendre le* ***commandement*** ; *Poste de* ***commandement*** *(P. C.)*. ▸ *Haut* ***commandement*** : autorité militaire supérieure. **3.** *Dr.* Sommation, acte d'huissier constituant une mise en demeure : ***Commandement*** *de payer*. **4.** *Relig.* Précepte divin : *Les dix* ***commandements*** *de Dieu* ; règle, devoir : *Les* ***commandements*** *de l'Église*. **5.** *Sp.* *Prendre le* ***commandement*** *d'une course* : se placer en tête. Mil. XIe s. ; ☞ *commander* ; [kɔmɑ̃dmɑ̃].

**COMMANDER,** verbe trans. [3]
TRANS. DIR. **1.** Donner l'ordre de ; prescrire : *Madame, je le veux et je vous le* ***commande*** (Racine). **2.** Diriger (qqn), exercer une autorité sur : ***Commander*** *le personnel* ; détenir une autorité militaire sur : ***Commander*** *une armée* ; empl. abs. : *Qui* ***commande*** *?* **3.** Rendre indispensable, exiger : *Les circonstances* ***commandent*** *la plus grande prudence* ; *La conjonction « bien que »* ***commande*** *le subjonctif*. **4.** Dominer (un lieu) ; contrôler l'accès de : *Le détroit de Gibraltar* ***commande*** *le passage entre la Méditerranée et l'Atlantique*. **5.** Passer commande de : *Il a* ***commandé*** *un cassoulet*. **6.** *Techn.* Actionner : *Ce bouton* ***commande*** *la fermeture des portes*. TRANS. INDIR. **Commander à. 1.** Imposer à : *Je vous* ***commande*** *de vous lever*. ▸ Loc. *Sans vous* ***commander*** : sans vouloir vous donner un ordre (fam.). **2.** Fig. Maîtriser : ***Commander*** *à ses passions* ; empl. pronom., se contrôler : *Il ne se* ***commande*** *plus*. XIe s. (Xe s., donner en dépôt) ; lat. pop. °*commandare*, « confier ; commander » ; [kɔmɑ̃de].

**COMMANDERIE,** subst. f.
*Hist.* **1.** Bénéfice octroyé aux chevaliers de certains ordres militaires ou religieux (ordre de Malte, des Templiers, etc.). **2.** Méton. Résidence de ces commandeurs. 1387 ; ☞ *commander* ; [kɔmɑ̃dʀi].

**COMMANDEUR,** subst. m.
**1.** *Hist.* Chevalier pourvu d'une commanderie : ***Commandeur*** *de l'ordre de Malte*. **2.** Grade, dans un ordre de chevalerie, supérieur à celui d'officier ; le titulaire de ce grade : ***Commandeur*** *de la Légion d'honneur*. **3.** *Relig.* ***Commandeur*** *des croyants* : titre honorifique en usage chez les musulmans. Fin XIIe s. ; ☞ *commander* ; [kɔmɑ̃dœʀ].

**COMMANDITAIRE,** subst.
**1.** Bailleur de fonds, dans une société en commandite. **2.** Ext. Celui qui finance un projet, une entreprise. 1752 ; ☞ *commandite* ; [kɔmɑ̃ditɛʀ].

**COMMANDITE,** subst. f.
**1.** *Comm. Société en* ***commandite*** : société comprenant deux types d'associés, les commandités, tenus des dettes sociales, et les commanditaires, tenus à leur simple apport ; par méton., apport du commanditaire. **2.** *Impr.* Coopérative d'ouvriers typographes qui répartissaient leurs bénéfices en fonction du travail de chacun. 1673 ; ital. *accomandita*, de *accomandare*, « confier » ; [kɔmɑ̃dit].

**COMMANDITÉ, ÉE,** subst.
*Comm.* Associé gestionnaire d'une société en commandite. XIXe s. ; p. p. de *commanditer* ; [kɔmɑ̃dite].

**COMMANDITER,** verbe trans. [3]
**1.** Fournir des fonds à (une entreprise en commandite). **2.** Ext. Financer : ***Commanditer*** *un projet*. **3.** Payer qqn pour l'exécution de (un délit, un crime) ; organiser (un tel acte) : *L'assassinat était* ***commandité*** *par une puissance étrangère*. 1836 ; ☞ *commandite* ; [kɔmɑ̃dite].

**COMMANDO,** subst. m.
*Milit.* Groupe de combat agissant isolément pour des missions ponctuelles : ***Commando*** *de parachutistes* ; *Opération de* ***commando*** ; par ext. : *Un* ***commando*** *de terroristes*. 1945 (1902, groupe de malfaiteurs) ; angl. *commando*, désignant à l'origine une troupe de l'armée des Boers ; [kɔmɑ̃do].

**COMME,** adv. et conj.
ADV. **1.** À quel point, combien, que : ***Comme*** *tu as grandi !* ▸ Loc. *Dieu sait* ***comme*** : d'une manière que l'on ignore ; *Il faut voir* ***comme*** : d'une façon admirable, ou discourtoise. **2.** Presque, en quelque sorte : *Il est* ***comme*** *fou à l'idée de la revoir* ; *J'ai* ***comme*** *un pressentiment*. **3.** De quelle manière, par quels moyens (synon. préférable *comment*) : *Voilà* ***comme*** *il faut s'y prendre*. **4.** Tel que : *Ce scandale, on n'en a jamais vu un* ***comme*** *celui-là*. CONJ. **1.** Alors que, tandis que, au moment où : ***Comme*** *je sortais, le téléphone sonna*. **2.** Parce que, puisque, vu que, attendu que : ***Comme*** *il neigeait, nous avons renoncé à partir*. **3.** De la même manière que (souv. avec ell. du verbe de la subordonnée) : *Ça s'écrit* ***comme*** *ça se prononce*. ▸ Loc. *Il rit* ***comme*** *un bossu* ; *Muet* ***comme*** *une carpe* ; *Riche* ***comme*** *Crésus*. ▸ **Tout comme.** Presque **comme** : *Je ne dors pas, mais c'est tout* ***comme*** ; exactement **comme** : *Il est grand, tout* ***comme*** *son père*. ▸ **Comme tout.** Très : *Il est gentil* ***comme*** *tout, votre fils*. **4.** Ainsi que, et : *En été* ***comme*** *en hiver*. **5.** De la façon que, tel que (souv. avec ell. du verbe de la subordonnée) : *Faites* ***comme*** *vous voulez* ; *J'irai* ***comme*** *prévu*. ▸ **Comme il faut.** *C'est qqn de tout à fait* ***comme*** *il faut* : une personne distinguée, respectable (fam.) ; *Refaites ce travail* ***comme*** *il faut* : correctement. ▸ **Comme cela, comme ça.** Ainsi : ***Comme*** *ça, ils seront satisfaits* ; *Ne vous y prenez pas* ***comme*** *cela*. ▸ **Comme ci comme ça.** Ni bien ni mal (fam.) : *Comment allez-vous ? – Comme ci* ***comme*** *ça*. ▸ ***Comme*** *de bien entendu* ; ***Comme*** *de juste* : évidemment, naturellement (fam.). ▸ **Comme quoi.** Ce qui prouve que : ***Comme*** *quoi tout le monde peut se tromper*. ▸ Pour présenter une citation, une opinion : *Il faut savoir,* ***comme*** *l'a enseigné Boileau, se hâter lentement*. ▸ ***Comme*** *qui dirait* : d'une certaine façon, une sorte de (fam.). ▸ **Comme si.** ***Comme*** *si je ne le savais pas* : je le sais parfaitement (fam.) ; *L'homme vit* ***comme*** *s'il ne devait jamais mourir* : en supposant qu'il ne va jamais mourir ; *Il est parti ? – Non, il a fait* ***comme*** *si* : il a fait semblant. **6.** En qualité de, en tant que (valeur de prép.) : *On le sollicite* ***comme*** *spécialiste*. 842 ; lat. *quomodo*, « de quelle manière » ; [kɔm].

**COMMEDIA DELL'ARTE,** subst. f. sing.
*Théâtre.* Genre de comédie italienne fondée sur l'improvisation fantaisiste des acteurs à partir d'un canevas traditionnel : *Arlequin, Scaramouche, Pantalon sont des personnages de la* ***commedia dell'arte***. Déb. XVIIe s. ; ital. *commedia dell'arte*, « comédie de l'art » ; [kɔmedjadɛllaʀte].

**COMMÉMORAISON,** subst. f.
*Cath.* Évocation d'un saint le jour de sa fête au cours de la célébration d'une fête plus importante. 1386 ; lat. *commemoratio* ; [kɔmemɔʀɛzɔ̃].

**COMMÉMORATIF, IVE,** adj.
Qui évoque le souvenir de qqch., de qqn : *Un monument* ***commémoratif*** *de la guerre de 1914-1918*. 1598 ; ☞ *commémorer* ; [kɔmemɔʀatif, iv].

**COMMÉMORATION,** subst. f.
Action de commémorer ; cérémonie commémorative. ▸ Loc. *En* ***commémoration*** *de* : en mémoire de. XIIIe s. ; lat. *commemoratio* ; [kɔmemɔʀasjɔ̃].

**COMMÉMORER,** verbe trans. [3]
Évoquer le souvenir de (qqn, un évènement) au cours d'une cérémonie ; célébrer l'anniversaire de (un évènement) : ***Commémorer*** *la victoire des Alliés*. XIVe s. ; lat. *commemorare* ; [kɔmemɔʀe].

**COMMENÇANT, ANTE,** adj. et subst.
ADJ. Qui débute, qui naît, qui commence : *Une maladie* ***commençante***. SUBST. Débutant (vieilli) : *Un manuel scolaire pour les* ***commençants***. 1470 ; p. pr. de *commencer* ; [kɔmɑ̃sɑ̃, ɑ̃t].

**COMMENCEMENT,** subst. m.
**1.** Fait de commencer ; début, point de départ de qqch. : *Commencer par le* ***commencement***. ▸ Loc. *Le*

*mmencement de la fin* : l'amorce du déclin. *Relig.* Origine : *Au* ***commencement*** *était le Verbe* ible). 1119 ; ☞ *commencer* ; [kɔmɑ̃smɑ̃].

**COMMENCER,** verbe [4]
**ANS. DIR.** Entamer (une action), entreprendre ne tâche) : ***Commencer*** *un travail* ; ***Commencer*** *un re,* en entreprendre la lecture ; *J'ai mal* ***commencé*** *nnée.* **TRANS. INDIR. 1. Commencer de** (littér.), à inf.). Être au début de ; se mettre à : *Je* ***commence*** *comprendre* ; empl. impers. : *Il* ***commence*** *à pleuvoir.* **Commencer par.** Faire en premier, débuter par : ***mmencez*** *par vous asseoir* ; ***Commencer*** *par la fin.* **TRANS.** Être à son commencement : *Les ennuis* ***mmencent*** ; par iron. : *Ça* ***commence*** *bien !*, les oses prennent un mauvais départ. X^e^ s. ; lat. p. °*cominitiare* ; [kɔmɑ̃se].

**COMMENDE,** subst. f.
*Hist.* Concession provisoire d'un bénéfice ecclé- stique à un clerc, ou même à un laïc, qui en tirait antage jusqu'à la nomination d'un titulaire : *endre une abbaye en* ***commende.*** **2.** Méton. Le maine lui-même. 1461 ; lat. médiév. *commenda,* lat. *commendare,* « confier » ; [kɔmɑ̃d].

**COMMENSAL, ALE,** subst.
Compagnon de table (littér.). **2.** *Biol.* Animal ou gétal qui vit en commensalisme : *Les* ***commensaux*** *l'intestin* ; empl. adj. : *Des mollusques* ***commen- ux*** *de crustacés.* 1418 ; lat. médiév. *commensalis* ; ır. *commensaux, ales* ; [kɔmɑ̃sal], plur. [-so].

**COMMENSALISME,** subst. m.
ol. Association de deux espèces dont l'une profite s aliments de l'autre, sans toutefois lui nuire. 1874 ; ☞ *commensal* ; [kɔmɑ̃salism].

**COMMENSURABLE,** adj.
dit d'une grandeur qui peut être comparée à une tre, les deux grandeurs ayant une unité de mesure mmune : *Nombres* ***commensurables.*** Mil. XIV^e^ s. ; s lat. *commensurabilis* ; [kɔmɑ̃syʀabl].

**COMMENT,** adv. et subst. m. inv.
v. **1.** De quelle manière, par quel moyen (gén. cerr.) : ***Comment*** *allez-vous ?* ; *Je ne sais* ***comment*** *re* ; *N'importe* ***comment,*** sans recherche, au sard ; ***Comment*** *?,* voudriez-vous répéter ? (fam.). Exprime la surprise, l'étonnement, l'indignation : ***mment !*** *tu dors encore ?* **3.** Marque l'approba- n ; renforce une affirmation : *C'était bon ? - Et* ***mment !*** (fam.) ; *Puis-je me resservir ? - Mais* ***mment*** *donc !* **4.** Sert à interroger sur le motif, la use : ***Comment*** *s'est-il permis d'entrer ?* **SUBST.** Ma- ère dont un fait s'est produit : *Discerner le pour- oi du* ***comment.*** Fin XI^e^ s. ; ☞ *comme* ; [kɔmɑ̃].

**COMMENTAIRE,** subst. m.
Explication, interprétation, ensemble de remar- es qui éclairent le sens d'un texte : *Le* ***commentaire*** *Évangiles.* **2.** Réflexion, précision apportée sur sujet ; en partic., opinion exprimée sur un ènement : *Les* ***commentaires*** *de la presse étrangère.* Ext. Appréciation malveillante (gén. au plur.) : *argnez-moi vos* ***commentaires !*** 1485 ; lat. *com- entarium,* « recueil de notes, mémoire » ; [kɔm(m)ɑ̃tɛʀ].

**COMMENTATEUR, TRICE,** subst.
Auteur d'un commentaire : *Un* ***commentateur*** *du de pénal.* **2.** Journaliste d'un média audiovisuel i relate un évènement, commente une actualité. Mil. XIV^e^ s. ; bas lat. *commentator* ; [kɔm(m)ɑ̃tatœʀ, tʀis].

**COMMENTER,** verbe trans. [3]
re le commentaire de (un texte, un évènement, commentaire). 1314 ; lat. *commentari,* « médi- ; expliquer (des écrits) » ; [kɔm(m)ɑ̃te].

**COMMÉRAGE,** subst. m.
vardage médisant des commères (fam.). 1761 546, baptême) ; ☞ *commère* ; [kɔmeʀaʒ].

**COMMERÇANT, ANTE,** adj. et subst.
J. **1.** Qui fait du commerce : *Nation* ***commerçante.*** Qui est doué pour le commerce : *Esprit* ***commer- nt.*** **3.** Où se trouvent de nombreux commerces : *e* ***commerçante.*** **SUBST.** Personne dont l'activité ofessionnelle est le commerce. 1695 ; p. pr. de *mmercer* ; [kɔmɛʀsɑ̃, ɑ̃t].

**COMMERCE,** subst. m.
**1.** Achat et revente de marchandises, de biens et, r ext., de prestations de service : ***Commerce*** *de oduits exotiques* ; *Effets de* ***commerce,*** billets à dre ou lettres de change ; *Livres de* ***commerce,*** cuments comptables ; *Le registre du* ***commerce*** ☞ *registre*). **2.** Métier du commerçant ; par ext., ensemble des commerçants et des activités commerciales : *Le* ***commerce*** *et l'industrie.* **3.** Méton. ▸ Point de vente, magasin : *Une rue bordée de* ***commerces.*** ▸ Réseau commercial : *Lancer un produit dans le* ***commerce.*** **4.** *Dr. Code, tribunal de* ***commerce*** : afférent à la législation commerciale. **II. 1.** Fréquentation d'autrui ; relations sociales (littér.). **2.** Manière de se comporter en société : *Il est d'un* ***commerce*** *très agréable.* 1370 ; lat. *commercium* ; [kɔmɛʀs].

**COMMERCER,** verbe intrans. [4]
Se livrer à une activité commerciale. 1405 ; ☞ *commerce* ; [kɔmɛʀse].

**COMMERCIAL, ALE, AUX,** adj. et subst.
**ADJ. 1.** Relatif au commerce : *Droit* ***commercial*** ; *Quinzaine* ***commerciale,*** période de quinze jours durant laquelle les commerçants proposent des promotions. **2.** Qui travaille dans le commerce : *Ingénieur, attaché* ***commercial.*** **3.** Qui vise le profit, sans souci de qualité (péj.) : *Film* ***commercial.*** **SUBST.** Personne qui travaille dans les services commerciaux d'une société ; au masc., l'ensemble de ces services. **SUBST. FÉM.** Voiture de tourisme que l'on peut adapter au transport de marchandises. 1749 ; ☞ *commerce* ; [kɔmɛʀsjal, o].

**COMMERCIALEMENT,** adv.
Selon un point de vue commercial. 1829 ; ☞ *commercial* ; [kɔmɛʀsjalmɑ̃].

**COMMERCIALISABLE,** adj.
Qui peut être commercialisé : *Produit* ***commercialisable.*** 1955 ; ☞ *commercialiser* ; [kɔmɛʀsjalizabl].

**COMMERCIALISATION,** subst. f.
Action de commercialiser ; le résultat de cette action. 1845 ; ☞ *commercialiser* ; [kɔmɛʀsjalizasjɔ̃].

**COMMERCIALISER,** verbe trans. [3]
Diffuser dans un circuit de distribution commerciale. 1845 ; ☞ *commercial* ; [kɔmɛʀsjalize].

**COMMÈRE,** subst. f.
**1.** Vx. Marraine d'un enfant, vis-à-vis des parents ou du parrain. **2.** Voisine, amie (fam. et vieilli). **3.** Personne cancanière, avide de ragots. Fin XII^e^ s. ; lat. chrét. *commater,* « mère avec » ; [kɔmɛʀ].

**COMMÉRER,** verbe intrans. [8]
Répandre des potins, des ragots (vieilli). 1823 ; ☞ *commère* ; [kɔmeʀe].

**COMMETTAGE,** subst. m.
*Mar.* Fabrication d'un cordage par torsion de fils. 1752 ; ☞ *commettre* ; [kɔmɛtaʒ].

**COMMETTANT,** subst. m.
*Dr.* Personne donnant mandat à un tiers, ou commissionnaire, d'exécuter certains actes pour son compte. XVI^e^ s. ; p. pr. de *commettre* ; [kɔmɛtɑ̃].

**COMMETTRE,** verbe trans. [60]
**1.** Faire (qqch. de répréhensible) : ***Commettre*** *une imprudence, un crime* ; par iron. : ***Commettre*** *un film.* **2.** Compromettre, risquer (vieilli) : ***Commettre*** *sa réputation.* **3.** Préposer (qqn) à une tâche précise (vieilli). ▸ *Dr.* Désigner : ***Commettre*** *un expert* ; empl. adj. : *Avocat* ***commis*** *d'office.* **PRONOM. Se commettre avec.** Afficher des rapports compromettants avec. XIII^e^ s. ; lat. *committere,* « mettre ensemble ; commettre ; mettre à exécution » ; [kɔmɛtʀ].

**COMMINATOIRE,** adj.
**1.** *Dr.* Qui comporte une menace de sanction, en cas de contravention : *Clause* ***comminatoire.*** **2.** Ext. Qui exprime une menace : *Un ton* ***comminatoire.*** Déb. XVI^e^ s. ; lat. médiév. *comminatorius,* du lat. *comminari,* « menacer » ; [kɔminatwaʀ].

**COMMINUTIF, IVE,** adj.
*Chir. Fracture* ***comminutive*** : bris des os en plusieurs petits fragments. 1832 ; lat. *comminutum,* de *comminuere,* « briser » ; [kɔminytif, iv].

**COMMIS,** subst. m.
**1.** Personne chargée de fonctions subalternes dans une administration, un bureau ou un commerce : ***Commis*** *aux écritures* ; ***Commis-greffier*** ; ***Commis*** *voyageur,* représentant de commerce (vx). **2.** Administrateur, fonctionnaire : *Les grands* ***commis*** *de l'État.* Déb. XIV^e^ s. ; p. p. de *commettre* ; [kɔmi].

**COMMISÉRATION,** subst. f.
Compassion à l'égard de la misère, des malheurs d'autrui. 1552 ; lat. *commiseratio* ; [kɔmizeʀasjɔ̃].

**COMMISSAIRE,** subst. m.
**I.** Personne assumant une mission temporaire ou spéciale. **1.** Personne désignée par l'État : ***Commissaire*** *général au Plan* ; ***Commissaire*** *du gouvernement,* fonctionnaire commis pour assister un ministre dans la soutenance d'un projet de loi ; officier du ministère public devant certains tribunaux. **2.** Personne déléguée par une association, une société pour veiller au bon déroulement d'une manifestation : ***Commissaire*** *d'un bal, d'une rencontre sportive* ; ***Commissaire*** *aux comptes,* appointé par une société pour vérifier ses comptes. **3.** *Admin.* ***Commissaire*** *de la République* : administrateur d'une région de France, de 1944 à 1946 ; titre donné aux préfets de départements de 1982 à 1988. **II.** Personne exerçant une fonction permanente ; titre attaché à cette fonction. **1.** ***Commissaire*** *de police* : officier de la police nationale chargé de tâches administratives ou judiciaires. **2.** *Mar.* ***Commissaire*** *de bord* : qui règle, sur un paquebot, les relations avec les passagers. **3.** *Milit.* ***Commissaire*** *de la marine, de l'air* : officier responsable de l'intendance dans ces armées. **4.** Belg. ***Commissaire*** *d'arrondissement* : sous-préfet. 1310 ; lat. médiév. *commissarius,* du lat. *committere,* « mettre à exécution » ; [kɔmisɛʀ].

**COMMISSAIRE-PRISEUR,** subst. m.
Officier ministériel chargé de l'estimation d'objets mobiliers et de leur vente aux enchères publiques, qui les adjuge au dernier enchérisseur. 1753 ; comp. de *commissaire* et de *priseur* (vx), « qui fait une prisée » ; plur. *commissaires-priseurs* ; [kɔmisɛʀpʀizœʀ].

**COMMISSARIAT,** subst. m.
**1.** Fonction de commissaire. **2.** Ext. Ensemble des services qui dépendent d'un commissaire. **3.** Méton. Le bâtiment où se trouvent ces services, en partic. ceux de la police : *Ils ont été convoqués ce matin au* ***commissariat.*** 1752 ; ☞ *commissaire* ; [kɔmisaʀja].

**COMMISSION,** subst. f.
**1.** Ordre, mission : *Charger qqn d'une* ***commission.*** ▸ *Comm.* Mission qu'un commettant donne à un commissionnaire : *Contrat de* ***commission*** ; par ext., rémunération perçue par le commissionnaire : ***Commission*** *de 10 %.* ▸ *Just.* ***Commission*** *rogatoire* : délégation du pouvoir d'instruire accordée par un juge à un autre ou à un officier de police judiciaire. **2.** Message confié à qqn pour qu'il le transmette à un tiers : *La* ***commission*** *n'a pas été faite.* **3.** Achat, emplette (gén. au plur.) : *Faire les* ***commissions,*** les courses quotidiennes ; par méton., les denrées achetées : *Ranger les* ***commissions.*** **4.** Réunion de personnes chargées d'étudier une question : *La* ***commission*** *des Finances, à l'Assemblée nationale* ; ***Commission*** *d'arbitrage.* XIII^e^ s. ; lat. *commissio,* de *committere,* « donner, mettre à exécution » ; [kɔmisjɔ̃].

**COMMISSIONNAIRE,** subst.
**1.** Personne chargée d'une commission ; coursier. **2.** *Dr.* Personne qui fait en son propre nom des opérations commerciales pour le compte d'un commettant : ***Commissionnaire*** *de transport* ; ***Commissionnaire*** *en douane,* celui qui accomplit pour un tiers des formalités de douane. 1506 ; ☞ *commission* ; [kɔmisjɔnɛʀ].

**COMMISSIONNEMENT,** subst. m.
Action de commissionner. 1928 ; ☞ *commissionner* ; [kɔmisjɔnmɑ̃].

**COMMISSIONNER,** verbe trans. [3]
**1.** Donner une commission, un ordre à (qqn). **2.** *Comm.* Mandater (qqn) pour acheter ou vendre. 1462 ; ☞ *commission* ; [kɔmisjɔne].

**COMMISSOIRE,** adj.
*Dr.* Qui stipule l'annulation d'un contrat en cas de non-respect des engagements : *Clause* ***commissoire.*** XIII^e^ s. ; lat. jur. *commissorius* ; [kɔmiswaʀ].

**COMMISSURE,** subst. f.
**1.** Point de jonction de deux parties anatomiques : ***Commissure*** *des lèvres.* **2.** *Archit.* Joint entre deux pierres. **3.** *Bot.* Jonction des deux akènes dans le fruit des Apiacées. 1314 ; lat. *commissura,* « jonction » ; [kɔmisyʀ].

**COMMODAT,** subst. m.
*Dr.* Prêt, gén. gratuit, imposant que l'objet emprunté soit restitué en bon état à la date prévue (synon. *prêt à usage*). 1585 ; lat. jur. *commodatum,* de *commodare,* « prêter » ; [kɔmɔda].

**COMMODE (I),** adj.
**1.** Pratique, bien conçu : *Un instrument* ***commode*** *à manier.* **2.** Facile : *C'est trop* ***commode !*** **3.** Qui manifeste un caractère agréable, accommodant (vieilli à l'affirmatif) : *Il n'est pas* ***commode,*** *ce juge !* 1475 ; lat. *commodus* ; [kɔmɔd].

**COMMODE (II),** subst. f.
Meuble bas, muni de grands tiroirs de rangement : *Une **commode** en noyer* ; *Une **commode** Empire.* 1708 ; ell. de *armoire commode* ; [kɔmɔd].

**COMMODÉMENT,** adv.
D'une manière commode. 1544 ; ☞ *commode* (I) ; [kɔmɔdemɑ̃].

**COMMODITÉ,** subst. f.
Caractère de ce qui est commode, aisé, pratique. PLUR. **1.** Ce qui procure aisance et confort : *Logement doté de toutes les **commodités**.* **2.** Lieux d'aisances (vieilli). 1409 ; lat. *commoditas* ; [kɔmɔdite].

**COMMODORE,** subst. m.
*Milit.* Officier de marine britannique, américain ou néerlandais, d'un grade inférieur à celui de contre-amiral. 1760 ; angl. *commodore*, du néerl. *kommandeur*, p.-ê. d'orig. fr. ; [kɔmɔdɔʀ].

**COMMOTION,** subst. f.
**1.** *Pathol.* Ébranlement d'un organe par un choc, sans atteinte de son tissu : *Une **commotion** cérébrale* ; par anal., violente émotion. **2.** Vieilli. Secousse soudaine, très violente : ***Commotion** sismique* ou, au fig., ***Commotion** sociale.* Déb. XIIe s. ; lat. *commotio* ; [kɔmosjɔ̃].

**COMMOTIONNER,** verbe trans. [3]
Frapper de commotion. 1875 ; ☞ *commotion* ; [kɔmosjɔne].

**COMMUABLE,** adj.
*Dr.* Qui peut être commué. 1483 ; ☞ *commuer* ; [kɔmɥabl].

**COMMUER,** verbe trans. [3]
*Dr.* Changer (une peine) en une peine de moindre sévérité. 1365 ; lat. *commutare*, « changer complètement », d'apr. *muer* ; [kɔmɥe].

**COMMUN, UNE,** adj. et subst. m.
ADJ. **1.** Qui appartient, qui est relatif à plusieurs personnes ou choses : *Terrasse **commune*** ; *Intérêts **communs*** ; *Biens **communs***, appartenant aux deux époux (par oppos. à *biens propres*). ▸ *Math. Dénominateur **commun*** : qui est le même pour plusieurs fractions. **2.** Qui se fait à plusieurs : *Œuvre **commune**.* **3.** Qui relève du plus grand nombre ou de tous : *Droit **commun*** ; *Langage **commun*** ; par ext., ordinaire, sans distinction : *Des gens très **communs**.* **4.** Qui se rencontre fréquemment : *Espèce **commune**.* **5.** Loc. *Sans **commune** mesure* : sans comparaison ; *En **commun*** : à plusieurs ; *Sens **commun*** (☞ *sens*) ; *Lieu **commun*** (☞ *lieu*). **6.** *Ling. Nom **commun*** : qui désigne une chose ou un être appartenant à une catégorie générale (par oppos. à *nom propre*). SUBST. **1.** Le plus grand nombre : *Le **commun** des mortels*, les gens ordinaires. **2.** Le peuple (vx). SUBST. PLUR. Ensemble des dépendances d'un château, d'une grande propriété. 842 ; lat. *communis* ; [kɔmœ̃, yn].

**COMMUNAL, ALE, AUX,** adj.
**1.** Qui appartient à une commune ou qui en relève : *Chemins **communaux*** ; *L'école **communale*** ou, par ell., *La **communale*** (vieilli) ; *Les biens **communaux*** ou, par ell., *Les **communaux***, ensemble des biens d'une commune (en partic. les terrains agricoles) accessibles à tous les habitants. **2.** Belg. *Maison **communale*** : mairie ; *Conseil **communal*** : conseil municipal. 1208 (fin XIe s., ensemble, unanime) ; ☞ *commun* ; [kɔmynal, o].

**COMMUNALISER,** verbe trans. [3]
*Dr.* Placer sous la dépendance d'une commune. 1842 ; ☞ *communal* ; [kɔmynalize].

**COMMUNARD, ARDE,** subst.
*Hist.* Participant à l'insurrection de la Commune de Paris en 1871 ; partisan de la Commune ; empl. adj. : *La révolte **communarde**.* 1871 ; ☞ *commune* ; [kɔmynaʀ, aʀd].

**COMMUNAUTAIRE,** adj.
**1.** Qui concerne la communauté ; qui en prend la forme : *Un sentiment **communautaire*** ; *Un système **communautaire**.* **2.** Relatif à la Communauté européenne : *Pays, tarifs **communautaires**.* 1842 ; ☞ *communauté* ; [kɔmynotɛʀ].

**COMMUNAUTARISATION,** subst. f.
*Dr.* Gestion commune des espaces maritimes et de leurs ressources par les États qui les bordent. XXe s. ; ☞ *communautaire* ; [kɔmynotaʀizasjɔ̃].

**COMMUNAUTÉ,** subst. f.
**I. 1.** État de ce qui est commun : ***Communauté** d'intérêts, de vues, d'aspirations.* **2.** *Dr.* Régime matrimonial. ▸ ***Communauté** universelle* : où tous les biens anciens et futurs sont mis en commun. ▸ ***Communauté** légale*, ou ***Communauté** réduite aux acquêts* (☞ *acquêt*). ▸ Méton. Les biens communs aux époux. **II. 1.** Groupe humain dont les membres sont unis par un lien social, culturel ou d'affinité : ***Communauté** familiale, villageoise, nationale, francophone.* **2.** *Admin.* ▸ ***Communauté** urbaine* : établissement public qui associe une grande ville à plusieurs communes voisines et qui gère les équipements et services d'intérêt commun. ▸ ***Communauté** autonome* : division administrative de l'Espagne. **3.** *Pol. **Communauté** européenne* : association de divers pays d'Europe à des fins politiques et économiques. **4.** *Relig.* Société dont les membres vivent ensemble en suivant une règle ; par méton., les religieux appartenant à cette société, le bâtiment qu'ils habitent (cloître, monastère). Fin XIIIe s. ; prob. anc. fr. *communité*, du lat. *communitas* ; [kɔmynote].

**COMMUNE,** subst. f.
**1.** Vx. Corps des bourgeois d'une ville ; par ext., ville ou bourg affranchi de la tutelle féodale. **2.** Circonscription administrative placée sous l'autorité d'un maire (en Belgique, d'un bourgmestre) assisté d'un conseil municipal : ***Commune** rurale.* **3.** *Hist. La **Commune*** : gouvernement provisoire de Paris qui siégea du 18 mars 1871 jusqu'au 27 mai suivant. **4.** *Pol.* ▸ *La Chambre des **communes*** ou, par ell., *Les **Communes*** : chambre basse élective, en Grande-Bretagne et au Canada. ▸ ***Commune** populaire* : en Chine populaire, ensemble administratif et économique regroupant plusieurs villages. XIIe s. ; lat. pop. *communia*, « communauté de gens » ; [kɔmyn].

**COMMUNÉMENT,** adv.
Couramment, ordinairement. Mil. XIIIe s. (XIIe s., ensemble) ; ☞ *communal* ; [kɔmynemɑ̃].

**COMMUNIANT, ANTE,** subst.
*Relig.* Personne qui reçoit la communion, dans les Églises chrétiennes : *Un premier **communiant***, celui qui fait sa première communion. 1531 ; p. pr. de *communier* ; [kɔmynjɑ̃, ɑ̃t].

**COMMUNICABLE,** adj.
Qui peut être communiqué. XVIe s. (1380, sociable) ; bas lat. *communicabilis* ; [kɔmynikabl].

**COMMUNICANT, ANTE,** adj.
Qui communique : *Deux chambres **communicantes**.* 1761 ; p. pr. de *communiquer* ; [kɔmynikɑ̃, ɑ̃t].

**COMMUNICATEUR, TRICE,** adj. et subst.
ADJ. Qui met en communication. SUBST. Personne qui utilise efficacement la communication médiatique. SUBST. MASC. Organe qui transmet le mouvement dans un mécanisme. 1866 (1531, celui qui participe) ; ☞ *communiquer* ; [kɔmynikatœʀ, tʀis].

**COMMUNICATIF, IVE,** adj.
**1.** Qui se communique aisément : *Un entrain **communicatif**.* **2.** Qui possède un don pour la communication ; loquace, démonstratif. Fin XVe s. (1282, libéral) ; bas lat. *communicativus* ; [kɔmynikatif, iv].

**COMMUNICATION,** subst. f.
**1.** Action de communiquer, d'entrer en relation avec qqn : *Interdire à un prisonnier toute **communication** avec l'extérieur.* **2.** Action de transmettre un message ; par méton., le message transmis : *Une **communication** officielle.* **3.** Liaison établie entre des correspondants par un procédé technique, en partic. le téléphone : *Couper la **communication**.* **4.** Ensemble des médias permettant de toucher un vaste public : *Le monde de la **communication**.* ▸ Moyens mis en œuvre par une entreprise pour promouvoir et cultiver son image de marque : *Directeur de la **communication**.* **5.** Passage d'un lieu à un autre : *Porte, réseau de **communication**.* Déb. XIVe s. ; lat. *communicatio* ; [kɔmynikasjɔ̃].

**COMMUNICATIONNEL, ELLE,** adj.
Qui concerne ou qui favorise la communication. V. 1980 ; ☞ *communication* ; [kɔmynikasjɔnɛl].

**COMMUNIER,** verbe [6]
INTRANS. **1.** *Relig.* ▸ Dans l'Église catholique et les Églises orthodoxes, recevoir le sacrement de l'Eucharistie. ▸ Dans les Églises réformées, participer à la sainte cène. **2.** Anal. S'unir en union spirituelle ou affective avec autrui : ***Communier** dans la joie.* TRANS. Donner la communion à (rare) : ***Communier** un mourant.* Xe s. ; lat. *communicare*, « partager » ; [kɔmynje].

**COMMUNION,** subst. f.
**1.** *Relig.* Communauté de foi unissant les fidèles d'une Église : *La **communion** catholique, anglica* ▸ *Théol. La **communion** des saints* (☞ *Égl* *réversibilité*). **2.** Anal. Plein accord de pensées, sentiments : *Être en **communion** d'idées avec q* **3.** *Relig.* ▸ Chez les catholiques et les orthodox participation à l'Eucharistie ; partie de la me où l'on communie ; antienne correspondan ▸ Dans les Églises réformées, participation à sainte cène. XIIe s. ; lat. *communio*, « communauté [kɔmynjɔ̃].

**COMMUNIQUÉ,** subst. m.
Annonce officielle, information émanant d'u autorité et diffusée telle quelle par les médi Mil. XIXe s. ; p. p. de *communiquer* ; [kɔmynike].

**COMMUNIQUER,** verbe [3]
TRANS. **1.** Faire part de : ***Communiquer** un renseig ment.* **2.** Faire partager : ***Communiquer** son bonhe* **3.** Transmettre : ***Communiquer** une maladie.* TRANS. **1.** Se mettre en rapport, en relation : *Comn niquer avec son voisin.* **2.** Être relié par un passag *Cette chambre **communique** avec le salon.* 136 lat. *communicare*, « partager » ; [kɔmynike].

**COMMUNISANT, ANTE,** adj.
Proche du communisme, favorable à ses thès empl. subst., personne sympathisant avec cette id logie. 1930 ; ☞ *communiste* ; [kɔmynizɑ̃, ɑ̃t].

**COMMUNISME,** subst. m.
**1.** Organisation d'un groupe social dans lequel biens sont possédés en commun (vieilli) : ***communisme** d'un monastère.* **2.** Doctrine d'inspi tion religieuse ou utopiste prônant l'abolition la propriété individuelle : *Le **communisme** de Thon More.* **3.** Pratique politique, définie par Marx Engels, fondée sur une analyse de la société capi liste et caractérisée notamment par la socialisati des moyens de production, l'État étant dirigé p le parti prolétarien et appelé à disparaître au pro d'une société sans classes. **4.** Régime politiq économique et social mis en œuvre dans les Ét se réclamant du marxisme : *Le **communisme** chinc* 1840 ; ☞ *commun* ; [kɔmynism].

**COMMUNISTE,** adj. et subst.
ADJ. **1.** Relatif au communisme : *L'idéal **communis*** **2.** Qui est partisan du communisme. **3.** Relatif système politique, économique et social mis œuvre dans les États ou prôné par les organisatic se référant à Marx. SUBST. Personne qui adhère un parti ou à l'idéologie **communiste** (abrév. fa et péj. : coco). 1840 ; ☞ *commun* ; [kɔmynist]

**COMMUTABLE,** adj.
Qui peut être commuté. 1547 ; ☞ *commut* [kɔmytabl].

**COMMUTATEUR,** subst. m.
**1.** *Électr.* Appareil servant à ouvrir et à fermer circuits ; interrupteur. **2.** *Télécomm.* Dispositif p mettant d'établir et de couper une communicati téléphonique. 1859 ; ☞ *commuter* ; [kɔmytatœ

**COMMUTATIF, IVE,** adj.
**1.** *Dr.* ▸ *Contrat **commutatif*** : contrat par lequel parties s'engagent à échanger des prestations ou biens équivalents (anton. *contrat aléatoire*). ▸ *Jus **commutative*** : échange de devoirs et de drc reposant sur l'égalité des individus et la réciproc (anton. *justice distributive*). **2.** *Math.* Se dit d'u loi de composition interne sur un ensemble E te que le composé de *a* par *b* soit égal au composé *b* par *a* quels que soient les éléments *a* et *b* de L'addition, la multiplication sont **commutativ** dans ℝ et ℂ, la composition des fonctions ne l' gén. pas. Fin XIVe s. ; ☞ *commutation* ; [kɔmytatif,

**COMMUTATION,** subst. f.
**1.** Substitution d'une chose à une autre. **2.** *Commutation de peine* : transformation d'une pe en une autre plus faible, par décision du chef l'État. **3.** *Ling.* Substitution d'un élément à un aut **4.** *Télécomm.* Ensemble des opérations qui perm tent d'établir une liaison entre deux points d' réseau. Déb. XIIe s. ; lat. *commutatio*, « changement [kɔmytasjɔ̃].

**COMMUTATIVITÉ,** subst. f.
Caractère de ce qui est commutatif. 190 ☞ *commutatif* ; [kɔmytativite].

**COMMUTATRICE,** subst. f.
*Électr.* Dispositif qui servait à transformer courant alternatif en courant continu, et inv sement. 1912 ; ☞ *commutateur* ; [kɔmytatʀis].

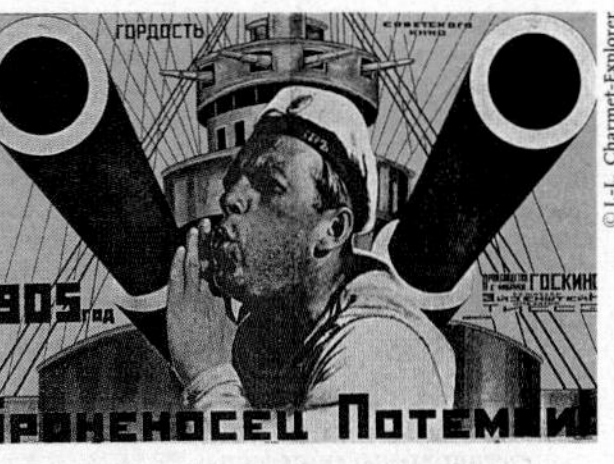


© J.-L. Charmet-Explorer

© Alinari-Giraudon, by Spadem, 1996

2

**LE COMMUNISME AU XXe SIÈCLE**

1. *En Russie, la mutinerie à bord du cuirassé* Potemkine*, en 1905, annonce la révolution de 1917. Affiche du film de Sergueï M. Eisenstein,* le Cuirassé « Potemkine » *(1925).*

2. Fête kolkhozienne, *peinture de Sergueï V. Gerasimov (1885-1964). Galerie Tretiakov, Moscou. Le communisme est installé en U. R. S. S.*

3. *Un slogan du parti communiste français (1944).*

4. *Victoire du communisme sur le colonialisme, à Diên Biên Phu en 1954.*

© Coll. Soazig-Explorer

4

© Gamma

© Gamma

5

© Gamma

© Gamma

7

© Gamma

8

5. *La révolution castriste, en 1959, a conduit Cuba au communisme.* 6. *En 1966, Mao Zedong lance la révolution culturelle en Chine.* 7. *En 1985, Mikhail S. Gorbatchev met en œuvre la perestroïka en U. R. S. S.* 8. *Le 10 novembre 1989, la chute du mur de Berlin marque la fin de l'hégémonie communiste en Europe de l'Est.*

**COMMUTER,** verbe trans. [3]
ansformer, changer par commutation. 1614 ; t. *commutare*, « changer complètement » ; [kɔmyte].

**COMPACITÉ,** subst. f.
aractère de ce qui est dense, compact. 1762 ; *compact* ; [kõpasite].

**COMPACT, ACTE,** adj.
Dont les éléments constitutifs sont fortement rrés : *Roche* ***compacte*** ; par anal., dense : *Foule* ***mpacte.*** **2.** Dont le volume est réduit : *Chaîne éréo* ***compacte*** ; *Disque, appareil photo* ***compact*** ; npl. subst. masc. : *Des* ***compacts.*** 1377 ; lat. *mpactus* ; [kõpakt].

**COMPACTAGE,** subst. m.
Opération de terrassement qui consiste à tasser sol pour en augmenter la densité. **2.** Compression s ordures ménagères. **3.** *Informat.* Opération par quelle on réduit le volume des données sans erdre aucune information. 1952 ; *compact* ; õpaktaʒ].

**COMPACT DISC,** subst. m. inv.
isque laser audionumérique de 12 cm de diamètre. V. 1980 ; mot angl. ; n. déposé ; [kõpaktdisk].

**COMPACTER,** verbe trans. [3]
éduire par compactage : *Compacter du béton, des dures ménagères* ; ***Compacter*** *un logiciel*, les dones qu'il contient. 1938 ; *compact* ; [kõpakte].

**COMPACTEUR,** subst. m.
**1.** *Trav. publ.* Engin servant à compacter les sols. **2.** Appareil compactant les ordures domestiques ou les déchets industriels. **3.** *Informat.* Logiciel de compactage, programme permettant de diminuer sensiblement le volume des données sur un disque dur, sur une disquette, sans altérer ces données. Mil. XXe s. ; *compact* ; [kõpaktœʀ].

**COMPAGNE,** subst. f.
**1.** Celle qui partage les activités ou la condition d'une autre personne : ***Compagne*** *de classe, de cellule.* **2.** Femme qui accompagne un homme ou qui vit avec lui ; au fig. : *La solitude,* ***compagne*** *de mes vieux jours.* Fin XIIe s. ; fém. de l'anc. fr. *compain*, « compagnon, copain » ; [kõpaɲ].

**COMPAGNIE,** subst. f.
**1.** Présence auprès de qqn : *Tenir* ***compagnie*** *à qqn* ; *Un animal de* ***compagnie*** ; *Dame de* ***compagnie***, dont le métier est d'adoucir la solitude d'une personne ; *Fausser* ***compagnie*** *à qqn*, le quitter subrepticement. **2.** Réunion de personnes liées par des affinités : *Être en bonne, en mauvaise, en galante* ***compagnie*** ; *Une brillante* ***compagnie.*** **3.** Association de personnes réunies autour d'un objectif commun : *Une* ***compagnie*** *théâtrale.* **4.** Société industrielle ou commerciale (à la fin d'une raison sociale ; abrév. : Cie) : *Une* ***compagnie*** *d'assurances* ; *La* ***Compagnie*** *des eaux* ; *La* ***compagnie*** *Durand* ; *Établissement Dupont et* ***C[ie]***. **5.** *Chasse.* Groupe d'animaux de même espèce : *Une* ***compagnie*** *de perdrix.* **6.** *Milit.* Unité militaire ou de police dirigée par un capitaine : *Une* ***compagnie*** *de parachutistes* ; ***Compagnies*** *républicaines de sécurité (C. R. S.)*, forces mobiles chargées du maintien de l'ordre. **7.** *Relig. La* ***Compagnie,*** ou *La Société, de Jésus* : l'ordre des Jésuites. Mil. XIe s. ; anc. fr. *compain*, « compagnon », ou *compaigne*, « compagnie », du lat. pop. °*compania* ; [kõpaɲi].

**COMPAGNON,** subst. m.
**1.** Celui qui partage les activités ou la condition de qqn d'autre : ***Compagnon*** *de jeux, de route, de misère.* ▸ Loc. *De pair à* ***compagnon*** : d'égal à égal. ▸ Ext. Animal de compagnie : *Nos* ***compagnons*** *à quatre pattes.* **2.** Homme qui vit avec qqn, qui l'accompagne ; au fig. : *Mes livres, les* ***compagnons*** *de ma vie* (Michelet). **3.** Ouvrier qui a terminé son apprentissage : *Le tour de France d'un* ***compagnon.*** **4.** Grade de la franc-maçonnerie supérieur à celui d'apprenti et inférieur à celui de maître. Fin XIe s. ; lat. pop. °*companio*, du lat. *cum*, « avec », et *panis*, « pain » ; [kõpaɲõ].

**COMPAGNONNAGE,** subst. m.
**1.** Période durant laquelle un ouvrier travaille comme compagnon avant de devenir maître (vx). **2.** Association d'ouvriers d'une même corporation ayant pour but l'aide mutuelle et la formation. 1719 ; *compagnon* ; [kõpaɲɔnaʒ].

**COMPARABLE,** adj.
**1.** Qui peut être comparé. **2.** Ext. Qui peut égaler : *Rien n'est **comparable** à ce calvaire !* Déb. XIIIe s. ; lat. *comparabilis* ; [kɔ̃paʀabl].

**COMPARAISON,** subst. f.
**1.** Action de comparer : *Faire une **comparaison** entre, avec.* **2.** Loc. *En **comparaison** de* : par rapport à, vis-à-vis de ; *Sans **comparaison*** : de beaucoup, de loin. **3.** *Gramm. Degrés de **comparaison*** : superlatif et comparatif ; *Adverbes de **comparaison*** : plus, moins, aussi, autant, comme, etc. Fin XIIe s. ; lat. *comparatio* ; [kɔ̃paʀɛzɔ̃].

**COMPARAÎTRE,** verbe intrans. [73]
*Dr.* Se présenter, sur demande officielle, devant un juge, un tribunal : *Citer qqn à **comparaître*** ; par anal. : ***Comparaître** devant Dieu.* XIVe s. ; anc. fr. *comparoir*, d'apr. *paraître* (I) ; [kɔ̃paʀɛtʀ].

**COMPARANT, ANTE,** adj. et subst.
*Dr.* Se dit d'une personne qui comparaît devant un juge ou un officier ministériel. Fin XIVe s. ; *comparoir* (vx), « comparaître » ; [kɔ̃paʀɑ̃, ɑ̃t].

**COMPARATEUR,** subst. m.
*Techn.* Instrument servant à mesurer des différences microscopiques entre une pièce quelconque et un étalon. 1836 ; ☞ *comparer* ; [kɔ̃paʀatœʀ].

**COMPARATIF, IVE,** adj. et subst. m.
Adj. **1.** Qui établit une comparaison : *Étude **comparative**.* **2.** *Gramm.* Qui indique un degré de comparaison : *Adverbe **comparatif**.* Subst. *Gramm.* Degré de signification d'un adjectif ou d'un adverbe servant à comparer plusieurs entités : ***Comparatif** d'infériorité, d'égalité ou de supériorité.* 1290 ; lat. *comparativus* ; [kɔ̃paʀatif, iv].

**COMPARATISME,** subst. m.
Méthode de recherche consistant en études comparées, notamment en linguistique et en littérature. 1957 ; ☞ *comparatiste* ; [kɔ̃paʀatism].

**COMPARATISTE,** subst. et adj.
Subst. Spécialiste du comparatisme. Adj. Qui a trait aux études comparées : *Analyse **comparatiste**.* V. 1900 ; lat. *comparare*, « comparer » ; [kɔ̃paʀatist].

**COMPARATIVEMENT,** adv.
Par comparaison ; en comparaison. 1556 ; ☞ *comparatif* ; [kɔ̃paʀativmɑ̃].

**COMPARÉ, ÉE,** adj.
Qui établit une comparaison entre plusieurs sujets d'étude. ▸ *Anatomie **comparée*** : qui confronte des espèces différentes. ▸ *Grammaire **comparée**, littérature **comparée*** : qui étudient les rapports entre les langues, les œuvres littéraires d'époques ou de pays différents. XIIIe s. ; p. p. de *comparer* ; [kɔ̃paʀe].

**COMPARER,** verbe trans. [3]
**1.** Observer (des personnes ou des choses) sous l'angle de leurs différences ou de leurs ressemblances : ***Comparer** un enfant à, avec son frère* ; ***Comparer** deux projets.* **2.** Assimiler à un modèle, pour exprimer une idée d'intensité : ***Comparer** un bon vin au nectar des dieux.* **3.** Faire un rapprochement entre deux êtres, deux choses : ***Comparer** une athlète élancée à une gazelle.* Déb. XIIe s. ; lat. *comparare* ; [kɔ̃paʀe].

**COMPARSE,** subst.
**1.** *Théâtre.* Personnage de second plan ; figurant. **2.** Ext. Personne qui joue un rôle effacé ; en partic., complice ayant un rôle mineur dans un délit. 1798 (1669, figurant dans un carrousel) ; ital. *comparsa*, « apparition » ; [kɔ̃paʀs].

**COMPARTIMENT,** subst. m.
**1.** Subdivision géométrique d'une surface : *Plafond à **compartiments**.* **2.** Partie cloisonnée d'un espace, d'un objet : *Un tiroir, un meuble à **compartiments**.* ▸ *Ch. de fer.* Subdivision cloisonnée d'une voiture. 1546 (1542, motif décoratif) ; ital. *compartimento*, de *compartire*, « partager » ; [kɔ̃paʀtimɑ̃].

**COMPARTIMENTAGE,** subst. m.
Action de compartimenter ; résultat de cette action. 1892 ; ☞ *compartimenter* ; synon. *compartimentation* ; [kɔ̃paʀtimɑ̃taʒ].

**COMPARTIMENTER,** verbe trans. [3]
**1.** Diviser en compartiments. **2.** Fig. Diviser en catégories ; empl. adj. : *Une société **compartimentée**.* 1892 ; ☞ *compartiment* ; [kɔ̃paʀtimɑ̃te].

**COMPARUTION,** subst. f.
*Dr.* Action de comparaître. 1453 ; *comparu*, p. p. de *comparaître* ; [kɔ̃paʀysjɔ̃].

**COMPAS,** subst. m.
**1.** Instrument composé de deux branches articulées servant à mesurer des longueurs ou à tracer des cercles : *Ouvrir son **compas*** ; ***Compas** d'épaisseur*, à branches courtes, servant à mesurer une épaisseur. ▸ Loc. *Avoir le **compas** dans l'œil* : apprécier à vue d'œil avec exactitude une dimension. **2.** *Mar.* Instrument de navigation qui donne l'angle formé par le nord magnétique et l'axe du bateau. XIIe s. ; ☞ *compasser* ; [kɔ̃pa].

**COMPASSÉ, ÉE,** adj.
Qui est raide, affecté et solennel : *Un ton **compassé**.* 1690 ; p. p. de *compasser* ; [kɔ̃pase].

**COMPASSER,** verbe trans. [3]
**1.** Mesurer au compas. **2.** Fig. Étudier, régler avec soin (vieilli) : ***Compasser** son maintien.* Mil. XIIe s. ; lat. pop. °*compassare*, « mesurer avec le pas », du lat. *passus*, « pas » ; [kɔ̃pase].

**COMPASSION,** subst. f.
Sentiment de pitié qui incline à prendre part aux souffrances d'autrui (littér.). 1155 ; lat. chrét. *compassio*, de *compati*, « compatir » ; [kɔ̃pasjɔ̃].

**COMPATIBILITÉ,** subst. f.
État de ce qui est compatible : ***Compatibilité** d'humeur.* ▸ *Biol.* ***Compatibilité** sanguine, tissulaire.* 1586 ; ☞ *compatible* ; [kɔ̃patibilite].

**COMPATIBLE,** adj.
**1.** Qui peut s'accorder avec une autre chose : *Une doctrine **compatible** avec l'expérience* ; *Propositions **compatibles**, qui ne sont pas contradictoires.* **2.** *Math.* Se dit d'un système d'équations (ou d'inéquations) qui admet au moins une solution. Une relation **compatible** à gauche (resp. à droite) avec une loi $*$ sur un ensemble E est une relation R sur E telle que $x$ R $y$ entraîne $(z * x)$ R $(z * y)$ (resp. $(x * z)$ R $(y * z)$) pour tous $x$, $y$, $z$ de E. R est **compatible** si elle l'est à gauche et à droite. **3.** *Biol.* Se dit du sang, d'un tissu ou d'un organe qui ne provoque aucun rejet immunitaire chez le sujet transfusé ou greffé ; par méton., qualifie le donneur par rapport au receveur. **4.** *Stat.* Se dit d'évènements qui peuvent se produire simultanément. **5.** *Techn.* *Matériels, installations, ordinateurs **compatibles*** : que l'on peut connecter entre eux, en dépit d'une origine différente ; empl. subst. masc. : *Un **compatible**.* 1447 ; lat. médiév. *compatibilis* ; [kɔ̃patibl].

**COMPATIR,** verbe [19]
Intrans. Se concilier, s'accorder (vx). Trans. indir. **Compatir à.** Éprouver de la compassion pour : *Je sens qu'à sa douleur je pourrais **compatir*** (Racine). 1541 ; bas lat. *compati*, « souffrir avec » ; [kɔ̃patiʀ].

**COMPATISSANT, ANTE,** adj.
Qui éprouve ou qui manifeste de la compassion. 1692 ; p. pr. de *compatir* ; [kɔ̃patisɑ̃, ɑ̃t].

**COMPATRIOTE,** subst.
Personne issue d'un même pays qu'une autre ou, par ext., d'une même région, d'un même lieu. 1396 ; bas lat. *compatriota*, de *patriota*, « qui est du pays ; compatriote » ; [kɔ̃patʀijɔt].

**COMPENDIEUX, EUSE,** adj.
Court et précis ; qui s'exprime en peu de mots (vieilli). 1404 ; lat. *compendiosus* ; [kɔ̃pɑ̃djø, øz].

**COMPENDIUM,** subst. m.
Condensé, résumé : *Un **compendium** de philosophie.* 1584 ; mot lat. ; [kɔ̃pɛ̃djɔm] ou [-pɑ̃-].

**COMPENSABLE,** adj.
**1.** Susceptible d'être compensé. **2.** *Fin.* *Chèque **compensable*** : qui peut passer par une chambre de compensation. 1804 (1580, compensateur) ; ☞ *compenser* ; [kɔ̃pɑ̃sabl].

**COMPENSATEUR, TRICE,** adj. et subst. m.
Adj. Qui compense : *Indemnité **compensatrice*** ; *Repos **compensateur**.* Adj. et Subst. *Techn.* Se dit d'un mécanisme qui compense les effets d'un phénomène sur un appareil : ***Compensateur** de dilatation* ; *Balancier **compensateur**, qui corrige l'effet des variations de température sur les chronomètres, les horloges.* 1789 ; ☞ *compenser* ; [kɔ̃pɑ̃satœʀ, tʀis].

**COMPENSATION,** subst. f.
**1.** Action de compenser, de rétablir un équilibre ; son résultat. **2.** Méton. Contrepartie, dédommagement offert pour compenser un désavantage. ▸ Loc. *En **compensation*** : en échange, en revanche. **3.** *Spéc.* ▸ *Comm. internat.* Règlement en marchandises, et non en devises, d'échanges commerciaux entre deux pays. ▸ *Fin.* Opération comptable entre banques, qui permet le règlement en[...] créanciers et débiteurs par virements réciproque[s] : *Chambre de **compensation**, où s'opèrent ces vi[re]ments.* ▸ *Méd.* Mécanisme par lequel l'organis[me] développe un moyen de pallier un dysfonction[ne]ment physiologique. ▸ *Psychol.* Réaction d'un su[jet] qui cherche à compenser une situation de frust[ra]tion par un comportement secondaire : *La sublim[a]tion est une forme de **compensation**.* ▸ *Techn.* Corr[ec]tion d'un appareil de mesure ou d'un mécanism[e]. Fin XIIIe s. ; lat. *compensatio* ; [kɔ̃pɑ̃sasjɔ̃].

**COMPENSATOIRE,** adj.
Qui compense : *Montants **compensatoires**, dédo[m]magement alloué aux agriculteurs de la Comm[u]nauté économique européenne.* 1823 ; ☞ *c[om]penser* ; [kɔ̃pɑ̃satwaʀ].

**COMPENSÉ, ÉE,** adj.
Équilibré, corrigé : *Gouvernail **compensé*** ; *Semel[les] **compensées**, qui forment un seul bloc avec le talo[n].* 1877 ; p. p. de *compenser* ; [kɔ̃pɑ̃se].

**COMPENSER,** verbe trans. [3]
**1.** Équilibrer, neutraliser : ***Compenser** une dette p[ar] une créance.* ▸ *Dr.* ***Compenser** les dépenses* : répa[r]tir les frais de procédure entre les diverses parti[es]. ▸ *Mar.* ***Compenser** un compas* : le rendre fiable [en] corrigeant les variations dues aux perturbatio[ns] magnétiques. **2.** Dédommager : ***Compenser** le pré[ju]dice subi.* Fin XIIIe s. ; lat. *compensare*, de *cu[m]*, « avec », et de *pensare*, « peser » ; [kɔ̃pɑ̃se].

**COMPÈRE,** subst. m.
**1.** Vx. Parrain d'un enfant, vis-à-vis des parents [et] de la marraine. **2.** Personne entretenant avec u[ne] autre une relation de camaraderie ; compagno[n] : *Deux bons **compères**.* **3.** Personne qui est secrèteme[nt] complice de qqn dans un mauvais tour. Fin XIIe [s.] ; lat. chrét. *compater* ; [kɔ̃pɛʀ].

**COMPÈRE-LORIOT,** subst. m.
**1.** *Zool.* Loriot. **2.** *Pathol.* Petit furoncle qui appar[aît] sur la paupière (synon. *orgelet*). 1564 ; comp. [de] *compère* et de *loriot* ; plur. *compères-loriots* ; [kɔ̃pɛʀlɔʀj[o]].

**COMPÉTENCE,** subst. f.
**1.** *Dr.* Aptitude d'une autorité publique à connaît[re,] à juger ou à décider en un certain domaine : *Ce[tte] affaire relève de la **compétence** du Conseil d'Ét[at].* **2.** Ext. Savoir solide, talent et maîtrise dont qqn f[ait] preuve dans un secteur : ***Compétence** professionne[lle].* **3.** *Ling.* Faculté d'intérioriser les règles de base d'u[ne] langue et de pouvoir ainsi comprendre et form[er] des phrases inédites. 1596 (fin XVe s., rapport) ; [...] lat. *competentia*, « proportion » ; [kɔ̃petɑ̃s].

**COMPÉTENT, ENTE,** adj.
**1.** *Dr.* ▸ Requis par la loi (vieilli) : *L'âge **compéte[nt]** pour se marier.* ▸ Qui a la compétence voulue ; q[ui] est qualifié pour agir en une matière : *Autori[tés] **compétentes**.* **2.** Ext. Qui témoigne d'une conna[is]sance, d'une maîtrise réelle dans un domai[ne]. Mil. XVe s. ; bas lat. *competens*, de *compete[re]*, « convenir, être propre à » ; [kɔ̃petɑ̃, ɑ̃t].

**COMPÉTITEUR, TRICE,** subst.
**1.** Personne qui brigue un honneur, une place, [en] même temps que d'autres. **2.** Ext. Concurre[nt], adversaire dans une épreuve sportive. 1402 ; [...] *competitor*, de *competere*, « briguer » ; [kɔ̃petitœʀ, tʀ[is]].

**COMPÉTITIF, IVE,** adj.
**1.** Capable d'affronter la concurrence : *Tarif **comp[é]titif**.* **2.** Où il existe une forte concurrence : *Marc[hé] **compétitif**.* 1907 ; ☞ *compétition* ; [kɔ̃petitif, [iv]].

**COMPÉTITION,** subst. f.
**1.** Rivalité entre personnes briguant une mê[me] place, un même honneur. **2.** Anal. Concurrenc[e] : ***Compétition** entre deux sociétés.* **3.** *Sp.* Action [de] concourir dans des épreuves sportives ; par méto[n.] l'épreuve sportive elle-même. 1759 ; angl. *compe[ti]tion*, du bas lat. *competitio* ; [kɔ̃petisjɔ̃].

**COMPÉTITIVITÉ,** subst. f.
Caractère de ce qui est compétitif : ***Compétitiv[ité]** d'une société.* V. 1960 ; ☞ *compétitif* ; [kɔ̃petitivit[e]].

**COMPILATEUR, TRICE,** subst.
Personne qui compile. Masc. *Informat.* Programm[e] de traduction en langage machine. 1425 ; bas l[at.] *compilator*, « pillard, plagiaire » ; [kɔ̃pilatœʀ, tʀis].

**COMPILATION,** subst. f.
**1.** Action de compiler ; l'ouvrage qui en résult[e] : *Les **compilations** des moines érudits du Moyen Â[ge].* **2.** Livre sans originalité, fait d'emprunts à d'autr[es] auteurs (péj.). **3.** Ext. Disque regroupant les gran[ds]

succès d'un interprète, d'un musicien ou d'un genre musical (abrév. fam. : compil). **4.** *Informat.* Traduction d'un programme par un compilateur. ⌛ XIIIe s. ; lat. *compilatio*, « pillage, vol » ; [kɔ̃pilasjɔ̃].

**COMPILER,** verbe trans. [3]
**1.** Rassembler (des documents, des extraits) en un seul ouvrage. **2.** Plagier (péj.). **3.** *Informat.* Traduire (un programme) en langage machine. ⌛ Fin XIIIe s. ; lat. *compilare*, « piller, plagier » ; [kɔ̃pile].

**COMPISSER,** verbe trans. [3]
Pisser sur, contre (vulg. et vx). ⌛ Fin XIIe s. ; ☞ *pisser* + *co-* ; [kɔ̃pise].

**COMPLAINTE,** subst. f.
**1.** Lamentation, plainte (vieilli). **2.** Chanson populaire triste au sujet pieux ou tragique. **3.** *Dr.* Action introduite par le propriétaire d'un immeuble, visant à faire cesser un trouble de possession. ⌛ Fin XIIe s. ; *complaindre* (vx), « plaindre qqn », du lat. pop. °*complangere*, « plaindre avec » ; [kɔ̃plɛ̃t].

**COMPLAIRE,** verbe trans. indir. [59]
**Complaire à.** Chercher à plaire à ; être agréable à (littér.) : *De me **complaire** on ne prend nul souci* (Molière). **Pronom.** Se satisfaire : *Il se **complaît** dans ses errements.* ⌛ Déb. XIIe s. ; lat. *complacere*, de *cum*, « avec », et de *placere*, « plaire » ; [kɔ̃plɛʀ].

**COMPLAISAMMENT,** adv.
Avec complaisance ; par complaisance. ⌛ 1680 ; ☞ *complaisant* ; [kɔ̃plɛzamɑ̃].

**COMPLAISANCE,** subst. f.
**1.** Propension à faire plaisir, à se montrer agréable ou obligeant : *La **complaisance** fidèle d'un ami.* ▸ Marque d'amour, de bienveillance (gén. au plur.) : *L'homme est toujours l'objet des **complaisances** de l'Éternel* (Chateaubriand). **2.** Indulgence coupable ; faveur accordée par faiblesse ou par flatterie : *Les lâches **complaisances** du courtisan.* ▸ Loc. **De complaisance.** Fait par politesse ou pour plaire ; peu sincère : *Sourire de **complaisance** ; Certificat de **complaisance**,* délivré à qui n'y a pas droit ; *Pavillon de **complaisance**,* nationalité fictive accordée par un État à un navire, pour permettre à son armateur de contourner les lois de son propre pays. **3.** Sentiment de satisfaction, notamment envers soi-même : *S'attarder avec **complaisance** sur ses succès.* ⌛ Fin XIVe s. ; lat. chrét. *complacentia* ; [kɔ̃plɛzɑ̃s].

**COMPLAISANT, ANTE,** adj.
**1.** Qui est attentif à autrui et cherche à lui faire plaisir. **2.** Qui tolère, par faiblesse ou intérêt, des comportements répréhensibles. **3.** Qui dénote un contentement excessif de soi : *Se considérer d'un œil **complaisant**.* ⌛ 1556 ; ☞ *complaire* ; [kɔ̃plɛzɑ̃, ɑ̃t].

**COMPLANT,** subst. m.
**1.** *Dr. Bail à **complant*** : bail par lequel le preneur est tenu de planter des vignes ou des arbres sur le terrain baillé. **2.** Méton. Le terrain baillé ; ses plantations. ⌛ 1231 ; lat. médiév. *complantus* ; [kɔ̃plɑ̃].

**COMPLANTER,** verbe trans. [3]
Planter (un terrain) d'espèces végétales différentes. ⌛ XIIIe s. ; bas lat. *complantare*, « planter ensemble » ; [kɔ̃plɑ̃te].

**COMPLÉMENT,** subst. m.
**1.** Ce qu'on ajoute à un ensemble pour l'agrandir, le parfaire ou le rendre complet : *Un **complément** d'information.* **2.** *Biol.* Ensemble de onze protéines présentes dans le sérum sanguin qui, étant activées en cascade lors de l'agression de l'organisme, ont un rôle dans les mécanismes immunitaires. **3.** *Gramm.* Mot ou groupe de mots qui complète ou précise le sens d'un verbe, d'un nom, d'un adjectif ou de toute autre unité signifiante : ***Complément** d'objet direct, indirect (C. O. D., C. O. I.),* relié sans préposition ou avec une préposition au mot complété ; ***Complément** circonstanciel de moyen, d'attribution, etc.* **4.** *Géom. **Complément** d'un angle aigu* : son angle complémentaire. **5.** *Math.* Complémentaire. ⌛ 1308 ; lat. *complementum*, de *complere*, « remplir, achever » ; [kɔ̃plemɑ̃].

**BIOLOGIE** – La notion de complément a été élaborée par Jules Bordet en 1895. Il a démontré que la destruction des vibrions cholériques chez un sujet atteint du choléra résultat de l'action combinée de deux substances : l'anticorps spécifique du vibrion et une substance non spécifique (c.-à-d. agissant avec d'autres anticorps contre d'autres antigènes), qu'il appela le complément de l'anticorps en cause. On a ensuite découvert que cette substance n'était pas unique, mais qu'il y en avait onze, toutes des protéines.

**COMPLÉMENTAIRE,** adj.
**1.** Qui est le complément de qqch. : *Des renseignements **complémentaires**.* **2.** *Opt. Couleurs **complémentaires*** : dont le mélange optique produit le blanc. **3.** *Géom.* Deux angles, ou deux arcs d'un cercle de rayon 1, sont **complémentaires** si la somme de leur mesure en degrés vaut 90° (ou, en radians, $\pi/2$) ; empl. subst. masc. : ***Complémentaire** d'une partie A d'un ensemble E,* ensemble des éléments de E n'appartenant pas à A, noté $\complement_E A$, E - A, $A^c$ ou $\bar{A}$. ⌛ 1791 ; ☞ *complément* ; [kɔ̃plemɑ̃tɛʀ].

**COMPLÉMENTARITÉ,** subst. f.
Caractère de ce qui est complémentaire. ⌛ 1907 ; ☞ *complémentaire* ; [kɔ̃plemɑ̃taʀite].

**COMPLET (I), ÈTE,** adj.
**1.** Qui contient tous ses éléments constituants : *Œuvres **complètes** ; Aliment **complet**,* qui offre tout ce qui est nécessaire à l'organisme. ▸ Loc. *Au (grand) **complet*** : en totalité. **2.** Fig. ▸ Qui réunit toutes les qualités spécifiques à son domaine : *Un athlète, un artiste **complet**.* ▸ Qui atteint son intensité maximale : *Bonheur **complet**.* **3.** Qui n'a plus de place disponible : *Avion **complet*** ; empl. adv. : *Afficher **complet**.* **4.** Qui est entièrement réalisé : *Un tour **complet**.* **5.** *Log. Une théorie de langage L **complète*** : où tout énoncé de L est décidable dans la théorie. ⌛ 1367 ; lat. *completus*, de *complere*, « remplir, achever » ; [kɔ̃plɛ, ɛt].

**COMPLET (II),** subst. m.
Costume masculin en deux ou trois pièces (veste, pantalon et parfois gilet), coupées dans le même tissu. ⌛ 1874 ; prob. ell. de *habit complet* ; [kɔ̃plɛ].

**COMPLÈTEMENT (I),** adv.
**1.** En totalité, d'une manière complète : *Finir **complètement** un travail.* **2.** Tout à fait : *Il est **complètement** ridicule.* ⌛ XIIIe s. ; ☞ *complet* (I) ; [kɔ̃plɛtmɑ̃].

**COMPLÈTEMENT (II),** subst. m.
**1.** Action de compléter (rare). **2.** *Psychol. Test, méthode de **complètement*** : consistant à faire compléter des éléments inachevés (dessins, phrases, etc.). ⌛ 1750 ; ☞ *compléter* ; [kɔ̃plɛtmɑ̃].

**COMPLÉTER,** verbe trans. [8]
Rendre complet, par addition de ce qui manque ; achever, parfaire. **Pronom. 1.** Devenir complet. **2.** S'associer pour former un tout : *Les deux idées se **complètent**.* ⌛ 1733 ; ☞ *complet* (I) ; [kɔ̃plete].

**COMPLÉTIF, IVE,** adj.
**1.** Qui complète. **2.** *Gramm. Proposition **complétive*** ou, empl. subst. fém., *Une **complétive*** : subordonnée qui joue le rôle de complément d'objet du verbe de la principale (dans la phrase « je sais que tu as peur », « que tu as peur » est une **complétive**). ⌛ 1503 ; bas lat. *completivus* ; [kɔ̃pletif, iv].

**COMPLÉTUDE,** subst. f.
**1.** Qualité de ce qui est achevé, de ce qui est complet. **2.** *Log.* Propriété d'une théorie déductive ne contenant que des propositions décidables. ⌛ 1928 ; ☞ *complet* (I) ; [kɔ̃pletyd].

**COMPLEXE,** adj. et subst. m.
**Adj. 1.** Qui est composé d'éléments diversifiés, qui n'est pas simple : *Une structure, une organisation **complexe** ; Une population **complexe**,* non homogène ; *Une situation **complexe**.* **2.** *Math. Corps des nombres **complexes** $\mathbb{C}$* : corps commutatif, extension algébrique du corps des réels $\mathbb{R}$ (on note encore + et . les opérations dans $\mathbb{C}$) dont les éléments, les nombres **complexes**, peuvent se mettre sous la forme (unique) $a + ib$, $a$ et $b$ réels et i une des racines du polynôme $z^2 + 1$ (c.-à-d. $i^2 = -1$, $i \notin \mathbb{R}$) ; $a$ et $b$ sont resp. les parties réelle et imaginaire de $a + ib$ ; $a + ib = a' + ib'$ équivaut à $a = a'$ et $b = b'$ ; empl. subst. masc. : *Un **complexe**.* **Subst. 1.** Ensemble constitué d'éléments différents, souv. enchevêtrés. **2.** Groupe de bâtiments à usage industriel ou commercial, parfois complétés par des logements : ***Complexe** sidérurgique, hôtelier.* **3.** *Spéc.* ▸ *Chim.* Édifice moléculaire stable formé par un ion métallique central auquel se lient d'autres ions ou d'autres molécules. Ces **complexes**, ou composés de coordination, peuvent exister en solution, à l'état solide ou à l'état gazeux ; l'ion central est dit complexé et les ions et molécules qui l'entourent sont appelés des coordinats ou des ligands. Par ex., l'ion cuivrique $Cu^{2+}$ en solution aqueuse peut former un ion **complexe** $[Cu(H_2O)_4]^{2+}$. ▸ *Méd.* Association de plusieurs symptômes ou de plusieurs phénomènes physiologiques ou biologiques concourant à un même effet global : ***Complexe** immun,* l'ensemble antigène-anticorps spécifique ; ***Complexe** ventriculaire,* partie d'un électrocardiogramme se rapportant à l'activité des ventricules. ▸ *Psychanal.* Ensemble de représentations et de sentiments, gén. inconscients et provenant de l'enfance, qui tendent à influencer directement le comportement d'un individu : ***Complexe** de culpabilité ; **Complexe** d'infériorité* ; par ext., au plur. : *Avoir des **complexes**,* être timide, inhibé, manquer de confiance en soi (fam.). ⌛ XIVe s. ; lat. *complexus*, de *complecti*, « embrasser, comprendre » ; [kɔ̃plɛks].

**COMPLEXÉ, ÉE,** subst. et adj.
Se dit d'une personne qui manque de confiance en elle, qui a des complexes (fam.). ⌛ V. 1960 ; ☞ *complexe* ; empl. critiqué ; [kɔ̃plɛkse].

**COMPLEXER,** verbe trans. [3]
Donner des complexes à (fam.). ⌛ V. 1960 ; ☞ *complexe* ; [kɔ̃plɛkse].

**COMPLEXIFICATION,** subst. f.
Action de rendre complexe ; fait de devenir complexe. ⌛ 1955 ; ☞ *complexifier* ; [kɔ̃plɛksifikasjɔ̃].

**COMPLEXIFIER,** verbe trans. [6]
Rendre plus complexe. ⌛ 1951 ; ☞ *complexe* ; [kɔ̃plɛksifje].

**COMPLEXION,** subst. f.
Constitution, tempérament physique d'un individu : *Une **complexion** délicate, robuste.* ⌛ Déb. XIIe s. ; lat. *complexio*, « assemblage d'éléments » ; [kɔ̃plɛksjɔ̃].

**COMPLEXITÉ,** subst. f.
État, caractère de ce qui est complexe. ⌛ 1755 ; ☞ *complexe* ; [kɔ̃plɛksite].

**COMPLICATION,** subst. f.
**1.** Caractère de ce qui est compliqué. **2.** Méton. Fait qui vient s'opposer au déroulement normal des choses : *Détester les **complications**.* **3.** *Pathol.* Émergence d'un phénomène morbide nouveau aggravant une maladie ou une blessure. ⌛ 1794 (fin XIVe s., assemblage de choses différentes) ; bas lat. *complicatio*, « action de plier ; embarras » ; [kɔ̃plikasjɔ̃].

**COMPLICE,** adj. et subst.
Se dit d'une personne qui prend part à une infraction commise par une autre : *Se faire **complice** d'un attentat ; Dénoncer ses **complices**.* **Adj. 1.** Qui favorise l'accomplissement d'un forfait : *L'obscurité **complice**.* **2.** Qui exprime la connivence : *Clin d'œil **complice**.* ⌛ 1327 ; bas lat. *complicis*, « associé » ; [kɔ̃plis].

© Ph. Renault-Explorer

*Complexe touristique dans l'île de Majorque (Baléares).*

**COMPLICITÉ, subst. f.**
**1.** Participation intentionnelle à une action délictueuse. **2.** Ext. Entente spontanée, connivence. 1420 ; ☞ *complice* ; [kɔ̃plisite].

**COMPLIES, subst. f. plur.**
*Liturg.* Septième et dernière heure, chantée après les vêpres. Déb. XIIe s. ; lat chrét. *completa hora*, « heure qui complète l'office » ; [kɔ̃pli].

**COMPLIMENT, subst. m.**
**1.** Parole de félicitations : *Je vous fais tous mes* ***compliments !*** **2.** Discours adressé à qqn pour marquer un évènement : ***Compliment*** *d'anniversaire.* 1604 ; ital. *complimento*, « acte, expression d'hommage » ; [kɔ̃plimɑ̃].

**COMPLIMENTER, verbe trans. [3]**
Faire des compliments à. 1634 ; ☞ *compliment* ; [kɔ̃plimɑ̃te].

**COMPLIMENTEUR, EUSE, subst. et adj.**
Se dit d'une personne qui fait trop de compliments. 1623 ; ☞ *complimenter* ; [kɔ̃plimɑ̃tœʀ, øz].

**COMPLIQUÉ, ÉE, adj.**
**1.** Qui se compose de nombreux éléments, complexe : *J'allais avec des idées simples vers l'Orient* ***compliqué*** (de Gaulle). **2.** Fig. Difficile à comprendre. XIVe s. ; lat. *complicatus*, « replié » ; [kɔ̃plike].

**COMPLIQUER, verbe trans. [3]**
Rendre moins clair, et donc plus difficile à saisir. PRONOM. **1.** Devenir plus compliqué : *La situation* ***se complique.*** **2.** *Pathol.* S'aggraver : *Sa grippe* ***s'est compliquée.*** 1797 (fin XVIIe s., replier) ; lat. *complicare*, « plier en enroulant » ; [kɔ̃plike].

**COMPLOT, subst. m.**
Plan concerté en vue de nuire à une personne, à une institution, etc. : *Un* ***complot*** *contre l'État.* Fin XIIe s. ; orig. obsc. ; [kɔ̃plo].

**COMPLOTER, verbe trans. [3]**
TRANS. DIR. Préparer, ourdir (un complot) : ***Comploter*** *un soulèvement* ; ***Comploter*** *la ruine de qqn* ; par ext. : ***Comploter*** *une surprise* ; empl. intrans. : ***Comploter*** *contre un régime.* TRANS. INDIR. **Comploter de.** Former à plusieurs le projet coupable de : ***Comploter*** *de voler qqn* ; par ext. : ***Comploter*** *de fêter son arrivée.* 1450 ; ☞ *complot* ; [kɔ̃plɔte].

**COMPLOTEUR, EUSE, subst.**
Personne qui ourdit un complot. 1571 ; ☞ *comploter* ; [kɔ̃plɔtœʀ, øz].

**COMPLUVIUM, subst. m.**
*Antiq. rom.* Ouverture carrée pratiquée dans le toit de l'atrium des maisons, permettant de recueillir les eaux de pluie dans un bassin, l'impluvium. Mot lat. ; [kɔ̃plyvjɔm].

**COMPONCTION, subst. f.**
**1.** *Relig.* Affliction, regret d'avoir offensé Dieu. **2.** Gravité affectée (littér.). Déb. XIIe s. ; bas lat. *compunctio*, « piqûre ; douleur de l'âme » ; [kɔ̃pɔ̃ksjɔ̃].

**COMPONÉ, ÉE, adj.**
*Hérald.* Divisé en émaux alternés : *Bordure* ***componée.*** 1302 ; anc. fr. *coponné* ; [kɔ̃pɔne].

**COMPORTE, subst. f.**
Cuve de bois servant à transporter le raisin lors de sa récolte. 1469 ; languedocien *comporta*, de *comportar*, « porter ensemble » ; [kɔ̃pɔʀt].

**COMPORTEMENT, subst. m.**
**1.** Manière générale ou particulière de se conduire : *Un* ***comportement*** *suspect* ; *Changer son* ***comportement.*** **2.** *Psychol.* Ensemble des réactions observables d'un individu : ***Comportement*** *alimentaire.* ▸ ***Comportement*** *animal* : ensemble des réactions physiologiques et des activités des animaux. **3.** Anal. Manière d'évoluer, en parlant d'une chose : *Le* ***comportement*** *du franc.* Mil. XVe s. ; ☞ *comporter* ; [kɔ̃pɔʀtəmɑ̃].

**COMPORTEMENTAL, ALE, AUX, adj.**
*Psychol.* Relatif au comportement : *Trouble* ***comportemental.*** 1949 ; ☞ *comportement* ; [kɔ̃pɔʀtəmɑ̃tal, o].

**COMPORTEMENTALISME, subst. m.**
*Psychol.* Béhaviorisme. XXe s. ; ☞ *comportement* ; [kɔ̃pɔʀtəmɑ̃talism].

**COMPORTER, verbe trans. [3]**
Renfermer, contenir ; impliquer : *Ce livre* ***comporte*** *vingt chapitres* ; *Cette épreuve* ***comporte*** *des risques.* PRONOM. Se conduire : ***Se comporter*** *de façon étrange* ; par ext., remplir sa fonction : *Bateau qui* ***se comporte*** *bien par gros temps.* Mil. XVe s. (fin XIIe s., porter dans ses bras) ; lat. *comportare*, « porter ; amasser » ; [kɔ̃pɔʀte].

**COMPOSANT, ANTE, adj. et subst.**
ADJ. Qui fait partie d'un ensemble : *Les pièces* ***composantes*** *du dossier.* SUBST. MASC. Élément qui entre dans la composition de qqch. : *Les* ***composants*** *de l'air* ; *Les* ***composants*** *d'un mot, d'une phrase.* SUBST. FÉM. Élément d'un ensemble : *Les* ***composantes*** *de la majorité parlementaire.* ▸ *Math.* ***Composantes*** *d'un vecteur sur une base* : coordonnées de ce vecteur. Fin XIVe s. ; p. pr. de *composer* ; [kɔ̃pozɑ̃, ɑ̃t].

**COMPOSÉ, ÉE, adj. et subst.**
ADJ. **1.** Qui est formé d'éléments divers : *Salade* ***composée.*** ▸ *Gramm. Mot* ***composé*** : unité lexicale formée de plusieurs mots (par ex. : « pomme de terre », « grand-mère ») ; *Temps* ***composé*** : temps où le verbe est formé de l'auxiliaire « être » ou « avoir » et d'un participe passé (passé **composé**, plus-que-parfait, etc.). **2.** Qui est apprêté, qui est plein d'affectation (vieilli) : *Une attitude* ***composée.*** SUBST. MASC. **1.** *Chim.* Corps formé de plusieurs éléments, qui peut être décomposé en ses constituants. Les **composés** chimiques ou, empl. adj., les corps **composés**, se divisent en mélanges et en combinaisons, selon que la proportion de leurs composants est variable ou rigoureusement fixe. L'eau du robinet, par ex., est un mélange d'eau chimiquement pure et de diverses substances dissoutes (calcaires, sels, etc.) dans des proportions variables ; l'eau distillée est une combinaison qui contient toujours la même proportion d'oxygène et d'hydrogène (2 g d'hydrogène pour 16 g d'oxygène). **2.** *Math.* On appelle **composé** de deux éléments $a$ et $b$ d'un ensemble E muni d'une loi de composition $*$ l'élément $a * b$ de E. SUBST. FÉM. *Math.* La **composée** de deux applications, $f$ de E dans G et $g$ de G dans F, est l'application de E dans F, notée $g \circ f$, qui à $x$, élément de E, associe $g[f(x)]$. 1531 ; p. p. de *composer* ; [kɔ̃poze].

**COMPOSÉES, subst. f. plur.**
*Bot.* Famille végétale, auj. dénommée Astéracées, de l'ordre des Astérales, qui contient un millier de genres et 20 000 espèces, abondantes dans les régions tempérées et froides. Ce sont le plus souvent des plantes herbacées, dont l'inflorescence se présente sous forme de capitules. AU SING. *La laitue est une* ***composée*** ou, empl. adj., *une plante* ***composée.*** 1815 ; p. p. de *composer* ; [kɔ̃poze].

**COMPOSER, verbe [3]**
TRANS. **1.** Constituer (un tout) en agençant divers éléments : ***Composer*** *un menu.* ▸ *Télécomm.* Former (un numéro) sur un clavier ou sur un cadran. ▸ *Typogr.* Disposer les éléments de (un texte) selon les règles typographiques. **2.** Méton. Faire partie de (un tout) : *L'oxygène et l'hydrogène sont les éléments qui* ***composent*** *l'eau.* **3.** Créer (une œuvre) en ordonnant ses éléments : ***Composer*** *un tableau, un poème* ; en partic., écrire (une œuvre musicale) : ***Composer*** *un motet.* ▸ Abs. Rédiger une composition scolaire : ***Composer*** *en histoire* ; écrire une œuvre musicale. **4.** Arranger, modifier (une attitude, un aspect de soi-même) de manière intentionnelle : ***Composer*** *un personnage.* INTRANS. Chercher un accommodement, un compromis : ***Composer*** *avec l'occupant.* Déb. XIIe s. ; lat. *componere*, « placer ensemble » ; [kɔ̃poze].

**COMPOSEUSE, subst. f.**
*Typogr.* Machine servant à composer des textes. 1866 ; ☞ *composer* ; [kɔ̃pozøz].

**COMPOSITE, adj.**
**1.** *Archit. Ordre* ***composite*** ou, empl. subst. masc., *Le* ***composite*** : ordre romain dans lequel le chapiteau allie les volutes de l'ionique aux feuilles d'acanthe du corinthien. ▸ Ext. *Édifice* ***composite*** : mêlant des styles. **2.** Anal. Composé d'éléments disparates, hétéroclite. **3.** *Techn. Matériau* ***composite*** : composé d'éléments différents qui, associés, lui confèrent des propriétés particulières ; empl. subst. masc. : *Un* ***composite.*** 1361 ; lat. *compositus* ; [kɔ̃pozit].

**COMPOSITEUR, TRICE, subst.**
**1.** Auteur d'œuvres musicales. **2.** *Typogr.* Personne qui compose des textes. 1406 (1274, celui qui règle un différend) ; lat. *compositor*, « auteur ; conciliateur » ; [kɔ̃pozitœʀ, tʀis].

**COMPOSITION, subst. f.**
**I. 1.** Action de composer. **2.** Méton. L'ensemble des éléments constituants : *La* ***composition*** *de l'air, du corps humain.* **3.** *Spéc.* ▸ *Gramm.* Formation d'un mot par combinaison de plusieurs mots. ▸ *Math.* *Loi de* ***composition*** *interne sur un ensemble E* : application de E × E dans E ; *Loi de compositi[…] externe sur un ensemble E de domaine d'opérate[…] l'ensemble Ω* : application de Ω × E dans E, on […] que Ω opère sur E. ▸ *Typogr.* Action de compos[…] un texte ; son résultat : *Envoyer un manuscrit à* […] ***composition.*** **II. 1.** Action de créer une œuvre ; s[…] résultat : *Il a présenté une pièce de sa* ***compositio[…]*** ▸ *Mus.* Art de composer : *Le cours de* ***compositi[…]*** *du conservatoire.* **2.** *Enseign.* Devoir donné aux élèv[…] afin qu'ils apprennent à ordonner leurs idées sel[…] un thème (vieilli). **III.** Accommodement ent[…] personnes (vieilli). ▸ Loc. *Être de bonne* ***compositio[…]*** d'une nature arrangeante. Mil. XIIe s. ; lat. *com[…]sitio* ; [kɔ̃pozisjɔ̃].

**COMPOST, subst. m.**
Engrais résultant de la putréfaction humide d'[…] mélange de déchets organiques et minérau[…] XIIIe s. ; angl. *compost*, de l'anc. fr. *compost*, « mê[…] composé » ; [kɔ̃pɔst].

**COMPOSTAGE (I), subst. m.**
**1.** Fabrication du compost. **2.** Épandage de comp[…] sur une terre. XXe s. ; ☞ *composter* (I) ; [kɔ̃pɔsta[…]

**COMPOSTAGE (II), subst. m.**
Estampillage à l'aide d'un composteur. V. 197[…] ☞ *composter* (II) ; [kɔ̃pɔstaʒ].

**COMPOSTER (I), verbe trans. [3]**
Enrichir (une terre) avec du compost. 135[…] ☞ *compost* ; [kɔ̃pɔste].

**COMPOSTER (II), verbe trans. [3]**
Marquer, valider à l'aide d'un composteu[…] 1922 ; ☞ *composteur* ; [kɔ̃pɔste].

**COMPOSTEUR, subst. m.**
**1.** *Typogr.* Réglette métallique à butées sur laque[…] on aligne les caractères d'un texte à compos[…] **2.** Appareil permettant d'estampiller un documen[…] gén. pour le valider : *Un* ***composteur*** *de gare.* 16[…] (1672, ouvrier imprimeur) ; ital. *compositore*, « comp[…]teur » ; [kɔ̃pɔstœʀ].

**COMPOTE, subst. f.**
*Cuis.* Dessert plus ou moins homogène, obtenu […] faisant réduire des fruits par cuisson dans de l'e[…] sucrée. ▸ Loc. *En* ***compote*** : meurtri, endolo[…] XIe s. ; lat. *composita*, de *componere*, « mettre ense[…]ble » ; [kɔ̃pɔt].

**COMPOTIER, subst. m.**
Coupe servant à présenter des fruits ou des co[…]potes ; par méton., son contenu : *Manger* […] ***compotier*** *de fruits.* 1733 ; ☞ *compote* ; [kɔ̃pɔtj[…]

**COMPOUND, adj. inv. et subst. m.**
ADJ. **1.** *Mécan. Machine* ***compound*** ou, empl. sub[…] fém., *Une* ***compound*** : machine à vapeur da[…] laquelle cette dernière agit successivement s[…] plusieurs cylindres. **2.** *Électr. Excitation* ***compoun[…]*** excitation d'une machine électrique disposant s[…] chaque inducteur d'un enroulement en série et d'[…] autre en dérivation. **3.** *Aéron. Moteur* ***compound*** turbopropulseur. SUBST. *Techn.* **1.** Isolant pour m[…]chines électriques. **2.** Mélange servant à mou[…] une matière plastique. 1874 ; angl. *compour[…]* « composé, combiné » ; [kɔ̃pund].

**COMPRÉHENSIBILITÉ, subst. f.**
Qualité de ce qui est compréhensible (rar[…] 1829 ; ☞ *compréhensible* ; [kɔ̃pʀeɑ̃sibilite].

**COMPRÉHENSIBLE, adj.**
**1.** Que l'on peut comprendre, clair à l'esprit : [*U*…] *texte* ***compréhensible.*** **2.** Que l'on peut expliqu[…] excuser : *Une réaction* ***compréhensible.*** 1375 ; l[…] *comprehensibilis*, « perceptible » ; [kɔ̃pʀeɑ̃sibl].

**COMPRÉHENSIF, IVE, adj.**
**1.** *Log.* Qui contient, embrasse un certain nomb[…] d'éléments dans sa définition : *Un concept étroi[…]ment* ***compréhensif.*** **2.** Qui est capable de compre[…]dre autrui ; qui fait preuve de souplesse, […] tolérance : *Vous pouvez lui parler sans crainte, c'[…] une personne* ***compréhensive.*** 1503 ; bas lat. *comp[…]hensivus*, « collectif » ; [kɔ̃pʀeɑ̃sif, iv].

**COMPRÉHENSION, subst. f.**
**1.** Faculté de comprendre, de saisir par l'esprit : *U[…]* ***compréhension*** *vive, lente.* **2.** Possibilité d'êt[…] compris, clarté : *La* ***compréhension*** *délicate d'[…] auteur.* **3.** Qualité d'une personne tolérante, bie[…]veillante envers autrui : *Merci pour votre comprého[…]sion.* **4.** *Log.* Ensemble des caractères qui permette[…] de définir un concept (anton. *extension*). 137[…] lat. *comprehensio*, « action de saisir » ; [kɔ̃pʀeɑ̃sjɔ̃].

**COMPRENDRE,** verbe trans. [52]
I. 1. Être constitué de : *Paris* ***comprend*** *vingt arrondissements.* 2. Inclure, incorporer : *L'examen* ***comprend*** *une dictée.* II. Fig. 1. Saisir par l'esprit, percevoir la signification de : ***Comprendre*** *le monde* ; ***Comprendre*** *un texte.* 2. Prendre conscience de : *J'ai* ***compris*** *mon erreur.* 3. Saisir les raisons de l'attitude de (qqn) : *Je vous* ***comprends.*** 4. Admettre, considérer avec bienveillance : *Je* ***comprends*** *sa rancœur.* XIIe s. ; lat. *compre(he)ndere*, « saisir » ; [kɔ̃pʀɑ̃dʀ].

**COMPRENETTE,** subst. f.
Capacité de comprendre (fam.) : *Il est lent à la* ***comprenette.*** 1896 ; ☞ *comprendre* ; [kɔ̃pʀənɛt].

**COMPRESSE,** subst. f.
*Méd.* Carré de gaze hydrophile ou de linge fin replié plusieurs fois, utilisé pour panser des plaies : ***Compresse*** *stérile.* 1539 (mil. XIIe s., action de presser) ; ☞ *compresser* ; [kɔ̃pʀɛs].

**COMPRESSER,** verbe trans. [3]
Comprimer, tasser. Fin XIIIe s. ; bas lat. *compressare*, « comprimer à plusieurs reprises » ; [kɔ̃pʀese].

**COMPRESSEUR,** subst. m. et adj. m.
Subst. Appareil qui sert à comprimer un fluide et à en augmenter la pression : ***Compresseur*** *à piston* ; ***Compresseur*** *frigorifique.* Adj. Qui comprime : *Rouleau* ***compresseur.*** 1845 (1808, muscle prostatique) ; lat. *compressus*, « comprimé » ; [kɔ̃pʀɛsœʀ].

**COMPRESSIBILITÉ,** subst. f.
1. *Phys.* Propriété qu'ont les corps de réduire leur volume sous l'effet d'une augmentation de pression. 2. Fig. Qualité de ce qui peut être réduit : *La* ***compressibilité*** *des dépenses.* 1690 ; ☞ *compressible* ; [kɔ̃pʀesibilite].

**COMPRESSIBLE,** adj.
*Phys.* Qui peut être comprimé : *Un liquide, un gaz* ***compressible*** ; au fig. : *Un budget* ***compressible.*** 1654 ; ☞ *compresser* ; [kɔ̃pʀesibl].

**COMPRESSIF, IVE,** adj.
Qui sert à comprimer. 1478 ; lat. médiév. *compressivus*, du lat. *comprimere*, « serrer, retenir » ; [kɔ̃pʀesif, iv].

**COMPRESSION,** subst. f.
1. Action de comprimer ; son résultat. ▸ *Mécan.* Dans un moteur à explosion à quatre temps, deuxième temps du cycle, pendant lequel le mélange explosif (air-essence, par ex.) est comprimé par le piston : *Taux de* ***compression***, rapport entre le volume maximal et le volume minimal de gaz admis dans le cylindre d'un moteur à explosion. ▸ *Phys.* Pression qui peut être exercée sur un corps, en partic. sur un gaz ; réduction du volume d'un gaz, dans une enceinte fermée, après qu'il a été comprimé. 2. Fig. Réduction : ***Compressions*** *budgétaires* ; ***Compression*** *du personnel.* 1314 ; lat. *compressio* ; [kɔ̃pʀesjɔ̃].

**COMPRIMÉ, ÉE,** adj. et subst. m.
Adj. 1. Dont le volume est réduit par pression : *Air* ***comprimé.*** 2. Fig. Réprimé, refoulé (vieilli) : *Un désir* ***comprimé.*** Subst. *Pharm.* Pastille contenant des substances médicamenteuses pulvérisées et compressées. XIVe s. ; p. p. de *comprimer* ; [kɔ̃pʀime].

**COMPRIMER,** verbe trans. [3]
1. Faire subir une pression à (qqch.) de façon à en réduire le volume : ***Comprimer*** *un gaz* ; presser fortement : ***Comprimer*** *une artère.* 2. Fig. ▸ Diminuer, réduire : ***Comprimer*** *les salaires, les dépenses.* ▸ Empêcher de se manifester (vieilli) : ***Comprimer*** *son émotion, ses sanglots.* 1314 ; lat. *comprimere*, « serrer, retenir » ; [kɔ̃pʀime].

**COMPRIS, ISE,** adj.
1. Qui est contenu dans, situé entre : *Un espace* ***compris*** *entre deux zones.* ▸ Loc. **Y compris** ; **Non compris.** En incluant ; en excluant : *Cet appareil coûte 200 francs, non* ***compris*** *la taxe* ; *Voici les travaux à faire dans la maison, la cave y* ***comprise.*** 2. Qui est saisi, interprété : *Une opinion mal* ***comprise.*** XIIe s. ; p. p. de *comprendre* ; [kɔ̃pʀi, iz].

**COMPROMETTANT, ANTE,** adj.
Qui compromet ou peut compromettre : *Des relations* ***compromettantes.*** 1842 ; p. pr. de *compromettre* ; [kɔ̃pʀɔmɛtɑ̃, ɑ̃t].

**COMPROMETTRE,** verbe [60]
Intrans. *Dr.* S'engager par acte à recourir à l'arbitrage d'un tiers pour régler un litige. Trans. 1. Mettre (qqn) dans une situation préjudiciable, exposer aux critiques. 2. Ext. Mettre (qqch.) en péril : ***Compromettre*** *sa santé, son avancement.* Pronom. Risquer sa réputation. 1283 ; lat. jur. *compromittere*, « promettre en même temps » ; [kɔ̃pʀɔmɛtʀ].

**COMPROMIS,** subst. m.
1. *Dr.* ▸ Acte par lequel les parties recourent à un arbitrage pour régler un litige. ▸ ***Compromis*** *de vente* : accord mutuel sur les conditions d'une vente, précédant l'établissement de l'acte notarié. 2. Arrangement par concessions mutuelles : *Accepter un* ***compromis.*** 3. Solution intermédiaire entre deux extrêmes : *Un* ***compromis*** *entre le bien et le mal.* 1243 ; lat. jur. *compromissum* ; [kɔ̃pʀɔmi].

**COMPROMISSION,** subst. f.
1. Action par laquelle on se compromet ou par laquelle on compromet qqn : *S'exposer à des* ***compromissions.*** 2. Concession faite à ses principes, à sa conscience, par intérêt ou par faiblesse : *Être prêt aux pires* ***compromissions.*** 1787 (1262, compromis) ; ☞ *compromettre* ; [kɔ̃pʀɔmisjɔ̃].

**COMPROMISSOIRE,** adj.
*Dr.* Relatif aux compromis : *Clause* ***compromissoire***, prévoyant un arbitrage en cas de différend. 1848 ; ☞ *compromis* ; [kɔ̃pʀɔmiswaʀ].

**COMPTABILISER,** verbe trans. [3]
1. Enregistrer (une valeur) dans une comptabilité. 2. Ext. Tenir le compte de (qqch.). 1900 ; ☞ *comptable* ; [kɔ̃tabilize].

**COMPTABILITÉ,** subst. f.
1. Tenue des comptes ; technique permettant de déterminer les dépenses et les recettes d'une personne, d'une collectivité, etc. ▸ ***Comptabilité*** *en partie double* : dans laquelle chaque opération fait l'objet de deux écritures simultanées, l'une sur le compte qui perçoit une valeur (crédit), l'autre sur le compte qui la fournit (débit). ▸ ***Comptabilité*** *analytique* : qui met en évidence les prix de revient et permet d'établir des prévisions. ▸ ***Comptabilité*** *publique* : ensemble des règles régissant la gestion des opérations de l'État, des collectivités locales et des établissements publics. ▸ ***Comptabilité*** *nationale* : qui permet d'établir une représentation chiffrée de l'activité économique nationale. ▸ ***Comptabilité*** *matières* : portant sur les mouvements des stocks. 2. Méton. ▸ Ensemble des comptes, des documents comptables : *Gérer une* ***comptabilité.*** ▸ Service chargé de la tenue des comptes. 1579 ; ☞ *comptable* ; [kɔ̃tabilite].

**COMPTABLE,** adj. et subst.
Adj. 1. Qui doit rendre des comptes ; au fig., responsable : *Être* ***comptable*** *de ses actes.* 2. Qui appartient à la comptabilité ; qui sert à établir une comptabilité : *Pièce* ***comptable.*** Subst. Personne dont la profession est de tenir les comptes d'une société, d'une administration : *Une* ***comptable*** *agréée.* XIVe s. (XIIIe s., que l'on peut compter) ; ☞ *compter* ; [kɔ̃tabl].

**COMPTAGE,** subst. m.
Action de compter ; dénombrement. 1415 ; ☞ *compter* ; [kɔ̃taʒ].

**COMPTANT,** adj. m., subst. m. et adv.
Adj. Que l'on paie sur l'heure et en espèces : *Payer en argent* ***comptant.*** ▸ Loc. *Prendre qqch. pour argent* ***comptant*** : se fier trop facilement à des paroles, à des promesses. Subst. Argent (vieilli). ▸ Loc. *Au* ***comptant*** : en payant le tout immédiatement. ▸ *Bourse. Marché au* ***comptant*** : dont les opérations sont exécutées immédiatement (anton. *à terme*). Adv. *Acheter, payer* ***comptant*** : en totalité et sur-le-champ. XIIIe s. ; p. pr. de *compter* ; [kɔ̃tɑ̃].

**COMPTE,** subst. m.
I. 1. Détermination d'une grandeur par un calcul ou par un dénombrement : *Faire un* ***compte*** ; ***Compte*** *à rebours* (☞ *rebours*). 2. Méton. Calcul d'une somme d'argent due : *Le* ***compte*** *y est.* 3. Loc. ▸ *En fin de* ***compte*** ; *Tout* ***compte*** *fait* : en définitive. ▸ *À ce* ***compte****-là* : selon ce raisonnement, dans ces conditions. ▸ *Être loin du* ***compte*** : se tromper de beaucoup. ▸ *À bon* ***compte*** : à faible prix ; au fig., sans trop de dommages. ▸ *Régler son* ***compte*** *à qqn* : se venger de lui. II. 1. État, rapport détaillé des sommes dues ou reçues, des débits et des crédits : *Faire ses* ***comptes*** ; ***Compte*** *d'exploitation d'une entreprise.* ▸ ***Compte*** *de résultat* : synthèse des opérations pour un exercice donné. ▸ ***Compte*** *courant* : contrat passé entre deux personnes, physiques ou morales, qui conviennent de faire figurer leurs créances et leurs dettes réciproques en un **compte** unique dont seul le solde sera exigible. ▸ ***Compte*** *de dépôt* : qui détaille les versements et les retraits. ▸ ***Compte*** *de chèques* ou ***Compte****-chèques* : **compte** bancaire ou postal que l'on débite au moyen de chèques. 2. Loc. *Demander des* ***comptes*** *à qqn* : lui demander des explications ; *Rendre* ***compte*** *de qqch.* : le relater ou l'expliquer ; *Se rendre* ***compte*** *de, que* : s'apercevoir de, comprendre que ; *Tenir* ***compte*** *de* : prendre en considération ; ***Compte*** *tenu de* : étant donné ; *Mettre sur le* ***compte*** *de* : rendre responsable ; *Pour mon* ***compte*** : pour ce qui me concerne ; *Travailler à son* ***compte*** : être son propre employeur. Déb. XIIe s. ; bas lat. *computus*, « calcul, quantité dénombrée » ; [kɔ̃t].

**COMPTE-FILS,** subst. m. inv.
Loupe montée sur une charnière et permettant notamment de compter les fils d'un tissu. 1832 ; comp. de *compter* et de *fil* ; [kɔ̃tfil].

**COMPTE-GOUTTES,** subst. m. inv.
Tube de verre effilé, servant à doser un liquide goutte à goutte. ▸ Loc. *Au* ***compte-gouttes*** : chichement. 1866 ; comp. de *compter* et de *goutte* (I) ; [kɔ̃tgut].

**COMPTER,** verbe [3]
Trans. dir. 1. Déterminer (une grandeur) par un dénombrement, un calcul : ***Compter*** *les personnes présentes.* 2. Fixer la valeur de, évaluer à : *Je vous* ***compte*** *les poires au prix des pommes* ; *Il faut* ***compter*** *deux heures de route.* 3. Inclure dans un total : *Votre gain s'élève à 354 francs sans* ***compter*** *les centimes* ; au fig. : *Je vous* ***compte*** *parmi mes amis.* 4. Comporter, totaliser : *Ce livre* ***compte*** *douze chapitres.* 5. Envisager de : *Je* ***compte*** *passer mes vacances en Grèce.* Trans. indir. 1. **Compter sur.** Espérer en, se fier à : *Je* ***compte*** *sur votre venue.* 2. **Compter avec, sans.** Tenir, ne pas tenir compte de : *Il faudra* ***compter*** *avec, sans lui.* Intrans. 1. Effectuer un calcul : *Il ne sait pas encore* ***compter.*** 2. Être pris en considération ; être estimé : *Votre opinion* ***compte*** *beaucoup pour moi.* 3. Figurer (parmi) : *Il* ***compte*** *parmi les plus grands.* 4. Loc. *À* ***compter*** *de* : à partir de. Déb. XIIe s. ; lat. *computare* ; [kɔ̃te].

**COMPTE RENDU,** subst. m.
Rapport, exposé détaillé par lequel on rend compte d'un évènement, d'une œuvre, etc. 1483 ; comp. de *compte* et du p. p. de *rendre* ; var. *compte-rendu*, plur. *comptes(-)rendus* ; [kɔ̃tʀɑ̃dy].

**COMPTE-TOURS,** subst. m. inv.
Dispositif permettant de compter les tours effectués par l'arbre d'un moteur dans un temps donné. 1907 ; comp. de *compter* et de *tour* (II) ; [kɔ̃ttuʀ].

**COMPTEUR,** subst. m.
Appareil servant à compter, à mesurer des grandeurs : ***Compteur*** *de vitesse* ; ***Compteur*** *de gaz, d'électricité* ; ***Compteur*** *Geiger*, détecteur des particules émises lors d'une désintégration radioactive. 1832 (1213, personne qui compte) ; ☞ *compter* ; [kɔ̃tœʀ].

**COMPTINE,** subst. f.
Chanson, formule récitée par les enfants sur un rythme scandé pour déterminer à qui échoit tel rôle, telle place dans un jeu. 1922 ; ☞ *compter* ; [kɔ̃tin].

**COMPTOIR,** subst. m.
1. Longue table, support élevé et étroit sur lequel les commerçants exposent ou débitent leurs marchandises : *Le* ***comptoir*** *d'un café.* 2. Établissement commercial d'une société privée ou publique en pays étranger : ***Comptoir*** *colonial* ; par ext. : *Les cinq* ***comptoirs*** *français des Indes*, possessions coloniales de la France du XVIIe s. à 1954. 3. Établissement financier ou commercial ; succursale. 4. ***Comptoir*** *de vente en commun* : coopérative, cartel. 5. Helv. Foire-exposition. 1345 ; ☞ *compter* ; [kɔ̃twaʀ].

**COMPULSER,** verbe trans. [3]
1. *Dr.* Avoir accès à (un acte déposé chez un officier public). 2. Consulter, procéder à l'examen de (un ouvrage, un dossier) : ***Compulser*** *des archives.* XVIe s. ; lat. *compulsare*, « pousser fort » ; [kɔ̃pylse].

**COMPULSIF, IVE,** adj.
*Psych.* Qui relève de la compulsion : *Une névrose* ***compulsive.*** 1584 ; ☞ *compulser* ; [kɔ̃pylsif, iv].

**COMPULSION,** subst. f.
1. *Dr.* Contrainte (vieilli). 2. *Psych.* Tendance à accomplir d'une manière irrésistible certains actes dont le non-accomplissement produit un état d'angoisse. 1298 ; bas lat. *compulsio* ; [kɔ̃pylsjɔ̃].

**COMPUT,** subst. m.
Ensemble de calculs servant à déterminer la date des fêtes mobiles, en partic. celle de Pâques. 1584 ; bas lat. *computus*, « compte, calcul » ; [kɔ̃pyt].

**COMPUTATION,** subst. f.
Estimation, détermination par calcul d'une date, d'une durée. 1413 ; lat. *computatio* ; [kɔ̃pytasjɔ̃].

**COMTAL, ALE, AUX,** adj.
Relatif au comte. 1216 ; ☞ *comte* ; [kɔ̃tal, o].

**COMTAT,** subst. m.
Comté (région.) : ***Le comtat** Venaissin.* XIVe s. ; anc. prov. *comtat*, du lat. médiév. *comitatus*, « comté » ; [kɔ̃ta].

**COMTE,** subst. m.
1. *Hist.* ▸ Haut dignitaire du Bas-Empire romain. ▸ Seigneur féodal qui possédait un comté, territoire qu'il gouvernait de façon indépendante et héréditaire. 2. Titre de noblesse d'un rang inférieur à celui de marquis et supérieur à celui de baron. Xe s. ; lat. *comes*, « compagnon » ; [kɔ̃t].

**COMTÉ (I),** subst. m.
1. Territoire qui confère le titre de comte à son possesseur. 2. Dans les pays anglo-saxons, division administrative. Déb. XIIe s. ; ☞ *comte* ; [kɔ̃te].

**COMTÉ (II),** subst. m.
Fromage à pâte cuite, au goût fruité. XXe s. ; topon. *Franche-Comté* ; [kɔ̃te].

**COMTESSE,** subst. f.
1. *M. Â.* Dame qui possédait un comté. 2. Épouse d'un comte. Fin XIe s. ; ☞ *comte* ; [kɔ̃tɛs].

**COMTOIS, OISE,** adj. et subst.
De Franche-Comté. SUBST. FÉM. Horloge massive de parquet. 1661 ; topon. *Franche-Comté* ; [kɔ̃twa, waz].

**CON, CONNE,** subst. et adj.
SUBST. MASC. Sexe de la femme (vulg.). SUBST. et ADJ. Se dit d'une personne stupide, imbécile (vulg.). Fin XIIe s. ; lat. *cunnus*, « sexe de la femme » ; [kɔ̃, kɔn].

**CONARD, ARDE,** adj. et subst.
Crétin, abruti (vulg.). 1280 ; ☞ *con* ; var. *connard, arde* ; [kɔnaʀ, aʀd].

**CONASSE,** subst. f.
Femme idiote ou détestable (vulg.). 1810 ; ☞ *con* ; var. *connasse* ; [kɔnas].

**CONATIF, IVE,** adj.
*Philos.* Relatif à la conation. 1951 ; ☞ *conation* ; [kɔnatif, iv].

**CONATION,** subst. f.
*Philos.* Force irrésistible qui porte qqn à l'action. V. 1960 ; lat. *conatio*, « effort » ; [kɔnasjɔ̃].

**CONCASSAGE,** subst. m.
Action de concasser ; son résultat. 1845 ; ☞ *concasser* ; [kɔ̃kɑsaʒ].

**CONCASSER,** verbe trans. [3]
Casser (une matière solide) en menus fragments : ***Concasser** du minerai, du poivre.* XIIIe s. ; lat. *conquassare*, « secouer fortement ; briser » ; [kɔ̃kɑse].

**CONCASSEUR,** subst. m.
*Techn.* Appareil servant à concasser ; empl. adj. : *Un cylindre **concasseur**.* 1848 ; ☞ *concasser* ; [kɔ̃kɑsœʀ].

**CONCATÉNATION,** subst. f.
1. *Log.* Enchaînement d'une série de propositions, des causes et des effets. 2. *Ling.* Enchaînement syntagmatique des éléments d'une phrase. 3. *Informat.* Fusion de deux fichiers mis bout à bout. 1390 ; bas lat. *concatenatio* ; [kɔ̃katenasjɔ̃].

**CONCAVE,** adj.
Dont la surface présente une courbure en creux (anton. *convexe*) : *Une lentille **concave**.* 1314 ; lat. *concavus* ; [kɔ̃kav].

**CONCAVITÉ,** subst. f.
1. Caractère, état de ce qui est concave. 2. Ext. Creux, partie concave de qqch. : *Les **concavités** d'une roche.* 1314 ; bas lat. *concavitas* ; [kɔ̃kavite].

**CONCÉDER,** verbe trans. [8]
1. Accorder (un droit, un bien) à titre de faveur ou sous certaines conditions : ***Concéder** l'exploitation d'une mine.* 2. Fig. Céder sur (un point de vue dans une discussion) : *Je vous **concède** cet aspect de la question.* 3. *Sp.* Abandonner (un but, des points) à l'adversaire en lui laissant prendre l'avantage. XIIIe s. ; lat. *concedere*, « céder » ; [kɔ̃sede].

**CONCÉLÉBRATION,** subst. f.
*Liturg.* Célébration d'un office par plusieurs prêtres. 1898 ; lat. chrét. *concelebratio* ; [kɔ̃selebʀasjɔ̃].

**CONCÉLÉBRER,** verbe trans. [8]
*Liturg.* Célébrer en commun ; empl. adj. : *Une messe **concélébrée** en plein air.* 1872 ; lat. chrét. *concelebrare* ; [kɔ̃selebʀe].

*Une vue actuelle de l'enceinte du camp de **concentration** et d'extermination d'Auschwitz.*

**CONCENTRATEUR,** subst. m.
*Informat.* Appareil qui regroupe les signaux en provenance de plusieurs terminaux et les achemine, sur une seule ligne, vers une unité centrale. V. 1970 (1845, qui concentre) ; ☞ *concentrer* ; [kɔ̃sɑ̃tʀatœʀ].

**CONCENTRATION,** subst. f.
1. Action de réunir en un centre, de concentrer en un lieu ; son résultat : ***Concentration** de rayons lumineux ; Camps de **concentration** ; **Concentration** de troupes à la frontière ; **Concentration** urbaine*, agglomération. 2. Fig. Fait de se concentrer, de porter toute son attention sur un sujet déterminé. 3. *Chim.* Réduction du volume d'une solution ; teneur d'une solution en l'élément dissous. 4. *Écon.* ***Concentration** des entreprises* : réunion de plusieurs entreprises en une seule, en un groupe (☞ *cartel, holding, trust*). 1732 ; ☞ *concentrer* ; [kɔ̃sɑ̃tʀasjɔ̃].

HISTOIRE – Bien avant la Seconde Guerre mondiale, des camps de concentration ont rassemblé des prisonniers de guerre, des opposants politiques, des minorités ethniques, religieuses ou sociales. Cet internement prit une forme nouvelle, qualifiée par le droit international de crime contre l'humanité, dans l'Allemagne nazie, où, à côté de ces camps de concentration politico-militaires, souvent même en leur sein, furent créés des camps d'extermination. À Auschwitz, par exemple, sur un total de 1,6 million de personnes emprisonnées, 83 % ont trouvé la mort, parmi lesquelles environ 1 million de Juifs, 21 000 Tsiganes et plus de 150 000 Slaves. Des camps de concentration (mais non pas d'extermination) se sont perpétués dans l'ex-U. R. S. S., au Cambodge et en Chine jusque vers 1975.

**CONCENTRATIONNAIRE,** adj.
Qui se rapporte aux camps de concentration. 1946 ; ☞ *concentration* ; [kɔ̃sɑ̃tʀasjɔnɛʀ].

**CONCENTRÉ, ÉE,** adj. et subst. m.
ADJ. 1. Dont on a accru la concentration : *Lait **concentré**.* 2. Fig. Très attentif. SUBST. Produit particulièrement dense et riche : *Du **concentré** de tomate.* 1762 ; p. p. de *concentrer* ; [kɔ̃sɑ̃tʀe].

**CONCENTRER,** verbe trans. [3]
1. Réunir en un point (des éléments dispersés) ; faire converger : ***Concentrer** des régiments, un tir ; **Concentrer** tous les pouvoirs en ses mains.* 2. Fig. Fixer (sa pensée, son énergie) sur un sujet. PRONOM. 1. Se rassembler, fusionner : *Les petites entreprises ont intérêt à se **concentrer**.* 2. Fig. Faire un gros effort d'attention : *Silence ! il se **concentre** pour trouver la solution !* 1611 ; ☞ *centre* + *co-* ; [kɔ̃sɑ̃tʀe].

**CONCENTRIQUE,** adj.
1. *Géom.* ▸ *Sphères **concentriques*** : de même centre. ▸ *Cercles **concentriques*** : qui sont coplanaires et de même centre. 2. Qui se développe autour du centre : *Le développement **concentrique** de Paris.* 3. Qui se rapproche d'un point central : *Mouvement, offensive **concentrique**.* XIVe s. ; ☞ *centre* + *co-* ; [kɔ̃sɑ̃tʀik].

**CONCEPT,** subst. m.
1. *Philos.* Représentation intellectuelle, à la fois générale et abstraite, d'une catégorie d'objets ou d'idées : ***Concept** d'espace, de mouvement, d'être vivant, de cercle, etc.* 2. Ext. Ce qui est pensé et défini par un concepteur : *Élaborer un nouveau concep[t] industriel.* 1404 ; lat. *conceptus*, de *conciper[e]* « contenir ; concevoir » ; [kɔ̃sɛpt].

PHILOSOPHIE – On distingue dans un concept s[a] compréhension (l'ensemble des caractères néces[-]saires et suffisants à sa définition) et son extensio[n] (l'ensemble des objets ou des idées répondant [à] cette définition). La compréhension et l'extensio[n] d'un concept varient en raison inverse l'une d[e] l'autre : plus la compréhension est large, plu[s] l'extension est faible, et inversement. Ainsi, [le] concept « Socrate » a une extension nulle ; c'est u[n] concept singulier dont la définition comprend tou[t] ce qu'il est possible de dire sur Socrate et sur lui seu[l]. En revanche, le concept « animal », qui a une larg[e] extension, se définira par un ensemble restreint d[e] caractères susceptibles de s'appliquer à tous le[s] animaux ; sa compréhension est donc plus étroit[e].

**CONCEPTACLE,** subst. m.
*Bot.* 1. Nom donné au réceptacle d'une fleur lorsqu[e] les carpelles sont insérés au fond d'une coup[e] protectrice, d'un calice. Les fleurs qui possèdent u[n] **conceptacle** sont dites caliciflores. 2. Cavité renfe[r]mant les organes reproducteurs, chez de nom[-]breuses algues. XVe s. ; lat. *conceptaculum*, « récept[a]cle » ; [kɔ̃sɛptakl].

**CONCEPTEUR, TRICE,** subst.
Personne qui élabore des projets, des idées nouvelle[s] pour les entreprises et les agences de publicit[é]. 1801 ; bas lat. *conceptor*, « auteur » ; [kɔ̃sɛptœʀ, tʀis].

**CONCEPTION,** subst. f.
1. Action de concevoir un être vivant par l'unio[n] sexuelle. ▸ *Cath. L'Immaculée **Conception*** : dogm[e] défini par Pie IX, selon lequel la Vierge Marie es[t] née exempte du péché originel. 2. Fig. Faculté d[e] concevoir, d'élaborer mentalement ; ce qui es[t] conçu : *La **conception** doit précéder l'exécutio[n]*. 3. Manière d'envisager qqch. ; idée, opinion : *Il une certaine **conception** de la vie.* 4. *Informa[t]. **Conception** assistée par ordinateur (C. A. O.)* ensemble des techniques, des matériels et d[e] logiciels permettant d'élaborer un produit nouvea[u]. Mil. XIIe s. ; lat. *conceptio*, de *concipere*, « contenir[,] concevoir » ; [kɔ̃sɛpsjɔ̃].

**CONCEPTUALISATION,** subst. f.
Action de conceptualiser ; son résultat. 193[6] ; ☞ *conceptualiser* ; [kɔ̃sɛptɥalizasjɔ̃].

**CONCEPTUALISER,** verbe trans. [3]
*Philos.* Élaborer avec rigueur, à l'aide de concepts : ***Conceptualiser** une doctrine* ; empl. intrans., form[er] des concepts. 1920 ; ☞ *conceptuel* ; [kɔ̃sɛptɥalize].

**CONCEPTUALISME,** subst. m.
*Philos.* Doctrine selon laquelle les concepts ne so[nt] que des constructions de l'esprit humain (anto[n]. *réalisme*). 1832 ; ☞ *conceptuel* ; [kɔ̃sɛptɥalism].

**CONCEPTUEL, ELLE,** adj.
1. Qui relève du concept et non de l'expérienc[e] sensible. 2. *Art **conceptuel*** : mouvement pictural, n[é] à New York dans les années soixante en réactio[n] contre l'art minimaliste et le pop art, dans leque[l] l'idée exprimée prime sur la forme de l'œuvr[e]. Mil. XIXe s. ; p.-ê. lat. scol. *conceptualis*, d'apr. le la[t]. *spiritualis*, « spirituel » ; [kɔ̃sɛptɥɛl].

**CONCERNANT,** prép.
ɰu sujet de : *Avez-vous lu les articles le concernant ?* ǵ 1596 ; p. pr. de *concerner* ; [kɔ̃sɛʀnɑ̃].

**CONCERNER,** verbe trans. [3]
ɛ rapporter à ; intéresser, toucher : *Ce problème me ɔncerne.* ▸ Loc. *En, pour ce qui me concerne* : quant moi, pour ma part. ▸ *Être concerné par* : être ɔuché par (empl. critiqué). 1385 ; lat. médiév. ɔncernere, de *cernere*, « séparer ; distinguer » ; [kɔ̃sɛʀne].

**CONCERT,** subst. m.
. Entente entre personnes solidaires : *Le concert des ations.* ▸ Loc. *De concert* : ensemble, en accord. **ɪ.** *Mus.* **1.** Harmonie créée par des instruments, des oix. ▸ Anal. Ensemble de sons quelconques simul-ɪnés : *Le concert des oiseaux.* ▸ Fig. Ensemble de ɪanifestations simultanées : *Un concert d'éloges.* . Exécution en public d'œuvres musicales : *Une ɪlle de concert.* 1608 ; ital. *concerto*, « accord » ; ɔ̃sɛʀ].

**CONCERTANT, ANTE,** adj.
*ɪus.* **1.** Vx. Qualifie un instrument ou un musicien ɪi exécute sa partie dans un concert. **2.** Qualifie ɪe composition empruntant à la forme concerto. ǵ 1690 ; p. pr. de *concerter* ; [kɔ̃sɛʀtɑ̃, ɑ̃t].

**CONCERTATION,** subst. f.
ction de se concerter ; spéc., consultation des arties intéressées avant toute prise de décision. ǵ V. 1960 ; ☞ *concerter* ; [kɔ̃sɛʀtasjɔ̃].

**CONCERTÉ, ÉE,** adj.
ɔui résulte d'une réflexion commune ou d'un alcul : *Un plan bien concerté.* XVe s. ; p. p. de ɔncerter ; [kɔ̃sɛʀte].

**CONCERTER,** verbe [3]
**ʀᴀɴs.** Préparer (une action) avec une ou plusieurs ersonnes ; empl. pronom., s'entendre pour mener ne action : *Les deux camps se concertent avant ɪ bataille.* **Intrans.** *Mus.* Tenir sa partie dans un oncert (vx). 1476 ; prob. ital. *concertare* ; [kɔ̃sɛʀte].

**CONCERTINA,** subst. m.
ɔrte de petit accordéon populaire, gén. de forme exagonale. 1866 ; mot angl. ; [kɔ̃sɛʀtina].

**CONCERTINO,** subst. m.
*ɪus.* **1.** Petit concerto. **2.** Masse des solistes dans concerto grosso. 1866 ; mot ital. ; [kɔ̃sɛʀtino].

**CONCERTISTE,** subst.
ɪusicien qui participe à un concert ou qui joue ɪ soliste. 1834 ; ☞ *concert* ; [kɔ̃sɛʀtist].

**CONCERTO,** subst. m.
*ɪus.* Forme instrumentale, le plus souv. en trois ɪouvements, dans laquelle un ou plusieurs solistes ɪaloguent avec l'orchestre : *Un concerto pour iolons.* ▸ *Concerto grosso* : faisant dialoguer ripieno concertino. 1739 ; mot ital. ; [kɔ̃sɛʀto].

**CONCESSIF, IVE,** adj.
*ɪramm.* Qui exprime une opposition ou une restriction : *« Bien que », « même si » introduisent des propositions concessives* ou, empl. subst. fém., *des concessives.* ǵ 1842 ; bas lat. *concessivus* ; [kɔ̃sesif, iv].

**CONCESSION,** subst. f.
. Fait de renoncer à une prétention, à un privilège, ɛ céder sur un point de discussion : *Faire une ɔncession à son adversaire.* **2.** *Dr.* Contrat par lequel État ou une collectivité publique cède à un articulier ou à une société privée le droit d'exploiter un terrain, une mine, un ouvrage d'intérêt énéral : *La concession d'une mine à une société trangère.* ▸ Méton. Portion de terrain ou de erritoire attribuée : *Une concession de sépulture,* oncédée par la commune. ▸ Anal. Droit de vente xclusif accordé par un fournisseur à un commerçant. **3.** *Gramm.* Expression d'une cause qui a un ffet différent, voire contraire, de celui qui est ɪgiquement attendu (par ex. : « Bien qu'elle fût ɔuisée, elle n'arrivait pas à dormir »). 1268 ; t. *concessio* ; [kɔ̃sesjɔ̃].

**CONCESSIONNAIRE,** subst.
. *Dr.* Titulaire d'une concession ; empl. adj. : *Une ɔmpagnie concessionnaire.* **2.** Anal. Personne ou ɔciété ayant un droit exclusif de commercialisaon dans un secteur donné : *Le concessionnaire 'une marque.* 1664 ; ☞ *concession* ; [kɔ̃sesjɔnɛʀ].

**CONCETTI,** subst. m. plur.
*ɪtt.* Formules subtiles teintées de préciosité : *Ses vers ..] étincelaient de concetti raffinés* (Taine). Déb. ɪɪɪe s. ; ital. *concetto*, « concept » ; [kɔ̃sɛti].

**CONCEVABLE,** adj.
ɔui peut se concevoir ; que l'on peut comprendre, ɪvisager. 1547 ; ☞ *concevoir* ; [kɔ̃s(ə)vabl].

**CONCEVOIR,** verbe trans. [38]
**1.** En parlant d'une femme, former en soi (un enfant) après fécondation ; empl. abs., devenir enceinte. **2.** Fig. Former (un concept) ; se représenter par la pensée : *Ce que l'on conçoit bien s'énonce clairement* (Boileau). ▸ Imaginer, envisager : *Voilà comment je conçois la musique.* ▸ Admettre : *Je conçois votre courroux.* **3.** Créer par l'esprit (une œuvre, un projet) ; élaborer : *Concevoir une doctrine.* ▸ Empl. adj. *Un appartement mal conçu* : mal agencé ; *Un plan bien conçu* : bien structuré. **4.** Éprouver (un sentiment) : *Concevoir du mépris.* Déb. XIIe s. ; lat. *concipere*, « contenir ; concevoir » ; [kɔ̃s(ə)vwaʀ].

**CONCHIER,** verbe trans. [6]
Souiller d'excréments (vulg.). Mil. XIIe s. ; lat. *concacare* ; [kɔ̃ʃje].

**CONCHOÏDAL, ALE, AUX,** adj.
En forme de coquille : *La cassure conchoïdale du silex.* 1752 ; ☞ *conchoïde* ; [kɔ̃kɔidal, o].

**CONCHOÏDE,** adj.
Conchoïdal. 1636 ; gr. *kogkhoeidês*, « semblable à une coquille », d'apr. le lat. *concha*, « coquille » ; [kɔ̃kɔid].

**CONCHYLICULTEUR, TRICE,** subst.
Éleveur qui pratique la conchyliculture. 1955 ; lat. *conchylium*, « coquillage », + *-culteur* ; [kɔ̃kilikyltœʀ, tʀis].

**CONCHYLICULTURE,** subst. f.
Élevage de coquillages comestibles (huîtres, moules, palourdes, etc.). 1953 ; lat. *conchylium*, « coquillage », + *-culture* ; [kɔ̃kilikyltyʀ].

**CONCHYLIEN, IENNE,** adj.
*Pétrogr.* Se dit d'un terrain, d'une roche contenant des coquilles : *Du calcaire conchylien.* 1834 ; lat. *conchylium*, « coquillage » ; [kɔ̃kiljɛ̃, jɛn].

**CONCHYLIFÈRE,** adj.
*Zool.* Muni d'une coquille : *Un mollusque conchylifère.* 1838 ; lat. *conchylium*, « coquillage », + *-fère* ; [kɔ̃kilifɛʀ].

**CONCHYLIOLOGIE,** subst. f.
*Zool.* Science des coquillages, des coquilles. 1742 ; lat. *conchylium*, « coquillage », + *-logie* ; [kɔ̃kiljɔlɔʒi].

**CONCHYLIS,** voir **COCHYLIS**

**CONCIERGE,** subst.
**1.** Personne qui a la garde d'un hôtel, d'un immeuble ou d'un bâtiment public, et qui en assure l'entretien. **2.** Commère (fam. et péj.) : *Des potins de concierge.* 1195 ; prob. lat. pop. °*conservius*, du lat. *conservus*, « compagnon d'esclavage » ; [kɔ̃sjɛʀʒ].

**CONCIERGERIE,** subst. f.
**1.** Logement de concierge dans un château ou un bâtiment public. **2.** Service chargé de l'accueil des clients, dans un grand hôtel. **3.** *Hist. La Conciergerie* : ancienne prison, attenante au Palais de justice de Paris. 1318 ; ☞ *concierge* ; [kɔ̃sjɛʀʒəʀi].

**CONCILE,** subst. m.
**1.** *Cath.* Assemblée d'évêques (les « pères du **concile** »), convoquée exclusivement par le pape et présidée par lui ou par ses légats, qui débat et statue en matière de dogme, de doctrine, de discipline, etc. : *Concile œcuménique* (☞ *œcuménique*). **2.** Anal. Réunion de personnes qui délibèrent (iron.). Déb. XIIe s. ; lat. *concilium*, « assemblée » ; [kɔ̃sil].

CATHOLICISME – L'Église catholique a connu vingt et un conciles œcuméniques. Le premier fut celui de Nicée I (325), qui fixa le dogme de la consubstantialité du Père et du Fils, et fit du dimanche de Pâques une fête chrétienne universelle. Le concile de Chalcédoine (451) condamna le monophysisme ; celui de Trente (1545-1563) statua sur la Réforme. Quant au dernier, Vatican II (1962-1965), il définit la position de l'Église face au monde moderne.

**CONCILIABLE,** adj.
Qui peut se concilier avec autre chose : *Leurs opinions paraissent conciliables.* 1776 (1536, qui gagne les cœurs, passionné) ; ☞ *concilier* ; [kɔ̃siljabl].

**CONCILIABULE,** subst. m.
**1.** Vx. Assemblée d'évêques schismatiques. **2.** Entretien discret et secret. 1549 ; lat. chrét. *conciliabulum* ; [kɔ̃siljabyl].

**CONCILIAIRE,** adj.
*Cath.* **1.** Qui a trait à un concile : *Décisions conciliaires.* **2.** *Père conciliaire* : évêque qui participe à un concile. 1586 ; ☞ *concile* ; [kɔ̃siljɛʀ].

**CONCILIANT, ANTE,** adj.
Qui est enclin à s'entendre avec autrui, à consentir des concessions : *La contractuelle se montra conciliante* ; par méton. : *Un sourire conciliant.* Fin XVIIe s. ; p. pr. de *concilier* ; [kɔ̃siljɑ̃, ɑ̃t].

**CONCILIATEUR, TRICE,** subst.
Arbitre qui concilie ou tente de concilier des personnes, des avis ou des intérêts opposés ; empl. adj. : *Un esprit conciliateur.* Fin XIVe s. ; ☞ *concilier* ; [kɔ̃siljatœʀ, tʀis].

**CONCILIATION,** subst. f.
**1.** Action de concilier des adversaires, des avis ou des intérêts opposés ; son résultat. **2.** *Dr.* Procédure par laquelle un juge s'efforce de résoudre un litige à l'amiable avant tout procès : *Si la conciliation échoue, le divorce sera prononcé.* ▸ Procédure de règlement des conflits collectifs du travail. Fin XIVe s. ; lat. *conciliatio*, « union » ; [kɔ̃siljasjɔ̃].

**CONCILIATOIRE,** adj.
*Dr.* Propre à permettre une conciliation : *Mesures conciliatoires.* 1583 ; ☞ *concilier* ; [kɔ̃siljatwaʀ].

**CONCILIER,** verbe trans. [6]
**1.** Mettre d'accord (des personnes) ; mettre en accord (des choses, des sentiments) : *Concilier le devoir et l'amour.* **2.** Disposer (qqn) en sa faveur : *Cette flatterie lui a concilié la foule.* **Pronom. 1.** S'accorder : *Chez lui, la douceur se concilie avec la fermeté.* **2.** Gagner : *Se concilier l'estime de tous.* 1549 (XIIe s., réconcilier) ; lat. *conciliare*, « unir » ; [kɔ̃silje].

**CONCIS, ISE,** adj.
Qui exprime l'essentiel en peu de mots : *Un style, un discours concis.* 1553 ; lat. *concisus*, de *concidere*, « couper, morceler » ; [kɔ̃si, iz].

**CONCISION,** subst. f.
Qualité de ce qui est concis. 1706 (1488, suppression, coupure) ; lat. *concisio*, « action de couper ; syncope » ; [kɔ̃sizjɔ̃].

**CONCITOYEN, ENNE,** subst.
Personne originaire de la même ville, du même pays. 1290 ; ☞ *citoyen* + *co-* ; [kɔ̃sitwajɛ̃, ɛn].

**CONCLAVE,** subst. m.
*Cath.* Lieu où les cardinaux se réunissent à huis clos pour élire un pape ; cette assemblée : *Une fumée blanche annonce la fin du conclave.* XIVe s. ; lat. eccl. *conclave*, « pièce fermée à clé » ; [kɔ̃klav].

**CONCLUANT, ANTE,** adj.
Qui établit une conclusion décisive : *Des arguments concluants.* 1587 ; p. pr. de *conclure* ; [kɔ̃klyɑ̃, ɑ̃t].

**CONCLURE,** verbe [79]
**Trans. dir. 1.** Établir, fixer par un accord : *Conclure une affaire, un traité.* **2.** Ext. Achever (une œuvre, un discours, etc.) ; empl. abs. : *Oui, je vais conclure, et contre vous !* (Robespierre). **3.** Déduire : *J'en conclus que vous êtes guéri.* **Trans. indir.** Conclure à. Aboutir logiquement à : *L'enquête conclut au suicide.* **Intrans.** Être concluant : *Tout concluait contre lui.* XIIe s. ; lat. *concludere*, « enfermer ; finir » ; [kɔ̃klyʀ].

**CONCLUSIF, IVE,** adj.
Qui signale ou amène une conclusion : *Raisonnement conclusif* ; *Preuve conclusive.* Mil. XVe s. ; lat. chrét. *conclusivus*, du lat. *concludere*, « enfermer ; finir » ; [kɔ̃klyzif, iv].

**CONCLUSION,** subst. f.
**1.** Action de conclure, de régler par un accord ; arrangement final : *La conclusion d'un traité, d'un marché.* **2.** Section finale d'un exposé oral, d'un ouvrage écrit : *La conclusion d'un discours, d'une thèse.* **3.** Dénouement, terme : *La conclusion d'un voyage.* **4.** Constatation, déduction tirée d'un raisonnement ou de l'observation des faits. ▸ *En conclusion* : en conséquence, en définitive. **5.** *Log.* La troisième partie d'un syllogisme. **Plur.** *Dr.* Acte de procédure, présenté devant une cour, dans lequel chaque partie expose sa demande, sa défense et ses prétentions. Mil. XIIIe s. ; lat. *conclusio* ; [kɔ̃klyzjɔ̃].

**CONCOCTER,** verbe trans. [3]
Préparer, élaborer avec un soin extrême (fam.) : *Concocter un plat* ; au fig. : *Concocter un plan.* 1950 ; lat. *concoctio*, de *concoquere*, « faire cuire ensemble » ; [kɔ̃kɔkte].

**CONCOMBRE,** subst. m.
*Bot.* Plante de la famille des Cucurbitacées, dont les fruits oblongs ont une fine écorce vert foncé ; par méton., le fruit lui-même : *Des concombres à la crème.* 1240 ; prob. prov. *cogombre*, du lat. *cucumis* ; [kɔ̃kɔ̃bʀ].

**CONCOMITANCE,** subst. f.
Relation de simultanéité entre deux ou plusieurs faits. 1377 ; lat. médiév. *concomitancia*, du lat. *concomitari*, « accompagner » ; [kɔ̃kɔmitɑ̃s].

**CONCOMITANT, ANTE, adj.**
**1.** Qui apparaît, se produit en même temps : *Symptômes **concomitants**.* **2.** *Log. Variations **concomitantes*** : qui évoluent simultanément et proportionnellement. 1503 ; bas lat. *concomitans,* du lat. *concomitari,* « accompagner » ; [kɔ̃kɔmitɑ̃, ɑ̃t].

**CONCORDANCE, subst. f.**
**1.** Rapport de similitude, de conformité : ***Concordance** de goût* ; ***Concordance** de preuves.* **2.** *Géol.* ***Concordance** de stratification* : succession régulière de couches géologiques parallèles. **3.** *Gramm.* ***Concordance** des temps* : relation établie entre le temps du verbe d'une proposition principale et celui du verbe de la subordonnée. **4.** *Litt.* Index alphabétique des mots contenus dans un texte avec références des contextes : ***Concordance** biblique* ; répertoire de textes se rapportant à un même sujet, à un même mot. Mil. XIIe s. ; lat. médiév. *concordantia* ; [kɔ̃kɔʀdɑ̃s].

**CONCORDANT, ANTE, adj.**
**1.** Qui concorde, coïncide : *Des avis **concordants**.* **2.** *Géol.* Qualifie des strates plus ou moins larges s'étageant en bandes parallèles. XIIIe s. ; p. pr. de *concorder* ; [kɔ̃kɔʀdɑ̃, ɑ̃t].

**CONCORDAT, subst. m.**
**1.** *Cath.* Traité signé entre le Saint-Siège et un État, réglant leurs rapports sur le territoire soumis à cet État. ► *Le **Concordat*** : celui de 1801, passé entre le pape Pie VII et Bonaparte. **2.** *Comm.* Accord établi entre débiteur et créancier pour échelonner le paiement d'une dette ou en remettre une partie. 1452 ; lat. médiév. *concordatum* ; [kɔ̃kɔʀda].

**CONCORDATAIRE, adj.**
**1.** *Cath.* Relatif à un concordat. **2.** *Comm.* Qui bénéficie d'un concordat : *Failli **concordataire**.* 1838 ; ☞ *concordat* ; [kɔ̃kɔʀdatɛʀ].

**CONCORDE, subst. f.**
État d'harmonie, d'amitié entre les personnes ou les peuples. XIIe s. ; lat. *concordia* ; [kɔ̃kɔʀd].

**CONCORDER, verbe intrans. [3]**
S'accorder, coïncider : *Nos opinions **concordent**.* Mil. XIIe s. ; lat. *concordare* ; [kɔ̃kɔʀde].

**CONCOURANT, ANTE, adj.**
**1.** Qui agit dans le même sens, pour parvenir à un résultat unique. **2.** *Math. Droites **concourantes*** : droites distinctes (au moins trois) passant par un même point, appelé point de concours de ces droites. 1753 ; p. pr. de *concourir* ; [kɔ̃kuʀɑ̃, ɑ̃t].

**CONCOURIR, verbe [25]**
**Trans. indir.** Concourir à. Tendre vers (un même but ou résultat) ; contribuer à : ***Concourir** à la réussite d'un projet.* **Intrans.** Participer à un concours, à une compétition : ***Concourir** pour un poste administratif.* 1530 ; lat. *concurrere,* « courir pour se rassembler en un point » ; [kɔ̃kuʀiʀ].

**CONCOURS, subst. m.**
**1.** Rassemblement spontané (vx ou littér.) : *Un **concours** de badauds.* ► Fig. Rencontre, réunion d'éléments : *Un malheureux **concours** de circonstances.* **2.** Épreuve unique ou multiple dans laquelle des candidats entrent en concurrence afin d'obtenir un prix, un titre, une fonction ou une promotion : ***Concours** d'entrée à l'École normale* ; ***Concours** général,* mettant en compétition les meilleurs élèves des lycées de France ; ***Concours** hippique* ; ***Concours** d'élégance.* **3.** Collaboration, contribution à une action, à un projet commun : *Prêter, offrir son **concours**.* 1572 (mil. XIVe s., recours) ; lat. *concursus,* « rencontre » ; [kɔ̃kuʀ].

**CONCRET, ÈTE, adj.**
**1.** Vx. Épais ou solide (anton. *fluide*) : *Huile **concrète**.* **2.** Fig. Relatif au réel immédiatement identifiable : *Terme **concret**,* qui désigne un être, un objet perceptible par les sens, et non une abstraction (« tabouret » est un terme concret) ; par méton. : *Une peur **concrète**,* dont les motifs ne sont pas imaginaires mais réels. ► Empl. subst. masc. *Avoir le sens du **concret**.* **3.** Qui se réfère au domaine du pratique, à l'expérience plutôt qu'à la théorie : *Un exemple, une solution **concrète*** ; *Un esprit **concret**.* **4.** *Musique **concrète*** : réalisée par juxtaposition de sons disparates (naturels ou artificiels). Déb. XVIe s. ; lat. *concretus,* « solide » ; [kɔ̃kʀɛ, ɛt].

**CONCRÈTEMENT, adv.**
De façon concrète. 1927 ; ☞ *concret* ; [kɔ̃kʀɛtmɑ̃].

**CONCRÉTER, verbe trans. [8]**
Rendre solide (vx) ; empl. pronom. : *L'eau se **concrète** en glace.* 1789 ; ☞ *concret* ; [kɔ̃kʀete].

**CONCRÉTION, subst. f.**
**1.** Agglomération ou solidification d'une substance (vieilli) : *La **concrétion** du lait.* **2.** *Géol.* Agglomérat résultant de la cristallisation de minéraux qui prennent des formes variées à l'intérieur d'un sédiment ou d'un sol, ou qui constituent des revêtements ou des reliefs : *Les stalactites sont des **concrétions** de calcite ou d'aragonite.* **3.** *Pathol.* Production anormale et solide qui se forme dans un organe, un tissu, une articulation ou un conduit. 1537 ; lat. *concretio* ; [kɔ̃kʀesjɔ̃].

**CONCRÉTISATION, subst. f.**
Action de concrétiser ; fait de se concrétiser. 1936 ; ☞ *concrétiser* ; [kɔ̃kʀetizasjɔ̃].

**CONCRÉTISER, verbe trans. [3]**
Rendre matériel, donner corps à (ce qui est abstrait ou hypothétique) : ***Concrétiser** ses projets, ses désirs.* **Pronom.** Devenir réel, concret, matériel. 1890 ; ☞ *concret* ; [kɔ̃kʀetize].

**CONCUBIN, INE, subst.**
Personne qui vit en concubinage. 1213 ; lat. *concubina,* de *concumbere,* « coucher avec » ; [kɔ̃kybɛ̃, in].

**CONCUBINAGE, subst. m.**
Situation d'un couple vivant ensemble sans être marié. Fin XIVe s. ; ☞ *concubin* ; [kɔ̃kybinaʒ].

**CONCUPISCENCE, subst. f.**
**1.** *Théol.* Tentation innée chez l'homme de jouir des biens matériels. **2.** Recherche avide des plaisirs des sens (littér.). 1268 ; lat. chrét. *concupiscentia,* du lat. *concupiscere,* « convoiter » ; [kɔ̃kypisɑ̃s].

**CONCUPISCENT, ENTE, adj.**
Qui exprime la concupiscence. Mil. XVIe s. ; lat. *concupiscens* ; [kɔ̃kypisɑ̃, ɑ̃t].

**CONCURREMMENT, adv.**
**1.** En rivalité (rare). **2.** Simultanément (vieilli). **3.** De concert. 1596 ; ☞ *concurrent* ; [kɔ̃kyʀamɑ̃].

**CONCURRENCE, subst. f.**
**1.** Vx. Rencontre, convergence. ► Loc. *À, jusqu'à **concurrence** de* : jusqu'à atteindre la somme de. **2.** Compétition entre plusieurs personnes poursuivant le même but : *Se mettre en **concurrence*** ; *Faire **concurrence** à qqn.* **3.** Rivalité commerciale ayant pour but d'attirer la clientèle : *Faire une **concurrence** déloyale.* ► Méton. L'ensemble de ceux qui font **concurrence** : *Réagir aux initiatives de la **concurrence**.* **4.** *Écon. Régime de libre **concurrence*** : dans lequel l'État garantit la liberté de production et des marchés et n'intervient que pour réprimer la fraude et la **concurrence** illégale. Fin XIVe s. ; ☞ *concurrent* ; [kɔ̃kyʀɑ̃s].

**CONCURRENCER, verbe trans. [4]**
Entrer en concurrence avec. 1868 ; ☞ *concurrence* ; [kɔ̃kyʀɑ̃se].

**CONCURRENT, ENTE, adj. et subst.**
**Adj. 1.** Qui tend vers un même but (vieilli) : *Des efforts **concurrents**.* **2.** Qui entre en concurrence : *Les équipes **concurrentes**.* **3.** *Astron. Jour **concurrent*** : ajouté à l'année civile pour la faire coïncider avec l'année solaire. **Subst.** Personne en concurrence avec une ou plusieurs autres. ► Rival commercial. ► Candidat à un concours, à une compétition : *Départager les **concurrents**.* 1119 ; lat. *concurrens,* de *concurrere,* « se joindre » ; [kɔ̃kyʀɑ̃, ɑ̃t].

**CONCURRENTIEL, ELLE, adj.**
**1.** Capable de soutenir la concurrence : *Produit **concurrentiel**.* **2.** Où règne la concurrence : *Secteur **concurrentiel**.* 1872 ; ☞ *concurrence* ; [kɔ̃kyʀɑ̃sjɛl].

**CONCUSSION, subst. f.**
*Dr.* Exaction commise par un agent public qui profite de sa fonction pour percevoir abusivement des fonds. 1558 (déb. XIVe s., ébranlement, coup) ; lat. *concussio,* « extorsion » ; [kɔ̃kysjɔ̃].

**CONCUSSIONNAIRE, subst. et adj.**
*Dr.* Se dit d'une personne coupable de concussion. 1559 ; ☞ *concussion* ; [kɔ̃kysjɔnɛʀ].

**CONDAMNABLE, adj.**
Qui mérite d'être condamné ; blâmable, répréhensible. 1404 ; bas lat. *condemnabilis* ; [kɔ̃danabl].

**CONDAMNATION, subst. f.**
**1.** *Dr.* Sentence judiciaire infligeant une obligation à l'une des parties ou une peine à un accusé ; par méton., cette obligation, cette peine : *Subir, encourir une **condamnation**.* **2.** Action d'interdire formellement ou de blâmer sévèrement, en vertu de la morale, de la religion : ***Condamnation** d'une conduite* ; par ext., démonstration du caractère condamnable de qqch. : *Ce fiasco est la **condamnation** de ses rêves.* **3.** Action d'obturer une ouvertu[re] ou d'interdire l'usage, l'accès de qqch. XIIIe s. ; la[t.] *condemnatio* ; [kɔ̃danasjɔ̃].

**CONDAMNATOIRE, adj.**
*Dr.* Qui condamne : *Arrêt **condamnatoire**.* XVe s. ☞ *condamner* ; [kɔ̃danatwaʀ].

**CONDAMNÉ, ÉE, adj. et subst.**
Se dit d'une personne frappée d'une condamna-tion en justice : *Un **condamné** à mort.* **Adj. 1.** Qu[i] fait l'objet d'une condamnation : *Gouverneme[nt] **condamné*** ; *Porte **condamnée**.* **2.** *Malade **condamné*** qui n'a plus aucune chance de guérir. Fin Xe s. p. p. de *condamner* ; [kɔ̃dane].

**CONDAMNER, verbe trans. [3]**
**1.** *Dr.* Décréter coupable par décision de justice [e]t frapper d'une obligation ou d'une peine : ***Condamner** aux dépens, à la réclusion criminelle.* **2.** Ext. Obli-ger, astreindre (qqn) à qqch. : ***Condamner** les salari[és] à l'austérité.* **3.** Anal. Déclarer (un malade) incura-ble. **4.** Fig. Censurer, réprimer (ce qui est contrai[re] aux règles, à la morale) ; blâmer : ***Condamner** [la] fraude, le vice.* **5.** Obturer (une ouverture), interdir[e] l'usage, l'accès de : ***Condamner** une fenêtre, une ru[e].* Déb. XIIe s. ; lat. *condemnare* ; [kɔ̃dane].

**CONDÉ, subst. m.**
Argot. **1.** Autorisation officieuse donnée par [la] police d'exercer certaines activités prohibées, e[n] échange de renseignements : *Donner, avoir un cond[é].* **2.** Policier. 1822 ; orig. obsc. ; [kɔ̃de].

**CONDENSATEUR, subst. m.**
**1.** *Électr.* Appareil qui permet d'emmagasiner un[e] charge électrique et de la restituer sous la form[e] d'un courant de décharge très bref. **2.** *Opt.* Systèm[e] concentrant des rayons lumineux sur une peti[te] surface (synon. *condenseur*) : ***Condensateur** d[e] microscope.* 1753 ; ☞ *condenser* ; [kɔ̃dɑ̃satœʀ].

**CONDENSATION, subst. f.**
**1.** Action de condenser, de se condenser ; so[n] résultat. **2.** *Chim.* Combinaison de plusieurs molé-cules, accompagnée ou non de l'élimination d'un[e] autre molécule (d'eau, par ex.). **3.** *Phys.* Passag[e] d'un état gazeux à un état condensé, c.-à-d. solid[e] ou liquide. **4.** *Psychanal.* Mécanisme mental qu[i] rassemble en une image plusieurs éléments dispa-rates (souvenirs, fantasmes, évènements). Il consti-tue l'essentiel du « travail du rêve », mais aussi d[es] lapsus, des actes manqués, du mot d'esprit, et[c.] **5.** Fig. Action de réduire à l'essentiel. Fin XIVe s. bas lat. *condensatio* ; [kɔ̃dɑ̃sasjɔ̃].

**CONDENSÉ, subst. m.**
Texte résumé à l'essentiel : *Le **condensé** d'un cour[s].* 1845 ; p. p. de *condenser* ; [kɔ̃dɑ̃se].

**CONDENSER, verbe trans. [3]**
**1.** Rendre plus dense, resserrer en un volume plu[s] faible. **2.** *Chim.* et *Phys.* Provoquer la condensatio[n] de. **3.** Fig. Exprimer en peu de mots : ***Condens[er]** sa pensée.* **Pronom.** Passer de l'état gazeux à l'éta[t] solide ou liquide : *La buée se **condense** sur les vitre[s].* 1314 ; lat. *condensare,* « presser » ; [kɔ̃dɑ̃se].

**CONDENSEUR, subst. m.**
**1.** *Techn.* Récipient dans lequel peut se condense[r] un fluide (gaz, vapeur d'eau) ou se solidifier u[n] métal fondu. ► Dans une machine à vapeur, orga[ne] où se refroidit et se condense la vapeur d'eau apr[ès] avoir travaillé dans le cylindre. **2.** *Opt.* Condensa-teur. 1796 ; angl. *condenser* ; [kɔ̃dɑ̃sœʀ].

**CONDESCENDANCE, subst. f.**
**1.** Vx. Complaisance à satisfaire les autres en s[e] plaçant à leur niveau. **2.** Bienveillance dédaigneu[se] de celui qui tient à faire sentir sa supériorité. Dé[b.] XVIIe s. ; ☞ *condescendre* ; [kɔ̃desɑ̃dɑ̃s].

**CONDESCENDANT, ANTE, adj.**
Qui manifeste de la condescendance. XIVe s. p. pr. de *condescendre* ; [kɔ̃desɑ̃dɑ̃, ɑ̃t].

**CONDESCENDRE, verbe trans. indir. [5]**
Condescendre à. Accéder à (un désir, une de-mande) en marquant bien que l'on s'abaisse [à] daigner consentir à. Mil. XIVe s. ; lat. chrét. *conde[s]cendere,* « se mettre au niveau de » ; [kɔ̃desɑ̃dʀ].

**CONDIMENT, subst. m.**
*Cuis.* Substance (sel, épice, moutarde...) que l'o[n] ajoute à un aliment pour en relever la saveu[r]. Fin XIIe s. ; lat. *condimentum* ; [kɔ̃dimɑ̃].

**CONDISCIPLE, subst.**
Compagnon d'études. 1470 ; lat. *condiscipulus* [kɔ̃disipl].

**CONDITION,** subst. f.
**I. 1.** Situation inhérente à l'existence : « *La Condition humaine* », *roman de Malraux*. **2.** Statut civil, professionnel, social ; état : *Condition de veuf, de retraité* ; *La* **condition** *ouvrière* ; *Personne de* **condition** *modeste, élevée*. **3.** État passager : *Être en bonne* **condition** *physique* ; *Mettre en* **condition**, préparer psychologiquement dans une intention donnée. **4.** État de conservation d'une chose : *Condition des textiles*, état de leur hygrométrie, de leur poids. **II. PLUR.** Ensemble de circonstances agissant sur une activité, sur l'existence ; ensemble de facteurs exerçant une action sur qqch. : **Conditions** *de vie, de travail* ; **Conditions** *atmosphériques*. ▸ Loc. *Dans ces* **conditions** : les choses étant ce qu'elles sont. **III. 1.** Circonstance exigée préalablement à la réalisation d'un fait : *Dicter ses* **conditions** ; *Une* **condition** *expresse* ; *Les* **conditions** *d'emploi d'un mot*. ▸ Loc. *À* **condition** *de* (+ inf.), *À* **condition** *que* (+ ind. futur ou subj.) : sous réserve de, que. **2.** *Dr.* Clause à laquelle la validité d'un contrat est subordonnée : *Acheter sous* **condition**, sous garantie ; **Condition** *résolutoire*, qui entraîne la dissolution d'un contrat ; **Condition** *suspensive*, à laquelle est liée la naissance d'une obligation ou d'un droit. **3.** *Log.* Si la proposition « P entraîne Q » est vraie, la proposition Q est une **condition** nécessaire pour que la proposition P soit vraie et la proposition P est une **condition** suffisante pour que la proposition Q soit vraie. **PLUR.** *Comm.* Modalités d'acquisition : *Faire des* **conditions** *à un client*, lui réserver un traitement préférentiel. ⌘ Mil. XII^e s. ; lat. *condicio* ; [kɔ̃disjɔ̃].

**CONDITIONNÉ, ÉE,** adj.
**1.** Soumis à certaines conditions. ▸ *Psychol.* *Réflexe* **conditionné** : réaction déclenchée par un stimulus déterminé. ▸ *Techn.* *Air* **conditionné** : dont les qualités dépendent d'un appareil de climatisation. **2.** Qui a subi un conditionnement : *Denrée* **conditionnée**. ⌘ 1394 ; p. p. de *conditionner* ; [kɔ̃disjɔne].

**CONDITIONNEL, ELLE,** adj.
**1.** Subordonné à des conditions précises : *Liberté* **conditionnelle**, qui n'est accordée au détenu que s'il satisfait à certaines exigences de l'administration pénitentiaire ; *Réflexe* **conditionnel** (☞ *conditionné*). **2.** *Gramm.* ▸ *Mode* **conditionnel** ou, empl. subst. masc., *Le* **conditionnel** : indique que l'action exprimée par le verbe est soumise à une condition (exprimée ou non) ; sert à atténuer une affirmation, à formuler poliment une demande, à exprimer l'indignation, l'étonnement, l'opposition, une volonté, un souhait, un fait imaginaire ou supposé. ▸ *Proposition* **conditionnelle** ou, empl. subst. fém., *Une* **conditionnelle** : exprime une condition dont dépend la réalisation de l'action indiquée dans la principale. ⌘ XIV^e s. ; bas lat. *condicionalis* ; [kɔ̃disjɔnɛl].

**CONDITIONNELLEMENT,** adv.
D'une manière conditionnelle, sous condition. ⌘ XIV^e s. ; ☞ *conditionnel* ; [kɔ̃disjɔnɛlmɑ̃].

**CONDITIONNEMENT,** subst. m.
**I. 1.** Action de soumettre à une ou à plusieurs conditions ; son résultat. **2.** *Psychol.* Action d'établir chez une personne ou un animal des réflexes conditionnés, de limiter sa liberté en liant mécaniquement ses actes à des causes (des conditions) que l'on choisit pour lui : *La publicité est un* **conditionnement**. **II. 1.** *Comm.* Emballage d'un produit destiné à sa conservation, à sa protection, à son transport et, par ext., à sa mise en valeur pour la vente. **2.** *Techn.* Traitement des céréales, des fruits, des œufs pour une conservation optimale. ▸ Procédé réglant l'humidité et la température de l'air. ▸ Opération visant à régler l'hygrométrie des soies, des laines ou du bois. ⌘ 1845 ; ☞ *conditionner* ; [kɔ̃disjɔnmɑ̃].

**CONDITIONNER,** verbe trans. [3]
**I. 1.** Être la condition de : *Sa venue* **conditionne** *le succès de notre soirée*. **2.** *Psychol.* Créer un réflexe conditionné chez : *La propagande cherche à* **conditionner** *les esprits*. **II. 1.** *Comm.* Emballer (un produit). **2.** *Techn.* Procéder au conditionnement de. ⌘ Fin XIII^e s. ; ☞ *condition* ; [kɔ̃disjɔne].

**CONDITIONNEUR, EUSE,** subst.
Personne employée au conditionnement des marchandises. **MASC. 1.** Appareil servant à conditionner des marchandises. **2.** **Conditionneur** *d'air* : appareil de climatisation. ⌘ 1929 ; angl. *conditioner*, « appareil utilisé pour conditionner le grain » ; [kɔ̃disjɔnœʀ, øz].

**CONDOLÉANCES,** subst. f. plur.
Marques de sympathie que l'on adresse à une personne affectée par un deuil : *Présenter, envoyer ses* **condoléances**. ⌘ Mil. XV^e s. ; anc. fr. *condoloir*, « s'affliger avec » ; [kɔ̃dɔleɑ̃s].

**CONDOM,** subst. m.
Préservatif masculin (vx). ⌘ 1795 ; angl. *condum* ; [kɔ̃dɔm].

**CONDOMINIUM,** subst. m.
*Pol.* Souveraineté conjointe de plusieurs pays sur un autre : *En 1980, le* **condominium** *franco-britannique sur les Nouvelles-Hébrides prit fin*. ⌘ 1866 ; lat. *cum*, « avec », et *dominium*, « autorité » ; [kɔ̃dɔminjɔm].

**CONDOR,** subst. m.
*Zool.* Rapace diurne de la famille des Vulturidés, en voie d'extinction. *Vultur gryphus* est le **condor** des Andes et *Gymnogyps californianus*, le **condor** de Californie. Avec plus de 3 m d'envergure, c'est le plus grand des oiseaux actuels. ⌘ 1598 ; esp. *condor*, du quechua *kuntur* ; [kɔ̃dɔʀ].

*Condor des Andes.*

**CONDOTTIERE,** subst. m.
**1.** *Hist.* Chef d'une troupe de mercenaires, dans l'Italie du Moyen Âge et de la Renaissance. **2.** Ext. Aventurier sans scrupule. ⌘ 1770 ; mot ital. ; plur. *condottieres* ou *condottieri* ; [kɔ̃dɔt(t)jɛʀ], plur. [-eʀi].

*Le* **condottiere** *Pippo Spano, détail d'une fresque d'Andrea del Castagno (v. 1423-1457). Galerie des Offices, Florence.*

**CONDUCTANCE,** subst. f.
*Phys.* Grandeur électrique, exprimée en siemens (symb. : S), qui mesure la qualité conductrice d'un élément de circuit ; c'est l'inverse $C = 1/R$ de la résistance du conducteur considéré. ⌘ 1893 ; ☞ *conduire* ; [kɔ̃dyktɑ̃s].

**CONDUCTEUR, TRICE,** subst. et adj.
**SUBST. 1.** Personne qui conduit, mène des animaux, un véhicule : **Conducteur** *de troupeau* ; **Conducteur** *de bus*. **2.** Personne chargée de diriger, de veiller au bon déroulement de certaines opérations : **Conducteur** *de presse, de travaux*. **SUBST. MASC. 1.** Corps susceptible de transmettre, de proche en proche, de la chaleur ou de l'électricité (anton. *isolant*). **2.** Fil, câble dans lequel passe un courant électrique. **ADJ. 1.** Qui conduit, guide ; au fig. : *Fil* **conducteur**, idée directrice. **2.** Qui transmet de la chaleur, de l'électricité. ⌘ Mil. XIV^e s. ; anc. fr. *conduitor*, du lat. *conductor* ; [kɔ̃dyktœʀ, tʀis].

**CONDUCTIBILITÉ,** subst. f.
**1.** *Phys.* Propriété que possèdent certains corps de conduire l'électricité. ▸ **Conductibilité** *thermique* : propriété d'un corps qui propage la chaleur. **2.** *Physiol.* Propriété d'un nerf de propager l'influx nerveux. ⌘ 1811 ; ☞ *conductible* ; [kɔ̃dyktibilite].

**CONDUCTIBLE,** adj.
Doué de conductibilité. ⌘ 1832 ; lat. *conductus*, de *conducere*, « mener ensemble » ; [kɔ̃dyktibl].

**CONDUCTION,** subst. f.
**1.** *Dr. rom.* Action de prendre en location. **2.** *Phys.* et *Physiol.* Action ou fait de conduire l'électricité, la chaleur ou l'influx nerveux. ⌘ XIII^e s. ; lat. *conductio*, « location » ; [kɔ̃dyksjɔ̃].

**CONDUCTIVITÉ,** subst. f.
*Électr.* Grandeur, exprimée en siemens par mètre, qui mesure l'aptitude d'une substance à conduire l'électricité (c.-à-d. à laisser passer le flux d'électrons qui représente le courant électrique). C'est l'inverse $\gamma = 1/\rho$ de la résistivité $\rho$ de la substance considérée. ⌘ 1907 ; angl. *conductivity*, « conductance » ; [kɔ̃dyktivite].

**CONDUIRE,** verbe trans. [69]
**I. 1.** Mener vers un lieu précis : **Conduire** *les vaches au pré* ; *Cette route te* **conduit** *au village*. **2.** Faire passer, transmettre : *Le métal* **conduit** *l'électricité*. **3.** Fig. Pousser, amener : *Tout l'avait* **conduite** *à se révolter* ; empl. abs. : **Conduire** *à la victoire*. **II.** Commander. **1.** Assurer la responsabilité de, la direction de : **Conduire** *une affaire, un orchestre, des travaux*. **2.** Manœuvrer (un engin, un véhicule) : **Conduire** *une voiture* ; empl. abs. : *Il* **conduit** *bien*. **PRONOM.** Se comporter : *Il se* **conduit** *mal quand il boit*. ⌘ Fin X^e s. ; lat. *conducere*, « mener ensemble » ; [kɔ̃dɥiʀ].

**CONDUIT,** subst. m.
**1.** Tuyau, canalisation servant à l'écoulement d'un fluide : **Conduit** *d'eau, de fumée, de ventilation*. **2.** *Anat.* Canal organique : **Conduit** *lacrymal, urinaire, auditif*. ⌘ Fin XII^e s. ; p. p. de *conduire* ; [kɔ̃dɥi].

**CONDUITE,** subst. f.
**1.** Action de conduire, d'accompagner : *La* **conduite** *d'un convoi*. **2.** Action, manière de conduire un véhicule : *Leçons de* **conduite** ; *Une* **conduite** *sportive*. **3.** Action de diriger : *La* **conduite** *d'un pays*. ▸ Loc. *Sous la* **conduite** *de* : sous la direction de. **4.** Manière de se conduire, comportement : *Il a eu une* **conduite** *héroïque*. **5.** *Techn.* Tuyau, canalisation servant au transport des fluides : *Une* **conduite** *d'eau, de gaz*. ⌘ XIII^e s. ; p. p. de *conduire* ; [kɔ̃dɥit].

**CONDYLE,** subst. m.
*Anat.* Surface articulaire arrondie, qui s'adapte gén. à une cavité appelée cavité glénoïde : *Les deux* **condyles** *fémoraux s'articulent avec les plateaux tibiaux* (☞ *fémur*). ⌘ 1538 ; bas lat. *condylus*, du gr. *kondulos*, « articulation » ; [kɔ̃dil].

**CONDYLIEN, IENNE,** adj.
Relatif, propre à un condyle. ⌘ 1832 ; ☞ *condyle* ; [kɔ̃diljɛ̃, jɛn].

**CONDYLOME,** subst. m.
*Pathol.* Tumeur bénigne de la peau ou des muqueuses, se développant au niveau de l'anus ou des organes génitaux : **Condylome** *plat*, syphilitique. ⌘ 1560 ; lat. *condyloma* ; [kɔ̃dilom].

**CÔNE,** subst. m.
**1.** *Géom.* ▸ Surface, ensemble des droites, les génératrices, passant par un point fixe, le sommet, et rencontrant une courbe fixe, une directrice (toute courbe incluse dans un **cône**, non réduite au sommet, et rencontrant toutes les génératrices, est une directrice du **cône**). ▸ Ext. Portion de l'espace limitée par un **cône** possédant une directrice fermée. ▸ **Cône** *de sommet S et de hauteur h* : solide limité par un **cône** de sommet S et un plan à la distance *h* de S coupant le **cône** selon une directrice fermée (la base). ▸ **Cône** *de révolution* ou **Cône** *droit* : **cône** dont une directrice est un cercle et dont le sommet est situé sur l'axe de ce cercle. **2.** *Anat.* **Cônes** *de la rétine* : prolongements filiformes de certaines cellules rétiniennes qui contiennent des pigments responsables de la perception des couleurs. **3.** *Astron.* **Cône** *d'ombre* : région de l'espace dans laquelle, en tout point, le Soleil est occulté par une planète ou par un satellite (☞ *éclipse*). **4.** *Bot.* **Cônes** *mâles, femelles* : organes

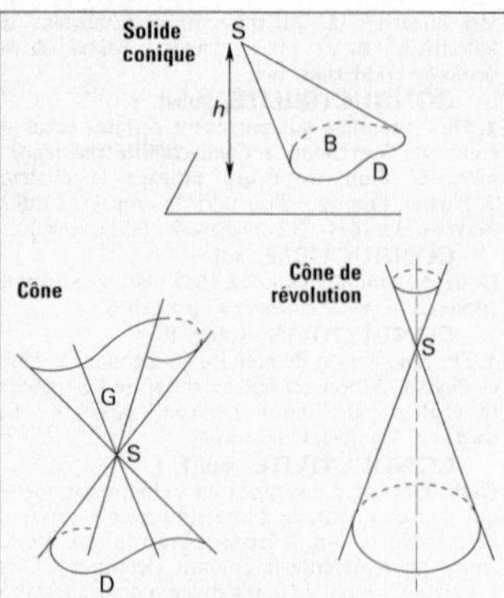


DIFFÉRENTS TYPES DE CÔNES
*B : base. D : directrice. G : génératrice. S : sommet. h : hauteur.*

reproducteurs des plantes phanérogames gymnospermes, en partic. des Conifères. **5.** *Géomorph.* Édifice construit par les produits d'éruption d'un volcan. **6.** *Zool.* Mollusque gastéropode de forme conique, vivant surtout sur les rivages tropicaux. 1552 ; lat. *conus*, du gr. *kônos*, « pomme de pin » ; [kon].

**CONFECTION, subst. f.**
**1.** Action de confectionner qqch. **2.** Fabrication de vêtements en série ; par méton., ce secteur d'activité (synon. *prêt-à-porter*). Mil. XII^e s. ; lat. *confectio*, « action d'effectuer » ; [kɔ̃fɛksjɔ̃].

**CONFECTIONNER, verbe trans. [3]**
**1.** Fabriquer, préparer intégralement : ***Confectionner*** *un meuble, un repas.* **2.** Fabriquer (des vêtements) en série. 1598 ; ☞ *confection* ; [kɔ̃fɛksjɔne].

**CONFÉDÉRAL, ALE, AUX, adj.**
Qui relève d'une confédération. 1598 ; ☞ *confédération* ; [kɔ̃fedeʀal, o].

**CONFÉDÉRATION, subst. f.**
**1.** Association d'États souverains qui décident de déléguer certains pouvoirs à un organisme central : ***Confédération*** *germanique* (1815-1866) ; par ext. : ***Confédération*** *suisse*, titre officiel de la Suisse, qui est cependant un État fédéral. **2.** Ext. Alliance de villes, de forces politiques, de fédérations sportives, syndicales : ***Confédération*** *générale du travail (C. G. T.)*. 1358 ; bas lat. *confoederatio*, « alliance, pacte » ; [kɔ̃fedeʀasjɔ̃].

**CONFÉDÉRÉ, ÉE, adj. et subst.**
**Adj.** Qui relève d'une confédération. **Subst.** **1.** Helv. Ressortissant de la Suisse ; en partic., ressortissant d'un canton distinct de celui du locuteur. **2.** *Hist.* *Les* ***confédérés*** : aux États-Unis, les sudistes, lors de la guerre de Sécession. XVI^e s. ; p. p. de *confédérer* ; [kɔ̃fedeʀe].

**CONFÉDÉRER, verbe trans. [8]**
Rassembler en une confédération. XIV^e s. ; bas lat. *confoederare*, « unir par un traité » ; [kɔ̃fedeʀe].

**CONFER**
Indication, dans un texte, invitant à se reporter à un autre texte, à un autre passage (abrév. : *cf.*). Lat. *confer*, impér. de *conferre*, « comparer » ; [kɔ̃fɛʀ].

**CONFÉRENCE, subst. f.**
**1.** Réunion, séance au cours de laquelle les participants échangent leurs vues : *Être en* ***conférence.*** **2.** Assemblée de personnalités réunies pour débattre une question de leur ressort : ***Conférence*** *épiscopale* ; ***Conférence*** *pour la paix.* **3.** Discours prononcé devant un public par un spécialiste du sujet traité : *La* ***conférence*** *de Mallarmé sur Villiers de l'Isle-Adam.* **4.** Leçon, cours magistral : *Maître de* ***conférences***, enseignant de l'université. **5.** ***Conférence*** *de presse* : réunion de journalistes autour d'une personnalité qui leur fait une déclaration et répond à leurs questions. 1464 ; lat. médiév. *conferentia* ; [kɔ̃feʀɑ̃s].

**CONFÉRENCIER, IÈRE, subst.**
Personne qui donne une conférence. 1752 ; ☞ *conférence* ; [kɔ̃feʀɑ̃sje, jɛʀ].

**CONFÉRER, verbe [8]**
**Trans.** **1.** Vx. Comparer, confronter (des textes). **2.** Donner, accorder en vertu de la position que l'on occupe : *Le roi lui* ***conféra*** *un titre* ; au fig. : *Les privilèges que* ***confère*** *la fortune.* **Intrans.** Discuter sur un sujet important : *Nous en* ***conférâmes*** *longtemps.* XIV^e s. ; lat. *conferre*, « comparer » ; [kɔ̃feʀe].

**CONFESSE, subst. f.**
*Relig.* Confession (vieilli) : *Aller à* ***confesse*** ; *Revenir de* ***confesse.*** Fin XII^e s. ; ☞ *confesser* ; empl. uniquement avec *à* ou *de* (l) et sans art. ; [kɔ̃fɛs].

**CONFESSER, verbe trans. [3]**
**I.** *Relig.* **1.** Proclamer (sa foi) publiquement. **2.** Confier (ses péchés) à Dieu, à un prêtre, pour obtenir l'absolution. **3.** Entendre en confession : *Le prêtre a* ***confessé*** *les pèlerins.* **Pronom.** Avouer ses péchés. **II.** Ext. Avouer, reconnaître (une erreur, une faiblesse) : *Je* ***confesse*** *mon ignorance.* Fin XII^e s. ; lat. chrét. *confiteri*, « avouer ses fautes » ; [kɔ̃fese].

**CONFESSEUR, subst. m.**
*Relig.* **1.** À l'époque des premiers chrétiens, celui qui proclamait sa foi malgré la menace de persécutions ; par ext., saint qui n'est ni apôtre, ni martyr, ni docteur. **2.** Prêtre qui confesse les fidèles. Mil. XII^e s. ; lat. chrét. *confessor* ; [kɔ̃fesœʀ].

**CONFESSION, subst. f.**
**I. 1.** Action de déclarer publiquement sa foi ; en partic., écrit contenant les articles de foi d'une Église : *La* ***Confession*** *d'Augsbourg.* **2.** Ext. Religion : *Être de* ***confession*** *musulmane.* **3.** Méton. Lieu où reposent les restes d'un martyr : *La* ***confession*** *de saint Pierre, à Rome.* **II. 1.** *Relig.* Action de confesser ses péchés à un prêtre. **2.** Aveu d'un acte blâmable ou, par ext., d'une faute plus légère, d'une erreur. ▸ *Litt.* Récit autobiographique qui se veut sincère : *«* ***Confessions*** *», récit de J.-J. Rousseau.* Fin X^e s. ; lat. chrét. *confessio* ; [kɔ̃fesjɔ̃].

**CONFESSIONNAL, subst. m.**
Sorte d'isoloir, doté de guichets latéraux, où le prêtre entend la confession des pénitents. 1633 (1521, bref absolutoire) ; ☞ *confession* ; plur. *confessionnaux* ; [kɔ̃fesjɔnal], plur. [-no].

**CONFESSIONNALISME, subst. m.**
**1.** Caractère de ce qui est confessionnel. **2.** *Pol.* Au Liban, système de répartition des postes publics et des sièges au Parlement en proportion du nombre de croyants de chacune des religions présentes en ce pays. V. 1980 ; ☞ *confessionnel* ; [kɔ̃fesjɔnalism].

**CONFESSIONNEL, ELLE, adj.**
Propre à une confession religieuse : *Enseignement* ***confessionnel*** (anton. *laïque*). 1863 ; ☞ *confession* ; [kɔ̃fesjɔnɛl].

**CONFETTI, subst. m.**
Petite rondelle de papier de couleur que l'on jette par poignées à l'occasion des fêtes (gén. au plur.) : *Une pluie de* ***confettis.*** 1841 ; ital. *confetti di gesso*, « dragées de plâtre » ; [kɔ̃feti].

**CONFIANCE, subst. f.**
**1.** Absence de crainte ; état d'esprit qui porte à se fier aux êtres ou aux choses : *Je lui voue une* ***confiance*** *aveugle* ; *Retirer sa* ***confiance*** ; ***Confiance*** *en soi*, assurance ; *Homme de* ***confiance***, à qui l'on peut se fier ; *En toute* ***confiance.*** **2.** Sentiment de même nature qu'on inspire à autrui : *Gagner la* ***confiance*** *de ses collaborateurs.* ▸ *Pol. Vote de* ***confiance*** : approbation par le Parlement de la politique gouvernementale. **3.** Climat de sérénité économique qui porte à prendre des décisions positives pour l'avenir : *La* ***confiance*** *des investisseurs* ; *Une crise de* ***confiance.*** XIII^e s. ; lat. *confidentia* ; [kɔ̃fjɑ̃s].

**CONFIANT, ANTE, adj.**
Qui a confiance ; empreint de confiance. XIV^e s. ; p. pr. de *confier* ; [kɔ̃fjɑ̃, ɑ̃t].

**CONFIDENCE, subst. f.**
Déclaration que l'on fait à qqn en se fiant à sa discrétion. ▸ Loc. *Être dans la* ***confidence*** : être informé, dans le secret. 1647 (fin XIV^e s., confiance) ; lat. *confidentia*, « confiance » ; [kɔ̃fidɑ̃s].

**CONFIDENT, ENTE, subst.**
**1.** Personne à qui l'on confie ses secrets. **2.** *Théâtre.* Personnage secondaire qui reçoit les confidences du personnage principal. **Masc.** Fauteuil double en S, à dossiers inversés, permettant le vis-à-vis. Mil. XV^e s. ; ital. *confidente*, du lat. *confidens* ; [kɔ̃fidɑ̃, ɑ̃t].

**CONFIDENTIALITÉ, subst. f.**
Caractère confidentiel d'une information. V. 1980 ; ☞ *confidentiel* ; [kɔ̃fidɑ̃sjalite].

**CONFIDENTIEL, ELLE, adj.**
**1.** Qui relève de la confidence, du secret : *Not[e]* ***confidentielle.*** **2.** Ext. Qui s'adresse à un nombr[e] restreint de personnes : *Une œuvre* ***confidentielle***. 1775 ; ☞ *confidence* ; [kɔ̃fidɑ̃sjɛl].

**CONFIDENTIELLEMENT, adv.**
De manière confidentielle. 1775 ; ☞ *confidentiel* ; [kɔ̃fidɑ̃sjɛlmɑ̃].

**CONFIER, verbe trans. [6]**
**1.** Remettre en toute sécurité (qqn ou qqch.) à l[a] garde, aux soins d'un tiers : ***Confier*** *ses économie[s] à la banque, ses enfants à la nourrice* ; ***Confier*** *un[e] mission à un diplomate.* **2.** Dire, livrer de faço[n] confidentielle : ***Confier*** *ses soucis à une ami[e].* **Pronom. Se confier à.** Livrer ses sentiments, u[n] secret à. 1357 ; lat. *confidere* ; [kɔ̃fje].

**CONFIGURATION, subst. f.**
**1.** Aspect général et extérieur d'un ensemble : *L[a]* ***configuration*** *d'une ville, d'une société.* **2.** *Astron[.]* Situation relative de plusieurs astres. **3.** *Informat[.]* Ensemble des éléments d'un équipement informa[-]tique. XIII^e s. ; lat. chrét. *configuratio* ; [kɔ̃figyʀasjɔ̃].

**CONFIGURER, verbe trans. [3]**
**1.** Donner une forme à (littér.). **2.** *Informat.* Instal[-]ler (les différents éléments d'un équipement) d[e] façon qu'ils puissent fonctionner ensemble. Déb. XIII^e s. ; lat. *configurare* ; [kɔ̃figyʀe].

**CONFINÉ, ÉE, adj.**
**1.** Enfermé dans un espace restreint, cloîtré : *Vivr[e]* ***confiné*** *dans sa chambre* ; au fig. : *Un acteur* ***confin[é]*** *aux mêmes rôles.* **2.** *Air* ***confiné*** : qui sent le renfermé. Déb. XIII^e s. ; p. p. de *confiner* ; [kɔ̃fine].

**CONFINEMENT, subst. m.**
**1.** Action de confiner ; fait d'être confiné dans u[n] espace limité. **2.** *Phys. nucl.* Opération ayant pou[r] but, dans la fusion nucléaire, d'empêcher le[s] particules hautement énergétiques d'un plasm[a] d'entrer en contact avec les parois du récipient qu[i] le contient. 1481 ; ☞ *confiner* ; [kɔ̃finmɑ̃].

**CONFINER, verbe trans. [3]**
**Trans. indir. Confiner à.** Toucher aux confins, au[x] limites de (un pays) : *La France* ***confine*** *à l'Espagne* au fig., friser : *Ce silence* ***confine*** *au mensonge* **Trans. dir.** Maintenir dans un espace limité ***Confiner*** *un enfant dans sa chambre* ; empl. pronom. *Se* ***confiner*** *dans des travaux anodins.* 1477 (XIII^e s. enfermer) ; ☞ *confins* ; [kɔ̃fine].

**CONFINS, subst. m. plur.**
Zone frontière : *Les* ***confins*** *de la Chine et d[e] l'Afghanistan* ; au fig. : *Aux* ***confins*** *de l'art et de l[a] science.* Déb. XIV^e s. ; lat. *confinium* ; [kɔ̃fɛ̃].

**CONFIRE, verbe trans. [64]**
Faire macérer (un aliment) dans une substance qu[i] l'empêche de s'altérer : ***Confire*** *un fruit dans d[u] sucre.* **Pronom.** Fig. S'imprégner (de qqch.) : *S[e]* ***confire*** *en dévotion.* 1226 (fin XII^e s., confectionner préparer) ; lat. *conficere*, « achever » ; [kɔ̃fiʀ].

**CONFIRMAND, ANDE, subst.**
*Relig.* Personne qui se prépare à recevoir le sacre[-]ment de la confirmation. 1909 ; lat. chrét. *confir[-]mandus* ; [kɔ̃fiʀmɑ̃, ɑ̃d].

**CONFIRMATIF, IVE, adj.**
*Dr.* Qui confirme : *Arrêt, acte* ***confirmatif.*** 1473 ☞ *confirmer* ; [kɔ̃fiʀmatif, iv].

**CONFIRMATION, subst. f.**
**1.** Action, fait de confirmer : *Cela demande* ***confirma[-]tion*** ; *Une lettre de* ***confirmation.*** **2.** *Relig.* ▸ Chez le[s] catholiques et les orthodoxes, sacrement qu[i] confirme le croyant dans la grâce du baptême ▸ Chez les protestants, acte par lequel le catéchu[-]mène confirme publiquement sa foi. Fin XII^e s. lat. *confirmatio* ; [kɔ̃fiʀmasjɔ̃].

**CONFIRMER, verbe trans. [3]**
**1.** Rendre plus ferme, plus solide ; renforcer, encou[-]rager : ***Confirmer*** *sa victoire* ; ***Confirmer*** *qqn dans se[s] certitudes.* **2.** Rendre plus certain, corroborer ; assu[-]rer l'exactitude de : ***Confirmer*** *des soupçons, sa venue* empl. pronom., s'avérer : *Mes craintes se* ***confirment*** **3.** *Relig.* Administrer le sacrement de la confirmatio[n] à (qqn). X^e s. ; lat. *confirmare* ; [kɔ̃fiʀme].

**CONFISCATION, subst. f.**
*Dr.* Aliénation au profit de l'État ou d'un établis[-]sement public de biens d'une personne condamnée 1358 ; lat. *confiscatio* ; [kɔ̃fiskasjɔ̃].

**CONFISCATOIRE, adj.**
*Dr.* Relatif à une confiscation, qui en a les carac[-]tères. V. 1980 ; ☞ *confisquer* ; [kɔ̃fiskatwaʀ].

**CONFISERIE, subst. f.**
**1.** Art du confiseur : *La **confiserie** industrielle, artisanale.* **2.** Méton. ▸ Usine ou magasin de confiseur. ▸ Produit fabriqué ou vendu par le confiseur (souv. au plur.) : *Engloutir un monceau de **confiseries**.* 1753 ; ☞ *confire* ; [kɔ̃fizʀi].

**CONFISEUR, EUSE, subst.**
Personne qui fabrique ou qui vend des produits comestibles à base de sucre (fruits confits, bonbons, caramels, chocolats, etc.). ▸ Loc. *La trêve des **confiseurs*** : la période des fêtes de fin d'année, où la vie politique se fait plus calme. 1600 ; ☞ *confire* ; [kɔ̃fizœʀ, øz].

**CONFISQUER, verbe trans. [3]**
**1.** *Dr.* Saisir (un bien) en vertu d'une décision de justice : ***Confisquer** une cargaison.* **2.** Anal. Enlever à qqn (qqch. d'interdit, de gênant), pour le punir : *Le maître lui **a confisqué** sa trompette.* **3.** Fig. Détourner à son profit, s'approprier : *La junte **confisqua** le pouvoir.* 1331 ; lat. *confiscare*, « faire entrer dans le trésor impérial » ; [kɔ̃fiske].

**CONFIT, ITE, adj. et subst. m.**
**Adj.** Que l'on a fait confire : *Fruits, gésiers **confits*** ; au fig. : *Une mine **confite***, affectée, mielleuse. **Subst.** Viande cuite puis conservée dans sa graisse : *Un **confit** d'oie.* XIIIe s. ; p. p. de *confire* ; [kɔ̃fi, it].

**CONFITEOR, subst. m. inv.**
*Liturg.* Prière latine par laquelle le pénitent confesse à Dieu ses péchés. Déb. XIIIe s. ; lat. *confiteor*, « j'avoue mon péché » ; [kɔ̃fiteɔʀ].

**CONFITURE, subst. f.**
Préparation à base de fruits longuement cuits avec du sucre pour les conserver : *Une tartine de **confiture** de fraises.* Fin XIIIe s. ; ☞ *confit* ; [kɔ̃fityʀ].

**CONFITURERIE, subst. f.**
Activité du confiturier ; entreprise de fabrication de confitures. 1823 ; ☞ *confiture* ; [kɔ̃fityʀʀi].

**CONFITURIER, IÈRE, subst.**
Fabricant ou marchand de confitures. **Masc.** Coupe dans laquelle on sert les confitures ; meuble dans lequel on conservait les pots de confiture. 1584 ; ☞ *confiture* ; [kɔ̃fityʀje, jɛʀ].

**CONFLAGRATION, subst. f.**
**1.** Vx. Embrasement, incendie. **2.** Violent bouleversement politique ou social ; en partic., guerre. Fin XIVe s. ; lat. *conflagratio* ; [kɔ̃flagʀasjɔ̃].

**CONFLICTUEL, ELLE, adj.**
Qui crée des conflits ou qui en comporte : *Des rapports **conflictuels**.* 1958 ; lat. *conflictus*, « lutte » ; [kɔ̃fliktɥɛl].

**CONFLIT, subst. m.**
**1.** Heurt entre individus ou groupes humains qui cherchent chacun à évincer l'autre ou à l'emporter sur lui : ***Conflit** de générations* ; ***Conflit** social*, opposant des salariés à leur employeur. ▸ Lutte armée entre pays : *Un **conflit** sanglant.* **2.** Anal. Opposition entre sentiments, principes ou intérêts antagonistes : *Un **conflit** de conscience* ; *Des **conflits** de tendances au sein d'un parti.* ▸ *Dr.* ***Conflit** d'attribution* : litige entre deux tribunaux se déclarant l'un et l'autre compétent, ou incompétent, dans une même affaire. ▸ *Psychanal.* Concurrence entre pulsions ou aspirations antagonistes ; état de tension psychique qui en résulte. Déb. XIIIe s. ; lat. *conflictus*, « lutte » ; [kɔ̃fli].

**CONFLUENT, ENTE, subst. m. et adj.**
**Subst.** Lieu où deux cours d'eau, deux glaciers se joignent ; au fig. : *Au **confluent** de deux civilisations.* **Adj.** Qui s'unit, vient se confondre : *Veines **confluentes**.* 1511 ; lat. *confluens* ; [kɔ̃flyɑ̃, ɑ̃t].

**CONFLUER, verbe intrans. [3]**
**1.** S'unir, en parlant de deux cours d'eau : *Le Rhin et la Moselle **confluent** à Coblence.* **2.** Anal. Converger : *Tous les pèlerins **confluaient** vers la basilique Saint-Pierre.* Déb. XIVe s. ; lat. *confluere*, « couler ensemble » ; [kɔ̃flye].

**CONFONDANT, ANTE, adj.**
Qui stupéfie et déconcerte à la fois. 1845 ; p. pr. de *confondre* ; [kɔ̃fɔ̃dɑ̃, ɑ̃t].

**CONFONDRE, verbe trans. [51]**
**I. 1.** Plonger dans la consternation ; stupéfier : *Tant d'insolence me **confond** !* ▸ Ext. Décontenancer ; rendre confus : *Votre gentillesse me **confond*** ; empl. adj. : *Le voilà tout **confondu**.* **2.** Convaincre d'une faute, démasquer : ***Confondre** un traître, un imposteur.* ▸ Loc. *Que le ciel vous **confonde** !* : qu'il vous punisse, vous anéantisse ! **II. 1.** Joindre, mêler étroitement : *Des rivières qui **confondent** leurs eaux* ; ***Confondre** Racine et Corneille dans une même admiration*, les associer. **2.** Prendre (une chose, une personne) pour une autre ; ne pas distinguer : ***Confondre** la mère avec la fille* ; *Ne pas **confondre** indulgence et laxisme* ; ***Confondre** des dates.* **Pronom. 1.** S'unir, se mélanger : *L'horizon où la mer et le ciel se **confondent**.* **2. Se confondre en.** Multiplier à l'excès : ***Se confondre** en excuses.* XIIe s. (fin XIe s., anéantir un ennemi) ; lat. *confundere* ; [kɔ̃fɔ̃dʀ].

**CONFORMATEUR, subst. m.**
**1.** Appareil utilisé par les chapeliers pour relever les mesures et la forme de la tête. **2.** Appareil destiné à modifier la forme d'une chaussure ou d'un chapeau, à donner sa forme définitive à une pièce de matière plastique moulée. 1845 (1611, celui qui rend conforme) ; ☞ *conformer* ; [kɔ̃fɔʀmatœʀ].

**CONFORMATION, subst. f.**
**1.** Manière dont sont naturellement disposées les parties d'un organisme : *La **conformation** du crâne.* **2.** *Chim.* ***Conformation** d'une molécule* : agencement de sa structure. **3.** *Techn.* Mise en forme définitive d'un objet. 1575 ; lat. *conformatio*, « forme, disposition » ; [kɔ̃fɔʀmasjɔ̃].

**CONFORME, adj.**
**1.** Qui est identique, pareil (à un modèle) : *Un récit **conforme** à la réalité* ; *Copie certifiée **conforme**.* **2.** Qui convient, est approprié (à qqch.) ; qui s'accorde (avec qqch.) : *Une conduite **conforme** à ses principes* ; empl. abs., qui est dans la norme, conformiste. **3.** *Géom.* Une application d'un ouvert du plan dans le plan est dite **conforme** (directe) en un point *a* de cet ouvert si elle conserve les angles orientés des arcs (différentiables) passant par *a* : *Représentation* (ou *transformation*) ***conforme** d'un ouvert connexe D du plan sur un ouvert connexe D' du plan*, application de D sur D' **conforme** en tout point de D. 1372 ; bas lat. *conformis*, « semblable » ; [kɔ̃fɔʀm].

**CONFORMÉ, ÉE, adj.**
Qui présente telle ou telle conformation. XVe s. ; p. p. de *conformer* ; [kɔ̃fɔʀme].

**CONFORMÉMENT, adv.**
D'une manière conforme (à qqch.) : ***Conformément** à vos vœux.* 1503 ; ☞ *conforme* ; [kɔ̃fɔʀmemɑ̃].

**CONFORMER, verbe trans. [3]**
**1.** Rendre conforme à une norme : ***Conformer** sa tenue aux circonstances.* **2.** *Techn.* Donner sa forme définitive à (un objet). **Pronom. Se conformer à.** S'aligner sur ; se soumettre à, obéir à : *Vous êtes priés de vous **conformer** au règlement.* 1190 ; lat. *conformare* ; [kɔ̃fɔʀme].

**CONFORMISME, subst. m.**
**1.** *Relig.* Fait de professer la foi anglicane. **2.** Manière d'agir ou de penser conforme aux traditions, aux usages, à la morale : *L'absurde **conformisme** anticonformiste de la jeunesse* (Cocteau). 1904 ; ☞ *conformiste* ; [kɔ̃fɔʀmism].

**CONFORMISTE, subst. et adj.**
**Subst. 1.** *Relig.* Personne qui professe la religion anglicane. **2.** Personne qui s'aligne sur les opinions dominantes, les usages établis. **Adj. 1.** Qui fait preuve de conformisme. **2.** Qui le dénote : *Une éducation **conformiste**.* 1666 ; angl. *conformist* ; [kɔ̃fɔʀmist].

**CONFORMITÉ, subst. f.**
Qualité d'une chose qui est conforme à une autre, concordance : *La **conformité** de nos points de vue.* ▸ Loc. *En **conformité** avec* : conformément à. Fin XIVe s. ; bas lat. *conformitas* ; [kɔ̃fɔʀmite].

**CONFORT (I), subst. m.**
Ce qui réconforte, aide à supporter un mal : *Des médicaments de **confort**.* Déb. XIIe s. ; ☞ *conforter* ; [kɔ̃fɔʀ].

**CONFORT (II), subst. m.**
**1.** Ce qui assure un bien-être matériel ; en partic., l'ensemble des commodités dont une habitation dispose : *Le **confort** anglais* ; *Studio tout **confort** à louer.* **2.** Fig. Tranquillité (souv. péj.) : ***Confort** moral, intellectuel.* 1815 ; angl. *comfort*, de l'anc. fr. *confort*, « aide, secours » ; [kɔ̃fɔʀ].

**CONFORTABLE, adj.**
**1.** Qui offre le confort, qui assure le bien-être : *Une voiture **confortable**.* **2.** Fig. Propre à préserver de toute inquiétude : *Une avance **confortable**.* 1786 ; angl. *comfortable* ; [kɔ̃fɔʀtabl].

**CONFORTABLEMENT, adv.**
De manière confortable. XVIIIe s. ; ☞ *confortable* ; [kɔ̃fɔʀtabləmɑ̃].

**CONFORTER, verbe trans. [3]**
**1.** Vx. Consoler. **2.** Fig. Rendre plus solide ; raffermir : ***Conforter** sa position* ; ***Conforter** qqn dans son choix.* Mil. XIe s. ; lat. chrét. *confortare* ; [kɔ̃fɔʀte].

**CONFRATERNEL, ELLE, adj.**
Qui concerne les relations entre confrères, consœurs. 1786 ; crois. de *confrère* et de *fraternel* ; [kɔ̃fʀatɛʀnɛl].

**CONFRATERNITÉ, subst. f.**
Lien d'amitié ou de solidarité unissant confrères ou consœurs. 1283 ; crois. de *confrère* et de *fraternité* ; [kɔ̃fʀatɛʀnite].

**CONFRÈRE, subst. m.**
Membre d'un corps organisé (confrérie, société savante ou, plus partic., profession libérale), considéré par rapport aux autres membres de ce corps : *Un avocat véreux mis au ban par ses **confrères**.* Mil. XIIIe s. ; ☞ *confrérie* ; [kɔ̃fʀɛʀ].

**CONFRÉRIE, subst. f.**
**1.** Association de laïcs unis dans un but charitable ou de piété. **2.** Association, corporation (vieilli). Fin XIIe s. ; lat. médiév. *confratria* ; [kɔ̃fʀeʀi].

**CONFRONTATION, subst. f.**
Action de confronter des personnes ou des choses. 1585 (1341, partie limitrophe de deux propriétés) ; lat. médiév. *confrontatio* ; [kɔ̃fʀɔ̃tasjɔ̃].

**CONFRONTER, verbe trans. [3]**
**1.** Mettre en présence (deux ou plusieurs personnes) pour vérifier leurs dires : ***Confronter** un prévenu avec* (ou *à*) *sa victime* ; ***Confronter** des témoins.* **2.** Comparer attentivement (deux ou plusieurs choses) pour saisir leur conformité ou leurs différences : ***Confronter** deux écritures.* 1538 (1344, confiner à) ; lat. médiév. *confrontare*, du lat. *frons*, « front » ; [kɔ̃fʀɔ̃te].

*Le Gange et le Brahmapoutre **confluent** à la hauteur de Dacca.*

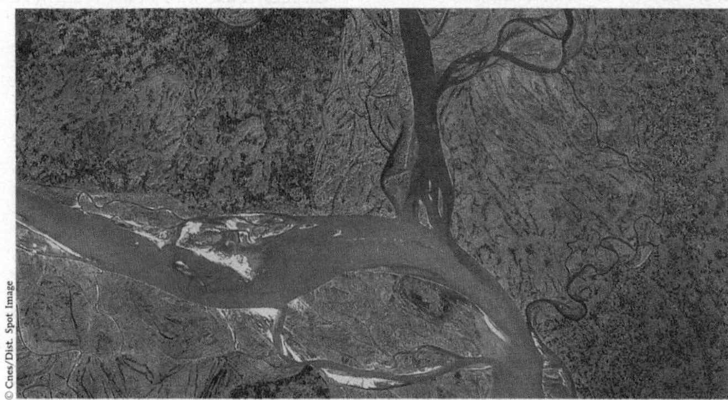

**CONFUCÉEN, ÉENNE,** adj.
Relatif à Confucius et à sa doctrine. 1840 ; anthropon. *Confucius* ; [kɔ̃fyseɛ̃, eɛn].

**CONFUCIANISME,** subst. m.
Doctrine issue de l'enseignement de Confucius. 1876 ; anthropon. *Confucius* ; [kɔ̃fysjanism].
PHILOSOPHIE – Dans la Chine du IVe s. av. J.-C., minée par les conflits, l'injustice et la corruption, Confucius entreprit d'enseigner les principes moraux du bon gouvernement. La fidélité de l'individu à sa nature (le fils doit agir en fils, le père en père, le prince en prince), la bienveillance, l'honnêteté et la générosité forment le contenu de cet enseignement. Nulle métaphysique ne vient à son appui : pour Confucius, l'homme accompli se préoccupe d'abord de l'existence concrète et du bien public. Le confucianisme proprement dit est la forme dogmatique et codifiée que, deux siècles plus tard, les lointains disciples de Confucius, alors serviteurs du pouvoir, donnèrent à son héritage. Cette doctrine devint rapidement une religion d'État dont tout fonctionnaire chinois était pétri. Vers le Xe s., sous l'influence du bouddhisme, le confucianisme connut un renouveau philosophique qui ne tarda pas lui-même à se transformer en orthodoxie, faisant de la doctrine confucéenne cette vaste religion syncrétique qui modèle encore en profondeur la société chinoise.

**CONFUS, USE,** adj.
**1.** Plein d'embarras, penaud : *Le corbeau, honteux et **confus*** (La Fontaine). **2.** Ext. Désolé ; touché : *Vraiment, je suis **confus** de vos bontés.* **3.** Dont il est impossible de distinguer les éléments : *Des clameurs **confuses**.* **4.** Fig. Embrouillé, obscur : *Un style, un esprit **confus**.* Mil. XIIe s. ; lat. *confusus*, de *confundere*, « mélanger, brouiller » ; [kɔ̃fy, yz].

**CONFUSÉMENT,** adv.
De manière confuse, indistincte ; vaguement. 1213 ; ☞ *confus* ; [kɔ̃fyzemɑ̃].

**CONFUSION,** subst. f.
**1.** Sentiment de trouble provoqué par la honte ou l'embarras : *Rougir de **confusion**.* **2.** État de ce qui est mélangé, embrouillé ; désordre : *L'ennemi battit en retraite dans la plus grande **confusion**.* ► Fig. Manque de clarté (dans les idées ou leur expression) : *« La **confusion** des sentiments », nouvelle de Zweig.* ► *Psychol.* ***Confusion** mentale* : perturbation des fonctions psychiques, caractérisée notamment par la perte des repères spatiotemporels. **3.** Action de prendre une chose ou une personne pour une autre : ***Confusion** dans les noms.* **4.** Action de réunir en un tout des éléments distincts : *Système politique de **confusion** des pouvoirs* (anton. *séparation*). ► *Dr.* ***Confusion** des peines* : décision selon laquelle une personne condamnée pour plusieurs délits n'exécutera que la plus lourde peine prononcée. Fin XIe s. ; lat. *confusio*, « action de mêler » ; [kɔ̃fyzjɔ̃].

**CONFUSIONNEL, ELLE,** adj.
*Psychol.* Relatif, propre à la confusion mentale. 1930 ; ☞ *confusion* ; [kɔ̃fyzjɔnɛl].

**CONFUSIONNISME,** subst. m.
*Psychol.* Tendance d'esprit qui conduit à ne pas percevoir les choses dans leur individualité et leur clarté. 1924 ; ☞ *confusion* ; [kɔ̃fyzjɔnism].

**CONGA,** subst. f.
**1.** Danse à quatre temps d'origine cubaine, proche de la rumba, très en vogue à la fin des années trente. **2.** Tambour cubain de forme allongée. V. 1940 ; mot esp. des Antilles ; [kɔ̃ga].

**CONGAÏ,** subst. f.
Femme annamite ; compagne indigène d'un colonial. 1908 ; annamite *con gai*, « la fille » ; var. *congaye* ; [kɔ̃gaj].

**CONGE,** subst. m.
**1.** *Antiq. rom.* Mesure de capacité (env. 3,25 l). **2.** Appareil dans lequel on mélange les composants d'une liqueur. 1550 ; lat. *congius* ; [kɔ̃ʒ].

**CONGÉ (I),** subst. m.
**1.** Autorisation de s'en aller : *Donner **congé** à ses visiteurs* ; *Prendre **congé** de qqn*, le saluer avant de le quitter. **2.** Permission de cesser temporairement une activité, un travail : *Accorder, obtenir un **congé*** ; ***Congé** de formation, de maladie* ; ***Congés** scolaires* ; *Les **congés** payés*, dus chaque année aux salariés. **3.** Avis de démission ou de renvoi : *Signifier son **congé** à un serviteur* ; avis de résiliation d'un bail de location : *Il a donné son **congé** au propriétaire.* **4.** Permis accordé par une administration. ► *Fisc.* Titre autorisant le transport de certaines marchandises, tels les alcools, délivré après versement d'une taxe. ► *Mar.* Document des douanes permettant à un navire de commerce de quitter le port. Xe s. ; lat. *commeatus*, « action de circuler » ; [kɔ̃ʒe].

**CONGÉ (II),** subst. m.
*Archit.* Moulure concave reliant deux éléments en saillie (par ex. le fût et la ceinture d'une colonne). 1676 ; lat. *commeatus*, « passage » ; [kɔ̃ʒe].

**CONGÉDIABLE,** adj.
Qui peut être congédié ; qui peut obtenir un congé : *Des soldats **congédiables**.* 1869 ; ☞ *congédier* ; [kɔ̃ʒedjabl].

**CONGÉDIEMENT,** subst. m.
Action de congédier qqn, licenciement (vieilli). 1838 ; ☞ *congédier* ; [kɔ̃ʒedimɑ̃].

**CONGÉDIER,** verbe trans. [6]
**1.** Prier (qqn) de s'en aller ; éconduire. **2.** Licencier. 1409 ; anc. fr. *congeer*, de *congé* (I) ; [kɔ̃ʒedje].

**CONGÉLATEUR,** subst. m.
**1.** Vx. Réfrigérateur. **2.** Appareil frigorifique servant à congeler des aliments, à – 30 °C env., ou à conserver des produit congelés, à – 18 °C. 1845 ; ☞ *congeler* ; [kɔ̃ʒelatœʀ].

**CONGÉLATION,** subst. f.
**1.** Fait de se solidifier, en parlant d'un fluide exposé au froid : *Le point de **congélation** de l'eau est de 0 °C.* **2.** Action de soumettre un produit au froid afin de le conserver. XVIe s. ; lat. *congelatio* ; [kɔ̃ʒelasjɔ̃].

**CONGELER,** verbe trans. [11]
**1.** Solidifier (un liquide) en abaissant sa température. **2.** Soumettre à un froid allant de – 15 °C à – 30 °C : *Les pêcheurs **congèlent** souvent leurs prises sur le chalutier.* Mil. XIIe s. ; lat. *congelare* ; [kɔ̃ʒ(ə)le].

**CONGÉNÈRE,** adj. et subst.
*Biol.* Se dit d'un être vivant du même genre, de la même espèce qu'un autre : *Des plantes **congénères*** ; *Le tigre et le lion sont des **congénères**.* ADJ. *Muscles **congénères*** : qui concourent à un même mouvement (anton. *antagoniste*). SUBST. Personne rangée dans la même catégorie qu'une autre (fam. et péj.) : *Un proxénète et ses **congénères**.* Mil. XVIe s. ; lat. *congener*, de *genus*, « genre » ; [kɔ̃ʒenɛʀ].

**CONGÉNITAL, ALE, AUX,** adj.
**1.** *Biol.* Qui préexiste à la naissance : *Une tare **congénitale*** ; *La boiterie, mal **congénital** au Pays bigouden* (Hélias). **2.** Fig. Inné ; indéracinable (souv. péj.) : *Une paresse **congénitale**.* 1784 ; lat. *congenitus*, « né avec » ; [kɔ̃ʒenital, o].

**CONGÉNITALEMENT,** adv.
De manière congénitale ; de naissance. 1925 ; ☞ *congénital* ; [kɔ̃ʒenitalmɑ̃].

**CONGÈRE,** subst. f.
Relief de neige entassée par le vent. 1866 ; lat. *congeries*, de *congerere*, « amonceler » ; [kɔ̃ʒɛʀ].

**CONGESTIF, IVE,** adj.
*Pathol.* Relatif à la congestion ; sujet à la congestion : *Une douleur **congestive*** ; *Un tissu **congestif**.* 1838 ; ☞ *congestion* ; [kɔ̃ʒɛstif, iv].

**CONGESTION,** subst. f.
**1.** *Pathol.* Accumulation excessive de sang dans les vaisseaux d'un organe ou d'une partie de cet organe. Lorsqu'elle est due à une inflammation locale, elle est dite active (synon. *fluxion*) ; lorsqu'elle est due à une obstruction de la circulation sanguine, elle est dite passive (synon. *stase sanguine*). **2.** Fig. Encombrement de la circulation dans une ville. Fin XIVe s. ; lat. *congestio*, « accumulation » ; [kɔ̃ʒɛstjɔ̃].

**CONGESTIONNER,** verbe trans. [3]
**1.** Amener (un organe, un tissu) à un état de congestion : *Un caillot de sang **congestionnait** le poumon* ; enflammer, empourprer : *L'indignation **congestionna** son visage.* **2.** Fig. Embouteiller, encombrer ; empl. adj. : *Un centre-ville **congestionné**.* 1853 ; ☞ *congestion* ; [kɔ̃ʒɛstjɔne].

**CONGLOMÉRAT,** subst. m.
**1.** *Pétrogr.* Roche résultant de la cimentation d'éléments détritiques d'une dimension supérieure à celle des sables : *Un **conglomérat** volcanique.* **2.** *Écon.* Société regroupant des entreprises aux activités très diverses. 1818 ; lat. *conglomerare*, « mettre en pelote ; entasser » ; [kɔ̃glɔmeʀa].

**CONGLOMÉRATION,** subst. f.
Action de conglomérer ; son résultat. 1829 ; ☞ *conglomérer* ; [kɔ̃glɔmeʀasjɔ̃].

**CONGLOMÉRER,** verbe trans. [8]
Assembler en masse compacte : *Un ciment **conglomère** des substances minérales.* 1672 ; lat. *conglomerare*, « mettre en pelote ; entasser » ; [kɔ̃glɔmeʀe].

**CONGLUTINATION,** subst. f.
**1.** Action de conglutiner ; son résultat. **2.** *Biol.* Épreuve immunologique destinée à mettre en évidence la présence de certains anticorps anti-Rhésus (par ex. dans les cas d'incompatibilité entre le sang maternel et le sang fœtal). 1314 ; lat. *conglutinatio* ; [kɔ̃glytinasjɔ̃].

**CONGLUTINER,** verbe trans. [3]
**1.** Faire adhérer, réunir à l'aide d'une substance collante. **2.** *Biol.* Épaissir, rendre visqueux (un liquide organique) : *Un excès de globules rouges **conglutine** le sang.* 1314 ; lat. *conglutinare* ; [kɔ̃glytine].

**CONGOLAIS, AISE,** adj. et subst.
Du Congo. SUBST. MASC. Pâtisserie à la noix de coco. Déb. XVIIIe s. ; topon. *Congo* ; [kɔ̃gɔlɛ, ɛz].

**CONGRATULATION,** subst. f.
Félicitation (gén. au plur.) : *La cérémonie s'acheva par les **congratulations** d'usage.* Déb. XVe s. ; lat. *congratulatio* ; [kɔ̃gʀatylasjɔ̃].

**CONGRATULER,** verbe trans. [3]
Complimenter vivement ; s'associer à la joie, au succès de (vieilli) : *Laissez-moi vous **congratuler** pour cette belle promotion.* PRONOM. Se féliciter mutuellement. Mil. XIVe s. ; lat. *congratulari* ; [kɔ̃gʀatyle].

**CONGRE,** subst. m.
*Zool.* Long poisson de mer téléostéen, de couleur gris-bleu foncé et dépourvu d'écailles, vivant dans les roches. Il est aussi appelé anguille de mer. XIIIe s. ; prob. bas lat. *congrus*, du lat. *conger*, du gr. *goggros* ; [kɔ̃gʀ].

**CONGRÉER,** verbe trans. [7]
*Mar.* Entourer de brins (un cordage), de manière à remplir les interstices entre les torons. 1773 ; anc. fr. *conreer*, « arranger », d'apr. *gréer* ; [kɔ̃gʀee].

**CONGRÉGANISTE,** subst. et adj.
*Cath.* SUBST. Membre d'une congrégation ; en partic., partisan de la Congrégation. ADJ. Relatif, propre à une congrégation : *L'enseignement **congréganiste**.* 1680 ; ☞ *congrégation* ; [kɔ̃gʀeganist].

**CONGRÉGATION,** subst. f.
**1.** Vx. Rassemblement. **2.** *Cath.* Communauté d'hommes ou de femmes vivant sous la même règle religieuse et ayant prononcé des vœux simples : *La **congrégation** des Assomptionnistes* ; par ext., toute association de religieux, ordre ou **congrégation** : *L'interdiction d'enseigner faite aux **congrégations** en 1904.* **3.** Anal. Confrérie. ► *Hist.* *La **Congrégation*** : sous la Restauration, influente société au service zélé de Rome et du trône. **4.** Chacune des neuf commissions permanentes de cardinaux au sein de la curie romaine, chargée d'administrer un domaine particulier de l'Église catholique (synon. *dicastère*) : *La **congrégation** pour la Doctrine de la foi.* **5.** *Relig.* Division ecclésiastique de certaines Églises protestantes. Déb. XIIe s. ; lat. *congregatio* ; [kɔ̃gʀegasjɔ̃].

**CONGRÉGATIONALISME,** subst. m.
*Relig.* Type d'organisation protestante non-conformiste, dans lequel les églises locales sont autonomes et qui ne compte ni pasteur ni évêque. 1898 ; ☞ *congrégation* ; [kɔ̃gʀegasjɔnalism].

**CONGRÈS,** subst. m.
**1.** Vx. Réunion de plusieurs personnes. **2.** Conférence diplomatique de chefs d'État, ou de leurs plénipotentiaires, destinée à conclure une paix ou à résoudre un différend international : *Le **congrès** de Vienne (1814-1815).* **3.** Rencontre de spécialistes autour d'un thème particulier ; assemblée des membres d'un parti, d'un syndicat : *Un **congrès** de notaires* ; *Un **congrès** du parti socialiste.* **4.** *Pol.* **Le Congrès.** Le corps législatif des États-Unis, formé par la Chambre des représentants et le Sénat ; la réunion, à Versailles, des sénateurs et des députés français en vue de réviser la Constitution. 1611 ; lat. *congressus* ; [kɔ̃gʀɛ].

**CONGRESSISTE,** subst.
Personne qui participe à un congrès. 1866 ; ☞ *congrès* ; [kɔ̃gʀesist].

**CONGRU, UE,** adj.
**1.** Vx. Qui est rigoureusement approprié : *Une réponse **congrue**.* **2.** *Hist.* *Portion **congrue*** : somme versée annuellement au curé par le bénéficiaire en titre d'une paroisse. ► Loc. *Réduire qqn à la portion **congrue*** : lui assurer un revenu à peine suffisant pour

subsister. **3.** *Math.* Soit $\mathcal{R}$ une congruence sur un ensemble E ; deux éléments *a* et *b* de E sont dits **congrus** modulo $\mathcal{R}$ si *a* et *b* sont équivalents suivant $\mathcal{R}$, c.-à-d. si $a\ \mathcal{R}\ b$. 1282 ; lat. *congruus* ; [kɔ̃gʀy].

**CONGRUENCE, subst. f.**
**1.** Vx. Fait de coïncider, d'être exactement adapté. **2.** *Math.* ***Congruence** sur un ensemble E muni d'une loi de composition interne* ∗ : relation d'équivalence sur E compatible avec la loi ∗. ▸ ***Congruence** modulo n sur $\mathbb{Z}$ (entiers relatifs)* : soit $n$ un entier strictement positif, soit la relation $\mathcal{R}$ définie par $x\ \mathcal{R}\ y$ si et seulement si il existe $k \in \mathbb{Z}$ tel que $x - y = kn$, c.-à-d. $x$ et $y$ ont même reste dans la division par $n$, on dit que $x$ et $y$ sont congrus (ou que $x$ est congru à $y$) modulo $n$ et on note $x \equiv y$ (mod $n$) [ex. : $2 \equiv -4$ (mod 3)]. Cette **congruence** est compatible avec l'addition, la soustraction et la multiplication dans $\mathbb{Z}$. ▸ Extension à $\mathbb{R}$ : soit $\alpha$ un réel strictement positif, $x$ et $y$ sont congrus modulo $\alpha$ signifie qu'il existe $k \in \mathbb{Z}$ tel que $x - y = k\alpha$. Cette relation est compatible avec l'addition, la soustraction, mais pas avec la multiplication dans $\mathbb{R}$. 1374 ; lat. *congruentia* ; [kɔ̃gʀyɑ̃s].

**CONGRUENT, ENTE, adj.**
**1.** Qui correspond, qui est approprié (vieilli) : *Une attitude **congruente** à la situation.* **2.** *Math.* Congru. Déb. XVIe s. ; lat. *congruens* ; [kɔ̃gʀyɑ̃, ɑ̃t].

**CONGRÛMENT, adv.**
De façon congrue (littér.). Fin XIVe s. ; ☞ *congru* ; [kɔ̃gʀymɑ̃].

**CONICITÉ, subst. f.**
Forme conique. 1863 ; ☞ *conique* ; [kɔnisite].

**CONIDIE, subst. f.**
*Bot.* Nom donné aux spores assurant la reproduction asexuée de certains champignons. 1814 ; lat. sc. *conidium*, du gr. *konis*, « poussière » ; [kɔnidi].

**CONIFÈRE, subst. m. plur. et adj.**
*Bot.* Adj. Se dit d'une plante dont les fruits ont la forme d'un cône, ce qui est le cas, par ex., des pins et des cyprès. Subst. Classe de phanérogames gymnospermes caractérisés par un feuillage gén. persistant et en aiguilles, une inflorescence en cône et la sécrétion de résine ; au sing. : *Le pin est un **conifère**.* 1523 ; lat. *conifer*, « qui porte des fruits en cône » ; [kɔnifɛʀ].

**BOTANIQUE** – Les Conifères sont des arbustes ou des arbres parfois très hauts dont les organes reproducteurs sont des cônes. Les grains de pollen, transportés par le vent, atteignent les ovules portés par les écailles des cônes femelles. Ils germent en émettant un tube pollinique qui s'allonge et transporte les gamètes mâles (spermatozoïdes) jusqu'aux archégones contenus dans l'ovule et renfermant chacun un gamète femelle (oosphère). Fécondé, ce dernier devient un zygote, c.-à-d. une graine, qui, disséminé par le vent, va se développer et donner une nouvelle plante. Principaux conifères : pin, cèdre, mélèze, sapin, épicéa, araucaria, séquoia, thuya, cyprès, genévrier.

**CONIQUE, adj.**
**1.** Qui a la forme d'un cône : *Un chapeau de clown **conique**.* **2.** *Géom.* ▸ *Surface **conique*** : cône. ▸ *Courbe **conique*** ou, empl. subst. fém., *Une **conique*** : courbe algébrique d'ordre 2 du plan affine, c.-à-d. d'équation de la forme $ax^2 + by^2 + cxy + dx + ey + f = 0$ dans un repère où $a$, $b$ et $c$ sont non tous nuls. Une

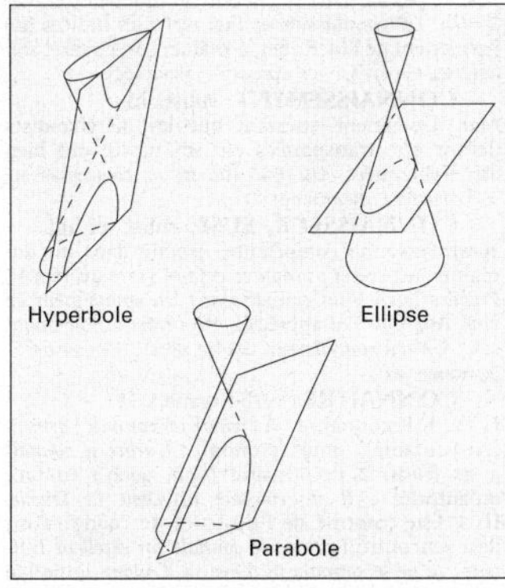

*Trois exemples de **coniques**.*

**conique** non dégénérée (non réduite à deux droites) peut être définie dans un plan euclidien comme ensemble des points M dont le rapport des distances à un point fixe F (le foyer) et à une droite fixe D (la directrice) est constant. ▸ *Section **conique*** ou, empl. subst. fém., *Une **conique*** : obtenue par l'intersection d'un cône de révolution avec un plan. 1624 ; gr. *kônikos* ; [kɔnik].

rameau fertile portant des cônes mâles
cônes mâles agglomérés en épi : chaque cône est composé d'un grand nombre d'étamines
une étamine
aiguilles
extrémité libre du rameau
extrémité aplatie
sacs polliniques
fente par laquelle s'échappent les grains de pollen
rameau fertile portant des cônes femelles
cône femelle composé d'écailles ovulifères
une écaille ovulifère
ovules
insertion de l'écaille sur l'axe du cône

*Organes reproducteurs d'un conifère, le pin. En haut, les organes mâles ; au-dessous, les organes femelles.*

**CONIROSTRE, adj. et subst. m.**
*Zool.* Se dit d'un oiseau dont le bec est en forme de cône court : *Le moineau est un passereau **conirostre**.* 1806 ; formé de *cône* et de *rostre* ; [kɔniʀɔstʀ].

**CONJECTURAL, ALE, AUX, adj.**
Qui s'appuie sur une ou des conjectures (anton. *exact*) : *La sociologie est une science **conjecturale**.* Fin XIIIe s. ; lat. *conjecturalis* ; [kɔ̃ʒɛktyʀal, o].

**CONJECTURE, subst. f.**
Idée, opinion reposant sur des probabilités ou sur de simples apparences ; supposition : *Se perdre en **conjectures**.* Mil. XIIIe s. ; lat. *conjectura* ; [kɔ̃ʒɛktyʀ].

**CONJECTURER, verbe trans.** [3]
Estimer par conjecture, présumer : ***Conjecturer** ce que réserve l'avenir* ; empl. abs., se livrer à des conjectures. Déb. XIVe s. ; bas lat. *conjecturare* ; [kɔ̃ʒɛktyʀe].

**CONJOINT, OINTE, adj. et subst.**
Adj. **1.** Qui est associé, lié : *Des activités **conjointes**.* **2.** Qui est fait à plusieurs : *Une démarche **conjointe**.* ▸ *Dr. Personnes **conjointes*** : associées par des obligations ou des intérêts communs. **3.** *Mus. Degrés **conjoints*** : qui se succèdent immédiatement dans la gamme. Subst. Chacun des époux, considéré l'un par rapport à l'autre (rare au fém.). Fin XIIe s. ; *conjoindre* (vx), « réunir » ; [kɔ̃ʒwɛ̃, wɛ̃t].

**CONJOINTEMENT, adv.**
De manière conjointe, ensemble, en même temps : *Acquérir un bien **conjointement** avec qqn.* 1254 ; ☞ *conjoint* ; [kɔ̃ʒwɛ̃tmɑ̃].

**CONJONCTEUR, subst. m.**
*Électr.* Commutateur permettant la connexion automatique d'un circuit dès que l'intensité est suffisante. ▸ ***Conjoncteur**-disjoncteur* : commutateur qui ajoute une fonction de coupure automatique en cas d'intensité excessive. 1890 ; ☞ *conjonction* ; [kɔ̃ʒɔ̃ktœʀ].

**CONJONCTIF, IVE, adj.**
**1.** Qui sert à joindre, à lier. **2.** *Histol. Tissu **conjonctif*** : un des quatre groupes de tissus primaires du corps, comportant des fibres, notamment de collagène, et des cellules dont certaines, les fibroblastes, élaborent une substance fondamentale qui baigne les cellules et les fibres du tissu. **3.** *Gramm.* Qualifie divers outils de la langue servant à lier des éléments du discours. ▸ *Locution **conjonctive*** : groupe de mots jouant le rôle d'une conjonction (« afin que », « de sorte que », etc.). ▸ *Proposition **conjonctive*** ou, empl. subst. fém., *Une **conjonctive*** : subordonnée introduite par une conjonction ou une locution **conjonctive**. 1372 ; bas lat. *conjunctivus* ; [kɔ̃ʒɔ̃ktif, iv].

**CONJONCTION, subst. f.**
**1.** Rencontre, réunion fortuite ou volontaire d'éléments, créant un effet précis : *Profiter de la **conjonction** de circonstances propices.* **2.** *Astron.* Rapprochement apparent de deux astres dans une ligne droite par rapport à un point de la Terre. **3.** *Gramm.* Mot invariable qui relie des éléments du discours : ***Conjonctions** de coordination*, « mais », « ou », « et », « car »... ; ***Conjonctions** de subordination*, « que », « quand », « si »... Mil. XIIe s. ; lat. *conjunctio* ; [kɔ̃ʒɔ̃ksjɔ̃].

**CONJONCTIVAL, ALE, AUX, adj.**
Qui concerne la conjonctive. 1845 ; ☞ *conjonctive* ; [kɔ̃ʒɔ̃ktival, o].

**CONJONCTIVE, subst. f.**
*Anat.* Muqueuse transparente recouvrant la face antérieure du globe oculaire (**conjonctive** bulbaire) et la face postérieure des paupières (**conjonctive** palpébrale). Fin XIVe s. ; ☞ *conjonctif* ; [kɔ̃ʒɔ̃ktiv].

**CONJONCTIVITE, subst. f.**
*Pathol.* Inflammation de la conjonctive, qui peut être due à une infection microbienne, à une irritation causée par un corps étranger, ou encore à l'exposition de l'œil à une lumière trop forte. 1832 ; ☞ *conjonctive* + *-ite* ; [kɔ̃ʒɔ̃ktivit].

**CONJONCTURE, subst. f.**
**1.** État de choses, réalité particulière née de la combinaison de circonstances ou d'évènements concomitants : *Profiter d'une heureuse **conjoncture**.* **2.** Ensemble de données variables dont dépend, à un moment précis, la situation d'un domaine quelconque : *Une bonne **conjoncture** économique.* Fin XVe s. ; anc. fr. *conjointure*, « récit agencé selon les règles » ; [kɔ̃ʒɔ̃ktyʀ].

**CONJONCTUREL, ELLE, adj.**
Relatif à la conjoncture (anton. *structurel*). 1955 ; ☞ *conjoncture* ; [kɔ̃ʒɔ̃ktyʀɛl].

**CONJUGAISON, subst. f.**
**1.** Réunion, combinaison d'éléments divers (quasi-synon. *conjonction*) : *La **conjugaison** des forces de la nature.* **2.** *Gramm.* Action de conjuguer un verbe ; par méton., ensemble ordonné des formes sous lesquelles se présente un verbe, selon le mode, la voix, le temps, la personne : *La **conjugaison** des verbes irréguliers.* **3.** *Spéc.* ▸ *Anat. Trous de **conjugaison*** : orifices compris entre les pédicules de deux vertèbres voisines. ▸ *Bactériol. **Conjugaison** bactérienne* : transfert de matériel génétique entre deux bactéries, l'une mâle (donatrice) et l'autre femelle (réceptrice), gén. par l'intermédiaire d'un pont cytoplasmique. 1236 ; lat. *conjugatio*, « union » ; [kɔ̃ʒygɛzɔ̃].

**CONJUGAL, ALE, AUX, adj.**
Propre à l'union entre époux, à leur vie commune : *Le devoir **conjugal** ; Le toit **conjugal**.* Fin XIII^e s. ; lat. *conjugalis*, de *conjux*, « époux, épouse » ; [kɔ̃ʒygal, o].

**CONJUGALEMENT, adv.**
D'une manière conjugale. 1588 ; ☞ *conjugal* ; [kɔ̃ʒygalmɑ̃].

**CONJUGUÉ, ÉE, adj. et subst. f. plur.**
**Adj. 1.** Joint, associé : *Des saveurs et des couleurs habilement **conjuguées**.* **2.** *Bot.* Qualifie des feuilles composées dont les folioles sont disposées, en s'opposant deux à deux, le long d'un pétiole commun. **3.** *Math.* ▸ Le nombre complexe **conjugué**, ou le **conjugué**, du nombre complexe $z = a + ib$ est le complexe $a - ib$, noté $\bar{z}$. ▸ *Points **conjugués** par rapport à deux autres* : paire de points formant avec deux autres points (alignés avec eux) une division harmonique. **4.** *Mécan.* Qualifie deux organes ou deux machines qui concourent à une même tâche. **5.** *Opt. Points **conjugués*** : couple formé par un point objet et le point image obtenu à travers un système donné. **Subst.** *Bot.* Groupe d'algues vertes à reproduction sexuée (l'union se fait par un tube dit de conjugaison), vivant en eau douce. 1690 (1596, marié) ; p. p. de *conjuguer* ; [kɔ̃ʒyge].

**CONJUGUER, verbe trans.** [3]
**1.** Réunir, associer pour un résultat précis, dans un but donné : *L'Europe **conjugua** ses forces pour abattre Napoléon.* **2.** *Gramm.* Énoncer les formes différentes de la conjugaison de (un verbe) : ***Conjuguer** le verbe « avoir » aux quatre temps du subjonctif* ; empl. pronom. : *« Aller » se **conjugue** avec l'auxiliaire « être ».* 1572 ; lat. *conjugare*, « unir » ; [kɔ̃ʒyge].

**CONJUNGO, subst. m.**
Mariage (fam. et vieilli). 1670 ; lat. *conjungo*, « j'unis » ; [kɔ̃ʒɔ̃go].

**CONJURATEUR, TRICE, subst.**
**1.** Vx. Conjuré. **2.** Personne qui prétend posséder le pouvoir de conjurer les maléfices. 1344 ; lat. médiév. *conjurator* ; [kɔ̃ʒyʀatœʀ, tʀis].

**CONJURATION, subst. f.**
**I. 1.** Vx. Serment. **2.** Conspiration établie par serment, en vue de renverser le pouvoir en place : *« **Conjuration** de Catilina », œuvre de Salluste.* **3.** Ext. Cabale. **II. 1.** Exorcisme. **2.** Ext. Action de conjurer un danger menaçant par des prières ou des formules magiques. **3.** Méton. Ces prières, ces formules elles-mêmes (gén. au plur.). Fin XII^e s. ; lat. *conjuratio* ; [kɔ̃ʒyʀasjɔ̃].

**CONJURATOIRE, adj.**
Qui vise à conjurer le sort : *Formule, rite **conjuratoire**.* 1891 ; ☞ *conjurer* ; [kɔ̃ʒyʀatwaʀ].

**CONJURÉ, ÉE subst.**
Personne qui participe à une conjuration, une conspiration. 1213 ; lat. *conjuratus* ; [kɔ̃ʒyʀe].

**CONJURER, verbe trans.** [3]
**1.** Chasser (les esprits mauvais), écarter (les influences maléfiques) par des prières ou des formules magiques. **2.** Ext. Détourner, par habileté ou prudence (qqch. de menaçant) : ***Conjurer** le danger.* **3.** Supplier instamment (littér.) : *Je vous **conjure** de rester.* **4.** Projeter par complot : ***Conjurer** un coup d'État* ; empl. adj. : *Puissent tous ses voisins ensemble **conjurés** / Saper ses fondements encor mal assurés !* (Corneille). Fin X^e s. ; lat. *conjurare* ; [kɔ̃ʒyʀe].

**CONNAISSABLE, adj.**
Qualifie ce qui peut être connu. 1220 ; ☞ *connaître* ; [kɔnɛsabl].

**CONNAISSANCE, subst. f.**
**I.** Faculté de connaître. **1.** Idée, notion de qqch. et représentation mentale que l'on s'en forge : *La **connaissance** de Dieu.* **2.** Faculté de compréhension, de discernement : ***Connaissance** du bien et du mal.* **3.** Résultat de l'étude, de l'expérience : ***Connaissance** du latin* ; ***Connaissance** du terrain* ; par méton. et au plur., ensemble du savoir acquis : *Contrôle des **connaissances**.* **4.** État de conscience ; lucidité : *Avoir toute sa **connaissance*** ; *Perdre **connaissance***, s'évanouir. **5.** Fait de s'informer ou d'être informé : *Prendre, donner **connaissance** d'une lettre* ; *Porter une décision à la **connaissance** du public.* ▸ Loc. *À ma **connaissance*** : pour autant que je sache. **II. 1.** Relation sociale résultant d'au moins une rencontre : *Lier **connaissance** avec un inconnu* ; au fig. : *Faire **connaissance** avec les privations.* **2.** Méton. Personne que l'on connaît (fam.) : *Saluer une **connaissance**.* **III.** *Spéc.* **1.** *Dr.* Pouvoir juridictionnel d'un juge, d'un tribunal. ▸ Loc. *En **connaissance** de cause* : sciemment, à bon escient. **2.** *Philos. Théorie de la **connaissance*** : réponse apportée au problème que pose la pensée dans sa relation au monde extérieur. **3.** *Vén. Les **connaissances** d'un cerf* : les indices qui permettent de l'identifier, d'évaluer son poids et son âge. Fin XI^e s. ; ☞ *connaître* ; [kɔnɛsɑ̃s].

**CONNAISSEMENT, subst. m.**
*Mar.* Document attestant que les marchandises devant être transportées par un navire ont bien été embarquées. 1643 (fin XII^e s., connaissance) ; ☞ *connaître* ; [kɔnɛsmɑ̃].

**CONNAISSEUR, EUSE, subst. et adj.**
**Subst.** Personne compétente, experte dans un domaine particulier ; amateur éclairé (rare au fém.) : *Prendre l'avis d'un **connaisseur*** ; *Un **connaisseur** en vins.* **Adj.** Qui sait apprécier, qui révèle un jugement sûr : *Un œil **connaisseur**.* Fin XII^e s. ; ☞ *connaître* ; [kɔnɛsœʀ, øz].

**CONNAÎTRE, verbe trans.** [73]
**I.** Vx. **1.** Reconnaître : *À l'œuvre on **connaît** l'artisan* (La Fontaine) ; empl. pronom. : *L'arbre se **connaît** à ses fruits.* **2.** Reconnaître (qqn, qqch.) en tant qu'autorité : *Il ne **connaît** ni Dieu ni Diable.* **II. 1.** Être informé de l'existence de (qqn) ; avoir déjà rencontré (qqn) : *Je **connais** un excellent traiteur* ; *Je ne le **connais** ni d'Ève ni d'Adam*, je ne l'ai jamais vu (fam.). **2.** Avoir une idée claire de la personnalité de (qqn), du fait d'une fréquentation régulière : *Je le **connais** comme si je l'avais fait* (fam.). **3.** ***Connaître** une femme* : entretenir avec elle des relations charnelles (expression biblique). **Pronom. 1.** Être conscient de (sa propre personnalité) : ***Connais**-toi toi-même*, formule résumant la doctrine morale de Socrate ; *Il ne se **connaît** plus*, il ne se maîtrise plus. **2.** Faire connaissance : *Il se sont **connus** à Valparaiso.* **III. 1.** Posséder des informations sur (qqch.) : ***Connaître** l'heure du prochain train.* **2.** ***Connaître** le grec, un métier* : en avoir acquis la connaissance. ▸ Loc. pronom. *S'y **connaître** en* : être versé dans, être habile à. ▸ Empl. trans. indir. *Dr.* **Connaître de.** Avoir compétence pour juger : *Un juge qui **connaît** des causes pénales.* **3.** Ext. Vivre l'expérience de (qqch.) ; éprouver, ressentir : ***Connaître** le succès* ; ***Connaître** la faim.* ▸ Avoir ; être soumis à : *Le monde a **connu** trop de guerres.* Mil. XI^e s. ; lat. *cognoscere* ; [kɔnɛtʀ].

**CONNARD, voir CONARD**

**CONNASSE, voir CONASSE**

**CONNECTER, verbe trans.** [3]
**1.** Unir, relier. **2.** *Électr.* Relier (des éléments) par un conducteur électrique ; brancher. Fin XVIII^e s. ; lat. *con(n)ectere* ; [kɔnɛkte].

**CONNECTEUR, subst. m.**
**1.** *Électr.* Dispositif servant à connecter des éléments, des appareils électriques ou électroniques. **2.** *Log.* Signe (ou symbole) logique du calcul propositionnel permettant de former avec une ou plusieurs propositions un assemblage qui est une nouvelle proposition. Un **connecteur** est caractérisé par sa table de vérité ; les **connecteurs** les plus utilisés sont : la négation (non), signe $\neg$ ou $\sim$ ; la conjonction (et), signe $\wedge$ ; la disjonction (ou), signe $\vee$ ; l'implication (si..., alors...), signe $\Longrightarrow$ ; l'équivalence (si et seulement si), signe $\Longleftrightarrow$. 1890 ; ☞ *connecter* ; [kɔnɛktœʀ].

**CONNECTIF, IVE, adj. et subst. m.**
**Adj.** *Anat.* Conjonctif (rare). **Subst.** *Bot.* Organe prolongeant le filet de l'anthère entre les sacs polliniques. 1799 ; ☞ *connecter* ; [kɔnɛktif, iv].

**CONNECTIQUE, subst. f.**
*Électr.* Ensemble des techniques relatives aux connecteurs. V. 1980 ; ☞ *connecter* ; [kɔnɛktik].

**CONNERIE, subst. f.**
Bêtise (vulg.). 1865 ; ☞ *con* ; [kɔnʀi].

**CONNÉTABLE, subst. m.**
*Hist.* **1.** Grand officier de la Couronne. **2.** Titre porté par le chef des armées du roi de France du XIII^e s. à 1627. **3.** Haut dignitaire de l'Empire. 1155 ; bas lat. *comes stabuli*, « comte de l'étable » ; [kɔnetabl].

**CONNÉTABLIE, subst. f.**
*Hist.* Juridiction du connétable, puis des maréchaux, chargée de juger les crimes et délits des gens de guerre ; par méton., le personnel attaché à cette juridiction. 1155 ; ☞ *connétable* ; [kɔnetabli].

**CONNEXE, adj.**
**1.** Qui est lié étroitement à une autre chose : *Enseignements **connexes** ; Un problème **connexe**.* **2.** *Dr.* Se dit d'affaires liées entre elles et jugées conjointement. **3.** *Math.* ▸ *Espace **connexe*** : espace topologique dont il n'existe aucune partition en deux ouverts (ou deux fermés) non vides disjoints (intuitivement, espace « d'un seul tenant » pour sa topologie). ▸ *Espace **connexe** par arc* : espace topologique dont deux points quelconques peuvent être joints par une courbe continue de cet espace. 1290 ; lat. *con(n)exus* ; [kɔnɛks].

**CONNEXION, subst. f.**
**1.** Action de rendre connexe ; fait d'être connexe : *Une **connexion** manifeste entre deux meurtres.* **2.** *Anat.* Dépendance relative des organes. **3.** *Électr.* Liaison d'un ou de plusieurs appareils entre eux ou à un circuit électrique par des éléments conducteurs ; branchement. 1338 ; lat. *con(n)exio*, « lien, enchaînement » ; [kɔnɛksjɔ̃].

**CONNEXITÉ, subst. f.**
**1.** État ou caractère de ce qui est connexe. **2.** *Dr.* Lien entre deux affaires, appelant leur jugement conjoint. XV^e s. ; ☞ *connexe* ; [kɔnɛksite].

**CONNIVENCE, subst. f.**
**1.** Complicité consistant à cacher la faute de qqn (vieilli) : *La **connivence** d'un policier avec le milieu.* **2.** Ext. Accord tacite ou secret entre des personnes : *Être de **connivence** avec qqn.* Mil. XVI^e s. ; bas lat. *coniventia*, « indulgence » ; [kɔnivɑ̃s].

**CONNIVENT, ENTE, adj.**
**1.** *Anat. Valvules **conniventes*** : chez l'homme, replis de la muqueuse de l'intestin grêle (il y en a près de 900). **2.** *Bot. Feuilles **conniventes*** : qui se touchent par le sommet. Fin XVI^e s. ; lat. *connivens*, de *connivere*, « laisser faire avec indulgence » ; [kɔnivɑ̃, ɑ̃t].

**CONNOTATION, subst. f.**
*Ling.* **1.** Sens particulier que prend un terme ou un énoncé dans une situation ou un contexte donnés et qui vient s'ajouter à sa signification première (dénotation). **2.** Ext. Tout ce qu'évoque un terme, indépendamment de sa réelle signification : *La **connotation** péjorative du mot « secte ».* 1660 ; lat. médiév. *connotatio*, « indication seconde » ; [kɔnotasjɔ̃].

**CONNOTER, verbe trans.** [3]
*Ling.* Évoquer par connotation : *« Renard » **connote** la ruse.* Déb. XVI^e s. ; lat. médiév. *connotare* ; [kɔnɔte].

**CONNU, UE, adj. et subst. m.**
**Adj.** Célèbre, notoire : *Un écrivain bien **connu*** ; *Un air **connu**.* ▸ Loc. *Ni vu ni **connu*** : à l'insu de tous. **Subst.** Ce dont on a la connaissance ou l'expérience : *Le **connu** et l'inconnu.* XIII^e s. ; p. p. de *connaître* ; [kɔny].

**CONOÏDE, subst. m. et adj.**
**Adj.** En forme de cône. **Adj.** et **Subst.** *Géom. Surface **conoïde*** ou, par ell., *Un **conoïde*** : surface, ensemble des droites parallèles à un plan fixe rencontrant une droite fixe et une courbe fixe (la directrice). 1556 ; gr. *kônoeidês* ; [kɔnɔid].

**CONOPÉE, subst. m.**
*Liturg.* Étoffe couvrant le tabernacle. 1887 ; lat. *conopeum*, « tenture » ; [kɔnɔpe].

**CONQUE, subst. f.**
**1.** *Zool.* ▸ Grande coquille concave de certains mollusques marins bivalves ; ces mollusques. ▸ Grande coquille en spirale de certains gastéropodes : *Dans la mythologie grecque les tritons utilisaient une **conque** comme trompe.* **2.** *Anat.* Cavité profonde du pavillon de l'oreille. 1375 ; lat. *concha*, du gr. *kogkhê*, « coquillage, coquille » ; [kɔ̃k].

**CONQUÉRANT, ANTE, subst. et adj.**
**Subst. 1.** Personne qui conquiert un territoire, un peuple : *Alexandre et Napoléon, deux **conquérants*** ; par anal. : *Les **conquérants** du ciel.* **2.** Fig. Personne qui séduit : *Le **conquérant** de son cœur.* **Adj. 1.** Qui

soumet ou veut soumettre par les armes : *Un peuple **conquérant**.* **2.** Qui dénote l'esprit de conquête : *Un ton, un regard **conquérant**.* 1160 ; p. pr. de *conquérir* ; [kɔ̃keʀɑ̃, ɑ̃t].

**CONQUÉRIR, verbe trans.** [33]
**1.** Assujettir par les armes : ***Conquérir** une ville.* **2.** S'emparer de, gagner par des efforts : ***Conquérir** une position avantageuse, un marché.* **3.** Fig. Gagner, s'attirer : ***Conquérir** un large public, l'estime de tous* ; en partic. : ***Conquérir** une femme*, la séduire. Fin XIe s. ; lat. pop. °*conquaerere* ; [kɔ̃keʀiʀ].

**CONQUÊTE, subst. f.**
**1.** Action de conquérir : *La **conquête** de la Toison d'or* ; *La **conquête** du mont Blanc, du feu* ; *La **conquête** du pouvoir.* **2.** Méton. ▸ Territoire, chose conquise : *Les **conquêtes** du Front populaire.* ▸ Personne conquise, séduite (fam.) : *Sortir au bras de sa dernière **conquête**.* Mil. XIIe s. ; lat. pop. °*conquaesita* ; [kɔ̃kɛt].

**CONQUIS, ISE, adj.**
**1.** Assujetti par la force : *Une province **conquise**.* ▸ Loc. *Se conduire comme en pays **conquis*** : être sans gêne. **2.** Anal. Dont on a fait la conquête au prix d'un effort : *Le bonheur **conquis*** ; *Une terre **conquise** sur la mer.* **3.** Fig. Séduit : *Une femme, une assemblée **conquise**.* Fin XIe s. ; p. p. de *conquérir* ; [kɔ̃ki, iz].

**CONQUISTADOR, subst. m.**
*Hist.* Aventurier espagnol parti à la conquête du Nouveau Monde au XVIe s. 1841 ; esp. *conquistador*, de *conquista*, « conquête » ; plur. *conquistador(e)s* ; [kɔ̃kistadɔʀ], plur. [-dɔʀ(ɛs)].

**CONSACRANT, adj. m. et subst. m.**
*Cath.* Se dit d'un évêque qui sacre un autre évêque ou d'un prêtre qui consacre le pain et le vin au cours de la messe. 1690 ; p. pr. de *consacrer* ; [kɔ̃sakʀɑ̃].

**CONSACRER, verbe trans.** [3]
**1.** *Relig.* Dédier (qqch.) à Dieu ou à une divinité ; rendre sacré : ***Consacrer** un temple à Jupiter, une chapelle à la Vierge.* ▸ ***Consacrer** le pain et le vin* ou, empl. abs., ***Consacrer*** : convertir sacramentellement, au cours de l'Eucharistie, le pain et le vin en corps et en sang de Jésus-Christ. **2.** Vouer, employer totalement : ***Consacrer** sa vie à la recherche.* **3.** Établir solidement : ***Consacrer** une gloire, un talent.* ▸ Faire entrer dans l'usage (une pratique, une expression) ; empl. adj. : *Selon la formule **consacrée**.* **Pronom. Se consacrer à.** Se vouer à : *Il **se consacre** à l'étude.* 1121 ; lat. *consecrare*, « rendre sacré » ; [kɔ̃sakʀe].

**CONSANGUIN, INE, adj.**
**1.** *Dr.* Dont la filiation s'établit par le père (anton. *utérin*) : *Un frère **consanguin**.* **2.** Ext. Qui a un ascendant commun ; par méton. : *Un mariage **consanguin***, entre cousins. 1282 ; lat. *consanguineus*, de *sanguis*, « sang » ; [kɔ̃sɑ̃gɛ̃, in].

**CONSANGUINITÉ, subst. f.**
**1.** *Dr.* Parenté du côté paternel : *Degré de **consanguinité**.* **2.** Ext. Toute relation de parenté. 1277 ; lat. *consanguinitas*, « lien du sang » ; [kɔ̃sɑ̃g(ɥ)inite].

**CONSCIEMMENT, adv.**
De manière consciente : *Il a agi **consciemment**.* 1834 ; ☞ *conscient* ; [kɔ̃sjamɑ̃].

**CONSCIENCE, subst. f.**
**I.** *Psychol.* **1.** Sentiment que l'être humain a de son existence, de ses actes, de ses pensées : *Prise de **conscience***, phénomène psychique par lequel ce qui était inconscient ou préconscient affleure ; ***Conscience** collective*, sentiment plus ou moins fort qu'ont les individus de partager une même culture. ▸ Dans les philosophies existentielles, le moi considéré dans son mouvement intentionnel vers le monde. **2.** Connaissance immédiate, intuitive et diffuse : *Avoir **conscience** d'un danger.* **3.** État d'éveil mental et sensoriel : *Perte de **conscience***, évanouissement, coma. **II.** *Morale.* **1.** Sentiment intérieur qui conduit à porter un jugement de valeur sur ses actes ; sens des valeurs : *Cas de **conscience*** (☞ *cas*) ; *Avoir la **conscience** tranquille*, ne rien avoir à se reprocher ; *Avoir mauvaise **conscience***, un sentiment de remords, de culpabilité. **2.** Ext. Honnêteté, soin scrupuleux : ***Conscience** professionnelle.* **3.** Méton. ▸ Personne en tant que douée de sens moral : *Acheter les **consciences**.* ▸ Pensée secrète : *Sonder les **consciences**.* **III.** *Spéc.* **1.** *Dr. Clause de **conscience*** : par laquelle qqn peut rompre son contrat pour des motifs d'ordre moral. **2.** *Milit. Objection de **conscience*** : refus de porter les armes fondé sur des motifs d'ordre moral ou religieux. **3.** *Relig. Liberté de **conscience*** : droit de choisir et de pratiquer sa religion ; *Directeur de **conscience*** : prêtre qui guide spirituellement un fidèle. Mil. XIIe s. ; lat. *conscientia* ; [kɔ̃sjɑ̃s].

**CONSCIENCIEUSEMENT, adv.**
D'une manière consciencieuse, avec soin. 1585 ; ☞ *consciencieux* ; [kɔ̃sjɑ̃sjøzmɑ̃].

**CONSCIENCIEUX, EUSE, adj.**
**1.** Qui répond aux exigences de la conscience morale ; par ext., scrupuleux, honnête : *Un élève **consciencieux**.* **2.** Qui est fait avec soin, minutie : *Un travail **consciencieux**.* 1527 ; ☞ *conscience* ; [kɔ̃sjɑ̃sjø, øz].

**CONSCIENT, ENTE, adj. et subst. m.**
**Adj. 1.** Qui a pleinement conscience de qqch. : *Être **conscient** du danger.* **2.** Qui a toute sa connaissance : *Après ce choc, il n'était plus **conscient**.* **3.** Dont on a pleinement conscience : *Geste **conscient**.* **Subst.** *Psychol.* Ensemble des faits psychiques dont qqn a conscience (par oppos. à *inconscient*, à *subconscient*). 1755 ; lat. *consciens*, de *conscire*, « avoir la connaissance de qqch. » ; [kɔ̃sjɑ̃, ɑ̃t].

**CONSCIENTISER, verbe trans.** [3]
Amener à prendre conscience ; élever le niveau de conscience de : ***Conscientiser** les populations.* V. 1980 ; ☞ *conscient* ; [kɔ̃sjɑ̃tize].

**CONSCRIPTION, subst. f.**
**1.** *Hist.* Inscription sur les rôles de l'armée, par tirage au sort, des jeunes gens en âge de faire leur service militaire. **2.** Ext. Appel sous les drapeaux. 1789 ; bas lat. *conscriptio*, « rédaction, mémoire » ; [kɔ̃skʀipsjɔ̃].

**CONSCRIT, adj. m. et subst. m.**
**Adj.** *Antiq. Pères **conscrits*** : sénateurs de l'ancienne Rome. **Subst. 1.** *Hist.* Jeune homme inscrit au rôle de la conscription. **2.** Ext. Jeune recrue, novice (fam.). Mil. XIVe s. ; lat. *conscriptus*, de *conscribere*, « enrôler » ; [kɔ̃skʀi].

**CONSÉCRATEUR, adj. m. et subst. m.**
Consacrant. 1568 ; lat. chrét. *consecrator*, « celui qui consacre » ; [kɔ̃sekʀatœʀ].

**CONSÉCRATION, subst. f.**
**1.** *Relig.* Action de consacrer un lieu, un objet : *La **consécration** d'une chapelle* ; par ext. : *La **consécration** d'un évêque*, son sacre. ▸ *Cath.* Action par laquelle le pain et le vin sont consacrés ; moment de la messe où se déroule cet acte. **2.** Fig. Action de confirmer, de sanctionner publiquement : *La **consécration** d'une carrière* ; *La **consécration** du public.* XIIe s. ; lat. *consecratio* ; [kɔ̃sekʀasjɔ̃].

*Consécration d'un moine bouddhiste, fresque thaïlandaise. Wat Bovornivet, Bangkok.*

**CONSÉCUTIF, IVE, adj.**
**I.** **Plur.** Qui se succèdent sans interruption dans le temps, l'espace ou dans l'ordre numérique : *Trois heures **consécutives*** ; *Des angles **consécutifs***, accolés, contigus ; *Nombres **consécutifs**.* **II. 1. Consécutif à.** Qui est la conséquence de : *L'incendie **consécutif** à la sècheresse.* **2.** *Gramm. Proposition subordonnée **consécutive*** ou, empl. subst. fém., *Une **consécutive*** : qui exprime la conséquence de l'action décrite dans la principale. 1474 ; lat. *consecutus*, de *consequi*, « venir après, suivre » ; [kɔ̃sekytif, iv].

**CONSÉCUTION, subst. f.**
**1.** Succession logique, rapport de cause à effet. **2.** *Log. **Consécution** empirique* : suite de représentations sans lien rationnel (vieilli). XIVe s. ; lat. *consecutio*, « conséquence » ; [kɔ̃sekysjɔ̃].

**CONSÉCUTIVEMENT, adv.**
**1.** De manière consécutive, à la file, successivement : *Il a plu trois jours **consécutivement**.* **2. Consécutivement à.** Par suite de : ***Consécutivement** à la tempête, les traversées sont suspendues.* 1373 ; ☞ *consécutif* ; [kɔ̃sekytivmɑ̃].

**CONSEIL, subst. m.**
**I.** Avis donné à qqn sur ce qu'il doit faire : *Être de bon **conseil*** ; *Donner un mauvais **conseil*** ; *Prendre **conseil** auprès de qqn* ; par ext. : *Les **conseils** de l'expérience.* ▸ Loc. proverb. *La nuit porte **conseil*** : il est bon d'attendre le lendemain pour prendre une décision délicate. **II.** Personne qui fait profession d'en assister d'autres dans un domaine précis : *Un **conseil** juridique*, qui est habilité à donner des consultations en matière juridique, à rédiger certains actes et à représenter une personne devant certaines administrations ; en appos. : *Un avocat-**conseil**.* **III.** Assemblée de personnes qualifiées, chargée de donner son avis et de prendre des décisions sur des affaires publiques ou privées ; par méton., séance d'une telle assemblée : *Tenir **conseil***, délibérer. **1.** *Dr. publ.* ▸ *Le **Conseil** d'État* : juridiction suprême de l'ordre administratif, qui conseille le gouvernement dans l'élaboration des lois. ▸ *Le **Conseil** des ministres* : réunion des ministres, sous la présidence du chef de l'État. ▸ *Un **conseil** régional, général, municipal* : chargés respectivement des affaires de la région, du département, de la commune. **2.** *Dr. internat.* ▸ *Le **Conseil** de sécurité des Nations unies* : organe de l'O. N. U. chargé du maintien de la paix. ▸ *Le **Conseil** de l'Europe* : chargé d'élaborer les conventions européennes. **3.** *Dr. comm. Un **conseil** d'administration* : réunion des administrateurs (ou des associés) d'une société. **4.** *Dr. du travail. Un **conseil** de prud'hommes* : tribunal qui juge les litiges relatifs aux contrats de travail. **5.** *Dr. civil. **Conseil** de famille* : assemblée chargée de veiller sur les intérêts d'un mineur ou d'un majeur en tutelle. **6.** *Enseign. **Conseil** de classe* : réunion du corps enseignant, des délégués des parents et des élèves avec le chef d'établissement. **7.** *Milit.* ▸ ***Conseil** de guerre* : ancienne dénomination (jusqu'en 1928) du tribunal militaire. ▸ ***Conseil** de révision* : organisme administratif qui était chargé (jusqu'en 1970) de juger l'aptitude au service militaire. Xe s. ; lat. *consilium* ; [kɔ̃sɛj].

**CONSEILLER (I), ÈRE, subst.**
**1.** Personne qui prodigue des conseils : *Un sage **conseiller*** ; par ext. : *La peur est mauvaise **conseillère**.* **2.** Personne qui a pour profession de donner des avis dans un domaine précis : ***Conseiller** conjugal* ; ***Conseiller** pédagogique.* **Masc. 1.** Membre d'un conseil constitué : *Madame le **conseiller** municipal.* **2.** Magistrat, fonctionnaire du rang le plus élevé dans certains corps de l'État : ***Conseiller** à la Cour de cassation, à la Cour des comptes.* Fin IXe s. ; lat. *consiliarius* ; [kɔ̃seje, ɛʀ].

**CONSEILLER (II), verbe trans.** [3]
**1.** Guider (qqn) par ses avis : ***Conseiller** un enfant dans ses lectures.* **2.** Recommander : *Son financier lui **conseilla** de vendre ses titres.* Mil. XIe s. ; lat. *consiliari*, « délibérer ; conseiller » ; [kɔ̃seje].

**CONSEILLEUR, EUSE, subst.**
Personne qui a la manie de donner des conseils hors de propos (péj.). ▸ Loc. proverb. *Les **conseilleurs** ne sont pas les payeurs* : ceux qui conseillent une action n'en encourent pas les risques. Déb. XIIIe s. ; ☞ *conseiller* (II) ; rare au fém. ; [kɔ̃sejœʀ, øz].

**CONSENSUEL, ELLE, adj.**
**1.** Qui repose sur un consensus. **2.** *Dr.* Qui résulte du seul consentement des parties prenantes : *Contrat **consensuel**.* 1838 ; lat. *consensus*, « accord » ; [kɔ̃sɑ̃sɥɛl].

**CONSENSUS, subst. m.**
Entente, accord entre plusieurs personnes. ▸ Ext. Accord tacite d'une majorité de l'opinion publique sur certaines questions : ***Consensus** social.* 1866 ; lat. *consensus* ; [kɔ̃sɛ̃sys].

**CONSENTANT, ANTE,** adj.
Qui consent, qui donne son accord : *Les parties **consentantes***. ► *Une femme **consentante*** : qui répond favorablement aux avances sexuelles d'un homme. 🙶 XIIe s. ; p. pr. de *consentir* ; [kɔ̃sɑ̃tɑ̃, ɑ̃t].

**CONSENTEMENT,** subst. m.
Action de donner son accord ; approbation : *Il a agi sans notre **consentement** ; Divorce par **consentement** mutuel.* 🙶 XIIe s. ; ☞ *consentir* ; [kɔ̃sɑ̃tmɑ̃].

**CONSENTIR,** verbe trans. [23]
**Trans. dir. 1.** Accorder, concéder : ***Consentir** un prêt, un délai.* **2. Consentir que** (+ subj.). Accepter que : *Je consens qu'il soit présent.* **Trans. indir. Consentir à.** Autoriser ; accepter de : ***Consentir** au mariage de son enfant ; **Consentir** à mourir pour ses idées.* ► Loc. proverb. *Qui ne dit mot **consent*** : qui n'exprime pas son opinion est supposé acquiescer. 🙶 Mil. Xe s. ; lat. *consentire* ; [kɔ̃sɑ̃tiʀ].

**CONSÉQUEMMENT,** adv.
**1.** Vx. D'une manière logique : *Réfléchir **conséquemment**.* **2.** Par voie de conséquence, donc : *Un esprit étroit et **conséquemment** sans imagination.* **3.** Loc. ***Conséquemment** à* : à la suite de. 🙶 1379 ; ☞ *conséquent* ; [kɔ̃sekamɑ̃].

**CONSÉQUENCE,** subst. f.
**1.** Suite logique découlant d'un fait ou d'un acte : *Subir les **conséquences** de son erreur ; Les **conséquences** de la guerre.* **2.** Loc. *En **conséquence*** : compte tenu de la situation, donc ; *Porter, tirer à **conséquence*** : impliquer des suites graves ; *Sans **conséquence*** : sans gravité, anodin. ► Loc. prép. *En **conséquence** de* : en vertu de, conformément à. 🙶 1253 ; lat. *consequentia*, « suite, succession » ; [kɔ̃sekɑ̃s].

**CONSÉQUENT, ENTE,** adj.
**1.** Qui suit logiquement : *Une conduite **conséquente** à des principes.* **2.** Qui agit ou raisonne avec logique : *Esprit **conséquent** ; Être **conséquent** avec soi-même.* **3.** Loc. *Par **conséquent*** : compte tenu de ce qui précède, donc. **4.** Important (empl. critiqué) : *Une prime **conséquente**.* **5.** *Spéc.* ► *Log. Le terme **conséquent*** ou, empl. subst. masc., *Le **conséquent*** : second terme, conclusion d'un syllogisme (par rapport à l'antécédent). ► *Géomorph. Rivière **conséquente*** : qui s'écoule dans le sens de l'inclinaison des couches géologiques ; *Percée **conséquente*** : vallée d'un cours d'eau conséquent. ► *Mus. Partie **conséquente*** ou, empl. subst. fém., *La **conséquente*** : seconde partie d'un canon, d'une fugue. 🙶 1308 ; lat. *consequens*, « ce qui suit » ; [kɔ̃sekɑ̃, ɑ̃t].

**CONSERVATAIRE,** adj.
*Dr. Personne **conservataire*** : qui garde un droit de possession sur qqch. 🙶 1874 ; lat. *conservatum*, de *conservare*, « conserver » ; [kɔ̃sɛʀvatɛʀ].

**CONSERVATEUR, TRICE,** subst. et adj.
**I. Subst. 1.** *Admin.* ► Fonctionnaire chargé d'entretenir, de gérer et de valoriser un bien public : ***Conservateur** de musée, de bibliothèque.* ► ***Conservateur** des hypothèques* : chargé de l'inscription et de la publication des hypothèques et des actes de propriété. **2.** *Pol.* Adepte du conservatisme : *Les **conservateurs** s'opposent aux réformateurs* ; en partic., membre d'un parti **conservateur**. **Adj.** Qui cherche à préserver un ordre établi : *Des lois **conservatrices** ; Un parti **conservateur**.* **II. Adj.** Qui empêche l'altération des aliments : *Agent **conservateur*** ; empl. subst. masc. : *Fabrication artisanale sans **conservateurs** ni colorants.* **Subst. masc.** Compartiment d'un réfrigérateur qui assure la conservation des produits congelés. 🙶 Fin XIIIe s. ; lat. *conservator* ; [kɔ̃sɛʀvatœʀ, tʀis].

**CONSERVATION,** subst. f.
**1.** Action de conserver, de protéger de toute altération ; son résultat : ***Conservation** des privilèges ; Bâtiment en bon état de **conservation**.* **2.** *Admin.* Fonction de conservateur ; lieu où elle s'exerce ; le service correspondant : ***Conservation** des hypothèques.* **3.** *Alim.* Technique particulière permettant de conserver les denrées : ***Conservation** par le froid.* **4.** *Phys. **Conservation** de l'énergie* : principe fondamental selon lequel, dans un système isolé, la quantité totale de l'énergie sous toutes ses formes reste constante. **5.** *Psychol.* ► *Instinct de **conservation*** : instinct qui pousse tout être organisé à se maintenir en vie. ► *Esprit de **conservation*** : tendance à accumuler, à conserver ce qui n'a plus cours (parfois iron.). 🙶 1364 ; lat. *conservatio* ; [kɔ̃sɛʀvasjɔ̃].

**CONSERVATISME,** subst. m.
État d'esprit ou position idéologique que caractérise l'hostilité au changement : ***Conservatisme** politique, religieux.* 🙶 1851 ; ☞ *conservateur* ; [kɔ̃sɛʀvatism].

**CONSERVATOIRE (I),** adj.
*Dr.* Qui vise à préserver un droit ou un intérêt : *Une mesure **conservatoire**.* 🙶 Fin XIVe s. ; ☞ *conserver* ; [kɔ̃sɛʀvatwaʀ].

**CONSERVATOIRE (II),** subst. m.
**1.** Établissement qui dispense un enseignement artistique : ***Conservatoire** municipal de musique ; Le **Conservatoire** national d'art dramatique* ; empl. abs. : *Un premier prix de piano du **Conservatoire**.* **2.** *Le **Conservatoire** national des arts et métiers (Cnam)* : établissement public qui conserve des collections sur l'histoire des sciences et des techniques, et qui assure un enseignement supérieur technique. 🙶 1778 ; ital. *conservatorio* ; [kɔ̃sɛʀvatwaʀ].

**CONSERVE,** subst. f.
**I.** Produit alimentaire stérilisé et placé dans un récipient hermétique : ***Conserves** de fruits ; Haricots en **conserve** ; L'industrie de la **conserve** alimentaire.* ► Méton. Le récipient lui-même : *Une **conserve** en verre.* **II. 1.** *Mar.* Navire qui fait route avec un autre par mesure de sécurité. **2.** Loc. **De conserve.** En suivant la même route : *Naviguer de **conserve**.* ► Fig. Ensemble : *Aller de **conserve** au théâtre* ; par ext., d'un commun accord, de concert (empl. critiqué). 🙶 1359 ; ☞ *conserver* ; [kɔ̃sɛʀv].

**CONSERVÉ, ÉE,** adj.
*Personne bien **conservée*** : qui ne paraît pas son âge (fam.). 🙶 1721 ; p. p. de *conserver* ; [kɔ̃sɛʀve].

**CONSERVER,** verbe trans. [3]
**1.** Préserver, sauvegarder, maintenir en bon état : ***Conserver** une excellente vue ; **Conserver** du vin à la cave* ; empl. pronom. : *Le lait frais ne se **conserve** pas longtemps.* **2.** Maintenir en sa possession, garder : *Il **a conservé** tous ses vieux 33 tours* ; au fig. : ***Conserver** son emploi ; Il **a conservé** l'estime de ses amis.* 🙶 842 ; lat. *conservare* ; [kɔ̃sɛʀve].

**CONSERVERIE,** subst. f.
Industrie des conserves alimentaires ; fabrique de conserves. 🙶 1942 ; ☞ *conserver* ; [kɔ̃sɛʀvəʀi].

© H. Donnezan-Explorer

*Une conserverie de poissons.*

**CONSERVEUR,** subst. m.
Fabricant de conserves alimentaires. 🙶 1950 ; ☞ *conserver* ; [kɔ̃sɛʀvœʀ].

**CONSIDÉRABLE,** adj.
**1.** Dont la valeur morale ou l'influence sociale mérite la considération (vieilli) : *Un personnage **considérable**.* **2.** Très important : *Des sommes **considérables**.* 🙶 1547 ; ☞ *considérer* ; [kɔ̃sideʀabl].

**CONSIDÉRABLEMENT,** adv.
De manière considérable : *Il a **considérablement** changé.* 🙶 1677 ; ☞ *considérable* ; [kɔ̃sideʀabləmɑ̃].

**CONSIDÉRANT,** subst. m.
*Dr.* Considération motivant un décret, une loi ou une décision de justice : *Les **considérants** d'un arrêt.* 🙶 1792 ; p. pr. de *considérer* ; [kɔ̃sideʀɑ̃].

**CONSIDÉRATION,** subst. f.
**1.** Action d'examiner de manière approfondie : *Une proposition qui mérite **considération**,* dont il faut tenir compte. ► Loc. prép. *En **considération** de* : eu égard à, compte tenu de. **2.** Méton. ► Remarque sur un sujet précis, résultant ou non de son examen (gén. au plur.) : *Des **considérations** oiseuses, pertinentes.* ► Élément de réflexion expliquant ou motivant une action, un choix : *Des **considérations** d'ordre moral.* **3.** Estime portée à qqn ; respect : *Jouir de la **considération** de ses pairs.* 🙶 Fin XIIe s. ; lat. *consideratio* ; [kɔ̃sideʀasjɔ̃].

**CONSIDÉRER,** verbe trans. [8]
**1.** Regarder avec une grande attention : *Il nous **considéra** avec stupeur.* **2.** Examiner avec soin ; peser : ***Considérer** le pour et le contre ; Tout bien **considéré**,* après mûre réflexion. **3.** Prendre en compte : *Il faut **considérer** sa bonne foi.* **4.** Juger ; penser : *Je **considère** qu'il a tort.* ► Loc. **Considérer comme.** Tenir pour : *Je le **considère** comme un frère.* **5.** Faire cas de, estimer ; empl. adj. : *Un médecin fort **considéré**.* 🙶 Mil. XIIIe s. ; lat. *considerare* ; [kɔ̃sideʀe].

**CONSIGNATAIRE,** subst. m.
**1.** Dépositaire d'une somme ou de marchandises consignées ; en partic., fonctionnaire de la Caisse des dépôts et consignations. **2.** *Dr. mar.* Agent d'un armateur ou mandataire chargé de l'acheminement ou de la revente d'une cargaison. 🙶 1690 ; lat. *consignare*, « marquer d'un signe » ; [kɔ̃siɲatɛʀ].

**CONSIGNATION,** subst. f.
**1.** *Dr.* Action de confier, à titre de garantie, une somme ou des valeurs à un organisme public : *La Caisse des **dépôts** et **consignations*** ; par méton., le dépôt effectué. **2.** *Comm.* ► Mise en dépôt d'une marchandise chez un commissionnaire. ► Facturation provisoire d'un emballage (synon. *consigne*). **3.** Action d'inscrire, de noter par écrit. **4.** Action de retenir qqn dans un lieu : ***Consignation** des soldats à la caserne.* 🙶 1396 ; ☞ *consigner* ; [kɔ̃siɲasjɔ̃].

**CONSIGNE,** subst. f.
**1.** Prescription, ordre donné à qqn sur la conduite qu'il doit tenir : *Respecter la **consigne**.* **2.** Interdiction de sortir sanctionnant une faute : *Donner trois jours de **consigne** à un élève.* **3.** *Comm.* Somme perçue pour un emballage et remboursée à son retour : *Verser 5 francs de **consigne**.* **4.** Service où l'on dépose temporairement ses bagages, dans une gare ou un aéroport : ***Consigne** automatique*, compartiment métallique individuel fermant à clé. 🙶 1740 (déb. XVIe s., ce qui est consigné par écrit) ; ☞ *consigner* ; [kɔ̃siɲ].

**CONSIGNER,** verbe trans. [3]
**1.** Interdire l'accès de (vieilli) : ***Consigner** sa porte aux indésirables.* **2.** Empêcher (qqn) de sortir, à titre de sanction : *Vous **êtes consigné** jusqu'à nouvel ordre.* **3.** Déposer (une somme) à titre de garantie : *La caution **était consignée** chez le notaire.* **4.** Mettre (un bagage) à la consigne. **5.** Facturer le montant de (un emballage), remboursable au retour. **6.** Noter, rapporter par écrit, en partic. dans un acte officiel : *Son témoignage **a été** dûment **consigné**.* 🙶 1402 (1345, délimiter par une borne) ; lat. *consignare*, « marquer d'un signe » ; [kɔ̃siɲe].

**CONSISTANCE,** subst. f.
**1.** Degré de fluidité d'une substance : ***Consistance** dure, molle* ; par ext., état de fermeté d'un corps : *Une sauce qui prend **consistance**,* qui s'épaissit. **2.** Fig. Solidité, stabilité : *Une rumeur sans **consistance**,* sans fondement ; *Un raisonnement sans **consistance**,* sans cohérence, sans force ; *Un homme sans **consistance**,* sans caractère. 🙶 1690 (fin XIVe s., matière) ; ☞ *consister* ; [kɔ̃sistɑ̃s].

**CONSISTANT, ANTE,** adj.
**1.** Qui a de la consistance, épais ; copieux : *Un repas **consistant**.* **2.** Fig. Solide, cohérent : *Argument **consistant**.* **3.** *Log. Théorie **consistante*** : non contradictoire. 🙶 1560 ; p. pr. de *consister* ; [kɔ̃sistɑ̃, ɑ̃t].

**CONSISTER,** verbe trans. indir. [3]
**1. Consister en.** Se composer de, être constitué par : *Le dîner **consiste** en un sandwich.* **2. Consister dans.** Résider dans : *Son erreur **consiste** dans son irrésolution.* **3. Consister à** (+ inf.). Se définir par : *Son rôle, sa fonction **consiste** à écouter.* 🙶 Fin XIVe s. ; lat. *consistere* ; [kɔ̃siste].

**CONSISTOIRE,** subst. m.
*Relig.* **1.** Assemblée de cardinaux présidée par le

pape. **2.** Anal. Assemblée de ministres du culte protestant ou israélite. Fin XIIe s. ; bas lat. *consistorium*, « lieu de réunion » ; [kɔ̃sistwaʀ].

**CONSISTORIAL, ALE, AUX,** adj.
*Relig.* Relatif à un consistoire. 1472 ; ☞ *consistoire* ; [kɔ̃sistɔʀjal, o].

**CONSŒUR,** subst. f.
Chacune des femmes appartenant à une même profession libérale. 1763 (1342, femme d'une même confrérie) ; ☞ *sœur* + *co-*, d'apr. *confrère* ; [kɔ̃sœʀ].

**CONSOLABLE,** adj.
Qui peut être consolé : *Un enfant* ***consolable.*** Mil. XVe s. ; lat. *consolabilis* ; [kɔ̃sɔlabl].

**CONSOLANT, ANTE,** adj.
Qui apporte un réconfort moral : *Une parole* ***consolante.*** 1470 ; p. pr. de *consoler* ; [kɔ̃sɔlɑ̃, ɑ̃t].

**CONSOLATEUR, TRICE,** subst.
Personne qui console : *La* ***consolatrice*** *des affligés*, la Sainte Vierge ; empl. adj. : *Des mots* ***consolateurs.*** Déb. XIVe s. ; lat. *consolator* ; [kɔ̃sɔlatœʀ, tʀis].

**CONSOLATION,** subst. f.
**1.** Réconfort apporté à une souffrance morale : *Refuser toute* ***consolation.*** **2.** Compensation d'une peine, d'une épreuve : *La prime fut une maigre* ***consolation.*** ▸ Loc. *Lot de* ***consolation*** : lot attribué au perdant d'un jeu. **3.** Méton. Personne, chose qui console : *Cet enfant était toute sa* ***consolation.*** XIe s. ; lat. *consolatio* ; [kɔ̃sɔlasjɔ̃].

**CONSOLE,** subst. f.
**1.** *Archit.* Saillie de pierre ou de tout autre matériau, souv. en forme de S et ornée, qui supporte un balcon ou tout autre élément de construction. **2.** Anal. ▸ *Ameubl.* Petite table appliquée contre un mur. ▸ *Informat.* Périphérique (l'écran et le clavier) permettant le dialogue avec un ordinateur : ***Console*** *de visualisation* ; ***Console*** *de jeux vidéo.* ▸ *Mus.* ***Console*** *d'orgue* : meuble dans lequel se trouvent les commandes d'un orgue (claviers, registres, pédalier, etc.) ; ***Console*** *de harpe* : partie supérieure de l'instrument, qui porte le mécanisme, les chevilles et les boutons. 1565 ; altér. de *consolateur* (vx), « sculpture de stalle servant d'accoudoir » ; [kɔ̃sɔl].

**CONSOLER,** verbe trans. [3]
Apporter un réconfort à, rasséréner : ***Consoler*** *un ami* ; empl. abs. : *Des mots qui* ***consolent*** ; empl. pronom. : *Calypso ne pouvait se* ***consoler*** *du départ d'Ulysse* (Fénelon). XIIIe s. ; lat. *consolari* ; [kɔ̃sɔle].

**CONSOLIDATION,** subst. f.
**1.** Action de rendre plus solide, plus stable ; son résultat : ***Consolidation*** *d'un toit* ; ***Consolidation*** *d'un terrain*, son assèchement. ▸ Fig. Affermissement, renforcement : ***Consolidation*** *d'une union, du pouvoir, d'une fortune.* **2.** *Comptab.* ***Consolidation*** *du bilan* : présentation globale des comptes des sociétés d'un groupe, annulant les opérations effectuées entre elles. **3.** *Fin.* ***Consolidation*** *d'une dette* : conversion d'une dette à court terme en dette à long terme. **4.** *Méd.* ▸ ***Consolidation*** *d'une blessure* : sa stabilisation, que l'on attend pour établir un diagnostic définitif. ▸ ***Consolidation*** *d'une fracture* : réunion et soudure des parties d'un os fracturé. 1314 ; bas lat. *consolidatio* ; [kɔ̃sɔlidasjɔ̃].

**CONSOLIDER,** verbe trans. [3]
**1.** Rendre plus solide : ***Consolider*** *une table* ; au fig., affermir : ***Consolider*** *une amitié.* ▸ Empl. pronom. *Leurs liens se* ***consolidaient.*** **2.** *Comptab.* et *Fin.* Assurer la consolidation de (une dette, un bilan). **3.** *Dr.* ***Consolider*** *l'usufruit* : réunir sur la même personne la nue-propriété et l'usufruit. **4.** *Méd.* *Le temps* ***consolidera*** *la fracture* : ressoudera l'os. Fin XVe s. (XIIIe s., cicatriser) ; lat. *consolidare* ; [kɔ̃sɔlide].

**CONSOMMABLE,** adj.
Que l'on peut consommer : *Yaourt* ***consommable.*** 1758 ; ☞ *consommer* ; [kɔ̃sɔmabl].

**CONSOMMATEUR, TRICE,** subst.
**1.** Vx. *Théol.* Celui qui amène qqch. à sa perfection : *Jésus-Christ,* ***consommateur*** *de notre foi.* **2.** Personne qui achète, utilise, consomme des marchandises ou des services : *Une association de* ***consommateurs*** ; *Le téléphone est réservé aux* ***consommateurs.*** ▸ Empl. adj. Qui consomme : *Un pays* ***consommateur*** *de pétrole* ; *Une voiture grande* ***consommatrice*** *d'essence.* 1525 ; lat. chrét. *consummator* ; [kɔ̃sɔmatœʀ, tʀis].

**CONSOMMATION,** subst. f.
**1.** Plein accomplissement, achèvement (littér.) : ***Consommation*** *du mariage*, union physique des époux ; *La* ***consommation*** *des siècles*, la fin des temps ; *La* ***consommation*** *d'un crime*, sa perpétration. **2.** Action de consommer un produit, un bien, un service : *Date limite de* ***consommation*** ; *Société de* ***consommation***, où le système économique incite à consommer toujours plus ; ***Consommation*** *de carburant.* ▸ Méton. Boisson servie dans un lieu public. Déb. XIIe s. ; lat. *consummatio* ; [kɔ̃sɔmasjɔ̃].

**CONSOMMÉ, ÉE,** adj. et subst. m.
ADJ. **1.** Qui est mené à terme. ▸ Qui confine à la perfection : *Un art* ***consommé*** *de l'intrigue.* **2.** Absorbé ou utilisé : *Des aliments* ***consommés*** *crus.* SUBST. *Cuis.* Bouillon concentré de viande. 1361 ; p. p. de *consommer* ; [kɔ̃sɔme].

**CONSOMMER,** verbe trans. [3]
**1.** Accomplir, mener à terme : ***Consommer*** *un délit* ; *Tout est* ***consommé*** *!* (dernières paroles du Christ sur la Croix). ▸ Loc. ***Consommer*** *le mariage* : le sceller par l'union charnelle. **2.** Absorber, manger : ***Consommer*** *du pain* ; empl. abs., prendre une consommation : ***Consommer*** *au bar.* **3.** Employer, faire usage de : ***Consommer*** *du gaz* ; empl. abs. : *Sa voiture* ***consomme*** *trop.* Fin XIIe s. ; lat. *consummare* ; [kɔ̃sɔme].

**CONSOMPTIBLE,** adj.
*Dr.* Dont on ne peut se servir sans le détruire, en parlant d'un bien de consommation. 1585 ; bas lat. *consumptibilis* ; [kɔ̃sɔ̃ptibl].

**CONSOMPTIF, IVE,** adj.
Vieilli. *Pathol.* Qui provoque la consomption : *Diabète* ***consomptif*** ; qui est atteint de consomption : *Jeune fille* ***consomptive.*** 1314 ; lat. *consumptus*, de *consumere*, « détruire » ; [kɔ̃sɔ̃ptif, iv].

**CONSOMPTION,** subst. f.
**1.** Destruction par le feu (littér.) : *La* ***consomption*** *d'un corps.* **2.** *Pathol.* Amaigrissement et épuisement progressif accompagnant certaines maladies graves, en partic. la tuberculose (vieilli). Fin XIIIe s. ; lat. *consumptio*, « action d'employer, d'épuiser » ; [kɔ̃sɔ̃psjɔ̃].

**CONSONANCE,** subst. f.
**1.** *Rhét.* Ressemblance ou identité de sons dans la terminaison des mots. ▸ Ext. Sonorité d'un mot : *Un nom de* ***consonance*** *germanique.* **2.** *Mus.* Affinité de deux ou de plusieurs sons (anton. *dissonance*). Mil. XIIe s. ; lat. *consonantia* ; [kɔ̃sɔnɑ̃s].

**CONSONANT, ANTE,** adj.
Qui produit, qui forme une consonance : *Des rimes* ***consonantes*** ; *Des accords* ***consonants.*** Mil. XIIe s. ; lat. *consonans*, de *consonare*, « résonner ensemble » ; [kɔ̃sɔnɑ̃, ɑ̃t].

**CONSONNE,** subst. f.
**1.** *Phon.* Bruit émis par les organes de la phonation (bouche, pharynx, etc.) et qui ne peut être produit que s'il repose sur une voyelle. Les **consonnes** sont dites sonores lorsque leur émission implique la vibration des cordes vocales, et sourdes dans le cas contraire : [b] est sonore et [p] est sourde. Du point de vue de leur articulation, on distingue : les **consonnes** occlusives ([p], [b], [t], [d], [k], [g]), fricatives ([f], [v], [s], [z], [ʃ], [ʒ]), nasales ([m], [n], [ɲ], [ŋ]) et liquides ([l], [ʀ]). **2.** Ext. Lettre servant à transcrire les **consonnes** : *Les vingt* ***consonnes*** *de l'alphabet, « b », « c », « d »...* 1529 ; lat. *consona*, « qui sonne avec (la voyelle) » ; [kɔ̃sɔn].

**CONSORT,** adj. m. et subst. m. plur.
ADJ. *Prince* ***consort*** : époux non couronné d'une souveraine. SUBST. *Dr.* Plaideurs unis par un intérêt commun ; par ext. : *Un tel et* ***consorts*** (péj.). Fin XIVe s. ; lat. *consors*, « copartageant » ; [kɔ̃sɔʀ].

**CONSORTIAL, ALE, AUX,** adj.
*Écon.* Relatif à un consortium : *Une entreprise* ***consortiale.*** 1876 ; lat. *consortium*, « communauté, société » ; [kɔ̃sɔʀsjal, o].

**CONSORTIUM,** subst. m.
*Écon.* Groupement d'entreprises juridiquement indépendantes réunies en vue de réaliser des opérations communes : *Un* ***consortium*** *de banques.* 1900 (1888, association de plantes) ; angl. *consortium* ou all. *Konsortium* ; [kɔ̃sɔʀsjɔm].

**CONSOUDE,** subst. f.
*Bot.* Plante haute, de la famille des Borraginacées, utilisée autrefois en médecine pour ses vertus astringentes. Mil. XIIIe s. ; bas lat. *consolida*, de *consolidare*, « affermir » ; [kɔ̃sud].

**CONSPIRATEUR, TRICE,** subst.
Personne qui prend part à un complot politique, à une conspiration : *Prendre des airs de* ***conspirateur*** ; empl. adj. : *Une menée* ***conspiratrice.*** Fin XVe s. ; ☞ *conspirer* ; [kɔ̃spiʀatœʀ, tʀis].

**CONSPIRATION,** subst. f.
**1.** Complot politique, conjuration : *La* ***conspiration*** *de Cinna contre Auguste.* **2.** Ext. Machination, entente secrète visant à nuire. ▸ ***Conspiration*** *du silence* : accord pour étouffer une vérité, taire qqch. Mil. XIIe s. ; lat. *conspiratio* ; [kɔ̃spiʀasjɔ̃].

**CONSPIRER,** verbe [3]
TRANS. DIR. Ourdir en secret avec d'autres (littér.) : ***Conspirer*** *la ruine d'un rival.* INTRANS. Décider, organiser une action violente contre le pouvoir : ***Conspirer*** *contre la sûreté de l'État* ; empl. abs. : *Ils* ***conspirent.*** TRANS. INDIR. Conspirer à. Concourir à : *Tout m'afflige et me nuit, et* ***conspire*** *à me nuire* (Racine). Fin XIIe s. ; lat. *conspirare* ; [kɔ̃spiʀe].

**CONSPUER,** verbe trans. [3]
Manifester publiquement son hostilité, son mépris envers (qqn ou qqch.) : ***Conspuer*** *un ministre* ; ***Conspuer*** *l'argent.* 1530 ; lat. *conspuere* ; [kɔ̃spɥe].

**CONSTABLE,** subst. m.
Officier de police chargé du maintien de la paix, en Grande-Bretagne et aux États-Unis. 1672 ; angl. *constable*, de l'anc. fr. *conestable* ; [kɔ̃stabl].

**CONSTAMMENT,** adv.
**1.** Avec constance, persévérance (littér.) : *S'attacher* ***constamment*** *à faire le bien.* **2.** D'une manière constante, continuellement : *Ne m'interrompez pas* ***constamment*** *!* 1414 ; ☞ *constant* ; [kɔ̃stamɑ̃].

**CONSTANCE,** subst. f.
**1.** Force d'âme : *Souffrir avec* ***constance.*** ▸ Persévérance dont fait preuve une personne dans sa conduite, ses sentiments, ses idées : *Manquer de* ***constance*** *dans l'effort* ; *La* ***constance*** *d'un amour.* **2.** Qualité de ce qui ne varie pas : *La* ***constance*** *d'un phénomène scientifique.* **3.** *Psychol.* ***Constance*** *perceptive* : permanence dans la perception des qualités réelles de l'objet, quelles que soient les modifications du champ sensoriel. Déb. XIIIe s. ; lat. *constantia* ; [kɔ̃stɑ̃s].

**CONSTANT, ANTE,** adj.
**1.** Vx. D'un caractère inébranlable. **2.** Ext. Persévérant ; stable dans ses opinions, ses sentiments, son humeur. **3.** Qui ne cesse pas, durable : *Un souci* ***constant*** *de plaire.* **4.** Qui ne varie pas : *Vitesse* ***constante.*** ▸ Loc. *En francs* ***constants*** : dont la valeur est réactualisée en tenant compte de l'érosion monétaire. Mil. XIIIe s. ; lat. *constans* ; [kɔ̃stɑ̃, ɑ̃t].

**CONSTANTAN,** subst. m.
*Métall.* Alliage de cuivre et de nickel, dont la résistance électrique est pratiquement indépendante de la température. 1922 ; orig. obsc. ; [kɔ̃stɑ̃tɑ̃].

**CONSTANTE,** subst. f.
**1.** Caractéristique stable et permanente : *Les* ***constantes*** *d'un comportement, d'une pensée.* **2.** *Math.* Objet mathématique (nombre, vecteur, etc.) indépendant de certaines variables dans un contexte précis. ▸ Fonction $f$ de E dans F telle qu'il existe $b \in$ F vérifiant $f(x) = b$ pour tout $x$ de E. ▸ Nombre remarquable : ***Constante*** *d'Euler.* **3.** *Phys.* et *Astron.* ***Constantes*** *universelles* : grandeurs qui interviennent dans les lois de la nature, comme la **constante** de la gravitation ou la **constante** de Planck. 1669 ; ☞ *constant* ; [kɔ̃stɑ̃t].

**CONSTANTINIEN, IENNE,** adj.
Relatif à Constantin Ier le Grand, propre à son règne. Anthropon. *Constantin* ; [kɔ̃stɑ̃tinjɛ̃, jɛn].

**CONSTAT,** subst. m.
**1.** *Dr.* Procès-verbal établi par une personne habilitée : *Un* ***constat*** *d'huissier* ; *Un* ***constat*** *d'adultère* ; par anal. : *Faire un* ***constat*** *amiable.* **2.** Constatation : *Un* ***constat*** *d'échec.* 1890 ; lat. *constat*, « il est certain que » ; [kɔ̃sta].

**CONSTATATION,** subst. f.
**1.** Action d'attester, d'établir la réalité d'un fait : ***Constatation*** *de décès.* **2.** Méton. Résultat de cette action ; fait observé : *Faire les* ***constatations*** *d'usage.* 1586 ; lat. *constat*, « il est certain que » ; [kɔ̃statasjɔ̃].

**CONSTATER,** verbe trans. [3]
**1.** *Dr.* Attester par un acte officiel : ***Constater*** *l'état des lieux* ; ***Constater*** *par procès-verbal.* **2.** Ext. Établir, reconnaître la réalité ou la vérité de (un fait) : *Vous* ***constaterez*** *par vous-même ce changement.* 1726 ; lat. *constat*, « il est certain que » ; [kɔ̃state].

**CONSTELLATION,** subst. f.
**1.** Groupe d'étoiles en apparence voisines sur la voûte céleste, auxquelles les anciens astronomes babyloniens, grecs, chinois et arabes ont donné des noms conventionnels. En fait, les étoiles d'une

même **constellation** peuvent être à des distances très différentes de la Terre, et l'impression de proximité n'est due qu'à un effet de projection. **2.** Région du ciel dans la direction de laquelle se trouve une **constellation** donnée. **3.** Anal. Groupe d'objets brillants : *Une **constellation** de pierreries* ; au fig., groupe de personnes illustres. Fin XIII^e s. ; lat. *constellatio*, de *stella*, « étoile » ; [kɔ̃stelasjɔ̃] ou [-ɛlla-].

ASTRONOMIE – Dès l'Antiquité, les astronomes ont groupé les étoiles en constellations, identifiées à des figures mythologiques. C'est le Grec Ptolémée qui, au II^e s. apr. J.-C., répertoria les quarante-huit premières constellations. Aux XVII^e et XVIII^e s., les astronomes Bayer, Hevelius, Lalande ou encore La Caille repérèrent les constellations australes, auxquelles ils donnèrent des noms d'animaux ou d'instruments. On compte aujourd'hui quatre-vingt-huit constellations. Leurs limites sont des parallèles des méridiens célestes.

**CONSTELLER,** verbe trans. [3]
**1.** *Astron.* Couvrir de constellations. **2.** Anal. Parsemer d'éléments évoquant les constellations ; empl. pronom. : *La vitre se **constellait** de gouttes de pluie.* 1519 ; ☞ *constellation* ; [kɔ̃stele] ou [-ɛlle].

**CONSTERNANT, ANTE,** adj.
Affligeant, déplorable : *Un spectacle **consternant** de bêtise.* 1845 ; p. pr. de *consterner* ; [kɔ̃stɛʀnɑ̃, ɑ̃t].

**CONSTERNATION,** subst. f.
**1.** Fait de consterner. **2.** État d'abattement profond qui en résulte : *Lire la **consternation** sur un visage.* Déb. XVI^e s. (fin XIV^e s., émeute) ; lat. *consternatio*, « bouleversement » ; [kɔ̃stɛʀnasjɔ̃].

**CONSTERNER,** verbe trans. [3]
**1.** Plonger (qqn) dans un accablement mêlé de stupeur ; atterrer : *L'assassinat de Kennedy **consterna** l'Amérique.* **2.** Désoler, attrister. Fin XIV^e s. ; lat. *consternare*, « bouleverser » ; [kɔ̃stɛʀne].

**CONSTIPATION,** subst. f.
Difficulté à évacuer les matières fécales. Fin XIV^e s. ; lat. *constipatio*, « resserrement » ; [kɔ̃stipasjɔ̃].

**CONSTIPÉ, ÉE,** adj.
**1.** Qui souffre de constipation ; empl. subst. : *Un **constipé** chronique.* **2.** Fig. Embarrassé, guindé (fam.) : *Avoir un air **constipé**.* Fin XIV^e s. ; p. p. de *constiper* ; [kɔ̃stipe].

**CONSTIPER,** verbe trans. [3]
Rendre constipé ; empl. abs. : *Le riz **constipe**.* Fin XIV^e s. ; lat. *constipare*, « resserrer » ; [kɔ̃stipe].

**CONSTITUANT, ANTE,** adj. et subst. m.
**I.** ADJ. Qui constitue l'un des éléments d'un tout : *Les molécules **constituantes** d'un corps.* SUBST. **1.** *Chim.* Corps simple formant avec d'autres un composé. **2.** *Ling.* Mot ou expression entrant dans une structure plus large : *Les **constituants** d'une phrase.* **II.** *Dr. publ.* ADJ. Qui a mission ou pouvoir d'élaborer une Constitution : *L'Assemblée **constituante*** ou, empl. subst. fém., *La **Constituante***, l'assemblée issue des États généraux de 1789. SUBST. Chaque membre d'une assemblée **constituante**. 1572 ; p. pr. de *constituer* ; [kɔ̃stitɥɑ̃, ɑ̃t].

**CONSTITUÉ, ÉE,** adj.
**1.** Présentant telle constitution physique : *Un être normalement **constitué**.* **2.** *Dr. publ.* Qui est fondé, établi par la loi, par la Constitution : *Corps **constitués**.* 1690 ; p. p. de *constituer* ; [kɔ̃stitɥe].

**CONSTITUER,** verbe trans. [3]
**1.** *Dr.* Établir (qqn) dans une position juridique précise : *Il l'a **constitué** légataire universel.* ► Empl. pronom. *Se **constituer** partie civile dans un procès* ; *Se **constituer** prisonnier* : se rendre aux autorités, se livrer. **2.** Créer (qqch.) au profit de qqn : ***Constituer** une dot, un patrimoine.* **3.** Composer (un tout) à partir de plusieurs éléments : ***Constituer** une collection, une équipe.* **4.** Former l'essence de (qqch.) ; représenter : *Son attitude **constitue** une provocation.* XIV^e s. (XIII^e s., s'établir) ; lat. *constituere*, « placer debout » ; [kɔ̃stitɥe].

**CONSTITUTIF, IVE,** adj.
**1.** *Dr.* Qui établit un droit par voie juridique : *Titre **constitutif** de propriété.* **2.** Qui entre dans la composition d'un tout : *Éléments **constitutifs** d'un corps chimique.* **3.** Qui constitue le fondement de qqch. : *Les preuves **constitutives** d'un délit.* 1488 ; lat. *constituere*, « placer debout » ; [kɔ̃stitytif, iv].

**CONSTITUTION,** subst. f.
**I. 1.** *Dr.* Action d'établir de façon juridique. ► ***Constitution** de partie civile* : requête déposée par une victime auprès d'une juridiction pénale, afin d'obtenir réparation d'un préjudice. ► ***Constitution** d'avocat, d'avoué* : choix d'un défenseur en première instance, en appel. **2.** Action de créer qqch. au profit de qqn : ***Constitution** d'une rente.* **3.** Action par laquelle on constitue, on organise un ensemble, un tout : ***Constitution** d'un stock.* **4.** Composition d'un corps, d'une substance. **5.** Ensemble des caractéristiques physiques et psychiques d'un individu : *Une **constitution** robuste.* **II. 1.** *Dr. publ. La **Constitution*** : l'ensemble des lois fondamentales qui définissent la forme de gouvernement d'un État et qui déterminent les droits et devoirs politiques des citoyens. **2.** *Hist. La **Constitution** civile du clergé* : organisation du clergé français décrétée par la Constituante en 1790. Fin XII^e s. ; lat. *constitutio* ; [kɔ̃stitysjɔ̃].

**CONSTITUTIONALISER,** verbe trans. [3]
*Dr. publ.* Attribuer un caractère constitutionnel à (une loi, un texte législatif) ; rendre constitutionnel. 1830 ; ☞ *constitutionnel* ; var. *constitutionnaliser* ; [kɔ̃stitysjɔnalize].

**CONSTITUTIONALITÉ,** subst. f.
*Dr. publ.* Caractère de ce qui est conforme à la Constitution : *La **constitutionalité** d'un projet de loi.* 1798 ; ☞ *constitutionnel* ; var. *constitutionnalité* ; [kɔ̃stitysjɔnalite].

**CONSTITUTIONNEL, ELLE,** adj.
**1.** Relatif à la constitution physique ou psychologique d'un individu : *Handicap **constitutionnel**.* **2.** *Dr. publ.* Relatif à une Constitution : *Loi **constitutionnelle***, conforme à la Constitution ; *Monarchie **constitutionnelle***, soumise à une Constitution ; *Droit **constitutionnel***, partie du droit public qui étudie les Constitutions ; *Le Conseil **constitutionnel***, chargé de veiller à la constitutionalité des lois. **3.** Qui est partisan d'un régime **constitutionnel**. ► *Hist. Clergé **constitutionnel*** : partie du clergé français qui accepta la Constitution civile du clergé, décrétée en 1790 (anton. *réfractaire*). 1765 ; ☞ *constitution* ; [kɔ̃stitysjɔnɛl].

**CONSTITUTIONNELLEMENT,** adv.
*Dr. publ.* Conformément à la Constitution. 1776 ; ☞ *constitutionnel* ; [kɔ̃stitysjɔnɛlmɑ̃].

**CONSTRICTEUR,** adj. m.
**1.** *Anat.* Qualifie un muscle qui resserre un organe, un orifice ; empl. subst. masc. : *Les **constricteurs** du pharynx, de l'anus.* **2.** *Zool. Boa **constricteur*** (ou *constrictor*) : boa qui s'enroule autour de sa proie pour l'étouffer. Déb. XVIII^e s. ; lat. *constrictus*, de *constringere*, « resserrer » ; [kɔ̃stʀiktœʀ].

**CONSTRICTIF, IVE,** adj.
**1.** *Méd.* Qui concerne ou produit la constriction : *Douleur, action **constrictive**.* **2.** *Phon.* Consonne ***constrictive*** : articulée avec un resserrement du conduit vocal, de manière à produire un bruit de frottement ; empl. subst. fém. : *[f], [v], [s], [ʃ] sont des **constrictives*** (synon. *fricatives*). 1363 ; bas lat. *constrictivus*, « qui resserre » ; [kɔ̃stʀiktif, iv].

**CONSTRICTION,** subst. f.
*Méd.* Pression circulaire exercée sur une région du corps ; resserrement d'un organe. 1314 ; bas lat. *constrictio*, « action de resserrer » ; [kɔ̃stʀiksjɔ̃].

**CONSTRUCTEUR, TRICE,** subst. et adj.
SUBST. Personne qui construit ou fait construire des bâtiments, des objets : ***Constructeur** de maisons* ; ***Constructeur** d'automobiles.* ADJ. Qui bâtit : *Le castor est un animal **constructeur*** ; au fig., qui élabore, organise : *Pensée **constructrice**.* XV^e s. ; bas lat. *constructor* ; [kɔ̃stʀyktœʀ, tʀis].

**CONSTRUCTIBLE,** adj.
Où il est possible et permis de bâtir un édifice : *Terrain, zone **constructible**.* 1863 ; lat. *constructum*, de *construere*, « bâtir » ; [kɔ̃stʀyktibl].

**CONSTRUCTIF, IVE,** adj.
**1.** Capable d'élaborer, d'organiser : *Une intelligence **constructive**.* **2.** Qui tend à un progrès, à un résultat positif : *Une critique **constructive**.* XV^e s. ; bas lat. *constructivus* ; [kɔ̃stʀyktif, iv].

**CONSTRUCTION,** subst. f.
**1.** Action de construire ou de faire construire : ***Construction** d'un immeuble* ; *Maison en **construction***, en train d'être construite. **2.** Méton. ► Ce qui est construit : *Une **construction** en pierre, en bois.* ► Secteur d'activité industrielle ayant pour objet la **construction** : ***Construction** navale, automobile* ; empl. abs. : *La **construction***, le secteur du bâtiment. **3.** Fig. Action d'élaborer, d'ordonner, de structurer ; son résultat : *La **construction** d'une narration, d'un système* ; *Une **construction** de l'esprit* ; *La **construction** de l'Europe.* **4.** *Spéc.* ► *Géom.* Tracé d'une figure. ► *Gramm.* Agencement des mots dans la phrase (synon. *syntaxe*) : ***Construction** fautive* ; ***Construction** d'un verbe avec une préposition.* Fin XII^e s. ; lat. *constructio* ; [kɔ̃stʀyksjɔ̃].

**CONSTRUCTIVISME,** subst. m.
*B.-a.* Mouvement artistique né en Russie en 1917, qui substitue une esthétique et une plastique des lignes et des plans formant des structures à l'esthétique des masses : *Pevsner, Gabo, Malevitch incarnèrent le **constructivisme**.* V. 1920 ; ☞ *constructif* ; [kɔ̃stʀyktivism].

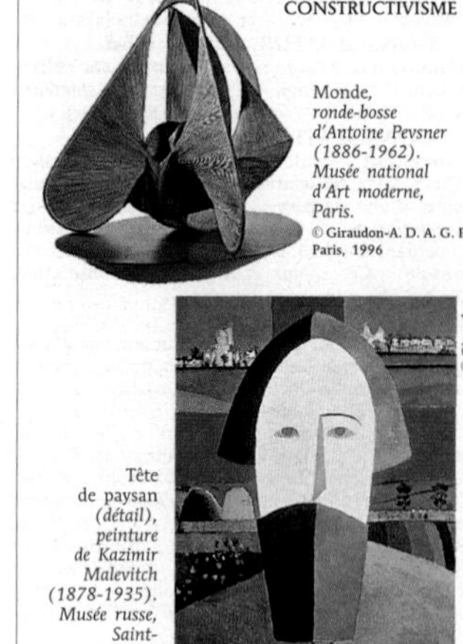

CONSTRUCTIVISME

Monde, ronde-bosse d'Antoine Pevsner (1886-1962). Musée national d'Art moderne, Paris. © Giraudon-A. D. A. G. P., Paris, 1996

Tête de paysan (détail), peinture de Kazimir Malevitch (1878-1935). Musée russe, Saint-Pétersbourg. © Giraudon

**CONSTRUCTIVISTE,** subst. et adj.
*B.-a.* Qualifie ou désigne un adepte du constructivisme. ADJ. Qui est propre au constructivisme. V. 1920 ; ☞ *constructif* ; [kɔ̃stʀyktivist].

**CONSTRUIRE,** verbe trans. [69]
**1.** Édifier, bâtir : ***Construire** un immeuble, une route* ; *Permis de **construire*** ; par anal., fabriquer (un objet, un engin) : ***Construire** un navire* ; au fig., organiser, préparer : ***Construire** son avenir.* **2.** Élaborer, dans un domaine artistique ou intellectuel : ***Construire** un tableau, une œuvre musicale* ; ***Construire** une théorie.* **3.** *Spéc.* ► *Géom.* Tracer selon des règles strictes : ***Construire** un cercle.* ► *Gramm.* Disposer selon un ordre déterminé les divers éléments de (un énoncé) : ***Construire** une phrase* ; empl. pronom. : *« Après que » se **construit** avec l'indicatif.* XIII^e s. ; lat. *construere* ; [kɔ̃stʀɥiʀ].

**CONSUBSTANTIALITÉ,** subst. f.
*Théol.* Dans la religion chrétienne, unité et identité de substance du Père, du Fils et du Saint-Esprit, les trois Personnes de la Trinité divine. XIII^e s. ; lat. eccl. *consubstantialitas* ; [kɔ̃sypstɑ̃sjalite].

**CONSUBSTANTIATION,** subst. f.
*Théol.* Dogme luthérien qui réfute la transsubstantiation et affirme que le corps et le sang du Christ sont présents dans le pain et le vin eucharistiques, mais ne se substituent pas à ces derniers. 1567 ; lat. eccl. *consubstantiatio* ; [kɔ̃sypstɑ̃sjasjɔ̃].

**CONSUBSTANTIEL, ELLE,** adj.
**1.** *Théol.* Qui est un par la substance : *Les Personnes de la Trinité sont **consubstantielles**.* **2.** Ext. Qui est naturellement et intimement lié (littér.). Déb. XV^e s. ; lat. eccl. *consubstantialis* ; [kɔ̃sypstɑ̃sjɛl].

**CONSUL,** subst. m.
**1.** *Antiq. rom.* L'un des deux magistrats qui, sous la République, exerçaient l'autorité suprême. **2.** *Hist.* ► Du Moyen Âge à la Révolution, magistrat municipal de certaines villes du sud de la France. ► Chacun des trois magistrats suprêmes, sous le Consulat : *Bonaparte fut Premier **consul**.* **3.** Agent officiel d'un État dans un État étranger, chargé d'y

défendre les intérêts des ressortissants de son pays et d'y remplir des fonctions administratives et commerciales. 1213 ; mot lat. ; [kɔ̃syl].

**CONSULAIRE, adj.**

**1.** Relatif au consul, au consulat. **2.** Relatif à un tribunal de commerce ou à ses membres : *Juridiction **consulaire**.* Fin XIIIe s. ; lat. *consularis* ; [kɔ̃sylɛʀ].

**CONSULAT, subst. m.**

**1.** *Antiq. rom.* Dignité, charge de consul ; durée de son exercice. **2.** *Hist. Le **Consulat*** : régime instauré par la Constitution de l'an VIII ; sa durée. **3.** Fonction de consul à l'étranger ; par méton., lieu où sont rassemblés les services qui lui sont attachés. 1246 ; lat. *consulatus* ; [kɔ̃syla].

**CONSULTANT, ANTE, subst.**

**1.** Vx. Personne qui consulte un médecin, un avocat, un juriste, etc. **2.** Professionnel que l'on consulte en raison de ses compétences particulières : *Un **consultant** en informatique* ; en appos. : *Un avocat **consultant**.* 1584 ; p. pr. de *consulter* ; [kɔ̃syltɑ̃, ɑ̃t].

**CONSULTATIF, IVE, adj.**

Que l'on consulte pour avis : *Assemblée **consultative*** ; *Avoir voix **consultative***, avoir le droit de donner son avis, mais pas celui de voter ; *À titre **consultatif***, pour avis. 1608 ; ☞ *consulter* ; [kɔ̃syltatif, iv].

**CONSULTATION, subst. f.**

**1.** Conférence de spécialistes qui délibèrent sur un cas problématique : *Une **consultation** de cancérologues.* **2.** Action de solliciter un avis : ***Consultation** du peuple par référendum.* **3.** Action de chercher un renseignement dans un ouvrage : *La **consultation** d'un dictionnaire.* **4.** Action de donner un avis, pour un spécialiste : ***Consultation** juridique* ; par ext., cet avis lui-même ; en partic., l'acte du médecin qui reçoit un patient dans son cabinet. Mil. XIVe s. ; lat. *consultatio* ; [kɔ̃syltasjɔ̃].

**CONSULTE, subst. f.**

**1.** *Hist.* Assemblée délibérative ou judiciaire, en Espagne, en Italie et en Suisse. ▸ *La **Consulte** sacrée* : avant 1870, cour de justice du pape. **2.** En Corse, grande assemblée qui traite de problèmes d'intérêt général. 1708 ; ital. *consulta* ; [kɔ̃sylt].

**CONSULTER, verbe [3]**

**Intrans. 1.** Vx. Délibérer, se concerter afin d'arrêter une décision : *Le médecin **consulte** avec son confrère.* **2.** Donner des consultations : *Cet avocat **consulte** le matin.* **Trans. 1.** Demander conseil à : ***Consulter** un aîné.* ▸ Solliciter l'avis autorisé de (qqn, une institution) : ***Consulter** un expert, un comité.* ▸ ***Consulter** la nation* : convier les électeurs à se prononcer. **2.** Examiner, regarder (qqch.) pour trouver une information : ***Consulter** un atlas, des archives* ; ***Consulter** une boussole, sa montre* ; ***Consulter** les astres, les tarots.* 1410 ; lat. *consultare* ; [kɔ̃sylte].

**CONSULTEUR, subst. m.**

*Cath. **Consulteur** du Saint-Office* : théologien chargé par le pape de donner son avis sur des questions de foi et de discipline. 1458 ; ☞ *consulter* ; [kɔ̃syltœʀ].

**CONSUMER, verbe trans. [3]**

**1.** Littér. ▸ User, anéantir peu à peu : *La fièvre le **consume*** ; empl. pronom., dépérir : *Se **consumer** de chagrin.* ▸ Dissiper inconsidérément : ***Consumer** ses biens* ; au fig. : ***Consumer** sa jeunesse.* **2.** Détruire par le feu ; empl. pronom. : *Une cigarette qui se **consume**.* XIIe s. ; lat. *consumere*, « absorber entièrement ; détruire » ; [kɔ̃syme].

**CONSUMÉRISME, subst. m.**

Mouvement qui porte les consommateurs à se grouper en associations pour la défense de leurs intérêts. V. 1970 ; anglo-amér. *consumerism*, de *consumer*, « consommateur » ; [kɔ̃symeʀism].

**CONSUMÉRISTE, adj. et subst.**

**Adj.** Relatif au consumérisme : *Une revue **consumériste**.* **Subst.** Partisan du consumérisme. V. 1970 ; ☞ *consumérisme* ; [kɔ̃symeʀist].

**CONTACT, subst. m.**

**1.** Action ou état de deux corps qui se touchent : *Entrer en **contact*** ; *Point de **contact*** ; par ext., sensation causée par une matière sur la peau. **2.** Anal. Relation, rapport avec autrui : *Prendre **contact*** ; *Avoir un bon **contact** avec qqn.* ▸ Méton. Personne que l'on doit rencontrer pour une affaire particulière : *Herr Müller est son **contact** à Berlin.* **3.** *Spéc.* ▸ *Électr.* Connexion de deux conducteurs qui permet au courant de passer, en partic. pour le fonctionnement d'un appareil ou d'un moteur à explosion : *Clé de **contact*** ; *Mettre, couper le **contact*** ; *Fil de **contact***, caténaire ; ***Contact** à la terre*, connexion accidentelle d'un conducteur avec la terre. ▸ *Géom. Point de **contact** entre deux surfaces (resp. deux courbes)* : point commun où les deux surfaces (resp. les deux courbes) admettent le même plan tangent (resp. la même tangente). ▸ *Opt. Verre, lentille de **contact*** : verre correcteur en forme de petite coque que l'on applique directement sur l'œil. ▸ *Psychol.* Relation de confiance, de connivence entre les personnes : ***Contact** affectif*, fait de sympathie ou d'antipathie. 1586 ; lat. *contactus* ; [kɔ̃takt].

**CONTACTER, verbe trans. [3]**

Prendre contact, entrer en rapport avec (empl. critiqué). 1842 ; ☞ *contact* ; [kɔ̃takte].

**CONTACTEUR, subst. m.**

*Électr.* Interrupteur commandé à distance par un électro-aimant ou par de l'air comprimé. 1927 ; ☞ *contact* ; [kɔ̃taktœʀ].

**CONTACTOLOGIE, subst. f.**

Ensemble des techniques relatives aux verres et aux lentilles de contact et à leur usage en ophtalmologie. Mil. XXe s. ; ☞ *contact* + *-logie* ; [kɔ̃taktɔlɔʒi].

**CONTAGE, subst. m.**

*Pathol.* Cause matérielle de la contagion. 1832 ; lat. *contagium*, « contagion » ; [kɔ̃taʒ].

**CONTAGIEUX, EUSE, adj.**

**1.** *Pathol.* Qui est transmissible par contagion : *La rougeole est **contagieuse**.* ▸ Méton. Dont la maladie est **contagieuse** : *Malade **contagieux*** ; empl. subst. : *Isolement des **contagieux**.* **2.** Fig. Qui se communique facilement : *Un fou rire **contagieux**.* Déb. XIVe s. ; bas lat. *contagiosus* ; [kɔ̃taʒjø, øz].

**CONTAGION, subst. f.**

**1.** *Pathol.* Transmission, par contact direct ou par contage, d'une maladie : ***Contagion** directe, indirecte.* **2.** Fig. Communication, transmission d'un état par mimétisme ; propagation : *La **contagion** révolutionnaire.* 1375 ; lat. *contagio* ; [kɔ̃taʒjɔ̃].

**CONTAGIOSITÉ, subst. f.**

*Pathol.* Caractère de ce qui est contagieux. 1425 ; ☞ *contagieux* ; [kɔ̃taʒjozite].

**CONTAINER, voir CONTENEUR**

**CONTAMINATEUR, TRICE, adj. et subst.**

Se dit d'une chose, d'une personne qui contamine. 1561 ; ☞ *contaminer* ; [kɔ̃taminatœʀ, tʀis].

**CONTAMINATION, subst. f.**

**1.** *Pathol.* Transmission d'une maladie : ***Contamination** par le sang.* **2.** Ext. Prolifération d'éléments pathogènes, de polluants : ***Contamination** de l'eau* ; fait d'être contaminé : *Région de forte **contamination** radioactive.* **3.** *Ling.* et *Litt.* Altération par mélange : ***Contamination** d'un mot par un autre, d'un texte par un autre.* Mil. XIVe s. ; lat. chrét. *contaminatio*, « contact impur » ; [kɔ̃taminasjɔ̃].

**CONTAMINER, verbe trans. [3]**

**1.** Infecter, souiller (qqch.) ; transmettre une maladie contagieuse à : *Il a **contaminé** sa compagne* ; empl. adj. : *Matériel **contaminé*** ; *Zone **contaminée**.* **2.** Fig. Exercer une influence néfaste sur (qqn, un groupe). 1215 ; lat. *contaminare* ; [kɔ̃tamine].

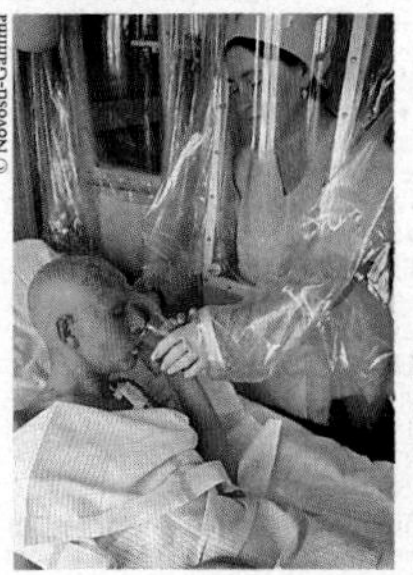
© Novosti-Gamma

*Une victime gravement **contaminée** à la suite de l'explosion, en 1986, d'un réacteur nucléaire à Tchernobyl, en Ukraine.*

**CONTE, subst. m.**

**1.** Récit, assez court, d'aventures imaginaires, merveilleuses : *Les **contes** de Perrault* ; *Un **conte** de fées.* ▸ Loc. *Vivre un vrai **conte** de fées* : une aventure merveilleuse, incroyable. **2.** Propos que l'on a peine à croire (vieilli). Mil. XIIe s. ; ☞ *conter* ; [kɔ̃t].

**CONTEMPLATEUR, TRICE, subst.**

Personne qui contemple, qui aime à contempler. Fin XIVe s. ; lat. *contemplator* ; [kɔ̃tɑ̃platœʀ, tʀis].

**CONTEMPLATIF, IVE, adj.**

**1.** Porté à la contemplation, à la méditation. **2.** *Relig.* Voué à la contemplation, à la prière : *Ordre **contemplatif*** ; empl. subst. : *Les Carmélites sont des **contemplatives**.* Fin XIIe s. ; lat. *contemplativus* ; [kɔ̃tɑ̃platif, iv].

**CONTEMPLATION, subst. f.**

**1.** Action de contempler qqn, qqch. : *La **contemplation** des étoiles* ; *Être, rester en **contemplation*** ; *Objet de **contemplation**.* **2.** Tension de l'esprit vers ce qu'il désire connaître, comprendre, méditer : *« Les **Contemplations** », de Victor Hugo.* ▸ *Relig.* Extase des élus, à qui il est donné de voir Dieu en face, vision béatifique ; par ext., état d'une âme vouée à l'adoration de Dieu. Fin XIIe s. ; lat. *contemplatio* ; [kɔ̃tɑ̃plasjɔ̃].

**CONTEMPLER, verbe trans. [3]**

Porter un long regard, attentif ou admiratif, sur : ***Contempler** un paysage* ; empl. pronom. : *Se **contempler** dans un miroir* ; *Les deux amants se **contemplaient**.* Fin XIIe s. ; lat. *contemplari* ; [kɔ̃tɑ̃ple].

**CONTEMPORAIN, AINE, adj.**

**Adj. 1.** Qui existe ou qui se produit à la même époque que qqn ou qqch. d'autre : *Montaigne était **contemporain** de Galilée* ; *Sade et Robespierre furent **contemporains*** ; empl. subst. : *Van Gogh fut ignoré de ses **contemporains**.* **2.** Qui appartient au temps présent : *L'art **contemporain*** ; *L'histoire **contemporaine***, de 1789 à nos jours. Fin XVe s. ; bas lat. *contemporaneus* ; [kɔ̃tɑ̃pɔʀɛ̃, ɛn].

**CONTEMPORANÉITÉ, subst. f.**

Caractère de ce qui est contemporain. 1798 ; ☞ *contemporain* ; [kɔ̃tɑ̃pɔʀaneite].

**CONTEMPTEUR, TRICE, subst.**

Personne qui affiche un mépris hostile pour qqch. ou qqn : *Les **contempteurs** de la papauté* ; empl. adj. (rare) : *Un sourire **contempteur**.* 1449 ; lat. *contemptor* ; [kɔ̃tɑ̃ptœʀ, tʀis].

**CONTENANCE, subst. f.**

**I.** Maintien, façon de se tenir, allure : *Une fière **contenance**.* ▸ Loc. *Se donner une **contenance*** : masquer, par une attitude détachée, son embarras ; *Perdre **contenance*** : perdre son assurance, laisser paraître son trouble. **II. 1.** Étendue, superficie (vx). **2.** Quantité qu'il est possible à un récipient de contenir : *Une cuve d'une **contenance** de 100 litres.* Fin XIe s. ; ☞ *contenir* ; [kɔ̃t(ə)nɑ̃s].

**CONTENANT, subst. m.**

Ce qui contient, emballage, récipient (anton. *contenu*). 1530 ; p. pr. de *contenir* ; [kɔ̃t(ə)nɑ̃].

**CONTENEUR, subst. m.**

**1.** Caisse de dimensions normalisées utilisée pour le transport des marchandises. **2.** Récipient destiné à la collecte de déchets : ***Conteneurs** pour le verre.* 1956 ; ☞ *contenir* ; var. *container* (anglic.) ; [kɔ̃t(ə)nœʀ].

**CONTENEURISATION, subst. f.**

Emballage de marchandises dans un conteneur. V. 1970 ; ☞ *conteneuriser* ; [kɔ̃t(ə)nœʀizasjɔ̃].

**CONTENEURISER, verbe trans. [3]**

Emballer (des marchandises) dans un conteneur. V. 1970 ; ☞ *conteneur* ; [kɔ̃t(ə)nœʀize].

**CONTENIR, verbe trans. [22]**

**I.** Renfermer. **1.** Être composé de : *Le sel **contient** du chlorure de sodium.* **2.** Avoir pour contenu : *Ce coffret **contient** des cigares* ; au fig. : *Les indications sont **contenues** dans la notice.* **3.** Avoir pour contenance : *Cette bouteille **contient** 1 litre et demi.* **II.** Retenir. **1.** Tenir dans une limite : ***Contenir** l'ennemi.* **2.** Refréner, réprimer (une émotion, un sentiment) : ***Contenir** sa colère* ; empl. pronom., se maîtriser. XIIIe s. (mil. XIe s., se comporter) ; lat. *continere*, « tenir uni » ; [kɔ̃t(ə)niʀ].

**CONTENT, ENTE, adj. et subst. m.**

**Adj.** Qui est satisfait, comblé : *Elle est **contente** de son voyage et de ses compagnons* ; empl. abs., heureux, joyeux : *Il n'a pas l'air **content** !* ▸ Loc. ***Être content** de soi* : avoir une bonne opinion de soi ; *Non **content** de* (+ inf.) : comme s'il ne suffisait pas de. **Subst.** Ce qu'il faut pour être satisfait : *Dormir (tout) son **content**.* XIIIe s. ; lat. *contentus* ; [kɔ̃tɑ̃, ɑ̃t].

**CONTENTEMENT,** subst. m.
**1.** Littér. Action de contenter (qqn), de satisfaire (un besoin, une envie) : *Le **contentement** des désirs.* **2.** État de satisfaction : *Un sourire de **contentement** ; **Contentement** de soi*, autosatisfaction (péj.). Fin XV^e^ s. ; ☞ *contenter* ; [kɔ̃tɑ̃tmɑ̃].

**CONTENTER,** verbe trans. [3]
Rendre content (qqn), satisfaire (un besoin, une envie) : ***Contenter** sa curiosité.* PRONOM. **Se contenter de. 1.** Se satisfaire de, s'accommoder de : *Il se **contente** de ce qu'il a.* **2.** Se borner à : *Il se **contenta** de nous saluer.* 1314 ; ☞ *content* ; [kɔ̃tɑ̃te].

**CONTENTIEUX, EUSE,** adj. et subst. m.
ADJ. *Dr.* Qui fait l'objet d'un litige : *Une clause **contentieuse*** ; qui statue sur un litige : *Juridiction **contentieuse*** (anton. *gracieuse*). SUBST. **1.** Ensemble des litiges susceptibles d'être portés devant les tribunaux : *Un **contentieux** administratif* ; par ext., différend : *Un vieux **contentieux** les oppose.* **2.** Service chargé des affaires litigieuses, dans une entreprise, une administration : *Chef du **contentieux**.* 1257 ; lat. *contentiosus*, « chicaneur » ; [kɔ̃tɑ̃sjø, øz].

**CONTENTIF, IVE,** adj.
Qui maintient fermement en place : *Un bandage **contentif**.* Fin XIV^e^ s. ; lat. *contentum*, de *continere*, « tenir uni » ; [kɔ̃tɑ̃tif, iv].

**CONTENTION (I),** subst. f.
Effort soutenu des facultés intellectuelles (littér.). XIV^e^ s. (fin XII^e^ s., lutte) ; lat. *contentio* ; [kɔ̃tɑ̃sjɔ̃].

**CONTENTION (II),** subst. f.
**1.** *Chir.* Immobilisation, par divers moyens, de parties du corps accidentellement déplacées ou qui doivent se reformer : ***Contention** d'une fracture.* **2.** *Psych.* et *Vétér.* Neutralisation d'un forcené ou d'un animal qui réclame des soins. 1771 ; ☞ *contenir* ; [kɔ̃tɑ̃sjɔ̃].

**CONTENU, UE,** adj. et subst. m.
ADJ. Que l'on se retient d'exprimer ; réfréné : *Rage **contenue**.* SUBST. **1.** Ce que contient un récipient (anton. *contenant*) : *Le **contenu** d'une bouteille, d'une valise.* **2.** Ce que signifie un écrit, un discours, une œuvre ; teneur : *Le **contenu** de sa lettre est clair.* XIII^e^ s. ; p. p. de *contenir* ; [kɔ̃t(ə)ny].

**CONTER,** verbe trans. [3]
**1.** Faire le récit de (un ou des faits réels) : *Il m'a **conté** son aventure.* **2.** Dire (une histoire imaginaire, un conte). **3.** Loc. *En **conter** à qqn* : tenter de le mystifier ; *Ne pas s'en laisser **conter*** : ne pas se laisser abuser ; ***Conter** fleurette à une femme* : lui faire la cour. Déb. XII^e^ s. ; lat. médiév. *computare*, « narrer », du lat. *computare*, « compter » ; [kɔ̃te].

**CONTESTABLE,** adj.
Qui peut être contesté, mis en doute : *Une version **contestable**.* 1611 ; ☞ *contester* ; [kɔ̃tɛstabl].

**CONTESTATAIRE,** adj.
Qui conteste l'ordre établi : *Prêtres, étudiants **contestataires*** ; empl. subst. : *C'est un **contestataire** !* Mil. XX^e^ s. ; ☞ *contestation* ; [kɔ̃tɛstatɛʀ].

**CONTESTATION,** subst. f.
**1.** Action de contester, de mettre en doute : ***Contestation** d'un droit ; Chiffre sujet à **contestation**.* ▸ Loc. *Sans **contestation** possible* : sans aucun doute. **2.** Différend, désaccord : *Trancher une **contestation**.* **3.** Remise en cause globale de l'ordre établi. 1387 ; lat. jur. *litis contestatio*, « ouverture d'un procès » ; [kɔ̃tɛstasjɔ̃].

**CONTESTE (SANS),** loc. adv.
Assurément, incontestablement, sans discussion possible. 1656 ; ☞ *contester* ; [sɑ̃kɔ̃tɛst].

**CONTESTER,** verbe trans. [3]
**1.** Ne pas reconnaître, dénier : ***Contester** les droits de qqn.* **2.** Mettre en doute ; soumettre à critique, discuter : ***Contester** un professeur, l'ordre établi* ; empl. abs., controverser, chicaner : *Il se plaît à **contester**.* 1338 ; prob. anc. prov. *contestar*, du lat. *contestari*, « prendre à témoin » ; [kɔ̃tɛste].

**CONTEUR, EUSE,** subst.
**1.** Personne qui conte : ***Conteur** d'anecdotes* ; personne qui fabule : ***Conteur** de balivernes.* **2.** Auteur, récitant de contes. 1155 ; ☞ *conter* ; [kɔ̃tœʀ, øz].

**CONTEXTE,** subst. m.
**1.** Ensemble du texte encadrant un mot ou un passage, qui oriente sa signification, sa valeur : *Sortir une phrase de son **contexte**.* **2.** Fig. Ensemble des conditions dans lesquelles se situe un fait, un évènement (empl. critiqué) : *Le **contexte** social.* 1754 (1539, ensemble ininterrompu des parties d'un texte) ; lat. *contextus*, « assemblage, réunion » ; [kɔ̃tɛkst].

**CONTEXTUEL, ELLE,** adj.
Relatif, propre au contexte : *Analyse **contextuelle**.* V. 1960 ; ☞ *contexte* ; [kɔ̃tɛkstɥɛl].

**CONTEXTURE,** subst. f.
**1.** Constitution ou arrangement cohérent des éléments d'un corps : *La **contexture** d'un organe, d'une étoffe.* **2.** Fig. Structure d'une œuvre (vieilli) : *La **contexture** d'un roman.* 1552 ; ☞ *contexte* ; [kɔ̃tɛkstyʀ].

**CONTIGU, UË,** adj.
**1.** Qui touche à une autre chose, dans l'espace ou dans le temps : *Des salles **contiguës** ; Des périodes **contiguës**.* **2.** Fig. Qui présente des ressemblances (rare) : *Des points de vue **contigus**.* Fin XIV^e^ s. ; lat. *contiguus*, de *contingere*, « toucher » ; [kɔ̃tigy].

**CONTIGUÏTÉ,** subst. f.
État de ce qui est contigu. XV^e^ s. ; bas lat. *contiguitas* ; [kɔ̃tigɥite].

**CONTINENCE,** subst. f.
**1.** Fait de s'abstenir des plaisirs charnels. **2.** Fig. Retenue, sobriété (littér.) : *Faire preuve de **continence** verbale.* **3.** *Physiol.* Bon fonctionnement d'un sphincter (anton. *incontinence*). Fin XII^e^ s. ; lat. *continentia*, « maîtrise de soi, retenue » ; [kɔ̃tinɑ̃s].

**CONTINENT (I), ENTE,** adj.
Qui observe la continence (vieilli). Mil. XII^e^ s. ; lat. *continens*, « sobre, tempérant » ; [kɔ̃tinɑ̃, ɑ̃t].

**CONTINENT (II),** subst. m.
**1.** Grand espace de terre émergée : *L'Australie est un **continent**.* **2.** Chacune des cinq divisions traditionnelles du monde (Europe, Asie, Afrique, Amérique, Océanie). **3.** La portion de **continent** la plus proche, considérée des îles voisines : *Passer ses vacances sur le **continent**.* 1532 ; lat. *continens terra*, « terre ferme » ; [kɔ̃tinɑ̃].

**CONTINENTAL, ALE, AUX,** adj. et subst.
ADJ. **1.** Qui appartient ou se rapporte aux continents : *Flore **continentale**.* **2.** Pour un insulaire, qui appartient au continent voisin ; empl. subst., personne vivant ou née sur ce continent. **3.** *Climatol.* *Climat **continental*** : marqué par une forte amplitude thermique annuelle. **4.** *Géol.* *Croûte **continentale*** : type de croûte formant les plaques **continentales**, plus épaisse et moins dense que la croûte des plaques océaniques, basaltiques. **5.** *Hist.* *Le Blocus **continental*** : par lequel Napoléon I^er^, en 1806, interdit à l'Angleterre l'accès aux ports du continent. 1773 ; mot angl. ; [kɔ̃tinɑ̃tal, o].

**CONTINENTALITÉ,** subst. f.
Caractère de ce qui est continental, en partic. du climat. 1952 ; ☞ *continental* ; [kɔ̃tinɑ̃talite].

**CONTINGENCE,** subst. f.
*Philos.* Qualité de ce qui est contingent (anton. *nécessité*). PLUR. Évènements fortuits, imprévisibles, qui peuvent changer le cours des choses ; par ext., détails mineurs. 1340 ; bas lat. *contingentia*, de *contingere*, « arriver par hasard » ; [kɔ̃tɛ̃ʒɑ̃s].

**CONTINGENT, ENTE,** adj. et subst. m.
ADJ. **1.** *Philos.* Se dit de ce qui peut être ou ne pas être, se produire ou ne pas se produire, d'un évènement qui aurait pu ne pas avoir lieu (anton. *nécessaire*). ▸ *Proposition **contingente*** : dont la vérité ou la fausseté ne peut être connue que par l'expérience. **2.** Ext. Secondaire, accessoire. SUBST. **1.** Part que chacun reçoit ou fournit : *La vie, avec son **contingent** de joies.* ▸ *Comm.* Quantité autorisée pour une production ou des échanges de marchandises. **2.** *Milit.* Ensemble des appelés pour une période donnée. 1370 ; lat. *contingens*, de *contingere*, « arriver par hasard » ; [kɔ̃tɛ̃ʒɑ̃, ɑ̃t].

**CONTINGENTEMENT,** subst. m.
Action de contingenter ; son résultat. 1922 ; ☞ *contingenter* ; [kɔ̃tɛ̃ʒɑ̃tmɑ̃].

**CONTINGENTER,** verbe trans. [3]
**1.** *Comm.* Déterminer des contingents de (marchandises). **2.** Ext. Limiter : ***Contingenter** les places disponibles.* 1922 ; ☞ *contingent* ; [kɔ̃tɛ̃ʒɑ̃te].

**CONTINU, UE,** adj. et subst. m.
ADJ. **1.** Qui est ininterrompu, dans le temps ou dans l'espace : *Une ligne **continue** de défense ; Faire la journée **continue**.* **2.** *Math.* *Fonction **continue** en un point* : une fonction $f$ d'un espace topologique E dans un espace topologique F est dite **continue** en $a \in E$ si, pour tout voisinage V de $f(a)$ dans F, il existe un voisinage U de $a$ dans E tel que $f(U) \subset V$. **3.** *Mus.* *Basse **continue*** (☞ *basse*). **4.** *Phys.* Se dit d'un courant électrique dont le sens et la valeur sont constants (anton. *variable, alternatif*). SUBST. **1.** *En **continu*** : sans interruption. **2.** *Math.* *Puissance du **continu*** : nombre cardinal de l'ensemble des nombres réels ℝ. Déb. XIV^e^ s. ; lat. *continuus*, de *continere*, « tenir ensemble » ; [kɔ̃tiny].

**CONTINUATEUR, TRICE,** subst.
Personne qui prend la suite d'une autre et continue son œuvre. 1579 ; ☞ *continuer* ; [kɔ̃tinɥatœʀ, tʀis].

**CONTINUATION,** subst. f.
**1.** Action de continuer : *La **continuation** d'un travail.* **2.** Poursuite dans la durée : *La **continuation** d'une relation.* 1283 ; lat. *continuatio* ; [kɔ̃tinɥasjɔ̃].

**CONTINUEL, ELLE,** adj.
**1.** Qui se poursuit dans la durée, sans interruption : *Bruit **continuel**.* **2.** Qui revient souvent : *Cesse tes **continuelles** remarques !* Mil. XII^e^ s. ; lat. *continuus*, « sans interruption » ; [kɔ̃tinɥɛl].

**CONTINUELLEMENT,** adv.
D'une manière continuelle. 1155 ; ☞ *continuel* ; [kɔ̃tinɥɛlmɑ̃].

**CONTINUER,** verbe [3]
TRANS. DIR. **1.** Prolonger, poursuivre (ce que l'on a commencé) : ***Continuer** sa lecture* ; empl. pronom. : *La soirée se **continua** par un bal.* **2.** Parcourir, suivre plus loin, dans l'espace : *Après le carrefour, **continuer** la rue.* TRANS. INDIR. **Continuer à, de.** Persister à, ne pas cesser de : *Il **continue** à faire des erreurs ; L'hérésie **continuait** de se répandre.* INTRANS. Se prolonger dans le temps ou l'espace. Mil. XII^e^ s. ; lat. *continuare* ; [kɔ̃tinɥe].

**CONTINUITÉ,** subst. f.
**1.** État de ce qui est continu ou de ce qui se répète fréquemment dans le temps ou dans l'espace. **2.** Loc. *Solution de **continuité*** : rupture, interruption. Fin XIV^e^ s. ; ☞ *continu* ; [kɔ̃tinɥite].

**CONTINÛMENT,** adv.
Avec continuité. 1302 ; ☞ *continu* ; [kɔ̃tinymɑ̃].

**CONTINUO,** subst. m.
*Mus.* Basse continue. V. 1960 ; ital. *continuo*, « continu » ; [kɔ̃tinɥo].

**CONTINUUM,** subst. m.
*Phys.* Ensemble d'éléments tels que l'on peut passer de l'un à l'autre d'une manière continue. 1905 ; lat. *continuum*, « le continu » ; [kɔ̃tinɥɔm].

**CONTONDANT, ANTE,** adj.
Qui provoque, par choc, des contusions (anton. *tranchant*) : *Une arme **contondante** ; Un outil **contondant**.* 1503 ; *contondre* (vx), du lat. *contundere*, « frapper » ; [kɔ̃tɔ̃dɑ̃, ɑ̃t].

**CONTORSION,** subst. f.
**1.** Distorsion des membres, du corps, résultant de mouvements involontaires ou acrobatiques : *Il fut pris de **contorsions** ; Ce fakir excellait dans les **contorsions**.* **2.** Fig. Affectation, exagération dans l'expression : *Il s'excusa et se répandit en **contorsions** multiples.* XIV^e^ s. ; lat. *contortio* ; [kɔ̃tɔʀsjɔ̃].

**CONTORSIONNER,** verbe trans. [3]
Imprimer des contorsions à. PRONOM. Faire des contorsions. 1845 ; ☞ *contorsion* ; [kɔ̃tɔʀsjɔne].

**CONTORSIONNISTE,** subst.
Acrobate pratiquant l'art des contorsions. Mil. XIX^e^ s. ; ☞ *contorsionner* ; [kɔ̃tɔʀsjɔnist].

**CONTOUR,** subst. m.
**1.** Ligne qui marque le pourtour, le périmètre d'une chose : *Le **contour** d'un champ.* **2.** Anal. Tracé qui présente des courbes : *Les **contours** du fleuve* ; au fig., complexité : *Les **contours** d'une pensée sinueuse.* **3.** *Opt.* Partie du champ d'un instrument où la luminosité est le plus faible. 1651 (déb. XIII^e^ s. ; enceinte) ; ☞ *contourner* ; [kɔ̃tuʀ].

**CONTOURNÉ, ÉE,** adj.
**1.** Qui présente de nombreuses courbures : *Meuble **contourné**.* **2.** Fig. Compliqué à l'excès, alambiqué : *Style **contourné**.* **3.** *Hérald.* *Animal **contourné*** : dont la tête est orientée à gauche. 1651 (1605, dirigé vers) ; p. p. de *contourner* ; [kɔ̃tuʀne].

**CONTOURNEMENT,** subst. m.
**1.** Action de contourner. **2.** Méton. Voie, route contournant un obstacle. 1544 ; ☞ *contourner* ; [kɔ̃tuʀnəmɑ̃].

**CONTOURNER,** verbe trans. [3]
**1.** *B.-a.* Dessiner, modeler en marquant les contours (vieilli) : ***Contourner** un buste* ; au fig., compliquer

à l'excès : ***Contourner** son raisonnement.* **2.** Tourner autour de (un obstacle) pour l'éviter : ***Contourner** la ville* ; au fig. : ***Contourner** la loi.* 1651 (v. 1200, être situé) ; lat. pop. *°contornare* ; [kɔ̃tuʀne].

**CONTRACEPTIF, IVE, adj. et subst. m.**
**Adj.** Qui concerne la contraception : *Une méthode **contraceptive**.* **Subst.** Produit ou objet qui empêche la procréation. V. 1960 ; angl. *contraceptive*, de *conceptive*, « conceptif », et de *contra-* ; [kɔ̃tʀasɛptif, iv].

**CONTRACEPTION, subst. f.**
*Méd.* Prévention temporaire de la fécondation (préservatifs) ou de la grossesse (stérilet, hormones spécifiques). 1934 ; angl. *contraception*, de *conception* et de *contra-* ; [kɔ̃tʀasɛpsjɔ̃].

**CONTRACTANT, ANTE, adj. et subst.**
*Dr.* Se dit d'une personne qui contracte un engagement, adhère à une convention. 1472 ; p. pr. de *contracter* (I) ; [kɔ̃tʀaktɑ̃, ɑ̃t].

**CONTRACTE, adj.**
*Gramm.* Qui comporte une contraction : *Le grec a des mots **contractes**.* 1532 ; lat. *contractus*, de *contrahere*, « resserrer » ; [kɔ̃tʀakt].

**CONTRACTÉ, ÉE, adj.**
**1.** Qui est serré, durci, sous l'effet d'une tension physique ou morale : *Les muscles **contractés** par l'effort* ; *La gorge **contractée** par l'émotion.* **2.** Fig. Tendu, nerveux (fam.). **3.** *Gramm.* Qui résulte d'une contraction : *« Du » est la forme **contractée** de « de le ».* 1824 ; p. p. de *contracter* (II) ; [kɔ̃tʀakte].

**CONTRACTER (I), verbe trans. [3]**
**1.** Souscrire (un engagement juridique ou moral) : ***Contracter** une alliance, une assurance* ; ***Contracter** une amitié* ; ***Contracter** mariage*, se marier ; ***Contracter** des dettes*, s'endetter ; empl. abs., passer contrat. **2.** Attraper (une maladie) : ***Contracter** la grippe.* **3.** Adopter durablement (une attitude) : ***Contracter** un vice.* 1370 ; lat. *contrahere*, « resserrer ; conclure un accord » ; [kɔ̃tʀakte].

**CONTRACTER (II), verbe trans. [3]**
**1.** Réduire le volume de : *Le froid **contracte** les corps.* **2.** Serrer, raidir, crisper : *La souffrance **contractait** son visage.* **3.** *Enseign.* ***Contracter** un texte* : le réduire, en faire un résumé. **4.** *Gramm.* Fondre (deux éléments) en un : *Le français **contracte** « à le » en « au ».* 1732 ; lat. *contrahere*, « resserrer » ; [kɔ̃tʀakte].

**CONTRACTILE, adj.**
Qui peut se contracter : *Fibre **contractile**.* 1765 ; lat. *contractus*, de *contrahere*, « resserrer » ; [kɔ̃tʀaktil].

**CONTRACTILITÉ, subst. f.**
*Physiol.* Propriété qu'ont certains tissus de se contracter. Fin XVIII^e s. ; ☞ *contractile* ; [kɔ̃tʀaktilite].

**CONTRACTION, subst. f.**
**1.** Réduction d'un volume, d'une quantité : *La **contraction** d'un gaz* ; *La **contraction** des importations.* **2.** Ext. Crispation : ***Contraction** d'une main.* **3.** *Enseign.* ***Contraction** de texte* : exercice de réduction d'un texte. 1256 ; lat. *contractio* ; [kɔ̃tʀaksjɔ̃].

**CONTRACTUALISATION, subst. f.**
Action de contractualiser. Mil. XX^e s. ; ☞ *contractualiser* ; [kɔ̃tʀaktɥalizasjɔ̃].

**CONTRACTUALISER, verbe trans. [3]**
Accorder le statut d'agent contractuel à (qqn). Mil. XX^e s. ; ☞ *contractuel* ; [kɔ̃tʀaktɥalize].

**CONTRACTUEL, ELLE, adj.**
Stipulé par contrat ; relatif à un contrat : *Clause **contractuelle**.* ▸ *Agent **contractuel*** ou, empl. subst., ***Un contractuel, une contractuelle*** : agent public non fonctionnaire, en partic. auxiliaire de police chargé de veiller au respect des règles de stationnement. 1596 ; lat. *contractus*, « contrat » ; [kɔ̃tʀaktɥɛl].

**CONTRACTURE, subst. f.**
**1.** *Archit.* Resserrement de la partie haute d'une colonne. **2.** *Pathol.* Contraction involontaire, plus ou moins durable, d'un muscle ; crampe. 1611 ; lat. *contractura* ; [kɔ̃tʀaktyʀ].

**CONTRADICTEUR, subst. m.**
Personne qui contredit, qui aime à contredire. Fin XII^e s. ; bas lat. *contradictor* ; [kɔ̃tʀadiktœʀ].

**CONTRADICTION, subst. f.**
**1.** Action de contredire, d'objecter des arguments : *Porter la **contradiction** dans un débat*, critiquer, contester ; *Esprit de **contradiction***, tendance à contredire systématiquement. **2.** Fait de se contredire, en paroles ou en actes, d'éprouver des sentiments incompatibles : *Vivre en **contradiction** avec ses principes* ; par méton. : *Être déchiré par ses **contradictions**.* **3.** *Log.* Énoncé faux, quelle que soit la valeur attribuée à ses variables. Déb. XII^e s. ; lat. *contradictio* ; [kɔ̃tʀadiksjɔ̃].

**CONTRADICTOIRE, adj.**
**1.** Qui est en contradiction, qui contredit ; par méton. : *Débat **contradictoire**, où s'affrontent des opinions opposées.* **2.** *Dr.* Où les parties adverses peuvent s'exprimer également : *Procédure, jugement **contradictoire**.* **3.** *Log.* *Théorie **contradictoire*** : dont le système d'axiomes implique la démonstration d'un théorème ainsi que sa négation. Mil. XIV^e s. ; bas lat. *contradictorius* ; [kɔ̃tʀadiktwaʀ].

**CONTRADICTOIREMENT, adv.**
**1.** De manière contradictoire avec qqch. ou qqn. **2.** *Dr.* En présence des parties opposées. 1538 ; ☞ *contradictoire* ; [kɔ̃tʀadiktwaʀmɑ̃].

**CONTRAGESTIF, IVE, adj. et subst. m.**
*Pharm.* Se dit d'un produit qui empêche la grossesse de se maintenir (synon. *abortif*) : *La pilule du lendemain est un **contragestif**.* V. 1980 ; ☞ *progestérone + contra-* ; [kɔ̃tʀaʒɛstif, iv].

**CONTRAIGNABLE, adj.**
*Dr.* Qui peut être contraint légalement. 1382 ; ☞ *contraindre* ; [kɔ̃tʀɛɲabl].

**CONTRAIGNANT, ANTE, adj.**
Qui contraint, astreignant. XIII^e s. ; p. pr. de *contraindre* ; [kɔ̃tʀɛɲɑ̃, ɑ̃t].

**CONTRAINDRE, verbe trans. [54]**
**1.** Exercer une gêne, une pression sur (vx) : *Cette chaussure le **contraint*** ; au fig., contenir, réprimer (littér.) : ***Contraindre** ses mauvais penchants.* **2.** Obliger (qqn, un animal) à qqch. : ***Contraindre** son âne à avancer* ; ***Contraindre** ses détracteurs au silence* ; empl. pronom. : *Se **contraindre** à faire bonne figure.* **3.** *Dr.* Obliger par voie légale. Déb. XII^e s. ; lat. *constringere*, « enserrer » ; [kɔ̃tʀɛ̃dʀ].

**CONTRAINT, AINTE, adj. et subst. f.**
**Adj. 1.** Qui est gêné, embarrassé : *Rire **contraint**.* **2.** Loc. ***Contraint** et forcé* : sous la contrainte. **Subst. 1.** Pression physique ou morale exercée sur qqn pour le faire agir contre son gré ou l'empêcher d'agir. **2.** Obligation imposée par les circonstances (souv. au plur.) : *Les **contraintes** du métier.* **3.** Retenue, réserve : *Parler sans **contrainte**.* **4.** *Dr.* Acte judiciaire à l'encontre d'un débiteur de l'État : ***Contrainte** par corps*, incarcération. **5.** *Mécan.* Effort subi par un corps, tendant à le déformer. XII^e s. ; p. p. de *contraindre* ; [kɔ̃tʀɛ̃, ɛ̃t].

**CONTRAIRE, adj. et subst. m.**
**Adj. 1.** Aussi différent que possible ; opposé : *Mouvements, affirmations **contraires**.* **2.** Qui se dirige dans un sens opposé : *Vent **contraire**.* **3.** Qui est incompatible : *Décision **contraire** à la loi.* **4.** Qui gêne, qui est défavorable : *Le sort m'est **contraire**.* **5.** *Log.* *Propositions **contraires*** : opposées l'une à l'autre mais pouvant être fausses toutes les deux. **6.** *Math.* *Évènements **contraires*** : évènements disjoints dont la somme des probabilités est 1. **Subst. 1.** Ce qui est opposé : *Le vrai est le **contraire** du faux.* ▸ Mot que son sens oppose à un autre (synon. *antonyme*). **2.** Loc. *Tout, bien au **contraire*** : à l'opposé, à l'inverse. ▸ Loc. prép. *Au **contraire** de* : contrairement à. XII^e s. ; lat. *contrarius* ; [kɔ̃tʀɛʀ].

**CONTRAIREMENT, adv.**
De manière opposée. ▸ Loc. prép. ***Contrairement** à* : à l'inverse de. XV^e s. ; ☞ *contraire* ; [kɔ̃tʀɛʀmɑ̃].

**CONTRALTO, subst. m.**
*Mus.* **1.** La plus grave des voix de femme (ou de jeune garçon). **2.** Méton. Artiste possédant cette voix (parfois au fém.). 1636 ; ital. *contralto*, de *contro*, « près de », et de *alto*, « haut » ; [kɔ̃tʀalto].

**CONTRAPUNTIQUE, adj.**
*Mus.* Relatif au contrepoint ; qui en suit les règles : *Ligne **contrapuntique**.* 1909 ; ☞ *contrapuntiste* ; var. *contrapontique* ; [kɔ̃tʀapɔ̃tik].

**CONTRAPUNTISTE, subst.**
*Mus.* Compositeur qui suit les règles du contrepoint : *Un habile **contrapuntiste**.* 1791 ; ital. *contrappuntista*, de *contrappunto*, « contrepoint » ; var. *contrapontiste*, *contrepointiste* ; [kɔ̃tʀapɔ̃tist].

**CONTRARIANT, ANTE, adj.**
**1.** De nature à contrarier, à gêner. **2.** Qui se plaît à contrarier : *Un homme **contrariant**.* 1361 ; p. pr. de *contrarier* ; [kɔ̃tʀaʀjɑ̃, ɑ̃t].

**CONTRARIÉ, ÉE, adj.**
**1.** Qui est l'objet d'une résistance, d'une opposition : *Une volonté **contrariée**.* **2.** Ext. Qui éprouve un sentiment de déception, de dépit : *Je suis bien **contrariée**.* 1772 ; p. p. de *contrarier* ; [kɔ̃tʀaʀje].

**CONTRARIER, verbe trans. [6]**
**1.** Freiner, ralentir (qqch. ou qqn) en s'opposant ; au fig., gêner, contrecarrer : ***Contrarier** la nature.* **2.** Mécontenter, irriter : *Ce refus nous a **contrariés**.* **3.** *Arts déc.* et *Peint.* Faire alterner pour obtenir un contraste : ***Contrarier** les couleurs.* Déb. XII^e s. ; bas lat. *contrariare*, « contredire » ; [kɔ̃tʀaʀje].

**CONTRARIÉTÉ, subst. f.**
**1.** Opposition entre deux choses, deux propositions contraires (vieilli). **2.** Évènement qui s'oppose à ce que l'on souhaite ; par ext., le sentiment d'irritation qui en résulte : *Cacher sa **contrariété**.* Fin XII^e s. ; bas lat. *contrarietas*, « opposition » ; [kɔ̃tʀaʀjete].

**CONTRARIO (A), voir A CONTRARIO**

**CONTRAROTATIF, IVE, adj.**
*Mécan.* Se dit de pièces qui tournent en sens inverse l'une de l'autre. V. 1950 ; ☞ *rotatif + contra-* ; [kɔ̃tʀaʀɔtatif, iv].

**CONTRASTANT, ANTE, adj.**
Qui produit un contraste : *Des couleurs **contrastantes**.* 1787 ; p. pr. de *contraster* ; [kɔ̃tʀastɑ̃, ɑ̃t].

**CONTRASTE, subst. m.**
Opposition marquée entre des personnes ou des choses, qui se révèle par juxtaposition : ***Contraste** saisissant entre deux frères* ; ***Contraste** des couleurs.* ▸ *Régler le **contraste** sur un écran* : atténuer ou marquer la différence entre le clair et le sombre. 1669 (1580, contestation, discussion) ; ital. *contrasto*, de *contrastare*, « s'opposer à » ; [kɔ̃tʀast].

**CONTRASTÉ, ÉE, adj.**
Qui offre des contrastes frappants : *Un paysage **contrasté**.* 1669 ; p. p. de *contraster* ; [kɔ̃tʀaste].

**CONTRASTER, verbe [3]**
**Intrans.** Former un contraste ; détonner : *Un décor aux styles qui **contrastent*** ; *Sa conduite **contrastait** avec ses propos.* **Trans.** Mettre en opposition ; faire ressortir : ***Contraster** des lignes.* 1669 (1541, lutter) ; ital. *contrastare*, « s'opposer à » ; [kɔ̃tʀaste].

**CONTRAT, subst. m.**
**1.** *Dr.* Convention passée entre plusieurs personnes qui sont tenues de respecter les engagements auxquels elles souscrivent : ***Contrat** de mariage* ; ***Contrat** d'assurance* ; ***Contrat** unilatéral*, dont les obligations ne concernent qu'une des parties ; ***Contrat** de travail*, qui stipule les conditions d'engagement ; ***Contrat** à durée déterminée*, embauche pour une durée limitée. ▸ Loc. *Remplir son **contrat*** : respecter ses engagements. **2.** Méton. Le document qui prend acte de cette convention : *Signer un **contrat**.* **3.** Ext. Convention implicite, pacte : ***Contrat** social*, qui lie les individus entre eux, ou à leurs gouvernants. **4.** *Jeux.* Au bridge, au tarot, enchère finale qu'un joueur ou une équipe s'engage à réaliser. 1370 ; lat. jur. *contractus*, du lat. *contrahere*, « resserrer ; conclure un accord » ; [kɔ̃tʀa].

**CONTRAVENTION, subst. f.**
*Dr.* **1.** Action de contrevenir à une obligation légale, à un contrat (vieilli). **2.** Infraction jugée et réprimée par un simple tribunal de police (par oppos. à délit, à crime). **3.** Méton. ▸ L'amende qui en est la sanction : ***Contravention** pour excès de vitesse.* ▸ Le document officiel qui la constate : *Trouver une **contravention** sur le pare-brise.* XIV^e s. ; lat. *contravenire*, « s'opposer à » ; [kɔ̃tʀavɑ̃sjɔ̃].

**CONTRAVIS, subst. m.**
Avis contraire à l'avis précédent. Fin XIX^e s. ; formé de *contre* et de *avis* ; [kɔ̃tʀavi].

**CONTRE, prép., adv. et subst. m.**
**Prép. 1.** Désigne la situation de personnes ou de choses qui se trouvent en contact : *Danser l'un **contre** l'autre* ; *L'avion s'est écrasé **contre** une paroi rocheuse.* **2.** Marque l'opposition, l'hostilité à qqch. ou à qqn : *Naviguer **contre** le vent* ; *Lutter **contre** ses oppresseurs, **contre** la maladie.* ▸ Loc. *Envers et **contre** tous* : en dépit de l'opposition générale ; ***Contre** vents et marées* : malgré les obstacles ; *Avoir qqch. **contre** qqn ou qqch.* : ne pas l'approuver entièrement. **3.** Évoque une idée de défense, de prévention : *Il est vacciné **contre** la grippe* ; *S'assurer **contre** le vol.* **4.** Contrairement à : ***Contre** son habitude, il était en avance* ; ***Contre** toute attente,*

contrairement à ce que l'on attendait. **5.** En échange de : *Échanger un studio contre un deux-pièces.* **6.** En proportion, en comparaison de : *Parier à cent contre un ; Il y en a un qui travaille contre trois qui se reposent.* ADV. **1.** En opposition : *Voter contre.* **2.** Au contact de : *Le pilier était solide, il s'appuya contre.* **3.** Loc. *Tout contre* : tout près ; *Ci-contre* : en regard, en vis-à-vis ; *Par contre* : mais, en revanche, en compensation. SUBST. **1.** Ce qui est défavorable à, en opposition à : *Peser le pour et le contre*, estimer les avantages et les inconvénients. **2.** *Jeux.* ▸ Aux cartes, défi lancé à l'adversaire. ▸ Au billard, renvoi par la bande de la boule touchée sur celle qui vient de la toucher. **3.** *Sp.* ▸ En escrime, parade qui consiste à rejeter à l'extérieur, en faisant décrire un cercle à son épée, l'épée de l'adversaire. ▸ Dans les jeux de ballon, interception du ballon ou mouvement offensif. 842 ; lat. *contra* ; [kɔ̃tʀ].

**CONTRE-ALIZÉ, subst. m.**
Vent qui souffle dans la direction inverse à celle de l'alizé. 1863 ; comp. de *contre* et de *alizé* ; plur. *contre-alizés* ; [kɔ̃tʀalize].

**CONTRE-ALLÉE, subst. f.**
Petite allée longeant une voie principale. 1669 ; comp. de *contre* et de *allée* ; plur. *contre-allées* ; [kɔ̃tʀale].

**CONTRE-AMIRAL, subst. m.**
Officier général de la marine militaire, d'un grade situé entre ceux de capitaine de vaisseau et de vice-amiral. 1642 ; comp. de *contre* et de *amiral* ; plur. *contre-amiraux* ; [kɔ̃tʀamiʀal], plur. [-ʀo].

**CONTRE-APPEL, subst. m.**
*Milit.* Second appel, fait à l'improviste pour vérifier le premier. 1690 ; comp. de *contre* et de *appel* ; plur. *contre-appels* ; [kɔ̃tʀapɛl].

**CONTRE-ASSURANCE, subst. f.**
Assurance destinée à compléter ou à garantir une assurance principale. 1913 ; comp. de *contre* et de *assurance* ; plur. *contre-assurances* ; [kɔ̃tʀasyʀɑ̃s].

**CONTRE-ATTAQUE, subst. f.**
**1.** *Milit.* Offensive soudaine de troupes attaquées. ▸ Anal. *Sp.* Riposte de l'équipe attaquée par le camp adverse, dans les jeux de ballon. **2.** Fig. Réaction vive ; riposte. 1887 ; comp. de *contre* et de *attaque* ; plur. *contre-attaques* ; [kɔ̃tʀatak].

**CONTRE-ATTAQUER, verbe trans.** [3]
Se défendre contre (un attaquant) par une contre-attaque ; empl. abs., passer de la défensive à l'offensive. Fin XIXe s. ; ☞ *contre-attaque* ; [kɔ̃tʀatake].

**CONTREBALANCER, verbe trans.** [4]
**1.** Équilibrer (un poids) par un autre poids. **2.** Fig. Compenser, équilibrer. PRONOM. *S'en contrebalancer* : s'en moquer (fam.). 1549 ; formé de *contre* et de *balancer* ; [kɔ̃tʀəbalɑ̃se].

**CONTREBANDE, subst. f.**
**1.** Importation clandestine de marchandises interdites ou usuellement soumises à des droits de douane. ▸ Loc. *En contrebande* : en fraude. **2.** Méton. Les marchandises elles-mêmes. Déb. XVIe s. ; ital. *contrabbando*, « contre le ban » ; [kɔ̃tʀəbɑ̃d].

**CONTREBANDIER, IÈRE, subst.**
Personne qui pratique la contrebande. 1715 ; ☞ *contrebande* ; [kɔ̃tʀəbɑ̃dje, jɛʀ].

**CONTREBAS, subst. m.**
Partie basse : *Le contrebas de la rue était sous l'eau.* ▸ Loc. *En contrebas (de)* : plus bas (que). Fin XIVe s. ; formé de *contre* et de *bas* (I) ; [kɔ̃tʀəba].

**CONTREBASSE, subst. f.**
*Mus.* **1.** L'instrument le plus grave de la famille des violons, accordé par quartes (*mi, la, ré, sol*) ; par ext., l'élément le plus grave de toute famille d'instruments. **2.** Méton. Personne qui joue de cet instrument (synon. *contrebassiste*). 1740 (1509, partie la plus basse d'un morceau de musique) ; ital. *contrabasso* ; [kɔ̃tʀəbɑs].

**CONTREBASSISTE, subst.**
Personne qui joue de la contrebasse (synon. *bassiste*). 1838 ; ☞ *contrebasse* ; [kɔ̃tʀəbɑsist].

**CONTREBASSON, subst. m.**
*Mus.* **1.** Instrument de la famille des bois, qui ressemble au basson et sonne à l'octave inférieure. **2.** Méton. Personne qui joue de cet instrument. 1821 ; formé de *contre* et de *basson* ; [kɔ̃tʀəbasɔ̃].

**CONTREBATTERIE, subst. f.**
*Artill.* Tir de l'artillerie contre les batteries ennemies. 1608 ; formé de *contre* et de *batterie* ; [kɔ̃tʀəbatʀi].

**CONTREBOUTER, voir CONTREBUTER**

**CONTRE-BRAQUER, verbe trans.** [3]
Orienter (les roues d'un véhicule) en sens inverse de celui qui était le leur ; empl. intrans. : *Contre-braquer dans un virage.* 1952 ; comp. de *contre* et de *braquer* ; var. *contrebraquer* ; [kɔ̃tʀəbʀake].

**CONTREBUTEMENT, subst. m.**
*Archit.* Action de contrebuter ; construction édifiée à cet effet. XIXe s. ; ☞ *contrebuter* ; [kɔ̃tʀəbytmɑ̃].

**CONTREBUTER, verbe trans.** [3]
*Archit.* Étayer (une partie d'un édifice) en la soumettant à une poussée de sens contraire à celle qui la déstabilise. 1441 ; formé de *contre* et de *buter* (I) ; var. *contrebouter* ; [kɔ̃tʀəbyte].

**CONTRECARRER, verbe trans.** [3]
Faire obstacle à ; contrarier : *Cette arrivée contrecarre nos projets.* 1541 ; *contrecarre* (vx), « obstruction » ; [kɔ̃tʀəkaʀe].

**CONTRECHAMP, subst. m.**
*Cin.* Prise de vues effectuée dans le sens opposé à celui de la précédente. 1929 ; formé de *contre* et de *champ* ; [kɔ̃tʀəʃɑ̃].

**CONTRE-CHANT, subst. m.**
*Mus.* Ligne mélodique qui accompagne en contrepoint un thème principal. 1578 ; comp. de *contre* et de *chant* (I) ; plur. *contre-chants* ; [kɔ̃tʀəʃɑ̃].

**CONTRECHÂSSIS, subst. m.**
Châssis qui vient doubler et renforcer un autre châssis. 1694 ; formé de *contre* et de *châssis* ; var. *contre-châssis* (inv.) ; [kɔ̃tʀəʃɑsi].

**CONTRE-CHOC, subst. m.**
Choc subi en retour. 1893 ; comp. de *contre* et de *choc* ; plur. *contre-chocs*, var. *contrechoc* ; [kɔ̃tʀəʃɔk].

**CONTRECLEF, subst. f.**
*Archit.* Chacun des voussoirs situés de part et d'autre de la clef de voûte. 1754 ; formé de *contre* et de *clef* ; [kɔ̃tʀəkle].

**CONTRECŒUR, subst. m.**
**1.** Mur de fond d'une cheminée. **2.** Ext. Plaque de fonte dont on le garnit (synon. *contre-feu*). XIIIe s. ; formé de *contre* et de *cœur* ; [kɔ̃tʀəkœʀ].

**CONTRECŒUR (À), loc. adv.**
Contre son gré, à regret. Fin XIVe s. ; formé de *contre* et de *cœur* ; [akɔ̃tʀəkœʀ].

**CONTRECOLLÉ, ÉE, adj.**
**1.** *Menuis. Bois contrecollé* : fait de feuilles collées entre elles. **2.** *Tiss. Tissu contrecollé* : doublé d'une feuille de mousse synthétique. 1955 ; p. p. de *contrecoller* (rare), « coller des feuilles les unes contre les autres » ; [kɔ̃tʀəkɔle].

**CONTRECOUP, subst. m.**
**1.** Choc en retour. **2.** Fig. Conséquence indirecte : *Contrecoup d'une mesure ; Subir la crise par contrecoup.* 1561 ; formé de *contre* et de *coup* ; [kɔ̃tʀəku].

**CONTRE-COURANT, subst. m.**
Courant allant en sens inverse du courant principal : *Un contre-courant côtier.* ▸ Loc. *À contre-courant.* Dans le sens contraire au courant : *Naviguer à contre-courant* ; au fig., à l'opposé de l'opinion dominante : *Penser à contre-courant.* 1783 ; comp. de *contre* et de *courant* (II) ; plur. *contre-courants* ; [kɔ̃tʀəkuʀɑ̃].

**CONTRE-COURBE, subst. f.**
*Archit.* et *Ch. de fer.* Courbe qui en suit une autre d'incurvation contraire. 1845 ; comp. de *contre* et de *courbe* ; plur. *contre-courbes* ; [kɔ̃tʀəkuʀb].

**CONTRE-CULTURE, subst. f.**
Culture dont l'inspiration et l'expression s'opposent résolument à l'idéologie et à la culture dominantes. V. 1970 ; comp. de *contre* et de *culture* ; plur. *contre-cultures* ; [kɔ̃tʀəkyltyʀ].

**CONTREDANSE, subst. f.**
**1.** Danse populaire d'origine anglaise, dans laquelle les danseurs sont répartis en quadrilles ; par méton., musique qui accompagne cette danse. **2.** Contravention (fam.). 1626 ; formé de *contre* et de *danse*, d'apr. l'angl. *country-dance*, « danse campagnarde » ; [kɔ̃tʀədɑ̃s].

**CONTRE-DÉNONCIATION, subst. f.**
*Dr.* Acte par lequel un créancier avertit son débiteur que sa créance a fait l'objet d'une saisie-attribution. 1863 ; comp. de *contre* et de *dénonciation* ; plur. *contre-dénonciations* ; [kɔ̃tʀədenɔ̃sjasjɔ̃].

**CONTRE-DIGUE, subst. f.**
Ouvrage qui renforce une digue. 1838 ; comp. de *contre* et de *digue* ; plur. *contre-digues* ; [kɔ̃tʀədig].

**CONTREDIRE, verbe trans.** [65]
**1.** Affirmer le contraire de ce que dit (qqn) : *Personne n'osait contredire le professeur.* **2.** Être en contradiction avec : *Son regard contredit ses propos.* PRONOM. **1.** Affirmer successivement des choses incompatibles. **2.** S'exclure mutuellement : *Politique et vertu se contredisent-elles ?* Fin XIIe s. (fin IXe s., refuser, empêcher) ; lat. *contradicere* ; [kɔ̃tʀədiʀ].

**CONTREDIT, subst. m.**
**1.** Déclaration que l'on oppose à une autre (littér.). ▸ Loc. *Sans contredit* : indubitablement, irréfutablement. **2.** *Dr.* Pièce que l'on oppose à la partie adverse. Fin XIIe s. ; p. p. de *contredire* ; [kɔ̃tʀədi].

**CONTRÉE, subst. f.**
Région, étendue de pays : *Un fier brigand de la contrée* (Hugo). Déb. XIIe s. ; lat. pop. °*contrata regio*, « pays situé en face » ; [kɔ̃tʀe].

**CONTRE-ÉCROU, subst. m.**
Deuxième écrou, vissé pour bloquer le premier. 1870 ; comp. de *contre* et de *écrou* (II) ; plur. *contre-écrous* ; [kɔ̃tʀekʀu].

**CONTRE-ÉLECTROMOTRICE, adj. f.**
*Électr. Force contre-électromotrice* : force qui s'oppose au passage du courant électrique dans un récepteur, mesurée en volts (abrév. : f. c. é. m.). 1929 ; comp. de *contre* et de *électromotrice* ; plur. *contre-électromotrices* ; [kɔ̃tʀelɛktʀɔmɔtʀis].

**CONTRE-EMPLOI, subst. m.**
Rôle ne correspondant pas à la personnalité ou aux rôles habituels d'un comédien. XXe s. ; comp. de *contre* et de *emploi* ; plur. *contre-emplois* ; [kɔ̃tʀɑ̃plwa].

**CONTRE-EMPREINTE, subst. f.**
*Paléont.* Moulage en relief formé par des sédiments déposés dans une empreinte ; par ext., fossile apparemment bien conservé mais qui n'est en fait qu'un moulage. 1846 ; comp. de *contre* et de *empreinte* ; plur. *contre-empreintes* ; [kɔ̃tʀɑ̃pʀɛ̃t].

**CONTRE-ENQUÊTE, subst. f.**
Enquête visant à vérifier les résultats d'une autre enquête. 1734 ; comp. de *contre* et de *enquête* ; plur. *contre-enquêtes* ; [kɔ̃tʀɑ̃kɛt].

**CONTRE-ÉPAULETTE, subst. f.**
*Milit.* Épaulette sans franges portée sur l'autre épaule d'un uniforme à une épaulette. 1786 ; comp. de *contre* et de *épaulette* ; plur. *contre-épaulettes* ; [kɔ̃tʀepolɛt].

**CONTRE-ÉPREUVE, subst. f.**
**1.** *Grav.* Reproduction inversée d'une image par application d'une feuille sur une épreuve. **2.** Vérification par une méthode inverse ; en partic., dans une assemblée, comptage des voix défavorables après celui des voix favorables. 1676 ; comp. de *contre* et de *épreuve* ; plur. *contre-épreuves* ; [kɔ̃tʀepʀœv].

**CONTRE-ESPIONNAGE, subst. m.**
**1.** Activité visant à protéger un pays des espions étrangers. **2.** Méton. Le service qui en est chargé. 1899 ; comp. de *contre* et de *espionnage* ; plur. *contre-espionnages* ; [kɔ̃tʀɛspjɔnaʒ].

**CONTRE-ESSAI, subst. m.**
Nouvel essai, effectué pour vérifier les résultats d'un essai. 1870 ; comp. de *contre* et de *essai* ; plur. *contre-essais* ; [kɔ̃tʀesɛ].

**CONTRE-EXEMPLE, subst. m.**
Exemple qui contredit une règle ou qui va à l'encontre d'une thèse. Fin XVIe s. ; comp. de *contre* et de *exemple* ; plur. *contre-exemples* ; [kɔ̃tʀɛgzɑ̃pl].

**CONTRE-EXPERTISE, subst. f.**
Expertise menée pour vérifier les résultats d'une expertise antérieure. 1847 ; comp. de *contre* et de *expertise* ; plur. *contre-expertises* ; [kɔ̃tʀɛkspɛʀtiz].

**CONTREFAÇON, subst. f.**
**1.** Action de contrefaire une œuvre ; reproduction frauduleuse d'un objet : *Délit de contrefaçon.* **2.** Méton. Œuvre, objet contrefait (synon. *faux*). 1268 ; ☞ *contrefaire*, d'apr. *façon* ; [kɔ̃tʀəfasɔ̃].

**CONTREFACTEUR, subst. m.**
Auteur d'une contrefaçon ; faussaire. 1754 ; ☞ *contrefaire*, d'apr. le lat. *factor*, « qui fait » ; [kɔ̃tʀəfaktœʀ].

**CONTREFAIRE, verbe trans.** [57]
**1.** Imiter, gén. en caricaturant : *Contrefaire les manières de qqn.* **2.** Reproduire frauduleusement : *Contrefaire un bijou.* **3.** Feindre : *Contrefaire la folie.* **4.** Dissimuler, déguiser : *Contrefaire sa voix.* Déb. XIIe s. ; bas lat. *contra facere* ; [kɔ̃tʀəfɛʀ].

**CONTREFAIT, AITE,** adj.
1. Difforme, mal conformé : *Une personne contrefaite.* 2. Copié frauduleusement. Fin XIIe s. ; p. p. de *contrefaire* ; [kɔ̃tʀəfɛ, ɛt].

**CONTRE-FENÊTRE,** subst. f.
Fenêtre qui double une fenêtre principale. 1319 ; comp. de *contre* et de *fenêtre* ; plur. *contre-fenêtres* ; [kɔ̃tʀəfənɛtʀ].

**CONTRE-FER,** subst. m.
Pièce métallique qui double le fer d'un rabot, facilitant l'évacuation des copeaux. 1899 ; comp. de *contre* et de *fer* ; plur. *contre-fers* ; [kɔ̃tʀəfɛʀ].

**CONTRE-FEU,** subst. m.
1. Plaque de fonte qui garnit le fond d'une cheminée (synon. *contrecœur*). 2. Feu qu'on allume sur le chemin d'un incendie pour tenter de le circonscrire ; au fig., manœuvre de diversion. 1493 ; comp. de *contre* et de *feu* (I) ; plur. *contre-feux* ; [kɔ̃tʀəfø].

**CONTREFICHE,** subst. f.
*Bât.* 1. Pièce oblique d'une charpente, destinée à consolider un assemblage. 2. Étai soutenant un mur. 1400 ; formé de *contre* et de *fiche* (I) ; var. *contre-fiche* (plur. *contre-fiches*) ; [kɔ̃tʀəfiʃ].

**CONTREFICHER (SE),** verbe pronom. [3]
Fam. Se moquer totalement (de qqch.). 1839 ; formé de *contre* et de *ficher* (II) ; var. *se contreficher* ; [kɔ̃tʀəfiʃe].

**CONTRE-FIL,** subst. m.
1. Sens contraire au fil : *Le contre-fil de l'eau.* ▸ Loc. *À contre-fil* : en sens inverse du fil ; au fig., à rebours. 2. *Menuis.* Irrégularité dans la disposition des fibres d'une pièce de bois. 1532 ; comp. de *contre* et de *fil* ; plur. *contre-fils*, var. *contrefil* ; [kɔ̃tʀəfil].

**CONTRE-FILET,** subst. m.
*Bouch.* Morceau de bœuf découpé dans la région lombaire. 1926 ; comp. de *contre* et de *filet* (I) ; plur. *contre-filets* ; [kɔ̃tʀəfilɛ].

**CONTREFORT,** subst. m.
1. *Archit.* Pilier en saillie servant à renforcer un mur. 2. Anal. ▸ *Géogr.* Relief modeste à la périphérie d'une chaîne de montagnes, qu'il semble épauler (gén. au plur.) : *Les contreforts du Jura.* ▸ Renfort de cuir à l'arrière d'une chaussure. Déb. XIIIe s. ; formé de *contre* et de *fort* ; [kɔ̃tʀəfɔʀ].

**CONTREFOUTRE (SE),** verbe pronom. [51]
Vulg. Ne pas se soucier le moins du monde (de). 1790 ; formé de *contre* et de *foutre* ; [kɔ̃tʀəfutʀ].

**CONTRE-FUGUE,** subst. f.
*Mus.* Fugue fondée sur le renversement d'un thème musical. 1680 ; comp. de *contre* et de *fugue* ; plur. *contre-fugues* ; [kɔ̃tʀəfyg].

**CONTRE-HAUT (EN),** loc. adv.
À un niveau plus élevé. ▸ Loc. prép. **En contre-haut de.** *La route est en contre-haut du fleuve.* XVIe s. ; comp. de *contre* et de *haut* ; [ɑ̃kɔ̃tʀəo].

**CONTRE-HERMINE,** subst. f.
*Hérald.* Fourrure au champ de sable et à mouchetures d'argent. 1690 ; comp. de *contre* et de *hermine* ; plur. *contre-hermines* ; [kɔ̃tʀɛʀmin].

**CONTRE-INDICATION,** subst. f.
*Méd.* Circonstance particulière qui empêche la prescription d'un traitement : *La grossesse est une contre-indication de beaucoup de médicaments.* 1797 ; comp. de *contre* et de *indication* ; plur. *contre-indications* ; [kɔ̃tʀɛ̃dikasjɔ̃].

**CONTRE-INDIQUER,** verbe trans. [3]
1. *Méd.* Interdire par contre-indication ; rendre inopportun, voire dangereux : *Votre état contre-indique un tel traitement* ; empl. adj. : *Un antibiotique contre-indiqué.* 2. Fig. Déconseiller ; empl. adj. : *Une démarche contre-indiquée*, inopportune. 1832 ; comp. de *contre* et de *indiquer* ; [kɔ̃tʀɛ̃dike].

**CONTRE-INTERROGATOIRE,** subst. m.
Interrogatoire mené par la partie adverse. V. 1970 ; comp. de *contre* et de *interrogatoire* ; plur. *contre-interrogatoires* ; [kɔ̃tʀɛ̃teʀɔgatwaʀ].

**CONTRE-INVESTISSEMENT,** subst. m.
*Psychanal.* Processus de défense par lequel l'individu refoule son désir inconscient d'investissement. Comp. de *contre* et de *investissement* (III) ; plur. *contre-investissements* ; [kɔ̃tʀɛ̃vɛstismɑ̃].

**CONTRE-JOUR,** subst. m.
Éclairage d'un objet par une source lumineuse située en face de l'observateur : *Une silhouette en contre-jour.* ▸ Loc. *À contre-jour* : dans le sens opposé à la lumière. 1615 ; comp. de *contre* et de *jour* ; plur. *contre-jours* ; [kɔ̃tʀəʒuʀ].

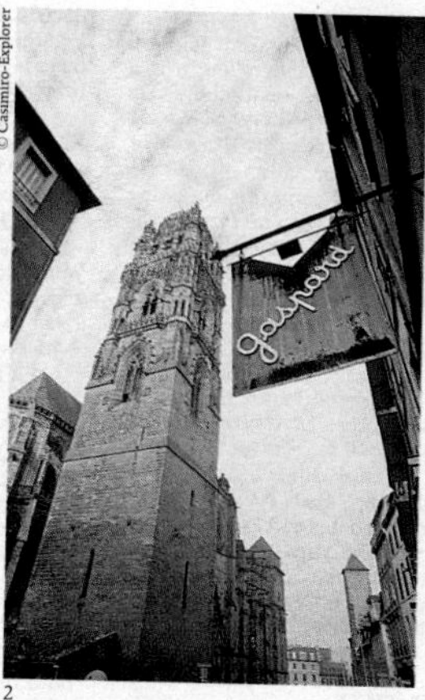

1. *Contreforts de la basilique Sainte-Sophie, à Istanbul.*

2. *Photo prise en contre-plongée dans le vieux quartier de Rodez.*





**CONTRE-LA-MONTRE,** subst. m. inv.
*Sp.* Course cycliste, individuelle ou par équipes, dans laquelle les temps réalisés déterminent le classement. 1885 ; comp. de *contre* et de *montre* (II) ; [kɔ̃tʀəlamɔ̃tʀ].

**CONTRE-LETTRE,** subst. f.
*Dr.* Acte secret qui modifie ou annule les clauses d'un précédent acte ostensible. XIIIe s. ; comp. de *contre* et de *lettre* ; plur. *contre-lettres* ; [kɔ̃tʀəlɛtʀ].

**CONTREMAÎTRE, ESSE,** subst.
Chef d'une équipe d'ouvriers. 1404 ; formé de *contre* et de *maître* ; [kɔ̃tʀəmɛtʀ, ɛs].

**CONTRE-MANIFESTANT, ANTE,** subst.
Personne qui prend part à une contre-manifestation. Fin XIXe s. ; comp. de *contre* et de *manifestant* ; plur. *contre-manifestants, antes* ; [kɔ̃tʀəmanifɛstɑ̃, ɑ̃t].

**CONTRE-MANIFESTATION,** subst. f.
Manifestation qui s'oppose à une autre manifestation. 1848 ; comp. de *contre* et de *manifestation* (II) ; plur. *contre-manifestations* ; [kɔ̃tʀəmanifɛstasjɔ̃].

**CONTRE-MANIFESTER,** verbe intrans. [3]
Participer à une contre-manifestation. Fin XIXe s. ; comp. de *contre* et de *manifester* (II) ; [kɔ̃tʀəmanifɛste].

**CONTREMARCHE,** subst. f.
1. *Bât.* Hauteur d'une marche d'escalier ; sa partie verticale. 2. *Milit.* Action de marcher en sens opposé après avoir fait demi-tour. 1359 ; formé de *contre* et de *marche* (II) ; [kɔ̃tʀəmaʀʃ].

**CONTREMARQUE,** subst. f.
1. Ticket donné aux personnes qui sortent momentanément d'une salle de spectacle. 2. *Comm.* Seconde marque que l'on appose sur des marchandises, des objets en or ou en argent. 1526 ; formé de *contre* et de *marque* ; [kɔ̃tʀəmaʀk].

**CONTREMARQUER,** verbe trans. [3]
Apposer une contremarque sur. 1526 ; formé de *contre* et de *marquer* ; [kɔ̃tʀəmaʀke].

**CONTRE-MESURE,** subst. f.
1. Mesure prise pour contrecarrer ou prévenir les effets négatifs d'une autre mesure. 2. *Milit.* Parade contre les moyens offensifs de l'ennemi. 3. *Mus.* *À contre-mesure* : à contretemps. 1833 ; comp. de *contre* et de *mesure* ; plur. *contre-mesures* ; [kɔ̃tʀəməzyʀ].

**CONTRE-MINE,** subst. f.
*Milit.* Tunnel permettant de se protéger d'une attaque à la mine explosive. Fin XIVe s. ; comp. de *contre* et de *mine* (II) ; plur. *contre-mines* ; [kɔ̃tʀəmin].

**CONTRE-MINER,** verbe trans. [3]
*Milit.* Creuser des contre-mines dans (un terrain). 1404 ; ☞ *contre-mine* ; [kɔ̃tʀəmine].

**CONTRE-OFFENSIVE,** subst. f.
*Milit.* Contre-attaque visant à reprendre l'initiative des opérations. 1916 ; comp. de *contre* et de *offensive* ; plur. *contre-offensives* ; [kɔ̃tʀɔfɑ̃siv].

**CONTREPARTIE,** subst. f.
1. *Comptab.* Double d'un document où sont notées toutes les parties d'un compte. 2. Anal. Ce qui compense ; dédommagement : *Rendre service sans contrepartie.* ▸ Loc. *En contrepartie (de)* : en échange (de). 3. *La contrepartie d'une opinion* : l'opinion contraire. 4. *Bourse.* Opération faite par un vendeur à son propre profit, contre son client. 1262 ; formé de *contre* et de *partie* ; [kɔ̃tʀəpaʀti].

**CONTRE-PAS,** subst. m. inv.
*Milit.* Demi-pas rapide permettant de reprendre la cadence. 1771 (1606, danse espagnole) ; comp. de *contre* et de *pas* (I) ; [kɔ̃tʀəpɑ].

**CONTRE-PASSATION,** subst. f.
Action de contre-passer une écriture comptable. XVIIIe s. ; ☞ *contre-passer* ; plur. *contre-passations* ; [kɔ̃tʀəpɑsasjɔ̃].

**CONTRE-PASSER,** verbe trans. [3]
*Comptab.* Annuler (une écriture) par une écriture du même montant et de sens opposé. XVIIIe s. (déb. XIIIe s., dépasser) ; comp. de *contre* et de *passer* ; [kɔ̃tʀəpɑse].

**CONTRE-PENTE,** subst. f.
Pente opposée à une autre. 1694 ; comp. de *contre* et de *pente* ; plur. *contre-pentes*, var. *contrepente* ; [kɔ̃tʀəpɑ̃t].

**CONTRE-PERFORMANCE,** subst. f.
*Sp.* Mauvais résultat, eu égard aux performances habituelles ; au fig. : *Une contre-performance électorale.* 1949 ; comp. de *contre* et de *performance* ; plur. *contre-performances* ; [kɔ̃tʀəpɛʀfɔʀmɑ̃s].

**CONTREPET,** subst. m.
Art d'inventer et de résoudre des contrepèteries. V. 1950 ; ☞ *contrepèterie* ; [kɔ̃tʀəpɛ].

**CONTREPÈTERIE,** subst. f.
Permutation de sons dans une phrase afin d'obtenir un effet comique, voire grivois (par ex. : « Les jeux de la foi ne sont que cendres auprès des feux de la joie », Prévert). XVIe s. ; m. fr. *contrepéter*, « contrefaire » ; [kɔ̃tʀəpɛtʀi].

**CONTRE-PIED,** subst. m.
1. *Vén.* Direction opposée à celle prise par la bête ; fausse piste. 2. Fig. Position, avis contraire : *Prendre le contre-pied d'une opinion.* 3. *Sp.* *Prendre un adversaire à contre-pied* : l'affronter du côté opposé à son attente. 1561 ; comp. de *contre* et de *pied* ; plur. *contre-pieds* ; [kɔ̃tʀəpje].

**CONTREPLACAGE,** subst. m.
*Ébén.* Action de coller, de part et d'autre d'un panneau de bois, de minces plaques de bois, en alternant le sens des fibres ; son résultat. 1873 ; formé de *contre* et de *placage* ; [kɔ̃tʀəplakaʒ].

**CONTREPLAQUÉ,** subst. m.
*Ébén.* Matériau composé d'un nombre impair de minces plaques de bois, aux fibres croisées. 1922 ; formé de *contre* et de *plaquer* ; [kɔ̃tʀəplake].

**CONTRE-PLONGÉE,** subst. f.
*Cin.* Technique de prise de vues effectuée de bas en haut. 1946 ; comp. de *contre* et de *plongée* ; plur. *contre-plongées* ; [kɔ̃tʀəplɔ̃ʒe].

**CONTREPOIDS,** subst. m.
1. Poids servant à contrebalancer un autre poids ou une force opposée : *Les **contrepoids** d'une grue à flèche.* 2. Fig. Ce qui équilibre, neutralise : *Les syndicats font **contrepoids** à la politique patronale.* ◻ Fin XIIe s. ; formé de *contre* et de *poids* ; [kɔ̃tʀəpwa].

**CONTRE-POIL (À),** loc. adv.
1. À rebrousse-poil, en sens contraire du poil : *Caresser un chien **à contre-poil**.* 2. Fig. *Prendre qqn **à contre-poil*** : l'agacer, l'énerver. ◻ XIIe s. ; comp. de *contre* et de *poil* ; [akɔ̃tʀəpwal].

**CONTREPOINT,** subst. m.
1. *Mus.* Science et art de combiner des lignes mélodiques entre elles ; son résultat. 2. Anal. Technique littéraire, théâtrale, cinématographique qui consiste à développer plusieurs thèmes ou intrigues en parallèle. 3. Loc. *En **contrepoint*** : en parallèle. ◻ Fin XIVe s. ; formé de *contre* et de *point* (I) ; [kɔ̃tʀəpwɛ̃].

**CONTRE-POINTE,** subst. f.
1. *Escr.* Partie tranchante au dos de l'extrémité d'un sabre ; par ext., mouvement consistant à frapper à la fois de la pointe du sabre et du tranchant. 2. *Mécan.* Pointe située à l'extrémité d'un tour à bras, servant à maintenir la pièce à usiner. ◻ 1825 ; comp. de *contre* et de *pointe* ; plur. *contre-pointes* ; [kɔ̃tʀəpwɛ̃t].

**CONTREPOINTISTE,**
voir **CONTRAPUNTISTE**

**CONTREPOISON,** subst. m.
Produit neutralisant les effets d'un poison (synon. *antidote*). ◻ Déb. XVIe s. ; formé de *contre* et de *poison* ; [kɔ̃tʀəpwazɔ̃].

**CONTRE-PORTE,** subst. f.
1. *Fortif.* Porte doublant une autre porte, dans une place forte. 2. Porte, gén. capitonnée, qui double une autre porte, pour isoler une pièce. 3. Face interne d'une porte, souv. munie de compartiments de rangement : *La **contre-porte** d'un réfrigérateur.* ◻ 1582 ; comp. de *contre* et de *porte* (I) ; plur. *contre-portes* ; [kɔ̃tʀəpɔʀt].

**CONTRE-POUVOIR,** subst. m.
Pouvoir de fait qui s'oppose au pouvoir légal, ou qui le neutralise. ◻ V. 1970 ; comp. de *contre* et de *pouvoir* (II) ; plur. *contre-pouvoirs* ; [kɔ̃tʀəpuvwaʀ].

**CONTRE-PRESTATION,** subst. f.
*Anthropol.* Obligation pour le donataire de rendre l'équivalent des présents reçus, selon un système de réciprocité propre à certaines sociétés (☞ *potlatch*). ◻ V. 1970 ; comp. de *contre* et de *prestation* ; plur. *contre-prestations* ; [kɔ̃tʀəpʀɛstasjɔ̃].

**CONTRE-PRODUCTIF, IVE,** adj.
Qui produit l'effet inverse de l'effet espéré. ◻ V. 1970 ; comp. de *contre* et de *productif* ; plur. *contre-productifs, ives* ; [kɔ̃tʀəpʀɔdyktif, iv].

**CONTRE-PROJET,** subst. m.
Projet que l'on oppose à un autre sur une même question. ◻ 1829 ; comp. de *contre* et de *projet* ; plur. *contre-projets*, var. *contreprojet* ; [kɔ̃tʀəpʀɔʒɛ].

**CONTRE-PROPAGANDE,** subst. f.
Propagande visant à détruire les effets d'une autre propagande. ◻ 1946 ; comp. de *contre* et de *propagande* ; plur. *contre-propagandes* ; [kɔ̃tʀəpʀɔpagɑ̃d].

**CONTRE-PROPOSITION,** subst. f.
Proposition que l'on oppose à une autre. ◻ 1771 ; comp. de *contre* et de *proposition* ; plur. *contre-propositions*, var. *contreproposition* ; [kɔ̃tʀəpʀɔpozisjɔ̃].

**CONTRE-PUBLICITÉ,** subst. f.
1. Publicité visant à en contrer une autre. 2. Publicité qui aboutit à l'effet inverse de l'effet espéré. ◻ XXe s. ; comp. de *contre* et de *publicité* ; plur. *contre-publicités* ; [kɔ̃tʀəpyblisite].

**CONTRER,** verbe trans. [3]
1. *Jeux.* Aux cartes, défier l'adversaire de réaliser (le contrat annoncé) ; empl. adj. : *Chelem **contré** et réussi* ; empl. abs. : *Je **contre** !* 2. *Sp.* Riposter contre (une attaque, un joueur). 3. Fig. Prendre (qqn, qqch.) à contre-pied, s'opposer à : ***Contrer** une proposition, une autorité.* ◻ 1838 ; ☞ *contre* ; [kɔ̃tʀe].

**CONTRE-RAIL,** subst. m.
*Ch. de fer.* Rail placé à l'intérieur d'une voie et destiné à guider les boudins des roues aux passages à niveau, aux croisements, aux aiguillages. ◻ 1855 ; comp. de *contre* et de *rail* ; plur. *contre-rails* ; [kɔ̃tʀəʀɑj].

**CONTRE-RÉFORME,** subst. f.
1. Réforme visant à annuler les effets d'une autre réforme. 2. *Hist. La **Contre-Réforme*** : vaste réforme doctrinale et disciplinaire menée par l'Église catholique en réaction à la Réforme protestante. ◻ 1914 ; comp. de *contre* et de *réforme* ; plur. *contre-réformes* ; [kɔ̃tʀəʀefɔʀm].

**CONTRE-RÉVOLUTION,** subst. f.
Mouvement politique et social de réaction contre une révolution. ◻ 1790 ; comp. de *contre* et de *révolution* ; plur. *contre-révolutions* ; [kɔ̃tʀəʀevɔlysjɔ̃].

**CONTRE-RÉVOLUTIONNAIRE,** adj. et subst.
Adj. Relatif à une contre-révolution. Subst. Partisan d'une contre-révolution. ◻ 1790 ; comp. de *contre* et de *révolutionnaire* ; plur. *contre-révolutionnaires* ; [kɔ̃tʀəʀevɔlysjɔnɛʀ].

**CONTRESCARPE,** subst. f.
*Fortif.* Pente extérieure du talus d'un fossé. ◻ 1546 ; formé de *contre* et de *escarpe* (I) ; [kɔ̃tʀɛskaʀp].

**CONTRESEING,** subst. m.
1. Signature supplémentaire qui certifie la signature principale ou qui marque une responsabilité solidaire : *Les actes du chef du gouvernement portent le **contreseing** d'un ministre.* 2. Signature apposée sur un envoi pour lui conférer la franchise postale. ◻ 1355 ; formé de *contre* et de *seing* ; [kɔ̃tʀəsɛ̃].

**CONTRESENS,** subst. m.
1. Erreur d'interprétation d'une pensée, d'un texte ou d'un mot. 2. Direction opposée à la normale. ▸ Loc. *À **contresens** (de)* : en sens inverse du sens attendu (de). ◻ Fin XVIe s. ; formé de *contre* et de *sens* (I) ; [kɔ̃tʀəsɑ̃s].

**CONTRESIGNATAIRE,** subst. et adj.
Se dit d'une personne qui contresigne une lettre, un acte. ◻ 1818 ; formé de *contre* et de *signataire* ; [kɔ̃tʀəsiɲatɛʀ].

**CONTRESIGNER,** verbe trans. [3]
Apposer son contreseing sur. ◻ 1415 ; formé de *contre* et de *signer* ; [kɔ̃tʀəsiɲe].

**CONTRE-SOCIÉTÉ,** subst. f.
Ensemble d'individus vivant à l'écart de la société, de ses usages ou de ses lois. ◻ 1862 ; comp. de *contre* et de *société* ; plur. *contre-sociétés* ; [kɔ̃tʀəsɔsjete].

**CONTRE-SUJET,** subst. m.
*Mus.* Deuxième ou troisième thème d'une fugue. ◻ 1835 ; formé de *contre* et de *sujet* (II) ; plur. *contre-sujets*, var. *contresujet* ; [kɔ̃tʀəsyʒɛ].

**CONTRE-TAILLE,** subst. f.
*Grav.* Taille que le graveur trace en sens inverse de celles qu'il a déjà faites. ◻ 1754 ; comp. de *contre* et de *taille* ; plur. *contre-tailles* ; [kɔ̃tʀətaj].

**CONTRETEMPS,** subst. m.
1. Incident inopiné, évènement intempestif contrariant l'exécution d'un projet. ▸ Loc. *À **contretemps*** : mal à propos. 2. Mouvement destiné à rompre un rythme, un équilibre. ▸ *Chorégr.* Saut effectué deux fois sur un pied, l'autre jambe restant suspendue en l'air. ▸ *Mus.* Attaque d'un son sur un temps faible, ou sur la partie faible d'un temps, suivie d'un silence sur le temps fort ou sur la partie forte du temps. ◻ 1654 (1559, terme d'équitation) ; formé de *contre* et de *temps*, d'après l'ital. *contrattempo* ; [kɔ̃tʀətɑ̃].

**CONTRE-TÉNOR,** subst. m.
Chanteur masculin au registre de voix le plus élevé (synon. *haute-contre*). ◻ Comp. de *contre* et de *ténor* ; plur. *contre-ténors* ; [kɔ̃tʀətenɔʀ].

**CONTRE-TERRORISME,** subst. m.
Lutte contre le terrorisme, reprenant ses méthodes. ◻ V. 1960 ; comp. de *contre* et de *terrorisme* ; plur. *contre-terrorismes* ; [kɔ̃tʀətɛʀɔʀism].

**CONTRE-TERRORISTE,** adj. et subst.
Se dit d'une personne qui se livre au contre-terrorisme. Adj. Qui s'y rapporte : *Activités **contre-terroristes**.* ◻ V. 1960 ; comp. de *contre* et de *terroriste* ; plur. *contre-terroristes* ; [kɔ̃tʀətɛʀɔʀist].

**CONTRE-TIRER,** verbe trans. [3]
1. Reproduire en décalquant : ***Contre-tirer** une carte.* 2. *Grav.* Tirer en contre-épreuve. ◻ 1576 ; comp. de *contre* et de *tirer* ; [kɔ̃tʀətiʀe].

**CONTRE-TORPILLEUR,** subst. m.
*Mar.* Bâtiment d'escorte dont la rapidité et la puissance de feu servent à défendre les escadres contre les torpilleurs et les sous-marins ennemis (synon. *destroyer*). ◻ 1890 ; comp. de *contre* et de *torpilleur* ; plur. *contre-torpilleurs* ; [kɔ̃tʀətɔʀpijœʀ].

**CONTRETYPE,** subst. m.
*Cin.* et *Phot.* Copie d'un film faite à partir de son négatif. ◻ 1900 ; formé de *contre* et de *type* ; [kɔ̃tʀətip].

**CONTRETYPER,** verbe trans. [3]
Reproduire par contretype. ◻ 1952 ; ☞ *contretype* ; [kɔ̃tʀətipe].

**CONTRE-UT,** subst. m. inv.
*Mus.* Note plus haute d'une octave que l'*ut* supérieur du registre normal. ◻ 1832 ; comp. de *contre* et de *ut* ; [kɔ̃tʀyt].

**CONTRE-VAIR,** subst. m.
*Hérald.* Fourrure représentée par des paires de cloches d'azur et d'argent opposées par la pointe, disposées en rangs. ◻ 1636 ; comp. de *contre* et de *vair* ; plur. *contre-vairs* ; [kɔ̃tʀəvɛʀ].

**CONTRE-VALEUR,** subst. f.
*Comm.* Valeur reçue en échange d'une autre valeur. ◻ 1837 ; comp. de *contre* et de *valeur* ; plur. *contre-valeurs* ; [kɔ̃tʀəvalœʀ].

**CONTREVALLATION,** subst. f.
*Fortif.* Tranchée faite par l'assiégeant autour d'une place forte pour empêcher les sorties. ◻ 1676 ; formé de *contre* et du bas lat. *vallatio*, « palissade, retranchement » ; [kɔ̃tʀəval(l)asjɔ̃].

**CONTREVENANT, ANTE,** subst.
Personne qui enfreint un règlement. ◻ 1516 ; p. pr. de *contrevenir* ; [kɔtʀəvənɑ̃, ɑ̃t].

**CONTREVENIR,** verbe trans. indir. [22]
**Contrevenir à.** Désobéir à, enfreindre : ***Contrevenir** à une loi* ; manquer à : ***Contrevenir** à sa promesse.* ◻ 1331 ; lat. jur. *contravenire* ; [kɔ̃tʀəv(ə)niʀ].

**CONTREVENT,** subst. m.
1. Volet extérieur de bois plein. 2. Élément de renfort. ▸ *Bât.* Pièce de bois empêchant une charpente de se déformer. ▸ *Métall.* Cloison du creuset d'un haut fourneau opposée à la tuyère. ◻ XVe s. ; formé de *contre* et de *vent* ; [kɔ̃tʀəvɑ̃].

**CONTREVENTEMENT,** subst. m.
*Bât.* Ensemble des pièces de renfort destinées à prévenir les déformations : *Le **contreventement** d'un pont.* ◻ 1694 (XVIe s., terme de mar.) ; ☞ *contreventer* ; [kɔ̃tʀəvɑ̃tmɑ̃].

**CONTREVENTER,** verbe trans. [3]
*Bât.* Renforcer par un contreventement. ◻ 1691 (1534, terme de marine) ; ☞ *contrevent* ; [kɔ̃tʀəvɑ̃te].

**CONTREVÉRITÉ,** subst. f.
Affirmation par laquelle on contredit la vérité, volontairement ou non. ◻ 1413 ; formé de *contre* et de *vérité* ; [kɔ̃tʀəveʀite].

**CONTRE-VISITE,** subst. f.
*Méd.* Visite de contrôle, permettant de vérifier un premier diagnostic. ◻ 1680 ; comp. de *contre* et de *visite* ; plur. *contre-visites* ; [kɔ̃tʀəvizit].

**CONTRE-VOIE,** subst. f.
*Ch. de fer.* Voie parallèle, sur laquelle la circulation se fait en sens contraire. ▸ Loc. *Descendre, monter **à contre-voie*** : du côté opposé au quai. ◻ 1894 ; comp. de *contre* et de *voie* ; plur. *contre-voies* ; [kɔ̃tʀəvwa].

**CONTRIBUABLE,** subst.
Personne soumise à l'impôt. ◻ 1401 ; ☞ *contribuer* ; [kɔ̃tʀibyabl].

**CONTRIBUER,** verbe trans. indir. [3]
**Contribuer à.** 1. Collaborer à (une entreprise) ; concourir à (un résultat) : *Parents et élèves **ont contribué** au succès de la kermesse* ; *Le grand air **contribuera** à sa guérison.* 2. Participer financièrement à : *Je **contribue** aux frais du voyage.* ◻ 1309 ; lat. *contribuere*, « apporter sa part » ; [kɔ̃tʀibɥe].

**CONTRIBUTION,** subst. f.
1. Participation financière à une charge commune. ▸ Taxe, redevance ou impôt levé par l'État : ***Contribution** exceptionnelle* ; ***Contributions** directes et indirectes.* 2. Concours apporté à un projet, à une action commune : *La **contribution** d'Adenauer au rapprochement franco-allemand.* ▸ Loc. *Mettre qqn **à contribution*** : faire appel à ses services, à ses talents. ◻ 1317 ; lat. jur. *contributio* ; [kɔ̃tʀibysjɔ̃].

**CONTRISTER,** verbe trans. [3]
Plonger dans l'affliction, navrer (littér.). ◻ XIIe s. ; lat. *contristare* ; [kɔ̃tʀiste].

**CONTRIT, ITE,** adj.
1. *Théol.* Se dit d'une personne que le sentiment d'avoir péché afflige. 2. Ext. Désolé, confus : *Un regard **contrit**.* ◻ Fin XIIe s. ; lat. eccl. *contritus*, du lat. *conterere*, « broyer, détruire » ; [kɔ̃tʀi, it].

**CONTRITION,** subst. f.
1. *Théol.* Regret profond d'avoir péché, joint à la résolution de ne pas recommencer (☞ *attrition*) : *Acte de **contrition***, prière dans laquelle le pénitent

demande l'absolution de ses péchés. **2.** Ext. Regret, remords (littér.). 🕮 Déb. XIIIe s. (déb. XIIe s., action de détruire) ; bas lat. *contritio* ; [kɔ̃tʀisjɔ̃].

**CONTROLATÉRAL, ALE, AUX, adj.**
*Méd.* *Lésion* **controlatérale** : dont l'effet se manifeste du côté du corps opposé au côté du cerveau atteint ; *Paralysie* **controlatérale** : qui touche le côté du corps opposé à l'hémisphère lésé. 🕮 1912 ; formé de *contre* et de *latéral* ; [kɔ̃tʀolateʀal, o].

**CONTRÔLE, subst. m.**
**1.** Vx. Registre tenu en double d'un autre (le rôle), servant à leur vérification mutuelle. **2.** Liste des personnes faisant partie d'un corps ou d'une administration : *Un lieutenant de vaisseau rayé du* **contrôle** *de l'amirauté.* **3.** Action de vérifier la validité d'un document, de s'assurer du caractère légal de qqch. : **Contrôle** *d'une carte de séjour* ; *Un* **contrôle** *fiscal* ; *Le* **contrôle** *des changes* ; par méton., lieu ou service où l'on procède à des vérifications : *Renseignez-vous au* **contrôle** *des billets.* ▸ Vérification du titre des objets précieux ; le poinçon apposé qui l'atteste. **4.** Surveillance attentive du bon fonctionnement, de la bonne marche de qqch. : *Le* **contrôle** *technique des véhicules* ; *Des* **contrôles** *médicaux réguliers* ; *Placer qqn sous* **contrôle** *judiciaire* ; *La tour de* **contrôle** *d'un aéroport*, d'où l'on observe et régule le trafic aérien. ▸ *Enseign.* *Le* **contrôle** *continu des connaissances* : vérification des connaissances d'un élève, d'un étudiant par des travaux répartis sur toute l'année ; *Un* **contrôle** *de grammaire* : devoir fait en classe. **5.** Maîtrise de soi ; domination, emprise sur qqn ou qqch. : *Perdre son* **contrôle** ; *Prendre le* **contrôle** *d'une société concurrente* ; *Une zone sous* **contrôle** *de l'armée ennemie* ; **Contrôle** *des naissances*, planification familiale. 🕮 Déb. XIVe s. ; crois. de *contre* et de *rôle* ; [kɔ̃tʀol].

**CONTRÔLER, verbe trans.** [3]
**1.** Vx. Porter sur le registre de contrôle. **2.** Vérifier la validité, la régularité de ; soumettre à un contrôle : **Contrôler** *les passeports* ; **Contrôler** *la véracité d'un témoignage* ; empl. adj. : *Un vin d'appellation d'origine* **contrôlée** *(A. O. C.)*, dont le lieu d'origine est garanti. **3.** Surveiller attentivement : *Les députés* **contrôlent** *l'action du gouvernement* ; **Contrôler** *son taux de cholestérol.* **4.** Exercer une emprise sur, dominer : **Contrôler** *ses réactions* ; **Contrôler** *une société*, en détenir suffisamment d'actions pour pouvoir décider de ses orientations. ▸ *Sp.* **Contrôler** *un ballon* : l'amortir avant de le relancer. PRONOM. Garder la maîtrise de soi. 🕮 1310 ; ☞ *contrôle* ; [kɔ̃tʀole].

**CONTRÔLEUR, EUSE, subst.**
Personne chargée d'effectuer un contrôle : *Un* **contrôleur** *de la S. N. C. F.* ; *Les* **contrôleurs** *aériens.* MASC. *Techn.* Dispositif surveillant le bon fonctionnement d'une installation : *Un* **contrôleur** *de pression.* 🕮 1320 ; ☞ *contrôler* ; [kɔ̃tʀolœʀ, øz].

**CONTRORDRE, subst. m.**
**1.** Ordre annulant celui donné précédemment. **2.** Ext. Changement de décision : *J'arriverai demain, sauf* **contrordre**. 🕮 1680 ; crois. de *contre* et de *ordre* ; [kɔ̃tʀɔʀdʀ].

**CONTROUVÉ, ÉE, adj.**
Mensonger, forgé de toutes pièces (littér.) : *Un témoignage* **controuvé**. 🕮 1119 ; p. p. de *controuver* (vx), « inventer » ; [kɔ̃tʀuve].

**CONTROVERSE, subst. f.**
**1.** Débat de fond, nourri d'arguments contradictoires : *La* **controverse** *sur l'euthanasie.* **2.** *Théol.* Discussion sur un point litigieux du dogme. 🕮 1236 ; lat. *controversia* ; [kɔ̃tʀɔvɛʀs].

**CONTROVERSÉ, ÉE, adj.**
Qui est l'objet d'une controverse. 🕮 1611 ; p. p. de *controverser* ; [kɔ̃tʀɔvɛʀse].

**CONTROVERSER, verbe trans.** [3]
Débattre (une question, en partic. religieuse) ; contester : **Controverser** *la théorie de l'évolution.* 🕮 1579 ; lat. *controversari* ; [kɔ̃tʀɔvɛʀse].

**CONTROVERSISTE, subst.**
Spécialiste de la controverse, en partic. religieuse (vieilli). 🕮 1630 ; ☞ *controverse* ; [kɔ̃tʀɔvɛʀsist].

**CONTUMACE, subst. f.**
*Dr.* Absence du prévenu lors de son procès : *Condamné par* **contumace**, par défaut. 🕮 1268 ; lat. *contumacia*, « orgueil » ; [kɔ̃tymas].

**CONTUMAX, adj. et subst.**
*Dr.* Se dit d'un accusé en état de contumace ou d'un condamné par contumace. 🕮 XIIIe s. ; lat. *contumax*, « fier ; rebelle » ; var. *contumace* ; [kɔ̃tymaks].

**CONTUS, USE, adj.**
Marqué par une contusion. 🕮 1503 ; lat. *contusus*, de *contundere*, « frapper, blesser » ; [kɔ̃ty, yz].

**CONTUSION, subst. f.**
*Pathol.* Lésion produite par un choc, sans déchirure de la peau (synon. *ecchymose, bleu*). 🕮 1314 ; lat. *contusio*, « action de meurtrir » ; [kɔ̃tyzjɔ̃].

**CONTUSIONNER, verbe trans.** [3]
Blesser par contusion ; empl. adj. : *Une jambe* **contusionnée**. 🕮 1672 ; ☞ *contusion* ; [kɔ̃tyzjɔne].

**CONURBATION, subst. f.**
Ensemble urbain constitué d'agglomérations voisines qui se sont agrandies au point de se rejoindre. 🕮 1922 ; lat. *urbs*, « ville », + *co-* ; [kɔnyʀbasjɔ̃].

**CONVAINCANT, ANTE, adj.**
**1.** Qui sait convaincre : *Un avocat* **convaincant**. **2.** Propre à convaincre : *Une preuve* **convaincante**. 🕮 1633 ; ☞ *convaincre* ; [kɔ̃vɛ̃kɑ̃, ɑ̃t].

**CONVAINCRE, verbe trans.** [56]
**1.** *Just.* Démontrer de manière irréfutable la faute, la culpabilité de : **Convaincre** *qqn de trahison, de vol.* **2.** Ext. Amener (qqn) à considérer qqch. comme vrai, juste ou nécessaire ; emporter l'adhésion de : *Je le* **convainquis** *de rester* ; empl. abs. : *Ce n'est rien de* **convaincre** *si l'on ne sait persuader* (Rousseau). 🕮 Fin XIIe s. ; lat. *convincere* ; [kɔ̃vɛ̃kʀ].

**CONVAINCU, UE, adj.**
**1.** *Just.* Reconnu coupable : *Un soldat* **convaincu** *de désertion.* **2.** Ext. Pénétré d'une conviction, d'une certitude : *Gandhi fut un apôtre* **convaincu** *de la non-violence* ; par méton. : *Parler d'un ton* **convaincu** ; empl. subst. : *Vous prêchez un* **convaincu** *!* 🕮 1677 ; p. p. de *convaincre* ; [kɔ̃vɛ̃ky].

**CONVALESCENCE, subst. f.**
État transitoire entre la fin d'une maladie et le retour à la parfaite santé ; au fig. : *La France blessée entre en pleine* **convalescence** (de Gaulle). 🕮 1455 (1355, bonne santé) ; bas lat. *convalescentia*, du lat. *convalescere*, « guérir » ; [kɔ̃valesɑ̃s].

**CONVALESCENT, ENTE, adj. et subst.**
Se dit d'une personne qui recouvre peu à peu la santé après une maladie. 🕮 XVe s. ; lat. *convalescens*, de *convalescere*, « guérir » ; [kɔ̃valesɑ̃, ɑ̃t].

**CONVECTEUR, subst. m.**
*Techn.* Appareil de chauffage électrique élevant la température ambiante par convection naturelle de l'air. 🕮 1901 ; lat. *convectus*, « transporté » ; [kɔ̃vɛktœʀ].

**CONVECTION, subst. f.**
**1.** *Phys.* Mouvement d'un fluide sous l'effet d'une variation de température localisée ; transport de chaleur lié à ce mouvement. **2.** *Géol.* Mouvement ascendant et descendant en boucles ou en cellules de **convection**, qui a lieu à l'intérieur du manteau du globe terrestre et constitue le moteur vraisemblable de la dérive des continents. 🕮 1877 ; lat. *convectus*, « transporté » ; [kɔ̃vɛksjɔ̃].

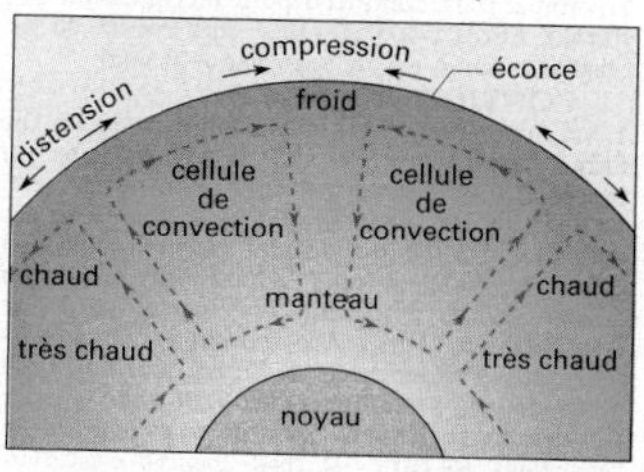

*Courants de* **convection** *dans le manteau terrestre.*

**CONVENABLE, adj.**
**1.** Qui convient, qui est bien adapté à une fonction, à une situation, approprié : *Attendons l'heure* **convenable**. **2.** Conforme aux normes sociales, aux convenances, décent : *Une mise* **convenable**. **3.** Qui peut suffire ou satisfaire, acceptable : *Un salaire* **convenable**. 🕮 Mil. XIIe s. ; ☞ *convenir* ; [kɔ̃vnabl].

**CONVENABLEMENT, adv.**
D'une manière convenable. 🕮 Fin XIIe s. ; ☞ *convenable* ; [kɔ̃vnabləmɑ̃].

**CONVENANCE, subst. f.**
**1.** Qualité de ce qui s'accorde avec une autre chose, de ce qui est approprié à son objet (littér.) : **Convenance** *de points de vue.* ▸ *Mariage de* **convenance** : qui répond essentiellement à des exigences de rang ou de fortune. **2.** Ce qui agrée, commodité particulière : *Agissez à votre* **convenance**, à votre guise ; *Congé pour* **convenances** *personnelles*, pour des raisons privées. **3.** Ce qui est conforme aux usages, au savoir-vivre (gén. au plur.) : *Ne pas se soucier des* **convenances**. 🕮 1504 (fin XIIe s., accord, pacte) ; anc. fr. *co(n)venant*, du lat. *convenientia* ; [kɔ̃vnɑ̃s].

**CONVENIR, verbe trans. indir.** [22]
**I. Convenir à. 1.** Être approprié à : *Le bleu a toujours* **convenu** *à mon teint.* **2.** Agréer à : *Cette date nous* **convient**. IMPERS. *Il* **convient** *de* (+ inf.), *que* (+ subj.) : il est souhaitable de, que. **II. Convenir de** (+ compl. ou inf.), **que** (+ ind. ou cond.). **1.** Admettre : **Convenir** *de ses torts.* **2.** S'entendre sur, décider ensemble de, que : *Ils sont* **convenus** *de se revoir* ; empl. impers. : *Il était* **convenu** *que nous serions tous là.* 🕮 Mil. XIe s. ; lat. *convenire* ; se conjugue au sens I avec l'auxil. *avoir* et au sens II avec l'auxil. *être* ; [kɔ̃vniʀ].

**CONVENT, subst. m.**
Réunion plénière de francs-maçons. 🕮 1844 ; lat. *conventus* ; [kɔ̃vɑ̃].

**CONVENTION, subst. f.**
**I. 1.** Accord conclu entre plusieurs parties (individus, groupes sociaux ou États) sur un thème précis : *Ratifier, dénoncer une* **convention** ; *Une* **convention** *douanière* ; *La* **convention** *de Genève*, réglant le traitement des prisonniers de guerre. ▸ **Convention** *collective* : accord entre les représentants des salariés et des employeurs d'une catégorie professionnelle, qui définit les conditions de travail. **2.** Ce qui est communément admis, accepté (souv. au plur.) : *Les* **conventions** *sociales* ou, empl. abs., *Les* **conventions**, les règles qui régissent la vie en société. ▸ *B.-a.* et *Litt.* Accord tacite sur le recours à certains procédés : *Les* **conventions** *du théâtre, telle la règle des trois unités (de lieu, de temps et d'action).* ▸ Loc. **De convention.** Qui existe ou est admis en vertu d'un accord, d'un consensus, et non de manière absolue : *Les signes de* **convention** *du langage* ; par ext., factice, formel (péj.) : *Un style sans âme, de* **convention**. **II. 1.** Assemblée nationale réunie exceptionnellement pour élaborer ou amender une Constitution : *La* **convention** *de Philadelphie (1787)* ; *La* **Convention** *nationale* ou, par ell., *la* **Convention** *(1792-1795) décréta l'abolition de la royauté en France.* **2.** Anal. Aux États-Unis, réunion des délégués d'un parti en vue de désigner un candidat à la présidence. 🕮 1268 ; lat. *conventio*, « pacte ; assemblée » ; [kɔ̃vɑ̃sjɔ̃].

**CONVENTIONNÉ, ÉE, adj.**
Qui a conclu un accord tarifaire avec la Sécurité sociale : *Médecin* **conventionné**. 🕮 1952 (1558, décidé par contrat) ; ☞ *convention* ; [kɔ̃vɑ̃sjɔne].

**CONVENTIONNEL (I), ELLE, adj.**
**1.** Qui est établi par une convention : *Clauses* **conventionnelles** ; *Le pictogramme est un signe* **conventionnel**. **2.** Conforme aux usages. ▸ Trop étroitement soumis aux conventions sociales : *Une éducation* **conventionnelle**. **3.** Ext. Dénué d'originalité ou de naturel : *Une peinture* **conventionnelle**. **4.** *Milit.* *Armes* **conventionnelles** : classiques, par oppos. aux armes nucléaires, chimiques ou biologiques. 🕮 1453 ; lat. jur. *conventionalis* ; [kɔ̃vɑ̃sjɔnɛl].

**CONVENTIONNEL (II), subst. m.**
*Hist.* Membre de la Convention nationale. 🕮 1792 ; ☞ *convention* ; [kɔ̃vɑ̃sjɔnɛl].

**CONVENTIONNELLEMENT, adv.**
En vertu d'une convention ; de manière conventionnelle. 🕮 1636 ; ☞ *conventionnel* (I) ; [kɔ̃vɑ̃sjɔnɛlmɑ̃].

**CONVENTUEL, ELLE, adj.**
Qui concerne une communauté religieuse : *Messe* **conventuelle**. 🕮 1249 ; lat. médiév. *conventualis* ; [kɔ̃vɑ̃tɥɛl].

**CONVENU, UE, adj.**
**1.** Qui a fait l'objet d'un accord : *Rendez-vous à l'heure et à l'endroit* **convenus**. **2.** Dépourvu de sincérité, d'originalité (péj.) : *Des propos* **convenus**. 🕮 1690 ; p. p. de *convenir* ; [kɔ̃vny].

**CONVERGENCE, subst. f.**
**1.** Fait de converger, de se diriger vers un point unique ; au fig., fait de tendre vers un objectif commun, d'aboutir à un même résultat : *Une* **convergence** *d'intérêts.* **2.** *Biol.* Tendance de divers

organismes, appartenant à des groupes parfois très éloignés, qui évoluent vers des formes, des structures ou des fonctionnements semblables. **3.** *Opt.* Grandeur caractéristique d'un système optique, d'une lentille, égale à l'inverse de la distance focale. 1671 ; lat. sc. *convergentia* ; [kɔ̃vɛʀʒɑ̃s].

**CONVERGENT, ENTE,** adj.
**1.** Qui converge, se dirige vers un point unique : *Une série mathématique **convergente**, qui tend vers une limite finie ; Des rayons **convergents** ; Un strabisme **convergent** ; Des routes **convergentes**.* **2.** Méton. *Opt. Lentille **convergente*** : qui fait converger les rayons lumineux. **3.** Fig. Qui tend vers un même but, un même résultat : *Des démarches **convergentes**.* **4.** *Math.* Une série de terme général $u_n$ ($n \geqslant 0$) est **convergente** et converge vers *a* si la suite des sommes partielles, définie par $S_n = u_0 + u_1 \ldots + u_n$, est **convergente** et converge vers *a*. Une suite est dite **convergente** si elle possède une limite. Déb. XVIIe s. ; lat. sc. *convergens* ; [kɔ̃vɛʀʒɑ̃, ɑ̃t].

**CONVERGER,** verbe intrans. [5]
**1.** Se diriger (vers un point unique) : *Les rayons **convergent** vers le foyer de la lentille ; Les regards indignés **convergèrent** sur le trublion.* **2.** Fig. Tendre (vers un but, un résultat commun) ; se rejoindre : *Des opinions qui **convergent**.* 1720 ; bas lat. *convergere*, « se réunir de plusieurs points » ; [kɔ̃vɛʀʒe].

**CONVERS, ERSE,** subst. et adj.
*Cath.* Se dit d'un membre d'une communauté religieuse employé aux tâches domestiques (synon. *lai, laie*) : *Frère **convers**, sœur **converse** ; Les **convers** ne sont pas ordonnés prêtres.* Adj. *Log.* Qualifie une proposition qui reste vraie lorsque l'attribut devient sujet et le sujet attribut : *« Nulle pierre n'est homme » est la proposition **converse*** ou, empl. subst. fém., *la **converse** de « Nul homme n'est pierre ».* Mil. XIIe s. ; lat. chrét. *conversus*, « converti » ; [kɔ̃vɛʀ, ɛʀs].

**CONVERSATION,** subst. f.
**1.** Vx. Fréquentation. **2.** Entretien libre et spontané, échange de propos : *Relancer la **conversation** en changeant de sujet.* ► Méton. Manière de converser : *Sa **conversation** est délicieuse ; Il n'a aucune **conversation**,* il n'a pas grand-chose à dire (fam.). **3.** Discussion entre dirigeants sur un sujet précis (gén. au plur.) : *Des **conversations** secrètes en vue d'un cessez-le-feu.* **4.** *Cuis.* Gâteau feuilleté, fourré de crème pâtissière ou de frangipane. XIIe s. ; lat. *conversatio*, « intimité, fréquentation » ; [kɔ̃vɛʀsasjɔ̃].

**CONVERSATIONNEL, ELLE,** adj.
*Informat. Mode **conversationnel*** : type d'exploitation dans lequel l'utilisateur peut dialoguer avec l'ordinateur, intervenir en cours d'opération à l'aide d'un terminal tel que le clavier (synon. *interactif*). V. 1970 (1902, relatif à la conversation) ; ☞ *conversation* ; [kɔ̃vɛʀsasjɔnɛl].

**CONVERSER,** verbe intrans. [3]
Échanger des propos, deviser (avec qqn). 1680 (mil. XIe s., demeurer, vivre avec) ; lat. *conversari*, « vivre avec qqn » ; [kɔ̃vɛʀse].

**CONVERSION,** subst. f.
**I. 1.** Action de convertir, d'amener qqn à adopter une religion : *La **conversion** des Indiens Guaranis par les Jésuites.* **2.** Action de se convertir : *La **conversion** d'Henri IV au catholicisme.* ► Ext. Retour à une pratique religieuse, à une foi renouvelée. **3.** Anal. Ralliement à d'autres opinions politiques ou philosophiques : *La **conversion** d'un marxiste au capitalisme.* **II. 1.** Action de retourner qqch., de le faire changer de sens. ► *Milit.* Mouvement d'une troupe qui pivote en rangs serrés autour de l'une de ses extrémités, pour changer la direction de son front. ► *Sp.* Demi-tour sur place effectué par un skieur. **2.** Transformation d'une chose en une autre : ***Conversion** de la fonte en acier ; **Conversion** d'une énergie en chaleur ; **Conversion** d'obligations en actions.* ► Expression d'une valeur, d'une grandeur par une autre unité ou dans un autre système : ***Conversion** de francs en dollars ; **Conversion** en kilomètres d'une distance exprimée en miles.* ► *Log.* Raisonnement consistant à transformer une proposition en sa converse. ► *Psych.* Transposition d'un trouble psychique dans des symptômes somatiques (paralysie, douleurs, etc.). **3.** Action de modifier la fonction, l'usage de qqch. : ***Conversion** d'un quartier en zone piétonnière ; Zone de **conversion** économique,* de changement d'activité. Fin XIIe s. ; lat. *conversio* ; [kɔ̃vɛʀsjɔ̃].

**CONVERTI, IE,** adj. et subst.
Se dit d'une personne qui est passée d'une religion à une autre ou de l'incroyance à la foi. ► Loc. *Prêcher un **converti*** : vouloir convaincre une personne déjà convaincue. Mil. XIIIe s. ; p. p. de *convertir* ; [kɔ̃vɛʀti].

**CONVERTIBILITÉ,** subst. f.
Qualité de ce qui est convertible : ***Convertibilité** d'une rente.* 1278 ; lat. chrét. *convertibilitas* ; [kɔ̃vɛʀtibilite].

**CONVERTIBLE,** adj.
**1.** Qui peut se transformer en autre chose : *Le plomb ne semble pas **convertible** en or.* ► *Un canapé **convertible*** ou, empl. subst. masc., *Un **convertible*** : que l'on peut transformer en lit. **2.** *Fin.* Que l'on peut échanger contre une valeur équivalente : *Monnaie **convertible**.* **3.** *Log. Propositions **convertibles*** : dont on peut permuter les termes. 1278 ; lat. chrét. *convertibilis* ; [kɔ̃vɛʀtibl].

**CONVERTIR,** verbe trans. [19]
**I. 1.** Conduire (qqn) à adopter une nouvelle religion ou à quitter un état d'incroyance : ***Convertir** des peuples païens* ; empl. pronom. : *Les Francs se **convertirent** au christianisme.* **2.** Anal. Convaincre (qqn) de changer de sentiment ou d'opinion : ***Convertir** ses amis à l'écologie, à l'opéra.* **II. 1.** Transformer (qqch.) en autre chose : *Aux noces de Cana, le Christ a **converti** l'eau en vin.* **2.** Adapter (qqch.) pour un usage différent : ***Convertir** des bureaux en appartements.* **3.** Exprimer (une grandeur) sous une autre forme ; changer : ***Convertir** des francs en marks ; **Convertir** une fraction en nombre décimal.* Déb. Xe s. ; lat. *convertere*, « retourner » ; [kɔ̃vɛʀtiʀ].

**CONVERTISSAGE,** subst. m.
*Métall.* Transformation de la fonte en acier au moyen d'un convertisseur. 1929 ; ☞ *convertisseur* ; [kɔ̃vɛʀtisaʒ].

**CONVERTISSEUR,** subst. m.
**1.** Personne qui convertit autrui (vieilli ou iron.). **2.** *Techn.* Appareil ou dispositif assurant une transformation. ► *Métall.* Four basculant dans lequel s'opère la conversion de la fonte en acier, sous l'action oxydante d'un courant d'air comprimé : *Un **convertisseur** Bessemer* (☞ *bessemer*). ► *Électr. **Convertisseur** de fréquence* : qui transforme la nature d'un courant électrique. ► *Informat.* Appareil permettant de recopier des données sur un autre support ou de les transcrire dans un mode différent. 1530 ; ☞ *convertir* ; [kɔ̃vɛʀtisœʀ].

**CONVEXE,** adj.
**1.** Dont la surface est bombée vers l'extérieur (anton. *concave*) : *Une lentille **convexe**.* **2.** *Géom.* Se dit d'une partie du plan ou de l'espace telle que tout segment ayant ses extrémités dans cette partie y est entièrement inclus : *Polygone **convexe**.* Fin XIVe s. ; lat. *convexus* ; [kɔ̃vɛks].

**CONVEXITÉ,** subst. f.
Caractère d'une surface convexe. 1450 ; lat. *convexitas* ; [kɔ̃vɛksite].

**CONVICT,** subst. m.
En droit anglais, criminel déporté ou condamné aux travaux forcés (vx). 1796 ; angl. *convict*, du lat. *convictum*, « convaincu de culpabilité » ; [kɔ̃vikt].

**CONVICTION,** subst. f.
**1.** Vx. Action de prouver la culpabilité de qqn. ► *Dr. Pièce à **conviction*** : élément de preuve, dans un procès. **2.** État d'un esprit convaincu de la vérité ou de la justesse de qqch. ; certitude fondée sur des preuves ou sur le raisonnement : *Avoir la **conviction** qu'une personne vous trahit ; Avoir l'intime **conviction** de qqch.* **3.** Ext. Sentiment d'assurance que donne cette certitude : *Parler avec **conviction** ; Sans **conviction**,* sans enthousiasme. **4.** Ce en quoi l'on croit profondément ; opinion, idée (gén. au plur.) : ***Convictions** religieuses ; Rien ne peut ébranler ses **convictions**.* 1579 ; lat. chrét. *convictio*, « fait d'être convaincu » ; [kɔ̃viksjɔ̃].

**CONVIER,** verbe trans. [6]
**1.** Inviter (qqn) à un repas, à une réunion, à une fête. **2.** Fig. Inciter, engager (qqn) à qqch. : *Ce calme austère **convie** à la prière ; Je vous **convie** à mieux vous tenir.* 1125 ; bas lat. °*convitare* ; [kɔ̃vje].

**CONVIVE,** subst.
Personne qui, avec d'autres, participe à un repas : *Un joyeux **convive**.* XVe s. ; lat. *conviva* ; [kɔ̃viv].

**CONVIVIAL, ALE, AUX,** adj.
**1.** Qui exprime la convivialité : *Une atmosphère **conviviale**.* **2.** *Informat.* Qualifie un matériel ou un logiciel dont l'accès et l'utilisation sont aisés pour un non-spécialiste. 1541 ; lat. *convivialis* ; [kɔ̃vivjal, o].

**CONVIVIALITÉ,** subst. f.
**1.** Disposition à apprécier la fête, la bonne chère. **2.** Ensemble des rapports de sympathie, d'entente ou de tolérance amicale établis entre des personnes ou avec l'environnement social. **3.** *Informat.* Qualité d'un matériel, d'un logiciel convivial. 1816 ; angl. *conviviality* ; [kɔ̃vivjalite].

**CONVOCATION,** subst. f.
**1.** Action de convoquer qqn, un groupe : *La **convocation** des états généraux.* **2.** Méton. Document avisant d'une **convocation** : *Perdre sa **convocation**.* 1302 ; lat. *convocatio* ; [kɔ̃vɔkasjɔ̃].

**CONVOI,** subst. m.
**1.** Cortège funèbre. **2.** Suite de véhicules, de navires faisant route ensemble vers un même lieu, en gén. sous la protection d'une escorte : *Un **convoi** de blindés* ; par ext. : *Un **convoi** de prisonniers, de réfugiés.* ► *Ch. de fer.* Ensemble des wagons tirés par une locomotive (synon. *train*). ► ***Convoi** exceptionnel* : véhicule ou groupe de véhicules hors gabarit circulant sur une route. 1538 (fin XIIe s., escorte d'un grand personnage) ; ☞ *convoyer* ; [kɔ̃vwa].

**CONVOITER,** verbe trans. [3]
Désirer ardemment, avidement : ***Convoiter** le bien d'autrui.* Mil. XIIe s. ; lat. pop. °*cupidietare*, du lat. *cupiditas*, « désir » ; [kɔ̃vwate].

**CONVOITISE,** subst. f.
Désir ardent de posséder qqch. : *Une dot qui excite les **convoitises**.* Mil. XIIe s. ; ☞ *convoiter* ; [kɔ̃vwatiz].

**CONVOLER,** verbe intrans. [3]
Se marier (vieilli ou iron.) : ***Convoler** en justes noces.* 1417 ; lat. jur. *convolare* ; [kɔ̃vɔle].

**CONVOLUTÉ, ÉE,** adj.
*Bot.* Enroulé sur soi-même ou autour de qqch. : *Les jeunes feuilles **convolutées** du maranta.* Fin XVIIIe s. ; lat. *convolutus*, « enroulé autour » ; [kɔ̃vɔlyte].

**CONVOLVULACÉES,** subst. f. plur.
*Bot.* Famille de plantes volubiles de l'ordre des Polémoniales, herbacées ou arbustives, dont les pétales sont soudés, tels la cuscute, la patate douce ou le volubilis. Au sing. *Le liseron est une **convolvulacée**.* 1823 ; lat. sc. *convolvulacea*, du lat. *convolvulus*, « liseron » ; [kɔ̃vɔlvylase].

**CONVOQUER,** verbe trans. [3]
**1.** Appeler (un groupe constitué) à se réunir : ***Convoquer** le Parlement.* **2.** Ext. Inviter fermement (qqn) à se présenter : ***Convoquer** un témoin, un candidat.* Mil. XIVe s. ; lat. *convocare* ; [kɔ̃vɔke].

**CONVOYAGE,** subst. m.
**1.** Action de convoyer. **2.** Transport. 1929 ; ☞ *convoyer* ; [kɔ̃vwajaʒ].

**CONVOYER,** verbe trans. [17]
**1.** Escorter (un convoi) ; accompagner en protégeant, en surveillant. ► *Mar.* Conduire (un navire) à destination pour le compte de son propriétaire. **2.** Ext. Transporter. XIIe s. ; bas lat. *conviare*, de *cum*, « avec », et de *viare*, « faire route » ; [kɔ̃vwaje].

**CONVOYEUR, EUSE,** subst.
Personne qui accompagne un convoi, protège un transport : ***Convoyeur** de fonds* ; empl. adj. : *Une équipe **convoyeuse**.* Masc. **1.** *Mar.* Escorteur ; empl. adj. : *Un bâtiment **convoyeur**.* **2.** *Techn.* Dispositif d'acheminement automatique de produits : *Un **convoyeur** à bande* ; empl. adj. : *Courroie **convoyeuse**.* Fin XIIe s. ; ☞ *convoyer* ; [kɔ̃vwajœʀ, øz].

**CONVULSER,** verbe trans. [3]
Secouer de convulsions : *L'angoisse **convulsait** ses traits.* 1578 ; lat. *convulsus*, de *convellere*, « ébranler » ; [kɔ̃vylse].

**CONVULSIF, IVE,** adj.
**1.** *Pathol.* Accompagné de convulsions : *Fièvre **convulsive**.* **2.** Ext. Violent, saccadé et incontrôlable : *Rire **convulsif**.* 1546 ; ☞ *convulsion* ; [kɔ̃vylsif, iv].

**CONVULSION,** subst. f.
**1.** *Pathol.* Contraction spasmodique et involontaire des muscles. **2.** Mouvement violent, désordonné : ***Convulsions** de fureur.* **3.** Fig. Secousse, bouleversement : ***Convulsions** révolutionnaires.* 1538 ; lat. *convulsio* ; [kɔ̃vylsjɔ̃].

**CONVULSIONNAIRE,** subst.
*Hist. Les **convulsionnaires** de Saint-Médard* : au XVIIIe s., fanatiques qui, dans le cimetière parisien de Saint-Médard, étaient saisis de convulsions

autour de la tombe du diacre janséniste Pâris. 1735 ; ☞ *convulsion* ; [kɔ̃vylsjɔnɛʀ].

**CONVULSIONNER,** verbe trans. [3]
Déformer par des convulsions ; empl. adj. : *Traits convulsionnés.* 1783 ; ☞ *convulsion* ; [kɔ̃vylsjɔne].

**CONVULSIVEMENT,** adv.
De manière convulsive. 1803 ; ☞ *convulsif* ; [kɔ̃vylsivmɑ̃].

**COOBLIGÉ, ÉE,** subst.
*Dr.* Personne soumise, conjointement avec d'autres, à une obligation contractuelle. 1395 ; ☞ *obligé* + *co-* ; [kɔɔbliʒe].

**COOCCUPANT, ANTE,** subst.
Personne qui partage un logement avec une ou plusieurs autres personnes. 1877 ; ☞ *occupant* + *co-* ; [kɔɔkypɑ̃, ɑ̃t].

**COOCCURRENCE,** subst. f.
*Ling.* Relation de coexistence ou de coprésence d'une ou de plusieurs unités linguistiques avec une autre unité à l'intérieur d'un énoncé. V. 1960 ; ☞ *occurrence* (II) + *co-* ; [kɔɔkyʀɑ̃s].

**COOKIE,** subst. m.
Gâteau sec fourré de fragments de chocolat, de raisins secs, etc. V. 1960 ; mot anglo-amér. ; [kuki].

**COOL,** adj. inv.
Serein, détendu, décontracté (fam.) : *Restons **cool** !* 1952 ; mot angl. ; [kul].

**COOLIE,** subst. m.
En Asie, en partic. en Chine et en Inde, porteur, homme de peine. 1666 ; orig. obsc. ; [kuli].

**COOPÉRANT, ANTE,** adj. et subst. m.
Adj. Qui apporte son aide, coopère à une action commune. Subst. Ressortissant français, en partic. soldat du contingent, mis à la disposition d'un pays en voie de développement au titre de la coopération. V. 1970 ; p. pr. de *coopérer* ; [kɔ(ɔ)peʀɑ̃, ɑ̃t].

**COOPÉRATEUR, TRICE,** subst.
**1.** Personne qui agit conjointement avec d'autres. **2.** Membre d'une coopérative. 1516 ; lat. chrét. *cooperator* ; [kɔ(ɔ)peʀatœʀ, tʀis].

**COOPÉRATIF (I), IVE,** adj.
Qui se joint volontiers à l'effort d'autrui, à une action commune : *Se montrer **coopératif**.* 1550 ; bas lat. *cooperativus* ; [kɔ(ɔ)peʀatif, iv].

**COOPÉRATIF (II), IVE,** adj.
*Écon.* Qui est fondé sur la solidarité, sur la volonté d'améliorer le sort de chaque membre d'un groupe : *Mouvement **coopératif**.* 1839 ; angl. *cooperative* ; [kɔ(ɔ)peʀatif, iv].

**COOPÉRATION (I),** subst. f.
Action de coopérer, de contribuer à une action, à une œuvre commune : *Ce succès est le fruit d'une étroite **coopération**.* Déb. XVe s. ; lat. chrét. *cooperatio* ; [kɔ(ɔ)peʀasjɔ̃].

**COOPÉRATION (II),** subst. f.
**1.** *Écon.* Système fondé sur la solidarité des intérêts et sur la répartition des bénéfices selon l'apport et l'activité de chacun. **2.** *Pol.* Mise en commun, par différents pays, de leurs efforts ou de leurs moyens dans un domaine donné : *La **coopération** franco-espagnole en matière de lutte antiterroriste.* ▸ Abs. Assistance économique, technique ou culturelle apportée aux pays en voie de développement : *Accords de **coopération** ; Ministère de la **Coopération**.* 1828 ; angl. *cooperation* ; [kɔ(ɔ)peʀasjɔ̃].

**COOPÉRATISME,** subst. m.
*Écon.* Doctrine prônant le développement des coopératives. 1870 ; ☞ *coopératif* (II) ; [kɔ(ɔ)peʀatism].

**COOPÉRATIVE,** subst. f.
*Écon.* **1.** Entreprise fondée sur le principe de la coopération : ***Coopérative** ouvrière, agricole.* **2.** Ext. Groupement de producteurs ou de consommateurs visant à obtenir de meilleurs prix en supprimant les intermédiaires. 1901 ; ell. de *société coopérative* ; [kɔ(ɔ)peʀativ].

**COOPÉRER,** verbe trans. indir. [8]
Coopérer à. Prendre part, contribuer à une action avec d'autres, à ; contribuer à : ***Coopérer** à une mise en scène* ; empl. intrans. : *Il refuse de **coopérer** avec moi.* 1495 ; lat. chrét. *cooperari* ; [kɔopeʀe].

**COOPTATION,** subst. f.
Mode d'admission d'un nouveau membre dans une assemblée, un corps constitué, reposant sur le choix collégial de ceux qui en font partie : *Les élections à l'Académie française se font par **cooptation**.* 1639 ; lat. *cooptatio* ; [kɔɔptasjɔ̃].

**COOPTER,** verbe trans. [3]
Désigner, élire par cooptation. Déb. XVIIIe s. ; lat. *cooptare* ; [kɔɔpte].

**COORDINATEUR, TRICE,** subst. et adj.
Se dit de qqn, de qqch. qui coordonne ou permet de coordonner (quasi-synon. *coordonnateur*, ce dernier ayant un sens plus fort) : *Le **coordinateur** d'un projet ; Le rôle **coordinateur** du cervelet.* 1955 ; ☞ *coordination* ; [kɔɔʀdinatœʀ, tʀis].

**COORDINATION,** subst. f.
**1.** Action d'agencer les parties d'un tout de manière cohérente ou efficace ; son résultat : *Une bonne **coordination** des équipes de secours ; La **coordination** des mouvements.* **2.** *Chim. Composé de **coordination*** : édifice moléculaire composé d'un ion métallique central (chrome, fer, cuivre, or...) et d'autres ions ou molécules qui lui sont associés et qu'on appelle coordinats ou ligands. Par ex., à l'ion platine (tétravalent) $Pt^{4+}$, qui joue le rôle d'ion central, peuvent s'associer six ions $Cl^-$ ; on obtient alors le composé de **coordination** $(PtCl_6)^{2-}$, de valence 2. **3.** *Gramm.* Relation établie entre deux éléments (mots, propositions, phrases) grammaticalement homologues, soit par juxtaposition, soit au moyen d'une conjonction de **coordination** (« or », « mais », « ou », « et », « donc », « ni », « car ») ou de termes corrélatifs (« non seulement... mais... », « soit... soit... »). 1361 ; bas lat. *coordinatio* ; [kɔɔʀdinasjɔ̃].

**COORDINENCE,** subst. f.
*Chim.* **1.** Liaison de deux atomes qui ont deux électrons en commun (doublet) provenant d'un seul des deux atomes, dit atome donneur, comme l'azote, le phosphore, l'oxygène ou les halogènes (synon. *liaison de covalence dative, liaison de coordination*). Cette liaison ne peut avoir lieu qu'avec des atomes possédant au moins un doublet d'électrons libres (non engagés dans une liaison). **2.** Nombre égal au nombre de contacts qu'établit un atome avec ses voisins immédiats. 1953 ; lat. *coordinare* ; [kɔɔʀdinɑ̃s].

**COORDONNANT,** subst. m.
*Gramm.* Terme ou locution marquant un rapport de coordination entre les éléments d'une phrase. XVIIIe s. ; p. pr. de *coordonner* ; [kɔɔʀdɔnɑ̃].

**COORDONNATEUR, TRICE,** adj. et subst.
Se dit de qqn ou de qqch. qui coordonne ou permet de coordonner (☞ *coordinateur*) : *Intelligence **coordonnatrice** ; Le **coordonnateur** d'une opération armée.* 1863 ; ☞ *coordonner* ; [kɔɔʀdɔnatœʀ, tʀis].

**COORDONNÉ, ÉE,** adj.
**1.** Qui est lié à autre chose de manière cohérente, efficace : *Des efforts **coordonnés*** ; par ext., assorti : *Couverts **coordonnés**.* **2.** *Gramm.* Lié par un coordonnant. XVIIIe s. ; p. p. de *coordonner* ; [kɔɔʀdɔne].

**COORDONNÉES,** subst. f. plur.
**1.** Données paramétriques permettant de définir la position d'un point dans l'espace. ▸ *Astron. **Coordonnées** astronomiques* : couple de nombres mesurant des grandeurs angulaires, déterminant sans ambiguïté la position d'un point, d'un astre sur la sphère céleste imaginaire qui a pour centre l'œil de l'observateur (assimilé au centre de la Terre, eu égard à l'immensité des distances astronomiques). ▸ *Géogr. **Coordonnées** géographiques* : couple de nombres mesurant des grandeurs angulaires, déterminant sans ambiguïté la position d'un point sur la sphère terrestre, sur laquelle on a tracé des cercles imaginaires, les parallèles et les méridiens. ▸ *Géom. **Coordonnées** d'un point dans un plan, un espace ou dans $\mathbb{R}^n$* : ensemble de 2, 3 ou *n* nombres caractérisant la position de ce point par rapport à un système de repérage (☞ *affine, cartésien, curviligne, polaire, sphérique*) ; ***Coordonnées** d'un vecteur* : ensemble des $x_i$ (☞ *base*). **2.** Fig. Renseignements, gén. adresse et numéro de téléphone, permettant de joindre qqn (empl. critiqué). 1754 ; p. p. de *coordonner* ; [kɔɔʀdɔne].

**COORDONNER,** verbe trans. [3]
Opérer, dans une intention déterminée, la combinaison cohérente et efficace de (divers éléments d'un ensemble) : ***Coordonner** ses idées, l'exécution d'un plan ; **Coordonner** les services d'un ministère.* XVIIIe s. ; ☞ *ordonner* + *co-* ; [kɔɔʀdɔne].

**COPAHU,** subst. m.
Résine extraite du copaïer, utilisée pour fabriquer un baume. 1578 ; tupi-guarani *copaü* ; [kɔpay].

**COPAÏER,** subst. m.
*Bot.* Arbre de grande hauteur, de la famille des Fabacées, qui pousse dans les forêts brésiliennes et dont on extrait le copahu. 1786 ; tupi-guarani *copa-iba* ; var. *copayer* ; [kɔpaje].

**COPAIN, COPINE,** subst.
Fam. **1.** Camarade. **2.** Petit ami, petite amie. 1838 (1708, grand homme sot et niais) ; anc. fr. *compain*, « compagnon » ; [kɔpɛ̃, kɔpin].

**COPAL,** subst. m.
Substance résineuse produite par certains arbres tropicaux, servant à fabriquer des vernis. 1588 ; esp. *copal*, du nahuatl *copalli* ; plur. *copals* ; [kɔpal].

**COPARTAGE,** subst. m.
*Dr.* Partage au bénéfice de plusieurs personnes. 1834 ; ☞ *partage* + *co-* ; [kopaʀtaʒ].

**COPARTAGEANT, ANTE,** adj. et subst.
*Dr.* Se dit de qqn, d'une entité qui partage avec d'autres : *États **copartageants** ; Les **copartageants** d'un héritage.* 1599 ; p. pr. de *partager* + *co-* ; [kopaʀtaʒɑ̃, ɑ̃t].

**COPARTICIPANT, ANTE,** adj. et subst.
*Dr.* Se dit d'une personne qui participe avec d'autres à une entreprise. 1874 ; ☞ *participant* + *co-* ; [kopaʀtisipɑ̃, ɑ̃t].

**COPARTICIPATION,** subst. f.
*Dr.* Participation en commun à une entreprise. Mil. XIXe s. ; ☞ *participation* + *co-* ; [kopaʀtisipasjɔ̃].

**COPATERNITÉ,** subst. f.
**1.** *Dr.* Paternité dont doivent répondre solidairement devant la loi les différents hommes susceptibles d'être le père naturel d'un même enfant. **2.** Ext. Paternité d'une œuvre partagée entre plusieurs auteurs. 1855 ; ☞ *paternité* + *co-* ; [kopatɛʀnite].

**COPAYER,** voir **COPAÏER**

**COPEAU,** subst. m.
Mince parcelle arrachée d'une pièce de bois par un outil tranchant (rabot, hache, etc.). Fin XIIe s. ; lat. pop. *°cuspellus*, du lat. *cuspis*, « pointe » ; [kɔpo].

**COPÉPODES,** subst. m. plur.
*Zool.* Sous-classe de crustacés de petite taille (de 0,3 à 17 mm), libres ou parasites, sans appareil respiratoire, pourvus d'un seul œil médian et de six paires d'appendices thoraciques à deux branches. Ils peuplent tous les milieux aquatiques, mais abondent surtout dans le plancton marin. Au sing. *Le cyclope est un **copépode**.* 1845 ; gr. *kôpê*, « rame », + *-pode* ; [kɔpepɔd].

**COPERMUTER,** verbe trans. [3]
Échanger (qqch.) d'un commun accord. 1611 ; ☞ *permuter* + *co-* ; [kopɛʀmyte].

**COPERNICIEN, IENNE,** adj.
**1.** *Astron.* Relatif à Copernic et au système héliocentrique qu'il a élaboré. **2.** Fig. *Révolution **copernicienne*** : bouleversement dans les mentalités qu'entraîne une conception radicalement nouvelle. 1686 ; anthropon. *Copernic* ; [kɔpɛʀnisjɛ̃, jɛn].

© A. Pavan-Gamma

*Édition originale de la théorie copernicienne sur la révolution terrestre (1543).*

**COPIAGE,** subst. m.
**1.** Fait de copier frauduleusement lors d'un examen. **2.** *Techn.* Reproduction automatique au moyen d'une machine-outil. 1766 ; ☞ *copier* ; [kɔpjaʒ].

**COPIE,** subst. f.
**I. 1.** Reproduction à l'identique d'un document écrit ; double, duplicata : ***Copie** certifiée conforme d'un acte officiel, d'un diplôme.* **2.** *Impr.* Texte manuscrit ou tapé, destiné à la composition. ▸ *Préparation de **copie*** : première étape de correction d'un texte à imprimer, au cours de laquelle on

indique la présentation typographique voulue. ▶ Loc. *Être en mal de copie* : manquer d'inspiration ou de sujet, en parlant d'un journaliste (argot.). **3.** Devoir rédigé par un élève sur une feuille volante : *Rendre sa copie à temps* ; par ext., feuille destinée au devoir : *Un paquet de copies doubles.* ▶ Loc. *Revoir sa copie* : modifier, amender un projet (fam.). **II. 1.** Réplique d'une œuvre originale authentique : *Copie d'une armoire Louis XV* ; *Copie en réduction de « la Joconde ».* ▶ *Cin. Copie d'un film* : exemplaire destiné à la projection en salle. **2.** Ext. Imitation. **3.** Fig. Personne qui reproduit les manières et les idées d'une autre (vieilli). XIIIe s. ; lat. *copia*, « abondance » ; [kɔpi].

**COPIER, verbe trans.** [6]
**1.** Reproduire fidèlement (un écrit). **2.** Reproduire frauduleusement (le texte d'un autre), plagier : *Ce tricheur a copié la solution* ; empl. intrans. : *Il copie sur son voisin* ; empl. abs. : *Il copie toujours.* **3.** Reproduire (une œuvre originale) ou s'en inspirer : *Copier une toile de maître.* **4.** Imiter (souv. péj.) : *Il copie son frère en tout.* 1339 ; lat. médiév. *copiare* ; [kɔpje].

**COPIEUR, EUSE, subst.**
**1.** Personne qui imite sans originalité. **2.** Élève qui reproduit des documents ou le travail d'un autre. Masc. Photocopieur. 1863 (1488, moqueur) ; ☞ *copier* ; [kɔpjœʀ, øz].

**COPIEUSEMENT, adv.**
De façon copieuse. XIVe s. ; ☞ *copieux* ; [kɔpjøzmɑ̃].

**COPIEUX, EUSE, adj.**
Abondant : *Un dîner copieux.* 1365 ; lat. *copiosus* ; [kɔpjø, øz].

**COPILOTE, subst.**
Pilote auxiliaire. 1946 ; ☞ *pilote* + *co-* ; [kopilɔt].

**COPINAGE, subst. m.**
Solidarité intéressée qui règne dans un petit groupe de personnes se rendant mutuellement service (fam. et péj.). V. 1960 ; ☞ *copiner* ; [kɔpinaʒ].

**COPINE, voir COPAIN**

**COPINER, verbe intrans.** [3]
Former, entretenir des liens de camaraderie (fam.). 1928 ; ☞ *copain* ; [kɔpine].

**COPINERIE, subst. f.**
Relation entre copains (fam.). 1936 ; ☞ *copain* ; [kɔpinʀi].

**COPISTE, subst.**
Avant l'apparition de l'imprimerie, personne dont l'activité était de copier des manuscrits ou des partitions de musique. XVe s. ; ☞ *copier* ; [kɔpist].

**COPLANAIRE, adj.**
*Math.* Se dit d'éléments géométriques situés dans un même plan : *Droites coplanaires.* 1890 ; lat. *planus*, « plan », + *co-* ; [koplanɛʀ].

**COPOLYMÈRE, subst. m.**
*Chim.* Composé dont la macromolécule est constituée de plusieurs molécules plus petites (les motifs, ou monomères), de natures différentes. Mil. XXe s. ; ☞ *polymère* + *co-* ; [kopɔlimɛʀ].

**COPOLYMÉRISATION, subst. f.**
*Chim.* Synthèse d'une macromolécule polymère à partir de monomères différents. XXe s. ; ☞ *polymérisation* + *co-* ; [kopɔlimeʀizasjɔ̃].

**COPPA, subst. f.**
Charcuterie italienne faite de poitrine de porc roulée et poivrée. V. 1950 ; mot ital. ; [kɔp(p)a].

**COPRAH, subst. m.**
*Bot.* Substance blanche, riche en huile molle, qui constitue la partie externe de l'albumen de la noix de coco. 1602 ; port. *copra*, du tamoul *koppara* ; var. *copra* ; [kɔpʀa].

**COPRÉSIDENCE, subst. f.**
Présidence assumée par plusieurs personnes. V. 1970 ; ☞ *présidence* + *co-* ; [kopʀezidɑ̃s].

**COPRÉSIDENT, ENTE, subst.**
Personne physique ou morale qui partage avec d'autres une présidence. V. 1960 ; ☞ *président* + *co-* ; [kopʀezidɑ̃, ɑ̃t].

**COPRIN, subst. m.**
*Bot.* Champignon basidiomycète de la famille des Agaricacées, dont les spores sont noires. Le **coprin** atramentaire est réputé comestible, mais il peut engendrer des troubles cardio-vasculaires. 1820 ; gr. *koprinos*, « qui vit dans les excréments » ; [kɔpʀɛ̃].

**COPRINCE, subst. m.**
Titre porté conjointement par l'évêque d'Urgel (Espagne) et le chef de l'État français, qui partagent la souveraineté de la principauté d'Andorre. XXe s. ; ☞ *prince* + *co-* ; [kopʀɛ̃s].

**COPROCULTURE, subst. f.**
*Méd.* Culture en laboratoire d'une petite quantité de matière fécale, afin d'y déceler la présence de germes microbiens. 1938 ; formé de *copro-* et de *-culture* ; [kɔpʀokyltyʀ].

**COPRODUCTION, subst. f.**
**1.** Production d'un film, d'un spectacle par plusieurs personnes ou sociétés. **2.** Méton. Ce film, ce spectacle. 1953 ; ☞ *production* + *co-* ; [kopʀɔdyksjɔ̃].

**COPRODUIRE, verbe trans.** [69]
Produire à plusieurs (un film ou un spectacle). V. 1960 ; ☞ *produire* + *co-* ; [kopʀɔdɥiʀ].

**COPROLALIE, subst. f.**
*Psych.* et *Pathol.* Tendance maladive à user de mots orduriers. 1893 ; formé de *copro-* et de *-lalie* ; [kɔpʀɔlali].

**COPROLITHE, subst. m.**
**1.** *Paléont.* Excrément fossilisé d'un animal disparu, qui permet de connaître le régime alimentaire de son espèce. **2.** *Pathol.* Calcul dans les selles. 1845 ; formé de *copro-* et de *-lithe* ; [kɔpʀɔlit].

**COPROLOGIE, subst. f.**
Analyse des matières fécales. 1842 ; formé de *copro-* et de *-logie* ; [kɔpʀɔlɔʒi].

**COPROPHAGE, adj. et subst.**
**1.** *Zool.* Se dit d'un animal qui se nourrit d'excréments. **2.** *Psych.* Se dit d'une personne atteinte de coprophagie. Subst. masc. plur. *Zool.* Groupe d'insectes coléoptères lamellicornes qui vivent dans les excréments des mammifères herbivores ; au sing. : *Le bousier est un coprophage.* Fin XVIIIe s. ; formé de *copro-* et de *-phage* ; [kɔpʀɔfaʒ].

**COPROPHAGIE, subst. f.**
**1.** *Zool.* Fait de se nourrir d'excréments, en parlant de certains insectes. **2.** *Psych.* Tendance de certains malades mentaux à manger des excréments. 1884 ; ☞ *coprophage* ; [kɔpʀɔfaʒi].

**COPROPHILE, subst. et adj.**
**1.** *Zool.* Se dit d'organismes vivant dans les excréments. **2.** *Psych.* Se dit de malades qui aiment manipuler des excréments. 1846 ; formé de *copro-* et de *-phile* ; [kɔpʀɔfil].

**COPROPHILIE, subst. f.**
**1.** *Zool.* Fait d'utiliser les excréments comme milieu de développement (bactéries) ou comme matières alimentaires (insectes). **2.** *Psych.* Attirance pathologique pour les excréments, qu'on rencontre dans certaines psychoses (schizophrénies notamment). XIXe s. ; formé de *copro-* et de *-philie* ; [kɔpʀɔfili].

**COPROPRIÉTAIRE, subst.**
*Dr.* **1.** Chacun des propriétaires d'un bien indivis. **2.** Propriétaire dans un immeuble en copropriété. 1634 ; ☞ *propriétaire* + *co-* ; [kopʀɔpʀijetɛʀ].

**COPROPRIÉTÉ, subst. f.**
*Dr.* **1.** Régime de propriété commun à plusieurs personnes sur un bien indivis. **2.** *Immeuble en copropriété* : dans lequel chaque propriétaire possède un lot privatif, mais aussi une quote-part des parties communes. 1754 ; ☞ *propriété* + *co-* ; [kopʀɔpʀijete].

© Giraudon

*Art copte : détail d'une peinture représentant le défunt et Anubis sur un linceul de momie du IIIe s.*

**COPTE, subst. et adj.**
Se dit d'un chrétien d'Égypte ou d'Éthiopie. Adj. **1.** Relatif aux Coptes, peuple de l'ancienne Égypte. **2.** Relatif à la religion des **coptes**. Subst. masc. Langue chamito-sémitique issue de l'ancien égyptien, qui s'écrit avec un dérivé de l'alphabet grec et n'est plus employée aujourd'hui que pour la liturgie **copte**. 1665 ; lat. *coptita*, de l'ar. *qibṭ*, du gr. *Aiguptios*, « d'Égypte » ; [kɔpt].

RELIGION – Les coptes professent le monophysisme, doctrine d'Eutychès (av. 378-v. 454) reprise par Sévère d'Antioche (465-538) qui privilégie la nature divine du Christ au détriment de sa nature humaine. Condamnés par le concile de Chalcédoine (451), les coptes quittèrent l'Église byzantine. Ils constituent depuis lors une Église autonome. Au XVIIIe s., une minorité se rallia à l'Église catholique (coptes catholiques). On compte env. 7 millions de coptes en Égypte (leur chef est le patriarche d'Alexandrie, qui réside au Caire) et 14 millions en Éthiopie (leur chef est le catholicos d'Abyssinie, qui réside à Addis-Abeba).

**COPULATIF, IVE, adj.**
*Gramm.* Qui lie des termes, des propositions : *Particule copulative.* 1370 ; lat. *copulativus* ; [kɔpylatif, iv].

**COPULATION, subst. f.**
Union sexuelle d'un mâle et d'une femelle. XIIIe s. ; lat. chrét. *copulatio* ; [kɔpylasjɔ̃].

**COPULE, subst. f.**
*Log.* et *Gramm.* Verbe (gén. « être ») qui lie le sujet au prédicat : *Dans la proposition « Tous les hommes sont mortels », « sont » est la copule, « tous les hommes » le sujet et « mortels » le prédicat.* 1752 (1482, accouplement charnel) ; lat. *copula*, « union » ; [kɔpyl].

**COPULER, verbe intrans.** [3]
S'accoupler, pour des animaux. 1450 (XIVe s., joindre deux éléments) ; lat. *copulare*, « lier » ; [kɔpyle].

**COPYRIGHT, subst. m.**
Droit exclusif que détient un auteur ou son représentant (éditeur, agent) d'exploiter une œuvre artistique ou scientifique pendant un certain nombre d'années (symb. : ©). 1878 ; angl. *copyright*, « droit de copie » ; [kɔpiʀajt].

**COQ (I), subst. m.**
**1.** *Zool.* Oiseau de la famille des Phasianidés (ordre des Galliformes). L'espèce sauvage (*Gallus bankiva*) est à l'origine du **coq** de basse-cour, dont la femelle est la poule. ▶ Ext. Mâle ou femelle, en parlant de gallinacés : *Coq faisan* ; *Coq de bruyère*, tétras ; *Coq de roche*, rupicole. **2.** Anal. *Coq gaulois* : emblème de la nation française ; *Coq de clocher* : girouette en forme de **coq**. **3.** Fig. ▶ Séducteur. ▶ Homme arrogant. **4.** Loc. *Passer du coq à l'âne, faire des coq-à-l'âne* : tenir des propos sans suite logique, en changeant constamment de sujet ; *Être comme un coq en pâte* : être dorloté, choyé ; *Au chant du coq* : au lever du jour. **5.** *Sp.* En appos. *Poids coq* : catégorie de poids dans les sports de combat. Déb. XIIe s. ; onomat. lat. *coccus*, imitant le cri du coq ; [kɔk].

**COQ (II), subst. m.**
*Mar.* Cuisinier à bord d'un bateau : *Maître coq*, chef cuisinier. 1671 ; néerl. *kok*, du lat. *coquus* ; [kɔk].

**COQUARD, subst. m.**
Ecchymose à l'œil, provoquée par un coup (fam.). 1883 (1867, œil) ; prob. *coque*, « objet rond » ; var. *coquart*, *cocard* ; [kɔkaʀ].

**COQUE, subst. f.**
**I. 1.** Vx. Enveloppe calcaire de l'œuf, coquille. ▶ *Œuf à la coque* : œuf cuit deux à quatre minutes dans sa **coque**. **2.** Ext. Enveloppe de certains fruits (noisette, amande, etc.), ou cocon d'un insecte ; par anal. : *Coque de noix*, embarcation frêle. **3.** Méton. Mollusque comestible bivalve de la classe des Lamellibranches. **II.** Ce qui évoque une **coque** par sa forme bombée ou sa fonction. **1.** Ensemble de la membrure et du bordé d'un navire : *Coque en bois, en acier.* **2.** Partie inférieure du fuselage d'un avion. **3.** Bâti d'une automobile, susceptible de servir de cadre et de carrosserie. Fin XIIIe s. ; p.-ê. lat. *coccum*, « kermès », du gr. *kokkos*, « graine » ; [kɔk].

**COQUECIGRUE, subst. f.**
**1.** Vx. Oiseau fabuleux. **2.** Fig. Mirage, illusion, sornette (littér.). 1532 ; orig. obsc. ; [kɔksigʀy].

**COQUELET, subst. m.**
Jeune coq. 1790 ; ☞ *coq* (I) ; [kɔklɛ].

**COQUELEUX, EUSE, subst.**
Région. et Belg. Personne qui pratique l'élevage des coqs de combat. 1876 ; ☞ *coq* (I) ; [kɔklø, øz].

**COQUELICOT, subst. m.**
**1.** *Bot.* Plante de la famille des Papavéracées, à la fleur rouge vif. *Papaver rhoeas* est le **coquelicot** des champs ; *Papaver somniferum* est le pavot. **2.** Méton. Bonbon parfumé au **coquelicot**. 1545 ; var. de *coquerico*, en réf. à la crête rouge du coq ; [kɔkliko].

**COQUELUCHE, subst. f.**
**1.** *Pathol.* Maladie infectieuse, épidémique, due au bacille de Bordet-Gengou (*Bordetella pertussis*), caractérisée à la période d'état par des quintes de toux spasmodique séparées par de longues inspirations appelées chants du coq, qui frappe plus particulièrement les jeunes enfants. **2.** Loc. *Être la* **coqueluche** *de* : susciter un engouement contagieux chez (fam.). Mil. XVe s. (1414, sorte de capuchon) ; orig. obsc. ; [kɔklyʃ].

**COQUEMAR, subst. m.**
Pot à anse servant à faire bouillir l'eau (vieilli). 1280 ; orig. obsc. ; [kɔkmaʀ].

**COQUERELLE, subst. f.**
*Hérald.* Figure représentant trois noisettes en bouquet. 1690 (1600, alkékenge) ; ☞ *coque* ; [kɔkʀɛl].

**COQUERET, subst. m.**
*Bot.* Plante de la famille des Solanacées aux fleurs jaunes et aux fruits rouges (synon. *alkékenge*). 1545 ; prob. *coq* (I) ; [kɔkʀɛ].

**COQUERICO,** voir **COCORICO**

**COQUERIE, subst. f.**
*Mar.* Cuisine à bord d'un bateau. 1831 ; ☞ *coq* (II), d'apr. l'angl. *cookery* ; [kɔkʀi].

**COQUERON, subst. m.**
**1.** *Mar.* Compartiment situé à une extrémité de la coque, qu'on emplit parfois d'eau pour corriger l'assiette du navire. **2.** Québ. Logement exigu. 1702 ; angl. *cook-room*, de *to cook*, « cuire », et de *room*, « pièce » ; [kɔkʀɔ̃].

**COQUET, ETTE, adj. et subst. f.**
**Adj. 1.** Qui cherche à plaire, à séduire. **2.** Qui soigne son apparence, sa mise, élégant. **3.** Conçu pour plaire : *Un intérieur* **coquet**, décoré avec goût. **4.** Important, confortable (fam.) : *Une* **coquette** *somme.* **Subst.** Femme qui séduit pour le seul plaisir de la conquête (vieilli). ► *Théâtre.* Rôle de la jeune femme séduisante, par oppos. à celui de l'ingénue ; par méton. : *La grande* **coquette**, l'actrice qui tient ce rôle. XVe s. ; ☞ *coq* (I) ; [kɔkɛ, ɛt].

**COQUETIER, subst. m.**
Petit récipient creux ou support servant à maintenir l'œuf que l'on mange à la coque. ► Loc. *Décrocher le* **coquetier** : réussir, obtenir qqch. (fam.). 1524 ; ☞ *coque* ; [kɔk(ə)tje].

**COQUETIÈRE, subst. f.**
Ustensile conçu pour recevoir les œufs que l'on cuit à la coque et permettant de les retirer ensemble de l'eau bouillante. 1786 ; ☞ *coque* ; [kɔk(ə)tjɛʀ].

**COQUETTEMENT, adv.**
Avec coquetterie. 1770 ; ☞ *coquet* ; [kɔkɛtmɑ̃].

**COQUETTERIE, subst. f.**
Caractère, attitude d'une personne coquette. ► Loc. *Avoir une* **coquetterie** *dans l'œil* : souffrir d'un léger strabisme. 1657 ; ☞ *coquet* ; [kɔkɛtʀi].

**COQUILLAGE, subst. m.**
**1.** Terme, non zoologique, qui désigne tout animal pourvu d'une coquille bien développée dans laquelle il vit (mollusques, brachiopodes). **2.** Méton. La coquille elle-même. 1573 ; ☞ *coquille* ; [kɔkijaʒ].

**COQUILLARD, subst. m.**
Œil (pop. et vieilli). 1878 (1455, gueux, malfaiteur) ; prob. *coquille*, « membre viril » (vulg.) ; [kɔkijaʀ].

**COQUILLE, subst. f.**
**I. 1.** *Zool.* Enveloppe de mollusques et de certains brachiopodes. ► **Coquille** *Saint-Jacques* : mollusque bivalve (genre *Pecten*) appelé ainsi car sa **coquille** servait de signe de reconnaissance, d'emblème aux pèlerins de Saint-Jacques-de-Compostelle. ► Loc. *Rentrer dans sa* **coquille** : se replier sur soi. **2.** Motif décoratif représentant une **coquille**. **3.** Anal. Objet évoquant la forme ou la protection d'une **coquille** : **Coquille** *d'une épée*, partie de la garde servant à protéger la main. ► Récipient creux ; par méton., mets servi dans ce plat : *Des* **coquilles** *de poisson.* ► *Chir.* Plâtre amovible maintenant la colonne vertébrale. **II. 1.** Enveloppe calcaire de l'œuf de certains ovipares, en partic. des oiseaux ; empl. adj. inv. : **Coquille** *d'œuf*, couleur blanc cassé. **2.** Enveloppe de certains fruits (noix, noisettes, etc.). **III.** *Typogr.* Faute résultant de la substitution d'une lettre à une autre lors de la composition d'un texte. 1262 ; crois. du lat. *conchylium*, « coquillage », et de *coccum*, « kermès » ; [kɔkij].

Vue aérienne d'un champ de **coquelicots**, en Provence.

**COQUILLETTE, subst. f.**
Pâte alimentaire de petite taille, tubulaire et cintrée. Déb. XXe s. ; ☞ *coquille* ; [kɔkijɛt].

**COQUILLIER, IÈRE, adj.**
**1.** *Pétrogr.* Qui comporte des coquilles fossiles : *Sable* **coquillier**. **2.** *Zool. Membrane* **coquillière** : membrane située entre l'œuf et sa coquille. **3.** Relatif aux coquillages comestibles : *L'industrie* **coquillière**. 1571 ; ☞ *coquille* ; [kɔkije, jɛʀ].

**COQUIN, INE, subst. et adj.**
**Subst. 1.** Vx. Personne malhonnête, méprisable ; au fém., libertine. **2.** Amant, maîtresse (fam. et vieilli). **3.** Enfant polisson, malicieux : *Quel petit* **coquin** *!* **Adj. 1.** Grivois : *Un clin d'œil* **coquin**. **2.** Espiègle. 1548 (fin XIIe s., mendiant) ; orig. obsc. ; [kɔkɛ̃, in].

**COQUINERIE, subst. f.**
**1.** Caractère d'un coquin, de ce qui est coquin. **2.** Action d'un coquin, d'une coquine. 1578 (déb. XIVe s., vagabondage, mendicité) ; ☞ *coquin* ; [kɔkinʀi].

**COR (I), subst. m.**
**1.** Corne servant d'instrument d'appel (vx) : *Le cor de Roland.* **2.** Ext. *Cor de chasse* : trompe utilisée dans les chasses à courre. ► Loc. *À* **cor** *et à cri* : à grand bruit, avec insistance. **3.** *Mus.* ► **Cor** *d'harmonie*, ou *chromatique* : instrument transpositeur à vent en cuivre formé d'un tube enroulé sur lui-même, équipé de pistons et terminé par un pavillon. ► **Cor** *anglais* : hautbois alto. **4.** *Vén. Un cerf (de) dix* **cors** ou, par ell., *Un dix(-)cors* : cerf âgé de sept ans, qui a cinq andouillers sur chaque bois. Fin XIe s. ; lat. *cornu* ; [kɔʀ].

**COR (II), subst. m.**
*Pathol.* Callosité douloureuse qui se forme sur les orteils, par l'effet d'un frottement répété. 1573 ; anc. fr. *cor(n)*, « matière cornée » ; [kɔʀ].

**CORACIADIFORMES, subst. m. plur.**
*Zool.* Ordre d'oiseaux au plumage coloré, tel le martin-pêcheur. **Au sing.** *Le calao est un* **coraciadiforme**. Lat. sc. *Coracias*, du gr. *korax*, « corbeau », + *-forme* ; var. *coraciiformes* ; [kɔʀasjadifɔʀm].

**CORACOÏDE, adj. et subst. m.**
**Adj.** *Anat.* Qualifie une excroissance osseuse pointue, à la face supérieure de l'omoplate : *L'apophyse* **coracoïde**. **Subst.** *Zool.* Os de la ceinture scapulaire qui existe chez tous les Vertébrés, sauf chez les Mammifères (le **coracoïde** régresse pour se souder à l'omoplate). 1541 ; gr. *korakoeidês*, « semblable à un corbeau » ; [kɔʀakɔid].

**CORAIL, subst. m. et adj. inv.**
**Subst. 1.** *Zool.* Animal marin de l'embranchement des Cnidaires, qui vit en colonies et qui sécrète un squelette calcaire, appelé polypier, de couleur blanche ou rouge, constituant les récifs de **coraux** ; par méton., cette sécrétion calcaire, utilisée en joaillerie : *Collier de* **corail**. **2.** Anal. Partie rouge de certains crustacés ou mollusques, telle la coquille Saint-Jacques. **Adj. 1.** Rouge orangé : *Une robe* **corail**. **2.** *Serpent* **corail** : serpent très venimeux au corps annelé de rouge, de jaune et de noir, qui vit dans les régions chaudes. Mil. XIIe s. ; bas lat. *corallum*, du lat. *corallium* ; plur. *coraux* ; [kɔʀaj], plur. [-ʀo].

**CORAILLEUR, EUSE, subst.**
Personne qui pêche ou travaille le corail. 1679 ; ☞ *corail* ; [kɔʀajœʀ, øz].

*Le grand* **corbeau** *se repaît volontiers de charognes.*

*En plongée parmi les* **coraux** *de la mer Rouge.*

**CORALLIEN, IENNE, adj.**
Constitué de coraux : *Récif* **corallien**, dont l'armature est constituée des squelettes de coraux. 1866 ; lat. *corallium*, « corail » ; [kɔʀaljɛ̃, jɛn].

**CORALLIFÈRE, adj.**
Qui porte des coraux : *Îlots* **corallifères**. 1845 ; lat. *corallium*, « corail », + *-fère* ; [kɔʀalifɛʀ].

**CORALLIN, INE, adj.**
De la couleur rouge orangé du corail. 1509 ; p.-ê. bas lat. *corallinus*, « de corail » ; [kɔʀalɛ̃, in].

**CORALLINE, subst. f.**
*Bot.* Algue rouge ramifiée et calcifiée. 1567 ; lat. sc. *corallina*, du bas lat. *corallum*, « corail » ; [kɔʀalin].

**CORAN, subst. m.**
**1.** *Le* **Coran** : le livre sacré des musulmans. **2.** *Un* **coran** : un exemplaire de ce livre. XIVe s. ; ar. *al-qur'ân*, « la lecture par excellence » ; [kɔʀɑ̃].

**CORANIQUE, adj.**
**1.** Relatif au Coran. **2.** *Une école* **coranique** : où l'on étudie le Coran. 1877 ; ☞ *coran* ; [kɔʀanik].

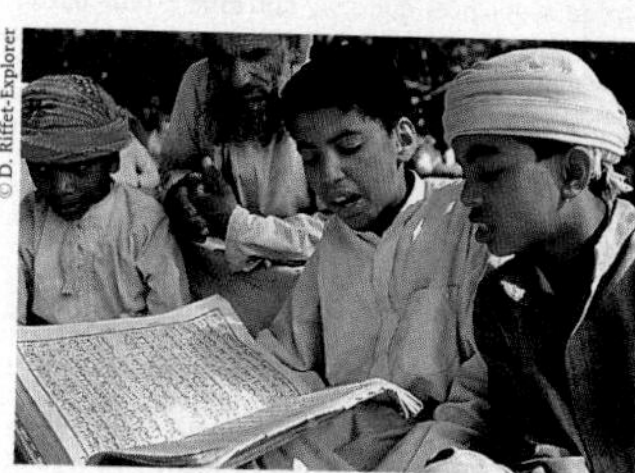

*École* **coranique** *dans le sultanat d'Oman.*

**CORBEAU, subst. m.**
**1.** *Zool.* ► Grand oiseau passériforme de la famille des Corvidés, au plumage noir. ► Nom courant donné à de petits corvidés tels la corneille, le freux, etc. **2.** Anal. *(Couleur) aile de* **corbeau** ou, en appos. *noir* **corbeau** : noir profond, aux reflets bleutés. **3.** Prêtre, curé en soutane (fam. et vieilli). **4.** Auteur anonyme de lettres ou de coups de téléphone menaçants ou délateurs. **5.** *Archit.* Pièce de bois ou de métal, grosse pierre scellée en saillie sur un mur pour supporter une poutre, une corniche. XIIe s. ; anc. fr. *corp*, du lat. *corvus* ; [kɔʀbo].

**CORBEILLE,** subst. f.
**1.** Panier léger et ouvert, sans anse, gén. en osier : *Une* **corbeille** *à pain, à papier* ; par méton., son contenu. ▸ *Corbeille de mariage* : ensemble des cadeaux offerts à la mariée (vieilli). **2.** Dans une salle de spectacle, balcon dominant les fauteuils d'orchestre. **3.** À la Bourse, espace autour duquel sont passés les ordres. **4.** *Archit.* Partie principale d'un chapiteau. **5.** *Hortic.* Parterre de fleurs rond ou ovale. **6.** *Zool.* Petite cavité à pollen située sur les pattes postérieures des abeilles ouvrières. Mil. XIIe s. ; bas lat. *corbicula*, de *corbis*, « panier » ; [kɔʀbɛj].

**CORBIÈRES,** subst. m.
Vin provenant du vignoble des Corbières. Topon. *Corbières* ; [kɔʀbjɛʀ].

**CORBILLARD,** subst. m.
**1.** Vx. ▸ Bateau qui reliait Corbeil à Paris. ▸ Grand carrosse. **2.** Véhicule destiné au transport des morts. 1549 ; topon. *Corbeil* (auj. Corbeil-Essonnes) ; [kɔʀbijaʀ].

**CORBILLAT,** subst. m.
Petit du corbeau. XVIe s. ; ☞ *corbeau* ; [kɔʀbija].

**CORBILLON,** subst. m.
**1.** Vx. Petite corbeille. **2.** Méton. Jeu de société où l'on doit répondre par un mot en « -on » à la question : « Dans mon **corbillon**, qu'y met-on ? » XIIIe s. ; ☞ *corbeille* ; [kɔʀbijɔ̃].

**CORDAGE,** subst. m.
**1.** Corde servant à la manœuvre d'un navire, d'une machine. **2.** Action de corder ; son résultat. 1358 (1265, mesurage à la corde) ; ☞ *corde* ; [kɔʀdaʒ].

**CORDE,** subst. f.
**I.** Assemblage résistant de brins de chanvre ou de toute autre matière textile tordus ou tressés ensemble, d'épaisseur et de longueur variables. **1.** Cet assemblage, considéré comme matériau : *Échelle de* **corde** ; *Espadrilles à semelle de* **corde** ; trame d'un tissu : *Vêtement usé jusqu'à la* **corde**, très usé. **2.** Objet, lien constitué par cet assemblage : *Attacher qqch. avec une* **corde** ; *Hisser un seau d'eau avec une* **corde** ; **Corde** *à linge*, tendue en hauteur et sur laquelle on étend le linge. ▸ Loc. *Il pleut des* **cordes** : il pleut très fort (fam.). **3.** Lien utilisé pour la pendaison d'un condamné : *Le supplice de la* **corde** ; *Mériter la* **corde**, un tel supplice. ▸ Loc. fam. *Se mettre la* **corde** *au cou* : aliéner sa liberté et, par iron., se marier. **4.** Câble tendu au-dessus du sol, sur lequel marchent les équilibristes : *Marcher sur la* **corde** *raide*, marcher sur ce câble et, au fig., avoir une marge de manœuvre très étroite, être en danger. **5.** **Corde** qui délimite intérieurement la piste d'un champ de courses et, par ext., d'un circuit automobile, d'un vélodrome, d'un stade. ▸ Loc. *Tenir la* **corde** : avoir l'avantage ; *Prendre un virage à la* **corde** : en se rapprochant au plus près de la courbe intérieure. **6.** *Jeux* et *Sp.* ▸ **Corde** *lisse* ou *à nœuds* : agrès de gymnastique suspendus à un portique, sur lesquels on se hisse. ▸ **Corde** *à sauter* : **corde** à poignées que l'on fait tour à tour passer au-dessus de sa tête et sous ses pieds, en sautant. Plur. Les trois rangs de cordes qui bordent un ring de boxe : *Être envoyé dans les* **cordes**. **II.** Dans certains instruments, fil de boyau, de soie, de Nylon ou d'acier. **1.** Fil tendu sur la table de résonance d'une catégorie d'instruments de musique : *Instruments à* **cordes** ; *Instruments à* **cordes** *frappées* (piano), *à* **cordes** *pincées* (guitare), *à* **cordes** *frottées* (violon) ; par méton. : *Les* **cordes** *de l'orchestre*, l'ensemble des instruments à archet (violon, alto, violoncelle, contrebasse). ▸ Fig. Ce qui, chez une personne, suscite le plus d'émotion, de passion : *Toucher la* **corde** *sensible* ; *Flatter la* **corde** *patriotique*. **2.** Fil tendu entre les deux extrémités d'une arme de jet (arc, arbalète) : *Bander la* **corde**. ▸ Loc. fam. *Avoir plusieurs* **cordes** *à son arc* : disposer de multiples moyens, de divers talents ; *Trop tirer sur la* **corde** : exploiter avec excès une situation. ▸ *Géom.* Segment joignant deux points d'un arc de courbe. Plur. Tamis d'une raquette de tennis. **III.** Anal. *Anat.* **1.** **Cordes** *vocales* : replis du larynx de part et d'autre de la glotte, dont les vibrations produisent des sons. ▸ Loc. *C'est dans mes* **cordes** : c'est dans mes compétences (fam.). **2.** **Corde** *du tympan* : rameau nerveux qui transmet la sensation du goût. **3.** **Corde** *dorsale* (☞ *chorde*). Xe s. ; lat. *chorda*, du gr. *khordê*, « boyau » ; [kɔʀd].

**CORDÉ, ÉE,** adj.
Qui a la forme d'un cœur stylisé : *Un végétal à feuilles* **cordées**. 1808 ; lat. *cor*, « cœur » ; [kɔʀde].

*Une cordée.*

**CORDEAU,** subst. m.
**1.** Petite corde que l'on tend entre deux piquets afin d'obtenir une ligne droite : *Salades alignées au* **cordeau** ; au fig. : *Lettres tirées au* **cordeau**, très régulières, exécutées de manière impeccable. **2.** *Pêche.* Ligne de fond. **3.** Mèche à combustion lente servant à la mise à feu d'un explosif. Fin XIIe s. ; ☞ *corde* ; [kɔʀdo].

**CORDÉE,** subst. f.
**1.** Vx. Ce qui peut être entouré d'une corde. **2.** Groupe d'alpinistes encordés pour une ascension. **3.** *Pêche.* Ficelle garnie d'hameçons, attachée au cordeau. 1481 ; ☞ *corde* ; [kɔʀde].

**CORDELER,** verbe trans. [12]
Rouler, tordre en forme de corde : **Cordeler** *ses cheveux*. XVe s. ; anc. fr. *cordel*, « cordeau » ; [kɔʀdəle].

**CORDELETTE,** subst. f.
Corde fine. 1213 ; ☞ *cordelle* ; [kɔʀdəlɛt].

**CORDELIER, IÈRE,** subst.
*Relig.* Nom donné aux membres de l'ordre franciscain, sous l'Ancien Régime. Fém. **1.** *Relig.* Corde à trois nœuds portée en ceinture par les moines franciscains. **2.** Ext. Corde tressée utilisée comme accessoire vestimentaire et en ameublement. 1249 ; ☞ *cordelle* ; [kɔʀdəlje, jɛʀ].

**CORDELLE,** subst. f.
**1.** Petite corde. **2.** Corde mince et robuste servant à haler les bateaux. Fin XIIe s. ; ☞ *corde* ; [kɔʀdɛl].

**CORDER,** verbe trans. [3]
**1.** Façonner en corde : **Corder** *du tabac*. **2.** Lier au moyen de cordes. **3.** **Corder** *une raquette* : la munir de ses cordes. Fin XIIe s. ; ☞ *corde* ; [kɔʀde].

**CORDERIE,** subst. f.
**1.** Métier du cordier ; sa boutique. **2.** Fabrique de ficelles et de cordes ; l'industrie correspondante. 1239 ; ☞ *cordier* ; [kɔʀdəʀi].

**CORDÉS,** voir **CHORDÉS**

**CORDIAL, ALE, AUX,** adj. et subst. m.
Se dit d'une potion qui stimule le fonctionnement du cœur (vieilli) : *Prendre un* **cordial**. Adj. Fig. Qui vient du cœur, chaleureux, bienveillant : *Un accueil* **cordial** ; par iron. : *Un* **cordial** *mépris*, un franc mépris. 1314 ; lat. médiév. *cordialis*, du lat. *cor*, « cœur » ; [kɔʀdjal, o].

**CORDIALEMENT,** adv.
D'une manière cordiale, chaleureusement. Fin XIVe s. ; ☞ *cordial* ; [kɔʀdjalmɑ̃].

**CORDIALITÉ,** subst. f.
Caractère d'une personne chaleureuse, d'une attitude spontanée et bienveillante. Mil. XVe s. ; ☞ *cordial* ; [kɔʀdjalite].

**CORDIER, IÈRE,** adj. et subst.
Adj. Relatif à la fabrication des cordes : *L'industrie* **cordière**. Subst. Personne qui fabrique ou vend des cordes. Subst. masc. *Mus.* Point de fixation des cordes du violon et des instruments de sa famille. 1240 ; ☞ *corde* ; [kɔʀdje, jɛʀ].

**CORDIFORME,** adj.
En forme de cœur : *Des feuilles* **cordiformes**. 1771 ; lat. *cor*, « cœur », + *-forme* ; [kɔʀdifɔʀm].

**CORDILLÈRE,** subst. f.
*Géogr.* Chaîne de montagnes, surtout dans les pays de langue hispanique : *La* **cordillère** *des Andes*. 1611 ; esp. *cordillera*, de *cuerda*, « corde » ; [kɔʀdijɛʀ].

**CORDITE,** subst. f.
Explosif à base de nitroglycérine et de nitrocellulose, se présentant sous forme de corde. 1890 ; angl. *cordite*, de *cord*, « corde » ; [kɔʀdit].

**CORDOBA,** subst. m.
Unité monétaire du Nicaragua. Var. *córdoba* ; [kɔʀdɔba].

**CORDON,** subst. m.
**I.** **1.** Petite corde tressée ou torsadée : **Cordon** *de sonnette, de rideau*. ▸ Loc. *Tenir les* **cordons** *de la bourse* : avoir la charge des dépenses du ménage. **2.** Ruban porté en écharpe et sur lequel est accroché l'insigne d'un ordre : *Le grand* **cordon** *de la Légion d'honneur*. ▸ *Un* **cordon(-)bleu** : une cuisinière émérite. **3.** Conducteur électrique isolé par une gaine. **II.** Anal. **1.** **Cordon** *de sécurité* : chaîne d'individus chargés de contenir une foule. **2.** **Cordon** *sanitaire* : dispositif visant à prévenir l'extension d'une épidémie et consistant gén. à en isoler le foyer géographique. **3.** *Anat.* **Cordon** *ombilical* : cordon reliant le fœtus au placenta durant la grossesse. ▸ Loc. *Couper le* **cordon** : devenir responsable et autonome (fam.). **4.** *Géogr.* **Cordon** *littoral* : bande de sable ou de galets déposés en avant d'un rivage par les vagues et les courants, et isolant souvent les lagunes au creux des baies. **5.** *Numism.* Bord d'une pièce de monnaie. Fin XIIe s. ; ☞ *corde* ; [kɔʀdɔ̃].

**CORDONNER,** verbe trans. [3]
Façonner en cordon : **Cordonner** *de la soie*. Déb. XIIIe s. ; ☞ *cordon* ; [kɔʀdɔne].

**CORDONNERIE,** subst. f.
Activité du cordonnier ; sa boutique. 1236 ; ☞ *cordonnier* ; [kɔʀdɔnʀi].

**CORDONNET,** subst. m.
Fil de soie ou de coton tressé, utilisé en broderie et en passementerie. 1515 ; ☞ *cordon* ; [kɔʀdɔnɛ].

**CORDONNIER, IÈRE,** subst.
Personne dont le métier est de réparer les chaussures. Déb. XIIIe s. ; ☞ *cordouan*, d'apr. *cordon* ; [kɔʀdɔnje, jɛʀ].

**CORDOUAN, ANE,** adj. et subst.
De Cordoue. Subst. masc. Cuir prisé, de chèvre ou de mouton, originairement travaillé à Cordoue. XIIe s. ; mozarabe *cordobân*, de l'ar. dial. *qurṭubânî* ; [kɔʀdwɑ̃, an].

**CORÉ, CORÊ,** voir **KORÊ**

**CORÉEN, ÉENNE,** adj. et subst.
De Corée. Subst. masc. Langue parlée en Corée. 1797 ; topon. *Corée* ; [kɔʀeɛ̃, eɛn].

**CORÉGONES,** subst. m. plur.
*Zool.* Genre de poissons de la famille des Salmonidés, répandus dans les lacs de l'hémisphère Nord. Au sing. *La bondelle est un* **corégone**. 1839 ; lat. sc. *coregonia*, du gr. *korê*, « pupille », et *gônia*, « angle » ; [kɔʀegɔn] ou [-gon].

**CORELIGIONNAIRE,** subst.
Personne de même confession religieuse qu'une autre. 1834 ; ☞ *religion* + *co-* ; [kɔʀəliʒjɔnɛʀ].

**CORÉOPSIS,** subst. m.
*Bot.* Plante de la famille des Astéracées, dont l'espèce *Coreopsis tinctoria* est ainsi nommée à cause de la couronne brun-pourpre qui orne ses capitules. 1798 ; gr. *koris*, « punaise », et *opsis*, « aspect », en réf. à la forme des graines ; [kɔʀeɔpsis].

**CORIACE,** adj.
**1.** Dur comme du cuir, en partic. en parlant d'une viande. **2.** Fig. Dur à l'épreuve, intransigeant, en parlant d'une personne, de son caractère. 1549 ; prob. bas lat. *coriaceus*, « de cuir » ; [kɔʀjas].

**CORIANDRE,** subst. f.
*Bot.* Plante herbacée de la famille des Apiacées, dont le fruit et les feuilles sont utilisés comme condiment et qui fournit une huile essentielle utilisée en parfumerie (synon. *persil chinois*). XIIIe s. ; lat. *coriandrum*, du gr. *koriandron* ; [kɔʀjɑ̃dʀ].

**CORICIDE, subst. m.**
*Pharm.* Préparation qui détruit les cors au pied. XIXe s. ; ☞ *cor* (II) + *-cide* ; [kɔʀisid].

**CORINDON, subst. m.**
*Minér.* Oxyde d'aluminium naturel ($Al_2O_3$), très dur (seul le diamant peut le rayer) : *Le rubis et les saphirs sont des variétés précieuses de* ***corindons.*** 1781 ; tamoul *corundum* ; [kɔʀɛ̃dɔ̃].

**CORINTHIEN, IENNE, adj. et subst.**
De Corinthe. ADJ. et SUBST. MASC. Se dit de l'ordre architectural grec du Ve s. av. J.-C., identifiable par les rangées de feuilles d'acanthe qui ornent les chapiteaux des colonnes. Déb. XVIe s. ; topon. *Corinthe* (Grèce) ; [kɔʀɛ̃tjɛ̃, jɛn].

**CORME, subst. f.**
Fruit du cormier. XIIe s. ; prob. gaul. *corma* ; [kɔʀm].

**CORMIER, subst. m.**
*Bot.* Variété domestique de sorbier. Déb. XIIe s. ; ☞ *corme* ; [kɔʀmje].

**CORMOPHYTE, subst. m.**
*Bot.* Plante possédant à la fois tige, feuilles et racines, telle la fougère (anton. *thallophyte*). Gr. *kormos*, « tige », + *-phyte* ; [kɔʀmɔfit].

**CORMORAN, subst. m.**
*Zool.* Oiseau palmipède de la famille des Phalacrocoracidés, au plumage sombre, qui vit près des rivages ou au bord des fleuves. En Chine, le grand **cormoran** est dressé à la pêche. XIIe s. ; crois. de l'anc. fr. *corp*, « corbeau », et *marenc*, « marin » ; [kɔʀmɔʀɑ̃].

**CORNAC, subst. m.**
**1.** Personne chargée de soigner et de conduire un éléphant. **2.** Ext. Guide, cicérone (fam.). XVIIe s. ; port. *cornaca*, du cinghalais *kūrawa-nāyaka* ; [kɔʀnak].

**CORNACÉES, subst. f. plur.**
*Bot.* Famille de l'ordre des Cornales, qui comprend notamment les cornouillers. AU SING. *L'aucuba est une* ***cornacée.*** 1845 ; *corne* (vx), « cornouille » ; [kɔʀnase].

**CORNAGE, subst. m.**
**1.** Vx. Action de sonner du cor ; le son qui en résulte. **2.** Ext. *Pathol.* Râle respiratoire chez l'homme et chez certains animaux (cheval, âne). Fin XIVe s. ; ☞ *corner* (I) ; [kɔʀnaʒ].

**CORNALINE, subst. f.**
*Minér.* Variété rouge orangé de la calcédoine, proche de la sardoine et qui a l'aspect d'une agate translucide. Mil. XIIIe s. ; ☞ *corne* ; [kɔʀnalin].

**CORNAQUER, verbe trans.** [3]
Fam. Servir de guide à (qqn). 1857 ; ☞ *cornac* ; [kɔʀnake].

**CORNE, subst. f.**
**1.** Excroissance osseuse ou tégumentaire ayant gén. une fonction de défense, située sur la tête de certains ruminants : *Bêtes à* ***cornes***, bœufs, vaches, chèvres ; *Cornes de buffle, d'antilope.* ► Loc. fam. *Prendre le taureau par les* ***cornes*** : affronter une situation difficile ; *Faire les* ***cornes*** : pointer deux doigts écartés en signe de moquerie ; *Porter les* ***cornes*** : être trompé, gén. en parlant d'un mari. **2.** Ext. Appendice saillant sur la tête de certains animaux : *Les* ***cornes*** *de l'escargot ; La vipère à* ***cornes.*** **3.** Anal. ► Chose en forme de corne : ***Corne*** *de gazelle*, pâtisserie orientale. ► Extrémité saillante, pointue : *Les* ***cornes*** *de la lune ; La* ***corne*** *de l'Afrique.* ► Pliure faite au coin d'une page, d'un bristol. **4.** Méton. Objet fait d'une **corne** de ruminant. ► Instrument à vent servant à appeler ; par ext., avertisseur sonore : *La* ***corne*** *de brume des bateaux.* ► *Myth.* ***Corne*** *d'abondance* : **corne** de la chèvre Amalthée, emplie de fleurs, de fruits, symbole de la prodigalité. **5.** Matière tirée de la **corne** des animaux ou l'imitant : *Peigne, chausse-pied de* ***corne.*** **6.** Substance dure, riche en kératine, qui constitue les ongles et les sabots ; par ext., épiderme durci, formant une couche protectrice : *La* ***corne*** *plantaire.* Déb. XIIe s. ; lat. pop. °*corna* ; [kɔʀn].

**CORNÉ, ÉE, adj.**
Qui est fait de corne, qui en a les qualités, l'apparence. 1314 ; ☞ *corne* ; [kɔʀne].

**CORNED-BEEF, subst. m.**
Conserve de viande de bœuf. 1716 ; anglo-amér. *corned beef*, de *corned*, « salé », et de *beef*, « bœuf » ; plur. *corned-beefs* ; [kɔʀn(ɛd)bif].

**CORNÉE, subst. f.**
*Anat.* Partie antérieure transparente de la membrane fibreuse externe du bulbe oculaire. 1314 ; lat. médiév. *cornea tunica*, « tunique cornée » ; [kɔʀne].

**CORNÉEN, ÉENNE, adj.**
Relatif à la cornée : *Greffe* ***cornéenne.*** 1864 ; ☞ *cornée* ; [kɔʀneɛ̃, eɛn].

**CORNÉENNE, subst. f.**
*Pétrogr.* Roche compacte et dure formée par métamorphisme thermique au contact d'une roche en fusion (lave, granite). 1798 ; ☞ *corné* ; [kɔʀneɛn].

**CORNEILLE, subst. f.**
*Zool.* Oiseau passereau de la famille des Corvidés, plus petit que le corbeau. Fin XIIe s. ; lat. *cornicula*, « petite corneille » ; [kɔʀnɛj].

**CORNÉLIEN, IENNE, adj.**
**1.** Relatif à Corneille ou à son œuvre : *Une tragédie* ***cornélienne.*** ► *Un héros* ***cornélien*** : de Corneille ou, au fig., qui sacrifie tout au devoir. **2.** Qualifie une situation où des sentiments élevés sont en conflit : *Un dilemme* ***cornélien.*** 1657 ; anthropon. *Pierre Corneille* ; [kɔʀneljɛ̃, jɛn].

**CORNEMENT, subst. m.**
**1.** Bourdonnement d'oreilles (vieilli). **2.** Son que produit un tuyau d'orgue dont la soupape ne ferme plus. 1549 (déb. XIVe s., action de sonner du cor) ; ☞ *corner* (I) ; [kɔʀnəmɑ̃].

**CORNEMUSE, subst. f.**
*Mus.* Instrument à vent, constitué d'une réserve d'air en peau d'où partent des tuyaux à anches. Déb. XIVe s. ; *cornemuser* (rare), de *corner* (I) et de *muser* (vx), « jouer de la musette » ; [kɔʀnəmyz].

© Gamma

*Instrument national de l'Écosse, la* ***cornemuse*** *est appelée localement « pibrock ».*

**CORNEMUSEUR, subst. m.**
Joueur de cornemuse. Déb. XIVe s. ; *cornemuser* (rare), « jouer de la cornemuse » ; var. *cornemuseux* ; [kɔʀnəmyzœʀ].

**CORNER (I), verbe** [3]
**I.** INTRANS. **1.** Sonner de la corne, de la trompe, du cor. **2.** Ext. Klaxonner (vieilli). TRANS. ***Corner*** *une nouvelle* : l'annoncer à grand bruit (fam.). **II.** TRANS. ***Corner*** *une page* : replier un de ses coins. Déb. XIIe s. ; ☞ *corne* ; [kɔʀne].

**CORNER (II), subst. m.**
Anglic. *Sp.* Au football, faute consistant à expédier le ballon derrière la ligne de ses propres buts ; par méton., coup accordé à l'adversaire à la suite de cette faute, tiré d'un angle du terrain. 1903 ; mot angl. ; recomm. off. *coup de pied de coin* ; [kɔʀnɛʀ].

**CORNET, subst. m.**
**I. 1.** Vx. Petit appareil sonore en forme de corne, utilisé par les bergers et les militaires. **2.** *Mus.* ***Cornet*** *à pistons* : instrument à vent voisin de la trompette. **3.** Appareil servant à amplifier le son : *Le* ***cornet*** *acoustique du professeur Tournesol.* **II.** Anal. **1.** Emballage de forme conique ; son contenu : ***Cornet*** *de frites.* ► ***Cornet*** *de glace* : cône de gaufrette destiné à recevoir une ou plusieurs boules de glace. ► ***Cornet*** *à dés* : godet dans lequel on secoue les dés avant de les lancer. **2.** *Anat.* Chacune des trois petites lames osseuses de la partie externe des fosses nasales. Déb. XIIIe s. ; ☞ *corne* ; [kɔʀnɛ].

**CORNETTE, subst. f.**
**1.** Coiffe de certaines religieuses. **2.** *Milit.* ► Étendard de cavalerie (vx) ; par méton. : *Le* ***cornette***, le porte-étendard. ► Pavillon bifide d'un navire de guerre. **3.** Variété de scarole à feuilles enroulées. XIIIe s. ; ☞ *corne* ; [kɔʀnɛt].

**CORNETTISTE, subst.**
*Mus.* Personne qui joue du cornet à pistons. 1866 ; ☞ *cornet* ; [kɔʀnɛtist].

**CORNIAUD, subst. m.**
**1.** Chien commun, issu de divers croisements. **2.** Fig. Personne stupide, imbécile (fam.). 1655 ; orig. obsc. ; var. *corniot* ; [kɔʀnjo].

**CORNICHE (I), subst. f.**
**1.** *Archit.* Bordure en saillie en haut d'une façade, destinée à protéger de la pluie les parties sous-jacentes ; par ext., moulure ornementale : ***Corniche*** *agrémentant le sommet d'une armoire.* **2.** *Géomorph.* Proéminence rocheuse surplombant un à-pic. ► *Une route de* ***corniche*** ou, par ell., *Une* ***corniche*** : route tracée sur le versant d'une montagne. 1524 ; ital. *cornice* ; [kɔʀniʃ].

**CORNICHE (II), subst. f.**
Classe préparatoire à l'École militaire de Saint-Cyr (argot scol.). 1881 ; ☞ *cornichon* ; [kɔʀniʃ].

**CORNICHON, subst. m.**
**1.** Vx. Petite corne. **2.** *Bot.* Variété de concombre donnant de petits fruits ; ce fruit, conservé dans le vinaigre et utilisé comme condiment. **3.** Fig. Sot, nigaud (fam.). **4.** Élève préparant le concours de l'École militaire de Saint-Cyr (argot scol.). 1549 ; ☞ *corne* ; [kɔʀniʃɔ̃].

**CORNIER, IÈRE, adj. et subst. f.**
ADJ. Qui forme un angle, un coin : *Joint* ***cornier*** ; *Poutre* ***cornière.*** ► *Arbre* ***cornier*** ou, empl. subst. masc., *Un* ***cornier*** : chacun des arbres qui bornent une coupe de bois. SUBST. **1.** *Bât.* Rangée de tuiles formant un canal à la jonction de deux pentes de toit pour favoriser l'écoulement des eaux de pluie. **2.** *Techn.* Pièce de métal profilée à deux branches et à section en L, en T ou en V. Fin XIIe s. ; ☞ *corne* ; [kɔʀnje, jɛʀ].

**CORNIOT, voir CORNIAUD**

**CORNIQUE, adj. et subst. m.**
ADJ. Relatif au comté de Cornouailles, en Angleterre. SUBST. Langue celtique de ce comté. 1869 ; topon. *Cornouailles*, région d'Angleterre ; [kɔʀnik].

**CORNISTE, subst.**
*Mus.* Joueur de cor. 1836 ; ☞ *cor* (I) ; [kɔʀnist].

**CORNOUILLE, subst. f.**
Fruit du cornouiller, oblong, rougeâtre et aigrelet. XIIIe s. ; anc. fr. *cornolle*, du lat. *cornum* ; [kɔʀnuj].

**CORNOUILLER, subst. m.**
*Bot.* Plante arbustive de la famille des Cornacées. En France, on en connaît deux espèces : *Cornus mas*, à fleurs jaunes et à fruits rouges comestibles, et *Cornus sanguinea*, dont les fruits, non comestibles, noircissent à maturité. Déb. XIVe s. ; anc. fr. *cornolle*, du lat. *cornum*, « cornouille » ; [kɔʀnuje].

**CORNU, UE, adj.**
**1.** Qui porte des cornes : *Front* ***cornu*** ; *Diable* ***cornu.*** **2.** Qui présente des appendices, des pointes en saillie : *Seigle* ***cornu***, atteint d'ergot. Mil. XIIe s. ; lat. *cornutus* ; [kɔʀny].

**CORNUE, subst. f.**
**1.** *Chim.* Récipient ventru à col étroit, long et courbé, utilisé pour la distillation. **2.** *Techn.* Partie d'un four où s'opère la combustion. 1575 ; ☞ *cornu* ; [kɔʀny].

**COROLLAIRE, subst. m.**
**1.** *Log.* et *Math.* Proposition dérivant immédiatement d'une proposition ou d'un théorème déjà démontré. **2.** Ext. Conséquence naturelle. 1372 ; lat. *corollarium*, « petite couronne » ; [kɔʀɔlɛʀ].

**COROLLE, subst. f.**
*Bot.* Ensemble des pétales d'une fleur. Elle est dite dialypétale ou gamopétale, selon que les pétales sont séparés ou soudés entre eux. 1749 ; lat. *corolla*, « petite couronne » ; [kɔʀɔl].

**CORON, subst. m.**
Ensemble de maisons ouvrières des pays miniers. Déb. XIIIe s. ; prob. anc. fr. *cor*, « coin » ; [kɔʀɔ̃].

**CORONAIRE, adj.**
*Anat.* Qui se rapporte aux vaisseaux du cœur : *Les deux artères* ***coronaires*** ou, empl. subst. fém., *Les* ***coronaires***, artères issues de l'aorte, qui donnent de nombreuses branches terminales irriguant les diverses parties du cœur ; *La grande veine* ***coronaire*** : qui reçoit le sang chargé de dioxyde de carbone, destiné à être oxygéné dans les poumons. 1562 ; lat. *coronarius*, « en forme de couronne », par réf. à la disposition des artères autour du cœur ; [kɔʀɔnɛʀ].

**CORONAL, ALE, AUX, adj.**
*Astron.* Qui concerne la couronne solaire. 1874 (1314, qui a la forme d'une couronne) ; lat. *coronalis*, « relatif à une couronne » ; [kɔʀɔnal, o].

**CORONARIEN, IENNE,** adj. et subst.
ADJ. *Anat.* Relatif, propre aux vaisseaux coronaires. ADJ. et SUBST. Se dit d'une personne atteinte d'une maladie **coronarienne**. 🕮 1897 ; ☞ *coronaire* ; [kɔʀɔnaʀjɛ̃, jɛn].

**CORONARITE,** subst. f.
*Pathol.* Inflammation (artérite) des coronaires, entraînant souvent leur rétrécissement (sténose), avec comme conséquence des accès d'angine de poitrine. 🕮 1897 ; ☞ *coronaire* + *-ite* ; [kɔʀɔnaʀit].

**CORONELLE,** subst. f.
*Zool.* Serpent non venimeux de l'hémisphère Nord, telles les couleuvres. 🕮 XIV^e s. ; lat. *corona*, « couronne » ; [kɔʀɔnɛl].

**CORONER,** subst. m.
Officier de police judiciaire, dans les pays anglo-saxons. 🕮 1624 ; angl. *coroner* ; [kɔʀɔnɛʀ] ou [-nœʀ].

**CORONILLE,** subst. f.
*Bot.* Plante légumineuse de la famille des Papilionacées, dont les fleurs (ombelles) sont disposées en couronne. 🕮 1752 ; esp. *coronilla*, « petite couronne » ; [kɔʀɔnij].

**CORONOGRAPHE,** subst. m.
*Astron.* Instrument d'optique qui, grâce à un petit disque occultant l'image solaire au foyer d'une lunette astronomique, permet d'étudier les couches les plus externes du Soleil (couronne et chromosphère) en dehors des éclipses. 🕮 1941 ; lat. *corona*, « couronne », + *-graphe* ; [kɔʀɔnɔgʀaf].

**COROSSOL,** subst. m.
*Bot.* **1.** Fruit comestible du corossolier, arbre typique des régions tropicales. **2.** Ext. L'arbre lui-même, en partic. le **corossol** hérissé (*Annona muricata*), qui donne des fruits en forme de cœur. 🕮 Fin XIV^e s. ; mot créole des Antilles ; [kɔʀɔsɔl].

**COROZO,** subst. m.
*Bot.* Substance très dure, appelée aussi ivoire végétal, provenant des graines d'un palmier d'Amérique. 🕮 1838 ; hisp.-amér. *corozo*, du lat. pop. °*carudium*, « noyau » ; [kɔʀozo].

**CORPORAL,** subst. m.
*Liturg.* Linge bénit que le prêtre étend sur l'autel pour y poser l'hostie et le calice. 🕮 Déb. XIII^e s. ; lat. eccl. *corporale*, du lat. *corpus*, « corps » ; plur. *corporaux* ; [kɔʀpɔʀal], plur. [-ʀo].

**CORPORATIF, IVE,** adj.
Relatif aux corporations. 🕮 1830 ; ☞ *corporation* ; [kɔʀpɔʀatif, iv].

**CORPORATION,** subst. f.
**1.** *Hist.* Organisation regroupant les membres d'une profession autour de règlements, de droits et de privilèges particuliers : *La suppression des* **corporations**, *en 1791.* **2.** Ensemble de personnes exerçant le même métier : *La* **corporation** *des pharmaciens.* 🕮 1530 ; prob. angl. *corporation*, du lat. médiév. *corporatio* ; [kɔʀpɔʀasjɔ̃].

**CORPORATISME,** subst. m.
**1.** Doctrine qui prône l'institutionnalisation des regroupements professionnels et leur représentation auprès du gouvernement : *La structure verticale du* **corporatisme** *et horizontale du syndicalisme.* **2.** Tendance à défendre exclusivement les intérêts d'une profession (péj.). 🕮 1911 ; ☞ *corporation* ; [kɔʀpɔʀatism].

**CORPORATISTE,** adj.
**1.** Relatif au corporatisme ; empl. subst., adepte du corporatisme. **2.** Attaché à la seule défense des intérêts d'une profession (péj.). 🕮 V. 1950 ; ☞ *corporation* ; [kɔʀpɔʀatist].

**CORPOREL, ELLE,** adj.
**1.** Dont la nature est celle d'un corps (anton. *incorporel*) : *Élément* **corporel**. ▸ Dr. Matériel : *Biens* **corporels**. **2.** Relatif au corps humain : *Hygiène* **corporelle** ; *Exercices* **corporels**, physiques. ▸ *Psychol. Schéma* **corporel** : image que le sujet a de son propre corps. 🕮 Mil. XII^e s. ; lat. *corporalis* ; [kɔʀpɔʀɛl].

**CORPS,** subst. m.
**I. 1.** Ensemble des organes et des fonctions organiques d'un être animé : *Un* **corps** *sain, agile.* **2.** Enveloppe charnelle de l'être humain : *Union de l'âme et du* **corps** ; *Mortifier son* **corps**. ▸ *Philos.* Être, considéré dans sa matérialité ; son extériorité perçue : **Corps** *propre*, **corps** en tant qu'il est vécu par le sujet conscient qui l'habite. ▸ Loc. *Se dévouer* **corps** *et âme* : sans réserve ; *Faire commerce de son* **corps** : se prostituer ; *Avoir le diable au* **corps** : déborder d'activité ou de sensualité ; *À* **corps** *perdu* : sans retenue ; *À son* **corps** *défendant* : malgré lui. **3.** Partie du **corps** humain constituée par le tronc : *Plier le* **corps** *en avant* ; *Passer une épée au travers du* **corps** ; par anal., partie d'un vêtement recouvrant le torse : **Corps** *d'une soutane.* **4.** Dépouille mortelle : *La levée du* **corps**. **5.** *Dr. Séparation de* **corps** : dispense du devoir de cohabitation, prononcée par jugement à l'égard de conjoints. **II.** Ext. **1.** *Anat.* Se dit de certains organes ou parties d'organe : **Corps** *calleux* (☞ *calleux*) ; **Corps** *vitré* (☞ *vitré*). **2.** *Chim.* **Corps** *simple* : élément ; **Corps** *composé* : combinaison d'éléments. **3.** Objet matériel quelconque : *Loi de la chute des* **corps**. ▸ *Astron. Les* **corps** *célestes* : les astres. ▸ *Méd.* **Corps** *étranger* : élément extérieur introduit accidentellement dans un **corps** vivant. **4.** Loc. *Avoir du* **corps** : avoir de la consistance et, en parlant d'un vin, avoir de la vigueur en bouche ; *Prendre* **corps** : se matérialiser, être en cours de réalisation, en parlant d'une idée, d'un projet. **III.** Anal. Ce qui constitue la partie principale de qqch. **1.** *Bât.* **Corps** *de bâtiment* : la partie centrale d'un bâtiment, par oppos. aux ailes. ▸ **Corps** *de logis* : unité d'habitation, séparée de la masse principale d'un bâtiment. **2.** *Calligraphie.* Partie pleine d'une lettre, son trait principal. **3.** *Édition.* **Corps** *d'un ouvrage* : le texte de l'ouvrage, sans l'appareil critique ni les annexes. **4.** *Mar.* **Corps** *d'un navire* : sa coque ; par méton., le navire dans son ensemble. ▸ Loc. *Périr* **corps** *et biens* : se dit du navire lui-même et de sa cargaison. **5.** *Typogr.* **Corps** *d'un caractère* : sa hauteur. **IV.** Fig. **1.** Ensemble de personnes ou de choses constituant un tout organisé ou cohérent : **Corps** *électoral*, ensemble des électeurs ; **Corps** *de preuves*, faisceau d'éléments probants susceptibles d'établir un fait ; **Corps** *de doctrine*, les principes essentiels qui la constituent. **2.** Groupement spécifique de personnes à l'intérieur de l'État, de la société, de l'Église : **Corps** *constitués*, institués par la Constitution ; **Corps** *enseignant* ; **Corps** *des magistrats, des cardinaux.* ▸ Loc. *En* **corps** : tous les membres d'un **corps** étant réunis ; *Faire* **corps** : se soutenir mutuellement, agir en étant solidaires ; *Esprit de* **corps** : sentiment d'appartenance à un groupe qui rend ses membres solidaires. **3.** *Math.* Ensemble muni de deux lois de composition interne (gén. notées + et .), la première lui conférant une structure de groupe commutatif (élément neutre noté 0), la seconde conférant à l'ensemble privé de 0 une structure de groupe (non nécessairement commutatif), cette seconde loi étant distributive par rapport à la première. Un **corps** est dit commutatif si la seconde loi est commutative. $\mathbb{Q}$, $\mathbb{R}$ et $\mathbb{C}$ sont des **corps** commutatifs. **4.** *Milit.* **Corps** *de troupe* : unité s'administrant de manière autonome ; **Corps** *d'armée* : grande unité formée de plusieurs divisions avec leurs éléments de soutien ; **Corps** *de garde* : groupe de soldats chargés de garder une caserne ; local où ils se tiennent. 🕮 Fin IX^e s. ; lat. *corpus* ; [kɔʀ].

**CORPS-MORT,** subst. m.
*Mar.* Poste fixe de mouillage composé d'un groupe d'ancres ou d'un bloc de béton coulé relié à une bouée à laquelle s'amarrent les navires. 🕮 1732 ; comp. de *corps* et de *mort* (II) ; plur. *corps-morts* ; [kɔʀmɔʀ].

**CORPULENCE,** subst. f.
**1.** Volume du corps humain : *Petite* **corpulence**. **2.** Embonpoint. 🕮 XIV^e s. ; lat. *corpulentia* ; [kɔʀpylɑ̃s].

**CORPULENT, ENTE,** adj.
Qui est d'une forte corpulence. 🕮 Fin XIV^e s. ; lat. *corpulentus* ; [kɔʀpylɑ̃, ɑ̃t].

**CORPUS,** subst. m.
Recueil de documents dressant un état exhaustif des connaissances en une matière déterminée. 🕮 1863 (fin XII^e s., hostie) ; lat. *corpus*, « corps » ; [kɔʀpys].

**CORPUSCULAIRE,** adj.
Relatif aux corpuscules, aux atomes. 🕮 1721 ; ☞ *corpuscule* ; [kɔʀpyskylɛʀ].

**CORPUSCULE,** subst. m.
**1.** *Phys.* ▸ Grain infinitésimal de matière (vx). ▸ Particule (vieilli). **2.** *Physiol.* Élément organique ou cellulaire de taille très réduite : **Corpuscule** *du tact*, terminaison nerveuse du derme, de l'épiderme, qui transmet les sensations tactiles. 🕮 1555 (1495, petit corps humain) ; lat. *corpusculum*, « atome » ; [kɔʀpyskyl].

**CORRAL,** subst. m.
**1.** Enclos où le gros bétail est parqué pour être compté, trié, marqué ou vacciné, en partic. en Amérique latine. **2.** Enceinte attenante à l'arène, où les taureaux sont présentés au public avant la corrida. 🕮 1668 ; hisp.-amér. *corral*, de l'esp. *corral*, « cour intérieure » ; plur. *corrals* ; [kɔʀal].

**CORRECT, ECTE,** adj.
**1.** Qui respecte les règles propres à un domaine particulier : *Une orthographe* **correcte**. **2.** Conforme aux usages : *Tenue* **correcte** *exigée.* ▸ *Politiquement* **correct** : dans la ligne de l'idéologie dominante. **3.** Normal, satisfaisant : *Assemblage* **correct**. **4.** Passable (fam.). 🕮 1512 ; lat. *correctus*, « corrigé » ; [kɔʀɛkt].

**CORRECTEMENT,** adv.
D'une manière correcte ; avec correction. 🕮 1402 ; ☞ *correct* ; [kɔʀɛktəmɑ̃].

**CORRECTEUR, TRICE,** subst. et adj.
SUBST. **1.** *Édition.* Personne qui corrige les épreuves d'imprimerie. **2.** *Enseign.* Personne qui note des copies d'examen, de concours. SUBST. MASC. *Informat.* **Correcteur** *orthographique* : logiciel conçu pour corriger les fautes d'orthographe d'usage. ADJ. Qui permet de rectifier, d'améliorer : *Coefficient* **correcteur** ; *Verres* **correcteurs**. 🕮 XIV^e s. (1275, supérieur d'un ordre religieux) ; lat. *corrector* ; [kɔʀɛktœʀ, tʀis].

**CORRECTIF, IVE,** adj. et subst. m.
ADJ. Qui a pour vertu ou pour but de corriger : *Gymnastique* **corrective**. SUBST. Ce qui modifie en vue de rectifier, d'atténuer : *Apporter un* **correctif** *au règlement.* 🕮 1371 ; bas lat. *correctivus* ; [kɔʀɛktif, iv].

**CORRECTION,** subst. f.
**I.** Action de corriger. **1.** Action de réformer une conduite, en sanctionnant ses écarts : *Maison de* **correction**, où l'on plaçait les enfants délinquants. ▸ Châtiment corporel. **2.** Action de relever les erreurs dans un texte ; par méton., ces erreurs corrigées. ▸ *Enseign.* Action d'examiner une copie afin d'en estimer la valeur. ▸ *Édition.* Recherche, indication et rectification des erreurs sur les épreuves d'un texte à imprimer. **3.** Action de compenser une déficience, de rectifier qqch. : **Correction** *de tir* ; **Correction** *orthopédique.* **II.** Caractère de ce qui est correct. **1.** Conformité à un modèle, à des règles établies : **Correction** *d'un raisonnement.* **2.** Respect des convenances : *Une exquise* **correction**. 🕮 XIII^e s. ; lat. *correctio* ; [kɔʀɛksjɔ̃].

**CORRECTIONALISER,** verbe trans. [3]
*Dr.* Convertir (un crime) en délit. 🕮 1829 ; ☞ *correctionnel* ; var. *correctionnaliser* ; [kɔʀɛksjɔnalize].

**CORRECTIONNEL, ELLE,** adj.
*Dr.* Relatif aux délits, par oppos. aux crimes et aux contraventions : *Tribunal* **correctionnel** ou, empl. subst. fém., *La* **correctionnelle**, instance où se jugent les délits. 🕮 1454 ; ☞ *correction* ; [kɔʀɛksjɔnɛl].

**CORRÉLAT,** subst. m.
Élément lié à un autre par un rapport de corrélation. 🕮 1949 ; ☞ *corrélation* ; [kɔʀela].

**CORRÉLATIF, IVE,** adj. et subst. m.
ADJ. **1.** Qui est en relation d'interdépendance logique avec une autre chose. **2.** *Gramm. Proposition* **corrélative** ou, empl. subst. fém., *Une* **corrélative** : proposition introduite par « que » et commandée par un terme de la phrase ou de la proposition elle-même (par ex. : « Elle est plus belle que je ne le pensais »). SUBST. *Gramm.* Se dit de termes qui établissent un rapport étroit entre deux éléments de phrase : (par ex. : « tel... que... », « trop... pour que... »). 🕮 XIV^e s. ; prob. lat. médiév. *correlativus* ; [kɔʀelatif, iv].

**CORRÉLATION,** subst. f.
**1.** Lien corrélatif entre deux termes ou phénomènes. **2.** *Stat. Coefficient de* **corrélation** (☞ *coefficient*). 🕮 1718 (déb. XV^e s., chose copiée) ; bas lat. *correlatio* ; [kɔʀelasjɔ̃].

**CORRÉLER,** verbe trans. [8]
*Stat.* Établir une corrélation entre (deux phénomènes). 🕮 V. 1960 ; ☞ *corrélation* ; [kɔʀele].

**CORRESPONDANCE,** subst. f.
**1.** Rapport de concordance, d'analogie, d'harmonie ; conformité : **Correspondance** *de sentiments.* **2.** Échange de lettres ; par méton., l'ensemble des lettres reçues et envoyées par qqn. ▸ *Vente par* **correspondance** *(V. P. C.)* : qui permet au client de faire ses achats sur catalogue et d'être livré à domicile. **3.** Liaison entre des moyens de transport assurée en un point du parcours ; par méton. : *Rater la* **correspondance**. **4.** *Math.* **Correspondance** *d'un ensemble vers un autre* : relation d'un ensemble vers un autre. 🕮 XIV^e s. ; ☞ *correspondant* ; [kɔʀɛspɔ̃dɑ̃s].

**CORRESPONDANT, ANTE,** adj. et subst.
**ADJ.** Qui correspond à qqch. ; qui est en rapport de onformité, d'harmonie avec qqch. : *Des programmes correspondants.* **SUBST. 1.** Personne avec laquelle n est en relation épistolaire ou téléphonique. Journaliste qui travaille hors de sa rédaction et ansmet les informations du lieu où il se trouve : *orrespondant de guerre* ; *Correspondant permanent Londres.* **3.** Personne qui collabore aux travaux une société savante sans en être membre titulaire. *Enseign.* ▶ Personne qui veille sur un interne et accueille lors de ses sorties. ▶ Élève étranger à qui on écrit régulièrement ou chez qui l'on séjourne. ⊠ Déb. XIVe s. ; p. pr. de *correspondre* ; [kɔʀɛspɔ̃dɑ̃, ɑ̃t].

**CORRESPONDRE,** verbe [51]
**TRANS. INDIR.** Correspondre à. **1.** Être en rapport analogie, de conformité, d'affinité avec : *Le résultat correspond à nos prévisions* ; *Votre désir correspond au mien* ; *Ce poste correspond à ses aptitudes.* **2.** Équivaloir à : *Le 9 thermidor an II correspond au 27 juillet 1794.* **INTRANS. 1.** Entretenir des liens épistolaires (avec qqn) ; par ext. : *Nous correspondons uniquement par téléphone.* Communiquer (vieilli) : *Les rives d'Europe et Asie correspondent par un grand pont jeté sur le Bosphore.* ⊠ Fin XIVe s. ; lat. médiév. *correspondere* ; [kɔʀɛspɔ̃dʀ].

**CORRIDA,** subst. f.
Spectacle, typique des arènes de l'Espagne et u sud de la France (Arles, Nîmes), au cours uquel des toreros combattent des taureaux, gén. usqu'à leur mise à mort (synon. *course de taureaux*). Fig. Bousculade, agitation. ⊠ 1893 ; esp. *corrida*, « course » ; [kɔʀida].

© J.-M. Loubat-Explorer

*La corrida, un affrontement entre le torero et le taureau.*

**CORRIDOR,** subst. m.
Passage étroit et couvert faisant communiquer plusieurs pièces (synon. *couloir*). **2.** Bande de terre ouvrant une enclave sur l'extérieur. ▶ *Hist.* *Corridor de Dantzig* : reliant, entre 1918 et 1939, la Pologne u port libre de la Baltique. ⊠ 1611 ; anc. ital. *corridore* ; [kɔʀidɔʀ].

**CORRIGÉ,** subst. m.
*Enseign.* Solution type d'un exercice : *Les corrigés du bac.* ⊠ 1834 ; p. p. de *corriger* ; [kɔʀiʒe].

**CORRIGER,** verbe trans. [5]
Reprendre, redresser (ce qui dévie d'une règle, une norme) : *Corriger son accent* ; par méton. : *Corriger qqn d'un vice* ; empl. pronom. : *Il s'est enfin corrigé de sa paresse*, il s'en est débarrassé. ▶ Ext. Administrer une correction à ; châtier. **2.** Relever supprimer (une erreur) ; améliorer (un texte). *Enseign.* *Corriger une copie* : en signaler les fautes la noter. ▶ *Typogr.* Revoir (un texte à imprimer) : *Corriger un manuscrit, des épreuves.* **3.** Rectifier (ce qui présente une déficience) ; rendre exact : *Corriger a vue avec des lunettes* ; *Corriger un cap en fonction de la dérive* ; empl. adj. : *Données corrigées*, modifiées pour rendre compte de certaines variations. ⊠ Fin IIe s. ; lat. *corrigere*, « redresser » ; [kɔʀiʒe].

**CORRIGEUR, EUSE,** subst.
Personne chargée de saisir les corrections portées sur une épreuve d'imprimerie par les correcteurs. ⊠ 1863 ; ☞ *corriger* ; [kɔʀiʒœʀ, øz].

**CORRIGIBLE,** adj.
Susceptible d'être corrigé. ⊠ 1444 ; ☞ *corriger* ; [kɔʀiʒibl].

**CORROBORER,** verbe trans. [3]
Confirmer, prouver : *Aucun fait ne corrobore votre hypothèse.* ⊠ 1389 ; lat. *corroborare* ; [kɔʀɔbɔʀe].

**CORRODANT, ANTE,** adj.
Qui corrode ou est susceptible de corroder ; empl. subst. masc. : *Le vitriol est un corrodant* (synon. *corrosif*). ⊠ 1377 ; p. pr. de *corroder* ; [kɔʀɔdɑ̃, ɑ̃t].

**CORRODER,** verbe trans. [3]
**1.** Causer la corrosion de : *La rouille corrode le fer.* **2.** Fig. Consumer, ronger : *Le remords corrode l'âme.* ⊠ 1314 ; lat. *corrodare*, « ronger » ; [kɔʀɔde].

**CORROI,** subst. m.
**1.** *Techn.* Action de corroyer un matériau. ▶ *Le corroi du cuir* : son traitement en vue de l'assouplir. **2.** *Trav. publ.* Couche de terre glaise tassée ou de béton rendant étanche une paroi, une berge. ⊠ Fin XIIIe s. (déb. XIIe s., soin) ; ☞ *corroyer* ; [kɔʀwa].

**CORROIERIE,** subst. f.
*Techn.* Pratique du corroyage ; par méton., atelier du corroyeur. ⊠ 1247 ; ☞ *corroyer* ; [kɔʀwaʀi].

**CORROMPRE,** verbe trans. [51]
**I.** Entraîner la décomposition de ; putréfier (vieilli) : *La chaleur corrompt les chairs.* **II.** Fig. **1.** Dénaturer, altérer : *La démagogie corrompt la démocratie.* **2.** Dépraver : *Socrate fut accusé de corrompre la jeunesse.* **3.** Acheter la conscience de, soudoyer : *Corrompre un fonctionnaire, un témoin.* ⊠ Fin XIIe s. ; lat. *corrumpere*, « détruire » ; [kɔʀɔ̃pʀ].

**CORROMPU, UE,** adj.
**1.** Vx. Avarié. **2.** Fig. Vicié, dénaturé : *Une langue corrompue* ; dépravé, avili : *Jeunesse corrompue.* **3.** Qui se laisse soudoyer : *Un arbitre corrompu.* ⊠ Fin XIIe s. ; p. p. de *corrompre* ; [kɔʀɔ̃py].

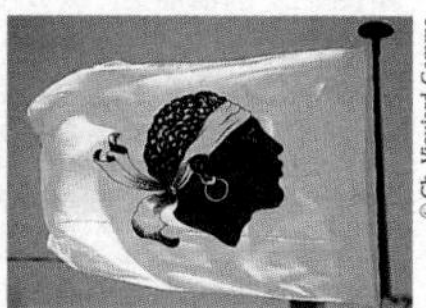

© Ch. Vioujard-Gamma

*La tête de Maure, emblème de l'identité corse.*

**CORROSIF, IVE,** adj.
**1.** *Chim.* Qui corrode, qui attaque violemment une matière ; empl. subst. masc., substance **corrosive**. **2.** Fig. Virulent, acerbe : *Un ton corrosif.* ⊠ XIIIe s. ; lat. *corrosum*, de *corrodere*, « corroder » ; [kɔʀozif, iv].

**CORROSION,** subst. f.
*Chim.* Altération, destruction d'une matière par un corrosif : *Corrosion du métal par le sel.* ⊠ Déb. XIVe s. ; bas lat. *corrosio*, « morsure » ; [kɔʀozjɔ̃].

**CORROYAGE,** subst. m.
*Techn.* Action de corroyer ; son résultat. ⊠ 1432 ; ☞ *corroyer* ; [kɔʀwajaʒ].

**CORROYER,** verbe trans. [17]
Préparer (un matériau). ▶ *Trav. publ.* Malaxer, pétrir : *Corroyer du mortier* ; revêtir de corroi. ▶ *Menuis.* Raboter grossièrement, varloper (une pièce de bois). ▶ *Métall.* Battre, souder à chaud : *Corroyer une tôle.* ▶ *Peauss.* Traiter (un cuir tanné) pour l'assouplir. ⊠ Fin XIIe s. (mil. XIe s., apprêter) ; lat. pop. *conredare*, du got. *garedan*, « prévoir » ; [kɔʀwaje].

**CORROYÈRE,** subst. f.
*Bot.* Sumac. ⊠ ☞ *corroyer* ; [kɔʀwajɛʀ].

**CORROYEUR,** subst. m.
Ouvrier qui corroie. ⊠ Mil. XIIIe s. ; ☞ *corroyer* ; [kɔʀwajœʀ].

**CORRUPTEUR, TRICE,** subst. et adj.
**SUBST.** Personne qui corrompt, en partic. en soudoyant autrui : *Les corrupteurs seront jugés.* **ADJ.** Qui détruit ce qui est sain ; au fig., qui déprave : *Des écrits corrupteurs.* ⊠ 1561 (1531, personne qui séduit) ; lat. *corruptor* ; [kɔʀyptœʀ, tʀis].

**CORRUPTIBLE,** adj.
Susceptible d'être corrompu. ⊠ Fin XIIIe s. ; bas lat. *corruptibilis* ; [kɔʀyptibl].

**CORRUPTION,** subst. f.
**1.** Putréfaction, décomposition (vieilli). **2.** Action de corrompre, d'avilir, de dévoyer ; son résultat : *La corruption des mœurs.* **3.** Fait de soudoyer qqn ou de se laisser soudoyer. ▶ *Dr.* *Délit de corruption électorale*, d'achat des suffrages ; *Corruption active, passive.* ⊠ Déb. XIIe s. ; lat. *corruptio* ; [kɔʀypsjɔ̃].

**CORSAGE,** subst. m.
Vêtement féminin qui habille le buste (synon. *chemisier*). ⊠ Fin XVIIIe s. (XIIe s., buste) ; anc. fr. *cors*, « corps » ; [kɔʀsaʒ].

**CORSAIRE,** subst. m.
**1.** *Hist.* Capitaine de navire autorisé à pourchasser « à la course » des vaisseaux marchands ennemis, et à les arraisonner : *Surcouf, corsaire malouin.* ▶ Ext. Flibustier, pirate (empl. abusif). ▶ Méton. Navire armé par des particuliers et commissionné par le roi pour pratiquer la course. **2.** *Cost.* Pantalon court qui s'arrête sous le genou ; en appos. : *Pantalon corsaire.* ⊠ 1443 ; prob. anc. prov. *corsari*, « corsaire », du lat. *cursus*, « cours » ; [kɔʀsɛʀ].

**CORSE,** adj. et subst.
De Corse. **SUBST. MASC.** Langue parlée en Corse. ⊠ XVIIe s. ; topon. *Corse* ; [kɔʀs].

**CORSÉ, ÉE,** adj.
**1.** Fort, relevé : *Café corsé* ; *Plat corsé* ; *Vin corsé.* **2.** Fig. ▶ Ardu : *Un problème corsé.* ▶ Osé, grivois. ⊠ 1819 ; p. p. de *corser* ; [kɔʀse].

**CORSELET,** subst. m.
**1.** Sorte de bustier, lacé sur le devant et serrant la taille, gén. porté sur le corsage. **2.** *Hist.* Cuirasse légère protégeant le haut du corps. **3.** *Zool.* Prothorax ou thorax des insectes. ⊠ 1539 (XIIIe s., petit corps) ; anc. fr. *cors*, « corps » ; [kɔʀsəlɛ].

**CORSER,** verbe trans. [3]
**1.** Donner du corps à (un breuvage, un plat), relever. **2.** Fig. Rendre plus intéressant, plus excitant (une histoire, un propos) ; empl. pronom. : *L'affaire se corse*, se complique (fam.). ⊠ 1572 (mil. XVe s., saisir à bras-le-corps) ; anc. fr. *cors*, « corps » ; [kɔʀse].

**CORSET,** subst. m.
**1.** Sous-vêtement féminin qui affine la silhouette en comprimant la taille et les hanches (vieilli). **2.** Anal. *Chir.* *Corset orthopédique* : appareil destiné à redresser ou à immobiliser la colonne vertébrale. **3.** Fig. Ce qui enserre la pensée. ⊠ 1821 (1239, surcot d'homme) ; anc. fr. *cors*, « corps » ; [kɔʀsɛ].

**CORSETER,** verbe trans. [13]
**1.** Enserrer dans un corset (vieilli). **2.** Fig. Enfermer (une réalité, une idée) dans un cadre rigide ; empl. adj. : *Des personnes corsetées dans leurs préjugés.* ⊠ 1842 ; ☞ *corset* ; [kɔʀsəte].

**CORSETIER, IÈRE,** subst.
Personne qui confectionne ou qui vend des corsets. ⊠ 1842 ; ☞ *corset* ; [kɔʀsətje, jɛʀ].

**CORSO,** subst. m.
Parade de chars, à l'occasion d'un carnaval : *Corso fleuri.* ⊠ 1846 ; ital. *corso*, « grande avenue », du lat. *cursus*, « cours » ; [kɔʀso].

**CORTÈGE,** subst. m.
**1.** Escorte d'honneur accompagnant une personne : *Le cortège présidentiel.* **2.** Anal. Défilé d'un groupe solidaire : *Un cortège de grévistes.* **3.** Fig. Suite ; enchaînement : *La vie et son cortège de désillusions.* **4.** *Phys.* *Cortège électronique* : ensemble des électrons qui gravitent autour du noyau d'un atome. ⊠ 1622 ; ital. *corteggio*, de *corte*, « cour » ; [kɔʀtɛʒ].

**CORTÈS,** subst. f. plur.
Assemblée législative en Espagne et au Portugal. ⊠ Déb. XVIe s. ; esp. *cortes*, « les cours » ; [kɔʀtɛs].

**CORTEX,** subst. m.
**1.** *Biol.* Partie externe de certains organes animaux ou végétaux, écorce. **2.** *Anat.* ▶ *Cortex surrénal* : partie périphérique des glandes surrénales, qui sécrète des hormones corticoïdes et androgènes. ▶ *Cortex cérébral* ou, empl. abs., *Cortex* : ensemble continu de substance grise qui enveloppe la totalité des hémisphères cérébraux, appelé aussi écorce cérébrale, pallium ou manteau ; la surface de chaque hémisphère est découpée en lobes par des scissures profondes, et chaque lobe est lui-même découpé en circonvolutions. ⊠ 1896 ; lat. *cortex*, « écorce » ; [kɔʀtɛks].

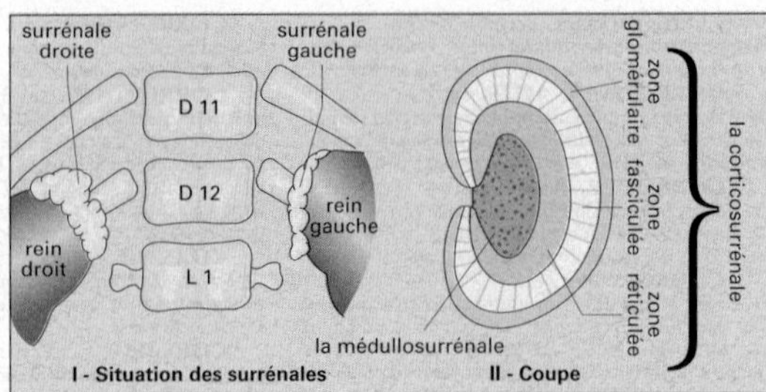


SCHÉMA DES GLANDES SURRÉNALES *La partie périphérique constitue la **corticosurrénale**, la partie centrale, la médullo-surrénale (D : vertèbre dorsale ; L : vertèbre lombaire).*

**CORTICAL, ALE, AUX,** adj.
**1.** *Biol.* Relatif à la partie externe d'une plante ou d'un organe. **2.** *Anat.* Relatif au cortex, en partic. cérébral ou surrénal : *Substance* ***corticale***. Fin XVe s. ; lat. *cortex*, « écorce » ; [kɔʀtikal, o].

**CORTICOÏDE,** adj. et subst. m.
*Biol.* Se dit des hormones corticosurrénales et des produits de synthèse qui ont les mêmes propriétés qu'elles. 1956 ; lat. *cortex*, « écorce », + *-oide* ; var. *corticostéroïde* ; [kɔʀtikɔid].

**CORTICOSTIMULINE,** subst. f.
*Biol.* Hormone sécrétée par le lobe antérieur de l'hypophyse, qui stimule les glandes corticosurrénales (synon. *A. C. T. H.*). XXe s. ; formé du lat. *cortex*, « écorce », et de *stimuline* ; [kɔʀtikostimylin].

**CORTICOSURRÉNAL, ALE, AUX,** adj. et subst. f.
*Biol.* ADJ. Relatif au cortex surrénal, qui sécrète diverses hormones corticoïdes ; sécrété par le cortex surrénal. SUBST. Glande **corticosurrénale**. 1950 ; ☞ *surrénal* + *cortico-* ; [kɔʀtikosyʀ(ʀ)enal, o].

BIOLOGIE – Les hormones corticosurrénales ont été découvertes en 1927 et isolées à partir de 1934. Certaines d'entre elles se sont montrées capables d'atténuer les effets de l'ablation d'une surrénale, mais on découvrit qu'elles avaient d'autres propriétés remarquables, notamment dans le domaine thérapeutique (actions anti-inflammatoire et anti-allergique). Chimiquement, ce sont des stéroïdes qui dérivent du cholestérol et qui se répartissent en trois groupes : l'aldostérone, qui règle, dans l'organisme, le très important bilan du sodium et du potassium ; la corticostérone, la cortisone et le cortisol (beaucoup plus actif que la cortisone), qui régissent toute la vie du tissu conjonctif et inhibent les réactions inflammatoires et allergiques ; les hormones sexuelles mâles (androgènes corticaux, qui existent aussi chez la femme).

**CORTINAIRE,** subst. m.
*Bot.* Champignon basidiomycète, caractérisé par la présence d'une cortine, dont seules quelques espèces sont comestibles. 1838 ; ☞ *cortine* ; [kɔʀtinɛʀ].

**CORTINE,** subst. f.
*Bot.* Membrane très fine de certains champignons, qui relie le pied au chapeau. 1824 (1553, trépied) ; lat. *cortina*, « vaisseau rond ; chaudière » ; [kɔʀtin].

**CORTISONE,** subst. f.
*Biol.* Hormone corticosurrénale, découverte en 1935 par Kendall, et dont on a, en 1949, observé l'action anti-inflammatoire dans les polyarthrites chroniques. 1950 ; anglo-amér. *cortisone*, de *corticosterone* ; [kɔʀtizɔn].

**CORTON,** subst. m.
Vin réputé de Bourgogne. 1861 ; topon. *Aloxe-Corton* (Côte-d'Or) ; [kɔʀtɔ̃].

**CORUSCANT, ANTE,** adj.
Qui brille d'un vif éclat (littér.) : *Une lumière* ***coruscante***. XIVe s. ; lat. *coruscans* ; [kɔʀyskɑ̃, ɑ̃t].

**CORVÉABLE,** adj.
**1.** *Hist.* Soumis à la corvée. **2.** Loc. *Taillable et* ***corvéable*** *à merci* : qui se voit imposer toutes sortes de travaux, d'obligations par un supérieur. 1607 ; lat. médiév. *corveabilis* ; [kɔʀveabl].

**CORVÉE,** subst. f.
**1.** *Hist.* Travail non rémunéré auquel étaient assujettis les paysans à l'égard du seigneur. **2.** Ext. Tâche assignée aux soldats en caserne ou aux membres d'une communauté : ***Corvée*** *de vaisselle* ; par méton., groupe assumant cette tâche : *Une* ***corvée*** *de dix hommes*. **3.** Fig. Tâche rébarbative, ennuyeuse : ***Corvées*** *ménagères*. **4.** Québ. Travail ponctuel bénévole fait entre voisins ou amis. Fin XIIe s. ; bas lat. *corrogata opera*, « travaux collectifs », du lat. *corrogare*, « convoquer ensemble » ; [kɔʀve].

**CORVETTE,** subst. f.
*Mar.* **1.** Vaisseau de guerre de taille intermédiaire entre celles du brick et de la frégate (vx). **2.** Navire d'escorte armé pour la lutte anti-sous-marine. 1476 ; m. néerl. *corver* ; [kɔʀvɛt].

**CORVIDÉS,** subst. m. plur.
*Zool.* Famille cosmopolite d'oiseaux passériformes, qui comprend les corbeaux, les pies, les geais. AU SING. *La corneille est un* ***corvidé***. 1838 ; lat. *corvus*, « corbeau » ; [kɔʀvide].

**CORYBANTE,** subst. m.
*Antiq. gr.* Prêtre de la déesse Cybèle. Fin XIVe s. ; lat. *corybas*, du gr. *korubas* ; [kɔʀibɑ̃t].

**CORYMBE,** subst. m.
*Bot.* Mode de groupement de fleurs portées par des pédoncules de longueurs différentes mais s'étalant sur un même niveau. Fin XVe s. (XIVe s., herbe amère) ; lat. *corymbus*, « grappe de lierre », du gr. *korumbos*, « sommet » ; [kɔʀɛ̃b].

**CORYPHÉE,** subst. m.
**1.** *Antiq. gr.* Chef du chœur, dans le théâtre. **2.** Fig. Porte-parole, chef d'un mouvement (vieilli). **3.** *Chorégr.* Deuxième des cinq échelons du corps de ballet de l'Opéra de Paris. 1556 ; lat. *coryphaeus*, du gr. *koruphaios* ; [kɔʀife].

**CORYZA,** subst. m.
*Pathol.* Inflammation des fosses nasales (rhinite) appelée aussi rhume de cerveau, due à un virus à A. R. N. de très petite taille (rhinovirus). Fin XIVe s. ; bas lat. *coryza*, du gr. *koruza*, « rhume » ; [kɔʀiza].

**COSAQUE,** subst. et adj.
Des peuplades nomades guerrières de la steppe méridionale russe, connues pour leur esprit d'indépendance. SUBST. MASC. Cavalier de l'armée russe recruté parmi ces peuplades. ► Loc. *À la* ***cosaque*** : avec hardiesse, brutalement. 1578 ; polonais *kozak*, du turc *kazac*, « aventurier » ; [kɔzak].

**COSÉCANTE,** subst. f.
*Math.* Fonction trigonométrique, notée cosec et définie, pour $x \neq k\pi$, $k \in \mathbb{Z}$, par : $\operatorname{cosec} x = 1/\sin x$ (vieilli). Déb. XVIIIe s. ; ☞ *sécant* + *co-* ; [kosekɑ̃t].

**COSIGNATAIRE,** subst.
*Dr.* Personne qui cosigne un document, une œuvre : *Les* ***cosignataires*** *d'un traité* ; empl. adj. : *Des États* ***cosignataires***. 1876 ; ☞ *signataire* + *co-* ; [kosiɲatɛʀ].

**COSIGNER,** verbe trans. [3]
*Dr.* Signer avec une ou plusieurs personnes (un document, une œuvre) : ***Cosigner*** *un contrat de location*. V. 1970 ; ☞ *signer* + *co-* ; [kosiɲe].

**COSINUS,** subst. m.
*Math.* Le cosinus d'un angle de demi-droites non orientées $(\widehat{Ax, Ay})$ est le nombre noté et défini par $\cos(\widehat{Ax, Ay}) = \dfrac{\vec{u} \cdot \vec{v}}{\|\vec{u}\| \cdot \|\vec{v}\|}$, où $\vec{u}$ (resp. $\vec{v}$) est un vecteur directeur de la demi-droite Ax (resp. Ay), $\|\vec{u}\|$ et $\|\vec{v}\|$ étant les normes euclidiennes de ces vecteurs et $\vec{u} \cdot \vec{v}$ leur produit scalaire. Le **cosinus** d'un arc de cercle $\widehat{AB}$ de centre O est le **cosinus** de l'angle $(\widehat{OA, OB})$. Si P est la projection orthogonale de B sur la droite (OA), alors on a : $\cos(\widehat{AB}) = \cos(\widehat{OA, OB})$ (voir schéma) ; *Fonctic* ***cosinus*** : définie pour tout réel $x$ par $\cos x = \mathrm{Re}(e^{ix}$ partie réelle de l'exponentielle complexe e 1754 ; ☞ *sinus* (II) + *co-* ; [kɔsinys].

**COSMÉTIQUE,** adj. et subst. m.
Qualifie ou désigne les produits de beauté. 136 gr. *kosmêtikos*, « relatif à la parure » ; [kɔsmetik].

**COSMÉTOLOGIE,** subst. f.
Recherche sur la composition, la fabrication l'utilisation des cosmétiques. 1845 ; ☞ *cosmé que* + *-logie* ; [kɔsmetɔlɔʒi].

**COSMÉTOLOGUE,** subst.
Expert en cosmétologie. V. 1970 ; ☞ *cosmétiq* + *-logue* ; [kɔsmetɔlɔg].

**COSMIQUE,** adj.
**1.** Relatif à l'Univers et à son ordre : *Une catastropl* ***cosmique*** ; au fig., infini, démesuré : *Un amo* ***cosmique***. **2.** *Astron.* Relatif à l'espace intersidéral *Un vaisseau* ***cosmique***. **3.** *Phys. Rayons* ***cosmiques*** flux de particules de grande énergie provenant c corps célestes énergétiques. Fin XIVe s. ; lat. *co micus*, du gr. *kosmikos* ; [kɔsmik].

**COSMODROME,** subst. m.
En U. R. S. S., base de lancement de fusées spatiale V. 1960 ; crois. de *cosmos* et de *aérodrome* [kɔsmodʀom].

**COSMOGONIE,** subst. f.
**1.** *Anthropol.* Ensemble de récits mythiques q expliquent l'origine de l'Univers et son évolutio **2.** Ext. Partie de l'astronomie qui traite de formation des objets célestes, étoiles, galaxie planètes, etc. 1585 ; gr. *kosmogonia*, « création c monde » ; [kɔsmɔgɔni].

**COSMOGRAPHE,** subst.
*Astron.* Spécialiste de la cosmographie. 1549 (m XIVe s., géographe) ; bas lat. *cosmographus*, du gr. *kosm graphos*, « qui décrit le monde » ; [kɔsmogʀaf].

**COSMOGRAPHIE,** subst. f.
Astronomie descriptive, qui ne se préoccupe pas c la nature physique de l'Univers. 1544 (151 géographie) ; bas lat. *cosmographia*, du gr. *kosmogr phia* ; [kɔsmogʀafi].

**COSMOLOGIE,** subst. f.
**1.** Partie de l'astronomie qui traite des lois gouve nant l'Univers. **2.** *Philos.* Étude raisonnée du monc physique, déduite d'une métaphysique. 1582 ; g *kosmos*, « univers », + *-logie* ; [kɔsmɔlɔʒi].

ASTRONOMIE – La question fondamentale que po la cosmologie est la suivante : comment l'Unive matériel que nous observons s'est-il formé et, s a évolué depuis son origine (en supposant qu ait une origine dans le temps), comment l'a-t- fait ? Les réponses à ces questions reposer actuellement sur la théorie de la relativité et su la physique quantique, ainsi que sur l'observatio de certains phénomènes cosmiques, tels le rayor nement du fond du ciel, la fuite des galaxies les abondances relatives des éléments légers. I cosmologie moderne a abouti à la constructio d'un modèle d'Univers qu'on appelle le modèle d big-bang, fondé sur certains paramètres cosmolog ques (la constante de Hubble, la densité moyenr de l'Univers, l'âge de l'Univers et une grandeu appelée constante cosmologique). Ce modèle n'e pas le seul possible, et il dépend de la valeu attribuée à ces paramètres.

**COSMOLOGIQUE,** adj.
*Astron.* Relatif à la cosmologie. ► *Constante* ***cosmo logique*** : constante d'intégration désignée par (lambda), qui a été introduite par Einstein e

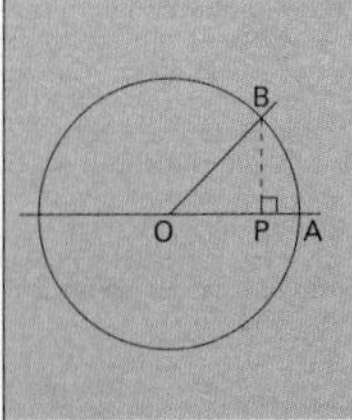


REPRÉSENTATION GRAPHIQUE D'UN COSINUS

$\cos(\widehat{AB}) = \overline{OP}/\overline{OA}$ *(rapport des mesures algébriques).*

1917. ▸ *Rayonnement **cosmologique*** : rayonnement électromagnétique découvert en 1965 et qui est l'un des faits observationnels les plus solides parmi ceux qui fondent le modèle du big-bang. ▸ *Principe **cosmologique*** : postulat qui affirme que l'Univers est un milieu homogène et isotrope, sur lequel s'appuie le modèle du big-bang. 1582 ; ☞ *cosmologie* ; [kɔsmɔlɔʒik].

**COSMOLOGISTE,** subst.
*Astron.* Spécialiste de la cosmologie. 1838 ; ☞ *cosmologie* ; [kɔsmɔlɔʒist].

**COSMONAUTE,** subst.
*Astronaut.* Personne qui voyage dans un véhicule spatial (empl. surtout en parlant des Russes). 1934 ; gr. *kosmos*, « univers », + *-naute* ; [kɔsmonot].

**COSMOPOLITE,** subst. et adj.
Subst. **1.** Vx. Personne qui déclare appartenir au monde plutôt qu'à une nation, à une cité. **2.** Personne qui passe de pays en pays sans jamais se fixer. Adj. **1.** Qui se caractérise par la coexistence de plusieurs cultures : *Une ville **cosmopolite*** ; qui en est imprégné : *Un esprit **cosmopolite***. **2.** *Sc. nat.* Répandu sous toutes les latitudes : *Plante **cosmopolite***. 1560 ; gr. *kosmopolitês*, « citoyen du monde » ; [kɔsmɔpɔlit].

**COSMOPOLITISME,** subst. m.
**1.** Manière d'être, de vivre et de penser des cosmopolites. **2.** Caractère de ce qui est cosmopolite. 1823 ; ☞ *cosmopolite* ; [kɔsmɔpɔlitism].

**COSMOS,** subst. m.
**1.** L'Univers, considéré comme un tout ordonné. **2.** *Astron.* L'espace interplanétaire, dans lequel peuvent se mouvoir sondes et satellites. 1847 ; gr. *kosmos*, « univers » ; [kɔsmos].

**COSSARD, ARDE,** adj. et subst.
Se dit d'une personne incapable du moindre effort (pop.). 1898 ; prob. *cossu* ; [kɔsaʀ, aʀd].

**COSSE (I),** subst. f.
*Bot.* **1.** Fourreau qui renferme les graines de certaines fabacées : *La **cosse** des haricots.* **2.** Ext. Fourreau de certains autres végétaux : ***Cosse** de marron.* Déb. XIIIe s. ; bas lat. *coccia*, du lat. *cochlea*, « coquille d'escargot » ; [kɔs].

**COSSE (II),** subst. f.
**1.** *Mar.* Anneau métallique dont la gorge externe peut recevoir un cordage. **2.** *Électr.* Pièce métallique fixée à l'extrémité d'un conducteur et permettant sa connexion : *Des **cosses** de batterie.* 1552 ; néerl. *kous*, de l'anc. pic. *cauce*, « chausse » ; [kɔs].

**COSSE (III),** subst. f.
Fainéantise (pop.). 1900 ; prob. *cossard* ; [kɔs].

**COSSER,** verbe intrans. [3]
S'entrechoquer la tête, en parlant d'animaux à cornes, en partic. de béliers. 1559 ; ital. *cozzare*, du gr. *koptein*, « pousser, frapper » ; [kɔse].

**COSSETTE,** subst. f.
**1.** Vx. Petite cosse. **2.** *Industr.* Fine lamelle de betterave sucrière ou de racine de chicorée. Fin XVe s. ; ☞ *cosse* (I) ; [kɔsɛt].

**COSSU, UE,** adj.
Aisé, riche : *Une famille **cossue*** ; par ext., qui dénote l'aisance : *Un intérieur **cossu*** ; *Une existence **cossue***. 1378 ; ☞ *cosse* (I) ; [kɔsy].

**COSSUS,** subst. m.
*Zool.* Papillon de la famille des Cossidés, aux mœurs nocturnes et aux antennes dentées. L'espèce *Cossus cossus* est aussi nommée gâte-bois ou ronge-bois, car sa chenille ronge le tronc de divers arbres. 1798 ; lat. *cossus*, « ver du bois » ; [kɔsys].

**COSTAL, ALE, AUX,** adj.
*Anat.* Relatif aux côtes. 1550 ; lat. médiév. *costalis*, du lat. *costa*, « côte » ; [kɔstal, o].

**COSTARD,** subst. m.
Costume d'homme (fam.). 1928 (1926, costume de forçat) ; ☞ *costume* ; [kɔstaʀ].

**COSTAUD, AUDE,** adj. et subst.
Pop. Se dit d'une personne forte, résistante ; au fig. : *Un **costaud** en chimie.* Adj. Fort, solide : *Un mur **costaud*** ; *Un punch **costaud***, fortement alcoolisé. Déb. XIXe s. ; ☞ *côte* ; [kɔsto, od].

**COSTIÈRE,** subst. f.
Espace creusé sur les côtés d'un plateau de théâtre pour permettre le passage et les manœuvres des décors. 1869 ; anc. fr. *costiere*, « côté » ; [kɔstjɛʀ].

**COSTUME,** subst. m.
**1.** Type d'habillement spécifique d'un pays, d'une province : ***Costume** roumain, provençal.* **2.** Tenue vestimentaire propre à une activité, à une circonstance, à une fonction : ***Costume** de travail, de soirée* ; ***Costume** de juge.* **3.** Déguisement : ***Costume** d'Arlequin.* **4.** Ensemble masculin composé d'un veston, d'un pantalon, et éventuellement d'un gilet, coupés dans le même tissu. ▸ Loc. *En **costume** d'Adam, d'Ève* : tout nu, toute nue (fam.). 1641 ; ital. *costume*, « coutume » ; [kɔstym].

**COSTUMÉ, ÉE,** adj.
Habillé pour un rôle de théâtre, une fête. ▸ *Bal **costumé*** : pour lequel on se déguise. 1787 ; ☞ *costume* ; [kɔstyme].

**COSTUMER,** verbe trans. [3]
Revêtir d'un déguisement. Pronom. Endosser un habit original pour un bal ou un rôle de théâtre. 1792 ; ☞ *costume* ; [kɔstyme].

**COSTUMIER, IÈRE,** subst.
**1.** Personne qui fabrique, vend ou loue des costumes. **2.** Personne qui a la charge des costumes d'un spectacle ou qui aide les acteurs à s'habiller. 1799 ; ☞ *costume* ; [kɔstymje, jɛʀ].

**COTANGENTE,** subst. f.
*Math.* Fonction trigonométrique notée cotan et définie, pour $x \neq k\pi$, $k \in \mathbb{Z}$, par : $\text{cotan } x = \cos x / \sin x = 1/\tan x$ (☞ *tangente*). 1721 ; lat. sc. *cotangens* ; [kotɑ̃ʒɑ̃t].

**COTATION,** subst. f.
Action de coter ; son résultat. XVIe s. ; ☞ *coter* ; [kɔtasjɔ̃].

**COTE,** subst. f.
**I. 1.** *Dr.* Part d'impôt que doit acquitter un contribuable : ***Cote** foncière, mobilière* (synon. *quote-part*). **2.** Loc. ***Cote** mal taillée* : compromis. **II. 1.** Référence (chiffre ou lettre) portée sur un document pour l'identifier ou le classer : *Fournir la **cote** exacte d'un livre* ; par méton., chemise ou classeur où l'on range des documents. **2.** *Archit.* et *Techn.* Indication chiffrée portée sur un plan et traduisant une dimension : *Les **cotes** d'un appareil.* **3.** *Topogr.* Chiffre porté sur une carte et donnant l'altitude d'un point par rapport au niveau de la mer ; par méton., dénomination d'un point : *La **cote** 108.* ▸ ***Cote** d'alerte* : niveau maximal d'un cours d'eau avant qu'il ne déborde ou, au fig., point critique d'une situation. **4.** *Géom.* Troisième coordonnée d'un point de l'espace, dans un repère cartésien. **III. 1.** *Fin.* Indication du cours des valeurs boursières ; par ext., cours de certaines marchandises. **2.** *Turf.* Évaluation des chances de victoire d'un cheval : *Une **cote** de 5 contre 1.* **3.** Anal. Évaluation de la valeur d'une personne : *La **cote** de popularité du Premier ministre.* **4.** Loc. *Avoir la **cote*** : être très apprécié, choyé (fam.). 1390 ; lat. médiév. *quota pars*, « part qui revient à chacun », du lat. *quotus*, « en quel nombre » ; [kɔt].

*Schéma de la face supérieure des première et deuxième côtes, avec les points d'insertion musculaire.*

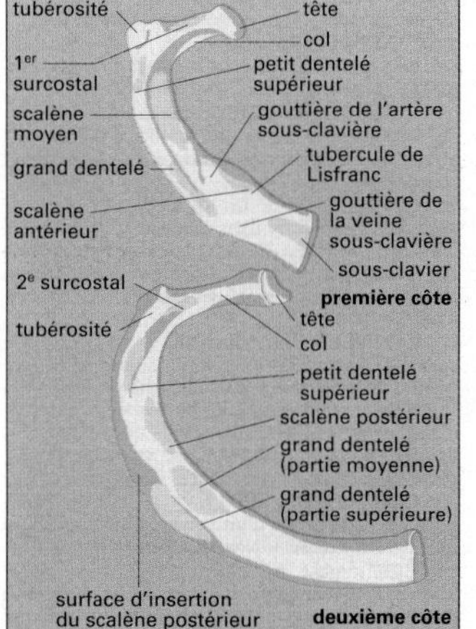


**CÔTE,** subst. f.
**I. 1.** *Anat.* Os plat et allongé, en forme d'arc aplati, se terminant par des cartilages et constituant le squelette latéral et antérieur du thorax. Chez l'homme, il y a douze **côtes** de chaque côté du thorax, de haut en bas : les sept vraies **côtes**, unies au sternum par les cartilages costaux ; les trois fausses **côtes**, qui ne vont pas jusqu'au sternum et qui s'unissent entre elles par leurs cartilages ; les deux **côtes** flottantes, dont le cartilage est libre. **2.** *Bouch.* ***Côte** de bœuf, de mouton* : pièce de viande attachée à la partie haute de la **côte**. **3.** Loc. ▸ *La **côte** d'Adam* : celle avec laquelle Dieu forma Ève. ▸ ***Côte** à **côte*** : l'un à côté de l'autre. **II.** Anal. **1.** Tout relief rappelant la ligne saillante d'une **côte** : *Les **côtes** d'un flacon, d'un velours, d'un tricot.* **2.** *Bot.* ▸ Nervure centrale des feuilles de certains végétaux : ***Côtes** de bette.* ▸ Chacune des divisions de l'écorce de certains fruits ou légumes ; par méton., la tranche correspondante : *Une **côte** de melon.* **III.** *Géogr.* **1.** Pente d'une colline : *La **côte** était bien raide.* ▸ Versant d'une colline planté de vignobles : *Le vin des **côtes** du Rhône* ; par méton. : *Un **côtes**-du-rhône*, un vin de ces vignobles. **2.** Ext. Terrain incliné, route en pente : *Il a calé à mi-**côte**.* **3.** Partie de la terre bordant une mer : *La **côte** atlantique* ; *La **Côte** d'Azur* ; par ext., espace marin situé en bordure du rivage : *Une **côte** dangereuse.* Mil. XIIe s. ; lat. *costa* ; [kot].

**CÔTÉ,** subst. m.
**I. 1.** Partie droite ou gauche du corps : *Dormir sur le **côté*** ; *Point de **côté***, douleur aiguë à la base des côtes. **2.** Partie d'une chose, par oppos. à son axe central ou à ses autres parties : *Les deux **côtés** d'une route.* ▸ Versant : *Le **côté** espagnol des Pyrénées.* ▸ ***Côté** cour et **côté** jardin de la scène d'un théâtre* : ses parties droite et gauche, vues de la salle. ▸ Ligne de parenté : *Un oncle du **côté** maternel.* ▸ *Les deux **côtés** d'une feuille* : le recto et le verso. ▸ *Géom.* ***Côté** d'un polygone* : segment joignant deux sommets consécutifs ; ***Côté** d'un angle* : **côté** du secteur angulaire. **3.** Portion de l'espace, par rapport à un point de référence : *Les troupes se massent de chaque **côté** de la frontière* ; *De quel **côté** le vent souffle-t-il ?* ; *« Du **côté** de chez Swann », roman de Proust.* **II.** Fig. **1.** Aspect particulier présenté par qqn ou qqch. : *Elle a un **côté** fleur bleue* ; *Prendre les choses du bon **côté***, avec optimisme. **2.** Option, camp : *Le **côté** de l'ordre.* **3.** Domaine (fam.) : ***Côté** travail, tout va bien.* **III. 1.** Loc. prép. **À côté de.** ▸ Auprès de : *Se tenir **à côté de** qqn ou **à** son **côté** ou **à** ses **côtés*** ; *J'habite tout **à côté*** : tout près. ▸ En dehors de : ***À côté de** la cible, du sujet.* ▸ En comparaison de : ***À côté des** miens, vos problèmes sont infimes.* **2.** Loc. adv. **De côté.** ▸ De biais, en coin : *Un regard **de côté**.* ▸ À l'écart : *Laisser **de côté** une question*, ne pas la considérer ; *Mettre de l'argent **de côté***, économiser. **3.** *De tous **côtés**, de tout **côté*** : de toute(s) part(s) ; *D'un **côté**..., d'un autre **côté**...* : d'une part..., d'autre part... ; *De mon **côté*** : en ce qui me concerne. Fin XIe s. ; lat. pop. *costatum*, du lat. *costa*, « flanc » ; [kote].

**COTEAU,** subst. m.
**1.** Pente d'une colline. **2.** Flanc de vallée consacré à la culture du vignoble : *Les **coteaux** du Beaujolais.* Mil. XIIe s. ; anc. fr. *coste*, « côte » ; [kɔto].

**CÔTELÉ, ÉE,** adj.
*Un tissu **côtelé*** : qui présente des côtes, des saillies parallèles. XIIe s. ; ☞ *côte* ; [kot(ə)le].

**CÔTELETTE,** subst. f.
*Bouch.* Côte d'un animal de taille petite ou moyenne (porc, agneau). Fin XIVe s. ; ☞ *côte* ; [kotlɛt].

**COTER,** verbe trans. [3]
**1.** Inscrire une cote sur (un document, un livre à classer) pour en faciliter le repérage. ▸ *Dr.* Numéroter chaque page de (un document, un registre). **2.** *Archit.* et *Techn.* ***Coter** un plan, un croquis* : y inscrire la cote de chaque élément représenté. **3.** *Topogr.* ***Coter** une carte* : y inscrire l'altitude de points particuliers. **4.** *Fin.* Fixer le cours de (une valeur, une marchandise) ; empl. intrans. : *Cette action **cote** 100 francs.* XVe s. ; ☞ *cote* ; [kɔte].

**COTERIE,** subst. f.
**1.** *Féod.* Groupe de paysans exploitant en commun les terres d'un seigneur. **2.** Ext. Groupe de personnes qui favorisent leurs propres intérêts (péj.). 1376 ; anc. fr. *cotier*, du lat. médiév. *coterius*, « tenancier d'une petite tenure » ; [kɔtʀi].

**COTEUR,** subst. m.
**1.** *Bourse.* Personne qui inscrit les cotes des valeurs négociées. **2.** *Presse.* Journaliste chargé de la rubrique boursière (argot.). 1891 (1564, annotateur) ; ☞ *coter* ; [kɔtœʀ].

**COTHURNE,** subst. m.
*Antiq.* Chaussure à semelle surélevée permettant de rehausser la taille des tragédiens. ▸ Loc. *Chausser le* ***cothurne*** : écrire des tragédies, en adopter le style. Déb. XVIe s. ; lat. *cothurnus*, du gr. *kothornos* ; [kɔtyʀn].

**COTIDAL, ALE, AUX,** adj.
*Océanogr. Courbe, ligne* ***cotidale*** : qui relie les points où la marée a lieu à la même heure. 1872 ; angl. *cotidal*, de *tide*, « marée » ; [kɔtidal, o].

**CÔTIER, IÈRE,** adj.
**1.** Qui est proche d'une côte maritime. ▸ *Un fleuve* ***côtier*** : qui prend sa source près de la côte. **2.** *Un bâteau* ***côtier*** ou, empl. subst. masc., *Un* ***côtier*** : qui fait du cabotage. **3.** Qui vit près d'une côte : *La population* ***côtière***. 1376 (1250, collatéral) ; anc. fr. *coste*, « côte » ; [kotje, jɛʀ].

**COTIGNAC,** subst. m.
Gelée, pâte de coing. 1389 ; anc. prov. *codonat*, de *codonh*, « coing » ; [kɔtiɲak].

**COTILLON,** subst. m.
**1.** Vx. Jupe courte et plissée que portaient les femmes du commun ; par méton., la femme elle-même. ▸ Loc. *Courir le* ***cotillon*** : courtiser les femmes. **2.** Farandole qui terminait un bal. Plur. Accessoires de fête (serpentins, confettis...). 1461 ; ☞ *cotte* ; [kɔtijɔ̃].

**COTINGA,** subst. m.
*Zool.* Passereau sédentaire, fructivore et insectivore, très coloré, vivant en Amérique centrale. 1765 ; langue indienne d'Amérique ; [kɔtɛ̃ga].

**COTISANT, ANTE,** adj. et subst.
Se dit d'une personne qui cotise. Mil. XXe s. ; p. pr. de *cotiser* ; [kɔtizɑ̃, ɑ̃t].

**COTISATION,** subst. f.
**1.** Action de cotiser (vieilli). **2.** Quote-part que paie chaque membre d'un groupe à une caisse commune. 1515 ; ☞ *cotiser* ; [kɔtizasjɔ̃].

**COTISER,** verbe intrans. [3]
**1.** Participer à une dépense commune : *Il a* ***cotisé*** *pour le cadeau.* **2.** Verser régulièrement une somme à un organisme (syndicat, caisse de retraite, etc.). Pronom. Se regrouper pour réunir une certaine somme. 1513 ; ☞ *cote* ; [kɔtize].

**COTON,** subst. m.
**1.** *Bot.* Duvet entourant les graines du cotonnier, qui, traité, fournit une matière textile de première importance (il s'agit de cellulose presque pure). La graine de **coton** fournit une huile comestible. Le **coton** hydrophile est fait de fibres dégraissées. **2.** Méton. Fil ou étoffe fabriqués avec du **coton** : *Draps en* ***coton***. **3.** Loc. fam. *Avoir les jambes en* ***coton*** : ne plus avoir de vigueur ; *Vivre dans du* ***coton*** : à l'abri de tout souci, de tout péril ; *Filer un mauvais* ***coton*** : être sur la mauvaise pente, inspirer de l'inquiétude. ▸ Empl. adj. inv. Difficile, délicat (fam.) : *C'est* ***coton*** *; Une affaire* ***coton***. Mil. XIIe s. ; ital. *cotone*, de l'ar. *qutn* ; [kɔtɔ̃].

© J.-P. Hervy-Explorer

*Récolte du* ***coton*** *au Burkina Faso.*

**COTONÉASTER,** subst. m.
*Bot.* Arbuste ornemental de la famille des Malacées, à fleurs blanches ou roses et à petites feuilles. Lat. sc. *cotoneaster* ; [kɔtɔneastɛʀ].

**COTONNADE,** subst. f.
*Text.* Étoffe de coton tissé. 1771 (1615, mèche de coton) ; ☞ *coton* ; [kɔtɔnad].

**COTONNER (SE),** verbe pronom. [3]
*Text.* Devenir duveteux, se couvrir de filaments semblables à de la bourre, en parlant d'un tissu. 1680 (1244, garnir de coton) ; ☞ *coton* ; [kɔtɔne].

**COTONNERIE,** subst. f.
**1.** *Agric.* Culture du coton ; plantation de cotonniers. **2.** *Industr.* Filature de coton. 1772 ; ☞ *coton* ; [kɔtɔnʀi].

**COTONNEUX, EUSE,** adj.
**1.** Qui possède les caractères physiques du coton : *Tiges* ***cotonneuses***, feutrées ; *Fruit* ***cotonneux***, à la chair sèche et fade. **2.** Anal. Qui évoque le coton : *Bruit* ***cotonneux***, étouffé ; par ext. : *Style* ***cotonneux***, sans force. 1552 ; ☞ *coton* ; [kɔtɔnø, øz].

**COTONNIER, IÈRE,** subst. et adj.
Subst. masc. *Bot.* Plante de la famille des Malvacées dont les soies entourant les graines fournissent le coton. Il y aurait neuf espèces fondamentales. Les **cotonniers** à longues soies sont *Gossypium barbadense* et *Gossypium arboreum* ; les soies de *Gossypium herbaceum* sont courtes. Adj. Qui concerne le coton. Subst. Personne qui travaille dans l'industrie du coton. 1542 ; ☞ *coton* ; [kɔtɔnje, jɛʀ].

**COTON-POUDRE,** subst. m.
Explosif obtenu par l'action de l'acide nitrique sur une cellulose de coton (synon. *fulmicoton*). 1847 ; comp. de *coton* et de *poudre* ; plur. *cotons-poudres* ; [kɔtɔ̃pudʀ].

**COTON-TIGE,** subst. m. inv.
Bâtonnet dont chaque extrémité est munie d'un morceau de coton, que l'on utilise pour se nettoyer les oreilles. V. 1980 ; comp. de *coton* et de *tige* ; n. déposé ; [kɔtɔ̃tiʒ].

**CÔTOYER,** verbe trans. [17]
**1.** Avancer aux côtés de (vx) : ***Côtoyer*** *une troupe* ; par anal., longer : *La route* ***côtoie*** *la mer.* **2.** Être en contact fréquent avec, coudoyer : ***Côtoyer*** *les grands de ce monde* ; au fig. : *Un spectacle où le meilleur* ***côtoie*** *le pire* ; empl. pronom. : *Ils se* ***côtoient*** *au bureau.* Déb. XIIe s. ; ☞ *côte* ; [kotwaje].

**COTRE,** subst. m.
*Mar.* Voilier à un seul mât et à deux voiles d'avant (foc et trinquette). 1834 ; angl. *cutter*, « qui coupe (l'eau) » ; [kɔtʀ].

**COTRET,** subst. m.
Vx. Petit fagot ; par méton., branche, morceau de bois sec. 1298 ; prob. lat. pop. °*costaricius*, « situé sur les côtés » ; [kɔtʀɛ].

**COTTAGE,** subst. m.
Petite demeure britannique, élégante et confortable. 1754 ; mot angl. ; [kɔtaʒ] ou [-tɛdʒ].

**COTTE,** subst. f.
**1.** *M. Â.* Sorte de tunique portée par les hommes ou les femmes. ▸ ***Cotte*** *de mailles* : vêtement de protection des guerriers, en anneaux de métal entrelacés. **2.** Jupe froncée à la taille, portée par les paysannes (vieilli). **3.** Combinaison de travail : *Un forgeron en* ***cotte*** *bleue.* 1155 ; anc. bas frq. °*kotta*, de l'anc. haut all. *kozza*, « manteau de laine » ; [kɔt].

**COTUTELLE,** subst. f.
*Dr.* Rôle légalement dévolu au mari d'une tutrice. 1555 ; ☞ *tutelle* + *co-* ; [kotytɛl].

**COTUTEUR, TRICE,** subst.
*Dr.* Personne qui assure une tutelle conjointement avec une autre personne. XVIe s. ; ☞ *tuteur* + *co-* ; [kotytœʀ, tʀis].

**COTYLE,** subst. m. ou f.
*Anat.* Cavité d'un os dans laquelle se loge la tête d'un autre os. C'est le cas de la cavité cotyloïde de l'os iliaque, dans laquelle s'articule la tête du fémur. 1561 (XIVe s., mesure de capacité) ; gr. *kotulê*, « cavité » ; [kɔtil].

**COTYLÉDON,** subst. m.
**1.** *Anat.* Chacun des lobes vascularisés de la face utérine du placenta. **2.** *Bot.* Ébauche de feuille qui se développe d'un seul côté ou des deux côtés de la tigelle d'une plantule d'angiosperme au moment de la germination. 1314 ; gr. *kotulêdôn*, « creux, cavité » ; [kɔtiledɔ̃].

**COTYLOÏDE,** adj.
*Anat.* Qui a la forme d'un cotyle : *Cavité* ***cotyloïde***. 1704 ; ☞ *cotyle* + *-oïde* ; [kɔtilɔid].

**COU,** subst. m.
**1.** *Anat.* Partie du corps qui, chez les Vertébrés, unit la tête au tronc, et dont le squelette est composé de sept vertèbres, les vertèbres cervicales (les deux premières sont l'atlas et l'axis). **2.** Anal. Partie allongée et rétrécie d'un objet (synon. *col*) : *Le* ***cou*** *d'une bouteille.* **3.** Loc. *Sauter, se jeter au* ***cou*** *de qqn* : l'embrasser avec effusion ; *Prendre ses jambes à son* ***cou*** : se sauver en courant ; *Se rompre le* ***cou*** : se blesser en tombant et, au fig., échouer ; *Mettre la corde au* ***cou*** *à qqn* : l'assujettir et, au fig. l'épouser ; *Jusqu'au* ***cou*** : complètement. Fin XIIe s. ; anc. fr. *col*, du lat. *collum* ; [ku].

© R. Kord-Explorer

*Cottage à Stratford.*

**COUAC,** subst. m.
**1.** Fausse note ou son criard émis par un instrument à vent ou par un chanteur. **2.** Ext. Discordance, difficulté (fam.). 1544 ; onomat. ; [kwak].

**COUARD, ARDE,** adj.
Qui manque de courage ; pleutre : *Un adversaire* ***couard*** ; empl. subst., personne **couarde**. Fin XIe s (qui porte la queue basse) ; anc. fr. *cüe*, *cöe* ou *coue* « queue » ; [kuaʀ, aʀd].

**COUARDISE,** subst. f.
Manque de courage physique ou moral ; par méton. action couarde. Fin XI[e] s. ; ☞ *couard* ; [kuaʀdiz].

**COUCHAGE,** subst. m.
**1.** Action de coucher qqn ou de se coucher : *L[e]* ***couchage*** *des scouts après la veillée.* **2.** Méton. Ce qu[i] sert au coucher, literie : *Un* ***couchage*** *spartiate.* ▸ *Sa[c] de* ***couchage*** : enveloppe garnie de matière isolant[e] dans laquelle on se glisse pour dormir. **3.** *Hortic.* Action de mettre en terre des tiges aériennes pou[r] leur faire prendre racine. **4.** *Papet.* Action d'enduir[e] le papier d'une substance qui le rendra plus solid[e] et plus beau. 1657 ; ☞ *coucher* (I) ; [kuʃaʒ].

**COUCHAILLER,** verbe intrans. [3]
Multiplier les aventures sexuelles (fam.). 1926 ☞ *coucher* (I) ; [kuʃaje].

**COUCHANT, ANTE,** adj. et subst. m.
Adj. Qui se couche. ▸ *Soleil* ***couchant*** : qui dispara[ît] à l'horizon. ▸ *Chien* ***couchant*** : chien de chasse qu[i] se couche en arrêtant le gibier et, au fig., personn[e] servile. Subst. Côté de l'horizon où le soleil s[e] couche (anton. *levant* ; synon. *occident*) : *Le* ***cou[-]chant*** *est noir, mais l'orient commence à blanch[ir]* (Lamennais) ; au fig., déclin : *Une gloire à s[on]* ***couchant***. Mil. XIIe s. ; p. pr. de *coucher* (I) ; [kuʃɑ̃, ɑ̃t].

**COUCHE,** subst. f.
**I. 1.** Ce sur quoi l'on s'allonge pour dormir *Retrouver sa* ***couche*** ; par ext., symbole du maria[ge] ou des rapports amoureux : *Trahir la* ***couc[he]*** *conjugale.* **2.** Temps durant lequel une femme gar[de] le lit pour la naissance de son enfant ; l'accouch[e]ment lui-même (gén. au plur.) : *Relever de* ***couche[s]*** ▸ *Fausse* ***couche*** : avortement spontané. **3.** Lin[ge] absorbant dont on enveloppe les fesses du bé[bé]. **II. 1.** Matière qui recouvre ou dont on recouvre [la] surface de qqch. : *Une* ***couche*** *de poussière* ; *La* ***couc[he]*** *cornée de l'épiderme* ; *Une* ***couche*** *de vernis,* [de] *peinture* ; *Verser une* ***couche*** *de chocolat sur un gâte[au]* ▸ Loc. *En tenir une* ***couche*** : ne rien comprend[re]

e borné (fam.). **2.** Disposition d'éléments en eaux parallèles superposés : *Les **couches** géolo-ues ; Forer jusqu'à la première **couche** de charbon ;* *hautes **couches** de l'atmosphère ; Les **couches** ıeuses de l'arbre*, disposées concentriquement du ur vers l'écorce ; par métaph. : *Les **couches** de la moire.* **3.** Fig. Catégorie sociologique : *Les **couches** iales défavorisées ; Les **couches** d'âge.* **4.** *Hortic.* Lit fumier ou de terreau destiné à favoriser la issance des plantes : *Des champignons de **couche**.* ⊠ Fin XIIe s. ; ☞ *coucher* (I) ; [kuʃ].

**COUCHÉ, ÉE,** adj.
Qui est étendu : *Couché dans le foin* ; par ext., liné : *Une écriture **couchée**.* **2.** *Papet.* *Papier cou-* : revêtu d'une substance à base de kaolin lui nnant un aspect lisse ou brillant. ⊠ Fin XIe s. ; ). de *coucher* (I) ; [kuʃe].

**COUCHE-CULOTTE,** subst. f.
lotte imperméabilisée pour bébé, garnie d'une ıche jetable. ⊠ 1929 ; comp. de *couche* et de *otte* ; plur. *couches-culottes* ; [kuʃkylɔt].

**COUCHER (I),** verbe [3]
**ANS. 1.** Allonger sur un lit ; mettre au lit : *Il est ure de **coucher** les enfants.* **2.** Incliner, rapprocher l'horizontale : *Les rafales **couchaient** le bateau sur flanc* ; ***Coucher** son fusil en joue*, l'ajuster avant tirer. ▸ *Hortic.* ***Coucher** les tiges d'une plante* : les attre sous terre pour en faire des marcottes, de ıvelles racines. **3.** Jeter à bas : *L'uppercut **coucha** ɔoxeur sur le ring.* ▸ ***Coucher** son roi* : aux échecs, renverser en signe d'abandon. **4.** Étaler en ıche : ***Coucher** un vernis protecteur.* **5.** Mettre noir blanc, inscrire : *Lisez donc ce que j'ai **couché** ici toutes lettres !* **INTRANS. 1.** Être étendu pour rmir ou se délasser : ***Coucher** tout habillé.* **2.** Ext. sser la nuit : ***Coucher** à l'hôtel.* ▸ Loc. *Un nom oucher dehors* : imprononçable (fam.). **3.** Avoir e relation sexuelle (fam.). **PRONOM. 1.** S'étendre, mettre au lit : *Longtemps, je me **suis couché** de ne heure* (Proust). **2.** S'incliner ; se renverser : *wagon se **coucha** sur les rails* ; au fig., se montrer vile (fam.). **3.** Disparaître à l'horizon, en parlant n astre. ⊠ Mil. XIe s. ; lat. *collocare*, « étendre dans ıongueur » ; [kuʃe].

**COUCHER (II),** subst. m.
Action de mettre ou de se mettre au lit ; par ton. : *Offrir le vivre et le **coucher***, restaurer et ɔerger pour la nuit. ▸ *Hist.* *Le **coucher** du roi* : émonial précédant son **coucher**. **2.** Disparition n astre à l'horizon ; par méton. : *Des **couchers** soleil*, peintures, photographies représentant ce ment. ⊠ Fin XIIe s. ; ☞ *coucher* (I) ; [kuʃe].

**COUCHERIE,** subst. f.
ation sexuelle fondée sur le seul plaisir (fam. et .). ⊠ 1760 ; ☞ *coucher* (I) ; [kuʃʀi].

**COUCHETTE,** subst. f.
Petit lit simple (vieilli). **2.** *Ch. de fer.* Banquette énagée en lit. **3.** *Mar.* Lit à bord d'un bateau. 1374 ; ☞ *couche* ; [kuʃɛt].

**COUCHEUR, EUSE,** subst.
*uvais **coucheur*** : personne agressive, de compa-e désagréable (rare au fém.). **FÉM.** *Papet.* Presse lisée pour le couchage du papier. ⊠ Mil. XVIe s. ; *coucher* (I) ; [kuʃœʀ, øz].

**COUCHIS,** subst. m.
*Trav. publ.* Couche de terre mêlée de sable forçant l'assise du pavage d'un pont. **2.** *Bât.* emblage de pièces de bois assurant le soutien ıne voûte en construction ou supportant un ncher. ⊠ 1694 ; ☞ *coucher* (I) ; [kuʃi].

**COUCHITIQUE,** adj. et subst. m.
dit d'un groupe de langues appartenant à la ıille chamito-sémitique et parlées dans la quasi-alité de la corne orientale de l'Afrique. ⊠ XIXe s. ; on. *Couch*, nom biblique de l'Éthiopie ; [kuʃitik].

**COUCHOIR,** subst. m.
*hn.* **1.** Palette sur laquelle le doreur prépare ses illes d'or. **2.** Outil servant à la confection des dages. ⊠ 1680 ; ☞ *coucher* (I) ; [kuʃwaʀ].

**COUCI-COUÇA,** loc. adv.
n. Moyennement ; à peu près (synon. *comme ci ıme ça*). ⊠ 1649 ; ital. *così così*, « à peu près », du pop. °*eccum sic*, « ainsi » ; [kusikusa].

**COUCOU,** subst. m. et interj.
**ST. 1.** *Zool.* Oiseau de la famille des Cuculidés, plumage gris et au ventre blanc, dont les mœurs t parasites (la femelle pond ses œufs dans le nid d'autres oiseaux). **2.** *Bot.* Nom vulgaire d'une plante à fleurs jaunes, de la famille des Primulacées ; *Primula officinalis* est la primevère officinale. **3.** Pendule qui marque les heures en faisant surgir un oiseau mécanique imitant le cri du **coucou**. **4.** Vieil avion (fam.). **INTERJ.** Cri que l'on lance pour signaler sa présence ou annoncer son arrivée inopinée : ***Coucou**, nous voilà !* ⊠ Fin XIIe s. ; lat. *cuculus*, « oiseau grimpeur du genre pie » ; [kuku].

**COUCOUMELLE,** subst. f.
*Bot.* Champignon comestible, également appelé oronge blanche ou amanite vaginée. ⊠ 1816 ; prov. *coucoumela*, du bas lat. *cucumella*, du lat. *cucuma*, « marmite » ; [kukumɛl].

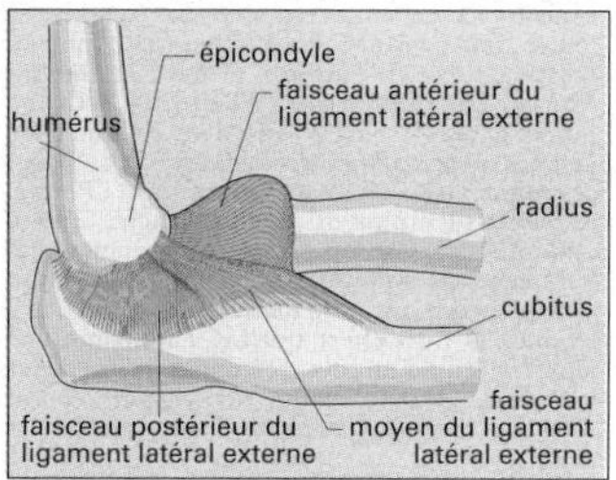


*Face externe de l'articulation du **coude** et ses ligaments.*

**COUDE,** subst. m.
**1.** *Anat.* Articulation du bras et de l'avant-bras : *Saillie du **coude***, partie extérieure de cette articulation ; *Pli du **coude***, partie intérieure. Il s'agit d'une articulation triple entre l'humérus et le cubitus d'une part, et l'humérus et le radius d'autre part. **2.** Loc. ***Coude** à **coude*** : très près l'un de l'autre et, au fig., en étroite solidarité ; *Se serrer les **coudes*** : s'entraider ; *Jouer des **coudes*** : se frayer un chemin dans une foule et, au fig., ne pas s'embarrasser de scrupules ; *Huile de **coude*** (☞*huile*) ; *Lever le **coude*** : boire beaucoup (fam.). **3.** Méton. Endroit de la manche d'un vêtement correspondant au **coude** : *Une veste aux **coudes** élimés.* **4.** Anal. Angle en saillie : *Le **coude** d'une manivelle ; Le **coude** brusque du fleuve.* ⊠ Fin XIIe s. ; lat. *cubitus*, « pliure du bras » ; [kud].

**COUDÉ, ÉE,** adj.
Qui a la forme d'un coude : *Clé, canalisation **coudée**.* ⊠ 1601 ; p. p. de *couder* ; [kude].

**COUDÉE,** subst. f.
**1.** Ancienne mesure de longueur égale à la distance séparant le coude de l'extrémité des doigts (env. 50 cm). ▸ Loc. *Être à cent **coudées** au-dessus de qqn* : lui être de beaucoup supérieur. **2.** Loc. *Avoir les **coudées** franches* : disposer d'une totale liberté d'action. ⊠ XIIe s. ; ☞ *coude* ; [kude].

**COU-DE-PIED,** subst. m.
*Anat.* Partie du membre inférieur qui relie le pied à la jambe ; par ext., cambrure supérieure du pied. ⊠ Fin XIIe s. ; comp. de *cou* et de *pied* ; plur. *cous-de-pied* ; [kud(ə)pje].

**COUDER,** verbe trans. [3]
Plier en forme de coude. ⊠ 1493 ; ☞ *coude* ; [kude].

**COUDOIEMENT,** subst. m.
Action, fait de coudoyer. ⊠ 1832 ; ☞ *coudoyer* ; [kudwamɑ̃].

**COUDOYER,** verbe trans. [17]
**1.** Heurter, toucher (qqn) avec le coude. **2.** Être en contact avec, rencontrer fréquemment ; au fig. : *Un quartier où le luxe **coudoie** la misère.* ⊠ 1595 ; ☞ *coude* ; [kudwaje].

**COUDRE,** verbe trans. [77]
**1.** Relier, fixer par des points, au moyen d'un fil passé dans une aiguille : ***Coudre** des épaulettes sur un uniforme* ; empl. abs. : *Elle ne sait pas **coudre*** ; *Un dé à **coudre**.* **2.** *Chir.* Suturer : ***Coudre** une plaie.* ⊠ Mil. XIIe s. ; lat. pop. °*cosere*, du lat. *suere* ; [kudʀ].

**COUDRIER,** subst. m.
*Bot.* Autre nom du noisetier ; par méton., bois de cet arbre : *Des sabots en **coudrier**.* ⊠ Fin XIIe s. ; lat. pop. °*colurus* ; [kudʀije].

**COUENNE,** subst. f.
**1.** Peau du porc durcie par flambage et raclée : *De la **couenne** de lard.* **2.** Fam. Peau humaine. ▸ Loc. *Gratter la **couenne** à qqn* : le flatter. **3.** Helv. Croûte de fromage. **4.** *Pathol.* Inflammation locale de la peau faisant naître une croûte. ⊠ Déb. XIIIe s. ; lat. pop. °*cutinna*, du lat *cutis*, « peau » ; [kwan].

**COUETTE (I),** subst. f.
**1.** Édredon que l'on couvre d'une housse et qui tient lieu de drap et de couverture. **2.** *Mar.* Chacune des pièces sur lesquelles on fait glisser un navire lors de son lancement. **3.** *Mécan.* Pièce métallique sur laquelle pivote un gond, l'arbre d'une machine. ⊠ XIIe s. ; lat. *culcita*, « matelas ; coussin » ; [kwɛt].

**COUETTE (II),** subst. f.
**1.** Vx. Petite queue. **2.** Mèche ou touffe de cheveux nouée au-dessus de chaque oreille ou derrière la tête. ⊠ Fin XIIIe s. ; anc. fr. *coue*, « queue » ; [kwɛt].

**COUFFIN,** subst. m.
**1.** Grand cabas d'osier ; par méton., son contenu. **2.** Panier souple à anses, aménagé en berceau. ⊠ 1478 ; anc. prov. *coffin*, du lat. *cophinus*, du gr. *kophinos*, « corbeille » ; [kufɛ̃].

**COUFIQUE,** adj. et subst. m.
Se dit de l'écriture aux caractères anguleux utilisée par les Arabes avant le IVe s. de l'hégire, notamment pour la calligraphie du Coran. ⊠ 1672 ; topon. *Kūfa* (Iraq) ; var. *kufique* ; [kufik].

*Écriture **coufique**, détail d'une frise d'époque nasride (1238-1492).*

**COUGUAR,** subst. m.
*Zool.* Grand félin d'Amérique du Sud (synon. *puma*). ⊠ Fin XIIIe s. ; brés. *cuguacuara*, du tupi *susuarana* ; var. *cougouar* ; [kug(w)aʀ].

**COUIC,** interj.
Cri aigu rappelant celui d'un oiseau qu'on étrangle. ▸ Loc. fam. *Faire **couic*** : mourir ; *N'y voir que **couic*** : ne rien voir. ⊠ 1809 ; onomat. ; [kwik].

**COUILLE,** subst. f.
Testicule (vulg.). ⊠ Fin XIIe s. ; lat. pop. °*colea*, du lat. *coleus*, « testicule » ; [kuj].

**COUILLON,** subst. m.
Fam. **1.** Vx. Homme lâche. **2.** Homme balourd, idiot ; empl. adj. : *Qu'il est **couillon** !* ⊠ Déb. XIIIe s. ; bas lat. *coleonem*, du lat. *coleus*, « testicule » ; [kujɔ̃].

**COUILLONNADE,** subst. f.
Fam. **1.** Vétille. **2.** Sottise. ⊠ 1856 (1592, acte de couard) ; ☞ *couillon* ; [kujɔnad].

**COUILLONNER,** verbe trans. [3]
Berner, duper (fam.) : *Se faire **couillonner**.* ⊠ 1675 ; ☞ *couillon* ; [kujɔne].

**COUINEMENT,** subst. m.
**1.** Cri aigu de la souris, du lapin et de certains autres mammifères. **2.** Anal. Bruit grinçant : *Le **couinement** d'une portière.* ⊠ Mil. XIXe s. ; ☞ *couiner* ; [kwinmɑ̃].

**COUINER,** verbe intrans. [3]
**1.** Fam. Émettre un couinement, en parlant d'un animal ; par ext., gémir, pleurnicher : *Ce bébé **couine** trop.* **2.** Anal. Grincer : *Le haut-parleur **couinait**.* ⊠ 1867 ; orig. onomat. ; [kwine].

**COULAGE,** subst. m.
**1.** *Bot.* Perte des germes d'un fruit sous l'effet de la pluie au moment de la floraison. **2.** Action de faire couler un liquide, une matière en fusion : ***Coulage** d'un métal.* **3.** Fig. Perte financière due à l'incurie ou au vol : *Enrayer le **coulage** d'une entreprise.* ⊠ Fin XVIe s. ; ☞ *couler* ; [kulaʒ].

**COULANT, ANTE,** adj. et subst. m.
ADJ. **1.** Qui coule bien ; fluide : *Vin* ***coulant***, moelleux ; *Fromage* ***coulant***. ▸ *Nœud* ***coulant*** : qui se serre ou se desserre sans se dénouer. **2.** Qui donne une impression de facilité : *Style* ***coulant*** ; *Graphisme* ***coulant***. **3.** Fig. Conciliant (fam.) : *Vous êtes bien* ***coulant*** *avec ce chenapan !* SUBST. **1.** Pièce circulaire qui glisse le long d'une autre (cordon, courroie) pour la serrer ou la bloquer. **2.** *Bot.* Tige rampante (synon. *stolon*). Fin XIIe s. ; p. pr. de *couler* ; [kulɑ̃, ɑ̃t].

**COULE,** subst. f.
Vêtement à larges manches et à capuche des moines. Fin XIIe s. ; lat. chrét. *cuculla*, « cuculle » ; [kul].

**COULE (À LA),** loc. adv.
Fam. *Être à la* ***coule*** : connaître les menus profits et avantages que l'on peut tirer de son métier ou ne pas être exigeant. 1864 ; ☞ *couler* ; [alakul].

© Burr-Gamma

*Coulées de lave sur les pentes du volcan Kilauea, à Hawaii.*

**COULÉ, ÉE,** adj. et subst.
ADJ. Qui s'effectue aisément, sans heurts : *Écriture* ***coulée*** ; *Brasse* ***coulée***, effectuée en gardant la tête sous l'eau lors de l'expiration. SUBST. MASC. **1.** *Chorégr.* Pas de danse glissé. **2.** Au billard, coup par lequel on fait accompagner la bille que l'on frappe par sa propre bille. **3.** *Mus.* Passage d'une note à une autre sans rupture. SUBST. FÉM. **1.** Action de verser une matière en fusion dans un moule ; cette matière : *Une* ***coulée*** *de verre, de plomb.* **2.** *Géol.* Mouvement d'écoulement d'une matière ; son résultat : *Une* ***coulée*** *volcanique* ; *Une* ***coulée*** *de neige* ; au fig. : *Une* ***coulée*** *humaine.* **3.** *Peint.* Ton dominant dans un tableau : *Une* ***coulée*** *de bleu.* **4.** *Vèn.* Chemin tracé et fréquenté par le gibier : ***Coulée*** *de cerf* ; par ext., sentier. 1754 ; p. p. de *couler* ; [kule].

**COULEMELLE,** subst. f.
*Bot.* Autre nom de la lépiote élevée, champignon comestible très apprécié. Fin XVIe s. ; lat. *columella*, « petite colonne » ; [kulmɛl].

**COULER,** verbe [3]
INTRANS. **1.** Se déplacer, en parlant d'un liquide : *L'eau* ***coule*** *dans le caniveau* ; *Sous le pont Mirabeau* ***coule*** *la Seine* (Apollinaire). ▸ Ext. S'épancher, se répandre : *De grosses larmes* ***coulaient*** *sur ses joues* ; *Faire* ***couler*** *le sang*, tuer en nombre. ▸ Anal. S'écouler, passer : *Les heures* ***coulent***, *et tu ne viens pas.* ▸ Fig. *L'argent* ***coule*** *à flots* : il abonde. ▸ Loc. ***Couler*** *de source* : venir naturellement, être évident. **2.** Laisser s'échapper un liquide, en parlant d'un contenant : *Ce robinet* ***coule*** ; *Ton nez* ***coule***. **3.** S'abîmer au fond de l'eau, sombrer, en parlant d'un navire : *À l'aide ! nous* ***coulons*** ! ; par ext., se noyer. TRANS. **1.** Jeter dans un moule (un liquide, un métal en fusion) : ***Couler*** *du plomb, de l'or* ; par méton. : ***Couler*** *des canons.* ▸ Anal. Verser (un matériau à l'état liquide) pour remplir ou sceller qqch. : ***Couler*** *du béton.* ▸ *Mécan.* ***Couler*** *une bielle* : faire fondre sa protection métallique, par manque de lubrifiant. **2.** Passer (une période de temps) : ***Couler*** *des vacances paisibles.* ▸ Loc. *Se la* ***couler*** *douce* : vivre heureux, sans problèmes (fam.). **3.** Introduire doucement, glisser : ***Couler*** *sa main dans une fissure* ; empl. pronom., se faufiler : *Se* ***couler*** *dans la foule.* **4.** Envoyer par le fond, faire sombrer (un navire). ▸ Fig. Mener à la faillite (fam.) : ***Couler*** *qqn, une société.* Déb. XIIe s. ; lat. *colare*, « passer, filtrer, épurer » ; [kule].

**COULEUR,** subst. f.
**1.** Impression produite sur la rétine par un rayon lumineux, qui dépend des longueurs d'onde – de 390 nm (violet) à 760 nm (rouge) – des radiations électromagnétiques qui composent ce rayon : *Les sept* ***couleurs*** *de l'arc-en-ciel* ; ***Couleurs*** *complémentaires* (☞ *complémentaire*) ; ***Couleurs*** *fondamentales* ou *primaires*, le jaune, le rouge et le bleu, qui, en association, permettent d'obtenir toutes les autres **couleurs**. **2.** Ce qui n'est ni blanc (synthèse de toutes les **couleurs** de l'arc-en-ciel), ni noir (absence totale de lumière), ni gris : *La télévision* ***couleur*** ; *Une photographie (en)* ***couleurs***. ▸ Coloration de la peau du visage ; en partic., éclat du teint : *Le grand air te redonnera des* ***couleurs***. ▸ Loc. *Changer de* ***couleur*** : pâlir ou rougir brusquement ; *Personne de* ***couleur*** : qui n'est pas de race blanche ; *Haut en* ***couleur*** : au visage rouge ou, au fig., pittoresque. **3.** Marque ou symbole en **couleur**, qui identifie, distingue qqch. : *Les cinq* ***couleurs*** *liturgiques* ; *Porter les* ***couleurs*** *d'une équipe sportive, d'une écurie.* ▸ Au plur. Emblème d'un pays ; son drapeau : *Les* ***couleurs*** *nationales* ; *Hisser, amener les* ***couleurs***. ▸ *Jeux.* Chacune des quatre marques différentes d'un jeu de cartes (pique, trèfle, cœur et carreau) : *Annoncer la* ***couleur***, proposer une **couleur** comme atout ou, au fig., dévoiler ses intentions. **4.** Substance utilisée pour colorer, peindre : *Broyer les* ***couleurs*** *sur une palette* ; ***Couleur*** *locale* (☞ *local*). **5.** Fig. Aspect que revêt une chose ; l'impression qui s'en dégage : *Un avenir aux* ***couleurs*** *sombres* ; ***Couleur*** *d'un journal*, son option politique. ▸ Loc. prép. *Sous* ***couleur*** *de* : sous prétexte de. Mil. XIe s. ; lat. *color* ; [kulœʀ].

**COULEUVRE,** subst. f.
*Zool.* Serpent de la famille des Colubridés, sans crochets venimeux, et dont il existe de nombreuses espèces. ▸ Loc. *Avaler des* ***couleuvres*** : subir des avanies sans broncher ou être crédule. Déb. XIIe s. ; lat. pop. °*colobra*, du lat. *colubra*, de *coluber*, « serpent » ; [kulœvʀ].

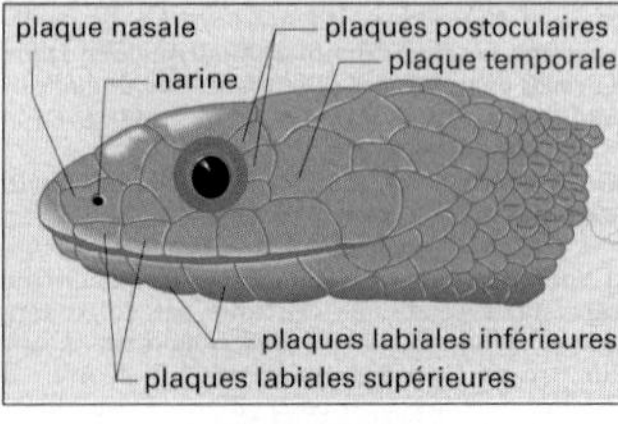


*Tête de* ***couleuvre***.

**COULEUVREAU,** subst. m.
Petit de la couleuvre. 1572 ; ☞ *couleuvre* ; [kulœvʀo].

**COULEUVRINE,** subst. f.
*Artill.* Ancienne pièce de canon, de forme allongée. Fin XIVe s. ; ☞ *couleuvre* ; [kulœvʀin].

**COULIS,** adj. m. et subst. m.
ADJ. Vx. Qui glisse. ▸ *Vent* ***coulis*** : qui s'insinue à travers les fentes, les ouvertures. SUBST. **1.** *Cuis.* Sauce à base d'aliments lentement cuits et réduits, puis finement passés : ***Coulis*** *de tomates* ; ***Coulis*** *d'écrevisses* ; par anal., purée de fruits crus additionnée de sucre. **2.** *Techn.* Mélange de liants dont on garnit des joints : ***Coulis*** *de ciment.* Fin XIIe s. ; ☞ *couler* ; [kuli].

**COULISSANT, ANTE,** adj.
Qui coulisse : *Cloison* ***coulissante***. 1928 ; p. pr. de *coulisser* ; [kulisɑ̃, ɑ̃t].

**COULISSE,** subst. f.
**I. 1.** Support creusé d'une rainure dans laquelle on fait glisser une pièce mobile : *Tiroirs à* ***coulisse*** ; *Pied à* ***coulisse*** (☞ *pied*) ; *Trombone à* ***coulisse*** (☞ *trombone*) ; par méton., la pièce mobile : *Fermer la* ***coulisse***. ▸ Loc. *Un regard en* ***coulisse*** : à la dérobée, de biais. **2.** *Anat.* Canal d'un os, où glissent tendons. **3.** *Cout.* Ourlet fait à une étoffe po enfiler un cordon, une tringle. **II. 1.** *Théâtre.* C sis mobile garni des panneaux peints constitu les décors ; par méton., l'espace situé derrière panneaux (souv. au plur.) : *Répéter son texte c les* ***coulisses***. **2.** Fig. Face cachée d'un univers pro sionnel : *Les* ***coulisses*** *de la politique.* **3.** Loc. *Agi* ***coulisse*** : dans l'ombre. **4.** *Bourse.* Marché mob parallèle où se négociaient les valeurs exclues la cotation officielle (vx). 1289 ; ☞ *coulis* ; [ku

**COULISSEAU,** subst. m.
Pièce mobile glissant dans une coulisse : ***coulisseaux*** *d'une tringle à rideaux.* XVe s. ; ☞ *lisse* ; [kuliso].

**COULISSER,** verbe [3]
TRANS. Pourvoir d'une coulisse : ***Coulisser*** *un card, un rideau.* INTRANS. Se déplacer le long d' coulisse : *La porte vitrée* ***coulisse*** *mal.* 1890 (1 *coulissé*, muni d'une herse) ; ☞ *coulisse* ; [kulise].

**COULISSIER,** subst. m.
Courtier en valeurs mobilières non cotées à Bourse (vx et péj.). Déb. XIXe s. ; ☞ *coulis* [kulisje].

**COULOIR,** subst. m.
**1.** Lieu de passage intérieur faisant communic les pièces d'un appartement, d'un édifice : *porte au fond du* ***couloir*** ; par anal. : ***Couloir*** *c wagon* ; ***Couloirs*** *du métro*, menant aux quais. ▸ *Bruits de* ***couloir*** : informations officieuses, rume **2.** Zone étroite et délimitée servant à la circulati ***Couloir*** *aérien*, itinéraire imposé aux avions ; ***C loir*** *d'autobus*, partie de la chaussée qui est réservée. **3.** *Géogr.* Dépression allongée e deux régions : ***Couloir*** *rhodanien* ; ravin à f de montagne : ***Couloir*** *d'avalanche.* **4.** *Mét* ***Couloir*** *de haute, de basse pression* : séparant zones de pressions contraires. **5.** *Sp.* Bande terrain délimitée par des lignes : *Les huit* ***coul*** *d'une piste d'athlétisme* ; ***Couloirs*** *d'un court de ten* les bandes latérales qui bordent le court. 17 ☞ *couler* ; [kulwaʀ].

**COULOMB,** subst. m.
*Phys.* Unité de charge électrique et de quar d'électricité (symb. : C), correspondant à la qu tité d'électricité transportée en une seconde par courant électrique de 1 ampère. 1881 ; an pon. *Charles de Coulomb*, physicien français ; [kulɔ̃].

**COULOMMIERS,** subst. m.
Fromage de lait de vache fermenté, à pâte m fabriqué dans la Brie. 1911 ; topon. *Coulomm* (Seine-et-Marne) ; [kulɔmje].

**COULPE,** subst. f.
*Théol.* Péché, faute. ▸ Loc. *Battre sa* ***coulpe*** confesser en public, dans certains ordres mor tiques et, par ext., reconnaître ses torts, ses erre 881 ; lat. *culpa* ; [kulp].

**COULURE,** subst. f.
**1.** Mouvement d'un liquide, d'une substance m qui coule ; par méton., la trace laissée : ***Coulure*** *cire.* **2.** *Techn.* Traînée d'un métal en fusion s'écoule à travers les joints d'un moule. **3.** Altération du pollen empêchant la fécondatic ***Coulure*** *de la vigne.* 1331 (XIIIe s., liquide obtenu infusion et filtration) ; ☞ *couler* ; [kulyʀ].

**COUMARINE,** subst. f.
Substance odorante extraite de la fève ton parfum de synthèse imitant cette senteur. 18 *coumarou*, arbre de Guyane ; [kumaʀin].

**COUNTRY,** adj. inv. et subst. f. ou m.
Se dit d'une musique issue des folklores gall écossais et irlandais, née aux États-Unis dans années vingt. Fin XXe s. ; ell. de l'angl. *country mu* « musique de la campagne » ; [kɔntʀi].

**COUP,** subst. m.
**I. 1.** Heurt provoqué par un corps qui en frappe autre : ***Coup*** *de marteau, de hache.* **2.** Geste br exécuté pour frapper, pour faire mal : ***Coup*** *de po de pied* ; ***Coup*** *de griffe* ; *Donner, recevoir des cou* ***Coup*** *de couteau* ; ***Coup*** *du lapin*, coup sec et mo asséné sur la nuque. ▸ Méton. Blessure, contus qui s'ensuit : *Un corps criblé de* ***coups***. ▸ Loc. *C de barre* : fatigue soudaine et passagère (far *Sans* ***coup*** *férir* : sans tirer l'épée et, au fig., s difficulté. **3.** Envoi de projectiles ; décharge d' arme à feu : ***Coup*** *d'arbalète, de canon* ; ***Coup*** *de* ▸ Loc. *Le* ***coup*** *de grâce* : **coup** par lequel on ach un condamné à mort ou, au fig., ce qui a

anéantit ; *Faire **coup** double* : atteindre simultanément deux objectifs ; *Faire d'une pierre deux **coups*** : réussir deux affaires par une seule action. **4.** Anal. Dommage causé à la santé : ***Coup** de froid*, rhume ; ***Coup** de soleil*, brûlure de la peau due au soleil. **5.** Méton. Son émis par le choc de deux objets ; bruit : ***Coup** de gong* ; *Sur le **coup** de cloche de minuit* et, par ell., *Sur le **coup** de minuit*, à minuit ; par ext. : ***Coup** de sonnette, de Klaxon.* ▸ Loc. *Frapper les trois **coups*** : annoncer le début d'une représentation théâtrale. **6.** Fig. Atteinte morale : ***Coup** dur*, épreuve difficile à endurer ; ***Coup** de foudre*, passion soudaine. ▸ Loc. *Tenir le **coup*** : résister ; *Accuser le **coup*** : être affecté par un évènement. **II. 1.** Acte bref ou soudain : ***Coup** de semonce* ; ***Coup** d'envoi* ; ***Coup** de main*, aide bénévole ; ***Coup** de pouce*, légère intervention décisive ; ***Coup** de gueule*, accès de mécontentement (fam.). **2.** Manifestation brutale : ***Coup** de vent*, bourrasque. ▸ Loc. *En **coup** de vent* : très rapidement. **3.** Geste rapide : ***Coup** d'œil* ; ***Coup** de brosse, de ciseaux, de balai* ; ***Coup** de frein, d'accélérateur.* ▸ Loc. ***Coup** de chapeau* : hommage rendu à qqn ; ***Coup** de filet* : arrestation simultanée de nombreux malfaiteurs ; ***Coup** de fil* : appel téléphonique ; *Avoir un bon **coup** de fourchette* : un solide appétit. **4.** Action d'éclat : *Frapper un grand **coup*** ; ***Coup** d'État*, renversement brutal d'un régime politique ; ***Coup** monté*, complot. ▸ Loc. *Être aux cent **coups*** : très inquiet ; *Faire les (quatre) cents **coups*** : mener une vie débridée. **5.** Évènement imprévu : ***Coup** de chance* ; ***Coup** de théâtre*, renversement brutal d'une situation ; ***Coup** de génie*, idée lumineuse. **6.** *Jeux* et *Sp.* Chaque action ponctuant une partie : *Un **coup** de dés* ; *Les blancs font mat en trois **coups*** (aux échecs) ; ***Coup** franc*, tir du ballon sans opposition immédiate de l'adversaire, sanctionnant une faute de ce dernier. ▸ Loc. ***Coup** bas* : **coup** donné sous la ceinture (à la boxe) ou, au fig., acte déloyal ; *À **coup** sûr* : immanquablement ; *Discuter le **coup*** : commenter un **coup** ou, au fig., parler de choses et d'autres (fam.) ; *Marquer le **coup*** : noter un **coup** ou, au fig., souligner l'importance d'un évènement. **III. 1.** Occasion, fois : *Réussir du premier **coup**.* ▸ Loc. *Tout à **coup**, tout d'un **coup*** : soudain ; *Sur le **coup*** : immédiatement ; *Du **coup*** : en conséquence ; ***Coup** sur **coup*** : successivement. **2.** Fam. Gorgée : *Boire un **coup** de rouge.* ▸ Loc. *Avoir un **coup** dans le nez* : être ivre ; *Le **coup** de l'étrier* (☞ *étrier*). 881 ; bas lat. *colpus*, du lat. *colaphus*, du gr. *kolaphos*, « soufflet » ; [ku].

**COUPABLE, adj. et subst.**

Se dit d'un être qui a commis une faute, un crime : *L'aveu est la tentation du **coupable*** (Bataille). **Adj. 1.** Répréhensible, inavouable : *Nourrir des pensées **coupables**.* **2.** Empreint de culpabilité : *Sourire **coupable**.* 1172 ; lat. chrét. *culpabilis* ; [kupabl].

**COUPAGE, subst. m.**

**1.** Action de couper. **2.** Action de mélanger des liquides : *Le **coupage** du vin* ; le mélange obtenu. 1364 ; ☞ *couper* ; [kupaʒ].

**COUPAILLER, verbe trans. [3]**

Couper de façon irrégulière (fam.) : ***Coupailler** une haie.* 1870 ; ☞ *couper* ; [kupɑje].

**COUPANT, ANTE, adj. et subst. m.**

**Adj.** Qui coupe ; qui est tranchant : *Un couteau **coupant*** ; au fig., vif, incisif : *Parler d'un ton **coupant**.* **Subst.** Le tranchant (vieilli) : *Le **coupant** d'une faux.* XVI^e^ s. ; p. p. de *couper* ; [kupɑ̃, ɑ̃t].

**COUP-DE-POING, subst. m.**

**1.** Vx. Vrille servant à percer les tonneaux. **2.** Arme constituée d'une masse de métal percée de trous pour y passer les doigts : ***Coup-de-poing** américain.* **3.** *Préhist.* Biface. 1783 ; comp. de *coup* et de *poing* ; plur. *coups-de-poing* ; [kud(ə)pwɛ̃].

**COUPE (I), subst. f.**

**1.** Verre de forme évasée et muni d'un pied : ***Coupe** de cristal* ; par méton., son contenu : *Boire une **coupe** de champagne.* **2.** Anal. Récipient bas et large ; par méton., son contenu : *Une **coupe** de fruits.* **3.** Loc. *La **coupe** est pleine* : c'en est trop ; *Il y a loin de la **coupe** aux lèvres* : il y a un fossé entre un projet et son exécution. **4.** *Sp.* Trophée décerné au vainqueur d'une compétition ; par méton., la compétition elle-même : *La **coupe** de France de football.* 1155 ; bas lat. *cuppa*, du lat. *cupa*, « tonneau, grand vase en bois » ; [kup].

**COUPE (II), subst. f.**

**1.** Action, art de couper avec un outil tranchant :

*Coupe claire dans la forêt amazonienne, de plus en plus menacée par de telles pratiques.*

*La **coupe** des blés* ; *Prendre des leçons de **coupe**.* **2.** *Sylvic.* Opération d'abattage dans une surface boisée ; par méton., surface ainsi exploitée. ▸ ***Coupe** claire* : **coupe** d'un grand nombre d'arbres qui permet l'arrivée de la lumière et, au fig., suppression très importante. ▸ ***Coupe** sombre* : éclaircissage léger de la forêt et, au fig., suppression de quelques éléments seulement. ▸ ***Coupe** réglée* : **coupe** annuelle et partielle de bois ; au fig. : *Mettre qqn en **coupe** réglée*, l'exploiter sans scrupule. **3.** Ext. Manière dont une chose a été coupée : *Une **coupe** de cheveux à la Jeanne d'Arc* ; *La **coupe** classique d'un vêtement.* **4.** Méton. Ce qui est coupé ; section, endroit de la coupure : *Une **coupe** de tissu*, un coupon ; *Acheter une **coupe** de bois.* ▸ *Dessin industriel.* Représentation graphique de la section verticale d'un objet : *La **coupe** d'une machine, d'un édifice.* ▸ *Géol.* Plan de profil faisant apparaître les diverses stratifications du sol. ▸ *Histol.* Couche mince prélevée sur un tissu pour une étude microscopique. **II. 1.** Action de diviser, de distribuer. **2.** *Jeux.* ▸ Fait de mélanger les cartes en les divisant en deux paquets. ▸ Loc. *Être sous la **coupe** de qqn* : jouer en premier, après que les cartes ont été coupées et, au fig., être dépendant de qqn. **3.** *Versif.* Distribution des repos dans les mesures d'un vers ; ces repos : *La **coupe** principale est la césure.* 1283 ; ☞ *couper* ; [kup].

**COUPÉ, ÉE, adj. et subst. m.**

**Adj. 1.** *Hérald. Un écu **coupé*** : divisé horizontalement en deux parties égales. **2.** *Sp. Revers **coupé*** : revers frappé de façon à donner un effet d'écrasement à la balle. **Subst. 1.** Compartiment antérieur d'une diligence. **2.** Voiture à deux portes, gén. à deux places, d'allure sportive. **3.** *Chorégr.* Pas de danse utilisé dans les enchaînements pour libérer une jambe. 1660 ; p. p. de *couper* ; [kupe].

**COUPE-CHOU(X), subst. m.**

**1.** Sabre court autrefois utilisé dans l'infanterie. **2.** Rasoir à longue lame (fam.). 1831 (XIV^e^ s., frère lai qui travaille au potager) ; comp. de *couper* et de *chou* ; plur. *coupe-choux* ; [kupʃu].

**COUPE-CIGARE(S), subst. m.**

Petit instrument servant à couper les bouts des cigares. 1869 ; comp. de *couper* et de *cigare* ; plur. *coupe-cigares* ; [kupsigaʀ].

**COUPE-CIRCUIT, subst. m.**

*Électr.* Dispositif qui coupe le courant quand ce dernier dépasse un certain seuil d'intensité ou en cas de court-circuit. 1888 ; comp. de *couper* et de *circuit* ; plur. *coupe-circuit(s)* ; [kupsiʀkɥi].

**COUPE-COUPE, subst. m. inv.**

Sabre utilisé surtout dans les pays tropicaux pour se frayer un passage dans la forêt vierge. 1929 ; ☞ *couper* ; [kupkup].

**COUPÉE, subst. f.**

*Mar.* Ouverture pratiquée dans la muraille d'un navire pour accéder à son bord ou le quitter : *Une échelle de **coupée**.* 1783 (1416, action de couper) ; ☞ *couper* ; [kupe].

**COUPE-FAIM, subst. m. inv.**

**1.** Aliment consommé pour calmer la faim : *La pomme est un **coupe-faim** efficace.* **2.** Médicament prescrit pour diminuer l'appétit. XX^e^ s. ; comp. de *couper* et de *faim* ; [kupfɛ̃].

**COUPE-FEU, subst. m. inv.**

Espace libre ou obstacle artificiel servant à empêcher les incendies de se propager ; empl. adj. inv. : *Des portes **coupe-feu**.* 1882 ; comp. de *couper* et de *feu* (I) ; [kupfø].

**COUPE-FILE, subst. m.**

Carte officielle donnant à son bénéficiaire l'accès prioritaire à certains lieux. 1869 ; comp. de *couper* et de *file* ; plur. *coupe-files* ; [kupfil].

**COUPE-GORGE, subst. m.**

**1.** Lieu malfamé où l'on risque de se faire attaquer. **2.** Ext. Maison de jeu où l'on dépouille les naïfs. XIII^e^ s. ; comp. de *couper* et de *gorge* ; plur. *coupe-gorge(s)* ; [kupgɔʀʒ].

**COUPE-JARRET, subst. m.**

Bandit, tueur à gages (vieilli). 1588 ; comp. de *couper* et de *jarret* ; plur. *coupe-jarrets* ; [kupʒaʀɛ].

**COUPE-LÉGUMES, subst. m. inv.**

Ustensile servant à couper menu les légumes. Mil. XIX^e^ s. ; comp. de *couper* et de *légume* ; [kuplegym].

**COUPELLATION, subst. f.**

*Techn.* Opération consistant à isoler, par oxydation à l'air chaud au moyen de la coupelle, des métaux précieux contenu dans un alliage. 1771 ; *coupeller* (rare), « passer à la coupelle » ; [kupɛllasjɔ̃] ou [-pela-].

**COUPELLE, subst. f.**

**1.** Petite coupe : *Une **coupelle** en porcelaine.* **2.** *Techn.* Creuset en terre réfractaire utilisé pour la coupellation. 1431 ; ☞ *coupe* (I) ; [kupɛl].

**COUPE-ONGLE(S), subst. m.**

Pince servant à couper les ongles. 1929 ; comp. de *couper* et de *ongle* ; plur. *coupe-ongles* ; [kupɔ̃gl].

**COUPE-PAPIER, subst. m. inv.**

Instrument à lame de bois, de métal, etc., servant à couper du papier. 1869 ; comp. de *couper* et de *papier* ; [kuppapje].

**COUPER, verbe [3]**

**Trans. dir. 1.** Prélever (une partie d'un tout) en tranchant : ***Couper** un morceau de gâteau* ; ***Couper** un bras*, l'amputer ; par méton. : ***Couper** un chat*, le castrer. ▸ ***Couper** les ailes à qqn, à qqch.* : en briser l'élan. **2.** Diviser (un tout) en morceaux avec un instrument tranchant : ***Couper** du pain, du bois* ; ***Couper** une tarte, un melon*, en faire des parts. ▸ Loc. ***Couper** la poire en deux* : trouver un compromis. **3.** Tailler (ce qui pousse) : ***Couper** le foin, une branche* ; ***Couper** les ongles de son enfant* ; empl. pronom. : *Se **couper** les cheveux.* ▸ Loc. ***Couper** l'herbe sous les pieds de qqn* (☞ *herbe*). **4.** Faire une entaille, blesser ; empl. pronom. : *Se **couper** au doigt* ; *Se **couper** la joue.* **5.** Séparer (un volume, une surface) : *Une cloison **coupe** le salon* ; par ext., croiser, traverser, franchir : *Cette route **coupe** la voie ferrée* ; ***Couper** la ligne d'arrivée* ; au fig., scinder (un groupe) : *L'affaire Dreyfus **coupa** la France en deux.* **6.** Supprimer, retrancher : ***Couper** des passages dans un texte.* **7.** Interrompre, faire cesser : ***Couper** la parole à un interlocuteur* ou, par méton., ***Couper** un interlocuteur* ; ***Couper** la fièvre, l'appétit* ; ***Couper** le son, le contact* ; ***Couper** sa journée par une pause* ; ***Couper** une communication téléphonique* ; empl. abs. : *Ne **coupez** pas !* ▸ Loc. ***Couper** les ponts avec qqn* : rompre toute relation avec lui. **8.** Suspendre la fourniture de : ***Couper** le gaz.* ▸ Loc. ***Couper** les vivres à qqn* : ne plus lui donner de moyens de subsistance. **9.** Faire obstacle à, barrer : ***Couper** la retraite de l'ennemi.* **10.** Mélanger (un liquide) à un autre : ***Couper** du lait*, y ajouter de l'eau. **11.** *Spéc.* ▸ *Cout.* ***Couper** une robe* : en tailler le patron dans une pièce d'étoffe ; empl. abs. : ***Couper** dans le droit fil.* ▸ *Jeux.* ***Couper** les cartes* : séparer le paquet en deux et placer au-dessus les cartes du dessous ; ***Couper** une carte* : jouer l'atout pour s'en rendre maître ; empl. abs. : ***Couper** à cœur.* ▸ *Sp.* ***Couper** une balle* : lui donner de l'effet. **Trans. indir. Couper à. 1.** Se soustraire à, échapper à (fam.) : ***Couper** à une corvée.* **2.** Loc. ***Couper** court à qqch.* : y mettre fin brusquement. **Intrans. 1.** Être affilé : ***Couper** comme un rasoir* ; *Ce couteau **coupe** mal.* **2.** Prendre un raccourci : ***Couper** à travers champs* ; ***Couper** par les bois.* **Pronom. 1.** Se croiser : *Les deux droites se **coupent** en leur milieu.* **2.** Se trahir par des assertions contradictoires : *Il s'est **coupé** dans ses déclarations.* **3. Se couper de.** S'isoler, perdre le contact avec (qqn) : *Se **couper** du monde, de ses amis.* XII^e^ s. ; ☞ *coup* ; [kupe].

**COUPE-RACINE(S), subst. m.**

*Agric.* Machine servant à couper les racines pour l'alimentation des animaux. 1832 ; comp. de *couper* et de *racine* ; plur. *coupe-racines* ; [kupʀasin].

**COUPERET,** subst. m.
1. Couteau à viande à large lame. 2. Ext. Lame de la guillotine. 1328 ; ☞ *couper* ; [kupʀɛ].

**COUPEROSE,** subst. f.
1. *Chim.* Sulfate métallique (vieilli) : ***Couperose** bleue*, sulfate de cuivre. 2. *Pathol.* Inflammation cutanée du visage due à une dilatation des vaisseaux capillaires. Fin XIIIe s. ; p.-ê. lat. médiév. *cuperosum*, « rose de cuivre » ; [kupʀoz].

**COUPEROSÉ, ÉE,** adj.
Qui est atteint de couperose : *Des joues **couperosées**.* XVe s. ; ☞ *couperose* ; [kupʀoze].

**COUPEUR, EUSE,** subst.
1. Personne qui coupe : *Un **coupeur** de têtes.* 2. Professionnel de la coupe : *Un **coupeur** de tissu.* Déb. XIIIe s. ; ☞ *couper* ; [kupœʀ, øz].

**COUPE-VENT,** subst. m. inv.
1. *Ch. de fer.* Dispositif à angles aigus placé à l'avant d'une locomotive pour diminuer la résistance de l'air. 2. Ext. Vêtement imperméable qui protège du froid ; en appos. : *Un blouson **coupe-vent**.* 1902 ; comp. de *couper* et de *vent* ; [kupvɑ̃].

**COUPLAGE,** subst. m.
1. Action de coupler deux choses ; son résultat. 2. *Techn.* Assemblage de machines ou d'appareils électriques visant à les faire fonctionner simultanément. 1754 ; ☞ *coupler* ; [kuplaʒ].

**COUPLE,** subst.
MASC. 1. Union affective de deux personnes, scellée ou non par le mariage : *Former un **couple** ; La vie de **couple**.* 2. Ext. Deux personnes unies par des objectifs, des goûts communs : *Un **couple** de danseurs.* 3. Deux animaux mâle et femelle : *Un **couple** de tourterelles.* 4. *Spéc.* ▸ *Mar.* Élément de charpente formé de deux pièces courbes s'élevant de part et d'autre de la quille jusqu'au plat-bord : *Navires à **couple**,* amarrés bord à bord. ▸ *Math.* Si $x$ et $y$ sont deux objets mathématiques (distincts ou non), on constitue un nouvel objet, le **couple** noté $(x, y)$, par la donnée des objets $x$ et $y$ dans cet ordre de l'énonciation ; $(x, y) = (x', y')$ signifie que $x = x'$ et $y = y'$. ▸ *Phys.* Système de deux forces égales, parallèles et dirigées en sens contraire l'une de l'autre (donc de somme nulle), caractérisé par son moment. FÉM. 1. Deux choses de même espèce réunies accidentellement (vieilli) : *Une **couple** d'œufs, de volailles.* 2. *Vén.* Laisse servant à attacher ensemble deux chiens. XIIe s. ; lat. *copula* ; [kupl].

**COUPLÉ,** subst. m.
*Turf.* Mode de pari consistant à désigner les deux premiers chevaux à l'arrivée, dans l'ordre (**couplé** gagnant) ou dans le désordre (**couplé** placé). 1949 ; p. p. de *coupler* ; [kuple].

**COUPLER,** verbe trans. [3]
1. Assembler par deux : ***Coupler** des moteurs.* 2. *Vén.* Attacher (deux chiens) avec une couple. Fin XIIIe s. ; lat. *copulare*, « lier ensemble, attacher » ; [kuple].

**COUPLET,** subst. m.
1. Strophe d'une chanson : *Les **couplets** et le refrain* ; par méton., chanson : *Des **couplets** de circonstance.* 2. Ext. Propos que l'on ressasse (fam.) : *Il va nous placer son **couplet** sur l'Europe.* Fin XIIIe s. ; anc. fr. *couple* ; [kuplɛ].

**COUPLEUR,** subst. m.
*Techn.* Dispositif de couplage. 1890 ; ☞ *coupler* ; [kuplœʀ].

**COUPOIR,** subst. m.
*Techn.* Instrument servant à couper des pièces de métal, des corps durs. 1690 ; ☞ *couper* ; [kupwaʀ].

**COUPOLE,** subst. f.
1. *Archit.* Voûte, de plan circulaire, ovale ou polygonal, qui constitue l'intérieur d'un dôme ; par ext., le dôme lui-même : *La **coupole** de l'Institut de France.* ▸ *Entrer sous la **Coupole*** : être élu à l'Académie française. 2. *Milit.* Calotte cuirassée destinée à protéger des pièces d'artillerie. 1666 ; ital. *cupola*, du bas lat. *cupula*, « petite cuve, tonnelet » ; [kupɔl].

**COUPON,** subst. m.
1. Ce qui reste d'un métrage d'étoffe : *Des **coupons** en solde.* 2. Petit document attestant l'acquittement d'un droit : ***Coupon** de carte orange.* ▸ Belg. Billet de chemin de fer. 3. *Fin.* Feuillet détachable d'un titre permettant d'en toucher, à chaque échéance, les intérêts. Déb. XIIIe s. ; ☞ *couper* ; [kupɔ̃].

**COUPON-RÉPONSE,** subst. m.
Partie détachable d'un document, que le destinataire peut renvoyer à l'expéditeur pour lui faire part de sa réponse. 1911 ; comp. de *coupon* et de *réponse* ; plur. *coupons-réponse* ; [kupɔ̃ʀepɔ̃s].

**COUPURE,** subst. f.
1. Entaille, blessure faite avec un instrument tranchant : *Une **coupure** au visage.* 2. Morceau découpé : ***Coupure** de journal.* 3. Billet de banque : *Payer une rançon en petites **coupures**.* 4. Suppression d'un passage dans une œuvre : *Des **coupures** exigées par le comité de censure.* 5. Interruption : ***Coupure** d'eau, de courant* ; par anal., pause (fam.) : *La **coupure** du déjeuner.* ▸ Fig. Séparation nette, hiatus : *La **coupure** entre la vie active et la retraite.* 1279 ; ☞ *couper* ; [kupyʀ].

**COUR,** subst. f.
I. 1. Espace découvert entouré de murs ou de bâtiments : *La **cour** d'un immeuble ; Une **cour** de récréation ; La **cour** d'une ferme.* 2. *Hist. La **cour** des Miracles* : ancien quartier de Paris qui servait de repaire aux malfaiteurs et aux indigents ; par anal., lieu mal famé. 3. *Théâtre. Côté **cour*** : le côté droit de la scène. II. 1. Lieu de résidence d'un souverain et de son entourage : *Être appelé à la **cour**.* ▸ Méton. Ensemble des personnes vivant à la **cour** : *Une **cour** nombreuse et frivole.* ▸ Loc. *Être bien en **cour*** : avoir les faveurs du prince et, par ext., être introduit dans un milieu influent. 2. Anal. Cercle d'admirateurs ou de flatteurs. ▸ *Faire sa **cour** à qqn* : se montrer empressé envers lui, voire obséquieux, pour obtenir ses faveurs. ▸ *Faire la **cour** à une femme* : chercher à la séduire en l'entourant de prévenances, d'assiduités. III. 1. *Féod.* Assemblée des vassaux du roi. 2. Juridiction d'ordre supérieur : ***Cour** d'appel*, qui juge en second degré les appels formés contre une décision prise par un tribunal d'ordre inférieur ; ***Cour** d'assises* (☞ *assise*) ; *La **Cour** des comptes*, juridiction administrative qui contrôle l'utilisation des finances de l'État. ▸ Méton. Les magistrats composants une **cour** : *Messieurs, la **cour** !* Xe s. ; bas lat. *curtis*, « cour de ferme » ; [kuʀ].

Le Jardin d'amour, *peinture du Maître des Plateaux d'accouchées (Italie, XVe s.). Musée de la Chartreuse, Douai. La scène représente ce que l'on appelait une **cour** d'amour.* © Giraudon

**COURAGE,** subst. m.
1. Vx. Le cœur, siège des sentiments : *La honte suit de près les **courages** timides* (Racine). 2. Volonté, ardeur : *Je n'ai pas le **courage** de sortir* ; empl. interj. : *Bon **courage** ! ; **Courage** ! tu vas réussir !* 3. Force morale, bravoure qui dispose à affronter résolument le danger ou les difficultés : *Tirons notre **courage** de notre désespoir même* (Sénèque) ; *Avoir le **courage** de ses opinions*, les maintenir malgré l'opposition qu'elles suscitent. ▸ Loc. *Prendre son **courage** à deux mains* : dominer sa peur, sa timidité pour entreprendre qqch. (fam.). 1050 ; ☞ *cœur* ; [kuʀaʒ].

**COURAGEUSEMENT,** adv.
Avec courage. 1213 ; ☞ *courageux* ; [kuʀaʒøzmɑ̃].

**COURAGEUX, EUSE,** adj.
1. Qui fait preuve de courage. 2. Ext. Qui exige ou dénote du courage : *Une position **courageuse** ; Un acte **courageux**.* Mil. XIIe s. ; ☞ *courage* ; [kuʀaʒø, øz].

**COURAILLER,** verbe intrans. [3]
1. Vx. Courir çà et là. 2. Fig. Mener une vie dissolue (vieilli). 1732 ; ☞ *courir* ; [kuʀaje].

**COURAMMENT,** adv.
1. Avec aisance, facilement : *Parler l'anglais **couramment**.* 2. Communément : *Selon une idée **couramment** admise.* Fin XIIe s. ; ☞ *courant* (I) ; [kuʀamɑ̃].

**COURANT (I), ANTE,** adj.
I. 1. Qui court, qui est animé d'un mouvement rapide. ▸ *Eau **courante*** : eau s'écoulant naturellement ; eau distribuée par canalisations. ▸ *Vén. Chien **courant*** : chien dressé à poursuivre le gibier. 2. Méton. *Main **courante*** : rampe murale sur laquelle glisse la main. 3. *Spéc.* ▸ *Mar. Manœuvre **courante*** : cordage servant à régler les éléments mobiles d'un gréement (anton. *dormante*). ▸ *Édition. Titre **courant*** : titre se répétant sur toutes les pages d'un ouvrage. II. 1. Qui est en cours, qui n'est pas achevé : *Le mois **courant**, l'année **courante**.* 2. Méton. ▸ *Main **courante*** : livre de commerce sur lequel on reporte les opérations de caisse ; registre de police où sont notées les plaintes qui ne font pas l'objet d'une action en justice. ▸ *Compte **courant*** (☞ *compte*). 3. Qui a cours actuellement : *Prix **courant*** ; par anal., habituel, ordinaire, quotidien : *Langage **courant** ; Dépenses **courantes**.* ▸ Loc. *Être monnaie **courante*** : être banal, répandu. Fin XIe s. ; p. pr. de *courir* ; [kuʀɑ̃, ɑ̃t].

**COURANT (II),** subst. m.
I. 1. Flux continu, d'amont en aval, de tout cours d'eau : *Dans le **courant** d'une onde pure* (La Fontaine) ; *Nager contre le **courant**.* ▸ Loc. fig. *Remonter le **courant*** : reprendre le dessus malgré les difficultés ; *Se laisser porter par le **courant*** : s'abandonner aux évènements. 2. Circulation des grandes masses d'eau marine : *Le **courant** chaud du Gulf Stream ; Le **courant** froid du Labrador ; **Courants** de flux et de reflux.* 3. Mouvement d'une masse d'air : *La météorologie comprend l'étude des **courants** atmosphériques.* ▸ ***Courant** d'air* : bouffée d'air, air qui s'insinue par une ouverture, dans un lieu clos. 4. *Phys.* Mouvement de charges électriques : ***Courant** continu, alternatif, monophasé, triphasé.* ▸ *Couper le **courant*** : couper l'électricité ; *Panne de **courant*** ▸ Fig. *Le **courant** passe entre l'orateur et le public* : il se crée un élan de sympathie, de compréhension (fam.). II. Anal. 1. Mouvement de populations ou de catégories sociales : *Le **courant** de l'émigration s'est inversé.* 2. Cours du temps : *Dans le **courant** du mois, de la journée* ; empl. prép. : ***Courant** juin.* ▸ Loc. *Mettre, tenir qqn au **courant*** : le mettre au fait des choses en cours ; par ext. : *Être au **courant**,* être informé. III. Fig. 1. Tendance, mouvement des idées : ***Courant** majoritaire d'un parti ; **Courant** de pensée.* 2. Tendance des goûts, des sensibilités : *Le cubisme fut un des principaux **courants** picturaux du début du XXe s.* Déb. XIIIe s. ; p. pr. de *courir* ; [kuʀɑ̃].

**COURANTE,** subst. f.
1. Danse à trois temps, en vogue au XVIIe s. ; air sur lequel on la dansait. ▸ *Mus.* Mouvement rapide de la suite baroque. 2. Diarrhée (fam.). 1515 ; p. pr. de *courir* ; [kuʀɑ̃t].

**COURBARIL,** subst. m.
*Bot.* Arbre d'Amérique tropicale, de la famille des Césalpiniacées, dont on exploite le bois en ébénisterie et la résine pour fabriquer des vernis. 164[illegible] ; mot caraïbe ; [kuʀbaʀil].

**COURBATU, UE,** adj.
Qui éprouve fatigue et courbatures (littér.). M[illegible] XIVe s. ; prob. formé de *court* (I) et de *battre* ; [kuʀbat[illegible]].

**COURBATURE,** subst. f.
Douleur musculaire provoquée par un effort soutenu ou une maladie infectieuse. 1588 ; ☞ *courbatu* ; [kuʀbatyʀ].

**COURBATURER,** verbe trans. [3]
Provoquer des courbatures chez : *Ces longues heures de marche l'ont **courbaturé*** ; empl. adj. : *Elle est toute **courbaturée**.* 1835 ; ☞ *courbature* ; [kuʀbatyʀ[illegible]].

**COURBE,** adj. et subst. f.
ADJ. Qui ne comporte aucune section droite [illegible] plane : *Trajectoire, surface **courbe*** ; au fig. : *Chemins **courbes**,* voies détournées. SUBST. 1. Ligne constituée d'un ou de plusieurs arcs de cercle ; virage : ***Courbe** de la voie ferrée* ; dessin incurvé, volume arrondi : *Des **courbes** généreuses.* 2. Graphique de l'évolution d'un phénomène : ***Courbe** de natalité.* 3. *Math.* Graphe d'une fonction numérique d'une variable réelle, continue sauf peut-être en des points isolés. ▸ ***Courbe** paramétrée* : image dans le plan ou dans l'espace d'une fonction $f$ définie sur un interva[illegible]

ou une réunion d'intervalles I, les coordonnées du point $f(t)$, $t$ appartenant à I, dans un repère affine ou cartésien étant des fonctions continues de $t$. ▸ *Courbe algébrique plane* : ensemble des points de coordonnées $(x, y)$ dans un repère affine ou cartésien vérifiant $P(x, y) = 0$, où P est un polynôme irréductible et où le degré de P est le degré de la **courbe** (ex. : le cercle $x^2 + y^2 - x + 1 = 0$). **4.** *Topogr.* *Courbe de niveau* : ligne joignant des points situés à la même altitude. ꝏ Fin XIIe s. ; lat. pop. °*curbus*, du lat. *curvus* ; [kuʀb].

**COURBEMENT, subst. m.**
Rare. Action de courber, fait de se courber ; le résultat obtenu. ꝏ 1478 ; ☞ *courber* ; [kuʀbəmɑ̃].

**COURBER, verbe** [3]
**Trans. 1.** Incurver, arrondir, rendre courbe : *La pluie courbe les fleurs* ; empl. adj. : *Une poutre* ***courbée.*** **2.** Pencher en avant, voûter : *Courber la tête, le dos.* ▸ Loc. fig. *Courber l'échine devant qqn* : s'incliner, se soumettre devant lui. **Intrans.** Ployer : *Courber sous un poids.* **Pronom. 1.** Devenir courbe. **2.** Fig. S'incliner : *Tous se* ***courbent*** *devant la reine.* ꝏ Fin XIIe s. ; lat. pop. °*curbare*, du lat. *curvare* ; [kuʀbe].

**COURBETTE, subst. f.**
**1.** *Équit.* Saut du cheval qui se cabre en ramenant ses membres antérieurs sous son ventre. **2.** Anal. Fait de s'incliner de manière excessive ou obséquieuse : *Il sortit sur une* ***courbette*** ; au fig. : *Faire des* ***courbettes*** *à qqn*, le flatter, le flagorner (gén. au plur.). ꝏ Mil. XVIe s. ; ☞ *courber* ; [kuʀbɛt].

**COURBURE, subst. f.**
**1.** Forme courbée d'une ligne, d'un objet : *La* ***courbure*** *du nez des Bourbons, d'une silhouette, d'une route.* **2.** *Géom. Cercle de* ***courbure*** : cercle osculateur ; ***Courbure*** *en un point d'une courbe* : inverse du rayon de **courbure** ; *Rayon de* ***courbure*** *en un point d'une courbe* : rayon du cercle osculateur en ce point. ꝏ XVe s. ; ☞ *courber* ; [kuʀbyʀ].

**COURCAILLER, voir CARCAILLER**

**COURCAILLET, subst. m.**
**1.** Cri émis par la caille. **2.** Méton. Appeau servant à attirer les cailles. ꝏ 1374 ; orig. onomat. ; [kuʀkajɛ].

**COURÇON, voir COURSON**

**COURÉE, subst. f.**
Région. (Nord) et Belg. Petite cour commune à plusieurs habitations. ꝏ 1845 ; ☞ *cour* ; [kuʀe].

**COURETTE, subst. f.**
Petite cour. ꝏ 1797 ; ☞ *cour* ; [kuʀɛt].

**COUREUR, EUSE, subst.**
**1.** Vx. Éclaireur ; messager. **2.** Personne ou animal qui court, qui a des aptitudes à la course : *C'est un bon* ***coureur***, *difficile à semer.* **3.** Anal. Personne qui hante certains lieux, qui poursuit un but : *Un* ***coureur*** *de tavernes* ; *Un* ***coureur*** *de dot.* ▸ Empl. abs. Personne qui multiplie les aventures amoureuses ; empl. adj. : *Un mari* ***coureur.*** **4.** Québ. *Un* ***coureur*** *des bois* : un trappeur. **5.** *Sp.* Athlète qui participe à une course : *Un* ***coureur*** *de fond* ; *Un* ***coureur*** *cycliste.* **Plur.** *Zool.* Ancien ordre d'oiseaux aux ailes rudimentaires ; empl. adj. : *Les oiseaux* ***coureurs*** ; au sing. : *L'autruche est un* ***coureur.*** ꝏ Mil. XIIe s. ; ☞ *courir* ; [kuʀœʀ, øz].

**COURGE, subst. f.**
**1.** *Bot.* Plante de la famille des Cucurbitacées, au fruit volumineux. **2.** Méton. Ce fruit, que l'on consomme comme légume : *Le potiron, la courgette sont des* ***courges.*** ꝏ XIVe s. ; lat. *cucurbita* ; [kuʀʒ].

**COURGETTE, subst. f.**
Variété de courge à fruit allongé, de couleur verte, consommée jeune. ꝏ 1929 ; ☞ *courge* ; [kuʀʒɛt].

**COURIR, verbe** [25]
**Intrans. 1.** Se déplacer rapidement par un mouvement alterné des jambes ou des pattes : *Le cheval* ***courait*** *à toute bride* ; ***Courir*** *à perdre haleine.* ▸ Ext. Se hâter pour aller en un lieu, pour faire qqch. ; se démener : *Je* ***cours*** *le prévenir de votre arrivée* ; *J'ai dû* ***courir*** *toute la semaine pour régler ce problème* ; au fig. : ***Courir*** *après la victoire*, chercher à l'obtenir à tout prix. **3.** Anal. Se déplacer rapidement, en parlant d'une chose : *Un frisson* ***courut*** *dans son dos* ; s'écouler : *Le ruisseau* ***court*** *dans la vallée* ; s'étendre : *La glycine* ***courait*** *sur le mur.* Fig. Se propager : *Connaissez-vous la rumeur qui court ?* **4.** Fig. Progresser dans le temps, se dérouler : *Les intérêts* ***courront*** *à partir du mois prochain* ; *Par les temps qui* ***courent***, de nos jours. **5.** Loc. *Laisser* ***courir*** : laisser faire (fam.) ; ***Courir*** *à sa perte* : y aller sûrement ; *Tu peux toujours* ***courir*** : tu peux toujours espérer (fam.). **6.** *Spéc.* ▸ *Mar.* Tracer sa route : ***Courir*** *vent arrière.* ▸ *Sp.* Participer à une course. **Trans. 1.** Poursuivre en courant, chasser : ***Courir*** *le sanglier.* ▸ Loc. ***Courir*** *deux lièvres à la fois* : viser deux buts en même temps. **2.** Anal. Poursuivre, rechercher avec avidité : ***Courir*** *les filles* ; ***Courir*** *les honneurs.* **3.** Méton. Risquer, s'exposer à : ***Courir*** *sa chance* ; ***Courir*** *un danger.* **4.** Sillonner, parcourir : *Un aventurier qui* ***court*** *le monde.* **5.** Fréquenter assidûment (un lieu) : ***Courir*** *les casinos.* ▸ Loc. ***Courir*** *les rues* : être très répandu, banal. **6.** *Sp.* Disputer (une course de vitesse) : ***Courir*** *le cent mètres.* ꝏ Mil. XIe s. ; lat. *currere* ; [kuʀiʀ].

**COURLIS, subst. m.**
*Zool.* Échassier au long bec arqué, qui vit près de l'eau. ꝏ XIIIe s. ; orig. onomat. ; var. *courlieu* ; [kuʀli].

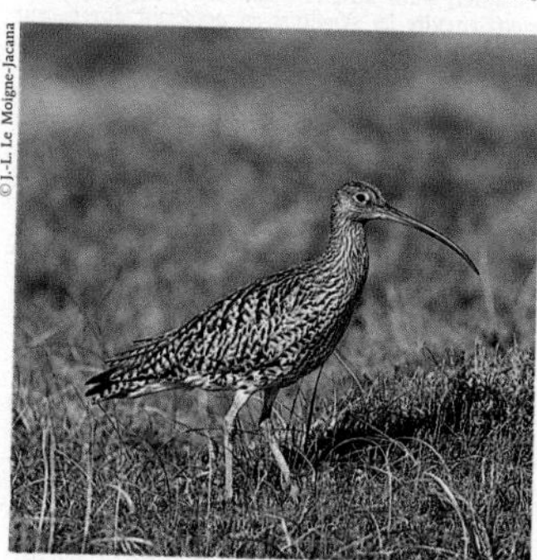

© J.-L. Le Moigne-Jacana

*Courlis cendré.*

**COURONNE, subst. f.**
**I. 1.** Guirlande de fleurs et de feuillage dont on ceint la tête d'une personne que l'on veut honorer, récompenser : *La* ***couronne*** *de laurier du vainqueur.* ▸ Loc. *Tresser des* ***couronnes*** *à qqn* : reconnaître, vanter son mérite. **2.** Cercle de métal, plus ou moins orné, insigne de dignité, de souveraineté : *La* ***couronne*** *ducale, impériale* ; *La triple* ***couronne***, la tiare pontificale ; *La* ***couronne*** *d'épines*, celle que l'on plaça par dérision sur la tête du Christ lors de sa Passion. ▸ Méton. La dignité, le pouvoir ainsi symbolisé : *Prétendre à la* ***couronne.*** **3.** Ext. ▸ Monnaie frappée d'une **couronne** ; unité monétaire de certains pays (Suède, Danemark, Norvège...). ▸ *Papier* ***couronne*** ou, par ell., ***Couronne*** : papier qui portait à l'origine une **couronne** en filigrane (36 cm × 46 cm). **II.** Anal. **1.** Ce qui rappelle une **couronne**, ce qui est disposé en cercle : ***Couronne*** *mortuaire*, que l'on dépose sur un cercueil, une tombe ; *La* ***couronne*** *d'un moine*, sa tonsure ; *Un pain en* ***couronne*** ; *Une* ***couronne*** *de montagnes.* **2.** *Astron.* ▸ ***Couronne*** *solaire* : partie la plus externe de l'atmosphère du Soleil ou d'une étoile similaire. Très ténue, chauffée à 1 ou 2 millions de degrés par des ondes acoustiques ou magnétohydrodynamiques provenant de la photosphère, elle est formée d'atomes fortement ionisés. Elle est observable pendant les éclipses totales ou au moyen du coronographe. ▸ ***Couronne*** *australe*, ***couronne*** *boréale* : constellations dont l'une, la **couronne** boréale, possède des étoiles brillantes, bien visibles à l'œil nu, au nombre de sept. **3.** *Dent.* Partie visible de la dent ; prothèse recouvrant la dent après une lésion. **4.** *Math.* La **couronne** d'un plan euclidien de centre O et de rayons $r$ et R tels que $0 < r < R$ est l'ensemble des points de ce plan dont la distance à O est comprise entre $r$ et R. **5.** *Mécan.* Type de pignon : ***Couronne*** *d'embrayage.* **6.** *Urban.* Ensemble des localités formant la périphérie d'une grande ville. **7.** *Hippol.* Partie du pied du cheval située au-dessus du sabot. ꝏ Xe s. ; lat. *corona*, prob. du gr. *korônê*, « objet courbe » ; [kuʀɔn].

**COURONNÉ, ÉE, adj.**
**1.** Qui est ceint d'une couronne ; par ext., récompensé. ▸ Méton. *Tête* ***couronnée*** : souverain. **2.** Auréolé ; encerclé : *Salut, bois* ***couronnés*** *d'un reste de verdure !* (Lamartine). **3.** *Cheval* ***couronné*** : dont le genou est marqué par une blessure circulaire. ꝏ Mil. XIIe s. ; p. p. de *couronner* ; [kuʀɔne].

**COURONNEMENT, subst. m.**
**1.** Action de couronner qqn. ▸ Cérémonie au cours de laquelle on couronne un souverain : *Le* ***couronnement*** *de Charlemagne.* **2.** Fig. Achèvement, consécration : *Le* ***couronnement*** *d'une carrière.* **3.** *Archit.* Ornement qui coiffe un édifice. ꝏ 1165 ; ☞ *couronner* ; [kuʀɔnmɑ̃].

**COURONNER, verbe trans.** [3]
**1.** Coiffer (qqn) d'une couronne en signe de récompense, de distinction honorifique : ***Couronner*** *le vainqueur.* ▸ Ext. Récompenser, décerner un prix à : ***Couronner*** *un jeune architecte* ; par méton. : ***Couronner*** *un projet.* **2.** Proclamer (qqn) souverain en ceignant sa tête d'une couronne. **3.** Anal. Entourer, gén. en surmontant : *Admirez ces montagnes qui* ***couronnent*** *le lac* ; surmonter : *Un dôme étincelant* ***couronne*** *la basilique.* **4.** Fig. Parachever, conclure : *Il donna tous ses biens aux pauvres,* ***couronnant*** *ainsi une vie admirable.* **Pronom. 1.** Se blesser au genou en tombant, en parlant d'un cheval. **2.** Dépérir par le sommet, en parlant d'un arbre. ꝏ Mil. XIIe s. ; prob. *couronne* ; [kuʀɔne].

**COUROS, voir KOUROS**

**COURRE, verbe trans.**
*Vén.* **1.** Vx. Poursuivre (une bête) : ***Courre*** *le cerf.* **2.** Loc. *Chasse à* ***courre*** : chasse où le gibier est poursuivi par des chasseurs à cheval et une meute de chiens courants. ꝏ Déb. XIIIe s. ; lat. *currere*, « courir » ; empl. uniquement à l'inf. ; [kuʀ].

**COURRIER, subst. m.**
**1.** Vx. Porteur de messages, de dépêches : *Envoyer un* ***courrier*** *de confiance.* **2.** Moyen de transport assurant le service postal : *Répondre par retour du* ***courrier.*** ▸ *Informat.* ***Courrier*** *électronique (E-Mail)* : ensemble des techniques permettant l'échange de données sur un réseau. **3.** Ensemble des lettres et des paquets acheminés par la poste ; correspondance. **4.** *Journ.* ▸ Chronique traitant d'un domaine particulier de l'actualité, gén. culturel : ***Courrier*** *des spectacles.* ▸ Rubrique alimentée par les lettres adressées au journal : ***Courrier*** *du cœur.* ꝏ Déb. XIVe s. ; ital. *corriere* ; [kuʀje].

**COURRIÉRISTE, subst.**
Journaliste chargé d'une rubrique de courrier. ꝏ 1857 ; ☞ *courrier* ; [kuʀjeʀist].

**COURROIE, subst. f.**
**1.** Sangle de matière souple servant à tenir, à attacher ou à serrer qqch. : *La* ***courroie*** *d'un sac* ; *Il noua des* ***courroies*** *autour des chevilles du prisonnier.* **2.** *Mécan.* Bandeau circulaire qui transmet un mouvement d'un élément cylindrique à un autre : *Changer la* ***courroie*** *détendue d'un moteur* ; au fig. : *Être la* ***courroie*** *de transmission*, servir d'intermédiaire. ꝏ Déb. XIIe s. ; lat. *corrigia* ; [kuʀwa].

**COURROUCER, verbe trans.** [4]
Irriter, fâcher (littér.) ; empl. pronom. : *Il est prompt à se* ***courroucer.*** ꝏ Mil. XIe s. ; bas lat. *corruptiare*, du lat. *corrumpere*, « détruire, altérer » ; [kuʀuse].

**COURROUX, subst. m.**
Fureur de celui qui est offensé ou déçu (littér.). ꝏ Mil. Xe s. ; anc. fr. *corrocier*, « courroucer » ; [kuʀu].

**COURS, subst. m.**
**I. 1.** Écoulement continu d'une eau à partir de sa source : *Le* ***cours*** *impétueux d'un torrent.* ▸ Loc. *Donner libre* ***cours*** *à* : laisser éclater, exprimer (un sentiment, une émotion). **2.** ***Cours*** *d'eau* : eau qui s'écoule entre deux rives (fleuve, rivière, etc.). **3.** Distance parcourue par un **cours** d'eau : *L'Amazone a un* ***cours*** *de 7 000 kilomètres.* **4.** *Spéc.* ▸ *Astron.* ***Cours*** *d'une étoile* : son déplacement apparent dans le ciel. ▸ *Mar.* Trajet, traversée : *Voyage au long* ***cours*** ; *Capitaine au long* ***cours.*** **II. 1.** Écoulement continu, inexorable du temps ; durée d'une action : *Le* ***cours*** *des saisons* ; *Le* ***cours*** *de l'histoire.* ▸ Loc. *Suivre son* ***cours*** : évoluer comme prévu ; *En* ***cours*** : en train de se dérouler. ▸ Loc. prép. *Au* ***cours*** *de* : pendant, durant. **2.** *Écon.* Fluctuation, évolution de la valeur d'un titre, d'une marchandise ; cette valeur, prise à un moment donné : *Le* ***cours*** *de la Bourse* ; *Le* ***cours*** *du sucre s'est effondré.* ▸ Loc. *Avoir* ***cours*** : avoir une valeur légale et, au fig., être en usage actuellement. **III. 1.** Enseignement dispensé à des élèves : *Un* ***cours*** *d'histoire.* **2.** Manuel traitant d'une matière

précise. **3.** Établissement qui prodigue un enseignement : *Un cours privé* ; *Un cours de théâtre.* **4.** Degré d'enseignement, cycle scolaire : *Entrer en cours élémentaire.* **IV.** Large avenue servant de promenade aux citadins : *Le cours Saleya à Nice.* Déb. XII^e s. ; lat. *cursus* ; [kuʀ].

**COURSE, subst. f.**
**I. 1.** Action de se déplacer en courant : *Au pas de course* ; *La course puissante du guépard.* ► Loc. *Être à bout de course* : être épuisé. **2.** Compétition sportive dans laquelle le vainqueur est le plus rapide : *La course à pied* ; *Voiture de course* ; *Course cycliste* ; *Les courses de chevaux* ou, empl. abs., *Les courses.* **3.** Fig. Rivalité entre des personnes, des groupes ou des pays voulant chacun atteindre le premier un même but : *La course à l'Élysée* ; *La course aux armements.* ► Loc. *Ne plus être dans la course* : être dépassé par les évènements. **4.** *Hist.* Guerre de course : pratiquée par des navires corsaires. **II. 1.** Trajet, parcours ; randonnée : *Une belle course en montagne.* ► Déplacement effectué pour transporter, livrer qqch. ou accomplir une démarche : *Une course en taxi* ; *Un garçon de courses* ; *Faire des courses*, faire des achats ; par méton. : *Ranger les courses dans la réserve.* **2.** Progression continue de qqch. : *La course éternelle des jours* ; *La course des astres*, leur mouvement apparent dans l'espace. **3.** *Techn.* Mouvement d'une pièce entre deux points d'un mécanisme ; la distance qu'elle peut parcourir : *Une pédale bloquée à mi-course.* ► Loc. *En fin de course* : au terme de son mouvement et, au fig., sur le déclin. Déb. XIII^e s. ; ☞ *cours*, d'apr. l'ital. *corsa* ; [kuʀs].

**COURSE-POURSUITE, subst. f.**
**1.** Poursuite intense ponctuée de péripéties. **2.** *Sp.* Épreuve sur piste, en cyclisme. Comp. de *course* et de *poursuite* ; plur. *courses-poursuites* ; [kuʀspuʀsɥit].

**COURSER, verbe trans. [3]**
Poursuivre en courant (fam.) : *Le chat coursait la souris.* 1843 ; ☞ *course* ; [kuʀse].

**COURSIER (I), subst. m.**
Cheval d'allure racée, tels ceux que l'on montait pour la bataille ou le tournoi (littér.). XII^e s. ; anc. fr. *cors*, « allure rapide » ; [kuʀsje].

**COURSIER (II), IÈRE, subst.**
Employé effectuant des courses : *Livraison par coursier.* Fin XIX^e s. ; ☞ *course* ; [kuʀsje, jɛʀ].

**COURSIVE, subst. f.**
**1.** *Mar.* Étroit couloir parcourant un navire dans le sens de sa longueur. **2.** Anal. Galerie desservant plusieurs logements d'un immeuble. 1687 ; ital. *corsia*, du lat. médiév. *cursivus*, « cursif » ; [kuʀsiv].

**COURSON, subst. m.**
*Arboric.* Branche de vigne ou d'arbre fruitier, raccourcie pour que la sève s'y concentre. 1537 ; anc. fr. *acorcier*, « raccourcir », d'apr. *court* (I) ; var. *courçon* ou *une coursonne* ; [kuʀsɔ̃].

**COURT (I), COURTE, adj. et adv.**
ADJ. **1.** Dont la longueur est petite par rapport à la moyenne : *Un chien à poils courts.* ► Loc. *Le plus court chemin* ou, par ell., *Le plus court* : le chemin le plus direct ; *Avoir la vue courte* : être myope ou, au fig., manquer de prévoyance, d'ouverture d'esprit. **2.** De peu de durée ; bref : *Un court instant* ; *Un règne court.* ► Rapproché : *Crédit à court terme.* ► Dont le rythme est rapide : *Un souffle court* ; *Une mer courte*, aux vagues très rapprochées. ► Loc. *Avoir la mémoire courte* : oublier un peu vite le passé (fam.). **3.** Concis, ramassé : *Un court exposé.* ► Fam. Qui manque d'ampleur ; insuffisant : *C'est un peu court, jeune homme !* ADV. **1.** De manière courte : *Une herbe tondue court* ; *S'habiller court.* **2.** Loc. *Tourner court* : cesser brusquement ; *Couper court à qqch.* : y mettre rapidement fin ; *Prendre qqn de court* : ne pas lui laisser la possibilité de réagir ; *Rester court* : ne pas savoir quoi dire ; *Être à court de qqch.* : en manquer. Fin XI^e s. ; lat. *curtus*, « tronqué, écourté » ; [kuʀ, kuʀt].

**COURT (II), subst. m.**
*Sp.* Terrain sur lequel on pratique le tennis : *Un court en terre battue.* 1894 ; angl. *court*, de l'anc. fr. *court*, « cour » ; [kuʀ].

**COURTAGE, subst. m.**
*Comm.* **1.** Activité du courtier. **2.** Méton. Rémunération du courtier. 1248 ; ☞ *courtier* ; [kuʀtaʒ].

**COURTAUD, AUDE, adj.**
**1.** Qui a la queue courte ou coupée, en parlant d'un animal (vieilli). **2.** Trapu, épais : *Des mains courtaudes.* 1439 ; ☞ *court* (I) ; [kuʀto, od].

**COURTAUDER, verbe trans. [3]**
Priver (un animal) de sa queue (vieilli) : *Courtauder un chien.* 1718 ; ☞ *courtaud* ; [kuʀtode].

**COURT-BOUILLON, subst. m.**
*Cuis.* Eau assaisonnée d'aromates et additionnée de vin blanc, servant à préparer des aliments ; par méton., le plat lui-même. 1651 ; comp. de *court* (I) et de *bouillon* ; plur. *courts-bouillons* ; [kuʀbujɔ̃].

**COURT-CIRCUIT, subst. m.**
*Électr.* Contact établi, dans un circuit, entre deux points à potentiels de tension différents ; par méton., rupture de courant qui en résulte. 1890 ; comp. de *court* (I) et de *circuit* ; plur. *courts-circuits* ; [kuʀsiʀkɥi].

**COURT-CIRCUITER, verbe trans. [3]**
**1.** Établir un court-circuit dans (un circuit électrique). **2.** Fig. Écarter, négliger (un intermédiaire habituel) pour atteindre son but : *Un patron qui court-circuite les syndicats en négociant directement avec le personnel.* 1931 ; ☞ *court-circuit* ; [kuʀsiʀkɥite].

**COURTEPOINTE, subst. f.**
Couvre-pied ouaté et piqué ; couvre-lit. Fin XII^e s. ; formé de l'anc. fr. *coute*, « matelas de plumes », et du p. p. de *poindre* (vx), « piquer » ; [kuʀtəpwɛ̃t].

**COURTIER, IÈRE, subst.**
Personne qui, moyennant une prime, sert d'intermédiaire entre deux parties dans une transaction commerciale ou financière : *Un courtier en cafés.* Déb. XIII^e s. ; anc. fr. *corre*, « courir » ; [kuʀtje, jɛʀ].

**COURTILIÈRE, subst. f.**
*Zool.* Orthoptère de la même famille que les grillons, grand insecte à longues antennes, de couleur roussâtre, qui ravage les semis en creusant des galeries souterraines, à la manière des taupes (synon. *taupe-grillon*). 1547 (fin XIII^e s., jardinière) ; *courtil* (vx), « jardin » ; [kuʀtiljɛʀ].

**COURTINE, subst. f.**
**1.** Tenture ornant ou dissimulant un lit ; par ext. : *Une courtine de porte.* **2.** *Archit.* Partie d'un rempart comprise entre deux bastions. X^e s. ; bas lat. *cortina*, du lat. *cohors*, « cour de ferme » ; [kuʀtin].

**COURTISAN, subst. m.**
**1.** Celui qui est attaché à la cour d'un souverain : *Les privilèges des courtisans du pape.* **2.** Ext. Celui qui cherche à gagner les faveurs d'une personne puissante ou influente par la flatterie, la servilité ; empl. adj. : *Esprit courtisan* ; *Presse courtisane.* XIV^e s. ; ital. *cortigiano*, de *corte*, « cour » ; [kuʀtizɑ̃].

**COURTISANE, subst. f.**
**1.** Femme cultivée exerçant une influence sur un personnage puissant (vx ou littér.) : *Thaïs, la courtisane grecque amie d'Alexandre.* **2.** Ext. Femme d'allure mondaine qui vend ses charmes. Mil. XVI^e s. ; ital. *cortigiana*, de *corte*, « cour » ; [kuʀtizan].

**COURTISANERIE, subst. f.**
Comportement du courtisan. 1560 ; ☞ *courtisan* ; [kuʀtizanʀi].

**COURTISER, verbe trans. [3]**
**1.** Flatter (qqn d'influent) pour obtenir quelque avantage. **2.** Entourer de prévenances assidues, chercher à conquérir (une femme). 1557 ; ital. *corteggiare*, de *corte*, « cour » ; [kuʀtize].

**COURT-JOINTÉ, ÉE, adj.**
Qualifie un cheval dont les paturons sont courts. 1661 ; comp. de *court* (I) et de *jointé*, dérivé de *joindre* ; plur. *court-jointés, ées* ; [kuʀʒwɛ̃te].

**COURT-JUS, subst. m.**
Court-circuit (fam.). Déb. XX^e s. ; comp. de *court* (I) et de *jus* ; plur. *courts-jus* ; [kuʀʒy].

**COURT-MÉTRAGE, subst. m.**
Film de courte durée (20 min env.). 1911 ; comp. de *court* (I) et de *métrage* ; var. *court métrage*, plur. *courts(-)métrages* ; [kuʀmetʀaʒ].

**COURTOIS, OISE, adj.**
**1.** Propre aux cours des princes et des seigneurs du Moyen Âge, à l'idéal de la chevalerie qu'on y cultivait : *Roman courtois* ; *Amour courtois*, très codifié et gén. platonique. ► *Armes courtoises* : émoussées pour ne pas blesser. **2.** Qui se distingue par une politesse raffinée, qui témoigne une grande civilité : *Un conducteur courtois.* Fin XI^e s. ; anc. fr. *court*, « cour » ; [kuʀtwa, waz].

**COURTOISEMENT, adv.**
De manière courtoise : *Il fut courtoisement éconduit.* Fin XI^e s. ; ☞ *courtois* ; [kuʀtwazmɑ̃].

**COURTOISIE, subst. f.**
Comportement courtois, politesse raffinée. 1155 ; ☞ *courtois* ; [kuʀtwazi].

**COURT-VÊTU, UE, adj.**
Qui porte un vêtement court. Fin XIV^e s. ; comp. de *court* (I) et de *vêtu* ; plur. *court-vêtus, ues* ; [kuʀvety].

**COURU, UE, adj.**
Qui a du succès, est recherché : *Un musée très couru.* ► Loc. *C'était, c'est couru* : prévisible, certain (fam.). XVII^e s. ; p. p. de *courir* ; [kuʀy].

**COUSCOUS, subst. m.**
*Cuis.* **1.** Semoule de blé dur cuite à la vapeur. **2.** Plat d'Afrique du Nord composé de cette semoule accompagnée de viande ou de poisson et de légumes cuits dans un bouillon épicé. 1505 ; ar. d'Afrique du Nord *kuskusū* ; [kuskus].

**COUSETTE, subst. f.**
**1.** Apprentie couturière. **2.** Petite trousse à couture. Fin XIX^e s. ; ☞ *coudre* ; [kuzɛt].

**COUSEUR, EUSE, subst.**
**1.** Personne qui coud : *Un couseur d'espadrilles.* **2.** Ouvrier qui coud les cahiers d'un livre. FÉM. Machine à coudre les livres. XIII^e s. ; ☞ *coudre* ; [kuzœʀ, øz].

**COUSIN (I), INE, subst.**
Personne qui a les mêmes grands-parents (ou ascendants plus lointains) qu'une autre, sans être son frère ou sa sœur : *Cousins à la mode de Bretagne*, si éloignés que leur parenté ne peut être établie. ► Loc. *Le roi n'est pas son cousin* : il est d'une extrême prétention. Fin XI^e s. ; lat. pop. °*consinus*, du lat. *consobrinus*, « cousin germain maternel » ; [kuzɛ̃, in].

**COUSIN (II), subst. m.**
*Zool.* Moustique de la famille des Culicidés, espèce *Culex pipiens.* Les piqûres de sa femelle peuvent transmettre le paludisme. 1551 ; lat. pop. °*culicinum*, du lat. *culex*, « moustique » ; [kuzɛ̃].

**COUSINAGE, subst. m.**
**1.** Lien de parenté entre cousins. **2.** Méton. Ensemble des membres d'une même famille. XII^e s. ; ☞ *cousin* (I) ; [kuzinaʒ].

**COUSINER, verbe intrans. [3]**
Bien s'entendre, avoir des rapports familiers (avec qqn). 1605 ; ☞ *cousin* (I) ; [kuzine].

**COUSSIN, subst. m.**
**1.** Objet composé d'une enveloppe de cuir ou de tissu emplie d'une matière souple, servant à supporter ou à caler confortablement une partie du corps. **2.** *Techn.* *Coussin d'air* : masse d'air comprimé, insufflée sous le châssis d'un véhicule pour le maintenir au-dessus du sol ou de l'eau et permettre ainsi son déplacement. XII^e s. ; bas lat. *coxinus*, du lat. *coxa*, « cuisse » ; [kusɛ̃].

**COUSSINET, subst. m.**
**1.** Petit coussin. **2.** Anal. Ce qui sert à supporter, à amortir. ► *Anat.* Bourrelet, renflement : *Les coussinets de la patte du chat.* ► *Archit.* Partie renflée d'un chapiteau ionique. ► *Ch. de fer.* Pièce sur laquelle repose le rail. ► *Mécan.* Pièce cylindrique en métal dans laquelle peut tourner un arbre mobile. Fin XIII^e s. ; ☞ *coussin* ; [kusinɛ].

**COUSU, UE, adj.**
Qui est assemblé ou fixé par des points de couture : *Un sac cousu main.* ► Loc. *Un travail cousu main* réalisé avec soin, efficacité, ou qu'on est assuré de réussir (fam.) ; *Cousu de fil blanc* : évident, qui ne peut abuser personne ; *Bouche cousue !* : silence. Mil. XII^e s. ; p. p. de *coudre* ; [kuzy].

**COÛT, subst. m.**
**1.** Prix, valeur matérielle d'une chose : *Le coût d'un déménagement.* ► *Coût de la vie* : valeur des biens et des services, pendant une période donnée, comparée à celle des revenus. **2.** Fig. Conséquence fâcheuse d'une situation : *Le coût de tes erreurs.* 1155 ; ☞ *coûter* ; [ku].

**COÛTANT, adj. m.**
*Prix coûtant* : prix équivalant au coût de fabrication. 1679 (XIII^e s., coûteux) ; p. pr. de *coûter* ; [kutɑ̃].

**COUTEAU, subst. m.**
**1.** Instrument tranchant formé d'une lame enchâssée dans un manche, à usage domestique ou pouvant servir d'arme : *Couteau à pain* ; *Couteau de chasse, à cran d'arrêt.* **2.** Anal. Outil servant à trancher, à gratter ou à étaler qqch. : *Couteau mastic* ; *Peindre au couteau*, avec une sorte de petite truelle. **3.** Loc. *Mettre le couteau sous la gorge*

qqn : le contraindre à faire qqch. ; *Être à **couteaux** tirés* : en termes très hostiles ; *Remuer le **couteau** dans la plaie* : raviver une contrariété, une peine ; *Un second **couteau*** : un comparse au rôle mineur ; *Un brouillard à couper au **couteau*** : très dense. **4.** *Techn.* Pièce rigide et triangulaire qui supporte le fléau d'une balance. **5.** *Zool.* Mollusque bivalve du genre *Solen*, vivant dans les sables côtiers. Déb. XIIe s. ; lat. *cultellus*, « petit couteau » ; [kuto].

**COUTEAU-SCIE, subst. m.**
Couteau de cuisine à lame dentelée. 1723 ; comp. de *couteau* et de *scie* ; plur. *couteaux-scies* ; [kutosi].

**COUTELAS, subst. m.**
**1.** Vx. Courte épée dont la lame n'a qu'un tranchant. **2.** Ext. Grand couteau pouvant servir d'arme ou, en cuisine, d'instrument de découpe. 1560 ; m. fr. *coutelasse*, « couteau de combat » ; [kutlɑ].

**COUTELIER, IÈRE, subst.**
Personne qui fabrique, vend des couteaux et autres objets de coutellerie ; empl. adj. : *Le secteur **coutelier**.* Fin XIIe s. ; *coutel* (vx), « couteau » ; [kutəlje, jɛʀ].

**COUTELLERIE, subst. f.**
**1.** Technique de la fabrication des couteaux et des autres instruments tranchants. **2.** Méton. Lieu où ces instruments sont fabriqués ou vendus ; ensemble formé par ces instruments. Fin XIIe s. ; *coutel* anc. forme de *couteau* ; [kutɛlʀi].

**COÛTER, verbe** [3]
**Intrans. 1.** Représenter telle valeur d'achat ou de vente : *Combien **coûte** ce livre ? ; Les 100 francs qu'il m'a **coûté*** ; par ext. : *Cette maison ne **coûte** pas cher*, son prix est bas. **2.** Fig. Être difficile, pénible : *Cela me **coûte** de vous dire la vérité.* ▸ Loc. ***Coûte que coûte*** : quelque effort que cela exige. **Trans. 1.** Nécessiter, entraîner : *Les ennuis que cette erreur a **coûtés**.* **2.** Causer la perte de : *L'accident lui a **coûté** la vie.* XIIe s. ; lat. *constare*, « se tenir arrêté ; coûter » ; [kute].

**COÛTEUX, EUSE, adj.**
**1.** Qui coûte cher : *Un repas **coûteux**.* **2.** Fig. Qui réclame des efforts, des sacrifices : *Une guerre **coûteuse** en vies humaines.* Fin XIIe s. ; ☞ *coûter* ; [kutø, øz].

**COUTIL, subst. m.**
Toile de coton ou de lin, au tissage croisé et serré : *Salopette de **coutil**.* 1338 ; anc. fr. *coute*, « matelas de plumes » ; [kuti].

**COUTRE, subst. m.**
**1.** *Agric.* Lame d'acier fixée en avant du soc d'une charrue pour fendre la terre. **2.** Hache servant à fendre le bois. Mil. XIIe s. ; lat. *culter* ; [kutʀ].

**COUTUME, subst. f.**
**1.** Comportement, pratique établie par l'usage dans une collectivité, un groupe social : *Une **coutume** vivace ; Les us et **coutumes** d'un peuple*, ses traditions. ▸ *Dr.* Ensemble des droits locaux (non écrits) auxquels l'usage a donné force de loi ; par ext., leur codification : *La **Coutume** de Bretagne.* **2.** Ext. Habitude, manière d'agir propre à un individu : *Il a **coutume** de laisser sa porte ouverte.* ▸ Loc. ***De coutume*** : d'ordinaire ; *Une fois n'est pas **coutume*** : contredire ponctuellement l'usage ne signifie pas que l'on fera toujours ainsi. Fin XIe s. ; lat. *consuetudinem*, de *consuetudo*, « habitude » ; [kutym].

**COUTUMIER, IÈRE, adj. et subst. m.**
**Adj. 1.** Qui a coutume de faire qqch. : *Cette cruauté dont il est **coutumier**.* ▸ Loc. ***Être coutumier du fait*** : agir fréquemment d'une certaine manière (souv. péj.). **2.** Habituel ou caractéristique. **3.** *Dr.* Relatif à la coutume. **Subst.** *Dr.* Recueil de la coutume d'une province, d'un pays. Mil. XIIe s. ; ☞ *coutume* ; [kutymje, jɛʀ].

**COUTURE, subst. f.**
**1.** Action, art de coudre. ▸ *Reliure.* Opération d'assemblage des cahiers d'un livre. **2.** Ensemble des points de fil par lesquels deux pièces sont assemblées : *Des **coutures** apparentes.* ▸ Anal. Cicatrice allongée laissée par une arme (vieilli). ▸ Loc. *Examiner qqn, qqch. sous toutes les **coutures*** : avec une attention minutieuse ; *Battre à plate(s) **couture(s)*** : vaincre totalement. **3.** Secteur d'activité consacré à la confection des vêtements : *Défilé de haute **couture***, présentation de modèles de luxe créés par les grands couturiers. Fin Xe s. ; lat. pop. *co(n)sutura*, de *consuere*, « coudre » ; [kutyʀ].

**COUTURÉ, ÉE, adj.**
Présentant de nombreuses cicatrices : *Dos **couturé**.* 1787 ; *couturer* (vx), « coudre » ; [kutyʀe].

**COUTURIER, IÈRE, subst.**
Personne dont le métier est de coudre. **Fém. 1.** Ouvrière d'une maison de couture ; femme effectuant des travaux de couture pour ses clients. **2.** *Théâtre. Répétition des **couturières*** ou, par ell., *La **couturière*** : dernière répétition avant la générale, au cours de laquelle les ultimes retouches sont apportées aux costumes. **Masc. 1.** Créateur d'une collection de modèles de luxe ; directeur d'une maison de haute couture. **2.** *Anat.* Muscle long de la partie antérieure de la cuisse. 1213 ; ☞ *couture* ; [kutyʀje, jɛʀ].

**COUVADE, subst. f.**
*Anthropol.* Rite dans lequel, pour marquer le rattachement d'un nouveau-né à son clan, le père tient théâtralement le rôle de l'accouchée. 1873 (1539, *faire la couvade*, être inactif) ; ☞ *couver* ; [kuvad].

**COUVAIN, subst. m.**
*Zool.* Ensemble des œufs, des larves et des nymphes d'insectes vivant en colonie : *Le **couvain** d'une termitière.* XIVe s. ; ☞ *couver* ; [kuvɛ̃].

**COUVAISON, subst. f.**
**1.** Action de couver. **2.** Ext. Temps compris entre la ponte des œufs et leur éclosion. 1542 ; ☞ *couver* ; [kuvɛzɔ̃].

**COUVÉE, subst. f.**
**1.** Vx. Fait de couver. **2.** Méton. Ensemble des œufs couvés ; les petits qui en sont nés : *Une **couvée** de cinq œufs ; Une **couvée** de canetons.* **3.** Loc. *Être de la même **couvée*** : avoir une formation commune. Déb. XIIe s. ; p. p. de *couver* ; [kuve].

**COUVENT, subst. m.**
**1.** Établissement abritant une communauté religieuse ; par méton., cette communauté. **2.** Ext. Pensionnat de jeunes filles dirigé par des religieuses. XIIe s. ; lat. *conventus*, « réunion » ; [kuvɑ̃].

*Intérieur de **couvent**, peinture anonyme de l'école de Ségovie (XVIe s.). Musée Lazaro Galdiano, Madrid.*

**COUVENTINE, subst. f.**
**1.** Religieuse d'un couvent. **2.** Pensionnaire dans un couvent (vieilli). Fin XIXe s. ; ☞ *couvent* ; [kuvɑ̃tin].

**COUVER, verbe** [3]
**Trans. 1.** En parlant d'un oiseau, couvrir de son corps (des œufs) pour les maintenir à la température adaptée à leur éclosion. **2.** Fig. Entourer de soins attentifs ou excessifs : *Couver ses enfants.* ▸ ***Couver des yeux*** : regarder avec affection ou convoitise. **3.** Préparer secrètement (qqch. de néfaste) : *Couver sa vengeance.* ▸ ***Couver une maladie*** : l'incuber. **Intrans.** Être latent, prêt à se manifester : *Le feu **couve** sous la cendre* ; au fig. : *La révolte **couve**.* Déb. XIIe s. ; lat. *cubare*, « être couché » ; [kuve].

**COUVERCLE, subst. m.**
Pièce mobile dont on couvre un récipient pour le fermer. Mil. XIIe s. ; lat. *cooperculum* ; [kuvɛʀkl].

**COUVERT, ERTE, adj. et subst. m.**
**I. Adj. 1.** Abrité : *Marché **couvert**.* **2.** Vêtu : *Chaudement **couvert** ; Rester **couvert***, garder son chapeau. **3.** Voilé : *Ciel **couvert*** ; au fig. : *À mots **couverts***, par allusions. **Subst. 1.** Voûte végétale, ombrage : *Un épais **couvert**.* ▸ *Milit.* Tout écran feuillu empêchant d'être vu de l'ennemi. **2.** Gîte : *Le vivre et le **couvert**.* **3.** ▸ Loc. ***À couvert***. À l'abri, hors de vue et, au fig., hors d'atteinte. ▸ *Comm. **Être à couvert*** : disposer de garanties sur ses créances. ▸ Loc. prép. ***Sous le couvert de***. Sous la responsabilité de ; sous le masque de. **II. Subst. 1.** Ce que l'on dispose sur la table pour y prendre le repas : *Mettre le **couvert**.* **2.** Ensemble formé d'une cuiller, d'une fourchette et d'un couteau. **3.** Vaisselle utilisée par chaque convive : *Ajouter un **couvert** ; Avoir toujours son **couvert** mis*, être toujours reçu comme un familier. ▸ Méton. Repas : *J'ai servi cent **couverts*** ; par ext. : *Nappe de six **couverts***, pouvant accueillir six personnes. Xe s. ; p. p. de *couvrir* ; [kuvɛʀ, ɛʀt].

**COUVERTE, subst. f.**
*Techn.* Mince glaçure, émail dont on revêt la faïence ou la porcelaine à une température donnée de cuisson. 1752 ; ☞ *couvert* ; [kuvɛʀt].

**COUVERTURE, subst. f.**
**I.** Ce qui couvre. **1.** Revêtement extérieur d'un toit : ***Couverture** d'ardoises.* **2.** Pièce d'étoffe que l'on étend pour protéger du froid : ***Couverture** de lit, de voyage.* ▸ Loc. *Tirer la **couverture** à soi* : chercher à s'attribuer un mérite partagé (fam.). **3.** Partie extérieure renforcée d'un livre ; par ext., enveloppe cartonnée ou plastifiée d'un cahier, d'un carnet. **4.** ***Couverture** végétale* : ensemble des végétaux recouvrant le sol ; couvert. **II.** Ce qui protège, garantit. **1.** Ce qui sert à dissimuler (souv. péj.) : *Ce commerce tient lieu de **couverture** pour un trafic.* **2.** *Comm.* Garantie d'une créance. **3.** *Fin.* Ensemble des valeurs de réserve (or, devises) venant garantir la monnaie d'un pays. **4.** *Milit.* Protection d'un territoire par des forces armées : *Troupes de **couverture** ; **Couverture** aérienne.* **5.** ***Couverture** sociale* : protection d'un individu par la législation sociale, en partic. par la Sécurité sociale. **III.** Ce qui satisfait à une exigence, à une demande. **1.** Fait de couvrir un besoin, de répondre à une urgence : ***Couverture** des dépenses en énergie par la production nationale.* **2.** *Journ.* Fait de couvrir un évènement. **3.** *Télécomm.* Zone de diffusion d'un émetteur. Mil. XIIe s. ; ☞ *couvrir* ; [kuvɛʀtyʀ].

**COUVEUSE, subst. f.**
**1.** Poule ou, par ext., femelle qui couve ; empl. adj. : *Une poule **couveuse**.* **2.** ***Couveuse** artificielle* : appareil où l'on fait éclore des œufs (synon. *incubateur*) ; par anal., enceinte maintenue à température constante, dans laquelle on place un nouveau-né fragile ou prématuré. 1542 ; ☞ *couver* ; [kuvøz].

**COUVOIR, subst. m.**
**1.** Sorte de nid, de panier où l'on fait couver les oiseaux de basse-cour. **2.** Local où l'on installe des poules couveuses ou des incubateurs à des fins d'élevage industriel. 1564 ; ☞ *couver* ; [kuvwaʀ].

**COUVRANT, ANTE, adj.**
Qui couvre de façon opaque : *Pouvoir **couvrant** d'une peinture.* 1901 ; p. pr. de *couvrir* ; [kuvʀɑ̃, ɑ̃t].

**COUVRE-CHEF, subst. m.**
Ce qui couvre la tête, chapeau, bonnet, casquette... (fam.). Déb. XIIIe s. ; comp. de *couvrir* et de *chef* ; plur. *couvre-chefs* ; [kuvʀəʃɛf].

**COUVRE-FEU, subst. m.**
**1.** Signal qui marquait autrefois le moment de rentrer chez soi et d'y rester toute lumière éteinte. **2.** Injonction de l'autorité militaire ou policière, qui défend de sortir à certaines heures. XIIIe s. ; comp. de *couvrir* et de *feu* (I) ; plur. *couvre-feux* ; [kuvʀəfø].

**COUVRE-JOINT, subst. m.**
*Constr.* Élément qui protège et dissimule un joint. 1845 ; comp. de *couvrir* et de *joint* (I) ; plur. *couvre-joints* ; [kuvʀəʒwɛ̃].

**COUVRE-LIT, subst. m.**
Pièce d'étoffe, couverture légère étendue sur un lit pour le protéger ou l'orner. Déb. XIVe s. ; comp. de *couvrir* et de *lit* ; plur. *couvre-lits* ; [kuvʀəli].

**COUVRE-LIVRE, subst. m.**
Couverture de papier ou de plastique protégeant un livre. XIXe s. ; comp. de *couvrir* et de *livre* (II) ; plur. *couvre-livres* ; [kuvʀəlivʀ].

**COUVRE-PIED(S), subst. m.**
Couverture molletonnée et piquée qui couvre le bas du lit. 1696 ; comp. de *couvrir* et de *pied* ; plur. *couvre-pieds* ; [kuvʀəpje].

**COUVRE-PLAT, subst. m.**
Couvercle, cloche dont on recouvre un plat pour l'empêcher de refroidir. 1688 ; comp. de *couvrir* et de *plat* ; plur. *couvre-plats* ; [kuvʀəpla].

**COUVREUR, EUSE, subst.**
*Bât.* Spécialiste de la pose et de la réparation des toitures ; en appos. : *Un artisan **couvreur**.* Déb. XIIIe s. ; ☞ *couvrir* ; [kuvʀœʀ, øz].

**COUVRIR, verbe trans.** [27]
**1.** Garnir, revêtir (une chose), en posant ou en étendant qqch. dessus : ***Couvrir** un récipient d'un couvercle* ; ***Couvrir** un mur de peinture.* ▸ ***Couvrir** un enfant* : le vêtir plus chaudement. ▸ *Jeux.* ***Couvrir** une carte* : poser dessus une autre carte ou une mise. ▸ ***Couvrir** une enchère* : surenchérir. **2.** Charger, parsemer (qqch.) d'une grande quantité de choses : ***Couvrir** un manuscrit de ratures, un vêtement de paillettes* ; au fig. : ***Couvrir** qqn de baisers* ; ***Couvrir** qqn de louanges.* **3.** Être appliqué, posé sur ; cacher, masquer : *Un voile léger **couvrait** ses épaules.* ▸ Ext. ***Couvrir** un son* : le dominer, être plus puissant (en parlant d'un autre son). ▸ *Zool.* S'accoupler à (une femelle), en parlant d'un mâle. **4.** Se répandre ou être répandu uniformément sur : *La neige **couvre** le sol.* **5.** Parcourir (une distance) : *Il **a couvert** les 3 000 mètres en 9 minutes.* **6.** Avoir pour étendue, pour rayon d'action : *Ce domaine **couvre** près de 20 hectares* ; *Le réseau ferré **couvre** l'ensemble du territoire* ; par anal. : *Le règne de Louis XIV **couvrit** soixante-douze ans.* ▸ *Journ.* Fournir l'information sur (un évènement). **7.** Protéger (qqn, qqch.) en interposant qqch. qui fait écran : ***Couvrir** qqn de son corps* ; ***Couvrir** ses arrières.* ▸ Fig. ***Couvrir** qqn* : assumer la responsabilité de ce qu'il fait. ▸ *Comm.* Garantir contre : *Cette assurance **couvre** les dégâts des eaux* ; compenser : *Le bénéfice des ventes **couvrira** les frais généraux.* **Pronom. 1.** Se vêtir : ***Couvrez-vous** bien avant de sortir.* **2.** Se charger, être parsemé de : *Le ciel **se couvre** de nuages* ou, par ell., *Le ciel **se couvre**.* **3.** Attirer sur soi : ***Se couvrir** de honte, de gloire.* **4.** Se garantir (contre un risque). Xe s. ; lat. *cooperire*, « couvrir entièrement » ; [kuvʀiʀ].

**COVALENCE, subst. f.**
*Chim.* Liaison de deux atomes obtenue par la mise en commun de deux électrons périphériques ou de plusieurs paires d'électrons. 1920 ; mot angl. ; [kovalɑ̃s].

**COVALENT, ENTE, adj.**
*Chim.* Relatif à la covalence : *Liaisons **covalentes**.* 1957 ; angl. *covalent* ; [kovalɑ̃, ɑ̃t].

**COVARIANCE, subst. f.**
*Stat.* Étant donné deux variables aléatoires X et Y, on appelle **covariance** de ces deux variables, et on note cov (X, Y), l'espérance mathématique du produit des variables centrées associées à X et à Y. On a donc : $\text{cov}(X, Y) = E[(X - E(X))(Y - E(Y))]$ (☞ *espérance*). 1921 ; ☞ *variance* + *co-* ; [kovaʀjɑ̃s].

**COVENANT, subst. m.**
**1.** *Hist.* Ligue formée par les presbytériens écossais au XVIe s. puis au XVIIe s. pour lutter contre la tentative royale d'imposer l'anglicanisme. **2.** Ext. Pacte, convention. XVIIe s. ; angl. *covenant*, de l'anc. fr. *covenant*, « accord » ; [kov(ə)nɑ̃].

**COVENDEUR, EUSE, subst.**
*Dr.* Personne associée à une ou plusieurs autres pour vendre un même produit. 1673 ; ☞ *vendeur* + *co-* ; [kovɑ̃dœʀ, øz].

**COVER-GIRL, subst. f.**
Jeune femme qui pose pour les photographies des magazines, en partic. pour la couverture (anglic.). V. 1950 ; anglo-amér. *cover girl*, de *cover*, « couverture », et de *girl*, « fille » ; plur. *cover-girls* ; [kɔvœʀgœʀl].

**COW-BOY, subst. m.**
Gardien à cheval de troupeaux de bovins, dans les ranchs américains. 1839 ; anglo-amér. *cowboy*, « vacher » ; plur. *cow-boys* ; [k(a)obɔj].

**COW-POX, subst. m. inv.**
Éruption pustuleuse apparaissant sur le pis des vaches, dont l'exsudat constitue pour l'homme le vaccin contre la variole. Déb. XIXe s. ; angl. *cowpox*, « variole de la vache » ; [k(a)opɔks].

**COXAL, ALE, AUX, adj.**
*Anat.* Qui est propre à la hanche. 1811 ; lat. *coxa*, « hanche » ; [kɔksal, o].

**COXALGIE, subst. f.**
*Pathol.* Arthrite tuberculeuse de la hanche. 1823 ; lat. *coxa*, « hanche », + *-algie* ; [kɔksalʒi].

**COXALGIQUE, adj. et subst.**
**Adj.** Relatif à la coxalgie ; qui souffre de coxalgie. **Subst.** Personne atteinte de coxalgie. 1863 ; ☞ *coxalgie* ; [kɔksalʒik].

**COXARTHROSE, subst. f.**
*Pathol.* Arthrose de la hanche. 1959 ; formé du lat. *coxa*, « hanche », et de *arthrose* ; [kɔksaʀtʀoz].

1

2

3

1. *Coyote.*

2. *Crabe des cocotiers, aux pinces puissantes.*

3. *Crapaud commun.*

**COYAU, subst. m.**
*Bât.* Pièce de bois à la base des chevrons, qui fait saillie pour préserver les murs des eaux pluviales. 1304 ; anc. fr. *cöe*, *coue*, « queue » ; [kɔjo].

**COYOTE, subst. m.**
*Zool.* Mammifère carnivore d'Amérique centrale et du Nord, de la famille des Canidés, proche du chacal. 1869 ; esp. *coyote*, du nahuatl *coyotl* ; [kɔjɔt].

**Cr, voir CHROME**

**CRABE, subst. m.**
**1.** *Zool.* Crustacé de l'ordre des Décapodes, possédant un abdomen court et une paire d'appendices antérieurs très puissants (pinces). *Cancer pagurus* est le tourteau ; *Portunus puber* est l'étrille. ▸ Loc. *Marcher en **crabe*** : de côté. **2.** *Astron. Nébuleuse du **Crabe*** : nébulosité visible dans la constellation du Taureau, dont la forme rappelle celle d'un **crabe**. Déb. XIIe s. ; anc. nord. *krabbi*, par le norm., ou m. néerl. *crabbe*, par le wallon ; [kʀɑb].

**CRABIER, subst. m.**
*Zool.* Animal qui se nourrit de crabes : *Le héron est un **crabier**.* 1690 ; ☞ *crabe* ; [kʀɑbje].

**CRABOT, subst. m.**
*Mécan.* Dispositif de pièces dentées. 1929 ; orig. inc. ; var. *clabot* ; [kʀabo].

**CRABOTAGE, subst. m.**
*Mécan.* Action de craboter ; son résultat. 1929 ; ☞ *crabot* ; var. *clabotage* ; [kʀabɔtaʒ].

**CRABOTER, verbe trans.** [3]
*Mécan.* Accoupler (deux pièces) au moyen d'un crabot. 1929 ; ☞ *crabot* ; var. *claboter* ; [kʀabɔte].

**CRAC, interj.**
Onomatopée évoquant le bruit sec d'un craquement, d'un déchirement : ***Crac !** la poutre a cédé sous le poids !* 1492 ; onomat. ; [kʀak].

**CRACHAT, subst. m.**
**1.** Salive, amas de substances sécrétées par les muqueuses des voies respiratoires et rejetées par la bouche. **2.** Insigne, plaque des grades supérieurs dans les ordres de chevalerie (vx et fam.). 1284 ; ☞ *cracher* ; [kʀaʃa].

**CRACHÉ, adj. m.**
Loc. fam. **1.** *Portrait **craché*** : très ressemblant. **2. Tout craché.** Trait pour trait : *C'est sa mère tout **craché**.* Mil. XVe s. ; p. p. de *cracher* ; [kʀaʃe].

**CRACHEMENT, subst. m.**
**1.** Action de cracher. **2.** Anal. Projection, jaillissement de vapeur, de liquide, etc. **3.** Crépitement : *Les **crachements** de la radio.* 1377 ; ☞ *cracher* ; [kʀaʃmɑ̃].

**CRACHER, verbe** [3]
**Intrans. 1.** Expectorer des crachats : *Défense de **cracher**.* **2.** Anal. Projeter des éclaboussures : *Plume qui **crache**.* **3.** Émettre un bruit grésillant : *Le haut-parleur **crache**.* **4.** Loc. fam. ***Cracher** sur qqn* : l'apprécier ; le calomnier ; *Ne pas **cracher** sur qqch.* : l'apprécier ; ***Cracher** dans la soupe* : dénigrer une situation dont on tire pourtant avantage ; *Faire **cracher** qqn* : le faire payer, lui soutirer de l'argent. **Trans. 1.** Projeter par la bouche : ***Cracher** du sang* ; par métaph. : ***Cracher** ses poumons*, tousser beaucoup. **2.** Anal. Évacuer en projetant : *Un geyser qui **crache** de l'eau.* **3.** Fig. Exprimer avec colère (fam.) : ***Cracher** une insulte.* Déb. XIIe s. ; lat. pop. °*craccare*, d'orig. onomat. ; [kʀaʃe].

**CRACHEUR, EUSE, subst.**
**1.** Personne qui crache souvent. **2.** ***Cracheur** de feu* : bateleur qui souffle un liquide inflammable sur une torche. 1538 ; ☞ *cracher* ; [kʀaʃœʀ, øz].

**CRACHIN, subst. m.**
Pluie fine et drue. 1880 ; ☞ *crachiner* ; [kʀaʃɛ̃].

**CRACHINER, verbe impers.** [3]
Pleuvoir sous forme de crachin. 1849 ; norm. *crachiner*, du lat. *crassus*, « épais » ; [kʀaʃine].

**CRACHOIR, subst. m.**
Récipient dans lequel on crache. ▸ Loc. fam. *Tenir le **crachoir*** : parler sans fin ; *Tenir le **crachoir** à qqn* : l'écouter parler. 1546 ; ☞ *cracher* ; [kʀaʃwaʀ].

**CRACHOTEMENT, subst. m.**
**1.** Action de crachoter. **2.** Bruit émis en crachotant : *Le **crachotement** d'un tuyau d'arrosage.* 1694 ; ☞ *crachoter* ; [kʀaʃɔtmɑ̃].

**CRACHOTER, verbe intrans.** [3]
**1.** Cracher souvent et par petites quantités. **2.** Anal. Grésiller faiblement. 1578 ; ☞ *cracher* ; [kʀaʃɔte].

**CRACK (I), subst. m.**
**1.** Cheval de course très performant. **2.** Anal. Personne qui brille dans sa spécialité (fam.). 1854 ; angl. *crack*, « fameux » ; [kʀak].

**CRACK (II), subst. m.**
Cristaux de cocaïne, fumables et très toxiques (argot.). V. 1990 ; anglo-amér. *crack*, « coup de fouet » de *to crack*, « faire du bruit en craquant » ; [kʀak].

**CRACOVIEN, IENNE, adj. et subst.**
De Cracovie. **Subst. fém.** Danse polonaise à deu[x] temps, très populaire en France vers 1840. Mi XIXe s. ; topon. *Cracovie* (Pologne) ; [kʀakɔvjɛ̃, jɛn].

**CRADINGUE, adj.**
Crasseux, très sale (fam.). V. 1950 ; ☞ *crasseux* var. *crade*, *crado*, *cradoque* ; [kʀadɛ̃g].

**CRAIE, subst. f.**
*Pétrogr.* Roche sédimentaire, qui s'est formée a[u] Crétacé supérieur, composée de débris calcaire[s] d'origine organique (squelettes d'algues planctoni[ques] microscopiques et de foraminifères détriti[ques]) faiblement cimentés à des micrograins pa[r] un ciment calcaire : ***Craie** blanche, marneus[e], dolomitique...* La **craie** blanche, poudreuse, a long[temps] été utilisée pour écrire au tableau noir ; [le] bâton de **craie** utilisé actuellement est fait en plât[re] moulé. XIe s. ; lat. *creta* ; [kʀɛ].

**CRAILLER, verbe intrans.** [3]
Pousser son cri, en parlant de la corneille et, pa[r] ext., de certains oiseaux sauvages. Mil. XVI[e] s. ; ori[g.] onomat. ; [kʀaje].

**CRAINDRE, verbe** [54]
**Trans. 1.** Avoir peur de (qqch. ou qqn que l'on ju[ge] nuisible ou menaçant) : ***Craindre** la mort, l'éche[c]* ; ***Craindre** Dieu.* ▸ **Craindre de, que.** Redouter, avo[ir] peur de, que : *Je **crains** qu'il ne soit trop tard* ; ***crains** fort d'avoir commis une bévue.* **2.** Ne pouvo[ir] subir sans dommage : *Le maïs **craint** la sécheres[se].* **Intrans.** *Partons vite d'ici, ça **craint** !* : c'est tr[ès] médiocre ou c'est dangereux (fam.). Fin Xe s. ; l[at.] *tremere*, « trembler », d'un rad. celt. °*crit-*, « frisson » [kʀɛ̃dʀ].

**CRAINTE, subst. f.**
Fait de craindre qqn ou qqch. ; sentiment d'appr[é]hension qui en résulte : *La **crainte** de Dieu, de mour[ir]* ; inquiétude : *Être saisi de **craintes**.* ▸ Loc. prép. **De, p[ar] crainte de** (+ inf.). De peur de : *De **crainte** de tomb[er]* ▸ Loc. conj. **De, par crainte que** (+ subj. et « n[e] » explétif). De peur que : *De **crainte** qu'il (ne) se fâc[he]*. XIIe s. ; ☞ *craindre* ; [kʀɛ̃t].

**CRAINTIF, IVE,** adj.
›rté à craindre : *Enfant **craintif*** ; qui exprime la ›ainte : *Air **craintif**.* 1372 ; ☞ *crainte* ; [kʀɛ̃tif, iv].

**CRAINTIVEMENT,** adv.
›ec crainte. XVe s. ; ☞ *craintif* ; [kʀɛ̃tivmɑ̃].

**CRAMBE (I),** subst. m.
›t. Autre nom du chou marin, plante comestible la famille des Brassicacées. 1545 ; lat. *crambe*, gr. *krambê*, « chou » ; [kʀɑ̃b].

**CRAMBE (II),** subst. m.
›ol. Papillon, de la famille des Pyralidés, dont la ›enille est nuisible à certains végétaux. Gr. ›mbos, « sec ; délicat » ; [kʀɑ̃b].

**CRAMER,** verbe [3]
›m. TRANS. Faire une brûlure à : *Cramer sa chemise* ; ›pl. subst. masc. : *Odeur de **cramé**.* INTRANS. Brûler ›tièrement : *La grange **a cramé**.* 1823 ; anc. prov. ›mar, du lat. *cremare*, « brûler » ; [kʀame].

**CRAMINE,** subst. f.
›lv. Froid intense (fam.). Lat. *cremare*, « brû- ›» ; [kʀamin].

**CRAMIQUE,** subst. m.
›lg. Pain brioché aux raisins. 1831 (1218, poids) ; ›m. *kraammik* ; [kʀamik].

**CRAMOISI, IE,** adj.
›une couleur rouge-violet : *Un tissu, un visage ›**moisi** ; Devenir **cramoisi** de honte.* ► Empl. subst. ›asc. Cette couleur. 1298 ; ital. *cremisi*, de l'ar. ›*mizi*, « de la couleur de la cochenille » ; [kʀamwazi].

**CRAMPE,** subst. f.
Contraction musculaire involontaire, doulou›use et passagère. **2.** Ext. Tout spasme douloureux : ›*e **crampe** d'estomac.* Déb. XIIe s. ; anc. bas frq. ›*ampa* ; [kʀɑ̃p].

**CRAMPILLON,** subst. m.
›tit clou en U à deux pointes (synon. *cavalier*). 1949 ; ☞ *crampon* ; [kʀɑ̃pijɔ̃].

**CRAMPON,** subst. m.
*Techn.* Pièce métallique recourbée, servant à ›sir, à fixer, à assembler. **2.** Élément saillant ›gmentant l'adhérence sur sol meuble : *Chaus›res, pneus, fers à **crampons*** ; au plur., dispositif métal, muni de pointes acérées, que l'on fixe ›chaque chaussure pour marcher sur la glace ou ›ur grimper à un arbre, à un poteau : ***Crampons* ›lpiniste, d'élagueur.** **3.** Fig. et Fam. Importun ›nace : *Quel **crampon** !* ; empl. adj. inv. : *Elles sont ›p **crampon**.* **4.** *Bot.* Organe adventif de fixation certains végétaux : *Les **crampons** du lierre.* 1268 ; anc. bas frq. *°krampo* ; [kʀɑ̃pɔ̃].

**CRAMPONNEMENT,** subst. m.
›tion de cramponner, de se cramponner. 1872 ; ☞ *cramponner* ; [kʀɑ̃pɔnmɑ̃].

**CRAMPONNER,** verbe trans. [3]
*Techn.* Fixer à l'aide d'un crampon : ***Cramponner* ›x poutres.** **2.** Équiper (un cheval) de fers à ›mpons. **3.** Fig. Retenir (qqn) de façon importune ›m.). PRONOM. **Se cramponner à.** S'accrocher ›ec force, s'agripper à : *Il se **cramponnait** à son ›teuil* ; empl. abs. : *Le vent forcit, **cramponne-toi** !* ; fig. : *Se **cramponner** au moindre espoir.* Déb. s. ; ☞ *crampon* ; [kʀɑ̃pɔne].

**CRAN,** subst. m.
**1.** Entaille ou cavité ménagée dans un corps dur ›ur maintenir un élément qui vient s'y loger : *Les ›ns d'une crémaillère, d'une ceinture.* **2.** Petite ›coche faite sur un objet pour servir de marque, repère. ► *Arm. Le **cran** de mire* : entaille aidant déterminer la ligne de visée. ► *Impr. **Cran** d'un ›actère* : encoche latérale permettant, au toucher, le placer dans le bon sens. **3.** Anal. Ondulation ›s marquée imprimée aux cheveux. **4.** Fig. Degré, ›ng : *Monter d'un **cran** dans l'échelle sociale.* **II.** Fam. Courage : *Avoir du **cran**.* **2.** Loc. *Être à **cran*** : ›aspéré, tendu. XIe s. ; ☞ *créner* ; [kʀɑ̃].

**CRÂNE (I),** subst. m.
*Anat.* Boîte osseuse contenant et protégeant le ›rveau. **2.** Méton. Partie supérieure de la tête : *Un ›**âne** dégarni.* ► Loc. *Avoir mal au **crâne*** : souffrir ›une céphalée (fam.). **3.** Fig. et Fam. Esprit, ›rveau : *Mets-toi ça dans le **crâne** !* ► Loc. *Bourrer ›**crâne** à qqn* : l'abuser, le forcer à accumuler inten›ement des connaissances. Déb. XIVe s. ; lat. ›diév. *cranium*, du gr. *kranion* ; [kʀɑn].

**CRÂNE (II),** adj.
›i manifeste de la hardiesse, du courage (vieilli). 1757 ; ☞ *crâne* (I) ; [kʀɑn].

**CRÂNEMENT,** adv.
De manière crâne. 1833 ; ☞ *crâne* (II) ; [kʀɑnmɑ̃].

**CRÂNER,** verbe intrans. [3]
Fam. **1.** Affecter le courage. **2.** Ext. Manifester de la vanité (péj.) : *Tu **crânes** parce que tu as gagné.* 1845 ; ☞ *crâne* (II) ; [kʀɑne].

**CRÂNERIE,** subst. f.
Attitude résolue exprimant la bravoure ou la bravade. 1784 ; ☞ *crâne* (II) ; [kʀɑnʀi].

**CRÂNEUR, EUSE,** subst. et adj.
Fam. ADJ. Qui crâne, qui prend des airs bravaches ou prétentieux. SUBST. Personne qui crâne. 1862 ; ☞ *crâner* ; [kʀɑnœʀ, øz].

**CRÂNIEN, IENNE,** adj.
*Anat.* Relatif au crâne : *Boîte **crânienne**.* 1824 ; ☞ *crâne* (I) ; [kʀɑnjɛ̃, jɛn].

**CRANIOSTÉNOSE,** subst. f.
*Pathol.* Soudure prématurée d'une ou de plusieurs sutures de la boîte crânienne, qui entraîne un arrêt du développement, des malformations crâniennes, des troubles cérébraux et oculaires. ☞ *sténose* + *cranio-* ; [kʀanjɔstenoz].

**CRANTER,** verbe trans. [3]
Faire des crans à : ***Cranter** un pignon, une couture.* 1908 ; ☞ *cran* ; [kʀɑ̃te].

**CRAPAHUTER,** verbe intrans. [3]
Marcher en terrain difficile (argot milit.). 1939 ; ☞ *crapaud* ; [kʀapayte].

**CRAPAUD,** subst. m.
**1.** *Zool.* Terme générique désignant des anoures insectivores utiles qui ne sautent pas bien ou qui n'ont pas de ventouses leur permettant de grimper le long de parois verticales. Les **crapauds** vrais sont des Bufonidés (vertèbres à concavité tournée vers la tête et pas de dents sur les maxillaires) ; le **crapaud** accoucheur est un discoglossidé. **2.** Fig. Personne difforme et laide ; personne vile, méprisable. **3.** En appos. *Piano **crapaud*** : le plus petit des pianos à queue ; *Fauteuil **crapaud*** : petit fauteuil bas rembourré. **4.** *Joaill.* et *Géol.* Défaut d'une pierre précieuse, d'une roche. Fin XIIe s. ; germ. *krappa*, « crochet » ; [kʀapo].

**CRAPAUDINE,** subst. f.
**1.** *Joaill.* Dent pétrifiée de squale. **2.** *Bât.* Grille placée à l'entrée d'une gouttière pour retenir les déchets et les petits animaux. **3.** *Mécan.* Pièce métallique creuse recevant le tourillon d'un pivot. **4.** *Cuis.* *À la **crapaudine*** : manière d'apprêter une volaille, qui consiste à la désosser et à l'aplatir avant de la faire cuire sur le gril. 1235 ; ☞ *crapaud* ; [kʀapodin].

**CRAPETTE,** subst. f.
*Jeux.* Sorte de réussite réalisée à deux avec 2 jeux de 52 cartes. 1939 ; orig. obsc. ; [kʀapɛt].

**CRAPOUILLOT,** subst. m.
**1.** Petit mortier de tranchée de la Première Guerre mondiale. **2.** Méton. ► Obus de ce mortier. ► Artilleur qui le sert. Fin XIXe s. ; *crapaud* (vx), « affût de mortier » ; [kʀapujo].

**CRAPULE,** subst. f.
**1.** Vx. Débauche, ivrognerie ; par méton., ensemble de personnes qui s'adonnent à ces vices. **2.** Individu dépravé et malhonnête. XIVe s. ; lat. *crapula*, du gr. *kraipalê*, « excès de vin » ; [kʀapyl].

**CRAPULERIE,** subst. f.
**1.** Bassesse, malhonnêteté. **2.** Méton. Acte vil et malhonnête. 1854 ; ☞ *crapule* ; [kʀapylʀi].

**CRAPULEUSEMENT,** adv.
D'une manière crapuleuse. 1782 ; ☞ *crapuleux* ; [kʀapyløzmɑ̃].

**CRAPULEUX, EUSE,** adj.
Débauché et malhonnête : *Vie **crapuleuse**.* ► Loc. *Acte, crime **crapuleux*** : sordide, commis pour de l'argent. 1495 ; ☞ *crapule* ; [kʀapylø, øz].

**CRAQUAGE,** subst. m.
*Techn.* Procédé thermique ou catalytique permettant d'augmenter le taux des composés légers d'une huile minérale, utilisé dans le raffinage du pétrole brut (recomm. off. pour *cracking*). 1921 ; ☞ *craquer* (II) ; [kʀakaʒ].

**CRAQUANT, ANTE,** adj.
**1.** Qui produit un craquement : *Des biscottes **craquantes*** ; empl. subst. masc. : *Le **craquant** de la soie.* **2.** Fig. Irrésistible (fam.) : *Des chiots **craquants**.* 1840 ; p. pr. de *craquer* (I) ; [kʀakɑ̃, ɑ̃t].

**CRAQUE,** subst. f.
Argot. Affabulation, vantardise (gén. au plur.) : *Raconter des **craques**.* 1836 ; *craquer* (vx), « mentir » ; [kʀak].

**CRAQUELAGE,** subst. m.
**1.** *Techn.* Procédé par lequel on craquelle la glaçure de la porcelaine ou le verre. **2.** Anal. Fendillement naturel d'un matériau : *Le **craquelage** d'un vernis.* 1863 ; ☞ *craqueler* ; [kʀaklaʒ].

**CRAQUELÉ, ÉE,** adj. et subst. m.
ADJ. Qui présente des craquelures : *Un verre **craquelé**.* SUBST. Dessin formé par des craquelures : *Le **craquelé** d'une faïence* ; par méton., l'objet craquelé lui-même. 1761 ; ☞ *craquer* (I) ; [kʀakle].

**CRAQUÈLEMENT,** subst. m.
**1.** Formation de craquelures : ***Craquèlement** d'une surface.* **2.** État de ce qui est craquelé. 1882 ; ☞ *craqueler* ; var. *craquellement* ; [kʀakɛlmɑ̃].

**CRAQUELER,** verbe trans. [12]
*Techn.* Fendiller en filet, en réseau (l'émail d'une porcelaine, le verre) ; par anal. : *Des rides lui **craquelaient** le visage.* PRONOM. Se fissurer : *Le sol déshydraté **se craquelle**.* 1863 ; ☞ *craquer* (I) ; [kʀakle].

**CRAQUELIN,** subst. m.
Biscuit sec et craquant. 1265 ; m. néerl. *crakeline*, de *craken*, « craquer » ; [kʀaklɛ̃].

**CRAQUELLEMENT,**
**voir CRAQUÈLEMENT**

**CRAQUELURE,** subst. f.
Fissure, apparue naturellement ou obtenue par craquelage : *Les **craquelures** d'un tableau.* Mil. XIXe s. ; ☞ *craqueler* ; [kʀaklyʀ].

**CRAQUEMENT,** subst. m.
**1.** Bruit sec que fait un corps rigide qui se casse ou une structure qui joue : *Le **craquement** des branches, d'un parquet.* **2.** Fig. Signe avant-coureur d'un bouleversement : *Les **craquements** de l'empire soviétique.* 1553 ; ☞ *craquer* (I) ; [kʀakmɑ̃].

**CRAQUER (I),** verbe intrans. [3]
**1.** Produire un bruit sec par dilatation, contraction, cassure, etc. : *La neige **craque** sous nos pas ; Faire **craquer** ses doigts* ; empl. trans. : ***Craquer** une allumette*, l'enflammer par frottement. **2.** Ext. Se casser, se déchirer, avec ou sans bruit : *Ton veston va **craquer*** ; empl. trans. : ***Craquer** son pantalon.* ► Loc. *Plein à **craquer*** : comble, rempli à l'excès. **3.** Fig. et Fam. ► Se briser : *Leur mariage **a craqué**.* ► S'effondrer, en parlant d'une personne ou de ses facultés : *Joueur qui **craque** pendant la finale ; Ses nerfs **ont craqué**.* ► Se laisser tenter, séduire : ***Craquer** pour une robe.* 1544 ; ☞ *crac* ; [kʀake].

**CRAQUER (II),** verbe trans. [3]
Traiter (des produits pétroliers) par craquage. 1931 ; angl. *to crack* ; [kʀake].

**CRAQUÈTEMENT,** subst. m.
Action de craqueter ; bruit qui en résulte. 1568 ; ☞ *craqueter* ; var. *craquettement* ; [kʀakɛtmɑ̃].

**CRAQUETER,** verbe intrans. [14]
**1.** Produire des craquements successifs. **2.** *Zool.* Émettre en claquant du bec des bruits secs et discontinus (synon. *claqueter*) : *La cigogne, la grue **craquettent*** ; par anal. : *Le grillon **craquette**.* Mil. XVIe s. ; ☞ *craquer* (I) ; [kʀakte].

**CRAQUETTEMENT,**
**voir CRAQUÈTEMENT**

**CRASE,** subst. f.
**1.** *Phon.* Contraction de la voyelle ou de la diphtongue finale d'un mot avec la voyelle ou la diphtongue initiale du mot suivant (par ex. : « T'as bien fait » pour « Tu as bien fait »). **2.** *Biol.* Propriété qu'a le sang de se coaguler. 1613 ; gr. *krasis*, « mélange » ; [kʀɑz].

**CRASH,** subst. m.
Anglic. **1.** Écrasement au sol d'un avion. **2.** Atterrissage forcé et brutal d'un avion, train d'atterrissage rentré. 1956 ; angl. *crash*, de *to crash*, « s'écraser » ; plur. *crash(e)s* ; [kʀaʃ], plur. [-ʃəs].

**CRASHER (SE),** verbe pronom. [3]
Anglic. S'écraser au sol, en parlant d'un avion (fam.). V. 1960 ; ☞ *crash* ; [kʀaʃe].

**CRASSE,** adj. f. et subst. f.
ADJ. **1.** Vx. Épais, visqueux : *Une humeur **crasse**.* **2.** Fig. Lourd ; total (fam.) : *Une paresse **crasse**.* SUBST. **1.** Saleté déposée sur les objets, la peau : *Une **crasse** noire.* **2.** Méchanceté, mauvais tour (fam.) : *Faire une **crasse** à qqn.* **3.** *Métall.* Scorie d'un métal en fusion (gén. au plur.). XIIIe s. (fin XIIe s., grasse) ; anc. fr. *cras*, du lat. *crassus*, « épais » ; [kʀas].

**CRASSEUX, EUSE,** adj. et subst. m.
**Adj.** Couvert de crasse, repoussant. **Subst.** Peigne (argot.). Déb. XVIe s. ; ☞ *crasse* ; [kʀasø, øz].

**CRASSIER,** subst. m.
**1.** Amas de scories, de déchets de hauts fourneaux. **2.** Terril d'une mine. 1754 ; ☞ *crasse* ; [kʀasje].

**CRASSULACÉES,** subst. f. plur.
*Bot.* Famille végétale de l'ordre des Saxifragales, comprenant des plantes herbacées charnues, adaptées aux climats secs et aux terrains rocailleux, telle la joubarbe. **Au sing.** *L'orpin est une **crassulacée**.* Fin XVIIIe s. ; lat. *crassus*, « gras » ; [kʀasylase].

**CRATÈRE,** subst. m.
**1.** *Antiq.* Grand vase à large ouverture dans lequel étaient mélangés le vin et l'eau, et où chacun puisait avec sa coupe. **2.** *Géol.* Orifice d'une cheminée volcanique : *Le **cratère** de l'Etna* ; *Lac de **cratère**,* formé dans le **cratère** d'un volcan éteint ; par anal., trou laissé sur le sol par la chute d'une météorite ou d'une bombe : *Les **cratères** lunaires.* **3.** *Techn.* Ouverture d'un fourneau de verrier. Déb. XVIe s. ; lat. *crater*, du gr. *kratêr* ; [kʀatɛʀ].

**CRATERELLE,** subst. f.
*Bot.* Champignon basidiomycète, communément appelé trompette-de-la-mort, de couleur noir violacé, comestible et très apprécié. 1846 ; lat. sc. *craterella*, « petite coupe » ; [kʀatʀɛl].

**CRATÉRIFORME,** adj.
Qui a la forme d'une coupe : *Fleur **cratériforme**.* 1846 ; ☞ *cratère* + *-forme* ; [kʀateʀifɔʀm].

**CRATON,** subst. m.
*Géol.* Portion de la croûte terrestre continentale ancienne située en dehors des zones de plissements montagneux. V. 1970 ; [kʀatɔ̃].

**CRAVACHE,** subst. f.
**1.** Baguette souple munie d'une mèche, avec laquelle les cavaliers stimulent les chevaux. ► Loc. *Mener qqn, une affaire à la **cravache*** : avec une autorité brutale. **2.** Méton. Cavalier : *C'est une excellente **cravache**.* 1790 ; all. *Karbatsche*, du turc *kirbaç*, « fouet » ; [kʀavaʃ].

**CRAVACHER,** verbe [3]
**Trans.** Frapper d'une cravache. **Intrans.** Fig. et Fam. Fournir de gros efforts ; se dépêcher. 1834 ; ☞ *cravache* ; [kʀavaʃe].

**CRAVATE,** subst.
**Masc.** *Hist.* Cavalier croate au service de la France. ► *Royal-**Cravate*** : régiment de cavalerie légère de l'Ancien Régime. **Fém. 1.** Bande d'étoffe passant sous le col de la chemise et nouée par-devant : ***Cravate** en soie.* ► Loc. *S'en jeter un derrière la **cravate*** : boire un verre (fam.). **2.** Ext. Insigne d'un grade élevé d'un ordre honorifique : ***Cravate** de commandeur.* **3.** *Spéc.* ► *Mar.* Corde enroulée lâchement autour d'un mât, d'une ancre. ► *Milit.* Ornement de soie brodée attaché en haut d'une lance, d'un drapeau. ► *Sp.* Technique de lutte consistant à tordre le cou de l'adversaire en le saisissant sous le menton. ► *Zool.* Cou coloré d'un oiseau. Déb. XVIIe s. ; all. dial. *krawat* ou slave *hrvat*, « croate » ; [kʀavat].

**CRAVATER,** verbe trans. [3]
**1.** Mettre une cravate à : ***Cravater** qqn, un drapeau.* **2.** Argot. Duper, escroquer ; appréhender : *Se faire **cravater**,* être arrêté par la police. **3.** *Sp.* Faire une cravate à. 1823 ; ☞ *cravate* ; [kʀavate].

**CRAVE,** subst. m.
*Zool.* Corvidé des montagnes, au plumage noir, aux pattes et au bec rouges. 1606 ; orig. gaul. ; [kʀav].

**CRAWL,** subst. m.
Nage ventrale rapide associant des battements alternés des jambes et des rotations des bras. 1908 ; angl. *crawl*, de *to crawl*, « ramper » ; [kʀol].

**CRAWLER,** verbe intrans. [3]
Nager le crawl ; empl. adj. : *Dos **crawlé**,* crawl nagé sur le dos. 1933 ; ☞ *crawl* ; [kʀole].

**CRAWLEUR, EUSE,** subst.
Personne qui nage le crawl. 1933 ; ☞ *crawler* ; [kʀolœʀ, øz].

**CRAYEUX, EUSE,** adj.
**1.** Composé de craie. **2.** Qui évoque la craie. XIIIe s. ; ☞ *craie* ; [kʀɛjø, øz].

**CRAYON,** subst. m.
**1.** Mine de graphite ou d'argile colorée enserrée dans une gaine de bois et servant à écrire ou à dessiner : *Un **crayon** tendre* ; par anal. : ***Crayon** à bille,* stylo à bille ; ***Crayon** feutre,* feutre utilisant de l'encre à l'eau. **2.** Ext. Bâtonnet médicamenteux ou

Faucon crécerelle.

Les activités d'éveil tiennent une grande place dans les crèches.

Purification d'Oreste à Delphes, cratère grec d'époque classique (v. 390 av. J.-C.). Musée du Louvre, Paris.



cosmétique : *Un **crayon** de rouge à lèvres.* **3.** Méton. ► Dessin, croquis exécuté au **crayon** : *Un **crayon** inédit de J. Beuys.* ► Loc. *Coup de **crayon*** : manière de dessiner. **4.** *Informat.* ***Crayon** optique* (☞ *photostyle*). 1528 ; ☞ *craie* ; [kʀɛjɔ̃].

**CRAYONNAGE,** subst. m.
**1.** Action de crayonner. **2.** Dessin rapide au crayon. 1790 ; ☞ *crayonner* ; [kʀɛjɔnaʒ].

**CRAYONNÉ,** subst. m.
Esquisse, avant-projet d'une illustration. XIXe s. ; p. p. de *crayonner* ; [kʀɛjɔne].

**CRAYONNER,** verbe trans. [3]
Dessiner ou écrire rapidement au crayon. 1584 ; ☞ *crayon* ; [kʀɛjɔne].

**CRAYONNEUR, EUSE,** subst.
**1.** Personne qui crayonne. **2.** Mauvais dessinateur (péj.). 1743 ; ☞ *crayonner* ; [kʀɛjɔnœʀ, øz].

**CRÉANCE,** subst. f.
**I. 1.** Action de croire, d'accorder du crédit, de la confiance : *Accorder **créance** à qqch.*, y ajouter foi. **2.** *Lettres de **créance*** : document accréditant un diplomate auprès d'un chef d'État étranger. **II.** *Dr.* **1.** Droit d'une personne à exiger qqch. de qqn, en partic. le paiement d'une dette. **2.** Méton. Document qui prouve ce droit. Mil. XIIe s. (XIe s., croyance religieuse) ; anc. fr. *créant*, de *creire*, « croire » ; [kʀeɑ̃s].

**CRÉANCIER, IÈRE,** subst.
*Dr.* Personne qui détient une créance, à qui est dû de l'argent. Fin XIIe s. ; ☞ *créance* ; [kʀeɑ̃sje, jɛʀ].

**CRÉATEUR, TRICE,** subst. et adj.
**Subst. masc.** *Relig.* Celui qui crée à partir du néant : *Le **créateur** du ciel et de la terre* ou, empl. abs., *Le **Créateur**,* Dieu. **Subst.** Personne qui innove ; en partic., artiste ou artisan auteur d'œuvres originales : *La **créatrice** d'une théorie* ; *Un **créateur** de mode.* ► *Le **créateur** d'un rôle* : acteur qui interprète un rôle pour la première fois. **Adj. 1.** Qui crée : *Un génie **créateur**.* **2.** Qui pousse à créer : *La fièvre **créatrice**.* Déb. XIIe s. ; lat. *creator* ; [kʀeatœʀ, tʀis].

**CRÉATIF, IVE,** adj. et subst. m.
**Adj. 1.** Qui manifeste des capacités pour créer : *Un enfant **créatif**.* **2.** Qui favorise la création : *Une atmosphère **créative**.* **Subst.** Créateur, dans une entreprise publicitaire : *Les **créatifs** et les commerciaux.* XVe s. ; lat. *creatum*, de *creare*, « créer » ; [kʀeatif, iv].

**CRÉATINE,** subst. f.
*Biochim.* et *Biol.* Acide aminé distinct de ceux utilisés pour la synthèse des protéines, partic. abondant dans les fibres musculaires. Sous la forme de **créatine** phosphorylée, elle constitue une réserve de groupements phosphoryles qui permettent de reconstituer rapidement le stock d'A. T. P. nécessaires au processus de contraction musculaire. 1823 ; gr. *kreas*, « chair » ; [kʀeatin].

**CRÉATININE,** subst. f.
*Biochim.* et *Biol.* Base organique dérivée par déshydratation de la créatine. Sa clairance sert à mesure filtration glomérulaire, c.-à-d. la qualité de la fc tion rénale. 1863 ; ☞ *créatine* ; [kʀeatinin].

**CRÉATION,** subst. f.
**1.** *Relig.* Acte divin faisant surgir l'être, l'existe à partir du néant : *La **création** du monde* ; « ***Création*** », *oratorio de Haydn* ; par méton., le mo ainsi créé, l'Univers : *Les animaux de la Créat* **2.** Action humaine de créer, de fonder : *La créa artistique, littéraire* ; *La **création** d'une entrep d'emplois.* **3.** Méton. Chose ainsi créée : *Les créat de Picasso* ; nouveauté : *Salon présentant les dern **créations**.* **4.** Première interprétation d'un rôle d'une œuvre : *La **création** d'un personnage, c ballet.* Déb. XIIIe s. ; lat. *creatio* ; [kʀeasjɔ̃].

**CRÉATIONNISME,** subst. m.
Théorie jadis soutenue par certains biologistes, a mant que toutes les espèces animales et végétales été créées par Dieu et qu'elles sont immuables (syr *fixisme*). Mil. XIXe s. ; ☞ *création* ; [kʀeasjɔnism].

**CRÉATIONNISTE,** adj. et subst.
Se dit d'une personne partisane du créationnis **Adj.** Relatif au créationnisme. 1869 ; ☞ *créa nisme* ; [kʀeasjɔnist].

**CRÉATIVITÉ,** subst. f.
Faculté de créer. 1946 ; ☞ *créatif* ; [kʀeativ

**CRÉATURE,** subst. f.
**1.** *Relig.* Tout être créé par Dieu. **2.** Être huma *Une innocente **créature**.* ► Femme : *Une créatur rêve.* ► Femme dépravée (vx et péj.) : *Ne revois jar cette **créature** !* **3.** Personne dépendant étroiten d'une autre et soumise à elle : *Les **créatures** du ty* Mil. XIe s. ; lat. chrét. *creatura* ; [kʀeatyʀ].

**CRÉCELLE,** subst. f.
**1.** Moulinet de bois fait d'une planchette tourr autour d'un cylindre denté et produisant une s de claquements secs : *Au Moyen Âge, les lép manifestaient leur présence en agitant une créc* **2.** Loc. *Voix de **crécelle*** : aiguë et discorda ► Méton. *Une **crécelle*** : personne parlant beauc et avec une telle voix. Fin XIIe s. ; orig. obsc. ; [kʀe

**CRÉCERELLE,** subst. f.
*Zool.* Petit faucon diurne à longue queue, ra très commun en Europe ; en appos. : *Le fau **crécerelle**.* Déb. XIIIe s. ; ☞ *crécelle* ; [kʀes(ə)ʀɛl]

**CRÈCHE,** subst. f.
**1.** Mangeoire à bestiaux (vx). ► *Relig.* Selon tradition de la Nativité, mangeoire de l'étable Bethléem ayant servi de berceau à Jésus ; par mét représentation de la Nativité par des statue disposées dans un décor : *Une **crèche** vivante*, ani par des figurants. **2.** Établissement accueillant très jeunes enfants aux heures ouvrables. **3.** Do cile (pop.). Déb. XIIe s. ; anc. bas frq. *°krippia* ; [k

**CRÉCHER,** verbe intrans. [8]
Loger, résider (pop.). 1921 ; ☞ *crèche* ; [kʀe

**CRÉDENCE,** subst. f.
**1.** Buffet sur lequel on dépose les plats qui vont servis ; desserte, dressoir. **2.** *Cath.* Petit meuble lequel on pose les objets utilisés au cours d messe. Fin XVIe s. (fin XVe s., *faire credance*, go les aliments) ; ital. *credenza*, du lat. médiév. *crede* « confiance » ; [kʀedɑ̃s].

**CRÉDIBILITÉ,** subst. f.
Qualité d'une personne ou d'une chose crédib *Elle a perdu sa **crédibilité**.* 1651 ; ☞ *crédi* [kʀedibilite].

**CRÉDIBLE, adj.**
Qui peut être cru ; digne de confiance. Déb. XVe s. ; lat. *credibilis* ; [kʀedibl].

**CRÉDIT, subst. m.**
**I.** Confiance, prestige, autorité morale dont jouit qqn : *Accorder **crédit** à*, avoir foi en ; *Perdre de son **crédit***, inspirer moins de confiance, être moins en faveur. **II.** *Fin.* **1.** Confiance en la solvabilité de qqn : *Faire **crédit** à qqn*, lui accorder un délai de paiement ; *Carte de **crédit***, carte magnétique ou à puce permettant à son titulaire d'effectuer des paiements et des retraits dont le débit sur son compte est gén. différé ; *Lettre de **crédit***, document de banque autorisant à retirer des fonds dans une autre place. **2.** Prêt remboursable à échéances déterminées : *Prendre un **crédit** ; Taux de **crédit***, pourcentage d'intérêts ; *Vendre à **crédit***, avec un paiement différé ou échelonné ; *Ouvrir un **crédit** à qqn*, s'engager à lui faire un prêt ; *Un **crédit** à long, moyen ou court terme ; Un **crédit** de campagne*, consenti pour un cycle de production ; ***Crédit** d'impôt*, avoir fiscal. **3.** Méton. Banque ou société consentant des prêts : ***Crédit** foncier ; **Crédit** municipal*, organisme accordant des prêts sur gages, autrefois appelé mont-de-piété. **4.** Somme budgétaire allouée pour un usage déterminé : *Voter des **crédits** supplémentaires.* **5.** *Comptab.* Partie, colonne d'un compte représentant l'actif (anton. *débit*). **III.** *Édition.* ***Crédit** photographique* : mention, obligatoire, du nom du propriétaire de toute illustration reproduite. Fin XVe s. ; ital. *credito*, du lat. *creditum*, de *credere*, « confier en prêt » ; [kʀedi].

**CRÉDIT-BAIL, subst. m.**
Contrat de location de biens que le preneur peut acheter en fin de bail (synon. déconseillé *leasing*). V. 1970 ; comp. de *crédit* et de *bail* ; plur. *crédits-bail(s)* ; [kʀedibaj].

**CRÉDITER, verbe trans.** [3]
**1.** *Fin.* Inscrire une somme au crédit de (qqn, un compte). **2.** Fig. Enregistrer qqch. de positif au bénéfice de (qqn) : ***Créditer** un sportif du meilleur temps.* 1671 ; ☞ *crédit* ; [kʀedite].

**CRÉDITEUR, TRICE, subst.**
Personne qui a des sommes portées à son crédit (anton. *débiteur*) ; empl. adj. : *Compte **créditeur**.* 1310 ; lat. *creditor*, « créancier » ; [kʀeditœʀ, tʀis].

**CREDO, subst. m.**
**1.** *Relig. Le Credo* : prière énonçant les dogmes majeurs de la foi, également appelée Symbole de Nicée. **2.** Fig. Fondement d'une manière d'agir ou de penser : *Son **credo**, c'est l'argent !* Fin XIIe s. ; lat. chrét. *credo*, « je crois », premier mot de cette prière ; plur. *Credo* au sens 1, *credo(s)* au sens 2 ; [kʀedo].

**CRÉDULE, adj.**
Qui croit naïvement ou trop aisément ce qu'on lui dit. 1393 ; lat. *credulus* ; [kʀedyl].

**CRÉDULITÉ, subst. f.**
Propension à croire trop aisément, à faire naïvement confiance : *Il exploite la **crédulité** du chaland.* Fin XIIe s. ; lat. *credulitas* ; [kʀedylite].

**CRÉER, verbe trans.** [7]
**1.** *Relig.* Faire surgir du néant : *Dieu **créa** le ciel et la terre.* **2.** Concevoir : *Le romancier, le peintre **créent** leur propre univers.* ▸ Inventer : ***Créer** une variété de rose.* ▸ Réaliser, fonder : *Cette école **fut créée** en 1920.* **3.** Proposer pour la première fois l'interprétation de : ***Créer** un opéra.* **4.** Susciter, causer : ***Créer** des conditions favorables ; **Créer** la discorde* ; empl. pronom. : *Se **créer** des difficultés.* Déb. XIIe s. ; lat. *creare* ; [kʀee].

**CRÉMAILLÈRE, subst. f.**
**1.** Tige de fer munie de crans qui permettent de modifier la hauteur à laquelle on suspend une marmite dans une cheminée. ▸ Loc. *Pendre la **crémaillère*** : fêter son arrivée dans un nouveau logis. **2.** *Spéc.* ▸ *Ch. de fer.* Troisième rail, central et cranté, permettant à un train, à un tramway de gravir de fortes pentes ; par méton., le train lui-même : *La **crémaillère** du Montenvers.* ▸ *Mécan.* Pièce rectiligne dentée, destinée à convertir un mouvement circulaire en mouvement linéaire, et vice versa, par engrènement dans un pignon. ▸ *Menuis.* Pièce crantée permettant de régler l'inclinaison ou la hauteur d'un élément mobile : *Une bibliothèque à **crémaillère**.* ▸ *Fin. Parité à **crémaillère*** : système d'ajustement des parités de change au moyen de petites variations. XIIIe s. ; anc. fr. *cramail*, du bas lat. *cramaculus*, du gr. *kremastêr*, « qui suspend » ; [kʀemajɛʀ].

**CRÉMANT, subst. m.**
**1.** Vin de Champagne légèrement pétillant. **2.** Ext. Vin élaboré selon la méthode champenoise : ***Crémant** d'Alsace.* 1846 ; p. pr. de *crémer* ; [kʀemɑ̃].

**CRÉMASTER, subst. m.**
*Anat.* Muscle sustenteur des testicules. 1546 ; gr. *kremastêr*, « qui suspend » ; [kʀemastɛʀ].

**CRÉMATION, subst. f.**
Action de brûler des cadavres, d'incinérer. XIIIe s. ; lat. *crematio* ; [kʀemasjɔ̃].

**CRÉMATOIRE, adj.**
Relatif à la crémation. ▸ *Four **crématoire*** ou, empl. subst. masc., *Un **crématoire*** : four où l'on incinère les morts ; en partic. : *Les fours **crématoires** des camps nazis.* 1879 ; lat. *cremare*, « brûler » ; [kʀematwaʀ].

**CRÉMATORIUM, subst. m.**
Lieu où l'on incinère les morts. 1882 ; lat. *crematorium* ; var. *crematorium* ; [kʀematɔʀjɔm].

**CRÈME, subst. f. et adj. inv.**
**Subst. 1.** Matière grasse qui se forme à la surface du lait et dont on fait du beurre lorsqu'on la baratte : *De la **crème** Chantilly* ou, par ell., *De la chantilly*, **crème** fraîche liquide battue en mousse, avec du sucre ; *Un café **crème***, allongé de lait ou parfois de **crème**. ▸ Loc. *La **crème** de* : le meilleur de (fam.). **2.** *Cuis.* ▸ Préparation à base de lait, d'œufs et de sucre : ***Crème** anglaise, pâtissière, caramel, glacée* ; au fig. : *Tarte à la **crème***, banalité, lieu commun. ▸ Potage : ***Crème** d'asperges.* ▸ Fromage fondu : ***Crème** de gruyère.* ▸ Ext. Liqueur : ***Crème** de banane, de cassis.* **3.** Produit gras ou mousseux, pommade destinée aux soins de la peau : ***Crème** à raser, à épiler, à bronzer.* **Adj.** D'un blanc tirant légèrement sur le jaune : *Des gants **crème**.* Fin XIIe s. ; crois. du bas lat. *crama*, « crème », d'orig. gaul., et du lat. chrét. *chrisma*, « chrême » ; [kʀɛm].

**CRÉMER, verbe** [8]
**Intrans.** Produire une épaisseur de crème, en parlant d'un laitage. **Trans.** Teinter de couleur crème. 1580 ; ☞ *crème* ; [kʀeme].

**CRÈMERIE, subst. f.**
**1.** Boutique spécialisée dans les produits laitiers ; en appos. : *Le rayon **crèmerie**.* **2.** Ext. Petit restaurant bon marché attenant à cette boutique et, par anal., café, restaurant populaire (vieilli). ▸ Loc. *Changer de **crèmerie*** : quitter un établissement, ou un lieu quelconque, pour un autre (fam.). 1845 ; ☞ *crème* ; var. *crémerie* ; [kʀɛmʀi].

**CRÉMEUX, EUSE, adj.**
**1.** Riche en crème. **2.** Dont l'aspect évoque la crème. 1572 ; ☞ *crème* ; [kʀemø, øz].

**CRÉMIER, IÈRE, subst.**
Personne qui tient une crèmerie : *L'étalage du **crémier**.* 1762 ; ☞ *crème* ; [kʀemje, jɛʀ].

**CRÉMONE, subst. f.**
Système de verrouillage des fenêtres composé d'une tige verticale actionnée par une poignée. 1790 ; prob. topon. *Crémone* (Italie) ; [kʀemɔn].

**CRÉNAGE, subst. m.**
*Impr.* Action d'entailler, de créner ; son résultat. 1835 ; ☞ *créner* ; [kʀenaʒ].

**CRÉNEAU, subst. m.**
**1.** *Archit.* Ouverture ménagée au haut d'un mur pour tirer à couvert sur l'assaillant : *Les **créneaux** d'une forteresse.* ▸ Loc. *Monter au **créneau*** : s'engager personnellement dans une lutte. **2.** Ext. Ouverture pratiquée dans un mur, meurtrière : *Un **créneau** d'étage.* **3.** Anal. ▸ Espace dégagé entre deux espaces occupés : *Faire un **créneau***, se garer entre deux voitures en stationnement. ▸ *Comm.* Segment de marché qui offre une possibilité d'exploitation commerciale : *Le multimédia éducatif est un **créneau** porteur.* ▸ *Audiov.* Plage de temps consacrée à une émission : *Un **créneau** horaire.* 1155 ; anc. fr. *cren*, « cran » ; [kʀeno].

**CRÈNELAGE, subst. m.**
**1.** Cordon dentelé sur la tranche d'une pièce de monnaie ou d'une médaille. **2.** Ensemble des créneaux d'une muraille d'enceinte. 1723 ; ☞ *créneler* ; var. *crénelage* ; [kʀɛn(ə)laʒ].

**CRÈNELÉ, ÉE, adj.**
**1.** Garni de créneaux. **2.** *Bot.* et *Zool.* Au bord découpé : *Feuilles, ailes d'insecte **crènelées**.* 1160 ; p. p. de *crèneler* ; var. *crénelé, ée* ; [kʀɛn(ə)le].

**CRÈNELER, verbe trans.** [12]
**1.** Munir de créneaux. **2.** Ext. Tailler en ménageant des crans : ***Crèneler** une monnaie, une roue d'engrenage.* Mil. XIIe s. ; anc. fr. *crenel*, « créneau » ; var. *créneler* ; [kʀɛn(ə)le].

**CRÈNELURE, subst. f.**
Découpe en forme de créneaux. XIVe s. ; ☞ *crèneler* ; var. *crénelure* ; [kʀɛn(ə)lyʀ].

**CRÉNER, verbe trans.** [8]
*Impr.* ***Créner** un caractère* : évider la partie qui déborde du corps ; faire un cran sur sa tige. XIe s. ; orig. obsc. ; [kʀene].

**CRÉNOM, interj.**
Juron de colère, de stupeur : ***Crénom** de nom !* 1832 ; altér. de *sacré nom de Dieu* ; [kʀenɔ̃].

**CRÉODONTES, subst. m. plur.**
*Paléont.* Ordre de mammifères apparus au début du Tertiaire, tous fossiles, et qui furent les premiers carnivores. **Au sing.** *L'arctocyon est un **créodonte**.* Gr. *kreas*, « viande », et *odous*, « dent » ; [kʀeɔdɔ̃t].

**CRÉOLE, adj. et subst.**
**Subst.** Personne d'ascendance européenne née dans les anciennes colonies (dans le contexte français, en partic. Saint-Domingue, la Martinique, la Guadeloupe, la Réunion et l'île Maurice). **Subst. masc.** Type de langues formées par contact entre les langues des esclaves africains et celles des Européens vivant dans les colonies, devenues langues maternelles des communautés issues de ces populations : *Les **créoles** français, antillais et réunionnais ; Les **créoles** anglais, portugais, néerlandais, espagnol.* **Subst. fém.** Grand anneau d'oreille : *Des **créoles** en or.* **Adj.** Relatif aux **créoles** ou à une langue **créole** : *Danse, accent **créole**.* 1598 ; esp. *criollo* ; [kʀeɔl].

Scène **créole**, *peinture de Pedro Figari (1861-1938). Musée d'Orsay, Paris.*

**CRÉOLISER (SE),** verbe pronom. [3]
*Ling.* Prendre les caractères d'un parler créole, pour une langue. 1838 ; ☞ *créole* ; [kʀeɔlize].

**CRÉOSOTE,** subst. f.
*Chim.* Liquide obtenu par distillation de goudrons végétaux, utilisé pour ses propriétés antiseptiques et qui sert également pour la conservation du bois. 1833 ; all. *Kreosot*, du gr. *kreas*, « viande », et *sôtêr*, « qui protège » ; [kʀeɔzɔt].

**CRÉOSOTER,** verbe trans. [3]
*Techn.* Injecter de la créosote dans (le bois) ; tremper (le bois) dans une solution de créosote. 1838 ; ☞ *créosote* ; [kʀeɔzɔte].

**CRÊPAGE,** subst. m.
**1.** *Techn.* Action d'apprêter une étoffe afin d'obtenir un crêpe. **2.** Action de donner du volume aux cheveux en les crêpant. ▸ Loc. *Crêpage de chignon* : vive dispute entre femmes (fam.). 1729 ; ☞ *crêper* ; var. *crépage* ; [kʀɛpaʒ].

**CRÊPE,** subst.
**Masc. 1.** Étoffe de texture légère et d'aspect gaufré : *Une blouse de **crêpe** beige* ; *Un **crêpe** Georgette*, **crêpe** de soie transparent ; *Porter un **crêpe** noir*, en signe de deuil. **2.** Latex de caoutchouc gaufré : *Des chaussures à semelles de **crêpe**.* **Fém.** Fine galette, à base de farine, d'œufs et de lait, cuite à la poêle ou sur une plaque et servie avec une garniture sucrée ou salée. ▸ Loc. *Retourner qqn comme une **crêpe*** : le faire aisément changer d'avis. 1285 ; anc. fr. *cresp*, du lat. *crispus*, « frisé, ondulé » ; [kʀɛp].

**CRÊPÉ, ÉE,** adj.
**1.** Se dit de cheveux auxquels le crêpage a donné du volume : *Des mèches **crêpées** au peigne.* **2.** Se dit d'un tissu qui présente la texture du crêpe ; par anal. : *Papier **crêpé**.* 1523 ; p. p. de *crêper* ; [kʀɛpe].

**CRÊPELÉ, ÉE,** adj.
Frisé serré, à ondulations légères : *Chevelure **crêpelée**.* Déb. XVIe s. ; ☞ *crêper* ; [kʀɛple].

**CRÊPER,** verbe trans. [3]
**1.** Peigner (les cheveux) de la pointe vers la racine pour leur donner du volume. ▸ Loc. *Se **crêper** le chignon* : se disputer (fam.). **2.** *Techn.* ***Crêper** un tissu* : faire subir une torsion à ses fils pour lui donner l'aspect du crêpe. 1523 ; anc. fr. *cresp*, « frisé, ondulé » ; [kʀɛpe].

**CRÊPERIE,** subst. f.
Lieu où l'on vend et où l'on consomme des crêpes : *Une **crêperie** bretonne.* 1929 ; ☞ *crêpe* ; [kʀɛpʀi].

**CRÉPI,** subst. m.
*Bât.* Enduit non lissé composé de plâtre, de chaux, de ciment ou de mortier dont on couvre un mur, un parement. 1528 ; p. p. de *crépir* ; [kʀepi].

**CRÊPIER, IÈRE,** subst.
Personne qui fait et vend des crêpes. **Fém.** Large poêle très plate, ou plaque de fonte ronde, utilisée pour faire les crêpes. 1863 ; ☞ *crêpe* ; [kʀepje, jɛʀ].

**CRÉPINE,** subst. f.
**1.** *Ameubl.* Passementerie décorative constituée de franges, de glands. **2.** *Bouch.* Membrane transparente entourant les viscères du porc, du mouton ou du veau, utilisée dans certaines préparations culinaires. **3.** *Techn.* Filtre de métal placé à l'ouverture d'un tuyau d'aspiration ou d'écoulement. 1248 ; anc. fr. *cresp*, « frisé, ondulé » ; [kʀepin].

**CRÉPINETTE,** subst. f.
*Cuis.* Saucisse plate enveloppée dans une crépine. 1740 ; ☞ *crépine* ; [kʀepinɛt].

**CRÉPIR,** verbe trans. [19]
*Bât.* Enduire (une surface) de crépi. 1528 (1170, devenir grenu) ; anc. fr. *cresp*, « frisé, ondulé » ; [kʀepiʀ].

**CRÉPISSAGE,** subst. m.
*Bât.* Action de crépir ; état d'une surface crépie. 1611 ; ☞ *crépir* ; [kʀepisaʒ].

**CRÉPITATION,** subst. f.
**1.** Crépitement (rare). **2.** *Pathol.* ▸ Bruit entendu lors d'une auscultation des poumons, révélant une affection respiratoire. ▸ Craquement significatif dû à certains troubles osseux ou musculaires. 1564 ; bas lat. *crepitatio* ; [kʀepitasjɔ̃].

**CRÉPITEMENT,** subst. m.
**1.** Succession de bruits secs : *Le **crépitement** d'un feu, d'une mitraillette.* **2.** *Pathol.* Crépitation (rare). 1866 ; ☞ *crépiter* ; [kʀepitmɑ̃].

**CRÉPITER,** verbe intrans. [3]
Émettre des bruits secs et répétés : *L'huile **crépite** dans la poêle* ; par anal. : *Les applaudissements **crépitèrent**.* Déb. XVIe s. ; lat. *crepitare* ; [kʀepite].

**CRÉPON,** subst. m.
**1.** *Text.* Étoffe gaufrée qui évoque le crêpe. **2.** Anal. *Papier **crépon*** : papier de décoration gaufré. 1660 (1409, crépi d'un mur) ; ☞ *crêpe* ; [kʀepɔ̃].

**CRÉPU, UE,** adj.
Qui est naturellement frisé en petites boucles très touffues : *Des cheveux **crépus*** ; par méton. : *Une femme **crépue**.* 1539 ; ☞ *crêpe* ; [kʀepy].

**CRÉPUSCULAIRE,** adj.
**1.** Qui a trait au crépuscule : *Des lueurs **crépusculaires**.* **2.** Qui apparaît au crépuscule : *Papillon **crépusculaire**.* **3.** Fig. Qui décline, qui s'éteint : *Une civilisation **crépusculaire**.* **4.** *Psych.* *État **crépusculaire*** : état altéré de la conscience, obnubilation. 1705 ; ☞ *crépuscule* ; [kʀepyskylɛʀ].

**CRÉPUSCULE,** subst. m.
**1.** Vx. Aube. **2.** Pénombre qui suit le coucher du soleil. **3.** Fig. Déclin (littér.) : *« Le **Crépuscule** des dieux », opéra de Wagner.* Mil. XIIIe s. ; lat. *crepusculum*, de *creper*, « obscur » ; [kʀepyskyl].

**CRESCENDO,** adv. et subst. m.
*Mus.* **Adv.** En accroissant peu à peu l'intensité des sons ; par anal. : *Les clameurs allaient **crescendo**.* **Subst.** Partie d'un morceau à exécuter **crescendo** ; par anal. : *Un **crescendo** de récriminations.* 1775 ; ital. *crescendo*, de *crescere*, « croître » ; [kʀeʃɛndo].

**CRÉSOL,** subst. m.
*Chim.* Désigne couramment certains phénols utilisés pour la préparation d'antiseptiques ou dans l'industrie chimique. 1866 ; ☞ *créosote* ; [kʀezɔl].

**CRESSON,** subst. m.
*Bot.* Plante herbacée de la famille des Brassicacées, à feuilles en lobes arrondis, cueillie ou cultivée pour ses parties comestibles : ***Cresson** officinal*, ou ***Cresson** de fontaine* ; ***Cresson** alénois.* Fin XIIe s. ; anc. bas frq. *°kresso* ; [kʀesɔ̃] ou [kʀə-].

**CRESSONNETTE,** subst. f.
*Bot.* Autre nom de la cardamine. Fin XXe s. ; ☞ *cresson* ; [kʀesɔnɛt] ou [kʀə-].

**CRESSONNIÈRE,** subst. f.
Vaste bassin d'eau courante où l'on cultive le cresson. Fin XIIIe s. ; ☞ *cresson* ; [kʀesɔnjɛʀ] ou [kʀə-].

**CRÉSYL,** subst. m. inv.
*Chim.* Solution désinfectante à base d'un mélange de crésols. 1866 ; ☞ *créosote* ; n. déposé ; [kʀezil].

**CRÊT,** subst. m.
Crête escarpée bordant une combe : *Les **crêts** du Jura.* XIe s. ; var. région. de *crête* ; [kʀɛ].

**CRÉTACÉ, ÉE,** adj. et subst. m.
**Adj. 1.** Vx. Qui est de la nature de la craie ; qui en contient. **2.** *Géol.* Relatif au **Crétacé** : *Fossile **crétacé**.* **Subst.** *Géol.* Dernière période de l'ère secondaire, commencée il y a 135 millions d'années et s'étendant sur 70 millions d'années. On la subdivise gén. en **Crétacé** inférieur (partie la plus ancienne, qui a duré 39 millions d'années) et **Crétacé** supérieur. Le **Crétacé** doit son nom à la craie qui s'est déposée sur l'Europe du Nord à la fin du **Crétacé** supérieur. Les ammonites et les bélemnites, comme les dinosaures, qui sont les fossiles les plus connus du Secondaire, ont disparu brutalement, et de manière énigmatique, à la fin du **Crétacé**. 1735 ; lat. *cretaceus* ; [kʀetase].

**CRÊTE,** subst. f.
**1.** *Zool.* Saillie charnue, et parfois découpée, sur la tête de certains oiseaux : ***Crête** de coq.* ▸ Ext. Excroissance sur la tête ou sur le dos d'un reptile, d'un poisson : ***Crête** d'un caméléon.* **2.** Anal. Partie la plus élevée de certaines choses : ***Crête** d'un toit* ; ***Crête** d'une vague.* **3.** *Anat.* Saillie allongée d'un os : ***Crête** du tibia.* **4.** *Géomorph.* Partie saillante constituant le faîte d'une montagne : *Ligne de **crête***, ligne joignant les points culminants d'un relief. **5.** *Phys.* Valeur maximale d'un phénomène : ***Crête** de tension.* Fin XIIe s. ; lat. *crista*, « crête d'un oiseau » ; [kʀɛt].

**CRÊTÉ, ÉE,** adj.
Pourvu d'une crête. Fin XIIe s. ; ☞ *crête* ; [kʀete].

**CRÊTE-DE-COQ,** subst. f.
*Pathol.* Lésion (papillome) des muqueuses génitales, gén. d'origine vénérienne. 1834 ; comp. de *crête* et de *coq* (I) ; plur. *crêtes-de-coq* ; [kʀɛtdəkɔk].

**CRÉTELLE,** subst. f.
*Bot.* Plante herbacée de la famille des Graminées, courante dans les prés. 1786 ; ☞ *crête* ; [kʀetɛl].

**CRÉTIN, INE,** subst.
**1.** *Pathol.* Personne atteinte de crétinisme (vx). **2.** Ext. Fam. Personne stupide ; empl. adj. : *Elle est vraiment **crétine**.* 1660 ; valaisan *crétin*, « malheureux », du lat. *christianus*, « chrétien » ; [kʀetɛ̃, in].

**CRÉTINERIE,** subst. f.
Fam. **1.** Comportement du crétin. **2.** Bêtise, idiotie. 1860 ; ☞ *crétin* ; [kʀetinʀi].

**CRÉTINISATION,** subst. f.
Fam. Action de crétiniser ; son résultat. 1870 ; ☞ *crétiniser* ; [kʀetinizasjɔ̃].

**CRÉTINISER,** verbe trans. [3]
Rendre sot, abêtir (fam.). 1835 ; ☞ *crétin* ; [kʀetinize].

**CRÉTINISME,** subst. m.
**1.** *Pathol.* État déficient qui se rencontre chez certains goitreux (insuffisance thyroïdienne) ou chez leurs descendants, caractérisé par l'arrêt du développement des organes génitaux, le nanisme, la faiblesse des facultés intellectuelles (vx). **2.** Ext. Stupidité, idiotie (fam.). 1786 ; ☞ *crétin* ; [kʀetinism].

**CRÉTOIS, OISE,** adj. et subst.
De l'île de Crète. **Subst. masc. 1.** Langue parlée dans cette île avant l'invasion dorienne. **2.** Dialecte grec parlé dans la Crète moderne. Mil. XIIe s. ; topon. *Crète* ; [kʀetwa, waz].

La Danseuse, *fresque de la période minoenne de la civilisation **crétoise**. Mégaron de la reine, palais de Cnossos, Crète.*

**CRETONNE,** subst. f.
Toile épaisse de coton ou de lin : *Des rideaux de **cretonne**.* 1723 ; orig. obsc. ; [kʀətɔn].

**CREUSEMENT,** subst. m.
Action de creuser ; le résultat de cette action. 1611 ; ☞ *creuser* ; [kʀøzmɑ̃].

**CREUSER,** verbe trans. [3]
**I. 1.** Faire un trou dans (qqch.), en ôtant de l[a] matière : *L'érosion **creuse** le sol.* **2.** Ext. Rendr[e] (qqch.) concave : *Le poids de son corps **creuse** [le] matelas* ; par anal. : *Les malheurs lui ont **creusé** le[s] traits.* **3.** Fig. Approfondir, examiner plus attentivement : ***Creuser** la question.* **4.** Loc. fam. ▸ ***Creuse[r]** l'estomac* ou, empl. abs., ***Creuser*** : donner faim ▸ Empl. pronom. *Se **creuser** la tête* : réfléchi[r] **II. 1.** Créer (une cavité) : ***Creuser** un trou, un foss[é]* ▸ Loc. ***Creuser** sa tombe* : hâter sa mort. **2.** Fi[g.] Agrandir, accroître : ***Creuser** l'écart entre deux résu[l]tats.* 1172 ; ☞ *creux* ; [kʀøze].

**CREUSET,** subst. m.
**1.** Vase résistant à de très hautes températures dan[s] lequel on fait fondre, on purifie certaines substances ; par ext., récipient qui, dans un hau[t] fourneau, recueille le métal en fusion. **2.** Fig. Lie[u] de fusion de divers éléments : *Rome, **creuset** d[es] civilisations de son empire.* 1514 ; anc. fr. *croisu[el]* du gallo-roman *croceolus*, « lampe » ; [kʀøzɛ].

**CREUSOIS, OISE,** adj. et subst.
De la Creuse. **Subst. masc.** Gâteau aux noisette[s]. Topon. *Creuse* ; [kʀøzwa, waz].

**CREUX, CREUSE,** adj. et subst. m.
**Adj. 1.** Qui est vide ou a été évidé : *Une clois[on] **creuse*** ; *Une dent **creuse**.* ▸ Ext. Qui résonne comm[e] qqch. de vide : *Un son **creux*** ; *Une voix **creuse*** ; em[pl.] adv. : *Sonner **creux**.* ▸ Loc. *Avoir le nez **creux*** : devin[er] juste (fam.). **2.** Qui présente un renfoncement : *Assiette **creuse*** ; *Chemin **creux*** ; *Une huître **creuse*** c[on]empl. subst. fém., *Une **creuse**.* **3.** Fig. Qui manq[ue] de substance ou de profondeur : *Une pensée, [des] paroles **creuses***, dépourvues de sens ou d'intér[êt]. ▸ Qui est peu dense : *Heures, périodes **creuses***, [où] l'activité est ralentie ; *Classe **creuse***, classe d'âge q[ui] compte peu de naissances. **Subst. 1.** Trou : *Le cre[ux] d'un mur* ; *Route parsemée de **creux** et de bos[ses]*

**2.** Renfoncement, partie concave de qqch. : *Le **creux** de la main, d'un fauteuil ; Le **creux** d'un vallon, d'une vague.* **3.** Fig. ▸ Période d'activité faible : *Un **creux** dans la journée.* ▸ Inconsistance : *Le grand **creux** de son discours.* **4.** Loc. *Avoir un **creux** à l'estomac* : avoir faim ; *Être au **creux** de la vague* : au plus bas. **5.** *Mar.* Hauteur d'une vague, de sa crête à sa base. **6.** *Techn.* Moule servant à imprimer une figure en relief. Déb. XIIe s. ; lat. pop. °*crosus*, d'orig. celt. ; [kʀø, kʀøz].

**CREVAISON,** subst. f.
Fait de crever, gén. en parlant d'un pneu. 1906 ; ☞ *crever* ; [kʀəvɛzɔ̃].

**CREVANT, ANTE,** adj.
Fam. **1.** Exténuant. **2.** Très drôle (vieilli). 1876 (1857, qui ennuie) ; p. pr. de *crever* ; [kʀəvɑ̃, ɑ̃t].

**CREVARD, ARDE,** adj. et subst.
Se dit d'une personne malingre, qui paraît moribonde (fam.). 1860 ; ☞ *crever* ; [kʀəvaʀ, aʀd].

**CREVASSE,** subst. f.
**1.** Fissure profonde entaillant une surface : *Une **crevasse** dans un mur.* **2.** *Géogr.* Profonde fente, dans un glacier. **3.** *Pathol.* Gerçure : *Des **crevasses** aux mains.* Déb. XIIe s. ; ☞ *crever* ; [kʀəvas].

*Crevasse du glacier des Bossons, dans le massif du Mont-Blanc.*

© L. Jahan-Explorer

**CREVASSER,** verbe trans. [3]
Marquer par des crevasses ; empl. pronom. : *La paroi se **crevassait**.* Déb. XIVe s. ; ☞ *crevasse* ; [kʀəvase].

**CREVÉ, ÉE,** adj. et subst. m.
Subst. Fente d'un vêtement laissant voir la doublure (vx). Adj. **1.** Qui a subi une crevaison : *Pneu **crevé**.* **2.** Mort, en parlant d'un animal, d'une plante. **3.** Exténué (fam.). XVIIe s. ; p. p. de *crever* ; [kʀəve].

**CRÈVE,** subst. f.
Fam. *Attraper la **crève*** : attraper un mal (en partic. un rhume, une grippe). 1902 ; ☞ *crever* ; [kʀɛv].

**CRÈVE-CŒUR,** subst. m. inv.
Ce qui fend le cœur ; désappointement : *Quel **crève-cœur**, cette rupture !* Déb. XIIIe s. ; comp. de *crever* et de *cœur* ; [kʀɛvkœʀ].

**CRÈVE-LA-FAIM,** subst. m. inv.
Nécessiteux qui ne mange pas à sa faim (fam.). 1870 ; comp. de *crever* et de *faim* ; [kʀɛvlafɛ̃].

**CREVER,** verbe [10]
Trans. **1.** Faire éclater (qqch.) : ***Crever** des bulles de savon.* **2.** Exténuer (fam.) : ***Crever** un cheval.* **3.** Loc. ***Crever** l'abcès* : mettre brusquement au jour une situation critique pour la résoudre ; ***Crever** l'écran* : produire une forte impression, en parlant d'un acteur de cinéma ; ***Crever** les yeux* : être évident ; ***Crever** le cœur* : causer un vif chagrin. Intrans. **1.** Se percer, éclater : *Le pneu **a crevé*** et, par méton., *J'ai **crevé**,* un pneu de ma voiture **a crevé**. **2.** Mourir, pour un animal, une plante. ▸ Ext. et Pop. Mourir, pour une personne ; par exagér. : ***Crever** de froid, d'ennui, etc.*, les ressentir intensément. Xe s. ; lat. *crepare*, « éclater » ; [kʀəve].

**CREVETTE,** subst. f.
Zool. Petit crustacé marin, nageur, de forme allongée, de l'ordre des Décapodes et dont plusieurs variétés, telles *Leander serratus*, la **crevette** rose, et *Crangon vulgaris*, la **crevette** grise, sont comestibles. ▸ ***Crevette** d'eau douce* : gammare. 1532 ; norm.-pic. *crevette*, « petite chèvre » ; [kʀəvɛt].

**CREVETTIER,** subst. m.
**1.** Filet à crevettes. **2.** Bateau équipé pour pêcher la crevette. 1877 ; ☞ *crevette* ; [kʀəvetje].

**CRI,** subst. m.
**1.** Son perçant émis spontanément par la voix humaine : ***Cri** de joie, de peur.* ▸ Ext. Son ou suite de sons caractéristiques émis par un animal : *Le **cri** du tigre est le feulement.* **2.** Parole ou phrase brève lancée d'une voix forte et souvent aiguë, pour appeler ou avertir : ***Cri** de guerre, de détresse.* ▸ Appel des marchands et des artisans ambulants : *Le **cri** du vitrier.* ▸ Loc. *À cor et à **cri*** (☞ *cor*) ; *Pousser, jeter les hauts **cris*** : s'indigner ; *Du dernier **cri*** : de la nouvelle mode. **3.** Clameur, manifestation vibrante d'une foule : ***Cris** d'encouragement.* ▸ Loc. *D'un seul **cri*** : à l'unisson. **4.** Manifestation, voix intérieure : *Le **cri** du sang, de la conscience.* ▸ Loc. ***Cri** du cœur* : expression spontanée d'un sentiment sincère. Fin Xe s. ; ☞ *crier* ; [kʀi].

**CRIAILLEMENT,** subst. m.
Action de criailler ; cris déplaisants. 1611 ; ☞ *criailler* ; [kʀi(j)ɑjmɑ̃].

*Crevette.*

© R. Konig-Jacana

**CRIAILLER,** verbe intrans. [3]
**1.** Émettre des cris répétés et disgracieux ; se plaindre à tout propos. **2.** Crier, en parlant de certains oiseaux : *La pintade **criaille**.* 1555 ; ☞ *crier* ; [kʀi(j)ɑje].

**CRIAILLERIE,** subst. f.
Succession de cris désagréables, gén. pour peu de chose. 1580 ; ☞ *criailler* ; [kʀi(j)ɑjʀi].

**CRIAILLEUR, EUSE,** adj. et subst.
Se dit d'une personne qui criaille sans cesse. 1564 ; ☞ *criailler* ; [kʀi(j)ɑjœʀ, øz].

**CRIANT, ANTE,** adj.
**1.** Qui fait s'indigner : *Un **criant** déni de justice.* **2.** Fig. Flagrant, manifeste : *Ressemblance **criante**.* 1677 ; p. pr. de *crier* ; [kʀijɑ̃, ɑ̃t].

**CRIARD, ARDE,** adj.
**1.** Qui crie souvent et de manière désagréable. **2.** Au son aigre et déplaisant : *Voix **criarde**.* **3.** Anal. Qui choque, heurte la vue : *Couleurs **criardes** ; Luxe **criard**.* 1495 ; ☞ *crier* ; [kʀijaʀ, aʀd].

**CRIBLAGE,** subst. m.
Action de passer au crible. ▸ *Techn.* Triage mécanique du minerai. 1573 ; ☞ *cribler* ; [kʀiblaʒ].

**CRIBLE,** subst. m.
**1.** Instrument dont le fond plat percé de nombreux trous sert à trier des éléments solides et inégaux, n'en retenant que les plus gros (synon. *tamis*) : *Le **crible** du chercheur d'or.* **2.** Fig. Ce qui opère une sélection : *Le **crible** de l'histoire* ; *Passer un projet au **crible**,* l'examiner à fond. XIIIe s. ; bas lat. *criblum*, du lat. *cribrum* ; [kʀibl].

**CRIBLER,** verbe trans. [3]
**1.** Passer au crible, tamiser. **2.** Percer de trous rapprochés : ***Cribler** de balles.* ▸ Anal. Parsemer ; empl. adj. : *Un ciel **criblé** d'étoiles.* ▸ Fig. Couvrir, accabler : ***Cribler** qqn d'injures* ; empl. adj. : ***Criblé** de dettes.* XIIIe s. ; bas lat. *criblare*, du lat. *cribare* ; [kʀible].

*Le* Cri, *pastel d'Edvard Munch (1863-1944). Galerie nationale, Oslo.*

© Bridgeman-Giraudon-Munch Museet, Munch Ellingen Group-A. D. A. G. P., Paris, 1996

**CRIBLEUR, EUSE,** subst.
Personne employée au criblage. Fém. Machine servant à cribler. 1493 ; ☞ *cribler* ; [kʀiblœʀ, øz].

**CRIC,** subst. m.
Instrument à crémaillère utilisé pour soulever à faible hauteur des charges pesantes : *Un **cric** à manivelle.* 1447 ; m. haut all. *kriec* ; [kʀi(k)].

**CRIC CRAC,** interj.
Onomatopée évoquant un bruit rapide et sec ; empl. subst. masc. inv. : *Le **cric(-)crac** d'une serrure.* 1520 ; orig. onomat. ; [kʀikkʀak].

**CRICKET,** subst. m.
Sport d'équipe anglais qui se joue avec des balles de cuir et des battes en bois. 1728 ; angl. *cricket*, prob. du m. fr. *criquet*, « bâton que l'on vise au jeu de boules » ; [kʀikɛ(t)].

**CRICOÏDE,** adj.
*Anat.* En forme d'anneau : *Cartilage **cricoïde**,* qui forme la partie inférieure du larynx. Mil. XVIIe s. ; gr. *krikoeidês*, « en forme d'anneau » ; [kʀikɔid].

**CRICRI,** subst. m.
**1.** Bruit émis par le grillon ou la cigale. **2.** Méton. Grillon (fam.). 1559 ; orig. onomat. ; var. *cri-cri* (inv.) ; [kʀikʀi].

**CRIÉE,** subst. f.
Vente publique aux enchères. ▸ *Comm. Vente à la **criée*** ou, par ell., ***Criée*** : vente au plus offrant de produits frais en gros ; par méton., lieu où se tient cette vente. Fin XIIe s. ; p. p. de *crier* ; [kʀije].

**CRIER,** verbe [6]
Intrans. **1.** Lancer un cri, des cris : ***Crier** de joie.* **2.** Hausser le ton, forcer sa voix pour se faire entendre ou manifester son mécontentement. ▸ Fig. **Crier à.** Faire savoir avec force ce que l'on pense de qqn, de qqch. : ***Crier** à l'imposture, au génie.* Trans. **1.** Dire d'une voix forte : ***Crier** des injures.* **2.** Proclamer hautement : ***Crier** son innocence* ; ***Crier** victoire.* ▸ Loc. ***Crier** vengeance* : l'exiger ou la mériter ; ***Crier** misère, famine* : s'en plaindre, en être le signe ; ***Crier** grâce* : implorer le pardon ou la paix ; *Sans **crier** gare* : sans prévenir ; ***Crier** qqch. sur les toits* : le répandre partout. Xe s. ; lat. *quiritare*, « appeler au secours » ; [kʀije].

**CRIEUR, EUSE,** subst.
**1.** Personne qui crie sans cesse. **2.** Marchand ambulant qui annonce en criant ce qu'il vend : ***Crieur** de journaux.* Masc. ***Crieur** public* : personne autrefois chargée de faire les annonces publiques. Fin XIIe s. ; ☞ *crier* ; [kʀijœʀ, øz].

**CRIME,** subst. m.
**1.** Faute grave portant atteinte aux lois ou à la morale, forfait : *Des **crimes** contre nature.* **2.** Dr. Violation des lois, passible des plus lourdes sanctions prévues par le Code pénal (par oppos. à *délit*) : ***Crime** de haute trahison, de parricide, de fausse monnaie.* ▸ Violation des règles du droit internatio-

nal : ***Crimes** de guerre* ; ***Crimes** contre l'humanité* (définis en 1945 par l'O. N. U.). **3.** Assassinat, meurtre : ***Crime** passionnel.* **4.** Action répréhensible ; par exagér., erreur coupable : *C'est un **crime** de peindre ces murs en rose !* ► Loc. *Faire à qqn un **crime** de qqch.* : lui reprocher qqch. de manière exagérée. Mil. XII^e^ s. ; lat. *crimen*, « accusation ; crime » ; [kʀim].

**CRIMINALISER, verbe trans.** [3]
*Dr.* Faire ressortir à la juridiction criminelle (un délit, une affaire relevant jusqu'alors des tribunaux civils ou correctionnels). 1694 (1584, incriminer) ; ☞ *criminel* ; [kʀiminalize].

**CRIMINALISTE, subst.**
Juriste spécialisé en droit criminel. 1660 ; ☞ *criminel* ; [kʀiminalist].

**CRIMINALISTIQUE, subst. f.**
Branche de la criminologie traitant de l'application des techniques policières de recherche et d'identification des auteurs de crimes. 1907 ; ☞ *criminaliste* ; [kʀiminalistik].

**CRIMINALITÉ, subst. f.**
**1.** *Dr.* Caractère de ce qui est criminel. **2.** Ensemble des crimes observés dans un pays, dans un groupe social particulier ou dans une période donnée. 1539 ; ☞ *criminel* ; [kʀiminalite].

**CRIMINEL, ELLE, adj. et subst.**
Qualifie ou désigne une personne coupable de crime. **Adj. 1.** Qui relève du crime ; qui y conduit : *Une disparition d'origine **criminelle*** ; *Passion **criminelle**.* **2.** Condamnable : *Il est **criminel** de parler ainsi.* **3.** *Dr.* Qui relève de la législation propre aux crimes : *Affaire **criminelle*** ; *Juridiction **criminelle*** ou, empl. subst. masc., *Siéger au **criminel**.* Fin XI^e^ s. ; bas lat. *criminalis*, « criminel » ; [kʀiminɛl].

**CRIMINELLEMENT, adv.**
**1.** De manière criminelle. **2.** *Dr.* Devant un tribunal criminel. XIII^e^ s. ; ☞ *criminel* ; [kʀiminɛlmɑ̃].

**CRIMINOGÈNE, adj.**
Qui est facteur de criminalité ; qui en favorise la propagation. 1953 ; lat. *crimen*, « accusation ; crime », + *-gène* ; [kʀiminɔʒɛn].

**CRIMINOLOGIE, subst. f.**
Science dont l'objet est l'étude du crime et des criminels. 1888 ; lat. *crimen*, « accusation ; crime », + *-logie* ; [kʀiminɔlɔʒi].

**CRIMINOLOGISTE, subst.**
Spécialiste de criminologie. 1933 ; ☞ *criminologie* ; var. *criminologue* ; [kʀiminɔlɔʒist].

**CRIN, subst. m.**
**1.** Poil long et résistant qui pousse à la queue ou à l'encolure de certains animaux : *Les **crins** du cheval, du lion* ; l'ensemble de ces poils : *Un **crin** bien entretenu.* **2.** Ce poil, servant à divers usages : *Rembourrer de **crin** un fauteuil* ; *Un gant de **crin**.* **3.** Anal. Fibre d'origine végétale ou synthétique destinée à remplacer le **crin** naturel. **4.** Loc. ***À tous crins*** ou ***À tout crin*** : ardent, énergique. Mil. XI^e^ s. ; lat. *crinis*, « cheveu, chevelure » ; [kʀɛ̃].

**CRINCRIN, subst. m.**
Fam. **1.** Mauvais violon. **2.** Méton. Son produit par un tel violon. 1751 (1661, prob. jouet d'enfant) ; orig. onomat. ; [kʀɛ̃kʀɛ̃].

**CRINIÈRE, subst. f.**
**1.** Ensemble des crins poussant à l'encolure d'un animal (cheval, lion, etc.). **2.** Ext. Toupet de crins ornant le cimier de certains casques, tels ceux de la garde républicaine. **3.** Anal. Chevelure épaisse et abondante. 1556 ; ☞ *crin* ; [kʀinjɛʀ].

**CRINOÏDES, subst. m. plur.**
*Zool.* Classe d'animaux marins échinodermes, souv. fixés aux rochers. De leur bouche part un calice tentaculaire. **Au sing.** *Le lis de mer est un **crinoïde**.* 1838 ; gr. *krinoeidês*, « en forme de lis » ; [kʀinɔid].

**CRINOLINE, subst. f.**
**1.** Vx. Étoffe tissée de crin et de lin. **2.** Ample jupon garni d'une armature de cerceaux métalliques faisant bouffer la robe : *Une robe à **crinoline*** ou, par ell., *Une **crinoline**.* 1829 ; ital. *crinolino*, de *crino*, « crin », et de *lino*, « lin » ; [kʀinɔlin].

**CRIOCÈRE, subst. m.**
*Zool.* Insecte coléoptère de la famille des Chrysomélidés dont une espèce, rouge, est nuisible aux lis et une autre, bleu-jaune, attaque les asperges ; d'autres **criocères** sont nuisibles au muguet, à l'oignon, etc. 1762 ; gr. *krios*, « bélier », et *keras*, « corne » ; [kʀijɔsɛʀ].

*Vol de **criquets** dans le sud du Maroc.*

Paysage du Midi, *une **crique** ensoleillée vue par le peintre Albert Marquet (1875-1947). Musée des Beaux-Arts André-Malraux, Le Havre.*

**CRIQUE, subst. f.**
**1.** Petite baie où des embarcations légères peuvent s'abriter. **2.** *Techn.* Fissure dans une pièce de métal. 1336 ; anc. nord. *kriki*, « creux, cavité, anse » ; [kʀik].

**CRIQUET, subst. m.**
*Zool.* Insecte orthoptère broyeur, aux pattes postérieures adaptées au saut. On le distingue des sauterelles et des grillons par ses antennes courtes. Le mâle est pourvu d'un organe stridulant constitué par une rangée de dents minuscules, sur la face intérieure des cuisses, qui, frottées rythmiquement contre les élytres, produisent un son caractéristique. Certains **criquets**, communément appelés **criquets** migrateurs, sont grégaires. Ils forment ce qu'on appelle improprement les nuages de sauterelles (huitième plaie d'Égypte, dans la Bible). XII^e^ s. ; orig. onomat. ; [kʀikɛ].

**CRISE, subst. f.**
**I. 1.** *Pathol.* Phase décisive d'une maladie ; accès violent ou aggravation subite d'un état morbide : ***Crise** cardiaque* ; ***Crise** d'asthme.* **2.** Ext. Manifestation d'un état émotif ou nerveux exacerbé : ***Crise** de fou rire, de larmes* ; ***Crise** de nerfs* ; *Piquer une **crise**,* se mettre en colère (fam.). **3.** Passage difficile de l'existence : ***Crise** d'adolescence* ; ***Crise** de découragement.* **4.** État d'exaltation, gén. de courte durée : ***Crise** de mysticisme.* **II. 1.** Période critique de l'histoire d'une société ou d'une institution : ***Crise** des valeurs morales.* **2.** Rupture ou perturbation d'un équilibre politique, social ou économique : ***Crise** ministérielle,* laps de temps qui s'écoule entre la démission d'un gouvernement et la formation du suivant. ► *Hist. La **crise** de 1929* : la grande dépression économique provoquée par le krach boursier de Wall Street, le 24 octobre. **3.** Récession, pénurie : ***Crise** pétrolière, du logement.* XIV^e^ s. ; lat. *crisis*, « phase grave d'une maladie » ; [kʀiz].

**CRISPANT, ANTE, adj.**
Qui est énervant, insupportable. 1845 ; p. pr. de *crisper* ; [kʀispɑ̃, ɑ̃t].

**CRISPATION, subst. f.**
**1.** Mouvement de rétractation qui plisse ou ride la surface de qqch. : *La **crispation** d'un parchemin exposé à la chaleur.* **2.** Contraction musculaire, légère et involontaire, gén. due à une émotion : ***Crispation** des mains, du front.* **3.** Fig. Agacement soudain, tension. 1743 ; ☞ *crisper* ; [kʀispasjɔ̃].

**CRISPER, verbe trans.** [3]
**1.** Contracter en plissant la surface de (qqch.) : *Le feu **crispe** le cuir.* **2.** Contracter (une partie du corps) : ***Crisper** les poings dans ses poches* ; empl. adj. : *Sourire **crispé**,* forcé. **3.** Fig. Agacer, impatienter ; empl. pronom., se raidir, être exaspéré. Mil. XVII^e^ s. (1560, onduler) ; lat. *crispare* ; [kʀispe].

**CRISPIN, subst. m.**
**1.** *Théâtre.* Valet de comédie (vieilli). **2.** Manchette de cuir qui prolonge certains gants, protégeant ainsi les poignets. 1819 ; *Crispino*, personnage de la commedia dell'arte ; [kʀispɛ̃].

**CRISS, voir KRISS**

**CRISSEMENT, subst. m.**
Fait de crisser ; le bruit qui en résulte. 1577 ; ☞ *crisser* ; [kʀismɑ̃].

**CRISSER, verbe intrans.** [3]
Émettre un bruit aigu par frottement de deux surfaces dures : *Les pneus **crissèrent** sur le gravier.* 1549 ; anc. fr. *crisner*, « grincer » ; [kʀise].

**CRISTAL, subst. m.**
**1.** *Phys.* et *Minér.* Solide dont les atomes sont répartis dans l'espace avec une régularité géométrique : ***Cristaux** de glace, de soude* ; ***Cristal** de roche,* variété de quartz incolore et remarquable par sa limpidité. **2.** Anal. Verre incolore, pur et limpide comme du **cristal** de roche, obtenu en mêlant à la pâte de verre de l'oxyde de plomb : ***Cristal** de Baccarat, de Venise, de Bohême.* **3.** Méton. Objet en **cristal** : *Un **cristal** de Lalique.* **4.** Fig. Ce qui évoque la pureté : *Le **cristal** de ses yeux* ; *Une voix de **cristal**.* Déb. XII^e^ s. ; lat. *crystallus*, « glace ; cristal de roche » ; plur. *cristaux* ; [kʀistal], plur. [-to].

**CRISTALLERIE, subst. f.**
**1.** Industrie du cristal. **2.** Entreprise de production ou de commerce d'objets en cristal ; par méton., ces objets eux-mêmes : ***Cristallerie** de Bohême, de Daum.* 1745 ; ☞ *cristal* ; [kʀistalʀi].

**CRISTALLIN, INE, adj. et subst. m.**
**Adj. 1.** Qui rappelle le cristal et ses qualités : *Ci **cristallin*** ; *Voix **cristalline**.* **2.** *Phys.* et *Minér.* Qu a la nature du cristal ; qui contient des cristaux *Le mica est une roche **cristalline**.* ► *État **cristallin*** état d'un minéral dont les atomes sont répartis dan l'espace avec une régularité géométrique (anto *état amorphe*). **Subst.** *Anat.* Lentille biologique bi convexe transparente située dans l'œil, entre l corps vitré et l'iris. La variation de sa courbe la ren plus ou moins convergente et permet ainsi l'ac commodation de la vision. XIII^e^ s. ; lat. *crystallinu* « qui a l'aspect du cristal » ; [kʀistalɛ̃, in].

**CRISTALLISANT, ANTE, adj.**
**1.** Qui est en train de se cristalliser. **2.** Qui provoqu la cristallisation. 1845 ; p. pr. de *cristalliser* ; [kʀist lizɑ̃, ɑ̃t].

**CRISTALLISATION, subst. f.**
**1.** *Phys.* Changement d'état, naturel ou artificie d'une substance, la conduisant à l'état cristalli On l'obtient par des procédés variés : condensatio d'une vapeur (iode), solidification d'un liquid évaporation (sel marin), etc. **2.** Corps for d'un amas de cristaux. **3.** Fig. Fait, pour des idé des sentiments, de s'organiser et de se fixer : ***cristallisation** amoureuse.* 1651 ; ☞ *cristallise* [kʀistalizasjɔ̃].

**CRISTALLISER, verbe** [3]
**Trans. 1.** Amener (un corps) à l'état cristalli transformer en cristaux ; empl. adj. : *Sucre crist lisé.* **2.** Fig. Donner forme à (des idées, des sen ments diffus) en les organisant, en les fixant s un objet : ***Cristalliser** des haines latentes.* **Intrans. Pronom. 1.** Prendre l'état cristallin. **2.** Fig. Pren corps, en parlant de ce qui était diffus. 162 ☞ *cristal* ; [kʀistalize].

**CRISTALLISOIR, subst. m.**
Récipient en verre épais, bas et cylindrique, u lisé dans les laboratoires. 1845 ; ☞ *cristallis* [kʀistalizwaʀ].

**CRISTALLITE, subst. f.**
*Minér.* Chacun des fragments microscopiques cristallisés que l'on rencontre dans les roches éruptives. Fin XIXe s. ; all. *Kristallite* ; [kʀistalit].

**CRISTALLOCHIMIE, subst. f.**
Branche de la chimie qui a pour objet l'étude des corps cristallisés. Mil. XXe s. ; chimie + cristallo- ; [kʀistaloʃimi].

**CRISTALLOGENÈSE, subst. f.**
Formation des cristaux. V. 1960 ; formé de *cristallo-* et de *-genèse* ; [kʀistalɔʒənɛz].

**CRISTALLOGRAPHIE, subst. f.**
Science des cristaux, de leur formation, de leur structure, de leurs propriétés. 1772 ; formé de *cristallo-* et de *-graphie* ; [kʀistalɔgʀafi].

**CRISTALLOÏDE, adj. et subst.**
**Adj.** Qui a l'apparence du cristal. **Subst. masc.** *Chim.* Substance qui peut acquérir l'état cristallin : *Les **cristalloïdes** en solution peuvent traverser aisément une membrane semi-perméable.* **Subst. fém.** *Anat.* Fine membrane élastique enveloppant le cristallin de l'œil. 1541 ; cristal + -oïde ; [kʀistalɔid].

**CRISTALLOPHYLLIEN, IENNE, adj.**
*Pétrogr.* Se dit d'une roche métamorphique à minéraux cristallisés disposés en feuillets. 1863 ; formé de *cristallo-* et de *-phylle* ; [kʀistalɔfiljɛ̃, jɛn].

**CRISTE-MARINE, subst. f.**
*Bot.* Plante de la famille des Apiacées, qui vit sur les littoraux sablonneux et dont les feuilles sont comestibles. XVe s. ; comp. de *criste*, du lat. *crista*, du gr. *krêthmon*, « fenouil marin », et de *marin* ; var. *christe-marine*, plur. *c(h)ristes-marines* ; [kʀist(ə)maʀin].

**CRISTOPHINE, subst. f.**
Nom donné aux Antilles à une cucurbitacée comestible, la chayote. [kʀistɔfin].

**CRITÈRE, subst. m.**
Référence, principe, indice sur lequel on fonde un choix, un jugement, une distinction ou une définition : ***Critère** subjectif* ; ***Critères** de sélection.* 1781 ; lat. *criterium*, du gr. *kritêrion* ; [kʀitɛʀ].

**CRITÉRIUM, subst. m.**
**1.** Critère (vx). **2.** *Sp.* Épreuve servant à classer ou à éliminer des concurrents : *Le **critérium** de la première neige.* ▸ *Hippisme.* Course réservée à des chevaux du même âge (par oppos. à *omnium*). 1643 ; lat. *criterium*, du gr. *kritêrion* ; [kʀiteʀjɔm].

**CRITHME, subst. m.**
*Bot.* Criste-marine. 1823 ; lat. *crithmum*, du gr. *krêthmon* ; var. *crithmum* ; [kʀitm].

**CRITICAILLER, verbe intrans. [3]**
Critiquer à tort et à travers (fam.). 1907 ; critiquer ; [kʀitikaje].

**CRITICISME, subst. m.**
*Philos.* Doctrine fondée sur l'examen critique de la connaissance : *Le **criticisme** de Kant.* 1838 ; critique (II) ; [kʀitisism].

**CRITICISTE, adj.**
Qui relève du criticisme. 1838 ; criticisme ; [kʀitisist].

**CRITIQUABLE, adj.**
**1.** Qui prête à la critique : *Son raisonnement n'est pas **critiquable**.* **2.** Ext. Qui suscite des reproches : *Une attitude **critiquable**.* 1737 ; critiquer ; [kʀitikabl].

**CRITIQUE (I), adj.**
**1.** *Pathol.* Relatif à un état de crise : *La phase **critique** d'une maladie.* **2.** Anal. Qui implique des conséquences graves ; décisif : *Des heures **critiques*** ; alarmant, dangereux : *Une situation **critique**.* **3.** *Phys.* Qualifie un seuil au-delà ou en deçà duquel se produit un changement important dans un système : *Masse **critique*** ; *Point, température **critique***, température au-dessus de laquelle un gaz ne peut plus être liquéfié. 1372 ; lat. médiév. *criticus*, du gr. *kritikos*, « décisif » ; [kʀitik].

**CRITIQUE (II), subst. et adj.**
**Subst. fém. 1.** Analyse d'une œuvre en vue d'en apprécier la valeur : ***Critique** musicale* ; le jugement émis : *La pièce a de bonnes **critiques*** ; par méton., ensemble de ceux qui jugent les œuvres artistiques : *La **critique** s'est montrée féroce.* **2.** Examen de la valeur intellectuelle, morale de qqch., de qqn : ***Critique** de la raison pure* », œuvre de Kant. Action de porter des jugements négatifs : *Se livrer une **critique** systématique* ; ces jugements eux-mêmes : *Ne pas admettre les **critiques**.* **Subst.** Écrivain, journaliste qui se livre à l'examen **critique** des œuvres littéraires, artistiques : *Un, une **critique** de cinéma.* **Adj. 1.** Qui examine une œuvre d'art ou de l'esprit en vue d'énoncer un jugement de valeur : *Étude **critique**.* ▸ *Édition **critique*** : établie d'après une étude **critique** des manuscrits ou des éditions originales, puis annotée. **2.** Qui témoigne d'une aptitude à l'analyse et au discernement : *Avoir un œil **critique*** ; *Sens **critique*** ; *Esprit **critique**,* porté à n'admettre une proposition qu'après en avoir vérifié le bien-fondé. **3.** Qui juge négativement : *N'êtes-vous pas trop **critique** à son égard ?* 1580 ; lat. *criticus*, du gr. *kritikos*, « qui juge » ; [kʀitik].

**CRITIQUER, verbe trans. [3]**
**1.** Examiner (une œuvre d'art ou de l'esprit), afin d'en dégager les qualités et les défauts ; porter un jugement sur : ***Critiquer** une thèse.* **2.** Porter un jugement négatif sur (qqn ou qqch.) : ***Critiquer** une décision* ; empl. abs. : ***Critiquer** pour le plaisir.* 1611 ; critique (II) ; [kʀitike].

**CRITIQUEUR, EUSE, subst.**
Personne encline à porter des jugements négatifs (souv. péj.). Fin XVIe s. ; critiquer ; [kʀitikœʀ, øz].

**CROASSEMENT, subst. m.**
Cri rauque et éraillé du corbeau ou de la corneille. 1580 ; croasser ; [kʀɔasmɑ̃].

**CROASSER, verbe intrans. [3]**
Pousser son cri, en parlant du corbeau, de la corneille (synon. *crailler*). XVe s. ; orig. onomat. ; [kʀɔase].

**CROC, subst. m.**
**1.** Pièce métallique garnie de pointes recourbées vers le haut, servant à suspendre qqch. : ***Crocs** d'abattoir.* **2.** Long manche terminé par un crochet, servant à décrocher, à amener à soi qqch. : ***Croc** de teinturier.* **3.** Dent pointue, parfois recourbée, de certains animaux, en partic. des Carnivores : *Les **crocs** du tigre.* ▸ Loc. fam. *Montrer les **crocs*** : se faire menaçant ; *Avoir les **crocs*** : avoir faim. Déb. XIIe s. ; anc. bas frq. °*krok* ; [kʀo].

**CROC-EN-JAMBE, subst. m.**
**1.** Geste consistant à accrocher du pied la jambe de qqn pour le faire tomber (synon. *croche-pied*). **2.** Fig. Manœuvre habile et sournoise destinée à nuire à qqn. 1554 ; comp. de *croc* et de *jambe* ; plur. *crocs-en-jambe* ; [kʀɔkɑ̃ʒɑ̃b], plur. [kʀɔkɑ̃ʒɑ̃b].

**CROCHE (I), adj.**
Québ. **1.** Crochu, recourbé, tordu : *Avoir le dos **croche*** ; *Une écriture **croche**.* **2.** Fig. Malhonnête. 1520 ; croc ; [kʀɔʃ].

**CROCHE (II), subst. f.**
*Mus.* Valeur de note équivalant à la moitié de celle de la noire, et dont la queue porte un crochet. 1680 ; ell. de *note croche* ; [kʀɔʃ].

**CROCHE-PIED, subst. m.**
Croc-en-jambe. 1835 ; comp. de *crocher* et de *pied* ; plur. *croche-pieds* ; [kʀɔʃpje].

**CROCHER, verbe trans. [3]**
**1.** Vx. Accrocher. **2.** Helv. ▸ Fixer solidement ; empl. intrans., s'agripper. ▸ ***Crocher** un vêtement* : l'attacher. **3.** *Mar.* Saisir avec un croc ; empl. intrans. : *L'ancre ne **croche** pas*, elle ne tient pas, elle dérape. Fin XIIe s. ; croc ; [kʀɔʃe].

**CROCHET, subst. m.**
**I. 1.** Pièce métallique à pointe recourbée servant à accrocher ou à saisir qqch. pour l'amener à soi : ***Crochet** de boucherie* ; ***Crochet** de chiffonnier.* **2.** Instrument, tige à l'extrémité recourbée : ***Crochet** de serrurier.* ▸ Grosse aiguille à encoche servant à passer un fil dans des mailles ; par méton. : *Faire du **crochet**,* effectuer un ouvrage avec un **crochet**. **3.** Dent recourbée des serpents venimeux. **Plur.** Support que le portefaix s'attachait dans le dos pour y poser sa charge. ▸ Loc. *Vivre aux **crochets** de qqn* : à sa charge, à ses dépens. **II.** Anal. **1.** Détour écartant de l'itinéraire direct : *Faire un **crochet** par le Massif central.* **2.** *Archit.* Ornement en forme de feuille recourbée. **3.** *Sp.* À la boxe, coup porté en décrivant une courbe avec le bras : ***Crochet** du gauche.* **4.** *Typogr.* Signe proche de la parenthèse, noté [], servant à isoler un mot, une formule de son contexte : [*Cet exemple est placé entre **crochets**.*] Fin XIIe s. ; croc ; [kʀɔʃɛ].

**CROCHETAGE, subst. m.**
Manœuvre par laquelle on crochète une serrure. 1803 ; crocheter ; [kʀɔʃtaʒ].

**CROCHETER, verbe trans. [13]**
**1.** Ouvrir (une serrure, une porte) à l'aide d'un crochet. **2.** Tirer à soi avec un crochet (vieilli). 1457 ; crochet ; [kʀɔʃte].

**CROCHETEUR (I), subst. m.**
Malfaiteur, voleur qui crochète les serrures. Mil. XVe s. ; crocheter ; [kʀɔʃtœʀ].

**CROCHETEUR (II), subst. m.**
Portefaix qui plaçait sa charge sur des crochets (vx). 1455 ; crochet ; [kʀɔʃtœʀ].

**CROCHU, UE, adj.**
**1.** Incurvé en forme de crochet : *Bec, nez **crochu**.* ▸ Loc. *Avoir les doigts **crochus*** : être cupide (fam.). **2.** *Philos.* *Atomes **crochus*** : selon Démocrite et Épicure, atomes se liant entre eux par des crochets pour former les corps. ▸ Loc. *Avoir des atomes **crochus*** : avoir des affinités. Mil. XIIe s. ; croc ; [kʀɔʃy].

**CROCODILE, subst. m.**
**1.** *Zool.* Grand reptile de la famille des Crocodilidés, aux mâchoires puissantes, qui vit dans les eaux chaudes des régions tropicales (cours d'eau, lacs et marécages, voire milieu marin) : *Le **crocodile** du Nil peut atteindre sept mètres de long.* ▸ Loc. *Larmes de **crocodile*** : larmes feintes, hypocrites. ▸ Méton. Peau tannée de cet animal, utilisée en maroquinerie (abrév. : croco) : *Chaussures en **crocodile**.* **2.** Fig. Personnage impitoyable : *Un vieux **crocodile**.* **3.** *Ch. de fer.* Pièce allongée fixée entre les rails, qui déclenche un signal au passage d'un train. Déb. XIIe s. ; lat. *crocodilus*, du gr. *krokodeilos* ; [kʀɔkɔdil].

**CROCODILIENS, subst. m. plur.**
*Zool.* Ordre de reptiles semi-aquatiques ou aquatiques des régions tropicales, caractérisés par leurs fortes mâchoires et leur peau écailleuse. **Au sing.** *Le gavial du Gange est un **crocodilien**.* 1575 ; crocodile ; [kʀɔkɔdiljɛ̃].

**CROCUS, subst. m.**
*Bot.* Plante de la famille des Iridacées. L'espèce *Crocus sativus* est le safran cultivé ; les stigmates de sa fleur sont utilisés comme colorant naturel et comme condiment. 1372 ; lat. *crocus*, du gr. *krokos* ; [kʀɔkys].

**CROIRE, verbe trans. [71]**
**Trans. dir. 1.** Tenir (qqch.) pour vrai : *Comment **croire** ces sornettes ?* ; *Il ira loin, il **croit** tout ce qu'il dit* (Mirabeau, en parlant de Robespierre) ; ajouter foi aux propos de (qqn) : *Je vous **crois**.* ▸ Loc. *À en **croire** qqn, qqch.* : si l'on s'y fie, s'y rapporte. **2.** Considérer comme possible ; supposer, imaginer : *Je **crois** qu'il va pleuvoir* ; *Je **crois** cet homme capable du pire.* **Trans. indir. 1. Croire à.** ▸ Être convaincu de la valeur de : ***Croire** au progrès.* ▸ Reconnaître la vérité, l'existence de : ***Croire** à la métempsycose* ; *Celui qui **croyait** au Ciel, celui qui n'y **croyait** pas* (Aragon). ▸ Loc. ***Croire** au Père Noël* : se faire des illusions (fam.). **2. Croire en.** ▸ Faire confiance à (qqn). ▸ Adhérer de cœur et d'esprit à (une foi religieuse, un dogme) : ***Croire** en Dieu, en la vie éternelle* ; empl. abs., avoir la foi : *J'ai pleuré et j'**ai cru*** (Chateaubriand). **Pronom.** Se considérer comme ; s'imaginer être : *Il se **croit** intelligent* ; *On se **croirait** en été.* ▸ Loc. *Qu'est-ce qu'il se **croit** ?* : pour qui se prend-il ? (fam.). Xe s. ; lat. *credere* ; [kʀwaʀ].

**CROISADE, subst. f.**
**1.** *Hist.* Expédition menée au Moyen Âge par les chrétiens d'Occident pour reprendre le Saint-Sépulcre aux musulmans : *Le pape Urbain II prêcha la première **croisade** en 1095* ; par ext., expédition contre des hérétiques : *La **croisade** contre les albigeois.* **2.** Anal. Campagne visant à mobiliser l'opinion publique : ***Croisade** contre la drogue.* Fin XVe s. ; anc. fr. *croisée*, « croisement », d'apr. l'anc. prov. *crozata*, de *croz*, « croix » ; [kʀwazad].

**CROISÉ, ÉE, adj. et subst. m.**
**Adj. 1.** Se dit de deux choses qui se croisent ou d'une chose dont les éléments se croisent : *Jambes **croisées*** ; *Tissu **croisé*** ; *Costume **croisé**,* dont la veste a un pan rabattu sur l'autre. ▸ Loc. *Rester les bras **croisés*** : rester sans rien faire. ▸ *Jeux. Mots **croisés*** : mots disposés horizontalement et verticalement dans une grille, de telle sorte que les lettres composant les uns servent à composer les autres. ▸ *Milit. Feu **croisé*** : tirs provenant de divers points et convergeant sur le même objectif ; au fig. : *Un feu **croisé** de questions.* ▸ *Versif.* *Rimes **croisées*** : alternées. **2.** *Biol.* et *Génét.* Qui résulte d'un croisement, hybride. **Subst.** Chrétien participant à une croisade. Fin XIIe s. ; p. p. de *croiser* ; [kʀwaze].

**CROISÉE,** subst. f.
**1.** Point d'intersection, en partic. de deux voies. ▸ Loc. *Être à la* ***croisée*** *des chemins* : devant un choix décisif. **2.** *Archit.* Espace où se croisent le transept et la nef d'une église. **3.** *Bât.* Cadre vitré d'une fenêtre, monté sur gonds ; par méton., la fenêtre elle-même. Mil. XIVe s. ; p. p. de *croiser* ; [kʀwaze].

**CROISEMENT,** subst. m.
**1.** Action de croiser, de faire se croiser : ***Croisement*** *de jambes.* ▸ *Autom.* Fait de se croiser, pour deux véhicules : *Feux de* ***croisement***, moins puissants que les feux de route (☞ *code*). **2.** Point d'intersection de deux voies : *Au* ***croisement****, prenez à droite.* **3.** *Biol.* et *Génét.* Reproduction de deux individus d'espèces ou de variétés différentes, qui donne des hybrides ou des métis (☞ *hybridation*). 1539 (1195, action de partir en croisade) ; ☞ *croiser* ; [kʀwazmɑ̃].

**CROISER,** verbe [3]
**Trans. 1.** Mettre en forme de croix : ***Croiser*** *deux brindilles.* ▸ Loc. ***Croiser*** *les doigts* : tenter de conjurer le sort ; ***Croiser*** *le fer avec qqn* : se battre à l'épée avec lui ou, au fig., s'opposer à lui. **2.** Couper, traverser : *Cette rue en* ***croise*** *une autre.* **3.** Passer à la hauteur de (qqn, qqch.) en sens contraire : *Je l'ai* ***croisé*** *dans l'escalier* ; rencontrer : *Son regard a* ***croisé*** *le mien.* **4.** *Biol.* Opérer le croisement de : ***Croiser*** *deux races.* **Intrans. 1.** Passer l'un sur l'autre, en parlant des pans d'un vêtement. **2.** *Mar.* Patrouiller dans une zone pour en assurer la surveillance : *L'escadre* ***croise*** *dans l'Adriatique.* **Pronom. 1.** Former une croix : *Lignes qui* ***se croisent****.* ▸ Loc. ***Se croiser*** *les bras* : ne rien faire. **2.** Passer l'un près de l'autre dans le sens contraire : *Nous nous sommes* ***croisés*** *l'autre jour.* **3.** *Hist.* S'engager dans une croisade. Fin XIe s. ; ☞ *croix* ; [kʀwaze].

**CROISETTE,** subst. f.
**1.** Vx. Petite croix. **2.** *Bot.* Nom donné à certaines plantes dont les fleurs ou les feuilles figurent une croix. Fin XIIe s. ; ☞ *croix* ; [kʀwazɛt].

**CROISEUR,** subst. m.
*Mar.* Navire de guerre rapide et puissamment armé, chargé de missions de surveillance et de protection. 1690 ; ☞ *croiser* ; [kʀwazœʀ].

**CROISIÈRE,** subst. f.
*Mar.* **1.** Action de croiser en mer pour y effectuer une mission de surveillance (vieilli). **2.** Voyage d'agrément ou d'études en bateau : ***Croisière*** *sur le Nil* ; *Paquebot de* ***croisière****.* ▸ *Vitesse de* ***croisière*** : allure moyenne d'un navire, d'un avion, adaptée à un long trajet ou, au fig., rythme normal d'une activité après une phase d'adaptation ou une crise. 1678 (1285, croisade) ; ☞ *croiser* ; [kʀwazjɛʀ].

**CROISIÉRISTE,** subst.
Passager d'une croisière touristique. V. 1980 ; ☞ *croisière* ; [kʀwazjeʀist].

**CROISILLON,** subst. m.
**1.** Traverse d'une croix. **2.** *Archit.* Bras du transept d'une église. **3.** Traverse horizontale d'un châssis de fenêtre. **Plur.** Ensemble des éléments d'un châssis, d'un meuble, etc., qui se croisent. 1375 ; ☞ *croix* ; [kʀwazijɔ̃].

**CROISSANCE,** subst. f.
**1.** Fait de croître, de grandir : ***Croissance*** *d'une plante* ; *Une fièvre de* ***croissance****.* **2.** Expansion, développement : ***Croissance*** *d'une ville* ; ***Croissance*** *démographique* ; ***Croissance*** *économique*, accroissement de la production de biens et de services. 1119 ; ☞ *croître* ; [kʀwasɑ̃s].

**CROISSANT, ANTE,** subst. m. et adj.
**Subst. 1.** *Astron.* Forme échancrée, inférieure à un demi-cercle, présentée par la Lune lorsqu'elle croît (avant son premier quartier) ou décroît (après son dernier quartier). **2.** Objet, figure ayant la forme d'un **croissant** de lune. ▸ Emblème de l'Empire ottoman ; emblème de l'islam : *Le* ***Croissant****-Rouge*, l'équivalent de la Croix-Rouge, en pays musulman. ▸ *Cuis.* Petit pain de pâte feuilletée roulée et recourbée : *Les* ***croissants*** *au beurre du petit déjeuner.* **Adj. 1.** Qui croît, s'accroît : *Un nombre* ***croissant*** *d'individus* ; *Une inquiétude* ***croissante****.* **2.** *Math.* ▸ *Application* ***croissante*** *d'un ensemble ordonné* (E, $\leqslant$) *dans un ensemble ordonné* (F, $\leqslant$) : application $f$ de E dans F telle que $x \leqslant y$ dans E entraîne $f(x) \leqslant f(y)$ dans F ; $f$ est strictement **croissante** si $x < y$ entraîne $f(x) < f(y)$. ▸ *Suite* ***croissante*** $(a_n)$ *d'un ensemble ordonné* : suite telle que $a_n \leqslant a_{n+1}$ pour tout entier $n \geqslant 0$ (strictement **croissante** si $a_n < a_{n+1}$). Fin XIIe s. ; p. pr. de *croître* ; [kʀwasɑ̃, ɑ̃t].

**CROÎT,** subst. m.
*Agric.* et *Dr.* Accroissement naturel d'un troupeau. Fin XIIe s. ; ☞ *croître* ; [kʀwɑ].

**CROÎTRE,** verbe intrans. [72]
**1.** Grandir, se développer, en parlant d'êtres vivants : ***Croître*** *à vue d'œil.* ▸ Loc. ***Croître*** *en sagesse* : devenir plus raisonnable en grandissant. **2.** Pousser, en parlant d'un végétal. **3.** Augmenter en nombre, en étendue, en intensité : *La population* ***croît*** *sans cesse* ; *Sa douleur va* ***croissant*** ; *La Lune* ***croît*** *puis décroît.* Fin XIe s. ; lat. *crescere* ; [kʀwɑtʀ].

**CROIX,** subst. f.
**1.** Gibet fait d'un poteau et d'une traverse, auquel on attachait les condamnés : *Le supplice de la* ***croix****.* **2.** *Relig.* *La sainte* ***Croix*** ou, empl. abs., *La* ***Croix*** : le gibet sur lequel Jésus-Christ fut crucifié. ▸ Objet figurant la sainte **Croix**, symbole du christianisme : *La* ***croix*** *surmontant l'autel* ; *Porter une* ***croix*** *au cou* ; *Je vois des ruines, de la boue* [...] *et des* ***croix*** *de bois, des* ***croix****, des* ***croix*** (Dorgelès). ▸ *Signe de* ***croix*** : signe que font les catholiques et les orthodoxes pour marquer leur piété, en portant la main droite au front, à la poitrine puis à chacune des épaules. ▸ Loc. *Porter sa* ***croix*** : endurer des épreuves. **3.** Motif symbolique fait de branches perpendiculaires : ***Croix*** *de Malte* ; ***Croix*** *de Lorraine.* ▸ Loc. *En* ***croix*** : en forme de **croix**. **4.** Insigne, décoration : ***Croix*** *de guerre, de la Légion d'honneur.* **5.** *La* ***croix*** *rouge* : insigne de neutralité des sociétés de secours aux blessés et du service de santé des armées. ▸ *La* ***Croix****-Rouge* : organisme humanitaire international. **6.** Marque faite de deux traits croisés : *Signer d'une* ***croix****.* ▸ Loc. *Faire une* ***croix*** *sur qqch.* : y renoncer (fam.). Xe s. ; lat. *crux* ; [kʀwɑ].

**CROMALIN,** subst. m. inv.
*Impr.* Tirage d'essai en couleurs obtenu à partir des films et servant d'épreuve de contrôle avant l'impression. N. déposé ; [kʀomalɛ̃].

**CROMLECH,** subst. m.
*Archéol.* Cercle de menhirs, datant du Néolithique : *Le* ***cromlech*** *d'Er Lanik.* 1785 ; gallois *cromlech*, « pierre courbe » ; [kʀɔmlɛk].

**CROMORNE,** subst. m.
*Mus.* **1.** Ancien instrument à vent à anche double et à extrémité recourbée. **2.** Anal. Jeu d'orgue imitant le son nasillard de cet instrument. 1610 ; all. *Krummhorn*, « cor courbe » ; [kʀomɔʀn].

**CROONER,** subst. m.
Interprète de chansons tendres (anglic.). 1946 ; anglo-amér. *crooner*, de *to croon*, « chantonner » ; [kʀunœʀ].

**CROQUANT (I), ANTE,** subst.
**1.** Paysan ; rustre (péj. et vieilli). **2.** *Hist.* Sobriquet donné aux paysans révoltés du Limousin, du Périgord et du Quercy entre la fin du XVIe s. et le milieu du XVIIe s. 1603 ; p.-ê. prov. *croucant*, de *crouca*, « arracher » ; [kʀɔkɑ̃, ɑ̃t].

**CROQUANT (II), ANTE,** adj. et subst. m.
**Adj.** Qui croque sous la dent : *Des radis bien* ***croquants****.* **Subst. 1.** Biscuit aux amandes, très sec. **2.** *Le* ***croquant*** *de l'oreille* : sa partie cartilagineuse. Déb. XVIIe s. ; p. pr. de *croquer* ; [kʀɔkɑ̃, ɑ̃t].

**CROQUE AU SEL (À LA),** loc. adv.
Cru et avec du sel pour tout assaisonnement : *Radis, tomate* ***à la croque au sel****.* 1718 ; formé de *croquer* et de *sel* ; var. *à la croque-au-sel* ; [alakʀɔkosɛl].

**CROQUE-MADAME,** subst. m. inv.
Croque-monsieur garni d'un œuf sur le plat. V. 1960 ; comp. de *croquer* et de *madame* ; [kʀɔkmadam].

**CROQUEMBOUCHE,** subst. m.
Pièce montée faite de choux à la crème caramélisés. 1845 ; formé de *croquer* et de *bouche* ; [kʀɔkɑ̃buʃ].

**CROQUE-MITAINE,** subst. m.
**1.** Personnage terrifiant de certains contes, évoqué pour effrayer les enfants. **2.** Ext. Personne très sévère : *Jouer les* ***croque-mitaines****.* 1820 ; comp. de *croquer* et de *mitaine*, d'orig. inc. ; plur. *croque-mitaines*, var. *croquemitaine* ; [kʀɔkmitɛn].

**CROQUE-MONSIEUR,** subst. m. inv.
Sandwich grillé composé de jambon et de fromage placés entre deux tranches de pain de mie. 1918 ; comp. de *croquer* et de *monsieur* ; [kʀɔkməsjø].

**CROQUE-MORT,** subst. m.
Employé des pompes funèbres (fam.). ▸ Loc. *Avoir une tête de* ***croque-mort*** : un air sinistre. 1788 ; comp. de *croquer*, « faire disparaître », et de *mort* (II) ; plur. *croque-morts*, var. *croquemort* ; [kʀɔkmɔʀ].

**CROQUENOT,** subst. m.
Brodequin (pop.). 1866 ; orig. obsc. ; [kʀɔkno].

**CROQUER,** verbe [3]
**Intrans.** Produire un craquement, en parlant d'un aliment : *Une carotte qui* ***croque*** *sous la dent.* **Trans. 1.** Briser avec les dents (un aliment dur, craquant) : ***Croquer*** *du chocolat.* **2.** Ext. Manger (qqch.) avec appétit (fam.) ; au fig., dilapider (fam.) : ***Croquer*** *ses économies.* ▸ Loc. *En* ***croquer*** : obtenir des avantages, de l'argent de façon inavouable (argot.). **3.** Dessiner rapidement, esquisser : ***Croquer*** *une scène* ; par anal., décrire sommairement. ▸ Loc. *Belle, mignonne à* ***croquer*** : très jolie. XVe s. (fin XIIIe s., frapper) ; orig. onomat. ; [kʀɔke].

**CROQUET (I),** subst. m.
Petit gâteau sec aux amandes : ***Croquets*** *du Berry.* 1642 ; ☞ *croquer* ; [kʀɔkɛ].

**CROQUET (II),** subst. m.
Jeu d'adresse consistant à pousser avec un maillet des boules de bois sous des arceaux, sur un parcours déterminé. 1866 ; angl. *croquet*, du m. fr. *croquet*, « coup sec » ; [kʀɔkɛ].

**CROQUETTE,** subst. f.
**1.** *Cuis.* Boulette panée et frite : ***Croquettes*** *de poisson, de pommes de terre.* **2.** Boulette sèche élaborée industriellement pour l'alimentation animale. 1740 ; ☞ *croquer* ; [kʀɔkɛt].

**CROQUEUR, EUSE,** subst.
Personne qui croque, mange goulûment ; au fig. : *Un* ***croqueur*** *de dot* (fam.). 1552 ; ☞ *croquer* ; [kʀɔkœʀ, øz].

**CROQUIGNOLE,** subst. f.
**1.** Vx. Chiquenaude. **2.** Petit biscuit croquant. XVe s. ; orig. obsc. ; [kʀɔkiɲɔl].

**CROQUIGNOLET, ETTE,** adj.
Gracieux, mignon (fam.). 1939 (1869, pâtisserie) ; ☞ *croquignole* ; [kʀɔkiɲɔlɛ, ɛt].

**CROQUIS,** subst. m.
**1.** *B.-a.* Esquisse, ébauche : *Carnet de* ***croquis*** ; par anal., description sommaire. **2.** Ext. Dessin, plan schématique. 1752 ; ☞ *croquer* ; [kʀɔki].

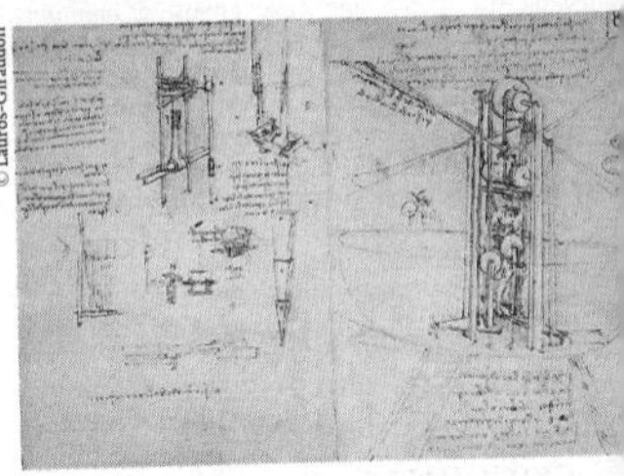


*Croquis de Léonard de Vinci (1452-1519) concernant le vol à tire-d'aile. Bibliothèque de l'Institut de France, Paris.*

**CROSKILL,** subst. m.
*Agric.* Rouleau utilisé pour briser les mottes de terre. Fin XIXe s. ; anthropon. *Croskill*, inventeur de cette machine ; [kʀɔskil].

**CROSNE,** subst. m.
**1.** *Bot.* Plante de la famille des Lamiacées aux nombreux rhizomes comestibles. **2.** Tubercule de cette plante. 1890 ; topon. *Crosne* (Essonne) ; [kʀon].

**CROSS,** subst. m.
**1.** Course à pied sur un terrain inégal et semé d'obstacles. **2.** Ext. Course du même style effectuée à cheval, à moto ou à bicyclette. 1924 ; ell. de l'angl. *cross-country*, « à travers la campagne » ; [kʀɔs].

**CROSSE,** subst. f.
**1.** *Liturg.* Haut bâton dont l'extrémité s'enroule sur elle-même, tenu dans la main gauche, symbole de la juridiction de l'évêque ou de l'abbé mitré. **2.** S[illegible] Bâton à l'extrémité recourbée, servant à pousser une balle, un palet : ***Crosse*** *de hockey.* ▸ Québ. Varié[illegible] de hockey. **3.** Anal. ▸ Extrémité recourbée : ***Crosse*** *de l'aorte* ; ***Crosse*** *d'un violon.* ▸ ***Crosse*** *de fougère*

jeune feuille, encore enroulée sur elle-même. ▸ Partie postérieure d'une arme à feu : *Crosse d'un fusil, d'un révolver.* Mil. XIIe s. ; germ. *krukja* ; [kʀɔs].

**CROSSÉ, adj. m.**
*Liturg.* Qui porte une crosse en signe de sa dignité : *Abbé crossé et mitré.* XIIe s. ; ☞ *crosse* ; [kʀɔse].

**CROSSES, subst. f. plur.**
Loc. *Chercher des crosses à qqn* : lui chercher querelle (fam.). 1881 ; orig. inc. ; [kʀɔs].

**CROSSETTE, subst. f.**
**1.** *Arboric.* Petite branche composée d'un rameau et d'une pousse taillée en forme de crosse, servant à faire une bouture. **2.** *Archit.* Saillie horizontale des voussoirs, qui les empêche de glisser sur les pierres voisines. 1551 ; ☞ *crosse* ; [kʀɔsɛt].

**CROSSING-OVER, subst. m. inv.**
*Génét.* Résultat des figures d'entrecroisement que l'on observe entre chromosomes homologues dédoublés en chromatides au cours de la prophase. Un **crossing-over** entraîne des échanges de régions chromosomiques entre membres d'une même paire et la formation de chromosomes recombinés. 1926 ; angl. *crossing over*, de *to cross over*, « passer sur l'autre côté » ; recomm. off. *enjambement* ; [kʀɔsiŋɔvœʀ].

**CROSSOPTÉRYGIENS, subst. m. plur.**
*Zool.* Poissons osseux qui ne sont connus qu'à l'état fossile et qui sont probablement très proches de la souche ancestrale de tous les Vertébrés terrestres. **Au sing.** *Le cœlacanthe est un* **crossoptérygien.** 1875 ; lat. sc. *crossopterygii*, du gr. *krossos*, « frange », et *pteron*, « nageoire » ; [kʀɔsɔpteʀiʒjɛ̃].

© J. Cancalosi-Jacana

*Crotale diamantin dans le désert du Nouveau-Mexique. Les cônes creux de l'extrémité de sa queue constituent sa « sonnette ».*

**CROTALE, subst. m.**
**1.** *Mus.* Instrument ressemblant à des castagnettes, en usage dans la Grèce antique ou chez certains peuples d'Afrique. **2.** *Zool.* Serpent de la famille des Vipéridés, aussi appelé serpent à sonnette, vivant essentiellement en Amérique et comptant parmi les plus dangereux des serpents venimeux. 1596 ; lat. *crotalum*, du gr. *krotalon* ; [kʀɔtal].

**CROTON, subst. m.**
*Bot.* Plante arbustive de la famille des Euphorbiacées, dont on tirait jadis une huile purgative. 1791 ; lat. *croton*, du gr. *krotôn*, « ricin » ; [kʀɔtɔ̃].

**CROTTE, subst. f.**
**1.** Déjection de certains animaux : *Crottes de lapin* ; par ext., tout excrément solide (fam.). ▸ *Crotte de nez* : sécrétion nasale sèche. ▸ Chose sans valeur (fam.). ▸ Empl. interj. *Crotte !* : zut ! (fam.). **2.** Boue (vx). **3.** *Crotte en, de chocolat* : bouchée au chocolat. Fin XIIe s. ; prob. anc. bas frq. °*krotta* ; [kʀɔt].

**CROTTER, verbe [3]**
**Trans.** Salir de crotte, de boue. **Intrans.** Faire des crottes (fam.). XIIIe s. ; ☞ *crotte* ; [kʀɔte].

**CROTTIN, subst. m.**
**1.** Excrément des Équidés : *Le* **crottin** *est un bon engrais.* **2.** Petit fromage de chèvre de forme arrondie. Mil. XIVe s. ; ☞ *crotte* ; [kʀɔtɛ̃].

**CROULANT, ANTE, adj. et subst.**
**Adj.** Qui menace ruine : *Une bâtisse* **croulante.** **Subst.** Personne d'âge mûr, du point de vue des adolescents (fam. et péj.). 1611 (XIIe s., tremblant) ; p. pr. de *crouler* (I) ; [kʀulɑ̃, ɑ̃t].

**CROULE, subst. f.**
**1.** Cri des bécasses à la période des amours. **2.** *Chasse à la* **croule** ou, par ell., **Croule** : chasse à la bécasse pendant cette période, au crépuscule. 1863 ; ☞ *crouler* (II) ; [kʀul].

**CROULER (I), verbe intrans. [3]**
**1.** S'écrouler, s'affaisser sous son propre poids : *Une masure qui* **croule** ; par exagér. : *La salle* **croulait** *sous les ovations.* ▸ Être écrasé, surchargé : **Crouler** *sous le travail* ; **Crouler** *de fatigue.* **2.** Fig. S'effondrer : *Et lui, votre seigneur (...), Courbe son front pensif sur qui l'Empire* **croule** (Hugo). Fin Xe s. ; prob. lat. pop. °*crotalare*, « secouer » ; [kʀule].

**CROULER (II), verbe intrans. [3]**
Pousser son cri, en parlant de la bécasse. Fin XIXe s. ; all. *grillen*, « crier » ; [kʀule].

**CROUP, subst. m.**
*Pathol.* Manifestation laryngée de l'angine diphtérique, dans laquelle des fausses membranes obstruent l'orifice glottique, provoquant l'asphyxie du malade. 1777 ; angl. *croup*, de *to croup*, « crier d'une voix rauque » ; [kʀup].

**CROUPADE, subst. f.**
*Équit.* Figure de haute école dans laquelle le cheval projette ses postérieurs en l'air, son corps faisant un angle de 45° avec le sol. 1642 ; ☞ *croupe* ; [kʀupad].

**CROUPE, subst. f.**
**1.** Partie postérieure, des hanches à la racine de la queue, de certains mammifères, en partic. du cheval. ▸ Loc. *En* **croupe** : sur la **croupe**, à l'arrière de la selle ; par ext. : *Monter en* **croupe** *sur une moto.* **2.** Postérieur féminin (fam.) : *Onduler de la* **croupe.** **3.** *Archit.* Pan de toiture, gén. triangulaire. **4.** *Géogr.* Sommet arrondi : *La* **croupe** *d'une colline.* Fin XIe s. ; anc. bas frq. °*kruppa* ; [kʀup].

**CROUPETONS (À), loc. adv.**
Assis sur les talons, accroupi. Fin XIIe s. ; ☞ *croupe* ; [akʀup(ə)tɔ̃].

**CROUPI, IE, adj.**
Stagnant et altéré par la putréfaction, en parlant d'un liquide. 1545 ; p. p. de *croupir* ; [kʀupi].

**CROUPIER, IÈRE, subst.**
Personne employée par un établissement de jeu, qui dirige les parties, reçoit les mises, paie les gains, etc. : *Râteau de* **croupier.** 1797 (1657, qui monte en croupe) ; ☞ *croupe* ; rare au fém. ; [kʀupje, jɛʀ].

**CROUPIÈRE, subst. f.**
Courroie de cuir passant sous la queue d'un cheval, destinée à empêcher le bât, la selle de glisser. ▸ Loc. *Tailler des* **croupières** *à qqn* : lui créer des difficultés. Fin XIIe s. ; ☞ *croupe* ; [kʀupjɛʀ].

**CROUPION, subst. m.**
**1.** Saillie postérieure du corps des oiseaux, portant les plumes de la queue : *Manger le* **croupion** *du poulet.* **2.** *Hist. Le Parlement* **croupion** : surnom du Parlement d'Angleterre aux ordres de Cromwell ; par ext., se dit d'une assemblée qui a perdu sa représentativité. 1538 (1461, postérieur humain) ; ☞ *croupe* ; [kʀupjɔ̃].

**CROUPIR, verbe intrans. [19]**
**1.** Se corrompre par la stagnation, en parlant d'un liquide : *L'eau* **croupit** *dans le vase* ; par ext., se putréfier par séjour prolongé dans un liquide stagnant. **2.** Rester confiné dans un lieu : **Croupir** *dans un cachot* ; au fig., demeurer dans un état : *Il* **croupit** *dans le vice.* 1549 (1178, s'accroupir) ; ☞ *croupe* ; [kʀupiʀ].

**CROUPISSANT, ANTE, adj.**
Qui croupit. 1550 ; p. pr. de *croupir* ; [kʀupisɑ̃, ɑ̃t].

**CROUPISSEMENT, subst. m.**
Fait de croupir ; état de ce qui est croupi (littér.). Déb. XVIIe s. ; ☞ *croupir* ; [kʀupismɑ̃].

**CROUPON, subst. m.**
*Techn.* Cuir épais de bœuf, de vache, taillé dans le dos ou la croupe de l'animal. 1723 ; anc. fr. *crepon*, « croupe d'un animal » ; [kʀupɔ̃].

**CROUSTADE, subst. f.**
*Cuis.* Croûte de pâte brisée ou feuilletée, emplie d'une garniture : **Croustade** *de ris de veau, de cèpes.* 1712 ; prob. ital. *crostata* ; [kʀustad].

**CROUSTILLANT, ANTE, adj.**
**1.** Qui croustille : *Des beignets* **croustillants.** **2.** Fig. Amusant et légèrement grivois : *Un épisode* **croustillant.** 1751 ; p. pr. de *croustiller* ; [kʀustijɑ̃, ɑ̃t].

**CROUSTILLER, verbe intrans. [3]**
Craquer sous la dent : *Une biscotte qui* **croustille.** 1612 ; prov. *croustilha* ; [kʀustije].

**CROÛTE, subst. f.**
**1.** Enveloppe extérieure d'un aliment, durcie par cuisson ou dessèchement : **Croûte** *du pain, d'un fromage.* ▸ Gangue de pâte cuite au four enrobant un mets : *Un pâté, un jambon en* **croûte.** ▸ Loc. fam. *Casser la* **croûte** : manger ; *Gagner sa* **croûte** : gagner sa vie. **2.** Ext. Couche solidifiée à la surface d'une substance : **Croûte** *de sel, de glace, de rouille.* **3.** Anal. ▸ *Géol.* **Croûte** *terrestre* : enveloppe extérieure du globe, au comportement rigide, fragmentée en plaques de 30 km d'épaisseur ou plus, les plaques lithosphériques (synon. *écorce terrestre*). ▸ *Pathol.* Plaque se formant sur l'épiderme lors de la cicatrisation d'une plaie. ▸ *Techn.* Partie intérieure du cuir, côté chair : *Un sac en* **croûte** *de cuir.* **4.** Tableau sans valeur artistique (péj.) : *Un Salon riche en* **croûtes.** **5.** Personne à l'esprit particulièrement obtus (fam.). XIe s. ; lat. *crusta* ; [kʀut].

**CROÛTER, verbe [3]**
Manger (pop.). 1879 ; ☞ *croûte* ; [kʀute].

**CROÛTEUX, EUSE, adj.**
**1.** Recouvert d'une croûte. **2.** *Pathol.* Qui se caractérise par la formation de croûtes : *Eczéma* **croûteux.** XIVe s. ; ☞ *croûte* ; [kʀutø, øz].

**CROÛTON, subst. m.**
**1.** Extrémité d'un pain long. **2.** Petit morceau de pain sec : **Croûtons** *frottés d'ail.* **3.** Fig. Personne ancrée dans ses habitudes, à l'esprit étroit (fam.) : *Un vieux* **croûton** *borné.* 1669 ; ☞ *croûte* ; [kʀutɔ̃].

**CROWN-GLASS, subst. m. inv.**
*Opt.* Verre blanc de très haute qualité, utilisé pour la fabrication de lentilles d'objectif. 1776 ; angl. *crown glass*, « verre de couronne » ; [kʀonglas].

**CROYABLE, adj.**
Digne d'être cru : *C'est à peine* **croyable !** XIIe s. ; ☞ *croire* ; [kʀwajabl].

**CROYANCE, subst. f.**
**1.** Fait de croire à la véracité, à l'existence d'une chose ; conviction ; foi : **Croyance** *en Dieu.* **2.** Ce que l'on croit ; opinion : **Croyance** *dans les progrès de la science.* ▸ Contenu de la foi : *Les* **croyances** *des chrétiens, des juifs, des musulmans.* Mil. XIe s. ; bas lat. *credentia*, du lat. *credere*, « croire » ; [kʀwajɑ̃s].

**CROYANT, ANTE, adj. et subst.**
Se dit d'une personne animée d'une foi religieuse : *Une famille très* **croyante** ; *Un* **croyant** *non pratiquant.* ▸ *Les* **croyants** : nom que se donnent les musulmans. Mil. XIIe s. ; p. pr. de *croire* ; [kʀwajɑ̃, ɑ̃t].

**CRU (I), UE, adj. et adv.**
**Adj. 1.** Qui n'est pas cuit : *Viande* **crue** ; *Lait* **cru**, non stérilisé. **2.** Qui n'a pas subi de transformation, brut : *Soie* **crue.** **3.** Non atténué ; violent : *Couleur* **crue** ; *Lumière* **crue.** **4.** Fig. Brutal, grossier : *En termes* **crus.** **5.** Belg. *Temps* **cru** : humide et froid. **Adv. 1.** Crûment : *Parler* **cru** ; *Le dire tout* **cru.** **2.** Loc. *Monter à* **cru** : chevaucher sans selle. Fin XIIe s. ; lat. *crudus* ; [kʀy].

**CRU (II), subst. m.**
**1.** Ce qui croît dans une région de production ; la région elle-même, le terroir : *Des produits du* **cru.** ▸ Vignoble : *Un* **cru** *du Bordelais* ; par méton., vin provenant d'un vignoble particulier : *Un grand* **cru** *classé.* **2.** Loc. *Le langage du* **cru** : de la région ; *Une histoire de son* **cru** : qui lui est propre. 1307 ; p. p. de *croître* ; [kʀy].

**CRUAUTÉ, subst. f.**
**1.** Tendance à faire souffrir : *Un tyran d'une grande* **cruauté** ; **Cruauté** *envers les animaux.* **2.** Caractère de ce qui est impitoyable : *La* **cruauté** *du destin.* **3.** Méton. Acte cruel (gén. au plur.) : *Les* **cruautés** *commises contre les vaincus.* Mil. XIIe s. ; lat. *crudelitas* ; [kʀyote].

**CRUCHE, subst. f.**
**1.** Pot renflé à col étroit, doté d'une anse et d'un bec ; par méton., son contenu. **2.** Fig. et Fam. Personne sotte, niaise ; empl. adj. : *Il est vraiment* **cruche !** 1178 ; anc. bas frq. °*krûkka* ; [kʀyʃ].

**CRUCHON, subst. m.**
Petite cruche ; par méton., son contenu. Fin XIIe s. ; ☞ *cruche* ; [kʀyʃɔ̃].

**CRUCIAL, ALE, AUX, adj.**
**1.** En forme de croix : *Une entaille* **cruciale.** **2.** *Philos. Expérience* **cruciale** : qui permet de trancher de façon décisive entre les deux termes d'une alternative. ▸ Ext. Décisif, déterminant : *Moment, point* **crucial** ; *Question* **cruciale.** 1561 ; angl. *crucial*, « décisif », du lat. *crucis*, « croix » ; [kʀysjal, o].

**CRUCIFÈRES,** subst. f. plur.
*Bot.* L'une des huit familles de l'ordre des Capparales. Les **Crucifères**, appelées de nos jours Brassicacées, sont des plantes herbacées dont les fleurs ont quatre pétales disposés en croix. Répandues surtout dans les zones tempérées de l'hémisphère Nord, elles comptent de nombreuses espèces utilisées dans l'alimentation, la médecine ou l'industrie. **Au sing.** *Le colza est une* ***crucifère***. 1762 (1599, ordre religieux) ; lat. chrét. *crucifer*, « qui porte la croix » ; [kʀysifɛʀ].

**CRUCIFIÉ, ÉE,** adj.
**1.** Mis en croix ; empl. subst. masc. : *Le* ***Crucifié***, le Christ. **2.** Fig. Qui souffre beaucoup, physiquement ou moralement : *On l'avait humilié, il en était* ***crucifié***. XVII^e s. ; p. p. de *crucifier* ; [kʀysifje].

**CRUCIFIEMENT,** subst. m.
**1.** Action de crucifier ; mise en croix. **2.** Méton. Œuvre d'art figurant ce supplice. **3.** Fig. Mortification ; épreuve morale (rare). Mil. XIII^e s. ; ☞ *crucifier* ; [kʀysifimɑ̃].

**CRUCIFIER,** verbe trans. [6]
**1.** Infliger le supplice de la croix à (qqn). **2.** Fig. Mortifier, chez les mystiques religieux : ***Crucifier*** *sa chair* ; faire souffrir intensément : *Ce drame le* ***crucifia***. Déb. XII^e s. ; lat. chrét. *crucifigere* ; [kʀysifje].

**CRUCIFIX,** subst. m.
Croix représentant le Christ crucifié. Fin XII^e s. ; lat. chrét. *crucifixus* ; [kʀysifi].

**CRUCIFIXION,** subst. f.
**1.** Crucifiement. ▸ *La* ***Crucifixion*** : celle du Christ. **2.** Méton. Œuvre représentant le Christ sur la Croix. XVI^e s. ; lat. chrét. *crucifixio* ; [kʀysifiksjɔ̃].

**CRUCIFORME,** adj.
En forme de croix : *Plan* ***cruciforme*** ; *Tournevis* ***cruciforme***, dont l'extrémité s'adapte à la tête d'une vis du même nom, dotée de deux fentes en croix. 1754 ; formé de *cruci-* et de *-forme* ; [kʀysifɔʀm].

**CRUCIVERBISTE,** subst.
Amateur de mots croisés. 1955 ; lat. *verbum*, « mot », + *cruci-* ; [kʀysivɛʀbist].

**CRUDITÉ,** subst. f.
**1.** État de ce qui n'est pas cuit ; au plur., légumes crus : *Assiette de* ***crudités***. **2.** Fig. Caractère grossier, sans détour d'un propos : ***Crudité*** *d'un vocabulaire*. 1596 (1398, caractère de ce qui est indigeste) ; lat. *cruditas*, « indigestion » ; [kʀydite].

**CRUE,** subst. f.
Montée rapide du niveau d'un cours d'eau : ***Crue*** *de printemps* ; *Une rivière en* ***crue***. Déb. XIV^e s. ; p. p. de *croître* ; [kʀy].

**CRUEL, ELLE,** adj.
**1.** Qui éprouve du plaisir à faire ou à voir souffrir. **2.** Dont l'indifférence, la froideur fait souffrir : *Une* ***cruelle*** *maîtresse*. **3.** Méton. Qui révèle de la cruauté : *Une parole* ***cruelle***. **4.** Douloureux ; pénible : *La perte* ***cruelle*** *d'un être cher* ; *Un sort* ***cruel***. X^e s. ; lat. *crudelis* ; [kʀyɛl].

**CRUELLEMENT,** adv.
**1.** Avec cruauté : *Traiter* ***cruellement*** *un animal*. **2.** D'une manière douloureuse : *Il fut* ***cruellement*** *éprouvé* ; *L'argent lui fait* ***cruellement*** *défaut*. Mil. XII^e s. ; ☞ *cruel* ; [kʀyɛlmɑ̃].

**CRUENTÉ, ÉE,** adj.
*Pathol.* Sanglant : *Surface* ***cruentée***, dont l'épithélium a disparu et qui laisse suinter le sang. 1878 ; lat. *cruentus*, de *cruor*, « sang » ; [kʀyɑ̃te].

**CRÛMENT,** adv.
D'une manière directe, brutale : *Dire* ***crûment*** *une vérité*. ▸ Avec une lumière violente : *Une pièce* ***crûment*** *éclairée*. 1559 ; ☞ *cru* (I) ; [kʀymɑ̃].

**CRUOR,** subst. m.
*Physiol.* **1.** Ensemble des globules du sang (vx). **2.** Partie du sang qui coagule, par oppos. au sérum sanguin (vx). 1829 ; lat. *cruor*, « sang » ; [kʀyɔʀ].

**CRURAL, ALE, AUX,** adj.
*Anat.* Relatif à la cuisse et à la jambe : *Artère* ***crurale***. 1560 ; lat. *cruralis*, « de la jambe » ; [kʀyʀal, o].

**CRUSTACÉ, ÉE,** adj. et subst. m. plur.
**Adj. 1.** *Zool.* Qui est enveloppé d'une couche de tissu dure, la carapace. **2.** *Bot.* Qui recouvre le support sur lequel il pousse, comme une croûte, en parlant d'un lichen. **Subst.** *Zool.* Une des trois classes du sous-embranchement des Antennates. Les **Crustacés** qui entrent dans l'alimentation humaine (crevettes, langoustes, tourteaux, etc.) sont des Malacostracés de l'ordre des Décapodes ; au sing. : *Le homard est un* ***crustacé***. 1713 ; lat. sc. *crustaceus*, du lat. *crusta*, « croûte » ; [kʀystase].

**CRYOBIOLOGIE,** subst. f.
Partie de la biologie qui étudie l'effet des très basses températures sur les phénomènes de la vie. XX^e s. ; ☞ *biologie + cryo-* ; [kʀijobjɔlɔʒi].

**CRYOCHIRURGIE,** subst. f.
*Chir.* Utilisation des basses et très basses températures en chirurgie, spéc. en ophtalmologie et en urologie. XX^e s. ; ☞ *chirurgie + cryo-* ; [kʀijoʃiʀyʀʒi].

**CRYOCLASTIE,** subst. f.
*Géol.* Effet des gels et des dégels alternatifs sur les abrupts calcaires, qui aboutit à la formation de cailloutis anguleux et, par destruction du pied des falaises, d'abris-sous-roche (synon. *gélifraction*). XX^e s. ; formé de *cryo-* et de *-claste* ; [kʀijoklasti].

**CRYOCONDUCTEUR, TRICE,** adj.
*Électr.* Se dit d'un conducteur dont la température est portée à un niveau très bas, ce qui fait diminuer sa résistivité. XX^e s. ; ☞ *conducteur + cryo-* ; [kʀijokɔ̃dyktœʀ, tʀis].

**CRYOCONSERVATION,** subst. f.
*Biol.* Conservation, notamment des tissus vivants, par le froid. XX^e s. ; ☞ *conservation + cryo-* ; [kʀijokɔ̃sɛʀvasjɔ̃].

**CRYOFRACTURE,** subst. f.
*Biol.* Technique d'analyse morphologique des structures cellulaires ou tissulaires, mises en évidence par fracture d'un échantillon congelé. XX^e s. ; ☞ *fracture + cryo-* ; [kʀijofʀaktyʀ].

**CRYOGÈNE,** adj.
*Phys.* Qui se rapporte à la production de basses températures. 1900 ; formé de *cryo-* et de *-gène* ; [kʀijɔʒɛn].

**CRYOGÉNIE,** subst. f.
*Phys.* Production de basses températures. XX^e s. ; formé de *cryo-* et de *-génie* ; [kʀijɔʒeni].

**CRYOLITE,** subst. f.
*Minér.* Fluorure double naturel d'aluminium et de sodium, qui fond à température peu élevée, utilisé dans la métallurgie de l'aluminium. 1808 ; all. *Kryolith*, du gr. *kruos*, « froid », et *lithos*, « pierre » ; var. *cryolithe* ; [kʀijɔlit].

**CRYOLOGIE,** subst. f.
*Phys.* Ensemble des connaissances théoriques qui concernent les basses températures ; ensemble des techniques qui en découlent. Fin XIX^e s. ; formé de *cryo-* et de *-logie* ; [kʀijɔlɔʒi].

**CRYOMÉTRIE,** subst. f.
*Phys.* Mesure des températures de congélation des produits organiques. V. 1900 ; formé de *cryo-* et de *-métrie* ; [kʀijometʀi].

**CRYOSCOPIE,** subst. f.
*Phys.* Détermination du point de congélation d'une solution. 1888 ; formé de *cryo-* et de *-scopie* ; [kʀijɔskɔpi].

**CRYOSTAT,** subst. m.
*Techn.* Récipient isolant conçu pour réaliser ou maintenir constante une cryotempérature au moyen d'un gaz liquéfié. 1903 ; formé de *cryo-* et de *-stat* ; [kʀijosta].

**CRYOTEMPÉRATURE,** subst. f.
Température qui se situe au-dessous du seuil de 120 kelvins. V. 1970 ; ☞ *température + cryo-* ; [kʀijotɑ̃peʀatyʀ].

**CRYOTHÉRAPIE,** subst. f.
Ensemble des applications thérapeutiques du froid. 1907 ; formé de *cryo-* et de *-thérapie* ; [kʀijoteʀapi].

**CRYOTRON,** subst. m.
*Électron.* Dispositif comportant un fil supraconducteur susceptible d'introduire une résistance dans le circuit constituant la mémoire d'une machine à calculer électronique. V. 1970 ; angl. *cryotron*, de *electron*, « électron », + *cryo-* ; [kʀijotʀɔ̃].

**CRYPTAGE,** subst. m.
Opération consistant à rendre un message inintelligible à qui ne détient pas le code ou le décodeur approprié. V. 1980 ; ☞ *crypter* ; [kʀiptaʒ].

**CRYPTE,** subst. f.
**1.** *Archéol.* Longue galerie souterraine voûtée. **2.** *Archit.* Chapelle souterraine d'une église ; caveau funéraire aménagé sous un édifice. **3.** *Anat.* Cavité de certains organes. XIV^e s. ; lat. *crypta*, du gr. *kruptê*, « voûte souterraine » ; [kʀipt].

**CRYPTER,** verbe trans. [3]
Procéder au cryptage de ; empl. adj. : *Chaîne de télévision* ***cryptée***, exigeant un décodeur pour être reçue en clair. V. 1980 ; gr. *kruptos*, « caché » ; [kʀipte].

**CRYPTIQUE,** adj.
**1.** Qui se rapporte aux cryptes. **2.** Fig. Qui exige un déchiffrage pour être compris. 1852 (1576, procédé de dissimulation) ; ☞ *crypte* ; [kʀiptik].

**CRYPTOGAME,** adj. et subst. m. plur.
*Bot.* **Adj.** Dont les organes sexuels sont cachés, et qui ne présente donc ni fleurs ni graines. **Subst.** Groupe du règne végétal (anton. *Phanérogames*), qui rassemble les plantes thallophytes, les Bryophytes et les Ptéridophytes. On distingue les cryptogames vasculaires et les non vasculaires ; au sing. : *La fougère est un* ***cryptogame***. 1783 ; formé de *crypto-* et de *-game*, d'apr. *cryptogamie* ; [kʀiptɔgam].

**CRYPTOGAMIE,** subst. f.
**1.** État, caractère d'une plante cryptogame. **2.** Étude des Cryptogames. 1771 ; lat. sc. *cryptogamia* ; [kʀiptɔgami].

**CRYPTOGAMIQUE,** adj.
Relatif aux Cryptogames. ▸ *Maladie* ***cryptogamique*** : due à l'attaque d'une plante par des cryptogames microscopiques. 1811 ; ☞ *cryptogame* ; [kʀiptɔgamik].

**CRYPTOGÉNÉTIQUE,** adj.
Dont l'origine n'est pas connue, en parlant d'un phénomène biologique ou pathologique. 1909 ; ☞ *génétique + crypto-* ; [kʀiptoʒenetik].

**CRYPTOGRAMME,** subst. m.
Texte écrit en langage secret, chiffré ou codé. 1846 ; formé de *crypto-* et de *-gramme* ; [kʀiptogʀam].

**CRYPTOGRAPHE,** subst.
Spécialiste de la cryptographie. **Masc.** Machine à crypter ou à décrypter. 1845 ; ☞ *cryptographie* ; [kʀiptogʀaf].

**CRYPTOGRAPHIE,** subst. f.
**1.** Art d'écrire dans un langage secret, intelligible par les seuls détenteurs du code. **2.** Ensemble des techniques de cryptage d'un texte. 1624 ; formé de *crypto-* et de *-graphie* ; [kʀiptogʀafi].

**CRYPTOGRAPHIQUE,** adj.
**1.** Relatif à la cryptographie. **2.** Ext. Obscur, énigmatique. 1752 ; ☞ *cryptographie* ; [kʀiptogʀafik].

**CRYPTOPHYTE,** subst. f. et adj.
*Bot.* Se dit d'une plante dépourvue de parties aériennes apparentes en hiver. 1842 ; formé de *crypto-* et de *-phyte* ; [kʀiptofit].

**Cs,** voir **CÉSIUM**

**CSARDAS,** subst. f.
**1.** Danse hongroise à deux ou à quatre temps. **2.** Musique à tempo lent puis vif qui l'accompagne. 1885 ; hongr. *csardas* ; var. *czardas* ; [ksaʀdas].

**CTÉNAIRES,** subst. m. plur.
*Zool.* Embranchement de métazoaires marins dont les divers organes se forment à partir de deux feuillets embryonnaires seulement, l'ectoderme et l'endoderme (type d'organisation diploblastique partagé avec les Cnidaires et les Spongiaires). Les **Cténaires**, dont le type est le cydippe (organisme planctonique à deux tentacules), ont deux plans de symétrie perpendiculaires l'un à l'autre. **Au sing.** *Le béroé est un* ***cténaire***. 1929 ; lat. sc. *ctenaria*, du gr. *kteis*, « peigne » ; [ktenɛʀ].

**Cu,** voir **CUIVRE**

**CUBAGE,** subst. m.
**1.** Action de calculer un volume. **2.** Méton. Ce volume, évalué en unités cubiques. 1783 ; ☞ *cuber* ; [kybaʒ].

**CUBATURE,** subst. f.
*Géom.* Détermination, à partir d'un solide, d'un cube ayant le même volume que lui. 1702 ; lat. sc. *cubatura*, du lat. *cubus*, « cube » ; [kybatyʀ].

**CUBE,** subst. m.
**1.** *Géom.* Polyèdre régulier dont les faces (égales) sont des carrés. C'est un parallélépipède rectangle particulier à 6 faces, 8 sommets et 12 arêtes égales ; si *a* est la longueur d'une arête, le volume du cube est $a^3$. **2.** *Arithm.* et *Alg.* ***Cube*** *d'un nombre a* (*ou a au cube*) : produit de trois facteurs égaux à *a*, noté $a^3 = a.\ a.\ a$. **3.** Volume évalué en unités cubiques : *Un* ***cube*** *d'air* ; par ext. : *Un gros* ***cube***, une moto de grosse cylindrée (fam.) ; empl. adj. : *10 centim*

*tres **cubes*** (symb. : $cm^3$) ; *200 mètres **cubes** d'eau* (symb. : $m^3$). **4.** Objet en forme de **cube** : *Un jeu de cubes.* **5.** Élève qui redouble la deuxième année d'une classe préparatoire (argot scol.). 📖 1377 ; lat. *cubus*, du gr. *kubos*, « dé à jouer » ; [kyb].

**CUBÈBE, subst. m.**
*Bot.* Arbuste sarmenteux de la famille des Pipéracées, dont le fruit, proche du poivre, a des propriétés médicinales. 📖 Mil. XIIIe s. ; ar. *kubāba* ; [kybɛb].

**CUBER, verbe [3]**
**Trans. 1.** Évaluer le volume de : ***Cuber** des chargements de bois.* **2.** *Arithm.* et *Alg.* Élever au cube, à la puissance 3. **Intrans. 1.** Avoir tel volume : *Cette grange **cube** environ 1 000 mètres.* **2.** Ext. Constituer une grande quantité (fam.) : *Tous ces gains, ça commence à **cuber** !* 📖 1549 ; ☞ *cube* ; [kybe].

**CUBILOT, subst. m.**
*Métall.* Fourneau à cuve servant à la seconde fusion de la fonte. 📖 1841 ; prob. angl. *cupilo* ; [kybilo].

**CUBIQUE, adj. et subst. f.**
**Adj. 1.** Qui a la forme d'un cube. **2.** *Arithm.* et *Alg. Racine **cubique** du nombre a* : le nombre *b* tel que $b^3 = b.b.b = a$. **Subst.** *Géom.* Courbe algébrique de degré 3. 📖 Fin XIVe s. ; lat. *cubicus*, du gr. *kubikos* ; [kybik].

**CUBISME, subst. m.**
*B.-a.* Mouvement esthétique apparu au début du XXe s., surtout pictural, né avec les esquisses de Picasso pour son célèbre tableau exposé au Salon de 1907, *les Demoiselles d'Avignon.* 📖 1908 ; ☞ *cube* ; [kybism].

BEAUX-ARTS – On attribue l'origine du cubisme à l'influence de Paul Cézanne (mort en 1906) et à la découverte de l'« art nègre » et de la sculpture ibérique. À peu près tous les peintres du début du XXe s. ont connu une phase cubiste. Pablo Picasso et Georges Braque furent rejoints par Juan Gris, André Derain, Fernand Léger, Albert Gleizes, Jean Metzinger, puis par Jacques Villon, Louis Marcoussis, Roger de La Fresnaye, André Lhote, Sonia et Robert Delaunay et par des sculpteurs appliquant leurs principes : Alexander Archipenko, Constantin Brancusi, Julio González, Jacques Lipchitz, Ossip Zadkine. L'histoire du mouvement se décompose en trois étapes : le cubisme cézannien (1907-1910), le cubisme analytique (1910-1912), le cubisme synthétique (1913-1914). En 1914, le départ de Braque et de Léger pour la guerre interrompt le mouvement. On situe la fin du cubisme créatif entre 1920 et 1930 ; Picasso lui-même cessera d'être un cubiste intégral dès 1916. Le cubisme, dont les théoriciens furent Apollinaire, Gleizes et Metzinger (*Du cubisme*), a introduit dans la peinture une nouvelle attitude à l'égard de la représentation, poussant à l'extrême la perte de l'illusion mise en œuvre par Cézanne avec *les Grandes Baigneuses*. Il décompose les volumes et les corps en éléments simples – cubes, cylindres, pyramides, sphères – en multipliant les points de vue et met en évidence la « platitude » de la toile, éliminant l'illusionnisme et frôlant l'abstraction. Le pas vers cette dernière n'est pas franchi, et le réel est réintroduit avec les papiers collés de Marcel Duchamp. Du cubisme sont issus le futurisme, l'orphisme, le néoplasticisme, le suprématisme, le purisme ou encore le néocubisme.

**CUBISTE, adj. et subst.**
**Adj. 1.** Relatif au cubisme. **2.** Qui appartient au cubisme. **Subst.** Artiste qui se rattache au cubisme. 📖 V. 1910 (1894, terme d'archéologie) ; ☞ *cube* ; [kybist].

**CUBITAINER, subst. m. inv.**
Récipient de plastique destiné au transport d'un liquide, en partic. du vin. 📖 1959 ; crois. de *cubique* et de *container* ; n. déposé ; [kybitɛnɛʀ].

**CUBITAL, ALE, AUX, adj.**
Relatif au cubitus ou au coude : *Artère **cubitale*** ; empl. subst. : *Le **cubital** antérieur*, le muscle **cubital** antérieur. 📖 1503 ; lat. *cubitalis*, « haut d'une coudée » ; [kybital, o].

**CUBITIÈRE, subst. f.**
Élément mobile d'une armure, qui protégeait le coude. 📖 1845 ; ☞ *cubitus* ; [kybitjɛʀ].

**CUBITUS, subst. m.**
*Anat.* Le plus long et le plus gros des deux os de l'avant-bras – le second étant le radius –, dont la tête s'articule avec l'humérus pour former la saillie du coude. 📖 1541 ; lat. *cubitus*, « coude » ; [kybitys].

**CUBOÏDE, adj. et subst. m.**
**Subst.** *Anat.* Un des os du tarse. **Adj.** Qui a approximativement la forme d'un cube. 📖 1561 ; gr. *kuboeidês*, de *kubos*, « cube », et de *eidos*, « forme » ; [kubɔid].

**CUCUL, subst. et adj. inv.**
Fam. **Subst.** Diminutif enfantin de cul. **Adj.** Niais, ridicule : *Il m'a l'air un peu **cucul**, ton frère !* 📖 1933 ; ☞ *cul* ; [kyky].

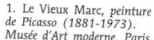

CHEFS-D'ŒUVRE DU **CUBISME**

1

© Lauros-Giraudon-Succession Picasso, 96

2

© Lauros-Giraudon

1. Le Vieux Marc, *peinture de Picasso (1881-1973). Musée d'Art moderne, Paris.*

2. Champ de Mars, la Tour rouge, *peinture de Robert Delaunay (1885-1941). Art Institute, Chicago.*

3

© Giraudon-A. D. A. G. P., Paris, 1996

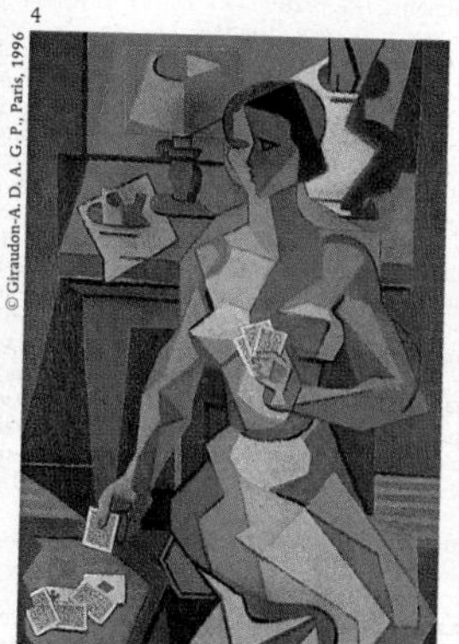
4

© Giraudon-A. D. A. G. P., Paris, 1996

3. Les Clowns, *peinture d'Albert Gleizes (1881-1953). Musée d'Art moderne de la Ville de Paris.*

4. La Tireuse de cartes, *peinture de Jean Metzinger (1883-1956). Musée des Beaux-Arts, Caen.*

5. Instruments de musique, *peinture de Georges Braque (1882-1963). Coll. part.*

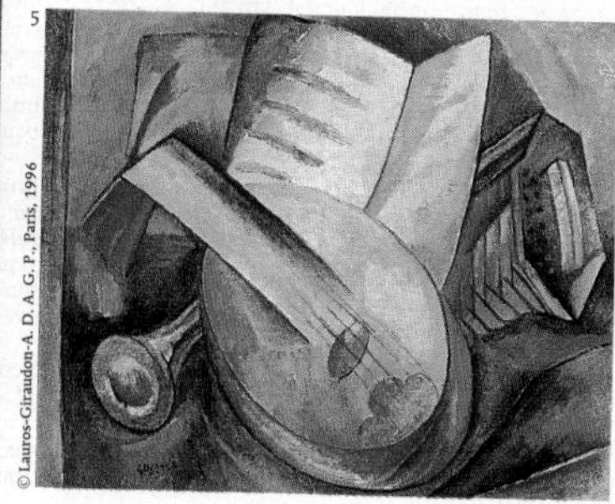
5

© Lauros-Giraudon-A. D. A. G. P., Paris, 1996

**CUCULLE**, subst. f.
Capuchon de moine. 1488 ; lat. chrét. *cuculla* ; [kykyl].

**CUCURBITACÉES**, subst. f. plur.
*Bot.* Famille unique de l'ordre des Cucurbitales, répandue dans les régions chaudes et tempérées. Ce sont des herbacées au fruit charnu caractéristique, le pépon ; empl. adj. : *Une plante **cucurbitacée**.* Au sing. *Le melon est une **cucurbitacée**.* 1721 ; lat. *cucurbita*, « courge » ; [kykyʀbitase].

**CUCURBITAIN**, subst. m.
*Méd.* et *Zool.* Chacun des segments du ténia qui, bourrés d'œufs, sont expulsés par l'anus. 1752 ; lat. *cucurbita*, « courge » ; var. *cucurbitin* ; [kykyʀbitɛ̃].

**CUCURBITE**, subst. f.
*Techn.* Élément inférieur d'un alambic, contenant les substances à distiller. XVe s. ; lat. *cucurbita*, « courge » ; [kykyʀbit].

**CUEILLAGE**, subst. m.
1. Cueillette (rare). 2. *Techn.* Prélèvement de la pâte de verre en fusion à l'aide d'une canne. 1343 ; ☞ *cueillir* ; [kœjaʒ].

**CUEILLAISON**, subst. f.
Cueillette (littér.). 1260 ; ☞ *cueillir* ; [kœjɛzɔ̃].

**CUEILLETTE**, subst. f.
1. Action de cueillir, de récolter : *La **cueillette** des abricots.* 2. Méton. Les produits ainsi récoltés ; époque où l'on cueille. 1260 (déb. XIIIe s., impôt) ; lat. *collecta*, « perception d'argent » ; [kœjɛt].

**CUEILLEUR, EUSE**, subst.
1. Personne qui cueille : ***Cueilleuses** de tabac.* 2. *Techn.* Ouvrier effectuant le cueillage du verre en fusion. Fém. Machine à cueillir le coton. 1303 (1272, percepteur) ; ☞ *cueillir* ; [kœjœʀ, øz].

**CUEILLIR**, verbe trans. [30]
1. Détacher (une partie d'un végétal) : ***Cueillir** des framboises.* 2. Ext. Récolter. 3. Fig. et Fam. ► Aller chercher : *J'irai te **cueillir** à la gare.* ► Arrêter : *Il fut **cueilli** à la frontière.* ► Loc. ***Cueillir** qqn à froid* : le prendre au dépourvu. XIIe s. (fin Xe s., emporter qqn) ; lat. *colligere*, « rassembler » ; [kœjiʀ].

**CUEILLOIR**, subst. m.
Longue perche dont l'extrémité est munie de ciseaux et d'un panier, qui sert à cueillir les fruits des hautes branches. 1322 ; ☞ *cueillir* ; [kœjwaʀ].

**CUESTA**, subst. f.
*Géogr.* Rebord de plateau, caractéristique de bassins sédimentaires à faible pendage : *Le profil asymétrique des **cuestas**.* 1925 ; esp. *cuesta*, « côte » ; [kwɛsta].

**CUI-CUI**, interj. et subst. m. inv.
Cri d'oiseau : *Faire **cui-cui***, pépier, couiner. 1856 ; orig. onomat. ; [kɥikɥi].

**CUILLER**, subst. f.
I. 1. Ustensile formé d'un manche et d'une partie creuse, qui sert à remuer, à verser ou à porter à la bouche des aliments liquides ou peu consistants : ***Cuiller** en argent ; **Cuiller** à soupe.* ► *Des biscuits à la **cuiller*** : préparés en versant la pâte avec une cuiller. 2. Méton. Contenu d'une cuiller, cuillerée : *Engloutir des **cuillers** de caviar.* 3. Loc. fam. *En deux (trois, cinq) coups de **cuiller** à pot* : promptement ; *Ne pas y aller avec le dos de la **cuiller*** : agir sans retenue ; *Être à ramasser à la petite **cuiller*** : en piteux état ; *Serrer la **cuiller** à qqn* : lui serrer la main. II. *Spéc.* 1. *Arm.* Petite pièce concave d'une grenade, que l'on dégage pour dégoupiller. 2. *Méd. Les **cuillers** d'un forceps* : les extrémités évasées de ses branches. 3. *Pêche.* Leurre métallique et brillant. 4. *Techn.* Outil en forme de cuiller, utilisé dans de nombreux métiers, par ex. pour prélever un minerai ou recueillir du verre en fusion. XIIe s. ; lat. *cochlearium*, de *cochlear*, « ustensile à manger les escargots », de *cochlea*, « escargot » ; var. *cuillère* ; [kɥijɛʀ].

**CUILLERÉE**, subst. f.
Contenu d'une cuiller : *Donner trois **cuillerées** de sirop par jour.* 1393 ; ☞ *cuiller* ; var. *cuillérée* ; [kɥij(ə)ʀe] ou var. [-jeʀe].

**CUILLERON**, subst. m.
1. Partie creuse d'une cuiller. 2. *Zool.* Écaille membraneuse située sur le thorax des insectes diptères, en arrière de la naissance de l'aile. 1352 ; ☞ *cuiller* ; [kɥijʀɔ̃].

**CUIR**, subst. m.
I. 1. Peau de l'homme (vieilli). ► *Le **cuir** chevelu* : la peau du crâne. ► Loc. *Tanner le **cuir** à qqn* : le battre ou l'importuner (fam.). 2. Peau épaisse de certains animaux. 3. Dépouille animale destinée au tannage : *Négoce de **cuirs** et peaux.* ► Cette matière travaillée et traitée : *Des gants, des semelles de **cuir**.* ► Méton. Vêtement de **cuir** (fam.). II. Faute de liaison, dans l'expression orale (fam.) : *Il a fait-z-un **cuir**.* Fin XIe s. ; lat. *corium* ; [kɥiʀ].

**CUIRASSE**, subst. f.
1. Pièce d'armure recouvrant le buste : *Le plastron et la dossière d'une **cuirasse**.* ► Loc. *Le défaut de la **cuirasse*** : le point vulnérable de qqn ou de qqch. 2. Ext. Blindage d'acier ; revêtement protecteur. 3. Fig. Protection, défense morale : *Une **cuirasse** d'indifférence.* 4. *Zool.* Tégument protecteur : *La **cuirasse** d'un coléoptère ; La **cuirasse** ganoïde de l'esturgeon.* 5. *Géol.* Croûte ferrugineuse qui arme certains sols tropicaux. 1266 ; prob. anc. prov. *coirassa*, du lat. *coriacea*, « de cuir » ; [kɥiʀas].

**CUIRASSÉ, ÉE**, adj. et subst. m.
Adj. 1. Protégé par une cuirasse ; par méton. : *Division **cuirassée***, composée de blindés. 2. Fig. Endurci, rendu insensible. Subst. *Mar.* Navire de guerre blindé et doté d'une puissante artillerie, disparu des flottes depuis 1960 : *Le premier **cuirassé**, « la Gloire », fut lancé par la France en 1859.* 1611 ; ☞ *cuirasse* ; [kɥiʀase].

**CUIRASSEMENT**, subst. m.
Action d'équiper d'une cuirasse un navire, un ouvrage fortifié ; la cuirasse elle-même. 1876 ; ☞ *cuirasser* ; [kɥiʀasmɑ̃].

**CUIRASSER**, verbe trans. [3]
1. Revêtir d'une cuirasse. 2. Fig. Endurcir, rendre insensible ; empl. pronom. : *Se **cuirasser** contre le malheur.* 1636 ; ☞ *cuirasse* ; [kɥiʀase].

**CUIRASSIER**, subst. m.
*Milit.* 1. Cavalier équipé d'une cuirasse (vx). 2. Soldat de certaines unités de blindés ; par méton. : *Le 3e **cuirassier***, le 3e régiment de **cuirassiers**. 1577 ; ☞ *cuirasse* ; [kɥiʀasje].

**CUIRE**, verbe [69]
Trans. 1. Exposer (un aliment) au feu ou à la chaleur afin de le rendre consommable ou d'en modifier le goût et la consistance : ***Cuire** des légumes à la vapeur.* 2. Exposer (un matériau, un objet) à la chaleur afin de le transformer : ***Cuire** des émaux, des assiettes en faïence.* 3. Loc. *Un dur à **cuire*** : une personne résistante, tenace. Intrans. 1. Être soumis à l'action du feu, de la chaleur : *Les pâtes **cuisent**.* 2. Provoquer une sensation d'échauffement, de brûlure : *Les yeux me **cuisent**.* 3. Avoir trop chaud (fam.). 4. Loc. *Il vous en **cuira*** : vous en souffrirez et vous en repentirez. ► Fam. *Laisser qqn **cuire** dans son jus* : ne pas l'aider ; *Les carottes sont **cuites*** : le sort en est jeté ; *C'est du tout **cuit*** : c'est gagné, fait d'avance ; *C'est **cuit*** : c'est raté ou trop tard ; *Il est **cuit*** : perdu ou ivre. Fin IXe s. ; lat. pop. °*cocere*, du lat. *coquere* ; [kɥiʀ].

**CUISANT, ANTE**, adj.
1. Qui provoque une sensation de vive chaleur, de brûlure : *Plaie **cuisante**.* 2. Fig. Qui mortifie : *Défaite **cuisante**.* Fin XIIe s. ; p. pr. de *cuire* ; [kɥizɑ̃, ɑ̃t].

**CUISEUR**, subst. m.
Récipient où l'on fait cuire de grandes quantités d'aliments. 1928 (1270, ouvrier surveillant le feu d'un four) ; ☞ *cuire* ; [kɥizœʀ].

**CUISINE**, subst. f.
1. Local destiné à la confection des repas : *La **cuisine** de l'école* ; par méton., les meubles et appareils d'une cuisine : *Offrir une **cuisine**.* ► Loc. *Latin de **cuisine*** : incorrect. 2. Art, manière d'accommoder et de présenter les aliments : *La nouvelle **cuisine**.* 3. Plats préparés et servis : *Une **cuisine** épicée.* 4. Le personnel affecté à la cuisine : *La **cuisine** est débordée.* 5. Fig. Intrigue, manœuvre louche (péj.) : ***Cuisine** diplomatique.* 1155 ; bas lat. *cocina*, du lat. *coquina* ; [kɥizin].

**CUISINER**, verbe [3]
Intrans. Préparer un plat, un repas. Trans. 1. Apprêter (un aliment) ; confectionner (un repas) : *Il **cuisina** un succulent dîner* ; empl. adj. : *Plat **cuisiné***, vendu prêt à consommer. 2. Fig. Presser (qqn) de questions pour lui soutirer des informations ou des aveux (fam.). XIIIe s. ; ☞ *cuisine* ; [kɥizine].

**CUISINETTE**, subst. f.
Petite cuisine ; coin cuisine. 1936 ; ☞ *cuisine* ; [kɥizinɛt].

**CUISINIER, IÈRE**, subst.
Personne qui cuisine, qui prépare des repas : *Embaucher un **cuisinier** italien.* Fém. Appareil de cuisine, composé d'un four et de plaques de cuisson : *Une **cuisinière** à bois, électrique, à gaz.* Déb. XIIIe s. ; ☞ *cuisine* ; [kɥizinje, jɛʀ].

**CUISINISTE**, subst. m.
Fabricant et installateur de mobilier pour cuisines. V. 1980 ; ☞ *cuisine* ; [kɥizinist].

**CUISSAGE**, subst. m.
*Féod. Droit de **cuissage*** : selon la mémoire populaire, droit qu'aurait eu le seigneur de passer la nuit de noces d'un serf ou d'un vassal avec l'épousée ; impôt sur le mariage. 1756 ; ☞ *cuisse* ; [kɥisaʒ].

**CUISSARD, ARDE**, subst.
Masc. 1. Pièce de l'armure, qui protégeait la cuisse. 2. Culotte qui moule et protège les cuisses : *Un **cuissard** de cycliste.* 3. *Chir.* Prothèse ajustée au moignon d'une cuisse amputée et maintenant la jambe artificielle. Fém. Botte montant jusqu'à l'aine : *Des **cuissardes** de cuir noir, d'égoutier.* 1571 ; ☞ *cuisse* ; [kɥisaʀ, aʀd].

**CUISSE**, subst. f.
1. Anat. Partie du membre inférieur comprise entre la hanche et le genou : *Le fémur est l'os de la **cuisse**.* ► Loc. *Se croire sorti de la **cuisse** de Jupiter* : s'estimer supérieur aux autres. 2. Chez l'animal, partie correspondante du membre postérieur : *Une **cuisse** de canard confite.* Fin XIe s. ; lat. *coxa*, « os de la hanche » ; [kɥis].

**CUISSEAU**, subst. m.
*Bouch.* Partie du veau allant du dessous de la queue au rognon. 1651 (fin XIIIe s., partie d'armure) ; ☞ *cuisse* ; [kɥiso].

**CUISSETTES**, subst. f. plur.
Helv. Culotte de sport. XXe s. ; ☞ *cuisse* ; [kɥisɛt].

**CUISSON**, subst. f.
Action de cuire ; durée, résultat de cette action : *La **cuisson** du pain ; Une **cuisson** longue ; La **cuisson** des briques.* XVe s. (1256, brûlure, démangeaison) ; lat. *coctio*, « cuisson ; aliment cuit ; digestion » ; [kɥisɔ̃].

**CUISSOT**, subst. m.
Cuisse de gros gibier : *Un **cuissot** de cerf.* Fin XIVe s. (fin XIIIe s., partie d'armure) ; ☞ *cuisse* ; [kɥiso].

**CUISTOT**, subst. m.
Cuisinier d'une troupe (argot milit.) ; par ext., cuisinier (fam.). 1914 ; argot *cuistance*, « cuisine » ; [kɥisto].

**CUISTRE**, subst. m.
1. Vx. Valet. 2. Ext. Individu pédant ou discourtois (littér.) ; empl. adj. : *Une attitude **cuistre**.* 1622 ; prob. anc. fr. *coistron*, du bas lat. °*coquistro*, du lat. *coquere*, « cuire » ; [kɥistʀ].

**CUISTRERIE**, subst. f.
1. Attitude, caractère du cuistre : *Sa **cuistrerie** passe les bornes.* 2. Méton. Acte, parole de cuistre. 1844 ; ☞ *cuistre* ; [kɥistʀəʀi].

**CUITE**, subst. f.
1. Cuisson de certaines substances : *La **cuite** du grès.* ► Cristallisation du sucre par cuisson du sirop. 2. Fig. État d'ivresse (fam.) : *Tenir une bonne **cuite**.* 1268 ; p. p. de *cuire* ; [kɥit].

**CUITER (SE)**, verbe pronom. [3]
S'enivrer (fam.). 1869 ; ☞ *cuite* ; [kɥite].

**CUIVRAGE**, subst. m.
Application d'une couche de cuivre sur une surface. 1777 ; ☞ *cuivrer* ; [kɥivʀaʒ].

© G. Boutin-Explorer

*Les cuivres (ici un hélicon) occupent une place importante dans les fanfares militaires.*

**CUIVRE**, subst. m.
1. *Chim.* Élément n° 29 de la table de Mendeleïe (symb. : Cu) ; masse atomique : 63,546 ; point d

fusion : 1 083 °C ; point d'ébullition : 2 595 °C ; masse volumique : 8,96 g/cm³. Le **cuivre** fait partie, avec l'argent et l'or, du groupe des métaux nobles ; on le trouve dans la nature à l'état de sulfure, en association avec du sulfure de fer. C'est un métal malléable et ductile, bon conducteur d'électricité. Le **cuivre** rouge est le **cuivre** pur, et le **cuivre** jaune, le laiton. **2.** Méton. Objet en **cuivre** (gén. au plur.). ▸ Accessoire de cuisine ou de décoration en **cuivre** : *Faire les **cuivres**,* les astiquer. ▸ *Grav.* Planche de **cuivre** gravée au burin ; la gravure elle-même. ▸ *Mus. Les **cuivres*** : les instruments à vent en **cuivre** ou en métal d'un orchestre (cor, trompette, bugle, trombone, tuba, etc.). Déb. XIIe s. ; lat. *cyprium,* « bronze de chypre » ; [kɥivʀ].

**CUIVRÉ, ÉE, adj.**
Qui évoque le cuivre par sa couleur ou un instrument en cuivre par son timbre : *Une peau **cuivrée** ; Des sons **cuivrés**.* 1587 ; p. p. de *cuivrer* ; [kɥivʀe].

**CUIVRER, verbe trans. [3]**
**1.** *Techn.* Recouvrir d'une couche de cuivre. **2.** Rendre semblable au cuivre par la couleur ; empl. pronom. : *En automne, tous les arbres se **cuivrent**.* 1723 ; ☞ *cuivre* ; [kɥivʀe].

**CUIVREUX, EUSE, adj.**
**1.** Vx. Qui contient du cuivre. **2.** *Chim.* Se dit d'un composé dont la molécule contient du cuivre monovalent : *Sulfure **cuivreux**.* 1571 ; ☞ *cuivre* ; [kɥivʀø, øz].

**CUIVRIQUE, adj.**
*Chim.* Se dit d'un composé dont la molécule contient du cuivre bivalent : *La couleur bleue des sels **cuivriques** dissous.* 1834 ; ☞ *cuivre* ; [kɥivʀik].

**CUL, subst. m.**
**I.** Fam. **1.** Postérieur, fondement, fesses. ▸ Loc. *Tomber sur le **cul*** : être très étonné ; *Pousser au **cul*** : stimuler ; *Péter plus haut que son **cul*** : viser trop haut pour ses moyens ; *Être comme **cul** et chemise* : inséparables ; *Lécher le **cul** à qqn* : le flatter obséquieusement ; *Un faux **cul*** : un hypocrite. **2.** Sexualité : *Film de **cul**,* pornographique ; *Avoir le feu au **cul**,* être très excité ou, par ext., être très pressé. **II.** Ext. Partie inférieure ou postérieure d'un objet : ***Cul** de bouteille, de lampe.* ▸ Loc. *Faire **cul** sec* : vider son verre d'un trait (fam.). Fin XIIe s. ; lat. *culus* ; [ky].

**CULARD, subst. m.**
Animal (bovin, porcin) dont l'arrière-train présente une hypertrophie d'origine génétique. ☞ *cul* ; [kylaʀ].

**CULASSE, subst. f.**
**1.** *Arm.* Pièce d'acier fermant l'arrière du canon d'une arme à feu : *Charger un fusil, un canon par la **culasse**.* **2.** *Mécan.* Dans un moteur à explosion ou à combustion, partie supérieure fermant le bloc-cylindres, dans laquelle les gaz sont comprimés. **3.** *Joaill.* Partie inférieure d'une pierre taillée. 1538 ; ☞ *cul* ; [kylas].

**CUL-BÉNIT, subst. m.**
Personne bigote (fam. et péj.). XIXe s. ; comp. de *cul* et de *bénit* ; plur. *culs-bénits* ; [kybeni].

**CUL-BLANC, subst. m.**
Nom courant donné à plusieurs oiseaux au croupion blanc (pétrel, chevalier, etc.). 1555 ; comp. de *cul* et de *blanc* ; plur. *culs-blancs* ; [kyblɑ̃].

**CULBUTAGE, subst. m.**
Action de culbuter, de faire basculer. 1853 ; ☞ *culbuter* ; [kylbytaʒ].

**CULBUTE, subst. f.**
**1.** Saut ou roulade que l'on fait en prenant appui sur les mains ou la tête et en projetant les jambes en l'air pour retomber après un tour complet. **2.** Ext. Chute brutale la tête la première ou à la renverse. **3.** Fig. Revers brutal de situation, faillite : *La **culbute** d'un régime, d'un banquier.* **4.** Loc. *Faire la **culbute*** : revendre au double du prix d'achat (fam.). 1538 ; ☞ *culbuter* ; [kylbyt].

**CULBUTEMENT, subst. m.**
Culbutage. XIXe s. ; ☞ *culbuter* ; [kylbytmɑ̃].

**CULBUTER, verbe [3]**
Intrans. Faire une chute, une culbute ; basculer : *La voiture a **culbuté** dans le fossé.* Trans. **1.** Renverser, faire tomber brutalement (qqn ou qqch.). ▸ ***Culbuter** une femme* : la posséder sexuellement (fam.). **2.** Repousser, mettre en déroute (un ennemi). 1534 ; crois. de *culer* et de *buter* (I) ; [kylbyte].

**CULBUTEUR, subst. m.**
**1.** *Techn.* Appareil servant à faire basculer un wagon, une benne, etc. **2.** *Mécan.* Dans un moteur à explosion, levier commandant l'ouverture et la fermeture des soupapes. 1876 (1599, acrobate) ; ☞ *culbuter* ; [kylbytœʀ].

**CUL-DE-BASSE-FOSSE, subst. m.**
Cachot étroit et souterrain. 1688 ; comp. de *cul* et de *basse-fosse* ; plur. *culs-de-basse-fosse* ; [kyd(ə)bɑsfos].

**CUL-DE-FOUR, subst. m.**
*Archit.* Voûte en forme de demi-coupole : *Une abside en **cul-de-four**.* 1555 ; comp. de *cul* et de *four* ; plur. *culs-de-four* ; [kyd(ə)fuʀ].

**CUL-DE-JATTE, subst.**
Personne privée de jambes. 1604 ; comp. de *cul* et de *jatte* ; plur. *culs-de-jatte* ; [kyd(ə)ʒat].

**CUL-DE-LAMPE, subst. m.**
**1.** *Archit.* Ornement en saillie servant de support et dont la forme rappelle le dessous d'une lampe d'église. **2.** *Typogr.* Vignette décorative placée en bas de page, à la fin d'un chapitre. 1448 ; comp. de *cul* et de *lampe* ; plur. *culs-de-lampe* ; [kyd(ə)lɑ̃p].

**CUL-DE-POULE (EN), loc. adj.**
*Bouche **en cul-de-poule*** : dont les lèvres sont serrées et arrondies en une moue saillante. 1660 ; comp. de *cul* et de *poule* (I) ; [ɑ̃kyd(ə)pul].

**CUL-DE-SAC, subst. m.**
**1.** Voie, passage sans issue. ▸ Loc. **En cul-de-sac.** Sans issue : *Une vallée en **cul-de-sac**.* ▸ *Ch. de fer. Gare en **cul-de-sac*** : gare terminus, où les trains doivent rebrousser chemin. **2.** Fig. Situation, entreprise qui ne mène à rien, impasse : *Le **cul-de-sac** des négociations.* **3.** *Anat.* Prolongement, repli d'une cavité organique. 1307 ; comp. de *cul* et de *sac* (I) ; plur. *culs-de-sac* ; [kyd(ə)sak].

**CULÉE, subst. f.**
*Archit.* Massif de maçonnerie destiné à soutenir la poussée d'un arc, d'une voûte : *La **culée** d'un arc-boutant ; Les **culées** d'un pont,* supportant ses deux extrémités (synon. *butée*). 1355 ; ☞ *cul* ; [kyle].

**CULER, verbe intrans. [3]**
*Mar.* Reculer ; aller en arrière : ***Culer** dans un courant.* 1687 (1482, pousser avec le cul) ; ☞ *cul* ; [kyle].

**CULERON, subst. m.**
Partie de la croupière passant sous la queue d'un cheval harnaché. 1611 ; ☞ *cul* ; [kylʀɔ̃].

**CULEX, subst. m.**
*Zool.* Nom de genre de certains moustiques de la famille des Culicidés. ***Culex pipiens*** est le cousin. XVIIIe s. ; mot lat. ; [kylɛks].

**CULICIDÉS, subst. m. plur.**
*Zool.* Famille de diptères nématocères regroupant plus de deux mille espèces. Ce sont des insectes piqueurs. Au sing. *L'anophèle est un **culicidé**.* ☞ *culex* ; [kyliside].

**CULIÈRE, subst. f.**
Sangle passée sous la queue du cheval pour tenir le harnais. 1260 ; ☞ *cul* ; [kyljɛʀ].

**CULINAIRE, adj.**
Relatif à la cuisine, à la préparation des aliments : *Un traité **culinaire**.* 1546 ; lat. *culinarius* ; [kylinɛʀ].

**CULMINANT, ANTE, adj.**
**Point culminant.** **1.** *Astron. Point **culminant** d'un astre* : sa hauteur maximale au-dessus de l'horizon. **2.** Anal. *Point **culminant** d'un relief* : son sommet. **3.** Fig. *Point **culminant** d'une carrière* : son apogée. 1708 ; lat. *culminans* ; [kylminɑ̃, ɑ̃t].

**CULMINATION, subst. f.**
*Astron.* Point du ciel où se trouve un astre lorsqu'il atteint sa hauteur maximale au-dessus de l'horizon ; cette **culmination** est atteinte lorsque l'astre passe au méridien du lieu d'observation (l'astre est en fait immobile dans le ciel, et c'est le méridien du lieu d'observation qui tourne avec la Terre). Déb. XVIIe s. ; lat. *culminatio* ; [kylminasjɔ̃].

**CULMINER, verbe intrans. [3]**
**1.** *Astron.* Être à son point culminant, en parlant d'un astre. **2.** Anal. Atteindre son point le plus élevé : *La chaîne de l'Himalaya **culmine** au mont Everest.* **3.** Fig. Être à son apogée, à son plus haut degré : *Le classicisme a **culminé** en France sous Louis XIV.* 1751 ; bas lat. *culminare,* du lat. *culmen,* « sommet » ; [kylmine].

**CULOT, subst. m.**
**I.** **1.** Partie inférieure ou postérieure de qqch. : *Le **culot** d'un vase.* **2.** *Archit.* Ornement sculpté d'où partent des rinceaux, des volutes. **3.** *Arm. **Culot** d'une cartouche, d'un obus* : partie métallique contenant la capsule ou l'amorce. **4.** *Électr.* Partie métallique d'une ampoule, qui se fixe dans la douille. **II.** **1.** Dépôt qui se forme au fond d'une pipe ; par méton., fond d'une pipe. **2.** *Biol. **Culot** urinaire, sanguin* : résidu de la centrifugation des urines, du sang. **3.** *Géol.* ▸ ***Culot** de glace* : masse importante de glace laissée par un glacier en récession. ▸ ***Culot** volcanique* : amas de lave obstruant une ancienne cheminée et dégagé par l'érosion. **4.** *Techn.* Masse métallique restant au fond du creuset. **III.** Fig. et Vieilli. Dernier-né d'une famille ; le dernier de sa classe ; le dernier reçu à un concours. **IV.** Audace, aplomb (fam.) : *Il a du **culot** ! ; Y aller au **culot**.* 1292 ; ☞ *cul* ; [kylo].

**CULOTTAGE, subst. m.**
**1.** Action de culotter une pipe ; son résultat. **2.** Anal. Patine, coloration noirâtre d'un objet culotté. 1841 ; ☞ *culotter* (II) ; [kylɔtaʒ].

**CULOTTE, subst. f.**
**1.** Vx. Vêtement masculin couvrant le corps de la taille aux genoux, à jambes séparées (☞ *sans-culotte*). **2.** Vêtement semblable, porté par les enfants, les sportifs : ***Culottes** courtes ; **Culottes** longues,* pantalon ; ***Culotte** de golf.* ▸ ***Culotte** de cheval* : ample sur les cuisses et serrée aux genoux ; par anal., cellulite localisée sur les hanches et le haut des cuisses. **3.** Sous-vêtement féminin couvrant le ventre et les fesses. **4.** Loc. fam. *Porter la **culotte*** : exercer l'autorité dans le ménage, en parlant d'une femme ; *Baisser sa **culotte*** : capituler ; *Prendre une **culotte*** : perdre au jeu. **5.** *Bouch.* Partie supérieure de la cuisse du bœuf ou du veau. XVIe s. ; ☞ *cul* ; [kylɔt].

**CULOTTÉ, ÉE, adj.**
Qui fait preuve de culot, effronté (fam.). Mil. XIXe s. ; ☞ *culot* ; [kylɔte].

**CULOTTER (I), verbe trans. [3]**
Habiller d'une culotte ou, par ext., d'un pantalon (rare). Pronom. Mettre sa culotte, son pantalon. 1786 ; ☞ *culotte* ; [kylɔte].

**CULOTTER (II), verbe trans. [3]**
**1.** ***Culotter** une pipe* : laisser se former, à force de fumer, un dépôt noir à l'intérieur du fourneau, afin de rehausser le goût du tabac ; empl. adj. : *Une pipe **culottée**.* **2.** Anal. Noircir (qqch.) par l'usage, le temps, patiner : ***Culotter** une théière* ; empl. adj. : *Un cuir **culotté**.* 1823 ; ☞ *culot* ; [kylɔte].

**CULOTTIER, IÈRE, subst.**
Personne qui confectionne des culottes, des pantalons. 1790 ; ☞ *culotte* ; [kylɔtje, jɛʀ].

**CULPABILISATION, subst. f.**
Action de culpabiliser qqn ; fait d'être culpabilisé. V. 1970 ; ☞ *culpabiliser* ; [kylpabilizasjɔ̃].

**CULPABILISER, verbe [3]**
Trans. Faire éprouver un sentiment de culpabilité à (qqn). Intrans. et Pronom. Éprouver un sentiment de culpabilité. 1946 ; bas lat. *culpabilis,* « coupable » ; [kylpabilize].

**CULPABILITÉ, subst. f.**
**1.** État d'une personne coupable ou tenue pour coupable : *Établir la **culpabilité** d'un accusé.* **2.** *Sentiment de **culpabilité*** : état d'une personne qui se sent coupable de qqch., qu'elle le soit réellement ou non. 1791 ; bas lat. *culpabilis,* « coupable » ; [kylpabilite].

**CULTE, subst. m.**
**1.** Hommage religieux rendu à une divinité, à un saint, à un objet sacré. **2.** Méton. Ensemble des pratiques, des cérémonies par lesquelles on rend cet hommage : *Lieu de **culte** ; Ministre du **culte** ; Denier du **culte*** (☞ *denier*). ▸ Empl. abs. L'office religieux protestant. **3.** Ext. Confession, religion : ***Culte** catholique, musulman ; Liberté des **cultes**.* **4.** Fig. Admiration respectueuse ; attachement profond à qqn ou à qqch. : *Vouer un **culte** à son professeur ; Le **culte** du corps.* ▸ ***Culte** de la personnalité* : vénération outrancière et systématique portée par une collectivité à qqn, en partic. au chef d'un État totalitaire. ▸ En appos. *Film(-)**culte**, livre(-)**culte*** : faisant l'objet d'une admiration passionnée auprès d'un public particulier. 1532 ; lat. *cultus,* « action de cultiver, d'honorer » ; [kylt].

**CUL-TERREUX, subst. m.**
Paysan (fam. et péj.). 1823 ; comp. de *cul* et de *terreux* ; plur. *culs-terreux* ; [kytɛʀø].

**CULTISME,** subst. m.
*Litt.* Affectation et maniérisme du style, en partic. chez les écrivains espagnols du XVII$^e$ s. 1823 ; esp. *cultismo*, du lat. *cultus*, « cultivé » ; [kyltism].

**CULTIVABLE,** adj.
Qui peut être cultivé : *Terres* ***cultivables***. 1308 ; ☞ *cultiver* ; [kyltivabl].

**CULTIVAR,** subst. m.
*Hortic.* Variété végétale obtenue par sélection et cultivée. V. 1970 ; crois. de *cultivé* et de *variété* ; [kyltivaʀ].

**CULTIVATEUR, TRICE,** subst.
Personne qui cultive la terre, agriculteur ; empl. adj. : *Un peuple* ***cultivateur***. MASC. Machine agricole servant à labourer superficiellement. Fin XV$^e$ s. ; ☞ *cultiver* ; [kyltivatœʀ, tʀis].

**CULTIVÉ, ÉE,** adj.
**1.** Mis en valeur, travaillé, en parlant d'un sol ; que l'on fait pousser, en parlant d'un végétal (anton. *sauvage*). **2.** Fig. Qui a une bonne culture générale. Déb. XIII$^e$ s. ; p. p. de *cultiver* ; [kyltive].

**CULTIVER,** verbe trans. [3]
**I. 1.** Travailler (la terre) en vue de la production agricole. **2.** Assurer la production de (un végétal) par des soins ; faire pousser. **II.** Fig. **1.** Développer, affiner (une capacité physique, intellectuelle, artistique). ▸ Littér. Pratiquer, s'adonner à (un art, une science) : ***Cultiver*** *les belles-lettres*. **2.** Entretenir (un sentiment, une idée), gén. avec complaisance : ***Cultiver*** *son image, la mélancolie*. **3.** Veiller à garder de bons rapports avec (qqn), parfois par intérêt : ***Cultiver*** *une amitié* ; *Relation à* ***cultiver***. PRONOM. Acquérir des connaissances pour développer son goût, son jugement : *Il se* ***cultive*** *en allant au musée*. Déb. XII$^e$ s. ; anc. fr. *coutiver*, du lat. pop. °*culturis*, du lat. *colere* ; [kyltive].

**CULTUEL, ELLE,** adj.
Relatif au culte : *Les libertés* ***cultuelles*** ; *Association* ***cultuelle***, destinée à subvenir aux frais de l'exercice d'un culte. 1872 ; ☞ *culte* ; [kyltɥɛl].

**CULTURAL, ALE, AUX,** adj.
**1.** *Agric.* Relatif à la culture du sol. **2.** *Biol.* Relatif à la culture microbienne. 1853 ; ☞ *culture* ; [kyltyʀal, o].

**CULTURALISME,** subst. m.
*Anthropol.* Doctrine américaine mettant en évidence le rôle prépondérant du milieu culturel dans les structures psychiques et le comportement des individus. Mil. XX$^e$ s. ; anglo-amér. *cultural*, « culturel » ; [kyltyʀalism].

**CULTURALISTE,** adj. et subst.
*Anthropol.* ADJ. **1.** Relatif au culturalisme. **2.** Qui adhère au culturalisme. SUBST. Partisan du culturalisme. V. 1950 ; ☞ *culturalisme* ; [kyltyʀalist].

**CULTURE,** subst. f.
**I. 1.** Action, manière de cultiver la terre : ***Culture*** *extensive, intensive* ; *Mettre une terre en* ***culture***. **2.** Action de cultiver un végétal : *La* ***culture*** *du coton, de la vigne*. ▸ Anal. Action d'élever certaines espèces animales : ***Culture*** *du ver à soie, des moules*. **3.** Méton. Terre ou espèce végétale cultivée (gén. au plur.) : *La variété des* ***cultures*** ; *Les* ***cultures*** *vivrières*. **4.** *Biol.* ***Culture*** *microbienne, des tissus* : technique consistant à développer en milieu artificiel des micro-organismes, des cellules d'un tissu.

*Culture sous serre de cerisiers.*

© Ch. Vioujard-Gamma

**II. 1.** Action de développer une faculté intellectuelle : *La* ***culture*** *d'un don, de la mémoire*. **2.** Ensemble de connaissances fondamentales dont l'acquisition contribue à la formation du goût, du jugement : ***Culture*** *générale*. ▸ Ensemble de connaissances dans un domaine spécialisé : ***Culture*** *littéraire, scientifique, musicale*. ▸ Anal. ***Culture*** *physique* : gymnastique. ▸ *Maison de la* ***culture*** : établissement public destiné à promouvoir la diffusion des arts et de la **culture**. **3.** Ensemble des phénomènes intellectuels, artistiques, religieux, sociaux propres à une civilisation, à une nation, à une société : *La* ***culture*** *occidentale* ; ***Culture*** *de masse*, ensemble de notions, d'images, de modèles produits et diffusés par les médias. **4.** Ce qui, dans le comportement des sociétés humaines, relève de l'acquis, par oppos. à ce qui est inné, héréditaire : ***Culture*** *et nature*. **5.** *Préhist.* Stade de développement caractérisé par l'utilisation ou la fabrication d'outils particuliers : ***Culture*** *aurignacienne*. Mil. XII$^e$ s. ; lat. *cultura*, de *colere*, « cultiver » ; [kyltyʀ].

**CULTUREL, ELLE,** adj.
**1.** Relatif à la culture d'un individu, d'une collectivité : *La vie* ***culturelle*** ; qui vise à diffuser la culture : *Centre* ***culturel*** ; *Attaché* ***culturel*** *d'une ambassade*. **2.** Relatif à ce qui, dans le comportement des sociétés humaines, relève de l'acquis : *Le milieu* ***culturel***. 1907 ; ☞ *culture* ; [kyltyʀɛl].

**CULTURISME,** subst. m.
Pratique, à des fins esthétiques, d'exercices physiques destinés essentiellement à développer la musculature. V. 1960 ; ☞ *culture* ; [kyltyʀism].

© Brylac-Explorer

*Culturisme en Californie, où l'on parle de « body building ».*

**CULTURISTE,** adj. et subst.
ADJ. Relatif au culturisme. SUBST. Personne qui pratique le culturisme. 1911 ; ☞ *culture* ; [kyltyʀist].

**CUMIN,** subst. m.
**1.** *Bot.* Plante de la famille des Apiacées, originaire d'Égypte, cultivée en Inde et en Europe. **2.** Méton. Sa graine, utilisée comme condiment. Fin XII$^e$ s. ; lat. *cuminum*, du gr. *kuminon* ; [kymɛ̃].

**CUMUL,** subst. m.
**1.** Action de cumuler ; fait d'être cumulé. **2.** *Dr.* ▸ ***Cumul*** *d'actions* : faculté d'exercer simultanément ou successivement plusieurs actions en justice à propos d'un même fait juridique. ▸ ***Cumul*** *des peines* : système qui prône l'addition des peines prononcées en cas d'infractions multiples, et qui, en France, ne s'applique qu'aux contraventions (☞ *confusion*). **3.** Ext. Fait, pour une même personne, d'exercer simultanément plusieurs activités ou de bénéficier de plusieurs avantages financiers : *Les députés ont voté la limitation du* ***cumul*** *des mandats électifs* ; *Le* ***cumul*** *de la retraite et d'un emploi salarié*. 1692 ; ☞ *cumuler* ; [kymyl].

**CUMULARD, ARDE,** subst.
Personne qui cumule, licitement ou non, des emplois, des fonctions, des ressources (fam. et péj.). 1821 ; ☞ *cumuler* ; [kymylaʀ, aʀd].

**CUMULATIF, IVE,** adj.
Qui s'ajoute à une chose de même nature. 1690 ; ☞ *cumuler* ; [kymylatif, iv].

**CUMULER,** verbe trans. [3]
**1.** Réunir sur sa personne (plusieurs éléments) : ***Cumuler*** *des droits, les honneurs* ; par anal. : *Cette idée* ***cumule*** *tous les avantages*. **2.** Ext. Exercer (plusieurs fonctions, mandats, etc.) en même temps (souv. péj.) ; empl. abs. : *Il* ***cumule***. **3.** *Stat. Effectifs (resp. fréquences)* ***cumulés*** *pour un caractère quantitatif discret prenant les valeurs* $x_1, x_2, ..., x_n$ : pour la valeur $x_k$, c'est le nombre $N_k = n_1 + n_2 + ... + n_k$ (resp. $F_k = f_1 + f_2 + ... + f_k$) où $n_i$ est l'effectif de $x_i$ (resp. $f_i$ est la fréquence de $x_i$). 1354 ; lat. *cumulare* ; [kymyle].

**CUMULET,** subst. m.
Belg. Culbute, galipette. Orig. obsc. ; [kymylɛ].

**CUMULONIMBUS,** subst. m.
*Météor.* Masse nuageuse, souv. annonciatrice d'orage, vaste et très sombre. 1891 ; crois. de *cumulus* et de *nimbus* ; var. *cumulo-nimbus* (inv.) ; [kymylonɛ̃bys].

© D. Faulkner/P. H. R.-Jacana

*Cumulus vus de dessus.*

**CUMULUS,** subst. m.
**1.** *Météor.* Nuage de beau temps, épais, blanc, aux contours nets, pouvant atteindre plusieurs kilomètres de hauteur. **2.** Chauffe-eau électrique à usage domestique. 1858 ; lat. *cumulus*, « amoncellement » ; [kymylys].

**CUNÉIFORME,** adj.
Qui est en forme de coin, de clou. ▸ *Anat.* ***Os cunéiforme*** ou, empl. subst. masc., *Un* ***cunéiforme*** : chacun des trois os de la deuxième rangée du tarse. ▸ *L'écriture* ***cunéiforme*** ou, empl. subst. masc., *Le* ***cunéiforme*** : écriture en usage au Proche-Orient entre 3500 et 1000 av. J.-C., dont les caractères ont un tracé triangulaire. 1559 ; lat *cuneus*, « coin » + *-forme* ; [kyneifɔʀm].

**CUNICULICULTURE,** subst. f.
Élevage du lapin. Déb. XX$^e$ s. ; lat. *cuniculus*, « lapin » + *-culture* ; var. *cuniculture* ; [kynikylikyltyʀ].

**CUNNILINGUS,** subst. m.
Excitation par contact buccal des parties génitales féminines. V. 1970 ; lat. *cunnus*, « con », et *linctus* de *lingere*, « lécher » ; var. *cunnilinctus* ; [kynilɛ̃gys].

**CUPIDE,** adj.
Avide de richesses : *Un héritier* ***cupide*** ; par ext. *Un regard* ***cupide***, qui manifeste une telle avidité. 1371 ; lat. *cupidus* ; [kypid].

**CUPIDITÉ,** subst. f.
Désir sans frein d'accumuler les richesses. Déb. XV$^e$ s. ; lat. *cupiditas* ; [kypidite].

**CUPIDON,** subst. m.
**1.** *B.-a.* Représentation du dieu Cupidon sous forme d'un enfant muni d'un arc : *Un* ***cupidon*** *de bronze*. **2.** Fig. Garçonnet d'une beauté attirante. Déb. XVII$^e$ s. ; *Cupido*, dieu romain de l'Amour ; [kypidɔ̃].

**CUPRESSACÉES,** subst. f. plur.
*Bot.* Famille de conifères, comprenant notamment le cyprès et le genévrier. AU SING. *Le thuya est une* ***cupressacée***. Lat. *cupressus*, « cyprès » ; [kypʀesase].

**CUPRIFÈRE,** adj.
Qui renferme du cuivre. 1834 ; formé de *cupri-* et de *-fère* ; [kypʀifɛʀ].

**CUPRIQUE,** adj.
*Chim.* Qui contient un sel de cuivre : *Solution* ***cuprique***. 1845 ; lat. *cuprum*, « cuivre » ; [kypʀik].

**CUPRITE,** subst. f.
*Minér.* Oxyde de cuivre. 1866 ; all. *Cuprit* ; [kypʀit].

**CUPROALLIAGE,** subst. m.
*Chim.* Alliage riche en cuivre (laiton, bronze). 1951 ; ☞ *alliage* + *cupro-* ; var. *cupro-alliage* (plur. *cupro-alliages*) ; [kypʀoaljaʒ].

**CUPROALUMINIUM,** subst. m.
*Chim.* Alliage de cuivre et d'aluminium, que l'on appelle parfois (abusivement) bronze d'aluminium. XX$^e$ s. ; ☞ *aluminium* + *cupro-* ; var. *cupro-aluminium* (plur. *cupro-aluminiums*) ; [kypʀoalyminjɔm].

**CUPROAMMONIAQUE,** subst. f.
*Chim.* Solution ammoniacale d'oxyde cuivrique. XX$^e$ s. ; ☞ *ammoniaque* + *cupro-* ; var. *cupro-ammoniaque* (plur. *cupro-ammoniaques*) ; [kypʀoamɔnjak].

**CUPRONICKEL, subst. m.**
*Chim.* Alliage de cuivre et de nickel, très utilisé dans la fabrication des monnaies. 1909 ; ☞ *nickel* + *cupro-* ; [kypʀonikɛl].

**CUPROPLOMB, subst. m.**
*Chim.* Alliage de cuivre et de plomb. ☞ *plomb* + *cupro-* ; [kypʀoplɔ̃].

**CUPULE, subst. f.**
*Bot.* Sorte de petite coupe écailleuse ou épineuse qui enserre la fleur ou le fruit de certains arbres : *La* **cupule** *des glands.* 1611 ; bas lat. *cupula*, « petit tonneau de bois » ; [kypyl].

**CUPULIFÈRES, subst. f. plur.**
*Bot.* Ordre d'arbres et d'arbustes dont les fruits portent une cupule. Au sing. *Le chêne est une* **cupulifère**. 1823 ; ☞ *cupule* + *-fère* ; [kypylifɛʀ].

**CURABILITÉ, subst. f.**
Caractère de ce qui peut être guéri. 1814 ; ☞ *curable* ; déconseillé par l'Acad. ; [kyʀabilite].

**CURABLE, adj.**
Que l'on peut guérir : *Une maladie* **curable**. 1340 ; lat. *curabilis* ; [kyʀabl].

**CURAÇAO, subst. m.**
Liqueur faite avec des zestes d'oranges amères, de l'eau-de-vie et du sucre. 1801 ; topon. *Curaçao*, île des Antilles ; [kyʀaso].

**CURAGE, subst. m.**
1. Action de curer ; son résultat : *Le* **curage** *des canaux.* 2. *Chir.* Opération consistant à évacuer le contenu d'une cavité. 1328 ; ☞ *curer* ; [kyʀaʒ].

**CURAILLON, subst. m.**
Jeune prêtre (fam.). Fin XIXe s. ; ☞ *curé* ; [kyʀajɔ̃].

**CURARE, subst. m.**
*Biol.* Mélange paralysant mortel qui bloque le fonctionnement de la jonction neuro-musculaire. Il est produit par les membres de diverses tribus amazoniennes à partir de décoctions d'écorces de plusieurs espèces de plantes des genres *Strychnos* et *Chondodendron* et est utilisé pour enduire les pointes des flèches. 1758 ; esp. *curare*, du caraïbe *urari* ; [kyʀaʀ].

**CURARISANT, ANTE, adj. et subst. m.**
*Pharm.* Se dit d'une substance dont l'action sur l'organisme est analogue à celle du curare. 1890 ; ☞ *curare* ; [kyʀaʀizɑ̃, ɑ̃t].

**CURARISATION, subst. f.**
*Pharm.* Traitement ou intoxication par le curare ou par un curarisant. 1875 ; ☞ *curare* ; [kyʀaʀizasjɔ̃].

**CURATELLE, subst. f.**
1. *Antiq. rom.* Direction d'un service public. 2. *Dr.* Charge de curateur. XIVe s. ; lat. médiév. *curatella* ; [kyʀatɛl].

**CURATEUR, TRICE, subst.**
Masc. *Antiq. rom.* Magistrat dirigeant un service public. Masc. et Fém. *Dr.* Personne chargée d'assister un mineur ou un incapable dans les actes civils ou juridiques. 1287 ; lat. *curator* ; [kyʀatœʀ, tʀis].

**CURATIF, IVE, adj.**
Qui a pour propriété de guérir. 1314 ; lat. médiév. *curativus*, du lat. *curare*, « soigner » ; [kyʀatif, iv].

**CURCULIONIDÉS, subst. m. plur.**
*Zool.* Famille de coléoptères communément appelés charançons. Leurs larves vivent dans les racines ou dans les parties aériennes des plantes. Ce sont de grands destructeurs de végétaux. Au sing. *Le grand charançon du pin est un* **curculionidé**. 1834 ; lat. *curculio*, « charançon » ; [kyʀkyljɔnide].

**CURCUMA, subst. m.**
1. *Bot.* Plante de la famille des Zingibéracées, originaire d'Asie, dont le rhizome est utilisé comme condiment. 2. Méton. Ce condiment, appelé aussi safran des îles, qui donne sa couleur jaune au cari. 1559 ; ar. *kurkum*, « safran » ; [kyʀkyma].

**CURE (I), subst. f.**
1. Vx. Soin, souci. ▸ Loc. *N'avoir* **cure** *de* : ne pas se soucier de. 2. *Méd.* Traitement, ensemble de soins prodigués à qqn : **Cure** *de désintoxication* ; **Cure** *psychanalytique*, analyse ; **Cure** *thermale* ou, empl. abs., **Cure**, séjour thérapeutique dans une ville d'eaux. 3. Anal. Usage abondant de qqch. pendant une certaine période : **Cure** *de fruits* ; au fig. : **Cure** *de silence, de solitude.* Mil. XIe s. ; lat. *cura* ; [kyʀ].

**CURE (II), subst. f.**
*Cath.* 1. Fonction, charge de curé. 2. Méton. ▸ Paroisse. ▸ Résidence du curé (vieilli). Mil. XIIe s. ; lat. médiév. *cura*, « direction spirituelle », du lat. *cura*, « soin » ; [kyʀ].

**CURÉ, subst. m.**
*Cath.* 1. Prêtre chargé de l'administration et de la direction spirituelle d'une paroisse. ▸ Loc. *Jardin de* **curé** : petit jardin soigné et clos. 2. Ext. Ecclésiastique (fam. et péj.). ▸ Loc. *Bouffer du* **curé** : être anticlérical (fam.). 1259 ; lat. médiév. *curatus*, « celui qui a charge d'âmes », du lat. *cura*, « soin » ; [kyʀe].

**CURE-DENT(S), subst. m.**
Petit instrument pointu que l'on utilise pour se nettoyer les dents. 1416 ; comp. de *curer* et de *dent* ; plur. *cure-dents* ; [kyʀdɑ̃].

**CURÉE, subst. f.**
1. *Vén.* Pâture que l'on donne à la meute, constituée des bas morceaux du gibier ; par méton., la distribution de ces morceaux. 2. Fig. Lutte acharnée autour d'un bien, d'une place laissée vacante. Mil. XIIe s. ; ☞ *cuir*, par réf. à la peau sur laquelle les chiens mangeaient ; [kyʀe].

**CURE-ONGLE(S), subst. m.**
Petit instrument que l'on utilise pour se nettoyer les ongles. 1893 ; comp. de *curer* et de *ongle* ; plur. *cure-ongles* ; [kyʀɔ̃gl].

**CURE-OREILLE, subst. m.**
Petit instrument que l'on utilise pour se nettoyer les oreilles. 1416 ; comp. de *curer* et de *oreille* ; plur. *cure-oreilles* ; [kyʀɔʀɛj].

**CURE-PIPE, subst. m.**
Instrument à plusieurs tiges utilisé pour nettoyer le fourneau d'une pipe ou y tasser le tabac. 1802 ; comp. de *curer* et de *pipe* ; plur. *cure-pipes* ; [kyʀpip].

**CURER, verbe trans.** [3]
Nettoyer en raclant : **Curer** *un bassin* ; **Curer** *ses sabots.* Pronom. *Se* **curer** *les dents, les ongles* : en ôter les particules qui s'y sont logées. Mil. XIIe s. ; lat. *curare*, « soigner ; nettoyer » ; [kyʀe].

**CURETAGE, subst. m.**
*Chir.* Opération consistant à nettoyer avec une curette une cavité corporelle, naturelle ou pathologique, en raclant ses parois : **Curetage** *d'un abcès* ; empl. abs. : *Faire un* **curetage**, cureter l'utérus après une fausse couche. Fin XIXe s. ; ☞ *cureter* ; [kyʀtaʒ].

**CURETER, verbe trans.** [14]
*Chir.* Pratiquer le curetage de (une cavité naturelle, un abcès). Fin XIXe s. ; ☞ *curette* ; [kyʀte].

**CURETON, subst. m.**
Curé, prêtre (fam. et péj.). 1916 ; ☞ *curé* ; [kyʀtɔ̃].

**CURETTE, subst. f.**
1. *Techn.* Outil servant à curer. 2. *Chir.* Instrument en forme de cuiller, à bords mousses ou tranchants. 1415 ; ☞ *curer* ; [kyʀɛt].

**CURIAL, ALE, AUX, adj.**
Relatif à la cure ecclésiastique : *Maison* **curiale**, presbytère. Déb. XIIIe s. ; bas lat. *curialis*, « qui appartient à la curie », d'apr. *cure* (II) ; [kyʀjal, o].

**CURIE (I), subst. f.**
1. *Antiq. rom.* ▸ Subdivision des trois tribus originelles : *Dix* **curies** *constituaient une tribu.* ▸ Lieu de réunion du sénat ; ce sénat. 2. *Cath.* L'ensemble des administrations du Saint-Siège, au Vatican. 1538 ; lat. *curia* ; [kyʀi].

**CURIE (II), subst. m.**
*Phys. nucl.* Ancienne unité de mesure de radioactivité (symb. : Ci) : *Le* **curie** *valait 37,1 milliards de becquerels.* 1922 ; anthropon. *Pierre* et *Marie Curie*, physiciens français ; [kyʀi].

**CURIETHÉRAPIE, subst. f.**
*Méd.* Traitement par le rayonnement de substances radioactives (thorium, cobalt, etc.). 1920 ; ☞ *curie* (II) + *-thérapie* ; [kyʀiteʀapi].

**CURIEUSEMENT, adv.**
1. Avec curiosité. 2. De façon inhabituelle. 1559 (XIIe s., avec soin) ; ☞ *curieux* ; [kyʀjøzmɑ̃].

**CURIEUX, EUSE, adj. et subst.**
Adj. 1. Désireux de connaître, de découvrir : *Je suis* **curieux** *de savoir la suite* ; *Un élève* **curieux** *de tout.* 2. Qui s'intéresse de façon indiscrète à autrui. 3. Qui excite la curiosité ; étrange, surprenant : *Une* **curieuse** *coïncidence* ; *Quel* **curieux** *prénom !* ▸ Loc. *Regarder qqn comme une bête* **curieuse** : avec une insistance déplacée. Subst. 1. Amateur de curiosités (vieilli). 2. Personne intéressée par un fait inhabituel : *Disperser les* **curieux**. 3. Personne indiscrète. 1538 (XIIe s., qui a soin de) ; lat. *curiosus*, de *cura*, « souci, soin » ; [kyʀjø, øz].

**CURIOSITÉ, subst. f.**
1. Propension à vouloir connaître, apprendre : *Éveiller la* **curiosité**. 2. Méton. Chose surprenante ; objet rare : *Une* **curiosité** *de la nature* ; *Une boutique de* **curiosités**. XIIIe s. (1190, souci) ; lat. *curiositas*, « soin ; désir de connaître » ; [kyʀjozite].

**CURISTE, subst.**
Personne qui suit une cure thermale. 1899 ; ☞ *cure* (I) ; [kyʀist].

© H. Donnezan-Explorer
*Curistes à la source Royat, dans le Puy-de-Dôme.*

**CURIUM, subst. m.**
*Chim.* Élément (transuranien radioactif) n° 96 de la table de Mendeleïev (symb. : Cm) ; masse atomique : 247 ; point de fusion : 1 340 °C ; masse volumique : 13,5 g/cm$^3$. 1945 ; anthropon. *Marie Curie*, physicienne française ; [kyʀjɔm].

**CURLING, subst. m.**
Sport de glace, originaire d'Écosse, qui consiste à faire glisser un palet vers une cible. 1792 ; angl. *curling*, de *to curl*, « enrouler » ; [kœʀliŋ].

**CURRICULUM VITAE, subst. m. inv.**
Ensemble des informations concernant l'état civil, la formation et l'expérience professionnelle d'un postulant ; par méton., le document contenant ces informations : *Présenter son* **curriculum vitae** ou, par ell., *son* **curriculum** (plur. *curriculums*). 1900 ; lat. *curriculum vitae*, « déroulement de la vie » ; abrév. : C. V., var. *curriculum vitæ* ; [kyʀikylɔmvite].

**CURRY, voir CARI**

**CURSEUR, subst. m.**
1. Pièce servant d'index de mesure ou de réglage, coulissant sur un support gradué : **Curseur** *d'une règle, d'un compas, d'une hausse de visée.* 2. *Astron.* Ligne mobile balayant le champ d'un micromètre et servant à mesurer le diamètre apparent d'un astre. 3. *Informat.* Marque mobile sur un écran de contrôle, indiquant la position courante du pointeur actif. 1562 (1372, coureur) ; lat. *cursor*, « coureur » ; [kyʀsœʀ].

**CURSIF, IVE, adj.**
1. *L'écriture* **cursive** ou, empl. subst. fém., *La* **cursive** : tracée d'une main rapide et déliée. 2. Fig. Rapide : *Style* **cursif**, lapidaire ; *Lecture* **cursive**, d'une seule traite. 1532 ; lat. médiév. *cursivus* ; [kyʀsif, iv].

**CURSUS, subst. m.**
Cycle universitaire complet, sanctionné par un diplôme. V. 1970 ; lat. *cursus*, « course » ; [kyʀsys].

**CURULE, adj.**
*Antiq. rom.* 1. *Chaise* **curule** : siège d'ivoire réservé aux hauts magistrats. 2. Ext. *Édile* **curule** : l'un de ces magistrats ; *Édilité* **curule** : sa fonction. Fin XIVe s. ; lat. *curulis* ; [kyʀyl].

**CURVILIGNE, adj.**
1. Constitué de lignes courbes. 2. *Math. Coordonnées* **curvilignes** *d'un point sur une surface S* : pour S définie par des équations paramétriques $x = f(t, s)$, $y = g(t, s)$ et $z = h(t, s)$, on dit que le couple $(t, s)$ constitue les coordonnées **curvilignes** du point M de coordonnées $[f(t, s), g(t, s), h(t, s)]$ dans un repère cartésien. 1613 ; formé du lat. *curvus*, « courbe », et de *ligne* ; [kyʀviliɲ].

**CURVIMÈTRE, subst. m.**
*Métrol.* Instrument permettant d'évaluer la longueur d'une ligne courbe ou sinueuse. 1874 ; lat. *curvus*, « courbe », + *-mètre*[1] ; [kyʀvimɛtʀ].

**CUSCUTE, subst. f.**
*Bot.* Plante parasite de la famille des Convolvulacées, à tige grêle et rougeâtre. Mil. XIIIe s. ; lat. médiév. *cuscuta*, de l'ar. *kušūt*, du gr. *kasutas* ; [kyskyt].

**CUSPIDE, subst. f.**
1. *Bot.* Partie pointue et allongée d'un végétal. 2. *Anat.* Chacune des pointes des molaires et des prémolaires. ⌧ 1839 ; lat. *cuspis*, « pointe » ; [kyspid].

**CUSTODE, subst. f.**
1. *Liturg.* ► Petite boîte à parois de verre dans laquelle on place l'hostie consacrée. ► Boîte à hosties servant à la communion des malades (synon. *pyxide*). 2. *Autom.* Panneau latéral arrière de la carrosserie d'une automobile, gén. vitré. ⌧ 1370 ; lat. médiév. *custodia*, « reliquaire » ; [kystɔd].

**CUTANÉ, ÉE, adj.**
*Anat.* Relatif, propre à la peau : *Repli **cutané** ; Réaction, affection **cutanée**.* ⌧ 1546 ; lat. *cutis*, « peau » ; [kytane].

**CUTI, subst. f.**
Fam. Cuti-réaction. ► Loc. *Virer sa **cuti*** : avoir un premier test tuberculinique positif ou, au fig., changer d'opinions politiques, de mœurs, etc. ⌧ 1946 ; abrév. de *cuti-réaction* ; [kyti].

**CUTICULE, subst. f.**
1. *Anat.* Peau très fine : *La **cuticule** des ongles, de l'émail dentaire.* 2. *Bot.* Pellicule de cutine revêtant les tiges et les feuilles des plantes. 3. *Zool.* Partie superficielle, riche en chitine, du tégument des Annélides et des Arthropodes. ⌧ 1532 ; lat. *cuticula*, « petite peau » ; [kytikyl].

**CUTINE, subst. f.**
*Bot.* Substance cireuse constituant la cuticule des végétaux. ⌧ 1878 ; lat. *cutis*, « peau » ; [kytin].

**CUTI-RÉACTION, subst. f.**
*Méd.* Test permettant de déceler certaines maladies (en partic. la tuberculose) ou des allergies, par scarification de la peau et introduction d'un produit susceptible de provoquer une réaction inflammatoire. ⌧ 1907 ; comp. du lat. *cutis*, « peau », et de *réaction* ; plur. *cuti-réactions*, var. *cutiréaction* ; [kytiʀeaksjɔ̃].

**CUTTER, subst. m.**
Instrument composé d'un manche cranté dans lequel glisse une lame tranchante (anglic.). ⌧ V. 1980 ; angl. *cutter*, de *to cut*, « couper » ; [kœtœʀ] ou [kytɛʀ].

**CUVAGE, subst. m.**
1. Mise en cuve, en vue de sa fermentation, de moût de raisin destiné au vin rouge ou de pulpe de pommes, de poires. 2. Méton. Ensemble des cuves d'une exploitation. ⌧ 1803 (XIIIe s., endroit où l'on met les cuves) ; ☞ *cuver* ; [kyvaʒ].

**CUVAISON, subst. f.**
Cuvage. ⌧ 1842 ; ☞ *cuver* ; [kyvɛzɔ̃].

**CUVE, subst. f.**
1. Grand récipient dans lequel on laisse fermenter le raisin et où l'on conserve le vin. 2. Récipient cylindrique, gén. grand, à usage industriel ou domestique : *La **cuve** d'un lave-linge.* 3. Réservoir : ***Cuve** à mazout.* ⌧ XIe s. ; lat. *cupa*, « tonneau » ; [kyv].

**CUVEAU, subst. m.**
Petite cuve. ⌧ XIIe s. ; ☞ *cuve* ; [kyvo].

**CUVÉE, subst. f.**
1. Contenu d'une cuve : *Une **cuvée** de linge.* 2. *Vinic.* Totalité du vin résultant de la récolte annuelle d'un domaine : *Une bonne **cuvée** ; Tête de **cuvée**,* vin soutiré en premier. ⌧ Déb. XIIIe s. ; ☞ *cuve* ; [kyve].

**CUVELAGE, subst. m.**
*Techn.* 1. Mise en place d'un revêtement étanche dans un puits de mine, pour en renforcer les parois ; par méton., ce revêtement. 2. Introduction de tubes métalliques dans un puits artésien ou un forage pétrolier ; par méton., l'ensemble de ces tubes. ⌧ 1762 ; ☞ *cuveler* ; [kyvlaʒ].

**CUVELER, verbe trans. [12]**
*Techn.* Revêtir d'un cuvelage. ⌧ 1758 (XIe s., blanchir) ; ☞ *cuve* ; [kyvle].

**CUVER, verbe [3]**
INTRANS. Fermenter en cuve, en parlant du raisin, des pommes. TRANS. Fig. et Fam. ► ***Cuver** son vin* : dormir sous l'effet de l'ivresse. ► Ext. Ressasser (un sentiment) : ***Cuver** sa colère.* ⌧ 1433 ; ☞ *cuve* ; [kyve].

**CUVETTE, subst. f.**
1. Récipient plus large que profond, gén. portatif, à usage domestique : *Faire la vaisselle dans une **cuvette** émaillée.* 2. Anal. Partie d'une installation sanitaire qui recueille l'eau : ***Cuvette** de lavabo, de W.-C.* 3. *Géogr.* ► Dépression topographique de grande étendue : *La **cuvette** du Congo.* ► Petite dépression fermée de toutes parts : *La **cuvette** de Diên Biên Phu.* ⌧ Déb. XIIIe s. ; ☞ *cuve* ; [kyvɛt].

**CUVIER, subst. m.**
Cuve à lessive (vieilli). ⌧ Déb. XIIIe s. ; ☞ *cuve* ; [kyvje].

**CV, voir CHEVAL**

**CYAN, subst. m. et adj. inv.**
*Impr.* et *Phot.* Se dit d'une couleur primaire bleu-vert. ⌧ 1950 ; angl. *cyan*, du gr. *kuanos*, « bleu sombre » ; [sjɑ̃].

**CYANAMIDE, subst. f.**
*Chim.* Amide qui dérive de l'ammoniac par substitution du groupe –CN à un hydrogène de $NH_3$. ⌧ 1851 ; ☞ *amide + cyano-* ; [sjanamid].

**CYANHYDRIQUE, adj.**
*Chim.* Se dit d'un groupe de composés azotés comprenant l'acide **cyanhydrique** (HCN), très toxique, et ses dérivés. ⌧ 1866 ; formé de *cyano-* et de *-hydrique* ; [sjanidʀik].

**CYANOBACTÉRIES, subst. f. plur.**
*Bactériol., Biol.* et *Bot.* Classe de bactéries appelées autrefois Algues bleues, puis Cyanophycées. AU SING. *La spiruline est une **cyanobactérie**.* ⌧ XXe s. ; ☞ *bactérie + cyano-* ; [sjanɔbakteʀi].

**CYANOGÈNE, subst. m.**
*Chim.* Gaz incolore toxique, qui réagit avec les métaux et l'hydrogène en donnant des cyanures et de l'acide cyanhydrique. ⌧ 1815 ; formé de *cyano-* et de *-gène* ; [sjanɔʒɛn].

**CYANOPHYCÉES, subst. f. plur.**
Cyanobactéries. ⌧ 1885 ; formé de *cyano-* et de *-phycée* ; [sjanɔfise].

**CYANOSE, subst. f.**
*Pathol.* Coloration bleuâtre des téguments, en partic. de la peau, due à une oxygénation insuffisante du sang. ⌧ 1823 ; gr. *kuanôsis*, « teinte bleue » ; [sjanoz].

**CYANOSER, verbe trans. [3]**
*Pathol.* Affecter de cyanose : *Le choléra **cyanose** la peau* ; empl. pronom. : *Ce malade est en train de se **cyanoser**.* ⌧ 1835 ; ☞ *cyanose* ; [sjanoze].

**CYANURATION, subst. f.**
1. *Chim.* Fixation d'une ou de plusieurs molécules d'acide cyanhydrique sur une molécule organique. 2. *Métall.* Traitement au cyanure des minerais d'or ou d'argent. ⌧ 1907 ; ☞ *cyanurer* ; [sjanyʀasjɔ̃].

**CYANURE, subst. m.**
1. *Chim.* Nom donné aux sels de l'acide cyanhydrique. 2. Poison violent à base de **cyanure** de potassium. ⌧ 1815 ; ☞ *cyanogène* ; [sjanyʀ].

**CYANURER, verbe trans. [3]**
Procéder à la cyanuration de. ⌧ 1838 ; ☞ *cyanure* ; [sjanyʀe].

**CYBERCAFÉ, subst. m.**
Néologisme désignant un café où l'on peut aussi se brancher sur le réseau Internet. ⌧ Fin XXe s. ; crois. de *cybernétique* et de *café* ; [sibɛʀkafe].

**CYBERNÉTICIEN, IENNE, subst.**
Spécialiste de la cybernétique. ⌧ 1954 ; ☞ *cybernétique* ; [sibɛʀnetisjɛ̃, jɛn].

**CYBERNÉTIQUE, subst. f. et adj.**
SUBST. Science des procédures de commande et de communication dans les systèmes complexes biologiques, informatiques, économiques, sociaux, etc. ADJ. Qui relève de la **cybernétique**. ⌧ 1948 (1834, étude des moyens de gouvernement) ; angl. *cybernetics*, du gr. *kubernêtikê*, « art de gouverner » ; [sibɛʀnetik].

**CYCADALES, subst. f. plur.**
*Bot.* Ordre de plantes, tropicales ou subtropicales, ressemblant à des petits palmiers. AU SING. *Le zamier est une **cycadale**.* ⌧ Fin XIXe s. ; ☞ *cycas* ; [sikadal].

**CYCAS, subst. m.**
*Bot.* Plante gymnosperme de l'ordre des Cycadales, ressemblant à un petit palmier. ⌧ 1803 ; lat. sc. *cycas*, du gr. *kuix*, « sorte de palmier » ; [sikas].

**CYCLABLE, adj.**
*Piste **cyclable*** : voie réservée aux cyclistes. ⌧ 1898 ; ☞ *cycle* (II) ; [siklabl].

**CYCLAMEN, subst. m.**
*Bot.* Plante herbacée de la famille des Primulacées, cultivée pour la beauté de ses fleurs ; empl. adj. inv., de la couleur rose-mauve du **cyclamen**. ⌧ XVe s. ; lat. *cyclaminos*, du gr. *kuklaminos* ; [siklamɛn].

**CYCLANE, subst. m.**
*Chim.* Hydrocarbure saturé cyclique. ⌧ 1946 ; ☞ *cyclique* ; [siklan].

**CYCLE (I), subst. m.**
I. Série de phénomènes ou d'évènements se répétant sans discontinuité et dans un ordre immuable : *Le **cycle** des saisons, des travaux agricoles.* 1. *Astron.* ***Cycle** solaire* : brusque augmentation de l'activité du Soleil, qui émet des corpuscules et des ondes électromagnétiques venant perturber la haute atmosphère, voire l'atmosphère. 2. *Biol.* ***Cycle** du carbone, de l'azote...* : ensemble des chemins suivis par ces éléments à travers les minéraux du sol, les organismes animaux ou végétaux, les océans, l'atmosphère... 3. *Écon.* Alternance de périodes de récession et de prospérité : ***Cycles** longs,* couvrant une cinquantaine d'années. II. Suite ordonnée d'étapes ou d'opérations permettant l'achèvement d'un processus ou ramenant un système à son état initial. 1. *Chim.* Chaîne d'atomes refermée sur elle-même (anton. *chaîne linéaire*). 2. *Enseign.* Période de plusieurs années subdivisant l'enseignement scolaire et universitaire : *Thèse de troisième **cycle**.* 3. *Litt.* Ensemble de poèmes épiques sur un thème commun : *Le **cycle** du roi Arthur.* 4. *Math.* ***Cycle** dans un graphe* : suite d'arcs distincts et consécutifs $u_1, u_2, ..., u_p$ telle que l'extrémité de $u_p$ coïncide avec l'origine de $u_1$. 5. *Phys.* ***Cycle** d'un moteur à explosion* : succession des phases (ou temps) du système ; dans le moteur à quatre temps classique se succèdent l'admission, la compression, la combustion, ou l'explosion, et l'échappement du mélange gazeux. 6. *Physiol.* ***Cycle** menstruel* : transformations ovariennes précédant et suivant l'ovulation, qui aboutissent à la menstruation si l'ovule n'a pas été fécondé. 7. *Techn.* ***Cycle** de fabrication d'un produit* : ensemble des étapes de transformation de la matière première en un produit fini. ⌧ 1534 ; bas lat. *cyclus*, du gr. *kuklos* ; [sikl].

**CYCLE (II), subst. m.**
Véhicule à deux (ou trois) roues propulsé par la pression des pieds sur des pédales ou par un petit moteur. ⌧ 1870 ; angl. *cycle*, aphérèse de *bicycle*, « bicycle » ; [sikl].

**CYCLIQUE, adj.**
1. Relatif à un cycle périodique. 2. Qui se répète périodiquement, à intervalles plus ou moins réguliers : *Les fluctuations **cycliques** de la monnaie* ; par ext., changeant : *Une humeur **cyclique**.* 3. *Chim.* *Composé **cyclique*** : dont la molécule renferme au moins une chaîne d'atomes de carbone fermée sur elle-même. 4. *Litt.* Relatif à un cycle littéraire : *Poème **cyclique**,* appartenant à un cycle. ⌧ 1583 ; lat *cyclicus*, du gr. *kuklikos* ; [siklik].

**CYCLISME, subst. m.**
Pratique de la bicyclette, en partic. dans un cadre sportif. ⌧ 1889 ; ☞ *cycle* (II) ; [siklism].

**CYCLISTE, subst. et adj.**
SUBST. Personne qui se déplace à bicyclette. ADJ. *Sp.* Relatif à la pratique sportive de la bicyclette : *Une épreuve **cycliste**.* ⌧ 1885 ; ☞ *cycle* (II) ; [siklist].

**CYCLO-CROSS, subst. m. inv.**
*Sp.* Épreuve cycliste en terrain accidenté. ⌧ 1919 ; comp. de *cycle* (II) et de *cross* ; var. *cyclocross* ; [siklokʀɔs].

**CYCLOÏDAL, ALE, AUX, adj.**
Qui décrit une cycloïde : *Une trajectoire **cycloïdale**.* ⌧ 1701 ; ☞ *cycloïde* ; [siklɔidal, o].

**CYCLOÏDE, subst. f.**
*Géom.* Courbe engendrée par un point d'un cercle, qui roule sans glissement sur une droite (synon. *courbe cycloïdale*). ⌧ 1638 ; gr. *kukloeidês*, « circulaire » ; [siklɔid].

**CYCLOMOTEUR, subst. m.**
Véhicule à deux roues muni d'un moteur dont la cylindrée est inférieure à 50 cm³. ⌧ 1939 ; formé de *cycle* (II) et de *moteur* ; [siklomɔtœʀ].

**CYCLOMOTORISTE, subst.**
Personne qui conduit un cyclomoteur. ⌧ V. 1950 ; ☞ *cyclomoteur* ; [siklomɔtɔʀist].

**CYCLONAL, ALE, AUX, adj.**
*Météor.* Qui se rapporte aux cyclones (synon. *cyclonique*). ⌧ 1863 ; ☞ *cyclone* ; [siklonal, o].

**CYCLONE, subst. m.**
1. *Météor.* Violente perturbation atmosphérique dans laquelle le vent suit un mouvement circulaire centripète autour d'une zone de très basse pression qui l'aspire. ► *Œil du **cyclone*** : zone centrale, calme, du **cyclone** ou, au fig., cœur des difficultés. 2. Fig. Personne très dynamique ; évènement bouleversant. 3. *Techn.* Appareil dans lequel un liquide aspire des déchets, des particules, etc. ⌧ 1860 ; angl. *cyclone*, du gr. *kuklos*, « cercle » ; [siklon].

**CYCLONIQUE, adj.**
*Météor.* Cyclonal. ⌧ 1875 ; ☞ *cyclone* ; [siklonik].

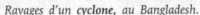

*Ravages d'un cyclone, au Bangladesh.*

*Cygne noir en couvaison.*

**CYCLOPE, subst. m.**
**1.** *Myth. Un* ***Cyclope*** : géant du monde mythique grec, pourvu d'un œil unique au milieu du front. **2.** *Zool.* Petit crustacé copépode d'eau douce, à œil unique. 1372 ; lat. *cyclops*, du gr. *kuklôps*, de *kuklos*, « cercle », et de *ôps*, « œil » ; [siklɔp].

**CYCLOPÉEN, ÉENNE, adj.**
**1.** *Myth.* Relatif aux Cyclopes. **2.** Anal. Colossal, démesuré. **3.** *Archéol.* Qualifie les constructions de l'époque mycénienne, faites d'une superposition d'énormes blocs de pierre : *Les murs* ***cyclopéens*** *de Tirynthe.* 1808 ; ☞ *cyclope* ; [siklɔpeɛ̃, eɛn].

**CYCLO-POUSSE, subst. m. inv.**
Pousse-pousse tracté par un cycliste. V. 1970 ; comp. de *cycle* (II) et de *pousse(-pousse)* ; var. *cyclopousse* ; [siklopus].

**CYCLOSPORINE, subst. f.**
*Pharm.* Substance qui a la propriété d'empêcher le rejet des greffes pratiquées sur un organisme, tout en permettant au système immunitaire de combattre les infections bactériennes et virales. V. 1980 ; ☞ *spore* + *cyclo-* ; var. *ciclosporine* ; [siklospɔʀin].

**CYCLOSTOME, subst. m.**
*Zool.* **Plur. 1.** Ordre de l'embranchement des Bryozoaires. **2.** Terme désignant les Agnathes actuels ; au sing. : *La lamproie est un* ***cyclostome.*** **Sing.** Mollusque gastéropode, genre *Cyclostoma*, adapté à la vie terrestre. 1801 ; formé de *cyclo-* et de *-stome* ; [siklostom].

**CYCLOTHYMIE, subst. f.**
**1.** Alternance plus ou moins régulière de périodes d'euphorie et de dépression. **2.** *Psych.* Psychose maniaco-dépressive. 1897 ; all. *Zyklothymie*, du gr. *kuklos*, « cercle », et *thumos*, « humeur » ; [siklotimi].

**CYCLOTHYMIQUE, adj. et subst.**
Se dit d'une personne atteinte de cyclothymie. 1909 ; ☞ *cyclothymie* ; [siklotimik].

**CYCLOTOURISME, subst. m.**
Tourisme pratiqué à bicyclette. 1901 ; formé de *cycle* (II) et de *tourisme* ; [sikloturism].

**CYCLOTRON, subst. m.**
*Phys. part.* Accélérateur dans lequel la trajectoire des particules électrisées émises est transformée en trajectoire circulaire par un champ magnétique, ce qui permet d'augmenter leur vitesse au moyen d'un champ électrique alternatif, donc leur énergie cinétique (jusqu'à 10 MeV). Le premier **cyclotron** a été mis au point par l'Américain E. O. Lawrence, en 1929. 1936 ; ☞ *électron* + *cyclo-* ; [siklotʀɔ̃].

**CYGNE, subst. m.**
**1.** *Zool.* Oiseau aquatique palmipède de la famille des Anatidés, au pelage brillant et gén. blanc et au long cou flexible. ► Loc. *En col de* ***cygne*** : recourbé (☞ *col-de-cygne*). **2.** Fig. Grand poète ou orateur (littér.) : *Le* ***cygne*** *de Mantoue*, Virgile ; *Le* ***cygne*** *de Cambrai*, Fénelon. ► Loc. *Le chant du* ***cygne*** : dernière expression d'un génie avant sa mort. Fin XIIe s. ; bas lat. *cicinus*, du lat. *cycnus*, du gr. *kuknos* ; [siɲ].

**CYLINDRAGE, subst. m.**
*Techn.* Action de cylindrer, de passer au cylindre un matériau : *On assouplit le cuir par* ***cylindrage.*** 1765 ; ☞ *cylindrer* ; [silɛ̃dʀaʒ].

**CYLINDRAXE, subst. m.**
*Anat.* Ancien nom de l'axone. 1863 ; formé de *cylindre* et de *axe* ; [silɛ̃dʀaks].

**CYLINDRE, subst. m.**
**1.** *Géom.* Surface, ensemble des droites (les génératrices) parallèles à une direction fixe (celle du **cylindre**) et rencontrant une courbe fixe (directrice) ; par ext., portion de l'espace limitée par un **cylindre** ayant une directrice fermée dans un plan non parallèle à la direction du **cylindre.** ► ***Cylindre*** *de révolution* : dont une directrice est un cercle et dont la direction est perpendiculaire au plan du cercle. ► Ext. Solide limité par cette surface cylindrique et deux plans parallèles. **2.** *Ameubl. Bureau à* ***cylindre*** : recouvert d'un volet galbé escamotable. **3.** *Mécan.* ► Corps d'une pompe. ► Tube d'un moteur à l'intérieur duquel se meut le piston ; par méton., en parlant d'une automobile : *Une huit* ***cylindres.*** **4.** *Mus.* ► Rouleau de phonographe. ► Tube des instruments à vent à piston. **5.** *Pathol.* et *Anat.* ***Cylindres*** *urinaires* : débris organiques moulés à la forme des tubules du rein, dont l'excès dans les urines indique une lésion. **6.** *Techn.* Rouleau servant à laminer, à aléser, à compresser, à broyer. Fin XIVe s. ; lat. *cylindrus*, du gr. *kulindros* ; [silɛ̃dʀ].

**CYLINDRÉE, subst. f.**
*Mécan.* **1.** Volume maximal de gaz que peut contenir le cylindre d'un moteur entre les deux positions extrêmes du piston. **2.** Méton. *Une grosse* ***cylindrée*** : une voiture ou une moto très puissante. 1907 ; ☞ *cylindre* ; [silɛ̃dʀe].

**CYLINDRER, verbe trans. [3]**
*Techn.* **1.** Traiter, travailler (un matériau) au moyen d'un cylindre. **2.** Donner à (qqch.) la forme d'un cylindre. 1772 ; ☞ *cylindre* ; [silɛ̃dʀe].

**CYLINDRE-SCEAU, subst. m.**
*Archéol.* Matrice constituée d'un cylindre gravé en creux de figures et de signes, que l'on roulait sur des tablettes d'argile pour en authentifier le texte et qui fut utilisée en Mésopotamie dès le IVe mill. av. J.-C. XXe s. ; comp. de *cylindre* et de *sceau* ; plur. *cylindres-sceaux* ; [silɛ̃dʀəso].

**CYLINDRIQUE, adj.**
En forme de cylindre : *Un flacon* ***cylindrique.*** 1596 ; ☞ *cylindre* ; [silɛ̃dʀik].

**CYMAISE, voir CIMAISE**

**CYMBALAIRE, subst. f.**
*Bot.* Nom générique des Linaires, aux petites feuilles lobées, à port retombant. XVe s. ; lat. médiév. *cymbalaria* ; [sɛ̃balɛʀ].

**CYMBALE, subst. f.**
*Mus.* Chacun des disques en métal légèrement convexes que l'on frappe ou que l'on entrechoque, utilisé dans les percussions. Fin XIIe s. ; lat. *cymbalum*, du gr. *kumbalon* ; [sɛ̃bal].

**CYMBALIER, IÈRE, subst.**
*Mus.* Joueur de cymbales. 1671 ; ☞ *cymbale* ; [sɛ̃balje, jɛʀ].

**CYMBALISTE, subst.**
*Mus.* Cymbalier. 1845 ; ☞ *cymbale* ; [sɛ̃balist].

**CYMBALUM, subst. m.**
*Mus.* Instrument à cordes frappées, proche du xylophone, d'origine hongroise (synon. *tympanon*) : *Le* ***cymbalum*** *des Tsiganes.* 1887 ; hongr. *czimbalom*, du lat. *cymbalum* ; [sɛ̃balɔm].

**CYME, subst. f.**
*Bot.* Type d'inflorescence comprenant un axe principal terminé par une fleur et un ou plusieurs axes secondaires, ramifiés, insérés sur l'axe principal. 1808 ; lat. *cyma*, « tendron de chou » ; [sim].

**CYMRIQUE, voir KYMRIQUE**

**CYNÉGÉTIQUE, adj. et subst. f.**
**Adj.** Relatif à la chasse, aux chiens de chasse. **Subst.** Art de la chasse. 1750 ; gr. *kunêgetikos*, « de l'art du veneur » ; [sineʒetik].

**CYNIPIDÉS, subst. m. plur.**
*Zool.* Famille d'insectes hyménoptères parasites des végétaux et producteurs de galles. **Au sing.** *Le cynips est un* ***cynipidé.*** 1838 ; ☞ *cynips* ; [sinipide].

**CYNIPS, subst. m.**
*Zool.* Insecte de la famille des Cynipidés. 1748 ; lat. sc. *cynips*, du gr. *kuôn*, « chien », et *ips*, « ver à bois » ; [sinips].

**CYNIQUE, adj. et subst.**
**Adj. 1.** *Philos.* Relatif, propre à l'école philosophique grecque enseignant le cynisme. **2.** Ext. Qui défie les conventions sociales, les opinions établies ou la morale (souv. péj.). **Subst. 1.** Philosophe **cynique** ; adepte du cynisme. **2.** Personne **cynique.** 1375 ; lat. *cynicus*, du gr. *kunicos*, de *kuôn*, « chien » ; [sinik].

**CYNIQUEMENT, adv.**
De manière cynique. 1537 ; ☞ *cynique* ; [sinikmɑ̃].

**CYNISME, subst. m.**
**1.** *Philos.* Doctrine des cyniques. **2.** Ext. Attitude cynique, impudence. Mil. XVIIIe s. ; bas lat. *cynismus*, du gr. *kunismos* ; [sinism].

**PHILOSOPHIE** – Doctrine de l'école philosophique grecque fondée par Antisthène (Ve-IVe s. av. J.-C.), dont le plus célèbre représentant fut Diogène, le cynisme consiste en une critique radicale, scandaleuse et provocatrice de l'hypocrisie des conventions sociales, au profit d'un retour à la nature. L'héritage cynique moderne, défini par l'utilisation de moyens immoraux à des fins matérielles, se retrouve ainsi aux antipodes de la leçon antique, pénétrée de la vanité de tout projet et prônant la limitation du désir de puissance et de la puissance du désir.

**CYNOCÉPHALE, adj. et subst. m.**
**Adj.** Qui a une tête de chien : *Anubis, dieu* ***cynocéphale*** *de l'Égypte.* **Subst.** *Zool.* Singe au museau allongé comme celui d'un chien : *Le babouin et le mandrill sont des* ***cynocéphales.*** 1372 ; lat. *cynocephalus*, du gr. *kunokephalos* ; [sinosefal].

**CYNODROME, subst. m.**
Piste aménagée pour les courses de chiens. V. 1940 ; formé de *cyno-* et de *-drome* ; [sinodʀom].

**CYNOGLOSSE, subst. f.**
*Bot.* Plante ornementale de la famille des Borraginacées, à fleurs pourpres et à feuilles rugueuses, également appelée langue-de-chien. XVe s. ; lat. sc. *cynoglossus*, du gr. *kunoglôsson*, « langue de chien » ; [sinoglɔs].

**CYNOPHILE, adj. et subst.**
Se dit d'une personne qui aime les chiens. **Adj.** *Milit. Groupe* ***cynophile*** : qui dresse et qui emploie des chiens. 1846 ; formé de *cyno-* et de *-phile* ; [sinofil].

**CYNORHODON, subst. m.**
**1.** *Bot.* Nom de l'églantier sauvage, aux fruits astringents. **2.** Méton. Le fruit lui-même (synon. fam. *gratte-cul*). 1690 ; gr. *kunorodon*, « rose contre les morsures de chien » ; var. *cynorrhodon* ; [sinoʀɔdɔ̃].

**CYON, subst. m.**
Genre de chien sauvage d'Asie. Fin XIXe s. ; gr. *kuôn*, « chien » ; [sjɔ̃].

**CYPÉRACÉES, subst. f. plur.**
*Bot.* Famille de plantes vivaces des marais. Le genre *Cyperus esculentus* est le souchet ; *Cyperus papyrus* servait à fabriquer le papyrus. **Au sing.** *Le souchet est une* ***cypéracée*** *comestible.* Fin XVIIIe s. ; lat *cyperus*, du gr. *kupeiros*, « souchet » ; [sipeʀase].

**CYPHOSCOLIOSE, subst. f.**
*Pathol.* Double déviation de la colonne vertébrale associant cyphose et scoliose. 1833 ; formé de *cyphose* et de *scoliose* ; var. *cypho-scoliose* (plur. *cyphoscolioses*) ; [sifoskɔljoz].

**CYPHOSE, subst. f.**
*Pathol.* Déviation de la colonne vertébrale, marquée par une convexité vers l'arrière et qui peut être dorsale ou cervico-dorsale. 1752 ; gr. *kuphôsis*, « bosse » ; [sifoz].

**CYPHOTIQUE, adj.**
*Pathol.* Relatif à la cyphose. ☞ *cyphose* ; [sifotik].

**CYPRÈS,** subst. m.
*Bot.* Conifère de la famille des Cupressacées, répandu au sud de l'hémisphère boréal, élancé et au feuillage dense et persistant. Fin XIIe s. ; lat. *cupressus*, du gr. *kuparissos* ; [sipʀɛ].

**CYPRIÈRE,** subst. f.
Plantation de cyprès. 1744 ; ☞ *cyprès* ; [sipʀijɛʀ].

**CYPRIN,** subst. m.
*Zool.* Poisson d'eau douce de la famille des Cyprinidés : *Le **cyprin** doré*, le poisson rouge. 1783 ; lat. *cyprinus*, du gr. *kuprinos*, « espèce de carpe » ; [sipʀɛ̃].

**CYPRINIDÉS,** subst. m. plur.
*Zool.* Famille de poissons téléostéens d'eau douce. AU SING. *La carpe, comme l'ablette ou la tanche, est un **cyprinidé**.* 1866 ; ☞ *cyprin* ; [sipʀinide].

**CYPRIS,** subst. f.
*Zool.* Petit crustacé ostracode à carapace bivalve, de quelques millimètres de longueur, qui vit dans les eaux douces. 1806 ; lat. sc. *cypris* ; [sipʀis].

**CYRÉNAÏQUE,** adj. et subst.
De la ville de Cyrène ou de la Cyrénaïque. ADJ. *Philos. L'école **cyrénaïque*** : école philosophique grecque florissante aux Ve et IVe s. av. J.-C., fondée par Aristippe de Cyrène, disciple de Socrate, et dont la morale reposait sur le plaisir des sens. ▸ *Les philosophes **cyrénaïques*** ou, empl. subst., *Les **cyrénaïques*** : les membres de cette école. 1726 ; lat. *cyrenaicus*, du gr. *kurênaikos* ; [siʀenaik].

**CYRILLIQUE,** adj. et subst. m.
Se dit de l'alphabet slave dont l'invention est attribuée aux saints Cyrille et Méthode de Salonique (IXe s.), utilisé en partic. pour transcrire le russe, l'ukrainien, le bulgare et le serbe. 1838 ; anthropon. *saint Cyrille* ; [siʀilik].

*Alphabet **cyrillique** (russe).*

| FIGURES majuscules | FIGURES minuscules | transcription | FIGURES majuscules | FIGURES minuscules | transcription |
|---|---|---|---|---|---|
| А | а | a | Р | р | r |
| Б | б | b | С | с | s |
| В | в | v | Т | т | t |
| Г | г | g | У | у | u |
| Д | д | d | Ф | ф | f |
| Е | е | e | Х | х | h |
| Ё | ё | ë | Ц | ц | c |
| Ж | ж | ž | Ч | ч | č |
| З | з | z | Ш | ш | š |
| И | и | i | Щ | щ | ŝ |
| Й | й | j | Ъ | ъ | ″ |
| К | к | k | Ы | ы | y |
| Л | л | l | Ь | ь | ʹ |
| М | м | m | Э | э | è |
| Н | н | n | Ю | ю | û |
| О | о | o | Я | я | â |
| П | п | p | | | |

La Route aux **cyprès**, *peinture de Vincent Van Gogh (1853-1890). Rijksmuseum Kröller-Müller, Otterlo (Pays-Bas).*

**CYSTECTOMIE,** subst. f.
*Chir.* Ablation de la vessie. 1617 ; formé de *cysto-* et de *-ectomie* ; [sistɛktɔmi].

**CYSTÉINE,** subst. f.
*Biochim.* Amino-acide soufré constituant des protéines. 1900 ; all. *Cystein* ; [sistein].

**CYSTICERQUE,** subst. m.
*Zool.* Nom donné aux ténias pendant le stade de leur évolution qui suit l'état larvaire, stade marqué par la formation d'une vésicule caudale. 1812 ; lat. sc. *cysticercus*, du gr. *kustis*, « vésicule », et *kerkos*, « queue » ; [sistisɛʀk].

**CYSTINE,** subst. f.
*Biochim.* Substance qui résulte de l'association de deux molécules de cystéine par un pont disulfure. Les ponts disulfures sont susceptibles de se former entre cystéines d'une même molécule protéique ou entre molécules distinctes. 1834 ; prob. angl. *cystine*, du gr. *kustis*, « vésicule » ; [sistin].

**CYSTIQUE,** adj.
*Anat.* Relatif à la vessie ou à la vésicule biliaire. Mil. XVIe s. ; gr. *kustis*, « vessie » ; [sistik].

**CYSTITE,** subst. f.
*Pathol.* Inflammation, aiguë ou chronique, de la vessie. 1806 ; gr. *kustis*, « vessie » ; [sistit].

**CYSTOGRAPHIE,** subst. f.
*Méd.* Radiographie de la vessie. 1959 ; formé de *cysto-* et de *-graphie* ; [sistɔgʀafi].

**CYSTOSCOPE,** subst. m.
*Méd.* Instrument permettant l'examen de la vessie par l'éclairage de sa cavité. 1842 ; formé de *cysto-* et de *-scope* ; [sistɔskɔp].

**CYSTOSCOPIE,** subst. f.
*Méd.* Examen de la vessie à l'aide d'un cystoscope. 1846 ; formé de *cysto-* et de *-scopie* ; [sistɔskɔpi].

**CYSTOSTOMIE,** subst. f.
*Chir.* Abouchement de la vessie à la paroi abdominale sus-pubienne. 1901 ; formé de *cysto-* et de *-stomie* ; [sistɔstɔmi].

**CYSTOTOMIE,** subst. f.
*Chir.* Incision de la vessie. 1617 ; formé de *cysto-* et de *-tomie* ; [sistɔtɔmi].

**CYTAPHÉRÈSE,** subst. f.
*Biol.* Extraction de certaines cellules du sang. Gr. *aphairesis*, « action d'enlever », + *cyto-* ; [sitafeʀɛz].

**CYTISE,** subst. m.
*Bot.* Arbrisseau de la famille des Fabacées, à fleurs jaunes en grappes, tel le genêt à balai. 1516 ; lat. *cytisus*, du gr. *kutisos* ; [sitiz].

**CYTOCHROME,** subst. m.
*Biochim.* et *Biol.* Protéine contenant du fer et jouant un rôle essentiel dans la respiration cellulaire en tant que transporteur d'électrons, donc agent d'oxydation. V. 1970 ; formé de *cyto-* et de *-chrome* ; [sitokʀom].

**CYTODIAGNOSTIC,** subst. m.
*Méd.* Méthode de diagnostic fondée sur l'examen des cellules trouvées dans les liquides organiques ou prélevées par raclage, biopsie ou ponction. 1900 ; ☞ *diagnostic* + *cyto-* ; [sitodjagnɔstik].

**CYTOGÉNÉTIQUE,** subst. f.
*Génét.* et *Biol.* Branche de la génétique qui étudie d'une part les relations entre la morphologie et le comportement des chromosomes et d'autre part la transmission des caractères héréditaires entre individus. 1855 ; ☞ *génétique* + *cyto-* ; [sitoʒenetik].

**CYTOLOGIE,** subst. f.
*Biol.* Science qui étudie la cellule vivante, normale ou pathologique, sa constitution, ses fonctions (physiologie cellulaire), ses propriétés physiques et son activité chimique. 1888 ; formé de *cyto-* et de *-logie* ; [sitɔlɔʒi].

**CYTOLOGIQUE,** adj.
Qui concerne la cytologie : *Diagnostic **cytologique**.* Fin XIXe s. ; ☞ *cytologie* ; [sitɔlɔʒik].

**CYTOLOGISTE,** subst.
Biologiste spécialiste de l'étude de la cellule. Fin XIXe s. ; ☞ *cytologie* ; [sitɔlɔʒist].

**CYTOLYSE,** subst. f.
*Biol.* Destruction ou dissolution des cellules. 1905 ; formé de *cyto-* et de *-lyse* ; [sitɔliz].

**CYTOMÉGALOVIRUS,** subst. m.
*Biol.* Virus de la famille des *Herpesviridae* (virus à A. D. N.), isolé en 1956-1957, agent d'infections, parfois graves, périnatales et congénitales, et qui persiste longtemps dans l'organisme, notamment dans les glandes salivaires et les lymphocytes B (abrév. : C. M. V.). V. 1980 ; ☞ *virus* + *cyto-* et *mégalo-* ; [sitomegaloviʀys].

**CYTOPLASME,** subst. m.
*Biol.* Substance essentielle de la cellule, située entre la membrane et le noyau. 1878 ; ☞ *protoplasme* + *cyto-* ; var. *cytoplasma* ; [sitoplasm].

**CYTOPLASMIQUE,** adj.
*Biol.* Relatif au cytoplasme ; contenu dans le cytoplasme. Fin XIXe s. ; ☞ *cytoplasme* ; [sitoplasmik].

**CYTOSINE,** susbt. f.
*Biochim.* L'une des quatre bases azotées entrant dans la composition de l'A. D. N. et de l'A. R. N. 1903 ; gr. *kutos*, « cavité, cellule » ; [sitozin].

**CYTOSQUELETTE,** subst. m.
*Biol.* Support des organites cellulaires, formé par un ensemble de structures filamenteuses protéiques et contrôlant la forme des cellules. Ces structures sont matérialisées par des microfilaments et des microtubules. V. 1980 ; ☞ *squelette* + *cyto-* ; [sitoskəlɛt].

**CYTOTOXIQUE,** adj.
*Biol.* Se dit d'une substance ou d'un virus capable d'altérer ou de détruire une cellule. 1929 ; ☞ *toxique* + *cyto-* ; [sitɔtɔksik].

**CZAR,** voir **TSAR**

**CZARDAS,** voir **CSARDAS**

*Désert de dunes.* © Stock Image

**D, subst. m. inv.**
**1.** Quatrième lettre et troisième consonne de l'alphabet, notant l'occlusive dentale sonore [d]. Le **d** final est gén. muet (*blond* [blɔ̃], *lard* [laʀ]), mais il arrive qu'on l'entende (*sud* [syd], *David* [david]). En cas de liaison, *d* se prononce [t] (*un grand artiste* [œ̃gʀɑ̃taʀtist], *mord-il ?* [mɔʀtil]). ► Loc. *Système D* : débrouillardise, ingéniosité (fam.). **2.** Abrév. et Symb. ► D : chiffre romain valant 500. ► *Chim.* D : deutérium. ► *Math.* 𝔻 ou **D** : ensemble des nombres décimaux. ► *Mus.* D : la note *ré*, dans la notation anglo-saxonne et germanique. ✉ [de].

**DA, interj.**
Particule renforçant l'adverbe « oui » (vx) : *Oui-da !* ✉ XII^e s. ; contraction de *dis* et de *va*, impér. de *dire* (I) et de *aller* (I) ; [da].

**DAB, subst. m.**
Argot. Père ; par ext. : *Les* ***dabs***, les parents. ✉ 1725 (1579, maître) ; p.-ê. ital. *dabo*, du lat. *dabo*, « je donnerai » ; var. *dabe* ; [dab].

**D'ABORD, voir ABORD**

**DA CAPO, loc. adv.**
*Mus.* Locution indiquant, sur une partition, la reprise d'un morceau depuis le début (abrév. : D. C.). ✉ 1705 ; ital. *da capo*, « depuis le début » ; [dakapo].

**D'ACCORD, voir ACCORD**

**DACIQUE, adj.**
Relatif à la Dacie, aux Daces : *Les guerres* ***daciques***. ✉ 1740 ; lat. *dacicus* ; [dasik].

**DACRON, subst. m. inv.**
*Text.* Fibre synthétique de polyester. ✉ 1951 ; mot anglo-amér. ; n. déposé ; [dakʀɔ̃].

**DACTYLE, subst. m.**
**1.** *Versif.* Chez les Grecs et les Latins, pied qui comporte une syllabe longue suivie de deux brèves. **2.** *Bot.* Plante fourragère des climats tempérés, de la famille des Poacées. ✉ XIV^e s. ; lat. *dactylus*, du gr. *daktulos*, « doigt » ; [daktil].

**DACTYLIQUE, adj.**
*Versif.* Qualifie un vers comportant un ou plusieurs dactyles : *Un hexamètre* ***dactylique***. ✉ 1466 ; lat. *dactylicus* ; [daktilik].

**DACTYLOGRAMME, subst. m.**
**1.** Empreinte digitale utilisée pour identifier qqn. **2.** Texte dactylographié (rare). ✉ 1907 ; formé de *dactylo-* et de *-gramme* ; [daktilɔgʀam].

**DACTYLOGRAPHE, subst.**
Vieilli. Personne dont le métier est de taper des textes à la machine à écrire ; en appos. : *Secrétaire* ***dactylographe*** (abrév. courante : dactylo). ✉ 1900 (1832, clavier pour aveugles et sourds-muets) ; formé de *dactylo-* et de *-graphe* ; [daktilɔgʀaf].

**DACTYLOGRAPHIE, subst. f.**
**1.** Technique d'écriture de textes à la machine (abrév. : dactylo). **2.** Texte dactylographié (synon. *tapuscrit*) : *Corriger la* ***dactylographie*** *d'un article.* ✉ 1900 (1832, art de converser par le toucher) ; ☞ *dactylographe* ; [daktilɔgʀafi].

**DACTYLOGRAPHIER, verbe trans.** [6]
Taper (un texte) à la machine à écrire. ✉ 1912 ; ☞ *dactylographie* ; [daktilɔgʀafje].

**DACTYLOLOGIE, subst. f.**
Langage inventé pour communiquer, par des mouvements des doigts, avec les sourds-muets. ✉ XVIII^e s. ; formé de *dactylo-* et de *-logie* ; [daktilolɔʒi].

**DACTYLOSCOPIE, subst. f.**
Technique d'identification des personnes par leurs empreintes digitales. ✉ 1906 ; formé de *dactylo-* et de *-scopie* ; [daktilɔskɔpi].

**DADA (I), subst. m.**
Cheval, dans le langage enfantin. ✉ 1508 ; onomat. ; [dada].

**DADA (II), subst. m.**
Sujet favori, marotte. ✉ 1776 ; traduction de l'angl. *hobby horse* ; [dada].

**DADA (III), subst. inv.**
**Masc.** *Le Dada* : mouvement international d'artistes et d'écrivains, né en 1916 du dégoût envers la guerre, qui entreprit d'instiller un état d'esprit subversif et iconoclaste (synon. *dadaïsme*) ; empl. adj. inv. : *Une œuvre* ***dada***. **Masc.** et **Fém.** Méton. *Un, une* ***dada*** : un membre du mouvement **dada** (synon. *dadaïste*). ✉ 1916 ; mot choisi en ouvrant, par dérision, un dictionnaire au hasard ; [dada].

**ARTS ET LITTÉRATURE** – Fondé le 8 février 1916 à Zurich par Hugo Ball, Hans Arp, Marcel Janco et Tristan Tzara, le mouvement dada est d'abord voué à mettre en relation les avant-gardes artistiques européennes. L'origine même de son nom porte la trace de l'état d'esprit subversif et iconoclaste qui a présidé à sa naissance : la création dada tient en ses actes de négation et de destruction. Et c'est en maniant l'humour et la dérision à travers tous les moyens d'expression que les dada, qui prônent la confusion des arts et des genres, vont tenter de faire table rase des contraintes artistiques, de la logique et de la morale. Le mouvement va s'implanter aussi bien à Paris, où, de 1920 à 1923, Tzara, Ribemont-Dessaignes, Picabia, Soupault, Breton ou Aragon publient de nombreux tracts et organisent des manifestations publiques, qu'en Allemagne, avec Raoul Hausmann, Hans Arp, Max Ernst ou Kurt Schwitters, en Italie, ou encore en Hollande. À New York, Duchamp, qui dès 1913 a déclenché le scandale, trouve dans Dada un état d'esprit proche du sien. En 1923, Dada s'autodétruira. Certains de ses membres se feront surréalistes, les deux mouvements présentant de nombreuses affinités.

**DADAIS, subst. m.**
Jeune homme à l'air niais et gauche. ✉ 1642 ; orig. onomat. ; [dadɛ].

**DADAÏSME, subst. m.**
Le mouvement dada. ✉ 1916 ; ☞ *dada* (III) ; [dadaism].

**DADAÏSTE, adj. et subst.**
**Adj.** Relatif au dadaïsme ; qui appartient à ce mouvement. **Subst.** Membre du dadaïsme (synon. *dada*). ✉ 1918 ; ☞ *dada* (III) ; [dadaist].

**DAGUE, subst. f.**
**1.** Épée courte, à lame large et pointue. **2.** Anal. Première paire de bois, sans ramifications, qui apparaît chez un cerf, un daim, un chevreuil dans sa deuxième année. ✉ 1229 ; p.-ê. lat. pop. °*daca spatha*, « épée de Dacie » ; [dag].

**DAGUERRÉOTYPE, subst. m.**
**1.** Procédé photographique par lequel on fixait les images sur une plaque de cuivre argenté soumise aux vapeurs d'iode. **2.** Méton. Appareil utilisant ce procédé ; image ainsi obtenue. ✉ 1839 ; anthropon. *Louis Jacques Daguerre*, inventeur, + *-type* ; [dageʀeɔtip].

© A. Le Toquin-Explorer

Maisons du boulevard Saint-Martin, Paris *(v. 1839),* ***daguerréotype*** *pris par Louis Daguerre (1787-1851) de son appartement. Musée Hyacinthe-Rigaud, Perpignan.*

**DAGUET, subst. m.**
Cerf ou daim dans sa deuxième année, porteur de dagues. ✉ 1655 (1583, petite dague) ; ☞ *dague* ; [dagɛ].

**DAHIR, subst. m.**
Décret du roi du Maroc. ✉ 1929 ; ar. *ẓahīr*, « décret royal » ; [daiʀ].

**DAHLIA, subst. m.**
*Bot.* Plante tubéreuse de la famille des Astéracées, dont on cultive de nombreuses variétés. ✉ 1804 ; anthropon. *Dahl*, botaniste suédois ; [dalja].

**DAHU, subst. m.**
Animal imaginaire dont on propose la chasse à une personne crédule. ✉ XIX^e s. ; orig. obsc. ; [day].

**DAIGNER, verbe trans.** [3]
Condescendre à (accomplir une action que l'on juge digne de soi) : ***Daigner*** *pardonner* ; par ext., vouloir bien (faire qqch. qui ne va pas de soi). ✉ Fin IX^e s. ; lat. tardif *dignare*, « juger digne » ; [deɲe].

**D'AILLEURS, voir AILLEURS**

**DAIM,** subst. m.
**1.** *Zool.* Ruminant de la famille des Cervidés, aux bois larges et aplatis et à la robe tachetée de blanc. **2.** Méton. Peau de **daim,** ou imitant le **daim.** Fin XII^e s. ; bas lat. *damus,* du lat. *dama* ; [dɛ̃].

**DAÏMIO,** subst. m.
Seigneur féodal, dans l'ancien Japon. 1870 ; jap. *daimyō,* « grand nom » ; var. *daimyo* ; [daimjo].

**DAINE,** subst. f.
Femelle du daim. 1387 ; fém. de *dain,* anc. forme de *daim* ; [dɛn].

**DAIS,** subst. m.
**1.** Estrade élevée dans la salle d'honneur d'un palais. **2.** Méton. Tenture ou ouvrage de bois surplombant un autel, un trône, un lit ou un catafalque ; par anal. : *Un **dais** de feuillage.* **3.** *Archit.* Voûte en saillie abritant une statue. **4.** *Liturg.* Petit toit de tissu qui surmonte le saint sacrement, lors d'une procession. XIV^e s. (XII^e s., table dressée sur une estrade) ; lat. *discus,* « disque, plateau » ; [dɛ].

**DAL (QUE),** voir **DALLE (QUE)**

**DALAÏ-LAMA,** subst. m.
*Relig.* Chef spirituel (et temporel de 1642 à 1959) du bouddhisme tibétain, considéré comme la réincarnation perpétuelle du bodhisattva Avalokiteshvara. Fin XVII^e s. ; comp. de *dalaï,* du mongol *Ta-le,* « océan (de sagesse) », et de *lama,* du tibétain *bla-ma,* « suprême » ; plur. *dalaï-lamas* ; [dalailama].

*Le **dalaï-lama** Tenzin Gyatso, prix Nobel de la paix en 1989.*

**DALEAU,** voir **DALOT**

**DALLAGE,** subst. m.
Action de poser des dalles ; le pavement ainsi obtenu. 1835 ; ☞ *daller* ; [dalaʒ].

**DALLE,** subst. f.
**1.** Vx. Conduit d'évacuation d'un liquide, d'un matériau. **2.** Chacune des plaques de pierre ou de matière dure, peu épaisses et planes, composant un pavement. **3.** Plancher de ciment, de béton : *Couler une **dalle.*** **4.** Gorge, gosier (argot.) : *Se rincer la **dalle,*** boire ; par méton. : *Avoir la **dalle,*** avoir faim. 1319 ; norm. *dalle,* prob. de l'anc. nord. *daela,* « gouttière à bord d'un navire » ; [dal].

**DALLE (QUE),** loc. adv.
Rien (fam.) : *N'y voir, n'y comprendre **que dalle.*** 1829 ; prob. breton *dall,* « aveugle » ; var. *que dal* ; [kədal].

**DALLER,** verbe trans. [3]
Revêtir de dalles. 1319 ; ☞ *dalle* ; [dale].

**DALLEUR,** subst. m.
Ouvrier qui pose des dalles. 1877 ; ☞ *daller* ; [dalœʀ].

**DALMATE,** adj. et subst.
De Dalmatie. **Subst. masc.** Ancienne langue romane attestée en Dalmatie. 1721 ; lat. *Dalmatae,* « habitants de la Dalmatie » ; [dalmat].

**DALMATIEN,** subst. m.
Chien de taille moyenne au poil ras, à la robe blanche tachetée de noir. V. 1960 ; anglo-amér. *dalmatian,* « de Dalmatie » ; [dalmasjɛ̃].

**DALMATIQUE,** subst. f.
**1.** *Antiq. rom.* Tunique d'origine dalmate, blanche et bordée de pourpre. **2.** *M. Â.* Robe d'apparat des rois de France, en satin bleu fleurdelisé. **3.** Vêtement liturgique des diacres. XII^e s. ; lat. eccl. *dalmatica,* « de Dalmatie » ; [dalmatik].

**DALOT,** subst. m.
**1.** *Mar.* Ouverture pratiquée dans les plats-bords d'un navire pour l'évacuation de l'eau embarquée par le pont. **2.** *Trav. publ.* Rigole d'écoulement dallée et maçonnée dans un remblai de route, de voie ferrée. 1382 ; ☞ *dalle* (I) ; var. *daleau* ; [dalo].

**DALTONIEN, IENNE,** adj. et subst.
Se dit d'une personne atteinte de daltonisme. 1827 ; anthropon. *J. Dalton,* physicien anglais ; [daltɔnjɛ̃, jɛn].

**DALTONISME,** subst. m.
*Pathol.* Trouble héréditaire de la vue, qui prive de la perception des couleurs, notamment du rouge et du vert, ou qui empêche de les différencier. XIX^e s. ; anthropon. *John Dalton,* physicien anglais qui décrivit ce trouble dont il souffrait ; [daltɔnism].

**DAM,** subst. m.
**1.** Vx. Dommage, préjudice. ▸ Loc. *Au grand **dam** de qqn* : à son détriment (littér.). **2.** *Théol.* Peine essentielle de l'enfer privant les damnés, à jamais, de la vision de Dieu. 842 ; lat. *damnum* ; [dɑ̃] ou [dam].

**DAMAGE,** subst. m.
*Techn.* Action de damer la terre, le sol ; son résultat. 1838 ; ☞ *damer* ; [damaʒ].

**DAMALISQUE,** subst. m.
*Zool.* Grande antilope d'Afrique subtropicale, aux cornes annelées en forme de lyre. 1929 ; lat. sc. *damaliscus,* du gr. *damalis,* « génisse » ; [damalisk].

**DAMAN,** subst. m.
*Zool.* Petit mammifère herbivore ongulé, de l'ordre des Hyracoïdes, qui vit en bandes en Afrique et au Proche-Orient. 1765 ; ar. *damān,* espèce de mouton ; [damɑ̃].

**DAMAS,** subst. m.
**1.** Étoffe unie de soie dont les motifs satinés à l'endroit sont mats à l'envers et vice versa ; par ext., tout tissu imitant le **damas. 2.** Acier fin d'aspect moiré, utilisé pour les lames de sabre ; par méton., le sabre lui-même. 1352 ; topon. *Damas* (Syrie) ; [dama(s)].

**DAMASQUINAGE,** subst. m.
Art, action de damasquiner. 1611 ; ☞ *damasquiner* ; [damaskinaʒ].

**DAMASQUINER,** verbe trans. [3]
Incruster à froid (une surface métallique) de filets d'or, d'argent ou de cuivre, pour former un décor d'inspiration orientale. 1537 ; *damasquin* (rare), « de Damas », de l'ital. *damaschio* ; [damaskine].

**DAMASSÉ, ÉE,** adj. et subst.
Se dit d'une étoffe tissée en façon de damas. **Adj.** *Acier **damassé*** : qui présente l'aspect moiré du damas. 1386 ; ☞ *damas* ; [damase].

**DAMASSER,** verbe trans. [3]
Travailler (un tissu ou un métal) à la manière du damas. XIV^e s. ; ☞ *damas* ; [damase].

**DAMASSURE,** subst. f.
Motif d'un tissu damassé. 1556 ; ☞ *damasser* ; [damasyʀ].

**DAME (I),** subst. f.
**I. 1.** *Hist.* ▸ Au Moyen Âge, suzeraine, femme noble à laquelle se consacrait un chevalier, selon l'idéal courtois. ▸ Dès la fin du XV^e s., femme de haute naissance remplissant une charge auprès d'une reine, d'une princesse : ***Dame** du palais* ; ***Dame** d'atour.* **2.** *Cath.* ▸ Religieuse de certaines congrégations (vieilli). ▸ *Notre-**Dame*** : la Vierge Marie. **3.** Femme occupant une position ou une fonction élevée, et inspirant le respect : *Une grande **dame*** ; *La première **dame** de France,* l'épouse du président. **4.** Femme mariée (vieilli ou pop.) : *Les temps sont durs, ma pauvre **dame !*** ▸ Épouse (pop.) : *Bonjour à votre **dame !*** **5.** Personne adulte du sexe féminin : *Toilettes pour **dames*** ; *Il appréciait la compagnie des **dames.*** **II.** *Spéc.* **1.** *Jeux.* ▸ Reine, aux cartes ou aux échecs : *Faire **dame,*** aux échecs transformer un pion en **dame** après l'avoir mené jusqu'à la dernière ligne du damier. ▸ *Jeu de **dames*** ou, par ell., *Les **dames*** : jeu opposant deux joueurs déplaçant chacun sur un damier vingt pions blancs ou noirs ; le pion qui atteint le bord adverse est doublé et devient une **dame,** pouvant sauter plusieurs cases vides. **2.** *Mar.* ***Dame** de nage* : creux pratiqué sur le plat-bord d'une embarcation ou tolet, servant de point d'appui à l'aviron. **3.** *Techn.* Outil de paveur, à deux anses, servant à tasser le sol. Mil. XI^e s. ; lat. *domina,* « maîtresse de maison ; souveraine » ; [dam].

**DAME (II),** subst. f.
*Trav. publ.* Digue conservée en travers d'un canal en cours de creusement, pour retenir l'eau. XIII^e s. ; néerl. *dam* ; [dam].

**DAME (III),** interj.
Marque l'évidence ou la surprise (fam.) : *Je voulais en finir, **dame !*** ; ***Dame,** quelle histoire !* 1665 ; ell. de *Notre-Dame,* invocation à la Vierge ; [dam].

**DAME-D'ONZE-HEURES,** subst. f.
*Bot.* Nom courant de l'ornithogale à ombelles, dont les fleurs s'ouvrent en fin de matinée. Mil. XIX^e s. ; comp. de *dame* (I), de *onze* et de *heure* ; plur. *dames-d'onze-heures* ; [damdɔ̃zœʀ].

**DAME-JEANNE,** subst. f.
Grosse bouteille renflée, souvent clissée. 1694 ; comp. de *dame* (I) et de *Jeanne,* p.-ê. par le prov. ; plur. *dames-jeannes* ; [damʒan].

**DAMER,** verbe trans. [3]
**1.** *Jeux.* Aux dames, transformer (un pion) en dame. ▸ Loc. ***Damer** le pion à qqn* : l'emporter nettement sur lui. **2.** Tasser (la neige, le sol) à l'aide d'une dame ou d'une dameuse. 1552 (XIII^e s., proclamer souveraine la Vierge) ; ☞ *dame* (I) ; [dame].

**DAMEUSE,** subst. f.
Véhicule à larges chenilles utilisé en montagne pour damer la neige. XX^e s. ; ☞ *damer* ; [damøz].

**DAMIER,** subst. m.
Plateau de jeu de dames quadrillé de cent cases alternativement noires et blanches ; par anal. : *Un carrelage en **damier.*** 1529 ; ☞ *dame* (I) ; [damje].

**DAMNABLE,** adj.
*Théol.* Passible de la damnation éternelle ou qui peut l'attirer ; par ext., condamnable, répréhensible (vieilli). Fin XII^e s. ; lat. chrét. *damnabilis* ; [danabl].

**DAMNATION,** subst. f.
**1.** *Théol.* Châtiment divin condamnant aux peines de l'enfer ; ces peines (☞ *dam*). **2.** Juron exprimant la colère, le désespoir (vieilli et littér.) : *Enfer et **damnation !*** 1172 ; lat. chrét. *damnatio* ; [danasjɔ̃].

**DAMNÉ, ÉE,** adj. et subst.
**Adj. 1.** *Théol.* Condamné aux peines de l'enfer. ▸ Loc. *Être l'âme **damnée** de qqn* : lui inspirer ses mauvaises actions ou lui être aveuglément dévoué. **2.** Ext. Qui cause du désagrément, qui exaspère (fam.) : *Quand finirai-je ce **damné** travail ?* **Subst. 1.** Personne **damnée.** ▸ Loc. *Souffrir comme un **damné*** : atrocement. **2.** Anal. Réprouvé : *Les **damnés** de la terre.* X^e s. ; p. p. de *damner* ; [dane].

**DAMNER,** verbe trans. [3]
**1.** *Théol.* Condamner (qqn) au châtiment éternel de l'enfer. **2.** Ext. *Faire **damner** qqn* : l'exaspérer vivement (fam.). **Pronom. 1.** Se mettre en état d'être damné. **2.** Fam. Être prêt à tout (pour qqn, qqch.). X^e s. ; lat. chrét. *damnare* ; [dane].

**DAMOISEAU, ELLE,** subst.
**Fém.** *M. Â.* Jeune fille noble ; épouse d'un **damoiseau. Masc. 1.** *M. Â.* Titre donné au fils du seigneur, du chevalier, puis à l'aspirant chevalier. **2.** Jeune galant (vieilli, littér. ou iron.). IX^e s. au fém., XII^e s. au masc. ; lat. pop. °*domnicellus, ella,* du lat. *dominus, domina,* « maître, maîtresse » ; [damwazo, ɛl].

**DAN,** subst. m.
*Sp.* Dans les arts martiaux, chacun des grades de la ceinture noire. Mil. XX^e s. ; mot jap. ; [dan].

**DANCING,** subst. m.
Établissement où l'on danse (vieilli). 1920 ; ell. de l'angl. *dancing-house,* « maison de danse » ; [dɑ̃siŋ].

**DANDIN,** subst. m.
Homme gauche et emprunté dans ses manières (vx). Déb. XVI^e s. ; orig. onomat. ; [dɑ̃dɛ̃].

**DANDINEMENT,** subst. m.
Action de se dandiner ; mouvement de balancement. 1585 ; ☞ *se dandiner* ; [dɑ̃dinmɑ̃].

**DANDINER (SE),** verbe pronom. [3]
Se mouvoir d'une manière peu élégante, en balançant son corps : ***Se dandiner** d'un pied sur l'autre* ; empl. intrans. : ***Dandiner** des hanches.* Déb. XVI^e s. ; ☞ *dandin* ; [dɑ̃dine].

**DANDINETTE,** subst. f.
**1.** Leurre en fer-blanc, en forme de poisson, utilisé pour pêcher. **2.** Méton. La pêche ainsi pratiquée. 1900 (1866, correction) ; ☞ *se dandiner* ; [dɑ̃dinɛt].

**DANDY,** subst. m.
Homme d'un extrême raffinement dans la mise et les manières, cultivant un non-conformisme volon-

L'ART DE LA DANSE

1. Le Menuet *(détail), peinture de J. Leclerc (1734-1785). Musée du Petit-Palais, Paris.*
2. *Manuel Legris et Élisabeth Platel dans* la Sylphide, *ballet romantique, chorégraphie de Filippo Taglioni (1777-1871), musique de Jean Schneitzhöffer (1785-1852).*

3. Danse à la ville, *peinture d'Auguste Renoir (1841-1919). Musée d'Orsay, Paris.*
4. Au Moulin Rouge : les deux valseuses *(détail), peinture de Henri de Toulouse-Lautrec (1864-1901). Galerie nationale, Prague.*
5. *Vaslav Nijinski, danseur et chorégraphe russe (1889-1950). Dessin anonyme.*

6. *Fred Astaire (1899-1987) et Ginger Rogers (1911-1995), danseurs et acteurs célèbres de la comédie musicale américaine.*
7. *Rudolf Noureïev (1938-1993) dans* Apollon musagète, *chorégraphie de George Balanchine (1904-1983), musique d'Igor Stravinski (1882-1971).*

tiers provocateur. 1817 ; mot angl. ; plur. *dandys* ou *dandies* ; [dɑ̃di].

**DANDYSME, subst. m.**
Ensemble des attitudes et des comportements du dandy. 1830 ; ☞ *dandy* ; [dɑ̃dism].

**DANGER, subst. m.**
**1.** Ce qui constitue une menace pour la sécurité ou l'existence de qqn, de qqch. : *La pollution est un* ***danger*** *pour les écosystèmes.* **2.** Situation où une telle menace se manifeste : *La patrie est en* ***danger*** ; *Mettre ses jours en* ***danger*** ; *Rester calme face au* ***danger***. **3.** Loc. fam. ► *Pas de* ***danger*** *que* (+ subj.) : il est peu probable que. ► *Un* ***danger*** *public* : personne dont l'imprudence met autrui en **danger**. 1340 (1160, domination) ; lat. pop. °*dom(i)niarium*, « propriété ; pouvoir », p.-ê. d'apr. *dam* ; [dɑ̃ʒe].

**DANGEREUSEMENT, adv.**
D'une manière dangereuse. 1538 ; ☞ *dangereux* ; [dɑ̃ʒ(ə)ʀøzmɑ̃].

**DANGEREUX, EUSE, adj.**
Qui constitue un danger ; qu'il faut redouter : *Une côte* ***dangereuse*** ; *Un* ***dangereux*** *escroc.* Déb. XIIIe s. ; ☞ *danger* ; [dɑ̃ʒʀø, øz].

**DANGEROSITÉ, subst. f.**
Caractère dangereux que présente qqn, qqch. : ***Dangerosité*** *d'un psychopathe, d'une substance.* V. 1970 ; ☞ *dangereux* ; [dɑ̃ʒʀozite].

**DANOIS, OISE, adj. et subst.**
Du Danemark. SUBST. MASC. **1.** Langue germanique parlée au Danemark. **2.** Très grand chien de garde à poil ras. Fin XIe s. ; frq. *danisk* ; [danwa, waz].

**DANS, prép.**
**I.** Exprime un rapport d'intériorité. **1.** À l'intérieur d'un espace : *Il est* ***dans*** *son bureau* ; *Nous nous sommes rencontrés* ***dans*** *le métro* ; *Nous irons nous promener* ***dans*** *la campagne.* **2.** À l'intérieur d'un ensemble : *Avez-vous mis de la coriandre* ***dans*** *votre tajine ?* ; *Je l'ai lu* ***dans*** *le journal.* ► Ext. Chez : *Cette citation se trouve* ***dans*** *Voltaire.* **3.** Fig. Au sein d'un groupe, d'un milieu : *Il sert* ***dans*** *la marine* ; *Il veut entrer* ***dans*** *les ordres.* **II.** Exprime la manière. **1.** Sert à évoquer une situation, un état, une disposition : *Nous ne pouvons travailler* ***dans*** *de telles conditions* ; ***Dans*** *le doute, je préfère m'abstenir* ; *Depuis qu'elle est partie, il vit* ***dans*** *l'inquiétude.* **2.** Selon, conformément à : *Ils nous ont reçus* ***dans*** *les règles* ; *Il n'est pas* ***dans*** *nos traditions d'agir ainsi* ; *Ce mot n'est pas employé* ***dans*** *son acception actuelle.* ► Fig. *Je ne comprends pas pourquoi il a menti, ce n'est pas* ***dans*** *sa nature* : cela ne lui ressemble pas. **3.** *J'ai fait cela* ***dans*** *l'espoir de lui plaire* : avec cette intention. **III.** Introduit un complément de temps. **1.** Au cours de, pendant, à tel moment : *Nous nous sommes connus* ***dans*** *les années soixante* ; ***Dans*** *sa jeunesse, il était très sportif.* ► Loc. ***Dans*** *le temps* : autrefois. **2.** Au terme de : *J'aurai fini* ***dans*** *deux jours.* ► *J'arrive* ***dans*** *un instant* : bientôt, très prochainement. **IV. Dans les.** Exprime une approximation (fam.) : *Elle doit avoir* ***dans*** *les quarante ans*, environ, à peu près. Déb. XIIe s. ; bas lat. *deintus*, « dedans » ; [dɑ̃].

**DANSABLE, adj.**
Qui peut être dansé. 1845 ; ☞ *danser* ; [dɑ̃sabl].

**DANSANT, ANTE, adj.**
**1.** Qui danse : *Foule* ***dansante***. **2.** Qui porte à danser : *Rythme* ***dansant***. **3.** Pendant lequel on danse : *Thé* ***dansant***. XVIIe s. ; p. pr. de *danser* ; [dɑ̃sɑ̃, ɑ̃t].

**DANSE, subst. f.**
**1.** Action de danser ; enchaînement de pas et de mouvements du corps rythmés en gén. au son d'instruments ou de la voix : *La samba est une* ***danse*** *brésilienne* ; ***Danses*** *folkloriques, tribales.* ► Cette forme d'expression, considérée comme un art, soumise à des règles techniques et esthétiques précises et plus ou moins rigides : ***Danse*** *traditionnelle, classique, moderne, contemporaine.* ► Discipline sportive : ***Danse*** *acrobatique* ; ***Danse*** *sur glace*, patinage artistique. **2.** Méton. Musique inspirée d'un rythme de **danse**. **3.** Loc. fam. *Entrer dans la* ***danse*** : se joindre à une action déjà entamée ; *Mener la* ***danse*** : diriger une action collective ; *Donner une* ***danse*** *à qqn* : lui administrer une correction (vieilli). **4.** *Pathol.* ***Danse*** *de Saint-Guy* : chorée ; par ext. : *Avoir la* ***danse*** *de Saint-Guy*, ne pas tenir en place (fam.). Fin XIIe s. ; ☞ *danser* ; [dɑ̃s].

**ARTS** – Les premières manifestations de danse ont probablement une origine sacrée (la danse rituelle apparaît dès le Néolithique), mais ce langage universel traverse les siècles et évolue avec les civilisations. En Occident, les danseurs du Moyen Âge, bateleurs, jongleurs et funambules, défient les interdits de l'Église en son sein même. L'apparition du ballet de cour (organisé autour d'une action dramatique) et, sous la Renaissance, de l'opéra-ballet (mise en scène d'une œuvre) donne naissance à de nouvelles danses (pavane, sarabande), parfois issues de la culture populaire (branle, gaillarde). Avec la création de l'Académie royale de danse, en 1661, la danse s'organise officiellement comme un spectacle et devient un métier. Beauchamp (*le Triomphe de l'amour*, 1681) élabore et codifie la technique classique, puis définit les cinq positions de base. Mais à la fin du XVIIIe s., Jean Georges Noverre, condamnant la technique de la virtuosité sans expression, annonce la danse romantique (*la Sylphide*, 1832 ; *Giselle*, 1841), qui exalte la sensibilité du danseur jusque dans les artifices scéniques (utilisation de la pointe v. 1820). Avec les Ballets russes de Diaghilev, pour qui la danse est le rendez-vous de tous les arts, l'académisme russe se répand en Europe à la fin du XIXe s. Sous l'influence directe de Diaghilev, Fokine, Nijinski, Massine, Lifar et Balanchine inventent des pas (mouvements décalés des bras et des jambes) et une conception nouvelle de la danse, qui marquera la « danse libre » d'Isadora Duncan, exécutée pieds nus et en tunique légère, où le corps n'est que l'interprète de l'âme. Parallèlement, Émile Jaques-Dalcroze crée la « danse rythmique », où danse et musique sont animées par la même émotion. En Allemagne, Rudolf von Laban fonde la danse expressionniste ; importée aux États-Unis, elle donne naissance à la *modern dance*, avec Ruth Saint Denis, Ted Shawn, José Limón, Doris Humphrey et Martha Graham, dont l'élève, Merce Cunningham, inspire la jeune danse contemporaine américaine et européenne. Influencé par le théâtre du Bauhaus, Alwin Nikolais élabore une danse qui se veut « spectacle total », qui sera diffusée en Europe par Carolyn Carlson. En France, sur la base d'une technique académique, Maurice Béjart acquiert un style œcuménique. En Allemagne, sur les traces de Kurt Jooss, Pina Bausch crée le « théâtre danse ». Ce mélange des styles et des arts amplifie le vocabulaire de la danse de la fin du XXe s., qui est fondée sur les rapports entre l'espace, le temps et l'énergie, les trois composantes de cet art du mouvement.

**DANSER, verbe** [3]
**INTRANS. 1.** Mouvoir son corps selon un rythme. ▸ Loc. *Ne pas savoir sur quel pied **danser*** : être dans l'incertitude. **2.** Anal. ▸ Être animé de mouvements déliés : *Les flammes **dansent** dans l'âtre.* ▸ Devenir confus, trouble : *Les mots **dansent** dans sa tête* ; *Les lignes **dansaient** à travers ses larmes.* **TRANS.** Exécuter (une danse) : ***Danser** le rock.* Fin XIIe s. ; anc. fr. *dancier*, prob. de l'anc. bas frq. °*dintjan*, « se mouvoir en divers sens » ; [dɑ̃se].

**DANSEUR, EUSE, subst.**
**1.** Professionnel de la danse : ***Danseur** étoile.* ▸ Loc. *Entretenir une **danseuse*** : avoir une passion coûteuse, par réf. aux hommes fortunés qui avaient une **danseuse** comme maîtresse ; *Pédaler en **danseuse*** : debout sur les pédales de sa bicyclette. **2.** Personne qui danse par plaisir : *Les couples de **danseurs** évoluaient sur la piste.* Fin XIIIe s. ; ☞ *danser* ; [dɑ̃sœʀ, øz].

**DANSOTER, verbe intrans.** [3]
Esquisser vaguement de petits mouvements de danse. 1648 ; ☞ *danser* ; var. *dansotter* ; [dɑ̃sɔte].

**DANTESQUE, adj.**
**1.** Relatif à Dante et à son œuvre. **2.** Effroyable et grandiose, tel l'enfer décrit par Dante. 1830 ; anthropon. *Dante Alighieri*, écrivain italien ; [dɑ̃tɛsk].

**DAO, voir TAO**

**DAPHNÉ, subst. m.**
*Bot.* Arbrisseau à fleurs rose violacé ou blanches et à baies rouges toxiques, de la famille des Thyméléacées, appelé aussi bois-gentil, garou ou sainbois. 1537 ; gr. *daphnê*, « laurier » ; [dafne].

**DAPHNIE, subst. f.**
*Zool.* Crustacé répandu dans le plancton d'eau douce, appelé aussi puce d'eau, dont on nourrit les poissons d'aquarium. 1803 ; lat. sc. *daphnia*, du gr. *daphnê*, « laurier » ; [dafni].

**DARAISE, subst. f.**
Déversoir d'un étang. XVIe s. ; p.-ê. gaul. °*doraton*, « porte » ; [daʀɛz].

**DARBOUKA, subst. f.**
Tambour arabe en poterie, tendu de peau. Mil. XIXe s. ; ar. *darabukka* ; var. *derbouka* ; [daʀbuka].

**DARBYSME, subst. m.**
*Relig.* Mouvement issu d'une secte protestante et répandu dans les pays anglo-saxons et dans le sud de la France, qui nie l'existence d'une succession apostolique légitime. XIXe s. ; anthropon. *John Nelson Darby*, son fondateur ; [daʀbism].

**DARCE, voir DARSE**

**DARD, subst. m.**
**1.** Vx. Arme de jet formée d'une hampe à l'extrémité acérée. **2.** *Zool.* Organe creux et pointu, servant à injecter le venin : *Le **dard** d'une abeille.* **3.** Anal. Petit rameau pointu d'un arbre fruitier. Fin XIe s. ; anc. bas frq. °*daroth* ; [daʀ].

**DARDER, verbe trans.** [3]
**1.** Vx. Frapper, transpercer avec un dard. **2.** Lancer comme on lancerait un dard : ***Darder** une flèche.* **3.** Anal. Diriger, émettre avec force : *Le soleil **darde** ses rayons* ; ***Darder** un regard inquisiteur sur qqn.* XVe s. ; ☞ *dard* ; [daʀde].

**DARE-DARE, adv.**
En toute hâte (fam.). 1640 ; p.-ê. *se darer* (vx), « s'élancer », de *darder*, « courir tel un dard » ; [daʀdaʀ].

**DARI, subst. m.**
Langue d'origine persane parlée en Afghanistan. Persan *dari*, de *darbār*, « palais royal ; cour », le dari moderne dérivant de la langue parlée à la cour des Sassanides ; [daʀi].

**DARIOLE, subst. f.**
Petite pâtisserie feuilletée garnie de crème, de frangipane ou de confiture ; par méton., moule rond dans lequel on la fait cuire. 1292 ; p.-ê. altér. de *doriole* (vx), du pic. et du wallon, *doré*, *dorlie* ; [daʀjɔl].

**DARIQUE, subst. f.**
Monnaie d'or de l'ancienne Perse. 1547 ; gr. *dareikos*, « monnaie à l'effigie de Darius » ; [daʀik].

**DARNE, subst. f.**
*Cuis.* Tranche épaisse de gros poisson : ***Darne** de thon.* Déb. XIIIe s. ; breton *darn*, « pièce » ; [daʀn].

**DARSE, subst. f.**
*Mar.* Bassin abrité, propre aux ports méditerranéens. Déb. XVe s. ; génois *darsena*, de l'ar. *dār al-ṣinā'a*, « atelier » ; var. *darce* ; [daʀs].

**DARTOIS, subst. m.**
Gâteau feuilleté fourré de confiture ou de frangipane. 1873 ; p.-ê. agglutination de *d'Artois* ; [daʀtwa].

**DARTRE, subst. f.**
*Pathol.* Plaque cutanée rougeâtre et squameuse, qui se manifeste dans certaines maladies de la peau. XIIIe s. ; bas lat. *derbita*, prob. d'orig. celt. ; [daʀtʀ].

**DARTREUX, EUSE, adj.**
*Pathol.* **1.** De la nature des dartres ; qui présente des dartres. **2.** Affecté de dartres : *Malade **dartreux*** ; empl. subst., personne **dartreuse**. Fin XIVe s. ; ☞ *dartre* ; [daʀtʀø, øz].

**DARTROSE, subst. f.**
Maladie de la pomme de terre provoquée par des cryptogames. 1901 ; ☞ *dartre* ; [daʀtʀoz].

**DARWINIEN, IENNE, adj.**
Relatif, propre à Darwin et à sa théorie : *L'hypothèse **darwinienne** de la lutte pour la vie.* 1869 ; anthropon. *Charles Darwin*, naturaliste anglais ; [daʀwinjɛ̃, jɛn].

**DARWINISME, subst. m.**
Théorie de l'évolution proposée par Darwin. 1867 ; anthropon. *Charles Darwin*, naturaliste anglais ; [daʀwinism].

**SCIENCES** – L'immense progrès que le darwinisme fit accomplir à la biologie tient surtout au fait qu'il permit de substituer une explication mécaniste de l'évolution à une conception finaliste de l'ordre biologique. Pour Darwin, comme pour les biologistes actuels, il n'est pas nécessaire d'attribuer un sens à l'évolution pour comprendre sa marche générale : le tri qu'opère la sélection naturelle sur les microvariations dont sont porteurs les membres d'une espèce suffit à expliquer comment, au fil des générations, des caractères nouveaux émergent, se consolident et s'accumulent jusqu'à produire de nouvelles solutions de vie. Comme toute révolution scientifique, le darwinisme eut en son temps plus d'adversaires que de défenseurs. Outre le sort qu'il faisait à l'idée d'un principe créateur, on lui reprocha de blasphémer contre l'homme lui-même, dont il faisait un produit de l'évolution comme un autre. Si l'homme n'était qu'un animal descendant d'autres animaux, alors on pouvait douter qu'il ait une âme et que la loi morale puisse lui être appliquée. Certains doctrinaires en profitèrent d'ailleurs pour affirmer, au nom d'un « darwinisme social », que les principes de la sélection naturelle devaient être appliqués au gouvernement des hommes.

**DARWINISTE, adj. et subst.**
Se dit d'une personne adepte du darwinisme. **ADJ.** Favorable au darwinisme. 1870 ; anthropon. *Charles Darwin*, naturaliste anglais ; [daʀwinist].

**DASEIN, subst. m.**
*Philos.* Chez Heidegger, le seul chemin d'accès à l'être comme à toute compréhension (synon. *être-là*). Fondamentalement historique, tout **dasein** commence à exister dans l'inauthentique (se distraire de ses propres possibilités), ne conquiert l'authenticité (vivre selon ses propres possibilités) que dans l'angoisse face au néant et ne trouve son achèvement que dans la mort. XXe s. ; all. *Dasein*, « être-là » ; [dazajn].

**DASYURE, subst. m.**
*Zool.* Marsupial d'Océanie, de la famille des Dasyuridés, appelé aussi chat marsupial. 1796 ; gr. *dasus*, « velu », + *-ure* ; [dazjyʀ].

*Dasyure.*

**DATABLE, adj.**
Dont on peut déterminer la date ou l'âge : *Un évènement **datable**.* Déb. XIXe s. ; ☞ *dater* ; [databl].

**DATAGE, subst. m.**
Datation. V. 1960 ; ☞ *dater* ; [dataʒ].

**DATAIRE, subst. m.**
*Relig.* Officier de la curie romaine qui présidait la daterie (vx). 1533 ; lat. eccl. *datarius* ; [datɛʀ].

**DATATION, subst. f.**
**1.** Action de mettre la date sur un document. **2.** Détermination d'une date, d'un âge : ***Datation** d'un texte, d'une sépulture, d'un fossile.* ▸ Méton. Cette date, cet âge : ***Datation** d'un mot*, sa première attestation. Fin XIXe s. ; ☞ *dater* ; [datasjɔ̃].

**DATCHA, subst. f.**
Maison de campagne russe, souv. située aux abords d'une grande ville. 1849 ; russe *dača* ; [datʃa].

**DATE, subst. f.**
**1.** Inscription du jour, du mois, de l'année sur un document : *Une lettre sans **date**.* **2.** Repère chronologique établissant le moment où un évènement a eu lieu ou aura lieu : ***Date** de naissance* ; ***Date** d'un rendez-vous* ; par ext., moment, époque, période : ***Date** d'apparition d'un mot.* **3.** Méton. Évènement important. **4.** Loc. *Le premier, le dernier en **date*** : le plus ancien, le plus récent ; *En **date** de* : à la date du ; *À **date** fixe* : régulièrement ; *De fraîche, de vieille **date*** : récent, ancien ; *De longue **date*** : depuis longtemps ; *Prendre **date*** : fixer un rendez-vous ; *Faire **date*** : marquer un moment important. **5.** *Dr.* ***Date** certaine* : jour à partir duquel un acte ne peut plus être remis en cause. 1281 ; lat. médiév. *data littera*, « lettre donnée », premiers mots de la formule indiquant le jour où un acte a été rédigé ; [dat].

**DATER, verbe** [3]
**TRANS. 1.** Inscrire le jour exact sur (un document) : ***Dater** un chèque.* **2.** Déterminer la date, l'âge de (qqch.) : ***Dater** un vase antique.* **INTRANS. 1. Dater de.** Exister depuis (telle époque), remonter à : *Le vote des femmes **date** de 1945.* ▸ Loc. *À **dater** de* : à partir de. **2.** Marquer un tournant : *Ce film **datera** dans l'histoire du cinéma.* **3.** Être démodé : *Cette expression **date**.* 1367 ; ☞ *date* ; [date].

**DATERIE, subst. f.**
*Relig.* Service administratif et fiscal de la curie romaine (vx). 1605 ; prob. lat. eccl. *dataria* ; [datʀi].

**DATEUR, EUSE, adj. et subst. m.**
**ADJ.** Qui sert à dater. **SUBST. 1.** Appareil imprimant la date. **2.** Mécanisme indiquant la date, sur une montre. 1929 ; ☞ *dater* ; [datœʀ, øz].

**DATIF (I), subst. m.**
*Gramm.* Cas marquant le complément d'attribution, dans les langues à flexion. ⚭ XIIIe s. ; lat. des grammairiens *dativus casus*, « cas datif », du lat. *dare*, « donner » ; [datif].

**DATIF (II), IVE, adj.**
*Dr.* Désigné par dation : *Tutelle* ***dative***. ⚭ 1437 ; lat. jur. *dativus*, « qui est donné » ; [datif, iv].

**DATION, subst. f.**
*Dr.* **1.** Action de désigner qqn par voie judiciaire ou testamentaire : ***Dation*** *de curateur, de tuteur.* **2. Dation en paiement.** Action de donner en paiement une autre chose que la chose due : ***Dation*** *d'œuvres d'art en paiement de droits de succession.* ⚭ 1272 ; lat. *datio*, « action de donner » ; [dasjɔ̃].

**DATTE, subst. f.**
Fruit du dattier, charnu, sucré et nutritif, qui pousse en régimes. ⚭ Fin XIIe s. ; anc. prov. *datil*, du lat. *dactylus*, « datte », du gr. *daktulos*, « doigt » ; [dat].

**DATTIER, subst. m.**
*Bot.* Arbre de la famille des Arécacées, cultivé pour ses fruits en Espagne, en Afrique et au Moyen-Orient. ⚭ Déb. XIIIe s. ; ☞ *datte* ; [datje].

**DATURA, subst. m.**
*Bot.* Plante toxique de la famille des Solanacées, ornementale mais aussi utilisée comme narcotique. ⚭ 1598 ; port. *datura*, du hindi *dhattūra* ; [datyʀa].

**DAUBE, subst. f.**
*Cuis.* Façon de cuire certaines viandes à l'étouffée dans une marinade au vin rouge : *Bœuf en* ***daube*** ; par méton., le plat ainsi préparé : *Une* ***daube*** *provençale.* ⚭ 1571 ; ital. *dobba*, « marinade », d'orig. catalane ; [dob].

**DAUBER (I), verbe** [3]
**Trans.** Railler, dénigrer (rare). **Intrans. Dauber sur.** Se moquer de (littér.) : *On* ***a daubé*** *sur son échec.* ⚭ 1661 (déb. XVIe s., frapper) ; orig. obsc. ; [dobe].

**DAUBER (II), verbe trans.** [3]
*Cuis.* Cuire (une viande) en daube. ⚭ 1743 ; ☞ *daube* ; [dobe].

**DAUBEUR, EUSE, subst.**
Personne qui daube, qui raille ou dénigre (vieilli ou littér.). **Masc.** *Techn.* Aide du forgeron. ⚭ 1671 ; ☞ *dauber* (I) ; [dobœʀ, øz].

**DAUBIÈRE, subst. f.**
*Cuis.* Braisière utilisée pour faire mijoter les daubes. ⚭ 1829 ; ☞ *daube* ; [dobjɛʀ].

**DAUPHIN (I), subst. m.**
*Zool.* Mammifère cétacé, carnassier, de la famille des Delphinidés, qui vit en bandes dans toutes les mers du globe. Ses facultés psychiques et son langage sont l'objet d'études poussées. ⚭ Mil. XIIe s. ; lat. pop. °*dalphinus*, du lat. *delphinus*, du gr. *delphis* ; [dofɛ̃].

**DAUPHIN (II), INE, subst.**
**Masc. 1.** Titre porté par les seigneurs du Dauphiné. **2.** Héritier présomptif de la couronne de France : *Monseigneur le* ***dauphin***. **3.** Fig. Successeur présumé d'une personnalité. **Fém. 1.** Épouse du **dauphin**. **2.** *Cuis. Pommes* ***dauphine*** : boulettes frites, faites d'un mélange de pommes de terre en purée et de pâte à choux. ⚭ Mil. XIIIe s. ; anthropon. lat. pop. °*Dalphinus*, du lat. *Delphinus*, devenu titre en Auvergne et en Dauphiné ; [dofɛ̃, in].

**DAUPHINELLE, subst. f.**
*Bot.* Delphinium. ⚭ 1786 ; lat. sc. *delphinium*, du gr. *delphinion* ; [dofinɛl].

**DAUPHINOIS, OISE, adj. et subst.**
Du Dauphiné. **Adj.** *Cuis. Gratin* ***dauphinois*** : gratin de pommes de terre émincées, à l'ail, au gruyère et au lait. ⚭ 1636 ; topon. *Dauphiné* ; [dofinwa, waz].

**DAURADE, subst. f.**
*Zool.* Poisson téléostéen de la famille des Sparidés, à reflets dorés ou argentés, commun dans les mers chaudes et tempérées, à la chair estimée. L'espèce *Aurata aurata*, portant une tache dorée sur la tête, est la **daurade** royale. ⚭ XVIe s. ; anc. prov. *daurada*, du lat. *aurata* ; var. *dorade* ; [doʀad].

**DAVANTAGE, adv.**
**1.** Plus : *Depuis le départ de son associé, il doit travailler* ***davantage*** ; *Il a déjà beaucoup d'argent, et il en veut* ***davantage*** ; *Marie est belle, mais Jeanne l'est* ***davantage***. **2.** Plus longtemps : *Je ne resterai pas* ***davantage***. **3.** Le plus (littér.) : *Je suis incapable de vous dire ce qui, à cette époque, m'effrayait* ***davantage***. **4.** De plus, en outre (vx) : *Je ne vous demande rien* ***davantage*** ; ***Davantage****, je ne sais quel parti prendre.* **5.** Loc. (auj. critiquées). **Davantage que, de.** Plus que, plus de : *Il n'y a rien que je déteste* ***davantage*** *que de blesser la vérité* (Pascal) ; *Je trouve qu'il fait* ***davantage*** *de fautes en ce moment.* ⚭ 1530 ; agglutination de *d'avantage*, formé de *de* (I) et de *avantage* ; [davɑ̃taʒ].

**DAVIER, subst. m.**
**1.** *Chir.* Longue pince aux mors courts, servant à extraire les dents ou les fragments d'os. **2.** *Mar.* Rouleau tournant sur un axe, facilitant ainsi le glissement des câbles sur un bateau. **3.** *Techn.* Nom générique de divers outils constitués d'une barre de fer terminée en crochet, utilisés par le menuisier, le forgeron, le tonnelier, pour maintenir, saisir ou ajuster les pièces. ⚭ 1540 ; anc. fr. *daviet*, de *david*, outil de menuisier ; [davje].

**DAZIBAO, subst. m.**
Journal mural manuscrit qui se mit à envahir les rues lors de la révolution culturelle chinoise. ⚭ V. 1970 ; mot chinois ; [da(d)zibao].

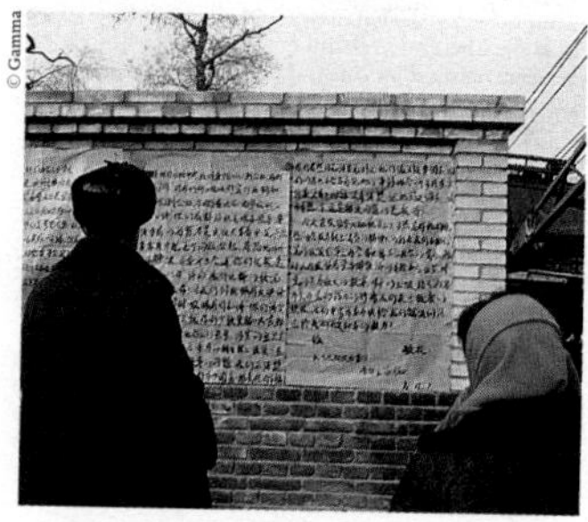
© Gamma

*Dazibao.*

**dB**, voir **DÉCIBEL**

**DE (I), prép.**
Préposition servant à relier, en exprimant des rapports variés ou en servant simplement d'outil dans certaines constructions grammaticales, un élément de la phrase à un autre. **I.** Exprime divers rapports à partir du sens primitif de point de départ. **1.** Lieu. ▸ Provenance : *Ils arrivent* ***de*** *Poitiers* ; *Des bananes* ***de*** *Gambie.* ▸ Particule nobiliaire : *Michel Eyquem* ***de*** *Montaigne.* **2.** Temps. ▸ Durée : *Nous ne l'avons pas vu* ***de*** *la journée.* ▸ Intervalle : *Je serai là* ***de*** *15 heures à 17 heures.* **3.** Quantité : *La température a baissé* ***de*** *huit degrés.* ▸ Distance : *Paris est à mille kilomètres* ***de*** *Perpignan.* ▸ Approximation (en corrélation avec « à ») : *Il y aura* ***de*** *quinze à vingt personnes.* **4.** Moyen, instrument : ***De*** *la tête, il lui fit signe qu'il approuvait.* **5.** Manière : *Il s'est levé* ***de*** *bonne humeur.* **6.** Cause : ***De*** *colère, il claqua la porte.* **II.** Exprime divers rapports de possession, de détermination. **1.** Appartenance : *Le vélo* ***de*** *Carole* ; *Le fils* ***de*** *Lucien.* **2.** Caractérisation : *Une femme* ***de*** *grande taille* ; *Un bijou* ***de*** *valeur.* ▸ Qualité, profession : *Un homme* ***de*** *talent,* ***de*** *lettres.* ▸ Catégorie, espèce : *Le chat appartient à la famille* ***des*** *Félidés.* ▸ Matière : *Une statue* ***de*** *marbre.* ▸ Destination : *Une salle* ***de*** *musculation.* ▸ Contenu et contenant : *Un verre* ***de*** *bière* ; *Les pages* ***d'****un rapport.* **III.** Mot-outil, à fonction purement grammaticale, utilisé dans diverses constructions. **1.** Introduit le complément d'objet indirect de nombreux verbes transitifs : *Je me souviens* ***de*** *cette soirée.* ▸ Complément d'objet second : *Il a privé son fils* ***de*** *sortie.* **2.** Introduit l'attribut du complément d'objet direct : *Il l'a traité* ***de*** *menteur.* **3.** Introduit le complément d'un adjectif : *Il est avide* ***de*** *gloire.* **4.** Sert à construire le complément d'agent des verbes passifs : *Il est entouré* ***d'****ennemis.* **5.** Sert à construire un infinitif : *Aura-t-il la force* ***de*** *terminer ?* ▸ Infinitif de narration (littér.) : *Elle* ***de*** *rire, et lui* ***de*** *l'embrasser.* **6.** Sert à construire un terme mis en apposition : *La ville* ***de*** *Nantes.* **7.** Sert à construire une sorte de nom composé : *Un tremblement* ***de*** *terre* ; *Une maison* ***de*** *campagne.* **IV.** Entre dans la composition de nombreuses locutions, expressions et tournures. **1.** Loc. adv. ***De*** *nouveau* ; ***De*** *plus belle* ; ***D'****emblée...* **2.** Loc. prép. *Près* ***de*** ; *Vis-à-vis* ***de*** ; *En bas* ***de****...* **3.** Loc. conj. ***De*** *manière que,* ***de*** *façon que.* **4.** Expressions et tournures : *Comme* ***de*** *juste* ; *La peste soit* ***de****...* ; *Une bonne chose* ***de*** *faite.* ▸ Empl. explétif. *Il y a un carreau* ***de*** *cassé* ; *Encore une journée* ***de*** *perdue.* ⚭ 842 ; prép. lat. *de* ; *de* se contracte en *du* et en *des* quand il est accompagné des art. déf. *le* et *les*, et s'élide devant une voyelle ou un *h* muet ; [də].

**DE (II), DU, DE L', DE LA, DES, art. partitifs**
**1.** S'emploient devant des noms désignant des choses concrètes mais qui ne sont pas nombrables : *Boire* ***de l'****alcool* ; *Manger* ***du*** *chocolat.* **2.** S'emploient devant des noms désignant des choses concrètes nombrables mais que l'on considère non nombrables : *Il y a* ***de la*** *truite et* ***du*** *brochet dans cette rivière.* **3.** S'emploient devant des noms désignant des choses abstraites : *Ils ont* ***du*** *courage* ; *Elle éprouve* ***de la*** *tristesse* ; par ext. : *Il veut entendre* ***du*** *Chopin.* **4. De** peut remplacer **du, de l', de la, des** devant un adjectif (vx) : *Il mangea* ***de*** *bonne viande et but* ***d'****excellent vin.* ⚭ Xe s. ; ☞ *de* (I) ; [də, dy, d(ə)l-, d(ə)la, de].

**DÉ (I), subst. m.**
**1.** *Jeux.* Petit cube dont les six faces portent chacune de un à six points, ou une figure différente : *Jouer aux* ***dés*** ; ***Dés*** *de poker.* ▸ Loc. *Coup de* ***dés*** : opération hasardeuse ; *Les* ***dés*** *sont jetés* : c'est décidé. **2.** *Archit.* et *Sculpt.* Pierre cubique formant le corps d'un piédestal, servant d'imposte ou de base à un pilier. **3.** *Cuis.* Petit morceau coupé en forme de cube : ***Dés*** *de courgettes.* **4.** *Techn.* ***Dé*** *de poulie, de réa* : pièce de métal qui renforce le trou central par où passe l'essieu. ⚭ XIIe s. ; prob. lat. pop. °*datum*, du lat. *dare*, « donner » ; [de].

**DÉ (II), subst. m.**
**1.** *Cout.* Petit embout de métal ouvragé, que l'on enfile au doigt qui pousse l'aiguille. **2.** Anal. et Fam. ***Dé*** *à coudre* : très petit verre ; par méton., son contenu : *Boire un* ***dé*** *à coudre de porto.* ⚭ Déb. XIIIe s. ; bas lat. *digitale*, « ce qui couvre le doigt », d'apr. *dé* (I) ; [de].

**DEAD-HEAT, subst. m.**
*Hippisme.* Arrivée simultanée de plusieurs concurrents, entraînant la nullité de l'épreuve. ⚭ 1841 ; angl. *dead heat*, « course nulle » ; plur. *dead-heats* ; [dɛd(h)it].

**DEALER, subst. m.**
Revendeur de drogue (anglic. fam.). ⚭ V. 1970 ; angl. *drug dealer*, « vendeur de drogue » ; [dilœʀ].

**DÉAMBULATION, subst. f.**
Action de déambuler. ⚭ 1492 ; lat. *deambulatio* ; [deɑ̃bylasjɔ̃].

**DÉAMBULATOIRE, subst. m.**
Galerie entourant le chœur d'une église et reliant les bas-côtés. ⚭ Mil. XIXe s. (1530, lieu de promenade) ; bas lat. *deambulatorius*, « où l'on peut se promener » ; [deɑ̃bylatwaʀ].

**DÉAMBULER, verbe intrans.** [3]
Aller au hasard, flâner : ***Déambuler*** *sur les Grands Boulevards.* ⚭ Fin XVe s. ; lat. *deambulare* ; [deɑ̃byle].

**DÉBÂCHER, verbe trans.** [3]
Ôter la bâche de : ***Débâcher*** *une piscine* ; empl. abs. : *On* ***débâche*** *!* ⚭ 1741 ; ☞ *bâcher* + *dé-*[2] ; [debɑʃe].

**DÉBÂCLE, subst. f.**
**1.** À la suite d'un brusque réchauffement, rupture des glaces d'un cours d'eau gelé, qui sont charriées par le courant ; par ext., fin de l'hiver. **2.** Fig. Effondrement total, débandade, déroute : *La* ***débâcle*** *de juin 1940.* ⚭ 1690 (1680, action de débâcler un port) ; ☞ *débâcler* ; [debɑkl].

**DÉBÂCLER, verbe** [3]
**Trans. 1.** Vx. Dégager (un port) de ses navires déchargés. **2.** Ôter la bâcle de (une fenêtre, une porte). **Intrans.** Dégeler brusquement et charrier les blocs de glace disloqués, en parlant d'un cours d'eau. ⚭ 1416 ; ☞ *bâcler* + *dé-*[2] ; [debɑkle].

**DÉBAGOULER, verbe** [3]
Vieilli. **Trans.** Pop. Proférer (une suite de propos pénibles). **Intrans.** Vomir (vulg.). ⚭ Déb. XVIe s. ; anc. fr. *bagouler*, « railler grossièrement », + *dé-*[1] ; [debagule].

**DÉBÂILLONNER, verbe trans.** [3]
**1.** Ôter le bâillon de (qqn). **2.** Fig. Rendre la liberté d'expression à : *Il faut* ***débâillonner*** *l'opposition.* ⚭ 1845 ; ☞ *bâillonner* + *dé-*[2] ; [debɑjɔne].

**DÉBALLAGE, subst. m.**
Action de déballer ; son résultat : *Le* ***déballage*** *du marché Saint-Pierre.* ⚭ 1671 ; ☞ *déballer* ; [debalaʒ].

**DÉBALLASTAGE,** subst. m.
*Mar.* Vidange des ballasts d'un navire. V. 1970 ; ☞ *ballaster* + *dé-*[2] ; [debalastaʒ].

**DÉBALLER,** verbe trans. [3]
**1.** Sortir d'un ballot, d'un colis, d'une caisse, d'une valise, etc. (son contenu) : ***Déballer** ses courses* ; par méton. : ***Déballer** ses cartons.* **2.** Faire un étalage provisoire avec (des marchandises) : ***Déballer** des articles dégriffés* ; empl. abs. : ***Déballer** sur le trottoir.* **3.** Fig. et Fam. Raconter sans discrétion ni pudeur (ce qui est intime, personnel) ; dire enfin (ce que l'on taisait). 1480 ; ☞ *balle* (II) + *dé-*[2] ; [debale].

**DÉBALLONNER (SE),** verbe pronom. [3]
Renoncer par lâcheté (fam.). V. 1920 (1883, s'évader ; sortir de prison) ; ☞ *ballon* (I) + *dé-*[2] ; [debalɔne].

**DÉBALOURDER,** verbe trans. [3]
*Mécan.* Supprimer le balourd de (une pièce). V. 1960 ; ☞ *balourd* + *dé-*[2] ; [debaluʀde].

**DÉBANDADE,** subst. f.
**1.** Fait, pour une troupe, de se débander ; par ext., fuite, dispersion désordonnée d'un groupe. **2.** Fig. Effondrement des valeurs morales, d'un ordre social. **3.** Loc. *À la **débandade**, en **débandade*** : en désordre. 1559 ; ☞ *débander* (II) ; [debɑ̃dad].

**DÉBANDER (I),** verbe trans. [3]
**1.** Dégarnir (qqch.) d'une bande, d'un bandeau : ***Débander** une jambe.* **2.** Détendre (ce qui est bandé) : ***Débander** un ressort, un arc* ; empl. abs., cesser d'être en érection (pop.). **3.** Loc. *Sans **débander*** : sans relâcher son effort (fam.). Fin XIIe s. ; ☞ *bander* + *dé-*[2] ; [debɑ̃de].

**DÉBANDER (II),** verbe trans. [3]
Faire fuir (une troupe) en désordre (vieilli ou littér.). **Pronom.** Rompre les rangs et se disperser en tous sens, en parlant d'une armée. 1556 ; ☞ *bande* (II) + *dé-*[2] ; [debɑ̃de].

**DÉBAPTISER,** verbe trans. [3]
**1.** Vx. Priver (qqn) de sa qualité de baptisé (terme attesté, mais sans aucune réalité théologique). **2.** Ext. Changer le nom de (une personne, un animal) ; par anal. : ***Débaptiser** une avenue.* 1440 ; ☞ *baptiser* + *dé-*[2] ; [debatize].

**DÉBARBOUILLAGE,** subst. m.
Action de débarbouiller, de se débarbouiller ; toilette rapide. XVIe s. ; ☞ *débarbouiller* ; [debaʀbujaʒ].

**DÉBARBOUILLER,** verbe trans. [3]
Nettoyer hâtivement le visage de (qqn) : ***Débarbouiller** une fillette* ; empl. pronom., faire une toilette sommaire. 1549 ; ☞ *barbouiller* + *dé-*[2] ; [debaʀbuje].

**DÉBARBOUILLETTE,** subst. f.
*Québ.* Serviette de toilette carrée en tissu éponge. Fin XIXe s. ; ☞ *débarbouiller* ; [debaʀbujɛt].

**DÉBARCADÈRE,** subst. m.
Emplacement aménagé dans un port, sur une rivière, pour l'embarquement et le débarquement des passagers, des marchandises. 1687 ; ☞ *débarquer*, d'apr. *embarcadère* ; [debaʀkadɛʀ].

**DÉBARDAGE,** subst. m.
Action de débarder ; son résultat. 1680 ; ☞ *débarder* ; [debaʀdaʒ].

**DÉBARDER,** verbe trans. [3]
**1.** Décharger à quai (du bois) ; par ext., décharger (toute marchandise). **2.** *Sylvic.* Transporter (les arbres abattus) jusqu'aux chemins où ils seront enlevés. 1522 ; ☞ *bard* + *dé-*[2] ; [debaʀde].

**DÉBARDEUR, EUSE,** subst.
**1.** Personne qui assure le chargement, le déchargement des navires, des camions, etc. **2.** Personne procédant au débardage en forêt. **Masc.** Tricot porté à même le corps, décolleté et sans manches. 1528 ; ☞ *débarder* ; [debaʀdœʀ, øz].

**DÉBARQUEMENT,** subst. m.
**1.** Action de débarquer des personnes, des marchandises. **2.** Action d'une personne qui débarque. **3.** *Milit.* Opération d'acheminement, sur une côte ennemie, d'un corps expéditionnaire par voie maritime ou aéroportée : *Le **débarquement** en Normandie.* 1583 ; ☞ *débarquer* ; [debaʀkəmɑ̃].

**DÉBARQUER,** verbe [3]
**Trans. 1.** Faire descendre à quai (des passagers), décharger (des marchandises) d'un navire. **2.** Ext. Retirer à (qqn) sa fonction (fam.) : ***Débarquer** un ministre impopulaire.* **Intrans. 1.** Quitter un bateau. **2.** Ext. Sortir d'un moyen de transport quelconque en atteignant un lieu. ▸ Arriver à l'improviste chez qqn (fam.). **3.** Fig. Être ignorant, tel un nouveau venu, de ce que chacun sait (fam.). 1564 ; ☞ *barque* + *dé-*[2] ; [debaʀke].

**DÉBARRAS,** subst. m.
**1.** Action de débarrasser un lieu de ce qui l'encombre : *Le **débarras** du grenier a pris la matinée.* **2.** Fig. et Fam. Fait d'être délivré d'une chose, de la présence d'une personne que l'on subissait ; le soulagement qui en résulte : *J'ai fini cette corvée, bon **débarras** !* **3.** Local où l'on remise des objets dont on se sert peu. 1798 ; ☞ *débarrasser* ; [debaʀɑ].

**DÉBARRASSER,** verbe trans. [3]
**1.** Dégager (un objet, un lieu) de ce qui l'encombre : ***Débarrasser** un couloir.* ▸ ***Débarrasser** la table* : en ôter tout ce qui a servi au repas ; empl. abs. : *Ce soir, c'est toi qui **débarrasses** !* ▸ Fig. ***Débarrasser** le plancher* : quitter un endroit où l'on n'était pas le bienvenu (fam.). **2.** Retirer à (qqn) ce qui l'embarrassait : *Je vous **débarrasse** de votre manteau* ; au fig., délivrer (qqn) d'une chose, de la présence d'une personne qui l'importune : ***Débarrassez-moi** de cet intrus !* **Pronom.** Se libérer de (ce qui embarrasse, ce qui gêne) : *Se **débarrasser** d'un souci, d'un fâcheux.* XVIe s. ; *désembarrasser* (vx), de l'esp. *desembarazar* ; [debaʀase].

**DÉBARRER,** verbe trans. [3]
Ôter la barre de (une porte, une fenêtre). 1174 ; ☞ *barrer* + *dé-*[2] ; [debaʀe].

**DÉBAT,** subst. m.
**1.** Action de débattre : *Se trouver au cœur du **débat*** ; la discussion qui en résulte, souvent organisée et dirigée : *Présider un **débat*** ; en appos. : *Déjeuner(-)**débat**.* **2.** Fig. ***Débat** de conscience* : conflit intérieur. **Plur. 1.** *Dr.* Phase d'un procès où sont prononcées les plaidoiries des avocats et les conclusions du ministère public. **2.** *Pol.* Examen d'un sujet à l'ordre du jour dans une assemblée législative : ***Débats** parlementaires.* XIIIe s. ; ☞ *débattre* ; [deba].

**DEBATER,** voir **DÉBATTEUR**

**DÉBÂTER,** verbe trans. [3]
Ôter son bât à (une bête de somme) : ***Débâter** un mulet, un âne.* 1474 ; ☞ *bâter* + *dé-*[2] ; [debɑte].

**DÉBÂTIR,** verbe trans. [19]
*Cout.* Enlever le bâti de (un ouvrage). Mil. XIIIe s. ; ☞ *bâtir* + *dé-*[2] ; [debɑtiʀ].

**DÉBATTEMENT,** subst. m.
*Mécan.* Amplitude oscillatoire maximale d'une pièce mobile par rapport à sa position de repos et à l'ensemble mécanique auquel elle appartient : ***Débattement** d'une carrosserie de voiture* ; ***Débattement** normal ou anormal d'un pendule d'horloge.* 1929 ; ☞ *battement* + *dé-*[1] ; [debatmɑ̃].

**DÉBATTEUR,** subst. m.
Personne experte dans l'art du débat : *Vous êtes un redoutable **débatteur**.* 1954 ; angl. *debater* ; var. *debater* (anglic.) ; [debatœʀ].

**DÉBATTRE,** verbe trans. [61]
**Trans. dir.** Discuter (qqch.) en vue d'aboutir à un accord : ***Débattre** une question* ; ***Débattre** un prix*, marchander. **Trans. indir. Débattre de.** Examiner tous les aspects de (qqch.) en confrontant des opinions : ***Débattre** de la peine de mort.* **Pronom.** Faire de grands efforts pour résister ou se libérer : *Se **débattre** contre un agresseur* ; au fig. : *Se **débattre** dans la misère, dans la solitude.* ▸ Loc. *Se **débattre** comme un beau diable* (☞ *diable*). Fin XIIIe s. (mil. XIe s., battre fortement) ; ☞ *battre* + *dé-*[1] ; [debatʀ].

**DÉBAUCHAGE,** subst. m.
Action de débaucher (un ou des travailleurs). 1900 ; ☞ *débaucher* ; [deboʃaʒ].

**DÉBAUCHE,** subst. f.
**1.** Usage immodéré de tous les plaisirs, notamment de ceux de la chair : *Sombrer dans la **débauche**.* **2.** Fig. Surabondance, excès : *Une **débauche** de dorures.* 1499 ; ☞ *débaucher* ; [deboʃ].

**DÉBAUCHÉ, ÉE,** adj. et subst.
Se dit d'une personne qui mène une vie de débauche. 1549 ; p. p. de *débaucher* ; [deboʃe].

**DÉBAUCHER,** verbe trans. [3]
**1.** Inciter (qqn) à quitter son travail : ***Débaucher** un apprenti en lui proposant un meilleur emploi.* **2.** Mettre (qqn) au chômage : *Cette entreprise a **débauché** la moitié de ses salariés.* **3.** Anal. Détourner (qqn) d'une occupation sérieuse (fam.). **4.** Entraîner (qqn) à la débauche. 1469 (1195, disperser des gens) ; anc. fr. *débaucher*, « dégrossir du bois, fendre ; séparer », de *bauc*, « poutre » ; [deboʃe].

**DÉBECTER,** verbe trans. [3]
Dégoûter fortement (fam.) : *Ces exploiteurs me **débectent**.* 1892 (1883, vomir) ; *becter*, var. de *becqueter*, + *dé-*[2] ; var. *débecqueter* [14], *débéqueter* [14] ; [debɛkte].

**DÉBENZOLAGE,** subst. m.
Extraction du benzol du gaz de houille. 1922 ; ☞ *débenzoler* ; [debɛ̃zɔlaʒ].

**DÉBENZOLER,** verbe trans. [3]
Traiter (le gaz de houille) pour en extraire le benzol. 1922 ; ☞ *benzol* + *dé-*[2] ; [debɛ̃zɔle].

**DÉBÉQUETER,** voir **DÉBECTER**

**DÉBET,** subst. m.
*Fin.* Solde débiteur dégagé après l'arrêté d'un compte. 1441 ; lat. *debet*, « il doit » ; [debɛ].

**DÉBILE,** adj. et subst.
**Adj. 1.** Qui manque de force physique : *Un organisme **débile**.* **2.** Anal. Qui manque de vigueur, d'intensité : *Végétaux **débiles*** ; *Lumière **débile**.* **3.** Fig. ▸ Dépourvu de force morale, intellectuelle ; sans puissance (littér.) : *Un esprit, une volonté **débile**.* ▸ Ext. Stupide, imbécile (fam.). **Subst. 1.** *Psych.* Personne atteinte de débilité mentale. **2.** Ext. Idiot (fam.). Mil. XIIIe s. ; lat. *debilis* ; [debil].

**DÉBILITANT, ANTE,** adj.
**1.** Qui affaiblit. **2.** Fig. Qui démoralise. 1549 ; p. pr. de *débiliter* ; [debilitɑ̃, ɑ̃t].

**DÉBILITATION,** subst. f.
Affaiblissement physique ou mental : ***Débilitation** de l'estomac, du cerveau.* 1304 ; lat. *debilitatio* ; [debilitasjɔ̃].

© Fr. Spooner-Gamma

***Débarquement** des Alliés en Normandie (juin 1944).*

**DÉBILITÉ, subst. f.**
**1.** État de qqn, de qqch. qui est débile, affaibli : *Débilité du vieillard, de la vue* ; par ext., stupidité (fam.) : *Quelle **débilité** de raisonnement !* **2.** *Psych.* *Débilité mentale* : déficience intellectuelle, arriération. Déb. XIVe s. ; lat. *debilitas* ; [debilite].

**DÉBILITER, verbe trans.** [3]
**1.** Rendre débile, affaiblir, fragiliser (qqn, qqch.) : *L'alcoolisme **débilite** le foie* ; empl. abs. : *Cette touffeur **débilite**.* **2.** Fig. Démoraliser, déprimer : *Ses discours **débilitent** l'assistance.* Pronom. Perdre de sa force : *Les enfants se **débilitent**, dans une telle insalubrité.* 1308 ; lat. *debilitare* ; [debilite].

**DÉBILLARDER, verbe trans.** [3]
*Techn.* Tailler (une pièce de bois ou une pierre) en diagonale. 1752 ; ☞ *bille* (II) + *dé-*[2] ; [debijaʀde].

**DÉBINE, subst. f.**
Dénuement, pauvreté (fam.) : *Être dans, sortir de la **débine**.* 1808 ; ☞ *débiner* (I) ; [debin].

**DÉBINER (I), verbe trans.** [3]
Fam. Dénigrer (qqn, qqch.) : ***Débiner** l'œuvre d'un artiste* ; empl. pronom. : *Se **débiner** entre confrères.* 1790 ; orig. obsc. ; [debine].

**DÉBINER (II) (SE), verbe pronom.** [3]
S'enfuir, se dérober (fam.) : *Alors, on se **débine** ?* 1852 ; orig. obsc. ; [debine].

**DÉBIRENTIER, IÈRE, subst.**
*Dr.* Personne qui doit le versement d'une rente. 1663 ; formé de *débit* (II) et de *rentier* ; [debiʀɑ̃tje, jɛʀ].

**DÉBIT (I), subst. m.**
**1.** Vente, écoulement d'une marchandise au détail : *Denrée d'un faible **débit**.* **2.** Action de couper le bois en fonction de l'usage qui en sera fait : ***Débit** en planches.* **3.** Méton. Établissement où l'on vend certains produits : ***Débit** de tabac, de boissons.* **4.** Rythme d'élocution : *Un **débit** embarrassé, hésitant.* **5.** Quantité d'un liquide écoulée en un temps donné : *Le **débit** du fleuve Amazone.* **6.** Ext. Quantité d'unités produites ou passant en un point en une durée donnée. ▸ *Informat.* Nombre d'informations transmises par seconde. 1565 ; ☞ *débiter* (I) ; [debi].

**DÉBIT (II), subst. m.**
**1.** Ensemble de sommes dues par une personne physique ou morale à une autre personne. **2.** *Comptab.* Par convention, colonne d'un compte où sont enregistrés des montants dus ou inscrits au crédit d'autres comptes. Mil. XVIIe s. ; lat. *debitum*, « dette » ; [debi].

**DÉBITABLE, adj.**
Qui peut être débité : *Bois **débitable** en planches.* 1861 ; ☞ *débiter* (I) ; [debitabl].

**DÉBITAGE, subst. m.**
Action de débiter du bois ou un autre matériau ; son résultat. 1794 (1611, vente au détail) ; ☞ *débiter* (I) ; [debitaʒ].

**DÉBITANT, ANTE, subst.**
**1.** Détaillant (vieilli). **2.** Personne qui tient un débit de tabac, de boissons, etc. 1730 ; p. pr. de *débiter* (I) ; [debitɑ̃, ɑ̃t].

**DÉBITER (I), verbe trans.** [3]
**1.** Découper (qqch.) en tronçons prêts à l'emploi : ***Débiter** un saucisson en rondelles.* **2.** Vendre (qqch.) au détail : ***Débiter** des épices.* **3.** Fournir (qqch.) en un temps donné : *Cette rivière **débite** cent mètres cubes par heure durant l'été.* **4.** Anal. et Fam. Réciter sans talent (un discours, une leçon) ; par ext. : ***Débiter** des sornettes, des cancans* ; empl. pronom. : *Ignorer ce qui se **débite** sur qqn.* 1330 ; *bitte* (vx), « billot », + *dé-*[2] ; [debite].

**DÉBITER (II), verbe trans.** [3]
Porter une somme au débit de (qqn, qqch.) : *Nous vous **débitons** de mille francs* ; ***Débiter** un compte.* 1723 ; ☞ *débit* (II) ; [debite].

**DÉBITEUR, TRICE, subst.**
**1.** Personne qui doit de l'argent à qqn ; empl. adj. : *Compte **débiteur**,* dont le débit excède le crédit. **2.** Fig. Personne qui a une dette morale : *Vos conseils m'ont sauvé, je suis donc votre **débiteur**.* 1238 ; lat. *debitor* ; [debitœʀ, tʀis].

**DÉBITMÈTRE, subst. m.**
Instrument permettant de mesurer ou de contrôler un débit. 1948 ; ☞ *débit* (I) + *-mètre*[1] ; [debimɛtʀ].

**DÉBLAI, subst. m.**
Action de déblayer ; par méton., les matériaux ainsi enlevés (gén. au plur.) : *Évacuer les **déblais** d'un terrassement.* 1507 (1265, produit du déblayage d'un champ, moisson) ; ☞ *déblayer* ; [deblɛ].

**DÉBLAIEMENT, subst. m.**
Action de déblayer. 1301 ; ☞ *déblayer* ; [deblɛmɑ̃].

**DÉBLATÉRER, verbe trans. indir.** [8]
Fam. **Déblatérer contre.** Dénigrer (qqch., qqn) avec violence et prolixité : ***Déblatérer** contre ses supérieurs* ; empl. trans. : ***Déblatérer** des injures.* 1798 ; lat. *deblaterare*, « bavarder » ; [deblateʀe].

**DÉBLAYAGE, subst. m.**
Action de déblayer ; son résultat. 1866 ; ☞ *déblayer* ; [deblɛjaʒ].

**DÉBLAYER, verbe trans.** [15]
**1.** Dégager (un lieu) de ce qui l'encombre : ***Déblayer** un jardin.* ▸ Loc. ***Déblayer** le terrain* : prendre des dispositions préliminaires. ▸ *Techn.* Dégager (un terrain) pour le niveler. **2.** Ôter (ce qui encombre) : ***Déblayer** un tas de sable.* 1311 (1265, faire la moisson) ; ☞ *blé* + *dé-*[2] ; [deblɛje].

**DÉBLOCAGE, subst. m.**
Action de débloquer : *Le **déblocage** d'une porte.* 1819 ; ☞ *débloquer* ; [deblɔkaʒ].

**DÉBLOQUER, verbe** [3]
Trans. **1.** *Impr.* Ôter, remplacer (un caractère bloqué). **2.** Ext. ▸ Dégager (qqch.) qui était obstrué ou fermé : *Le chasse-neige **débloqua** la route.* ▸ Remettre (qqch.) en état de marche : ***Débloquer** l'hélice.* **3.** Fig. Libérer (qqch.) d'un obstacle, d'une règlementation : ***Débloquer** une situation* ; ***Débloquer** les salaires* ; ***Débloquer** des crédits,* les rendre disponibles. **4.** *Milit.* Lever le blocus de (qqch.) : ***Débloquer** une place forte.* Intrans. Déraisonner (fam.) : *Tu **débloques** !* 1724 (fin XVIe s., sortir d'un blocus) ; ☞ *bloquer* + *dé-*[2] ; [deblɔke].

**DÉBOBINER, verbe trans.** [3]
**1.** Dévider (ce qui est bobiné). **2.** *Électr.* Défaire les enroulements de (un dispositif électrique). 1886 ; ☞ *bobine* + *dé-*[2] ; [debɔbine].

**DÉBOGUER, verbe trans.** [3]
*Informat.* Supprimer les erreurs de (un programme). V. 1980 ; angl. *to debug* ; [debɔge].

**DÉBOIRE, subst. m.**
**1.** Vx. Arrière-goût déplaisant d'une boisson. **2.** Fig. Déception (littér.) ; évènement décevant, échec (souv. au plur.) : *Des **déboires** amoureux.* 1468 ; ☞ *boire* + *dé-*[1] ; [debwaʀ].

**DÉBOISAGE, subst. m.**
Action de déboiser une galerie de mine. 1905 ; ☞ *déboiser* ; [debwazaʒ].

**DÉBOISEMENT, subst. m.**
Action de déboiser un terrain ; son résultat. 1803 ; ☞ *déboiser* ; [debwazmɑ̃].

© F. Jalain-Explorer

***Déboisement** dans la forêt landaise.*

**DÉBOISER, verbe trans.** [3]
**1.** Dégarnir (un terrain) de ses arbres : *On **déboise** l'Amazonie pour engraisser les bœufs !* ; empl. pronom. : *La région se **déboise**.* **2.** Enlever de (une galerie de mine) les pièces de bois qui la soutiennent. 1803 ; ☞ *boiser* + *dé-*[2] ; [debwaze].

**DÉBOÎTEMENT, subst. m.**
Action de déboîter ; son résultat : *Le **déboîtement** d'un tuyau* ; *Le **déboîtement** d'une articulation.* 1530 ; ☞ *boîte* + *dé-*[2] ; [debwatmɑ̃].

**DÉBOÎTER, verbe** [3]
Trans. **1.** Faire sortir (qqch.) de son emplacement : ***Déboîter** le pied du lit.* **2.** *Anat.* Démettre (une articulation). Intrans. Sortir d'une file, en parlant d'un véhicule. 1548 ; ☞ *boîte* + *dé-*[2] ; [debwate].

**DÉBONDER, verbe trans.** [3]
**1.** Enlever la bonde de (un tonneau, un évier, etc.) ; empl. intrans. : *L'étang a **débondé**,* s'est vidé. **2.** Fig. et Vieilli. ***Débonder** son cœur* : épancher ses sentiments ; empl. pronom. : *L'homme finit par se **débonder**.* Mil. XVe s. ; ☞ *bonde* + *dé-*[2] ; [debɔ̃de].

**DÉBONNAIRE, adj.**
Bon, tolérant jusqu'à la faiblesse. Fin XIIe s. (fin XIe s., noble) ; formé de *dé-*[1], de *bon* et de *aire* (vx), « origine, manière d'être » ; [debɔnɛʀ].

**DÉBORD, subst. m.**
**1.** Vx. Débordement. **2.** *Ch. de fer. Voie de **débord*** : utilisée uniquement pour charger ou décharger les wagons. 1556 ; ☞ *déborder* ; [debɔʀ].

**DÉBORDANT, ANTE, adj.**
**1.** Qui déborde. **2.** Fig. Intense, fertile : *Joie, imagination **débordante**.* 1869 ; p. pr. de *déborder* ; [debɔʀdɑ̃, ɑ̃t].

**DÉBORDÉ, ÉE, adj.**
Submergé par les évènements, le travail : *Je n'ai pas pu vous appeler, j'étais **débordé**.* XVe s. ; p. p. de *déborder* ; [debɔʀde].

**DÉBORDEMENT, subst. m.**
**1.** Action de déborder ; son résultat. **2.** Fig. Profusion, excès : ***Débordement** de luxe* ; au plur., comportement excessif, débauche : *La fête donna lieu à quelques **débordements**.* **3.** *Milit.* et *Sp.* Action de contourner les défenses adverses. Fin XVe s. ; ☞ *déborder* ; [debɔʀdəmɑ̃].

**DÉBORDER, verbe** [3]
Intrans. **1.** Couler par-dessus bord : *La rivière **déborde**.* **2.** Dépasser les limites : *La peinture **déborde**.* Trans. dir. **1.** Dépasser de (qqch.) : *Le toit **déborde** la façade.* **2.** Fig. Submerger (qqn, qqch.) : ***Déborder** le service d'ordre.* **3.** Ôter les bords de (qqch.) : ***Déborder** une jupe.* ▸ Ext. Ne plus maintenir sous le matelas les bords de : ***Déborder** le drap* ; par méton. : ***Déborder** un lit, un malade* ; empl. pronom. : *L'enfant s'est **débordé** en dormant.* **4.** *Mar.* ***Déborder** une barque* : l'éloigner du bord. Trans. indir. **Déborder de.** Être plein de, avoir en surabondance (qqch.) : *Les journaux **débordaient** de détails* ; au fig. : *La foule **déborde** de joie.* XIIIe s. ; ☞ *bord* + *dé-*[2] ; [debɔʀde].

**DÉBOSSELER, verbe trans.** [12]
*Techn.* Faire disparaître les bosses de : ***Débosseler** un plateau d'argent.* 1807 (déb. XVIIIe s., *se débosseler*, ôter sa bosse) ; ☞ *bosseler* + *dé-*[2] ; [debɔs(ə)le].

**DÉBOTTÉ, subst. m.**
**1.** Vx. Instant où l'on retire ses bottes, où l'on arrive. **2.** Loc. *Au **débotté*** : à l'improviste. 1701 ; p. p. de *débotter* ; var. *débotter* ; [debɔte].

**DÉBOTTER, verbe trans.** [3]
Retirer ses bottes à (qqn) ; empl. pronom., ôter ses bottes. Déb. XIIIe s. ; ☞ *botter* + *dé-*[2] ; [debɔte].

**DÉBOUCHAGE, subst. m.**
Action de déboucher (synon. *débouchement*). 1844 ; ☞ *déboucher* (I) ; [debuʃaʒ].

**DÉBOUCHÉ, subst. m.**
**1.** Voie par laquelle qqch. débouche : ***Débouché** d'un pays sur la mer.* **2.** Ce sur quoi qqch. débouche : ***Débouché** d'un fleuve.* Plur. **1.** Possibilités d'emploi : *Ces études offrent peu de **débouchés**.* **2.** *Écon.* Possibilité d'écouler un produit ; clientèle, marché : *Nos produits ont trouvé des **débouchés** en Amérique.* 1723 ; p. p. de *déboucher* (II) ; [debuʃe].

**DÉBOUCHER (I), verbe trans.** [3]
**1.** Enlever le bouchon de (qqch.) : ***Déboucher** une bouteille.* **2.** Débarrasser (un conduit) de ce qui l'obstrue ; par méton. : ***Déboucher** la baignoire.* Fin XIIIe s. ; ☞ *boucher* (II) + *dé-*[2] ; [debuʃe].

**DÉBOUCHER (II), verbe intrans.** [3]
**1.** Arriver dans un lieu plus spacieux : *Le couloir **débouche** dans un vaste salon* ; par ext., surgir. **2.** Fig. Aboutir : *Cette réflexion **débouche** sur une impasse.* 1640 ; ☞ *bouche* + *dé-*[2] ; [debuʃe].

**DÉBOUCHEUR, subst. m.**
Instrument ou produit servant à déboucher les conduits. 1870 ; ☞ *déboucher* (I) ; [debuʃœʀ].

**DÉBOUCLER, verbe trans.** [3]
**1.** Ouvrir la boucle de (qqch.) : ***Déboucler** sa ceinture.* **2.** Aplatir les boucles de (qqn, les cheveux de qqn). Déb. XIVe s. (XIIe s., se défaire, en parlant d'une boucle) ; ☞ *boucle* + *dé-*[2] ; [debukle].

**DÉBOUILLIR,** verbe trans. [34]
*Text.* Faire bouillir (des fibres de coton ou un textile) dans un bain qui les rend hydrophiles. 1669 ; ☞ *bouillir* + *dé-*[1] ; [debujiʀ].

**DÉBOUILLISSAGE,** subst. m.
*Techn.* Action de débouillir. 1819 ; ☞ *débouillir* ; [debujisaʒ].

**DÉBOULÉ,** subst. m.
**1.** *Chasse.* Action du lièvre, du lapin qui déboule. ▸ *Tirer au* ***déboulé*** : au moment où le lièvre, le lapin déboule. **2.** *Chorégr.* Pas de danse effectué sur les pointes ou les demi-pointes, jambes tendues, le corps pivotant sur lui-même. 1870 ; p. p. de *débouler* ; [debule].

**DÉBOULER,** verbe intrans. [3]
**1.** Tomber en roulant : ***Débouler*** *d'une pente* ; empl. trans. (fam.) : ***Débouler*** *l'escalier.* **2.** Arriver brusquement (fam.) : *Elle a* ***déboulé*** *chez nous dans la nuit.* **3.** *Chasse.* Surgir de son gîte devant le chasseur, en parlant d'un lièvre ou d'un lapin. XIXe s. (1793, partir brutalement) ; ☞ *bouler* + *dé-*[1] ; [debule].

**DÉBOULONNAGE,** subst. m.
Action de déboulonner ; son résultat (synon. *déboulonnement*). 1873 ; ☞ *déboulonner* ; [debulɔnaʒ].

**DÉBOULONNER,** verbe trans. [3]
**1.** Dévisser les boulons de (qqch.). **2.** Fig. Chasser (qqn) d'un poste, du pouvoir (fam.). 1867 ; ☞ *boulonner* + *dé-*[2] ; [debulɔne].

**DÉBOUQUEMENT,** subst. m.
**1.** *Mar.* Action de débouquer. **2.** Méton. Issue, extrémité d'un canal. 1505 ; *bouque* (vx), « embouchure d'un canal » ; [debukmɑ̃].

**DÉBOUQUER,** verbe intrans. [3]
*Mar.* Quitter un canal pour gagner le large. 1586 ; *bouque* (vx), « embouchure d'un canal », + *dé-*[2] ; [debuke].

**DÉBOURBAGE,** subst. m.
**1.** Action de débourber. **2.** *Techn.* Action de débourber un minerai. 1838 ; ☞ *débourber* ; [debuʀbaʒ].

**DÉBOURBER,** verbe trans. [3]
**1.** Retirer la bourbe de (une pièce d'eau, un canal). **2.** *Techn.* ▸ ***Débourber*** *un minerai* : le laver de sa gangue argileuse. ▸ ***Débourber*** *un moût* : le clarifier. 1564 ; ☞ *bourbe* + *dé-*[2] ; [debuʀbe].

**DÉBOURBEUR,** subst. m.
Dispositif, appareil servant à débourber. 1870 ; ☞ *débourber* ; [debuʀbœʀ].

**DÉBOURRAGE,** subst. m.
Action de débourrer. Mil. XIXe s. ; ☞ *débourrer* ; [debuʀaʒ].

**DÉBOURREMENT,** subst. m.
*Bot.* Éclosion d'un bourgeon. Fin XIXe s. ; ☞ *débourrer* ; [debuʀmɑ̃].

**DÉBOURRER,** verbe [3]
**TRANS. 1.** Débarrasser (qqch.) de sa bourre, de ce qui bourre : ***Débourrer*** *le cuir* ; ***Débourrer*** *sa pipe, la lame d'une faucheuse.* **2.** *Équit.* Commencer le dressage de (un cheval). **INTRANS.** *Bot.* Sortir de sa bourre, éclore, en parlant d'un bourgeon. 1346 (1209, se nettoyer, se purifier) ; ☞ *bourre* (I) + *dé-*[2] ; [debuʀe].

**DÉBOURS,** subst. m.
Somme d'argent avancée (gén. au plur.) : *Rembourser les* ***débours.*** 1599 ; ☞ *débourser* ; [debuʀ].

**DÉBOURSER,** verbe trans. [3]
Sortir de sa bourse, dépenser (une somme d'argent). XIIIe s. ; ☞ *bourse* (I) + *dé-*[2] ; [debuʀse].

**DÉBOUSSOLER,** verbe trans. [3]
Désorienter (qqn), priver (qqn) de son bon sens (fam.). XXe s. ; ☞ *boussole* + *dé-*[2] ; [debusɔle].

**DEBOUT,** adv.
**1.** Dressé verticalement sur sa base : *Mettre un meuble* ***debout*** ; *Ne rien laisser* ***debout***, tout détruire. **2.** Sur ses pieds (anton. *assis, couché*) : *Se tenir* ***debout*** ; par ext. : *Passer la nuit* ***debout***, ne pas se coucher. ▸ Empl. adj. *Places assises et places* ***debout.*** ▸ Empl. interj. ***Debout !*** : lève-toi ! **3.** Fig. *Argument, projet qui tient* ***debout*** : qui est cohérent, raisonnable. ▸ Loc. *Conte, histoire à dormir* ***debout*** : invraisemblable ; *Mieux vaut mourir* ***debout*** *que vivre à genoux.* **4.** *Spéc.* ▸ Empl. adj. *Dr. Magistrature* ***debout*** : ministère public, dont les magistrats parlent **debout** dans un tribunal. ▸ *Mar.* ***Debout*** *au vent, au courant* : face à eux ; empl. adj. : *Vent* ***debout***, de face. ▸ Empl. adj. *Techn. Bois* ***debout*** : utilisé perpendiculairement au fil ; vendu sur pied (par oppos. à *bois façonné*). 1530 (1155, d'emblée) ; formé de *de* (I) et de *bout* ; [dəbu].

**DÉBOUTÉ, ÉE,** adj. et subst.
*Dr.* Se dit d'un plaideur dont la demande a été rejetée. **SUBST. MASC.** Acte rejetant la demande d'un plaideur. 1690 ; p. p. de *débouter* ; [debute].

**DÉBOUTEMENT,** subst. m.
*Dr.* Action de débouter ; son résultat. 1846 ; ☞ *débouter* ; [debutmɑ̃].

**DÉBOUTER,** verbe trans. [3]
*Dr.* ***Débouter*** *qqn* : rejeter son action en justice comme non fondée. XVIe s. (XIIe s., repousser, chasser) ; ☞ *bouter* + *dé-*[1] ; [debute].

**DÉBOUTONNAGE,** subst. m.
Action de déboutonner, de se déboutonner ; son résultat. 1904 (1878, action de s'exprimer librement) ; ☞ *déboutonner* ; [debutɔnaʒ].

**DÉBOUTONNER,** verbe trans. [3]
Ouvrir (un vêtement) en sortant les boutons de leur boutonnière : ***Déboutonner*** *sa chemise.* **PRONOM.** Ouvrir son vêtement ; au fig., s'épancher, se confier (fam.). XIVe s. ; ☞ *boutonner* + *dé-*[2] ; [debutɔne].

**DÉBRAILLÉ, ÉE,** adj.
**1.** Dont les vêtements sont en désordre : *Fille* ***débraillée*** ; par ext. : *Une mise* ***débraillée.*** **2.** Fig. Négligé, relâché : *Façons* ***débraillées*** ; empl. subst. masc. : *Le* ***débraillé*** *de son langage.* Déb. XVIe s. ; *débrailler* (vx), « mettre (un habit) en désordre » ; [debʀɑje].

**DÉBRAILLER (SE),** verbe pronom. [3]
Se découvrir de manière inconvenante ; au fig., adopter une attitude ou un langage relâché. Déb. XIIIe s. ; anc. fr. *braiel*, « ceinture », + *dé-*[2] ; [debʀɑje].

**DÉBRANCHEMENT,** subst. m.
Action de débrancher ; son résultat. 1890 ; ☞ *débrancher* ; [debʀɑ̃ʃmɑ̃].

**DÉBRANCHER,** verbe trans. [3]
**1.** *Ch. de fer.* Séparer (les wagons d'une rame) pour les trier. **2.** Interrompre la connexion de : ***Débrancher*** *un radiateur, un tuyau d'arrosage.* 1890 (XIIIe s., ébrancher) ; ☞ *branche* + *dé-*[2] ; [debʀɑ̃ʃe].

**DÉBRASAGE,** subst. m.
*Techn.* Action de débraser deux pièces de métal. ☞ *débraser* ; [debʀɑzaʒ].

**DÉBRASER,** verbe trans. [3]
*Techn.* Disjoindre (deux pièces de métal) par fusion de la brasure. ☞ *braser* + *dé-*[2] ; [debʀɑze].

**DÉBRAYAGE,** subst. m.
**1.** Action de débrayer. **2.** Grève impromptue de courte durée. Mil. XIXe s. ; ☞ *débrayer* ; [debʀɛjaʒ].

**DÉBRAYER,** verbe [15]
**TRANS.** *Mécan.* Désaccoupler (une pièce mobile) d'un arbre moteur. ▸ Abs. Interrompre la liaison entre le vilebrequin et l'arbre primaire de la boîte de vitesses d'un véhicule. **INTRANS.** Fig. Commencer une grève. 1838 (1788, desserrer la barre sur la croisée, en meunerie) ; ☞ *embrayer* + *dé-*[2] ; [debʀeje].

**DÉBRIDÉ, ÉE,** adj.
Sans bride ; au fig. : *Une imagination* ***débridée***, sans retenue. XVe s. ; p. p. de *débrider* ; [debʀide].

**DÉBRIDEMENT,** subst. m.
**1.** Action de débrider. **2.** Fig. *Le* ***débridement*** *des sentiments* : leur déchaînement ; leur caractère débridé. 1604 ; ☞ *débrider* ; [debʀidmɑ̃].

**DÉBRIDER,** verbe trans. [3]
**1.** Ôter la bride à (un animal). **2.** Fig. Donner libre cours à (une impulsion) : ***Débrider*** *ses instincts.* **3.** *Chir.* Sectionner les brides contraignant (un organe, une plaie). **4.** *Cuis.* ***Débrider*** *un rôti, un poulet* : ôter les fils qui le maintiennent pendant la cuisson. 1463 ; ☞ *bride* + *dé-*[2] ; [debʀide].

**DÉBRIS,** subst. m.
**1.** Fragment d'une chose brisée (gén. au plur.) : *Les* ***débris*** *d'un vase* ; au fig., ce qui subsiste d'une chose disparue : *Les* ***débris*** *d'une tradition, d'une fortune.* **2.** *Un vieux* ***débris*** : personne amoindrie par l'âge (fam. et péj.). 1666 (1549, action de briser) ; *débriser* (vx), « briser, mettre en pièces » ; [debʀi].

**DÉBROCHER,** verbe trans. [3]
**1.** *Cuis.* Retirer d'une broche (une volaille, une viande). **2.** *Reliure.* Défaire la brochure de (un livre). Fin XVIe s. ; ☞ *broche* + *dé-*[2] ; [debʀɔʃe].

**DÉBROUILLAGE,** subst. m.
**1.** Fait de se débrouiller. **2.** Débrouillement. 1855 ; ☞ *débrouiller* ; [debʀujaʒ].

**DÉBROUILLARD, ARDE,** adj.
Fam. Qui sait habilement se tirer d'embarras ; empl. subst. : *Quel* ***débrouillard !*** 1872 ; ☞ *débrouiller* ; [debʀujaʀ, aʀd].

**DÉBROUILLARDISE,** subst. f.
Aptitude à se tirer d'affaire (fam.). 1937 ; ☞ *débrouillard* ; [debʀujaʀdiz].

**DÉBROUILLE,** subst. f.
Fam. Débrouillardise. ▸ *Système* ***débrouille*** ou *Système D* : moyen peu orthodoxe mais efficace et ingénieux de résoudre une difficulté. 1855 ; ☞ *débrouiller* ; [debʀuj].

**DÉBROUILLEMENT,** subst. m.
Action de débrouiller qqch. 1718 ; ☞ *débrouiller* ; [debʀujmɑ̃].

**DÉBROUILLER,** verbe trans. [3]
**1.** Démêler, remettre en ordre. **2.** Fig. Rendre intelligible, élucider : ***Débrouiller*** *une énigme.* **PRONOM.** Fam. **1.** Agir avec habileté ; se tirer d'affaire : *Il se* ***débrouille*** *bien, pour un débutant.* **2.** S'arranger : ***Débrouillez-vous*** *avec mon assistant.* 1549 ; ☞ *brouiller* + *dé-*[2] ; [debʀuje].

**DÉBROUSSAILLAGE,** subst. m.
Débroussaillement. V. 1970 ; ☞ *débroussailler* ; [debʀusajaʒ].

**DÉBROUSSAILLEMENT,** subst. m.
Action de débroussailler ; son résultat. 1877 ; ☞ *débroussailler* ; [debʀusajmɑ̃].

**DÉBROUSSAILLER,** verbe trans. [3]
**1.** Débarrasser (un terrain) de ses broussailles. **2.** Fig. Éclaircir les aspects essentiels de (un problème). 1876 ; ☞ *broussaille* + *dé-*[2] ; [debʀusaje].

**DÉBROUSSAILLEUR, EUSE,** subst.
Personne qui débroussaille. **FÉM.** Machine à débroussailler, à défricher. XIXe s. ; ☞ *débroussailler* ; [debʀusajœʀ, øz].

**DÉBROUSSER,** verbe trans. [3]
Défricher (la brousse). 1929 ; ☞ *brousse* (II) + *dé-*[2] ; [debʀuse].

**DÉBUCHÉ,** subst. m.
*Vén.* Instant où l'animal débuche ; par méton., sonnerie de trompe qui annonce cet instant. 1718 ; p. p. de *débucher* ; var. *débucher* ; [debyʃe].

**DÉBUCHER,** verbe [3]
**INTRANS.** *Vén.* En parlant du gibier, sortir du bois : *Le cerf* ***débuche.*** **TRANS.** Faire sortir (une bête) du bois. 1130 ; ☞ *bûche* (I) + *dé-*[2] ; [debyʃe].

**DÉBUDGÉTISATION,** subst. f.
*Fin.* Fait de débudgétiser. 1953 ; ☞ *budgétisation* + *dé-*[2] ; [debydʒetizasjɔ̃].

**DÉBUDGÉTISER,** verbe trans. [3]
*Fin.* Retrancher d'un budget (un poste de dépense). 1953 ; ☞ *budgétiser* + *dé-*[2] ; [debydʒetize].

**DÉBUSQUER,** verbe trans. [3]
**1.** *Vén.* Forcer (un animal) à sortir du bois, à quitter son gîte. **2.** Ext. Découvrir (qqn), le déloger d'une cachette : ***Débusquer*** *un franc-tireur.* 1556 ; ☞ *débucher*, d'apr. *embusquer* ; [debyske].

**DÉBUT,** subst. m.
Commencement : *Le* ***début*** *d'une avenue, d'un roman, des travaux.* **PLUR.** Période initiale d'une carrière, d'une activité : *Avocat à ses* ***débuts*** ; *Faire ses* ***débuts*** ; *Rome, partie de modestes* ***débuts*** (Tite-Live). 1674 (1642, premier coup désignant le joueur qui commencera la partie) ; ☞ *débuter* ; [deby].

**DÉBUTANT, ANTE,** subst.
Personne qui débute dans une activité ; empl. adj. : *Un acteur* ***débutant.*** **FÉM.** Jeune fille de la haute société qui fait son entrée dans le monde (abrév. fam. : deb). XVIIIe s. ; p. pr. de *débuter* ; [debytɑ̃, ɑ̃t].

**DÉBUTER,** verbe intrans. [3]
**1.** Être à son début, commencer : *Le film* ***débute*** *par un plan fixe* ; *Le XXIe siècle* ***débutera*** *en 2001.* **2.** Faire ses débuts : ***Débuter*** *dans la vie, dans une carrière.* Mil. XVIIe s. (mil. XVIe s., déplacer, écarter du but une boule) ; ☞ *but* + *dé-*[2] ; l'empl. trans. est fautif ; [debyte].

**DEÇÀ,** adv.
**1.** *Deçà, delà* : de côté et d'autre ; *Jambe* ***deçà***, *jambe delà* : à califourchon. **2.** Loc. prép. **En deçà de.** De ce côté-ci de : *En* ***deçà*** *des Alpes* ; au-dessous de, sans atteindre : *Les dépenses restent en* ***deçà*** *des prévisions.* Déb. XIIe s. ; formé de *de* (I) et de *çà* ; [dəsa].

**DÉCABRISTE,** subst. m.
*Hist.* Membre de la conspiration fomentée à Saint-Pétersbourg en décembre 1825 contre Nicolas Ier. XXe s. ; russe *dekabristy*, de *dekabr'*, « décembre » ; var. *décembriste* ; [dekabʀist].

**DÉCACHETAGE,** subst. m.
Action de décacheter. 1854 ; ☞ *décacheter* ; [dekaʃtaʒ].

**DÉCACHETER,** verbe trans. [14]
Ouvrir (ce qui est cacheté) : *Décacheter un pli, une bouteille.* 1544 ; ☞ *cacheter* + *dé-*[2] ; [dekaʃte].

**DÉCADAIRE,** adj.
*Hist.* Relatif à la décade du calendrier républicain : *Fêtes* ***décadaires***. 1793 ; ☞ *décade* ; [dekadɛʀ].

**DÉCADE,** subst. f.
Période de dix jours, en partic. celle adoptée par le calendrier républicain pour remplacer la semaine. 1793 (1355, dizaine) ; bas lat. *decas*, du gr. *dekas*, « dizaine » ; empl. fautif au sens de *décennie* ; [dekad].

**DÉCADENCE,** subst. f.
Déclin, régression, dégradation, mouvement vers la ruine : *Grandeur et* ***décadence***. 1468 (1413, état d'une maison qui se dégrade) ; lat. médiév. *decadentia*, du lat. *cadere*, « tomber » ; [dekadɑ̃s].

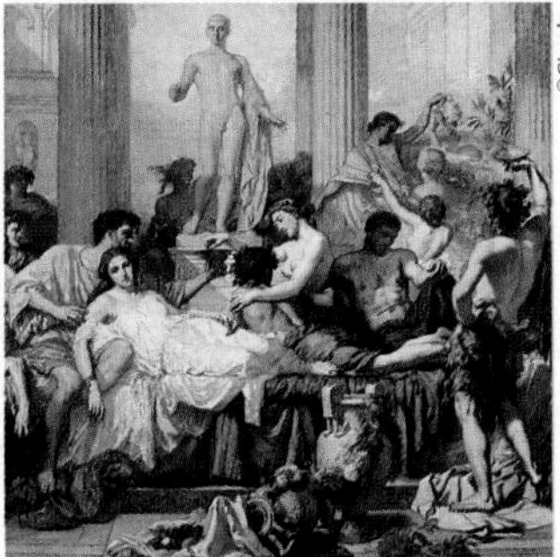


Romains de la **décadence** *(détail), peinture de Thomas Couture (1815-1879). Musée d'Orsay, Paris.*

**DÉCADENT, ENTE,** adj.
**1.** Qui est en décadence : *Un siècle* ***décadent***. **2.** *Litt. L'école* ***décadente*** : mouvement de la fin du XIXe s., cultivant un pessimisme raffiné, contemporain du symbolisme ; empl. subst. masc., écrivain appartenant à ce mouvement. 1516 ; ☞ *décadence* ; [dekadɑ̃, ɑ̃t].

**DÉCADI,** subst. m.
Dixième et dernier jour de la décade du calendrier républicain, qui était jour de repos. 1793 ; formé de *déca-* et de *-di*, du lat. *dies*, « jour » ; [dekadi].

**DÉCADRER,** verbe trans. [3]
Sortir (un tableau, une gravure) de son cadre. 1774 ; ☞ *cadre* + *dé-*[2] ; [dekadʀe].

**DÉCAÈDRE,** subst. m. et adj.
*Géom.* **Subst.** Solide à dix faces. **Adj.** Qui a dix faces : *Pyramide* ***décaèdre***. 1783 ; formé de *déca-* et de *-èdre* ; [dekaɛdʀ].

**DÉCAFÉINÉ, ÉE,** adj.
Dont on a ôté la caféine : *Café* ***décaféiné*** ; empl. subst. masc. : *Un* ***décaféiné*** (abrév. fam. : déca). Déb. XXe s. ; p. p. de *décaféiner* ; [dekafeine].

**DÉCAFÉINER,** verbe trans. [3]
Traiter (un café) pour lui ôter sa caféine. 1911 ; de *caféine* + *dé-*[2] ; [dekafeine].

**DÉCAGONAL, ALE, AUX,** adj.
Qui compte dix angles et dix côtés. 1801 ; ☞ *décagone* ; [dekagɔnal, o].

**DÉCAGONE,** subst. m.
*Géom.* Polygone à dix angles et à dix côtés. 1652 ; bas lat. *decagonus*, du gr. *dekagônon* ; [dekagon].

**DÉCAGRAMME,** subst. m.
Mesure de masse équivalant à 10 grammes (symb. : dag). 1795 ; ☞ *gramme* + *déca-* ; [dekagʀam].

**DÉCAISSEMENT,** subst. m.
**1.** Action de sortir qqch. d'une caisse. **2.** *Fin.* Action de décaisser ; fonds décaissés. 1877 ; ☞ *décaisser* ; [dekɛsmɑ̃].

**DÉCAISSER,** verbe trans. [3]
**1.** Enlever (le contenu) d'une caisse : ***Décaisser*** *un arbuste pour le transplanter.* **2.** *Fin.* Tirer (des fonds) de la caisse pour un paiement. 1680 ; ☞ *caisse* + *dé-*[2] ; [dekɛse].

**DÉCALAGE,** subst. m.
**1.** Action d'ôter les cales de qqch. ; son résultat. **2.** Déplacement dans l'espace ou dans le temps ; écart spatial ou temporel : *Le* ***décalage*** *entre deux axes parallèles ; Le* ***décalage*** *horaire.* **3.** Fig. Défaut de concordance (entre deux choses ou entre une chose et une norme à laquelle on attend qu'elle se plie). **4.** *Astron.* ***Décalage*** *spectral* : variation apparente des longueurs d'onde de la lumière émise par un astre en fonction du déplacement de ce dernier par rapport à l'observateur (effet Doppler-Fizeau), utilisée pour évaluer sa vitesse et sa direction. 1845 ; ☞ *décaler* ; [dekalaʒ].

**DÉCALAMINAGE,** subst. m.
Action de décalaminer ; son résultat. 1932 ; ☞ *décalaminer* ; [dekalaminaʒ].

**DÉCALAMINER,** verbe trans. [3]
*Métall.* Ôter la calamine de. 1932 ; ☞ *calamine* + *dé-*[2] ; [dekalamine].

**DÉCALCIFIANT, ANTE,** adj.
Qui entraîne une décalcification. 1913 ; p. p. de *décalcifier* ; [dekalsifjɑ̃, ɑ̃t].

**DÉCALCIFICATION,** subst. f.
**1.** *Pathol.* Baisse du taux de calcium d'un tissu, d'un organisme, essentiellement dans le squelette : ***Décalcification*** *osseuse.* **2.** *Géol.* Baisse de la proportion de calcaire d'un minéral. 1911 ; ☞ *décalcifier* ; [dekalsifikasjɔ̃].

**DÉCALCIFIER,** verbe trans. [6]
Faire subir une décalcification à. **Pronom.** Subir une décalcification. 1878 ; ☞ *calcifié* + *dé-*[2] ; [dekalsifje].

**DÉCALCOMANIE,** subst. f.
Procédé qui permet de faire passer une image d'un support à un autre ; par méton., cette image. Mil. XIXe s. ; ☞ *décalquer* + *-manie* ; [dekalkɔmani].

**DÉCALER,** verbe trans. [3]
**1.** Enlever les cales de : ***Décaler*** *un buffet.* **2.** Déplacer légèrement dans l'espace ou dans le temps : *Ils ont* ***décalé*** *le repas d'une heure.* ► Empl. adj. Qui marque un léger écart dans le temps ou l'espace ; qui présente une différence avec une norme ou avec ce que l'on attend : *Un immeuble* ***décalé*** *par rapport à l'alignement d'une rue ; Un comportement* ***décalé***. 1845 ; ☞ *caler* (II) + *dé-*[2] ; [dekale].

**DÉCALITRE,** subst. m.
Mesure de capacité valant 10 litres (symb. : dal). 1795 ; ☞ *litre* (II) + *déca-* ; [dekalitʀ].

**DÉCALOGUE,** subst. m.
*Relig. Le* ***Décalogue*** : les dix commandements donnés par Dieu à Moïse sur le mont Sinaï. Mil. XVe s. ; lat. chrét. *decalogus*, du gr. *dekalogos* ; [dekalɔg].

**DÉCALOTTER,** verbe trans. [3]
**1.** Ôter la calotte de (qqch.), la calotte crânienne de (qqn, un animal) ; par métaph. : ***Décalotter*** *une bouteille*, la déboucher (fam.). **2.** Dégager (le gland) du prépuce. 1791 ; ☞ *calotte* + *dé-*[2] ; [dekalɔte].

**DÉCALQUAGE,** subst. m.
Action de décalquer. 1870 ; ☞ *décalquer* ; [dekalkaʒ].

**DÉCALQUE,** subst. m.
**1.** Action de décalquer. **2.** Reproduction fidèle : *C'est presque un* ***décalque*** *de son précédent roman.* 1845 ; ☞ *décalquer* ; [dekalk].

**DÉCALQUER,** verbe trans. [3]
**1.** Reproduire (un dessin) à l'aide d'un calque. **2.** Fig. Imiter, copier. 1691 ; ☞ *calquer* + *dé-*[1] ; [dekalke].

**DÉCAMÈTRE,** subst. m.
**1.** Mesure de longueur valant 10 mètres (symb. : dam). **2.** Méton. Chaîne d'arpenteur de 10 mètres de long. 1795 ; ☞ *mètre* (II) + *déca-* ; [dekamɛtʀ].

**DÉCAMÉTRIQUE,** adj.
Qui se mesure en décamètres : *Ondes* ***décamétriques***, dont la longueur est comprise entre 1 décamètre et 1 hectomètre. ☞ *décamètre* ; [dekametʀik].

**DÉCAMPER,** verbe intrans. [3]
Partir précipitamment, fuir (fam.) : *Il* ***décampa*** *sans demander son reste.* 1516 ; ☞ *camper* + *dé-*[2] ; [dekɑ̃pe].

**DÉCAN,** subst. m.
*Astrol.* Chacune des trois divisions de l'un des douze signes astrologiques, soit un arc zodiacal de 10 degrés. 1796 (1732, astre gouvernant le tiers d'un signe zodiacal) ; bas lat. *decanus* ; [dekɑ̃].

**DÉCANAL, ALE, AUX,** adj.
Relatif au doyen, au décanat. 1476 ; bas lat. *decanus*, « dizenier » ; [dekanal, o].

**DÉCANAT,** subst. m.
**1.** Dignité, charge de doyen (d'université en partic.). **2.** Ext. Services placés sous l'autorité du doyen ; locaux qui les abritent. **3.** Méton. Durée de l'exercice de cette fonction. 1650 ; lat. eccl. *decanatus* ; [dekana].

**DÉCANILLER,** verbe intrans. [3]
S'enfuir (fam.). 1792 ; prob. argot lyonnais *se decanilli*, de *canilles*, « jambes » ; [dekanije].

**DÉCANTATION,** subst. f.
Action de décanter ; fait de se décanter : *Bassin de* ***décantatation***. 1680 ; lat. des alchimistes *decant(h)atio* ; [dekɑ̃tasjɔ̃].

**DÉCANTER,** verbe [3]
**Trans. 1.** Purifier (un liquide) en laissant déposer les impuretés en suspension. **2.** Fig. Mettre au net, rendre plus clair et précis : *Il doit* ***décanter*** *ses idées.* **Intrans.** et **Pronom. 1.** S'épurer par sédimentation des impuretés, en parlant d'un liquide : *Vin qui* ***décante***, *qui se* ***décante***. **2.** Fig. S'éclaircir, se préciser : *Projet qui se* ***décante***. 1701 ; lat. des alchimistes *decant(h)are*, « verser avec une cruche » ; [dekɑ̃te].

**DÉCANTEUR,** subst. m.
Appareil à décanter. 1877 ; ☞ *décanter* ; [dekɑ̃tœʀ].

**DÉCAPAGE,** subst. m.
Action de décaper ; son résultat. 1768 ; ☞ *décaper* ; [dekapaʒ].

**DÉCAPANT, ANTE,** adj. et subst. m.
**Adj. 1.** Qui décape : *Produit* ***décapant*** ; *Vin* ***décapant***, acide. **2.** Fig. Caustique ; stimulant : *Humour* ***décapant*** ; *Une démarche intellectuelle* ***décapante***. **Subst.** Produit servant à décaper : *Un* ***décapant*** *industriel.* 1929 ; p. pr. de *décaper* ; [dekapɑ̃, ɑ̃t].

**DÉCAPELER,** verbe trans. [12]
*Mar.* Enlever le capelage de. 1783 ; ☞ *capeler* + *dé-*[2] ; [dekaple].

Les Dix Commandements, *ou le* ***Décalogue***, *attribué à Lucas Cranach l'Ancien (1472-1553). Hôtel de ville de Wittenberg.*

**DÉCAPER, verbe trans.** [3]
Nettoyer (une surface) en ôtant la couche d'impuretés qui la couvre. 1742 ; ☞ *cape* (I) + *dé-*[2] ; [dekape].

**DÉCAPEUR, EUSE, subst.**
Personne qui décape les métaux. MASC. *Décapeur thermique* : appareil servant à décaper la peinture. FÉM. *Trav. publ.* Engin de terrassement servant à araser le sol et à évacuer les déblais (recomm. off. pour *scraper*). 1845 ; ☞ *décaper* ; [dekapœʀ, øz].

**DÉCAPITALISER, verbe trans.** [3]
*Fin.* Procéder à un retrait total ou partiel du capital investi dans (une entreprise). 1870 ; ☞ *capitaliser* + *dé-*[2] ; [dekapitalize].

**DÉCAPITATION, subst. f.**
Action de décapiter ; son résultat. Fin XIVe s. ; bas lat. *decapitatio* ; [dekapitasjɔ̃].

**DÉCAPITER, verbe trans.** [3]
**1.** Trancher la tête de (qqn, un animal). **2.** Anal. Abattre la partie supérieure de (qqch.) : *La foudre **décapita** le chêne.* **3.** Fig. Priver (un groupe) de ses dirigeants. Déb. XIVe s. ; bas lat. *decapitare* ; [dekapite].

**DÉCAPODE, subst. m. plur. et adj.**
*Zool.* ADJ. Qui a cinq paires de pattes. SUBST. **1.** Ordre de crustacés à pattes thoraciques (crabes, crevettes, homards, etc.) ; au sing. : *L'écrevisse est un **décapode**.* **2.** Ordre de mollusques ayant dix tentacules à ventouses ; au sing. : *La seiche est un **décapode**.* Déb. XIXe s. ; formé de *déca-* et de *-pode* ; [dekapɔd].

*Un **décapode** commun, la langouste.*

**DÉCAPOLE, subst. f.**
*Hist.* Alliance, ligue de dix villes. 1803 ; formé de *déca-* et de *-pole* ; [dekapɔl].

**DÉCAPOTABLE, adj.**
*Voiture **décapotable*** ou, empl. subst. fém., *Une **décapotable*** : dont on peut replier ou ôter la capote. 1932 ; ☞ *décapoter* ; [dekapɔtabl].

**DÉCAPOTER, verbe trans.** [3]
Enlever ou replier la capote de (une automobile). 1894 ; ☞ *capote* + *dé-*[2] ; [dekapɔte].

**DÉCAPSULAGE, subst. m.**
Action de décapsuler une bouteille. 1929 ; ☞ *décapsuler* ; [dekapsylaʒ].

**DÉCAPSULATION, subst. f.**
*Chir.* Résection de la capsule d'un organe. 1922 ; ☞ *décapsuler* ; [dekapsylasjɔ̃].

**DÉCAPSULER, verbe trans.** [3]
Enlever la capsule de. Déb. XXe s. ; ☞ *capsule* + *dé-*[2] ; [dekapsyle].

**DÉCAPSULEUR, subst. m.**
Ustensile servant à enlever les capsules des bouteilles. 1932 ; ☞ *décapsuler* ; [dekapsylœʀ].

**DÉCAPUCHONNER, verbe trans.** [3]
Enlever le capuchon, la capuche de (qqn, qqch.). 1611 ; ☞ *capuchon* + *dé-*[2] ; [dekapyʃɔne].

**DÉCARBONATER, verbe trans.** [3]
*Chim.* Enlever le dioxyde de carbone ($CO_2$) de (une substance) ; empl. adj. : *Boues **décarbonatées**.* 1834 ; ☞ *carbonate* + *dé-*[2] ; [dekaʀbɔnate].

**DÉCARBOXYLATION, subst. f.**
**1.** *Chim.* Pour un acide carboxylique R–COOH, perte de son groupe carboxyle –COOH au profit d'un atome d'hydrogène. **2.** *Biochim.* Cette réaction catalysée par une enzyme. 1911 ; ☞ *carboxyle* + *dé-*[2] ; [dekaʀbɔksilasjɔ̃].

**DÉCARBURATION, subst. f.**
*Techn.* Élimination totale ou partielle du carbone contenu dans la fonte ou l'acier. 1834 ; ☞ *décarburer* ; [dekaʀbyʀasjɔ̃].

**DÉCARBURER, verbe trans.** [3]
*Techn.* Éliminer le carbone de (un métal). 1829 ; ☞ *carbure* + *dé-*[2] ; [dekaʀbyʀe].

**DÉCARCASSER, verbe trans.** [3]
Séparer la chair de la carcasse de (un animal). PRONOM. Se donner beaucoup de mal pour obtenir un résultat (fam.). 1821 ; ☞ *carcasse* + *dé-*[2] ; [dekaʀkase].

**DÉCARRELER, verbe trans.** [12]
*Bât.* Enlever les carreaux recouvrant (une surface). 1642 ; ☞ *carreler* + *dé-*[2] ; [dekaʀle].

**DÉCARTELLISATION, subst. f.**
Dissolution d'un cartel de production. 1945 ; ☞ *cartel* (II) + *dé-*[2] ; [dekaʀtelizasjɔ̃].

**DÉCASYLLABE, adj. et subst. m.**
*Versif.* Se dit d'un vers de dix syllabes. 1551 ; bas lat. *decasyllabus*, du gr. *dekasullabos* ; [dekasil(l)ab].

**DÉCASYLLABIQUE, adj.**
Qui a dix syllabes (synon. *décasyllabe*). 1752 ; ☞ *décasyllabe* ; [dekasil(l)abik].

**DÉCATHLON, subst. m.**
*Sp.* Épreuve masculine d'athlétisme qui comporte quatre courses, trois sauts et trois lancers, soit dix épreuves successives disputées par les mêmes athlètes. 1933 ; gr. *athlon*, « combat », + *déca-* ; [dekatlɔ̃].

**DÉCATHLONIEN, subst. m.**
Athlète spécialisé dans le décathlon. V. 1970 ; ☞ *décathlon* ; [dekatlɔnjɛ̃].

**DÉCATI, IE, adj.**
**1.** Terni, qui a perdu son brillant : *Un habit **décati**.* **2.** Fig. Qui accuse son âge (fam.) : *Un vieil homme **décati**.* 1846 ; p. p. de *décatir* ; [dekati].

**DÉCATIR, verbe trans.** [19]
Enlever à (une étoffe) son aspect lustré, son cati. PRONOM. Accuser son âge, vieillir (fam.) : *Elle s'est bien **décatie**.* 1812 (1753, démêler le poil d'une peau destinée à la fabrication des chapeaux) ; ☞ *catir* + *dé-*[2] ; [dekatiʀ].

**DÉCATISSAGE, subst. m.**
Opération consistant à décatir un tissu. 1828 ; ☞ *décatir* ; [dekatisaʒ].

**DECAUVILLE, subst. m.**
Chemin de fer à voie étroite, portative, employé dans les mines, les carrières, etc. Fin XIXe s. ; anthropon. *Paul Decauville*, son inventeur ; [dəkovil].

**DÉCAVAILLONNER, verbe trans.** [3]
*Vitic.* Labourer (les cavaillons). 1872 ; ☞ *cavaillon* (II) + *dé-*[2] ; [dekavajɔne].

**DÉCAVÉ, ÉE, adj.**
*Jeux.* Ruiné : *Joueur **décavé*** ; empl. subst., personne **décavée**. 1827 ; p. p. de *décaver* ; [dekave].

**DÉCAVER, verbe trans.** [3]
*Jeux.* Gagner toute la cave de (un autre joueur) ; par ext., ruiner. 1819 ; ☞ *cave* (III) + *dé-*[2] ; [dekave].

**DECCA, subst. m. inv.**
*Mar.* et *Aéron.* Dispositif de radionavigation. V. 1980 ; *Decca*, nom de la firme britannique qui a conçu ce dispositif ; n. déposé ; [deka].

**DÉCÉDER, verbe intrans.** [8]
Mourir, en parlant d'une personne. XIVe s. ; lat. *decedere vita*, « sortir de la vie » ; [desede].

**DÉCELABLE, adj.**
Susceptible d'être décelé. 1897 ; ☞ *déceler* ; [des(ə)labl].

**DÉCELER, verbe trans.** [11]
**1.** Mettre en lumière, découvrir : ***Déceler** une erreur.* **2.** Révéler, être le signe de (littér.) : *Ses gestes **décèlent** l'émotion.* 1188 ; ☞ *celer* + *dé-*[2] ; [des(ə)le].

**DÉCÉLÉRATION, subst. f.**
*Phys.* Diminution de la vitesse, accélération négative d'un mobile. 1910 ; ☞ *décélérer* ; [deseleʀasjɔ̃].

**DÉCÉLÉRER, verbe intrans.** [8]
Ralentir, en parlant d'un mobile ou du conducteur d'un véhicule. 1910 ; ☞ *accélérer* + *dé-*[2] ; [deseleʀe].

**DÉCEMBRE, subst. m.**
Douzième et dernier mois de l'année. 1119 ; lat. *december*, « dixième mois de l'année », de *decem*, « dix » ; [desɑ̃bʀ].

**DÉCEMBRISTE,** voir **DÉCABRISTE**

**DÉCEMMENT, adv.**
De façon décente. 1523 ; ☞ *décent* ; [desamɑ̃].

**DÉCEMVIR, subst. m.**
*Antiq. rom.* Membre d'un collège de dix magistrats. Mil. XIVe s. ; lat. *decemviri*, de *decem*, « dix », et de *viri*, « hommes » ; [desɛmviʀ].

**DÉCEMVIRAT, subst. m.**
*Antiq. rom.* Fonction de décemvir. Mil. XIVe s. ; lat. *decemviratus* ; [desɛmviʀa].

**DÉCENCE, subst. f.**
**1.** Attitude de mesure, de réserve. **2.** Respect des convenances, en partic. d'ordre sexuel ; pudeur. XIVe s. ; lat. *decentia*, de *decere*, « convenir » ; [desɑ̃s].

**DÉCENNAL, ALE, AUX, adj.**
**1.** Qui s'étend sur dix ans : *Une garantie **décennale**.* **2.** Qui se produit tous les dix ans : *Des fêtes **décennales**.* Mil. XVIe s. ; bas lat. *decennalis*, du lat. *decem*, « dix », et *annus*, « année » ; [desenal, o].

**DÉCENNIE, subst. f.**
Période de dix ans. 1890 ; ☞ *décennal* ; [deseni].

**DÉCENT, ENTE, adj.**
**1.** Qui respecte les convenances ; pudique : *Propos **décents**.* **2.** Empreint de retenue, de discrétion : *Mise **décente**.* **3.** Qui est convenable, suffisant : *Appartement **décent**.* Mil. XVe s. ; lat. *decens* ; [desɑ̃, ɑ̃t].

**DÉCENTRAGE, subst. m.**
Action de décentrer ; son résultat. 1876 ; ☞ *décentrer* ; [desɑ̃tʀaʒ].

**DÉCENTRALISATEUR, TRICE, adj. et subst.**
ADJ. Qui concerne la décentralisation. SUBST. Partisan ou artisan de la décentralisation. 1845 ; ☞ *décentraliser* ; [desɑ̃tʀalizatœʀ, tʀis].

**DÉCENTRALISATION, subst. f.**
**1.** *Admin.* Système dans lequel les collectivités territoriales, régionales ou locales assurent tout ou partie de leur gestion sans intervention du pouvoir central. **2.** *Écon.* Action de décentraliser ; son résultat. 1829 ; ☞ *décentraliser* ; [desɑ̃tʀalizasjɔ̃].

**DÉCENTRALISER, verbe trans.** [3]
**1.** *Admin.* Procéder à la décentralisation de. **2.** *Écon.* Répartir (des activités) sur tout le territoire, les éloigner du lieu où elles étaient concentrées : *Cette entreprise **décentralise** ses usines.* 1827 ; ☞ *centraliser* + *dé-*[2] ; [desɑ̃tʀalize].

**DÉCENTRER, verbe trans.** [3]
**1.** *Techn.* Déplacer le centre de gravité de (une pièce à usiner). **2.** Décaler (qqch.) par rapport à un centre. 1841 ; ☞ *centrer* + *dé-*[2] ; [desɑ̃tʀe].

**DÉCEPTION, subst. f.**
Fait d'être déçu, de se sentir trompé dans son attente, ses espérances. XIXe s. (XIIe s., tromperie) ; bas lat. *deceptio*, « fait de tromper, d'être trompé » ; [desɛpsjɔ̃].

**DÉCERCLER, verbe trans.** [3]
Ôter les cercles qui maintiennent (un objet). Fin XIIe s. ; ☞ *cercler* + *dé-*[2] ; [desɛʀkle].

**DÉCÉRÉBRATION, subst. f.**
*Biol.* Action de décérébrer ; son résultat. 1925 ; ☞ *décérébrer* ; [deseʀebʀasjɔ̃].

**DÉCÉRÉBRER, verbe trans.** [8]
**1.** *Biol.* Procéder à l'ablation de l'encéphale de (un animal) en le séparant de la moelle épinière. **2.** Fig. Rendre (qqn) stupide. Déb. XXe s. ; lat. *cerebrum*, « cerveau », + *dé-*[2] ; [deseʀebʀe].

**DÉCERNER, verbe trans.** [3]
**1.** *Dr.* ***Décerner** un mandat d'arrêt, un visa* : les établir ou les délivrer à l'adresse de qqn. **2.** Attribuer (une récompense), accorder (un honneur) à qqn : ***Décerner** une médaille, un prix.* 1548 (mil. XIIIe s., déclarer, faire savoir) ; lat. *decernere*, « décider, décréter » ; [desɛʀne].

**DÉCERVELAGE, subst. m.**
Action de décerveler ; son résultat. 1898 ; ☞ *décerveler* ; [desɛʀvəlaʒ].

**DÉCERVELER, verbe trans.** [12]
**1.** Enlever la cervelle de (un animal) ; tuer (qqn) d'un coup de pistolet à la tête (fam.). **2.** Fig. Abêtir (fam.) : *Est-ce la télévision qui le **décervelle** ?* XIIIe s. ; ☞ *cervelle* + *dé-*[2] ; [desɛʀvəle].

**DÉCÈS, subst. m.**
Mort d'une personne : *Fermé pour cause de **décès**.* Mil. XIe s. ; lat. *decessus*, « départ ; décès » ; [desɛ].

**DÉCEVANT, ANTE, adj.**
Qui provoque une déception, une insatisfaction : *Une attitude, une réponse **décevante**.* XVIIe s. (XIIe s., trompeur) ; p. pr. de *décevoir* ; [des(ə)vɑ̃, ɑ̃t].

**DÉCEVOIR, verbe trans.** [38]
Causer à (qqn) une déconvenue, un désappointement en ne répondant pas à son attente. Déb. XVe s. (XIIe s., tromper) ; lat. *decipere*, « prendre au piège ; tromper » ; [des(ə)vwaʀ].

**DÉCHAÎNEMENT, subst. m.**
**1.** Action d'enlever des chaînes ou de s'en libérer (vieilli) : *Le **déchaînement** d'un prisonnier.* **2.** Fig.

Manifestation soudaine, désordonnée et violente d'un individu, d'un groupe ou d'un élément naturel : *Le **déchaînement** de la tempête* ; expression débridée d'un sentiment : *Le **déchaînement** de la colère.* 1671 ; ☞ *déchaîner* ; [deʃɛnmɑ̃].

**DÉCHAÎNER, verbe trans.** [3]
**1.** Détacher d'une chaîne, de chaînes : ***Déchaîner** un chien, une barque.* **2.** Inciter à l'emportement, à la violence : ***Déchaîner** l'opinion contre ses adversaires* ; empl. pronom., s'emporter : *Elle se **déchaîna** contre lui* ; empl. adj. : *Il est **déchaîné**,* excessif dans ses paroles et sa conduite (fam.). **3.** Provoquer, donner libre cours à : ***Déchaîner** les passions, le rire* ; empl. pronom. : *Les vents se sont **déchaînés**.* Fin XIIe s. ; ☞ *chaîne* + *dé-*[2] ; [deʃene].

**DÉCHANT, subst. m.**
*Mus.* Ligne improvisée par le chantre en contrepoint de la ligne mélodique du plain-chant. Mil. XIIe s. ; *chant* (I) + *dé-*[2] ; [deʃɑ̃].

**DÉCHANTER, verbe intrans.** [3]
Perdre ses illusions. 1663 (déb. XIIIe s., exécuter le déchant ; se plaindre) ; ☞ *chanter* + *dé-*[2] ; [deʃɑ̃te].

**DÉCHAPERONNER, verbe trans.** [3]
**1.** *Fauconn.* Enlever le chaperon des yeux de (un oiseau de proie). **2.** *Bât.* Ôter le couronnement de (un mur). 1465 ; ☞ *chaperonner* + *dé-*[2] ; [deʃapʀɔne].

**DÉCHARGE, subst. f.**
**I. 1.** Vx. Action de débarrasser d'une charge ou, par ext., de déposer une charge : ***Décharge** d'un âne, d'une charrette* ; *La **décharge** d'une cargaison de bois.* **2.** *Spéc.* ▸ *Arm.* Tir d'une arme à feu : *Une **décharge** de révolver* ; par méton., projectile tiré. ▸ *Biol.* ***Décharge** d'adrénaline* : son déversement soudain dans le sang. ▸ *Dr.* Acte signifiant qu'on est quitte ou libéré d'une dette, d'une obligation : *Donner quittance et **décharge*** ; fait de lever ou de réduire les charges qui pèsent sur un accusé : *Un témoin à **décharge*** ; au fig. : *À sa **décharge**,* pour l'excuser. ▸ *Électr.* Libération d'énergie électrique : ***Décharge** d'une batterie.* **II. 1.** Action de diminuer une charge. **2.** *Spéc.* ▸ *Constr.* Reprise et répartition de la charge supportée par un édifice : *Une voûte, un arc de **décharge**.* ▸ *Trav. publ.* Fait d'éliminer un trop-plein ; par méton., le bassin de réception du trop-plein ; par anal. : ***Décharge** publique,* lieu où sont déposés les déchets, les ordures ménagères. **3.** Fig. Soulagement, allègement d'un poids moral. 1306 ; ☞ *décharger* ; [deʃaʀʒ].

**DÉCHARGEMENT, subst. m.**
**1.** Action de décharger un animal, un véhicule ou, par ext., leur chargement : ***Déchargement** d'un camion, du charbon.* **2.** Action de retirer la charge explosive d'une arme, d'une mine. 1611 (1272, action de s'acquitter d'une dette) ; ☞ *décharger* ; [deʃaʀʒəmɑ̃].

**DÉCHARGER, verbe trans.** [5]
**I. 1.** Débarrasser d'une charge : ***Décharger** un cargo* ; déposer (une charge) : ***Décharger** le matériel.* **2.** *Arm.* Vider le chargeur de (une arme à feu), en allumant la charge ou en l'enlevant. **3.** *Électr.* Diminuer la charge électrique de (un accumulateur). **4.** Fig. Enlever à (qqn) ce qu'il a en charge, ce dont il est responsable : ***Décharger** d'un travail* ; empl. pronom. : *Je me **décharge** sur lui du règlement de ce problème* ; *Se **décharger** d'une faute sur qqn,* la lui imputer. **5.** *Dr.* ▸ Tenir quitte d'une obligation, d'une dette : *Elle est **déchargée** de la tutelle de cette mineure.* ▸ Prononcer l'innocence de (un accusé) : *Le jugement l'a **déchargé**.* **II. 1.** Ôter une surcharge de : ***Décharger** un plancher* ; ***Décharger** un arbre,* en couper des branches ou en cueillir des fruits. ▸ Fig. ***Décharger** les contribuables* : alléger les impôts. **2.** *Spéc.* ▸ *Impr.* Ôter l'excès d'encre de : ***Décharger** une composition.* ▸ *Trav. publ.* Éliminer un trop-plein de ; empl. pronom. : *Le réservoir se **décharge** par ce tuyau.* ▸ Empl. intrans. *Text. Cette étoffe **décharge*** : elle perd sa couleur. **3.** Fig. Donner libre cours à : ***Décharger** sa rancœur.* ▸ ***Décharger** son cœur* : parler franchement de ce qui tracasse ; ***Décharger** sa conscience* : avouer. Fin XIe s. ; ☞ *charger* + *dé-*[2] ; [deʃaʀʒe].

**DÉCHARGEUR, subst. m.**
**1.** Personne qui effectue un déchargement (vieilli). **2.** *Électr.* Dispositif antibrouillage d'une ligne téléphonique ou télégraphique. 1241 ; ☞ *décharger* ; [deʃaʀʒœʀ].

**DÉCHARNER, verbe trans.** [3]
**1.** Dégarnir de sa chair : ***Décharner** une bête* ; empl. adj. : *Os **décharnés**.* **2.** Amaigrir à l'excès : *Sa dépression l'a **décharné**.* XIIe s. : *charn* (vx), « chair », + *dé-*[2] ; [deʃaʀne].

**DÉCHAUMAGE, subst. m.**
Action de déchaumer ; le résultat ainsi obtenu. 1835 ; ☞ *déchaumer* ; [deʃomaʒ].

**DÉCHAUMER, verbe trans.** [3]
*Agric.* Labourer en surface (un champ) après la moisson afin d'enterrer les chaumes et de le nettoyer. 1732 ; ☞ *chaume* + *dé-*[2] ; [deʃome].

**DÉCHAUMEUSE, subst. f.**
Charrue à plusieurs socs au moyen de laquelle on déchaume. Fin XIXe s. ; ☞ *déchaumer* ; [deʃomøz].

**DÉCHAUSSAGE, subst. m.**
*Agric.* Action de dégager la terre autour du pied d'un arbre, d'une plante ; dénudation des racines sous l'action du gel. 1838 (1390, ce qu'une nouvelle mariée donnait aux garçons pour boire le jour de ses noces) ; ☞ *déchausser* ; [deʃosaʒ].

**DÉCHAUSSEMENT, subst. m.**
Action de déchausser, de se déchausser ; son résultat. 1538 ; ☞ *déchausser* ; [deʃosmɑ̃].

**DÉCHAUSSER, verbe trans.** [3]
**1.** Débarrasser (qqn) de ses chaussures : ***Déchausser** un bébé* ; empl. pronom. : *Elle se **déchausse*** ; par méton. : ***Déchausser** ses skis.* ▸ Empl. adj. plur. *Relig.* Qui vont pieds nus dans leurs sandales (synon. vieilli *déchaux*) : *Carmélites **déchaussées**, carmes **déchaussés**.* **2.** Dégarnir à la base, détacher d'une base : ***Déchausser** un arbre.* ▸ ***Déchausser** une dent* : la dégager de la gencive ; empl. pronom. : *Cette dent se **déchausse**,* elle bouge dans la gencive, qui ne la tient plus fermement. XIe s. ; lat. pop. °*discalceare* ; [deʃose].

**DÉCHAUSSEUSE, subst. f.**
*Vitic.* Charrue servant à déchausser les pieds de vigne. 1888 ; ☞ *déchausser* ; [deʃosøz].

**DÈCHE, subst. f.**
Fam. Manque d'argent ; misère. Mil. XIXe s. ; p.-ê. *déchéance* ; [dɛʃ].

**DÉCHÉANCE, subst. f.**
**1.** Fait de déchoir ; état de celui qui est déchu : *Une brusque, une lente **déchéance*** ; par ext., dégradation des facultés physiques ou intellectuelles : *La maladie a hâté sa **déchéance**.* **2.** *Dr.* Privation d'un pouvoir ou d'un droit sanctionnant la défaillance de son titulaire : ***Déchéance** de l'autorité paternelle.* ▸ *Pol.* Destitution : *La **déchéance** de Napoléon III.* 1174 ; ☞ *déchoir* ; [deʃeɑ̃s].

**DÉCHET, subst. m.**
**1.** Perte en volume ou en qualité qu'une chose subit dans l'emploi qui en est fait : *Il y a du **déchet** dans la fonte des métaux.* **2.** Fig. Personne déchue, perdue (fam.). Plur. Ce qui tombe d'une matière qu'on travaille : ***Déchets** de papier* ; par anal. : ***Déchets** de viande.* ▸ Ext. Rebuts : ***Déchets** industriels* ; ***Déchets** radioactifs,* résidus de la combustion nucléaire. ▸ *Biol.* Substance non assimilée et éliminée par l'organisme. Fin XIIIe s. ; ☞ *déchoir* ; [deʃɛ].

**DÉCHETTERIE, subst. f.**
Lieu aménagé pour la réception, le tri et, gén., le recyclage de certains rebuts ou déchets. V. 1990 ; ☞ *déchet* ; var. *déchèterie* ; [deʃɛtʀi].

**DÉCHIFFONNER, verbe trans.** [3]
Rendre lisse, défroisser (ce qui est chiffonné). 1870 ; ☞ *chiffonner* + *dé-*[2] ; [deʃifɔne].

**DÉCHIFFRABLE, adj.**
Qui peut être déchiffré. 1609 ; ☞ *déchiffrer* ; [deʃifʀabl].

**DÉCHIFFRAGE, subst. m.**
**1.** Action de déchiffrer. **2.** *Mus.* Action de lire une partition, de l'étudier ou de l'exécuter à la première lecture. 1881 ; ☞ *déchiffrer* ; [deʃifʀaʒ].

**DÉCHIFFREMENT, subst. m.**
**1.** Action de déchiffrer. **2.** Décryptage, décodage : *Le **déchiffrement** d'un cryptogramme.* ▸ Prononciation orale d'un mot écrit, sans considération du sens : *Lire un texte sans passer par le **déchiffrement**.* 1553 ; ☞ *déchiffrer* ; [deʃifʀəmɑ̃].

**DÉCHIFFRER, verbe trans.** [3]
**1.** Lire (ce qui est écrit en chiffre, selon un code convenu) ; traduire en clair : ***Déchiffrer** une instruction militaire.* ▸ Anal. Parvenir à comprendre (une écriture inconnue) : ***Déchiffrer** les hiéroglyphes.* ▸ Ext. Lire (ce qui est mal écrit) : ***Déchiffrer** l'ordonnance du médecin.* **2.** *Mus.* Lire ou jouer (une partition) à la première lecture. **3.** Fig. Percer, deviner (ce qui est mystérieux, inexprimé) : ***Déchiffrer** un secret* ; *Un être impossible à **déchiffrer**.* 1467 ; ☞ *chiffre* + *dé-*[2] ; [deʃifʀe].

**DÉCHIFFREUR, EUSE, subst.**
Personne qui déchiffre. 1529 ; ☞ *déchiffrer* ; [deʃifʀœʀ, øz].

**DÉCHIQUETAGE, subst. m.**
Action de déchiqueter ; ce qui en résulte. XIVe s. ; ☞ *déchiqueter* ; [deʃiktaʒ].

**DÉCHIQUETÉ, ÉE, adj.**
**1.** En lambeaux, en pièces : *Un drapeau **déchiqueté**.* **2.** Dont les bords sont irréguliers : *Une côte rocheuse **déchiquetée**.* 1348 (1338, orné de dessins de diverses couleurs) ; p. p. de *déchiqueter* ; [deʃikte].

**DÉCHIQUETER, verbe trans.** [14]
**1.** Taillader, mettre en pièces, découper irrégulièrement : *Le lion **déchiqueta** sa proie* ; ***Déchiqueter** une moquette.* **2.** Fig. Attaquer, critiquer violemment : *Elle **déchiqueta** son contradicteur.* XIVe s. ; anc. fr. *eschiqueté,* « orné de pièces de différentes teintes » ; [deʃik(ə)te].

**DÉCHIQUETEUR, subst. m.**
*Techn.* Appareil, machine à déchiqueter. 1894 (1529, celui qui abîme le langage) ; ☞ *déchiqueter* ; var. *une déchiqueteuse* ; [deʃik(ə)tœʀ].

**DÉCHIQUETURE, subst. f.**
Découpure irrégulière ; déchirure : ***Déchiqueture** d'une étoffe.* 1534 ; ☞ *déchiqueter* ; [deʃik(ə)tyʀ].

**DÉCHIRANT, ANTE, adj.**
Qui cause une émotion douloureuse, un grand trouble : *La dernière scène était **déchirante**.* Déb. XVIIe s. ; p. pr. de *déchirer* ; [deʃiʀɑ̃, ɑ̃t].

**DÉCHIREMENT, subst. m.**
**1.** Action de déchirer ; son résultat. ▸ *Pathol.* ***Déchirement** d'un muscle* : rupture de ses fibres (synon. *déchirure*). **2.** Fig. Violente douleur morale : *Ton départ a été un **déchirement*** ; par ext., profonde division au sein d'une collectivité (gén. au plur.). Fin XIVe s. (fin XIIe s., anéantissement) ; ☞ *déchirer* ; [deʃiʀmɑ̃].

**DÉCHIRER, verbe trans.** [3]
**1.** Diviser, mettre en pièces (qqch.) sans utiliser d'instrument tranchant : ***Déchirer** une feuille* ; faire un accroc à : *Elle **a déchiré** sa jupe* ; écorcher (la peau, une partie du corps) : *Le rosier **a déchiré** ses mains.* ▸ Empl. pronom. *Se **déchirer** un muscle* : en rompre des fibres. ▸ Loc. ***Déchirer** le voile* : faire éclater la vérité ; ***Déchirer** le silence* : le rompre violemment par un son aigu. **2.** Diviser, causer de graves discordes dans : *Des schismes **ont déchiré** l'Église.* ▸ ***Être déchiré*** : être douloureusement partagé entre des forces, des choix contraires ; empl. adj. : *Un pays **déchiré**.* **3.** Causer une vive souffrance à : *Un ulcère **déchire** son estomac* ; au fig., affliger profondément : *Cette séparation **l'a déchiré*** ; empl. pronom., s'opposer dans des conflits douloureux : *Ses parents **se déchirent** continuellement.* **4.** Diffamer, outrager. Déb. XIIe s. ; anc. fr. *escirer,* de l'anc. bas frq. °*skerian,* « séparer » ; [deʃiʀe].

**DÉCHIRURE, subst. f.**
**1.** Fait de déchirer ou de se déchirer ; son résultat : *Son habit est couvert de **déchirures**.* **2.** *Pathol.* Déchirement musculaire, ligamentaire. Mil. XIIIe s. ; ☞ *déchirer* ; [deʃiʀyʀ].

**DÉCHLORURER, verbe trans.** [3]
*Chim.* Enlever le chlorure de (une substance). 1908 ; ☞ *chlorure* + *dé-*[2] ; [deklɔʀyʀe].

**DÉCHOIR, verbe intrans.** [50]
**1.** Descendre dans une hiérarchie ou dans un système de valeurs : *Il **a été déchu** de la présidence* ; *Il **déchoit** dans l'estime de ses amis.* ▸ ***Être déchu** d'un droit, d'un privilège* : en être dépossédé. ▸ Empl. adj. *Anges **déchus*** : damnés pour s'être révoltés contre Dieu. **2.** Diminuer, s'affaiblir ; perdre de ses facultés physiques ou mentales en vieillissant. Fin XIe s. ; bas lat. *decadere,* « tomber » ; verbe défectif ; [deʃwaʀ].

**DÉCHRISTIANISATION, subst. f.**
Action de déchristianiser ou fait de se déchristianiser ; son résultat. 1876 ; ☞ *déchristianiser* ; [dekʀistjanizasjɔ̃].

**DÉCHRISTIANISER, verbe trans.** [3]
Faire disparaître la religion chrétienne de ; empl. adj. : *Une région **déchristianisée**.* 1792 ; ☞ *christianiser* + *dé-*[2] ; [dekʀistjanize].

**DE-CI, voir CI (I)**

**DÉCIBEL, subst. m.**
**1.** *Phys.* Unité de mesure de l'intensité sonore, égale au dixième du bel (symb. : dB). **2.** Ext. Fort niveau sonore ; au plur. : *Les **décibels** du chantier voisin.* 1932 ; ☞ *bel* (II) + *déci-* ; [desibɛl].

**DÉCIDABLE, adj.**
*Log.* Se dit d'un système déductif dont l'énoncé est démontrable. ▫ 1957 ; ☞ *décider* ; [desidabl].

**DÉCIDÉ, ÉE, adj.**
**1.** Qui se tient fermement à une résolution : *Une enfant décidée.* **2.** Qui exprime l'absence d'hésitation : *Il avait une attitude décidée.* **3.** Certain, manifeste : *Une aversion décidée pour le sport.* **4.** Entendu, réglé : *Un projet décidé.* ▫ 1725 ; p. p. de *décider* ; [deside].

**DÉCIDÉMENT, adv.**
**1.** Vx. Sans hésitation : *Il marcha décidément vers elle.* **2.** Manifestement : *Il est décidément en retard.* **3.** En fin de compte (fam.) : *Décidément, tu avais tort.* ▫ 1762 ; ☞ *décidé* ; [desidemɑ̃].

**DÉCIDER, verbe trans. [3]**
**Trans. dir. 1.** Trancher (une affaire contestée) ; conclure : *La cour décide la nullité du legs* ; empl. intrans. : *Le jury décidera sur la valeur de ce roman.* **2.** Arrêter (ce qui sera fait) : *Il n'a pas décidé la date du départ* ; empl. abs., prendre les décisions : *C'est mon père qui décide* ; empl. impers. : *Il fut décidé que je présenterais le projet.* **3.** Entraîner, convaincre : *Cet argument nous décida* ; *Le déciderez-vous à se joindre à nous ?* **Trans. indir. Décider de. 1.** Prendre la décision de ; se résoudre à : *Le ministre décida de démissionner.* **2.** Être la cause de ; déterminer : *Ne laissons pas le hasard décider de notre sort.* **Pronom. 1.** Se régler ; être tranché : *L'assaut se décida dans la nuit.* **2. Se décider à.** Se résoudre à, prendre la décision de : *Te décideras-tu à parler ?* ; empl. abs. : *Il est tard, décidons-nous !* **3.** Choisir, opter (pour qqch.) : *Elle se décida pour la lampe bleue.* ▫ 1403 ; lat. *decidere*, « couper, retrancher » ; [deside].

**DÉCIDEUR, subst. m.**
Individu ou groupe qui détient le pouvoir de décision. ▫ V. 1970 ; ☞ *décider* ; [desidœʀ].

**DÉCIDU, UE, adj.**
*Bot.* Se dit d'un organe végétal qui se détache de la plante selon le rythme des saisons (synon. *caduc*) : *Feuilles décidues* ; par méton. : *Forêt décidue.* ▫ 1611 ; lat. *decidua*, « qui tombe » ; [desidy].

**DÉCIDUAL, ALE, AUX, adj.**
*Anat.* et *Physiol.* Relatif, propre à la caduque, c.-à-d. à la partie de la muqueuse utérine expulsée avec le placenta, après un accouchement ; empl. subst. fém., membrane **déciduale**. ▫ 1929 ; lat. *decidua*, « qui tombe » ; [desidɥal, o].

**DÉCIGRADE, subst. m.**
Mesure d'angle valant un dixième de grade (symb. : dgr). ▫ xxe s. ; ☞ *grade* + *déci-* ; [desigʀad].

**DÉCIGRAMME, subst. m.**
Mesure de poids ou de masse valant un dixième de gramme (symb. : dg). ▫ 1798 ; ☞ *gramme* + *déci-* ; [desigʀam].

**DÉCILAGE, subst. m.**
*Stat.* Division de l'ensemble des valeurs prises par une variable statistique (ou caractère) en dix classes de même effectif (ou fréquence). ▫ 1951 ; ☞ *décile* ; [desilaʒ].

**DÉCILE, subst. m.**
*Stat.* Chacune des dix valeurs bornes supérieures des classes du décilage d'une distribution statistique. ▫ 1947 ; lat. *decem*, « dix » ; [desil].

**DÉCILITRE, subst. m.**
Mesure de capacité valant un dixième de litre (symb. : dl). ▫ 1795 ; ☞ *litre* (II) + *déci-* ; [desilitʀ].

**DÉCIMAL, ALE, AUX, adj. et subst. f.**
**I.** *Arithm.* **Adj. 1.** Qui procède par dix, par puissances entières de dix. **2.** ▸ *Système décimal* : système de numération de position de base 10. ▸ *Nombre décimal* ou, empl. subst. masc., *Un décimal* : nombre pouvant s'écrire $\frac{n}{10^m}$, où *n* est un entier relatif et *m* un entier naturel. ▸ *Ensemble des nombres décimaux* : noté $\mathbb{D}$, c'est un anneau commutatif unitaire inclus dans $\mathbb{Q}$. ▸ *Écriture décimale* ou *Développement décimal* (☞ *développement*). ▸ *Logarithme décimal* : logarithme à base 10. **Subst.** Tout chiffre situé à droite de la virgule d'un nombre écrit selon le système **décimal** : *1,32 possède deux décimales.* **II. Adj.** Qui est fondé sur une division par 10. ▸ *Classification décimale* (☞ *classification*). ▸ *Pharm. Une dilution homéopathique décimale.* ▫ 1680 (xiie s., soumis à la dîme) ; lat. *decimus*, « dixième » ; [desimal, o].

**DÉCIMALISATION, subst. f.**
*Arithm.* Action de décimaliser ; son résultat. ▫ Déb. xxe s. ; ☞ *décimaliser* ; [desimalizasjɔ̃].

**DÉCIMALISER, verbe trans. [3]**
*Arithm.* Appliquer le système décimal à (une mesure de grandeur) : *Décimaliser une durée exprimée en heures et en minutes.* ▫ 1907 ; ☞ *décimal*, d'apr. l'angl. *to decimalize* ; [desimalize].

**DÉCIMATEUR, subst. m.**
*Hist.* Bénéficiaire de la dîme ecclésiastique. ▫ 1542 ; bas lat. *decimator* ; [desimatœʀ].

**DÉCIMATION, subst. f.**
**1.** *Antiq.* Action de décimer. **2.** Ext. Action de faire périr un nombre très important de personnes ; son résultat. ▫ Déb. xvie s. (1209, dîme) ; bas lat. *decimatio* ; [desimasjɔ̃].

**DÉCIME (I), subst. f.**
*Hist.* Sous l'Ancien Régime, impôt royal prélevant la dixième partie des revenus du clergé. ▫ 1511 (déb. xive s., dîme versée au clergé) ; lat. *pars decima*, « dixième partie » ; [desim].

**DÉCIME (II), subst. m.**
Ancienne monnaie valant la dixième partie du franc. ▫ 1795 ; lat. *decimus*, « dixième » ; [desim].

**DÉCIMER, verbe trans. [3]**
**1.** *Antiq. rom.* Punir de mort (un soldat rebelle sur dix, désigné par tirage au sort). **2.** Ext. Causer la mort de (un nombre important de personnes) : *L'épidémie de choléra décima la population.* ▫ 1559 ; lat. *decimare* ; [desime].

**DÉCIMÈTRE, subst. m.**
Mesure de longueur valant un dixième de mètre (symb. : dm) ; par méton. : *Un double-décimètre*, une règle graduée d'une longueur de 20 cm. ▫ 1793 ; ☞ *mètre* (II) + *déci-* ; [desimɛtʀ].

**DÉCIMÉTRIQUE, adj.**
**1.** Relatif au décimètre, qui se mesure en décimètres. **2.** *Phys. Ondes décimétriques* : ondes ultracourtes, dont la longueur se situe entre 10 cm et 1 m. ▫ 1836 ; ☞ *décimètre* ; [desimetʀik].

**DÉCINTRAGE, subst. m.**
*Constr.* Action de décintrer ; son résultat. ▫ 1863 ; ☞ *décintrer* ; [desɛ̃tʀaʒ].

**DÉCINTREMENT, subst. m.**
Décintrage. ▫ 1798 ; ☞ *décintrer* ; [desɛ̃tʀəmɑ̃].

**DÉCINTRER, verbe trans. [3]**
**1.** *Constr.* Débarrasser, dégager (une voûte, une arcade, un arc) des cintres ayant servi à sa construction. **2.** *Cout.* Découdre les pinces faites à (un vêtement ajusté). ▫ 1680 ; ☞ *cintrer* + *dé-*[2] ; [desɛ̃tʀe].

**DÉCISIF, IVE, adj.**
Qui emporte la décision ; qui détermine l'issue de qqch. : *Une preuve décisive* ; *Un coup décisif.* ▫ 1413 ; lat. médiév. *decisivus* ; [desizif, iv].

**DÉCISION, subst. f.**
**1.** Action de décider ou de se décider ; son résultat : *Il faut parfois prendre de graves décisions.* **2.** Aptitude à prendre des résolutions énergiques : *Un esprit de décision* ; *Agir avec décision.* **3.** *Dr.* Jugement, acte résultant d'un délibéré : *Décision judiciaire* ; *Décision exécutoire.* ▫ 1314 ; lat. *decisio*, « solution, transaction » ; [desizjɔ̃].

**DÉCISIONNAIRE, adj.**
Relatif au pouvoir de décision : *Un comité décisionnaire* ; empl. subst., personne qui possède un pouvoir de décision. ▫ V. 1980 (1842, qui tranche d'autorité) ; ☞ *décision* ; [desizjɔnɛʀ].

**DÉCISIONNEL, ELLE, adj.**
Qui concerne une décision, la prise de décisions : *Centres décisionnels* ; *Pouvoir décisionnel.* ▫ 1958 ; ☞ *décision* ; [desizjɔnɛl].

**DÉCISOIRE, adj.**
*Dr. Serment décisoire* : affirmation sous serment exigée par une des parties au cours d'un procès civil, et sur laquelle repose le jugement. ▫ 1380 ; lat. médiév. *decisorius*, « qui décide » ; [desizwaʀ].

**DÉCLAMATEUR, TRICE, subst.**
**1.** *Antiq. rom.* Rhéteur qui enseignait la déclamation. **2.** Anal. Celui qui déclame en public. **3.** Ext. Personne qui s'exprime avec emphase et grandiloquence (péj.) ; empl. adj. : *Des accents déclamateurs.* ▫ 1519 ; lat. *declamator* ; [deklamatœʀ, tʀis].

**DÉCLAMATION, subst. f.**
**1.** *Antiq. rom.* Exercice oratoire pratiqué en public pour former à l'éloquence. **2.** *Rhét.* Action de déclamer ; art de déclamer : *La déclamation théâtrale.* **3.** Ext. Éloquence pompeuse, emphatique (péj.). ▫ 1375 ; lat. *declamatio* ; [deklamasjɔ̃].

**DÉCLAMATOIRE, adj.**
**1.** Relatif à la déclamation : *Art déclamatoire.* **2.** Sentencieux, ampoulé (péj.) : *Style déclamatoire.* ▫ 1549 ; lat. *declamatorius* ; [deklamatwaʀ].

**DÉCLAMER, verbe [3]**
**Trans.** Dire, réciter à haute voix en adoptant le ton, les accents et les gestes de l'art oratoire : *Il déclamait les vers de Racine avec talent.* ▸ Dire avec emphase (péj.) : *Déclamer ses exploits.* ▸ Abs. Parler fort, s'exprimer pompeusement (péj.). **Intrans.** Vitupérer (contre qqn, qqch.) : *Il déclame contre le gouvernement.* ▫ 1542 ; lat. *declamare* ; [deklame].

**DÉCLARABLE, adj.**
*Admin.* Qui peut ou doit être déclaré : *Les revenus déclarables* ; *Une indemnité non déclarable.* ▫ 1842 ; ☞ *déclarer* ; [deklaʀabl].

**DÉCLARANT, ANTE, adj. et subst.**
*Dr.* **Adj.** Qui fait une déclaration à une administration. **Subst.** *Un déclarant en douane* : personne qui a obtenu l'agrément des douanes pour établir les déclarations. ▫ 1885 ; p. pr. de *déclarer* ; [deklaʀɑ̃, ɑ̃t].

**DÉCLARATIF, IVE, adj.**
**1.** *Dr.* Qui certifie, atteste la réalité d'un droit : *Un acte déclaratif.* **2.** *Gramm. Phrase déclarative* : dont le rôle consiste simplement à communiquer une information (synon. *énonciative*) ; *Verbes déclaratifs* : verbes servant à introduire le discours direct ou indirect (par ex. « affirmer », « dire », « expliquer »). ▫ xive s. ; bas lat. *declarativus*, « qui manifeste » ; [deklaʀatif, iv].

**DÉCLARATION, subst. f.**
**1.** Action de déclarer ; discours, écrit par lequel on porte qqch. à la connaissance d'autrui : *Une déclaration de principes* ; *La déclaration du ministre des Finances.* ▸ *La Déclaration des droits de l'homme et du citoyen de 1789* ; *La Déclaration universelle des droits de l'homme de 1948.* **2.** Action de faire connaître par acte public ou judiciaire une situation de droit ou de fait : *Une déclaration de naissance* ; *Déclaration d'hypothèque, de succession, de revenus.* **3.** Révélation, confession des sentiments d'amour que l'on éprouve : *Il allait lui faire sa déclaration.* ▫ 1290 ; lat. *declaratio*, « manifestation » ; [deklaʀasjɔ̃].

**DÉCLARATOIRE, adj.**
*Dr.* Qui déclare juridiquement qqch. : *Acte déclaratoire.* ▫ 1483 ; ☞ *déclarer* ; [deklaʀatwaʀ].

**DÉCLARÉ, ÉE, adj.**
Avoué, reconnu comme tel : *Un ennemi déclaré.* ▫ xviie s. ; p. p. de *déclarer* ; [deklaʀe].

**DÉCLARER, verbe trans. [3]**
**1.** Faire connaître d'une manière évidente : *Elle déclara son intention de partir* ; *Il lui déclara son mépris.* **2.** *Dr.* Faire connaître, proclamer par acte judiciaire ou public : *Déclarer une naissance* ; *Déclarer des marchandises à la douane* ; *Il fut déclaré coupable* ; *Son mariage a été déclaré nul.* **Pronom. 1.** Se reconnaître comme, s'affirmer : *Il se déclara apatride* ; empl. abs., annoncer sa position, son avis ou son amour. **2.** Apparaître ; se déclencher : *L'incendie se déclara rapidement.* ▫ Mil. xiiie s. ; lat. *declarare* ; [deklaʀe].

**DÉCLASSÉ, ÉE, adj. et subst.**
**Adj.** Qui est passé à un statut, à un rang inférieur ; qui a été dévalorisé : *Une sportive déclassée* ; *Un vin déclassé.* **Subst.** Personne déchue socialement. ▫ 1834 ; p. p. de *déclasser* ; [deklase].

**DÉCLASSEMENT, subst. m.**
Action de déclasser, de se déclasser ; son résultat : *Un déclassement social* ; *Le déclassement d'un monument historique.* ▫ 1836 ; ☞ *déclasser* ; [deklasmɑ̃].

**DÉCLASSER, verbe trans. [3]**
**1.** Faire reculer dans un classement, affecter à une catégorie inférieure : *Des revers de fortune l'avaient déclassé* ; *Déclasser un concurrent* ; *Déclasser un monument* ; empl. pronom. : *Ils se déclassaient par de telles fréquentations.* **2.** Déranger (ce qui était classé). ▫ 1813 ; ☞ *classer* + *dé-*[2] ; [deklase].

**DÉCLAVETER, verbe trans. [14]**
*Techn.* Retirer la clavette qui lie (une pièce) à une autre. ▫ 1611 ; ☞ *clavette* + *dé-*[2] ; [deklavte].

**DÉCLENCHE, subst. f.**
*Mécan.* Système servant à séparer deux pièces d'une machine pour permettre le mouvement autonome de l'une d'elles. ▫ 1382 ; p.-ê. norm. °*desclinquer*, « déclencher » ; [deklɑ̃ʃ].

**DÉCLENCHEMENT, subst. m.**
**1.** Action de déclencher ; son résultat. **2.** Fig. Début

soudain d'un processus, d'une action : *Le déclenchement du conflit.* 1863 ; déclencher ; [deklɑ̃ʃmɑ̃].

**DÉCLENCHER,** verbe trans. [3]
**1.** Manœuvrer la clenche de (une porte), pour l'ouvrir. **2.** Dégager (un système) du mécanisme qui le fixe : *La télécommande déclenche l'ouverture des portières* ; par ext., entraîner la mise en route de (un système complexe) à partir d'un appareillage simple : *Le moindre frôlement déclenche la sonnerie.* **3.** Fig. Provoquer brusquement : *Déclencher une bagarre* ; *Déclencher un accouchement* ; empl. pronom. : *Les attaques se déclenchèrent au même moment.* Mil. XVII^e s. ; clenche + dé-2 ; [deklɑ̃ʃe].

**DÉCLENCHEUR,** subst. m.
**1.** *Mécan.* Système séparant deux pièces enclenchées, ou autorisant la mise en mouvement d'un mécanisme. **2.** *Biol.* Ce qui déclenche un acte instinctif. 1921 ; déclencher ; [deklɑ̃ʃœʀ].

**DÉCLIC,** subst. m.
**1.** Dispositif qui met en mouvement ou arrête un mécanisme : *Appuyer sur le déclic* ; par méton., bruit du déclenchement. **2.** Fig. Compréhension soudaine (fam.) : *Les célèbres déclics de Sherlock Holmes.* 1699 (déb. XVI^e s., mouvement de la langue) ; *décliquer* (vx), de l'anc. fr. *clique*, « loquet » ; [deklik].

**DÉCLIN,** subst. m.
État de ce qui régresse, perd de sa force, de son éclat ou de sa valeur : *Le déclin du soleil à l'horizon* ; *Le déclin d'une civilisation* ; *Le déclin de la vie.* Fin XI^e s. ; décliner ; [deklɛ̃].

**DÉCLINABLE,** adj.
*Gramm.* Qui peut être décliné : *Un adjectif déclinable.* XIV^e s. ; décliner ; [deklinabl].

**DÉCLINAISON,** subst. f.
**1.** Action de décliner, fait de s'écarter d'une direction donnée ; déviation. **2.** *Spéc.* ► *Astron.* Distance angulaire entre un point du ciel et l'équateur céleste ; hauteur de ce point par rapport au plan équatorial. La **déclinaison** d'un astre se mesure sur le méridien céleste de cet astre, tout comme la latitude d'un lieu terrestre se mesure sur son méridien géographique. ► *Géogr. Déclinaison magnétique* : angle entre les directions du nord magnétique et du nord géographique, variable selon le lieu et le moment. ► *Gramm.* Ensemble des formes que prennent, dans les langues à flexion, les noms, les adjectifs, les pronoms, les articles, et qui servent à exprimer leur fonction dans la phrase ; par méton., ensemble de mots qui se déclinent sur le même modèle. ► *Philos.* Dans le système d'Épicure, déviation spontanée des atomes de leur trajectoire naturellement rectiligne. Mil. XIII^e s. ; décliner ; [deklinɛzɔ̃].

**DÉCLINANT, ANTE,** adj.
Qui décline ; qui est en régression : *Des forces déclinantes.* 1690 ; p. pr. de *décliner* ; [deklinɑ̃, ɑ̃t].

**DÉCLINATOIRE,** subst. m. et adj.
**SUBST. 1.** *Dr.* Acte de procédure visant à décliner la compétence d'une juridiction. **2.** *Topogr.* Instrument pourvu d'un aimant à longue aiguille, servant à orienter les levés d'un plan (synon. *déclinateur*). **ADJ.** *Dr.* Qui fait valoir l'incompétence d'une juridiction. 1316 ; décliner ; [deklinatwaʀ].

**DÉCLINER,** verbe [3]
**INTRANS. 1.** S'affaiblir, aller vers sa fin : *Le soleil décline* ; *Sa ferveur déclinait.* **2.** *Spéc.* ► *Astron.* S'écarter du plan de l'équateur céleste. ► *Géogr.* S'écarter du nord géographique, en parlant de l'aiguille d'une boussole. ► *Philos.* S'écarter de la verticale, en parlant des atomes, dans la philosophie d'Épicure. **TRANS. 1.** *Dr.* Rejeter : *Décliner la compétence d'une juridiction* ; par anal. : *Je décline toute responsabilité dans cette affaire.* **2.** Refuser courtoisement : *Décliner une invitation.* **3.** *Gramm. Décliner un nom, un pronom, un adjectif* : en modifier la forme à l'aide d'une désinence, en présenter toutes les flexions. **4.** Énumérer : *Décliner son identité*, exposer ses nom, prénom, âge, profession. **5.** *Comm. Décliner un produit* : varier sa présentation, sa fonction. Fin XI^e s. ; lat. *declinare*, « détourner ; incliner » ; [dekline].

**DÉCLIQUETAGE,** subst. m.
Action de décliqueter ; le mouvement en résultant. 1869 ; décliqueter ; [deklik(ə)taʒ].

**DÉCLIQUETER,** verbe trans. [14]
*Mécan.* Dégager le cliquet de (un engrenage) pour faire tourner la roue en sens inverse. 1754 ; cliquet + dé-2 ; [deklik(ə)te].

**DÉCLIVITÉ,** subst. f.
Caractère de ce qui est incliné, en pente : *La forte déclivité du rocher* ; par méton., terrain en pente. 1487 ; lat. *declivitas*, « pente » ; [deklivite].

**DÉCLOISONNEMENT,** subst. m.
Action de décloisonner, son résultat : *Le décloisonnement de la recherche.* V. 1960 ; décloisonner ; [deklwazɔnmɑ̃].

**DÉCLOISONNER,** verbe trans. [3]
**1.** Enlever les cloisons de. **2.** Fig. Faire communiquer en supprimant le cloisonnement entre personnes, disciplines, services. 1869 ; cloisonner + dé-2 ; [deklwazɔne].

**DÉCLOUER,** verbe trans. [3]
*Techn.* Démonter, défaire (ce qui est cloué), ôter les clous de : *Déclouer une toile, un parquet.* Fin XII^e s. ; clouer + dé-2 ; [deklue].

**DÉCOCHAGE,** subst. m.
*Techn.* Action de démouler une pièce de fonderie. 1929 ; décocher ; [dekɔʃaʒ].

**DÉCOCHEMENT,** subst. m.
Action de décocher. 1550 ; décocher ; [dekɔʃmɑ̃].

**DÉCOCHER,** verbe trans. [3]
**1.** Tirer (un projectile) avec un arc, une arbalète : *Décocher une flèche en plein cœur* ; au fig., jeter vivement ou de façon inattendue : *Il lui décocha un regard noir.* **2.** *Techn.* Procéder au décochage de. Fin XII^e s. ; coche (I) + dé-2 ; [dekɔʃe].

**DÉCOCTION,** subst. f.
Action d'extraire les principes actifs d'une substance ou d'une plante en la faisant bouillir dans de l'eau ; par méton., boisson résultant de cette action : *Boire une décoction d'anis étoilé* ; par ext., breuvage désagréable. 1256 ; bas lat. *decoctio* ; [dekɔksjɔ̃].

**DÉCODAGE,** subst. m.
**1.** Action de décoder ; son résultat. **2.** *Génét.* et *Biochim.* Processus selon lequel chacun des messages rédigés avec 4 nucléotides au niveau de l'A. D. N. puis de l'A. R. N. est utilisé pour réaliser un message écrit avec 20 espèces d'acides aminés qui sont assemblés en une chaîne protéique. **3.** *Informat.* et *Ling.* Interprétation d'un message selon son code. V. 1960 ; décoder ; [dekɔdaʒ].

**DÉCODER,** verbe trans. [3]
**1.** Traduire, rendre clair (un message codé). **2.** *Informat.* et *Ling.* Interpréter (une suite de signes) selon le code. V. 1960 ; coder + dé-2 ; [dekɔde].

**DÉCODEUR, EUSE,** subst.
Personne qui décode. ► *Ling.* Récepteur, auditeur. **MASC.** Dispositif servant à décoder, en partic. certains programmes de télévision. V. 1970 ; décoder ; [dekɔdœʀ, øz].

**DÉCOFFRAGE,** subst. m.
Action d'ôter le coffrage en béton, en mortier ou en plâtre après durcissement. 1948 ; décoffrer ; [dekɔfʀaʒ].

**DÉCOFFRER,** verbe trans. [3]
Procéder au décoffrage de. 1948 ; coffrer + dé-2 ; [dekɔfʀe].

**DÉCOIFFER,** verbe trans. [3]
**1.** Ôter sa coiffure, son chapeau à (qqn). ► *Arm. Décoiffer une fusée* : lui enlever sa coiffe. **2.** Défaire, déranger l'ordonnance des cheveux de (qqn) : *Ce vent risque de vous décoiffer.* Fin XIII^e s. ; coiffer + dé-2 ; [dekwafe].

**DÉCOINÇAGE,** subst. m.
Décoincement. 1931 ; décoincer ; [dekwɛ̃saʒ].

**DÉCOINCEMENT,** subst. m.
Action de décoincer ; son résultat. 1870 ; décoincer ; [dekwɛ̃smɑ̃].

**DÉCOINCER,** verbe trans. [4]
**1.** Ôter les coins de (qqch.) ; par ext., dégager (ce qui est bloqué, coincé). **2.** Fig. Relaxer, détendre (fam.). 1859 ; coincer + dé-2 ; [dekwɛ̃se].

**DÉCOLÉRER,** verbe intrans. [8]
Cesser d'être en colère : *Ne pas décolérer de la journée.* XVI^e s. ; colère + dé-2 ; s'emploie uniquement à la forme négative ; [dekɔleʀe].

**DÉCOLLAGE,** subst. m.
**1.** Action de décoller qqch. : *Le décollage d'un timbre.* **2.** *Aéron.* Action de quitter le sol : *Le décollage d'un avion* ; au fig., essor : *Le décollage économique d'un pays.* 1847 ; décoller (II) ; [dekɔlaʒ].

**DÉCOLLATION,** subst. f.
Action de trancher le cou ; décapitation (vieilli). 1227 ; bas lat. *decollatio* ; [dekɔlasjɔ̃].

**DÉCOLLEMENT,** subst. m.
**1.** Action de décoller qqch. ; son résultat. **2.** *Pathol.* État d'un tissu, d'un organe, qui est écarté ou séparé de la partie à laquelle il doit adhérer : *Décollement de la rétine.* 1635 ; décoller (II) ; [dekɔlmɑ̃].

**DÉCOLLER (I),** verbe trans. [3]
Procéder à la décollation de (vx). X^e s. ; lat. *decollare* ; [dekɔle].

**DÉCOLLER (II),** verbe [3]
**TRANS. DIR.** Détacher (ce qui est collé) : *Décoller une affiche.* **TRANS. INDIR. Décoller de.** Partir de, quitter (fam.) : *Ne pas décoller d'un lieu.* **INTRANS. 1.** Maigrir (fam.). **2.** *Aéron.* Quitter le sol. **3.** *Écon.* Entrer dans la voie de l'essor économique, en parlant d'un pays. **4.** *Sp.* Se détacher du peloton, pour un coureur cycliste. Fin XIV^e s. ; coller + dé-2 ; [dekɔle].

**DÉCOLLETAGE,** subst. m.
**1.** *Agric.* Action de couper au niveau du collet les feuilles de certaines racines cultivées : *Décolletage des carottes.* **2.** Action de décolleter un vêtement de femme, de se décolleter. **3.** *Métall.* Fabrication d'un grand nombre de pièces (rivets, vis, etc.) par usinage au tour, avec une même barre de métal. 1835 ; décolleter ; [dekɔltaʒ].

**DÉCOLLETÉ, ÉE,** adj. et subst. m.
**ADJ. 1.** Dont la partie supérieure du buste est découverte : *Une femme décolletée.* **2.** Qui découvre le cou, la gorge, les épaules : *Robe décolletée.* **SUBST. 1.** Partie laissée nue du buste féminin. **2.** Échancrure d'un vêtement de femme. 1700 ; collet + dé-2 ; [dekɔlte].

**DÉCOLLETER,** verbe trans. [14]
**1.** Découvrir (le cou, la gorge, les épaules) ; par méton., échancrer (un vêtement) dans ce but. **2.** *Agric.* et *Métall.* Procéder au décolletage de. 1762 ; collet + dé-2 ; [dekɔlte].

**DÉCOLLETEUR, EUSE,** subst.
*Agric.* et *Métall.* Personne pratiquant le décolletage. **FÉM. 1.** *Métall.* Tour servant au décolletage. **2.** *Agric.* Machine agricole utilisée pour le décolletage. 1881 ; décolleter ; [dekɔltœʀ, øz].

**DÉCOLLEUSE,** subst. f.
*Bât.* Appareil servant à décoller des revêtements. XX^e s. ; décoller (II) ; [dekɔløz].

**DÉCOLONISATION,** subst. f.
Action de décoloniser ; son résultat. 1952 ; colonisation + dé-2 ; [dekɔlɔnizasjɔ̃].

*La décolonisation de l'Afrique française, notamment de l'Algérie, fut parachevée dans les années soixante, sous la présidence du général de Gaulle.*

HISTOIRE – La décolonisation clôt la phase ultime de l'expansion européenne au XX^e s. Née des bouleversements économiques et sociaux induits par les conquérants ainsi que de l'influence de leurs idéologies (libéralisme, valeurs républicaines, marxisme, nationalisme), elle aboutit à l'indépendance politique de la plupart des territoires d'Asie, d'Afrique et d'Océanie soumis aux États d'Europe occidentale. Le transfert négocié des pouvoirs, issue générale de ce réveil identitaire, est souvent précédé d'épisodes meurtriers, qu'aggrave l'interférence de la guerre froide. Le mouvement démarre au Proche-Orient dans les années trente, se poursuit au lendemain de la guerre mondiale en Asie du Sud (Inde anglaise, 1947) et du Sud-Est (régions occupées par les Japonais, 1942-1945). Il gagne l'Afrique du Nord dans les années cinquante (guerre d'Algérie, 1954-1962), pour s'étendre à l'Afrique noire anglaise, française et belge (autour de 1960), et enfin aux vieilles colonies portugaises (1975). Les élites dirigeantes des nouvelles nations croient trouver l'achèvement du processus de libération dans un tiers-mondisme ambigu vite essoufflé. Les attaches qui subsistent avec les anciens colonisateurs s'affirment alors au grand jour, tandis que de nouveaux liens de dépendance, notamment économiques, se tissent.

**DÉCOLONISER,** verbe trans. [3]
Mettre un terme au statut de colonie de (un pays). V. 1960 ; ☞ *coloniser* + *dé-*[2] ; [dekɔlɔnize].

**DÉCOLORANT, ANTE,** adj. et subst. m.
Se dit d'un produit qui décolore, gén. une substance chimique. 1792 ; p. pr. de *décolorer* ; [dekɔlɔʀɑ̃, ɑ̃t].

**DÉCOLORATION,** subst. f.
Action de décolorer, de se décolorer ; son résultat. ▸ Opération consistant à appliquer un traitement sur les cheveux pour les rendre plus clairs. Fin XIV^e s. ; lat. *decoloratio* ; [dekɔlɔʀasjɔ̃].

**DÉCOLORER,** verbe trans. [3]
Priver de sa couleur ; altérer la couleur de. Fin XI^e s. ; ☞ *colorer* + *dé-*[2] ; [dekɔlɔʀe].

**DÉCOMBRES,** subst. m. plur.
Gravats amoncelés sur le terrain après la destruction d'un édifice : *Après le bombardement, le village n'était plus que* ***décombres.*** 1572 (1404, action d'enlever les gravats) ; *décombrer* (vx), « débarrasser de ce qui encombre » ; [dekɔ̃bʀ].

**DÉCOMMANDER,** verbe trans. [3]
Annuler la commande de (une marchandise). ▸ Ext. ***Décommander*** *un repas* : le reporter ou l'annuler ; par méton. : ***Décommander*** *ses invités.* PRONOM. Avertir qu'on ne se rendra pas à une invitation, à un rendez-vous : *Elle* ***s'est décommandée*** *au dernier moment.* Déb. XIV^e s. ; ☞ *commander* + *dé-*[2] ; [dekɔmɑ̃de].

**DÉCOMPENSATION,** subst. f.
1. *Pathol.* Rupture de l'équilibre physiologique normalement assuré par une compensation. 2. *Psychol.* Disparition brutale des réactions de défense chez un sujet. 1926 ; ☞ *compensation* + *dé-*[2] ; [dekɔ̃pɑ̃sasjɔ̃].

**DÉCOMPLEXER,** verbe trans. [3]
Libérer (qqn) de ses complexes (fam.). V. 1960 ; ☞ *complexe* + *dé-*[2] ; [dekɔ̃plɛkse].

**DÉCOMPOSABLE,** adj.
Qui peut être décomposé. 1790 ; ☞ *décomposer* ; [dekɔ̃pozabl].

**DÉCOMPOSER,** verbe trans. [3]
1. *Chim.* et *Phys.* Diviser, séparer (qqch.) élément par élément : ***Décomposer*** *l'acide chlorhydrique en hydrogène et en chlore.* 2. Ext. Diviser (une chose complexe) en ses parties simples : ***Décomposer*** *le mouvement d'un corps en séquences élémentaires.* 3. Altérer (une substance organique) : *La chaleur* ***décompose*** *certains aliments.* ▸ Fig. Altérer, déformer : *L'angoisse* ***décompose*** *ses traits* ; par méton. : *La frayeur l'****a décomposé.*** PRONOM. 1. Se gâter, pourrir. 2. Fig. S'altérer, pour les traits du visage. Déb. XVI^e s. ; ☞ *composer* + *dé-*[2] ; [dekɔ̃poze].

**DÉCOMPOSITION,** subst. f.
1. Séparation de qqch. en ses éléments constitutifs. 2. Altération, putréfaction d'une substance organique ; au fig. : ***Décomposition*** *d'une société, d'un régime politique.* 1694 ; ☞ *décomposer* ; [dekɔ̃pozisjɔ̃].

**DÉCOMPRESSER,** verbe [3]
TRANS. *Techn.* Décomprimer. INTRANS. Fig. Relâcher sa tension après une fatigue nerveuse ou un effort de concentration (fam.). V. 1970 ; ☞ *compresser* + *dé-*[2] ; [dekɔ̃pʀese].

**DÉCOMPRESSEUR,** subst. m.
*Techn.* Appareil servant à ramener à la pression atmosphérique un fluide comprimé. ▸ Dans un moteur à deux temps, soupape réduisant la compression et permettant un démarrage facile. 1907 ; ☞ *compresseur* + *dé-*[2] ; [dekɔ̃pʀesœʀ].

**DÉCOMPRESSION,** subst. f.
1. Action de décomprimer ; diminution ou suppression de la compression, de la pression. ▸ *Techn.* Diminution progressive de la pression dans un caisson immergé : *Accident de* ***décompression,*** formation de bulles d'azote dans la circulation artérielle. 2. Fig. Relâchement après un effort de concentration (fam.). 1868 ; ☞ *compression* + *dé-*[2] ; [dekɔ̃pʀesjɔ̃].

**DÉCOMPRIMER,** verbe trans. [3]
*Techn.* Diminuer ou supprimer la compression de (qqch., gén. un fluide). 1864 ; ☞ *comprimer* + *dé-*[2] ; [dekɔ̃pʀime].

**DÉCOMPTE,** subst. m.
1. Ce qui vient en déduction d'une somme à payer, rabais. 2. Ext. Décomposition d'un ensemble en ses éléments constitutifs. 3. Dénombrement : *Le* ***décompte*** *des voix lors d'une élection.* XIII^e s. ; ☞ *décompter* ; [dekɔ̃t].

**DÉCOMPTER,** verbe [3]
TRANS. Retrancher, déduire d'un total : ***Décompter*** *des heures d'absence.* INTRANS. Sonner une autre heure que celle qui est indiquée, en parlant d'une horloge. XIII^e s. ; ☞ *compter* + *dé-*[2] ; [dekɔ̃te].

**DÉCONCENTRATION,** subst. f.
1. *Admin.* Système dans lequel certains pouvoirs de l'administration centrale sont transférés à ses représentants locaux. 2. Action de déconcentrer ; son résultat. 1907 ; ☞ *concentration* + *dé-*[2] ; [dekɔ̃sɑ̃tʀasjɔ̃].

**DÉCONCENTRER,** verbe trans. [3]
1. Diminuer la concentration de. 2. *Admin.* Procéder à la déconcentration de. 3. Perturber la concentration d'esprit de (qqn) ; empl. pronom., relâcher son attention. 1835 ; ☞ *concentrer* + *dé-*[2] ; [dekɔ̃sɑ̃tʀe].

**DÉCONCERTANT, ANTE,** adj.
Qui déconcerte, qui déroute : *Une réponse* ***déconcertante.*** Mil. XIX^e s. ; ☞ *déconcerter* ; [dekɔ̃sɛʀtɑ̃, ɑ̃t].

**DÉCONCERTER,** verbe trans. [3]
1. Empêcher (un plan, un projet) de se réaliser (littér.) : *Notre vigilance* ***déconcerta*** *la machination.* 2. Rendre perplexe ; faire perdre contenance à (qqn). Fin XVI^e s. ; ☞ *concerter* + *dé-*[2] ; [dekɔ̃sɛʀte].

**DÉCONDITIONNEMENT,** subst. m.
1. *Physiol.* Suppression d'un réflexe conditionné par l'association de stimulus désagréables aux stimulus de conditionnement. 2. Ext. Action d'affranchir qqn d'un conditionnement psychologique. 1951 ; ☞ *conditionnement* + *dé-*[2] ; [dekɔ̃disjɔnmɑ̃].

**DÉCONDITIONNER,** verbe trans. [3]
Affranchir d'un conditionnement physiologique ou psychologique. 1904 ; ☞ *conditionner* + *dé-*[2] ; [dekɔ̃disjɔne].

**DÉCONFIT, ITE,** adj.
1. Vx. Qui a été vaincu dans une bataille. 2. Penaud, décontenancé : *Une mine* ***déconfite.*** Mil. XII^e s. ; *déconfire* (vx), « vaincre » ; [dekɔ̃fi, it].

**DÉCONFITURE,** subst. f.
1. *Dr.* Situation d'un débiteur non commerçant qui ne peut payer ses dettes. 2. Ext. Banqueroute, ruine financière (fam.). 3. Fig. Échec total, faillite morale. Mil. XII^e s. ; ☞ *déconfit* ; [dekɔ̃fityʀ].

**DÉCONGÉLATION,** subst. f.
Action de décongeler ; son résultat. 1893 ; ☞ *congélation* + *dé-*[2] ; [dekɔ̃ʒelasjɔ̃].

**DÉCONGELER,** verbe trans. [11]
Ramener (un produit congelé) à température ambiante (supérieure à 0 °C). 1907 ; ☞ *congeler* + *dé-*[2] ; [dekɔ̃ʒ(ə)le].

**DÉCONGESTIF, IVE,** adj.
*Pharm.* Qui supprime ou atténue une congestion. 1928 ; ☞ *congestif* + *dé-*[2] ; [dekɔ̃ʒɛstif, iv].

**DÉCONGESTION,** subst. f.
Action de décongestionner ; l'état qui en résulte. 1944 ; ☞ *congestion* + *dé-*[2] ; [dekɔ̃ʒɛstjɔ̃].

**DÉCONGESTIONNEMENT,** subst. m.
Décongestion. 1925 ; ☞ *décongestionner* ; [dekɔ̃ʒɛstjɔnmɑ̃].

**DÉCONGESTIONNER,** verbe trans. [3]
1. *Méd.* Faire cesser la congestion de (un organe). 2. Fig. Mettre fin à l'encombrement de : ***Décongestionner*** *un quartier, une ville.* 1874 ; ☞ *congestionner* + *dé-*[2] ; [dekɔ̃ʒɛstjɔne].

**DÉCONNECTER,** verbe trans. [3]
1. Ôter ce qui raccorde (deux tuyaux, deux appareils) ; supprimer (une connexion électrique). 2. Fig. Séparer d'une réalité. 1957 ; ☞ *connecter* + *dé-*[2] ; [dekɔnɛkte].

**DÉCONNER,** verbe intrans. [3]
Très fam. 1. Dire, faire des sottises. 2. Ne pas fonctionner normalement, être déréglé. 1883 ; ☞ *con* + *dé-*[1] ; [dekɔne].

**DÉCONNEXION,** subst. f.
Action de déconnecter ; son résultat. 1954 ; ☞ *connexion* + *dé-*[2] ; [dekɔnɛksjɔ̃].

**DÉCONSACRER,** verbe trans. [3]
Supprimer le caractère sacré de (qqn, qqch.). 1801 ; ☞ *consacrer* + *dé-*[2] ; [dekɔ̃sakʀe].

**DÉCONSEILLER,** verbe trans. [3]
Conseiller de renoncer à : *On m'a* ***déconseillé*** *le café.* Fin XII^e s. (mil. XI^e s., désemparé) ; ☞ *conseiller* (II) + *dé-*[2] ; [dekɔ̃seje].

**DÉCONSIDÉRATION,** subst. f.
Perte de l'estime publique. 1792 ; ☞ *considération* + *dé-*[2] ; [dekɔ̃sideʀasjɔ̃].

**DÉCONSIDÉRER,** verbe trans. [8]
Priver de l'estime publique, de la considération. PRONOM. *Il* ***se déconsidère*** *en agissant ainsi.* 1790 ; ☞ *considérer* + *dé-*[2] ; [dekɔ̃sideʀe].

**DÉCONSIGNER,** verbe trans. [3]
1. *Milit.* Affranchir de la consignation : ***Déconsigner*** *une unité.* 2. Retirer de la consigne : ***Déconsigner*** *un bagage.* 3. Rembourser le prix de la consigne de (un emballage). 1870 ; ☞ *consigner* + *dé-*[2] ; [dekɔ̃siɲe].

**DÉCONSTRUIRE,** verbe trans. [69]
1. Défaire (ce qui a été construit) : ***Déconstruire*** *un manoir pour le rebâtir ailleurs.* 2. Démanteler par l'analyse (un système élaboré ou cohérent) ; déstructurer. 1798 ; ☞ *construire* + *dé-*[2] ; [dekɔ̃stʀɥiʀ].

**DÉCONTAMINATION,** subst. f.
Élimination totale ou partielle des agents et des effets d'une contamination, gén. chimique ou radioactive. 1952 ; ☞ *contamination* + *dé-*[2] ; [dekɔ̃taminasjɔ̃].

**DÉCONTAMINER,** verbe trans. [3]
Procéder à la décontamination de. 1952 ; ☞ *contaminer* + *dé-*[2] ; [dekɔ̃tamine].

**DÉCONTENANCÉ, ÉE,** adj.
Qui a perdu contenance. 1549 ; p. p. de *décontenancer* ; [dekɔ̃t(ə)nɑ̃se].

**DÉCONTENANCER,** verbe trans. [4]
Faire perdre contenance à (qqn) ; embarrasser ; empl. pronom. : *Il* ***se décontenance*** *pour un rien.* 1549 ; ☞ *contenance* + *dé-*[2] ; [dekɔ̃t(ə)nɑ̃se].

**DÉCONTRACTÉ, ÉE,** adj.
1. *Physiol.* Qui n'est plus contracté, en parlant d'un muscle. 2. Fig. Détendu, sans appréhension. ▸ Désinvolte (fam.). 1924 ; p. p. de *décontracter* ; [dekɔ̃tʀakte].

**DÉCONTRACTER,** verbe trans. [3]
1. Faire cesser la contraction musculaire de. 2. Fig. Délivrer d'une tension psychique. PRONOM. Se détendre (le corps, l'esprit). 1860 ; ☞ *contracter* (II) + *dé-*[2] ; [dekɔ̃tʀakte].

**DÉCONTRACTION,** subst. f.
Action de décontracter ; fait d'être décontracté. 1892 ; ☞ *contraction* + *dé-*[2] ; [dekɔ̃tʀaksjɔ̃].

**DÉCONVENTIONNER,** verbe trans. [3]
Retirer à (un établissement, un médecin) l'agrément qui le liait à un organisme public. V. 1960 ; ☞ *convention* + *dé-*[2] ; [dekɔ̃vɑ̃sjɔne].

**DÉCONVENUE,** subst. f.
Désappointement dû à un échec, à une attente déçue. 1822 (fin XII^e s., inconvenance ; insuccès) ; anc. fr. *convenue*, « situation ; affaire », + *dé-*[2] ; [dekɔ̃v(ə)ny].

**DÉCOR,** subst. m.
1. Ensemble de ce qui orne qqch. : ***Décor*** *baroque d'une façade* ; par méton., objet, élément, motif embellissant qqch. : *Assiette à* ***décor*** *floral polychrome.* 2. *Cin.*, *Théâtre* et *Télév.* Ensemble des éléments (toile de fond, accessoires, praticables) qui figurent le lieu où se déroule une scène, une action ; chaque élément de cet ensemble. ▸ Fig. *Changement de* ***décor*** : modification soudaine d'une situation. ▸ Loc. *Aller, entrer dans le* ***décor*** : quitter la route accidentellement (fam.). 3. Environnement : ***Décor***

*familial* ; paysage : *Décor montagneux.* ⌛ 1603 (1536, bienséance) ; ☞ *décorer* ; [dekɔʀ].

**DÉCORATEUR, TRICE,** subst.

**1.** Personne qui conçoit, réalise des décors pour des spectacles. **2.** Personne qui effectue des travaux de décoration : *Décorateur d'intérieur.* ⌛ Mil. XVIIe s. (1572, celui qui honore) ; ☞ *décorer* ; [dekɔʀatœʀ, tʀis].

**DÉCORATIF, IVE,** adj.

**1.** Conçu, choisi pour décorer : *Un paravent décoratif* ; *Un arbuste décoratif.* ▸ *Arts décoratifs* : dont l'objectif est de rendre esthétiques les objets utilitaires (abrév. : arts déco) ; *Style Art déco* : mis à la mode en 1925 par l'Exposition internationale des arts **décoratifs** à Paris. **2.** Qui décore bien : *L'effet décoratif d'un feu de cheminée.* **3.** Anal. Qui fait honneur à une réunion par sa prestance, son prestige (fam.) : *Un convive décoratif.* ▸ Qui est accessoire, voire inutile : *N'avoir qu'un rôle décoratif.* ⌛ 1478 ; ☞ *décorer* ; [dekɔʀatif, iv].

© Fr. Jalain-Explorer

*Un vitrail décoratif du peintre verrier Jacques-Antoine Gruber (né en 1932).*

**DÉCORATION,** subst. f.

**1.** Insigne signalant l'appartenance à un ordre honorifique. **2.** Action de décorer ; art, maîtrise déployés dans cette action : *La décoration d'une vitrine de Noël* ; l'ensemble des éléments servant à décorer. ⌛ 1549 (1393, honneur, gloire) ; bas lat. *decoratio* ; [dekɔʀasjɔ̃].

**DÉCORDER,** verbe trans. [3]

Ôter la corde qui attachait (un animal, qqch.). **Pronom.** *Alp.* Se détacher d'une cordée. ⌛ 1549 (fin XIIe s., tirer une flèche) ; ☞ *corder* + *dé-*2 ; [dekɔʀde].

**DÉCORER,** verbe trans. [3]

**1.** Remettre une décoration à (qqn). **2.** Procéder ou contribuer à l'embellissement de (qqch.) : *Décorer son salon* ; *Ces roses décorent bien le jardin.* ⌛ 1350 (mil. XIVe s., honorer) ; lat. *decorare* ; [dekɔʀe].

**DÉCORNER,** verbe trans. [3]

**1.** Enlever ses cornes à (un animal). ▸ Loc. *Un vent à décorner les bœufs* : très violent. **2.** Redresser (ce qui a été corné) : *Décorner les pages d'un livre.* ⌛ XVIe s. ; ☞ *corne* + *dé-*2 ; [dekɔʀne].

**DÉCORTICAGE,** subst. m.

Action de décortiquer (synon. *décortication*). ⌛ 1870 ; ☞ *décortiquer* ; [dekɔʀtikaʒ].

**DÉCORTICATION,** subst. f.

**1.** Action de décortiquer, de dégager de son écorce (synon. *décorticage*). **2.** *Biol.* ▸ Séparation d'un organe et de son enveloppe fibreuse. ▸ Ablation du cortex cérébral d'un animal. ⌛ 1747 ; lat. *decorticatio* ; [dekɔʀtikasjɔ̃].

**DÉCORTIQUER,** verbe trans. [3]

**1.** Dépouiller de son écorce ou de son enveloppe (un fruit, une tige, etc.). **2.** Fig. Analyser minutieusement (un texte) : *Décortiquer un testament.* **3.** *Biol.* Extraire le cortex de (un animal) ; décérébrer. ⌛ 1826 ; lat. *decorticare* ; [dekɔʀtike].

**DÉCORUM,** subst. m.

**1.** Ensemble des usages ou des règles que prescrivent la bienséance et le savoir-vivre. **2.** Ext. Protocole, étiquette : *Le décorum diplomatique.* ⌛ 1587 ; lat. *decorum* ; [dekɔʀɔm].

**DÉCOTE,** subst. f.

**1.** *Fisc.* Déduction, dégrèvement. **2.** *Fin.* Perte de valeur d'un titre boursier ou d'une monnaie par rapport au cours de référence. ⌛ 1952 ; ☞ *cote* + *dé-*2 ; [dekɔt].

**DÉCOUCHER,** verbe intrans. [3]

Passer la nuit hors de chez soi, spéc. à l'occasion d'une aventure amoureuse. ⌛ 1564 (déb. XIIIe s., se lever) ; ☞ *coucher* (I) + *dé-*2 ; [dekuʃe].

**DÉCOUDRE,** verbe trans. [77]

**1.** Défaire (ce qui est cousu). **2.** *Vén.* Déchirer dans sa longueur le ventre de (un animal) : *Ce sanglier a décousu nos meilleurs chiens.* ▸ Loc. *En découdre* : se battre, s'affronter. ⌛ Fin XIIe s. ; ☞ *coudre* + *dé-*2 ; [dekudʀ].

**DÉCOULER,** verbe [3]

**Intrans.** S'écouler peu à peu (vieilli). **Trans. indir.** **Découler de.** Résulter de, dériver de : *Ce succès découle de vos efforts.* ⌛ 1534 (fin XIIe s., décliner) ; ☞ *couler* + *dé-*1 ; [dekule].

**DÉCOUPAGE,** subst. m.

**1.** Action de découper, de diviser en morceaux. **2.** Action de découper une image en suivant ses contours ; par méton., l'image elle-même : *Album de découpages.* **3.** *Admin.* *Découpage électoral* : division d'un territoire en circonscriptions. **4.** *Cin.* Division d'un scénario en séquences et en plans numérotés. ⌛ 1497 ; ☞ *découper* ; [dekupaʒ].

**DÉCOUPE,** subst. f.

**1.** Action de découper ; son résultat. **2.** *Cout.* Pièce rapportée rehaussant la forme d'une coupe : *Corsage orné de découpes.* ⌛ 1868 ; ☞ *découper* ; [dekup].

**DÉCOUPÉ, ÉE,** adj.

Dont le contour est formé de saillies et d'entailles : *Les côtes bretonnes sont très découpées.* ⌛ XIIIe s. ; p. p. de *découper* ; [dekupe].

**DÉCOUPER,** verbe trans. [3]

**1.** Couper en morceaux, en tranches : *Découper un poulet, un rôti.* **2.** Couper en suivant les contours : *Découper une illustration.* ▸ Fig. Faire ressortir sur un fond : *La cathédrale découpe sa flèche dans le ciel* ; empl. pronom. : *Une ombre se découpait sur le mur.* ⌛ Mil. XIIe s. ; ☞ *couper* + *dé-*1 ; [dekupe].

**DÉCOUPEUR, EUSE,** subst.

Personne qui découpe. **Fém.** Machine à découper. ⌛ Fin XIIIe s. ; ☞ *découper* ; [dekupœʀ, øz].

**DÉCOUPLAGE,** subst. m.

*Techn.* Action de découpler ; son résultat. ⌛ Mil. XXe s. ; ☞ *couplage* + *dé-*2 ; [dekuplaʒ].

**DÉCOUPLE,** subst. m.

*Vén.* Action de découpler les chiens : *Faire sonner le découple.* ⌛ 1561 ; ☞ *découpler* ; var. *découplé*, *découpler* ; [dekupl].

**DÉCOUPLÉ, ÉE,** adj.

**1.** *Vén.* Détaché de sa couple, de sa laisse. **2.** Fig. Qui fait preuve d'aisance dans ses mouvements (vieilli) ; par ext. : *Bien découplé*, vigoureux, bien proportionné, en parlant d'une personne, de son corps. ⌛ XIIIe s. ; p. p. de *découpler* ; [dekuple].

**DÉCOUPLER,** verbe trans. [3]

**1.** *Vén.* Ôter la couple à (des chiens de chasse). **2.** *Techn.* Séparer (deux éléments, deux machines qui fonctionnent ensemble). ⌛ Fin XIIe s. ; ☞ *coupler* + *dé-*2 ; [dekuple].

**DÉCOUPOIR,** subst. m.

*Techn.* Instrument, outil servant à découper. ⌛ Mil. XVIIIe s. ; ☞ *découper* ; [dekupwaʀ].

**DÉCOUPURE,** subst. f.

**1.** Action de découper du tissu, du papier. **2.** Contour, forme de ce qui est découpé : *Les découpures de la pierre.* ▸ *Géogr.* Saillant ou entaille d'une côte. ⌛ 1379 ; ☞ *découper* ; [dekupyʀ].

**DÉCOURAGEANT, ANTE,** adj.

Qui décourage : *Expérience, personne décourageante.* ⌛ 1763 ; p. pr. de *décourager* ; [dekuʀaʒɑ̃, ɑ̃t].

**DÉCOURAGEMENT,** subst. m.

Perte d'ardeur, de force morale ; état d'abattement qui en résulte : *Sombrer dans le découragement.* ⌛ Fin XIIe s. ; ☞ *décourager* ; [dekuʀaʒmɑ̃].

**DÉCOURAGER,** verbe trans. [5]

**1.** Briser, affaiblir l'ardeur, l'énergie de. **2.** Amener (qqn) à renoncer à ses désirs, à ses projets : *Ils le découragèrent de travailler.* **3.** Empêcher, contrarier : *Décourager la vocation d'un enfant.* **Pronom.** Perdre courage. ⌛ Mil. XIIe s. ; ☞ *courage* + *dé-*2 ; [dekuʀaʒe].

**DÉCOURONNEMENT,** subst. m.

Action de découronner ; son résultat. ⌛ 1636 ; ☞ *découronner* ; [dekuʀɔnmɑ̃].

**DÉCOURONNER,** verbe trans. [3]

**1.** Priver (un souverain) de sa couronne ; par ext., déposséder de ses prérogatives. **2.** Anal. Ôter ce qui entoure la partie supérieure de (qqch.) : *Le chêne a été découronné par la tempête.* ⌛ Fin XIIe s. ; ☞ *couronner* + *dé-*2 ; [dekuʀɔne].

**DÉCOURS,** subst. m.

**1.** *Astron.* Temps écoulé entre la pleine Lune et la nouvelle Lune. **2.** *Méd.* Période pendant laquelle une maladie décline. ⌛ XIIe s. ; lat. *decursus*, « descente rapide » ; [dekuʀ].

**DÉCOUSU, UE,** adj. et subst. m.

**Adj.** **1.** Dont la couture est défaite. **2.** Fig. Sans suite logique, sans liaison : *Des idées décousues.* **Subst.** Ce qui manque de lien logique, de cohérence (rare) : *Il regrettait un peu tard le décousu de sa vie.* ⌛ XIIIe s. ; p. p. de *découdre* ; [dekuzy].

**DÉCOUSURE,** subst. f.

*Vén.* Blessure faite à un chien par les défenses du sanglier ou les andouillers du cerf. ⌛ 1611 ; ☞ *découdre* ; [dekuzyʀ].

**DÉCOUVERT, ERTE,** adj. et subst. m.

**Adj.** **1.** Qui n'est pas couvert : *Tête découverte*, nue. ▸ *Terrain découvert* : peu ou pas boisé. **2.** Loc. *À visage découvert* : sans masque ou, au fig., avec franchise. **Subst.** **1.** Terrain dépourvu d'arbres ou revêtu d'une végétation derrière laquelle on ne peut pas se cacher. **2.** Loc. **À découvert.** ▸ En terrain nu ; sans protection : *Attaquer à découvert.* ▸ Non couvert, à nu : *La marée a laissé la plage à découvert.* ▸ Sans rien dissimuler : *Agir à découvert.* ▸ *Fin.* *Être à découvert* : avoir un compte débiteur ; *Vendre des valeurs à découvert* : les vendre à terme sans les posséder. ⌛ XIIe s. ; p. p. de *découvrir* ; [dekuvɛʀ, ɛʀt].

**DÉCOUVERTE,** subst. f.

**1.** Action de découvrir ce qui était inconnu, dissimulé ; son résultat : *Découverte d'un pays* ; *Découverte d'un secret.* **2.** Fait de prendre conscience d'une réalité : *La découverte de son égoïsme nous surprit.* **3.** Méton. Ce qui a été trouvé, inventé : *Ce vaccin est une grande découverte* ; par ext. : *Ce chanteur est la découverte de l'année.* **4.** *Théâtre* et *Cin.* Espace entre deux décors laissant apparaître les coulisses ou les cintres ; par méton., l'élément de décor utilisé pour masquer cette échappée. ⌛ 1209 ; p. p. de *découvrir* ; [dekuvɛʀt].

**DÉCOUVERTURE,** subst. f.

Enlèvement des roches inexploitables recouvrant un gisement, pour permettre de l'exploiter à ciel ouvert (synon. *décapage*). ⌛ 1863 ; ☞ *découvrir*, d'apr. *couverture* ; [dekuvɛʀtyʀ].

**DÉCOUVREUR, EUSE,** subst.

Personne qui découvre, qui a fait une découverte. ⌛ XVIe s. (XIIIe s., éclaireur) ; ☞ *découvrir* ; [dekuvʀœʀ, øz].

**DÉCOUVRIR,** verbe trans. [27]

**I.** **1.** Dégarnir de ce qui couvre : *Découvrir un plat, une casserole* ; *Découvrir une voiture*, la décapoter. **2.** Montrer ; laisser voir : *Robe qui découvre les épaules.* **3.** Dégarnir de ce qui protège : *Cette manœuvre va découvrir l'infanterie.* **II.** **1.** Faire connaître, révéler (ce qui était caché) : *Découvrir ses plans* ; *Découvrir son cœur*, dévoiler ses sentiments. **2.** Commencer d'apercevoir ; voir subitement : *Découvrir un visage connu dans la foule* ; apercevoir (d'un lieu gén. élevé) : *Du haut de cette montagne, on découvre un lac.* **3.** Trouver (ce qui était inconnu, ignoré, caché) : *Découvrir une source, un virus.* **4.** Réussir à connaître (ce qui était tenu caché, qqn qui se cachait) : *Découvrir un complot, son auteur.* **Pronom.** **1.** Ôter ce dont on est couvert (couverture, vêtement, etc.) ; ôter sa coiffure, son chapeau. **2.** Devenir plus clair, moins nuageux, en parlant du ciel, du temps. **3.** S'exposer à une action violente. **4.** Faire connaître sa pensée. ⌛ Déb. XIIe s. ; bas lat. *discooperire* ; [dekuvʀiʀ].

**DÉCRASSAGE,** subst. m.

Action de décrasser ; son résultat. ⌛ 1900 ; ☞ *décrasser* ; [dekʀasaʒ].

**DÉCRASSEMENT,** subst. m.

Décrassage. ⌛ Fin XVIIIe s. ; ☞ *décrasser* ; [dekʀasmɑ̃].

**DÉCRASSER,** verbe trans. [3]

**1.** Débarrasser de sa crasse ; nettoyer : *Décrasser du linge*, lui ôter le plus gros de sa saleté avec une première eau. **2.** Fig. Débarrasser (qqn) de son ignorance, de ses manières grossières. 1476 ; ☞ *crasse* + *dé-*[2] ; [dekʀase].

**DÉCRÉMENT, subst. m.**
*Math.* et *Informat.* Quantité dont une grandeur ou une variable diminue à chaque étape d'une évolution. 1899 ; prob. angl. *decrement*, du lat. *decrementum*, de *decrescere*, « décroître » ; [dekʀemɑ̃].

**DÉCRÊPAGE, subst. m.**
Action de décrêper ; son résultat. V. 1960 ; ☞ *décrêper* ; [dekʀɛpaʒ].

**DÉCRÊPER, verbe trans. [3]**
Rendre lisse (des cheveux crêpés ou crépus). 1842 ; ☞ *crêper* + *dé-*[2] ; [dekʀepe].

**DÉCRÉPIR, verbe trans. [19]**
Ôter le crépi de : ***Décrépir** une façade* ; empl. adj. : *Un mur **décrépi**.* **Pronom.** Perdre son crépi. 1857 ; ☞ *crépir* + *dé-*[2] ; [dekʀepiʀ].

**DÉCRÉPIT, ITE, adj.**
Qui est atteint par la décrépitude, par une grande dégradation physique ; par ext. : *Un manoir **décrépit**.* Fin XIIe s. ; lat. *decrepitus* ; [dekʀepi, it].

**DÉCRÉPITER, verbe trans. [3]**
*Chim.* Brûler (du sel) jusqu'à ce que son grésillement disparaisse (vieilli). 1660 ; ☞ *crépiter* + *dé-*[2] ; [dekʀepite].

**DÉCRÉPITUDE, subst. f.**
Déchéance physique due, en gén., à une extrême vieillesse ; au fig. : *La **décrépitude** d'un pays*, sa décadence. XIVe s. ; ☞ *décrépit* ; [dekʀepityd].

**DÉCRESCENDO, adv. et subst. m.**
*Mus.* **Adv.** En diminuant progressivement l'intensité des sons. **Subst.** Passage exécuté de cette manière. 1837 ; ital. *decrescendo* ; var. *decrescendo*, plur. du subst. *decrescendo(s)* ; [dekʀeʃɛndo].

**DÉCRET, subst. m.**
**1.** *Dr.* ▸ *Relig.* Décision de l'autorité ecclésiastique. ▸ Acte à portée collective ou individuelle émanant du pouvoir exécutif. **2.** Décision qui semble émaner d'une autorité supérieure (littér.) : *Les **décrets** de la Providence.* Fin XIIe s. ; lat. jur. *decretum* ; [dekʀɛ].

**DÉCRÉTALE, subst. f.**
*Hist.* Lettre du pape, à caractère canonique, en réponse à des consultations, faisant connaître une décision de portée générale. **Plur.** Recueil de ces lettres : *Les **Décrétales** de Grégoire IX.* Mil. XIIIe s. ; lat. jur. *decretalis*, « ordonné par décret » ; [dekʀetal].

**DÉCRÉTER, verbe trans. [8]**
**1.** Ordonner, régler par décret : ***Décréter** l'état de siège.* **2.** Déclarer, décider avec autorité. 1382 ; ☞ *décret* ; [dekʀete].

**DÉCRET-LOI, subst. m.**
*Dr.* Décret qui avait force de loi, sous la troisième et la quatrième République (auj. *ordonnance*). 1924 ; comp. de *décret* et de *loi* ; plur. *décrets-lois* ; [dekʀɛlwa].

**DÉCREUSAGE, subst. m.**
Action de décreuser ; son résultat. 1791 ; ☞ *décreuser* ; var. *décruage*, *décrusage* ; [dekʀøzaʒ].

**DÉCREUSER, verbe trans. [3]**
*Text.* Lessiver (un fil textile brut) ; en partic, faire perdre son grès à (une soie grège). 1669 ; prov. *descrusa*, de *cru*, « non préparé » ; var. *décruer*, *décruser* ; [dekʀøze].

**DÉCRI, subst. m.**
Perte de réputation, d'estime (littér.). Fin XVe s. ; ☞ *décrier* ; [dekʀi].

**DÉCRIER, verbe trans. [6]**
Critiquer (qqch.) ; attaquer (qqn) dans sa réputation (littér.). Fin XVe s. (XIIIe s., annoncer la dépréciation ou la disparition d'une monnaie) ; ☞ *crier* + *dé-*[1] ; [dekʀije].

**DÉCRIRE, verbe trans. [67]**
**1.** Représenter, énoncer, oralement ou par écrit, les caractéristiques de. **2.** Tracer, suivre (une ligne courbe) : *Astre qui **décrit** une ellipse.* 1119 ; lat. *describere*, d'apr. *écrire* ; [dekʀiʀ].

**DÉCRISPATION, subst. f.**
Action de décrisper ; état qui en résulte : ***Décrispation** d'un visage, d'un climat social ou politique.* 1946 ; ☞ *crispation* + *dé-*[2] ; [dekʀispasjɔ̃].

**DÉCRISPER, verbe trans. [3]**
**1.** Décontracter (des muscles, une partie du corps). **2.** Fig. Atténuer (les tensions qui existent dans un groupe), apaiser : ***Décrisper** des rapports sociaux* ; empl. pronom. : *La situation internationale se **décrispe**.* 1926 ; ☞ *crisper* + *dé-*[2] ; [dekʀispe].

**DÉCROCHAGE, subst. m.**
**1.** Action de décrocher ; son résultat : ***Décrochage** des tableaux, dans une exposition.* **2.** *Spéc.* ▸ *Aéron.* Diminution brusque de la portance. ▸ *Milit.* Repli d'une troupe qui met fin à l'engagement avec l'ennemi. ▸ *Télécomm.* Passage d'un émetteur à un autre. Fin XIXe s. ; ☞ *décrocher* ; [dekʀɔʃaʒ].

**DÉCROCHEMENT, subst. m.**
**1.** Action de se décrocher ; fait d'être décroché : ***Décrochement** de la mâchoire.* **2.** *Spéc.* ▸ *Archit.* Retrait par rapport à un alignement : ***Décrochement** d'une façade* ; *En **décrochement**,* en retrait. ▸ *Géol.* Déplacement horizontal d'un bloc de l'écorce terrestre, le long d'une faille verticale ; cette faille. 1635 ; ☞ *décrocher* ; [dekʀɔʃmɑ̃].

**DÉCROCHER, verbe [3]**
**Trans. 1.** Détacher (une chose qui était accrochée) : ***Décrocher** les rideaux, les wagons* ; ***Décrocher** le combiné du téléphone* ; *Bâiller à s'en **décrocher** la mâchoire.* **2.** Fig. et Fam. Obtenir : ***Décrocher** un emploi.* ▸ Loc. ***Décrocher** la lune* : faire l'impossible ; ***Décrocher** la timbale, le coquetier* : obtenir un succès. **Intrans. 1.** *Milit.* Mettre fin à un engagement, se replier ; par anal., abandonner, renoncer à poursuivre une action (fam.) : *Le film m'ennuyait, j'ai **décroché*** ; *Ce cycliste a **décroché** du peloton* ; ***Décrocher** de la drogue*, s'en détacher. **2.** *Aéron.* Perdre brutalement de l'altitude en raison d'une chute de portance. XIIIe s. ; ☞ *croc* + *dé-*[2] ; [dekʀɔʃe].

**DÉCROCHEZ-MOI-ÇA, subst. m. inv.**
Friperie (fam.) : *Se refaire une garde-robe au **décrochez-moi-ça**.* 1842 ; comp. de *décrocher*, de *moi*, et de *ça* ; [dekʀɔʃemwasa].

**DÉCROISER, verbe trans. [3]**
Cesser de croiser ; défaire (ce qui est croisé) : ***Décroiser** les jambes.* 1548 ; ☞ *croiser* + *dé-*[2] ; [dekʀwaze].

**DÉCROISSANCE, subst. f.**
État de ce qui décroît ; diminution : *La **décroissance** de la mortalité.* Mil. XIIIe s. ; ☞ *croissance* + *dé-*[2] ; [dekʀwasɑ̃s].

**DÉCROISSANT, ANTE, adj.**
Qui décroît : *Rythme **décroissant*** ; *Par ordre **décroissant**.* ▸ *Math.* Se dit d'une application $f$ de E dans F (ensembles ordonnés), telle que $x \leqslant y$ dans E, entraîne $f(y) \leqslant f(x)$ dans F. ▸ *Suite **décroissante** $(a_n)$* : telle que $a_{n+1} \leqslant a_n$ pour tout entier $n \geqslant 0$. 1276 ; p. pr. de *décroître* ; [dekʀwasɑ̃, ɑ̃t].

**DÉCROÎT, subst. m.**
*Astron.* Phase pendant laquelle la Lune entre dans son dernier quartier. 1583 (fin XIIe s., décadence) ; ☞ *décroître* ; [dekʀwɑ].

**DÉCROÎTRE, verbe intrans. [72]**
Diminuer graduellement ; perdre en volume ou en intensité : *La réserve **décroît** rapidement* ; *Les jours **décroissent*** ; ***Décroître** en nombre.* Déb. XIIe s. ; ☞ *croître* + *dé-*[2] ; [dekʀwɑtʀ].

**DÉCROTTAGE, subst. m.**
Action de décrotter ; son résultat. 1845 ; ☞ *décrotter* ; [dekʀɔtaʒ].

**DÉCROTTER, verbe trans. [3]**
**1.** Nettoyer (qqch.) en enlevant la boue : ***Décrotter** des souliers, un habit.* **2.** Fig. et Fam. Instruire (un rustre). Déb. XIIIe s. ; ☞ *crotte* + *dé-*[2] ; [dekʀɔte].

**DÉCROTTEUR, subst. m.**
*Agric.* Machine utilisée pour ôter la terre adhérant aux racines, aux tubercules. Déb. XVIIe s. (1534, celui qui dit rapidement) ; ☞ *décrotter* ; [dekʀɔtœʀ].

**DÉCROTTOIR, subst. m.**
Lame de métal fixée à l'entrée d'une maison, servant à racler la boue des chaussures avant d'entrer. 1829 (XVIe s., brosse) ; ☞ *décrotter* ; [dekʀɔtwaʀ].

**DÉCRUAGE,** voir **DÉCREUSAGE**

**DÉCRUE, subst. f.**
*Hydrol.* Baisse du niveau d'un cours d'eau après une crue ; ampleur de cette baisse. XVIe s. ; p. p. de *décroître* ; [dekʀy].

**DÉCRUER,** voir **DÉCREUSER**

**DÉCRUSAGE,** voir **DÉCREUSAGE**

**DÉCRUSER,** voir **DÉCREUSER**

**DÉCRYPTAGE, subst. m.**
Action de décrypter, de décoder (synon. *décryptement*). V. 1960 ; ☞ *décrypter* ; [dekʀiptaʒ].

**DÉCRYPTER, verbe trans. [3]**
**1.** Mettre au clair (un texte, un message chiffré), décoder. **2.** Découvrir le sens caché de (qqch.) : ***Décrypter** une attitude.* 1929 ; gr. *kruptos*, « caché », + *dé-*[2] ; [dekʀipte].

**DÉÇU, UE, adj.**
**1.** Qui éprouve une déception : *Être **déçu** par qqn ou qqch., de qqch.* ; empl. subst. : *Les **déçus** de la politique.* **2.** Qui ne s'est pas réalisé, concrétisé : *Un espoir **déçu**.* XIVe s. ; p. p. de *décevoir* ; [desy].

**DÉCUBITUS, subst. m.**
*Méd.* et *Vétér.* Posture du corps lorsqu'il est couché : ***Décubitus** dorsal, latéral...* 1747 ; lat. méd. *decubitus*, du lat. *decumbere*, « se coucher » ; [dekybitys].

**DÉCUIVRER, verbe trans. [3]**
*Techn.* Débarrasser (un objet) de sa couche de cuivre par dissolution chimique ou électrolyse. Mil. XXe s. ; ☞ *cuivre* + *dé-*[2] ; [dekɥivʀe].

**DE CUJUS, subst. m. inv.**
*Dr.* Défunt dont la succession est ouverte. XVIIIe s. ; lat. *de cujus successione agitur*, « celui de la succession de qui il s'agit » ; [dekyʒys] ou [-kujus].

**DÉCULASSER, verbe trans. [3]**
Enlever la culasse de (une arme à feu). Mil. XIXe s. ; ☞ *culasse* + *dé-*[2] ; [dekylase].

**DÉCULOTTÉE, subst. f.**
Défaite sévère (fam.) : *Prendre une **déculottée**.* 1906 ; p. p. de *déculotter* (I) ; [dekylɔte].

**DÉCULOTTER (I), verbe trans. [3]**
Enlever la culotte, le pantalon de (qqn). **Pronom. 1.** Enlever sa culotte, son pantalon. **2.** Fig. Faire preuve de lâcheté ou de servilité (fam.). 1739 ; ☞ *culotte* + *dé-*[2] ; [dekylɔte].

**DÉCULOTTER (II), verbe trans. [3]**
***Déculotter** une pipe* : enlever le dépôt noir, le culot, qui se forme dans son fourneau. 1850 ; ☞ *culotter* (II) + *dé-*[2] ; [dekylɔte].

**DÉCULPABILISATION, subst. f.**
Action de déculpabiliser ; son résultat. V. 1970 ; ☞ *déculpabiliser* ; [dekylpabilizasjɔ̃].

**DÉCULPABILISER, verbe trans. [3]**
Délivrer (qqn) d'un sentiment de culpabilité. Mil. XXe s. ; ☞ *culpabiliser* + *dé-*[2] ; [dekylpabilize].

**DÉCULTURATION, subst. f.**
*Anthropol.* Perte de l'identité culturelle d'un groupe. V. 1960 ; ☞ *culture* + *dé-*[2], d'apr. *acculturation* ; [dekyltyʀasjɔ̃].

**DÉCUPLE, adj. et subst. m.**
**Adj.** Qui vaut dix fois autant. **Subst.** Valeur dix fois supérieure : *Mille est le **décuple** de cent.* 1350 ; bas lat. *decuplus* ; [dekypl].

**DÉCUPLEMENT, subst. m.**
Action de décupler ; son résultat. XIXe s. ; ☞ *décupler* ; [dekypləmɑ̃].

**DÉCUPLER, verbe [3]**
**Trans. 1.** Multiplier par dix. **2.** Ext. Accroître considérablement : *Son discours a **décuplé** l'ardeur des militants.* **Intrans.** Être multiplié par dix. 1584 ; ☞ *décuple* ; [dekyple].

**DÉCURION, subst. m.**
*Antiq. rom.* Chef d'un groupe de dix soldats (décurie) ; magistrat municipal à Rome ou dans les provinces romaines. 1213 ; lat. *decurio* ; [dekyʀjɔ̃].

**DÉCURRENT, ENTE, adj.**
*Bot.* Se dit d'un organe qui se confond avec la tige à laquelle il se rattache (lamelle de champignon, feuille...). 1786 ; lat. *decurrens*, de *decurrere*, « parcourir d'un bout à l'autre un espace » ; [dekyʀɑ̃, ɑ̃t].

**DÉCUSCUTEUSE, subst. f.**
*Agric.* Trieur séparant les graines de cuscute de la semence. 1911 ; ☞ *cuscute* + *dé-*[2] ; [dekyskytøz].

**DÉCUSSÉ, ÉE, adj.**
*Bot.* Se dit des feuilles disposées en paires se coupant à angle droit. 1812 ; lat. *decussatus*, « croisé en forme de *x* » ; [dekyse].

**DÉCUVAGE, subst. m.**
Action de décuver ; son résultat. 1785 ; ☞ *décuver* ; synon. *la décuvaison* ; [dekyvaʒ].

**DÉCUVER, verbe trans. [3]**
Retirer (le vin) de la cuve après fermentation. 1611 ; ☞ *cuve* + *dé-*[2] ; [dekyve].

**DÉDAIGNABLE, adj.**
Qui vaut d'être dédaigné : *Une somme non **dédaignable**.* 1588 (fin XIIIe s., qui témoigne du mépris) ; ☞ *dédaigner* ; empl. surtout dans des tournures négatives ; [dedɛɲabl].

**DÉDAIGNER, verbe trans. [3]**
**Trans. dir. 1.** Traiter avec dédain : *Il **dédaigne** ses adversaires.* **2.** Refuser avec mépris : ***Dédaigner** les*

honneurs ; par affaiblissement : *Il ne **dédaigne** pas les plaisirs de la table.* TRANS. INDIR. **Dédaigner de** (+ inf.). Ne pas daigner : ***Dédaigner** de s'expliquer.* XII<sup></sup>e s. ; ☞ *daigner* + *dé-*² ; [dedeɲe].

**DÉDAIGNEUSEMENT, adv.**
De manière dédaigneuse, avec dédain. 1220 ; ☞ *dédaigneux* ; [dedɛɲøzmɑ̃].

**DÉDAIGNEUX, EUSE, adj.**
Qui montre du dédain ; qui exprime le dédain : *Une moue **dédaigneuse*** ; empl. subst. : *Faire le **dédaigneux**.* Fin XIIe s. ; ☞ *dédaigner* ; [dedɛɲø, øz].

**DÉDAIN, subst. m.**
Indifférence hautaine, mépris : *Avoir du **dédain** pour l'argent.* XIIe s. ; ☞ *dédaigner* ; [dedɛ̃].

**DÉDALE, subst. m.**
**1.** Lieu aux détours si compliqués que l'on risque de s'y perdre, labyrinthe : *Le **dédale** des rues de la médina.* **2.** Fig. Ensemble de choses complexes : *Le **dédale** d'une procédure.* 1543 ; *Dédale*, architecte du labyrinthe de Cnossos, dans la mythologie grecque ; [dedal].

**DÉDALÉEN, ÉENNE, adj.**
Semblable à un dédale, inextricable (littér.). 1832 ; ☞ *dédale* ; [dedaleɛ̃, eɛn].

**DEDANS, prép., adv. et subst. m.**
PRÉP. Dans, à l'intérieur de (vieilli et littér. ; subsiste surtout dans des loc.) : *Je lis **dedans** son âme et vois ce qui le presse* (Molière). ADV. **1.** À l'intérieur : *J'ai trouvé le dossier, mais notre rapport n'est pas **dedans** !* ► Fam. *Mettre qqn **dedans*** : l'emprisonner ou, au fig., le duper ; *Il va lui rentrer **dedans*** : le frapper. **2.** Loc. ► **Au-dedans.** À l'intérieur : *Les clés sont restées au-**dedans**.* ► **En dedans.** À, vers l'intérieur : *Entrez, nous serons mieux en **dedans*** ; *Il a les pieds en **dedans*** ; *Il riait en **dedans**,* en lui-même. ► **Là-dedans.** Dans ce lieu : *Qu'y a-t-il là-**dedans** ?* ; au fig., en cela : *Je ne vois rien là-**dedans** d'intéressant.* ► **De dedans.** De l'intérieur : *La chaleur semble insupportable quand on vient de **dedans**.* ► **Par-dedans.** Par l'intérieur : *Il est passé par-**dedans**.* **3.** Loc. prép. *Au-**dedans** de, en **dedans** de* : à l'intérieur de ; *De **dedans*** : de l'intérieur de ; *Par-**dedans*** : par l'intérieur de. SUBST. **1.** L'intérieur de qqch. : *Le **dedans** de ce coffret est encore plus beau que le dehors.* **2.** Fig. L'âme, l'esprit, par opposition au corps : *Le **dedans** de cet homme est tout autre qu'on pourrait l'imaginer.* XIe s. ; formé de *de* (I) et de *dans* ; [dədɑ̃].

**DÉDICACE, subst. f.**
**1.** *Liturg.* Consécration, par l'évêque, d'un édifice au culte divin ; action de le placer sous l'invocation d'un saint. **2.** Consécration d'un monument à un personnage ; par ext., inscription qui en témoigne. **3.** Action de dédier une œuvre à qqn par une inscription en tête de l'ouvrage ; cette inscription elle-même ; autographe sur un livre, une photo, un disque... Fin XIIe s. ; lat. *dedicatio*, « consécration, inauguration (d'un lieu) » ; [dedikas].

**DÉDICACER, verbe trans.** [4]
**1.** Dédier (une œuvre) à qqn en écrivant une dédicace. **2.** Inscrire une dédicace sur ; empl. adj. : *Photo **dédicacée**.* XVe s. ; ☞ *dédicace* ; [dedikase].

**DÉDICATAIRE, subst.**
Personne à qui une œuvre est dédicacée. 1890 ; lat. *dedicatum*, de *dedicare*, « consacrer, dédier » ; [dedikatɛʀ].

**DÉDICATOIRE, adj.**
Qui contient, exprime une dédicace : *Épître **dédicatoire**.* 1542 ; lat. *dedicatum*, de *dedicare*, « consacrer, dédier » ; [dedikatwaʀ].

**DÉDIER, verbe trans.** [6]
**1.** Consacrer (un édifice) au culte divin ; placer sous l'invocation d'un saint : *Une chapelle **dédiée** à sainte Rita.* **2.** Faire hommage de (une œuvre) à qqn par une dédicace imprimée : *Son premier roman **était dédié** à ses parents* ; par ext., offrir en hommage : ***Dédier** un évènement à qqn, à qqch.* **3.** Consacrer : ***Dédier** sa vie à Dieu, à un combat...* Déb. XIIe s. ; lat. *dedicare* ; [dedje].

**DÉDIFFÉRENCIATION, subst. f.**
**1.** *Biol.* Perte des caractères qui marquaient la spécificité d'une cellule ou d'un tissu. **2.** *Philos.* Simplification par suppression des différences. 1922 ; ☞ *différenciation* + *dé-*² ; [dediferɑ̃sjasjɔ̃].

**DÉDIFFÉRENCIER (SE), verbe pronom.** [6]
*Biol.* Subir une dédifférenciation. V. 1920 ; ☞ *différencier* + *dé-*² ; [dediferɑ̃sje].

**DÉDIRE, verbe trans.** [65]
Vx. Contredire, démentir (qqn). PRONOM. Se rétracter, revenir sur ce que l'on a dit ; ne pas honorer (un engagement) : *Se **dédire** d'une promesse.* ► Loc. *Cochon qui s'en **dédit*** : formule plaisante prononcée à la conclusion d'un accord, d'un contrat (fam.). Mil. XIIe s. ; ☞ *dire* (I) + *dé-*² ; [dediʀ].

**DÉDIT, subst. m.**
**1.** Action de se dédire (rare). **2.** *Dr.* Faculté de ne pas exécuter un contrat moyennant une indemnité ; par méton., cette indemnité. Fin XIIe s. ; p. p. de *dédire* ; [dedi].

**DÉDOMMAGEMENT, subst. m.**
**1.** Réparation d'un dommage : *Obtenir un **dédommagement*** ; *Recevoir une somme en, au titre de **dédommagement**.* **2.** Fig. Compensation d'un préjudice moral (littér.). 1309 ; ☞ *dédommager* ; [dedɔmaʒmɑ̃].

**DÉDOMMAGER, verbe trans.** [5]
**1.** Indemniser (qqn) d'un dommage : *Les victimes **seront dédommagées**.* **2.** Fig. Offrir une compensation à (qqn) en réparation d'un préjudice moral, d'une contrainte : *Le succès l'**a dédommagé** de ses sacrifices.* 1262 ; ☞ *dommage* + *dé-*² ; [dedɔmaʒe].

**DÉDORAGE, subst. m.**
*Techn.* Action de dédorer ; son résultat. 1870 ; ☞ *dédorer* ; [dedɔʀaʒ].

**DÉDORER, verbe trans.** [3]
Débarrasser (un objet) de sa dorure ; empl. pronom. : *Cette médaille en plaqué **se dédore**.* Déb. XIVe s. ; ☞ *dorer* + *dé-*² ; [dedɔʀe].

**DÉDOUANEMENT, subst. m.**
Action de dédouaner ; son résultat. 1900 ; ☞ *dédouaner* ; [dedwanmɑ̃].

**DÉDOUANER, verbe trans.** [3]
**1.** Libérer (une marchandise) des droits de douane. **2.** Fig. Lever la suspicion qui pèse sur (qqn), blanchir (fam.) ; empl. pronom., dégager sa responsabilité dans une affaire embarrassante. 1835 ; ☞ *douane* + *dé-*² ; [dedwane].

**DÉDOUBLAGE, subst. m.**
**1.** *Cout.* Action d'enlever une doublure à un vêtement. **2.** *Techn.* Opération consistant à abaisser le degré d'un alcool en lui ajoutant de l'eau. 1845 ; ☞ *dédoubler* ; [dedublaʒ].

**DÉDOUBLEMENT, subst. m.**
Action de dédoubler, de se dédoubler ; résultat de cette action. ► *Psych.* ***Dédoublement** de la personnalité* : trouble qui a pour conséquence de faire cohabiter deux personnalités, dont une est pathologique, chez un même sujet. Mil. XVIIIe s. ; ☞ *dédoubler* ; [dedubləmɑ̃].

**DÉDOUBLER, verbe trans.** [3]
**1.** Déplier (ce qui était plié en deux). **2.** Partager (un tout) en deux parties : ***Dédoubler** un régiment* ; ***Dédoubler** un train*, en faire partir deux au lieu de un. **3.** *Spéc.* ► *Cout.* Enlever la doublure de (un vêtement). ► *Techn.* Ajouter de l'eau dans (un alcool) pour abaisser son degré. PRONOM. Avoir le don d'ubiquité (fam.) ; se séparer en deux épaisseurs : *Mes ongles **se dédoublent**.* 1429 ; ☞ *doubler* + *dé-* ; [deduble].

**DÉDRAMATISER, verbe trans.** [3]
Ôter son caractère dramatique à (un évènement). V. 1960 ; ☞ *dramatiser* + *dé-*² ; [dedʀamatize].

**DÉDUCTIBILITÉ, subst. f.**
Caractère de ce qui est déductible : ***Déductibilité** de charges.* 1943 ; ☞ *déductible* ; [dedyktibilite].

**DÉDUCTIBLE, adj.**
*Fin.* Qui peut être déduit d'un revenu ou d'un bénéfice. 1931 ; lat. *deductum*, de *deducere*, « soustraire » ; [dedyktibl].

**DÉDUCTIF, IVE, adj.**
*Log.* Qui constitue une déduction : *Proposition **déductive*** ; qui procède par déduction : *Système **déductif*** (anton. *inductif*). 1842 ; lat. *deductum*, de *deducere*, « emmener » ; [dedyktif, iv].

**DÉDUCTION, subst. f.**
**1.** Soustraction méthodique d'une quantité à une autre. ► ***Déduction** fiscale* : somme déduite du revenu imposable. **2.** *Log.* Opération par laquelle on infère d'une ou de plusieurs prémisses une proposition nouvelle qui en est la conséquence logique : *Le syllogisme est une des formes possibles de la **déduction*** ; par ext., conclusion tirée d'un évènement : *Une **déduction** fausse.* **3.** *Philos.* ***Déduction** transcendantale* : principe qui, chez Kant, justifie l'application de concepts a priori aux objets de l'entendement. 1355 ; lat. *deductio*, « action d'emmener » ; [dedyksjɔ̃].

**DÉDUIRE, verbe trans.** [69]
**1.** Retrancher (une certaine partie) d'une somme totale : ***Déduire** ses frais de ses revenus.* **2.** *Log.* Trouver, aboutir à (qqch.) par déduction logique : ***Déduire** la conclusion d'un théorème à partir de son hypothèse* ; par ext., tirer une conclusion de (un ou plusieurs faits) : *J'en **déduis** que vous mentez.* 1363 (mil. XIe s., mener) ; lat. *deducere*, « emmener ; faire descendre ; soustraire ; détourner de » ; [dedɥiʀ].

**DÉDUIT, subst. m.**
Divertissement, en partic. plaisirs de l'amour (vx). Mil. XIIe s. ; *déduire* (vx), « se réjouir, s'amuser » ; [dedɥi].

**DÉESSE, subst. f.**
**1.** Divinité féminine : *La **déesse** de l'amour était Aphrodite pour les Grecs et Vénus pour les Latins.* ► Loc. *Allure de **déesse*** : majestueuse ; *Un corps de **déesse*** : harmonieux, parfait. **2.** Allégorie féminine : *La **déesse** Raison.* Mil. XIIe s. ; lat. *dea* ; [deɛs].

*La **déesse** hindoue Kali (bronze, XVe s.). Musée national, Madras.*

**DE FACTO, loc. adv.**
*Dr.* De fait (anton. *de jure*) ; par un fait accompli : *Reconnaissance **de facto** d'un gouvernement.* 1870 ; loc. lat. ; [defakto].

**DÉFAILLANCE, subst. f.**
**1.** Vx. État de ce qui fait défaut. **2.** Perte passagère de ses moyens physiques, de ses facultés intellectuelles, de sa volonté ; malaise : *Avoir une **défaillance**.* ► *Pathol.* Déficience fonctionnelle d'un organe : ***Défaillance** cardiaque.* **3.** Anal. Défaut de fonctionnement : ***Défaillance** mécanique.* ► Incapacité à remplir une fonction : ***Défaillance** de l'État.* **4.** *Dr.* Non-exécution d'un engagement au terme fixé. Fin XIIe s. ; ☞ *défaillir* ; [defajɑ̃s].

**DÉFAILLANT, ANTE, adj.**
Qui fait défaut : *Un témoin **défaillant*** ; qui présente une défaillance. 1130 ; p. pr. de *défaillir* ; [defajɑ̃, ɑ̃t].

**DÉFAILLIR, verbe intrans.** [31]
**1.** Ressentir une faiblesse physique, se trouver mal : *Elle était pâle et **défaillait** presque.* **2.** S'affaiblir : *Ses forces **défaillent**.* **3.** Perdre sa volonté : *Accomplir son devoir sans **défaillir**.* Déb. XIIe s. (fin XIe s., faire défaut ; prendre fin) ; ☞ *faillir* + *dé-*¹ ; [defajiʀ].

**DÉFAIRE, verbe trans.** [57]
**1.** Détruire (ce qui a été fait, organisé, arrangé) : ***Défaire** un nœud, un mariage, une vitrine.* **2.** Modifier l'apparence, l'état physique ou mental de (qqn) ; épuiser : *La maladie **a défait** son visage.* **3.** Battre, vaincre (littér.) : *Roland **fut défait** à Roncevaux.* PRONOM. **1.** Être désorganisé, se modifier. **2. Se défaire de.** Se séparer de, abandonner : *Se **défaire** de ses vêtements, de sa fortune.* Fin XIe s. ; ☞ *faire* (I) + *dé-*² ; [defɛʀ].

**DÉFAIT, AITE, adj.**
**1.** Qui n'est plus fait ; dérangé : *Lit **défait**.* **2.** Qui a perdu contenance ; épuisé : *Mine **défaite**.* **3.** Qui a subi une défaite militaire, un échec. Fin XIIe s. ; p. p. de *défaire* ; [defɛ, ɛt].

**DÉFAITE, subst. f.**
**1.** Échec militaire ; perte d'une bataille, d'une guerre : *La **défaite** de Sedan.* **2.** Échec ; fait d'être battu : ***Défaite** sportive, électorale.* 1415 (XIIIe s., action de se défaire de qqch.) ; p. p. de *défaire* ; [defɛt].

**DÉFAITISME,** subst. m.
**1.** Tendance à ne croire qu'à la défaite comme issue d'un conflit, d'un combat. **2.** Fig. Tendance d'une personne à croire que ses projets sont voués à l'échec. 1918 ; ☞ *défaite* ; [defɛtism].

**DÉFAITISTE,** subst.
Personne qui fait preuve de défaitisme ; empl. adj. : *Discours **défaitiste**.* 1918 ; ☞ *défaite* ; [defɛtist].

**DÉFALCATION,** subst. f.
Action de défalquer ; déduction. 1307 ; lat. médiév. *defalcatio* ; [defalkasjɔ̃].

**DÉFALQUER,** verbe trans. [3]
Retrancher (une somme, une quantité) d'une autre ; déduire. 1384 ; lat. médiév. *defalcare*, prob. du lat. pop. °*falcare*, « faucher » ; [defalke].

**DÉFANANT,** subst. m.
*Agric.* Produit chimique utilisé pour détruire les fanes de pommes de terre. V. 1970 ; prob. dial. *défaner*, de *fane* ; [defanɑ̃].

**DÉFATIGANT, ANTE,** adj.
Qui délasse, détend : *Un massage **défatigant*** ; empl. subst. masc., onguent destiné à la décontraction musculaire. XIXe s. ; ☞ *défatiguer* ; [defatigɑ̃, ɑ̃t].

**DÉFATIGUER,** verbe trans. [3]
Soulager la fatigue de ; libérer d'une sensation de lassitude ; empl. pronom. : *Se **défatiguer** le dos.* 1836 ; ☞ *fatiguer* + *dé-*[2] ; [defatige].

**DÉFAUFILER,** verbe trans. [3]
*Cout.* Retirer le faufil de (un ouvrage). 1823 ; ☞ *faufiler* + *dé-*[2] ; [defofile].

**DÉFAUSSER (I) (SE),** verbe pronom. [3]
*Jeux.* Se débarrasser de (une carte que l'on juge inutile ou dangereuse à conserver) : *Se **défausser** du sept de pique* ; ***Se défausser** à carreau* ; au fig. : ***Se défausser** d'une situation embarrassante sur qqn.* 1792 ; ☞ *faux* (I) + *dé-*[2] ; [defose].

**DÉFAUSSER (II),** verbe trans. [3]
*Techn.* Redresser (ce qui a été faussé, tordu) : ***Défausser** une barre de fer.* 1845 ; ☞ *fausser* + *dé-*[2] ; [defose].

**DÉFAUT,** subst. m.
**I. 1.** Ce qui manque et qui serait nécessaire : ***Défaut** de volonté* ; ***Défaut** d'éclairage.* ► **Faire défaut.** Manquer : *La mémoire lui fait **défaut**.* ► Loc. prép. **À défaut de.** En l'absence de, faute de : *À **défaut** d'autre chose, je me contente de ce que j'ai.* **2.** Loc. **Par défaut.** ► *Math.* En prenant en compte une valeur inférieure à la valeur exacte : *Résultat approché par **défaut**.* ► *Dr.* Non-comparution d'une partie devant la justice : *Condamnation par **défaut**.* **3.** *Anat.* Endroit où se termine l'armature osseuse : *Le **défaut** des côtes* ; par anal. : *Le **défaut** de la cuirasse*, son point faible. **4.** *Vén.* *Chiens en **défaut*** : qui ont perdu la trace du gibier ; au fig. : *Être, prendre en **défaut***, en faute. **II.** Ce qui est imparfait ; imperfection technique, physique, morale : ***Défaut** de fabrication* ; ***Défaut** de prononciation* ; *Connaître ses qualités et ses **défauts*** ; *La curiosité est un vilain **défaut**.* XIIe s. ; prob. anc. fr. *defaute*, de *défaillir* ; [defo].

**DÉFAVEUR,** subst. f.
Discrédit, disgrâce : *S'attirer la **défaveur** du public.* XVe s. ; ☞ *faveur* + *dé-*[2] ; [defavœʀ].

**DÉFAVORABLE,** adj.
**1.** Qui n'est pas favorable : *Opinion, avis **défavorable**.* **2.** Qui peut avoir des conséquences malheureuses : *Conditions météorologiques **défavorables**.* 1468 ; ☞ *favorable* + *dé-*[2] ; [defavɔʀabl].

**DÉFAVORABLEMENT,** adv.
De manière défavorable : *Je suis **défavorablement** surpris.* 1752 ; ☞ *défavorable* ; [defavɔʀabləmɑ̃].

**DÉFAVORISÉ, ÉE,** adj.
Qui est désavantagé d'un point de vue social, économique, culturel : *Milieux **défavorisés*** ; empl. subst., personne **défavorisée** : *Aider les plus **défavorisés**.* P. p. de *défavoriser* ; [defavɔʀize].

**DÉFAVORISER,** verbe trans. [3]
Désavantager ; porter préjudice à. 1468 ; ☞ *favoriser* + *dé-*[2] ; [defavɔʀize].

**DÉFÉCATION,** subst. f.
**1.** *Chim.* Élimination des dépôts (impuretés, sédiments, etc.) d'un liquide. **2.** *Physiol.* Expulsion des fèces par l'anus. 1660 ; bas lat. *defaecatio*, « action de nettoyer, de purifier » ; [defekasjɔ̃].

**DÉFECTIF, IVE,** adj.
*Gramm.* Se dit d'un verbe inusité à certains temps, à certains modes ou à certaines personnes : *« Clore », « frire », « traire » sont des verbes **défectifs**.* 1629 (1314, défectueux) ; bas lat. *defectivus*, « défectueux, imparfait » ; [defɛktif, iv].

**DÉFECTION,** subst. f.
**1.** Action d'abandonner un combat, un parti : *La **défection** de pays alliés.* **2.** Ext. Fait de ne pas se rendre à une invitation, à une convocation. 1680 (XIIe s., défaut, défaillance) ; lat. *defectio* ; [defɛksjɔ̃].

**DÉFECTUEUX, EUSE,** adj.
Qui présente des défauts : *Une clé **défectueuse*** ; *Une logique **défectueuse**.* 1336 ; lat. médiév. *defectuosus*, du lat. *deficere*, « faire défaut » ; [defɛktɥø, øz].

**DÉFECTUOSITÉ,** subst. f.
État de ce qui est défectueux ; imperfection, malfaçon : *Ce tissu présente trop de **défectuosités**.* 1486 ; lat. scol. °*defectuositas* ; [defɛktɥozite].

**DÉFENDABLE,** adj.
Qui peut être défendu, en parlant d'une position militaire ; au fig. : *Thèse, argument peu **défendable**.* 1265 ; ☞ *défendre* ; [defɑ̃dabl].

**DÉFENDEUR, ERESSE,** subst.
*Dr.* Personne, partie contre laquelle est intentée une action en justice (anton. *demandeur*). XIIe s. ; ☞ *défendre* ; [defɑ̃dœʀ, (ə)ʀɛs].

**DÉFENDRE,** verbe trans. [51]
**1.** Protéger (qqn, qqch.) contre une attaque : ***Défendre** sa vie, son pays* ; *L'armée **défend** nos frontières.* ► Loc. *À son corps **défendant*** : malgré soi. **2.** Soutenir, plaider pour (qqn, qqch.) face aux attaques : ***Défendre** un accusé devant le tribunal* ; ***Défendre** un projet, ses idées, ses droits, son honneur.* **3.** Interdire : *Je vous **défends** d'entrer.* **Pronom. 1.** Résister à une attaque : *Il ne sait pas se **défendre**.* **2.** Nier (littér.) : *Il se **défend** d'être égoïste.* **3.** Se protéger : *Se **défendre** contre le froid.* **4.** Faire preuve de talent, rencontrer la réussite (fam.) : *Il se **défend** bien au tennis.* **5.** Résister à la critique : *C'est une idée qui se **défend*** ; *Ça se **défend**.* **6.** S'interdire (qqch.), s'efforcer d'éviter : *Se **défendre** tout plaisir.* Xe s. ; lat. *defendere* ; [defɑ̃dʀ].

**DÉFENESTRATION,** subst. f.
Action de défenestrer qqn : *La **défenestration** des conseillers du roi (Prague, 1618) fut à l'origine de la guerre de Trente Ans.* 1838 ; ☞ *défenestrer* ; var. *défénestration* ; [defənɛstʀasjɔ̃].

**DÉFENESTRER,** verbe trans. [3]
Précipiter (qqn) d'une fenêtre ; empl. pronom. : *Il a tenté de se **défenestrer**.* 1863 (1564, enlever les fenêtres) ; ☞ *fenêtre* + *dé-*[2] ; var. *défénestrer* ; [defənɛstʀe].

**DÉFENSE,** subst. f.
**I. 1.** Action de défendre, de protéger qqn, qqch. contre une attaque : *La **défense** du pays, du territoire* ; *Le ministère de la **Défense** nationale* ; par méton., ensemble des moyens, en partic. militaires, mis en œuvre pour défendre un lieu : ***Défense** passive* ; ***Défense** antiaérienne.* **2.** Fait de se défendre : *Opposer une **défense** acharnée à un agresseur.* ► *Dr. Légitime **défense*** : droit accordé à une personne de commettre un acte illégal pour se défendre contre une agression. **3.** Méton. Moyen utilisé pour se défendre : *Un être sans **défense**.* ► *Méd.* *Les **défenses** de l'organisme* : les réactions naturelles qui le protègent des agressions (microbiennes, infectieuses, etc.). **4.** Action de défendre (qqn) contre une accusation : *Prendre la **défense** d'un ami* ; *Assurer la **défense** d'un accusé* ; par méton., partie chargée de défendre un prévenu devant un tribunal : *Avocat de la **défense**.* **5.** Soutien à une cause, à une idée : ***Défense** des libertés, du pouvoir d'achat.* **6.** *Sp.* Action de protéger son but, de s'opposer aux attaques de l'équipe adverse : *Jouer en **défense*** ; partie d'une équipe qui assure une telle mission. **II.** Interdiction : ***Défense** d'afficher.* **III.** *Zool.* Longue dent (incisive ou canine) faisant saillie hors de la bouche de certains mammifères : ***Défenses** d'éléphant, de sanglier, de morse.* XIIe s. ; bas lat. *defensa* ; [defɑ̃s].

**DÉFENSEUR,** subst. m.
**1.** Personne qui défend qqn, qqch. contre une attaque : *Les **défenseurs** de la ville* ; *J'ai en vous un fidèle **défenseur*** ; au fig., personne qui défend une cause : *Elle fut un grand **défenseur** des droits de la femme.* **2.** *Dr.* Celui, celle qui assure en justice la défense d'un accusé, d'une partie. **3.** *Sp.* Membre d'une équipe qui joue en défense. 1213 ; lat. *defensor* ; [defɑ̃sœʀ].

**DÉFENSIF, IVE,** adj. et subst. f.
**Adj. 1.** Qui sert à se défendre : *Armes **défensives**.* **2.** Qui manque de combativité : *Attitude **défensive**.* ► *Sp. Jeu **défensif**.* **Subst.** Position d'une armée qui se prépare à se défendre : *Les troupes se tiennent sur la **défensive*** ; au fig. : *Être sur la **défensive***, sur ses gardes. XIVe s. ; lat. médiév. *defensivus* ; [defɑ̃sif, iv].

**DÉFENSIVEMENT,** adv.
De manière défensive, pour se défendre. 1834 ; ☞ *défensif* ; [defɑ̃sivmɑ̃].

**DÉFÉQUER,** verbe [8]
**Trans.** *Chim.* Clarifier (un liquide) par défécation. **Intrans.** *Physiol.* Expulser les matières fécales ; aller à la selle. 1583 ; lat. *defaecare*, « nettoyer, purifier », de *faex*, « lie » ; [defeke].

**DÉFÉRENCE,** subst. f.
Sentiment, attitude de considération respectueuse envers qqn ; égards marquant ce sentiment : *Saluer avec **déférence**.* XIVe s. ; ☞ *déférer* ; [defeʀɑ̃s].

**DÉFÉRENT, ENTE,** adj.
**1.** *Anat.* Qui porte au-dehors : *Canal **déférent***, qui conduit le sperme hors des testicules. **2.** Qui manifeste de la déférence. 1520 ; lat. *deferens*, de *deferre*, « porter de haut en bas » ; [defeʀɑ̃, ɑ̃t].

**DÉFÉRER,** verbe trans. [8]
**Trans. indir.** Déférer à. S'en remettre aux désirs de (qqn), par respect ou par devoir. **Trans. dir.** *Dr.* Porter (une affaire), traduire (un prévenu) devant une juridiction compétente : *L'accusé **a été déféré** au parquet.* 1282 ; lat. *deferre*, « porter de haut en bas » ; [defeʀe].

**DÉFERLAGE,** subst. m.
*Mar.* Action de déferler (une voile, un pavillon) ; son résultat. XVIIIe s. ; ☞ *déferler* ; [defɛʀlaʒ].

**DÉFERLANT, ANTE,** adj.
**1.** Qui déferle : *Une vague **déferlante*** ou, empl. subst. fém., *Une **déferlante**.* **2.** Fig. Qui se répand irrésistiblement : *Une foule **déferlante**.* XIXe s. ; p. pr. de *déferler* ; [defɛʀlɑ̃, ɑ̃t].

**DÉFERLEMENT,** subst. m.
Action de déferler ; son résultat ; au fig. : *Un **déferlement** de bruit et de fureur.* 1883 ; ☞ *déferler* ; [defɛʀləmɑ̃].

**DÉFERLER,** verbe [3]
**Trans.** *Mar.* Déployer (une voile, un pavillon ferlé). **Intrans. 1.** Se briser en roulant et en écumant, en parlant d'une vague. **2.** Fig. Se répandre irrésistiblement : *Les assaillants **déferlaient** sur la ville.* 1616 ; ☞ *ferler* + *dé-*[2] ; [defɛʀle].

**DÉFERRAGE,** subst. m.
Action de déferrer ; son résultat. 1870 ; ☞ *déferrer* ; [defɛʀaʒ].

**DÉFERRER,** verbe trans. [3]
**1.** Ôter le fer, les ferrures de (un objet). ► Ôter les fers des sabots de (un animal ferré). **2.** *Ch. de fer.* Retirer les rails de (une ligne ferroviaire désaffectée). Déb. XIIe s. ; ☞ *ferrer* + *dé-*[2] ; [defɛʀe].

**DÉFERVESCENCE,** subst. f.
**1.** *Chim.* Diminution de l'effervescence. **2.** *Méd.* Diminution de la fièvre. 1870 ; lat. *defervescere*, « cesser de bouillonner » ; [defɛʀvesɑ̃s].

**DÉFEUILLAISON,** subst. f.
Chute des feuilles d'un arbre ; par ext., époque à laquelle elle a lieu. 1842 ; ☞ *défeuiller* ; [defœjɛzɔ̃].

**DÉFEUILLER,** verbe trans. [3]
Dégarnir (une plante, un arbre) de ses feuilles ; empl. pronom. : *Les arbres se **défeuillent** en automne* ; empl. adj. : *Des tilleuls **défeuillés**.* Mil. XIIIe s. ; ☞ *feuiller* + *dé-*[2] ; [defœje].

**DÉFEUTRAGE,** subst. m.
Opération consistant à défeutrer la laine ; son résultat. 1870 ; ☞ *défeutrer* ; [deføtʀaʒ].

**DÉFEUTRER,** verbe trans. [3]
*Techn.* Étirer et doubler (la laine cardée ou teinte) pour obtenir un ruban régulier avant de la peigner. 1870 ; ☞ *feutrer* + *dé-*[2] ; [deføtʀe].

**DÉFI,** subst. m.
**1.** Action de défier qqn en combat singulier (vx). **2.** Action de pousser qqn à se mesurer à soi dans une compétition, un jeu : *Lancer, relever un **défi**.* ► Loc. *Mettre qqn au **défi** de* (+ inf.) : lui déclarer qu'on le juge incapable de. **3.** Provocation : *Agir par **défi*** ; *Un **défi** aux lois de l'équilibre* ; par ext. : *Un **défi** au bon sens*, une absurdité. **4.** Entreprise ou projet difficile, gageure, chalenge : *Les grands **défis** scientifiques du XXIe siècle.* 1575 (1523, crainte) ; ☞ *défier* ; [defi].

**DÉFIANCE,** subst. f.
entiment de doute, de réserve circonspecte ou de uspicion. ▸ *Pol. Vote de **défiance*** : par lequel on efuse d'accorder sa confiance. 1532 (1170, défi) ; ☞ *se défier* (II) ; [defjɑ̃s].

**DÉFIANT, ANTE,** adj.
Qui est enclin à la défiance, qui manifeste de la léfiance. XVIe s. ; p. pr. de *se défier* (II) ; [defjɑ̃, ɑ̃t].

**DÉFIBRAGE,** subst. m.
Action de défibrer ; son résultat. 1876 ; ☞ *défibrer* ; [defibʀaʒ].

**DÉFIBRER,** verbe trans. [3]
*Techn.* Débarrasser (une plante) de ses fibres ; éparer les fibres de (un bois) ; débiter en fibres. 1876 ; ☞ *fibre* + *dé-*[2] ; [defibʀe].

**DÉFIBREUR, EUSE,** subst.
Personne conduisant une machine à défibrer le ois. Masc. Cette machine elle-même. 1876 ; ☞ *défibrer* ; [defibʀœʀ, øz].

**DÉFIBRILLATEUR,** subst. m.
Appareil utilisé pour faire cesser la fibrillation ardiaque par un choc électrique. V. 1960 ; ☞ *défibrillation* ; [defibʀijatœʀ] ou [-bʀil(l)a-].

**DÉFIBRILLATION,** subst. f.
*Méd.* Traitement de la fibrillation du muscle cardiaque. V. 1960 ; ☞ *fibrillation* + *dé-*[2] ; [defibʀijasjɔ̃] ou [-bʀil(l)a-].

**DÉFICELER,** verbe trans. [12]
Défaire les ficelles entourant (un colis, un objet). 1706 ; ☞ *ficeler* + *dé-*[2] ; [defis(ə)le].

**DÉFICIENCE,** subst. f.
1. *Pathol.* Insuffisance des fonctions organiques ou psychiques : ***Déficience** rénale, mentale.* 2. Fig. Insuffisance dans le fonctionnement d'un système quelconque. V. 1900 ; ☞ *déficient* ; [defisjɑ̃s].

**DÉFICIENT, ENTE,** adj.
Qui présente une, des déficiences : *Santé, mémoire **déficiente*** ; empl. subst. : *Une, un **déficient** mental.* 1290 ; lat. *deficiens*, « manquant » ; [defisjɑ̃, ɑ̃t].

**DÉFICIT,** subst. m.
1. Ce qui manque, en caisse ou dans un budget, pour équilibrer les dépenses par les recettes : *Un **déficit** de plusieurs millions* ; la situation financière qui résulte de ce manque : *Être en **déficit**.* 2. Ext. Insuffisance : ***Déficit** de production.* 3. *Pathol.* Carence : ***Déficit** intellectuel, hormonal, immunitaire.* 1771 (1560, pièce manquante) ; lat. *deficit*, « il manque » ; [defisit].

**DÉFICITAIRE,** adj.
Qui se solde par un déficit, qui est en déficit : *Budget **déficitaire*** ; *Entreprise **déficitaire*** ; *Production **déficitaire***, insuffisante par rapport aux prévisions. 1909 ; ☞ *déficit* ; [defisitɛʀ].

**DÉFIER (I),** verbe trans. [6]
1. Vx. *Féod.* Signifier à (son seigneur) que l'on rompt la foi jurée. 2. Ext. Provoquer (un adversaire) au combat. 3. Mettre (qqn) au défi de faire qqch. : *Je vous **défie** de courir plus vite que moi.* 4. Fig. ▸ S'opposer à, braver : ***Défier** la loi* ; ***Défier** le danger.* ▸ Résister à : ***Défier** le temps* ; ***Défier** la logique* ; ***Défier** toute concurrence*, résister à la comparaison. Fin XIe s. ; ☞ *se fier* + *dé-*[2] ; [defje].

**DÉFIER (II) (SE),** verbe pronom. [6]
Se défier de. 1. Refuser ou mesurer sa confiance (en (littér.) : *Il est plus honteux de **se défier** de ses amis que d'en être trompé* (La Rochefoucauld). 2. Prendre garde à : ***Défiez-vous** des flatteries !* XIIIe s. ; ☞ *se fier* + *dé-*[2], d'apr. le lat. *diffidere*, « ne pas se fier » ; [defje].

**DÉFIGURER,** verbe trans. [3]
1. Transformer le visage de (qqn) au point de le rendre méconnaissable : ***Défigurer** qqn au vitriol.* 2. Anal. Dénaturer l'aspect de (qqch.), enlaidir : *Ce pont **défigure** le site.* 3. Fig. Altérer ; trahir : ***Défigurer** la vérité.* Déb. XIIe s. ; ☞ *figure* + *dé-*[2] ; [defigyʀe].

**DÉFILAGE,** subst. m.
*Techn.* Opération consistant à mettre des chiffons en charpie pour fabriquer la pâte à papier. 1784 ; ☞ *défiler* (I) ; [defilaʒ].

**DÉFILÉ,** subst. m.
1. Longue gorge ou vallée profonde et étroite (au point qu'elle ne peut être franchie qu'à la file) : *Le **défilé** des Thermopyles.* 2. Marche d'une troupe en colonne, spéc. lors d'une revue militaire : *Le **défilé** du 14 Juillet* ; par ext., progression de personnes, de véhicules, en file : ***Défilé** de manifestants* ; ***Défilé** de mode.* 3. Anal. Succession ininterrompue : *Un **défilé** de visiteurs* ; au fig. : *Un **défilé** de suggestions inattendues.* 1643 ; p. p. de *défiler* (II) ; [defile].

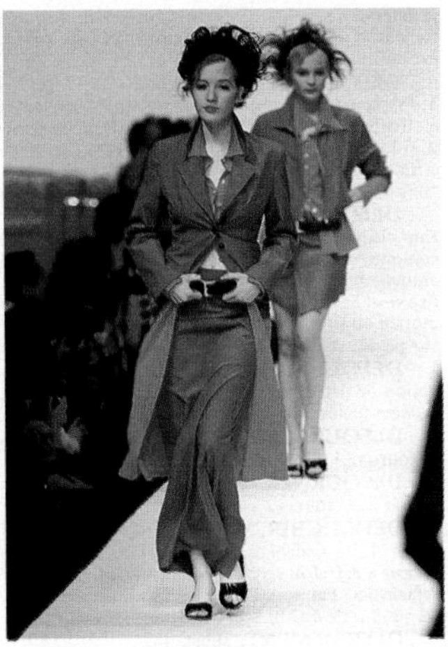
© D. Simon-Gamma

*Défilé de mode.*

**DÉFILEMENT (I),** subst. m.
*Milit.* Technique utilisant les accidents d'un terrain pour échapper à la vue de l'ennemi ; le camouflage lui-même. 1785 ; ☞ *défiler* (I) ; [defilmɑ̃].

**DÉFILEMENT (II),** subst. m.
*Techn.* Déroulement d'une bande (magnétique, de pellicule) à l'intérieur d'un appareil. 1921 (1832, défilé d'une troupe) ; ☞ *défiler* (II) ; [defilmɑ̃].

**DÉFILER (I),** verbe trans. [3]
1. *Techn.* Défaire fil à fil (ce qui a été filé) : ***Défiler** une vieille étoffe.* 2. Ôter (ce qui a été enfilé) : ***Défiler** un collier de perles.* 3. *Milit.* Placer (des soldats, un ouvrage de défense) en défilement. Pronom. 1. Se mettre à l'abri de l'ennemi. 2. Fig. S'esquiver, fuir ses responsabilités (fam.). XIIIe s. ; ☞ *fil* + *dé-*[2] ; [defile].

**DÉFILER (II),** verbe intrans. [3]
1. Marcher en file, en colonne ; prendre part à un défilé : *Les troupes **défilent** musique en tête* ; *Les manifestants **défileront** de la Bastille au ministère.* 2. Anal. Se succéder sans interruption : *Les témoins **défilent** à la barre* ; au fig. : *Les jours **défilent** sans qu'on y prenne garde.* 3. *Techn.* Se dérouler dans un appareil : *Faire **défiler** une bande-son sur une table de montage.* Mil. XVIIe s. ; ☞ *file* + *dé-*[1] ; [defile].

**DÉFILEUSE,** subst. f.
*Techn.* Machine effectuant le défilage. 1846 ; ☞ *défiler* (I) ; [defiløz].

**DÉFINI, IE,** adj.
1. Qui a fait l'objet d'une définition : *Principe bien **défini**.* 2. Déterminé avec précision : *Des circonstances mal **définies**.* 3. *Gramm.* ▸ *Article **défini*** : qui s'emploie pour déterminer un nom désignant une chose ou une personne connue (« le », « la », « les »). ▸ *Passé **défini*** : passé simple. XVIIe s. ; p. p. de *définir* ; [defini].

**DÉFINIR,** verbe trans. [19]
1. Donner la définition de : ***Définir** un concept.* 2. Caractériser (qqn, qqch.) : *Comment **définir** ce personnage ?* 3. Préciser ; déterminer : *Des conditions **définies** par la loi.* 4. *Théol.* Désigner comme une vérité de foi : *Le dogme de l'Assomption **fut défini** par Pie XII.* Fin XIIe s. ; lat. *definire* ; [definiʀ].

**DÉFINISSABLE,** adj.
Qu'il est possible de définir. Fin XVIIe s. ; ☞ *définir* ; [definisabl].

**DÉFINISSANT,** subst. m.
*Ling.* Terme utilisé dans une définition ; la définition elle-même : *Le **définissant** et le défini.* Mil. XXe s. ; p. pr. de *définir* ; [definisɑ̃].

**DÉFINITEUR,** subst. m.
*Cath.* Dans certains ordres, religieux délégué auprès du général ou du provincial pour assistance administrative. 1347 ; lat. médiév. *definitor* ; [definitœʀ].

**DÉFINITIF, IVE,** adj.
1. Qui est établi et ne variera pas : *Une affectation **définitive*** ; *Un choix **définitif**.* 2. Ext. Qui règle complètement une question : *Une contribution **définitive*** ; *Jugement **définitif**,* qui n'est pas susceptible d'appel. 3. Loc. *En **définitive*** : au bout du compte, pour conclure. XIIIe s. ; lat. *definitivus*, de *definire*, « définir » ; [definitif, iv].

**DÉFINITION,** subst. f.
1. Processus intellectuel qui permet de déterminer l'essence d'une chose, le contenu d'un concept, en énumérant ses caractères propres ; proposition qui en résulte. ▸ Loc. *Par **définition*** : par nature. 2. Explication du sens d'un mot, d'une expression, sous la forme d'un énoncé clair et précis : *Chercher une **définition** dans le dictionnaire* ; *Les **définitions** des mots croisés.* 3. *Math. Domaine ou ensemble de **définition** d'une relation $\mathcal{R}$ d'un ensemble E dans un ensemble F* : sous-ensemble de E dont les éléments sont reliés à au moins un élément de F suivant $\mathcal{R}$ ; en partic., si $\mathcal{R}$ est une fonction $f$ de E vers F, c'est l'ensemble des $x$ de E ayant une image $(f(x))$ par $f$ dans F. 4. Degré de précision de l'affichage d'une image, exprimé en lignes ou en points : *Une télévision haute **définition*** ; *Modifier la **définition** d'une image numérique.* 5. *Théol.* Acte solennel par lequel l'Église énonce une vérité, un point de dogme ; par méton., la proposition énoncée : *Les **définitions** d'un concile.* 1160 ; lat. *definitio*, « action de définir » ; [definisjɔ̃].

**DÉFINITIONNEL, ELLE,** adj.
1. Relatif à une définition. 2. Qui constitue une définition (synon. *définitoire*) : *Un exemple **définitionnel**.* V. 1970 ; ☞ *définition* ; [definisjɔnɛl].

**DÉFINITIVEMENT,** adv.
De manière définitive ; une fois pour toutes. 1558 ; ☞ *définitif* ; [definitivmɑ̃].

**DÉFINITOIRE,** adj.
Qui contribue à définir (synon. *définitionnel*) : *Mots **définitoires**.* V. 1960 ; ital. *definitorio* ; [definitwaʀ].

**DÉFISCALISER,** verbe trans. [3]
Ne plus assujettir à l'impôt ; exonérer : ***Défiscaliser** des placements à long terme.* XXe s. ; ☞ *fiscaliser* + *dé-*[2] ; [defiskalize].

**DÉFLAGRANT, ANTE,** adj.
*Chim.* Qui est propre à déflagrer : *Un mélange **déflagrant**.* 1870 ; p. pr. de *déflagrer* ; [deflagʀɑ̃, ɑ̃t].

**DÉFLAGRATION,** subst. f.
1. *Chim.* Réaction d'un corps qui se consume en détonant et en projetant des parcelles embrasées. 2. Ext. Explosion violente : *La **déflagration** fit voler en éclats toutes les vitres.* 1691 ; lat. *deflagratio*, « combustion » ; [deflagʀasjɔ̃].

**DÉFLAGRER,** verbe intrans. [3]
*Chim.* Se consumer en détonant et en s'enflammant. 1870 ; lat. *deflagrare*, « brûler » ; [deflagʀe].

**DÉFLATION (I),** subst. f.
*Écon.* Ralentissement de l'inflation par la réduction de la masse monétaire, l'encadrement du crédit, le contrôle des prix et des salaires, etc. 1909 ; ☞ *inflation* + *dé-*[2] ; [deflasjɔ̃].

**DÉFLATION (II),** subst. f.
*Géomorph.* Érosion éolienne transportant au loin du sable et des poussières. 1932 ; all. *Deflation*, du lat. *deflare*, « enlever en soufflant » ; [deflasjɔ̃].

**DÉFLATIONNISTE,** adj.
*Écon.* Qui se rapporte à la déflation ou qui y conduit : *Politique **déflationniste**.* 1953 ; ☞ *déflation* (I) ; [deflasjɔnist].

**DÉFLÉCHIR,** verbe trans. [19]
Détourner de sa direction. XVIIIe s. (XIIIe s., se détourner) ; ☞ *fléchir* + *dé-*[1] ; [defleʃiʀ].

**DÉFLECTEUR,** subst. m.
1. *Autom.* Volet orientable d'une vitre de portière, permettant l'aération. 2. *Mar.* Appareil servant à mesurer la déviation magnétique des compas. 3. *Techn.* Dispositif détournant un écoulement. 1890 ; lat. *deflectere*, « fléchir, détourner » ; [deflɛktœʀ].

**DÉFLEURIR,** verbe [19]
Littér. Intrans. Perdre ses fleurs. Trans. Dépouiller (un végétal) de ses fleurs. XIVe s. ; ☞ *fleurir* + *dé-*[2] ; [deflœʀiʀ].

**DÉFLEXION,** subst. f.
Action de défléchir ; son résultat. ▸ *Électron.* Déviation d'un faisceau de particules. ▸ *Méd.* Position en extension : *La **déflexion** de la tête du fœtus à l'accouchement.* XIVe s. ; bas lat. *deflexio*, « écart, déclinaison » ; [deflɛksjɔ̃].

**DÉFLORAISON,** subst. f.
*Bot.* Chute des fleurs ; période où elle se produit. 1771 ; ☞ *floraison* + *dé-*[2] ; [deflɔʀɛzɔ̃].

**DÉFLORATION,** subst. f.
Action de rompre l'hymen d'une fille vierge. 1314 ; bas lat. *defloratio* ; [deflɔʀasjɔ̃].

**DÉFLORER,** verbe trans. [3]
**1.** Vx. Dépouiller (une plante) de ses fleurs. **2.** Faire perdre sa virginité à. **3.** Fig. Faire perdre son attrait à (qqch.) en le dévoilant partiellement. Déb. XIIIe s. ; bas lat. *deflorare* ; [deflɔʀe].

**DÉFLUENT,** subst. m.
Bras issu de la division d'un cours d'eau vers l'aval. V. 1950 ; *défluer* (vx), « couler vers le bas » ; [deflyɑ̃].

**DÉFOLIANT, ANTE,** adj. et subst. m.
Adj. Qui cause la défoliation. Subst. Produit chimique provoquant la défoliation. V. 1970 ; p. pr. de *défolier* ; [defɔljɑ̃, ɑ̃t].

**DÉFOLIATION (I),** subst. f.
*Bot.* Chute périodique des feuilles. 1801 ; ☞ *foliation* + *dé-*[2] ; [defɔljasjɔ̃].

**DÉFOLIATION (II),** subst. f.
*Milit.* Destruction d'une végétation par des moyens chimiques. V. 1970 ; ☞ *défolier* ; [defɔljasjɔ̃].

**DÉFOLIER,** verbe trans. [6]
*Milit.* Provoquer la défoliation de. V. 1970 ; lat. *defoliare*, « effeuiller » ; [defɔlje].

**DÉFONÇAGE,** subst. m.
**1.** *Agric.* Action de labourer profondément. **2.** Anal. Action de défoncer, en partic. une chaussée ; son résultat. 1797 ; ☞ *défoncer* ; [defɔ̃saʒ].

**DÉFONCE,** subst. f.
État de délire ou d'inconscience déclenché par l'absorption d'un hallucinogène (fam.). V. 1970 ; ☞ *défoncer* ; [defɔ̃s].

**DÉFONCÉ, ÉE,** adj. et subst. m.
Adj. **1.** Qui a subi un défonçage : *Route **défoncée**,* creusée d'ornières. **2.** Qui est sous l'effet d'une drogue (fam.). Subst. Technique de ciselure. Fin XVIe s. ; p. p. de *défoncer* ; [defɔ̃se].

**DÉFONCEMENT,** subst. m.
Défonçage. 1653 ; ☞ *défoncer* ; [defɔ̃smɑ̃].

**DÉFONCER,** verbe trans. [4]
**1.** Ouvrir en ôtant le fond : *Défoncer une caisse.* **2.** Ext. Abîmer par enfoncement : *La porte **a été défoncée**.* **3.** *Spéc.* ▸ *Agric.* Labourer profondément. ▸ *Techn.* Pratiquer une cavité dans (du bois, du métal) avant de le travailler plus finement. **4.** Provoquer chez (qqn) un état hallucinatoire (fam.). Pronom. **1.** Se briser sous l'action de qqn, de qqch. **2.** Ne pas ménager sa peine (fam.). **3.** Se droguer (fam.). XIVe s. ; ☞ *foncer* (I) + *dé-*[2] ; [defɔ̃se].

**DÉFONCEUSE,** subst. f.
**1.** *Agric.* Puissante charrue. **2.** *Techn.* Machine-outil servant au travail du bois. **3.** *Trav. publ.* Engin de terrassement muni de fortes dents. 1863 ; ☞ *défoncer* ; [defɔ̃søz].

**DÉFORCER,** verbe trans. [4]
Belg. Ôter sa force à (qqn) ; au fig., déprimer. 1360 ; ☞ *force* + *dé-*[2] ; [defɔʀse].

**DÉFORESTATION,** subst. f.
Action de dégarnir ou de détruire une forêt ; son résultat. 1874 ; bas lat. *forestis*, « forêt », + *dé-*[2] ; [defɔʀɛstasjɔ̃].

**DÉFORMABLE,** adj.
Que l'on peut déformer. 1875 ; ☞ *déformer* ; [defɔʀmabl].

**DÉFORMANT, ANTE,** adj.
Qui modifie la forme, l'apparence de qqn ou de qqch. : *Arthrite **déformante** ; Vision **déformante** des faits.* 1903 ; p. pr. de *déformer* ; [defɔʀmɑ̃, ɑ̃t].

**DÉFORMATION,** subst. f.
**1.** Action de déformer ou fait de se déformer ; état qui en résulte : *La **déformation** du toit sous le poids de la neige.* **2.** Fig. Dénaturation : *La **déformation** des propos d'un homme public par la presse.* **3.** Loc. ***Déformation** professionnelle* : transposition ou influence dans la vie courante des manières d'agir et de penser acquises dans l'exercice d'un métier. **4.** *Géol.* Modification subie par une couche géologique. On distingue les **déformations** cassantes (les failles) et les **déformations** souples (les plis). 1374 ; lat. *deformatio* ; [defɔʀmasjɔ̃].

**DÉFORMER,** verbe trans. [3]
**1.** Altérer la forme, l'allure de (qqch.) : *Ces lourdes clés **ont déformé** ma poche.* **2.** Fig. Fausser, altérer : *Il **déforme** la réalité.* Pronom. Changer de forme : *Ce plastique **se déforme** à la chaleur.* Déb. XIIIe s. ; lat. *deformare* ; [defɔʀme].

**DÉFOULEMENT,** subst. m.
**1.** *Psychanal.* Retour dans le conscient de souvenirs et d'affects jusque-là refoulés dans l'inconscient. **2.** Fait de se défouler (fam.). : *Le football est pour certains un **défoulement**.* 1946 (1413, oppression) ; ☞ *défouler* ; [defulmɑ̃].

**DÉFOULER,** verbe trans. [3]
Fam. Laisser s'exprimer (ce qui d'ordinaire reste contenu, refoulé) : ***Défouler** son agressivité par la pratique du sport* ; par méton. : *Pleure, ça te **défoulera**.* Pronom. Se libérer d'une tension, d'une entrave morale ou psychologique. V. 1950 (fin XIe s., fouler aux pieds) ; ☞ *refouler* + *dé-*[2] ; [defule].

**DÉFOURNAGE,** subst. m.
Action de défourner ; son résultat. 1876 ; ☞ *défourner* ; [defuʀnaʒ].

**DÉFOURNEMENT,** subst. m.
Défournage. ☞ *défourner* ; [defuʀnəmɑ̃].

**DÉFOURNER,** verbe trans. [3]
Retirer d'un four. 1456 ; ☞ *four* + *dé-*[2] ; [defuʀne].

**DÉFRAÎCHIR,** verbe trans. [19]
Priver de sa fraîcheur, de son éclat premier : *La chaleur **a défraîchi** ces roses* ; empl. adj. : *Des couleurs **défraîchies**.* Pronom. Perdre sa fraîcheur, se flétrir. 1863 ; ☞ *frais* (I) + *dé-*[2] ; [defʀeʃiʀ].

**DÉFRAIEMENT,** subst. m.
Remboursement des frais engagés : *Obtenir un large **défraiement**.* Fin XIVe s. ; ☞ *défrayer* ; [defʀɛmɑ̃].

**DÉFRANCHI, IE,** adj.
Belg. Intimidé. XIXe s. ; ☞ *franc* (II) + *dé-*[2] ; [defʀɑ̃ʃi].

**DÉFRAYER,** verbe trans. [15]
**1.** Rembourser à (qqn) ses dépenses : *Vous serez **défrayé** de tout.* **2.** Fig. Être le sujet essentiel de : ***Défrayer** la conversation.* ▸ Loc. ***Défrayer** la chronique* : alimenter tous les commentaires. 1373 ; *frayer* (vx), « dépenser », + *dé-*[2] ; [defʀeje].

**DÉFRICHAGE,** subst. m.
*Agric.* Action de défricher (synon. *défrichement*). 1518 ; ☞ *défricher* ; [defʀiʃaʒ].

**DÉFRICHER,** verbe trans. [3]
**1.** *Agric.* Rendre cultivable (un terrain) en supprimant la végétation spontanée. **2.** Fig. Dégrossir ; mettre au clair : ***Défricher** un sujet.* 1356 ; ☞ *friche* + *dé-*[2] ; [defʀiʃe].

**DÉFRICHEUR, EUSE,** subst.
*Agric.* Personne qui défriche. Fém. Charrue conçue pour défricher. 1541 ; ☞ *défricher* ; [defʀiʃœʀ, øz].

**DÉFRIPER,** verbe trans. [3]
Remettre en état (un tissu, un vêtement fripé), déchiffonner : *Repasser une chemise pour la **défriper**.* 1660 ; ☞ *friper* + *dé-*[2] ; [defʀipe].

**DÉFRISER,** verbe trans. [3]
**1.** Défaire la frisure de : *Elle **défrise** ses cheveux tous les jours.* **2.** Fig. et Fam. Désappointer ; contrarier : *Ça te **défrise** ?* 1680 ; ☞ *friser* + *dé-*[2] ; [defʀize].

**DÉFROISSER,** verbe trans. [3]
Ôter les plis de (une étoffe, un papier froissé). 1935 ; ☞ *froisser* + *dé-*[2] ; [defʀwase].

**DÉFRONCER,** verbe trans. [4]
**1.** Effacer les rides de : ***Défroncer** les sourcils.* **2.** *Cout.* Défaire les fronces de (un vêtement, un tissu). Fin XIIIe s. ; ☞ *froncer* + *dé-*[2] ; [defʀɔ̃se].

**DÉFROQUE,** subst. f.
**1.** *Relig.* Ensemble des effets personnels que laisse, à sa mort, un religieux (vieilli). **2.** Ext. ▸ Vêtement délaissé parce que hors d'usage. ▸ Vêtement passé de mode ou mal adapté à la personne qui le porte. 1623 (XVe s., malheur) ; ☞ *défroquer* ; [defʀɔk].

**DÉFROQUÉ, ÉE,** adj.
Qui a quitté l'état monastique ou ecclésiastique (rare au fém.) ; empl. subst. masc., prêtre, moine **défroqué**. 1680 ; p. p. de *défroquer* ; [defʀɔke].

**DÉFROQUER,** verbe [3]
Trans. Contraindre (qqn) à quitter l'état monastique ou ecclésiastique (rare). Intrans. ou Pronom. Quitter cet état : *Évêque d'Autun, Talleyrand (se) **défroqua**.* XVe s. ; ☞ *froc* + *dé-*[2] ; [defʀɔke].

**DÉFRUITER,** verbe trans. [3]
Ôter le goût de fruit à (qqch.). 1803 (1232, perdre ses fruits) ; ☞ *fruit* (I) + *dé-*[2] ; [defʀɥite].

**DÉFUNT, UNTE,** adj. et subst.
Littér. Se dit d'une personne qui a cessé de vivre : *Ma **défunte** mère* ; *La famille du **défunt**.* Adj. Fig. Passé, révolu : *Des amours **défuntes**.* 1243 ; lat. *defunctus*, de *defungi*, « accomplir sa vie » ; [defœ̃, œ̃t].

**DÉGAGÉ, ÉE,** adj. et subst. m.
Adj. **1.** Qui est aisé, assuré : *Un ton **dégagé**.* **2.** Qui n'est pas encombré, recouvert : *Un front **dégagé**.* Subst. *Chorégr.* Mouvement par lequel le danseur écarte un pied de l'autre, sans se déplacer. 1669 ; p. p. de *dégager* ; [degaʒe].

**DÉGAGEMENT,** subst. m.
**1.** Action de retirer ce qui a été mis en gage : ***Dégagement** d'objets mis au mont-de-piété.* ▸ Fig. Action de libérer d'un engagement : ***Dégagement** d'une promesse.* **2.** Action de libérer, de débloquer : *Le **dégagement** des mineurs coincés par l'éboulement.* ▸ *Méd.* Sortie des différentes parties du corps du nouveau-né par l'orifice vulvaire. ▸ *Sp.* Action de dégager le fer, en escrime, le ballon, au rugby ou au football. **3.** Action de libérer un espace de ce qui l'encombre : *Le **dégagement** de la voie publique.* **4.** *Archit.* ▸ *Couloir de **dégagement*** ou, par ell., ***Dégagement*** : passage facilitant l'accès aux différentes pièces d'un appartement. ▸ *Pièce de **dégagement*** : destinée au rangement. **5.** *Milit.* et *Admin.* *Le **dégagement** des cadres* : licenciement des cadres en surnombre. **6.** Sortie, émanation : *Un **dégagement** de gaz.* 1465 (XIVe s., sens obsc.) ; ☞ *dégager* ; [degaʒmɑ̃].

**DÉGAGER,** verbe trans. [5]
**1.** Retirer (ce qui était en gage). ▸ Fig. Reprendre (une parole) ; refuser, écarter (ce qui peut engager) : *Nous **dégageons** toute responsabilité dans cette affaire.* **2.** Délivrer (qqn, qqch.) de ce qui l'entrave, l'enserre : ***Dégager** un corps d'une avalanche.* ▸ Fig. Libérer (qqn) d'une obligation : ***Dégager** un client de sa dette* ; empl. pronom. : *Se **dégager** d'une promesse.* **3.** Faire apparaître ; mettre en évidence : *Ce décolleté **dégage** les épaules* ; au fig. : ***Dégager** la morale d'une fable.* ▸ *Alg.* ***Dégager** une inconnue* : l'isoler, au sein de l'équation. **4.** Débarrasser (qqch.) de ce qui l'obstrue : ***Dégager** une rue* ; *Une inhalation qui **dégage** le nez* ; empl. abs. : ***Dégagez !*** partez ! (fam.) ; empl. pronom. : *Le ciel se **dégage**.* **5.** Exhaler, répandre : *Ce produit **dégage** des vapeurs toxiques.* **6.** Rendre disponible : ***Dégager** des crédits.* **7.** Abs. *Chorégr.* Exécuter un dégagé. **8.** *Sp.* Envoyer (un ballon) au loin ; empl. abs. : ***Dégager** en touche.* Fin XIIe s. ; ☞ *gage* + *dé-*[2] ; [degaʒe].

**DÉGAINE,** subst. f.
Allure bizarre, originale (fam.). 1611 ; prob. *dégainer* ; [degɛn].

**DÉGAINER,** verbe trans. [3]
Sortir (une arme) de sa gaine, de son étui : ***Dégainer** son épée.* Déb. XIIIe s. ; ☞ *gaine* + *dé-*[2] ; [degɛne].

**DÉGANTER,** verbe trans. [3]
Enlever les gants de (qqn). Pronom. Ôter ses gants. Déb. XIVe s. ; ☞ *gant* + *dé-*[2] ; [degɑ̃te].

**DÉGARNIR,** verbe trans. [19]
**1.** Rendre moins dense, ôter tout ou partie de (qqch.). **2.** *Milit.* Retirer des troupes de (une position). Pronom. **1.** Perdre ses cheveux : *Il se **dégarnit** déjà.* **2.** Se vider : *Les bancs se **dégarnissaient**.* Fin XIe s. ; ☞ *garnir* + *dé-*[2] ; [degaʀniʀ].

**DÉGASOLINAGE,**
voir **DÉGAZOLINAGE**

**DÉGASOLINER,** voir **DÉGAZOLINER**

**DÉGÂT,** subst. m.
Détérioration, dommage : *La grêle a fait d'immenses **dégâts** dans les vignes.* ▸ Loc. *Limiter les **dégâts*** : éviter le pire (fam.). Déb. XIIIe s. ; anc. fr. *deg(u)aster* « ravager » ; [degɑ].

**DÉGAUCHIR,** verbe trans. [19]
**1.** *Techn.* ▸ Aplanir, lisser la surface de (une pierre, une pièce de bois ou de métal). ▸ Redresser (une pièce déformée). **2.** Fig. Rendre moins gauche, moins emprunté (fam. et vieilli). 1397 ; ☞ *gauchir* + *dé-*[2] ; [degoʃiʀ].

**DÉGAUCHISSAGE,** subst. m.
*Techn.* Action de dégauchir. 1838 ; ☞ *dégauchir* ; [degoʃisaʒ].

**DÉGAUCHISSEMENT,** subst. m.
Dégauchissage. 1513 ; ☞ *dégauchir* ; [degoʃismɑ̃].

**DÉGAUCHISSEUSE,** subst. f.
*Techn.* Machine qui dégauchit le bois ou le métal. 1888 ; ☞ *dégauchir* ; [degoʃisøz].

**DÉGAZAGE,** subst. m.
**1.** *Techn.* Élimination des gaz contenus dans une substance : *Le **dégazage** d'une eau* ; *Le **dégazage** du*

*pétrole brut.* **2.** Opération consistant à expulser les gaz contenus dans un espace : *Le **dégazage** d'une galerie minière.* ▸ *Mar.* Nettoyage des cuves d'un pétrolier. 1932 ; ☞ *dégazer* ; [degazaʒ].

**DÉGAZER, verbe [3]**
**Trans.** Procéder au dégazage de (une substance, un espace). **Intrans.** *Mar.* Nettoyer ses citernes, en parlant d'un pétrolier : *Il est interdit de **dégazer** en mer.* 1838 ; ☞ *gaz* + *dé-*[2] ; [degaze].

**DÉGAZOLINAGE, subst. m.**
Extraction des hydrocarbures condensables qui sont contenus dans le gaz naturel. 1948 ; ☞ *dégazoliner* ; var. *dégasolinage* ; [degazɔlinaʒ].

**DÉGAZOLINER, verbe trans. [3]**
Effectuer le dégazolinage de (un gaz naturel). 1948 ; ☞ *gazoline* + *dé-*[2] ; var. *dégasoliner* ; [degazɔline].

**DÉGAZONNER, verbe trans. [3]**
Supprimer le gazon de : ***Dégazonner** une plate-bande.* 1863 ; ☞ *gazon* + *dé-*[2] ; [degazɔne].

**DÉGEL, subst. m.**
**1.** Fonte naturelle des neiges et des glaces, résultant d'une remontée de la température au-dessus de 0 °C. ; par ext., époque de la fonte. ▸ *Barrière de dégel* (☞ *barrière*). **2.** Fig. Déblocage : *Le **dégel** des relations internationales.* XIIIe s. ; ☞ *dégeler* ; [deʒɛl].

**DÉGELÉE, subst. f.**
Fam. **1.** Série de coups infligés à qqn. **2.** Ext. Défaite sévère. 1809 ; p. p. de *dégeler* ; [deʒ(ə)le].

**DÉGELER, verbe [11]**
**Intrans.** Cesser d'être gelé : *Le lac **dégèle*** ; empl. impers. : *Il **dégèle**.* **Trans. 1.** Faire fondre (une chose gelée) : ***Dégeler** de l'huile.* **2.** Ext. Réchauffer (une partie du corps) : ***Dégeler** ses pieds* ; au fig., détendre (fam.) : ***Dégeler** l'atmosphère.* ▸ Empl. pronom. *Je me **dégèle** les doigts* ; *La jeune femme finit par se **dégeler*** (fam.). **3.** Débloquer : ***Dégeler** des crédits.* 1213 ; ☞ *geler* + *dé-*[2] ; [deʒ(ə)le].

**DÉGÉNÉRATIF, IVE, adj.**
Relatif à la dégénérescence. 1872 ; ☞ *dégénérer* ; [deʒeneratif, iv].

**DÉGÉNÉRÉ, ÉE, adj. et subst.**
**Adj.** Atteint de dégénérescence. **Adj.** et **Subst.** Se dit d'une personne atteinte d'anomalies congénitales. Fin XVIIIe s. ; p. p. de *dégénérer* ; [deʒenere].

**DÉGÉNÉRER, verbe intrans. [8]**
**1.** Perdre les qualités originelles de son espèce ; s'appauvrir. **2.** Se transformer (en qqch. de pire) : *Le jeu a **dégénéré** en bagarre.* ▸ Abs. Mal tourner : *Ça **dégénère** !* **3.** *Pathol.* S'aggraver : *Sa bronchite a **dégénéré** en pneumonie.* XIVe s. ; lat. *degenerare* ; [deʒenere].

**DÉGÉNÉRESCENCE, subst. f.**
**1.** Fait de dégénérer ; état de dégradation qui en résulte. **2.** *Pathol.* Altération d'un organe, d'un tissu dont les cellules deviennent inertes ou sont infiltrées par une substance pathogène. 1796 ; ☞ *dégénérer* ; [deʒeneresɑ̃s].

**DÉGERMER, verbe trans. [3]**
Ôter le germe de. 1874 ; ☞ *germe* + *dé-*[2] ; [deʒɛrme].

**DÉGINGANDÉ, ÉE, adj.**
Qui est de haute taille et a une attitude gauche, les mouvements maladroits. 1690 (fin XVIe s., disloqué) ; *déginganđer* (vx), altér. de *déhinganđer*, « sortir de ses gonds » ; [deʒɛ̃gɑ̃de].

**DÉGIVRAGE, subst. m.**
Action de dégivrer. 1953 ; ☞ *dégivrer* ; [deʒivraʒ].

**DÉGIVRER, verbe trans. [3]**
Enlever le givre de : ***Dégivrer** un pare-brise.* 1948 ; ☞ *givrer* + *dé-*[2] ; [deʒivre].

**DÉGIVREUR, subst. m.**
Appareil ou dispositif automatique servant à dégivrer. 1951 ; ☞ *dégivrer* ; [deʒivrœr].

**DÉGLAÇAGE, subst. m.**
Action de déglacer. 1890 ; ☞ *déglacer* ; [deglasaʒ].

**DÉGLACEMENT, subst. m.**
Déglaçage (rare). 1870 ; ☞ *déglacer* ; [deglasmɑ̃].

**DÉGLACER, verbe trans. [4]**
**1.** Enlever, faire fondre la glace de (rare). **2.** *Cuis.* Ajouter un liquide dans (un récipient où a cuit de la viande ou du poisson) pour délayer et allonger les sucs. **3.** *Techn.* Ôter son aspect brillant à (un papier). 1442 ; ☞ *glacer* + *dé-*[2] ; [deglase].

**DÉGLACIATION, subst. f.**
*Géol.* Récession d'un processus glaciaire (☞ *glaciation*). 1956 ; ☞ *glaciation* + *dé-*[2] ; [deglasjasjɔ̃].

**DÉGLINGUER, verbe trans. [3]**
Disloquer (fam.) : *Il a **déglingué** sa montre.* 1842 ; p.-ê. altér. de *déclinquer* (rare), « détacher les bordages d'un bâtiment à clins » ; [deglɛ̃ge].

**DÉGLUER, verbe trans. [3]**
Enlever la glu de (un oiseau piégé, un objet). 1213 ; ☞ *glu* + *dé-*[2] ; [deglye].

**DÉGLUTINATION, subst. f.**
*Ling.* Séparation des parties d'un mot : *Par **déglutination**, « l'agriotte » est devenu « la griotte ».* 1951 ; ☞ *agglutination* + *dé-*[2] ; [deglytinasjɔ̃].

**DÉGLUTIR, verbe trans. [19]**
Avaler, faire passer de la bouche à l'estomac. XIIe s. ; bas lat. *deglut(t)ire* ; [deglytir].

**DÉGLUTITION, subst. f.**
Action de déglutir. 1561 ; bas lat. *deglut(t)ire*, « avaler » ; [deglytisjɔ̃].

**DÉGOBILLER, verbe [3]**
Vomir (fam.). 1611 ; ☞ *gober* + *dé-*[2] ; [degɔbije].

**DÉGOISER, verbe trans. [3]**
Fam. et Péj. Débiter rapidement et abondamment (des propos) ; empl. abs. : *Il ne cesse de **dégoiser**.* Fin XIIIe s. ; ☞ *gosier* + *dé-*[2] ; [degwaze].

**DÉGOMMAGE, subst. m.**
Action de dégommer. 1767 ; ☞ *dégommer* ; [degɔmaʒ].

**DÉGOMMER, verbe trans. [3]**
**1.** Enlever la gomme de. **2.** Fig. et Fam. ▸ Destituer (qqn), lui faire perdre sa place. ▸ Atteindre (une cible) par un tir. 1653 ; ☞ *gomme* + *dé-*[2] ; [degɔme].

**DÉGONDER, verbe trans. [3]**
Mettre hors des gonds (rare) : ***Dégonder** une porte.* 1514 ; ☞ *gond* + *dé-*[2] ; [degɔ̃de].

**DÉGONFLAGE, subst. m.**
**1.** Action de dégonfler ou fait de se dégonfler ; par ext., perte de volume. **2.** Fig. Dérobade (fam.). 1887 ; ☞ *dégonfler* ; [degɔ̃flaʒ].

**DÉGONFLÉ, ÉE, subst.**
Personne qui manque de courage au moment d'agir (fam.) : *Celui-là, c'est un **dégonflé**.* XXe s. ; p. p. de *dégonfler* ; [degɔ̃fle].

**DÉGONFLEMENT, subst. m.**
Dégonflage. 1790 ; ☞ *dégonfler* ; [degɔ̃fləmɑ̃].

**DÉGONFLER, verbe [3]**
**Trans. 1.** Vider (qqch.) de ce qui le gonfle : ***Dégonfler** un ballon.* **2.** Ext. Faire perdre à (qqch.) de son volume, faire désenfler. **3.** Fig. ▸ Réduire l'importance de : ***Dégonfler** un budget.* ▸ Dépouiller d'un renom immérité : ***Dégonfler** une réputation.* **Intrans.** ou **Pronom.** Perdre de son volume. **Pronom.** Fig. Se dérober (fam.). Mil. XVIe s. ; ☞ *gonfler* + *dé-*[2] ; [degɔ̃fle].

**DÉGORGEMENT, subst. m.**
**1.** Action de dégorger. **2.** Écoulement d'un liquide qui engorge, évacuation de déchets ; par méton., lieu de cette évacuation. 1548 ; ☞ *dégorger* ; [degɔrʒəmɑ̃].

**DÉGORGEOIR, subst. m.**
**1.** Issue, orifice par où qqch. dégorge. **2.** *Spéc.* ▸ *Menuis.* Ciseau employé pour dégager les mortaises. ▸ *Œnol.* Matériel utilisé pour dégorger le vin mousseux. ▸ *Pêche.* Tringlette utilisée pour sortir l'hameçon de la gorge d'un poisson. ▸ *Techn.* Outil de forgeron servant à travailler le fer à chaud. 1505 ; ☞ *dégorger* ; [degɔrʒwar].

**DÉGORGER, verbe [5]**
**Trans. 1.** Rendre par la gorge : *Les oiseaux **dégorgent** la nourriture destinée à leurs petits.* **2.** Rendre son trop-plein : ***Dégorger** de la bile.* **3.** Déboucher, vider : ***Dégorger** un siphon.* **4.** *Spéc.* ▸ *Œnol.* Débarrasser (un vin mousseux) de ses impuretés. ▸ *Text.* ***Dégorger** la soie, la laine.* **Intrans. 1.** Déborder : *Les égouts **dégorgent**.* **2.** *Cuis.* Rendre un liquide superflu : *Faire **dégorger** les concombres, les escargots.* 1501 (1299, se déverser) ; ☞ *gorge* + *dé-*[2] ; [degɔrʒe].

**DÉGOTER, verbe [3]**
**Trans. 1.** Vx. *Jeux.* Faire tomber (l'objet qui sert de but) à l'aide d'une pierre, d'une balle. **2.** Débusquer, dénicher (fam.) : ***Dégoter** un objet rare aux puces.* **Intrans.** Avoir de l'allure (vieilli) : *Il **dégote** bien.* 1694 ; orig. obsc. ; var. *dégotter* ; [degɔte].

**DÉGOULINADE, subst. f.**
Coulée de liquide ; trace laissée par un écoulement (fam.). 1938 ; ☞ *dégouliner* ; [degulinad].

**DÉGOULINEMENT, subst. m.**
Fait de dégouliner ; son résultat. 1884 ; ☞ *dégouliner* ; [degulinmɑ̃].

**DÉGOULINER, verbe intrans. [3]**
Couler lentement en un ou plusieurs filets. 1757 ; *dégouler* (vx), « s'épancher » ; [deguline].

**DÉGOUPILLER, verbe trans. [3]**
Ôter la goupille de : ***Dégoupiller** une grenade.* 1749 ; ☞ *goupille* + *dé-*[2] ; [degupije].

**DÉGOURDI, IE, adj.**
**1.** Qui est sorti de son engourdissement. **2.** Fig. Qui est actif, adroit, habile ; empl. subst. : *C'est un petit **dégourdi** !* 1611 (XIIe s., amaigri) ; p. p. de *dégourdir* ; [degurdi].

**DÉGOURDIR, verbe trans. [19]**
**I. 1.** Ôter l'engourdissement de : ***Dégourdir** ses doigts* ; empl. pronom. : *Se **dégourdir** les jambes.* **2.** Fig. Faire perdre sa timidité à (qqn) ; empl. pronom. : *Elle **s'est dégourdie** pendant ce séjour à l'étranger.* **II.** Faire tiédir (vieilli) : ***Dégourdir** de l'eau.* XVe s. ; ☞ *gourd* + *dé-*[2] ; [degurdir].

**DÉGOURDISSEMENT, subst. m.**
Action de dégourdir ; fait de se dégourdir. 1552 ; ☞ *dégourdir* ; [degurdismɑ̃].

**DÉGOÛT, subst. m.**
**1.** Manque de goût, d'appétit (vieilli) ; par ext., écœurement. **2.** Fig. Vive répugnance, aversion pour qqn ou qqch. Fin XVIe s. ; ☞ *dégoûter* ; [degu].

**DÉGOÛTAMMENT, adv.**
D'une façon dégoûtante (rare). 1790 ; ☞ *dégoûtant* ; [degutamɑ̃].

**DÉGOÛTANT, ANTE, adj.**
**1.** Qui inspire du dégoût ; qui est repoussant de saleté, de grossièreté ; empl. subst. : *C'est un vieux **dégoûtant**.* **2.** Fig. Abject, ignoble (fam.). 1642 ; p. pr. de *dégoûter* ; [degutɑ̃, ɑ̃t].

**DÉGOÛTATION, subst. f.**
Fam. **1.** Sentiment de dégoût. **2.** Méton. Personne ou chose inspirant du dégoût. Mil. XIXe s. ; ☞ *dégoûter* ; [degutasjɔ̃].

**DÉGOÛTÉ, ÉE, adj.**
**1.** Qui ressent du dégoût ; empl. subst. : *Faire le **dégoûté***, le difficile, le délicat. **2.** Qui dénote le dégoût : *Une mine **dégoûtée**.* 1379 ; ☞ *goût* + *dé-*[2] ; [degute].

**DÉGOÛTER, verbe trans. [3]**
**1.** Vieilli. Ôter l'appétit à (qqn). **2.** Inspirer du dégoût à. **3.** Décourager, détourner de qqch. : *Cet accident l'**a dégoûté** du ski.* 1538 ; ☞ *goût* + *dé-*[2] ; [degute].

**DÉGOUTTER, verbe intrans. [3]**
**1.** Couler goutte à goutte. **2.** Laisser tomber goutte à goutte : *Son front **dégouttait** de sueur.* Déb. XIIe s. ; ☞ *goutte* (I) + *dé-*[1] ; [degute].

**DÉGRADANT, ANTE, adj.**
Qui dégrade, avilit, déshonore. 1792 ; p. pr. de *dégrader* (I) ; [degradɑ̃, ɑ̃t].

**DÉGRADATION (I), subst. f.**
**1.** Destitution déshonorante : ***Dégradation** d'un militaire* ; ***Dégradation** civique*, perte des droits civiques, politiques et de certains droits civils. ▸ Fig. Déchéance, avilissement. **2.** Détérioration matérielle : *La **dégradation** d'un édifice* ; au fig., état de ce qui se détériore : *La **dégradation** de l'emploi.* **3.** *Spéc.* ▸ *Chim.* Décomposition d'une molécule. ▸ *Géogr.* Érosion, appauvrissement d'un sol. ▸ *Phys.* ***Dégradation** de l'énergie* : transformation irréversible de l'énergie dans des formes de moins en moins aptes à fournir un travail mécanique. 1486 ; bas lat. *degradatio* ; [degradasjɔ̃].

**DÉGRADATION (II), subst. f.**
Diminution progressive de l'intensité d'une couleur, d'une lumière. 1669 ; ital. *digradazione* ; [degradasjɔ̃].

**DÉGRADÉ, subst. m.**
**1.** Affaiblissement graduel, naturel ou volontaire, de l'intensité d'une couleur, d'une lumière. **2.** Technique de coupe des cheveux consistant à réduire leur épaisseur par échelons. 1890 ; p. p. de *dégrader* (II) ; [degrade].

**DÉGRADER (I), verbe trans. [3]**
**1.** Destituer, déposséder publiquement (qqn) de son grade : ***Dégrader** un magistrat* ; au fig., déshonorer, rabaisser : *Cette dépendance le **dégrade**.* **2.** Endommager : ***Dégrader** un monument.* **Pronom. 1.** S'avilir. **2.** Se détériorer : *Le temps se **dégrade**.* 1174 ; bas lat. *degradare* ; [degrade].

**DÉGRADER (II), verbe trans. [3]**
**1.** Estomper l'intensité de (un ton, une lumière). **2.** Couper (les cheveux) en dégradé. 1651 ; ital. *digradare* ; [degrade].

**DÉGRAFER,** verbe trans. [3]
Détacher (ce qui est agrafé). 1546 ; ☞ *agrafer* + *dé-*[2] ; [degʀafe].

**DÉGRAISSAGE,** subst. m.
Action de dégraisser ; son résultat. 1754 ; ☞ *dégraisser* ; [degʀɛsaʒ].

**DÉGRAISSANT, ANTE,** adj. et subst. m.
Se dit d'un produit qui dégraisse. 1864 ; p. pr. de *dégraisser* ; [degʀɛsɑ̃, ɑ̃t].

**DÉGRAISSER,** verbe trans. [3]
**1.** Enlever la graisse de : ***Dégraisser** une viande, un bouillon.* **2.** Nettoyer : ***Dégraisser** un textile, un vêtement.* **3.** Fig. et Fam. Réduire (son personnel), en parlant d'une entreprise ; empl. abs., procéder à des licenciements (empl. critiqué). **4.** *Agric.* Rendre moins grasse (une terre) en ôtant son humus. **5.** *Menuis.* Amincir (une pièce de bois). Mil. XIIIe s. ; ☞ *graisse* + *dé-*[2] ; [degʀɛse].

**DÉGRAISSEUR, EUSE,** subst.
Spécialiste de l'entretien et du nettoyage des vêtements (vx). 1532 ; ☞ *dégraisser* ; [degʀɛsœʀ, øz].

**DÉGRAS,** subst. m.
**1.** *Techn.* Composition grasse qu'utilise le corroyeur pour le graissage et l'assouplissement des cuirs. **2.** Québ. Déchets de cuisine. 1723 ; ☞ *dégraisser* ; [degʀɑ].

**DÉGRAVOIEMENT,** subst. m.
Effet d'une eau courante qui chasse le gravier de son lit ou détériore une construction par ses bases. 1694 ; ☞ *dégravoyer* ; [degʀavwamɑ̃].

**DÉGRAVOYER,** verbe trans. [17]
Provoquer le dégravoiement de. 1685 ; *gravois* (vx), « gros sable », + *dé-*[2] ; [degʀavwaje].

**DEGRÉ,** subst. m.
**I.** Marche d'escalier (littér.). **II.** Chacun des états d'une série. **1.** Échelon, étape dans une hiérarchie : *Les **degrés** de l'échelle professionnelle.* **2.** Dr. Place d'un tribunal dans la hiérarchie : *La cour d'appel est le deuxième **degré** de juridiction.* **3.** *Enseign.* Niveau d'études : *L'enseignement du premier **degré** correspond à l'enseignement primaire.* **4.** *Généalogie.* Écart entre les générations d'une famille ou entre des parents collatéraux par rapport à un ascendant commun : *Un grand-père et son petit-fils sont parents au deuxième **degré** ; Deux sœurs sont parentes au premier **degré**.* **5.** *Mus.* Chacun des sons de la gamme diatonique par rapport à la tonique. **6.** Fig. Niveau d'interprétation. ▸ Loc. *Prendre un propos au premier **degré*** : comme il est dit, sans en voir les subtilités, les sens cachés. **III.** Élément d'intensité. **1.** *Alg.* *Équation du premier, du second **degré*** : équation dont l'inconnue est à la première, à la seconde puissance. **2.** *Gramm.* *Les **degrés** de signification des adjectifs ou des adverbes* : le positif, le comparatif et le superlatif. **3.** *Pathol.* Stade de l'évolution d'une maladie ou d'une lésion : *Brûlures au second **degré**.* **4.** Fig. Niveau d'une échelle fictive : *Il m'agace au plus haut **degré**.* **IV.** Unité. **1.** *Chim.* ▸ ***Degré** alcoolique d'une boisson* : teneur en alcool fondée sur le volume d'alcool pur présent dans un volume de la boisson considérée (exprimée en pourcentage). ▸ ***Degré** alcoométrique d'un liquide* : teneur en alcool fondée sur la masse d'alcool pur présente dans un volume de ce liquide. **2.** *Géom.* ▸ Unité de mesure des arcs de cercle (symb. : °), valant 1/360 de la circonférence du cercle. ▸ Unité de mesure des angles, en associant un secteur angulaire à un angle donné (un secteur angulaire mesure 1 **degré** si, et seulement si, il intercepte un cercle centré en son sommet suivant un arc de 1 **degré**). **3.** *Math.* ▸ ***Degré** d'un polynôme non nul* : plus grand exposant des puissances auxquelles une variable est élevée dans les monômes composant le polynôme. ▸ ***Degré** d'une courbe, d'une équation ou d'une surface algébrique* : **degré** du polynôme qui la définit. **4.** *Thermodynamique.* ▸ ***Degré** Celsius* : unité de différence de température (symb. : °C), égale au kelvin (synon. vieilli *degré centigrade*). Les échelles Celsius et Kelvin n'ont pas le même zéro et sont liées par la relation Tc = Tk – 273,15 K. Historiquement, le **degré** Celsius était défini à l'aide de deux points fixes, par des valeurs conventionnelles attribuées à la température de fusion de la glace (0 °C) et à celle de l'ébullition de l'eau (100 °C). ▸ ***Degré** Fahrenheit* : unité de différence de température (symb. : °F) utilisée par les Anglo-Saxons. Mil. XIe s. ; prob. lat. pop. °*degradus*, du bas lat. *gradus*, « degré » ; [dəgʀe].

**DÉGRÉER,** verbe trans. [7]
*Mar.* Dégarnir (un navire) de son gréement. 1672 ; ☞ *gréer* + *dé-*[2] ; [degʀee].

**DÉGRESSIF, IVE,** adj.
Qui va en diminuant. ▸ *Tarif **dégressif*** : qui diminue à chaque franchissement de seuil. ▸ *Impôt **dégressif*** : dont le taux décroît lorsque les revenus diminuent. 1903 ; lat. *degressus*, de *degredi*, « descendre de » ; [degʀesif, iv].

**DÉGRESSIVITÉ,** subst. f.
Caractère de ce qui est dégressif. 1941 ; ☞ *dégressif* ; [degʀesivite].

**DÉGRÈVEMENT,** subst. m.
Action de dégrever ; son résultat. 1790 ; ☞ *dégrever* ; [degʀɛvmɑ̃].

**DÉGREVER,** verbe trans. [10]
Exonérer (qqn, qqch.) ; alléger les charges fiscales qui grèvent (qqn, qqch.). 1795 (1319, dédommager) ; ☞ *grever* + *dé-*[2] ; [degʀəve].

**DÉGRIFFÉ, ÉE,** adj.
Se dit d'un vêtement, d'un accessoire mis en vente moins cher parce qu'il n'a plus sa griffe d'origine : *Robe **dégriffée*** ; empl. subst. masc. : *Acheter du **dégriffé**.* V. 1960 ; ☞ *griffe* + *dé-*[2] ; [degʀife].

**DÉGRINGOLADE,** subst. f.
Action ou fait de dégringoler (fam.). 1804 ; ☞ *dégringoler* ; [degʀɛ̃gɔlad].

**DÉGRINGOLER,** verbe intrans. [3]
Fam. **1.** Tomber avec précipitation et désordre ; par ext., descendre à la hâte ; empl. trans. : ***Dégringoler** l'escalier.* **2.** Fig. Perdre brutalement de sa valeur : *Les cours **dégringolent** à la Bourse.* 1595 ; m. néerl. *crinkelen*, « boucler », de *crinc*, « cercle », car celui qui dégringole semble décrire des cercles successifs ; [degʀɛ̃gɔle].

**DÉGRIPPANT,** subst. m.
Produit servant à dégripper un ensemble mécanique. V. 1970 ; p. pr. de *dégripper* ; [degʀipɑ̃].

**DÉGRIPPER,** verbe trans. [3]
Remédier au grippage de (un ensemble mécanique). V. 1970 ; ☞ *gripper* + *dé-*[2] ; [degʀipe].

**DÉGRISEMENT,** subst. m.
Action de dégriser, fait de se dégriser ; état qui en résulte. 1823 ; ☞ *dégriser* ; [degʀizmɑ̃].

**DÉGRISER,** verbe trans. [3]
**1.** Faire passer à (qqn) l'ivresse due à l'abus d'alcool. **2.** Fig. Détruire les illusions de (qqn) et le ramener à la réalité : *Ce revers de fortune l'a **dégrisé**.* 1580 ; ☞ *griser* + *dé-*[2] ; [degʀize].

**DÉGROSSER,** verbe trans. [3]
*Métall.* Étirer (un lingot de métal) pour le faire passer à la filière. XIVe s. ; ☞ *gros* + *dé-*[2] ; [degʀose].

**DÉGROSSIR,** verbe trans. [19]
**1.** *Techn.* Enlever le plus gros de (une matière brute) par un premier façonnage : ***Dégrossir** une pièce de bois, un bloc de marbre, un rubis.* **2.** Fig. ▸ Entreprendre une première mise en forme de, un premier tri de : ***Dégrossir** une question.* ▸ Rendre (qqn) moins grossier, moins ignorant (fam.) : *Le peu de contacts qu'il eut avec l'école suffit à le **dégrossir**.* 1611 ; ☞ *gros* + *dé-*[2] ; [degʀosiʀ].

**DÉGROSSISSAGE,** subst. m.
Action de dégrossir ; son résultat. 1799 ; ☞ *dégrossir* ; [degʀosisaʒ].

**DÉGROSSISSEMENT,** subst. m.
Dégrossissage. 1578 ; ☞ *dégrossir* ; [degʀosismɑ̃].

**DÉGROUILLER (SE),** verbe pronom. [3]
Faire vite (fam.). 1900 ; ☞ *grouiller* + *dé-*[1] ; [degʀuje].

**DÉGUENILLÉ, ÉE,** adj.
**1.** Qui est vêtu de guenilles (synon. *dépenaillé*). **2.** Méton. *Des vêtements **déguenillés*** : tombant en guenilles. 1694 ; ☞ *guenille* + *dé-*[1] ; [deg(ə)nije].

**DÉGUERPIR,** verbe [19]
TRANS. Vx. *Dr.* Renoncer à la propriété de (un bien), afin de se soustraire aux charges qu'il représente : ***Déguerpir** un immeuble.* INTRANS. Partir précipitamment d'un lieu, s'enfuir (fam.). XIIe s. ; anc. fr. *guerpir*, « abandonner », de l'anc. bas frq. °*werpjan*, « jeter », + *dé-*[1] ; [degɛʀpiʀ].

**DÉGUEULASSE,** adj.
Fam. **1.** Très sale ; répugnant ; ignoble : *Une chambre **dégueulasse*** ; empl. subst., personne très sale, répugnante. **2.** Ext. Très mauvais ; très mal fait : *Un temps, un travail **dégueulasse**.* 1867 ; ☞ *dégueuler* ; [degœlas].

**DÉGUEULER,** verbe trans. [3]
Vulg. **1.** Vomir : ***Dégueuler** son repas* ; empl. abs. : *L'ivrogne **a dégueulé** dans l'escalier.* ▸ Loc. *C'est **dégueuler*** : c'est ignoble, très laid. **2.** Fig. Débi[ter] (un flot de paroles violentes) : *On l'entend **dégueuler** des injures.* 1690 (1482, parler) ; ☞ *gueule* + *dé-*[2] ; [degœle].

**DÉGUEULIS,** subst. m.
Vomissure (vulg.). 1845 ; ☞ *dégueuler* ; [degœ…]

**DÉGUISÉ, ÉE,** adj.
**1.** Revêtu d'un déguisement : *Ils arrivèrent **déguisé**[s]* par méton. : *Une soirée **déguisée**.* **2.** Fig. Camou[flé] en vue de tromper : *Une voix **déguisée**.* **3.** *Conf[is.]* *Fruits **déguisés*** : enrobés de sucre et fourrés à la p[âte] d'amande. Mil. XIII[e] s. ; p. p. de *déguiser* ; [degiz…]

**DÉGUISEMENT,** subst. m.
**1.** Action de déguiser, de se déguiser. **2.** Ce qui s[ert] à déguiser : *Un **déguisement** de fée.* **3.** Fig. Travestis[se]ment ; dissimulation : *Le **déguisement** d'un fait ; A[gir] sans **déguisement**.* XIII[e] s. ; ☞ *déguiser* ; [degizm…]

*Déguisement.*

**DÉGUISER,** verbe trans. [3]
**1.** Changer l'apparence extérieure de (qqn) par u[n] maquillage ou des vêtements appropriés. **2.** F[ig.] ▸ Camoufler, travestir : ***Déguiser** sa voix.* ▸ Falsifi[er,] dénaturer : *Les mots ne devraient pas servir à déguis[er] les faits.* PRONOM. Revêtir un déguisement. 115[…] ☞ *guise* + *dé-*[2] ; [degize].

**DÉGURGITER,** verbe trans. [3]
Rejeter (ce qu'on vient d'avaler) ; au fig. : ***Dégurgi**[ter] un cours,* en restituer le contenu sans l'av[oir] assimilé. 1839 ; ☞ *ingurgiter* + *dé-*[2] ; [degyʀʒit…]

**DÉGUSTATEUR, TRICE,** subst.
Personne dont la profession consiste à déguster [les] vins. 1793 ; ☞ *déguster* ; [degystatœʀ, tʀis].

**DÉGUSTATION,** subst. f.
Action de déguster : *Une **dégustation** gratui[te].* 1519 ; bas lat. *degustatio* ; [degystasjɔ̃].

**DÉGUSTER,** verbe trans. [3]
**1.** Goûter (un produit) en s'appliquant à en déce[ler] les saveurs, à en apprécier les qualités : ***Dégus**[ter] un cru.* **2.** Ext. Manger ou boire en savoura[nt] pleinement : *Il **dégusta** des écrevisses* ; au fig., viv[re] intensément (qqch.) : *Il **dégustait** un à un s[es] derniers jours de liberté.* **3.** Abs. Souffrir, recevoir d[es] coups (fam.) : *Attention, tu vas **déguster** !* [F…] XVIIIe s. ; lat. *degustare* ; [degyste].

**DÉHALER,** verbe trans. [3]
*Mar.* Déplacer (un navire) en tirant sur les amarr[es.] PRONOM. S'éloigner d'une position dangereuse, [en] parlant d'un navire ; par ext., lever l'ancre, quitt[er] le mouillage. 1529 ; ☞ *haler* + *dé-*[1] ; [deale].

**DÉHANCHÉ, ÉE,** adj.
**1.** Qui se déhanche. **2.** *Vétér.* *Cheval **déhanché*** : do[nt] la hanche est déformée à la suite d'une fracture [de] l'os iliaque. 1555 ; ☞ *hanche* + *dé-*[2] ; [deɑ̃ʃe].

**DÉHANCHEMENT,** subst. m.
Action de se déhancher ; position qu'adopte le cor[ps] dans cette action : *Les **déhanchements** d'un danseu[r].* 1693 ; ☞ *se déhancher* ; [deɑ̃ʃmɑ̃].

**DÉHANCHER (SE),** verbe pronom. [3]
**1.** Faire porter le poids de son corps sur une jamb[e.] **2.** Ext. Marcher en accentuant, volontairement [ou] non, la saillie de la hanche opposée à la jam[be] d'appui. 1663 ; ☞ *hanche* + *dé-*[2] ; [deɑ̃ʃe].

**DÉHARNACHER,** verbe trans. [3]
Retirer son harnais à (un cheval). PRONOM. Fa[…]

défaire (d'un vêtement, d'un équipement en-
mbrant). 1380 (1155, ôter les cordes retenant les
les) ; ☞ harnacher + dé-² ; [deaʀnaʃe].

**DÉHISCENCE, subst. f.**
*Biol.* Ouverture spontanée et naturelle d'un
aire, qui libère un ovule. 2. *Bot.* Ouverture à
turité et sans déchirure d'un organe clos, qui
ère son contenu : ***Déhiscence*** *de l'anthère*, qui
ère les grains de pollen ; ***Déhiscence*** *d'une gousse.*
1798 ; ☞ *déhiscent* ; [deisɑ̃s].

**DÉHISCENT, ENTE, adj.**
. Se dit d'un fruit ou d'un organe qui s'ouvre
ontanément à maturité. 1798 ; lat. *dehiscens,*
*dehiscere,* « s'entrouvrir » ; [deisɑ̃, ɑ̃t].

**DEHORS, prép., adv. et subst. m.**
**ÉP.** Hors de, à l'extérieur de (vieilli et littér. ;
osiste dans des loc.) : *Elle demeure* ***dehors*** *la ville.*
**V. 1.** À l'extérieur : *Je vais* ***dehors****, à l'intérieur il*
*chaud.* **2.** Loc. adv. ▸ **Au-dehors.** À l'extérieur :
*foule, au-dehors, attendait.* ▸ **En dehors.** Vers
xtérieur : *Il a les pieds en* ***dehors****.* ▸ **De dehors.**
l'extérieur : *Il vient de* ***dehors****.* ▸ **Par-dehors.** Par
xtérieur : *Passez par-****dehors****.* **3.** Loc. *Mettre qqn*
*ors* : le chasser, le congédier (fam.) ; *Toutes griffes*
*ors* : prêt à riposter ; *Toutes voiles* ***dehors*** : toutes
les déployées ou, au fig., le plus vite possible, avec
s les moyens possibles ; *Un nom à coucher* ***dehors*** :
ravagant (fam.). **3.** Loc. prép. ▸ ***Au-dehors*** *de* :
'extérieur de. ▸ **En dehors de.** À l'extérieur de ;
fig., à l'écart de, à l'exclusion de : *Je veux rester*
***dehors*** *de cette histoire* ; *Rien ne compte pour lui*
***dehors*** *d'elle.* **SUBST. 1.** L'extérieur de qqch. : *Le*
*ors de cette maison est aussi beau que le dedans.*
Fig. L'aspect, l'apparence de qqn : *Sous un* ***dehors***
*able, c'est un homme odieux* ; *Je me défie de ses*
*ors gracieux.* xᵉ s. ; bas lat. *deforis,* « au-dehors
», du lat. *de,* « de », et *foris,* « au-dehors » ; [dəɔʀ].

**DÉHOUILLER, verbe trans. [3]**
*hn.* Extraire toute la houille de : ***Déhouiller*** *un*
*n.* 1870 ; ☞ *houille* + *dé-²* ; [deuje].

**DÉHOUSSABLE, adj.**
nt la housse s'enlève : *Fauteuil* ***déhoussable.***
Mil. xxᵉ s. ; ☞ *housser* + *dé-²* ; [deusabl].

**DÉICIDE, subst. et adj.**
*ig.* **SUBST. MASC.** Meurtre de Dieu. ▸ La crucifixion
Jésus-Christ. **SUBST.** et **ADJ.** Qualifie ou désigne
e personne ou un peuple considéré comme meur-
er de Dieu. 1585 ; lat. chrét. *deicida* ; [deisid].

**DÉICTIQUE, adj. et subst. m.**
*g.* Se dit d'un mot qui sert à désigner : *« Ceci »,*
*ela » sont des mots* ***déictiques****, des* ***déictiques.***
1908 ; gr. *deiktikos,* « démonstratif » ; [deiktik].

**DÉIFICATION, subst. f.**
tion de déifier ; son résultat. 1375 ; lat. chrét.
*ficatio* ; [deifikasjɔ̃].

**DÉIFIER, verbe trans. [6]**
Élever au rang de dieu : *Les Romains* ***déifiaient***
*rs empereurs.* **2.** Fig. Glorifier de manière exces-
e, idolâtrer (qqn, qqch.) : ***Déifier*** *l'argent.* Déb.
s. ; lat. chrét. *deificare* ; [deifje].

**DÉISME, subst. m.**
*ilos.* Croyance en l'existence d'un principe divin,
lonnateur du monde, accessible par la raison
dehors de toute révélation. 1662 ; lat. *deus,*
ieu » ; [deism].

**DÉISTE, subst. et adj.**
**BST.** Personne qui professe le déisme. **ADJ.** Relatif
déisme : *Une doctrine* ***déiste.*** 1564 ; lat. *deus,*
ieu » ; [deist].

**DÉITÉ, subst. f.**
*Philos.* Essence de ce qui est divin : *La* ***déité*** *de*
*eu.* **2.** Dieu ou déesse de la mythologie. **3.** Ext.
sonne ou chose que l'on divinise (littér.) :
*arre* ***déité****, brune comme les nuits* (Baudelaire).
1119 ; lat. chrét. *deitas,* « divinité » ; [deite].

**DÉJÀ, adv.**
Dès à présent : *Nous avons* ***déjà*** *terminé.* ▸ Loc.
*v. D'ores et* ***déjà*** : dès maintenant, désormais. **2.** À
moment-là, dès lors : *Quand tu te lèveras, je serai*
*à loin.* **3.** Précédemment, auparavant : *Je vous l'ai*
*à expliqué cent fois* ; *Ne vous ai-je pas* ***déjà*** *vu ?*
Fam. ▸ Sert à mettre en valeur un résultat : *Il*
*vaille, c'est* ***déjà*** *bien.* ▸ Sert à se faire rappeler ce
'on a oublié : *Quel est son nom,* ***déjà*** *?* Fin xiiiᵉ s. ;
is. de *dès* et de l'anc. fr. *ja,* du lat. *jam,* « maintenant ;
a un instant ; tout à l'heure » ; [deʒa].

**DÉJANTER, verbe [3]**
**TRANS.** Faire sortir (un pneu) de la jante. **IN-TRANS. 1.** Sortir de la jante : *Attention, le pneu* ***déjante*** *!* **2.** Fig. Devenir fou (fam.) : *Il* ***déjante*** *complètement.* 1611 ; ☞ *jante* + *dé-²* ; [deʒɑ̃te].

**DÉJAUGER, verbe intrans. [5]**
*Mar.* S'élever au-dessus de sa ligne de flottaison, en parlant d'un navire, d'un hydravion. 1834 ; ☞ *jauge* + *dé-²* ; [deʒoʒe].

**DÉJÀ-VU, subst. m. inv.**
**1.** Chose banale, rebattue (fam.) : *Ce roman, c'est du* ***déjà-vu*** *!* **2.** *Psychol. Illusion de* ***déjà-vu*** : fausse reconnaissance ; impression intense de vivre une situation déjà vécue. 1946 ; comp. de *déjà* et de *vu* (II) ; [deʒavy].

**DÉJECTION, subst. f.**
**1.** *Physiol.* Expulsion des matières fécales contenues dans l'intestin ; par méton., au plur., les matières expulsées. **2.** *Géomorph. Cône de* ***déjection*** : dépôt d'alluvions, gén. grossières, qui s'accumulent en forme d'éventail à l'arrivée d'un torrent dans une vallée ou une plaine. 1538 (fin xiiᵉ s., dépravation) ; lat. *dejectio,* « action de jeter à bas » ; [deʒɛksjɔ̃].

**DÉJETÉ, ÉE, adj.**
**1.** Gauchi, tordu : *Un corps* ***déjeté.*** **2.** *Géol. Pli* ***déjeté*** : pli anticlinal dont les flancs ne sont pas également inclinés. xviiᵉ s. ; p. p. de *déjeter* ; [deʒ(ə)te].

**DÉJETER, verbe trans. [14]**
Écarter de la position normale ; déformer, tordre (rare) : *La tempête a* ***déjeté*** *les oliviers.* 1553 (1050, jeter à terre) ; ☞ *jeter* + *dé-¹* ; [deʒ(ə)te].

**DÉJEUNER (I), verbe intrans. [3]**
Prendre le petit déjeuner ou le repas de midi. Mil. xiiᵉ s. ; prob. lat. pop. °*disjejunare,* « rompre le jeûne » ; [deʒœne].

**DÉJEUNER (II), subst. m.**
**1.** Repas pris au milieu de la journée : *Un* ***déjeuner*** *d'affaires.* ▸ *Le petit* ***déjeuner*** : collation matinale, prise au réveil. **2.** Méton. ▸ Les mets servis au cours du **déjeuner.** ▸ Service à petit **déjeuner** : *Un* ***déjeuner*** *avec tasses et soucoupes en porcelaine.* **3.** ***Déjeuner*** *de soleil* : tissu dont la couleur passe rapidement sous l'effet de la lumière ; par anal., chose éphémère. Fin xiiᵉ s. ; ☞ *déjeuner* (I) ; [deʒœne].

**DÉJOUER, verbe trans. [3]**
**1.** Faire échouer ; empêcher : ***Déjouer*** *un complot.* **2.** Ext. Tromper ; mettre en défaut : *Il a* ***déjoué*** *la surveillance du geôlier.* 1792 (1121, se distraire) ; ☞ *jouer* + *dé-¹* ; [deʒwe].

**DÉJUCHER, verbe [3]**
**INTRANS.** Quitter le juchoir, en parlant d'une volaille. **TRANS. 1.** Faire quitter le juchoir à : ***Déjucher*** *les poules.* **2.** Fig. Obliger (qqn) à quitter un poste, une retraite : *J'arriverai bien à vous* ***déjucher*** *de là !* Fin xiiᵉ s. ; ☞ *jucher* + *dé-²* ; [deʒyʃe].

**DÉJUGER (SE), verbe pronom. [5]**
Revenir sur une opinion, un jugement que l'on a soutenu auparavant : *Les récents évènements l'ont amené à se* ***déjuger.*** 1846 (déb. xiiᵉ s., juger, condamner) ; ☞ *juger* (I) + *dé-²* ; [deʒyʒe].

**DE JURE, loc. adv.**
*Dr.* De droit (anton. *de facto*). Fin xixᵉ s. ; loc. lat. ; [deʒyʀe].

**DELÀ, prép. et adv.**
**PRÉP.** De l'autre côté de, plus loin que (vx) : ***Delà*** *les monts.* ▸ Loc. *Par-****delà*** *les océans* ; *Il a réussi au-****delà*** *de toute espérance.* **ADV. 1.** De l'autre côté (en corrélation avec *deçà*). **2. Au-delà.** ▸ Plus loin, de l'autre côté : *Vérité au-deçà des Pyrénées, erreur au-****delà*** (Pascal) ; empl. subst. masc. : *L'au-****delà****,* la vie après la mort, dans diverses religions. ▸ Fig. Davantage, encore plus : *Il a gagné cent millions et au-****delà.*** Fin xiiᵉ s. ; formé de *de* (I) et de *là* ; [dəla].

**DÉLABREMENT, subst. m.**
Fait de se délabrer ; état de ce qui est délabré. 1718 ; ☞ *délabrer* ; [delabʀəmɑ̃].

**DÉLABRER, verbe trans. [3]**
Détériorer, dégrader, ruiner : *Deux ans d'absence ont* ***délabré*** *ma masure* (Hugo). **PRONOM.** Se dégrader, tomber en ruine ; au fig. : *Sa santé se* ***délabre*** *de plus en plus.* 1561 ; prov. *deslabrar,* « déchirer » ; [delabʀe].

**DÉLACER, verbe trans. [4]**
Dénouer le ou les lacets de : ***Délacer*** *ses chaussures.* Fin xiᵉ s. ; ☞ *lacer* + *dé-²* ; [delase].

**DÉLAI, subst. m.**
**1.** Laps de temps qui convient à la réalisation d'un acte : *Un* ***délai*** *d'un mois* ; ***Délai*** *de garde à vue* ; ***Délai*** *de livraison* ; *Expiration d'un* ***délai.*** **2.** Sursis, prolongation : *Solliciter, accorder, refuser un* ***délai.*** **3.** Loc. *À bref* ***délai*** : dans un proche avenir ; *Dernier* ***délai*** : date limite ; *Sans* ***délai*** : immédiatement. **4.** *Dr.* ***Délai-congé*** : période de préavis que chacune des parties se doit de respecter pour la cessation d'un contrat. Fin xiiᵉ s. ; anc. fr. *deslaier,* « différer » ; [delɛ].

**DÉLAINAGE, subst. m.**
Action de délainer : *Mazamet, grand centre français de* ***délainage.*** 1886 ; ☞ *délainer* ; [delɛnaʒ].

**DÉLAINER, verbe trans. [3]**
*Text.* Ôter la laine de (une peau de mouton). 1886 ; ☞ *laine* + *dé-²* ; [delɛne].

**DÉLAISSÉ, ÉE, adj.**
Laissé seul ; abandonné ; négligé : *Un amant* ***délaissé.*** Mil. xiiᵉ s. ; p. p. de *délaisser* ; [delɛse].

**DÉLAISSEMENT, subst. m.**
**1.** État d'une personne, d'une chose délaissée, laissée à l'abandon (littér.). **2.** *Dr.* Action de renoncer à un bien ou à un droit : ***Délaissement*** *d'un héritage.* 1274 ; ☞ *délaisser* ; [delɛsmɑ̃].

**DÉLAISSER, verbe trans. [3]**
**1.** Abandonner ; laisser sans secours ni affection : ***Délaisser*** *un ouvrage* ; ***Délaisser*** *ses enfants.* **2.** *Dr.* Renoncer à (un bien, un droit) : ***Délaisser*** *une terre hypothéquée.* Mil. xiiᵉ s. ; ☞ *laisser* + *dé-¹* ; [delɛse].

**DÉLAITER, verbe trans. [3]**
Délester (le beurre) de son petit-lait pendant la fabrication. 1826 ; ☞ *lait* + *dé-²* ; [delɛte].

**DÉLARDER, verbe trans. [3]**
**1.** *Bouch.* Retirer le lard de la viande de (un porc). **2.** *Techn.* Dégrossir (une pièce, un matériau). 1676 ; ☞ *lard* + *dé-²* ; [delaʀde].

**DÉLASSANT, ANTE, adj.**
Qui détend, qui dissipe la fatigue. 1860 ; p. pr. de *délasser* ; [delasɑ̃, ɑ̃t].

**DÉLASSEMENT, subst. m.**
**1.** Fait de se délasser ; état physique ou psychique qui en résulte. **2.** Ext. Activité qui délasse, repose : *La pêche est un bon* ***délassement.*** Déb. xviᵉ s. ; ☞ *délasser* ; [delasmɑ̃].

**DÉLASSER, verbe trans. [3]**
Dissiper la fatigue de, détendre : *La musique* ***délasse*** *le corps et l'esprit.* **PRONOM.** Se reposer ; se détendre. 1377 ; ☞ *lasser* + *dé-²* ; [delase].

**DÉLATEUR, TRICE, subst.**
Personne qui commet un acte de délation : *Les vocations de* ***délateur*** *abondent dans l'espèce humaine* (J. Romains). 1538 ; lat. *delator* ; [delatœʀ, tʀis].

**DÉLATION, subst. f.**
Dénonciation faite par vengeance, par intérêt ou par fanatisme. 1549 ; lat. *delatio* ; [delasjɔ̃].

**DÉLAVAGE, subst. m.**
*Text.* Action de délaver un tissu ; son résultat. 1818 ; ☞ *délaver* ; [delavaʒ].

**DÉLAVÉ, ÉE, adj.**
**1.** Décoloré ; pâle : *Une chemise* ***délavée*** ; *Des yeux d'un bleu* ***délavé.*** **2.** Imbibé d'eau : *Des terres* ***délavées.*** xviᵉ s. ; p. p. de *délaver* ; [delave].

**DÉLAVER, verbe trans. [3]**
**1.** Affaiblir ou éclaircir les couleurs de (un dessin, un tissu) avec de l'eau ou un solvant approprié. **2.** Détremper, imbiber d'eau : *La crue a* ***délavé*** *les champs.* 1622 (fin xivᵉ s., laver, purifier) ; ☞ *laver* + *dé-¹* ; [delave].

**DÉLAYAGE, subst. m.**
**1.** Action de délayer ; son résultat : ***Délayage*** *de la farine.* **2.** Méton. Ce qui est délayé. **3.** Fig. Action de discourir longuement en noyant le sujet sous les détails (péj.) : *Faire du* ***délayage.*** 1832 ; ☞ *délayer* ; [delɛjaʒ].

**DÉLAYER, verbe trans. [15]**
**1.** Diluer (une substance) dans un liquide : ***Délayer*** *de la farine avec de l'eau.* **2.** Fig. Allonger artificiellement (un discours, une idée). Fin xiiiᵉ s. ; lat. pop. °*delicare,* « rendre liquide » ; [delɛje].

**DELCO, subst. m. inv.**
*Mécan.* Système d'allumage d'un moteur à explosion ; la bobine d'induction de ce système : *Une tête de* ***Delco*** ; *Un* ***Delco.*** 1946 ; acron. de *Dayton Engineering Laboratories Company* ; n. déposé ; [dɛlko].

**DELEATUR, subst. m. inv.**
*Typogr.* Signe (₰) indiquant, sur une épreuve d'imprimerie, une suppression à opérer. 1797 ; lat. *deleatur,* « qu'il soit détruit » ; var. *déléatur* (plur. *déléaturs*) ; [deleatyʀ].

**DÉLÉBILE, adj.**
Qu'il est possible d'effacer (rare) : *Encre **délébile**.* 1819 ; lat. *delebilis*, « qu'on peut détruire » ; [delebil].

**DÉLECTABLE, adj.**
Dont on se délecte : *Une odeur **délectable** ; Une conversation **délectable**.* Fin XIIe s. ; lat. *delectabilis*, « qui charme » ; [delɛktabl].

**DÉLECTATION, subst. f.**
**1.** Plaisir sensible ou intellectuel, particulièrement intense : *Savourer un mets, lire avec **délectation**.* **2.** *Théol.* **Délectation** *morose* : complaisance dans la tentation ou la représentation imaginaire du péché. Déb. XIIe s. ; lat. *delectatio* ; [delɛktasjɔ̃].

**DÉLECTER, verbe trans.** [3]
Procurer un plaisir intense à (rare et littér.) : ***Délecter** les sens.* **Pronom. Se délecter à, de.** Prendre plaisir à ; jouir de : *Il se **délecte** à relire Bossuet.* Déb. XIVe s. ; lat. *delectare*, « charmer » ; [delɛkte].

**DÉLÉGANT, ANTE, subst.**
*Dr.* Personne qui délègue (anton. *délégataire*). 1846 ; lat. *delegens* ; [delegɑ̃, ɑ̃t].

**DÉLÉGATAIRE, subst.**
*Dr.* Personne à qui l'on délègue qqch. (anton. *délégant*). 1605 ; ☞ *déléguer* ; [delegatɛʀ].

**DÉLÉGATION, subst. f.**
**1.** Mandat accordé à un tiers par le détenteur d'un pouvoir, l'autorisant à agir à sa place ou au nom d'un autre : *Une **délégation** de signature* ; par méton., l'acte qui officialise ce mandat : *Signer une **délégation**.* ▸ Loc. *Par **délégation*** : mention officielle qui doit précéder la signature du délégué. **2.** Méton. Ensemble des personnes mandatées par une autorité morale, une collectivité pour la représenter officiellement : *Une **délégation** syndicale reçue à Matignon.* ▸ Organisme chargé d'une mission spéciale : *La **Délégation** à l'aménagement du territoire et à l'action régionale (Datar).* **3.** *Dr.* Acte par lequel une personne (le délégant) invite son débiteur (le délégué) à rembourser une somme due directement à un tiers (le délégataire). XIIIe s. ; lat. *delegatio* ; [delegasjɔ̃].

**DÉLÉGITIMER, verbe trans.** [3]
Retirer à (qqn, qqch.) sa légitimité, ne plus reconnaître le bien-fondé de son statut : ***Délégitimer** un parti.* V. 1980 ; ☞ *légitimer* + *dé-*[2] ; [deleʒitime].

**DÉLÉGUÉ, ÉE, subst.**
**1.** Personne qui représente, par délégation, les intérêts d'une collectivité ou d'une autre personne, avec, gén., pouvoir d'agir. ▸ ***Délégué** syndical* : personne qui, dans une entreprise, représente un syndicat. ▸ ***Délégué** du personnel* : salarié d'une entreprise élu par ses collègues pour les représenter auprès de l'employeur. **2.** *Admin.* Personne nommée à un poste en remplacement du titulaire : *Un **délégué** rectoral* ; empl. adj. : *Un ministre **délégué** auprès du Premier ministre.* **3.** *Dr.* Personne chargée par un délégant de verser une somme d'argent à un délégataire. Mil. XVIe s. ; p. p. de *déléguer* ; [delege].

**DÉLÉGUER, verbe trans.** [8]
**1.** Charger (qqn) d'une mission. **2.** Transmettre (un pouvoir) par délégation ; empl. abs. : *Ne pas savoir **déléguer**.* 1395 ; lat. *delegare* ; [delege].

**DÉLESTAGE, subst. m.**
Action de délester ; son résultat. ▸ Loc. *Itinéraire de **délestage*** : prévu pour détourner la circulation des voies encombrées. 1660 ; ☞ *délester* ; [delɛstaʒ].

**DÉLESTER, verbe trans.** [3]
**1.** Décharger (un navire, un aérostat, une fusée) de son lest. **2.** Ext. Débarrasser d'un fardeau ; par iron. (fam.) : *Des cambrioleurs l'**ont délesté** de ses économies.* **3.** *Électr.* Interrompre la fourniture de courant dans une partie de (un réseau), afin d'en diminuer la charge. **4.** Détourner le trafic de (une voie de circulation), afin de la désencombrer. 1593 ; ☞ *lester* + *dé-*[2] ; [delɛste].

**DÉLÉTÈRE, adj.**
**1.** Qui est nocif, toxique : *Des gaz **délétères**.* **2.** Fig. Qui est facteur de corruption (littér.) : *Une idéologie **délétère**.* 1370 ; gr. *dêlêtêrios* ; [deletɛʀ].

**DÉLÉTION, subst. f.**
*Génét.* Anomalie chromosomique caractérisée par la perte d'une partie gén. réduite d'un chromosome, souvent létale à l'état homozygote. V. 1960 ; angl. *deletion*, du lat. *deletio*, « destruction » ; [delesjɔ̃].

**DÉLIBÉRANT, ANTE, adj.**
Qui délibère (anton. *consultatif*) : *Assemblée **délibérante**.* 1690 ; p. pr. de *délibérer* ; [delibeʀɑ̃, ɑ̃t].

**DÉLIBÉRATIF, IVE, adj.**
Qui se rapporte à une délibération. ▸ *Dr. Voix **délibérative*** : droit de vote dans une assemblée délibérante. 1372 ; lat. *deliberativus* ; [delibeʀatif, iv].

**DÉLIBÉRATION, subst. f.**
**1.** Action de délibérer, d'examiner une question en commun ; conclusion, décision qui en résulte : *Les **délibérations** d'un jury.* **2.** Examen intime et réfléchi qu'effectue une personne avant d'agir ou de prendre une décision. 1280 ; lat. *deliberatio* ; [delibeʀasjɔ̃].

**DÉLIBÉRATOIRE, adj.**
Relatif à la délibération : *Une réunion **délibératoire**.* 1863 ; ☞ *délibérer* ; [delibeʀatwaʀ].

**DÉLIBÉRÉ, ÉE, adj. et subst. m.**
**Adj. 1.** Qui résulte d'une réflexion approfondie, qui est fait sciemment : *Un choix **délibéré**.* ▸ Loc. *De propos **délibéré*** : à dessein. **2.** Ext. Qui est assuré, résolu : *Marcher d'un pas **délibéré**.* **Subst.** *Dr.* Délibération à huis clos qui précède un jugement. ▸ *Mettre une affaire en **délibéré*** : reporter un jugement dans l'attente d'un examen plus précis du dossier. 1451 ; p. p. de *délibérer* ; [delibeʀe].

**DÉLIBÉRÉMENT, adv.**
Après mûre réflexion ; volontairement, intentionnellement. 1381 ; ☞ *délibéré* ; [delibeʀemɑ̃].

**DÉLIBÉRER, verbe** [8]
**Intrans. 1.** Discuter, évoquer tous les aspects d'une question pour aboutir à une décision. **2.** Examiner en soi-même les aspects d'une question avant de décider. **Trans. dir.** Décider, arrêter : ***Délibérer** la conduite à adapter.* **Trans. indir. Délibérer de, sur.** Débattre et décider de : ***Délibérer** du bien-fondé d'une méthode.* XIIIe s. ; lat. *deliberare* ; [delibeʀe].

**DÉLICAT, ATE, adj.**
**I. 1.** Qui touche les sens par sa finesse, sa subtilité : *Un mets **délicat**.* **2.** Exécuté, fabriqué avec adresse et minutie : *Œuvre **délicate**.* **3.** Fragile : *Une peau **délicate**.* **4.** Complexe et subtil : *Un problème **délicat**.* ▸ Difficile à mener à bien : *Une mission **délicate**.* **II. 1.** Doué d'une grande finesse de perception : *Un odorat **délicat**.* **2.** Qui fait preuve d'attention envers autrui : *Un ami **délicat**.* **3.** Qui est difficile à satisfaire ; empl. subst. (péj.) : *Faire le **délicat**.* Mil. XVe s. ; lat. *delicatus* ; [delika, at].

**DÉLICATEMENT, adv.**
Avec délicatesse. Mil. XVe s. ; ☞ *délicat* ; [delikatmɑ̃].

**DÉLICATESSE, subst. f.**
**1.** Caractère de ce qui est délicat ; qualité d'une personne délicate. **2.** Ext. Tact, amabilité, gentillesse. **3.** Susceptibilité (littér.). ▸ Loc. *Être en **délicatesse** avec qqn* : avoir des rapports difficiles avec lui. 1548 ; ☞ *délicat* ; [delikatɛs].

**DÉLICE, subst. m. sing.**
Plaisir exquis : *Elle mangeait avec **délice*** ; par méton., chose délicieuse : *Cette tarte est un **délice**.* ▸ Au plur. Précédé de « un de » : *Un de mes grands **délices** était de rêvasser.* Déb. XIIe s. ; lat. *delicium* ; [delis].

**DÉLICES, subst. f. plur.**
Plaisir extrême, délectation : *Les **délices** de la passion.* ▸ Loc. *Faire ses **délices** de* : retirer un grand plaisir de. Déb. XIIe s. ; lat. *deliciae*, « voluptés » ; [delis].

© Giraudon

Le Jardin des **délices** *(détail), peinture de Jérôme Bosch (v. 1450-1516). Musée du Prado, Madrid.*

**DÉLICIEUSEMENT, adv.**
De manière délicieuse ; avec délice. Mil. XIIIe s. ; ☞ *délicieux* ; [delisjøzmɑ̃].

**DÉLICIEUX, EUSE, adj.**
**1.** Très agréable, exquis : *Souvenir **délicieux**.* **2.** Qui enchante les sens : *Un repas **délicieux**.* Déb. XIIe s. ; bas lat. *deliciosus* ; [delisjø, øz].

**DÉLICTUEL, ELLE, adj.**
*Dr.* Qui se rapporte à un délit : *Faute **délictuelle**.* ▸ *Responsabilité **délictuelle*** : obligation de réparer un délit. XXe s. ; ☞ *délit* (I) ; [deliktɥɛl].

**DÉLICTUEUX, EUSE, adj.**
*Dr.* Qui constitue ou caractérise un délit : *Des agissements **délictueux**.* 1863 ; lat. *delictum*, « délit » ; [deliktɥø, øz].

**DÉLIÉ (I), ÉE, adj. et subst. m.**
**Adj. 1.** Qui est d'une grande finesse, gracile (littér.) : *Une silhouette **déliée**.* **2.** Fig. Vif, subtil, pénétrant : *Un esprit **délié**.* **Subst.** La partie fine du dessin d'une lettre calligraphiée ou imprimée : *Les pleins et les **déliés** d'une écriture.* Déb. XIIe s. ; lat. *delicatus* ; [delje].

**DELIÉ (II), ÉE, adj.**
**1.** Qui n'est plus lié. **2.** Souple, agile : *Les doigts **déliés** d'une dentellière.* ▸ Loc. *Avoir la langue **déliée*** : être bavard. 1611 ; p. p. de *délier* ; [delje].

**DÉLIER, verbe trans.** [6]
**1.** Débarrasser (qqn, qqch.) de ses liens : ***Délier** un prisonnier.* **2.** Dénouer : ***Délier** ses lacets.* ▸ Loc. *Sans bourse **délier*** : gratuitement. **3.** Fig. Libérer d'une obligation morale, désengager : ***Délier** qqn d'un vœu* ; empl. pronom. : *Les langues se **délient**,* la parole revient après avoir été contrainte. XIIe s. ; bas lat. *disligare* ; [delje].

**DÉLIMITATION, subst. f.**
Action de délimiter ; son résultat. 1773 ; bas lat. *delimitatio* ; [delimitasjɔ̃].

**DÉLIMITER, verbe trans.** [3]
Définir les limites de : ***Délimiter** un territoire, un sujet.* 1773 ; bas lat. *delimitare* ; [delimite].

**DÉLIMITEUR, subst. m.**
*Informat.* Symbole séparant des suites de bits (synon. *séparateur*). V. 1970 ; ☞ *délimiter* ; [delimitœʀ].

**DÉLINÉAMENT, subst. m.**
Trait figurant le contour, la ligne, le galbe de qqch. 1573 ; lat. *delineare*, « dessiner » ; [delineamɑ̃].

**DÉLINÉATEUR, subst. m.**
Dispositif réfléchissant servant à baliser le tracé d'une route. XXe s. ; ☞ *délinéer* ; [delineatœʀ].

**DÉLINÉER, verbe trans.** [7]
Dessiner d'un trait le contour de : ***Délinéer** un visage.* 1846 ; lat. *delineare*, « dessiner » ; [delinee].

**DÉLINQUANCE, subst. f.**
**1.** Fait de commettre des délits ; état de celui qui en commet souvent : *Sortir de la **délinquance**.* **2.** Méton. Ensemble des délits et crimes commis en un lieu et en un temps donnés : *L'accroissement de la **délinquance** urbaine.* 1946 ; ☞ *délinquant* ; [delɛ̃kɑ̃s].

**DÉLINQUANT, ANTE, subst.**
Personne qui a commis un ou des délits ; empl. adj. : *L'enfance **délinquante**.* 1375 ; *délinquer* (vx), du lat. *delinquere*, « commettre une faute » ; [delɛ̃kɑ̃, ɑ̃t].

**DÉLIQUESCENCE, subst. f.**
**1.** *Phys.* Propriété qu'ont certaines substances solides, dans les conditions ordinaires, de passer à l'état liquide en absorbant l'humidité de l'air ambiant. **2.** Fig. État de dépérissement, de décrépitude physique ; par ext., décadence : *La **déliquescence** d'une société.* XVIIIe s. ; ☞ *déliquescent* ; [delikesɑ̃s].

**DÉLIQUESCENT, ENTE, adj.**
**1.** Qui se liquéfie par déliquescence. **2.** Fig. Qui est dans une complète décadence. XVIIIe s. ; lat. *deliquescens*, de *deliquescere*, « se liquéfier » ; [delikesɑ̃, ɑ̃t].

**DÉLIRANT, ANTE, adj.**
**1.** Qui se rapporte au délire ou l'accompagne. **2.** Ext. Qui se manifeste sans retenue : *Une joie **délirante**.* **3.** Fig. Insensé, déraisonnable ; extravagant : *Un scénario **délirant**.* 1789 ; p. pr. de *délirer* ; [deliʀɑ̃, ɑ̃t].

**DÉLIRE, subst. m.**
**1.** *Psych.* Désordre des facultés mentales (perception, mémoire, idéation, notamment), qui peut s'accompagner de perte de conscience. On caractérise un **délire** par le mécanisme psychologique qui le produit (hallucination, interprétation, fabulation, rêve, etc.), par son thème (grandeur, mélancolie, persécution, mysticisme) ou par sa structure (schizophrénique, paranoïaque, etc.). **2.** Fig. Surexcitation, frénésie ; enthousiasme exubérant : *Un auditoire en **délire**.* **3.** Chose insensée, déraisonnable

(fam.) : *Ce projet, c'est du **délire** !* 1478 ; lat. *delirium* ; [delir].

**DÉLIRER,** verbe intrans. [3]
**1.** Être atteint de délire ; par ext., déraisonner, divaguer (souv. péj.). **2.** Fig. Être exalté, transporté d'enthousiasme : ***Délirer** de bonheur.* 1525 ; lat. *delirare,* « s'écarter du sillon » ; [deliʀe].

**DELIRIUM TREMENS,** subst. m. inv.
*Psych.* Délire éthylique aigu caractérisé par une confusion mentale généralisée, accompagnée d'agitation et de tremblements, qui évolue de façon paroxystique pendant quelques jours. 1824 ; lat. méd. *delirium tremens,* « délire tremblant » ; [delirjɔmtʀemɛ̃s].

**DÉLISSAGE,** subst. m.
*Techn.* Opération qui consiste à défaire les coutures et les plis des chiffons servant à confectionner la pâte à papier. 1765 ; ☞ *délisser* ; [delisaʒ].

**DÉLISSER,** verbe trans. [3]
Soumettre (des chiffons) au délissage. 1765 ; ☞ *lisser* (I) + *dé-*[1] ; [delise].

**DÉLIT (I),** subst. m.
Acte illicite, fait prohibé par la loi. ► *Dr. pénal.* Infraction faisant l'objet d'une peine correctionnelle, par oppos. à *crime* ou à *contravention* : ***Délit** d'imprudence,* homicide, coups ou blessures résultant d'une imprudence. ► *Dr. civil.* Tort fait à qqn, intentionnellement ou non ; sinistre engageant la responsabilité civile de son auteur et l'obligeant à réparer. ► Loc. *Corps du **délit*** : preuve matérielle de l'infraction ; *Flagrant **délit*** : infraction constatée par une autorité policière ou judiciaire au moment où elle est commise. Déb. XIVe s. ; lat. *delictum* ; [deli].

**DÉLIT (II),** subst. m.
**1.** *Bât.* Position d'une pierre dans un sens différent de celui du lit de carrière : *Poser une pierre en **délit**.* **2.** *Géol.* Fissure dans un terrain, une roche, dans le sens de sa stratification. 1694 ; ☞ *déliter* ; [deli].

**DÉLITAGE,** subst. m.
**1.** *Géol.* Fait de se déliter, en parlant d'une roche. **2.** Changement de la litière des vers à soie. 1818 ; ☞ *déliter* ; [delitaʒ].

**DÉLITEMENT,** subst. m.
*Bât.* Action de déliter les pierres. 1907 ; ☞ *déliter* ; [delitmɑ̃].

**DÉLITER,** verbe trans. [3]
**1.** *Bât.* Poser (des pierres) en délit. **2.** Diviser (une pierre) en respectant sa stratification. **3.** Changer la litière de (les vers à soie). PRONOM. **1.** Se fendre ; se désagréger sous l'effet des conditions climatiques : *Ce rocher se **délite** à cause des intempéries.* **2.** Fig. Se désagréger, perdre sa cohésion : *Notre société se **délite** peu à peu.* 1567 ; ☞ *lit* + *dé-*[2] ; [delite].

**DÉLITESCENCE (I),** subst. f.
*Méd.* Disparition soudaine d'une inflammation, d'une tumeur sans qu'elle resurgisse en un autre point du corps. 1503 ; lat. *delitescere,* « se cacher » ; [delitesɑ̃s].

**DÉLITESCENCE (II),** subst. f.
Action d'un corps qui se délite par absorption d'eau. Fin XIXe s. ; ☞ *délitescent* ; [delitesɑ̃s].

**DÉLITESCENT, ENTE,** adj.
Qui se délite. 1890 ; ☞ *déliter* ; [delitesɑ̃, ɑ̃t].

**DÉLIVRANCE,** subst. f.
**1.** *Méd.* Phase finale d'un accouchement, correspondant à l'expulsion du placenta. **2.** Action de délivrer, de libérer ; son résultat : *La **délivrance** d'Orléans par Jeanne d'Arc.* **3.** Fig. Libération d'un mal, d'une affliction : *Pour certains, la mort est une **délivrance**.* **4.** Action de remettre un bien, un document, une autorisation à qqn : ***Délivrance** d'un passeport.* Déb. XIIe s. ; ☞ *délivrer* ; [delivʀɑ̃s].

**DÉLIVRER,** verbe trans. [3]
**1.** Libérer : ***Délivrer** un prisonnier.* **2. Délivrer de.** Débarrasser de ce qui entrave, de ce qui gêne ; soulager de : ***Délivrez**-moi de ce doute* ; empl. pronom. : *Il n'a pu se **délivrer** de ses obsessions.* **3.** Remettre, distribuer, fournir : ***Délivrer** un permis de conduire, une ordonnance* ; ***Délivrer** des marchandises.* Mil. XIe s. ; lat. chrét. *deliberare,* « libérer » ; [delivʀe].

**DÉLIVREUR,** subst. m.
**1.** Vx. Celui qui délivre, qui rend la liberté. **2.** Personne chargée de distribuer l'avoine aux chevaux (vx). **3.** *Techn.* Dispositif de certaines machines industrielles, en partic. les machines à carder, permettant de distribuer en continu un matériau. XIIe s. ; ☞ *délivrer* ; [delivʀœʀ].

**DÉLOCALISATION,** subst. f.
**1.** Fait de délocaliser ; son résultat. **2.** *Phys.* Répartition diffuse d'un électron ou d'un ensemble d'électrons dans l'espace qui sépare plusieurs noyaux atomiques d'une molécule ou d'un ion. La **délocalisation** accroît la stabilité de la molécule ou de l'ion considérés. 1863 ; ☞ *délocaliser* ; [delɔkalizasjɔ̃].

**DÉLOCALISER,** verbe trans. [3]
Déplacer le foyer de (une activité), les moyens de production de (une entreprise) : *Le directeur dut **délocaliser** ses usines après l'incendie.* 1863 ; ☞ *localiser* + *dé-*[2] ; [delɔkalize].

**DÉLOGER,** verbe [5]
INTRANS. Quitter son logement (vieilli) ; décamper (fam.) : ***Délogez** de là !* TRANS. **1.** Faire sortir (qqn, qqch.) de son logement : ***Déloger** un locataire* ; ***Déloger** un clou d'un mur.* **2.** Ext. Débusquer, chasser d'une position : ***Déloger** l'ennemi.* Fin XIIe s. ; ☞ *loger* + *dé-*[2] ; [delɔʒe].

**DÉLOT,** subst. m.
Doigtier de cuir de la dentellière ou du calfat. 1530 ; anc. fr. *deel,* « dé » ; [delo].

**DÉLOYAL, ALE, AUX,** adj.
**1.** Qui n'est pas loyal : *Un associé **déloyal**.* **2.** Qui dénote la mauvaise foi, la perfidie : *Une concurrence **déloyale**.* Fin XIIe s. ; ☞ *loyal* + *dé-*[2] ; [delwajal, o].

**DÉLOYAUTÉ,** subst. f.
**1.** Manque de loyauté : *Faire acte de **déloyauté**.* **2.** Méton. Action déloyale (littér.) : *Commettre une **déloyauté**.* Déb. XIIe s. ; ☞ *loyauté* + *dé-*[2] ; [delwajote].

**DELPHINIDÉS,** subst. m. plur.
*Zool.* Famille de cétacés odontocètes, carnivores, aux mœurs grégaires, dont le dauphin est le type. AU SING. *L'orque est un **delphinidé**.* 1846 ; lat. *delphinus,* « dauphin » ; [dɛlfinide].

**DELPHINIUM,** subst. m.
*Bot.* Plante ornementale à fleurs bleues, roses ou blanches, de la famille des Renonculacées, communément appelée pied-d'alouette ou dauphinelle. 1694 ; lat. sc. *delphinium,* du gr. *delphinion* ; [dɛlfinjɔm].

**DELTA,** subst. m.
**1.** Quatrième lettre de l'alphabet grec, notée Δ (majuscule) ou δ (minuscule). ► Loc. *En **delta*** : en forme de **delta** majuscule. **2.** *Géogr.* Zone de forme triangulaire formée à l'embouchure d'un fleuve par des dépôts d'alluvions : *Le **delta** du Rhône, du Nil.* **3.** *Physiol.* *Onde **delta*** : oscillation électro-encéphalographique enregistrée au cours du sommeil profond. Mil. XIIIe s. ; mot gr. ; inv. au sens 1 ; [dɛlta].

**DELTAÏQUE,** adj.
*Géogr.* Relatif à un delta. 1851 ; ☞ *delta* ; [dɛltaik].

**DELTAPLANE,** subst. m. inv.
Engin planeur formé d'une armature triangulaire couverte de toile synthétique et muni d'un harnais où prend place le pilote. V. 1970 ; formé de *aile delta* et de *planer* (II) ; n. déposé ; [dɛltaplan].

© Ch. Gerretsen-Gamma

*Deltaplane.*

**DELTOÏDE,** adj.
Qui a la forme d'un delta grec majuscule, c.-à-d. d'un triangle : *Plante à feuilles **deltoïdes**.* ► *Anat.* *Muscle **deltoïde*** ou, empl. subst. masc., *Le **deltoïde*** : muscle triangulaire situé à l'arrière de l'épaule, abducteur du bras. 1562 ; gr. *deltoeidês,* « en forme de delta » ; [dɛltɔid].

**DELTOÏDIEN, IENNE,** adj.
*Anat.* Relatif au muscle deltoïde : *Ligament **deltoïdien**.* 1846 ; ☞ *deltoïde* ; [dɛltɔidjɛ̃, jɛn].

**DÉLUGE,** subst. m.
**1.** *Relig.* et *Myth.* Submersion cataclysmique de la terre par suite d'une pluie incessante. ► *Le **Déluge*** : celui au cours duquel, selon la Genèse, la terre entière fut noyée par une pluie de quarante jours, en punition de la méchanceté des hommes, et dont Dieu ne sauva que Noé. ► Loc. *Remonter au **déluge*** : dater d'une époque très ancienne, être désuet ; *Après moi le **déluge*** : peu m'importe ce qui se passera après ma mort. **2.** Pluie torrentielle ; par anal. : *Un **déluge** de larmes, de feu* ; au fig. : *Un **déluge** de reproches.* 1175 ; lat. *diluvium,* « inondation » ; [delyʒ].

**DÉLURÉ, ÉE,** adj.
**1.** Que l'on n'abuse pas ; qui est malin, dégourdi. **2.** Effronté : *Une jeune fille **délurée** ; Un air **déluré**.* Fin XVIIIe s. ; prob. var. de *déleurré* (vx), « qui ne se laisse plus prendre au leurre » ; [delyʀe].

**DÉLUSTRAGE,** subst. m.
*Text.* Action de délustrer ; son résultat. V. 1930 ; ☞ *délustrer* ; [delystʀaʒ].

**DÉLUSTRER,** verbe trans. [3]
**1.** *Text.* Enlever le lustre de (un tissu, un vêtement). **2.** Ext. Ternir l'éclat de (un objet). 1823 (XVIIe s., enlever du mérite à qqn) ; ☞ *lustre* (II) + *dé-*[2] ; [delystʀe].

**DÉLUTER,** verbe trans. [3]
**1.** *Chim.* Enlever le lut, l'enduit résistant qui bouchait (un vase, un tube). **2.** *Techn.* Enlever le coke résiduel de (une cornue de distillation de la houille). 1666 ; ☞ *luter* + *dé-*[2] ; [delyte].

**DÉMAGNÉTISATION,** subst. f.
**1.** Action de démagnétiser ; son résultat. **2.** *Mar.* Dispositif protégeant un navire contre les mines magnétiques. 1870 ; ☞ *démagnétiser* ; [demaɲetizasjɔ̃].

**DÉMAGNÉTISER,** verbe trans. [3]
Désaimanter, supprimer l'aimantation de. 1866 ; ☞ *magnétiser* + *dé-*[2] ; [demaɲetize].

**DÉMAGOGIE,** subst. f.
**1.** Vx. *Pol.* Forme dégradée de la démocratie, dans laquelle les factions représentatives du peuple gouvernent pour elles-mêmes, au mépris de l'intérêt collectif. **2.** Ext. Recherche de la faveur populaire au moyen de mesures flatteuses, sans véritable contenu politique. **3.** Anal. Attitude faussement complaisante à l'égard d'autrui, en vue de le circonvenir : *Agir avec **démagogie**.* 1791 ; gr. *dêmagôgia,* « art de mener le peuple » ; [demagɔʒi].

**DÉMAGOGIQUE,** adj.
Qui relève de la démagogie : *Propos **démagogiques**.* 1791 ; gr. *dêmagôgikos* ; [demagɔʒik].

**DÉMAGOGUE,** subst.
**1.** *Antiq. gr.* Dirigeant d'une faction populaire, dans la cité. **2.** Personne qui fait preuve de démagogie ; empl. adj. : *Un politicien **démagogue*** (abrév. fam. : démago). 1371 ; gr. *dêmagôgos* ; [demagɔg].

**DÉMAIGRIR,** verbe trans. [19]
*Techn.* Diminuer l'épaisseur de : ***Démaigrir** une poutre.* 1676 ; ☞ *maigrir* + *dé-*[1] ; [demɛgʀiʀ].

**DÉMAIGRISSEMENT,** subst. m.
**1.** *Géogr.* Déblaiement naturel, gén. saisonnier et réversible, du sable d'une plage par des tempêtes ou des courants marins. **2.** *Techn.* Action de démaigrir ; son résultat. 1676 ; ☞ *démaigrir* ; [demɛgʀismɑ̃].

**DÉMAILLAGE,** subst. m.
Action de démailler ; son résultat : *Le **démaillage** d'un filet.* 1906 ; ☞ *démailler* ; [demajaʒ].

**DÉMAILLER,** verbe trans. [3]
**1.** Défaire maille par maille : ***Démailler** un tricot* ; empl. pronom. : *Mes bas se **démaillent**.* **2.** *Mar.* Détacher (une chaîne) de son point d'ancrage. Fin XIe s. ; ☞ *maille* (I) + *dé-*[2] ; [demaje].

**DÉMAILLOTER,** verbe trans. [3]
**1.** Ôter le maillot, les langes de (un bébé). **2.** Ext. Dégager (qqch.) de ce qui l'entoure, le protège : ***Démailloter** une statuette, une momie.* Mil. XIVe s. ; ☞ *maillot* + *dé-*[2] ; [demajɔte].

**DEMAIN,** adv.
**1.** Au jour suivant celui où l'on est ou celui où l'on parle : *Je vous attends **demain** à déjeuner* ; ***Demain**, c'est fête.* **2.** Dans un futur plus ou moins proche : *Aujourd'hui la lutte, et **demain** la victoire.* **3.** Loc. ***À demain !*** : nous nous reverrons **demain** (formule pour prendre congé). ► Fam. *Ce n'est pas **demain** la veille* : ce n'est pas près de se réaliser ; ***Demain**, il fera*

*jour* : rien ne presse ; ***Demain**, on rase gratis* : cela ne se réalisera jamais ; *C'est pour aujourd'hui ou pour **demain** ?* : pour marquer son impatience. Fin XI^e^ s. ; lat. *de mane*, « au matin » ; [d(ə)mɛ̃].

**DÉMANCHÉ, subst. m.**
*Mus.* Mouvement de la main gauche qui change de position sur le manche d'un instrument à cordes (violon, violoncelle, etc.) : *Un **démanché** leste, impeccable.* 1768 ; p. p. de *démancher* ; [demɑ̃ʃe].

**DÉMANCHEMENT, subst. m.**
Action de démancher ; le résultat de cette action. 1611 ; ☞ *démancher* ; [demɑ̃ʃmɑ̃].

**DÉMANCHER, verbe [3]**
TRANS. **1.** Dégager de son manche : ***Démancher** un marteau, une hache.* **2.** Anal. Déboîter ; disjoindre (fam.) : *Dans la bagarre, le voyou lui **démancha** le bras.* INTRANS. *Mus.* Exécuter un démanché. PRONOM. **1.** Se dégager de son manche ; se déboîter. **2.** Se donner du mal pour obtenir, réaliser qqch. (fam.). XIII^e^ s. ; ☞ *manche* (II) + *dé-*². ; [demɑ̃ʃe].

**DEMANDE, subst. f.**
**1.** Action de demander, de solliciter qqch. : *Formuler une **demande** ; Répondre à une **demande** ; **Demande** d'emploi ; **Demande** en mariage* ; par méton., ce qui est demandé : *Précisez votre **demande**.* **2.** Dr. Action judiciaire menée en vue de faire entériner un droit, de faire valoir une prétention : *Le tribunal l'a débouté de sa **demande**.* **3.** *Écon.* Quantité d'un produit, d'un service demandé par les consommateurs ; par ext., ensemble des consommations effectives sur un marché donné : *Pour qu'un marché soit équilibré, il faut que l'offre s'ajuste à la **demande**.* Fin XII^e^ s. ; ☞ *demander* ; [d(ə)mɑ̃d].

**DEMANDER, verbe trans. [3]**
**I. 1.** Exprimer (un souhait, un désir), solliciter : *Je **demande** la parole ; Il **demande** la permission de sortir.* ▸ Loc. *Ne pas **demander** mieux (que de)* : accepter volontiers (de) ; *Ne **demander** qu'à* : ne rien souhaiter d'autre que. **2.** Réclamer, exiger : *Je **demande** réparation.* ▸ *Dr.* Réclamer (qqch.) en engageant une action en justice. **3.** Prier d'apporter, de fournir (qqch.) : ***Demander** sa note d'hôtel ; **Demander** une gerbe de roses au fleuriste.* **4.** Prier d'aller chercher (qqn) : ***Demander** le directeur.* **5.** Fig. Exiger, requérir comme condition de réussite : *Cette situation **demande** que l'on agisse avec prudence.* **II.** Chercher à connaître (qqch.), en interrogeant qqn : ***Demander** son chemin à un passant.* PRONOM. S'interroger : *Je me **demande** si j'ai raison.* Fin X^e^ s. ; lat. *demandare*, « confier » ; [d(ə)mɑ̃de].

**DEMANDEUR, EUSE ou ERESSE, subst.**
**1.** Personne qui demande : ***Demandeur** d'emploi*, chômeur ; empl. adj. : *Je ne suis pas **demandeur**.* **2.** *Dr.* Personne qui introduit une demande en justice : *La **demanderesse** a obtenu gain de cause.* Déb. XIII^e^ s. ; ☞ *demander* ; fém. *demandeuse* au sens 1, *demanderesse* au sens 2 ; [d(ə)mɑ̃dœʀ, øz, (ə)ʀɛs].

**DÉMANGEAISON, subst. f.**
**1.** Picotement ou irritation de l'épiderme, qui suscite l'envie de se gratter : *Une légère **démangeaison**.* **2.** Fig. Envie irrésistible, immodérée de faire qqch. (fam.) : *Une **démangeaison** de fumer me prit après le repas.* 1492 ; ☞ *démanger* ; [demɑ̃ʒɛzɔ̃].

**DÉMANGER, verbe intrans. [5]**
**1.** Faire ressentir une démangeaison : *Son urticaire lui **démangeait** horriblement* ou, empl. trans., *le **démangeait**.* **2.** Fig. et Fam. Éprouver une envie irrépressible (de faire qqch.) : *La main lui **démange** de te gifler* ou, empl. trans., *le **démange**.* Fin XIII^e^ s. (1227, ronger, mordre) ; ☞ *manger* (I) + *dé-*¹ ; [demɑ̃ʒe].

**DÉMANTÈLEMENT, subst. m.**
Action de démanteler ; son résultat. 1576 ; ☞ *démanteler* ; [demɑ̃tɛlmɑ̃].

**DÉMANTELER, verbe trans. [11]**
**1.** Détruire, mettre à bas les murailles, les ouvrages de défense de (une ville, une place forte) : ***Démanteler** une citadelle.* **2.** Anal. Détruire l'organisation de, disloquer : ***Démanteler** un réseau de la mafia.* Mil. XVI^e^ s. ; p.-ê. *manteler* (vx), « couvrir d'un manteau », + *dé-*² ; [demɑ̃t(ə)le].

**DÉMANTIBULER, verbe trans. [3]**
**1.** Rompre la mâchoire de (vx). **2.** Anal. Désarticuler, mettre en pièces : *La petite fille **démantibulait** sa poupée.* 1552 ; ☞ *mandibule* + *dé-*² ; [demɑ̃tibyle].

**DÉMAQUILLAGE, subst. m.**
Action de démaquiller, de se démaquiller. 1913 ; ☞ *démaquiller* ; [demakijaʒ].

**DÉMAQUILLANT, ANTE, adj.**
Qui sert au démaquillage : *Lait **démaquillant*** ; empl. subst. masc. : *Un bon **démaquillant**.* 1950 ; p. pr. de *démaquiller* ; [demakijɑ̃, ɑ̃t].

**DÉMAQUILLER, verbe trans. [3]**
Ôter le maquillage de : ***Démaquiller** une actrice* ; empl. pronom. : *Se **démaquiller** devant la glace.* XIX^e^ s. ; ☞ *maquiller* + *dé-*² ; [demakije].

**DÉMARCAGE, voir DÉMARQUAGE**

**DÉMARCATION, subst. f.**
**1.** Action de marquer une limite, de délimiter ; la limite ainsi marquée. ▸ *Ligne de **démarcation*** : ligne matérielle, frontière qui sépare deux territoires ; en partic., ligne qui, de 1940 à 1942, séparait en France la zone libre de la zone occupée par les Allemands. **2.** Fig. Franche séparation entre deux domaines, deux concepts : *La **démarcation** entre le vrai et le faux.* 1700 ; esp. *demarcación*, de *demarcar*, « marquer les limites » ; [demaʀkasjɔ̃].

© A. D. P. C.-Explorer

*Affiche pour* la Ligne de **démarcation**, *film de Claude Chabrol.*

**DÉMARCHAGE, subst. m.**
Technique de vente à domicile. 1934 ; ☞ *démarche* ; [demaʀʃaʒ].

**DÉMARCHE, subst. f.**
**1.** Façon de marcher : ***Démarche** rapide, martiale, traînante* ; au fig., manière de mener un raisonnement : *Une saine **démarche** intellectuelle.* **2.** Ext. Initiative que l'on prend pour obtenir ou réaliser qqch. : *Multiplier les **démarches** ; Une **démarche** infructueuse.* 1549 (mil. XV^e^ s., action de marcher) ; ☞ *démarcher* ; [demaʀʃ].

**DÉMARCHER, verbe trans. [3]**
Proposer à (qqn) par démarchage l'achat de qqch. V. 1980 (déb. XII^e^ s., fouler aux pieds) ; ☞ *marcher* + *dé-*¹ ; [demaʀʃe].

**DÉMARCHEUR, EUSE, subst.**
**1.** Personne qui entreprend une ou plusieurs démarches. **2.** Vendeur qui pratique le démarchage. V. 1910 ; ☞ *démarche* ; [demaʀʃœʀ, øz].

**DÉMARIER, verbe trans. [6]**
**1.** Vx. *Dr.* Séparer (des époux) par annulation du mariage ; empl. pronom., se séparer, divorcer. **2.** *Agric.* Éclaircir (un semis) par arrachage de plants : ***Démarier** des pommes de terre.* Déb. XIII^e^ s. ; ☞ *marier* + *dé-*² ; [demaʀje].

**DÉMARQUAGE, subst. m.**
Action de démarquer, de se démarquer ; son résultat. 1870 ; ☞ *démarquer* ; var. *démarcage* ; [demaʀkaʒ].

**DÉMARQUE, subst. f.**
**1.** Diminution du prix d'une marchandise, en vue d'en faire la promotion. **2.** *Jeux.* Règle ajoutée à un jeu, consistant, pour chaque partie jouée, à soustraire, chez le perdant, les points réalisés par le gagnant. 1732 ; ☞ *démarquer* ; [demaʀk].

**DÉMARQUER, verbe [3]**
TRANS. **1.** Supprimer la marque de (qqch.) : ***Démarquer** de l'argenterie*, effacer les initiales de son précédent propriétaire. ▸ ***Démarquer** un produit* : supprimer sa griffe ou son prix d'origine, en vue de le solder ; par ext., baisser son prix. **2.** Fig. ***Démarquer** une œuvre* : la copier en essayant de masquer ce qui pourrait en indiquer l'origine. **3.** *Sp.* ***Démarquer** un partenaire* : le libérer du marquage adverse. INTRANS. Perdre, par l'effet de l'usure, les marques dentaires permettant d'estimer son âge, en parlant d'un cheval. PRONOM. **1.** *Sp.* Se libérer d'un marquage. **2.** Fig. **Se démarquer de.** Se distinguer de ; marquer sa différence d'avec : *Par son comportement, il cherche à se **démarquer** de ses semblables.* 1365 ; ☞ *marquer* + *dé-*² ; [demaʀke].

**DÉMARQUEUR, EUSE, subst.**
Plagiaire. 1867 ; ☞ *démarquer* ; [demaʀkœʀ, øz].

**DÉMARRAGE, subst. m.**
**1.** *Mar.* Action de défaire les amarres (vieilli) : *Le **démarrage** d'un bateau.* **2.** Anal. Fait de démarrer, de se mettre en route ; départ : *Le **démarrage** d'une voiture ; Un **démarrage** fulgurant* ; au fig. : *Le **démarrage** d'un projet.* 1702 ; ☞ *démarrer* ; [demaʀaʒ].

**DÉMARRER, verbe [3]**
TRANS. *Mar.* Défaire les amarres de (vieilli) : ***Démarrer** un navire.* INTRANS. **1.** *Mar.* Quitter le port. **2.** Anal. Se mettre en marche : *Sans essence, le moteur ne peut **démarrer** ; Le train ne **démarrera** pas à l'heure* ; au fig. : *Bien que lent à **démarrer**, ce projet aboutira.* 1491 ; ☞ *amarrer* + *dé-*² ; l'empl. trans. de *démarrer* aux sens de « commencer », « mettre en route » est fautif ; [demaʀe].

**DÉMARREUR, subst. m.**
*Mécan.* Dispositif servant à mettre en marche un moteur. 1908 ; ☞ *démarrer* ; [demaʀœʀ].

**DÉMASCLER, verbe trans. [3]**
*Sylvic.* Arracher la première écorce de (un chêne-liège). 1876 ; prov. *desmascla*, « émasculer », du lat. *masculus*, « mâle » ; [demaskle].

**DÉMASQUER, verbe trans. [3]**
**1.** Ôter le masque de (qqn). **2.** Fig. ▸ Faire connaître la véritable identité, la vraie nature de (qqn) : ***Démasquer** un imposteur.* ▸ Dévoiler : ***Démasquer** l'hypocrisie.* **3.** *Milit.* Découvrir (ce qui était camouflé) : ***Démasquer** une batterie* ; au fig. : ***Démasquer** ses batteries*, dévoiler ses intentions. PRONOM. Se dévoiler, apparaître tel que l'on est. 1554 ; ☞ *masquer* + *dé-*² ; [demaske].

**DÉMASTIQUER, verbe trans. [3]**
Ôter le mastic de : ***Démastiquer** une vitre.* 1699 ; ☞ *mastic* + *dé-*² ; [demastike].

**DÉMÂTAGE, subst. m.**
Action de démâter ; son résultat. 1783 ; ☞ *démâter* ; [demɑtaʒ].

**DÉMÂTER, verbe [3]**
*Mar.* TRANS. Dépouiller (un navire) de sa mâture. INTRANS. Perdre un ou plusieurs mâts : *Amenons les voiles, nous allons **démâter** !* 1479 ; ☞ *mâter* + *dé-*² ; [demɑte].

**DÉMATÉRIALISATION, subst. f.**
**1.** Action de dématérialiser ; son résultat. **2.** *Phys. nucl.* Transformation de particules matérielles en un rayonnement électromagnétique. Fin XIX^e^ s. ; ☞ *dématérialiser* ; [dematerjalizasjɔ̃].

**DÉMATÉRIALISER, verbe trans. [3]**
**1.** Rendre immatériel ; vider de sa matière. **2.** *Fin.* Supprimer le support de papier de (une créance, une valeur mobilière). **3.** *Phys. nucl.* Réaliser la dématérialisation de (un corps). 1808 (1749, civiliser) ; ☞ *matérialiser* + *dé-*² ; [dematerjalize].

**DÉMAZOUTER, verbe trans. [3]**
Enlever le mazout de : ***Démazouter** une plage.* XX^e^ s. ; ☞ *mazouter* + *dé-*² ; [demazute].

**DÈME, subst. m.**
*Antiq. gr.* Division territoriale d'une cité, qui correspond à une circonscription administrative et politique. 1808 ; lat. *demos*, du gr. *dêmos*, « peuple » ; [dɛm].

**DÉMÉCHAGE, subst. m.**
*Chir.* Action d'enlever la mèche qui drainait une plaie. Mil. XX^e^ s. ; ☞ *mèche* (I) + *dé-*² ; [demeʃaʒ].

**DÉMÉDICALISER, verbe trans. [3]**
Placer (qqch.) hors du domaine médical : ***Démédicaliser** le thermalisme.* V. 1980 ; ☞ *médicaliser* + *dé-*² ; [demedikalize].

**DÉMÊLAGE, subst. m.**
**1.** Action de démêler ; son résultat. **2.** *Techn.* Mélange d'eau chaude et de malt, en brasserie. 1836 ; ☞ *démêler* ; [demɛlaʒ].

**DÉMÊLÉ, subst. m.**
Querelle qui oppose deux parties sur des questions d'usage, de procédure ou de droit : *Avoir des **démêlés** avec la justice.* 1474 ; p. p. de *démêler* ; [demele].

**DÉMÊLER,** verbe trans. [3]
Séparer, trier (ce qui est emmêlé) : *Démêler des* [c]*eveux* ; par ext. : *Démêler le vrai du faux, le bon* [du] *mauvais.* **2.** Fig. Rendre clair, débrouiller : [*dé*]*mêler un dossier, une affaire.* **3.** Abs. Débattre [a]vec qqn) d'une affaire litigieuse (littér.) : *Jusqu'à* [qu]*and devrai-je démêler avec vous ?* PRONOM. Se sortir [d']une difficulté (vieilli) : *Dans la vie, il faut savoir démêler.* Fin XIIe s. ; ☞ *mêler* + *dé-*[2] ; [demele].

**DÉMÊLOIR,** subst. m.
Peigne à dents larges et fortement écartées, [se]rvant à démêler les cheveux. **2.** Outil servant à [dé]mêler. 1771 ; ☞ *démêler* ; [demɛlwaʀ].

**DÉMEMBREMENT,** subst. m.
[Ac]tion de démembrer ; résultat de cette action. Mil. XIIIe s. ; ☞ *démembrer* ; [demɑ̃bʀəmɑ̃].

**DÉMEMBRER,** verbe trans. [3]
Vx. Arracher ou découper les membres de (un [co]rps). **2.** Morceler, diviser en parties (ce qui [fo]rmait un tout) : *Démembrer un territoire, une* [pr]*opriété.* Déb. XIIe s. ; ☞ *membre* + *dé-*[2] ; [demɑ̃bʀe].

**DÉMÉNAGEMENT,** subst. m.
Action de déménager ; son résultat. **2.** Le mobilier [dé]ménagé. 1611 ; ☞ *déménager* ; [demenaʒmɑ̃].

**DÉMÉNAGER,** verbe [5]
[T]RANS. **1.** Transporter (des meubles, des affaires) [d']un logement à un autre : *Déménager ses livres.* Méton. Débarrasser : *Déménager sa cave.* IN[TR]ANS. **1.** Changer de logement : *Je dois déménager* [en] *fin de semaine.* **2.** Fig. Perdre la raison (fam.). 1262 ; ☞ *ménage* + *dé-*[2] ; [demenaʒe].

**DÉMÉNAGEUR, EUSE,** subst.
[Pe]rsonne dont le métier est d'effectuer des déménagements. 1852 ; ☞ *déménager* ; [demenaʒœʀ, øz].

**DÉMENCE,** subst. f.
*Psych.* Diminution progressive et irréversible des [fa]cultés mentales : *Démence précoce* (synon. vieilli [de] *schizophrénie*). **2.** Folie, aliénation mentale ; par [ex]t., extravagance, inconscience : *Agir ainsi, c'est de démence !* 1381 ; lat. *dementia* ; [demɑ̃s].

**DÉMENER (SE),** verbe pronom. [10]
S'affairer vivement ; s'agiter en tous sens : *Se* [dé]*mener comme un diable.* **2.** Fig. Se dépenser, se [do]nner de la peine (pour qqn, qqch.) : *Se démener* [po]*ur une cause.* Mil. XIIe s. (mil. XIe s., manifester) ; ☞ *mener* + *dé-*[1] ; [dem(ə)ne].

**DÉMENT, ENTE,** adj. et subst.
[Ps]*ych.* Se dit d'une personne atteinte de démence. [A]DJ. **1.** Relatif à la démence : *Un rire dément.* **2.** Ext. [Ex]travagant, délirant ; extraordinaire (fam.) : *Une* [fê]*te démente.* Fin XVe ; lat. *demens*, de *mens*, « esprit, [in]telligence » ; [demɑ̃, ɑ̃t].

**DÉMENTI,** subst. m.
Fait de démentir une affirmation ; annonce par [la]quelle on dément : *Apporter un démenti.* **2.** Anal. [C]e qui s'oppose, ce qui est contraire : *Ce fait est* [u]*n démenti à ce que vous affirmiez.* Mil. XV[e] s. ; p. p. de *démentir* ; [demɑ̃ti].

**DÉMENTIEL, ELLE,** adj.
*Psych.* Qui relève de la démence. **2.** Ext. Excessif, [d]émesuré : *Un travail, un prix démentiel.* 1883 ; ☞ *démence* ; [demɑ̃sjɛl].

**DÉMENTIR,** verbe trans. [23]
Contredire (qqn) en affirmant que ses propos [so]nt faux ou mensongers : *Démentir un prophète.* Nier la réalité de (un fait) ; affirmer la fausseté [d]e (une assertion) : *Démentir une nouvelle.* **3.** Fig. [N]e pas corroborer : *Les faits démentent nos prévisions* ; être infidèle à : *Démentir ses promesses.* [P]RONOM. Se dédire : *Obstiné, il ne se démentira pas.* Fin XI[e] s. ; ☞ *mentir* + *dé-*[2] ; [demɑ̃tiʀ].

**DÉMERDER (SE),** verbe pronom. [3]
[S]e débrouiller, se tirer d'affaire (vulg.) : *Dans la vie,* [il] *se démerde plutôt bien.* 1900 ; ☞ *merde* + *dé-*[2] ; [d]emɛʀde].

**DÉMÉRITE,** subst. m.
[C]e par quoi l'on démérite, ce qui justifie la ré[p]robation d'autrui (littér.) : *Dans le combat, il n'y* [a] *aucun démérite à avoir peur.* Fin XIV[e] s. ; ☞ *mérite* + *dé-*[2] ; [demeʀit].

**DÉMÉRITER,** verbe intrans. [3]
Agir de façon à perdre la considération, l'estime [d']autrui : *Démériter de qqn, aux yeux de qqn* ; *Elle* [n]*'a jamais démérité.* **2.** *Théol.* Agir de telle sorte que [l']on encourt le châtiment divin. 1524 ; ☞ *démé*[ri]*te* ; [demeʀite].

**DÉMESURE,** subst. f.
Manque de mesure ; outrance : *La démesure de son orgueil.* 1120 ; ☞ *mesure* + *dé-*[2] ; [dem(ə)zyʀ].

**DÉMESURÉ, ÉE,** adj.
Qui excède la mesure normale ; qui est extrême, excessif : *Un ouvrage démesuré* ; *Un appétit démesuré.* Fin XIe s. ; ☞ *mesure* + *dé-*[2] ; [dem(ə)zyʀe].

**DÉMESURÉMENT,** adv.
De manière démesurée. 1080 ; ☞ *démesuré* ; [dem(ə)zyʀemɑ̃].

**DÉMETTRE (I),** verbe trans. [60]
Sortir (une articulation) de son logement naturel ; empl. pronom. : *Se démettre l'épaule, le genou.* Fin XIe s. ; ☞ *mettre* + *dé-*[2] ; [demɛtʀ].

**DÉMETTRE (II),** verbe trans. [60]
Révoquer, destituer, contraindre (qqn) à quitter sa fonction : *On le démit de sa charge de secrétaire.* PRONOM. **Se démettre de.** Renoncer volontairement à (une fonction, une dignité) ; abdiquer : *Il s'est démis de son poste d'intendant.* ▸ Abs. *Se soumettre ou se démettre.* 1155 ; lat. *demittere*, « laisser tomber » ; [demɛtʀ].

**DÉMEUBLER,** verbe trans. [3]
Dégarnir (un lieu) de ses meubles. 1549 (XIIIe s., dépouiller de ses biens) ; ☞ *meuble* + *dé-*[2] ; [demœble].

**DEMEURANT (AU),** loc. adv.
Pour ce qui reste ; en somme ; tout bien réfléchi : *Au demeurant, je ne m'estime pas concerné par cette affaire.* Mil. XVe s. ; p. pr. de *demeurer* ; [od(ə)mœʀɑ̃].

**DEMEURE,** subst. f.
I. **1.** Retard dans l'accomplissement d'une action (vieilli et littér.) : *Faire qqch. sans demeure.* ▸ Loc. *Il y a péril en la demeure* : il serait dangereux de différer. **2.** *Dr. En demeure* : en retard dans l'exécution d'une obligation. ▸ Loc. *Mettre qqn en demeure* : le sommer d'exécuter sans délai une obligation ; *Mise en demeure* : la sommation elle-même. II. **1.** Lieu où l'on réside (littér.) : *La demeure était confortable, je m'y installai* ; au fig. : *La dernière demeure*, le tombeau. **2.** Loc. *À demeure* : de façon permanente. 1119 ; ☞ *demeurer* ; [d(ə)mœʀ].

**DEMEURÉ, ÉE,** adj. et subst.
Se dit d'une personne mentalement arriérée. Déb. XXe s. ; p. p. de *demeurer* ; [d(ə)mœʀe].

**DEMEURER,** verbe intrans. [3]
I. **1.** Rester, s'attarder en un lieu : *Nous demeurions à table, bien que le couvert fût levé.* **2.** Continuer d'être, subsister : *Son souvenir demeure vivace.* **3.** Se maintenir dans un état, une situation donnée : *Demeurer pensif* ; au fig. : *Les jours s'en vont je demeure* (Apollinaire). **4.** Loc. *En demeurer là* : ne pas continuer ; *Ne pas demeurer en reste* : rendre la pareille. II. Habiter, résider : *Il a demeuré deux ans à Vienne.* Fin XIe s. ; lat. *demorari*, « rester » ; auxil. *être* aux sens I, *avoir* au sens II ; [d(ə)mœʀe].

**DEMI, IE,** adj., adv. et subst.
ADJ. **1.** Qui équivaut à la moitié d'une quantité ou d'une chose : *Un demi-verre* ; *Une demi-matinée* ; *Deux litres et demi* ; *Trois heures et demie* ; *Une demi-heure.* **2.** Fig. Qui est incomplet : *Un demi-échec.* ADV. À moitié, presque (vieilli) : *Homme demi-fou* ; *Lait demi-écrémé.* ▸ Loc. **À demi.** À moitié ; par ext., en partie, incomplètement : *Un verre à demi plein* ; *Un angelot à demi nu* ; *Un homme à demi fou* ; *Faire qqch. à demi.* SUBST. La moitié d'un objet, d'une unité : *Un pain ou un demi ?* ; *Une bouteille ou une demie ?* SUBST. MASC. **1.** Verre de bière d'un quart de litre ; son contenu. **2.** Helv. Mesure d'un demi-litre de vin. **3.** *Sp.* Joueur de football ou de rugby placé entre les avants et les arrières : *Demi d'ouverture, de mêlée.* SUBST. FÉM. Une demi-heure : *Le train part à la demie.* Fin XIe s. ; lat. *dimidius* ; inv. et joint par un trait d'union quand il est placé devant un subst. ou un adj., variable en genre et joint par *et* quand il suit le subst. ; [d(ə)mi].

*Au centre,* ***demi** de mêlée au rugby.*

**DEMIARD,** subst. m.
Québ. Mesure de capacité qui équivaut à une demi-chopine ou au quart d'une pinte, soit 0,284 litre. M. fr. *demion*, « demi-pinte », du lat. *dimidius*, « demi » ; [dəmjaʀ].

**DEMI-BAS,** subst. m. inv.
Chaussette montante, de la même matière que les bas. XVIe s. ; comp. de *demi* et de *bas* (II) ; [d(ə)mibɑ].

**DEMI-BOTTE,** subst. f.
Botte qui s'arrête à mi-mollet. 1843 ; comp. de *demi* et de *botte* (II) ; plur. *demi-bottes* ; [d(ə)mibɔt].

**DEMI-BOUTEILLE,** subst. f.
Bouteille contenant 37,5 cl ; son contenu : *Une demi-bouteille de bordeaux.* 1816 ; comp. de *demi* et de *bouteille* ; plur. *demi-bouteilles* ; [d(ə)mibutɛj].

**DEMI-BRIGADE,** subst. f.
**1.** *Hist.* Régiment français amalgamant vétérans et nouvelles recrues, à l'époque des guerres révolutionnaires. **2.** *Milit.* Réunion de deux ou de trois bataillons sous les ordres d'un colonel. 1794 ; comp. de *demi* et de *brigade* ; plur. *demi-brigades* ; [d(ə)mibʀigad].

**DEMI-CERCLE,** subst. m.
Courbe formant la moitié d'un cercle. 1372 ; comp. de *demi* et de *cercle* ; plur. *demi-cercles* ; [d(ə)misɛʀkl].

**DEMI-CIRCULAIRE,** adj.
En forme de demi-cercle : *Un meuble demi-circulaire.* 1529 ; comp. de *demi* et de *circulaire* ; plur. *demi-circulaires* ; [d(ə)misiʀkylɛʀ].

**DEMI-CLÉ,** subst. f.
*Mar.* Nœud simple obtenu en repliant sur elle-même l'extrémité libre d'un cordage. 1694 ; comp. de *demi* et de *clé* ; plur. *demi-clés*, var. *demi-clef* (plur. *demi-clefs*) ; [d(ə)mikle].

**DEMI-COLONNE,** subst. f.
*Archit.* Moitié de colonne, dont l'autre moitié est engagée dans un mur ou paraît l'être. 1690 ; comp. de *demi* et de *colonne* ; plur. *demi-colonnes* ; [d(ə)mikɔlɔn].

**DEMI-DEUIL,** subst. m.
**1.** Fin de deuil ou deuil d'un parent éloigné, pendant lequel il convient de porter d'autres couleurs que le noir du grand deuil (vieilli). **2.** *Cuis.* *Volaille demi-deuil* : garnie de truffes et accompagnée d'une sauce suprême. 1758 ; comp. de *demi* et de *deuil* ; plur. *demi-deuils* ; [d(ə)midœj].

**DEMI-DIEU,** subst. m.
**1.** *Myth.* Être né de l'union d'un humain avec un dieu ou une déesse : *Le demi-dieu Héraclès, fils de Zeus et d'Alcmène.* **2.** Ext. Personnage héroïque, considéré comme un surhomme et traité comme un dieu. XIIIe s. ; comp. de *demi* et de *dieu* ; plur. *demi-dieux* ; [d(ə)midjø].

**DEMI-DOUZAINE,** subst. f.
Moitié d'une douzaine. 1456 ; comp. de *demi* et de *douzaine* ; plur. *demi-douzaines* ; [d(ə)miduzɛn].

**DEMI-DROITE,** subst. f.
*Géom.* Ensemble des points d'une droite situés du même côté d'un point O de cette droite, appelé origine de la **demi-droite.** V. 1920 ; comp. de *demi* et de *droite* (III) ; plur. *demi-droites* ; [d(ə)midʀwat].

**DÉMIELLER,** verbe trans. [3]
*Apic.* Ôter le miel contenu dans (la cire). 1771 ; ☞ *miel* + *dé-*[2] ; [demjele].

**DEMI-FIN, -FINE,** adj.
**1.** Intermédiaire entre fin et gros : *Des haricots verts demi-fins.* **2.** *Techn.* Formé d'un alliage où le métal fin n'entre que pour moitié. Fin XVIIIe s. ; comp. de *demi* et de *fin* (II) ; plur. *demi-fins, -fines* ; [d(ə)mifɛ̃, fin].

**DEMI-FINALE,** subst. f.
Épreuve éliminatoire, dans une compétition ou dans un jeu, servant à sélectionner les participants à la finale. 1898 ; comp. de *demi* et de *finale* (I) ; plur. *demi-finales* ; [d(ə)mifinal].

**DEMI-FINALISTE,** subst.
Personne ou équipe qui participe à une demi-finale. 1907 ; ☞ *demi-finale* ; plur. *demi-finalistes* ; [d(ə)mifinalist].

**DEMI-FOND,** subst. m. sing.
*Sp.* Épreuve de course, intermédiaire entre la course de vitesse et la course de fond. 1907 ; comp. de *demi* et de *fond* ; [d(ə)mifɔ̃].

**DEMI-FRÈRE,** subst. m.
Frère seulement par le père (consanguin) ou la mère (utérin). 1350 ; comp. de *demi* et de *frère* ; plur. *demi-frères* ; [d(ə)mifʀɛʀ].

**DEMI-GROS,** subst. m. inv.
Système de vente intermédiaire entre le commerce de gros (vente en grande quantité) et le commerce de détail. 1832 ; comp. de *demi* et de *gros* ; [d(ə)migʀo].

**DEMI-HEURE,** subst. f.
Temps égal à la moitié d'une heure : *Je pars dans une **demi-heure**.* Déb. XIIe s. ; comp. de *demi* et de *heure* ; plur. *demi-heures* ; [d(ə)mijœʀ] ou [dəmjœʀ].

**DEMI-JOUR,** subst. m.
Faible luminosité caractéristique du coucher ou du lever du soleil. Fin XVIIe s. (fin XIIIe s., milieu du jour) ; comp. de *demi* et de *jour* ; plur. *demi-jour(s)* ; [d(ə)miʒuʀ].

**DEMI-JOURNÉE,** subst. f.
Espace de temps équivalant à la moitié d'une journée, spéc. d'une journée de travail. 1395 ; comp. de *demi* et de *journée* ; plur. *demi-journées* ; [d(ə)miʒuʀne].

**DÉMILITARISATION,** subst. f.
Action de démilitariser ; son résultat. Fin XIXe s. ; ☞ *démilitariser* ; [demilitaʀizasjɔ̃].

**DÉMILITARISER,** verbe trans. [3]
Priver (un territoire, un État) de ses forces armées ; empl. adj. : *Zone **démilitarisée**.* 1871 ; ☞ *militariser* + *dé-*[2] ; [demilitaʀize].

**DEMI-LITRE,** subst. m.
Mesure de capacité correspondant à la moitié d'un litre : *Un **demi-litre** de lait.* 1795 ; comp. de *demi* et de *litre* (II) ; plur. *demi-litres* ; [d(ə)militʀ].

**DEMI-LONGUEUR,** subst. f.
*Sp.* Moitié de la longueur d'un cheval, d'un voilier, etc. engagé dans une course : *Gagner d'une **demi-longueur**.* 1873 ; comp. de *demi* et de *longueur* ; plur. *demi-longueurs* ; [d(ə)milɔ̃gœʀ].

**DEMI-LUNE,** subst. f.
**1.** *Fortif.* Ouvrage, jadis de forme semi-circulaire, recouvrant deux bastions et le mur qui les relie. **2.** *Urban.* Surface qui occupe la moitié d'un cercle ; structure de forme semi-circulaire : *L'allée se terminait par une **demi-lune** plantée de cerisiers.* **3.** Loc. *En **demi-lune*** : de forme semi-circulaire. 1553 ; comp. de *demi* et de *lune* ; plur. *demi-lunes* ; [d(ə)milyn].

**DEMI-MAL,** subst. m.
Chose fâcheuse dont les suites ne sont pas aussi déplaisantes que prévu. 1838 ; comp. de *demi* et de *mal* (II) ; plur. *demi-maux* ; [d(ə)mimal], plur. [-mo].

**DEMI-MESURE,** subst. f.
**1.** *Métrol.* Moitié d'une mesure. **2.** Fig. Mesure qui répond de manière inopérante, infructueuse aux problèmes qu'elle est censée résoudre. 1580 ; comp. de *demi* et de *mesure* ; plur. *demi-mesures* ; [d(ə)mim(ə)zyʀ].

**DEMI-MONDAINE,** subst. f.
Femme aux mœurs légères. 1866 ; comp. de *demi* et de *mondain* ; plur. *demi-mondaines* ; [d(ə)mimɔ̃dɛn].

**DEMI-MONDE,** subst. m.
Milieu des femmes légères et des personnages interlopes que l'on rencontre dans le sillage de la vie mondaine. 1789 ; comp. de *demi* et de *monde* ; plur. *demi-mondes* ; [d(ə)mimɔ̃d].

**DEMI-MOT,** subst. m.
Expression dissimulant la pensée ou en atténuant le ton. ▸ Loc. **À demi-mot.** Sans nécessité de tout dire : *S'exprimer à **demi-mot**.* 1538 ; comp. de *demi* et de *mot* ; plur. *demi-mots* ; [d(ə)mimo].

**DÉMINAGE,** subst. m.
Action de déminer ; son résultat. V. 1940 ; ☞ *déminer* ; [deminaʒ].

*Opération de **déminage** au Koweït.*

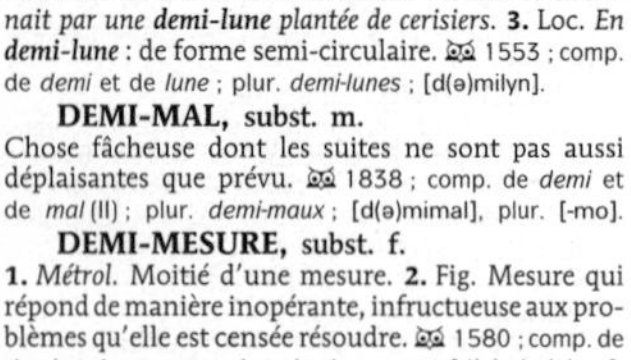

© Hires/Saussier-Gamma

**DÉMINER,** verbe trans. [3]
Débarrasser (un terrain, une zone navigable) des mines qui y ont été posées. V. 1940 ; ☞ *miner* + *dé-*[2] ; [demine].

**DÉMINÉRALISATION,** subst. f.
**1.** *Pathol.* Diminution importante des éléments minéraux (calcium, phosphore) du squelette ; état qui en résulte. **2.** *Phys.* Suppression des sels minéraux dissous dans l'eau, au moyen de résines échangeuses d'ions, par distillation ou par des procédés membranaires (osmose inverse) ou électriques. 1907 ; ☞ *déminéraliser* ; [demineʀalizasjɔ̃].

**DÉMINÉRALISER,** verbe trans. [3]
**1.** *Physiol.* Éliminer les substances minérales de (l'organisme). **2.** *Phys.* Procéder à la déminéralisation de. 1907 ; ☞ *minéraliser* + *dé-*[2] ; [demineʀalize].

**DÉMINEUR,** subst. m.
Technicien chargé de déminer (synon. *artificier*). V. 1940 ; ☞ *déminer* ; [deminœʀ].

**DEMI-PAUSE,** subst. f.
*Mus.* Silence qui a la valeur d'une blanche ; par méton., signe qui sert à le noter. 1705 ; comp. de *demi* et de *pause* ; plur. *demi-pauses* ; [d(ə)mipoz].

**DEMI-PENSION,** subst. f.
**1.** Forfait hôtelier comprenant l'hébergement et un des deux principaux repas. **2.** Régime scolaire consistant, pour l'élève inscrit, à déjeuner à la cantine. 1690 ; comp. de *demi* et de *pension* ; plur. *demi-pensions* ; [d(ə)mipɑ̃sjɔ̃].

**DEMI-PENSIONNAIRE,** subst.
Élève placé sous le régime de la demi-pension. 1798 ; comp. de *demi* et de *pensionnaire* ; plur. *demi-pensionnaires* ; [d(ə)mipɑ̃sjɔnɛʀ].

**DEMI-PLACE,** subst. f.
Place de spectacle ou ticket de transport à demi-tarif. 1840 ; comp. de *demi* et de *place* ; plur. *demi-places* ; [d(ə)miplas].

**DEMI-PLAN,** subst. m.
*Géom.* Ensemble des points d'un plan situés d'un même côté d'une droite de ce plan, appelée la frontière du **demi-plan**. 1922 ; comp. de *demi* et de *plan* (I) ; plur. *demi-plans* ; [d(ə)miplɑ̃].

**DEMI-POINTE,** subst. f.
*Chorégr.* Position du pied, qui repose sur les phalanges, à plat, le talon soulevé. 1935 ; comp. de *demi* et de *pointe* ; plur. *demi-pointes* ; [d(ə)mipwɛ̃t].

**DEMI-PORTION,** subst. f.
**1.** Moitié d'une portion. **2.** Personne de petite taille ou de constitution fragile (fam. et péj.). 1915 ; comp. de *demi* et de *portion* ; plur. *demi-portions* ; [d(ə)mipɔʀsjɔ̃].

**DEMI-PRODUIT,** subst. m.
Produit semi-fini. 1929 ; comp. de *demi* et de *produit* ; plur. *demi-produits* ; [d(ə)mipʀɔdɥi].

**DEMI-QUEUE,** adj.
*Mus.* Qualifie un piano de longueur intermédiaire entre le piano à queue et le piano droit ; empl. subst. masc. : *Un **demi-queue**.* 1929 (1606, tonneau à vin) ; comp. de *demi* et de *queue* ; plur. de l'adj. *demi-queue(s)*, du subst. *demi-queues* ; [d(ə)mikø].

**DEMI-RELIURE,** subst. f.
Manière de relier un livre, dans laquelle seul le dos est recouvert de cuir. 1829 ; comp. de *demi* et de *reliure* ; plur. *demi-reliures* ; [d(ə)miʀəljyʀ].

**DEMI-RONDE,** subst. f.
Lime dont une face est plate et l'autre arrondie. 1764 ; comp. de *demi* et de *rond* ; plur. *demi-rondes* ; [d(ə)miʀɔ̃d].

**DEMI-SAISON,** subst. f.
Période de transition entre le froid de l'hiver et les chaleurs de l'été ; l'automne ou le printemps : *Un costume de **demi-saison**.* 1842 ; comp. de *demi* et de *saison* ; plur. *demi-saisons* ; [d(ə)misɛzɔ̃].

**DEMI-SANG,** subst. m. inv.
Cheval dont un seul des ascendants directs est un pur-sang : *Course de trot réservée aux **demi-sang**.* 1836 ; comp. de *demi* et de *sang* ; [d(ə)misɑ̃].

**DEMI-SEL,** adj. inv. et subst. m. inv.
**Adj.** Légèrement salé : *Du beurre **demi-sel**.* **Subst.** Personne qui se prétend du milieu mais qui n'y est pas entièrement acceptée (argot.). 1742 ; comp. de *demi* et de *sel* ; [d(ə)misɛl].

**DEMI-SŒUR,** subst. f.
Sœur seulement par le père (consanguine) ou par la mère (utérine). 1424 ; comp. de *demi* et de *sœur* ; plur. *demi-sœurs* ; [d(ə)misœʀ].

**DEMI-SOLDE,** subst.
**Fém.** Solde réduite qu'un militaire perçoit lorsq… est mis en disponibilité (vx). **Masc. 1.** *Hist.* Offic… des armées napoléoniennes en disponibilité, sc… la Restauration. **2.** Anal. Personne arbitraireme… écartée d'une activité dans laquelle elle s'ét… investie. 1819 ; comp. de *demi* et de *solde* (I) ; p… du fém. *demi-soldes*, le masc. est inv. ; [d(ə)misɔld].

**DEMI-SOMMEIL,** subst. m.
État intermédiaire entre sommeil et veille, somr… lence. 1697 ; comp. de *demi* et de *sommeil* ; p… *demi-sommeils* ; [d(ə)misɔmɛj].

**DEMI-SOUPIR,** subst. m.
*Mus.* Silence équivalant à la moitié d'un soupir, s… de la valeur d'une croche ; par méton., signe c… l'indique sur une partition. 1611 ; comp. de *de…* et de *soupir* ; plur. *demi-soupirs* ; [d(ə)misupiʀ].

**DÉMISSION,** subst. f.
**1.** Acte par lequel on renonce à une fonction, à u… charge, à un emploi : *Donner sa **démission*** ; *L… lettre de **démission**.* **2.** Fig. Fait de ne pas assum… ses responsabilités : *La **démission** des paren…* 1338 ; lat. *demissio*, « abaissement » ; [demisjɔ̃].

**DÉMISSIONNAIRE,** subst.
Personne qui vient de donner sa démission. M… XVIIIe s. ; ☞ *démission* ; [demisjɔnɛʀ].

**DÉMISSIONNER,** verbe intrans. [3]
**1.** Donner sa démission ; empl. trans. (fam.) ***Démissionner** qqn*, l'obliger à **démissionner**. **2.** F… Fuir ses responsabilités ; capituler devant les di… cultés. 1793 ; ☞ *démission* ; [demisjɔne].

**DEMI-TANGENTE,** subst. f.
*Géom.* Soit M une extrémité d'un arc d'une cou… d'un plan ou de l'espace et P un point de l'arc, … les demi-droites (MP) ont une position limite (… lorsque les coordonnées de P tendent vers celles … M, alors (T) est la **demi-tangente** en M à l'… considéré. Comp. de *demi* et de *tangent* ; pl… *demi-tangentes* ; [d(ə)mitɑ̃ʒɑ̃t].

**DEMI-TARIF,** subst. m.
Tarif réduit de moitié. 1909 ; comp. de *demi* et *tarif* ; plur. *demi-tarifs* ; [d(ə)mitaʀif].

**DEMI-TEINTE,** subst. f.
**1.** Teinte qui, sur une palette de couleurs, se si… entre le clair et le foncé : *Un tableau en **demi-teint…*** **2.** Fig. Discrétion, nuance dans le style ou … manière de faire une chose. 1651 ; comp. de *de…* et de *teinte* ; plur. *demi-teintes* ; [d(ə)mitɛ̃t].

**DEMI-TON,** subst. m.
*Mus.* Intervalle le plus petit entre deux not… équivalant à la moitié d'un ton, dans la musiq… occidentale, et qui est de 4,5 commas dans … système bien tempéré. 1627 ; comp. de *demi* et *ton* (II) ; plur. *demi-tons* ; [d(ə)mitɔ̃].

**DEMI-TOUR,** subst. m.
**1.** *Milit.* Mouvement conventionnel qui consiste… pivoter sur place en effectuant la moitié d'un tou… ***Demi-tour**, droite !* **2.** Ext. *Faire **demi-tour*** : repar… en sens inverse. 1536 ; comp. de *demi* et de *tour* (… plur. *demi-tours* ; [d(ə)mituʀ].

**DÉMIURGE,** subst. m.
**1.** *Philos.* Dans la philosophie platonicienne, di… organisateur de l'Univers. **2.** Anal. Créateur d'u… œuvre de portée universelle ; visionnaire. 17… (1546, le diable) ; gr. *dêmiourgos*, « artisan » ; [demjyʀ…

**DEMI-VIE,** subst. f.
*Phys. nucl.* Temps au bout duquel la moitié d'u… population de noyaux radioactifs d'une esp… donnée se désintègre spontanément (synon. *péri…* ou *période radioactive*). V. 1970 ; comp. de *demi* de *vie* ; plur. *demi-vies* ; [d(ə)mivi].

**DEMI-VOLTE,** subst. f.
*Équit.* Figure consistant en un demi-tour sur pl… suivi d'une oblique vers le centre. 1678 ; com… de *demi* et de *volte* ; plur. *demi-voltes* ; [d(ə)mivɔlt].

**DÉMOBILISABLE,** adj.
*Milit.* Qui peut être démobilisé : *Soldat **démob…** **sable**.* V. 1920 ; ☞ *démobiliser* ; [demɔbilizabl].

**DÉMOBILISATION,** subst. f.
**1.** *Milit.* Action de démobiliser ; son résultat. **2.** E… Perte de l'esprit combatif et militant : ***Démobilis…** **tion** générale de la base.* 1870 ; ☞ *démobilise…* [demɔbilizasjɔ̃].

**DÉMOBILISER,** verbe trans. [3]
**1.** *Milit.* Rendre à la vie civile (des soldats mo… lisés). **2.** Ext. Priver (un groupe) de tout esp… combatif. 1870 (1826, convertir des biens meub… en biens immeubles) ; ☞ *mobiliser* + *dé-*[2] ; [demɔbiliz…

**DÉMOCRATE, subst.**
Personne attachée aux principes de la démocratie ; ıpl. adj. : *Il est très **démocrate**,* ouvert aux opinions ıutrui, tolérant. **2.** *Pol.* Membre ou partisan du ırti **démocrate**, l'un des deux grands partis poli-ıues américains. 1785 (mil. XVIe s., favorable à la ıocratie, dans l'Antiquité) ; ☞ *démocratie* ; [demɔkʀat].

**DÉMOCRATIE, subst. f.**
*l.* **1.** Système de gouvernement d'un État dans ıuel le peuple, directement ou par l'intermédiaire ses représentants, exerce la souveraineté. **2.** *Mé-ı.* État régi selon un système démocratique : *Les ındes **démocraties** européennes.* 1370 ; bas lat. *mocratia*, du gr. *demokratia* ; [demɔkʀasi].
CIENCES POLITIQUES – Dans l'Antiquité grecque, la émocratie est le modèle d'organisation de la cité, ıcarné par Athènes : le pouvoir appartient à la ɔmmunauté des hommes libres. Depuis les évolutions de la fin du XVIIIe s., elle s'est imposée ɔmme le système politique de référence du monde ɔntemporain. La démocratie politique (directe, le euple exerce le pouvoir sans intermédiaire, ou ɛprésentative, il le délègue à des représentants us) s'est souvent résumée à l'accession du plus ɾand nombre au droit de vote (suffrage universel). lle tend de nos jours à s'élargir en démocratie ɔciale, qui valorise l'ensemble des droits de homme au sein des sociétés. On a appelé émocraties populaires les régimes communistes e l'Europe de l'Est fondés sur la toute-puissance e l'État et la négation des libertés classiques 1945-1990). La démocratie chrétienne, courant olitique issu du catholicisme social, conserve une ıfluence dans certains pays d'Europe occidentale t d'Amérique latine.

**DÉMOCRATIQUE, adj.**
*Pol.* Qui répond aux exigences de la démocratie : ı *scrutin **démocratique**.* **2.** *Ext.* Qui est conforme l'intérêt du plus grand nombre : *Réforme **démo-ıtique**.* XVIIIe s. (1370, relatif à la démocratie, dans ıtiquité) ; gr. *demokratikos* ; [demɔkʀatik].

**DÉMOCRATIQUEMENT, adv.**
une manière démocratique. 1568 ; ☞ *démo-ıtique* ; [demɔkʀatikmɑ̃].

**DÉMOCRATISATION, subst. f.**
.tion de démocratiser ; son résultat. 1797 ; ☞ *démocratiser* ; [demɔkʀatizasjɔ̃].

**DÉMOCRATISER, verbe trans. [3]**
*Pol.* Rendre conforme aux principes de la démo-ıtie. **2.** Rendre plus accessible ou plus égalitaire : ***émocratiser** l'enseignement.* 1792 (fin XIVe s., être en ımocratie) ; ☞ *démocratie* ; [demɔkʀatize].

**DÉMODÉ, ÉE, adj.**
ıi n'est plus à la mode ; désuet : *Une coiffure **modée** ; Une doctrine **démodée**.* 1827 ; ☞ *mode dé-2* ; [demɔde].

**DÉMODER, verbe trans. [3]**
ndre démodé (rare) : *Ce vêtement te **démode**.* **ONOM.** Passer de mode : *Les grands auteurs ne se **modent** pas.* 1856 ; ☞ *mode* + *dé-2* ; [demɔde].

**DEMODEX, subst. m.**
*ol.* Petit acarien parasite qui se loge dans les ındes sébacées et dans les follicules pileux de ıomme et de quelques mammifères, provoquant ɔtamment des comédons. 1865 ; lat. sc. *demo-ɛx*, du gr. *dêmos*, « graisse », et *dêx*, « ver » ; [demɔdɛks].

**DÉMODULATION, subst. f.**
*ɛctron.* Reconstitution du signal de basse fré-ıence émis (qui contient l'information utile) à ırtir du signal de haute fréquence modulé reçu. V. 1930 ; ☞ *modulation* + *dé-2* ; [demɔdylasjɔ̃].

**DÉMODULER, verbe trans. [3]**
*ɛctron.* Séparer (un signal) de l'onde porteuse qu'il odule, à l'aide d'un démodulateur. 1953 ; ☞ *moduler* + *dé-2* ; [demɔdyle].

**DÉMOGRAPHE, subst.**
écialiste de la démographie. 1861 ; ☞ *démo-ɔphie* ; [demɔgʀaf].

**DÉMOGRAPHIE, subst. f.**
Science qui a pour objet la description quantita-ıe et statistique des populations humaines, de leur olution et de leurs mouvements, par référence à ɾtaines variables caractéristiques (natalité, morta-é, fécondité, nuptialité, etc.). **2.** *Méton.* État une population à un moment donné, considéré ıs l'angle quantitatif : *La **démographie** des États ropéens est en baisse.* 1855 ; formé de *démo-* et *-graphie* ; [demɔgʀafi].

**DÉMOGRAPHIQUE, adj.**
Relatif à la démographie : *Croissance **démographique**.* 1861 ; ☞ *démographie* ; [demɔgʀafik].

**DEMOISELLE, subst. f.**
**I. 1.** *Vx.* Jeune fille ou femme mariée de petite noblesse ou de bonne bourgeoisie. **2.** Femme célibataire ; jeune fille. **3.** Personne du sexe féminin attachée à une autre personne ou à un établissement : ***Demoiselle** de compagnie ; **Demoiselle** d'honneur ; **Demoiselle** des postes.* **II. 1.** *Zool.* Insecte odonate ressemblant à une libellule, mais plus petit et dont les ailes, au repos, sont verticales au-dessus du corps. **2.** *Géomorph.* ***Demoiselle** coiffée* : cheminée des fées. **3.** *Techn.* Pilon de bois utilisé autrefois par les paveurs (synon. *dame, hie*). 881 ; lat. pop. °*domnicella*, « petite dame », du lat. *domina*, « dame » ; [d(ə)mwazɛl].

**DÉMOLIR, verbe trans. [19]**
**1.** Abattre pièce par pièce, démanteler : ***Démolir** un bâtiment.* **2.** *Anal.* Détruire, saccager : *Cet enfant **démolit** tout* ; par ext., terrasser (qqn) : ***Démolir** son adversaire au combat.* **3.** *Fig.* ► Altérer gravement la santé, le moral de : *La drogue finira par le **démolir**.* ► Ruiner le crédit, la réputation de : *Il n'a de cesse de me **démolir** auprès des miens.* ► Détruire par le moyen de la critique : ***Démolir** une œuvre, une théorie.* 1458 ; lat. *demoliri* ; [demɔliʀ].

**DÉMOLISSAGE, subst. m.**
Action de démolir par la critique ; son résultat. 1882 ; ☞ *démolir* ; [demɔlisaʒ].

**DÉMOLISSEUR, EUSE, subst.**
**1.** Personne chargée de démolir un édifice. **2.** *Fig.* Personne qui, par ses attaques virulentes, sape une réputation, discrédite une œuvre, une pensée. 1547 ; ☞ *démolir* ; [demɔlisœʀ, øz].

**DÉMOLITION, subst. f.**
Action de démolir (ce qui a été construit, bâti) : *La **démolition** d'un mur* ; au fig., destruction : *Ce livre est une entreprise de **démolition**.* **PLUR.** Débris, gravats, restes de ce qui a été démoli : *Fouiller parmi les **démolitions**.* 1367 ; lat. *demolitio* ; [demɔlisjɔ̃].

**DÉMON, subst. m.**
**I. 1.** *Myth.* Esprit, bon ou mauvais, qui préside à la destinée des hommes. **2.** *Ext.* Force spirituelle qui inspire les hommes, les pousse à agir : *Le **démon** de Socrate.* ► Loc. *Les vieux **démons*** : les tentations anciennes que l'on croyait disparues. **II. 1.** *Relig.* Ange déchu, révolté contre Dieu : *Satan, le prince des **démons**.* **2.** *Anal.* Incarnation du mal ; personne néfaste, mauvaise : *Cet homme est un vrai **démon*** ; par exagér. : *Cet enfant est un petit **démon**,* il est vif, espiègle. **3.** *Fig.* Personnification des vices, des tentations : *Le **démon** du jeu ; Le **démon** de midi*, surcroît d'affection et de désir qui s'empare des hommes d'âge mûr. Déb. XIVe s. ; lat. *daemon*, du gr. *daimôn* ; [demɔ̃].

**DÉMONÉTISATION, subst. f.**
Action de démonétiser ; son résultat. 1793 ; ☞ *démonétiser* ; [demɔnetizasjɔ̃].

**DÉMONÉTISER, verbe trans. [3]**
**1.** Ôter sa valeur légale à (une monnaie, un timbre-poste) ; par ext., retirer (une monnaie) de la circulation. **2.** *Fig.* Discréditer. 1793 ; lat. *moneta*, « monnaie », + *dé-2* ; [demɔnetize].

**DÉMONIAQUE, subst. et adj.**
Se dit d'une personne possédée par le démon. **ADJ. 1.** Relatif au démon, diabolique. **2.** *Ext.* Digne d'un démon, pervers : *Une habileté **démoniaque**.* 1230 ; lat. chrét. *daemoniacus*, du gr. *daimonikos*, « possédé d'un dieu » ; [demɔnjak].

**DÉMONISME, subst. m.**
Croyance à l'existence des démons. Fin XVIIIe s. ; ☞ *démon* ; [demɔnism].

**DÉMONOLOGIE, subst. f.**
**1.** Étude des démons et de leurs activités. **2.** *Méton.* Ensemble des croyances relatives aux démons. 1600 ; ☞ *démon* + *-logie* ; [demɔnɔlɔʒi].

**DÉMONSTRATEUR, TRICE, subst.**
Personne qui explique le fonctionnement d'un appareil, en partic. dans un but publicitaire et de vente. XXe s. (1606, celui qui démontre) ; lat. *demonstrator*, « celui qui montre, démontre » ; [demɔ̃stʀatœʀ, tʀis].

**DÉMONSTRATIF, IVE, adj.**
**1.** Qui démontre, sert à démontrer. **2.** *Fig.* Qui manifeste ses sentiments sans retenue : *Un amant **démonstratif**.* **3.** *Gramm.* *Adjectif, pronom **démonstratif*** ou, empl. subst. masc., *Un **démonstratif*** : adjectif ou pronom servant à désigner, à préciser ou à représenter la personne ou la chose dont on parle (par ex., « ce », « cette » sont des adjectifs **démonstratifs**, « celui », « celle » sont des pronoms **démonstratifs**). **4.** *Rhét.* *Genre **démonstratif*** : éloquence qui utilise le blâme ou la louange. Fin XIVe s. ; lat. *demonstrativus* ; [demɔ̃stʀatif, iv].

**DÉMONSTRATION, subst. f.**
**1.** Action de démontrer, d'établir une vérité par le raisonnement ; ce qui sert à démontrer, preuve. ► *Log.* et *Math.* Suite finie de propositions (la première est l'hypothèse, la dernière est la conclusion), chacune d'elles étant la conséquence de la précédente en vertu d'axiomes, de définitions, de théorèmes antérieurement établis. **2.** Action de montrer qqch. pour convaincre. ► *Comm.* Explication du fonctionnement ou de l'usage d'un appareil. ► *Milit.* ***Démonstration** de force* : déploiement de forces armées visant à impressionner l'ennemi. **3.** Manifestation explicite de ses sentiments (souv. au plur.) : *Toutes ses **démonstrations** d'amour étaient vaines.* Déb. XIIIe s. ; lat. *demonstratio* ; [demɔ̃stʀasjɔ̃].

**DÉMONSTRATIVEMENT, adv.**
De manière démonstrative. Fin XIIIe s. ; ☞ *démonstratif* ; [demɔ̃stʀativmɑ̃].

**DÉMONTABLE, adj.**
Que l'on peut démonter ; qui est conçu pour être démonté. 1870 ; ☞ *démonter* ; [demɔ̃tabl].

**DÉMONTAGE, subst. m.**
Action de démonter un objet, un mécanisme. 1838 ; ☞ *démonter* ; [demɔ̃taʒ].

**DÉMONTÉ, ÉE, adj.**
**1.** *Cavalier **démonté*** : qui a été désarçonné. **2.** *Fig.* Troublé, décontenancé. **3.** Dont on a désassemblé les éléments. **4.** *Mer **démontée*** : violemment agitée. Fin XIIe s. ; p. p. de *démonter* ; [demɔ̃te].

**DÉMONTE-PNEU, subst. m.**
Levier employé pour extraire un pneu d'une jante. 1901 ; comp. de *démonter* et de *pneu* ; plur. *démonte-pneus* ; [demɔ̃t(ə)pnø].

**DÉMONTER, verbe trans. [3]**
**1.** Mettre à terre, désarçonner (un cavalier). **2.** *Fig.* Déconcerter, décontenancer (qqn) ; empl. pronom. : *Malgré les objections, il ne s'est pas **démonté**.* **3.** Désassembler les éléments de (un objet, un mécanisme) : ***Démonter** une armoire, un moteur.* Fin XIIe s. ; ☞ *monter* + *dé-2* ; [demɔ̃te].

**DÉMONTRABLE, adj.**
Qui peut être démontré : *Une formule **démontrable**.* Fin XIIIe s. ; ☞ *démontrer* ; [demɔ̃tʀabl].

**DÉMONTRER, verbe trans. [3]**
**1.** Établir de manière incontestable la vérité de (une proposition, une théorie). **2.** Témoigner de, révéler (qqch.) : *Son attitude **démontrait** ce qu'il ne voulait pas avouer.* Fin XIIe s. (Xe s., montrer, manifester) ; lat. *demonstrare* ; [demɔ̃tʀe].

**DÉMORALISANT, ANTE, adj.**
Qui démoralise : *Il a reçu des nouvelles **démoralisantes**.* 1863 ; p. pr. de *démoraliser* ; [demɔʀalizɑ̃, ɑ̃t].

**DÉMORALISATEUR, TRICE, adj.**
Qui vise ou tend à démoraliser. 1796 ; ☞ *démoraliser* ; [demɔʀalizatœʀ, tʀis].

**DÉMORALISATION, subst. f.**
Action de démoraliser ; le résultat de cette action. 1796 ; ☞ *démoraliser* ; [demɔʀalizasjɔ̃].

**DÉMORALISER, verbe trans. [3]**
**1.** *Vx.* Faire perdre le sens moral à, corrompre. **2.** Faire perdre à (qqn) sa confiance, décourager ; empl. pronom. : *Il se **démoralise** facilement.* 1795 ; ☞ *moral* + *dé-2* ; [demɔʀalize].

**DÉMORDRE, verbe [51]**
**INTRANS.** Cesser de mordre, lâcher prise (vx). **TRANS. INDIR.** **Démordre de** (gén. empl. négatif). Renoncer à (un avis, une décision) : *Inutile d'insister, il n'en **démordra** pas !* 1559 ; ☞ *mordre* + *dé-2* ; [demɔʀdʀ].

**DÉMOTIQUE, adj.**
**1.** Qualifie la langue courante parlée et écrite dans l'Égypte antique à partir du XIIIe s. av. J.-C., dérivée de l'écriture hiératique ; empl. subst. masc. : *Le **démotique**.* **2.** Qualifie la langue grecque moderne courante ; empl. subst. fém. : *La **démotique**.* Déb. XIXe s. (1371, démocratique) ; gr. *dêmotikos*, « populaire » ; [demɔtik].

**DÉMOTIVANT, ANTE, adj.**
Qui démotive ; décourageant. V. 1980 ; p. pr. de *démotiver* ; [demɔtivɑ̃, ɑ̃t].

**DÉMOTIVÉ, ÉE,** adj.
1. Qui a perdu toute envie d'agir. 2. *Ling.* Se dit d'un terme dérivé ou composé d'autres termes dont le sens n'est plus perçu (par ex. « chapelle », issu de « chape » dont le sens n'est plus perçu). XXe s. ; *motivé + dé-²* ; [demɔtive].

**DÉMOTIVER,** verbe trans. [3]
Enlever à (qqn) toute motivation, toute raison ou tout désir de poursuivre une action, décourager. Mil. XXe s. ; *motiver + dé-²* ; [demɔtive].

**DÉMOUCHETER,** verbe trans. [14]
*Escr.* Retirer la mouche de (un fleuret). 1838 ; *moucheter + dé-²* ; [demuʃte].

**DÉMOULAGE,** subst. m.
Action de démouler : *Le **démoulage** d'un cake.* 1838 ; *démouler* ; [demulaʒ].

**DÉMOULER,** verbe trans. [3]
Retirer (qqch.) d'un moule. 1765 (XIIIe s., abîmer, déformer) ; *mouler + dé-²* ; [demule].

**DÉMOULEUR,** subst. m.
Dispositif servant à démouler. V. 1970 ; *démouler* ; [demulœʀ].

**DÉMOUSTIQUER,** verbe trans. [3]
Débarrasser (une zone) des moustiques, en partic. en s'attaquant aux larves. V. 1960 ; *moustique + dé-²* ; [demustike].

**DÉMULTIPLICATEUR, TRICE,** subst. m. et adj.
*Mécan.* SUBST. Système de transmission assurant une réduction de vitesse. ADJ. Qui démultiplie. 1896 ; *démultiplier* ; [demyltiplikatœʀ, tʀis].

**DÉMULTIPLICATION,** subst. f.
Action de démultiplier ; son résultat. 1927 ; *démultiplier* ; [demyltiplikasjɔ̃].

**DÉMULTIPLIER,** verbe trans. [6]
1. *Mécan.* Réduire la vitesse de rotation de (un organe auquel est transmis un mouvement de rotation de vitesse supérieure). 2. Fig. Augmenter (un effet) par la multiplication des moyens. Fin XIXe s. ; *multiplier + dé-¹* ; [demyltiplije].

**DÉMUNI, IE,** adj.
Qui est privé de ressources, en partic. économiques ; empl. subst. : *Ce sont encore les plus **démunis** qui en pâtiront.* 1611 ; p. p. de *démunir* ; [demyni].

**DÉMUNIR,** verbe trans. [19]
Enlever à (qqn, qqch.) une chose essentielle ; dépouiller ; dégarnir. PRONOM. *Se **démunir** de ses biens* : s'en défaire. 1564 ; *munir + dé-²* ; [demyniʀ].

**DÉMUSELER,** verbe trans. [12]
1. Enlever sa muselière à (un animal). 2. Fig. Libérer : *La Révolution **a démuselé** le peuple.* Fin XVIIIe s. ; *museler + dé-²* ; [demyz(ə)le].

**DÉMYSTIFICATEUR, TRICE,** adj.
Qui démystifie ; empl. subst., personne qui démystifie. V. 1960 ; *démystifier* ; [demistifikatœʀ, tʀis].

**DÉMYSTIFICATION,** subst. f.
Action de démystifier ; son résultat. 1954 ; *démystifier* ; [demistifikasjɔ̃].

**DÉMYSTIFIER,** verbe trans. [6]
Détromper (la victime d'une mystification). 1948 ; *mystifier + dé-²* ; [demistifje].

**DÉMYTHIFICATION,** subst. f.
Action de démythifier ; son résultat. V. 1960 ; *démythifier* ; [demitifikasjɔ̃].

**DÉMYTHIFIER,** verbe trans. [6]
Enlever son caractère mythique à : ***Démythifier** un héros.* 1959 ; *mythe + dé-²* ; [demitifje].

**DÉNASALISATION,** subst. f.
Passage d'un phonème nasal au phonème oral correspondant : ***Dénasalisation** de « bon » dans « bon élève ».* 1906 ; *dénasaliser* ; [denazalizasjɔ̃].

**DÉNASALISER,** verbe trans. [3]
*Phon.* Réaliser la dénasalisation de ; empl. pronom. : *Le [ɔ̃] de « bon » se **dénasalise** dans « bon appétit ».* 1819 ; *nasal + dé-²* ; [denazalize].

**DÉNATALITÉ,** subst. f.
Diminution du nombre des naissances. 1918 ; *natalité + dé-²* ; [denatalite].

**DÉNATIONALISATION,** subst. f.
Action de dénationaliser ; son résultat. 1853 ; *dénationaliser* ; [denasjɔnalizasjɔ̃].

**DÉNATIONALISER,** verbe trans. [3]
1. Vx. Faire perdre sa nationalité à (qqn). 2. Rendre au secteur privé (une entreprise publique). 1808 ; *nationaliser + dé-²* ; [denasjɔnalize].

**DÉNATTER,** verbe trans. [3]
Défaire (ce qui a été arrangé en natte). 1690 ; *natte + dé-²* ; [denate].

**DÉNATURALISER,** verbe trans. [3]
Priver (qqn) des droits liés à la naturalisation. 1743 (1578, faire changer de naturel) ; *naturaliser + dé-²* ; [denatyʀalize].

**DÉNATURANT, ANTE,** adj.
*Chim.* Qui dénature : *Produit **dénaturant*** ou, empl. susbt. masc., *Un **dénaturant**.* 1873 ; p. pr. de *dénaturer* ; [denatyʀɑ̃, ɑ̃t].

**DÉNATURATION,** subst. f.
Action de dénaturer ; son résultat. ► *Chim.* Procédé de transformation de produits chimiques, consistant à leur ajouter des substances afin de les employer à des fins industrielles ou agricoles. Mil. XIXe s. ; *dénaturer* ; [denatyʀasjɔ̃].

**DÉNATURÉ, ÉE,** adj.
1. Qui a subi une dénaturation : *Du sel **dénaturé**.* 2. Fig. Dont le caractère naturel ou moral est altéré : *Des parents **dénaturés**,* indignes. Fin XIIe s. ; p. p. de *dénaturer* ; [denatyʀe].

**DÉNATURER,** verbe trans. [3]
1. Altérer la nature de (qqch.) ; en partic., rendre impropre à la consommation alimentaire. 2. Ext. Modifier la saveur de (un aliment, une boisson, etc.). 3. Fig. Fausser le sens de : ***Dénaturer** une pensée, des propos.* XVIIIe s. (fin XIIe s., avoir une attitude contraire à la nature) ; *nature + dé-²* ; [denatyʀe].

**DÉNAZIFIER,** verbe trans. [6]
Débarrasser des influences du nazisme. Mil. XXe s. ; *nazi + dé-²* ; [denazifje].

**DENDRITE,** subst. m.
1. *Minér.* Figure arborescente formée par de petits cristaux dans les fissures de certaines roches, jadis confondue avec une empreinte de fougère fossile. 2. *Anat.* Ramification arborescente du corps cellulaire d'un neurone (il y en a généralement plusieurs, dont l'ensemble constitue le dendrome), hérissée d'épines. 1578 ; gr. *dendritês*, « qui concerne les arbres » ; [dɑ̃dʀit] ou [dɛ̃-].

**DENDRITIQUE,** adj.
1. *Anat.* et *Minér.* Relatif à un dendrite ; qui forme des dendrites. 2. *Géogr.* Qualifie un réseau fluvial dense, aux nombreuses ramifications. 1830 ; *dendrite* ; [dɑ̃dʀitik] ou [dɛ̃-].

**DENDROCHRONOLOGIE,** subst. f.
Datation, en partic. des phénomènes climatiques et géologiques, par l'étude des anneaux de croissance des arbres. Mil. XXe s. ; *chronologie + dendro-* ; [dɑ̃dʀokʀɔnɔlɔʒi] ou [dɛ̃-].

**DENDROLOGIE,** subst. f.
Branche de la botanique qui étudie les arbres. 1641 ; formé de *dendro-* et de *-logie* ; [dɑ̃dʀɔlɔʒi] ou [dɛ̃-].

**DÉNÉBULER,** verbe trans. [3]
*Techn.* Dissiper de manière artificielle le brouillard de (un lieu) : ***Dénébuler** les pistes d'un aéroport.* V. 1960 ; lat. *nebula*, « brouillard », + *dé-²* ; var. *dénébuliser* ; [denebyle].

**DÉNÉGATION,** subst. f.
1. *Dr.* Refus de reconnaître pour vraies les assertions de l'adversaire au cours d'une instance. 2. Ext. Action de dénier, de nier formellement (qqch.) : *Un geste de **dénégation** ; Plus personne ne croyait ses **dénégations**.* 3. *Psychanal.* Processus par lequel un sujet nie, tout en le formulant, un désir refoulé. Fin XIVe s. ; lat. chrét. *denegatio* ; [denegasjɔ̃].

**DÉNEIGEMENT,** subst. m.
Action de déneiger ; le résultat de cette action. 1951 ; *déneiger* ; [denɛʒmɑ̃].

**DÉNEIGER,** verbe trans. [5]
Enlever la neige de (un lieu, en partic. une voie de communication). 1930 (1558, fondre, en parlant de la neige) ; *neige + dé-²* ; [deneʒe].

**DÉNERVER,** verbe trans. [3]
*Bouch.* Ôter les nerfs de (une pièce de viande). XXe s. (XVe s., affaiblir) ; *nerf + dé-²* ; [denɛʀve].

**DENGUE,** subst. f.
*Pathol.* Maladie virale répandue en Asie du Sud-Est, dans les îles du Pacifique et aux Caraïbes, due à un arbovirus inoculé à l'homme par un moustique. Elle guérit spontanément, en laissant toutefois persister douleurs articulaires, musculaires et asthénie. La **dengue** hémorragique du Sud-Est asiatique est mortelle. 1855 ; anglo-amér. *dengue*, du swahili *denga*, « attaque, crampe » ; [dɛ̃g].

**DÉNI,** subst. m.
1. Action de dénier ; refus d'accorder ce qui est dû (vieilli). 2. *Dr.* ***Déni** de justice* : refus illégal d'un juge, d'un tribunal de remplir ses fonctions ; par ext., injustice. 3. *Psychanal.* Refus de reconnaître la réalité d'une perception traumatisante. XIIIe s. ; *dénier* ; [deni].

**DÉNIAISER,** verbe trans. [3]
Rendre (qqn) moins niais, dégrossir (littér.) ; en partic., initier (qqn) à la sexualité. XVIe s. ; *niais + dé-²* ; [denjeze].

**DÉNICHER,** verbe [3]
TRANS. 1. Enlever du nid : ***Dénicher** un oiseau, des œufs.* 2. Anal. Débusquer : ***Dénicher** l'ennemi de sa position.* 3. Fig. Découvrir à force de recherches. INTRANS. Abandonner son nid. Déb. XIIIe s. (déb. XIIe s., se retirer d'un lieu) ; *nicher + dé-²* ; [deniʃe].

**DÉNICHEUR, EUSE,** subst.
1. Personne qui déniche les oiseaux. 2. Fig. Personne habile à dénicher (des choses rares). 1628 ; *dénicher* ; [deniʃœʀ, øz].

**DÉNICOTINISER,** verbe trans. [3]
Réduire ou supprimer la teneur en nicotine de. 1878 ; *nicotine + dé-²* ; [denikɔtinize].

**DÉNICOTINISEUR,** subst. m.
Filtre qui retient la nicotine du tabac que l'on fume. V. 1960 ; *dénicotiniser* ; [denikɔtinizœʀ].

**DENIER,** subst. m.
1. *Numism.* ► Monnaie d'argent, dans la Rome antique. ► Ancienne monnaie française valant un douzième de sou. 2. *Cath.* ***Denier** de Saint-Pierre* : contribution volontaire versée au Saint-Siège ; ***Denier** du culte* : contribution volontaire versée au clergé catholique local. 3. *Text.* Ancienne unité de mesure du titre des fibres, auj. remplacée par le décitex. PLUR. *De ses (propres) **deniers*** : avec son propre argent ; *Les **deniers** de l'État* : l'argent public. Fin Xe s. ; lat. *denarius* ; [dənje].

**DÉNIER,** verbe trans. [6]
1. Refuser de reconnaître (qqch.) comme vrai ou comme sien : ***Dénier** un défaut.* 2. ***Dénier** un droit à qqn* : refuser injustement de le lui accorder. 1160 ; *nier + dé-¹* ; [denje].

**DÉNIGREMENT,** subst. m.
Action de dénigrer, critique : ***Dénigrement** systématique.* 1527 ; *dénigrer* ; [denigʀəmɑ̃].

**DÉNIGRER,** verbe trans. [3]
S'efforcer de noircir la réputation de (qqn) ; déprécier (qqch.). PRONOM. Se rabaisser volontairement. 1358 ; lat. *denigrare*, « noircir » ; [denigʀe].

**DÉNIGREUR, EUSE,** subst.
Personne qui dénigre (rare). 1783 ; *dénigrer* ; [denigʀœʀ, øz].

**DÉNITRER,** verbe trans. [3]
Éliminer les composés nitrés de (une eau, un sol etc.). *nitré + dé-²* ; [denitʀe].

**DÉNITRIFICATION,** subst. f.
Action de dénitrifier ; état d'une eau ou d'un sc dénitrifié : ***Dénitrification** d'une nappe phréatique.* 1922 ; *nitrification + dé-²* ; [denitʀifikasjɔ̃].

**DÉNITRIFIER,** verbe trans. [6]
*Chim.* Transformer (l'azote contenu dans le nitrates et les sels ammoniacaux du sol et des eaux en azote moléculaire libre. C'est ce que for certaines bactéries dites dénitrifiantes. On peu aussi **dénitrifier** un sol par des actions physique et chimiques. 1908 ; *nitrifier + dé-²* ; [denitʀifje].

**DÉNIVELÉE,** subst. f.
Différence de niveau entre deux points. V. 1960 p. p. de *déniveler* ; var. *un dénivelé* ; [deniv(ə)le].

**DÉNIVELER,** verbe trans. [12]
Rendre inégal (un terrain), en détruire le nivelle ment. 1845 ; *niveler + dé-²* ; [deniv(ə)le].

**DÉNIVELLATION,** subst. f.
1. Action de déniveler (rare) ; son résultat. 2. Diffe rence de niveau (synon. *dénivellement*). 1845 *déniveler* ; [denivelasjɔ̃] ou [-vɛlla-].

**DÉNOMBRABLE,** adj.
1. Qui peut être dénombré. 2. *Math.* Un ensemble est dit **dénombrable** s'il existe une bijection de sur une partie de ℕ, ensemble des entiers nature 1929 (XIIIe s., innombrable) ; *dénombre* [denɔ̃bʀabl].

**DÉNOMBREMENT,** subst. m.
Action de dénombrer ; son résultat : ***Dénombreme** d'une population.* 1329 (mil. XIIIe s., diminution nombre) ; *dénombrer* ; [denɔ̃bʀəmɑ̃].

**DÉNOMBRER,** verbe trans. [3]
Compter, recenser (les éléments d'un ensemble). XII^e s. ; lat. *dinumerare*, d'apr. *nombrer* ; [denɔ̃bʀe].

**DÉNOMINATEUR,** subst. m.
1. *Math.* Celui des deux termes d'une fraction qui indique en combien de parties l'unité a été divisée : *Dans une écriture fractionnaire A/B, B est le* ***dénominateur.*** 2. Fig. ***Dénominateur*** *commun* : caractère commun à plusieurs personnes ou choses. 1484 ; bas lat. *denominator*, « celui qui nomme » ; [denɔminatœʀ].

**DÉNOMINATIF, IVE,** adj.
1. Qui sert à nommer (vieilli). 2. *Ling.* Qualifie un terme dérivé d'une forme nominale ; empl. subst. masc. : *Un* ***dénominatif.*** 1464 ; bas lat. *denominativus*, « dérivé » ; [denɔminatif, iv].

**DÉNOMINATION,** subst. f.
Attribution d'un nom ; par méton., ce nom. 1375 ; bas lat. *denominatio* ; [denɔminasjɔ̃].

**DÉNOMMER,** verbe trans. [3]
1. Attribuer un nom à (qqn, qqch.) ; désigner par un nom ; empl. adj. : *Le* ***dénommé*** *Jules.* 2. *Dr.* Nommer (qqn) dans un acte ; empl. adj. : *Le* ***dénommé*** *Untel, acquéreur.* Mil. XIII^e s. (1170, fixer un jour) ; lat. *denominare* ; [denɔme].

**DÉNONCER,** verbe trans. [4]
1. Faire connaître (qqch.) que l'on réprouve : ***Dénoncer*** *les inégalités.* 2. Ext. Signaler (qqn) comme coupable à une autorité ; empl. pronom. : *L'assassin est venu se* ***dénoncer.*** 3. Fig. Révéler, trahir (littér.) : *Les choix* ***dénoncent*** *l'idéologie.* 4. *Dr.* ▸ Annoncer officiellement (vx). ▸ Annuler ; rompre : ***Dénoncer*** *un traité, un contrat.* 1260 (1174, déclarer) ; lat. *denuntiare*, « annoncer » ; [denɔ̃se].

**DÉNONCIATEUR, TRICE,** subst.
Personne qui dénonce ; empl. adj., qui dénonce : *Un article* ***dénonciateur.*** 1328 ; bas lat. *denunciator*, « celui qui annonce » ; [denɔ̃sjatœʀ, tʀis].

**DÉNONCIATION,** subst. f.
Action de dénoncer ; par méton., document ou déclaration qui dénonce. Fin XIII^e s. ; lat. *denuntiatio*, « annonce » ; [denɔ̃sjasjɔ̃].

**DÉNOTATION,** subst. f.
1. Fait de dénoter ; ce qui est dénoté. 2. *Ling.* Élément objectif et invariant de la signification d'un mot (anton. *connotation*). 3. *Log.* Classe des objets à laquelle renvoie un concept. Mil. XV^e s. ; lat. *denotatio*, « indication » ; [denɔtasjɔ̃].

**DÉNOTER,** verbe trans. [3]
1. Indiquer, révéler, être le signe de (qqch.) : *Sa réponse* ***dénote*** *une grande maturité.* 2. *Ling.* Signifier par dénotation (anton. *connoter*). 3. *Log.* Désigner en extension. XIV^e s. (mil. XII^e s., remarquer) ; lat. *denotare* ; [denɔte].

**DÉNOUEMENT,** subst. m.
Ce qui dénoue, termine une affaire, en partic. une intrigue dramatique : *Un* ***dénouement*** *inattendu.* 1580 ; ☞ *dénouer* ; [denumɑ̃].

**DÉNOUER,** verbe trans. [3]
1. Défaire (ce qui est noué, un nœud). 2. Anal. ***Dénouer*** *les langues* : faire parler. 3. Fig. Éclaircir, résoudre ; empl. pronom. : *La situation se* ***dénoua*** *brusquement.* Fin XII^e s. ; ☞ *nouer* + *dé-*[2] ; [denwe].

**DÉNOYAUTAGE,** subst. m.
Action de dénoyauter ; son résultat. 1929 ; ☞ *dénoyauter* ; [denwajotaʒ].

**DÉNOYAUTER,** verbe trans. [3]
Ôter le noyau de (un fruit) : ***Dénoyauter*** *des cerises.* 1922 ; ☞ *noyau* + *dé-*[2] ; [denwajote].

**DÉNOYAUTEUR,** subst. m.
Appareil utilisé pour dénoyauter. 1929 ; ☞ *dénoyauter* ; var. *une dénoyauteuse* ; [denwajotœʀ].

**DÉNOYER,** verbe trans. [17]
***Dénoyer*** *une mine, une galerie* : l'assécher. 1953 ; ☞ *noyer* (I) + *dé-*[2] ; [denwaje].

**DENRÉE,** subst. f.
1. Marchandise destinée à l'alimentation, en partic. humaine (souv. au plur.) : ***Denrées*** *périssables.* 2. Fig. *Une* ***denrée*** *rare* : une chose précieuse, difficile à trouver. Mil. XIII^e s. (mil. XI^e s., valeur d'un denier) ; ☞ *denier* ; [dɑ̃ʀe].

**DENSE,** adj.
1. Épais, compact : *Une fumée* ***dense.*** 2. Ext. *Une forêt* ***dense*** : dont les arbres sont serrés ; *Une population* ***dense*** : peu dispersée. 3. Fig. *Une vie* ***dense*** : riche en évènements ; *Un style* ***dense*** : riche et concis. 4. *Math.* Dans un espace métrique E, une partie A est dite **dense** dans une partie B si tout point de B est limite d'une suite de points de A ; si B = E, on dit que A est partout **dense** dans E : *Q (ensemble des nombres rationnels) est partout* ***dense*** *dans R (ensemble des réels).* 5. *Phys.* Dont la densité est élevée. Fin XIV^e s. ; lat. *densus*, « épais » ; [dɑ̃s].

**DENSIFICATION,** subst. f.
Action de densifier ; augmentation de la densité. 1937 ; ☞ *densifier* ; [dɑ̃sifikasjɔ̃].

**DENSIFIER,** verbe trans. [6]
1. *Techn.* Augmenter par compression la densité de (une pièce de bois). 2. Ext. Rendre plus dense : ***Densifier*** *une population, une zone.* PRONOM. Augmenter en densité. 1896 ; ☞ *dense* ; [dɑ̃sifje].

**DENSIMÈTRE,** subst. m.
*Phys.* Instrument utilisé pour mesurer la densité d'un liquide. 1865 ; ☞ *dense* + *-mètre*[1] ; [dɑ̃simɛtʀ].

**DENSIMÉTRIE,** subst. f.
Ensemble des techniques de mesure de la densité. 1877 ; ☞ *densimètre* ; [dɑ̃simetʀi].

**DENSITÉ,** subst. f.
1. Qualité de ce qui est dense. 2. *Spéc.* ▸ *Démogr.* Nombre moyen d'habitants au km². ▸ *Écon.* ***Densité*** *de valeurs* : évaluation des risques de réassurance pour une zone donnée. ▸ *Électr.* ***Densité*** *volumique de charge électrique* : rapport de la charge d'un élément à son volume ; ***Densité*** *de courant* : rapport entre l'intensité d'un courant électrique et la surface de l'élément qu'il traverse. ▸ *Phot.* Degré de noircissement d'un phototype. ▸ *Phys.* ***Densité*** *d'un corps* : rapport entre la masse volumique d'un corps et celle d'un autre corps de référence (l'eau pour les solides et les liquides, l'air pour les gaz), mesurées dans des conditions précises de température et de pression. ▸ *Phys. part.* ***Densité*** *électronique* : nombre d'électrons libres par unité de volume. Fin XIV^e s. ; lat. *densitas*, « épaisseur » ; [dɑ̃site].

**DENT,** subst. f.
1. Chez l'homme et chez les Mammifères, organe dur et blanchâtre implanté sur les maxillaires, qui sert à déchirer et à broyer les aliments : *Faire, percer ses* ***dents***, se dit quand les premières **dents** poussent. ▸ Ext. *Les* ***dents*** *de la baudroie, du requin* ; *Les* ***dents*** *de la vipère.* 2. Anal. Objet ou partie d'objet dont la forme évoque celle d'une **dent** : *Les* ***dents*** *d'une fourchette, d'un engrenage* ; *Les* ***dents*** *d'un timbre, d'une feuille d'arbre*, les découpures qui les bordent. ▸ Loc. *En* ***dents*** *de scie* : irrégulier. ▸ *Géogr.* Sommet pointu d'une montagne. 3. Loc. *Quand les poules auront des* ***dents*** : jamais (fam.) ; *N'avoir rien à se mettre sous la* ***dent*** : n'avoir rien à manger ; *Avoir les* ***dents*** *longues* : être ambitieux ; *Se faire les* ***dents*** : s'exercer ; *Se casser les* ***dents*** : échouer ; *Avoir la* ***dent*** *dure* : critiquer sévèrement ; *Avoir une* ***dent*** *contre qqn* : lui garder rancune ; *Ne pas desserrer les* ***dents*** : se taire ; *Prendre le mors aux* ***dents*** (☞ *mors*). Fin XI^e s. ; lat. *dens* ; [dɑ̃].

ANATOMIE – Chez l'homme, la première denture compte 20 dents (dents de lait). Elle est progressivement remplacée, à partir de l'âge de six ans environ, par une denture permanente de 32 dents, également réparties entre les deux mâchoires. Chaque demi-mâchoire compte 2 incisives, 1 canine, 2 prémolaires et 3 molaires (la dernière molaire, appelée dent de sagesse, apparaissant à l'âge adulte). Chaque dent comprend une racine qui s'enfonce dans le maxillaire, recouvert par la gencive, et une couronne saillant hors de la gencive. La partie centrale de la dent est la pulpe dentaire (composée de cellules fibreuses), la partie périphérique est formée de cellules conjonctives, et le tout est entouré d'ivoire recouvert d'émail (l'ivoire de la racine est recouvert de cément, substance chimiquement comparable à l'os).

**DENTAIRE (I),** adj.
Relatif aux dents : *Soins* ***dentaires.*** ▸ *Formule* ***dentaire*** : schéma indiquant le nombre de dents de l'homme et de chaque catégorie de mammifères par demi-mâchoire inférieure et supérieure. 1541 ; bas lat. *dentarius* ; [dɑ̃tɛʀ].

**DENTAIRE (II),** subst. f.
*Bot.* Brassicacée vivace des régions boisées et montagneuses. 1572 ; lat. *dentaria*, « jusquiame » ; [dɑ̃tɛʀ].

**DENTAL, ALE, AUX,** adj.
*Phon. Consonne* ***dentale*** ou, empl. subst. fém., *Une* ***dentale*** : consonne émise en appliquant la langue sur les incisives supérieures (par ex. *d* et *t*). 1690 (1534, relatif aux dents) ; ☞ *dent* ; [dɑ̃tal, o].

**DENTALE,** subst. m.
*Zool.* Mollusque à coquille en forme de cornet ouvert aux deux extrémités, qui vit dans la vase ou le sable du bord de mer. 1744 ; lat. sc. *dentalium*, du lat. *dens*, « dent », par anal. de forme ; [dɑ̃tal].

**DENT-DE-LION,** subst. f.
*Bot.* Autre nom du pissenlit. 1596 ; lat. médiév. *dens leonis* ; plur. *dents-de-lion* ; [dɑ̃dəljɔ̃].

**DENTÉ, ÉE,** adj. et subst. f.
ADJ. Pourvu de dents. SUBST. *Vèn.* Coup de dent porté au gibier par le chien ; coup de défense porté par le sanglier. Déb. XII^e s. ; ☞ *dent* ; [dɑ̃te].

**DENTELAIRE,** subst. f.
*Bot.* Plante vivace méditerranéenne à fleurs bleues, blanches ou roses, de la famille des Plombaginacées, dont la racine était autrefois utilisée pour lutter contre les maux de dents et la gale. 1744 ; ☞ *dentelé* ; [dɑ̃t(ə)lɛʀ].

**DENTELÉ, ÉE,** adj.
Dont les bords sont découpés en forme de dents. ▸ *Anat. Muscle* ***dentelé*** : l'un des trois muscles du thorax attachés aux côtes ; empl. subst. masc. : *Grand* ***dentelé***, muscle abaisseur de l'omoplate. 1545 ; *dentele* (vx), « petite dent » ; [dɑ̃t(ə)le].

**DENTELER,** verbe trans. [12]
Découper (qqch.) de façon à former des dents. 1584 ; ☞ *dentelé* ; [dɑ̃t(ə)le].

**DENTELLE,** subst. f.
1. Tissu ajouré, à mailles fines, constitué d'un entrelacs de fils formant des motifs décoratifs : ***Dentelle*** *au crochet, aux fuseaux* ; ***Dentelle*** *mécanique* ; ***Dentelle*** *de coton, de soie.* ▸ Loc. *Ne pas faire dans la* ***dentelle*** : agir sans finesse (fam.). 2. Anal. Ce qui évoque ce tissu : ***Dentelle*** *de corail.* 1549 (fin XIV^e s., petite dent) ; ☞ *dent* ; [dɑ̃tɛl].

**DENTELLIER, IÈRE,** subst. et adj.
SUBST. Personne, le plus souvent une femme, qui confectionne de la dentelle : *Les* ***dentellières*** *de Bruges* ; *« La Dentellière », tableau de Vermeer.* SUBST. FÉM. Machine à faire de la dentelle. ADJ. Relatif à la dentelle. 1647 ; ☞ *dentelle* ; [dɑ̃təlje, jɛʀ].

La Dentellière,
*peinture de Johannes Vermeer (1632-1675). Musée du Louvre, Paris.*

**DENTELURE,** subst. f.
1. Bordure dentelée : *Les* ***dentelures*** *d'une feuille.* 2. *Archit.* Motif dentelé. 1467 ; *dentele* (vx), « petite dent » ; [dɑ̃t(ə)lyʀ].

**DENTICULE,** subst. m.
1. *Archit.* Chacune des saillies de section rectangulaire ornant une corniche. 2. *Anat.* Petite dent surnuméraire. 1545 ; lat. *denticulus*, « petite dent » ; [dɑ̃tikyl].

**DENTICULÉ, ÉE,** adj.
*Archit.* Pourvu de denticules. 1848 ; ☞ *denticule* ; [dɑ̃tikyle].

**DENTIER,** subst. m.
Prothèse amovible remplaçant tout ou partie des dents. 1624 (1574, rangée de dents) ; ☞ *dent* ; [dɑ̃tje].

**DENTIFRICE,** subst. m.
Produit utilisé pour nettoyer les dents ; en appos. : *Pâte* ***dentifrice.*** 1495 ; lat. *dentifricum*, de *dens*, « dent », et de *fricare*, « frotter » ; [dɑ̃tifʀis].

**DENTINE,** subst. f.
Ivoire de la dent. 1855 ; ☞ *dent* ; [dɑ̃tin].

**DENTIROSTRES,** subst. m. plur.
*Zool.* Groupe de passereaux dont la partie supérieure du bec est échancrée. AU SING. *La pie est un **dentirostre**, comme le merle ou le geai.* 1808 ; lat. *dens*, « dent », + *-rostre* ; [dɑ̃tiʀɔstʀ].

**DENTISTE,** subst.
Praticien qui effectue des soins dentaires. 1735 ; ☞ *dent* ; [dɑ̃tist].

**DENTISTERIE,** subst. f.
Science et pratique des soins et de la chirurgie dentaires. 1889 ; ☞ *dentiste* ; [dɑ̃tistəʀi].

**DENTITION,** subst. f.
**1.** Apparition et croissance des dents : *La **dentition** douloureuse d'un enfant.* **2.** Denture (empl. critiqué). 1754 ; lat. *dentitio* ; [dɑ̃tisjɔ̃].

**DENTURE,** subst. f.
**1.** Ensemble des dents ; leur disposition : *Le chien montra sa **denture** menaçante* ; *La **denture** humaine compte trente-deux dents.* **2.** *Techn.* Ensemble des dents d'un dispositif (scie, engrenage...). 1276 ; ☞ *dent* ; [dɑ̃tyʀ].

**DÉNUCLÉARISATION,** subst. f.
Action de dénucléariser ; son résultat. Mil. XXe s. ; ☞ *dénucléariser* ; [denykleaʀizasjɔ̃].

**DÉNUCLÉARISER,** verbe trans. [3]
Interdire ou limiter la production, le stockage ou la vente d'armes nucléaires dans (un pays, une zone). V. 1960 ; ☞ *nucléaire* + *dé-²* ; [denykleaʀize].

**DÉNUDATION,** subst. f.
**1.** *Chir.* Action de dénuder (un organe, un tissu) ; son résultat. **2.** Ext. État de ce qui est dénudé, en partic. état d'un arbre ou d'un sol mis à nu. 1374 ; bas lat. *denudatio* ; [denydasjɔ̃].

**DÉNUDER,** verbe trans. [3]
**1.** Mettre à nu, dépouiller (qqch.) de ce qui l'enveloppe ou le protège : ***Dénuder** un os au scalpel.* ▸ Empl. adj. *Des arbres **dénudés*** : qui ont été dépouillés de leur écorce ou dont toutes les feuilles sont tombées ; *Sol **dénudé**.* ▸ *Techn.* ***Dénuder** un câble électrique* : ôter sa gaine isolante. **2.** Laisser voir : *Un décolleté qui **dénude** les épaules.* PRONOM. Se dévêtir. XIIe s ; lat. *denudare* ; [denyde].

**DÉNUÉ, ÉE,** adj.
*Être **dénué** de* : être dépourvu de, privé de. 1370 ; p. p. de *se dénuer* ; [denɥe].

**DÉNUEMENT,** subst. m.
État d'une personne privée du nécessaire ; misère. 1374 ; ☞ *se dénuer* ; [denymɑ̃].

**DÉNUER (SE),** verbe pronom. [3]
**Se dénuer de.** Se dépouiller de, se priver de (littér.). XIIe s. ; lat. *denudare*, « dénuder » ; [denɥe].

**DÉNUTRITION,** subst. f.
*Pathol.* Dérèglement lié à une nutrition défaillante et caractérisé par la prédominance de la désassimilation sur l'assimilation. 1870 ; ☞ *nutrition* + *dé-²* ; [denytʀisjɔ̃].

**DÉODORANT, ANTE,** adj. et subst. m.
Se dit d'un désodorisant corporel (anglic.). Mil. XXe s. ; angl. *deodorant* ; [deɔdɔʀɑ̃, ɑ̃t].

**DÉONTOLOGIE,** subst. f.
**1.** *Philos.* Théorie des devoirs tels qu'ils entrent dans des situations concrètes de choix moral. **2.** Ext. Ensemble des règles morales qui régissent le comportement des membres d'une profession. 1825 ; angl. *deontology*, du gr. *deon*, « devoir », et *logia*, « théorie » ; [deɔ̃tɔlɔʒi].

**DÉONTOLOGIQUE,** adj.
Relatif à la déontologie : *Principes **déontologiques**.* 1834 ; ☞ *déontologie* ; [deɔ̃tɔlɔʒik].

**DÉPAILLER,** verbe trans. [3]
Dégarnir de sa paille. 1862 (1758, épuiser les champs) ; ☞ *paille* + *dé-²* ; [depaje].

**DÉPALISSER,** verbe trans. [3]
*Arboric.* Détacher les branches de (un arbre fruitier) de leurs appuis. 1690 ; ☞ *palisser* + *dé-²* ; [depalise].

**DÉPANNAGE,** subst. m.
Action de dépanner ; son résultat. 1918 ; ☞ *dépanner* ; [depanaʒ].

**DÉPANNER,** verbe trans. [3]
**1.** Remettre en état de fonctionner (une machine, un appareil en panne). **2.** Ext. Remorquer (un véhicule en panne). **3.** Fig. Tirer (qqn) d'embarras (fam.). Déb. XXe s. ; ☞ *panne* (I) + *dé-²* ; [depane].

**DÉPANNEUR, EUSE,** subst.
Personne spécialisée dans le dépannage. FÉM. Véhicule équipé pour le remorquage des voitures en panne. MASC. Québ. Épicerie qui reste ouverte quand les autres commerces sont fermés. 1916 ; ☞ *dépanner* ; [depanœʀ, øz].

**DÉPAQUETAGE,** subst. m.
Action de dépaqueter. 1811 ; ☞ *dépaqueter* ; [depak(ə)taʒ].

**DÉPAQUETER,** verbe trans. [14]
Défaire (un paquet) ; sortir (le contenu d'un paquet). 1487 ; ☞ *paquet* + *dé-²* ; [depak(ə)te].

**DÉPARAFFINAGE,** subst. m.
*Techn.* Extraction de la paraffine du pétrole brut. 1932 ; ☞ *paraffine* + *dé-²* ; [depaʀafinaʒ].

**DÉPARASITER,** verbe trans. [3]
Débarrasser (qqch., qqn) des parasites qui l'infestent. ▸ *Techn.* Supprimer les parasites radioélectriques de. V. 1970 ; ☞ *parasiter* + *dé-²* ; [depaʀazite].

**DÉPAREILLÉ, ÉE,** adj.
**1.** Qui est séparé de ce avec quoi il formait une paire, un ensemble : *Une chaussette **dépareillée**.* **2.** Ext. Incomplet ; disparate : *Un service de table, un costume **dépareillé**.* 1718 ; p. p. de *dépareiller* ; [depaʀeje].

**DÉPAREILLER,** verbe trans. [3]
Rendre incomplet ou disparate (un ensemble d'objets). Déb. XIIIe s. ; ☞ *pareil* + *dé-²* ; [depaʀeje].

**DÉPARER,** verbe trans. [3]
**1.** Enlaidir (littér.) : *Tout ce qui la cache la **dépare*** (Laclos). **2.** Rompre l'harmonie de : *Ce mets ne **déparerait** pas une table de roi.* Fin XVIIe s. (mil. XIe s., ôter ce qui pare) ; ☞ *parer* (I) + *dé-²* ; [depaʀe].

**DÉPARIER,** verbe trans. [6]
**1.** Ôter l'un des éléments de (une paire). **2.** Séparer (un couple d'oiseaux). 1609 (fin XIVe s., enlever son conjoint à qqn) ; anc. fr. *parier*, « accoupler », + *dé-²* ; var. *désapparier* (vieilli) ; [depaʀje].

**DÉPARLER,** verbe intrans. [3]
Vieilli. **1.** Cesser de parler : *Il n'a pas **déparlé** de la soirée.* **2.** Parler à tort et à travers (région.). 1657 (XIIe s., blâmer) ; ☞ *parler* (I) + *dé-* ; [depaʀle].

**DÉPART (I),** subst. m.
**1.** Action de partir : *L'heure du **départ**.* ▸ Loc. *Être sur le **départ*** : sur le point de partir. **2.** Méton. Lieu où s'effectue le départ : ***Départ** des grandes lignes.* **3.** Ext. Fait de quitter un poste, une fonction : ***Départ** en retraite.* **4.** Fig. Commencement : *Notre idée de **départ**.* ▸ Loc. *Au **départ*** : à l'origine. **5.** *Sp. Faire un faux **départ*** : partir avant le signal. 1213 ; anc. fr. *départir*, « s'en aller » ; [depaʀ].

**DÉPART (II),** subst. m.
*Faire le **départ** de, entre deux notions* : les distinguer. 1220 ; ☞ *départir* ; [depaʀ].

**DÉPARTAGER,** verbe trans. [5]
**1.** Rompre un partage égal de (un vote émis), en ajoutant une voix qui dégage une majorité : ***Départager** des suffrages, une assemblée.* **2.** Anal. Faire la différence entre (des personnes, des options concurrentes), arbitrer. **3.** Littér. Faire le départ entre, séparer (deux notions). 1690 ; ☞ *partager* + *dé-¹* ; [depaʀtaʒe].

**DÉPARTEMENT,** subst. m.
**1.** Vx. Action de départager ; son résultat. **2.** Partie de l'administration des affaires de l'État attribuée à un ministre ; ministère (vieilli). **3.** Secteur spécialisé d'une administration, d'une entreprise : ***Département** des achats.* **4.** Division du territoire français administrée par un préfet assisté par un conseil général : *Les quatre-vingt-seize **départements** métropolitains* ; *Les **départements** d'outre-mer (D. O. M.)*, Guadeloupe, Guyane, Martinique et Réunion. ▸ Méton. La population du **département** : *Tout le **département** était convié* ; son administration. **5.** Helv. Division du pouvoir exécutif cantonal. Déb. XIIe s. ; ☞ *départir* ; [depaʀtəmɑ̃].

**DÉPARTEMENTAL, ALE, AUX,** adj.
Relatif au département en tant que division territoriale : *Une route **départementale*** ou, empl. subst. fém., *Une **départementale**,* construite et entretenue par le département. 1790 ; ☞ *département* ; [depaʀtəmɑ̃tal, o].

**DÉPARTEMENTALISER,** verbe trans. [3]
**1.** Attribuer à (un territoire) le statut de département. **2.** Attribuer aux départements (une compétence relevant d'une autre collectivité publique). 1941 ; ☞ *départemental* ; [depaʀtəmɑ̃talize].

**DÉPARTIR,** verbe trans. [23]
Donner en partage (littér.). PRONOM. **Se départir de.** Littér. Se défaire de ; renoncer à : *Se dépar[tir] de son accent, de son indifférence.* Mil. XIe s[.] ; ☞ *partir* (I) + *dé-¹* ; [depaʀtiʀ].

**DÉPARTITEUR,** subst. m.
*Dr.* Celui qui départ ; en appos. : *Juge **départiteur**,* q[ui] préside l'audience afin de départager des conseill[ers] prud'hommes. 1870 ; ☞ *départir* ; [depaʀtitœ[ʀ]].

**DÉPASSANT,** subst. m.
*Cout.* Ornement qui dépasse la partie du vêteme[nt] auquel il est fixé. 1922 ; p. pr. de *dépasser* ; [depas[ɑ̃]].

**DÉPASSÉ, ÉE,** adj.
**1.** Qui n'est plus actuel, périmé : *Des conceptio[ns] **dépassées**.* **2.** Qui ne maîtrise plus une situatio[n]. 1690 ; p. p. de *dépasser* ; [depase].

**DÉPASSEMENT,** subst. m.
Action de dépasser ; son résultat. 1865 ; ☞ *dépasser* ; [depasmɑ̃].

**DÉPASSER,** verbe [3]
TRANS. **1.** Passer devant, laisser derrière soi : *Le liè[vre] de la fable ne peut **dépasser** la tortue* ; empl. abs. *Ne pas **dépasser** dans les virages.* **2.** Aller au-delà d[e] : ***Dépasser** le coin de la rue.* ▸ Fig. Franchir (une lim[ite] prévue ou supposée) : *Le résultat **dépassa** nos esp[é]rances* ; *Mes paroles **ont dépassé** ma pensée* ; *C[ela] **dépasse** mes forces* ; par ext. : *Sa réaction me **dépass[e]*** : me déconcerte, m'est incompréhensible. ▸ L[oc.] ***Dépasser** les bornes, la mesure* : exagérer. **3.** Faire pl[us] que, être supérieur à : *Personne ne le **dépasse** [en] perversité.* **4.** Excéder en quantité, en dimension, [en] durée : *Ne pas **dépasser** un verre d'alcool* ; *Parlez, m[ais] sans **dépasser** dix minutes.* INTRANS. Faire saillie : *[L']alignement parfait où rien ne **dépasse*** ; *Son jup[on] **dépasse**.* PRONOM. S'efforcer d'aller au-delà de s[es] limites. XIIe s. ; ☞ *passer* + *dé-¹* ; [depase].

**DÉPASSIONNER,** verbe trans. [3]
Enlever son caractère passionné à (une discussion). 1550 ; ☞ *passionner* + *dé-²* ; [depasjɔne].

**DÉPATOUILLER (SE),** verbe pronom. [
Se sortir d'une situation difficile (fam.). 164[.] ; ☞ *patouiller* + *dé-²* ; [depatuje].

**DÉPAVAGE,** subst. m.
Action de dépaver. 1832 ; ☞ *dépaver* ; [depava[ʒ]].

**DÉPAVER,** verbe trans. [3]
Enlever les pavés de (une rue, un trottoir, u[ne] cour, etc.). 1355 ; ☞ *paver* + *dé-²* ; [depave].

**DÉPAYSANT, ANTE,** adj.
Qui dépayse : *Un voyage **dépaysant**.* 1913 ; p. [pr.] de *dépayser* ; [depeizɑ̃, ɑ̃t].

**DÉPAYSEMENT,** subst. m.
Fait d'être dépaysé ; état d'une personne dépays[ée]. XVIe s. ; ☞ *dépayser* ; [depeizmɑ̃].

**DÉPAYSER,** verbe trans. [3]
**1.** Vx. Faire quitter son pays à (qqn). **2.** F[ig.] Déconcerter (qqn) en changeant son milieu, s[es] habitudes. 1195 ; ☞ *pays* (I) + *dé-²* ; [depeize].

**DÉPEÇAGE,** subst. m.
Action de dépecer (synon. vieilli *dépècement*). 1842 ; ☞ *dépecer* ; [depəsaʒ].

**DÉPECER,** verbe trans. [4] et [10]
**1.** Mettre en pièces : *Le tigre **dépèce** la gazell[e]* ; découper en morceaux (un animal de boucherie). **2.** Anal. Démembrer (un territoire). Fin XIe s[.] ; ☞ *pièce* + *dé-²* ; [depəse].

**DÉPECEUR, EUSE,** subst.
Personne qui dépèce. XIIIe s. ; ☞ *dépece[r]* ; [depəsœʀ, øz].

**DÉPÊCHE,** subst. f.
**1.** Correspondance officielle : ***Dépêche** ministériel[le].* **2.** Télégramme (vx). **3.** *Journ.* Information tran[s]mise à un organe de presse par une agence. 16[.] (1464, lettre patente) ; ☞ *dépêcher* ; [depɛʃ].

**DÉPÊCHER,** verbe trans. [3]
**1.** Accomplir (qqch.) à la hâte (vx). **2.** ***Dépêcher** [un] émissaire* : l'envoyer en hâte (littér.). PRONOM. [Se] hâter. Fin XVe s. (XIIIe s., se libérer de qqch[.]) ; ☞ *empêcher* + *dé-²* ; [depeʃe].

**DÉPEIGNER,** verbe trans. [3]
Déranger la coiffure de (qqn). XIVe s. ; ☞ *peign[er]* + *dé-²* ; [depeɲe].

**DÉPEINDRE,** verbe trans. [53]
Représenter, décrire (qqch. ou qqn) en paroles [ou] par écrit. Mil. XVIe s. (XIIIe s., enduire de peinture[)] lat. *depingere*, d'apr. *peindre* ; [depɛ̃dʀ].

**DÉPENAILLÉ, ÉE, adj.**
Qui est en haillons ; par ext., débraillé. 1546 ; crois. du m. fr. *penaille*, « vêtement de qqn », et de l'anc. fr. *despaner*, « déchirer », de *pane*, « chiffon » ; [dep(ə)naje].

**DÉPENDANCE, subst. f.**
**1.** Relation d'une chose, d'une personne avec une autre dont elle dépend ; en partic., relation de sujétion, de subordination : *La **dépendance** des causes et des effets* ; ***Dépendance** économique.* **2.** Méton. Bâtiment, terre, territoire rattaché à un ensemble plus important (souv. au plur.) : *Les **dépendances** d'un château.* **3.** *Pathol.* État d'une personne qui ressent le besoin impérieux d'une substance toxique, du fait d'une absorption répétée de cette dernière. 1361 ; ☞ *dépendre* (I) ; [depɑ̃dɑ̃s].

**DÉPENDANT, ANTE, adj.**
Qui dépend de qqn ou de qqch. ; assujetti. 1355 ; ☞ *dépendre* (I) ; [depɑ̃dɑ̃, ɑ̃t].

**DÉPENDRE (I), verbe trans. indir. [51]**
**Dépendre de. 1.** Ne pouvoir se réaliser sans l'action de (qqn ou qqch.) : *Tout **dépend** de ce que vous direz.* ▸ Loc. *Ça **dépend*** : peut-être. **2.** Être rattaché à (qqch. ou qqn) ; être lié à (qqch. ou qqn) par une relation de sujétion, de subordination : *Un pays pauvre **dépend** de l'aide internationale.* XIIe s. ; lat. *dependere*, « être suspendu à » ; [depɑ̃dʀ].

**DÉPENDRE (II), verbe trans. [51]**
Détacher (ce qui est pendu), décrocher : ***Dépendre** les rideaux.* 1180 ; ☞ *pendre* + *dé-*[2] ; [depɑ̃dʀ].

**DÉPENS, subst. m. plur.**
*Dr.* Frais de justice à la charge de la partie perdante. ▸ Loc. *Aux **dépens** de* : aux frais de, au détriment de. 1170 ; lat. *dispensum*, de *dispendere*, « peser en distribuant » ; [depɑ̃].

**DÉPENSE, subst. f.**
**1.** Action de dépenser de l'argent ; par méton., somme d'argent dépensée. ▸ Loc. *Ne pas regarder à la **dépense*** : dépenser sans compter. ▸ *Comptab.* Somme déboursée, sortie d'argent (anton. *recette*) ; par ext., compte sur lequel figure l'état des dépenses. ▸ *Fin. Les **dépenses** publiques* : les sommes utilisées par des organismes publics. **2.** Ext. Consommation : *La **dépense** en électricité d'un pays.* **3.** Fig. Utilisation, emploi de qqch. : *Une **dépense** de temps.* **4.** Lieu où l'on stocke des provisions (vx). 1176 ; lat. *dispensa*, de *dispendere*, « peser en distribuant » ; [depɑ̃s].

**DÉPENSER, verbe trans. [3]**
**1.** Utiliser (de l'argent), en partic. pour un achat ; empl. abs. : ***Dépenser** sans compter.* **2.** Ext. User pour son fonctionnement ; consommer : *Un moteur qui **dépense** trop d'essence.* **3.** Fig. Employer sans compter : ***Dépenser** son temps, ses forces* ; empl. pronom., faire des efforts : *Il s'est beaucoup **dépensé**.* 1611 (XIIIe s., user de) ; ☞ *dépense* ; [depɑ̃se].

**DÉPENSIER, IÈRE, subst. et adj.**
Se dit d'une personne qui dépense exagérément, qui aime dépenser. 1559 (déb. XIIe s., personne qui tient la dépense dans une communauté) ; ☞ *dépense* ; [depɑ̃sje, jɛʀ].

**DÉPERDITION, subst. f.**
Perte progressive de matière, d'énergie, etc. ; affaiblissement. 1797 (1314, destruction) ; *deperdre* (vx), du lat. *deperdere*, d'apr. *perdition* ; [depɛʀdisjɔ̃].

**DÉPÉRIR, verbe intrans. [19]**
**1.** Perdre progressivement ses forces, s'affaiblir : *Un enfant, une plante qui **dépérit**.* **2.** Fig. Se dégrader, aller à la ruine. Déb. XIIe s. ; lat. *deperire*, « s'abîmer, se perdre, périr » ; [depeʀiʀ].

**DÉPÉRISSEMENT, subst. m.**
Fait de dépérir ; état qui en résulte. 1521 ; ☞ *dépérir* ; [depeʀismɑ̃].

**DÉPERSONNALISATION, subst. f.**
**1.** Action de dépersonnaliser ; son résultat. **2.** *Psych.* Altération de la personnalité qui se traduit par l'impression de ne plus être soi-même. 1898 ; ☞ *dépersonnaliser* ; [depɛʀsɔnalizasjɔ̃].

**DÉPERSONNALISER, verbe trans. [3]**
**1.** Enlever à (qqn) ce qui fait sa personnalité. **2.** Ext. Rendre banal, impersonnel (qqch.). 1845 ; ☞ *personnel* + *dé-*[2] ; [depɛʀsɔnalize].

**DÉPÊTRER, verbe trans. [3]**
**1.** Dégager (qqn) de ce qui entrave ses mouvements. **2.** Fig. Sortir (qqn) de l'embarras : *Son intervention me **dépêtrait** d'une sale affaire.* **Pronom.** *Se **dépêtrer** de qqn, de qqch.* : s'en débarrasser, s'en dégager. Déb. XIVe s. ; ☞ *empêtrer* + *dé-*[2] ; [depetʀe].

**DÉPEUPLEMENT, subst. m.**
Action de dépeupler, fait de se dépeupler ; état qui en résulte. 1636 (1559, dévastation) ; ☞ *dépeupler* ; [depœpləmɑ̃].

**DÉPEUPLER, verbe trans. [3]**
**1.** Vider (une région, un pays) de sa population : *La sécheresse **a dépeuplé** la savane.* **2.** Ext. Vider (un lieu) des animaux, des végétaux qui le peuplent ; empl. pronom. : *Nos forêts se **dépeuplent**.* 1431 (1343, ravager) ; lat. *depopulari*, « ravager » ; [depœple].

**DÉPHASAGE, subst. m.**
**1.** *Phys.* Différence de phase entre deux phénomènes périodiques de même fréquence. **2.** Fig. État d'une chose, d'une personne déphasée (fam.). 1929 ; ☞ *phase* + *dé-*[2] ; [defazaʒ].

**DÉPHASÉ, ÉE, adj.**
**1.** *Phys.* Qui présente une différence de phase avec une autre grandeur périodique de même fréquence. **2.** Fig. Qui est en décalage par rapport à une réalité (fam.). XXe s. ; p. p. de *déphaser* ; [defaze].

**DÉPHASER, verbe trans. [3]**
**1.** *Phys.* Produire le déphasage de. **2.** Fig. Rendre (qqch., qqn) étranger à une réalité, à un contexte (fam.). 1948 ; ☞ *phase* + *dé-*[2] ; [defaze].

**DÉPHOSPHATER, verbe trans. [3]**
Éliminer les phosphates de (l'eau, un sol). XIXe s. ; ☞ *phosphate* + *dé-*[2] ; [defɔsfate].

**DÉPHOSPHORATION, subst. f.**
*Métall.* Élimination du phosphore de la fonte et de l'acier. 1875 ; ☞ *phosphore* + *dé-*[2] ; [defɔsfɔʀasjɔ̃].

**DÉPHOSPHORER, verbe trans. [3]**
Procéder à la déphosphoration de (l'acier, la fonte). 1875 ; ☞ *phosphore* + *dé-*[2] ; [defɔsfɔʀe].

**DÉPIAUTER, verbe trans. [3]**
Fam. **1.** Écorcher (un animal) ; par ext. : ***Dépiauter** une banane*, l'éplucher. **2.** Fig. Analyser en détail (un texte, un discours). 1834 ; dial. *piau*, « peau », + *dé-*[2] ; [depjote].

**DÉPICAGE, voir DÉPIQUAGE**

**DÉPIGMENTATION, subst. f.**
Défaut ou perte de la pigmentation d'un tissu, notamment d'une peau. V. 1960 ; ☞ *pigmentation* + *dé-*[2] ; [depigmɑ̃tasjɔ̃].

**DÉPILAGE, subst. m.**
*Techn.* Élimination des poils d'une peau avant le tannage. 1842 ; ☞ *dépiler* (II) ; [depilaʒ].

**DÉPILATION, subst. f.**
**1.** Action de dépiler. **2.** Perte des poils ou des cheveux. Fin XIVe s. ; lat. *depilare*, « épiler » ; [depilasjɔ̃].

**DÉPILATOIRE, adj. et subst. m.**
**Adj.** Qui provoque la chute des poils ou des cheveux. **Subst.** Produit cosmétique qui élimine les poils. Fin XIVe s. ; lat. *depilare*, « épiler » ; [depilatwaʀ].

**DÉPILER (I), verbe trans. [3]**
*Mines.* Détruire les piliers de (une mine, une carrière). 1816 (1306, sortir des rangs) ; ☞ *pile* (I) + *dé-*[2] ; [depile].

**DÉPILER (II), verbe trans. [3]**
**1.** Provoquer la chute des poils ou des cheveux de (qqn). **2.** *Techn.* Enlever les poils de (une peau à tanner). 1538 ; lat. *depilare* ; [depile].

**DÉPIQUAGE, subst. m.**
*Agric.* Action de dépiquer. 1785 ; ☞ *dépiquer* (II) ; var. *dépicage* ; [depikaʒ].

**DÉPIQUER (I), verbe trans. [3]**
**1.** *Agric.* Ôter (un plant) d'une couche, d'un semis, pour le repiquer en terre. **2.** *Cout.* Défaire les points de piqûre de (une étoffe). 1835 (XVIIe s., consoler) ; ☞ *piquer* + *dé-*[2] ; [depike].

**DÉPIQUER (II), verbe trans. [3]**
*Agric.* Égrener les épis de (une céréale) : ***Dépiquer** l'avoine.* 1785 ; prov. *depica* ; [depike].

**DÉPISTAGE, subst. m.**
Action de dépister ; son résultat. ▸ *Méd.* Mesures visant à dépister une maladie. 1922 ; ☞ *dépister* (I) ; [depistaʒ].

**DÉPISTER (I), verbe trans. [3]**
**1.** *Vén.* Découvrir (le gibier) à partir de sa piste ; par anal. : ***Dépister** un assassin.* **2.** Ext. Découvrir (ce qui est dissimulé, latent) par une recherche systématique : ***Dépister** une maladie.* 1560 ; ☞ *piste* + *dé-*[1] ; [depiste].

**DÉPISTER (II), verbe trans. [3]**
*Vén.* Détourner (un animal) de la piste, le lancer sur une fausse piste ; par anal. : ***Dépister** la police, les soupçons.* 1828 ; ☞ *piste* + *dé-*[2] ; [depiste].

**DÉPIT, subst. m.**
Sentiment de tristesse et de colère consécutif à une déception, à une vexation. ▸ Loc. prép. *En **dépit** de* : malgré ; *En **dépit** du bon sens* : n'importe comment. XIIe s. (1140, mépris) ; lat. *despectus*, « mépris » ; [depi].

**DÉPITÉ, ÉE, adj.**
Qui ressent ou manifeste du dépit : *Un visage **dépité**.* XIVe s. ; p. p. de *dépiter* ; [depite].

**DÉPITER, verbe trans. [3]**
Inspirer du dépit à (qqn). **Pronom.** Éprouver du dépit. XIIIe s. ; ☞ *dépit* ; [depite].

**DÉPLACÉ, ÉE, adj.**
**1.** Dont on a changé la place. ▸ *Population **déplacée*** : qui a été contrainte d'abandonner son pays. **2.** Fig. Qui n'est pas à sa place ; choquant, incongru : *Une réflexion **déplacée**.* XVIIIe s. ; p. p. de *déplacer* ; [deplase].

**DÉPLACEMENT, subst. m.**
**1.** Action de déplacer, de se déplacer ; résultat de cette action : *Un **déplacement** d'air continental nous plonge dans le froid* ; *Un **déplacement** de vertèbres.* **2.** Voyage, gén. professionnel : *Être en **déplacement*** ; *Frais de **déplacement**.* **3.** *Spéc.* ▸ *Chim.* Substitution d'un corps à un autre dans une combinaison. ▸ *Géom.* Transformation ponctuelle du plan ou de l'espace euclidien, qui conserve les distances (isométrie) et l'orientation : *Les seuls **déplacements** du plan sont les rotations et les translations.* ▸ *Mar.* Poids du volume d'eau qu'occupe la carène d'un navire lorsqu'il flotte. ▸ *Psychanal.* Opération inconsciente par laquelle on reporte une charge affective sur un objet substitutif. XVIe s. ; ☞ *déplacer* ; [deplasmɑ̃].

**DÉPLACER, verbe trans. [4]**
**1.** Mettre ailleurs, attribuer une nouvelle place à (qqn, qqch.) : ***Déplacer** une armoire, un spectateur.* **2.** Anal. Changer la date ou l'heure de : ***Déplacer** un rendez-vous, un voyage.* **3.** Fig. ***Déplacer** un problème, un débat* : les faire porter sur un autre sujet, les éluder ; ***Déplacer** les foules* : les attirer ; ***Déplacer** des montagnes* : réussir l'impossible. **Pronom. 1.** Changer de place ; bouger. **2.** Se transporter d'un lieu à un autre ; voyager : *Ne vous **déplacez** pas, téléphonez !* 1404 ; ☞ *place* + *dé-*[2] ; [deplase].

**DÉPLAFONNEMENT, subst. m.**
Action de déplafonner ; son résultat. V. 1970 ; ☞ *déplafonner* ; [deplafɔnmɑ̃].

**DÉPLAFONNER, verbe trans. [3]**
Relever ou supprimer le plafond de (une cotisation, un crédit). V. 1970 ; ☞ *plafonner* + *dé-*[2] ; [deplafɔne].

**DÉPLAIRE, verbe trans. indir. [59]**
**Déplaire à.** Ne pas plaire à, rebuter : *D'emblée, il **a déplu** à mon père* ; contrarier : *Il le faisait sciemment, pour me **déplaire**.* ▸ Loc. *Ne vous (en) **déplaise*** : quoi que vous en pensiez (littér.). **Pronom.** Ne pas se sentir à l'aise (dans un lieu) : *Elle **s'est déplu** à Paris.* 1160 ; ☞ *plaire* + *dé-*[2] ; [deplɛʀ].

**DÉPLAISANT, ANTE, adj.**
Qui déplaît, désagréable : *Un accueil **déplaisant*** ; contrariant, irritant : *Un contretemps **déplaisant**.* 1190 ; p. pr. de *déplaire* ; [deplɛzɑ̃, ɑ̃t].

**DÉPLAISIR, subst. m.**
**1.** Chagrin (vx). **2.** Mécontentement, contrariété : *À mon grand **déplaisir**, il avait invité son voisin.* Mil. XIIIe s. ; ☞ *plaisir* + *dé-*[2] ; [deplɛziʀ].

**DÉPLANTER, verbe trans. [3]**
**1.** Sortir de terre (un végétal) pour le replanter ailleurs ; par ext., tirer de terre (ce qui y était enfoncé) : ***Déplanter** un échalas.* **2.** Dégarnir de ses plantes : ***Déplanter** un massif.* 1306 ; ☞ *planter* + *dé-*[2] ; [deplɑ̃te].

**DÉPLANTOIR, subst. m.**
*Agric.* Instrument utilisé pour déplanter des végétaux. 1567 ; ☞ *déplanter* ; [deplɑ̃twaʀ].

**DÉPLÂTRAGE, subst. m.**
Action de déplâtrer ; le résultat de cette action. 1836 ; ☞ *déplâtrer* ; [deplatʀaʒ].

**DÉPLÂTRER, verbe trans. [3]**
**1.** *Bât.* Retirer le plâtre de (une surface). **2.** *Chir.* Ôter le plâtre de (un membre fracturé). 1800 (1601, se révéler) ; ☞ *plâtrer* + *dé-*[2] ; [deplatʀe].

**DÉPLÉTION, subst. f.**
**1.** *Pathol.* Réduction de la quantité de liquide organique, en partic. de sang, dans le corps ; affaiblissement qui en résulte. **2.** *Chim.* Diminution d'un élément chimique dans un milieu donné. **3.** *Géol.* Réduction d'un gisement pétrolier consécutive à son exploitation. 1736 ; bas lat. *depletio* ; [deplesjɔ̃].

**DÉPLIAGE,** subst. m.
Action de déplier, de se déplier (synon. *dépliement*). 1836 ; ☞ *déplier* ; [deplijaʒ].

**DÉPLIANT, ANTE,** adj. et subst. m.
ADJ. Qui peut être déplié : *Un fauteuil* ***dépliant***. SUBST. Document, prospectus imprimé sur une feuille pliée. 1876 ; p. pr. de *déplier* ; [deplijɑ̃, ɑ̃t].

**DÉPLIER,** verbe trans. [6]
Déployer, étendre (ce qui était plié) : ***Déplier*** *une carte routière.* 1538 ; ☞ *plier* + *dé-*² ; [deplije].

**DÉPLISSAGE,** subst. m.
Action de déplisser ; son résultat. 1836 ; ☞ *déplisser* ; [deplisaʒ].

**DÉPLISSER,** verbe trans. [3]
Lisser, défaire les plis ou les faux plis de (une étoffe, un vêtement, un papier...) ; par anal. : ***Déplisser*** *son front.* 1606 ; ☞ *plisser* + *dé-*² ; [deplise].

**DÉPLOIEMENT,** subst. m.
Action de déployer, de se déployer ; état de ce qui est déployé : *Le* ***déploiement*** *des armées* ; ***Déploiement*** *de charmes.* 1538 ; ☞ *déployer* ; [deplwamɑ̃].

**DÉPLOMBAGE,** subst. m.
Action de déplomber ; son résultat. 1842 ; ☞ *déplomber* ; [deplɔ̃baʒ].

**DÉPLOMBER,** verbe trans. [3]
**1.** ***Déplomber*** *un chargement, un colis* : ôter le plomb qui le scelle. **2.** *Dent.* Retirer le plombage de (une dent). **3.** *Informat.* ***Déplomber*** *un logiciel* : en décoder la protection, pour pouvoir le copier. 1838 ; ☞ *plomber* + *dé-*² ; [deplɔ̃be].

**DÉPLORABLE,** adj.
**1.** Qui doit être déploré, pitoyable : *Sa situation est* ***déplorable***. **2.** Regrettable, fâcheux : *Un incident* ***déplorable***. **3.** Très insuffisant, mauvais : *Une prestation* ***déplorable***. Fin XVe s. ; ☞ *déplorer* ; [deplɔʀabl].

**DÉPLORABLEMENT,** adv.
D'une manière déplorable. 1610 ; ☞ *déplorable* ; [deplɔʀabləmɑ̃].

**DÉPLORATION,** subst. f.
**1.** Action de déplorer, de pleurer qqn (rare). **2.** *B.-a., Litt.* et *Mus.* Œuvre dans laquelle un personnage est pleuré. Fin XVe s. ; lat. *deploratio* ; [deplɔʀasjɔ̃].

**DÉPLORER,** verbe trans. [3]
**1.** S'affliger de, pleurer sur : *Je* ***déplore*** *sa mort, tes malheurs.* **2.** Être fâché de, regretter (qqch.) : *Ils* ***déploraient*** *leur étourderie* ; désapprouver : *Je* ***déplore*** *votre comportement.* Déb. XIIe s. ; lat. *deplorare* ; [deplɔʀe].

**DÉPLOYER,** verbe trans. [17]
**1.** Étendre, ouvrir (ce qui est plié) : ***Déployer*** *un drap.* ▸ Loc. *Rire à gorge* ***déployée*** : aux éclats. **2.** Ext. Disposer sur une plus grande étendue : ***Déployer*** *les feuillets d'un manuscrit.* ▸ *Milit.* ***Déployer*** *une armée* : la disposer en ordre de combat. **3.** Fig. Montrer (qqch.) dans toute son ampleur : *Il* ***a déployé*** *des trésors d'imagination pour la séduire.* PRONOM. Se déplier ; s'étendre. XIIe s. ; ☞ *ployer* + *dé-*² ; [deplwaje].

**DÉPLUMER,** verbe trans. [3]
Ôter les plumes de (un oiseau) : ***Déplumer*** *un poulet.* PRONOM. **1.** Perdre ses plumes. **2.** Devenir chauve (fam.). XIIIe s. ; ☞ *plume* + *dé-*² ; [deplyme].

**DÉPOÉTISER,** verbe trans. [3]
Priver (qqn, qqch.) de son caractère poétique. 1810 (1695, faire cesser de jouer le rôle de poète) ; ☞ *poétiser* + *dé-*² ; [depɔetize].

**DÉPOITRAILLÉ, ÉE,** adj.
Qui porte un vêtement découvrant largement la poitrine (fam.). 1876 ; *se dépoitrailler* (rare), de *poitrail* + *dé-*² ; [depwatʀaje].

**DÉPOLARISANT, ANTE,** adj.
Qualifie une substance, un processus physique qui a la propriété de dépolariser un système ; empl. subst. masc., substance **dépolarisante**. 1815 ; p. pr. de *dépolariser* ; [depɔlaʀizɑ̃, ɑ̃t].

**DÉPOLARISATION,** subst. f.
Action de dépolariser une substance ou un système ; son résultat. 1838 ; ☞ *polarisation* + *dé-*² ; [depɔlaʀizasjɔ̃].

**DÉPOLARISER,** verbe trans. [3]
*Phys.* Supprimer ou modifier la polarisation (électrique, optique) ou la polarité de : ***Dépolariser*** *un système.* 1838 ; ☞ *polariser* + *dé-*² ; [depɔlaʀize].

**DÉPOLIR,** verbe trans. [19]
Enlever le poli, le lustre de : ***Dépolir*** *un métal* ; empl. adj. : *Du verre* ***dépoli***, translucide. PRONOM. Se ternir. 1613 ; ☞ *polir* + *dé-*² ; [depɔliʀ].

**DÉPOLISSAGE,** subst. m.
Action de dépolir ; le résultat de cette action. 1809 ; ☞ *dépolir* ; [depɔlisaʒ].

**DÉPOLISSEMENT,** subst. m.
Dépolissage. 1838 ; ☞ *dépolir* ; [depɔlismɑ̃].

**DÉPOLITISATION,** subst. f.
Action de dépolitiser, fait de se dépolitiser ; son résultat. 1950 ; ☞ *dépolitiser* ; [depɔlitizasjɔ̃].

**DÉPOLITISER,** verbe trans. [3]
Ôter tout caractère politique à : ***Dépolitiser*** *une action, un syndicat.* PRONOM. Ne plus s'intéresser à la politique. 1956 ; ☞ *politiser* + *dé-*² ; [depɔlitize].

**DÉPOLLUANT, ANTE,** adj.
Qui dépollue : *Une action* ***dépolluante*** ; *Un produit* ***dépolluant*** ou, empl. subst. masc., *Un* ***dépolluant***. V. 1970 ; p. pr. de *dépolluer* ; [depɔlɥɑ̃, ɑ̃t].

**DÉPOLLUER,** verbe trans. [3]
Éliminer ou réduire la pollution de (un lieu). V. 1970 ; ☞ *polluer* + *dé-*² ; [depɔlɥe].

**DÉPOLLUTION,** subst. f.
Action de dépolluer ; le résultat de cette action. V. 1960 ; ☞ *pollution* + *dé-*² ; [depɔlysjɔ̃].

**DÉPOLYMÉRISATION,** subst. f.
*Chim.* Action de décomposer un polymère en des composés de masse moléculaire plus faible (anton. *polymérisation*). 1953 ; *dépolymériser* (rare), de *polymériser* + *dé-*² ; [depɔlimeʀizasjɔ̃].

**DÉPONENT, ENTE,** adj.
*Gramm. Verbe* ***déponent*** ou, empl. subst. masc., *Un* ***déponent*** : verbe, notamment latin, qui a un sens actif et une flexion passive ; par ext. : *Conjugaison* ***déponente***. XIIIe s. ; bas lat. *deponens*, du lat. *deponere*, « mettre de côté » ; [depɔnɑ̃, ɑ̃t].

**DÉPOPULATION,** subst. f.
*Démogr.* Diminution de la population ; état d'une région dépeuplée. XVe s. (XIVe s., ravage) ; ☞ *population* + *dé-*² ; [depɔpylasjɔ̃].

**DÉPORT,** subst. m.
*Bourse.* Somme payée au prêteur de titres par le vendeur à découvert. Mil. XIXe s. ; ☞ *report* ; [depɔʀ].

**DÉPORTATION,** subst. f.
**1.** Vx. *Dr. pénal.* Peine infamante et perpétuelle qui consistait à assigner un condamné à résidence, hors du territoire national. **2.** Transfert de population et internement dans un camp de concentration éloigné ou situé à l'étranger : *La* ***déportation*** *de millions de Juifs par les nazis.* Mil. XVIe s. ; bas lat. *deportatio* ; [depɔʀtasjɔ̃].

**DÉPORTÉ, ÉE,** subst.
**1.** Personne condamnée à la déportation. **2.** Personne internée dans un camp de concentration. 1791 ; p. p. de *déporter* ; [depɔʀte].

**DÉPORTEMENT,** subst. m.
**I.** PLUR. Écarts de conduite (littér.). **II.** Fait d'être déporté, en parlant d'un véhicule. 1260 ; ☞ *déporter* ; [depɔʀtəmɑ̃].

**DÉPORTER,** verbe trans. [3]
**1.** *Dr. pénal.* Condamner à la déportation : *Les communards* ***furent déportés*** *en Nouvelle-Calédonie.* **2.** Interner dans un camp de concentration. **3.** Faire dévier (qqn, qqch.) de sa position, de sa trajectoire. 1495 (mil. XIIe s., se divertir) ; lat. *deportare*, « emporter » ; [depɔʀte].

**DÉPOSANT, ANTE,** subst.
**1.** *Dr.* Personne qui fait une déposition en justice. **2.** *Fin.* Personne qui effectue un dépôt d'argent. 1392 ; p. pr. de *déposer* (I) ; [depozɑ̃, ɑ̃t].

**DÉPOSE,** subst. f.
Action d'enlever ce qui était fixé afin de le réparer ou de le changer : *La* ***dépose*** *d'un moteur.* 1836 ; ☞ *déposer* (II) ; [depoz].

**DÉPOSER (I),** verbe trans. [3]
**I.** Priver (qqn) de son pouvoir, de sa charge : ***Déposer*** *un roi.* **II. 1.** Poser (ce que l'on portait) : ***Déposer*** *un fardeau.* ▸ Loc. ***Déposer*** *les armes* : cesser les hostilités. **2.** Laisser (qqn) à un endroit précis : *Je vous* ***dépose*** *à la gare.* **3.** Mettre (qqch.) en lieu sûr, en dépôt : ***Déposer*** *de l'argent à la banque.* **4.** Laisser aller au fond (les particules solides), en parlant d'un liquide : *La crue* ***dépose*** *du limon.* ▸ Abs. Former un dépôt : *Ce vin* ***dépose***. ▸ Empl. pronom., par anal. : *La poussière se* ***dépose*** *sur les plinthes.* **5.** Faire enregistrer (un label, un brevet, etc.) pour le protéger des contrefaçons ; empl. adj. : *Marque* ***déposée***. **6.** *Comm.* ***Déposer*** *son bilan* : être en cessation de paiement, en parlant d'un entrepreneur, d'un commerçant. **7.** *Dr.* ***Déposer*** *une plainte* : porter plainte devant la justice. ▸ Abs. Témoign[er] en justice. Déb. XIIe s. ; lat. *deponere* ; [depoze].

**DÉPOSER (II),** verbe trans. [3]
Effectuer la dépose de : ***Déposer*** *un tableau* ; ***Dépos[er]*** *un châssis.* 1832 ; ☞ *poser* + *dé-*² ; [depoze].

**DÉPOSITAIRE,** subst.
**1.** Personne qui a la garde d'un dépôt. **2.** F[ig.] Personne à qui l'on se confie : *Être le* ***dépositai[re]*** *d'un secret.* **3.** *Comm.* Intermédiaire chargé [de] vendre ce qu'un propriétaire lui a confié. XIVe s. ; lat. jur. *depositarius* ; [depozitɛʀ].

**DÉPOSITION,** subst. f.
**1.** *Dr.* Action de déposer en justice. **2.** Action [de] déposer le détenteur d'un pouvoir. **3.** *B.-a.* ***Dépositi[on]*** *de Croix* : œuvre représentant le corps de Jésus-Chr[ist] descendu de la Croix et déposé sur les genoux de [la] Vierge Marie. XIIe s. ; lat. jur. *depositio* ; [depozisj[ɔ̃]].

**DÉPOSSÉDER,** verbe trans. [8]
Priver (qqn) d'une possession. 1461 ; ☞ *pos[sé]der* + *dé-*² ; [depɔsede].

**DÉPOSSESSION,** subst. f.
Action de déposséder ; son résultat. 169[.] ☞ *possession* + *dé-*² ; [depɔsesjɔ̃].

**DÉPÔT,** subst. m.
**1.** Action de déposer qqch. quelque part. ▸ Acti[on] de donner en garde, de mettre qqch. en lieu sû[r] : *Faire un* ***dépôt*** *bancaire* ; *Mettre un objet en* ***dép[ôt]***. ▸ ***Dépôt*** *légal* : fait de remettre obligatoirement [un] certain nombre d'exemplaires d'une publicati[on] aux agents de l'État. **2.** Ce qui est déposé ; ce q[ui] est confié : *La Caisse des* ***dépôts*** *et consignatio[ns]*. ▸ *Relig. Le* ***dépôt*** *de la foi* : ensemble de la Révélati[on] divine et de la Tradition de l'Église, confié à la gar[de] de cette dernière. **3.** Lieu où l'on entrepose qqch[.] : ***Dépôt*** *d'armes* ; ***Dépôt*** *d'autobus.* ▸ Lieu où la pol[ice] garde les personnes qu'elle vient d'arrêter : *Dorm[ir]* *au* ***dépôt***. **4.** Couche plus ou moins épaisse [de] substances solides formée sur un fond ou à [la] surface d'un objet : ***Dépôt*** *de calcaire au fond d'u[ne]* *bouilloire.* ▸ *Géol.* Couche sédimentaire formée [de] particules constituées lors du séjour des eaux [ou] abandonnées par un courant. XIVe s. ; lat. *depo[si]tum* ; [depo].

**DÉPOTAGE,** subst. m.
Action de dépoter ; le résultat de cette actio[n]. 1842 ; ☞ *dépoter* ; [depɔtaʒ].

**DÉPOTEMENT,** subst. m.
Dépotage. 1838 ; ☞ *dépoter* ; [depɔtmɑ̃].

**DÉPOTER,** verbe trans. [3]
**1.** Retirer (une plante) d'un pot. **2.** Ext. Chang[er] (un liquide) de récipient. ▸ *Techn.* Transvaser [le] contenu de (un réservoir) : ***Dépoter*** *une citer[ne]*. 1690 ; ☞ *pot* + *dé-*² ; [depɔte].

**DÉPOTOIR,** subst. m.
**1.** *Techn.* Usine de traitement des matières provena[nt] des vidanges. **2.** Ext. Endroit où l'on entasse [les] détritus, les ordures. **3.** Fig. et Fam. Lieu en désordr[e] ; en appos. : *Classe* ***dépotoir***, constituée des plus ma[u]vais élèves. XIXe s. ; ☞ *dépoter* ; [depɔtwaʀ].

**DÉPOUILLE,** subst. f.
**1.** Peau ôtée à un animal mort. ▸ Peau abandonn[ée] après la mue par un animal vivant. **2.** Fig. ***Dépoui[lle]*** *(mortelle)* : corps d'une personne décédée. **3.** *Tech[n.]* *Face de* ***dépouille*** : face de l'outil en contact av[ec] la pièce à usiner ; *Angle de* ***dépouille*** : angle for[mé] par l'outil et la face à usiner. PLUR. Butin de guer[re]. Déb. XIIe s. ; ☞ *dépouiller* ; [depuj].

**DÉPOUILLEMENT,** subst. m.
**1.** Action d'ôter la peau d'un animal mort. **2.** Acti[on] de dépouiller qqn de ses biens ; état de celui qui a é[té] privé de ses biens ou qui y a renoncé ; par ana[l.] sobriété, simplicité : *Le* ***dépouillement*** *d'une demeu[re]*. **3.** Examen minutieux de documents. ▸ ***Dépouil[le]ment*** *d'un scrutin* : action de compter les suffrag[es] d'une élection. Fin XIIe s. ; ☞ *dépouiller* ; [depujm[ɑ̃]].

**DÉPOUILLER,** verbe trans. [3]
**1.** Retirer la peau de (un animal mort). **2.** Enle[ver] ce qui couvre ; dénuder. ▸ Priver de ses ornemen[ts] superflus ; empl. adj. : *Un style* ***dépouillé***. **3.** [D]éposséder (qqn) de ses biens : *Ses associés* ***dépouillèrent***. **4.** Anal. Examiner (un documen[t]) avec minutie. PRONOM. **1.** Abandonner sa pe[au] pendant la mue. **2.** Abandonner ce que l'on possè[de]. XIIe s. ; lat. *despoliare* ; [depuje].

**DÉPOURVU, UE,** adj.
**1.** **Dépourvu de.** Qui n'a pas, qui manque de : *[Un] insecte* ***dépourvu*** *d'ailes.* ▸ Abs. Démuni ; dans

besoin. **2.** Loc. *Au* ***dépourvu*** : à l'improviste, par surprise. ⌧ Fin XII^e s. ; ☞ *pourvu* + *dé-²* ; [depuʀvy].

**DÉPOUSSIÉRAGE, subst. m.**
Action de dépoussiérer. ⌧ 1908 ; ☞ *dépoussiérer* ; [depusjeʀaʒ].

**DÉPOUSSIÉRER, verbe trans.** [8]
**1.** Enlever la poussière de (qqch.). **2.** Fig. Moderniser, rajeunir : ***Dépoussiérer*** *une institution.* ⌧ 1908 ; ☞ *poussière* + *dé-²* ; [depusjeʀe].

**DÉPOUSSIÉREUR, subst. m.**
*Techn.* Appareil qui absorbe, enlève les poussières. ⌧ 1927 ; ☞ *dépoussiérer* ; [depusjeʀœʀ].

**DÉPRAVATION, subst. f.**
Perversion, avilissement : *La* ***dépravation*** *des mœurs.* ⌧ 1532 ; lat. *depravatio* ; [depʀavasjɔ̃].

**DÉPRAVÉ, ÉE, adj.**
Perverti, corrompu ; empl. subst. : *Un* ***dépravé****, une* ***dépravée****.* ⌧ XIII^e s. ; p. p. de *dépraver* ; [depʀave].

**DÉPRAVER, verbe trans.** [3]
**1.** Corrompre moralement, entraîner au vice. **2.** Ext. Altérer, vicier (littér.) : ***Dépraver*** *le jugement.* ⌧ 1213 ; lat. *depravare* ; [depʀave].

**DÉPRÉCATION, subst. f.**
*Relig.* Prière faite pour éviter un malheur, ou pour obtenir une faveur. ⌧ Déb. XII^e s. ; lat. *deprecatio*, « action de détourner par des prières » ; [depʀekasjɔ̃].

**DÉPRÉCIATIF, IVE, adj.**
Qui déprécie, rabaisse ; péjoratif : *Sens, suffixe* ***dépréciatif****.* ⌧ 1830 ; ☞ *déprécier* ; [depʀesjatif, iv].

**DÉPRÉCIATION, subst. f.**
Action de déprécier, fait de se déprécier ; son résultat. ⌧ 1771 ; ☞ *déprécier* ; [depʀesjasjɔ̃].

**DÉPRÉCIER, verbe trans.** [6]
**1.** Diminuer le prix, la valeur de (qqch.) ; empl. pronom. : *Avec l'inflation, une monnaie se* ***déprécie****.* **2.** Fig. Estimer au-dessous de sa valeur (qqn, qqch.) ; critiquer, dénigrer (qqn). ⌧ 1762 ; bas lat. *depretiare* ; [depʀesje].

**DÉPRÉDATEUR, TRICE, adj. et subst.**
Se dit d'une personne qui commet des déprédations. ⌧ XIII^e s. ; bas lat. *depraedator* ; [depʀedatœʀ, tʀis].

**DÉPRÉDATION, subst. f.**
**1.** Pillage accompagné de détériorations ; par ext., dégât causé aux biens d'autrui. **2.** Malversation commise dans une gestion publique ou privée. ⌧ 1308 ; bas lat. *depraedatio* ; [depʀedasjɔ̃].

**DÉPRENDRE (SE), verbe pronom.** [52]
Se séparer, se détacher (littér.) : ***Se déprendre*** *d'un vice ; Leurs bouches* ***se déprirent*** (R. Rolland). ⌧ XIV^e s. ; ☞ *prendre* + *dé-²* ; [depʀɑ̃dʀ].

**DÉPRESSIF, IVE, adj.**
*Psychol.* Qui a trait à la dépression ; qui souffre de dépression : *Une veuve* ***dépressive*** ; empl. subst., personne **dépressive**. ⌧ XIX^e s. (1468, qui anéantit) ; ☞ *dépression* ; [depʀesif, iv].

**DÉPRESSION, subst. f.**
**1.** Affaissement, enfoncement d'une surface. ▸ *Géogr.* Région, site formant cuvette dans une zone de relief, parfois située au-dessous du niveau de la mer ou sous les mers, comme la **dépression** de la mer Caspienne ou les **dépressions** océaniques : ***Dépression*** *fermée,* sans écoulement vers la mer ; ***Dépression*** *périphérique,* dominée par un front de cuestas. **2.** *Écon.* Crise, récession. **3.** *Météor.* Diminution de la pression atmosphérique ; par méton., zone de basse pression atmosphérique (inférieure à 1 013 hPa), engendrant des vents souvent violents. **4.** *Psychol.* État mental caractérisé par le découragement, l'anxiété, le manque d'appétit et la perte du sommeil. ⌧ 1314 ; lat. *depressio*, « abaissement » ; [depʀesjɔ̃].

**DÉPRESSIONNAIRE, adj.**
*Météor.* Qui est le siège d'une dépression atmosphérique : *Une zone* ***dépressionnaire*** *qui se déplace vers l'est.* ⌧ Mil. XX^e s. ; ☞ *dépression* ; [depʀesjɔnɛʀ].

**DÉPRESSURISATION, subst. f.**
*Techn.* Perte, chute de la pressurisation. ⌧ 1950 ; ☞ *dépressuriser* ; [depʀesyʀizasjɔ̃].

**DÉPRESSURISER, verbe trans.** [3]
*Techn.* Faire perdre sa pressurisation à (un avion, un caisson de plongée, etc.). ⌧ XX^e s. ; ☞ *pressuriser* + *dé-²* ; [depʀesyʀize].

**DÉPRIMANT, ANTE, adj.**
**1.** Qui affaiblit, épuise. **2.** Ext. Qui accable moralement. ⌧ 1787 ; p. pr. de *déprimer* ; [depʀimɑ̃, ɑ̃t].

**DÉPRIME, subst. f.**
État dépressif (fam.). ⌧ V. 1970 ; ☞ *déprimer* ; [depʀim].

**DÉPRIMÉ, ÉE, adj.**
**1.** Abaissé, enfoncé : *Sol* ***déprimé****.* **2.** Fig. Abattu, découragé ; empl. subst., personne atteinte de dépression. ⌧ 1883 ; p. p. de *déprimer* ; [depʀime].

**DÉPRIMER, verbe** [3]
**Trans.** **1.** Enfoncer, affaisser (une surface). **2.** Fig. Abattre physiquement ou moralement. **3.** *Écon.* Faire chuter l'activité de (un marché financier, la Bourse). **Intrans.** Être démoralisé (fam.). ⌧ Fin XIV^e s. ; lat. *deprimere* ; [depʀime].

**DÉPRISER, verbe trans.** [3]
Juger (qqn, qqch.) défavorablement, mésestimer (littér.) : *On* ***déprise*** *le livre et son auteur.* ⌧ XII^e s. ; ☞ *priser* (I) + *dé-²* ; [depʀize].

**DE PROFUNDIS, subst. m. inv.**
*Cath.* Sixième des sept psaumes de la Pénitence, utilisé comme prière pour les morts. ⌧ XIII^e s. ; lat. eccl. *De profundis clamavi ad te, Domine*, « des profondeurs je crie vers toi, Seigneur », premiers mots du psaume 129 ; [depʀɔfɔ̃dis].

**DÉPROGRAMMATION, subst. f.**
Action de déprogrammer. ⌧ V. 1980 ; ☞ *déprogrammer* ; [depʀɔgʀamasjɔ̃].

**DÉPROGRAMMER, verbe trans.** [3]
**1.** Retirer (un spectacle, une émission) d'un programme. **2.** Ext. Annuler, décommander (ce qui était prévu). **3.** *Informat.* Supprimer tout ou partie de (un programme installé dans un ordinateur). ⌧ V. 1950 ; ☞ *programmer* + *dé-²* ; [depʀɔgʀame].

**DÉPUCELAGE, subst. m.**
Fam. Action de dépuceler ; perte du pucelage. ⌧ 1580 ; ☞ *dépuceler* ; [depyslaʒ].

**DÉPUCELER, verbe trans.** [12]
Faire perdre à (qqn) sa virginité (fam.). ⌧ XII^e s. ; ☞ *pucelle* + *dé-²* ; [depysle].

**DEPUIS, prép. et adv.**
**Prép.** À partir de. **1.** Dans le temps : *Elle est là* ***depuis*** *ce matin* ; ***Depuis*** *la Révolution.* **2.** Dans l'espace (souv. en corrélation avec « jusqu'à ») : ***Depuis*** *Brest, nous roulons dans le brouillard.* ▸ De (empl. abusif) : *Il nous observe* ***depuis*** *son balcon.* **3.** Dans une série : ***Depuis*** *le premier jusqu'au dernier.* **Adv.** À partir de ce moment : *Il est passé hier et je ne l'ai pas revu* ***depuis*** ; ***Depuis*** *lors,* dès ce moment. ▸ Loc. conj. ***Depuis*** *que* : à partir du moment où. ⌧ XII^e s. ; formé de *de* (I) et de *puis* ; [dəpɥi].

**DÉPULPER, verbe trans.** [3]
**1.** Réduire (une plante) en pulpe. **2.** Enlever la pulpe de (un fruit) ; empl. adj., dont on a ôté la pulpe, en partic. la pulpe dentaire : *Une dent* ***dépulpée****.* ⌧ 1869 ; ☞ *pulpe* + *dé-* ; [depylpe].

**DÉPURATIF, IVE, adj.**
*Pharm.* Qui favorise l'élimination des toxines de l'organisme : *Tisane* ***dépurative*** ; empl. subst. masc. : *Un* ***dépuratif****.* ⌧ 1792 ; ☞ *dépurer* ; [depyʀatif, iv].

**DÉPURATION, subst. f.**
Action de dépurer ; son résultat : ***Dépuration*** *d'un métal.* ⌧ Fin XIII^e s. ; ☞ *dépurer* ; [depyʀasjɔ̃].

**DÉPURER, verbe trans.** [3]
Débarrasser (qqch.) de ses impuretés. ⌧ XIII^e s. ; lat. médiév. *depurare* ; [depyʀe].

**DÉPUTATION, subst. f.**
**1.** Envoi d'une ou de plusieurs personnes en mission officielle ; par méton., ces personnes : *Recevoir une* ***députation****.* **2.** Fonction, mandat de député. ⌧ 1433 ; ☞ *députer* ; [depytasjɔ̃].

**DÉPUTÉ, subst. m.**
**1.** Personne chargée d'une mission par une autorité (politique, religieuse...), qu'elle représente. **2.** Membre d'une assemblée délibérante ; en partic., membre de l'Assemblée nationale : *Les* ***députés*** *sont élus au suffrage universel direct.* ⌧ XIV^e s. ; bas lat. *deputatus*, « délégué » ; le fém., *députée*, est rare ; [depyte].

**DÉPUTER, verbe trans.** [3]
Envoyer (qqn) en députation. ⌧ 1328 (1285, assigner) ; lat. *deputare*, « émonder ; assigner », d'apr. *député* ; [depyte].

**DÉQUALIFICATION, subst. f.**
Action de déqualifier (qqn) ; fait d'être déqualifié. ⌧ Mil. XX^e s. ; ☞ *qualification* + *dé-²* ; [dekalifikasjɔ̃].

**DÉQUALIFIER, verbe trans.** [6]
Confier à (qqn) un poste inférieur à celui que sa qualification lui permet d'espérer. ⌧ V. 1980 ; ☞ *qualifier* + *dé-²* ; [dekalifje].

**DER, subst. inv.**
Fam. Dernier, dernière. ▸ Loc. *La* ***der*** *des* ***der*** : la dernière guerre (celle de 1914-1918), qui, on l'espérait, ne devait être suivie d'aucune autre ou, par ext., la dernière chose. **3.** *Jeux. Dix de* ***der*** : à la belote, bonus de dix points pour la dernière levée de cartes. ⌧ 1835 ; apocope de *dernier* ; [dɛʀ].

**DÉRACINABLE, adj.**
Qui peut être déraciné. ⌧ 1842 ; ☞ *déraciner* ; [deʀasinabl].

**DÉRACINÉ, ÉE, subst.**
Personne qui a été arrachée à son pays, à son milieu d'origine. ⌧ XIX^e s. ; p. p. de *déraciner* ; [deʀasine].

**DÉRACINEMENT, subst. m.**
**1.** Action de déraciner (qqch.) ; son résultat. **2.** Fig. Fait d'être arraché à son pays, à son milieu d'origine. ⌧ Déb. XV^e s. ; ☞ *déraciner* ; [deʀasinmɑ̃].

**DÉRACINER, verbe trans.** [3]
**1.** Arracher de terre (un végétal), avec ses racines : ***Déraciner*** *un arbre.* **2.** Anal. Extirper, extraire : ***Déraciner*** *une dent.* **3.** Fig. Arracher (qqn) à son pays d'origine. ⌧ Déb. XIII^e s. ; ☞ *racine* + *dé-²* ; [deʀasine].

**DÉRADER, verbe intrans.** [3]
*Mar.* Être emporté loin d'une rade et, par ext., quitter un mouillage en raison du mauvais temps, en parlant d'un navire. ⌧ Déb. XVI^e s. ; ☞ *rade* (I) + *dé-²* ; [deʀade].

**DÉRAIDIR, verbe trans.** [19]
Faire perdre sa raideur à (qqch.) : ***Déraidir*** *ses jambes* ; au fig. : ***Déraidir*** *son caractère.* **Pronom.** Se détendre. ⌧ 1559 ; ☞ *raidir* + *dé-²* ; [deʀɛdiʀ].

**DÉRAILLEMENT, subst. m.**
**1.** *Ch. de fer.* Fait de dérailler ; accident d'un train qui sort des rails. **2.** Fig. Comportement aberrant. ⌧ 1839 ; ☞ *dérailler* ; [deʀɑjmɑ̃].

**DÉRAILLER, verbe intrans.** [3]
**1.** *Ch. de fer.* Sortir des rails. **2.** Fig. et Fam. ▸ Fonctionner mal ; être déréglé. ▸ S'écarter de la norme ; déraisonner. ⌧ 1838 ; ☞ *rail* + *dé-²* ; [deʀɑje].

**DÉRAILLEUR, subst. m.**
**1.** *Ch. de fer.* Dispositif de sécurité servant à faire passer un wagon d'une voie à une autre. **2.** *Techn.* Dispositif permettant de faire passer la chaîne d'une bicyclette d'un pignon ou d'un plateau à un autre. ⌧ Déb. XX^e s. ; ☞ *dérailler* ; [deʀɑjœʀ].

**DÉRAISON, subst. f.**
Manque de raison, folie (littér.). ⌧ Fin XII^e s. ; ☞ *raison* + *dé-²* ; [deʀɛzɔ̃].

**DÉRAISONNABLE, adj.**
Qui manque de raison ; qui n'est pas raisonnable. ⌧ XIV^e s. ; ☞ *raisonnable* + *dé-²* ; [deʀɛzɔnabl].

**DÉRAISONNABLEMENT, adv.**
D'une manière déraisonnable. ⌧ 1353 ; ☞ *déraisonnable* ; [deʀɛzɔnabləmɑ̃].

**DÉRAISONNER, verbe intrans.** [3]
S'exprimer de façon déraisonnable. ⌧ Déb. XIII^e s. ; ☞ *déraison* ; [deʀɛzɔne].

**DÉRAMER, verbe intrans.** [3]
Pousser sur les rames à contresens (région.). ⌧ 1956 ; ☞ *rame* (IV) + *dé-²* ; [deʀame].

**DÉRANGEANT, ANTE, adj.**
Qui dérange, remet en cause un ordre établi, une opinion reçue : *Un humoriste* ***dérangeant****.* ⌧ XVII^e s. ; p. pr. de *déranger* ; [deʀɑ̃ʒɑ̃, ɑ̃t].

**DÉRANGEMENT, subst. m.**
**1.** Mise en désordre : *Causer du* ***dérangement****.* **2.** Fait d'être dérangé. ▸ Loc. *En* ***dérangement*** : hors service, en partic. en parlant d'une ligne téléphonique. **3.** Action de déranger qqn : *Pardon pour ce* ***dérangement****.* ⌧ 1636 ; ☞ *déranger* ; [deʀɑ̃ʒmɑ̃].

**DÉRANGER, verbe trans.** [5]
**1.** Déplacer ; mettre en désordre (ce qui était rangé) : ***Déranger*** *une bibliothèque.* **2.** Perturber le fonctionnement de, dérégler : ***Déranger*** *ses habitudes.* ▸ Empl. adj. (fam.). *Avoir l'esprit* ***dérangé*** ou *Être* ***dérangé*** : être un peu fou ; *Avoir le foie, l'estomac* ***dérangé*** ou *Être* ***dérangé*** : souffrir de troubles digestifs. **3.** Obliger (qqn) à se déplacer : *J'arrive, ne te* ***dérange*** *pas.* **4.** Obliger (qqn) à interrompre ses occupations, gêner : *Il est tard, je n'ose pas le* ***déranger****.* **Pronom.** Se déplacer ; interrompre ses occupations : *Je me* ***dérange*** *pour vous.* ⌧ 1596 (fin XI^e s., sortir des rangs) ; ☞ *ranger* (I) + *dé-²* ; [deʀɑ̃ʒe].

**DÉRAPAGE, subst. m.**
Fait de déraper ; son résultat. ⌧ 1832 ; ☞ *déraper* ; [deʀapaʒ].

**DÉRAPER,** verbe intrans. [3]
**1.** *Mar.* Quitter prise, en parlant d'une ancre ; par ext., chasser sur son ancre. **2.** Glisser involontairement par manque d'adhérence au sol : *La voiture **a dérapé** sur une flaque d'huile.* ► *Aéron.* Virer en glissant vers l'extérieur. ► *Sp.* Au ski, glisser latéralement. **3.** Fig. S'écarter des prévisions ; échapper à un contrôle : *Les ventes **ont dérapé**.* 1687 ; prov. *derapa*, « arracher, déraciner » ; [deʀape].

**DÉRASER,** verbe trans. [3]
*Techn.* Abaisser le niveau de (qqch.) : ***Déraser** un terrain, un mur.* 1870 ; ☞ *raser* + *dé-*[1] ; [deʀɑze].

**DÉRATÉ, ÉE,** subst.
*Courir comme un **dératé*** : très vite (fam.). 1750 ; p. p. de *dérater* (vx), « ôter la rate » ; [deʀate].

**DÉRATISATION,** subst. f.
Action de dératiser ; son résultat : ***Dératisation** d'une cave.* 1906 ; ☞ *dératiser* ; [deʀatizasjɔ̃].

**DÉRATISER,** verbe trans. [3]
Débarrasser (un lieu) des rats qui l'infestent. 1907 ; ☞ *rat* + *dé-*[2] ; [deʀatize].

**DÉRAYER,** verbe intrans. [15]
Tracer une dérayure. 1836 (1694, perdre ses rayons, en parlant d'une roue) ; ☞ *dérayure*, d'apr. *rayer* ; [deʀeje].

**DÉRAYURE,** subst. f.
*Agric.* Dernier sillon qui sépare deux champs contigus. 1680 ; ☞ *rayure* + *dé-*[1] ; [deʀɛjyʀ].

**DERBOUKA,** voir **DARBOUKA**

**DERBY,** subst. m.
**1.** Grande course annuelle de chevaux, à Epsom, en Grande-Bretagne ; par ext. : ***Derby** français*, course de chevaux qui a lieu à Chantilly. **2.** *Sp.* Rencontre entre deux villes voisines. **3.** Chaussure basse dont les quartiers sont lacés sous le cou-de-pied. 1829 ; anthropon. *lord Derby* ; [dɛʀbi].

**DÉRÉALISATION,** subst. f.
*Psych.* État de rupture avec le réel, caractérisé par un sentiment aigu d'étrangeté, de non-familiarité. V. 1960 ; ☞ *déréaliser* ; [deʀealizasjɔ̃].

**DÉRÉALISER,** verbe trans. [3]
*Psych.* **1.** Faire perdre son caractère réel à (qqch.). **2.** Engendrer un sentiment de déréalisation chez (qqn). 1957 ; ☞ *réaliser* (I) + *dé-*[2] ; [deʀealize].

**DERECHEF,** adv.
De nouveau (littér.). 1138 ; formé de *de* (I), de *re-* et de *chef*, « bout, fin » ; [dəʀəʃɛf].

**DÉRÉEL, ELLE,** adj.
*Psych.* Qui n'est plus en adéquation avec le réel : *Pensée **déréelle**,* caractéristique de la schizophrénie. V. 1940 ; ☞ *réel* + *dé-*[2] ; [deʀeɛl].

**DÉRÈGLEMENT,** subst. m.
**1.** Fait d'être déréglé ; fonctionnement défectueux. **2.** Désordre dans la conduite, déséquilibre. 1458 ; ☞ *dérégler* ; [deʀɛgləmɑ̃].

**DÉRÈGLEMENTATION,** subst. f.
Action de dérèglementer ; son résultat. V. 1980 ; ☞ *règlementation* + *dé-*[2] ; var. *déréglementation* ; [deʀɛgləmɑ̃tasjɔ̃].

**DÉRÈGLEMENTER,** verbe trans. [3]
Supprimer la règlementation de. V. 1980 ; ☞ *règlementer* + *dé-*[2] ; var. *déréglementer* ; [deʀɛgləmɑ̃te].

**DÉRÉGLER,** verbe trans. [8]
**1.** Perturber la bonne marche, le fonctionnement régulier de. **2.** Fig. Troubler l'ordre normal, l'équilibre de ; empl. adj. : *Une existence **déréglée**.* Fin XIIIe s. ; ☞ *régler* + *dé-*[2] ; [deʀegle].

**DÉRÉGULATION,** subst. f.
*Écon.* **1.** Ensemble de mesures visant à limiter l'intervention de l'État dans l'économie pour que le marché joue pleinement son rôle de régulateur. **2.** Ext. Action d'alléger la règlementation d'un secteur. XXe s. ; ☞ *régulation* + *dé-*[2] ; [deʀegylasjɔ̃].

**DÉRÉLICTION,** subst. f.
État d'abandon moral (littér.). Déb. XVIe s. ; lat. *derelictio* ; [deʀeliksjɔ̃].

**DÉRIDER,** verbe trans. [3]
**1.** Estomper les rides de. **2.** Fig. Rendre moins crispé, égayer. **Pronom.** Se mettre à sourire, se décontracter. 1538 ; ☞ *rider* + *dé-*[2] ; [deʀide].

**DÉRISION,** subst. f.
**1.** Moquerie mêlée de mépris, d'ironie : *Tourner en **dérision**.* **2.** Méton. Ce qui est dérisoire. 1262 ; lat. *derisio*, de *deridere*, « se moquer de » ; [deʀizjɔ̃].

**DÉRISOIRE,** adj.
**1.** Dit ou fait par dérision. **2.** Ridiculement inapproprié, insignifiant : *Une offre **dérisoire**.* Mil. XIVe s. ; bas lat. *derisorius* ; [deʀizwaʀ].

**DÉRIVABLE,** adj.
*Math. Fonction **dérivable*** : qui possède une dérivée en un point ou sur un ouvert. 1904 ; ☞ *dériver* (I) ; [deʀivabl].

**DÉRIVATIF, IVE,** adj. et subst. m.
**Adj.** *Ling.* **1.** Qui est formé par dérivation (vieilli) : *Verbes **dérivatifs**.* **2.** Qui sert à former des dérivés : *Suffixes **dérivatifs**.* **Subst.** Ce qui détourne l'esprit de ses préoccupations, divertissement. XVe s. ; bas lat. *derivativus* ; [deʀivatif, iv].

**DÉRIVATION (I),** subst. f.
**1.** Action de dériver un cours d'eau : *Canal de **dérivation*** ; par méton. : *Une **dérivation** alimente le moulin.* **2.** Ext. Opération de délestage ; la voie secondaire que l'on doit alors emprunter (synon. *déviation*). **3.** *Chir.* Intervention qui détourne un liquide organique, tel que le sang, l'urine, de son circuit naturel. **4.** *Électr.* Connexion entre deux points d'un circuit, à l'aide d'une branche conductrice secondaire. **5.** *Ling.* ***Dérivation** propre* : mode de formation des mots à partir d'un radical auquel on ajoute un préfixe ou un suffixe, ou les deux (par ex., « chaton » est dérivé de « chat » par ajout du suffixe diminutif « -on ») ; ***Dérivation** impropre* : processus par lequel un mot donne naissance à un autre par simple changement de catégorie grammaticale, sans modification de forme (par ex., « le devoir » est dérivé du verbe « devoir »). **6.** *Math.* Calcul de la dérivée d'une fonction en un point ou sur un intervalle ouvert. 1314 ; lat. *derivatio* ; [deʀivasjɔ̃].

**DÉRIVATION (II),** subst. f.
**1.** *Balist.* Fait de dévier de sa trajectoire, en parlant d'un projectile. **2.** *Nav.* Dérive. 1690 ; ☞ *dériver* (III) ; [deʀivasjɔ̃].

**DÉRIVE,** subst. f.
**1.** *Nav.* ► Fait de dériver, en parlant d'un bateau ou d'un avion. ► Loc. **À la dérive.** Sans maîtriser le cours de sa vie ou en n'étant plus dirigé. **2.** *Mar.* Aileron vertical mobile conçu pour empêcher un bateau de dériver. ► *Aéron.* Gouvernail de direction. **3.** Évolution incontrôlée et pernicieuse d'un processus : *La **dérive** du chômage* ; fait de s'écarter d'une norme, d'un objectif, d'une orientation : *La **dérive** d'un parti.* **4.** Déplacement du pointage d'un canon pour corriger ou annuler la dérivation. **5.** *Géol.* ***Dérive** des continents* : théorie formulée par Alfred Wegener, selon laquelle les continents, formés de sial, flotteraient sur le tréfonds océanique, ou sima. Elle a été remplacée par celle de la tectonique des plaques. 1628 ; ☞ *dériver* (III) ; [deʀiv].

**DÉRIVÉ, ÉE,** adj. et subst.
**Adj.** Obtenu par dérivation : *Courant, nombre **dérivé**.* **Subst. masc.** **1.** *Chim.* Corps, produit issu du traitement d'une substance : *Certains plastiques sont des **dérivés** du pétrole.* **2.** *Ling.* Mot formé par dérivation à partir d'un autre mot : *« Génial » est un **dérivé** de « génie ».* **Subst. fém.** *Math.* ► ***Dérivée** en un point $x_o$ de $\mathbb{R}$* : étant donné une fonction $f$ définie sur un intervalle ouvert I de $\mathbb{R}$ à valeurs dans $\mathbb{R}$ (resp. dans un espace normé réel), la dérivée de $f$ au point $x_0$ de I est la limite, si elle existe, de $\dfrac{f(x) - f(x_0)}{x - x_0}$ quand $x$ tend vers $x_0$ en restant dans I et distinct de $x_0$. C'est un nombre (resp. un vecteur) noté $f'(x_0)$ ou $\dfrac{df}{dx}(x_0)$. ► ***Dérivée** à droite (resp. à gauche) en un point $x_0$ d'un intervalle I d'une fonction f de I dans $\mathbb{R}$* : limite du rapport $\dfrac{f(x) - f(x_0)}{x - x_0}$ quand $x$ tend vers $x_0$ par valeurs supérieures, c.-à-d. $x > x_0$ (resp. inférieures) dans I, notée $f'_d(x_0)$ (resp. $f'_g(x_0)$). ► ***Dérivée** d'une fonction* : si $f$ est une fonction dérivable en tout point d'un intervalle I, la fonction $x \to f'(x)$ est la **dérivée** de $f$, notée $f'$. XIVe s. ; p. p. de *dériver* (I) ; [deʀive].

**DÉRIVER (I),** verbe trans. [3]
**Trans. dir.** **1.** Détourner (un cours d'eau) de son lit. **2.** *Ling.* Former (un mot) par dérivation. **3.** *Math.* Calculer la dérivée de (une fonction). **Trans. indir.** **Dériver de.** **1.** Provenir de, découler de. **2.** *Ling.* Tirer son origine de : *Adjectif qui **dérive** d'un nom, d'un verbe.* Déb. XIIIe s. ; lat. *derivare*, de *rivus*, « ruisseau » ; [deʀive].

**DÉRIVER (II),** verbe trans. [3]
*Techn.* Ôter les rivets de (synon. *dériveter*). XIIIe s. ; ☞ *river* + *dé-*[2] ; [deʀive].

**DÉRIVER (III),** verbe intrans. [3]
**1.** *Nav.* S'écarter de sa direction sous l'effet du vent du courant, en parlant d'un bateau ou d'un avion **2.** Fig. Dévier de son objectif, de sa ligne, d'un norme ; se laisser aller, partir à la dérive : *Le pay **dérivait** vers le chaos.* 1529 ; crois. de l'angl. *to drive* « pousser », et de *dériver* (I) ; [deʀive].

**DÉRIVEUR,** subst. m.
*Mar.* **1.** Vx. Voile de mauvais temps. **2.** Voilier, gér à fond plat, muni d'une dérive. 1864 ; ☞ *dériver* (III) ; [deʀivœʀ].

**DERMATITE,** subst. f.
*Pathol.* Inflammation de la peau. 1823 ; gr. *derma* « peau », + *-ite* ; var. *dermite* ; [dɛʀmatit].

**DERMATOLOGIE,** subst. f.
Partie de la médecine qui s'occupe des maladies d la peau, des muqueuses et des phanères. 1832 formé de *dermato-* et de *-logie* ; [dɛʀmatɔlɔʒi].

**DERMATOLOGIQUE,** adj.
Relatif à la dermatologie : *Une affection **dermatologique**.* 1845 ; ☞ *dermatologie* ; [dɛʀmatɔlɔʒik].

**DERMATOLOGISTE,** subst.
Dermatologue. 1845 ; formé de *dermato-* et d *-logiste* ; [dɛʀmatɔlɔʒist].

**DERMATOLOGUE,** subst.
Spécialiste en dermatologie (abrév. fam. : dermato) 1838 ; formé de *dermato-* et de *-logue* ; [dɛʀmatɔlɔg]

**DERMATOSE,** subst. f.
*Pathol.* Nom générique des maladies de la peau, de plus bénignes aux plus graves. 1832 ; lat. méd *dermatosis*, du gr. *derma*, « peau » ; [dɛʀmatoz].

**DERME,** subst. m.
*Anat.* Tissu conjonctif de la peau, situé entre l'épiderme et l'hypoderme, et qui en constitue l'élément nourricier. 1611 ; gr. *derma*, « peau » ; [dɛʀm].

**DERMESTE,** subst. m.
*Zool.* Insecte coléoptère noirâtre qui se nourrit d matières animales desséchées, tel le cuir. 1775 lat. sc. *dermestes*, du gr. *dermêstês* ; [dɛʀmɛst].

**DERMIQUE,** adj.
**1.** *Anat.* Qui appartient au derme : *Papilles **dermiques**.* **2.** Qui concerne le derme et, par ext., l peau en général : *Pommade, infection **dermique*** 1837 ; ☞ *derme* ; [dɛʀmik].

**DERMITE,** voir **DERMATITE**

**DERMOCHÉLYIDÉS,** subst. m. plur.
*Zool.* Famille de tortues marines à carapace dermique. **Au sing.** *La tortue luth est un **dermochélyide*** Gr. *khelus*, « tortue » ; [dɛʀmokeliide].

**DERMOGRAPHISME,** subst. m.
*Pathol.* Réaction inhabituelle de la peau, qui, aprè une griffure, présente une tuméfaction blanc ros plus ou moins durable. 1928 ; formé de *dermo-* e de *-graphisme* ; var. *dermographie* (vx) ; [dɛʀmɔgʀafism]

**DERNIER, IÈRE,** adj.
**1.** Qui vient après tous les autres, dans l'espace o dans le temps ; qui est au bout d'une énumératior d'une hiérarchie : ***Dernier** étage* ; ***Dernière** séance* ***Dernière** place.* ► Empl. subst. Celui, celle qui vien après tous les autres : *Le **dernier** de la classe* ; *La petit **dernière**,* la benjamine ; *Parler le **dernier**.* **2.** D'un intensité maximale, extrême : *Se montrer de l **dernière** grossièreté* ; *Au **dernier** degré,* au plus hau point ; empl. subst. : *Le **dernier** des gredins.* **3.** Aprè lequel il n'y a plus rien, ultime : *Une **dernière** chance* *Jouer son **dernier** sou.* ► Loc. *En **dernier*** : pour finir *Avoir le **dernier** mot* : conclure par un argumen décisif ; *Rendre le **dernier** soupir* : mourir. **4.** Le plu récent : *Le siècle **dernier*** ; *La **dernière** mode* ; empl subst., personne, chose dont on vient de parler *J'ai visité Notre-Dame et le Louvre, ce **dernier** étai bondé.* Déb. XIIIe s. ; anc. fr. *derrain*, d'apr. *premier*, d lat. pop. °*deretranus*, de *deretro*, « derrière » ; [dɛʀnje, jɛʀ]

**DERNIÈREMENT,** adv.
Ces derniers temps, récemment : *Il l'a rencontr **dernièrement**.* 1294 ; ☞ *dernier* ; [dɛʀnjɛʀmɑ̃].

**DERNIER-NÉ, DERNIÈRE-NÉE,** subst
**1.** Enfant né le dernier dans une famille. **2.** Fig. L dernière création en date d'une série : *Le **dernier-n** des romans noirs.* 1691 ; comp. de *dernier* et de *né* plur. *derniers-nés, dernières-nées* ; [dɛʀnjene, dɛʀnjɛʀne]

**DÉROBADE,** subst. f.
**1.** *Équit.* Action de se dérober, en parlant d'u cheval. **2.** Fig. Action de se soustraire à un obligation, échappatoire. 1900 (fin XVIe s., *à l dérobade*, en cachette) ; ☞ *dérober* ; [deʀɔbad].

**DÉROBÉ, ÉE,** adj.
**1.** Secret : *Un passage **dérobé**.* **2.** *Agric.* *Culture **dérobée*** : culture secondaire pratiquée dans l'intervalle des cultures principales. **3.** Loc. *À la **dérobée*** : en cachette, discrètement. ⌘ XIVe s. ; p. p. de *dérober* ; [deʀɔbe].

**DÉROBEMENT,** subst. m.
**1.** *Pathol.* Impression, pour un sujet, que ses jambes ne le portent plus, se dérobent. **2.** *Mar.* Immersion, en parlant d'un sous-marin. ⌘ Déb. XIIIe s. ; ☞ *dérober* ; [deʀɔbmɑ̃].

**DÉROBER,** verbe trans. [3]
**1.** S'emparer furtivement de : ***Dérober** des bijoux* ; par anal. : ***Dérober** un baiser.* **2.** Fig. S'approprier indûment : ***Dérober** un secret, le mérite d'une découverte.* **3.** Dissimuler, masquer : *La brume **dérobait** sa silhouette.* **Pronom. 1. Se dérober à.** Se soustraire à, échapper à : *Se **dérober** aux coups, aux responsabilités.* ▸ Abs. *Ne te **dérobe** pas !* ; en partic. : *Cheval qui se **dérobe***, qui refuse l'obstacle. **2. Se dérober sous.** S'effondrer, s'affaisser sous : *Le sol se **dérobe** sous ses pas* ; par anal. : *Ses jambes se **dérobent** sous lui*, vacillent. ⌘ XIIe s. ; anc. fr. *rober*, « piller », du germ. °*raubôn*, « voler », + *dé-*[1] ; [deʀɔbe].

**DÉROCHAGE,** subst. m.
Action de dérocher une surface métallique ; son résultat. ⌘ 1838 ; ☞ *dérocher* (II) ; [deʀɔʃaʒ].

**DÉROCHEMENT,** subst. m.
Action de dérocher un terrain, un chenal ; son résultat. ⌘ 1890 (1472, démolition) ; ☞ *dérocher* (I) ; [deʀɔʃmɑ̃].

**DÉROCHER (I),** verbe [3]
**Intrans.** *Alp.* Tomber d'une paroi rocheuse (synon. *dévisser*). **Trans.** Débarrasser (un terrain, un chenal) de ses rochers. ⌘ Fin XIIe s. (déb. XIIe s., jeter en bas ; renverser) ; ☞ *roche* + *dé-*[2] ; [deʀɔʃe].

**DÉROCHER (II),** verbe trans. [3]
*Métall.* Décaper (une surface métallique). ⌘ 1671 ; ☞ *rocher* (II) + *dé-*[2] ; [deʀɔʃe].

**DÉROGATION,** subst. f.
Action de déroger à une loi, à un usage, etc. ; son résultat. ⌘ XIIe s. ; lat. jur. *derogatio* ; [deʀɔgasjɔ̃].

**DÉROGATOIRE,** adj.
*Dr.* Qui contient, qui constitue une dérogation : *Clause **dérogatoire**.* ⌘ 1341 ; lat. jur. *derogatorius*, du lat. *derogare*, « déroger » ; [deʀɔgatwaʀ].

**DÉROGER,** verbe trans. indir. [5]
**Déroger à. 1.** S'écarter de ce que stipule (une loi, une convention) ; par ext., manquer à (un principe, un usage) : ***Déroger** aux habitudes, aux bonnes manières.* **2.** *Hist.* ***Déroger** à noblesse* ou, empl. abs., ***Déroger*** : sous l'Ancien Régime, perdre les privilèges de la noblesse en exerçant une activité incompatible avec elle ou en contractant une mésalliance. ⌘ 1370 ; lat. *derogare* ; [deʀɔʒe].

**DÉROUILLÉE,** subst. f.
Volée de coups (fam.) : *Prendre, recevoir une **dérouillée**.* ⌘ 1926 ; p. p. de *dérouiller* ; [deʀuje].

**DÉROUILLER,** verbe [3]
**Trans. 1.** Enlever la rouille de (qqch.). **2.** Fig. et Fam. Rendre plus actif, plus vif : ***Dérouiller** ses jambes, son esprit* ; empl. pronom. : *Faire du sport afin de se **dérouiller**.* **3.** Fam. Battre (qqn). **Intrans.** Fam. Recevoir des coups ; au fig., souffrir beaucoup. ⌘ Fin XIIe s. ; ☞ *rouiller* + *dé-*[2] ; [deʀuje].

**DÉROULAGE,** subst. m.
**1.** Déroulement d'un objet. **2.** *Techn.* Opération qui consiste à dérouler une bille de bois. ⌘ 1870 ; ☞ *dérouler* ; [deʀulaʒ].

**DÉROULEMENT,** subst. m.
**1.** Action de dérouler ; fait de se dérouler. **2.** Fig. Fait de se développer progressivement dans le temps. ⌘ 1704 ; ☞ *dérouler* ; [deʀulmɑ̃].

**DÉROULER,** verbe trans. [3]
**1.** Étendre (ce qui était roulé) : ***Dérouler** un tapis.* **2.** *Techn.* Débiter (une bille de bois) en une feuille de placage. **3.** Fig. Développer successivement : *L'auteur **déroule** son intrigue avec maestria.* **Pronom.** Se produire, avoir lieu : *L'entretien **s'est** bien **déroulé**.* ⌘ Fin XIVe s. ; ☞ *rouler* + *dé-*[2] ; [deʀule].

**DÉROULEUR, EUSE,** subst.
**Masc. 1.** *Techn.* Dispositif servant à enrouler et à dérouler : ***Dérouleur** de bande magnétique.* **2.** Support cylindrique pour les produits conditionnés en rouleau. **Fém.** *Techn.* Machine conçue pour dérouler une bille de bois. ⌘ 1924 ; ☞ *dérouler* ; [deʀulœʀ, øz].

**DÉROUTANT, ANTE,** adj.
Qui déroute, qui déconcerte. ⌘ 1846 ; p. pr. de *dérouter* ; [deʀutɑ̃, ɑ̃t].

**DÉROUTE,** subst. f.
**1.** Fuite désordonnée d'une troupe vaincue. **2.** Fig. Grande confusion liée à un échec : *Un parti en **déroute**.* ⌘ 1541 ; anc. fr. *desrouter*, « disperser, mettre en fuite », de *ro(u)te*, « troupe, bande » ; [deʀut].

**DÉROUTEMENT,** subst. m.
Action de faire quitter sa route à un moyen de transport, en partic. à un navire ou à un avion (synon. *déroutage*). ⌘ 1870 (1636, mise en déroute) ; ☞ *dérouter* ; [deʀutmɑ̃].

**DÉROUTER,** verbe trans. [3]
**1.** *Vèn.* ***Dérouter** les chiens* : leur faire perdre sa trace, en parlant d'un gibier. **2.** Égarer (qqn) de sa route, mettre (qqn) hors de sa piste : *Il **a dérouté** ses poursuivants.* **3.** Modifier l'itinéraire de (un moyen de transport) : *En raison du gros temps, le navire **fut dérouté**.* **4.** Fig. Déconcerter : *Son attitude me **déroute**.* ⌘ Fin XIIIe s. ; ☞ *route* + *dé-*[2] ; [deʀute].

**DERRICK,** subst. m.
Structure métallique supportant le trépan qui sert à forer un puits de pétrole (anglic.). ⌘ 1861 ; angl. *derrick*, « potence », de l'anthropon. *Derrick*, célèbre bourreau du XVIIe s. ; recomm. off. *tour de forage* ; [deʀik].

**DERRIÈRE,** prép., adv. et subst. m.
**Prép. 1.** En arrière de, au dos de : *Les mains **derrière** le dos* ; au fig., à l'abri de : *Cacher sa peine **derrière** un sourire.* **2.** Après, à la suite de : *Marcher l'un **derrière** l'autre.* **Adv. 1.** En arrière : *Reste **derrière** !* **2.** Du côté opposé à l'avant : *Regarde donc **derrière** !* **3.** Loc. adv. *Par-**derrière*** : par l'arrière ou, au fig., de manière sournoise. **Subst. 1.** Partie postérieure de qqch. (anton. *devant*). **2.** Partie du corps, chez l'homme et certains animaux, qui comprend le fondement et les fesses. ⌘ Fin XIe s. ; bas lat. *deretro*, du lat. *retro*, « en arrière », d'apr. l'anc. fr. *derrain*, « dernier » ; [dɛʀjɛʀ].

**DERVICHE,** subst. m.
Religieux musulman faisant partie d'une confrérie : ***Derviche** tourneur, hurleur.* ⌘ 1542 ; ital. *dervis*, du turc *derviş*, du persan *darvîš*, « pauvre » ; [dɛʀviʃ].

© Catagay-Gamma

*Derviches tourneurs.*

**DES,** voir DE

**DÈS,** prép.
**1.** Depuis, à partir de ; immédiatement après : ***Dès** l'enfance* ; ***Dès** le premier coup de minuit.* **2.** Loc. adv. ***Dès** lors* : aussitôt, depuis ce moment-là ou, au fig., en conséquence. **3.** Loc. conj. ***Dès que*** : aussitôt que ; ***Dès** lors **que*** : du moment que. ⌘ Fin Xe s. ; prob. lat. pop. °*de ex*, renforcement du lat. *ex*, indiquant un point de départ ; [dɛ].

**DÉSABONNEMENT,** subst. m.
Action de désabonner, fait de se désabonner ; son résultat. ⌘ 1856 ; ☞ *désabonner* ; [dezabɔnmɑ̃].

**DÉSABONNER,** verbe trans. [3]
Faire cesser l'abonnement de (qqn). **Pronom.** Suspendre son abonnement. ⌘ 1840 ; ☞ *abonner* + *dé-*[2] ; [dezabɔne].

**DÉSABUSÉ, ÉE,** adj.
**1.** Vx. Détrompé. **2.** Qui a perdu ses illusions ; empl. subst. : *Jouer les **désabusés**.* ⌘ Mil. XVIIe s. ; p. p. de *désabuser* ; [dezabyze].

**DÉSABUSER,** verbe trans. [3]
Libérer (qqn) de l'erreur, de l'illusion qui l'abuse, le détromper (littér.). ⌘ XVIe s. ; ☞ *abuser* + *dé-*[2] ; [dezabyze].

**DÉSACCORD,** subst. m.
**1.** Fait, pour des personnes, de n'être pas d'accord ; état qui en résulte : ***Désaccord** entre époux* ; *Être en **désaccord** avec un associé.* **2.** Disharmonie, discordance : ***Désaccord** entre les actes et les principes.* ⌘ 1160 ; ☞ *accord* + *dé-*[2] ; [dezakɔʀ].

**DÉSACCORDER,** verbe trans. [3]
**1.** Semer le désaccord entre, fâcher. **2.** Briser l'harmonie de (un ensemble). **3.** *Mus.* Fausser l'accord de (un intrument) ; empl. adj. : *Piano **désaccordé*** ; empl. pronom. : *Il **s'est désaccordé** à cause du froid.* ⌘ 1262 ; ☞ *accorder* + *dé-*[2] ; [dezakɔʀde].

**DÉSACCOUPLER,** verbe trans. [3]
**1.** *Vèn.* Détacher (des chiens couplés) ; par ext. : ***Désaccoupler** des bœufs.* **2.** Anal. Séparer (une paire, un couple). ▸ *Mécan.* Séparer (deux éléments) : ***Désaccoupler** un moteur d'avec la transmission.* ⌘ Déb. XIIIe s. ; ☞ *accoupler* + *dé-*[2] ; [dezakuple].

**DÉSACCOUTUMANCE,** subst. f.
Fait de se désaccoutumer ; son résultat. ⌘ Mil. XIIIe s. ; ☞ *désaccoutumer* ; [dezakutymɑ̃s].

**DÉSACCOUTUMER,** verbe trans. [3]
Faire perdre une habitude à (qqn) ; empl. pronom. : *Il **s'est désaccoutumé** du tabac.* ⌘ Fin XIIe s. ; ☞ *accoutumer* + *dé-*[2] ; [dezakutyme].

**DÉSACRALISATION,** subst. f.
Action de désacraliser ; son résultat : ***Désacralisation** du culte.* ⌘ 1949 ; ☞ *désacraliser* ; [desakʀalizasjɔ̃].

**DÉSACRALISER,** verbe trans. [3]
Ôter son caractère sacré à (qqn, qqch.). ⌘ 1949 ; ☞ *sacraliser* + *dé-*[2] ; [desakʀalize].

**DÉSACTIVER,** verbe trans. [3]
Supprimer l'activité de (un produit). ▸ *Phys. nucl.* Débarrasser (une substance) de sa radioactivité. ⌘ 1905 ; ☞ *activer* + *dé-*[2] ; [dezaktive].

**DÉSADAPTATION,** subst. f.
Perte de l'adaptation. ⌘ 1907 ; ☞ *adaptation* + *dé-*[2] ; [dezadaptasjɔ̃].

**DÉSADAPTER,** verbe trans. [3]
Rendre inadapté ; empl. adj. : *Un enfant **désadapté**.* ⌘ 1932 ; ☞ *adapter* + *dé-*[2] ; [dezadapte].

**DÉSAÉRER,** verbe trans. [8]
*Techn.* Éliminer l'air de (une substance) ; empl. adj. : *Béton **désaéré**.* ⌘ 1948 ; ☞ *aérer* + *dé-*[2] ; [dezaeʀe].

**DÉSAFFECTATION,** subst. f.
Action de désaffecter un bâtiment, un équipement ; son résultat. ⌘ 1876 ; ☞ *désaffecter* ; [dezafɛktasjɔ̃].

**DÉSAFFECTER,** verbe trans. [3]
Retirer à (un bâtiment, un équipement) sa destination première : ***Désaffecter** une usine* ; empl. adj. : *Gare **désaffectée**.* ⌘ 1876 ; ☞ *affecter* (II) + *dé-*[2] ; [dezafɛkte].

**DÉSAFFECTION,** subst. f.
Perte de l'affection, de l'intérêt éprouvé pour qqn, qqch. ⌘ 1787 ; ☞ *affection* + *dé-*[2] ; [dezafɛksjɔ̃].

**DÉSAFFILIER,** verbe trans. [6]
Mettre fin à l'affiliation de ; empl. pronom. : *Se **désaffilier** d'un parti.* ⌘ 1872 ; ☞ *affilier* + *dé-*[2] ; [dezafilje].

**DÉSAGRAFER,** verbe trans. [3]
Dégrafer. ⌘ XVIIe s. ; ☞ *agrafer* + *dé-*[2] ; [dezagʀafe].

**DÉSAGRÉABLE,** adj.
**1.** Qui déplaît aux sens : *Musique, goût **désagréable**.* **2.** Dont le caractère, les manières, les propos sont pénibles à supporter : *Vendeur **désagréable*** ; par méton. : *Remarque, ton **désagréable**.* ⌘ Fin XIIIe s. ; ☞ *agréable* + *dé-*[2] ; [dezagʀeabl].

**DÉSAGRÉABLEMENT,** adv.
D'une manière désagréable. ⌘ Fin XIVe s. ; ☞ *désagréable* ; [dezagʀeabləmɑ̃].

**DÉSAGRÉGATION,** subst. f.
**1.** Disjonction des éléments, des grains constitutifs d'un corps composite. **2.** Fig. Destruction de la cohésion d'un ensemble organisé : ***Désagrégation** d'une communauté.* **3.** *Psychol.* ***Désagrégation** psychique* : altération de la synthèse mentale (par ex., perte de l'association d'idées). ⌘ 1798 ; ☞ *désagréger* ; [dezagʀegasjɔ̃].

**DÉSAGRÉGER,** verbe trans. [9]
**1.** Produire la désagrégation de (un corps) ; empl. pronom. : *La roche se **désagrège** sous l'action des agents atmosphériques.* **2.** Fig. Détruire la cohésion, l'unité de (un ensemble). ⌘ 1798 ; ☞ *agréger* + *dé-*[2] ; [dezagʀeʒe].

**DÉSAGRÉMENT,** subst. m.
Mécontentement causé par une chose désagréable ; par méton., cette chose elle-même. ⌘ 1640 ; *désagréer* (vx), « déplaire » ; [dezagʀemɑ̃].

**DÉSAIMANTATION, subst. f.**
Action de désaimanter ; son résultat (synon. *démagnétisation*). ◊ 1875 ; ☞ *désaimanter* ; [dezɛmɑ̃tasjɔ̃].

**DÉSAIMANTER, verbe trans.** [3]
Supprimer l'aimantation de (une substance aimantée). ◊ 1870 ; ☞ *aimanter* + *dé-2* ; [dezɛmɑ̃te].

**DÉSAJUSTER, verbe trans.** [3]
Perturber l'ajustement de. ◊ 1611 ; ☞ *ajuster* + *dé-2* ; [dezaʒyste].

**DÉSALIÉNATION, subst. f.**
Cessation, suppression de l'aliénation. ◊ V. 1960 ; ☞ *désaliéner* ; [dezaljenasjɔ̃].

**DÉSALIÉNER, verbe trans.** [8]
Libérer (qqn, un groupe social) de son aliénation. ◊ 1949 ; ☞ *aliéner* + *dé-2* ; [dezaljene].

**DÉSALIGNEMENT, subst. m.**
Action de désaligner ; fait d'être désaligné. ◊ 1842 ; ☞ *désaligner* ; [dezaliɲ(ə)mɑ̃].

**DÉSALIGNER, verbe trans.** [3]
Supprimer, déranger l'alignement de. ◊ 1842 ; ☞ *aligner* + *dé-2* ; [dezaliɲe].

**DÉSALPER, verbe intrans.** [3]
Helv. Quitter l'alpage après l'estivage. ◊ 1640 ; *alper*, « mener le troupeau à l'alpage », + *dé-2* ; [dezalpe].

**DÉSALTÉRANT, ANTE, adj.**
Qui désaltère : *Une boisson **désaltérante**.* ◊ 1762 ; p. pr. de *désaltérer* ; [dezalterɑ̃, ɑ̃t].

**DÉSALTÉRER, verbe trans.** [8]
Étancher la soif de, donner à boire à. PRONOM. Étancher sa soif, boire. ◊ 1549 ; ☞ *altérer* + *dé-2* ; [dezaltere].

**DÉSAMIDONNER, verbe trans.** [3]
Ôter l'amidon de : ***Désamidonner** de la layette.* ◊ V. 1960 ; ☞ *amidonner* + *dé-2* ; [dezamidɔne].

**DÉSAMORÇAGE, subst. m.**
Action de désamorcer ; fait de se désamorcer. ◊ 1864 ; ☞ *désamorcer* ; [dezamɔrsaʒ].

**DÉSAMORCER, verbe trans.** [4]
**1.** Enlever ou neutraliser l'amorce de (un engin explosif) : ***Désamorcer** une bombe* ; par métaph., empêcher (un conflit, une crise) d'éclater. **2.** Vider (une pompe, un siphon) du liquide qui l'amorce. ◊ 1864 ; ☞ *amorcer* + *dé-2* ; [dezamɔrse].

**DÉSAMOUR, subst. m.**
Disparition de l'amour, désaffection (littér.). ◊ Mil. XIXe s. ; ☞ *amour* + *dé-2* ; [dezamur].

**DÉSAPPARIER, voir DÉPARIER**

**DÉSAPPOINTÉ, ÉE, adj.**
**1.** Qui n'a pas obtenu satisfaction, qui est déçu. **2.** Qui exprime le désappointement. ◊ 1611 ; p. p. de *désappointer* ; [dezapwɛ̃te].

**DÉSAPPOINTEMENT, subst. m.**
Sentiment de déconvenue. ◊ 1783 (XVe s., destitution) ; ☞ *désappointer* ; [dezapwɛ̃tmɑ̃].

**DÉSAPPOINTER, verbe trans.** [3]
Décevoir, frustrer l'attente de (qqn). ◊ 1611 (1395, destituer de sa charge) ; ☞ *appointer* (II) + *dé-2* ; [dezapwɛ̃te].

**DÉSAPPRENDRE, verbe trans.** [52]
Oublier (ce que l'on a appris). ◊ Déb. XIIIe s. ; ☞ *apprendre* + *dé-2* ; [dezaprɑ̃dr].

**DÉSAPPROBATEUR, TRICE, adj.**
Qui désapprouve ; qui exprime la désapprobation : *Une remarque **désapprobatrice**.* ◊ 1748 ; ☞ *désapprouver* ; [dezaprɔbatœr, tris].

**DÉSAPPROBATION, subst. f.**
Action de désapprouver ; son résultat. ◊ 1787 ; ☞ *approbation* + *dé-2* ; [dezaprɔbasjɔ̃].

**DÉSAPPROUVER, verbe trans.** [3]
Porter un jugement négatif sur : ***Désapprouver** une idée* ; blâmer : ***Désapprouver** qqn.* ◊ 1535 ; ☞ *approuver* + *dé-2* ; [dezapruve].

**DÉSAPPROVISIONNER, verbe trans.** [3]
**1.** Priver d'approvisionnement. **2.** Vider (le canon, le magasin d'une arme) de ses munitions. ◊ 1798 ; ☞ *approvisionner* + *dé-2* ; [dezaprɔvizjɔne].

**DÉSARÇONNER, verbe trans.** [3]
**1.** Jeter (un cavalier) à bas de sa monture. **2.** Fig. Décontenancer, troubler (qqn). ◊ Déb. XIIIe s. ; ☞ *arçon* + *dé-2* ; [dezarsɔne].

**DÉSARGENTÉ, ÉE, adj.**
**1.** Dégarni de son argenture. **2.** Fig. Qui n'a plus ou qui est dépourvu d'argent (fam.). ◊ 1611 ; p. p. de *désargenter* ; [dezarʒɑ̃te].

**DÉSARGENTER, verbe trans.** [3]
**1.** Ôter l'argenture de (un objet). **2.** Fig. Priver (qqn) d'argent (fam.). ◊ 1611 ; ☞ *argenter* + *dé-2* ; [dezarʒɑ̃te].

**DÉSARMANT, ANTE, adj.**
Qui interdit toute remontrance, toute réplique : *Une candeur **désarmante** ; Un cynisme **désarmant**.* ◊ Déb. XXe s. ; p. pr. de *désarmer* ; [dezarmɑ̃, ɑ̃t].

**DÉSARMEMENT, subst. m.**
**1.** Action de désarmer ; son résultat. **2.** Suppression ou limitation d'un potentiel militaire. ◊ 1616 ; ☞ *désarmer* ; [dezarməmɑ̃].

**DÉSARMER, verbe** [3]
TRANS. **1.** Ôter ses armes à (qqn) : ***Désarmer** un ennemi.* ▸ Supprimer ou réduire l'armement de : ***Désarmer** un pays vaincu.* **2.** ***Désarmer** une arme à feu* : la mettre dans une position où elle ne peut pas fonctionner. **3.** Fig. Ébranler, adoucir ; fléchir : ***Désarmer** qqn, son courroux.* **4.** Mar. ***Désarmer** un navire* : le mettre hors service en débarquant équipage et matériel. INTRANS. **1.** Réduire son potentiel militaire. **2.** Fig. Faiblir ; céder (empl. gén. négatif) : *Malgré ses échecs, il ne **désarmera** pas ; Sa rancune ne **désarme** pas.* ◊ Fin XIe s. ; ☞ *armer* + *dé-2* ; [dezarme].

**DÉSARRIMAGE, subst. m.**
Action de désarrimer ; son résultat. ◊ 1836 ; ☞ *désarrimer* ; [dezarimaʒ].

**DÉSARRIMER, verbe trans.** [3]
Défaire l'arrimage de. ◊ 1736 ; ☞ *arrimer* + *dé-2* ; [dezarime].

**DÉSARROI, subst. m.**
Trouble moral, détresse. ◊ Mil. XVIe s. (XVe s., désordre) ; anc. fr. *desarreier*, « mettre en désordre » ; [dezarwa].

**DÉSARTICULATION, subst. f.**
Action de désarticuler, fait de se désarticuler ; son résultat. ◊ 1813 ; ☞ *désarticuler* ; [dezartikylasjɔ̃].

**DÉSARTICULER, verbe trans.** [3]
**1.** Déloger (un os) de son articulation. ▸ Amputer (un membre) au niveau d'une articulation. **2.** Anal. Détacher les éléments de (un assemblage) : ***Désarticuler** une mécanique.* **3.** Fig. Briser la cohésion de : ***Désarticuler** une phrase, un parti, une économie.* PRONOM. Faire jouer ses articulations avec une souplesse exceptionnelle : *Contorsionniste qui se **désarticule**.* ◊ 1778 ; ☞ *articuler* + *dé-2* ; [dezartikyle].

**DÉSASSEMBLER, verbe trans.** [3]
**1.** Disjoindre (un assemblage, des pièces). **2.** Informat. ***Désassembler** un programme en langage binaire* : le retraduire en assembleur. ◊ Fin XIIe s. ; ☞ *assembler* + *dé-2* ; [dezasɑ̃ble].

**DÉSASSIMILATION, subst. f.**
Action de désassimiler. ◊ 1838 ; ☞ *assimilation* + *dé-2* ; [dezasimilasjɔ̃].

**DÉSASSIMILER, verbe trans.** [3]
*Biol.* **1.** Éliminer (une substance préalablement assimilée par l'organisme). **2.** Priver (une substance) de ses composants assimilables. ◊ 1836 ; ☞ *assimiler* + *dé-2* ; [dezasimile].

**DÉSASSORTIMENT, subst. m.**
**1.** Action de désassortir. **2.** État d'un ensemble dont l'unité est rompue ; réunion d'éléments désassortis. ◊ 1689 ; ☞ *désassortir* ; [dezasɔrtimɑ̃].

**DÉSASSORTIR, verbe trans.** [19]
Rompre l'unité de (un ensemble), en le privant d'une partie de ses éléments ; empl. adj. : *Service **désassorti**.* ◊ Déb. XVIIe s. ; ☞ *assortir* + *dé-2* ; [dezasɔrtir].

**DÉSASTRE, subst. m.**
**1.** Catastrophe, malheur très grave ; dommage, ruine qui en résulte : ***Désastre** militaire, écologique, financier.* **2.** Échec, insuccès : *Ce spectacle fut un **désastre**.* ◊ 1537 ; ital. *disastro*, « mauvaise étoile » ; [dezastr].

**DÉSASTREUX, EUSE, adj.**
Funeste, catastrophique : *Situation **désastreuse*** ; par hyperb. : *Un temps, un cuisinier **désastreux***, mauvais. ◊ 1557 ; ital. *disastroso*, « frappé par un désastre » ; [dezastrø, øz].

**DÉSATELLISATION, subst. f.**
**1.** *Astronaut.* Action de faire quitter à un satellite artificiel son orbite autour d'un astre. **2.** Libération d'un pays de la domination d'une grande puissance. ◊ V. 1950 ; ☞ *satellisation* + *dé-2* ; [desatɛllizasjɔ̃].

**DÉSAVANTAGE, subst. m.**
Élément négatif ou défavorable d'une situation ; inconvénient, handicap : *Au **désavantage** de qqn*, à son détriment. ◊ Fin XIIIe s. ; ☞ *avantage* + *dé-2* ; [dezavɑ̃taʒ].

**DÉSAVANTAGER, verbe trans.** [5]
Placer dans une situation défavorable, handicaper. ▸ Dr. ***Désavantager** un héritier* : le léser. ◊ 1507 ; ☞ *désavantage* ; [dezavɑ̃taʒe].

**DÉSAVANTAGEUX, EUSE, adj.**
Qui comporte ou occasionne un désavantage. ◊ Fin XVe s. ; ☞ *avantageux* + *dé-2* ; [dezavɑ̃taʒø, øz].

**DÉSAVEU, subst. m.**
Fait de désavouer. ▸ *Dr.* ***Désaveu** de paternité* : action intentée par un époux afin de refuser la paternité d'un enfant de sa femme. ◊ XVIIe s. (1283, refus du lien de vassalité) ; ☞ *désavouer* ; [dezavø].

**DÉSAVOUER, verbe trans.** [3]
**1.** Refuser de reconnaître pour sien, renier, démentir : ***Désavouer** un enfant, une œuvre, sa signature* ; ***Désavouer** un serment*, se parjurer. **2.** Cesser de cautionner : ***Désavouer** un mandataire* ; désapprouver : ***Désavouer** un procédé indélicat.* ◊ 1176 ; ☞ *avouer* + *dé-2* ; [dezavwe].

**DÉSAXÉ, ÉE, adj. et subst.**
Se dit d'une personne dont l'équilibre mental est ébranlé. ◊ 1924 ; p. p. de *désaxer* ; [dezakse].

**DÉSAXER, verbe trans.** [3]
**1.** *Techn.* Déplacer hors de son axe. **2.** Fig. Déstabiliser, ébranler l'équilibre mental de (qqn). ◊ Fin XIXe s. ; ☞ *axe* + *dé-2* ; [dezakse].

**DESCELLEMENT, subst. m.**
Action de desceller ; son résultat. ◊ 1768 ; ☞ *desceller* ; [desɛlmɑ̃].

**DESCELLER, verbe trans.** [3]
**1.** Ouvrir (qqch.) en brisant le sceau qui le clôt. **2.** Arracher, briser le scellement de (qqch.). ◊ Fin XIIIe s. ; ☞ *sceller* + *dé-2* ; [desele].

**DESCENDANCE, subst. f.**
**1.** Ensemble des gens issus de la même personne. **2.** Fait de descendre d'une personne, d'une lignée. ◊ 1283 ; ☞ *descendre* ; [desɑ̃dɑ̃s].

**DESCENDANT, ANTE, adj. et subst.**
ADJ. **1.** Qui descend : *Courant **descendant**.* **2.** Anal. ▸ *Ligne **descendante*** : ensemble de gens issus d'un même ancêtre. ▸ *Mus. Gamme **descendante*** : qui va de l'aigu au grave. SUBST. Personne issue d'un ancêtre. ◊ Fin XIIe s. ; p. pr. de *descendre* ; [desɑ̃dɑ̃, ɑ̃t].

**DESCENDEUR, EUSE, subst.**
*Sp.* Skieur ou cycliste qui excelle dans les descentes. MASC. *Alp.* Appareil métallique servant à ralentir les descentes en rappel. ◊ 1913 ; ☞ *descendre* ; [desɑ̃dœr, øz].

**DESCENDRE, verbe** [51]
INTRANS. **1.** Aller vers le bas : ***Descendre** au sous-sol ; **Descendre** dans un puits ; Est-il **descendu** du grenier ?* ▸ Mettre pied à terre : ***Descendre** de cheval, d'avion.* ▸ Faire irruption. **2.** Anal. ▸ Aller vers le sud : ***Descendre** à Marseille.* ▸ Baisser de niveau : *La mer **descend**.* ▸ S'étendre de haut en bas : *Robe qui **descend** à la cheville.* ▸ Séjourner : ***Descendre** à l'hôtel.* ▸ Être issu : *L'homme **descend** du singe.* **3.** Fig. ***Descendre** au fond des choses* : examiner en détail ; ***Descendre** en soi-même* : faire de l'introspection. ▸ Déchoir : *Il **est descendu** bien bas !* TRANS. **1.** Parcourir, en allant vers le bas : ***Descendre** l'escalier, une rivière.* **2.** Déplacer vers le bas : ***Descendre** la valise du filet à bagages.* **3.** Anal. et Fam. ▸ *Pouvez-vous me **descendre** à la gare ?* : m'y déposer. ▸ Boire : ***Descendre** une bouteille* ; empl. abs. : *Qu'est-ce qu'il **descend** !* ▸ Abattre avec une arme à feu : ***Descendre** un oiseau, un avion ennemi* ; par ext., tuer (qqn) : ***Descendre** un policier* ; au fig. : ***Descendre** qqn ou qqch. en flammes*, l'éreinter. ◊ Fin Xe s. ; lat. *descendere* ; [desɑ̃dr].

**DESCENTE, subst. f.**
**1.** Action d'aller du haut vers le bas : *La **descente** d'un fleuve en canoë ; **Descente** en parachute ; Attendre qqn à sa **descente** du train.* ▸ *Techn. Tuyau de **descente** des eaux* ou, par méton., *Une **descente*** : conduit d'évacuation. ▸ *Sp.* Épreuve de vitesse, en ski alpin. **2.** Anal. ▸ Baisse de niveau : *La **descente** des eaux après une crue.* ▸ *Pathol. **Descente** d'organe* : prolapsus, ptôse. **3.** Méton. Ce qui va vers le bas : *Une **descente** abrupte.* **4.** ***Descente** de lit* : petit tapis que l'on place au pied du lit. **5.** Irruption en force pour s'emparer de qqch. : ***Descente** de police*, perquisition, rafle ; par ext. : *Faire une **descente** à la cave, dans le frigo*, s'y servir généreusement (fam.). **6.** Action de déplacer vers le bas : *La **descente** d'un tonneau à la cave.* ▸ Méton. *B.-a. Une **descente** de Croix* : représentation du Christ que l'on détache de sa croix. **7.** Loc. *Avoir une bonne **descente*** : boire beaucoup (fam.). ◊ Fin XIVe s. (1304, succession) ; ☞ *descendre* ; [desɑ̃t].

**DÉSCOLARISATION,** subst. f.
Action de déscolariser ; son résultat. ☞ XX^e s. ; ☞ déscolariser ; [deskɔlaʀizasjɔ̃].

**DÉSCOLARISER,** verbe trans. [3]
Enlever de l'école (un enfant ou une population d'enfants d'âge scolaire). ☞ XX^e s. ; ☞ scolariser + dé-2 ; [deskɔlaʀize].

**DESCRIPTEUR, TRICE,** subst.
Personne qui décrit (rare). **Masc.** *Informat.* Ensemble de signes décrivant un fichier, un programme. ☞ 1464 ; bas lat. *descriptor* ; [dɛskʀiptœʀ, tʀis].

**DESCRIPTIBLE,** adj.
Que l'on peut décrire. ☞ 1870 ; ☞ description ; [dɛskʀiptibl].

**DESCRIPTIF, IVE,** adj. et subst. m.
**Adj.** Qui décrit la réalité de façon détaillée. ▸ *Géométrie **descriptive*** : représentation plane de figures de l'espace par projection sur deux plans perpendiculaires (horizontal et frontal) et rabattement sur le plan horizontal. **Subst.** Document technique détaillé : *Un **descriptif** des travaux.* ☞ 1464 ; bas lat. *descriptivus,* « qui sert à la description » ; [dɛskʀiptif, iv].

**DESCRIPTION,** subst. f.
**1.** Action de décrire, de rendre compte d'une réalité. **2.** Développement oral ou écrit qui en résulte. ☞ Mil. XII^e s. ; lat. *descriptio* ; [dɛskʀipsjɔ̃].

**DÉSECTORISER,** verbe trans. [3]
*Admin.* Mettre fin à la sectorisation de. ☞ V. 1970 ; ☞ sectoriser + dé-2 ; [desɛktɔʀize].

**DÉSÉGRÉGATION,** subst. f.
Politique de suppression de la ségrégation raciale dans un milieu social, un pays ; sa mise en pratique. ☞ V. 1960 ; ☞ ségrégation + dé-2 ; [desegʀegasjɔ̃].

**DÉSEMBOURBER,** verbe trans. [3]
Extraire (un véhicule) de la boue : ***Désembourber** une camionnette.* ☞ 1690 ; ☞ embourber + dé-2 ; [dezɑ̃buʀbe].

**DÉSEMBOURGEOISER,** verbe trans. [3]
Enlever son caractère bourgeois à (qqn) ; empl. pronom. : *Elle s'est **désembourgeoisée** sur le tard.* ☞ 1876 ; ☞ embourgeoiser + dé-2 ; [dezɑ̃buʀʒwaze].

**DÉSEMBOUTEILLER,** verbe trans. [3]
Désencombrer (une route, une ligne téléphonique). ☞ V. 1960 ; ☞ embouteiller + dé-2 ; [dezɑ̃buteje].

**DÉSEMBUER,** verbe trans. [3]
Retirer la buée de. ☞ Mil. XX^e s. ; ☞ embuer + dé-2 ; [dezɑ̃bɥe].

**DÉSEMPARÉ, ÉE,** adj.
**1.** Qui ne peut plus manœuvrer, en parlant d'un navire ou d'un avion victime d'une avarie. **2.** Fig. Qui est déconcerté, privé de ses moyens. ☞ 1497 (XIV^e s., démantelé) ; p. p. de *désemparer* ; [dezɑ̃paʀe].

**DÉSEMPARER,** verbe trans. [3]
**1.** Vx. Quitter, s'en aller de : *Les troupes **désemparèrent** la ville.* ▸ Loc. *Sans **désemparer*** : sans quitter la place ; sans s'arrêter. **2.** *Mar.* Mettre (un navire) hors d'état de servir. **3.** Fig. Décontenancer, priver (qqn) de ses moyens : *Ces calomnies l'**ont désemparée**.* ☞ 1418 (1364, démanteler, détruire) ; anc. fr. *emparer,* « fortifier », + dé-2 ; [dezɑ̃paʀe].

**DÉSEMPLIR,** verbe intrans. [19]
*Ne pas **désemplir*** : être constamment plein. **Pronom.** Se vider : *Le hall se **désemplissait** peu à peu.* ☞ Fin XII^e s. ; ☞ emplir + dé-2 ; [dezɑ̃pliʀ].

**DÉSENCADREMENT,** subst. m.
*Écon.* Suppression de l'encadrement du crédit. ☞ V. 1970 ; ☞ encadrement + dé-2 ; [dezɑ̃kadʀəmɑ̃].

**DÉSENCADRER,** verbe trans. [3]
**1.** Ôter le cadre de (synon. *décadrer*). **2.** *Écon.* Libérer (le crédit) du cadre règlementaire qui le restreignait. ☞ 1870 ; ☞ encadrer + dé-2 ; [dezɑ̃kadʀe].

**DÉSENCHAÎNER,** verbe trans. [3]
Délivrer de ses chaînes. ☞ 1558 ; ☞ enchaîner + dé-2 ; [dezɑ̃ʃene].

**DÉSENCHANTEMENT,** subst. m.
**1.** Vx. Action de faire cesser un charme. **2.** Fait d'être désenchanté ; sentiment qui en découle. ☞ 1554 ; ☞ désenchanter ; [dezɑ̃ʃɑ̃tmɑ̃].

**DÉSENCHANTER,** verbe trans. [3]
**1.** Vx. Rompre l'enchantement de. **2.** Faire perdre son enthousiasme, ses illusions à (qqn) ; empl. adj. : *Une moue **désenchantée**.* ☞ Mil. XIII^e s. ; ☞ enchanter + dé-2 ; [dezɑ̃ʃɑ̃te].

**DÉSENCLAVER,** verbe trans. [3]
Ôter à (une région, un territoire) son caractère d'enclave. ☞ 1870 ; ☞ enclaver + dé-2 ; [dezɑ̃klave].

**DÉSENCOMBREMENT,** subst. m.
Action de désencombrer ; son résultat. ☞ 1880 ; ☞ désencombrer ; [dezɑ̃kɔ̃bʀəmɑ̃].

**DÉSENCOMBRER,** verbe trans. [3]
Débarrasser de ce qui encombre ; empl. pronom. : *Se **désencombrer** l'imagination de souvenirs pénibles.* ☞ Fin XII^e s. ; ☞ encombrer + dé-2 ; [dezɑ̃kɔ̃bʀe].

**DÉSENCRASSER,** verbe trans. [3]
Débarrasser de ce qui encrasse : ***Désencrasser** un moteur.* ☞ 1929 ; ☞ encrasser + dé-2 ; [dezɑ̃kʀase].

**DÉSENDETTEMENT,** subst. m.
Fait de se désendetter ; son résultat. ☞ Déb. XX^e s. ; ☞ endettement + dé-2 ; [dezɑ̃dɛtmɑ̃].

**DÉSENDETTER (SE),** verbe pronom. [3]
S'acquitter de ses dettes. ☞ Déb. XX^e s. ; ☞ endetter + dé-2 ; [dezɑ̃dete].

**DÉSENFLER,** verbe [3]
**Trans.** Réduire ou éliminer l'enflure de : ***Désenfler** un abcès.* **Intrans.** Cesser d'être enflé : *Ma cheville a **désenflé** (action), est **désenflée** (résultat).* ☞ Fin XII^e s. ; ☞ enfler + dé-2 ; [dezɑ̃fle].

**DÉSENFUMER,** verbe trans. [3]
Chasser, évacuer la fumée de : ***Désenfumer** le salon.* ☞ 1845 ; ☞ enfumer + dé-2 ; [dezɑ̃fyme].

**DÉSENGAGEMENT,** subst. m.
Action de désengager, fait de se désengager ; son résultat. ☞ 1464 ; ☞ désengager ; [dezɑ̃gaʒmɑ̃].

**DÉSENGAGER,** verbe trans. [5]
Libérer d'un engagement : ***Désengager** ses capitaux,* les retirer ; empl. pronom. : *Il se **désengage** de la vie publique.* ☞ 1462 ; ☞ engager + dé-2 ; [dezɑ̃gaʒe].

**DÉSENGORGER,** verbe trans. [5]
Faire cesser l'engorgement de. ☞ 1872 ; ☞ engorger + dé-2 ; [dezɑ̃gɔʀʒe].

**DÉSENGOURDIR,** verbe trans. [19]
Faire cesser l'engourdissement de ; empl. pronom. : *Se **désengourdir** après un long sommeil.* ☞ 1553 ; ☞ engourdir + dé-2 ; [dezɑ̃guʀdiʀ].

**DÉSENGRENER,** verbe trans. [3]
*Mécan.* Interrompre l'engrènement de (un engrenage, ses éléments). ☞ 1699 ; ☞ engrener (II) + dé-2 ; [dezɑ̃gʀəne].

**DÉSENNUYER,** verbe trans. [16]
Chasser l'ennui de (qqn), l'amuser (littér.). ☞ Déb. XV^e s. ; ☞ ennuyer + dé-2 ; [dezɑ̃nɥije].

**DÉSENRAYER,** verbe trans. [15]
*Techn.* Réparer (un mécanisme enrayé). ☞ 1694 ; ☞ enrayer (I) + dé-2 ; [dezɑ̃ʀɛje].

**DÉSENSABLER,** verbe trans. [3]
Dégager (ce qui était ensablé). ☞ 1694 ; ☞ ensabler + dé-2 ; [dezɑ̃sable].

**DÉSENSIBILISATION,** subst. f.
Action de désensibiliser ; son résultat. ☞ 1926 ; ☞ désensibiliser ; [desɑ̃sibilizasjɔ̃].

**DÉSENSIBILISER,** verbe trans. [3]
**1.** *Techn.* Diminuer la sensibilité de (un appareil sensible, une substance sensible à la lumière). **2.** *Méd.* Diminuer ou supprimer la sensibilisation allergique de (un organisme) à une substance. **3.** Fig. Diminuer ou supprimer la sensibilité de (qqn) : ***Désensibiliser** l'opinion publique.* ☞ 1898 ; ☞ sensibiliser + dé-2 ; [desɑ̃sibilize].

**DÉSENSORCELER,** verbe trans. [12]
**1.** Libérer (qqn) d'un sortilège. **2.** Fig. Délivrer (qqn, qqch.) d'une emprise excessive ou maléfique. ☞ 1538 ; ☞ ensorceler + dé-2 ; [dezɑ̃sɔʀsəle].

**DÉSENTOILAGE,** subst. m.
Action de désentoiler ; son résultat. ☞ 1870 ; ☞ désentoiler ; [dezɑ̃twalaʒ].

**DÉSENTOILER,** verbe trans. [3]
Enlever la toile de : ***Désentoiler** un tableau, un vêtement.* ☞ 1864 ; ☞ entoiler + dé-2 ; [dezɑ̃twale].

**DÉSENTORTILLER,** verbe trans. [3]
Démêler (ce qui est entortillé, embrouillé). ☞ 1611 ; ☞ entortiller + dé-2 ; [dezɑ̃tɔʀtije].

**DÉSENTRAVER,** verbe trans. [3]
Libérer (une personne, un animal) de ce qui l'entrave. ☞ 1615 ; ☞ entraver (I) + dé-2 ; [dezɑ̃tʀave].

**DÉSENVASER,** verbe trans. [3]
**1.** Ôter la vase de : ***Désenvaser** une douve.* **2.** Dégager de la vase. ☞ 1870 ; ☞ envaser + dé-2 ; [dezɑ̃vaze].

**DÉSENVENIMER,** verbe trans. [3]
**1.** Éliminer le venin de : ***Désenvenimer** une morsure.* **2.** Fig. Apaiser : ***Désenvenimer** une situation tendue.* ☞ 1566 ; ☞ envenimer + dé-2 ; [dezɑ̃vənime].

**DÉSENVERGUER,** voir **DÉVERGUER**

**DÉSÉPAISSIR,** verbe trans. [19]
Rendre moins épais : ***Désépaissir** une sauce avec du lait.* ☞ XIV^e s. ; ☞ épaissir + dé-2 ; [dezepesiʀ].

**DÉSÉQUILIBRE,** subst. m.
**1.** Manque d'équilibre, état d'instabilité : *Appareil en **déséquilibre**.* **2.** Fig. Disproportion, inégalité : ***Déséquilibre** de force entre deux pays ; **Déséquilibre** alimentaire,* mauvais dosage des apports nutritifs essentiels à la santé. **3.** *Psych.* ***Déséquilibre** mental* : trouble grave de la personnalité. ☞ 1883 ; ☞ équilibre + dé-2 ; [dezekilibʀ].

**DÉSÉQUILIBRÉ, ÉE,** adj.
Qui souffre de déséquilibre mental ; empl. subst., personne **déséquilibrée**. ☞ 1883 ; p. p. de *déséquilibrer* ; [dezekilibʀe].

**DÉSÉQUILIBRER,** verbe trans. [3]
Rompre l'équilibre de. ☞ 1860 ; ☞ équilibrer + dé-2 ; [dezekilibʀe].

**DÉSÉQUIPER,** verbe trans. [3]
Enlever son équipement à ; empl. pronom. : *Le soldat se **déséquipait**.* ☞ 1669 ; ☞ équiper + dé-2 ; [dezekipe].

**DÉSERT (I), ERTE,** adj.
**1.** Inhabité : *Une contrée **déserte**.* **2.** Ext. Vide, abandonné ; peu fréquenté : *Maison **déserte** ; Quartier **désert**.* ☞ Fin XI^e s. ; lat. *desertus* ; [dezɛʀ, ɛʀt].

**DÉSERT (II),** subst. m.
**1.** *Géogr.* Région aride, très peu habitée : ***Désert** de sable, de pierres ; Le **désert** de Gobi.* ▸ Loc. *Parler, prêcher dans le **désert*** : sans être écouté ; *Traversée du **désert*** : période d'éloignement forcé du pouvoir. **2.** Ext. Lieu écarté, peu fréquenté : *Cette ville est un véritable **désert**.* ☞ XII^e s. ; lat. *desertum* ; [dezɛʀ].

© A. Baaljens-Gamma

*Le **désert** en Égypte.*

**DÉSERTER,** verbe trans. [3]
**1.** Quitter (un lieu) : *Les rats **désertent** le navire qui sombre.* **2.** Fig. Abandonner, renier : ***Déserter** son foyer, une cause.* **3.** Abs. *Milit.* Ne pas rejoindre son poste ; quitter son poste sans y être autorisé. ☞ Fin XIII^e s. (fin XI^e s., dévaster) ; bas lat. *desertare,* du lat. *deserere,* « abandonner » ; [dezɛʀte].

**DÉSERTEUR,** subst. m.
**1.** Soldat qui déserte ou qui a déserté : *Être porté **déserteur**.* **2.** Fig. Personne qui trahit (une cause, un parti). ☞ 1680 (1243, celui qui part) ; ☞ déserter ; [dezɛʀtœʀ].

**DÉSERTIFICATION,** subst. f.
**1.** Transformation d'une région en désert (var. *désertisation*). **2.** Disparition totale ou partielle des activités humaines dans une région. ☞ V. 1960 ; ☞ désert (II) ; [dezɛʀtifikasjɔ̃].

**DÉSERTIFIER (SE),** verbe pronom. [6]
Subir une désertification. ☞ XX^e s. ; ☞ désert (II) ; [dezɛʀtifje].

**DÉSERTION,** subst. f.
Action de déserter. ☞ 1680 (XIV^e s., abandon) ; ☞ déserter ; [dezɛʀsjɔ̃].

**DÉSERTIQUE,** adj.
**1.** Qui appartient au désert : *Sol, plante **désertique**.* **2.** Ext. Inhabité, très peu peuplé : *Région **désertique**.* ☞ 1877 ; ☞ désert (II) ; [dezɛʀtik].

**DÉSESCALADE,** subst. f.
Baisse de l'intensité d'une tension militaire, sociale, etc., laquelle résultait d'une escalade. ☞ V. 1960 ; ☞ escalade + dé-2 ; [dezɛskalad].

**DÉSESPÉRANCE,** subst. f.
État d'accablement d'une personne qui a perdu toute espérance (littér.) : *Noire, mortelle **désespérance**.* ☞ Fin XII^e s. ; ☞ espérance + dé-2 ; [dezɛspeʀɑ̃s].

**DÉSESPÉRANT, ANTE,** adj.
**1.** Qui fait désespérer. **2.** Désagréable, agaçant : *Un temps **désespérant** ; Enfant **désespérant**.* 1707 ; p. pr. de *désespérer* ; [dezɛspeʀɑ̃, ɑ̃t].

**DÉSESPÉRÉ, ÉE,** adj.
**1.** Qui est réduit au désespoir ; empl. subst., personne **désespérée**. **2.** Qui exprime le désespoir : *Cri **désespéré**.* **3.** Qui ne laisse aucun espoir : *Cas **désespéré**.* **4.** Inspiré par le désespoir ; acharné ; absolu : *Résistance, lutte **désespérée**.* Fin XII$^{e}$ s. ; p. p. de *désespérer* ; [dezɛspeʀe].

**DÉSESPÉRÉMENT,** adv.
De manière désespérée. Fin XIV$^{e}$ s. ; ☞ *désespéré* ; [dezɛspeʀemɑ̃].

**DÉSESPÉRER,** verbe [8]
INTRANS. Perdre tout espoir. ▸ Loc. *C'est à **désespérer*** : il n'y a rien à faire. TRANS. DIR. **1.** Enlever tout espoir à : *Ne pas **désespérer** Billancourt* (Sartre) ; empl. pronom., se laisser aller au désespoir : *Elle se **désespérait** en silence.* **2.** Ext. Contrarier, décourager : *Mon mari me **désespère**.* TRANS. INDIR. **Désespérer de.** Ne plus croire à : *Il **désespère** de guérir, du salut, de tout et de tous.* 1155 ; ☞ *espérer* + *dé-*$^{2}$ ; [dezɛspeʀe].

**DÉSESPOIR,** subst. m.
**1.** Perte ou absence d'espoir, affliction, détresse vive : *Sombrer dans le **désespoir**.* ▸ Loc. *L'énergie du **désespoir*** : qui anime celui qui n'a plus rien à perdre ; *En **désespoir** de cause* : comme ultime recours. **2.** Méton. Ce qui cause une forte contrariété : *Être le **désespoir** de ses parents.* Mil. XII$^{e}$ s. ; ☞ *espoir* + *dé-*$^{2}$ ; [dezɛspwaʀ].

**DÉSÉTATISATION,** subst. f.
Action de désétatiser ; son résultat. V. 1960 ; ☞ *désétatiser* ; [dezetatizasjɔ̃].

**DÉSÉTATISER,** verbe trans. [3]
*Écon.* et *Pol.* Restreindre ou supprimer le contrôle qu'exerce l'État sur (une entreprise, un secteur). V. 1960 ; ☞ *étatiser* + *dé-*$^{2}$ ; [dezetatize].

**DÉSEXUALISER,** verbe trans. [3]
Ôter tout caractère sexuel à (qqn, qqch.). 1921 ; ☞ *sexualiser* + *dé-*$^{2}$ ; [desɛksɥalize].

**DÉSHABILLAGE,** subst. m.
Action de déshabiller ou fait de se déshabiller ; son résultat. 1875 ; ☞ *déshabiller* ; [dezabijaʒ].

**DÉSHABILLÉ,** subst. m.
Vêtement d'intérieur féminin, plus léger et élégant qu'un peignoir, porté dans l'intimité. XV$^{e}$ s. ; p. p. de *déshabiller* ; [dezabije].

**DÉSHABILLER,** verbe trans. [3]
**1.** Dévêtir, dépouiller (qqn) de ses vêtements. ▸ Loc. ***Déshabiller** Pierre pour habiller Paul* : emprunter pour rembourser une dette ou, plus gén., déplacer un problème. **2.** Ôter ses ornements à (qqch.). **3.** Fig. Démasquer, révéler (qqn, qqch.). PRONOM. **1.** Ôter ses vêtements. **2.** Fig. Tout dire de soi, sans pudeur. XV$^{e}$ s. ; ☞ *habiller* + *dé-*$^{2}$ ; [dezabije].

**DÉSHABITUER,** verbe trans. [3]
Faire renoncer (qqn) à une habitude. PRONOM. **Se déshabituer de.** Perdre l'habitude de. Déb. XV$^{e}$ s. ; ☞ *habituer* + *dé-*$^{2}$ ; [dezabitɥe].

**DÉSHERBAGE,** subst. m.
Action de désherber ; son résultat. 1907 ; ☞ *désherber* ; [dezɛʀbaʒ].

**DÉSHERBANT, ANTE,** adj. et subst. m.
Se dit d'un produit utilisé pour désherber. XX$^{e}$ s. ; p. pr. de *désherber* ; [dezɛʀbɑ̃, ɑ̃t].

**DÉSHERBER,** verbe trans. [3]
Extirper, éliminer les mauvaises herbes de (une surface) : ***Désherber** un jardin, une allée.* 1837 ; ☞ *herbe* + *dé-*$^{2}$ ; [dezɛʀbe].

**DÉSHÉRENCE,** subst. f.
*Dr.* Absence d'héritiers pour recueillir une succession, qui revient alors à l'État : *Biens tombés en **déshérence**.* ▸ Loc. *En **déshérence*** : à l'abandon (littér.). 1285 ; anc. fr. *heir*, « héritier », + *dé-*$^{2}$ ; [dezeʀɑ̃s].

**DÉSHÉRITÉ, ÉE,** adj. et subst.
ADJ. **1.** Privé d'héritage. **2.** Ext. Privé d'avantages. SUBST. Personne très démunie, défavorisée. XII$^{e}$ s. ; p. p. de *déshériter* ; [dezeʀite].

**DÉSHÉRITER,** verbe trans. [3]
**1.** Exclure (qqn) d'un héritage auquel il a droit. **2.** Ext. Priver (qqn) d'avantages naturels : *La vie l'a **déshérité**.* Mil. XII$^{e}$ s. ; ☞ *hériter* + *dé-*$^{2}$ ; [dezeʀite].

**DÉSHONNÊTE,** adj.
Contraire à la décence, à la morale (littér.). Mil. XIII$^{e}$ s. ; ☞ *honnête* + *dé-*$^{2}$ ; [dezɔnɛt].

**DÉSHONNEUR,** subst. m.
**1.** Perte de l'honneur : *Tomber dans le **déshonneur**.* **2.** Méton. Ce qui déshonore. Fin XI$^{e}$ s. ; ☞ *honneur* + *dé-*$^{2}$ ; [dezɔnœʀ].

**DÉSHONORANT, ANTE,** adj.
Qui déshonore : *Des accusations **déshonorantes**.* 1748 ; p. pr. de *déshonorer* ; [dezɔnɔʀɑ̃, ɑ̃t].

**DÉSHONORER,** verbe trans. [3]
**1.** Salir l'honneur de (qqn), discréditer. **2.** Enlaidir, dégrader (qqch.) : *Tout ce béton **déshonore** la côte.* PRONOM. Agir de manière à perdre son honneur. Fin XII$^{e}$ s. ; ☞ *honorer* + *dé-*$^{2}$ ; [dezɔnɔʀe].

**DÉSHUILER,** verbe trans. [3]
Ôter l'huile de (qqch.) : ***Déshuiler** des eaux usées, de la laine.* 1838 ; ☞ *huiler* + *dé-*$^{2}$ ; [dezɥile].

**DÉSHUMANISATION,** subst. f.
Action de déshumaniser ; son résultat. 1870 ; ☞ *déshumaniser* ; [dezymanizasjɔ̃].

**DÉSHUMANISER,** verbe trans. [3]
Enlever tout caractère humain à (qqn, qqch.). 1647 ; ☞ *humaniser* + *dé-*$^{2}$ ; [dezymanize].

**DÉSHYDRATATION,** subst. f.
**1.** Action d'enlever l'eau que contient une substance ou un corps ; son résultat. **2.** *Chim.* Transformation d'une ou de plusieurs molécules d'un composé chimique avec élimination d'une ou de plusieurs molécules d'eau. 1844 ; ☞ *hydratation* + *dé-*$^{2}$ ; [dezidʀatasjɔ̃].

**DÉSHYDRATER,** verbe trans. [3]
Provoquer la déshydratation de (qqn, qqch.) ; empl. adj. : *Un épiderme **déshydraté**.* PRONOM. Perdre son eau. 1864 ; ☞ *hydrater* + *dé-*$^{2}$ ; [dezidʀate].

**DÉSHYDROGÉNATION,** subst. f.
Action de déshydrogéner. 1839 ; ☞ *hydrogénation* + *dé-*$^{2}$ ; [dezidʀɔʒenasjɔ̃].

**DÉSHYDROGÉNER,** verbe trans. [8]
*Chim.* Enlever un ou plusieurs atomes d'hydrogène à (un composé chimique). 1845 ; ☞ *hydrogéner* + *dé-*$^{2}$ ; [dezidʀɔʒene].

**DÉSIDÉRABILITÉ,** subst. f.
*Écon.* Utilité. 1883 ; lat. *desiderabilis*, « désirable » ; [dezideʀabilite].

**DESIDERATA,** subst. m. plur.
Ce dont on déplore l'absence ; par ext., souhaits, requêtes : *Formuler des **desiderata**.* 1797 ; lat. *desiderata*, de *desiderare*, « désirer » ; le sing., *desideratum*, est rare ; [dezideʀata].

**DESIGN,** subst. m. et adj. inv.
Anglic. SUBST. Recherche esthétique et technologique axée sur la production industrielle d'objets et de meubles aux formes nouvelles et fonctionnelles. ADJ. Conçu selon les règles du **design** : *Une théière, une table **design**.* V. 1960 ; angl. *design*, « dessin, plan » ; recomm. off. *stylique* ; [dizajn].

**DÉSIGNATION,** subst. f.
**1.** Action de désigner ; dénomination. **2.** Nomination : ***Désignation** au poste de président.* 1355 ; lat. *designatio*, « indication » ; [deziɲasjɔ̃].

**DESIGNER,** subst. m.
Spécialiste du design (anglic.). V. 1970 ; mot anglo-amér. ; recomm. off. *stylicien* ; [dizajnœʀ].

**DÉSIGNER,** verbe trans. [3]
**1.** Indiquer, signaler (qqn, qqch.) à l'attention d'autrui, par un signe, un mot, un geste... : *Il me **désigna** le chemin d'un geste de la main.* **2.** Signifier, représenter : *Le symbole ℝ **désigne** l'ensemble des nombres réels.* **3.** Choisir (qqn) pour une fonction : *Je l'**ai désigné** pour être mon successeur.* 1377 ; lat. *designare*, de *signum*, « signe » ; [deziɲe].

**DÉSILICIAGE,** subst. m.
*Techn.* Action d'éliminer la silice contenue dans les eaux naturelles ou industrielles. 1959 ; ☞ *silice* + *dé-*$^{2}$ ; [desilisjaʒ].

**DÉSILLUSION,** subst. f.
Perte d'une illusion, déception, désenchantement. 1834 ; ☞ *illusion* + *dé-*$^{2}$ ; [dezil(l)yzjɔ̃].

**DÉSILLUSIONNEMENT,** subst. m.
Action de désillusionner ; son résultat. 1828 ; ☞ *désillusionner* ; [dezil(l)yzjɔnmɑ̃].

**DÉSILLUSIONNER,** verbe trans. [3]
Décevoir (qqn) en lui enlevant ses illusions. 1790 ; ☞ *illusion* + *dé-*$^{2}$ ; [dezil(l)yzjɔne].

**DÉSINCARCÉRATION,** subst. f.
*Techn.* Action de désincarcérer ; son résultat. V. 1980 ; ☞ *incarcération* + *dé-*$^{2}$ ; [dezɛ̃kaʀseʀasjɔ̃].

**DÉSINCARCÉRER,** verbe trans. [8]
Extraire (qqn) d'un véhicule accidenté. V. 1980 ☞ *incarcérer* + *dé-*$^{2}$ ; [dezɛ̃kaʀseʀe].

**DÉSINCARNATION,** subst. f.
Fait d'être désincarné. 1913 ; ☞ *désincarner* [dezɛ̃kaʀnasjɔ̃].

**DÉSINCARNÉ, ÉE,** adj.
**1.** Privé de son enveloppe charnelle : *Une âm[e] **désincarnée**.* **2.** Fig. Qui est détaché des plaisi[rs] de la chair ; qui méprise les choses matérielle[s]. 1891 ; p. p. de *désincarner* ; [dezɛ̃kaʀne].

**DÉSINCARNER,** verbe trans. [3]
**1.** Dégager (qqn) de son corps, de sa chair (ra[re] et littér.). **2.** Fig. Dégager (qqn, qqch.) du concre[t], idéaliser : *L'admiration tend à **désincarner** les gran[ds] hommes.* PRONOM. Quitter son enveloppe charnelle au fig., perdre le sens du réel, du concret. 1891 ☞ *incarner* + *dé-*$^{2}$ ; [dezɛ̃kaʀne].

**DÉSINCRUSTANT, ANTE,** adj. et subst. m
*Techn.* Se dit d'une substance qui dissout les dépô[ts] calcaires dans les chaudières, les radiateur[s]. ADJ. Qui nettoie la peau : *Crème **désincrustant[e]*** 1878 ; p. pr. de *désincruster* ; [dezɛ̃kʀystɑ̃, ɑ̃t].

**DÉSINCRUSTATION,** subst. f.
*Techn.* Action de désincruster ; son résultat. F[in] XIX$^{e}$ s. ; ☞ *désincruster* ; [dezɛ̃kʀystasjɔ̃].

**DÉSINCRUSTER,** verbe trans. [3]
**1.** *Techn.* Enlever les incrustations de, détartr[er] (qqch.). **2.** Débarrasser (la peau) des impureté[s]. 1860 ; ☞ *incruster* + *dé-*$^{2}$ ; [dezɛ̃kʀyste].

**DÉSINDEXER,** verbe trans. [3]
*Écon.* Mettre fin à l'indexation de (une valeur) ***Désindexer** les loyers par rapport au coût de [la] construction.* V. 1980 ; ☞ *indexer* + *dé-*$^{2}$ [dezɛ̃dɛkse].

**DÉSINDUSTRIALISATION,** subst. f.
*Écon.* Recul du secteur industriel ; transfert des em[]plois de l'industrie vers d'autres secteurs. V. 1980 ☞ *industrialisation* + *dé-*$^{2}$ ; [dezɛ̃dystʀijalizasjɔ̃].

**DÉSINDUSTRIALISER,** verbe trans. [3]
*Écon.* Réduire ou supprimer les industries de (un[e] région, un secteur). V. 1980 ; ☞ *industrialise[r]* + *dé-*$^{2}$ ; [dezɛ̃dystʀijalize].

**DÉSINENCE,** subst. f.
**1.** *Ling.* Terminaison grammaticale variable qu[i] s'ajoute au radical ou au thème des verbes, de[s] adjectifs ou des noms et qui en permet la flexion *Dans « chantons », « chant- » est le radical et « -ons [»] la **désinence**.* **2.** *Bot.* Terminaison de certains or[]ganes. XIV$^{e}$ s. ; lat. *desinere*, « cesser, mettre u[n] terme » ; [dezinɑ̃s].

**DÉSINENTIEL, ELLE,** adj.
*Ling.* **1.** Qui présente des désinences : *Une langu[e] **désinentielle**.* **2.** Qui a trait à une désinenc[e]. 1803 ; ☞ *désinence* ; [dezinɑ̃sjɛl].

**DÉSINFECTANT, ANTE,** adj. et subst. m
Se dit d'une substance ou d'un agent qui désinfect[e]. 1812 ; p. pr. de *désinfecter* ; [dezɛ̃fɛktɑ̃, ɑ̃t].

**DÉSINFECTER,** verbe trans. [3]
Éliminer les germes pathogènes de (une plaie, u[n] bâtiment, etc.). 1556 ; ☞ *infecter* + *dé-*$^{2}$ ; [dezɛ̃fɛkte]

**DÉSINFECTION,** subst. f.
Action de désinfecter ; son résultat. 1630 ☞ *infection* + *dé-*$^{2}$ ; [dezɛ̃fɛksjɔ̃].

**DÉSINFLATION,** subst. f.
*Écon.* Diminution de l'inflation. V. 1970 ; ☞ *i[n]flation* + *dé-*$^{2}$ ; [dezɛ̃flasjɔ̃].

**DÉSINFORMATION,** subst. f.
Action de désinformer ; son résultat. 1954 ☞ *information* + *dé-*$^{2}$ ; [dezɛ̃fɔʀmasjɔ̃].

**DÉSINFORMER,** verbe trans. [3]
Donner à (qqn, un groupe) des information[s] tronquées ou fausses, en partic. par le biais de[s] médias. 1959 ; ☞ *informer* + *dé-*$^{2}$ ; [dezɛ̃fɔʀme]

**DÉSINHIBER,** verbe trans. [3]
Libérer (qqn) de ses inhibitions. V. 1980 ☞ *inhiber* + *dé-*$^{2}$ ; [dezinibe].

**DÉSINSECTISATION,** subst. f.
Destruction systématique des insectes nuisible[s]. 1932 ; ☞ *insecte* + *dé-*$^{2}$ ; [dezɛ̃sɛktizasjɔ̃].

**DÉSINSECTISER,** verbe trans. [3]
Soumettre (un produit, un lieu) à une désinsectisa[]tion. 1932 ; ☞ *insecte* + *dé-*$^{2}$ ; [dezɛ̃sɛktize].

**DÉSINTÉGRATION,** subst. f.
**1.** Action de désintégrer ; fait de se désintégre[r]. **2.** *Phys. nucl.* et *Phys. part.* Transformation, sponta[née]

née ou provoquée, d'un noyau atomique ou d'une particule élémentaire en un ou plusieurs noyaux ou particules, associée à une émission d'énergie. Fin XIXe s. ; ☞ désintégrer ; [dezɛ̃tegʀasjɔ̃].

**DÉSINTÉGRER,** verbe trans. [8]
**1.** *Phys. nucl.* et *Phys. part.* Provoquer la désintégration de (un noyau atomique ou une particule élémentaire). **2.** Ext. Détruire l'intégrité de (qqch.), réduire en particules : ***Désintégrer** un rocher.* **3.** Fig. Détruire complètement, faire perdre sa cohésion à : *L'alcool **a désintégré** bien des foyers* ; empl. pronom. : *Leur communauté **s'est désintégrée.*** Fin XIXe s. ; ☞ intégrer + dé-2 ; [dezɛ̃tegʀe].

**DÉSINTÉRESSÉ, ÉE,** adj.
Qui n'est pas gouverné ou dicté par l'intérêt personnel, le profit : *Un ami **désintéressé** ; Une proposition **désintéressée.*** Mil. XVIIe s. ; p. p. de désintéresser ; [dezɛ̃teʀese].

**DÉSINTÉRESSEMENT,** subst. m.
**1.** Qualité d'une personne désintéressée, générosité. **2.** Désintérêt. **3.** Action de désintéresser qqn. 1649 ; ☞ désintéresser ; [dezɛ̃teʀɛsmɑ̃].

**DÉSINTÉRESSER,** verbe trans. [3]
**1.** Indemniser (qqn) ; payer son dû à (qqn). **2.** Ruiner l'intérêt, la curiosité de (qqn) pour qqch. : ***Désintéresser** les élèves de Racine.* PRONOM. **Se désintéresser de.** Ne plus juger digne d'intérêt : ***Se désintéresser** de tout.* 1552 ; ☞ intéresser + dé-2 ; [dezɛ̃teʀese].

**DÉSINTÉRÊT,** subst. m.
Manque d'intérêt ; indifférence. 1830 ; ☞ désintéresser, d'apr. intérêt ; [dezɛ̃teʀɛ].

**DÉSINTOXICATION,** subst. f.
*Méd.* Action de désintoxiquer, de se désintoxiquer ; son résultat. 1862 ; ☞ désintoxiquer ; [dezɛ̃tɔksikasjɔ̃].

**DÉSINTOXIQUER,** verbe trans. [3]
**1.** *Méd.* Guérir (qqn) d'une intoxication. ► Libérer (qqn) de la dépendance à l'égard d'une substance toxique (tabac, alcool, drogue) ; empl. pronom., suivre une cure de désintoxication. **2.** Éliminer les toxines de (un organisme). **3.** Fig. Libérer (qqn) d'une habitude, d'une influence jugée néfaste : ***Désintoxiquer** les enfants de la télévision.* 1862 ; ☞ intoxiquer + dé-2 ; [dezɛ̃tɔksike].

**DÉSINVESTIR,** verbe [19]
TRANS. **1.** Retirer à (qqn) une fonction, une mission dont on l'avait investi. **2.** *Écon.* Retirer (tout ou partie du capital investi dans une affaire). **3.** *Milit.* Quitter (une place investie). INTRANS. *Psychanal.* Cesser d'investir (dans une activité, une personne). 1829 (fin XVIe s., se débarrasser) ; ☞ investir + dé-2 ; [dezɛ̃vɛstiʀ].

**DÉSINVESTISSEMENT,** subst. m.
Action de désinvestir ; son résultat. 1846 ; ☞ désinvestir ; [dezɛ̃vɛstismɑ̃].

**DÉSINVOLTE,** adj.
**1.** Qui est à l'aise, dégagé dans ses gestes, son allure. **2.** Qui manifeste une liberté, une légèreté excessive ; impertinent. Mil. XVIIIe s. ; ital. disinvolto, de l'esp. desenvuelto, du lat. volvere, « faire rouler » ; [dezɛ̃vɔlt].

**DÉSINVOLTURE,** subst. f.
Comportement désinvolte. 1836 ; ital. disinvoltura, de l'esp. desenvoltura ; [dezɛ̃vɔltyʀ].

**DÉSIR,** subst. m.
**1.** Perception de l'absence d'un objet, réel ou imaginaire, avec le sentiment que sa possession peut assurer le bonheur ou le plaisir : *Le plaisir imaginé s'appelle **désir*** (Ricœur). **2.** Force qui anime qqn et l'incline à réaliser ses aspirations. ► Pulsion sexuelle qui pousse les humains à s'unir charnellement. **3.** Méton. Ce qui est désiré ; souhait : *Partir était son unique **désir.*** Fin XIIe s. ; ☞ désirer ; [deziʀ].

**DÉSIRABLE,** adj.
**1.** Qui suscite le désir : *Une femme **désirable.*** **2.** Souhaitable. Déb. XIIe s. (mil. XIe s., désireux) ; ☞ désirer ; [deziʀabl].

**DÉSIRER,** verbe trans. [3]
**1.** Avoir le désir de (qqch.) : *Il **désire** la fortune.* **2.** Souhaiter (qqch.) : *Elle **désire** s'en aller.* **3.** Éprouver du désir sexuel à l'égard de (qqn). **4.** Loc. ***Laisser à désirer*** : ne pas être satisfaisant ; ***Se faire désirer*** : se faire attendre. Mil. XIe s. ; lat. desiderare, « regretter l'absence de, souhaiter » ; [deziʀe].

**DÉSIREUX, EUSE,** adj.
Qui désire qqch. : *Il est **désireux** de s'occuper de cette affaire.* Mil. XIe s. ; ☞ désirer ; [deziʀø, øz].

**DÉSISTEMENT,** subst. m.
Action de se désister. XVIe s. ; ☞ se désister ; [dezistəmɑ̃].

**DÉSISTER (SE),** verbe pronom. [3]
**1.** *Dr.* **Se désister de.** Renoncer à (un droit, une procédure). **2.** Retirer sa candidature. XIVe s. ; lat. desistere, « renoncer à, cesser de » ; [deziste].

**DESMAN,** subst. m.
*Zool.* Mammifère de la famille des Talpidés, vivant dans les cours d'eau (Pyrénées, Asie). De la taille d'un rat, il se nourrit surtout de petits crustacés et de petits poissons. 1763 ; suédois desmanratta, « rat musqué » ; [dɛsmɑ̃].

© J. Daffis-Jacana

*Desman des Pyrénées.*

**DÉSOBÉIR,** verbe trans. indir. [19]
**Désobéir à. 1.** Ne pas obéir à (qqn), soit en ne faisant pas ce qu'il a demandé, soit en faisant ce qu'il a interdit ; empl. abs. : *Les enfants **ont désobéi.*** **2.** Méton. Enfreindre (un ordre, une loi) : ***Désobéir au règlement.*** Fin XIIIe s. ; ☞ obéir + dé-2 ; [dezɔbeiʀ].

**DÉSOBÉISSANCE,** subst. f.
**1.** Attitude de celui qui n'obéit pas. **2.** Méton. Acte par lequel on désobéit. 1283 ; ☞ désobéissant ; [dezɔbeisɑ̃s].

**DÉSOBÉISSANT, ANTE,** adj.
Qui désobéit : *Une enfant **désobéissante.*** 1283 ; p. pr. de désobéir ; [dezɔbeisɑ̃, ɑ̃t].

**DÉSOBLIGEANCE,** subst. f.
Attitude ou action désobligeante, vexante. 1798 ; ☞ désobliger ; [dezɔbliʒɑ̃s].

**DÉSOBLIGEANT, ANTE,** adj.
Qui désoblige, qui froisse. 1656 ; p. pr. de désobliger ; [dezɔbliʒɑ̃, ɑ̃t].

**DÉSOBLIGER,** verbe trans. [5]
Littér. Blesser (qqn) dans son amour-propre ; causer à (qqn) un vif déplaisir. 1636 (1307, délier d'une obligation) ; ☞ obliger + dé-2 ; [dezɔbliʒe].

**DÉSOBSTRUCTION,** subst. f.
Action de désobstruer ; son résultat. ► *Chir.* Action de débarrasser un canal, une cavité de ce qui l'obstrue (par ex. d'un caillot sanguin). 1832 ; ☞ obstruction + dé-2 ; [dezɔpstʀyksjɔ̃].

**DÉSOBSTRUER,** verbe trans. [3]
Débarrasser (qqch.) de ce qui l'obstrue, déboucher. 1734 ; ☞ obstruer + dé-2 ; [dezɔpstʀɥe].

**DÉSOCIALISATION,** subst. f.
Action d'écarter qqn ou de s'écarter soi-même de la vie sociale ; la situation qui en résulte. XXe s. ; ☞ socialisation + dé-2 ; [desɔsjalizasjɔ̃].

**DÉSOCIALISER,** verbe trans. [3]
Faire subir à (qqn) un processus de désocialisation. 1919 ; ☞ socialiser + dé-2 ; [desɔsjalize].

**DÉSODÉ, ÉE,** adj.
*Méd.* Sans sodium, sans sel : *Suivre un régime **désodé.*** XXe s. ; ☞ sodé + dé-2 ; [desɔde].

**DÉSODORISANT, ANTE,** adj. et subst. m.
Se dit d'un produit qui absorbe les mauvaises odeurs. 1889 ; p. pr. de désodoriser ; [dezɔdɔʀizɑ̃, ɑ̃t].

**DÉSODORISER,** verbe trans. [3]
**1.** Éliminer l'odeur de (qqch.) : ***Désodoriser** la paraffine.* **2.** Débarrasser (un local) de ses mauvaises odeurs, avec un produit chimique ou par un traitement adapté. 1889 ; lat. odor, « odeur », + dé-2 ; [dezɔdɔʀize].

**DÉSŒUVRÉ, ÉE,** adj. et subst.
Se dit d'une personne qui n'a pas ou plus d'activité, ou, par ext., qui s'ennuie. ADJ. Qui est marqué par l'absence d'activité, d'animation (littér.) : *Une matinée **désœuvrée.*** 1692 ; ☞ œuvre + dé-2 ; [dezœvʀe].

**DÉSŒUVREMENT,** subst. m.
**1.** Absence d'activité. **2.** Ext. Le sentiment d'accablement qui en résulte (littér.). 1748 ; ☞ désœuvré ; [dezœvʀəmɑ̃].

**DÉSOLANT, ANTE,** adj.
Qui désole, accablant ; par hyperb., qui ennuie, qui indispose. 1718 ; p. pr. de désoler ; [dezɔlɑ̃, ɑ̃t].

**DÉSOLATION,** subst. f.
**1.** Littér. Action de désoler, de dévaster un lieu ; son résultat. **2.** Fig. Grand chagrin, affliction. Fin XIIe s. ; bas lat. desolatio ; [dezɔlasjɔ̃].

**DÉSOLÉ, ÉE,** adj.
**1.** Désert, inhabité ; ravagé : *Paysage **désolé.*** **2.** Fig. Plongé dans la désolation. **3.** Contrarié, confus. ► Loc. ***Être désolé de*** (+ inf.), ***que*** (+ subj.) : regretter de ou que. ► Empl. exclam. ***Désolé !*** : je regrette ! Mil. XIVe s. ; p. p. de désoler ; [dezɔle].

**DÉSOLER,** verbe trans. [3]
**1.** Littér. Dévaster, dépeupler (un lieu). **2.** Fig. Causer une peine profonde à (qqn) ; par hyperb., contrarier, indisposer (qqn). PRONOM. Se lamenter, s'affliger. Fin XIIe s. ; lat. desolare ; [dezɔle].

**DÉSOLIDARISER,** verbe trans. [3]
**1.** Défaire les liens qui rendaient (qqn) solidaire d'un groupe, d'une action, d'une pensée : *Le testament le **désolidarise** des autres héritiers* ; empl. pronom. : *Il **s'est désolidarisé** de, d'avec ses camarades.* **2.** *Techn.* Désassembler, dissocier (qqch.). Fin XIXe s. ; ☞ solidariser + dé-2 ; [desɔlidaʀize].

**DÉSOPERCULER,** verbe trans. [3]
*Apic.* Ôter l'opercule obturant l'alvéole de (un rayon de miel). 1878 ; ☞ opercule + dé-2 ; [dezɔpɛʀkyle].

**DÉSOPILANT, ANTE,** adj.
Qui provoque le rire, hilarant. XIXe s. ; p. pr. de désopiler ; [dezɔpilɑ̃, ɑ̃t].

**DÉSOPILER,** verbe trans. [3]
**1.** Vx. *Méd.* Désobstruer (un canal, une cavité). **2.** Fig. ***Désopiler** la rate* (vieilli) ou, par ell., ***Désopiler*** : déclencher le rire. 1495 ; anc. fr. opiler, du lat. oppilare, « obstruer », + dé-2 ; [dezɔpile].

**DÉSORBITER,** verbe trans. [3]
**1.** Faire sortir de son orbite. **2.** Fig. Troubler profondément (qqn). 1830 ; ☞ orbite + dé-2 ; [dezɔʀbite].

**DÉSORDONNÉ, ÉE,** adj.
**1.** Qui ne présente pas un aspect ordonné : *Salon **désordonné.*** **2.** Qui n'a pas d'ordre dans ses affaires, dans ses gestes, dans son esprit ou dans ses mœurs. Déb. XIIIe s. ; ☞ ordonné + dé-2 ; [dezɔʀdɔne].

**DÉSORDRE,** subst. m.
**1.** Désorganisation sociale, trouble de l'ordre public. **2.** Manque d'ordre dans un lieu, dans une tenue : *Une cuisine en **désordre.*** **3.** Absence de méthode, d'organisation. **4.** État physiologique ou psychique qui présente des perturbations : ***Désordre** organique.* **5.** Transgression des règles, de la morale : *Une vie de **désordre.*** 1377 (fin XIIe s., manquement à la règle monastique) ; ☞ ordre + dé-2 ; [dezɔʀdʀ].

**DÉSORGANISATEUR, TRICE,** adj.
Qui désorganise : *Un élément **désorganisateur.*** 1792 ; ☞ désorganiser ; [dezɔʀganizatœʀ, tʀis].

**DÉSORGANISATION,** subst. f.
**1.** Action de désorganiser ; son résultat. **2.** *Pathol.* Perturbation physiologique ou psychique. 1764 ; ☞ désorganiser ; [dezɔʀganizasjɔ̃].

**DÉSORGANISER,** verbe trans. [3]
Détruire l'organisation, la structure, l'ordonnance de. XVIe s. ; ☞ organiser + dé-2 ; [dezɔʀganize].

**DÉSORIENTATION,** subst. f.
**1.** Action de désorienter ; fait d'être désorienté. **2.** *Pathol.* Incapacité d'établir des repères dans l'espace ou dans le temps. 1876 ; ☞ désorienter ; [dezɔʀjɑ̃tasjɔ̃].

**DÉSORIENTÉ, ÉE,** adj.
Qui ne sait plus où il est, où il va ; désemparé, troublé. 1636 ; p. p. de désorienter ; [dezɔʀjɑ̃te].

**DÉSORIENTER,** verbe trans. [3]
**1.** Déconcerter, troubler (qqn). **2.** Altérer l'orientation de (une boussole, un compas). **3.** Ext. Faire perdre la direction à suivre à (qqn). 1617 ; ☞ orienter + dé-2 ; [dezɔʀjɑ̃te].

**DÉSORMAIS,** adv.
À partir de ce moment-ci, dorénavant, à l'avenir. Mil. XIIe s. ; formé de dès, de ore (vx), « maintenant », et de mais (vx), « plus » ; [dezɔʀmɛ].

**DÉSORPTION,** subst. f.
*Chim.* Phénomène par lequel les solides rejettent

les gaz qu'ils contiennent ou qui adhèrent à leur surface. 1949 ; ☞ *absorption* + *dé-*[2] ; [desɔʀpsjɔ̃].

**DÉSOSSEMENT, subst. m.**
Action de désosser ; fait de se désosser. 1798 ; ☞ *désosser* ; [dezɔsmɑ̃].

**DÉSOSSER, verbe trans. [3]**
**1.** Retirer l'os ou les os de (une pièce de boucherie) ; par anal., retirer les arêtes de (un poisson). **2.** Démonter les éléments constitutifs de (un ensemble) : ***Désosser** une voiture* ; par anal. : ***Désosser** un texte*, l'analyser avec minutie. **Pronom.** Se désarticuler. Mil. XIVe s. ; ☞ *os* + *dé-*[2] ; [dezɔse].

**DÉSOXYDANT, ANTE, adj. et subst. m.**
**Adj.** *Chim.* Qui désoxyde, réducteur (☞ *oxydo-réduction*). **Subst.** *Métall.* Produit utilisé pour purifier un métal ou un alliage, corps plus avide d'oxygène que le corps à purifier : *L'aluminium, le manganèse, le silicium sont des **désoxydants** des aciers.* 1923 ; p. pr. de *désoxyder* ; [dezɔksidɑ̃, ɑ̃t].

**DÉSOXYDATION, subst. f.**
**1.** *Chim.* Action de désoxyder (synon. *réduction*). **2.** *Métall.* Traitement pratiqué sur un métal, à l'aide d'un désoxydant, pour enlever l'oxygène qui y est dissous. 1794 ; ☞ *oxydation* + *dé-*[2] ; [dezɔksidasjɔ̃].

**DÉSOXYDER, verbe trans. [3]**
**1.** *Chim.* Réduire. **2.** *Métall.* Effectuer la désoxydation de. 1798 ; ☞ *oxyder* + *dé-*[2] ; [dezɔkside].

**DÉSOXYGÉNATION, subst. f.**
Action de désoxygéner ; son résultat. 1797 ; ☞ *désoxygéner* ; [dezɔksiʒenasjɔ̃].

**DÉSOXYGÉNER, verbe trans. [8]**
*Chim.* Éliminer ou réduire l'oxygène présent dans (un composé, un mélange). 1797 ; ☞ *oxygéner* + *dé-*[2] ; [dezɔksiʒene].

**DÉSOXYRIBONUCLÉASE, subst. f.**
*Biochim.* Enzyme qui catalyse le découpage hydrolytique de l'A. D. N. en fragments. V. 1970 ; ☞ *ribonucléase* + *désoxy-* ; [dezɔksiʀibonykleɑz].

**DÉSOXYRIBONUCLÉIQUE, adj.**
*Biochim.* et *Génét.* Qualifie des macromolécules biologiques (aussi appelées A. D. N.) constituées par l'enchaînement d'un très grand nombre de molécules de quatre sortes : les désoxyribonucléotides dont la spécificité est liée à la présence d'une base azotée purique (adénine et guanine) ou pyrimidique (thymine et cytosine). 1960 ; ☞ *ribonucléique* + *désoxy-* ; [dezɔksiʀibonykleik].

Génétique – Découverts en 1868 par Miescher, la fonction de support de l'information génétique des A. D. N. n'a été connue qu'en 1944 grâce aux expériences sur la transformation génétique de l'équipe new-yorkaise d'Avery. Un modèle permettant d'envisager comment les molécules s'autodupliquent a été proposé par Watson et Crick en 1953 pour la structure de l'A. D. N. ; il est toujours valable dans son principe à l'heure actuelle. Les molécules d'A. D. N. sont constituées par l'association de 2 chaînes polynucléotidiques complémentaires orientées en sens inverse et associées l'une à l'autre par des liaisons hydrogène qui s'établissent entre les bases adénine et thymine d'une part et guanine et cytosine d'autre part. La spécificité des A. D. N. est due à l'ordre dans lequel se succèdent les paires de nucléotides.

**DÉSOXYRIBOSE, subst. m.**
*Biochim.* Molécule dérivée du ribose, sucre simple à cinq carbones (pentose), dont un des radicaux —OH est remplacé par un atome d'hydrogène. Alors que le ribose entre dans la composition des ribonucléotides (présents dans l'A. R. N.), le **désoxyribose** intervient dans la composition des désoxyribonucléotides (présents dans l'A. D. N.). V. 1960 ; ☞ *ribose* + *désoxy-* ; [dezɔksiʀiboz].

**DESPERADO, subst. m.**
Hors-la-loi prêt à tout. 1887 ; anglo-amér. *desperado*, de l'esp. *desperado*, « désespéré » ; [dɛspeʀado].

**DESPOTE, subst. m.**
**1.** Souverain, chef d'État qui exerce un pouvoir arbitraire et absolu (péj.). **2.** *Hist.* Titre porté par certains princes de l'Empire byzantin. **3.** Ext. Personne très autoritaire avec son entourage. Fin XIIIe s. ; gr. *despotês*, « maître absolu » ; [dɛspɔt].

**DESPOTIQUE, adj.**
Qui est propre au despote. 1370 ; gr. *despotikos*, « qui exerce un pouvoir absolu » ; [dɛspɔtik].

**DESPOTIQUEMENT, adv.**
De manière despotique. Fin XIVe s. ; ☞ *despotique* ; [dɛspɔtikmɑ̃].

**DESPOTISME, subst. m.**
**1.** Pouvoir du despote, absolu et arbitraire, oppressif et solitaire. **2.** *Hist.* ***Despotisme** éclairé* : doctrine des philosophes du XVIIIe s., qui préconise un pouvoir absolu éclairé par les lumières de la raison. **3.** Ext. Toute autorité excessive et oppressive. 1698 ; ☞ *despote* ; [dɛspɔtism].

**DESQUAMATION, subst. f.**
Action ou fait de desquamer ; son résultat. 1732 ; lat. *desquamare*, « enlever les écailles » ; [dɛskwamasjɔ̃].

**DESQUAMER, verbe [3]**
**Intrans. 1.** *Méd.* Tomber, se détacher par squames, par lambeaux, en parlant de la peau. **2.** *Zool.* Tomber, en parlant des écailles de certains animaux. **Trans.** Débarrasser (l'épiderme) des cellules mortes ; empl. pronom. : *La peau se **desquame**.* 1836 ; lat. *desquamare*, « enlever les écailles » ; [dɛskwame].

**DESQUELS, voir LEQUEL**

**DESSABLEMENT, subst. m.**
Action de dessabler ; son résultat. ► *Techn.* Élimination des matières minérales en suspension dans les eaux usées (synon. *dessablage*). XXe s. ; ☞ *dessabler* ; [desɑbləmɑ̃].

**DESSABLER, verbe trans. [3]**
Enlever le sable de (qqch.). 1765 ; ☞ *sable* (I) + *dé-*[2] ; [desɑble].

**DESSAISIR, verbe trans. [19]**
**1.** Enlever à (qqn) un bien, une responsabilité : *On l'a **dessaisie** de ses bijoux.* **2.** *Dr.* Retirer à (une juridiction) l'affaire dont elle était saisie. **Pronom. Se dessaisir de.** Se séparer volontairement de (qqch.). 1155 ; ☞ *saisir* + *dé-*[2] ; [desɛziʀ].

**DESSAISISSEMENT, subst. m.**
*Dr.* Action de dessaisir ou fait de se dessaisir ; son résultat. 1609 ; ☞ *dessaisir* ; [desɛzismɑ̃].

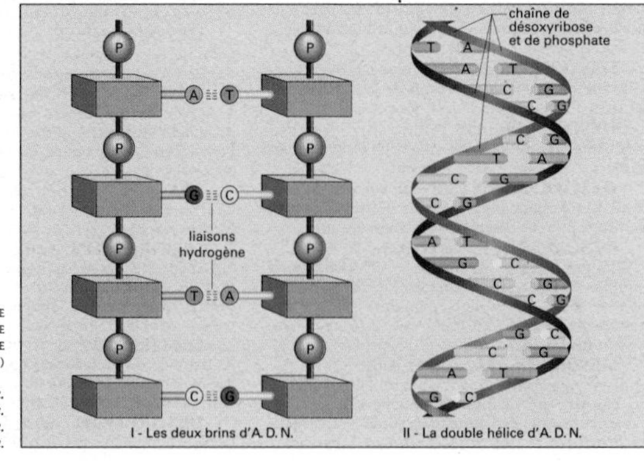


Structure de la molécule d'A. D. N. (acide désoxyribonucléique)

T : *thymine.*
G : *guanine.*
A : *adénine.*
C : *cytosine.*

**DESSALAGE, subst. m.**
**1.** Action de dessaler un terrain. **2.** *Mar.* Fait de dessaler (fam.). 1877 ; ☞ *dessaler* ; [desalaʒ].

**DESSALEMENT, subst. m.**
Action de dessaler l'eau, un aliment. 1764 ; ☞ *dessaler* ; [desalmɑ̃].

**DESSALER, verbe [3]**
**Trans.** Enlever tout ou partie du sel de : ***Dessaler** un jambon, de l'eau de mer.* **Intrans. 1.** Perdre de son sel. **2.** *Mar.* Chavirer, en parlant d'un petit voilier (fam.). **Pronom.** Perdre son innocence sexuelle, se délurer (fam.). XIIe s. ; ☞ *saler* + *dé-*[2] ; [desale].

**DESSALEUR, subst. m.**
*Techn.* Appareil servant à extraire les sels du pétrole brut. XXe s. ; ☞ *dessaler* ; [desalœʀ].

**DESSALURE, subst. f.**
Diminution de la salinité de l'eau de mer. 1906 ; ☞ *salure* + *dé-*[2] ; [desalyʀ].

**DESSANGLER, verbe trans. [3]**
Retirer les sangles de (un cheval, un harnais, etc.). XIIe s. ; ☞ *sangler* + *dé-*[2] ; [desɑ̃gle].

**DESSAOULER, voir DESSOÛLER**

**DESSÉCHANT, ANTE, adj.**
**1.** Qui dessèche. **2.** Fig. Qui tarit la sensibilité. Mil. XVIe s. ; p. pr. de *dessécher* ; [deseʃɑ̃, ɑ̃t].

**DESSÈCHEMENT, subst. m.**
Action de dessécher, fait de se dessécher ; état de ce qui est desséché. 1478 ; ☞ *dessécher* ; [desɛʃmɑ̃].

**DESSÉCHER, verbe trans. [8]**
**1.** Mettre à sec, déshydrater (qqch.) **2.** Ext. Amaigrir, épuiser (qqn). **3.** Fig. Tarir la sensibilité de ; empl. adj. : *Un cœur **desséché**.* **Pronom. 1.** Devenir sec. **2.** Ext. Devenir très maigre, jusqu'à l'épuisement. **3.** Fig. Devenir froid et insensible. Fin XIIe s. ; ☞ *sécher* + *dé-*[1] ; [deseʃe].

**DESSEIN, subst. m.**
Projet, intention. ► Loc. ***À dessein*** : exprès, délibérément ; ***Dans le dessein de*** : en vue de. XVe s. ; *desseigner*, anc. forme de *dessiner* ; [desɛ̃].

**DESSELLER, verbe trans. [3]**
Débarrasser (une monture) de sa selle. XIIe s. ; ☞ *seller* + *dé-*[2] ; [desele].

**DESSERRAGE, subst. m.**
Action de desserrer, fait de se desserrer ; son résultat : *Le **desserrage** d'un écrou.* 1794 ; ☞ *desserrer* ; [desɛʀaʒ].

**DESSERREMENT, subst. m.**
Desserrage. Déb. XXe s. ; ☞ *desserrer* ; [desɛʀmɑ̃].

**DESSERRER, verbe trans. [3]**
Rendre moins serré, détendre (ce qui est serré) ; empl. pronom. : *Le nœud se **desserre**.* ► Loc. *Ne pas **desserrer** les dents* : ne pas dire un mot. Mil. XIIe s. ; ☞ *serrer* + *dé-*[2] ; [deseʀe].

**DESSERT, subst. m.**
**1.** Mets sucré que l'on sert en fin de repas : *Fromage ou **dessert**.* **2.** Méton. Le moment où on le mange. 1393 ; ☞ *desservir* (II) ; [desɛʀ].

**DESSERTE (I), subst. f.**
**1.** *Relig.* Fait de desservir une chapelle, une paroisse. **2.** Fait de desservir (un lieu) par un moyen de communication ; par méton., ce moyen. 1680 (fin XIIe s., mérite digne de salaire) ; ☞ *desservir* (I) ; [desɛʀt].

**DESSERTE (II), subst. f.**
**1.** Vx. Fait de desservir (une table, un mets) ; ce que l'on dessert. **2.** Meuble ou petite table, gén. mobile, où l'on pose ce qui va être servi ou ce qui est desservi. Fin XIVe s. ; ☞ *desservir* (II) ; [desɛʀt].

**DESSERTIR, verbe trans. [19]**
*Joaill.* Retirer de sa monture (une perle, une pierre). 1751 (XIIe s., défaire) ; ☞ *sertir* + *dé-*[2] ; [desɛʀtiʀ].

**DESSERTISSAGE, subst. m.**
Action de dessertir ; son résultat. 1870 ; ☞ *dessertir* ; [desɛʀtisaʒ].

**DESSERVANT, subst. m.**
*Relig.* Prêtre qui dessert une cure, une paroisse, etc. ; empl. adj. : *Curé **desservant**.* XIVe s. ; ☞ *desservir* (I) ; [desɛʀvɑ̃].

**DESSERVIR (I), verbe trans. [28]**
**1.** *Relig.* Assurer le service de (une chapelle, une cure, une paroisse). **2.** Assurer la liaison, la communication avec (un lieu) : *Aucune ligne ne **dessert** ce hameau* ; par anal. : *La galerie **dessert** les chambres.* 1155 ; lat. *deservire*, « servir avec zèle, se consacrer à » ; [desɛʀviʀ].

1

L'ART DU **DESSIN**

1. Nature morte au serpent, *gouache de Paul Klee (1879-1940). Galerie internationale d'Art moderne, Venise.*

2. *Planche en cours d'exécution pour un dessin animé. Studios Walt Disney.*

3. L'Odalisque à l'esclave, *lavis de Jean Auguste Ingres (1780-1867). Musée du Louvre, Paris.*

4

4. Jeune Femme se couvrant la tête, *sanguine anciennement attribuée à Antoine Watteau (1684-1721). Musée Condé, Chantilly.*

5. Deux Lutteurs, *dessin de Villard de Honnecourt (XIIIe s.) illustrant un plan d'église. Bibliothèque nationale, Paris.*

6. Lièvre (détail), *aquarelle d'Albrecht Dürer (1471-1528). Musée Albertina, Vienne.*

7. Perspective d'un palais, *dessin de Léonard de Vinci (1452-1519). Bibliothèque de l'Institut de France, Paris.*

2

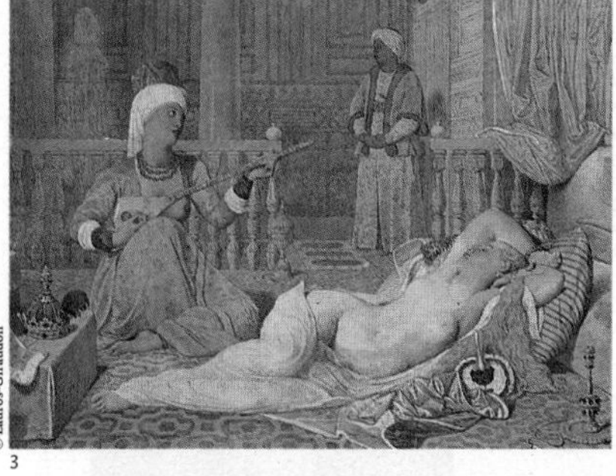



3

5

6

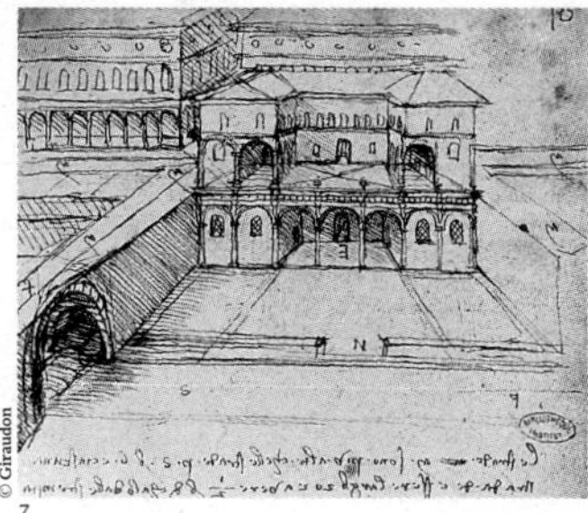





7

**DESSERVIR (II),** verbe trans. [28]
**1.** Débarrasser (une table) ; empl. abs. : *Je vais* ***desservir.*** **2.** Rendre un mauvais service à (qqn) ; médire de (qqn) pour lui nuire. ▸ Ext. Rendre difficile la réalisation de (qqch.). Fin XIVe s. ; ☞ *servir* + *dé-*[2] ; [deseʀviʀ].

**DESSÉVAGE,** subst. m.
*Techn.* Opération d'élimination de la sève des bois sciés : *Le* ***dessévage*** *s'effectue par étuvage ou par flottage.* ☞ *sève* + *dé-*[2] ; [desevaʒ].

**DESSICCATEUR,** subst. m.
*Techn.* Appareil assurant la dessiccation. 1878 ; ☞ *dessiccation* ; [desikatœʀ].

**DESSICCATIF, IVE,** adj.
Propre à dessécher. ▸ *Pharm.* Se dit d'une préparation qui assèche les plaies suintantes. 1314 ; bas lat. *desiccativus*, de *dessiccare*, « dessécher » ; [desikatif, iv].

**DESSICCATION,** subst. f.
Action de dessécher, fait de se dessécher. XIVe s. ; bas lat. *desiccatio* ; [desikasjɔ̃].

**DESSILLER,** verbe trans. [3]
**1.** *Fauconn.* Découdre les paupières de (un oiseau de proie). **2.** Fig. ***Dessiller*** *les yeux à, de qqn* : le désabuser ; empl. pronom. : *Mes yeux se* ***sont enfin dessillés.*** Fin XIIIe s. ; ☞ *ciller* + *dé-*[2] ; [desije].

**DESSIN,** subst. m.
**1.** Représentation graphique d'un sujet par une composition de lignes et d'ombres tracées sur une surface : *Un* ***dessin*** *à la plume* ; par ext., art mettant en œuvre cette technique de représentation ; par méton., la manière de dessiner, le style : *Un* ***dessin*** *nerveux, souple.* **2.** *B.-a.* Les lignes d'une œuvre, par oppos. à ses couleurs ; par ext., contour, traits : *Le* ***dessin*** *de son corps* ; par anal. : *Le* ***dessin*** *délicat d'un visage.* **3.** Fig. Profil, structure d'une œuvre : *Le* ***dessin*** *d'une mélodie, d'une danse.* **4.** *Techn.* Représentation géométrique, gén. cotée : ***Dessin*** *industriel, d'architecture.* **5.** *Cin.* ***Dessin*** *animé* : succession de **dessins** légèrement différents les uns des autres, filmés image par image et projetés à la cadence cinématographique. **6.** Loc. *Faire un* ***dessin*** *à qqn* : lui expliquer par le menu ce qu'il devrait comprendre d'emblée (fam.). 1529 ; *desseigner*, anc. forme de *dessiner*, d'apr. l'ital. *disegno* ; [desɛ̃].

**DESSINATEUR, TRICE,** subst.
Personne qui dessine, qui pratique l'art du dessin : *Bon* ***dessinateur*** *mais piètre coloriste.* ▸ *Techn.* Professionnel qui produit des dessins pour un secteur d'activité particulier : ***Dessinateur*** *industriel, de mode.* 1667 ; ☞ *dessiner* ; [desinatœʀ, tʀis].

**DESSINER,** verbe trans. [3]
**1.** Représenter (un être, un objet, un concept) par le dessin ; empl. abs. : *Tu* ***dessines*** *bien* ; empl. adj. : *Bande* ***dessinée*** (☞ *bande*). **2.** Anal. Faire apparaître (une forme) en en soulignant les contours. **Pronom. 1.** Apparaître : *Un bel arc-en-ciel se* ***dessine*** *sur l'horizon.* **2.** Fig. Se préciser : *La solution se* ***dessine*** *enfin.* 1529 ; ital. *disegnare*, du lat. *designare* ; [desine].

**DESSOLER (I),** verbe trans. [3]
*Vétér.* Enlever la sole de (un animal). Fin XIIe s. ; ☞ *sole* (III) + *dé-*[2] ; [desɔle].

**DESSOLER (II),** verbe trans. [3]
*Agric.* Changer le type d'assolement de (un champ). 1357 ; ☞ *assoler* + *dé-*[2] ; [desɔle].

**DESSOLER (III),** verbe trans. [3]
Québ. ou Région. Arracher du sol ; par anal., desceller. Fin XIVe s. ; ☞ *sol* (III) + *dé-*[2] ; [desɔle].

**DESSOUDER,** verbe trans. [3]
**1.** Séparer (ce qui est soudé) ; empl. pronom. : *La gouttière s'****est dessoudée.*** **2.** Tuer (argot.). Fin XIIe s. ; ☞ *souder* + *dé-*[2] ; [desude].

**DESSOÛLER,** verbe [3]
**Trans.** Diminuer ou faire cesser l'ivresse de (qqn) ; empl. pronom. : *Il se* ***dessoûla*** *très vite.* **Intrans.** Cesser d'être soûl. 1557 ; ☞ *soûler* + *dé-*[2] ; var. *dessaouler* ; [desule].

**DESSOUS,** prép., adv. et subst. m.
**Prép.** Sous (vx) : *Que voyez-vous* ***dessous*** *le lit ?* **Adv. 1.** Dans la partie inférieure, qui se trouve sous autre chose : *La date de fabrication du produit est indiquée* ***dessous*** ; *Ce n'est pas dans ce dossier, mais dans celui qui est* ***dessous.*** ▸ Loc. *Bras dessus bras* ***dessous*** : en se donnant le bras ; *Sens dessus* ***dessous*** : en désordre. **2.** Loc. adv. ▸ **Au-dessous.** Plus bas, en bas ou, au fig., dans une position inférieure : *J'aime, de cette colline, admirer la ville qui s'étale au-****dessous*** ; *Flaubert fut un grand écrivain, Balzac me semble bien au-****dessous.*** ▸ **En dessous.** Sous qqch. : *Tirons la commode, tes clés sont peut-être en* ***dessous.*** ▸ **Là-dessous.** Sous cet objet ou, au fig., sous cette apparence : *Cachez cette lettre là-****dessous*** ; *Qu'y a-t-il là-****dessous*** *?* ▸ **Par-dessous.** Sous : *La barrière ne s'ouvrant pas, il passa par-****dessous.*** ▸ **Ci-dessous.**

Ci-après, plus loin dans le texte : *Voyez la remarque ci-dessous.* **3.** Loc. prép. ▸ *Au-dessous de, en* **dessous** *de* : plus bas que, en bas de ; au fig. : *Être au-***dessous** *de tout*, se montrer incapable ou n'avoir aucune valeur (fam.). ▸ *De* **dessous** : d'un lieu situé sous ; *Par* **dessous** : par la partie inférieure. **Subst. 1.** Partie inférieure de qqch., endroit situé sous qqch. : *Le* **dessous** *des pieds* ; *Le* **dessous** *de l'armoire.* **2.** Ce qui est situé au niveau inférieur : *L'étage du* **dessous** ; *Les* **dessous** *d'un théâtre*, les étages situés sous la scène. ▸ Loc. *Être au trente-sixième* **dessous** : être désespéré, déprimé, dans la misère (fam.). **3.** Fig. La face cachée, les aspects secrets de qqch. : *Le* **dessous** *des cartes, du jeu* ; *Les* **dessous** *de la politique.* **Subst. plur.** Sous-vêtements, en gén. féminins : *Des* **dessous** *affriolants.* Fin $X^{e}$ s. ; bas lat. *desubtus*, de *de*, « de », et de *subtus*, « en dessous » ; [d(ə)su].

**DESSOUS-DE-BOUTEILLE, subst. m. inv.**
Plaquette, gén. ronde, sur laquelle on pose une bouteille, pour protéger la table ou la nappe. Déb. $XX^{e}$ s. ; comp. de *dessous* et de *bouteille* ; [d(ə)sudbutɛj].

**DESSOUS-DE-BRAS, subst. m. inv.**
Pièce de tissu protégeant de la sueur des aisselles. Déb. $XX^{e}$ s. ; comp. de *dessous* et de *bras* ; [d(ə)sudbʀɑ].

**DESSOUS-DE-PLAT, subst. m. inv.**
Plateau sur lequel on pose un plat, pour protéger la table ou la nappe. Fin $XIX^{e}$ s. ; comp. de *dessous* et de *plat* ; [d(ə)sudpla].

**DESSOUS-DE-TABLE, subst. m. inv.**
Argent versé clandestinement lors d'un marché. Mil. $XX^{e}$ s. ; comp. de *dessous* et de *table* ; [d(ə)sudtabl].

**DESSUINTER, verbe trans.** [3]
*Text.* Débarrasser (la laine brute) du suint. 1826 ; ☞ *suint* + *dé-*[2] ; [desɥɛ̃te].

**DESSUS, prép., adv. et subst. m.**
**Prép.** Sur (vx) : *Attrape le dictionnaire qui est* **dessus** *l'étagère.* **Adv. 1.** Qui se trouve sur autre chose, à la surface de : *Regarde sur la table, tes lunettes sont sûrement* **dessus** ; *C'est un document important, et tu laisses ton fils dessiner* **dessus** *!* ▸ Loc. *Bras* **dessus** *bras* dessous et *Sens* **dessus** dessous (☞ dessous) ; *Mettre la main* **dessus** : s'emparer de, retrouver (fam.) ; *Compter* **dessus** : tenir à, espérer vivement (fam.). **2.** Loc. adv. ▸ **Au-dessus.** Plus haut, en haut ou, au fig., d'une valeur supérieure : *La valise ne rentrait pas dans l'armoire, je l'ai mise au-***dessus** ; *Kant est un grand philosophe, et je pense qu'il n'y a personne au-dessus.* ▸ **En dessus.** Sur qqch., sur la partie supérieure de : *C'est chaud en* **dessus**, *mais froid en* dessous. ▸ **Là-dessus.** Sur cela : *Posez ce paquet là-***dessus** ; *Ne monte pas là-***dessus** *!* ▸ **Par-dessus.** Par la partie supérieure : *Au lieu de faire le tour de la table, il passa par-***dessus** ; au fig. : *Par-***dessus** *tout*, plus que tout ; *Par-***dessus** *le marché*, en plus, en outre (fam.) ; *En avoir par-***dessus** *la tête*, être las, ne plus supporter (fam.). ▸ **Ci-dessus.** Plus haut dans la page, précédemment : *Voyez la remarque ci-dessus.* **3.** Loc. prép. ▸ **Au-dessus de.** Plus haut que : *Y a-t-il qqn dans la chambre qui se trouve au-***dessus** *de la vôtre ?* **Subst. 1.** Partie supérieure de qqch., endroit situé sur qqch. : *Le* **dessus** *de la table.* **2.** Ce qui est situé au niveau supérieur : *L'étage du* **dessus** ; *Les* **dessus**, les cintres, au théâtre. **3.** Loc. *Le* **dessus** *du panier* : ce qu'il y a de meilleur, de mieux ; *Avoir le* **dessus** : être de force supérieure, en partic. dans un combat ; *Reprendre le* **dessus** : surmonter une difficulté, sortir d'une mauvaise passe. **4.** *Mus.* Anciennement, partie la plus aiguë, instrument le plus aigu d'une famille (anton. *basse*). 1119 ; lat. *desursum*, « du haut » ; [d(ə)sy].

**DESSUS-DE-LIT, subst. m. inv.**
Couvre-lit. 1870 ; comp. de *dessus* et de *lit* ; [d(ə)sydli].

**DESSUS-DE-PORTE, subst. m. inv.**
*Archit.* Décoration, peinte ou sculptée, située au-dessus d'une porte. 1653 ; comp. de *dessus* et de *porte* (I) ; [d(ə)sydpɔʀt].

**DÉSTABILISANT, ANTE, adj.**
Qui déstabilise, qui compromet l'équilibre. V. 1980 ; ☞ *déstabiliser* ; [destabilizɑ̃, ɑ̃t].

**DÉSTABILISATEUR, TRICE, adj.**
Qui vise à déstabiliser : *Menées* **déstabilisatrices.** V. 1970 ; ☞ *déstabiliser* ; [destabilizatœʀ, tʀis].

**DÉSTABILISATION, subst. f.**
Action de déstabiliser ; état, situation qui en résulte. V. 1970 ; ☞ *déstabiliser* ; [destabilizasjɔ̃].

**DÉSTABILISER, verbe trans.** [3]
Rendre instable (gén. au fig.) : **Déstabiliser** *les institutions* ; **Déstabiliser** *qqn*, le troubler. V. 1970 ; ☞ *stabiliser* + *dé-*[2] ; [destabilize].

**DÉSTALINISATION, subst. f.**
*Hist.* Rejet du culte de la personnalité et de l'exercice autoritaire du pouvoir de Staline ; moyens utilisés pour faire disparaître les traces de ce culte. 1956 ; anthropon. *Joseph Staline* + *dé-*[2] ; [destalinizasjɔ̃].

**DESTIN, subst. m.**
**1.** *Myth.* Puissance qui régit le cours de la vie. **2.** Méton. Cours de la vie considéré comme indépendant de la volonté : *Se soumettre à son* **destin** ; par ext., avenir : *Je lui prédis un* **destin** *glorieux* ; *Le* **destin** *d'une nation.* **3.** Anal. Cours de la vie, considéré comme dépendant de la volonté : *Tu es maître de ton* **destin.** Mil. $XII^{e}$ s. ; ☞ *destiner* ; [dɛstɛ̃].

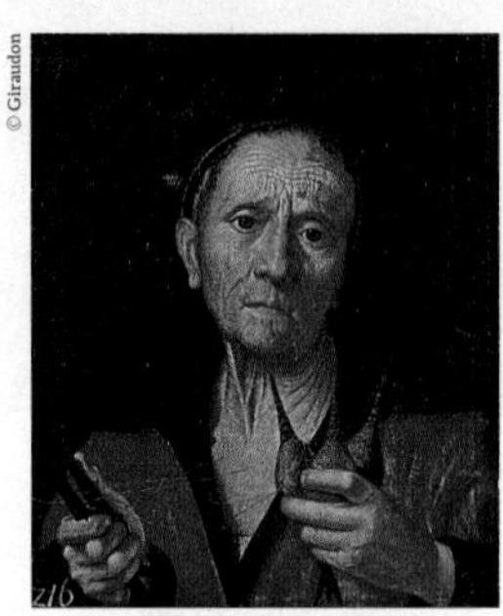


Atropos, *l'une des trois Parques, divinités antiques symbolisant le* **destin.** *Peinture sur bois attribuée à Pietro Bellotti (1627-1700). Musée des Beaux-Arts, Caen.*

**DESTINATAIRE, subst.**
Personne à qui qqch. est destiné ; en partic., personne à qui un envoi postal est adressé. 1829 ; lat. *destinatum*, de *destinare*, « destiner » ; [dɛstinatɛʀ].

**DESTINATION, subst. f.**
**1.** Affectation, emploi, usage auquel qqn ou qqch. est destiné : *La* **destination** *de ces soldats, de cet ouvrage, de cet outil.* **2.** Lieu où l'on se rend, où l'on envoie qqch. ou qqn : *Nous arrivons à* **destination.** 1690 (fin $XII^{e}$ s., choix prédestiné de Dieu) ; lat. *destinatio*, « fixation ; résolution » ; [dɛstinasjɔ̃].

**DESTINÉE, subst. f.**
**1.** Fatalité, destin. **2.** Vie, existence : *Unir deux* **destinées. Plur.** Avenir : *Être promis aux plus hautes* **destinées.** Déb. $XII^{e}$ s. ; ☞ *destiner* ; [dɛstine].

**DESTINER, verbe trans.** [3]
**1.** Fixer le destin, l'avenir de : *Voici l'épouse que je vous* **destine.** **2.** Attribuer par avance (une affectation, un emploi, un usage) à qqn, à qqch., assigner : **Destiner** *une somme à un achat* ; empl. pronom. : *Je me* **destine** *à la peinture.* **3.** Réserver : *Quel accueil va-t-il nous* **destiner** *?* Fin $XII^{e}$ s. (1155, annoncer) ; lat. *destinare* ; [dɛstine].

**DESTITUER, verbe trans.** [3]
Priver (qqn) de sa fonction, de sa charge, de son emploi. 1482 (1322, déprécier des monnaies) ; lat. *destituere*, « abandonner ; supprimer » ; [dɛstitɥe].

**DESTITUTION, subst. f.**
Action de destituer ; son résultat. 1316 ; lat. *destitutio*, « abandon » ; [dɛstitysjɔ̃].

**DÉSTOCKER, verbe trans.** [3]
*Comm.* Mettre en vente (des marchandises que l'on a stockées) ; empl. abs. : *Il a fallu* **déstocker.** V. 1970 ; ☞ *stocker* + *dé-*[2] ; [destɔke].

**DESTRIER, subst. m.**
*M. Â.* Cheval de bataille. Fin $XI^{e}$ s. ; anc. fr. *destre*, « main droite », car l'écuyer guidait ce cheval de la main droite ; [dɛstʀije].

**DESTROYER, subst. m.**
*Milit.* **1.** *Mar.* Bâtiment de moyen tonnage, rapide et bien armé, servant gén. d'escorte (synon. *contre-torpilleur*). **2.** Anal. ▸ *Aéron.* Chasseur ou bombardier à long rayon d'action. ▸ *Artill.* Char antiblindé. 1893 ; angl. *destroyer*, de *to destroy*, « détruire » ; [dɛstʀwaje] ou [-tʀɔjœʀ].

**DESTRUCTEUR, TRICE, adj. et subst.**
Se dit d'une personne ou d'une chose qui détruit. Fin $XIV^{e}$ s. ; bas lat. *destructor* ; [dɛstʀyktœʀ, tʀis].

**DESTRUCTIBLE, adj.**
Qui peut être détruit. 1764 ; lat. *destruere*, « détruire » ; [dɛstʀyktibl].

**DESTRUCTIF, IVE, adj.**
Qui est propre à détruire. 1372 ; bas lat. *destructivus* ; [dɛstʀyktif, iv].

**DESTRUCTION, subst. f.**
Action de détruire ; son résultat. 1121 ; lat. *destructio* ; [dɛstʀyksjɔ̃].

**DESTRUCTIVITÉ, subst. f.**
*Psych.* Propension psychopathologique à la destruction. $XIX^{e}$ s. ; ☞ *destructif* ; [dɛstʀyktivite].

**DÉSTRUCTURATION, subst. f.**
Action de déstructurer, fait de se déstructurer ; son résultat : *La* **déstructuration** *de la personnalité.* V. 1960 ; ☞ *déstructurer* ; [destʀyktyʀasjɔ̃].

**DÉSTRUCTURER, verbe trans.** [3]
Défaire la structure de. **Pronom.** Perdre sa structure. V. 1960 ; ☞ *structurer* + *dé-*[2] ; [destʀyktyʀe].

**DÉSUET, ÈTE, adj.**
Qui n'est plus en usage ; par ext., démodé : *Un personnage, un air* **désuet.** 1891 ; lat. *desuetus* ; [desɥɛ, ɛt] ou [-zɥɛ, ɛt].

**DÉSUÉTUDE, subst. f.**
**1.** Disparition d'une pratique, de l'usage d'une chose. ▸ Loc. *Tomber en* **désuétude** : être abandonné par l'usage. **2.** Caractère de ce qui sort ou est sorti de l'usage. 1596 ; lat. *desuetudo* ; [desɥetyd] ou [-zɥe-].

**DÉSULFITER, verbe trans.** [3]
*Vinic.* Débarrasser (un vin, un moût) d'une partie de l'anhydride sulfureux apporté par le sulfitage. Déb. $XX^{e}$ s. ; ☞ *sulfite* + *dé-*[2] ; [desylfite].

**DÉSULFURER, verbe trans.** [3]
*Chim.* et *Métall.* Débarrasser (un produit pétrolier, la fonte) du soufre ou des sulfures qu'il ou elle contient. 1836 ; ☞ *sulfure* + *dé-*[2] ; [desylfyʀe].

**DÉSUNI, IE, adj.**
**1.** Qui n'est plus uni. **2.** Ext. *Équit.* *Cheval* **désuni** : dont les membres antérieurs et postérieurs n'évoluent pas de manière synchrone ; par anal. : *Athlète* **désuni**, dont les mouvements ne sont pas coordonnés. **3.** Fig. *Une famille* **désunie** : dont les membres sont en désaccord. 1694 ; p. p. de *désunir* ; [dezyni].

**DÉSUNION, subst. f.**
**1.** Action de désunir, fait de se désunir ; son résultat. **2.** Fig. Désaccord ; mésentente. 1479 ; ☞ *désunir* ; [dezynjɔ̃].

**DÉSUNIR, verbe trans.** [19]
**1.** Séparer (ce qui était uni). **2.** Fig. **Désunir** *une famille* : y introduire le désaccord. 1418 ; ☞ *unir* + *dé-*[2] ; [dezyniʀ].

**DÉSYNCHRONISATION, subst. f.**
**1.** Perte du synchronisme. **2.** État de ce qui n'est plus synchrone. Mil. $XX^{e}$ s. ; ☞ *désynchroniser* ; [desɛ̃kʀɔnizasjɔ̃].

**DÉSYNCHRONISER, verbe trans.** [3]
Faire perdre son synchronisme à (un phénomène synchrone). Mil. $XX^{e}$ s. ; ☞ *synchroniser* + *dé-*[2] ; [desɛ̃kʀɔnize].

**DÉSYNDICALISATION, subst. f.**
Diminution du taux de syndicalisation des salariés, dans une entreprise, un pays. V. 1970 ; ☞ *syndicalisation* + *dé-*[2] ; [desɛ̃dikalizasjɔ̃].

**DÉTACHABLE, adj.**
Que l'on peut détacher. 1879 ; ☞ *détacher* (I) ; [detaʃabl].

**DÉTACHAGE (I), subst. m.**
Action d'ôter les taches. 1870 ; ☞ *détacher* (II) ; [detaʃaʒ].

**DÉTACHAGE (II), subst. m.**
Action de séparer, d'isoler. $XX^{e}$ s. ; ☞ *détacher* (I) ; [detaʃaʒ].

**DÉTACHANT, ANTE, adj. et subst. m.**
**Adj.** Qui détache, enlève les taches. **Subst.** Produit servant à détacher (synon. *détacheur*). Fin $XIX^{e}$ s. ; p. pr. de *détacher* (II) ; [detaʃɑ̃, ɑ̃t].

**DÉTACHÉ, ÉE, adj.**
**1.** Qui n'est plus attaché. **2.** Anal. Isolé d'un ensemble : *Pièces* **détachées.** **3.** Ext. ▸ *Admin. Fonc-*

*tionnaire* ***détaché*** : affecté à un poste différent de son poste d'origine. ▸ *Mus. Notes* ***détachées*** : non liées ; empl. subst. masc., jeu dans lequel les notes ne sont pas liées (synon. *staccato*) ; empl. adv. : *Jouer* ***détaché***. **4.** Fig. *Prendre un air* ***détaché*** : indifférent. Mil. XIIe s. ; p. p. de *détacher* (I) ; [detaʃe].

**DÉTACHEMENT,** subst. m.
**1.** Vx. Action de détacher, de se détacher d'un lien ; son résultat. **2.** Ext. *Admin.* Action de détacher un fonctionnaire ; sa situation. **3.** Méton. *Milit.* Petit groupe de soldats affecté à une mission particulière. **4.** Fig. Indifférence, désintérêt. 1606 ; ☞ *détacher* (I) ; [detaʃmɑ̃].

**DÉTACHER (I),** verbe trans. [3]
**1.** Dégager de ses liens (un être, un objet). **2.** Ext. Délier (ce qui entrave) : ***Détachez*** *vos ceintures !* **3.** Disjoindre, séparer, écarter, enlever d'un support, d'un ensemble : ***Détacher*** *le timbre de l'enveloppe, la rose du rosier, les bras du corps, la remorque du tracteur* ; empl. abs. : ***Détachez*** *suivant le pointillé.* ▸ Fig. Éloigner, détourner : ***Détacher*** *un fils de sa mère.* **4.** *Admin.* Dépêcher, envoyer en détachement (un fonctionnaire, un militaire) ; par ext. : ***Détacher*** *un délégué.* **5.** Rendre distinct, donner du relief à : ***Détacher*** *un visage sur un fond sombre.* **6.** Ne pas lier : *Parler en* ***détachant*** *les mots, écrire en* ***détachant*** *les lettres.* ▸ *Mus. Jouer en* ***détachant*** *les notes.* PRONOM. **1.** Se dégager de ses liens. **2.** Se séparer, tomber : *Les feuilles se* ***détachent*** *des arbres.* **3.** *Sp.* Sortir, décrocher : *Le gagnant s'****est détaché*** *du peloton.* **4.** Ressortir, apparaître nettement : *Le titre doit se* ***détacher*** *du texte* ; *La lune se* ***détachait*** *sur les nuages.* **5.** Fig. Se désunir, s'éloigner, se détourner : *Ils se* ***sont détachés*** *l'un de l'autre.* 1165 ; ☞ *attacher + dé-*[2] ; [detaʃe].

**DÉTACHER (II),** verbe trans. [3]
Ôter les taches de (un objet, un tissu). Fin XVe s. ; ☞ *tache + dé-*[2] ; [detaʃe].

**DÉTACHEUR, EUSE,** subst.
Personne qui dégraisse, nettoie et apprête les tissus. MASC. Détachant (rare) ; en appos. : *Un flacon* ***détacheur***, contenant un détachant. 1672 ; ☞ *détacher* (II) ; [detaʃœʀ, øz].

**DÉTAIL,** subst. m.
**I.** SING. **1.** *Comm.* Action de débiter une marchandise en petites quantités, en unités : *Ce quincaillier fait le* ***détail*** *des clous* ; *Vente au* ***détail*** ; *Commerce de* ***détail***, qui s'adresse aux particuliers. ▸ Loc. *Ne pas faire de ou le* ***détail*** : considérer qqch. globalement, sans finesse (fam.). **2.** Fig. Énumération précise de tous les éléments d'un ensemble, des évènements d'une situation : *Il m'a fait le* ***détail*** *de son aventure.* ▸ *Milit. Revue de* ***détail*** : examen de tout l'équipement du soldat. ▸ Loc. *Entrer dans le* ***détail*** : être très précis ; *En* ***détail*** : sans rien omettre. **II.** Méton. Élément particulier d'une énumération précise : *Je vous passe les* ***détails*** ; *N'omettre aucun* ***détail***. ▸ Ext. Élément sans importance : *C'est un* ***détail*** *!* Fin XIIe s. ; ☞ *détailler* ; plur. *détails* ; [detaj].

**DÉTAILLANT, ANTE,** subst.
*Comm.* Personne qui vend au détail : ***Détaillant*** *en tissus* ; en appos. : *Marchand* ***détaillant***. 1649 ; p. pr. de *détailler* ; [detajɑ̃, ɑ̃t].

**DÉTAILLÉ, ÉE,** adj.
Qui s'attache aux détails, en parlant d'un exposé, d'un document. 1656 ; p. p. de *détailler* ; [detaje].

**DÉTAILLER,** verbe trans. [3]
**1.** Tailler en petites parties (un arbre, un animal de boucherie). **2.** Débiter (une marchandise) en petites quantités, à l'unité. **3.** Fig. Raconter de façon précise et exhaustive ; par ext., examiner en détail. Fin XIIe s. ; ☞ *tailler + dé-*[1] ; [detaje].

**DÉTALER,** verbe intrans. [3]
Quitter un lieu au plus vite (fam.). 1583 (1553, défaire son étalage) ; ☞ *étal + dé-*[2] ; [detale].

**DÉTARTRAGE,** subst. m.
Action de détartrer ; son résultat : ***Détartrage*** *dentaire.* 1870 ; ☞ *détartrer* ; [detaʀtʀaʒ].

**DÉTARTRANT, ANTE,** adj. et subst. m.
Se dit d'une substance, d'un produit qui détartre. 1929 ; p. pr. de *détartrer* ; [detaʀtʀɑ̃, ɑ̃t].

**DÉTARTRER,** verbe trans. [3]
Débarrasser de son tartre : ***Détartrer*** *un tuyau* ; *Se faire* ***détartrer*** *les dents.* 1870 ; ☞ *tartre + dé-*[2] ; [detaʀtʀe].

**DÉTAXATION,** subst. f.
Action de détaxer ; son résultat (synon. *exonération*). V. 1960 ; ☞ *détaxer* ; [detaksasjɔ̃].

**DÉTAXE,** subst. f.
**1.** *Fisc.* Diminution ou suppression d'une taxe, d'un impôt indirect. **2.** Remboursement d'une taxe perçue indûment : ***Détaxe*** *postale.* 1864 ; ☞ *détaxer* ; [detaks].

**DÉTAXER,** verbe trans. [3]
Diminuer ou supprimer une ou des taxes sur (qqch.). 1845 ; ☞ *taxer + dé-*[2] ; [detakse].

**DÉTECTABLE,** adj.
Qui peut être détecté. V. 1960 ; ☞ *détecter* ; [detɛktabl].

**DÉTECTER,** verbe trans. [3]
Déceler, découvrir (une chose cachée). V. 1920 ; angl. *to detect*, du lat. *detectus*, de *detegere*, « découvrir » ; [detɛkte].

**DÉTECTEUR, TRICE,** adj. et subst. m.
Se dit d'un appareil, d'un dispositif servant à détecter : *Une lampe* ***détectrice***. Fin XIXe s. ; angl. *detector*, de *to detect*, « découvrir » ; [detɛktœʀ, tʀis].

**DÉTECTION,** subst. f.
Action de détecter ; son résultat. 1929 ; angl. *detection*, de *to detect*, « découvrir » ; [detɛksjɔ̃].

**DÉTECTIVE,** subst. m.
**1.** Enquêteur de police britannique (vx et littér.). **2.** ***Détective*** *privé* ou, empl. abs., ***Détective*** : enquêteur n'appartenant pas à la police, rémunéré par son client (synon. *privé*). 1871 ; angl. *detective*, de *to detect*, « découvrir » ; [detɛktiv].

NEWNES SIXPENNY COPYRIGHT NOVELS
ADVENTURES OF SHERLOCK HOLMES
BY A. CONAN DOYLE
© M. Evans-Explorer


*Sherlock Holmes, le type du* ***détective*** *amateur, créé par le romancier britannique A. Conan Doyle (1859-1930).*

**DÉTEINDRE,** verbe [53]
TRANS. DIR. Atténuer, supprimer la teinture, la couleur de. TRANS. INDIR. **Déteindre sur. 1.** Donner sa couleur, de sa couleur à. **2.** Fig. Influencer (souv. péj.). INTRANS. Perdre sa teinture, sa couleur. V. 1225 ; ☞ *teindre + dé-*[2] ; [detɛ̃dʀ].

**DÉTELAGE,** subst. m.
Action de dételer ; fait d'être dételé. 1873 ; ☞ *dételer* ; [det(ə)laʒ].

**DÉTELER,** verbe [12]
TRANS. Détacher de son attelage (une bête de trait) ; par méton. : ***Dételer*** *la voiture.* INTRANS. Fig. Interrompre une activité gén. fatigante (fam.). Fin XIIe s. ; ☞ *atteler + dé-*[2] ; [det(ə)le].

**DÉTENDEUR,** subst. m.
*Techn.* Appareil servant à détendre un fluide comprimé. 1890 ; ☞ *détendre* ; [detɑ̃dœʀ].

**DÉTENDRE,** verbe trans. [51]
**1.** Diminuer ou supprimer la tension de (une corde, un ressort, etc.) ; par anal., décontracter. ▸ Empl. pronom. *L'élastique se* ***détendit*** *brusquement* ; *La nuque se* ***détend*** *quand on la masse.* **2.** Fig. Délasser, calmer ; par méton : ***Détendre*** *l'atmosphère*, mettre fin à une tension dans un groupe. ▸ Empl. pronom. *Se* ***détendre*** *en écoutant de la musique.* **3.** *Techn.* Diminuer la pression, augmenter le volume de (un fluide). Mil. XIIe s. ; lat. *detendere* ; [detɑ̃dʀ].

**DÉTENDU, UE,** adj.
**1.** Qui n'est plus tendu. **2.** Fig. Calme, décontracté. Mil. XIIe s. ; p. p. de *détendre* ; [detɑ̃dy].

**DÉTENIR,** verbe trans. [22]
**1.** Posséder, garder (un objet) ; au fig. : ***Détenir*** *un secret.* **2.** Tenir prisonnier (qqn). Fin XIIe s. ; lat. *detinere*, « retenir, empêcher » ; [det(ə)niʀ].

**DÉTENTE,** subst. f.
**1.** *Mécan.* Pièce d'une horloge, d'une arme, dont le mouvement détend un ressort : *Le doigt sur la* ***détente***, prêt à faire feu ; par anal., mouvement rapide d'extension : *Il sauta d'une brusque* ***détente***. ▸ Loc. fam. **Dur à la détente.** Avare (vx) ; peu conciliant (vx) ; qui comprend, réagit difficilement, lentement. **2.** *Techn.* Diminution de la pression, augmentation du volume d'un fluide : *La* ***détente*** *suit l'explosion et précède l'échappement.* **3.** Fig. Fait de se détendre ; repos, calme, délassement. ▸ Apaisement d'une tension : *Politique de* ***détente***. 1386 ; lat. *detendita*, de *detendere*, « détendre » ; [detɑ̃t].

**DÉTENTEUR, TRICE,** subst.
**1.** Personne qui détient qqch. : *Le* ***détenteur*** *d'un record* ; empl. adj. : *Voyageurs* ***détenteurs*** *d'un passeport.* **2.** *Dr. Tiers* ***détenteur*** : acquéreur d'un immeuble grevé d'un privilège ou d'une hypothèque, non tenu à la dette. 1344 ; bas lat. *detentor* ; [detɑ̃tœʀ, tʀis].

**DÉTENTION,** subst. f.
**1.** Fait de détenir qqch. ▸ *Dr.* ***Détention*** *précaire* : disposition matérielle légale d'une chose dont on n'est pas le possesseur. **2.** Action de détenir qqn ; état d'une personne détenue. ▸ *Dr.* ***Détention*** *criminelle* : peine carcérale qui prive de la liberté. 1287 ; bas lat. *detentio* ; [detɑ̃sjɔ̃].

**DÉTENU, UE,** adj. et subst.
Se dit d'une personne incarcérée par ordre de justice. XVIe s. ; p. p. de *détenir* ; [det(ə)ny].

**DÉTERGENT, ENTE,** adj. et subst. m.
*Techn.* Se dit d'un produit, industriel ou ménager, qui nettoie par dissolution ou mise en suspension des saletés (synon. *détersif*). 1549 ; lat. *detergens*, de *detergere*, « nettoyer en enlevant » ; [detɛʀʒɑ̃, ɑ̃t].

**DÉTERGER,** verbe trans. [5]
**1.** Vx. *Méd.* Nettoyer (une plaie). **2.** *Techn.* Ôter les saletés de (une surface) au moyen d'un détergent. 1538 ; lat. *detergere* ; [detɛʀʒe].

**DÉTÉRIORATION,** subst. f.
**1.** Action de détériorer ; état qui en résulte : *La* ***détérioration*** *d'une toiture.* **2.** Fig. Déclin ; dégradation : ***Détérioration*** *du climat social.* **3.** *Psych.* ***Détérioration*** *mentale* : forme précoce de la démence. XVe s. ; bas lat. *deterioratio* ; [deteʀjɔʀasjɔ̃].

**DÉTÉRIORER,** verbe trans. [3]
Faire subir à (qqch.) des dégradations : ***Détériorer*** *un objet, sa santé* ; empl. pronom., se gâter. 1411 ; bas lat. *deteriorare* ; [deteʀjɔʀe].

**DÉTERMINANT, ANTE,** adj. et subst. m.
ADJ. **1.** Qui définit, qui caractérise. **2.** Qui déclenche un phénomène : *La cause* ***déterminante*** *d'une crise* ; par ext., décisif. SUBST. **1.** *Gramm.* Mot qui caractérise le substantif, devant lequel il se place et duquel il reçoit les marques du genre et du nombre (synon. *déterminatif*). **2.** *Math.* ▸ ***Déterminant*** *de n vecteurs* $\vec{v_1}, \vec{v_2}, ..., \vec{v_n}$, *relativement à une base* $\mathcal{B} = \{\vec{e_1}, \vec{e_2}, ..., \vec{e_n}\}$ *d'un espace vectoriel de dimension n* : valeur prise en $(\vec{v_1}, \vec{v_2}, ..., \vec{v_n})$ par l'unique forme linéaire alternée valant 1 en $(\vec{e_1}, \vec{e_2}, ..., \vec{e_n})$. ▸ ***Déterminant*** *d'une matrice carrée d'ordre n* : **déterminant**, relativement à la base canonique, des *n* vecteurs colonnes de cette matrice (pour $n = 2$, le déterminant de $\binom{a\ b}{c\ d}$ vaut $ad - bc$). XVIIe s. ; p. pr. de *déterminer* ; [detɛʀminɑ̃, ɑ̃t].

**DÉTERMINATIF, IVE,** adj.
*Gramm.* Déterminant. XVIIe s. (mil. XVe s., qui détermine) ; ☞ *déterminer* ; [detɛʀminatif, iv].

**DÉTERMINATION,** subst. f.
**1.** Action de déterminer, de définir précisément, d'établir ; son résultat. ▸ *Embryol.* Processus selon lequel la destinée d'un territoire cellulaire embryonnaire est établie. Dans la **détermination** du sexe, on envisage les mécanismes qui orientent la différenciation d'un territoire embryonnaire vers la réalisation des testicules ou des ovaires. ▸ *Gramm.* Procédé syntaxique à l'aide duquel le sens ou la valeur d'un mot ou d'un groupe de mots sont précisés. **2.** Décision, résolution après réflexion ; par ext., conviction, fermeté : *Parler avec* ***détermination***. **3.** Fait d'être la cause ou la condition de l'existence d'un phénomène. ▸ *Philos.* État de ce qui est soumis

à la nécessité naturelle, au déterminisme. 🕮 1370 ; lat. *determinatio* ; [detɛrminasjɔ̃].

**DÉTERMINÉ, ÉE, adj. et subst. m.**
**Adj. 1.** Qui a été défini, arrêté : *Admettre un nombre **déterminé** de candidats.* **2.** Résolu, décidé : *Il est **déterminé** à se battre* ; *Parler d'un ton **déterminé**.* **3.** *Philos.* Qui n'est pas contingent mais résulte d'un déterminisme. **Subst.** *Gramm.* Élément qui est précisé par le déterminant. 🕮 XII^e s. ; p. p. de *déterminer* ; [detɛrmine].

**DÉTERMINER, verbe trans. [3]**
**1.** Définir avec précision : ***Déterminer** le sens d'un mot* ; établir : ***Déterminer** l'heure du crime* ; fixer : ***Déterminer** son emploi du temps.* **2.** Influencer, orienter (qqn, qqch.) ; amener (qqn) à prendre une décision ; empl. pronom. : *Se **déterminer** à*, se décider à. **3.** Provoquer, être la cause de : *Le prix **a déterminé** mon choix.* 🕮 1119 ; lat. *determinare* ; [detɛrmine].

**DÉTERMINISME, subst. m.**
*Philos.* État des choses tel que, une fois posées les conditions d'existence d'un évènement, ce dernier se produira nécessairement (anton. *indéterminisme, hasard*). 🕮 1836 ; all. *Determinismus*, du lat. *determinare*, « déterminer » ; [detɛrminism].

**PHILOSOPHIE** – Conception de l'Univers et des actions humaines suivant laquelle tout ce qui se produit est l'effet de causes déterminées, le déterminisme fonde l'idée selon laquelle on peut connaître l'Univers et les hommes, car le désordre n'est qu'une apparence. Le déterminisme a ainsi été tenu tour à tour pour une limitation de la liberté humaine – « le cours des choses est fixé d'avance » – ou pour son fondement – « être libre, c'est connaître les déterminations ».

**DÉTERMINISTE, adj. et subst.**
*Philos.* **Adj. 1.** Relatif, propre au déterminisme. **2.** Qui est partisan du déterminisme. **Subst.** Partisan du déterminisme. 🕮 1811 ; all. *Determinist*, du lat. *determinare*, « déterminer » ; [detɛrminist].

**DÉTERRAGE, subst. m.**
**1.** *Agric.* Action de déterrer une plante ou de relever le soc de la charrue pendant le labourage. **2.** *Chasse.* Technique par laquelle on force l'animal dans son terrier. 🕮 1874 ; ☞ *déterrer* ; [detɛraʒ].

**DÉTERRÉ, ÉE, adj. et subst. m.**
**Adj.** Retiré de terre. **Subst.** Corps exhumé. ▸ Loc. *Mine de **déterré*** : très mauvaise mine (fam.). 🕮 Fin XII^e s. ; p. p. de *déterrer* ; [detere].

**DÉTERREMENT, subst. m.**
Action de déterrer. 🕮 1596 ; ☞ *déterrer* ; [detɛrmɑ̃].

**DÉTERRER, verbe trans. [3]**
**1.** Extraire (qqch.) de la terre ; exhumer : ***Déterrer** un cadavre.* **2.** Fig. Tirer de l'oubli : ***Déterrer** une vieille histoire.* 🕮 Mil. XII^e s. ; ☞ *enterrer* + *dé-*[2] ; [detere].

**DÉTERREUR, EUSE, subst.**
**1.** Personne qui déterre. **2.** Chasseur qui pratique le déterrage. 🕮 XVIII^e s. ; ☞ *déterrer* ; [deterœr, øz].

**DÉTERSIF, IVE, adj. et subst.**
**1.** *Pharm.* Se dit d'un médicament utilisé pour nettoyer les plaies. **2.** Détergent. 🕮 1539 ; lat. *detersus*, de *detergere*, « déterger » ; [detɛrsif, iv].

**DÉTERSION, subst. f.**
**1.** *Méd.* Action de déterger une plaie. **2.** *Techn.* Nettoyage au détergent. 🕮 1560 ; lat. *detersio* ; [detɛrsjɔ̃].

**DÉTESTABLE, adj.**
**1.** Vx. Qui peut ou doit être haï, exécré : ***Des mœurs détestables.*** **2.** Désagréable, qui déplaît fortement. 🕮 1308 ; lat. *detestabilis* ; [detɛstabl].

**DÉTESTABLEMENT, adv.**
D'une manière détestable. 🕮 1393 ; ☞ *détestable* ; [detɛstabləmɑ̃].

**DÉTESTATION, subst. f.**
Violente aversion (littér.). 🕮 Déb. XV^e s. ; lat. *detestatio* ; [detɛstasjɔ̃].

**DÉTESTER, verbe trans. [3]**
**1.** Vx. Maudire. **2.** Abhorrer, haïr (qqn, qqch.) ; par exagér., ne pas supporter. 🕮 1461 ; lat. *detestari*, « détourner en prenant les dieux à témoin » ; [detɛste].

**DÉTHÉINÉ, ÉE, adj.**
Qualifie le thé dont la théine a été enlevée. 🕮 XX^e s. ; ☞ *théine* + *dé-*[2] ; [deteine].

**DÉTIRER, verbe trans. [3]**
Tendre (une étoffe) pour la défriper. **Pronom.** *Se **détirer** les bras* : les étirer (vx). 🕮 Fin XII^e s. ; ☞ *tirer* + *dé-*[1] ; [detire].

**DÉTONANT, ANTE, adj.**
*Phys.* Qui peut détoner : *Gaz **détonant*** ; *Mélange **détonant***, mélange d'air et de carburant dans un moteur à explosion ; empl. subst. masc. : *Un **détonant**.* 🕮 1729 ; ☞ *détoner* ; [detɔnɑ̃, ɑ̃t].

**DÉTONATEUR, subst. m.**
**1.** *Techn.* Amorce qui déclenche l'explosion d'un produit détonant. **2.** Fig. Ce qui provoque une réaction violente. 🕮 1874 ; ☞ *détoner* ; [detɔnatœr].

**DÉTONATION, subst. f.**
**1.** Bruit subit émis par ce qui détone, évoquant une explosion : *La **détonation** du canon.* **2.** *Techn.* Anomalie de combustion d'un moteur à explosion. 🕮 1690 ; ☞ *détoner* ; [detɔnasjɔ̃].

**DÉTONER, verbe intrans. [3]**
Produire un bruit court et très violent. 🕮 1679 ; lat. *detonare*, « tonner fortement » ; [detɔne].

**DÉTONIQUE, subst. f.**
*Phys.* Science des explosifs et des substances détonantes. 🕮 V. 1970 ; ☞ *détoner* ; [detɔnik].

**DÉTONNER, verbe intrans. [3]**
**1.** *Mus.* Ne plus chanter ou jouer dans le ton juste. **2.** Rompre une harmonie, en parlant d'une couleur. **3.** Fig. Ne pas s'intégrer (dans un ensemble cohérent, homogène). 🕮 1611 ; ☞ *ton* (II) + *dé-*[2] ; [detɔne].

**DÉTORDRE, verbe trans. [51]**
Faire disparaître la torsion de : ***Détordre** du linge, un fil de fer.* 🕮 Mil. XII^e s. ; ☞ *tordre* + *dé-*[2] ; [detɔrdr].

**DÉTORS, ORSE, adj.**
*Text.* Qui est détordu : *De la soie **détorse**.* 🕮 Mil. XVI^e s. ; anc. p. p. de *détordre* ; [detɔr, ɔrs].

**DÉTORTILLER, verbe trans. [3]**
Défaire (ce qui est entortillé). 🕮 Fin XII^e s. ; ☞ *entortiller* + *dé-*[2] ; [detɔrtije].

**DÉTOUR, subst. m.**
**1.** Partie d'un trajet qui s'écarte du chemin direct : *Faire un **détour**.* ▸ Loc. *Ça vaut le **détour*** : cela mérite d'être vu, c'est intéressant (fam.) ; *Au **détour** d'un chemin* : à l'endroit où il tourne. **2.** Tracé sinueux : *Les **détours** de la Seine.* **3.** Fig. Manière d'agir indirecte. ▸ Loc. *Parler sans **détour(s)*** : franchement. 🕮 Fin XII^e s. ; ☞ *détourner* ; [detur].

**DÉTOURAGE, subst. m.**
**1.** *Techn.* Usinage d'une pièce suivant le contour d'un dessin. **2.** *Phot.* Opération consistant à faire ressortir le sujet, par masquage du fond. 🕮 V. 1940 ; ☞ *détourer* ; [deturaʒ].

**DÉTOURER, verbe trans. [3]**
Réaliser le détourage de. 🕮 V. 1940 ; ☞ *tour* (II) + *dé-*[1] ; [deture].

**DÉTOURNÉ, ÉE, adj. et subst. m.**
**Adj. 1.** Qui emprunte un détour : *Chemin **détourné**.* **2.** Qui subit un détournement : *Avion **détourné**.* **3.** Fig. Indirect : *Un moyen **détourné**.* **Subst.** *Chorégr.* Mouvement consistant à se tourner vers la jambe arrière. 🕮 Fin XIII^e s. ; p. p. de *détourner* ; [deturne].

**DÉTOURNEMENT, subst. m.**
**1.** Action de détourner. **2.** Ext. Falsification, changement de sens : ***Détournement** d'une idée.* **3.** *Dr.* Malversation consistant à dérober qqch. ou à dévoyer qqn. 🕮 Fin XII^e s. ; ☞ *détourner* ; [deturnəmɑ̃].

**DÉTOURNER, verbe trans. [3]**
**1.** Faire emprunter un détour, éloigner (qqch. ou qqn) de son chemin habituel : ***Détourner** un fleuve* ; ***Détourner** un convoi* ; empl. pronom. : *Se **détourner**,* se tourner dans une autre direction. **2.** Fig. Faire dévier (qqch. ou qqn) de son but : ***Détourner** la conversation.* **3.** *Dr.* ***Détourner** des fonds* : les utiliser frauduleusement ; ***Détourner** des actifs* : les soustraire à la justice lorsqu'on est en cessation de paiement ; ***Détourner** un mineur* : l'enlever à l'autorité de ses parents, en partic. pour en abuser. 🕮 Déb. XII^e s. ; ☞ *tourner* + *dé-*[1] ; [deturne].

**DÉTOXICATION, subst. f.**
Action de détoxiquer ; son résultat. 🕮 1945 ; ☞ *toxique* + *dé-*[2] ; [detɔksikasjɔ̃].

**DÉTOXIQUER, verbe trans. [3]**
*Biol.* Neutraliser les substances toxiques de (qqch.) ; empl. adj. : *Venin **détoxiqué**.* 🕮 Déb. XX^e s. ; ☞ *toxique* + *dé-*[2] ; [detɔksike].

**DÉTRACTEUR, TRICE, subst.**
Personne qui s'emploie à déprécier qqn ou qqch. 🕮 XIV^e s. ; lat. *detractor* ; [detraktœr, tris].

**DÉTRAQUÉ, ÉE, adj.**
**1.** Dont le mécanisme est déréglé. **2.** Anal. et Fam. Qui est dérangé : *Estomac, foie **détraqué*** ; *Personne **détraquée*** ou, empl. subst., *Un **détraqué**, une **détraquée***, personne dont les facultés mentales sont atteintes. 🕮 XVI^e s. ; p. p. de *détraquer* ; [detrake].

**DÉTRAQUEMENT, subst. m.**
Action de détraquer, de se détraquer ; son résultat. 🕮 Fin XVI^e s. ; ☞ *détraquer* ; [detrakmɑ̃].

**DÉTRAQUER, verbe trans. [3]**
Perturber le fonctionnement normal de (qqch.), dérégler : ***Détraquer** une machine* ; par anal. (fam.) : *Ce pâté **m'a détraqué** l'estomac.* **Pronom.** Se dérégler. 🕮 1464 ; m. fr. *trac*, « chemin », + *dé-*[2] ; [detrake].

**DÉTREMPE (I), subst. f.**
*Peint.* Solution constituée d'une couleur détrempée avec un produit agglutinant (colle, gomme) : *Peindre à la **détrempe**.* 🕮 1304 (1231, infusion obtenue après délayage) ; ☞ *détremper* (I) ; [detrɑ̃p].

**DÉTREMPE (II), subst. f.**
*Techn.* Action de détremper l'acier. 🕮 1722 ; ☞ *détremper* (II) ; [detrɑ̃p].

**DÉTREMPER (I), verbe trans. [3]**
Imprégner de liquide (un corps solide), délayer, diluer : *Le maçon **détrempe** le plâtre* ; ***Détremper** une couleur* ; par anal. : *L'orage **a détrempé** la pelouse.* 🕮 1155 ; lat. *distemperare*, « délayer » ; [detrɑ̃pe].

**DÉTREMPER (II), verbe trans. [3]**
*Techn.* Éliminer la trempe de (un acier) ; au fig., affaiblir, faire perdre de sa trempe, de sa vigueur à. 🕮 Fin XVII^e s. ; ☞ *tremper* + *dé-*[2] ; [detrɑ̃pe].

**DÉTRESSE, subst. f.**
**1.** Sentiment d'angoisse, de désespoir : *Une mère en **détresse*** ; état d'abandon, de dénuement : *Être dans la **détresse**,* dans le besoin. **2.** Situation périlleuse : *Un alpiniste en **détresse**.* **3.** *Pathol.* Situation d'insuffisance de certains organes ou de certaines fonctions : ***Détresse** cardiaque.* 🕮 Fin XII^e s. ; lat. pop. °*districtia*, du lat. *districtus*, « serré » ; [detrɛs].

**DÉTRICOTER, verbe trans. [3]**
Défaire (ce qui est tricoté). 🕮 V. 1900 ; ☞ *tricoter* + *dé-*[2] ; [detrikɔte].

**DÉTRIMENT, subst. m.**
**1.** Vx. Tort, perte, dommage : *Subir un **détriment**.* **2.** Loc. **Au détriment de.** Au préjudice de : *Il travaille au **détriment** de sa santé.* 🕮 1236 ; lat. *detrimentum*, « action d'enlever en frottant » ; [detrimɑ̃].

**DÉTRITIQUE, adj.**
*Pétrogr.* Qui est fait de fragments de roches et de minéraux isolés par l'érosion et l'altération, ou de débris d'origine animale ou végétale : *Un dépôt **détritique**.* 🕮 1838 ; ☞ *détritus* ; [detritik].

**DÉTRITIVORE, adj. et subst. m.**
*Zool.* et *Biol.* Se dit d'un animal ou d'une bactérie qui se nourrit de détritus. 🕮 V. 1970 ; ☞ *détritus* + *-vore* ; [detritivɔr].

**DÉTRITUS, subst. m.**
**1.** *Géol.* Ensemble de débris de roches ou de substances organiques. **2.** Ext. Débris de nature quelconque (gén. au plur.) : *Un monceau de **détritus**,* de déchets, d'ordures. 🕮 1778 ; lat. *detritus*, « usé, broyé », de *deterere*, « user par frottement » ; [detrity(s)].

**DÉTROIT, subst. m.**
**1.** *Géogr.* Bras de mer entre deux terres rapprochées, reliant deux mers : *Le **détroit** de Béring.* **2.** *Anat.* Chacune des deux parties rétrécies du bassin. 🕮 Fin XI^e s. ; lat *districtus*, « empêché », de *distringere*, « serrer » ; [detrwa].

*Vue aérienne du **détroit** de Messine.*

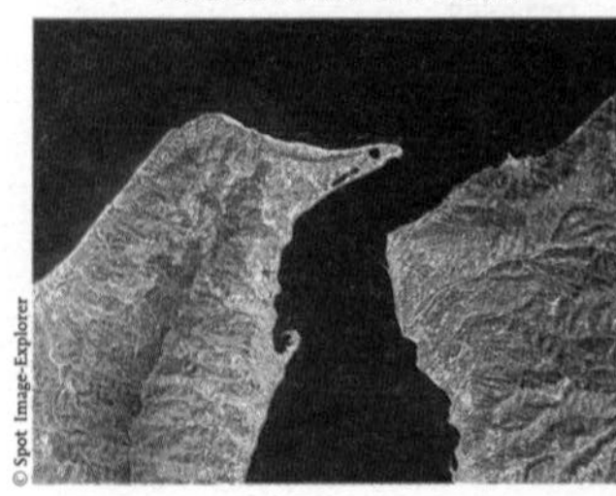

**DÉTROMPER,** verbe trans. [3]
Tirer d'erreur (qqn) ; empl. pronom. : *Tu le crois fidèle ? Détrompe-toi,* n'en crois rien. 1611 ; ☞ *tromper* + *dé-*[2] ; [detʀɔ̃pe].

**DÉTRÔNER,** verbe trans. [3]
Chasser (un souverain) de son trône ; au fig., supplanter (qqn, qqch.) : *L'automobile **a détrôné** la calèche.* 1602 ; ☞ *trône* + *dé-*[2] ; [detʀone].

**DÉTROQUAGE,** subst. m.
Procédé consistant à libérer les huîtres de leur support afin de les étaler dans les parcs. 1877 ; ☞ *détroquer* ; [detʀɔkaʒ].

**DÉTROQUER,** verbe trans. [3]
Séparer (des huîtres) par détroquage. 1875 ; ☞ *troque* + *dé-*[2] ; [detʀɔke].

**DÉTROUSSER,** verbe trans. [3]
**1.** Vx. Dépouiller (qqn) par la violence. **2.** Ext. Voler (qqn). 1119 ; ☞ *trousser* + *dé-*[2] ; [detʀuse].

**DÉTROUSSEUR,** subst. m.
Celui qui détrousse (vx). Déb. XVIe s. ; ☞ *détrousser* ; [detʀusœʀ].

**DÉTRUIRE,** verbe trans. [69]
**1.** Abattre, démolir : ***Détruire** un temple.* ▸ Ext. Faire disparaître ; supprimer : ***Détruire** une récolte.* **2.** Fig. Réduire à néant (ce qui est établi) : ***Détruire** une réputation.* Mil. XIe s. ; lat. pop. °*destrugere*, du lat *destruere* ; [detʀɥiʀ].

**DETTE,** subst. f.
**1.** Somme d'argent due à la suite d'un emprunt. ▸ *Fin. La **dette** de l'État* : l'ensemble des engagements financiers contractés par l'État. **2.** Fig. Obligation morale. ▸ Loc. *Payer sa **dette** à la société* : purger une peine. Fin XIIe s. ; lat. *debita* ; [dɛt].

**DÉTUMESCENCE,** subst. f.
*Physiol.* Perte de volume d'une tumeur, d'un organe. 1792 (1749, reflux des eaux) ; ☞ *tumescence* + *dé-*[2] ; [detymesɑ̃s].

**DEUIL,** subst. m.
**1.** Douleur, profonde tristesse qu'entraîne la mort de qqn ; par méton., perte d'un être proche. **2.** Ensemble des signes extérieurs marquant le **deuil** : *Une veuve en grand **deuil**,* entièrement vêtue de noir ; par méton., temps pendant lequel on porte le **deuil**. **3.** Loc. *Faire son **deuil** de qqch.* : se résigner à sa perte ou à l'impossibilité de l'obtenir (fam.). Fin Xe s. ; bas lat. *dolus*, « douleur » ; [dœj].

**DEUS EX MACHINA,** subst. m. inv.
**1.** *Théâtre.* Personnage dont l'intervention invraisemblable au moment opportun permet de résoudre une situation sans issue. **2.** Fig. Personne, évènement jouant ce rôle dans la vie courante. 1845 ; lat. *deus ex machina* « dieu (descendu) à l'aide d'une machine » ; [deysɛksmakina] ou [deus-].

**DEUSIO,** adv.
Deuxièmement (fam.). Mil. XXe s. ; ☞ *deux*, d'apr. *primo, secundo*, etc. ; var. *deuzio* ; [døzjo].

**DEUTÉRIUM,** subst. m.
*Phys. nucl.* Isotope stable de l'hydrogène, aussi appelé hydrogène lourd. 1934 ; gr. *deuteros*, « deuxième » ; [døteʀjɔm].

**DEUTÉROCANONIQUE,** adj.
*Théol.* Se dit de certains livres saints de la Bible, qui ne furent mis au canon des Écritures que dans un second temps. XVIIIe s. ; ☞ *canonique* + *deutéro-* ; [døteʀokanɔnik].

**DEUTÉRON,** subst. m.
*Phys. nucl.* Noyau de l'hydrogène lourd, qui contient un proton et un neutron. 1934 ; ☞ *deutérium*, d'apr. *neutron* ; var. *deuton* ; [døteʀɔ̃].

**DEUTÉROSTOMIENS,** subst. m. plur.
*Zool.* Grand groupe d'animaux pluricellulaires, tels les Échinodermes et les Vertébrés, dont la bouche n'est pas issue de l'orifice appelé blastopore chez l'embryon, mais d'un deuxième orifice qui s'est percé ultérieurement. Au sing. *Un **deutérostomien**.* XIXe s. ; formé de *deutéro-* et de *-stome* ; [døteʀostɔmjɛ̃].

**DEUTON,** voir **DEUTÉRON**

**DEUTSCHE MARK,** voir **MARK**

**DEUX,** adj. num. inv. et subst. m. inv.
Adj. card. Un plus un : *Écouter de ses **deux** oreilles,* attentivement ; ***Deux** secondes !*, un instant ! (fam.). Adj. ord. **1.** Deuxième : *Le chapitre **deux**.* **2.** Qui porte le numéro **deux** : *La table **deux*** ou, empl. subst., *La **deux**.* Subst. **1.** Le nombre **deux** : *Cinq moins trois font **deux**.* **2.** Le numéro **deux** ; élément d'une série portant ce numéro : *Le **deux** de pique.* **3.** Représentation graphique du chiffre **deux** : *Un **deux** arabe, romain.* Fin Xe s. ; lat. *duo* ; [dø].

**DEUXIÈME,** adj. num. ord. et subst.
Adj. Qui occupe le rang marqué par le nombre deux ; qui suit immédiatement le premier (☞ *second*) : *Le **deuxième** étage* ou, empl. subst., *Le **deuxième** ; Demander un **deuxième** avis.* Subst. Personne classée en **deuxième** position : *Le, la **deuxième** en histoire* ; au masc., **deuxième** élément d'une charade. 1306 ; ☞ *deux* ; [døzjɛm].

**DEUXIÈMEMENT,** adv.
En deuxième lieu (synon. fam. *deusio*). 1740 ; ☞ *deuxième* ; [døzjɛmmɑ̃].

**DEUX-MÂTS,** subst. m. inv.
*Mar.* Voilier doté de deux mâts. 1864 ; comp. de *deux* et de *mât* ; [døma].

**DEUX-PIÈCES,** subst. m. inv.
**1.** Vêtement de femme composé d'une veste et d'une jupe taillées dans la même étoffe, tailleur. **2.** Maillot de bain féminin constitué d'un soutien-gorge et d'un slip. **3.** Appartement offrant deux pièces principales. 1925 ; comp. de *deux* et de *pièce* ; [døpjɛs].

**DEUX-POINTS,** subst. m. inv.
**1.** *Typogr.* Signe de ponctuation formé de deux points superposés (:), annonçant une citation, une énumération ou une explication de ce qui précède. **2.** *Math.* Signe de la division. 1572 ; comp. de *deux* et de *point* (I) ; [døpwɛ̃].

**DEUX-PONTS,** subst. m. inv.
Avion ayant deux ponts superposés. 1864 ; comp. de *deux* et de *pont* ; [døpɔ̃].

**DEUX-ROUES,** subst. m. inv.
Moyen de locomotion à deux roues, motorisé ou non. V. 1960 ; comp. de *deux* et de *roue* ; [døʀu].

**DEUX-TEMPS,** subst. m. inv.
**1.** *Mus.* Mesure à quatre temps battue sur deux temps. **2.** *Mécan.* Moteur à explosion à deux temps ; véhicule équipé de ce moteur ; carburant pour ce moteur. 1872 ; comp. de *deux* et de *temps* ; [døtɑ̃].

**DEUZIO,** voir **DEUSIO**

**DÉVALER,** verbe [3]
Intrans. **1.** Descendre à vive allure : *Les pierres **dévalaient** de la falaise.* **2.** Accuser une pente raide : *Ce chemin **dévale** jusqu'à la rivière.* Trans. Descendre rapidement (fam.) : ***Dévaler** l'escalier.* Déb. XIIe s. ; ☞ *val* + *dé-*[1] ; [devale].

**DÉVALISER,** verbe trans. [3]
**1.** Dépouiller (qqn) des biens qu'il a sur lui : *Le bandit **dévalisa** les voyageurs.* **2.** Ext. Cambrioler, piller : ***Dévaliser** une banque* ; au fig. : ***Dévaliser** un auteur,* utiliser son travail ou le plagier sans vergogne. 1555 ; ☞ *valise* + *dé-*[2] ; [devalize].

**DÉVALOIR,** subst. m.
Helv. **1.** Passage aménagé sur une pente de forêt pour y faire glisser le bois. **2.** Vide-ordures. 1869 ; ☞ *dévaler* ; [devalwaʀ].

**DÉVALORISATION,** subst. f.
**1.** *Fin.* Baisse de la valeur d'échange d'une monnaie, d'une marchandise. **2.** Fig. Perte d'influence, de crédit : *La **dévalorisation** des filières littéraires.* 1925 ; ☞ *dévaloriser* ; [devalɔʀizasjɔ̃].

**DÉVALORISER,** verbe trans. [3]
**1.** *Fin.* Amoindrir la valeur d'échange de (une monnaie, une marchandise) ; déprécier. **2.** Fig. Rabaisser la valeur de (qqn ou qqch.). Pronom. **1.** *Fin.* Perdre de sa valeur : *Cette action se **dévalorise**.* **2.** Fig. Douter de ses propres mérites : *Tu as tort de te **dévaloriser**.* 1922 ; ☞ *valoriser* + *dé-*[2] ; [devalɔʀize].

**DÉVALUATION,** subst. f.
**1.** Diminution de la valeur de qqch. : ***Dévaluation** des prix du café, de l'or.* **2.** *Fin.* Mesure officielle consistant à diminuer la valeur de la monnaie nationale par référence à l'or ou aux devises étrangères : *La **dévaluation** du franc.* 1928 ; ☞ *évaluation* + *dé-*[2] ; [devalɥasjɔ̃].

**DÉVALUER,** verbe trans. [3]
**1.** *Fin.* Réaliser la dévaluation de (une monnaie). **2.** Fig. Dévaloriser ; empl. adj. : *Un diplôme **dévalué**.* 1928 ; ☞ *évaluer* + *dé-*[2] ; [devalɥe].

**DEVANAGARI,** subst. f.
Écriture alphabétique de quarante-sept lettres, auxquelles s'ajoutent deux caractères annexes, apparue au VIIe s. apr. J.-C., utilisée pour noter le sanskrit, le prakrit, le hindi et le marathe ; empl. adj. : *L'alphabet **devanagari**.* 1846 ; skr. *devanāgarī*, « écriture de la cité des dieux », de *deva*, « dieu », et de *nāgarī*, « ville » ; var. *nagari* ; [devanagaʀi].

| VOYELLES | | | CONSONNES | | | |
|---|---|---|---|---|---|---|
| FIGURES initiale | FIGURES médiale | trans-cription | FIGURES | trans-cription | FIGURES | trans-cription |
| अ ou अ | | a | क | ka | द | da |
| आ ou आ | ा | ā | ख | kha | ध | dha |
| इ | ि | i | ग | ga | न | na |
| ई | ी | ī | घ | gha | प | pa |
| उ | ु | u | ङ | ṅa | फ | pha |
| ऊ | ू | ū | च | ca | ब | ba |
| ऋ ou ऋ | ृ | r̥ | छ | cha | भ | bha |
| ॠ ou ॠ | ॄ | r̥̄ | ज | ja | म | ma |
| ऌ | ॢ | l̥ | झ | jha | य | ya |
| ॡ | ॣ | l̥̄ | ञ | ña | र | ra |
| ए | े | e | ट | ṭa | ल | la |
| ऐ | ै | ai | ठ | ṭha | व | va |
| ओ ou ओ | ो | o | ड | ḍa | श | śa |
| औ ou औ | ौ | au | ढ | ḍha | ष | ṣa |
| ं | | n ou m | ण | ṇa | स | sa |
| | | | त | ta | ह | ha |
| ः | | h | थ | tha | | |

*La devanagari.*

**DEVANCEMENT,** subst. m.
Action de devancer ; son résultat. Fin XIIe s. ; ☞ *devancer* ; [dəvɑ̃smɑ̃].

**DEVANCER,** verbe trans. [4]
**1.** Précéder (qqn, qqch.) dans l'espace ou dans le temps : *Le cheval **devançait** son concurrent de plus d'une longueur.* **2.** Anticiper : *Un futur soldat qui **devance** l'appel.* ▸ ***Devancer** les désirs de qqn* : les prévenir. **3.** Fig. Être en avance sur : *Cet artiste **devance** son époque.* **4.** Ext. Surclasser, éclipser (qqn) par ses mérites ou ses résultats : *Un étudiant brillant qui **devance** ses maîtres.* Mil. XIIIe s. (fin XIIe s., se rendre quelque part) ; ☞ *devant* ; [dəvɑ̃se].

**DEVANCIER, IÈRE,** subst.
Personne qui, dans une activité, en précède une autre : *Ce directeur est loin de valoir son **devancier**.* 1243 ; ☞ *devancer* ; [dəvɑ̃sje, jɛʀ].

**DEVANT,** prép., adv. et subst. m.
Prép. **1.** En avant de ; en face de : *Il est **devant** moi.* ▸ Ext. En présence de ; au regard de : *Ne dites pas cela **devant** lui ; Nous sommes égaux **devant** la loi.* ▸ Loc. *Avoir du temps, de l'argent **devant** soi* : en disposer (fam.). **2.** Loc. prép. ▸ **Au-devant de.** À la rencontre de : *Aller **au-devant** de qqn.* ▸ **Par-devant.** En présence de : *Un acte signé **par-devant** notaire.* Adv. **1.** À l'avant : *Il est passé **devant**.* ▸ Loc. *Partir les pieds **devant*** : être porté en terre. **2.** Loc. adv. ▸ **Par-devant.** Par l'avant : *Il est entré **par-devant**.* ▸ **Ci-devant.** Précédemment ; empl. subst. inv., sous la Révolution noble déchu de son titre. Subst. **1.** Le côté ou la partie située en avant, en face de qqn ou de qqch. (anton. *arrière, derrière, dos*) : *Le **devant** de sa veste est élimé ; Le **devant** de la scène.* **2.** Loc. *Prendre les **devants*** : devancer qqn ou qqch. Déb. XIIe s. (Xe s., auparavant) ; formé de *de* (I) et de *avant* ; [d(ə)vɑ̃].

**DEVANTURE,** subst. f.
**1.** *Archit.* La façade d'une maison (vieilli). ▸ *La **devanture** d'un magasin* : sa façade, gén. vitrée et

décorée. **2.** Ext. L'installation servant à exposer les marchandises, derrière ou devant la vitrine. ⚭ XIIIe s. ; ☞ *devant* ; [d(ə)vɑ̃tyʀ].

**DÉVASTATEUR, TRICE, adj. et subst.**
**Adj.** Qui dévaste, sème la ruine ; au fig. : *Une ambition **dévastatrice**.* **Subst.** Personne qui dévaste (rare). ⚭ 1502 ; bas lat. *devastator* ; [devastatœʀ, tʀis].

**DÉVASTATION, subst. f.**
Action de dévaster ; son résultat. ⚭ XIVe s. ; bas lat. *devastatio* ; [devastasjɔ̃].

**DÉVASTER, verbe trans.** [3]
Anéantir ; ruiner ; frapper de mort, de désolation : *La peste noire **dévasta** l'Europe* ; au fig. : *Elle a **dévasté** mon cœur.* ⚭ Fin Xe s. ; lat. *devastare* ; [devaste].

**DÉVEINE, subst. f.**
Manque de chance, sort contraire (fam.). ⚭ 1854 ; ☞ *veine* + *dé-*[2] ; [devɛn].

**DÉVELOPPABLE, adj.**
Qui peut être développé. ▸ *Géom. Surface réglée **développable*** : surface ayant le même plan tangent en tout point d'une même génératrice. ▸ *Math. Fonction **développable** en série entière en un point* $x_0$ : fonction $f$ de D dans ℝ, D étant un ouvert de ℝ ou de ℂ et $x_0 \in$ D, telle qu'il existe une série entière $\sum_{n \geq 0} a_n z^n$ de rayon de convergence $r > 0$ vérifiant $]x_0 - r,\ x_0 + r[\ \subset$ D et $f(x) = \sum_{n \geq 0} a_n\ (x - x_0)^n$ pour $|x - x_0| < r$. ⚭ 1799 ; ☞ *développer* ; [devlɔpabl].

**DÉVELOPPANTE, subst. f.**
*Géom. **Développante** d'une courbe* : courbe qui admet cette courbe comme développée. ⚭ 1675 ; p. pr. de *développer* ; [devlɔpɑ̃t].

**DÉVELOPPATEUR, subst. m.**
*Phot.* Produit utilisé pour le développement. ⚭ 1889 ; ☞ *développer* ; [devlɔpatœʀ].

**DÉVELOPPÉ, ÉE, adj. et subst.**
**Adj. 1.** Fort, épanoui : *Un athlète bien **développé**.* **2.** Ayant atteint un haut degré de croissance : *Les pays **développés**.* **Subst. masc. 1.** *Chorégr.* Mouvement de déploiement d'une jambe. **2.** *Sp.* Mouvement par lequel un athlète soulève un haltère à la hauteur des épaules puis le lève à bout de bras. **Subst. fém.** *Géom. **Développée** d'une courbe plane* : courbe dont la tangente en chaque point est normale à la courbe donnée. ⚭ Fin XIXe s. ; p. p. de *développer* ; [devlɔpe].

**DÉVELOPPEMENT (I), subst. m.**
**I. 1.** Action de développer, de déployer qqch. ; son résultat : *Le **développement** d'une banderole.* ▸ *Arithm. **Développement** en base p (p entier, p ⩾ 2)* : tout nombre entier positif $q$ peut s'écrire de façon unique sous la forme $q = a_0 + a_1p + a_2p^2 + \ldots + a_np^n$ où les $a_k \in$ ℕ avec $0 \leqslant a_k \leqslant p - 1$ ; la suite $a_0a_1 \ldots a_n$ est le **développement** de $q$ en base $p$ ; ainsi, le **développement** de 11 en base 2 est 1011 et en base 3 est 102 (si $p = 10$, on parle de **développement** décimal). ▸ *Math. **Développement** en série entière d'une fonction* : série entière localement associée à une fonction développable. ▸ *Phot.* Action de développer un film. ▸ *Techn.* Distance que parcourt un vélo en un tour de pédalier. **2.** Exposition détaillée d'une idée, d'un thème, etc. **II. 1.** Croissance : ***Développement** d'une épidémie* ; par anal., épanouissement : ***Développement** intellectuel.* ▸ *Biol.* et *Embryol.* Succession des étapes de la croissance d'un organisme jusqu'à maturité. **2.** Progrès, essor, extension, en taille ou en qualité : *Un pays en voie de **développement**.* ▸ Suite, rebondissement. ⚭ Fin XIVe s. ; ☞ *développer* ; [devlɔpmɑ̃].

**DÉVELOPPEMENT (II), subst. m.**
Phase de la fabrication d'un produit située après la conception et avant la commercialisation (anglic.) : *Le département recherche et **développement** d'une entreprise (R & D).* ⚭ XXe s. ; anglo-amér. *development*, « mise au point » ; [devlɔpmɑ̃].

**DÉVELOPPER, verbe trans.** [3]
**I. 1.** Débarrasser (qqch.) de ce qui l'enveloppe (vieilli). **2.** Déployer, étendre dans toute son envergure : *César **développa** son armée dans la vallée.* ▸ *Phot.* Révéler par procédé chimique (une image jusqu'alors latente sur la pellicule). **3.** Exposer dans le détail (une idée, un sujet, un thème musical) ; empl. pronom., se dérouler : *L'action du film se **développe** sans surprise.* ▸ *Alg. **Développer** une expression algébrique* : l'écrire sous la forme d'une somme. **II.** Faire croître, augmenter ; donner de l'ampleur, de la vigueur à (qqch.) : ***Développer** un secteur industriel.* **Pronom.** S'épanouir, accomplir sa croissance ; prendre de l'importance. ⚭ Fin XIIe s. ; ☞ *envelopper* + *dé-*[2] ; [devlɔpe].

**DEVENIR (I), verbe intrans.** [22]
**1.** Se transformer, évoluer vers un nouvel état : *L'été **devient** sec* ; ***Devenir** chrétien* ; ***Devenir** chauve* ; se muer en : *La chrysalide **devient** papillon* ; prendre telle tournure : *Cette idée **devient** obsédante.* ▸ Empl. impers. *Il **devient** difficile de se loger à Paris.* **2.** Avoir un sort particulier, être dans un certain état (gén. empl. interr.) : *Que **deviendrais**-je sans vous ?* ; *Que **sont** mes amis **devenus** ?* (Rutebeuf). **3.** Québ. Venir de quelque part : *J'en **deviens**.* **4.** *Philos.* Évoluer, en parlant de l'être humain (par oppos. à *être*) : *Nous ne sommes jamais, nous **devenons** sans cesse* (Green). ⚭ Fin Xe s. ; lat. *devenire*, « venir de, arriver à » ; verbe d'état s'employant avec un adj. ou un subst. en attribut ; [dəv(ə)niʀ].

**DEVENIR (II), subst. m.**
**1.** Littér. Mouvement qui transforme, fait évoluer ; passage d'un état à un autre : *Le **devenir** de l'Univers.* **2.** Avenir (empl. critiqué). **3.** Loc. *En **devenir*** : en cours de réalisation. ⚭ 1839 ; ☞ *devenir* (I) ; [dəv(ə)niʀ].

**DÉVERBAL, subst. m.**
*Ling.* Substantif formé sur le radical d'un verbe, en partic. sans suffixe : *« Devise » est le **déverbal** de « deviser ».* ⚭ 1933 ; ☞ *verbe* + *dé-*[1] ; plur. *déverbaux* ; [devɛʀbal], plur. [-bo].

**DÉVERBATIF, subst. m.**
*Ling.* Substantif formé sur le radical d'un verbe ; verbe dérivé d'un autre verbe : *« Entrevoir » est un **déverbatif** de « voir ».* ⚭ 1958 ; ☞ *verbe* + *dé-*[1] ; [devɛʀbatif].

**DÉVERGONDAGE, subst. m.**
**1.** Relâchement des mœurs, débauche : *Il maugrée contre le **dévergondage** des jeunes.* **2.** Fig. Excentricité, excès : *Un **dévergondage** de couleurs et de formes.* ⚭ Déb. XIXe s. ; ☞ *se dévergonder* ; [devɛʀgɔ̃daʒ].

**DÉVERGONDÉ, ÉE, adj.**
**1.** Qualifie une personne qui se livre sans honte à la débauche : *Cette fille est bien **dévergondée*** ; empl. subst., personne **dévergondée**. **2.** Ext. *Une vie, une atmosphère **dévergondée*** : empreinte de dévergondage. **3.** Fig. D'une fantaisie excessive : *Quelle imagination **dévergondée** !* ⚭ Fin XIIe s. ; p. p. de *se dévergonder* ; [devɛʀgɔ̃de].

**DÉVERGONDER (SE), verbe pronom.** [3]
Verser dans la débauche, le libertinage. ⚭ Fin XIIe s. ; anc. fr. *vergonde*, « vergogne », + *dé-*[2] ; [devɛʀgɔ̃de].

**DÉVERGUER, verbe trans.** [3]
*Mar.* Enlever (une voile) de sa vergue. ⚭ 1654 ; ☞ *enverguer* + *dé-*[2] ; var. *désenverguer* ; [devɛʀge].

**DÉVERNIR, verbe trans.** [19]
Retirer son vernis à (un objet) : ***Dévernir** une toile, un meuble.* ⚭ 1653 ; ☞ *vernir* + *dé-*[2] ; [devɛʀniʀ].

**DÉVERNISSAGE, subst. m.**
*Techn.* Action de dévernir à l'aide d'un produit dissolvant. ⚭ 1849 ; ☞ *dévernir* ; [devɛʀnisaʒ].

**DÉVERROUILLAGE, subst. m.**
**1.** Action de déverrouiller. **2.** *Arm.* Action de dégager la culasse d'une arme à feu. ⚭ 1929 ; ☞ *déverrouiller* ; [devɛʀujaʒ].

**DÉVERROUILLER, verbe trans.** [3]
**1.** Tirer le verrou de. **2.** Ext. Dégager (un dispositif, un mécanisme verrouillé) : ***Déverrouiller** le train d'atterrissage d'un avion* ; par méton. : ***Déverrouiller** une arme.* ⚭ Fin XIIe s. ; ☞ *verrouiller* + *dé-*[2] ; [devɛʀuje].

**DEVERS, prép.**
**1.** Vx. Vers, en direction de : *Je le vois venir **devers** moi.* **2.** Loc. prép. **Par-devers.** Par-devant : *Se pourvoir **par-devers** la justice* ; en la possession de : *Je conserverai cette lettre **par-devers moi**.* ⚭ Fin XIIe s. ; formé de *de* (I) et de *vers* (I) ; [dəvɛʀ].

**DÉVERS, ERSE, adj. et subst. m.**
**Adj.** Vx. Qui est penché, qui n'est pas d'aplomb : *Une cloison **déverse**.* **Subst. 1.** Inclinaison, pente de qqch. **2.** *Ch. de fer.* Pente transversale donnée à une voie dans une courbe ; par ext., pente transversale donnée à une route dans un virage. ⚭ Fin XVIIe s. ; lat. *deversus* ; [devɛʀ, ɛʀs].

**DÉVERSEMENT (I), subst. m.**
Écoulement, épanchement d'un liquide ; par méton., le liquide déversé ; au fig. : *Un **déversement** de bonté.* ⚭ Fin XVIIIe s. ; ☞ *déverser* (II) ; [devɛʀsəmɑ̃].

**DÉVERSEMENT (II), subst. m.**
Inclinaison, défaut d'aplomb, dévers. ⚭ 1838 ; ☞ *déverser* (I) ; [devɛʀsəmɑ̃].

**DÉVERSER (I), verbe** [3]
**Trans.** Donner du dévers à : ***Déverser** une paroi.* **Intrans.** *La cloison **déverse*** : elle penche, n'est pas d'aplomb. **Pronom.** *Des murs qui se **déversent*** : qui s'inclinent. ⚭ 1676 ; ☞ *dévers* ; [devɛʀse].

**DÉVERSER (II), verbe trans.** [3]
**1.** Faire couler (un liquide) ; empl. pronom. : *La source se **déverse** dans le lac.* **2.** Répandre, rejeter (qqch.) : *L'usine **déversait** ses déchets dans la rivière.* **3.** Décharger : ***Déverser** des bombes* ; au fig. : ***Déverser** sa hargne.* ⚭ 1794 ; ☞ *verser* + *dé-*[1] ; [devɛʀse].

**DÉVERSOIR, subst. m.**
**1.** Orifice par lequel se déverse le trop-plein d'un canal, d'un bassin ; par méton., le réservoir qui accueille ce trop-plein. **2.** Fig. Exutoire. ⚭ 1673 ; ☞ *déverser* (II) ; [devɛʀswaʀ].

**DÉVÊTIR, verbe trans.** [24]
Ôter à (qqn) tout ou partie de ses vêtements ; empl. pronom., se déshabiller, se découvrir. ⚭ Fin XIIe s. ; ☞ *vêtir* + *dé-*[2] ; [devɛtiʀ].

**DÉVIANCE, subst. f.**
*Psychol.* Comportement d'une personne qui se place en dehors des règles de la société ; caractère de ce qui s'écarte de la norme. ⚭ V. 1970 ; ☞ *déviant* ; [devjɑ̃s].

**DÉVIANT, ANTE, adj. et subst.**
**Adj. 1.** Qui provoque une déviation. **2.** Fig. Qui transgresse une règle, un principe : *Une conduite **déviante**.* **Subst.** *Psychol.* Personne dont le comportement s'écarte des normes sociales communément admises. ⚭ 1923 ; p. pr. de *dévier* ; [devjɑ̃, ɑ̃t].

**DÉVIATEUR, TRICE, adj. et subst. m.**
**Adj.** Qui provoque une déviation. **Subst.** *Techn.* Instrument qui permet la déviation d'une force magnétique, d'un fluide, d'un gaz. ⚭ 1861 (1542, celui qui détourne du bon chemin) ; lat. médiév. *deviator* ; [devjatœʀ, tʀis].

**DÉVIATION, subst. f.**
**1.** Action de détourner qqch. de sa direction normale ; son résultat : *La **déviation** des camions hors de la ville* ; *Un itinéraire de **déviation*** ou, empl. abs., *Une **déviation**.* **2.** Fait de dévier de sa trajectoire, de sa direction ; écart qui en résulte : ***Déviation** d'un ballon* ; ***Déviation** de l'aiguille d'un compas* ; ***Déviation** apparente d'un astre* ; ***Déviation** d'un rayon lumineux.* ▸ *Pathol.* Position anormale de certains organes, de certains os : ***Déviation** de l'utérus, de la colonne vertébrale.* **3.** Fig. Fait de s'écarter d'un principe ; écart par rapport à une norme. ⚭ Déb. XIVe s. ; lat. médiév. *deviatio* ; [devjasjɔ̃].

**DÉVIATIONNISME, subst. m.**
*Pol.* Attitude d'un militant qui dévie de la doctrine officielle de son parti. ⚭ 1952 ; ☞ *déviation* ; [devjasjɔnism].

**DÉVIATIONNISTE, adj.**
**1.** Relatif au déviationnisme. **2.** Qui fait preuve de déviationnisme ; empl. subst. : *Expulsion des **déviationnistes**.* ⚭ 1957 ; ☞ *déviation* ; [devjasjɔnist].

**DÉVIDAGE, subst. m.**
*Text.* Action de dévider. ⚭ Fin XVIIe s. ; ☞ *dévider* ; [devidaʒ].

**DÉVIDER, verbe trans.** [3]
**1.** *Text.* Mettre en écheveau, en pelote (du fil). **2.** Ext. Dérouler, débobiner : ***Dévider** un câble.* **3.** Fig. Raconter de façon continue (fam.) : ***Dévider** ses souvenirs.* ⚭ Fin XIe s. ; ☞ *vider* + *dé-*[1] ; [devide].

**DÉVIDEUR, EUSE, subst.**
*Text.* Personne chargée du dévidage. ⚭ Fin XIVe s. ; ☞ *dévider* ; [devidœʀ, øz].

**DÉVIDOIR, subst. m.**
**1.** *Text.* Instrument servant à dévider. **2.** *Techn.* Appareil sur lequel on enroule des tuyaux, des fils, des câbles, etc. : ***Dévidoir** de pompier, de jardinier.* ⚭ XIIIe s. ; ☞ *dévider* ; [devidwaʀ].

**DÉVIER, verbe** [6]
**Intrans. 1.** Se détourner, être détourné de sa trajectoire normale : *La tempête fit **dévier** l'avion* ; au fig. : *La conversation **dévie**.* **2. Dévier de.** Se détourner, s'écarter de : ***Dévier** de sa route* ; au fig. : *Il ne **dévia** jamais de sa ligne de conduite.* **Trans. dir.** Écarter, détourner : ***Dévier** un fleuve, un projectile, la circulation* ; *Le prisme **dévie** les rayons lumineux*, les réfracte. ⚭ Fin XIVe s. ; bas lat. *deviare*, « s'écarter du droit chemin » ; [devje].

**DEVIN, DEVINERESSE, subst.**
**1.** *Antiq.* Personne qui rendait les oracles. **2.** Ext. Personne qui prétend pouvoir deviner ce qui est

cacher ou prédire l'avenir. ► Loc. *Je ne suis pas devin !* : je ne peux pas savoir, deviner cela (fam.). ⌧ Mil. XIIe s. (déb. XIIe s., divin) ; lat. *divinus*, « divin ; devin » ; [dəvɛ̃, dəvin(ə)ʀɛs].

**DEVINER,** verbe trans. [3]
**1.** Prédire (ce qui doit arriver) : ***Deviner*** *l'avenir.* **2.** Parvenir à comprendre par intuition, par supposition : *Je* ***devine*** *ta pensée* ; par méton. : ***Deviner*** *qqn*, comprendre ses intentions (littér.). **3.** Apercevoir confusément : *On* ***devinait*** *à peine le clocher dans la brume.* ⌧ 1155 ; lat. *divinare* ; [dəvine].

**DEVINETTE,** subst. f.
Question plaisante dont la réponse est astucieuse. ⌧ 1864 ; ☞ *deviner* ; [dəvinɛt].

**DÉVIRER,** verbe trans. [3]
*Mar.* Tourner (qqch.) en sens opposé : ***Dévirer*** *un treuil.* ⌧ 1834 (1594, se détourner) ; ☞ *virer* + *dé-*[1] ; [deviʀe].

**DÉVIRGINISER,** verbe trans. [3]
Littér. Faire perdre sa virginité à (une fille, un garçon) ; déflorer. ⌧ Fin XIIe s. ; lat. *virgo*, « vierge », + *dé-*[2] ; var. *dévirginer* (vx) ; [deviʀʒinize].

**DÉVIRILISER,** verbe trans. [3]
Faire perdre sa virilité à (un homme). ⌧ 1585 ; ☞ *viril* + *dé-*[2] ; [deviʀilize].

**DEVIS,** subst. m.
État détaillé des travaux à exécuter, des fournitures à utiliser, avec l'estimation des coûts. ⌧ Déb. XIIIe s. (mil. XIIe s., menus propos ; souhait) ; ☞ *deviser* ; [d(ə)vi].

**DÉVISAGER,** verbe trans. [5]
Regarder (qqn) de façon insistante. ⌧ 1803 (1538, défigurer) ; ☞ *visage* + *dé-*[2] ; [devizaʒe].

**DEVISE (I),** subst. f.
**1.** *Hérald.* Figure emblématique accompagnée d'une formule : *La* ***devise*** *de Paris est une nef avec les mots « Fluctuat nec mergitur »* ; par méton., la sentence seule. **2.** Anal. Courte phrase exprimant un mot d'ordre, une règle morale : *Évoluer, telle est ma* ***devise.*** ⌧ Mil. XIIe s. ; ☞ *deviser* ; [dəviz].

**DEVISE (II),** subst. f.
*Fin.* Monnaie, considérée par rapport aux monnaies étrangères (souv. au plur.) : *Un trafic de* ***devises*** ; *Acheter des* ***devises*** *avant un voyage à l'étranger.* ⌧ Mil. XIXe s. ; prob. all. *Devise* ; [dəviz].

**DEVISER,** verbe intrans. [3]
Converser de façon spontanée : ***Deviser*** *familièrement.* ⌧ Fin XIIe s. (1119, diviser) ; bas lat. *devisare*, du lat. *dividere*, « diviser, partager » ; [dəvize].

**DÉVISSAGE,** subst. m.
**1.** Action de dévisser. **2.** *Alp.* Fait de lâcher prise ; chute. ⌧ 1870 ; ☞ *dévisser* ; [devisaʒ].

**DÉVISSER,** verbe [3]
**Trans.** Desserrer (ce qui est vissé) : ***Dévisser*** *une étagère.* **Intrans.** *Alp.* Lâcher prise, tomber (synon. *dérocher*). ⌧ 1768 ; ☞ *visser* + *dé-*[2] ; [devise].

**DE VISU,** loc. adv.
En témoin oculaire : *Constater* ***de visu.*** ⌧ 1721 ; lat. médiév. *de visu*, « à partir de la vue » ; [devizy].

**DÉVITALISATION,** subst. f.
Action de dévitaliser une dent ; son résultat. ⌧ 1922 ; ☞ *dévitaliser* ; [devitalizasjɔ̃].

**DÉVITALISER,** verbe trans. [3]
*Dent.* Retirer le nerf, la pulpe de (une dent) pour l'insensibiliser. ⌧ 1922 (1842, ôter la vitalité) ; ☞ *vital* + *dé-*[2] ; [devitalize].

**DÉVITAMINÉ, ÉE,** adj.
Dont on a enlevé des vitamines ; qui les a perdues. ⌧ XXe s. ; ☞ *vitamine* + *dé-*[2] ; [devitamine].

**DÉVITRIFICATION,** subst. f.
Opération consistant à dévitrifier ; son résultat. ⌧ 1803 ; ☞ *dévitrifier* ; [devitʀifikasjɔ̃].

**DÉVITRIFIER,** verbe trans. [6]
*Techn.* Rendre (un verre) opaque, par l'action de la chaleur, par génération de cristaux. ⌧ 1803 ; ☞ *vitrifier* + *dé-*[2] ; [devitʀifje].

**DÉVOIEMENT,** subst. m.
**1.** *Archit.* Déviation ou inclinaison d'un conduit de fumée ou d'une canalisation. **2.** Fig. Fait de dévoyer qqn, d'être dévoyé. ⌧ 1268 (mil. XIIe s., chemin impraticable) ; ☞ *dévoyer* ; [devwamɑ̃].

**DÉVOILEMENT,** subst. m.
Action de dévoiler ; son résultat. ⌧ 1609 ; ☞ *dévoiler* ; [devwalmɑ̃].

**DÉVOILER,** verbe trans. [3]
**1.** Ôter le voile couvrant (qqn, qqch.) : ***Dévoiler*** *une femme* ; ***Dévoiler*** *une statue.* **2.** Fig. Livrer, exposer (ce qui était tenu caché) : ***Dévoiler*** *une stratégie.* **Pronom.** Se révéler sous son vrai jour : *L'hypocrite se* ***dévoile.*** ⌧ Fin XVe s. ; ☞ *voiler* + *dé-*[2] ; [devwale].

**DEVOIR (I),** verbe trans. [41]
**I. 1.** Avoir à payer : *Je te* ***dois*** *cent francs* ; par méton. : *On lui* ***doit*** *trois mois de salaire.* **2.** Être tenu à (qqch.) à quoi obligent la morale, la loi ou les convenances : *Vous lui* ***devez*** *le respect* ; *Je vous* ***dois*** *la vérité.* **3.** Être redevable de (ce que l'on possède) à qqn ou à qqch. : *Je lui* ***dois*** *mes plus belles années* ; *Pise* ***doit*** *sa réputation à sa tour.* **II.** Empl. comme auxil. (+ inf.). **1.** Marque l'obligation ou la nécessité : *On* ***doit*** *respecter la loi* ; *Tu* ***dois*** *réussir.* **2.** Marque la probabilité, l'hypothèse : *L'accident* ***a dû*** *se produire vers minuit.* **3.** Marque l'intention : *Il* ***doit*** *me rejoindre en vacances.* **4.** À l'imp. du subj. et avec inversion du sujet (littér.) : *J'y arriverai,* ***dussé****-je y passer la nuit*, quand bien même je devrais y passer la nuit. **III. Pronom. 1. Se devoir à.** Se vouer à (qqn, qqch.) : *Il* ***se doit*** *à ses enfants.* **2. Se devoir de.** Se donner l'obligation de : *Je* ***me dois*** *de répondre.* **3.** Empl. impers. *Comme il* ***se doit*** : comme il convient. ⌧ 842 ; lat. *debere* ; [dəvwaʀ].

**DEVOIR (II),** subst. m.
**1.** L'obligation morale en elle-même : *Avoir le sens du* ***devoir.*** **2.** Obligation particulière ; ce que l'on est tenu de faire : *Faire son* ***devoir*** *de citoyen.* ► Loc. *Se mettre en* ***devoir*** *de* : se préparer, se disposer à. **3.** *Enseign.* Exercice demandé à un élève, à un étudiant. **Plur.** Marques de respect, d'hommage : *Présenter ses* ***devoirs*** *à qqn.* ► Loc. *Rendre à qqn les derniers* ***devoirs*** : assister à ses funérailles. ⌧ Fin XIIIe s. ; ☞ *devoir* (I) ; [dəvwaʀ].

**DÉVOISÉ, ÉE,** adj.
*Phon.* Qualifie un son du langage, ou phonème, qui a perdu de sa sonorité : *Dans « s'abstenir », le « b », prononcé comme un « p », est une consonne* ***dévoisée.*** ⌧ 1951 ; ☞ *voisé* + *dé-*[2] ; [devwaze].

**DÉVOLTAGE,** subst. m.
Action de dévolter ; son résultat. ⌧ 1922 ; ☞ *volt* + *dé-*[2] ; [devɔltaʒ].

**DÉVOLTER,** verbe trans. [3]
*Électr.* Diminuer le voltage de. ⌧ 1929 ; ☞ *volt* + *dé-*[2] ; [devɔlte].

**DÉVOLU, UE,** adj. et subst. m.
**Adj. 1.** *Dr.* Acquis, échu : *L'héritage* ***dévolu*** *à sa fille.* **2.** Ext. Attribué, réservé : *Ce destin t'est* ***dévolu.*** **Subst.** *Jeter son* ***dévolu*** *sur qqch., qqn* : le choisir, vouloir l'accaparer. ⌧ XIVe s. ; bas lat. *devolutus*, du lat. *devolvere*, « faire rouler de haut en bas » ; [devɔly].

**DÉVOLUTIF, IVE,** adj.
*Dr.* Qui permet qu'une chose soit dévolue. ⌧ XVIe s. ; bas lat. *devolutus*, du lat. *devolvere*, « faire rouler de haut en bas » ; [devɔlytif, iv].

**DÉVOLUTION,** subst. f.
*Dr.* Attribution d'une succession ou d'une tutelle. ⌧ 1385 ; lat. médiév. *devolutio* ; [devɔlysjɔ̃].

**DEVON,** subst. m.
*Pêche.* Leurre articulé muni d'hameçons. ⌧ 1907 ; topon. *Devon*, comté d'Angleterre ; [devɔ̃].

**DÉVONIEN, IENNE,** adj. et subst. m.
*Géol.* Se dit de la quatrième période de l'ère primaire, entre le Silurien et le Carbonifère, qui a commencé il y a 410 millions d'années et a duré 50 millions d'années. Le **Dévonien** voit l'apparition des vertébrés terrestres (Amphibiens) et des arbres à feuilles de fougère. Les poissons et les brachiopodes sont variés, et les récifs nombreux. **Adj.** Relatif, propre au **Dévonien.** ⌧ Mil. XIXe s. ; angl. *devonian*, du topon. *Devon*, comté d'Angleterre ; [devɔnjɛ̃, jɛn].

**DÉVORANT, ANTE,** adj.
**1.** Qui dévore ses proies (vieilli) : *Des fauves* ***dévorants*** ; par méton. : *Un appétit* ***dévorant***, qui pousse à manger beaucoup. **2.** Fig. Qui use, détruit ; qui tourmente : *Mal* ***dévorant.*** ⌧ XIVe s. ; p. pr. de *dévorer* ; [devɔʀɑ̃, ɑ̃t].

**DÉVORATEUR, TRICE,** adj.
Qui tourmente (littér.) : *Un amour* ***dévorateur.*** ⌧ Déb. XIVe s. ; bas lat. *devorator*, « celui qui dévore » ; [devɔʀatœʀ, tʀis].

**DÉVORER,** verbe trans. [3]
**1.** Manger (sa proie) en la déchirant, en parlant d'un animal : *Le lion* ***dévore*** *la gazelle.* ► Ext. Manger entièrement : *Les vers* ***dévorent*** *les plantes* ; envahir jusqu'à faire disparaître : *La mousse* ***a dévoré*** *le mur.* **2.** Anal. Manger voracement, engloutir : ***Dévorer*** *son repas.* ► Fig. ***Dévorer*** *un livre* : le lire avec avidité ; ***Dévorer*** *des yeux* : regarder intensément, avec convoitise. **3.** Fig. Anéantir, consumer : *La grange fut* ***dévorée*** *par le feu* ; dilapider : *Il* ***dévora*** *ses gains en une nuit* ; ronger, tourmenter : *Son amour le* ***dévore.*** **Pronom. 1.** S'entredévorer. **2.** Fig. Se tourmenter : *Il* ***se dévore*** *d'inquiétude* (littér.). ⌧ 1120 ; lat. *devorare* ; [devɔʀe].

**DÉVOREUR, EUSE,** adj. et subst.
Se dit d'une personne ou d'une chose qui dévore. ⌧ Fin XIIIe s. ; ☞ *dévorer* ; [devɔʀœʀ, øz].

**DÉVOT, OTE,** adj. et subst.
Qualifie ou désigne une personne attachée à une religion et à ses pratiques, ou manifestant de la dévotion à l'égard de qqn, d'une valeur profane. **Adj.** Qui a le caractère de la dévotion : *Une vie* ***dévote.*** ⌧ Fin XIIe s. ; lat. eccl. *devotus*, « soumis à Dieu » ; [devo, ɔt].

**DÉVOTEMENT,** adv.
De façon dévote. ⌧ Fin XIIe s. ; ☞ *dévot* ; [devɔtmɑ̃].

**DÉVOTION,** subst. f.
**1.** Piété, attachement à la religion et à ses pratiques : *Être d'une grande* ***dévotion*** ; par méton., culte rendu à un saint, à un lieu ou à un objet sacré : ***Dévotion*** *à la Vierge* ; au plur., devoirs religieux, prières : *Il faut laisser la reine à ses* ***dévotions*** (Hugo). **2.** Ext. Attachement dévoué, fervent ou servile. ⌧ Mil. XIIe s. ; lat. eccl. *devotio* ; [devosjɔ̃].

**DÉVOUÉ, ÉE,** adj.
Qui fait don de sa personne ou de ses intérêts, pour servir qqn, une cause ; d'un zèle attentif et fidèle : *Votre (tout)* ***dévoué***, dans une formule de politesse. ⌧ Mil. XVIIe s. ; p. p. de *dévouer* ; [devwe].

**DÉVOUEMENT,** subst. m.
**1.** Action de se sacrifier pour qqn, qqch. : *Le* ***dévouement*** *à la patrie, à sa foi.* **2.** Disposition à servir qqn, à aider autrui, à défendre une cause ; abnégation. ⌧ 1690 (1338, vœu) ; ☞ *vœu* + *dé-*[1] ; [devumɑ̃].

**DÉVOUER,** verbe trans. [3]
**1.** Vouer (vx). **2.** Mettre (sa vie, sa carrière) au service exclusif d'une personne, d'une cause, d'une œuvre. **Pronom. Se dévouer à.** Faire don de soi, se consacrer totalement à (qqn, qqch.) : ***Se dévouer*** *à sa tâche, à son enfant* ; empl. abs., se charger d'un travail pénible ou rebutant : *C'est toujours lui qui* ***se dévoue.*** ⌧ 1559 (au sens pronom.) ; ☞ *vouer* + *dé-*[1], d'apr. le lat. *devovere* ; [devwe].

**DÉVOYÉ, ÉE,** adj. et subst.
Se dit d'une personne qui s'est détournée du droit chemin, s'est pervertie. ⌧ XVe s. (mil. XIIe s., fou) ; p. p. de *dévoyer* ; [devwaje].

**DÉVOYER,** verbe trans. [17]
**1.** Détourner de la bonne voie, égarer ; pervertir. **2.** *Archit.* et *Bât.* Détourner (un conduit) devant un obstacle. ⌧ 1150 ; ☞ *voie* + *dé-*[2] ; [devwaje].

**DEXTÉRITÉ,** subst. f.
**1.** Adresse manuelle : *La* ***dextérité*** *d'un artisan.* **2.** Fig. Agilité d'esprit ; habileté : *Diriger une entreprise avec* ***dextérité.*** ⌧ 1549 ; lat. *dexteritas* ; [dɛksteʀite].

**DEXTRALITÉ,** subst. f.
Fait d'être droitier. ⌧ 1959 ; ☞ *dextre* ; [dɛkstʀalite].

**DEXTRE,** adj. et subst. f.
**Subst.** Vx. La main droite ; par ext., la droite, le côté droit. **Adj. 1.** *Hérald.* Qui est à droite de l'écu, pour l'écuyer (anton. *sénestre*). **2.** *Zool. Coquille* ***dextre*** : qui s'enroule en descendant vers la droite. ⌧ Fin XIVe s. ; lat. *dext(e)ra* ; [dɛkstʀ].

**DEXTRINE,** subst. f.
*Chim.* Substance dextrogyre dérivée de l'amidon polymère du maltose. Les **dextrines** sont des matières gommeuses dont on se sert en chirurgie et dans l'industrie des colles et des colorants. ⌧ 1833 ; lat. *dext(e)ra*, « main droite » ; [dɛkstʀin].

**DEXTROCARDIE,** subst. f.
*Pathol.* Anomalie congénitale caractérisée par le fait que le cœur est placé à droite. ⌧ 1901 ; formé de *dextro-* et de *-cardie* ; [dɛkstʀokaʀdi].

**DEXTROGYRE,** adj.
**1.** Qui fait tourner vers la droite. **2.** *Chim.* Qualifie un composé qui fait tourner le plan de polarisation de la lumière vers la droite. ⌧ 1865 ; formé de *dextro-* et de *-gyre* ; [dɛkstʀoʒiʀ].

· **DEXTRORSUM,** adj. inv. et adv.
*Sc.* Allant de gauche à droite. ⌧ 1858 ; mot lat. ; [dɛkstʀɔʀsɔm].

**DEXTROSE,** subst. m.
*Chim.* Glucose. ⌧ 1878 ; ☞ *dextrine* ; [dɛkstʀoz].

**DEY,** subst. m.
*Hist.* Dans l'Empire ottoman, titre donné à un officier de janissaires commandant une régence barbaresque, en partic. celle d'Alger (de 1671 à 1830). 1613 ; turc *dāi*, « oncle maternel » ; [dɛ].

**DHARMA,** subst. m.
Dans la pensée religieuse indienne, loi universelle régissant le monde. 1929 ; skr. *dharma*, « droit ; usage » ; [daʀma].

**DIA,** interj.
Cri lancé par les charretiers pour faire aller les chevaux à gauche. 1561 ; onomat. ; [dja].

**DIABÈTE,** subst. m.
*Pathol.* Nom générique de maladies caractérisées par une augmentation de la diurèse (polyurie) et de la consommation d'eau (polydipsie). Si la forme la plus courante est le **diabète** sucré, caractérisée par un métabolisme anormal des glucides dans l'organisme, d'autres formes, comme le **diabète** insipide, n'impliquent pas cette anomalie. 1520 ; bas lat. *diabetes*, du gr. *diabêtês*, « qui traverse » ; [djabɛt].

MÉDECINE – Le diabète sucré a plusieurs formes, dont le symptôme commun est l'augmentation du taux de sucre dans le sang (hyperglycémie), que cette anomalie soit détectée d'emblée ou uniquement lors d'épreuves en laboratoire (comme l'hyperglycémie provoquée). Classiquement, une hyperglycémie notable entraîne une élimination du sucre dans les urines (glycosurie), les capacités du rein étant dépassées ; elle est accompagnée d'une fuite d'eau importante expliquant le besoin de manger, de boire et d'uriner des patients. Dans 10 % des cas environ, le diabète a pour origine une absence d'insuline (diabète maigre ou insulinoprive, ou encore diabète de type 2) ; dans 90 % des cas, il est lié à une mauvaise utilisation du glucose par l'organisme (diabète gras, dit aussi de pléthore, de la maturité, non insulino-dépendant, ou encore diabète de type 1). S'il n'est pas traité, le diabète peut aboutir à un coma extrêmement grave ; mal traité, il entraîne des complications oculaires, vasculaires, neurologiques et rénales. Le traitement du diabète fait appel aux médicaments hypoglycémiants par voie orale pour le diabète de type 1 et à l'insuline (uniquement injectable) pour le diabète de type 2. Dans tous les cas, le régime et l'hygiène de vie sont fondamentaux.

**DIABÉTIQUE,** adj. et subst.
*Méd.* ADJ. **1.** Relatif au diabète. **2.** Atteint de diabète. SUBST. Personne atteinte de diabète. 1577 ; ☞ *diabète* ; [djabetik].

**DIABÉTOLOGIE,** subst. f.
*Méd.* Étude du diabète et de ses traitements. V. 1960 ; ☞ *diabète* + *-logie* ; [djabetɔlɔʒi].

**DIABÉTOLOGUE,** subst.
*Méd.* Spécialiste du diabète. V. 1960 ; ☞ *diabète* + *-logue* ; [djabetɔlɔg].

**DIABLE,** subst. m.
**I. 1.** Ange révolté contre Dieu, esprit du mal, dans la tradition chrétienne ; Satan, le démon : *La peur du* **diable**. **2.** Loc. ► *Avoir le* **diable** *au corps* : être d'une méchanceté féroce ; manifester une sensualité dévorante ; déployer une grande énergie. ► *La beauté du* **diable** : l'attrait de la jeunesse. ► *Avocat du* **diable** (☞ *avocat*). ► Fam. *Se débattre comme un beau* **diable** : se démener, lutter avec acharnement ; *Tirer le* **diable** *par la queue* : manquer d'argent ; *C'est bien le* **diable** *si* : il serait bien étonnant que ; *Ce n'est pas le* **diable** : ce n'est pas compliqué. ► Fig. *Au* **diable** *(Vauvert)* : très loin ; *À la* **diable** : sans soin, de façon brouillonne ; *Du* **diable** : excessif ; *En* **diable** : terriblement. ► Empl. interj. Marque l'étonnement, l'indignation : **Diable** *! c'est prodigieux !* **II. 1.** Personne méchante. **2.** Enfant espiègle, turbulent. **3.** Loc. *Bon* **diable** : homme simple ; *Pauvre* **diable** : homme pitoyable ; *Grand* **diable** : homme très grand, dégingandé. **III. 1.** Jouet constitué d'une boîte de laquelle surgit un pantin monté sur un ressort. ► Loc. *Surgir comme un* **diable** *de sa boîte* : apparaître brusquement. **2.** Petit chariot de manutention, à deux roues. **3.** Double poêlon en terre. 881 ; lat. chrét. *diabolus*, du gr. *diabolos*, « qui désunit ; calomniateur » ; [djɑbl].

*Le* **diable**, *vu par le maître verrier Engrand Leprince (v. 1522-1525). Collégiale Saint-Étienne de Beauvais.*

© M. Cambazard-Explorer

**DIABLEMENT,** adv.
Très, excessivement (fam.). XVIe s. ; ☞ *diable* ; [djɑbləmɑ̃].

**DIABLERIE,** subst. f.
**1.** Sorcellerie. **2.** Fig. Machination, manigance. **3.** Ext. Espièglerie, turbulence. **4.** *Spéc.* ► *Litt.* Conte, pièce où le diable tient le premier rôle. ► *B.-a.* Œuvre représentant des diables. 1230 ; ☞ *diable* ; [djɑbləʀi].

**DIABLESSE,** subst. f.
**1.** Diable femelle. **2.** Fig. Femme méchante ; jeune fille espiègle. Mil. XIIIe s. ; ☞ *diable* ; [djablɛs].

**DIABLOTIN,** subst. m.
Petit diable. Mil. XVIe s. ; m. fr. *diablot* ; [djɑblɔtɛ̃].

**DIABOLIQUE,** adj.
**1.** Qui tient du diable. **2.** Qui rappelle le diable. Fin XIIIe s. ; lat. eccl. *diabolicus*, du gr. *diabolikos*, « calomniateur ; démoniaque » ; [djabɔlik].

**DIABOLIQUEMENT,** adv.
De manière diabolique. Fin XIVe s. ; ☞ *diabolique* ; [djabɔlikmɑ̃].

**DIABOLO,** subst. m.
**1.** Jouet constitué d'une bobine faite de deux cônes opposés par le sommet et de deux baguettes reliées par un fil avec lequel on lance et on rattrape la bobine. **2.** Mélange de sirop et de limonade. **3.** *Chir.* Fin tuyau posé à travers la membrane du tympan pour traiter les otites séreuses ou purulentes. 1906 ; ☞ *diable*, p.-ê. d'apr. l'ital. *diavolo* ; [djabɔlo].

**DIACHRONIE,** subst. f.
*Ling.* Caractère évolutif, temporel des faits linguistiques ; étude de cette évolution : *Comparer des phénomènes [linguistiques] avec ce qu'ils ont été antérieurement, cela revient à établir une* **diachronie** (Saussure). 1916 ; formé de *dia-* et de *-chronie* ; [djakʀɔni].

**DIACHRONIQUE,** adj.
Qui relève de la diachronie. 1916 ; ☞ *diachronie* ; [djakʀɔnik].

**DIACIDE,** subst. m.
*Chim.* Corps possédant deux fois la fonction acide. 1948 ; ☞ *acide* + *di-* ; [diasid].

**DIACLASE,** subst. f.
*Géol.* Cassure traversant une roche, sans déplacement d'un des blocs. Les **diaclases** débitent les bancs de roches sédimentaires (surtout les calcaires) en blocs parallélépipédiques. 1879 ; gr. *diaklasis* ; [djaklaz].

**DIACODE,** subst. m.
*Pharm.* Sirop à base d'opium, aux vertus calmantes. 1256 ; lat. médiév. *diacodion*, « pavot » ; [djakɔd].

**DIACONAL, ALE, AUX,** adj.
Qui a trait au diacre, au diaconat. 1495 ; lat. eccl. *diaconalis*, de *diaconus*, « diacre » ; [djakɔnal, o].

**DIACONAT,** subst. m.
*Relig.* Le moins élevé des ordres sacrés ; fonction, dignité de diacre. 1495 ; lat. eccl. *diaconatus*, de *diaconus*, « diacre » ; [djakɔna].

**DIACONESSE,** subst. f.
*Relig.* **1.** Dans l'Église primitive, vierge ou veuve qui recevait le diaconat. **2.** Dans l'Église protestante, femme se consacrant à des œuvres de charité. XIVe s. ; lat. eccl. *diaconissa* ; [djakɔnɛs].

**DIACOUSTIQUE,** subst. f.
Partie de la physique qui étudie la réfraction des ondes sonores. 1732 ; ☞ *acoustique* + *dia-* ; [djakustik].

**DIACRE,** subst. m.
**1.** *Cath.* Clerc ayant reçu le diaconat. **2.** Laïc chargé de l'aide aux pauvres, dans l'Église protestante. Fin XIIe s. ; lat. eccl. *diaconus*, du gr. eccl *diakonos*, « serviteur » ; [djakʀ].

**DIACRITIQUE,** adj.
Qui sert à distinguer, à différencier. ► *Gramm. Signe* **diacritique** ou, empl. subst. masc., *Un* **diacritique** : signe ajouté à une lettre afin d'en distinguer la valeur ou d'en modifier la prononciation (par ex. l'accent grave sur le *a* de « çà », qui permet de distinguer l'adverbe du pronom démonstratif « ça »). 1635 ; gr. *diakritikos*, « qui distingue » ; [djakʀitik].

**DIADÈME,** subst. m.
**1.** Bandeau porté autour de la tête comme signe de royauté ; la royauté elle-même. **2.** Ext. Parure féminine ceignant le haut du front. Déb. XIVe s. ; lat. *diadema*, du gr. *diadêma* ; [djadɛm].

**DIADOQUE,** subst. m.
**1.** *Hist.* Titre des généraux d'Alexandre le Grand, qui se disputèrent ses territoires à sa mort. **2.** Titre donné à l'héritier du royaume de Grèce. 1900 ; gr. *diadokhos*, « successeur » ; [djadɔk].

**DIAGENÈSE,** subst. f.
*Géol.* Transformation des dépôts sédimentaires en roches sédimentaires sous l'action de facteurs externes (pression de dépôts sus-jacents, température, circulation d'eau) ou internes (bactéries, par ex.). 1929 ; ☞ *genèse* + *dia-* ; [djaʒənɛz].

**DIAGNOSE,** subst. f.
**1.** *Méd.* Connaissance des maladies acquise par l'observation des signes diagnostiques (vieilli). **2.** *Bot.* et *Zool.* Description méthodique permettant de caractériser sans ambiguïté une unité systématique (espèce, genre, ordre, etc.). 1858 ; gr. *diagnôsis*, « action de discerner » ; [djagnoz].

**DIAGNOSTIC,** subst. m.
**1.** *Méd.* Identification d'une maladie par l'observation de ses symptômes. **2.** Anal. Estimation d'un état ou d'une situation d'après l'analyse de données. 1732 ; ☞ *diagnostique* ; [djagnɔstik].

**DIAGNOSTIQUE,** adj.
*Méd.* Qui permet l'identification d'une maladie : *Les signes* **diagnostiques** *du diabète.* 1584 ; gr. *diagnôstikos*, « capable de discerner » ; [djagnɔstik].

**DIAGNOSTIQUER,** verbe trans. [3]
Énoncer, faire le diagnostic de (une maladie) ; au fig., déceler (une crise, une anomalie) d'après des signes. 1832 ; ☞ *diagnostique* ; [djagnɔstike].

**DIAGONAL, ALE, AUX,** adj.
**1.** *Alg. Matrice* **diagonale** : dont les termes non nuls figurent sur la diagonale principale. **2.** *Géom.* Qui a le caractère d'une diagonale. Fin XIIIe s. ; lat. *diagonalis*, du gr. *diagônios* ; [djagɔnal, o].

**DIAGONALE,** subst. f.
**1.** *Alg.* **Diagonale** *principale d'une matrice carrée* $M = (a_{ij})$, *avec* $1 \leqslant i \leqslant n$ *et* $1 \leqslant j \leqslant n$ : ensemble des termes $(a_{ii})$, $1 \leqslant i \leqslant n$, d'indices de ligne et de colonne égaux. **2.** *Géom.* **Diagonale** *d'un polyèdre (resp. d'un polygone)* : segment de droite joignant deux segments n'appartenant pas à la même face (resp. au même côté). **3.** Loc. *En* **diagonale** : en biais ; par ext. : *Lire un texte en* **diagonale**, dans ses grandes lignes, rapidement. 1546 ; ☞ *diagonal* ; [djagɔnal].

**DIAGONALEMENT,** adv.
En diagonale. 1503 ; ☞ *diagonal* ; [djagɔnalmɑ̃].

**DIAGRAMME,** subst. m.
**1.** Représentation schématique de l'organisation des parties d'un tout ; représentation graphique des variations d'un phénomène. **2.** *Bot.* **Diagramme** *floral* : représentation schématique plane des différents éléments composant une fleur (sépales, pétales, bractées, carpelles, étamines, etc.). **3.** *Phys.* ► **Diagramme** *thermodynamique* : **diagramme** représentant la variation d'une grandeur thermodynamique en fonction d'une autre. ► **Diagramme** *de von Laue* : image obtenue par diffraction des rayons X à travers un cristal, et dont l'aspect permet de décrire la structure cristalline du cristal étudié. ► **Diagramme** *des niveaux d'énergie d'un atome* : **diagramme** représentant les niveaux d'énergie auxquels peuvent se trouver les électrons d'un atome. 1584 ; lat. *diagramma*, du gr. *diagramma*, « chose décrite par le dessin ou l'écriture » ; [djagʀam].

**DIAGRAPHE,** subst. m.
Instrument permettant de produire l'image exacte d'un objet grâce au procédé de la chambre claire (vx). 1831 ; formé de *dia-* et de *-graphe* ; [djagʀaf].

**DIAGRAPHIE,** subst. f.
**1.** Méthode de dessin au diagraphe. **2.** *Géol.* Ensemble des enregistrements électriques, acoustiques, relevés en continu pendant que l'on fait descendre au bout d'un câble des appareils de mesure dans un forage minier ou pétrolier. 1845 ; ☞ *diagraphe* ; [djagʀafi].

**DIALCOOL,** subst. m.
*Chim.* Corps possédant deux fois la fonction alcool. 1948 ; ☞ *alcool + di-* ; var. *diol* ; [dialkɔl].

**DIALECTAL, ALE, AUX,** adj.
Relatif, propre à un dialecte. 1870 ; ☞ *dialecte* ; [djalɛktal, o].

**DIALECTE,** subst. m.
Forme particulière d'une langue, dérivée d'une langue dominante, à laquelle on la rattache : *Le gallo est un **dialecte** français.* 1550 ; lat. *dialectus*, du gr. *dialektos* ; [djalɛkt].

**DIALECTICIEN, IENNE,** subst.
Personne qui, dans ses raisonnements, use des procédés de la dialectique. Fin XIIe s. ; ☞ *dialectique* ; [djalɛktisjɛ̃, jɛn].

**DIALECTIQUE,** subst. f. et adj.
*Philos.* Subst. **1.** Vx. Art du dialogue, reposant sur l'habileté à discuter par demandes et réponses ; par ext., art de démontrer ou de réfuter. **2.** Chez Platon, mouvement de la pensée qui remonte de concept en concept, s'élève des sensations aux idées ou raisonne de proche en proche à la recherche de principes généraux ou premiers. **3.** Méthode de la pensée qui, chez Hegel, procède par oppositions et dépassement de ces oppositions. Adj. **1.** Qui est propre à l'art du dialogue philosophique (vx) : *Argument **dialectique**.* **2.** *Syllogisme **dialectique*** : chez Aristote, forme affaiblie du syllogisme apodictique, en tant que ses prémisses ne sont que probables. **3.** *Moment **dialectique*** : chez Hegel, phase essentielle dans la progression d'une pensée, correspondant à la découverte d'une contradiction dans les termes et à la naissance conjointe, dans l'esprit, du désir de la dépasser. **4.** *Évolution **dialectique*** : conception marxiste du devenir, qui considère la lutte des contraires et le dépassement des oppositions comme le moteur de l'histoire ; *Matérialisme **dialectique*** : philosophie du marxisme. Mil. XIIe s. ; lat. *dialectica*, du gr. *dialektikê tekhnê*, « art de la discussion » ; [djalɛktik].

**DIALECTIQUEMENT,** adv.
De manière dialectique ; conformément aux règles de la dialectique. 1549 ; ☞ *dialectique* ; [djalɛktikmɑ̃].

**DIALECTOLOGIE,** subst. f.
Partie de la linguistique qui étudie les dialectes. 1882 ; ☞ *dialecte + -logie* ; [djalɛktɔlɔʒi].

**DIALECTOLOGUE,** subst.
*Ling.* Spécialiste de la dialectologie. Fin XIXe s. ; ☞ *dialecte + -logue* ; [djalɛktɔlɔg].

**DIALOGUE,** subst. m.
**1.** Échange de paroles entre deux personnes. ▸ Loc. ***Dialogue** de sourds* : où chaque interlocuteur refuse d'entendre le point de vue de l'autre (fam.). **2.** Ext. Discussion visant à négocier un accord : *Le **dialogue** Nord-Sud*, entre pays riches et pays pauvres. **3.** Ensemble des paroles échangées par les personnages d'une pièce, d'un film ou d'un récit en style direct. **4.** *Litt.* Œuvre à caractère philosophique composée en forme de discussion entre deux personnages ou plus : *« **Dialogues** d'exilés », de B. Brecht* ; par anal., pièce musicale où deux voix, deux instruments se répondent. Déb. XIIIe s. ; lat. *dialogus*, du gr. *dialogos* ; [djalɔg].

**DIALOGUER,** verbe [3]
Intrans. Converser ; mener un dialogue : *Patrons et syndicats refusent de **dialoguer**.* Trans. Mettre en dialogue : ***Dialoguer** une scène.* 1763 (1717, écrire sous forme de dialogue) ; ☞ *dialogue* ; [djalɔge].

**DIALOGUISTE,** subst.
Auteur de dialogues ; en partic., rédacteur des dialogues d'un film. 1898 ; ☞ *dialogue* ; [djalɔgist].

**DIALYPÉTALE,** adj. et subst. f.
*Bot.* Qualifie ou désigne une plante à fleurs dont les pétales sont libres et non soudés entre eux (anton. *gamopétale*). 1845 ; crois. du gr. *dialuein*, « séparer », et de *pétale* ; [djalipetal].

**DIALYSE,** subst. f.
**1.** *Chim.* Procédé de filtration qui permet de séparer les colloïdes des cristalloïdes lorsque ces substances sont mélangées dans la même solution. On place le mélange en solution dans une cuve dont le fond est une membrane semi-perméable, et l'on plonge cette cuve dans une autre, contenant de l'eau distillée : les colloïdes sont arrêtés par la membrane, qui laisse passer les cristalloïdes. **2.** *Méd.* Technique d'épuration extrarénale qui fait appel à l'utilisation d'une membrane semi-perméable et qui permet l'épuration des déchets azotés du sang lorsque le rein est malade, comme dans l'insuffisance rénale aiguë ou chronique. Elle consiste à faire passer le sang du malade, pris au niveau du bras, à travers un circuit dialyseur avant de le lui restituer épuré (synon. *hémodialyse*). ▸ ***Dialyse** péritonéale* : qui utilise le péritoine comme membrane de **dialyse** après introduction d'un liquide régulièrement renouvelé et évacué (☞ *rein*). 1863 ; angl. *dialysis*, du gr. *dialusis*, « séparation » ; [djaliz].

**DIALYSER,** verbe trans. [3]
**1.** *Chim.* Effectuer la dialyse de (une substance). **2.** *Méd.* Soumettre (un patient) à une dialyse. 1864 ; ☞ *dialyse* ; [djalize].

**DIALYSEUR,** subst. m.
*Chim.* et *Méd.* Appareil qui permet d'effectuer une dialyse. 1864 ; ☞ *dialyser* ; [djalizœʀ].

**DIAMAGNÉTIQUE,** adj.
*Phys.* Se dit d'une substance qui, placée dans un champ d'induction magnétique, possède une susceptibilité magnétique constante et négative (elle est toujours repoussée par un aimant). C'est le cas, par ex., de l'eau, du quartz, du charbon, des sels minéraux. 1858 ; ☞ *magnétique + dia-* ; [djamaɲetik].

**DIAMAGNÉTISME,** subst. m.
Propriété des substances dites diamagnétiques. 1858 ; ☞ *magnétisme + dia-* ; [djamaɲetism].

**DIAMANT,** subst. m.
**1.** *Minér.* Carbone pur, cristallisé dans des conditions de pression extrêmes en un système cubique, ce qui lui confère une très grande dureté, chaque atome étant lié à quatre autres par des liaisons fortes, dites de covalence. On le trouve dans une roche éruptive appelée kimberlite, qui provient vraisemblablement du manteau supérieur (120 km de profondeur) et traverse l'écorce terrestre dans des cheminées volcaniques. **2.** *Joaill.* Pierre précieuse, gén. incolore et transparente, taillée dans cette matière : *Une rivière de **diamants*** ; *Un **diamant** de dix carats.* **3.** Fig. Ce qui évoque la pureté, l'éclat ou la dureté du **diamant** : *Ce poème est un pur **diamant*** ; *Un cœur de **diamant***, dur, insensible. **4.** *Spéc.* ▸ *Archit. En pointe de **diamant*** : se dit d'un bois, d'une pierre, taillé à la manière du **diamant**, avec des saillies de forme pyramidale. ▸ *Édition. Format **diamant*** : petit format d'une édition de luxe. ▸ *Techn.* Instrument muni d'une pointe de **diamant** impur, servant à graver ou à couper du verre ; pointe de lecture des disques microsillons ; *Poudre de **diamant*** : abrasif. Fin XIIe s. ; bas lat. *diamas*, prob. du lat. *adamas*, « aimant » ; [djamɑ̃].

© Deville/Photo News-Gamma

*Diamants bruts.*

**DIAMANTAIRE,** subst.
Personne qui taille les diamants ou qui en fait le commerce. 1680 ; ☞ *diamant* ; [djamɑ̃tɛʀ].

**DIAMANTER,** verbe trans. [3]
**1.** Parer, garnir de diamants. **2.** Faire briller comme un diamant (littér.). **3.** *Techn.* ▸ Munir d'une pointe de diamant. ▸ Couvrir de poudre de diamant ; empl. adj. : *Meule, scie **diamantée**.* 1801 ; ☞ *diamant* ; [djamɑ̃te].

**DIAMANTIFÈRE,** adj.
Qui contient du diamant : *Roche, région **diamantifère**.* 1864 ; ☞ *diamant + -fère* ; [djamɑ̃tifɛʀ].

**DIAMANTIN, INE,** adj.
Qui a la dureté, l'éclat du diamant (synon. *adamantin*). 1552 ; ☞ *diamant* ; [djamɑ̃tɛ̃, in].

**DIAMÉTRAL, ALE, AUX,** adj.
**1.** *Géom.* Qui appartient au diamètre, qui lui est relatif : *Un plan **diamétral**.* **2.** Fig. *Opposition **diamétrale*** : totale, absolue. Fin XIIIe s. ; bas lat. *diametralis* ; [djametʀal, o].

**DIAMÉTRALEMENT,** adv.
**1.** *Géom.* Selon le diamètre : *Des pôles **diamétralement** opposés.* **2.** Fig. *Des avis **diamétralement** opposés* : en totale opposition, exclusifs l'un de l'autre. Fin XIVe s. ; ☞ *diamétral* ; [djametʀalmɑ̃].

**DIAMÈTRE,** subst. m.
**1.** *Géom. **Diamètre** d'un cercle* : corde passant par le centre du cercle. Tous les **diamètres** d'un cercle ont la même longueur, appelée elle aussi **diamètre** ; ***Diamètre** d'une courbe* : ensemble des milieux des cordes ayant une direction donnée. **2.** Ext. Largeur d'un corps circulaire ou cylindrique : ***Diamètre** d'une table, d'un tronc d'arbre.* **3.** *Opt. **Diamètre** apparent d'un objet, d'un astre* : grandeur de l'angle sous lequel on le voit. Fin XIIIe s. ; lat. *diametrus*, du gr. *diametros* ; [djamɛtʀ].

**DIAMIDE,** subst. m.
*Chim.* Composé organique possédant deux fois la fonction amide, ce qui se traduit par la présence de deux groupements fonctionnels $-CONH_2$ dans sa molécule. 1898 ; ☞ *amide + di-* ; [diamid].

**DIAMINE,** subst. f.
*Chim.* Composé organique possédant deux fois la fonction amine, ce qui se traduit par la présence de deux groupements fonctionnels $-NH_2$ (amine primaire), $-NH$ (amine secondaire) ou $-N$ (amine tertiaire) dans sa molécule. 1877 ; ☞ *amine + di-* ; [diamin].

**DIANE,** subst. f.
*Milit.* et Vieilli. Batterie de tambour ou sonnerie de clairon exécutée au lever du jour pour réveiller les soldats ou les matelots ; par méton., moment où l'on exécute la **diane** : *Se lever à la **diane**.* 1555 ; ital. *diana*, du lat. *Diana*, « Diane », proprement « la Lumineuse » ; [djan].

**DIANTRE,** interj.
Exclamation marquant l'étonnement, l'admiration ou l'impatience (vieilli) : ***Diantre** ! que de monde !* ; *Que **diantre** !* ; *Pour qui **diantre** me prenez-vous !* 1534 ; altér. de *diable* ; [djɑ̃tʀ].

**DIAPASON,** subst. m.
*Mus.* **1.** Étendue d'une voix ou d'un instrument. **2.** Son servant, par convention internationale, de référence pour l'accord des voix et des instruments (noté *la*[3], de 440 Hz de fréquence). ▸ Loc. *Se mettre, être au **diapason** de qqn, de qqch.* : régler sur lui son comportement, son état d'esprit. **3.** Méton. Instrument qui donne le *la*[3]. Mil. XIIe s. ; bas lat. *diapason*, « octave », du gr. *dia pasôn khordôn*, « par toutes les cordes » ; [djapazɔ̃].

**DIAPAUSE,** subst. f.
*Zool.* Arrêt ou ralentissement du développement embryonnaire ou larvaire chez les Invertébrés (surtout chez les Arthropodes, et plus partic. chez les Insectes). V. 1940 ; ☞ *pause + dia-* ; [djapoz].

**DIAPÉDÈSE,** subst. f.
*Physiol.* Migration des leucocytes (globules blancs) à travers les parois des capillaires sanguins. Mil. XVIe s. ; gr. *diapêdêsis*, de *pêdan*, « bondir » ; [djapedɛz].

**DIAPHANE,** adj.
**1.** Qui laisse passer les rayons lumineux, sans être transparent. **2.** Fig. Pâle, délicat : *Teint **diaphane*** ; *Peau **diaphane***, sous laquelle on devine les veines ; *Jeune fille **diaphane**.* 1377 ; gr. *diaphanês*, de *diaphainein*, « laisser voir à travers » ; [djafan].

**DIAPHANOSCOPIE,** subst. f.
*Méd.* Diascopie. 1908 ; gr. *diaphainein*, « laisser voir à travers », + *-scopie* ; [djafanɔskɔpi].

**DIAPHONIE,** subst. f.
**1.** *Mus.* Dans la Grèce antique, dissonance (anton. *symphonie*) ; au Moyen Âge, forme primaire de polyphonie. **2.** *Télécomm.* Interférence parasite de deux signaux en provenance de deux sources différentes. 1768 ; bas lat. *diaphonia*, du gr. *diaphônia* ; [djafɔni].

**DIAPHORÈSE,** subst. f.
*Physiol.* Transpiration naturelle ou provoquée de la peau, provenant de l'activité des glandes sudoripares. 1550 ; gr. *diaphorêsis* ; [djafɔʀɛz].

**DIAPHRAGMATIQUE, adj.**
*Anat.* Relatif au diaphragme : *Respiration **diaphragmatique*** ; *Anneau **diaphragmatique**,* ouverture par laquelle la veine cave inférieure traverse le diaphragme. 1575 ; ☞ *diaphragme* ; [djafʀagmatik].

**DIAPHRAGME, subst. m.**
**1.** *Anat.* Muscle très large, mince et aplati, séparant la cavité thoracique de la cavité abdominale. Il a la forme d'une voûte allongée transversalement et comporte une partie périphérique faite de fibres musculaires charnues, percée de différents orifices qui laissent passer l'aorte, la veine cave inférieure, l'œsophage ainsi que différents nerfs. C'est le principal muscle inspiratoire, qui permet aux poumons de se gonfler quand il s'abaisse. ▸ Ext. Nom donné à diverses cloisons cartilagineuses, membraneuses ou musculaires séparant les organes entre eux : ***Diaphragme** membraneux de l'œsophage,* cloison qui bouche la lumière de l'organe et empêche le reflux œsophagien. **2.** Préservatif féminin constitué d'une calotte de latex au bord rigide, dont on recouvre le col de l'utérus. **3.** *Opt.* et *Phot.* Disque opaque percé d'une ouverture centrale variable qui permet de régler la quantité de lumière qui pénètre dans un appareil. **4.** *Techn.* Membrane ou fine cloison dont les propriétés filtrantes ou vibrantes servent au fonctionnement de divers appareils : ***Diaphragme** poreux* ; ***Diaphragme** de haut-parleur.* 1314 ; bas lat. *diaphragma*, du gr. *diaphragma*, « séparation, cloison » ; [djafʀagm].

**DIAPHRAGMER, verbe [3]**
**Trans.** Munir d'un diaphragme : ***Diaphragmer** un haut-parleur.* **Intrans.** *Phot.* Régler l'ouverture du diaphragme. 1877 ; ☞ *diaphragme* ; [djafʀagme].

**DIAPHYSE, subst. f.**
*Anat.* Partie allongée d'un os long, comprise entre ses deux extrémités ou épiphyses : ***Diaphyse** fémorale.* 1561 ; gr. *diaphusis*, « interstice » ; [djafiz].

**DIAPIR, subst. m.**
*Géol.* Montée vers la surface de masses de sel en dôme ou perçant les couches sédimentaires sous lesquelles elles étaient enfouies. Le sel, peu dense, s'injecte dans les fractures ou soulève un pli sans nécessité de compression tectonique. Déb. XX^e s. ; gr. *diapeirein*, « transpercer » ; [djapiʀ].

**DIAPORAMA, subst. m.**
*Audiov.* Projection sonorisée de diapositives. V. 1960 ; ☞ *diapositive* + *-orama* ; [djapɔʀama].

**DIAPOSITIVE, subst. f.**
Épreuve photographique positive réalisée sur un support transparent et destinée à être projetée sur un écran. 1900 ; ☞ *positif* + *dia-* ; [djapozitiv].

**DIAPRER, verbe trans. [3]**
Donner des nuances irisées, chatoyantes à (qqch.) ; parer d'ornements brillants : *Les feux de la rampe **diaprent** sa robe noire* ; empl. adj. : *Soie **diaprée**.* Fin XIII^e s. ; anc. fr. *diaspre*, « drap de soie à ramages ou arabesques » ; [djapʀe].

**DIAPRURE, subst. f.**
État de ce qui est diapré, chatoiement : *La **diaprure** d'une étoffe.* 1360 ; ☞ *diaprer* ; [djapʀyʀ].

**DIARRHÉE, subst. f.**
**1.** *Pathol.* Évacuation fréquente de selles liquides, plus ou moins abondantes, sous l'effet d'un trouble intestinal. **2.** Fig. ***Diarrhée** verbale* : logorrhée (iron.). 1372 ; bas lat. *diarrhoea*, du gr. *diarrhoia*, « écoulement » ; [djaʀe].

**DIARRHÉIQUE, adj.**
**1.** Qui a les caractères d'une diarrhée : *Des selles **diarrhéiques**.* **2.** Qui souffre de diarrhée : *Un enfant **diarrhéique*** ; empl. subst., personne **diarrhéique**. 1568 ; ☞ *diarrhée* ; [djaʀeik].

**DIARTHROSE, subst. f.**
*Anat.* Articulation mobile dont les surfaces articulaires, revêtues de cartilage, sont séparées par une cavité et dont les éléments osseux sont maintenus en contact par une capsule articulaire et par des ligaments. Une membrane mince et transparente, la membrane synoviale, qui double la face interne de la capsule et des surfaces articulaires, sécrète un liquide lubrifiant appelé synovie, ou liquide synovial : ***Diarthrose** du coude, du genou.* 1561 ; gr. *diarthrôsis*, de *arthron*, « articulation » ; [djaʀtʀoz].

**DIASCOPE, subst. m.**
**1.** *Arm.* Appareil optique utilisé dans les engins blindés. **2.** Appareil servant à projeter des diapositives et des documents transparents. 1940 ; formé de *dia-* et de *-scope* ; [djaskɔp].

**DIASCOPIE, subst. f.**
**1.** Projection de diapositives ou de documents transparents. **2.** *Méd.* Procédé consistant à éclairer certaines parties du corps ou certains organes afin de les examiner par transparence (synon. *diaphanoscopie*). V. 1960 ; formé de *dia-* et de *-scopie* ; [djaskɔpi].

**DIASPORA, subst. f.**
**1.** *Hist.* Dispersion du peuple juif à travers le monde antique, à la suite des persécutions dont il fut victime. **2.** Méton. ***La Diaspora*** : l'ensemble des communautés juives dispersées. **3.** Ext. Dispersion d'une communauté à travers le monde : *La **diaspora** arménienne, chinoise, kurde.* 1929 ; gr. *diaspora*, « dispersion » ; [djaspɔʀa].

**DIASTASE, subst. f.**
*Biochim.* Enzyme (vieilli). 1814 (1752, luxation) ; gr. *diastasis*, « séparation » ; [djastaz].

**DIASTOLE, subst. f.**
*Physiol.* Phase où le cœur se relâche au cours de son fonctionnement normal et pendant laquelle les cavités cardiaques se remplissent de sang (anton. *systole*) : ***Diastole** auriculaire, ventriculaire.* 1541 (fin XIV^e s., diérèse) ; gr. *diastolê*, « écartement » ; [djastɔl].

**DIASTOLIQUE, adj.**
Qui concerne la diastole : *Mouvement, souffle **diastolique**.* 1546 ; ☞ *diastole* ; [djastɔlik].

**DIATHERMANE, adj.**
*Phys.* Qualifie une paroi, une matière perméable à la chaleur : *Une enceinte **diathermane**.* 1833 ; formé de *dia-* et de *-thermane* ; var. *diatherme*, *diathermique* ; [djatɛʀman].

**DIATHERMIE, subst. f.**
*Méd.* Traitement qui consiste à provoquer l'échauffement de certains tissus organiques à l'aide de courants électriques de haute fréquence. 1912 ; all. *Diathermie*, du gr. *dia*, « à travers », et *thermê*, « chaleur » ; [djatɛʀmi].

**DIATHERMIQUE, voir DIATHERMANE**

**DIATOMÉES, subst. f. plur.**
*Bot.* Classe d'algues brunes unicellulaires microscopiques, à squelette siliceux externe, du sous-embranchement des Chrysophytes. Les **Diatomées** présentent des formes variées : doubles valves circulaires emboîtées, forme allongée... Elles sont photosynthétiques et vivent aussi bien dans les océans polaires que dans les marais d'eau douce tropicaux. La classe a été divisée en deux ordres : les **diatomées** centrales, surtout marines, à ornementation centrale, et les **diatomées** pennales, à ornementation périphérique. **Au sing.** *Cette algue est une **diatomée**.* 1834 ; gr. *diatomos*, « coupé en deux » ; [djatɔme].

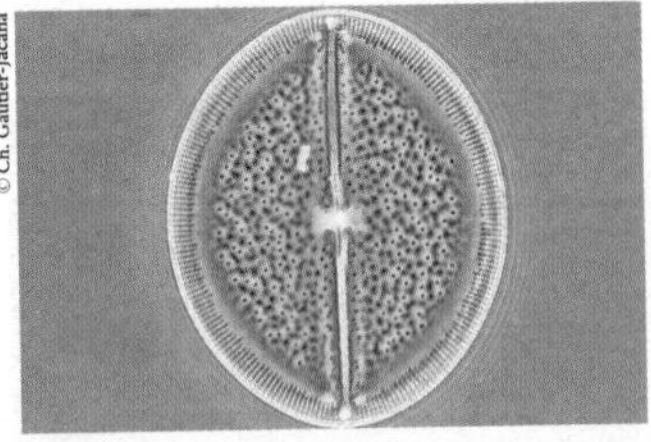

*Diatomée.*

**DIATOMIQUE, adj.**
*Chim.* Qualifie un élément ou un composé chimique dont la molécule contient deux atomes. L'oxygène, par ex., est un gaz **diatomique** dont la molécule a pour formule chimique $O_2$ (et non pas O, qui est le symbole de l'atome d'oxygène). 1834 ; ☞ *atomique* + *di-* ; [djatɔmik].

**DIATOMITE, subst. f.**
*Pétrogr.* Roche sédimentaire siliceuse, formée par l'accumulation de carapaces ou de squelettes externes de diatomées. La dureté des grains microscopiques et la grande porosité des **diatomites** les ont fait utiliser comme abrasifs, mais aussi comme stabilisateurs de la nitroglycérine dans la dynamite. 1948 ; ☞ *Diatomées* ; [djatɔmit].

**DIATONIQUE, adj.**
*Mus.* *Gamme **diatonique*** : qui se développe en tons et demi-tons égaux consécutifs (☞ *gamme*, *mode*). Fin XIV^e s. ; bas lat. *diatonicus*, du gr. *diatonikos* ; [djatɔnik].

**DIATONISME, subst. m.**
Système musical fondé sur la gamme diatonique. 1907 ; ☞ *diatonique* ; [djatɔnism].

**DIATRIBE, subst. f.**
**1.** *Rhét.* Discours, à l'honneur chez les philosophes cyniques grecs, consistant en un dialogue fictif mêlant véhémence et dérision. **2.** Discours violent, souv. injurieux ; pamphlet. 1558 ; bas lat. *diatriba*, du gr. *diatribê*, « entretien philosophique » ; [djatʀib].

**DIAULE, subst. f.**
*Antiq. gr.* Flûte à deux corps. 1776 ; gr. *diaulos*, de *dis*, « double », et de *aulos*, « flûte » ; [djol].

**DIAZOÏQUE, adj. et subst. m.**
*Chim.* Qualifie ou désigne des composés organiques contenant deux atomes d'azote liés entre eux par une double liaison, et dont l'un est lié à un radical aromatique et l'autre au groupement $-OH$ ou à un reste d'acide minéral, comme $-Cl$ ou $-HSO_4$. 1870 ; ☞ *azote* + *di-* ; [diazɔik].

**DIBRANCHIAUX, subst. m. plur.**
*Zool.* L'une des deux sous-classes de la classe des Céphalopodes. Ce sont des mollusques qui possèdent deux branchies ; on les répartit en deux ordres : les Décapodes et les Octopodes. **Au sing.** *La pieuvre est un **dibranchial**.* 1825 ; lat. sc. *dibranchia*, du gr. *dis*, « double », et *bragkhia*, « branchies » ; sing. *dibranchial* ; [dibʀɑ̃ʃjo], sing. [-ʃjal].

**DICARYON, subst. m.**
*Bot.* Cellule contenant deux noyaux d'origines parentales différentes, constitutive des filaments dicaryotiques qui proviennent de la fusion de cellules de types sexuels compatibles, lors de la reproduction sexuée de champignons basidiomycètes. Gr. *karuon*, « noyau », + *di-* ; [dikaʀjɔ̃].

**DICASTÈRE, subst. m.**
**1.** *Antiq. gr.* Cour de justice d'Athènes, où les décisions étaient rendues par un conseil populaire. **2.** *Cath.* Subdivision administrative de la curie romaine. **3.** Helv. Division de l'administration communale. 1791 ; gr. *dikastêrion* ; [dikastɛʀ].

**DICÉTONE, subst. f.**
*Chim.* Composé organique porteur de deux fonctions cétone, caractérisées par le groupement $-CO-$. Sa formule générale est : $R-CO-CO-R'$, R et R' étant des radicaux carbonés. ☞ *cétone* + *di-* ; [disetɔn].

**DICHOTOME, adj.**
**1.** *Astron.* *Lune **dichotome*** : dont on ne voit que la moitié du disque. **2.** *Bot.* *Rameau **dichotome*** : qui se scinde en deux branches. 1752 ; bas lat. *dichotomos*, du gr. *dikhotomos* ; [dikɔtɔm].

**DICHOTOMIE, subst. f.**
**1.** *Astron.* Phase de la Lune au cours de laquelle seule une moitié de son disque est éclairée par le Soleil. **2.** *Bot.* Ramification, par bifurcations successives, d'une racine ou d'une tige. **3.** *Dr.* Partage illicite des honoraires entre médecins et pharmaciens ou entre généralistes et spécialistes. **4.** *Log.* Division d'un concept en deux notions opposées, dont la réunion couvre toute son étendue : *Les notions de vertébrés et d'invertébrés sont obtenues par **dichotomie** du concept d'animal.* 1750 ; gr. *dikhotomia* ; [dikɔtɔmi].

**DICHOTOMIQUE, adj.**
**1.** *Bot.* Qui se divise par dichotomie. **2.** Qui procède par dichotomie : *Classement, raisonnement **dichotomique**.* 1833 ; ☞ *dichotomie* ; [dikɔtɔmik].

**DICHROÏQUE, adj.**
Qui se caractérise par le dichroïsme : *Cristaux **dichroïques**.* 1870 ; ☞ *dichroïsme* ; [dikʀɔik].

**DICHROÏSME, subst. m.**
*Phys.* Réaction particulière de certaines substances, qui présentent à la lumière une coloration différente selon leur épaisseur ou leur orientation. 1824 ; gr. *dikhroos*, « de deux couleurs » ; [dikʀɔism].

**DICHROMATIQUE, adj.**
*Phys.* Qui a ou peut présenter deux couleurs. 1858 ; gr. *khrôma*, « couleur », + *di-* ; [dikʀɔmatik].

**DICHROMIE, subst. f.**
Procédé de synthèse de couleurs à partir de deux couleurs. 1907 ; gr. *dikhrômos*, « de deux couleurs » ; [dikʀɔmi].

**DICLINE,** adj.
*Bot.* Qualifie une plante dont les fleurs sont unisexuées. 1796 ; gr. *klinê*, « lit », + *di-* ; [diklin].

**DICO,** subst. m.
Dictionnaire. XX$^e$ s. ; contraction de *dictionnaire* ; [diko].

**DICOTYLÉDONE,** adj. et subst. f.
*Bot.* Se dit d'une plante angiosperme dont la plantule possède deux cotylédons. 1783 ; ☞ *cotylédon* + *di-* ; [dikɔtiledɔn].

**DICROTE,** adj.
*Pathol.* *Pouls* **dicrote** : dont chaque pulsation donne l'impression d'un double battement. 1752 ; gr. *dikrotos*, « qui heurte deux fois » ; [dikʀɔt].

**DICTAME,** subst. m.
**1.** *Bot.* Plante à fleurs roses de la famille des Rutacées, à la racine riche en alcaloïdes (synon. *fraxinelle*). **2.** Fig. Ce qui adoucit les peines, baume (littér.). 1548 ; lat. *dictamnum*, du gr. *diktamnon* ; [diktam].

**DICTAPHONE,** subst. m. inv.
Appareil enregistreur permettant de dicter des courriers, d'enregistrer des discours. 1929 ; ☞ *dicter* + *-phone* ; n. déposé ; [diktafɔn].

**DICTAT,** voir **DIKTAT**

**DICTATEUR,** subst. m.
**1.** *Antiq. rom.* Magistrat nommé par le sénat en période de crise grave et investi de la totalité des pouvoirs pour une durée limitée. **2.** Ext. Personne disposant, de droit ou de fait, d'un pouvoir absolu sur son pays. **3.** Anal. Personne tyrannique. 1213 ; lat. *dictator* ; [diktatœʀ].

**DICTATORIAL, ALE, AUX,** adj.
Qui appartient au dictateur ; qui se rapporte à la dictature. 1777 ; ☞ *dictateur* ; [diktatɔʀjal, o].

**DICTATURE,** subst. f.
**1.** *Antiq. rom.* Magistrature d'un dictateur. **2.** Ext. Dans un État moderne, régime politique instauré par un dictateur. ▸ ***Dictature** du prolétariat* : selon Lénine, phase transitoire de l'évolution historique entre le capitalisme et l'avènement du communisme. **3.** Anal. Autorité absolue de qqn ou de qqch. : *La **dictature** de la mode, de la publicité.* Fin XIII$^e$ s. ; lat. *dictatura* ; [diktatyʀ].

**DICTÉE,** subst. f.
**1.** Action de dicter : *Prendre un message sous la **dictée*** ; au fig. : *Agir sous la **dictée** des évènements*, sous leur contrainte. **2.** Exercice scolaire dans lequel l'enseignant dicte un texte aux élèves afin de contrôler leurs connaissances en orthographe ; par méton., ce texte. 1680 ; p. p. de *dicter* ; [dikte].

**DICTER,** verbe trans. [3]
**1.** Dire (un texte) à voix haute à qqn qui le transcrit : ***Dicter** un compte-rendu.* **2.** Fig. Suggérer ; prescrire : *Je ferai ce que me **dicte** ma conscience.* 1606 (fin XV$^e$ s., rédiger) ; lat. *dictare*, de *dicere*, « dire » ; [dikte].

**DICTION,** subst. f.
Manière de dire ; en partic., manière de prononcer, d'articuler les mots et les phrases. 1549 (fin XII$^e$ s., mot, expression) ; lat. *dictio*, « action de dire » ; [diksjɔ̃].

**DICTIONNAIRE,** subst. m.
Recueil méthodique de mots, gén. présentés par ordre alphabétique : ***Dictionnaire** de langue*, qui traite des mots eux-mêmes, de leurs sens, de leur histoire, etc. ; ***Dictionnaire** encyclopédique*, qui traite des concepts désignés par les mots, et contient des illustrations et des noms propres. Déb. XVI$^e$ s. ; lat. médiév. *dictionarium*, du lat. *dictio*, « action de dire » ; [diksjɔnɛʀ].

**BIBLIOGRAPHIE** – Les premiers dictionnaires apparaissent au XVI$^e$ s., sous la forme de listes de mots accompagnés de leur traduction dans une ou plusieurs langues. Le *Dictionnaire français-latin*, de Robert Estienne, paru en 1539, contient 9 000 entrées françaises avec des définitions latines. Le *Thrésor de la langue françoise tant ancienne que moderne* (1606), de Jean Nicot, est le premier dictionnaire monolingue. Furetière, en 1690, adopte le classement alphabétique (ce n'était pas le cas de la première édition du *Dictionnaire de l'Académie française*, élaborée en 1638 à l'invitation de Richelieu et où les mots étaient classés par familles). Les Jésuites reprendront et enrichiront l'œuvre de Furetière en publiant, à partir de 1704, le *Dictionnaire de Trévoux*, qui est resté célèbre pour s'être opposé au jansénisme puis à l'*Encyclopédie*. Parmi les grands travaux d'érudition du XIX$^e$ s., le *Grand Dictionnaire universel du XIX$^e$ siècle*, de Pierre Larousse, se présente comme un ouvrage de vulgarisation et est à la fois un recueil de mots – parmi lesquels des néologismes et des expressions argotiques – et une encyclopédie. Le *Dictionnaire de la langue française* d'Émile Littré, paru entre 1863 et 1873, qui est essentiellement un classique dictionnaire de langue, deviendra, par sa méthode, un modèle pour les lexicographes. De nos jours, l'engouement pour la langue trouve un écho dans la parution d'une multitude de dictionnaires donnant une grande importance à l'histoire des mots, à l'étymologie, aux analogies qui existent entre eux, aux synonymes... Cependant que les dictionnaires spécialisés, toujours plus nombreux, tentent de rendre compte de l'augmentation constante des connaissances et de l'évolution des techniques, et de mettre à la disposition de tous un patrimoine culturel de plus en plus finement répertorié.

**DICTON,** subst. m.
Sentence devenue proverbiale. 1488 ; lat. *dictum*, « mot, sentence » ; [diktɔ̃].

**DICTYOPTÈRES,** subst. m. plur.
*Zool.* Ordre d'insectes broyeurs à métamorphoses incomplètes, aux ailes réticulées et aux antennes fines. AU SING. *La blatte, à l'instar de la mante, est un **dictyoptère**.* XX$^e$ s. ; gr. *diktuon*, « filet », + *-ptère* ; [diktjɔptɛʀ].

**DIDACTICIEL,** subst. m.
*Informat.* Logiciel à usage didactique. V. 1980 ; crois. de *didactique* et de *logiciel* ; [didaktisjɛl].

**DIDACTIQUE,** adj. et subst. f.
ADJ. **1.** Qui est propre à instruire ou qui a l'instruction pour finalité : *Exposé, ouvrage **didactique*** ; par ext. : *Un ton **didactique**,* professoral. **2.** Qui est propre à un langage scientifique ou technique : *Un terme **didactique**.* SUBST. Théorie et méthodologie de l'enseignement : *La **didactique** des mathématiques.* 1554 ; gr. *didaktikos* ; [didaktik].

**DIDACTISME,** subst. m.
Caractère didactique de qqch. ou de qqn (souv. péj.). Mil. XIX$^e$ s. ; ☞ *didactique* ; [didaktism].

**DIDACTYLE,** adj.
*Zool.* Qui a deux doigts ; qui a deux appendices ressemblant à des doigts, telles les pinces du crabe. 1775 ; formé de *di-* et de *-dactyle* ; [didaktil].

**DIDASCALIE,** subst. f.
**1.** *Antiq.* ▸ En Grèce, instructions d'un auteur sur la manière de jouer sa pièce. ▸ À Rome, notice placée au début d'une pièce de théâtre. **2.** Ext. Document qui renseigne sur les œuvres jouées (souv. au plur.). 1771 ; gr. *didaskalia* ; [didaskali].

**DIDYME,** subst. m.
*Chim.* Terre rare, mélange de néodyme et de praséodyme. 1857 ; gr. *didumos*, « double » ; [didim].

**DIÈDRE,** adj. et subst. m.
*Géom.* SUBST. Ensemble de deux demi-plans (les faces) ayant une droite frontière commune (l'arête). ▸ *Angle ou rectiligne d'un **dièdre*** : angle de deux demi-droites Ox, Oy obtenues par section du **dièdre** par un plan P perpendiculaire à l'arête du **dièdre**. ADJ. *Angle **dièdre*** : angle de deux plans sécants. 1783 ; formé de *di-* et de *-èdre* ; [djɛdʀ].

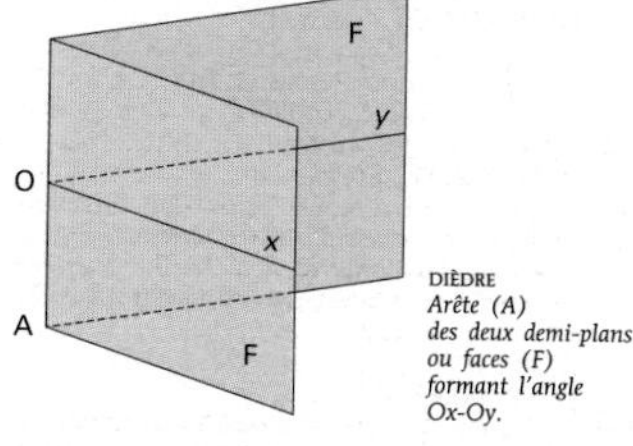


DIÈDRE
*Arête (A) des deux demi-plans ou faces (F) formant l'angle Ox-Oy.*

**DIÉLECTRIQUE,** adj. et subst. m.
*Phys.* Qualifie ou désigne une substance mauvaise conductrice de l'électricité. 1890 ; ☞ *électrique* + *dia-* ; [djelɛktʀik].

**DIENCÉPHALE,** subst. m.
*Anat.* Partie profonde du cerveau située entre les deux hémisphères cérébraux et creusée d'une cavité (synon. *cerveau intermédiaire*). 1953 ; ☞ *encéphale* + *di-* ; [diɑ̃sefal].

**DIÈNE,** subst. m.
*Chim.* Nom générique des hydrocarbures dont la molécule contient deux doubles liaisons entre des atomes de carbone : *L'allène $CH_2{=}C{=}CH_2$ est un **diène**.* Mil. XX$^e$ s. ; ☞ *éthylène* + *di-* ; [djɛn].

**DIÉRÈSE,** subst. f.
*Phon.* Prononciation de deux voyelles consécutives d'un même mot en deux syllabes, par ex. [liɔ̃] au lieu de [ljɔ̃]. 1529 ; gr. *diairesis*, « division » ; [djeʀɛz].

**DIERGOL,** subst. m.
*Astronaut.* Propergol composé de deux ergols, l'un servant de combustible, l'autre de comburant. V. 1970 ; ☞ *ergol* + *di-* ; var. *biergol* ; [diɛʀgɔl].

**DIÈSE,** subst. m.
*Mus.* Signe d'altération (#) qui élève d'un demi-ton la note qu'il précède (placé à la clé, il altère la note sur toute la portée) ; empl. adj. : *Un « do » **dièse**.* 1556 ; lat. *diesis*, « quart de ton », du gr. *diesis*, « intervalle » ; [djɛz].

**DIESEL,** subst. m.
*Mécan.* **1.** *Un moteur **Diesel*** ou, par ell., *Un **diesel*** : moteur à combustion interne dans lequel l'allumage se fait spontanément par injection de gazole dans de l'air fortement comprimé. **2.** Véhicule à moteur **Diesel**. 1929 ; anthropon. *Rudolf Diesel*, son inventeur ; [djezɛl].

**DIESEL-ÉLECTRIQUE,** adj. et subst. m.
Qualifie ou désigne une locomotive qui transforme l'énergie d'un moteur Diesel en énergie électrique. V. 1960 ; comp. de *diesel* et de *électrique* ; plur. *diesels-électriques* ; [djezɛlelɛktʀik].

**DIÉSÉLISER,** verbe trans. [3]
**1.** Munir (un véhicule) d'un moteur Diesel. **2.** Équiper (un réseau ferroviaire) en locomotives à moteur Diesel. Mil. XX$^e$ s. ; ☞ *diesel* ; [djezelize].

**DIÉSER,** verbe trans. [8]
*Mus.* Marquer (une note) d'un dièse. Déb. XVIII$^e$ s. ; ☞ *dièse* ; [djeze].

**DIES IRAE,** subst. m. inv.
*Liturg.* Séquence récitée et chantée de la messe des morts, qui commence par ces mots. ▸ *Mus.* Morceau composé sur cette séquence (souv. dans le cadre d'un requiem). 1803 ; lat. eccl. *dies irae*, « jour de colère » ; [djɛsiʀe].

**DIÈTE (I),** subst. f.
**1.** Régime alimentaire prescrit à titre thérapeutique (vieilli) : ***Diète** lactée*, à base de lait. **2.** Jeûne partiel ou total : *Être à la **diète**.* 1256 ; bas lat. *diaeta*, du gr. *diaita*, « genre de vie » ; [djɛt].

**DIÈTE (II),** subst. f.
**1.** *Hist.* Assemblée politique, dans certains pays d'Europe (Saint Empire, Suède, Suisse...) : *Trois cents États allemands siégeaient à la **diète** impériale de Ratisbonne.* **2.** *Cath.* Assemblée chargée des questions de discipline. Déb. XVI$^e$ s. ; lat. médiév. *dieta*, « journée de travail » ; [djɛt].

**DIÉTÉTICIEN, IENNE,** subst.
Spécialiste de la diététique. 1891 ; ☞ *diététique* ; [djetetisjɛ̃, jɛn].

**DIÉTÉTIQUE,** adj. et subst. f.
ADJ. Relatif à la **diététique** ; qui remplit les exigences de la **diététique** : *Un magasin de produits **diététiques**.* SUBST. Ensemble des règles d'hygiène alimentaire régissant l'établissement de régimes adaptés à l'état des malades ; science appliquant ces règles. 1549 ; lat. *diaeteticus*, du gr. *diaitêtikos* ; [djetetik].

**DIEU,** subst. m.
**I. 1.** Dans les religions polythéistes, principe supérieur personnalisé par des attributs ; puissance magique, gén. attachée à une fonction : *Les **dieux** grecs, celtes* ; *Les **dieux** du foyer* ; *Jupiter, le **dieu** des **dieux**.* **2.** Fig. Personne à qui l'on voue un culte, que l'on juge hors du commun : *C'est un **dieu** pour ses enfants.* ▸ Loc. *Les **dieux** du stade* : les athlètes ; *Dans le secret des **dieux*** : dans la confidence des puissants.
**II. 1.** Être suprême des religions monothéistes, créateur de toute chose et principe de salut : *Croire en **Dieu*** ; *Le jugement de **Dieu**.* **2.** *Philos.* Principe spirituel, à la fois transcendant et immanent, source de ce qui est parfait : ***Dieu** est le souverain Bien.* **3.** Loc. *Le bon **Dieu*** : **Dieu**, dans le langage courant des chrétiens ; *Avec l'aide de **Dieu*** ; ***Dieu** sait que...* :

pour renforcer une affirmation ; *Les hommes de **Dieu*** : les prêtres ; *Ni **Dieu** ni maître* : devise des anarchistes. **4.** Empl. exclam. ▸ Exprime le fait que l'on s'en remet à **Dieu** : *À **Dieu** vat !* ; *À la grâce de **Dieu** !* ▸ Marque l'heureuse issue d'un évènement : ***Dieu** soit loué !* ; ***Dieu** merci !* ▸ Renforce une demande : *Pour l'amour de **Dieu** !* ; *Au nom de **Dieu** !* ▸ Exprime la surprise : ***Dieu** !* ; *Mon **Dieu** !* ; *Grand **Dieu** !* ▸ Exprime la colère (juron) : *Nom de **Dieu** !* ; *Bordel de **Dieu** !* 842 ; lat. *deus* ; [djø].

**DIFFAMANT, ANTE,** adj.
Qui diffame : *Des propos **diffamants**.* V. 1960 ; p. pr. de *diffamer* ; [difamɑ̃, ɑ̃t].

**DIFFAMATEUR, TRICE,** subst.
Personne qui diffame ; empl. adj. : *Un pamphlet **diffamateur**.* XVe s. ; ☞ *diffamer* ; [difamatœʀ, tʀis].

**DIFFAMATION,** subst. f.
**1.** Action de diffamer ; son résultat. **2.** *Dr.* Propos ou écrit calomnieux pouvant constituer un délit : *Plainte en **diffamation**.* 1320 ; bas lat. *diffamatio*, « action de divulguer, de répandre » ; [difamasjɔ̃].

**DIFFAMATOIRE,** adj.
Commis dans le dessein de diffamer : *Écrits **diffamatoires**.* 1380 ; ☞ *diffamer* ; [difamatwaʀ].

**DIFFAMÉ, ÉE,** adj.
**1.** Qui a été calomnié. **2.** *Hérald.* Qui est représenté sans queue : *Un lion **diffamé**.* Mil. XIIe s. ; p. p. de *diffamer* ; [difame].

**DIFFAMER,** verbe trans. [3]
Chercher à ruiner, par des propos, des écrits, la réputation de (qqn). Mil. XIIe s. ; lat. *diffamare* ; [difame].

**DIFFÉRÉ, ÉE,** adj. et subst. m.
**Adj.** Qui est reporté à une date ultérieure, dont la réalisation est remise à plus tard. **Subst. 1.** *Fin.* Report d'échéance : ***Différé** d'amortissement.* **2.** *Audiov.* *Émission en **différé*** : dont la diffusion se fait après l'enregistrement. Fin XIIIe s. ; p. p. de *différer* ; [difeʀe].

**DIFFÉREMMENT,** adv.
D'une manière différente : *Il agit **différemment** de son frère.* 1370 ; ☞ *différent* ; [difeʀamɑ̃].

**DIFFÉRENCE,** subst. f.
**1.** État de ce qui est dissemblable entre des êtres ou des choses : *Le droit à la **différence*** ; caractère distinctif qui marque cet état : *Une **différence** spécifique.* ▸ Loc. *À la **différence** de* : au contraire de ; *À la **différence** près* : au détail près ; *Faire la **différence*** : effectuer le partage ou, au fig., creuser l'écart. **2.** Écart entre deux grandeurs. ▸ *Math.* ***Différence** de deux ensembles E et F, notée E - F* : ensemble des éléments de E n'appartenant pas à F. ▸ *Phys.* ***Différence** de potentiel* ; ***Différence** de phase* : grandeur qui mesure le décalage entre deux ondes de même fréquence. Déb. XIIIe s. ; lat. *differentia* ; [difeʀɑ̃s].

**DIFFÉRENCIATEUR, TRICE,** adj.
Qui différencie : *Des marques **différenciatrices**.* 1932 ; ☞ *différenciation* ; [difeʀɑ̃sjatœʀ, tʀis].

**DIFFÉRENCIATION,** subst. f.
Action de différencier ou fait de se différencier ; son résultat : *La **différenciation** des classes sociales.* ▸ *Biol.* et *Embryol.* ***Différenciation** cellulaire* : ensemble des mécanismes par lesquels certaines cellules embryonnaires acquièrent des caractéristiques leur permettant d'exercer une fonction spécifique dans l'organisme. 1808 ; ☞ *différencier* ; [difeʀɑ̃sjasjɔ̃].

**DIFFÉRENCIER,** verbe trans. [6]
**1.** Rendre différent, distinguer : *Rien ne **différencie** ces jumeaux.* **2.** Établir une différence entre : ***Différencier** des couleurs.* **Pronom. 1.** Être caractérisé par une différence. **2.** Se doter de caractères différents. XIVe s. ; lat. scol. *differentiare* ; [difeʀɑ̃sje].

**DIFFÉREND,** subst. m.
Désaccord entre personnes, résultant d'un conflit d'intérêts ou d'opinions : *Avoir un **différend** avec son voisin.* Fin XIVe s. ; ☞ *différent* ; [difeʀɑ̃].

**DIFFÉRENT, ENTE,** adj.
Qui diffère ; qui présente un ou plusieurs caractères distinctifs : *L'air est **différent** ici.* **Plur.** Plusieurs, divers : *Il y a **différentes** manières de définir un mot.* 1393 ; lat. *differens* ; [difeʀɑ̃, ɑ̃t].

**DIFFÉRENTIABLE,** adj.
*Math.* Soient E et F, deux espaces vectoriels normés réels. Une application *f* d'un ouvert U de E à valeurs dans F est dite **différentiable** en $a \in$ U s'il existe une application linéaire continue *u* de E dans F telle que $\frac{1}{\|x-a\|_E} \|f(x) - f(a) - u(x-a)\|_F$ tende vers 0 quand *x* tend vers *a*, $x \neq a$ ; *u* est alors unique et notée D*f*(*a*) ou *df*(*a*), c'est la différentielle de *f* en *a* (si E = ℝ, **différentiable** est synon. de *dérivable*). ☞ *différentier* ; [difeʀɑ̃sjabl].

**DIFFÉRENTIATION,** subst. f.
*Math.* Calcul de la différentielle d'une fonction. 1829 ; ☞ *différentier* ; [difeʀɑ̃sjasjɔ̃].

**DIFFÉRENTIEL, ELLE,** adj. et subst.
**Adj. 1.** *Math.* ▸ *Calcul **différentiel*** : partie des mathématiques qui comprend l'étude locale des fonctions et les théories des équations **différentielles** et des équations avec dérivées partielles. ▸ *Équation **différentielle*** : équation du type $h(x, y, y', ..., y^{(n)}) = 0$, où l'inconnue est une fonction *y* de la variable *x*, *n* fois dérivable. **2.** Qui se fonde sur une ou des différences ; qui détermine une ou des variations : *Des caractères **différentiels**.* ▸ *Comm.* *Tarif **différentiel*** : tarif de transport qui varie en raison inverse de la distance et du poids des marchandises. ▸ *Mécan.* *Mouvement **différentiel*** : qui combine deux mouvements différents, produits par la même force. **Subst. masc. 1.** *Autom.* Jeu d'engrenages réunissant les deux moitiés d'un essieu. **2.** *Écon.* Taux exprimant la différence entre deux grandeurs d'une même variable : *Un **différentiel** d'intérêt, d'inflation.* **Subst. fém.** *Math.* ***Différentielle** d'une fonction f différentiable en tout point d'un ouvert U* : application $x \rightarrow$ D*f*(*x*), notée D*f*, définie sur U et à valeurs dans $\mathcal{L}$(E, F), espace des applications linéaires continues de E dans F (☞ *différentiable*). 1732 ; lat. *differentia*, « différence » ; [difeʀɑ̃sjɛl].

**DIFFÉRENTIER,** verbe trans. [6]
*Math.* Calculer la différentielle de (une fonction). Mil. XVIIIe s. ; var. de *différencier* ; [difeʀɑ̃sje].

**DIFFÉRER,** verbe [8]
**I. Trans. dir.** Reporter à un autre moment, retarder : ***Différer** une échéance.* ▸ Empl. trans. indir. **Différer de, à** (+ inf.). Tarder à (littér.) : *Ne **différez** pas de lui écrire.* **II. Intrans.** Être différent, dissemblable : *Leurs opinions **diffèrent** sur bien des points.* **Trans. indir.** **Différer de.** Se distinguer de : *Son style actuel **diffère** de celui de ses premiers écrits.* Fin XIIIe s. ; lat. *differre* ; [difeʀe].

**DIFFICILE,** adj.
**1.** Qui est ardu, compliqué ; qui requiert un rude effort : *Une tâche **difficile**.* **2.** Qui est pénible, éprouvant : *Une situation, une grossesse **difficile**.* **3.** Qui est exigeant, dur à satisfaire : *Un public **difficile*** ; *Un individu **difficile** à vivre* ; empl. subst. : *Faire le **difficile***, se montrer excessivement délicat (fam.). Fin XIVe s. ; lat. *difficilis*, « pénible ; morose » ; [difisil].

**DIFFICILEMENT,** adv.
Avec difficulté. Mil. XVe s. ; ☞ *difficile* ; [difisilmɑ̃].

**DIFFICULTÉ,** subst. f.
**1.** Objection, résistance : *Je ne vois pas de **difficulté** à agréer votre demande.* **2.** Caractère de ce qui est difficile. **3.** Gêne, manque de facilité : *Avoir de la **difficulté** à parler.* **4.** Méton. Ce qui fait obstacle ; chose difficile : *Surmonter une **difficulté**.* ▸ Loc. *En **difficulté*** : dans une situation difficile. 1239 ; lat. *difficultas*, « obstacle » ; [difikylte].

**DIFFICULTUEUX, EUSE,** adj.
Se dit d'une personne encline à soulever des difficultés (vx) ou d'une chose qui pose des problèmes (littér.). 1584 ; ☞ *difficulté* ; [difikyltɥø, øz].

**DIFFLUENCE,** subst. f.
**1.** *Géomorph.* Ramification d'un cours d'eau ou d'un glacier en plusieurs bras. **2.** *Pathol.* Caractère de ce qui est diffluent : *La **diffluence** d'une tumeur.* 1838 ; ☞ *diffluent* ; [diflyɑ̃s].

**DIFFLUENT, ENTE,** adj.
**1.** *Géomorph.* Qui s'écoule dans des directions différentes : *Les bras **diffluents** d'un fleuve* ; empl. subst. masc. : *Les **diffluents** d'un glacier.* **2.** *Pathol.* Qui se liquéfie, se ramollit : *Tissu **diffluent**.* XVIe s. ; lat. *diffluens*, de *diffluere*, « se répandre en coulant » ; [diflyɑ̃, ɑ̃t].

**DIFFORME,** adj.
Dont la forme normale est altérée ; contrefait, mal formé : *Un bras **difforme**.* XIIIe s. ; lat. médiév. *difformis*, du lat. *deformis*, « laid » ; [difɔʀm].

**DIFFORMITÉ,** subst. f.
Malformation physique ; par ext., anomalie dans les proportions d'une chose ; au fig. : ***Difformité** d'une âme.* XIVe s. ; lat. médiév. *difformitas*, du lat. *deformitas*, « laideur » ; [difɔʀmite].

**DIFFRACTER,** verbe trans. [3]
*Phys.* Dévier (une onde) par diffraction. 1838 ☞ *diffraction* ; [difʀakte].

**DIFFRACTION,** subst. f.
**1.** *Opt.* Phénomène par lequel les rayons lumineux issus d'une source ponctuelle sont déviés de leur trajectoire rectiligne lorsqu'ils rasent les bords d'un obstacle opaque. **2.** Ext. *Phys.* Déviation d'une onde autre que lumineuse (acoustique, par ex.) ou d'un faisceau de corpuscules qui contournent un obstacle. ▸ *Phys. part.* ***Diffraction** des électrons* : **diffraction** des ondes associées aux électrons. 1666 lat. *diffractum*, de *diffringere*, « briser » ; [difʀaksjɔ̃].

**DIFFUS, USE,** adj.
**1.** Répandu dans toutes les directions : *Lueur **diffuse*** atténuée ; *Douleur **diffuse**.* **2.** Fig. Qui manque de clarté : *Argumentation **diffuse**.* 1314 ; lat. *diffusus* de *diffundere*, « répandre » ; [dify, yz].

**DIFFUSER,** verbe [3]
**Trans. 1.** Répandre uniformément en tous sens *Ces radiateurs **diffusent** efficacement la chaleur* **2.** Fig. Propager : ***Diffuser** une nouvelle.* **3.** *Audiov* Transmettre (un programme) au moyen d'ondes radio-électriques. **4.** Assurer la diffusion commerciale de (une publication) : ***Diffuser** des journaux* **Intrans.** *Chim.* et *Phys.* Se répandre en tous sens dans un milieu. Déb. XVe s. ; ☞ *diffus* ; [difyze].

**DIFFUSEUR,** subst. m.
**I. 1.** *Techn.* ▸ Appareil d'éclairage servant à diffuser la lumière. ▸ Dispositif qui diffuse un fluide dans l'atmosphère, par évaporation lente : *Un **diffuseur** de parfum.* **2.** *Agric.* Dispositif servant à l'extraction du jus de betterave. **3.** *Mécan.* Partie du carburateur où s'effectue le mélange air-carburant. **II.** Personne ou société chargée de diffuser un ouvrage imprimé 1890 ; ☞ *diffuser* ; [difyzœʀ].

**DIFFUSIBLE,** adj.
*Chim.* et *Phys.* Qui peut diffuser : *Substance **diffusible**.* 1834 ; ☞ *diffuser* ; [difyzibl].

**DIFFUSION,** subst. f.
**1.** Action de diffuser ou de se diffuser ; son résultat **2.** *Phys.* Phénomène par lequel plusieurs fluides (liquides ou gaz) mélangés diffusent jusqu'à ce que le mélange acquière des propriétés homogènes ▸ ***Diffusion** de la lumière* : dissémination des rayons lumineux quand ils passent à travers certains milieux. ▸ *Phys. part.* Changement d'énergie et de direction de particules en mouvement, produit par des collisions avec d'autres particules. 1587 ; lat *diffusio* ; [difyzjɔ̃].

**DIFFUSIONNISME,** subst. m.
*Anthropol.* Tendance dominante de l'anthropologie anglo-saxonne du premier quart de ce siècle, pour laquelle nombre de traits culturels partagés par des peuples géographiquement éloignés proviendraient de phénomènes de diffusion, par suite de mouvements migratoires. 1957 ; ☞ *diffusion* ; [difyzjɔnism].

**DIFFUSIONNISTE,** adj. et subst.
**Adj.** Qui concerne le diffusionnisme ou qui en partage les vues. **Subst.** Partisan du diffusionnisme 1958 ; ☞ *diffusion* ; [difyzjɔnist].

**DIGAMMA,** subst. m. inv.
Sixième lettre de l'alphabet grec archaïque, en forme de double gamma, qui servait à transcrire le son [w]. 1586 ; mot gr. ; [digama].

**DIGASTRIQUE,** adj.
*Anat.* *Muscle **digastrique*** : composé de deux faisceaux ventrus, séparés par un tendon. 1611 ; gr. *gastêr*, « ventre », + *di-* ; [digastʀik].

**DIGÉRER,** verbe trans. [8]
**1.** Assimiler par voie digestive (des aliments ingérés) ; empl. abs. : *Avoir des difficultés à **digérer**.* **2.** Anal. Assimiler intellectuellement, par la réflexion. **3.** Supporter patiemment, endurer (fam.) XIIIe s. ; lat. *digerere*, « répartir » ; [diʒeʀe].

**DIGEST,** subst. m.
Résumé d'un ouvrage ; recueil de textes résumés. 1930 ; mot angl. ; [dajdʒɛst] ou [diʒɛst].

**DIGESTE (I),** subst. m.
*Dr. rom.* Corpus des plus célèbres décisions de justice, constitué au VIe s. par ordre de l'empereur Justinien et ayant force de loi. Déb. XIIIe s. ; lat. *digesta*, de *digerere*, « mettre en ordre » ; [diʒɛst].

**DIGESTE (II), adj.**
Qui se digère facilement. 1880 (déb. XIIIe s., qui a digéré) ; lat. *digestus*, « digéré » ; [diʒɛst].

**DIGESTEUR, subst. m.**
**1.** Autoclave utilisé en pharmacie et dans l'industrie agroalimentaire pour dissoudre les éléments solubles d'une matière première organique. **2.** *Techn.* Cuve dans laquelle se fait la digestion. 1752 ; lat. *digestus*, « digéré » ; [diʒɛstœʀ].

**DIGESTIBLE, adj.**
Susceptible d'être facilement digéré. 1314 ; bas lat. *digestibilis* ; [diʒɛstibl].

**DIGESTIF, IVE, adj. et subst. m.**
**Adj. 1.** Qui facilite la digestion : *Une tisane **digestive**.* **2.** Relatif à la digestion : *Appareil **digestif***, partie d'un organisme vivant qui assure la digestion. **Subst.** Alcool fort, consommé après un repas. Mil. XIIIe s. ; lat. *digestivus* ; [diʒɛstif, iv].

**DIGESTION, subst. f.**
**1.** Action de digérer ; son résultat. ▸ *Biol.* Ensemble des transformations physico-chimiques que subissent les aliments dans l'appareil digestif avant d'être réduits en substances directement assimilables par l'organisme ou expulsés avec les matières fécales. **2.** *Techn.* Opération destinée à dissoudre certains éléments d'une matière organique, ou à extraire du méthane des boues d'égout. 1282 (1269, transformation alchimique) ; lat. *digestio* ; [diʒɛstjɔ̃].

**DIGITAL (I), ALE, AUX, adj.**
Propre aux doigts. 1732 ; lat. *digitalis*, « de la grosseur d'un doigt » ; [diʒital, o].

**DIGITAL (II), ALE, AUX, adj.**
*Informat.* Numérique (anglic.). XXe s. ; angl. *digital*, de *digit*, « chiffre » ; [diʒital, o].

**DIGITALE, subst. f.**
*Bot.* Plante ornementale vénéneuse, de la famille des Scrofulariacées, dont les fleurs pendantes en grappe ont la forme d'un doigtier. 1545 ; lat. *digitalis*, « de la grosseur d'un doigt » ; [diʒital].

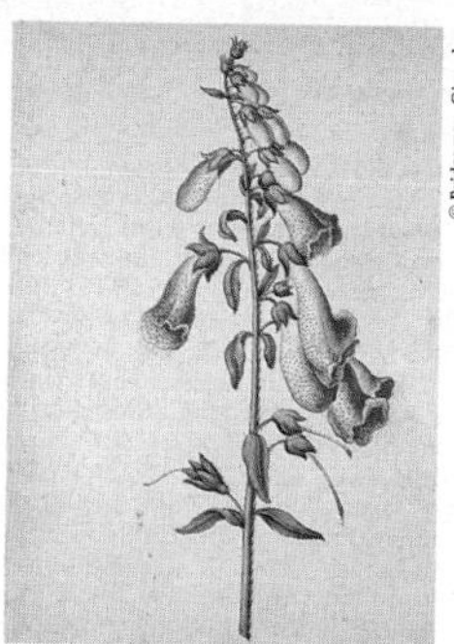


**Digitale** *pourpre, aquarelle de Jacques Le Moyne, dit de Morgues (1530-1588). Victoria and Albert Museum, Londres.*

**DIGITALINE, subst. f.**
*Pharm.* Substance extraite de la digitale pourpre, utilisée pour ses effets tonicardiaques. 1827 ; ☞ *digitale* ; [diʒitalin].

**DIGITALISER, verbe trans.** [3]
*Informat.* Numériser (anglic.). V. 1970 ; ☞ *digital* (II) ; [diʒitalize].

**DIGITÉ, ÉE, adj.**
En forme de main aux doigts écartés : *Feuille **digitée***, composée de plus de trois folioles. 1771 ; lat. *digitus*, « doigt » ; [diʒite].

**DIGITIFORME, adj.**
En forme de doigt. 1842 ; formé de *digiti-* et de *-forme* ; [diʒitifɔʀm].

**DIGITIGRADE, adj. et subst. m.**
*Zool.* Qualifie ou désigne un animal qui marche en n'appuyant que les doigts sur le sol (anton. *plantigrade*) : *Les Cénidés, les Félidés sont des **digitigrades**.* 1805 ; formé de *digiti-* et de *-grade* ; [diʒitigʀad].

**DIGNE, adj.**
**I. Digne de. 1.** Qui mérite : *Être **digne** de confiance.* **2.** Qui convient, est à la mesure (de qqn, qqch.) : *Cette conduite n'est pas **digne** de vous.* **II. Abs. 1.** Qui mérite l'estime (vieilli). **2.** Qui a de la dignité ; qui le dénote : *Rester **digne** dans le malheur, sous l'insulte.* Mil. XIe s. ; lat. *dignus* ; [diɲ].

**DIGNEMENT, adv.**
**1.** Selon le mérite (vieilli). **2.** D'une manière digne. Fin XIIe s. ; ☞ *digne* ; [diɲ(ə)mɑ̃].

**DIGNITAIRE, subst. m.**
Personne revêtue d'une dignité : *Un **dignitaire** de l'armée.* 1718 ; ☞ *dignité* ; [diɲitɛʀ].

**DIGNITÉ, subst. f.**
**1.** Fonction ou titre qui confère un rang éminent : *Les plus hautes **dignités** de l'État.* **2.** Valeur qui impose le respect : *Toute la **dignité** de l'homme est en la pensée* (Pascal). **3.** Attitude qui marque le respect de soi ; retenue, gravité dans ses manières. 1155 ; lat. *dignitas* ; [diɲite].

**DIGON, subst. m.**
**1.** *Mar.* Hampe portant un pavillon. **2.** Sorte de harpon utilisé pour pêcher à marée basse. 1678 ; *diguer* (rare), « munir de digues » ; [digɔ̃].

**DIGRAMME, subst. m.**
*Phon.* Groupe de deux lettres représentant un seul son (par ex. : le « ch » et le « ou » de « chou »). 1864 ; formé de *di-* et de *-gramme* ; [digʀam].

**DIGRESSION, subst. f.**
**1.** Développement qui s'écarte du sujet principal d'un discours, d'un écrit. **2.** *Astron.* Distance angulaire d'une étoile par rapport à une autre ou par rapport à un plan de référence. Fin XIIe s. ; lat. *digressio*, « action de s'éloigner » ; [digʀɛsjɔ̃].

**DIGUE, subst. f.**
**1.** Ouvrage destiné à contenir les eaux (d'un fleuve, de la mer...). **2.** Fig. Ce qui fait obstacle à un débordement. 1293 ; m. néerl. *dijc* ; [dig].

**DIHOLOSIDE, subst. m.**
*Biochim.* Composé organique de la famille des glucides (sucres) dont la molécule résulte de la condensation de deux molécules d'oses (sucres simples). 1953 ; ☞ *holoside* + *di-* ; [diolozid].

**DIKTAT, subst. m.**
Décision imposée unilatéralement par une nation à une autre ; par ext., décision imposée. 1932 ; all. *Diktat*, du lat. *dictare*, « dicter » ; var. *dictat* ; [diktat].

**DILACÉRATION, subst. f.**
Action de dilacérer ; son résultat. 1419 ; bas lat. *dilaceratio* ; [dilaseʀasjɔ̃].

**DILACÉRER, verbe trans.** [8]
Déchirer : ***Dilacérer** un tissu organique* ; mettre violemment en pièces. Déb. XIIe s. ; lat. *dilacerare* ; [dilaseʀe].

**DILAPIDATEUR, TRICE, subst.**
Personne qui dilapide ; empl. adj. : *Des enfants **dilapidateurs**.* 1433 ; ☞ *dilapider* ; [dilapidatœʀ, tʀis].

**DILAPIDATION, subst. f.**
Action de dilapider : ***Dilapidation** d'un capital.* 1465 ; lat. *dilapidatio* ; [dilapidasjɔ̃].

**DILAPIDER, verbe trans.** [3]
Dépenser excessivement (son bien, le bien public) ; au fig. : ***Dilapider** son temps.* Déb. XIIIe s. ; lat. *dilapidare*, « cribler de pierres ; disperser » ; [dilapide].

**DILATABILITÉ, subst. f.**
*Phys.* Propriété de se dilater qu'ont certains corps. 1731 ; ☞ *dilatable* ; [dilatabilite].

**DILATABLE, adj.**
Qui peut se dilater. XVIe s. ; ☞ *dilater* ; [dilatabl].

**DILATATEUR, TRICE, adj. et subst. m.**
**Adj.** *Anat.* Qui sert à dilater : *Muscles **dilatateurs*** ou, empl. subst. masc., *Les **dilatateurs**.* **Subst.** *Chir.* Instrument destiné à ouvrir une plaie ou à élargir une cavité corporelle. 1601 ; ☞ *dilater* ; [dilatatœʀ, tʀis].

**DILATATION, subst. f.**
**1.** Action de dilater, de se dilater ; son résultat. **2.** *Chir.* et *Pathol.* Élargissement du calibre d'un conduit ou du volume d'un organe creux : ***Dilatation** des bronches.* **3.** *Phys.* Augmentation des dimensions d'un solide ou du volume d'un fluide sous l'action d'un agent physique (en gén. de la chaleur, sous pression constante s'il s'agit d'un fluide) : ***Dilatation** linéaire d'une tige*, augmentation de sa longueur ; ***Dilatation** volumétrique d'un solide*, augmentation de son volume ; *Coefficient de **dilatation** linéaire, volumétrique*, caractérisant la dilatabilité d'une substance. 1314 ; bas lat. *dilatatio* ; [dilatasjɔ̃].

**DILATER, verbe trans.** [3]
**1.** Augmenter le volume de (qqch.) ; par ext., agrandir (une ouverture) ; empl. adj. : *Pupilles **dilatées**.* **2.** Fig. Épanouir (littér.) : *La joie **dilate** mon cœur.* **Pronom.** Augmenter de volume, s'agrandir ; s'épanouir. 1377 ; lat. *dilatare*, « élargir » ; [dilate].

**DILATOIRE, adj.**
**1.** *Dr.* Qui tend à retarder, à différer un jugement, une instruction, une application. **2.** Ext. Qui vise à gagner du temps : *Une attitude **dilatoire**.* 1283 ; lat. jur. *dilatorius*, du lat. *differre*, « retarder » ; [dilatwaʀ].

**DILATOMÈTRE, subst. m.**
*Phys.* Appareil servant à mesurer la dilatation des corps. 1850 ; ☞ *dilater* + *-mètre*[1] ; [dilatɔmɛtʀ].

**DILECTION, subst. f.**
**1.** *Relig.* Amour spirituel. **2.** Ext. Préférence (littér.). Fin XIIe s. ; lat. chrét. *dilectio* ; [dilɛksjɔ̃].

**DILEMME, subst. m.**
**1.** *Philos.* Raisonnement contenant une alternative à plusieurs termes différents menant à une conclusion identique. **2.** Ext. Alternative dont les termes, également néfastes, rendent la décison impossible. 1555 ; bas lat. *dilemma*, du gr. *dilêmma* ; [dilɛm].

**DILETTANTE, subst.**
**1.** Vx. Mélomane ; par ext., amateur d'art. **2.** Personne qui mène une activité pour son seul plaisir, en gén. de façon fantaisiste (souv. péj.). 1740 ; ital. *dilettante*, « qui se délecte » ; [dilɛtɑ̃t].

**DILETTANTISME, subst. m.**
Manières, attitude du dilettante ; amateurisme. 1821 ; ☞ *dilettante* ; [dilɛtɑ̃tism].

**DILIGENCE, subst. f.**
**I. 1.** Vx. Soin, minutie. ▸ *Dr. **À la diligence de*** : sur la demande de. **2.** Vieilli ou Littér. Promptitude ; empressement. ▸ Loc. *Faire **diligence*** : agir promptement et efficacement. **II.** Voiture rapide à chevaux, qui assurait le transport des voyageurs. Fin XIIe s. ; lat. *diligentia* ; [diliʒɑ̃s].

***Diligence** arrivant au relais.*

**DILIGENT, ENTE, adj.**
**1.** Vx. Qui fait preuve de soin, de scrupule. **2.** Qui agit avec diligence. Fin XIIe s. ; lat. *diligens* ; [diliʒɑ̃, ɑ̃t].

**DILIGENTER, verbe trans.** [3]
Faire (qqch.), ou faire faire qqch. à (qqn), avec diligence. Déb. XVe s. ; ☞ *diligent* ; [diliʒɑ̃te].

**DILUANT, subst. m.**
Liquide utilisé pour diluer la peinture, le vernis, etc. 1924 ; p. pr. de *diluer* ; [dilɥɑ̃].

**DILUER, verbe trans.** [3]
**1.** Diminuer par ajout de liquide la concentration de (une substance) : ***Diluer** une peinture avec son solvant.* **2.** Fig. Affaiblir (des idées, un raisonnement). **Pronom.** Se délayer ; se dissoudre. XVe s. ; lat. *diluere*, « délayer » ; [dilɥe].

**DILUTION, subst. f.**
Action de diluer, de se diluer ; son résultat. 1833 ; ☞ *diluer* ; [dilysjɔ̃].

**DILUVIAL, ALE, AUX, adj.**
*Géol.* Du diluvium. 1826 ; lat. *diluvium*, « déluge » ; [dilyvjal, o].

**DILUVIEN, IENNE, adj.**
**1.** Relatif au déluge ; par ext. : *Pluies **diluviennes***, torrentielles. **2.** *Géol.* Du diluvium : *Roches **diluviennes**.* 1781 ; lat. *diluvium*, « déluge » ; [dilyvjɛ̃, jɛn].

**DILUVIUM, subst. m.**
*Géol.* Dépôts alluviaux constitués par d'anciens fleuves à l'ère quaternaire, ainsi nommés parce que l'on croyait qu'ils résultaient du Déluge. 1834 ; lat. *diluvium*, « déluge » ; [dilyvjɔm].

**DIMANCHE,** subst. m.
Septième jour de la semaine, gén. jour de repos dans les sociétés chrétiennes. ► Loc. **Du dimanche.** Se dit d'une personne qui fait qqch. en amateur (souv. péj.) : *Conducteur du* ***dimanche.*** Déb. XII^e s. ; lat. chrét. *dies dominicus,* « jour du Seigneur » ; [dimɑ̃ʃ].

**DÎME,** subst. f.
**1.** *Antiq.* Dixième partie des récoltes annuelles, que les Juifs réservaient à Dieu ou aux lévites. **2.** *Hist.* Sous l'Ancien Régime, impôt sur les récoltes prélevé par la noblesse et le clergé. Déb. XII^e s. ; lat. *decima pars,* « dixième partie » ; [dim].

**DIMENSION,** subst. f.
**1.** Étendue mesurable d'un corps dans l'espace : *Donne-moi les* ***dimensions*** *du salon,* ses hauteur, largeur et longueur. ► *La quatrième* ***dimension*** : le temps, dans la théorie de la relativité. **2.** Grandeur d'un objet : *Un écran de grande* ***dimension.*** **3.** Fig. Portée, importance : *La* ***dimension*** *historique d'un évènement.* ► Loc. ***À la dimension de*** : à la mesure de. **4.** *Math.* ***Dimension*** *d'un espace vectoriel E sur un corps K* : toutes les bases de E sont équipotentes, le cardinal de l'une d'elles s'appelle la **dimension** de E sur K, notée $\dim_K(E)$ ou $\dim(E)$ ; par ex., l'espace $\mathbb{R}^3$ est de **dimension** 3 sur $\mathbb{R}$. 1372 ; lat. *dimensio,* « mesurage » ; [dimɑ̃sjɔ̃].

**DIMENSIONNEL, ELLE,** adj.
Relatif aux dimensions de qqch. 1875 ; ☞ *dimension* ; [dimɑ̃sjɔnɛl].

**DIMENSIONNEMENT,** subst. m.
Fait d'établir les dimensions d'un objet. Mil. XX^e s. ; ☞ *dimensionner* ; [dimɑ̃sjɔnmɑ̃].

**DIMENSIONNER,** verbe trans. [3]
*Techn.* Définir les dimensions de (une pièce, un objet) en fonction de son usage. 1927 ; ☞ *dimension* ; recomm. off. *proportionner* ; [dimɑ̃sjɔne].

**DIMÈRE,** adj. et subst. m.
*Chim.* Qualifie ou désigne une molécule résultant de la condensation de deux molécules identiques : *Le maltose (glucose-glucose) est un* ***dimère.*** 1817 ; gr. *dimerês,* « composé de deux parties » ; [dimɛʀ].

**DIMINUÉ, ÉE,** adj.
**1.** Rendu moins grand, moins important ; au fig., amoindri, affaibli. **2.** *Archit. Colonne* ***diminuée*** : dont la section rétrécit en montant. **3.** *Mus. Intervalle* ***diminué*** : réduit d'un demi-ton. 1365 ; p. p. de *diminuer* ; [diminɥe].

**DIMINUENDO,** adv. et subst. m.
*Mus.* Adv. En diminuant peu à peu l'intensité du son. Subst. Passage exécuté de cette façon. 1834 ; mot ital. ; [diminɥɛ̃do] ou [-ɛndo].

**DIMINUER,** verbe [3]
Trans. **1.** Rendre plus petit, moins important : ***Diminuer*** *la largeur d'une allée* ; ***Diminuer*** *le son,* le baisser ; ***Diminuer*** *une durée,* l'écourter. **2.** Fig. ► Affaiblir : ***Diminuer*** *le courage de qqn.* ► Réduire la valeur de : *Cela ne* ***diminue*** *pas son mérite.* Intrans. **1.** Devenir plus petit, moins important, moins nombreux : *Nos réserves* ***diminuent.*** **2.** Faiblir : *Sentir ses forces, sa vue* ***diminuer.*** 1308 ; lat. *diminuere* ; [diminɥe].

**DIMINUTIF, IVE,** subst. m. et adj.
*Gramm.* Adj. *Suffixe* ***diminutif*** : qui affaiblit le sens du radical en apportant une idée de petitesse, souv. avec une nuance affective (par ex., « pâlot » pour « pâle », « fillette » pour « fille »). Subst. Mot (en partic. nom propre) formé d'un radical et d'un suffixe **diminutif** : *Riton est le* ***diminutif*** *d'Henri.* 1579 (XV^e s., qui manque de qqch.) ; bas lat. *diminutivus* ; [diminytif, iv].

**DIMINUTION,** subst. f.
**1.** Action de diminuer ; son résultat : ***Diminution*** *d'effectifs.* **2.** Réduction, dans un rang de tricot ou de crochet, du nombre de mailles. Mil. XIII^e s. ; lat. *diminutio* ; [diminysjɔ̃].

**DIMORPHE,** adj.
**1.** *Biol.* Qui peut se présenter sous deux formes différentes. **2.** *Chim.* Qui se cristallise sous deux formes distinctes. 1826 ; formé de *di-* et de *-morphe* ; [dimɔʀf].

**DIMORPHISME,** subst. m.
**1.** *Biol.* Propriété qu'ont certaines espèces animales ou végétales de se présenter sous deux formes différentes selon la saison ou le sexe. **2.** *Chim.* Propriété que possèdent certains éléments ou composés chimiques de cristalliser sous deux formes distinctes. 1838 ; ☞ *dimorphe* ; [dimɔʀfism].

**DINANDERIE,** subst. f.
**1.** Ensemble des ustensiles en cuivre jaune, traditionnellement fabriqués à Dinant. **2.** Travail artisanal du métal, en partic. par martelage ; atelier où se pratique cet art. 1389 ; ☞ *dinandier* ; [dinɑ̃dʀi].

**DINANDIER, IÈRE,** subst.
Personne qui fabrique ou qui vend de la dinanderie. XIII^e s. ; topon. *Dinant* (Belgique) ; [dinɑ̃dje, jɛʀ].

**DINAR,** subst. m.
Unité monétaire de certains pays arabes ou d'Europe centrale et orientale : ***Dinar*** *algérien, tunisien...* 1697 ; ar. *dīnār,* du lat. *denarius,* « denier » ; [dinaʀ].

**DINARIQUE,** adj.
*Géogr.* Qui concerne la région montagneuse séparant la plaine côtière dalmate de l'intérieur des Balkans : *Les Alpes* ***dinariques.*** 1838 ; topon. *Dinara,* mont de cette chaîne ; [dinaʀik].

**DÎNATOIRE,** adj.
Vieilli. Relatif au dîner ; qui sert de dîner : *Goûter* ***dînatoire.*** Déb. XVI^e s. ; ☞ *dîner* (II) ; [dinatwaʀ].

**DINDE,** subst. f.
**1.** Femelle du dindon. **2.** Fig. Femme stupide (fam.). 1600 ; abrév. de *coq* (ou de *poule*) *d'Inde* ; [dɛ̃d].

**DINDON,** subst. m.
**1.** *Zool.* Oiseau gallinacé de basse-cour originaire d'Amérique, de la famille des Phasianidés. Le mâle a la tête et le cou nus, couverts d'une membrane rouge violacé. **2.** Fig. Homme fat, stupide (fam.). ► Loc. *Être le* ***dindon*** *de la farce* : être la victime, la dupe. 1605 ; ☞ *dinde* ; [dɛ̃dɔ̃].

**DINDONNEAU,** subst. m.
Jeune dindon. 1651 ; ☞ *dindon* ; [dɛ̃dɔno].

**DÎNER (I),** verbe intrans. [3]
**1.** Vx ou Belg., Québ. et Helv. Prendre le repas de mi-journée. **2.** Prendre le repas du soir. ► Loc. *Qui dort* ***dîne*** : dormir fait oublier la faim. Déb. XII^e s. ; lat. pop. °*disjejunare,* « déjeuner » ; [dine].

**DÎNER (II),** subst. m.
**1.** Vx ou Belg., Québ. et Helv. Repas de midi. **2.** Repas du soir ; par méton., ce que l'on consomme pendant ce repas. Déb. XII^e s. ; ☞ *dîner* (I) ; [dine].

**DÎNETTE,** subst. f.
**1.** Petit repas. **2.** Jeu d'enfants simulant le repas ; par méton., le service de table en miniature de ce jeu. XVI^e s. ; ☞ *dîner* (II) ; [dinɛt].

**DÎNEUR, EUSE,** subst.
Personne qui prend part à un dîner (vx). 1609 ; ☞ *dîner* (I) ; [dinœʀ, øz].

**DINGHY,** subst. m.
**1.** Petit bateau de course ou de plaisance, à voile ou à moteur. **2.** Canot pneumatique de sauvetage. 1849 ; angl. *dinghy,* du hindi *ḍiṃgī,* « petit bateau » ; plur. *dinghys* ou *dinghies,* var. *dinghie* ; [diŋgi].

**DINGO (I),** subst. m.
*Zool.* Chien sauvage d'Australie, qui vit en bandes. 1835 ; angl. *dingo,* d'un dial. australien ; [dɛ̃go].

**DINGO (II),** adj. et subst.
Fou (fam. et vieilli). Fin XIX^e s. ; ☞ *dingue* ; [dɛ̃go].

**DINGUE,** adj. et subst.
Fam. Fou. Adj. Bizarre ; extraordinaire. 1915 ; prob. anc. fr. *dinguer,* « divaguer » ; [dɛ̃g].

**DINGUER,** verbe intrans. [3]
Fam. **1.** *Aller* ***dinguer*** *contre qqch.* : le heurter brutalement. **2.** *Envoyer* ***dinguer*** *qqn* : l'éconduire brutalement. 1833 (1540, vaguer) ; orig. onomat. ; [dɛ̃ge].

**DINGUERIE,** subst. f.
Action, caractère du dingue (fam.). V. 1970 ; ☞ *dingue* ; [dɛ̃gʀi].

**DINORNIS,** subst. m.
*Paléont.* Oiseau ratite géant (3,50 m), fossile, qui vivait en Nouvelle-Zélande à la fin du Tertiaire et au Quaternaire. 1843 ; gr. *deinos,* « terrible », et *ornis,* « oiseau » ; [dinɔʀnis].

**DINOSAURE,** subst. m.
**1.** *Paléont.* Très grand reptile fossile du groupe des Dinosauriens. **2.** Fig. Personne, institution tenue pour archaïque mais conservant une grande influence (fam.). 1845 ; angl. *dinosaur,* du gr. *deinos,* « terrible », et *sauros,* « lézard » ; [dinɔzɔʀ].

**DINOSAURIENS,** subst. m. plur.
*Paléont.* Groupe de reptiles terrestres, tous fossiles, qui ont eu un développement considérable, limité à l'ère secondaire. Au sing. : *L'iguanodon est un* ***dinosaurien.*** 1845 ; angl. *dinosaurian,* du gr. *deinos,* « terrible », et *sauros,* « lézard » ; [dinɔzɔʀjɛ̃] ou [-sɔ-].

PALÉONTOLOGIE – Le groupe des Dinosauriens, qui caractérise l'ère secondaire, est apparu au Trias moyen, presque en même temps que les Mammifères. Il disparut alors qu'il était florissant, lors de la crise biologique de la limite Crétacé-Tertiaire, tout comme beaucoup d'autres organismes, marins et terrestres. Pendant 160 millions d'années, ces vertébrés de toutes tailles, herbivores ou carnivores, colonisent les domaines terrestres, mais ils ne sauront jamais voler ni nager. Bipèdes ou quadrupèdes, les Dinosauriens portent parfois une armure d'épines ou une carapace, des cornes ; certains possèdent de nombreuses dents, d'autres ont un bec édenté. On les classe selon l'organisation des os de leur bassin : les Saurischiens ont un bassin de lézard, alors que les Ornithischiens sont dotés d'un bassin d'oiseau. Les plus grands (jusqu'à 40 m de long, plus de 50 t) ne sont pas les derniers apparus ; ils coexistaient au Jurassique avec des espèces analogues à nos poulets. Paradoxalement, les premiers oiseaux du Jurassique (Archéoptéryx à plumes) sont probablement dérivés de petits saurischiens. Tous les dinosaures pondaient des œufs. On pense que leur vue, leur odorat et leur ouïe étaient très développés, et les scientifiques se demandent si les plus grands n'étaient pas des animaux à sang chaud.

*Reconstitution d'un stégosaure,* ***dinosaurien*** *herbivore.*

**DINOTHÉRIUM,** subst. m.
*Paléont.* Mammifère fossile de l'ordre des Proboscidiens, ayant vécu au Miocène (ère tertiaire), moins grand que les éléphants actuels et dont les défenses étaient recourbées vers le bas. 1837 ; gr. *deinos,* « terrible », et *thêrion,* « bête sauvage » ; [dinɔteʀjɔm].

**DIOCÉSAIN, AINE,** adj. et subst.
*Relig.* Adj. Relatif au diocèse ; qui dépend d'un diocèse. Subst. Membre d'un diocèse. 1265 ; lat. chrét. *diocesanus* ; [djɔsezɛ̃, ɛn].

**DIOCÈSE,** subst. m.
**1.** *Antiq. rom.* Circonscription administrative de l'Empire, regroupant plusieurs provinces sous la juridiction d'un vicaire. **2.** *Relig.* Église particulière placée sous l'autorité d'un évêque, au sein de l'Église universelle ; la circonscription ecclésiastique qui y correspond. Fin XII^e s. ; lat. *diocesis,* du gr. *dioikêsis,* « administration ; province » ; [djɔsɛz].

**DIODE,** subst. f.
*Électron.* Composant à deux électrodes (cathode et anode) placées dans un petit tube à vide (lampe **diode**) ou constitué par deux éléments semi-conducteurs (**diode** électronique proprement dite), qui ne laisse passer un courant électrique que dans un sens déterminé et que l'on utilise comme redresseur de courant alternatif. 1932 ; angl. *diode,* du gr. *di-,* « double », et *hodos,* « route » ; [djɔd].

**DIOÏQUE,** adj.
*Bot.* Qualifie une plante dont les fleurs mâles et femelles ne poussent pas sur les mêmes pieds (anton. *monoïque*). 1768 ; lat. sc. *dioicae,* du gr. *di-,* « double », et *oikia,* « maison » ; [djɔik].

**DIOL,** voir **DIALCOOL**

**DIONÉE,** subst. f.
*Bot.* Plante carnivore d'Amérique, de la famille des Droséracées, dont les feuilles, garnies de longs poils visqueux, se replient sur les insectes qui s'y posent. L'espèce *Dionaea muscipula* est appelée attrape-mouche. 1786 ; *Dioné,* mère de Vénus ; [djɔne].

**DIONYSIAQUE,** adj.
**1.** *Antiq. gr.* Relatif à Dionysos. ► *Fêtes* ***dionysiaques***

ou, empl. subst. fém., *Les* ***dionysiaques*** : fêtes en son honneur (synon. *dionysies*). **2.** *Philos.* Qui marque, en partic. chez Nietzsche, la démesure, l'exubérance, l'irrationnel (anton. *apollinien*). 1762 ; *Dionysos*, dieu grec ; [djɔnizjak].

**DIONYSIES, subst. f. plur.**
*Antiq. gr.* Fêtes qui célébraient le culte de Dionysos. 1732 ; gr. *Dionusia* ; [djɔnizi].

**DIOPTRE, subst. m.**
*Phys.* Surface séparant deux milieux transparents homogènes dont les indices de réfraction sont différents : *La surface plane de l'eau contenue dans une cuve à eau est un* ***dioptre*** *plan qui sépare le milieu « eau » du milieu « air ».* 1921 (1541, spéculum) ; gr. *dioptron*, « miroir » ; [djɔptʀ].

**DIOPTRIE, subst. f.**
*Phys.* Unité de mesure de la vergence d'une lentille ou d'un système optique quelconque (symb. : δ). Elle correspond à la vergence d'un système optique dont la distance focale est 1 m, dans un milieu dont l'indice de réfraction est 1. 1890 ; ☞ *dioptrique* ; [djɔptʀi].

**DIOPTRIQUE, subst. f. et adj.**
**Subst.** Partie de la physique qui étudie la réfraction de la lumière. **Adj.** Relatif à la **dioptrique** : *Système* ***dioptrique*** *de l'œil.* 1626 ; gr. *dioptrikê technê*, « art de mesurer les distances » ; [djɔptʀik].

**DIORAMA, subst. m.**
Grande toile peinte, soumise à des jeux de lumière donnant, dans l'obscurité, l'illusion du mouvement et de la profondeur : *Le premier* ***diorama****, inventé par Daguerre, fut présenté en 1822.* 1822 ; ☞ *panorama* + *dia-* ; [djɔʀama].

**DIORITE, subst. f.**
*Pétrogr.* Roche éruptive sombre (moins de 60 % de silice), intermédiaire entre les gabbros et les granites, qui se présente en filons ou en petits massifs isolés. 1819 ; gr. *diorizein*, « distinguer » ; [djɔʀit].

**DIOSCORÉACÉES, subst. f. plur.**
*Bot.* Famille de plantes monocotylédones, herbacées ou ligneuses, à tubercules, tel l'igname. **Au sing.** *Le tamier est une* ***dioscoréacée****.* Anthropon. *Dioscoride*, médecin grec ; [djɔskɔʀease].

**DIOXINE, subst. f.**
*Industr.* Résidu très toxique de la fabrication d'un dérivé chloré du phénol. V. 1970 ; *dibenzodioxinne*, de *di-*, de *benzo-* et de *dioxinne*, corps chimique ; [diɔksin].

**DIOXYDE, subst. m.**
*Chim.* Oxyde d'un élément contenant deux atomes d'oxygène : $CO_2$ *est la formule du* ***dioxyde*** *de carbone.* 1869 ; ☞ *oxyde* + *di-* ; [diɔksid].

**DIPÉTALE, adj.**
*Bot.* Qui est composé de deux pétales. 1783 ; ☞ *pétale* + *di-* ; [dipetal].

**DIPHASÉ, ÉE, adj.**
*Phys.* Qualifie deux courants périodiques (gén. alternatifs) de mêmes fréquence et intensité maximale, mais décalés l'un par rapport à l'autre d'un quart de période. 1907 ; ☞ *phase* + *di-* ; [difaze].

**DIPHÉNOL, subst. m.**
*Chim.* Composé possédant deux fois la fonction phénol. 1905 ; ☞ *phénol* + *di-* ; [difenɔl].

**DIPHTÉRIE, subst. f.**
*Pathol.* Grave maladie bactérienne contagieuse due au bacille de Klebs-Löffler, caractérisée par l'apparition de pseudo-membranes fibrineuses au niveau des muqueuses du pharynx et du larynx, et par une intoxication générale de l'organisme. 1817 ; gr. *diphthera*, « membrane » ; [difteʀi].

**DIPHTÉRIQUE, adj. et subst.**
**Adj. 1.** Qui concerne la diphtérie. **2.** Qui est atteint de cette maladie. **Subst.** Personne qui en souffre. 1835 ; ☞ *diphtérie* ; [difteʀik].

**DIPHTONGAISON, subst. f.**
Fait de se diphtonguer. 1864 ; ☞ *diphtonguer* ; [diftɔ̃gɛzɔ̃].

**DIPHTONGUE, subst. f.**
*Phon.* Voyelle dont le timbre varie en cours d'émission : *Les* ***diphtongues*** *ont disparu du français moderne, mais existent encore dans la langue anglaise.* Déb. XIIIe s. ; lat. *diphtongus*, du gr. *diphthogos*, « double son » ; [diftɔ̃g].

**DIPHTONGUER, verbe trans.** [3]
Transformer en diphtongue. **Pronom.** Devenir une diphtongue. 1550 ; ☞ *diphtongue* ; [diftɔ̃ge].

**DIPLOBLASTIQUE, adj.**
*Zool.* Qualifie un animal dont l'embryon ne possède que deux feuillets, au lieu de trois, l'ectoderme et l'endoderme. XXe s. ; gr. *blastê*, « germe », + *diplo-* ; [diplɔblastik].

**DIPLOCOQUE, subst. m.**
*Bactériol.* Bactérie composée de deux éléments sphériques, tels le pneumocoque ou le staphylocoque. 1890 ; gr. *kokkos*, « graine », + *diplo-* ; [diplɔkɔk].

**DIPLODOCUS, subst. m.**
*Paléont.* Dinosaurien herbivore, figurant parmi les plus grands (jusqu'à 30 m de long, avec une queue et un cou de plus de 10 m). 1890 ; gr. *dokos*, « poutre », + *diplo-* ; [diplɔdɔkys].

**DIPLOÏDE, adj.**
*Biol.* Se dit d'une cellule ou d'un organisme qui possède deux exemplaires de chaque chromosome, exception faite des chromosomes sexuels (anton. *haploïde*). 1931 (1586, manteau doublé) ; formé de *diplo-* et de *-oïde* ; [diplɔid].

**DIPLOMATE, subst.**
**1.** Représentant officiel d'un gouvernement auprès des instances internationales. **2.** Fig. Personne habile dans les relations avec autrui, qui a du tact ; empl. adj. : *Un homme très* ***diplomate****.* **Masc.** Entremets à base de biscuits, de crème et de fruits. 1789 ; ☞ *diplomatique* ; [diplɔmat].

**DIPLOMATIE, subst. f.**
**1.** Pratique de négociation, de représentation et d'administration dans le cadre des relations internationales. **2.** Méton. ▸ La carrière diplomatique. ▸ L'ensemble des diplomates. **3.** Anal. Habileté, tact, prudence dans la conduite des affaires humaines. 1790 ; ☞ *diplomatique* ; [diplɔmasi].

**DIPLOMATIQUE, subst. f. et adj.**
**Subst.** Science qui étudie les diplômes et autres documents officiels. **Adj. 1.** Relatif aux diplômes. **2.** Relatif à la diplomatie, aux diplomates ; par anal., habile, empreint de tact, prudent. 1708 ; lat. sc. *diplomaticus*, du lat. *diploma*, « diplôme » ; [diplɔmatik].

**DIPLOMATIQUEMENT, adv.**
Par la voie diplomatique ; par anal., avec diplomatie. 1788 ; ☞ *diplomatique* ; [diplɔmatikmɑ̃].

**DIPLÔME, subst. m.**
**1.** *Hist.* Document officiel qui établissait un droit, un privilège. **2.** Titre délivré par une université, une école, etc., pour attester l'acquisition d'un savoir, d'une aptitude ; par méton., document l'attestant : ***Diplôme*** *d'État (D. E.)*, délivré par l'État ; ***Diplôme*** *d'études approfondies (D. E. A.)*, **diplôme** universitaire de troisième cycle, préparant à la recherche ; ***Diplôme*** *d'études supérieures spécialisées (D. E. S. S.)*, **diplôme** universitaire de troisième cycle, préparant à la vie professionnelle ; ***Diplôme*** *d'études universitaires générales (deug)*, **diplôme** universitaire de premier cycle, préparé en deux ans ; ***Diplôme*** *universitaire de technologie (D. U. T.)*, **diplôme** d'institut universitaire de technologie, délivré après deux ans d'études. **3.** Examen auquel on se présente pour obtenir ce titre. 1721 (1617, décret) ; lat. *diploma*, du gr. *diplôma*, « tablette ou feuille pliée en deux » ; [diplom].

**DIPLÔMÉ, ÉE, adj. et subst.**
Se dit d'une personne qui a obtenu un diplôme : ***Diplômé*** *par le gouvernement (D. P. L. G.).* 1841 ; ☞ *diplôme* ; [diplome].

**DIPLÔMER, verbe trans.** [3]
Décerner un diplôme à (qqn). 1878 ; ☞ *diplôme* ; [diplome].

**DIPLOPIE, subst. f.**
*Pathol.* Trouble de la vision qui fait voir double un objet. ▸ ***Diplopie*** *binoculaire* : défaut de fusion des images fournies par chacun des deux yeux. 1792 ; gr. *diploos*, « double », + *-opie* ; [diplɔpi].

**DIPNEUMONE, adj.**
*Zool.* Pourvu de deux poumons : *Araignée* ***dipneumone****.* 1846 ; gr. *pneumôn*, « poumon », + *di-* ; var. *dipneumoné, ée* ; [dipnømɔn].

**DIPNEUSTES, subst. m. plur.**
*Zool.* Sous-classe de poissons osseux à respiration branchiale et pulmonaire, vivant dans les marécages des régions tropicales. **Au sing.** *Le lépidosirène est un* ***dipneuste****.* 1890 ; gr. *pnein*, « respirer », + *di-* ; [dipnøst].

**DIPOLAIRE, adj.**
**1.** *Sc.* Pourvu de deux pôles : *Des taches solaires* ***dipolaires*** ; *Une molécule* ***dipolaire****.* **2.** *Phys.* Qui est propre au dipôle ; qui se caractérise par la présence d'un dipôle. V. 1950 ; ☞ *polaire* + *di-* ; [dipɔlɛʀ].

**DIPÔLE, subst. m.**
*Phys.* ▸ ***Dipôle*** *électrique* : ensemble de deux charges électriques opposées, égales en valeur absolue et très proches (synon. *doublet électrique*). ▸ ***Dipôle*** *magnétique* : ensemble de deux masses magnétiques de signe opposé, situées à une distance infiniment petite. 1953 ; ☞ *pôle* + *di-* ; [dipol].

**DIPSACACÉES, subst. f. plur.**
*Bot.* Famille de plantes herbacées aux fleurs réunies en capitule, telle la cardère. **Au sing.** *La scabieuse est une* ***dipsacacée****.* 1721 ; lat. *dipsacus*, « cardère » ; var. *Dipsacées* ; [dipsakase].

**DIPSOMANIE, subst. f.**
*Psych.* Trouble qui pousse certains sujets à consommer avec excès des boissons alcooliques lorsqu'ils sont en période de crise. 1824 ; gr. *dipsa*, « soif », + *-manie* ; [dipsɔmani].

**DIPTÈRE (I), adj.**
*Archit. Un temple* ***diptère*** : qu'entoure un portique à double rangée de colonnes. 1547 ; lat. *dipteros*, du gr. *dipteros*, « ce qui a deux ailes » ; [diptɛʀ].

**DIPTÈRE (II), adj. et subst. m. plur.**
*Zool.* **Adj.** Qui a deux ailes, en parlant d'un insecte. **Subst.** Ordre d'insectes qui ne possèdent que deux ailes fonctionnelles, les ailes postérieures jouant le rôle d'un balancier ; au sing. : *La mouche est un* ***diptère****.* 1765 ; lat. sc. *diptera*, du gr. *dipteros*, de *dis*, « deux fois », et *pteron*, « aile » ; [diptɛʀ].

**DIPTYQUE, subst. m.**
**1.** *Antiq.* Registre composé de deux tablettes reliées par une charnière, enduites de cire sur la face intérieure, où l'on écrivait avec un style. **2.** *B.-a.* Œuvre peinte ou sculptée constituée de deux panneaux, gén. rabattables. **3.** Anal. Œuvre littéraire ou musicale en deux parties qui se complètent ou se répondent. Fin XVIIe s. ; bas lat. *diptycha*, du gr. *diptukhos*, « plié en deux » ; [diptik].

**DIRE (I), verbe trans.** [65]
**1.** Exprimer par la parole, par l'écrit, par des signes : *Il parle beaucoup, mais que* ***dit****-il ? ; Il* ***dit*** *tout dans ce livre ; Il* ***a dit*** *non de la tête.* **2.** Raconter : *Je* ***dirai*** *toute l'histoire* ; réciter : ***Dire*** *de la poésie.* **3.** Répondre : *Je ne savais plus quoi* ***dire****.* **4.** Penser : *Que* ***dites****-vous de ça ?* **5.** Prétendre : *À ce qu'on* ***dit****.* **6.** Ordonner ; conseiller : *Il* ***m'a dit*** *de ne pas venir.* **7.** Indiquer : *Que* ***dit*** *le dictionnaire ?* ; révéler : *Son attitude en* ***dit*** *long.* **8.** Loc. ▸ ***Dire*** *pis que pendre* : médire. ▸ ***C'est-à-dire*** : cela signifie. ▸ *On* ***dirait*** *que* : il semble que. ▸ *Pour ainsi* ***dire*** : en quelque sorte. ▸ *Ça ne me* ***dit*** *rien* : ça ne m'évoque rien ; je n'en ai pas envie (fam.). ▸ *Si le cœur vous en* ***dit*** : si cela vous plaît. ▸ *Autrement* ***dit*** : en d'autres termes. ▸ *Entre nous soit* ***dit*** : confidentiellement. ▸ *Le qu'en-dira-t-on* : l'opinion publique. **Pronom. 1.** Se prétendre : *Il se* ***dit*** *généreux.* **2.** Être employé (en parlant d'un mot, d'une expression) : *Cela ne se* ***dit*** *plus.* Fin Xe s. ; lat. *dicere* ; [diʀ].

**DIRE (II), subst. m.**
**1.** Ce que dit, déclare qqn. ▸ Loc. *Au* ***dire*** *de* ; *Selon le(s)* ***dire(s)*** *de* : d'après. **2.** *Dr.* Témoignage, déclaration ; estimation : *Le* ***dire*** *des experts* ; par méton., mémoire remis par une partie à des experts, en partic. dans le cadre d'une vente aux enchères. Déb. XIIIe s. ; ☞ *dire* (I) ; [diʀ].

**DIRECT, ECTE, adj. et subst. m.**
**Adj. 1.** Qui est en ligne droite, sans détour : *Un itinéraire* ***direct****.* ▸ Fig. Qui va droit au but : *Une réponse* ***directe*** ; qui agit avec franchise : *Voilà qqn qui est* ***direct*** *!* **2.** Qui est immédiat, sans intermédiaire : *Vous êtes la cause* ***directe*** *de tout ça.* ▸ *Gramm. Complément d'objet* ***direct*** : construit sans préposition. **3.** Qui ne s'arrête pas, qui ne nécessite pas de changement, en parlant d'un moyen de transport : *Un vol* ***direct*** ; *Un train* ***direct*** ou, empl. subst. masc., *Un* ***direct****.* **Subst. 1.** *Sp.* Coup porté droit devant soi, à la boxe. **2.** *Audiov.* Émission transmise au moment même de sa production : *Faire du* ***direct****.* XIIIe s. ; lat. *directus*, « droit » ; [diʀɛkt].

**DIRECTEMENT, adv.**
De façon directe. 1414 ; ☞ *direct* ; [diʀɛktəmɑ̃].

**DIRECTEUR, TRICE, subst. et adj.**
**Subst.** Personne qui dirige une entreprise, un service, un organisme, etc. : ***Directeur*** *de banque* ; *Président-****directeur*** *général (P.-D. G.)* ; ***Directrice*** *d'école.* **Subst. masc. 1.** *Hist.* Chacun des cinq mem-

bres du Directoire : *Barras fut* ***directeur***. **2.** *Relig.* ***Directeur*** *de conscience* : prêtre chargé de guider une personne en matière de spiritualité. **Subst. fém.** *Math.* Courbe sur laquelle s'appuie une droite mobile engendrant une surface conique. **Adj. 1.** Qui dirige : *Organisme* ***directeur*** ; au fig., qui donne une orientation générale : *Idée* ***directrice***. **2.** *Math.* *Coefficient* ***directeur*** *d'une droite d'équation* $y = ax + b$ : le nombre $a$ ; *Vecteur* ***directeur*** *d'une droite* : vecteur non nul appartenant à la direction de cette droite. 1444 ; bas lat. *director* ; [diʀɛktœʀ, tʀis].

**DIRECTIF, IVE, adj.**
**1.** Qui donne une direction, une orientation. **2.** Qui dirige de manière autoritaire : *Une attitude* ***directive***. **3.** *Techn.* Directionnel : *Antenne* ***directive***. 1282 ; lat. *directum*, de *dirigere*, « diriger » ; [diʀɛktif, iv].

**DIRECTION, subst. f.**
**I. 1.** Action de diriger, de guider, de conduire, d'administrer : *Assurer la* ***direction*** *d'un orchestre.* **2.** Fonction de directeur. ▸ Méton. Ensemble de ceux qui dirigent une entreprise : *La* ***direction*** *générale (D. G.)* ; locaux occupés par le directeur et ses services. **3.** Subdivision administrative placée sous l'autorité d'un directeur : *La* ***Direction*** *des affaires culturelles.* **II. 1.** Orientation d'un corps, d'un mouvement : *Prendre la bonne* ***direction***, suivre la bonne voie. ▸ Loc. prép. *En* ***direction*** *de* : vers. **2.** Fig. Orientation donnée à une action ; façon dont elle se déroule. **3.** *Géom.* ***Direction*** *de droites (resp. de plans), représentée par une droite D (resp. un plan P)* : ensemble des droites (resp. des plans) parallèles à D (resp. à P). **4.** *Mécan.* Ensemble de pièces qui permet de diriger les roues d'un véhicule. XIVe s. ; lat. *directio*, « ligne droite » ; [diʀɛksjɔ̃].

**DIRECTIONNEL, ELLE, adj.**
**1.** Qui donne une direction. **2.** *Techn.* Qui n'émet ou ne reçoit que dans une direction déterminée (synon. *directif*) : *Micro* ***directionnel*** ; *Antenne* ***directionnelle***. 1951 ; ☞ *direction* ; [diʀɛksjɔnɛl].

**DIRECTIVE, subst. f.**
Instruction générale donnée par une autorité (gén. au plur.). 1890 ; ☞ *directif* ; [diʀɛktiv].

**DIRECTIVISME, subst. m.**
Manière de diriger autoritaire, doctrinale. XXe s. ; ☞ *directif* ; [diʀɛktivism].

**DIRECTIVITÉ, subst. f.**
**1.** Caractère directif, directivisme. **2.** *Techn.* Propriété qu'ont certains dispositifs d'émettre ou de capter des ondes dans une direction déterminée. 1953 ; ☞ *directif* ; [diʀɛktivite].

**DIRECTOIRE, subst. m.**
**1.** Vx. Ligne directrice. ▸ *Liturg.* Calendrier des offices de l'Église catholique. **2.** *Dr.* ▸ Conseil chargé des fonctions gouvernementales. ▸ Organe de gestion d'une société anonyme. **3.** *Hist.* *Le* ***Directoire*** : conseil de cinq membres chargé du pouvoir exécutif par la Constitution de l'an III, qui gouverna la France d'octobre 1795 à novembre 1799 ; par ext., le régime politique de cette période. ▸ En appos. *Style* ***Directoire*** : propre à cette époque. 1546 ; lat. *directum*, de *dirigere*, « diriger » ; [diʀɛktwaʀ].

**DIRECTORAT, subst. m.**
Rare. Fonction de directeur ; durée d'exercice de cette fonction. 1666 ; ☞ *directeur* ; [diʀɛktɔʀa].

**DIRECTORIAL (I), ALE, AUX, adj.**
Relatif à un directeur, à ses fonctions. 1685 ; ☞ *directeur* ; [diʀɛktɔʀjal, o].

**DIRECTORIAL (II), ALE, AUX, adj.**
**1.** *Hist.* Relatif au Directoire. **2.** Relatif à un directoire. 1796 ; ☞ *directoire* ; [diʀɛktɔʀjal, o].

**DIRHAM, subst. m.**
Unité monétaire du Maroc et des Émirats arabes unis. 1959 ; ar. *dirham*, mesure de poids ; [diʀam].

**DIRIGEABLE, adj.**
Qui peut être dirigé. ▸ *Aéron.* *Un ballon* ***dirigeable*** ou, empl. subst. masc., *Un* ***dirigeable*** : aérostat équipé d'une nacelle et d'un système de navigation à moteur. 1787 ; ☞ *diriger* ; [diʀiʒabl].

**DIRIGEANT, ANTE, adj. et subst.**
**Adj.** Qui dirige ; en partic., qui détient le pouvoir : *La classe* ***dirigeante***. **Subst.** Personne qui dirige, qui a pour fonction d'exercer le pouvoir. 1835 ; p. pr. de *diriger* ; [diʀiʒɑ̃, ɑ̃t].

**DIRIGER, verbe trans.** [5]
**I. 1.** Mener (une action), la commander : ***Diriger*** *une attaque, une manœuvre.* **2.** Exercer un pouvoir, une autorité sur (un organisme, une entreprise, qqn) : ***Diriger*** *une école* ; ***Diriger*** *un orchestre.* **3.** Guider, orienter (qqn) intellectuellement, moralement ou spirituellement : ***Diriger*** *un élève dans sa recherche* ; ***Diriger*** *la conscience de qqn.* **II. 1.** Conduire ; guider : ***Diriger*** *un avion* ; ***Diriger*** *ses pas, qqn vers un lieu.* **2.** Orienter sur un endroit précis : ***Diriger*** *son regard, une lumière vers qqn, qqch.* **3.** Expédier : ***Diriger*** *un colis vers Paris.* **Pronom.** Aller (vers un lieu) ; au fig. : *Se* ***diriger*** *vers la profession de médecin.* 1381 ; lat. *dirigere*, « aligner, ordonner » ; [diʀiʒe].

**DIRIGISME, subst. m.**
*Écon.* Attitude interventionniste de l'État dans l'activité économique du pays, au sein d'un système capitaliste. 1930 ; ☞ *diriger* ; [diʀiʒism].

**DIRIGISTE, adj. et subst.**
**Adj.** Relatif au dirigisme ; qui le pratique. **Subst.** Partisan du dirigisme. V. 1930 ; ☞ *diriger* ; [diʀiʒist].

**DIRIMANT, ANTE, adj.**
*Dr.* *Empêchement* ***dirimant*** : qui annule un acte (en partic. un mariage). 1701 ; p. pr. de *dirimer* (vx), du lat. *dirimere*, « séparer » ; [diʀimɑ̃, ɑ̃t].

**DISCAL, ALE, AUX, adj.**
*Anat.* Qui concerne les disques intervertébraux : *Hernie* ***discale***. V. 1950 ; lat. *discus*, « disque » ; [diskal, o].

**DISCARTHROSE, subst. f.**
*Pathol.* Rhumatisme dégénératif caractérisé par un pincement des disques intervertébraux et une production d'ostéophytes. 1959 ; crois. de *disque* et de *arthrose* ; [diskaʀtʀoz].

**DISCERNEMENT, subst. m.**
**1.** Action de discerner (vieilli). **2.** Faculté de juger avec bon sens. 1532 ; ☞ *discerner* ; [disɛʀnəmɑ̃].

**DISCERNER, verbe trans.** [3]
**1.** Distinguer par les sens, dans une masse, un ensemble ; percevoir : ***Discerner*** *une forme au loin* ; ***Discerner*** *un son, un goût.* **2.** Percevoir par l'esprit, le jugement ; faire la distinction entre (plusieurs choses) : ***Discerner*** *la générosité de qqn* ; ***Discerner*** *le bien du mal.* 1310 (XIIIe s., séparer) ; lat. *discernere*, « séparer, distinguer » ; [disɛʀne].

**DISCIPLE, subst.**
**1.** Personne qui suit, qui a suivi l'enseignement d'un maître : *Un* ***disciple*** *de Socrate* ; *Les* ***disciples*** *du Christ.* **2.** Ext. Personne qui revendique une appartenance ou que l'on associe à une doctrine, à une pensée, à un style. Mil. XIIe s. ; lat. eccl. *discipulus*, « disciple du Christ » ; [disipl].

**DISCIPLINAIRE, adj.**
**1.** Relatif à la discipline, en partic. aux sanctions : *Mesure* ***disciplinaire***. **2.** *Milit.* *Bataillon* ***disciplinaire*** : où sont affectés des militaires faisant l'objet d'une sanction ; empl. subst. masc., soldat intégré dans un tel bataillon. 1611 (1571, qui enseigne) ; ☞ *discipline* ; [disiplinɛʀ].

**DISCIPLINE, subst. f.**
**1.** Vx. Flagellation imposée comme mortification ou pénitence ; par méton., le fouet que l'on utilisait. **2.** Règle de vie propre à une collectivité, à un groupe ; par ext., soumission à cette règle de conduite : ***Discipline*** *ecclésiastique, militaire, scolaire.* **3.** Branche de la connaissance, matière d'enseignement : ***Disciplines*** *littéraires, scientifiques.* XIIe s. ; lat. *disciplina* ; [disiplin].

**DISCIPLINÉ, ÉE, adj.**
Qui se soumet à une discipline ; obéissant ; ordonné. ▸ Loc. *Bête et* ***discipliné*** : qui obéit sans réfléchir (fam.). Fin XIIe s. ; p. p. de *discipliner* ; [disipline].

*Championnat du monde de* ***dirigeables*** *à Besançon.*

© R. Benali-Gamma

**DISCIPLINER, verbe trans.** [3]
**1.** Soumettre à des usages, à un règlement : ***Discipliner*** *des élèves.* **2.** Soumettre à une règle de vie : ***Discipliner*** *sa conduite.* **3.** Maîtriser ; ordonner : ***Discipliner*** *sa chevelure.* Fin XIIe s. (1174, châtier) ; lat. chrét. *disciplinare*, « enseigner » ; [disipline].

**DISC-JOCKEY, subst.**
Personne chargée de passer des disques, d'animer un programme musical à la radio ou dans une discothèque (anglic.). 1954 ; mot anglo-amér. ; plur. *disc jockeys*, var. *disque-jockey* (plur. *disques-jockeys*), recomm. off. *animateur* ; [diskʒɔkɛ].

**DISCO, subst. m.**
Musique sur laquelle on danse, apparue aux États-Unis dans les années soixante-dix. V. 1980 ; anglo-amér. *disco*, du fr. *discothèque* ; [disko].

**DISCOBOLE, subst. m.**
*Antiq. gr.* Athlète qui pratiquait le lancer du disque ou du palet : *« Le* ***Discobole*** *», œuvre de Myron.* 1555 ; lat. *discobolus*, du gr. *diskobolos* ; [diskɔbɔl].

**DISCOGRAPHIE, subst. f.**
Catalogue d'œuvres musicales enregistrées sur disques. V. 1960 ; prob. angl. *discography* ; [diskɔgʀafi].

**DISCOGRAPHIQUE, adj.**
Relatif aux enregistrements sur disques. V. 1960 ; ☞ *discographie* ; [diskɔgʀafik].

**DISCOÏDE, adj.**
Qui a la forme d'un disque. 1764 ; ☞ *disque* ; var. *discoïdal, ale, aux* ; [diskɔid].

**DISCOMPTE, subst. m.**
Rabais, escompte. XVIIe s. ; m. fr. *descompte* ; [diskɔ̃t].

**DISCOMYCÈTES, subst. m. plur.**
*Bot.* Groupe de champignons ascomycètes qui se reproduisent à partir de spores formées dans des organes microscopiques appelés asques. **Au sing.** *La truffe, comme la morille, est un* ***discomycète***. 1884 ; ☞ *Ascomycètes* + *disco-* ; [diskɔmisɛt].

**DISCONTINU, UE, adj.**
**1.** Qui n'est pas continu : *Ligne* ***discontinue*** ; *Son* ***discontinu***. **2.** Irrégulier : *Attention* ***discontinue*** ; empl. subst. masc. : *Fonctionnement en* ***discontinu***, intermittent. **3.** *Math.* Qualifie une fonction présentant au moins une discontinuité. 1361 ; lat. médiév. *discontinuus* ; [diskɔ̃tiny].

**DISCONTINUER, verbe intrans.** [3]
*Sans* ***discontinuer*** : sans s'arrêter ; sans arrêt. Fin XIVe s. ; lat. médiév. *discontinuare* ; [diskɔ̃tinɥe].

**DISCONTINUITÉ, subst. f.**
**1.** Absence de continuité. **2.** *Math.* *Point de* ***discontinuité*** *d'une fonction* : point en lequel la fonction n'est pas continue. 1775 ; ☞ *discontinu*, d'apr. *continuité* ; [diskɔ̃tinɥite].

**DISCONVENANCE, subst. f.**
Défaut de convenance, de proportion, disproportion (littér.). 1488 ; bas lat. *disconvenientia*, « désaccord » ; [diskɔ̃v(ə)nɑ̃s].

**DISCONVENIR, verbe trans. indir.** [22]
**Disconvenir de.** Ne pas convenir de, nier (empl. gén. négatif) : *Je n'en* ***disconviens*** *pas*, je l'admets. 1521 ; lat. *disconvenire* ; [diskɔ̃v(ə)niʀ].

**DISCOPHILE, subst.**
Collectionneur, amateur d'œuvres musicales enregistrées sur disques. 1929 ; formé de *disco-* et de *-phile* ; [diskɔfil].

**DISCORDANCE, subst. f.**
**1.** Manque d'accord, d'unité, incompatibilité : ***Discordance*** *des opinions.* **2.** Ensemble de sons, de bruits désagréables à l'oreille. **3.** *Géol.* Disposition de deux terrains superposés, séparés par une importante cicatrice d'érosion ou par un changement d'inclinaison des couches. Fin XIIe s. ; anc. fr. *descordance*, de *descorder*, « se disputer » ; [diskɔʀdɑ̃s].

**DISCORDANT, ANTE, adj.**
**1.** Qui ne s'accorde pas : *Des avis* ***discordants***. ▸ Ext. Désagréable à l'oreille, grinçant : *Violoneux au jeu* ***discordant***. **2.** Fig. Qui trouble l'harmonie, l'unanimité : *Des voix* ***discordantes*** *se manifestèrent à travers ce vote.* **3.** *Géol.* Qui est caractéristique d'un terrain reposant en discordance sur un autre terrain. XIIe s. ; p. pr. de *discorder* ; [diskɔʀdɑ̃, ɑ̃t].

**DISCORDE, subst. f.**
Dissension grave entre plusieurs personnes. ▸ Loc. *Pomme de* ***discorde*** (☞ *pomme*). 1155 ; lat. *discordia* ; [diskɔʀd].

**DISCORDER,** verbe intrans. [3]
**1.** Être en désaccord. **2.** *Mus.* Être discordant. ⚭ Déb. XII^e s. ; lat. *discordare* ; [diskɔʀde].

**DISCOTHÉCAIRE,** subst.
Personne qui s'occupe du prêt, dans une discothèque. ⚭ 1951 ; ☞ *discothèque* ; [diskɔtekɛʀ].

**DISCOTHÈQUE,** subst. f.
**1.** Collection de disques ; par méton., meuble où on les range. **2.** Lieu où l'on conserve des enregistrements sonores accessibles au public ; par ext., organisme de prêt de disques. **3.** Établissement où l'on danse sur de la musique enregistrée. ⚭ 1928 ; formé de *disco-* et de *-thèque* ; [diskɔtɛk].

**DISCOUNT,** subst. m.
Anglic. **1.** Remise sur les prix. **2.** Magasin où l'on pratique une vente à bas prix ; en appos. : *Magasin* ***discount***. ⚭ V. 1960 ; angl. *discount*, du fr. *décompte* ; recomm. off. *discompte* ; [diskunt] ou [-kaunt].

**DISCOUREUR, EUSE,** subst.
Personne qui se plaît à faire des discours longs et inutiles (péj.). ⚭ XVI^e s. ; ☞ *discourir* ; [diskuʀœʀ, øz].

**DISCOURIR,** verbe intrans. [25]
Parler longuement sur un sujet ; par ext., faire des discours inutiles, jusqu'à lasser son auditoire (péj.). ⚭ XIII^e s. ; anc. fr. *discorre*, du lat. *discurrere*, « courir çà et là ; se répandre » ; [diskuʀiʀ].

**DISCOURS,** subst. m.
**1.** Traité, texte écrit sur un sujet précis (vieilli) : *«* ***Discours*** *de la méthode », œuvre de Descartes.* **2.** Propos tenu dans une conversation ou adressé à qqn (littér.) : *Un* ***discours*** *sensé* ; par ext., propos long ou ennuyeux. **3.** Développement oratoire fait devant un auditoire. **4.** Toute énonciation de la pensée. ► *Partie du* ***discours*** : catégorie grammaticale couramment admise (nom, adjectif, verbe...). ► Forme particulière que prend l'expression des idées : *Une analyse du* ***discours*** *syndical.* ⚭ 1503 ; lat. *discursus*, d'apr. *cours* ; [diskuʀ].

**DISCOURTOIS, OISE,** adj.
Qui n'est pas courtois ; impoli. ⚭ 1416 ; ☞ *courtois* + *dis-* ; [diskuʀtwa, waz].

**DISCRÉDIT,** subst. m.
**1.** *Écon.* Diminution du crédit dont bénéficiait une valeur (vieilli) : ***Discrédit*** *d'une monnaie.* **2.** Perte de l'estime dont jouissait qqn ou qqch. : *Jeter le* ***discrédit*** *sur un ami.* ⚭ 1719 ; ☞ *discréditer* ; [diskʀedi].

**DISCRÉDITER,** verbe trans. [3]
Faire tomber le discrédit sur (qqn, qqch.). **Pronom.** Se comporter de telle façon que l'on perd le crédit dont on jouissait. ⚭ 1572 ; ☞ *crédit* + *dis-* ; [diskʀedite].

**DISCRET, ÈTE,** adj.
**1.** Qui agit avec retenue, avec réserve : *Se montrer* ***discret***. **2.** Ext. Qui n'attire pas l'attention, qui ne se fait pas remarquer : *Un compliment* ***discret*** ; *Une élégance* ***discrète***, sobre ; par méton. : *Un lieu* ***discret***, retiré, isolé. **3.** Qui sait garder un secret : *Un confident* ***discret***. **4.** *Stat. Caractère quantitatif* ***discret*** : ne prenant qu'un nombre fini de valeurs. ⚭ Déb. XIV^e s. (1160, capable de discerner) ; lat. *discretus*, de *discernere*, « discerner » ; [diskʀɛ, ɛt].

**DISCRÈTEMENT,** adv.
Avec discrétion. ⚭ 1160 ; ☞ *discret* ; [diskʀɛtmɑ̃].

**DISCRÉTION,** subst. f.
**1.** Vx. Aptitude à juger, à discerner. ► Loc. prép. **À la discrétion de.** *S'en remettre à la* ***discrétion*** *de qqn* : à sa compétence, à son pouvoir ou, par ext., à sa merci. ► Loc. *À* ***discrétion*** : à volonté. **2.** Qualité de ce qui est discret, retenue, sobriété : *S'habiller avec* ***discrétion***. **3.** Aptitude à garder un secret. ⚭ 1160 ; bas lat. *discretio* ; [diskʀesjɔ̃].

**DISCRÉTIONNAIRE,** adj.
*Dr.* Qui est laissé à la libre décision de qqn. ► *Pouvoir* ***discrétionnaire*** : liberté donnée à un magistrat de prendre l'initiative de certaines mesures, dans les cas non prévus par la loi. ⚭ 1794 ; ☞ *discrétion* ; [diskʀesjɔnɛʀ].

**DISCRIMINANT, ANTE,** adj. et subst. m.
**Adj.** Qui signale une séparation entre des éléments et, par ext., entre des individus : *Une qualité* ***discriminante***. **Subst.** *Math.* Fonction des coefficients d'une équation polynomiale permettant de connaître le nombre de racines réelles de cette équation. Ainsi l'équation $ax^2 + bx + c = 0$ a pour **discriminant** $\Delta = b^2 - 4ac$. Elle admet deux racines distinctes si $\Delta > 0$, une seule si $\Delta = 0$ et aucune si $\Delta < 0$. ⚭ 1877 ; lat. *discriminans*, de *discriminare*, « séparer, distinguer » ; [diskʀiminɑ̃, ɑ̃t].

**DISCRIMINATION,** subst. f.
**1.** Action de différencier des éléments pour les traiter séparément : *Il faut faire une* ***discrimination*** *entre ces bijoux.* **2.** Traitement inégalitaire d'un groupe de personnes, à partir de critères variables : ***Discrimination*** *raciale.* **3.** *Écon.* Fait de vendre un même produit à des prix différents. ⚭ 1870 ; lat. *discriminatio*, « séparation » ; [diskʀiminasjɔ̃].

**DISCRIMINATOIRE,** adj.
Qui relève de la discrimination au sein d'une société. ⚭ V. 1950 ; ☞ *discriminer* ; [diskʀiminatwaʀ].

**DISCRIMINER,** verbe trans. [3]
Littér. Opérer une distinction entre (des êtres, des choses). ⚭ 1897 ; lat. *discriminare*, « séparer, distinguer » ; [diskʀimine].

**DISCULPATION,** subst. f.
Action de disculper ou de se disculper (rare). ⚭ XVII^e s. ; ☞ *disculper* ; [diskylpasjɔ̃].

**DISCULPER,** verbe trans. [3]
*Dr.* Établir l'innocence de (qqn). **Pronom.** Prouver son innocence ; se justifier. ⚭ Mil. XVI^e s. ; lat. médiév. *disculpare*, du lat. *culpa*, « faute » ; [diskylpe].

**DISCURSIF, IVE,** adj.
**1.** *Log.* Qui relève du raisonnement (anton. *intuitif*) : *Pensée* ***discursive***. **2.** *Ling.* Relatif au discours, à l'énoncé. ⚭ 1551 ; lat. scol. *discursivus*, du lat. *discursus*, « discours » ; [diskyʀsif, iv].

**DISCUSSION,** subst. f.
**1.** Action de débattre une question avec une ou plusieurs personnes : *La* ***discussion*** *d'un point de loi.* **2.** Défense orale des points de vue différents : *La* ***discussion*** *a été vive.* **3.** Fait de s'opposer à une décision, de la discuter. ⚭ 1120 ; lat. *discussio*, « examen attentif » ; [diskysjɔ̃].

**DISCUTABLE,** adj.
Dont on peut discuter, qui est sujet à controverse, contestable ; par euphém., mauvais : *Un goût* ***discutable***. ⚭ 1791 ; ☞ *discuter* ; [diskytabl].

**DISCUTAILLER,** verbe intrans. [3]
Discuter longuement à propos de choses futiles (fam. et péj.). ⚭ 1881 ; ☞ *discuter* ; [diskytaje].

**DISCUTÉ, ÉE,** adj.
**1.** Qui est sujet à critique : *Un argument* ***discuté***. **2.** Qui fait l'objet de réserves : *Un homme très* ***discuté***. ⚭ P. p. de *discuter* ; [diskyte].

**DISCUTER,** verbe [3]
**Trans. dir. 1.** Considérer attentivement (un problème) en tenant compte du pour et du contre ; empl. pronom. : *Ce point se* ***discute***, est en train d'être traité. **2.** Exprimer une réserve sur, contester ; empl. pronom. : *Cela se* ***discute***, cela est discutable. **3.** Loc. ***Discuter*** *le coup, le bout de gras* : bavarder (fam.). **Trans. indir. Discuter de.** Échanger des points de vue sur ; débattre de. **Intrans. 1.** Mener une discussion ; négocier : *Elle n'essaya même pas de* ***discuter***. **2.** Bavarder. ⚭ 1318 ; lat. *discutere*, « secouer ; éclaircir » ; [diskyte].

**DISCUTEUR, EUSE,** adj. et subst.
**Adj.** Qui aime à discuter. **Subst.** Personne pour qui tout devient sujet de controverse : *C'est un* ***discuteur*** *né.* ⚭ XV^e s. ; ☞ *discuter* ; [diskytœʀ, øz].

**DISERT, ERTE,** adj.
Qui s'exprime élégamment, avec aisance (littér.). ⚭ 1321 ; lat. *disertus* ; [dizɛʀ, ɛʀt].

**DISETTE,** subst. f.
**1.** Pénurie de vivres. **2.** Fig. Manque. ⚭ Déb. XIII^e s. ; p.-ê. gr. byzantin *disekhtos*, « année bissextile, mauvaise » ; [dizɛt].

**DISEUR, EUSE,** subst.
**1.** Personne qui se plaît à parler (vieilli) : *Un beau* ***diseur***. **2.** Loc. **Diseur de.** Personne qui se plaît à dire : ***Diseur*** *de bons mots.* ► ***Diseuse, diseur*** *de bonne aventure* : personne qui prédit l'avenir. ⚭ Déb. XIII^e s. ; ☞ *dire* [I] ; [dizœʀ, øz].

**DISGRÂCE,** subst. f.
**1.** Littér. Infortune ; coup du sort, malheur : *Pour comble de* ***disgrâce***. **2.** Perte de l'estime de qqn : *Tomber en* ***disgrâce*** ; par ext., déconsidération, perte d'influence : *La* ***disgrâce*** *des films muets.* **3.** Absence de grâce physique ou morale. ⚭ 1553 ; ital. *disgrazia* ; [disgʀɑs].

**DISGRACIÉ, ÉE,** adj.
**1.** Peu favorisé par la nature : *Un visage* ***disgracié***. **2.** Tombé en défaveur (vieilli). ⚭ 1546 ; ital. *disgraziato*, « malheureux » ; [disgʀasje].

**DISGRACIER,** verbe trans. [6]
Retirer à (qqn) les faveurs qu'on lui accordait : ***Disgracier*** *un favori, un ministre.* ⚭ 1552 ; ☞ *disgracié* ; [disgʀasje].

**DISGRACIEUX, EUSE,** adj.
Qui est dépourvu de charme : *Maintien* ***disgracieux*** ; qui manque d'amabilité : *Accueil* ***disgracieux***. ⚭ 1518 ; ☞ *gracieux* + *dis-* ; [disgʀasjø, øz].

**DISHARMONIE,** voir **DYSHARMONIE**

**DISJOINDRE,** verbe trans. [55]
**1.** Détacher, séparer (des éléments) les uns des autres : ***Disjoindre*** *les mains* ; empl. pronom., s'éloigner, se déboîter : *Les planches se* ***disjoignaient*** *sous les assauts du vent.* **2.** Fig. ***Disjoindre*** *deux problèmes* : les rendre distincts. ► *Dr.* ***Disjoindre*** *deux causes* : les dissocier afin qu'elles soient jugées séparément. ⚭ 1370 ; anc. fr. *desjoindre*, du lat. *disjungere* ; [disʒwɛ̃dʀ].

**DISJOINT, OINTE,** adj.
**1.** Qui n'est pas ou n'est plus joint : *Des pavés* ***disjoints***. **2.** *Math.* Qualifie deux ensembles qui n'ont aucun élément en commun, c.-à-d. dont l'intersection est vide. **3.** *Mus.* Qualifie un intervalle entre deux notes qui ne se suivent pas dans la gamme (anton. *conjoint*) : *L'intervalle « do-mi » est* ***disjoint***. ⚭ 1370 ; p. p. de *disjoindre* ; [disʒwɛ̃, wɛ̃t].

**DISJONCTER,** verbe intrans. [3]
**1.** *Techn.* Se mettre automatiquement en position d'interruption du courant, en parlant d'un disjoncteur. **2.** Fig. Se mettre à déraisonner (fam.). ⚭ V. 1950 ; ☞ *disjoncteur* ; [disʒɔ̃kte].

**DISJONCTEUR,** subst. m.
*Techn.* Appareil qui interrompt automatiquement le courant électrique en cas d'anomalie. ⚭ 1890 ; lat. *disjunctum*, de *disjungere*, « disjoindre » ; [disʒɔ̃ktœʀ].

**DISJONCTIF, IVE,** adj.
*Gramm. Particule* ***disjonctive*** : qui rend distinctes les idées qu'elle sépare (par ex. : « ou », « ni », « soit »). ⚭ Fin XIII^e s. ; bas lat. *disjunctivus* ; [disʒɔ̃ktif, iv].

**DISJONCTION,** subst. f.
**1.** Action de disjoindre ; son résultat. **2.** *Dr.* Mesure prise par le juge pour que deux causes soient jugées séparément. **3.** *Log.* Liaison de deux propositions par le connecteur « ou ». ⚭ XIII^e s. ; lat. *disjunctio*, « séparation » ; [disʒɔ̃ksjɔ̃].

**DISLOCATION,** subst. f.
**1.** Action de disloquer ; son résultat : ***Dislocation*** *articulaire.* **2.** Ext. Séparation des éléments d'un tout : ***Dislocation*** *des pièces d'une machine* ; ***Dislocation*** *de la banquise.* ► *Milit.* ***Dislocation*** *des troupes* : leur dispersion. **3.** Fig. Perte de la cohérence d'une structure organisée en parties distinctes : ***Dislocation*** *d'un empire.* ⚭ 1314 ; lat. méd. *dislocatio*, « luxation » ; [dislɔkasjɔ̃].

**DISLOQUER,** verbe trans. [3]
**1.** Défaire (ce qui était joint) avec une certaine violence : ***Disloquer*** *une articulation.* **2.** Écarter les parties de (un ensemble organisé) : ***Disloquer*** *un meuble.* **3.** Désunir, disperser : ***Disloquer*** *le cortège, les rangs.* **Pronom. 1.** Se désarticuler : *L'acrobate se* ***disloquait*** *comme un pantin.* **2.** Ext. Se détacher d'un tout : *Le bras du fauteuil se* ***disloqua*** *sous le choc.* **3.** Fig. Se disperser : *La manifestation se* ***disloqua***. ⚭ 1546 ; lat. méd. *dislocare* ; [dislɔke].

**DISPARAÎTRE,** verbe intrans. [73]
**1.** Cesser d'être visible : *Le bateau* ***disparaissait*** *à l'horizon.* **2.** S'en aller brutalement, s'enfuir : *Elle* ***a disparu*** *de la maison* ; par ext., devenir introuvable : *Le dossier vert* ***avait disparu***. **3.** Ne plus exister ; mourir : *Cette coutume* ***a disparu*** ; *Le roi* ***disparut*** *en 1715.* **4.** Loc. **Faire disparaître.** Tuer (qqn) ; supprimer (qqch.) : *L'inculpé a fait* ***disparaître*** *les preuves.* ⚭ 1509 ; ☞ *paraître* [I] + *dis-* ; [dispaʀɛtʀ].

**DISPARATE,** adj. et subst. f.
**Adj.** Qui est discordant, constitué d'éléments hétérogènes. **Subst.** Absence d'harmonie, dissemblance (littér.). ⚭ 1741 ; lat. *disparatus*, « différent » ; [dispaʀat].

**DISPARITÉ,** subst. f.
**1.** Absence de convergence, d'harmonie : ***Disparité*** *d'opinions, de pensées.* **2.** *Écon.* Différence marquée entre des éléments comparables : *Des* ***disparités*** *de prix.* ⚭ 1282 ; lat. *dispar*, « inégal » ; [dispaʀite].

**DISPARITION,** subst. f.
**1.** Fait de disparaître, de cesser d'être visible : *La* ***disparition*** *de la Lune.* **2.** Fait d'être introuvable, égaré : *La* ***disparition*** *d'un portefeuille.* **3.** Fait de cesser d'exister, d'être anéanti, détruit : *La* ***disparition*** *des halles de Paris* ; décès : *La* ***disparition*** *d'un parent.* ► Loc. *En voie de* ***disparition*** : en voie d'extinction. ⚭ 1559 ; ☞ *disparaître* ; [dispaʀisjɔ̃].

**DISPARU, UE,** subst.
**1.** Personne décédée : *Pleurer ses chers* **disparus**. **2.** Personne considérée comme morte, mais dont on n'a pas retrouvé le corps : *Les* **disparus** *en mer.* 1673 ; p. p. de *disparaître* ; [dispaʀy].

**DISPATCHER,** verbe trans. [3]
Distribuer, orienter (anglic.) : **Dispatcher** *les candidats, les marchandises.* V. 1970 ; angl. *to dispatch,* « répartir » ; recomm. off. *réguler* ; [dispatʃe].

**DISPATCHING,** subst. m.
Anglic. **1.** Organisme qui a la charge, à partir d'un bureau unique, de réguler le trafic (ferroviaire, aérien) ou de répartir l'énergie électrique (recomm. off. *poste de distribution*). **2.** Action de dispatcher (recomm. off. *répartition*). 1948 ; mot angl. ; [dispatʃiŋ].

**DISPENDIEUX, EUSE,** adj.
Qui entraîne de grandes dépenses : *Des goûts* **dispendieux**. 1495 ; lat. *dispendiosus,* « dommageable » ; [dispɑ̃djø, øz].

**DISPENSAIRE,** subst. m.
Antenne médicale où l'on soigne gratuitement ou à peu de frais. ► Établissement assurant le dépistage de certaines maladies. 1745 ; angl. *dispensary* ; [dispɑ̃sɛʀ].

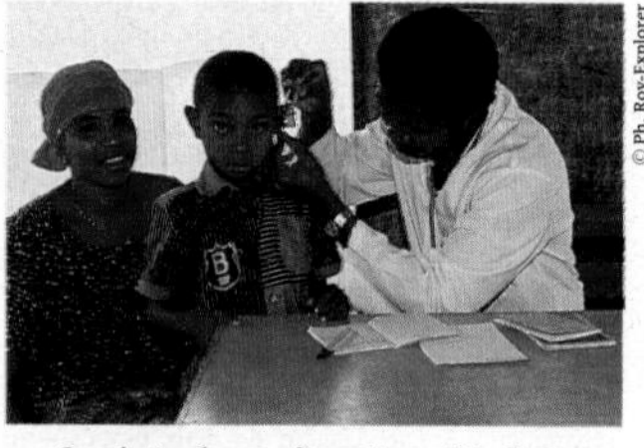

© Ph. Roy-Explorer

*Consultation dans un* **dispensaire** *en Côte d'Ivoire.*

**DISPENSATEUR, TRICE,** subst. et adj.
Subst. Personne qui dispense, qui distribue (qqch.). Adj. Qui prodigue. 1174 ; lat. *dispensator,* « intendant » ; [dispɑ̃satœʀ, tʀis].

**DISPENSE,** subst. f.
**1.** Autorisation exceptionnelle qui permet d'échapper à une règle, à une obligation : **Dispense** *d'âge* ; **Dispense** *du service militaire.* **2.** Méton. Le document qui atteste cette exemption. Mil. XV^e s. ; ☞ *dispenser* ; [dispɑ̃s].

**DISPENSER,** verbe trans. [3]
**1.** Exempter (qqn) d'une obligation ; empl. adj. : *Un chômeur* **dispensé** *de pointer* ; empl. pronom. : *Se* **dispenser** *de,* s'autoriser à ne pas (faire qqch.). **2.** Accorder (qqch.) ; prodiguer : **Dispenser** *un enseignement de qualité.* 1283 ; lat. *dispensare,* « partager ; administrer » ; [dispɑ̃se].

**DISPERSANT, ANTE,** adj. et subst. m.
Chim. Adj. Qui disperse : *Pouvoir* **dispersant**, qui dilue une substance solide dans un milieu liquide. Subst. Réactif favorisant la biodégradation, en partic. celle des hydrocarbures : *Répandre un* **dispersant** *lors d'une marée noire.* V. 1960 ; p. pr. de *disperser* ; [dispɛʀsɑ̃, ɑ̃t].

**DISPERSÉ, ÉE,** adj.
**1.** Divisé et réparti en plusieurs lieux : *Une collection* **dispersée**. ► Loc. *En ordre* **dispersé** : en désordre. **2.** *Chim. Système* **dispersé** : état d'une substance très fragmentée. P. p. de *disperser* ; [dispɛʀse].

**DISPERSEMENT,** subst. m.
Action de disperser, de se disperser ; son résultat : *Le* **dispersement** *des troupes.* 1874 ; ☞ *disperser* ; [dispɛʀsəmɑ̃].

**DISPERSER,** verbe trans. [3]
**1.** Répandre au hasard : *Le vent* **dispersa** *les feuilles mortes.* **2.** Fragmenter (un ensemble) pour le distribuer en plusieurs endroits : **Disperser** *une collection de tableaux* ; au fig., éparpiller : **Disperser** *ses efforts, son attention.* Pronom. Mener en même temps plusieurs activités au détriment les unes des autres. Mil. XV^e s. ; lat. *dispersus,* de *dispergere,* « répandre çà et là » ; [dispɛʀse].

**DISPERSIF, IVE,** adj.
*Phys.* **1.** Qui disperse la lumière ou d'autres ondes électromagnétiques. **2.** Relatif à cette dispersion. XV^e s. ; ☞ *disperser* ; [dispɛʀsif, iv].

**DISPERSION,** subst. f.
**1.** Action de répandre çà et là, de séparer les éléments d'un groupe, d'un ensemble : **Dispersion** *des pollens par le vent* ; **Dispersion** *d'un attroupement* ; **Dispersion** *d'une fortune* ; au fig., désordre dans les idées, manque de concentration : **Dispersion** *de l'attention.* **2.** *Chim.* Division d'une substance en particules microscopiques ou submicroscopiques aux dimensions supérieures à celles de ses molécules, disséminées dans un milieu continu, dans un liquide ou dans un gaz : *Le brouillard est une* **dispersion** *de gouttelettes liquides dans l'atmosphère.* **3.** *Phys.* Action de séparer, d'après un caractère déterminé (longueur d'onde, fréquence, énergie transportée, etc.), les radiations qui composent un rayonnement complexe. **4.** *Stat. Paramètres de* **dispersion** *d'une série à caractère quantitatif* : nombres exprimant l'étalement des valeurs prises par le caractère autour d'un paramètre de position, comme la variance, l'écart type, les moments, etc. 1265 ; bas lat. *dispersio* ; [dispɛʀsjɔ̃].

**DISPONIBILITÉ,** subst. f.
**1.** État de ce qui est à disposition, disponible : **Disponibilité** *d'une chambre d'hôtel.* **2.** Fig. Absence de contrainte laissant à qqn le temps d'agir ou d'écouter : **Disponibilité** *d'esprit.* **3.** *Spéc.* ► *Admin. En* **disponibilité** : situation d'un fonctionnaire qui conserve son poste bien qu'il cesse temporairement d'exercer ses fonctions, d'un militaire momentanément inactif mais qui reste à la disposition du corps auquel il appartient. ► *Écon.* Qualité d'un actif réalisable rapidement : **Disponibilité** *des capitaux* ; au plur., fonds, espèces dont on peut disposer immédiatement. 1492 ; ☞ *disponible* ; [dispɔnibilite].

**DISPONIBLE,** adj.
**1.** Dont on peut disposer : *Ce modèle sera* **disponible** *le mois prochain* ; au fig., qui est libre, dégagé de toute obligation : *Être* **disponible**, libre d'agir à sa guise. **2.** *Spéc.* ► *Admin. Fonctionnaire, militaire* **disponible** : qui reste à la disposition de son administration, du corps d'armée auquel il appartient. ► *Dr. Portion, quotité* **disponible** : part d'un héritage que l'on peut léguer par une donation ou un testament. Fin XV^e s. ; lat. médiév. *disponibilis* ; [dispɔnibl].

**DISPOS, OSE,** adj.
Reposé, en bonne forme, tant physique que morale : *Être frais et* **dispos**. Fin XV^e s. (1465, disposé à) ; ital. *disposto,* « en bonne santé » ; [dispo, oz].

**DISPOSÉ, ÉE,** adj.
**1.** Qui est rangé, préparé pour qqch. : *Tout est* **disposé** *pour votre arrivée.* ► *Être* **disposé** *à* : être préparé à, bien vouloir en parlant d'une personne. **2.** Loc. *Être bien ou mal* **disposé** *pour, envers qqn* : avoir de bonnes ou de mauvaises dispositions à son égard. 1370 ; p. p. de *disposer* ; [dispoze].

**DISPOSER,** verbe [3]
Trans. dir. **1.** Arranger dans un ordre précis, installer : **Disposer** *les chaises en cercle* ; organiser, préparer pour un but précis : **Disposer** *la table du banquet.* **2.** Préparer, inciter (qqn) à qqch. : *Ses succès ne le* **disposaient** *pas à négocier.* Trans. indir. **Disposer de** (qqch. ou qqn). Avoir à sa disposition, pouvoir user à sa guise de : *Le droit des peuples à* **disposer** *d'eux-mêmes* ; empl. abs. : *Vous pouvez* **disposer**, je vous libère (adressé à un inférieur hiérarchique). Intrans. Décider, prendre des dispositions. ► Loc. proverb. *L'homme propose, Dieu* **dispose**. Pronom. *Se* **disposer** *à* : s'apprêter, se préparer à. Fin XII^e s. ; lat. *disponere* ; [dispoze].

**DISPOSITIF,** subst. m.
**1.** *Dr.* Arrêt d'un tribunal qui contient sa décision ; par ext., énoncé d'une loi. **2.** Manière dont sont agencées les pièces d'un mécanisme ; par méton., le mécanisme lui-même : *Un* **dispositif** *ingénieux commandait l'explosion.* **3.** Ensemble de moyens mis en œuvre en vue d'une fin précise : **Dispositif** *scénique* ; ensemble de mesures prises pour une action déterminée : *Le* **dispositif** *policier est renforcé.* Déb. XVII^e s. ; lat. *dispositum,* de *disponere,* « décider » ; [dispozitif].

**DISPOSITION,** subst. f.
**I. 1.** Action d'arranger, de disposer dans un certain ordre ; son résultat : *La* **disposition** *des pièces d'un appartement.* **2.** Ce que l'on met en œuvre pour se préparer à qqch. (gén. au plur.) : *J'ai pris mes* **dispositions** *pour une retraite heureuse.* **3.** État d'esprit, manière d'être : *Être dans de bonnes* **dispositions**, de bonne humeur. **4.** Aptitude : *Avoir des* **dispositions** *pour les langues.* **II. 1.** *Avoir qqch. ou qqn à sa* **disposition** : pouvoir en user à sa guise. ► *Dr. Libre* **disposition** *des biens* : acte qui crée un droit réel sur un bien. **2.** *Dr.* Clause, règlement d'un acte juridique : **Dispositions** *entre vifs.* Fin XII^e s. ; lat. *dispositio,* « arrangement » ; [dispozisjɔ̃].

**DISPROPORTION,** subst. f.
Absence de proportion ; par ext., écart très important. 1546 ; ☞ *proportion* + *dis-* ; [dispʀɔpɔʀsjɔ̃].

**DISPROPORTIONNÉ, ÉE,** adj.
Qui n'est pas proportionné. ► Dont les proportions sont excessives : *Cyrano avait un nez* **disproportionné**. 1503 ; p. p. de *disproportionner* (rare), « rompre l'équilibre des proportions » ; [dispʀɔpɔʀsjɔne].

**DISPUTE,** subst. f.
**1.** Vx. Débat sur un point de doctrine. **2.** Ext. Affrontement verbal très vif, querelle. 1474 ; ☞ *disputer* ; [dispyt].

**DISPUTER,** verbe trans. [3]
Trans. dir. **1.** Vx. Discuter, débattre (un sujet) : **Disputer** *un point de droit* ; **Disputer** *si qqch. est juste.* ► Abs. **Disputer** *entre théologiens.* **2.** Tenter d'obtenir ou de conserver (ce qui est l'objet d'une concurrence) : *Elle* **disputait** *l'affection de son chat à la concierge.* ► Loc. **Le disputer en.** Rivaliser de : *Nul ne pouvait le* **disputer** *en cruauté avec ce tyran* (ou *à ce tyran*). ► *Sp.* **Disputer** *un tournoi.* **3.** **Disputer** *un enfant* : le réprimander (pop.). Trans. indir. **Disputer de.** Discuter, débattre de (un sujet d'ordre intellectuel) : **Disputer** *ensemble de l'éternité du monde.* Pronom. Se quereller (fam.). Fin XII^e s. ; lat. *disputare,* « examiner, raisonner » ; [dispyte].

**DISQUAIRE,** subst.
Vendeur de disques. 1952 ; ☞ *disque* ; [diskɛʀ].

**DISQUALIFICATION,** subst. f.
Action de disqualifier, de se disqualifier ; son résultat. 1784 ; mot angl. ; [diskalifikasjɔ̃].

**DISQUALIFIER,** verbe trans. [6]
**1.** *Sp.* Exclure (un cheval ou, par ext., un joueur, une équipe qui ne satisfait pas au règlement). **2.** Fig. Discréditer : *Sa colère l'a* **disqualifié** *auprès de ses amis* ; empl. pronom. : *Se* **disqualifier** *aux yeux de qqn.* 1784 ; angl. *to disqualify,* du fr. *qualifier* ; [diskalifje].

**DISQUE,** subst. m.
**1.** *Antiq. gr.* Pierre plate, de forme circulaire, que les athlètes s'exerçaient à lancer. ► *Sp.* Plaque circulaire de 1 kg (femmes) ou de 2 kg (hommes) que les athlètes doivent lancer le plus loin possible. **2.** Anal. ► *Anat.* **Disque** *intervertébral* : formation fibro-cartilagineuse unissant deux vertèbres ; **Disques** *musculaires* : éléments alternés, clairs et sombres, des fibrilles des muscles striés. ► *Astron.* Surface apparente d'un astre : *Le* **disque** *lunaire.* ► *Autom. Freins à* **disques** : agissant par serrage d'un **disque** appliqué sur l'axe de la roue. ► *Électro-acoustique.* Plaque circulaire thermoplastique utilisée pour l'enregistrement et la reproduction mécanique des sons : **Disque** *compact,* **disque** recouvert d'une surface optique, pour l'enregistrement et la reproduction optique des sons (audiodisque) et des images (vidéodisque). ► *Informat.* **Disque** *dur* : dispositif composé d'un **disque** numérique et d'un ou de plusieurs **disques** magnétiques ou optiques, grâce auquel on peut enregistrer et stocker des données binaires utilisées par un ordinateur ; **Disque** *système* : support qui contient les programmes nécessaires au démarrage et au fonctionnement d'un ordinateur. ► *Math.* Dans le plan euclidien, ensemble des points dont la distance à un point fixe (le centre) est inférieure ou égale à un nombre positif donné (le rayon) ; dans un espace métrique, boule fermée. 1555 ; lat. *discus,* du gr. *diskos* ; [disk].

**DISQUETTE,** subst. f.
*Informat.* Disque souple de petite taille sur lequel sont stockées magnétiquement des données codées utilisées par un micro-ordinateur. V. 1970 ; ☞ *disque,* d'apr. l'anglo-amér. *diskette* ; [diskɛt].

**DISRUPTIF, IVE,** adj.
*Électr.* Qui engendre un éclatement : *Une décharge* **disruptive**. 1877 (XVI^e s., qui sert à rompre) ; lat. *disruptum,* de *disrumpere,* « faire éclater » ; [disʀyptif, iv].

**DISSECTION,** subst. f.
**1.** *Anat.* Action de disséquer ; son résultat. **2.** Fig. Examen méthodique de qqch. : **Dissection** *d'une*

œuvre. ⧉ 1538 ; lat. *dissectio*, « coupe » ; [disɛksjɔ̃].

**DISSEMBLABLE, adj.**
Qui n'est pas semblable. ⧉ 1160 ; ☞ *semblable + dis-* ; [disɑ̃blabl].

**DISSEMBLANCE, subst. f.**
Absence ou manque de ressemblance. ⧉ Mil. XIIe s. ; *dissembler* (vx), « différencier » ; [disɑ̃blɑ̃s].

**DISSÉMINATION, subst. f.**
1. *Bot.* Dispersion naturelle des graines : *Les organes de* ***dissémination*** ; *Les principaux agents de* ***dissémination***, le vent, l'eau, les animaux, l'homme. 2. Anal. *Pathol.* Propagation de germes, de cellules cancéreuses dans un organisme. 3. Ext. Action de propager, d'éparpiller ; son résultat : ***Dissémination*** *des armes nucléaires.* ⧉ 1674 ; bas lat. *disseminatio*, « action de répandre » ; [diseminasjɔ̃].

**DISSÉMINER, verbe trans.** [3]
Répandre, disperser çà et là : ***Disséminer*** *du pollen* ; par ext. : ***Disséminer*** *des espions.* ⧉ 1503 ; lat. *disseminare*, « propager, répandre » ; [disemine].

**DISSENSION, subst. f.**
Grave divergence d'intérêts, de sentiments ou d'idées, propre à entraîner un conflit. ⧉ Fin XIIe s. ; lat. *dissensio* ; [disɑ̃sjɔ̃].

**DISSENTIMENT, subst. m.**
Désaccord dans la manière d'appréhender ou de juger les choses. ⧉ Mil. XIVe s. ; m. fr. *dissentir*, du lat. *dissentire*, « être d'avis différent » ; [disɑ̃timɑ̃].

**DISSÉQUER, verbe trans.** [8]
1. *Anat.* Isoler les éléments de (un organisme) pour en étudier la structure : ***Disséquer*** *une plante, un cadavre.* 2. Fig. Analyser précisément : ***Disséquer*** *un discours.* ⧉ 1578 (1549, trancher) ; lat. *dissecare*, « découper, dépecer » ; [diseke].

**DISSERTATION, subst. f.**
1. Vx. Développement, gén. écrit, à caractère spéculatif, portant sur une doctrine philosophique ou une théorie scientifique. 2. *Enseign.* Épreuve écrite pratiquée au lycée et à l'université, qui consiste à raisonner à l'aide d'exemples sur une question de littérature, de philosophie ou d'histoire ; par ext., développement fastidieux sur une question quelconque. ⧉ 1645 ; lat. *dissertatio* ; [disɛʀtasjɔ̃].

**DISSERTER, verbe intrans.** [3]
1. Traiter, par écrit ou oralement, une question imposée : ***Disserter*** *sur un film.* 2. Faire de longs développements, souvent ennuyeux (fam.) : ***Disserter*** *à n'en plus finir sur les vertus du jeûne.* ⧉ 1722 ; lat. *dissertare* ; [disɛʀte].

**DISSIDENCE, subst. f.**
1. Action de se séparer d'une communauté religieuse ou politique et de se constituer en entité autonome ; état qui résulte de cette séparation : *Entrer en* ***dissidence***. 2. Divergence radicale au sein d'un groupe ; par ext., désaccord. 3. Méton. *La* ***dissidence*** : l'ensemble des dissidents. ⧉ XVe s. ; lat. *dissidentia*, « opposition, désaccord » ; [disidɑ̃s].

**DISSIDENT, ENTE, adj.**
Qui est en état de dissidence ; empl. subst., personne **dissidente** : *Un* ***dissident*** *forcé à l'exil.* ⧉ 1539 ; lat. *dissidens*, de *dissidere*, « être séparé, en désaccord » ; [disidɑ̃, ɑ̃t].

**DISSIMILATION, subst. f.**
*Phon.* Différenciation de deux phonèmes semblables à l'intérieur d'un même mot. ⧉ 1868 ; ☞ *assimilation + dis-* ; [disimilasjɔ̃].

**DISSIMILITUDE, subst. f.**
Défaut de similitude ; manque de ressemblance. ⧉ XIIIe s. ; lat. *dissimilitudo* ; [disimilityd].

**DISSIMULATEUR, TRICE, adj. et subst.**
Se dit d'une personne qui dissimule. ⧉ Fin XVe s. ; lat. *dissimulator* ; [disimylatœʀ, tʀis].

**DISSIMULATION, subst. f.**
1. Action de dissimuler (qqch.) ; la chose dissimulée. ▸ Action frauduleuse consistant à ne pas déclarer une somme d'argent : ***Dissimulation*** *de bénéfices.* 2. Caractère ou attitude d'une personne qui dissimule ou travestit sa pensée, ses sentiments : *Un art consommé de la* ***dissimulation***. ⧉ Fin XIIe s. ; lat. *dissimulatio* ; [disimylasjɔ̃].

**DISSIMULÉ, ÉE, adj.**
Qui a l'habitude de dissimuler ; sournois : *Un caractère* ***dissimulé*** *et flatteur.* ⧉ 1580 ; p. p. de *dissimuler* ; [disimyle].

**DISSIMULER, verbe trans.** [3]
1. Ne pas laisser paraître (un sentiment, une pensée, etc.) : ***Dissimuler*** *sa joie* ; empl. abs. : *Il ne sait pas* ***dissimuler***. 2. Action de soustraire aux regards : *Tenter de* ***dissimuler*** *sa calvitie* ; ***Dissimuler*** *un gain, un profit.* 3. Taire, cacher (qqch. dont on a connaissance) : ***Dissimuler*** *un forfait* ; *Les médecins lui* ***ont dissimulé*** *la gravité de son état.* PRONOM. 1. Se cacher. 2. Refuser de s'avouer à soi-même (qqch.) : *Il* ***s'est*** *toujours* ***dissimulé*** *les risques de son entreprise* ; *Je ne me* ***dissimule*** *pas que tout reste à faire*, je le reconnais. ⧉ Fin XIIIe s. ; lat. *dissimulare* ; [disimyle].

**DISSIPATEUR, TRICE, subst.**
Personne qui dissipe, gaspille un bien. ⧉ 1516 ; bas lat. *dissipator*, « destructeur » ; [disipatœʀ, tʀis].

**DISSIPATIF, IVE, adj.**
*Phys.* Qualifie un système où s'opère une perte d'énergie. ⧉ V. 1960 ; ☞ *dissipation* ; [disipatif, iv].

**DISSIPATION, subst. f.**
1. Disparition progressive : ***Dissipation*** *des brumes matinales* ; ***Dissipation*** *des effets de l'alcool* ; au fig. : ***Dissipation*** *d'un malentendu.* 2. Action de dépenser inconsidérément, gaspillage : ***Dissipation*** *d'un patrimoine, d'un capital.* 3. Défaut de concentration ou turbulence, en parlant d'un élève. 4. Débauche (littér.) : *Mener une vie de* ***dissipation***. ⧉ 1419 ; lat. *dissipatio*, « dispersion ; gaspillage » ; [disipasjɔ̃].

**DISSIPÉ, ÉE, adj.**
1. Qui ne parvient pas à se concentrer : *Un esprit* ***dissipé*** ; *Un élève* ***dissipé***, distrait, turbulent. 2. Dissolu, frivole : *Une existence* ***dissipée***. ⧉ Mil. XVIe s. (1170, disparu, anéanti) ; p. p. de *dissiper* ; [disipe].

**DISSIPER, verbe trans.** [3]
1. Faire disparaître peu à peu, faire cesser : *Le soleil* ***dissipe*** *la brume* ; *Leur accueil chaleureux* ***dissipa*** *ses craintes* ; ***Dissiper*** *des rumeurs.* 2. Gaspiller : ***Dissiper*** *toutes ses richesses* ; au fig. : ***Dissiper*** *son énergie.* 3. Empêcher (qqn) de se concentrer, entraîner (qqn) à des futilités : ***Dissiper*** *son voisin de classe.* PRONOM. 1. Disparaître peu à peu : *Les ombres se* ***dissipent***. 2. Se distraire de son travail ; se laisser aller à la débauche. ⧉ 1170 ; lat. *dissipare*, « disperser ; anéantir » ; [disipe].

**DISSOCIABLE, adj.**
Que l'on peut dissocier, séparer. ⧉ 1864 ; ☞ *dissocier* ; [disɔsjabl].

**DISSOCIATION, subst. f.**
1. Action de séparer les éléments d'un ensemble ou les parties d'un tout ; son résultat. ▸ *Chim.* ***Dissociation*** *d'un mélange ou d'un corps composé* : leur décomposition en produits plus simples, par des moyens chimiques (réactions) ou physiques (synon. *analyse chimique*). 2. Fig. Action de considérer séparément, d'isoler par la pensée : ***Dissociation*** *des différentes questions d'un problème.* 3. *Psych.* ***Dissociation*** *mentale* ou, empl. abs., ***Dissociation*** : rupture de l'unité psychique, caractérisant la schizophrénie. ⧉ XVIe s. (XVe s., rupture d'engagement) ; ☞ *dissocier* ; [disɔsjasjɔ̃].

**DISSOCIER, verbe trans.** [6]
1. Séparer, décomposer : ***Dissocier*** *les éléments chimiques d'un corps.* 2. Distinguer, disjoindre : ***Dissocier*** *les différents aspects d'un problème.* ⧉ XVe s. ; lat. *dissociare* ; [disɔsje].

**DISSOLU, UE, adj.**
Qui mène une vie de débauche (littér.) ; par méton. : *Une conduite* ***dissolue***. ⧉ Fin XIIe s. ; lat. *dissolutus*, de *dissolvere*, « détruire » ; [disɔly].

**DISSOLUTION, subst. f.**
1. Destruction, anéantissement : ***Dissolution*** *d'un empire, d'un régime.* 2. Dépravation : ***Dissolution*** *des mœurs.* 3. Désagrégation, décomposition d'un organisme (vieilli). 4. *Chim.* Mise en contact d'une substance solide, liquide ou gazeuse, appelée soluté, avec un liquide (solvant), pour obtenir un mélange liquide homogène (ou solution) : ***Dissolution*** *des graisses dans les solvants organiques.* 5. *Dr.* ***Dissolution*** *du mariage* : sa rupture légale ; ***Dissolution*** *de communauté* : cessation de la communauté de biens entre époux. ▸ *Dr. publ.* ***Dissolution*** *de l'Assemblée nationale, d'un conseil municipal* : procédure par laquelle il est mis fin à un mandat avant son terme légal ; ***Dissolution*** *d'un parti politique* : son interdiction légale. 6. *Techn.* Solution visqueuse de caoutchouc dans du benzène, qui a la propriété de coller le caoutchouc. ⧉ XIIe s. ; lat. *dissolutio* ; [disɔlysjɔ̃].

**DISSOLVANT, ANTE, adj. et subst. m.**
*Chim.* Se dit d'un produit liquide qui a la propriété de dissoudre. ADJ. Qui ôte toute énergie : *Une température, une ambiance* ***dissolvante*** ; corrosif, subversif (vieilli) : *Des idées* ***dissolvantes***. ⧉ XVIe s. ; p. pr. de *dissoudre* ; [disɔlvɑ̃, ɑ̃t].

**DISSONANCE, subst. f.**
1. Superposition de sons désagréables à l'oreille. ▸ *Mus.* Rupture délibérée de l'harmonie d'un accord par l'introduction d'une ou de plusieurs notes étrangères : *Rechercher la* ***dissonance*** *par l'emploi de retards et d'appoggiatures.* 2. Anal. Discordance entre des couleurs. 3. Fig. Désaccord : *Entre eux, pas une ombre, pas une* ***dissonance*** ; par ext., contradiction : *Les* ***dissonances*** *d'une pensée.* ⧉ 1380 ; bas lat. *dissonantia* ; [disɔnɑ̃s].

**DISSONANT, ANTE, adj.**
1. *Mus.* Qui forme ou qui produit une dissonance : *L'accord de septième majeure est* ***dissonant*** ; *Intervalle* ***dissonant***. 2. Anal. Qui provoque une impression désagréable à l'œil ou à l'oreille : *Couleurs* ***dissonantes*** ; *Phrases* ***dissonantes***. 3. Fig. Qui détonne, qui trouble une harmonie : *Tenir des propos* ***dissonants***. ⧉ 1450 ; p. pr. de *dissoner* ; [disɔnɑ̃, ɑ̃t].

**DISSONER, verbe intrans.** [3]
Provoquer une dissonance. ⧉ Mil. XIVe s. ; lat. *dissonare*, « rendre des sons discordants » ; [disɔne].

**DISSOUDRE, verbe trans.** [76]
1. Provoquer la dissolution de (un corps solide, liquide ou gazeux), en parlant d'un liquide : *L'eau* ***dissout*** *le sucre* ; par ext. : ***Dissoudre*** *du cacao dans du lait.* 2. Éliminer en désagrégeant (vieilli) : ***Dissoudre*** *un calcul biliaire.* 3. Dr. Mettre légalement un terme à : ***Dissoudre*** *un mariage* ; empl. adj. : *Une association* ***dissoute***, *un parti* ***dissous***. ▸ *Dr. publ.* ***Dissoudre*** *l'Assemblée* : mettre fin à son mandat avant le terme légal. PRONOM. Subir une dissolution, fondre : *Une substance qui* ***se dissout*** *mal* ; au fig. : *Des liens d'amitié qui* ***se dissolvent*** ; *Se* ***dissoudre*** *dans la contemplation.* ⧉ 1516 (fin XIIe s., au fig.) ; lat. *dissolvere*, « détruire » ; [disudʀ].

**DISSUADER, verbe trans.** [3]
Convaincre (qqn) de renoncer à faire qqch. : *Ses amis l'****ont dissuadé*** *de donner sa démission* ; *L'état des routes l'****a dissuadé*** *de faire le voyage* ; ***Dissuader*** *l'ennemi*, l'intimider. ⧉ Mil. XIVe s. ; lat. *dissuadere*, « déconseiller » ; [disɥade].

**DISSUASIF, IVE, adj.**
1. Qui dissuade qqn d'accomplir qqch. : *Une parole* ***dissuasive*** ; *Des prix* ***dissuasifs***, prohibitifs. 2. *Milit.* Propre à une politique de dissuasion (gén. nucléaire) : *Armes* ***dissuasives***. ⧉ 1521 ; lat. *dissuasum*, de *dissuadere*, « déconseiller » ; [disɥazif, iv].

**DISSUASION, subst. f.**
1. Action de dissuader ; son résultat (rare). 2. *Milit. Force de* ***dissuasion*** : ensemble des moyens, en partic. les armes nucléaires, qui, par leur seule existence, doivent suffire à dissuader l'ennemi de passer à l'attaque. ⧉ Mil. XIVe s. ; lat. *dissuasio*, « action de détourner » ; [disɥazjɔ̃].

**DISSYLLABE, adj. et subst. m.**
Qualifie ou désigne un mot ou un vers formé de deux syllabes. ⧉ 1529 ; lat. *dissyllabus* ; [disil(l)ab].

**DISSYLLABIQUE, adj. et subst. m.**
Dissyllabe. ⧉ 1550 ; ☞ *dissyllabe* ; [disil(l)abik].

**DISSYMÉTRIE, subst. f.**
1. Défaut de symétrie : *La* ***dissymétrie*** *d'un visage.* 2. *Phys.* Propriété de nombreux corps cristallins de présenter une facette dite hémiédrique dont la direction indique dans quel sens ces cristaux dévient le plan de polarisation de la lumière. ⧉ 1846 ; ☞ *symétrie + dis-* ; [disimetʀi].

**DISSYMÉTRIQUE, adj.**
Qui présente un défaut ou une absence de symétrie. ⧉ 1845 ; ☞ *dissymétrie* ; [disimetʀik].

**DISTAL, ALE, AUX, adj.**
*Anat.* Qui est le plus éloigné d'un point de référence (anton. *proximal*) : *Partie* ***distale*** *d'un membre*, la plus éloignée de sa racine. ⧉ 1887 ; angl. *distal*, du lat. *distans*, « être éloigné » ; [distal, o].

**DISTANCE, subst. f.**
1. Intervalle mesurable qui sépare deux points dans l'espace ; spéc., espace à parcourir pour se rendre d'un lieu à un autre : ***Distance*** *entre deux villes, entre la Terre et la Lune* ; *À quelques kilomètres de* ***distance*** ; *À bonne* ***distance***. ▸ *Math.* ***Distance*** *de deux points A et B dans le plan, l'espace (un espace normé)* : longueur du segment qui les joint (norme du vecteur $\overrightarrow{AB}$) ; ***Distance*** *sur un ensemble E* : application

*d* de E×E à valeurs numériques positives telle que, pour tous *x*, *y*, *z* de E, on a $d(x, y) = 0$ si et seulement si $x = y$, $d(x, y) = d(y, x)$ et $d(x, z) \leqslant d(x, z) + d(z, y)$. **2.** Écart dans le temps : *Deux naissances à dix ans de* ***distance***. **3.** Fig. Éloignement, différence notable entre des personnes, des situations, des réalités, etc. : *Garder ses* ***distances*** *avec qqn*, adopter une attitude réservée à son égard ; *Prendre de la* ***distance*** *par rapport à un problème*, du recul. **4.** Loc. **À distance.** De loin : *Commander à* ***distance*** ; à l'écart : *Tenir qqn à* ***distance***. 1223 (fin XIIe s., désaccord) ; lat. *distantia* ; [distɑ̃s].

**DISTANCEMENT, subst. m.**
*Hippisme.* Déclassement d'un cheval à l'arrivée d'une course, sanctionnant une infraction au règlement. 1827 ; ☞ *distancer* ; [distɑ̃smɑ̃].

**DISTANCER, verbe trans.** [4]
**1.** Dépasser, prendre de l'avance sur (qqn ou qqch. en mouvement) : ***Distancer*** *le peloton* ; au fig., surpasser : ***Distancer*** *qqn aux échecs*. **2.** *Sp.* Disqualifier à l'arrivée (un cheval de course, un coureur). 1827 (1366, être éloigné de) ; angl. *to distance* ; [distɑ̃se].

**DISTANCIATION, subst. f.**
**1.** *Théâtre. Effet de* ***distanciation*** : technique introduite par Bertolt Brecht, où l'acteur joue à distance son personnage afin de concentrer l'attention du public sur le message politique ou social. **2.** Recul pris par rapport à un acte, à une situation, à un propos : *Opérer une* ***distanciation*** *à l'égard d'un évènement traumatisant*. 1959 ; ☞ *distancer* ; [distɑ̃sjasjɔ̃].

**DISTANCIER, verbe trans.** [6]
***Distancier*** *qqn de qqch.* : donner à qqn du recul par rapport à qqch. **Pronom. Se distancier de.** Prendre de la distance par rapport à. 1957 ; ☞ *distance* ; [distɑ̃sje].

**DISTANT, ANTE, adj.**
**1.** Qui se trouve à une certaine distance géographique d'un point donné : *Ces deux cinémas sont peu* ***distants*** *l'un de l'autre* ; par anal. : *Des évènements* ***distants*** *de plus d'un siècle*. **2.** Fig. Froid, peu communicatif : *Des voisins* ***distants*** ; *Un air* ***distant****, une attitude* ***distante***. 1370 ; lat. *distans*, de *distare*, « être éloigné » ; [distɑ̃, ɑ̃t].

**DISTENDRE, verbe trans.** [51]
Augmenter les dimensions de (qqch.) en l'étirant, en le soumettant à une tension : ***Distendre*** *un élastique, un ressort*. **Pronom.** Se relâcher, se desserrer : *La peau se* ***distend*** *avec l'âge* ; au fig. : *Une relation qui se* ***distend*** *avec le temps*. 1478 ; lat. *distendere* ; [distɑ̃dʀ].

**DISTENSION, subst. f.**
**1.** Augmentation du volume, de la surface d'un corps élastique : ***Distension*** *de la vessie*. **2.** Relâchement consécutif à une extension excessive : ***Distension*** *d'un ligament*. 1377 ; bas lat. *distensio* ; [distɑ̃sjɔ̃].

**DISTHÈNE, subst. m.**
*Minér.* Minéral (silicate d'aluminium) allongé qui prend naissance dans le métamorphisme de haute pression. 1801 ; gr. *sthenos*, « force », + *di-* ; [distɛn].

**DISTILLAT, subst. m.**
Produit d'une distillation. Déb. XXe s. ; ☞ *distiller* ; [distila].

**DISTILLATEUR, subst. m.**
**1.** Personne qui produit et qui fait le commerce des spiritueux obtenus par distillation : ***Distillateur*** *de liqueurs, d'eaux-de-vie*. **2.** *Techn.* Dispositif servant à distiller l'eau de mer à bord d'un bateau. 1555 ; ☞ *distiller* ; [distilatœʀ].

**DISTILLATION, subst. f.**
*Techn.* **1.** Opération qui consiste à chauffer un mélange liquide dans une enceinte fermée (cornue, alambic), à pression constante, jusqu'à ébullition, puis à le refroidir pour condenser les vapeurs obtenues afin de les séparer : ***Distillation*** *de l'eau, du pétrole*. **2.** Ext. Opération analogue réalisée avec des solides : ***Distillation*** *de la houille, du bois*. 1372 ; lat. médiév. *distillatio* ; [distilasjɔ̃].

**DISTILLATOIRE, adj.**
Qui sert à la distillation : *Cornues* ***distillatoires***. Déb. XVIe s. ; ☞ *distiller* ; [distilatwaʀ].

**DISTILLER, verbe** [3]
**Trans.** **1.** Exsuder, sécréter goutte à goutte (littér.) : *L'abeille* ***distille*** *le miel*. **2.** *Techn.* Procéder à la distillation de : ***Distiller*** *l'anis pour faire du pastis*. **3.** Anal. Exprimer avec une lenteur étudiée : ***Distiller*** *l'information*, la transmettre avec parcimonie ; répandre peu à peu : ***Distiller*** *l'ennui*. **Intrans.** **1.** Couler goutte à goutte (rare). **2.** Se séparer par distillation, en parlant d'un liquide. XIIIe s. ; lat. *distillare*, « tomber goutte à goutte » ; [distile].

**DISTILLERIE, subst. f.**
Industrie, commerce de produits obtenus par distillation, spéc. de spiritueux ; lieu où ces produits sont distillés. 1784 ; ☞ *distiller* ; [distilʀi].

**DISTINCT, INCTE, adj.**
**1.** Qui ne se confond pas avec qqch. de voisin ou d'analogue : *Le breton et le gallois sont deux langues* ***distinctes*** ; *Les fleurs dialypétales ont des pétales* ***distincts***. **2.** Qui est nettement perceptible : *Une forme* ***distincte*** ; au fig. *Une vision* ***distincte*** *de l'avenir*, claire, compréhensible. Fin XIIIe s. ; lat. *distinctus*, de *distinguere*, « distinguer » ; [distɛ̃, ɛ̃kt].

**DISTINCTEMENT, adv.**
De manière distincte : *Prononcer* ***distinctement*** *les mots*. Fin XIIe s. ; ☞ *distinct* ; [distɛ̃ktəmɑ̃].

**DISTINCTIF, IVE, adj.**
Qui sert à caractériser, à établir une distinction : *Les caractères sexuels* ***distinctifs*** *du mâle et de la femelle*. 1314 ; ☞ *distinct* ; [distɛ̃ktif, iv].

**DISTINCTION, subst. f.**
**1.** Action de distinguer, d'établir une différence entre deux personnes, deux idées, deux choses, etc. ; la différence qui en résulte : *Accepter les autres sans* ***distinction*** *de race, de sexe, d'âge*. **2.** Supériorité intellectuelle, morale ou le plus souv. sociale, qui place qqn au-dessus du commun (vieilli). **3.** Témoignage, signe visible décerné à une personne méritante : ***Distinction*** *honorifique*. **4.** Élégance et dignité des manières, des sentiments : *Être d'une grande* ***distinction***. Fin XIIe s. ; lat. *distinctio* ; [distɛ̃ksjɔ̃].

**DISTINGUÉ, ÉE, adj.**
**1.** Qui brille par ses éminentes qualités, par sa valeur, sa compétence ; illustre : *Un juriste* ***distingué***. **2.** Qui fait preuve de distinction ; qui dénote la distinction : *Une allure* ***distinguée***. **3.** Choisi tout spécialement : *Veuillez croire à l'expression de mes sentiments* ***distingués***, formule de politesse écrite à la fin d'une lettre. 1670 (XVIe s., distinct) ; p. p. de *distinguer* ; [distɛ̃ge].

**DISTINGUER, verbe trans.** [3]
**1.** Permettre de différencier : *Je sais enfin ce qui* ***distingue*** *l'homme de la bête : ce sont les ennuis d'argent* (J. Renard). **2.** Différencier (qqn ou qqch.) en en percevant la singularité : ***Distinguer*** *le vrai du faux* ; *Des jumeaux impossibles à* ***distinguer*** ; ***Distinguer*** *deux nuances de gris*. **3.** Percevoir distinctement par l'un des sens : ***Distinguer*** *un ami dans la foule* ; ***Distinguer*** *le goût de la cannelle dans un gâteau*. **4.** Placer (qqn) au-dessus du commun : ***Distinguer*** *son successeur parmi ses collaborateurs*. **Pronom.** Se signaler ; s'illustrer : *Chercher à se* ***distinguer*** ; *Se* ***distinguer*** *par son mépris du danger*. 1310 ; lat. *distinguere* ; [distɛ̃ge].

**DISTINGUO, subst. m.**
Action d'énoncer une distinction dans une argumentation ; cette distinction : *Faire un subtil* ***distinguo***. 1578 ; lat. *distinguo*, « je distingue » ; [distɛ̃go].

**DISTIQUE, subst. m.**
*Versif.* Couple de vers, gén. de mètre identique, à rime plate, formant un énoncé complet. 1546 ; gr. *distikhon*, « disposé sur deux rangs » ; [distik].

**DISTOMATOSE, subst. f.**
*Pathol.* Nom générique des maladies parasitaires provoquées par les distomes : *La grande douve du foie est l'agent de la* ***distomatose*** *hépatique*. 1866 ; ☞ *distome* + *-ose* ; [distɔmatoz].

**DISTOMES, subst. m. plur.**
*Zool.* Ordre de vers trématodes, parasites responsables de diverses maladies, telle la bilharziose. **Au sing.** *La douve du foie est un* ***distome***. 1838 ; lat. sc. *distoma*, du gr. *distomos*, « à double bouche » ; [distɔm].

**DISTORDRE, verbe trans.** [51]
Faire subir une distorsion à : ***Distordre*** *un son*, le déformer de manière à en fausser la reproduction. 1575 ; lat. *distorquere*, d'apr. *tordre* ; [distɔʀdʀ].

**DISTORSION, subst. f.**
**1.** *Pathol.* Déformation produite par une torsion : ***Distorsion*** *de la bouche dans une crise d'épilepsie*. **2.** Anal. ▸ *Techn.* Déformation du son due à une altération du processus de transmission sonore. ▸ *Opt.* Déformation de l'image due à une aberration géométrique. **3.** Fig. Déséquilibre entre des facteurs dont le rapport est habituellement constant, engendrant des tensions : *Forte* ***distorsion*** *entre l'offre et la demande sur le marché immobilier*. 1538 ; lat. *distortio* ; [distɔʀsjɔ̃].

**DISTRACTIF, IVE, adj.**
Qui est de nature à distraire, à divertir : *Activités à but* ***distractif***. 1949 ; ☞ *distraire* ; [distʀaktif, iv].

**DISTRACTION, subst. f.**
**1.** Vx. Action de retrancher une partie d'un tout. **2.** Manque d'attention, habituel ou passager : *Oublier qqch. par* ***distraction***. **3.** Méton. Acte qui relève de l'inattention : *Commettre des* ***distractions***, des bévues ; *Avoir des* ***distractions***, des absences. **4.** Activité, occupation délassante, divertissante : *Avoir besoin de* ***distraction*** ; *Le cinéma est son unique* ***distraction***. 1316 ; lat. *distractio*, « séparation » ; [distʀaksjɔ̃].

**DISTRAIRE, verbe trans.** [58]
**Trans.** **1.** Littér. Séparer (une partie) d'un tout ; prélever frauduleusement. **2.** Détourner (qqn) de l'occupation, du sentiment qui l'absorbe : ***Distraire*** *qqn de son travail* ; ***Distraire*** *qqn de sa mélancolie* ; par. ext. : ***Distraire*** *l'attention*. **3.** Divertir (qqn) : ***Distraire*** *un enfant un jour de pluie*. **Pronom.** Occuper agréablement son temps, se détendre : *Il faut vous* ***distraire*** *après ces mois de travail intensif*. 1377 ; lat. *distrahere*, « tirer en divers sens, séparer » ; [distʀɛʀ].

**DISTRAIT, AITE, adj.**
**1.** Inattentif, absorbé par autre chose que ce qui se passe au moment présent ; empl. subst., personne **distraite**. **2.** Qui dénote la distraction : *Avoir un air* ***distrait*** ; *Écouter d'une oreille* ***distraite***. 1661 (XVIe s., éloigné) ; p. p. de *distraire* ; [distʀɛ, ɛt].

**DISTRAITEMENT, adv.**
De façon distraite : *Il regarda le film* ***distraitement***, l'esprit ailleurs. 1846 ; ☞ *distrait* ; [distʀɛtmɑ̃].

**DISTRAYANT, ANTE, adj.**
Propre à distraire, à divertir : *Une lecture* ***distrayante***. 1539 ; p. pr. de *distraire* ; [distʀɛjɑ̃, ɑ̃t].

**DISTRIBUER, verbe trans.** [3]
**1.** Attribuer (qqch.) en le répartissant entre plusieurs personnes : ***Distribuer*** *des vivres, les cartes, le courrier* ; empl. pronom. : *Se* ***distribuer*** *les tâches*. **2.** Ext. Dispenser avec largesse et un peu au hasard : ***Distribuer*** *des sourires, des poignées de main*. **3.** Répartir dans divers endroits : *Canalisations qui* ***distribuent*** *l'eau dans un bâtiment* ; en partic., assurer la diffusion commerciale de (un produit). **4.** Répartir, agencer selon un certain ordre ; empl. adj. : *Appartement* ***distribué*** *de façon fonctionnelle* ; empl. pronom. : *Le corps de ferme se* ***distribue*** *en plusieurs bâtiments*. **5.** *Dr.* ***Distribuer*** *un procès* : commettre un juge, une chambre, à l'examen et au jugement d'une affaire. 1248 ; lat. *distribuere* ; [distʀibɥe].

**DISTRIBUTAIRE, adj. et subst.**
*Dr.* Se dit d'une personne qui a reçu qqch. en distribution. Mil. XIXe s. ; ☞ *distribuer*, d'apr. *donataire* ; [distʀibytɛʀ].

**DISTRIBUTEUR, TRICE, subst.**
Personne qui distribue : ***Distributeur*** *de prospectus* ; ***Distributeur*** *de films* ; ***Distributeur*** *agréé, exclusif d'un produit*. **Masc.** Appareil qui sert à distribuer : ***Distributeur*** *automatique de billets* ; ***Distributeur*** *de boissons* ; empl. adj. : *Un appareil* ***distributeur***. 1372 ; bas lat. *distributor* ; [distʀibytœʀ, tʀis].

**DISTRIBUTIF, IVE, adj.**
**1.** *Dr. Justice* ***distributive*** : qui donne à chacun ce qui lui revient (opposé à *justice commutative*). **2.** *Alg.* Soient $*$ et $\perp$ deux lois de composition interne sur un ensemble E. On dit que la loi $*$ est **distributive** à gauche par rapport à la loi $\perp$ si pour tous *x*, *y*, *z* de E on a $x * (y \perp z) = (x * y) \perp (x * z)$ ; elle est **distributive** à droite si $(y \perp z) * x = (y * x) \perp (z * x)$ : *La multiplication est* ***distributive*** *par rapport à l'addition dans* $\mathbb{R}$ *(bilatéralement)*. **3.** *Gramm.* Qualifie un terme (gén. un adjectif numéral) qui exprime la répartition par quantités déterminées (par ex., dans « Ils sont tous coupables, qui d'insouciance, qui d'injures, qui de malhonnêteté », le pronom « qui » est **distributif**). Mil. XIVe s. ; bas lat. *distributivus* ; [distʀibytif, iv].

**DISTRIBUTION, subst. f.**
**1.** Action de distribuer, de répartir entre plusieurs

personnes ; son résultat : ***Distribution** de jouets aux enfants* ; ***Distribution** des rôles d'une pièce de théâtre* ; *La **distribution** d'un film*, l'ensemble des acteurs y participant ; ***Distribution** des richesses*, répartition des résultats de l'activité économique. **2.** Acheminement d'un fluide vers différents lieux : ***Distribution** du gaz, de l'électricité.* ► *Comm.* ***Distribution** d'un produit* : sa commercialisation dans un secteur géographique donné ; par méton., l'ensemble des opérations et des circuits qui permettent de fournir au consommateur un produit ou un service. ► *Mécan.* Ensemble des mécanismes qui contrôlent l'admission, la répartition et l'échappement du fluide gazeux moteur. **3.** Agencement, arrangement de choses selon un certain ordre : ***Distribution** des couleurs dans un tableau.* **4.** *Stat.* ***Distribution** d'un caractère quantitatif discret* : fonction qui à chaque valeur $x_i$ prise par le caractère associe la fréquence de $x_i$. 1350 (1306, contribution) ; lat. *distributio* ; [distʀibysjɔ̃].

© L. Girard-Explorer

*Un moyen de **distribution** à grande échelle, le transport aérien.*

**DISTRIBUTIONALISME, subst. m.**
Théorie linguistique fondée sur l'analyse distributionnelle. V. 1970 ; ☞ *distributionnel* ; var. *distributionnalisme* ; [distʀibysjɔnalism].

**DISTRIBUTIONNEL, ELLE, adj.**
**1.** *Linguistique, analyse **distributionnelle*** : méthode de description de la structure des énoncés d'une langue, fondée sur l'étude systématique de la distribution des éléments linguistiques, indépendamment de leur sens. **2.** *Classe **distributionnelle*** : ensemble des éléments présentant des environnements communs. V. 1970 ; ☞ *distribution* ; [distʀibysjɔnɛl].

**DISTRIBUTIVITÉ, subst. f.**
*Alg.* Propriété d'une loi de composition d'être distributive par rapport à une autre. 1948 ; ☞ *distributif* ; [distʀibytivite].

**DISTRICT, subst. m.**
**1.** *Hist.* Sous l'Ancien Régime, étendue d'une juridiction ; subdivision de département, de la taille d'un arrondissement actuel, établie en 1789 et disparue en 1795. **2.** *Admin.* ***District** (urbain)* : groupement de plusieurs communes urbaines voisines, gérant certains services publics et réalisant des projets d'équipement et d'urbanisme en commun. **3.** Région : ***District** fédéral, aux États-Unis, en Australie* ; par ext., secteur. 1421 ; bas lat. *districtus*, « territoire » ; [distʀikt].

**DISTYLE, adj.**
*Archit.* Qui est formé de deux colonnes : *Porche **distyle**.* 1839 ; gr. *stulos*, « colonne », + *di-* ; [distil].

**DIT, DITE, subst. m. et adj.**
**Subst. 1.** Vx. Propos, paroles (gén. au plur.) : *Relater les **dits** du prophète.* **2.** *Litt.* Au Moyen Âge, composition en vers, de caractère narratif ou allégorique : *Le « **Dit** du Verger », de Guillaume de Machaut.* **Adj. 1.** Convenu, décidé : *Il arriva à l'heure **dite*** ; *Cela **dit***, cela posé. **2. Ledit, ladite, lesdits, lesdites** (+ subst.). La ou les personnes, la ou les choses dont on vient de parler : ***Ladite** plaignante.* **3.** Appelé, surnommé : *Laurent de Médicis, **dit** le Magnifique.* Mil. XII<sup>e</sup> s. ; p. p. de *dire* (I) ; [di, dit].

**DITHYRAMBE, subst. m.**
**1.** *Antiq. gr.* Poème lyrique consacré à Dionysos. **2.** Louange démesurée, emphatique, d'un enthousiasme souvent excessif (littér.). 1552 ; lat. *dithyrambus*, du gr. *dithurambos* ; [ditiʀɑ̃b].

**DITHYRAMBIQUE, adj.**
**1.** *Antiq. gr.* Relatif au dithyrambe : *Poésies **dithyrambiques**.* **2.** Qui loue avec un enthousiasme emphatique : *Éloge **dithyrambique**.* 1553 ; lat. *dithyrambicus*, du gr. *dithurambikos* ; [ditiʀɑ̃bik].

**DITO, adv.**
*Comm.* De même ; comme ce qui est déjà dit (abrév. : d°). 1723 ; ital. *ditto*, forme toscane de *detto*, « dit » ; [dito].

**DIURÈSE, subst. f.**
*Physiol.* Excrétion d'urine ; volume des urines excrétées par un sujet. 1750 ; lat. méd. *diuresis*, du gr. *diourêsis* ; [djyʀɛz].

**DIURÉTIQUE, adj. et subst. m.**
*Pharm.* **Adj.** Qui augmente, qui stimule l'excrétion d'urine : *Médicament, plante **diurétique**.* **Subst.** Substance aux effets diurétiques. XIII<sup>e</sup> s. ; bas lat. *diureticus*, du gr. *diourêtikos* ; [djyʀetik].

**DIURNAL, ALE, AUX, adj. et subst. m.**
**Adj. 1.** Qui a lieu chaque jour, quotidien (rare et littér.). **2.** *Antiq. rom.* *Actes **diurnaux*** : comptes rendus qui informaient le peuple des actes du gouvernement et des principaux évènements. **Subst.** *Cath.* Extrait du bréviaire, contenant les prières de l'office du jour. 1525 ; bas lat. *diurnalis*, « qui a lieu le jour » ; [djyʀnal, o].

**DIURNE, adj.**
**1.** Qui s'accomplit en l'espace d'un jour, ou de vingt-quatre heures : *La variation **diurne** de la température* ; *Mouvement **diurne***, mouvement de rotation du ciel. **2.** Qui se fait pendant le jour (anton. *nocturne*) : *Une activité **diurne*** ; *Papillons **diurnes***, qui ne sont actifs que le jour ; *Fleurs, plantes **diurnes***, épanouies le jour et refermées la nuit. 1425 ; lat. *diurnus*, de *dies*, « jour » ; [djyʀn].

**DIVA, subst. f.**
Cantatrice d'opéra de grande notoriété. 1832 ; ital. *diva*, du lat. *diva*, « déesse » ; [diva].

**DIVAGATION, subst. f.**
**1.** Vx. Action d'errer au hasard. **2.** *Dr.* ***Divagation** des animaux domestiques, du bétail* : fait de les laisser se déplacer sans contrôle sur la voie publique ou sur les terres d'autrui. **3.** *Hydrol.* ***Divagation** d'un cours d'eau* : fait de sortir de son lit, de changer son cours. **4.** Fig. Fait de laisser aller son esprit sans contrôle, rêverie (gén. au plur.) : *Se perdre en **divagations*** ; propos incohérents, gén. tenus sous l'effet de la maladie, de la folie, de l'ivresse. 1577 ; ☞ *divaguer* ; [divagasjɔ̃].

**DIVAGUER, verbe intrans.** [3]
**1.** Vx. Aller sans but précis, errer. ► Aller sans contrôle, en parlant de bétail ou d'un animal domestique. ► *Hydrol.* Quitter son lit, en parlant d'un cours d'eau. **2.** Fig. Proférer des propos incohérents, délirer : ***Divaguer** sous l'effet de l'alcool, de la fièvre.* 1534 ; bas lat. *divagari* ; [divage].

**DIVAN, subst. m.**
**1.** *Hist.* Dans l'Empire ottoman, salle meublée de banquettes basses et de coussins, où se tenait le conseil ; par méton., le conseil lui-même. **2.** Ext. Le gouvernement de l'Empire ottoman. **3.** *Ameubl.* Banquette basse, sans dossier ni bras, souvent garnie de coussins : *Lit-**divan*** ; *Le **divan** du psychanalyste.* **4.** *Litt.* Recueil de poésies des littératures orientales. 1519 ; turc *divân*, du persan *divân*, « bureau, administration ; registre » ; [divɑ̃].

**DIVE, adj. f.**
Divine (littér.). ► Loc. *La **dive** bouteille* (Rabelais) : le vin (fam.). 1357 ; lat. *divus*, « divin » ; [div].

**DIVERGENCE, subst. f.**
**1.** Situation de deux lignes, de deux rayons lumineux, etc., qui s'écartent l'un de l'autre en s'éloignant de leur origine (anton. *convergence*). **2.** Fig. Différence dans les opinions, les idées ; désaccord : *Avoir des **divergences** de vues.* **3.** *Phys. nucl.* Établissement, au sein d'un réacteur, d'une réaction de fission en chaîne. 1671 ; lat. sc. *divergentia* ; [divɛʀʒɑ̃s].

**DIVERGENT, ENTE, adj.**
**1.** Qui diverge, qui va en s'écartant (anton. *convergent*) : *Des chemins **divergents**.* **2.** Fig. Qui s'oppose : *Des positions, des doctrines **divergentes**.* **3.** *Spéc.* ► *Math. Suite, série ou intégrale **divergente*** : qui ne converge pas. ► *Phys. Lentille **divergente*** : qui transforme un faisceau de rayons parallèles en un faisceau de rayons **divergents** (telles les lentilles concaves et biconcaves). Déb. XVII<sup>e</sup> s. ; lat. sc. *divergens* ; [divɛʀʒɑ̃, ɑ̃t].

**DIVERGER, verbe intrans.** [5]
**1.** S'éloigner dans des directions différentes en partant d'un même point : *Des routes qui **divergent**.* **2.** Fig. Être en désaccord ; s'opposer : *Des intérêts qui **divergent**.* **3.** *Phys. nucl.* Amorcer une réaction en chaîne dans un réacteur nucléaire. XVIII<sup>e</sup> s. ; bas lat. *divergere*, « pencher » ; [divɛʀʒe].

**DIVERS, ERSE, adj.**
Qui présente en son sein des aspects, des caractères différents, variés : *Une personnalité riche et **diverse**.* **Plur. 1.** Qui présentent des différences caractéristiques, en parlant de personnes ou de choses que l'on compare : *Les **divers** sens d'un mot* ; *Recueillir des avis **divers**.* **2.** *Comptab.* *Frais **divers*** ou, empl. subst. masc., *Les **divers*** : dépenses, gén. accessoires, ne faisant pas l'objet d'une rubrique propre. **3.** *Journ.* *Faits **divers*** : évènements (accidents, délits et crimes) du jour ; au sing. : *Un fait **divers**.* **4.** *Pol.* ***Divers** droite, **divers** gauche* : candidats ou groupe n'appartenant pas à l'un des principaux partis, mais se situant dans la même orientation. **Adj. indéf. plur. 1.** Plusieurs (sans art. et antéposé) : *J'ai tenté de te joindre à **diverses** reprises.* **2.** Chacun de (avec déterminant) : *Ses **divers** enfants ont fait leur chemin.* 1119 ; lat. *diversus*, « opposé ; varié » ; [divɛʀ, ɛʀs].

**DIVERSEMENT, adv.**
**1.** D'une manière différente : *Chacun réagit **diversement**.* **2.** De différentes manières : *Une intervention, une proposition **diversement** appréciée.* 1119 ; ☞ *divers* ; [divɛʀsəmɑ̃].

**DIVERSIFICATION, subst. f.**
**1.** Action de diversifier, de se diversifier ; son résultat. **2.** *Écon.* Élargissement des activités d'une entreprise : ***Diversification** de la production.* 1365 (fin XIII<sup>e</sup> s., différence) ; ☞ *diversifier* ; [divɛʀsifikasjɔ̃].

**DIVERSIFIER, verbe trans.** [6]
**1.** Rompre le caractère répétitif de (vieilli). **2.** Introduire de la diversité dans (qqch.) : ***Diversifier** une gamme de produits* ; empl. pronom. : *Une entreprise qui se **diversifie**.* Mil. XIII<sup>e</sup> s. ; ☞ *divers* ; [divɛʀsifje].

**DIVERSION, subst. f.**
**1.** *Milit.* Opération destinée à détourner les troupes ennemies d'une position que l'on veut attaquer. **2.** Fig. Action ou évènement qui détourne qqn de ce qui le préoccupe : *Son arrivée fit **diversion**.* 1314 ; bas lat. *diversio* ; [divɛʀsjɔ̃].

**DIVERSITÉ, subst. f.**
État de ce qui présente un caractère divers, varié : ***Diversité** des goûts, des opinions.* Mil. XII<sup>e</sup> s. ; lat. *diversitas* ; [divɛʀsite].

**DIVERTICULE, subst. m.**
**1.** *Anat.* Cavité normale ou pathologique, terminée en cul-de-sac et communiquant avec un conduit naturel (intestin, urètre, etc.). **2.** Fig. Recoin. 1824 (déb. XVI<sup>e</sup> s., lieu écarté) ; lat. *diverticulum*, « chemin écarté » ; [divɛʀtikyl].

**DIVERTICULOSE, subst. f.**
*Pathol.* Présence de diverticules dans le tube digestif. ☞ *diverticule* + *-ose* ; [divɛʀtikyloz].

**DIVERTIMENTO, subst. m.**
*Mus.* Divertissement. V. 1950 ; mot ital. ; plur. *divertimento(s)* ; [divɛʀtimɛnto].

**DIVERTIR, verbe trans.** [19]
**1.** Détourner (qqn) de ce qui l'occupe ou le préoccupe (vieilli ou littér.) : ***Divertir** un ami de son chagrin.* ► *Dr.* S'approprier illégitimement (qqch.). **2.** Distraire, amuser, récréer : *Le récit qu'il a fait de son aventure nous a bien **divertis*** ; empl. abs. : *Instruire tout en **divertissant**.* **Pronom. 1.** Se distraire. **2. Se divertir** de (+ subst.). Se moquer de (littér.) : ***Se divertir** des travers de qqn.* Fin XIV<sup>e</sup> s. ; bas lat. *divertere*, « se détourner » ; [divɛʀtiʀ].

**DIVERTISSANT, ANTE, adj.**
Qui divertit, qui distrait : *Un spectacle très **divertissant**.* 1637 ; p. pr. de *divertir* ; [divɛʀtisɑ̃, ɑ̃t].

**DIVERTISSEMENT, subst. m.**
**1.** *Dr.* Détournement frauduleux. **2.** Action de divertir, fait de se divertir ; occupation agréable, distraction : *Se livrer à son **divertissement** favori.* **3.** *Mus.* ► Intermède chanté ou dansé. ► Au XVIII<sup>e</sup> s., suite de petites pièces instrumentales. ► Au XX<sup>e</sup> s., composition libre. 1494 ; ☞ *divertir* ; [divɛʀtismɑ̃].

**DIVIDENDE,** subst. m.
1. *Arithm.* Dans une division, nombre que l'on divise par un autre (le diviseur). 2. *Dr.* Somme distribuée à chaque créancier d'un commerçant en faillite après réalisation de ses biens. 3. *Fin.* Part des bénéfices versée à chaque actionnaire (ou associé) d'une société, au prorata du nombre de ses actions. 1555 ; bas lat. *dividendus*, du lat. *dividere*, « diviser » ; [dividɑ̃d].

**DIVIN, INE,** adj. et subst. m.
Adj. 1. Qui appartient, qui est relatif à Dieu ou à une divinité : *La grâce, la justice* **divine** ; *Le* **divin** *Enfant*, Jésus-Christ. 2. Mis au rang des dieux antiques : *Le* **divin** *Hercule.* 3. Qui atteint la perfection, l'excellence : *Une* **divine** *musique* ; par ext. : *Un temps* **divin**. 4. *Pol. Monarchie de droit* **divin** : où le monarque tient sa légitimité de Dieu. Subst. Ce qui émane de Dieu ou d'une puissance surnaturelle. Mil. XIe s. ; lat. *divinus* ; [divɛ̃, in], mais [lədivinɑ̃fɑ̃] pour « le divin Enfant ».

**DIVINATEUR, TRICE,** adj. et subst.
Subst. Vx. Personne qui s'adonne à l'art de la divination. Adj. Qui est capable de deviner, de prévoir ce qui doit arriver : *Un esprit* **divinateur**. Mil. XVe s. ; bas lat. *divinator* ; [divinatœʀ, tʀis].

**DIVINATION,** subst. f.
1. Art de deviner ce qui est caché, en partic. de prévoir l'avenir en recourant à des procédés occultes ou à des pratiques magiques. 2. Faculté de deviner, de prévoir qqch. 1206 ; lat. *divinatio* ; [divinasjɔ̃].

**DIVINATOIRE,** adj.
1. Relatif à la divination : *Art* **divinatoire**. 2. Qui permet de deviner : *Sens* **divinatoire** ; *Rêve* **divinatoire**. Fin XIVe s. ; ☞ *divination* ; [divinatwaʀ].

**DIVINEMENT,** adv.
1. D'une manière divine (vieilli) : *Prophète* **divinement** *inspiré.* 2. À la perfection : *Une femme* **divinement** *belle.* Mil. XIVe s. ; ☞ *divin* ; [divinmɑ̃].

**DIVINISATION,** subst. f.
Action de diviniser ; son résultat. 1719 ; ☞ *diviniser* ; [divinizasjɔ̃].

**DIVINISER,** verbe trans. [3]
1. Élever au rang des dieux : **Diviniser** *un héros.* 2. Ext. Revêtir d'un caractère sacré, divin : **Diviniser** *la mort.* 3. Fig. Idéaliser. 1581 ; ☞ *divin* ; [divinize].

**DIVINITÉ,** subst. f.
1. Essence divine : *La* **divinité** *de Jésus-Christ.* 2. *Relig.* ▸ Dieu. ▸ L'un des dieux, l'une des déesses. ▸ L'objet d'un culte. 3. Fig. Objet d'adoration. XIIIe s. (déb. XIIe s., théologie) ; lat. *divinitas* ; [divinite].

**DIVIS, ISE,** adj. et subst. m.
*Dr.* Adj. Divisé ; divisible. Subst. Division d'un bien : *Le* **divis** *d'une propriété.* Xe s. ; lat. *divisus* ; [divi, iz].

**DIVISER,** verbe trans. [3]
1. Partager, morceler : **Diviser** *un héritage.* 2. Séparer, désunir ; au fig., semer la discorde entre (des personnes) : **Diviser** *pour régner.* 3. *Arithm.* Effectuer la division de. Pronom. 1. Se morceler : *Lors de la mitose, la cellule se* **divise** ; être morcelé, partagé : *Le monde se* **divise** *en cinq continents.* 2. Se séparer : *La route se* **divise** *en deux.* 3. *Arithm.* Être divisible : *Le nombre 10 se* **divise** *par 2 et par 5.* 1377 ; anc. fr. *deviser*, du lat. *dividere* ; [divize].

**DIVISEUR, EUSE,** subst.
Masc. *Arithm.* Nombre entier par lequel on en divise un autre, appelé dividende. ▸ *Plus grand commun* **diviseur** *(P. G. C. D.) de deux nombres entiers p et q* : **diviseur** *d* de *p* et de *q* tel que tout autre **diviseur** commun à *p* et à *q* divise *d*. Masc. et Fém. Fig. Personne, élément qui sème la division (rare). XVe s. (fin XIIe s., celui qui règle) ; lat. *divisor* ; [divizœʀ, øz].

**DIVISIBILITÉ,** subst. f.
1. Qualité de ce qui peut être divisé : **Divisibilité** *de la matière.* 2. *Math.* Relation binaire dans l'ensemble des entiers telle que *x* divise *y* si et seulement si *x* est un diviseur de *y*. Déb. XVe s. ; ☞ *divisible* ; [divizibilite].

**DIVISIBLE,** adj.
1. Qui peut être divisé. 2. *Arithm. Nombre entier* **divisible** *par un autre* : qui admet ce dernier comme diviseur. 1335 ; bas lat. *divisibilis* ; [divizibl].

**DIVISION,** subst. f.
1. Action de diviser. ▸ *Écon.* **Division** *du travail* : répartition des tâches entre différents groupes ou personnes. 2. Fait de se diviser : *La* **division** *d'une cellule pendant la mitose.* 3. Partie d'un tout divisé. ▸ *Admin.* Ensemble de bureaux mis sous la direction d'un même chef. ▸ *Milit.* Unité formée de régiments d'armes différentes : **Division** *aéroportée.* ▸ *Bot.* et *Zool.* Ensemble ou sous-ensemble : *Embranchement, classe, ordre, famille sont des* **divisions** *du règne vivant.* ▸ *Sp.* Chacune des catégories regroupant les équipes selon leur niveau, dans un championnat : *Équipe de deuxième* **division**. 4. Marque, trait qui divise : *Les* **divisions** *du thermomètre.* ▸ *Typogr.* Signe (-) marquant la coupure d'un mot en fin de ligne ; trait d'union. 5. Fig. Discorde, désunion. 6. *Biol.* Processus de reproduction d'une cellule mère qui donne deux cellules filles (☞ *mitose*). 7. *Math.* Opération inverse de la multiplication ; effectuer la **division** de $a$ par $b$, c'est trouver $q$ tel que $a = bq$. ▸ **Division** *euclidienne* (ou *avec reste*) dans $\mathbb{N}$ : pour tout entier $a$ et tout entier $b$ non nul, il existe un unique couple d'entiers $(q, r)$ tel que $a = bq + r$, avec $0 \leqslant r < b$ ; déterminer $q$ et $r$, c'est effectuer la **division** euclidienne de $a$ par $b$, de quotient $q$ et de reste $r$. 1119 ; lat. *divisio* ; [divizjɔ̃].

**DIVISIONNAIRE,** adj.
Relatif à une division. ▸ *Admin.* Responsable d'une division : *Commissaire* **divisionnaire**. ▸ *Fin. Monnaie* **divisionnaire** : qui représente une division de l'unité monétaire. 1793 ; ☞ *division* ; [divizjɔnɛʀ].

**DIVISIONNISME,** subst. m.
*B.-a.* Technique picturale des impressionnistes et des pointillistes, qui consiste à juxtaposer des points de couleurs pures au lieu de couleurs mélangées. 1936 ; ☞ *division* ; [divizjɔnism].

**DIVISIONNISTE,** adj. et subst.
Adj. Relatif au divisionnisme ou à ceux qui l'utilisent. Subst. Peintre qui emploie cette technique. 1907 ; ☞ *division* ; [divizjɔnist].

**DIVORCE,** subst. m.
1. *Dr.* Rupture légale du mariage civil. 2. Fig. Désunion, divergence : *Il y a un* **divorce** *total entre ce qu'il dit et ce qu'il fait.* 3. Québ. Chahut, tapage. XIVe s. ; lat. *divortium*, « séparation » ; [divɔʀs].

**DIVORCÉ, ÉE,** adj. et subst.
Se dit d'une personne dont le mariage a été rompu par divorce. Fin XIVe s. ; p. p. de *divorcer* ; [divɔʀse].

**DIVORCER,** verbe intrans. [4]
1. *Dr.* Mettre légalement fin à son mariage. 2. Fig. Consommer une rupture : **Divorcer** *d'avec le monde.* XIVe s. ; ☞ *divorce* ; [divɔʀse].

**DIVULGATEUR, TRICE,** subst.
Personne qui divulgue. 1552 ; bas lat. *divulgator* ; [divylgatœʀ, tʀis].

**DIVULGATION,** subst. f.
Action de divulguer ; son résultat. Déb. XVIe s. ; bas lat. *divulgatio* ; [divylgasjɔ̃].

**DIVULGUER,** verbe trans. [3]
Révéler au public (une information restée secrète jusque-là). Fin XIVe s. ; lat. *divulgare* ; [divylge].

**DIVULSION,** subst. f.
*Pathol.* et *Chir.* Élargissement forcé d'un canal étroit (rectum, col utérin) ; déchirement d'un tissu. 1549 ; lat. *divulsio*, « action d'arracher » ; [divylsjɔ̃].

**DIX,** adj. num. inv. et subst. m. inv.
Adj. card. Neuf plus un : *Les* **dix** *commandements.* Adj. ord. 1. Dixième : *Louis X, le Hutin* ; *Le train part à* **dix** *heures.* 2. Qui porte le numéro **dix** : *La chambre* **dix** ou, empl. subst., *La* **dix**. Subst. 1. Le nombre **dix** : *Cinq et cinq font* **dix**. 2. Le numéro **dix** : *Le* **dix** *gagne le gros lot.* 3. Représentation graphique de ce nombre. 4. *Jeux.* Carte à jouer portant ce numéro : *Le* **dix** *de cœur.* Mil. XIe s. ; lat. *decem* ; [dis] devant une pause, [diz] devant une voyelle ou un *h* muet, [di] devant une consonne ou un *h* aspiré.

**DIX-CORS,** subst. m. inv.
Cerf de sept ans qui a cinq andouillers sur chaque bois. XVIIe s. ; comp. de *dix* et de *cor* (I) ; [dikɔʀ].

**DIX-HUIT,** adj. num. inv. et subst. m. inv.
Adj. card. Dix plus huit : *Il a* **dix-huit** *ans.* Adj. ord. 1. Dix-huitième : *Le* **Dix-Huit** *Brumaire*, coup d'État de Bonaparte. 2. Qui porte le numéro **dix-huit** : *La table* **dix-huit** ou, empl. subst., *La* **dix-huit**. Subst. 1. Le nombre **dix-huit**. 2. Le numéro **dix-huit** : *Le* **dix-huit** *est non partant.* 3. Représentation graphique de ce nombre. Fin XIIe s. ; comp. de *dix* et de *huit* ; [dizɥit], [dizɥi] devant une consonne ou un *h* aspiré.

**DIX-HUITIÈME,** adj.
Adj. num. ord. Qui occupe le rang marqué par le nombre dix-huit : *Le* **dix-huitième** *arrondissement* ; empl. subst. : *Le, la* **dix-huitième**. Adj. Qui constitue une fraction d'un tout divisé également en dix-huit : *La* **dix-huitième** *partie* ou, empl. subst. masc., *Le* **dix-huitième**. XIIe s. ; ☞ *dix-huit* ; plur. *dix-huitièmes* ; [dizɥitjɛm].

**DIXIELAND,** subst. m.
*Mus.* Jazz originaire du sud des États-Unis, joué de façon improvisée : *Le* **dixieland** *est un mélange de musique de parade, de blues et de ragtime.* Topon. *Dixie*, comté des États-Unis ; [diksilɑ̃d].

**DIXIÈME,** adj. et subst.
Adj. num. ord. Qui occupe le rang marqué par le nombre dix ; empl. subst. : *Le, la* **dixième**. ▸ *Enseign. La* **dixième** *classe* ou, empl. subst. fém., *La* **dixième** : cours élémentaire première année. Adj. Qui constitue une fraction d'un tout divisé également en dix : *La* **dixième** *partie* ou, empl. subst. masc., *Le* **dixième**. Subst. masc. *Hist.* Sous l'Ancien Régime, impôt représentant le **dixième** du revenu. Subst. fém. *Mus.* Intervalle séparant dix notes consécutives de la gamme. Fin XIIe s. ; ☞ *dix* ; [dizjɛm].

**DIXIÈMEMENT,** adv.
En dixième lieu. 1503 ; ☞ *dixième* ; [dizjɛmmɑ̃].

**DIX-NEUF,** adj. num. inv. et subst. m. inv.
Adj. card. Dix plus neuf : *Il nous reste* **dix-neuf** *minutes.* Adj. ord. 1. Dix-neuvième : *Chapitre* **dix-neuf**. 2. Qui porte le numéro **dix-neuf** : *Le concurrent* **dix-neuf** ou, empl. subst., *Le* **dix-neuf**. Subst. 1. Le nombre **dix-neuf**. 2. Le numéro **dix-neuf**. 3. Représentation graphique de ce nombre. Fin XIIe s. ; comp. de *dix* et de *neuf* (II) ; [diznœf].

**DIX-NEUVIÈME,** adj.
Adj. num. ord. Qui occupe le rang marqué par le nombre dix-neuf : *Le* **dix-neuvième** *siècle* ; empl. subst. : *Le, la* **dix-neuvième**. Adj. Qui constitue une fraction d'un tout divisé également en dix-neuf : *La* **dix-neuvième** *partie* ou, empl. subst. masc., *Le* **dix-neuvième**. Fin XIIe s. ; ☞ *dix-neuf* ; plur. *dix-neuvièmes* ; [diznœvjɛm].

**DIX-SEPT,** adj. num. inv. et subst. m. inv.
Adj. card. Dix plus sept : *J'ai* **dix-sept** *francs.* Adj. ord. 1. Dix-septième : *Louis XVII.* 2. Qui porte le numéro **dix-sept** : *Le fauteuil* **dix-sept** ou, empl. subst., *Le* **dix-sept**. Subst. 1. Le nombre **dix-sept** : **Dix-sept** *est un nombre premier.* 2. Le numéro **dix-sept** : *Parier sur le* **dix-sept**. 3. Représentation graphique de ce nombre. Fin XIIe s. ; comp. de *dix* et de *sept* ; [dis(s)ɛt].

**DIX-SEPTIÈME,** adj.
Adj. num. ord. Qui occupe le rang marqué par le nombre dix-sept : *La* **dix-septième** *marche* ; empl. subst. : *Le, la* **dix-septième**. Adj. Qui constitue une fraction d'un tout divisé également en dix-sept : *La* **dix-septième** *partie* ou, empl. subst. masc., *Le* **dix-septième**. Fin XIIe s. ; ☞ *dix-sept* ; plur. *dix-septièmes* ; [dis(s)ɛtjɛm].

**DIZAIN,** subst. m.
*Versif.* Poésie de dix vers. XVe s. (fin Xe s., dixième) ; ☞ *dix* ; [dizɛ̃].

**DIZAINE,** subst. f.
1. Groupe de dix unités ; par ext., environ dix : *Nous partirons dans une* **dizaine** *de jours.* 2. *Cath.* **Dizaine** *de chapelet* : dix Ave Maria dits en égrenant dix grains de chapelet. XIVe s. ; ☞ *dix* ; [dizɛn].

**DIZYGOTE,** adj.
*Jumeaux* **dizygotes** ou, empl. subst., *Des* **dizygotes** : qui ne sont pas issus du même œuf (synon. *bivitellin*). 1959 ; ☞ *zygote* + *di-* ; [dizigɔt].

**DJAÏN,** voir **JAÏN**

**DJAÏNISME,** voir **JAÏNISME**

**DJAMAA,** voir **DJEMAA**

**DJEBEL,** subst. m.
*Géogr.* Massif montagneux des pays d'Afrique du Nord. 1787 ; ar. *ǧabal*, « montagne » ; [dʒebɛl].

**DJELLABA,** subst. f.
*Cost.* Longue robe à manches longues et à capuche, portée par les hommes et les femmes en Afrique du Nord. 1743 ; ar. *ǧallāba* ; [dʒɛl(l)aba].

**DJEMAA,** subst. f. inv.
Réunion de notables, en Afrique du Nord. 1870 ; ar. *ǧamā'a*, « assemblée » ; var. *djamaa* ; [dʒemaa].

**DJIHAD,** subst. m.
*Relig.* Guerre sainte menée pour la défense et la propagation de l'islam. 1895 ; ar. *ǧihād* ; var. *jihad* ; [dʒi(j)ad].

**DJINN, subst. m.**
Bon génie ou démon des légendes arabes. ⚘ 1666 ; ar. *ğinn*, « démon » ; [dʒin].

**DO, subst. m. inv.**
*Mus.* Première des sept notes de la gamme d'*ut* (synon. *ut*). ⚘ 1768 ; mot ital. ; [do].

**DOBERMAN, subst. m.**
Chien de garde à poil ras, originaire d'Allemagne. ⚘ V. 1960 ; all. *Dobermann*, de l'anthropon. *Dober*, nom de l'éleveur ; [dɔbɛʀman].

**DOCÉTISME, subst. m.**
*Relig.* Hérésie des IIe et IIIe siècles de l'Église, soutenant que le Christ n'avait qu'un corps éthéré, qu'il ne s'était pas incarné, et niant la réalité de la Passion. ⚘ 1864 ; *docète* (rare), « adepte du docétisme », du gr. *dokêtai* ; [dɔsetism].

**DOCILE, adj.**
**1.** Qui se laisse diriger ; soumis. **2.** Aisé à manier : *Cheveux **dociles***. ⚘ 1495 ; lat. *docilis* ; [dɔsil].

**DOCILEMENT, adv.**
De manière docile. ⚘ 1642 ; ☞ *docile* ; [dɔsilmɑ̃].

**DOCILITÉ, subst. f.**
Soumission, maniabilité de qqn ou de qqch. ⚘ 1282 ; lat. *docilitas* ; [dɔsilite].

**DOCIMASIE, subst. f.**
**1.** *Antiq. gr.* Épreuve à laquelle étaient soumis les candidats fonctionnaires à Athènes. **2.** *Méd.* Analyse des organes d'un cadavre pour déterminer les causes de la mort. **3.** *Chim.* Analyse quantitative des éléments d'un corps composé. ⚘ 1742 ; gr. *dokimasia*, « épreuve, essai » ; [dɔsimazi].

**DOCIMOLOGIE, subst. f.**
*Enseign.* Étude de la validité des systèmes de notation et de contrôle des connaissances (examens, concours). ⚘ V. 1960 ; gr. *dokimê*, « épreuve », + *-logie* ; [dɔsimɔlɔʒi].

**DOCK, subst. m.**
**1.** Bassin bordé de quais et destiné au chargement et au déchargement des navires. ▸ ***Dock** flottant* : bassin mobile de carénage. **2.** Méton. Entrepôt édifié en bordure des quais (gén. au plur.). ⚘ 1671 ; prob. angl. *dock*, du m. néerl. *docke* ; [dɔk].

**DOCKER, subst. m.**
Ouvrier des docks qui charge et décharge les navires. ⚘ 1890 ; mot angl. ; [dɔkɛʀ].

**DOCTE, adj.**
**1.** Dont les connaissances sont très étendues (littér.). **2.** Suffisant, infatué (péj.). ⚘ 1509 ; lat. *doctus*, de *docere*, « enseigner » ; [dɔkt].

**DOCTEMENT, adv.**
De manière docte. ⚘ 1547 ; ☞ *docte* ; [dɔktəmɑ̃].

**DOCTEUR, ORESSE, subst.**
**Masc. 1.** *Relig.* et *Hist.* Titre magistral de celui qui interprétait et expliquait les textes philosophiques ou sacrés : ***Docteur** de la Loi*, interprète de la loi judaïque ; ***Docteur** de l'Église*, titre officiel donné aux théologiens éminents en raison de l'exactitude et de l'autorité de leur doctrine. **2.** Titre universitaire de celui qui est promu au plus haut grade dans une faculté : ***Docteur** ès lettres* ; ***Docteur** en droit*. **3.** *Méd.* ***Docteur** en médecine* ou, par ell., ***Docteur*** : titulaire d'un doctorat de médecine et qui exerce la profession de médecin ou de chirurgien. **Fém.** Femme **docteur** en médecine (vieilli). ⚘ Mil. XIIe s. ; lat. *doctor*, « celui qui enseigne » ; [dɔktœʀ, ɔʀɛs].

**DOCTORAL, ALE, AUX, adj.**
**1.** Relatif au docteur. **2.** Fig. Qui se donne une allure de docteur, de savant (iron.) ; par ext. : *Ton **doctoral***. ⚘ Fin XIVe s. ; bas lat. *doctoralis* ; [dɔktɔʀal, o].

**DOCTORAT, subst. m.**
**1.** Grade le plus élevé délivré par une université, après la soutenance d'une thèse. **2.** Ext. Ensemble des travaux et des épreuves permettant d'obtenir ce grade. ⚘ 1575 ; lat. médiév. *doctoratus* ; [dɔktɔʀa].

**DOCTRINAIRE, subst.**
**Masc. 1.** Vx. *Cath.* Religieux appartenant à la congrégation de la Doctrine chrétienne. **2.** *Hist.* Sous la Restauration, membre d'un parti politique soutenant l'idée de monarchie constitutionnelle. **Masc.** et **Fém.** Personne strictement attachée à une doctrine. ▸ Empl. adj. : *Attitude **doctrinaire*** ; par ext., empli de suffisance : *Ton **doctrinaire***. ⚘ 1652 ; ☞ *doctrine* ; [dɔktʀinɛʀ].

**DOCTRINAL, ALE, AUX, adj.**
Relatif à une doctrine : *Connaissance **doctrinale***. ⚘ XIIe s. ; bas lat. *doctrinalis* ; [dɔktʀinal, o].

**DOCTRINE, subst. f.**
**1.** Ensemble de principes religieux, philosophiques, moraux qui forment un système : *La **doctrine** de Descartes, de saint Thomas*. **2.** Ensemble de principes ou de notions portant sur un sujet particulier : *La **doctrine** du franc fort*. **3.** *Dr.* Travaux, interprétations de jurisconsultes sur un point de droit : *La loi, la coutume, la **doctrine** et la jurisprudence sont les quatre sources du droit positif*. **4.** *Cath.* Congrégation de la ***Doctrine** chrétienne* : fondée en 1592 pour enseigner la religion au peuple. ⚘ XIIe s. ; lat. *doctrina* ; [dɔktʀin].

**DOCUMENT, subst. m.**
**1.** Vx. Enseignement, leçon. **2.** Écrit ou élément pouvant apporter une information, un enseignement, un témoignage. **3.** *Comm.* Pièce identifiant une marchandise lors de son transport. ⚘ 1214 ; lat. *documentum*, de *docere*, « enseigner » ; [dɔkymɑ̃].

**DOCUMENTAIRE, adj. et subst. m.**
**Adj. 1.** Qui a le caractère d'un document, qui témoigne d'une réalité : *Valeur **documentaire*** ; relatif aux documents, à la documentation. ▸ Loc. *À titre **documentaire*** : pour information. **2.** *Comm. Crédit **documentaire*** : accordé à l'acquéreur par le prêteur en échange des documents relatifs à la marchandise. **Adj.** et **Subst.** *Audiov. Film **documentaire*** ou, par ell., *Un **documentaire*** : film présentant des faits réels, gén. à des fins didactiques (anton. *fiction*). ⚘ 1876 ; ☞ *document* ; [dɔkymɑ̃tɛʀ].

**DOCUMENTALISTE, subst.**
Professionnel de la réunion, de l'utilisation et de la diffusion des documents dans un service privé ou public. ⚘ V. 1930 ; ☞ *document* ; [dɔkymɑ̃talist].

**DOCUMENTARISTE, subst.**
Cinéaste auteur de documentaires. ⚘ V. 1930 ; ☞ *documentaire* ; [dɔkymɑ̃taʀist].

**DOCUMENTATION, subst. f.**
**1.** Recherche de documents en prévision d'un travail : *Il en est au stade de la **documentation***. **2.** Ensemble des documents collectés, relatifs à un sujet : *Il dispose d'une **documentation** très riche*. **3.** Ensemble des méthodes permettant la réunion et l'utilisation des documents. ⚘ 1877 ; ☞ *documenter* ; [dɔkymɑ̃tasjɔ̃].

**DOCUMENTER, verbe trans. [3]**
**1.** Appuyer, illustrer de documents : ***Documenter** un ouvrage*. **2.** Fournir des documents, des informations à (qqn) : *Personne n'a su le **documenter** sur cette question*. **Pronom.** S'informer. ⚘ 1876 (1755, instruire) ; ☞ *document* ; [dɔkymɑ̃te].

**DODÉCAÈDRE, subst. m.**
*Géom.* Polyèdre à douze faces. ⚘ 1557 ; gr. *dôdeka*, « douze », + *-èdre* ; [dɔdekaɛdʀ].

**DODÉCAGONAL, ALE, AUX, adj.**
*Géom.* Qui a douze angles et, par suite, douze côtés. ⚘ 1787 ; ☞ *dodécagone* ; [dɔdekagɔnal, o].

**DODÉCAGONE, subst. m.**
*Géom.* Polygone qui a douze angles et, par suite, douze côtés. ⚘ 1680 ; gr. *dôdekagônon* ; [dɔdekagɔn].

**DODÉCAPHONIQUE, adj.**
*Mus.* Qui utilise les douze sons de la gamme chromatique. ⚘ 1946 ; ☞ *phonique* + *dodéca-* ; [dɔdekafɔnik].

**DODÉCAPHONISME, subst. m.**
*Mus.* Système de composition atonale fondé sur l'usage des douze sons non hiérarchisés de la gamme chromatique, et dont le principe majeur est la série ; la mélodie produite provient des variations de rythme, d'intensité et d'accords. ⚘ 1951 ; ☞ *dodécaphonique* ; [dɔdekafɔnism].

**DODÉCAPHONISTE, subst.**
Compositeur qui utilise le dodécaphonisme : *Schönberg est un **dodécaphoniste***. ⚘ 1949 ; ☞ *dodécaphonique* ; [dɔdekafɔnist].

**DODÉCASTYLE, adj.**
*Archit.* Qui a douze colonnes de front. ⚘ 1864 ; gr. *stulos*, « colonne », + *dodéca-* ; [dɔdekastil].

**DODÉCASYLLABE, adj. et subst. m.**
**Adj.** Qui a douze syllabes. **Subst.** *Versif.* Alexandrin. ⚘ 1555 ; gr. *dôdekasullabos* ; [dɔdekasil(l)ab].

**DODELINEMENT, subst. m.**
Balancement léger de la tête ou du corps. ⚘ 1552 ; ☞ *dodeliner* ; [dɔdlinmɑ̃].

**DODELINER, verbe [3]**
**Intrans.** Se balancer doucement : ***Dodeliner** de la tête*. **Trans.** Balancer doucement (vieilli) : ***Dodeliner** un nouveau-né*. ⚘ 1534 ; orig. onomat. ; [dɔdline].

**DODINE, subst. f.**
*Cuis.* Sauce au blanc composée d'oignons, de champignons et de jus de volaille rôtie. ⚘ 1377 ; orig. onomat. ; [dɔdin].

**DODO (I), subst. m.**
Sommeil, dans le langage enfantin ; par ext., lit : *Je vais au **dodo***. ▸ Empl. interj. Incitation à dormir. ⚘ Mil. XVe s. ; orig. onomat., d'apr. *dormir* ; [dodo].

**DODO (II), subst. m.**
*Zool.* Dronte. ⚘ 1663 ; néerl. *dod-aers* ; [dodo].

**DODU, UE, adj.**
Qui est bien en chair (fam.) : *Une volaille **dodue*** ; *Des bras **dodus***. ⚘ Fin XVe s. ; orig. onomat. ; [dɔdy].

**DOGARESSE, subst. f.**
*Hist.* Épouse d'un doge. ⚘ 1691 ; vénitien *dogaressa*, du bas lat. *ducatrix*, « conductrice » ; [dɔgaʀɛs].

**DOG-CART, subst. m.**
Véhicule équipé pour le transport des chiens de chasse. ⚘ 1858 ; angl. *dog-cart*, de *dog*, « chien », et de *cart*, « charrette » ; plur. *dog-carts* ; [dɔgkaʀt].

**DOGE, subst. m.**
*Hist.* Chef suprême, dans les anciennes républiques de Venise et de Gênes : *L'élection d'un **doge***. ⚘ 1552 ; vénitien *doge*, du lat. *dux*, « chef » ; [dɔʒ].

**DOGGER, subst. m.**
*Géol.* Jurassique moyen. ⚘ 1889 ; mot angl. ; [dɔgœʀ].

**DOGMATIQUE, adj.**
**1.** *Théol.* Relatif au dogme : *Vérité **dogmatique***. ▸ *Théologie **dogmatique*** ou, empl. subst. fém., *La **dogmatique*** : partie de la théologie qui traite des dogmes. **2.** *Philos.* Qui affirme la possibilité d'atteindre des vérités absolues. **3.** Ext. Péremptoire, sentencieux (péj.) : *Un ton **dogmatique***. ⚘ 1537 ; bas lat. *dogmaticus*, du gr. *dogmatikos* ; [dɔgmatik].

**DOGMATIQUEMENT, adv.**
**1.** De manière dogmatique ou d'après le dogme. **2.** Ext. De manière catégorique, péremptoire (péj.). ⚘ 1539 ; ☞ *dogmatique* ; [dɔgmatikmɑ̃].

**DOGMATISER, verbe intrans. [3]**
**1.** Traiter d'un dogme. **2.** Ext. Exprimer son opinion de façon péremptoire, indiscutable (péj.). ⚘ 1294 ; bas lat. *dogmatizare*, du gr. *dogmatizein* ; [dɔgmatize].

**DOGMATISME, subst. m.**
**1.** *Philos.* Doctrine qui affirme la possibilité d'aboutir à des dogmes (anton. *scepticisme*). **2.** Ext. Disposition à affirmer ou à admettre des opinions sans discussion. ⚘ 1595 ; lat. chrét. *dogmatismus*, « enseignement de la foi » ; [dɔgmatism].

**DOGME, subst. m.**
**1.** *Théol.* Vérité définie et proclamée par l'Église en référence aux Écritures : *Le **dogme** de la Trinité*. ▸ Abs. *Le **dogme*** : tout le contenu de la foi. **2.** *Philos.* Point de doctrine établi comme fondamental ; vérité imposée d'autorité. **3.** Ext. Opinion exprimée comme une certitude indiscutable. ⚘ 1570 ; lat. *dogma*, « doctrine », du gr. *dogma*, « croyance » ; [dɔgm].

**DOGUE, subst. m.**
Chien de garde puissant, à grosse tête, aux fortes mâchoires et au museau écrasé : ***Dogue** allemand*. ▸ Loc. *Humeur de **dogue*** : très mauvaise humeur. ⚘ Fin XIVe s. ; angl. *dog*, « chien » ; [dɔg].

**DOIGT, subst. m.**
**1.** Chacune des cinq parties articulées qui terminent la main de l'homme : *Les **doigts** sont les organes du toucher* ; *Le pouce est opposable aux autres **doigts*** ; ***Doigt** de pied*, orteil. **2.** Ext. Extrémité articulée des membres de certains animaux. **3.** Anal. Objet, pièce qui a la forme d'un **doigt** : *Un **doigt** de gant* ; *Un **doigt** de came, de contact*, petite pièce métallique qui entraîne un mécanisme. **4.** Mesure rudimentaire équivalant à l'épaisseur d'un **doigt** : *Raccourcir de deux **doigts***. **5.** Loc. *Faire qqch. les **doigts** dans le nez* : avec une grande facilité (fam.) ; *Mettre le **doigt** sur* : percer à jour, découvrir ; *Montrer qqn du **doigt*** : l'accuser ou s'en moquer ; *Se mettre le **doigt** dans l'œil* : se faire des illusions (fam.) ; *Se mordre les **doigts*** : regretter amèrement ; *Sur le bout des **doigts*** : parfaitement ; *Sans remuer le petit **doigt*** : sans intervenir ; *Croiser les **doigts*** : conjurer le sort ; *Être comme les **doigts** de la main* : être très unis. ⚘ Fin XIe s. ; lat. pop. *°ditus*, du lat. *digitus* ; [dwa].

**DOIGTÉ, subst. m.**
**1.** *Mus.* Façon de placer les doigts pour jouer d'un instrument ; par méton., annotation portée sur une partition, indiquant la position des doigts. **2.** Ext. Dextérité. **3.** Fig. Finesse dans les relations, diplomatie. ⚘ 1755 ; p. p. de *doigter* ; [dwate].

**DOIGTER,** verbe [3]
*Mus.* INTRANS. Placer ses doigts comme il convient pour jouer d'un instrument. TRANS. **1.** Jouer (un morceau) en plaçant correctement ses doigts. **2.** Inscrire sous chaque note de (une partition) un chiffre correspondant au doigt qui doit la jouer. 1726 ; ☞ *doigt* ; [dwate].

**DOIGTIER,** subst. m.
Fourreau gainant un doigt pour le protéger. XVe s. (1392, support de bagues) ; ☞ *doigt* ; [dwatje].

**DOIT,** subst. m.
*Comptab.* **1.** Partie d'un compte faisant figurer ce que doit son titulaire : *Le **doit** s'oppose à l'avoir.* **2.** Méton. Partie gauche d'un compte sur laquelle figure le débit. 1723 ; ☞ *devoir* ; [dwa].

**DOJO,** subst. m.
*Sp.* Salle dans laquelle se pratiquent les arts martiaux. Mot jap. ; [doʒo].

**DOL,** subst. m.
*Dr.* Manœuvre frauduleuse qui vise à obtenir le consentement de qqn pour un acte juridique qui le désavantage. 1248 ; lat. *dolus*, « ruse » ; [dɔl].

**DOLBY,** subst. m. inv.
Procédé visant à réduire le bruit de fond des enregistrements sonores. V. 1980 ; n. déposé ; [dɔlbi].

**DOLCE,** adv.
*Mus.* Avec douceur. 1768 ; ital. *dolce*, « doux » ; [dɔltʃe].

**DOLCE VITA,** subst. f. inv.
Vie aisée, douce et oisive. 1959 ; ital. *dolce vita*, « belle vie » ; [dɔltʃevita].

**DOLCISSIMO,** adv.
*Mus.* De manière très douce. Fin XIXe s. ; mot ital. ; [dɔltʃisimo].

**DOLÉANCE,** subst. f.
Plainte, réclamation (gén. au plur.). ▸ *Hist. Les cahiers de **doléances** de 1789* : registres des requêtes au roi, recueillies dans les assemblées locales qui élurent leurs représentants aux États généraux. 1373 (déb. XIVe s., affliction) ; anc. fr. *douloir*, du lat. *dolere*, « éprouver de la douleur » ; [doleɑ̃s].

**DOLEAU,** subst. m.
*Techn.* Hachette servant à l'équarrissage des ardoises. 1751 ; ☞ *doler* ; [dɔlo].

**DOLENT, ENTE,** adj.
**1.** Qui souffre. **2.** Plaintif, languissant. Xe s. ; lat. *dolens*, de *dolere*, « éprouver de la douleur » ; [dɔlɑ̃, ɑ̃t].

**DOLER,** verbe trans. [3]
*Techn.* Aplatir ou amincir à l'aide d'une doloire ou d'un doleau. Fin XIIe s. ; lat. *dolare* ; [dɔle].

**DOLIC,** voir **DOLIQUE**

**DOLICHOCÉPHALE,** adj.
*Anthropol.* Dont le crâne est très allongé (anton. *brachycéphale*) ; empl. subst. : *Un, une **dolichocéphale**.* Mil. XIXe s. ; gr. *dolikhos*, « allongé », + *-céphale* ; [dolikosefal].

**DOLINE,** subst. f.
*Géogr.* Dépression circulaire fermée, de nature karstique. 1900 ; serbo-croate *dolina*, « cuvette » ; [dɔlin].

**DOLIQUE,** subst. m.
*Bot.* Plante comestible des régions chaudes, de la famille des Fabacées, voisine du haricot. 1552 ; gr. *dolikhos*, « haricot » ; var. *dolic* ; [dɔlik].

**DOLLAR,** subst. m.
Unité monétaire de certains pays (partic. États-Unis d'Amérique et Canada), divisée en 100 cents. 1776 ; anglo-amér. *dollar*, du bas all. *daler* ; [dɔlaʀ].

**DOLMAN,** subst. m.
*Cost.* Veste à brandebourgs portée autrefois par les hussards et les chasseurs à cheval. 1812 ; turc *dolama*, par le hongrois ou l'all. ; [dɔlmɑ̃].

**DOLMEN,** subst. m.
Monument mégalithique fait d'une ou de plusieurs dalles reposant horizontalement sur des blocs verticaux. 1796 ; p.-ê. breton *tol*, « table », et *men*, « pierre » ; [dɔlmɛn].

**DOLOIRE,** subst. f.
*Techn.* **1.** Outil tranchant servant à doler. **2.** Pelle de maçon servant à gâcher le sable et la chaux. Mil. XIIe s. ; lat. pop. °*dolatoria*, « hache » ; [dɔlwaʀ].

**DOLOMIE,** subst. f.
*Pétrogr.* Roche sédimentaire composée de dolomite et de calcite, dont l'érosion produit des reliefs ruiniformes. 1792 ; anthropon. *Dolomieu* ; [dɔlɔmi].

**DOLOMITE,** subst. f.
*Minér.* Carbonate naturel double de calcium et de magnésium. 1838 ; ☞ *dolomie* ; [dɔlɔmit].

**DOLOMITIQUE,** adj.
Qui contient de la dolomie ; par ext. : *Alpes **dolomitiques**.* 1838 ; ☞ *dolomite* ; [dɔlɔmitik].

**DOLORISME,** subst. m.
*Philos.* Doctrine prônant l'utilité, la valeur morale de la douleur. 1919 ; lat. *dolor*, « douleur » ; [dɔlɔʀism].

**DOLOSIF, IVE,** adj.
*Dr.* Qui a un caractère frauduleux. 1864 ; lat. *dolosus*, « rusé, fourbe » ; [dɔlɔzif, iv].

**DOM,** subst. m.
**1.** Titre précédant un patronyme, dans certains ordres religieux. **2.** Titre de noblesse ou de courtoisie utilisé au Portugal. 1527 ; ital. *don*, du port. *dom*, du lat. *dominus*, « maître » ; [dɔ̃].

**DOMAINE,** subst. m.
**I. 1.** Propriété foncière assez vaste : *Acheter un **domaine**.* **2.** Étendue délimitée, réservée à une activité : ***Domaine** skiable.* **3.** Ext. Lieu de prédilection, que l'on fait sien. **4.** *Hist. **Domaine** de la couronne, **domaine** royal* : terres, biens et droits que le roi possédait en propre. **II.** *Dr.* Ensemble des biens de l'État. **1.** ***Domaine** public* : biens de l'État exclusivement affectés au service public. ▸ Loc. *Tomber dans le **domaine** public* : cesser d'être propriété de son auteur ou de ses ayants droit, en parlant d'une œuvre, d'une invention. **2.** ***Domaine** privé* : biens privés de l'État et des collectivités locales, soumis aux règles du droit privé. ▸ *Les **Domaines*** : service chargé de gérer les biens privés de l'État. **III.** Fig. **1.** Tout ce qui relève de la compétence de qqn ou de qqch. : *La géographie, c'est son **domaine**.* **2.** Tout ce qui relève d'une science, d'un art : *Le **domaine** de la politique, de la sculpture.* **3.** *Informat.* Niveau de la structure arborescente du réseau Internet (pays, secteur, organisation, etc.). **4.** *Math. **Domaine** de définition d'une relation, d'une fonction* (☞ *définition*). XIIe s. ; prob. bas lat. *dominium*, « pouvoir ; propriété » ; [dɔmɛn].

**DOMANIAL, ALE, AUX,** adj.
*Dr.* Qui appartient à un domaine, en partic. au domaine public : *Forêt **domaniale**.* XVIe s. ; lat. médiév. *domanialis*, « du seigneur » ; [dɔmanjal, o].

**DOMANIALITÉ,** subst. f.
*Dr.* Caractère des biens domaniaux. 1819 ; ☞ *domanial* ; [dɔmanjalite].

**DÔME (I),** subst. m.
Cathédrale ou église principale de certaines villes d'Italie ou d'Allemagne : *Le **dôme** de Florence, de Cologne.* 1502 ; ital. *duomo*, prob. ell. du lat. médiév. *domus episcopi*, « maison de l'évêque » ; [dom].

**DÔME (II),** subst. m.
**1.** *Archit.* Toit plus ou moins hémisphérique surmontant un édifice, élevé sur un plan circulaire ou polygonal : *Le **dôme** des Invalides.* **2.** Anal. Ce qui évoque un **dôme** (littér.) : *Le **dôme** du ciel ; Un **dôme** de verdure.* **3.** *Géomorph.* Montagne, volcan au sommet arrondi : *Le **dôme** du Goûter.* 1600 ; anc. prov. *doma*, du bas lat. *doma*, « toit en terrasse » ; [dom].

© S. Grandadam-Explorer

*Le Dôme du Rocher (687-691). Mosquée d'Omar, Jérusalem.*

**DOMESTICATION,** subst. f.
Action de domestiquer ; son résultat : ***Domestication** du buffle ; La **domestication** du nucléaire.* 1832 ; ☞ *domestiquer* ; [dɔmɛstikasjɔ̃].

**DOMESTICITÉ,** subst. f.
**1.** État, condition de domestique (vieilli) : *Usé pa[r] trente années de **domesticité**.* **2.** Méton. Ensemble de domestiques d'une maison. 1583 ; bas lat. *domes[ti]citas*, « vie commune » ; [dɔmɛstisite].

**DOMESTIQUE,** adj. et subst.
ADJ. **1.** Qui concerne la vie de la maison, la vi[e] privée : *Travaux **domestiques** ; Soucis **domestiques***. **2.** *Animal **domestique*** : qui a été apprivoisé pa[r] l'homme pour le servir ou pour lui tenir compagni[e] (anton. *sauvage*). SUBST. **1.** *Hist.* Personne attaché[e] au service du roi ou d'un prince. **2.** Personn[e] employée pour le service, l'entretien d'une maison. Fin XIVe s. ; lat. *domesticus* ; [dɔmɛstik].

**DOMESTIQUER,** verbe trans. [3]
**1.** Rendre domestique, apprivoiser (un animal). **2.** Ext. Maîtriser (une force naturelle) afin de l'exploiter : ***Domestiquer** une rivière, l'énergie.* **3.** Anal. Asservir, soumettre (qqn) : ***Domestiquer** un peuple.* XVe s. ; ☞ *domestique* ; [dɔmɛstike].

**DOMICILE,** subst. m.
**1.** Lieu où une personne demeure habituellement : *J'ai mon **domicile** en banlieue ; Personne sans **domicil[e]** fixe (S. D. F.) ; À **domicile**,* chez soi. **2.** *Dr.* Lieu où une personne est censée habiter officiellement : ***Domicile** légal ; **Domicile** conjugal,* lieu où résident les époux (synon. *résidence de la famille*) ; ***Domicile** élu,* lieu choisi par une personne physique ou morale pour l'exécution d'un acte, d'un contrat. 1326 ; lat. *domicilium* ; [dɔmisil].

**DOMICILIAIRE,** adj.
*Dr.* Qui se fait au domicile de qqn : *Perquisition **domiciliaire**.* 1540 ; ☞ *domicile* ; [dɔmisiljɛʀ].

**DOMICILIATION,** subst. f.
*Dr.* Lieu choisi pour le paiement d'un effet : ***Domiciliation** bancaire.* 1906 ; ☞ *domicilier* ; [dɔmisiljasjɔ̃].

**DOMICILIER,** verbe trans. [6]
**1.** *Admin.* Fixer, désigner un domicile légal à (qqn) : *Se faire **domicilier** à Nantes.* **2.** *Dr. **Domicilier** une traite, un chèque* : indiquer le lieu choisi pour son paiement. 1521 ; ☞ *domicile* ; [dɔmisilje].

**DOMINANCE,** subst. f.
Fait d'être dominant ; prépondérance. XVIe s. (1467, domaine) ; ☞ *dominer* ; [dɔminɑ̃s].

**DOMINANT, ANTE,** adj. et subst. f.
ADJ. **1.** Qui détient un pouvoir, qui exerce une emprise sur d'autres : *Classes **dominantes**.* ▸ *Dr. Fonds **dominant*** : qui jouit d'une servitude grevant un fonds voisin, le fonds servant. ▸ *Féod. Fief **dominant*** : fief du suzerain, dont dépendent les fiefs servants. **2.** Qui l'emporte parmi d'autres par l'influence, le nombre, l'importance, etc. : *Couleur **dominante** ; Trait **dominant** d'une personnalité.* **3.** Qui surplombe, qui est au-dessus : *La flèche est l'élément **dominant** de la cathédrale.* **4.** *Génét. Caractère **dominant*** (☞ *caractère*). SUBST. **1.** Caractéristique principale, élément prépondérant : *Un tableau à **dominante** bleue ; L'humilité est la **dominante** de son discours.* **2.** Mus. Cinquième degré de la gamme diatonique : *La **dominante** est la note la plus importante après la tonique.* XIIIe s. ; p. pr. de *dominer* ; [dɔminɑ̃, ɑ̃t].

**DOMINATEUR, TRICE,** subst. et adj.
Se dit d'une personne, d'une puissance qui en domine ou qui aime à en dominer d'autres : *Un **dominateur** fou et sanguinaire ; Un peuple **dominateur**.* ADJ. Qui dénote une attitude de domination : *Un tempérament **dominateur**.* XIIIe s. ; lat. *dominator* ; [dɔminatœʀ, tʀis].

**DOMINATION,** subst. f.
**1.** Action d'exercer un pouvoir, une autorité : *La **domination** d'un tyran* ; situation qui en résulte : *La **domination** de Rome sur la Méditerranée.* **2.** Fait d'exercer une influence prépondérante, une emprise : *Subir la **domination** de ses instincts.* PLUR. *Théol.* Anges du premier chœur de la seconde hiérarchie : *Les **Dominations**, les Vertus et les Puissances.* Déb. XIIe s. ; lat. *dominatio* ; [dɔminasjɔ̃].

**DOMINER,** verbe [3]
INTRANS. **1.** Exercer une autorité souveraine, avoir la suprématie (littér.) : *L'Angleterre **dominait** sur les mers.* **2.** L'emporter par le nombre, l'importance : *Un tableau où le bleu **domine**.* **3.** Se situer au point le plus élevé (vieilli) : *Le château d'eau **domine** sur la plaine.* TRANS. **1.** Tenir sous sa suprématie, sous son influence : *Napoléon **domina** l'Europe.* **2.** Surpasser : *Athlète qui **domine** ses concurrents.* **3.** Maîtriser :

*Dominer la situation* ; *Dominer ses émotions* ; empl. pronom. : *Il ne se dominait plus* ; au fig. : *Dominer une question*, en connaître tous les aspects, pouvoir la traiter aisément. **4.** Surplomber, être au-dessus de : *La citadelle domine le port.* Xe s. ; lat. *dominari*, de *dominus*, « maître, seigneur » ; [dɔmine].

**DOMINICAIN, AINE, subst.**
Religieux, religieuse de l'ordre des Frères prêcheurs, fondé par saint Dominique en 1215 ; empl. adj. : *Couvents* ***dominicains.*** 1546 ; anthropon. lat. *sanctus Dominicus*, « saint Dominique » ; [dɔminikɛ̃, ɛn].

**DOMINICAL, ALE, AUX, adj.**
**1.** Relatif au Seigneur : *L'oraison* ***dominicale***, le Notre Père. **2.** Relatif au dimanche : *Repas* ***dominical.*** 1417 ; bas lat. *dominicalis* ; [dɔminikal, o].

**DOMINION, subst. m.**
Ancienne colonie britannique, gén. de peuplement européen, devenue politiquement indépendante et appartenant aujourd'hui au Commonwealth, tels le Canada, la Nouvelle-Zélande. 1872 ; angl. *dominion*, d'orig. fr. ; [dɔminjɔ̃] ou [-njɔn].

**DOMINO, subst. m.**
**I. 1.** Vx. Camail noir à capuchon porté par les prêtres. **2.** Ext. Vêtement ample à capuchon porté dans les bals masqués ; par méton., personne qui le porte. **II.** Anal. **1.** *Jeux.* Pièce rectangulaire dont l'endroit, de couleur blanche (l'envers étant noir, comme le camail), est divisé en deux parties égales pouvant porter chacune de 0 à 6 points noirs ; au plur., jeu qui consiste à combiner 28 de ces pièces selon des règles : *Jouer aux* ***dominos*** ; *Piocher le double-six aux* ***dominos.*** **2.** *Électr.* Élément de jonction servant au raccordement de conducteurs de faible section. 1401 ; p.-ê. lat. *benedicamus domino*, « bénissons le Seigneur » ; [dɔmino].

**DOMINOTERIE, subst. f.**
Fabrication et commerce de papiers coloriés illustrant notamment les plateaux de certains jeux de société. 1640 ; *domino* (vx), papier imprimé de figures coloriées ; [dɔminɔtʀi].

**DOMMAGE, subst. m.**
**1.** Préjudice porté à qqn : ***Dommage*** *matériel, corporel ou moral* ; *Causer du* ***dommage.*** ▸ *Dr.* ***Dommages*** *et intérêts* ou ***Dommages-intérêts*** : indemnité due en réparation d'un **dommage**. **2.** Dégât matériel causé à qqch. : *La tempête a provoqué de sérieux* ***dommages.*** **3.** Loc. *Quel* ***dommage***, *il est* ***dommage***, *c'est* ***dommage*** *que* (+ subj.), *de* (+ inf.) : il est fâcheux, regrettable que, de ; par ell. : ***Dommage !***, tant pis ! (fam.). Fin XIe s. ; ☞ *dam* ; [dɔmaʒ].

**DOMMAGEABLE, adj.**
Qui cause un préjudice, un dommage : *Une erreur* ***dommageable.*** 1309 ; ☞ *dommage* ; [dɔmaʒabl].

**DOMOTIQUE, subst. f.**
Ensemble des études et des techniques visant à l'intégration de systèmes automatiques dans l'habitat (sécurité, gestion de l'énergie, etc.). V. 1980 ; crois. du lat. *domus*, « maison », et de *informatique* ; [dɔmɔtik].

**DOMPTAGE, subst. m.**
Action de dompter ; son résultat : *Le* ***domptage*** *des grands fauves.* 1860 ; ☞ *dompter* ; [dɔ̃(p)taʒ].

**DOMPTER, verbe trans.** [3]
**1.** Amener à l'obéissance (un animal sauvage) : ***Dompter*** *des lions.* **2.** Soumettre à son autorité (qqn, un groupe) : ***Dompter*** *des rebelles.* **3.** Anal. Rendre utilisable ou inoffensif (un phénomène naturel) : ***Dompter*** *un torrent.* **4.** Fig. Maîtriser (un sentiment) : ***Dompter*** *ses passions.* 1155 ; lat. *domitare* ; [dɔ̃(p)te].

**DOMPTEUR, EUSE, subst.**
Personne qui dompte des bêtes sauvages : ***Dompteur*** *de cirque.* XIIIe s. ; ☞ *dompter* ; [dɔ̃(p)tœʀ, øz].

**DON (I), subst. m.**
**1.** Action de remettre qqch. à qqn, à titre gracieux ; par méton., ce qui est ainsi remis : *Faire* ***don*** *de ses biens à une fondation* ; ***Dons*** *en espèces, en nature* ; au fig. : *Faire* ***don*** *de sa vie, de sa personne*, se dévouer pleinement à qqn ou à une cause. **2.** Bienfait, faveur, grâce (considérés comme venant de Dieu, de la nature) : *La foi est un* ***don*** *de Dieu* (Pascal) ; *L'Égypte est un* ***don*** *du Nil* (Hérodote). **3.** Faculté innée : *Un* ***don*** *pour la musique* ; *Le* ***don*** *de plaire* ; par iron. : *Elle a le* ***don*** *de m'agacer, avec son air de sainte-nitouche.* **4.** *Hist.* ***Don*** *gratuit* : sous l'Ancien Régime, contribution financière, librement consentie, de l'Église aux charges de l'État. Xe s. ; lat. *donum* ; [dɔ̃].

**DON (II), DOÑA, subst.**
Titre d'honneur des nobles d'Espagne, ou des pays d'influence espagnole, placé devant le prénom : *« Don Quichotte », roman de Cervantès.* XVe s. ; esp. *don*, du lat. *dominus*, « maître, seigneur » ; [dɔ̃, dɔɲa].

**DONACIE, subst. f.**
*Zool.* Insecte coléoptère de forme oblongue, à reflets métalliques, de la famille des Chrysomélidés, qui vit sur les plantes aquatiques. 1791 ; lat. sc. *donacia*, du gr. *donax*, « roseau » ; [dɔnasi].

**DONATAIRE, subst.**
*Dr.* Personne à qui l'on fait une donation. 1501 ; lat. *donatum*, de *donare*, « donner » ; [dɔnatɛʀ].

**DONATEUR, TRICE, subst.**
**1.** *Dr.* Personne qui fait une donation. **2.** Ext. Personne qui fait un don à une œuvre : *Un généreux* ***donateur.*** 1320 ; lat. *donator* ; [dɔnatœʀ, tʀis].

**DONATION, subst. f.**
*Dr.* Contrat par lequel une personne (le donateur) se dépossède d'un bien en faveur d'une autre (le donataire), qui y consent ; acte qui constate ce contrat : ***Donation*** *entre époux* ; *L'irrévocabilité de la* ***donation.*** ▸ ***Donation-partage*** : par laquelle un ascendant partage, de son vivant, ses biens entre ses descendants. XIIIe s. ; lat. *donatio* ; [dɔnasjɔ̃].

**DONATISME, subst. m.**
*Relig.* Hérésie schismatique des partisans de l'évêque Donat, qui divisa l'Église d'Afrique au IVe s. 1752 ; ☞ *donatiste* ; [dɔnatism].

**DONATISTE, subst. et adj.**
Subst. Partisan du donatisme. Adj. Relatif au donatisme. 1704 ; bas lat. *donatista*, « partisan de Donat » ; [dɔnatist].

**DONAX, subst. m.**
*Zool.* Petit mollusque bivalve comestible, de la famille des Donacidés, appelé aussi pignon, olive. 1801 ; lat. *donax*, du gr. *donax*, « roseau » ; [dɔnaks].

**DONC, conj. et adv.**
Conj. Exprime la conséquence ou la conclusion de ce qui précède : *Si ce n'est toi, c'est* ***donc*** *ton frère* (La Fontaine) ; *Je pense,* ***donc*** *je suis* (Descartes). Adv. **1.** Marque la reprise du discours ou du récit après une digression ou une interruption : *Tu disais* ***donc*** *que...* **2.** Sert à exprimer certains sentiments, tels que la surprise, l'impatience, l'admiration... ou une interrogation, une exclamation, une injonction : *Vous avez* ***donc*** *démissionné !* ; *Allons* ***donc*** *!*, ce n'est pas possible ! ; *Où est-il* ***donc*** *passé ?* ; *Tais-toi* ***donc*** *!* 980 ; prob. lat. *dunc*, crois. de *dum*, « allons », et de *tunc*, « alors » ; en tête de proposition ou devant une voyelle [dɔ̃k], ailleurs [dɔ̃].

**DONDAINE, subst. f.**
*M. Â.* Machine de guerre qui servait à lancer des grosses pierres. XVIe s. ; orig. onomat. ; [dɔ̃dɛn].

**DONDON, subst. f.**
Femme grassouillette (fam. et péj.). XVIe s. ; orig. onomat. ; [dɔ̃dɔ̃].

**DÔNG, subst. m.**
Unité monétaire du Viêt Nam (symb. : DON). Mot vietnamien ; [dɔ̃g].

**DONJON, subst. m.**
*M. Â.* Tour principale d'un château fort, où résidait le seigneur et qui servait de dernier retranchement à la garnison. Mil. XIIe s. ; lat. pop. °*dominio*, du lat. *dominus*, « maître, seigneur » ; [dɔ̃ʒɔ̃].

**DON JUAN, subst. m.**
Séducteur sans scrupule, toujours en quête d'aventures amoureuses : *Jouer les* ***dons juans.*** 1822 ; *don Juan*, personnage du théâtre espagnol ; [dɔ̃ʒɥɑ̃].

**DONJUANESQUE, adj.**
Propre à un don juan : *Une aventure* ***donjuanesque.*** 1851 ; ☞ *don juan* ; [dɔ̃ʒɥanɛsk].

**DONJUANISME, subst. m.**
**1.** Comportement, attitude d'un don juan. **2.** *Psych.* Besoin pathologique d'accumuler les conquêtes amoureuses. 1864 ; ☞ *don juan* ; [dɔ̃ʒɥanism].

**DONNE, subst. f.**
**1.** *Jeux.* Action de distribuer les cartes : *À qui la* ***donne*** *?* ; par méton., cartes distribuées aux joueurs : *Avoir une belle* ***donne.*** **2.** Fig. Situation : *La nouvelle* ***donne*** *au Proche-Orient.* 1718 ; ☞ *donner* ; [dɔn].

**DONNÉ, ÉE, adj. et subst. m.**
Adj. **1.** Qui est établi, connu, fixé d'avance : *Aller jusqu'à un point* ***donné*** ; *Suivre un itinéraire* ***donné.*** **2.** Loc. ▸ **Étant donné.** Eu égard à, en raison de : *Étant* ***donné*** *les circonstances, mieux vaut se taire.* ▸ **Étant donné que** (+ ind.). En considérant que, puisque. Subst. *Philos.* Ce qui est immédiatement présenté à l'esprit, avant toute élaboration. XVIIIe s. ; p. p. de *donner* ; [dɔne].

**DONNÉE, subst. f.**
**1.** *Math.* Hypothèse figurant dans l'énoncé d'un problème (valeur d'un paramètre, condition, etc.). **2.** Élément connu ou admis sur lequel on peut fonder un raisonnement, une analyse, une étude : *Examiner les* ***données*** *d'un problème* ; *Des* ***données*** *climatiques.* **3.** *Informat.* Information représentée sous une forme conventionnelle : *Base de* ***données*** (☞ *base*). **4.** *Stat.* Observation recueillie dans des conditions qui permettent son exploitation par des méthodes statistiques. ▸ *Analyse des* ***données*** : ensemble des méthodes visant à interpréter de façon significative un tableau de **données**. ▸ ***Donnée*** *corrigée* : observation modifiée de façon à faire disparaître les effets systématiques de certains facteurs, comme les variations saisonnières. 1755 (déb. XIIIe s., aumône) ; p. p. de *donner* ; [dɔne].

**DONNER, verbe** [3]
Trans. **1.** Céder volontairement et gratuitement à qqn (qqch. que l'on possède ou dont on jouit) : ***Donner*** *un livre à un ami* ; ***Donner*** *sa vie pour la patrie*, se sacrifier pour elle. **2.** Céder (qqch.) en échange de qqch. d'autre ou en rétribution : *Il lui* ***donne*** *cent francs l'heure.* ▸ Loc. ***Donnant donnant*** : en échange d'une contrepartie immédiate. **3.** Confier : ***Donner*** *un enfant à une nourrice.* **4.** Mettre (qqch.) à la disposition de qqn, procurer : ***Donner*** *du lait au chat* ; ***Donner*** *les sacrements* ; ***Donner*** *les cartes* ou, empl. abs., ***Donner***, distribuer les cartes. ▸ Organiser (une réception), présenter (un spectacle) : ***Donner*** *un dîner, un concert.* **5.** Communiquer (une information) : ***Donner*** *des explications.* **6.** Accorder : ***Donner*** *une permission* ; ***Donner*** *son amitié* ; ***Donner*** *sa fille en mariage.* **7.** Attribuer : ***Donner*** *un surnom à qqn.* ▸ Conférer, imprimer : *Une preuve qui* ***donne*** *du poids à son argument.* ▸ Considérer comme : *On le* ***donne*** *pour vénal.* **8.** Dénoncer (fam.) : *Il* ***a donné*** *son complice.* **9.** Être la cause de, provoquer : *Cela me* ***donne*** *du courage.* **10.** Être à l'origine de, produire : *Ce pommier* ***a donné*** *beaucoup de fruits* ; avoir pour résultat : *Son intervention n'a rien* ***donné.*** ▸ Loc. ***Donner*** *la vie, le jour à un enfant* : le mettre au monde. **11.** Exercer (une action) sur qqn ou qqch. : ***Donner*** *un baiser, une gifle* ; ***Donner*** *un coup de balai.* Intrans. **1.** Se heurter : *La voiture alla* ***donner*** *contre un arbre.* ▸ Loc. *Ne plus savoir où* ***donner*** *de la tête* : être débordé. **2. Donner dans.** ▸ Avoir pour issue : *Salon qui* ***donne*** *dans l'entrée.* ▸ Tomber dans (un piège) ; au fig. : *Il* ***a donné*** *dans le panneau*, il s'est fait berner. ▸ Ext. Se laisser aller à, s'adonner à (péj.) : ***Donner*** *dans la vulgarité.* **3. Donner sur.** Être orienté vers : *Chambre qui* ***donne*** *sur la mer.* **4. Donner de.** Faire entendre : ***Donner*** *de la voix, du cor.* **5. Donner à.** Inciter à : *Cela* ***donne*** *à rire, à penser.* **6.** Être productif : *Les oliviers* ***donnent*** *peu cette année.* **7.** Exercer son action : *Faire* ***donner*** *les blindés.* Pronom. **1.** Se consacrer : ***Se donner*** *à une cause.* ▸ ***Se donner*** *à un homme* : lui céder sexuellement. **2.** Procurer à soi-même (qqch.) : ***Se donner*** *du bon temps.* **3.** S'attribuer réciproquement : ***Se donner*** *des baisers.* ▸ Loc. *Se* ***donner*** *la main* : s'entraider ; *Se* ***donner*** *le mot* : s'entendre en vue d'adopter une attitude commune. 842 ; lat. *donare* ; [dɔne].

**DONNEUR, EUSE, subst.**
**1.** Personne qui donne qqch. : ***Donneur*** *d'ordre*, en Bourse ; par iron. : ***Donneur*** *de conseils, de leçons.* **2.** Personne qui dénonce qqn à la police (pop.). **3.** *Méd.* Personne qui fait don de son sang, d'un de ses organes, afin d'en permettre la transfusion ou la transplantation sur un receveur. ▸ ***Donneur*** *universel* : dont le sang (du groupe O) peut être donné à une personne de n'importe quel groupe. Masc. **1.** *Jeux.* Joueur qui distribue les cartes. **2.** *Phys.* Atome pouvant céder un électron à un autre atome. XIIe s. ; ☞ *donner* ; [dɔnœʀ, øz].

**DON QUICHOTTE, subst. m.**
Idéaliste au grand cœur qui met sa bravoure au service des faibles ou des causes désespérées : *Sois réaliste et cesse de jouer les* ***dons quichottes !*** 1631 ; *don Quichotte*, héros d'un roman de Cervantès ; [dɔ̃kiʃɔt].

**DONQUICHOTTISME, subst. m.**
Comportement, attitude d'un don quichotte. 1789 ; ☞ *don quichotte* ; [dɔ̃kiʃɔtism].

**DONT,** pron. rel.
Pronom relatif des deux genres et des deux nombres, introduisant une proposition relative et correspondant à un complément précédé de « de ». **1.** Complément d'un nom ou d'un pronom : *Une histoire **dont** j'ai oublié la fin* ; *Il lui offrit des fleurs, **dont** quelques-unes étaient fanées* ; introduisant une proposition sans verbe : *Ils ont huit enfants, **dont** trois filles.* **2.** Complément d'un adjectif : *Le crime **dont** il est coupable* ; *Ce **dont** je suis sûr.* **3.** Complément d'un verbe : *L'homme **dont** je parle* ; *La dynastie **dont** il est issu.* IXᵉ s. ; lat. pop. °*de unde*, « d'où » ; [dɔ̃], devant une voyelle [dɔ̃t].

**DONZELLE,** subst. f.
Jeune fille ou jeune femme prétentieuse (péj. et fam.). Mil. XIIᵉ s. ; lat. pop. °*dominicella* ; [dɔ̃zɛl].

**DOPAGE,** subst. m.
**1.** Action de doper ou de se doper, afin d'améliorer une performance physique ou intellectuelle : *Un athlète convaincu de **dopage**.* **2.** *Techn.* Ajout d'une certaine quantité d'impuretés à un produit pour en modifier les propriétés. 1934 ; ☞ *doper* ; [dɔpaʒ].
ÉLECTRONIQUE – Le dopage permet de diminuer la résistance électrique des semi-conducteurs. Selon que l'impureté choisie (phosphore, bore, etc.) possède, par rapport au semi-conducteur intrinsèque, un excédent ou un déficit électronique sur la couche périphérique, le semi-conducteur dopé présentera deux modes de conduction distincts, nommés resp. de type *N* et *P*. Leur rapprochement (jonction *PN*) réalise une diode. L'alternance de trois d'entre eux (jonctions *PNP* et *NPN*) aboutit à la production d'un transistor.

**DOPAMINE,** subst. f.
*Biochim.* Précurseur de l'adrénaline et de la noradrénaline, et neurotransmetteur de certaines populations neuronales du cerveau et de la rétine. 1949 ; formé de *dopa*, abrév. de *dihydroxyphénylalanine*, et de *amine* ; [dɔpamin].

**DOPANT, ANTE,** adj. et subst. m.
ADJ. Qui dope, stimule : *L'effet **dopant** de certains médicaments.* SUBST. Substance utilisée pour doper, pour se doper ; excitant : *Prendre un **dopant** avant un examen.* 1952 ; p. pr. de *doper* ; [dɔpɑ̃, ɑ̃t].

**DOPE,** subst.
MASC. *Techn.* Substance servant à doper un produit. FÉM. Drogue (fam.). XXᵉ s. ; mot angl. ; [dɔp].

**DOPER,** verbe trans. [3]
**1.** Administrer une substance chimique à (un animal, un homme) pour améliorer ses performances physiques ou intellectuelles : *Cet entraîneur **dope** ses chevaux avant la course* ; empl. pronom. : *Sportif qui se **dope**.* **2.** Fig. Stimuler : *Les applaudissements **dopent** le comédien.* **3.** *Techn.* Ajouter à (un produit, un corps) une substance qui en modifie les propriétés : ***Doper** un explosif.* 1907 ; anglo-amér. *to dope*, « administrer un excitant » ; [dɔpe].

**DORADE,** voir **DAURADE**

**DORAGE,** subst. m.
Action de dorer ; son résultat : *Le **dorage** à froid d'une bague.* 1752 ; ☞ *dorer* ; [dɔʀaʒ].

**DORÉ, ÉE,** adj. et subst.
ADJ. **1.** Qui est enduit d'une fine couche d'or ou d'une substance imitant l'or : *Des moulures **dorées*** ; *Un livre **doré** sur tranche.* **2.** Anal. Qui a la couleur ou l'éclat de l'or : *Les épis **dorés*** ; *Un biscuit bien **doré**.* **3.** Fig. Qui offre l'apparence de la richesse ; brillant : *Mener une existence **dorée**.* ▸ *Hist. Jeunesse **dorée*** : jeunes gens de la riche bourgeoisie qui, après Thermidor, participèrent à la réaction contre la Terreur ; auj., jeunes gens riches et oisifs. SUBST. MASC. **1.** Couleur **dorée** ; couche d'or, dorure. **2.** *Zool.* Au Canada, poisson d'eau douce à la chair estimée. SUBST. FÉM. *Zool.* Poisson des mers d'Europe, aussi appelé saint-pierre. Déb. XIIᵉ s. ; p. p. de *dorer* ; [dɔʀe].

**DORÉNAVANT,** adv.
À partir de cet instant, à l'avenir, désormais : ***Dorénavant**, je passerai le lundi.* Fin XIIᵉ s. ; formé de *d'or*, « dès lors », et de *en avant*, « à l'avenir » ; [dɔʀenavɑ̃].

**DORER,** verbe trans. [3]
**1.** Enduire d'une fine couche d'or ou d'une substance imitant l'or : ***Dorer** un bracelet.* ▸ Loc. ***Dorer** la pilule à qqn* : lui faire accepter qqch. de déplaisant par une présentation flatteuse. **2.** Anal. Donner la couleur ou l'éclat de l'or à : *Le soleil **dorait** son corps* ; empl. pronom. : *Elle se **dore** au soleil.* **3.** Fig. Enjoliver : *Inutile de **dorer** l'avenir !* **4.** *Cuis.* Badigeonner de jaune d'œuf (une préparation) pour qu'elle prenne en cuisant une teinte dorée : ***Dorer** une tourte.* ▸ Empl. intrans. Devenir doré ; rissoler : *Faire **dorer** un poulet, un rôti.* Déb. XIIᵉ s. ; bas lat. *deaurare* ; [dɔʀe].

**DOREUR, EUSE,** subst.
Artisan dont le métier est de dorer les objets : ***Doreur** sur bois.* Fin XIIIᵉ s. ; ☞ *dorer* ; [dɔʀœʀ, øz].

**DORIEN, IENNE,** adj. et subst. m.
ADJ. **1.** Des Doriens. **2.** *Mus. Mode **dorien*** : principal mode de la musique grecque ancienne. SUBST. Dialecte parlé dans la Grèce antique. Mil. XVIIᵉ s. ; gr. *Dôrios* ; [dɔʀjɛ̃, jɛn].

**DORIQUE,** adj. et subst. m.
*Archit.* Qualifie ou désigne le plus ancien des trois ordres grecs (☞ *ordre*). Déb. XVIᵉ s. ; lat. *doricus*, du gr. *dôrikos* ; [dɔʀik].

**DORIS (I),** subst. f.
*Zool.* Gastéropode marin de l'ordre des Nudibranches, aux branchies disposées dans une cavité. 1801 ; *Doris*, nymphe de la mer ; [dɔʀis].

**DORIS (II),** subst. m.
*Mar.* Petite embarcation légère à fond plat. 1874 ; anglo-amér. *dory* ; [dɔʀis].

**DORLOTER,** verbe trans. [3]
Entourer (qqn) de soins, d'affection. Déb. XVIᵉ s. ; anc. fr. *dorelot*, « boucle de cheveux » ; [dɔʀlɔte].

**DORMANCE,** subst. f.
*Bot.* Arrêt temporaire du développement d'un végétal, dû notamment à de mauvaises conditions climatiques (froid, sècheresse, par ex.). V. 1950 (1499, action de dormir) ; ☞ *dormir* ; [dɔʀmɑ̃s].

**DORMANT, ANTE,** adj. et subst. m.
ADJ. **1.** Qui dort (rare). ▸ *Hérald. Animal **dormant*** : en sommeil. **2.** Qui ne bouge pas : *Eau **dormante**,* qui ne coule pas. **3.** *Spéc.* ▸ *Archit. Pont **dormant*** : fixe (anton. *pont-levis*). ▸ *Bât. Fenêtre **dormante*** : qui ne s'ouvre pas. ▸ *Mar. Manœuvres **dormantes*** : cordages fixes (anton. *manœuvres courantes*). SUBST. **1.** *Bât.* Partie fixe d'une fenêtre, d'une porte, d'un châssis. **2.** *Mar.* Partie fixe d'une manœuvre. XIIᵉ s. ; p. pr. de *dormir* ; [dɔʀmɑ̃, ɑ̃t].

**DORMEUR, EUSE,** subst.
Personne qui dort ; par ext., personne qui dort beaucoup : *Un grand **dormeur**.* MASC. *Zool.* Tourteau. Mil. XIIIᵉ s. ; ☞ *dormir* ; [dɔʀmœʀ, øz].

**DORMIR,** verbe intrans. [29]
**1.** Être en état de sommeil : *Les enfants **dorment*** ; ***Dormir** à poings fermés*, profondément ; *Ne **dormir** que d'un œil*, d'un sommeil léger. ▸ Loc. *Qui **dort** dîne* (☞ *dîner*) ; ***Dormir** sur ses deux oreilles* : ne pas s'inquiéter ; *Histoire à **dormir** debout* : invraisemblable ; ***Dormir** du dernier sommeil* : être mort. **2.** Fig. Rester immobile, inactif, inemployé : *Argent qui **dort**,* qui ne rapporte pas ; *Laisser **dormir** un projet,* ne pas s'en occuper. Fin XIᵉ s. ; lat. *dormire* ; [dɔʀmiʀ].

**DORMITIF, IVE,** adj.
Qui provoque le sommeil (vx ou iron.). 1544 ; lat. *dormitum*, de *dormire*, « dormir » ; [dɔʀmitif, iv].

**DORMITION,** subst. f.
*Théol.* Dernier sommeil de la Vierge Marie, pendant lequel eut lieu son assomption. Fin XIVᵉ s. ; lat. *dormitio*, « sommeil » ; [dɔʀmisjɔ̃].

**DORSAL, ALE, AUX,** adj. et subst. f.
ADJ. **1.** Qui appartient au dos : *Nageoire **dorsale*** ; *Épine **dorsale**,* colonne vertébrale ; *Vertèbre **dorsale*** ou, empl. subst. fém., *Une **dorsale**,* chacune des douzes vertèbres situées entre la taille et la nuque ; par ext. : *Parachute **dorsal**.* **2.** Qui appartient au dos d'un membre, d'un organe : *Face **dorsale** de la main.* SUBST. **1.** *Géogr.* et *Géol.* Ligne de hautes terres : *La **dorsale** tunisienne.* ▸ ***Dorsale** océanique* : relief sous-marin, pouvant atteindre plusieurs milliers de kilomètres de long, situé à la frontière de deux plaques lithosphériques qui s'écartent, et soulevé progressivement par un afflux de laves profondes. **2.** *Météor. **Dorsale** barométrique* : ligne de hautes pressions. **3.** *Phon.* Consonne prononcée avec le dos de la langue. 1314 ; lat. *dorsum*, « dos » ; [dɔʀsal, o].

**DORSALGIE,** subst. f.
*Pathol.* Douleur située dans le dos entre la nuque et la taille. 1956 ; ☞ *dorsal* + *-algie* ; [dɔʀsalʒi].

**DORTOIR,** subst. m.
**1.** Grande pièce où dorment plusieurs personnes, dans une caserne, un pensionnat, etc. **2.** Ext. *Ville **dortoir*** : agglomération dépourvue d'activités économiques, habitée seulement le soir (synon. *cité-dortoir*). Fin XIIᵉ s. ; lat. chrét. *dormitorium* ; [dɔʀtwaʀ].

**DORURE,** subst. f.
**1.** Mince couche d'or appliquée sur un objet. **2.** Ex Objet ou ornement doré : *Les **dorures** d'un uniform* **3.** *Cuis.* Couche de jaune d'œuf qui donne, aprè cuisson, une teinte dorée à la pâte. **4.** Action de dor (synon. *dorage*). Fin XIIᵉ s. ; ☞ *dorer* ; [dɔʀyʀ].

**DORYPHORE,** subst. m.
**1.** *Antiq. gr.* Soldat armé d'une lance. **2.** *Zoo* Coléoptère à élytres de la famille des Chrysomélidé parasite de la pomme de terre (synon. *mouche patate*). 1752 ; gr. *doruphoros*, « qui porte ur lance » ; [dɔʀifɔʀ].

© P. Lorne-Jacana

*Doryphores sur une pomme de terre.*

**DOS,** subst. m.
**I. 1.** Partie postérieure du corps de l'homme, entr les épaules et les reins : *Avoir le **dos** droit, voût* **2.** Partie supérieure du corps d'un animal : *Le do d'un chat, d'un poisson, d'un insecte.* **3.** Loc. *Renvoye deux personnes **dos** à **dos*** : refuser de tranche leur différend ; *Être le **dos** au mur* : ne plus avoi d'échappatoire ; *Se mettre qqn à **dos*** : s'en faire u ennemi ; *Mettre une erreur sur le **dos** de qqn* : l en faire porter la responsabilité ; *Avoir bon **dos*** supporter des attaques injustifiées ; *Faire le gros **dos*** attendre que les moments désagréables s'éloignent *Dans le **dos** de qqn* : à son insu ; *En avoir plein **dos*** : être excédé par qqch. (fam.). **II.** Anal. **1.** Parti du vêtement qui couvre le **dos** : *Le **dos** d'un manteau* **2.** Dossier : *Dos d'un canapé.* **3.** Partie supérieur et convexe de qqch. : *Le **dos** de la main* ; *Le **dos** d'ur cuiller* ; *Le **dos** d'un couteau*, la partie opposée a tranchant. **4.** Verso : *Le **dos** d'un chèque.* **5.** *Dos d'u livre* : partie unissant les plats, opposée à la tranche Fin XIᵉ s. ; lat. pop. °*dossum* ; [do].

**DOSAGE,** subst. m.
Action de doser ; son résultat : ***Dosage** hormonal* au fig. : *Un savant **dosage** de laxisme et d'autc ritarisme.* 1822 ; ☞ *doser* ; [dozaʒ].

**DOS-D'ÂNE,** subst. m. inv.
Bombement transversal, sur une chaussée (anton *cassis*). XXᵉ s. ; comp. de *dos* et de *âne* ; [dodɑn

**DOSE,** subst. f.
**1.** *Pharm.* et *Méd.* Quantité précise de médicamer à prendre en une seule fois : *Ne pas dépasser la **dos** prescrite.* **2.** Ext. Proportion d'un élément dans u composé quelconque : *Une **dose** de farine, deux **dose** de sucre.* **3.** Quantité quelconque : *Il a bu une bonn **dose** d'alcool* ; au fig. : *Une bonne **dose** d'inconscience* ▸ Loc. fam. *Forcer la **dose*** : exagérer ; *J'en ai ma **dose*** j'en ai assez. **4.** *Phys.* ▸ ***Dose** absorbée* : quantit d'énergie communiquée à la matière par u rayonnement ionisant (unités : gray, rad). ▸ ***Dos** d'irradiation* : quantité de rayonnements ionisant reçus par un sujet. ▸ *Équivalent de **dose*** : **dose** d rayons X normalisée qui produit sur l'homme l même effet que la **dose** de rayonnement considéré (unités : sievert, rem). Fin XIVᵉ s. ; lat. médiév. *dosis* du gr. *dosis*, « action de donner » ; [doz].

**DOSER,** verbe trans. [3]
**1.** *Pharm.* et *Méd.* Déterminer la dose de (un médi cament). **2.** Déterminer la proportion de (u élément d'un composé) : ***Doser** le fer sérique* préparer (un mélange) dans des proportions don nées : ***Doser** un cocktail* ; au fig. : ***Doser** ses efforts* 1558 ; ☞ *dose* ; [doze].

**DOSEUR,** subst. m.
Appareil permettant de mesurer une dose ; en appos. *Un bouchon **doseur**.* 1909 ; ☞ *doser* ; [dozœʀ].

**DOSIMÈTRE,** subst. m.
*Phys.* Instrument permettant de contrôler la dos absorbée par des personnes exposées à un rayonne

nt ionisant. 1925 (1890, médecin prescrivant des es) ; gr. *dosis*, « dose », + *-mètre*[1] ; [dozimɛtʀ].

**DOSIMÉTRIE, subst. f.**
ys. Mesure des doses d'irradiation. 1932 ; *dosimètre* ; [dozimetʀi].

**DOSSARD, subst. m.**
Pièce de tissu marquée d'un numéro, que les ncurrents d'une compétition portent sur le dos la poitrine. 1929 ; ☞ *dos*, d'apr. *brassard* ; sаʀ].

**DOSSE, subst. f.**
Première ou dernière planche débitée d'un tronc, ouverte d'écorce. **2.** Ext. Planche épaisse grossièment équarrie. 1400 ; ☞ *dos* ; [dos].

**DOSSERET, subst. m.**
*Archit.* Pilastre servant de support à une colonne, jambage à une baie. **2.** *Techn.* Pièce renforçant dos d'une scie. 1690 (1377, dossier de dais) ; *dossier* ; [dos(ə)ʀɛ].

**DOSSIER, subst. m.**
Partie d'un siège contre laquelle on appuie le dos : *ssier de fauteuil* ; par ext. : *Dossier de lit*, partie qui tient le chevet. **2.** Ensemble de documents divers atifs à une affaire, à qqn, gén. placés dans une emise : *Dossier médical* ; chemise contenant ces cuments ; question dont traitent ces documents : *dossier épineux*. 1352 ; ☞ *dos* ; [dosje].

**DOSSIÈRE, subst. f.**
Vx. *Arm.* Dos d'une armure. **2.** Pièce du harnais posant sur le dos du cheval et supportant les ncards. 1260 ; ☞ *dos* ; [dosjɛʀ].

**DOT, subst. f.**
Ensemble des biens apportés par une femme rsqu'elle se marie : *Constituer une* **dot** ; *Coureur* **dot**, homme intéressé par l'aspect financier du ariage. **2.** *Dr.* Ensemble de biens donnés par un rs à l'un ou à l'autre des époux dans le contrat mariage. **3.** Compensation (biens, services) que futur époux doit à sa belle-famille, par ex. en rique. XIIIe s. ; lat. *dos* ; [dɔt].

**DOTAL, ALE, AUX, adj.**
Relatif à la dot (anton. *paraphernal*) : *Un bien tal.* 1459 ; lat. *dotalis* ; [dɔtal, o].

**DOTATION, subst. f.**
*Dr.* Action d'attribuer un revenu à une collectié, à un établissement d'utilité publique ; par éton., ce revenu : *La* **dotation** *d'un collège.* **2.** Renu attribué à un chef d'État, aux membres d'une mille régnante (synon. *liste civile*). **3.** Attribution moyens, de matériel : **Dotation** *en personnel, en uipement.* 1325 ; lat. médiév. *dotatio* ; [dɔtasjɔ̃].

**DOTER, verbe trans. [3]**
Pourvoir d'une dot : **Doter** *sa fille.* **2.** *Dr.* Pourvoir une dotation : **Doter** *un hôpital.* **3.** Pourvoir en oyens, en équipement : *Il fallait* **doter** *ce pays d'un seau ferroviaire.* **4.** Fig. Pourvoir d'un avantage : *nature l'avait* **doté** *de beaucoup de patience.* Fin s. ; lat. *dotare* ; [dɔte].

**DOUAIRE, subst. m.**
Biens attribués en usufruit par un mari à son ouse, dont elle jouissait en propre si elle lui survit (vx). Mil. XIIe s. ; lat. médiév. *dotarium* ; [dwɛʀ].

**DOUAIRIÈRE, subst. f.**
Vx. *Dr.* Veuve jouissant d'un douaire ; empl. adj. : *uchesse* **douairière**. **2.** Ext. Femme âgée de la bonne ciété (péj.). 1368 ; ☞ *douaire* ; [dwɛʀjɛʀ].

**DOUANE, subst. f.**
Système de contrôle et de taxation des flux internationaux de biens et de capitaux : *Droits de* **douane**. Administration chargée d'appliquer ce système én. au plur.) : *Le service des* **douanes** ; par méton., timent frontalier abritant ses bureaux : *Passer la uane.* 1441 (1281, bureau des douanes) ; anc. ital. *ana*, du persan *dīvān*, « divan ; douane » ; [dwan].

**DOUANIER, IÈRE, adj. et subst. m.**
BST. Agent des douanes. ADJ. Relatif aux douanes : *xe* **douanière**. 1281 ; ☞ *douane* ; [dwanje, jɛʀ].

**DOUAR, subst. m.**
*Anthropol.* Au Maghreb, type de campement omade dont les habitants déclarent descendre d'un cêtre commun. **2.** Division administrative rurale, Afrique du Nord. 1617 ; ar. *adwār* ; [dwaʀ].

**DOUBLAGE, subst. m.**
Action de garnir un vêtement d'une doublure. Action de mettre en double un élément ; son sultat. **3.** Enregistrement des dialogues d'un film ans une autre langue que celle de la bande originale ; remplacement d'un acteur par sa doublure. **4.** *Mar.* Revêtement métallique de la carène d'un navire. 1405 ; ☞ *doubler* ; [dublaʒ].

**DOUBLE, adj., adv. et subst. m.**
ADJ. **1.** Qui vaut deux fois une quantité donnée : **Double** *portion* ; *Payer* **double** *tarif* ; *Mettre les bouchées* **doubles** (☞ *bouchée*). **2.** Qui est composé de deux éléments identiques : *Une lame à* **double** *tranchant* ; *Un tiroir à* **double** *fond.* **3.** Qui est répété deux fois : *Fermer à* **double** *tour.* ► Loc. *Faire* **double** *emploi* : être répété inutilement. **4.** Fig. Qui présente deux aspects, dont un est dissimulé : *Phrase à* **double** *sens* ; *Jouer* **double** *jeu* ; *Agent* **double**, espion au service de deux camps hostiles. **5.** *Spéc.* ► *Astron. Étoile* **double** : ensemble de deux étoiles gravitant autour de leur centre de masse commun. ► *Bot. Fleur* **double** : dont le nombre de pétales s'est accru par transformation des étamines. ► *Chim. Liaison* **double** : mise en commun de deux paires d'électrons par deux atomes (symb. : =). ADV. Deux fois autant : *Payer* **double** ; *Voir* **double**, voir deux choses là où il n'y en a qu'une. SUBST. **1.** Quantité qui vaut deux fois une autre : *Le* **double** *du prix.* **2.** Copie, second exemplaire : *Avoir un* **double** *des clés* ; *Le* **double** *d'un document.* **3.** Fig. Personne très semblable à une autre, sosie : *Il a cru rencontrer son* **double**. **4.** *Sp.* Au tennis, partie qui oppose deux équipes de deux joueurs : **Double** *messieurs*, **double** *dames.* Fin Xe s. ; lat. *duplus* ; [dubl].

**DOUBLÉ, ÉE, adj. et subst. m.**
ADJ. **1.** Multiplié par deux : *Somme* **doublée**. **2.** Garni d'une doublure : *Veste* **doublée**. **3.** Fig. **Doublé de.** Qui est également : *Un hypocrite* **doublé** *d'un débauché.* **4.** *Audiov.* Dont on a fait le doublage : *Film* **doublé** *en français.* SUBST. **1.** *Chasse.* Action d'abattre deux pièces de gibier en deux coups de fusil successifs ; au fig., série de deux victoires : *Réussir un beau* **doublé**. **2.** *Équit.* Figure consistant à traverser le manège en faisant tourner deux fois son cheval. **3.** *Orfèvr.* Plaqué (vieilli). XIVe s. ; p. p. de *doubler* ; [duble].

**DOUBLEAU, subst. m.**
**1.** *Archit.* Arc doublant un berceau pour le renforcer (synon. *arc-doubleau*). **2.** *Bât.* Poutre soutenant un chevêtre. 1260 ; ☞ *double* ; [dublo].

**DOUBLE-CRÈME, subst. m.**
Fromage blanc auquel on a ajouté de la crème. 1895 ; comp. de *double* et de *crème* ; plur. *doubles-crèmes* ; [dubləkʀɛm].

**DOUBLE-CROCHE, subst. f.**
*Mus.* Valeur de note égale à la moitié d'une croche. 1690 ; comp. de *double* et de *croche* (II) ; var. *double croche*, plur. *doubles(-)croches* ; [dubləkʀɔʃ].

**DOUBLE-DÉCIMÈTRE, subst. m.**
Règle plate graduée longue de 2 décimètres. 1795 ; comp. de *double* et de *décimètre* ; var. *double décimètre*, plur. *doubles(-)décimètres* ; [dubladesimɛtʀ].

**DOUBLE-FOND, subst. m.**
Cavité située entre le fond intérieur et le fond extérieur d'un objet. 1892 ; comp. de *double* et de *fond* ; plur. *doubles-fonds* ; [dubləfɔ̃].

**DOUBLEMENT (I), adv.**
Pour deux raisons, à un degré double : *Il était* **doublement** *puni.* Fin XIIe s. ; ☞ *double* ; [dubləmɑ̃].

**DOUBLEMENT (II), subst. m.**
Action de doubler, de rendre double ; son résultat. Fin XIIIe s. ; ☞ *doubler* ; [dubləmɑ̃].

**DOUBLER, verbe trans. [3]**
**1.** Multiplier par deux : **Doubler** *le prix* ; par ext., augmenter beaucoup ; empl. intrans. : *Mon salaire a* **doublé** ; rendre double : **Doubler** *les rangs*, faire passer sur deux rangs une file de personnes. **2.** Mettre en double en repliant : **Doubler** *un fil, des amarres.* **3.** Garnir d'une doublure, d'un matériau qui renforce ou qui orne : **Doubler** *une jupe, un rideau.* **4.** Dépasser, devancer : **Doubler** *une voiture* ; empl. abs. : *Interdiction de* **doubler**. **5.** Fig. Trahir (qqn) et recueillir les avantages qui devaient lui revenir (fam.) : *Se faire* **doubler**. **6.** **Doubler** *un film* : en faire le doublage ; **Doubler** *un acteur* : le remplacer, en parlant de la doublure. **7.** *Mar.* Passer : **Doubler** *une pointe.* PRONOM. **Se doubler de.** Être accompagné de ; être également : *Cet ingénieur se* **double** *d'un poète.* Déb. XIIe s. ; bas lat. *duplare* ; [duble].

**DOUBLE-RIDEAU, subst. m.**
Rideau de tissu épais placé devant une fenêtre ou un voilage. 1812 ; comp. de *double* et de *rideau* ; var. *double rideau*, plur. *doubles(-)rideaux* ; [dubləʀido].

**DOUBLET, subst. m.**
**1.** Ce qui est en double. **2.** *Spéc.* Ensemble de deux objets analogues. ► *Joaill.* Pierre d'imitation obtenue en assemblant un morceau de cristal et du verre coloré. ► *Ling.* Se dit de mots issus d'un même étymon, mais dont la forme et souvent le sens diffèrent selon qu'ils ont été introduits par voie savante ou populaire (par ex. : « parole » et « parabole »). ► *Phys.* **Doublet** *électronique* : ensemble formé par deux électrons occupant la même case quantique. Fin XIIe s. ; ☞ *double* ; [dublɛ].

**DOUBLEUR, EUSE, subst.**
*Audiov.* Spécialiste du doublage. MASC. *Phot.* **Doubleur** *de focale* : dispositif servant à doubler la focale d'un objectif. V. 1960 (déb. XIIIe s., celui qui rend le double) ; ☞ *doubler* ; [dublœʀ, øz].

**DOUBLON (I), subst. m.**
*Numism.* Ancienne monnaie espagnole en or. 1534 ; esp. *doblón*, de *doble*, « double » ; [dublɔ̃].

**DOUBLON (II), subst. m.**
*Typogr.* Faute consistant à composer deux fois le même élément (mot, phrase...) d'un texte. 1590 ; ☞ *double* ; [dublɔ̃].

**DOUBLONNER, verbe intrans. [3]**
Faire double emploi : *Ces deux articles* **doublonnent**. V. 1950 ; ☞ *doublon* (II) ; [dublɔne].

**DOUBLURE, subst. f.**
**1.** Étoffe ou matière servant à renforcer l'intérieur d'un vêtement ou d'un objet : *Une* **doublure** *de veste.* **2.** Acteur qui remplace le titulaire d'un rôle en cas d'empêchement (au théâtre) ou pour certaines scènes (au cinéma). 1376 ; ☞ *doubler* ; [dublyʀ].

**DOUÇAIN, voir DOUCIN**

**DOUCE-AMÈRE, voir DOUX-AMER**

**DOUCEÂTRE, adj.**
D'une douceur fade : *Un goût* **douceâtre** ; au fig. : *Une voix* **douceâtre**. 1539 ; ☞ *doux* ; [dusɑtʀ].

**DOUCEMENT, adv. et interj.**
ADV. **1.** D'une manière douce, sans violence ni hâte : *Parler* **doucement**, à voix basse ; *Rouler* **doucement** ; *Gronder* **doucement** *qqn*, sans méchanceté. **2.** D'une manière insensible, graduelle : *Paysage* **doucement** *vallonné* ; *S'éteindre* **doucement**. ► Médiocrement : *Son commerce marche* **doucement**. INTERJ. De la modération ! ; du calme ! : **Doucement**, *les enfants !* Fin Xe s. ; ☞ *doux* ; [dusmɑ̃].

**DOUCEREUX, EUSE, adj.**
**1.** Douceâtre (vieilli) : *Saveur* **doucereuse**. **2.** Fig. D'une douceur feinte, hypocrite : *Ton* **doucereux**. 1648 (déb. XIIe s., doux) ; ☞ *douceur* ; [dus(ə)ʀø, øz].

**DOUCETTE, subst. f.**
*Bot.* Autre nom de la mâche (région). 1680 ; *doucet* (vieilli), « très doux » ; [dusɛt].

**DOUCETTEMENT, adv.**
Très doucement, très lentement (fam.). Déb. XIIIe s. ; *doucet* (vieilli), « très doux » ; [dusɛtmɑ̃].

**DOUCEUR, subst. f.**
**1.** Saveur douce ; par méton. : *Aimer les* **douceurs**, les friandises. **2.** Qualité d'une chose ou d'une personne douce, agréable : *La* **douceur** *de l'air* ; *La* **douceur** *de cet homme* ; par méton., chose agréable (gén. au plur.) : *Les* **douceurs** *de l'existence.* **3.** Ext. Qualité de ce qui fonctionne ou progresse sans secousses, sans à-coups : *La* **douceur** *d'une voiture.* **4.** Loc. **En douceur.** Sans brusquerie, sans heurts : *Démarrer en* **douceur** ; au fig., discrètement : *Il l'a éconduit en* **douceur**. Déb. XIIe s. ; bas lat. *dulcor* ; [dusœʀ].

**DOUCHE, subst. f.**
**1.** Jet d'eau dirigé sur le corps à des fins hygiéniques : *Prendre une* **douche**. ► **Douche** *écossaise* : douche où l'eau froide alterne avec l'eau chaude ou, au fig., alternance brutale de situations opposées. **2.** Méton. Installation sanitaire permettant de prendre une **douche**. **3.** Anal. Averse (fam.). **4.** Fig. Vive déception (fam.) : *Quelle* **douche** *que son licenciement !* Fin XVIe s. ; ital. *doccia*, p.-ê. du lat. *ductio acquae*, « conduite d'eau » ; [duʃ].

**DOUCHER, verbe trans. [3]**
**1.** Donner une douche à : **Doucher** *un enfant* ; empl. pronom., prendre une douche ; par anal. : *Se faire* **doucher** *par une averse.* **2.** Fig. et Fam. Réprimander (vieilli) ; décevoir, calmer : *J'ai* **douché** *ses espoirs, son ardeur.* 1640 ; ☞ *douche* ; [duʃe].

**DOUCHEUR, EUSE,** subst.
Personne qui donne les douches, spéc. dans un établissement thermal. 1687 ; ☞ *doucher* ; [duʃœʀ, øz].

**DOUCIN,** subst. m.
*Arboric.* Pommier sauvage servant de porte-greffe. 1680 (1611, oursin) ; ☞ *doux* ; var. *douçain* ; [dusɛ̃].

**DOUCINE,** subst. f.
*Archit.* et *Ébén.* Moulure concave en haut, convexe en bas. ▸ *Techn.* Rabot permettant de réaliser cette moulure. Mil. XVIe s. ; ☞ *doux* ; [dusin].

**DOUCIR,** verbe trans. [19]
*Techn.* Polir (une glace, un métal) : ***Doucir** une lame.* 1755 ; ☞ *doux* ; [dusiʀ].

**DOUCISSAGE,** subst. m.
Opération destinée à doucir une glace, un métal. 1870 ; ☞ *doucir* ; [dusisaʒ].

**DOUDOU,** subst. f.
Aux Antilles, nom affectueux donné à une femme. 1929 ; ☞ *doux* ; [dudu].

**DOUDOUNE,** subst. f.
Veste chaude et légère, gén. garnie de duvet (fam.). V. 1970 ; ☞ *doux* ; [dudun].

**DOUÉ, ÉE,** adj.
**1.** **Doué de.** Qui possède naturellement (une caractéristique, une qualité) : *Être **doué** de raison.* **2.** **Doué pour.** Qui a une aptitude particulière pour : *Un enfant **doué** pour le dessin.* **3.** Abs. Qui a du talent, de grandes aptitudes : *Il réussit brillamment, il est **doué**.* XIIIe s. ; p. p. de *douer* ; [dwe].

**DOUELLE,** subst. f.
**1.** *Techn.* Petite douve d'un tonneau. **2.** *Archit.* Parement intérieur ou extérieur d'un voussoir. 1296 ; anc. fr. *doue*, « douve » ; [dwɛl].

**DOUER,** verbe trans. [3]
Pourvoir, doter (qqn) d'une qualité, en parlant d'une puissance supérieure : *La nature l'a **doué** d'un solide bon sens.* Déb. XIIIe s. (fin XIIe s., procurer un douaire) ; lat. *dotare* ; [dwe].

**DOUILLE,** subst. f.
**1.** Pièce cylindrique et creuse permettant d'ajuster deux éléments, d'adapter un manche à un instrument. **2.** *Arm.* Cylindre renfermant l'amorce et la charge d'une cartouche. **3.** *Cuis.* Embout conique adapté à une poche de toile que l'on presse pour obtenir un ruban de crème, de pâte, etc. **4.** *Électr.* Pièce métallique dans laquelle se fixe le culot d'une ampoule. Déb. XIIIe s. ; germ. *dulja* ; [duj].

**DOUILLER,** verbe intrans. [3]
Fam. Payer. ▸ Loc. *Ça **douille** !* : ça coûte cher ! 1858 ; argot *douille*, « argent » ; [duje].

**DOUILLET, ETTE,** adj. et subst. f.
**Adj.** **1.** Qui est agréablement doux, moelleux : *Un coussin **douillet**.* ▸ Confortable : *Un intérieur **douillet*** ; par méton. : *Des soirées **douillettes** au coin du feu.* **2.** Qui manifeste une sensibilité excessive à la douleur : *Un enfant **douillet*** ; empl. subst., personne **douillette**. **Subst.** **1.** Vêtement ouaté ou fourré, porté sur les autres vêtements : ***Douillette** d'ecclésiastique.* **2.** Robe de chambre matelassée. Déb. XIVe s. ; anc. fr. *douille*, « mou, tendre », du lat. *ductilis*, « malléable » ; [dujɛ, ɛt].

**DOUILLETTEMENT,** adv.
D'une manière douillette : *Rester **douillettement** au chaud.* Déb. XIVe s. ; ☞ *douillet* ; [dujɛtmɑ̃].

**DOULEUR,** subst. f.
**1.** Sensation pénible, plus ou moins vive, ressentie dans une partie du corps : ***Douleur** abdominale* ; ***Douleur** aiguë, lancinante* ; spéc. : *Les **douleurs** de l'accouchement* ou, par ell., *Les **douleurs**.* ▸ *Accouchement sans **douleur*** : préparé par une méthode de relaxation physique et psychologique censée supprimer la douleur. **2.** Souffrance morale : *La **douleur** de quitter son pays.* Mil. XIe s. ; lat. *dolor* ; [dulœʀ].

**DOULOUREUSEMENT,** adv.
De manière douloureuse, avec douleur. Mil. XIIe s. ; ☞ *douloureux* ; [duluʀøzmɑ̃].

**DOULOUREUX, EUSE,** adj.
**1.** Qui provoque une douleur physique ou morale : *Blessure **douloureuse*** ; *Le secret **douloureux** qui me faisait languir* (Baudelaire) ; empl. subst. fém. : *La **douloureuse**,* l'addition, la note (fam.). **2.** Qui exprime la douleur : *Rictus **douloureux**.* **3.** Qui est le siège d'une douleur physique : *Plaie **douloureuse**.* **4.** Qui éprouve une douleur morale : *Une âme **douloureuse**.* Mil. XIe s. ; bas lat. *dolorosus* ; [duluʀø, øz].

**DOUM,** subst. m.
*Bot.* Palmier d'Égypte ou d'Arabie, à fruit comestible. 1791 ; ar. *dūm* ; [dum].

**DOUMA,** subst. f.
*Hist.* **1.** En Russie, assemblée consultative des boyards, créée en 1497 par Ivan III. **2.** Assemblée législative russe, de 1906 à 1917, instituée de nouveau en 1993 par la Constitution de la fédération de Russie. 1863 ; russe *duma*, « assemblée » ; [duma].

**DOURINE,** subst. f.
*Vétér.* Trypanosomiase contagieuse des Équidés. 1863 ; p.-ê. ar. *daran*, « tumeurs sur le corps » ; [duʀin].

**DOURO,** subst. m.
*Numism.* Ancienne monnaie espagnole en argent, frappée à partir du règne de Philippe II, valant 5 pesetas. 1838 ; esp. *peso duro*, « poids dur » ; [duʀo].

**DOUTE,** subst. m.
**1.** État d'incertitude sur la réalité d'un fait, la vérité d'une affirmation, une décision à prendre : *Être dans le **doute*** ; *L'accusé fut acquitté au bénéfice du **doute**.* **2.** Méton. Sentiment d'incertitude ou de méfiance à l'égard de qqch., de qqn : *J'ai des **doutes** sur son honnêteté.* **3.** Loc. ▸ *Mettre, révoquer en **doute*** : contester. ▸ *L'issue ne fait aucun **doute*** : est certaine. ▸ *Sans aucun, sans nul **doute*** : de manière certaine. ▸ *Sans **doute*** : assurément ; probablement. **4.** *Philos.* Suspension définitive (chez les sceptiques grecs) ou provisoire (chez Descartes) du jugement. 1155 (mil. XIe s., crainte) ; ☞ *douter* ; [dut].

**DOUTER,** verbe trans. indir. [3]
**Douter de.** **1.** Être dans l'incertitude de (la réalité d'un fait, la vérité d'une affirmation, la valeur d'une proposition) : ***Douter** du succès d'une entreprise* ; *Je **doute** de sa sincérité* ; *N'en **doutez** pas,* soyez-en assuré ; empl. trans. dir. : *Je **doute** fort qu'il vienne.* **2.** Ne pas avoir confiance en (qqn) : ***Douter** de soi* ; ***Doutez**, si vous voulez, de l'être qui vous aime [...] mais non de l'amour même* (Musset). **3.** Loc. *À n'en pas **douter*** : sans aucun doute, assurément ; *Ne **douter** de rien* : être exagérément sûr de soi. **4.** Abs. Être en proie au doute ; être sceptique, en partic. en matière de religion ou de philosophie : *Sa foi vacille, il **doute**.* **Pronom.** **1.** **Se douter de.** Pressentir, soupçonner : *Il ne se **doute** encore de rien.* **2.** **Se douter que** (+ ind. ou cond.). Supposer, présumer : *Je me **doutais** que vous seriez en retard.* Déb. XIIe s. ; lat. *dubitare* ; [dute].

**DOUTEUR, EUSE,** adj.
Littér. Qui doute de tout, sceptique : *Un esprit **douteur*** ; empl. subst. : *Goethe, le grand **douteur*** (Michelet). Fin XIIIe s. ; ☞ *douter* ; [dutœʀ, øz].

**DOUTEUSEMENT,** adv.
De manière douteuse. Fin XIVe s. (fin XIIe s., avec crainte) ; ☞ *douteux* ; [dutøzmɑ̃].

**DOUTEUX, EUSE,** adj.
**1.** Dont la réalité, la réalisation ou la nature est incertaine : *Un avenir **douteux**.* **2.** Dont la valeur, la qualité peut être mise en doute ; contestable : *Raisonnement **douteux*** ; *Remarque d'un goût **douteux*** ; *Viande **douteuse**,* pas fraîche ; *Un individu **douteux**,* suspect ; *Un mouchoir **douteux**,* guère propre. Déb. XIIe s. ; ☞ *doute* ; [dutø, øz].

**DOUVAIN,** subst. m.
Bois de chêne servant à la fabrication des tonneaux. 1491 ; ☞ *douve* (II) ; [duvɛ̃].

**DOUVE (I),** subst. f.
*Zool.* Nom vulgaire de plusieurs vers plathelminthes, parasites des canaux biliaires de divers mammifères. Fin XIe s. ; bas lat. *dolva*, « ver » ; [duv].

**DOUVE (II),** subst. f.
**I.** **1.** *Fortif.* Fossé empli d'eau entourant un château ou des remparts (gén. au plur.). **2.** *Équit.* Dans le steeple-chase, large fossé plein d'eau précédé d'une haie ou d'une barrière. **II.** Chacune des longues planches incurvées qui forment le corps d'un tonneau. Fin XIIe s. ; bas lat. *doga*, du gr. *dokhê*, « réservoir » ; [duv].

**DOUX, DOUCE,** adj. et adv.
**Adj.** **1.** Agréable au goût par son caractère sucré ou peu relevé : *Vin **doux*** ; *Piment **doux*** ; *Beurre **doux**,* qui n'est pas salé ; *Eau **douce**,* pas ou peu salée, par oppos. à l'eau de mer. ▸ Loc. *Marin d'eau **douce*** (☞ *marin*). **2.** Agréable aux sens par sa délicatesse : *Lumière **douce*** ; *Étoffe **douce** au toucher.* **3.** Dépourvu de tout caractère excessif ou violent ; modéré : *Un temps **doux** et humide* ; *Cuire à feu **doux*** ; *Pente **douce*** ; *Médecine **douce**,* qui utilise des moy[…] thérapeutiques tenus pour naturels ; *Énergie, tech[…]logie **douce**,* pas ou peu polluante. **4.** Fig. Agréa[…] à l'esprit et au cœur : *Qu'un ami véritable est […] **douce** chose !* (La Fontaine) ; *Qu'il est **doux**, qu'il […] **doux** d'écouter des histoires* (Vigny). **5.** Qui est d'[…] caractère aimable et calme, sans agressivité : *[…] homme **doux** et attentif* ; ***Doux** comme un agne[…]* ▸ Qui exprime l'amour, la tendresse : *Billet do[…]* galant ; *Faire les yeux **doux** à qqn,* le regar[…] amoureusement. **Adv.** **1.** *Filer **doux*** : obéir doc[…]ment (fam.) ; *Tout **doux** !* : du calme ! **2.** En dou[…] Sans bruit, discrètement (fam.) : *Il est parti en dou[…]* Fin XIe s. ; lat. *dulcis* ; [du, dus].

**DOUX-AMER, DOUCE-AMÈRE,** adj. et subst. f.
**Adj.** Qui mêle la douceur à l'amertume : *Sav[…] **douce-amère*** ; au fig. : *Propos **doux-amers**.* **Subst.** […] Plante grimpante de la famille des Solanacées, […] fleurs violettes et à fruits rouges, commune […] France et utilisée pour ses propriétés dépurativ[…] Mil. XVIe s. ; comp. de *doux* et de *amer* (I) ; p[…] *doux-amers, douces-amères* ; [duzamɛʀ, dusamɛʀ].

**DOUZAIN,** subst. m.
**1.** *Versif.* Poème ou strophe de douze vers. **2.** *N[…]mism.* Ancienne monnaie française valant […] deniers, apparue sous Charles VIII. 1432 (12[…] mesure de capacité) ; ☞ *douze* ; [duzɛ̃].

**DOUZAINE,** subst. f.
**1.** Ensemble de douze mêmes éléments, en par[…] d'objets ou d'aliments se vendant par douze : *[…] **douzaine** d'escargots, d'huîtres, d'œufs.* **2.** Nomb[…] voisin de douze : *Une **douzaine** de personnes.* **3.** L[…] *Treize à la **douzaine*** : treize pour le prix de dou[…] au fig. : *À la **douzaine**,* en quantité (fam.). 12[…] ☞ *douze* ; [duzɛn].

**DOUZE,** adj. num. inv. et subst. m. i[…]
**Adj. card.** Onze plus un : *Les **douze** apôtres* ; *[…] **douze** coups de minuit.* **Adj. ord.** **1.** Douzième : […] *pape Pie XII.* **2.** Qui porte le numéro **douze** : *La t[…] **douze*** ou, empl. subst., *La **douze**.* **Subst.** **1.** Le nom[…] **douze** : *Deux fois **douze**.* **2.** Le numéro **douze** : *[…] **douze** est disqualifié.* **3.** Représentation graphic[…] de ce nombre. **4.** *Typogr.* Unité de mesure val[…] **douze** points (synon. *cicéro*). Fin XIe s. ; […] *duodecim* ; [duz].

**DOUZE-HUIT (À),** loc. adj. inv.
*Mus.* À quatre temps, avec une noire pointée [p…] temps : *Mesure **à douze-huit**.* XIXe s. ; comp. […] *douze* et de *huit* ; [aduzɥit].

**DOUZIÈME,** adj. et subst. f.
**Adj. num. ord.** Qui occupe le rang marqué par […] nombre douze : *Le **douzième** mois de l'année* ; em[…] subst. : *Elle est la **douzième** de sa promotion.* **Adj.** […] constitue une fraction d'un tout divisé également […] douze : *La **douzième** partie* ou, empl. subst. masc., […] ***douzième**.* **Subst.** *Mus.* Quinte redoublée à une octa[…] Mil. XIIe s. ; ☞ *douze* ; [duzjɛm].

**DOUZIÈMEMENT,** adv.
En douzième lieu. 1690 ; ☞ *douzièm[…]* [duzjɛm(ə)mɑ̃].

**DOXOLOGIE,** subst. f.
*Liturg.* Formule ou prière de louange à Di[…] 1610 ; gr. eccl. *doxologia*, « glorification » ; [dɔksɔlɔ[…]

**DOYEN, DOYENNE,** subst.
**I.** *Relig.* **Masc.** Haut responsable ecclésiastique : *[…] doyen du chapitre.* **Fém.** Supérieure : *La **doyenne** d'[…] abbaye.* **II.** **Masc.** **1.** Membre le plus ancien d'[…] corps : *Le **doyen** du Conseil d'État.* **2.** Ensei[…] Jusqu'en 1968, directeur de chaque faculté d'u[…] université ; auj., directeur de certaines unités […] formation et de recherche : *Madame le doy[…]* **III.** Personne la plus âgée : *La **doyenne** des Françai[…] Le **doyen** d'âge du Sénat n'en est pas nécessaireme[…] le **doyen**.* Fin XIIe s. ; lat. chrét. *decanus*, « chef de […] hommes » ; [dwajɛ̃, dwajɛn].

**DOYENNÉ,** subst. m.
**1.** Dignité de doyen. **2.** *Cath.* Ensemble de paroiss[…] au sein d'un diocèse, présidées par un doye[…] **3.** *Agric.* Variété de poirier ; empl. fém. : *Une **doyen**[…] poire de cet arbre.* 1277 ; ☞ *doyen* ; [dwajen[…]

**DRACÉNA,** subst. m.
*Bot.* Arbuste ou arbre des régions chaudes, de […] famille des Liliacées, à feuillage persistant, d[…] l'espèce la plus connue est le dragonnier. 162[…] bas lat. *dracaena*, du gr. *drakhaina*, « dragon femelle […] var. *dracena, dracaena* ; [dʀasena].

**DRACHE, subst. f.**
lg. Forte averse. 1926 ; néerl. *draschen*, « pleuvoir verse » ; [dʀaʃ].

**DRACHME, subst. f.**
*Antiq. gr.* Unité de poids et monnaie d'argent. Unité monétaire de la Grèce moderne (symb. : ₰). Mil. XIIIe s. ; lat. *drachma*, du gr. *drakhmê* ; akm].

**DRACONIEN, IENNE, adj.**
une rigueur, d'une sévérité extrême : *Mesures aconiennes* ; *Régime **draconien**.* 1796 ; anthropon. *acon*, législateur athénien ; [dʀakɔnjɛ̃, jɛn].

**DRAG, subst. m.**
eilli. **1.** Course qui simulait une chasse à courre. Calèche dans laquelle les dames suivaient cette urse. 1859 ; angl. *to drag*, « traîner » ; [dʀag].

**DRAGAGE, subst. m.**
tion de draguer ; son résultat : *Dragage d'une ière* ; *Dragage de mines sous-marines.* 1765 ; ☞ *draguer* ; [dʀagaʒ].

**DRAGÉE (I), subst. f.**
*Confis.* Amande ou noisette enrobée d'une uche de sucre durci. ▸ Loc. *Tenir la **dragée** haute qqn* : lui faire attendre ce qu'il demande ; le endre de haut. **2.** Anal. ▸ Plomb fondu à l'eau ou moule, utilisé pour tirer le petit gibier. ▸ *Pharm.* ubstance médicamenteuse enrobée de sucre. Déb. XIIIe s. ; prob. lat. *tragemata*, « friandise » ; aʒe].

**DRAGÉE (II), subst. f.**
*ric.* Fourrage associant céréales et légumineuses. Déb. XIIIe s. ; bas lat. *dravoca*, « ivraie » ; [dʀaʒe].

**DRAGÉIFIER, verbe trans. [6]**
éparer sous forme de dragée ; empl. adj. : *Un mprimé **dragéifié** ; Une amande, une noisette **dragéi**é.* 1850 ; ☞ *dragée* (I) ; [dʀaʒeifje].

**DRAGEOIR, subst. m.**
oupe servant à contenir des dragées, des sucreries. 1360 ; ☞ *dragée* (I) ; [dʀaʒwaʀ].

**DRAGEON, subst. m.**
usse qui naît de la racine d'une plante et que n peut détacher et planter. 1548 ; prob. anc. s frq. °*draibjo*, « pousse » ; [dʀaʒɔ̃].

**DRAGEONNEMENT, subst. m.**
it de drageonner : *Reproduction par **drageonne**nt.* 1872 ; ☞ *drageonner* ; [dʀaʒɔnmɑ̃].

**DRAGEONNER, verbe intrans. [3]**
oduire des drageons : *Le prunier **drageonne**.* 1636 ; ☞ *drageon* ; [dʀaʒɔne].

**DRAGLINE, subst. f.**
*av. publ.* Engin de terrassement constitué d'un odet traîné par un câble, utilisé pour racler un rrain. 1950 ; mot angl. ; [dʀaglin] ou [-lajn].

**DRAGON, subst. m.**
**1.** Monstre légendaire que l'on représente gén. achant du feu, avec des griffes de lion, des ailes embraneuses et une queue de reptile, et qui, dans conographie chrétienne, symbolise le démon : *int Michel terrassant le **dragon**.* **2.** Fig. Gardien gilant et intraitable. ▸ ***Dragon** de vertu* : femme ès pudibonde ou, par ext., personne revêche et ariâtre. **3.** *Astron.* Constellation située entre la rande Ourse et la Petite Ourse. **4.** *Zool.* ▸ ***Dragon** lant* : lézard capable d'effectuer de brefs vols anés grâce à une membrane qui se déplie en arachute de chaque côté de son corps. ▸ ***Dragon** Komodo* : varan géant. **II.** *Milit.* **1.** Soldat de avalerie légère (vx). **2.** Soldat de certains régiments blindés. Fin XIe s. ; lat. *draco* ; [dʀagɔ̃].

**DRAGONNADE, subst. f.**
*ist.* Persécution exercée sous Louis XIV contre les otestants, par des régiments de dragons (gén. au ur.) : *Les **dragonnades** des Cévennes.* 1708 ; ☞ *dragon* ; [dʀagɔnad].

**DRAGONNE, subst. f.**
Courroie fixée à la garde d'une épée, d'un sabre, que l'on passe autour du poignet pour assurer arme dans la main. **2.** Ext. Lanière fixée sur un ojet pour le retenir au poignet : ***Dragonne** de arapluie, de bâton de ski.* 1800 (1674, femme ariâtre) ; ☞ *dragon* ; [dʀagɔn].

**DRAGONNIER, subst. m.**
ot. Arbre tropical de la famille des Liliacées, dont ne espèce fournit le sang-dragon. XVe s. ; ☞ *sang-dragon* ; [dʀagɔnje].

**DRAGSTER, subst. m.**
Véhicule à deux ou quatre roues, doté d'un oteur très puissant, utilisé dans des courses sur très courte distance. Mil. XXe s. ; mot angl. ; [dʀagstɛʀ].

**DRAGUE, subst. f.**
**1.** Filet de pêche muni d'une armature et permettant de racler les fonds : *Pêcher des moules à la **drague**.* **2.** Filin métallique muni d'un grappin servant à retirer des objets du fond de l'eau. **3.** Dispositif mécanique, acoustique ou magnétique qui détecte et neutralise les mines sous-marines. **4.** Engin mécanique servant à creuser ou à curer le fond d'un lac, d'un canal, etc. : *Une drague à godets* ; construction flottante supportant cet engin. **5.** Fig. Action de draguer qqn (fam.). 1300 ; m. angl. *dragge* ; [dʀag].

**DRAGUER, verbe trans. [3]**
**1.** Pêcher (des coquillages) à la drague. **2.** Curer, désenvaser (un port, un étang, etc.) à l'aide d'une drague : ***Draguer** un canal.* ▸ ***Draguer** des mines sous-marines* : les détecter et les neutraliser avec une drague. **3.** Fig. et Fam. Aborder (qqn) et chercher à le séduire : ***Draguer** une fille à la terrasse d'un café* ; empl. abs. : *Aller **draguer** en discothèque.* Déb. XVe s. ; ☞ *drague* ; [dʀage].

**DRAGUEUR, EUSE, subst.**
**I.** MASC. **1.** Navire équipé d'une drague. ▸ ***Dragueur** de mines* : navire détectant et neutralisant les mines. **2.** Celui qui pêche à la drague ou qui manie une drague de nettoyage. **II.** Personne qui drague, qui recherche les conquêtes amoureuses (fam.). 1529 ; ☞ *draguer* ; [dʀagœʀ, øz].

**DRAILLE (I), subst. f.**
*Mar.* Filin le long duquel on hisse un foc. 1792 ; languedocien *dralho*, « câble » ; [dʀɑj].

**DRAILLE (II), subst. f.**
Région. (Sud). Chemin de transhumance. 1835 ; franco-prov. *draya*, « sentier » ; [dʀɑj].

**DRAIN, subst. m.**
**1.** Conduit souterrain permettant l'évacuation des eaux qui saturent un terrain. **2.** *Chir.* Tube servant à évacuer un liquide physiologique ou pathologique : *Placer un **drain** dans une plaie pour en évacuer le pus.* 1849 ; angl. *drain*, « conduit » ; [dʀɛ̃].

**DRAINAGE, subst. m.**
**1.** Action de drainer ; dispositif mis en place afin de drainer un sol. **2.** *Méd.* ▸ Évacuation d'un liquide hors de l'organisme à l'aide d'un drain. ▸ ***Drainage** lymphatique* : massage destiné à activer la circulation lymphatique. **3.** Fig. Action d'attirer : ***Drainage** des capitaux.* **4.** *Hydrol.* ***Drainage** hydrographique* : collecte naturelle des eaux d'un territoire par son réseau fluvial. 1850 ; ☞ *drainer* ; [dʀɛnaʒ].

**DRAINE, subst. f.**
*Zool.* Espèce de grive d'Europe, de grande taille. XVIe s. ; orig. obsc. ; var. *drenne* ; [dʀɛn].

**DRAINER, verbe trans. [3]**
**1.** Faire s'écouler l'excès d'eau de (un terrain) au moyen de drains. **2.** *Méd.* Pratiquer le drainage de (une plaie, une cavité). **3.** Fig. Attirer à soi, faire converger : ***Drainer** des richesses.* **4.** *Hydrol.* Recevoir (les eaux d'une région), en parlant d'un cours d'eau. 1850 ; ☞ *drain* ; [dʀene].

**DRAINEUR, EUSE, adj. et subst. f.**
ADJ. Qui draine. SUBST. *Techn.* Machine servant au drainage. 1861 ; ☞ *drainer* ; [dʀenœʀ, øz].

**DRAISIENNE, subst. f.**
Véhicule à deux roues, ancêtre de la bicyclette, que l'on faisait avancer par un mouvement alternatif des pieds sur le sol. 1816 ; anthropon. *Drais von Sauerbronn*, son inventeur ; [dʀezjɛn].

**DRAISINE, subst. f.**
*Ch. de fer.* Wagonnet automoteur utilisé par le personnel de surveillance et d'entretien des voies. 1873 (1845, petite voiture à trois roues) ; altér. de *draisienne* ; [dʀezin].

**DRAKKAR, subst. m.**
*Hist.* Navire à voile carrée et à rames, utilisé au Moyen Âge par les Vikings. 1840 ; suédois *drakar*, plur. de *drake*, « dragon » ; [dʀakaʀ].

**DRAMATIQUE, adj. et subst. f.**
ADJ. **1.** Destiné au théâtre ; relatif aux œuvres composées pour le théâtre : *Œuvre **dramatique*** ; *Art **dramatique**.* ▸ Ext. Dont l'activité est liée au théâtre : *Auteur **dramatique**.* **2.** Qui appartient au genre du drame : *Comédie **dramatique*** ; au fig., qui emprunte les formes du drame : *Il fit un récit **dramatique**.* **3.** Fig. Qui est dangereux, grave ; émouvant, pénible : *Situation **dramatique**.* SUBST. *Audiov.* Émission à caractère théâtral. Fin XIVe s. ; bas lat. *dramaticus*, du gr. *dramatikos*, « qui concerne le théâtre » ; [dʀamatik].

**DRAMATIQUEMENT, adv.**
De manière dramatique. 1777 ; ☞ *dramatique* ; [dʀamatikmɑ̃].

**DRAMATISATION, subst. f.**
Action de dramatiser ; son résultat. 1857 ; ☞ *dramatiser* ; [dʀamatizasjɔ̃].

**DRAMATISER, verbe trans. [3]**
**1.** Présenter (qqch.) de façon dramatique, théâtrale. **2.** Ext. Exagérer l'importance, la gravité de (une situation) ; empl. abs., voir les choses avec pessimisme. 1801 ; ☞ *drame* ; [dʀamatize].

**DRAMATURGE, subst.**
Auteur d'œuvres destinées au théâtre. 1773 ; gr. *dramatourgos* ; [dʀamatyʀʒ].

**DRAMATURGIE, subst. f.**
Art de la composition dramatique ; ouvrage traitant de cet art. 1775 ; ☞ *dramaturge* ; [dʀamatyʀʒi].

**DRAME, subst. m.**
**1.** Vx. *Litt.* Genre englobant tous les ouvrages composés pour le théâtre. **2.** Genre théâtral comprenant des pièces dont l'action, pathétique, est accompagnée d'éléments réalistes, familiers, voire burlesques ; par méton., pièce appartenant à ce genre : ***Drame** romantique.* ▸ ***Drame** lyrique* : opéra. ▸ ***Drame** satyrique* : dans l'Antiquité grecque, pièce mythologique dont le chœur était composé de satyres. ▸ ***Drame** liturgique* : au Moyen Âge, représentation de textes sacrés. **3.** Ext. Évènement ou ensemble d'évènements graves, terribles : ***Drame** de la jalousie.* ▸ Loc. *Faire un **drame** de qqch.* : lui attribuer trop de gravité ; *Tourner au **drame*** : devenir très grave, voire tragique. 1657 ; bas lat. *drama*, du gr. *drama*, « action théâtrale » ; [dʀam].

**DRAP, subst. m.**
**1.** *Text.* Étoffe de laine, pure ou mélangée, aux fibres feutrées par foulage : *Veste de **drap** beige* ; par ext., étoffe d'une riche matière : ***Drap** de soie, d'or.* ▸ *Hist. Le camp du **Drap** d'or* : lieu richement décoré où eut lieu la rencontre de François Ier et d'Henri VIII en 1520. **2.** Pièce de tissu dont on garnit un lit afin d'éviter le contact direct avec le matelas ou les couvertures. ▸ Loc. *Être dans de beaux **draps*** : dans une situation fâcheuse (fam.). **3.** Ext. ***Drap** de bain* : large serviette en tissu-éponge. **4.** Belg. ***Drap** de maison* : torchon. Mil. XIe s. ; bas lat. *drappus*, « morceau d'étoffe » ; [dʀa].

**DRAPÉ, subst. m.**
**1.** Ensemble des plis d'un tissu, d'un vêtement. **2.** *B.-a.* Représentation du mouvement formé par ces plis. Mil. XVe s. ; p. p. de *draper* ; [dʀape].

**DRAPEAU, subst. m.**
**1.** Pièce d'étoffe portant les couleurs et les symboles d'une nation, d'une organisation, etc., attachée à une hampe et servant de signe de ralliement : *Chaque rue était pavoisée de **drapeaux**.* **2.** Morceau d'étoffe ou de matière rigide servant à donner un signal (de départ, de danger, etc.). **3.** Fig. ▸ Symbole de la patrie. ▸ Au plur. *Être sous les **drapeaux*** : faire partie de l'armée ; effectuer son service national. ▸ Symbole d'une cause : *Le **drapeau** de la liberté.* **4.** *Aéron. Mettre une hélice en **drapeau*** : en vol, en cas d'arrêt du moteur, faire pivoter les pales pour qu'elles offrent le moins de résistance à l'air. 1578 (déb. XIIe s., morceau de tissu) ; ☞ *drap* ; [dʀapo].

*Reconstitution d'un drakkar, pour Vikings de fantaisie.*

© D. Beltra-Gamma

**DRAPEMENT,** subst. m.
Action de draper, de se draper ; son résultat. 📖 1876 ; ☞ *draper* ; [dʀapmɑ̃].

**DRAPER,** verbe trans. [3]
**1.** Vx. *Text.* Transformer (une étoffe de laine) en drap par foulage. **2.** Habiller, recouvrir de vêtements amples en créant des plis harmonieux : ***Draper** un mannequin.* **3.** Anal. Orner de (une étoffe) : ***Draper** une fenêtre.* PRONOM. **1.** Se recouvrir (d'un vêtement ample). **2.** Loc. *Se **draper** dans sa dignité, sa probité, sa vertu* : en faire grand cas (iron.). 📖 1225 ; ☞ *drap* ; [dʀape].

**DRAPERIE,** subst. f.
**1.** Fabrication, commerce du drap (vieilli). **2.** Vêtement ample formant des plis harmonieux. **3.** Étoffe drapée dans une intention de décoration. **4.** *B.-a.* Drapé. 📖 Mil. XIII^e s. (fin XII^e s., tissu de drap) ; ☞ *drap* ; [dʀapʀi].

**DRAP-HOUSSE,** subst. m.
Drap de dessous maintenu tendu sur le matelas grâce à ses coins élastiques. 📖 1958 ; comp. de *drap* et de *housse* ; plur. *draps-housses* ; [dʀaus].

**DRAPIER, IÈRE,** subst. et adj.
SUBST. Fabricant, vendeur de drap. ADJ. Relatif à la fabrication, au commerce du drap. 📖 Mil. XIII^e s. ; ☞ *drap* ; [dʀapje, jɛʀ].

**DRASTIQUE,** adj.
**1.** Qualifie un remède énergique : *Un purgatif **drastique*** ou, empl. subst. masc., *Un **drastique**.* **2.** Fig. Contraignant ; radical : *Prendre des mesures **drastiques**.* 📖 1741 ; gr. *drastikos* ; [dʀastik].

**DRAVE (I),** subst. f.
*Bot.* Plante herbacée à fleurs blanches ou jaunes, de la famille des Brassicacées. 📖 1598 ; ital. ou esp. *draba*, du gr. *drabê* ; [dʀav].

**DRAVE (II),** subst. f.
Québ. Flottage du bois. 📖 1909 ; ☞ *draver* ; [dʀav].

**DRAVER,** verbe trans. [3]
Québ. Acheminer (le bois flotté). 📖 1909 ; angl. *to drive*, « conduire » ; [dʀave].

**DRAVIDIEN, IENNE,** adj. et subst.
Des Dravidiens, peuple de l'Inde méridionale. ADJ. *Temple **dravidien*** : caractérisé surtout par des édifices pyramidaux successifs donnant chaque fois accès à une enceinte. SUBST. MASC. Famille de langues (parmi lesquelles le tamoul) de l'Inde méridionale. 📖 1867 ; topon. skr. *Drāviḍa*, province de l'Inde ; [dʀavidjɛ̃, jɛn].

**DRAWBACK,** subst. m.
*Comm.* Remboursement des droits de douane payés lors de l'importation de matières premières quand les produits qu'elles ont servi à fabriquer sont exportés (anglic.). 📖 1755 ; angl. *drawback*, de *to draw*, « tirer », et de *back*, « en retour » ; recomm. off. *rembours* ; [dʀobak].

**DRAYER,** verbe trans. [15]
*Peauss.* Égaliser l'épaisseur de (une peau). 📖 1741 ; néerl. *draaien*, « tordre » ; [dʀeje].

**DRAYOIRE,** subst. f.
*Peauss.* Couteau utilisé pour drayer les peaux. 📖 XVIII^e s. ; ☞ *drayer* ; var. *un drayoir* ; [dʀejwaʀ].

**DRÊCHE,** subst. f.
Résidu de l'orge après fabrication de la bière, utilisé pour nourrir le bétail. 📖 XIII^e s. ; prob. celt. *drasca* ; var. *drèche* ; [dʀɛʃ].

**DRÈGE,** subst. f.
Grand filet utilisé pour pêcher sur le fond. 📖 1584 ; angl. *dredge* ; var. *dreige* ; [dʀɛʒ].

**DRENNE,** voir **DRAINE**

**DRÉPANOCYTOSE,** subst. f.
*Pathol.* Maladie héréditaire, appelée aussi anémie falciforme, caractérisée par la présence dans le sang de globules rouges en forme de faucille. 📖 1952 ; *drépanocyte*, « globule rouge en forme de faucille », du gr. *drepanon*, « faux, serpe », + *-ose* ; [dʀepanositoz].

**DRESSAGE,** subst. m.
**1.** *Techn.* Action de rendre plan, d'égaliser une tôle, une pièce de bois, une pierre, etc. **2.** Action d'installer qqch. en le mettant à la verticale ; son résultat : ***Dressage** d'une colonne.* **3.** Action de dresser un animal. 📖 1791 ; ☞ *dresser* ; [dʀesaʒ].

**DRESSER,** verbe trans. [3]
**I. 1.** Tenir en position droite et verticale : ***Dresser** la tête* ; au fig. : ***Dresser** l'oreille*, devenir soudain attentif. **2.** Disposer à la verticale : ***Dresser** un mât* ; par ext. : ***Dresser** une tente*, la monter. **3.** Élever, ériger : ***Dresser** un autel, une statue.* **4.** Fig. Mettre en opposition ; exciter : ***Dresser** une personne contre une autre.* PRONOM. **1.** Se mettre droit, debout ; être droit, vertical. **2.** Fig. **Se dresser contre.** S'opposer avec vigueur à (qqn, qqch.) : *Se **dresser** contre une décision injuste.* **II. 1.** Disposer, installer comme il convient : ***Dresser** la table, le couvert.* **2.** Établir avec précision : ***Dresser** une carte, un procès-verbal.* **3.** *Techn.* Aplanir ; égaliser : ***Dresser** une poutre, une pierre.* **III. 1.** Inculquer certaines habitudes à (un animal) : ***Dresser** un chien* ; ***Dresser** un faucon à la chasse.* **2.** Péj. Former (qqn) en usant de la sévérité, de la contrainte ; rendre docile : ***Dresser** une nouvelle recrue* ; *Je vais vous **dresser** !*, vous mater (fam.). 📖 Mil. XI^e s. ; lat. pop. °*directiare* ; [dʀese].

**DRESSEUR, EUSE,** subst.
Personne qui dresse des animaux. 📖 Fin XVI^e s. (1536, celui qui redresse autrui) ; ☞ *dresser* ; [dʀesœʀ, øz].

**DRESSING-ROOM,** subst. m.
Anglic. Pièce où l'on range les vêtements (abrév. : dressing). 📖 1875 ; mot angl. ; plur. *dressing-rooms*, recomm. off. *vestiaire* ; [dʀesiŋʀum].

**DRESSOIR,** subst. m.
Meuble à étagères servant à exposer de la vaisselle. 📖 1285 ; ☞ *dresser* ; [dʀeswaʀ].

**DRÈVE,** subst. f.
Belg. Allée carrossable bordée d'arbres. 📖 1420 ; m. néerl. *dreve* ; [dʀɛv].

**DREYFUSARD, ARDE,** adj. et subst.
*Hist.* Se dit d'un partisan du capitaine Dreyfus. 📖 1897 ; anthropon. *Alfred Dreyfus* ; [dʀɛfyzaʀ, aʀd].

**DRIBBLE,** subst. m.
*Sp.* Action de dribbler (anglic.). 📖 1894 ; mot angl. ; var. *drible* (recomm. off.) ; [dʀibl].

**DRIBBLER,** verbe [3]
Anglic. *Sp.* INTRANS. Avancer en contrôlant le ballon et en évitant l'adversaire. TRANS. Dépasser (un adversaire) en dribblant. 📖 1895 ; angl. *dribble* ; var. *dribler* (recomm. off.) ; [dʀible].

**DRILL,** subst. m.
*Zool.* Grand singe cynocéphale de la famille des Cercopithécidés, à callosités fessières rouge brique, répandu en Afrique occidentale. 📖 1775 ; angl. *drill*, p.-ê. d'orig. africaine ; [dʀij].

© Maglione/P. H. R.-Jacana

*Drill.*

**DRILLE (I),** subst. m.
**1.** Vx. Soudard, soldat vagabond. **2.** Loc. *Joyeux **drille*** : gai luron ; bon vivant. 📖 1628 ; p.-ê. anc. fr. *drilles*, « guenilles » ; [dʀij].

**DRILLE (II),** subst. f.
*Techn.* Outil à foret utilisé pour percer des trous très fins. 📖 1752 ; néerl. *dril*, « foret » ; [dʀij].

**DRINGUELLE,** subst. f.
Belg. Pourboire. 📖 1683 ; all. *Trinkgeld* ; [dʀɛ̃gɛl].

**DRISSE,** subst. f.
*Mar.* Cordage servant à hisser une voile, un pavillon. 📖 1639 ; ital. *drizza* ; [dʀis].

**DRIVE,** subst. m.
Anglic. *Sp.* **1.** Au tennis, coup droit faisant passer la balle au ras du filet. **2.** Au golf, coup de longue distance, au départ d'un trou. 📖 1896 ; mot angl. ; [dʀajv].

**DRIVE-IN,** subst. m. inv.
Cinéma, restaurant, etc., de plein air où les automobilistes peuvent voir un film, avoir accès à des services sans sortir de leur voiture (anglic.). 📖 1950 ; anglo-amér. *to drive in*, « entrer en voiture » ; [dʀajvin].

**DRIVER (I),** subst. m.
Anglic. **1.** Jockey d'une course de trot attelé. **2.** C[…] de golf utilisé pour faire un drive. **3.** *Inform[…]* Pilote. 📖 1833 ; mot angl. ; var. *driveur* ; [dʀajvo[…]

**DRIVER (II),** verbe [3]
Anglic. INTRANS. Faire un drive, au golf, au ten[…] TRANS. Conduire (un cheval attelé à un sulky), d[…] une course de trot. 📖 1933 ; angl. *to drive* ; [dʀ[…] ou [dʀaj-].

**DROGMAN,** subst. m.
*Hist.* Interprète officiel, dans les pays du Levant[…] dans l'Empire ottoman. 📖 Déb. XIII^e s. ; gr. byza[…] *dragoumanos*, de l'ar. *targumān* ; [dʀɔgmɑ̃].

**DROGUE,** subst. f.
**1.** Vx. ▸ Substance naturelle employée en pharm[…] cie ; par méton., médicament. ▸ Ingrédient natu[…] utilisé en teinturerie, en chimie, etc. **2.** Substa[…] psychotrope dont l'usage peut conduire à [...] toxicomanie ; stupéfiant. ▸ ***Drogue** dure* : qui a [...] effets nocifs sur l'organisme et entraîne [...] accoutumance ; ***Drogue** douce* : qui n'entraîne [...] forcément de dépendance physique. **3.** Fig. Ce d[...] on ne peut se passer : *La télévision peut devenir [...] **drogue**.* 📖 XIV^e s. ; orig. obsc. ; [dʀɔg].

**DROGUÉ, ÉE,** adj. et subst.
Se dit d'une personne qui fait usage de stupéfia[…] 📖 Déb. XX^e s. ; p. p. de *droguer* ; [dʀɔge].

**DROGUER (I),** verbe trans. [3]
**1.** Administrer à (qqn) beaucoup de médicame[…] (péj. et fam.). **2.** Faire prendre à (une person[…] un animal) une drogue nocive, de force ou à [...] insu. PRONOM. Prendre des stupéfiants. 📖 16[…] (1554, frelater du vin) ; ☞ *drogue* ; [dʀɔge].

**DROGUER (II),** verbe intrans. [3]
*Faire **droguer** qqn* : faire attendre (vieilli et fam[…] 📖 1829 ; *drogue* (vx), ancien jeu de cartes ; [dʀɔge[…]

**DROGUERIE,** subst. f.
Commerce de produits d'hygiène, d'entretien, [...] ménage ; par méton., magasin où l'on vend [...] produits. 📖 1835 (fin XIV^e s., épices) ; ☞ *drog[…]* [dʀɔgʀi].

**DROGUET,** subst. m.
**1.** Vx. Étoffe grossière de laine. **2.** Ext. Étoffe or[…] de motifs brochés. 📖 1505 ; prob. *drogue* (vx), « ch[…] sans valeur » ; [dʀɔgɛ].

**DROGUISTE,** subst.
Personne qui tient une droguerie (synon. vieilli *m[…] chand de couleurs*). 📖 1549 ; ☞ *drogue* ; [dʀɔgist].

**DROIT (I),** subst. m.
**I. 1.** Ensemble des principes moraux et de just[…] qui doivent régir les rapports entre les homme[…] *Le concept, l'idée de **droit**.* **2.** Ensemble des règles [...] des usages établis dans un État : ***Droit** ci[…]* ensemble des règles relatives aux individus, à [...] famille et aux biens ; ***Droit** pénal*, qui fixe le ca[…] des sanctions prévues pour toute infraction à la l[…] ***Droit** commercial*, qui concerne les actes [...] commerce et l'organisation des sociétés et [...] professions commerciales ; ***Droit** administratif*, re[…] tif au fonctionnement des services publics et à le[…] rapports avec les administrés. ▸ *Relig.* ***Droit** can[…]* (☞ *canon*). **3.** Loc. ***À bon droit*** : de façon justifi[…] ***De plein droit*** : autorisé d'office ; ***De quel droit*** en vertu de quoi ? ; ***Être en droit de faire qqch[…]*** y être autorisé ; ***Qui de droit*** : la personne qui [...] habilitée. **4.** Science, enseignement ayant pour o[…] l'étude de ces règles : *Faire son **droit***, ses études [...] **droit** ; *Un étudiant en **droit**.* **II. 1.** Légitimité, p[…] voir détenu par naissance ou par nature : *Les dr[…] de l'homme*, les principes de liberté individuelle [...] d'affirmation de la dignité humaine légués par [...] Révolution française. **2.** Liberté, pouvoir acquis [...] fonction d'une loi : *Jouir de ses **droits*** ; ***Droit** [...] réponse* ; ***Droit** de grève* ; ***Droit** d'asile* ; par antiph[…] *Le **droit** du plus fort.* ▸ *Monarchie de **droit** di[…]* (☞ *divin*). **3.** Propriété morale et financière d'[…] œuvre, exercée par l'auteur ou ses héritiers ; [...] méton. : ***Droits** d'auteur*, rémunération perçue [...] un écrivain sur les ventes d'un ouvrage, par [...] artiste, un musicien sur la reproduction ou [...] diffusion de ses œuvres. **4.** Latitude de faire qq[…] de disposer de qqch., autorisation : *J'ai le **droit** dépenser mon argent comme je l'entends* ; *Il n'a [...] le **droit** de sortir.* **III.** Autorisation accordée [...] contrepartie du paiement d'une redevance ; [...] méton., taxe : *Acquitter un **droit*** ; ***Droits** de doua[…] de succession.* 📖 842 ; bas lat. *directum* ; [dʀwɑ].

**DROIT (II), DROITE,** adj. et adv.
**DJ. 1.** Qui suit les règles de la morale ; honnête, nc : *Homme* **droit** ; *Caractère* **droit**. **2.** Qui suit raisonnement juste, sensé : *La* **droite** *raison*, la que. **II. ADJ. 1.** Qui s'étend sans déviation d'un t à l'autre, qui est rectiligne : *Poteau* **droit** ; *Ligne ite* ; *Être* **droit** *comme un I.* ► Loc. *En* **droite** *ligne* : ant une ligne **droite** ou, par ext., directement. Cout. **Droit** *fil* : sens des fibres d'un tissu ; au , suite logique : *Dans le* **droit** *fil de sa pensée.* **3.** *Sp.* up **droit** : en escrime, coup porté en maintenant fer rectiligne, sans dégager ; au tennis, coup né à la balle du côté où le joueur tient sa uette (anton. *revers*). **ADV. 1.** En suivant une e **droite** : *Aller* **droit** *devant soi* ; *C'est tout* **droit**. Fig. ► Sans détour, directement : *Aller* **droit** *au* . ► Selon les règles imposées : *Marcher* **droit**, se former aux principes de la morale. **III. ADJ.** Qui est perpendiculaire à l'horizontale, vertical : r **droit** ; *Ce tableau n'est pas* **droit**, *il penche* ; *Jupe* **ite**, non évasée ; *Veste* **droite**, qui se ferme bord ord. **2.** *Anat. Muscle* **droit** : muscle dont les fibres t verticales quand le sujet est debout ; empl. st. masc. : *Grand* **droit**, muscle de la paroi érieure de l'abdomen. **3.** *Géom. Angle* **droit** : le qui mesure 90° ($\pi/2$ rad) ; *Cylindre* **droit** : de cylindrique dont les génératrices sont perdiculaires à la base ; *Secteur angulaire* **droit** : teur saillant du plan dont les côtés sont perdiculaires. XI^e s. ; lat. *directus*, « direct ; juste » ; wa, drwat].

**DROIT (III), DROITE,** adj. et subst.
. **1.** Qui est situé du côté opposé à celui du ur : *Main* **droite** ; *Pied* **droit**. **2.** Qui correspond côté **droit**. ► Loc. *À main* **droite** : à **droite**. **SUBST.** . **1.** Le côté **droit** : *Aller vers la* **droite** ; *Tenir droite*, rester sur le côté **droit** de la route ; *Confondre sa* **droite** *et sa gauche.* ► *Relig. La* **droite** *du gneur* : le côté des justes, des élus. **2.** *Pol.* Ennble des députés qui siègent à la **droite** du préside d'une assemblée parlementaire, et qui, traditionnellement, sont conservateurs ; ensemble des tis ou des individus qui soutiennent ces députés : *idées de* **droite** ; *Voter pour la* **droite**. **3.** *Géom.* ns un plan, un espace affine, la **droite** passant le point A et de vecteur directeur $\vec{u}$ non nul l'ensemble des points M tels que le vecteur $\overrightarrow{AM}$ colinéaire à $\vec{u}$. Deux points distincts P et Q erminent une unique **droite**, celle passant par ou Q) de vecteur directeur $\overrightarrow{PQ}$. **SUBST. MASC.** *Sp.* boxe, le poing **droit** ; au fém., le coup porté avec poing. XV^e s. ; anc. fr. *destre* ; [drwa, drwat].

**DROITEMENT,** adv.
une manière droite, avec loyauté (vieilli). Mil. s. ; ☞ *droit* (II) ; [drwatmɑ̃].

**DROITIER, IÈRE,** adj. et subst.
Se dit d'une personne qui se sert avec plus d'aice de sa main droite que de sa main gauche. Pol. De droite. XVI^e s. ; ☞ *droit* (III) ; [drwatje, jɛr].

**DROITURE,** subst. f.
alité d'une personne droite, qui ne s'écarte pas la morale. XII^e s. ; ☞ *droit* (II) ; [drwatyr].

**DROLATIQUE,** adj.
i a de la drôlerie, qui amuse par son pittoresque : *sonnage* **drolatique**. 1565 ; ☞ *drôle* ; [drɔlatik].

**DRÔLE,** adj. et subst. m.
**ST. 1.** Personnage roué qui suscite de la défiance de l'amusement (vieilli). **2.** Région. (Ouest et d). Jeune garçon, gamin. **ADJ. 1.** Qui fait rire par originalité ; comique : *Comédien* **drôle** ; *Histoire le.* **2.** Qui est surprenant, anormal (synon. arre) : *C'est* **drôle** *qu'il ne soit pas encore là* ; *Voilà* **drôle** *d'idée !* ► Loc. *Se sentir tout* **drôle** : dans état inhabituel. Fin XV^e s. ; prob. néerl. *drolle*, tin » ; [drol].

**DRÔLEMENT,** adv.
D'une manière drôle, comique. **2.** D'une manière arre : *Être* **drôlement** *vêtu* ; *Il parle* **drôlement**. Extrêmement, sacrément (fam.) : *Il court* **drôlement** *vite.* 1625 ; ☞ *drôle* ; [drolmɑ̃].

**DRÔLERIE,** subst. f.
Parole ou action drôle, amusante. **2.** Caractère ce qui est amusant. Fin XVI^e s. ; ☞ *drôle* ; [drolri].

**DRÔLESSE,** subst. f.
Femme aux mœurs dissolues (vieilli). **2.** Région. uest et Sud). Fillette. Fin XVI^e s. ; ☞ *drôle* ; oles].

**DRÔLET, ETTE,** adj.
Qui est assez amusant, espiègle (littér.). 1741 (1625, jeune garçon) ; ☞ *drôle* ; [drolɛ, ɛt].

**DROMADAIRE,** subst. m.
*Zool.* Ruminant de la famille des Camélidés, à bosse unique, répandu au Sahara et au Proche-Orient, et domestiqué pour sa vitesse et son endurance. Déb. XII^e s. ; lat. *dromedarius*, du gr. *dromas kamêlos*, « chameau qui court » ; [drɔmadɛr].

**DROME,** subst. f.
**1.** *Techn.* Pièce de charpente soutenant un marteau de forge. **2.** *Mar.* Ensemble des pièces de rechange en bois (mâts, vergues, etc.) embarquées sur un voilier ; par ext., ensemble des embarcations d'un navire. 1755 ; p.-ê. bas all. *drôm*, « poutre » ; [drɔm].

**DROMON,** subst. m.
*Hist.* Navire de guerre à rames, léger et rapide, utilisé dans l'Empire byzantin. Déb. XII^e s. ; bas lat. *dromo*, du gr. *dromôn* ; [drɔmɔ̃].

**DRONTE,** subst. m.
*Zool.* Gros oiseau de la famille des Raphidés, aux formes massives, qui ne pouvait voler. Autrefois commun à l'île Maurice, où il était appelé dodo, il a été exterminé par les chasseurs au XVIII^e s. 1663 ; néerl. *dronte*, d'orig. indigène ; [drɔ̃t].

**DROPER (I),** verbe intrans. [3]
Filer, s'enfuir (argot.). 1902 ; argot milit. *adroper*, « se dépêcher », de l'ar. *idrib*, « dépêche-toi » ; [drɔpe].

**DROPER (II),** verbe trans. [3]
**1.** Fam. **Droper** *qqn* : l'abandonner, le délaisser ; au fig. : **Droper** *ses études, son métier*, abandonner ses études, son métier, et vivre en marge de la société. **2.** *Milit.* Parachuter (des hommes, du matériel). **3.** *Sp.* Au golf, laisser tomber (une balle) bras tendu pour la remettre en jeu selon certaines règles. 1918 ; angl. *to drop*, « lâcher » ; var. *dropper* ; [drɔpe].

**DROP-GOAL,** subst. m.
*Sp.* Au rugby, coup de pied en demi-volée destiné à envoyer le ballon par-dessus la barre des buts adverses (abrév. : drop). 1895 ; angl. *drop goal*, de *to drop*, « lâcher », et de *goal*, « but » ; plur. *drop-goals* ; [drɔpgol].

**DROPPAGE,** subst. m.
*Milit.* Parachutage d'hommes ou de matériel. 1960 ; ☞ *droper* (II) ; [drɔpaʒ].

**DROPPER,** voir **DROPER (II)**

**DROSÉRA,** subst. m.
*Bot.* Plante herbacée insectivore de la famille des Droséracées, dont elle constitue le type. 1819 ; lat. sc. *drosera*, du gr. *droseros*, « humide de rosée » ; var. *drosera* ; [drozera].

**DROSOPHILE,** subst. f.
*Zool.* Insecte diptère de la famille des Muscidés, appelé aussi mouche du vinaigre, dont une espèce, *Drosophila melanogaster*, sert à l'étude des caractères héréditaires. 1845 ; lat. sc. *drosophila*, du gr. *drosos*, « rosée », et *philos*, « qui aime » ; [drɔzɔfil].

**DROSSE,** subst. f.
*Mar.* Câble, chaîne servant à transmettre le mouvement de la barre au gouvernail. 1643 ; ital. *trozza*, « cordage » ; [drɔs].

**DROSSER,** verbe trans. [3]
*Mar.* Déporter (un navire) vers la côte, en parlant des vents, des courants. 1777 ; prob. néerl. *drossen* ; [drɔse].

**DRU, DRUE,** adj. et adv.
**ADJ.** Qui a des pousses, des touffes nombreuses et serrées : *Herbe* **drue** ; *Cheveux* **drus** ; par ext. : *Pluie* **drue**, abondante et serrée. **ADV.** En abondance et de façon serrée : *Le maïs pousse* **dru**. Fin XI^e s. ; gaul. °*druto*, « fort, vigoureux » ; [dry].

**DRUGSTORE,** subst. m.
**1.** Aux États-Unis, magasin qui vend des produits pharmaceutiques, cosmétiques, alimentaires, des cigarettes, des journaux, etc. **2.** En France, ensemble comprenant un bar, un restaurant, un cinéma et divers magasins. 1949 ; anglo-amér. *drugstore*, de *drug*, « drogue », et de *store*, « magasin » ; [drœgstɔr].

**DRUIDE,** subst. m.
*Antiq.* Prêtre, chez les Celtes de Gaule, de Bretagne et d'Irlande, qui exerçait également un rôle d'éducateur et de juge. 1213 ; lat. *druida*, d'orig. gaul. ; le fém., *druidesse*, est rare ; [drɥid].

**DRUIDIQUE,** adj.
Relatif aux druides. 1773 ; ☞ *druide* ; [drɥidik].

**DRUIDISME,** subst. m.
Organisation religieuse des Celtes ; religion des druides. 1727 ; ☞ *druide* ; [drɥidism].

RELIGION – Le druidisme est l'institution religieuse qui a cimenté, durant deux millénaires, le monde celte. Il s'est éteint, sous la poussée de la conquête romaine, au IV^e s. apr. J.-C. (au VI^e s. en Irlande). En Gaule, où il apparaît comme un vecteur dangereux du nationalisme (révoltes de Sacrovir, de Civilis), il subsiste dans nombre de pratiques tout au long du haut Moyen Âge. À la fois mages, prêtres et chefs charismatiques, les druides forment la caste dominante, au-dessus des bardes et des devins. Ils délivrent un enseignement oral et initiatique qui comprend la croyance en l'immortalité de l'âme, en la réincarnation dans un corps d'être humain, en l'existence de divinités particulièrement tyranniques (Teutatès, Ésus, Taranis...). À défaut de prisonniers de guerre ou de criminels, on honore ces dieux en leur immolant des innocents, enfants compris. Fondée sur la violence, la société druidique prépare ses sujets à la guerre, aussi combat-on jusqu'à la mort sans faillir. Le druidisme moderne est une invention des XVIII^e et XIX^e s. Il a peu à voir avec l'ancien.

**DRUMLIN,** subst. m.
*Géogr.* Accumulation caillouteuse de moraines abandonnées sous un ancien glacier qui, avant de se retirer, l'a modelée en forme de dos de baleine suivant un axe parallèle à la direction de son écoulement. 1907 ; gaélique *druim*, « bord d'une colline » ; [drœmlin].

**DRUMMER,** subst. m.
*Mus.* Batteur, dans une formation de jazz ou de rock. Déb. XX^e s. ; mot angl. ; [drœmœr].

**DRUMS,** subst. m. plur.
*Mus.* Batterie, dans les orchestres de jazz ou de rock. 1928 ; angl. *drums*, de *drum*, « tambour » ; [drœms].

**DRUPE,** subst. f.
*Bot.* Fruit charnu à noyau des plantes angiospermes : *L'abricot, la pêche, la cerise, la prune sont des* **drupes**. Une **drupe** comporte un épicarpe (peau ou écorce du fruit), un mésocarpe (chair proprement dite) et un endocarpe (formé d'un noyau contenant la graine). 1796 ; lat. *drupa oliva*, « olive mûre » ; [dryp].

**DRY,** adj. inv. et subst. m.
**ADJ.** Sec : *Champagne* **dry**. **SUBST.** Cocktail au vermouth blanc sec et au gin. 1877 ; mot angl. ; plur. du subst. *dry(s)* ; [draj].

**DRYADE,** subst. f.
**1.** *Myth.* Nymphe des arbres et des forêts. **2.** *Bot.* Arbrisseau des montagnes, de la famille des Rosacées, appelé aussi thé des Alpes. Fin XIII^e s. ; lat. *dryas*, du gr. *druas*, de *drus*, « chêne » ; [drijad].

**DRY-FARMING,** subst. m.
*Agric.* Méthode consistant à retenir l'eau dans le sol en n'ensemençant qu'une année sur deux. 1911 ; anglo-amér. *dry farming*, de *dry*, « sec », et de *farming*, « culture » ; var. *dry farming*, plur. *dry(-)farmings* ; [drajfarmiŋ].

**DU,** voir **DE**

**DÛ, DUE,** adj. et subst. m.
**ADJ.** Que l'on doit : *Une somme* **due**. ► Loc. *Chose promise, chose* **due**. ► *Dr. En bonne et* **due** *forme* : selon les formes légales. **SUBST.** Ce qui est **dû** : *Payer, réclamer son* **dû**. 1306 ; p. p. de *devoir* (I) ; [dy].

**DUAL, DUALE, DUAUX,** adj. et subst. m.
**ADJ. 1.** Qui comporte deux éléments en relation réciproque. **2.** *Math. Notions* **duales** : notions qu'il est possible de permuter dans l'énoncé d'un théorème afin d'obtenir un nouveau théorème. **SUBST.** *Math.* **Dual** *d'un espace vectoriel E* : ensemble des formes linéaires définies dans E. 1948 ; bas lat. *dualis*, « de deux » ; [dɥal, dɥo].

**DUALISME,** subst. m.
**1.** *Philos.* et *Relig.* Système de pensée ou de croyance admettant la coexistence de deux principes premiers, égaux et opposés : **Dualisme** *du bien et du mal.* **2.** Ext. Coexistence de deux éléments opposés et complémentaires : **Dualisme** *de l'électorat américain.* **3.** *Hist.* **Dualisme** *austro-hongrois* : compromis politique qui sépara l'empire d'Autriche en deux États (l'Autriche et la Hongrie) de 1867 à 1918. 1755 ; bas lat. *dualis*, « de deux » ; [dɥalism].

**DUALISTE,** adj. et subst.
**ADJ.** Qui se rapporte au dualisme. **SUBST.** Partisan du dualisme. 1838 ; ☞ *dualisme* ; [dɥalist].

**DUALITÉ,** subst. f.
**1.** Caractère de ce qui est double dans son essence ; état de deux éléments qui coexistent : *Dualité de l'être humain* ; *Dualité de l'esprit et de la matière.* **2.** *Phys. Dualité onde-corpuscule* : concept fondamental de la mécanique quantique, initialement développé pour la lumière (photon), qui associe une onde à toute particule matérielle. Cette onde permet de déterminer, par le calcul, la probabilité de la présence de la particule en un lieu donné. Cette **dualité** essentielle est exprimée par la formule de Louis de Broglie $\lambda = h/p$, où $\lambda$ désigne la longueur d'onde, $p$ la quantité de mouvement de la particule et h la constante de Planck. 1377 ; bas lat. *dualitas* ; [dɥalite].

**DUBITATIF, IVE,** adj.
**1.** Qui exprime le doute, le scepticisme : *Un air **dubitatif**.* **2.** *Gramm. Proposition, conjonction **dubitative*** : servant à marquer le doute. XIIIe s. ; bas lat. *dubitativus* ; [dybitatif, iv].

**DUC,** subst. m.
**I. 1.** *Hist.* Souverain d'un duché. **2.** Titre de noblesse le plus élevé après celui de prince ; personne qui porte ce titre : *Le duc de Guise.* **II.** Voiture hippomobile de luxe à deux places, auxquelles s'ajoutent un siège de cocher et un siège arrière pour un domestique. **III.** *Zool.* Rapace nocturne de la famille des Strigidés, au bec enveloppé de plumes et aux longues ailes. On distingue le grand **duc** (70 cm, portant des touffes de plumes au-dessus des yeux), le moyen **duc** (30 cm, sans ces touffes) et le petit **duc** (20 cm). ▸ En appos. *Hibou grand **duc**.* Fin XIe s. ; lat. *dux*, « chef » ; [dyk].

*Hibou grand duc.*

**DUCAL, ALE, AUX,** adj.
Qui appartient au duc, à la duchesse. Mil. XIIe s. ; ☞ *duc* ; [dykal, o].

**DUCASSE,** subst. f.
Fête patronale, dans le nord de la France et en Belgique. 1391 ; var. dial. de *dicasse*, forme pop. de *dédicace*, « consécration d'une église » ; [dykas].

**DUCAT,** subst. m.
*Numism.* Ancienne monnaie d'or, parfois d'argent, à l'effigie d'un duc. ▸ Monnaie d'or des doges de Venise. 1275 ; ital. *ducato* ; [dyka].

**DUCATON,** subst. m.
*Numism.* Ancienne monnaie d'argent. 1596 ; ☞ *ducat* ; [dykatɔ̃].

**DUC-D'ALBE,** subst. m.
*Mar.* Pilotis isolé dans un fleuve ou un bassin maritime, auquel peuvent s'amarrer les bateaux. 1869 ; anthropon. *duc d'Albe*, gouverneur des Pays-Bas ; plur. *ducs-d'albe* ; [dykdalb].

**DUCHÉ,** subst. m.
*Hist.* Ensemble de terres et de seigneuries auxquelles est attaché le titre de duc : *Le **duché** de Bourgogne, de Guyenne.* ▸ ***Duché**-pairie* : terre à laquelle est attaché le titre de duc et de pair. Déb. XIIIe s. ; ☞ *duc* ; [dyʃe].

**DUCHESSE,** subst. f.
**1.** Femme qui possède un duché : *Anne de Bretagne, la **duchesse** en sabots* ; par ext., épouse d'un duc. ▸ Loc. *Faire sa, la **duchesse*** : affecter de grands airs. **2.** *Ameubl.* Sorte de lit de repos à la mode au XVIIIe s. **3.** *Arboric.* Variété de poire à chair fondante et parfumée. Fin XIIe s. ; ☞ *duc* ; [dyʃɛs].

**DUCROIRE,** subst. m.
*Dr. comm.* Engagement par lequel un commissionnaire garantit un commettant contre le risque d'insolvabilité de l'acheteur. ▸ Ext. La prime accordée au commissionnaire ; le commissionnaire lui-même. 1723 ; formé de *du* et de *croire* (vx), « faire crédit » ; [dykʀwaʀ].

**DUCTILE,** adj.
Qui peut être allongé, étiré, sans se rompre : *L'or est le métal le plus **ductile**.* XVe s. ; lat. *ductilis*, « que l'on peut conduire » ; [dyktil].

**DUCTILITÉ,** subst. f.
Propriété d'un corps ductile. 1680 ; ☞ *ductile* ; [dyktilite].

**DUÈGNE,** subst. f.
Gouvernante, femme âgée qui, dans la tradition espagnole, était chargée de surveiller la conduite d'une jeune femme. Mil. XVIIe s. ; esp. *dueña*, « dame » ; [dɥɛɲ].

**DUEL (I),** subst. m.
**1.** Combat singulier que se livrent deux adversaires armés. ▸ *Féod. **Duel** judiciaire* : combat singulier ayant valeur de preuve juridique. **2.** Combat entre deux adversaires dont l'un, s'estimant offensé par l'autre, exige réparation par les armes : *Se battre en **duel*** ; ***Duel** au premier sang*, arrêté à la première blessure. **3.** Fig. Compétition, lutte entre deux personnes, deux groupes d'individus : ***Duel** oratoire* ; ***Duel** politique.* 1556 ; lat. *duellum*, anc. forme de *bellum*, « guerre » ; [dɥɛl].

**DUEL (II), DUELLE,** subst. m. et adj.
Subst. *Gramm.* Nombre, distinct du singulier et du pluriel, utilisé dans les déclinaisons et les conjugaisons de certaines langues, comme le grec ancien, le sanskrit, et indiquant qu'il s'agit de deux personnes ou de deux choses. Adj. **1.** Relatif au duel. **2.** Relatif à la dualité. 1570 ; lat. *dualis*, « de deux » ; [dɥɛl].

**DUELLISTE,** subst. m.
Personne qui se bat en duel ou qui cherche les occasions de se battre en duel. Fin XVIe s. ; ☞ *duel* (I) ; [dɥelist].

**DUETTISTE,** subst.
Personne qui joue ou chante en duo. 1913 ; ☞ *duetto* ; [dɥetist].

**DUETTO,** subst. m.
*Mus.* Petit duo. 1817 ; mot ital. ; [dɥɛt(t)o].

**DUFFEL-COAT,** subst. m.
Manteau trois-quarts à capuche, en épais drap de laine. 1952 ; anglo-amér. *duffle coat*, de *duffle*, « laine épaisse », de *Duffel*, ville de Belgique, et de *coat*, « manteau » ; plur. *duffel-coats*, var. *duffle-coat* (plur. *duffle-coats*) ; [dœfœlkot].

**DUGAZON,** subst. f.
*Théâtre.* Rôle de soubrette ou d'amoureuse, dans un opéra-comique (vieilli). Mil. XIXe s. ; anthropon. *Rose Dugazon*, actrice de l'Opéra-Comique ; [dygazɔ̃].

**DUGONG,** subst. m.
*Zool.* Grand mammifère marin de l'ordre des Siréniens, que l'on rencontre en mer Rouge et dans l'océan Indien. 1756 ; malais *dūyung* ; [dygɔ̃g].

**DUITE,** subst. f.
*Text.* Longueur de fil que la navette d'un métier à tisser mène d'une lisière à l'autre, dans la confection d'un tissu. 1531 ; *duire* (rare), « conduire », du lat. *ducere* ; [dɥit].

**DULCICOLE,** adj.
*Bot.* et *Zool.* Qui vit en eau douce : *Le brochet est un poisson **dulcicole**.* Mil. XXe s. ; lat. *dulcis*, « doux », + *-cole* ; var. *dulçaquicole* ; [dylsikɔl].

**DULCIFICATION,** subst. f.
**1.** Vx. Action de dulcifier ; son résultat. **2.** *Métall.* Opération consistant à faire subir au plomb un premier affinage. 1651 ; ☞ *dulcifier* ; [dylsifikasjɔ̃].

**DULCIFIER,** verbe trans. [6]
**1.** Rendre plus doux (vieilli) : ***Dulcifier** un remède amer* ; ***Dulcifier** un acide*, atténuer sa virulence. **2.** Fig. Adoucir, rendre moins farouche. 1620 ; bas lat. *dulcificare* ; [dylsifje].

**DULCINÉE,** subst. f.
Femme passionnément aimée (iron.). 1718 ; *Dulcinée du Toboso*, héroïne aimée de don Quichotte dans le roman de Cervantès ; [dylsine].

**DULIE,** subst. f.
*Théol. Culte de **dulie*** : vénération rendue aux anges et aux saints. 1374 ; lat. médiév. *dulia*, du gr. *douleia*, « esclavage ; soumission » ; [dyli].

**DUM-DUM,** adj. inv.
*Balle **dum-dum*** : balle de fusil dont l'enveloppe, cisaillée en croix, provoque de larges déchirures. 1899 ; topon. *Dumdum* (Inde) ; [dumdum].

**DÛMENT,** adv.
**1.** *Dr.* Selon les formes légalement prescrites : *Un expert **dûment** habilité à donner son avis.* **2.** Ext. Comme il convient : *Jeunes filles **dûment** chapitrées sur les bonnes manières.* 1331 ; ☞ *dû* ; [dymɑ̃].

**DUMPING,** subst. m.
*Comm.* Stratégie consistant à vendre un pro[duit] moins cher à l'étranger que sur le marché natio[nal] ou à l'écouler à perte. 1904 ; anglo-amér. *dum[ping]* de *to dump*, « déverser » ; [dœmpiŋ].

**DUNDEE,** subst. m.
*Mar.* Petit voilier à deux mâts, gén. utilisé po[ur la] pêche côtière. 1900 ; altér. angl. de *dandy*, d'apr. *Dundee*, port d'Écosse ; [dœndi].

**DUNE,** subst. f.
*Géogr.* Accumulation de sable produite par le v[ent] pouvant atteindre 100 m de hauteur, que [l'on] rencontre sur le littoral et dans les rég[ions] désertiques. Fin XIIe s. ; m. néerl. *dune* ; [dyn].

**DUNETTE,** subst. f.
*Mar.* Construction qui, édifiée sur le pont ar[rière] d'un navire, en occupe toute la largeur. (1550, levée de terre fortifiée) ; ☞ *dune* ; [dynɛt].

**DUO,** subst. m.
**1.** *Mus.* Composition musicale pour deux voi[x ou] deux instruments : *Les **duos** pour violon et alt[o de] Mozart* ; *Chanter en **duo**.* **2.** Ext. Couple de [per]sonnes ou de choses en étroite affinité. **3.** [...] Échange de propos vifs ou intimes entre [deux] personnes. **4.** *Métall.* Laminoir à deux cylin[dres]. 1547 ; ital. *duo*, « deux » ; [dɥo].

**DUODÉCIMAIN, AINE,** adj.
*Relig. Chiisme **duodécimain*** : branche majoritair[e du] chiisme, et religion d'État en Iran, qui vénère d[ouze] imams (le douzième devant réapparaître triom[pha]lement à la fin des temps, sous les traits du ma[hdi]). Lat. *duodecimus*, « douzième » ; [dɥodesimɛ̃, ɛn].

**DUODÉCIMAL, ALE, AUX,** adj.
*Arithm.* Qualifie un système de numération q[ui a] pour base le nombre douze. 1801 ; lat. *duodec[imus]*, « douzième » ; [dɥodesimal, o].

**DUODÉNAL, ALE, AUX,** adj.
*Anat.* Relatif au duodénum : *Douleurs **duodén**[ales].* 1808 ; ☞ *duodénum* ; [dɥodenal, o].

**DUODÉNITE,** subst. f.
*Pathol.* Inflammation du duodénum : ***Duodé**[nite] chronique.* 1825 ; ☞ *duodénum* + *-ite* ; [dɥode[nit]].

**DUODÉNUM,** subst. m.
*Anat.* Première portion de l'intestin grêle ( 25 cm de longueur, 3 à 4 cm de diamètre), commence au pylore, orifice de sortie de l'esto[mac]. Il s'enroule autour du pancréas, avec lequel il [fait] bloc, et se continue par le jéjuno-iléon. 14[..] ell. du lat. médiév. *duodenum digitorum*, « de douze d[oigts] (de longueur) » ; [dɥodenɔm].

**DUODI,** subst. m.
Deuxième jour de la décade, dans le calen[drier] républicain. 1793 ; lat. *duo*, « deux », et « jour » ; [dɥodi].

**DUOPOLE,** subst. m.
*Écon.* Situation d'un marché où il n'y a que d[eux] vendeurs. V. 1960 ; formé du lat. *duo*, « deux », du gr. *pôlein*, « vendre » ; [dɥopɔl].

**DUPE,** subst. f.
Personne que l'on a abusée, ou qui se laisse fa[cile]ment abuser : *Être la **dupe** d'un charlatan* ; e[n] adj. : *Je ne suis pas **dupe** de vos propos.* ▸ Loc. *Ma[rché] de **dupes*** : escroquerie, tromperie. 1426 ; *dupe* « huppe », oiseau d'apparence stupide ; [dyp].

**DUPER,** verbe trans. [3]
Tromper, flouer. Fin XV[e] s. ; ☞ *dupe* ; [dype].

**DUPERIE,** subst. f.
Action de duper ; son résultat. 1690 ; ☞ *du[per]* ; [dypʀi].

**DUPEUR, EUSE,** subst.
Personne qui dupe. 1669 ; ☞ *duper* ; [dypœʀ, [øz]].

**DUPLEX,** subst. m.
**1.** *Télécomm.* Système permettant d'envoyer et recevoir simultanément des messages. **2.** *Aud[iov.]* Procédé assurant la transmission simultanée d'[une] émission à partir de deux ou plusieurs statio[ns] : *Un débat en **duplex**.* **3.** *Archit.* Appartement sur d[eux] niveaux reliés par un escalier intérieur. 18[..] lat. *duplex*, « double » ; [dyplɛks].

**DUPLEXER,** verbe trans. [3]
*Télécomm.* Transmettre en duplex. 1939 ; ☞ [du]*plex* ; [dyplɛkse].

**DUPLICATA,** subst. m.
Double d'un document. 1528 ; lat. médiév. *d[upli]cata*, du lat. *duplicare*, « doubler » ; plur. *duplicat[a]* [dyplikata].

**DUPLICATEUR, subst. m.**
ppareil servant à reproduire des documents. 1929 (1838, terme d'électricité) ; bas lat. *duplicator*, qui double » ; [dyplikatœʀ].

**DUPLICATION, subst. f.**
Action de doubler une quantité, un volume. *Génét.* ► Accident chromosomique conduisant au ublement d'un fragment chromosomique qui cupe souvent une position contiguë à la partie ormale. ► Processus de dédoublement d'une molé- le d'A. D. N. en deux molécules filles. **3.** Action dupliquer ; son résultat. xııᵉ s. ; lat. *duplicatio* ; yplikasjɔ̃].

**DUPLICITÉ, subst. f.**
Hypocrisie, fourberie. **2.** État de ce qui est double ieilli) : *La **duplicité** du génie de Pascal, homme de tres et homme de science.* Fin xıııᵉ s. ; bas lat. *plicitas*, « état de ce qui est double » ; [dyplisite].

**DUPLIQUER, verbe trans. [3]**
eproduire (un document écrit, une cassette, un hier informatique...). V. 1970 (fin xıııᵉ s., répon- e à une réplique) ; lat. *duplicare*, « doubler » ; [dyplike].

**DUQUEL, voir LEQUEL**

**DUR, DURE, adj., adv. et subst.**
DJ. **1.** Solide, résistant, difficile à entamer : *Roche ıre.* ► Loc. *Avoir la dent **dure*** : manquer d'indul- ence. **2.** Ferme, consistant : *Pain **dur**, rassis ; Viande ıre*, coriace ; *Œuf **dur***, coagulé par cuisson. **3.** Qui anque de douceur, d'agrément : *Fauteuil **dur** ; ımière **dure**.* **4.** Difficile, pénible : *Un **dur** problème mathématiques* ; qui oppose une résistance : *Une nêtre **dure**.* ► Loc. *Avoir la tête **dure*** : être entêté, orné ; *Avoir la vie **dure*** : se montrer d'une sistance exceptionnelle ; *Coup **dur*** : épreuve pé- ible ; *Être **dur** à cuire* : peu impressionnable ; ***Dur** oreille* : un peu sourd ; *Mener la vie **dure** à qqn* : tourmenter. **5.** Fig. Endurant, résistant : *Un ıvrier **dur** à la tâche* ; sévère : *Il parla d'un ton **dur*** ; nplacable, sans pitié : *Il est **dur** envers ses fils.* ► Loc. m. ***Dur** à la détente* (☞ *détente*). **ADV.** Avec force ; ıtensément : *Le soleil tapait **dur**.* ► Loc. *Croire **dur** mme fer* : sans le moindre doute. **SUBST. MASC.** Homme viril, qui n'a peur de rien (fam.). Individu aux opinions intransigeantes (fam.) : *ans le syndicat, il fait partie des **durs**.* **3.** Matériau ır : *L'appentis sera monté en **dur**.* **SUBST. FÉM. 1.** La rre, le sol : *Coucher sur la **dure**.* ► Loc. *À la **dure*** : vèrement ou sans confort. **2.** Femme courageuse am.) : *Cette aventurière, c'est une **dure**.* Fin xᵉ s. ; t. *durus* ; [dyʀ].

**DURABILITÉ, subst. f.**
. Qualité de ce qui est durable. **2.** *Dr.* Durée de alidité d'un droit ou d'utilisation d'un bien. Fin ıᵉ s. ; bas lat. *durabilitas* ; [dyʀabilite].

**DURABLE, adj.**
)ui dure longtemps. Mil. xıᵉ s. ; lat. *durabilis* ; yʀabl].

**DURABLEMENT, adv.**
our longtemps. Fin xııᵉ s. ; ☞ *durable* ; yʀabləmɑ̃].

**DURAL, ALE, AUX, adj.**
nat. Qui se rapporte à la dure-mère : *Hématome ural.* 1959 ; ☞ *dure-mère* ; [dyʀal, o].

**DURALUMIN, subst. m. inv.**
echn. Alliage à base d'aluminium, utilisé surtout n aéronautique : *Jantes en **Duralumin**.* 1932 ; ois. du topon. all. *Düren* et de *aluminium*, d'apr. *dur* ; déposé ; [dyʀalymɛ̃].

**DURAMEN, subst. m.**
ot. Partie centrale du tronc d'arbre qui n'est plus riguée par la sève et où le bois est particulièrement ur et foncé (appelée aussi bois parfait). 1839 ; t. *duramen*, « durcissement » ; [dyʀamɛn].

**DURANT, prép.**
. Pendant, tout au long de : ***Durant** trois mois* ; *urant notre trajet* ; à l'époque de : ***Durant** la ernière guerre* ; parfois placé après son complément, our insister sur la durée : *Des heures **durant** il obstina* ; *Il travailla sans relâche sa vie **durant*** littér.). **2.** Loc. conj. ***Durant** que* : pendant que (vx). 1260 ; p. pr. de *durer* ; [dyʀɑ̃].

**DURATIF, IVE, adj.**
*ing.* Qui exprime la durée : *La valeur **durative** de imparfait* ; *Le verbe « attendre » est un verbe **du- atif**.* 1875 ; ☞ *durer* ; [duʀatif, iv].

**DURCIR, verbe [19]**
RANS. **1.** Rendre dur, plus dur : ***Durcir** l'acier*, le emper. **2.** Rendre plus contrasté, moins harmonieux : *La lumière crue **durcissait** les visages.* **3.** Fig. Endurcir, fortifier, affermir : *Les épreuves ont **durci** son caractère* ; rendre intransigeant, radicaliser : ***Durcir** ses positions.* **INTRANS.** Devenir dur, se solidifier : *Attendre que le vernis **durcisse**.* **PRONOM. 1.** Devenir résistant : *La terre se **durcit** au feu.* **2.** Fig. S'affermir, devenir intransigeant, insensible : *Son regard se **durcit**.* Déb. xıııᵉ s. ; lat. *durescere* ; [dyʀsiʀ].

**DURCISSEMENT, subst. m.**
**1.** Action de durcir, de se durcir ; son résultat. **2.** Fig. Fait de devenir plus intransigeant. 1761 ; ☞ *durcir* ; [dyʀsismɑ̃].

**DURCISSEUR, subst. m.**
*Chim.* Produit ayant la propriété de durcir un matériau. 1863 ; ☞ *durcir* ; [dyʀsisœʀ].

**DURÉE, subst. f.**
**1.** Période de temps déterminée, mesurable, avec un début et une fin ; temps que dure un évènement, une action : *La **durée** d'un effort* ; *Une brève **durée** de vie.* **2.** *Philos.* Temps vécu, indivisible, qui s'oppose, chez Bergson, au temps divisible de la science et de la vie sociale : *Issue de l'expérience et sans cesse y retournant, la **durée** est une donnée immédiate de la conscience.* Mil. xııᵉ s. ; p. p. de *durer* ; [dyʀe].

**DUREMENT, adv.**
**1.** Avec énergie, intensément : *Il a travaillé **durement** pour réussir.* **2.** Avec dureté, sévérité, rudesse : *Juger, traiter **durement** un élève.* xᵉ s. ; ☞ *dur* ; [dyʀmɑ̃].

**DURE-MÈRE, subst. f.**
*Anat.* La plus externe des trois membranes (méninges) enveloppant les organes du système nerveux central. 1314 ; lat. méd. *dura mater* ; plur. *dures-mères* ; [dyʀmɛʀ].

**DURER, verbe intrans. [3]**
**1.** Avoir telle durée : *Le concours **dura** cinq jours.* **2.** Abs. Se prolonger, continuer d'exister : *La crise **dure*** ; résister au temps, passer à la postérité : *Une maison bâtie pour **durer*** ; *Son souvenir **durera**.* **3.** Paraître excessivement long (littér.) : *Le temps lui **dure**.* **4.** Loc. *Faire **durer** le plaisir* : l'entretenir. Mil. xıᵉ s. ; lat. *durare* ; [dyʀe].

**DURETÉ, subst. f.**
**1.** Qualité de ce qui est dur : ***Dureté** du métal, du diamant.* **2.** Manque de douceur, rudesse : *La **dureté** du climat polaire* ; ***Dureté** des temps*, conditions de vie difficiles. **3.** Fig. Sévérité, rigueur : *Un peu de **dureté** sied bien aux grandes âmes* (Corneille). **4.** *Chim.* Qualité d'une eau à forte teneur en sels calcaires, qui entartre les récipients : *La **dureté** de l'eau est mesurée par l'hydrotimétrie.* **5.** *Métall.* Mesure de l'empreinte laissée dans un matériau par une bille d'acier appliquée avec une force étalonnée (méthode de Brinell). **6.** *Minér.* *Échelle de **dureté** (de Mohs)* : série conventionnelle de minéraux, classés de 1 à 10 (du talc au diamant), en fonction de leur capacité à être rayés. Fin xııᵉ s. ; ☞ *dur* ; [dyʀte].

**DURHAM, subst. et adj.**
*Zool.* Se dit d'une race bovine massive, à la robe claire et portant de petites cornes (synon. *shorthorn*). 1855 ; topon. *Durham* (Angleterre) ; [dyʀam].

**DURILLON, subst. m.**
Callosité, durcissement de l'épiderme de la paume ou de la plante des pieds. xıııᵉ s. ; ☞ *dur* ; [dyʀijɔ̃].

**DURITE, subst. f.**
*Techn.* Tuyau en caoutchouc spécialement traité, servant à relier les organes d'un moteur à explosion. V. 1950 ; n. déposé *Durit*, prob. de *dur* ; [dyʀit].

**DUUMVIR, subst. m.**
*Antiq. rom.* Magistrat partageant ses fonctions avec un homologue. 1566 ; lat. *duumvir*, de *duo*, « deux », et de *vir*, « homme » ; [dyɔmviʀ].

**DUUMVIRAT, subst. m.**
**1.** *Antiq. rom.* Fonction de duumvir ; durée de sa charge. **2.** Ext. Groupe de deux personnes exerçant une autorité. 1626 ; lat. *duumviratus* ; [dyɔmviʀa].

**DUVET, subst. m.**
**1.** *Zool.* Ensemble des petites plumes légères recouvrant les oisillons et le ventre des oiseaux adultes. **2.** Anal. Poils fins et doux : ***Duvet** d'une barbe naissante.* **3.** Méton. Sac de couchage garni de **duvet** ou d'autre matière. ► Belg. et Helv. Édredon. Fin xıııᵉ s. ; altér. de *dumet*, de l'anc. nord. *dunn* ; [dyvɛ].

**DUVETER (SE), verbe pronom. [14]**
Se couvrir de duvet. 1875 ; ☞ *duvet* ; [dyvte].

**DUVETEUX, EUSE, adj.**
Couvert de duvet ; qui a l'aspect du duvet : *Étoffe **duveteuse**.* 1573 ; ☞ *duvet* ; [dyvtø, øz].

**Dy, voir DYSPROSIUM**

**DYADE, subst. f.**
**1.** *Philos.* Réunion de deux principes corrélatifs : *L'unité et l'infini constituent la **dyade** pythagoricienne.* **2.** *Biol.* et *Génét.* Paire de chromosomes, d'origine maternelle pour l'un et paternelle pour l'autre. 1546 ; bas lat. *dyas*, du gr. *duas*, « couple » ; [djad].

**DYADIQUE, adj.**
*Math. Nombre rationnel **dyadique*** : pouvant s'écrire sous la forme $a/2^p$, $a$ entier relatif, $p$ entier. 1870 ; ☞ *dyade* ; [djadik].

**DYARCHIE, subst. f.**
*Pol.* Régime dans lequel le pouvoir est exercé par deux personnes ou par deux groupes : *La **dyarchie** de Sparte.* 1808 ; gr. *duo*, « deux », et *arkhê*, « commandement » ; [djaʀʃi].

**DYKE, subst. m.**
*Géol.* Filon de roches éruptives dégagé par l'érosion, qui lui a donné l'aspect d'un mur naturel. 1759 ; angl. *dyke*, « digue » ; [dajk].

**DYNAMIQUE, adj. et subst. f.**
**ADJ. 1.** *Phys.* Relatif au mouvement et aux forces qui le produisent (anton. *statique*) : *Électricité **dynamique*** ; *Action **dynamique** de la pesanteur.* **2.** *Sc.* Qui étudie les choses dans leur évolution. **3.** Plein d'allant : *Un chef **dynamique**.* **SUBST. 1.** *Phys.* Partie de la mécanique qui étudie les mouvements (d'un point matériel, d'un corps) en relation avec les forces qui les produisent (anton. *statique*) : ***Dynamique** classique ou newtonienne, relativiste ou einsteinienne, quantique.* **2.** Ensemble des forces et des motivations qui contribuent à un processus, engendrent une évolution : ***Dynamique** d'une entreprise, d'un parti politique.* **3.** *Sociol.* ***Dynamique** sociale* : évolution des sociétés et de leurs structures ; ***Dynamique** de groupe* : étude scientifique des lois qui régissent les phénomènes propres aux groupes humains. **4.** *Mus.* Écart entre l'intensité maximale et l'intensité minimale d'un son. 1692 ; gr. *dunamikos*, « fort, puissant » ; [dinamik].

**DYNAMISATION, subst. f.**
**1.** *Pharm.* Opération conférant à un remède homéopathique son efficacité maximale. **2.** Action de dynamiser : *La **dynamisation** d'une équipe.* 1955 ; ☞ *dynamiser* ; [dinamizasjɔ̃].

**DYNAMISER, verbe trans. [3]**
**1.** En homéopathie, procéder à la dynamisation de (une substance). **2.** Stimuler, insuffler du dynamisme à. 1872 ; ☞ *dynamique* ; [dinamize].

**DYNAMISME, subst. m.**
**1.** *Philos.* Nom donné aux doctrines qui, s'opposant au mécanisme et à l'idée de finalité, admettent l'existence de forces irréductibles à la masse et au mouvement. **2.** Ext. Énergie, vitalité, entrain : *Une grand-mère au **dynamisme** stupéfiant.* 1834 ; gr. *dunamis*, « force » ; [dinamism].

**DYNAMITAGE, subst. m.**
Action de dynamiter. 1917 ; ☞ *dynamiter* ; [dinamitaʒ].

**DYNAMITE, subst. f.**
**1.** *Chim.* Explosif, inventé par Alfred Nobel en 1866, constitué pour l'essentiel de nitroglycérine stabilisée par des matières absorbantes. **2.** Fig. et Fam. Ce qui possède des vertus explosives et représente un danger : *Ce témoignage, c'est de la **dynamite*** ; par ext., ce qui est énergique, tonique. 1870 ; gr. *dunamis*, « force » ; [dinamit].

**DYNAMITER, verbe trans. [3]**
**1.** Détruire en faisant exploser une charge de dynamite. **2.** Fig. Faire éclater (un ordre établi, un système). 1882 ; ☞ *dynamite* ; [dinamite].

**DYNAMITERIE, subst. f.**
Fabrique de dynamite. 1875 ; ☞ *dynamite* ; [dinamitʀi].

**DYNAMITEUR, EUSE, subst.**
**1.** Personne qui utilise de la dynamite. **2.** Fig. Personne qui fait s'écrouler un ordre établi, un système. 1871 ; ☞ *dynamiter* ; [dinamitœʀ, øz].

**DYNAMO, subst. f.**
*Phys.* Moteur électrique à courant continu. 1881 ; ell. de *machine dynamo-électrique* ; [dinamo].

**DYNAMOGÈNE, adj.**
*Physiol.* Qui augmente la tonicité, la force ; qui stimule l'énergie : *L'effet **dynamogène** de certains aliments.* 1848 ; formé de *dynamo-* et de *-gène* ; synon. *dynamogénique* ; [dinamɔʒɛn].

**DYNAMOGRAPHE, subst. m.**
*Physiol.* Appareil servant à mesurer la puissance musculaire. 🕮 1870 ; formé de *dynamo-* et de *-graphe* ; [dinamɔgʀaf].

**DYNAMOMÈTRE, subst. m.**
*Phys.* Appareil destiné à la mesure de l'intensité d'une force par l'allongement qu'elle provoque lorsqu'elle s'applique à l'extrémité d'un ressort ou d'un dispositif analogue. 🕮 1798 ; formé de *dynamo-* et de *-mètre*[1] ; [dinamɔmɛtʀ].

**DYNAMOMÉTRIQUE, adj.**
*Phys.* Relatif à la mesure de l'intensité d'une force. 🕮 1814 ; ☞ *dynamomètre* ; [dinamɔmetʀik].

© St. Krasemann-Jacana

*Scarabée dynaste.*

**DYNASTE, subst. m.**
**1.** *Antiq.* Prince régnant sur un petit territoire ou gouvernant sous l'autorité d'un souverain. **2.** *Zool.* Grand coléoptère d'Amérique centrale ; en appos. : *Scarabée **dynaste**.* 🕮 Déb. XVIe s. ; gr. *dunastês* ; [dinast].

**DYNASTIE, subst. f.**
**1.** Lignée de souverains issus d'une même famille. **2.** Anal. Succession des membres d'une même famille qui ont également marqué un domaine d'activité particulier : *La **dynastie** industrielle des Krupp.* **3.** Méton. Période pendant laquelle une **dynastie** règne sur un pays : *Sous la **dynastie** Ming.* 🕮 XVe s. ; gr. *dunasteia*, « pouvoir, souveraineté » ; [dinasti].

**DYNASTIQUE, adj.**
Propre à une dynastie ou au système de transmission de la souveraineté au sein d'une même famille. 🕮 1834 ; ☞ *dynastie* ; [dinastik].

**DYNE, subst. f.**
*Métrol.* Unité de force dans l'ancien système d'unités C. G. S., valant $10^{-5}$ newton (symb. : dyn). 🕮 1881 ; angl. *dyne*, du gr. *dunamis*, « force » ; [din].

**DYSARTHRIE, subst. f.**
*Pathol.* Anarthrie. 🕮 1907 ; gr. *arthron*, « articulation », + *dys-* ; [dizaʀtʀi].

**DYSBASIE, subst. f.**
*Pathol.* Difficulté à marcher. 🕮 V. 1910 ; gr. *basis*, « action de marcher », + *dys-* ; [disbazi].

**DYSBOULIE, subst. f.**
*Psych.* Aboulie légère. 🕮 1909 ; gr. *boulê*, « volonté », + *dys-* ; [disbuli].

**DYSCALCULIE, subst. f.**
*Psychol.* Trouble dans l'apprentissage du calcul. 🕮 V. 1970 ; ☞ *calcul* (II) + *dys-* ; [diskalkyli].

**DYSCHONDROPLASIE, subst. f.**
*Pathol.* Maladie osseuse caractérisée par le développement de tumeurs cartilagineuses dans les petits os des mains et des pieds, et parfois dans les os longs, ce qui peut provoquer des troubles de la croissance. 🕮 Formé de *dys-*, de *chondro-* et de *-plasie* ; [diskɔ̃dʀɔplazi].

**DYSCHROMATOPSIE, subst. f.**
*Pathol.* Trouble de la perception des couleurs et des nuances. 🕮 1865 ; formé de *dys-*, de *chromato-* et de *-opsie* ; [diskʀɔmatɔpsi].

**DYSCHROMIE, subst. f.**
*Pathol.* Trouble de la pigmentation de la peau : *Le vitiligo est une **dyschromie**.* 🕮 1900 ; formé de *dys-* et de *-chromie* ; [diskʀɔmi].

**DYSCINÉSIE, voir DYSKINÉSIE**

**DYSEMBRYOME, subst. m.**
*Pathol.* Tumeur bénigne ou maligne qui se développe à partir de reliquats embryonnaires restés dans l'organisme alors qu'ils disparaissent naturellement chez les sujets sains. 🕮 Formé de *dys-*, de *embryo-* et de *-ome* ; [dizɑ̃bʀijom].

**DYSEMBRYOPLASIE, subst. f.**
*Embryol.* Malformation d'un tissu ou d'un organe (en partic. les vaisseaux, les voies biliaires, les cellules hépatiques) au stade de la vie embryonnaire, engendrant des éléments tumoraux. 🕮 Formé de *dys-*, de *embryo-* et de *-plasie* ; [dizɑ̃bʀijɔplazi].

**DYSENTERIE, subst. f.**
*Pathol.* Maladie infectieuse caractérisée par une ulcération du côlon, provoquant de violentes diarrhées sanglantes. La **dysenterie** amibienne est due à la présence dans le côlon d'une amibe, *Entamoeba histolytica*, transmise par l'eau ou par les aliments ; la **dysenterie** bacillaire, à un bacille du genre *Shigella*. 🕮 Mil. XIIIe s. ; lat. *dysenteria*, du gr. *dusenteria* ; [disɑ̃tʀi].

**DYSENTÉRIQUE, adj.**
*Pathol.* **1.** Qui a trait à la dysenterie. **2.** Qui est atteint de cette maladie ; empl. subst., personne **dysentérique**. 🕮 Mil. XIVe s. ; lat. *dysentericus*, du gr. *dusenterikos* ; [disɑ̃teʀik].

**DYSFONCTIONNEMENT, subst. m.**
**1.** *Pathol.* Anomalie dans le fonctionnement d'un ou de plusieurs éléments de l'organisme. **2.** Ext. Mauvais fonctionnement. 🕮 Déb. XXe s. ; ☞ *fonctionnement* + *dys-* ; [disfɔ̃ksjɔnmɑ̃].

**DYSGRAPHIE, subst. f.**
*Psychol.* Difficulté dans l'acquisition ou la pratique de l'écriture, en l'absence de troubles intellectuels. 🕮 Fin XIXe s. ; formé de *dys-* et de *-graphie* ; [disgʀafi].

**DYSHARMONIE, subst. f.**
**1.** Absence d'harmonie, d'accord entre plusieurs éléments d'un ensemble : *La **dysharmonie** d'une mélodie, d'un tableau.* **2.** *Géol.* Ensemble de couches de stratification plissées différemment. 🕮 1829 ; ☞ *harmonie* + *dys-* ; var. *disharmonie* ; [disaʀmɔni].

**DYSKINÉSIE, subst. f.**
*Pathol.* Difficulté dans l'exécution des mouvements. 🕮 Mil. XXe s. ; gr. *duskinêsis* ; var. *dyscinésie* ; [diskinezi].

**DYSLALIE, subst. f.**
*Pathol.* Trouble de la parole résultant d'une difficulté à articuler certains sons. 🕮 1842 ; formé de *dys-* et de *-lalie* ; [dislali].

**DYSLEXIE, subst. f.**
*Psychol.* Trouble dans l'apprentissage de la lecture (interversion de syllabes, articulation incorrecte de certains phonèmes, etc.), sans que le sujet présente un retard mental. 🕮 1907 ; gr. *lexis*, « élocution ; mot », + *dys-* ; [dislɛksi].

**DYSLEXIQUE, adj.**
*Psychol.* **1.** Qui a trait à la dyslexie. **2.** Atteint de dyslexie ; empl. subst., personne **dyslexique**. 🕮 1959 ; ☞ *dyslexie* ; [dislɛksik].

**DYSMATURE, adj.**
Se dit d'un nouveau-né de taille normale, né à terme, mais de poids insuffisant. 🕮 ☞ *mature* + *dys-* ; [dismatyʀ].

**DYSMÉLIE, subst. f.**
*Pathol.* Anomalie dans le développement de l'embryon conduisant à la malformation d'un ou de plusieurs membres. 🕮 V. 1970 ; formé de *dys-* et de *-mélie* ; [dismeli].

**DYSMÉNORRHÉE, subst. f.**
*Pathol.* Trouble douloureux de la menstruation. 🕮 1795 ; gr. *mên*, « mois », + *dys-* et *-rrhée* ; [dismenɔʀe].

**DYSMORPHIE, subst. f.**
*Pathol.* Difformité d'une partie du corps. 🕮 1870 ; formé de *dys-* et de *-morphie* ; var. *dysmorphose* ; [dismɔʀfi].

**DYSOREXIE, subst. f.**
*Pathol.* Trouble de l'appétit (anorexie, boulimie, etc.). 🕮 Fin XIXe s. ; gr. *dusorexia* ; [dizɔʀɛksi].

**DYSORTHOGRAPHIE, subst. f.**
*Psychol.* Trouble dans l'apprentissage de l'orthographe, sans autres difficultés intellectuelles. 🕮 V. 1960 ; ☞ *orthographe* + *dys-* ; [dizɔʀtɔgʀafi].

**DYSOSMIE, subst. f.**
*Pathol.* Trouble du sens olfactif. 🕮 1819 ; formé de *dys-* et de *-osmie* ; [dizɔsmi].

**DYSPEPSIE, subst. f.**
*Pathol.* Trouble de la digestion, de caractère fonctionnel, c.-à-d. non accompagné de lésions organiques. 🕮 1550 ; lat. *dyspepsia*, du gr. *duspepsia* ; [dispɛpsi].

**DYSPEPSIQUE, adj.**
*Pathol.* **1.** Qui a trait à la dyspepsie. **2.** Atteint de dyspepsie ; empl. subst., personne **dyspepsique**. 🕮 1845 ; ☞ *dyspepsie* ; var. *dyspeptique* ; [dispɛpsik].

**DYSPHAGIE, subst. f.**
*Pathol.* Difficulté à avaler la nourriture, trouble la déglutition. 🕮 1805 ; formé de *dys-* et de *-phag* [disfaʒi].

**DYSPHASIE, subst. f.**
*Pathol.* Difficulté de la fonction du langa 🕮 1870 ; formé de *dys-* et de *-phasie* ; [disfazi].

**DYSPHONIE, subst. f.**
*Pathol.* Modification du timbre de la voix. 🕮 158 formé de *dys-* et de *-phonie* ; [disfɔni].

**DYSPHORIE, subst. f.**
*Psych.* Sensation de profond malaise, état d'angoi (anton. *euphorie*). 🕮 1811 ; gr. *dusphoria* ; [disfɔ

**DYSPLASIE, subst. f.**
*Pathol.* Trouble du développement de certai tissus ou de certains organes, survenant av ou après la naissance et entraînant des malf mations. 🕮 1938 ; formé de *dys-* et de *-plas* [displazi].

**DYSPNÉE, subst. f.**
*Pathol.* Trouble de la respiration engendrant u sensation d'étouffement. 🕮 Fin XVIe s. ; lat. *dyspn* du gr. *duspnoia*, de *pnein*, « respirer » ; [dispne].

**DYSPNÉIQUE, adj.**
*Pathol.* **1.** Qui se rapporte à la dyspnée. **2.** Qui atteint de ce trouble ; empl. subst., persor **dyspnéique**. 🕮 1833 ; ☞ *dyspnée* ; [dispneik].

**DYSPRAXIE, subst. f.**
*Pathol.* Nom générique des diverses form d'apraxie. 🕮 1945 ; gr. *praxis*, « action », + *d* [dispʀaksi].

**DYSPROSIUM, subst. m.**
*Chim.* Élément n° 66 de la table de Mendele (symb. : Dy) ; masse atomique 162,50 ; point fusion : 1 412 °C. Le **dysprosium** est un métal la famille des terres rares. 🕮 1886 ; gr. *dusprosit* « difficile à atteindre » ; [dispʀozjɔm].

**DYSTASIE, subst. f.**
*Pathol.* Difficulté à se tenir debout. 🕮 XXe s. ; *stasis*, « action de se tenir debout », + *dys-* ; [dista

**DYSTOCIE, subst. f.**
*Pathol.* Accouchement difficile. 🕮 1829 ; gr. *dus kia* ; [distɔsi].

**DYSTONIE, subst. f.**
*Pathol.* Maladie neurologique caractérisée par mouvements involontaires, parfois spasmodiques brusques, perturbant des gestes hautement spéc lisés et entraînant des attitudes extrêmes contorsion. 🕮 1843 ; formé de *dys-* et de *-ton* [distɔni].

**DYSTROPHIE, subst. f.**
*Pathol.* Trouble de la nutrition d'un tissu ou d' organe, entraînant une anomalie. 🕮 1855 ; for de *dys-* et de *-trophie* ; [distʀɔfi].

**DYSURIE, subst. f.**
*Pathol.* Difficulté à uriner, gén. due à des lésio des voies urinaires. 🕮 1495 ; bas lat. *dysuria*, du *dusouria*, de *ouron*, « urine » ; [dizyʀi].

© P. Lorne-Jacana

*Dytique.*

**DYTIQUE, subst. m.**
*Zool.* Insecte coléoptère carnassier de la fami des Dytiscidés, dont il est le type. Il vit dans eaux douces et se nourrit de petits animaux aqu tiques. 🕮 1775 ; lat. sc. *dytiscus*, du gr. *dutik* « plongeur » ; [ditik].

**DZÊTA, voir ZÊTA**

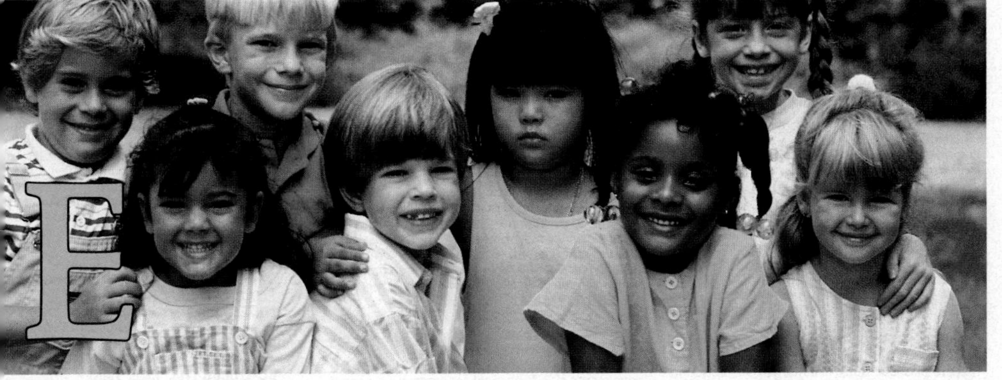

Enfants du monde. © Comstock

**E, subst. m. inv.**
. Cinquième lettre et deuxième voyelle de l'alpha-
et. Elle se prononce [e], comme dans « clarté »
e fermé), [ɛ], comme dans « forêt », « pègre » (e
uvert), [ə], comme dans « cheval », « balle » (e
aduc ou muet), et, dans les digrammes *ei*, *eu*, *en*,
:], [ø], [ɑ̃] ou [ɛ̃]. **2.** Abrév. et Symb. ► *Géogr.* E. :
st. ► *Math.* e : base du logarithme népérien (on
ln e = 1) ; base de la fonction exponentielle
aturelle (☞ *exponentiel*). ► *Mus.* E : la note *mi*,
ans la notation anglo-saxonne et allemande.
*Phys.* e : électron. [ə].

**EAU, subst. f.**
. **1.** Liquide naturel, incolore et transparent.
*Chim.* Corps composé de deux atomes d'hydro-
ène et d'un atome d'oxygène ($H_2O$) : *L'**eau** gèle 0 °C et bout à 100 °C.* **2.** Masse de ce liquide
ans la nature : ***Eau** de mer* ; ***Eau** douce* ; *Cours
**eau** ; **Eau** de pluie* ; *Une goutte d'**eau**.* **PLUR. 1.** *Ad-
in. Les **Eaux** et Forêts* : jusqu'en 1979, administra-
on en charge des rivières, lacs, étangs et forêts
u domaine national. **2.** *Dr. Les **eaux** territoriales* :
one proche des côtes qui dépend d'un État.
. *Géogr. Hautes, basses **eaux*** : marée haute, basse.
**I. 1.** Boisson : ***Eau** potable* ; *Un verre d'**eau**
inérale.* ► Loc. *Mettre de l'**eau** dans son vin* : le
ouper avec de l'**eau** ou, au fig., réduire ses
xigences. **2.** Ce liquide, à usage culinaire ou
omestique : *Des légumes cuits à l'**eau*** ; ***Eau** chaude,
roide* ; ***Eau** courante.* **PLUR. 1.** *Industr.* ***Eaux** usées* :
ouillées. **2.** *Méd.* **Eau** thermale aux propriétés
uratives : *Prendre les **eaux** à Vichy* (vieilli) ; *Une
ille d'**eaux**.* **III. 1.** Préparation à base d'alcool : ***Eau**
e Cologne* ; ***Eau** de parfum.* **2.** *Chim.* ***Eau** oxygénée* : solution aqueuse de peroxyde d'hydrogène ($H_2O_2$), antiseptique et décolorante ; ***Eau** de Javel* : solution aqueuse d'hypochlorite et de chlorure de sodium, utilisée comme désinfectant. **3.** Liquide de sécrétion du corps humain (sueur, larmes, salive...). ► Loc. *Fondre en **eau*** : pleurer ; *Être en **eau*** : suer ; *Avoir l'**eau** à la bouche* : saliver. **PLUR.** *Physiol.* Liquide amniotique : *Perdre les **eaux**.* **IV.** Anal. Transparence, éclat d'une pierre précieuse. Mil. XIe s. ; lat. *aqua* ; [o].

Le cycle de l'eau.

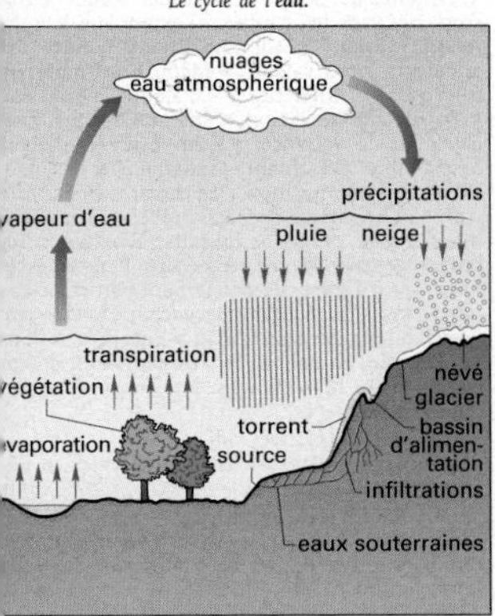


**EAU-DE-VIE, subst. f.**
Boisson alcoolique issue de la distillation du jus fermenté de fruits, de céréales, etc. XVe s. ; lat. des alchimistes *aqua vitae* ; plur. *eaux-de-vie* ; [od(ə)vi].

**EAU-FORTE, subst. f.**
**1.** Acide nitrique étendu d'eau, utilisé par les graveurs pour attaquer le cuivre. **2.** Technique de gravure mettant en œuvre ce procédé ; gravure ainsi obtenue. 1543 ; comp. de *eau* et de *fort* ; plur. *eaux-fortes* ; [ofɔʀt].

**EAUX-VANNES, subst. f. plur.**
Eaux usées des bassins de vidange, des fosses d'aisances. 1872 ; comp. de *eau* et de *vanne* (I) ; [ovan].

**ÉBAHIR, verbe trans.** [19]
Frapper d'étonnement : *Son élection m'a **ébahi*** ; empl. adj. : *Un air **ébahi**.* **PRONOM.** S'étonner vivement. XIIe s. ; anc. fr. *baer*, « bayer », d'apr. *baïf*, « étonné » ; [ebaiʀ].

**ÉBAHISSEMENT, subst. m.**
Étonnement extrême. Déb. XIIIe s. ; ☞ *ébahir* ; [ebaismɑ̃].

**ÉBARBAGE, subst. m.**
Action d'ébarber ; son résultat : *L'**ébarbage** du maïs.* 1765 ; ☞ *ébarber* ; [ebaʀbaʒ].

**ÉBARBER, verbe trans.** [3]
**1.** *Techn.* Enlever les barbes de (une pièce métallique). **2.** *Cuis.* Ôter les barbes de (un poisson). **3.** *Impr.* Couper les bords irréguliers de (les feuilles d'un livre). **4.** *Agric.* Couper les barbes de (certaines plantes). 1438 ; ☞ *barbe* (I) + *é-*[2] ; [ebaʀbe].

**ÉBARBEUSE, subst. f.**
*Agric.* et *Techn.* Machine servant à ébarber. 1873 ; ☞ *ébarber* ; var. *un ébarbeur* ; [ebaʀbøz].

**ÉBARBOIR, subst. m.**
*Techn.* Outil servant à ébarber les métaux. 1755 ; ☞ *ébarber* ; [ebaʀbwaʀ].

**ÉBATS, subst. m. plur.**
Jeux d'une personne, d'un animal qui s'ébat : *Les **ébats** amoureux.* 1280 ; ☞ *s'ébattre* ; [eba].

**ÉBATTRE (S'), verbe pronom.** [61]
Se donner du mouvement ; s'activer joyeusement. 1160 ; ☞ *battre* + *é-*[1] ; [ebatʀ].

**ÉBAUBI, IE, adj.**
Frappé d'une stupeur admirative (fam.). XIIIe s. ; *ébaubir* (vieilli), « frapper d'étonnement », de l'anc. fr. *abaubir*, « rendre bègue » ; [ebobi].

**ÉBAUCHAGE, subst. m.**
*Techn.* Première opération de façonnage d'une pièce. Déb. XVIe s. ; ☞ *ébaucher* ; [eboʃaʒ].

**ÉBAUCHE, subst. f.**
**1.** *B.-a.* et *Litt.* Première forme donnée à une œuvre : *L'**ébauche** d'un dessin.* **2.** Fig. Premier développement ; commencement : *L'**ébauche** d'un projet, d'un plan* ; *L'**ébauche** d'un geste.* **3.** *Techn.* Première façon donnée à un objet. 1619 ; ☞ *ébaucher* ; [eboʃ].

**ÉBAUCHER, verbe trans.** [3]
**1.** *Techn.* Donner une première façon à (une matière), dégrossir. **2.** *B.-a.* et *Litt.* Donner sa première forme à (une œuvre) : ***Ébaucher** une sculpture, un roman.* **3.** Commencer (qqch.) que l'on n'exécute pas jusqu'au bout ; esquisser : ***Ébaucher** un sourire.* 1369 ; anc. fr. *bausch*, « poutre », + *é-*[1] ; [eboʃe].

**ÉBAUCHEUR, EUSE, subst.**
Personne chargée d'ébaucher, de dégrossir un matériau. 1795 ; ☞ *ébaucher* ; [eboʃœʀ, øz].

**ÉBAUCHOIR, subst. m.**
*Techn.* Outil qui sert à ébaucher ; en partic., outil de sculpteur. 1676 ; ☞ *ébaucher* ; [eboʃwaʀ].

**ÉBAUDIR (S'), verbe pronom.** [19]
S'égayer, se réjouir (littér.). Fin XIe s. ; anc. fr. *bald*, « joyeux », + *é-*[1] ; [ebodiʀ].

**ÉBAVURER, verbe trans.** [3]
*Techn.* Enlever les bavures de (une pièce usinée). 1948 ; ☞ *bavure* + *é-*[2] ; [ebavyʀe].

**ÉBÉNACÉES, subst. f. plur.**
*Bot.* Famille d'arbres et d'arbustes des régions intertropicales, recherchés pour leur bois précieux, l'ébène, et dont le type est l'ébénier. **AU SING.** *Le plaqueminier est une **ébénacée**.* 1804 ; ☞ *ébène* ; [ebenase].

**ÉBÈNE, subst. f.**
**1.** Bois précieux, gén. noir, très dur et lourd, de l'ébénier. **2. D'ébène.** D'un noir profond : *Des cheveux d'**ébène*** ou, empl. adj. inv., ***ébène**.* **3.** Fig. ***Bois d'ébène*** : nom donné aux esclaves noirs par les négriers (vx et péj.). Mil. XIIe s. ; lat. *ebenus*, du gr. *ebenos* ; [ebɛn].

**ÉBÉNIER, subst. m.**
*Bot.* Nom générique des arbres qui donnent l'ébène. 1690 (1680, cytise) ; ☞ *ébène* ; [ebenje].

**ÉBÉNISTE, subst.**
Personne spécialisée dans le travail des bois de qualité (à l'origine l'ébène) pour la fabrication de meubles de luxe. 1680 ; ☞ *ébène* ; [ebenist].

**ÉBÉNISTERIE, subst. f.**
Art et technique de l'ébéniste. 1732 ; ☞ *ébéniste* ; [ebenistəʀi].

**ÉBERLUER, verbe trans.** [3]
Donner la berlue à (qqn), stupéfier ; empl. adj. : *Il est tout **éberlué**.* 1530 ; ☞ *berlue* + *é-*[1] ; [ebɛʀlɥe].

**ÉBIONITE, subst.**
*Relig.* Membre d'une secte née aux premiers temps du christianisme, qui reconnaissait Jésus comme un prophète juif mais refusait l'enseignement de saint Paul et avait conservé des rites judaïques (circoncision, sabbat). Hébreu *'eviôn*, « pauvre » ; [ebjɔnit].

**ÉBISELER,** verbe trans. [12]
*Techn.* Tailler en biseau. 1408 ; ☞ *biseau* + *é-*[1] ; [ebizle].

**ÉBLOUIR,** verbe trans. [19]
**1.** Troubler, par un éclat insoutenable, la vue de : *La lumière crue des projecteurs les **éblouit*** ; empl. abs. : *Le soleil **éblouit**.* **2.** Fig. ▶ Frapper d'admiration, fasciner : *Ce film nous **a éblouis**.* ▶ Frapper vivement l'esprit de, impressionner (péj.) : *Il cherche vainement à nous **éblouir**.* Mil. XIIe s. ; lat. pop. °*exblaudire* ; [ebluiʀ].

**ÉBLOUISSANT, ANTE,** adj.
**1.** Qui éblouit, en parlant d'une lumière : *Un soleil **éblouissant**.* **2.** Fig. Qui impressionne ; d'une beauté merveilleuse : *Une carrière **éblouissante*** ; *Une créature **éblouissante**.* 1470 ; p. pr. de *éblouir* ; [ebluisɑ̃, ɑ̃t].

**ÉBLOUISSEMENT,** subst. m.
**1.** État de la vue frappée par une lumière trop vive. **2.** État de l'esprit ébloui ; émerveillement. **3.** *Pathol.* Trouble de la vue, gén. accompagné de vertiges ; par ext., malaise. Mil. XVe s. ; ☞ *éblouir* ; [ebluismɑ̃].

**ÉBONITE,** subst. f.
Matière plastique dure, obtenue par vulcanisation du caoutchouc et utilisée comme isolant électrique. 1862 ; angl. *ebonite*, de *ebony*, « ébène » ; [ebɔnit].

**ÉBORGNAGE,** subst. m.
*Arboric.* Action d'éborgner un arbre fruitier ; son résultat. 1825 ; ☞ *éborgner* ; [ebɔʀɲaʒ].

**ÉBORGNEMENT,** subst. m.
Action d'éborgner qqn ; son résultat. 1605 ; ☞ *éborgner* ; [ebɔʀɲəmɑ̃].

**ÉBORGNER,** verbe trans. [3]
**1.** Rendre borgne ; par ext., blesser à l'œil. **2.** *Arboric.* Enlever les bourgeons inutiles de (un arbre fruitier). 1564 ; ☞ *borgne* + *é-*[1] ; [ebɔʀɲe].

**ÉBOUEUR,** subst. m.
Employé chargé de la collecte des ordures ménagères sur la voie publique. 1870 ; *ébouer* (rare), « débarrasser de la boue » ; [ebuœʀ] ou [ebwœʀ].

**ÉBOUILLANTAGE,** subst. m.
Action d'ébouillanter ; son résultat. 1876 ; ☞ *ébouillanter* ; [ebujɑ̃taʒ].

**ÉBOUILLANTER,** verbe trans. [3]
Plonger dans l'eau bouillante ; laver à l'eau bouillante ou à la vapeur. **Pronom.** Se brûler avec de l'eau bouillante. 1836 ; ☞ *bouillant* + *é-*[1] ; [ebujɑ̃te].

**ÉBOULEMENT,** subst. m.
**1.** Chute de ce qui s'éboule : *L'**éboulement** d'une falaise.* **2.** Amas de matériaux éboulés (synon. *éboulis*). 1547 ; ☞ *ébouler* ; [ebulmɑ̃].

**ÉBOULER,** verbe trans. [3]
**Trans.** Faire tomber par affaissement ou désagrégation (rare). **Pronom.** S'effondrer. 1283 (1130, éventrer) ; *boiel*, anc. forme de *boyau*, + *é-*[2] ; [ebule].

**ÉBOULIS,** subst. m.
Amas de matériaux éboulés (synon. *éboulement*). 1680 ; ☞ *ébouler* ; [ebuli].

**ÉBOURGEONNAGE,** subst. m.
Action d'ébourgeonner ; le résultat de cette action. 1611 ; ☞ *ébourgeonner* ; synon. *ébourgeonnement* ; [ebuʀʒɔnaʒ].

**ÉBOURGEONNER,** verbe trans. [3]
Enlever les bourgeons superflus de (la vigne, un arbre). 1486 ; ☞ *bourgeon* + *é-*[2] ; [ebuʀʒɔne].

**ÉBOURIFFANT, ANTE,** adj.
Remarquable, extraordinaire (fam.). 1837 ; p. pr. de *ébouriffer* ; [ebuʀifɑ̃, ɑ̃t].

**ÉBOURIFFÉ, ÉE,** adj.
En désordre, en parlant d'une chevelure ; par méton., dont les cheveux sont en désordre. 1671 ; p.-ê. prov. *esbourrassa*, de *bourro*, « bourre » ; [ebuʀife].

**ÉBOURIFFER,** verbe trans. [3]
**1.** Relever, mettre (les cheveux) en désordre ; par méton. : *Le vent **ébouriffait** les marins.* **2.** Fig. Surprendre, troubler vivement (fam.). 1842 ; ☞ *ébouriffé* ; [ebuʀife].

**ÉBOURRER,** verbe trans. [3]
*Peauss.* Ôter la bourre de (la peau d'un animal). XIIIe s. ; ☞ *bourre* (I) + *é-*[2] ; [ebuʀe].

**ÉBOUTER,** verbe trans. [3]
Ôter le bout de. 1529 ; ☞ *bout* + *é-*[2] ; [ebute].

**ÉBRANCHAGE,** subst. m.
Action d'ébrancher. XVIIe s. ; ☞ *ébrancher* ; [ebʀɑ̃ʃaʒ].

**ÉBRANCHEMENT,** subst. m.
Ébranchage. 1600 ; ☞ *ébrancher* ; [ebʀɑ̃ʃmɑ̃].

**ÉBRANCHER,** verbe trans. [3]
Couper les branches ou une partie des branches de (un arbre). 1197 ; ☞ *branche* + *é-*[2] ; [ebʀɑ̃ʃe].

**ÉBRANCHOIR,** subst. m.
Serpe à long manche utilisée pour ébrancher. 1823 ; ☞ *ébrancher* ; [ebʀɑ̃ʃwaʀ].

**ÉBRANLEMENT,** subst. m.
**1.** Action d'ébranler ; son résultat. **2.** Fait de s'ébranler. 1503 ; ☞ *ébranler* ; [ebʀɑ̃lmɑ̃].

**ÉBRANLER,** verbe trans. [3]
**1.** Mettre en mouvement ; faire trembler ; secouer : *Leurs pas **ébranlèrent** le pont.* **2.** Fig. Mettre en péril : *Sa santé **a été ébranlée*** ; troubler (qqn) dans ses convictions, ses sentiments : *Ce revirement l'a **ébranlé*** ; rendre moins ferme : *Ces propos **ébranlèrent** son opinion.* **Pronom.** Se mettre en mouvement : *Le train **s'ébranla**.* 1428 ; ☞ *branler* + *é-*[1] ; [ebʀɑ̃le].

**ÉBRASEMENT,** subst. m.
*Archit.* **1.** Action d'ébraser. **2.** Ébrasure. 1694 ; ☞ *ébraser* ; [ebʀazmɑ̃].

**ÉBRASER,** verbe trans. [3]
*Constr.* Élargir en biais (l'encadrement d'une baie) pour ouvrir plus facilement les vantaux ou donner plus de lumière. 1636 ; var. de *embraser* ; [ebʀaze].

**ÉBRASURE,** subst. f.
*Archit.* Portion ébrasée d'un mur. 1878 ; ☞ *ébraser* ; [ebʀazyʀ].

**ÉBRÉCHER,** verbe trans. [8]
**1.** Faire une brèche au bord de : ***Ébrécher** une assiette.* **2.** Fig. Entamer, réduire : *Il **a ébréché** son héritage.* 1260 ; ☞ *brèche* (I) + *é-*[1] ; [ebʀeʃe].

**ÉBRÉCHURE,** subst. f.
Partie ébréchée d'un objet. 1873 ; ☞ *ébrécher* ; [ebʀeʃyʀ].

**ÉBRIÉTÉ,** subst. f.
Ivresse. Déb. XIVe s. ; lat. *ebrietas* ; [ebʀijete].

**ÉBROÏCIEN, IENNE,** adj. et subst.
De la ville d'Évreux. Lat. *Ebroici*, peuple gaulois ; [ebʀɔisjɛ̃, jɛn].

**ÉBROUEMENT,** subst. m.
Action de s'ébrouer. 1611 ; ☞ *s'ébrouer* ; [ebʀumɑ̃].

**ÉBROUER (S'),** verbe pronom. [3]
**1.** Souffler bruyamment, en parlant d'un animal, en partic. du cheval. **2.** S'agiter, se secouer : *Le tigre **s'ébroue** après avoir traversé le torrent.* 1564 ; germ. *brod*, « bouillon ; écume », + *é-*[1] ; [ebʀue].

**ÉBRUITEMENT,** subst. m.
Action d'ébruiter ; son résultat. 1857 ; ☞ *ébruiter* ; [ebʀɥitmɑ̃].

**ÉBRUITER,** verbe trans. [3]
Faire connaître (ce qui était caché). **Pronom.** Devenir public, se propager : *La nouvelle **s'est ébruitée**.* 1583 ; ☞ *bruit* + *é-*[1] ; [ebʀɥite].

**ÉBULLIOMÈTRE,** subst. m.
*Chim.* Appareil servant à déterminer le point d'ébullition d'un liquide (synon. *ébullioscope*). XXe s. ; lat. *ebullire*, « bouillir », + *-mètre*[1] ; [ebyljɔmɛtʀ].

**ÉBULLIOMÉTRIE,** subst. f.
*Chim.* Méthode de détermination du point d'ébullition et de masse moléculaire, reposant sur les lois de Raoult (synon. *ébullioscopie*). 1902 ; lat. *ebullire*, « bouillir », + *-métrie* ; [ebyljɔmetʀi].

**ÉBULLITION,** subst. f.
**1.** État d'un liquide qui bout. ▶ *Chim.* et *Phys.* Passage d'un liquide à l'état gazeux : *Point d'**ébullition**.* **2.** Fig. Agitation, effervescence. 1314 ; bas lat. *ebullitio* ; [ebylisjɔ̃].

**ÉBURNÉEN, ÉENNE,** adj.
Qui a la couleur et la consistance de l'ivoire. 1845 ; lat. *eburneus*, « d'ivoire » ; var. *éburné, ée* ; [ebyʀneɛ̃, eɛn].

**ÉCACHER,** verbe trans. [3]
Déformer, émousser par une pression, un coup : ***Écacher** la pointe d'un couteau.* XIIe s. ; anc. fr. °*cacher*, « écraser », + *é-*[1] ; [ekaʃe].

**ÉCAILLAGE,** subst. m.
**1.** Action d'ouvrir les huîtres, d'écailler le poisson. **2.** Fait de s'écailler. Mil. XIIe s. ; ☞ *écailler* (I) ; [ekajaʒ].

**ÉCAILLE,** subst. f.
**1.** *Zool.* Chacune des petites plaques qui recouvrent la peau de certains poissons et reptiles ou les pattes de certains oiseaux ; par anal., plaquettes colorées recouvrant les ailes des papillons. **2.** Matière que l'on tire de la carapace des grandes tortues de mer, utilisée en marqueterie ou dans la confecti[on] d'objets : *Monture de lunettes en **écaille*** ; par ex[t.] résine synthétique imitant cette matière. **3.** Ch[a]cune des valves d'un mollusque bivalve (huît[re,] moule...). **4.** Chacune des lames de métal dont composaient certaines armures. **5.** Parcelle qui détache d'une matière qui s'effrite, d'une peau q[ui] se desquame. **6.** Motif en forme d'**écailles** [de] poisson. **7.** *Spéc.* ▶ *Anat.* Zone plate et latérale [de] l'os occipital et de l'os temporal. ▶ *Bot.* Chacu[ne] des petites feuilles transformées entourant [les] bourgeons et les bulbes de certaines plantes : ***É**[**cailles**] *d'une pomme de pin.* ▶ *Géol.* Petite formati[on] tectonique chevauchante. Déb. XIIIe s. ; anc. bas f[rq.] °*skalja*, « coquille, écaille » ; [ekaj].

**ÉCAILLÉ, ÉE,** adj.
Qui s'écaille. Mil. XIIIe s. ; p. p. de *écailler* ; [ekaj[e]].

**ÉCAILLER (I),** verbe trans. [3]
**1.** Ôter ses écailles à (un poisson). **2.** Ouvrir ( mollusque bivalve). **3.** Faire tomber par écailles ( enduit, une peinture, etc.) ; empl. pronom. : *Le v[er]nis **s'écaille**.* Déb. XIIIe s. ; ☞ *écaille* ; [ekaje].

**ÉCAILLER (II), ÈRE,** subst.
Personne qui ouvre et vend des huîtres, d[es] coquillages. 1303 ; ☞ *écaille* ; [ekaje, ɛʀ].

**ÉCAILLEUR,** subst. m.
Instrument servant à écailler les poissons. 195[.] ☞ *écailler* (I) ; [ekajœʀ].

**ÉCAILLEUX, EUSE,** adj.
**1.** Qui a des écailles. **2.** Qui se détache par écaill[es.] Fin XIIIe s. ; ☞ *écaille* ; [ekajø, øz].

**ÉCALE,** subst. f.
**1.** Enveloppe épaisse et fibreuse qui recouvre [la] coque de certains fruits (noix, amande, etc[.]) **2.** Gousse de certaines légumineuses. 1578 ( XIIe s., valve de coquillage) ; anc. bas frq. °*skala* ; [eka[l]].

**ÉCALER,** verbe trans. [3]
Ôter l'écale de (un fruit) ou la coquille de (un œu[f]) 1660 (1531, écailler des poissons) ; ☞ *écale* ; [ekal[e]].

**ÉCALURE,** subst. f.
Pellicule dure entourant certaines graines. 183[.] ☞ *écale* ; [ekalyʀ].

**ÉCANG,** subst. m.
*Text.* Instrument servant à écanguer. 1755 ; o[rig.] obsc. ; var. *une écangue* ; [ekɑ̃].

**ÉCANGUER,** verbe trans. [3]
*Text.* Broyer (les tiges du chanvre, du lin, etc.) po[ur] séparer les parties ligneuses de la matière texti[le.] 1755 ; ☞ *écang* ; [ekɑ̃ge].

**ÉCARLATE,** subst. f. et adj.
**Subst.** Étoffe de couleur rouge vif (vx). **Adj.** Qui e[st] de couleur rouge vif : *Un visage **écarlate*** ; em[pl.] subst. masc., cette couleur : *Un superbe **écarla**[**te**].* Fin XIIe s. (1168, tissu précieux) ; lat. médiév. *scarla[tum]* « drap vivement coloré », du bas lat. *sigillatus*, « orné [de] petits motifs » ; [ekaʀlat].

**ÉCARQUILLER,** verbe trans. [3]
***Écarquiller** les yeux* : les ouvrir démesurém[ent.] 1530 ; altér. de *équartiller* (vx), « écarteler » [ekaʀkije].

**ÉCART,** subst. m.
**1.** Distance qui sépare deux choses. ▶ *Faire le gra[nd] **écart*** : écarter les jambes au point que leur fa[ce] interne touche le sol. **2.** Différence entre de[ux] grandeurs, deux valeurs. ▶ *Math.* ***Écart** d'un rée[l] x à un réel y* : différence $y - x$, l'**écart** absolu éta[nt] la valeur absolue $|y - x|$. ▶ *Stat.* ***Écart** type* : raci[ne] carrée de la variance. ▶ *Écon.* ***Écart** d'inflation* déséquilibre entraînant l'inflation. **3.** Action [de] s'écarter d'une position : *Le cheval, surpris, fit [un] **écart*** ; au fig., action de s'écarter d'une règle mora[le,] intellectuelle : ***Écart** de conduite* ; ***Écart** de langa[ge]* propos grossier. **4.** Loc. **À l'écart.** Éloigné, isol[é :] *Tenir qqn à l'**écart***, ne pas le faire participer à, [ne] pas le tenir au courant de qqch. ; *Prendre qqn [à] l'**écart***, lui parler en particulier. ▶ Loc. prép. **À l'éca[rt] de.** Loin de, en dehors de : *La maison est à l'**éc**[**art**] du village.* 1274 (fin XIIe s., faux-fuyant ; expédien[t]) ☞ *écarter* (I) ; [ekaʀ].

**ÉCARTÉ (I), ÉE,** adj.
Éloigné, isolé : *Un lieu **écarté**.* XVIe s. ; p. p. *écarter* (I) ; [ekaʀte].

**ÉCARTÉ (II),** subst. m.
Jeu de cartes dans lequel chaque joueur peut, sel[on] certaines règles, écarter ses cartes afin de réalis[er] le maximum de plis. 1810 ; p. p. de *écarter* (I[I]) [ekaʀte].

**ÉCARTÈLEMENT, subst. m.**
Action d'écarteler ; son résultat. **2.** Fig. État d'une sonne divisée intérieurement. 1565 ; ☞ écar r ; [ekaʀtɛlmɑ̃].

**ÉCARTELER, verbe trans. [11]**
Déchirer le corps de (un condamné) en quatre faisant tirer ses membres par quatre chevaux. tirailler, partager (gén. au passif) : ***Être écartelé*** *re le bien et le mal.* **3.** *Hérald.* Partager (un blason) quatre quartiers ; empl. adj. : *Écu **écartelé**.* Mil. s. ; anc. fr. *esquarterer*, « fendre par quartiers » ; aʀtəle].

**ÉCARTEMENT, subst. m.**
Action d'écarter, de s'écarter ; son résultat. Espace qui sépare deux éléments. 1284 ; *écarter* (I) ; [ekaʀtəmɑ̃].

**ÉCARTER (I), verbe trans. [3]**
Mettre (plusieurs choses) à une certaine distance unes des autres. **2.** Éloigner (qqn, qqch.) d'un ı ; au fig., détourner (qqn) de : *Il **l'écarta** de ce ieu.* **3.** Fig. Éloigner, mettre de côté : *Elle **écarta** danger.* **Pronom.** S'éloigner, se détourner : *Il carte du bon chemin.* Fin XIIIe s. ; lat. *exquartare, quartus*, « quart » ; [ekaʀte].

**ÉCARTER (II), verbe trans. [3]**
eter de son jeu (une ou plusieurs cartes, nplacées à la distribution suivante). 1611 ; *carte* + *é-*[2] ; [ekaʀte].

**ÉCARTEUR, subst. m.**
*Taurom.* Homme qui provoque le taureau, puis vite en faisant un écart. **2.** *Chir.* Instrument vant à écarter les lèvres d'une plaie. 1864 ; *écarter* (I) ; [ekaʀtœʀ].

**ECBALLIUM, subst. m.**
:. Plante méditerranéenne, appelée aussi cornion sauvage, dont les fruits mûrs éclatent en ›jetant leurs graines. 1838 ; gr. *ekballein*, « lancer dehors » ; [ɛkbaljɔm].

**ECCE HOMO, subst. m. inv.**
ı. Représentation de Jésus-Christ portant la uronne d'épines. 1690 ; lat. *ecce homo*, « voici mme » ; [ɛkseɔmo].

Ecce homo (*détail*),
*peinture de Pierre Mignard (1612-1695).*
*Musée des Beaux-Arts, Rouen.*

**ECCÉITÉ, subst. f.**
*ilos.* Principe de singularité faisant qu'un indiu est lui-même, à l'exclusion de tous les autres même espèce. 1599 ; lat. *ecce*, « voici » ; [ɛkseite].

**ECCHYMOSE, subst. f.**
*thol.* Tache de couleur variable (violacée, bleuâtre, ıne...), consécutive à un traumatisme ou à un uble de l'hémostase, qui correspond à l'infiltran de sang dans le tissu conjonctif (synon. *bleu*). 1540 ; gr. *ekkhumôsis* ; [ekimoz].

**ECCLÉSIA, subst. f.**
*tiq. gr.* Assemblée du peuple réservée aux seuls oyens, en partic. à Athènes. 1831 ; gr. *ekklêsia* ; lezja].

**ECCLÉSIAL, ALE, AUX, adj.**
*ig.* Qui concerne l'Église en tant que commuuté. Fin XIIe s. ; lat. médiév. *ecclesialis*, du lat. chrét. *lesia*, « Église » ; [eklezjal, o].

**ECCLÉSIASTIQUE, adj. et subst. m.**
**ı.** Relatif, propre à l'Église, au clergé. **Subst.** Fidèle est entré en religion (religieux, prêtre, évêque...). XIIIe s. ; lat. chrét. *ecclesiasticus*, du gr. *ekklêsiastikos* ; lezjastik].

**ECCLÉSIOLOGIE, subst. f.**
*Relig.* Partie de la théologie qui étudie les fondements, la constitution et le fonctionnement de l'Église. 1927 ; lat. *ecclesia*, « église », + *-logie* ; [eklezjɔlɔʒi].

**ÉCERVELÉ, ÉE, adj. et subst.**
Se dit d'une personne qui manque de jugement, d'entendement, qui est déraisonnable. XIIIe s. ; ☞ *cervelle* + *é-*[2] ; [esɛʀvəle].

**ÉCHAFAUD, subst. m.**
**1.** Plate-forme destinée à l'exposition et à l'exécution des condamnés. **2.** Méton. Peine de mort par décapitation. 1357 (fin XIIe s., échafaudage, estrade) ; altér. de l'anc. fr. *chafaud*, du lat. pop. °*catafalicum*, « échafaudage », d'apr. *échelle* ; [eʃafo].

**ÉCHAFAUDAGE, subst. m.**
*Bât.* **1.** Construction provisoire utilisée pour édifier, réparer un bâtiment. **2.** Ext. Superposition d'objets, amas : *Un **échafaudage** de cartons.* **3.** Fig. Assemblage de faits, d'arguments : *L'**échafaudage** d'une théorie.* 1517 ; ☞ *échafaud* ; [eʃafodaʒ].

**ÉCHAFAUDER, verbe [3]**
**Intrans.** Dresser un échafaudage. **Trans.** **1.** Superposer de manière instable. **2.** Fig. Élaborer ; former par des combinaisons hâtives et fragiles : ***Échafauder*** *un plan.* Mil. XIIIe s. ; ☞ *échafaud* ; [eʃafode].

**ÉCHALAS, subst. m.**
**1.** Pieu servant à soutenir une plante, un arbuste ou un cep de vigne. **2.** Fig. Personne grande et maigre (fam.). 1215 ; prob. altér. de l'anc. fr. *escharat*, du lat. pop. °*caracium*, du gr. *kharax*, « roseau », d'apr. *échelle* ; [eʃala].

**ÉCHALASSER, verbe trans. [3]**
Garnir d'échalas : ***Échalasser*** *une vigne.* 1396 ; ☞ *échalas* ; [eʃalase].

**ÉCHALIER, subst. m.**
**1.** Échelle rudimentaire permettant de franchir une haie. **2.** Clôture mobile fermant un champ. 1530 (fin XIIe s., escalier) ; lat. *scalarium*, « escalier » ; [eʃalje].

**ÉCHALOTE, subst. f.**
*Bot.* Plante potagère de la famille des Liliacées, voisine de l'oignon. Son bulbe constitue un condiment savoureux. Déb. XVIe s. ; anc. fr. *échalogne*, du lat. *ascalonia cepa*, « oignon d'Ascalon » ; [eʃalɔt].

**ÉCHANCRÉ, ÉE, adj.**
Dont le bord présente une ou plusieurs échancrures. XVIe s. ; p. p. de *échancrer* ; [eʃɑ̃kʀe].

**ÉCHANCRER, verbe trans. [3]**
Découper, entailler le bord de (qqch.). 1458 ; ☞ *chancre* + *é-*[2] ; [eʃɑ̃kʀe].

**ÉCHANCRURE, subst. f.**
Partie découpée du bord d'un objet, d'un tissu. 1546 ; ☞ *échancrer* ; [eʃɑ̃kʀyʀ].

**ÉCHANGE, subst. m.**
**1.** Opération par laquelle on échange des biens : ***Échange*** *de livres* ; par ext. : ***Échange*** *d'otages.* ▸ Loc. ***En échange*** : en contrepartie. ▸ Loc. prép. ***En échange de*** : en compensation, en remplacement de. **2.** *Spéc.* ▸ *Biol.* Passage et circulation de substances entre une cellule et le milieu extérieur : ***Échanges*** *respiratoires.* ▸ *Dr.* Contrat par lequel deux parties se cèdent respectivement un bien. ▸ *Écon.* Opération commerciale ; troc : ***Échanges*** *internationaux.* ▸ *Sp.* Fait d'échanger des coups ; au tennis, les balles que se renvoient les joueurs entre le service et le gain du point. **3.** Communication réciproque de documents, de renseignements, etc. : ***Échange*** *de bons procédés.* **Plur.** Relations entre États, se traduisant par des prestations réciproques dans un domaine déterminé : ***Échanges*** *culturels.* Fin XIe s. ; ☞ *échanger* ; [eʃɑ̃ʒ].

**ÉCHANGEABLE, adj.**
Qui peut être échangé. Fin XVIe s. ; ☞ *échanger* ; [eʃɑ̃ʒabl].

**ÉCHANGER, verbe trans. [5]**
**1.** Céder (qqch.) moyennant une contrepartie : ***Échanger*** *des pièces contre un billet* ; *Après le match, les sportifs **échangèrent** leurs maillots.* **2.** Se communiquer, s'adresser réciproquement : *Ils **ont échangé** des lettres, des regards.* ▸ *Sp. Ils **ont échangé** quelques balles.* Mil. XIIe s. ; ☞ *changer* + *é-*[1] ; [eʃɑ̃ʒe].

**ÉCHANGEUR, subst. m.**
**1.** *Techn.* Appareil qui réchauffe ou refroidit un fluide au moyen d'un autre fluide circulant à une température différente : ***Échangeur*** *de chaleur.* **2.** *Chim.* ***Échangeurs*** *d'ions* : composés chimiques qui, au contact d'une solution, réagissent en fixant les cations ou les anions qu'elle contient. **3.** Raccordement sans croisement à niveau de plusieurs voies routières. 1292 ; ☞ *échanger* ; [eʃɑ̃ʒœʀ].

**ÉCHANGISME, subst. m.**
Pratique sexuelle consistant en l'échange de partenaires entre plusieurs couples. V. 1960 ; ☞ *échange* ; [eʃɑ̃ʒism].

**ÉCHANGISTE, subst.**
**1.** *Dr.* Personne qui effectue des échanges de biens ou de services. **2.** Personne, couple pratiquant l'échangisme ; empl. adj. : *Des pratiques **échangistes**.* 1776 ; ☞ *échange* ; [eʃɑ̃ʒist].

**ÉCHANSON, subst. m.**
**1.** *M. Â.* Officier chargé de servir à boire à un roi, à un seigneur. **2.** Ext. Personne qui sert à boire (fam.). Fin XIIe s. ; gallo-roman. *scancio*, de l'anc. bas frq. °*skankjo* ; [eʃɑ̃sɔ̃].

**ÉCHANTILLON, subst. m.**
**1.** Petite quantité d'une marchandise, que l'on montre pour faire connaître, apprécier la qualité de l'ensemble : ***Échantillon*** *de tissu.* **2.** Spécimen remarquable, individu représentatif : ***Échantillon*** *de coquillage* ; au fig., idée, exemple : *Un **échantillon** de son style.* **3.** *Stat.* Fraction représentative d'une population ou d'un ensemble de données faisant l'objet d'une étude statistique : ***Échantillon*** *d'agriculteurs.* 1260 ; altér. de l'anc. fr. *eschandillon*, du lat. pop. °*scandiculum*, « échelle, mesure » ; [eʃɑ̃tijɔ̃].

**ÉCHANTILLONNAGE, subst. m.**
**1.** Action d'échantillonner ; les échantillons obtenus. **2.** *Stat.* Méthode permettant de constituer un échantillon, soit de manière directe, par prélèvement au hasard, soit de manière dirigée, par classement des membres de la population (ou des données) en catégories emboîtées (par profession, par classe d'âge dans chaque profession, par sexe, etc.), puis par prélèvement au hasard dans la dernière catégorie. Mil. XIXe s. (1452, droit d'étalonnage des mesures) ; ☞ *échantillonner* ; [eʃɑ̃tijɔnaʒ].

**ÉCHANTILLONNER, verbe trans. [3]**
**1.** Prélever des échantillons de. **2.** *Stat.* Procéder à l'échantillonnage de (une population). 1524 (1452, étalonner des mesures) ; ☞ *échantillon* ; [eʃɑ̃tijɔne].

**ÉCHAPPATOIRE, subst. f.**
Moyen détourné par lequel on cherche à s'échapper d'une situation difficile. 1465 ; ☞ *échapper* ; [eʃapatwaʀ].

**ÉCHAPPÉ, ÉE, subst.**
Vx. Évadé. **Masc.** *Chorégr.* Pas de danse dans lequel le danseur ou la danseuse s'élève sur les demi-pointes ou les pointes, avant de retrouver sa position initiale. **Fém.** **1.** Action de s'échapper (vx). **2.** *Sp.* Action menée par un ou plusieurs coureurs qui lâchent le peloton. **3.** Espace libre et étroit offrant une vue dégagée : *Une **échappée** sur la plaine.* ▸ *Peint.* ***Échappée*** *de lumière* : rai de lumière entre deux bandes sombres. **4.** Espace étroit ménagé pour un passage. ▸ *Archit.* ***Échappée*** *d'un escalier* : espace libre entre les degrés et le plafond. **5.** Fig. Bref moment, intervalle (littér.) : *Une **échappée** de ciel bleu.* ▸ Loc. ***Par échappées*** : par intervalles. 1475 ; p. p. de *échapper* ; [eʃape].

**ÉCHAPPEMENT, subst. m.**
**1.** *Horlog.* Dispositif qui régularise les oscillations du balancier. **2.** *Mécan.* Expulsion dans l'atmosphère des gaz de combustion d'un moteur. ▸ ***Pot d'échappement*** : dispositif facilitant cette expulsion. Fin XIIe s. ; ☞ *échapper* ; [eʃapmɑ̃].

**ÉCHAPPER, verbe [3]**
**Intrans.** S'enfuir, s'évader : *Laisser **échapper** un éléphant* ; par anal. : *Laisser **échapper** un objet*, le laisser tomber. **Trans. indir.** **1. Échapper à.** ▸ Éviter : ***Échapper*** *à une surveillance, à un accident* ; ***Échapper*** *à ses adversaires*, ne pas être pris. ▸ Cesser d'être tenu, conservé ; ne plus être maîtrisé : *Un cri lui **échappa*** ; *Le temps nous **échappe*** ; *Son enfant lui **échappe**.* ▸ Ne pas être perçu, compris : ***Échapper*** *à la vue* ; *Le sens de votre question m'**échappe*** ; empl. impers. : *Il **n'a échappé** à personne que le danger était grand.* **2. Échapper de.** Sortir sain et sauf de (un danger, une situation difficile) : ***Échapper*** *d'une maladie.* **Trans. dir.** *L'**échapper** belle* : éviter de justesse un danger. **Pronom.** **1.** Se sauver : *Il **s'est échappé** de l'asile* ; s'esquiver : *Elle **s'échappa** un instant pour fumer une cigarette.* ▸ *Sp.* Faire une échappée. **2.** Sortir : *Un murmure **s'échappa** de ses lèvres.* Fin XIe s. ; lat. pop. °*excappare*, « quitter la chape » ; [eʃape].

**ÉCHARDE, subst. f.**
Petit éclat pointu (bois, épine, etc.) entré accidentellement dans la chair. ⊠ XIII^e^ s. (déb. XII^e^ s., écaille) ; anc. bas frq. °*skarda* ; [eʃaʀd].

**ÉCHARDONNER, verbe trans. [3]**
**1.** *Agric.* Débarrasser (un terrain) des chardons qui l'envahissent. **2.** *Text.* Débarrasser (un textile) des débris végétaux, lors du cardage. ⊠ Déb. XIII^e^ s. ; ☞ *chardon* + *é-*[2] ; [eʃaʀdɔne].

**ÉCHARNAGE, subst. m.**
Action d'écharner. ⊠ 1790 ; ☞ *écharner* ; [eʃaʀnaʒ].

**ÉCHARNEMENT, subst. m.**
Écharnage. ⊠ 1845 ; ☞ *écharner* ; [eʃaʀnəmɑ̃].

**ÉCHARNER, verbe trans. [3]**
*Peauss.* Débarrasser (les peaux) des chairs qui y adhèrent, avant le corroyage. ⊠ 1680 (déb. XIII^e^ s., *escharné*, décharné, amaigri) ; ☞ *chair* + *é-*[2] ; [eʃaʀne].

**ÉCHARNEUR, EUSE, subst.**
*Peauss.* Personne qui écharne les peaux. **Fém.** Machine à écharner. ⊠ Déb. XX^e^ s. ; ☞ *écharner* ; [eʃaʀnœʀ, øz].

**ÉCHARNOIR, subst. m.**
Couteau à écharner, à deux manches et à lame cintrée. ⊠ 1723 ; ☞ *écharner* ; [eʃaʀnwaʀ].

**ÉCHARPE, subst. f.**
**1.** Bande d'étoffe portée à la taille ou en bandoulière, servant d'insigne, en partic. à certains élus, à certains magistrats : *L'**écharpe** tricolore d'un maire, d'un député.* ► Loc. **En écharpe.** En bandoulière, en diagonale : *Prendre une voiture en **écharpe**,* l'accrocher de biais. **2.** Bande de tissu que l'on porte autour du cou comme ornement ou pour se protéger du froid : *Écharpe en soie, en laine.* **3.** *Chir.* Bandage porté en bandoulière, servant à maintenir un bras blessé contre la poitrine. **4.** *Techn.* Pièce de menuiserie disposée en diagonale pour empêcher la déformation d'un ouvrage. ⊠ 1283 (déb. XII^e^ s., sacoche de pèlerin) ; anc. bas frq. °*skirpa*, « panier de jonc », du lat. *scirpus*, « jonc » ; [eʃaʀp].

**ÉCHARPER, verbe trans. [3]**
**1.** Blesser grièvement, balafrer. **2.** Mettre en pièces ; massacrer : ***Être écharpé** par la foule.* **3.** Fig. Éreinter, critiquer fortement : *La presse **écharpa** le metteur en scène.* ⊠ 1669 ; var. de *écharpir* (vx), de l'anc. fr. *charpir*, « déchirer » ; [eʃaʀpe].

**ÉCHASSE, subst. f.**
**1.** Chacun des deux longs bâtons, pourvus d'un étrier sur lequel on pose le pied, permettant de se déplacer à une certaine hauteur. ► Loc. *Être monté sur des **échasses*** : avoir de longues jambes (fam.). **2.** *Zool.* Oiseau de la famille des Charadriidés aux longues pattes rouges, vivant près des marais. ⊠ XIII^e^ s. (déb. XII^e^ s., béquille, jambe artificielle) ; anc. bas frq. °*skakkja*, de °*skakan*, « secouer ; fuir » ; [eʃas].

**ÉCHASSIERS, subst. m. plur.**
*Zool.* Terme sans valeur scientifique désignant un ensemble disparate d'oiseaux carnivores aux pattes longues, regroupant les Ciconiiformes, les Charadriiformes et les Gruiformes. **Au sing.** *La cigogne est un **échassier*** ; empl. adj. : *Un oiseau **échassier**.* ⊠ 1799 (mil. XII^e^ s., celui qui a une jambe artificielle) ; ☞ *échasse* ; [eʃasje].

**ÉCHAUBOULURE, subst. f.**
*Vétér.* Urticaire qui atteint certains animaux, notamment les Bovins. ⊠ 1548 ; dial. *chaubouillure*, de *chaud* et de *bouillir*, + *é-*[1], d'apr. *boule* ; [eʃobulyʀ].

**ÉCHAUDAGE, subst. m.**
**1.** Action d'échauder ; son résultat. **2.** *Agric.* Dessèchement accidentel des grains de céréales et de raisin. ⊠ 1864 ; ☞ *échauder* ; [eʃodaʒ].

**ÉCHAUDÉ, ÉE, adj. et subst. m.**
**Adj. 1.** Ébouillanté. ► Loc. proverb. *Chat **échaudé** craint l'eau froide* : quand qqch. nous a causé un vif désagrément, on en craint même l'apparence. **2.** *Agric.* Desséché par la chaleur : *Maïs **échaudé**.* **Subst.** *Cuis.* Gâteau léger poché dans l'eau bouillante et passé au four. ⊠ 1260 ; p. p. de *échauder* ; [eʃode].

**ÉCHAUDER, verbe trans. [3]**
**1.** Passer (qqch.) à l'eau chaude ; ébouillanter : *Échauder un cochon, une volaille.* **2.** Fig. Causer à (qqn) une déconvenue dont il tire les leçons : *Cette affaire l'a **échaudé**.* ⊠ Fin XII^e^ s. ; bas lat. *excaldare* ; [eʃode].

**ÉCHAUDOIR, subst. m.**
Cuve dans laquelle on procède à l'échaudage des animaux abattus ; partie de l'abattoir où se fait cette opération. ⊠ 1380 ; ☞ *échauder* ; [eʃodwaʀ].

**ÉCHAUFFANT, ANTE, adj.**
Qui provoque un échauffement (vieilli). ⊠ Déb. XII^e^ s. ; p. pr. de *échauffer* ; [eʃofɑ̃, ɑ̃t].

**ÉCHAUFFEMENT, subst. m.**
**1.** Action d'échauffer ; fait de s'échauffer. **2.** Fig. Excitation, exaltation mentale. **3.** *Agric.* Début de fermentation des céréales ou des farines ; début de pourrissement du bois. **4.** *Sp.* Entraînement léger des articulations et des muscles avant un exercice physique ou sportif. **5.** État inflammatoire (vieilli) : ***Échauffement** du ventre,* constipation. ⊠ Déb. XIII^e^ s. ; ☞ *échauffer* ; [eʃofmɑ̃].

**ÉCHAUFFER, verbe trans. [3]**
**1.** Réchauffer (qqch.). ► Altérer par excès de chaleur : ***Échauffer** un moteur.* **2.** Fig. Stimuler, exciter (qqn, qqch.) : *Il **échauffe** les esprits, avec ses belles promesses* ; ***Échauffer** les oreilles à qqn,* l'agacer, l'irriter. **Pronom. 1.** Préparer ses muscles à fournir un effort : *Il **s'échauffe** avant la course.* **2.** Fig. S'enflammer, s'exciter. ⊠ Fin XI^e^ s. ; lat. pop. °*excalefare*, du lat. *excalefacere* ; [eʃofe].

**ÉCHAUFFOURÉE, subst. f.**
Bagarre brève et soudaine. ⊠ 1797 (mil. XIV^e^ s., mauvaise rencontre) ; crois. de *chaufour* et de *fourrer* ; [eʃofuʀe].

**ÉCHAUGUETTE, subst. f.**
*Fortif.* Guérite en surplomb sur une muraille d'un château fort, d'une tour. ⊠ 1369 (fin XI^e^ s., troupe de sentinelles) ; anc. bas frq. °*skarwahta*, « action de monter la garde » ; [eʃoɡɛt].

*Échauguette.*

**ÈCHE, voir ESCHE**

**ÉCHÉANCE, subst. f.**
**1.** Date à laquelle doit être satisfait un paiement, une obligation : *Arriver à l'**échéance** d'un terme* ; par méton., ensemble de ces dettes : *Je n'ai pu faire face aux **échéances**.* **2.** Ext. Période à laquelle qqch. doit arriver : *L'**échéance** des élections.* ⊠ 1678 (déb. XIII^e^ s., héritage) ; ☞ *échéant* ; [eʃeɑ̃s].

**ÉCHÉANCIER, subst. m.**
**1.** Registre où l'on consigne à leur date d'échéance les dettes, les créances. **2.** Ext. Calendrier des délais à respecter : *L'**échéancier** des travaux.* ⊠ 1864 ; ☞ *échéance* ; [eʃeɑ̃sje].

**ÉCHÉANT, ANTE, adj.**
Parvenu à échéance : *Un loyer **échéant**.* ► Loc. *Le cas **échéant*** : si le cas, si l'occasion se présente. ⊠ 1804 ; p. pr. de *échoir* ; [eʃeɑ̃, ɑ̃t].

**ÉCHEC, subst. m.**
**I. Plur.** Jeu de stratégie composé de deux séries de seize pièces que deux adversaires déplacent sur un échiquier : *Une partie d'**échecs*** ; ensemble des pièces de ce jeu. **II. 1.** Situation de défaite du roi, de la reine, aux **échecs** ; le coup par lequel le joueur crée cette situation : ***Échec** au roi, à la dame* ; empl. adj. : *Être **échec** et mat* : être défait. **2.** Défaite, insuccès : *Il est peu de réussites faciles, et d'**échecs** définitifs* (Proust). ► Loc. *Tenir, mettre en **échec*** : faire obstacle à, contrarier. **3.** *Psychanal.* *Névrose, syndrome d'**échec*** : notion désignant différents comportements, allant de l'autopunition jusqu'au fait de ne pouvoir supporter d'obtenir la satisfaction d'un désir. ⊠ Fin XI^e^ s. ; altér. de *eschac* (vx), de l'arabo-persan *šāh māt*, « le roi est mort » ; [eʃɛk].

**ÉCHELETTE, subst. f.**
**1.** Petite échelle fixée sur le bât d'une bête de som[…] et servant à retenir la charge. **2.** Ridelle de charr[…] **3.** *Zool.* Tichodrome. ⊠ 1316 ; ☞ *échelle* ; [eʃ(ə[…]

**ÉCHELIER, subst. m.**
Échelle disposant d'un seul montant central [...] gion.). ⊠ 1690 ; ☞ *échelle* ; [eʃəlje].

**ÉCHELLE, subst. f.**
**1.** Objet mobile faisant office d'escalier, comp[…] de deux montants reliés par des barreaux : *Éc[…] de corde,* dont les montants sont en corde ; *Éc[…] de meunier,* escalier à pente très raide, à marc[…] plates et sans contremarches. ► Loc. *Faire la co[…] **échelle** à qqn* : l'aider à grimper en lui présen[…] ses mains, ses épaules comme points d'appui [...] au fig., aider qqn à acquérir une meilleure situa[…] sociale ou financière ; *Après cela, il n'y a plus [...] tirer l'**échelle*** : il n'y a rien à ajouter, on ne [...] mieux faire. **2.** Suite de divisions portées sur [...] instrument ou un graphique, utilisée pour com[…] rer, mesurer, repérer : ***Échelle** thermométri[…] **Échelle** de magnitude sismique de Richter* ; *Éc[…] de Beaufort,* évaluant la force du vent. ► *Échelle l[…] rithmique* : **échelle** indiquant le logarithme [...] valeurs mesurées. On l'utilise chaque fois qu[…] phénomène étudié présente des variations [...] importantes, le logarithme permettant de ram[…] les observations à des valeurs aisément manip[…] bles. **3.** Fig. Série hiérarchisée d'états, de qual[…] d'êtres, de conditions sociales, etc. : ***Échell[…] valeurs* ; *L'**échelle** des êtres vivants* ; ***Échelle** des [...]* **4.** *Géogr.* Rapport entre une distance représentée [...] une carte et la distance réelle : ***Échelle** de 1/10 [...]* rapport selon lequel 1 cm représente 10 000 [...] soit 100 m ; *Représenter une contrée à grande, à p[…] échelle.* ► Loc. *À l'**échelle** nationale, régionale* : [...] niveau de la nation, de la région ; *À l'**échelle*** [...] en prenant comme mesure, comme référe[…] **5.** *Mar.* Escale (vx) : *Les **échelles** du Levant,* les p[…] de la Méditerranée orientale où faisaient escal[…] navires occidentaux. ⊠ Mil. XII^e^ s. ; lat. *scala* ; [e[…]

**ÉCHELON, subst. m.**
**1.** Barreau d'une échelle. **2.** Fig. Degré d'une hié[…] chie, grade, niveau : *Changer d'**échelon**, au der[…] **échelon*** ; *Cette décision doit être prise à l'éch[…] communal.* **3.** *Milit.* Élément d'une troupe fracti[…] née en profondeur : *Un **échelon** d'attaque.* ⊠ [...] XI^e^ s. ; ☞ *échelle* ; [eʃ(ə)lɔ̃].

**ÉCHELONNEMENT, subst. m.**
Action d'échelonner qqch. ; fait d'être échelon[…] ⊠ 1851 ; ☞ *échelonner* ; [eʃ(ə)lɔnmɑ̃].

**ÉCHELONNER, verbe trans. [3]**
Disposer, répartir par intervalles dans l'espace [...] dans le temps : ***Échelonner** des divisions milita[…] **Échelonner** des traites, des dates.* ⊠ Fin XIV^e^ [...] ☞ *échelon* ; [eʃ(ə)lɔne].

**ÉCHENILLAGE, subst. m.**
Action d'écheniller : *L'**échenillage** d'une [...]* ⊠ 1783 ; ☞ *écheniller* ; [eʃ(ə)nijaʒ].

**ÉCHENILLER, verbe trans. [3]**
Débarrasser (un végétal) des chenilles qui l'e[…] hissent. ⊠ Fin XIV^e^ s. ; ☞ *chenille* + *é-*[2] ; [eʃ(ə)[…]

**ÉCHENILLOIR, subst. m.**
Sécateur monté sur une perche, servant à écheni[…] ⊠ XVII^e^ s. ; ☞ *écheniller* ; [eʃ(ə)nijwaʀ].

**ÉCHEVEAU, subst. m.**
**1.** *Text.* Assemblage de fils enroulés qu'un fil de l[…] empêche de s'emmêler. **2.** Fig. Imbrication comp[…] d'éléments : *Débrouiller l'**écheveau** d'une conspirat[…]* ⊠ Mil. XII^e^ s. ; prob. lat. *scabellum*, « escabeau » ; [eʃ(ə[…]

**ÉCHEVELÉ, ÉE, adj.**
**1.** Dont les cheveux sont en désordre. **2.** Frénétique, outrancier : *Un carnaval **échevelé*** ; *histoire d'amour **échevelée**.* ⊠ XI^e^ s. ; *chevel*, anc. f[…] de *cheveu*, + *é-*[2] ; [eʃəv(ə)le].

**ÉCHEVELER, verbe trans. [12]**
Mettre en désordre la chevelure de, ébouri[…] ⊠ XII^e^ s. ; ☞ *échevelé* ; [eʃəv(ə)le].

**ÉCHEVIN, subst. m.**
**1.** *Hist.* Magistrat, puis membre du corps mu[…] pal, avant la Révolution. **2.** Belg. Adjoint au bo[…] mestre. **3.** Québ. Conseiller municipal (ra[…] ⊠ Mil. XII^e^ s. ; anc. bas frq. °*skapin*, « juge » ; [eʃ(ə[…]

**ÉCHEVINAGE, subst. m.**
**1.** Corps des échevins d'une ville. **2.** Ext. Fonct[…] d'un échevin ; durée de cette fonction. ⊠ 12[…] ☞ *échevin* ; [eʃ(ə)vinaʒ].

**ÉCHEVINAL, ALE, AUX,** adj.
**1.** Relatif, propre à l'échevin. **2.** Belg. *Collège échevinal* : formé du bourgmestre et des échevins. XVIᵉ s. ; ☞ *échevin* ; [eʃ(ə)vinal, o].

**ÉCHEVINAT,** subst. m.
Belg. Charge d'échevin ; services administratifs correspondants. XVIIIᵉ s. ; ☞ *échevin* ; [eʃ(ə)vina].

**ÉCHIDNÉ,** subst. m.
*Zool.* Mammifère ovipare, fouisseur et insectivore, de l'ordre des Monotrèmes, vivant en Australie et en Nouvelle-Guinée. Sa fourrure est hérissée de piquants, il possède un bec en forme de tube et une langue protractile lui permettant de capturer les insectes, englués par une salive visqueuse. 1806 ; lat. *echidna*, du gr. *ekhidna*, « vipère » ; [ekidne].

© S. Cordier-Jacana

*Échidné.*

**ÉCHINE (I),** subst. f.
**1.** Colonne vertébrale de l'homme et de certains vertébrés ; dos : *Un frisson lui parcourut l'échine.* ► Loc. *Courber, plier l'échine* : se soumettre. **2.** *Bouch.* Partie antérieure de la longe de porc. Fin XIᵉ s. ; anc. bas frq. °*skina*, « baguette de bois » ; [eʃin].

**ÉCHINE (II),** subst. f.
*Archit.* Moulure saillante, convexe ou biseautée, de certains chapiteaux. 1567 (1546, aiguille) ; lat. *echinus*, du gr. *ekhinos*, « hérisson ; oursin » ; [eʃin].

**ÉCHINER,** verbe trans. [3]
Vx. Rompre l'échine à (qqn) ; rouer de coups. **Pronom.** S'éreinter, se donner de la peine. Déb. XIIIᵉ s. ; ☞ *échine* (I) ; [eʃine].

**ÉCHINOCACTUS,** subst. m.
*Bot.* Cactacée ressemblant à un gros oursin, tel le peyotl. 1845 ; lat. sc. *echinocactus*, du gr. *ekhinos*, « hérisson ; oursin », et de *cactus* ; [ekinɔkaktys].

**ÉCHINOCOCCOSE,** subst. f.
*Pathol.* Maladie parasitaire due à l'échinocoque ou à sa larve, qui se manifeste le plus souvent par un kyste hydatique du foie. 1905 ; ☞ *échinocoque* + *-ose* ; [ekinɔkɔkoz].

**ÉCHINOCOQUE,** subst. m.
*Zool.* Ténia vivant à l'état adulte dans l'intestin du chien et dont les œufs sont émis avec les excréments de ce dernier. Certains mammifères et, plus rarement, l'homme peuvent être contaminés en ingérant ces œufs, par ex. avec des aliments souillés. Ces œufs éclosent dans l'intestin, et les larves, portées par le sang, vont s'enkyster dans un tissu. 1817 ; lat. sc. *echinococcus*, du gr. *ekhinos*, « hérisson ; oursin », et *kokkos*, « graine » ; [ekinɔkɔk].

**ÉCHINODERMES,** subst. m. plur.
*Zool.* Embranchement d'animaux marins, dont les types les plus connus sont les étoiles de mer et les oursins, caractérisés par une symétrie radiale d'ordre cinq, un système de ventouses (ambulacres) et des éléments calcaires internes ou externes (plaques ou épines). **Au sing.** *L'ophiure est un **échinoderme**.* 1792 ; lat. sc. *echinodermata*, du gr. *ekhinos*, « hérisson ; oursin », et *derma*, « peau » ; [ekinɔdɛrm].

**ÉCHIQUÉEN, ÉENNE,** adj.
Du jeu d'échecs. XXᵉ s. ; ☞ *échec* ; [eʃikeɛ̃, eɛn].

**ÉCHIQUETÉ, ÉE,** adj.
*Hérald.* Divisé en carreaux de couleurs alternées, tels ceux d'un échiquier. XIIIᵉ s. ; ☞ *échiquier* ; [eʃikte].

**ÉCHIQUIER,** subst. m.
**1.** Plateau quadrillé, dont les soixante-quatre cases alternativement noires et blanches supportent les pièces du jeu d'échecs. **2.** Fig. Terrain où s'opposent des forces ou des intérêts rivaux : *L'**échiquier** syndical* ; *L'**échiquier** européen.* **3.** *Hist.* Cour de justice de Normandie, au XIIᵉ s. **4.** *Pol.* En Grande-Bretagne, administration des finances publiques : *Chancelier de l'**Échiquier***, ministre des Finances. Mil. XIIᵉ s. ; ☞ *échec* ; [eʃikje].

**ÉCHO,** subst. m.
**1.** Réflexion d'une onde sonore ou électromagnétique, renvoyée par un obstacle : *L'**écho** de la voix* ; *Un **écho** radar*, permettant de situer des obstacles. **2.** Fig. Information ou propos rapporté : *Recevoir des **échos** d'un évènement* ; accueil, réponse : *Ma proposition n'a guère eu d'**écho**.* **3.** Loc. *À tous les **échos*** : dans toutes les directions ; *Se faire l'**écho** de* : rapporter (ce que l'on a vu ou entendu) ; *Faire **écho** à qqn* : répéter ses propos ou l'imiter ; *En **écho*** : en reprenant de manière atténuée. **4.** *Psych.* Hallucination au cours de laquelle le sujet croit entendre sa pensée répétée. **Plur.** *Journ.* Rubrique d'informations locales ou anecdotiques. XIIIᵉ s. ; lat. *echo*, du gr. *êkhô* ; [eko].

**ÉCHOCARDIOGRAMME,** subst. m.
*Méd.* Tracé de l'exploration du cœur par échographie. V. 1980 ; crois. de *échographie* et de *cardiogramme* ; [ekokaʀdjɔgʀam].

**ÉCHO-ENCÉPHALOGRAMME,** subst. m.
*Méd.* Tracé de l'exploration de l'encéphale au moyen de l'échographie. XXᵉ s. ; crois. de *échographie* et de *encéphalogramme* ; plur. *écho-encéphalogrammes* ; [ekoɑ̃sefalɔgʀam].

**ÉCHOGRAPHIE,** subst. f.
*Méd.* Exploration d'un organe au moyen d'un faisceau d'ultrasons dont on recueille les échos (par réflexion sur l'organe observé) sur un oscilloscope cathodique (abrév. fam. : écho). V. 1970 ; formé de *écho-* et de *-graphie* ; [ekogʀafi].

**ÉCHOGRAPHIER,** verbe trans. [6]
*Méd.* Procéder à l'échographie de. Fin XXᵉ s. ; ☞ *échographie* ; [ekogʀafje].

**ÉCHOIR,** verbe intrans. [50]
**1.** Être dévolu par le sort, revenir (à qqn) : *La plus grosse part lui **échut**.* **2.** Arriver à échéance : *Le bail **échoit** à la fin de l'année.* Déb. XIIᵉ s. ; lat. pop. °*excadere*, du lat. *excidere*, « sortir ; tomber de » ; verbe défectif ; [eʃwaʀ].

**ÉCHOLALIE,** subst. f.
*Psych.* Répétition des derniers mots ou des dernières syllabes entendues, observée dans certaines aphasies. 1890 ; formé de *écho-* et de *-lalie* ; [ekolali].

**ÉCHOLOCATION,** subst. f.
*Zool.* Repérage des objets et des obstacles au moyen d'ultrasons réfléchis par ces obstacles : *Les chauves-souris s'orientent par **écholocation**.* V. 1950 ; angl. *echolocation*, de *echo*, « écho », et de *location*, « repérage » ; var. *écholocalisation* ; [ekolɔkasjɔ̃].

**ÉCHOPPE (I),** subst. f.
Petite boutique, souvent en appentis, adossée à un bâtiment ou à un mur. Déb. XIIIᵉ s. ; m. néerl. *schoppe*, d'apr. l'angl. *shop*, « magasin » ; [eʃɔp].

**ÉCHOPPE (II),** subst. f.
*Techn.* Burin au tranchant biseauté des graveurs, des orfèvres, des clicheurs, etc. 1366 ; lat. *scalprum* ; [eʃɔp].

**ÉCHOPPER,** verbe trans. [3]
*Techn.* Graver, ciseler, effacer à l'échoppe. 1621 (XVᵉ s., érafler d'un coup de lance) ; ☞ *échoppe* (II) ; [eʃɔpe].

**ÉCHOSONDAGE,** subst. m.
Mesure de la profondeur des fonds sous-marins à l'aide d'un instrument qui capte et émet des ultrasons. XXᵉ s. ; ☞ *sondage* + *écho-* ; [ekosɔ̃daʒ].

**ÉCHOTIER, IÈRE,** subst.
Journaliste chargé de rapporter les échos. 1866 ; ☞ *écho* ; [ekɔtje, jɛʀ].

**ÉCHOTOMOGRAPHIE,** subst. f.
*Méd.* Tomographie utilisant les principes de l'échographie. XXᵉ s. ; crois. de *échographie* et de *tomographie* ; [ekotɔmɔgʀafi].

**ÉCHOUAGE,** subst. m.
*Mar.* Action d'échouer volontairement un navire ; situation qui en résulte pour ce navire. 1674 ; ☞ *échouer* ; [eʃwaʒ].

**ÉCHOUEMENT,** subst. m.
*Mar.* Fait de s'échouer involontairement, en parlant d'un navire. 1626 ; ☞ *échouer* ; [eʃumɑ̃].

**ÉCHOUER,** verbe [3]
**Intrans.** *Mar.* **1.** Donner sur un obstacle, s'y immobiliser : *La barque **échoua** sur les rochers* ; par anal. : *Des dauphins **ont échoué** sur la plage.* **2.** Ext. Arriver par hasard dans un lieu : *Il a fini par **échouer** à Cahors.* **3.** Fig. Ne pas aboutir : *Faute de crédits, le projet **échoua*** ; ne pas réussir : *Échouer à un examen.* **Trans.** Drosser (un navire, un animal marin) à la côte, sur un haut-fond. **Pronom.** Être immobilisé par un obstacle : *Le bateau **s'échoua** sur le banc de sable.* XVIᵉ s. ; orig. obsc. ; [eʃwe].

**ÉCHOVIRUS,** subst. m.
*Biol.* Virus à A. R. N. provoquant des troubles variés, notamment chez l'enfant (méningites, troubles intestinaux, affections respiratoires, etc.). XXᵉ s. ; angl. *echovirus*, de *echo*, acron. de *enteric cytopathogenic human orphan*, et de *virus* ; [ekoviʀys].

**ÉCIDIE,** subst. f.
*Bot.* Fructification qui apparaît sur les feuilles de certaines céréales atteintes de la rouille du blé. Gr. *oikidion*, « petite maison », par le lat. sc. ; [esidi].

**ÉCIMAGE,** subst. m.
Action d'écimer. 1791 ; ☞ *écimer* ; [esimaʒ].

**ÉCIMER,** verbe trans. [3]
Couper la cime de (un végétal) pour favoriser sa croissance en épaisseur. 1572 ; ☞ *cime* + *é-*[2] ; [esime].

**ÉCLABOUSSEMENT,** subst. m.
**1.** Action d'éclabousser. **2.** Rejaillissement de boue ou de liquide. 1835 ; ☞ *éclabousser* ; [eklabusmɑ̃].

**ÉCLABOUSSER,** verbe trans. [3]
**1.** Salir, mouiller par une projection de boue ou de liquide. **2.** Fig. Salir la réputation de (qqn) : *Le scandale l'a **éclaboussé**.* **3.** Écraser (qqn) par un étalage de luxe. 1528 ; altér. de l'anc. fr. *esclabo(u)ter*, de *bouter* ; [eklabuse].

**ÉCLABOUSSURE,** subst. f.
**1.** Jet de boue ou de liquide ; salissure ainsi provoquée. **2.** Fig. Répercussion d'une affaire fâcheuse sur qqn, entachant sa réputation. 1528 ; ☞ *éclabousser* ; [eklabusyʀ].

**ÉCLAIR,** subst. m.
**1.** Lumière brève et éblouissante zébrant le ciel, causée par une décharge électrique entre deux masses nuageuses ou entre un nuage et la terre, lors d'un orage. **2.** Anal. Lueur intense et brève : *L'**éclair** d'un appel de phare.* **3.** Court instant : *En un **éclair***, très vite. ► Empl. adj. inv. Très rapide (fam.) : *Guerre **éclair*** ; *Repas **éclair**.* **4.** Fig. Manifestation soudaine et brève : *Un **éclair** de bonheur, de génie.* **5.** *Cuis.* Gâteau allongé fait de pâte à choux fourrée d'une crème au café ou au chocolat, glacé sur le dessus. Déb. XIIᵉ s. ; ☞ *éclairer* ; [eklɛʀ].

**ÉCLAIRAGE,** subst. m.
**1.** Action d'éclairer, de distribuer une lumière ; manière dont la lumière se diffuse : *Assurer l'**éclairage** d'une ville* ; ***Éclairage** vif, tamisé.* **2.** Dispositif qui permet d'éclairer : *Régler les **éclairages** d'un spectacle.* **3.** Fig. Manière de considérer : *Donner un nouvel **éclairage** à un texte.* **4.** *Spéc.* ► *B.-a.* Répartition de la lumière dans un tableau. ► *Milit.* Mission de reconnaissance. 1798 ; ☞ *éclairer* ; [eklɛʀaʒ].

**ÉCLAIRAGISME,** subst. m.
Technique des procédés d'éclairage. 1937 ; ☞ *éclairage* ; [eklɛʀaʒism].

**ÉCLAIRAGISTE,** subst.
Technicien chargé de régler l'éclairage : ***Éclairagiste** de cinéma.* 1948 ; ☞ *éclairage* ; [eklɛʀaʒist].

**ÉCLAIRANT, ANTE,** adj.
Qui éclaire. XVIᵉ s. ; p. pr. de *éclairer* ; [eklɛʀɑ̃, ɑ̃t].

**ÉCLAIRCIE,** subst. f.
**1.** Espace dégagé dans un ciel nuageux ; amélioration brève du temps entre deux averses. **2.** Fig. Amélioration, détente passagère : *Une **éclaircie** diplomatique.* **3.** *Sylvic.* Éclaircissage ; zone qui en résulte. 1694 (déb. XVIᵉ s., aurore) ; p. p. de *éclaircir* ; [eklɛʀsi].

**ÉCLAIRCIR,** verbe trans. [19]
**1.** Rendre clair, plus clair : ***Éclaircir** des teintes* ; empl. pronom. : *L'horizon **s'éclaircit**.* **2.** Ext. ► Améliorer la netteté de : ***Éclaircir** sa voix.* ► Rendre moins épais : ***Éclaircir** une sauce* ; empl. pronom. : *Ses cheveux **s'éclaircissent**.* ► *Sylvic.* Procéder à l'éclaircissage de : ***Éclaircir** un bois.* **3.** Fig. Rendre plus compréhensible, clarifier : ***Éclaircir** une situation embrouillée.* XIIᵉ s. ; lat. pop. °*exclaricire*, de *claricare*, « éclairer vivement » ; [eklɛʀsiʀ].

**ÉCLAIRCISSAGE,** subst. m.
*Sylvic.* Suppression d'arbres, de plants visant à favoriser la croissance de la végétation restante. 1835 ; ☞ *éclaircir* ; [eklɛʀsisaʒ].

**ÉCLAIRCISSEMENT,** subst. m.
1. Explication (souv. au plur.) : *Exiger des* ***éclaircissements.*** 2. Action d'éclaircir qqch. ; fait de s'éclaircir : *L'****éclaircissement*** *d'une sauce* ; au fig. : *L'****éclaircissement*** *d'un problème.* 1312 (XIII^e s., lumière) ; ☞ *éclaircir* ; [eklɛʀsismɑ̃].

**ÉCLAIRÉ, ÉE,** adj.
1. Qui reçoit de la lumière. 2. Fig. Qui juge sagement, grâce à des connaissances acquises, à un esprit avisé et critique : *Public* ***éclairé****, averti* ; par méton. : *Despotisme* ***éclairé*** (☞ *despotisme*). 1667 ; p. p. de *éclairer* ; [ekleʀe].

**ÉCLAIREMENT,** subst. m.
*Phys.* Quotient du flux de radiations (énergétiques ou lumineuses) que reçoit une surface par l'aire de cette surface. XIX^e s. (XII^e s., éclaircissement) ; ☞ *éclairer* ; [eklɛʀmɑ̃].

**ÉCLAIRER,** verbe trans. [3]
1. Diffuser de la lumière, de la clarté sur (qqn, qqch.) ; empl. abs. : *Cette lampe* ***éclaire*** *trop* ; empl. pronom. : *S'****éclairer*** *à la bougie.* 2. Anal. Égayer, illuminer (qqn, qqch.) : *Un sourire* ***éclaira*** *son visage.* 3. Fig. Instruire, donner les moyens de juger à : ***Éclairer*** *le peuple* ; expliquer (qqch.) : ***Éclairer*** *une affaire juridique* ; empl. pronom., devenir intelligible : *Tout s'****éclaira*** *enfin.* 4. Loc. ***Éclairer*** *la lanterne de qqn* : lui fournir les renseignements lui permettant de comprendre. X^e s. ; lat. pop. °*exclariare* ; [ekleʀe].

**ÉCLAIREUR, EUSE,** subst.
MASC. Soldat que l'on envoie reconnaître le terrain, en avant d'une armée, d'une troupe ; empl. adj. : *Navire* ***éclaireur****, détaché de l'escadre* ; *Avion* ***éclaireur.*** MASC. et FÉM. Membre d'un mouvement scout autre que catholique. 1792 (XIII^e s., luminaire) ; ☞ *éclairer* ; [eklɛʀœʀ, øz].

**ÉCLAMPSIE,** subst. f.
*Pathol.* Crise convulsive, accompagnée ou non d'une perte de connaissance, apparaissant chez certaines femmes dans le dernier trimestre de la grossesse. 1792 ; lat. sc. *eclampsis*, du gr. *eklampsis*, « lumière éclatante » ; [eklɑ̃psi].

**ÉCLAMPTIQUE,** adj.
*Pathol.* 1. Relatif à l'éclampsie. 2. Qui est atteinte d'éclampsie, en parlant d'une femme enceinte ; empl. subst. fém., femme **éclamptique.** 1841 ; ☞ *éclampsie* ; [eklɑ̃ptik].

**ÉCLANCHE,** subst. f.
*Bouch.* Épaule de mouton (vieilli). Mil. XVI^e s. (XII^e s., gauche) ; anc. bas frq. °*slink*, « gauche » ; [eklɑ̃ʃ].

**ÉCLAT,** subst. m.
I. 1. Débris d'un objet qui a éclaté, qui s'est brisé : *Les* ***éclats*** *d'une ampoule* ; *Un* ***éclat*** *d'obus.* ▸ *Hortic.* Fragment de plante pourvu de racines qui, replanté, en fera naître une autre. ▸ *Préhist.* Fragment de pierre détaché d'un nucléus : ***Éclat*** *de silex.* 2. Bruit violent ; soudaine manifestation sonore : ***Éclats*** *de voix, de rire.* ▸ Fig. Esclandre, scandale : *Faire un* ***éclat.*** II. 1. Intensité, brillance d'une lumière ou d'un objet qui la réfléchit : *L'****éclat*** *d'un soleil d'été* ; *L'****éclat*** *d'un rubis, d'un regard.* ▸ *Astron.* ***Éclat*** *stellaire* : mesure de l'intensité lumineuse d'une étoile. ▸ *Mar.* *Phare à* ***éclats*** : dont les phases d'émission de lumière sont brèves, espacées par des intervalles irréguliers permettant son identification. 2. Ext. Coloration vive et intense : ***Éclat*** *du teint.* 3. Fig. Caractère brillant, luxueux de qqch. : *L'****éclat*** *d'une fête à Versailles.* ▸ Loc. *Coup d'****éclat*** : action remarquable ; *Avec* ***éclat*** : de façon à frapper les esprits. Mil. XII^e s. ; ☞ *éclater* ; [ekla].

**ÉCLATANT, ANTE,** adj.
1. Très bruyant : *Une symphonie* ***éclatante.*** 2. Dont la luminosité est intense : *Des teintes* ***éclatantes*** ; par ext., resplendissant : *Un sourire* ***éclatant.*** 3. Remarquable, glorieux, brillant ; qui frappe par son évidence : *Un démenti* ***éclatant.*** 1538 (XV^e s., qui se brise facilement) ; p. pr. de *éclater* ; [eklatɑ̃, ɑ̃t].

**ÉCLATÉ,** subst. m.
*Techn.* Représentation graphique d'un objet complexe décomposé en ses éléments internes séparés mais gardant leur position relative : *L'****éclaté*** *d'une locomotive à vapeur.* Mil. XX^e s. ; p. p. de *éclater* ; [eklate].

**ÉCLATEMENT,** subst. m.
Fait d'éclater. 1553 ; ☞ *éclater* ; [eklatmɑ̃].

**ÉCLATER,** verbe [3]
TRANS. 1. Vx. Briser (qqch.). 2. *Agric.* Diviser (un végétal) en drageons. INTRANS. 1. Se briser brusquement, gén. avec bruit, en projetant des fragments ; exploser : *Une vitre, une bombe qui* ***éclate*** ; empl. adj. : *Un pneu* ***éclaté.*** 2. Faire entendre un bruit violent et soudain : *Des coups de feu* ***éclatèrent.*** ▸ Exprimer brusquement une émotion, un sentiment particulier : ***Éclater*** *en sanglots* ; ***Éclater*** *de rire* ; *Il* ***éclata*** *de colère* ou, empl. abs., *Il* ***éclata.*** 3. Survenir ; se déclencher : *Les pourparlers ne purent empêcher la guerre d'****éclater.*** 4. Se décomposer, se diviser : *L'U. R. S. S.* ***a éclaté*** *en 1991* ; empl. adj. : *L'empire* ***éclaté.*** 5. Resplendir, briller (vx) ; au fig., se manifester de manière remarquable, brillante ou avec évidence : *Cette preuve fit* ***éclater*** *son innocence* ; *La vérité* ***éclatera*** *un jour.* PRONOM. Se divertir à l'extrême (fam.). XII^e s. ; anc. bas frq. °*slaitan*, « fendre, briser » ; [eklate].

**ÉCLATEUR,** subst. m.
*Électr.* Instrument à deux électrodes utilisé pour amorcer une conduction. 1922 ; ☞ *éclater* ; [eklatœʀ].

**ÉCLECTIQUE,** adj. et subst.
ADJ. Qui manifeste, qui relève de l'éclectisme. SUBST. Personne **éclectique.** 1651 ; gr. *eklektikos*, « sélectif » ; [eklɛktik].

**ÉCLECTISME,** subst. m.
1. *Philos.* Réunion en un seul corps de doctrine de thèses philosophiques conciliables. 2. Disposition d'un esprit qui s'intéresse à des idées, à des activités très diverses. 1755 ; ☞ *éclectique* ; [eklɛktism].

PHILOSOPHIE – École néoplatonicienne des disciples de Potamon d'Alexandrie (III^e s. apr. J.-C.). Leurs idées furent reprises par Victor Cousin (1792-1867) et ses disciples (Jouffroy, Vacherot, Saissey, par ex.). Pour Cousin, la réflexion philosophique a pour objet de permettre une prise de conscience de la vérité totale qui est en puissance au fond de chaque homme doué de raison, et qui s'exprime, au cours de l'histoire humaine, par les vérités particulières des différents systèmes philosophiques. Elle est donc à découvrir : tel est le but de l'éclectisme cousinien.

**ÉCLIMÈTRE,** subst. m.
*Topogr.* Instrument mesurant les différences de niveau. 1870 ; gr. *ekklinês*, « incliné », + *-mètre*[1] ; [eklimɛtʀ].

**ÉCLIPSE,** subst. f.
1. *Astron.* Passage d'un corps céleste dans l'ombre d'un autre corps. On parle d'**éclipses** du Soleil, de la Lune, mais elle peut se produire pour n'importe quel objet du système solaire. ▸ Loc. *À* ***éclipses*** : que l'on voit, qui éclaire par intermittence. 2. Fig. Disparition momentanée de qqn, de qqch. : ***Éclipse*** *d'un homme politique, d'un comédien.* Mil. XII^e s. ; lat. *eclipsis*, du gr. *ekleipsis*, « abandon ; éclipse » ; [eklips].

**ÉCLIPSER,** verbe trans. [3]
1. *Astron.* Provoquer l'éclipse de (un astre), en parlant d'un autre astre. 2. Fig. Surpasser (qqn, qqch.) par ses mérites physiques, intellectuels ou moraux. PRONOM. Subir une éclipse ; se voiler ; au fig., s'esquiver. Mil. XIII^e s. ; ☞ *éclipse* ; [eklipse].

**ÉCLIPTIQUE,** subst. m. et adj.
*Astron.* SUBST. Trace sur la sphère céleste de la trajectoire annuelle du Soleil. ▸ *Plan de l'****écliptique*** : plan de l'orbite du système Terre autour du Soleil. ADJ. Relatif à l'**écliptique** : *Coordonnées* ***écliptiques.*** XIII^e s. ; lat. *eclipticus*, du gr. *ekleiptikos*, « relatif aux éclipses » ; [ekliptik].

**ÉCLISSE,** subst. f.
1. Éclat de bois. 2. Lame de bois, de métal, permettant de maintenir des éléments ensemble. ▸ Cerclage utilisé pour conserver à un fromage sa forme et son diamètre ; claie. ▸ *Ch. de fer.* Plaque d'acier reliant bout à bout deux rails. ▸ *Chir.* Attelle. ▸ *Hortic.* Élément en bois ou en carton soutenant une branche. ▸ *Lutherie.* Paroi latérale des instruments à cordes. Fin XI^e s. ; ☞ *éclisser* ; [eklis].

**ÉCLISSER,** verbe trans. [3]
Maintenir par une ou plusieurs éclisses. Fin XI^e s. ; anc. bas frq. °*slitan*, « fendre » ; [eklise].

**ÉCLOPÉ, ÉE,** adj. et subst.
ADJ. Qualifie qqn, un animal qui marche difficilement, à cause d'une blessure, d'une infirmité. SUBST. Personne **éclopée.** Fin XII^e s. ; *écloper* (rare), « estropier », de l'anc. fr. *cloper*, « boiter » ; [eklɔpe].

**ÉCLORE,** verbe intrans. [80]
1. Sortir de l'œuf, du cocon ; par méton. : *Tous les œufs* ***ont éclos.*** 2. Ext. S'épanouir, s'ouvrir, en parlant d'une fleur en bouton ; empl. adj. : *Une rose à peine* ***éclose.*** 3. Fig. Naître, apparaître (littér.) : *Une idée lumineuse* ***a éclos*** *dans son esprit.* Fin XII^e s. ; lat. pop. °*exclaudere*, du lat. *excludere*, « faire sortir » ; [eklɔʀ].

**ÉCLOSERIE,** subst. f.
Établissement spécialisé dans la reproduction des animaux aquatiques. V. 1970 ; ☞ *éclore* ; [eklozʀi].

**ÉCLOSION,** subst. f.
Fait d'éclore. 1747 ; ☞ *éclore* ; [eklozjɔ̃].

**ÉCLUSAGE,** subst. m.
Action d'écluser. 1410 ; ☞ *écluser* ; [eklyzaʒ].

**ÉCLUSE,** subst. f.
*Hydrol.* Ouvrage établi sur un cours d'eau, dans un étang, etc., pour en contrôler le niveau au moyen d'une ou de plusieurs portes métalliques, munies ou non de vannelles et de vannes, et pouvant servir à faire passer un bateau d'amont en aval ou inversement. XI^e s. ; bas lat. *exclusa aqua*, « eau isolée », du lat. *excludere*, « fermer le passage » ; [eklyz].

© P. Gleizes-Explorer

*Ouverture des portes d'une écluse sur le canal du Midi.*

**ÉCLUSÉE,** subst. f.
*Hydrol.* 1. Quantité d'eau qui se déverse entre la levée et la fermeture d'une écluse. 2. Manœuvre de l'écluse. 1627 ; ☞ *écluse* ; [eklyze].

**ÉCLUSER,** verbe trans. [3]
1. Équiper (un cours d'eau, un canal) d'une ou de plusieurs écluses : ***Écluser*** *un axe fluvial.* 2. Faire passer (un bateau) d'un bief à l'autre. 3. Fig. Boire en quantité (fam.) : ***Écluser*** *des chopes de bière brune.* XI^e s. ; ☞ *écluse* ; [eklyze].

**ÉCLUSIER, IÈRE,** subst. et adj.
SUBST. Personne affectée à la manœuvre et à l'entretien d'une écluse. ADJ. Relatif à une écluse. Fin XV^e s. ; ☞ *écluse* ; [eklyzje, jɛʀ].

**ECMNÉSIE,** subst. f.
*Psych.* Maladie de la mémoire qui touche la seule fonction de fixation des souvenirs : le sujet peut évoquer ses souvenirs anciens, mais il ne peut en fixer de nouveaux, et il oublie les évènements au fur et à mesure qu'ils se produisent (synon. *amnésie antérograde*). XIX^e s. ; gr. *ek*, « hors de », et *mnêsis*, « mémoire », d'apr. *amnésie* ; [ɛkmnezi].

**ÉCOBILAN,** subst. m.
Bilan de l'incidence écologique d'un produit industriel. XX^e s. ; crois. de *écologie* et de *bilan* ; [ekobilɑ̃].

**ÉCOBUAGE,** subst. m.
*Agric.* Méthode de fertilisation d'un terrain consistant à retourner puis à brûler la couche superficielle du sol avec sa végétation, avant d'en étaler la cendre ; son résultat. 1797 ; ☞ *écobuer* ; [ekobɥaʒ].

**ÉCOBUER,** verbe trans. [3]
Procéder à l'écobuage de (un sol). 1539 ; poitevin *gobuis*, « terre pelée », + *é-*[1] ; [ekobɥe].

**ÉCŒURANT, ANTE,** adj.
1. Qui provoque la nausée. 2. Fig. Qui révolte ; qui décourage. 1870 ; p. pr. de *écœurer* ; [ekœʀɑ̃, ɑ̃t].

**ÉCŒUREMENT,** subst. m.
État d'une personne écœurée ; sentiment qu'elle éprouve. 1870 ; ☞ *écœurer* ; [ekœʀmɑ̃].

**ÉCŒURER,** verbe trans. [3]
1. Dégoûter (qqn) jusqu'à la nausée. 2. Fig. Indigner, inspirer du mépris à : *Sa bassesse m'****écœure*** ; démoraliser (qqn) : *Sa réussite trop facile m'****a écœuré.*** Déb. XVII^e s. ; ☞ *cœur* ; [ekœʀe].

**ÉCOINÇON,** subst. m.
1. *Archit.* Élément de menuiserie ou de maçonnerie appliqué à l'angle de deux murs ; pierre de coin

d'une embrasure de porte, de fenêtre. **2.** *Meuble en écoinçon* : d'angle. ⊠ 1331 ; ☞ *coin* + *é-*[1] ; [ekwɛ̃sɔ̃].

**ÉCOLÂTRE, subst. m.**
*M. Â.* Clerc séculier ou régulier qui dirigeait l'école dépendant d'une cathédrale ou d'une abbaye. ⊠ XIIIe s. ; lat. médiév. *scholaster* ; [ekolatʀ].

**ÉCOLE, subst. f.**
**I. 1.** Établissement qui dispense un enseignement collectif. ▸ Établissement qui prodigue aux enfants un enseignement de base : *École privée, laïque* ; *École maternelle* (☞ *maternel*) ; *École élémentaire*, précédant le collège. ▸ Établissement dispensant un enseignement particulier : *École de danse, de conduite, de voile.* ▸ Établissement délivrant un enseignement supérieur spécialisé, et auquel on accède gén. par voie de concours : *Les grandes écoles*, par ex. l'**École** navale, l'**École** polytechnique... **2.** Méton. ▸ Les locaux de l'**école**. ▸ Ensemble des élèves et du personnel d'une **école** : *L'école est partie en promenade.* **3.** Ext. Source d'enseignement, de formation : *Être à rude, à bonne école* ; *L'école de la rue.* **4.** Loc. *Faire l'école buissonnière* : ne pas aller à l'**école** ou, par ext., à son travail ; *Être de la vieille école* : avoir reçu une formation traditionnelle ; *Hypothèse d'école* : sans réel fondement mais sur laquelle on spécule. **II. 1.** Ensemble de savants, de philosophes que rapproche un maître, une doctrine ou un lieu : *L'école d'Aristote, d'Élée* ; *L'école stoïcienne.* **2.** Ensemble d'écrivains, d'artistes d'une même génération que rapproche un style, un lieu : *L'école romantique* ; *L'école flamande.* **3.** Loc. *Faire école* : susciter des disciples ou, au fig., avoir de l'influence. ⊠ Mil. XIe s. ; lat. *schola*, du gr. *skholê*, « loisir consacré à l'étude » ; [ekɔl].

**ÉCOLIER, IÈRE, subst. et adj.**
**Subst. 1.** *Hist.* Étudiant de l'université, au Moyen Âge. **2.** Enfant qui fréquente l'école maternelle ou l'école primaire. ▸ Loc. *Prendre le chemin des écoliers* : flâner. **Adj.** *Papier écolier* : blanc et quadrillé ; *Plaisanterie écolière* : puérile. ⊠ 1206 ; bas lat. *scholaris*, « scolaire » ; [ekɔlje, jɛʀ].

**ÉCOLOGIE, subst. f.**
Science dont l'objet est l'étude des relations entre un organisme vivant et son milieu ; par ext., écologisme. ⊠ 1874 ; all. *Ökologie*, du gr. *oikos*, « maison », et *logos*, « discours » ; [ekɔlɔʒi].

**ÉCOLOGIQUE, adj.**
Relatif à l'écologie ou à l'écologisme. ⊠ 1900 ; ☞ *écologie* ; [ekɔlɔʒik].

**ÉCOLOGISME, subst. m.**
Tendance, mouvement visant à préserver l'environnement naturel des retombées négatives de l'industrialisation. ⊠ V. 1970 ; ☞ *écologie* ; [ekɔlɔʒism].

**ÉCOLOGISTE, subst.**
**1.** Spécialiste de l'écologie. **2.** Partisan de l'écologisme ; défenseur de l'environnement ; empl. adj. : *Un député écologiste.* ⊠ V. 1960 ; ☞ *écologie* ; [ekɔlɔʒist].

**ÉCOMUSÉE, subst. m.**
Musée reconstituant l'environnement social, culturel et géographique d'une collectivité humaine. ⊠ Mil. XXe s. ; ☞ *musée* + *éco-* ; [ekomyze].

© A. Wolf-Explorer

*Scène de la vie quotidienne en Camargue, reconstituée selon le principe de l'écomusée. Musée camarguais, Arles.*

**ÉCONDUIRE, verbe trans. [69]**
Écarter (qqn) ; rejeter la demande, les avances de (qqn) : *Éconduire un importun* ; *Elle a éconduit un amoureux transi.* ⊠ Fin XVe s. ; anc. fr. *escondire*, « refuser », du bas lat. *se excondicere*, « s'excuser » ; [ekɔ̃dɥiʀ].

**ÉCONOMAT, subst. m.**
Fonction d'économe ; service qui est chargé de cette fonction ; local affecté à ce service. ⊠ 1553 ; ☞ *économe* ; [ekɔnɔma].

**ÉCONOME, subst. et adj.**
**Subst.** Personne qui gère les finances d'un établissement hospitalier, religieux, etc. **Adj.** Qui ne gaspille pas ; au fig. : *Être économe de son temps.* ⊠ 1337 ; bas lat. *oeconomus*, « administrateur d'une église », du gr. *oikonomos*, « intendant d'une maison » ; [ekɔnɔm].

**ÉCONOMÈTRE, subst.**
Spécialiste de l'économétrie. ⊠ 1952 ; ☞ *économétrie* ; var. *économétricien, ienne* ; [ekɔnɔmɛtʀ].

**ÉCONOMÉTRIE, subst. f.**
Méthode d'analyse mathématique et statistique des données économiques, permettant de faire des prévisions. ⊠ 1948 ; ☞ *économie* + *-métrie* ; [ekɔnɔmetʀi].

**ÉCONOMIE, subst. f.**
**I. 1.** Vx. Gestion d'une maison, d'un ménage et, par ext., de l'État. **2.** Action d'économiser, de restreindre les frais ou la consommation de qqch. : *Éteindre le chauffage par économie.* **3.** Chose économisée : *Faire d'importantes économies de carburant* ; au fig. : *S'exprimer avec une rare économie de mots.* ▸ Loc. *Faire l'économie de* : éviter. **Plur.** Argent mis de côté : *Placer ses économies.* **II. 1.** Ensemble des activités relatives à la production, à la circulation et à la consommation des biens et des richesses. **2.** Science qui a pour objet ces activités. ▸ *Économie politique* (vieilli) : science économique. **3.** Système théorique caractérisant ces activités : *Économie libérale, dirigée, planifiée.* **III.** Disposition planifiée d'éléments, structure : *L'économie d'un roman, d'une loi.* ⊠ 1370 ; lat. *oeconomia*, « organisation », du gr. *oikonomia*, « administration d'une maison » ; [ekɔnɔmi].

SCIENCES HUMAINES – L'économie politique apparaît dans les écrits de Jean Bodin en 1568 et devient une science autonome au XVIIIe s. Elle tente de résoudre la question de la multiplicité des besoins face à la rareté des biens (que produire ? pour qui ? comment ?) et d'appréhender les rapports des hommes entre eux. Elle étudie, de façon théorique et statistique, les comportements individuels et généraux, ainsi que la circulation des richesses produites. On peut distinguer de nombreux courants théoriques, dont les plus connus sont les suivants. Le mercantilisme (XVIe et XVIIe s.), dont Colbert est l'une des principales figures, estime nécessaires les interventions de l'État dans l'industrie, le commerce et les finances. Le libéralisme se développe aux XVIIIe et XIXe s., avec A. Smith, D. Ricardo, R. Malthus, J.-B. Say. Selon ces auteurs, les déséquilibres économiques disparaissent du fait des lois du marché, l'État ne devant intervenir que pour préserver les intérêts privés des citoyens (c'est l'État gendarme). Le socialisme apparaît dans la première moitié du XIXe s. : le courant utopique (Proudhon, Saint-Simon, Fourier, L. Blanc...) critique les excès liés à la révolution industrielle ; le courant scientifique (Marx, Engels) prône la révolution contre le système capitaliste. Le keynésianisme (du nom de l'économiste J. M. Keynes), né entre les deux guerres mondiales, préconise l'intervention de l'État, dans le cadre du système capitaliste, pour assurer le plein-emploi. La pratique diffère sensiblement des théories. Les politiques aujourd'hui mises en œuvre de par le monde relèvent, peu ou prou, de : l'économie libérale, où la régulation économique est opérée par le marché lui-même ; l'économie dirigée, où l'État intervient, au sein d'une structure libérale, pour corriger des dysfonctionnements (inflation, chômage...) ; l'économie planifiée, qui substitue aux règles théoriques des solutions pratiques pour atteindre des objectifs précis. Le Plan est le document qui décrit ces objectifs et ces solutions, il peut être impératif (comme il le fut en U. R. S. S.) ou indicatif.

**ÉCONOMIQUE, adj. et subst. m.**
**Adj. 1.** Vx. Relatif à l'administration d'une maison. **2.** Relatif à l'économie : *Science économique*, étude de la production et de la répartition des richesses. **3.** Qui réduit ou permet de réduire la dépense : *Une voiture économique*, qui consomme peu de carburant. **Subst.** *L'économique* : l'ensemble des phénomènes relevant de l'économie. ⊠ 1370 (XIIIe s., philosophie de la gestion d'une famille) ; lat. *oeconomicus*, du gr. *oikonomikos* ; [ekɔnɔmik].

**ÉCONOMIQUEMENT, adv.**
**1.** De manière à réaliser des économies : *Voyager économiquement.* **2.** Du point de vue de la science ou de l'activité économique. ▸ *Les économiquement faibles* : les personnes manquant de ressources. ⊠ 1690 ; ☞ *économique* ; [ekɔnɔmikmɑ̃].

**ÉCONOMISER, verbe trans. [3]**
**1.** Vx. Administrer avec sagesse. **2.** Faire un usage modéré, voire parcimonieux, de : *Économiser l'électricité* ; au fig. : *Économiser ses efforts.* **3.** Épargner, mettre de côté ; empl. abs. : *Économiser pour ses vieux jours.* ⊠ 1718 ; ☞ *économie* ; [ekɔnɔmize].

**ÉCONOMISEUR, subst. m.**
*Techn.* **1.** Appareil qui chauffe l'eau d'une chaudière en utilisant la chaleur dégagée par la combustion. **2.** Dispositif destiné à réduire la consommation de qqch. ⊠ 1890 ; ☞ *économiser* ; [ekɔnɔmizœʀ].

**ÉCONOMISME, subst. m.**
Théorie qui privilégie le fait économique dans l'explication des transformations de l'histoire. ⊠ 1775 ; ☞ *économiste* ; [ekɔnɔmism].

**ÉCONOMISTE, subst.**
Spécialiste de science économique. ⊠ 1767 ; ☞ *économie* ; [ekɔnɔmist].

**ÉCOPE, subst. f.**
*Mar.* Sorte de pelle à bords couvrants, servant à évacuer l'eau accumulée dans un bateau. ⊠ XIIIe s. ; anc. bas frq. °*skôpa* ; [ekɔp].

**ÉCOPER, verbe trans. [3]**
**1.** *Mar.* Manier l'écope pour vider (l'eau d'un bateau) ; par méton. : *Écoper un bateau.* **2.** Fig. et Fam. Se voir infliger (des coups, une sanction) ; subir (un désagrément) : *Écoper six jours* (ou, empl. trans. indir., *de six jours*) *de consigne* ; empl. abs. : *C'est toujours moi qui écope !* ⊠ 1837 ; ☞ *écope* ; [ekɔpe].

**ÉCOPERCHE, subst. f.**
*Bât.* **1.** Pylône qui supporte une poulie permettant de hisser des matériaux de construction. **2.** Perche verticale soutenant un échafaudage. ⊠ 1315 ; prob. formé de *écot* (II) et de *perche* (I) ; [ekɔpɛʀʃ].

**ÉCORÇAGE, subst. m.**
Action d'écorcer (synon. *écorcement*). ⊠ 1799 ; ☞ *écorcer* ; [ekɔʀsaʒ].

**ÉCORCE, subst. f.**
**1.** *Bot.* Enveloppe superficielle et protectrice du tronc des arbres ou de la tige de certains végétaux : *L'écorce argentée du bouleau.* **2.** Peau épaisse de certains fruits : *Des écorces d'orange.* **3.** Anal. *Géol.* *Écorce terrestre* : croûte terrestre. **4.** Fig. Apparence : *Si elle se contente de suivre les sens, [la raison] n'aperçoit que l'écorce* (Bossuet). ⊠ 1176 ; lat. *scortea*, « manteau de peau » ; [ekɔʀs].

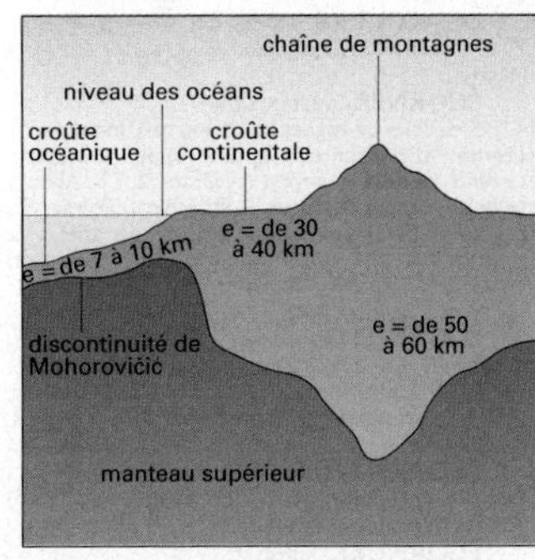


*Coupe de l'écorce terrestre, dont l'épaisseur (e) varie selon le relief.*

**ÉCORCER, verbe trans. [4]**
Détacher l'écorce de (un arbre, un fruit). ⊠ XIIIe s. ; ☞ *écorce* ; [ekɔʀse].

**ÉCORCHAGE, subst. m.**
Écorchement. ⊠ XXe s. ; ☞ *écorcher* ; [ekɔʀʃaʒ].

**ÉCORCHÉ, ÉE, adj. et subst.**
**Adj.** Que l'on a dépouillé de sa peau : *Lapin écorché.* **Subst.** Personne écorchée ; au fig. : *Un écorché*

Le Bœuf **écorché**, *peinture de Chaïm Soutine (1893-1943). Musée municipal d'Amsterdam.*

vif, une personne à la sensibilité exacerbée. **SUBST. MASC. 1.** *B.-a.* Représentation d'un corps humain ou animal dépouillé de sa peau et qui révèle ses muscles, ses veines et ses tendons : *Des **écorchés** de Michel-Ange.* **2.** *Techn.* Dessin d'un appareil que l'on a dégarni de son revêtement afin de figurer ses parties internes : *L'**écorché** d'un réacteur nucléaire.* XIIe s. ; p. p. de *écorcher* ; [ekɔʀʃe].

**ÉCORCHEMENT, subst. m.**
Action d'écorcher un animal (synon. *écorchage*). Fin XIIIe s. ; ☞ *écorcher* ; [ekɔʀʃəmɑ̃].

**ÉCORCHER, verbe trans. [3]**
**1.** Arracher la peau de (un corps) : ***Écorcher** un lièvre* ; empl. adj. : *Des suppliciés **écorchés** vifs.* **2.** Blesser superficiellement : *La flèche lui **écorcha** la joue* ; empl. pronom. : *S'**écorcher** les mains.* ► Anal. Érafler : *D'un trait de plume qui **écorcha** le papier, il biffa le nom* (Zola). **3.** Fig. ► Irriter, être désagréable à : ***Écorcher** les oreilles.* ► Déformer la prononciation de (un mot, une langue) : ***Écorcher** un nom propre.* ► Demander à (un client) un prix excessif (vieilli). 1155 ; bas lat. *excorticare*, « écorcer », du lat. *cortex*, « enveloppe » ; [ekɔʀʃe].

**ÉCORCHEUR, EUSE, subst.**
**1.** Personne qui écorche un animal de boucherie. **2.** Fig. Personne qui pratique des prix excessifs (fam. et vieilli). **3.** *Hist. Les **Écorcheurs*** : pendant la guerre de Cent Ans, hordes de brigands qui pillaient les campagnes françaises. Déb. XIIIe s. ; ☞ *écorcher* ; [ekɔʀʃœʀ, øz].

**ÉCORCHURE, subst. f.**
Plaie superficielle de la peau. XIIIe s. ; ☞ *écorcher* ; [ekɔʀʃyʀ].

**ÉCORNER, verbe trans. [3]**
**1.** Briser, scier ou rogner les cornes de (un animal) : ***Écorner** un taureau trop agressif* ; empl. pronom. : *Le bélier s'**écorna** en forçant la clôture.* **2.** Ext. Abîmer le bord, l'angle de (qqch.), ébrécher : ***Écorner** les pages d'un livre* ; ***Écorner** une assiette* ; par anal. : *Ce gourmand a déjà **écorné** la tarte !* **3.** Fig. Rogner, entamer : ***Écorner** ses économies.* Fin XIIe s. ; ☞ *corne* + *é-*[2] ; [ekɔʀne].

**ÉCORNIFLER, verbe trans. [3]**
**1.** Obtenir (qqch.) par ruse, grappiller (fam. et vieilli) : ***Écornifler** quelques sous.* **2.** Détériorer, abîmer : *Qui a **écornifié** le guéridon ?* 1441 ; crois. de *écorner* et du m. fr. *nifler*, « renifler » ; [ekɔʀnifle].

**ÉCORNIFLEUR, EUSE, subst.**
Parasite, profiteur (fam. et vieilli). 1537 ; ☞ *écornifler* ; [ekɔʀniflœʀ, øz].

**ÉCORNURE, subst. f.**
Morceau enlevé d'un objet écorné ; la brèche qu'il y laisse. 1694 ; ☞ *écorner* ; [ekɔʀnyʀ].

**ÉCOSSAIS, AISE, adj. et subst.**
D'Écosse. **ADJ. 1.** *Tissu **écossais*** : dont les bandes de fil se croisent à angle droit, en des couleurs et des largeurs différentes. **2.** *Rite **écossais*** : l'un des rites de la franc-maçonnerie. Déb. XIVe s. ; topon. *Écosse* ; [ekɔsɛ, ɛz].

**ÉCOSSER, verbe trans. [3]**
Débarrasser (un légume à graines) de sa cosse : ***Écosser** des petits pois.* Fin XIIe s. ; ☞ *cosse* (I) + *é-*[2] ; [ekɔse].

**ÉCOSYSTÈME, subst. m.**
Ensemble constitué par les êtres vivants, les végétaux et leurs milieu naturel : *La pollution perturbe les interactions d'un **écosystème**.* V. 1960 ; ☞ *système* + *éco-*, d'apr. l'angl. *ecosystem* ; [ekosistɛm].

**ÉCOT (I), subst. m.**
Somme à payer dans un restaurant (vx) ; quote-part dans une dépense commune : *Payer son **écot**.* XIIe s. ; anc. bas frq. °*skot*, « impôt » ; [eko].

**ÉCOT (II), subst. m.**
*Sylvic.* Branche, tronc d'arbre mal élagué. Fin XIIe s. ; anc. bas frq. °*skot*, « pousse, rejet » ; [eko].

**ÉCOTONE, subst. m.**
*Écol.* Zone intermédiaire entre deux écosystèmes. XXe s. ; formé de *éco-* et de *-tone* ; [ekotɔn].

**ÉCOTOXIQUE, adj.**
Toxique pour l'environnement. V. 1990 ; ☞ *toxique* + *éco-* ; [ekotɔksik].

**ÉCOTYPE, subst. m.**
*Écol.* Variété d'une espèce animale ou végétale adaptée à un écosystème précis par la sélection naturelle. 1954 ; ☞ *type* + *éco-*, d'apr. l'angl. *ecotype* ; [ekotip].

**ÉCOULEMENT, subst. m.**
**1.** Fait de s'écouler ; son résultat : *L'**écoulement** des eaux de pluie* ; par anal. : *L'**écoulement** des voitures.* **2.** *Comm.* Action d'écouler ; son résultat : *L'**écoulement** d'un stock.* 1539 ; ☞ *écouler* ; [ekulmɑ̃].

**ÉCOULER, verbe trans. [3]**
**PRONOM. 1.** Couler avec régularité : *Les fleuves s'**écoulent** vers la mer.* **2.** Anal. Avancer de manière ininterrompue et régulière : *Les fidèles s'**écoulent** vers la sortie* ; au fig., passer : *Les vacances s'**écoulèrent** trop vite.* **TRANS.** *Comm.* Vendre (une marchandise) jusqu'à épuisement du stock : ***Écouler** une collection de vêtements.* ► ***Écouler** des faux billets* : les mettre en circulation pour s'en débarrasser. Déb. XIVe s. (mil. XIIe, s'échapper) ; ☞ *couler* + *é-*[1] ; [ekule].

**ÉCOUMÈNE, subst. m.**
*Géogr.* Partie habitable de la Terre. 1858 ; gr. *gê oikoumenê*, « terre habitée » ; var. *œkoumène* ; [ekumɛn].

**ÉCOURTER, verbe trans. [3]**
**1.** Rendre plus courte la longueur de (qqch.) : ***Écourter** un habit.* **2.** Rendre plus courte la durée de (qqch.) : ***Écourter** un entretien*, y mettre un terme précipité ; ***Écourter** une pièce de théâtre, un film.* XIIe s. ; ☞ *court* (I) + *é-*[1] ; [ekuʀte].

**ÉCOUTANT, ANTE, subst.**
Personne qui écoute au téléphone l'exposé des problèmes d'autrui (dans une association, une radio, etc.). V. 1990 (XIVe s., auditeur) ; p. pr. de *écouter* ; [ekutɑ̃, ɑ̃t].

**ÉCOUTE (I), subst. f.**
**1.** Vx. Espion. **2.** Action d'écouter attentivement des sons, des paroles, d'être aux aguets, d'épier : *L'**écoute** du chant des baleines* ; *Être aux **écoutes**.* ► Méton. Lieu aménagé pour entendre sans être vu. ► *Milit.* Surveillance, détection des mouvements ennemis : *Poste d'**écoute*** ; ***Écoute** sous-marine.* **3.** Fait d'écouter une émission de radio et, par ext., de télévision : *Taux d'**écoute*** ; *Heure de grande **écoute**.* ► *Télécomm.* Fait d'écouter une communication téléphonique : *Table d'**écoute*** ; par méton. : *Enregistrement des **écoutes**.* **4.** Fait d'écouter qqn et, par ext., d'être attentif à ce qu'il pense ou fait : *Un professeur à l'**écoute** de ses élèves.* **PLUR.** *Vèn.* Oreilles du sanglier. Déb. XIIe s. ; ☞ *écouter* ; [ekut].

**ÉCOUTE (II), subst. f.**
*Mar.* Cordage fixé au point inférieur et externe d'une voile, qui sert à l'orienter par rapport au vent. 1155 ; anc. nord. *skaut*, « angle inférieur de la voile » ; [ekut].

**ÉCOUTER, verbe trans. [3]**
**1.** Faire en sorte d'entendre ; tendre l'oreille vers : ***Écouter** le bruit des vagues, une sonate* ; ***Écoutons** l'orateur !* ; empl. abs. : ***Écoute** ! je crois qu'on a frappé !* ► Prêter attention à : *J'accepte d'**écouter** vos revendications.* ► Loc. *N'**écouter** que d'une oreille* : ne prêter qu'une attention distraite à (qqch.) ; ***Écouter** aux portes* : tenter d'entendre ce qui se dit derrière une porte ou, au fig., être indiscret. **2.** Accueillir favorablement ; exaucer : *Il n'a pas **écouté** mes conseils*, il ne les a pas suivis ; *Seigneur, **écoute** ma prière !* ► Obéir à : *Il faut **écouter** ses parents.* **3.** Fig. Se laisser guider par (un sentiment) : *N'**écouter** que sa colère, que son devoir.* **PRONOM. 1.** *S'**écouter** parler* : se complaire à son propre discours. **2.** Suivre son impulsion : *Si je m'**écoutais**, j'annulerais ce rendez-vous.* **3.** S'inquiéter excessivement de sa santé : *Il s'**écoute** bien trop.* Fin IXe s. ; bas lat. *ascultare*, du lat. *auscultare* ; [ekute].

**ÉCOUTEUR, EUSE, subst.**
Vx. Auditeur. **MASC.** Partie d'un combiné téléphonique, d'un casque appliquée sur l'oreille pour écouter. Fin XIIe s. ; ☞ *écouter* ; [ekutœʀ, øz].

**ÉCOUTILLE, subst. f.**
*Mar.* Ouverture rectangulaire ménagée dans le pont d'un navire, qui donne accès à l'intérieur. 1538 ; esp. *escotilla*, de *escote*, « échancrure ; trappe » ; [ekutij].

**ÉCOUVILLON, subst. m.**
**1.** Vx. Chiffon fixé au bout d'une perche, outil utilisé pour nettoyer un four de boulanger. **2.** Brosse cylindrique servant à nettoyer l'intérieur d'objets (bouteilles, canons, instruments de musique) ou des cavités anatomiques. Fin XIIe s. ; anc. fr. *escouve*, du bas lat. *scopa*, « balai » ; [ekuvijɔ̃].

**ÉCOUVILLONNER, verbe trans. [3]**
Nettoyer (qqch.) avec un écouvillon. 1611 ; ☞ *écouvillon* ; [ekuvijɔne].

**ÉCRABOUILLAGE, subst. m.**
Fam. Action d'écrabouiller, fait de s'écrabouiller ; son résultat. 1885 ; ☞ *écrabouiller* ; [ekʀabujaʒ].

**ÉCRABOUILLEMENT, subst. m.**
Écrabouillage. 1871 ; ☞ *écrabouiller* ; [ekʀabujmɑ̃].

**ÉCRABOUILLER, verbe trans. [3]**
Fam. Écraser (qqn, qqch.) jusqu'à le réduire en bouillie : ***Écrabouiller** une mouche* ; empl. pronom. : *Il s'**écrabouilla** en contrebas.* 1535 ; crois. de *écraser* et de l'anc. fr. *esboillier*, « étriper » ; [ekʀabuje].

**ÉCRAN, subst. m.**
**I. 1.** Plaque disposée devant le foyer d'une cheminée pour protéger du feu. **2.** Anal. Dispositif qui protège d'une lumière, d'un rayonnement, etc. : ***Écran** électromagnétique.* **3.** Ext. Tout ce qui dissimule qqch. ou qui protège de qqch. : ***Écran** de fumée* ; ***Écran** solaire*, crème de protection ; au fig. : *L'**écran** des mots qui masque ou déforme la pensée.* **II. 1.** *Cin.* et *Phot.* Surface sur laquelle est projeté un film, une image fixe ; par méton., l'art cinématographique : *Les vedettes de l'**écran**.* **2.** Anal. *Psychanal.* Personne ou objet sur lequel on projette ses affects, ses fantasmes. **3.** *Techn.* Surface sur laquelle se forme l'image reçue ou produite par un système électronique (téléviseur, ordinateur, instrument utilisé dans l'imagerie médicale, etc.) : ***Écran** à tube cathodique, à diodes électroluminescentes.* ► Méton. *Le petit **écran*** : la télévision. Fin XIIIe s. ; m. néerl. *scherm*, « paravent » ; [ekʀɑ̃].

**ÉCRASANT, ANTE, adj.**
Qui écrase ; par anal., qui témoigne d'une supériorité en moyens, en force ou en nombre : *Une victoire **écrasante**.* XVIIIe s. ; p. pr. de *écraser* ; [ekʀazɑ̃, ɑ̃t].

**ÉCRASEMENT, subst. m.**
Action d'écraser, fait de s'écraser ; son résultat. 1611 ; ☞ *écraser* ; [ekʀazmɑ̃].

**ÉCRASER, verbe trans. [3]**
**1.** Aplatir, déformer, broyer ou disloquer (qqn, qqch.) par l'exercice d'une pression ou par suite d'un choc : ***Écraser** une mouche, des pommes de terre* ; par ext. : *La voiture a **écrasé** le piéton*, l'a renversé ; empl. pronom. : *L'avion s'**est écrasé** sur la piste.* ► Appuyer, appliquer fortement : ***Écraser** son nez contre la vitre.* **2.** Anal. Dominer par sa masse, son volume, faire paraître plus petit : *Ces montagnes **écrasent** le village* ; au fig. : *Il nous **écrase** de sa science.* **3.** Fig. ► Accabler : ***Écraser** qqn de responsabilités.* ► Vaincre, anéantir : ***Écraser** l'ennemi* ; ***Écraser** une rébellion.* **4.** Loc. *En **écraser*** : dormir profondément (fam.). **5.** *Informat.* Remplacer (un fichier) par un autre. **PRONOM.** Ne rien dire, ne pas insister (fam.) ***Écrase-toi** !* ou, par ell., ***Écrase** !* 1560 ; m. angl. *to crasen*, « mettre en morceaux, briser » ; [ekʀaze].

**ÉCRASEUR, EUSE, adj. et subst.**
**ADJ.** Qui écrase : *Rouleau **écraseur**.* **SUBST.** Chauffard (fam.). 1571 ; ☞ *écraser* ; [ekʀazœʀ, øz].

**ÉCRÉMAGE, subst. m.**
Action d'écrémer ; son résultat. 1838 (1765, action d'écrémer le verre en fusion) ; ☞ *écrémer* ; [ekʀemaʒ].

**ÉCRÉMER, verbe trans. [8]**
**1.** Débarrasser (le lait) de sa crème. **2.** Fig. Sélectionner les meilleurs éléments de (un ensemble) : ***Écrémer** une salle de vente.* XVe s. ; ☞ *crème* + *é-*[2] ; [ekʀeme]

**ÉCRÉMEUSE**, subst. f.
*Techn.* Appareil séparant les matières grasses des autres éléments du lait. 1890 ; ☞ *écrémer* ; [ekʀemøz].

**ÉCRÊTEMENT**, subst. m.
Action d'écrêter (synon. *écrêtage*). V. 1970 (1838, réparation des côtés d'un fossé) ; ☞ *écrêter* ; [ekʀɛtmɑ̃].

**ÉCRÊTER**, verbe trans. [3]
**1.** Ôter la crête de (un animal) : ***Écrêter*** *un faisan* ; empl. adj. : *Un coq* ***écrêté***. **2.** Anal. Araser : ***Écrêter*** *une colline* ; au fig., égaliser : ***Écrêter*** *les hauts salaires.* **3.** *Spéc.* ► *Milit.* Détruire la crête de (un ouvrage fortifié). ► *Trav. publ.* Aplanir (une route) pour améliorer la visibilité. 1611 ; ☞ *crête* + *é-*[2] ; [ekʀete].

**ÉCREVISSE**, subst. f.
**1.** *Zool.* Crustacé décapode d'eau douce au corps long et cylindrique, aux appendices grêles, muni de deux pinces. ► Loc. *Devenir rouge comme une* ***écrevisse*** : s'empourprer. **2.** Anal. *Techn.* Tenaille de forgeron. 1248 ; anc. bas frq. °*krebitja* ; [ekʀəvis].

**ÉCRIER (S')**, verbe pronom. [6]
S'exprimer avec intensité, sous l'effet d'une urgence ou d'une émotion : *« Venez vite ! »,* ***s'écria-t-elle***. Xe s. ; ☞ *crier* + *é-*[1] ; [ekʀije].

**ÉCRIN**, subst. m.
Petite boîte élégante destinée à recevoir des bijoux ou des pièces d'argenterie. XIe s. ; lat. *scrinium*, « coffret » ; [ekʀɛ̃].

**ÉCRIRE**, verbe trans. [67]
**1.** Tracer (des signes faisant partie d'un système d'écriture) : ***Écrivez*** *la date* ; ***Écrire*** *des notes de musique.* ► Abs. *Apprendre à* ***écrire*** ; *Stylo qui* ***écrit*** *mal* : qui laisse une trace peu lisible. **2.** Orthographier : *Comment* ***écris****-tu « ça » ?* ; empl. pronom. : *« Ça »* ***s'écrit*** *avec une cédille.* **3.** Noter (une information) par écrit : ***Écrire*** *une adresse sur son carnet.* **4.** Rédiger (un message) que l'on va envoyer à qqn : ***Écrire*** *une lettre à un ami* ; empl. pronom. : *Nous nous* ***écrivons*** *souvent.* **5.** Composer (un ouvrage littéraire) : ***Écrire*** *un roman, un essai.* ► Abs. ***Écrire*** *en prose, en vers* ; *Elle* ***écrit*** : c'est un écrivain. ► Énoncer, exprimer dans un écrit : *Rousseau* ***a écrit*** *que l'homme naît bon.* Mil. XIe s. ; lat. *scribere* ; [ekʀiʀ].

**ÉCRIT, ITE**, adj. et subst. m.
ADJ. **1.** Tracé par l'écriture : *Des caractères bien* ***écrits***, lisibles. **2.** Couvert de signes d'écriture : *Feuille* ***écrite*** *recto verso.* **3.** Exprimé par l'écriture : *Langue* ***écrite***, littéraire ; au fig., exprimé de façon visible : *Cette haine* ***écrite*** *dans son regard !* **4.** Loc. *C'était* ***écrit*** : cela devait arriver. SUBST. **1.** Document supportant un message **écrit**. ► Loc. proverb. *Les paroles s'envolent, les* ***écrits*** *restent.* ► Loc. **Par écrit**. En rédigeant un document : *S'engager par* ***écrit***. **2.** Ouvrage littéraire, scientifique, etc. : *Publier un* ***écrit***. **3.** Ensemble des épreuves **écrites** d'un examen ou d'un concours : *Réussir à l'****écrit***. 1119 ; p. p. de *écrire* ; [ekʀi, it].

**ÉCRITEAU**, subst. m.
Panneau portant en gros caractères une information destinée au public. 1391 ; ☞ *écrit* ; [ekʀito].

**ÉCRITOIRE**, subst. f.
Coffret ou étui contenant ce qui est nécessaire pour écrire. XIIe s. ; bas lat. *scriptorium*, « cabinet de travail » ; [ekʀitwaʀ].

**ÉCRITURE**, subst. f.
**1.** Système conventionnel de signes graphiques permettant la représentation de la parole et de la pensée : ***Écriture*** *alphabétique.* **2.** Manière de former les lettres propre à qqn : ***Écriture*** *fine et serrée.* **3.** Action d'écrire, rédaction : *L'****écriture*** *de sa thèse lui a pris cinq ans.* **4.** Manière de s'exprimer en écrivant : *Une* ***écriture*** *artiste* ; *« Le Degré zéro de l'****écriture*** *», œuvre de R. Barthes.* **5.** *Dr.* Document écrit ayant valeur de preuve : ***Écritures*** *privées*, émanant de particuliers ; *Faux en* ***écriture***. **6.** *L'****Écriture*** *sainte, les Saintes* ***Écritures*** ou, par ell., *Les* ***Écritures*** : la Bible. **7.** *Informat.* Enregistrement d'une information dans une mémoire. PLUR. *Comm.* Comptabilité d'une entreprise ; par méton., ensemble de ses registres. Mil. XIe s. ; lat. *scriptura* ; [ekʀityʀ].

CIVILISATION – Moment décisif du développement des civilisations, la création de l'écriture marque l'entrée des peuples dans l'histoire. Probablement inventée sous d'autres formes en des temps beaucoup plus anciens, l'écriture est incontestablement présente en Mésopotamie au IVe mill. av. J.-C. : c'est l'écriture cunéiforme, mise au point par les Sumériens, dont les signes, d'abord figuratifs et idéographiques, acquièrent bientôt une valeur phonétique, et qui se répand dans toute

© Giraudon

*Fragment d'****écriture*** *hiéroglyphique racontant la vie du roi Katusas. Art syro-hittite (1200-700 av. J.-C.). Musée archéologique d'Ankara.*

l'Asie occidentale. D'autres systèmes apparaissent au cours des deux millénaires suivants : hiéroglyphes égyptiens, linéaires A (minoen) et B (mycénien), écriture harappéenne, idéogrammes chinois. Leur complexité en réserve l'usage aux lettrés. Au Proche-Orient, le syllabaire cunéiforme est supplanté par l'alphabet, simplification due aux Phéniciens (fin du IIe mill. av. J.-C.), qui connaît une prodigieuse et rapide fortune en Asie, en Afrique et en Europe : dès le VIIIe s. av. J.-C., les Grecs en utilisent une version adaptée à leur langue.

**ÉCRIVAILLER**, verbe intrans. [3]
Écrire sans talent, médiocrement (péj.). Fin XVIe s. ; ☞ *écrire*, d'apr. *écrivain* ; [ekʀivaje].

**ÉCRIVAILLEUR, EUSE**, subst.
Péj. Personne qui écrivaille (synon. *écrivaillon*). Fin XVIe s. ; ☞ *écrivailler* ; [ekʀivajœʀ, øz].

**ÉCRIVAIN**, subst. m.
**1.** Personne qui compose des ouvrages littéraires. **2.** ***Écrivain*** *public* : personne dont le métier consiste à écrire des lettres, à remplir des documents administratifs pour le compte d'autrui. Mil. XIIe s. ; lat. pop. °*scribanem*, du lat. *scriba*, « scribe » ; [ekʀivɛ̃].

© Coll. Soazig-Explorer

*L'****écrivain*** *public, à qui l'on confie aussi le soin de trouver l'idée juste et la formule la plus heureuse.*

**ÉCROU (I)**, subst. m.
Enregistrement d'un nouveau prisonnier par le directeur de la prison. ► Loc. *Levée d'****écrou*** : enregistrement de la libération du détenu. Fin XIIe s. ; anc. bas frq. °*skrōda*, « bout, lambeau », par réf. au morceau de parchemin sur lequel on inscrivait le procès-verbal ; [ekʀu].

**ÉCROU (II)**, subst. m.
Pièce d'assemblage percée d'un trou fileté dans lequel se loge une vis : *Les* ***écrous*** *à oreilles d'une bicyclette.* Fin XIIIe s. ; lat. *scrofa*, « truie », par comparaison vulg. ; [ekʀu].

**ÉCROUELLES**, subst. f. plur.
*Pathol.* Inflammation chronique d'origine tuberculeuse, en partic. des ganglions lymphatiques du cou (vx) : *Le roi de France passait pour avoir la vertu de guérir des* ***écrouelles*** *en les touchant.* Mil. XIIIe s. ; lat. pop. °*scrofellae*, du lat. *scrofa*, « truie », car cette affection est fréquente chez le porc ; [ekʀuɛl].

**ÉCROUER**, verbe trans. [3]
Emprisonner. 1642 ; ☞ *écrou* (I) ; [ekʀue].

**ÉCROUIR**, verbe trans. [19]
*Techn.* Battre (un métal, un alliage), à froid ou à une température inférieure à celle du recuit, pour le rendre plus élastique et plus résistant. 1676 ; prob. wallon *crou*, « à l'état brut » + *é-*[2] ; [ekʀuiʀ].

**ÉCROUISSAGE**, subst. m.
*Techn.* Action d'écrouir ; son résultat. 1797 ; ☞ *écrouir* ; [ekʀuisaʒ].

**ÉCROULEMENT**, subst. m.
**1.** Fait de s'écrouler, chute subite. **2.** Fig. Anéantissement subit et total : *L'****écroulement*** *d'un empire, d'une théorie.* 1561 ; ☞ *s'écrouler* ; [ekʀulmɑ̃].

**ÉCROULER (S')**, verbe pronom. [3]
**1.** S'effondrer, tomber avec fracas : *Le mur* ***s'est écroulé***. **2.** S'anéantir, perdre toute valeur : *Régime, économie qui* ***s'écroule***. **3.** Se laisser tomber lourdement : *Boxeur qui* ***s'écroule*** *sur le ring.* **4.** ***S'écrouler*** *de fatigue, de chagrin* : en être accablé. **5.** Loc. ***Être écroulé*** *(de rire)* : rire sans pouvoir s'arrêter (fam.). Déb. XIIe s. ; ☞ *crouler* (I) + *é-*[1] ; [ekʀule].

**ÉCROÛTER**, verbe trans. [3]
Ôter la croûte de. XIIe s. ; ☞ *croûte* + *é-*[2] ; [ekʀute].

**ÉCRU, UE**, adj.
Qui n'a pas été blanchi : *Laine, toile, soie* ***écrue*** ; par ext., de la couleur beige clair des textiles non blanchis : *Robe* ***écrue***. 1260 (1245, vêtement de toile écrue) ; ☞ *cru* (I) + *é-*[1] ; [ekʀy].

**ECTOBLASTE**, subst. m.
*Embryol.* Feuillet externe de l'embryon parvenu au stade blastula, dont les cellules donneront, au cours de la vie embryonnaire, la peau, les organes des sens et le système nerveux (synon. *ectoderme*). 1905 ; formé de *ecto-* et de *-blaste* ; [ɛktoblast].

**ECTODERME**, subst. m.
*Embryol.* Ectoblaste. 1855 ; formé de *ecto-* et de *-derme* ; [ɛktɔdɛʀm].

**ECTOPARASITE**, subst. m.
*Biol.* Parasite animal ou végétal vivant à la surface de l'organisme parasité. 1878 ; ☞ *parasite* + *ecto-* ; [ɛktopaʀazit].

**ECTOPIE**, subst. f.
*Pathol.* Position anormale d'un organe : ***Ectopie*** *testiculaire.* 1808 ; gr. *ektopos*, « déplacé » ; [ɛktɔpi].

**ECTOPLASME**, subst. m.
**1.** *Biol.* Couche superficielle transparente du cytoplasme de certains protozoaires. **2.** *Occult.* Émanation que produirait un médium ; fantôme. 1901 ; formé de *ecto-* et de *-plasme* ; [ɛktɔplasm].

**ECTOPROCTES**, subst. m. plur.
*Zool.* Animaux aquatiques vivant en colonies gén. fixées (synon. *Bryozoaires*). Chaque individu porte autour de la bouche une couronne de tentacules ciliés (le lophophore) et vit dans une loge. On considère les **Ectoproctes** tantôt comme un embranchement, tantôt comme une classe de l'embranchement des Lophophoriens. AU SING. *Un* ***ectoprocte***. Gr. *prōktos*, « anus », + *ecto-* ; [ɛktɔpʀɔkt].

**ECTROPION**, subst. m.
*Pathol.* **1.** Éversion de la paupière. **2.** Éversion de la muqueuse du col utérin. Fin XVIe s. ; gr. *ektropion*, de *ektropein*, « détourner » ; [ɛktʀɔpjɔ̃].

**ÉCU (I)**, subst. m.
**1.** *M.Â.* Bouclier que portaient les hommes d'armes. **2.** Ext. *Hérald.* Surface en forme de bouclier portant les armoiries ; par méton., armoiries : *L'****écu*** *de France.* **3.** Ancienne monnaie française d'or ou d'argent, portant sur une face des armoiries. Fin XIe s. ; lat. *scutum*, « bouclier » ; [eky].

**ÉCU (II)**, subst. m.
Unité de compte de l'Union européenne, qui doit, à terme, être remplacée par l'Euro. V. 1980 ; acron. francisé de *European Currency Unit*, « unité monétaire européenne », d'apr. *écu* (I) ; var. *E. C. U.*, *ECU* ; [eky].

**ÉCUBIER**, subst. m.
*Mar.* Orifice pratiqué à l'avant d'un navire, donnant passage à la chaîne de l'ancre ou aux câbles d'amarrage. Mil. XIVe s. ; p.-ê. port. *escouvem* ; [ekybje].

**ÉCUEIL**, subst. m.
**1.** Récif, rocher à fleur d'eau ; haut-fond. **2.** Fig. Obstacle dangereux, cause éventuelle d'échec. 1538 ; anc. prov. *escueyll*, du lat. *scopulus* ; [ekœj].

**ÉCUELLE**, subst. f.
Récipient rond et peu profond, sans rebord ; son contenu : *Le chien a vidé son* ***écuelle***. Déb. XIIe s. ; lat. pop. °*scutella*, « petite coupe » ; [ekɥɛl].

**ÉCUISSER,** verbe trans. [3]
*Sylvic.* Faire éclater le tronc de (un arbre) en l'abattant. Fin XII^e s. ; ☞ *cuisse* + *é-*¹ ; [ekɥise].

**ÉCULÉ, ÉE,** adj.
**1.** Déformé, usagé, en parlant du talon d'une chaussure. **2.** Fig. Dont l'intérêt a disparu à la suite d'un usage immodéré : *Plaisanterie **éculée**.* 1611 ; p. p. de *éculer* (rare), « déformer le talon de (une chaussure) » ; [ekyle].

**ÉCUMAGE,** subst. m.
Action d'ôter l'écume : *L'**écumage** des confitures.* 1838 ; ☞ *écumer* ; [ekymaʒ].

**ÉCUME,** subst. f.
**1.** Mousse blanchâtre qui apparaît à la surface d'un liquide secoué, chauffé ou en fermentation. **2.** Anal. Bave mousseuse et visqueuse d'un animal essouflé ou irrité, d'un épileptique en crise. **3.** Fig. Racaille, lie de la société (littér.). **4.** *Minér. **Écume** de mer*, ou, par ell., ***Écume*** : magnésite qui sert à fabriquer des pipes. **5.** *Techn.* Impuretés qui viennent à la surface d'un métal en fusion. Mil. XII^e s. ; prob. crois. du lat. *spuma*, « bave », et du germ. °*skum* ; [ekym].

**ÉCUMER,** verbe [3]
**Intrans. 1.** Former de l'écume, en être couvert : *Torrent qui **écume**.* **2.** Baver : *Taureau qui **écume** dans l'arène* ; au fig. : ***Écumer** (de colère, de rage)*, être au comble de l'exaspération. **Trans. 1.** Ôter l'écume de. **2.** ***Écumer** les mers* : s'y livrer à la piraterie. ► Ext. Piller (une région, un quartier, etc.). Mil. XII^e s. ; ☞ *écume* ; [ekyme].

**ÉCUMEUR, EUSE,** subst.
Pirate, flibustier ; par ext., pillard, escroc, parasite. 1351 ; ☞ *écumer* ; [ekymœʀ, øz].

**ÉCUMEUX, EUSE,** adj.
Qui écume, qui est couvert d'écume (littér.) : *Océan **écumeux**.* Déb. XIV^e s. ; ☞ *écume* ; [ekymø, øz].

**ÉCUMOIRE,** subst. f.
*Cuis.* Louche aplatie et percée de trous, servant à écumer un liquide ou à en retirer des aliments solides. ► Loc. *Percé comme une **écumoire*** : criblé de trous (fam.). 1333 ; ☞ *écumer* ; [ekymwaʀ].

**ÉCUREUIL,** subst. m.
*Zool.* Mammifère rongeur arboricole de la famille des Sciuridés, à pelage roux et à longue queue touffue, qui se nourrit de graines, de fruits secs, d'œufs et d'oisillons. Fin XII^e s. ; lat. pop. °*scuriolus*, du lat. *sciurus*, du gr. *skiouros* ; [ekyʀœj].

© Frédéric-Jacana

*Écureuil.*

**ÉCURIE,** subst. f.
**1.** Vx. Ensemble des personnes (écuyers, pages, etc.) et des équipages au service d'un seigneur ; par méton., local qui leur était dévolu. **2.** Local destiné à loger chevaux, mulets et ânes. ► Région. et Helv. Étable. **3.** Ensemble des chevaux de course d'un propriétaire ; par anal., ensemble des sportifs (cyclistes, pilotes) et de leurs machines courant sous les mêmes couleurs et, par iron., des auteurs travaillant pour un même éditeur. Fin XII^e s. ; ☞ *écuyer* ; [ekyʀi].

**ÉCUSSON,** subst. m.
**1.** *Hérald.* Écu de petite taille. **2.** *Archit.* Cartouche décoratif orné d'armoiries, d'un emblème, etc. **3.** *Cost.* Petite pièce d'étoffe, gén. blasonnée, cousue sur le bras ou sur la poitrine d'un veston, d'une chemise : ***Écusson** militaire*, indiquant l'arme et le numéro régimentaire. **4.** *Serr.* Petite plaque de métal protégeant le trou d'une serrure. **5.** *Zool.* ► Plaque calcaire sur le corps de certains poissons. ► Division du thorax de certains insectes. **6.** *Arboric.* Greffon fait d'un morceau d'écorce oblong portant un seul œil. 1274 ; ☞ *écu* (I) ; [ekysɔ̃].

**ÉCUSSONNAGE,** subst. m.
*Arboric.* Action d'écussonner ; son résultat. 1870 ; ☞ *écussonner* ; [ekysɔnaʒ].

**ÉCUSSONNER,** verbe trans. [3]
**1.** Orner d'un écusson (rare). **2.** *Arboric.* Greffer en écusson. 1297 ; ☞ *écusson* ; [ekysɔne].

**ÉCUSSONNOIR,** subst. m.
*Arboric.* Petit couteau servant à faire les greffes en écusson. 1721 ; ☞ *écussonner* ; [ekysɔnwaʀ].

**ÉCUYER, ÈRE,** subst.
**Masc.** *Hist.* **1.** Gentilhomme qui servait un chevalier et lui portait son écu. **2.** Titre donné aux jeunes nobles avant leur adoubement. **3.** Officier remplissant de hautes fonctions auprès d'un roi, d'un seigneur : *Le Grand **Écuyer** du roi*, intendant général des écuries ; *L'**écuyer** tranchant*, qui tranchait les viandes. **Masc.** et **Fém. 1.** Personne qui sait monter à cheval. **2.** Personne qui exécute des exercices d'équitation dans un spectacle. **3.** Instructeur d'équitation, en partic. dans l'armée : *Les **écuyers** du Cadre noir de Saumur.* Déb. XII^e s. ; bas lat. *scutarius*, « soldat de la garde impériale », du lat. *scutum*, « écu » ; [ekɥije, ɛʀ].

**ECZÉMA,** subst. m.
*Pathol.* Dermatose inflammatoire, d'origines diverses, caractérisée par l'apparition de plaques rouges et de vésicules, une desquamation et des démangeaisons. 1747 ; lat. *eczema*, du gr. *ekzema* ; [ɛgzema].

**ECZÉMATEUX, EUSE,** adj.
**1.** Propre à l'eczéma : *Processus **eczémateux**.* **2.** Atteint d'eczéma ; empl. subst., personne **eczémateuse**. 1838 ; ☞ *eczéma* ; [ɛgzematø, øz].

**ÉDAM,** subst. m.
Fromage de Hollande à pâte cuite, recouvert d'une fine couche protectrice de cire rouge. 1926 ; topon. *Edam* (Pays-Bas) ; [edam].

**ÉDAPHIQUE,** adj.
*Écol.* Relatif au sol : *Facteurs **édaphiques***, l'humidité, la composition chimique, la structure du sol, etc., dans leur influence sur la répartition des êtres vivants. 1924 ; gr. *edaphos*, « sol » ; [edafik].

**EDELWEISS,** subst. m.
*Bot.* Plante cotonneuse de la famille des Astéracées, qui pousse en altitude. 1861 ; all. *Edelweiß* ; var. *édelweiss* ; [edɛlvɛs] ou [-vajs].

© C. Delu-Explorer

*Edelweiss.*

**ÉDEN,** subst. m.
**1.** *L'**Éden*** : nom du paradis terrestre, dans la Bible. **2.** Anal. *Un **éden*** : lieu de délices, de vie paisible et innocente. Mil. XIII^e s. ; hébreu *'ēḏen* ; [edɛn].

**ÉDÉNIQUE,** adj.
Relatif à l'Éden, au paradis terrestre : *L'état **édénique** d'Adam et Ève* ; par anal., paradisiaque (littér.) : *Une contrée **édénique**.* 1865 ; ☞ *éden* ; [edenik].

**ÉDENTÉ, ÉE,** adj. et subst. m. plur.
**Adj.** Qui a perdu ses dents, en partie ou en totalité. **Subst.** *Zool.* Ancien ordre de mammifères sans dents ou à denture réduite, qui comprenait les pangolins, les fourmiliers, les paresseux, etc. ; au sing. : *Le tatou est un **édenté**.* Déb. XIII^e s. ; p. p. de *édenter* ; [edɑ̃te].

**ÉDENTER,** verbe trans. [3]
Faire perdre ses dents à (qqn, un animal) ; rompre les dents de (qqch.) : ***Édenter** un peigne, une scie* ; empl. pronom. : *S'**édenter** avec l'âge.* Déb. XIII^e s. ; ☞ *dent* + *é-*² ; [edɑ̃te].

**ÉDICTER,** verbe trans. [3]
**1.** Publier, prescrire par édit : ***Édicter** un code.* **2.** Ext. Exprimer, prescrire de manière péremptoire : ***Édicter** des ordres.* 1619 ; lat. *edictum*, « édit » ; [edikte].

**ÉDICULE,** subst. m.
Petit édifice situé sur la voie publique (kiosque à journaux, Abribus, etc.). 1863 ; lat. *aedicula* « édifice » ; [edikyl].

**ÉDIFIANT, ANTE,** adj.
**1.** Propre à inspirer la vertu, la piété : *Sermon **édifiant**.* **2.** Révélateur, très instructif (iron.) : *Témoignage **édifiant**.* Mil. XII^e s. ; p. pr. de *édifier* ; [edifjɑ̃, ɑ̃t].

**ÉDIFICATION,** subst. f.
**1.** Action de porter à la vertu, à la piété ; son résultat : *L'**édification** des fidèles* ; par ext., action d'instruire, d'éclairer qqn : *Pour votre **édification** sachez que...* **2.** Action d'édifier, de construire un ouvrage : *L'**édification** d'un monument* ; au fig. *L'**édification** de l'Europe.* Déb. XIII^e s. ; lat. *aedificatio* ; [edifikasjɔ̃].

**ÉDIFICE,** subst. m.
**1.** Bâtisse, construction importante munie de fondations : *Élever un **édifice**.* **2.** Anal. Agencement cohérent d'éléments formant un tout : *L'**édifice** de la science.* ► Loc. *Apporter sa pierre à un **édifice*** participer à une œuvre collective. Mil. XII^e s. ; lat. *aedificium* ; [edifis].

**ÉDIFIER,** verbe trans. [6]
**1.** Construire (un ouvrage architectural) : ***Édifier** un monument* ; au fig. : ***Édifier** une théorie.* **2.** Amener (qqn) à la vertu, à la piété, par le sermon ou l'exemple : ***Édifier** ses enfants.* **3.** Éclairer (qqn) renseigner (iron.) : *Ses manœuvres suffisent à nous **édifier** sur ses intentions.* Mil. XII^e s. ; bas lat. *aedificare* ; [edifje].

**ÉDILE,** subst. m.
**1.** *Antiq. rom.* Magistrat chargé de veiller au bon fonctionnement des services publics municipaux. **2.** Anal. Magistrat d'une grande ville (souv. iron.) *Saluons nos **édiles** !* 1213 ; lat. *aedilis* ; [edil].

**ÉDILITÉ,** subst. f.
*Antiq. rom.* Charge d'édile ; période pendant laquelle elle s'exerçait. XV^e s. ; lat. *aedilitas* ; [edilite].

**ÉDIT,** subst. m.
**1.** *Dr. rom.* Ordonnance édictée par certains magistrats. **2.** *Hist.* Sous l'Ancien Régime, disposition législative portant sur une question précise, ratifiée par un souverain : *Louis XIV révoqua l'**édit** de Nantes en 1685.* XIV^e s. ; lat. *edictum* ; [edi].

**ÉDITER,** verbe trans. [3]
**1.** Établir le texte de (une œuvre), afin de le publier. **2.** Assurer la publication et la commercialisation de (une œuvre) : ***Éditer** des ouvrages scientifiques, des disques* ; par méton. : ***Éditer** un romancier.* **3.** *Informat.* ***Éditer** un fichier, des données* : les imprimer ou les mettre à disposition sur une disquette, un réseau, etc. 1784 ; lat. *editum*, de *edere*, « mettre au jour » ; [edite].

**ÉDITEUR, TRICE,** subst.
**1.** Personne chargée de l'édition d'un texte. **2.** Personne ou société qui assure la publication et la distribution d'ouvrages imprimés ou gravés ; empl. adj. : *Société **éditrice**.* **3.** *Informat.* ***Éditeur** de textes* logiciel servant à composer et à mettre en forme des textes. 1732 ; lat. *editor*, « producteur, auteur » ; [editœʀ, tʀis].

**ÉDITION,** subst. f.
**1.** Préparation, établissement rigoureux d'un texte ; le texte ainsi fixé : ***Édition** critique*, avec variantes et annotations ; ***Édition** ne varietur*, définitive. **2.** Ensemble des opérations qui conduisent à l

*Un animal de l'ancien ordre des **Édentés**, le tatou.*

© T. Mc Hugh/P. H. R.-Jacana

publication d'un ouvrage : *L'édition d'un dictionnaire.* ► Industrie et commerce du livre : *La crise de l'édition* ; *Maison d'édition.* **3.** Méton. ► Ensemble des exemplaires d'un ouvrage imprimés en une seule fois ou réimprimés sans modification : *Édition de poche, originale* ; *Troisième édition.* ► Exemplaire d'un même tirage : *Offrir une édition in-quarto.* ► Fig. *La énième édition d'un acte, d'un propos* : sa énième répétition (fam.). ► *Journ.* Ensemble des exemplaires d'un journal ou d'un magazine imprimés en une seule fois : *L'édition du matin d'un quotidien* ; *Édition spéciale* ; par anal. : *L'édition de la nuit d'une chaîne de télévision.* **4.** *Informat.* Action d'éditer un fichier, un texte, des données. Mil. XVI^e s. ; lat. *editio* ; [edisjɔ̃].

**ÉDITORIAL, ALE, AUX, adj. et subst. m.**
**Adj.** Relatif à l'édition : *Activité éditoriale.* **Subst.** Article d'analyse ou d'humeur exprimant l'opinion d'un journaliste, d'une rédaction ou de la direction d'un journal, d'une revue. 1852 ; angl. *editorial*, de *editor*, « rédacteur en chef » ; [editɔrjal, o].

**ÉDITORIALISTE, subst.**
Personne qui, dans un journal, une revue, rédige les éditoriaux. 1934 ; ☞ *éditorial* ; [editɔrjalist].

**ÉDREDON, subst. m.**
**1.** Vx. Duvet de l'eider. **2.** Couvre-pieds garni de duvet, de plume ou de fibre synthétique. 1700 ; danois *ederdun* ; [edʀədɔ̃].

**ÉDUCABLE, adj.**
Qui est apte à recevoir une éducation. 1831 ; ☞ *éduquer* ; [edykabl].

**ÉDUCATEUR, TRICE, subst. et adj.**
**Subst.** Personne chargée d'en éduquer d'autres : *Éducateur spécialisé*, **éducateur** s'occupant d'enfants en difficulté ou de handicapés. **Adj.** Qui contribue à l'éducation. 1527 ; lat. *educator* ; [edykatœʀ, tʀis].

**ÉDUCATIF, IVE, adj.**
Conçu pour éduquer ; relatif à l'éducation : *Un jeu éducatif.* 1488 ; ☞ *éduquer* ; [edykatif, iv].

**ÉDUCATION, subst. f.**
**1.** Action d'instruire qqn, de développer ses facultés, de le former dans un domaine particulier : *Veiller à l'éducation d'un enfant* ; *Privilégier une éducation artistique* ; enseignement, moyens mis en œuvre à cette fin : *Sciences de l'éducation* ; *Professeur d'éducation physique.* ► *L'Éducation nationale* : l'ensemble des services organisant et contrôlant l'enseignement et la formation en France. **2.** Développement, exercice d'une aptitude ou d'une faculté sensible : *L'éducation de l'œil, du goût.* **3.** Ensemble des connaissances pratiques, des règles de conduite que commande la vie en société : *Faire preuve d'éducation.* 1495 ; lat. *educatio* ; [edykasjɔ̃].

**ÉDULCORANT, ANTE, adj. et subst. m.**
Se dit d'une substance qui a la propriété d'adoucir une saveur : *Le sucre est un édulcorant* ; *Un édulcorant de synthèse*, substitut de sucre peu calorique. V. 1900 ; ☞ *édulcorer* ; [edylkɔʀɑ̃, ɑ̃t].

**ÉDULCORATION, subst. f.**
Action d'édulcorer. 1620 ; lat. médiév. *edulcorare*, « édulcorer » ; [edylkɔʀasjɔ̃].

**ÉDULCORER, verbe trans. [3]**
**1.** Adoucir (une boisson, un médicament) par l'adjonction d'un édulcorant : *Édulcorer un sirop amer.* **2.** Fig. Affadir, tempérer (souv. péj.) : *Édulcorer un texte scabreux* ; empl. adj. : *Une version édulcorée des faits.* 1690 ; lat. médiév. *edulcorare*, du bas lat. *dulcorare* ; [edylkɔʀe].

**ÉDUQUER, verbe trans. [3]**
**1.** Instruire, former (qqn) par l'éducation : *Éduquer de jeunes enfants* ; par ext. : *Éduquer un peuple, une nation.* **2.** Exercer (une faculté) ; cultiver (un sens) : *Éduquer sa volonté* ; *Éduquer son odorat.* 1385 ; lat. *educare*, « éduquer », de *educere*, « élever » ; [edyke].

**ÉFAUFILER, verbe trans. [3]**
Défaire (un tissu) en tirant les fils : *Éfaufiler un vieux torchon.* 1701 ; ☞ *faufiler* + *é-*[2] ; [efofile].

**EFENDI, ÉFENDI, voir EFFENDI**

**EFFAÇABLE, adj.**
Que l'on peut effacer. 1549 ; ☞ *effacer* ; [efasabl].

**EFFACÉ, ÉE, adj.**
**1.** Dont la trace s'est estompée, a disparu : *Une inscription à moitié effacée.* **2.** Fig. Réservé, modeste ; terne : *Une jeune fille effacée.* Déb. XII^e s. ; p. p. de *effacer* ; [efase].

**EFFACEMENT, subst. m.**
**1.** Action d'effacer qqch., fait de s'effacer ; son résultat. **2.** Fig. Fait d'adopter un comportement réservé, discret : *Faire preuve d'effacement et de méfiance.* XIII^e s. ; ☞ *effacer* ; [efasmɑ̃].

**EFFACER, verbe trans. [4]**
**1.** Faire disparaître, supprimer (une trace, une inscription) : *Effacer une tache d'huile à l'aide d'un détachant* ; par méton. : *Effacer un tableau*, l'essuyer. **2.** Anal. Supprimer les données enregistrées de (un support magnétique). **3.** Fig. Éliminer ; oublier : *Effacer un nom de sa mémoire* ; *Effacer un souvenir.* ► Éclipser : *Cette femme efface toutes les autres par sa beauté.* **4.** *Escr.* *Effacer le buste* : le mettre en retrait. **Pronom.** **1.** S'estomper, disparaître progressivement : *La couleur s'est effacée.* **2.** Se mettre en retrait ; se faire discret : *S'effacer devant qqn.* Déb. XII^e s. ; ☞ *face* + *e-*[2] ; [efase].

**EFFACEUR, subst. m.**
Stylo-feutre qui sert à effacer l'encre. V. 1970 (XIV^e s., qui efface) ; ☞ *effacer* ; [efasœʀ].

**EFFANER, verbe trans. [3]**
*Agric.* Enlever les fanes de : *Effaner du blé, des pommes de terre.* 1732 ; ☞ *fane* + *é-*[2] ; [efane].

**EFFARANT, ANTE, adj.**
Qui effare ou provoque l'effarement (littér.) : *Une créature effarante surgit de l'ombre* ; par exagér., étonnant, inouï : *Il est d'une stupidité effarante.* Fin XII^e s. ; p. pr. de *effarer* ; [efaʀɑ̃, ɑ̃t].

**EFFARÉ, ÉE, adj.**
**1.** Frappé de stupeur, ahuri ; qui exprime cet état : *Un regard effaré.* **2.** *Hérald.* Qui est représenté en position cabrée : *Une licorne effarée.* Fin XII^e s. ; *efféré* (vx), « bouleversé » ; [efaʀe].

**EFFAREMENT, subst. m.**
État d'une personne, d'un animal effaré. Fin XVIII^e s. ; ☞ *effarer* ; [efaʀmɑ̃].

**EFFARER, verbe trans. [3]**
Frapper de stupeur et d'effroi : *Cette vision nous effara* ; empl. pronom. (rare) : *Il s'effare de bien peu.* 1611 ; ☞ *effaré* ; [efaʀe].

**EFFAROUCHEMENT, subst. m.**
Action d'effaroucher ; état d'une personne effarouchée. 1559 ; ☞ *effaroucher* ; [efaʀuʃmɑ̃].

**EFFAROUCHER, verbe trans. [3]**
**1.** Effrayer (un animal) au point de le faire fuir : *Effaroucher un chevreuil.* **2.** Fig. Choquer, gêner (qqn) ; intimider : *Les propos grivois l'effarouchaient* ; empl. pronom. : *Elle ne s'effarouche pas facilement.* 1495 ; ☞ *farouche* (I) + *é-*[1] ; [efaʀuʃe].

**EFFARVATTE, subst. f.**
*Zool.* Passereau de la famille des Muscicapidés, au plumage roussâtre, qui vit dans les roseaux près des étangs. 1812 ; altér. dial. de *fauvette* ; [efaʀvat].

**EFFECTEUR, TRICE, adj. et subst. m.**
*Physiol.* Qualifie ou désigne une cellule, une glande ou un muscle qui entre en activité en réponse à un stimulus : *Cellule effectrice*, qui fournit une réponse immunitaire. Mil. XX^e s. ; angl. *effector*, de *to effect*, « effectuer » ; [efɛktœʀ, tʀis].

**EFFECTIF, IVE, adj. et subst. m.**
**Adj.** **1.** Dont les effets sont réels ; qui est réel, tangible (anton. *possible*) : *Un rôle effectif.* **2.** Qui prend effet : *Sa retraite sera effective le 1^er janvier.* **3.** *Log.* Qui produit une démonstration : *Raisonnement effectif.* **Subst.** **1.** *Milit.* Nombre de soldats présents dans une unité ; par ext., nombre réglementaire de soldats devant composer une unité. **2.** Anal. Nombre d'individus d'un ensemble donné (gén. au plur.) : *Les effectifs de l'entreprise seront réduits de moitié.* **3.** *Stat.* Soit un caractère quantitatif prenant les valeurs $x_1, x_2... x_n$ sur une population de N individus ($n \leqslant N$), l'**effectif** de la valeur $x_i$ est le nombre $n_i$ d'individus pour lesquels la valeur du caractère est $x_i$. L'**effectif** d'une classe $C_k$ (cas des caractères continus) est le nombre $n_k$ d'individus pour lesquels la valeur du caractère appartient à $C_k$. XIV^e s. ; lat. *effectivus* ; [efɛktif, iv].

**EFFECTIVEMENT, adv.**
De façon effective ; réellement : *L'explosion s'est effectivement produite* ; empl. abs., pour confirmer un fait : *Vous partez après-demain ? – Effectivement.* 1495 ; ☞ *effectif* ; [efɛktivmɑ̃].

**EFFECTIVITÉ, subst. f.**
*Log.* Caractère effectif d'un raisonnement. 1946 ; ☞ *effectif* ; [efɛktivite].

**EFFECTUER, verbe trans. [3]**
**1.** Vx. Mettre à exécution : *Effectuer ses projets.* **2.** Accomplir, exécuter (une opération, gén. complexe) : *Effectuer une mission* ; *Effectuer un calcul* ; faire (empl. critiqué) : *Effectuer un voyage.* **Pronom.** Être accompli, exécuté : *L'opération s'effectue en trois temps.* XV^e s. ; lat. médiév. *effectuare*, du lat. *effectus*, « exécution » ; [efɛktɥe].

**EFFÉMINÉ, ÉE, adj.**
**1.** Dont le comportement, les traits physiques ou moraux rappellent ceux prêtés ordinairement aux femmes, en parlant d'un homme : *Un adolescent efféminé* ; par méton. : *Des manières efféminées.* **2.** Sans vigueur, mièvre (péj.) : *Un art efféminé.* Fin XII^e s. ; p. p. de *efféminer* ; [efemine].

**EFFÉMINER, verbe trans. [3]**
Donner un aspect ou un caractère tenu pour féminin à (qqn, qqch.) ; affaiblir, amollir (péj.). Fin XII^e s. ; lat. *effeminare*, de *femina*, « femme » ; [efemine].

**EFFENDI, subst. m.**
Ancien titre de courtoisie donné aux dignitaires civils ou religieux et aux hommes de science, dans l'Empire ottoman. 1624 ; turc *efendi*, du gr. *authentês*, « maître absolu » ; var. *efendi*, *éfendi* ; [efɛ̃di].

**EFFÉRENT, ENTE, adj.**
*Physiol.* Qui part d'un organe ou d'un centre moteur et emporte les fluides ou les influx nerveux vers la périphérie : *Vaisseau, nerf efférent.* 1805 ; lat. *efferens*, de *effere*, « porter dehors » ; [efeʀɑ̃, ɑ̃t].

**EFFERVESCENCE, subst. f.**
**1.** Bouillonnement d'un liquide sous l'effet de la formation d'un gaz et de son dégagement : *L'eau provoque l'effervescence de la chaux vive.* **2.** Fig. Agitation fébrile, de courte durée : *Être en effervescence.* 1641 ; lat. *effervescens*, « bouillonnant » ; [efɛʀvesɑ̃s].

**EFFERVESCENT, ENTE, adj.**
**1.** Qui produit ou peut produire une effervescence : *Un comprimé effervescent.* **2.** Fig. Agité, bouillonnant : *Des esprits effervescents.* 1755 ; lat. *effervescens*, « bouillonnant » ; [efɛʀvesɑ̃, ɑ̃t].

**EFFET, subst. m.**
**I. 1.** Ce qui résulte d'une cause ; conséquence d'un phénomène, d'une action : *Relation de cause à effet* ; *Des effets immédiats* ; *Les effets bénéfiques d'une cure* ; *Je reconnais là l'effet de sa bonté.* **2.** *Dr.* *L'effet d'une loi* : la ou les conséquences de son application. **3.** *Jeux* et *Sp.* Mouvement de rotation donné à un ballon, à une balle de tennis, à une boule de billard, qui en modifie la trajectoire. **4.** *Mécan.* et *Phys.* Phénomène particulier observé ou produit dans certaines conditions : *Effet d'un moteur*, la quantité de travail qu'il fournit en état de marche ; *Effet de serre.* **II. 1.** Ce qui se réalise concrètement ; action : *Une intention non suivie d'effet.* ► *Dr.* *Prendre effet* : devenir exécutoire, en parlant d'une loi, d'un règlement. **2.** Loc. *À cet effet* : à cette fin, à cet usage. ► **En effet.** Réellement, assurément : *Il est en effet guéri* ; car : *Il est épuisé, en effet il travaille beaucoup.* ► Loc. prép. *Sous l'effet de* : sous l'action de. **3.** *Fin.* *Effet de commerce* : titre négociable, à ordre ou au porteur, généralement réalisable à courte échéance. **III. 1.** Impression produite sur qqn : *Cet homme me fait l'effet d'un hypocrite* ; *Un effet de surprise* ; *Faire bon, mauvais effet.* **2.** Moyen par lequel est produite cette impression : *Des effets de manche* ; *Des effets oratoires.* ► Loc. *Couper ses effets à qqn* : l'empêcher de se mettre en valeur. ► *Litt.* et *B.-a.* Procédé visant à capter l'attention, à frapper les sens ou l'esprit : *Effet de suspense* ; *Effet de clair-obscur.* ► *Audiov.* *Effets spéciaux* : trucages visuels ou sonores. **IV. Plur. 1.** *Dr.* Biens mobiliers. **2.** Linge et vêtements personnels. 1272 ; lat. *effectus*, « réalisation ; résultat » ; [efɛ].

**PHYSIQUE** – L'effet Doppler-Fizeau consiste en une modification apparente de la longueur d'onde ou de la fréquence d'une onde perçue par un observateur lorsque la source est en mouvement relatif par rapport à lui : la longueur d'onde augmente (décalage vers le rouge) si la source s'éloigne de l'observateur et diminue (décalage vers le violet) dans le cas inverse. Les applications du phénomène décrit par Doppler et théorisé par Fizeau sont innombrables : par ex. en médecine, dans la mesure de la circulation du sang, en technique, dans la mesure de la vitesse des mobiles à l'aide de cinémomètres, en astronomie, pour mesurer la vitesse radiale des astres et des galaxies.

**EFFEUILLAGE, subst. m.**
**1.** *Arboric.* Action de couper une partie des feuilles d'un arbre pour favoriser l'ensoleillement, et donc la maturation des fruits. **2.** Strip-tease (fam.). 1763 ; ☞ *effeuiller* ; [efœjaʒ].

**EFFEUILLAISON, subst. f.**
Chute naturelle des feuilles, des pétales (synon. *effeuillement*). 1763 ; ☞ *effeuiller* ; [efœjɛzɔ̃].

**EFFEUILLER, verbe trans.** [3]
Dépouiller de ses feuilles (un arbre) ; par ext. : ***Effeuiller** la marguerite*, en ôter, un à un, les pétales, selon un rite amoureux. PRONOM. Perdre ses feuilles. Fin XIIIe s. ; ☞ *feuille* + *é-²* ; [efœje].

**EFFEUILLEUSE, subst. f.**
**1.** *Agric.* Machine servant à l'effeuillage des plantes. **2.** Strip-teaseuse (fam.). 1933 (fin XIVe s., au masc., personne qui effeuille les plantes) ; ☞ *effeuiller* ; [efœjøz].

**EFFICACE (I), subst. f.**
Force agissante, efficacité (vieilli) : *L'**efficace** d'une prière.* Fin XIIe s. ; lat. *efficacia*, « efficacité » ; [efikas].

**EFFICACE (II), adj.**
**1.** Qui produit l'effet, le résultat attendu : *Une action **efficace*** ; par ext. : *Un dirigeant **efficace**.* **2.** *Phys. Intensité **efficace** d'un courant alternatif* : intensité d'un courant électrique continu qui produirait la même quantité de chaleur dans un conducteur déterminé que le courant alternatif considéré. **3.** *Théol. Grâce **efficace*** : qui implique nécessairement la réalisation du bien, par oppos. à la grâce suffisante, qui n'offre que la possibilité de faire le bien. XIVe s. ; lat. *efficax* ; [efikas].

**EFFICACEMENT, adv.**
De manière efficace. 1317 ; ☞ *efficace* (II) ; [efikasmɑ̃].

**EFFICACITÉ, subst. f.**
Caractère de ce qui est efficace ; qualité d'une personne efficace. 1495 ; lat. *efficacitas* ; [efikasite].

**EFFICIENCE, subst. f.**
**1.** *Philos.* Faculté qu'a une cause de produire un effet. **2.** Ext. Capacité de rendement, efficacité de qqch. (anglic.) : *L'**efficience** d'une entreprise.* 1893 ; angl. *efficiency*, du lat. *efficientia* ; [efisjɑ̃s].

**EFFICIENT, ENTE, adj.**
**1.** *Philos. Cause **efficiente*** : des quatre causes distinguées par Aristote, celle par quoi ce qui est en puissance se réalise en acte. **2.** Ext. Qui est efficace, qui produit un effet réel (anglic.). 1290 ; lat. *efficiens*, « qui produit » ; [efisjɑ̃, ɑ̃t].

**EFFIGIE, subst. f.**
**1.** Représentation d'une personne sous forme de gravure, de peinture ou de sculpture : ***Effigie** mortuaire* ; ***Effigie** de cire.* **2.** Profil d'un personnage sur l'avers d'une médaille ou d'une monnaie. **3.** *Dr.* Représentation d'un condamné par contumace qui subissait symboliquement son supplice (vx). Fin XVe s. ; lat. *effigies* ; [efiʒi].

**EFFILAGE, subst. m.**
Action d'effiler ; son résultat : *L'**effilage** d'un tissu.* Fin XVIIIe s. ; ☞ *effiler* ; [efilaʒ].

**EFFILÉ, ÉE, adj. et subst. m.**
ADJ. **1.** Fin et allongé, qui va en s'amincissant : *Doigts **effilés*** ; *Lame **effilée**.* **2.** *Cuis. Volailles, amandes **effilées*** : coupées en fines lamelles. SUBST. Étoffe bordée d'une frange aux fils tissés ; par ext., cette frange. XVIe s. ; p. p. de *effiler* ; [efile].

**EFFILEMENT, subst. m.**
État de ce qui est effilé. 1796 ; ☞ *effiler* ; [efilmɑ̃].

**EFFILER, verbe trans.** [3]
**1.** Défaire (une étoffe) fil à fil ; empl. pronom. : *Son châle s'**effile**.* ▸ Anal. ***Effiler** les haricots* : en ôter les fils. **2.** Rendre effilé : ***Effiler** une mine de crayon* ; ***Effiler** des cheveux*, les couper en dégradé, mèche par mèche. XVIe s. ; ☞ *fil* + *é-²* ; [efile].

**EFFILOCHAGE, subst. m.**
Action d'effilocher ; fait de s'effilocher. 1761 ; ☞ *effilocher* ; [efilɔʃaʒ].

**EFFILOCHE, subst. f.**
Brin superflu de soie ou de fil, à la lisière d'une étoffe. PLUR. Soies non torses, aussi appelées soies folles. 1838 ; ☞ *effilocher* ; [efilɔʃ].

**EFFILOCHER, verbe trans.** [3]
Défaire (un tissu) fil à fil, le réduire en bourre, en charpie. PRONOM. Se défaire fil à fil par usure ; par anal. : *Les nuages s'**effilochent***, se défont en s'étirant. 1657 ; *filoche* (vx et dial.), « tissu grossier », + *é-²* ; [efilɔʃe].

**EFFILOCHEUR, EUSE, subst.**
Personne qui travaille à l'effilochage des chiffons pour en faire de la pâte à papier. FÉM. Machine à effilocher. 1761 ; ☞ *effilocher* ; [efilɔʃœʀ, øz].

**EFFILOCHURE, subst. f.**
Produit de l'effilochage ; partie effilochée d'une étoffe. 1776 ; ☞ *effilocher* ; [efilɔʃyʀ].

**EFFLANQUÉ, ÉE, adj.**
**1.** Dont les flancs sont creusés : *Un chien **efflanqué**.* **2.** Ext. Maigre et longiligne : *Jeune homme **efflanqué**.* 1573 (1390, qui amaigrit) ; *efflanquer* (rare), « amaigrir », de *flanc* + *é-¹* ; [eflɑ̃ke].

**EFFLEURAGE, subst. m.**
**1.** *Techn.* Action d'effleurer les cuirs. **2.** *Méd.* Léger massage agissant uniquement sur la surface cutanée. 1723 ; ☞ *effleurer* ; [eflœʀaʒ].

**EFFLEUREMENT, subst. m.**
Action d'effleurer, de caresser ; frôlement. 1578 ; ☞ *effleurer* ; [eflœʀmɑ̃].

**EFFLEURER, verbe trans.** [3]
**1.** Vx. Dépouiller (une plante) de ses fleurs. **2.** Entamer la fleur, la partie superficielle de (qqch.) ; égratigner : *Le coup lui **effleura** le visage.* ▸ *Techn.* ***Effleurer** un cuir, une peau* : en ôter la partie superficielle, la fleur, pour le rendre plus doux, plus souple. **3.** Ext. Toucher légèrement, frôler : ***Effleurer** les touches d'un piano.* **4.** Fig. Produire une impression fugitive sur : *Une idée qui **effleure** l'esprit* ; examiner de façon superficielle, sans approfondir : ***Effleurer** un sujet.* 1549 (XIIIe s., qui a perdu sa fraîcheur, sa beauté) ; ☞ *fleur* + *é-²* ; [eflœʀe].

**EFFLEURIR, verbe intrans.** [19]
*Chim.* Tomber en efflorescence. 1755 ; ☞ *fleurir*, d'apr. *efflorescence* ; [eflœʀiʀ].

**EFFLORAISON, subst. f.**
*Bot.* Début de la floraison (rare). 1876 ; ☞ *floraison* + *é-¹* ; [eflɔʀɛzɔ̃].

**EFFLORESCENCE, subst. f.**
**1.** *Chim.* Transformation en poudre d'un sel cristallisé, qui perd son eau sous l'influence de la température ou de l'hygrométrie ambiante. **2.** *Bot.* Pruine. **3.** Littér. Début de la floraison ; par ext., épanouissement. 1755 (XVIe s., croûte, écorce) ; lat. *efflorescens*, de *efflorescere*, « fleurir » ; [eflɔʀesɑ̃s].

**EFFLORESCENT, ENTE, adj.**
**1.** *Chim.* Qui est susceptible de subir, qui a subi une efflorescence. **2.** Littér. Qui est en efflorescence ; par ext., qui se développe, s'épanouit librement. 1755 ; lat. *efflorescens*, de *efflorescere*, « fleurir » ; [eflɔʀesɑ̃, ɑ̃t].

**EFFLUENCE, subst. f.**
Exhalaison, émanation (rare) : *Les **effluences** des marais.* 1747 ; ☞ *effluent* ; [eflyɑ̃s].

**EFFLUENT, ENTE, adj. et subst. m.**
ADJ. Qui émane d'une source (anton. *affluent*). SUBST. **1.** *Géogr.* Cours d'eau issu d'un glacier, d'un lac ou d'un bassin. ▸ ***Effluent** pluvial* : cours d'eau temporaire alimenté par la pluie. **2.** ***Effluent** urbain* : ensemble des eaux usées et des déchets évacués par les égouts d'une ville. Fin XVe s. ; lat. *effluens*, de *effluere*, « s'écouler » ; [eflyɑ̃, ɑ̃t].

**EFFLUVE, subst. m.**
**1.** Émanation de substances odorantes d'origine organique ou biologique : *Les **effluves** d'un marécage, d'un marché aux fleurs.* **2.** Fig. Influence subtile d'ordre moral, intellectuel ou psychologique : *Les **effluves** du surréalisme ont imprégné deux générations de poètes.* **3.** *Phys. **Effluve** électrique* : décharge d'un corps électrisé porté à un haut potentiel électrique à travers le gaz qui l'environne, qui se manifeste par une faible luminosité et un léger bruissement. 1755 ; lat. *effluvium*, « écoulement » ; [eflyv].

**EFFONDREMENT, subst. m.**
**1.** *Agric.* Action d'effondrer, de défoncer les terres ; son résultat. **2.** Fait de s'effondrer, de s'écrouler ; son résultat : *L'**effondrement** d'un bâtiment, d'un pont.* **3.** Ext. Anéantissement, ruine : *L'**effondrement** d'un régime* ; par anal., chute : ***Effondrement** des prix.* **4.** Fig. État d'une personne abattue, déprimée. **5.** *Géol.* Affaissement, dépression brusque du sol : *Le rift est-africain est un ensemble complexe de fossés d'**effondrement**.* Mil. XVIe s. ; ☞ *effondrer* ; [efɔ̃dʀəmɑ̃].

**EFFONDRER, verbe trans.** [3]
**1.** Provoquer l'écroulement de : ***Effondrer** une bâtisse.* **2.** *Agric.* Remuer (la terre) en profondeur, en y mêlant de l'engrais. PRONOM. **1.** S'écrouler, céder (sous une charge, une poussée) : *L'estrade, pourrie, s'**effondra** sous leur poids.* **2.** S'affaler, tomber comme une masse : *Épuisé, je m'**effondrai** dans le premier fauteuil.* **3.** Fig. Tomber en ruine ; chuter : *Nos projets, un à un, s'**effondrent*** ; *Le cours du pétrole s'est **effondré**.* **4.** Tomber sous l'effet d'un choc violent : *Atteint en plein cœur, il s'**effondra*** ; par ext., céder nerveusement : *À l'annonce de ce départ imminent, il s'**effondra**.* Mil. XIIe s. ; lat. pop. °*exfunderare*, « défoncer » ; [efɔ̃dʀe].

**EFFORCER (S'), verbe pronom.** [4]
S'efforcer de (+ inf.). Faire tous les efforts possibles, mobiliser toute son énergie pour (atteindre un objectif, obtenir un résultat) : *Il s'**efforçait** de résister aux attaques.* ▸ Abs. S'évertuer, s'astreindre (littér.) : *Je m'**efforce** pour être rapide.* Mil. XIe s. ; ☞ *forcer* + *é-¹* ; [efɔʀse].

**EFFORT, subst. m.**
**1.** Mobilisation énergique des moyens physiques, psychiques ou matériels, en vue d'atteindre un objectif, de réaliser une tâche : *Un **effort** physique* ; *Un **effort** d'imagination* ; *Faire un **effort** financier* ; *Être partisan du moindre **effort***, paresseux. **2.** Anal. Force agissante d'un élément naturel : *L'**effort** continu des vagues* ; *La canalisation a éclaté sous l'**effort** du gel.* **3.** *Phys.* ***Effort** de compression, de traction, de flexion, de torsion, de cisaillement* : force nécessaire pour comprimer, tirer, soutenir, etc., une pièce, un matériau déterminé. **4.** *Vétér.* Tuméfaction, entorse : ***Effort** de tendon, de rein, de boulet.* Fin XIe s. ; ☞ *s'efforcer* ; [efɔʀ].

**EFFRACTION, subst. f.**
*Dr.* Bris de clôture, fracture de serrure ayant pour but de pénétrer de force dans un lieu : *Vol avec **effraction**.* 1404 ; lat. jur. *effractura*, d'apr. *fraction* ; [efʀaksjɔ̃].

**EFFRAIE, subst. f.**
*Zool.* Chouette au plumage clair, satiné sur la face, commune dans nos régions. 1553 ; p.-ê. altér. de *orfraie*, d'apr. *effrayer* ; [efʀɛ].

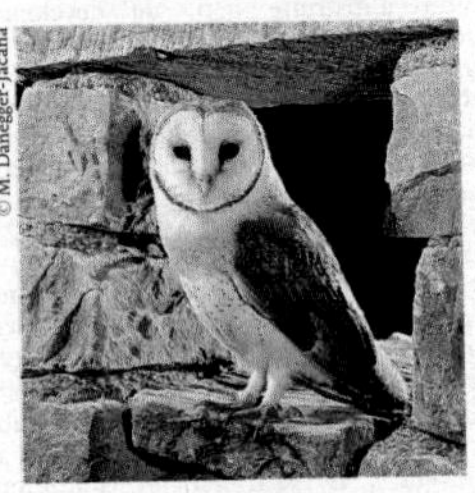

Chouette ***effraie**.*

**EFFRANGER, verbe trans.** [5]
Effiler (un tissu) sur les bords de manière à former une frange de fils. PRONOM. S'effilocher sous l'effet de l'usure. 1863 ; ☞ *frange* + *é-¹* ; [efʀɑ̃ʒe].

**EFFRAYANT, ANTE, adj.**
**1.** Qui provoque la frayeur : *Des visions **effrayantes**.* **2.** Qui trouble par sa démesure : *Une lucidité **effrayante*** ; par hyperb., excessif, énorme (fam.) : *Un nombre **effrayant** de bagages.* 1539 ; p. pr. de *effrayer* ; [efʀɛjɑ̃, ɑ̃t].

**EFFRAYER, verbe trans.** [15]
**1.** Remplir de frayeur, saisir d'effroi : *Les bombardements **effraient** la population* ; empl. adj. : *Une biche **effrayée**.* **2.** Emplir d'appréhension, inquiéter : *Cette confrontation l'**effrayait** à l'avance.* PRONOM. Être pris de frayeur ; éprouver de la crainte : *Il s'**effraie** d'un rien.* Fin Xe s. ; lat. pop. °*exfridare*, « faire sortir de la paix » ; [efʀeje].

**EFFRÉNÉ, ÉE, adj.**
Qui ne connaît pas de mesure, qui est sans retenue : *Un rythme **effréné*** ; *Un désir **effréné**.* Fin XIIe s. ; lat. *effrenatus* ; [efʀene].

**EFFRITEMENT, subst. m.**
**1.** Fait de s'effriter ; état de ce qui est effrité : *L'**effritement** d'un enduit.* **2.** Fig. Dégradation, usure : *L'**effritement** de la foi.* 1879 ; ☞ *effriter* ; [efʀitmɑ̃].

**EFFRITER,** verbe trans. [3]
Réduire en fragments, désagréger : *Effriter du pain sec.* **PRONOM.** Tomber en miettes, se désagréger lentement : *Avec le gel, les pierres s'effritaient* ; au fig. : *Leur groupe s'effritait.* ⌧ 1801 ; *effriter* (vx), « rendre le sol stérile », de *fruit*, d'apr. *friable* ; [efʀite].

**EFFROI,** subst. m.
Frayeur extrême, mêlée d'épouvante (littér.). ⌧ Mil. XIIe s. ; anc. fr. *esfreer*, « effrayer » ; [efʀwa].

**EFFRONTÉ, ÉE,** adj.
Qui agit avec hardiesse, impudence et n'en éprouve aucune honte ; empl. subst. : *Quelle effrontée !* ; par méton. : *Un regard effronté.* ⌧ Déb. XIIIe s. ; ☞ *front* + *é-*[1] ; [efʀɔ̃te].

**EFFRONTÉMENT,** adv.
Avec effronterie. ⌧ Fin XIIe s. ; ☞ *effronté* ; [efʀɔ̃temɑ̃].

**EFFRONTERIE,** subst. f.
Attitude d'une personne effrontée. ⌧ Mil. XIVe s. ; ☞ *effronté* ; [efʀɔ̃tʀi].

**EFFROYABLE,** adj.
**1.** Qui cause ou inspire de l'effroi : *Le spectacle effroyable d'un immeuble en feu.* **2.** Excessif, monstrueux (fam.) : *Une effroyable envie de rire.* ⌧ XVe s. ; ☞ *effroi* ; [efʀwajabl].

**EFFROYABLEMENT,** adv.
De manière effroyable ; excessivement (fam.). ⌧ 1554 ; ☞ *effroyable* ; [efʀwajabləmɑ̃].

**EFFUSIF, IVE,** adj.
*Géol. Roche effusive* : résultant d'une éruption volcanique. ⌧ 1929 ; *effuser* (rare), « faire jaillir » ; [efyzif, iv].

**EFFUSION,** subst. f.
**1.** Vx. Action de répandre, de faire couler un liquide. ▸ *Une effusion de sang* : action de faire couler le sang de manière violente ; son résultat. **2.** Fig. Action d'épancher un sentiment, de lui donner libre cours : *Remercier qqn avec effusion.* ⌧ XIIe s. ; lat. *effusio*, de *effundere*, « répandre » ; [efyzjɔ̃].

**ÉFOURCEAU,** subst. m.
Chariot à deux roues, muni d'un timon, servant à transporter troncs d'arbres et poutres. ⌧ 1752 ; prob. lat. *furcilla*, « petite fourche », + *é-*[1] ; [efuʀso].

**ÉFRIT,** subst. m.
Génie malfaisant de la mythologie arabe. ⌧ 1910 ; ar. *'ifrīt* ; [efʀit].

**ÉGAIEMENT,** subst. m.
Action d'égayer ou de s'égayer (rare). ⌧ Fin XIIe s. ; ☞ *égayer* ; var. *égayement* ; [egɛmɑ̃].

**ÉGAILLER (S'),** verbe pronom. [3]
Se disperser, s'éparpiller : *Les troupes s'égaillaient sous le feu.* ⌧ 1829 (1155, niveler, éparpiller la terre) ; prob. lat. pop. °*aegualiare*, « répandre de façon égale » ; [egaje] ou [-ge-].

**ÉGAL, ÉGALE, ÉGAUX,** adj. et subst.
**ADJ. 1.** Qui est identique en nombre, en valeur : *Des distances égales* ; *Diviser à parts égales* ; semblable en nature, en qualité : *Se battre à armes égales* ; *Les hommes naissent et demeurent libres et égaux en droit* ; *À travail égal, salaire égal.* **2.** Qui ne varie pas : *Un chemin égal*, régulier ; *Un caractère égal* ; par ext., qui est indifférent : *Ça lui est bien égal.* ▸ Loc. *Égal à lui-même* : constant ; *C'est égal* : c'est indifférent. **3.** *Math.* ▸ *Figures égales* : isométriques. ▸ *Ensembles égaux* : qui ont les mêmes éléments. ▸ *Relations (fonctions) égales* : d'un même ensemble E vers un même ensemble F, et reliant les mêmes couples $(x, y) \in E \times F$ (définies aux mêmes points, de même image en ces points). **SUBST.** Personne qui a les mêmes droits, le même niveau, etc., qu'une autre : *La femme est l'égale de l'homme.* ▸ Loc. *D'égal à égal* : sur un pied d'égalité ; *Sans égal* : incomparable ; *N'avoir d'égal que...* : ne pouvoir être comparé qu'à... ▸ Loc. prép. *À l'égal de* : comme. **SUBST. MASC.** *Antiq. gr. Les Égaux* : les citoyens de Sparte, par oppos. aux ilotes. ⌧ Mil. XIIe s. ; anc. fr. *evel*, d'apr. le lat. *aequalis* ; [egal, ego].

**ÉGALABLE,** adj.
Qui peut être égalé. ⌧ XVIe s. ; ☞ *égaler* ; [egalabl].

**ÉGALEMENT,** adv.
**1.** D'une manière égale, identique : *La justice doit traiter également tous les hommes.* **2.** Aussi, en outre : *Je voudrais également vous parler de cette affaire.* ⌧ Mil. XIIe s. ; ☞ *égal* ; [egalmɑ̃].

**ÉGALER,** verbe trans. [3]
**1.** Vx. Rendre égal : *Il faut égaler les portions avant de servir* ; *La mort égale tous les hommes.* **2.** Être égal à : *Trois plus trois égalent six* ; *Il égale les meilleurs auteurs.* ⌧ Déb. XIIIe s. ; ☞ *égal* ; [egale].

**ÉGALISATEUR, TRICE,** adj.
Qui égalise : *Un coup franc égalisateur.* ⌧ 1870 ; ☞ *égaliser* ; [egalizatœʀ, tʀis].

**ÉGALISATION,** subst. f.
Action d'égaliser ; son résultat. ⌧ Fin XVIe s. ; ☞ *égaliser* ; [egalizasjɔ̃].

**ÉGALISER,** verbe [3]
**TRANS. 1.** Rendre égal : *Égaliser les chances d'accès à l'université.* ▸ *Égaliser des cheveux* : les couper à longueur égale. **2.** Niveler, aplanir (un terrain). **INTRANS.** *Sp.* Égaler le score de l'adversaire : *Ils égalisèrent à la fin du match.* ⌧ XVIe s. (mil. XVe s., se rendre égal à) ; ☞ *égal* ; [egalize].

**ÉGALISEUR,** subst. m.
*Techn.* Dispositif permettant d'agir séparément sur les différentes bandes de fréquence d'un signal sonore et d'en ajuster les composantes. ⌧ 1907 ; angl. *equalizer*, d'apr. *égaliser* ; [egalizœʀ].

**ÉGALITAIRE,** adj.
Qui tend ou vise à l'égalité entre les hommes, en matière de droit et de justice sociale. ⌧ 1836 ; ☞ *égalité* ; [egalitɛʀ].

**ÉGALITARISME,** subst. m.
Doctrine qui prône l'égalité absolue entre les hommes. ⌧ 1863 ; ☞ *égalitaire* ; [egalitaʀism].

**ÉGALITÉ,** subst. f.
**1.** Caractère de ce qui est égal en nombre, en quantité, en valeur ou en qualité : *L'égalité de deux grandeurs* ; *L'égalité des hommes devant la loi* ; empl. abs. : *Un idéal d'égalité.* ▸ Loc. *Être à égalité* : à score égal. ▸ Loc. prép. **À égalité de.** En quantité ou à valeur égale de : *À égalité de chances.* **2.** Caractère de ce qui ne varie pas : *L'égalité d'un terrain* ; *Égalité d'humeur.* **3.** *Math.* et *Log. Relation d'égalité* : relation primitive (comme l'appartenance) notée $=$ ; $a = b$ signifie que les symboles $a$ et $b$ représentent le même objet mathématique. L'égalité est une équivalence sur tout ensemble d'objets. ⌧ Déb. XVe s. ; lat. *aequalitas* ; [egalite].

**ÉGARD,** subst. m.
**1.** Attention particulière que l'on prête à qqn, à qqch. (vieilli). ▸ Loc. *À cet égard* : de ce point de vue ; *À maints égards* : à plus d'un titre. ▸ Loc. prép. *Eu égard à* : en raison de ; *À l'égard de* : envers. **2.** Considération que l'on a pour qqn, qqch., par estime ou déférence. ▸ Loc. prép. *Par égard pour* : par respect pour. **3.** Marque de considération, de respect (gén. au plur.). ⌧ Mil. XIIe s. ; anc. fr. *esguarder*, « veiller sur » ; [egaʀ].

**ÉGARÉ, ÉE,** adj.
**1.** Qui a perdu son chemin : *Voyageur égaré.* **2.** Qui semble avoir perdu la raison, qui est comme fou ; par méton. : *Un regard égaré.* ⌧ Déb. XIIe s. (mil. XIe s., au fém., troublée, inquiétée) ; p. p. de *égarer* ; [egaʀe].

**ÉGAREMENT,** subst. m.
**1.** Vx. Fait de s'égarer, de perdre son chemin. **2.** Action de s'écarter des voies recommandées par la morale ou le sens commun. **3.** Trouble de la raison ; absence : *Il l'a étranglé dans un moment d'égarement.* **PLUR.** Dérèglement des sentiments, de la conduite ou des mœurs : *Les égarements de la chair* ; *Les égarements de la jeunesse.* ⌧ Fin XIIe s. ; ☞ *égarer* ; [egaʀmɑ̃].

**ÉGARER,** verbe trans. [3]
**1.** Écarter, éloigner du bon chemin : *Ce guide inexpérimenté nous a égarés.* **2.** Anal. Perdre momentanément (qqch.) : *Égarer ses lunettes, ses clés.* **3.** Fig. Détourner ; fourvoyer : *Égarer des soupçons* ; *Égarer l'opinion* ; *La jalousie vous égare !* **PRONOM. 1.** Se perdre : *S'égarer dans les bois* ; par métaph., errer, se diriger au hasard : *Son regard s'égarait sur la foule.* **2.** Divaguer, faire fausse route : *Vous vous égarez, mon cher !* ⌧ Déb. XIIe s. ; germ. °*warōn*, « faire attention à », + *é-*[2] ; [egaʀe].

**ÉGAYANT, ANTE,** adj.
Qui égaie, suscite la gaieté. ⌧ XIXe s. ; p. pr. de *égayer* ; [egɛjɑ̃, ɑ̃t].

**ÉGAYEMENT,** voir **ÉGAIEMENT**

**ÉGAYER,** verbe trans. [15]
Rendre gai, amuser ; par ext., apporter de la gaieté, de la couleur à : *Rien ne semble égayer son existence* ; *Des rideaux de couleur égayaient le salon.* **PRONOM.** Se réjouir ; s'amuser : *S'égayer aux dépens de qqn*, s'en moquer. ⌧ Déb. XIIIe s. ; ☞ *gai* (I) + *é-*[1] ; [egeje].

**ÉGÉEN, ÉGÉENNE,** adj.
De la mer Égée. ⌧ 1830 ; topon. *Égée* ; [eʒeɛ̃, eʒeɛn].

**ÉGÉRIE,** subst. f.
Inspiratrice d'un homme, d'un mouvement politique ou artistique : *George Sand fut l'égérie des romantiques.* ⌧ 1846 ; lat. *Egeria*, nymphe conseillère du roi légendaire de Rome Numa Pompilius ; [eʒeʀi].

**ÉGIDE,** subst. f.
*Myth.* Bouclier de Zeus, recouvert de la peau de la chèvre Amalthée et orné de la tête de Méduse. ▸ Loc. *Se placer sous l'égide de qqn, d'une loi* : se mettre sous sa protection. ⌧ 1512 ; lat. *aegis*, du gr. *aigis*, « peau de chèvre » ; [eʒid].

**ÉGLANTIER,** subst. m.
*Bot.* Arbuste épineux de la famille des Rosacées, aux fleurs roses ou blanches, utilisé comme porte-greffe pour les rosiers. ⌧ Fin XIe s. ; anc. fr. *aiglant*, du lat. pop. °*aquilentum*, « qui a des épines » ; [eglɑ̃tje].

**ÉGLANTINE,** subst. f.
Fleur de l'églantier. ⌧ 1560 ; anc. fr. *aiglant*, « églantier » ; [eglɑ̃tin].

**ÉGLEFIN,** subst. m.
*Zool.* Poisson de l'Atlantique Nord, de la famille des Gadidés, proche de la morue. Fumé, on l'appelle haddock. ⌧ Déb. XIVe s. ; m. néerl. *schelvisch* ; var. *aiglefin* ; [egləfɛ̃].

**ÉGLISE,** subst. f.
**1.** L'Église. Communauté de chrétiens unis par une même confession et organisés en société ; cette société en tant qu'institution : *L'Église primitive*, qui rassemblait les premiers chrétiens ; *L'Église catholique, apostolique et romaine* ; *L'Église réformée* ; *Les Pères de l'Église* (☞ *père*) ; *Un homme d'Église*, un ecclésiastique. ▸ Anal. Groupe de personnes partageant les mêmes aspirations et la même orthodoxie : *Le surréalisme fut une Église, et A. Breton son pape.* **2.** Édifice où se réunissent les fidèles de confession catholique ou orthodoxe : *Aller à l'église* ; *Une église romane*, de style roman. ⌧ Mil. XIe s. ; lat. chrét. *ecclesia*, du gr. *ekklēsia*, « assemblée » ; [egliz].

© Kumurdjian-Explorer

*Petite église romane à Carsac, en Périgord.*

**RELIGION** – L'Église se reconnaît d'une part une dimension visible, institutionnelle (les fidèles et leurs pasteurs légitimes), soumise aux contingences historiques, et, en tant que telle, se définit comme le « peuple de Dieu ». Elle se reconnaît d'autre part une dimension invisible, transcendante à l'histoire, « divine », et elle se définit alors, selon la formule paulinienne, comme le « corps mystique du Christ ». Dans cette perspective se distinguent l'Église militante (les fidèles vivant en ce monde), l'Église souffrante (les âmes du purgatoire) et l'Église triomphante (les justes qui sont au paradis), toutes trois formant une seule et unique unité mystique : la communion des saints. Instituée par Jésus-Christ au cours de la Cène, elle débute sa mission le jour de la Pentecôte. Dès l'origine, elle se définit comme « catholique », c.-à-d. « universelle » (Ier concile de Nicée), et reste indivise, durant le Ier mill., sous l'autorité du pape. Le schisme de 1054 entraîne la séparation des Églises orientales, qui se désigneront dorénavant comme « orthodoxes », et de l'Église romaine. Au XVIe s. se constituent en Occident la plupart des Églises protestantes issues de la Réforme luthérienne (calviniste, méthodiste, anglicane, etc.). Depuis le XVIIIe s., on nomme « uniates » les Églises d'Orient qui ont choisi de rétablir la communion avec Rome tout en conservant leur rite et leur droit canonique orientaux. L'Église catholique, qui a pour chef visible le pape siégeant à Rome, rassemble la majeure partie de la chrétienté. Un vaste mouvement œcuménique anime actuellement l'ensemble des Églises.

**ARCHITECTURE** – La forme architecturale du lieu de culte de la religion chrétienne a varié selon les liturgies, les époques et les régions, mais l'église a toujours conservé sa fonction initiale : symboliser la maison de Dieu et celle de ses fidèles. C'est un lieu de célébration collective et de recueillement individuel. Inspiré des basiliques antiques, le plan des églises catholiques va se fixer dès le IVe s. avec une décomposition en plusieurs parties distinctes, dont la nef et ses bas-côtés, le transept, le chœur, le chevet, l'abside... Ce plan fondé sur le tracé de la croix latine a perduré jusqu'à l'époque contemporaine. Les styles de construction et de décoration des églises vont évoluer au fil du temps, les plus répandus restant le roman, le gothique, le classicisme, le baroque, l'éclectisme et le modernisme. Ces évolutions sont liées aux progrès des techniques de construction (tel le passage de la voûte cintrée romane à la voûte d'ogives gothique) et aux variations des modes d'expression (par ex. le va-et-vient entre l'austérité du classicisme et l'exubérance du baroque). Aujourd'hui, l'architecture des églises ne se réfère plus aux formes léguées par l'histoire ; elles sont conçues selon des critères plus spirituels que religieux. Ce n'est plus à son aspect que l'on reconnaît une église, mais aux symboles qui sont ajoutés à l'édifice.

**ÉGLOGUE, subst. f.**
Poème pastoral écrit dans un style léger et intégrant des dialogues : *« Les Bucoliques », de Virgile, sont des **églogues**.* 1375 ; lat. *ecloga*, du gr. *eklogê*, « choix, extrait » ; [eglɔg].

**EGO, subst. m. inv.**
**1.** *Philos.* Le moi, considéré dans son unicité et son unité fondamentale. ► *Ego transcendantal* : chez Kant, sujet pensant en tant qu'unité synthétique a priori des représentations et des expériences. **2.** *Psychanal.* Pôle personnalisant de la conscience, en lutte contre le principe de réalité. 1886 ; lat. *ego*, « moi » ; [ego].

**ÉGOCENTRIQUE, adj.**
Qui rapporte tout à soi, sans envisager d'autre point de vue : *Personnalité **égocentrique*** ; empl. subst., personne **égocentrique**. Fin XIXe s. ; formé du lat. *ego*, « moi », et de *centre* ; [egosɑ̃tʀik].

**ÉGOCENTRISME, subst. m.**
Attitude d'une personne égocentrique. 1918 ; ☞ *égocentrique* ; [egosɑ̃tʀism].

**ÉGOÏNE, subst. f.**
Scie à main munie d'une poignée, à la lame légèrement recourbée. 1676 ; lat. *scobina*, « lime » ; [egɔin].

**ÉGOÏSME, subst. m.**
**1.** Propension à parler constamment de soi ou par référence à sa personne. **2.** Attachement excessif d'un individu à ses intérêts et à ses désirs, sans considération pour ceux d'autrui et, le plus souvent, au détriment de ce dernier : *Être un monstre d'**égoïsme**.* 1755 ; lat. *ego*, « moi » ; [egɔism].

**ÉGOÏSTE, adj. et subst.**
**ADJ.** Qui fait preuve d'égoïsme ; propre à l'égoïsme. **SUBST.** Personne qui manifeste de l'égoïsme. Fin XVIIIe s. ; lat. *ego*, « moi » ; [egɔist].

**ÉGOÏSTEMENT, adv.**
De façon égoïste. 1785 ; ☞ *égoïste* ; [egɔistəmɑ̃].

**ÉGORGEMENT, subst. m.**
Action d'égorger. 1538 ; ☞ *égorger* ; [egɔʀʒəmɑ̃].

**ÉGORGER, verbe trans. [5]**
**1.** Tuer (un animal, un être humain) en lui tranchant la gorge : *La malheureuse se fit **égorger** dans une impasse.* **2.** Fig. Exploiter sans scrupule ; ruiner (vieilli) : *Cet usurier vous **égorgera**.* Mil. XVe s. ; ☞ *gorge* + *é-*[2] ; [egɔʀʒe].

**ÉGORGEUR, EUSE, subst.**
Assassin qui égorge ses victimes. XVIe s. ; ☞ *égorger* ; [egɔʀʒœʀ, øz].

**ÉGOSILLER (S'), verbe pronom. [3]**
**1.** Se faire mal au gosier à force de crier. **2.** Chanter longuement et très fort, en parlant d'un oiseau. 1653 (1488, égorger) ; ☞ *gosier* + *é-*[2] ; [egozije].

**ÉGOSOME, voir ÆGOSOME**

**ÉGOTISME, subst. m.**
**1.** Tendance d'une personne, en partic. d'un écrivain, à se prendre pour objet d'analyse et à faire de soi l'aiguillon de son inspiration. **2.** Ext. Tendance à rapporter toute réflexion à soi-même ; culte du moi : *L'**égotisme** de l'adolescent.* 1726 ; angl. *egotism* ; [egɔtism].

**ÉGOTISTE, adj. et subst.**
**ADJ.** Qui est marqué par l'égotisme : *Une œuvre **égotiste**, où abondent les « je » et les « moi ».* **SUBST.** Personne qui fait preuve d'égotisme, qui pratique l'égotisme. 1726 ; angl. *egotist* ; [egɔtist].

**ÉGOUT, subst. m.**
**1.** Vx. Écoulement des eaux de pluie sur les toitures ; par méton., conduit permettant de recueillir et de canaliser cet écoulement. **2.** Canalisation, gén. souterraine, qui collecte et évacue les eaux usées d'une ville : *Bouche d'**égout***, ouverture disposée au ras des caniveaux pour recueillir les eaux de ruissellement ; *Plaque d'**égout***, plaque d'acier qui obstrue un puits menant aux **égouts**. **3.** Métaph. Lieu où confluent les personnes ou les choses les plus sordides, les plus viles. Mil. XIIIe s. ; ☞ *égoutter* ; [egu].

**ÉGOUTIER, subst. m.**
Ouvrier affecté à l'entretien des égouts : *Des cuissardes d'**égoutier**.* 1842 ; ☞ *égout* ; [egutje].

**ÉGOUTTAGE, subst. m.**
Action d'égoutter, de faire égoutter ; son résultat : *L'**égouttage** du sel.* 1778 ; ☞ *égoutter* ; [egutaʒ].

**ÉGOUTTEMENT, subst. m.**
**1.** Fait de s'égoutter. **2.** Égouttage. 1330 ; ☞ *égoutter* ; [egutmɑ̃].

**ÉGOUTTER, verbe trans. [3]**
**1.** Débarrasser (une chose) d'un liquide excédentaire en le laissant s'écouler goutte à goutte : ***Égoutter** du linge.* **2.** *Agric.* ***Égoutter** un champ* : le drainer en pratiquant des rigoles d'évacuation. **PRONOM.** Se débarrasser goutte à goutte de son eau : *Les fromages **s'égouttaient** sur leurs clayons de bois.* Fin XIIe s. ; ☞ *goutte* (I) + *é-*[2] ; [egute].

**ÉGOUTTOIR, subst. m.**
Ustensile servant à égoutter : ***Égouttoir** à vaisselle.* 1554 ; ☞ *égoutter* ; [egutwaʀ].

**ÉGRAINAGE, voir ÉGRENAGE**

**ÉGRAINEMENT, voir ÉGRÈNEMENT**

**ÉGRAINER, voir ÉGRENER**

**ÉGRATIGNER, verbe trans. [3]**
**1.** Entamer, déchirer légèrement (la peau). **2.** Anal. Endommager superficiellement, érafler (un objet). **3.** Fig. Blesser légèrement par des propos ironiques ou médisants : ***Égratigner** l'amour-propre de qqn.* XIIIe s. ; altér. de *esgratigner* (vx), de l'anc. fr. *gratiner*, « gratter » ; [egʀatiɲe].

**ÉGRATIGNURE, subst. f.**
**1.** Légère déchirure de la peau : *Il s'en sortit sans une **égratignure**.* **2.** Anal. Rayure, éraflure : *Lors du déménagement, le mobilier a subi quelques **égratignures**.* **3.** Fig. Blessure légère de l'amour-propre. XIIIe s. ; ☞ *égratigner* ; [egʀatiɲyʀ].

**ÉGRENAGE, subst. m.**
**1.** Action d'égrener. **2.** *Techn.* Action d'éliminer le grain, les aspérités granuleuses d'une chose : ***Égrenage** d'un mur.* 1835 ; ☞ *égrener* ; var. *égrainage* ; [egʀənaʒ].

**ÉGRÈNEMENT, subst. m.**
Fait de s'égrener. 1606 ; ☞ *égrener* ; var. *égrainement* ; [egʀɛnmɑ̃].

**ÉGRENER, verbe trans. [10]**
**1.** Dépouiller de ses grains (une grappe, un épi...) : ***Égrener** le maïs.* **2.** Anal. ► ***Égrener** un chapelet* : en faire passer les grains, un à un, entre ses doigts, au rythme des prières. ► Faire entendre un à un, de façon détachée : *Durant la nuit, on entend l'horloge **égrener** les minutes.* **PRONOM.** Tomber en grains, en fragments : *Cueillir le raisin qui commence à **s'égrener*** ; au fig., s'éparpiller les uns à la suite des autres : *Les enfants **s'égrenèrent** dans les rues en riant.* Fin XIIe s. ; ☞ *grain* + *é-*[2] ; var. *égrainer* ; [egʀəne].

**ÉGRENEUSE, subst. f.**
*Agric.* Machine servant à égrener. 1870 ; ☞ *égrener* ; [egʀənøz].

**ÉGRILLARD, ARDE, adj. et subst.**
**ADJ.** Dont l'attitude ou les propos sont empreints de grivoiserie ; qui dénote cette attitude : *Un regard **égrillard**.* **SUBST.** Personne au tempérament libertin, licencieux. 1640 (fin XVIe s., malfaiteur) ; prob. m. fr. *griller*, « glisser » ; [egʀijaʀ, aʀd].

**ÉGRISER, verbe trans. [3]**
*Techn.* Polir (une pierre précieuse, un miroir, du marbre) au moyen d'un abrasif. 1601 ; néerl. *gruizen*, « broyer » ; [egʀize].

**ÉGROTANT, ANTE, adj.**
Qui est continuellement malade, souffreteux (littér.). Fin XIIIe s. ; lat. *aegrotans* ; [egʀɔtɑ̃, ɑ̃t].

**ÉGRUGEAGE, subst. m.**
Action d'égruger ; son résultat : ***Égrugeage** du poivre.* 1888 ; ☞ *égruger* ; [egʀyʒaʒ].

**ÉGRUGEOIR, subst. m.**
Mortier ou moulin servant à égruger : *Un **égrugeoir** de table.* 1611 ; ☞ *égruger* ; [egʀyʒwaʀ].

**ÉGRUGER, verbe trans. [5]**
Piler, réduire en poudre : ***Égruger** du sucre.* 1556 ; ☞ *gruger* + *é-*[1] ; [egʀyʒe].

**ÉGUEULÉ, ÉE, adj.**
**1.** Dont l'ouverture, l'embouchure est endommagée : *Une pièce d'artillerie **égueulée**.* **2.** *Géol.* *Un cratère **égueulé*** : dont la paroi s'est partiellement effondrée après une éruption. 1564 ; p. p. de *égueuler* ; [egœle].

**ÉGUEULER, verbe trans. [3]**
Briser, endommager le goulot, l'embouchure de (rare) : ***Égueuler** une bouteille.* 1690 (1396, égorger) ; ☞ *gueule* + *é-*[2] ; [egœle].

**ÉGYPTIEN, IENNE, subst. et adj.**
De l'Égypte. **SUBST. MASC.** Langue chamito-sémitique parlée dans l'Égypte ancienne ; dialecte arabe de l'Égypte contemporaine. **SUBST. FÉM.** *Typogr.* Caractère d'imprimerie à empattements carrés. Déb. XIIIe s. ; topon. *Égypte* ; [eʒipsjɛ̃, jɛn].

**ÉGYPTOLOGIE, subst. f.**
Science qui étudie l'Égypte ancienne. 1870 ; topon. *Égypte* + *-logie* ; [eʒiptɔlɔʒi].

**ÉGYPTOLOGUE, subst.**
Spécialiste de l'égyptologie. 1827 ; topon. *Égypte* + *-logue* ; [eʒiptɔlɔg].

**EH, interj.**
**1.** Exprime l'étonnement ou l'admiration : *Eh ! que dis-tu ? ; Eh ! quelle splendeur ! ; Eh quoi ! vous repartez déjà !* **2.** Sert à appeler ou à interpeller : *Eh ! vous, là-bas, venez ! ; Eh là ! méfiez-vous !* **3.** Souligne une constatation, renforce une affirmation : *Eh ! mais je vois que tu travailles bien ! ; Eh oui, c'est vrai !* **4.** Loc. ► *Eh, eh !* : exprime une complicité ou un sous-entendu ironique ou grivois. ► **Eh bien !** Exprime la résignation, incite à répondre : *Eh bien ! tant pis ! ; Eh bien ! qu'avez-vous à ajouter ?* Mil. XIe s. ; onomat. ; [e].

**ÉHONTÉ, ÉE, adj.**
**1.** Qui ne ressent pas de honte : *Un égoïste **éhonté**.* **2.** Impudent, honteux : *Un sans-gêne **éhonté** ; Un mensonge **éhonté**.* 1356 ; ☞ *honte* + *é-*[2] ; [eɔ̃te].

**EIDER, subst. m.**
*Zool.* Canard marin, fréquent sur le littoral scandinave, de la famille des Anatidés, dont le duvet est utilisé pour garnir les édredons. 1755 (déb. XIIIe s., duvet) ; islandais *aedur* ; [ɛdɛʀ].

© J.-L. Le Moigne-Jacana

Eider.

**EIDÉTIQUE, adj.**
**1.** *Philos.* Qui concerne l'essence des choses, et non leur manifestation ou leur existence : *La réduction **eidétique** est la résolution de faire apparaître le monde tel qu'il est avant tout retour sur nous-mêmes* (Merleau-Ponty). **2.** *Psychol.* *Image **eidétique*** : image mentale d'une chose imaginaire ou d'un souvenir, qui peut-être évoquée ou rappelée à volonté. 1925 ; all. *eidetisch*, du gr. *eidêtikos*, « qui concerne la connaissance » ; [ɛjdetik].

**EIDÉTISME, subst. m.**
*Psychol.* Capacité de l'esprit à se représenter avec une grande précision des objets perçus antérieurement. XXe s. ; ☞ *eidétique* ; [ɛjdetism].

**EINSTEINIUM, subst. m.**
*Chim.* Élément transuranien n° 99 de la table de

Mendeleïev, de masse atomique 254 (symb. : Es). 1955 ; anthropon. *Albert Einstein* ; [ɛnstɛnjɔm].

**ÉJACULATION, subst. f.**
Fait d'éjaculer. 1611 (1552, action de lancer) ; ☞ *éjaculer* ; [eʒakylasjɔ̃].

**ÉJACULER, verbe trans. [3]**
*Physiol.* Projeter hors de soi (un liquide sécrété par l'organisme) ; empl. abs., émettre du sperme. XVI^e s. ; lat. *ejaculari*, « projeter » ; [eʒakyle].

**ÉJECTABLE, adj.**
Qui peut être éjecté. ▸ *Aéron. Siège **éjectable*** : siège de pilote, muni d'un dispositif d'éjection et d'un parachute ou, au fig., situation précaire. 1956 ; ☞ *éjecter* ; [eʒɛktabl].

**ÉJECTER, verbe trans. [3]**
**1.** Projeter au-dehors avec force. **2.** Fig. ***Éjecter** un importun* : le renvoyer vivement, l'expulser (fam.). 1492 ; lat. *ejectare* ; [eʒɛkte].

**ÉJECTEUR, subst. m.**
*Techn.* Dispositif mécanique permettant d'éjecter un objet ou d'évacuer un fluide. ▸ *Arm.* Pièce d'une arme à feu permettant d'éjecter la douille hors de la culasse. 1874 ; ☞ *éjecter* ; [eʒɛktœʀ].

**ÉJECTION, subst. f.**
**1.** Vx. *Physiol.* Évacuation des matières fécales ; déjection. **2.** Action d'éjecter : *L'**éjection** de la cassette est automatique.* Mil. XIV^e s. ; lat. *ejectio* ; [eʒɛksjɔ̃].

**ÉJOINTER, verbe trans. [3]**
Endommager l'extrémité des ailes de (un oiseau) pour qu'il ne puisse plus voler (rare). 1756 ; anc. fr. *jointe*, « articulation », + *é-*[2] ; [eʒwɛ̃te].

**EKTACHROME, subst. m. inv.**
Film permettant de prendre des photographies en couleur ; par méton., photographie prise avec ce film. XX^e s. ; n. déposé ; [ɛktakʀom].

**ÉLABORATION, subst. f.**
**1.** *Physiol.* Processus physico-chimique par lequel un organisme vivant fabrique ou transforme des substances au profit de son fonctionnement et de son développement : ***Élaboration** de la bile par le foie.* **2.** Fig. Action d'élaborer par un travail de l'esprit : ***Élaboration** d'une théorie.* **3.** *Psychanal. **Élaboration** secondaire* : travail de l'inconscient qui transforme les pensées latentes en contenu manifeste du rêve. 1478 ; lat. *elaboratio*, « travail » ; [elabɔʀasjɔ̃].

**ÉLABORÉ, ÉE, adj.**
**1.** *Bot.* Qui a été rendu assimilable par l'organisme : *Sève **élaborée***, modifiée par la photosynthèse. **2.** Fig. Qui est le fruit d'une élaboration ; raffiné, perfectionné. XVI^e s. ; p. p. de *élaborer* ; [elabɔʀe].

**ÉLABORER, verbe trans. [3]**
**1.** *Physiol.* Rendre assimilable par l'organisme ; produire (ce qui est nécessaire à une fonction organique). **2.** Fig. Préparer, donner forme à : ***Élaborer** un roman.* 1534 ; lat. *elaborare*, « travailler avec soin » ; [elabɔʀe].

**ÉLÆIS, voir ÉLÉIS**

**ÉLAGAGE, subst. m.**
Action d'élaguer. 1755 ; ☞ *élaguer* ; [elagaʒ].

**ÉLAGUER, verbe trans. [3]**
**1.** Couper les branches superflues de (un arbre, une haie). **2.** Fig. Débarrasser de ce qui est superflu, alléger : ***Élaguer** un texte.* Fin XIV^e s. ; prob. anc. nord. *laga*, « mettre en ordre », + *é-*[2] ; [elage].

**ÉLAGUEUR, EUSE, subst.**
Personne qui élague les arbres. **Masc.** Grande serpe d'élagage. 1756 ; ☞ *élaguer* ; [elagœʀ, øz].

**ÉLAN (I), subst. m.**
**1.** Mouvement effectué pour se lancer en avant ; en partic., mouvement préparatoire à l'exécution d'un saut : *Prendre son **élan***, s'élancer. **2.** Ext. Mouvement d'une chose lancée : *L'automobile a heurté la barrière en plein **élan*** ; *Être emporté dans son **élan**.* **3.** Fig. Impulsion, essor : *Donner de l'**élan** à un projet.* **4.** *Philos. **Élan** vital* : selon Bergson, jaillissement continu de la vie, source de l'évolution des êtres. 1409 ; ☞ *élancer* ; [elɑ̃].

**ÉLAN (II), subst. m.**
*Zool.* Ruminant aux bois aplatis, le plus grand représentant (1,90 m au garrot) de la famille des Cervidés, vivant dans les régions septentrionales. 1414 ; prob. haut all. *elend*, du lituanien *elnis* ; [elɑ̃].

**ÉLANCÉ, ÉE, adj.**
Fin et allongé : *Un arbre **élancé*** ; *Une jeune fille **élancée***, svelte. 1549 ; p. p. de *élancer* ; [elɑ̃se].

**ÉLANCEMENT, subst. m.**
**1.** Douleur brusque et aiguë. **2.** Mouvement du cœur, de l'âme (littér.). **3.** *Mar.* Angle que forme l'étrave avec le prolongement de la quille. 1549 ; ☞ *élancer* ; [elɑ̃smɑ̃].

**ÉLANCER, verbe trans. [4]**
Causer un élancement à : *Son panaris l'a **élancé** toute la nuit* ; par méton. : *Son doigt l'**élance**.* **Pronom.** Se lancer en avant ; bondir : *Au signal, il s'**élança**.* Déb. XIII^e s. ; ☞ *lancer* (I) + *é-*[1] ; [elɑ̃se].

**ÉLAND, subst. m.**
*Zool.* Grande antilope d'Afrique de la famille des Bovidés, aux cornes spiralées comme celles des gazelles. XX^e s. ; angl. *eland*, du haut all. *elend* ; [elɑ̃].

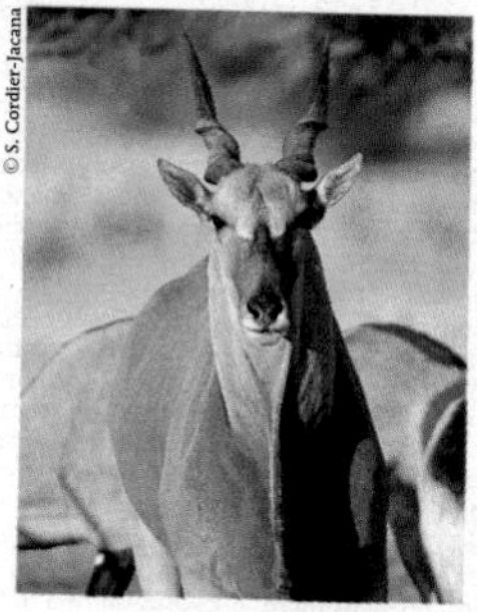



*Éland du Cap.*

**ÉLAPIDÉS, subst. m. plur.**
*Zool.* Famille de serpents venimeux de l'ordre des Squamates, comptant les plus dangereux tels le naja ou le serpent corail. **Au sing.** *Le cobra est un **élapidé**.* XIX^e s. ; lat. sc. *elaps*, du gr. *ellops*, « muet ; écailleux » ; [elapide].

**ÉLARGIR, verbe trans. [19]**
**1.** Rendre plus large : ***Élargir** la chaussée, une veste.* **2.** Faire paraître plus large : *Ce costume t'**élargit** les épaules.* **3.** Accroître : ***Élargir** ses domaines.* **4.** Fig. Donner une portée plus vaste à ; étendre, développer : ***Élargir** une discussion, ses connaissances* ; empl. adj. : *Une majorité **élargie**.* **5.** *Dr. **Élargir** un prisonnier* : le relaxer. **Pronom.** Devenir plus large : *La route s'**élargit** vers la vallée.* Mil. XII^e s. ; ☞ *large* + *é-*[1] ; [elaʀʒiʀ].

**ÉLARGISSEMENT, subst. m.**
Action d'élargir ou fait de s'élargir ; son résultat. 1314 (déb. XIII^e s., don) ; ☞ *élargir* ; [elaʀʒismɑ̃].

**ÉLASTICIMÉTRIE, subst. f.**
*Phys.* Mesure des déformations élastiques subies par un corps. Mil. XX^e s. ; ☞ *élasticité* + *-métrie* ; [elastisimetʀi].

**ÉLASTICITÉ, subst. f.**
**1.** *Phys.* Propriété que possèdent certains corps de retrouver leur forme initiale quand cesse la force qui s'exerçait sur eux : *Limite d'**élasticité** d'un fil*, valeur de la force d'étirement appliquée à un fil élastique au-delà de laquelle l'allongement produit n'est plus réversible. **2.** Ext. Souplesse : ***Élasticité** d'un sommier, d'un muscle.* **3.** Fig. Absence de rigidité, aptitude à varier selon les circonstances : ***Élasticité** des lois* ; ***Élasticité** des prix.* **4.** *Écon.* Importance de la réaction d'une variable économique aux mouvements d'une autre variable, qui s'exprime par le quotient de leurs variations respectives : ***Élasticité** de la consommation par rapport au revenu.* 1687 ; lat. sc. *elasticitas*, de *elasticus*, « élastique » ; [elastisite].

**ÉLASTIQUE, adj. et subst. m.**
**Adj. 1.** *Phys.* Se dit d'un milieu qui présente une certaine élasticité : *C'est parce que l'air est un milieu **élastique** que le son peut s'y propager.* **2.** Ext. Qui possède de l'élasticité : *Gomme, tissu **élastique*** ; *Démarche **élastique***, souple, déliée. **3.** Fig. Qui peut varier, adaptable : *Un horaire **élastique*** ; *Une morale **élastique***, peu scrupuleuse. **Subst. 1.** Fil, bande de caoutchouc. **2.** Ruban dont la trame contient des fils de caoutchouc. 1674 ; lat. sc. *elasticus*, du gr. *elastos*, « ductile » ; [elastik].

**ÉLASTOMÈRE, subst. m.**
*Chim.* Substance composée de molécules polymères, qui a les propriétés élastiques du caoutchouc. 1953 ; crois. de *élastique* et de *polymère* ; [elastɔmɛʀ].

**ÉLATÉRIDÉS, subst. m. plur.**
*Zool.* Famille de coléoptères également appelés taupins, dont les larves sont particulièrement nuisibles aux végétaux. **Au sing.** *L'agriote est un **élatéridé**.* 1806 ; lat. sc. *elater*, espèce de taupin, du gr. *elatêr*, « qui pousse devant soi » ; [elateʀide].

**ÉLAVÉ, ÉE, adj.**
*Vèn.* Pâle, blafard, en parlant du poil d'un chien ou d'un animal sauvage. 1665 (1561, détrempé) ; anc. fr. *eslaver*, « laver » ; [elave].

**ELBOT, subst. m.**
Belg. Flétan. 1563 ; néerl. *heilbot* ; [ɛlbo].

**ELDORADO, subst. m.**
Lieu imaginaire de richesses et de plaisirs : *Chercher son **eldorado**.* 1836 ; *Eldorado*, contrée mythique d'Amérique latine, de l'esp. *el país dorado*, « le pays doré » ; [ɛldɔʀado].

**ÉLÉATE, adj. et subst.**
De l'antique cité d'Élée. **Subst. masc.** *Les **Éléates*** : philosophes grecs de l'école d'Élée (Parménide et Zénon d'Élée, Mélissos de Samos). 1838 ; gr. *Eleatês* ; [eleat].

**ÉLÉATIQUE, adj.**
*Philos.* De l'école philosophique d'Élée. 1755 ; lat. *eleaticus*, du gr. *eleatikos* ; [eleatik].

**ÉLECTEUR, TRICE, subst.**
**1.** *Hist.* **Un Électeur.** Titre donné dans le Saint Empire romain germanique aux princes qui avaient le privilège d'élire l'empereur : *La Bulle d'or de 1356 fixa à sept le nombre d'**Électeurs*** ; *Le Grand **Électeur***, l'**Électeur** de Brandebourg. **2.** Personne qui a le droit de voter dans une élection, un référendum : *Carte d'**électeur*** ; *Grands **électeurs***, collège chargé d'élire les sénateurs, composé des députés, des conseillers régionaux, des conseillers généraux et de certains élus municipaux. XIII^e s. ; bas lat. *elector*, « celui qui choisit » ; [elɛktœʀ, tʀis].

**ÉLECTIF, IVE, adj.**
**1.** Vx. Qui choisit ; qui est l'objet d'un choix. ▸ Fig. *Affinités **électives*** : attirance profonde et spontanée entre deux personnes. ▸ *Pathol. Douleur **élective*** : localisée et persistante. **2.** Désigné ou attribué par voix d'élection : *Empereur, trône **électif**.* 1370 ; bas lat. *electivus* ; [elɛktif, iv].

**ÉLECTION, subst. f.**
**1.** Choix. ▸ Loc. **D'élection.** Que l'on choisit : *Patrie d'**élection***, choisie par affinité ; *Peuple d'**élection***, les Hébreux, avec lesquels Dieu scelle l'Alliance. **2.** Désignation, par vote, d'un délégué, d'un lauréat, etc. : ***Élection** de la première femme à l'Académie française, en 1980.* **3.** Procédure constitutionnelle par laquelle les citoyens exercent leur droit de vote pour nommer leurs représentants aux affaires locales ou nationales : ***Élections** cantonales, législatives* ; *L'**élection** présidentielle.* **4.** *Hist.* Sous l'Ancien Régime, juridiction composée d'officiers élus chargés de représenter et de défendre le droit du roi en matière d'impôt ; par méton., circonscription qui en dépendait. Mil. XII^e s. ; lat. *electio*, « choix » ; [elɛksjɔ̃].

**ÉLECTORAL, ALE, AUX, adj.**
**1.** *Hist.* Relatif à un Électeur du Saint Empire, à un électorat. **2.** Relatif à une élection, à un électeur : *Campagne **électorale*** ; *Devoir, affichage **électoral**.* 1571 ; ☞ *électeur*, d'apr. le lat. *elector*, « électeur » ; [elɛktɔʀal, o].

*Affiches **électorales**.*

**ÉLECTORALISME, subst. m.**
*Pol.* Tendance d'un parti, d'un gouvernement à subordonner sa politique à des calculs électoraux. 1922 ; ☞ *électoral* ; [elɛktɔʀalism].

**ÉLECTORALISTE, subst.**
Partisan de l'électoralisme ; empl. adj., qui relève de l'électoralisme : *Une manœuvre **électoraliste**.* V. 1970 ; ☞ *électoral* ; [elɛktɔʀalist].

**ÉLECTORAT, subst. m.**
**1.** *Hist.* Dignité d'Électeur du Saint Empire romain germanique ; par méton., territoire placé sous l'autorité d'un Électeur. **2.** Qualité d'électeur que confère la jouissance du droit de vote. **3.** Corps des électeurs ou catégorie électorale : ***Électorat** féminin, de gauche.* 1601 ; lat. *elector*, « électeur » ; [elɛktɔʀa].

**ÉLECTRET, subst. m.**
*Phys.* Diélectrique qui, électrisé temporairement, conserve cette polarisation électrique de façon permanente : *Microphone électrostatique à **électret**.* 1905 ; angl. *electret*, de *electricity*, « électricité », et de *magnet*, « aimant » ; [elɛktʀɛ(t)].

**ÉLECTRICIEN, IENNE, subst.**
**1.** Physicien, ingénieur spécialiste en électricité. **2.** Personne dont le métier consiste à installer, à réparer ou à vendre du matériel électrique. 1764 ; ☞ *électricité* ; [elɛktʀisjɛ̃, jɛn].

**ÉLECTRICITÉ, subst. f.**
**1.** *Phys.* Une des formes de l'énergie, qui se manifeste à travers divers phénomènes : ***Électricité** statique*, phénomène d'attraction et de répulsion lié à l'existence de charges électriques immobiles dans les corps ; ***Électricité** cinétique*, courant électrique produisant des effets calorifiques, chimiques, magnétiques lorsqu'il traverse des corps dits conducteurs ; ***Électricité** atmosphérique, tellurique, animale*, énergie produite par des phénomènes naturels ou des animaux, en partic. certains poissons. ▸ Loc. *Il y a de l'**électricité** dans l'air* : une tension laissant présager une dispute (fam.). **2.** Cette énergie, considérée dans ses applications industrielles et domestiques : *Se chauffer à l'**électricité**.* ▸ Méton. *Réparer l'**électricité*** : le matériel électrique ; *Allumer, éteindre l'**électricité*** : les appareils d'éclairage (fam.). **3.** Méton. Branche de la physique qui étudie les phénomènes électriques, leurs applications, leur théorie : *Un cours d'**électricité**.* 1720 ; angl. *electricity* ; [elɛktʀisite].

**ÉLECTRIFICATION, subst. f.**
**1.** Vx. Production d'électricité. **2.** Action d'électrifier : *L'**électrification** d'une ligne de chemin de fer.* 1875 ; ☞ *électrifier* ; [elɛktʀifikasjɔ̃].

**ÉLECTRIFIER, verbe trans.** [6]
**1.** Faire fonctionner au moyen de l'énergie électrique : ***Électrifier** un portail.* **2.** Amener et distribuer l'énergie électrique dans : ***Électrifier** les régions rurales.* 1931 ; ☞ *électrique* ; [elɛktʀifje].

**ÉLECTRIQUE, adj.**
**1.** Relatif à l'électricité : *Courant, décharge, énergie **électrique**.* **2.** Qui fonctionne à l'électricité ou qui en produit : *Voiture **électrique** ; Centrale **électrique**.* 1678 ; angl. *electrick*, du lat. sc. *electricus*, du lat. *electrum*, « ambre » ; [elɛktʀik].

ÉLECTRICITÉ – Les courants électriques sont de deux sortes : les courants continus et les courants variables, le plus souvent alternatifs. Les premiers sont produits par des générateurs électriques de courant continu (piles, accumulateurs), les seconds par des alternateurs. Dans les deux cas, ces courants sont le résultat d'une circulation d'électrons (ou d'ions) dans le circuit qui relie les deux bornes du générateur, mais le mode de circulation est différent : il a lieu toujours dans le même sens pour un courant continu, il consiste en $f$ va-et-vient par seconde dans le cas d'un courant alternatif ($f$ : fréquence du courant). Pour caractériser quantitativement un courant électrique, il suffit d'indiquer la quantité d'électricité qui traverse une section du conducteur par unité de temps : ce nombre, qui est une moyenne statistique, est l'intensité du courant considéré ; on la mesure en ampères (symb. : A). L'intensité d'un courant continu est constante, en grandeur et en signe (les charges circulent toujours dans le même sens) ; celle d'un courant alternatif est variable, en grandeur et en signe, à chaque instant : on montre que, pour les courants usuels fournis par les alternateurs, l'intensité d'un courant alternatif est une fonction sinusoïdale du temps ou une somme de fonctions sinusoïdales élémentaires.

**ÉLECTRIQUEMENT, adv.**
Au moyen de l'électricité. 1832 ; ☞ *électrique* ; [elɛktʀikmɑ̃].

**ÉLECTRISABLE, adj.**
Qui peut être électrisé : *Un corps **électrisable**.* 1746 ; ☞ *électriser* ; [elɛktʀizabl].

**ÉLECTRISATION, subst. f.**
**1.** *Phys.* Apparition de charges électriques sur un corps initialement neutre électriquement. **2.** Fig. Excitation, exaltation : ***Électrisation** d'un auditoire.* 1738 ; ☞ *électriser* ; [elɛktʀizasjɔ̃].

ÉLECTRICITÉ – Le phénomène d'électrisation a été découvert par le philosophe et savant grec Thalès de Milet, au VIe s. av. J.-C. : il avait observé qu'un morceau d'ambre frotté énergiquement acquérait la propriété d'attirer de petits corps légers, telles des billes de moelle de sureau. Par la suite, on découvrit d'autres substances présentant des propriétés analogues, et la force mystérieuse qui se manifestait ainsi fut nommée *electricitas* dans le latin scientifique du XVIIe s. (d'après le mot grec *êlektron*, « ambre ») et « électricité » en français, v. 1720. L'électrisation d'un corps peut être obtenue de trois manières : par frottement, par contact avec un corps déjà électrisé, par influence, en l'approchant suffisamment d'un corps déjà électrisé. La science des phénomènes d'électrisation est l'électrostatique, fondée sur la loi de Coulomb (1785).

**ÉLECTRISER, verbe trans.** [3]
**1.** *Phys.* Charger d'électricité, procéder à l'électrisation de (un corps) : ***Électriser** un fil de fer.* **2.** Fig. Insuffler un sentiment d'exaltation à : *L'orateur **électrise** les foules.* 1731 ; ☞ *électrique* ; [elɛktʀize].

**ÉLECTRO-ACOUSTIQUE, subst. f. et adj.**
*Techn.* SUBST. Technique fondée sur l'utilisation de l'électricité et de l'électronique dans la production, la transmission, l'enregistrement et la restitution des sons. ADJ. Qui utilise cette technique : *Chaîne **électro-acoustique**.* 1948 ; ☞ *acoustique* + *électro-* ; plur. *électro-acoustiques*, var. *électroacoustique* ; [elɛktʀoakustik].

**ÉLECTRO-AFFINITÉ, subst. f.**
*Chim.* Aptitude d'un atome à fixer un ou plusieurs électrons. 1903 ; ☞ *affinité* + *électro-* ; plur. *électro-affinités*, var. *électroaffinité* ; [elɛktʀoafinite].

**ÉLECTRO-AIMANT, subst. m.**
*Phys.* Aimant temporaire constitué d'un enroulement de fil conducteur autour d'un noyau de fer doux. Lorsqu'un courant circule dans la bobine, le champ magnétique créé dans le fer peut atteindre des valeurs très importantes ; il s'annule dès que le courant est coupé. Cette propriété permet, notamment, de réaliser des appareils destinés au levage de lourdes charges métalliques. 1849 ; ☞ *aimant* (I) + *électro-* ; plur. *électro-aimants*, var. *électroaimant* ; [elɛktʀoɛmɑ̃].

**ÉLECTROCAPILLARITÉ, subst. f.**
*Phys.* Modification de la tension superficielle entre deux fluides, résultant de l'établissement d'un champ électrique. 1877 ; ☞ *capillarité* + *électro-* ; [elɛktʀokapilaʀite].

**ÉLECTROCARDIOGRAMME, subst. m.**
*Méd.* Tracé d'une série d'ondes, obtenu lorsque l'on effectue une électrocardiographie. L'**électrocardiogramme** (abrév. : E. C. G.) permet de diagnostiquer avec précision des cardiopathies. 1916 ; ☞ *cardiogramme* + *électro-* ; [elɛktʀokaʀdjɔgʀam].

**ÉLECTROCARDIOGRAPHE, subst. m.**
Appareil enregistreur permettant d'obtenir un électrocardiogramme. 1930 ; ☞ *cardiographe* + *électro-* ; [elɛktʀokaʀdjɔgʀaf].

**ÉLECTROCARDIOGRAPHIE, subst. f.**
*Méd.* Étude et enregistrement des variations de potentiel électrique des différentes parties du cœur, quand ces dernières se contractent (systoles) puis se dilatent (diastoles). 1912 ; ☞ *cardiographie* + *électro-* ; [elɛktʀokaʀdjɔgʀafi].

**ÉLECTROCHIMIE, subst. f.**
Branche de la chimie qui étudie les transformations réciproques de l'énergie électrique et de l'énergie chimique (pile, accumulateur, électrolyse, etc.). 1826 ; ☞ *chimie* + *électro-* ; [elɛktʀoʃimi].

**ÉLECTROCHOC, subst. m.**
**1.** *Psych.* Technique consistant à provoquer chez un sujet une crise convulsive, avec perte de conscience, en excitant certains centres nerveux à l'aide d'un courant alternatif passant entre deux électrodes disposées de part et d'autre du crâne. L'**électrochoc** peut être employé dans le traitement de certaines affections mentales, mais il fait de plus en plus place aux traitements médicamenteux. **2.** Fig. Violent choc psychologique. 1940 ; ☞ *choc* + *électro-* ; [elɛktʀoʃɔk].

**ÉLECTROCINÈSE, subst. f.**
*Zool.* Déplacement d'un animal (paramécie, par ex.) qui s'oriente par rapport à un champ électrique. Gr. *kinêsis*, « mouvement », + *électro-* ; [elɛktʀosinɛz].

**ÉLECTROCINÉTIQUE, subst. f.**
Branche de la physique qui étudie les charges électriques en mouvement, à l'exception des effets magnétiques qui en résultent, dont l'électromagnétisme (☞ *électricité* et *électrique*). 1888 ; ☞ *cinétique* + *électro-* ; [elɛktʀosinetik].

**ÉLECTROCOAGULATION, subst. f.**
*Méd.* Technique permettant la coagulation, la destruction ou la section de tissus vivants au moyen de courants électriques. 1922 ; ☞ *coagulation* + *électro-* ; [elɛktʀokɔagylasjɔ̃].

**ÉLECTROCUTER, verbe trans.** [3]
**1.** Exécuter (un condamné) par l'envoi d'une décharge électrique. **2.** Provoquer chez (qqn) une secousse, gén. mortelle, par le passage d'un courant électrique dans l'organisme. 1891 ; anglo-amér. *to electrocute*, d'apr. *to execute*, « exécuter » ; [elɛktʀɔkyte].

**ÉLECTROCUTION, subst. f.**
**1.** Action d'électrocuter un condamné ; sa mort, ainsi provoquée. **2.** Fait d'électrocuter, de s'électrocuter ; l'état qui en résulte, commotion, mort. 1890 ; anglo-amér. *electrocution*, d'apr. *execution*, « exécution » ; [elɛktʀɔkysjɔ̃].

**ÉLECTRODE, subst. f.**
*Phys.* Élément conducteur destiné à relier électriquement l'intérieur d'une enceinte (pile, tube électronique, cuve à électrolyse, etc.) à un circuit extérieur : ***Électrode** positive* (☞ *anode*) ; ***Électrode** négative* (☞ *cathode*). 1838 ; angl. *electrode* ; [elɛktʀɔd].

**ÉLECTRODIAGNOSTIC, subst. m.**
*Méd.* Utilisation de l'électricité pour examiner un malade ; en partic., étude des réponses des muscles et du système nerveux à des stimulus électriques. 1890 ; ☞ *diagnostic* + *électro-* ; [elɛktʀodjagnɔstik].

**ÉLECTRODIALYSE, subst. f.**
*Phys.* Séparation des ions d'une solution isolée par deux membranes semi-perméables de deux compartiments dans lesquels plongent deux électrodes ; le procédé combine les avantages de la dialyse et de l'électrolyse. 1920 ; ☞ *dialyse* + *électro-* ; [elɛktʀodjaliz].

**ÉLECTRODYNAMIQUE, subst. f.**
**1.** *Phys.* Branche de la physique classique qui a pour objet l'étude des forces exercées et subies par des charges électriques en mouvement. ▸ Empl. adj. *Phénomène **électrodynamique*** : qui relève de l'**électrodynamique**. **2.** *Phys. part.* ***Électrodynamique** quantique* : branche de la théorie quantique des champs qui décrit les interactions des particules chargées entre elles ou avec un champ électromagnétique comme des échanges (émissions, absorptions) de photons virtuels entre particules. 1823 ; ☞ *dynamique* + *électro-* ; [elɛktʀodinamik].

**ÉLECTRODYNAMOMÈTRE, subst. m.**
Appareil électromécanique qui permet de mesurer l'intensité d'un courant électrique, en équilibrant les forces ou les couples qui s'exercent entre deux conducteurs parcourus par ce courant. 1883 ; ☞ *électrodynamique* + *-mètre*[1], d'apr. l'all. *Elektrodynamometer* ; [elɛktʀodinamɔmɛtʀ].

**ÉLECTRO-ENCÉPHALOGRAMME, subst. m.**
*Méd.* Tracé obtenu lors d'une électro-encéphalographie, qui représente les variations de potentiel électrique se produisant au niveau de l'écorce cérébrale lors de l'activité mentale. L'**électro-encéphalogramme** (abrév. : E. E. G.) aide à établir le diagnostic des dysfonctionnements du cerveau. 1929 ; ☞ *encéphalogramme* + *électro-* ; plur. *électro-encéphalogrammes*, var. *électroencéphalogramme* ; [elɛktʀoɑ̃sefalɔgʀam].

**ÉLECTRO-ENCÉPHALOGRAPHIE, subst. f.**
*Méd.* Observation de l'activité du cerveau par l'en

gistrement de ses variations de potentiel électrique. 1929 ; ☞ *encéphalographie* + *électro-* ; plur. *électro-encéphalographies*, var. *électroencéphalographie* ; [elɛktʀoɑ̃sefalɔgʀafi].

**ÉLECTROFAIBLE, adj.**
*Phys. part.* Qualifie une force fondamentale de l'Univers qui s'est dissociée, juste après le big-bang ($10^{-12}$ seconde après), en deux interactions : l'interaction électromagnétique et l'interaction faible, responsable notamment de la radioactivité β. ▸ *Théorie* ***électrofaible*** : théorie unifiant l'interaction électromagnétique et l'interaction faible. Elle suppose, en s'inspirant de la médiation électromagnétique du photon, l'existence de trois particules massives, appelées bosons $W^+$, $W^-$ et $Z^0$, médiatrices de l'interaction faible. V. 1980 ; ☞ *faible* + *électro-* ; [elɛktʀofɛbl].

**ÉLECTROGÈNE, adj.**
Qui produit de l'électricité : *Groupe* ***électrogène***, ensemble composé d'un moteur et d'un générateur, qui transforme de l'énergie mécanique en énergie électrique. 1834 ; formé de *électro-* et de *-gène* ; [elɛktʀoʒɛn].

**ÉLECTROLUMINESCENCE, subst. f.**
*Phys.* Émission de lumière par certaines substances lorsqu'elles sont soumises à un champ électrique. 1930 ; ☞ *luminescence* + *électro-* ; [elɛktʀolyminɛsɑ̃s].

**ÉLECTROLUMINESCENT, ENTE, adj.**
Qui est doué d'électroluminescence. 1910 ; ☞ *luminescent* + *électro-* ; [elɛktʀolyminɛsɑ̃, ɑ̃t].

**ÉLECTROLYSABLE, adj.**
*Chim.* Qui est susceptible d'être décomposé par l'électricité, en parlant d'un corps chimique. 1838 ; ☞ *électrolyser* ; [elɛktʀolizabl].

**ÉLECTROLYSE, subst. f.**
*Chim.* Décomposition ionique de certains corps chimiques en solution ou en fusion sous l'effet d'un courant électrique. L'opération est réalisée dans une cuve à **électrolyse**, dans laquelle plongent deux électrodes (anode et cathode) reliées respectivement aux pôles positif et négatif d'un générateur de courant continu : *La galvanoplastie est une application industrielle de l'****électrolyse***. 1856 ; angl. *electrolysis* ; [elɛktʀoliz].

**ÉLECTROLYSER, verbe trans. [3]**
Décomposer (un corps chimique) par électrolyse. 1838 ; angl. *to electrolyze*, d'apr. *to analyse*, « analyser » ; [elɛktʀolize].

**ÉLECTROLYTE, subst. m.**
*Chim.* Composé chimique qui, en solution dans un solvant adéquat, se dissocie spontanément en ions : *Les acides, les bases et les sels sont des* ***électrolytes***. 1838 ; angl. *electrolyte*, du gr. *lutos*, « qui peut être délié » ; [elɛktʀolit].

**ÉLECTROLYTIQUE, adj.**
Qui a les caractéristiques d'un électrolyte ; relatif à l'électrolyse : *Une cuve, un procédé* ***électrolytique***. 1838 ; ☞ *électrolyte* ; [elɛktʀolitik].

**ÉLECTROMAGNÉTIQUE, adj.**
Qui relève de l'électromagnétisme : *Force, induction, champ, onde* ***électromagnétique***. 1781 ; ☞ *magnétique* + *électro-* ; [elɛktʀomaɲetik].

**ÉLECTROMAGNÉTISME, subst. m.**
Branche de la physique qui a pour objet les relations entre l'électricité et le magnétisme, phénomènes que l'on croyait distincts encore au début du XIX^e s., mais qui ont été unifiés par l'hypothèse d'Ampère (1820), qui rapporte toute force magnétique à l'action de charges électriques en mouvement. Les travaux de Maxwell (1862-1873) sur le champ électromagnétique en ont fourni le premier cadre théorique cohérent. 1781 ; ☞ *magnétisme* + *électro-* ; [elɛktʀomaɲetism].

**ÉLECTROMÉCANICIEN, IENNE, subst.**
Spécialiste de l'électromécanique. 1828 ; ☞ *mécanicien* + *électro-* ; [elɛktʀomekanisjɛ̃, jɛn].

**ÉLECTROMÉCANIQUE, adj. et subst. f.**
**Adj.** Qualifie un dispositif associant des composants mécaniques et électriques. **Subst.** Technique mettant en œuvre les applications de l'électricité à la mécanique. 1894 ; ☞ *mécanique* + *électro-* ; [elɛktʀomekanik].

**ÉLECTROMÉNAGER, adj. m. et subst. m.**
**Adj.** Se dit des appareils à usage ménager fonctionnant à l'électricité (réfrigérateur, aspirateur, lave-linge, etc.). **Subst.** *L'****électroménager*** : l'ensemble de ces appareils ; leur industrie ; leur commerce. 1949 ; ☞ *ménager* (II) + *électro-* ; [elɛktʀomenaʒe].

**ÉLECTROMÉTALLURGIE, subst. f.**
Application à la métallurgie des propriétés thermiques et électrolytiques de l'électricité. 1870 ; ☞ *métallurgie* + *électro-* ; [elɛktʀometalyʀʒi].

**ÉLECTROMÈTRE, subst. m.**
*Phys.* Instrument de mesure des différences de potentiel (synon. *voltmètre* ***électrostatique***). 1749 ; formé de *électro-* et de *-mètre*[1] ; [elɛktʀomɛtʀ].

**ÉLECTROMÉTRIE, subst. f.**
*Phys.* Mesure des différences de potentiel et, par ext., des diverses grandeurs électriques (charges, intensités). 1845 ; formé de *électro-* et de *-métrie* ; [elɛktʀometʀi].

**ÉLECTROMOTEUR, TRICE, adj.**
*Phys.* Qui produit de l'électricité (vieilli) : *Force* ***électromotrice*** (abrév. : f. é. m.), grandeur caractéristique d'un élément de circuit (pile, dynamo, moteur, etc.) qui peut maintenir une tension électrique entre ses bornes en l'absence de courant ou entretenir un courant électrique en circuit fermé (élément actif). Cette force se mesure en volts, comme les différences de potentiel. 1801 ; formé de *électro-* et de *-moteur* ; [elɛktʀomɔtœʀ, tʀis].

**ÉLECTROMYOGRAPHIE, subst. f.**
*Physiol.* Enregistrement des courants électriques qui accompagnent la contraction musculaire. V. 1960 ; ☞ *myographie* + *électro-* ; [elɛktʀomjɔgʀafi].

**ÉLECTRON, subst. m.**
*Phys.* Particule élémentaire, de masse (au repos) $m_e = 9{,}109 \cdot 10^{-31}$ kg et de charge électrique négative $e = 1{,}602 \cdot 10^{-19}$ C, classée comme un lepton (spin demi-entier et insensibilité à l'interaction faible). Son antiparticule est le positron. 1902 ; angl. *electron*, de *electric* et de *anion* ; [elɛktʀɔ̃].

PHYSIQUE – Détecté à l'origine dans les rayons cathodiques, l'électron est alors conçu comme un corpuscule en orbite autour du noyau atomique, modèle planétaire simple et intuitif, mais contradictoire et n'expliquant pas certains comportements atypiques. La mécanique quantique lui fournira un premier cadre théorique satisfaisant et lui associera une fonction d'onde Ψ, décrivant statistiquement son comportement spatio-temporel, et des nombres à valeurs discrètes (trois nombres quantiques pour la configuration orbitale et, plus tard, un nombre de spin) caractéristiques de chacun de ses états. Ces concepts formels et probabilistes, fondateurs de la physique du XX^e s., d'interprétation difficile mais présentant une remarquable légitimité expérimentale, seront généralisés à l'ensemble du monde microphysique et affinés par la théorie quantique des champs, puis par la théorie des jauges. Constituant essentiel de la matière et vecteur principal de la conduction électrique, l'électron est le support de nombreuses techniques (électronique, informatique, etc.), et ses applications dérivées sont légion (microscope électronique, à effet tunnel, etc.).

**ÉLECTRONÉGATIF, IVE, adj.**
*Chim.* Qualifie un atome, ou un groupe d'atomes, dans une molécule, qui présente une grande aptitude à attirer vers lui les électrons du reste de la molécule, tel l'oxygène. 1813 ; ☞ *négatif* + *électro-* ; [elɛktʀonegatif, iv].

**ÉLECTRONICIEN, IENNE, subst.**
Spécialiste de l'électronique. 1955 ; ☞ *électronique* ; [elɛktʀɔnisjɛ̃, jɛn].

**ÉLECTRONIQUE, adj. et subst. f.**
**Adj. 1.** Relatif à l'électron : *Nuage* ***électronique***. **2.** Qui utilise les applications de l'électronique : *Annuaire* ***électronique*** ; *Musique* ***électronique*** ; *Microscope* ***électronique***. **Subst.** Branche de la physique étudiant les électrons libres (dans le vide, dans un conducteur, dans un semi-conducteur, etc.), qui sont, le plus souvent, véhicules d'information. 1903 ; angl. *electronic* ; [elɛktʀɔnik].

PHYSIQUE – La découverte par Hertz (1888) de la propagation et de la détection de l'énergie électromagnétique marque sans doute les débuts historiques de l'électronique. Le développement de la diode (Fleming, 1903), du cristal détecteur (Pickard, 1906) et, plus tard, des tubes électroniques (triode, pentode, etc.) accélère son évolution et concourt à l'explosion de la radiocommunication. Après la Seconde Guerre mondiale, la découverte et l'étude des dispositifs solides semi-conducteurs (jonction et transistor ; Bardeen, Brattain, Shockley, 1948) constituent un tournant décisif. Depuis lors, les progrès conjoints de la physique du solide et de la microélectronique permettent à cette discipline et à ses applications de pénétrer chaque jour un peu plus dans l'ensemble des activités humaines et d'accompagner, notamment, le développement exponentiel de l'informatique.

**ÉLECTRONIQUEMENT, adv.**
Par des procédés électroniques. 1936 ; ☞ *électronique* ; [elɛktʀɔnikmɑ̃].

**ÉLECTRONUCLÉAIRE, adj. et subst. m.**
*Phys. nucl.* **Adj.** Relatif à l'électricité produite à l'aide de l'énergie nucléaire. **Subst.** Ensemble des techniques mises en jeu dans la production de l'électricité d'origine **électronucléaire**. V. 1960 ; ☞ *nucléaire* + *électro-* ; [elɛktʀonykleɛʀ].

**ÉLECTRONVOLT, subst. m.**
*Phys.* Unité d'énergie (symb. : eV), utilisée en microphysique, correspondant à l'énergie acquise par un électron accéléré dans le vide par une différence de potentiel de 1 volt, et valant approximativement $1{,}6 \cdot 10^{-19}$ joule. 1938 ; formé de *électron* et de *volt* ; [elɛktʀɔ̃vɔlt].

**ÉLECTROPHONE, subst. m.**
Appareil restituant, à travers un haut-parleur, les sons gravés sur un disque microsillon. 1935 (1890, récepteur téléphonique amplificateur) ; formé de *électro-* et de *-phone* ; [elɛktʀofɔn].

**ÉLECTROPHORÈSE, subst. f.**
*Chim.* et *Phys.* Migration de micelles (particules colloïdales, composées de nombreuses molécules identiques) ou de grandes molécules en suspension dans un solvant dans lequel plongent deux électrodes, lorsqu'on établit entre ces dernières une différence de potentiel. 1923 ; gr. *phorêsis*, « action de porter », + *électro-* ; [elɛktʀofɔʀɛz].

**ÉLECTROPHYSIOLOGIE, subst. f.**
*Physiol.* Étude des courants électriques produits par les tissus vivants (fibres nerveuses et musculaires, en partic.). 1852 ; ☞ *physiologie* + *électro-* ; [elɛktʀofizjɔlɔʒi].

**ÉLECTROPOSITIF, IVE, adj.**
*Chim.* Qualifie, dans une molécule, un atome ou un groupe d'atomes qui n'attire que peu vers lui les électrons du reste de la molécule : *Le sodium est* ***électropositif***. 1834 ; ☞ *positif* + *électro-* ; [elɛktʀopozitif, iv].

**ÉLECTRORADIOLOGIE, subst. f.**
*Méd.* Ensemble des applications de l'électricité et de la radiologie, utilisées pour l'établissement du diagnostic comme pour la thérapie. 1945 ; ☞ *radiologie* + *électro-* ; [elɛktʀoʀadjɔlɔʒi].

**ÉLECTRORÉTINOGRAMME, subst. m.**
*Méd.* Tracé reproduisant les variations du potentiel électrique de la rétine, obtenu sous stimulation lumineuse. V. 1960 ; ☞ *rétine* + *électro-* et *-gramme* ; [elɛktʀoʀetinɔgʀam].

**ÉLECTROSCOPE, subst. m.**
*Phys.* Appareil de mesure des charges électriques dont le principe repose sur la répulsion électrostatique de deux feuilles métalliques très légères. 1753 ; formé de *électro-* et de *-scope* ; [elɛktʀɔskɔp].

**ÉLECTROSTATIQUE, adj. et subst. f.**
*Phys.* **Adj.** Relatif à l'électricité statique ou qui l'utilise. **Subst.** Branche de la physique qui étudie les phénomènes engendrés par des charges électriques immobiles. Elle repose sur une loi fondamentale établie par Coulomb en 1785 : deux charges électriques Q et Q' immobiles s'attirent (si elles sont de signes contraires) ou se repoussent (si elles sont de même signe) avec une force F dont l'intensité est proportionnelle au produit des charges et inversement proportionnelle au carré de leur distance *r*, ce qui s'écrit $F = kQQ'/r^2$ (*k* étant un coefficient caractérisant le milieu dans lequel sont placées les charges). 1834 ; ☞ *statique* + *électro-* ; [elɛktʀostatik].

**ÉLECTROTECHNICIEN, IENNE, subst.**
Spécialiste de l'électrotechnique. 1948 ; ☞ *technicien* + *électro-* ; [elɛktʀotɛknisjɛ̃, jɛn].

**ÉLECTROTECHNIQUE, adj. et subst. f.**
**Adj.** Relatif aux applications techniques de l'énergie électrique. **Subst.** Étude des utilisations pratiques de l'électricité. 1907 ; ☞ *technique* + *électro-* ; [elɛktʀotɛknik].

**ÉLECTROTHÉRAPIE, subst. f.**
*Méd.* Utilisation du courant électrique dans le traitement de certaines affections. ⌘ 1857 ; formé de *électro-* et de *-thérapie* ; [elɛktʀoteʀapi].

**ÉLECTROTHERMIE, subst. f.**
*Phys.* Science appliquée dont l'objet est l'étude des transformations de l'énergie électrique en chaleur. ⌘ 1870 ; formé de *électro-* et de *-thermie* ; [elɛktʀotɛʀmi].

**ÉLECTROVALENCE, subst. f.**
*Chim.* Nombre de charges portées par un ion. ⌘ 1936 ; ☞ *valence* (II) + *électro-* ; [elɛktʀovalɑ̃s].

**ÉLECTROVANNE, subst. f.**
*Techn.* Vanne commandée par un électro-aimant. ⌘ V. 1970 ; ☞ *vanne* (I) + *électro-* ; [elɛktʀovan].

**ÉLECTRUM, subst. m.**
Alliage naturel d'or et d'argent, dont la couleur rappelle celle de l'ambre. ⌘ Fin XII^e s. ; lat. *electrum*, du gr. *êlektron*, « ambre » ; [elɛktʀɔm].

**ÉLECTUAIRE, subst. m.**
*Pharm.* Pâte constituée de poudres (d'origine végétale ou minérale) mélangées à du sirop, à du miel (vieilli). ⌘ Fin XIII^e s. ; lat. *electuarium* ; [elɛktɥɛʀ].

**ÉLÉGAMMENT, adv.**
Avec élégance. ⌘ Mil. XIV^e s. ; ☞ *élégant* ; [elegamɑ̃].

**ÉLÉGANCE, subst. f.**
**1.** Alliance de grâce, de pureté et d'harmonie dans une forme, un mouvement : *Élégance d'un temple grec.* **2.** Ext. Raffinement, bon goût, dans l'habillement ou les manières. **3.** Sobriété, distinction et aisance du style : *L'élégance chez Racine* ; par anal. : *L'élégance d'une démonstration.* **4.** Délicatesse morale, tact : *Accepter sa défaite avec élégance.* ⌘ Fin XIV^e s. ; lat. *elegantia*, « goût ; distinction ; délicatesse » ; [elegɑ̃s].

**ÉLÉGANT, ANTE, adj. et subst.**
Adj. Qui a de l'élégance : *Demeure élégante* ; *Style élégant.* ▸ Où règne l'élégance : *Dîner élégant.* ▸ Qui fait preuve d'élégance : *Ce n'est guère élégant de lui rappeler son âge.* Subst. Personne vêtue avec élégance (vieilli et souv. péj.). ⌘ XIV^e s. ; lat. *elegans*, « de bon goût, raffiné » ; [elegɑ̃, ɑ̃t].

**ÉLÉGIAQUE, adj.**
*Litt.* **1.** Relatif à l'élégie. **2.** Qui compose des élégies : *Des poètes élégiaques* ; empl. subst. : *Les élégiaques latins.* ⌘ 1480 ; bas lat. *elegiacus* ; [eleʒjak].

**ÉLÉGIE, subst. f.**
*Litt.* **1.** *Antiq.* Poème lyrique composé d'hexamètres et de pentamètres alternés. **2.** Poème de forme libre, à caractère mélancolique : *Les élégies de Ronsard.* ⌘ Fin XV^e s. ; lat. *elegia*, du gr. *elegeia* ; [eleʒi].

**ÉLÉIS, subst. m.**
*Bot.* Palmier de la famille des Arécacées, dont les fruits et les graines fournissent de l'huile. ⌘ 1777 ; gr. *elaïeeis*, « huileux » ; var. *élæis* ; [eleis].

**ÉLÉMENT, subst. m.**
**I. 1.** Chacune des substances premières (terre, air, eau, feu) qui, pour les Anciens, composaient l'Univers. **2.** Milieu naturel d'un être (par ex. l'eau pour les poissons). ▸ Loc. *Être dans son élément* : dans une situation, une activité familière. **3.** *Chim.* Famille d'atomes possédant le même nombre Z de protons (ce nombre est appelé numéro atomique), mais dont le noyau peut présenter une configuration neutronique, donc une masse, différente : *Classification périodique des éléments* ; $^{12}C$ *et* $^{14}C$ *sont deux atomes isotopiques distincts du même élément carbone C.* Plur. Ensemble des forces naturelles (littér.) : *Affronter seul les éléments déchaînés.* **II. 1.** Entité entrant dans la composition, l'assemblage de qqch. : *Éléments d'un meuble.* **2.** Facteur, paramètre, donnée : *Éléments d'une théorie* ; au plur., principes fondamentaux d'une connaissance (vieilli) : *Éléments de géométrie.* **3.** Individu dans un groupe : *Cet enfant est un bon élément.* **4.** *Math. Élément d'un ensemble* : notion primitive des mathématiques désignant un objet en tant que constitutif d'un certain ensemble, donc nécessairement lié par la relation d'appartenance à cet ensemble. ⌘ 881 ; lat. *elementum* ; [elemɑ̃].

**ÉLÉMENTAIRE, adj.**
**1.** Vx. De la nature de l'un des quatre éléments. **2.** Qualifie les principes de base d'une connaissance : *Notions élémentaires indispensables.* ▸ *Cours élémentaire* : qui succède au cours préparatoire, à l'école primaire. **3.** Réduit au minimum, de base : *Besoins élémentaires* ; par ext. : *C'est élémentaire,* c'est très simple, facile à comprendre. **4.** *Phys. part.* Qualifie douze particules irréductibles, dont l'assemblage permet de reconstituer toutes les particules qui composent la matière. On distingue actuellement 6 leptons (l'électron, le muon, le tau et les 3 neutrinos qui leur correspondent) et 6 quarks, auxquels on ajoute parfois les 12 antiparticules associées qui constituent l'antimatière. ⌘ Fin XIV^e s. ; bas lat. *elementarius* ; [elemɑ̃tɛʀ].

**ÉLÉPHANT, ANTE, subst.**
Masc. **1.** *Zool.* Grand mammifère ongulé de l'ordre des Proboscidiens, caractérisé notamment par le développement de ses incisives supérieures (défenses) et par sa trompe, organe mobile à la fois respiratoire, préhensile et olfactif. Les **éléphants** d'Afrique se distinguent des **éléphants** d'Asie par leur taille et leurs grandes oreilles, et comprennent l'**éléphant** des savanes (le plus imposant des mammifères terrestres : 3,70 m au garrot pour 5 à 6 t) et l'**éléphant** des forêts. ▸ Anal. *Éléphant de mer* : phoque à trompe. **2.** Fig. Personne très corpulente, à la démarche pesante. ▸ Loc. *Une mémoire d'éléphant* : excellente ; *Un éléphant dans*

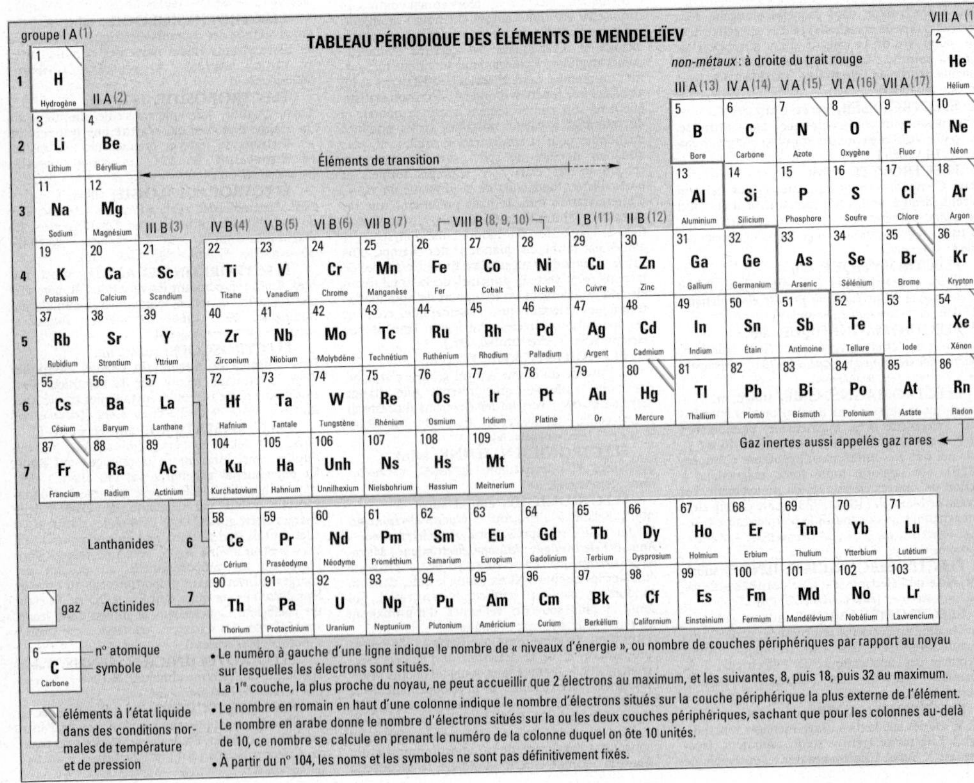

**TABLEAU PÉRIODIQUE DES ÉLÉMENTS DE MENDELEÏEV**

*non-métaux* : à droite du trait rouge

| | groupe I A (1) | II A (2) | III B (3) | IV B (4) | V B (5) | VI B (6) | VII B (7) | VIII B (8, 9, 10) | | | I B (11) | II B (12) | III A (13) | IV A (14) | V A (15) | VI A (16) | VII A (17) | VIII A (18) |
|---|---|---|---|---|---|---|---|---|---|---|---|---|---|---|---|---|---|---|
| 1 | 1 H Hydrogène | | | | | | | | | | | | | | | | | 2 He Hélium |
| 2 | 3 Li Lithium | 4 Be Béryllium | | | | | | | | | | | 5 B Bore | 6 C Carbone | 7 N Azote | 8 O Oxygène | 9 F Fluor | 10 Ne Néon |
| 3 | 11 Na Sodium | 12 Mg Magnésium | | | | | | | | | | | 13 Al Aluminium | 14 Si Silicium | 15 P Phosphore | 16 S Soufre | 17 Cl Chlore | 18 Ar Argon |
| 4 | 19 K Potassium | 20 Ca Calcium | 21 Sc Scandium | 22 Ti Titane | 23 V Vanadium | 24 Cr Chrome | 25 Mn Manganèse | 26 Fe Fer | 27 Co Cobalt | 28 Ni Nickel | 29 Cu Cuivre | 30 Zn Zinc | 31 Ga Gallium | 32 Ge Germanium | 33 As Arsenic | 34 Se Sélénium | 35 Br Brome | 36 Kr Krypton |
| 5 | 37 Rb Rubidium | 38 Sr Strontium | 39 Y Yttrium | 40 Zr Zirconium | 41 Nb Niobium | 42 Mo Molybdène | 43 Tc Technétium | 44 Ru Ruthénium | 45 Rh Rhodium | 46 Pd Palladium | 47 Ag Argent | 48 Cd Cadmium | 49 In Indium | 50 Sn Étain | 51 Sb Antimoine | 52 Te Tellure | 53 I Iode | 54 Xe Xénon |
| 6 | 55 Cs Césium | 56 Ba Baryum | 57 La Lanthane | 72 Hf Hafnium | 73 Ta Tantale | 74 W Tungstène | 75 Re Rhénium | 76 Os Osmium | 77 Ir Iridium | 78 Pt Platine | 79 Au Or | 80 Hg Mercure | 81 Tl Thallium | 82 Pb Plomb | 83 Bi Bismuth | 84 Po Polonium | 85 At Astate | 86 Rn Radon |
| 7 | 87 Fr Francium | 88 Ra Radium | 89 Ac Actinium | 104 Ku Kurchatovium | 105 Ha Hahnium | 106 Unh Unnilhexium | 107 Ns Nielsbohrium | 108 Hs Hassium | 109 Mt Meitnerium | | | | | | | | | |

Éléments de transition

Gaz inertes aussi appelés gaz rares

| | | | | | | | | | | | | | | | |
|---|---|---|---|---|---|---|---|---|---|---|---|---|---|---|---|
| Lanthanides 6 | 58 Ce Cérium | 59 Pr Praséodyme | 60 Nd Néodyme | 61 Pm Prométhium | 62 Sm Samarium | 63 Eu Europium | 64 Gd Gadolinium | 65 Tb Terbium | 66 Dy Dysprosium | 67 Ho Holmium | 68 Er Erbium | 69 Tm Thulium | 70 Yb Ytterbium | 71 Lu Lutétium |
| Actinides 7 | 90 Th Thorium | 91 Pa Protactinium | 92 U Uranium | 93 Np Neptunium | 94 Pu Plutonium | 95 Am Américium | 96 Cm Curium | 97 Bk Berkélium | 98 Cf Californium | 99 Es Einsteinium | 100 Fm Fermium | 101 Md Mendélévium | 102 No Nobélium | 103 Lr Lawrencium |

gaz

6 C Carbone — n° atomique — symbole

éléments à l'état liquide dans des conditions normales de température et de pression

- Le numéro à gauche d'une ligne indique le nombre de « niveaux d'énergie », ou nombre de couches périphériques par rapport au noyau sur lesquelles les électrons sont situés.
  La 1^re couche, la plus proche du noyau, ne peut accueillir que 2 électrons au maximum, et les suivantes, 8, puis 18, puis 32 au maximum.
- Le nombre en romain en haut d'une colonne indique le nombre d'électrons situés sur la couche périphérique la plus externe de l'élément. Le nombre en arabe donne le nombre d'électrons situés sur la ou les deux couches périphériques, sachant que pour les colonnes au-delà de 10, ce nombre se calcule en prenant le numéro de la colonne duquel on ôte 10 unités.
- À partir du n° 104, les noms et les symboles ne sont pas définitivement fixés.

© A. Rainon-Explorer

*Cornac dirigeant le travail d'un **éléphant** (Sri Lanka).*

*un magasin de porcelaines* : un maladroit ; *Pantalon à pattes d'**éléphant*** : dont le bas des jambes est évasé. **Fém.** **Éléphant** femelle. 📖 1121 ; lat. *elephantus*, du gr. *elephas* ; [elefɑ̃].

**ÉLÉPHANTEAU, subst. m.**
Jeune éléphant. 📖 XVI^e s. ; ☞ *éléphant* ; [elefɑ̃to].

**ÉLÉPHANTESQUE, adj.**
Gigantesque, d'une grosseur monstrueuse (fam.). 📖 1890 ; ☞ *éléphant* ; [elefɑ̃tɛsk].

**ÉLÉPHANTIASIQUE, adj.**
Relatif à l'éléphantiasis ; qui en souffre ; empl. subst., personne atteinte d'éléphantiasis. 📖 1808 ; ☞ *éléphantiasis* ; [elefɑ̃tjazik].

**ÉLÉPHANTIASIS, subst. m.**
*Pathol.* Augmentation du volume d'un membre ou d'une partie du corps, provoquée par un œdème chronique des téguments et accompagnée d'un épaississement de la peau. 📖 1538 ; bas lat. *elephantiasis*, du gr. *elephantiasis*, sorte de lèpre ; [elefɑ̃tjazis].

**ÉLÉPHANTIN, INE, adj.**
Relatif, propre à l'éléphant ; qui évoque l'éléphant. 📖 1256 ; ☞ *éléphant* ; [elefɑ̃tɛ̃, in].

**ÉLEVAGE, subst. m.**
**1.** Ensemble des techniques permettant de faire naître, croître et se reproduire des animaux domestiques ou utiles, à des fins économiques : ***Élevage** extensif des ovins, des bovins* ; ***Élevage** de vers à soie* ; *Une région d'**élevage***. **2.** Méton. Ensemble des animaux d'une même espèce que l'on élève : *Un **élevage** de chevaux, de truites* ; lieu de l'**élevage**. **3.** Œnol. Ensemble des soins pris pour faire vieillir le vin. 📖 1836 ; ☞ *élever* ; [el(ə)vaʒ].

**ÉLÉVATEUR, TRICE, adj. et subst. m.**
**1.** *Anat.* Se dit d'un muscle qui permet d'élever une partie du corps : *L'**élévateur** de la paupière*. **2.** *Techn.* Se dit d'un appareil, d'une machine qui sert à lever, à transporter des charges : *Chariot **élévateur***. ▸ Anal. ***Élévateur** de tension, de pression* : appareil utilisé pour augmenter la tension électrique, la pression d'un fluide. 📖 Déb. XIX^e s. (fin XVI^e s., celui qui fait lever les armes) ; ☞ *élever* ; [elevatœʀ, tʀis].

**ÉLÉVATION, subst. f.**
**1.** Action d'élever, de porter plus haut, de dresser ; fait de s'élever : ***Élévation** d'un monument* ; ***Élévation** du niveau de la mer*. ▸ *Liturg.* Moment de la messe, après la consécration, où le prêtre élève l'hostie puis le calice. **2.** Ext. Terrain dominant les environs ; éminence. **3.** Action d'atteindre un niveau supérieur : *L'**élévation** des prix* ; au fig. : ***Élévation** sociale*. **4.** *Spéc.* ▸ *Archit.* Représentation d'une face verticale d'un objet. ▸ *Astron.* ***Élévation** du pôle* : angle que forme avec l'horizon la ligne reliant un point du sol au pôle céleste visible. ▸ *Math.* Action d'élever un nombre à une puissance (au carré, au cube, etc.). 📖 1290 ; bas lat. *elevatio* ; [elevasjɔ̃].

**ÉLÉVATOIRE, adj.**
*Techn.* Qui sert à élever. 📖 1561 ; ☞ *élever* ; [elevatwaʀ].

**ÉLÈVE, subst.**
**1.** Personne qui reçoit l'enseignement d'un maître ; disciple. **2.** Personne qui suit un enseignement dans un établissement scolaire. **3.** *Spéc.* ▸ *Agric.* Animal qui est né et a grandi chez un éleveur. ▸ *Hortic.* Arbre ou plante que l'on fait croître avec soin. 📖 1653 ; ☞ *élever* ; [elɛv].

**ÉLEVÉ, ÉE, adj.**
**1.** Haut ; situé en hauteur : *Montagne **élevée*** ; *Étage **élevé***. **2.** Supérieur à la moyenne : *Température, prix **élevés***. **3.** Moralement noble ou intellectuellement soutenu : *Une conversation **élevée***. ▸ Loc. *Être bien, mal **élevé*** : avoir reçu une bonne, une mauvaise éducation. 📖 XII^e s. ; p. p. de *élever* ; [el(ə)ve].

**ÉLEVER, verbe trans.** [10]
**1.** Porter plus haut ; rehausser : *La pluie a **élevé** le niveau de l'eau*. **2.** Dresser ; construire : ***Élever** une statue, un mur*. **3.** Augmenter l'intensité, la valeur de : ***Élever** la voix*. **4.** Formuler, faire connaître (un avis gén. divergent) : ***Élever** un doute, une protestation*. **5.** Assurer le développement moral et physique de (un enfant) ; par anal. : ***Élever** un animal*. **6.** Fig. Porter plus haut dans l'ordre social, moral ou intellectuel : *Ces lectures **élèvent** l'âme* ; ***Élever** qqn au trône*. **7.** *Géom.* ***Élever** une perpendiculaire à une droite* : tracer cette perpendiculaire. **8.** *Math.* ***Élever** un nombre à la puissance n* ($n \in \mathbb{N}$) : remplacer ce nombre par sa puissance *n*-ième (☞ *puissance, exponentielle*). **Pronom.** **1.** Monter ; se dresser : *Les fumées **s'élèvent** au-dessus des toits*. **2.** Augmenter en valeur, en intensité : *La température **s'élève** dangereusement*. ▸ Atteindre : *L'addition **s'élève** à cent vingt francs*. **3.** Se faire entendre : *Des vivats **s'élevèrent** de la salle*. ▸ Loc. ***S'élever** contre qqn, qqch.* : s'y opposer ouvertement. **4.** Fig. Atteindre un rang, un niveau supérieur : ***S'élever** dans la hiérarchie sociale*. 📖 XII^e s. ; ☞ *lever* (I) + *é-*[1] ; [el(ə)ve].

**ÉLEVEUR, EUSE, subst.**
**1.** Personne qui élève des animaux. **2.** Personne spécialisée dans l'élevage du vin. **Fém.** Équipement destiné à fournir de la chaleur aux poussins ; couveuse. 📖 1611 (XII^e s., celui qui élève, qui relève) ; ☞ *élever* ; [el(ə)vœʀ, øz].

**ELFE, subst. m.**
Génie aérien de la mythologie scandinave. 📖 1561 ; anc. suédois *älf* ; [ɛlf].

**ÉLIDER, verbe trans.** [3]
Procéder à l'élision de (une voyelle). 📖 1548 ; lat. *elidere*, « expulser ; supprimer (des lettres) » ; [elide].

**ÉLIGIBILITÉ, subst. f.**
Aptitude juridique à être élu. 📖 1721 ; ☞ *éligible* ; [eliʒibilite].

**ÉLIGIBLE, adj.**
Qui peut être élu. 📖 1444 ; bas lat. *eligibilis* ; [eliʒibl].

**ÉLIMER, verbe trans.** [3]
User (une étoffe) à force de l'utiliser ; empl. adj. : *Une veste tout **élimée***. 📖 1580 (1225, polir) ; lat. *elimare*, « limer » ; [elime].

**ÉLIMINATEUR, TRICE, adj.**
Qui permet d'éliminer : *La fonction **éliminatrice** du rein*. 📖 1856 ; ☞ *éliminer* ; [eliminatœʀ, tʀis].

**ÉLIMINATION, subst. f.**
**1.** *Math.* Technique de résolution d'un système d'équations à plusieurs inconnues consistant à exprimer une des inconnues en fonction des autres pour en réduire le nombre. **2.** Action d'éliminer ; fait d'être éliminé. ▸ *Sp.* Fait d'être mis hors compétition. ▸ Loc. *Procéder par **élimination*** : rejeter successivement plusieurs options avant de retenir la plus satisfaisante. **3.** *Physiol.* Action d'éliminer, excrétion. 📖 1765 ; ☞ *éliminer* ; [eliminasjɔ̃].

**ÉLIMINATOIRE, adj. et subst. f.**
**Adj.** Qui sert à éliminer, à sélectionner des candidats, des concurrents : *Épreuve **éliminatoire*** ; *Note **éliminatoire***, en dessous de laquelle un candidat, quels que soient ses résultats dans les autres matières, est éliminé. **Subst.** *Sp.* Épreuve qui sert à sélectionner les concurrents (gén. au plur.). 📖 1875 (1836, qui permet l'élimination physiologique) ; ☞ *éliminer* ; [eliminatwaʀ].

**ÉLIMINER, verbe trans.** [3]
**1.** Faire disparaître, supprimer (ce qui est tenu pour gênant) ; écarter (qqn, qqch.) d'un groupe : ***Éliminer** tous les obstacles* ; ***Éliminer** un nom sur une liste*. **2.** *Math.* Réduire (le nombre d'inconnues) dans un système d'équations. **3.** *Physiol.* Rejeter hors du corps (les substances nocives tels les déchets, les toxines). 📖 1495 ; lat. *eliminare*, « faire sortir » ; [elimine].

**ÉLINGUE, subst. f.**
*Mar.* Câble servant à hisser un fardeau. 📖 1322 (fin XII^e s., fronde) ; anc. bas frq. °*slinga*, « fronde », + *é-*[1] ; [elɛ̃g].

**ÉLINGUER, verbe trans.** [3]
*Mar.* Entourer (un fardeau) d'une élingue. 📖 1771 (XIV^e s., lancer avec une fronde) ; ☞ *élingue* ; [elɛ̃ge].

**ÉLIRE, verbe trans.** [66]
**1.** Vx. Choisir. ▸ ***Élire** domicile* : s'établir dans tel lieu d'habitation. **2.** Désigner à une fonction par une élection : ***Élire** ses représentants, un député*. 📖 Fin XI^e s. ; lat. pop. °*exlegere*, du lat. *eligere*, « choisir » ; [eliʀ].

**ÉLISABÉTHAIN, AINE, adj.**
Relatif au règne d'Élisabeth I^re d'Angleterre (1558-1603) : *La musique et le théâtre **élisabéthains***. 📖 1922 ; angl. *elizabethan* ; [elizabetɛ̃, ɛn].

**ÉLISION, subst. f.**
*Ling.* Suppression, dans la prononciation ou l'écriture, de la voyelle finale d'un mot précédant un autre mot commençant par une voyelle ou par un *h* muet, représentée par le signe graphique apostrophe (par ex. : « qu'ils », « s'aimer », « d'honneur »). 📖 1548 ; lat. *elisio*, de *elidere*, « supprimer » ; [elizjɔ̃].

**ÉLITAIRE, adj.**
D'une élite (rare). 📖 V. 1970 ; ☞ *élite* ; [elitɛʀ].

**ÉLITE, subst. f.**
**1.** Ensemble de personnes tenues pour être les meilleures dans une société, une discipline. ▸ Loc. **D'élite.** De qualité supérieure, hors du commun : *Tireur d'**élite***. **2.** Helv. Troupe armée composée des classes d'âge de vingt à trente-deux ans. **Plur.** *Les **élites*** : personnes qui tiennent le premier rang dans une société, dans une discipline. 📖 Fin XIV^e s. (1176, choix) ; *eslit*, anc. p. p. de *élire* ; [elit].

**ÉLITISME, subst. m.**
Système qui privilégie la formation et la sélection d'un groupe restreint de personnes au détriment du plus grand nombre. 📖 V. 1970 ; ☞ *élite* ; [elitism].

**ÉLITISTE, adj.**
Qui exprime ou favorise l'élitisme : *Enseignement **élitiste*** ; empl. subst., partisan de l'élitisme. 📖 V. 1970 ; ☞ *élitisme* ; [elitist].

**ÉLIXIR, subst. m.**
**1.** Vx. Substance la plus pure extraite d'un corps ; au fig., quintessence. **2.** *Pharm.* Médicament liquide à base d'alcool et de sirop : ***Élixir** parégorique*. **3.** Anal. ▸ Philtre magique. ▸ Liqueur à base de plantes et d'alcool. 📖 Fin XIII^e s. ; lat. médiév. *elixir*, de l'ar. *al-iksīr*, « la pierre philosophale » ; [eliksiʀ].

**ELLE, ELLES, pron. pers. f.**
Pronom personnel féminin de la troisième personne du singulier ou du pluriel. **1.** Peut être sujet : ***Elle** rit, **elles** pleurent* ; ou complément : *Ce livre est à **elle***. **2.** Peut être mis en apposition, pour insister sur l'idée de la chose ou de la personne : *Ta mère, **elle** a été heureuse*. **3.** Ce dont on parle, cette histoire (fam.) : ***Elle** est forte, celle-là !* 📖 X^e s. ; lat. *illa* ; [ɛl].

**ELLÉBORE, subst. m.**
*Bot.* Plante herbacée de la famille des Renonculacées, à racine toxique et purgative, qui passait autrefois pour guérir la folie. 📖 Mil. XIII^e s. ; lat. *elleborus*, du gr. *helleboros* ; var. *hellébore* ; [ɛlebɔʀ].

**ELLIPSE, subst. f.**
**1.** *Rhét.* Figure consistant à omettre un ou plusieurs mots d'un énoncé sans en altérer le sens. **2.** Ext. Raccourci, sous-entendu dans l'expression. **3.** *Géom.* Courbe plane fermée, conique particulière. C'est l'ensemble des points M dont la somme des distances à deux points fixes F et F' (les foyers) est constante. 📖 1573 ; lat. *ellipsis*, du gr. *elleipsis*, « manqué » ; [elips].

**ELLIPSOÏDAL, ALE, AUX, adj.**
Qui a la forme d'un ellipsoïde. 📖 1845 ; ☞ *ellipsoïde* ; [elipsɔidal, o].

**ELLIPSOÏDE, adj. et subst. m.**
*Géom.* **Adj.** Qui a la forme d'une ellipse. **Subst.** Surface dont les sections planes sont des ellipses. ▸ ***Ellipsoïde** de révolution* : surface engendrée par la rotation d'une ellipse autour d'un de ses axes. 📖 1705 ; ☞ *ellipse* + *-oïde* ; [elipsɔid].

**ELLIPTIQUE, adj.**
**1.** *Géom.* Qui a la forme d'une ellipse. **2.** *Rhét.* Qui renferme une ellipse ; par ext., allusif. 📖 1655 ; gr. *elleiptikos* ; [eliptik].

**ÉLOCUTION, subst. f.**
Manière d'exprimer sa pensée par la parole ; façon d'articuler les sons d'une langue : *Une **élocution** lente et pénible*. 📖 Déb. XV^e s. ; lat. *elocutio* ; [elɔkysjɔ̃].

**ÉLODÉE, subst. f.**
*Bot.* Plante de la famille des Hydrocharidacées, ori-

ginaire d'Amérique du Nord et qui apparut en Europe en 1836. Elle se multiplie dans les canaux et dans les mares, d'où son autre nom de peste d'eau. 1829 ; gr. *helôdês*, « des marécages » ; var. *hélodée* ; [elɔde].

**ÉLOGE, subst. m.**
**1.** Discours à la gloire de qqn ou de qqch. : *« **Éloge** de la Folie », œuvre d'Érasme.* **2.** Ext. Jugement favorable, témoignage d'estime : *Faire l'**éloge** de qqn, de qqch.* Fin XVIe s. ; lat. *elogium*, « épitaphe », d'apr. le gr. *eulogia*, « louange » ; [elɔʒ].

**ÉLOGIEUSEMENT, adv.**
De manière élogieuse. 1876 ; ☞ *élogieux* ; [elɔʒjøzmɑ̃].

**ÉLOGIEUX, EUSE, adj.**
**1.** Qui couvre d'éloges : *Ami **élogieux**.* **2.** Qui contient des éloges : *Paroles **élogieuses**.* 1836 ; ☞ *éloge* ; [elɔʒjø, øz].

**ÉLOIGNÉ, ÉE, adj.**
**1.** Qui est loin dans l'espace ou dans le temps (passé ou futur) : *Pays **éloigné** ; Date **éloignée**.* **2.** *Parent **éloigné*** : avec qui les liens de parenté ne sont pas directs. **3.** Fig. Qui est différent ; qui diverge : *Portrait très **éloigné** de la réalité.* XIIIe s. ; p. p. de *éloigner* ; [elwaɲe].

**ÉLOIGNEMENT, subst. m.**
**1.** Action d'éloigner, de s'éloigner ; fait d'être éloigné. **2.** Distance entre deux choses, deux lieux ; intervalle de temps entre deux évènements. 1155 ; ☞ *éloigner* ; [elwaɲ(ə)mɑ̃].

**ÉLOIGNER, verbe trans.** [3]
**1.** Tenir à distance ; rejeter au loin : *Le feu **éloigne** les animaux.* **2.** Augmenter l'intervalle de temps séparant (qqn, qqch.) d'un évènement : *Les ans qui passent nous **éloignent** de l'enfance.* **3.** Fig. Détourner ; mettre à l'écart : *Tout ça nous **éloigne** de notre sujet.* PRONOM. **1.** Se porter au loin : *Le train s'**éloignait** de la gare ; Les cris s'**éloignaient**,* s'estompaient. **2.** Fig. Se détourner ; s'écarter. Mil. XIe s. ; ☞ *loin* + *é-*[1] ; [elwaɲe].

**ÉLONGATION, subst. f.**
**1.** *Astron.* Distance angulaire maximale, calculée à partir de la Terre, d'une planète au Soleil. **2.** *Pathol.* Étirement d'un muscle, d'un nerf, d'un ligament, etc., à la suite d'un accident, d'une opération. **3.** *Phys.* Écart algébrique (abscisse) d'un point animé d'un mouvement vibratoire autour de sa position d'équilibre. 1360 ; bas lat. *elongatio*, « éloignement » ; [elɔ̃gasjɔ̃].

**ÉLONGER, verbe trans.** [5]
**1.** Vx. Allonger. **2.** *Mar.* Dérouler (un cordage, un câble) pour le déployer sur toute sa longueur, étendre. Fin XIIe s. ; ☞ *long* + *é-*[1] ; [elɔ̃ʒe].

**ÉLOQUEMMENT, adv.**
Avec éloquence. XIVe s. ; ☞ *éloquent* ; [elɔkamɑ̃].

**ÉLOQUENCE, subst. f.**
**1.** Facilité à s'exprimer par la parole : *Une **éloquence** naturelle.* **2.** Art de persuader, d'émouvoir par le discours. **3.** Qualité de ce qui est expressif, révélateur, convaincant : *L'**éloquence** d'un regard.* Mil. XIIe s. ; lat. *eloquentia* ; [elɔkɑ̃s].

**ÉLOQUENT, ENTE, adj.**
**1.** Qui a de l'éloquence. **2.** Formulé avec éloquence. **3.** Expressif, probant : *Un regard, des résultats **éloquents**.* XIIIe s. ; lat. *eloquens* ; [elɔkɑ̃, ɑ̃t].

**ÉLU, ÉLUE, adj. et subst.**
ADJ. **1.** *Relig.* Choisi par Dieu : *Le peuple **élu***, les Hébreux. **2.** *Pol.* Qui a été désigné par élection : *Une assemblée **élue** au suffrage universel.* SUBST. **1.** *Relig.* Personne à qui Dieu accorde la félicité éternelle. **2.** Personne pour laquelle on ressent une affection particulière : *L'**élue** de mon cœur.* **3.** *Pol.* Personne désignée par élection : ***Élus** locaux.* **4.** *Hist.* Officier d'un pays d'élection chargé, sous l'Ancien Régime, de percevoir des impôts. XIIe s. ; p. p. de *élire* ; [ely].

**ÉLUCIDATION, subst. f.**
Action d'élucider ; son résultat. Fin XIVe s. ; ☞ *élucider* ; [elysidasjɔ̃].

**ÉLUCIDER, verbe trans.** [3]
Rendre clair (ce qui ne l'était pas) ; expliquer (ce qui était confus) : ***Élucider** un texte, un mystère.* 1480 ; bas lat. *elucidare* ; [elyside].

**ÉLUCUBRATION, subst. f.**
**1.** Vx. Ouvrage de l'esprit laborieusement exécuté à force de veilles. **2.** Péj. Propos ou écrit extravagant (gén. au plur.). 1594 ; bas lat. *elucubratio*, « travail de nuit » ; [elykybʀasjɔ̃].

1. *Détail de la plaque tombale en émail de Geoffroi Plantagenêt, comte d'Anjou (v. 1150). Musée de Tessé, Le Mans.*

2. *Pied de croix de l'abbaye Saint-Bertin, émail mosan (v. 1180). Musée de l'Hôtel-Sandelin, Saint-Omer.*

3. *Portrait en émail d'Henri d'Albret, roi de Navarre, réalisé par Léonard Limosin (v. 1505-1576).*

4. *Montre de gousset décorée d'un cadran en émail (v. 1769). Bonhams, Londres.*









**ÉMAUX**

**ÉLUCUBRER, verbe trans.** [3]
Produire (une élucubration). 1832 ; lat. *elucubrare*, « travailler en veillant assidûment » ; [elykybʀe].

**ÉLUDER, verbe trans.** [3]
Éviter avec adresse : ***Éluder** une question, une invitation.* 1426 ; lat. *eludere*, « se jouer de » ; [elyde].

**ÉLUSIF, IVE, adj.**
Qui élude : *Une réponse **élusive**.* 1801 ; lat. *elusus*, de *eludere*, « se jouer de » ; [elyzif, iv].

**ÉLUTION, subst. f.**
*Chim.* Remise en solution d'un corps adsorbé. Fin XIXe s. ; bas lat. *elutio*, « rinçage » ; [elysjɔ̃].

**ÉLUVIAL, ALE, AUX, adj.**
*Géol.* Qui se rapporte aux éluvions. 1927 ; lat. *eluvium*, « inondation » ; [elyvjal, o].

**ÉLUVION, subst. f.**
*Géol.* Résidu d'une roche désagrégée, demeuré sur place (anton. *alluvion*). V. 1960 ; ☞ *alluvion* + *é-*[1] ; [elyvjɔ̃].

**ÉLYSÉEN, ÉENNE, adj.**
**1.** *Myth.* Qui concerne l'Élysée, région des Enfers où séjournent les âmes vertueuses après la mort ; par ext., qualifie un lieu délicieux, paisible (littér.) : *Prairies **élyséennes**.* **2.** Relatif au palais de l'Élysée, résidence du président de la République française : *Fastes **élyséens**.* 1512 ; topon. *Élysée*, du lat. *Elysium*, du gr. *Êlusios* ; [elizeɛ̃, eɛn].

**ÉLYTRE, subst. m.**
*Zool.* Chacune des ailes antérieures plus ou moins dures des Coléoptères (hannetons, scarabées) ou des Orthoptères (sauterelles, criquets), qui protègent les ailes postérieures et restent fixes pendant le vol. 1764 ; gr. *elutron*, « étui » ; [elitʀ].

**ELZÉVIR, subst. m.**
**1.** Ouvrage imprimé en Hollande par la famille Elzévir (fin XVIe-fin XVIIe s.). **2.** Ext. *Typogr.* Caractère à empattements triangulaires, proche de celui qu'utilisaient les Elzévir. Fin XVIIe s. ; *Elzevir*, nom d'une famille d'imprimeurs hollandais ; [ɛlzeviʀ].

**ÉMACIATION, subst. f.**
*Pathol.* Amaigrissement extrême. 1564 ; ☞ *émacier* ; [emasjasjɔ̃].

**ÉMACIÉ, ÉE, adj.**
Extrêmement amaigri : *Traits **émaciés**.* 1560 ; p. p. de *émacier* ; [emasje].

**ÉMACIER, verbe trans.** [6]
Amaigrir à l'extrême ; empl. pronom. : *Son visage s'est **émacié**.* 1560 ; lat. *emaciare* ; [emasje].

**ÉMAIL, subst. m.**
**1.** Vernis opaque ou transparent, parfois coloré par des oxydes métalliques, que l'on applique par fusion sur différentes matières, à des fins décoratives ou de protection, et qui devient inaltérable une fois solidifié : *L'**émail** d'une porcelaine, d'une terre cuite ; Cuvette en **émail**,* recouverte d'une substance inoxydable, dite **émail** commun. **2.** Pièce d'orfèvrerie, objet décoré d'**émail** (gén. au plur.). **3.** Anal. Substance translucide très dure, composée à 95 % de minéraux, qui recouvre l'ivoire de la couronne dentaire. **4.** Fig. Diversité de couleurs (littér.).

**Plur.** *Hérald.* Métaux et couleurs qui chargent un écu. 🕮 Mil. XIIe s. ; frq. °*smalt* ; plur. *émaux* ou *émails* (sens 3) ; [emaj], plur. [emo].

**ÉMAILLAGE, subst. m.**
Action d'émailler un objet, un métal ; son résultat. 🕮 1870 ; ☞ *émailler* ; [emajaʒ].

**ÉMAILLER, verbe trans.** [3]
**1.** Recouvrir (qqch.) d'une couche d'émail. **2.** Fig. Orner en parsemant de couleurs vives (vieilli ou littér.) ; agrémenter, enrichir (un texte, un discours) de figures de style, de citations : *Marcel Proust **émaillait** sa prose de métaphores* ; empl. adj. (iron.) : *Lettre **émaillée** de fautes d'orthographe.* 🕮 Fin XIIIe s. ; ☞ *émail* ; [emaje].

**ÉMAILLERIE, subst. f.**
Art de fabriquer de l'émail, des émaux ; lieu où l'on exécute ce travail (vx). 🕮 1622 (1417, objet émaillé) ; ☞ *émailler* ; [emajʀi].

**ÉMAILLEUR, EUSE, subst.**
Personne qui fabrique des émaux ou qui émaille des métaux. 🕮 XIIIe s. ; ☞ *émailler* ; [emajœʀ, øz].

**ÉMAILLURE, subst. f.**
**1.** Revêtement d'émail. **2.** Travail de l'émailleur. 🕮 1328 ; ☞ *émailler* ; [emajyʀ].

**ÉMANATION, subst. f.**
**1.** *Relig.* Procession, au sens de « fait de procéder de » (dont **émanation** est un synon. théologiquement impropre). **2.** *Philos. Théorie de l'**émanation*** : selon laquelle les êtres et les choses procèdent d'un principe premier (par oppos. à *création*). **3.** Exhalaison, odeur qui se dégage de certains corps (gén. au plur.) : ***Émanations** de gaz toxiques.* ▸ *Chim.* Gaz radioactif provenant de la décomposition du radium, du thorium et de l'actinium. **4.** Fig. Ce qui procède, tire son origine de : *En démocratie, le pouvoir est l'**émanation** de la souveraineté populaire.* 🕮 1579 ; lat. chrét. *emanatio* ; [emanasjɔ̃].

**ÉMANCHÉ, subst. m.**
*Hérald.* Division d'un écu en deux parties au moyen d'une ligne sinueuse. 🕮 1761 ; *émanche* (vieilli), « pièce d'écu d'un émail différent » ; [emɑ̃ʃe].

**ÉMANCIPATEUR, TRICE, adj. et subst.**
**Adj.** Qui émancipe, qui libère d'une tutelle : *Politique **émancipatrice**.* **Subst.** Personne qui émancipe, qui délivre d'un asservissement. 🕮 1836 ; ☞ *émanciper* ; [emɑ̃sipatœʀ, tʀis].

**ÉMANCIPATION, subst. f.**
Action d'émanciper ou de s'émanciper : ***Émancipation** de la femme.* 🕮 1312 ; lat. jur. *emancipatio* ; [emɑ̃sipasjɔ̃].

**ÉMANCIPÉ, ÉE, adj.**
**1.** *Dr.* Libéré de l'autorité parentale ou tutélaire. **2.** Ext. Libéré des contraintes sociales, familiales... 🕮 XVIIIe s. ; p. p. de *émanciper* ; [emɑ̃sipe].

**ÉMANCIPER, verbe trans.** [3]
**1.** *Dr.* Affranchir (un mineur) de l'autorité parentale ou tutélaire, par décision judiciaire ou par le mariage. **2.** Ext. Libérer d'un état de dépendance, de servitude : ***Émanciper** une colonie.* **Pronom.** Devenir indépendant : *Cette colonie s'**émancipera*** ; s'affranchir de contraintes sociales ou morales : *Une femme qui s'**émancipe**.* 🕮 Déb. XIVe s. ; lat. jur. *emancipare*, du lat. *mancipium*, « propriété » ; [emɑ̃sipe].

**ÉMANER, verbe intrans.** [3]
**1.** *Théol.* et *Philos.* Procéder, être engendré par émanation. **2.** Ext. Se dégager de (une source physique) : *Chaleur qui **émane** d'un poêle ; Clarté **émanant** de la Lune* ; au fig. : *La douceur qui **émane** d'une personne.* **3.** Fig. Provenir de, avoir pour origine. 🕮 1456 ; lat. *emanare*, « découler de » ; [emane].

**ÉMARGEMENT, subst. m.**
Action d'émarger un document, un livre. 🕮 1721 ; ☞ *émarger* ; [emaʀʒ(ə)mɑ̃].

**ÉMARGER, verbe trans.** [5]
**Trans. dir. 1.** Signer, annoter en marge (un document) pour attester sa présence, certifier la réception d'un paiement, d'un colis, etc. : ***Émarger** une liste.* **2.** Ôter, réduire la marge de (un feuillet, un livre). **Trans. indir.** Percevoir le traitement lié à un emploi : *Il **émarge** au budget de l'Éducation nationale.* 🕮 1611 ; ☞ *marge* + *é-*[1] ; [emaʀʒe].

**ÉMASCULATION, subst. f.**
Action d'émasculer ; son résultat. 🕮 1755 ; ☞ *émasculer* ; [emaskylasjɔ̃].

**ÉMASCULER, verbe trans.** [3]
**1.** Priver (un mâle) de ses organes génitaux. **2.** Fig. Affaiblir (littér.) ; empl. adj. : *Une œuvre **émasculée** par la censure.* 🕮 1375 ; lat. *emasculare* ; [emaskyle].

**ÉMAUX, voir ÉMAIL**

**EMBÂCLE, subst. m.**
Obstruction d'un cours d'eau par un amoncellement de glaçons ou de bois flottés (anton. *débâcle*) ; par méton., cet amoncellement. 🕮 1755 ; ☞ *débâcle* + *en-*[1] ; [ɑ̃bɑkl].

**EMBALLAGE, subst. m.**
**1.** Action d'emballer. **2.** Méton. Ce qui est utilisé pour emballer : ***Emballage** en carton, consigné.* **3.** *Sp.* Accélération des cyclistes au moment du sprint. 🕮 Mil. XVIe s. ; ☞ *emballer* ; [ɑ̃balaʒ].

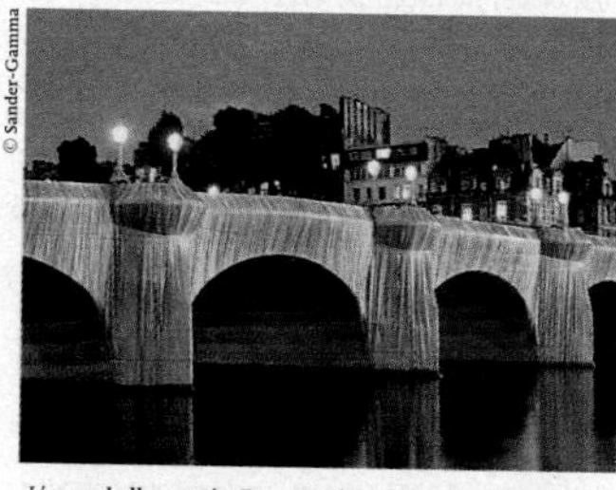

© Sander-Gamma

*L' « **emballage** » du Pont-Neuf par Christo. Paris, 1985.*

**EMBALLEMENT, subst. m.**
**1.** Fait de s'enthousiasmer, engouement pour qqch. ou pour qqn : *Un **emballement** passager.* **2.** Action de s'emballer, en parlant d'un cheval et, par anal., d'un moteur, d'une machine. 🕮 1877 (1629, action d'emballer) ; ☞ *emballer* ; [ɑ̃balmɑ̃].

**EMBALLER, verbe trans.** [3]
**1.** Envelopper, mettre sous emballage (un objet, une marchandise). **2.** Fam. Arrêter (qqn), mettre sous les verrous : *La police **a emballé** tout ce beau monde.* ▸ ***Emballer** une fille, un garçon* : faire sa conquête. **3.** *Techn. **Emballer** un moteur* : le faire tourner à un régime excessif. **4.** Fig. Ravir, plaire à (fam.) : *Cette perspective ne m'**emballe** pas du tout.* **Pronom. 1.** Prendre le mors aux dents, en parlant d'un cheval ; par anal. : *Un moteur qui s'**emballe***, au régime trop rapide. **2.** Fig. Se laisser aller de façon irréfléchie à l'enthousiasme, à la colère, etc. : *Ne nous **emballons** pas !* 🕮 XIVe s. ; ☞ *balle* (II) + *en-*[1] ; [ɑ̃bale].

**EMBALLEUR, EUSE, subst.**
Personne chargée de conditionner, d'emballer des marchandises. 🕮 1520 ; ☞ *emballer* ; [ɑ̃balœʀ, øz].

**EMBARBOUILLER, verbe trans.** [3]
Fam. **1.** Barbouiller entièrement ; mêler de façon confuse. **2.** Embrouiller (qqn). **Pronom.** S'embrouiller, s'empêtrer. 🕮 1530 ; ☞ *barbouiller* + *en-*[1] ; [ɑ̃baʀbuje].

**EMBARCADÈRE, subst. m.**
Emplacement aménagé dans un port maritime ou fluvial pour l'embarquement et le débarquement des passagers et des marchandises. 🕮 1689 ; esp. *embarcadero* ; [ɑ̃baʀkadɛʀ].

**EMBARCATION, subst. f.**
Bateau de dimensions réduites, gén. sans pont ; en partic., canot de service ou de sauvetage d'un navire. 🕮 1633 ; esp. *embarcación* ; [ɑ̃baʀkasjɔ̃].

**EMBARDÉE, subst. f.**
**1.** *Mar.* Brusque changement de direction imprimé à un navire par une rafale ou une fausse manœuvre. **2.** Ext. Écart brusque que fait un véhicule : *La voiture fit une **embardée** pour éviter un piéton.* 🕮 1694 ; *embarder* (vx), « faire une embardée », du prov. *embarda*, « embourber », de *bard*, « boue » ; [ɑ̃baʀde].

**EMBARGO, subst. m.**
**1.** *Dr. mar.* Interdiction provisoire faite à un navire étranger de quitter un port. **2.** Ext. Mesure destinée à interdire la libre circulation d'une marchandise ; mesure de contrainte décrétée contre un État, interdisant provisoirement d'exporter vers lui certaines marchandises : *Lever l'**embargo** pétrolier* ; par anal. : *Mettre l'**embargo** sur une information*, empêcher sa diffusion. 🕮 1626 ; esp. *embargo*, « séquestre », de *embargar*, « empêcher » ; [ɑ̃baʀgo].

**EMBARQUEMENT, subst. m.**
Action d'embarquer, de s'embarquer : *Heure d'**embarquement*** ; *« L'**Embarquement** pour Cythère », tableau de Watteau (1717).* 🕮 Déb. XVIe s. ; ☞ *embarquer* ; [ɑ̃baʀkəmɑ̃].

**EMBARQUER, verbe** [3]
**Intrans. 1.** Monter à bord d'un navire : *La quarantaine nous empêcha d'**embarquer*** ; par ext., monter à bord d'un avion, d'un train. **2.** *Mar.* Pénétrer dans un bateau par-dessus bord, en parlant de l'eau. **Trans. 1.** Faire monter (qqn), charger (qqch.) à bord d'un navire ou, par ext., à bord d'un véhicule : ***Embarquer** un nouvel équipage* ; *On **embarqua** les animaux dans la soute de l'avion* ; par méton. : *Le paquebot **embarqua** les émigrants.* ▸ *Mar.* Laisser passer (l'eau) par-dessus bord : *À chaque virement, nous **embarquions** des paquets de mer.* **2.** Fam. Appréhender (qqn) et l'emmener dans un véhicule de police. ▸ Emporter (qqch.), par mégarde ou pour le voler : *Il **a embarqué** tous mes disques.* **3.** Fig. Entraîner (qqn) dans une affaire risquée ou fâcheuse : *Il va nous **embarquer** dans un conflit stupide.* **Pronom. 1.** Monter à bord d'un navire ou, par ext., d'un véhicule : *S'**embarquer** pour l'Amérique.* **2.** Fig. S'engager, se lancer de façon aventureuse : *S'**embarquer** dans une action judiciaire risquée.* 🕮 1419 ; ☞ *barque* + *en-*[1] ; [ɑ̃baʀke].

**EMBARRAS, subst. m.**
**I. 1.** Encombrement, entrave à la circulation (vx) : *« Les **Embarras** de Paris », satire de Boileau ; L'**embarras** des fiacres paralysait la petite place.* **2.** Anal. ***Embarras** gastrique* : troubles gastro-intestinaux. **II.** Fig. **1.** Difficulté, obstacle à l'accomplissement de qqch. : *Créer des **embarras** ; Être un **embarras** pour qqn ; Il fait bien des **embarras***, il complique les choses. **2.** Situation délicate, gênante : *Se tirer d'**embarras*** ; état de perplexité, de doute qui en résulte : *La brutalité de ta question l'a mis dans l'**embarras**.* ▸ Loc. *Avoir l'**embarras** du choix* : ne savoir que choisir ; *Être dans l'**embarras*** : hésiter et, par euphém., manquer d'argent. 🕮 1552 ; ☞ *embarrasser* ; [ɑ̃baʀa].

**EMBARRASSANT, ANTE, adj.**
**1.** Qui gêne, qui encombre, en parlant de qqch. : *Paquet **embarrassant**.* **2.** Fig. Qui suscite de l'embarras : *Situation, question **embarrassante**.* 🕮 1606 ; p. pr. de *embarrasser* ; [ɑ̃baʀasɑ̃, ɑ̃t].

**EMBARRASSÉ, ÉE, adj.**
**1.** Vx. Bloqué, obstrué, en parlant d'un lieu de passage. **2.** Ext. Encombré, gêné dans ses mouvements : *Avoir les mains **embarrassées**.* **3.** Fig. Qui éprouve ou dénote de l'embarras, de la gêne : *Être, avoir l'air **embarrassé*** ; *Des explications **embarrassées***, confuses. 🕮 XVIe s. ; p. p. de *embarrasser* ; [ɑ̃baʀase].

**EMBARRASSER, verbe trans.** [3]
**1.** Encombrer : ***Embarrasser** le passage.* **2.** Ext. Gêner les mouvements de (qqn). **3.** Fig. Mettre (qqn) dans l'embarras, placer (qqn) dans une situation difficile : *Sa proposition m'**embarrasse**.* **Pronom. 1. S'embarrasser de.** S'encombrer de ; au fig. : *Il ne s'**embarrasse** pas de scrupules.* **2. S'embarrasser dans.** S'empêtrer dans : *S'**embarrasser** dans ses calculs.* 🕮 1570 ; esp. *embarazar*, du port. *embaraçar* ; [ɑ̃baʀase].

**EMBARRER, verbe** [3]
**Trans.** Bloquer à l'aide d'une barre (vieilli) : ***Embarrer** les roues d'une charrette.* **Intrans.** Placer une barre sous une charge pour faire levier. **Pronom.** Se prendre les jambes dans les barres ou les bat-flanc de l'écurie, en parlant d'un cheval. 🕮 1690 (mil. XIIe s., défoncer) ; ☞ *barre* + *en-*[1] ; [ɑ̃baʀe].

**EMBASE, subst. f.**
*Techn.* Partie d'un instrument servant de support : ***Embase** d'un microscope.* 🕮 1676 (1554, moulure en forme de corniche) ; ☞ *bas* (I) + *en-*[1] ; [ɑ̃baz].

**EMBASEMENT, subst. m.**
*Archit.* Base d'un bâtiment, qui fait saillie (synon. *soubassement, base*) : *L'**embasement** d'une terrasse, d'un temple antique.* 🕮 Fin XIVe s. ; ☞ *bas* (I) + *en-*[1], d'apr. l'ital. *imbasamento* ; [ɑ̃bɑzmɑ̃].

**EMBASTILLER, verbe trans.** [3]
**1.** Édifier des fortifications autour de (une ville). **2.** *Hist.* Emprisonner (qqn) à la Bastille, sous l'Ancien Régime ; par ext., mettre en prison, enfermer. 🕮 1428 ; ☞ *bastille* + *en-*[1] ; [ɑ̃bastije].

**EMBATTAGE, subst. m.**
Action d'embattre. 🕮 1556 ; ☞ *embattre* ; var. *embatage* ; [ɑ̃bataʒ].

**EMBATTRE,** verbe trans. [61]
*Techn.* Cercler de métal la jante de (une roue). Fin XIe s. ; *battre + en-*[1] ; var. *embatre* ; [ɑ̃batʀ].

**EMBAUCHAGE,** subst. m.
Action d'embaucher ; son résultat. 1752 ; *embaucher* ; [ɑ̃boʃaʒ].

**EMBAUCHE,** subst. f.
**1.** Embauchage. **2.** Travail, emploi : *Chercher de l'**embauche**.* **3.** Moment où débute le travail (fam.). 1660 ; *embaucher* ; [ɑ̃boʃ].

**EMBAUCHER,** verbe [3]
TRANS. **1.** Engager (qqn) pour un travail rémunéré ; empl. abs. : *Ici, on **embauche** !* **2.** Mettre (qqn) à contribution (fam.) : ***Embaucher** un ami pour déménager.* INTRANS. Commencer le travail (fam.) : ***Embaucher** à sept heures.* 1564 ; *débaucher + en-*[1] ; [ɑ̃boʃe].

**EMBAUCHOIR,** subst. m.
Instrument rigide placé dans une chaussure pour que cette dernière conserve sa forme. 1755 ; altér. de *embouchoir* ; [ɑ̃boʃwaʀ].

**EMBAUMEMENT,** subst. m.
**1.** Action d'embaumer un cadavre ; son résultat. **2.** Ext. Technique de conservation des cadavres. Fin XIIIe s. ; *embaumer* ; [ɑ̃bommɑ̃].

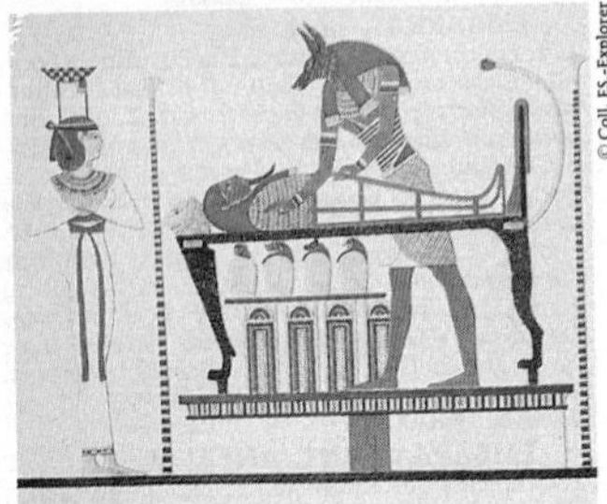
© Coll. ES.-Explorer

*Rites funéraires de l'Égypte ancienne. Le défunt est **embaumé**, placé dans un sarcophage et conduit dans l'autre monde par le dieu Anubis.*

**EMBAUMER,** verbe trans. [3]
**1.** Conserver (un cadavre) au moyen de substances antiseptiques, naturelles ou chimiques. **2.** Emplir d'un parfum suave : *L'odeur des violettes **embaumait** l'air* ; empl. abs., sentir bon : *Ce lis **embaume**.* Mil. XIIe s. ; *baume + en-*[1] ; [ɑ̃bome].

**EMBAUMEUR, EUSE,** subst.
Personne chargée d'embaumer les corps. 1556 ; *embaumer* ; [ɑ̃bomœʀ, øz].

**EMBELLIE,** subst. f.
**1.** *Mar.* Amélioration temporaire de l'état de la mer ou du temps ; par ext., éclaircie. **2.** Fig. Amélioration momentanée d'une situation. 1753 ; p. p. de *embellir* ; [ɑ̃beli].

**EMBELLIR,** verbe [19]
TRANS. **1.** Rendre beau, plus beau : ***Embellir** son jardin.* **2.** Fig. Avantager, idéaliser : ***Embellir** la réalité.* INTRANS. Devenir beau, plus beau : *Il a **embelli**.* ► Loc. *Ne faire que croître et **embellir*** : se développer de façon positive ou, par iron., négative. Mil. XIIe s. ; *beau + en-*[1] ; [ɑ̃beliʀ].

**EMBELLISSEMENT,** subst. m.
**1.** Action d'embellir : *L'**embellissement** d'une rue* ; ce qui embellit (gén. au plur.). **2.** Fig. Action d'embellir la réalité. 1228 ; *embellir* ; [ɑ̃belismɑ̃].

**EMBERLIFICOTER,** verbe trans. [3]
Fam. **1.** Gêner (qqn) dans ses mouvements (rare) ; empl. pronom. : *S'**emberlificoter** dans le tapis.* **2.** Fig. Embrouiller, duper : ***Emberlificoter** un créancier* ; empl. pronom. : *S'**emberlificoter** dans son raisonnement.* 1783 ; *emberlucoquer* (vx), de *berloque*, anc. forme de *breloque* ; [ɑ̃bɛʀlifikɔte].

**EMBERLIFICOTEUR, EUSE,** subst.
Personne qui cherche à emberlificoter les autres (fam.). XIXe s. ; *emberlificoter* ; [ɑ̃bɛʀlifikɔtœʀ, øz].

**EMBÊTANT, ANTE,** adj.
Fam. Ennuyeux, contrariant, importun ; empl. subst. masc. : *L'**embêtant**, dans cette affaire, c'est son attitude.* 1788 ; p. pr. de *embêter* ; [ɑ̃bɛtɑ̃, ɑ̃t].

**EMBÊTEMENT,** subst. m.
Contrariété, tracas (fam.). Fin XVIIIe s. ; *embêter* ; [ɑ̃bɛtmɑ̃].

**EMBÊTER,** verbe trans. [3]
Fam. **1.** Ennuyer : *Ce film l'**embête*** ; empl. pronom. : *Un enfant curieux ne s'**embête** jamais.* ► Loc. *Ne pas s'**embêter*** : profiter de la vie ou d'une situation. **2.** Contrarier, importuner : *Tu m'**embêtes** avec tes questions* ; taquiner. **3.** Embarrasser, causer du souci : *Cette nouvelle m'**embête** !* 1794 ; *bête + en-*[1] ; [ɑ̃bete].

**EMBIELLAGE,** subst. m.
*Mécan.* Montage des bielles d'un moteur ; ensemble des bielles montées. 1922 ; *embieller* (rare), « monter et ajuster les bielles d'un moteur » ; [ɑ̃bjelaʒ].

**EMBLAVER,** verbe trans. [3]
*Agric.* **1.** Ensemencer (une terre) en blé. **2.** Ext. Ensemencer (une terre) en céréales. 1242 ; anc. fr. *blef*, « blé », + *en-*[1] ; [ɑ̃blave].

**EMBLAVURE,** subst. f.
Terre ensemencée de céréales. 1762 (1509, récolte de blé) ; *emblaver* ; [ɑ̃blavyʀ].

**EMBLÉE (D'),** loc. adv.
Immédiatement, du premier coup : *Il a compris **d'emblée**.* XVe s. (déb. XIIe s., en cachette) ; p. p. de *embler* (vx), « dérober », du lat. *involare*, « se précipiter sur » ; [dɑ̃ble].

**EMBLÉMATIQUE,** adj.
Qui a le caractère d'un emblème ; qui porte un emblème ; au fig. : *Jaurès, figure **emblématique** du socialisme.* 1564 ; bas lat. *emblematicus*, « plaqué » ; [ɑ̃blematik].

**EMBLÈME,** subst. m.
**1.** Figure symbolique, souvent assortie d'une devise. **2.** Ext. Attribut d'un être ou d'une chose, utilisé pour le représenter ; être ou objet concret, communément et immédiatement associé à une chose abstraite : *Le coq, **emblème** de la vaillance.* **3.** Représentation symbolique d'une institution, d'une corporation, d'un parti, etc. : *La fleur de lis, **emblème** de la monarchie.* 1560 ; lat. *emblema*, « ornement en placage », du gr. *emblêma*, « ce qui est appliqué sur » ; [ɑ̃blɛm].

© Giraudon

*Le soleil, **emblème** de Louis XIV. Boiserie du salon de Vénus, château de Versailles.*

**EMBOBELINER,** verbe trans. [3]
**1.** Vx. Entourer, envelopper (qqn) dans qqch. **2.** Fig. Séduire par des paroles trompeuses (fam.). 1587 ; anc. fr. *bobelin*, « chaussure grossière », + *en-*[1] ; [ɑ̃bɔb(ə)line].

**EMBOBINER,** verbe trans. [3]
**1.** Enrouler sur une bobine (synon. *bobiner*). **2.** Fig. et Fam. Duper, circonvenir (synon. *embobeliner*) : *Tu t'es laissé **embobiner** !* 1813 ; altér. de *embobeliner*, d'apr. *bobine* ; [ɑ̃bɔbine].

**EMBOÎTABLE,** adj.
Qui peut s'emboîter. XXe s. ; *emboîter* ; [ɑ̃bwatabl].

**EMBOÎTAGE,** subst. m.
**1.** Action d'emboîter des éléments les uns dans les autres ; son résultat. **2.** *Reliure.* Réunion, par collage sur le dos d'une couverture, des cahiers cousus d'un livre ; étui dans lequel on emboîte un livre. 1787 ; *emboîter* ; [ɑ̃bwataʒ].

**EMBOÎTEMENT,** subst. m.
Assemblage de deux choses qui s'emboîtent : ***Emboîtement** des pièces d'un puzzle.* 1606 ; *emboîter* ; [ɑ̃bwatmɑ̃].

**EMBOÎTER,** verbe trans. [3]
**1.** Faire entrer (une pièce) dans une autre pour les assembler ; empl. pronom. : *Les poupées russes s'**emboîtent**.* **2.** Anal. Envelopper étroitement à la façon d'une boîte : *Des chaussures qui **emboîtent** bien le pied.* **3.** Loc. ***Emboîter** le pas à qqn* : mettre ses pas dans les siens et, par ext., suivre qqn de près ou, au fig., suivre qqn docilement. **4.** *Reliure.* Réaliser l'emboîtage de (un livre). 1328 ; *boîte + en-*[1] ; [ɑ̃bwate].

**EMBOÎTURE,** subst. f.
Lieu d'emboîtement de deux éléments ; façon dont ils s'emboîtent. 1547 ; *emboîter* ; [ɑ̃bwatyʀ].

**EMBOLIE,** subst. f.
**1.** *Pathol.* Obstruction subite d'une artère, provoquant l'arrêt de l'irrigation sanguine. **2.** *Embryol.* Mode de formation de l'intestin, par invagination de la paroi de la vésicule embryonnaire. Mil. XIXe s. ; gr. *embolê*, « choc ; irruption » ; [ɑ̃bɔli].

**EMBOLISME,** subst. m.
*Antiq. gr.* Insertion périodique d'un mois intercalaire dans le calendrier, pour faire coïncider l'année lunaire et l'année solaire. 1119 ; bas lat. *embolismus*, du gr. *embolismos*, « (jour) intercalaire » ; [ɑ̃bɔlism].

**EMBONPOINT,** subst. m.
**1.** Vx. État d'une personne en bonne santé. **2.** État d'une personne bien en chair, potelée (synon. *corpulence*). 1528 ; *estre en bon point* (vx), « être en bonne condition » ; [ɑ̃bɔ̃pwɛ̃].

**EMBOSSAGE,** subst. m.
Action d'embosser ; position d'un navire embossé. 1792 ; *embosser* ; [ɑ̃bɔsaʒ].

**EMBOSSER,** verbe trans. [3]
*Mar.* Amarrer ou ancrer (un navire) à la proue et à la poupe, de manière à le maintenir dans une position déterminée. PRONOM. Mouiller en **embossant** son navire ; au fig., camper sur une position défensive. 1688 ; *bosser + en-*[1] ; [ɑ̃bɔse].

**EMBOSSURE,** subst. f.
*Mar.* Amarre servant à maintenir un navire embossé ; nœud fait au point d'amarrage. 1687 ; *embosser* ; [ɑ̃bɔsyʀ].

**EMBOUAGE,** subst. m.
*Mines.* Action d'embouer ; son résultat. 1905 ; *embouer* ; [ɑ̃bwaʒ].

**EMBOUCHE,** subst. f.
Engraissement du bétail dans des herbages fertiles : *Mettre à l'**embouche*** ; ces herbages : *Pré d'**embouche**.* 1837 ; *emboucher* (II) ; [ɑ̃buʃ].

**EMBOUCHER (I),** verbe trans. [3]
**1.** Porter à ses lèvres l'embouchure de (un instrument à vent) ; par ext. : ***Emboucher** sa pipe.* ► Loc. ***Emboucher** la trompette* : prendre un ton grandiloquent, annoncer à grand bruit (littér.). **2.** ***Emboucher** un cheval* : lui mettre le mors. **3.** Fig. Dicter à (qqn) ce qu'il doit dire (vieilli). ► Loc. ***Être mal embouché*** : mal élevé, grossier, impertinent. Mil. XIVe s. ; *bouche + en-*[1] ; [ɑ̃buʃe].

**EMBOUCHER (II),** verbe trans. [3]
Pratiquer l'embouche de (un animal d'élevage). 1890 ; dial. du Centre *embaucher*, de l'anc. fr. *bauc*, « bau », d'apr. *bouche* ; [ɑ̃buʃe].

**EMBOUCHOIR,** subst. m.
*Arm.* Pièce métallique qui relie le canon au fût d'une arme à feu. 1777 (1558, embauchoir) ; *emboucher* (I) ; [ɑ̃buʃwaʀ].

**EMBOUCHURE,** subst. f.
**1.** Ouverture d'un objet, orifice : ***Embouchure** d'un flacon.* **2.** Anal. Estuaire, ouverture par laquelle un fleuve se jette dans la mer : ***Embouchure** de la Seine.* **3.** *Mus.* Bec d'un instrument à vent : ***Embouchure** d'une flûte.* **4.** Partie du mors qui se trouve dans la bouche d'un cheval ; par ext., façon dont le cheval accepte le mors. 1328 ; *emboucher* (I) ; [ɑ̃buʃyʀ].

**EMBOUER,** verbe [3]
TRANS. Vx. Souiller de boue. INTRANS. *Mines.* Pratiquer une injection de boue dans une houillère pour lutter contre le feu. Déb. XIIe s. ; *boue + en-*[1] ; [ɑ̃bwe].

**EMBOUQUEMENT,** subst. m.
*Mar.* **1.** Entrée, bouche d'une passe étroite ou d'une bouque. **2.** Action d'embouquer. 1702 ; *embouquer* ; [ɑ̃bukmɑ̃].

**EMBOUQUER,** verbe intrans. [3]
*Mar.* Entrer dans un passage, un canal ; empl. trans. : ***Embouquer** une passe.* 1687 ; *bouque* (vieilli), « passe », + *en-*[1] ; [ɑ̃buke].

**EMBOURBER,** verbe trans. [3]
**1.** Enfoncer dans la boue : ***Embourber** les roues de sa voiture* ; empl. pronom. : *Le camion s'**est embourbé**.* **2.** Fig. Placer (qqn) dans une situation difficile ; empl. pronom. : ***S'embourber** dans ses doutes,* s'y empêtrer. Déb. XIIIe s. ; ☞ *bourbe* + *en-*¹ ; [ɑ̃buʀbe].

**EMBOURGEOISEMENT,** subst. m.
Fait de s'embourgeoiser ; son résultat. 1867 ; ☞ *embourgeoiser* ; [ɑ̃buʀʒwazmɑ̃].

**EMBOURGEOISER,** verbe trans. [3]
**1.** Vx. Faire accéder à la condition de bourgeois. **2.** Donner à (qqn) les habitudes de la bourgeoisie : *Son mariage l'**a embourgeoisé**.* **Pronom.** Adopter les caractères, les manières de vivre et de penser de la bourgeoisie : ***S'embourgeoiser** avec l'âge* ; *Banlieue qui **s'embourgeoise**,* qui accueille de plus en plus de gens aisés. 1831 (1777, fréquenter les bourgeois) ; ☞ *bourgeois* + *en-*¹ ; [ɑ̃buʀʒwaze].

**EMBOURRURE,** subst. f.
**1.** Vx. Bourre. **2.** Ext. Toile épaisse qui maintient la bourre de certains fauteuils. XVIe s. ; ☞ *bourre* (I) + *en-*¹ ; [ɑ̃buʀyʀ].

**EMBOUT,** subst. m.
**1.** Capuchon de métal, de caoutchouc, etc., destiné à protéger le bout de certains objets : *L'**embout** d'un parapluie.* **2.** *Techn.* Cylindre de métal permettant de faire la jonction entre deux orifices de calibres différents : ***Embout** d'une seringue.* 1838 ; *embouter* (vx), « garnir d'un embout » ; [ɑ̃bu].

**EMBOUTEILLAGE,** subst. m.
**1.** Mise en bouteille. **2.** *Mar.* Blocage d'une flotte ennemie dans une rade dont on obstrue les sorties. **3.** Ext. Encombrement, obstruction d'une voie de circulation : *Éviter les **embouteillages** en roulant de nuit* ; au fig., saturation. Fin XIXe s. ; ☞ *embouteiller* ; [ɑ̃butɛjaʒ].

© H. Donnezan-Explorer

*Quand l'**embouteillage** paralyse le trafic.*

**EMBOUTEILLER,** verbe trans. [3]
**1.** Mettre en bouteille. **2.** *Mar.* Bloquer (une flotte ennemie) dans un port, une rade. **3.** Ext. Encombrer, obstruer (une voie de circulation) : *Les manifestants **embouteillent** la place.* 1864 ; ☞ *bouteille* + *en-*¹ ; [ɑ̃buteje].

**EMBOUTIR,** verbe trans. [19]
**1.** *Techn.* Travailler (un métal), par martelage ou par pression, pour lui donner une forme. **2.** Anal. Endommager par un choc violent : ***Emboutir** une automobile.* **3.** *Bât.* Revêtir (un élément extérieur) d'une garniture en métal. Fin XIVe s. ; *bout* (vx), « coup », + *en-*¹ ; [ɑ̃butiʀ].

**EMBOUTISSAGE,** subst. m.
*Techn.* Action d'emboutir un métal ; son résultat. 1856 ; ☞ *emboutir* ; [ɑ̃butisaʒ].

**EMBOUTISSEUR, EUSE,** subst.
*Techn.* Personne chargée de l'emboutissage. **Fém.** Machine-outil utilisée pour l'emboutissage. 1838 ; ☞ *emboutir* ; [ɑ̃butisœʀ, øz].

**EMBRANCHEMENT,** subst. m.
**1.** Division d'un tronc d'arbre en plusieurs branches (synon. *ramification*). **2.** Anal. Subdivision d'une voie, d'une canalisation ; point de départ de cette subdivision : *À l'**embranchement**, prenez à droite.* **3.** *Bot.* et *Zool.* Grande division du règne animal ou du règne végétal : *L'**embranchement** des Protozoaires* ; *L'**embranchement** des Vertébrés.* 1494 ; ☞ *branche* + *en-*¹ ; [ɑ̃bʀɑ̃ʃmɑ̃].

**EMBRANCHER,** verbe trans. [3]
Raccorder (une voie de communication, une canalisation) à une autre. 1773 ; ☞ *branche* + *en-*¹ ; [ɑ̃bʀɑ̃ʃe].

**EMBRAQUER,** verbe trans. [3]
*Mar.* Tendre (un cordage). 1694 ; ☞ *braquer* + *en-*¹ ; [ɑ̃bʀake].

**EMBRASEMENT,** subst. m.
**1.** Action d'embraser ; l'incendie qui en résulte. **2.** Clarté intense, flamboyante (littér.) : *L'**embrasement** de l'horizon au coucher du soleil.* **3.** Fig. Agitation, effervescence (littér.) : *L'**embrasement** révolutionnaire.* Fin XIIe s. ; ☞ *embraser* ; [ɑ̃bʀazmɑ̃].

**EMBRASER,** verbe trans. [3]
**1.** Faire flamber, incendier : *Le feu **embrasa** la forêt.* **2.** Anal. Rendre brûlant : *L'été **embrase** le maquis* ; illuminer : *Le feu d'artifice **embrasa** le ciel.* **3.** Fig. Remplir d'exaltation, de ferveur (littér.) : ***Embraser** les foules* ; ***Être embrasé** d'amour.* **Pronom. 1.** Prendre feu. **2.** Anal. S'illuminer. **3.** Fig. S'exalter. Mil. XIIe s. ; ☞ *braise* + *en-*¹ ; [ɑ̃bʀaze].

**EMBRASSADE,** subst. f.
Action d'embrasser qqn ; étreinte (souv. au plur.) : *Ces affables donneurs d'**embrassades** frivoles* (Molière). XVe s. ; ☞ *embrasser* ; [ɑ̃bʀasad].

**EMBRASSE,** subst. f.
Bande de tissu, ou cordelette, retenue par une patère et servant d'attache à un rideau. 1831 (1449, embrassement) ; ☞ *embrasser* ; [ɑ̃bʀas].

**EMBRASSÉ, ÉE,** adj.
**1.** *Hérald.* Se dit d'un écu dont la partition comprend un triangle isocèle d'axe horizontal. **2.** *Versif.* ***Rimes embrassées*** : groupe de deux rimes masculines et féminines qui suivent la disposition MFFM ou FMMF. 1690 ; p. p. de *embrasser* ; [ɑ̃bʀase].

**EMBRASSEMENT,** subst. m.
Action d'embrasser ou de s'embrasser (littér.). Mil. XIIe s. ; ☞ *embrasser* ; [ɑ̃bʀasmɑ̃].

**EMBRASSER,** verbe trans. [3]
**1.** Serrer dans ses bras, étreindre. **2.** Ext. Donner un baiser à (qqn) : ***Embrasser** un enfant qui va se coucher* ; empl. pronom. : *Ils **s'embrassèrent** longuement.* **3.** Anal. Saisir, appréhender, rassembler des éléments divers, par la vue ou par la pensée : ***Embrasser** le paysage d'un coup d'œil.* ▶ Englober : *La philosophie **embrasse** les théories de l'être et celles de l'action.* **4.** Fig. Adhérer à, adopter : ***Embrasser** une cause, une religion* ; choisir (une profession) : ***Embrasser** la carrière diplomatique.* **5.** Loc. *Qui trop **embrasse** mal étreint* : qui a trop de projets risque de n'en voir aboutir aucun. Fin XIe s. ; ☞ *bras* + *en-*¹ ; [ɑ̃bʀase].

**EMBRASURE,** subst. f.
**1.** Ouverture pratiquée dans un bastion, servant à pointer le canon. **2.** Ext. Ouverture pratiquée dans l'épaisseur d'un mur pour y placer une huisserie : *Se tenir dans l'**embrasure** de la porte.* 1539 (1522, action de mettre le feu) ; ☞ *embraser* ; [ɑ̃bʀazyʀ].

**EMBRAYAGE,** subst. m.
**1.** Mécanisme qui sert à embrayer. **2.** *Autom.* Dispositif permettant d'accoupler progressivement l'arbre moteur à l'arbre primaire d'une boîte de vitesses. Mil. XIXe s. ; ☞ *embrayer* ; [ɑ̃bʀɛjaʒ].

**EMBRAYER,** verbe trans. [15]
**Trans. dir.** *Mécan.* Relier à un arbre moteur (une pièce mobile, un mécanisme). ▶ Abs. *Autom.* Communiquer le mouvement du moteur aux roues par l'action de la pédale d'embrayage (anton. *débrayer*) ; au fig., reprendre le travail (fam.) : *Il se lève à 5 heures pour **embrayer** à 6.* **Trans. indir.** ***Embrayer sur** un sujet* : commencer à parler d'un sujet (fam. et iron.). 1858 ; *braie* (vx), « traverse de bois du palier d'un moulin à vent », + *en-*¹ ; [ɑ̃bʀeje].

**EMBRAYEUR,** subst. m.
*Techn.* Levier destiné à l'embrayage d'un moteur. XIXe s. ; ☞ *embrayer* ; [ɑ̃bʀɛjœʀ].

**EMBRÈVEMENT,** subst. m.
*Techn.* Assemblage oblique de deux pièces de bois. 1676 ; ☞ *embrever* ; [ɑ̃bʀɛvmɑ̃].

**EMBREVER,** verbe trans. [10]
*Techn.* Assembler obliquement (deux pièces de bois). Fin XIIe s. ; prob. *abreuver* ; [ɑ̃bʀəve].

**EMBRIGADEMENT,** subst. m.
Action d'embrigader ; son résultat. 1793 ; ☞ *embrigader* ; [ɑ̃bʀigadmɑ̃].

**EMBRIGADER,** verbe trans. [3]
**1.** *Milit.* Regrouper (des régiments) en brigade ; enrôler (des hommes) au sein d'une brigade. **2.** Ext. Enrôler (qqn), par persuasion, propagande ou contrainte, dans un parti, un mouvement, une action (souv. péj.). 1792 ; ☞ *brigade* + *en-*¹ ; [ɑ̃bʀigade].

**EMBRINGUER,** verbe trans. [3]
Fam. Entraîner dans une situation gênante ou fâcheuse ; empl. pronom. : *Dans quoi t'**es-tu embringué** ?* 1915 ; p.-ê. *bringue* (I) ; [ɑ̃bʀɛ̃ge].

**EMBROCATION,** subst. f.
*Pharm.* Action d'appliquer une huile apaisante sur la peau ; par méton., le produit lui-même. 1377 ; lat. médiév. *embrocatio*, du lat. *embrocha*, du gr. *embrokhê* ; [ɑ̃bʀɔkasjɔ̃].

**EMBROCHEMENT,** subst. m.
Action d'embrocher. XVIe s. ; ☞ *embrocher* ; [ɑ̃bʀɔʃmɑ̃].

**EMBROCHER,** verbe trans. [3]
**1.** Traverser d'une broche (une viande à rôtir) : ***Embrocher** un cochon de lait.* **2.** Ext. Transpercer (qqn) d'une lame ou d'un objet pointu (fam.) ; empl. pronom : *Le toréro **s'embrocha** sur les cornes du taureau.* **3.** *Techn.* Brancher sur une installation électrique (vieilli). Déb. XIIe s. ; ☞ *broche* + *en-*¹ ; [ɑ̃bʀɔʃe].

**EMBROUILLAGE,** subst. m.
**1.** Embrouillement (rare et fam.). **2.** Brouillage (recomm. off.). 1768 ; ☞ *embrouiller* ; [ɑ̃bʀujaʒ].

**EMBROUILLAMINI,** subst. m.
Confusion, désordre, imbroglio (fam.). 1688 ; crois. de *brouillamini* et de *embrouiller* ; [ɑ̃bʀujamini].

**EMBROUILLE,** subst. f.
Fam. Situation compliquée à dessein ; malentendu ou tromperie : *Méfiez-vous, avec lui vous n'aurez que des **embrouilles** !* ▶ Loc. *Un sac d'**embrouilles*** : une affaire compliquée. 1747 ; ☞ *embrouiller* ; [ɑ̃bʀuj].

**EMBROUILLEMENT,** subst. m.
Action d'embrouiller ; fait d'être embrouillé, emmêlé. 1546 ; ☞ *embrouiller* ; [ɑ̃bʀujmɑ̃].

**EMBROUILLER,** verbe trans. [3]
**1.** Entortiller ; enchevêtrer (des fils) : ***Embrouiller** une pelote de laine.* **2.** Fig. Rendre confus, compliquer : *Cela ne fait qu'**embrouiller** la situation* ; empl. adj. : *L'intrigue **embrouillée** d'un roman.* **3.** Troubler l'esprit de (qqn) : *Vous m'**embrouillez** avec vos histoires* ; empl. pronom., s'empêtrer : *Il **s'embrouille** dans ses explications.* XIIIe s. ; ☞ *brouiller* + *en-*¹ ; [ɑ̃bʀuje].

**EMBROUSSAILLER,** verbe trans. [3]
**1.** Couvrir de broussailles. **2.** Anal. Donner l'aspect de la broussaille à ; empl. adj. : *Cheveux **embroussaillés**.* 1854 ; ☞ *broussaille* + *en-*¹ ; [ɑ̃bʀusaje].

**EMBRUMER,** verbe trans. [3]
**1.** Envelopper de brume ; par anal. : *La fumée **embrumait** la pièce.* **2.** Fig. Rendre confus, obscur : *La drogue lui **embrume** l'esprit.* 1298 ; ☞ *brume* + *en-*¹ ; [ɑ̃bʀyme].

**EMBRUN,** subst. m.
Pluie de fines gouttelettes d'eau de mer arrachées aux vagues par le vent (gén. au plur.). 1521 ; prov. *embrum*, de *embruma*, « bruiner » ; [ɑ̃bʀœ̃].

**EMBRUNIR,** verbe [19]
**Intrans.** Devenir brun. **Trans.** Assombrir (qqch.). Déb. XIVe s. ; ☞ *brun* + *en-*¹ ; [ɑ̃bʀyniʀ].

**EMBRYOCARDIE,** subst. f.
*Pathol.* Rythme cardiaque anormalement élevé révélant à l'auscultation des bruits analogues à ceux du cœur du fœtus. 1928 ; formé de *embryo-* et de *-cardie* ; [ɑ̃bʀijɔkaʀdi].

**EMBRYOGENÈSE,** subst. f.
*Embryol.* Ensemble des phénomènes qui correspondent à la formation d'un organisme animal ou végétal à partir du zygote unicellulaire résultant de la fécondation. 1905 ; formé de *embryo-* et de *-genèse* ; [ɑ̃bʀijoʒenɛz].

**EMBRYOGÉNIQUE,** adj.
Relatif à l'embryogenèse. 1839 ; *embryogénie* (vx), « embryogenèse » ; [ɑ̃bʀijoʒenik].

**EMBRYOLOGIE, subst. f.**
Partie de la biologie qui étudie l'embryogenèse. ⌘ 1762 ; formé de *embryo-* et de *-logie* ; [ɑ̃bʀijɔlɔʒi].

**EMBRYOLOGIQUE, adj.**
Relatif à l'embryologie. ⌘ 1832 ; ☞ *embryologie* ; [ɑ̃bʀijɔlɔʒik].

**EMBRYOLOGISTE, subst.**
Spécialiste de l'embryologie. ⌘ 1845 ; formé de *embryo-* et de *-logiste* ; [ɑ̃bʀijɔlɔʒist].

**EMBRYON, subst. m.**
1. *Embryol.* Œuf fécondé d'un animal ou d'un végétal, pourvu de son patrimoine génétique, c.-à-d. de 2*n* chromosomes (*n* chromosomes paternels et *n* chromosomes maternels), à partir du moment où commence sa segmentation. Chez l'être humain, à partir du troisième mois du développement, l'**embryon** est appelé fœtus. 2. Fig. Germe, ébauche : *L'**embryon** d'une œuvre.* ⌘ 1361 ; gr. *embruon* ; [ɑ̃bʀijɔ̃].

**EMBRYONNAIRE, adj.**
1. *Embryol.* Relatif à l'embryon : *Vie **embryonnaire**.* 2. Fig. À l'état d'ébauche. ⌘ 1834 ; ☞ *embryon* ; [ɑ̃bʀijɔnɛʀ].

**EMBRYOPATHIE, subst. f.**
*Pathol.* Maladie de l'embryon, responsable de malformations. ⌘ V. 1960 ; formé de *embryo-* et de *-pathie* ; [ɑ̃bʀijɔpati].

**EMBRYOSCOPIE, subst. f.**
*Méd.* Examen visuel de l'embryon dans l'utérus à l'aide d'un endoscope. ⌘ XXᵉ s. ; formé de *embryo-* et de *-scopie* ; [ɑ̃bʀijɔskɔpi].

**EMBU, UE, adj. et subst. m.**
*Peint.* ADJ. Terni, devenu mat en raison de l'absorption de l'huile par le support : *Tableau **embu**.* SUBST. Partie **embue** d'un tableau. ⌘ 1676 (XIIᵉ s., enivré) ; *emboire* (vx), « imprégner » ; [ɑ̃by].

**EMBÛCHE, subst. f.**
1. Vx. Traquenard, embuscade. 2. Difficulté, écueil, piège (gén. au plur.) : *Parcours semé d'**embûches**.* ⌘ 1360 ; anc. fr. *embuschier*, « mettre en embuscade », du lat. pop. °*buska*, « bosquet » ; [ɑ̃byʃ].

**EMBUER, verbe trans. [3]**
1. Recouvrir de buée ; empl. adj. : *Des vitres **embuées**.* 2. Anal. Voiler de larmes (un regard) ; empl. pronom. : *Ses yeux s'**embuèrent**.* ⌘ 1877 ; ☞ *buée* + *en-*¹ ; [ɑ̃bɥe] ou [-by-].

**EMBUSCADE, subst. f.**
1. *Milit.* Piège consistant à dissimuler des hommes, des troupes en un endroit propice pour guetter les mouvements de l'ennemi et l'attaquer par surprise : *Tendre, tomber dans une **embuscade** ; Se tenir en **embuscade**.* 2. Ext. Embûche, obstacle. ⌘ 1425 ; ital. *imboscata*, de *imboscare*, « embusquer », de *bosco*, « bosquet » ; [ɑ̃byskad].

**EMBUSQUER, verbe trans. [3]**
1. Poster (des hommes) en embuscade. 2. Affecter (un militaire) à un poste sans danger ou à l'arrière ; empl. subst. masc. : *Un **embusqué**,* soldat qui a échappé à une affectation au combat, notamment lors de la Première Guerre mondiale (pop. et péj.). PRONOM. 1. Se mettre en embuscade ; par ext., se dissimuler. 2. Bénéficier d'une affectation de faveur dans l'armée, ou loin du front en temps de guerre (pop. et péj.). ⌘ XVᵉ s. ; anc. fr. *embuschier*, d'apr. l'ital. *imboscare* ; [ɑ̃byske].

**ÉMÉCHÉ, ÉE, adj.**
Un peu ivre. ⌘ 1859 ; p. p. de *émécher* ; [emeʃe].

**ÉMÉCHER, verbe trans. [8]**
Soûler légèrement (rare). ⌘ 1859 (1576, moucher une chandelle) ; ☞ *mèche* (I) + *é-*² ; [emeʃe].

**ÉMERAUDE, subst. f.**
Pierre précieuse de couleur verte, variété de béryl ; en appos. : *Vert **émeraude**.* ▸ Empl. adj. inv. D'un vert lumineux et transparent, semblable à celui de l'**émeraude** : *Des tissus **émeraude**.* ⌘ Déb. XIIᵉ s. ; lat. *smaragdus*, du gr. *smaragdos* ; [emʀod].

**ÉMERGENCE, subst. f.**
1. Action, fait, pour un fluide, un rayonnement, etc., d'émerger : *Une source correspond à l'**émergence** des eaux d'une nappe souterraine.* 2. Fig. Apparition d'un phénomène, d'une idée nouvelle. ⌘ 1720 (1498, dépendance) ; ☞ *émergent* ; [emɛʀʒɑ̃s].

**ÉMERGENT, ENTE, adj.**
1. Qui émerge. 2. *Chronol. Année **émergente*** : à partir de laquelle on compte les années d'une période, d'une ère. 3. *Phys.* Se dit d'une radiation qui sort d'un milieu après l'avoir traversé. ⌘ Déb. XVIᵉ s. (1476, qui dépend) ; lat. *emergens* ; [emɛʀʒɑ̃, ɑ̃t].

**ÉMERGER, verbe intrans. [5]**
1. Sortir de l'eau, apparaître à sa surface : *Des rochers **émergent** à marée basse* ; par anal. : *Des clochers **émergent** au-dessus des toits.* 2. Fig. Se détacher, apparaître distinctement : *La solution **émergea** du débat* ; se distinguer par sa valeur : *Élève qui **émerge** du lot.* 3. Sortir d'un état : ***Émerger** du sommeil* ; empl. abs., s'éveiller (fam.). ⌘ 1495 ; lat. *emergere* ; [emɛʀʒe].

**ÉMERI, subst. m.**
*Pétrogr.* Roche, à forte proportion de corindon, utilisée pour ses propriétés abrasives : *Papier, toile (d')**émeri***, enduits de poudre d'**émeri** ; *Flacon bouché à l'**émeri***, dont le bouchon et le goulot, polis à l'**émeri**, s'adaptent hermétiquement. ▸ Loc. *Être bouché à l'**émeri*** : avoir l'esprit obtus (fam.). ⌘ Déb. XIIIᵉ s. ; prob. gr. byzantin *smeri*, du gr. *smuris* ; [em(ə)ʀi].

**ÉMERILLON, subst. m.**
1. *Zool.* Petit rapace diurne, très vif, de la famille des Falconidés, autrefois utilisé pour la chasse. 2. *Mar.* Boucle ou crochet tournant librement dans un anneau. ⌘ Mil. XIIᵉ s. ; anc. fr. *esmeril*, de l'anc. bas frq. °*smiril* ; [em(ə)ʀijɔ̃].

**ÉMERILLONNÉ, ÉE, adj.**
Vif, enjoué comme l'émerillon (littér.). ⌘ Fin XVᵉ s. ; ☞ *émerillon* ; [em(ə)ʀijɔne].

**ÉMERISER, verbe trans. [3]**
*Techn.* Recouvrir (du papier, une meule) de poudre d'émeri. ⌘ 1868 ; ☞ *émeri* ; [em(ə)ʀize].

**ÉMÉRITAT, subst. m.**
Belg. Dignité du professeur d'université ou du magistrat émérite. ⌘ 1824 ; ☞ *émerite* ; [emeʀita].

**ÉMÉRITE, adj.**
1. *Professeur **émérite*** : professeur d'université en retraite, qui jouit d'une dignité particulière et peut continuer d'exercer certaines fonctions. ▸ Belg. Se dit d'un professeur d'université ou d'un magistrat retraité qui conserve son titre et son traitement. 2. Ext. Qui possède une longue pratique, une remarquable compétence : *Un collectionneur **émérite*** ; par iron. : *Un buveur **émérite**.* ⌘ XIVᵉ s. ; lat. *emeritus*, de *emerere*, « mériter, gagner » ; [emeʀit].

**ÉMERSION, subst. f.**
1. *Astron.* Réapparition d'un astre après une occultation, une éclipse. 2. Action, fait d'émerger (anton. *immersion*) : ***Émersion** d'un sous-marin.* ⌘ 1694 ; bas lat. *emersio*, de *emergere*, « émerger » ; [emɛʀsjɔ̃].

**ÉMERVEILLEMENT, subst. m.**
Fait de s'émerveiller, d'être émerveillé ; vif sentiment d'admiration et d'étonnement : *Cri d'**émerveillement*** ; par méton., ce qui provoque ce sentiment. ⌘ Déb. XIIIᵉ s. ; ☞ *émerveiller* ; [emɛʀvɛjmɑ̃].

**ÉMERVEILLER, verbe trans. [3]**
Emplir (qqn) d'étonnement et d'admiration, enchanter : *Son talent m'**émerveille*** ; empl. pronom. : *S'**émerveiller** de, devant qqch.* ⌘ Mil. XIIᵉ s. ; ☞ *merveille* + *é-*¹ ; [emɛʀveje].

**ÉMÉTINE, subst. f.**
*Chim.* Alcaloïde émétique extrait de l'ipéca. ⌘ 1817 ; ☞ *émétique* ; [emetin].

**ÉMÉTIQUE, adj.**
*Pharm.* Qualifie une substance, une plante vomitive ; empl. subst. masc., préparation, substance qui fait vomir. ⌘ 1575 ; bas lat. *emeticus*, du gr. *emetikos* ; [emetik].

**ÉMETTEUR, TRICE, subst.**
Personne, organisme qui émet, diffuse : *L'**émetteur** d'un chèque, d'un effet* ; empl. adj. : *Banque **émettrice** ; Bureau de poste **émetteur**.* MASC. ▸ *Électron.* Extrémité d'une jonction semi-conductrice, qui constitue, avec la base et le collecteur, l'une des trois électrodes d'un transistor. ▸ *Télécomm.* Dispositif permettant de produire des signaux électromagnétiques porteurs d'informations (sons, images, messages télégraphiques) ; empl. adj. : *Poste **émetteur** ; Antenne **émettrice**.* ⌘ 1792 ; ☞ *émettre* ; [emetœʀ, tʀis].

**ÉMETTEUR-RÉCEPTEUR, subst. m.**
*Télécomm.* Émetteur et récepteur intégrés au sein d'un même système et partageant parfois des éléments fonctionnels. ⌘ XXᵉ s. ; comp. de *émetteur* et de *récepteur* ; plur. *émetteurs-récepteurs* ; [emetœʀʀesɛptœʀ].

**ÉMETTRE, verbe trans. [60]**
1. Faire sortir de soi : ***Émettre** un cri, une plainte* ; exprimer : ***Émettre** un avis, un doute.* 2. Produire (des rayonnements) : *Éclairage **émettant** une lumière vive ; Le Soleil **émet** des rayons.* 3. *Télécomm.* Transmettre (des sons, des images) par ondes électromagnétiques ; par ext., procéder à l'émission de (un programme de radio, de télévision) ; empl. abs. : ***Émettre** sur ondes moyennes.* 4. Mettre en circulation : ***Émettre** un nouveau billet de banque* ; par ext. : ***Émettre** un emprunt, un timbre-poste.* ⌘ 1790 (1477, interjeter) ; lat. *emittere* ; [emɛtʀ].

**ÉMEU, subst. m.**
*Zool.* Grand ratite de la famille des Dromicéidés, aux ailes réduites, commun dans les plaines d'Australie. ⌘ 1598 ; mot des îles Moluques ; plur. *émeus*, var. *émou* ; [emø].

*Émeu.*

**ÉMEUTE, subst. f.**
Mouvement, soulèvement populaire tumultueux, souv. spontané : *Une **émeute** sanglante ; Provoquer, réprimer une **émeute**.* ⌘ Mil. XIIᵉ s. ; *esmeu*, anc. p. p. de *émouvoir*, d'apr. *meute*, « soulèvement » ; [emøt].

**ÉMEUTIER, IÈRE, subst.**
Personne qui pousse à l'émeute ou qui y participe. ⌘ 1834 ; ☞ *émeute* ; [emøtje, jɛʀ].

**ÉMIETTEMENT, subst. m.**
Action d'émietter, son résultat ; au fig. : ***Émiettement** des responsabilités.* ⌘ 1611 ; ☞ *émietter* ; [emjɛtmɑ̃].

**ÉMIETTER, verbe trans. [3]**
1. Réduire en miettes : ***Émietter** un biscuit.* 2. Fig. Diviser, éparpiller ; empl. pronom. : *Une fortune qui s'**émiette**.* ⌘ 1572 ; ☞ *miette* + *é-*¹ ; [emjete].

**ÉMIGRANT, ANTE, subst. et adj.**
SUBST. Personne qui émigre : ***Émigrants** européens vers les États-Unis au XIXᵉ s.* ADJ. Migrateur : *Oiseaux **émigrants**.* ⌘ 1770 ; p. pr. de *émigrer* ; [emigʀɑ̃, ɑ̃t].

**ÉMIGRATION, subst. f.**
1. Action d'émigrer : *L'**émigration** des Russes blancs après la révolution d'Octobre* ; par méton., ensemble des émigrés. ▸ *Hist.* Départ pour l'étranger des monarchistes lors de la Révolution. 2. *Zool.* Migration. ⌘ 1752 ; lat. *emigratio* ; [emigʀasjɔ̃].

**ÉMIGRÉ, ÉE, subst. et adj. m.**
SUBST. Personne qui a émigré : ***Émigré** politique.* ▸ *Hist.* Personne réfugiée à l'étranger, pendant la Révolution. ADJ. *Travailleur **émigré*** : qui quitte son pays pour chercher du travail à l'étranger. ⌘ 1791 ; p. p. de *émigrer* ; [emigʀe].

**ÉMIGRER, verbe intrans. [3]**
1. Quitter son pays pour s'installer dans un autre ; s'expatrier. 2. *Zool.* Migrer. ⌘ 1781 ; lat. *emigrare*, « changer de demeure » ; [emigʀe].

**ÉMINCÉ, ÉE, adj. et subst. m.**
*Cuis.* ADJ. Coupé en tranches fines. SUBST. Plat composé de minces tranches de viande cuite, nappées de sauce. ⌘ 1762 ; p. p. de *émincer* ; [emɛ̃se].

**ÉMINCER, verbe trans. [4]**
*Cuis.* Trancher finement (un aliment). ⌘ 1575 ; ☞ *mince* + *é-*¹ ; [emɛ̃se].

**ÉMINEMMENT, adv.**
De façon éminente, au plus haut point. ⌘ 1587 ; ☞ *éminent* ; [eminamɑ̃].

**ÉMINENCE, subst. f.**
1. *Anat.* Protubérance, saillie. 2. Élévation de terrain dominant les alentours. 3. Titre donné à un cardinal (avec une majuscule). ▸ Loc. ***Éminence** grise* : conseiller occulte d'un homme de pouvoir, par réf. au surnom du conseiller de Richelieu, le père Joseph de Tremblay, qui portait la robe grise des Capucins. ⌘ 1314 ; lat. *eminentia* ; [eminɑ̃s].

**ÉMINENT, ENTE, adj.**
1. Vx. Qui surplombe les environs, en parlant d'un relief. 2. Au-dessus du commun ; remarquable : *Il a rendu d'**éminents** services.* ⌘ 1216 ; lat. *eminens*, de *eminere*, « s'élever au-dessus » ; [eminɑ̃, ɑ̃t].

**ÉMIR,** subst. m.
**1.** Titre porté autrefois par les descendants de Mahomet. **2.** Ext. Chef militaire, gouverneur d'un territoire dans le monde musulman. XIIIe s. ; ar. *'amīr*, de *'amara*, « commander » ; [emiʀ].

**ÉMIRAT,** subst. m.
**1.** Fonction d'émir. **2.** Territoire ou État gouverné par un émir : *Fédération des* ***Émirats*** *arabes unis.* 1938 ; ☞ *émir* ; [emiʀa].

**ÉMISSAIRE (I),** subst. m. et adj.
Subst. Personne dépêchée auprès d'une autre en mission secrète ou officieuse. Adj. Loc. *Bouc* ***émissaire*** (☞ *bouc*). 1519 ; lat. *emissarius* ; [emisɛʀ].

**ÉMISSAIRE (II),** subst. m.
*Géogr.* Cours d'eau, canal d'évacuation des eaux d'un lac, d'un bassin. 1611 ; lat. *emissarium* ; [emisɛʀ].

**ÉMISSIF, IVE,** adj.
*Phys.* Qui peut émettre des rayonnements. 1834 ; lat. *emissum*, de *emittere*, « émettre » ; [emisif, iv].

**ÉMISSION,** subst. f.
**1.** *Physiol.* Projection d'un liquide hors de l'organisme : ***Émission*** *de sperme.* **2.** Production d'un son. **3.** Mise en circulation de billets, d'actions, de timbres, etc. **4.** *Phys.* Production de rayonnements, d'ondes. **5.** *Télécomm.* Transmission par ondes électromagnétiques de sons, d'images ; par méton., ce qui est ainsi émis : ***Émission*** *en direct.* Déb. XIVe s. ; lat. *emissio*, « action de lancer » ; [emisjɔ̃].

**ÉMISSOLE,** subst. f.
*Zool.* Petit requin inoffensif commun le long de nos côtes, appelé aussi chien de mer. 1753 ; ital. *mussolo*, du lat. *mustela*, « mustelle » ; [emisɔl].

**EMMAGASINAGE,** subst. m.
Action d'emmagasiner ; son résultat (synon. *emmagasinement*) : *Des frais d'****emmagasinage****.* 1781 ; ☞ *emmagasiner* ; [ɑ̃magazinaʒ].

**EMMAGASINER,** verbe trans. [3]
**1.** Mettre en magasin, entreposer, stocker (des marchandises). **2.** Ext. Amasser : ***Emmagasiner*** *des provisions.* **3.** Anal. Accumuler : ***Emmagasiner*** *de la chaleur.* **4.** Fig. Garder en mémoire : ***Emmagasiner*** *des bons souvenirs.* 1762 ; ☞ *magasin* + *en-*1 ; [ɑ̃magazine].

**EMMAILLOTEMENT,** subst. m.
Action d'emmailloter ; son résultat. 1580 ; ☞ *emmailloter* ; [ɑ̃majɔtmɑ̃].

**EMMAILLOTER,** verbe trans. [3]
**1.** Envelopper (un bébé) dans un lange (vieilli). **2.** Ext. Enrouler (une partie du corps, un objet) dans des bandes de tissu. Déb. XIIIe s. ; ☞ *maillot* + *en-*1 ; [ɑ̃majɔte].

**EMMANCHEMENT,** subst. m.
**1.** Action d'emmancher ; son résultat ; façon dont des objets sont emmanchés. **2.** *B.-a.* Liaison entre les membres et le tronc d'un sujet peint ou sculpté (vieilli). 1636 ; ☞ *emmancher* ; [ɑ̃mɑ̃ʃmɑ̃].

**EMMANCHER,** verbe trans. [3]
**1.** Fixer un manche à (un outil) ; emboîter (deux tubes). **2.** Fig. Entreprendre, engager (une affaire) ; empl. pronom. (fam.) : *Ça* ***s'emmanche*** *plutôt mal !* XIIe s. ; ☞ *manche* (II) + *en-*1 ; [ɑ̃mɑ̃ʃe].

**EMMANCHURE,** subst. f.
Chacune des ouvertures d'un vêtement à laquelle on fixe une manche ou par laquelle on passe un bras : *Gilet aux* ***emmanchures*** *larges.* 1494 ; ☞ *manche* (I) + *en-*1 ; [ɑ̃mɑ̃ʃyʀ].

**EMMARCHEMENT,** subst. m.
*Bât.* **1.** Entaille creusée dans le limon d'un escalier pour recevoir la marche. **2.** Largeur d'un escalier. **3.** Ensemble des marches d'un escalier. 1769 ; ☞ *marche* (II) + *en-*1 ; [ɑ̃maʀʃmɑ̃].

**EMMÊLEMENT,** subst. m.
Action d'emmêler ; son résultat. Fin XIIIe s. ; ☞ *emmêler* ; [ɑ̃mɛlmɑ̃].

**EMMÊLER,** verbe trans. [3]
**1.** Enchevêtrer, mêler ; empl. adj. : *Des cheveux* ***emmêlés****.* **2.** Fig. Compliquer, embrouiller (une affaire) ; empl. pronom. : ***S'emmêler*** *les pédales, les pinceaux*, se tromper ou se perdre en explications confuses (fam.). XIIe s. ; ☞ *mêler* + *en-*1 ; [ɑ̃mele].

**EMMÉNAGEMENT,** subst. m.
**1.** Action d'emménager ; son résultat. **2.** *Mar.* Disposition intérieure d'un navire ; au plur., compartiments, logements, soutes. 1495 ; ☞ *emménager* ; [ɑ̃menaʒmɑ̃].

**EMMÉNAGER,** verbe [5]
Trans. Installer (qqn, qqch.) dans une nouvelle demeure (rare). Intrans. S'installer dans un nouveau logement. 1424 ; ☞ *ménage* + *en-*1 ; [ɑ̃menaʒe].

**EMMÉNAGOGUE,** adj.
*Pharm.* Qui provoque ou qui régularise le flux menstruel ; empl. subst. masc., médicament **emménagogue**. 1738 ; gr. *emmêna*, « menstrues », et *agôgos*, « qui conduit » ; [ɑ̃menagɔg].

**EMMENER,** verbe trans. [10]
**1.** Conduire, mener (qqn, un animal) quelque part : ***Emmène****-moi au cinéma !* **2.** Ext. Entraîner à sa suite : ***Emmener*** *des hommes au combat.* Fin XIe s. ; ☞ *mener* + *en-*2 ; [ɑ̃mne].

**EMMENTHAL,** subst. m.
Fromage de lait de vache à pâte cuite, voisin du gruyère, produit en Suisse et en France. 1880 ; topon. *Emmenthal*, nom suisse de la vallée de l'Emme ; var. *emmental* ; plur. *emment(h)als* ; [emɛ̃tal].

**EMMERDANT, ANTE,** adj.
Fam. ▸ Qui importune ou qui contrarie : *Vous devenez* ***emmerdant*** ; empl. subst. masc. : *L'****emmerdant****, c'est que le train est parti !* ▸ Ennuyeux : *Livre* ***emmerdant****.* Fin XIXe s. ; p. pr. de *emmerder* ; [ɑ̃mɛʀdɑ̃, ɑ̃t].

**EMMERDE,** subst. f.
Emmerdement (fam.). Fin XIXe s. ; apocope de *emmerdement* ; [ɑ̃mɛʀd].

**EMMERDEMENT,** subst. m.
Grave problème ou grosse contrariété (fam.). 1839 ; ☞ *emmerder* ; [ɑ̃mɛʀdəmɑ̃].

**EMMERDER,** verbe trans. [3]
**1.** Vx. Salir d'excréments. **2.** Fig. et Fam. ▸ Importuner, contrarier (qqn) ; empl. pronom., se donner de la peine (pour qqch.) : *Je ne vais pas m'****emmerder*** *pour si peu.* ▸ Ennuyer : *La musique classique l'****emmerde****.* ▸ Mépriser. Déb. XVe s. ; ☞ *merde* + *en-*1 ; [ɑ̃mɛʀde].

**EMMERDEUR, EUSE,** subst.
Personne qui importune, qui agace les autres (fam.). 1866 ; ☞ *emmerder* ; [ɑ̃mɛʀdœʀ, øz].

**EMMÉTROPE,** adj.
Dont la vision est normale (anton. *amétrope*) : *Œil* ***emmétrope*** ; empl. subst., personne **emmétrope**. 1865 ; gr. *emmetros*, « proportionné », et *ôps*, « œil » ; [ɑ̃metʀɔp].

**EMMIELLER,** verbe trans. [3]
**1.** Mettre du miel dans (qqch.) : ***Emmieller*** *une décoction* ; au fig. : ***Emmieller*** *des propos*, les envelopper d'une douceur hypocrite. **2.** Emmerder (fam.). XIIIe s. ; ☞ *miel* + *en-*1 ; [ɑ̃mjele].

**EMMITOUFLER,** verbe trans. [3]
Envelopper (qqn) dans des vêtements chauds, douillets ; empl. pronom. : ***S'emmitoufler*** *jusqu'aux oreilles.* 1547 ; m. fr. *mitouflé*, « pourvu de mitaines », crois. de *mitaine* et de *emmouflé*, « enveloppé de moufles », + *en-*1 ; [ɑ̃mitufle].

© J.-P. Nacivet-Explorer

*Un bébé bien* ***emmitouflé****.*

**EMMOTTER,** verbe trans. [3]
*Agric.* Entourer d'une motte de terre les racines de (une plante). 1620 ; ☞ *motte* + *en-*1 ; [ɑ̃mɔte].

**EMMOUSCAILLER,** verbe trans. [3]
Emmerder (fam. et vieilli). Fin XIXe s. ; ☞ *mouscaille* + *en-*1 ; [ɑ̃muskaje].

**EMMURER,** verbe trans. [3]
**1.** Enfermer (qqn) dans un lieu dont on mure les issues. **2.** Fig. Isoler ; empl. pronom. : ***S'emmurer*** *dans sa peine.* Fin XIIe s. ; ☞ *mur* + *en-*1 ; [ɑ̃myʀe].

**ÉMOI,** subst. m.
**1.** Agitation inquiète provoquée, individuelle ou collective : *La nouvelle mit la ville en* ***émoi****.* **2.** Trouble intérieur dû à l'excitation des sens. Fin XIIe s. ; anc. fr. *esmaier*, « inquiéter », du bas lat. *exmagare*, « priver de sa force », d'orig. germ. ; [emwa].

**ÉMOLLIENT, ENTE,** adj.
**1.** *Pharm.* Qui soulage l'inflammation des tissus ; calmant : *Tisane* ***émolliente*** ; empl. subst. masc., médicament **émollient**. **2.** Fig. Apaisant : *Voix* ***émolliente****.* 1549 ; lat. *emolliens*, de *emollire*, « rendre mou » ; [emɔljɑ̃, ɑ̃t].

**ÉMOLUMENT,** subst. m.
*Dr.* Part d'actif que reçoit un héritier. Plur. Rétribution d'un officier ministériel pour ses actes ; honoraires ; par ext., salaire, traitement (gén. d'un fonctionnaire). 1804 (fin XIIIe s., bénéfice, profit) ; lat. *emolumentum*, « avantage, gain » ; [emɔlymɑ̃].

**ÉMONCTOIRE,** subst. m.
*Anat.* Organe servant à l'élimination des déchets organiques, par ex. le rectum, les narines, le foie ou les reins. 1314 ; lat. médiév. *emunctorium* ; [emɔ̃ktwaʀ].

**ÉMONDAGE,** subst. m.
*Sylvic.* Action d'émonder ; son résultat. 1572 ; ☞ *émonder* ; [emɔ̃daʒ].

**ÉMONDER,** verbe trans. [3]
**1.** *Sylvic.* Débarrasser (un arbre) de ses branches mortes, mal placées ou inutiles. **2.** Fig. Retrancher le superflu de : ***Émonder*** *un texte.* Déb. XIIIe s. (fin XIIe s., purifier, nettoyer) ; lat. *emundare*, « purifier, nettoyer » ; [emɔ̃de].

**ÉMONDEUR, EUSE,** subst.
*Sylvic.* Personne qui pratique l'émondage. 1542 ; ☞ *émonder* ; [emɔ̃dœʀ, øz].

**ÉMONDOIR,** subst. m.
*Sylvic.* Outil tranchant, gén. fixé sur un long manche, servant à émonder. 1873 ; ☞ *émonder* ; [emɔ̃dwaʀ].

**ÉMORFILAGE,** subst. m.
*Techn.* Action d'émorfiler ; son résultat. 1870 ; ☞ *émorfiler* ; [emɔʀfilaʒ].

**ÉMORFILER,** verbe trans. [3]
*Techn.* Éliminer le morfil de (une lame fraîchement affûtée). 1808 ; ☞ *morfil* (II) + *é-*2 ; [emɔʀfile].

**ÉMOTIF, IVE,** adj.
**1.** Relatif à l'émotion : *Réaction* ***émotive****.* **2.** Qui ressent intensément les émotions : *Caractère* ***émotif*** ; empl. subst., personne **émotive**. 1877 ; lat. *emotum*, de *emovere*, « remuer, ébranler » ; [emɔtif, iv].

**ÉMOTION,** subst. f.
**1.** Vieilli. Trouble, agitation (d'une population, d'un groupe) : *Toute l'Europe est en* ***émotion*** (Mme de Sévigné). **2.** Trouble suscité par un évènement agréable ou déplaisant, accompagné de manifestations physiques : *Rougir d'****émotion*** ; *Se remettre de ses* ***émotions*** ; *Il n'y a pas d'****émotion*** *dans ce qu'il écrit*, pas de sentiment. 1512 (fin XVe s., trouble moral) ; ☞ *émouvoir*, d'apr. l'anc. fr. *motion*, « mouvement » ; [emosjɔ̃].

**ÉMOTIONNABLE,** adj.
Émotif (fam.). 1870 ; ☞ *émotionner* ; [emosjɔnabl].

**ÉMOTIONNEL, ELLE,** adj.
Qui est propre à l'émotion : *Choc* ***émotionnel****.* 1823 ; ☞ *émotion* ; [emosjɔnɛl].

**ÉMOTIONNER,** verbe trans. [3]
Fam. Causer une émotion à (qqn) ; émouvoir ; empl. pronom. : *Elle* ***s'émotionne*** *facilement.* 1823 ; ☞ *émotion* ; [emosjɔne].

**ÉMOTIVITÉ,** subst. f.
Propension à éprouver des émotions ; caractère d'un individu émotif : ***Émotivité*** *maladive.* 1877 ; ☞ *émotif* ; [emɔtivite].

**ÉMOTTAGE,** subst. m.
*Agric.* Action d'émotter ; son résultat. 1835 ; ☞ *émotter* ; [emɔtaʒ].

**ÉMOTTER,** verbe trans. [3]
*Agric.* Briser les mottes de (une terre labourée). 1551 ; ☞ *motte* + *é-*2 ; [emɔte].

**ÉMOTTEUR, EUSE,** adj. et subst. f.
*Agric.* Adj. Qualifie un instrument servant à émotter : *Rouleau* ***émotteur****.* Subst. Machine qui émotte la terre. 1880 ; ☞ *émotter* ; [emɔtœʀ, øz].

**ÉMOU,** voir **ÉMEU**

**ÉMOUCHET, subst. m.**
*Zool.* Petit rapace, telle la crécerelle. ◊ 1598 ; anc. fr. *moschet,* « mâle de l'épervier », de *mouche* ; [emuʃe].

**ÉMOUCHETTE, subst. f.**
Filet à cordelettes pendantes constituant un caparaçon, destiné à protéger un cheval des mouches. ◊ 1690 (1549, ombelle) ; *émoucher* (vx), « chasser les mouches » ; [emuʃɛt].

**ÉMOUCHOIR, subst. m.**
Chasse-mouche composé d'une queue de cheval attachée à un manche. ◊ 1316 ; *émoucher* (vx), « chasser les mouches » ; [emuʃwaʀ].

**ÉMOUDRE, verbe trans.** [78]
*Techn.* Aiguiser (une lame) sur une meule (rare). ◊ Déb. XIIe s. ; lat. pop. °*exmolere* ; [emudʀ].

**ÉMOULAGE, subst. m.**
*Techn.* Action d'émoudre ; son résultat. ◊ 1611 ; ☞ *émoudre* ; [emulaʒ].

**ÉMOULEUR, EUSE, subst.**
Personne qui pratique l'émoulage ; rémouleur. ◊ 1313 ; ☞ *émoulu* ; [emulœʀ, øz].

**ÉMOULU, UE, adj.**
**1.** Fraîchement aiguisé à la meule. ▸ Loc. *À fer **émoulu*** : avec des armes aiguisées (dans un combat courtois). **2.** Fig. *Frais **émoulu** de* : juste sorti de (une école). ◊ XIIe s. ; p. p. de *émoudre* ; [emuly].

**ÉMOUSSER, verbe trans.** [3]
**1.** Rendre moins tranchant, moins pointu ; empl. adj. : *La pointe **émoussée** d'un couteau.* **2.** Fig. Rendre moins intense, moins vif : *L'habitude **émousse** le plaisir.* **Pronom.** Devenir moins aiguisé ; au fig., s'atténuer. ◊ Fin XVIe s. ; ☞ *mousse* (II) + *é-*[1] ; [emuse].

**ÉMOUSTILLANT, ANTE, adj.**
Qui émoustille : *Perspective **émoustillante**.* ◊ 1854 ; p. pr. de *émoustiller* ; [emustijɑ̃, ɑ̃t].

**ÉMOUSTILLER, verbe trans.** [3]
Animer d'une joyeuse excitation ou d'un désir sensuel. ◊ 1743 (1534, au p. p., qui est sous l'effet du vin nouveau) ; *moustille* (vx), « moût ; vin nouveau », + *é-*[1] ; [emustije].

**ÉMOUVANT, ANTE, adj.**
Qui émeut, qui attendrit : *Une scène **émouvante**.* ◊ 1849 ; p. pr. de *émouvoir* ; [emuvɑ̃, ɑ̃t].

**ÉMOUVOIR, verbe trans.** [49]
**1.** Vx. Mettre en mouvement. ▸ ***Émouvoir** une foule* : la pousser à l'émeute. **2.** Susciter une émotion, un trouble chez (qqn) ; attendrir : *Rien ne peut l'**émouvoir**.* **3.** Toucher la sensibilité de : *Il sait **émouvoir** ses lecteurs.* **Pronom.** S'inquiéter de ; être touché par : *L'opinion **s'émut** du sort des victimes.* ◊ Fin XIe s. ; lat. pop. °*exmovere,* du lat. *emovere,* « remuer, ébranler » ; [emuvwaʀ].

**EMPAILLAGE, subst. m.**
Action d'empailler. ◊ 1826 ; ☞ *empailler* ; [ɑ̃pɑjaʒ].

**EMPAILLÉ, ÉE, subst.**
Maladroit, empoté (fam. et péj.) : *Bouge-toi un peu, espèce d'**empaillé** !* ◊ XVIIe s. ; p. p. de *empailler* ; [ɑ̃pɑje].

**EMPAILLER, verbe trans.** [3]
**1.** Habiller de paille (un siège). **2.** Envelopper de paille pour protéger des chocs, du froid : ***Empailler** un arbuste.* **3.** Bourrer de paille la peau de (un animal mort), pour le conserver : ***Empailler** un renard.* ◊ XVIIe s. (1543, au p. p., mêlé de paille) ; ☞ *paille* + *en-*[1] ; [ɑ̃pɑje].

**EMPAILLEUR, EUSE, subst.**
**1.** Personne qui empaille les sièges, rempailleur. **2.** Personne qui empaille les animaux, taxidermiste. ◊ 1701 ; ☞ *empailler* ; [ɑ̃pɑjœʀ, øz].

**EMPALEMENT, subst. m.**
Action d'empaler, de s'empaler ; fait d'être empalé. ◊ 1584 ; ☞ *empaler* ; [ɑ̃palmɑ̃].

**EMPALER, verbe trans.** [3]
Transpercer d'un pal, d'un pieu. **Pronom.** Tomber sur un objet pointu qui s'enfonce dans le corps : *S'**empaler** sur un outil.* ◊ Fin XIIIe s. ; ☞ *pal* + *en-*[1] ; [ɑ̃pale].

**EMPAN, subst. m.**
Ancienne mesure de longueur égale à l'écart maximal entre l'extrémité du pouce et celle de l'auriculaire. ◊ 1532 ; anc. fr. *espan,* de l'anc. bas frq. °*spanna* ; [ɑ̃pɑ̃].

**EMPANACHER, verbe trans.** [3]
Orner, garnir d'un panache ; empl. adj. : *Chapeau **empanaché**.* ◊ Déb. XVIe s. ; ☞ *panache* + *en-*[1] ; [ɑ̃panaʃe].

**EMPANNER, verbe** [3]
*Mar.* **Trans.** Mettre (un navire) en panne. **Intrans.** Virer de bord vent arrière. ◊ 1703 ; ☞ *panne* (I) + *en-*[1] ; [ɑ̃pane].

**EMPAQUETAGE, subst. m.**
Action d'empaqueter ; son résultat. ◊ 1813 ; ☞ *empaqueter* ; [ɑ̃pak(ə)taʒ].

**EMPAQUETER, verbe trans.** [14]
**1.** Mettre en paquet. **2.** Emballer. ◊ 1516 ; ☞ *paquet* + *en-*[1] ; [ɑ̃pak(ə)te].

**EMPARER (S'), verbe pronom.** [3]
**S'emparer de. 1.** Se saisir indûment de (un bien) : ***S'emparer** d'un territoire.* **2.** Attraper, capturer (qqn) : *S'**emparer** d'un suspect.* **3.** Ext. Accaparer (qqch.) : *S'**emparer** du ballon, d'un livre* ; au fig. : *S'**emparer** de la conversation.* **4.** Fig. Prendre possession de (l'attention, l'âme de qqn) : *Quelle folie **s'empare** de toi ?* ◊ 1514 (1323, fortifier, défendre) ; anc. prov. *emparar,* « défendre », du lat. pop. °*anteparare,* « disposer par-devant » ; [ɑ̃paʀe].

**EMPÂTEMENT, subst. m.**
**1.** Action d'empâter ; son résultat. **2.** Estompement des traits, de la silhouette par un excès de graisse. **3.** *Élev.* Action d'empâter les volailles ; son résultat. **4.** *Peint.* Superposition de couches de peinture visant à donner du relief à un tableau. ◊ 1600 ; ☞ *empâter* ; [ɑ̃pɑtmɑ̃].

**EMPÂTER, verbe trans.** [3]
**1.** Recouvrir d'une substance pâteuse ; empl. pronom. : *La cuisinière **s'est empâté** les mains.* **2.** Donner une consistance pâteuse à : ***Empâter** la bouche.* **3.** *Élev.* Engraisser (les volailles) à la pâtée. **4.** *Peint.* Peindre par empâtements. **Pronom.** S'épaissir : *Un visage qui **s'empâte**.* ◊ XIIIe s. ; ☞ *pâte* + *en-*[1] ; [ɑ̃pɑte].

**EMPATHIE, subst. f.**
*Psychol.* Faculté de saisir intuitivement l'expérience vécue d'autrui. ◊ XXe s. ; formé de *en-*[1] et de *-pathie,* d'apr. *sympathie* ; [ɑ̃pati].

**EMPATHIQUE, adj.**
Qui relève de l'empathie. ◊ XXe s. ; ☞ *empathie* ; [ɑ̃patik].

**EMPATTEMENT, subst. m.**
**1.** Ce qui sert de pied, de base. **2.** *Bât.* Surépaisseur d'un mur à sa base. **3.** *Typogr.* Épaississement, aux extrémités des jambages, d'un caractère d'imprimerie. **4.** *Arboric.* Base renflée d'un tronc, d'une branche. **5.** *Autom.* Distance séparant les essieux d'un véhicule. ◊ 1499 ; ☞ *empatter* ; [ɑ̃patmɑ̃].

**EMPATTER, verbe trans.** [3]
**1.** Renforcer (un mur) à sa base. **2.** Étayer, soutenir : ***Empatter** un treuil.* **3.** Joindre (des éléments juxtaposés) en les fixant avec des pattes. ◊ 1327 ; ☞ *patte* (I) + *en-*[1] ; [ɑ̃pate].

**EMPAUMER, verbe trans.** [3]
**1.** Prendre ou recevoir dans le creux de la main (en partic. la balle, au jeu de paume). **2.** Fig. ***Empaumer** une affaire* : la prendre en main (vieilli) ; par ext. : ***Empaumer** qqn,* le séduire, le duper (fam. et vieilli). **3.** *Vèn.* ***Empaumer** la voie* : découvrir et suivre au nez la trace du gibier, en parlant d'un chien, d'une meute. ◊ Fin XVe s. ; ☞ *paume* + *en-*[1] ; [ɑ̃pome].

**EMPAUMURE, subst. f.**
*Vèn.* Partie supérieure d'un bois de cervidé, s'élargissant et portant des andouillers disposés comme des doigts. ◊ 1578 ; ☞ *paumure* + *en-*[1] ; [ɑ̃pomyʀ].

**EMPÊCHÉ, ÉE, adj.**
Retenu par d'autres activités : *Le ministre est **empêché**.* ◊ XIIIe s. ; p. p. de *empêcher* ; [ɑ̃peʃe].

**EMPÊCHEMENT, subst. m.**
**1.** Ce qui empêche une action ; contretemps, difficulté : *Un **empêchement** imprévu.* **2.** *Dr.* ▸ Absence d'une des conditions légales d'un mariage : ***Empêchement** prohibitif, dirimant.* ▸ Interruption prématurée du mandat présidentiel. ◊ Fin XIIe s. ; ☞ *empêcher* ; [ɑ̃pɛʃmɑ̃].

**EMPÊCHER, verbe trans.** [3]
**1.** Vx. Entraver (qqn). **2.** Mettre (qqn) dans l'impossibilité de faire qqch. : ***Empêcher** qqn de sortir.* **3.** Rendre impossible, faire obstacle à (qqch.) : ***Empêcher** un crime.* ▸ Loc. fam. *N'**empêche** que* : et pourtant ; *N'**empêche** !* : quand même ! **Pronom.** **S'empêcher de.** S'abstenir, se retenir de : *Je n'ai pas pu m'en **empêcher**.* ◊ XIIe s. ; bas lat. *impedicare,* de *pedica,* « entrave » ; [ɑ̃peʃe].

**EMPÊCHEUR, EUSE, subst.**
***Empêcheur** de danser, de tourner en rond* : rabat-joie (fam.). ◊ Mil. XIXe s. (1275, gêneur) ; ☞ *empêcher* ; [ɑ̃pɛʃœʀ, øz].

**EMPEIGNE, subst. f.**
Dessus d'une chaussure, de la pointe jusqu'au cou-de-pied. ▸ Loc. *Gueule d'**empeigne*** : visage, personne antipathique (pop.). ◊ XIIIe s. ; anc. fr. *peigne,* « métatarse », par anal. de forme, + *en-*[1] ; [ɑ̃pɛɲ].

**EMPENNAGE, subst. m.**
*Balist.* **1.** Action d'empenner. **2.** Ensemble des ailerons stabilisateurs disposés à la base d'un projectile à corps allongé (flèche, missile, etc.). ▸ Ext. *Aéron.* Ailerons à l'arrière des ailes portantes et de la queue d'un avion. ◊ 1832 ; ☞ *empenner* ; [ɑ̃pɛnaʒ].

**EMPENNER, verbe trans.** [3]
Munir (une flèche) d'un empennage. ◊ Fin XIe s. ; ☞ *penne* + *en-*[1] ; [ɑ̃pene].

**EMPEREUR, subst. m.**
Souverain gouvernant un empire : *Les **empereurs** romains* ; *L'**empereur** de Russie,* le tsar ; *L'**empereur** allemand,* dit le kaiser ; empl. abs. : *L'**Empereur**,* Napoléon Ier. ◊ Mil. XIe s. ; lat. *imperator* ; [ɑ̃pʀœʀ].

**EMPERLER, verbe trans.** [3]
**1.** Orner de perles. **2.** Anal. Parsemer (qqch.) de gouttelettes qui évoquent des perles (littér.) : *La rosée **emperlait** le gazon.* ◊ 1544 ; ☞ *perle* + *en-*[1] ; [ɑ̃pɛʀle].

**EMPESAGE, subst. m.**
Action d'empeser du linge ; son résultat. ◊ 1650 ; ☞ *empeser* ; [ɑ̃pəzaʒ].

**EMPESÉ, ÉE, adj.**
**1.** Qui est apprêté avec de l'empois. **2.** Fig. Gourmé, raide, compassé : *Style **empesé**,* trop solennel. ◊ Fin XIe s. ; p. p. de *empeser* ; [ɑ̃pəze].

**EMPESER, verbe trans.** [10]
Apprêter (du linge) avec de l'empois (synon. *amidonner*). ◊ Fin XIe s. ; anc. fr. *empoise,* « empois », du lat. *impensa,* « dépense ; ingrédients » ; [ɑ̃pəze].

**EMPESTER, verbe trans.** [3]
**1.** Infecter de la peste (vx) ; au fig., corrompre, gâter, détériorer : *La jalousie **empeste** leurs rapports.* **2.** Infecter de (une mauvaise odeur) : ***Empester** le tabac froid* ; empl. abs., sentir mauvais : *Ça **empeste**, ici !* ◊ Fin XVIe s. ; ☞ *peste* + *en-*[1] ; [ɑ̃pɛste].

**EMPÊTRER, verbe trans.** [3]
**1.** Vx. Entraver (un animal). **2.** Fig. Engager (qqn) dans une situation embarrassante : *Il m'a **empêtré** dans une sale histoire* ; empl. adj. : *Allure **empêtrée**,* gênée, balourde. **Pronom. 1.** Se prendre les pieds (dans qqch.), trébucher : *S'**empêtrer** dans les broussailles.* **2.** Fig. Se débattre (dans une situation difficile) : *S'**empêtrer** dans un procès* ; *S'**empêtrer** dans ses excuses,* s'y embrouiller, cafouiller. ◊ Fin XIIe s. ; lat. pop. °*impastoriare,* de *chorda pastoria,* « entrave à bestiaux » ; [ɑ̃petʀe].

**EMPHASE, subst. f.**
**1.** *Rhét.* Emploi de termes dépassant l'idée à exprimer (par ex. « mourir de faim » pour « être affamé »). **2.** Grandiloquence, boursouflure du style ; affectation dans le comportement. ◊ 1543 ; lat. *emphasis,* du gr. *emphasis,* « expression forte » ; [ɑ̃fɑz].

**EMPHATIQUE, adj.**
Plein d'emphase, pompeux. ◊ Mil. XVIIIe s. (1579, expressif) ; gr. *emphatikos,* « expressif » ; [ɑ̃fatik].

**EMPHYSÉMATEUX, EUSE, adj. et subst.**
**Adj.** Propre à l'emphysème : *Toux **emphysémateuse*** ; qui en est atteint. **Subst.** Malade atteint d'emphysème. ◊ 1834 ; ☞ *emphysème* ; [ɑ̃fizematø, øz].

**EMPHYSÈME, subst. m.**
*Pathol.* **1.** ***Emphysème** cellulaire* : gonflement dû à une infiltration gazeuse diffuse dans le tissu cellulaire (par ex. **emphysème** sous-cutané). **2.** ***Emphysème** pulmonaire* : maladie chronique caractérisée par la dilatation anormale et permanente de la paroi des alvéoles pulmonaires. ◊ 1628 ; gr. *emphusêma,* « gonflement » ; [ɑ̃fizɛm].

**EMPHYTÉOSE, subst. f.**
*Dr.* Droit réel, cessible et saisissable, sur un bien foncier, consenti par un bail de longue durée (de 18 à 99 ans) en échange d'une redevance annuelle. ◊ 1271 ; lat. médiév. *emphyteosis,* du gr. *emphuteusis,* de *emphuteuein,* « planter » ; [ɑ̃fiteoz].

**EMPHYTÉOTIQUE, adj.**
*Dr.* Relatif à l'emphytéose, à son application : *Bail, propriété, redevance **emphytéotique**.* ◊ XIVe s. ; lat. médiév. *emphyteoticus,* du gr. *emphuteutikos* ; [ɑ̃fiteɔtik].

**EMPIÈCEMENT, subst. m.**
*Cout.* Pièce rapportée sur le haut d'un vêtement. ⚭ Fin XIX^e s. ; ☞ *pièce* + *en-*¹ ; [ɑ̃pjɛsmɑ̃].

**EMPIERREMENT, subst. m.**
Action d'empierrer ; son résultat. ⚭ 1750 (1578, pétrification) ; ☞ *empierrer* ; [ɑ̃pjɛʀmɑ̃].

**EMPIERRER, verbe trans.** [3]
Garnir d'une couche de pierres brutes : ***Empierrer** une route.* ⚭ 1323 ; ☞ *pierre* + *en-*¹ ; [ɑ̃pjeʀe].

**EMPIÈTEMENT, subst. m.**
Action d'empiéter sur qqch. ; son résultat. ⚭ 1660 (1376, commencement de possession) ; ☞ *empiéter* ; var. *empiétement* ; [ɑ̃pjɛtmɑ̃].

**EMPIÉTER, verbe trans.** [8]
**Trans. dir.** Vx. *Fauconn.* Prendre (une proie) dans ses serres. **Trans. indir. Empiéter sur. 1.** Déborder (qqch.) : *Cultures qui **empiètent** sur un marais.* **2.** Fig. S'arroger en partie (les biens, les droits, les prérogatives d'autrui). ⚭ XIV^e s. ; ☞ *pied* + *en-*¹ ; [ɑ̃pjete].

**EMPIFFRER (S'), verbe pronom.** [3]
Manger gloutonnement (fam.) : ***S'empiffrer** de frites.* ⚭ 1648 ; *piffre* (vx), « homme ventru », + *en-*¹ ; [ɑ̃pifʀe].

**EMPILAGE, subst. m.**
**1.** Empilement : *Un **empilage** de cartons.* **2.** *Pêche.* Action d'accrocher un hameçon à une empile. ⚭ 1679 ; ☞ *empiler* ; [ɑ̃pilaʒ].

**EMPILE, subst. f.**
*Pêche.* Petit fil auquel on accroche l'hameçon. ⚭ 1769 ; ☞ *empiler* ; [ɑ̃pil].

**EMPILEMENT, subst. m.**
Action d'empiler ; ensemble de choses empilées. ⚭ 1548 ; ☞ *empiler* ; [ɑ̃pilmɑ̃].

**EMPILER, verbe trans.** [3]
**1.** Mettre en pile : ***Empiler** des briques.* **2.** Ext. Accumuler : ***Empiler** les honneurs.* **3.** Fig. Duper (fam.). **Pronom.** S'entasser. ⚭ Déb. XIII^e s. ; ☞ *pile* (I) + *en-*¹ ; [ɑ̃pile].

**EMPIRE, subst. m.**
**1.** État, englobant souvent plusieurs peuples, soumis à l'autorité d'un empereur : *L'**Empire** romain ; L'**empire** du Milieu,* ou *Le Céleste **Empire**,* la Chine jusqu'au XX^e s. ; *L'**empire** du Soleil-Levant,* le Japon. ▸ Loc. *Pas pour un **empire*** : à aucun prix, pour rien au monde. **2.** Régime politique caractérisé par l'autorité absolue d'un empereur ; période correspondant à ce type de régime. ▸ *Le premier **Empire*** ou *L'**Empire*** : institué par Napoléon I^er (1804-1814) ; en appos. : *Salon **Empire**,* du style caractéristique de cette époque. ▸ *Le second **Empire*** : institué par Napoléon III (1852-1870) ; en appos. : *Mobilier second **Empire**.* ▸ *Le Haut-**Empire** (romain)* : de 27 av. J.-C. à 192 apr. J.-C. ; *Le Bas-**Empire** (romain)* : de 192 à 476 apr. J.-C. **3.** Ensemble de territoires soumis à un gouvernement unique : *La dislocation des **empires** coloniaux* ; par anal. : *Un **empire** industriel, financier.* **4.** Domination, ascendant (littér.) : *Elle a beaucoup d'**empire** sur lui ; Agir sous l'**empire** de la colère.* ⚭ Mil. XI^e s. ; lat. *imperium,* « pouvoir suprême ; empire » ; [ɑ̃piʀ].

© A. Wolf-Explorer

*Style **Empire** : la salle d'audience du château de Fontainebleau. Au centre, le trône de Napoléon I^er.*

**EMPIRER, verbe** [3]
**Trans.** Rendre pire : *Son traitement **a empiré** le mal.* **Intrans.** Devenir pire. ⚭ Mil. XI^e s. ; *emperier* (vx), du bas lat. *pejorare,* « aggraver », d'apr. *pire* ; [ɑ̃piʀe].

**EMPIRIOCRITICISME, subst. m.**
*Philos.* Doctrine développée par E. Mach et R. Avenarius, qui préfigure le néopositivisme du Cercle de Vienne par son rejet de toute connaissance non factuelle et de toute relation de causalité ne pouvant s'exprimer au moyen d'une fonction mathématique. ⚭ Fin XIX^e s. ; formé de *empirique* et de *criticisme* ; [ɑ̃piʀjokʀitisism].

**EMPIRIQUE, adj.**
**1.** Qui se fonde sur l'expérience commune, ne se déduit d'aucun principe et ne se prête pas à une généralisation (souv. péj.) : *Médication **empirique**.* **2.** *Philos.* ▸ Qualifie les sciences qui, pour établir leurs vérités, recourent à l'observation et à l'expérimentation. ▸ Qualifie, chez Kant, ce qui, de l'intuition d'une chose, est imposé par les sens et non exclusivement par l'esprit : *L'intuition du triangle est pure, celle d'un objet triangulaire est **empirique**.* ⚭ 1314 ; lat. *empiricus,* « médecin empirique », du gr. *empeirikos* ; [ɑ̃piʀik].

**EMPIRIQUEMENT, adv.**
De façon empirique. ⚭ 1593 ; ☞ *empirique* ; [ɑ̃piʀikmɑ̃].

**EMPIRISME, subst. m.**
**1.** Attitude d'esprit ou manière de procéder qui ne se garantit que de l'expérience immédiate ou de la perception commune (péj.). **2.** *Philos.* ▸ Doctrine, défendue en partic. par Locke contre Descartes, qui conteste l'existence innée, chez l'individu, des principes de la connaissance rationnelle. ▸ Doctrine qui fait reposer la connaissance objective sur l'expérimentation ou sur l'observation réglée des phénomènes. ▸ ***Empirisme** logique* : doctrine des savants et des philosophes du Cercle de Vienne, selon laquelle seuls sont pourvus de sens les énoncés pouvant être traduits sous forme de protocoles expérimentaux. ⚭ Mil. XVIII^e s. ; ☞ *empirique* ; [ɑ̃piʀism].

**EMPIRISTE, adj. et subst.**
*Philos.* **Adj.** Qui se rapporte ou adhère à l'empirisme. **Subst.** Partisan de l'empirisme. ⚭ Mil. XIX^e s. ; ☞ *empirisme* ; [ɑ̃piʀist].

**EMPLACEMENT, subst. m.**
**1.** Place choisie pour l'édification d'un bâtiment ou réservée pour exercer une activité : *L'**emplacement** d'un terrain de jeu.* **2.** Place, endroit occupé par qqch. ou qui lui est affecté : ***Emplacement** d'une ville ; **Emplacement** réservé au stationnement.* ⚭ 1611 (1422, assignation, donation) ; ☞ *placer* (I) + *en-*¹ ; [ɑ̃plasmɑ̃].

**EMPLANTURE, subst. f.**
**1.** *Mar.* Encaissement recevant le pied d'un mât. **2.** *Aéron.* Ligne de raccordement de l'aile au fuselage. ⚭ 1773 ; ☞ *planter* + *en-*¹ ; [ɑ̃plɑ̃tyʀ].

**EMPLÂTRE, subst. m.**
**1.** *Pharm.* Onguent adhérant à la peau. ▸ Loc. *Un **emplâtre** sur une jambe de bois* : expédient dérisoire et vain. **2.** Fig. et Fam. ▸ Personne inefficace, encombrante. ▸ Gifle. ⚭ Mil. XII^e s. ; lat. *emplastrum,* du gr. *emplastron,* de *emplassein,* « enduire » ; [ɑ̃plɑtʀ].

**EMPLETTE, subst. f.**
**1.** Achat d'objets courants : *Faire ses **emplettes** ; Faire l'**emplette** d'un téléviseur.* **2.** Méton. Marchandise achetée. ⚭ Déb. XIII^e s. ; bas lat. °*implicta,* « usage, application », du lat. *implicare,* « employer » ; [ɑ̃plɛt].

**EMPLIR, verbe trans.** [19]
Rendre plein (littér.) : ***Emplir** une coupe* ; par ext. : *Les passants **emplissaient** les rues* ; au fig. : *Un succès qui m'**emplit** d'orgueil.* ⚭ Mil. XII^e s. ; lat. pop. °*implire,* du lat. *implere* ; [ɑ̃pliʀ].

**EMPLISSAGE, subst. m.**
Action d'emplir ; son résultat. ⚭ 1596 ; ☞ *emplir* ; [ɑ̃plisaʒ].

**EMPLOI, subst. m.**
**I. 1.** Action, manière d'employer qqch. ; utilisation, usage : *Matériau d'**emploi** aisé ; L'**emploi** de l'indicatif.* ▸ *Mode d'**emploi*** : guide d'utilisation d'un objet. ▸ ***Emploi** du temps* : organisation des tâches, des activités pour une période donnée. ▸ Loc. *Faire double **emploi*** (☞ *double*). **2.** *Dr.* Acquisition de biens avec un capital disponible. **II. 1.** Occupation (vx). **2.** Activité, travail rémunéré : *Trouver un **emploi** ; **Emploi** de livreur.* ▸ *Offres d'**emploi*** : petites annonces proposant du travail. ▸ *Demandeur d'**emploi*** : chômeur. **3.** *Écon.* Ensemble des personnes employées et rémunérées, dans un contexte donné : *La situation de l'**emploi**.* **III.** *Théâtre.* Rôle destiné particulièrement à un type d'acteur : ***Emploi** de soubrette.* ▸ Loc. *Avoir la tête de l'**emploi*** : posséder le physique correspondant à son rôle. ⚭ Fin XIII^e s. ; ☞ *employer* ; [ɑ̃plwa].

**EMPLOYABLE, adj.**
Que l'on peut employer, utiliser à une fin déterminée. ⚭ Fin XVI^e s. ; ☞ *employer* ; [ɑ̃plwajabl].

**EMPLOYÉ, ÉE, subst.**
Salarié, ni ouvrier ni cadre, gén. d'une administration : ***Employé** municipal ; **Employé** de maison,* domestique. ⚭ 1723 ; p. p. de *employer* ; [ɑ̃plwaje].

**EMPLOYER, verbe trans.** [17]
**1.** Utiliser (qqch.) à des fins précises : ***Employer** un appareil ; **Employer** la douceur pour convaincre ; **Employer** un mot,* en faire usage. **2.** Fournir à (qqn) une activité rémunérée : *Il **emploie** un assistant.* **Pronom. 1. S'employer à.** S'efforcer de, s'appliquer à : *S'**employer** à satisfaire autrui.* **2.** Être en usage : *« Après que » ne s'**emploie** pas avec le subjonctif.* ⚭ Fin XI^e s. ; lat. *implicare,* « plier dans ; placer » ; [ɑ̃plwaje].

**EMPLOYEUR, EUSE, subst.**
Personne qui emploie des salariés ; empl. adj. : *Société **employeuse**.* ⚭ 1794 (1304, celui qui dépense) ; ☞ *employer* ; [ɑ̃plwajœʀ, øz].

**EMPLUMER, verbe trans.** [3]
Couvrir, orner de plumes ; empl. pronom. : *Le poussin s'**emplume**.* ⚭ 1180 ; ☞ *plume* + *en-*¹ ; [ɑ̃plyme].

**EMPOCHER, verbe trans.** [3]
**1.** Mettre dans la poche (vieilli). **2.** Fig. Toucher, recevoir (de l'argent). **3.** Subir (fam.) : ***Empocher** des insultes.* ⚭ 1570 ; ☞ *poche* (II) + *en-*¹ ; [ɑ̃pɔʃe].

**EMPOIGNADE, subst. f.**
**1.** Vif affrontement où l'on s'empoigne. **2.** Ext. Altercation. ⚭ 1866 ; ☞ *empoigner* ; [ɑ̃pwaɲad].

**EMPOIGNE, subst. f.**
Vx. Action d'empoigner. ▸ Loc. *Foire d'**empoigne*** : affrontement où chacun cherche à obtenir qqch. par tous les moyens. ⚭ 1773 ; ☞ *empoigner* ; [ɑ̃pwaɲ].

**EMPOIGNER, verbe trans.** [3]
**1.** Prendre en serrant fermement dans la main : ***Empoigner** une épée ; **Empoigner** qqn,* le saisir fermement, sans égards. **2.** Fig. Bouleverser : *L'actrice **empoignait** les spectateurs.* **Pronom.** Se battre ; en venir aux mains. ⚭ 1174 ; ☞ *poing* + *en-*¹ ; [ɑ̃pwaɲe].

**EMPOINTURE, subst. f.**
*Mar.* Angle supérieur d'une voile en trapèze (dite voile carrée). ⚭ 1792 ; ☞ *point* (I) + *en-*¹ ; [ɑ̃pwɛ̃tyʀ].

**EMPOIS, subst. m.**
Apprêt d'amidon qui sert à empeser le linge : *Un col raide d'**empois**.* ⚭ 1454 ; ☞ *empeser* ; [ɑ̃pwa].

**EMPOISONNANT, ANTE, adj.**
Fam. Ennuyeux ; gênant : *Débat **empoisonnant** ; Rival **empoisonnant**.* ⚭ XX^e s. ; p. pr. de *empoisonner* ; [ɑ̃pwazɔnɑ̃, ɑ̃t].

**EMPOISONNEMENT, subst. m.**
**1.** Action d'empoisonner ; son résultat. **2.** *Pathol.* Intoxication, mortelle ou non, de l'organisme par une substance nocive. ⚭ 1175 ; ☞ *empoisonner* ; [ɑ̃pwazɔnmɑ̃].

**EMPOISONNER, verbe trans.** [3]
**1.** Tuer (un être), ou tenter de le faire, à l'aide d'un poison ; empl. pronom. : *Il s'**est empoisonné*** ; empl. abs., intoxiquer mortellement : *Certains champignons **empoisonnent**.* **2.** Mettre du poison sur, dans (une arme, un aliment). ▸ Empl. adj. *Flèche **empoisonnée*** ; au fig. : *Cadeau **empoisonné**,* qui apporte des désagréments ; *Trait **empoisonné**,* allusion perfide. **3.** Ext. Empuantir (fam.) : ***Empoisonner** l'atmosphère.* **4.** Fig. Ennuyer, importuner (fam.) : *Ce chien nous **empoisonne** vraiment.* **5.** Fig. Corrompre (vieilli) : *Il m'a dit que le coron **était empoisonné*** (Zola). ⚭ Déb. XII^e s. ; ☞ *poison* + *en-*¹ ; [ɑ̃pwazɔne].

**EMPOISONNEUR, EUSE, subst.**
**1.** Assassin qui se sert de poison. **2.** Fig. Personne qui importune (fam.). ⚭ Fin XIII^e s. ; ☞ *empoisonner* ; [ɑ̃pwazɔnœʀ, øz].

**EMPOISSER, verbe trans.** [3]
Enduire de poix ; rendre gluant. ⚭ 1539 ; ☞ *poix* + *en-*¹ ; [ɑ̃pwase].

**EMPOISSONNEMENT, subst. m.**
Action d'empoissonner ; son résultat. ⚭ 1534 ; ☞ *empoissonner* ; [ɑ̃pwasɔnmɑ̃].

**EMPOISSONNER, verbe trans.** [3]
Peupler de poissons (un lac, un cours d'eau). ⚭ 1243 ; ☞ *poisson* + *en-*¹ ; [ɑ̃pwasɔne].

**EMPORIUM, subst. m.**
*Antiq.* Comptoir commercial établi à l'étranger. ⚭ 1755 ; lat. *emporium,* du gr. *emporion* ; plur. *emporiums* ou *emporia* ; [ɑ̃pɔʀjɔm], plur. [-ʀja].

**EMPORT, subst. m.**
*Aéron.* Charge qu'un avion est capable d'emporter. V. 1950 (1260, délai, retard) ; ☞ *emporter* ; [ɑ̃pɔʀ].

**EMPORTÉ, ÉE, adj.**
Irascible, impétueux, violent. 1633 ; p. p. de *emporter* ; [ɑ̃pɔʀte].

**EMPORTEMENT, subst. m.**
**1.** Émotion, élan passionnel : *Tu as trop d'**emportement** pour avoir de la prudence* (Rousseau). **2.** Crise de colère violente. 1636 (fin XIIIe s., action d'emporter) ; ☞ *emporter* ; [ɑ̃pɔʀtəmɑ̃].

**EMPORTE-PIÈCE, subst. m.**
Outil servant à trouer, à découper une forme préétablie, d'une seule pression. ▸ Loc. **À l'emporte-pièce.** Brutal, mordant : *Style, formule à l'**emporte-pièce**.* XVIIe s. ; comp. de *emporter* et de *pièce* ; plur. *emporte-pièce(s)* ; [ɑ̃pɔʀtəpjɛs].

**EMPORTER, verbe trans. [3]**
**1.** Prendre avec soi et déplacer dans un autre lieu (qqch., un corps inerte) : ***Emporter** une malle, un enfant endormi* ; par ext., ***emporter** la recette*, la voler. ▸ *Plat à **emporter*** : que l'on ne consomme pas sur place. ▸ Loc. *Ne pas l'**emporter** en, au paradis* : ne pas en profiter longtemps ; *Que le diable l'**emporte** !* : marque l'impatience, l'irritation envers qqn. **2.** Entraîner dans un mouvement irrésistible ou brutal : *La bourrasque **emporta** les chapeaux* ; au fig. : *L'enthousiasme **emportait** l'orateur* ; *La maladie l'a **emporté***, il en est mort. **3.** Conquérir : ***Emporter** la victoire de haute lutte* ; par ell. : *L'**emporter** sur*, prendre l'avantage sur. **4.** Brûler (fam.) : *Ce piment m'**emporte** la bouche.* PRONOM. Ne pas garder son calme. ▸ *Un cheval qui s'**emporte*** : qui n'obéit plus à son cavalier. Xe s. ; ☞ *porter* (I) + *en-*[2] ; [ɑ̃pɔʀte].

**EMPOTAGE, subst. m.**
Action d'empoter (synon. *empotement*) ; son résultat. 1735 ; ☞ *empoter* ; [ɑ̃pɔtaʒ].

**EMPOTÉ, ÉE, adj. et subst.**
Se dit d'une personne lente et gauche. 1867 ; anc. fr. *main pote*, « main gauche », du lat. pop. °*pautta*, « patte » ; [ɑ̃pɔte].

**EMPOTER, verbe trans. [3]**
Mettre (un végétal) dans un pot. 1651 ; ☞ *pot* + *en-*[1] ; [ɑ̃pɔte].

**EMPOURPRER, verbe trans. [3]**
Colorer de pourpre ou de rouge : *Le soleil peu à peu **empourprait** l'horizon* ; *Son visage **était empourpré** de honte* ; empl. pronom. : *Elle s'**empourpra** de colère.* 1552 ; ☞ *pourpre* + *en-*[1] ; [ɑ̃puʀpʀe].

**EMPOUSSIÉRER, verbe trans. [8]**
Couvrir de poussière. 1863 ; ☞ *poussière* + *en-*[1] ; [ɑ̃pusjeʀe].

**EMPREINDRE, verbe trans. [53]**
**1.** Marquer par pression (rare) : *Il **avait empreint** ses pas sur le sol mouillé.* **2.** Fig. Laisser une trace sur : *Le chagrin **empreignait** son visage* ; empl. adj. : *Un geste **empreint** de solennité.* 1213 ; lat. pop. °*impremere*, du lat. *imprimere*, « imprimer » ; [ɑ̃pʀɛ̃dʀ].

**EMPREINTE, subst. f.**
**1.** Marque obtenue sur une surface, par pression : ***Empreinte** des pneus sur le gravier* ; ***Empreinte** d'une monnaie*, effigie qui s'y trouve gravée ; ***Empreinte** fossile d'un coquillage.* ▸ ***Empreintes** digitales* : traces laissées par les sillons de la pulpe des doigts de qqn. **2.** Fig. Marque durable et caractérisée : *L'**empreinte** de la douleur* ; *L'**empreinte** de la civilisation grecque.* **3.** *Génét.* ***Empreinte** génétique* : résultat d'une analyse permettant de mettre en évidence des différences dans la nature de l'A. D. N. des individus d'une même espèce. Déb. XIIIe s. ; p. p. de *empreindre* ; [ɑ̃pʀɛ̃t].

*L'empreinte d'un ours, et celle d'une chaussure.*

**EMPRESSÉ, ÉE, adj.**
**1.** Affairé, pressé. **2.** Plein d'ardeur et d'attention : *Un soupirant **empressé*** ; par méton. : *Une cour **empressée**.* 1611 ; p. p. de *s'empresser* ; [ɑ̃pʀese].

**EMPRESSEMENT, subst. m.**
**1.** Ardeur déployée envers qqn ; désir de plaire ; dévouement : *Être soigné avec **empressement**.* **2.** Ext. Hâte, diligence dans l'accomplissement de qqch. XVIIe s. (1225, pression, serrement) ; ☞ *s'empresser* ; [ɑ̃pʀɛsmɑ̃].

**EMPRESSER (S'), verbe pronom. [3]**
**1.** Manifester son empressement. **2.** Se dépêcher : ***S'empresser** de porter un pli.* 1609 (1150, presser, pousser qqn) ; ☞ *presser* + *en-*[1] ; [ɑ̃pʀese].

**EMPRÉSURER, verbe trans. [3]**
Additionner (le lait) de présure. 1568 ; ☞ *présure* + *en-*[1] ; [ɑ̃pʀezyʀe].

**EMPRISE, subst. f.**
**1.** *Dr.* Prise de possession par l'Administration d'une propriété privée, en partic. de terrains, en vue d'y exécuter des travaux d'intérêt public. **2.** Ext. Mainmise morale exercée sur qqn ; influence : *Il n'a plus d'**emprise** sur son fils* ; *Sous l'**emprise** de la drogue.* 1868 (1175, prouesse chevaleresque) ; p. p. de l'anc. fr. *emprendre*, « entreprendre » ; [ɑ̃pʀiz].

**EMPRISONNEMENT, subst. m.**
**1.** Action d'emprisonner ; son résultat. **2.** *Dr.* Peine de prison. 1275 ; ☞ *emprisonner* ; [ɑ̃pʀizɔnmɑ̃].

**EMPRISONNER, verbe trans. [3]**
**1.** Mettre en prison ; par ext., garder enfermé ; au fig. : *Ces préjugés t'**emprisonnent**.* **2.** Serrer, comprimer. Mil. XIIe s. ; ☞ *prison* + *en-*[1] ; [ɑ̃pʀizɔne].

**EMPRUNT, subst. m.**
**1.** Fait de recevoir qqch., en partic. de l'argent, à titre de prêt ; ce qui est emprunté : *Contracter, rembourser un **emprunt**.* **2.** Action, pour l'État ou une collectivité publique, de demander au public des fonds à titre de prêt, en échange de certains avantages fiscaux ; les capitaux empruntés : ***Emprunt** national.* **3.** Fait de reproduire ou d'imiter les idées, les thèmes d'un autre : *Les **emprunts** de Racine à Euripide.* **4.** *Ling.* Processus par lequel une langue intègre des mots d'une autre langue ; par méton., le mot intégré. **5.** Loc. **D'emprunt.** Qui n'appartient pas en propre ; faux, artificiel : *Nom d'**emprunt**.* Fin XIIe s. ; ☞ *emprunter* ; [ɑ̃pʀœ̃].

**EMPRUNTÉ, ÉE, adj.**
**1.** Qui cache la vérité ; artificiel. **2.** Gauche, mal à l'aise : *Attitudes **empruntées**.* Déb. XIIIe s. ; p. p. de *emprunter* ; [ɑ̃pʀœ̃te].

**EMPRUNTER, verbe trans. [3]**
**1.** Obtenir à titre de prêt : ***Emprunter** un livre* ; ***Emprunter** de l'argent* ou, empl. abs., ***Emprunter**.* **2.** Fig. Prendre (qqch.) à qqn et le faire sien : ***Emprunter** des idées, des attitudes.* **3.** Suivre (une voie de circulation). Mil. XIIe s. ; lat. pop. *imprumutuare*, du lat. jur. *promutuari* ; [ɑ̃pʀœ̃te].

**EMPRUNTEUR, EUSE, subst.**
Personne qui emprunte, en partic. de l'argent ; empl. adj. : *Société **emprunteuse**.* Mil. XIIIe s. ; ☞ *emprunter* ; [ɑ̃pʀœ̃tœʀ, øz].

**EMPUANTIR, verbe trans. [19]**
Envahir d'une mauvaise odeur, empester. 1495 ; ☞ *puant* + *en-*[1] ; [ɑ̃pɥɑ̃tiʀ].

**EMPUANTISSEMENT, subst. m.**
Action d'empuantir ; état de ce qui est empuanti. 1636 ; ☞ *empuantir* ; [ɑ̃pɥɑ̃tismɑ̃].

**EMPUSE, subst. f.**
**1.** *Zool.* Insecte orthoptère broyeur, de la famille des Empusidés, proche de la mante religieuse. **2.** *Bot.* Champignon (moisissure) parasite de certains insectes, notamment des mouches. 1825 ; lat. sc. *empusa*, du gr. *Empousa*, nom d'un spectre de la mythologie grecque ; [ɑ̃pyz].

**EMPYÈME, subst. m.**
*Pathol.* Accumulation de pus dans une cavité du corps, en partic. dans la plèvre ou dans les sinus. XVe s. ; gr. *empuêma*, de *puon*, « pus » ; [ɑ̃pjɛm].

**EMPYRÉE, subst. m.**
**1.** *Myth.* Chez les Grecs et les Romains, la plus élevée des quatre sphères célestes, où se situaient les feux éternels (les étoiles et les planètes), et où séjournaient les dieux. **2.** Ciel, séjour des bienheureux, lieu de délices (littér.). Fin XIVe s. ; lat. chrét. *empyrius*, du gr. *empurios*, « embrasé », de *pur*, « feu » ; [ɑ̃piʀe].

**EMPYREUMATIQUE, adj.**
Qui a les caractères de l'empyreume, un goût de brûlé. 1728 ; ☞ *empyreume* ; [ɑ̃piʀømatik].

**EMPYREUME, subst. m.**
*Chim.* Odeur puissante, saveur âcre que dégage une matière organique sous l'action d'une forte chaleur. 1579 ; gr. *empureuma*, « charbon servant à rallumer le feu », de *pur*, « feu » ; [ɑ̃piʀøm].

**ÉMU, ÉMUE, adj.**
**1.** En proie à un vif émoi : *Le peuple, **ému**, manifestait.* **2.** Attendri : *Être **ému** jusqu'aux larmes* ; par méton. *Pensée **émue**.* XVe s. ; p. p. de *émouvoir* ; [emy].

**ÉMULATEUR, TRICE, adj. et subst. m.**
ADJ. Qui provoque l'émulation. SUBST. *Informat.* Dispositif logiciel (et parfois matériel) permettant d'exécuter une émulation. 1495 ; lat. *aemulator* « celui qui cherche à imiter, à égaler » ; [emylatœʀ, tʀis].

**ÉMULATION, subst. f.**
**1.** Élan qui pousse à égaler ou à surpasser les qualités de qqn : *L'**émulation** est un ressort pédagogique.* **2.** *Informat.* Simulation du fonctionnement d'un ordinateur par un autre ordinateur, réalisée le plus souvent à l'aide d'un microprogramme. 1660 (déb. XIIIe s., rivalité, jalousie) ; lat. *aemulatio* ; [emylasjɔ̃].

**ÉMULE, subst.**
Personne qui égale ou tente d'égaler un maître dans un domaine déterminé. ▸ *Faire des **émules*** : être imité, suivi. Déb. XIVe s. ; lat. *aemulus* ; [emyl].

**ÉMULER, verbe trans. [3]**
*Informat.* Faire fonctionner (un ordinateur) en émulation d'un autre. XXe s. (1526, rivaliser) ; angl. *to emulate*, du lat. *aemulari*, « chercher à égaler » ; [emyle].

**ÉMULSIF, IVE, adj. et subst. m.**
ADJ. Dont on peut extraire l'huile par pression : *Une amande **émulsive**.* ADJ. et SUBST. Émulsifiant. 1755 ; ☞ *émulsion* ; [emylsif, iv].

**ÉMULSIFIANT, ANTE, adj. et subst. m.**
Se dit d'une substance qui favorise la formation d'une émulsion et sa conservation (synon. *émulsif*) : *Le jaune d'œuf est un **émulsifiant** naturel.* 1932 ; p. pr. de *émulsifier* ; [emylsifjɑ̃, ɑ̃t].

**ÉMULSIFIER, verbe trans. [6]**
Mettre à l'état d'émulsion. 1932 ; ☞ *émulsion* ; [emylsifje].

**ÉMULSINE, subst. f.**
*Biochim.* Enzyme contenue dans les amandes, capable d'hydrolyser certains glucides dérivés du glucose. 1837 ; ☞ *émulsion* ; [emylsin].

**ÉMULSION, subst. f.**
**1.** *Chim.* Liquide hétérogène où au moins deux liquides non miscibles s'interpénètrent (ainsi, l'huile n'est pas soluble dans l'eau, mais on peut, en agitant convenablement les deux phases, obtenir une **émulsion** de fines gouttelettes d'huile dans l'eau). **2.** *Phot.* Préparation chimique sensible à la lumière, appliquée sur des films, des plaques, des papiers. 1560 ; lat. *emulsus*, de *emulgere*, « traire, extraire » ; [emylsjɔ̃].

**ÉMULSIONNER, verbe trans. [3]**
**1.** Mettre (un liquide) à l'état d'émulsion (synon. *émulsifier*). **2.** *Phot.* Appliquer une émulsion sur (un support). 1690 ; ☞ *émulsion* ; [emylsjɔne].

**EN (I), prép.**
**I.** Sert à marquer divers rapports. **1.** Lieu (dans lequel on se trouve ou vers lequel on se dirige) : *Être **en** classe, **en** Normandie* ; *Aller **en** ville.* ▸ Vx ou Région. *Ils sont **en** Arles, **en** Avignon.* ▸ Fig. *Elle a une idée **en** tête.* **2.** Temps. ▸ Localisation : ***En** été* ; ***En** ce temps-là.* ▸ Durée : ***En** cinq minutes.* **3.** Succession, progression : *De temps **en** temps* ; *De ville **en** ville* ; *De mal **en** pis.* **4.** Moyen, instrument : *Viendront-ils **en** train ou **en** avion ?* **5.** Manière : *Il marche **en** zigzag* ; *Elle est **en** colère.* **6.** Cause, motif, but : *Mettre **en** vente* ; ***En** vue de plaire.* **7.** Caractérisation. ▸ État : *Du blé **en** épi.* ▸ Matière : *Une table **en** marbre.* ▸ Forme, aspect : *Une route **en** lacet.* **II.** Mot-outil à fonction purement grammaticale. **1.** Introduit le complément d'objet indirect de certains verbes transitifs : *Croire **en** Dieu.* **2.** Introduit l'attribut du sujet ou du complément d'objet direct : *Il est revenu de vacances **en** forme* ; *Elles l'ont traitée **en** ennemie.* **3.** Introduit le complément d'un adjectif : *Il est fort **en** maths.* **III.** Sert à former le gérondif, qui exprime le temps, la manière, l'opposition : *Il nous l'a dit **en** partant* ; *Tout **en** sachant qu'elle refuserait, il lui demanda s'il pouvait sortir.* **IV.** Entre dans la

composition de très nombreuses locutions. **1.** Loc. adv. *En apparence* ; *En entier* ; *En général* ; *En vain...* **2.** Loc. prép. *En avant de* ; *En cours de* ; *En dépit de* ; *En guise de...* **3.** Loc. conj. *En sorte que* ; *En tant que...* IXe s. ; lat. *in*, « dans ; sur » ; [ɑ̃].

**EN (II), adv. et pron.**
ADV. De cet endroit, de ce lieu : *Il est allé au Pérou, il **en** est revenu enchanté.* PRON. Représente un nom, un pronom, une proposition. **1.** Complément de verbe. ▸ Complément circonstanciel marquant l'origine, le moyen, la cause : *Si vous ne réussissez pas, nous **en** tirerons les conclusions* ; *Quand il la vit, il **en** rougit.* ▸ Complément d'objet : *S'il faut du pain, j'irai **en** chercher.* **2.** Complément de nom : *Passionné par l'orthographe, il **en** maîtrise toutes les finesses.* **3.** Complément d'adjectif (ou d'un pronom indéfini qu'il renforce) : *Elle **en** est capable* ; *J'**en** connais certains qui voudraient être à notre place.* **4.** Entre dans la composition de nombreuses locutions verbales : *S'**en** aller* ; *S'**en** prendre à* ; ***En** avoir assez* ; ***En** finir avec* ; *Quoi qu'il **en** soit...* IXe s. ; lat. *inde*, « de là, à partir de là » ; [ɑ̃].

**ENAMOURER (S'), verbe pronom.** [3]
Devenir amoureux, s'éprendre ; empl. adj. (souv. iron.) : *Une femme, une œillade **enamourée**.* XIIIe s. ; ☞ *amour* + *en-*[1] ; var. *s'énamourer* ; [ɑ̃namuʀe] ou [ena-].

**ÉNANTHÈME, subst. m.**
*Pathol.* Éruption de taches rouges sur les muqueuses, lors de certaines maladies infectieuses. 1856 ; ☞ *exanthème* + *en-*[1] ; [enɑ̃tɛm].

**ÉNANTIOMÈRE, subst. m.**
*Chim.* Chacun de deux composés chimiques dont les molécules sont identiques (mêmes atomes, même structure), mais sont images l'une de l'autre comme elles le seraient dans un miroir (synon. *isomère énantiomorphe*). Gr. *enantios*, « contraire », + *-mère*[1] ; [enɑ̃tjɔmɛʀ].

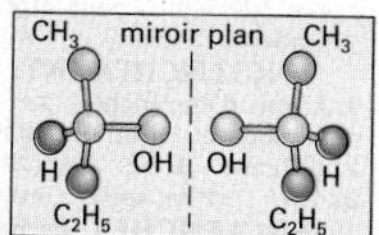


*Deux molécules formant une paire d'énantiomères. Un phénomène fréquent en chimie organique, rare en chimie inorganique.*

**ÉNANTIOMORPHE, adj.**
Qui est formé de parties identiques mais symétriquement inversées (symétrie de miroir) : *L'épaule droite et l'épaule gauche sont **énantiomorphes**.* ▸ *Chim. Molécules, cristaux **énantiomorphes*** (☞ *énantiomère*). 1894 ; gr. *enantios*, « contraire », + *-morphe* ; [enɑ̃tjɔmɔʀf].

**ÉNANTIOTROPE, adj.**
*Chim.* Qualifie les diverses formes cristallines d'une même espèce chimique, dont chacune est stable dans un domaine déterminé de température et de pression. 1956 ; gr. *enantios*, « contraire », + *-trope* ; [enɑ̃tjɔtʀɔp].

**ÉNARCHIE, subst. f.**
**1.** Ensemble des énarques. **2.** Système caractérisé par l'influence prédominante des énarques dans la haute fonction publique (souv. iron.). V. 1970 ; ☞ *énarque*, par anal. iron. avec *monarchie* ; [enaʀʃi].

**ÉNARQUE, subst.**
Ancien élève de l'École nationale d'administration (É. N. A.). V. 1970 ; sigle *É. N. A.* + *-arque* ; [enaʀk].

**ÉNARTHROSE, subst. f.**
*Anat.* Articulation mobile dont les éléments sont des segments de sphère, l'un convexe et l'autre concave. 1560 ; gr. *enarthrôsis*, « action d'articuler » ; [enaʀtʀoz].

**EN-AVANT, subst. m. inv.**
*Sp.* Au rugby, faute d'un joueur qui lâche le ballon vers l'avant, face au but adverse. 1897 ; comp. de *en* (I) et de *avant* ; [ɑ̃navɑ̃].

**EN-BUT, subst. m. inv.**
*Sp.* Partie du terrain de rugby située derrière la ligne des buts. 1932 ; comp. de *en* (I) et de *but* ; [ɑ̃byt].

**ENCABANER, verbe trans.** [3]
*Text.* Pourvoir (les claies d'élevage des vers à soie) de petites cabanes où se formeront les cocons. 1845 (1581, emprisonner) ; prov. *encabana* ; [ɑ̃kabane].

**ENCABLURE, subst. f.**
*Mar.* Ancienne mesure de longueur (env. 200 m), permettant d'estimer les courtes distances en mer. 1758 ; ☞ *câble* + *en-*[1] ; [ɑ̃kablyʀ].

**ENCADRÉ, subst. m.**
*Typogr.* Texte imprimé mis en valeur par un cadre formé de filets. V. 1970 ; p. p. de *encadrer* ; [ɑ̃kadʀe].

**ENCADREMENT, subst. m.**
**1.** Action d'encadrer ; le cadre lui-même. ▸ *Archit.* Ce qui entoure une ouverture. **2.** Organisation des tâches du personnel d'une entreprise sous l'autorité des cadres ; par méton., ensemble des cadres et des agents de maîtrise. ▸ *Milit.* Fait d'organiser les troupes en les mettant sous les ordres des officiers ; par méton., ensemble des gradés. **3.** *Écon.* Ensemble des limites imposées par l'État à certains prix ou aux prêts bancaires. **4.** *Math.* ***Encadrement** d'un nombre x* : intervalle contenant le nombre $x$ et que l'on écrit souv. sous la forme d'une suite d'inégalités, par ex. : $1{,}4 \leqslant \sqrt{2} \leqslant 1{,}5$ est un **encadrement** du nombre $\sqrt{2}$. 1756 ; ☞ *encadrer* ; [ɑ̃kadʀəmɑ̃].

**ENCADRER, verbe trans.** [3]
**1.** Entourer d'un cadre : ***Encadrer** un diplôme* ; par anal., entourer pour faire ressortir : *Elle **encadre** d'un trait l'annonce qui l'intéresse.* ▸ Empl. pronom. : *Sa tête **s'est encadrée** dans la fenêtre.* ▸ *Artill.* ***Encadrer** un tir* : entourer d'impacts le centre de la cible. **2.** Entourer à la manière d'un cadre ; par anal., se placer de part et d'autre de : ***Encadrer** un lauréat.* **3.** Assurer un rôle de formateur, de conseiller auprès de (un groupe) : ***Encadrer** des élèves.* **4.** Loc. fam. *Ne pas pouvoir **encadrer** qqn* : l'avoir en aversion ; *La voiture **a encadré** le réverbère* : l'a heurté. 1752 ; ☞ *cadre* + *en-*[1] ; [ɑ̃kadʀe].

**ENCADREUR, EUSE, subst.**
Ouvrier, artisan qui fabrique ou qui pose des cadres. 1843 ; ☞ *encadrer* ; [ɑ̃kadʀœʀ, øz].

**ENCAGER, verbe trans.** [5]
Mettre en cage (un animal) ; au fig., emprisonner (fam.). 1306 ; ☞ *cage* + *en-*[1] ; [ɑ̃kaʒe].

**ENCAGOULÉ, ÉE, adj.**
Dont le visage est recouvert d'une cagoule. XXe s. ; p. p. de *encagouler* (rare), « couvrir d'une cagoule » ; [ɑ̃kagule].

**ENCAISSE, subst. f.**
*Comptab.* Argent ou valeur en caisse. ▸ ***Encaisse** métallique* : valeurs en métaux précieux qui, dans une banque centrale, servent de garantie aux billets en circulation. 1845 ; ☞ *encaisser* ; [ɑ̃kɛs].

**ENCAISSEMENT, subst. m.**
**1.** Action de mettre en caisse (synon. *encaissage*). **2.** État de ce qui est encaissé. **3.** *Fin.* Action d'encaisser de l'argent, des valeurs. 1645 ; ☞ *encaisser* ; [ɑ̃kɛsmɑ̃].

**ENCAISSER, verbe trans.** [3]
**1.** Mettre dans une caisse : ***Encaisser** des marchandises.* **2.** Resserrer en bordant de près : *Les collines **encaissent** le vallon* ; empl. adj. : *Une vallée **encaissée**.* **3.** *Fin.* Faire entrer en caisse (des fonds, des valeurs) : ***Encaisser** des chèques* ; par anal., percevoir. **4.** Fig. et Fam. Recevoir (des coups) : *Ce boxeur **encaisse** bien* ; par ext., subir avec calme (des épreuves). ▸ Loc. *Ne pas pouvoir **encaisser** qqn* : ne pas le supporter. 1510 ; ☞ *caisse* + *en-*[1] ; [ɑ̃kese].

**ENCAISSEUR, EUSE, subst.**
Personne chargée d'encaisser les sommes dues. 1870 ; ☞ *encaisser* ; [ɑ̃kɛsœʀ, øz].

**ENCALMINÉ, ÉE, adj.**
*Mar.* Se dit d'un voilier immobilisé faute de vent. 1856 ; ☞ *calme* + *en-*[1] ; [ɑ̃kalmine].

**ENCAN, subst. m.**
Vente publique aux enchères. ▸ Loc. *Être à l'**encan*** : prêt à être vendu au plus offrant ; au fig. : *Mettre son honneur à l'**encan**.* Fin XIVe s. ; lat. médiév. *inquantum*, du lat. *in quantum*, « pour combien » ; [ɑ̃kɑ̃].

**ENCANAILLEMENT, subst. m.**
Fait de s'encanailler. 1858 ; ☞ *s'encanailler* ; [ɑ̃kanajmɑ̃].

**ENCANAILLER (S'), verbe pronom.** [3]
Fréquenter la canaille ; en adopter les traits. 1660 ; ☞ *canaille* + *en-*[1] ; [ɑ̃kanaje].

**ENCAPUCHONNER, verbe trans.** [3]
Couvrir d'un capuchon. PRONOM. *Équit. Un cheval qui **s'encapuchonne*** : qui ramène la tête contre le poitrail pour échapper à l'action du mors. 1571 ; ☞ *capuchon* + *en-*[1] ; [ɑ̃kapyʃɔne].

**ENCAQUEMENT, subst. m.**
Action d'encaquer. 1772 ; ☞ *encaquer* ; [ɑ̃kakmɑ̃].

**ENCAQUER, verbe trans.** [3]
Mettre en caque (des harengs) ; par anal., serrer (des personnes, des choses) dans un espace réduit (vieilli). Fin XVIe s. ; ☞ *caque* + *en-*[1] ; [ɑ̃kake].

**ENCART, subst. m.**
Feuille ou cahier que l'on insère dans une publication : ***Encart** publicitaire.* 1810 ; ☞ *encarter* ; [ɑ̃kaʀ].

**ENCARTAGE, subst. m.**
Action d'encarter. 1810 ; ☞ *encarter* ; [ɑ̃kaʀtaʒ].

**ENCARTER, verbe trans.** [3]
**1.** Insérer (un encart) dans un ouvrage, un journal... **2.** *Techn.* Fixer (des boutons, des agrafes, par ex.) sur des feuilles de carton. 1810 (1660, garnir de carton) ; ☞ *carte* + *en-*[1] ; [ɑ̃kaʀte].

**ENCARTEUSE, subst. f.**
*Techn.* Machine servant à encarter. 1890 ; ☞ *encarter* ; [ɑ̃kaʀtøz].

**ENCARTOUCHER, verbe trans.** [3]
Mettre dans une cartouche : ***Encartoucher** de la poudre.* XIXe s. ; ☞ *cartouche* (II) + *en-*[1] ; [ɑ̃kaʀtuʃe].

**EN-CAS, subst. m. inv.**
**1.** Objet préparé pour servir en cas de besoin. **2.** Léger repas prévu pour être pris en cas de faim. 1798 ; comp. de *en* (I) et de *cas* (I) ; var. *encas* ; [ɑ̃ka].

**ENCASERNER, verbe trans.** [3]
**1.** *Milit.* Héberger dans une caserne. **2.** Métaph. Soumettre à une discipline militaire : ***Encaserner** un pays.* 1832 ; ☞ *caserne* + *en-*[1] ; [ɑ̃kazɛʀne].

**ENCASTELER (S'), verbe pronom.** [11]
Être atteint d'encastelure, en parlant d'un cheval. 1606 ; ital. *incastellare*, « fortifier », de *castello*, « château fort » ; [ɑ̃kastəle].

**ENCASTELURE, subst. f.**
*Vétér.* Affection du cheval caractérisée par un rétrécissement congénital ou acquis du sabot, qui provoque une boiterie. 1611 ; ital. *incastellatura*, de *incastellare*, « fortifier » ; [ɑ̃kastəlyʀ].

**ENCASTRABLE, adj.**
Conçu pour être encastré : *Four **encastrable**.* XXe s. ; ☞ *encastrer* ; [ɑ̃kastʀabl].

**ENCASTREMENT, subst. m.**
**1.** Action d'encastrer ; son résultat. **2.** Méton. Entaille faite dans une pièce et destinée à recevoir une autre pièce. 1607 ; ☞ *encastrer* ; [ɑ̃kastʀəmɑ̃].

**ENCASTRER, verbe trans.** [3]
Insérer (qqch.) dans une cavité aux dimensions ajustées. ▸ Empl. pronom. : *Le coffre-fort **s'encastre** bien dans le mur* ; par anal. : *La moto **s'est encastrée** sous un camion.* 1580 ; ital. *incastrare*, prob. du lat. *castrum*, « forteresse » ; [ɑ̃kastʀe].

**ENCAUSTIQUAGE, subst. m.**
Action d'encaustiquer ; son résultat. 1907 ; ☞ *encaustiquer* ; [ɑ̃kostikaʒ].

**ENCAUSTIQUE, subst. f.**
**1.** *Antiq.* Procédé de peinture qui consistait à mélanger à chaud des couleurs et de la cire fondue. **2.** Produit d'entretien composé de cire et d'essence de térébenthine, utilisé pour protéger et faire briller le bois. 1515 ; lat. *encaustica*, du gr. *egkaustikê*, de *egkaiein*, « brûler » ; [ɑ̃kostik].

**ENCAUSTIQUER, verbe trans.** [3]
Enduire d'encaustique : ***Encaustiquer** un buffet.* 1864 ; ☞ *encaustique* ; [ɑ̃kostike].

**ENCAVAGE, subst. m.**
Action d'encaver (synon. *encavement*). 1636 ; ☞ *encaver* ; [ɑ̃kavaʒ].

**ENCAVER, verbe trans.** [3]
Mettre en cave (gén. du vin). 1295 ; ☞ *cave* (II) + *en-*[1] ; [ɑ̃kave].

**ENCEINDRE, verbe trans.** [53]
Entourer d'une enceinte ; clôturer. Déb. XIVe s. ; lat. *incingere* ; [ɑ̃sɛ̃dʀ].

**ENCEINTE (I), adj. f.**
Qualifie une femme en état de grossesse. Fin XIIe s. ; lat. *incincta*, de *incingere*, « enceindre » ; [ɑ̃sɛ̃t].

**ENCEINTE (II), subst. f.**
**1.** Ce qui ceint, clôture un espace, souv. pour le défendre : *L'**enceinte** d'un château* ; *L'**enceinte** de la cour de récréation* ; par anal. : *Une **enceinte** de montagnes.* **2.** Méton. Espace ainsi clos ; par ext., intérieur d'un édifice public : *L'**enceinte** du tribunal.* **3.** *Techn.* Espace isolé par des parois étanches. ▸ ***Enceinte** acoustique* ou, par ell., ***Enceinte*** : élément d'une chaîne de haute fidélité contenant des haut-parleurs. 1284 ; p. p. de *enceindre* ; [ɑ̃sɛ̃t].

**ENCENS,** subst. m.
**1.** Résine aromatique qui répand, en brûlant, une odeur pénétrante : *Encens d'Arabie* ; par ext. : *Bâtonnet d'encens*, recouvert d'une poudre compacte et odorante provenant de diverses plantes. **2.** Fig. Louange excessive (vieilli). Mil. XIIe s. ; lat. chrét. *incensum*, « substance brûlée en sacrifice » ; [ɑ̃sɑ̃].

**ENCENSER,** verbe trans. [3]
**1.** Honorer en brûlant rituellement de l'encens. **2.** Fig. Flatter de manière excessive. **3.** Abs. *Cheval qui encense* : qui abaisse et relève brusquement la tête. Fin XIe s. ; lat. chrét. *incensare* ; [ɑ̃sɑ̃se].

**ENCENSEUR, EUSE,** subst.
**1.** Personne qui porte et balance l'encensoir. **2.** Fig. Flagorneur. XIVe s. ; ☞ *encenser* ; [ɑ̃sɑ̃sœʀ, øz].

**ENCENSOIR,** subst. m.
Petit récipient suspendu à des chaînes, où l'on fait brûler l'encens. ▸ Loc. *Manier l'encensoir* : flatter grossièrement. 1388 ; ☞ *encenser* ; [ɑ̃sɑ̃swaʀ].

**ENCÉPAGEMENT,** subst. m.
*Vitic.* Ensemble des cépages formant un vignoble. 1922 ; ☞ *cépage* + *en-*¹ ; [ɑ̃sepaʒmɑ̃].

**ENCÉPHALE,** subst. m.
*Anat.* Partie du système nerveux, située dans la boîte crânienne, comprenant le cerveau, le cervelet et le tronc cérébral, et constituant, avec la moelle épinière, le système nerveux central. XVIIIe s. ; gr. *egkephalos*, « qui est dans la tête » ; [ɑ̃sefal].

**ENCÉPHALINE,** voir **ENKÉPHALINE**

**ENCÉPHALIQUE,** adj.
De l'encéphale. 1771 ; ☞ *encéphale* ; [ɑ̃sefalik].

**ENCÉPHALITE,** subst. f.
*Pathol.* Inflammation sans suppuration d'une partie de l'encéphale, d'origines diverses (bactérienne, virale, allergique, parasitaire, vaccinale...). 1806 ; ☞ *encéphale* + *-ite* ; [ɑ̃sefalit].

**ENCÉPHALOGRAMME,** subst. m.
*Méd.* Cliché obtenu par encéphalographie. 1946 ; formé de *encéphalo-* et de *-gramme* ; [ɑ̃sefalɔgʀam].

**ENCÉPHALOGRAPHIE,** subst. f.
*Méd.* Examen radiographique de l'encéphale : ***Encéphalographie** gazeuse*, par insufflation d'air ou de gaz stérilisé dans les ventricules cérébraux ; ***Encéphalographie** liquidienne*, par injection d'une substance opaque aux rayons X dans le liquide céphalo-rachidien. 1927 ; formé de *encéphalo-* et de *-graphie* ; [ɑ̃sefalɔgʀafi].

**ENCÉPHALOMYÉLITE,** subst. f.
*Pathol.* Inflammation du névraxe, provoquant des maux de tête et des troubles visuels, psychiques ou moteurs. V. 1970 ; formé de *encéphalo-*, de *-myélie* et de *-ite* ; [ɑ̃sefalɔmjelit].

**ENCÉPHALOPATHIE,** subst. f.
*Pathol.* Affection non inflammatoire de l'encéphale, en partic. du cerveau. 1839 ; formé de *encéphalo-* et de *-pathie* ; [ɑ̃sefalɔpati].

**ENCERCLEMENT,** subst. m.
Action d'encercler ; fait d'être encerclé. 1578 ; ☞ *encercler* ; [ɑ̃sɛʀkləmɑ̃].

**ENCERCLER,** verbe trans. [3]
**1.** Entourer d'un cercle : ***Encercler** un mot* ; par ext. : *Les montagnes **encerclaient** le village.* **2.** Cerner de tous côtés : ***Encercler** l'ennemi.* ▸ Ext. *Pol.* Isoler (un pays) par une alliance diplomatique. Mil. XIIe s. ; ☞ *cercle* + *en-*¹ ; [ɑ̃sɛʀkle].

**ENCHAÎNEMENT,** subst. m.
**1.** Action d'attacher avec des chaînes ; son résultat. **2.** Anal. Succession d'éléments qui dépendent ou semblent dépendre les uns des autres : ***Enchaînement** de circonstances.* **3.** *Spéc.* ▸ *Chorégr.* Mouvement unissant deux figures. ▸ *Mus.* Série d'accords. ▸ *Spectacle.* Intermède ou texte assurant la liaison entre deux parties d'une représentation. 1611 (1396, chaîne) ; ☞ *enchaîner* ; [ɑ̃ʃɛnmɑ̃].

**ENCHAÎNER,** verbe trans. [3]
**1.** Attacher avec des chaînes ; au fig., priver de liberté, assujettir. ▸ Empl. pronom. *Ils s'**enchaînèrent** devant l'ambassade* ; au fig. : *Nous nous **enchaînons** par notre promesse*, nous nous engageons. **2.** Lier par un rapport logique : ***Enchaîner** des idées* ; faire se succéder : *L'avocat **enchaîna** avec brio les arguments en faveur de son client.* ▸ Abs. *Cin.* Passer sans interruption au tournage de la scène suivante. Fin XIe s. ; ☞ *chaîne* + *en-*¹ ; [ɑ̃ʃene].

**ENCHANTÉ, ÉE,** adj.
**1.** Qui est sous l'effet d'un enchantement : *Une forêt **enchantée**.* **2.** Très content, ravi : ***Enchanté** de faire votre connaissance* ou, par ell., ***Enchanté**.* XIIIe s. ; p. p. de *enchanter* ; [ɑ̃ʃɑ̃te].

**ENCHANTEMENT,** subst. m.
**1.** Action d'enchanter, d'ensorceler ; son résultat. ▸ Loc. *Comme par **enchantement*** : de manière soudaine et inexplicable. **2.** Fig. Puissant pouvoir de séduction : *L'**enchantement** d'un lieu.* **3.** Sentiment intense de joie : *Il écoutait cet opéra avec **enchantement*** ; par méton. : *Cette soirée fut un **enchantement**.* Déb. XIIe s. ; ☞ *enchanter* ; [ɑ̃ʃɑ̃tmɑ̃].

**ENCHANTER,** verbe trans. [3]
**1.** Soumettre (qqn, qqch.) à un pouvoir magique ; ensorceler. **2.** Fig. Exercer un charme irrésistible sur : *Sa présence **enchante** la maisonnée.* **3.** Satisfaire : *Ce rapport ne l'a guère **enchanté**.* **Pronom.** Se réjouir. Déb. XIIe s. ; lat. *incantare*, « ensorceler » ; [ɑ̃ʃɑ̃te].

**ENCHANTEUR, ERESSE,** subst. et adj.
**Subst. 1.** Magicien. **2.** Anal. Personne qui charme, qui subjugue. **Adj.** Qui ensorcèle, charme : *Une grâce **enchanteresse**.* Fin XIe s. ; ☞ *enchanter* ; [ɑ̃ʃɑ̃tœʀ, (ə)ʀɛs].

**ENCHÂSSEMENT,** subst. m.
Action d'enchâsser ; état de ce qui est enchâssé. 1611 (1385, châssis, cadre) ; ☞ *enchâsser* ; [ɑ̃ʃɑsmɑ̃].

**ENCHÂSSER,** verbe trans. [3]
**1.** *Relig.* Déposer dans une châsse. **2.** Placer dans un support, encastrer dans un châssis : ***Enchâsser** un rubis, un vitrail.* **3.** Fig. Insérer dans un ensemble : ***Enchâsser** quelques vers dans un récit.* Déb. XIIe s. ; ☞ *châsse* + *en-*¹ ; [ɑ̃ʃɑse].

**ENCHAUSSER,** verbe trans. [3]
*Hortic.* Recouvrir (un plant) de paille ou de terreau pour le faire blanchir ou le protéger du gel. XVIe s. ; ☞ *chausser* + *en-*¹ ; [ɑ̃ʃose].

**ENCHEMISER,** verbe trans. [3]
Munir d'une chemise protectrice ; chemiser. 1611 ; ☞ *chemiser* + *en-*¹ ; [ɑ̃ʃ(ə)mize].

**ENCHÈRE,** subst. f.
**1.** Offre d'achat d'un montant supérieur à celui de la mise à prix ou de la proposition précédente, lors d'une adjudication : *Faire une **enchère**.* ▸ *Vente aux **enchères*** : où l'acquéreur sera le plus offrant. ▸ *Folle **enchère*** : engagement qui ne peut être tenu. **2.** *Jeux.* Somme ajoutée à la mise initiale dans certains jeux de cartes. ▸ Au bridge, annonce supérieure à celle de l'adversaire. 1259 ; ☞ *enchérir* ; [ɑ̃ʃɛʀ].

© M. Deville-Gamma

*Vente aux **enchères** des Toits de Vincent Van Gogh, à l'hôtel Drouot.*

**ENCHÉRIR,** verbe [19]
**Trans.** Rendre plus cher. **Intrans. 1.** Faire une enchère. **2.** Devenir plus cher : *La vie a bien **enchéri** !* **3.** Fig. Dire ou faire davantage : *Et chacun d'**enchérir** sur mes arguments.* Fin XIIe s. ; ☞ *cher* + *en-*¹ ; [ɑ̃ʃeʀiʀ].

**ENCHÉRISSEMENT,** subst. m.
Hausse de prix (vx) : *L'**enchérissement** des céréales.* 1213 ; ☞ *enchérir* ; [ɑ̃ʃeʀismɑ̃].

**ENCHÉRISSEUR, EUSE,** subst.
Celui ou celle qui fait une enchère. 1325 ; ☞ *enchérir* ; [ɑ̃ʃeʀisœʀ, øz].

**ENCHEVAUCHER,** verbe trans. [3]
*Constr.* Assembler (des tuiles, des planches, etc.) en les superposant partiellement. 1771 ; ☞ *chevaucher* + *en-*¹ ; [ɑ̃ʃ(ə)voʃe].

**ENCHEVAUCHURE,** subst. f.
*Constr.* Disposition d'éléments enchevauchés. 1690 ; ☞ *chevaucher* + *en-*¹ ; [ɑ̃ʃ(ə)voʃyʀ].

**ENCHEVÊTREMENT,** subst. m.
**1.** Action d'enchevêtrer ; son résultat : *Un **enchevêtrement** de ruelles.* **2.** Fig. Complexité, confusion. 1564 ; ☞ *enchevêtrer* ; [ɑ̃ʃ(ə)vɛtʀəmɑ̃].

**ENCHEVÊTRER,** verbe trans. [3]
**1.** Vx. Attacher (un cheval) avec un chevêtre. **2.** Mêler, mélanger de façon désordonnée. **3.** *Constr.* Joindre (des solives) à l'aide d'un chevêtre. **Pronom. 1.** Se prendre le pied dans la longe, en parlant d'un cheval. **2.** S'emmêler, s'embrouiller : *Les souvenirs s'**enchevêtrent** dans sa mémoire.* Fin XIIe s. ; bas lat. *encapistrare*, « mettre un licou » ; [ɑ̃ʃ(ə)vɛtʀe].

**ENCHEVÊTRURE,** subst. f.
**1.** *Constr.* Montage des solives ménageant une trémie pour le passage d'un conduit de cheminée, d'un escalier. **2.** *Vétér.* Blessure qu'un cheval se fait au pli du paturon, en s'enchevêtrant. 1328 ; ☞ *enchevêtrer* ; [ɑ̃ʃ(ə)vɛtʀyʀ].

**ENCHIFRENÉ, ÉE,** adj.
Enrhumé (vieilli). 1611 (fin XIIIe s., ensorcelé) ; p.-ê. *chanfrein* (I) + *en-*¹ ; [ɑ̃ʃifʀəne].

**ENCLAVE,** subst. f.
**1.** Terrain ou territoire entouré par un autre : *Llivia, **enclave** espagnole en France.* **2.** *Archit.* Dégagement empiétant sur une pièce habitable. **3.** *Géol.* Morceau de roche inclus dans une roche de nature différente. 1312 ; ☞ *enclaver* ; [ɑ̃klav].

**ENCLAVEMENT,** subst. m.
Action d'enclaver ; état de ce qui est enclavé. XVe s. ; ☞ *enclaver* ; [ɑ̃klavmɑ̃].

**ENCLAVER,** verbe trans. [3]
**1.** Cerner, renfermer : *Ce domaine **enclave** un bois.* **2.** Introduire, encastrer. 1283 ; lat. pop. °*inclavare*, de *clavis*, « clé » ; [ɑ̃klave].

**ENCLENCHE,** subst. f.
*Mécan.* Fente faite dans une pièce en mouvement afin que la partie saillante d'une autre pièce puisse y être introduite pour être entraînée. 1870 ; ☞ *enclencher* ; [ɑ̃klɑ̃ʃ].

**ENCLENCHEMENT,** subst. m.
**1.** Action d'enclencher ; son résultat. **2.** Dispositif mécanique ou électrique qui permet d'enclencher à distance. **3.** Fig. Démarrage d'un processus. 1870 ; ☞ *enclencher* ; [ɑ̃klɑ̃ʃmɑ̃].

**ENCLENCHER,** verbe trans. [3]
**1.** *Mécan.* Rendre solidaires dans leur mouvement (deux pièces d'un mécanisme) en faisant pénétrer en partie l'une dans l'enclenche de l'autre ; faire fonctionner (un circuit, un mécanisme) par un dispositif d'enclenchement. **2.** Fig. Commencer, engager (un processus). **Pronom.** Se mettre à fonctionner. 1870 ; ☞ *clenche* + *en-*¹ ; [ɑ̃klɑ̃ʃe].

**ENCLIN, INE,** adj.
**Enclin, encline à.** Naturellement porté à : ***Enclin** à la critique, à faire le bien.* Fin XIIe s. (XIe s., incliné) ; anc. fr. *encliner*, du lat. *inclinare*, « incliner » ; [ɑ̃klɛ̃, in].

**ENCLIQUETAGE,** subst. m.
*Techn.* Dispositif mécanique empêchant une roue ou un élément rotatif de tourner en sens inverse. 1734 ; ☞ *encliqueter* ; [ɑ̃klik(ə)taʒ].

**ENCLIQUETER,** verbe trans. [14]
*Techn.* **1.** Munir (un ensemble mécanique) d'un encliquetage. **2.** Déclencher l'encliquetage de. 1755 ; ☞ *cliquet* + *en-*¹ ; [ɑ̃klik(ə)te].

**ENCLISE,** subst. f.
*Ling.* Processus de formation d'un enclitique. 1904 ; gr. *egklisis*, « inclinaison » ; [ɑ̃kliz].

**ENCLITIQUE,** adj. et subst. m.
*Ling.* Se dit d'un mot qui s'amalgame à celui qui le précède pour former une seule unité en ce qui concerne la prononciation : *« Je » dans « dis-je » est un **enclitique**.* 1533 ; gr. *egklitikos* ; [ɑ̃klitik].

**ENCLORE,** verbe trans. [80]
**1.** Entourer d'une clôture. **2.** Constituer la clôture de (qqch.). XIe s. ; lat. pop. °*inclaudere*, du lat. *includere* ; verbe défectif ; [ɑ̃klɔʀ].

**ENCLOS,** subst. m.
Terrain entouré d'une clôture ; par méton., ce qui clôture. 1283 ; p. p. de *enclore* ; [ɑ̃klo].

**ENCLOUAGE,** subst. m.
*Chir.* Fixation des segments d'un os fracturé au moyen d'un clou. 1755 ; ☞ *enclouer* ; [ɑ̃kluaʒ].

**ENCLOUER,** verbe trans. [3]
**1.** Blesser (un cheval) en le ferrant. **2.** *Chir.* Maintenir (une fracture) à l'aide d'un clou. Fin XIIe s. ; ☞ *clou* + *en-*¹ ; [ɑ̃klue].

**ENCLOUURE,** subst. f.
Blessure faite à un animal que l'on ferre. 1600 (fin XIIe s., difficulté qui arrête) ; ☞ *enclouer* ; [ɑ̃kluyʀ].

**ENCLUME,** subst. f.
**1.** Bloc de fer aciéré sur lequel on façonne des métaux par martelage ; par anal., pièce pouvant recevoir des chocs. ► Loc. *Remettre son ouvrage sur l'**enclume*** : le modifier ; *Être entre le marteau et l'**enclume*** : entre deux partis opposés avec le risque d'être victime des deux. **2.** *Anat.* Osselet de l'oreille moyenne situé entre le marteau et l'étrier. Mil. XIIe s. ; lat. pop. °*includo*, du lat. *incus* ; [ɑ̃klym].

**ENCOCHE,** subst. f.
Petite entaille naturelle ou pratiquée dans un matériau. Mil. XVIe s. ; ☞ *encocher* ; [ɑ̃kɔʃ].

**ENCOCHEMENT,** subst. m.
Action d'encocher ; son résultat. 1669 ; ☞ *encocher* ; synon. *encochage* ; [ɑ̃kɔʃmɑ̃].

**ENCOCHER,** verbe trans. [3]
**1.** Pratiquer une encoche sur. **2.** ***Encocher** une flèche* : placer la corde de l'arc dans l'encoche. Mil. XIIe s. ; ☞ *coche* (I) + *en-*[1] ; [ɑ̃kɔʃe].

**ENCODAGE,** subst. m.
Action d'encoder. V. 1960 ; ☞ *encoder* ; [ɑ̃kɔdaʒ].

**ENCODER,** verbe trans. [3]
Écrire ou traduire (un message) conformément aux règles d'un code. V. 1960 ; ☞ *code* + *en-*[1] ; [ɑ̃kɔde].

**ENCODEUR,** subst. m.
*Informat.* Appareil servant à encoder. V. 1960 ; ☞ *encoder* ; [ɑ̃kɔdœʀ].

**ENCOIGNURE,** subst. f.
**1.** Angle saillant ou rentrant, à la jonction de deux murs. **2.** Petit meuble triangulaire prévu pour être placé dans un angle. 1504 ; *encoigner* (rare), « serrer dans un coin » ; var. *encognure* ; [ɑ̃kɔɲyʀ] ou [-kwa-].

**ENCOLLAGE,** subst. m.
**1.** Action d'encoller ; son résultat. **2.** Apprêt qui sert à encoller. 1771 ; ☞ *encoller* ; [ɑ̃kɔlaʒ].

**ENCOLLER,** verbe trans. [3]
Enduire de colle, de gomme, d'apprêt. ► *Papet.* Rendre (un papier) imperméable à l'encre. ► *Text.* Apprêter (les fils de chaîne) avant tissage pour accroître leur résistance. 1324 ; ☞ *colle* + *en-*[1] ; [ɑ̃kɔle].

**ENCOLLEUR, EUSE,** subst.
Professionnel de l'encollage. **Fém.** Machine servant à encoller. 1838 ; ☞ *encoller* ; [ɑ̃kɔlœʀ, øz].

**ENCOLURE,** subst. f.
**1.** Partie du corps des Équidés située entre la tête, le garrot et le poitrail. **2.** Mesure du tour de cou de l'homme. **3.** *Cout.* Partie du vêtement située autour du cou et qui supporte éventuellement un col. 1580 (1554, isthme) ; ☞ *col* + *en-*[1] ; [ɑ̃kɔlyʀ].

**ENCOMBRANT, ANTE,** adj.
**1.** Qui embarrasse, occupe une place excessive. **2.** Fig. Gênant, préjudiciable. 1642 ; p. pr. de *encombrer* ; [ɑ̃kɔ̃bʀɑ̃, ɑ̃t].

**ENCOMBRE,** subst. m.
Obstacle matériel ou moral. ► Loc. adv. *Sans **encombre*** : sans difficulté. Fin XIIe s. ; ☞ *encombrer* ; [ɑ̃kɔ̃bʀ].

**ENCOMBRÉ, ÉE,** adj.
Se dit d'un espace, d'un système surchargé : *Un hall **encombré** de bagages* ; *Lignes téléphoniques **encombrées**.* XIIe s. ; p. p. de *encombrer* ; [ɑ̃kɔ̃bʀe].

**ENCOMBREMENT,** subst. m.
**1.** Action d'encombrer ; son résultat : *Il y a des **encombrements** sur le périphérique*, des embouteillages. **2.** Volume, dimensions d'un objet : *Un lave-linge de faible **encombrement**.* Fin XIIe s. ; ☞ *encombrer* ; [ɑ̃kɔ̃bʀəmɑ̃].

**ENCOMBRER,** verbe trans. [3]
**1.** Embarrasser par une quantité ou un volume excessif ; gêner : *Les caisses **encombraient** les quais.* **2.** Obstruer : *Des mucosités **encombrent** ses bronches* ; au fig. : *C'est un sentiment qui l'**encombre**.* **Pronom.** S'encombrer de. S'embarrasser de : *Il ne s'**encombre** pas de scrupules !* XIe s. ; anc. fr. *combre*, « barrage fluvial », + *en-*[1] ; [ɑ̃kɔ̃bʀe].

**ENCONTRE (À L'),** loc. prép. et loc. adv.
**Loc. prép. 1.** Contrairement à, à l'opposé de : *En agissant ainsi, vous allez **à l'encontre** de notre projet.* **2.** Face à, à la rencontre de (vx) : *Ils marchèrent **à l'encontre** l'un de l'autre.* **Loc. adv.** En s'opposant à, contre cela : *C'est une bonne idée, personne n'ira **à l'encontre**.* Fin Xe s. ; bas lat. *incontra*, du lat. *in*, « dans », et *contra*, « contre » ; [alɑ̃kɔ̃tʀ].

**ENCORBELLEMENT,** subst. m.
*Archit.* Construction en saillie sur un mur, soutenue par des corbeaux ou des consoles. ► **En encorbellement.** Bâti en surplomb : *Balcon en **encorbellement**.* 1394 ; ☞ *corbeau* + *en-*[1] ; [ɑ̃kɔʀbɛlmɑ̃].

**ENCORDER,** verbe trans. [3]
Attacher avec une corde (rare). **Pronom.** *Alp.* Former une cordée. Fin XIIe s. ; ☞ *corde* + *en-*[1] ; [ɑ̃kɔʀde].

**ENCORE,** adv.
**1.** Marque la persistance d'une action, d'un état (avec ou sans indication de durée) : *Il se promène **encore*** ; ***Encore** trois jours d'attente.* **2.** Marque la réitération, l'intensification : *Travailler **encore*** ; *Son état s'aggrave **encore**.* **3.** Marque une restriction : ***Encore** faut-il qu'il lui plaise* ; *C'est **encore** celui-là que je préfère.* **4.** Loc. conj. **Encore que.** Exprime une concession : *Je veux bien, **encore** que cela ne me convienne pas tout à fait.* Mil. XIe s. ; anc. fr. *uncor*, du lat. pop. °*hinc ad horam*, « à partir de cette heure » ; [ɑ̃kɔʀ].

**ENCORNÉ, ÉE,** adj.
**1.** Qui porte des cornes ; au fig., cocu (fam.). **2.** *Vétér.* Se dit d'une lésion située sous la corne du sabot. Mil. XIIIe s. ; p. p. de *encorner* ; [ɑ̃kɔʀne].

**ENCORNER,** verbe trans. [3]
**1.** Blesser à coups de corne. **2.** Fig. Rendre cocu (fam.). 1530 (XIIIe s., munir de cornes) ; ☞ *corne* + *en-*[1] ; [ɑ̃kɔʀne].

**ENCORNET,** subst. m.
*Zool.* Nom commun du petit calmar comestible. 1612 ; ☞ *cornet* + *en-*[1] ; [ɑ̃kɔʀnɛ].

**ENCOUBLER (S'),** verbe pronom. [3]
Helv. S'empêtrer, trébucher. 1528 ; franco-prov. *couple*, « lien attachant deux animaux », + *en-*[1] ; [ɑ̃kuble].

**ENCOURAGEANT, ANTE,** adj.
Qui encourage : *Notes, résultats **encourageants**.* 1707 ; p. pr. de *encourager* ; [ɑ̃kuʀaʒɑ̃, ɑ̃t].

**ENCOURAGEMENT,** subst. m.
**1.** Action d'encourager. **2.** Évènement, acte, parole qui encourage : *Sa réussite est un **encouragement** pour tous.* 1564 (déb. XIIIe s., colère, indignation) ; ☞ *encourager* ; [ɑ̃kuʀaʒmɑ̃].

**ENCOURAGER,** verbe trans. [5]
**1.** Donner du courage, de l'assurance à, stimuler : *Elle l'**encouragea** d'un geste tendre.* **2.** Soutenir, protéger : ***Encourager** les artistes, l'industrie* ; favoriser : *La paresse **encourage** le vice.* **3.** Inciter (qqn) à faire qqch. : *Je vous **encourage** à repasser cet examen.* 1155 ; ☞ *courage* + *en-*[1] ; [ɑ̃kuʀaʒe].

**ENCOURIR,** verbe trans. [25]
Courir le risque de (une sanction, un désagrément). Déb. XIIIe s. (déb. XIIe s., courir vers) ; lat. *incurrere*, « se jeter sur ; s'exposer à » ; [ɑ̃kuʀiʀ].

**EN-COURS,** subst. m. inv.
*Fin.* Montant des engagements financiers qui ne sont pas arrivés à échéance. V. 1960 ; comp. de *en* (I) et de *cours* ; var. *encours* ; [ɑ̃kuʀ].

**ENCRAGE,** subst. m.
*Impr.* **1.** Action d'encrer ; son résultat. **2.** Dispositif permettant d'encrer. 1842 ; ☞ *encrer* ; [ɑ̃kʀaʒ].

**ENCRASSEMENT,** subst. m.
Fait d'encrasser, de s'encrasser ; état de ce qui est encrassé. 1863 ; ☞ *encrasser* ; [ɑ̃kʀasmɑ̃].

**ENCRASSER,** verbe trans. [3]
Salir, couvrir de crasse ; par ext., couvrir d'un dépôt qui gêne le bon fonctionnement : *Ce carburant **encrasse** les bougies.* ► Empl. pronom. *Machine qui s'**encrasse*** ; au fig. : *Dans l'inactivité, le cerveau s'**encrasse**.* 1595 ; ☞ *crasse* + *en-*[1] ; [ɑ̃kʀase].

**ENCRE,** subst. f.
**1.** Préparation liquide, noire ou colorée, utilisée pour écrire, dessiner ou imprimer : *Encre de Chine*, à base de noir de carbone, employée surtout en arts graphiques ; *Encre sympathique*, dont la trace n'est révélée que sous l'action de la chaleur ou d'un produit chimique. ► Loc. *Nuit, mer d'**encre*** : très sombre, d'un noir profond ; *Faire couler beaucoup d'**encre*** : susciter de nombreux commentaires ; *Se faire un sang d'**encre*** : se faire beaucoup de souci (fam.). **2.** *Zool.* Substance très brune, sécrétée par certains céphalopodes (calmar, seiche, etc.), qui trouble l'eau et protège ainsi leur fuite ; ce liquide, utilisé en dessin sous le nom de sépia. Mil. XIe s. ; bas lat. *encau(s)tum*, « encre de pourpre », du gr. *egkauston*, « peinture à l'encaustique » ; [ɑ̃kʀ].

**ENCRER,** verbe trans. [3]
Remplir, enduire d'encre. 1530 ; ☞ *encre* ; [ɑ̃kʀe].

**ENCREUR,** adj. m.
Qui sert à encrer. ► *Impr. Un rouleau **encreur*** ou, empl. subst. masc., *Un **encreur*** : dispositif servant à distribuer l'encre. 1864 ; ☞ *encrer* ; [ɑ̃kʀœʀ].

**ENCRIER,** subst. m.
**1.** Petit récipient que l'on emplit d'encre pour y tremper une plume, un pinceau. **2.** *Impr.* Réservoir à encre. 1380 ; ☞ *encre* ; [ɑ̃kʀije].

**ENCRINE,** subst. m. ou f.
*Zool.* et *Paléont.* Échinoderme, vivant ou fossile, fixé au fond des mers. 1755 ; lat. sc. *encrinus*, du gr. *krinon*, « lis » ; [ɑ̃kʀin].

**ENCROUÉ, ÉE,** adj.
*Sylvic. Arbre **encroué*** : qui s'est enchevêtré dans un autre en tombant. 1376 ; p. p. de *encrouer* (rare), « accrocher », du lat. jur. *incrocare*, « pendre à un croc (un condamné) » ; [ɑ̃kʀue].

**ENCROÛTEMENT,** subst. m.
Action d'encroûter ; fait de s'encroûter. 1546 ; ☞ *encroûter* ; [ɑ̃kʀutmɑ̃].

**ENCROÛTER,** verbe trans. [3]
**1.** Couvrir d'une croûte. ► *Bât. **Encroûter** un mur* : le recouvrir de mortier. **2.** Fig. Figer ; faire perdre son dynamisme à : *L'inactivité l'**encroûte*** ; empl. pronom. : *Il s'**encroûte** dans ses habitudes.* 1538 ; ☞ *croûte* + *en-*[1] ; [ɑ̃kʀute].

**ENCULÉ, ÉE,** subst.
Vulg. **1.** Personne sodomisée. **2.** Fig. Terme injurieux adressé à une personne considérée comme méprisable. XIXe s. ; p. p. de *enculer* ; [ɑ̃kyle].

**ENCULER,** verbe trans. [3]
Vulg. **1.** Sodomiser. **2.** Fig. Duper, berner. 1734 (1416, placer en arrière) ; ☞ *cul* + *en-*[1] ; [ɑ̃kyle].

**ENCUVAGE,** subst. m.
Action d'encuver. 1761 ; ☞ *encuver* ; [ɑ̃kyvaʒ].

**ENCUVER,** verbe trans. [3]
Mettre dans une cuve : ***Encuver** du linge.* Fin XIVe s. ; ☞ *cuve* + *en-*[1] ; [ɑ̃kyve].

**ENCYCLIQUE,** subst. f.
*Cath.* Lettre, gén. en latin, traitant de questions de foi ou de doctrine, adressée par le pape aux évêques pour l'ensemble de l'Église et dont les premiers mots constituent le titre. 1798 ; lat. chrét. *encyclica*, du gr. *egkuklios*, « circulaire » ; [ɑ̃siklik].

**ENCYCLOPÉDIE,** subst. f.
**1.** Vx. Ensemble de tout le savoir humain. **2.** Ouvrage présentant l'ensemble du savoir de façon exhaustive et méthodique, souv. par ordre alphabétique. ► Ext. Ouvrage qui traite d'un domaine spécifique : *Une **encyclopédie** du sport.* ► Fig. ***Encyclopédie** vivante* : personne qui possède des connais-

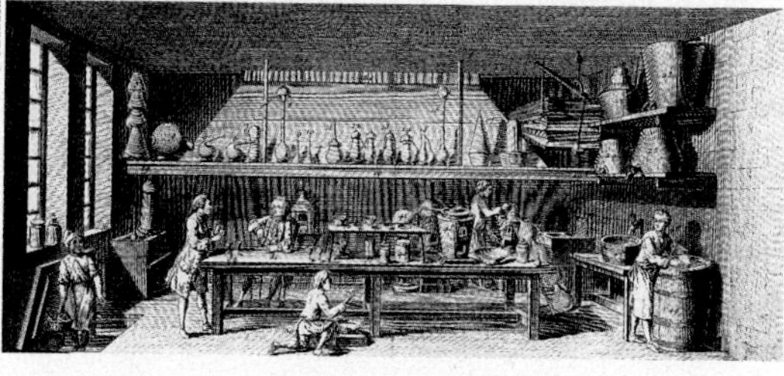
© Giraudon

*Un laboratoire de chimie. Planche extraite du 24e volume de l'Encyclopédie de Diderot et d'Alembert (XVIIIe s.).*

sances étendues en de nombreux domaines. 1532 ; lat. de la Renaissance *encyclopaedia*, du gr. *egkuklios paideia*, « éducation comprenant l'étude de toutes les sciences » ; [ɑ̃siklɔpedi].

BIBLIOGRAPHIE – C'est au XVIIe s., avec la *Cyclopedia* de Chambers, que la conception moderne de l'encyclopédie apparaît. Le système de renvois parfaitement au point, la place importante donnée aux sciences exactes et à l'illustration font de cet ouvrage le premier modèle du genre. Il conduit Diderot, d'Alembert et une équipe de philosophes et de scientifiques à réaliser une œuvre française originale : l'*Encyclopédie* (1751). Elle est le reflet non plus d'une simple érudition, mais d'une culture tournée vers l'activité humaine, novatrice au point que certains y ont vu l'origine intellectuelle de la Révolution française. Au siècle dernier, l'encyclopédie traite de toutes les branches du savoir, mais c'est au XXe s. qu'elle entre massivement dans les foyers : vendue en fascicules reliables (1967), elle constitue alors un véritable phénomène éditorial. Depuis quelques années sont apparues, auprès des « classiques » comme la *Britannica*, l'*Universalis*, et la *Grande Encyclopédie Larousse*, de nombreuses collections à vocation encyclopédique. La jeunesse a ses propres encyclopédies, certaines proposant, avec des compléments (jeux, cassettes), une approche ludique du savoir. Aujourd'hui, on trouve également des encyclopédies sur disque optique compact (ou CD-ROM) : ce support d'une grande souplesse de consultation permet de réunir rapidement des informations éparses et de natures diverses (texte, photos, dessins, séquences filmées, enregistrements sonores).

**ENCYCLOPÉDIQUE,** adj.
**1.** Qui s'étend à l'ensemble des connaissances : *Un savoir **encyclopédique**.* **2.** Qui relève de l'encyclopédie : *Dictionnaire **encyclopédique**.* 1565 ; ☞ *encyclopédie* ; [ɑ̃siklɔpedik].

**ENCYCLOPÉDISME,** subst. m.
**1.** Mode de pensée des Encyclopédistes. **2.** Tendance à l'accumulation des connaissances portant sur les domaines les plus divers. 1801 ; ☞ *encyclopédie* ; [ɑ̃siklɔpedism].

**ENCYCLOPÉDISTE,** subst.
**1.** *Hist. Les **Encyclopédistes*** : Diderot et ses collaborateurs. **2.** Auteur ou collaborateur d'une encyclopédie. 1683 ; ☞ *encyclopédie* ; [ɑ̃siklɔpedist].

**ENDÉANS,** prép.
Belg. *Admin.* Dans un délai de, dans l'intervalle de : *Les réserves seront faites **endéans** les trois mois.* 1387 ; formé de *en* (I), de *de* (I) et de l'anc. fr. *enz*, « dedans » ; [ɑ̃deɑ̃].

**EN-DEHORS,** subst. m. inv.
*Chorégr.* Position des jambes et des pieds résultant de la rotation de l'articulation de la hanche vers l'extérieur. Comp. de *en* (I) et de *dehors* ; [ɑ̃dəɔʀ].

**ENDÉMICITÉ,** subst. f.
Caractère de ce qui est endémique : *L'**endémicité** d'une maladie.* 1844 ; ☞ *endémique* ; [ɑ̃demisite].

**ENDÉMIE,** subst. f.
*Méd.* Présence d'une maladie dans une région donnée, soit en permanence soit à des époques particulières. 1495 ; gr. *endêmos*, « indigène », d'apr. *épidémie* ; [ɑ̃demi].

**ENDÉMIQUE,** adj.
**1.** *Méd.* Qui est propre à l'endémie : *Fièvre **endémique**.* **2.** *Biol. Espèce **endémique*** : espèce propre à une zone géographique. **3.** Fig. Qui sévit de façon constante dans un pays, un domaine : *Famine **endémique**.* 1586 ; ☞ *endémie* ; [ɑ̃demik].

**ENDENTÉ, ÉE,** adj.
**1.** *Techn.* Qui est muni de dents : *Pignon **endenté**.* **2.** *Hérald. Écu **endenté*** : constitué de triangles d'émaux de deux couleurs alternées. XIIe s. ; p. p. de *endenter* ; [ɑ̃dɑ̃te].

**ENDENTEMENT,** subst. m.
**1.** *Techn.* Action d'endenter ; son résultat. **2.** Partie d'un objet pourvue de dents : *L'**endentement** usé d'une scie.* 1792 ; ☞ *endenter* ; [ɑ̃dɑ̃tmɑ̃].

**ENDENTER,** verbe trans. [3]
**1.** *Techn.* Pourvoir de dents : *Endenter une roue.* **2.** *Bât.* Réunir (deux pièces de bois munies de dents) en les encastrant. 1119 ; ☞ *dent* + *en-*[1] ; [ɑ̃dɑ̃te].

**ENDETTEMENT,** subst. m.
Action de s'endetter ; son résultat : *L'**endettement** de l'État.* 1611 ; ☞ *endetter* ; [ɑ̃dɛtmɑ̃].

**ENDETTER,** verbe trans. [3]
Engager dans des dettes. PRONOM. Contracter des dettes. Fin XIIe s. ; ☞ *dette* + *en-*[1] ; [ɑ̃dete].

**ENDEUILLER,** verbe trans. [3]
Provoquer le deuil, la tristesse de : *Sa mort **endeuille** tout le village* ; au fig. : *La pluie **endeuillait** le paysage.* 1887 ; ☞ *deuil* + *en-*[1] ; [ɑ̃dœje].

**ENDÊVER,** verbe intrans. [3]
Enrager, éprouver du dépit (fam. et vx). XIIIe s. ; anc. fr. *desver*, « enrager », + *en-*[1] ; [ɑ̃deve].

**ENDIABLÉ, ÉE,** adj.
**1.** Vx. Possédé du démon. **2.** Infernal, qu'on ne peut maîtriser : *Élève **endiablé**.* **3.** Vif, impétueux : *Musique **endiablée**.* Mil. XVe s. ; ☞ *diable* + *en-*[1] ; [ɑ̃djable].

**ENDIABLER,** verbe [3]
TRANS. **1.** Vx. Rendre démoniaque. **2.** Rendre fou furieux. INTRANS. Enrager (vx) : *Faire **endiabler** qqn.* 1579 ; ☞ *endiablé* ; [ɑ̃djable].

**ENDIGUEMENT,** subst. m.
Action d'endiguer ; son résultat. 1827 ; ☞ *endiguer* ; [ɑ̃digmɑ̃].

**ENDIGUER,** verbe trans. [3]
**1.** Contenir par des digues : ***Endiguer** un fleuve* ; par métaph. : ***Endiguer** la foule.* **2.** Fig. Maîtriser, réprimer : ***Endiguer** un flot de larmes* ; ***Endiguer** une émeute.* 1827 ; ☞ *digue* + *en-*[1] ; [ɑ̃dige].

**ENDIMANCHER,** verbe trans. [3]
**1.** Vêtir (qqn) de ses vêtements du dimanche : ***Endimancher** des enfants.* **2.** Parer (qqn) de vêtements dans lesquels il n'est pas à l'aise ; empl. adj. : *Un air **endimanché**,* gauche, et guindé. ► Empl. pronom. Se vêtir d'habits inhabituels, trop apprêtés et qui donnent une allure empruntée. 1572 ; ☞ *dimanche* + *en-*[1] ; [ɑ̃dimɑ̃ʃe].

**ENDIVE,** subst. f.
*Bot.* Plante de la famille des Astéracées, variété de chicorée, souterraine, dont on consomme le bourgeon (chicon). Déb. XIVe s. ; lat. médiév. *endivia*, du gr. *entubion* ; [ɑ̃div].

© Ph. Roy-Explorer

*Culture d'**endives** sous abri.*

**ENDIVISIONNER,** verbe trans. [3]
*Milit.* Réunir (des unités) en une division. 1871 ; ☞ *division* + *en-*[1] ; [ɑ̃divizjɔne].

**ENDOBLASTE,** subst. m.
**1.** *Embryol.* Feuillet interne constitué lors de la troisième étape du développement embryonnaire, et dont l'évolution donne naissance aux organes digestifs. **2.** *Bot.* Couche la plus profonde de l'écorce. 1905 ; formé de *endo-* et de *-blaste* ; [ɑ̃dɔblast].

**ENDOCARDE,** subst. m.
*Anat.* Tunique interne du cœur, qui tapisse les quatre cavités (oreillettes et ventricules) et constitue les valvules cardiaques. 1841 ; formé de *endo-* et de *-carde* ; [ɑ̃dɔkaʀd].

**ENDOCARDITE,** subst. f.
*Pathol.* Inflammation de l'endocarde, due à une infection bactérienne. 1841 ; ☞ *endocarde* + *-ite* ; [ɑ̃dɔkaʀdit].

**ENDOCARPE,** subst. m.
*Bot.* Partie centrale d'un fruit, le noyau pour une drupe, l'enveloppe des pépins pour une baie. 1808 ; formé de *endo-* et de *-carpe* ; [ɑ̃dɔkaʀp].

**ENDOCRINE,** adj.
*Physiol.* Qualifie une glande qui déverse le produit de son activité sécrétrice directement dans le sang (anton. *exocrine*) : *L'hypophyse est une glande **endocrine**.* 1912 ; gr. *krinein*, « sécréter », + *endo-* ; [ɑ̃dɔkʀin].

**ENDOCRINIEN, IENNE,** adj.
Relatif aux glandes endocrines : *Maladie **endocrinienne**.* 1922 ; ☞ *endocrine* ; [ɑ̃dɔkʀinjɛ̃, jɛn].

**ENDOCRINOLOGIE,** subst. f.
Science qui étudie les glandes endocrines, leur développement, leur fonctionnement et leurs maladies. 1915 ; ☞ *endocrine* + *-logie* ; [ɑ̃dɔkʀinɔlɔʒi].

**ENDOCRINOLOGUE,** subst.
*Méd.* Spécialiste en endocrinologie. 1925 ; ☞ *endocrinologie* ; var. *endocrinologiste* ; [ɑ̃dɔkʀinɔlɔg].

**ENDOCTRINEMENT,** subst. m.
**1.** Vx. Instruction. **2.** Action d'endoctriner ; son résultat. Fin XIIe s. ; ☞ *endoctriner* ; [ɑ̃dɔktʀinmɑ̃].

**ENDOCTRINER,** verbe trans. [3]
**1.** Vx. Instruire. **2.** Tenter de gagner (qqn) à une cause, à une opinion, gén. pour l'asservir. Mil XIIe s. ; ☞ *doctrine* + *en-*[1] ; [ɑ̃dɔktʀine].

**ENDODERME,** subst. m.
*Bot.* et *Embryol.* Endoblaste. 1865 ; formé de *endo-* et de *-derme* ; [ɑ̃dɔdɛʀm].

**ENDOGAME,** adj.
Relatif à l'endogamie ; qui la pratique. 1893 ; formé de *endo-* et de *-game* ; [ɑ̃dɔgam].

**ENDOGAMIE,** subst. f.
*Anthropol.* Fait ou obligation de se marier à l'intérieur de son propre groupe (anton. *exogamie*). 1893 ; formé de *endo-* et de *-gamie* ; [ɑ̃dɔgami].

**ENDOGÉ, ÉE,** adj.
*Biol.* et *Zool.* Qui vit dans le sol : *Un insecte **endogé**.* V. 1960 ; gr. *gê*, « terre », + *endo-* ; [ɑ̃dɔʒe].

**ENDOGÈNE,** adj.
**1.** Qui a une formation, une cause, une origine interne (anton. *exogène*). **2.** *Spéc.* ► *Bot.* Qui naît à partir des cellules profondes des tissus : *Spores **endogènes**.* ► *Biol.* Produit par l'organisme : *Molécule **endogène**.* ► *Géol.* Qui se forme dans les profondeurs de la Terre : *Les roches éruptives sont **endogènes**.* 1813 ; formé de *endo-* et de *-gène* ; [ɑ̃dɔʒɛn].

**ENDOLORI, IE,** adj.
**1.** Douloureux. **2.** Fig. Affligé, chagriné. 1762 ; p. p. de *endolorir* ; [ɑ̃dɔlɔʀi].

**ENDOLORIR,** verbe trans. [19]
Rendre douloureux : *Le froid **a endolori** ses mains.* 1503 ; ☞ *douleur* + *en-*[1] ; [ɑ̃dɔlɔʀiʀ].

**ENDOLORISSEMENT,** subst. m.
Action d'endolorir ; état de ce qui est douloureux. 1833 ; ☞ *endolorir* ; [ɑ̃dɔlɔʀismɑ̃].

**ENDOMÈTRE,** subst. m.
*Anat.* Muqueuse qui tapisse l'intérieur de l'utérus. 1922 ; formé de *endo-* et de *-mètre*[2] ; [ɑ̃dɔmɛtʀ].

**ENDOMÉTRIOME,** subst. m.
*Pathol.* Tumeur bénigne provenant de la prolifération d'éléments cellulaires aberrants de l'endomètre, qui se développe en dehors de l'utérus (dans les trompes, par ex.). XXe s. ; ☞ *endomètre* + *-ome* ; [ɑ̃dɔmetʀijom].

**ENDOMÉTRIOSE,** subst. f.
*Pathol.* Développement anormal, en dehors de l'utérus, de la muqueuse utérine. 1926 ; ☞ *endomètre* + *-ose* ; [ɑ̃dɔmetʀijoz].

**ENDOMÉTRITE,** subst. f.
*Pathol.* Inflammation de la muqueuse utérine. 1878 ; formé de *endo-*, de *-mètre*[2] et de *-ite* ; [ɑ̃dɔmetʀit].

**ENDOMMAGEMENT,** subst. m.
Action d'endommager ; son résultat. XIIIe s. ; ☞ *endommager* ; [ɑ̃dɔmaʒmɑ̃].

**ENDOMMAGER,** verbe trans. [5]
Abîmer, faire subir un dommage à : *Le gel **a endommagé** une partie de la récolte.* Mil. XIIe s. ; ☞ *dommage* + *en-*[1] ; [ɑ̃dɔmaʒe].

**ENDOMORPHE,** adj.
*Géol.* Qui relève de l'endomorphisme. Fin XIXe s. ; formé de *endo-* et de *-morphe* ; [ɑ̃dɔmɔʀf].

**ENDOMORPHINE,** voir **ENDORPHINE**

**ENDOMORPHISME,** subst. m.
**1.** *Géol.* Résultat des réactions chimiques entre un magma et des matériaux pris en enclave dans une roche. **2.** *Math. **Endomorphisme** d'un ensemble A muni d'une structure algébrique* : homomorphisme de A dans lui-même pour cette structure. Fin XIXe s. ; ☞ *endomorphe* ; [ɑ̃dɔmɔʀfism].

**ENDOPARASITE,** adj. et subst. m.
*Biol.* Se dit d'un parasite vivant à l'intérieur de l'organisme (anton. *ectoparasite*). 1877 ; ☞ *parasite* + *endo-* ; [ɑ̃dɔpaʀazit].

**ENDOPLASME, subst. m.**
*Biol.* Partie interne du cytoplasme, constitué d'éléments intracellulaires unis au protoplasme ou contenus dans des loges entourées par ce dernier. 1903 ; formé de *endo-* et de *-plasme* ; [ɑ̃dɔplasm].

**ENDORÉIQUE, adj.**
*Géogr.* Qualifie un cours d'eau qui ne se jette pas dans la mer ; par méton., se dit d'un bassin drainé par ce type de cours d'eau. 1928 ; ☞ *endoréisme* ; [ɑ̃dɔʀeik].

**ENDORÉISME, subst. m.**
*Géogr.* Caractère d'un réseau fluviatile endoréique. 1926 ; gr. *rhein,* « couler », + *endo-* ; [ɑ̃dɔʀeism].

**ENDORMANT, ANTE, adj.**
Qui endort ; ennuyeux à faire dormir. 1558 ; p. pr. de *endormir* ; [ɑ̃dɔʀmɑ̃, ɑ̃t].

**ENDORMEUR, EUSE, subst.**
**1.** Hypnotiseur (rare) ; par ext., personne ennuyeuse. **2.** Fig. Personne qui berce qqn d'illusions. 1299 ; ☞ *endormir* ; [ɑ̃dɔʀmœʀ, øz].

**ENDORMI, IE, adj.**
**1.** Assoupi, qui dort. **2.** Anal. Provisoirement inactif : *Une ville* ***endormie*** ; *Un volcan* ***endormi.*** **3.** Fig. Mou, léthargique, sans énergie : *Un air* ***endormi.*** Fin XIe s. ; p. p. de *endormir* ; [ɑ̃dɔʀmi].

**ENDORMIR, verbe trans. [29]**
**1.** Faire dormir : ***Endormir*** *un enfant.* ▸ *Méd.* Anesthésier. **2.** Ennuyer, fatiguer : *Ses discours nous* ***endorment.*** **3.** Apaiser, atténuer : ***Endormir*** *le chagrin, la vigilance.* **4.** Bercer (qqn) d'illusions pour l'abuser. **Pronom. 1.** S'assoupir. **2.** Se laisser aller (fam.) : *Il* ***s'endort*** *sur ses lauriers.* **3.** S'atténuer : *La douleur* ***s'est endormie.*** Fin XIe s. ; lat. *indormire,* « dormir sur » ; [ɑ̃dɔʀmiʀ].

**ENDORMISSEMENT, subst. m.**
Assoupissement ; passage de l'état de veille à l'état de sommeil. 1478 ; ☞ *endormir* ; [ɑ̃dɔʀmismɑ̃].

**ENDORPHINE, subst. f.**
*Biol.* Substance polypeptidique sécrétée par certains neurones et ayant sur les cellules et le comportement des effets proches de ceux de la morphine, en partic. antalgiques. V. 1970 ; angl. *endorphin,* de *endogenous,* « endogène », et de *morphin,* « morphine » ; var. *endomorphine* ; [ɑ̃dɔʀfin].

**ENDOS, subst. m.**
*Fin.* Accord de transfert de propriété mentionné au dos d'un titre à ordre, d'un effet de commerce ; par ext., endossement. 1583 ; ☞ *endosser* ; [ɑ̃do].

**ENDOSCOPE, subst. m.**
*Méd.* Instrument optique permettant d'observer certaines cavités du corps humain. 1858 ; formé de *endo-* et de *-scope* ; [ɑ̃dɔskɔp].

**ENDOSCOPIE, subst. f.**
Investigation clinique réalisée au moyen d'un endoscope. 1866 ; ☞ *endoscope* ; [ɑ̃dɔskɔpi].

**ENDOSMOSE, subst. f.**
*Phys.* Passage de la solution la moins concentrée vers la solution la plus concentrée à travers une membrane perméable au cours d'un phénomène d'osmose. 1826 ; ☞ *osmose* + *endo-* ; [ɑ̃dɔsmoz].

**ENDOSPERME, subst. m.**
*Bot.* Tissu situé à côté de l'embryon et assurant sa nutrition, dans les graines des Gymnospermes. XIXe s. ; formé de *endo-* et de *-sperme* ; [ɑ̃dɔspɛʀm].

**ENDOSSABLE, adj.**
*Fin.* Susceptible d'être endossé, en parlant d'un chèque ou d'un effet de commerce. V. 1960 ; ☞ *endosser* ; [ɑ̃dosabl].

**ENDOSSATAIRE, subst.**
*Fin.* Bénéficiaire d'un endos. 1935 ; ☞ *endosser* ; [ɑ̃dosatɛʀ].

**ENDOSSEMENT, subst. m.**
**1.** *Fin.* Action d'endosser un effet de commerce. **2.** Autorisation d'utiliser un billet d'avion sur une autre compagnie que celle qui l'a émis. XIVe s. ; ☞ *endosser* ; [ɑ̃dosmɑ̃].

**ENDOSSER, verbe trans. [3]**
**1.** Mettre sur son dos, revêtir (un vêtement). ▸ Loc. ***Endosser*** *l'uniforme* : entrer dans l'armée. **2.** Fig. Assumer (une responsabilité) : ***Endosser*** *les erreurs passées.* **3.** *Fin.* Inscrire au dos de (un effet de commerce) l'ordre de le régler à qqn : ***Endosser*** *un chèque.* **4.** *Reliure.* Arrondir le dos de (un livre) après la couture. Déb. XIIe s. ; ☞ *dos* + *en-*[1] ; [ɑ̃dose].

**ENDOSSEUR, EUSE, subst.**
*Fin.* Personne qui endosse un chèque, une traite, etc. 1664 ; ☞ *endosser* ; [ɑ̃dosœʀ, øz].

**ENDOTHÉLIAL, ALE, AUX, adj.**
Relatif à l'endothélium. 1878 ; ☞ *endothélium* ; [ɑ̃dɔteljal, o].

**ENDOTHÉLIUM, subst. m.**
*Biol.* Tissu formé de cellules aplaties et jointives, qui tapisse notamment les parois internes du cœur et des vaisseaux sanguins. 1869 ; ☞ *épithélium* + *endo-* ; [ɑ̃dɔteljɔm].

**ENDOTHERMIQUE, adj.**
*Phys.* et *Chim.* Qualifie une transformation physique ou une réaction chimique qui absorbe de la chaleur (anton. *exothermique*). 1865 ; ☞ *thermique* + *endo-* ; [ɑ̃dɔtɛʀmik].

**ENDOTOXINE, subst. f.**
*Bactériol.* Toxine contenue dans la paroi de certains germes bactériens, qui n'est libérée qu'à leur destruction. 1906 ; ☞ *toxine* + *endo-* ; [ɑ̃dɔtɔksin].

**ENDRAILLER, verbe trans. [3]**
*Mar.* Accrocher à l'étai les mousquetons de (un foc), avant de le hisser. XIXe s. ; ☞ *draille* (I) + *en-*[1] ; [ɑ̃dʀɑje].

**ENDROIT, subst. m.**
**I. 1.** Lieu, portion définie de l'espace : *Un* ***endroit*** *abrité* ; par euphém. : *Le petit* ***endroit,*** les toilettes (fam.). **2.** Partie de qqch. : *À cet* ***endroit*** *du film.* **3.** Loc. *Par* ***endroits*** : çà et là. ▸ Loc. prép. *À* ***l'endroit*** *de* : à l'égard de. **II. 1.** Le côté que l'on présente à la vue (anton. *envers*) : ***L'endroit*** *d'un tissu.* ▸ Loc. **À l'endroit.** Du bon côté : *Remettre son maillot à* ***l'endroit.*** **2.** Adret. Déb. XIIe s. ; anc. fr. *endreit, endroit,* « justement, exactement », formé de *en* (I) et de *droit,* « exactement » ; [ɑ̃dʀwa].

**ENDUIRE, verbe trans. [69]**
Recouvrir (une surface) d'enduit : ***Enduire*** *un mur de mortier* ; empl. abs. : ***Enduire*** *au pinceau* ; empl. adj. : *Coque en bois* ***enduite*** *de goudron.* **Pronom.** S'appliquer une couche de : ***S'enduire*** *de crème solaire.* Fin XIIe s. ; lat. *inducere* ; [ɑ̃dɥiʀ].

**ENDUIT, subst. m.**
**1.** Couche de matière liquide ou pâteuse dont on recouvre certains objets, afin de les protéger ou de les préparer à un usage précis. ▸ *Bât.* Couche de plâtre, de mortier, etc., appliquée sur les murs d'une construction. ▸ *Peint.* Préparation appliquée sur un support pour l'isoler de la peinture. **2.** *Physiol.* Sécrétion dont sont recouverts certains organes : ***Enduit*** *muqueux.* Fin XIIe s. ; p. p. de *enduire* ; [ɑ̃dɥi].

**ENDURANCE, subst. f.**
**1.** Aptitude à résister aux épreuves physiques ou morales : *Concours d'****endurance.*** **2.** Anal. *Techn.* Capacité à résister à l'usure : ***L'endurance*** *d'un matériau.* XIIIe s. ; ☞ *endurer* ; [ɑ̃dyʀɑ̃s].

**ENDURANT, ANTE, adj.**
Qui est capable d'endurance. Fin XIIe s. ; p. pr. de *endurer* ; [ɑ̃dyʀɑ̃, ɑ̃t].

**ENDURCI, IE, adj.**
**1.** Vx. Devenu plus dur : *Un sol* ***endurci*** *par le gel.* **2.** Aguerri, rendu résistant aux épreuves. **3.** Sourd aux sentiments humains, peu sensible. **4.** Qui s'attache à une longue habitude, à ses travers : *Criminel* ***endurci.*** XIIIe s. ; p. p. de *endurcir* ; [ɑ̃dyʀsi].

**ENDURCIR, verbe trans. [19]**
**1.** Vx. Rendre plus dur : ***Endurcir*** *du fer.* **2.** Rendre plus endurant. **3.** Rendre moralement insensible ou moins sensible : *L'égoïsme a* ***endurci*** *son cœur.* **Pronom. 1.** Devenir plus dur. **2.** Devenir moins vulnérable. **3.** Devenir plus insensible. **4.** S'obstiner dans le mal. Déb. XIIe s. ; ☞ *durcir* + *en-*[1] ; [ɑ̃dyʀsiʀ].

**ENDURCISSEMENT, subst. m.**
**1.** Fait de devenir plus résistant à la douleur physique ou morale. **2.** Fait de devenir insensible ou peu sensible. 1495 ; ☞ *endurcir* ; [ɑ̃dyʀsismɑ̃].

**ENDURER, verbe trans. [3]**
Supporter (ce qui est douloureux, pénible) : ***Endurer*** *la faim* ; ***Endurer*** *les railleries.* Mil. XIe s. ; lat. *indurare,* « s'endurcir » ; [ɑ̃dyʀe].

**ENDURO, subst. m.**
*Sp.* Épreuve d'endurance et de régularité, disputée à moto sur un circuit tout-terrain. V. 1970 ; mot anglo-amér. ; [ɑ̃dyʀo].

**ENDYMION, subst. m.**
*Bot.* Autre nom de la jacinthe des bois. 1870 ; *Endymion,* nom d'un berger à la beauté éternelle de la mythologie grecque ; [ɑ̃dimjɔ̃].

**ÉNÉOLITHIQUE, adj. et subst. m.**
*Préhist.* Chalcolithique. 1914 ; ital. *eneolitico,* du lat. *aenus,* « d'airain », + *-litico,* « -lithique » ; [eneɔlitik].

**ÉNERGÉTICIEN, IENNE, subst.**
Spécialiste de l'énergétique. V. 1970 ; ☞ *énergétique* ; [enɛʀʒetisjɛ̃, jɛn].

**ÉNERGÉTIQUE, adj. et subst. f.**
**Adj.** Relatif à l'énergie ; qui apporte de l'énergie à l'organisme : *Besoins* ***énergétiques*** ; *Aliments* ***énergétiques.*** **Subst.** Science de l'énergie, de ses transformations et de sa production. 1755 ; gr. *energêtikos,* « actif ; efficace » ; [enɛʀʒetik].

**ÉNERGIE, subst. f.**
**I. 1.** Principe d'action, force qui permet d'agir ou de réagir, vigueur physique : *Un enfant plein d'****énergie.*** **2.** Force morale, dynamisme : *Manifester une* ***énergie*** *farouche.* ▸ Loc. ***L'énergie*** *du désespoir* (☞ *désespoir*). **3.** Fig. Force, vigueur, dans l'emploi des moyens d'expression : *Le style de Céline est d'une grande* ***énergie.*** **II. 1.** *Phys.* Capacité de fournir un travail, en parlant d'un système, d'un corps. **2.** Méton. Source d'**énergie** : *Le pétrole est une* ***énergie*** *fossile. (Voir planche p. 416.)* Déb. XVIe s. ; bas lat. *energia,* du gr. *energeia,* « force en action » ; [enɛʀʒi].

**PHYSIQUE** – L'énergie est une grandeur caractéristique d'un système isolé, qui peut y apparaître sous des formes diverses et qui reste constante quelles que soient ces formes et leurs transformations (principe de conservation). Jusqu'au début du XIXe s., les physiciens n'ont connu et étudié qu'un seul type d'énergie, l'énergie mécanique, qui existe sous deux formes : l'énergie potentielle, qui dépend de la position d'un objet, et l'énergie cinétique, qui dépend de sa vitesse. D'autres formes d'énergie ont ensuite été découvertes : l'énergie électrostatique, due à l'attraction ou à la répulsion entre charges électriques (qui est une énergie potentielle) ; l'énergie de rayonnement (qui est une énergie cinétique, liée aux variations périodiques d'un champ électromagnétique) ; l'énergie chimique (libérée lors des réactions chimiques, associée à l'énergie de liaison des électrons dans les atomes et à l'énergie potentielle d'interaction entre électrons et noyaux) ; l'énergie nucléaire (liée à une transformation d'une partie de la masse d'un noyau atomique en énergie électromagnétique), etc. Toutes ces formes d'énergie se mesurent avec une unité internationale appelée joule.

**ÉNERGIQUE, adj.**
**1.** Qui fait preuve d'énergie physique : *Marcher d'un pas* ***énergique.*** **2.** Ext. Dont l'action est puissante, efficace : *Un remède* ***énergique.*** **3.** Qui est plein de vigueur, déterminé : *Une personne* ***énergique*** ; au fig. : *Un air* ***énergique*** ; *Un style* ***énergique.*** 1584 ; ☞ *énergie* ; [enɛʀʒik].

**ÉNERGIQUEMENT, adv.**
De manière énergique : *Protester* ***énergiquement.*** 1584 ; ☞ *énergique* ; [enɛʀʒikmɑ̃].

**ÉNERGISANT, ANTE, adj.**
Qui procure de l'énergie : *Une action* ***énergisante*** ; *Un traitement* ***énergisant*** ; empl. subst. masc., médicament **énergisant.** V. 1970 ; angl. *energizing,* de *energy,* « énergie » ; [enɛʀʒizɑ̃, ɑ̃t].

**ÉNERGUMÈNE, subst.**
**1.** Vx. Personne possédée du démon. **2.** Personne qui s'emporte avec violence, ou dont le comportement est excessif ou inquiétant (gén. au masc.). 1579 ; lat. chrét. *energumenos,* du gr. *energoumenos* ; [enɛʀgymɛn].

**ÉNERVANT, ANTE, adj.**
**1.** Vx. Qui affaiblit, épuise. **2.** Qui énerve, irrite le système nerveux : *Un grincement* ***énervant.*** 1586 ; p. pr. de *énerver* ; [enɛʀvɑ̃, ɑ̃t].

**ÉNERVATION, subst. f.**
**1.** *M. Â.* Supplice consistant à brûler les tendons des jarrets ou des genoux. **2.** *Chir.* Section ou ablation d'un ou de plusieurs nerfs. 1732 (1401, action d'affaiblir) ; lat. médiév. *enervatio,* « affaiblissement » ; [enɛʀvasjɔ̃].

**ÉNERVÉ, ÉE, adj.**
**1.** Vx. Qui a subi le supplice de l'énervation ; empl. subst. : *Les* ***énervés*** *de Jumièges* ; au fig., affaibli, sans force. **2.** Excité, nerveux ; irrité : *Ces enfants sont bien* ***énervés !*** XVIIe s. ; p. p. de *énerver* ; [enɛʀve].

**ÉNERVEMENT, subst. m.**
**1.** Vx. État d'une personne affaiblie. **2.** État d'une personne irritée, agacée. 1413 ; ☞ *énerver* ; [enɛʀvəmɑ̃].

**ÉNERVER, verbe trans. [3]**
**1.** Vx. Affaiblir, épuiser. **2.** *M. Â.* Infliger le supplice de l'énervation à. **3.** *Chir.* Pratiquer l'énervation de

1

© Th. Vogel-Explorer

2

© Y. Gladu-Jacana

© S. Cordier-Explorer

3

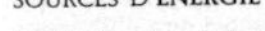

SOURCES D'ÉNERGIE

1. *Charbon dans le bassin des Cévennes.*
2. *Plate-forme pétrolière dans le golfe Persique.*
3. *Oléoduc en Alaska.*
4. *Le barrage hydroélectrique de Bort-les-Orgues, sur la Dordogne.*
5. *Une centrale nucléaire et ses pylônes de distribution.*
6. *Le parc éolien de Tarifa, en Espagne.*

4

© Le Bastard-Explorer

5

© P. Piel-Gamma

© B. Charlon-Gamma

7. *Centrale solaire à panneaux, aux États-Unis.*

8. *La centrale solaire à paraboles Thémis (France).*

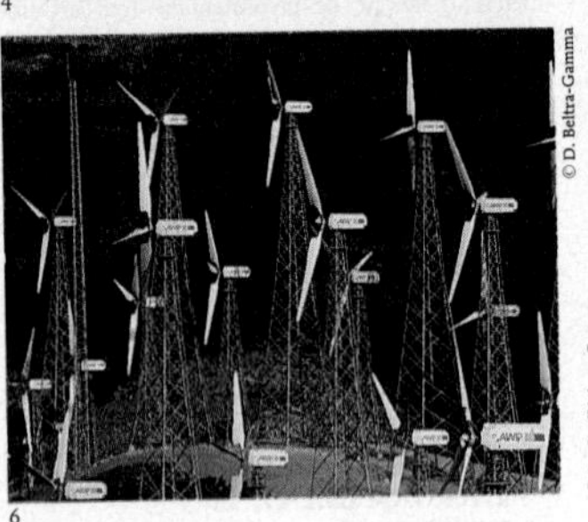

6

© D. Beltra-Gamma

7

© Sander/Liaison-Gamma

8

(une partie du corps). **4.** Irriter, surexciter le système nerveux de : *Tu **énerves** tout le monde* ; empl. abs. : *Le café **énerve**.* PRONOM. S'impatienter, perdre son sang-froid. Déb. XIIIe s. ; lat. *enervare*, « ôter les nerfs » ; [enɛʀve].

**ENFAÎTEAU, subst. m.**
*Bât.* Tuile adaptée au faîte d'un toit (synon. *faîtière*). Déb. XVe s. ; ☞ *enfaîter* ; [ɑ̃fɛto].

**ENFAÎTEMENT, subst. m.**
*Bât.* Feuille de plomb repliée que l'on pose sur le faîte d'un toit. 1638 ; ☞ *enfaîter* ; [ɑ̃fɛtmɑ̃].

**ENFAÎTER, verbe trans.** [3]
Recouvrir (un toit) d'enfaîteaux, d'un faîtage. Fin XIVe s. ; ☞ *faîte* + *en-*[1] ; [ɑ̃fete].

**ENFANCE, subst. f.**
**1.** Première période de la vie humaine, jusqu'à l'adolescence : *Des souvenirs d'**enfance**.* ▸ *Retomber en **enfance*** : avoir des attitudes, des réactions infantiles. **2.** Empl. coll. Ensemble des enfants : *L'**enfance** inadaptée.* **3.** Fig. Origine, début : *L'**enfance** d'une science.* ▸ Loc. *C'est l'**enfance** de l'art* : c'est tout simple. Déb. XIIe s. ; lat. *infantia*, « bas âge » ; [ɑ̃fɑ̃s].

**ENFANT, subst.**
**I. 1.** Jeune humain (de la naissance à la puberté) : *Un **enfant** de trois ans* ; empl. coll. : *L'éducation de l'**enfant**.* ▸ Loc. *C'est un jeu d'**enfant*** : c'est très facile. **2.** *Relig.* ▸ *L'**Enfant** Jésus* : le Christ dans son enfance. ▸ ***Enfant** de chœur* : enfant qui assiste le prêtre pendant la messe et, au fig., personne naïve. **3.** Adulte qui a gardé un caractère puéril : *C'est un grand **enfant*** ; empl. adj. : *Une femme **enfant**.* ▸ Loc. *Bon **enfant*** : gentil, simple. **II. 1.** Fils, fille : *Je vous présente mes **enfants*** ; *Un **enfant** légitime, naturel, adoptif.* **2.** Personne originaire de ; personne rattachée à un groupe : *Un **enfant** du pays.* ▸ Loc. ***Enfant** de la balle* (☞ *balle*). ▸ *Cath. Une **enfant** de Marie* : membre d'une congrégation qui voue un culte à la Vierge Marie et, au fig., jeune fille naïve. Fin Xe s. ; lat. *infans*, « qui ne parle pas » ; [ɑ̃fɑ̃].

**ENFANTEMENT, subst. m.**
**1.** Accouchement. **2.** Fig. Processus de création d'une œuvre. Déb. XIIe s. ; ☞ *enfanter* ; [ɑ̃fɑ̃tmɑ̃].

**ENFANTER, verbe trans.** [3]
**1.** Accoucher de, mettre au monde (un enfant). **2.** Fig. Donner le jour à, produire. Déb. XIIe s. ; ☞ *enfant* ; [ɑ̃fɑ̃te].

**ENFANTILLAGE, subst. m.**
**1.** Immaturité, manières d'enfant : *Elle se livrait à mille **enfantillages** navrants.* **2.** Ext. Bagatelle, chose sans importance : *Ce sont là balivernes et **enfantillages**.* 1611 (déb. XIIIe s., temps de l'enfance) ; anc. fr. *enfantil*, du bas lat. *infantilis*, « enfantin » ; [ɑ̃fɑ̃tijaʒ].

**ENFANTIN, INE, adj.**
**1.** Propre à l'enfance, aux enfants : *Une joie **enfantine**.* **2.** Aisé, élémentaire. **3.** Helv. *École, classe **enfantine*** : école, classe maternelle. Déb. XIIe s. ; ☞ *enfant* ; [ɑ̃fɑ̃tɛ̃, in].

**ENFARINÉ, ÉE, adj.**
**1.** Couvert de farine : *Un pain **enfariné**.* **2.** Anal. *Un visage de clown **enfariné*** : couvert de poudre blanche. ▸ Loc. *La gueule **enfarinée*** : l'air béat, naïf ou sournois (fam.). Fin XIVe s. ; p. p. de *enfariner* [ɑ̃faʀine].

**ENFARINER, verbe trans.** [3]
Couvrir de farine ou, par anal., de poudre blanche. Fin XIVe s. ; ☞ *farine* + *en-*[1] ; [ɑ̃faʀine].

**ENFER, subst. m.**
**1.** *Relig.* Dans le Nouveau Testament, lieu de supplice des damnés : *Craindre l'**enfer**.* **2.** Fig. Lieu, situation de tourments, de souffrances insupportables : *L'**enfer** de la prison* ; *Un vacarme d'**enfer*** **3.** *L'**enfer** d'une bibliothèque* : endroit interdit au public, où sont conservés les livres jugés dangereux. PLUR. **1.** *Relig.* Dans l'Ancien Testament, lieu où erraient les âmes des morts : *Jésus est descendu aux **enfers**.* **2.** *Myth. Les **Enfers*** : le monde souterrain habité par les morts. Fin Xe s. ; lat. chrét. *infernus* du lat. *infernus*, « d'en bas » ; [ɑ̃fɛʀ].

**ENFERMEMENT, subst. m.**
Action d'enfermer, de s'enfermer ; son résultat. 1549 ; ☞ *enfermer* ; [ɑ̃fɛʀməmɑ̃].

**ENFERMER, verbe trans.** [3]
**1.** Mettre (qqn) dans un endroit fermé ; séquestrer : ***Enfermer** un criminel en prison* ; au fig. ***Enfermer** qqn dans un rôle.* ▸ Abs. *Il est bon à **enfermer*** : à placer dans un asile d'aliénés. **2.** Mettre en lieu sûr, sous clé : ***Enfermer** des plans confidentiels.* **3.** Entourer de tous côtés ; contenir : ***Enferme** un terrain de barrières* ; *Ces murs **enferment** un superbe propriété.* ▸ *Sp.* Empêcher (un concurrent

de s'échapper. PRONOM. S'isoler : *Elle s'enferma dans sa chambre* ; au fig. : *Il s'enferma dans le silence.* Fin XIIe s. ; ☞ *fermer* + *en-*[1] ; [ɑ̃fɛʀme].

**ENFERRER,** verbe trans. [3]
Transpercer avec le fer, avec la lame d'une arme blanche. PRONOM. **1.** S'empaler. **2.** *Pêche.* Mordre à l'hameçon. **3.** Fig. S'enfoncer, se prendre à son propre piège : *S'enferrer dans les contradictions.* Fin XIIe s. ; ☞ *fer* + *en-*[1] ; [ɑ̃feʀe].

**ENFEU,** subst. m.
*Archit.* Niche funéraire, dans un édifice religieux. 1482 ; ☞ *enfouir* ; plur. *enfeus* ; [ɑ̃fø].

**ENFICHER,** verbe trans. [3]
Enfoncer (une fiche, une prise mâle) dans une prise femelle. Mil. XXe s. ; ☞ *fiche* (I) + *en-*[1] ; [ɑ̃fiʃe].

**ENFIELLER,** verbe trans. [3]
Rendre fielleux, haineux (vieilli) ; empl. adj. : *Des paroles enfiellées.* Déb. XIIIe s. ; ☞ *fiel* + *en-*[1] ; [afjele].

**ENFIÉVRER,** verbe trans. [8]
**1.** Rendre fiévreux (rare). **2.** Exalter ; passionner. 1588 ; ☞ *fièvre* + *en-*[1] ; [ɑ̃fjevʀe].

**ENFILADE,** subst. f.
**1.** Série d'éléments disposés les uns à la suite des autres : *Une enfilade de pièces* ; au fig. : *Une enfilade de banalités.* ▸ Loc. **En enfilade.** À la suite : *Les salons en enfilade d'un château.* **2.** *Milit. Prendre d'enfilade* : viser l'objectif ennemi dans le sens de la longueur. 1611 ; ☞ *enfiler* ; [ɑ̃filad].

**ENFILAGE,** subst. m.
Action d'enfiler. 1697 ; ☞ *enfiler* ; [ɑ̃filaʒ].

**ENFILER,** verbe trans. [3]
**1.** Faire passer (un fil, un lien) dans le chas d'une aiguille, un anneau, un œillet, etc. ; par méton. : *Enfiler une aiguille.* ▸ Loc. *Enfiler des perles* : perdre son temps à des futilités. **2.** Mettre (un vêtement) : *Il enfila sa veste et partit.* **3.** Emprunter (un chemin), s'engager dans : *Ils enfilèrent la rue Saint-Antoine.* PRONOM. Consommer (fam.) : *Il s'est enfilé trois cognacs.* Fin XIIe s. ; ☞ *fil* + *en-*[1] ; [ɑ̃file].

**ENFILEUR, EUSE,** subst.
Personne qui enfile ; au fig. : *Un enfileur de boniments,* personne qui débite des propos futiles. 1542 ; ☞ *enfiler* ; [ɑ̃filœʀ, øz].

**ENFIN,** adv.
**1.** Finalement, après avoir longtemps attendu : *Nous sommes enfin arrivés* ; *Enfin, il a terminé.* **2.** Bref, pour résumer : *Il a une femme admirable, des enfants intelligents, un travail passionnant ; enfin, tout lui sourit.* **3.** Après tout : *Enfin, faites comme vous voulez, mais vous aurez été averti.* **4.** Du moins : *Il lui écrit tous les jours, enfin presque.* **5.** Donc, à la fin (marquant l'impatience, l'indignation) : *Viendras-tu enfin m'aider ?* ; *Mais enfin, laissez-moi passer !* 1119 ; ☞ *fin* (I) + *en-*[1] ; [ɑ̃fɛ̃].

**ENFLAMMÉ, ÉE,** adj.
**1.** Qui est en flammes. **2.** Qui a les couleurs d'une flamme. **3.** Fig. Ardent, passionné : *Une déclaration enflammée.* **4.** *Pathol.* Dans un état inflammatoire : *Une coupure enflammée.* XIIe s. ; p. p. de *enflammer* ; [ɑ̃flame].

**ENFLAMMER,** verbe trans. [3]
**1.** Mettre en flammes : *Enflammer des torches.* **2.** Donner des couleurs flamboyantes à, illuminer. **3.** Remplir (qqn) d'ardeur : *Leurs discours enflamment les cœurs.* **4.** *Pathol.* Mettre dans un état inflammatoire. PRONOM. **1.** Prendre feu. **2.** Devenir flamboyant, éclatant : *Le ciel s'enflamme au couchant.* **3.** S'exalter, se passionner. Fin Xe s. ; ☞ *flamme* + *en-*[1] ; [ɑ̃flame].

**ENFLÉ, ÉE,** adj.
Imbécile, niais (fam.). 1749 ; p. p. de *enfler* ; [ɑ̃fle].

**ENFLÉCHURE,** subst. f.
*Mar.* Chacun des échelons entre deux haubans permettant de monter dans la mâture. 1573 ; ☞ *flèche* (I) + *en-*[1] ; [ɑ̃fleʃyʀ].

**ENFLER,** verbe [3]
TRANS. **1.** Faire augmenter de volume, grossir : *Enfler sa voix.* **2.** Provoquer l'enflure de : *Le froid enfle ses doigts.* **3.** Fig. Exagérer, majorer : *Enfler ses prévisions.* **4.** Gonfler d'air, de gaz : *Enfler un ballon.* INTRANS. Augmenter de volume, grossir : *La rivière enfle.* Fin Xe s. ; lat. *inflare,* « gonfler » ; [ɑ̃fle].

**ENFLEURAGE,** subst. m.
*Techn.* Opération consistant à imprégner un corps gras d'un parfum de fleur. 1845 ; ☞ *enfleurer* ; [ɑ̃flœʀaʒ].

**ENFLEURER,** verbe trans. [3]
Pratiquer l'enfleurage de. 1845 (XIIe s., orner de fleurs) ; ☞ *fleur* + *en-*[1] ; [ɑ̃flœʀe].

**ENFLURE,** subst. f.
**1.** Gonflement anormal d'une partie du corps. **2.** Fig. Emphase. **3.** Personne méprisable (vulg.). Mil. XIIe s. ; ☞ *enfler* ; [ɑ̃flyʀ].

**ENFOIRÉ, ÉE,** adj. et subst.
Personne méprisable (vulg.). 1905 (1587, souillé) ; *foire,* « diarrhée », + *en-*[1] ; [ɑ̃fwaʀe].

**ENFONCÉ, ÉE,** adj.
Qui est situé au fond d'une cavité : *Des yeux enfoncés.* Fin XIVe s. ; p. p. de *enfoncer* ; [ɑ̃fɔ̃se].

**ENFONCEMENT,** subst. m.
**1.** Action d'enfoncer ; fait de s'enfoncer. **2.** Partie en retrait ; creux. Fin XVe s. ; ☞ *enfoncer* ; [ɑ̃fɔ̃smɑ̃].

**ENFONCER,** verbe [4]
TRANS. **1.** Faire pénétrer en profondeur : *Enfoncer un piquet dans la terre, sa tête dans l'oreiller.* ▸ Fig. Entraîner : *Enfoncer qqn dans le vice.* ▸ Loc. *Enfoncer le clou* : expliquer avec insistance. **2.** Briser en poussant : *Enfoncer une portière.* ▸ Culbuter, mettre en déroute (une troupe). **3.** Surpasser (fam.) : *Enfoncer ses concurrentes.* INTRANS. Pénétrer profondément : *Enfoncer dans la vase.* PRONOM. **1.** Entrer en profondeur ; aller vers le fond : *S'enfoncer dans la forêt* ; *Le sous-marin s'enfonça dans les flots.* **2.** Fig. S'abandonner ; se laisser entraîner dans une situation sans cesse plus difficile, se perdre. Fin XIIIe s. (mil. XIIe s., pourvoir d'un fond) ; *fons,* anc. forme de *fond,* + *en-*[1] ; [ɑ̃fɔ̃se].

**ENFONCEUR, EUSE,** subst.
**1.** Vx. Personne qui approfondit un sujet. **2.** Loc. *Enfonceur de portes ouvertes* : personne qui démontre des évidences (fam.). Mil. XVIe s. ; ☞ *enfoncer* ; [ɑ̃fɔ̃sœʀ, øz].

**ENFONÇURE,** subst. f.
Creux (rare). 1415 (fin XIVe s., fond d'un tonneau) ; ☞ *enfoncer* ; [ɑ̃fɔ̃syʀ].

**ENFOUIR,** verbe trans. [19]
**1.** Mettre en terre, enterrer. **2.** Cacher dans un lieu recouvert ; au fig., dissimuler : *Enfouir un secret.* PRONOM. Se cacher, se blottir : *S'enfouir sous l'édredon.* Mil. XIe s. ; lat. pop. °*infodire,* du lat. *infodere* ; [ɑ̃fwiʀ].

**ENFOUISSEMENT,** subst. m.
Action d'enfouir ; son résultat. 1539 ; ☞ *enfouir* ; [ɑ̃fwismɑ̃].

**ENFOUISSEUR,** subst. m.
*Agric.* Outil qui sert à enfouir du fumier, de l'engrais. 1642 ; ☞ *enfouir* ; [ɑ̃fwisœʀ].

**ENFOURCHEMENT,** subst. m.
**1.** *Archit.* Angle formé par les deux parements d'un voussoir. **2.** *Menuis.* Assemblage formant une enture verticale. Déb. XIIIe s. ; ☞ *enfourcher* ; [ɑ̃fuʀʃəmɑ̃].

**ENFOURCHER,** verbe trans. [3]
**1.** Monter à califourchon sur. **2.** Fig. et Fam. Adopter (une idée). ▸ Loc. *Enfourcher son dada* : se complaire à développer sans cesse un sujet de prédilection (fam.). Déb. XVIIe s. (1170, garnir de pointes disposées en épi) ; ☞ *fourche* + *en-*[1] ; [ɑ̃fuʀʃe].

**ENFOURCHURE,** subst. f.
**1.** Fourche d'un arbre, d'un bois de cerf ; bifurcation. **2.** Endroit du corps où les jambes s'attachent au tronc. **3.** Partie d'un pantalon formant l'entrejambe. 1150 ; ☞ *fourche* + *en-*[1] ; [ɑ̃fuʀʃyʀ].

**ENFOURNAGE,** subst. m.
Action d'enfourner (synon. *enfournement*) ; son résultat. 1594 ; ☞ *enfourner* ; [ɑ̃fuʀnaʒ].

**ENFOURNER,** verbe trans. [3]
**1.** Mettre dans un four. **2.** Ext. Introduire sans ménagement dans (fam.) ; empl. pronom., s'engouffrer. **3.** Avaler rapidement (fam.) : *Enfourner un gâteau.* Fin XIIe s. ; ☞ *four* + *en-*[1] ; [ɑ̃fuʀne].

**ENFREINDRE,** verbe trans. [53]
Transgresser : *Enfreindre le règlement.* Déb. XIIe s. ; lat. pop. °*infrangere,* du lat. *infringere,* « briser » ; [ɑ̃fʀɛ̃dʀ].

**ENFUIR (S'),** verbe pronom. [32]
S'en aller hâtivement et discrètement ; s'échapper. ▸ Fig. Disparaître ; empl. adj. : *Se rappeler sa jeunesse enfuie.* 1050 ; ☞ *fuir* + *en-*[2] ; [ɑ̃fɥiʀ].

**ENFUMAGE,** subst. m.
Action d'enfumer ; son résultat : *L'enfumage d'une ruche.* 1876 (1846, défaut provoqué par la fumée lors de la cuisson de la porcelaine) ; ☞ *enfumer* ; [ɑ̃fymaʒ].

**ENFUMER,** verbe trans. [3]
**1.** Emplir, environner de fumée. **2.** Incommoder par la fumée. ▸ Déloger (un animal) de son terrier ; neutraliser (une ruche) en y projetant de la fumée. 1150 ; ☞ *fumer* (I) + *en-*[1] ; [ɑ̃fyme].

**ENFÛTAGE,** subst. m.
Action d'enfûter. 1870 ; ☞ *enfûter* ; [ɑ̃fytaʒ].

**ENFÛTER,** verbe trans. [3]
Mettre en fût. 1285 (mil. XIIe s., entrer, s'introduire dans) ; ☞ *fût* + *en-*[1] ; var. *enfutailler* ; [ɑ̃fyte].

**ENGAGÉ, ÉE,** subst. et adj.
Se dit d'une personne qui s'est enrôlée dans l'armée. ADJ. **1.** *Archit. Une colonne engagée* : intégrée en partie dans un mur ou un pilier. **2.** *Mar. Cordage engagé* : bloqué ; *Navire engagé* : qui gîte sans pouvoir se redresser. **3.** Qui exprime un engagement au service d'une cause : *Un écrivain engagé.* 1762 ; p. p. de *engager* ; [ɑ̃gaʒe].

**ENGAGEANT, ANTE,** adj.
Qui attire, séduit : *Un bar peu engageant* ; *Un sourire engageant.* 1656 ; p. pr. de *engager* ; [ɑ̃gaʒɑ̃, ɑ̃t].

**ENGAGEMENT,** subst. m.
**I. 1.** *Dr.* Action de mettre qqch. en gage. **2.** Action de lier par un contrat, un serment : *Respecter ses engagements.* **3.** *Milit.* Contrat qui lie une personne à l'armée pour une durée déterminée ; par anal., embauche. **4.** *Sp.* Inscription à une épreuve. **II. 1.** Fait d'entrer dans un passage étroit. ▸ *Physiol.* Première phase d'un accouchement. **2.** Commencement, initiative : *L'engagement d'une discussion.* ▸ *Milit.* Introduction d'une unité dans une action ; combat court et localisé. ▸ *Sp.* Mise en jeu, coup d'envoi. **3.** Fig. Attitude militante d'une personne qui prend parti pour une cause politique, sociale, intellectuelle ou religieuse. Fin XIIe s. ; ☞ *engager* ; [ɑ̃gaʒmɑ̃].

**ENGAGER,** verbe trans. [5]
**I. 1.** Mettre en gage. **2.** Donner pour caution (sa parole, son honneur, etc.) ; lier (qqn) par une promesse : *Ce vœu l'engageait pour la vie.* ▸ *Cela n'engage à rien* : cela n'a pas de caractère contraignant. **3.** Recruter : *Engager une secrétaire.* **II. 1.** Faire pénétrer dans : *Engager un bateau dans le port.* **2.** Faire entrer dans une situation incertaine : *Sa politique a engagé le pays dans le chaos.* **3.** Commencer, entamer : *Engager des discussions.* **4.** Inciter : *Engager qqn à la prudence.* **5.** Faire entrer dans une action : *Engager ses troupes en première ligne.* PRONOM. **1.** Se lier par un engagement professionnel ou militaire, une promesse : *Je m'engage à vous soutenir.* **2.** Entrer, pénétrer : *La voiture s'engage dans la ruelle.* **3.** Commencer : *Leur rencontre s'engage bien.* **4.** Prendre position sur des problèmes politiques, intellectuels, religieux : *L'intelligentsia s'est engagée publiquement.* Mil. XIIe s. ; ☞ *gage* + *en-*[1] ; [ɑ̃gaʒe].

**ENGAINANT, ANTE,** adj.
*Bot.* Qui enserre comme une gaine : *Une feuille engainante.* 1798 ; p. pr. de *engainer* ; [ɑ̃gɛnɑ̃, ɑ̃t].

**ENGAINER,** verbe trans. [3]
**1.** Mettre dans une gaine. **2.** Envelopper étroitement. Déb. XIVe s. ; ☞ *gaine* + *en-*[1] ; [ɑ̃gene].

**ENGAMER,** verbe trans. [3]
*Pêche.* Avaler (appât et hameçon), en parlant d'un poisson. XVIe s. ; dial. germ. *gamo,* « goitre » ; [ɑ̃game].

**ENGAZONNEMENT,** subst. m.
Action d'engazonner ; son résultat. 1846 ; ☞ *engazonner* ; [ɑ̃gazɔnmɑ̃].

**ENGAZONNER,** verbe trans. [3]
Semer de gazon. Mil. XVIe s. ; ☞ *gazon* + *en-*[1] ; [ɑ̃gazɔne].

**ENGEANCE,** subst. f.
**1.** Vx. Race d'animaux domestiques. **2.** Anal. Ensemble de gens méprisables (littér.). 1538 ; prob. anc. fr. *engier,* « rendre puissant » ; [ɑ̃ʒɑ̃s].

**ENGELURE,** subst. f.
*Pathol.* Lésion de la peau, causée par le froid, prenant la forme de boursouflures aux extrémités des membres et au visage, parfois accompagnées de gerçures. XIIIe s. ; *engeler* (vx), de *geler* ; [ɑ̃ʒlyʀ].

**ENGENDREMENT,** subst. m.
Action d'engendrer. Mil. XIIe s. ; ☞ *engendrer* ; [ɑ̃ʒɑ̃dʀəmɑ̃].

**ENGENDRER,** verbe trans. [3]
**1.** Procréer, transmettre la vie à : *Engendrer une fille.* **2.** Fig. Avoir pour effet, produire : *Le crime engendre le crime.* **3.** *Math. Sous-groupe (resp. -anneau, -corps, -espace vectoriel...) d'un groupe G (resp. anneau, corps...) engendré par une partie P de G* : plus petit sous-groupe (resp. -anneau, -corps...) de G conte-

nant P. Si $*$ est la loi de G, c'est l'ensemble de tous les composés $a_1 * a_2 * ... * a_n$, $n$ entier et $a_i$ ou $a_i^{-1}$ dans P. 📖 1135 ; lat. *ingerare* ; [ɑ̃ʒɑ̃dʀe].

**ENGERBER, verbe trans.** [3]
*Agric.* Mettre en gerbes. 📖 Déb. XIIIe s. ; ☞ *gerbe* + *en-*¹ ; [ɑ̃ʒɛʀbe].

**ENGIN, subst. m.**
**1.** *Milit.* Machine, véhicule, arme ou instrument de guerre : *Des* ***engins*** *blindés.* ▸ *Astronaut. Un* ***engin*** *spatial.* **2.** Appareil, dispositif, instrument, outil destiné à un usage précis. 📖 1155 (mil. XIIe s., invention, ruse) ; lat. *ingenium*, « intelligence ; invention ingénieuse » ; [ɑ̃ʒɛ̃].

**ENGINEERING, subst. m.**
Ingénierie (anglic. déconseillé). 📖 1949 ; angl. *engineering*, « art de l'ingénieur » ; [ɛn(d)ʒiniʀiŋ].

**ENGLOBER, verbe trans.** [3]
**1.** Adjoindre (qqch.) à un ensemble : ***Englober*** *un État dans la C. E. E.* **2.** Réunir (plusieurs choses) en un tout, comprendre, inclure : *Ce mouvement* ***englobe*** *toutes les tendances.* 📖 1611 ; ☞ *globe* + *en-*¹ ; [ɑ̃glɔbe].

**ENGLOUTIR, verbe trans.** [19]
**1.** Avaler gloutonnement (un mets). **2.** Faire disparaître brusquement, submerger ; au fig. : ***Engloutir*** *sa fortune*, la dilapider rapidement. **Pronom.** Disparaître, sombrer : *Le navire s'est* ***englouti*** ; empl. adj. : *Une vallée* ***engloutie.*** 📖 XIIe s. (XIe s., faire disparaître dans un gouffre) ; lat. *ingluttire* ; [ɑ̃glutiʀ].

**ENGLOUTISSEMENT, subst. m.**
Action d'engloutir ; fait de s'engloutir (rare). 📖 XVe s. ; ☞ *engloutir* ; [ɑ̃glutismɑ̃].

**ENGLUAGE, subst. m.**
Action d'engluer ; fait d'être englué. 📖 1870 ; ☞ *engluer* ; synon. *engluement* ; [ɑ̃glyaʒ].

**ENGLUER, verbe trans.** [3]
**1.** Enduire de glu, d'une matière gluante. **2.** Prendre à la glu (un oiseau). **3.** Anal. Engager dans une matière gluante ; empl. adj. : *Une sandale* ***engluée*** *dans le bitume.* **Pronom.** S'enferrer dans une situation difficile. 📖 Déb. XIe s. ; ☞ *glu* + *en-*¹ ; [ɑ̃glye].

**ENGOBAGE, subst. m.**
*Techn.* Action d'engober. 📖 1845 ; ☞ *engober* ; [ɑ̃gɔbaʒ].

**ENGOBE, subst. m.**
*Techn.* Enduit terreux dont on revêt une céramique pour la décorer. 📖 1807 ; ☞ *engober* ; [ɑ̃gɔb].

**ENGOBER, verbe trans.** [3]
Recouvrir (une céramique) d'engobe. 📖 1807 ; dial. *gobe*, « motte de terre », + *en-*¹ ; [ɑ̃gɔbe].

**ENGOMMAGE, subst. m.**
*Techn.* Action d'engommer. 📖 1846 ; ☞ *engommer* ; [ɑ̃gɔmaʒ].

**ENGOMMER, verbe trans.** [3]
*Techn.* Recouvrir de gomme. 📖 1581 ; ☞ *gomme* + *en-*¹ ; [ɑ̃gɔme].

**ENGONCER, verbe trans.** [4]
Donner l'impression que le cou de (qqn) est enfoncé dans les épaules, en parlant d'un vêtement : *Cette veste t'****engonce*** ; empl. adj. et fig. : *Un air* ***engoncé***, guindé. 📖 1611 ; ☞ *gond* + *en-*¹ ; [ɑ̃gɔ̃se].

**ENGORGEMENT, subst. m.**
Action d'engorger ; fait de s'engorger. ▸ *Pathol.* État d'un organe où du liquide s'est accumulé. ▸ Fig. Saturation : ***Engorgement*** *du marché des céréales* ; ***Engorgement*** *d'un axe routier.* 📖 1611 (XVe s., action d'avaler avec avidité) ; ☞ *engorger* ; [ɑ̃gɔʀʒəmɑ̃].

**ENGORGER, verbe trans.** [5]
**1.** Obstruer par l'accumulation de matières étrangères : ***Engorger*** *un siphon.* **2.** Anal. Causer l'encombrement de ; empl. adj. : *Une ruelle* ***engorgée*** *par les bus.* 📖 1611 (fin XIIe s., bourré de nourriture, rassasié) ; ☞ *gorge* + *en-*¹ ; [ɑ̃gɔʀʒe].

**ENGOUEMENT, subst. m.**
**1.** *Pathol.* Obstruction d'un organe, d'un conduit (rare). **2.** Fig. Fait de s'engouer ; enthousiasme pour qqn, qqch. 📖 1694 ; ☞ *engouer* ; [ɑ̃gumɑ̃].

**ENGOUER (S'), verbe pronom.** [3]
S'engouer de, pour. S'enthousiasmer de façon passagère et exagérée pour qqn, qqch. 📖 1672 (XIVe s., se gaver) ; dial. *goue*, var. de *joue*, + *en-*¹ ; [ɑ̃gwe].

**ENGOUFFREMENT, subst. m.**
Action d'engouffrer ; fait de s'engouffrer. 📖 1866 ; ☞ *engouffrer* ; [ɑ̃gufʀəmɑ̃].

**ENGOUFFRER, verbe trans.** [3]
**1.** Entraîner dans un gouffre (littér.). **2.** Manger avidement (fam.). **3.** Fig. Engloutir (des biens) : *Il a* ***engouffré*** *sa fortune dans cette aventure.* **Pronom.** **1.** Être entraîné dans un gouffre. **2.** Se précipiter (dans un passage, une ouverture) : *Le vent s'****engouffre*** *dans le porche* ; par ext. : *Je m'****engouffrai*** *dans le train.* 📖 XIIIe s. ; ☞ *gouffre* + *en-*¹ ; [ɑ̃gufʀe].

**ENGOULEVENT, subst. m.**
*Zool.* Oiseau roussâtre nocturne, de la famille des Caprimulgidés, qui attrape les insectes en volant le bec largement ouvert. 📖 1783 (1292, nom propre) ; formé de *engouler* (vx), « avaler », et de *vent* ; [ɑ̃gul(ə)vɑ̃].

© M. Colas-Jacana
*Engoulevent d'Europe.*

**ENGOURDIR, verbe trans.** [19]
**1.** Priver en partie de sa mobilité (un membre ou le corps) : *Le vent glacial* ***avait engourdi*** *ses mains.* **2.** Ext. Mettre dans un état de torpeur ; empl. adj. : *L'esprit* ***engourdi*** *par l'alcool.* 📖 Fin XIIe s. ; ☞ *gourd* + *en-*¹ ; [ɑ̃guʀdiʀ].

**ENGOURDISSEMENT, subst. m.**
Action d'engourdir ; fait d'être engourdi. 📖 1539 ; ☞ *engourdir* ; [ɑ̃guʀdismɑ̃].

**ENGRAIS, subst. m.**
**1.** Action d'engraisser (vx). ▸ Loc. *À l'****engrais*** : que l'on engraisse, en parlant d'un animal. **2.** Substance qui fertilise le sol : *Des* ***engrais*** *naturels, chimiques.* 📖 1559 (1510, terre à l'engrais) ; ☞ *engraisser* ; [ɑ̃gʀɛ].

**ENGRAISSEMENT, subst. m.**
Action d'engraisser un animal ; fait de grossir (vieilli). 📖 Déb. XIIIe s. ; ☞ *engraisser* ; [ɑ̃gʀɛsmɑ̃].

**ENGRAISSER, verbe** [3]
**Trans.** **1.** Rendre gras (un animal) : ***Engraisser*** *un porc.* **2.** Fertiliser (une terre) par un engrais. **3.** Fig. et Fam. Enrichir : *Le pouvoir l'****a engraissé*** ; empl. pronom. : *Il s'****engraisse*** *sur notre dos.* **Intrans.** Devenir gras. 📖 Mil. XIe s. ; lat. pop. °*ingrassiare*, du bas lat. *incrassare*, du lat. *crassus*, « gras » ; [ɑ̃gʀese].

**ENGRAISSEUR, subst. m.**
Celui qui engraisse un animal. 📖 1636 ; ☞ *engraisser* ; [ɑ̃gʀesœʀ].

**ENGRAMME, subst. m.**
*Psychol.* Trace laissée dans le cerveau par un évènement du passé. 📖 1904 ; all. *Engramm*, du gr. *en* « dans », et *gramma*, « trait » ; [ɑ̃gʀam].

**ENGRANGEMENT, subst. m.**
Action d'engranger. 📖 1611 ; ☞ *engranger* ; [ɑ̃gʀɑ̃ʒmɑ̃].

**ENGRANGER, verbe trans.** [5]
**1.** Mettre en grange : ***Engranger*** *le blé.* **2.** Ext. Emmagasiner, faire provision de : ***Engranger*** *des victuailles* ; au fig. : ***Engranger*** *des connaissances, des souvenirs*, les réunir en vue d'une utilisation ultérieure. 📖 1260 ; ☞ *grange* + *en-*¹ ; [ɑ̃gʀɑ̃ʒe].

**ENGRAVER (I), verbe trans.** [3]
**1.** *Mar.* Faire échouer sur un banc de sable. **2.** Recouvrir d'une couche de gravier. 📖 Fin XIIIe s. ; ☞ *grève* (I) + *en-*¹ ; [ɑ̃gʀave].

**ENGRAVER (II), verbe trans.** [3]
Pratiquer une engravure dans. 📖 Mil. XVe s. ; ☞ *graver* + *en-*¹ ; [ɑ̃gʀave].

**ENGRAVURE, subst. f.**
*Bât.* Rainure pratiquée dans une maçonnerie. 📖 ☞ *engraver* (II) ; [ɑ̃gʀavyʀ].

**ENGRÊLÉ, ÉE, adj.**
*Hérald.* Bordé de petites dents légèrement arrondies, en parlant des pièces honorables de l'écu. 📖 1253 ; ☞ *grêle* (I) + *en-*¹ ; [ɑ̃gʀele].

**ENGRÊLURE, subst. f.**
**1.** *Hérald.* Bordure engrêlée d'un blason. **2.** *Cout.* Bordure d'une dentelle servant à la fixer sur un support. 📖 XVIIe s. ; ☞ *engrêlé* ; [ɑ̃gʀelyʀ].

**ENGRENAGE, subst. m.**
**1.** *Techn.* Dispositif transmettant un mouvement de rotation par des pièces qui s'engrènent. **2.** Fig. Enchaînement de circonstances, dont on ne peut se dégager : *Mettre le doigt dans l'****engrenage.*** 📖 1709 ; ☞ *engrener* (II) ; [ɑ̃gʀənaʒ].

**ENGRÈNEMENT, subst. m.**
**1.** Action d'engrener : ***Engrènement*** *des rouages d'une montre.* **2.** *Chir.* Interpénétration de fragments d'os fracturés. 📖 1730 ; ☞ *engrener* (II) ; [ɑ̃gʀɛnmɑ̃].

**ENGRENER (I), verbe trans.** [10]
*Agric.* **1.** Emplir de grain. **2.** Engraisser avec du grain (vieilli). 📖 Fin XIIe s. ; ☞ *grain* + *en-*¹ ; [ɑ̃gʀəne].

**ENGRENER (II), verbe trans.** [10]
**Trans.** **1.** *Mécan.* Emboîter les parties saillantes ou creuses de (une roue dentée) dans les parties correspondantes d'une autre roue, pour transmettre un mouvement de rotation. **2.** Fig. Entraîner (qqn) dans une situation où les circonstances s'enchaînent sans que l'on puisse les maîtriser (littér.). **Pronom.** et **Intrans.** Bien s'engager ; bien s'enchaîner. 📖 XVIIe s. (déb. XIIIe s., commencer) ; ☞ *engrener* (I) ; [ɑ̃gʀəne].

**ENGRENURE, subst. f.**
Position de deux éléments d'un engrenage. 📖 1640 ; ☞ *engrener* (II) ; [ɑ̃gʀənyʀ].

**ENGROSSER, verbe trans.** [3]
Rendre (une femme) enceinte (fam.). 📖 Mil. XIIIe s. (mil. XIIe s., grossir, pour une femme enceinte) ; anc. fr. *engroissier*, de *groisse*, « grosseur », d'apr. *gros* ; [ɑ̃gʀose].

**ENGUEULADE, subst. f.**
Fam. Action d'engueuler ; semonce ; querelle vive. 📖 1846 ; ☞ *engueuler* ; [ɑ̃gœlad].

**ENGUEULER, verbe trans.** [3]
Fam. Invectiver grossièrement (qqn) ; accabler de reproches. **Pronom.** Se disputer violemment. 📖 1783 ; ☞ *gueule* + *en-*¹ ; [ɑ̃gœle].

**ENGUICHURE, subst. f.**
*Chasse.* Courroie utilisée pour suspendre un cor de chasse. 📖 1351 ; anc. fr. *enguiché*, « garni d'une guiche » ; [ɑ̃giʃyʀ].

**ENGUIRLANDER, verbe trans.** [3]
**1.** Orner de guirlandes (littér.). **2.** Réprimander (fam.). 📖 1555 ; ☞ *guirlande* + *en-*¹ ; [ɑ̃giʀlɑ̃de].

**ENHARDIR, verbe trans.** [19]
Rendre hardi, plus hardi. **Pronom.** Montrer plus de hardiesse. 📖 1155 ; ☞ *hardi* + *en-*¹ ; [ɑ̃aʀdiʀ].

**ENHARMONIE, subst. f.**
*Mus.* Rapport de deux notes harmoniquement différentes mais qui, dans le système du tempérament égal, sont assimilées à une même hauteur de son (par ex., *do* dièse et *ré* bémol donnés par une même touche noire, au piano). 📖 1849 ; ☞ *enharmonique* ; [ɑ̃naʀmɔni].

**ENHARMONIQUE, adj.**
*Mus.* Qui relève de l'enharmonie. 📖 1755 (fin XIVe s., qui procède par quart de ton) ; bas lat. *enharmonicus*, du gr. *harmonikos*, « harmonieux » ; [ɑ̃naʀmɔnik].

**ENHARNACHER, verbe trans.** [3]
**1.** Vx. Équiper d'un harnais (un cheval). **2.** Fig. Accoutrer. 📖 1228 ; ☞ *harnacher* + *en-*¹ ; [ɑ̃aʀnaʃe].

**ENHERBER, verbe trans.** [3]
*Agric.* Mettre en herbe (un terrain). 📖 1798 (fin XIIe s., empoisonner) ; ☞ *herbe* + *en-*¹ ; [ɑ̃nɛʀbe].

**ÉNIÈME, adj. et subst.**
**1.** *Math.* D'ordre *n*, *n* désignant un nombre entier. **2.** D'ordre indéterminé : *Je vous le répète pour la* ***énième*** *fois*, une fois de plus. 📖 1834 ; ☞ *n*, désignant un nombre indéterminé, en math., d'apr. *deuxième*, *troisième* ; var. *nième* ; [ɛnjɛm].

**ÉNIGMATIQUE, adj.**
**1.** Qui renferme une énigme. **2.** Ext. Difficile à comprendre, à interpréter. 📖 XIVe s. ; bas lat. *aenigmaticus*, du gr. *ainigmatikos* ; [enigmatik].

**ÉNIGMATIQUEMENT, adv.**
De manière énigmatique. 📖 1488 ; ☞ *énigmatique* ; [enigmatikmɑ̃].

**ÉNIGME, subst. f.**
**1.** Énoncé aux termes intentionnellement obscurs ou ambigus, dont il faut trouver le sens. **2.** Ext. Chose difficile à comprendre ou impossible à connaître : *Les grandes* ***énigmes*** *du passé.* 📖 XIVe s. ; lat. *aenigma*, du gr. *ainigma* ; [enigm].

**ENIVRANT, ANTE, adj.**
Qui enivre. 📖 XIIe s. ; p. pr. de *enivrer* ; [ɑ̃nivʀɑ̃, ɑ̃t].

**ENIVREMENT, subst. m.**
**1.** Vx. Action de s'enivrer ; état d'une personne ivre. **2.** Fig. État d'exaltation agréable, griserie. 📖 Mil. XIIe s. ; ☞ *enivrer* ; [ɑ̃nivʀəmɑ̃].

**ENIVRER,** verbe trans. [3]
1. Rendre ivre. 2. Fig. Exalter ; remplir d'une sorte d'ivresse ; empl. pronom. : *Elle s'enivre de belles phrases.* Fin XIIe s. (déb. XIIe s., abreuver ; féconder) ; ☞ *ivre + en-*[1] ; [ɑ̃nivʀe].

**ENJAMBÉE,** subst. f.
Action d'enjamber ; distance franchie par un long pas. Fin XIIIe s. ; ☞ *jambe + en-*[2] ; [ɑ̃ʒɑ̃be].

**ENJAMBEMENT,** subst. m.
1. Action d'enjamber (rare). 2. *Versif.* Rejet sur le vers suivant d'un ou de plusieurs mots achevant le propos du vers précédent (par ex. : « On frappe. C'est à l'escalier / Dérobé », V. Hugo, dans *Hernani*). 3. *Génét.* ***Enjambement** de chromosomes* : phénomène à l'origine des échanges de segments chromosomiques homologues qui se produisent pendant la méiose (synon. *crossing-over*). 1562 ; ☞ *enjamber* ; [ɑ̃ʒɑ̃bmɑ̃].

**ENJAMBER,** verbe [3]
**Trans.** Passer par-dessus (un obstacle), en étendant la jambe ; par anal. : *Un pont levant **enjambe** le canal.* **Intrans.** 1. Empiéter : *Votre haie **enjambe** sur ma propriété.* 2. *Versif.* Déborder par enjambement. Déb. XIIIe s. ; ☞ *jambe + en-*[2] ; [ɑ̃ʒɑ̃be].

**ENJAVELER,** verbe trans. [12]
Disposer en javelles (les céréales coupées). 1352 ; ☞ *javelle + en-*[1] ; [ɑ̃ʒavle].

**ENJEU,** subst. m.
1. *Jeux.* Somme risquée dans une partie : *Doubler son **enjeu**.* 2. Ext. Ce que l'on risque de gagner ou de perdre dans une entreprise ; ce qui fait l'objet d'une compétition : *Quel est l'**enjeu** de ce conflit ?* Fin XIVe s. ; formé de *en* (I) et de *jeu* ; [ɑ̃ʒø].

**ENJOINDRE,** verbe trans. [55]
Littér. Commander expressément à (qqn) : *On m'**enjoignit** de sortir.* Fin XIIe s. ; lat. *injungere*, « imposer », d'apr. *joindre* ; [ɑ̃ʒwɛ̃dʀ].

**ENJÔLER,** verbe trans. [3]
Abuser par de belles paroles. Mil. XVIe s. (déb. XIIIe s., emprisonner) ; ☞ *geôle + en-*[1] ; [ɑ̃ʒole].

**ENJÔLEUR, EUSE,** subst.
Personne qui enjôle ; empl. adj. : *Un ton **enjôleur**.* 1585 ; ☞ *enjôler* ; [ɑ̃ʒolœʀ, øz].

**ENJOLIVEMENT,** subst. m.
Action d'enjoliver ; ce qui enjolive. 1611 ; ☞ *enjoliver* ; [ɑ̃ʒɔlivmɑ̃].

**ENJOLIVER,** verbe trans. [3]
1. Rendre plus agréable, plus élégant par des décorations, des ornements. 2. Fig. Ajouter des détails plaisants à (un récit) : ***Enjoliver** son témoignage.* 1609 (déb. XIVe s., s'égayer) ; ☞ *joli + en-*[1] ; [ɑ̃ʒɔlive].

**ENJOLIVEUR, EUSE,** subst.
Personne qui enjolive. **Masc.** Plaque décorative dont on recouvre les moyeux des roues d'automobile. 1612 ; ☞ *enjoliver* ; [ɑ̃ʒɔlivœʀ, øz].

**ENJOLIVURE,** subst. f.
Détail qui enjolive. 1611 ; ☞ *enjoliver* ; [ɑ̃ʒɔlivyʀ].

**ENJOUÉ, ÉE,** adj.
Qui exprime de l'enjouement. 1262 ; ☞ *jeu + en-*[1] ; [ɑ̃ʒwe].

**ENJOUEMENT,** subst. m.
Disposition à la bonne humeur, à la gaieté souriante. 1659 ; ☞ *enjoué* ; [ɑ̃ʒumɑ̃].

**ENJUIVÉ, ÉE,** adj.
Pénétré d'influences considérées comme typiquement juives (terme à connotation raciste). 1883 ; ☞ *juif + en-*[1] ; [ɑ̃ʒɥive].

**ENKÉPHALINE,** subst. f.
*Biol.* Substance polypeptidique élaborée par le cerveau et ayant un effet antalgique. V. 1970 ; angl. *ankephalin*, du gr. *egkephalos*, « qui est dans la tête » ; var. *encéphaline* ; [ɑ̃kefalin].

**ENKYSTÉ, ÉE,** adj.
*Pathol.* Qui est enfermé dans un kyste ou entouré d'un kyste. 1703 ; ☞ *kyste + en-*[1] ; [ɑ̃kiste].

**ENKYSTEMENT,** subst. m.
*Pathol.* Formation, autour d'un corps étranger ou d'une tumeur, d'une couche dense de tissu conjonctif. Déb. XIXe s. ; ☞ *s'enkyster* ; [ɑ̃kistəmɑ̃].

**ENKYSTER (S'),** verbe pronom. [3]
*Pathol.* S'entourer d'une enveloppe de tissu conjonctif de plus en plus dense, qui s'oppose à tout échange avec le milieu ambiant. 1845 ; ☞ *enkysté* ; [ɑ̃kiste].

**ENLACEMENT,** subst. m.
1. Action d'enlacer qqch. ; disposition qui en résulte. 2. Action de s'enlacer, étreinte. Fin XIIe s. ; ☞ *enlacer* ; [ɑ̃lasmɑ̃].

**ENLACER,** verbe trans. [4]
1. Lier, enserrer (des choses) en les mêlant ou en les entourant plusieurs fois ; empl. adj. : *Des arbres **enlacés** par les clématites.* 2. Fig. Étreindre, embrasser (qqn) ; empl. pronom. : *Ils s'**enlacent** tendrement.* XIIe s. ; ☞ *lacer + en-*[1] ; [ɑ̃lase].

**ENLAIDIR,** verbe [19]
**Intrans.** Devenir laid. **Trans.** Rendre laid. Mil. XIIe s. ; ☞ *laid + en-*[1] ; [ɑ̃lɛdiʀ].

**ENLAIDISSEMENT,** subst. m.
Action d'enlaidir ; fait de devenir laid. Fin XVe s. ; ☞ *enlaidir* ; [ɑ̃lɛdismɑ̃].

**ENLEVAGE,** subst. m.
*Text.* Opération consistant à détruire le colorant fixé sur un tissu. 1838 ; ☞ *enlever* ; [ɑ̃l(ə)vaʒ].

**ENLEVÉ, ÉE,** adj.
Exécuté avec brio. 1845 ; p. p. de *enlever* ; [ɑ̃l(ə)ve].

**ENLÈVEMENT,** subst. m.
Action d'enlever qqn, qqch. ; son résultat. 1531 ; ☞ *enlever* ; [ɑ̃lɛvmɑ̃].

**ENLEVER,** verbe trans. [10]
**I.** 1. Déplacer vers le haut ; empl. pronom. : *La montgolfière s'**enleva** dans les airs.* 2. Fig. Enthousiasmer (littér.). 3. *Mus.* Exécuter avec brio : ***Enlever** un morceau.* **II.** 1. Prendre (qqch.) avec soi, pour soi : ***Enlever** la marchandise déjà payée.* 2. Emmener (qqn) de force : ***Enlever** un enfant.* 3. *Milit.* Prendre d'assaut : ***Enlever** une place* ; au fig. : ***Enlever** la victoire*, l'obtenir aisément. 4. Emporter à jamais, faire mourir : *La maladie l'a **enlevé**.* **III.** 1. Ôter, déplacer : *Il a **enlevé** le tapis.* 2. Supprimer, effacer : *Comment **enlever** cette tache ?* 3. Retirer : *Il a **enlevé** son manteau* ; retrancher : *J'**enlève** 2 de 8, il reste 6.* Mil. XIIe s. ; ☞ *lever* (I) + *en-*[2] ; [ɑ̃l(ə)ve].

**ENLEVURE,** subst. f.
1. *Sculpt.* Partie en relief. 2. *Techn.* Partie de roche que l'on a détachée de la masse. Mil. XIIe s. ; ☞ *enlever* ; [ɑ̃l(ə)vyʀ].

**ENLIASSER,** verbe trans. [3]
Mettre en liasse. XVIIIe s. ; ☞ *liasse + en-*[1] ; [ɑ̃ljase].

**ENLIER,** verbe trans. [6]
*Constr.* Disposer (des matériaux) alternativement dans leur longueur et leur largeur. 1676 (déb. XIIe s., attacher, lier) ; ☞ *lier + en-*[1] ; [ɑ̃lje].

**ENLISEMENT,** subst. m.
Fait de s'enliser. 1862 ; ☞ *enliser* ; [ɑ̃lizmɑ̃].

**ENLISER,** verbe trans. [3]
1. Enfoncer dans des sables mouvants, de la boue, etc. ; empl. pronom. : *Il s'est **enlisé** dans la vase.* 2. Fig. Mettre dans un état de stagnation, d'impuissance : *Le blocus **enlise** le pays* ; empl. pronom., ne plus progresser : *Les pourparlers s'**enlisent**.* Mil. XVe s. ; ☞ *lise + en-*[1] ; [ɑ̃lize].

**ENLUMINER,** verbe trans. [3]
1. Orner d'enluminures. 2. Donner une couleur vive à, empourprer. Fin XIIe s. (fin XIe s., orner) ; lat. *illuminare*, « illuminer ; orner », + *en-*[1] ; [ɑ̃lymine].

**ENLUMINEUR, EUSE,** subst.
Personne qui fait des enluminures. 1260 (déb. XIIIe s., celui qui éclaire) ; ☞ *enluminer* ; [ɑ̃lyminœʀ, øz].

**ENLUMINURE,** subst. f.
1. Art d'enluminer. 2. Lettre peinte ou miniature ornant un manuscrit ancien. 1302 ; ☞ *enluminer* ; [ɑ̃lyminyʀ].

**ENNÉADE,** subst. f.
Groupe de neuf personnes, de neuf choses semblables (littér.). 1839 ; bas lat. *enneas*, du gr. *enneas*, « neuvaine » ; [ɛnead] ou [ene-].

**ENNÉAGONE,** subst. m.
*Géom.* Polygone à neuf côtés. 1561 ; gr. *ennea*, « neuf », + *-gone* ; [ɛnneagɔn] ou [ene-].

**ENNEIGÉ, ÉE,** adj.
Couvert de neige. Mil. XIIe s. ; ☞ *neige + en-*[1] ; [ɑ̃neʒe].

**ENNEIGEMENT,** subst. m.
État d'un endroit enneigé ; épaisseur de la couche de neige : *Bulletin d'**enneigement**.* 1873 ; ☞ *enneigé* ; [ɑ̃nɛʒmɑ̃].

**ENNEIGER,** verbe trans. [5]
Recouvrir de neige : ***Enneiger** une piste.* XIXe s. ; ☞ *enneigé* ; [ɑ̃neʒe].

**ENNEMI, IE,** subst.
1. Personne qui nourrit de la haine pour qqn et cherche à lui nuire : *Nos vrais **ennemis** sont en nous-mêmes* (Bossuet) ; empl. adj. : *Des frères **ennemis**.* 2. Personne très hostile à qqch. : *Une **ennemie** de l'injustice.* ► ***Ennemi** public numéro un* : personne activement recherchée par la police, considérée comme un danger pour la société. 3. Ce qui s'oppose à une autre chose ou qui la contrarie, lui nuit : *Le soleil est l'**ennemi** des peaux fragiles* ; empl. adj. : *Des vents **ennemis**,* défavorables. ► Loc. *Le mieux est l'**ennemi** du bien* : on perd souvent à vouloir parfaire. 4. Empl. coll. Nation, peuple ou armée que l'on combat : *L'**ennemi** a franchi la frontière* ; *Passer à l'**ennemi**,* trahir. ► Empl. adj. *Les troupes **ennemies*** ; par méton. : *Méfiez-vous ! des oreilles **ennemies** vous écoutent !* (sur des affiches placardées lors de la Première Guerre mondiale). Fin IXe s. ; lat. *inimicus* ; [ɛn(ə)mi].

**ENNOBLIR,** verbe trans. [19]
1. Vx. Anoblir. 2. Donner de la dignité, de la grandeur à, élever : *La bonté **ennoblit** le cœur.* 1260 ; ☞ *noble + en-*[1] ; [ɑ̃nɔbliʀ].

**ENNOBLISSEMENT,** subst. m.
Action d'ennoblir ; son résultat. 1636 (1345, embellissement) ; ☞ *ennoblir* ; [ɑ̃nɔblismɑ̃].

**ENNOYAGE,** subst. m.
*Géogr.* Disparition progressive des parties basses d'un relief, sous une couverture sédimentaire ou sous les eaux. 1932 ; ☞ *ennoyer* ; [ɑ̃nwajaʒ].

**ENNOYER,** verbe trans. [17]
*Géogr.* Recouvrir (une zone terrestre), en parlant de la mer ; empl. adj. : *Vallée **ennoyée**.* **Pronom.** *Géol.* Plonger sous un autre terrain : *Le socle armoricain s'**ennoie** sous le bassin de Paris.* 1554 ; ☞ *noyer* (I) + *en-*[1] ; [ɑ̃nwaje].

**ENNUAGER,** verbe trans. [5]
1. Couvrir de nuages ; par anal., couvrir de choses vaporeuses (littér.). 2. Fig. Attrister, assombrir. 1611 ; ☞ *nuage + en-*[1] ; [ɑ̃nɥaʒe].

**ENNUI,** subst. m.
1. Tristesse profonde, abattement (vieilli). 2. Tourment, grande contrariété : *Son fils lui cause les pires **ennuis**.* 3. Impression de lassitude provoquée par le désintérêt, l'inaction ; manque de goût pour les choses ; mélancolie vague : *Quel **ennui** mortel !* Déb. XIIe s. ; ☞ *ennuyer* ; [ɑ̃nɥi].

**ENNUYANT, ANTE,** adj.
Québ. ou Vieilli. Ennuyeux. XIIe s. ; p. pr. de *ennuyer* ; [ɑ̃nɥijɑ̃, ɑ̃t].

**ENNUYER,** verbe trans. [16]
1. Causer des tourments à, contrarier : *Cette histoire m'**ennuie**.* 2. Importuner, agacer : *Cesse d'**ennuyer** ta sœur !* 3. Lasser, provoquer l'ennui de : *Les longs discours m'**ennuient**.* **Pronom.** 1. Ressentir de l'ennui, se lasser : *La France est une nation qui s'**ennuie*** (Lamartine). 2. **S'ennuyer de.** Se languir de : *Il s'**ennuie** de ses amis.* Déb. XIIe s. (fin XIe s., recru de fatigue) ; bas lat. *inodiare*, formé sur le lat. *in odio esse*, « être un objet de haine » ; [ɑ̃nɥije].

**ENNUYEUX, EUSE,** adj.
1. Qui est contrariant, importun. 2. Qui provoque l'ennui. Déb. XIIe s. ; bas lat. *inodiosus*, du lat. *odiosus*, « odieux », de *odium*, « haine » ; [ɑ̃nɥijø, øz].

**ÉNONCÉ,** subst. m.
1. Action d'énoncer ; la déclaration qui en résulte. 2. Ensemble de formules servant à exposer qqch. : *L'**énoncé** d'un problème.* 3. *Ling.* Séquence de discours. 4. *Log.* Suite finie de symboles et de termes d'une théorie logique, assemblés suivant les règles propres à cette théorie. 1677 ; p. p. de énoncer ; [enɔ̃se].

**ÉNONCER,** verbe trans. [4]
Exprimer en termes nets : ***Énoncer** un principe* ; empl. pronom. : *Ce que l'on conçoit bien s'**énonce** clairement* (Boileau). 1377 ; lat. *enuntiare* ; [enɔ̃se].

**ÉNONCIATIF, IVE,** adj.
1. Qui sert à énoncer. 2. *Ling.* Relatif à l'énonciation. 1386 ; lat. *enuntiativus* ; [enɔ̃sjatif, iv].

**ÉNONCIATION,** subst. f.
1. Action d'énoncer. ► *Dr.* Déclaration faite dans un acte. 2. *Ling.* Production individuelle d'un énoncé. Fin XIIIe s. ; lat. *enuntiatio* ; [enɔ̃sjasjɔ̃].

**ÉNOPHTALMIE,** subst. f.
*Pathol.* Enfoncement anormal du globe oculaire dans l'orbite. 1898 ; gr. *en*, « dans », et *ophtalmos*, « œil » ; [enɔftalmi].

**ENORGUEILLIR,** verbe trans. [19]
Rendre orgueilleux. **Pronom.** **S'enorgueillir de.** Tirer fierté de. Déb. XIIe s. ; ☞ *orgueil + en-*[1] ; [ɑ̃nɔʀgœjiʀ].

**ÉNORME, adj.**
**1.** En dehors de la norme, remarquable par ses caractères extrêmes. **2.** Dont les dimensions sont considérables. 1340 ; lat. *enormis* ; [enɔʀm].

**ÉNORMÉMENT, adv.**
D'une manière énorme. Fin XIVe s. ; ☞ *énorme* ; [enɔʀmemɑ̃].

**ÉNORMITÉ, subst. f.**
**1.** Caractère de ce qui est énorme. **2.** Action, propos jugé énorme. ▸ Parole incongrue ou absurde (fam.). Déb. XIVe s. (déb. XIIIe s., crime énorme) ; lat. *enormitas*, « grosseur démesurée » ; [enɔʀmite].

**ÉNOSTOSE, subst. f.**
*Pathol.* Production osseuse qui comble le canal médullaire d'un os. Déb. XIXe s. ; gr. *en*, « dans », et *osteon*, « os », + *-ose* ; [enɔstoz].

**ÉNOUER, verbe trans.** [3]
*Text.* Débarrasser (une étoffe) des nœuds et des impuretés restés en surface. Déb. XVIIIe s. ; ☞ *nouer* + *é-*2 ; [enwe].

**ENQUÉRIR (S'), verbe pronom.** [33]
S'enquérir de. Chercher à savoir, en interrogeant. 1474 (1335, *enquérir*, demander) ; *enquerre* (vx), « demander », du lat. pop. °*inquaerere*, d'apr. *quérir* ; [ɑ̃keʀiʀ].

**ENQUERRE (À), loc. adj.**
*Hérald. Armes **à enquerre*** : armes présentant une anomalie qui demande explication. 1690 ; *enquerre* (vx), « demander », du lat. pop. °*inquaerere*, « rechercher » ; [aɑ̃kɛʀ].

**ENQUÊTE, subst. f.**
**1.** *Dr.* Investigation sur ordre d'une autorité administrative ou judiciaire : ***Enquête** d'utilité publique* ; ***Enquête** criminelle.* **2.** Étude d'une question (en partic. sociale, économique) par le rassemblement de témoignages des intéressés : ***Enquête** d'opinion.* Fin XIIIe s. (fin XIIe s., recherche) ; lat. pop. °*inquaesita*, de °*inquaerere*, « rechercher » ; [ɑ̃kɛt].

**ENQUÊTER, verbe intrans.** [3]
Faire une enquête. Déb. XIIIe s. (fin XIIe s., demander) ; ☞ *enquête* ; [ɑ̃kete].

**ENQUÊTEUR, EUSE, subst.**
Personne qui mène une enquête. Fin XIIIe s. ; ☞ *enquêter* ; var. du fém. *enquêtrice* ; [ɑ̃kɛtœʀ, øz].

**ENQUIQUINANT, ANTE, adj.**
Qui importune, agace (fam.). 1844 ; p. pr. de *enquiquiner* ; [ɑ̃kikinɑ̃, ɑ̃t].

**ENQUIQUINEMENT, subst. m.**
Ennui, difficulté (fam.). 1883 ; ☞ *enquiquiner* ; [ɑ̃kikinmɑ̃].

**ENQUIQUINER, verbe trans.** [3]
Importuner, agacer (fam.). Mil. XIXe s. ; argot *quiqui*, « gorge », + *en-*1 ; [ɑ̃kikine].

**ENQUIQUINEUR, EUSE, subst.**
Personne qui importune, agace (fam.). 1940 ; ☞ *enquiquiner* ; [ɑ̃kikinœʀ, øz].

**ENRACINEMENT, subst. m.**
Action d'enraciner ; fait de s'enraciner. 1378 ; ☞ *enraciner* ; [ɑ̃ʀasinmɑ̃].

**ENRACINER, verbe trans.** [3]
**1.** Fixer au sol par les racines ; par anal., fixer (qqch.) solidement ; au fig., fixer (qqn) dans son lieu d'origine. **2.** Fixer profondément dans l'esprit et le cœur. **Pronom. 1.** Prendre racine. **2.** Fig. Se fixer dans l'esprit et le cœur : *Le doute avait fini par **s'enraciner** en lui.* 1176 ; ☞ *racine* + *en-*1 ; [ɑ̃ʀasine].

**ENRAGÉ, ÉE, adj. et subst.**
**Adj. 1.** Furieux au plus haut point. **2.** Fig. Passionné, frénétique : *Un amour **enragé*** ; *Un bonapartiste **enragé**.* **3.** Atteint de la rage. ▸ Loc. *Manger de la vache **enragée*** : vivre dans la misère. **Subst.** Personne passionnée, extrémiste. ▸ *Hist. Les **Enragés*** : les ultra-révolutionnaires de 1793-1794. XIIe s. ; p. p. de *enrager* ; [ɑ̃ʀaʒe].

**ENRAGEANT, ANTE, adj.**
Qui met en rage, rend furieux. 1690 ; p. pr. de *enrager* ; [ɑ̃ʀaʒɑ̃, ɑ̃t].

**ENRAGER, verbe intrans.** [5]
Éprouver un vif dépit. ▸ *Faire **enrager*** : taquiner ; mettre en colère. 1160 ; ☞ *rage* + *en-*1 ; [ɑ̃ʀaʒe].

**ENRAIEMENT, subst. m.**
**1.** Vx. Action d'entraver le mouvement d'un véhicule. **2.** Fig. Action de juguler un processus dangereux. 1808 ; ☞ *enrayer* (I) ; var. *enrayement* ; [ɑ̃ʀɛmɑ̃].

**ENRAYAGE, subst. m.**
**1.** Vx. Action d'entraver une roue. **2.** Accident qui se produit dans le fonctionnement d'un mécanisme (en partic. d'une arme à feu). 1826 ; ☞ *enrayer* (I) ; [ɑ̃ʀɛjaʒ].

**ENRAYEMENT, voir ENRAIEMENT**

**ENRAYER (I), verbe trans.** [15]
**1.** Vx. Entraver le mouvement de (une roue) en agissant sur les rayons. ▸ Anal. Empêcher accidentellement (une arme, un mécanisme) de fonctionner ; empl. pronom. : *Le pistolet **s'est enrayé**.* **2.** Fig. Juguler (un processus dangereux) : ***Enrayer** une épidémie.* **3.** *Techn.* Monter (une roue) en mettant les rayons (vieilli). 1552 ; ☞ *rai* + *en-*1 ; [ɑ̃ʀɛje].

**ENRAYER (II), verbe trans.** [15]
*Agric.* Tracer le premier sillon dans (un champ). 1680 ; ☞ *raie* (I) + *en-*1 ; [ɑ̃ʀɛje].

**ENRAYURE (I), subst. f.**
*Bât.* Assemblage de pièces en rayons autour d'un centre, formant la base d'une charpente. 1676 ; ☞ *enrayer* (I) ; [ɑ̃ʀɛjyʀ].

**ENRAYURE (II), subst. f.**
*Agric.* Premier sillon que fait la charrue dans un champ. 1680 ; ☞ *enrayer* (II) ; [ɑ̃ʀɛjyʀ].

**ENRÉGIMENTER, verbe trans.** [3]
**1.** Vieilli. Former en régiment (des unités militaires) ; par ext., incorporer (une recrue) dans un régiment. **2.** Fig. Faire entrer (qqn) dans un groupe, un parti dont l'organisation est quasi militaire (péj.). 1722 ; ☞ *régiment* + *en-*1 ; [ɑ̃ʀeʒimɑ̃te].

**ENREGISTREMENT, subst. m.**
**1.** Action de consigner dans un registre : ***Enregistrement** d'une naissance à l'état civil* ; ***Enregistrement** d'une plainte.* ▸ ***Enregistrement** des bagages* : prise en charge, par un transporteur, des bagages confiés par un voyageur en vue de leur acheminement. ▸ *Dr.* Formalité consistant à transcrire un acte juridique dans un registre public moyennant le paiement d'un droit fiscal ; par méton., l'administration chargée de cette procédure. **2.** *Hist.* Sous l'Ancien Régime, transcription par un parlement sur ses registres d'une ordonnance royale, ce qui lui donnait force de loi. **3.** *Techn.* Action d'enregistrer (des phénomènes physiques, des sons, des images) : ***Enregistrement** des pulsations cardiaques* ; ***Enregistrement** d'un son* ; ***Enregistrement** d'une émission télévisée* ; par méton., support de l'**enregistrement** ; ce qui a été enregistré. 1310 ; ☞ *enregistrer* ; [ɑ̃ʀ(ə)ʒistʀəmɑ̃].

**ENREGISTRER, verbe trans.** [3]
**1.** Inscrire sur un registre ; consigner par écrit : ***Enregistrer** la vente d'un bien* ; ***Enregistrer** une commande, une déposition.* ▸ *Dr.* Procéder à l'enregistrement de (un acte). **2.** Ext. Constater ; prendre note de : *On **enregistre** une hausse des prix en décembre* ; *J'**enregistre** votre souhait.* **3.** Fig. Garder en mémoire : *C'est bien **enregistré** ?* **4.** *Hist. **Enregistrer** une ordonnance, un édit royal* : lui donner force de loi. **5.** *Techn.* Transcrire et fixer sur un support matériel (des phénomènes physiques, des sons, des images) afin de les conserver et éventuellement de les reproduire : *Le sismographe **enregistre** l'intensité des séismes* ; ***Enregistrer** un disque*, les sons qui figureront sur un disque. Mil. XIIIe s. ; ☞ *registre* + *en-*1 ; [ɑ̃ʀ(ə)ʒistʀe].

**ENREGISTREUR, EUSE, adj. et subst. m.**
Se dit d'un appareil servant à enregistrer des données : *Caisse **enregistreuse*** ; ***Enregistreur** de vitesse, de vol.* 1864 (1310, personne qui enregistre un acte) ; ☞ *enregistrer* ; [ɑ̃ʀ(ə)ʒistʀœʀ, øz].

**ENRÉSINEMENT, subst. m.**
*Sylvic.* Reboisement en résineux d'une parcelle, d'une forêt. 1930 ; ☞ *résine* + *en-*1 ; [ɑ̃ʀezinmɑ̃].

**ENRHUMER, verbe trans.** [3]
Causer un rhume à (qqn) ; empl. adj. : *Une voix **enrhumée***, altérée par un rhume. **Pronom.** Attraper un rhume. Déb. XIVe s. ; ☞ *rhume* + *en-*1 ; [ɑ̃ʀyme].

**ENRICHI, IE, adj.**
**1.** Devenu riche ou plus riche (parfois péj.). **2.** Amélioré, embelli : *Un manuscrit **enrichi** d'enluminures.* **3.** Se dit d'une substance dans laquelle la proportion d'un ou de plusieurs composants est supérieure à la teneur naturelle ou habituelle : *Un lait **enrichi** en vitamines* ; *Un acier **enrichi** en nickel.* **4.** *Phys. nucl.* Se dit d'une matière dans laquelle la proportion d'un ou de plusieurs isotopes est supérieure à la teneur naturelle. XIIe s. ; p. p. de *enrichir* ; [ɑ̃ʀiʃi].

**ENRICHIR, verbe trans.** [19]
**1.** Rendre riche, plus riche : *La spéculation **a enrichi** cet agioteur* ; empl. pronom. : ***S'enrichir** aux dépens d'autrui.* **2.** Augmenter l'intérêt, la valeur, la richesse de (qqch.) en y ajoutant des éléments : ***Enrichir** les collections d'un musée* ; ***Enrichir** l'édition d'un ouvrage* ; ***Enrichir** sa culture, son esprit.* **3.** Sc. et *Techn.* Améliorer la qualité de (qqch.) par un apport ou par l'augmentation de la teneur d'un de ses constituants : ***Enrichir** une terre, un minerai, etc.* Déb. XIIe s. ; ☞ *riche* + *en-*1 ; [ɑ̃ʀiʃiʀ].

**ENRICHISSANT, ANTE, adj.**
Qui apporte un enrichissement intellectuel, moral, spirituel : *Un voyage très **enrichissant**.* 1845 ; p. pr. de *enrichir* ; [ɑ̃ʀiʃisɑ̃, ɑ̃t].

**ENRICHISSEMENT, subst. m.**
**1.** Action d'enrichir, fait de s'enrichir ; l'état qui en résulte : *L'**enrichissement** de la langue française* ; *Falsifier une comptabilité en vue de son **enrichissement** personnel* ; ***Enrichissement** de l'uranium.* **2.** Méton. Ce qui enrichit : *Cette expérience a été un **enrichissement**.* XIIIe s. ; ☞ *enrichir* ; [ɑ̃ʀiʃismɑ̃].

**ENROBAGE, subst. m.**
**1.** Action d'enrober. **2.** Méton. Ce qui enrobe : *Un **enrobage** de caramel.* 1867 ; ☞ *enrober* ; [ɑ̃ʀɔbaʒ].

**ENROBEMENT, subst. m.**
Enrobage. 1890 ; ☞ *enrober* ; [ɑ̃ʀɔbmɑ̃].

**ENROBER, verbe trans.** [3]
**1.** Vx. Habiller d'une robe. **2.** Anal. Envelopper (un objet) d'une matière qui protège, orne ou dissimule : ***Enrober** un gâteau de chocolat.* ▸ *Trav. publ.* Recouvrir (une route, un trottoir) d'asphalte. **3.** Fig. User d'artifices destinés à adoucir (un discours). Déb. XIIIe s. ; ☞ *robe* + *en-*1 ; [ɑ̃ʀɔbe].

**ENROCHEMENT, subst. m.**
*Trav. publ.* Ensemble de blocs rocheux ou de béton disposés pour servir de support à une construction dont la base est immergée : *L'**enrochement** d'une digue.* 1729 ; ☞ *roche* + *en-*1 ; [ɑ̃ʀɔʃmɑ̃].

**ENROCHER, verbe trans.** [3]
Édifier (un ouvrage) sur un enrochement : ***Enrocher** les piles d'un pont.* 1838 (1465, mettre en cave) ; ☞ *roche* + *en-*1 ; [ɑ̃ʀɔʃe].

**ENRÔLEMENT, subst. m.**
Action d'enrôler, de s'enrôler. 1317 ; ☞ *enrôler* ; [ɑ̃ʀolmɑ̃].

**ENRÔLER, verbe trans.** [3]
**1.** Inscrire (qqn) sur les rôles de l'armée : ***Enrôler** des conscrits* ; empl. pronom., s'engager. ▸ Ext. Recruter : ***Enrôler** un acteur.* **2.** Anal. Affilier (qqn) à un groupe ; empl. pronom. : ***S'enrôler** dans un parti.* Fin XIIe s. ; ☞ *rôle* + *en-*1 ; [ɑ̃ʀole].

**ENROUEMENT, subst. m.**
Altération de la voix résultant d'une inflammation du larynx. XVe s. ; ☞ *enrouer* ; [ɑ̃ʀumɑ̃].

**ENROUER, verbe trans.** [3]
**1.** Rendre rauque, érailler (la voix) ; empl. adj. : *Une voix **enrouée**.* **2.** Méton. Rendre rauque la voix de ; empl. pronom. : *Il a tellement crié qu'il **s'est enroué**.* Mil. XIIe s. ; anc. fr. *ro*, du lat. *raucus*, « rauque », + *en-*1 ; [ɑ̃ʀwe].

**ENROULEMENT, subst. m.**
**1.** Action d'enrouler, de s'enrouler ; son résultat. **2.** *Archit.* Ornement en spirale, volute. **3.** *Électr.* Bobinage d'un appareil électrique. 1641 ; ☞ *enrouler* ; [ɑ̃ʀulmɑ̃].

**ENROULER, verbe trans.** [3]
**1.** Rouler (une chose) sur elle-même ou autour d'un support : ***Enrouler** un cordage* ; empl. pronom. *Le lierre **s'enroulait** sur le tronc.* **2.** ***Enrouler** dans* : envelopper dans ; empl. pronom. : ***S'enrouler** dans une couverture.* 1334 ; ☞ *rouler* + *en-*1 ; [ɑ̃ʀule].

**ENROULEUR, EUSE, adj. et subst. m.**
Se dit d'un dispositif qui sert à enrouler : *Ceinture de sécurité **à enrouleur**.* 1870 ; ☞ *enrouler* ; [ɑ̃ʀulœʀ, øz].

**ENRUBANNER, verbe trans.** [3]
Entourer d'un ruban ; garnir de rubans. 1372 ; ☞ *ruban* + *en-*1 ; [ɑ̃ʀybane].

**ENSABLEMENT, subst. m.**
**1.** Action d'ensabler ; fait de s'ensabler, d'être ensablé. **2.** Méton. Amas de sable accumulé par le vent ou par un courant. 1673 ; ☞ *ensabler* ; [ɑ̃sabləmɑ̃].

**ENSABLER, verbe trans.** [3]
**1.** Échouer (un bateau) sur le sable. ▸ Empl. pronom. S'échouer dans le sable ; s'enfoncer (dans

le sable) : *Sa voiture s'est **ensablée** dans la dune.* **2.** Couvrir, emplir de sable : ***Ensabler** une allée* ; empl. pronom. : *Le port s'**ensable** peu à peu.* 1585 ; ☞ *sable* (I) + *en-*¹ ; [ɑ̃sable].

**ENSACHAGE, subst. m.**
Action d'ensacher. 1848 ; ☞ *ensacher* ; [ɑ̃saʃaʒ].

**ENSACHER, verbe trans.** [3]
Mettre en sac. Déb. XIIIᵉ s. ; ☞ *sac* (I) + *en-*¹ ; [ɑ̃saʃe].

**ENSACHEUR, EUSE, subst.**
Personne chargée de l'ensachage. **Fém.** Appareil servant à ensacher, en partic. des matières pulvérulentes. 1800 ; ☞ *ensacher* ; [ɑ̃saʃœʀ, øz].

**ENSAISINER, verbe trans.** [3]
*Féod.* Mettre (un vassal) en possession d'un fief. 1308 ; ☞ *saisine* + *en-*¹ ; [ɑ̃sezine].

**ENSANGLANTER, verbe trans.** [3]
**1.** Couvrir, tacher de sang ; empl. adj. : *Les vêtements **ensanglantés** de la victime.* **2.** Marquer d'évènements sanglants : *Les guerres qui ont **ensanglanté** l'Europe.* Fin XIᵉ s. ; ☞ *sanglant* + *en-*¹ ; [ɑ̃sɑ̃glɑ̃te].

**ENSEIGNANT, ANTE, adj. et subst.**
**Adj.** Qui enseigne : *Le corps **enseignant**,* l'ensemble des professeurs. **Subst.** Personne dont le métier est d'enseigner. 1762 ; p. pr. de *enseigner* ; [ɑ̃sɛɲɑ̃, ɑ̃t].

**ENSEIGNE, subst.**
**Fém. 1.** Vx. Indication, marque. ▸ Loc. *À telle **enseigne** que* : à tel point que. **2.** Signe de ralliement, étendard : *Les **enseignes** romaines.* **3.** Inscription, emblème signalant au public un établissement de commerce. ▸ Loc. *Être logé à la même **enseigne** que qqn* : être dans la même situation fâcheuse que lui. **Masc.** *Milit.* **1.** Autrefois, officier porte-drapeau dans l'infanterie. **2.** ***Enseigne** de vaisseau de 1ʳᵉ, de 2ᵉ classe* : officier de marine dont le grade correspond à celui de lieutenant, de sous-lieutenant. Fin Xᵉ s. ; lat. *insignia*, de *insigne*, « marque » ; [ɑ̃sɛɲ].

**ENSEIGNEMENT, subst. m.**
**1.** Précepte ; leçon, morale donnée par les faits (souv. au plur.) : *Les **enseignements** de l'Église* ; *Expérience riche d'**enseignements**.* **2.** Action d'enseigner, de transmettre des connaissances : *L'**enseignement** de la médecine* ; ***Enseignement** par correspondance.* **3.** Institution chargée de l'éducation scolaire et universitaire : *L'**enseignement** public, privé, secondaire, technique.* **4.** Profession de l'enseignant : *Faire carrière dans l'**enseignement**.* 1170 ; ☞ *enseigner* ; [ɑ̃sɛɲ(ə)mɑ̃].

© Giraudon

*L'**enseignement** de la philosophie à Paris au XIVᵉ s.*
*Miniature extraite des Grandes Chroniques de France.*
*Musée Goya, Castres.*

**ENSEIGNER, verbe trans.** [3]
**1.** Vx. Indiquer : ***Enseigner** le chemin.* **2.** Transmettre (un savoir), apprendre (qqch.) à qqn : ***Enseigner** le français à un étranger* ; empl. abs. : *Il **enseigne** depuis vingt ans.* **3.** Inculquer : *Il faut **enseigner** la tolérance aux jeunes générations.* **4.** Instruire (littér.) : ***Enseigner** la jeunesse.* 1050 ; lat. pop. °*insignare*, du lat. *insignire*, « signaler » ; [ɑ̃seɲe].

**ENSELLÉ, ÉE, adj.**
**1.** *Cheval **ensellé*** : dont le dos présente une courbure concave rappelant une selle. **2.** Anal. ▸ Cambré : *Un dos **ensellé**.* ▸ *Mar.* Se dit d'un navire dont les extrémités sont très élevées par rapport au milieu du pont. Déb. XIIᵉ s. ; ☞ *selle* + *en-*¹ ; [ɑ̃sɛle].

**ENSELLEMENT, subst. m.**
*Géol.* Abaissement modéré du sol entre deux hauteurs. 1907 ; ☞ *ensellé* ; [ɑ̃sɛlmɑ̃].

**ENSELLURE, subst. f.**
Cambrure excessive de la région lombaire chez l'animal, de la colonne vertébrale chez l'homme. 1856 ; ☞ *ensellé* ; [ɑ̃sɛlyʀ].

**ENSEMBLE (I), adv.**
**1.** L'un avec l'autre, les uns avec les autres : *Nous avons passé nos vacances **ensemble*** ; *Vivre **ensemble*** ; *Aller **ensemble**,* s'harmoniser. **2.** En même temps : *Ne parlez pas tous **ensemble** !* **3.** À la fois (vieilli) : *Il est (tout) **ensemble** poète et musicien.* 1050 ; lat. pop. *insemul*, « à la fois » ; [ɑ̃sɑ̃bl].

**ENSEMBLE (II), subst. m.**
**1.** Unité, cohésion entre les parties d'un tout : *Les danseurs ont évolué avec un bel **ensemble**.* **2.** Globalité, (quasi-)totalité : *L'**ensemble** du personnel a fait grève.* ▸ Loc. *Vue d'**ensemble*** : générale ; *Dans l'**ensemble*** : en général ; *Dans son **ensemble*** : globalement. **3.** Réunion d'éléments constituant un tout : ***Ensemble** de personnes, de faits* ; ***Ensemble** architectural* ; *Grand **ensemble**,* groupe d'immeubles collectifs disposant d'équipements communs ; ***Ensemble** instrumental* ; ***Ensemble** mobilier.* **4.** *Cost.* Vêtement composé de plusieurs pièces qui s'harmonisent : ***Ensemble** de plage.* **5.** *Math.* Groupement d'objets. ▸ ***Ensemble** quotient* (☞ *quotient*). 1669 ; ☞ *ensemble* (I) ; [ɑ̃sɑ̃bl].

MATHÉMATIQUES – L'ensemble est une notion primitive des mathématiques, telles les notions d'élément et/ou d'appartenance, que l'on ne peut définir mais dont on connaît les règles de formation et les relations (axiomatique), leur sens se précisant à l'usage. La théorie des ensembles est issue principalement des travaux de Georg Cantor ; plusieurs axiomatiques ont été proposées : celle de Zermelo-Fraenkel, ordinairement utilisée, admet tout objet comme ensemble ; celle de von Neuman-Bernays-Gödel distingue les classes et les ensembles (qui sont des classes particulières) pour contourner le fait que « l'ensemble de tous les ensembles » n'a de sens dans aucune axiomatique.

**ENSEMBLIER, IÈRE, subst.**
**1.** Professionnel spécialisé dans l'agencement d'ensemble d'une décoration d'intérieur. **2.** *Audiov.* Assistant du chef décorateur, chargé de l'ameublement. 1922 ; ☞ *ensemble* (II) ; [ɑ̃sɑ̃blije, jɛʀ].

**ENSEMBLISTE, adj.**
*Math.* Relatif à la théorie des ensembles, à ses méthodes. 1948 ; ☞ *ensemble* (II) ; [ɑ̃sɑ̃blist].

**ENSEMENCEMENT, subst. m.**
Action d'ensemencer ; son résultat : ***Ensemencement** d'un champ, d'une rivière, d'une préparation bactérienne.* 1552 ; ☞ *ensemencer* ; [ɑ̃s(ə)mɑ̃smɑ̃].

**ENSEMENCER, verbe trans.** [4]
**1.** Semer, répandre des graines sur (un sol) : ***Ensemencer** un champ, une terre.* **2.** Peupler (une rivière, un étang) de jeunes poissons. **3.** *Bactériol.* Introduire des bactéries ou des germes microbiens dans (un milieu de culture). 1355 ; ☞ *semence* + *en-*¹ ; [ɑ̃s(ə)mɑ̃se].

**ENSERRER, verbe trans.** [3]
**1.** Entourer en serrant : *Un corset lui **enserrait** la taille.* **2.** Anal. Délimiter : *Une rivière **enserre** le domaine.* Déb. XIIᵉ s. ; ☞ *serrer* + *en-*¹ ; [ɑ̃seʀe].

**ENSEVELIR, verbe trans.** [19]
**1.** Envelopper (un cadavre) dans un linceul ; inhumer (littér.). **2.** Recouvrir d'un amoncellement : *Pompéi **a été enseveli** sous les cendres.* **3.** Fig. Cacher, dissimuler : ***Ensevelir** au plus profond de soi des souvenirs cruels.* **Pronom.** Se retirer du monde (littér.). Déb. XIIᵉ s. ; anc. fr. *sevelir*, du lat. *sepelire*, « ensevelir », + *en-*¹ ; [ɑ̃səv(ə)liʀ].

**ENSEVELISSEMENT, subst. m.**
Action d'ensevelir ; son résultat. Mil. XIIᵉ s. ; ☞ *ensevelir* ; [ɑ̃səv(ə)lismɑ̃].

**ENSIFORME, adj.**
Qui a la forme d'une épée : *Une feuille **ensiforme**.* 1541 ; lat. *ensis*, « épée », + *-forme* ; [ɑ̃sifɔʀm].

**ENSILAGE, subst. m.**
Technique de conservation d'une récolte, en partic. du fourrage, en silo ; par méton., la récolte ainsi conservée. Mil. XIXᵉ s. ; ☞ *ensiler* ; [ɑ̃silaʒ].

**ENSILER, verbe trans.** [3]
*Agric.* Mettre (une récolte) en silo. Mil. XIXᵉ s. ; ☞ *silo* + *en-*¹ ; [ɑ̃sile].

© D. Mar-Explorer

*Ensileuse dans un champ de maïs.*

**ENSILEUSE, subst. f.**
Machine servant à faucher et à hacher le fourrage destiné à la mise en silo. XXᵉ s. ; ☞ *ensiler* ; [ɑ̃siløz].

**ENSIMAGE, subst. m.**
*Text.* Lubrification des fibres d'un textile afin d'en faciliter la filature. 1669 ; anc. fr. *saim*, « graisse », + *en-*¹ ; [ɑ̃simaʒ].

**EN-SOI, subst. m. inv.**
*Philos.* **1.** Mode d'être du réel en tant qu'il ne peut qu'être toujours lui-même, indépendamment de la conscience que nous en avons. **2.** Chez Sartre, l'être replié sur lui-même, opaque et absolument plein, qui s'oppose au pour-soi. Mil. XIXᵉ s. ; comp. de *en* (I) et de *soi* ; [ɑ̃swa].

**ENSOLEILLÉ, ÉE, adj.**
**1.** Exposé aux rayons du soleil : *Versant **ensoleillé** d'une colline.* **2.** Se dit d'une période pendant laquelle le soleil brille : *Matinée **ensoleillée**.* XIXᵉ s. ; p. p. de *ensoleiller* ; [ɑ̃sɔleje].

**ENSOLEILLEMENT, subst. m.**
**1.** Fait d'être ensoleillé : *Cet appartement jouit d'un bon **ensoleillement**.* **2.** *Météor.* Durée pendant laquelle le soleil brille en un endroit donné : *L'**ensoleillement** annuel est plus long à Nice qu'à Lille.* 1856 ; ☞ *ensoleiller* ; [ɑ̃sɔlɛjmɑ̃].

**ENSOLEILLER, verbe trans.** [3]
**1.** Remplir de sa lumière, en parlant du soleil. **2.** Fig. Remplir de bonheur, illuminer : *Sa grâce **a ensoleillé** leur voyage.* 1852 ; ☞ *soleil* + *en-*¹ ; [ɑ̃sɔleje].

**ENSOMMEILLÉ, ÉE, adj.**
**1.** Qui est encore engourdi par le sommeil. **2.** Fig. Où règne le repos ou la torpeur : *La maison **ensommeillée**.* 1547 ; ☞ *sommeil* + *en-*¹ ; [ɑ̃sɔmeje].

**ENSORCELANT, ANTE, adj.**
Qui ensorcelle par son grand pouvoir de séduction. 1605 ; p. pr. de *ensorceler* ; [ɑ̃sɔʀsəlɑ̃, ɑ̃t].

**ENSORCELER, verbe trans.** [12]
**1.** Envoûter par des sortilèges ; jeter un sort à : *Il pense qu'on **a ensorcelé** ses vaches.* **2.** Fig. Charmer, séduire irrésistiblement : *Il **fut ensorcelé** par son sourire.* Fin XIIᵉ s. ; ☞ *sorcier* + *en-*¹ ; [ɑ̃sɔʀsəle].

**ENSORCELEUR, EUSE, subst.**
**1.** Vx. Sorcier, jeteur de sorts. **2.** Fig. Séducteur, charmeur ; empl. adj. : *Sourire **ensorceleur**.* Fin XIVᵉ s. ; ☞ *ensorceler* ; [ɑ̃sɔʀsəlœʀ, øz].

**ENSORCELLEMENT, subst. m.**
**1.** Action d'ensorceler ; fait d'être ensorcelé. **2.** Fig. Séduction irrésistible. Déb. XIVᵉ s. ; ☞ *ensorceler* ; [ɑ̃sɔʀsɛlmɑ̃].

**ENSOUPLE, subst. f.**
*Text.* Rouleau de métier à tisser, sur lequel on enroule la chaîne. Fin XIᵉ s. ; bas lat. *insubulum* ; [ɑ̃supl].

**ENSUITE, adv.**
**1.** Puis, après cela : *Entrez, **ensuite** nous discuterons.* **2.** Plus loin, derrière : ***Ensuite** venaient les chasseurs.* **3.** Loc. prép. **Ensuite de.** À la suite de (vx) : ***Ensuite** de quoi nous aviserons.* 1532 ; formé de *en* (I) et de *suite* ; [ɑ̃sɥit].

**ENSUIVRE (S'), verbe pronom.** [62]
**1.** Venir ensuite (littér.). ▸ Loc. *Et tout ce qui **s'ensuit*** : et tout le reste (fam.). **2.** Résulter, être la conséquence de : *Un désordre indescriptible **s'ensuivit*** ; *Pendu par les pieds jusqu'à ce que mort **s'ensuive*** ; empl. impers. : *Il **s'ensuit** que vous êtes reconnu coupable.* Fin XIIᵉ s. ; lat. pop. °*insequere*, du lat. *insequi*, « venir ensuite » ; empl. seulement à l'inf. et aux 3ᵉˢ personnes de chaque temps ; [ɑ̃sɥivʀ].

**ENSUQUÉ, ÉE, adj.**
Assommé par la chaleur, la boisson, le sommeil (région. et fam.). Prov. *ensuca*, « assommé ; idiot » ; [ɑ̃syke].

**ENTABLEMENT, subst. m.**
**1.** *Archit.* ▶ Partie supérieure d'un bâtiment, faisant saillie et supportant le toit. ▶ Élément qui surmonte une colonnade : *L'**entablement** classique comprend l'architrave, la frise et la corniche.* **2.** Anal. Corniche surmontant un meuble, une porte. Mil. XIIe s. ; ☞ *entabler* ; [ɑ̃tabləmɑ̃].

**ENTABLER, verbe trans.** [3]
*Techn.* Ajuster l'une sur l'autre (deux pièces de bois, de fer entaillées à demi-épaisseur) : ***Entabler** les deux branches d'une tenaille.* 1838 (mil. XIIe s., faire un plancher) ; ☞ *table* + *en-*[1] ; [ɑ̃table].

**ENTABLURE, subst. f.**
Point d'ajustement de deux pièces entablées ; point de rotation des branches d'une paire de ciseaux. XIIe s. ; ☞ *entabler* ; [ɑ̃tablyʀ].

**ENTACHER, verbe trans.** [3]
**1.** Vx. Marquer d'une tache. **2.** Fig. Salir, compromettre : *Le scandale **a entaché** sa réputation.* ▶ Empl. adj. Marqué d'un défaut : *Raisonnement **entaché** d'erreur* ; ***Entaché** de nullité* : juridiquement nul et non avenu. Fin XIIe s. ; ☞ *tache* + *en-*[1] ; [ɑ̃taʃe].

**ENTAILLAGE, subst. m.**
Action d'entailler. 1836 ; ☞ *entailler* ; [ɑ̃tajaʒ].

**ENTAILLE, subst. f.**
**1.** Coupure profonde dans un objet, qui en enlève une partie. **2.** Anal. Incision profonde faite dans les chairs avec un instrument tranchant : *En ouvrant les huîtres, il s'est fait une **entaille** au pouce.* Mil. XIIe s. ; ☞ *entailler* ; [ɑ̃taj].

**ENTAILLER, verbe trans.** [3]
**1.** Faire une entaille dans. **2.** Anal. Blesser en faisant une entaille ; empl. pronom. : *Il **s'est entaillé** la joue en se rasant.* XIIe s. ; ☞ *tailler* + *en-*[1] ; [ɑ̃taje].

**ENTAME, subst. f.**
**1.** Premier morceau coupé d'un pain, d'une viande : *L'**entame** d'un rôti.* **2.** Anal. *Jeux.* Première carte jouée dans une partie : *Une **entame** à cœur.* Fin XIVe s. ; ☞ *entamer* ; [ɑ̃tam].

**ENTAMER, verbe trans.** [3]
**1.** Couper, blesser : *Le coup lui **a entamé** le cuir chevelu* ; par ext., éroder, attaquer : *La rouille **a entamé** les grilles* ; au fig., porter atteinte à : *Rien ne peut **entamer** sa détermination.* **2.** Réduire (qqch.) en prélevant un premier morceau : ***Entamer** un gâteau* ; par ext. : ***Entamer** une bouteille* ; ***Entamer** ses réserves.* **3.** Fig. Commencer à faire, entreprendre : ***Entamer** la partie* ; ***Entamer** des négociations.* Mil. XIIe s. ; bas lat. *intaminare*, « souiller » ; [ɑ̃tame].

**ENTARTRAGE, subst. m.**
Action d'entartrer ; état de ce qui est entartré. 1909 ; ☞ *entartrer* ; [ɑ̃taʀtʀaʒ].

**ENTARTRER, verbe trans.** [3]
Recouvrir de tartre ; empl. adj. : *Une canalisation **entartrée**.* 1909 ; ☞ *tartre* + *en-*[1] ; [ɑ̃taʀtʀe].

**ENTASSEMENT, subst. m.**
Action d'entasser, amoncellement ; fait d'être entassé. Fin XIIe s. ; ☞ *entasser* ; [ɑ̃tasmɑ̃].

**ENTASSER, verbe trans.** [3]
**1.** Mettre (des choses) en tas, amonceler : ***Entasser** des vieux meubles à la cave.* **2.** Réunir (des personnes) dans un espace trop exigu : *Il nous **entassa** dans sa voiture.* **3.** Fig. Accumuler : ***Entasser** des preuves, des connaissances.* Mil. XIIe s. ; ☞ *tas* + *en-*[1] ; [ɑ̃tase].

**ENTE (I), subst. f.**
*Arboric.* **1.** Greffe : *Prune d'**ente**,* variété de prune obtenue par greffe, que l'on sèche pour en faire des pruneaux. **2.** Méton. L'arbre auquel on fait la greffe. Mil. XIIe s. ; ☞ *enter* ; [ɑ̃t].

**ENTE (II), subst. f.**
Manche d'un pinceau. 1690 ; anc. fr. *hante*, « manche d'outil » ; [ɑ̃t].

**ENTÉ, ÉE, adj.**
*Hérald.* Orné de lignes horizontales ondulées qui s'imbriquent les unes dans les autres : *Un écu **enté**.* 1671 ; p. p. de *enter* ; [ɑ̃te].

**ENTÉLÉCHIE, subst. f.**
*Philos.* **1.** État d'achèvement, de perfection de l'être qui, selon Aristote, s'oppose à l'être seulement en puissance : *L'âme est l'**entéléchie** première du corps.* **2.** Monade en tant qu'elle est, selon Leibniz, principe suffisant de ses actions. Fin XIVe s. ; bas lat. *entelechia*, du gr. *entelekheia* ; [ɑ̃teleʃi].

**ENTELLE, subst. m.**
*Zool.* Singe asiatique de la famille des Cercopithécidés, arboricole et mangeur de feuilles. XVIIIe s. ; lat. sc. *entellus*, du lat. *Entellus*, héros de l'*Énéide* ; [ɑ̃tɛl].

**ENTENDEMENT, subst. m.**
**1.** *Philos.* Faculté de comprendre : *Le pouvoir de penser est appelé **entendement*** (Locke) ; *Toute notre connaissance débute par les sens, passe de là à l'**entendement**, et finit par la raison* (Kant). **2.** Ext. Ensemble des facultés intellectuelles. ▶ Loc. *Cela dépasse l'**entendement*** : c'est incompréhensible. Déb. XIIe s. ; ☞ *entendre* ; [ɑ̃tɑ̃dmɑ̃].

PHILOSOPHIE – Pour Kant, l'entendement (*Verstand*) est la fonction du jugement. Au moyen des concepts fondamentaux (« catégories ») dont il dispose a priori, il permet à l'esprit de relier entre elles les intuitions sensibles et de leur donner forme, rendant ainsi possible la connaissance.

**ENTENDEUR, subst. m.**
Vx. Celui qui comprend. ▶ Loc. *À bon **entendeur**, salut* : que la personne qui comprend en fasse bon usage. Déb. XIIIe s. ; ☞ *entendre* ; [ɑ̃tɑ̃dœʀ].

**ENTENDRE, verbe trans.** [51]
**I. 1.** Percevoir par l'ouïe : ***Entendre** un son* ; *Faire **entendre** sa voix* ; empl. abs. : ***Entendre** bien, mal,* avoir une bonne, une mauvaise audition. ▶ Loc. ***Entendre** parler de* : avoir connaissance de, par ouï-dire ; *Ne pas vouloir **entendre** parler de* : rejeter ; ***Entendre** dire (que)* : apprendre (que) ; *À qui veut l'**entendre*** : à tout le monde ; *Ne pas l'**entendre** de cette oreille* : ne pas être d'accord. **2.** Écouter ; prêter attention à : ***Entendre** un concert, un chanteur* ; ***Entendre** une confession* ; ***Entendre** des témoins,* procéder à leur audition. ▶ Loc. *À l'**entendre*** : si on l'en croit ; ***Entendre** raison* : se ranger à la raison. **II. 1.** Comprendre, saisir par l'entendement : *Si je vous **entends** bien...* ▶ Loc. *Laisser **entendre*** : insinuer. **2.** Vouloir dire, donner un sens à : *Qu'**entendez**-vous par là ?* **3.** Connaître (un domaine), pratiquer (une activité) : *Excusez-moi, monsieur, je n'**entends** pas le grec* (Molière). **4.** Exiger ; vouloir : *J'**entends** ne pas être interrompu* ; *Fais comme tu l'**entends**,* à ta guise. PRONOM. **1.** Se comprendre mutuellement ; sympathiser : *Ils **s'entendent** à merveille.* **2.** Tomber d'accord, s'accorder : *Ils ont fini par **s'entendre*** ; *Il faudrait **s'entendre** !* **3.** Être compris : *Sa position peut **s'entendre** de différentes manières.* ▶ Loc. *Cela **s'entend*** : cela va de soi. **4. S'y entendre.** S'y connaître ; être compétent dans un domaine, habile dans une activité : *Il **s'y entend** en cinéma* ; *Laissez ! je m'y **entends** pour découper le gigot !* Mil. XIe s. ; lat. *intendere*, « tendre (qqch.) vers » ; [ɑ̃tɑ̃dʀ].

**ENTENDU, UE, adj.**
**1.** Vx. **Entendu à.** Habile à, expérimenté à : *Un homme **entendu** aux intrigues.* **2.** Admis : *Une cause **entendue**.* ▶ Loc. *C'est **entendu*** : c'est convenu ; *Bien **entendu*** : bien sûr ; *Comme de bien **entendu*** : naturellement (fam.). **3.** Complice : *Regard **entendu**.* XIIe s. ; p. p. de *entendre* ; [ɑ̃tɑ̃dy].

**ENTÉNÉBRER, verbe trans.** [8]
Plonger dans les ténèbres, l'obscurité (littér.). Fin XIIIe s. ; ☞ *ténèbres* + *en-*[1] ; [ɑ̃tenebʀe].

**ENTENTE, subst. f.**
**1.** Vx. Bonne connaissance de qqch. : *L'**entente** des affaires.* **2.** Interprétation (vieilli). ▶ Loc. *À double **entente*** : à double sens, ambigu. **3.** Fait de s'entendre avec qqn, accord : *Parvenir à une **entente*** ; ***Entente** tacite* ; *Trouver un terrain d'**entente**,* les points sur lesquels on peut s'accorder. ▶ *Pol.* Collaboration, rapprochement entre États : *L'**entente** franco-allemande* ; *L'**Entente** cordiale,* scellée en 1904 entre la France et la Grande-Bretagne. ▶ *Écon.* Accord passé entre des entreprises en vue de limiter la concurrence : ***Entente** sur les prix* ; ***Entente** illicite.* Déb. XIIe s. ; lat. pop. °*intendita*, du lat. *intendere*, « tendre (qqch.) vers » ; [ɑ̃tɑ̃t].

**ENTER, verbe trans.** [3]
**1.** *Arboric.* Greffer. **2.** *Techn.* Assembler (deux pièces de bois) bout à bout. Fin XIe s. ; lat. pop. °*imputare*, du lat. *putare*, « tailler » ; [ɑ̃te].

**ENTÉRALGIE, subst. f.**
*Pathol.* Douleur intestinale. 1823 ; formé de *entéro-* et de *-algie* ; [ɑ̃teʀalʒi].

**ENTÉRINEMENT, subst. m.**
*Dr.* Action d'entériner ; son résultat. 1316 ; ☞ *entériner* ; [ɑ̃teʀinmɑ̃].

**ENTÉRINER, verbe trans.** [3]
**1.** *Dr.* Ratifier (un acte) de façon à le valider définitivement : ***Entériner** une requête, une décision.* **2.** Ext. Admettre la valeur de, consacrer (qqch.) : ***Entériner** l'usage d'un mot.* Mil. XIIIe s. ; anc. fr. *enterin*, « complet » ; [ɑ̃teʀine].

**ENTÉRIQUE, adj.**
*Méd.* Qui se rapporte aux intestins. 1855 ; ☞ *entérite* ; [ɑ̃teʀik].

**ENTÉRITE, subst. f.**
*Pathol.* Inflammation de la muqueuse intestinale. 1801 ; formé de *entéro-* et de *-ite* ; [ɑ̃teʀit].

**ENTÉROBACTÉRIACÉES, subst. f. plur.**
*Bactériol.* Famille de bactéries Gram–, hôtes habituels des intestins de l'être humain et des animaux, dont quelques-unes sont pathogènes. ☞ *bactérie* + *entéro-* ; [ɑ̃teʀobakteʀjase].

**ENTÉROCOLITE, subst. f.**
*Pathol.* Inflammation simultanée des muqueuses de l'intestin grêle et du côlon. 1837 ; ☞ *colite* + *entéro-* ; [ɑ̃teʀokɔlit].

**ENTÉROCOQUE, subst. m.**
*Bactériol.* Bactérie Gram+ de la famille des Micrococcacées. Les **entérocoques** sont des streptocoques, saprophytes, qui vivent dans l'intestin de l'homme. Ils peuvent être responsables d'infections urinaires et d'endocardites. 1899 ; formé de *entéro-* et de *-coque* ; [ɑ̃teʀokɔk].

**ENTÉROKINASE, subst. f.**
*Physiol.* Enzyme du suc duodénal qui participe à la digestion des protéines. 1903 ; gr. *kinêsis*, « mouvement », + *entéro-* ; [ɑ̃teʀokinaz].

**ENTÉRORÉNAL, ALE, AUX, adj.**
*Méd. Syndrome **entérorénal*** : ensemble des infections urinaires qui apparaissent au cours d'une infection intestinale. Mil. XXe s. ; ☞ *rénal* + *entéro-* ; var. *entéro-rénal, ale, aux* ; [ɑ̃teʀoʀenal, o].

**ENTÉROVACCIN, subst. m.**
*Pharm.* Vaccin administré par voie buccale et absorbé par l'intestin. 1922 ; ☞ *vaccin* + *entéro-* ; [ɑ̃teʀovaksɛ̃].

**ENTÉROVIRUS, subst. m.**
*Biol.* Virus pathogène qui se loge dans le tube digestif. ☞ *virus* + *entéro-* ; [ɑ̃teʀoviʀys].

**ENTERRAGE, subst. m.**
*Métall.* Action d'un fondeur qui tasse de la terre autour d'un moule pour le stabiliser ; par méton., la terre ainsi tassée. 1755 ; ☞ *enterrer* ; [ɑ̃teʀaʒ].

**ENTERREMENT, subst. m.**
**1.** Mise en terre d'un mort, inhumation ; par ext., cérémonie funèbre, funérailles : ***Enterrement** civil, religieux* ; par méton., le cortège funèbre : *Suivre un **enterrement**.* ▶ Loc. *Faire, avoir une tête d'**enterrement*** : avoir la mine sombre, lugubre. **2.** Fig. Abandon : ***Enterrement** d'un projet.* ▶ Loc. ***Enterrement** de première classe* : abandon définitif d'un projet ou, par ext., disgrâce d'une personne, dissimulée sous des éloges. Mil. XIIe s. ; ☞ *enterrer* ; [ɑ̃tɛʀmɑ̃].

**L'Enterrement** du comte d'Orgaz, *peinture du Greco (1541-1614). Musée paroissial Santo Tome, Tolède.*

**ENTERRER,** verbe trans. [3]
**I. 1.** Mettre en terre, inhumer (un mort) : *Il a été **enterré** dans la plus stricte intimité* ; par ext., déposer dans une sépulture ; par méton., organiser les funérailles de (qqn) ou y participer : *J'ai **enterré** ma mère le mois dernier.* ▸ Loc. *Il nous **enterrera** tous* : il nous survivra (iron.). **2.** Fig. Mettre un terme à ; plonger dans l'oubli : ***Enterrer** un projet, ses ambitions.* ▸ Loc. ***Enterrer** sa vie de garçon* : fêter avec des amis sa dernière soirée de célibataire. **II. 1.** Enfouir (qqch.) dans la terre : ***Enterrer** des graines, des câbles.* ▸ Loc. ***Enterrer** la hache de guerre* : faire la paix, se réconcilier avec son adversaire. **2.** Ext. Recouvrir d'un amoncellement : *Les victimes sont **enterrées** sous les décombres.* PRONOM. S'isoler, s'éloigner du monde : *Il est allé s'**enterrer** dans un coin perdu.* Fin XI^e s. ; ☞ *terre* + *en-*¹ ; [ɑ̃teʀe].

**ENTÊTANT, ANTE,** adj.
Qui entête : *Une odeur **entêtante**.* 1896 ; p. pr. de *entêter* ; [ɑ̃tɛtɑ̃, ɑ̃t].

**EN-TÊTE,** subst. m.
Texte bref, gravé ou imprimé en haut d'un papier à lettres, d'un document administratif, commercial : *Lettre à **en-tête** de la mairie.* 1838 ; comp. de *en* (I) et de *tête* ; plur. *en-têtes* ; [ɑ̃tɛt].

**ENTÊTÉ, ÉE,** adj.
Qui fait preuve d'entêtement ; empl. subst. : *Un terrible **entêté**.* XII^e s. ; p. p. de *entêter* ; [ɑ̃tete].

**ENTÊTEMENT,** subst. m.
**1.** Vx. Engouement. **2.** Attachement opiniâtre, voire borné, à une idée, à une manière d'agir, dont fait preuve une personne têtue : *Mettre de l'**entêtement** à faire qqch.* 1649 (1562, mal de tête) ; ☞ *entêter* ; [ɑ̃tɛtmɑ̃].

**ENTÊTER,** verbe trans. [3]
Monter à la tête de (qqn), incommoder ; empl. abs. : *Ce parfum **entête**.* PRONOM. **1.** S'**entêter** de. S'enthousiasmer pour (vx). **2.** S'obstiner : *S'**entêter** dans son refus, dans son choix ; Il s'**entête** à espérer.* Fin XII^e s. ; ☞ *tête* + *en-*¹ ; [ɑ̃tete].

**ENTHALPIE,** subst. f.
*Phys.* Fonction thermodynamique d'un système, qui s'écrit H = U + *p*V (U, énergie interne ; *p*, pression ; V, volume) et qui se mesure en joules. La chaleur reçue par un système lors d'une transformation à pression constante est égale à la variation de son **enthalpie**. 1953 ; gr. *enthalpein*, « réchauffer dans » ; [ɑ̃talpi].

**ENTHOUSIASMANT, ANTE,** adj.
Qui provoque l'enthousiasme. 1845 ; p. pr. de *enthousiasmer* ; [ɑ̃tuzjasmɑ̃, ɑ̃t].

**ENTHOUSIASME,** subst. m.
**1.** *Antiq.* État de transe, délire de celui ou de celle qui se faisait l'interprète de la divinité : *L'**enthousiasme** prophétique de la pythie de Delphes* ; par anal., exaltation du créateur saisi par l'inspiration : ***Enthousiasme** poétique.* **2.** Vive ardeur qui pousse à l'action : *L'**enthousiasme** de la jeunesse.* **3.** Excitation joyeuse : *Il accueillit la proposition avec **enthousiasme**.* **4.** Admiration débordante. 1546 ; gr. *enthousiasmos*, « possession divine » ; [ɑ̃tuzjasm].

**ENTHOUSIASMER,** verbe trans. [3]
Remplir (qqn) d'enthousiasme. PRONOM. Devenir enthousiaste, s'enflammer pour qqch. ou qqn. XVI^e s. ; ☞ *enthousiasme* ; [ɑ̃tuzjasme].

**ENTHOUSIASTE,** subst. et adj.
SUBST. **1.** *Antiq.* Personne inspirée par les dieux. **2.** Personne qui s'enthousiasme facilement ; admirateur, adepte zélé : *Les **enthousiastes** de Wagner.* ADJ. Qui fait preuve d'enthousiasme, d'optimisme, de sentiments chaleureux. 1544 ; gr. *enthousiastês*, de *enthousiasmos*, « possession divine » ; [ɑ̃tuzjast].

**ENTHYMÈME,** subst. m.
*Philos.* Syllogisme abrégé d'une de ses prémisses ou de sa conclusion (par ex. : « Je pense, donc je suis », de Descartes). XV^e s. ; lat. *enthymema*, du gr. *enthumêma*, « ce que l'on a dans l'esprit » ; [ɑ̃timɛm].

**ENTICHEMENT,** subst. m.
Action de s'enticher ; engouement, toquade (rare). Mil. XIX^e s. ; ☞ *s'enticher* ; [ɑ̃tiʃmɑ̃].

**ENTICHER (S'),** verbe pronom. [3]
S'**enticher** de. Éprouver une vive passion pour : *S'**enticher** d'une mode.* 1845 (1539, corrompre) ; anc. fr. *entechier*, de *teche*, « tache » ; [ɑ̃tiʃe].

**ENTIER, IÈRE,** adj.
**1.** Dont on n'a rien retiré ; dans toute son étendue : *Un pain **entier** ; La terre **entière**.* ▸ *Vétér. Cheval **entier*** ou, empl. subst. masc., *Un **entier*** : cheval non castré. **2.** Fig. Qui n'a subi aucune altération ; intégral, absolu : *Une **entière** confiance.* **3.** Qui n'accepte pas la compromission ; catégorique : *Un homme **entier**.* **4.** Loc. *En **entier*** ou, empl. subst. masc., *En son (leur) **entier*** : dans sa (leur) totalité. **5.** *Math.* ▸ *Nombre **entier*** ou, empl. subst. masc., *Un **entier*** : élément de $\mathbb{Z}$, dit aussi **entier** relatif ou rationnel. Les **entiers** positifs, dits aussi **entiers** naturels, sont les éléments de $\mathbb{N} = \{0, 1, 2, ...\}$. ▸ *Partie **entière** d'un nombre réel x* : l'unique **entier**, noté $[x]$ ou $E(x)$, tel que $[x] \leqslant x < [x] + 1$. C'est aussi le plus grand **entier** inférieur ou égal à $x$ : $[-6{,}21] = -7$. ▸ *Série **entière*** : série de fonctions de terme général $z \to a_n z^n$, $a_n$ et $z$ éléments de $\mathbb{C}$, qui généralise la notion de polynôme. Déb. XII^e s. ; lat. *integer*, « non touché » ; [ɑ̃tje, jɛʀ].

**ENTIÈREMENT,** adv.
De façon entière, complète : *Approuver **entièrement** qqn.* 1155 ; ☞ *entier* ; [ɑ̃tjɛʀmɑ̃].

**ENTIÈRETÉ,** subst. f.
Rare ou Belg. Intégralité, totalité ; fait d'être entier. XVI^e s. ; ☞ *entier* ; [ɑ̃tjɛʀte].

**ENTITÉ,** subst. f.
**1.** *Philos.* Ce qui constitue l'essence ou l'unité d'un genre. **2.** Objet que l'on peut saisir comme une unité : ***Entités** observables.* **3.** Ext. Abstraction conçue à tort comme un objet réel (péj.) : *L'individu rationnel est une **entité** bien utile.* **4.** *Méd.* ***Entité** morbide* : ensemble des symptômes d'une maladie. Déb. XVI^e s. ; lat. médiév. *entitas*, du lat. *ens*, « étant » ; [ɑ̃tite].

**ENTOILAGE,** subst. m.
**1.** Action d'entoiler ; son résultat. **2.** Méton. Toile servant à cet usage. 1755 ; ☞ *entoiler* ; [ɑ̃twalaʒ].

**ENTOILER,** verbe trans. [3]
**1.** Renforcer (une partie de vêtement) avec de la toile. **2.** Fixer (qqch.) sur une toile : ***Entoiler** une carte routière.* **3.** *Techn.* Couvrir (qqch.) de toile : ***Entoiler** la couverture d'un livre d'art.* Fin XII^e s. ; ☞ *toile* + *en-*¹ ; [ɑ̃twale].

**ENTOIR,** subst. m.
*Arboric.* Couteau utilisé pour greffer. 1651 ; ☞ *enter* ; [ɑ̃twaʀ].

**ENTÔLAGE,** subst. m.
Vol commis par une prostituée sur la personne de son client (argot.). 1903 ; ☞ *entôler* ; [ɑ̃tolaʒ].

**ENTÔLER,** verbe trans. [3]
**1.** Voler (son client), en parlant d'une prostituée (argot.). **2.** Voler (qqn) par ruse (fam.). 1829 ; ☞ *tôle* (II) + *en-*¹ ; [ɑ̃tole].

**ENTÔLEUR, EUSE,** subst.
Personne qui entôle (fam.). 1901 ; ☞ *entôler* ; [ɑ̃tolœʀ, øz].

**ENTOLOME,** subst. m.
*Bot.* Champignon des bois à lames rosâtres, de la famille des Agaricacées, gén. vénéneux. 1878 ; gr. *entos*, « en », et *lôma*, « bordure » ; [ɑ̃tɔlom].

**ENTOMOLOGIE,** subst. f.
Partie de la zoologie qui étudie les insectes. 1745 ; formé de *entomo-* et de *-logie* ; [ɑ̃tɔmɔlɔʒi].

**ENTOMOLOGIQUE,** adj.
Qui concerne l'entomologie ou, par ext., les insectes. 1789 ; ☞ *entomologie* ; [ɑ̃tɔmɔlɔʒik].

**ENTOMOLOGISTE,** subst.
Spécialiste en entomologie. 1789 ; ☞ *entomologie* ; [ɑ̃tɔmɔlɔʒist].

**ENTOMOPHAGE,** adj.
*Zool.* Qui se nourrit d'insectes. 1800 ; formé de *entomo-* et de *-phage* ; [ɑ̃tɔmɔfaʒ].

**ENTOMOPHILE,** adj.
*Bot.* Se dit d'une plante dont la pollinisation est assurée par les insectes. 1834 ; formé de *entomo-* et de *-phile* ; [ɑ̃tɔmɔfil].

**ENTOMOSTRACÉS,** subst. m. plur.
*Zool.* Groupe de crustacés inférieurs, aquatiques et souvent parasites, du genre daphnie ou anatife. AU SING. *La sacculine est un **entomostracé**.* Déb. XIX^e s. ; gr. *ostrakon*, « coquille, carapace », + *entomo-* ; [ɑ̃tɔmɔstʀase].

**ENTONNAGE,** subst. m.
Action d'entonner (un liquide) ; son résultat. 1611 ; ☞ *entonner* (II) ; synon. *un entonnement*, *une entonnaison* ; [ɑ̃tɔnaʒ].

**ENTONNER (I),** verbe trans. [3]
Commencer à chanter (un air). ▸ Loc. ***Entonner** les louanges de qqn* : faire son éloge. Fin XII^e s. ; ☞ *ton* (II) + *en-*¹ ; [ɑ̃tɔne].

**ENTONNER (II),** verbe trans. [3]
Verser (un liquide) dans un tonneau : ***Entonner** du chablis.* Déb. XIII^e s. ; ☞ *tonne* + *en-*¹ ; [ɑ̃tɔne].

**ENTONNOIR,** subst. m.
**1.** Ustensile en forme de cône terminé par un tube, servant à transvaser les liquides. **2.** Anal. Excavation qui va en se rétrécissant ; cratère. Fin XIII^e s. ; ☞ *entonner* (II) ; [ɑ̃tɔnwaʀ].

**ENTORSE,** subst. f.
**1.** *Pathol.* Traumatisme qui affecte une articulation majeure (cheville, genou, poignet) et qui s'accompagne d'une élongation ou d'une rupture des ligaments : *Se donner une **entorse**.* **2.** Fig. ▸ Altération : *Une **entorse** à la vérité.* ▸ Transgression : *Une **entorse** au règlement.* 1543 ; anc. fr. *entors*, du lat. *intorquere*, « tordre » ; [ɑ̃tɔʀs].

**ENTORTILLAGE,** subst. m.
Entortillement. 1863 (1754, contorsion) ; ☞ *entortiller* ; [ɑ̃tɔʀtijaʒ].

**ENTORTILLEMENT,** subst. m.
Action d'entortiller, fait de s'entortiller ; état qui en résulte. Fin XIV^e s. ; ☞ *entortiller* ; [ɑ̃tɔʀtijmɑ̃].

**ENTORTILLER,** verbe trans. [3]
**1.** Envelopper (qqch.) dans une matière souple que l'on tortille ; par ext., tortiller (qqch.) autour d'un objet. **2.** Fig. ▸ Séduire, abuser (qqn) par des propos trompeurs. ▸ Compliquer (ses phrases) par des lourdeurs, des obscurités. PRONOM. **1.** S'enrouler (autour de qqch.). **2.** Fig. *S'**entortiller** dans ses phrases* : s'y perdre. Fin XII^e s. ; lat. pop. °*intortiliare*, du lat. *tortilis*, « qui s'enroule » ; [ɑ̃tɔʀtije].

**ENTOUR,** subst. m.
Loc. *À l'**entour** (de)* : autour (de). PLUR. Ce qui entoure ; les environs (vx). 1395 (fin XI^e s., adv., tout autour) ; ☞ *tour* (II) + *en-*¹ ; [ɑ̃tuʀ].

**ENTOURAGE,** subst. m.
**1.** *L'**entourage** de qqn* : ses proches. **2.** Ce qui entoure qqch. 1461 ; ☞ *entourer* ; [ɑ̃tuʀaʒ].

**ENTOURER,** verbe trans. [3]
**1.** Disposer un entourage, une limite autour de (qqch., qqn) : ***Entourer** d'arbres une propriété* ; ***Entourer** qqn de son bras* ; au fig., accompagner : ***Entourer** un projet de garanties.* **2.** Être placé autour de (qqch., qqn) : *De sombres remparts **entouraient** la ville.* ▸ Constituer l'environnement ou l'entourage habituel de : *Il fait la joie de ceux qui l'**entourent**.* **3.** Fig. ***Entourer** qqn d'affection* ou, par ell., ***Entourer** qqn* : le soutenir par une présence affectueuse ; empl. adj. : *Elle est âgée, mais très **entourée**.* PRONOM. Disposer, réunir autour de soi : *S'**entourer** d'œuvres d'art* ; au fig. : *S'**entourer** de précautions.* 1538 ; ☞ *entour* ; [ɑ̃tuʀe].

**ENTOURLOUPETTE,** subst. f.
Manœuvre déloyale (fam.). 1931 ; crois. de *tour* (II) et de *turlupiner* + *en-*¹ ; var. *entourloupe* ; [ɑ̃tuʀlupɛt].

**ENTOURNURE,** subst. f.
**1.** Emmanchure. **2.** Loc. fam. *Être gêné aux **entournures*** : être mal à l'aise ou manquer d'argent. 1538 ; *entourner* (vx), « entourer » ; [ɑ̃tuʀnyʀ].

**ENTRACTE,** subst. m.
**1.** Interruption ménagée entre les parties d'un spectacle. **2.** Fig. Pause, répit. 1623 ; formé de *entre* et de *acte* ; [ɑ̃tʀakt].

**ENTRAIDE,** subst. f.
Action de s'entraider ; son résultat. 1907 ; ☞ *s'entraider* ; [ɑ̃tʀɛd].

**ENTRAIDER (S'),** verbe pronom. [3]
S'aider mutuellement. Fin XII^e s. ; formé de *entre* et de *aider* ; [ɑ̃tʀede].

**ENTRAILLES,** subst. f. plur.
**1.** Viscères et boyaux. **2.** Le ventre de la mère (littér.) : *Et Jésus, le fruit de vos **entrailles**, est béni* (prière « Je vous salue, Marie »). **3.** Anal. La partie la plus profonde de qqch. : *Les **entrailles** de la terre.* **4.** Fig. Siège des émotions. Déb. XII^e s. ; bas lat. *intralia*, du lat. *interanea*, « intestins » ; [ɑ̃tʀɑj].

**ENTRAIN,** subst. m.
Vivacité, ardeur ; gaieté communicative. 1817 ; ☞ *entraîner* ; [ɑ̃tʀɛ̃].

**ENTRAÎNANT, ANTE,** adj.
Qui entraîne : *Des rythmes **entraînants**.* 1769 ; p. pr. de *entraîner* ; [ɑ̃tʀɛnɑ̃, ɑ̃t].

**ENTRAÎNEMENT,** subst. m.
**I. 1.** Action de communiquer un mouvement ; dispositif qui l'assure : *L'**entraînement** du moteur.* **2.** Fig. Mouvement qui pousse une personne à agir,

indépendamment de sa volonté. **II.** Préparation méthodique à un concours, à un examen, à une compétition. Déb. XVIIIe s. ; ☞ *entraîner* ; [ɑ̃tʀɛnmɑ̃].

**ENTRAÎNER, verbe trans.** [3]
**I. 1.** Traîner (qqch.) avec soi, derrière soi : *La voiture **entraîne** sa remorque.* **2.** *Mécan.* Communiquer un mouvement à (une pompe, une machine). **3.** Emmener (qqn) de force : *Il l'**entraîna** dans l'arrière-salle.* **4.** Fig. Pousser, inciter (qqn) à, vers : *Cette canicule nous **entraîne** à la paresse.* **5.** Provoquer, être la cause de (qqch.) : *La crise économique **entraîne** le chômage.* **II.** Préparer, par des exercices, à un concours, un examen, une compétition ; empl. pronom. : *S'**entraîner** pour un championnat.* Fin XIIe s. ; ☞ *traîner* + *en-*[2] ; [ɑ̃tʀene].

**ENTRAÎNEUR, EUSE, subst.**
**1.** Personne qui entraîne des chevaux de course, des sportifs. **2.** Personne qui sait entraîner les autres : *Le colonel Leclerc était un **entraîneur** d'hommes.* **Fém.** Jeune femme employée dans les bars, les établissements de nuit pour faire consommer les clients. 1828 ; ☞ *entraîner* ; [ɑ̃tʀɛnœʀ, øz].

**ENTRAIT, subst. m.**
*Bât.* Poutre portante qui, dans une ferme de comble, relie la base des arbalétriers et maintient leur écartement. 1344 ; formé de *entre* et de l'anc. fr. *tref*, du lat. *trabs*, « poutre » ; [ɑ̃tʀɛ].

**ENTRANT, ANTE, adj.**
**1.** Qui entre dans une profession, une fonction, une institution : *Des élèves **entrants** ; Le P.-D. G. **entrant*** ; empl. subst. (gén. au plur.) : *Les **entrants** et les sortants.* **2.** Fig. Qui s'insinue (vieilli). XIIe s. ; p. pr. de *entrer* ; [ɑ̃tʀɑ̃, ɑ̃t].

**ENTRAPERCEVOIR, verbe trans.** [38]
Apercevoir (qqn, qqch.) de manière fugitive ou malaisée. XVIe s. ; formé de *entre* et de *apercevoir* ; var. *entr'apercevoir* ; [ɑ̃tʀapɛʀsəvwaʀ].

**ENTRAVE, subst. f.**
**1.** Attache que l'on met aux jambes de certains animaux pour gêner leur marche. **2.** Fig. Obstacle. Mil. XIIIe s. ; ☞ *entraver* (I) ; [ɑ̃tʀav].

**ENTRAVÉ, ÉE, adj.**
**1.** Retenu par une entrave. **2.** *Jupe **entravée*** : serrée dans le bas. 1846 ; p. p. de *entraver* (I) ; [ɑ̃tʀave].

**ENTRAVER (I), verbe trans.** [3]
**1.** Mettre une entrave à (un animal). **2.** Fig. Gêner les mouvements de ; mettre des obstacles à (qqn, qqch.). Fin XIIe s. ; anc. fr. *tref*, du lat. *trabs*, « poutre », + *en-*[1] ; [ɑ̃tʀave].

**ENTRAVER (II), verbe trans.** [3]
Comprendre (argot.). Fin XIIe s. ; lat. *interrogare*, « interroger » ; [ɑ̃tʀave].

**ENTRAXE, subst. m.**
*Techn.* Distance entre deux axes voisins. 1904 ; formé de *entre* et de *axe* ; [ɑ̃tʀaks].

**ENTRE, prép.**
**1.** Dans l'espace qui sépare (des choses, des lieux, des personnes) : *Lyon est **entre** Paris et Marseille.* ▸ Dans le temps qui sépare (deux mouvements, deux faits, deux dates) : *Il vécut **entre** 1909 et 1986.* ▸ Fig. À égale distance de : ***Entre** la vie et la mort.* **2.** Parmi : *Ils hésitèrent **entre** plusieurs possibilités.* **3.** Exprime un rapport de réciprocité ou de comparaison : *Complicité **entre** époux ; Différence **entre** deux styles.* Fin Xe s. ; lat. *inter* ; [ɑ̃tʀ].

**ENTREBÂILLEMENT, subst. m.**
Ouverture laissée par ce qui est entrebâillé. 1561 ; ☞ *entrebâiller* ; [ɑ̃tʀəbɑjmɑ̃].

**ENTREBÂILLER, verbe trans.** [3]
Ouvrir à peine (une porte, une fenêtre). Fin XVe s. ; formé de *entre* et de *bâiller* ; [ɑ̃tʀəbɑje].

**ENTREBÂILLEUR, subst. m.**
Dispositif qui permet de maintenir une porte entrebâillée ou qui en empêche l'ouverture complète. V. 1950 ; ☞ *entrebâiller* ; [ɑ̃tʀəbɑjœʀ].

**ENTREBANDE, subst. f.**
*Text.* Chacune des bandes situées à l'extrémité d'une pièce d'étoffe. Déb. XVe s. ; formé de *entre* et de *bande* (I) ; var. *entre-bande* (plur. *entre-bandes*) ; [ɑ̃tʀəbɑ̃d].

**ENTRECHAT, subst. m.**
**1.** *Chorégr.* Saut pendant lequel les pointes du danseur se croisent une ou plusieurs fois. **2.** Ext. Saut léger, gambade. 1609 ; ital. *intrecciato*, « entrelacé » ; [ɑ̃tʀəʃa].

**ENTRECHOQUEMENT, subst. m.**
Heurt entre des choses ou des personnes. 1587 ; ☞ *entrechoquer* ; var. *entrechoc* ; [ɑ̃tʀəʃɔkmɑ̃].

**ENTRECHOQUER, verbe trans.** [3]
Heurter (deux objets) l'un contre l'autre : *Ils **entrechoquaient** joyeusement leurs bocks.* **Pronom.** Se heurter réciproquement : *Les joueurs s'**entrechoquèrent** violemment.* 1550 ; formé de *entre* et de *choquer* ; [ɑ̃tʀəʃɔke].

**ENTRECOLONNEMENT, subst. m.**
*Archit.* Intervalle entre deux colonnes consécutives d'une colonnade (synon. *entrecolonne*). 1567 ; formé de *entre* et de *colonne* ; [ɑ̃tʀəkɔlɔnmɑ̃].

**ENTRECÔTE, subst. f.**
*Bouch.* Tranche de bœuf prélevée entre les côtes. 1746 ; formé de *entre* et de *côte* ; [ɑ̃tʀəkot].

**ENTRECOUPER, verbe trans.** [3]
Interrompre par instants ; empl. adj. : *Discours **entrecoupé** de sifflets.* **Pronom.** Se croiser. Fin XIIe s. ; formé de *entre* et de *couper* ; [ɑ̃tʀəkupe].

**ENTRECROISEMENT, subst. m.**
État de ce qui est entrecroisé : ***Entrecroisement** de voies.* 1600 ; ☞ *entrecroiser* ; [ɑ̃tʀəkʀwazmɑ̃].

**ENTRECROISER, verbe trans.** [3]
Croiser ensemble (plusieurs choses), en gén. à plusieurs reprises ; empl. adj. : *Des fils **entrecroisés**.* **Pronom.** Se croiser l'un l'autre ou les uns les autres : *Des routes qui s'**entrecroisent**.* 1320 ; formé de *entre* et de *croiser* ; [ɑ̃tʀəkʀwaze].

**ENTRECUISSE, subst. m.**
Partie du corps située entre les cuisses ; par euphém., le sexe (fam.). 1561 ; formé de *entre* et de *cuisse* ; [ɑ̃tʀəkɥis].

**ENTREDÉCHIRER (S'), verbe pronom.** [3]
Se déchirer mutuellement (littér.) : *Les fauves **s'entredéchiraient*** ; au fig. : *Des amis de toujours qui aujourd'hui **s'entredéchirent**.* 1270 ; formé de *entre* et de *déchirer* ; var. *s'entre-déchirer* ; [ɑ̃tʀədeʃiʀe].

**ENTREDÉTRUIRE (S'), verbe pronom.** [69]
Se détruire mutuellement (littér.) 1559 ; formé de *entre* et de *détruire* ; var. *s'entre-détruire* ; [ɑ̃tʀədetʀɥiʀ].

**ENTRE-DEUX, subst. m. inv.**
**1.** Espace entre deux choses : *L'**entre-deux** des fenêtres.* **2.** Anal. Espace entre deux dates, deux évènements ; au fig., situation, état entre deux extrêmes : *Être dans l'**entre-deux** du bien et du mal.* **3.** *Spéc.* ▸ *Cout.* Bande de tulle, de broderie ou de dentelle, cousue entre deux parties d'un tissu. ▸ *Ameubl.* Petit meuble à hauteur d'appui placé entre deux fenêtres. ▸ *Sp.* Remise en jeu par envoi du ballon entre deux joueurs. 1314 (XIIe s., coup d'épée par le milieu) ; comp. de *entre* et de *deux* ; [ɑ̃tʀədø].

**ENTRE-DEUX-GUERRES, subst. m. ou f. inv.**
*Hist.* Période de paix entre deux guerres, en partic., en France, de 1918 à 1939. 1915 ; comp. de *entre*, de *deux* et de *guerre* ; [ɑ̃tʀədøgɛʀ].

**ENTREDÉVORER (S'), verbe pronom.** [3]
Se dévorer mutuellement. XVe s. ; formé de *entre* et de *dévorer* ; var. *s'entre-dévorer* ; [ɑ̃tʀədevɔʀe].

**ENTRÉE, subst. f.**
**I. 1.** Lieu par où l'on entre, accès : *L'**entrée** d'une ville, d'un port.* ▸ Anal. Ce qui permet d'accéder à une information : *Les **entrées** d'un dictionnaire*, les termes faisant l'objet d'une définition. ▸ *Techn.* ***Entrée** d'air* : orifice qui permet à l'air d'entrer. ▸ *Électron.* Prise permettant de relier un appareil à d'autres : ***Entrée** et sortie d'un amplificateur.* ▸ Loc. ***Entrée** en matière* : première partie d'un discours. **2.** Ext. Pièce d'un appartement, espace d'un bâtiment dans lequel on se trouve en entrant. **3.** Fig. Début (littér.) : *À l'**entrée** de l'hiver.* ▸ Méton. Mets qui précède le plat principal : *Une **entrée** chaude ou froide.* ▸ Loc. *D'**entrée** (de jeu)* : tout d'abord, d'emblée. **II. 1.** Action, fait d'entrer : *Une **entrée** remarquée.* **2.** *Spéc.* ▸ *Spectacle.* Action d'entrer en scène ; par méton., le moment où l'artiste entre en scène. ▸ *Mus.* ***Entrée** des violons* : moment où ils commencent à se faire entendre. ▸ *Comptab.* Ensemble de ce qui entre en caisse, en stock. ▸ *Informat.* Opération d'enregistrement (des données). **III. 1.** Fait d'être admis, droit d'entrer dans un lieu : ***Entrée** interdite.* ▸ Accès à une salle de spectacle ; par méton., le billet y donnant droit : *Acheter les **entrées** à l'avance.* **2.** Anal. Admission : *Concours d'**entrée**.* **3.** Loc. *Avoir ses **entrées*** : pouvoir être reçu. 1119 ; p. p. de *entrer* ; [ɑ̃tʀe].

**ENTREFAITE, subst. f.**
Intervalle de temps entre deux actions, deux évènements (vx). ▸ Loc. *Sur ces **entrefaites*** : à ce moment-là. Déb. XIIIe s. ; formé de *entre* et de *faire* (I) ; [ɑ̃tʀəfɛt].

**ENTREFENÊTRE, subst. m.**
Partie d'un mur comprise entre deux fenêtres ; par méton., tapisserie décorant ce pan de mur. 1681 ; formé de *entre* et de *fenêtre* ; var. *entre-fenêtre* (plur. *entre-fenêtres*) ; [ɑ̃tʀəf(ə)nɛtʀ].

**ENTREFER, subst. m.**
*Phys.* Espace entre les deux pôles d'un aimant ou d'un électro-aimant. 1888 (1755, position verticale du fléau d'une balance) ; formé de *entre* et de *fer* ; [ɑ̃tʀəfɛʀ].

**ENTREFILET, subst. m.**
*Journ.* Court article. 1831 ; formé de *entre* et de *filet* (I) ; [ɑ̃tʀəfilɛ].

**ENTREGENT, subst. m.**
Art de se conduire habilement en société, de nouer d'utiles relations : *Avoir de l'**entregent**.* 1427 ; formé de *entre* et de *gent* (I) ; [ɑ̃tʀəʒɑ̃].

**ENTRÉGORGER (S'), verbe pronom.** [5]
S'entretuer (rare). 1628 ; comp. de *entre* et de *égorger* ; var. *s'entre-égorger*, *s'entr'égorger* ; [ɑ̃tʀegɔʀʒe].

**ENTREHEURTER (S'), verbe pronom.** [3]
Se heurter mutuellement (littér.). 1155 ; formé de *entre* et de *heurter* ; var. *s'entre-heurter* ; [ɑ̃tʀəœʀte].

**ENTREJAMBE, subst. m.**
**1.** Espace compris entre les pieds d'un meuble. **2.** Fam. Partie du corps située entre les jambes ; sexe. **3.** Partie du pantalon, de la culotte couvrant la face intérieure des cuisses : *Un vêtement usé à l'**entrejambe**.* 1751 ; formé de *entre* et de *jambe* ; [ɑ̃tʀəʒɑ̃b].

**ENTRELACEMENT, subst. m.**
**1.** Action d'entrelacer ; son résultat. **2.** Fig. Réseau enchevêtrement : *Un **entrelacement** de difficultés.* Fin XIIe s. ; ☞ *entrelacer* ; [ɑ̃tʀəlasmɑ̃].

**ENTRELACER, verbe trans.** [4]
Enlacer l'un dans l'autre ; empl. adj. : *Des corps **entrelacés**.* **Pronom.** S'enchevêtrer ; s'entremêler. Fin XIIe s. ; formé de *entre* et de *lacer* ; [ɑ̃tʀəlase].

**ENTRELACS, subst. m.**
Ornement composé de lignes qui s'entrelacent ; pa[r] anal. : *Un **entrelacs** de fils.* 1671 (fin XIIe s. entrelacement) ; ☞ *entrelacer*, d'apr. *lacs* ; [ɑ̃tʀəlɑ].

**ENTRELARDER, verbe trans.** [3]
**1.** Piquer de lard (une viande). **2.** Fig. Entrecouper truffer : ***Entrelarder** une plaidoirie de références.* Fi[n] XIIe s. ; formé de *entre* et de *larder* ; [ɑ̃tʀəlaʀde].

**ENTREMÊLEMENT, subst. m.**
Action d'entremêler, de s'entremêler ; son résulta[t]. Fin XIIe s. ; ☞ *entremêler* ; [ɑ̃tʀəmɛlmɑ̃].

**ENTREMÊLER, verbe trans.** [3]
**1.** Mêler (des choses) les unes aux autres : ***Entremêler** des laines de toutes les couleurs.* **2.** Entr[e]couper : *Il a **entremêlé** les citations savant[es] d'anecdotes.* **Pronom.** Se mélanger. 1155 ; form[é] de *entre* et de *mêler* ; [ɑ̃tʀəmele].

**ENTREMETS, subst. m.**
**1.** Vx. Plat servi entre les viandes et le dessert. **2.** Pl[at] sucré, servi en dessert. 1668 (fin XIIe s., divertiss[e]ment, intermède) ; formé de *entre* et de *mets* ; [ɑ̃tʀəmɛ]

**ENTREMETTEUR, EUSE, subst.**
Personne qui sert d'intermédiaire dans une affai[re] galante (péj.) : *Jouer les **entremetteurs**.* Déb. XIVe s[.] ☞ *entremettre* ; [ɑ̃tʀəmɛtœʀ, øz].

**ENTREMETTRE (S'), verbe pronom.** [6
Jouer un rôle d'intermédiaire entre plusieurs pe[r]sonnes ; intervenir dans une affaire, pour la faci[li]ter. Fin XIe s. ; formé de *entre* et de *mettre* ; [ɑ̃tʀəmɛt

**ENTREMISE, subst. f.**
Action de s'entremettre. ▸ Loc. prép. *Par l'entremi[se] de* : par l'intermédiaire de. 1570 (fin XIIe intervalle) ; ☞ *entremettre* ; [ɑ̃tʀəmiz].

**ENTRENERF, subst. m.**
*Reliure.* Espace compris entre deux nerfs au d[os] d'un livre. 1755 ; formé de *entre* et de *nerf* ; v[ar.] *entre-nerf* (plur. *entre-nerfs*) ; [ɑ̃tʀənɛʀ].

**ENTRENŒUD, subst. m.**
*Bot.* Partie comprise entre deux nœuds d'une ti[ge]. 1797 (1487, partie comprise entre deux articulatio[ns] anatomiques) ; formé de *entre* et de *nœud* ; var. *ent[re-]nœud* (plur. *entre-nœuds*) ; [ɑ̃tʀənø].

**ENTREPONT, subst. m.**
*Mar.* Espace compris entre deux ponts d'un navi[re]. Fin XVIIe s. ; formé de *entre* et de *pont* ; [ɑ̃tʀəpɔ̃].

**ENTREPOSAGE, subst. m.**
tion d'entreposer, de mettre dans un entrepôt. 1875 ; ☞ *entreposer* ; [ɑ̃tʀəpozaʒ].

**ENTREPOSER, verbe trans.** [3]
Déposer (qqch.) dans un entrepôt. **2.** Placer en pôt, laisser en garde. 🕮 1542 ; formé de *entre* et *poser* ; [ɑ̃tʀəpoze].

**ENTREPOSEUR, EUSE, subst.**
Personne qui vend en gros des produits dont tat a le monopole. **2.** Personne responsable d'un trepôt. 🕮 1721 ; ☞ *entreposer* ; [ɑ̃tʀəpozœʀ, øz].

**ENTREPOSITAIRE, subst.**
rsonne, entreprise qui conserve des marchandises ns un entrepôt. 🕮 1814 ; ☞ *entreposer*, d'apr. *ositaire* ; [ɑ̃tʀəpozitɛʀ].

**ENTREPÔT, subst. m.**
timent servant au stockage provisoire de marandises ; par ext., ville, port où sont entreposées s marchandises en transit. 🕮 1690 (1497, dépôt visoire) ; ☞ *entreposer*, d'apr. *dépôt* ; [ɑ̃tʀəpo].

**ENTREPRENANT, ANTE, adj.**
Qui fait preuve de dynamisme et d'audace dans qu'il entreprend. **2.** Qui se montre audacieux en atière de séduction ; d'une galanterie excessive. XIVe s. ; p. pr. de *entreprendre* ; [ɑ̃tʀəpʀənɑ̃, ɑ̃t].

**ENTREPRENDRE, verbe trans.** [52]
Commencer à faire (qqch.) : ***Entreprendre** une marche, un voyage* ; empl. abs. : *Dans la vie, il faut treprendre.* ► Empl. trans. indir. **Entreprendre de** inf.). Se disposer à, tenter de : ***Entreprendre** de arer un appareil.* **2. *Entreprendre** qqn sur qqch.* : mmencer à l'entretenir d'un sujet ; ***Entreprendre** n* : tenter de le convaincre ou de le séduire. XIIe s. ; formé de *entre* et de *prendre* ; [ɑ̃tʀəpʀɑ̃dʀ].

**ENTREPRENEUR, EUSE, subst.**
Personne qui dirige une entreprise, en partic. de nstruction. **2.** *Dr.* Personne qui s'engage par ntrat à effectuer certains travaux. 🕮 1611 (XIIIe s., ui qui entreprend une action) ; ☞ *entreprendre* ; əpʀənœʀ, øz].

**ENTREPRISE, subst. f.**
Action d'entreprendre, de mettre à exécution un jet : *Mener à bien ses **entreprises** ; Une **entreprise** able.* **2.** Organisme industriel ou commercial oduisant des biens ou des services : ***Entreprise** de vaux publics, de gardiennage.* **3.** *Dr.* Contrat ***ntreprise*** : par lequel un entrepreneur s'engage fournir des services ou des matériaux sous des nditions définies. 🕮 Fin XIVe s. (déb. XIIIe s., défaut) ; p. de *entreprendre* ; [ɑ̃tʀəpʀiz].

**ENTRER, verbe intrans.** [3]
**1.** Passer du dehors au dedans, à l'intérieur d'un u : ***Entrer** dans un magasin* ; empl. abs. : *Défense ntrer.* **2.** Pénétrer (dans un nouvel espace), en nchir les limites : *Les alliés **entrèrent** dans Berlin.* Empl. trans. Introduire : ***Entrer** la clé dans la rure* ; au fig. : *Je ne peux pas m'**entrer** cette idée ns la tête.* **3.** S'engager (dans un lieu) : *Le train tre en gare.* **II. 1.** Faire partie de (un ensemble) : *tain **entre** dans la composition du bronze ; Cette vre n'**entre** dans aucune catégorie.* **2.** Être contenu ans un espace) : *Le piano n'**entre** pas dans cette ce.* **3.** Contribuer à : *Sa compétence **entre** pour aucoup dans la réussite du projet.* **III.** Accéder (à e situation) ; s'engager (dans une profession) : ***trer** dans les ordres.* ► ***Entrer** à l'université* : y être mis, en devenir membre. **IV. 1.** Commencer à e (dans un état) : ***Entrer** en guerre ; L'eau **entre** ébullition.* ► ***Entrer** en scène* : commencer à jouer, parlant d'un artiste ou, au fig., commencer à tervenir dans une affaire. **2.** Être au début de : ***trer** dans l'hiver ; **Entrer** dans l'âge adulte.* 🕮 Xe s. ; *intrare* ; [ɑ̃tʀe].

**ENTRE-RAIL, subst. m.**
*. de fer.* Espace entre les rails d'une voie ferrée. 1874 ; comp. de *entre* et de *rail* ; plur. *entre-rails*, var. *rerail* ; [ɑ̃tʀəʀaj].

**ENTREREGARDER (S'), verbe pronom.** [3]
regarder mutuellement (rare ou littér.). 🕮 Fin s. ; formé de *entre* et de *regarder* ; var. *s'entre-arder* ; [ɑ̃tʀəʀ(ə)gaʀde].

**ENTRESOL, subst. m.**
iveau d'un bâtiment compris entre le rez-de-aussée et le premier étage. 🕮 1603 ; esp. *entre-elo*, de *suelo*, « plancher ; étage » ; [ɑ̃tʀəsɔl].

**ENTRETAILLER (S'), verbe pronom.** [3]
*tér.* En parlant d'un cheval, se couper au niveau s jambes à force de les heurter l'une contre l'autre en marchant. 🕮 Fin XIe s. ; formé de *entre* et de *tailler* ; [ɑ̃tʀətaje].

**ENTRE-TEMPS, adv. et subst. m. inv.**
Adv. Dans cet intervalle de temps, pendant ce temps. Subst. Intervalle entre deux moments : *Il est venu dans l'**entre-temps**.* 🕮 1155 ; altér. de l'anc. fr. *entretant*, de *entre* et de *tant*, d'apr. *temps* ; [ɑ̃tʀətɑ̃].

**ENTRETENIR, verbe trans.** [22]
**I. 1.** Maintenir dans le même état ; prendre soin de : ***Entretenir** son équipement, un jardin* ; ***Entretenir** un feu*, l'alimenter. **2.** Subvenir aux besoins de (qqn). **3.** Fig. Veiller à ce que dure (une situation, une relation) : ***Entretenir** une amitié*, la cultiver ; ***Entretenir** une correspondance*, échanger des lettres avec qqn ; ***Entretenir** qqn dans l'erreur*, l'y maintenir. Pronom. **1.** Se maintenir en bonne forme physique ou intellectuelle. **2.** Pourvoir à ses propres besoins ; au fig, se nourrir de : *S'**entretenir** d'illusions.* **II.** ***Entretenir** qqn de qqch.* : lui en parler ; empl. pronom. : *Nous nous **entretînmes** longuement de nos projets.* 🕮 Fin XIVe s. (1155, se soutenir mutuellement) ; formé de *entre* et de *tenir* ; [ɑ̃tʀət(ə)niʀ].

**ENTRETENU, UE, adj.**
**1.** Maintenu dans le même état. ► *Phys. Mouvement oscillatoire **entretenu*** : dont l'amplitude est maintenue constante. **2.** Qui reçoit de l'argent pour vivre (souv. péj.). **3. Bien, mal entretenu.** Dont on prend soin ou non : *Une maison bien **entretenue**.* 🕮 XVIe s. ; p. p. de *entretenir* ; [ɑ̃tʀət(ə)ny].

**ENTRETIEN, subst. m.**
**1.** Conversation ; entrevue : *Des **entretiens** diplomatiques.* **2.** Action de maintenir qqch. en bon état : *L'**entretien** d'une chaudière ; Contrat d'**entretien**.* **3.** Fait de subvenir aux besoins d'une personne, d'une collectivité, etc. ; par méton., ce qui est nécessaire pour y pourvoir. 🕮 1481 (mil. XVe s., interlocuteur) ; ☞ *entretenir* ; [ɑ̃tʀətjɛ̃].

**ENTRETOISE, subst. f.**
*Techn.* Pièce de bois ou de métal servant à maintenir un écartement fixe entre deux éléments. 🕮 Fin XIIIe s. ; formé de *entre* et de *toise* (vx), « latte » ; [ɑ̃tʀətwaz].

**ENTRETOISER, verbe trans.** [3]
Maintenir l'écartement de (deux pièces) à l'aide d'entretoises. 🕮 1399 ; ☞ *entretoise* ; [ɑ̃tʀətwaze].

**ENTRETUER (S'), verbe pronom.** [3]
Se tuer mutuellement. 🕮 Déb. XIIIe s. ; formé de *entre* et de *tuer* ; var. *s'entre-tuer* ; [ɑ̃tʀətɥe].

**ENTREVOIE, subst. f.**
*Ch. de fer.* Espace entre deux voies. 🕮 1837 ; formé de *entre* et de *voie* ; var. *entre-voie* (plur. *entre-voies*) ; [ɑ̃tʀəvwa].

**ENTREVOIR, verbe trans.** [36]
**1.** Voir imparfaitement, de manière trop rapide ou pas assez précise : ***Entrevoir** qqn dans l'obscurité.* **2.** Fig. Percevoir, comprendre à demi ; pressentir : ***Entrevoir** une solution, un drame.* 🕮 XIIIe s. (fin XIe s., se voir l'un l'autre) ; formé de *entre* et de *voir* ; [ɑ̃tʀəvwaʀ].

**ENTREVOUS, subst. m.**
*Constr.* Espace situé entre deux solives d'un plancher, entre deux poteaux d'une cloison ; par ext., le matériau servant à combler cet espace. 🕮 1588 ; formé de *entre* et de *vous* (vx), « voûté » ; [ɑ̃tʀəvu].

**ENTREVUE, subst. f.**
Rencontre concertée entre deux personnes ou plus. 🕮 1498 ; p. p. de *entrevoir* ; [ɑ̃tʀəvy].

**ENTRISME, subst. m.**
*Pol.* Infiltration systématique d'une organisation, pour en modifier l'orientation. 🕮 V. 1970 ; ☞ *entrer* ; [ɑ̃tʀism].

**ENTROPIE, subst. f.**
**1.** *Phys.* En thermodynamique, grandeur d'état caractérisant l'état de désordre relatif introduit dans un système lors d'une transformation réversible ou irréversible. *L'**entropie** se mesure en joules par kelvin (J/K).* **2.** Ext. *Informat.* Grandeur qui mesure l'incertitude d'un message à partir de celle du message qui le précède. 🕮 1877 ; all. *Entropie*, du gr. *entropê*, « action de se retourner » ; [ɑ̃tʀɔpi].

**ENTROPION, subst. m.**
*Pathol.* Renversement anormal des paupières vers l'intérieur (anton. *ectropion*). 🕮 1792 ; formé de *en-* et de *-trope* ; [ɑ̃tʀɔpjɔ̃].

**ENTROQUE, subst. m.**
*Paléont.* Nom donné aux pièces calcitiques provenant de la dissociation des squelettes d'échinodermes (oursins, crinoïdes). 🕮 1755 ; lat. sc. *entrochus*, du gr. *en*, « dans », et *trokhos*, « disque » ; [ɑ̃tʀɔk].

**ENTROUVERT, ERTE, adj.**
Qui est peu ouvert, ouvert à demi. 🕮 Mil. XIIe s. ; p. p. de *entrouvrir* ; [ɑ̃tʀuvɛʀ, ɛʀt].

**ENTROUVRIR, verbe trans.** [27]
Ouvrir à demi, un peu : ***Entrouvrir** une porte, les yeux.* Pronom. **1.** S'ouvrir à demi, un peu. **2.** S'ouvrir en s'écartant (littér.) : *Et, pour sauver les Hébreux, la mer s'**entrouvrit**.* 🕮 Mil. XIIe s. ; formé de *entre* et de *ouvrir* ; [ɑ̃tʀuvʀiʀ].

**ENTUBER, verbe trans.** [3]
Pop. Tromper ; escroquer : *Se faire **entuber**.* 🕮 1901 ; ☞ *tube* + *en-*[1] ; [ɑ̃tybe].

**ENTURBANNÉ, ÉE, adj.**
Coiffé d'un turban. 🕮 1648 ; ☞ *turban* + *en-*[1] ; [ɑ̃tyʀbane].

**ENTURE, subst. f.**
*Techn.* Assemblage de deux pièces de bois mises bout à bout. 🕮 1723 (fin XIVe s., entaille) ; ☞ *enter* ; [ɑ̃tyʀ].

**ÉNUCLÉATION, subst. f.**
*Chir.* **1.** Expulsion d'une tumeur encapsulée, par incision et pression sur les bords. **2.** Ablation du globe oculaire. 🕮 1824 (mil. XVe s., action d'expliquer) ; lat. *enucleare*, « enlever le noyau de » ; [enykleasjɔ̃].

**ÉNUCLÉER, verbe trans.** [7]
Procéder à l'énucléation de. 🕮 1835 ; lat. *enucleare* ; [enyklee].

**ÉNUMÉRATIF, IVE, adj.**
Qui énumère ; qui contient une énumération : *Liste **énumérative**.* 🕮 1651 ; ☞ *énumérer* ; [enymeʀatif, iv].

**ÉNUMÉRATION, subst. f.**
Action d'énumérer ; liste de ce qui est énuméré. 🕮 1488 ; ☞ *énumérer* ; [enymeʀasjɔ̃].

**ÉNUMÉRER, verbe trans.** [8]
Énoncer un à un (les éléments d'un tout). 🕮 1505 ; lat. *enumerare*, de *numerus*, « nombre » ; [enymeʀe].

**ÉNURÉSIE, subst. f.**
*Pathol.* Incontinence d'urine. 🕮 1803 ; gr. *enourein*, « uriner dans » ; [enyʀezi].

**ÉNURÉTIQUE, adj. et subst.**
Se dit d'une personne qui est atteinte d'énurésie. 🕮 V. 1960 ; ☞ *énurésie* ; [enyʀetik].

**ENVAHIR, verbe trans.** [19]
**1.** Pénétrer dans (une région, un pays) et l'occuper par la force. **2.** Anal. Se répandre dans ; remplir ; recouvrir : *Les manifestants **envahirent** l'avenue ; Le chiendent **envahit** le jardin.* **3.** Fig. Gagner, dominer : *La peur l'**envahit*** ; accaparer : *Il se laisse **envahir** par son activité professionnelle.* 🕮 Fin XIe s. ; lat. pop. °*invadire*, du lat. *invadere* ; [ɑ̃vaiʀ].

**ENVAHISSANT, ANTE, adj.**
Qui envahit : *Un ami, du lierre, un sentiment **envahissant**.* 🕮 Mil. XVIIIe s. ; p. pr. de *envahir* ; [ɑ̃vaisɑ̃, ɑ̃t].

**ENVAHISSEMENT, subst. m.**
Action d'envahir ; son résultat. 🕮 1560 (fin XIIe s., attaque) ; ☞ *envahir* ; [ɑ̃vaismɑ̃].

**ENVAHISSEUR, subst. m.**
Celui qui envahit un territoire étranger ; en partic., l'armée de l'État qui envahit. 🕮 1787 (1389, celui qui attaque) ; ☞ *envahir* ; [ɑ̃vaisœʀ].

**ENVASEMENT, subst. m.**
Action d'envaser ou de s'envaser ; état de ce qui est envasé. 🕮 1792 ; ☞ *envaser* ; [ɑ̃vazmɑ̃].

**ENVASER, verbe trans.** [3]
Remplir de vase : ***Envaser** un chenal, un port.* Pronom. **1.** S'enfoncer dans la vase. **2.** Se remplir de vase : *Les douves s'**envasent**.* 🕮 Déb. XVIIe s. ; ☞ *vase* (II) + *en-*[1] ; [ɑ̃vaze].

**ENVELOPPANT, ANTE, adj.**
**1.** Qui enveloppe : *Manœuvre **enveloppante**.* **2.** Fig. Qui charme : *Un regard **enveloppant**.* 🕮 1771 ; p. pr. de *envelopper* ; [ɑ̃v(ə)lɔpɑ̃, ɑ̃t].

**ENVELOPPE, subst. f.**
**1.** Ce qui sert à envelopper : ***Enveloppe** en papier.* **2.** Pochette de papier destinée à contenir des documents en vue de leur acheminement : ***Enveloppe** timbrée.* **3.** Méton. Somme d'argent ; par ext., pot-de-vin. **4.** Fig. Partie externe de qqch. ► *L'**enveloppe** charnelle* : le corps en tant qu'il enveloppe l'âme (littér.). **5.** *Spéc.* ► *Fin.* Montant global d'un budget. ► *Géom. **Enveloppe** d'une famille de courbes (ou de surfaces)* : courbe (ou surface), si elle existe, tangente en chacun de ses points à l'une des courbes (ou surfaces) de la famille et telle que, réciproquement, chaque courbe (ou surface) de la famille lui est tangente. 🕮 1292 ; ☞ *envelopper* ; [ɑ̃v(ə)lɔp].

**ENVELOPPEMENT,** subst. m.
**1.** Action d'envelopper ; état de ce qui est enveloppé. **2.** *Méd.* Application d'un linge humide sur une partie du corps. **3.** *Milit.* Manœuvre d'encerclement. ☒ Déb. XIII^e s. ; ☞ *envelopper* ; [ɑ̃v(ə)lɔpmɑ̃].

**ENVELOPPER,** verbe trans. [3]
**1.** Entourer en recouvrant (qqch., qqn) : ***Envelopper** des verres dans du papier de soie* ; ***Envelopper** un enfant dans un drap de bain.* **2.** Anal. Environner, baigner : *Le brouillard **enveloppait** le village.* **3.** Fig. ▸ Dissimuler : ***Envelopper** une critique dans des flatteries.* ▸ Entourer : ***Envelopper** qqn de ses attentions.* **4.** *Milit.* Encercler. ☒ 980 ; anc. fr. *voloper* + *en-*¹ ; [ɑ̃v(ə)lɔpe].

**ENVENIMEMENT,** subst. m.
Action d'envenimer ; fait de s'envenimer. ☒ XIII^e s. ; ☞ *envenimer* ; [ɑ̃v(ə)nimmɑ̃].

**ENVENIMER,** verbe trans. [3]
**1.** Vx. Imprégner de venin. **2.** Infecter (une plaie). **3.** Fig. Détériorer, rendre plus violent, plus pénible (une relation, une discussion, etc.). **Pronom.** S'infecter ; au fig. : *Nos rapports **s'envenimaient** de jour en jour.* ☒ XII^e s. ; *venim* (vx), « venin », + *en-*¹ ; [ɑ̃v(ə)nime].

**ENVERGUER,** verbe trans. [3]
*Mar.* Fixer (une voile, un pavillon) à une vergue. ☒ 1643 ; ☞ *vergue* + *en-*¹ ; [ɑ̃vɛʀge].

**ENVERGURE,** subst. f.
**1.** *Mar.* État d'une voile enverguée ; par ext., largeur d'une voile déployée. **2.** Anal. Distance séparant les extrémités des ailes déployées d'un oiseau ; par ext. : *L'**envergure** d'un avion.* **3.** Fig. Importance, ampleur : *Des réformes d'**envergure*** ; ***Envergure** d'esprit,* puissance intellectuelle. ☒ 1678 ; ☞ *enverguer* ; [ɑ̃vɛʀgyʀ].

**ENVERS (I),** prép.
**1.** Vx. En face de. ▸ Loc. ***Envers** et contre tous (tout)* : en dépit de l'opposition de tous (tout). **2.** À l'égard de, à l'endroit de : *Être bien, mal disposé **envers** qqn.* ☒ Fin X^e s. ; formé de *en* (I) et de *vers* (I) ; [ɑ̃vɛʀ].

**ENVERS (II),** subst. m.
**1.** Dans un objet à deux faces, côté opposé à celui qui s'offre à la vue : *J'ai vu l'endroit, montrez-moi l'**envers*** ; *L'**envers** d'un tableau,* son dos. **2.** Fig. Aspect caché d'une réalité : *L'**envers** du décor.* **3.** Loc. À l'**envers**. ▸ Du mauvais côté : *Mettre un pull à l'**envers**.* ▸ Dans un ordre inhabituel ; en désordre : *Il a tout rangé à l'**envers**.* ▸ Dans un sens opposé à celui qu'on attend ; à rebours : *Parler verlan, c'est mettre les syllabes à l'**envers*** ; au fig. : *C'est le monde à l'**envers** !* ☒ Fin XII^e s. ; anc. fr. *envers*, « à la renverse, sur le dos », du lat. *inversus*, « renversé » ; [ɑ̃vɛʀ].

**ENVI (À L'),** loc. adv.
À qui mieux mieux, en renchérissant sur autrui (littér.) : *Ils s'insultaient tous **à l'envi**.* ☒ 1543 ; anc. fr. *envi*, « défi au jeu » ; [alɑ̃vi].

**ENVIABLE,** adj.
Digne d'envie. ☒ Fin XIV^e s. ; ☞ *envier* ; [ɑ̃vjabl].

**ENVIDER,** verbe trans. [3]
*Text.* Enrouler (un fil) sur une bobine, un fuseau (anton. *dévider*). ☒ 1763 ; ☞ *dévider* + *en-*¹ ; [ɑ̃vide].

**ENVIE,** subst. f.
**1.** Sentiment de jalousie haineuse, inspiré par le sort, le bien d'autrui ; l'un des sept péchés capitaux : *Être dévoré par l'**envie**.* **2.** Sentiment de désir pour ce que possèdent les autres : *Il a toujours **envie** des jouets de sa sœur.* **3.** Besoin plus ou moins intense ; souhait : *Avoir **envie** de dormir* ; *Une **envie** de voyager* ; *L'**envie** d'une nouvelle voiture.* **4.** *Pathol.* Chez le nouveau-né, tache de naissance (angiome plan), qu'on croyait résulter d'une **envie** de la mère enceinte ; au plur., petites peaux qui se détachent du bord des ongles. ☒ 1155 (fin X^e s., haine) ; lat. *invidia* ; [ɑ̃vi].

**ENVIER,** verbe trans. [6]
**1.** Nourrir un sentiment de jalousie pour le sort de (qqn) ; convoiter les biens de (qqn) : ***Envier** ses voisins.* **2.** Souhaiter être (ce que l'on n'est pas) : *J'**envie** ceux qui chantent juste* ; *J'**envie** votre enthousiasme.* ▸ Loc. *N'avoir rien à **envier** à* : n'être en rien inférieur à. ☒ Mil. XIII^e s. ; ☞ *envie* ; [ɑ̃vje].

**ENVIEUX, EUSE,** adj. et subst.
**Adj. 1.** Qui est dominé par l'envie : *Un caractère **envieux**.* **2.** Qui exprime l'envie : *Un soupir, un regard **envieux**.* **Subst.** Personne qui ressent de l'envie. ▸ Loc. *Faire des **envieux*** : susciter de la jalousie. ☒ XII^e s. ; ☞ *envie* ; [ɑ̃vjø, øz].

**ENVINÉ, ÉE,** adj.
Imprégné de l'odeur du vin : *Fût **enviné**.* ☒ 1701 (déb. XVI^e s., où il y a du vin) ; ☞ *vin* + *en-*¹ ; [ɑ̃vine].

**ENVIRON,** prép., adv. et subst. m. plur.
**Prép.** Vx. Aux alentours de : ***Environ** cette date.* **Adv.** À peu près : *Il y a une heure **environ*** ; *Ça fera **environ** cent francs.* **Subst.** Ce qu'il y a autour d'un lieu : *Visiter les **environs*** ; *Être dans les **environs**,* ne pas être loin ; *Aux **environs** de,* dans le voisinage de. ☒ Fin X^e s. ; anc. fr. *viron*, « rond », + *en-*¹ ; [ɑ̃viʀɔ̃].

**ENVIRONNANT, ANTE,** adj.
Qui environne ; qui est dans les environs. ☒ 1787 ; p. pr. de *environner* ; [ɑ̃viʀɔnɑ̃, ɑ̃t].

**ENVIRONNEMENT,** subst. m.
**1.** Ce qui est autour, voisinage, contexte. **2.** Ensemble des conditions physico-chimiques, biologiques et, pour l'homme, sociologiques dans lesquelles se développe un être vivant : ***Environnement** naturel, culturel, familial* ; *La défense de l'**environnement**,* sa protection. **3.** *Informat.* Ensemble des ressources matérielles et logicielles nécessaires au fonctionnement d'un programme sur un ordinateur donné. ☒ Mil. XIII^e s. ; ☞ *environner* ; [ɑ̃viʀɔnmɑ̃].

**ENVIRONNEMENTAL, ALE, AUX,** adj.
Qui concerne l'environnement : *Plan **environnemental**.* ☒ V. 1970 ; ☞ *environnement* ; [ɑ̃viʀɔnmɑ̃tal, o].

**ENVIRONNEMENTALISTE,** adj. et subst.
**Adj.** Relatif à l'environnement. **Subst.** Personne qui étudie l'environnement. ☒ V. 1970 ; ☞ *environnement* ; [ɑ̃viʀɔnmɑ̃talist].

**ENVIRONNER,** verbe trans. [3]
**1.** Entourer ; être situé autour de : *Les banlieues qui **environnent** la ville* ; au fig. : ***Être environné** d'affection* ; empl. pronom. : ***S'environner** d'amis fidèles.* **2.** Cerner : *Mille périls nous **environnent**.* ☒ Fin XII^e s. ; ☞ *environ* ; [ɑ̃viʀɔne].

**ENVISAGEABLE,** adj.
Qui peut être envisagé ; convenable, possible. ☒ 1845 ; ☞ *envisager* ; [ɑ̃vizaʒabl].

**ENVISAGER,** verbe trans. [5]
**1.** Vx. Fixer le visage de (qqn). **2.** Considérer ; examiner : ***Envisager** une hypothèse* ; ***Envisager** une solution,* la prendre en compte. **3.** Prévoir ; projeter : *Nous **envisageons** de déménager.* ☒ 1560 ; ☞ *visage* + *en-*¹ ; [ɑ̃vizaʒe].

**ENVOI,** subst. m.
**1.** Action d'envoyer : *L'**envoi** d'une lettre, de renforts* ; par méton., ce qui est envoyé : *J'attends votre **envoi**.* **2.** *Dr.* ***Envoi** en possession* : autorisation donnée aux légataires de prendre possession des biens du défunt ou de l'absent. **3.** *Litt.* ▸ Strophe de quatre vers terminant un poème et constituant un hommage : *À la fin de l'**envoi**, je touche* (E. Rostand). ▸ Hommage manuscrit d'un auteur. **4.** *Milit.* Action de hisser le drapeau : ***Envoi** des couleurs.* **5.** *Sp.* *Coup d'**envoi*** : première frappe donnée au ballon, ouvrant la partie ; au fig. : *Donner le coup d'**envoi** d'une opération,* la déclencher. ☒ Mil. XII^e s. ; ☞ *envoyer* ; [ɑ̃vwa].

**ENVOILER (S'),** verbe pronom. [3]
*Métall.* Se voiler, se courber, en parlant d'une pièce de fer, d'acier, au moment de la trempe. ☒ 1676 ; ☞ *voile* + *en-*¹ ; [ɑ̃vwale].

**ENVOL,** subst. m.
**1.** Action de s'envoler, de prendre son vol : *L'**envol** d'un oiseau* ; par anal., décollage d'un avion. **2.** Fig. Action de s'élever ; essor : *L'**envol** de l'imagination* ; *L'**envol** des prix,* leur brutale augmentation. ☒ 1873 ; ☞ *s'envoler* ; [ɑ̃vɔl].

**ENVOLÉE,** subst. f.
**1.** Action de s'envoler ; le vol lui-même (vieilli) : *Une **envolée** de moineaux* ; par anal. : *Une **envolée** de ballons* ; *L'**envolée** d'un coureur,* son échappée. **2.** Fig. ▸ Élévation de l'inspiration, du ton dans un discours, un texte : *Une **envolée** lyrique.* ▸ *L'**envolée** d'une monnaie* : l'augmentation brutale de sa valeur. ☒ 1856 ; ☞ *s'envoler* ; [ɑ̃vɔle].

**ENVOLER (S'),** verbe pronom. [3]
**1.** Prendre son vol ; partir en volant : *Le chat fit **s'envoler** les étourneaux.* **2.** Anal. Décoller : *Notre avion **s'envole** dans une heure* ; par méton. : *Nous **nous envolons** demain.* **3.** Ext. S'élever dans les airs : *Les feuilles **s'envolent** dans la cour.* **4.** Fig. ▸ S'évader : *Le prisonnier **s'est envolé**.* ▸ Disparaître, s'évanouir : *Ses économies **se sont envolées*** ; *Notre jeunesse **s'est envolée**,* s'est écoulée. ☒ Mil. XIII^e s. (XII^e s., s'échapper) ; ☞ *voler* (I) + *en-*¹ ; [ɑ̃vɔle].

**ENVOÛTANT, ANTE,** adj.
Qui envoûte, charme, captive : *Un parfum **envoûtant**.* ☒ V. 1940 ; p. pr. de *envoûter* ; [ɑ̃vutɑ̃, ɑ̃t].

**ENVOÛTEMENT,** subst. m.
Action d'envoûter ; son résultat. ☒ XIII^e s. ; ☞ *envoûter* ; [ɑ̃vutmɑ̃].

**ENVOÛTER,** verbe trans. [3]
**1.** Faire subir des manipulations à la représentation symbolique de (qqn), par ex. une figurine de cire, afin d'agir, en gén. de façon nocive, sur la personne réelle. **2.** Fig. Fasciner, subjuguer : *Ce spectacle m'a **envoûté**.* ☒ Déb. XIII^e s. ; anc. fr. *vout*, du lat. *vultus*, « visage », + *en-*¹ ; [ɑ̃vute].

**ENVOÛTEUR, EUSE,** subst.
Personne qui pratique l'envoûtement. ☒ 1847 ; ☞ *envoûter* ; [ɑ̃vutœʀ, øz].

**ENVOYÉ, ÉE,** subst.
**1.** Personne envoyée en mission : *L'**envoyé** du gouvernement* ; au fig. : *Un **envoyé** du ciel,* qqn dont l'arrivée est providentielle. **2.** *Journ.* ***Envoyé** spécial* : journaliste que l'on envoie couvrir un évènement précis. ☒ 1867 ; p. p. de *envoyer* ; [ɑ̃vwaje].

**ENVOYER,** verbe trans. [18]
**1.** Faire aller (qqn) quelque part : ***Envoyer** ses enfants au lit* ; *Il m'a **envoyé** te chercher.* **2.** Lancer (qqch.) : ***Envoyer** une balle* ; par ext. : ***Envoyer** un coup de pied,* le donner. **3.** Faire parvenir (qqch.) à qqn ; expédier : ***Envoyer** un pli* ; ***Envoyer** des secours* ; en partic., transmettre : *Des signaux **envoyés** par satellite.* **4.** Loc. fam. ***Envoyer** qqn promener* : le repousser violemment ; ***Envoyer** qqn au tapis* : le vaincre ; *Un mot bien **envoyé*** : qui touche juste. **5.** *Milit.* ***Envoyer** les couleurs* : hisser le drapeau. **Pronom.** Fam. Prendre pour soi (empl. critiqué) : ***S'envoyer** tout le travail,* le faire soi-même. ▸ Loc. ***S'envoyer** un verre* : le boire ; ***S'envoyer** en l'air* : faire l'amour. ☒ Fin X^e s. ; bas lat. *inviare*, « marcher sur, parvenir » ; [ɑ̃vwaje].

**ENVOYEUR, EUSE,** subst.
Personne qui fait un envoi ; expéditeur : *Retour à l'**envoyeur**.* ☒ XIII^e s. ; ☞ *envoyer* ; [ɑ̃vwajœʀ, øz].

**ENZOOTIE,** subst. f.
*Vétér.* Maladie épidémique qui frappe une ou plusieurs espèces d'animaux d'une zone donnée. ☒ 1832 ; ☞ *épizootie* + *en-*¹ ; [ɑ̃zɔɔti].

**ENZYME,** subst. f. ou m.
*Biochim.* Molécule protéique intra ou extracellulaire douée de propriétés catalytiques spécifiques, jadis appelée ferment, puis diastase. Une **enzyme** donnée ne catalyse qu'un seul type de réaction chimique, soit dégradative, soit d'association. ☒ 1877 ; all. *Enzym*, du gr. *zumê*, « levain » ; [ɑ̃zim].

**ENZYMOLOGIE,** subst. f.
Étude des enzymes. ☒ 1890 ; ☞ *enzyme* + *-logie* ; [ɑ̃zimɔlɔʒi].

**ÉOCÈNE,** subst. m. et adj.
*Géol.* Se dit de la période du Paléogène commencée il y a 53 millions d'années et qui a duré 19 millions d'années. **Adj.** Relatif à cette période : *Terrain **éocène**.* ☒ 1843 ; angl. *eocene*, du gr. *êôs*, « aurore », et *kainos*, « nouveau » ; [eɔsɛn].

**ÉOLIEN, IENNE,** adj. et subst. f.
**Adj. 1.** Du vent : *Force **éolienne*** ; en partic., mû par le vent : *Moteur **éolien**.* **2.** *Mus.* *Harpe **éolienne*** : instrument dont les cordes tendues vibrent dans le vent. **3.** *Géol.* *Formation **éolienne*** : terrain formé par des dépôts dus au vent (dune, par ex.). **Subst.** Machine composée d'une roue à pales montée sur un pylône, utilisée pour transformer l'énergie du vent en force motrice et, souvent de nos jours, en énergie électrique. ☒ 1615 ; *Éole*, dieu des Vents ; [eɔljɛ̃, jɛn].

**ÉOLITHE,** subst. m.
*Géol.* Pierre façonnée par des agents naturels (eau, vent, etc.) que l'on croyait jadis, en raison de sa régularité, avoir été taillée par l'homme. ☒ 190[illegible] ; gr. *êôs*, « aurore », et *lithos*, « pierre » ; [eɔlit].

**ÉON,** subst. m.
*Philos.* Pour certains néoplatoniciens et pour les gnostiques, puissance spirituelle émanant de l'Être suprême et par laquelle il agit sur le monde. ☒ 173[illegible] ; lat. chrét. *aeon*, du gr. *aiôn*, « vie ; éternité » ; [eɔ̃].

**ÉOSINE,** subst. f.
*Chim.* Colorant rouge, dérivé de la fluorescéine, utilisé en histologie et dans les industries textile, alimentaire et pharmaceutique. ☒ 1877 ; all. *Eosin*, du gr. *êôs*, « aurore », par allus. à la couleur du produit ; [eozin].

**ÉOSINOPHILE,** adj. et subst. m.
*l.* Se dit d'un élément biologique ou d'une ;paration qui fixe électivement l'éosine, tels :tains leucocytes. 1897 ; ☞ *éosine* + *-phile* ; zinɔfil].

**ÉPACTE,** subst. f.
*tron.* Nombre de jours écoulés entre la nouvelle ne du mois de décembre précédent et le 1^er^ janvier chaque année, indiquant l'âge de la Lune et lisé pour fixer la date des fêtes mobiles. 1119 ; lat. *epactae*, du gr. *epaktai hêmerai*, « jours ajoutés » ; akt].

**ÉPAGNEUL, EULE,** subst.
iien de chasse au poil long et aux oreilles ndantes. XIV^e^ s. ; esp. *español*, « (chien) d'Espagne » ; [epaɲœl].

**ÉPAIR,** subst. m.
*pet.* Aspect de la texture du papier observé par ınsparence. 1864 ; orig. inc. ; [epɛʀ].

**ÉPAIS, ÉPAISSE,** adj.
Dont la dimension en épaisseur est importante : *e cloison, une couverture **épaisse** ; Une peau **épaisse** nme du cuir.* **2.** D'un aspect massif : *Des membres **ais** ; Des traits **épais**,* grossiers. **3.** Dont les :ments sont nombreux et serrés ; dense, compact : *e **épaisse** chevelure ; Une sauce trop **épaisse**.* **4.** Fig. ıi manque de finesse : *Un esprit **épais**.* Fin XI^e^ s. ; pop. °*spissia*, du lat. *spissus* ; [epɛ, epɛs].

**ÉPAISSEUR,** subst. f.
Troisième dimension d'un solide (par rapport à surface) : *L'**épaisseur** d'un mur, d'un livre.* Qualité de ce qui est épais, de ce qui est dense, mpact : *L'**épaisseur** d'un tissu, d'une forêt* ; par :. : *L'**épaisseur** du brouillard* ; au fig : *L'**épaisseur** ın mystère.* **3.** Méton. Couche de matière ou ›bjets plus ou moins épaisse : *Une **épaisseur** de 'nis, de neige ; Une **épaisseur** de feuilles mortes.* Fig. Profondeur, richesse : *L'**épaisseur** d'une ısée.* 1399 ; ☞ *épais* ; [epɛsœʀ].

**ÉPAISSIR,** verbe [19]
**RANS.** et **PRONOM.** **1.** Devenir plus épais, plus ase : *La crème **a épaissi** ; La brume **s'est** encore **aissie**.* **2.** Grossir : *Il **épaissit** de jour en jour ; Ses its **s'épaississent**,* deviennent de plus en plus ırds. **TRANS.** Accroître l'épaisseur ou la densité de : *aissir une sauce.* Fin XII^e^ s. ; ☞ *épais* ; [epesiʀ].

**ÉPAISSISSANT, ANTE,** adj. et subst. m.
J. Qui épaissit. **SUBST.** *Techn.* Substance qui augnte la densité d'un liquide (peinture, teinture, .). 1878 ; p. pr. de *épaissir* ; [epesisɑ̃, ɑ̃t].

**ÉPAISSISSEMENT,** subst. m.
tion d'épaissir, fait de s'épaissir ; son résultat. 1538 ; ☞ *épaissir* ; [epesismɑ̃].

**ÉPAISSISSEUR,** subst. m.
:hn. Appareil utilisé pour concentrer un corps 'ide en solution dans un liquide. 1923 ; *épaissir* ; [epesisœʀ].

**ÉPAMPRAGE,** subst. m.
tion d'épamprer (synon. *épamprement*). 1845 ; *épamprer* ; [epɑ̃pʀaʒ].

**ÉPAMPRER,** verbe trans. [3]
:ic. Enlever à (une vigne) ses pampres superflus, ur favoriser la production du raisin. Mil. XVI^e^ s. ; *pampre* + *é-*[2] ; [epɑ̃pʀe].

**ÉPANCHEMENT,** subst. m.
Vx. Action de répandre un liquide. **2.** Fig. Fait se confier, de livrer ses sentiments, ses pensées times (littér.). **3.** *Pathol.* Déversement d'un uide organique dans une cavité naturelle **panchement** pleural, de synovie) ou en dehors s vaisseaux qui le contiennent normalement **panchement** de sang). 1605 ; ☞ *épancher* ; ›ɑ̃ʃmɑ̃].

**ÉPANCHER,** verbe trans. [3]
Vx. Répandre (un liquide). **2.** Fig. Exprimer (une ıotion, un sentiment) sans retenue (littér.) ; par t. : *Épancher son cœur.* **PRONOM.** **1.** Vx. Se répan:. **2.** Fig. Donner libre cours à ses sentiments ; confier, s'abandonner. **3.** *Pathol.* Se répandre en hors de son lieu habituel, en parlant d'un liquide ganique. Déb. XIII^e^ s. ; lat. pop. °*expandicare*, du *expandere*, « étendre » ; [epɑ̃ʃe].

**ÉPANDAGE,** subst. m.
*Agric.* Action d'épandre (des engrais). **2.** *Urban.* *amp d'**épandage*** : utilisé pour l'épuration des eaux ées par filtrage dans le sol. **3.** *Géol.* *Plaine **pandage*** : d'étalement des alluvions. 1769 ; *épandre* ; [epɑ̃daʒ].

**ÉPANDEUR,** subst. m.
*Agric.* Machine servant à épandre les engrais. 1930 ; ☞ *épandre* ; [epɑ̃dœʀ].

**ÉPANDRE,** verbe trans. [51]
**1.** Répandre (vx ou littér.). **2.** *Agric.* Étendre (qqch.) sur le sol, en le dispersant : ***Épandre** du fumier.* **PRONOM.** Se répandre, s'étaler, s'étendre (vieilli). Fin XI^e^ s. ; lat. *expandere*, « étendre » ; [epɑ̃dʀ].

**ÉPANNELER,** verbe trans. [12]
*Sculpt.* Dégrossir (un bloc de pierre, de marbre) pan par pan, jusqu'à dégager la forme du sujet. 1755 ; anc. fr. *pennel*, « panneau », + *é-*[2] ; [epanle].

**ÉPANOUI, IE,** adj.
**1.** Éclos, largement ouvert : *Des pivoines **épanouies**.* **2.** Réjoui, qui exprime la joie, la sérénité : *Un sourire **épanoui**.* **3.** Qui a atteint une certaine plénitude : *Des chairs **épanouies*** ; au fig. : *Un homme **épanoui**.* Fin XII^e^ s. ; p. p. de *épanouir* ; [epanwi].

**ÉPANOUIR,** verbe trans. [19]
**1.** Faire éclore (littér.) : *Le soleil ardent **épanouissait** les pavots.* **2.** Donner un air réjoui à : *Le moindre sourire **épanouissait** son visage.* **3.** Développer harmonieusement : *La maternité **a épanoui** son corps.* **PRONOM.** **1.** S'ouvrir, éclore. **2.** Anal. S'évaser ; se déployer : *Le fleuve **s'épanouit** à son delta.* **3.** Atteindre sa plénitude : *Sans amour, nul ne peut **s'épanouir**.* **4.** Se détendre sous l'effet de la joie : *Son visage **s'épanouit**.* Fin XII^e^ s. ; anc. bas frq. °*spannjan*, « étendre » ; [epanwiʀ].

**ÉPANOUISSANT, ANTE,** adj.
Qui épanouit : *Une activité **épanouissante**.* Fin XII^e^ s. ; p. pr. de *épanouir* ; [epanwisɑ̃, ɑ̃t].

**ÉPANOUISSEMENT,** subst. m.
Fait de s'épanouir ; état qui en résulte : *L'**épanouissement** des roses* ; au fig. : *Sa beauté a atteint son **épanouissement**.* Fin XV^e^ s. ; ☞ *épanouir* ; [epanwismɑ̃].

**ÉPAR,** subst. m.
Barre utilisée pour fermer une porte. Fin XII^e^ s. ; germ. *sparro*, « poutre » ; var. *épart* ; [epaʀ].

**ÉPARCHIE,** subst. f.
**1.** *Hist.* Circonscription civile ou religieuse de l'empire romain d'Orient et de la Russie tsariste. **2.** *Relig.* Diocèse, dans les Églises orientales. **3.** Subdivision territoriale d'un nome, dans la Grèce contemporaine. 1853 ; lat. eccl. *eparchia*, du gr. *eparkhia*, « province » ; [epaʀʃi].

**ÉPARGNANT, ANTE,** subst. et adj.
Qualifie ou désigne une personne qui épargne. Mil. XIV^e^ s. ; p. pr. de *épargner* ; [epaʀɲɑ̃, ɑ̃t].

**ÉPARGNE,** subst. f.
**1.** Constitution d'une réserve d'argent par une gestion qui maintient le niveau des dépenses plus bas que celui des recettes : *Avoir le goût de l'**épargne*** ; *L'**épargne** des ménages*, la part de leur revenu qui n'est pas consacrée à la consommation. ▸ *Caisse d'**épargne*** : établissement où les particuliers déposent leurs économies pour les faire fructifier. ▸ ***Épargne**-logement* : système qui favorise l'**épargne** individuelle pour faciliter l'accès à la propriété immobilière. **2.** Méton. Réserve d'argent constituée en épargnant ; en partic., ensemble des sommes placées sur des comptes rémunérés ou investies en capital : *L'accroissement de l'**épargne** française.* **3.** Fig. Modération dans l'utilisation de qqch. : *La nature est d'une **épargne** extraordinaire.* **4.** *Grav.* Partie non taillée, ou protégée de l'attaque de l'acide, délimitant ce que l'on souhaite voir imprimé. **5.** *Techn.* *Bassin d'**épargne*** : bassin où l'eau éclusée est recueillie. 1155 ; ☞ *épargner* ; [epaʀɲ].

**ÉPARGNER,** verbe trans. [3]
**I. 1.** Traiter avec ménagement, indulgence : *Les critiques ne vont pas l'**épargner**.* **2.** Laisser indemne, sauf : *L'incendie **n'a pas épargné** notre maison ; Ils **n'épargnèrent** ni les femmes ni les enfants.* **II. 1.** Employer avec mesure : ***Épargner** son temps, son énergie* ; empl. pronom. : *Dur à la tâche, il **ne s'épargnait** pas.* **2.** Mettre en réserve, accumuler par l'épargne : ***Épargner** son bien, son argent.* **3.** Dispenser de, éviter : ***Épargnez**-moi vos sarcasmes !* Fin XI^e^ s. ; anc. bas frq. °*sparanjan* ; [epaʀɲe].

**ÉPARPILLEMENT,** subst. m.
Action d'éparpiller, fait de s'éparpiller ; état qui en résulte. Fin XIII^e^ s. ; ☞ *éparpiller* ; [epaʀpijmɑ̃].

**ÉPARPILLER,** verbe trans. [3]
**1.** Disperser, répandre au hasard : *Un courant d'air **éparpilla** toutes les feuilles.* **2.** Anal. Distribuer en différents lieux et de façon irrégulière : *En cas de retraite, **éparpillez** vos troupes.* **3.** Fig. ***Éparpiller** son esprit* : le dissiper ; ***Éparpiller** ses efforts* : les répartir de manière inefficace ; ***Éparpiller** son argent* : le dilapider. **PRONOM.** **1.** Se disperser : *Après la manifestation, la foule **s'éparpilla**.* **2.** Papillonner ; passer d'une chose à une autre, sans ordre : *Cet élève est doué mais il **s'éparpille** trop.* Déb. XII^e^ s. ; prob. lat. pop. °*disparpaliare* ; [epaʀpije].

**ÉPARQUE,** subst. m.
*Hist.* **1.** Gouverneur d'une éparchie. **2.** Préfet de Constantinople. XVI^e^ s. ; gr. *eparkhos*, « commandant » ; [epaʀk].

**ÉPARS, ÉPARSE,** adj.
Se dit de choses disposées sans ordre, réparties çà et là : *Des cheveux **épars**.* Mil. XII^e^ s. ; anc. fr. *espardre*, du lat. *spargere*, « disperser » ; [epaʀ, epaʀs].

**ÉPART,** voir **ÉPAR**

**ÉPARVIN,** subst. m.
*Vétér.* Tumeur osseuse du jarret du cheval. XIII^e^ s. ; prob. anc. bas frq. °*sparwun*, « passereau » ; var. *épervin* ; [epaʀvɛ̃].

**ÉPATANT, ANTE,** adj.
Fam. Qui étonne ; formidable : *Une soirée **épatante**.* 1860 ; p. pr. de *épater* ; [epatɑ̃, ɑ̃t].

**ÉPATE,** subst. f.
Action d'épater, d'éblouir (fam.) : *Faire de l'**épate**.* 1846 ; ☞ *épater* ; [epat].

**ÉPATÉ, ÉE,** adj.
**1.** Élargi à la base, comme écrasé : *Nez **épaté**.* **2.** Fig. Ébahi (fam.). 1529 ; p. p. de *épater* ; [epate].

**ÉPATEMENT,** subst. m.
**1.** État de ce qui est épaté : *L'**épatement** d'une colonne.* **2.** Fig. Vif étonnement, stupéfaction (fam.). 1564 ; ☞ *épater* ; [epatmɑ̃].

**ÉPATER,** verbe trans. [3]
**1.** Vx. Casser la patte, le pied de : ***Épater** un verre.* **2.** Ext. Écraser, aplatir en élargissant la base. **3.** Fig. Emplir d'étonnement, impressionner (fam.) : ***Épater** le bourgeois.* XIII^e^ s. ; ☞ *patte* (I) + *é-*[2] ; [epate].

**ÉPAULARD,** subst. m.
*Zool.* Grand cétacé de la famille des Delphinidés, à peau noire tachée de blanc et à haute nageoire dorsale (synon. *orque*). Très vorace, ce prédateur des mers froides s'attaque même aux baleines. 1554 ; prob. crois. de l'anc. fr. *espaart*, de *espee*, « épée », et de *épaule* ; [epolaʀ].

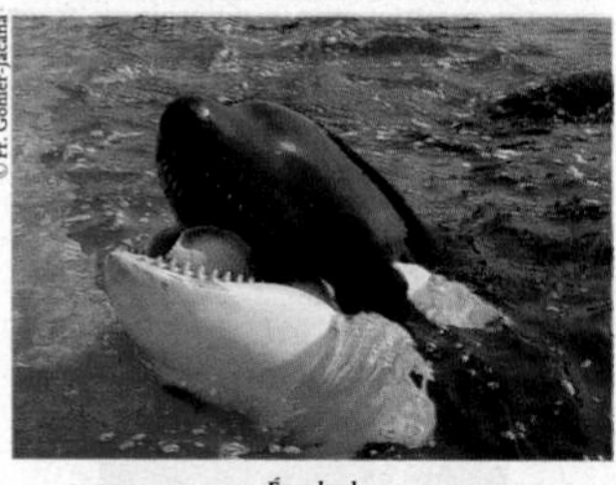



*Épaulard.*

**ÉPAULE,** subst. f.
**1.** *Anat.* Articulation reliant le bras au thorax, comprenant la tête de l'humérus, l'omoplate et la clavicule. ▸ Loc. *Haussement d'**épaules*** : mouvement de dédain ; *Avoir la tête sur les **épaules*** : faire preuve de bon sens ; *Changer son fusil d'**épaule*** : changer de tactique. **2.** Chez les quadrupèdes, partie supérieure du membre antérieur, rattachée au tronc ; par méton., pièce de boucherie qui y correspond : *Une **épaule** d'agneau.* Fin XI^e^ s. ; bas lat. *spathula*, « spatule ; omoplate » ; [epol].

**ÉPAULÉ, ÉE,** subst.
**FÉM.** **1.** Charge portée sur l'épaule. **2.** Poussée exercée avec l'épaule (vx). **MASC.** *Sp.* Mouvement d'haltérophilie qui consiste à porter la barre à la hauteur des épaules. Fin XIV^e^ s. ; ☞ *épaule* ; [epole].

**ÉPAULÉ-JETÉ,** subst. m.
*Sp.* En haltérophilie, mouvement consistant à porter la barre à hauteur des épaules, puis à l'élever à bout de bras. 1939 ; comp. de *épaulé* et de *jeté* ; plur. *épaulés-jetés* ; [epoleʒəte].

**ÉPAULEMENT, subst. m.**
**1.** Ce qui épaule, soutient, étaie. **2.** *Spéc.* ▸ *Chorégr.* Action d'épauler. ▸ *Géol.* Relief en saillie, replat sur le flanc d'une montagne, d'une colline. ▸ *Milit.* Protection de terre contre le feu de l'ennemi, monticule surmontant une tranchée. ▸ *Techn.* Saillie renforçant une pièce ou lui servant d'appui. 1501 ; ☞ *épauler* ; [epolmɑ̃].

**ÉPAULER, verbe** [3]
**Trans. 1.** Aider, appuyer, soutenir : ***Épauler** une demande, un ami.* **2.** Appuyer contre l'épaule : ***Épauler** un fusil.* **3.** *Techn.* Soutenir, renforcer par un épaulement. **Intrans.** *Chorégr.* Projeter une épaule en arrière, tout en avançant l'autre vers le public. Fin XIIe s. ; ☞ *épaule* ; [epole].

**ÉPAULETTE, subst. f.**
**1.** *Milit.* Ornement fixé sur les épaules d'un uniforme, indiquant l'arme et le grade de celui qui le porte ; par ext., symbole du grade d'officier. **2.** *Cout.* ▸ Bretelle d'un vêtement féminin. ▸ Garniture rembourrée cousue sous un vêtement à l'endroit des épaules, pour assurer une bonne tenue de la carrure. 1773 (fin XIIIe s., petite épaule) ; ☞ *épaule* ; [epolɛt].

**ÉPAULIÈRE, subst. f.**
*Arm.* Partie de l'armure qui protégeait la région de l'épaule. 1228 ; ☞ *épaule* ; [epoljɛʀ].

**ÉPAVE, adj. et subst. f.**
**Adj.** Vx. *Animal **épave*** : égaré, dont le propriétaire est inconnu. **Subst. 1.** *Dr.* Objet égaré ou abandonné par son propriétaire. **2.** *Mar.* Navire perdu en mer ; carcasse de navire, coulée ou rejetée sur la côte. ▸ Ext. Véhicule hors d'usage ou irréparable : *Après l'accident, sa voiture n'était plus qu'une **épave**.* **3.** Fig. Personne extrêmement diminuée, tombée dans la déchéance : *L'alcool a fait de lui une **épave**.* 1283 ; lat. *expavidus*, « (animal) épouvanté » ; [epav].

**ÉPEAUTRE, subst. m.**
Variété de blé très rustique, dont la balle adhère au grain. Fin XIe s. ; bas lat. *spelta* ; [epotʀ].

**ÉPÉE, subst. f.**
**1.** Arme blanche faite d'une lame à tranchant simple ou double fichée dans une poignée munie d'une garde ; par méton., personne habile à manier l'épée : *Une fameuse **épée**.* **2.** Loc. ***Noblesse d'épée*** : noblesse acquise par le service des armes (anton. *noblesse de robe*) ; *Roman de cape et d'**épée*** (☞ *cape*) ; *Croiser l'**épée*** : se battre en duel ; *Passer au fil de l'**épée*** (☞ *fil*) ; ***Coup d'épée dans l'eau*** : action inefficace ; ***Épée de Damoclès*** : menace qui plane en permanence. **3.** *Sp.* Une des trois armes utilisées en escrime (avec le fleuret et le sabre). Fin IXe s. ; lat. *spatha*, « large épée » ; [epe].

**ÉPEICHE, subst. f.**
*Zool.* Oiseau grimpeur de la famille des Picidés, au plumage jaune et noir, aussi appelé cul-rouge. XIIe s. ; prob. anc. haut all. °*spëch* ; [epɛʃ].

**ÉPEICHETTE, subst. f.**
*Zool.* Petit pic à plumage noir et blanc, peu répandu en France. 1864 ; ☞ *épeiche* ; [epɛʃɛt].

© Ch. M. Bahr-Jacana

*Épeire diadème.*

**ÉPEIRE, subst. f.**
*Zool.* Grosse araignée très commune dans les jardins, dont l'espèce la plus connue est l'**épeire** diadème. 1845 ; lat. sc. *epeira* ; [epɛʀ].

**ÉPÉISTE, subst.**
Escrimeur à l'épée. V. 1900 ; ☞ *épée* ; [epeism].

**ÉPELER, verbe trans.** [12]
Prononcer une à une les lettres de (un mot). Mil. XIe s. ; anc. bas frq. °*spellôn*, « expliquer » ; [eple].

**ÉPENDYME, subst. m.**
*Anat.* Membrane formée de tissu épithélial qui tapisse le canal central de la moelle épinière et les ventricules cérébraux. 1855 ; gr. *ependuma*, « vêtement de dessus » ; [epɑ̃dim].

**ÉPENTHÈSE, subst. f.**
*Ling.* Apparition, à l'intérieur d'un mot, d'un son nouveau, souvent pour faciliter la prononciation de certaines articulations inhabituelles : *Il y a **épenthèse** du « d » dans « pondre », qui vient du latin « ponere ».* 1607 ; lat. *epenthesis*, du gr. *epenthesis*, « action d'ajouter » ; [epɑ̃tɛz] ou [-pɛ̃-].

**ÉPENTHÉTIQUE, adj.**
*Ling.* Qui résulte d'une épenthèse. 1782 ; ☞ *épenthèse* ; [epɑ̃tetik] ou [-pɛ̃-].

**ÉPÉPINER, verbe trans.** [3]
Débarrasser (un fruit) de ses pépins. 1845 ; ☞ *pépin* (I) + *é-*2 ; [epepine].

**ÉPERDU, UE, adj.**
**1.** Intensément troublé, égaré par une émotion, un sentiment violent : ***Éperdu** de tristesse* ; par méton. : *Un regard **éperdu**.* **2.** Rapide et incontrôlé : *Une fuite **éperdue**.* Déb. XIIe s. ; p. p. de *éperdre* (vx), « perdre ; se troubler » ; [epɛʀdy].

**ÉPERDUMENT, adv.**
De manière éperdue : *Être **éperdument** amoureux.* Déb. XVIe s. ; ☞ *éperdu* ; [epɛʀdymɑ̃].

**ÉPERLAN, subst. m.**
*Zool.* Petit poisson marin à la chair délicate, de la famille des Osméridés, qui fraie en eau douce, mais ne remonte pas au-delà des estuaires. Fin XIIIe s. ; m. néerl. *spierlinc* ; [epɛʀlɑ̃].

**ÉPERON, subst. m.**
**1.** *Équit.* Arceau de métal, prolongé par une pointe ou une molette, fixé au talon du cavalier et servant à aiguillonner le cheval. **2.** *Spéc.* ▸ *Archit.* Construction en saillie soutenant un mur. ▸ *Bot.* Proéminence tubulaire du calice ou de la corolle d'une fleur. ▸ *Géogr.* Saillie rocheuse en contrefort d'une montagne. ▸ *Mar.* Pointe métallique placée jadis à l'avant des navires de guerre, destinée à éventrer les navires ennemis (synon. *rostre*). ▸ *Zool.* Petit appendice situé à l'arrière de la patte, chez le chien, le coq ou certains insectes (synon. *ergot*). Fin XIe s. ; anc. bas frq. °*sporo* ; [epʀɔ̃].

**ÉPERONNER, verbe trans.** [3]
**1.** Vx. Munir d'éperons. **2.** Piquer d'un coup d'éperons dans les flancs. ▸ Fig. Aiguillonner ; inciter vivement à réagir : *La vue du sommet **éperonna** l'alpiniste épuisé.* **3.** *Mar.* Percer la coque de (un navire) au moyen d'un éperon dans une manœuvre d'abordage. Fin XIe s. ; ☞ *éperon* ; [epʀɔne].

**ÉPERVIER, IÈRE, subst.**
**Masc. 1.** *Zool.* Rapace diurne de la famille des Falconidés, qui chasse les petits oiseaux au vol dans les bois, aussi appelé tiercelet ou émouchet. **2.** Filet plombé, en forme de cône, avec lequel on pêche à la main. **Fém.** *Bot.* Plante herbacée de la famille des Astéracées, à fleurs jaunes, réputée améliorer la vue de l'**épervier**. Fin XIe s. ; anc. bas frq. °*sparwari* ; [epɛʀvje, jɛʀ].

**ÉPERVIN, voir ÉPARVIN**

**ÉPHÈBE, subst. m.**
**1.** *Antiq. gr.* Jeune garçon arrivé à la puberté et au terme de sa formation de citoyen. **2.** Ext. Jeune homme remarquablement beau (souv. iron.). 1544 ; lat. *ephebus*, du gr. *ephêbos* ; [efɛb].

**ÉPHÉDRA, subst. m.**
*Bot.* Arbuste à fleurs jaunes et à baies rouges, dont on tire l'éphédrine. 1752 ; lat. *ephedra*, « sorte de prêle » ; var. *éphèdre* ; [efedʀa].

**ÉPHÉDRINE, subst. f.**
*Biochim.* Alcaloïde extrait de l'éphédra, que l'on obtient également par synthèse et dont les propriétés sont voisines de celles de l'adrénaline. 1899 ; ☞ *éphédra* ; [efedʀin].

**ÉPHÉLIDE, subst. f.**
Petite tache de couleur brune ou rousse à la surface de la peau (synon. *tache de rousseur, de son*). 1752 ; lat. *ephelis*, du gr. *ephelis* ; [efelid].

**ÉPHÉMÈRE, adj. et subst. m.**
**Adj. 1.** Qui ne vit ou ne dure qu'un jour : *Fleur **éphémère**.* **2.** Ext. Fugace, de courte durée : *Joie, gloire **éphémère**.* **Subst.** Insecte de l'ordre des Éphér roptères, dont l'adulte ne vit pas plus de deux jo Mil. XIIIe s. ; gr. *ephêmeros* ; [efemɛʀ].

**ÉPHÉMÉRIDE, subst. f.**
**1.** Notice où sont énumérés des évènements rem quables qui se sont produits le même jour l'année, à différentes époques. **2.** Calendrier d on détache quotidiennement une feuille. **3.** *An* Récit au jour le jour de la vie d'un personn célèbre : *Les **éphémérides** d'Alexandre* ; par ar journal rassemblant les mémoires d'une persor **Plur.** *Astron.* Tables indiquant la position des as au jour le jour. 1537 ; gr. *ephêmeris*, de *hêm* « jour » ; [efemeʀid].

**ÉPHOD, subst. m.**
*Liturg.* Écharpe que portaient les lévites. Fin XIIe lat. *ephod*, de l'hébreu *'êfôd* ; [efɔd].

**ÉPHORE, subst. m.**
*Antiq. gr.* À Sparte, chacun des cinq magist élus annuellement et dont les pouvoirs de po et de justice s'étendaient à tous les citoyens compris aux rois. XIVe s. ; lat. *ephorus*, du gr. *epho* de *ephoran*, « surveiller » ; [efɔʀ].

**ÉPI, subst. m.**
**1.** *Bot.* Type d'inflorescence dans lequel les fle sans pédoncule sont insérées le long d'un principal, avec des bractées à la base. **2.** Anal. Mè de cheveux rebelle qui pousse en sens contraire autres. **3.** Loc. **En épi.** Parallèlement et selon orientation oblique : *Se garer en **épi**.* **4.** *Constr.* M décoratif surplombant la crête d'un toit. **5.** *T publ.* ▸ Digue légère édifiée dans le lit d'un co d'eau ou d'un bras de mer pour protéger les be de l'érosion. ▸ Courte ramification latérale d' jetée ou d'une voie ferrée. Fin XIIe s. ; lat. *sp* « pointe » ; [epi].

**ÉPIAGE, subst. m.**
*Agric.* **1.** Développement de l'épi hors de la ga foliaire. **2.** Méton. Époque de ce développem 1864 ; ☞ *épier* (II) ; [epjaʒ].

**ÉPIAIRE, subst. m.**
*Bot.* Genre de plantes herbacées de la famille Lamiacées, comprenant plus de deux cents espè dont le crosne du Japon. 1811 ; ☞ *épi* ; [ep

**ÉPIAISON, subst. f.**
*Agric.* Épiage. 1893 ; ☞ *épier* (II) ; [epjɛzɔ̃].

**ÉPICANTHUS, subst. m.**
*Anat.* Bride cutanée située devant l'angle inte de l'œil, développée surtout chez certaines popu tions asiatiques. 1855 ; lat. sc. *epicanthus*, du *kanthos*, « coin de l'œil », + *épi-* ; [epikɑ̃tys].

**ÉPICARPE, subst. m.**
*Bot.* Pellicule ou peau externe du péricarpe d' fruit. 1808 ; formé de *épi-* et de *-carpe*1 ; [epika

**ÉPICE, subst. f.**
**1.** Substance aromatique d'origine végétale utili pour assaisonner, parfumer des mets : *Pain d'ép* à base de farine de seigle, de miel et d'**épices**. ▸ *H La route des **épices*** : reliant l'Europe aux Indes. **2.** Ce qui ajoute du piquant : *Les **épices** de l'am* Mil. XIIe s. ; lat. *species*, « espèce » ; [epis].

**ÉPICÉ, ÉE, adj.**
**1.** Dont la saveur est relevée par des épices : *plat trop **épicé**.* **2.** Fig. Grivois, piquant : *Des histo **épicées**.* XVe s. ; p. p. de *épicer* ; [epise].

**ÉPICÉA, subst. m.**
**1.** *Bot.* Conifère de la famille des Pinacées, pro du sapin, à tronc conique et à aiguilles vertes, uti pour son bois et sa résine. **2.** Méton. Le bois de arbre : *Un luth en **épicéa**.* 1765 ; lat. *picea*, « sapi de *pix*, « poix » ; [episea].

**ÉPICÈNE, adj.**
*Gramm.* **1.** Se dit d'un mot qui désigne le mâl la femelle d'une espèce (par ex. : l'aigle, le dauphi **2.** Se dit d'un mot dont la forme est identique masculin et au féminin : *Le nom « élève », le pron « je », l'adjectif « drôle » sont des mots **épicèn*** 1464 ; lat. *epicoenus*, du gr. *epikoinos*, « possédé commun » ; [episɛn].

**ÉPICENTRE, subst. m.**
*Géol.* Point de la surface terrestre où un tremb ment de terre atteint son intensité maximale, à verticale du foyer originel, ou hypocentre. XIXe s. ; ☞ *centre* + *épi-* ; [episɑ̃tʀ].

**ÉPICER, verbe trans.** [4]
**1.** Assaisonner avec des épices. **2.** Fig. Donner

ղuant à (un propos, une situation). 📖 XVᵉ s. (mil. ᵉ s., emmagasiner des épices) ; ☞ *épice* ; [epise].

**ÉPICERIE, subst. f.**
ᴜʀ. Vx. Épices. Sɪɴɢ. et Pʟᴜʀ. **1.** Commerce de épicier ; par anal., magasin, boutique où il xerce : *Tenir une* ***épicerie***. **2.** Ensemble des denrées mentaires qui se conservent : *Le rayon* ***épicerie*** *ıne grande surface.* 📖 1248 ; ☞ *épicier* ; [episʀi].

**ÉPICIER, IÈRE, subst.**
Personne qui tient une épicerie. **2.** Fig. Personne l'esprit étroit qui ne sait raisonner qu'en termes profit (péj.). 📖 1223 ; ☞ *épice* ; [episje, jɛʀ].

**ÉPICONDYLE, subst. m.**
*ıat.* Tubérosité externe de l'extrémité inférieure l'humérus. 📖 1805 ; ☞ *condyle* + *épi-* ; [epikɔ̃dil].

**ÉPICRÂNIEN, IENNE, adj.**
*ıat.* Qui environne le crâne : *L'aponévrose* ***épicrâ-ınne***. 📖 1813 ; *épicrâne* (vx), « enveloppe du crâne », gr. *kranion*, « crâne » ; [epikʀɑnjɛ̃, jɛn].

**ÉPICURIEN, IENNE, adj. et subst.**
*ilos.* Aᴅᴊ. Relatif à la doctrine d'Épicure ; par ext., doniste, jouisseur. Sᴜʙsᴛ. Adepte de l'épicurisme ; r ext., bon vivant. 📖 1295 ; anthropon. *Épicure* ; ɔikyʀjɛ̃, jɛn].

**ÉPICURISME, subst. m.**
*Philos.* Doctrine d'Épicure et de ses disciples. Ext. Morale pratique fondée sur la recherche des aisirs. 📖 1585 ; anthropon. *Épicure* ; [epikyʀism].
ʜɪʟᴏsᴏᴘʜɪᴇ – Un détournement de sens, créé par es adversaires ultérieurs d'Épicure, a voulu que la ɔbre et sévère doctrine de celui-ci passe, depuis Antiquité romaine, pour une morale de jouisseur. Or, loin de nous inviter à rechercher les plaisirs, picure nous propose un bonheur lié à la vertu t essentiellement fondé sur la limitation des ésirs, seule capable d'assurer la tranquillité de âme en lui ôtant toute douleur et toute angoisse ☞ *eudémonisme*).

**ÉPICYCLE, subst. m.**
*tron.* Cercle qu'est supposé décrire un astre, dont centre ω se déplace sur un autre cercle de centre , appelé déférent, qui reste fixe (vx). 📖 1377 ; lat. *'cyclus*, du gr. *epikuklos* ; [episikl].

**ÉPICYCLOÏDE, subst. f.**
*ëom.* Courbe plane décrite par un point fixe d'un rcle qui roule sans glisser à l'extérieur d'un autre rcle. 📖 1687 ; ☞ *cycle* (I) + *épi-* et *-oïde* ; [episiklɔid].

**ÉPIDÉMICITÉ, subst. f.**
ıractère épidémique, réel ou potentiel, d'une ıladie. 📖 1788 ; ☞ *épidémique* ; [epidemisite].

**ÉPIDÉMIE, subst. f.**
*Pathol.* Développement rapide d'une maladie ntagieuse qui atteint un grand nombre de sujets r un territoire donné ou au sein d'une collectié : ***Épidémie*** *de peste, de choléra, de grippe.* **2.** Fig. énomène dont l'extension fait l'effet d'une ntagion : *Une* ***épidémie*** *de faillites.* 📖 Mil. XIIIᵉ s. ; . médiév. *epidemia*, du gr. *epidêmia* ; [epidemi].

**ÉPIDÉMIOLOGIE, subst. f.**
ude scientifique des facteurs écologiques, sociaux anthropologiques qui favorisent l'extension des aladies infectieuses ou s'opposent à leur préven- n efficace : *L'****épidémiologie*** *du sida* ; par ext., étude phénomènes morbides de grande échelle et de ıture non biologique : ***Épidémiologie*** *des suicides.* ì 1855 ; ☞ *épidémie* + *-logie* ; [epidemjɔlɔʒi].

**ÉPIDÉMIOLOGIQUE, adj.**
ıi relève de l'épidémiologie : *Données* ***épidémiolo-gues***. 📖 1878 ; ☞ *épidémiologie* ; [epidemjɔlɔʒik].

**ÉPIDÉMIQUE, adj.**
Qui a les caractères d'une épidémie. **2.** Fig. Qui propage à la manière d'une épidémie. 📖 1549 ; ☞ *épidémie* ; [epidemik].

**ÉPIDERME, subst. m.**
*Anat.* Couche externe de la peau faite d'un épi- élium stratifié dont les cellules superficielles, filtrées de kératine, produisent les poils, les ıgles, les plumes, etc. ► Loc. *Avoir l'****épiderme*** ısible : être susceptible. **2.** *Bot.* Couche extérieure s feuilles et des jeunes tiges d'une plante. 📖 Mil. ᵉ s. ; bas lat. *epidermis*, du gr. *epidermis* ; [epidɛʀm].

**ÉPIDERMIQUE, adj.**
*Anat.* Qui se rapporte à l'épiderme ou qui en fait ırtie. **2.** Fig. Spontané et superficiel : *Réagir de façon* ***idermique***. 📖 1823 ; ☞ *épiderme* ; [epidɛʀmik].

**ÉPIDIDYME, subst. m.**
*Anat.* Organe allongé coiffant le bord postéro-supérieur du testicule, dont il constitue la voie excrétrice des spermatozoïdes. 📖 1690 (1560, tunique des testicules) ; gr. *epididumis*, de *didumos*, « testicule » ; [epididim].

**ÉPIER (I), verbe trans.** [6]
**1.** Observer, surveiller en secret ; espionner : ***Épier*** *une proie* ; ***Épier*** *son voisin.* **2.** Guetter, chercher à découvrir : ***Épier*** *un signe de guérison.* 📖 XIIᵉ s. (fin XIᵉ s., trahir) ; anc. bas frq. *°spehôn* ; [epje].

**ÉPIER (II), verbe intrans.** [6]
*Agric.* Monter en épi, en parlant d'une poacée. 📖 XIIIᵉ s. ; lat. *spicare*, « donner un épi » ; [epje].

**ÉPIERRAGE, subst. m.**
Action d'épierrer ; son résultat. 📖 1779 ; ☞ *épierrer* ; synon. *épierrement* ; [epjɛʀaʒ].

**ÉPIERRER, verbe trans.** [3]
**1.** Ôter les pierres de (un terrain). **2.** Débarrasser (des céréales, des légumes) des pierres qui s'y trouvent. 📖 1546 ; ☞ *pierre* + *é-*² ; [epjeʀe].

**ÉPIERREUSE, subst. f.**
Machine qui sépare les grains et les racines des pierres. 📖 Déb. XXᵉ s. ; ☞ *épierrer* ; [epjɛʀøz].

**ÉPIEU, subst. m.**
Solide bâton à pointe de fer, plate et acérée, qui servait autrefois à la chasse. 📖 Xᵉ s. ; anc. bas frq. *°speot*, d'apr. *pieu* (I) ; [epjø].

**ÉPIEUR, EUSE, subst.**
Personne qui épie (rare). 📖 1840 (1260, espion) ; ☞ *épier* (I) ; [epjœʀ, øz].

**ÉPIGASTRE, subst. m.**
*Anat.* Région médiane et supérieure de l'abdomen, comprise entre le sternum, les dernières côtes et l'ombilic. 📖 1539 ; gr. *epigastrion*, de *gastêr*, « ventre, estomac » ; [epigastʀ].

**ÉPIGASTRIQUE, adj.**
Relatif à l'épigastre : *Douleurs* ***épigastriques***. 📖 1654 ; ☞ *épigastre* ; [epigastʀik].

**ÉPIGÉ, ÉE, adj.**
*Bot.* et *Biol.* Qui croît ou qui vit à la surface du sol (anton. *hypogé, endogé*). 📖 1786 ; gr. *epigaios*, « qui est sur terre » ; [epiʒe].

**ÉPIGENÈSE, subst. f.**
*Embryol.* Thèse selon laquelle l'embryon se forme par différenciation progressive des cellules, puis des tissus (anton. *préformation*). 📖 1625 ; formé de *épi-* et de *-genèse* ; var. *épigénèse* ; [epiʒənɛz].

**ÉPIGÉNIE, subst. f.**
**1.** *Minér.* Transformation naturelle de la minéralogie d'un cristal, d'un fossile ou d'une roche sans changement de morphologie : *L'****épigénie*** *d'une ammonite en pyrite.* **2.** Mode de creusement d'une vallée. 📖 Déb. XIXᵉ s. ; formé de *épi-* et de *-génie* ; [epiʒeni].

**ÉPIGLOTTE, subst. f.**
*Anat.* Cartilage médian, aplati, situé au-dessus de la glotte derrière la racine de la langue : *L'****épiglotte*** *obstrue le larynx lors de la déglutition.* 📖 1314 ; lat. médiév. *epiglotum*, du gr. *epiglôttis* ; [epiglɔt].

**ÉPIGONE, subst. m.**
**1.** *Myth.* Chacun des héros grecs de la seconde expédition contre Thèbes, partis venger leurs pères tués lors de la première. **2.** Ext. Successeur, imitateur (souv. péj.). 📖 1752 ; gr. *epigonos*, « descendant » ; [epigɔn] ou [-gon].

**ÉPIGRAMMATIQUE, adj.**
Qui est propre à l'épigramme ou qui s'y apparente. 📖 Déb. XVIᵉ s. ; lat. *epigrammaticus* ; [epigʀam(m)atik].

**ÉPIGRAMME, subst.**
Fém. *Litt.* **1.** *Antiq.* Courte pièce en vers. **2.** Petit poème satirique s'achevant par un trait d'esprit : *Une* ***épigramme*** *de Boileau* ; par méton., mot d'esprit à caractère moqueur. Mᴀsᴄ. *Bouch.* ***Épigrammes*** *d'agneau* : petites tranches d'agneau taillées dans la poitrine, grillées et servies panées. 📖 1533 (fin XIVᵉ s., inscription sur un monument) ; lat. *epigramma*, du gr. *epigramma*, « inscription, épitaphe » ; [epigʀam].

**ÉPIGRAPHE, subst. f.**
**1.** Inscription placée sur un édifice, où figure gén. la date de sa construction et sa destination. **2.** Citation placée au début d'un texte pour en indiquer l'esprit, en suggérer le sujet. 📖 1694 ; gr. *epigraphê*, « inscription » ; [epigʀaf].

**ÉPIGRAPHIE, subst. f.**
Discipline auxiliaire de l'histoire, qui étudie les inscriptions. 📖 1838 ; ☞ *épigraphe* ; [epigʀafi].

**ÉPIGRAPHIQUE, adj.**
Relatif à l'épigraphie ou aux inscriptions : *Recherches* ***épigraphiques***. 📖 1845 ; ☞ *épigraphie* ; [epigʀafik].

**ÉPIGRAPHISTE, subst.**
Spécialiste en épigraphie. 📖 Fin XIXᵉ s. ; ☞ *épigraphie* ; [epigʀafist].

**ÉPIGYNE, adj. et subst. f.**
*Bot.* Se dit d'une pièce florale insérée au-dessus de l'ovaire de la plante. Lorsque le périanthe et les étamines sont insérés au-dessus de l'ovaire, ce dernier est dit infère et la plante est dite **épigyne**. 📖 1802 ; gr. *gunê*, « femelle », + *épi-* ; [epiʒin].

**ÉPILATION, subst. f.**
Action d'épiler ; son résultat. 📖 1858 ; ☞ *épiler* ; [epilasjɔ̃].

**ÉPILATOIRE, adj.**
Qui sert à épiler (synon. *dépilatoire*) ; empl. subst. masc. : *Un* ***épilatoire***. 📖 1771 ; ☞ *épiler* ; [epilatwaʀ].

**ÉPILEPSIE, subst. f.**
*Pathol.* Affection neurologique chronique caractérisée par des crises convulsives plus ou moins violentes, parfois accompagnées d'une perte de conscience. L'**épilepsie** est due à l'apparition brutale de décharges anormales avec activation subite et intense d'un groupe de neurones cérébraux. On distingue l'**épilepsie** généralisée (grand mal ou petit mal) et l'**épilepsie** partielle, gén. en rapport avec une lésion localisée du cortex. 📖 Mil. XIIIᵉ s. ; bas lat. *epilepsia*, du gr. *epilêpsia*, « attaque » ; [epilɛpsi].

**ÉPILEPTIFORME, adj.**
*Pathol.* Qui présente des symptômes comparables à ceux de l'épilepsie. 📖 1833 ; ☞ *épileptique* + *-forme* ; [epilɛptifɔʀm].

**ÉPILEPTIQUE, adj.**
**1.** Qui relève de l'épilepsie ou en manifeste les symptômes : *Une crise* ***épileptique***. **2.** Qui est atteint d'épilepsie ; empl. subst., personne **épileptique**. 📖 1504 ; bas lat. *epilepticus*, du gr. *epilêptikos* ; [epilɛptik].

**ÉPILER, verbe trans.** [3]
Enlever les poils, le duvet ou les cheveux superflus de (qqn) : ***Épiler*** *ses jambes* ; empl. abs. : *Pince à* ***épiler***. 📖 1762 ; lat. *pilus*, « poil », + *é-*² ; [epile].

**ÉPILLET, subst. m.**
*Bot.* Chacun des éléments simples formant un épi composé. 📖 1786 ; ☞ *épi* ; [epijɛ].

**ÉPILOBE, subst. m.**
*Bot.* Plante vivace de la famille des Onagracées, aux fleurs roses ou blanches, commune dans les zones froides et humides. 📖 1786 ; lat. sc. *epilobium*, du gr. *lobos*, « lobe » ; [epilɔb].

**ÉPILOGUE, subst. m.**
**1.** *Antiq.* Petit discours en vers, prononcé à la fin d'une représentation théâtrale, dans le dessein de gagner l'approbation du public. **2.** Partie finale d'un récit, d'une pièce de théâtre ou d'une fiction cinématographique, exposant ce qu'il est advenu des personnages. **3.** Fig. Dénouement, conclusion d'une histoire, d'une affaire. 📖 Mil. XIVᵉ s. ; lat. *epilogus*, du gr. *epilogos*, « péroraison » ; [epilɔg].

**ÉPILOGUER, verbe** [3]
Tʀᴀɴs. Vx. Critiquer (qqn ou qqch.) en ergotant. Iɴᴛʀᴀɴs. Épiloguer sur. Faire des commentaires longs et superflus sur : *Il n'en finit pas d'****épiloguer*** *sur son aventure* ; empl. abs. : *Il n'est plus temps d'****épiloguer*** *!* 📖 XVᵉ s. ; ☞ *épilogue* ; [epilɔge].

**ÉPINAIE, subst. f.**
Lieu où croissent des épineux. 📖 Fin XIIᵉ s. ; lat. *spineta*, « buissons d'épines » ; [epinɛ].

**ÉPINARD, subst. m.**
*Bot.* Plante potagère de la famille des Chénopodiacées, aux feuilles allongées d'un vert vif soutenu ; en appos. : *Vert* ***épinard***. Pʟᴜʀ. Les feuilles comestibles de cette plante : *Des* ***épinards*** *en branches.* ► Loc. *Mettre du beurre dans les* ***épinards*** (☞*beurre*). 📖 1256 ; lat. médiév. *spinarchia*, de l'ar. d'Espagne *isbāniḫ* ; [epinaʀ].

**ÉPINÇAGE, subst. m.**
*Trav. publ.* Action d'épincer ; son résultat. 📖 1416 ; ☞ *épincer* ; [epɛ̃saʒ].

**ÉPINCER, verbe trans.** [4]
**1.** *Arboric.* Débarrasser (un tronc d'arbre) de ses bourgeons. **2.** *Trav. publ.* Tailler (la pierre) avec un marteau à biseau. 📖 XIIIᵉ s. ; ☞ *pince* + *é-*² ; [epɛ̃se].

**ÉPINE,** subst. f.
**1.** *Bot.* Arbuste aux branches garnies de piquants (vx). ▸ *Épine blanche, rose* : aubépine. **2.** Excroissance piquante qui tient au bois de certains végétaux : *Les épines de l'ajonc* ; *La couronne d'épines de Jésus-Christ* (☞ *couronne*). ▸ Loc. *Retirer à qqn une épine du pied* : le libérer d'un souci. **3.** *Anat.* Partie saillante de certains os : *Épine dorsale* ; *Épine de l'omoplate.* **4.** *Zool.* Piquant de certains animaux (gén. au plur.) : *Les épines de l'oursin.* Fin Xe s. ; lat. *spina* ; [epin].

**ÉPINER,** verbe trans. [3]
*Hortic.* Protéger (un arbuste) des animaux en l'entourant de branches d'épineux. 1862 (déb. XIIIe s., piquer) ; ☞ *épine* ; [epine].

**ÉPINETTE (I),** subst. f.
*Mus.* Ancien instrument (XVIIe-XVIIIe s.), souvent portatif, de la famille du clavecin. 1496 ; prob. ital. *spinetta*, « petite épine », les cordes de cet instrument étant pincées avec des pointes de plume ; [epinɛt].

**ÉPINETTE (II),** subst. f.
Cage à compartiments, en bois ou en osier, où l'on place les volailles pour les engraisser. 1736 (XIIIe s., buisson épineux) ; ☞ *épine* ; [epinɛt].

**ÉPINETTE (III),** subst. f.
*Bot.* Variété de résineux d'Amérique du Nord. ▸ Québ. Épicéa. 1765 ; ☞ *pin*, d'apr. *épine* ; [epinɛt].

**ÉPINEUX, EUSE,** adj.
**1.** Qui porte des épines : *Un arbuste épineux* ou, empl. subst. masc., *Un épineux.* **2.** Fig. Jalonné de difficultés ; embarrassant, délicat : *Situation épineuse.* **3.** *Anat.* Relatif, propre à l'épine dorsale : *Apophyse épineuse*, partie médiane d'une vertèbre, qui fait saillie sous la peau. XIIe s. ; lat. *spinosus* ; [epinø, øz].

**ÉPINE-VINETTE,** subst. f.
*Bot.* Arbrisseau épineux de la famille des Berbéridacées, à fleurs jaunes en grappes et à baies rouges comestibles. XVe s. ; comp. de *épine* et de l'anc. fr. *vinette*, « petite vigne », par allus. à la couleur rouge des baies ; plur. *épines-vinettes* ; [epinvinɛt].

**ÉPINGLAGE,** subst. m.
Action d'épingler. 1878 ; ☞ *épingler* ; [epɛ̃glaʒ].

**ÉPINGLE,** subst. f.
**1.** Fine tige métallique dont une extrémité est pointue et l'autre faite d'une petite boule appelée tête, utilisée pour assembler, fixer, etc. ▸ *Épingle de nourrice, de sûreté, anglaise* : tige recourbée sur elle-même et dont l'extrémité pointue se loge dans un crochet plat. ▸ *Épingle à cheveux* : petite tige souple à deux branches qui sert à retenir les cheveux. ▸ *Épingle de cravate, de chapeau* : petite broche qui sert d'attache, dont la tête est finement ouvragée. **2.** Loc. *Être tiré à quatre épingles* : être vêtu avec méticulosité ; *Tirer son épingle du jeu* : se sortir habilement d'une situation difficile ; *Monter une chose en épingle* : exagérer son importance ; *Virage en épingle à cheveux* : virage très serré. XIIIe s. ; lat. pop. °*spingula*, du lat. *spinula*, « petite épine », et du bas lat. *spicula*, « piquant » ; [epɛ̃gl].

**ÉPINGLER,** verbe trans. [3]
**1.** Attacher, fixer au moyen d'épingles : *Épingler une photo au mur* ; *Épingler une décoration.* **2.** Fig. Prendre en flagrant délit, capturer (fam.) : *Épingler un malfaiteur* ; *Se faire épingler*, se faire prendre. 1564 ; ☞ *épingle* ; [epɛ̃gle].

**ÉPINGLERIE,** subst. f.
Fabrique d'épingles ; commerce des épingles. 1813 ; ☞ *épingle* ; [epɛ̃gləʀi].

**ÉPINGLETTE,** subst. f.
**1.** *Arm.* Vx. Tige métallique servant à déboucher les armes à feu, à percer les gargousses. **2.** Québ. Broche, épingle de parure. **3.** Pin's. 1611 (fin XIVe s., petite épingle) ; ☞ *épingle* ; [epɛ̃glɛt].

**ÉPINGLIER, IÈRE,** subst.
Personne qui fabrique, qui vend des épingles. MASC. Étui à épingles. Mil. XIIIe s. ; ☞ *épingle* ; [epɛ̃glije, jɛʀ].

**ÉPINIER,** subst. m.
*Vén.* Fourré d'arbustes épineux ou de ronces servant de retraite aux animaux. 1690 ; ☞ *épine* ; [epinje].

**ÉPINIÈRE,** adj. f.
De l'épine dorsale : *La moelle épinière.* 1660 ; ☞ *épine* ; [epinjɛʀ].

**ÉPINOCHE,** subst. f.
*Zool.* Petit poisson marin ou d'eau douce de la famille des Gastérostéidés, caractérisé par les épines qu'il porte sur le dos (3 pour l'**épinoche** d'eau douce, 15 pour celle de mer), et dont le mâle construit un nid pour ses œufs. XIIIe s. ; ☞ *épine* ; [epinɔʃ].

© G. Ziesler-Jacana

*Épinoche mâle surveillant son nid.*

**ÉPINOCHETTE,** subst. f.
*Zool.* Petit poisson téléostéen d'eau douce, proche de l'épinoche. 1801 ; ☞ *épinoche* ; [epinɔʃɛt].

**ÉPIPHANIE,** subst. f.
*Relig.* Manifestation de l'Enfant Jésus aux Rois mages ; fête de l'Église, également appelée fête, ou jour, des Rois, qui commémore cet évènement (6 janvier). Fin XIIe s. ; lat. chrét. *epiphania*, du gr. *epiphaneia*, « apparition » ; [epifani].

**ÉPIPHÉNOMÈNE,** subst. m.
**1.** *Pathol.* Symptôme secondaire qui s'ajoute aux symptômes essentiels d'une maladie. **2.** *Philos.* Phénomène accessoire dont la présence ou l'absence n'affecte pas le phénomène essentiel qu'il accompagne. **3.** Ext. Fait secondaire, sans réelle importance. 1755 ; ☞ *phénomène* + *épi-* ; [epifenɔmɛn].

**ÉPIPHÉNOMÉNISME,** subst. m.
*Philos.* Théorie selon laquelle la conscience serait un épiphénomène, sans effet sur l'activité cérébrale. 1907 ; ☞ *épiphénomène* ; [epifenɔmenism].

**ÉPIPHYLLE,** adj.
*Bot.* Qualifie des espèces animales ou végétales croissant sur les feuilles des plantes : *Puccinia buxi est épiphylle sur le buis.* 1819 ; formé de *épi-* et de *-phylle* ; [epifil].

**ÉPIPHYSE,** subst. f.
*Anat.* **1.** Extrémité, parfois renflée, d'un os long. **2.** Glande située dans le cerveau (synon. vx *glande pinéale*). 1541 ; gr. *epiphusis*, « excroissance » ; [epifiz].

**ÉPIPHYTE,** adj. et subst. m.
*Bot.* Se dit d'un végétal qui se fixe et se développe sur un autre, sans le parasiter. 1817 ; formé de *épi-* et de *-phyte* ; [epifit].

© F. S. Balthis-Jacana

*Épiphyte.*

**ÉPIPHYTIE,** subst. f.
*Bot.* Maladie contagieuse qui atteint les plantes d'une même espèce. 1845 ; formé de *épi-* et de *-phyte*, d'apr. *épizootie* ; [epifiti].

**ÉPIPLOON,** subst. m.
*Anat.* Repli du péritoine qui unit les viscères entre eux en les laissant libres de prendre l'ampliation nécessaire. Le grand **épiploon** relie le bord inférieur de l'estomac au côlon transverse ; le petit **épiploon** relie l'estomac au foie. 1370 ; gr. *epiploon*, « flottant » ; [epiplɔɔ̃].

**ÉPIQUE,** adj.
**1.** Qui relève de l'épopée : *Poèmes épiques* ; qui est propre à l'épopée : *Héros, style épique.* **2.** Qui compose des épopées : *Poète épique.* **3.** Fig. Qui est digne d'une épopée : *Destin épique.* ▸ Mouvementé, extraordinaire (fam.) : *Une croisière épique.* Fin XVIe s. ; lat. *epicus*, du gr. *epikos* ; [epik].

**ÉPIROGENÈSE,** subst. f.
*Géol.* Déformation régionale et lente (soulèvement, enfoncement) des aires continentales (le grand rayon de courbure entraîne une absence de manifestations tectoniques brutales). 1955 ; gr. *êpeiros*, « continent », + *-genèse* ; [epiʀɔʒənɛz].

**ÉPIROGÉNIQUE,** adj.
Relatif à l'épirogenèse. 1906 ; gr. *êpeiros*, « continent », + *-génique* ; [epiʀɔʒenik].

**ÉPISCLÉRITE,** subst. f.
*Pathol.* Inflammation du tissu cellulaire qui entoure la sclérotique. Gr. *sklêros*, « dur », + *épi-* et *-ite* ; [episkleʀit].

**ÉPISCOPAL, ALE, AUX,** adj.
*Relig.* Qui est propre à l'évêque : *Siège épiscopal* ; *Corps épiscopal*, épiscopat. ▸ *Église épiscopale* : Église anglicane qui a conservé la hiérarchie des évêques. Déb. XIIIe s. ; lat. chrét. *episcopalis* ; [episkɔpal, o].

**ÉPISCOPALIEN, IENNE,** adj.
Qui relève de l'Église anglicane. 1858 ; ☞ *épiscopal* ; [episkɔpaljɛ̃, jɛn].

**ÉPISCOPAT,** subst. m.
*Relig.* **1.** Le plus élevé des trois ordres sacrés ; charge, dignité d'évêque. **2.** Méton. Ensemble des évêques. 1610 ; lat. chrét. *episcopatus* ; [episkɔpa].

**ÉPISCOPE,** subst. m.
*Opt.* **1.** Appareil permettant la projection d'images opaques par réflexion. **2.** Instrument à miroirs dotant les chars de combat, servant à observer le terrain. 1955 ; formé de *épi-* et de *-scope* ; [episkɔp].

**ÉPISIOTOMIE,** subst. f.
*Chir.* Incision du périnée, pratiquée pour agrandir l'orifice du vagin lors d'un accouchement. 1953 ; gr. *epision*, « pubis », + *-tomie* ; [epizjɔtɔmi].

**ÉPISODE,** subst. m.
**1.** *Litt.* Narration secondaire à l'intérieur d'une narration principale : *L'épisode des ferrets de la reine dans « les Trois Mousquetaires ».* **2.** Division d'une œuvre qui se développe en feuilleton : *Une série à épisodes.* **3.** Ext. Phase plus ou moins marquante d'un évènement historique : *La journée du 10 août 1792, épisode clé de la Révolution française.* 1637 ; gr. *epeisodion*, « accessoire » ; [epizɔd].

**ÉPISODIQUE,** adj.
**1.** *Litt.* Qui a trait à un épisode ou qui en a les caractères (rare). **2.** Qui apparaît de façon irrégulière, qui se produit par intermittence : *Des relations épisodiques.* 1633 ; ☞ *épisode* ; [epizɔdik].

**ÉPISODIQUEMENT,** adv.
De façon irrégulière, intermittente. 1829 ; ☞ *épisodique* ; [epizɔdikmɑ̃].

**ÉPISPADIAS,** subst. m.
*Pathol.* Situation anormale de l'urètre, dont l'orifice débouche sur le dos de la verge. 1846 ; gr. *epispadias*, de *span*, « déchirer » ; [epispadjas].

**ÉPISSER,** verbe trans. [3]
**1.** *Mar.* Relier (des cordages) en entrelaçant les torons. **2.** *Électr.* Raccorder (des fils électriques) en torsadant les extrémités. 1516 ; m. néerl. *splissen* ; [epise].

**ÉPISSOIR,** subst. m.
*Mar.* Poinçon utilisé pour écarter les torons d'un cordage que l'on souhaite épisser. 1678 ; ☞ *épisser* ; var. *une épissoire* ; [episwaʀ].

**ÉPISSURE,** subst. f.
**1.** *Mar.* Assemblage de deux cordages par entrelacement de leurs brins. **2.** *Électr.* Action d'épisser deux câbles électriques. 1677 ; ☞ *épisser* ; [episyʀ].

**ÉPISTASIE,** subst. f.
*Génét.* Phénomène correspondant au fait qu'une forme (allèle) particulière d'un certain gène a la propriété d'inhiber le fonctionnement d'un ou de plusieurs autres gènes. V. 1970 ; gr. *epistasis*, « action de se tenir au-dessus » ; [epistazi].

**ÉPISTAXIS,** subst. f.
*Pathol.* Saignement de nez. 1795 ; gr. *epistaxis*, de *stazein*, « tomber goutte à goutte » ; [epistaksis].

**ÉPISTÉMÊ,** subst. f.
*Philos.* Ordre symbolique sous-jacent au savoir qui, selon Michel Foucault, régit les codes fondamentaux d'une culture à une époque donnée. 1960 ; gr. *epistêmê*, « science » ; [epistemɛ] ou [-me].

**ÉPISTÉMOLOGIE,** subst. f.
**1.** *Philos.* Étude critique des opérations logiques, des propositions théoriques et des résultats à par

squels s'organise une science. **2.** *Psychol.* ***Épistémologie génétique*** : étude de la formation des nnaissances chez l'enfant. 1906 ; gr. *epistêmê,* ience », + *-logie* ; [epistemɔlɔʒi].

ILOSOPHIE – De nos jours, l'épistémologie ne se stingue plus de la théorie de la connaissance noséologie) et de la méthodologie des sciences. e l'une elle hérite un questionnement fondamen- l sur le réalisme ; de l'autre l'identité clairement ablie entre le sens d'une question et la méthode our y répondre.

**ÉPISTÉMOLOGIQUE, adj.**
i relève de l'épistémologie. 1908 ; ☞ *épistémo-ie* ; [epistemɔlɔʒik].

**ÉPISTÉMOLOGUE, subst.**
écialiste de l'épistémologie (synon. *épistémolo-te*). 1941 ; ☞ *épistémologie* ; [epistemɔlɔg].

**ÉPISTOLAIRE, adj.**
opre à la correspondance par lettres, à la rédaction s lettres : *Un talent **épistolaire**.* ► Qui se présente us forme de lettres : *Un roman **épistolaire**.* 1542 87, livre d'épîtres) ; bas lat. *epistolaris* ; [epistɔlɛʀ].

**ÉPISTOLIER, IÈRE, subst.**
Vx. Écrivain qui se distingue dans l'art d'écrire s lettres. **2.** Ext. Personne qui cultive le goût de correspondance (fam.). Mil. XVI^e s. (mil. XIII^e s., e d'épîtres) ; lat. *epistola,* « lettre » ; [epistɔlje, jɛʀ].

**ÉPISTYLE, subst. m.**
*chit.* Architrave, poutre, pierre qui repose horizon- ement sur le chapiteau d'une colonne. 1547 ; *epistylium,* du gr. *epistulion* ; [epistil].

**ÉPITAPHE, subst. f.**
Inscription tombale à la mémoire d'un mort. Méton. Poème élogieux, élégiaque ou satirique, a mémoire d'un défunt : *On me demande une taphe/Pour la Belgique morte* (Baudelaire). Mil. s. ; bas lat. *epitaphium,* du gr. *epitaphion,* « qui se èbre sur un tombeau » ; [epitaf].

**ÉPITAXIE, subst. f.**
*ys.* **1.** Mode de croissance de cristaux, selon une entation constante influencée par celle d'un eau cristallin d'une autre espèce, sur lequel ils sont développés. **2.** ***Épitaxie** par jet moléculaire* : hnique de production de circuits intégrés semi- nducteurs. V. 1960 ; formé de *épi-* et de *-taxie* ; itaksi].

**ÉPITHALAME, subst. m.**
t. Chant, poème composé en l'honneur de uveaux mariés. 1536 ; lat. *epithalamium,* du gr. *thalamion* ; [epitalam].

**ÉPITHÉLIAL, ALE, AUX, adj.**
atif à l'épithélium : *Une membrane **épithéliale**.* 1846 ; ☞ *épithélium* ; [epiteljal, o].

**ÉPITHÉLIOMA, subst. m.**
*hol.* Tumeur maligne formée par la prolifération un épithélium. Mil. XIX^e s. ; ☞ *épithélium* ; iteljɔma].

**ÉPITHÉLIUM, subst. m.**
*stol.* Tissu formé de cellules étroitement juxtapo- s, que l'on classe en deux catégories : les **épi**-**éliums** de revêtement et de protection externes oiderme) et internes (muqueuses) ; les **épithé**-**ms** glandulaires, dont les cellules ont une activité crétrice. 1832 ; lat. sc. *epithelium,* du gr. *epi,* ur », et *thêlê,* « mamelon » ; [epiteljɔm].

**ÉPITHÈTE, subst. f. et adj.**
BST. **1.** *Gramm.* Mot (gén. un adjectif qualificatif) groupe de mots que l'on adjoint à un nom ou un pronom pour le qualifier. **2.** Ext. Qualification caractère louangeur ou injurieux : *Elle demanda avait dit « Crétin ! » et à qui s'adressait cette **ithète**.* ADJ. *Gramm.* Fonction d'un adjectif qui est pas relié au nom qu'il détermine par un verbe ar oppos. à *attribut*) : *Dans « Un chat blanc vient passer », « blanc » est un adjectif **épithète*** ou, empl. ost. fém., *une **épithète**.* 1517 ; lat. *epitheton,* du *epitheton,* « chose ajoutée » ; [epitɛt].

**ÉPITOGE, subst. f.**
nde d'étoffe décorée d'hermine que certains gnitaires académiques portent sur l'épaule gau- e, par-dessus la toge. 1484 ; lat. *epitogium,* apuchon porté sur la toge », d'apr. *toge* ; [epitɔʒ].

**ÉPITOMÉ, subst. m.**
régé d'un livre d'histoire ancienne. XIV^e s. ; lat. *tome,* du gr. *epitomê,* « incision, coupure » ; [epitɔme].

**ÉPÎTRE, subst. f.**
Lettre en prose écrite par un auteur ancien : *Une **épître** d'Horace, de Cicéron.* **2.** *Relig.* Lettre adressée par l'un des apôtres à une communauté chrétienne : *Les **Épîtres** de saint Paul aux Corinthiens.* ► Passage des Écritures lu au début de la messe. **3.** Lettre en vers, à contenu philosophique ou moral et au ton gén. satirique : *Les **épîtres** de Marot, de Boileau.* Fin XII^e s. ; lat. *epistola,* du gr. *epistolê,* « lettre, missive » ; [epitʀ].

**ÉPIZOOTIE, subst. f.**
*Vétér.* Maladie frappant simultanément un grand nombre d'animaux d'une même espèce, ou d'espèces voisines, dans une région et à un moment donnés. 1775 ; gr. *zôotês,* « animalité », + *épi-,* d'apr. *épidémie* ; [epizɔɔti].

**ÉPIZOOTIQUE, adj.**
Qui a le caractère de l'épizootie. 1771 ; ☞ *épizootie* ; [epizɔɔtik].

**ÉPLORÉ, ÉE, adj.**
Qui est en pleurs ; accablé de chagrin : *Une veuve **éplorée**.* Fin XII^e s. ; ☞ *pleur* + *é-*[1] ; [eplɔʀe].

**ÉPLOYER, verbe trans.** [17]
Déployer, étendre (littér.) : ***Éployer** sa bannière.* ► Empl. adj. *Hérald. Aigle **éployée*** : aux ailes étendues. Déb. XVI^e s. ; ☞ *ployer* + *é-*[2] ; [eplwaje].

**ÉPLUCHAGE, subst. m.**
**1.** Action d'éplucher : *Corvée d'**épluchage**.* **2.** Fig. Examen minutieux : *L'**épluchage** des comptes d'une entreprise.* 1755 ; ☞ *éplucher* ; [eplyʃaʒ].

**ÉPLUCHER, verbe trans.** [3]
**1.** Ôter la peau, l'écorce, les parties non comestibles de (un fruit, un légume). **2.** Anal. Retirer la bourre, la paille de (un textile) : ***Éplucher** la soie.* **3.** Fig. Examiner avec soin et avec une intention critique : ***Éplucher** une comptabilité, une copie, un emploi du temps.* Fin XII^e s. ; anc. fr. *peluchier,* « nettoyer », du bas lat. *pilare,* « épiler », + *é-*[2] ; [eplyʃe].

**ÉPLUCHETTE, subst. f.**
Québ. Fête célébrant la récolte du maïs. 1862 ; ☞ *éplucher* ; [eplyʃɛt].

**ÉPLUCHEUR, EUSE, subst.**
Personne qui épluche. MASC. Instrument servant à éplucher légumes et fruits ; en appos. : *Couteau **éplucheur**.* FÉM. Appareil électrique qui épluche les légumes. 1611 (1555, celui qui examine attentivement) ; ☞ *éplucher* ; [eplyʃœʀ, øz].

**ÉPLUCHURE, subst. f.**
Déchet résultant de l'épluchage (souv. au plur.). 1611 ; ☞ *éplucher* ; [eplyʃyʀ].

**ÉPODE, subst. f.**
*Versif.* **1.** Dans la poésie lyrique dorienne, dernier couplet d'une triade, composé dans un mètre différent de celui de la strophe et de l'antistrophe. **2.** Distique composé de deux vers inégaux ; poème fait de distiques ainsi composés. 1550 ; lat. *epodos,* du gr. *epôdos,* de *epi,* « sur », et de *ôdê,* « chant » ; [epɔd].

**ÉPOI, subst. m.**
*Vèn.* Cor qui couronne l'empaumure d'un cerf (synon. *andouiller*). Fin XIV^e s. (mil. XII^e s., broche à rôtir) ; prob. germ. °*spît,* « broche » ; [epwa].

**ÉPOINTAGE, subst. m.**
Action d'épointer ; son résultat. Fin XIX^e s. ; ☞ *épointer* ; synon. *épointement* ; [epwɛ̃taʒ].

**ÉPOINTER, verbe trans.** [3]
**1.** Briser ou émousser la pointe de (un outil, un instrument). **2.** Effiler, aiguiser (rare). 1375 ; ☞ *pointe* + *é-*[2] ; [epwɛ̃te].

**ÉPOISSES, subst. m.**
Fromage de lait de vache, à pâte molle et dont la croûte est lavée au marc de Bourgogne. Topon. *Époisses* (Côte-d'Or) ; [epwas].

**ÉPONGE (I), subst. f.**
PLUR. *Zool.* Spongiaires. SING. et PLUR. **1.** Substance légère et poreuse provenant des Spongiaires, notamment employée à des usages domestiques en raison de sa capacité d'absorption des liquides. ► Anal. ***Éponge** végétale* : luffa ; ***Éponge** synthétique* ; ***Éponge** métallique* : utilisée pour gratter ; *Serviette-**éponge*** : serviette de toilette en tissu absorbant. **2.** Loc. *Passer l'**éponge** sur qqch.* : pardonner, décider d'oublier ; *Jeter l'**éponge*** : abandonner la lutte, renoncer. XIII^e s ; lat. *spongia,* du gr. *spoggos* ; [epɔ̃ʒ].

**ÉPONGE (II), subst. f.**
**1.** *Techn.* Châssis formant le bord d'une table à couler le plomb. **2.** *Vèn.* Matière formant le talon des Cervidés. **3.** *Vétér.* Extrémité des branches d'un fer à cheval ; par ext., tumeur au coude du cheval, causée par le frottement de l'**éponge** lorsque l'animal est couché. 1676 (1528, planche latérale d'un lit) ; altér. de l'anc. fr. *esponde,* du lat. *sponda,* « bois du lit » ; [epɔ̃ʒ].

**ÉPONGEAGE, subst. m.**
Action d'éponger ; son résultat. 1877 ; ☞ *éponger* ; [epɔ̃ʒaʒ].

**ÉPONGER, verbe trans.** [5]
**1.** Étancher (un liquide) avec une éponge ou un tissu absorbant ; par méton. : ***Éponger** le carrelage* ; empl. pronom. : *S'**éponger** le visage.* **2.** Fig. Absorber, résorber (un excédent) : ***Éponger** des stocks* ; ***Éponger** une dette,* la payer. 1582 ; ☞ *éponge* (I) ; [epɔ̃ʒe].

**ÉPONTE, subst. f.**
*Mines.* Paroi jouxtant un filon de minerai. 1774 ; anc. fr. *esponde,* « planche du bord du lit » ; [epɔ̃t].

**ÉPONTILLE, subst. f.**
*Mar.* **1.** Pièce de bois ou de métal soutenant les ponts d'un navire. **2.** Étai maintenant sur sa quille un bateau en cale sèche ou en construction. 1642 ; ital. *puntello* ; [epɔ̃tij].

**ÉPONYME, adj.**
**1.** *Antiq.* ► Qui donne son nom à une ville, à une tribu : *Athéna, déesse **éponyme** d'Athènes* ; empl. subst. : *Un, une **éponyme**.* ► Se dit d'un magistrat qui donne son nom à l'année en cours : *L'archonte **éponyme**, à Athènes.* **2.** *Rôle **éponyme** d'une pièce* : rôle-titre (par ex. le rôle de Hamlet dans *Hamlet*). 1755 ; gr. *epônumos,* de *epi,* « sur », et de *onoma,* « nom » ; [epɔnim].

**ÉPOPÉE, subst. f.**
**1.** *Litt.* Long poème, gén. en vers, magnifiant les exploits légendaires d'un héros en utilisant les ressources du merveilleux. **2.** Suite d'évènements historiques, à caractère héroïque ou sublime : *L'**épopée** napoléonienne.* 1623 ; gr. *epopoiia* ; [epɔpe].

**ÉPOQUE, subst. f.**
**1.** Point fixe du temps historique, marqué par un évènement d'importance et servant de repère pour dater le début d'une ère (vieilli). **2.** Moment de l'histoire marqué par des évènements importants ou déterminé par des caractéristiques propres : *L'**époque** de Louis XIV* ; *L'**époque** des colonies* ; *L'**époque** contemporaine* ; *La Belle **Époque**,* le début du XX^e s. ; *Vivre avec son **époque*** ; *Faire **époque**,* laisser un souvenir durable, faire date. ► *Film d'**époque*** : qui reconstitue fidèlement le cadre de l'**époque** dans laquelle se situe l'action. **3.** Période déterminée de l'année, de la vie courante : *L'**époque** des moissons* ; *À cette **époque** de ma vie.* **4.** Période caractérisée par un style artistique : *Une commode d'**époque** Louis XV* ; *Meuble d'**époque**,* qui date bien de l'**époque** dont il a le style. **5.** *Géol.* Subdivision du temps géologique, regroupant plusieurs étages. 1637 ; gr. *epokhê,* « période de temps » ; [epɔk].

**ÉPOUILLAGE, subst. m.**
Action d'épouiller. 1910 ; ☞ *épouiller* ; [epujaʒ].

**ÉPOUILLER, verbe trans.** [3]
Débarrasser de ses poux ; empl. pronom. : *Les deux singes s'**épouillent**.* Fin XII^e s. ; *peoil* (vx), « pou », + *é-*[2] ; [epuje].

**ÉPOUMONER (S'), verbe pronom.** [3]
Parler, crier très fort, au point de perdre le souffle ; par ext., se fatiguer à parler : *S'**époumoner** en vain.* 1725 ; ☞ *poumon* + *é-*[2] ; [epumɔne].

**ÉPOUSAILLES, subst. f. plur.**
Vieilli. Noces ; union : *Célébration des **épousailles** de la cité et de la mer, à Venise.* XII^e s. ; lat. *sponsalia,* « fiançailles », de *sponsus,* « époux » ; [epuzaj].

*Éponge de belle taille, aux Seychelles.*

© P. Laboute-Jacana

**ÉPOUSE,** voir **ÉPOUX**

**ÉPOUSÉE,** subst. f.
Mariée (vx). ⊠ XII^e s. ; p. p. de *épouser* ; [epuze].

**ÉPOUSER,** verbe trans. [3]
**1.** Prendre pour époux ou pour épouse ; par ext. : *Il **a épousé** sa fortune* ; empl. pronom. : *Ils ont fini par s'**épouser**.* **2.** Fig. Adopter, rallier (une cause, un parti) : ***Épouser** les idées de qqn.* **3.** S'adapter étroitement à (une forme) : *Vêtement qui **épouse** le corps.* ⊠ Mil. XI^e s. ; bas lat. *sponsare*, « promettre en mariage » ; [epuze].

**ÉPOUSEUR,** subst. m.
Homme qui cherche à se marier, prétendant (vx ou littér.). ⊠ XIV^e s. ; ☞ *épouser* ; [epuzœʀ].

**ÉPOUSSETAGE,** subst. m.
Action d'épousseter ; le résultat de cette action. ⊠ 1838 ; ☞ *épousseter* ; [epustaʒ].

**ÉPOUSSETER,** verbe trans. [14]
Nettoyer en chassant la poussière : ***Épousseter** des étagères.* ⊠ 1480 ; ☞ *poussière* + *é-*² ; [epuste].

**ÉPOUSTOUFLANT, ANTE,** adj.
Qui époustoufle, stupéfiant (fam.). ⊠ 1915 ; p. pr. de *époustoufler* ; [epustuflɑ̃, ɑ̃t].

**ÉPOUSTOUFLER,** verbe trans. [3]
Stupéfier, ébahir (fam.). ⊠ 1867 ; p.-ê. anc. fr. *soi espousser*, « perdre haleine » ; [epustufle].

**ÉPOUVANTABLE,** adj.
**1.** Qui cause de l'épouvante, horrible : *Scène **épouvantable**.* **2.** Ext. Très désagréable : *Temps **épouvantable**.* **3.** Violent, excessif : *Colère **épouvantable**.* ⊠ XII^e s. ; ☞ *épouvanter* ; [epuvɑ̃tabl].

**ÉPOUVANTABLEMENT,** adv.
De manière épouvantable ; par hyperb., excessivement. ⊠ XII^e s. ; ☞ *épouvantable* ; [epuvɑ̃tabləmɑ̃].

**ÉPOUVANTAIL,** subst. m.
**1.** Mannequin sommaire, vêtu de haillons, destiné à effrayer les oiseaux pour les écarter des cultures. ► Fig. Personne très laide ou habillée de façon ridicule. **2.** Ce qui inspire des craintes (parfois excessives) ou ce qui est mis en avant pour effrayer : *Brandir l'**épouvantail** d'un conflit armé.* ⊠ Fin XII^e s. ; ☞ *épouvanter* ; plur. *épouvantails* ; [epuvɑ̃taj].

**ÉPOUVANTE,** subst. f.
Panique, terreur soudaine : *Une nouvelle qui sème l'**épouvante** ; Film d'**épouvante**.* ⊠ Fin XVI^e s. ; ☞ *épouvanter* ; [epuvɑ̃t].

**ÉPOUVANTER,** verbe trans. [3]
**1.** Remplir d'épouvante, d'horreur ; empl. adj. : *Un regard **épouvanté**.* **2.** Ext. Causer une vive inquiétude à. ⊠ Fin XI^e s. ; lat. pop. °*expaventare*, du lat. *expavere*, « redouter » ; [epuvɑ̃te].

**ÉPOUX, ÉPOUSE,** subst.
Personne unie à une autre par mariage (lang. juridique ou littér.) *Je suis romaine, hélas ! puisque mon **époux** l'est* (Corneille). ► MASC. PLUR. Le mari et la femme : *Les **époux** se doivent mutuellement assistance.* ⊠ Mil. XI^e s. ; lat. *sponsus*, de *spondere*, « promettre solennellement » ; [epu, epuz].

**ÉPOXYDE,** subst. m.
*Chim.* Fonction chimique caractérisée par la liaison de deux atomes de carbone voisins dans une chaîne à un même atome d'oxygène extérieur à cette chaîne ; en appos. : *Résine **époxyde**,* résine formée de molécules porteuses de cette fonction, utilisée notamment dans la constitution de certaines colles. ⊠ ☞ *oxyde* + *épi-* ; [epɔksid].

**ÉPREINDRE,** verbe trans. [53]
Vieilli. Presser (un fruit, des herbes) pour en extraire le jus ; par méton., exprimer (le jus). ⊠ Fin XII^e s. ; lat. *exprimere* ; [epʀɛ̃dʀ].

**ÉPREINTES,** subst. f. plur.
*Pathol.* Spasmes douloureux dus à l'inflammation du côlon, provoquant un faux besoin d'aller à la selle. ⊠ 1564 (fin XIV^e s., fiente) ; ☞ *épreindre* ; [epʀɛ̃t].

**ÉPRENDRE (S'),** verbe pronom. [52]
**1.** Vx. S'enflammer. **2.** Être saisi par un vif intérêt, une passion pour qqch. ou qqn (littér.). ► Tomber amoureux. ⊠ Fin XI^e s. ; ☞ *prendre* + *é-*¹ ; [epʀɑ̃dʀ].

**ÉPREUVE,** subst. f.
**1.** Souffrance, malheur qui frappe qqn, qui ébranle sa résistance morale : *Ce deuil fut une lourde **épreuve** ; Surmonter une **épreuve**.* **2.** Ce qui permet de tester, d'établir la valeur d'une idée ou d'une personne : *Soumettre une hypothèse à l'**épreuve** des faits ; Mettre qqn à rude **épreuve**,* lui infliger qqch. de difficile à supporter. ► Loc. ***Épreuve** de force* : affrontement sans espoir de conciliation ; *À toute **épreuve*** : capable de résister à tout. **3.** Expérience, essai visant à établir les qualités, la valeur d'une chose : *Faire l'**épreuve** de résistance d'un matériau.* ► Loc. *À l'**épreuve** de* : capable de résister à. **4.** Une des parties composant un examen, un concours : *Échouer à l'**épreuve** de philosophie.* ► Compétition ou partie d'une compétition sportive : *L'**épreuve** du cent mètres.* **5.** Ce qui résulte d'un essai, d'une première action. ► *Impr.* Feuille de contrôle, après composition, destinée à recevoir les corrections de l'auteur ou du correcteur. ► *Grav.* Exemplaire d'une estampe ou d'une lithographie : ***Épreuves** numérotées.* ► *Phot.* Image obtenue sur papier par traitement du négatif. ► *Probabilités.* Ensemble des conditions conduisant à la réalisation (ou non) d'un évènement. ⊠ Fin XII^e s. ; ☞ *éprouver* ; [epʀœv].

**ÉPRIS, ISE,** adj.
**1.** Vx. Enflammé : *Une bûche **éprise**.* **2.** Possédé par une passion pour qqch. ou qqn : *Être **épris** de justice* ; empl. abs., amoureux : *Il est plus **épris** que jamais.* ⊠ Fin XI^e s. ; p. p. de *s'éprendre* ; [epʀi, iz].

**ÉPROUVANT, ANTE,** adj.
Difficile à supporter, pénible : *Une attente **éprouvante**.* ⊠ 1831 ; p. pr. de *éprouver* ; [epʀuvɑ̃, ɑ̃t].

**ÉPROUVÉ, ÉE,** adj.
**1.** Dont la valeur est solidement établie : *Une technique, des qualités **éprouvées**.* **2.** Marqué par des épreuves : *Un homme cruellement **éprouvé** par la vie.* ⊠ Fin XI^e s. ; p. p. de *éprouver* ; [epʀuve].

**ÉPROUVER,** verbe trans. [3]
**1.** Mettre à l'épreuve (qqch.) pour en vérifier la valeur, la qualité : ***Éprouver** la résistance d'un matériau ; **Éprouver** la sincérité de qqn.* **2.** Faire subir une épreuve à (qqn), affliger : *La famine **a éprouvé** la population.* **3.** Ressentir : ***Éprouver** une gêne, des difficultés.* ⊠ Fin XI^e s. ; ☞ *prouver* + *é-*¹ ; [epʀuve].

**ÉPROUVETTE,** subst. f.
**1.** *Techn.* Dispositif permettant d'éprouver la qualité d'un produit ; en partic., tube à essai dont on se sert en laboratoire pour des expériences, des analyses. ► *Bébé-**éprouvette*** (☞ *bébé*). **2.** Méton. Échantillon d'un matériau dont on veut tester les qualités. ⊠ 1503 ; ☞ *éprouver* ; [epʀuvɛt].

**EPSILON,** subst. m. inv.
*Ling.* Cinquième lettre et deuxième voyelle de l'alphabet grec, transcrite ε en minuscule, E en majuscule. ⊠ 1829 ; gr. *e psilon*, « *e* simple » ; [ɛpsilɔn].

**EPSOMITE,** subst. f.
*Minér.* Sulfate naturel de magnésium hydraté. ⊠ 1870 ; topon. *Epsom* (Angleterre) ; [ɛpsɔmit].

**ÉPUCER,** verbe trans. [4]
Débarrasser (un animal) de ses puces ; empl. pronom. : *La guenon s'**épuce**.* ⊠ 1564 ; ☞ *puce* + *é-*² ; [epyse].

**ÉPUISANT, ANTE,** adj.
Qui cause une grande fatigue, harassant : *Un travail **épuisant**.* ⊠ 1776 ; p. pr. de *épuiser* ; [epɥizɑ̃, ɑ̃t].

**ÉPUISÉ, ÉE,** adj.
**1.** *Livre **épuisé*** : dont il n'y a plus d'exemplaires chez l'éditeur. **2.** Tari, devenu improductif. **3.** À bout de forces. ⊠ 1664 ; p. p. de *épuiser* ; [epɥize].

**ÉPUISEMENT,** subst. m.
**1.** Action d'épuiser, de vider : *Pompe d'**épuisement*** ; par méton., état de ce qui est épuisé : ***Épuisement** des stocks.* **2.** Grande fatigue physique ou morale : *Nager jusqu'à l'**épuisement**.* ⊠ XIII^e s. ; ☞ *épuiser* ; [epɥizmɑ̃].

**ÉPUISER,** verbe trans. [3]
**1.** Tarir (vieilli) : ***Épuiser** un étang.* **2.** Utiliser (qqch.) jusqu'au bout : ***Épuiser** des stocks* ; empl. pronom. : *Un filon qui s'**épuise**.* **3.** Fig. User jusqu'au bout : *Cet enfant **épuise** ma patience ; **Épuiser** un sujet,* le traiter à fond. **4.** Causer une extrême fatigue à : *Cette douleur lancinante l'**épuise*** ; empl. pronom. : *Ses forces s'**épuisent**.* ► Par exagér. **S'épuiser à.** S'évertuer à : *Je m'**épuise** à vous le dire.* ⊠ XII^e s. ; ☞ *puiser* + *é-*¹ ; [epɥize].

**ÉPUISETTE,** subst. f.
**1.** *Pêche.* Petit haveneau à long manche. **2.** *Mar.* Écope. ⊠ 1827 (1709, filet à oiseaux) ; ☞ *épuiser* ; [epɥizɛt].

**ÉPULIE,** subst. f.
*Pathol.* Tumeur bénigne de la gencive. ⊠ 1560 ; gr. *epoulis*, de *epi*, « sur », et de *oulon*, « gencive » ; var. *une épulide, un épulis* ; [epyli].

**ÉPULON,** subst. m.
*Antiq. rom.* Prêtre qui présidait aux banq[...] préparés pour honorer les dieux. ⊠ 1560 ; [...] *epulae*, « repas » ; [epylɔ̃].

**ÉPULPEUR,** subst. m.
*Techn.* Appareil servant à séparer la pulpe du [...] des betteraves sucrières. ⊠ 1890 ; ☞ *pulpe* + [...] [epylpœʀ].

**ÉPURATEUR,** subst. m.
**1.** Vx. Personne chargée d'éliminer certains éléme[...] d'une société. **2.** *Techn.* Appareil qui sert à élimi[...] les impuretés d'un liquide, d'un gaz ; empl. adj. : *T*[...] ***épurateur**.* ⊠ 1792 ; ☞ *épurer* ; [epyʀatœʀ].

**ÉPURATION,** subst. f.
**1.** Action d'épurer une substance, de la purifi[...] *Usine d'**épuration** des eaux.* ► *Méd.* ***Épuration** ex*[...] *rénale* : procédé artificiel de purification du sang [...] remédie à un dysfonctionnement des reins. **2.** [...] ► Assainissement, purification : *L'**épuration** de*[...] *langue française.* ► Élimination ou exclusion [...] membres d'un parti, d'une administration co[...] dérés comme indignes ou coupables de fa[...] graves. ► *Hist.* Ensemble des mesures prises, à pa[...] de 1944, contre les Français accusés de collabo[...] tion avec le régime de Vichy ou avec l'occupa[...] ⊠ 1611 ; ☞ *épurer* ; [epyʀasjɔ̃].

**ÉPURE,** subst. f.
**1.** *Archit.* Dessin en grandeur réelle, tracé sur [...] surface plane pour guider la construction d'[...] ouvrage. **2.** Représentation précise d'un volume, [...] projection sur un plan, à une échelle détermin[...] ***Épure** d'une charpente.* **3.** Fig. Lignes générales d'[...] œuvre, trame : *L'**épure** d'un scénario.* ⊠ 16[...] ☞ *épurer* ; [epyʀ].

**ÉPUREMENT,** subst. m.
**1.** Épuration (rare). **2.** Fait d'épurer (littér.) [...] *L'**épurement** des mœurs dans une société.* ⊠ XIII^e [...] ☞ *épurer* ; [epyʀmɑ̃].

**ÉPURER,** verbe trans. [3]
**1.** Rendre plus pur en éliminant les éléme[...] étrangers, polluants. **2.** Fig. Purifier, affiner : ***Ép**[...] *une idée* ; empl. pronom. : *Son style s'est **ép***[...] **3.** Éliminer de (un groupe, une société) les in[...] vidus jugés indignes, indésirables. ⊠ Fin XII^e [...] ☞ *pur* + *é-*¹ ; [epyʀe].

**ÉPURGE,** subst. f.
*Bot.* Variété d'euphorbe dont on extrait une h[...] purgative. ⊠ Mil. XIII^e s. ; anc. fr. *espurgier*, « purifie[...] du lat. *expurgare*, « purger » ; [epyʀʒ].

**ÉPYORNIS,** voir **ÆPYORNIS**

**ÉQUANIMITÉ,** subst. f.
Sérénité, égalité d'humeur (littér.). ⊠ 1572 ; [...] *aequanimitas* ; [ekwanimite].

**ÉQUARRIR,** verbe trans. [19]
**1.** *Techn.* Tailler à angles droits : ***Équarrir** un ar*[...] *un bloc de pierre* ; empl. adj. : *Mal **équarri**,* gross[...] **2.** Couper en quartiers (un animal, gén. impro[...] à la consommation). ⊠ Fin XII^e s. ; anc. fr. *escar*[...] du lat. pop. °*exquadrare*, « rendre carré » ; [ekaʀiʀ].

**ÉQUARRISSAGE,** subst. m.
**1.** *Techn.* Équarrissement. **2.** Action d'équarrir [...] animal. ⊠ 1364 ; ☞ *équarrir* ; [ekaʀisaʒ].

**ÉQUARRISSEMENT,** subst. m.
*Techn.* Action d'équarrir une pièce de bois, [...] pierre. ⊠ 1328 ; ☞ *équarrir* ; [ekaʀismɑ̃].

**ÉQUARRISSEUR, EUSE,** subst.
Personne dont le métier est d'équarrir. ⊠ 15[...] ☞ *équarrir* ; [ekaʀisœʀ, øz].

**ÉQUATEUR,** subst. m.
**1.** *Astron.* ► ***Équateur** terrestre* : ligne déterminée [...] l'intersection de la surface de la Terre avec le p[...] perpendiculaire à l'axe des pôles et contenant [...] centre de masse. ► ***Équateur** céleste* : ligne déter[...] née par l'intersection du plan de l'**équateur** terres[...] avec la sphère céleste. **2.** *Géogr.* Région voisine [...] l'**équateur** terrestre. ⊠ Fin XIV^e s. ; lat. médiév. *aeq*[...]*tor*, du lat. *aequus*, « égal » ; [ekwatœʀ].

**ÉQUATION,** subst. f.
**1.** *Astron.* ***Équation** du temps* : relation entre [...] temps solaire vrai (donné par l'observation [...] Soleil) et le temps solaire moyen (défini par [...] mouvement du Soleil, supposé uniforme). **2.** *Ch*[...] ***Équation** chimique* : formule décrivant une réact[...] chimique, le premier membre indiquant les co[...] mis en présence et le second membre, les corps [...] se sont formés à l'issue de la réaction. **3.** *Gé*[...] ***Équations** d'une courbe ou d'une surface* : relatio[...]

ɪtre les coordonnées d'un point M dans un repère :cessaires et suffisantes pour que ce point apparɪnne à la courbe ou à la surface. **4.** Ext. Toute lation (formule) entre certaines grandeurs perettant de calculer l'une d'entre elles quand on ɪnnaît les autres. **5.** *Math.* Égalité conditionnelle x) = $g(x)$ où $f$ et $g$ sont des applications d'un semble E vers un ensemble F. La résoudre dans partie A de E, c'est déterminer les éléments $a$ de (les racines ou les solutions de l'**équation** dans pour lesquels l'égalité $f(a) = g(a)$ est effecɪement vérifiée. **6.** *Psychol.* ***Équation** personnelle* : mps, variable selon les individus, qui sépare l'obrvation de l'enregistrement d'un phénomène ; par t., manière propre à chacun d'observer, d'interéter un fait. ⚔ Mil. XIIIe s. ; lat. *aequatio*, « égalisaɪn » ; [ekwasjɔ̃].

**ÉQUATORIAL, ALE, AUX, adj. et subst. m.**
ɒj. **1.** *Astron.* Qui se rapporte à l'équateur céleste ı à son voisinage : *Étoiles **équatoriales** ; Coordon-és **équatoriales***, système de coordonnées indépenɪntes du lieu d'observation, dont les plans de base nt l'équateur et le méridien céleste contenant le ɪint vernal ; *Monture **équatoriale***, dispositif comɪsé de deux axes perpendiculaires dont l'un, l'axe ɪraire, est parallèle à l'axe du monde. **2.** *Biol.* *aque **équatoriale*** : au cours de la mitose, ensemble :s chromosomes ayant atteint leur degré maximal : condensation et dont les centromères sont tous acés au niveau d'une section **équatoriale** du seau achromatique. **3.** *Géogr.* Qui se rapporte à équateur terrestre ou à son voisinage : *Pays **équariaux***, traversés par l'équateur ; *Faune et flore **équariales*** ; *Climat **équatorial***, caractérisé par une mpérature et une pluviométrie constamment :vées. **Subst.** *Astron.* Instrument optique (lunette, lescope) à monture **équatoriale**. ⚔ Fin XVIIIe s. ; ☞ *équateur* ; [ekwatɔʀjal, o].

**ÉQUERRAGE, subst. m.**
*chn.* Ouverture de l'angle formé par deux surfaces anes adjacentes. ⚔ 1786 ; ☞ *équerrer* ; [ekɛʀaʒ].

**ÉQUERRE, subst. f.**
Instrument permettant de tracer des angles droits des perpendiculaires : ***Équerre** à dessin* ; ***Équerre** arpenteur, de maçon* ; *Fausse **équerre***, instrument branches mobiles, servant à établir les degrés ouverture des angles. ► Loc. *D'**équerre**, à l'**équerre*** : angle droit ; *En **équerre*** : disposé de manière à rmer un angle droit. **2.** *Techn.* Pièce métallique forme de T ou de L servant à consolider des semblages en charpente et en menuiserie. ⚔ Fin ɪe s. (1170, carré) ; lat. pop. °*exquadra*, de °*exquadrare*, ɪendre carré » ; [ekɛʀ].

**ÉQUERRER, verbe trans.** [3]
*chn.* Façonner (du bois, du métal) pour lui ɪnner l'équerrage voulu. ⚔ 1786 ; ☞ *équerre* ; kɛʀe].

**ÉQUESTRE, adj.**
Qui représente un personnage à cheval : *Statue uestre d'Henri IV.* **2.** *Antiq. rom.* Qui concerne les ɪevaliers : *L'ordre **équestre***. **3.** Relatif à l'équitation : ɪorts **équestres***. ⚔ 1355 ; lat. *equester*, de *equus*, :heval » ; [ekɛstʀ].

**ÉQUEUTAGE, subst. m.**
:tion d'équeuter. ⚔ XXe s. ; ☞ *équeuter* ; [ekøtaʒ].

**ÉQUEUTER, verbe trans.** [3]
ter sa queue à (un fruit) : ***Équeuter** des cerises.* ⚔ 1909 ; ☞ *queue* + *é-*2 ; [ekøte].

**ÉQUIANGLE, adj.**
*éom.* Dont tous les angles sont égaux. ⚔ 1556 ; :. *aequiangulus*, de *angulus*, « angle » ; [ekɥiɑ̃gl].

**ÉQUIDÉS, subst. m. plur.**
ɒol. Famille de mammifères ongulés de l'ordre :s Périssodactyles, dont les représentants n'ont ı'un doigt fonctionnel muni d'un sabot, les autres ant absents ou atrophiés. **Au sing.** *Le cheval, mme l'âne ou le zèbre, est un **équidé**.* ⚔ 1834 ; lat. *uus*, « cheval » ; [ekide].

**ÉQUIDISTANCE, subst. f.**
aractère de ce qui est équidistant. ⚔ XIVe s. ; ☞ *équidistant* ; [ekɥidistɑ̃s].

**ÉQUIDISTANT, ANTE, adj.**
tué à égale distance d'un point donné : *Ces deux ɪtels sont **équidistants** de la gare.* ⚔ 1360 ; bas lat. *equidistans*, « parallèle » ; [ekɥidistɑ̃, ɑ̃t].

**ÉQUILATÉRAL, ALE, AUX, adj.**
*éom.* Dont tous les côtés sont de dimension égale. ⚔ 1529 ; lat. *aequilateralis* ; [ekɥilateʀal, o].

**ÉQUILATÈRE, adj.**
*Géom. Hyperbole **équilatère*** : dont les asymptotes sont perpendiculaires. ⚔ 1755 (XIIIe s., équilatéral) ; bas lat. *aequilaterus*, « équilatéral » ; [ekɥilatɛʀ].

**ÉQUILIBRAGE, subst. m.**
Action d'équilibrer ; son résultat. ► *Mécan. **Équilibrage** des roues d'une voiture* : répartition égalisée des masses qui sont en mouvement giratoire autour d'un axe. ⚔ 1861 ; ☞ *équilibrer* ; [ekilibʀaʒ].

**ÉQUILIBRANT, ANTE, adj.**
Qui établit l'équilibre : *Un contrepoids **équilibrant*** ; au fig. : *Le rôle **équilibrant** du sommeil.* ⚔ 1878 ; p. pr. de *équilibrer* ; [ekilibʀɑ̃, ɑ̃t].

**ÉQUILIBRATION, subst. f.**
*Physiol.* Fonction permettant de maintenir l'équilibre du corps. ⚔ 1845 ; ☞ *équilibrer* ; [ekilibʀasjɔ̃].

**ÉQUILIBRE, subst. m.**
**1.** *Phys. **Équilibre** des forces* : état de stabilité résultant de la combinaison de forces de somme nulle. **2.** Position stable d'un corps ou d'un objet : *Perdre, rattraper son **équilibre*** ; *Pile d'assiettes en **équilibre** instable* ; *Exercice d'**équilibre***, acrobatie. **3.** Rapport harmonieux entre des éléments opposés, juste pondération des parties d'un ensemble : *Tout commerce entre deux humains est un difficile **équilibre*** (Montherlant) ; ***Équilibre** des proportions, des volumes d'un bâtiment.* ► *Fin.*, *Écon.* et *Pol.* ***Équilibre** budgétaire* : où les recettes compensent les dépenses ; ***Équilibre** de la balance commerciale* ; ***Équilibre** des pouvoirs* : entre l'exécutif, le législatif et le judiciaire. **4.** Fig. État harmonieux de la vie psychique : *Retrouver son **équilibre** après une épreuve.* ⚔ 1544 ; lat. *aequilibrium*, de *aequus*, « égal », et de *libra*, « balance » ; [ekilibʀ].

**ÉQUILIBRÉ, ÉE, adj.**
Qui est en état d'équilibre : *Cargaison mal **équilibrée*** ; *Régime alimentaire **équilibré*** ; au fig. : *Un esprit **équilibré**.* ⚔ 1529 ; p. p. de *équilibrer* ; [ekilibʀe].

**ÉQUILIBRER, verbe trans.** [3]
**1.** Mettre en équilibre, stabiliser : ***Équilibrer** les plateaux d'une balance* ; empl. pronom. : *Des forces, des pouvoirs qui s'**équilibrent***, qui se compensent. **2.** Agencer harmonieusement (une composition). **3.** Fig. Conférer l'équilibre à (qqn) : *La vie à la campagne l'a **équilibré**.* ⚔ 1529 ; ☞ *équilibre* ; [ekilibʀe].

**ÉQUILIBREUR, EUSE, adj. et subst. m.**
**Adj.** Qui maintient l'équilibre : *Organe **équilibreur**.* **Subst.** **1.** *Aéron.* Appareil qui assure à un avion un vol rectiligne. **2.** *Artill.* Appareil qui rectifie le pointage. ⚔ 1801 ; ☞ *équilibrer* ; [ekilibʀœʀ, øz].

**ÉQUILIBRISTE, subst.**
Artiste de cirque réalisant des numéros d'équilibre, d'adresse acrobatique ; au fig. : *Un **équilibriste** de la Bourse.* ⚔ Fin XVIIIe s. ; ☞ *équilibre* ; [ekilibʀist].

**ÉQUILLE, subst. f.**
*Zool.* Poisson osseux, long et mince, de la famille des Ammodytidés (synon. *lançon*) : *L'**équille** s'enfouit dans le sable.* ⚔ 1612 ; prob. *quille*, « morceau de bois conique, cheville » ; [ekij].

**ÉQUIMOLAIRE, adj.**
*Chim.* Se dit d'un mélange qui contient un nombre égal de moles de chacun de ses différents composants. ⚔ V. 1970 ; ☞ *mole* + *équi-* ; [ekɥimɔlɛʀ].

**ÉQUIMOLÉCULAIRE, adj.**
*Chim.* Se dit d'un corps qui contient un nombre égal de molécules de chacun de ses constituants. ⚔ 1895 ; ☞ *molécule* + *équi-* ; [ekɥimɔlekylɛʀ].

**ÉQUIN, INE, adj.**
**1.** *Vétér.* Qui concerne le cheval ou les Équidés : *Variole **équine**.* **2.** *Pathol.* *Pied **équin*** ou, empl. subst. masc., *Un **équin*** : malformation, congénitale ou acquise, consistant en une hyperextension du pied par rapport à la jambe. ⚔ 1509 ; lat. *equinus*, de *equus*, « cheval » ; [ekɛ̃, in].

**ÉQUINISME, subst. m.**
*Pathol.* Malformation du pied bot équin. ⚔ V. 1950 ; ☞ *équin* ; [ekinism].

**ÉQUINOXE, subst. m.**
*Astron.* Moment de l'année où le centre du Soleil, dans son mouvement apparent autour de la Terre, rencontre l'équateur céleste, et qui correspond à l'égalité de durée du jour et de la nuit. Dans le calendrier grégorien, ce phénomène a lieu le 20 ou le 21 mars (**équinoxe** de printemps) et le 22 ou le 23 septembre (**équinoxe** d'automne), selon les années. ► Chacun des deux points $\gamma$ et $\gamma'$ correspondant à cette rencontre (intersection de l'écliptique avec l'équateur céleste). ► *Précession des **équinoxes*** (☞ *précession*). ⚔ 1210 ; lat. *aequinoctium*, de *aequus*, « égal », et de *nox*, « nuit » ; [ekinɔks].

**ÉQUINOXIAL, ALE, AUX, adj.**
*Astron.* Relatif aux équinoxes : *Points **équinoxiaux***, les points $\gamma$ et $\gamma'$ (synon. *équinoxes*) ; *Ligne **équinoxiale***, la droite $\gamma\gamma'$. ⚔ Fin XIIIe s. ; lat. *aequinoctialis* ; [ekinɔksjal, o].

**ÉQUIPAGE, subst. m.**
**1.** *Mar.* Ensemble des personnes assurant la manœuvre ou le service sur un navire : *Officiers, hommes d'**équipage*** ; ***Équipage** d'un voilier.* **2.** Anal. Ensemble du personnel embarqué à bord d'un avion ou, par ext., d'un char, d'un engin spatial. **3.** Suite affectée aux déplacements d'une personne (littér.) ; attelage d'une voiture de maître : *Arriver en grand, en somptueux **équipage**.* **4.** *Mécan.* Ensemble des éléments contribuant au fonctionnement d'une machine, d'un appareil. **5.** *Vén.* Dans une chasse à courre, ensemble des personnes, des chevaux et de la meute : *Maître d'**équipage**.* **Plur.** *Milit.* Ensemble des moyens logistiques requis par une armée en campagne (vx) ; *Train des **équipages*** (☞ *train*). ⚔ Mil. XVe s. ; ☞ *équiper* ; [ekipaʒ].

**ÉQUIPARTITION, subst. f.**
Répartition égale des éléments (substances, propriétés...) constituant un ensemble. ⚔ 1905 ; ☞ *partition* + *équi-* ; [ekɥipaʀtisjɔ̃].

**ÉQUIPE, subst. f.**
**1.** *Sp.* Groupe de sportifs, de joueurs associés en nombre déterminé pour disputer des matchs, des compétitions : ***Équipe** de France de rugby.* **2.** Groupe de personnes collaborant à un projet ou à une tâche commune : *Travail d'**équipe*** ; ***Équipe** de jour, de nuit* ; ***Équipe** de secouristes.* ⚔ 1469 ; ☞ *équiper* ; [ekip].

**ÉQUIPÉE, subst. f.**
**1.** Entreprise irréfléchie, escapade : *« L'**Équipée** sauvage », film de Laslo Benedek.* **2.** Sortie au grand air : *Une **équipée** en montagne.* ⚔ 1611 (fin XVe s., expédition militaire) ; p. p. de *équiper* ; [ekipe].

**ÉQUIPEMENT, subst. m.**
**1.** Vx. *Mar.* Action de pourvoir un navire ou une flotte d'un équipage, de matériel et de vivres. **2.** *Milit.* Action de pourvoir une armée en matériel, armes et vivres ; ensemble des fournitures du soldat. ► Ext. Matériel requis pour l'exercice d'une activité spécifique : ***Équipement** de ski, de plongée.* **3.** Mise en place des moyens nécessaires aux activités économiques, sociales, culturelles, ou à la vie d'une collectivité ; ces moyens eux-mêmes : ***Équipement** hospitalier, d'une zone d'habitation, d'une bibliothèque.* ⚔ 1671 ; ☞ *équiper* ; [ekipmɑ̃].

**ÉQUIPEMENTIER, subst. m.**
Fabricant d'équipements d'automobiles, d'avions, etc. ⚔ V. 1980 ; ☞ *équipement* ; [ekipmɑ̃tje].

**ÉQUIPER, verbe trans.** [3]
**1.** *Mar.* et *Milit.* Fournir en matériel et en personnel (une flotte, une troupe). **2.** Ext. Doter (qqch. ou qqn) de ce qui lui est nécessaire dans une situation ou pour une activité déterminées ; empl. pronom. : *S'**équiper** contre le froid.* ⚔ 1155 (déb. XIIe s., aborder) ; anc. nord. *skipa*, de *skip*, « navire » ; [ekipe].

**ÉQUIPIER, IÈRE, subst.**
**1.** Vx. Ouvrier qui fait partie d'une équipe. **2.** *Sp.* Membre d'une équipe sportive. **3.** Membre de l'équipage d'un bateau de plaisance. ⚔ 1870 ; ☞ *équipe* ; [ekipje, jɛʀ].

**ÉQUIPOLLENCE, subst. f.**
**1.** Vx. Équivalence. **2.** *Géom.* Relation binaire entre bipoints équipollents (du plan, de l'espace...), équivalence dont les classes sont les vecteurs (dits associés au plan, à l'espace...). ⚔ Fin XIIIe s. ; bas lat. *aequipollentia* ; [ekɥipɔlɑ̃s].

**ÉQUIPOLLENT, ENTE, adj.**
**1.** Vx. Équivalent. **2.** *Géom.* Deux bipoints (A, B) et (A', B') sont dits **équipollents** si les segments [A, B'] et [A', B] ont le même milieu. ⚔ Déb. XIIIe s. ; bas lat. *aequipollens* ; [ekɥipɔlɑ̃, ɑ̃t].

**ÉQUIPOTENT, ENTE, adj.**
*Math.* Deux ensembles sont dits **équipotents** s'il existe une bijection de l'un sur l'autre. Ils ont alors le même cardinal : *$\mathbb{N}$, $\mathbb{Z}$ et $\mathbb{Q}$ sont **équipotents**, mais $\mathbb{Q}$ et $\mathbb{R}$ ne le sont pas.* ⚔ V. 1960 ; lat. *potens*, « puissant », + *équi-* ; [ekɥipɔtɑ̃, ɑ̃t].

**ÉQUIPOTENTIEL, ELLE, adj.**
*Phys.* De potentiel égal : *Surface **équipotentielle**,* dont tous les points ont le même potentiel (électrique, par ex.). ⚔ 1890 ; ☞ *potentiel* + *équi-* ; [ekɥipɔtɑ̃sjɛl].

**ÉQUIPROBABLE, adj.**
*Math.* De probabilité égale à celle d'un autre évènement. Mil. XXe s. ; ☞ *probable* + *équi-* ; [ekɥipʀɔbabl].

**ÉQUISÉTINÉES, subst. f. plur.**
*Bot.* Classe de plantes de l'embranchement des Ptéridophytes, qui ne compte plus qu'un seul genre (*Equisetum*), cosmopolite. AU SING. *La prêle est une **équisétinée**.* 1823 ; lat. *equisetum*, « prêle », de *equus*, « cheval », et de *saeta*, « soie » ; [ekɥisetine].

**ÉQUITABLE, adj.**
Qui fait preuve d'équité : *Un juge **équitable*** ; qui est conforme à l'équité : *Un partage **équitable*** ; empl. subst. masc. : *L'art du bien et de l'**équitable***, le droit. Déb. XVIe s. ; ☞ *équité* ; [ekitabl].

**ÉQUITABLEMENT, adv.**
Avec équité : *Des biens **équitablement** répartis.* Déb. XVIe s. ; ☞ *équitable* ; [ekitabləmɑ̃].

**ÉQUITATION, subst. f.**
Art ou action de monter à cheval. 1503 ; lat. *equitatio*, de *equus*, « cheval » ; [ekitasjɔ̃].

**ÉQUITÉ, subst. f.**
**1.** Vertu relevant d'un sentiment naturel de ce qui est juste, et non du droit positif, consistant à respecter absolument ce qui est dû à chacun : *Traiter qqn avec **équité**.* ▸ Loc. *En toute **équité*** : impartialement. **2.** Caractère de ce qui est conforme à l'équité : ***Équité** d'un jugement, d'un partage.* 1262 ; lat. *aequitas*, « esprit de justice » ; [ekite].

**ÉQUIVALENCE, subst. f.**
**1.** Qualité de ce qui est équivalent. ▸ *Enseign. **Équivalence** officielle de deux diplômes* : leur identité admise. **2.** *Math. Relation d'**équivalence** sur un ensemble E* : relation binaire sur E, réflexive, symétrique et transitive (☞ *classe, quotient*). 1330 ; bas lat. *aequivalentia*, « valeur égale » ; [ekivalɑ̃s].

**ÉQUIVALENT, ENTE, adj. et subst. m.**
ADJ. **1.** De même valeur, quantitative ou qualitative : *Parts **équivalentes** ; Phrases **équivalentes**.* **2.** *Math.* $\mathcal{R}$ étant une relation d'équivalence sur un ensemble E, deux éléments de E en relation par $\mathcal{R}$ sont dits **équivalents** suivant $\mathcal{R}$, ou **équivalents** modulo $\mathcal{R}$. SUBST. Ce qui équivaut ; la chose **équivalente** : *Mot français qui a son **équivalent** en anglais.* Fin XIVe s. ; (1382, impôt tenant lieu d'un autre) ; bas lat. *aequivalens*, de *aequivalere*, « valoir autant » ; [ekivalɑ̃, ɑ̃t].

**ÉQUIVALOIR, verbe trans. indir.** [45]
**Équivaloir à. 1.** Avoir la même valeur quantitative que : *Sa dette **équivaut** à un mois de salaire.* **2.** Avoir le même effet, le même sens ou la même importance que : *Une pensée n'**équivaut** pas à un acte* ; empl. pronom. : *Ces deux élèves **s'équivalent**.* Mil. XVe s. ; bas lat. *aequivalere*, « valoir autant », d'apr. *valoir* ; [ekivalwaʀ].

**ÉQUIVOQUE, subst. f. et adj.**
SUBST. **1.** Jeu de mots, calembour (vx). **2.** Mot, expression qui se prête à des interprétations diverses ; par ext., incertitude qui trouble le jugement et rend hésitant : *Dissiper une **équivoque**.* ADJ. **1.** Qui peut être interprété de différentes façons ; ambigu : *Discours **équivoque**.* **2.** Qui n'inspire pas confiance : *Personnage **équivoque** ; Allure **équivoque**.* Mil. XIIIe s. (déb. XIIIe s., consonnant mais de sens différent) ; bas lat. *aequivocus*, « à double sens », du lat. *aequus*, « égal », et *vox*, « voix » ; [ekivɔk].

**ÉQUIVOQUER, verbe intrans.** [3]
Faire usage d'équivoques, s'exprimer de façon confuse (littér.). 1520 ; ☞ *équivoque* ; [ekivɔke].

**Er, voir ERBIUM**

**ÉRABLE, subst. m.**
*Bot.* Grand arbre des forêts tempérées, de la famille des Acéracées, dont les fruits à longues ailes membraneuses sont dispersés par le vent. Les **érables** sont recherchés pour leur bois, utilisé en ébénisterie, et cultivés (**érable** du Canada) pour leur sève sucrée : *Le sycomore est un **érable**.* Mil. XIIIe s. ; bas lat. *acerabulus*, du lat. *acer*, « érable », et p.-ê. du gaul. °*abolos*, « sorbier » ; [eʀabl].

**ÉRABLIÈRE, subst. f.**
Plantation d'érables ; en partic., au Canada, plantation d'érables à sucre. 1804 ; ☞ *érable* ; [eʀabli(j)ɛʀ].

**ÉRADICATION, subst. f.**
**1.** *Méd.* Action d'extirper : ***Éradication** d'une tumeur.* **2.** Ext. Suppression définitive des agents responsables d'une maladie contagieuse : ***Éradication** de la variole.* XIIIe s. ; lat. chrét. *eradicatio*, « action de déraciner ; extermination » ; [eʀadikasjɔ̃].

**ÉRADIQUER, verbe trans.** [3]
Faire disparaître totalement (une maladie) ; au fig. : ***Éradiquer** la misère.* Mil. XXe s. ; ☞ *éradication* ; [eʀadike].

**ÉRAFLEMENT, subst. m.**
Action d'érafler. 1811 ; ☞ *érafler* ; [eʀafləmɑ̃].

**ÉRAFLER, verbe trans.** [3]
Entailler superficiellement (la peau, une surface) ; égratigner : *La lame **érafla** sa main ; **Érafler** le tissu d'un siège.* Fin XVe s. ; ☞ *rafler* + *é-*[1] ; [eʀafle].

**ÉRAFLURE, subst. f.**
Écorchure sans gravité ; entaille superficielle. 1671 ; ☞ *érafler* ; [eʀaflyʀ].

**ÉRAILLÉ, ÉE, adj.**
**1.** Qui est strié de veinules rouges, en parlant d'un œil. **2.** Qui présente de légères déchirures : *Étoffe **éraillée**.* **3.** *Voix **éraillée*** : rauque, voilée. 1690 ; p. p. de *érailler* ; [eʀɑje].

**ÉRAILLEMENT, subst. m.**
**1.** État d'un tissu éraillé. **2.** Raucité d'une voix. 1864 (1561, renversement de la paupière) ; ☞ *érailler* ; [eʀɑjmɑ̃].

**ÉRAILLER, verbe trans.** [3]
**1.** Relâcher les fils de (un tissu) en les étirant. **2.** Déchirer superficiellement. **3.** Rendre (la voix) rauque. 1690 (déb. XIIIe s., rouler [les yeux] en signe de colère) ; anc. fr. *roeillier*, du lat. pop. °*roticulare*, de *rotare*, « rouler », d'apr. *rayer* ; [eʀɑje].

**ÉRAILLURE, subst. f.**
**1.** Déchirure superficielle d'une étoffe. **2.** Rayure faite sur une surface quelconque ; écorchure. 1690 ; ☞ *érailler* ; [eʀɑjyʀ].

**ERBINE, subst. f.**
*Chim.* Oxyde d'erbium. Mil. XIXe s. ; lat. sc. *erbia*, du topon. *Ytterby* (Suède) ; [ɛʀbin].

**ERBIUM, subst. m.**
*Chim.* Élément n° 68 de la table de Mendeleïev, du groupe des terres rares (symb. : Er) ; masse atomique : 167,26 ; point de fusion : 1 529 °C ; point d'ébullition : 2 863 °C ; masse volumique : 9,05 g/cm$^3$. 1864 ; ☞ *erbine* ; [ɛʀbjɔm].

**ERBUE, voir HERBUE**

**ÈRE, subst. f.**
**1.** Vx. Point de départ (d'une chronologie déterminée). **2.** Période historique commençant à un point fixe (en gén. un évènement important) : *L'**ère** chrétienne commence à la naissance de Jésus.* **3.** Période caractérisée par de grands faits de civilisation, ou marquée par l'établissement d'un nouvel ordre de choses : *L'**ère** industrielle.* **4.** *Géol.* Division principale des temps géologiques : *L'**ère** primaire, l'**ère** secondaire, l'**ère** tertiaire, l'**ère** quaternaire.* Une ère se divise en périodes (ex. : Trias, Jurassique, Crétacé) ; une période, en âges géologiques (gén. nommés d'après un site). L'**ère** (ou érathème) primaire est aussi le nom donné à l'ensemble des dépôts et fossiles constituant un ensemble concret formé durant les temps primaires. 1539 ; bas lat. *aera*, « nombre » ; [ɛʀ].

**ÉRECTEUR, TRICE, adj.**
*Physiol.* Qui produit l'érection : *Nerf **érecteur**.* 1701 (1544, celui qui érige) ; lat. *erector*, « celui qui érige » ; [eʀɛktœʀ, tʀis].

**ÉRECTILE, adj.**
*Physiol.* Susceptible d'érection, en parlant d'un tissu, d'un organe. 1813 ; ☞ *érection* ; [eʀɛktil].

**ÉRECTILITÉ, subst. f.**
*Physiol.* Qualité d'un tissu ou d'un organe érectile. 1839 ; ☞ *érectile* ; [eʀɛktilite].

**ÉRECTION, subst. f.**
**1.** Action d'établir, d'instituer (vieilli) : ***Érection** d'un tribunal.* **2.** Action d'ériger, d'édifier : ***Érection** d'un monument, d'une statue.* **3.** *Physiol.* Fait, pour certains organes et tissus, de devenir raides, durs et gonflés sous l'effet d'un afflux de sang dans leurs vaisseaux ; empl. abs. : *L'**érection***, celle du pénis. 1465 ; lat. *erectio*, « action de dresser » ; [eʀɛksjɔ̃].

**ÉREINTANT, ANTE, adj.**
Qui éreinte, épuise : *Besogne **éreintante**.* 1690 ; p. pr. de *éreinter* ; [eʀɛ̃tɑ̃, ɑ̃t].

**ÉREINTEMENT, subst. m.**
**1.** Critique virulente et malveillante : ***Éreintement** d'un roman* (synon. *éreintage*). **2.** Épuisement d'une personne éreintée. 1853 ; ☞ *éreinter* ; [eʀɛ̃tmɑ̃].

**ÉREINTER, verbe trans.** [3]
**1.** Vx. Blesser en foulant, en rompant les reins de. **2.** Ext. Accabler de fatigue : *Cette longue promen[ade] l'a **éreinté*** ; empl. pronom. : fournir de gra[nds] efforts. **3.** Fig. Critiquer violemment : ***Éreinter** [un] homme politique.* 1690 ; anc. fr. *esrener*, « rom[pre] les reins », d'apr. *rein* ; [eʀɛ̃te].

**ÉREINTEUR, EUSE, adj. et subst.**
Se dit d'une personne qui critique avec sévérité [et] malveillance. 1859 ; ☞ *éreinter* ; [eʀɛ̃tœʀ, øz].

**ÉRÉMITIQUE, adj.**
Qui se rapporte aux ermites : *Vie **érémitique**.* [Déb.] XVIe s. ; lat. *eremiticus*, de *eremita*, « ermite » ; [eʀemit[ik]].

**ÉRÉMITISME, subst. m.**
Mode de vie des ermites. XXe s. ; ☞ *érémitiq[ue]* ; [eʀemitism].

**ÉRÉSIPÈLE, voir ÉRYSIPÈLE**

**ÉRÉTHISME, subst. m.**
**1.** *Pathol.* Hyperexcitabilité d'un organe ou d'[un]e fonction physiologique : ***Éréthisme** vasculaire, c[ar]diaque.* **2.** Littér. Passion prenant la forme d'u[ne] extrême exaltation ; tension psychique. 1741 ; [gr.] *erethismos*, « irritation » ; [eʀetism].

**ERG (I), subst. m.**
*Géogr.* Nom donné, dans le Sahara, aux étendu[es] désertiques formées de sable fin. 1849 ; ar. '[irq], « veine ; dune » ; plur. *ergs* ou *areg* ; [ɛʀg].

**ERG (II), subst. m.**
*Métrol.* Ancienne unité de mesure de trava[il]

LES QUATRE ÈRES GÉOLOGIQUES
*Les durées sont exprimées en mégans (1 mégan = 1 000 000 d'années).*

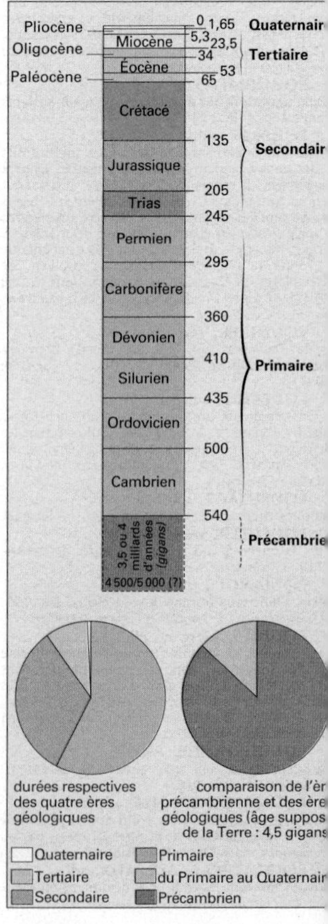

d'énergie et de quantité de chaleur du système C. G. S., valant $10^{-7}$ joule. 1881 ; angl. *erg*, du gr. *ergon*, « travail » ; [ɛʀg].

**ERGASTOPLASME, subst. m.**
*Biol.* Fin réseau intracellulaire de canaux et de vésicules sur lequel se fixent les ribosomes, nécessaire à la synthèse des protéines (synon. *réticulum endoplasmique granulaire*). 1897 ; gr. *ergastês*, « celui qui travaille », + *-plasme* ; [ɛʀgastɔplasm].

**ERGASTULE, subst. m.**
*Antiq. rom.* Cachot, prison souterraine ; logement des esclaves, des gladiateurs. 1495 ; lat. *ergastulum*, du gr. *ergastêrion*, « atelier » ; [ɛʀgastyl].

**ERGATIF, subst. m.**
*Gramm.* Cas de certaines langues flexionnelles (tel le basque) qui permet de marquer l'agent des verbes transitifs pouvant avoir deux participants, l'un actif et l'autre passif. 1928 ; gr. *ergatês*, « qui travaille » ; [ɛʀgatif].

**ERGOGRAPHE, subst. m.**
*Techn.* Appareil servant à enregistrer et à mesurer le travail produit par une contraction musculaire. 1903 ; formé de *ergo-* et de *-graphe* ; [ɛʀgɔgʀaf].

**ERGOL, subst. m.**
*Astronaut.* Constituant d'un propergol utilisé pour fournir de l'énergie, seul (comme combustible) ou en association (comme comburant). V. 1970 ; gr. *ergon*, « travail » ; [ɛʀgɔl].

**ERGOLOGIE, subst. f.**
*Physiol.* Étude de l'activité musculaire. 1953 ; formé de *ergo-* et de *-logie* ; [ɛʀgɔlɔʒi].

**ERGOMÈTRE, subst. m.**
*Méd.* Appareil de mesure du travail musculaire. 1898 ; formé de *ergo-* et de *-mètre*[1] ; [ɛʀgɔmɛtʀ].

**ERGOMÉTRIE, subst. f.**
*Méd.* Mesure de l'énergie dépensée lors d'un effort musculaire. V. 1960 ; formé de *ergo-* et de *-métrie* ; [ɛʀgɔmetʀi].

**ERGONOMIE, subst. f.**
**1.** Étude des conditions de travail visant à adapter au mieux l'environnement professionnel ou les machines à l'homme. **2.** Qualité d'un appareil bien adapté à son utilisateur. V. 1970 ; angl. *ergonomics*, du gr. *ergon*, « travail » ; [ɛʀgɔnɔmi].

**ERGONOMIQUE, adj.**
**1.** Qui se rapporte à l'étude des conditions de travail. **2.** Qui a une bonne ergonomie : *Siège* ***ergonomique.*** V. 1970 ; ☞ *ergonomie* ; [ɛʀgɔnɔmik].

**ERGONOMISTE, subst.**
Spécialiste de l'ergonomie (synon. *ergonome*). V. 1970 ; ☞ *ergonomie* ; [ɛʀgɔnɔmist].

**ERGOSTÉROL, subst. m.**
*Biochim.* Stérol contenu dans l'ergot de seigle et la levure de bière. C'est une provitamine qui se transforme en vitamine $D_2$ (antirachitique) sous l'action des rayons ultraviolets. 1933 ; formé de *ergot* et de *stérol* ; [ɛʀgosteʀɔl].

**ERGOT, subst. m.**
**I. 1.** *Zool.* Protubérance osseuse recouverte de corne située derrière le tarse ou le tibia de certains animaux : *Le coq se dresse sur ses* ***ergots.*** **2.** Ext. Protubérance cornée se trouvant en arrière du boulet d'un cheval ou d'un bovidé ; griffe à l'arrière de la patte de certains carnivores. ▸ Loc. *Se dresser, monter sur ses* ***ergots*** : prendre une attitude menaçante, hautaine. **3.** *Anat.* *Ergot de Morand* : saillie médullaire située dans la cavité des ventricules latéraux du cerveau (synon. *petit hippocampe*). **4.** *Techn.* Petite pièce, gén. métallique, servant de cran, de butée, de clavette, etc. **II.** *Bot.* ***Ergot*** *de seigle* : petit corps allongé, noir et dur, dit sclérote, dû au développement d'un champignon (lui aussi appelé **ergot** de seigle), qui se forme à la place d'un grain dans l'épi de certaines poacées (seigle, blé) et qui contient des alcaloïdes toxiques responsables d'une maladie, également dite **ergot** de seigle. Fin XIIe s. ; orig. obsc. ; [ɛʀgo].

**ERGOTAGE, subst. m.**
Action, fait d'ergoter ; discussion vaine et lassante portant sur des détails (synon. vieilli *ergoterie*). Fin XVIe s. ; ☞ *ergoter* ; [ɛʀgɔtaʒ].

**ERGOTAMINE, subst. f.**
*Biochim.* Alcaloïde extrait de l'ergot de seigle, aux propriétés vasoconstrictrices. V. 1970 ; formé de *ergot* et de *amine* ; [ɛʀgɔtamin].

**ERGOTÉ, ÉE, adj.**
**1.** *Zool.* Qui possède des ergots. **2.** *Bot.* Gâté par l'ergot. 1549 ; ☞ *ergot* ; [ɛʀgɔte].

**ERGOTER, verbe intrans.** [3]
Discuter sur des détails ; contester avec des arguments trop subtils, voire fallacieux. Déb. XIIIe s. ; lat. *ergo*, « donc, par conséquent » ; [ɛʀgɔte].

**ERGOTEUR, EUSE, adj. et subst.**
Se dit d'une personne qui ergote continuellement (péj.). 1410 ; ☞ *ergoter* ; [ɛʀgɔtœʀ, øz].

**ERGOTHÉRAPIE, subst. f.**
*Méd.* Méthode de rééducation des handicapés physiques ou mentaux par l'activité manuelle ou physique. 1913 ; formé de *ergo-* et de *-thérapie* ; [ɛʀgoteʀapi].

**ERGOTINE, subst. f.**
*Biochim.* Substance antihémorragique extraite de l'ergot de seigle (vx). 1838 ; ☞ *ergot* ; [ɛʀgɔtin].

**ERGOTISME, subst. m.**
*Pathol.* Intoxication grave due à l'absorption des alcaloïdes de l'ergot de seigle contenus dans du pain ergoté. Aujourd'hui, l'**ergotisme** est surtout d'origine médicamenteuse. 1818 ; ☞ *ergot* ; [ɛʀgɔtism].

**ÉRICACÉES, subst. f. plur.**
*Bot.* Famille de plantes dicotylédones comprenant des arbustes ou des arbrisseaux tels les rhododendrons, les arbousiers, les myrtilles. AU SING. *La bruyère est une* ***éricacée.*** 1839 ; lat. *erica*, « bruyère » ; [eʀikase].

**ÉRIGER, verbe trans.** [5]
**1.** Placer (un monument) à la verticale ; construire (littér.) : ***Ériger*** *un calvaire.* **2.** Instituer, établir : ***Ériger*** *un évêché.* **3.** Faire passer à un rang supérieur ; donner à (qqn, qqch.) un certain caractère : ***Ériger*** *un marquisat en duché ;* ***Ériger*** *une technique en art.* PRONOM. S'ériger en. Se donner le rôle de : ***S'ériger*** *en justicier.* 1466 ; lat. *erigere*, « dresser » ; [eʀiʒe].

**ÉRIGÉRON, subst. m.**
*Bot.* Plante de la famille des Astéracées, à tige dressée et à aigrette (synon. *vergerette*). 1808 ; lat. *erigeron*, du gr. *erigerôn*, « séneçon » ; [eʀiʒeʀɔ̃].

**ÉRIGNE, subst. f.**
*Chir.* Instrument à l'extrémité griffue, servant à maintenir écartés les muscles, les vaisseaux, lors d'une opération. 1536 ; var. dial. de *aragne*, du lat. *aranea*, « araignée » ; var. *érine* ; [eʀiɲ].

**ÉRISTALE, subst. m.**
*Zool.* Insecte diptère à l'abdomen jaune et noir, qui ressemble à l'abeille. 1831 ; lat. sc. *eristalis*, du gr. *eri*, « beaucoup », et *stalan*, « couler goutte à goutte » ; [eʀistal].

**ÉRISTIQUE, adj. et subst.**
ADJ. Relatif à la controverse. SUBST. MASC. Philosophe de l'école de Mégare. SUBST. FÉM. Art de la controverse. 1765 ; gr. *eristikos*, de *erizein*, « disputer » ; [eʀistik].

**ERMINETTE, voir HERMINETTE**

**ERMITAGE, subst. m.**
**1.** Vx. Habitation d'un ermite. **2.** Lieu solitaire, retiré. Mil. XIIe s. ; ☞ *ermite* ; [ɛʀmitaʒ].

**ERMITE, subst. m.**
Religieux qui vit dans l'isolement (synon. *anachorète*) ; par anal., personne qui vit retirée du monde. Déb. XIIe s. ; lat. chrét. *eremita*, du gr. *erêmitês*, « ermite », de *erêmos*, « désert » ; [ɛʀmit].

**ÉRODER, verbe trans.** [3]
Détruire lentement ; ronger : *L'acide* ***érode*** *les métaux.* 1564 ; lat. *erodere* ; [eʀɔde].

**ÉROGÈNE, adj.**
Qui provoque un désir sensuel. ▸ *Zone* ***érogène*** : toute partie du corps dont la stimulation procure un plaisir sensuel. 1611 ; gr. *erôs*, « amour », + *-gène* ; var. critiquée *érotogène* ; [eʀɔʒɛn].

**ÉROS, subst. m.**
*Psychanal.* Ensemble des pulsions de vie, par oppos. à celles de mort, dans la théorie de Freud (anton. *thanatos*). 1924 (1838, dieu de l'amour) ; *Éros*, dieu de l'Amour ; [eʀɔs].

**ÉROSIF, IVE, adj.**
*Géol.* **1.** Qui produit l'érosion : *Le pouvoir* ***érosif*** *du vent.* **2.** Qui est caractérisé par une érosion : *Roche* ***érosive.*** 1861 ; ☞ *érosion* ; [eʀozif, iv].

**ÉROSION, subst. f.**
**1.** Action d'une substance qui érode ; son résultat.

© P. Galán-Jacana

*Roches sculptées par l'****érosion.***

**2.** *Géol.* Désagrégation des roches d'une région et transport, par le vent ou l'eau, des particules qui en résultent. **3.** *Pathol.* Lésion superficielle de la peau, des muqueuses. **4.** Fig. Altération, usure progressive : ***Érosion*** *monétaire*, dépréciation du pouvoir d'achat d'une monnaie. 1541 ; lat. *erosio*, de *erodere*, « éroder » ; [eʀozjɔ̃].

**ÉROTIQUE, adj.**
**1.** Qui se rapporte à l'amour physique, à la sexualité : *Rêve* ***érotique.*** **2.** Susceptible de provoquer le désir sexuel : *Tenue* ***érotique.*** Mil. XVIe s. ; bas lat. *eroticus*, du gr. *erôtikos*, de *erôs*, « amour » ; [eʀɔtik].

**ÉROTIQUEMENT, adv.**
De manière à engendrer le désir sexuel. 1796 ; ☞ *érotique* ; [eʀɔtikmɑ̃].

**ÉROTISATION, subst. f.**
Action de conférer un caractère érotique à une chose, à une action ou à un sentiment qui en est a priori dépourvu ; son résultat. 1932 ; ☞ *érotiser* ; [eʀɔtizasjɔ̃].

**ÉROTISER, verbe trans.** [3]
**1.** Stimuler (la partie du système nerveux dont dépendent les pulsions sexuelles). **2.** Conférer un caractère érotique à (un écrit, un spectacle). 1889 ; ☞ *érotique* ; [eʀɔtize].

**ÉROTISME, subst. m.**
**1.** Goût développé pour l'amour physique. **2.** Caractère érotique d'une personne, d'une chose : *L'****érotisme*** *en poésie.* 1794 ; ☞ *érotique* ; [eʀɔtism].

**ÉROTOGÈNE, voir ÉROGÈNE**

**ÉROTOLOGIE, subst. f.**
Étude de l'amour physique et des écrits qu'il inspire. 1882 ; gr. *erôs*, « amour », + *-logie* ; [eʀɔtɔlɔʒi].

**ÉROTOLOGUE, subst.**
Spécialiste de l'érotologie. Fin XIXe s. ; gr. *erôs*, « amour », + *-logue* ; [eʀɔtɔlɔg].

**ÉROTOMANE, adj. et subst.**
Se dit d'une personne atteinte d'érotomanie. 1836 ; gr. *erôtomanês*, « fou d'amour » ; [eʀɔtɔman].

**ÉROTOMANIE, subst. f.**
**1.** *Psych.* Obsession sexuelle. **2.** *Psychol.* Illusion délirante d'être désiré. 1741 ; gr. *erôtomania*, de *erôs*, « amour », et de *mania*, « folie » ; [eʀɔtɔmani].

**ERPÉTOLOGIE, voir HERPÉTOLOGIE**

**ERRANCE, subst. f.**
Action d'errer, d'aller sans but précis. Fin XIIe s. ; anc. fr. *errer*, « voyager » ; [ɛʀɑ̃s].

**ERRANT (I), ANTE, adj.**
Qui est toujours en voyage, sans demeure fixe : *Les chevaliers* ***errants***, qui cherchaient, par le monde, des exploits à accomplir ; *Le Juif* ***errant***, condamné à marcher éternellement pour avoir offensé le Christ lors de la Passion. Fin XIIe s. ; anc. fr. *errer*, « voyager », du bas lat. *iterare*, « voyager » ; [ɛʀɑ̃, ɑ̃t].

**ERRANT (II), ANTE, adj.**
**1.** Vx. Qui se trompe : *Une âme* ***errante.*** **2.** Qui va çà et là, sans but : *Chien* ***errant***, perdu ; au fig. : *Pensée* ***errante*** ; *De nos désirs* ***errants*** *rien n'arrête le cours* (Saint-Évremont). XVIe s. ; lat. *errare*, « se tromper » ; [ɛʀɑ̃, ɑ̃t].

**ERRATA, subst. m.**
Liste des fautes signalées par l'éditeur après l'impression d'un ouvrage. 1560 ; lat. *errata*, plur. de *erratum*, « faute » ; plur. *errata(s)* ; [ɛʀata].

**ERRATIQUE, adj.**
**1.** Qui ne reste pas au même endroit : *Oiseaux*

*erratiques.* ▸ *Pathol. Douleurs* ***erratiques*** : qui changent de localisation ; *Fièvre* ***erratique*** : irrégulière, rémittente. **2.** *Géol. Bloc* ***erratique*** : bloc rocheux que d'anciens glaciers ont transporté loin de son site d'origine. Déb. XIVe s. ; lat. *erraticus,* « errant » ; [ɛʀatik].

**ERRATUM, subst. m.**
Faute d'impression ou erreur signalée par l'éditeur. 1798 ; mot lat. ; plur. *errata* ; [ɛʀatɔm].

**ERRE, subst. f.**
**1.** Vx. Façon d'avancer, allure. **2.** *Mar.* Vitesse acquise d'un navire dont le moyen de propulsion a cessé d'agir. **Plur.** *Vén.* Traces d'un animal. Déb. XIIe s. ; anc. fr. *errer,* « voyager » ; [ɛʀ].

**ERREMENTS, subst. m. plur.**
**1.** Vx. Manière d'agir habituelle. **2.** Comportement blâmable ; habitude fâcheuse : *Persévérer dans ses* ***errements.*** Mil. XIIe s. ; anc. fr. *errer,* « voyager ; se comporter » ; [ɛʀmɑ̃].

**ERRER, verbe intrans.** [3]
**1.** Vx. Faire erreur, fausse route : *Ils n'auront point le malheur d'****avoir erré*** *dans la foi* (Pascal). **2.** Aller çà et là, au hasard, à l'aventure. Fin XIIe s. ; lat. *errare* ; [ɛʀe] ou [eʀe].

**ERREUR, subst. f.**
**1.** Action de tenir pour vrai ce qui est faux, et inversement ; l'égarement, la faute qui en résulte : ***Erreur*** *de diagnostic* ; *Corriger ses* ***erreurs.*** ▸ Loc. *Faire* ***erreur*** : se tromper. **2.** État d'une personne qui se trompe : *Je t'en ai dit assez pour te tirer d'****erreur*** (Racine). **3.** Assertion, opinion qui s'écarte des vérités admises : *Une histoire de France pleine d'****erreurs.*** **4.** Ce qui s'écarte d'une norme, d'une réalité ; inexactitude : *Une* ***erreur*** *de traduction, de numéro.* **5.** Action regrettable, inconsidérée ; bévue : ***Erreur*** *de jeunesse.* **6.** *Dr.* ***Erreur*** *judiciaire* : condamnation prononcée à tort par une juridiction. Déb. XIIe s. (fin Xe s., tromperie, imposture) ; lat. *error* ; [ɛʀœʀ].

**ERRONÉ, ÉE, adj.**
Qui contient des erreurs ; qui est dans l'erreur : *Résultat* ***erroné*** ; *Jugement* ***erroné.*** Fin XIVe s. ; lat. *erroneus,* de *errare,* « faire fausse route » ; [eʀɔne].

**ERS, subst. m.**
*Agric.* Plante légumineuse de la famille des Fabacées, cultivée comme plante fourragère, appelée aussi fausse lentille ou lentille bâtarde. 1538 ; anc. prov. *ers,* du bas lat. *ervus* ; [ɛʀ].

**ERSATZ, subst. m.**
Substitut d'un produit ; par anal., mauvaise imitation, pâle copie (péj.). 1916 ; all. *Ersatz,* « remplacement » ; [ɛʀzats].

**ERSE (I), subst. f.**
*Mar.* Anneau en cordage. 1702 ; ☞ *herse* ; [ɛʀs].

**ERSE (II), adj. et subst. m.**
**Adj.** De la haute Écosse. **Subst.** *Ling.* Dialecte celtique parlé en haute Écosse. 1777 ; angl. *erse,* « irlandais ; erse » ; [ɛʀs].

**ERSEAU, subst. m.**
*Mar.* Petite erse. 1845 ; ☞ *erse* (I) ; [ɛʀso].

**ÉRUBESCENT, ENTE, adj.**
Qui devient rouge. Déb. XIXe s. ; lat. *erubescens,* « rouge de honte » ; [eʀybesɑ̃, ɑ̃t].

**ÉRUCIFORME, adj.**
*Zool. Larve* ***éruciforme*** : qui a la forme d'une chenille. 1845 ; lat. *eruca,* « chenille ; roquette », + *-forme* ; [eʀysifɔʀm].

**ÉRUCIQUE, adj.**
*Chim.* Qualifie un acide, l'acide **érucique**, présent dans les huiles de colza et de moutarde. 1864 ; lat. *eruca,* « chenille ; roquette » ; [eʀysik].

**ÉRUCTATION, subst. f.**
Fait d'éructer. XIIIe s. ; bas lat. *eructatio* ; [eʀyktasjɔ̃].

**ÉRUCTER, verbe** [3]
**Intrans.** Renvoyer bruyamment par la bouche les gaz de l'estomac. **Trans.** Proférer (péj.) : ***Éructer*** *des insultes.* 1825 ; lat. *eructare,* « vomir » ; [eʀykte].

**ÉRUDIT, ITE, adj. et subst.**
**Adj.** Qui a de l'érudition : *Historien* ***érudit*** ; par ext., qui est le fruit de l'érudition : *Commentaire* ***érudit.*** **Subst.** Personne qui a de l'érudition. Déb. XVe s. ; lat. *eruditus,* de *erudire,* « instruire » ; [eʀydi, it].

**ÉRUDITION, subst. f.**
Connaissance approfondie acquise par l'étude, le plus souvent exhaustive, d'un domaine du savoir. 1618 (1475, notoriété) ; lat. *eruditio,* « action d'enseigner ; connaissance » ; [eʀydisjɔ̃].

**ÉRUGINEUX, EUSE, adj.**
Qui est de la couleur du vert-de-gris. 1256 ; lat. *aeruginosus,* de *aerugo,* « rouille » ; [eʀyʒinø, øz].

**ÉRUPTIF, IVE, adj.**
**1.** *Pathol.* Qui s'accompagne d'éruption : *La rougeole est une fièvre* ***éruptive.*** **2.** *Géol.* Qui se rapporte aux éruptions volcaniques ; qui en est le résultat : *Foyer* ***éruptif*** ; *Roche* ***éruptive.*** 1793 ; lat. *eruptus,* de *erumpere,* « sortir avec impétuosité » ; [eʀyptif, iv].

**ÉRUPTION, subst. f.**
**1.** *Pathol.* Apparition soudaine de boutons, rougeurs, taches, etc., sur la peau ou sur les muqueuses : ***Éruption*** *cutanée* ; par méton., ces lésions. **2.** *Astron.* ***Éruption*** *solaire* (☞ *solaire*). **3.** *Géol.* Jaillissement, émission de matières volcaniques ; état d'un volcan qui produit ces matières : ***Éruption*** *de lave* ; *Volcan en* ***éruption.*** **4.** Fig. Surgissement ; manifestation soudaine et violente : *L'****éruption*** *d'une passion.* ▸ Loc. *Être, entrer en* ***éruption*** : dans une grande agitation. 1520 (1355, irruption) ; lat. *eruptio,* de *erumpere,* « sortir avec impétuosité » ; [eʀypsjɔ̃].

**ÉRYSIPÈLE, subst. m.**
*Pathol.* Maladie infectieuse et contagieuse due au streptocoque hémolytique. Elle se traduit par une inflammation aiguë de la peau, le plus souvent au visage, et se caractérise par une plaque rouge surélevée et entourée d'un bourrelet. 1300 ; lat. *erysipelas,* du gr. *erusipelas* ; var. *érésipèle* ; [eʀizipɛl].

**ÉRYTHÉMATEUX, EUSE, adj.**
*Pathol.* Qui présente les caractères de l'érythème. 1837 ; ☞ *érythème* ; [eʀitematø, øz].

**ÉRYTHÈME, subst. m.**
*Pathol.* Rougeur congestive de la peau ou des muqueuses, circonscrite ou disséminée sur le corps, temporaire et s'effaçant à la pression : ***Erythème*** *solaire,* coup de soleil. 1795 ; angl. *erythema,* du gr. *eruthêma,* « rougeur » ; [eʀitɛm].

**ÉRYTHROBLASTE, subst. m.**
*Biol.* Cellule mère à noyau née dans la moelle osseuse et qui devient une hématie (globule rouge). 1893 ; formé de *érythro-* et de *-blaste* ; [eʀitʀɔblast].

**ÉRYTHROCYTE, subst. m.**
*Biol.* Hématie. Déb. XXe s. ; formé de *érythro-* et de *-cyte* ; [eʀitʀɔsit].

**ÉRYTHROMYCINE, subst. f.**
*Pharm.* Antibiotique extrait du champignon *Streptomyces erythreus,* actif contre la plupart des bactéries et contre certains virus. V. 1950 ; angl. *erythromycin,* du gr. *eruthros,* « rouge », et *mukês,* « champignon » ; [eʀitʀɔmisin].

**ÉRYTHROPOÏÈSE, subst. f.**
*Biol.* Formation des globules rouges dans la moelle osseuse (synon. *hématopoïèse*). 1909 ; gr. *poiêsis,* « action de faire », + *érythro-* ; [eʀitʀɔpɔjɛz].

**ÉRYTHROSE, subst. f.**
*Pathol.* Rougeur de la peau, congestive et diffuse, en partic. au visage. 1898 (1855, terme de chimie) ; formé de *érythro-* et de *-ose* ; [eʀitʀoz].

**ÉRYTHROSINE, subst. f.**
*Chim.* Substance utilisée dans l'industrie agroalimentaire pour colorer en rouge certains produits. 1878 ; ☞ *éosine* + *érythro-* ; [eʀitʀozin].

**Es, voir EINSTEINIUM**

**ÈS, prép.**
En les, en matière de (+ plur.) : ***Doctorat ès sciences*** ; ***ès lettres*** ; *Licence, licencié* ***ès lettres.*** Mil. XIe s. ; crois. de *en* (I) et de *les* ; [ɛs].

**ESBIGNER (S'), verbe pronom.** [3]
Se sauver discrètement (argot. et vieilli). Déb. XIXe s. (1754, voler) ; argot ital. *sbignare,* de l'ital. *sirgnare,* « s'enfuir de la vigne » ; [ɛsbiɲe].

**ESBROUFE, subst. f.**
Attitude fanfaronne et tapageuse destinée à impressionner autrui (fam.) : *Faire qqch. à l'****esbroufe,*** avec une audace effrontée. Déb. XIXe s. ; prov. *esbroufe,* de *esbroufa,* « s'ébrouer » ; [ɛsbʀuf].

**ESBROUFER, verbe trans.** [3]
En imposer à (qqn) par son esbroufe (fam.). 1835 ; prov. *esbroufa,* « s'ébrouer » ; [ɛsbʀufe].

**ESBROUFEUR, EUSE, subst.**
Personne qui fait de l'esbroufe. 1836 ; ☞ *esbroufer* ; [ɛsbʀufœʀ, øz].

**ESCABEAU, subst. m.**
**1.** Siège de bois sans bras ni dossier (vx ou littér.). **2.** Marchepied portatif servant d'échelle. 141[illegible] lat. *scabellum,* « petit banc » ; [ɛskabo].

**ESCABÈCHE, subst. f.**
*Cuis.* Marinade de poissons étêtés : *Sardines [à] l'****escabèche.*** 1870 ; prov. *escabassa,* de *cabass[a],* « tête » ; [ɛskabɛʃ].

**ESCABELLE, subst. f.**
**1.** Siège bas, sans bras (vx). **2.** Belg. Escabea[u]. 1328 ; m. fr. *scabel,* « escabeau » ; [ɛskabɛl].

**ESCADRE, subst. f.**
**1.** *Mar.* Force navale composée de divers types [de] bâtiments de guerre, gén. commandée par [un] vice-amiral. **2.** *Aéron.* Force aérienne, anciennem[ent] composée d'escadrons. Mil. XVe s. ; ital. *squad[ra],* « équerre ; bataillon » ; [ɛskadʀ].

**ESCADRILLE, subst. f.**
**1.** *Mar.* Groupe composé de bâtiments légers, civ[ils] ou militaires. **2.** *Aéron.* Ancienne unité élémenta[ire] d'avions de combat. Fin XVIe s. ; esp. *escuadrilla,* *escuadra,* « bataillon » ; [ɛskadʀij].

**ESCADRON, subst. m.**
*Milit.* **1.** Vx. Troupe de cavaliers en armes. **2.** Un[ité] d'un régiment (blindés, cavalerie, gendarmer[ie,] train des équipages) correspondant à une comp[a]gnie d'infanterie ; ancienne unité de l'armée [de] l'air. ▸ *Chef d'****escadron*** : capitaine (cavaler[ie,] blindés) ; commandant (artillerie, gendarmer[ie,] train des équipages). ▸ *Chef d'****escadrons*** : comma[n]dant (cavalerie, blindés). Fin XIVe s. ; ital. *sq[ua]drone,* de *squadra,* « bataillon » ; [ɛskadʀɔ̃].

**ESCALADE, subst. f.**
**I. 1.** Vx. Assaut mené à l'aide d'échelles contre u[ne] position fortifiée. **2.** Action de monter, de grimp[er] sur qqch. : *Il entreprit l'****escalade*** *de l'arbre.* **3.** [Dr.] Action de s'introduire dans un lieu en passant p[ar] une fenêtre, par-dessus une clôture, etc. : *Vol [par] l'****escalade.*** **4.** *Sp.* Ascension d'une paroi rocheu[se] d'une montagne, en utilisant des prises et des app[uis] naturels ou artificiels. **II.** Fig. **1.** Stratégie q[ui] consiste à augmenter par paliers l'importance d[es] moyens mis en œuvre dans un conflit. **2.** E[...] Aggravation, intensification d'un phénomène : ***Esc[a]lade*** *de la peur.* 1456 ; prov. *escalada* ; [ɛskalad].

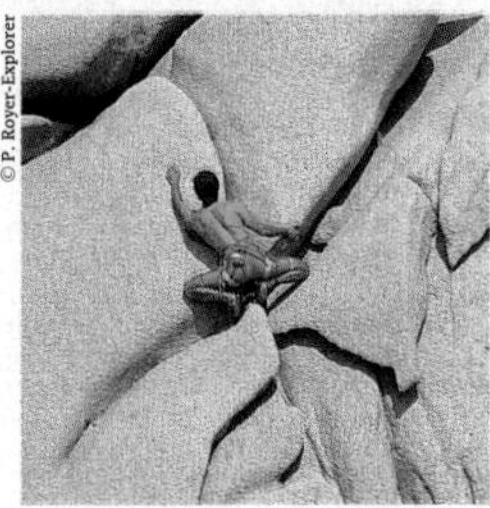
© P. Royer-Explorer

*Escalade à mains nues.*

**ESCALADER, verbe trans.** [3]
**1.** Vx. Attaquer (une position fortifiée). **2.** Gra[vir] (un obstacle) pour passer par-dessus : ***Escalader*** *[un] mur.* **3.** *Sp.* Faire l'ascension de : ***Escalader*** *[un] sommet.* Déb. XVIIe s. ; ☞ *escalade* ; [ɛskalade].

**ESCALATOR, subst. m. inv.**
Escalier mécanique (anglic.). V. 1950 ; anglo-am[ér.] *escalator,* crois. de *to escalate,* « monter », et de *elevat[or],* « ascenseur » ; n. déposé ; [ɛskalatɔʀ].

**ESCALE, subst. f.**
**1.** Action de faire halte pour se ravitailler, p[our] embarquer ou débarquer des passagers, du fret, [en] parlant d'un navire, d'un avion : *Faire* ***escale.*** **2.** Li[eu] où l'on peut faire relâche : *Quitter l'****escale.*** **3.** Tem[ps] que dure l'arrêt : *Pendant l'****escale.*** Déb. XIVe s. ; i[tal.] *scala,* « échelle ; escale » ; [ɛskal].

**ESCALIER, subst. m.**
**1.** Succession de degrés servant à monter ou descendre : *Marche d'****escalier*** ; *Monter, descen[dre] l'****escalier.*** ▸ ***Escalier*** *roulant, mécanique* : escal[ier] mobile à marches articulées. **2.** Loc. *Avoir l'esp[rit] de l'****escalier,*** *d'****escalier*** : un esprit de repartie [qui se] manifestant trop tard. 1531 ; prov. *escalier,* du b[as] lat. *scalarium,* de *scala,* « échelle » ; [ɛskalje].

**ESCALOPE,** subst. f.
'uis. Tranche mince de viande ou de poisson. 1691 ; p.-ê. crois. de l'anc. fr. *écale*, « coquille », et *enveloppe* ; [ɛskalɔp].

**ESCAMOTABLE,** adj.
)ue l'on peut escamoter : *Meuble **escamotable**,* qui eut être rabattu contre un mur, replié dans un lacard. 1934 ; ☞ *escamoter* ; [ɛskamɔtabl].

**ESCAMOTAGE,** subst. m.
ction d'escamoter ; son résultat. 1732 ; ☞ *escamoter* ; [ɛskamɔtaʒ].

**ESCAMOTER,** verbe trans. [3]
. Soustraire (qqch.) à la vue du public, par un tour 'adresse. **2.** Ext. Subtiliser, dérober subrepticement vieilli). **3.** Fig. ► Éluder adroitement, avec quelque alhonnêteté : ***Escamoter** un problème.* ► ***Escamoter** n mot* : le prononcer très vite ou très bas, ou le ire. **4.** *Techn.* Replier, rentrer (un organe saillant 'un appareil) : ***Escamoter** le train d'atterrissage d'un vion.* 1558 ; prov. *escamotar*, de *escamar*, « écailler ; 'filocher », du lat. *squama*, « écaille » ; [ɛskamɔte].

**ESCAMOTEUR, EUSE,** subst.
ersonne qui escamote. 1616 ; ☞ *escamoter* ; skamɔtœʀ, øz].

**ESCAMPETTE,** subst. f.
x. Fuite. ► Loc. *Prendre la poudre d'**escampette*** : enfuir. 1688 ; *escamper* (vx), de l'ital. *scampare*, s'enfuir », de *campo*, « champ » ; [ɛskɑ̃pɛt].

**ESCAPADE,** subst. f.
. Vx. Action de s'échapper, de s'évader. **2.** Fait 'échapper aux obligations quotidiennes, aux habiıdes, par un écart de conduite, une fugue : *Faire ne **escapade** à Venise.* 1575 ; esp. *escapada*, de *scapar*, « échapper » ; [ɛskapad].

**ESCAPE,** subst. f.
*rchit.* Fût d'une colonne ; partie inférieure de ce ìt. 1568 ; lat. *scapus*, « tige de plante » ; [ɛskap].

**ESCARBILLE,** subst. f.
ragment de charbon incandescent qui reste parmi s cendres ou qui s'échappe d'un foyer, de la heminée d'une locomotive. 1667 ; wallon *ècrayî*, du m. néerl. *schrabbelen*, « gratter » ; [ɛskaʀbij].

**ESCARBOT,** subst. m.
égion. ou Vieilli. *Zool.* Nom usuel de divers bléoptères, telle la cétoine dorée. Fin XI^e s. ; lat. *carabaeus*, « scarabée », d'apr. *escargot* ; [ɛskaʀbo].

**ESCARBOUCLE,** subst. f.
. Vx. Variété de grenat, rouge foncé et à l'éclat vif. . *Hérald.* Meuble représentant une pierre précieuse ouge d'où partent huit rais fleurdelisés. Mil. ^e s. ; altér., d'apr. *boucle*, de l'anc. fr. *escarbocle*, du lat. *rbunculus*, « petit charbon » ; [ɛskaʀbukl].

**ESCARCELLE,** subst. f.
'rande bourse que l'on suspendait à sa ceinture vx) ; par ext., bourse, portefeuille (fam. ou iron.). Loc. *Dans l'**escarcelle** de* : dans les caisses de. 1296 ; prob. ital. *scarsella*, « petite avare », de *scarso*, avare » ; [ɛskaʀsɛl].

**ESCARGOT,** subst. m.
. *Zool.* Mollusque gastéropode pulmoné terrestre, ermaphrodite, doté de tentacules oculaires, et dont coquille est arrondie en spirale. Il se nourrit de euilles, qu'il broie. Les espèces comestibles les plus echerchées sont l'**escargot** de Bourgogne, ou **escar**ɔt des vignes, et l'escargot chagriné, ou petitis. ► Loc. *Avancer comme un **escargot*** : très entement. **2.** Ext. ***Escargot** de mer* : bigorneau. Fin XIV^e s. ; prov. *escaragol* ; [ɛskaʀgo].

**ESCARGOTIÈRE,** subst. f.
Lieu où l'on élève des escargots. **2.** Plat allant au ur, dont les creux sont destinés à recevoir des scargots. 1562 ; ☞ *escargot* ; [ɛskaʀgɔtjɛʀ].

**ESCARMOUCHE,** subst. f.
. *Milit.* Bref combat opposant des éléments isolés u de petits détachements. **2.** Fig. Vif échange de ropos agressifs annonçant une polémique de plus rande envergure. Mil. XIV^e s. ; ital. *scaramuccia* ou nc. fr. *esquermie*, « lutte » ; [ɛskaʀmuʃ].

**ESCARPE (I),** subst. f.
ortif. Talus, en terre ou en maçonnerie, surplomant le fossé du côté de la place forte (anton. *ontrescarpe*). 1549 ; ital. *scarpa*, « chaussure ; talus e rempart », prob. du got. °*skarpō*, « terminé en pointe » ; skaʀp].

**ESCARPE (II),** subst. m.
oleur qui n'hésite pas à tuer (vx). 1800 ; argot *scarper*, du prov. *escarpi*, « écharper » ; [ɛskaʀp].

**ESCARPÉ, ÉE,** adj.
Qui est en pente raide, abrupt : *Falaise **escarpée**.* 1582 ; *escarper* (vx), « tailler un terrain pour le rendre infranchissable », de *escarpe* (I) ; [ɛskaʀpe].

**ESCARPEMENT,** subst. m.
**1.** *Fortif.* Pente raide d'une escarpe ou de la muraille d'un rempart. **2.** État de ce qui est escarpé : ***Escarpement** d'une côte* ; versant abrupt : ***Escarpement** d'une montagne.* 1701 ; ☞ *escarpe* (I) ; [ɛskaʀpəmɑ̃].

**ESCARPIN,** subst. m.
Chaussure fine à semelle mince, gén. à talon et laissant le cou-de-pied découvert. 1509 ; ital. *scarpino*, de *scarpa*, « chaussure » ; [ɛskaʀpɛ̃].

**ESCARPOLETTE,** subst. f.
Siège suspendu par des cordes sur lequel on peut se balancer. 1605 ; orig. obsc. ; [ɛskaʀpɔlɛt].

**ESCARRE (I),** subst. f.
*Pathol.* Nécrose cutanée qui se forme à la suite d'une brûlure, d'une plaie ou d'un alitement prolongé. 1314 ; bas lat. *eschara*, du gr. *eskhara*, « brasier ; croûte » ; var. *eschare* ; [ɛskaʀ].

**ESCARRE (II),** subst. f.
*Hérald.* Pièce en forme d'équerre. XVI^e s. ; var. pop. de *équerre* ; var. *esquarre* ; [ɛskaʀ].

**ESCARRIFICATION,** subst. f.
*Pathol.* Formation d'une escarre. Mil. XIX^e s. ; ☞ *escarrifier* ; [ɛskaʀifikasjɔ̃].

**ESCARRIFIER,** verbe trans. [6]
*Pathol.* Causer une escarre à ; empl. pronom., former une escarre : *La peau s'**escarrifie**.* Mil. XIX^e s. ; ☞ *escarre* (I) ; [ɛskaʀifje].

**ESCHARE, voir ESCARRE (I)**

**ESCHATOLOGIE,** subst. f.
*Théol.* Doctrine des fins dernières de l'homme et de l'Univers ; discipline qui traite de ces fins. 1864 ; gr. *eskhatos*, « dernier », + *-logie*, [ɛskatɔlɔʒi].

**ESCHATOLOGIQUE,** adj.
*Théol.* Relatif, propre à l'eschatologie. 1864 ; ☞ *eschatologie* ; [ɛskatɔlɔʒik].

**ESCHE,** subst. f.
*Pêche.* Appât que l'on fixe à l'hameçon. Déb. XIII^e s. (fin XII^e s., amadou) ; lat. *esca*, « nourriture » ; var. *aiche*, *èche* ; [ɛʃ].

**ESCIENT,** subst. m.
*À bon **escient*** : avec discernement, avec à-propos ; *À mauvais **escient*** : à tort, de façon déplacée. Fin XI^e s. ; lat. médiév. *meo sciente*, du lat. *me sciente*, « moi le sachant », de *scire*, « savoir » ; [ɛsjɑ̃].

**ESCLAFFER (S'),** verbe pronom. [3]
Éclater de rire. 1534 ; prov. *esclafa*, « éclater », d'orig. onomat. ; [ɛsklafe].

**ESCLANDRE,** subst. m.
Incident bruyant et scandaleux causé en public par qqn qui exprime son mécontentement : *Faire un **esclandre**.* Déb. XII^e s. ; lat. chrét. *scandalum*, du gr. *skandalon*, « pierre d'achoppement » ; [ɛsklɑ̃dʀ].

**ESCLAVAGE,** subst. m.
**1.** État, condition d'esclave : *Abolition de l'**esclavage**.* **2.** État de tout individu soumis à une autorité tyrannique : *L'**esclavage** des enfants.* **3.** Dépendance psychologique à l'égard de qqch., de qqn : *L'**esclavage** des alcooliques* ; par méton., emprise : ***Esclavage** de la drogue, de la passion.* 1599 ; ☞ *esclave* ; [ɛsklavaʒ].

**ESCLAVAGISME,** subst. m.
**1.** Doctrine admettant l'esclavage. **2.** Système économique et social fondé sur l'esclavage. 1877 ; ☞ *esclavage* ; [ɛsklavaʒism].

**ESCLAVAGISTE,** adj.
Qui prône l'esclavagisme ou qui le pratique : *Société, théorie, publication **esclavagiste*** ; empl. subst., personne esclavagiste. 1861 ; ☞ *esclavage* ; [ɛsklavaʒist].

**ESCLAVE,** subst. et adj.
SUBST. **1.** Personne qui n'est pas de condition libre, qui est la propriété d'un maître, qui en dépend entièrement et peut être vendue ou échangée. **2.** Ext. Personne qui subit l'oppression d'un pouvoir tyrannique. **3.** Fig. Individu qui se soumet servilement à la volonté de qqn. ► Personne qui se trouve en état de dépendance affective complète à l'égard de l'être ou des êtres aimés : *Elle est l'**esclave** de ses enfants* ; par ext., personne psychologiquement dépendante de qqch. : *Être l'**esclave** de la cigarette, de la mode.* ADJ. **1.** Qui est tenu en esclavage : *Nation **esclave**.* **2.** Qui est totalement aliéné par qqch. : *Être **esclave** de l'argent, de sa jalousie.* Fin XII^e s. ; lat. médiév. *sclavus*, de *slavus*, « slave » ; [ɛsklav].

**ESCLAVON, ONNE,** adj. et subst.
Vx. D'Esclavonie (auj. Slavonie). SUBST. MASC. Ensemble des langues slaves de Serbie et de Croatie (☞ *slavon*). Fin XI^e s. ; lat. °*sclavone*, « slave » ; [ɛsklavɔ̃, ɔn].

**ESCOBAR,** subst. m.
Personnage hypocrite usant d'arguments adroits et fallacieux pour résoudre les cas de conscience (vx). Mil. XIX^e s. ; anthropon. *Escobar y Mendoza*, jésuite et casuiste espagnol attaqué par Pascal ; [ɛskɔbaʀ].

**ESCOGRIFFE,** subst. m.
Homme de grande taille, dégingandé (fam. et péj.). 1611 ; orig. obsc. ; [ɛskɔgʀif].

**ESCOMPTE,** subst. m.
**1.** *Fin.* Opération de crédit permettant à une entreprise de négocier un effet de commerce avant l'échéance prévue, moyennant paiement de l'agio (intérêts et commissions) ; par méton., cet agio. **2.** *Comm.* Réduction à caractère financier faite sur un achat payé comptant ou sur une dette acquittée avant l'échéance. 1597 ; ital. *sconto*, de *scontare*, « décompter » ; [ɛskɔ̃t].

**ESCOMPTER,** verbe trans. [3]
**1.** *Fin.* Payer (un effet de commerce) avant l'échéance, déduction faite d'une retenue, l'agio. **2.** Fig. Compter sur, espérer, prévoir : ***Escompter** le succès* ; *Il **escompte** arriver dimanche.* 1675 ; ital. *scontare*, « décompter » ; [ɛskɔ̃te].

**ESCOMPTEUR, EUSE,** subst.
Personne qui pratique l'escompte ; en appos. : *Banquier **escompteur**.* 1548 ; prob. ital. *scontatore* ; [ɛskɔ̃tœʀ, øz].

**ESCOPETTE,** subst. f.
Arme à feu portative à bouche évasée, que l'on utilisait du XV^e au XVIII^e s. 1516 ; ital. *schioppetto*, de *schioppio*, « arquebuse » ; [ɛskɔpɛt].

**ESCORTE,** subst. f.
**1.** Action d'accompagner une personne ou un convoi pour le guider ou pour assurer sa surveillance : *Faire **escorte** à une ambulance* ; par méton., troupe armée qui remplit cette mission : *Être sous bonne **escorte***, sous bonne garde. **2.** *Mar.* Ensemble des bâtiments de guerre chargés d'escorter des navires de transport. **3.** Ext. Cortège accompagnant une personne pour lui faire honneur. Déb. XVI^e s. ; ital. *scorta*, de *scorgere*, « guider » ; [ɛskɔʀt].

**ESCORTER,** verbe trans. [3]
Accompagner (qqn, qqch.) pour le guider, le surveiller, le protéger ou l'honorer : ***Escorter** un détenu, la voiture d'un ministre.* 1530 ; ☞ *escorte* ; [ɛskɔʀte].

**ESCORTEUR,** subst. m.
*Mar.* Bâtiment de guerre rapide, équipé pour la lutte antiaérienne et anti-sous-marine, et destiné à l'escorte de forces navales, de navires marchands. 1935 ; ☞ *escorter* ; [ɛskɔʀtœʀ].

**ESCOT,** subst. m.
*Hist.* Étoffe de laine croisée, utilisée pour confectionner des vêtements de religieuses, des robes de deuil. Déb. XIX^e s. ; ell. de *serge d'escot*, du topon. *Ascot* (Angleterre) ; [ɛsko].

**ESCOUADE,** subst. f.
**1.** *Milit.* Ancienne unité élémentaire d'une compagnie de fantassins ou de cavaliers, commandée par un caporal, un brigadier. **2.** Ext. Petite troupe, groupe réduit : ***Escouade** de policiers, de journalistes.* Fin XV^e s. ; ital. *squadra*, « escadre » ; [ɛskwad].

**ESCOURGEON,** subst. m.
*Agric.* Orge hâtive, semée en automne ; en appos. : *Orge **escourgeon**.* 1269 ; p.-ê. anc. fr. *corjon*, « lanière », par anal. de forme avec les épillets de l'orge ; [ɛskuʀʒɔ̃].

**ESCRIME,** subst. f.
*Sp.* Art du combat à l'épée, au fleuret, au sabre. 1409 ; ital. *scrima*, de l'anc. fr. *escremie*, « combat », de l'anc. bas frq. °*skĭrmjan*, « défendre » ; [ɛskʀim].

**ESCRIMER (S'),** verbe pronom. [3]
**1. S'escrimer à.** S'appliquer, s'évertuer à (faire qqch.), avec de grands efforts : *S'**escrimer** à apprendre le chinois, à gagner sa vie.* **2. S'escrimer sur.** Peiner, s'acharner sur : *S'**escrimer** sur son piano.* 1534 ; ☞ *escrime* ; [ɛskʀime].

**ESCRIMEUR, EUSE,** subst.
Personne qui pratique l'escrime. Fin XV^e s. ; ☞ *escrime* ; [ɛskʀimœʀ, øz].

**ESCROC, subst. m.**
1. *Dr.* Personne qui monte une ou plusieurs escroqueries. 2. Ext. Personne sans scrupule, gouvernée par le profit. 1634 ; ital. *scrocco*, « écornifleur » ; [ɛskʀo].

**ESCROQUER, verbe trans.** [3]
1. Extorquer (qqch.) par la ruse, frauduleusement : *Escroquer des millions au fisc* ; par méton. : *Escroquer le fisc.* 2. Obtenir (qqch.) en abusant qqn. 1557 ; ital. *scroccare*, « parasiter autrui » ; [ɛskʀɔke].

**ESCROQUERIE, subst. f.**
1. Action d'escroquer ; son résultat. 2. *Dr.* Délit qui consiste à s'approprier le bien d'autrui par la fraude ou la ruse. 1660 ; ☞ *escroquer* ; [ɛskʀɔkʀi].

**ESCUDO, subst. m.**
Unité monétaire du Portugal et des îles du Cap-Vert. 1877 ; mot port. ; [ɛskydo] ou [-ku-].

**ESCULINE, subst. f.**
*Chim.* Glucoside extrait du marronnier d'Inde et ayant une action vitaminique P. 1823 ; lat. *aesculus*, de *esca*, « nourriture » ; [ɛskylin].

**ÉSÉRINE, subst. f.**
*Pharm.* Alcaloïde extrait de la fève de Calabar, qui inhibe une enzyme, la cholinestérase, et stimule la motricité intestinale et urinaire. 1865 ; langue indigène du Nigeria *éséré*, « fève de Calabar » ; [ezeʀin].

**ESGOURDE, subst. f.**
Oreille (argot.). 1867 ; orig. obsc. ; [ɛsguʀd].

**ESKIMO, voir ESQUIMAU**

**ESKUARA, voir EUSKARA**

**ESKUARIEN, voir EUSKARIEN**

**ÉSOCIDÉS, subst. m. plur.**
*Zool.* Famille de poissons téléostéens des eaux douces de l'hémisphère Nord. AU SING. *Le brochet est un **ésocidé**.* 1908 ; lat. *esox*, sorte de brochet ; [ezɔside].

**ÉSOTÉRIQUE, adj.**
1. *Antiq. gr.* Qui se rapporte à l'ésotérisme (anton. *exotérique*). 2. Ext. Qui n'est compris que des seuls initiés. ▸ Hermétique, abscons. 1752 ; gr. *esôterikos*, « de l'intérieur » ; [ezɔteʀik].

**ÉSOTÉRISME, subst. m.**
1. *Antiq. gr.* Enseignement approfondi d'une doctrine, qui était dispensé dans certaines écoles et réservé à un nombre restreint de disciples. 2. Ext. Doctrine selon laquelle seuls des initiés, choisis pour leur élévation d'esprit, sont aptes à recevoir certaines connaissances : *L'**ésotérisme** des francs-maçons.* ▸ Caractère de ce qui reste obscur aux profanes, de ce qui est difficilement accessible. 1840 ; ☞ *ésotérique* ; [ezɔteʀism].

**ESPACE (I), subst. m.**
**I.** Étendue limitée où l'on peut situer qqch. 1. Étendue de temps : *L'**espace** d'une journée.* 2. Distance comprise entre un point et un autre : ***Espace** entre les lignes.* 3. Superficie, surface : *L'amour des grands **espaces*** ; *Manquer d'**espace*** ; ***Espace** vert*, surface de verdure dans les villes ; ***Espace** publicitaire*, portion de surface (ou de temps) réservée à la publicité. ▸ ***Espace** vital* : territoire revendiqué par un État pour son développement démographique et économique et, par ext., **espace** minimal nécessaire à toute personne pour qu'elle ne soit pas gênée par les autres. 4. Volume, air environnant : *Un doux parfum emplit l'**espace*** ; ***Espace** occupé par un meuble.* ▸ *Dr. internat.* ***Espace** aérien* : zone de l'atmosphère appartenant à un État et contrôlée par lui. 5. Univers extérieur à l'atmosphère terrestre : *Conquête de l'**espace*** ; ***Espaces** interstellaires.* **II.** Étendue indéfinie qui englobe tous les objets. 1. *Géom.* **Espace** euclidien de dimension 3 ($\mathbb{R}^3$) ; ensemble muni d'une certaine structure (☞ *euclidien, normé, topologique, vectoriel*). 2. *Psych.* ***Espace** tactile, visuel* : partie de l'étendue couverte par le toucher, la vue. Mil. XIIe s. ; lat. *spatium*, « champ de course » ; [ɛspas].

**ESPACE (II), subst. f.**
*Typogr.* Petite lame métallique utilisée, en composition au plomb, pour séparer les mots dans une ligne ; par méton., blanc séparant les mots, en composition traditionnelle et en photocomposition : ***Espace** justifiante, fine.* 1680 ; ☞ *espace* (I) ; [ɛspas].

**ESPACEMENT, subst. m.**
1. Action d'espacer ; distance laissée entre deux choses. 2. Anal. Intervalle de temps séparant deux faits : ***Espacement** des visites, des contrôles médicaux.* 1680 ; ☞ *espacer* ; [ɛspasmɑ̃].

**ESPACER, verbe trans.** [4]
1. Introduire une distance entre (plusieurs choses). ▸ *Typogr.* Séparer (les mots, les lignes) par des blancs, des espaces. 2. Anal. Séparer par un intervalle de temps. 1417 ; ☞ *espace* (I) ; [ɛspase].

**ESPACE-TEMPS, subst. m.**
*Phys.* Espace à quatre dimensions (les trois dimensions d'un espace géométrique, plus la dimension temps) dont la structure est décrite par les théories de la relativité. 1945 ; comp. de *espace* (I) et de *temps* ; plur. *espaces-temps* ; [ɛspastɑ̃].

**ESPADON, subst. m.**
1. Vx. Large épée à deux tranchants, que l'on tenait à deux mains. 2. *Zool.* Grand poisson osseux des mers chaudes, de la famille des Xiphiidés, remarquable par son rostre et qui peut mesurer 6 m et peser jusqu'à 500 kg. Il est réputé pour sa chair et recherché par les amateurs de pêche sportive. 1611 ; ital. *spadone*, de *spada*, « épée » ; [ɛspadɔ̃].

**ESPADRILLE, subst. f.**
Chaussure en toile, à semelle de sparte tressé ou de corde. 1793 ; altér. de *espardille*, du prov. *espardi(l)hos*, « sandale de sparte » ; [ɛspadʀij].

**ESPAGNOL, OLE, adj. et subst.**
D'Espagne. ADJ. *Auberge **espagnole*** : lieu où l'on ne trouve que ce que l'on a apporté. SUBST. MASC. Langue romane parlée en Espagne et dans la majeure partie de l'Amérique latine (synon. *castillan*). Fin XIIe s. ; prob. anc. languedocien *espa(i)nol*, du lat. médiév. °*hispaniolus*, de *Hispania*, « Espagne » ; [ɛspaɲɔl].

**ESPAGNOLETTE, subst. f.**
Dispositif servant à fermer ou à ouvrir des volets ou le châssis d'une fenêtre, constitué d'une poignée tournante commandant une tige métallique dont les extrémités s'emboîtent dans des gâches. 1731 (1693, sorte de fine ratine) ; ☞ *espagnol* ; [ɛspaɲɔlɛt].

**ESPALIER (I), subst. m.**
*Hist.* Sur une galère, rameur du dernier banc, qui réglait le mouvement des autres. Mil. XVIe s. ; *espale* (vx), « dernier banc de rameurs d'une galère » ; [ɛspalje].

**ESPALIER (II), subst. m.**
1. Mur le long duquel sont alignés des arbres fruitiers. ▸ Loc. **En espalier.** Palissé contre un mur, un treillage : *Poiriers en **espalier**.* 2. Méton. Rangée d'arbres dont les branches sont palissées ; ensemble de plantes grimpantes disposées le long d'un mur : ***Espalier** de roses, de haricots.* 3. *Sp.* Échelle murale servant aux exercices de gymnastique. 1572 ; ital. *spalliera*, de *spalla*, « épaule » ; [ɛspalje].

**ESPAR, subst. m.**
1. *Mar.* Longue pièce utilisée comme mât, bôme, vergue, beaupré. 2. *Artill.* Levier utilisé pour la grosse artillerie. 1678 ; anc. fr. *esparre*, de l'anc. bas frq. °*sparra*, « poutre » ; [ɛspaʀ].

**ESPÈCE, subst. f.**
**I.** Apparence, image d'un objet perçue par les sens (vx). ▸ *Philos.* Chez les philosophes de l'Antiquité, émanation matérielle issue de l'objet, venant impressionner les sens et à partir de laquelle se forme en l'esprit l'idée de cet objet. PLUR. *Théol.* Apparences du pain et du vin, devenus le corps et le sang de Jésus-Christ après la transsubstantiation : *Communier sous les deux **espèces**.* **II.** 1. Classe ou catégorie d'êtres ou de choses qui ont en commun des caractères distinctifs : *Des **espèces** de voitures, de mentalités* ; *Roland et Rodrigue sont des héros de la même **espèce**.* 2. Loc. **Espèce de.** Personne ou chose qui s'apparente, par la forme ou la fonction, à une autre : *Une **espèce** de clé* ; *Ressentir une **espèce** de vertige* ; par ext., pour renforcer une injure (péj.) : ***Espèce** d'abruti !* 3. *Dr.* Point particulier sur lequel une juridiction doit statuer : *Cas d'**espèce***, non prévu par la loi et à examiner spécialement. ▸ Loc. *Dans, en l'**espèce*** : en la circonstance. PLUR. Monnaie (pièces ou billets), par oppos. aux autres modes de paiement (chèque, carte bancaire, traite, etc.) : *Payer en **espèces***, en argent liquide. **III.** *Sc. nat.* Unité de base de la classification des êtres vivants, des végétaux : *Les **espèces** en voie de disparition.* ▸ *L'**espèce** humaine* : les êtres humains. XIIe s. ; lat. *species* ; [ɛspɛs].

**ESPÉRANCE, subst. f.**
1. Sentiment qui porte à croire possible la réalisation de ce que l'on souhaite : *Être plein d'**espérance**.* 2. Fait d'espérer un objet déterminé : *Ce résultat dépasse mes **espérances*** ; *Tromper les **espérances***, la confiance qui a été placée sur soi ; par méton., personne ou chose qui est l'objet de l'esp rance : *Ce garçon est l'**espérance** de sa famille.* ▸ Théc *L'**espérance*** : attente confiante de la vie éternell inspirée par Dieu (deuxième vertu théologale ▸ Loc. *Réussir au-delà de toute **espérance*** : mieux qu prévu ; *Contre toute **espérance*** : contre toute attente *Avoir des **espérances*** : être enceinte ou être dar l'attente d'un héritage (vieilli) ; *Dans l'**espérance** q que* : en espérant (que). 3. *Démogr.* ***Espérance** de vi* durée moyenne de la vie humaine dans une socié donnée, obtenue à partir des statistiques de mort lité. 4. *Math.* ***Espérance** mathématique d'une variat aléatoire discrète X, prenant les valeurs $(x_n)_{n\in\mathbb{N}}$ av les probabilités $(p_n)_{n\in\mathbb{N}}$* : somme (finie ou de la séri $\sum_{n\geq 0} p_n x_n = p_0 x_0 + p_1 x_1 + ...$, notée E(X). 5. *Sta* ***Espérance** mathématique d'un caractère quantitatif prenant les valeurs $x_1, x_2, ..., x_m$ avec les fréquenc $f_1, f_2, ..., f_m$* : le nombre $E(X) = f_1(x_1) + f_2(x_2) + + f_m(x_m)$. Fin XIe s. ; ☞ *espérer* ; [ɛspeʀɑ̃s].

**ESPÉRANTISTE, adj. et subst.**
ADJ. Relatif à l'espéranto, à ses partisans : *Congr **espérantiste**.* SUBST. Personne qui pratique l'esp ranto. 1907 ; ☞ *espéranto* ; [ɛspeʀɑ̃tist].

**ESPÉRANTO, subst. m.**
Langue artificielle à vocation internationale, conçu par Lejzer Zamenhof et destinée à faciliter l relations entre les peuples. 1901 ; *Esperant* « Celui qui espère », pseudonyme, dans cette langue, Lejzer Zamenhof ; [ɛspeʀɑ̃to].

**ESPÉRER, verbe** [8]
TRANS. Tenir (qqch.) pour probable ; attendre av confiance : *Il **espère** une récompense* ; *J'**espère** réus à cet examen* ; *Il **espérait** que sa sœur arriverait à tem pour l'aider* ; *Je vous **espérais** plus tôt*, j'attendais vot venue plus tôt. INTRANS. Avoir confiance : ***Espér** dans l'avenir* ; empl. abs. : *Il faut encore **espére*** Mil. XIe s. ; lat. *sperare* ; [ɛspeʀe].

**ESPERLUETTE, subst. f.**
*Typogr.* Signe, noté « & », correspondant à conjonction de coordination « et », utilisé surto dans les raisons sociales. 1878 ; prob. lat. *spha rula*, « petite sphère » ; var. *perluète* ; [ɛspɛʀlɥɛt].

**ESPIÈGLE, adj.**
Qui est plein de malice et de vivacité : *Un enfa **espiègle*** ; par méton. : *Un sourire **espiègle*** ; emp subst., personne **espiègle.** XVIe s. ; *Till Eulenspieg* héros d'un conte populaire allemand ; [ɛspjɛgl].

**ESPIÈGLERIE, subst. f.**
Caractère d'une personne espiègle ; par méto action espiègle. 1694 ; ☞ *espiègle* ; [ɛspjɛgləʀ

**ESPINGOLE, subst. f.**
Fusil court à canon évasé, utilisé au XVIe s. 135 prob. anc. fr. *esp(r)ingale*, « arbalète » ; [ɛspɛ̃gɔl].

**ESPION, ONNE, subst.**
1. Personne qui a pour mission d'obtenir clandes nement des renseignements au profit d'un pay en appos. : *Un satellite **espion**.* 2. Ext. Personne q espionne pour le compte d'un tiers. MASC. Mirc incliné de manière à permettre de voir sans êt vu. Déb. XIIIe s. ; anc. fr. *espier*, « épier » ; [ɛspjɔ̃, ɔr

**ESPIONITE, voir ESPIONNITE**

**ESPIONNAGE, subst. m.**
Action d'espionner ; activité des espions : *Un servi d'**espionnage*** ; *L'**espionnage** industriel.* Fin XVIe s ☞ *espionner* ; [ɛspjɔnaʒ].

**ESPIONNER, verbe trans.** [3]
1. Surveiller les activités de (un État, une entrepris pour en dérober les secrets. 2. Ext. Observer (qqı à son insu, pour son propre compte ou celui d'u autre personne : *Il faisait **espionner** sa femm* 1482 ; ☞ *espion* ; [ɛspjɔne].

**ESPIONNITE, subst. f.**
Phobie consistant à voir des espions partout (fam. 1923 ; ☞ *espion* + *-ite* ; var. *espionite* ; [ɛspjɔni

**ESPLANADE, subst. f.**
1. *Fortif.* Terrain dégagé et aplani allant du gla d'une place forte aux portes de la ville. 2. Ext. Vas place aménagée devant un monument : *L'**esplana** du Trocadéro.* 3. Terrain aménagé sur une hauteu *De l'**esplanade**, on contemplait toute la ville.* F XVe s. ; ital. *spianata*, de *spianare*, « aplanir » ; [ɛsplana

**ESPOIR, subst. m.**
1. Fait d'espérer, d'attendre qqch. avec confiance *Tous les **espoirs** sont permis à l'homme, même cel de disparaître* (J. Rostand). ▸ Loc. *Il n'y a pl d'**espoir*** : le malade est sur le point de mour

2. Sentiment qui porte à espérer : *Il perdit tout* **espoir** *en entendant les premiers résultats.* **3.** Méton. Personne ou chose sur laquelle porte l'attente : *Un* **espoir** *du tennis.* 1155 ; ☞ *espérer* ; [ɛspwaʀ].

**ESPRESSIVO, adv.**
*Mus.* D'une manière expressive : *Jouer* **espressivo**. 1834 ; ital. *espressivo*, « expressif » ; [ɛspʀesivo].

**ESPRIT, subst. m.**
**I. 1.** Vx. Souffle, air. ► En grec ancien, signe placé au-dessus d'une voyelle, marquant l'existence ou non d'une aspiration : *Les* **esprits** *rudes* (ʽ) *et doux* (ʼ). **2.** *Relig.* Dans la Bible, souffle de Dieu, créateur et bienfaisant. ► *Saint-***Esprit**, ou **Esprit***-Saint* : troisième Personne de la Trinité, qui procède de toute éternité du Père et du Fils. ► Loc. *Par l'opération du Saint-***Esprit** : par enchantement, tout seul (fam.). **II.** Émanation ; substance liquide volatile ou gaz (vieilli) ; **Esprit***-de-bois* : alcool méthylique ; **Esprit***-de-sel* : acide chlorhydrique ; **Esprit***-de-vin* : alcool éthylique. PLUR. Éléments invisibles et mobiles considérés comme les agents de la vie : *Perdre ses* **esprits**, s'évanouir ou être troublé par une violente émotion. **III. 1.** *Théol.* Être immatériel, incorporel : *Un ange est un pur* **esprit** ; *Les* **esprits** *malins*, les démons. **2.** Principe de vie, âme, par oppos. au corps. **3.** Âme d'un défunt ; fantôme : *Une maison hantée par des* **esprits**. **4.** Être imaginaire, inspiré des mythologies : *Fées, gnomes et farfadets sont des* **esprits** *souvent bienfaisants.* **IV.** Principe de la pensée et de l'activité réfléchie de l'homme. **1.** Réalité pensante : *Une idée n'existe pas en soi, elle existe en tant qu'elle est pensée dans un* **esprit** (Barrès). **2.** Principe de la vie psychique, ensemble des facultés tant affectives qu'intellectuelles : *Garder l'***esprit** *libre* ; *Souvenirs qui reviennent à l'***esprit**, à la mémoire ; *Ne pas avoir l'***esprit** *à ce que l'on fait*, être inattentif. ► Loc. *Disposition, état d'***esprit** : manière d'être à un certain moment ; *Tournure, forme d'***esprit** : manière d'agir et d'être, caractéristique d'une personne ; *Présence d'***esprit** : promptitude à agir avec à-propos. **3.** Intention : *C'est dans un* **esprit** *satirique qu'il mena le débat.* **4.** Aptitude intellectuelle : *Avoir l'***esprit** *de synthèse, l'***esprit** *critique* ; *Une femme d'***esprit**, cultivée ; *Une réponse pleine d'***esprit**, vive, mordante ; *Faire de l'***esprit**, vouloir se montrer spirituel (péj.). ► Loc. *Un simple d'***esprit** : personne aux facultés intellectuelles peu développées. **5.** Personne en tant qu'être pensant : *C'est un brillant* **esprit**. ► Loc. *Les grands* **esprits** *se rencontrent* (iron.). **V. 1.** Attitude générale qui détermine, oriente l'action : *L'***esprit** *d'indépendance, de contradiction.* ► Loc. **Esprit** *d'à-propos* : aptitude à dire ou à faire sans hésitation ce qui est à propos. **2.** Ensemble des dispositions qui déterminent les sentiments et les actions d'une personne ou d'un groupe social : *L'***esprit** *de l'époque*, ses tendances caractéristiques. **3.** Sens profond d'un texte, d'une œuvre ; essence de la pensée d'un auteur : *L'***esprit** *d'une loi.* Xe s. ; lat. *spiritus* ; [ɛspʀi].

**ESQUARRE, voir ESCARRE (II)**

**ESQUICHER, verbe trans.** [3]
Région. (Midi). Comprimer, presser. XIXe s. (XVIIIe s., jouer sa carte la plus faible pour éviter de faire la levée) ; prov. *esquicha* ; [ɛskiʃe].

**ESQUIF, subst. m.**
Petite embarcation légère (littér.) : *Un frêle* **esquif**. 1497 ; ital. *schifo* ; [ɛskif].

**ESQUILLE, subst. f.**
**1.** *Pathol.* Petit éclat qui se détache d'un os fracturé. **2.** Anal. Fragment de bois, de verre, etc. 1478 ; lat. *schidia*, « copeau » ; [ɛskij].

**ESQUIMAU, AUDE, adj. et subst.**
Du peuple des Esquimaux, ou Inuits. SUBST. MASC. **1.** Ensemble des langues parlées par les Esquimaux. **2.** *Un* **Esquimau** : crème glacée recouverte de chocolat, que l'on tient par un bâtonnet (n. déposé). 1691 ; langue indienne *eskimau*, nom donné aux habitants des terres arctiques ; plur. *esquimaux, audes*, var. *eskimo* (inv. en genre) ; [ɛskimo, od].

**ESQUIMAUTAGE, subst. m.**
*Sp.* Manœuvre consistant à faire faire un tour complet dans l'eau à son kayak. 1932 ; ☞ *esquimau* ; [ɛskimotaʒ].

**ESQUINTER, verbe trans.** [3]
Fam. **1.** Détériorer (qqch.) ; blesser (qqn) : *Se faire* **esquinter**, recevoir des coups. ► Fig. **Esquinter** *une œuvre, un auteur* : les critiquer férocement. **2.** Épuiser. PRONOM. **1.** Se blesser : *S'***esquinter** *un pied.* **2.** Se fatiguer à l'excès. 1800 ; prov. *esquinta* ; [ɛskɛ̃te].

**ESQUISSE, subst. f.**
**1.** *B.-a.* Première étude d'une œuvre picturale, sculpturale, architecturale, indiquant les grandes lignes du projet : **Esquisse** *à la craie.* **2.** Anal. Essai servant à la réalisation d'une œuvre littéraire ou musicale (gén. au plur.) : *Les* **esquisses** *d'un opéra.* ► Étude donnant un aperçu sur un sujet : **Esquisse** *historique.* **3.** Fig. Ébauche d'un geste, d'une action : *L'***esquisse** *d'un sourire.* 1642 ; ital. *schizzo* ; [ɛskis].

**ESQUISSER, verbe trans.** [3]
**1.** *B.-a.* Représenter à grands traits, exécuter l'esquisse de (une œuvre) : **Esquisser** *un nu, un décor.* **2.** Anal. Brosser un aperçu général de (un sujet, une matière) : **Esquisser** *le contexte d'une époque.* **3.** Fig. Commencer, amorcer : **Esquisser** *un signe.* 1567 ; ital. *schizzare*, « jaillir » ; [ɛskise].

**ESQUIVE, subst. f.**
**1.** *Sp.* Action de se soustraire à un coup, à une attaque par déplacement du corps : *L'art de l'***esquive**, *à la boxe.* **2.** Fig. Fait d'échapper à une difficulté, à une obligation. 1859 ; ☞ *esquiver* ; [ɛskiv].

**ESQUIVER, verbe trans.** [3]
**1.** Éviter avec habileté (un coup, un obstacle) : **Esquiver** *une attaque.* **2.** Fig. Se soustraire à (qqch.) : **Esquiver** *une obligation, des questions.* PRONOM. Se retirer discrètement, s'éclipser. Déb. XVIIe s. ; p.-ê. ital. *schivare*, de l'anc. bas frq. °*skiuhjan*, « craindre » ; [ɛskive].

**ESSAI, subst. m.**
**1.** Action d'essayer, d'expérimenter les qualités, le fonctionnement d'une chose : *Le service des* **essais** ; *Un tube à* **essai**. **2.** Anal. Attribution d'une fonction à une personne pendant une période déterminée pour juger de son aptitude à la remplir : *Prendre qqn à l'***essai** ; *Période d'***essai**. **3.** Action de tenter qqch. ; son résultat : *Des premiers* **essais**, *au cinéma* ; *Coup d'***essai**, première tentative. **4.** *Sp.* ► *Athlétisme.* Chacune des tentatives accordées à un athlète pour réussir sa meilleure performance. ► *Rugby.* Avantage obtenu en réussissant à placer le ballon derrière la ligne de but adverse : *Marquer un* **essai**. **5.** *Litt.* Ouvrage en prose dans lequel un auteur développe librement un sujet, sans exhaustivité : *Les «* **Essais** *», œuvre de Montaigne.* Mil. XIIe s. ; bas lat. *exagium*, « pesage ; poids » ; [esɛ].

**ESSAIM, subst. m.**
**1.** *Apic.* Groupe d'abeilles qui, en compagnie d'une reine, quittent une ruche surpeuplée pour former une nouvelle colonie ; par ext. : *Un* **essaim** *de guêpes, de sauterelles.* **2.** Fig. Foule en mouvement : *Un* **essaim** *d'enfants.* Fin XIIe s. ; lat. *examen*, de *exigere*, « pousser hors de » ; [esɛ̃].

**ESSAIMAGE, subst. m.**
**1.** *Apic.* Action d'essaimer ; par méton., époque où les abeilles essaiment. **2.** Fig. Émigration visant à former une nouvelle communauté : *L'***essaimage** *des Phéniciens en Méditerranée.* 1823 ; ☞ *essaimer* ; [esɛmaʒ].

**ESSAIMER, verbe** [3]
INTRANS. **1.** *Apic.* Former un essaim, quitter la ruche pour aller s'établir ailleurs. **2.** Fig. Quitter une communauté pour en fonder une ou plusieurs autres : *Cette tribu a* **essaimé** *le long de la rivière.* TRANS. Implanter, établir ailleurs : *L'abbaye* **essaimait** *ses religieux.* 1266 ; ☞ *essaim* ; [eseme].

*Dans l'igloo, habitat traditionnel en pays esquimau.*

© Th. Mauger-Explorer

**ESSANGER, verbe trans.** [5]
Décrasser (un linge très sale) avant de le mettre à laver (vieilli). Mil. XIIIe s. ; prob. lat. *exsaniare*, « ôter la sanie, le pus » ; [esɑ̃ʒe].

**ESSARTAGE, subst. m.**
Action de défricher, de débroussailler une terre, un taillis. 1783 ; ☞ *essarter* ; [esaʀtaʒ].

**ESSARTEMENT, subst. m.**
Essartage. 1611 ; ☞ *essarter* ; [esaʀtəmɑ̃].

**ESSARTER, verbe trans.** [3]
*Agric.* Défricher (une terre) en enlevant les arbres et les broussailles afin de la cultiver. 1172 ; *essart* (rare), « action de déboiser » ; [esaʀte].

**ESSAYAGE, subst. m.**
Action d'essayer un vêtement, un accessoire : *Une cabine d'***essayage**. 1828 ; ☞ *essayer* ; [esɛjaʒ].

**ESSAYER, verbe trans.** [15]
TRANS. DIR. **1.** Tester (qqch.) pour contrôler sa qualité, son fonctionnement, etc. : **Essayer** *une voiture* ; **Essayer** *l'or, l'argent*, s'assurer de leur titre. ► Mettre (un vêtement, un accessoire) pour vérifier que la taille, la couleur, etc., conviennent : **Essayer** *un chapeau* ; **Essayer** *un manteau à un enfant.* **2.** Avoir recours pour la première fois à (un produit, un service) : **Essayer** *un nouveau restaurant.* **3.** Utiliser (qqch.) avec un objectif précis mais sans être sûr du résultat : *Je vais* **essayer** *la manière douce.* TRANS. INDIR. Essayer de (+ inf.). Tenter de : **Essayer** *d'atteindre un sommet* ; empl. abs. : *Il faut absolument* **essayer**. PRONOM. S'essayer à. Tester ses propres capacités à, s'exercer à ; se risquer à : *S'***essayer** *à l'écriture d'un roman* ; *S'***essayer** *à jouer du piano.* Fin XIe s. ; lat. pop. °*exagiare*, « peser » ; [eseje].

**ESSAYEUR, EUSE, subst.**
**1.** Fonctionnaire chargé d'essayer l'or, l'argent pour la fabrication des monnaies (vx). **2.** Personne qui essaie ou qui fait essayer des vêtements : *Elle est* **essayeuse** *chez un grand couturier.* **3.** Personne chargée de procéder à des contrôles techniques : **Essayeur** *de machines* ; **Essayeur** *d'alcools.* 1611 (XIIIe s., homme inconstant) ; ☞ *essayer* ; [esɛjœʀ, øz].

**ESSAYISTE, subst.**
*Litt.* Auteur d'essais. 1821 ; angl. *essayist*, de *essay*, « essai littéraire » ; [esɛjist].

**ESSE, subst. f.**
**1.** Objet, crochet en forme de S : *Une* **esse** *de boucherie.* **2.** *Mus.* Ouverture en forme de S sur la table d'un violon, d'un violoncelle, etc. (synon. *ouïe*). XIIIe s. ; lettre *s* ; [ɛs].

**ESSENCE, subst. f.**
**I. 1.** *Philos.* Ce qui constitue la nature fondamentale d'un être, par oppos. aux accidents de son existence. ► Loc. *Par* **essence** : par nature. **2.** Ext. Ensemble des caractères constitutifs de qqch. ou des qualités propres à une personne. **II. 1.** Substance végétale volatile et odorante utilisée en parfumerie, en alimentation, en thérapeutique, etc. (synon. *huile essentielle*). **2.** Hydrocarbure obtenu par raffinage du pétrole brut, servant de carburant, de solvant, etc. : *Moteur à* **essence**. **III.** *Bot.* Espèce d'arbre : *Les* **essences** *résineuses* ; *Cette forêt contient des* **essences** *rares.* XIIIe s. ; lat. *essentia*, « nature d'une chose » ; [esɑ̃s].

PHILOSOPHIE – Véritable être d'une chose, chez Aristote, l'essence, qui fut, au Moyen Âge, au centre de la querelle des universaux, n'est pour les nominalistes que la coexistence de propriétés que l'esprit fixe dans un nom. Boutée hors de la philosophie par l'interdit kantien de la « chose-en-soi », l'essence a également été bannie par la science, tandis que l'existentialisme l'a reléguée en aval de l'existence. Mais on en retrouve la quête dans la phénoménologie de Husserl.

**ESSÉNIEN, IENNE, adj. et subst.**
Se dit d'un membre d'une secte ascétique juive, active du IIe s. av. J.-C. à 70 apr. J.-C. ADJ. Relatif, propre aux esséniens ou à leur doctrine : *Écrits* **esséniens**. Fin XIIIe s. ; lat. *Esseni*, du gr. *Essenoi* ; [esenjɛ̃, jɛn].

**ESSENTIALISME, subst. m.**
*Philos.* Nom donné aux doctrines qui accordent à l'essence la primauté sur l'existence. 1942 (1864, terme de médecine) ; bas lat. *essentialis*, « relatif à l'essence » ; [esɑ̃sjalism].

**ESSENTIALISTE, adj.**
Relatif à l'essentialisme ; qui en est partisan : *Une opinion* **essentialiste** ; *Un philosophe* **essentialiste** ou, empl. subst., *Un, une* **essentialiste**. XXe s. (1864, terme de médecine) ; ☞ *essentialisme* ; [esɑ̃sjalist].

**ESSENTIEL, ELLE, adj. et subst. m.**
Adj. 1. *Philos.* Qui se rapporte à l'essence (anton. *accidentel*) : *La raison est* **essentielle** *à l'être humain.* **2.** Nécessaire, indispensable : *L'eau est* **essentielle** *à la vie* ; par ext., capital : *Ton travail* **essentiel** *consiste à bien rédiger.* **3.** *Chim. Huile* **essentielle** : essence. Subst. L'essentiel. L'indispensable ; le principal : *Ne mettre que l'***essentiel** *dans sa valise* ; *Passer l'***essentiel** *de sa vie à dormir,* la plus grande partie. Fin XIIIe s. ; bas lat. *essentialis* ; [esɑ̃sjɛl].

**ESSENTIELLEMENT, adv.**
**1.** Par nature, par essence : *L'homme est* **essentiellement** *raisonnable.* **2.** Avant tout, principalement. Fin XIIe s. ; ☞ *essentiel* ; [esɑ̃sjɛlmɑ̃].

**ESSEULÉ, ÉE, adj.**
Qui est très seul, tenu à l'écart : *Se sentir* **esseulé** *le dimanche.* Déb. XIIIe s. ; ☞ *seul* + *é-*1 ; [esœle].

**ESSIEU, subst. m.**
Longue pièce transversale placée sous la caisse d'un véhicule et constituant l'axe reliant les roues parallèles. Fin XIIe s. ; prob. var. pic. de l'anc. fr. *aissil*, du lat pop. °*axile*, du lat. *axis*, « axe » ; [esjø].

**ESSOR, subst. m.**
**1.** Mouvement d'un oiseau qui s'élève dans les airs : *L'***essor** *de l'aigle royal.* ► Loc. *Prendre son* **essor** : s'envoler ou, au fig., se lancer dans la vie. **2.** Fig. Élan enthousiaste et fécond : *L'***essor** *de la jeunesse.* **3.** Ext. Dans le domaine social, économique, développement, progression rapide : *L'***essor** *démographique* ; *L'***essor** *d'une entreprise* ; *Le tourisme est en plein* **essor**. Fin XIIe s. ; ☞ *essorer* ; [esɔʀ].

**ESSORAGE, subst. m.**
Action d'essorer ; son résultat. 1864 (déb. XIIIe s., action de lâcher un oiseau) ; ☞ *essorer* ; [esɔʀaʒ].

**ESSORER, verbe trans.** [3]
**1.** Vx. Aérer ; sécher à l'air. **2.** Débarrasser (une chose) de l'eau qu'elle retient : *Tordre un drap pour l'***essorer** ; **Essorer** *la salade* ; empl. abs. : *Cette machine* **essore** *bien.* Pronom. Prendre son essor, en parlant d'un oiseau (vx). ► *Hérald. Aigle* **essorée** : aigle figuré en plein vol. Fin XIIe s. ; lat. pop. °*exaurare* ; [esɔʀe].

**ESSOREUSE, subst. f.**
**1.** Machine à usage domestique ou industriel, servant à essorer le linge, gén. grâce à la force centrifuge. **2.** Panier à trous utilisé en cuisine pour essorer la salade en la faisant tourner. **3.** *Techn.* Appareil qui sert à séparer le sucre cristallisé des mélasses. 1870 ; ☞ *essorer* ; [esɔʀøz].

**ESSORILLER, verbe trans.** [3]
**1.** Vx. Trancher les oreilles de (qqn) en guise de supplice : **Essoriller** *un voleur.* **2.** Écourter, tailler les oreilles de (un animal) : **Essoriller** *un boxer.* 1303 ; ☞ *oreille* + *é-*2 ; [esɔʀije].

**ESSOUCHER, verbe trans.** [3]
*Sylvic.* Débarrasser (un terrain) des souches restant après une coupe. 1796 ; ☞ *souche* + *é-*2 ; [esuʃe].

**ESSOUFFLEMENT, subst. m.**
**1.** État d'une personne essoufflée ; souffle court, respiration haletante. **2.** Fig. Perte de vitalité, de dynamisme : *L'***essoufflement** *d'un projet.* Déb. XVIe s. ; ☞ *essouffler* ; [esufləmɑ̃].

**ESSOUFFLER, verbe trans.** [3]
Faire perdre haleine à : **Essouffler** *son cheval.* Pronom. **1.** Respirer avec peine, gén. à la suite d'un effort : *S'***essouffler** *pour un rien* ; *S'***essouffler** *à courir* ; empl. adj. : *Rentrer tout* **essoufflé**. ► Anal. *Le moteur s'***essouffle**. **2.** Fig. Perdre sa force créatrice ou son dynamisme : *Le mouvement de grève s'***essoufflait**. Déb. XIIIe s. (fin XIIe s., reprendre haleine) ; ☞ *souffle* + *é-*2 ; [esufle].

**ESSUIE, subst. m.**
Belg. Essuie-mains ; serviette de toilette ; torchon. ☞ *essuyer* ; [esɥi].

**ESSUIE-GLACE, subst. m.**
*Autom.* Dispositif électrique constitué d'un bras articulé et d'une raclette qui balaie le pare-brise ou la vitre arrière d'un véhicule. 1914 ; comp. de *essuyer* et de *glace* ; plur. *essuie-glaces* ; [esɥiglas].

**ESSUIE-MAINS, subst. m. inv.**
Linge dont on se sert pour s'essuyer les mains. 1610 ; comp. de *essuyer* et de *main* ; [esɥimɛ̃].

**ESSUIE-PIEDS, subst. m. inv.**
Paillasson sur lequel on s'essuie les pieds. 1948 ; comp. de *essuyer* et de *pied* ; [esɥipje].

**ESSUIE-VERRE(S), subst. m.**
Torchon fin servant à essuyer les verres. 1909 ; comp. de *essuyer* et de *verre* ; plur. *essuie-verres* ; [esɥivɛʀ].

**ESSUYAGE, subst. m.**
Action d'essuyer ; son résultat : *L'***essuyage** *de la vaisselle.* 1858 ; ☞ *essuyer* ; [esɥijaʒ].

**ESSUYER, verbe trans.** [16]
**1.** Frotter (ce qui est mouillé) avec qqch. qui absorbe l'humidité : **Essuyer** *les verres* ; **Essuyer** *un visage baigné de larmes* ; par méton. : **Essuyer** *une coulure.* ► Loc. **Essuyer** *les plâtres* : subir le premier les inconvénients d'une situation nouvelle (fam.). **2.** Ext. Nettoyer, dépoussiérer : **Essuyer** *les meubles.* **3.** Fig. Endurer, physiquement ou moralement : **Essuyer** *une fusillade* ; **Essuyer** *un échec.* Pronom. Se débarrasser de l'humidité que l'on a sur soi. 1135 ; bas lat. *exsuccare*, « tirer le suc de » ; [esɥije].

**EST, subst. m. inv.**
**1.** L'un des quatre points cardinaux, situé du côté du soleil levant ; lieu situé dans cette direction : *Aller vers l'***est** ; *Gardez le cap sud-***est** ; *Ville située à l'***est** ; *Un vent d'***est**, qui souffle de l'est. **2.** Partie orientale d'un pays : *Habiter dans l'***est** *de la France* et, par ell., *Habiter dans l'***Est**. **3.** *Hist. Le bloc de l'***Est** : l'ensemble des pays qui appartenaient à la zone d'influence soviétique en Europe. Mil. XIIe s. ; m. angl. *east* ; [ɛst].

**ESTABLISHMENT, subst. m.**
Classe sociale privilégiée, qui défend l'ordre établi (anglic.) : *L'***establishment** *scientifique.* V. 1960 ; angl. *to establish*, « établir » ; [ɛstabliʃmɛnt].

**ESTACADE, subst. f.**
Jetée à claire-voie, constituée de pieux et établie à l'entrée d'un port ou sur une rivière pour permettre l'accostage des bateaux, ou fermer un passage, protéger des travaux, etc. 1566 ; p.-ê. ital. *steccata*, « palissade », de *stecca*, « pieu » ; [ɛstakad].

**ESTAFETTE, subst. f.**
**1.** Vx. Courrier chargé de porter les dépêches d'une poste à l'autre. **2.** *Milit.* Agent de liaison. 1596 ; ital. *stafetta*, « courrier à cheval », de *staffa*, « étrier » ; [ɛstafɛt].

**ESTAFIER, subst. m.**
**1.** Vx. Laquais armé portant le manteau ou les armes de son maître : *Les* **estafiers** *du pape.* **2.** Tueur à gages (péj.). 1476 ; ital. *staffiere*, « laquais » ; [ɛstafje].

**ESTAFILADE, subst. f.**
Entaille fine et longue, faite au visage par un instrument tranchant tel un rasoir, un sabre. 1552 ; ital. *staffilata*, « coup de fouet » ; [ɛstafilad].

**ESTAGNON, subst. m.**
Récipient cylindrique en fer-blanc, parfois clissé, destiné à contenir de l'huile ou diverses essences, utilisé dans le Midi et en Afrique. 1844 ; prov. *estagnoun*, de l'anc. prov. *estanh*, « étain » ; [ɛstaɲɔ̃].

**ESTAMINET, subst. m.**
**1.** Vx. Café où l'on fume. **2.** Ext. Café modeste. XVIIe s. ; wallon *staminê*, « salle à poteaux » ; [ɛstaminɛ].

**ESTAMPAGE, subst. m.**
**1.** Action d'estamper ; son résultat : *L'***estampage** *d'une monnaie, d'une inscription.* **2.** Fig. Escroquerie (fam.). 1790 ; ☞ *estamper* ; [ɛstɑ̃paʒ].

**ESTAMPE (I), subst. f.**
*Techn.* Machine-outil qui permet la reproduction d'une empreinte, utilisée en serrurerie, en orfèvrerie, en maréchalerie. 1430 (fin XIIIe s., cachet) ; ☞ *estamper* ; [ɛstɑ̃p].

**ESTAMPE (II), subst. f.**
**1.** Image sur papier ou vélin, obtenue par l'impression d'une plaque de bois ou de métal, gravée en taille douce et enduite d'encre : *Une* **estampe** *bien tirée.* **2.** Ext. Toute image résultant d'une impression (synon. *eau-forte, gravure, lithographie*) : **Estampe** *libertine* ; **Estampe** *japonaise* ; *Le cabinet des* **Estampes**, département de la Bibliothèque nationale abritant une riche collection de gravures et de dessins. Mil. XVIe s. ; ital. *stampa*, « impression » ; [ɛstɑ̃p].

**ESTAMPER, verbe trans.** [3]
**1.** *Techn.* Appliquer par pression sur (une surface, une matière) l'empreinte en creux ou en relief d'une matrice ou d'un moule : **Estamper** *à chaud, à froid* ; **Estamper** *le cuir d'une reliure.* **2.** Imprimer en relief ou en creux (une marque, une image) : **Estamper** *un décor.* **3.** Fig. Escroquer (qqn) en lui faisant payer qqch. très cher (fam.). 1392 (déb. XIIIe s., broyer) ; anc. bas frq. °*stampôn*, « fouler, piler » ; [ɛstɑ̃pe].

**ESTAMPEUR, EUSE, subst.**
**1.** *Techn.* Personne qui pratique l'estampage : *Un* **estampeur** *en orfèvrerie* ; **Estampeur** *à chaud.* **2.** Escroc (fam.). 1628 ; ☞ *estamper* ; [ɛstɑ̃pœʀ, øz].

**ESTAMPILLAGE, subst. m.**
Action d'estampiller : *Sceau d'***estampillage** ; résultat de cette action. 1783 ; ☞ *estampiller* ; [ɛstɑ̃pijaʒ].

**ESTAMPILLE, subst. f.**
**1.** Marque qui atteste l'authenticité d'un produit, d'une œuvre d'art, d'un document ou qui certifie l'acquittement de droits fiscaux : **Estampille** *d'un ébéniste* ; **Estampille** *royale.* **2.** Fig. Style caractéristique : *Porter l'***estampille** *de l'É. N. A.* Mil. XVIIIe s. ; esp. *estampilla* ; [ɛstɑ̃pij].

**ESTAMPILLER, verbe trans.** [3]
Apposer, imprimer par pression une estampille sur (un objet) ; empl. adj. : *Une commode* **estampillée**. 1752 ; ☞ *estampille* ; [ɛstɑ̃pije].

**ESTANCIA, subst. f.**
Grande exploitation agricole où l'on fait de l'élevage, en Amérique latine. 1838 ; esp. *estancia*, de *estar*, « être » ; [ɛstɑ̃sja].

**ESTE, adj. et subst.**
Estonien. 1873 ; topon. *Estonie* ; [ɛst].

**ESTER (I), verbe intrans.**
*Dr.* **Ester** *en justice, en jugement* : exercer une action en justice. Fin XIe s. ; lat. jur. *stare*, du lat. *stare*, « se tenir debout » ; empl. seulement à l'inf. ; [ɛste].

**ESTER (II), subst. m.**
*Chim.* Produit de la réaction d'un alcool ou d'un phénol R'–OH sur un acide organique R–COOH (R et R' : radicaux organiques), appelée estérification, de formule R–COO–R' (synon. vieilli *éther sel*). 1857 ; prob. contraction de l'all. *Essigäther*, de *Essig*, « vinaigre », et de *Äther*, « éther » ; [ɛstɛʀ].

**ESTÉRASE, subst. f.**
*Biochim.* Enzyme qui catalyse l'hydrolyse des esters : *La cholinestérase bloque l'action de l'acétylcholine, c'est une* **estérase**. XXe s. ; ☞ *ester* (II) ; [ɛsteʀaz].

**ESTÉRIFICATION, subst. f.**
Réaction d'un acide organique sur un alcool ou sur un phénol, qui produit un ester. 1953 ; ☞ *ester* (II) ; [ɛsteʀifikasjɔ̃].

**ESTÉRIFIER, verbe trans.** [6]
Soumettre (une substance) à une estérification. 1959 ; ☞ *ester* (II) ; [ɛsteʀifje].

**ESTERLIN, subst. m.**
*Numism.* Monnaie d'origine anglaise qui eut cours en France, au Moyen Âge. Fin XIe s. ; angl. *sterling*, du lat. médiév. *esterlingus* ; [ɛstɛʀlɛ̃].

**ESTHÉSIE, subst. f.**
*Physiol.* Faculté de percevoir une sensation, sensibilité. 1846 ; gr. *aisthêsis*, « sensation » ; [ɛstezi].

**ESTHÉSIOGÈNE, adj.**
*Physiol.* Qui produit, augmente la sensibilité. 1879 ; formé de *esthésio-* et de *-gène* ; [ɛstezjɔʒɛn].

**ESTHÈTE, subst.**
Personne qui considère le beau comme la valeur suprême : *Un goût d'***esthète** ; empl. adj. : *Un public* **esthète**, connaisseur en matière artistique. 1881 ; ☞ *esthétique* ; [ɛstɛt].

**ESTHÉTICIEN, IENNE, subst.**
**1.** Philosophe qui théorise l'expérience esthétique : *Kant fut un* **esthéticien** *majeur.* **2.** Personne dont le métier est de prodiguer des soins de beauté. 1868 ; ☞ *esthétique* ; [ɛstetisjɛ̃, jɛn].

**ESTHÉTIQUE, subst. f. et adj.**
Subst. **1.** *Philos.* Science du jugement d'appréciation en tant qu'il s'applique au beau ; théorie de l'art : **Esthétique** *objectiviste, subjectiviste* ; **Esthétique** *transcendantale*, chez Kant, l'étude de l'espace et du temps en tant que formes pures de la connaissance sensible. **2.** Ensemble des caractéristiques formelles d'un mouvement artistique : *L'***esthétique** *moderniste.* **3.** Caractère de ce qui est beau, harmonieux : *L'***esthétique** *d'un bâtiment, d'un corps.* ► **Esthétique** *industrielle* : design. Adj. **1.** Relatif au jugement de goût, à l'appréciation du beau dans la nature ou dans l'art : *Valeur, expérience, jugement* **esthétique**. **2.** Qui est beau, harmonieux : *Des mouvements très* **esthétiques**. **3.** Qui entretient la beauté du corps : *Chirurgie, soins* **esthétiques**. 1753 ; lat. *aestheticus*, du gr. *aisthêtikos*, « qui peut percevoir par les sens » ; [ɛstetik].

**ESTHÉTIQUEMENT, adv.**
**1.** De manière esthétique. **2.** Du point de vue de l'esthétique. 1798 ; ☞ *esthétique* ; [ɛstetikmɑ̃].

**ESTHÉTISANT, ANTE,** adj.
Qui privilégie la beauté plastique, formelle (péj.) : *Les poètes **esthétisants** du Parnasse.* 1947 ; p. pr. de *esthétiser* ; [ɛstetizɑ̃, ɑ̃t].

**ESTHÉTISER,** verbe [3]
INTRANS. Discourir sans fin, de manière pédante et subtile, à propos d'art et d'esthétique (péj.) : ***Esthétiser** sur qqn, qqch.* TRANS. Rendre (qqch.) esthétique. 1870 ; *esthète* (vx), « qui peut fournir des sensations » ; [ɛstetize].

**ESTHÉTISME,** subst. m.
**1.** Doctrine, attitude d'un esthète. **2.** Mouvement artistique et littéraire anglais de la fin du XIXe s., préconisant le retour de l'art vers la pureté des formes. 1881 ; ☞ *esthète* ; [ɛstetism].

**ESTIMABLE,** adj.
**1.** Vx. Dont on peut faire l'évaluation. **2.** Qui mérite l'estime : *Un défenseur des droits de l'homme des plus **estimables**.* **3.** Méritoire, sans être exceptionnel : *Un écrivain **estimable**.* XVe s. ; ☞ *estimer* ; [ɛstimabl].

**ESTIMATEUR, TRICE,** subst.
Personne qui estime, évalue la valeur marchande de qqch. (vieilli) ; au fig., personne qui porte un jugement (littér.). 1389 ; lat. *aestimator*, « celui qui évalue » ; [ɛstimatœʀ, tʀis].

**ESTIMATIF, IVE,** adj.
Qui fournit, qui contient une estimation : *Devis **estimatif** ; Valeur **estimative**.* 1743 (1314, qui concerne le jugement) ; ☞ *estimer* ; [ɛstimatif, iv].

**ESTIMATION,** subst. f.
**1.** Appréciation du prix de qqch. : ***Estimation** d'une œuvre d'art.* **2.** Évaluation quantitative : ***Estimation** d'une distance.* **3.** *Stat.* Recherche de la valeur d'un ou de plusieurs paramètres d'une loi statistique à partir de données tirées d'expériences et de sondages. 1269 ; lat. *aestimatio* ; [ɛstimasjɔ̃].

**ESTIME,** subst. f.
**1.** Vx. Estimation. ► *Mar.* Calcul de la position d'un navire et de la distance parcourue, à partir de la vitesse, de la dérive et des courants. **2.** Respect, considération : *Tenir qqn en haute **estime**.* ► Loc. *Succès d'**estime*** : succès d'une œuvre auprès des critiques uniquement. XIIIe s. ; ☞ *estimer* ; [ɛstim].

**ESTIMER,** verbe trans. [3]
**1.** Apprécier le prix, la valeur de (qqch.) : *Un expert vint **estimer** les dégâts.* **2.** Ext. Calculer approximativement (qqch.) : *On **estime** à vingt mille le nombre des manifestants.* **3.** Fig. Considérer : *Il **estima** avoir fait un bon travail ; Nous **estimons** que les réformes sont urgentes.* **4.** Avoir de la considération, du respect pour (qqn, qqch.) : *Et c'est n'**estimer** rien qu'**estimer** tout le monde* (Molière). PRONOM. Se considérer : *Je m'**estime** indigne de votre bienveillance.* Fin XIIIe s. ; lat. *aestimare* ; [ɛstime].

**ESTIVAGE,** subst. m.
*Élev.* Transhumance ; période pendant laquelle elle se déroule. Mil. XIXe s. ; mot prov. ; [ɛstivaʒ].

**ESTIVAL, ALE, AUX,** adj.
Qui est propre à l'été : *Températures **estivales** ; Amours **estivales**.* 1119 ; lat. *aestivalis* ; [ɛstival, o].

**ESTIVANT, ANTE,** subst.
Vacancier séjournant l'été dans un lieu de villégiature. V. 1920 ; p. pr. de *estiver* ; [ɛstivɑ̃, ɑ̃t].

**ESTIVATION,** subst. f.
*Zool.* Ralentissement du métabolisme de certains animaux durant la saison chaude, comparable à l'hibernation. 1819 ; ☞ *estiver* ; [ɛstivasjɔ̃].

**ESTIVE,** subst. f.
Pâturage d'été, en haute montagne. 1933 ; occitan *esti(e)u*, « été » ; [ɛstiv].

**ESTIVER,** verbe [3]
TRANS. *Élev.* Faire transhumer (un troupeau). INTRANS. Passer l'été : *Les troupeaux **estivent** toujours plus haut ; Beaucoup de citadins préfèrent **estiver** à la campagne* (rare). XVe s. ; lat. *aestivare* ; [ɛstive].

**ESTOC (I),** subst. m.
**1.** Vx. *Frapper d'**estoc** et de taille* : porter des coups avec la pointe et le tranchant de l'épée, ou se battre par tous les moyens. **2.** Longue épée acérée en usage aux XVe et XVIe s. Fin XIIe s. ; anc. fr. *estochier*, du m. néerl. *stoken*, « piquer » ; [ɛstɔk].

**ESTOC (II),** subst. m.
**1.** *Sylvic.* Souche d'arbre : *Couper à blanc **estoc***, couper un tronc au ras du sol. **2.** Fig. Ascendance, lignage (vx) : *De noble **estoc**.* Fin XIIe s. ; anc. bas frq. *°stok*, « souche » ; [ɛstɔk].

**ESTOCADE,** subst. f.
**1.** Vx. *Escr.* Botte portée avec la pointe de l'épée. **2.** *Taurom.* Coup d'épée porté par le matador pour tuer le taureau. ► Loc. *Donner l'**estocade** à qqn* : le réduire à merci, l'achever. 1546 ; ital. *stoccata*, de *stocco*, « épée » ; [ɛstɔkad].

**ESTOMAC,** subst. m.
**1.** *Anat.* Partie du tube digestif située entre l'œsophage et le duodénum. Sa paroi est constituée de quatre tuniques : une tunique séreuse, une tunique musculaire puissante (muscles lisses), une tunique sous-muqueuse et une tunique muqueuse possédant de nombreuses cellules glandulaires sécrétant le suc gastrique. ► Ext. Partie extérieure du corps, au niveau de l'**estomac** : *Prendre un coup dans l'**estomac**.* **2.** Loc. fam. ► *Avoir l'**estomac** creux, l'**estomac** dans les talons, un creux à l'**estomac*** : avoir grand-faim. ► *Rester sur l'**estomac*** : ne pas être digéré ; au fig. : *Cette histoire m'est restée sur l'**estomac**.* **3.** Chez l'animal, partie renflée du tube digestif, comportant trois ou quatre poches pour les Ruminants. **4.** Cœur, poitrine (vx). ► Loc. *Avoir de l'**estomac*** : du courage ; *À l'**estomac*** : avec aplomb, effronterie (fam.). Mil. XIIIe s. ; lat. *stomachus*, du gr. *stomakhos* ; [ɛstɔma].

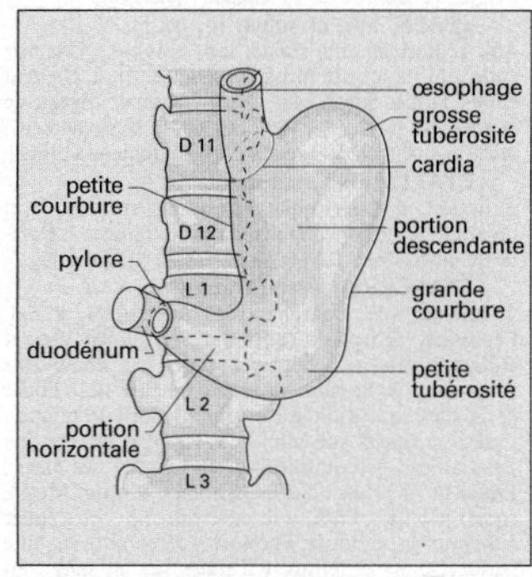


*Schéma de l'estomac.*

**ESTOMAQUER,** verbe trans. [3]
Fam. Stupéfier, scandaliser (qqn). 1480 ; ☞ *estomac* ; [ɛstɔmake].

**ESTOMPAGE,** subst. m.
Action d'estomper ; état de ce qui est estompé. 1860 ; ☞ *estomper* ; [ɛstɔ̃paʒ].

**ESTOMPE,** subst. f.
*B.-a.* Morceau de papier doux ou de peau, roulé en pointe pour étaler le pastel, le fusain, etc. sur un dessin ; par méton., le dessin ainsi réalisé. Fin XVIIe s. ; prob. néerl. *stomp*, « bout » ; [ɛstɔ̃p].

**ESTOMPER,** verbe trans. [3]
**1.** *B.-a.* Ombrer à l'estompe, moduler la vivacité des couleurs, la précision des traits de (un dessin). **2.** Anal. Rendre moins net (qqch.) : *Des fumées **estompaient** les toits* ; empl. pronom. : *La pointe du Raz s'**estompait** dans la brume.* **3.** Fig. Adoucir ; affaiblir : *Il **estompa** ses propos malgré sa colère* ; empl. pronom. : *Il fallut un long temps pour que sa rancune s'**estompât**.* Fin XVIIe s. ; ☞ *estompe* ; [ɛstɔ̃pe].

**ESTONIEN, IENNE,** adj. et subst.
D'Estonie. SUBST. MASC. Langue finno-ougrienne parlée en Estonie. 1870 ; topon. *Estonie* ; synon. *este* ; [ɛstɔnjɛ̃, jɛn].

**ESTOQUER,** verbe trans. [3]
**1.** Vx. Frapper de la pointe de l'épée. **2.** *Taurom.* Mettre à mort (un taureau) en donnant l'estocade. Fin XIIe s. ; m. néerl. *stoken*, « piquer » ; [ɛstɔke].

**ESTOUFFADE,** subst. f.
*Cuis.* **1.** *En **estouffade**, à l'**estouffade*** : à l'étouffée. **2.** Plat de viande cuite à l'étouffée : ***Estouffade** de bœuf.* Mil. XVIIe s. ; ital. *stufata*, de *stufare*, « cuire à l'étuvée » ; var. *étouffade* ; [ɛstufad].

**ESTOURBIR,** verbe trans. [19]
Argot. **1.** Tuer ; assommer. **2.** Fig. Ébahir. Déb. XIXe s. ; all. *sterben*, « mourir » ; [ɛstuʀbiʀ].

**ESTRADE (I),** subst. f.
Chemin (vx) : *Battre l'**estrade***, aller à la découverte d'une région. Mil. XVe s. ; ital. *strada*, du bas lat. *strata* ; [ɛstʀad].

**ESTRADE (II),** subst. f.
Plate-forme surélevée de quelques marches au-dessus du sol. 1664 ; esp. *estrado*, « partie surélevée d'une salle », du lat. *stratum*, « pavage ; lit » ; [ɛstʀad].

**ESTRADIOT,** voir **STRADIOT**

**ESTRAGON,** subst. m.
*Bot.* Plante aromatique de la famille des Astéracées, appréciée comme condiment. 1539 ; lat. médiév. *altarcon*, du gr. *drakontion*, « serpentaire » ; [ɛstʀagɔ̃].

**ESTRAMAÇON,** subst. m.
Lourde épée à deux tranchants. 1622 ; ital. *stramazzone*, de *mazza*, « masse d'armes » ; [ɛstʀamasɔ̃].

**ESTRAN,** subst. m.
*Géogr.* Zone littorale recouverte à marée haute et découverte lorsque la mer se retire. Fin XIIe s. ; prob. anc. angl. *strand*, « rivage » ; [ɛstʀɑ̃].

**ESTRAPADE,** subst. f.
**1.** *Hist.* Supplice, pratiqué d'abord dans l'armée et la marine, qui consistait à hisser le condamné à un mât ou à un gibet et à le laisser retomber dans la mer ou au ras du sol, voire dans les flammes ; par méton., ce mât ou ce gibet. **2.** Figure consistant à se suspendre par les mains à une corde et à faire passer son corps entre ses bras écartés. 1482 ; ital. *strappata*, de *strappare*, « arracher » ; [ɛstʀapad].

**ESTRAPASSER,** verbe trans. [3]
*Équit.* Épuiser (un cheval) en lui imposant un exercice trop long ou trop difficile. 1611 ; ital. *strapazzare*, « malmener » ; [ɛstʀapase].

**ESTROPE,** subst. f.
*Mar.* Anneau inséré dans une poulie, servant à fixer les haubans. XIVe s. ; lat. *stroppus*, du gr. *strophos*, « courroie » ; [ɛstʀɔp].

**ESTROPIÉ, ÉE,** adj.
**1.** Qui a perdu l'usage d'un membre : *Un rescapé **estropié*** ; empl. subst., personne **estropiée**. **2.** Fig. Mal prononcé, mal orthographié ; tronqué : *Un mot **estropié** ; Une version **estropiée**.* 1529 ; p. p. de *estropier* ; [ɛstʀɔpje].

**ESTROPIER,** verbe trans. [6]
**1.** Priver (qqn) de l'usage d'un membre par blessure ou par maladie : *L'accident l'a **estropié*** ; empl. pronom. : *Il s'est **estropié** en tombant.* **2.** Fig. ► Tronquer : ***Estropier** une citation.* ► Mal prononcer, mal orthographier : ***Estropier** un nom.* ► Mal jouer : ***Estropier** un rôle, une partition.* 1529 ; ital. *stroppiare* ; [ɛstʀɔpje].

**ESTUAIRE,** subst. m.
*Géogr.* Partie de l'embouchure d'un fleuve affectée par le mouvement des marées ; par ext., embouchure d'un fleuve. XVe s. ; lat. *aestuarium*, de *aestus*, « mouvement des flots » ; [ɛstɥɛʀ].

**ESTUARIEN, IENNE,** adj.
Qui se rapporte aux estuaires. V. 1960 ; ☞ *estuaire* ; [ɛstɥaʀjɛ̃, jɛn].

**ESTUDIANTIN, INE,** adj.
Relatif aux étudiants : *L'univers **estudiantin**.* Fin XIXe s. ; esp. *estudiantino*, de *estudiante*, « étudiant » ; [ɛstydjɑ̃tɛ̃, in].

**ESTURGEON,** subst. m.
*Zool.* Poisson chondrostéen (jusqu'à 6 m de long) qui se développe en mer mais va pondre dans les grands fleuves. Ses œufs servent à la préparation du caviar. 1059 ; anc. bas frq. *°sturjo* ; [ɛstyʀʒɔ̃].

**ET,** conj. de coordination
**I.** Relie des éléments du discours en marquant une addition. **1.** Relie des éléments de même nature : *Il a une voiture **et** une moto ; Deux **et** trois font cinq ; Elle rit **et** elle pleure à la fois.* ► Pour mettre en relief : ***Et** le riche **et** le pauvre, **et** le faible **et** le fort/Vont tous également des douleurs à la mort* (Voltaire). **2.** Relie des éléments de nature différente : *Mon frère **et** moi ; C'est une femme très bien **et** sur qui vous pourrez compter ; L'église est pauvre **et** d'une nudité sans pareille.* **II.** Sert à exprimer divers rapports. **1.** Marque la conséquence : *L'entreprise semblait risquée, **et** il y renonça.* **2.** Marque l'opposition : *Il nous supplie de venir, **et** il n'est pas là !* **3.** Marque un renchérissement, un renforcement : *C'est un secret, **et** un grand, que je vais te révéler ; **Et** toi aussi, tu devras être présent ! ; **Et** comment ! ; **Et** alors ?* 842 ; mot lat. ; [e].

**ÊTA, subst. m. inv.**
Septième lettre de l'alphabet grec ($\eta$, H), notant le [ɛ] long. XVIe s. ; mot gr. ; [ɛta].

**ÉTABLE, subst. f.**
Bâtiment abritant des bovins. Mil. XIIe s. ; lat. pop. °*stabula*, du lat. *stabulum*, « lieu où l'on habite » ; [etabl].

**ÉTABLI, IE, adj. et subst. m.**
ADJ. **1.** Qui est instauré ; solide : *Une coutume bien **établie**.* **2.** Qui est en place : *Le gouvernement **établi**.* SUBST. Longue table épaisse servant au travail des menuisiers, des serruriers, des ajusteurs ou, par ext., des bricoleurs ; par méton., lieu où se trouve l'**établi**. Fin XIe s. ; p. p. de *établir* ; [etabli].

**ÉTABLIR, verbe trans.** [19]
**1.** Fixer (qqch.) dans un lieu, de manière stable : ***Établir** une digue, un barrage* ; par anal. : ***Établir** son domicile à la campagne* ; au fig. : ***Établir** sa réputation*, l'asseoir. **2.** Ext. Instituer, fixer (qqch.) selon des lois : ***Établir** un gouvernement* ; ***Établir** le montant d'une taxe.* **3.** Assurer à (qqn) une situation sociale : ***Établir** qqn dans un poste stable.* **4.** Démontrer (qqch.), prouver : *Le rapport **établit** la fraude* ; par ext., décrire précisément (qqch.) : ***Établir** la liste des victimes.* **5.** Instaurer (des relations) : ***Établir** un contact téléphonique.* PRONOM. **1.** S'installer : *S'**établir** en Normandie, à Paris* ; *S'**établir** comme médecin, à son compte.* **2.** S'instaurer : *La communication s'**établit** facilement entre eux.* Fin XIe s. ; lat. *stabilire*, de *stabilis*, « ferme, solide » ; [etabliʀ].

**ÉTABLISSEMENT, subst. m.**
**1.** Action d'établir ; fait de s'établir. **2.** Ce qui est établi. ▸ *Écon.* Usine, unité de production administrative ou juridique : ***Établissement** privé, public* ; par ext. : ***Établissement** commercial, bancaire.* ▸ *Enseign.* Lieu où l'on dispense un enseignement : ***Établissement** primaire, secondaire* ; *Chef d'**établissement**.* 1155 ; ☞ *établir* ; [etablismɑ̃].

**ÉTAGE, subst. m.**
**I. 1.** Espace compris entre deux planchers d'un édifice : *Le sixième **étage** d'une tour.* **2.** Ext. Niveau, division d'un ensemble formé de parties superposées ou hiérarchisées : *Les **étages** d'une bibliothèque* ; *Les **étages** d'une pièce montée* ; au fig. : *Le système se dégrade à tous les **étages**.* **3.** *Spéc.* ▸ *Astronaut.* *Les **étages** d'une fusée* : ses éléments propulseurs détachables. ▸ *Géogr.* ***Étage** de végétation* : ensemble de plantes qui poussent à une même altitude, correspondant à des conditions climatiques particulières. ▸ *Géol.* Subdivision de l'histoire de la Terre correspondant à des âges successifs et définie à partir des dépôts et des fossiles d'une série de couches d'une localité précise. **II.** Rang social, condition (vx). ▸ Loc. *De bas **étage*** : de condition inférieure ou, par ext., de mauvais goût. XIIe s. (fin XIe s., demeure) ; anc. fr. *ester*, « se tenir, rester debout » ; [etaʒ].

**ÉTAGEMENT, subst. m.**
**1.** Action d'étager ; son résultat. **2.** Fig. Étalement dans le temps. 1864 ; ☞ *étager* ; [etaʒmɑ̃].

**ÉTAGER, verbe trans.** [5]
Disposer (qqch.) en étages. PRONOM. Se présenter en étages : *Nos vignes s'**étagent** sur toute la colline.* Fin XVIIe s. (XIIIe s., résider) ; ☞ *étage* ; [etaʒe].

**ÉTAGÈRE, subst. f.**
Tablette fixée contre un mur ou à l'intérieur d'un meuble : ***Étagère** en bois, en verre* ; par ext., meuble à tablettes étagées. 1488 ; prov. *estagiera* ; [etaʒɛʀ].

**ÉTAI (I), subst. m.**
*Mar.* Épais cordage ou câble tendu de l'avant du navire à la tête d'un mât pour le soutenir. Fin XIIe s. ; anglo-saxon *staeg* ; [etɛ].

**ÉTAI (II), subst. m.**
**1.** Poutre de bois ou de métal dressée provisoirement pour équilibrer une construction, un mur, etc. **2.** Fig. Soutien. 1266 ; anc. bas frq. °*staka* ; [etɛ].

**ÉTAIEMENT, subst. m.**
Étayage. 1459 ; ☞ *étayer* ; var. *étayement* ; [etɛmɑ̃].

**ÉTAIN, subst. m.**
**1.** *Chim.* Élément n° 50 de la table de Mendeleïev (symb. : Sn) ; masse atomique : 118,71 ; point de fusion : 231,96 °C ; point d'ébullition : 2 270 °C ; masse volumique : 7,3 g/cm$^3$. Ce métal, très malléable à la température ordinaire, se trouve dans un minerai appelé cassitérite. Inoxydable, il est employé pour recouvrir l'acier ; le fer-blanc ainsi obtenu est utilisé dans la fabrication des boîtes de conserve. L'**étain**, allié au cuivre, donne le bronze ; allié au plomb, il est utilisé en soudure. **2.** Méton. Objet en **étain**. Déb. XIIIe s. ; bas lat. *stagnum*, du lat. *stannum* ; [etɛ̃].

**ÉTAL, subst. m.**
**1.** Tréteau d'exposition de marchandises sur un marché, un lieu public. **2.** Table de boucherie sur laquelle on découpe la viande. Mil. XIIe s. (fin XIe s., position) ; anc. bas frq. °*stal*, « position » ; plur. *étals* ou *étaux* (rare) ; [etal], plur. [etal] ou [eto].

**ÉTALAGE, subst. m.**
**1.** Action d'exposer des marchandises. **2.** Méton. Lieu où sont exposées les marchandises, devanture ; ces marchandises : *L'**étalage** du boucher* ; *Vol à l'**étalage**.* **3.** Fig. Action de montrer avec ostentation. ▸ Loc. **Faire étalage de.** Exhiber ; se vanter de : *Il a toujours fait **étalage** de son savoir.* **4.** *Text.* Première opération de la filature du lin, consistant à étaler la fibre en ruban. PLUR. *Métall.* Partie inférieure du haut fourneau. 1247 ; ☞ *étaler* (I) ; [etalaʒ].

**ÉTALAGER, verbe trans.** [5]
Exposer (des marchandises) en vitrine, en devanture. 1870 ; ☞ *étalage* ; [etalaʒe].

**ÉTALAGISTE, subst.**
**1.** Vx. Marchand qui expose sur la voie publique. **2.** Professionnel qui compose les étalages dans les magasins. 1801 ; ☞ *étalage* ; [etalaʒist].

**ÉTALE, adj. et subst. m. ou f.**
ADJ. **1.** Stationnaire, stable, sans courant : *Une mer **étale***, qui ne monte ni ne descend. **2.** Anal. *Un vent **étale*** : faible. SUBST. *Mar.* Moment où le niveau de la mer est stable. 1687 (fin XIIIe s., bière reposée) ; prob. m. néerl. *stelle cannebier*, « bière reposée » ; [etal].

**ÉTALEMENT, subst. m.**
**1.** Action d'étaler qqch. sur une surface ; son résultat. **2.** Action d'étaler dans le temps : *L'**étalement** des congés.* 1609 ; ☞ *étaler* (I) ; [etalmɑ̃].

**ÉTALER (I), verbe trans.** [3]
**1.** Exposer (des marchandises à vendre). **2.** Ext. Répandre, éparpiller (qqch.) : *Ses affaires **étaient étalées** sur le sol* ; déployer (qqch.) : ***Étaler** une couverture.* **3.** Étendre une couche fine de : ***Étaler** de la confiture.* **4.** Étendre (qqch.) dans le temps : ***Étaler** ses congés sur l'année.* **5.** Fig. Exhiber (qqch.) de manière ostentatoire (péj.) : ***Étaler** ses biens* ; ***Étaler** sa vie privée dans les journaux.* **6.** Fam. Mettre (qqn) à terre : ***Étaler** son adversaire* ; *Se faire **étaler** à un examen*, échouer. PRONOM. **1.** S'étendre sur une surface, dans le temps. ▸ *S'**étaler** sur un sujet* : en parler trop longuement. **2.** Fig. S'afficher, s'exhiber (souv. péj.). **3.** Fam. Se vautrer ; tomber. XIVe s. (XIIe s., installer) ; ☞ *étal* ; [etale].

**ÉTALER (II), verbe** [3]
TRANS. *Mar.* Soutenir sans reculer (une force contraire) : ***Étaler** la marée, le vent.* INTRANS. Devenir étale. 1678 ; ☞ *étale* ; [etale].

**ÉTALEUSE, subst. f.**
*Text.* Machine utilisée pour l'étalage. 1901 ; ☞ *étaler* (I) ; [etaløz].

**ÉTALIER, IÈRE, subst.**
Personne qui tient un étal de boucherie (vieilli). 1252 ; ☞ *étal* ; [etalje, jɛʀ].

**ÉTALINGUER, verbe trans.** [3]
*Mar.* Amarrer (un câble) à l'organeau d'une ancre. XVIIe s. ; néerl. *stag-lijn*, « ligne d'étai » ; [etalɛ̃ge].

**ÉTALON (I), subst. m.**
**1.** Modèle légal de référence d'une unité de mesure ; par ext., objet qui sert de référence. ▸ *Écon.* ***Étalon** monétaire* : métal précieux ou toute autre valeur servant de référence au système monétaire d'un ou de plusieurs pays. **2.** Fig. Modèle : ***Étalon** de beauté, d'intelligence.* 1322 (fin XIIe s., pieu, poteau) ; anc. fr. *estal*, du frq. °*stalo*, « pieu » ; [etalɔ̃].

MÉTROLOGIE – Lors de l'instauration du système métrique, deux étalons en platine iridié ont été déposés au Bureau international des poids et mesures (pavillon de Breteuil, près de Paris) : un mètre et une masse de platine iridié de 1 kilogramme (mètre étalon, kilogramme étalon). Ils sont conservés dans des conditions de température et de pression aussi rigoureusement constantes que possible. Depuis 1960, le système international d'unités (S. I.) a remplacé le système métrique : il comporte sept unités de base (dont le mètre, le kilogramme et la seconde), définies par référence à des étalons plus précis que ceux de l'ancien système, sauf le kilogramme, encore défini par référence à l'étalon de platine.

**ÉTALON (II), subst. m.**
**1.** Cheval reproducteur. **2.** Ext. Reproducteur mâ d'une espèce animale domestiquée. **3.** Anal. *Arb **étalon*** : sur lequel on prélève des greffons. Dé XIIIe s. ; frq. °*stallo*, « cheval », de *stall*, « écurie » ; [etalɔ̃

**ÉTALONNAGE, subst. m.**
Action d'étalonner (synon. *étalonnement*). 1458 ☞ *étalonner* ; [etalɔnaʒ].

**ÉTALONNER, verbe trans.** [3]
**1.** Confronter (une mesure) à un étalon afin de l conformer. **2.** Graduer (qqch.) selon un étalon ***Étalonner** une jauge* ; par ext. : ***Étalonner** son pa* en vérifier la longueur afin d'évaluer des distance **3.** *Psychol.* ***Étalonner** un test* : y soumettre un grour de référence afin d'en obtenir des normes. 1390 ☞ *étalon* (I) ; [etalɔne].

**ÉTAMAGE, subst. m.**
Action d'étamer ; son résultat. 1743 ; ☞ *étamer* [etamaʒ].

**ÉTAMBOT, subst. m.**
*Mar.* Pièce qui termine la carène à l'arrière d bateau et supporte le gouvernail. 1573 ; anc. nor °*stafnbord*, « bord de l'étrave » ; [etɑ̃bo].

**ÉTAMBRAI, subst. m.**
*Mar.* Pièce qui consolide le pont sous un mât o sous un appareil. 1541 ; m. fr. *estambre*, prob. c l'anc. nord. *timbr*, « bois de charpente » ; [etɑ̃bʀɛ].

**ÉTAMER, verbe trans.** [3]
**1.** Garnir d'une couche d'étain protégeant de l'oxy dation. **2.** Ext. Recouvrir (une vitre) de tain pou en faire un miroir. Mil. XIIIe s. ; ☞ *étain* ; [etame

**ÉTAMEUR, EUSE, subst.**
Personne qui étame ; en appos. : *Un appren **étameur**.* 1390 ; ☞ *étamer* ; [etamœʀ, øz].

**ÉTAMINE (I), subst. f.**
**1.** Tissu léger et fluide. **2.** *Techn.* Filtre fabriqué ave ce tissu, ou son équivalent en métal. Fin XIIe s. lat. médiév. *staminea*, « chemise en laine portée par le moines », du lat. *stamineus*, « garni de fil » ; [etamin

**ÉTAMINE (II), subst. f.**
*Bot.* Organe mâle des plantes à fleurs, gén. constitu d'un filet portant une partie enflée, l'anthère, dar laquelle se trouvent des sacs polliniques, ou loge contenant des grains de pollen, vecteurs des gamète mâles de la plante (anthérozoïdes). Chez les plante à graines nues (gymnospermes), les **étamines** sor dépourvues de filet et serrées les unes contre le autres ; chez les plantes à graines protégées (angios permes), les **étamines** sont au cœur de la fleu entourées des pétales et des sépales. Leur ensemb forme l'androcée. 1690 ; lat. *stamina*, de *stame* « filament » ; [etamin].

*Étamines.*

**ÉTAMPE, subst. f.**
**1.** *Techn.* Matrice d'acier servant à produire ur empreinte sur des métaux chauffés à blanc ; cett empreinte. **2.** Outil utilisé pour percer des étar pures. 1391 (1260, cachet) ; ☞ *étamper* ; [etɑ̃p

**ÉTAMPER, verbe trans.** [3]
*Techn.* Travailler (qqch.) à l'étampe. 1678 (f XIIe s., écraser) ; var. de *estamper* ; [etɑ̃pe].

**ÉTAMPEUR, EUSE, subst.**
Personne qui travaille qqch. à l'étampe. 1838 ☞ *étamper* ; [etɑ̃pœʀ, øz].

**ÉTAMPURE, subst. f.**
Trou de fer à cheval. 1755 ; ☞ *étamper* ; [etɑ̃pyʀ

**ÉTAMURE, subst. f.**
Matière servant à l'étamage. 1508 ; ☞ *étamer* [etamyʀ].

**ÉTANCHE, adj. et subst. f.**
ADJ. Imperméable, hermétique : *Montre **étanche** Compartiment **étanche**.* SUBST. *Mar.* Action d'étar

cher. ▸ Loc. *À étanche* : de façon que l'eau n'entre pas. ⚭ XIIIe s. ; anc. fr. *estanc*, « épuisé », de *estanchier*, « cesser » ; [etɑ̃ʃ].

**ÉTANCHÉITÉ, subst. f.**

Caractère de ce qui est étanche. ⚭ 1873 ; ☞ *étanche* ; [etɑ̃ʃeite].

**ÉTANCHER, verbe trans.** [3]

**1.** Arrêter l'épanchement de (un liquide) : ***Étancher** le sang d'une blessure.* ▸ ***Étancher** la soif* : l'assouvir. ▸ ***Étancher** les larmes* : les arrêter. **2.** *Techn.* Rendre étanche (qqch.) : ***Étancher** une embarcation.* ⚭ Déb. XIIe s. ; p.-ê. lat. pop. °*stanticare*, « arrêter », du lat. *stare*, « être stable » ; [etɑ̃ʃe].

**ÉTANÇON, subst. m.**

**1.** *Techn.* Madrier servant à soutenir une construction. **2.** Anal. Pièce qui maintient un ensemble : ***Étançon** d'une charrue*, qui fixe le soc à l'age ; ***Étançon** de presse*, qui fixe la presse. ⚭ Fin XIIe s. ; anc. fr. *estance*, « action de se tenir debout » ; [etɑ̃sɔ̃].

**ÉTANÇONNER, verbe trans.** [3]

Étayer (qqch.) avec des étançons : ***Étançonner** un mur.* ⚭ Fin XIIe s. ; ☞ *étançon* ; [etɑ̃sɔne].

**ÉTANG, subst. m.**

Étendue d'eau peu profonde, naturelle ou artificielle. ⚭ XIIe s. ; anc. fr. *estanchier*, « arrêter l'eau » ; [etɑ̃].

© J. Dupont-Explorer

*Étang de Sologne.*

**ÉTANT, subst. m.**

*Philos.* Ce qui, participant de l'Être, existe. ⚭ V. 1960 ; p. pr. de *être* (I) ; [etɑ̃].

**ÉTAPE, subst. f.**

**1.** Vx. *Ville d'**étape*** : ville où se tenait un marché. **2.** Lieu où s'arrêtent les voyageurs, les troupes, etc., pour se reposer. ▸ Loc. *Brûler les **étapes*** : ne pas s'arrêter à l'**étape** prévue ou, au fig., progresser plus vite que prévu. **3.** Ext. Distance entre deux arrêts : *Le Tour de France est une course d'**étapes**.* **4.** Fig. Époque, moment significatif : *Avec cet accord, nous venons de franchir une **étape** capitale.* ⚭ 1272 ; m. néerl. *stapel*, « entrepôt de marchandises » ; [etap].

**ÉTARQUER, verbe trans.** [3]

*Mar.* Hisser, tendre au maximum (une voile). ⚭ XVIIe s. ; m. néerl. *sterken*, « raffermir, consolider » ; [etaʀke].

**ÉTAT, subst. m.**

**I. 1.** Caractère, situation physique, morale ou affective plus ou moins durable d'un être vivant : *Être dans un **état** alarmant* ; ***État** général* ; ***État** d'excitation* ; par ext., condition : ***État** de misère.* ▸ Loc. *Être dans tous ses **états*** : très angoissé ; *Être en **état**, hors d'**état** de* (+ inf.) : être capable, incapable de. **2.** Caractère, situation d'une chose : *En bon **état*** ; ***État** des lieux*, inventaire ; ***État** des dépenses.* ▸ *Les trois **états** de la matière* : solide, liquide, gazeux. **II.** Situation dans la société. **1.** Condition civile, ensemble des qualités auxquelles sont attachés des effets juridiques : ***État** de célibataire.* ▸ ***État** civil* : condition d'une personne d'après les registres officiels, tenant compte de sa naissance, de sa situation de famille, etc. et, par méton., le service public chargé de tenir ces registres. **2.** Rang, profession : ***État** de menuisier* ; ***État** militaire* ; *Changer d'**état**.* **3.** Condition politique, sous l'Ancien Régime : *Les trois **états**, clergé, noblesse, tiers **état**.* ▸ *Les **états** généraux* : assemblée de représentants des trois **états** convoquée par le roi pour rendre des avis ; *Les **États** généraux* : l'assemblée convoquée en 1789. **III. L'État. 1.** Autorité souveraine garantissant l'unité d'un peuple et d'un territoire déterminé : *Les affaires de l'**État*** ; *Secret d'**État*** ; *Le chef de l'**État**.* **2.** Ensemble des services de cet État : *Agent de l'**État*** ; *Banque d'**État**.* **3.** Pays considéré comme personne morale : *Conflit entre **États**.* ⚭ 1213 ; lat. *status*, « position, situation » ; [eta].

**ÉTATIQUE, adj.**

D'État : *Appareil **étatique**.* ⚭ 1918 ; ☞ *état* ; [etatik].

**ÉTATISATION, subst. f.**

Action d'étatiser ; son résultat. ⚭ 1926 ; ☞ *étatiser* ; [etatizasjɔ̃].

**ÉTATISER, verbe trans.** [3]

Transférer à l'État (une entreprise, un service, etc., initialement privés). ⚭ 1905 ; ☞ *état* ; [etatize].

**ÉTATISME, subst. m.**

Doctrine politique prônant un accroissement du rôle de l'État dans les domaines économique et social. ⚭ Fin XIXe s. ; ☞ *état* ; [etatism].

**ÉTATISTE, adj. et subst.**

**Adj.** Relatif, favorable à l'étatisme. **Subst.** Partisan de l'étatisme. ⚭ 1903 ; ☞ *étatisme* ; [etatist].

**ÉTAT-MAJOR, subst. m.**

**1.** *Milit.* ▸ Vx. Liste des officiers supérieurs de l'armée. ▸ Ensemble du personnel assistant un officier supérieur dans l'exercice de son commandement ; par méton., bureaux de ce personnel ; par ext., ensemble des officiers d'un navire de commerce. ▸ *Carte d'**état-major*** : carte de France détaillée au 1/80 000, dressée par le service d'**état-major**, au XIXe s. **2.** Anal. Ensemble des collaborateurs directs d'un chef ; membres, responsables les plus importants d'un groupe : ***État-major** d'un industriel, d'un parti.* ⚭ 1676 ; comp. de *état* et de *major* ; plur. *états-majors* ; [etamaʒɔʀ].

**ÉTAU, subst. m.**

Instrument formé de deux mâchoires dont le serrage maintient l'objet que l'on travaille ; au fig. : *L'**étau** se resserre autour des malfaiteurs*, leurs chances d'échapper à la police s'amenuisent. ⚭ 1515 ; p.-ê. anc. bas frq. °*stok*, « souche » ; [eto].

**ÉTAYAGE, subst. m.**

**1.** Action d'étayer ; son résultat. **2.** *Psychanal.* Théorie selon laquelle les pulsions sexuelles s'appuient à l'origine sur les fonctions vitales. ⚭ 1864 ; ☞ *étayer* ; [etɛjaʒ].

**ÉTAYEMENT, voir ÉTAIEMENT**

**ÉTAYER, verbe trans.** [15]

**1.** Soutenir (qqch.) au moyen d'étais. **2.** Ext. Servir d'étai à (qqch.) : *Ces poutres **étaient** (ou **étayent**) le toit.* **3.** Fig. Appuyer, fonder (qqch.) : ***Étayer** une affirmation, une thèse.* ⚭ 1213 ; ☞ *étai* (II) ; [etɛje] ou [eteje].

**ET CÆTERA, loc. adv. et subst. m. inv.**

**Loc. adv.** Et ainsi de suite, et tout le reste (abrév. : etc.). **Subst.** *Et cætera de notaire* : omission dans un acte, pouvant engendrer des litiges. ⚭ 1458 ; loc. lat. ; var. *et cetera* ; [ɛtseteʀa].

**ÉTÉ, subst. m.**

Saison de l'année s'étendant, dans l'hémisphère Nord, du solstice de juin à l'équinoxe de septembre ; période chaude dans les climats tempérés. ▸ Loc. ***Été** de la Saint-Martin* : les huit ou dix derniers beaux jours de l'année, vers le 11 novembre ; ***Été** indien* (au Canada, ***Été** des Indiens*) : beaux jours d'automne ; ***Été** comme hiver* : en toutes saisons. ⚭ Déb. XIe s. ; lat. *aestatem*, de *aestas* ; [ete].

**ÉTEIGNOIR, subst. m.**

**1.** Petit cône que l'on pose sur les bougies, les cierges, pour les éteindre. ▸ Loc. *En **éteignoir*** : en forme de cône évasé vers le bas. **2.** Fig. Rabat-joie (fam.). ⚭ 1552 ; ☞ *éteindre* ; [etɛɲwaʀ].

**ÉTEINDRE, verbe trans.** [53]

**1.** Interrompre la combustion de (qqch.) : ***Éteindre** le feu, une chandelle* ; par ext. : ***Éteindre** la lumière, l'électricité* ; par méton. : ***Éteindre** la radio.* **2.** Fig. et Littér. Affaiblir, atténuer l'intensité de (qqch.) : ***Éteindre** les couleurs d'un tableau* ; ***Éteindre** la soif.* **3.** Faire cesser (qqch.) : *On pourra m'ôter cette vie, mais on n'**éteindra** pas mon chant* (Aragon). ▸ ***Éteindre** une dette* : la rembourser. **Pronom. 1.** Cesser de brûler, de fonctionner. **2.** S'estomper. **3.** Disparaître ; par euphém., mourir. ⚭ Mil. XIIe s. ; lat. pop. °*extingere*, du lat. *exstinguere* ; [etɛ̃dʀ].

**ÉTENDAGE, subst. m.**

**1.** Action d'étendre qqch. pour le faire sécher : ***Étendage** du linge* ; par méton., étendoir. **2.** *Techn.* Opération consistant à étendre les manchons de verre après les avoir fendus longitudinalement. ⚭ 1756 ; ☞ *étendre* ; [etɑ̃daʒ].

**ÉTENDARD, subst. m.**

**1.** Enseigne d'un régiment de cavalerie, de blindés ; drapeau. **2.** Anal. Symbole d'une cause : *L'**étendard** de la liberté.* ▸ Loc. *Lever, brandir l'**étendard** de* : adopter ouvertement (une cause). **3.** *Bot.* Pétale supérieur de la corolle des Fabacées. ⚭ Déb. XIe s. ; anc. bas frq. °*standhard*, « stable » ; [etɑ̃daʀ].

**ÉTENDOIR, subst. m.**

**1.** Dispositif servant à étendre qqch. pour le faire sécher. **2.** Lieu où l'on étend ce que l'on veut faire sécher. ⚭ 1687 ; ☞ *étendre* ; [etɑ̃dwaʀ].

**ÉTENDRE, verbe trans.** [51]

**1.** Déployer dans toute son étendue : ***Étendre** ses bras*, les allonger ; ***Étendre** une nappe sur une table.* **2.** Coucher (qqn) en l'allongeant : ***Étendre** un blessé sur une civière* ; par ext., jeter à terre ou tuer (fam.) : *Il l'**étendit** d'un coup sec sur la nuque* ; au fig. : ***Étendre** un candidat*, le recaler (fam.). **3.** Allonger, étirer : ***Étendre** un enduit sur un mur* ; ***Étendre** la pâte*, l'amincir en l'étalant ; par anal., diluer : ***Étendre** une solution, une sauce.* **4.** Accroître, développer : ***Étendre** son influence* ; *Alexandre **étendit** son empire jusqu'à l'Indus.* **Pronom. 1.** Occuper un certain espace : *La France s'**étend** sur 543 965 km²* ; par ext. : *La vue s'**étend** sur le parc.* **2.** Anal. Durer : *La prédominance de la France s'**étendit** sur plus d'un siècle.* **3.** Occuper une surface plus grande, s'accroître : *L'inondation s'**étendit** rapidement* ; au fig. : *L'épidémie ne cesse de s'**étendre**.* **4.** Développer (un propos, un sujet) : *Je ne m'**étendrai** pas sur ce point.* **5.** S'allonger, se coucher. ⚭ Déb. XIIe s. ; lat. *extendere* ; [etɑ̃dʀ].

**ÉTENDU, UE, adj. et subst. f.**

**Adj. 1.** Large, vaste : *Un savoir **étendu**.* **2.** Délayé, dilué : *Vin **étendu**.* **3.** *Philos.* Qui a de l'**étendue**. **Subst. 1.** Espace, dimension : *Il a traversé le pays dans toute son **étendue**.* **2.** Anal. Durée. **3.** Fig. Ampleur : *L'**étendue** d'un pouvoir.* **4.** *Mus.* Écart entre les deux sons extrêmes d'une voix, d'un instrument. **5.** *Philos.* Propriété qu'ont les corps de se situer dans l'espace et d'en occuper une partie ; cet espace. **6.** *Stat.* ***Étendue** d'un échantillon* : différence entre les valeurs extrêmes prises par un caractère quantitatif. ⚭ XIIe s. ; p. p. de *étendre* ; [etɑ̃dy].

**ÉTERNEL, ELLE, adj.**

**1.** Qui est sans commencement, sans origine ni fin ; qui n'est pas temporel : *Le silence **éternel** de ces espaces infinis m'effraie* (Pascal) ; empl. subst. masc. : *L'**Éternel***, Dieu. **2.** Ext. Qui paraît infini : *D'un **éternel** oubli ne tirez pas les morts* (Voltaire) ; *La Ville **éternelle***, Rome ; *Une reconnaissance **éternelle***, que l'on suppose sans fin. **3.** De tout temps : *Des vérités **éternelles*** ; empl. subst. masc., ce qui a une valeur d'éternité. **4.** Qui se répète sans cesse : *D'**éternels** paysages* ; *Un vacarme **éternel**.* **5.** Qui est habituel : *Son **éternelle** jovialité.* ⚭ Fin XIIe s. ; lat. chrét. *aeternalis*, du lat. *aeternus* ; [etɛʀnɛl].

**ÉTERNELLEMENT, adv.**

De manière éternelle. ⚭ Fin XIIe s. ; ☞ *éternel* ; [etɛʀnɛlmɑ̃].

**ÉTERNISER, verbe trans.** [3]

**1.** Rendre (qqch.) éternel. **2.** Faire durer indéfiniment, prolonger : ***Éterniser** une mémoire, un conflit.* **Pronom. 1.** Devenir éternel, trop long : *Le débat s'**éternisait**.* **2.** S'attarder (fam.). ⚭ 1544 ; *aeternus*, « éternel » ; [etɛʀnize].

**ÉTERNITÉ, subst. f.**

**1.** Durée sans commencement ni fin ni devenir. **2.** Durée sans fin, mais ayant un début. ▸ *Relig.* La vie future, qui suit la mort. **3.** Fig. Très longue durée : *Je ne vous ai pas vue depuis une **éternité**.* **4.** Caractère de ce qui est éternel (littér.) : *L'**éternité** de Dieu.* ⚭ Fin XIIe s. ; lat. *aeternitas* ; [etɛʀnite].

**ÉTERNUEMENT, subst. m.**

Expiration brusque et sonore, par le nez et par la bouche, due à une irritation de la muqueuse nasale. ⚭ Fin XIIIe s. ; ☞ *éternuer* ; [etɛʀnymɑ̃].

**ÉTERNUER, verbe intrans.** [3]

Être pris d'éternuement. ⚭ XIe s. ; lat. *sternutare*, « éternuer souvent » ; [etɛʀnɥe].

**ÉTÉSIEN, adj. m.**

*Vents **étésiens*** : vents du nord qui soufflent l'été en Méditerranée orientale. ⚭ 1542 ; lat. *etesiae*, du gr. *etêsiai anemoi*, « vents qui reviennent chaque année » ; [etezjɛ̃].

**ÉTÊTAGE, subst. m.**

Action d'étêter (synon. *étêtement*). ⚭ 1870 ; ☞ *étêter* ; [etɛtaʒ].

**ÉTÊTER,** verbe trans. [3]
Décapiter (un animal, une chose) : ***Étêter** un platane, un poisson.* ⊠ Fin XIIe s. ; ☞ *tête* + *é-*[2] ; [etete].

**ÉTEUF,** subst. m.
Petite balle utilisée dans le jeu de paume en plein air. ⊠ 1202 ; p.-ê. anc. bas frq. °*stôt* ; [etœf].

**ÉTEULE,** subst. f.
Chaume restant sur place après la moisson. ⊠ Fin XIe s. ; bas lat. *stupula*, du lat. *stipula*, « chaume » ; [etœl].

**ÉTHANE,** subst. m.
*Chim.* Hydrocarbure saturé de la famille du méthane, de formule $CH_3$—$CH_3$, composé gazeux qui se dégage des gisements de pétrole. ⊠ 1880 ; ☞ *éthyle* ; [etan].

**ÉTHANOL,** subst. m.
*Chim.* Nom officiel de l'alcool éthylique, de formule $CH_3$—$CH_2OH$, qui dérive de l'éthane et provient de la dégradation du glucose (ex. : le vin) ou de l'amidon (ex. : la bière). ⊠ 1910 ; ☞ *éthane* ; [etanɔl].

**ÉTHER,** subst. m.
**1.** *Astron.* Équivalent parascientifique de « espace », représentant un milieu hypothétique censé transmettre la lumière à l'époque où l'on pensait que celle-ci était de nature uniquement ondulatoire. **2.** *Chim.* Nom commun de l'oxyde d'éthyle, de formule $C_2H_5$—O—$C_2H_5$, liquide très volatil à forte odeur caractéristique, employé dans l'industrie comme solvant et en médecine comme antiseptique et anesthésique. ⊠ XIIe s. ; lat. *aether*, du gr. *aithêr*, « qui enveloppe l'atmosphère » ; [etɛʀ].

**ÉTHÉRÉ, ÉE,** adj.
**1.** Qui est de la nature de l'éther : *Une substance **éthérée**.* **2.** Fig. Impalpable, élevé, sublime : *Une voix **éthérée** ; Un amour **éthéré** et platonique.* ▸ Loc. *La voûte **éthérée*** : le ciel. ⊠ Fin XVe s. ; ☞ *éther* ; [eteʀe].

**ÉTHÉRIFIER,** verbe trans. [6]
*Chim.* Soumettre (qqch.) à une estérification. ⊠ 1823 ; ☞ *éther* ; [eteʀifje].

**ÉTHÉRISER,** verbe trans. [3]
*Méd.* Anesthésier (qqn) par inhalation de vapeurs d'éther (vx). ⊠ 1850 (1838, convertir en éther) ; ☞ *éther* ; [eteʀize].

**ÉTHÉROMANE,** subst. et adj.
Toxicomane qui se drogue à l'éther. ⊠ 1890 ; ☞ *éther* + *-mane*[2] ; [eteʀɔman].

**ÉTHIOPIEN, IENNE,** adj. et subst.
D'Éthiopie. SUBST. MASC. Ensemble des langues sémitiques parlées en Éthiopie. ⊠ 1512 ; topon. *Éthiopie* ; [etjɔpjɛ̃, jɛn].

© F. Gohier-Explorer

*Femme éthiopienne de la vallée du Nil Bleu.*

**ÉTHIQUE,** adj. et subst. f.
ADJ. Qui a trait aux mœurs, à la morale (synon. *moral*) : *Un problème **éthique**.* SUBST. **1.** *Philos.* Science du jugement d'appréciation en tant qu'il s'applique au bien ; philosophie morale : *L'**éthique** fournit le cadre de la morale* ; *« **Éthique** à Nicomaque », œuvre d'Aristote.* **2.** Déontologie : *L'**éthique** d'un médecin.* ⊠ Mil. XIIIe s. ; lat. *ethicus*, du gr. *êthikos* ; [etik].

**ETHMOÏDE,** subst. m.
*Anat.* L'un des os de la base du crâne, qui forme le toit des fosses nasales. ⊠ 1560 ; gr. *êthmoeidês*, de *êthmos*, « crible », et de *eidos*, « aspect » ; [ɛtmɔid].

**ETHNARCHIE,** subst. f.
*Antiq.* **1.** Dignité d'ethnarque. **2.** Méton. Province orientale de l'Empire romain administrée par un ethnarque : *La Judée était une **ethnarchie**.* ⊠ 1569 ; ☞ *ethnarque* ; [ɛtnaʀʃi].

**ETHNARQUE,** subst. m.
*Antiq.* Gouverneur d'une ethnarchie. ⊠ 1569 ; gr. *ethnarkês*, de *ethnos*, « peuple », et de *arkhein*, « commander » ; [ɛtnaʀk].

**ETHNIE,** subst. f.
*Anthropol.* Collectivité humaine partageant une même langue et une même culture, mais ne constituant pas, en soi, une entité politique ou raciale (on préfère auj. l'expression « groupe ethnique »). ⊠ 1896 ; gr. *ethnos*, « peuple » ; [ɛtni].

**ETHNIQUE,** adj.
**1.** Vx. *Relig.* Qualifie les peuples païens, pour les chrétiens (synon. *gentil*). **2.** *Ling.* Se dit des termes et expressions qui servent à désigner une population (rare) : *Un nom **ethnique*** ; empl. subst. masc. (synon. *gentilé*) : *« Gaulois » est l'**ethnique** de Gaule.* **3.** Relatif à l'ethnie : *Identité **ethnique*** ; propre à un peuple, à une ethnie : *Caractères **ethniques**.* ⊠ XIIIe s. ; lat. chrét. *ethnicus*, du gr. *ethnikos* ; [ɛtnik].

**ETHNOCENTRISME,** subst. m.
**1.** *Anthropol.* Tendance d'une société, d'une ethnie à se considérer comme le centre de l'humanité. **2.** *Sociol.* ***Ethnocentrisme** de classe* : propension des membres d'une classe sociale à confondre leurs intérêts avec ceux de la société dans son ensemble. ⊠ 1956 ; ☞ *centrisme* + *ethno-* ; [ɛtnosɑ̃tʀism].

**ETHNOCIDE,** subst. m.
Destruction d'une culture, gén. minoritaire, sous l'effet de la domination d'une autre, d'une discrimination ou de l'acculturation complète de ses membres. ⊠ V. 1970 ; formé de *ethno-* et de *-cide* ; [ɛtnɔsid].

**ETHNOGRAPHE,** subst.
Spécialiste de l'ethnographie. ⊠ 1827 ; formé de *ethno-* et de *-graphe* ; [ɛtnɔgʀaf].

**ETHNOGRAPHIE,** subst. f.
Premier stade de la recherche ethnologique ou anthropologique, correspondant à l'enquête de terrain, c.-à-d. à l'observation et à la description d'un groupe humain donné. ⊠ 1819 ; formé de *ethno-* et de *-graphie* ; [ɛtnɔgʀafi].

**ETHNOLINGUISTIQUE,** subst. f.
Discipline qui étudie les faits de langage chez différents peuples, en liaison avec les circonstances de la communication ; empl. adj. : *Une approche **ethnolinguistique**.* ⊠ V. 1950 ; ☞ *linguistique* + *ethno-* ; [ɛtnolɛ̃gɥistik].

**ETHNOLOGIE,** subst. f.
Étude des sociétés humaines, de ce qui les caractérise en propre au plan des structures sociales, des institutions et des mœurs : *Ethnographie, **ethnologie** et anthropologie ne constituent pas trois disciplines différentes, mais trois étapes, trois moments d'une même recherche* (Lévi-Strauss). ⊠ 1834 ; formé de *ethno-* et de *-logie* ; [ɛtnɔlɔʒi].

**ETHNOLOGIQUE,** adj.
Relatif à l'ethnologie ou à son domaine d'objet : *Le patrimoine **ethnologique** français.* ⊠ 1839 ; ☞ *ethnologie* ; [ɛtnɔlɔʒik].

**ETHNOLOGUE,** subst.
Chercheur en ethnologie. ⊠ 1870 ; formé de *ethno-* et de *-logue* ; [ɛtnɔlɔg].

**ETHNOMUSICOLOGIE,** subst. f.
Discipline qui étudie les formes musicales autres que celles de la culture occidentale savante. ⊠ 1954 ; ☞ *musicologie* + *ethno-* ; [ɛtnomyzikɔlɔʒi].

**ETHNOPSYCHIATRIE,** subst. f.
Branche de la psychiatrie qui étudie les formes spécifiques que revêtent les maladies mentales dans les différentes cultures. ⊠ 1952 ; ☞ *psychiatrie* + *ethno-* ; [ɛtnopsikjatʀi].

**ÉTHOGRAMME,** subst. m.
Relevé méthodique des actes d'une séquence comportementale effectuée par un animal en milieu naturel ; par ext. : *L'**éthogramme** d'une espèce*, le répertoire de ses comportements caractéristiques. ⊠ V. 1950 ; gr. *ethos*, « mœurs », + *-gramme* ; [etɔgʀam].

**ÉTHOLOGIE,** subst. f.
Science du comportement animal en milieu naturel. ⊠ 1849 (1611, morale) ; gr. *ethos*, « mœurs », + *-logie* ; [etɔlɔʒi].

**ÉTHOLOGIQUE,** adj.
Relatif à l'éthologie. ⊠ Déb. XVIIe s. (1599, relatif aux mœurs) ; ☞ *éthologie* ; [etɔlɔʒik].

**ÉTHOLOGUE,** subst.
Spécialiste de l'éthologie (synon. *éthologiste*). ⊠ 1829 ; ☞ *éthologie* ; [etɔlɔg].

**ÉTHUSE,** voir **ÆTHUSE**

**ÉTHYLE,** subst. m.
*Chim.* Radical monovalent $C_2H_5$—, dérivé de l'éthane $C_2H_6$. ⊠ 1840 ; ☞ *éther* + *-yle* ; [etil].

**ÉTHYLÈNE,** subst. m.
*Chim.* Hydrocarbure gazeux, dont la molécule comporte une double liaison, de formule $CH_2$=$CH_2$. Il est le premier terme de la série des alcènes (ou oléfines). Il réagit avec l'oxygène pour donner de l'éthane $C_2H_6$. ⊠ 1870 ; ☞ *éthyle* ; [etilɛn].

**ÉTHYLÉNIQUE,** adj.
Qualifie les composés organiques qui, comme l'éthylène, contiennent une double liaison carbone-carbone. ⊠ 1859 ; ☞ *éthylène* ; [etilenik].

**ÉTHYLIQUE,** adj.
**1.** *Chim.* Dérivé du radical éthyle $C_2H_5$—. **2.** *Pathol.* Provoqué par l'abus d'alcool : *Cirrhose **éthylique**.* ▸ Méton. Qui souffre d'éthylisme : *Un malade **éthylique*** ; empl. subst., personne **éthylique**. ⊠ 1850 ; ☞ *éthyle* ; [etilik].

**ÉTHYLISME,** subst. m.
*Pathol.* Alcoolisme. ⊠ 1890 ; ☞ *éthylique* ; [etilism].

**ÉTHYLOMÈTRE,** subst. m.
*Techn.* Appareil dans lequel on souffle, et qui affiche le taux d'alcoolémie (synon. *éthylotest*). ⊠ V. 1980 ; ☞ *éthylisme* + *-mètre*[1] ; [etilɔmɛtʀ].

**ÉTIAGE,** subst. m.
**1.** *Hydrol.* Niveau annuel moyen le plus bas d'un cours d'eau. **2.** Ext. Baisse périodique des eaux d'un cours d'eau. ⊠ 1783 ; ☞ *étier* ; [etjaʒ].

**ÉTIER,** subst. m.
Petit canal alimentant les marais salants en eau de mer. ⊠ 1312 ; dial. occitan *estier*, du lat. *aestuarium*, « lagune maritime » ; [etje].

**ÉTINCELAGE,** subst. m.
**1.** *Chir.* Destruction de tissus malades par un courant électrique à haute fréquence. **2.** *Métall.* Abrasage par courant électrique à haute fréquence. ⊠ 1908 ; ☞ *étinceler* ; [etɛ̃slaʒ].

**ÉTINCELANT, ANTE,** adj.
**1.** Qui étincelle. **2.** *Hérald.* Qui lance des étincelles. ⊠ 1265 ; p. pr. de *étinceler* ; [etɛ̃slɑ̃, ɑ̃t].

**ÉTINCELER,** verbe intrans. [12]
**1.** Briller d'un vif éclat, scintiller : *La mer **étincelait** au soleil couchant* ; par anal. : *Ses yeux **étincelaient** de fureur* ; au fig. : *La prose de Voltaire **étincelle** à chaque page.* **2.** *Hérald.* *Écu **étincelé*** : semé d'étincelles. ⊠ 1155 ; ☞ *étincelle* ; [etɛ̃sle].

**ÉTINCELLE,** subst. f.
**1.** Particule enflammée jaillissant au contact de deux corps frottés l'un contre l'autre, ou détachée d'un corps en feu. **2.** Fig. Éclat vif mais peu durable : ***Étincelle** de génie* ; ***Étincelle** de vie.* **3.** Loc. *Faire des **étincelles*** : se faire remarquer par des qualités hors pair (fam.) ; *L'**étincelle** qui met le feu aux poudres* : l'incident qui déclenche la catastrophe. **4.** *Électr.* Petit arc lumineux et bref créé par le contact de deux corps de potentiel différent. ⊠ Fin XIe s. ; lat. pop. °*stincilla*, du lat. *scintilla* ; [etɛ̃sɛl].

**ÉTINCELLEMENT,** subst. m.
Fait d'étinceler ; éclat de ce qui étincelle. ⊠ Fin XIe s. ; ☞ *étinceler* ; [etɛ̃sɛlmɑ̃].

**ÉTIOLEMENT,** subst. m.
**1.** *Hortic.* Action d'étioler une plante ; son résultat. **2.** Fait de s'étioler ; son résultat. ⊠ 1754 ; ☞ *étioler* ; [etjɔlmɑ̃].

**ÉTIOLER,** verbe trans. [3]
*Hortic.* Cultiver (certaines espèces) de façon à les faire blanchir et à les rendre moins amères ; faire dépérir (une plante) par manque de lumière. PRONOM. **1.** S'anémier. **2.** Fig. S'affaiblir : *Votre imagination s'**étiole**.* ⊠ 1690 ; ☞ *éteule* ; [etjɔle].

**ÉTIOLOGIE,** subst. f.
**1.** *Méd.* Étude des causes possibles d'une maladie ; par méton., ces causes. **2.** Recherche des causes, des origines dans divers domaines : *L'**étiologie** des mythes grecs.* ⊠ 1550 ; gr. *aitiologia* ; [etjɔlɔʒi].

**ÉTIQUE,** adj.
**1.** Vx. *Pathol.* Atteint de consomption. **2.** Anal. Amaigri, squelettique. ⊠ Mil. XIIIe s. ; bas lat. *hecticus*, du gr. *hektikos* ; [etik].

**ÉTIQUETAGE,** subst. m.
Action d'étiqueter ; son résultat. ⊠ 1850 ; ☞ *étiqueter* ; [etik(ə)taʒ].

**ÉTIQUETER,** verbe trans. [14]
**1.** Mettre une étiquette sur (qqch.). **2.** Fig. Classer

(qqn) dans une catégorie. 1549 ; étiquette ; [etik(ə)te].

**ÉTIQUETEUR, EUSE, subst.**
Personne chargée d'étiqueter. **Fém.** Appareil servant à étiqueter. 1869 ; étiqueter ; [etik(ə)tœʀ, øz].

**ÉTIQUETTE, subst. f.**
**I. 1.** Petit morceau d'étoffe, de papier ou de carton sur lequel est inscrit un renseignement (prix, destination, etc.) et que l'on fixe à un objet ; le prix ainsi indiqué : *La valse des **étiquettes***, les hausses fréquentes. **2.** Fig. Ce qui classe qqn, surtout dans le domaine politique : *Son **étiquette** d'anarchiste nuit à sa carrière.* **II. 1.** Ordre des préséances officielles : *L'**étiquette** royale repose sur une stricte hiérarchie.* **2.** Ext. Ensemble de formes cérémonieuses observées entre particuliers : *Bannissons toute **étiquette** entre nous.* 1435 (1387, poteau de but) ; anc. fr. *estequier*, « enfoncer, ficher » ; [etikɛt].

**ÉTIRAGE, subst. m.**
*Techn.* Action d'étirer des métaux, des peaux, des textiles, du verre, etc. 1812 ; étirer ; [etiʀaʒ].

**ÉTIRÉ, subst. m.**
Barre métallique obtenue par étirage. V. 1960 ; p. p. de *étirer* ; [etiʀe].

**ÉTIREMENT, subst. m.**
**1.** Action d'étirer, de s'étirer ; son résultat. **2.** *Géol.* Allongement d'une couche sous l'effet de déformations tectoniques. 1611 ; étirer ; [etiʀmɑ̃].

**ÉTIRER, verbe trans. [3]**
Allonger (qqch.) par traction. **Pronom. 1.** S'allonger : *Le pull risque de s'**étirer** au séchage.* **2.** Ext. Déployer ses membres pour se détendre : *Les chats aiment à s'**étirer**.* **3.** Fig. Passer lentement : *Le dimanche après-midi s'**étirait**.* 1588 (mil. XIII^e s., amener qqn en tirant) ; tirer + é-[1] ; [etiʀe].

**ÉTISIE, voir HECTISIE**

**ÉTOC, subst. m.**
**1.** *Mar.* Pointe rocheuse émergeant à marée basse. **2.** *Sylvic.* Estoc. XII^e s. ; altér. de *estoc* (II) ; [etɔk].

**ÉTOFFE, subst. f.**
**1.** Tissu servant à faire des vêtements ou des garnitures d'ameublement. **2.** Fig. ▸ Matière d'une chose abstraite : *L'**étoffe** d'un roman.* ▸ Nature d'une personne ; en partic., qualités requises : *Avoir l'**étoffe** d'un homme d'État.* **3.** *Techn.* Alliage propre à un corps de métier. **Plur.** *Impr.* Somme ajoutée par l'imprimeur à sa facture pour couvrir les frais d'amortissement de son matériel. Fin XIV^e s. (1241, matériau) ; étoffer ; [etɔf].

**ÉTOFFÉ, ÉE, adj.**
**1.** Qui nécessite un grand métrage de tissu : *Des doubles rideaux **étoffés**.* **2.** Anal. Qui a tendance à l'embonpoint. **3.** Fig. Fort, puissant, développé : *Une voix ample et **étoffée** ; Un récit très **étoffé**.* 1356 ; p. p. de *étoffer* ; [etɔfe].

**ÉTOFFER, verbe trans. [3]**
**1.** Vx. Garnir (qqch.) d'une large mesure d'étoffe. **2.** Fig. Donner de l'ampleur à (qqch.) ; fournir un supplément de matière à : *Il faudrait **étoffer** le dossier ; **Étoffez** donc votre roman, vos personnages !* **Pronom.** Devenir plus robuste, prendre de la carrure : *Comme votre grand fils s'est **étoffé** en six mois !* Déb. XIII^e s. ; frq. °*stopfôn*, « mettre, fourrer » ; [etɔfe].

**ÉTOILE, subst. f.**
**1.** Astre brillant autre que le Soleil ou la Lune : *Un ciel constellé d'**étoiles**.* ▸ ***Étoile** filante* (filant). ▸ Loc. *Dormir à la belle **étoile*** : en plein air la nuit. **2.** Anal. Objet évoquant une étoile par sa forme : ***Étoile** à cinq branches.* ▸ Loc. **En étoile.** Disposé en branches divergentes : *Des rues en **étoile**.* ▸ *Hist.* ***Étoile** jaune* : insigne discriminatoire dont les nazis imposèrent le port aux Juifs. ▸ *Milit.* Insigne du grade des officiers généraux : *Général à deux **étoiles***, de brigade. ▸ *Hôtellerie.* Indice de confort des hôtels et des campings : *Un hôtel quatre **étoiles*** ou, par ell., *Un quatre(-)**étoiles**.* ▸ *Zool.* ***Étoile** de mer* : astérie. **3.** Fêlure en forme d'étoile. **4.** Fig. Artiste célèbre, brillant ; en appos. : *Danseuse **étoile***, au sommet de la hiérarchie. **5.** *Spéc.* ▸ *Astron.* Corps céleste dont la chaleur et la densité sont suffisantes pour déclencher des réactions thermonucléaires productrices d'énergie et de photons. ▸ *Astrol.* Astre influençant la destinée : *Être né sous une bonne, une mauvaise **étoile**.* ▸ *Urban.* Rond-point d'où partent de nombreuses voies. Fin XI^e s. ; lat. pop. °*stela*, du lat. *stella* ; [etwal].

**ÉTOILÉ, ÉE, adj.**
**1.** Parsemé d'étoiles ou d'objets en forme d'étoile. **2.** Anal. Disposé en étoile : *Rond-point **étoilé** ; Cristaux **étoilés** ; Feuilles **étoilées** ; Anis **étoilé***, fruit de la badiane. **3.** *Géom. Polygone (resp. polyèdre) **étoilé*** : polygone (resp. polyèdre) non convexe. 1636 ; p. p. de *étoiler* ; [etwale].

**ÉTOILE-D'ARGENT, subst. f.**
*Bot.* Edelweiss. Comp. de *étoile* et de *argent* ; plur. *étoiles-d'argent* ; [etwaldaʀʒɑ̃].

**ÉTOILEMENT, subst. m.**
Action d'étoiler, fait de s'étoiler ; son résultat. 1845 ; étoiler ; [etwalmɑ̃].

**ÉTOILER, verbe trans. [3]**
**1.** Parsemer d'étoiles ou d'objets en forme d'étoile. **2.** Anal. Parsemer (une surface, un lieu) comme les étoiles parsèment le ciel : *Les pâquerettes **étoilent** le pré.* **3.** Ext. Fêler (qqch.) en forme d'étoile. **Pronom.** Se parsemer d'étoiles ou de lumières : *Le ciel entier s'**étoila**.* 1611 ; étoile ; [etwale].

**ÉTOLE, subst. f.**
**1.** *Liturg.* Ornement sacerdotal constitué d'une large bande de soie portée autour du cou par l'officiant. **2.** Anal. Large écharpe de fourrure. Mil. XII^e s. ; lat. *stola*, « longue robe » ; [etɔl].

**ÉTONNAMMENT, adv.**
De manière étonnante. 1752 ; étonnant ; [etɔnamɑ̃].

**ÉTONNANT, ANTE, adj.**
Qui étonne. XVI^e s. ; p. pr. de *étonner* ; [etɔnɑ̃, ɑ̃t].

**ÉTONNEMENT, subst. m.**
**1.** Commotion violente allant jusqu'à la terreur (vx). **2.** Surprise, stupeur devant un spectacle inattendu ou extraordinaire : *La colère de Dieu le tenait dans un profond **étonnement*** (Bossuet). **3.** *Archit.* Lézarde due à un choc. **4.** *Techn.* Technique d'éclatement des pierres par le feu. Fin XV^e s. (déb. XIII^e s., choc physique) ; étonner ; [etɔnmɑ̃].

**ÉTONNER, verbe trans. [3]**
**1.** Frapper (qqn) comme la foudre, épouvanter (vx). **2.** Causer de la surprise, de la stupeur à (qqn). ▸ Loc. *Cela m'**étonne*** : j'ai peine à y croire ; *Ça m'**étonnerait*** : je n'y crois pas car cela me paraît invraisemblable ; *Ça ne m'**étonne** pas* : c'est ce que je pensais. **Pronom.** Trouver étrange, surprenant : *On ne devrait s'**étonner** que de pouvoir encore s'**étonner*** (La Rochefoucauld). Déb. XIII^e s. (fin XI^e s., être étourdi) ; lat. pop. °*extonare*, du lat. *adtonare*, « frapper de la foudre » ; [etɔne].

**ÉTOUFFADE, voir ESTOUFFADE**

**ÉTOUFFAGE, subst. m.**
**1.** Action d'étouffer les chrysalides des vers à soie. **2.** *Apic.* Action d'asphyxier momentanément les abeilles. 1845 ; étouffer ; [etufaʒ].

**ÉTOUFFANT, ANTE, adj.**
Qui fait étouffer. 1230 ; p. pr. de *étouffer* ; [etufɑ̃, ɑ̃t].

**ÉTOUFFE-CHRÉTIEN, subst. m.**
Nourriture compacte et difficile à ingérer (fam.). 1946 ; comp. de *étouffer* et de *chrétien* ; plur. *étouffe-chrétiens* ; [etufkʀetjɛ̃].

**ÉTOUFFÉE (À L'), loc. adv.**
*Cuis.* En faisant cuire les aliments à petit feu, dans leur jus, et en couvrant la casserole (synon. *à l'étuvée*). Fin XIV^e s. ; étouffer ; [aletufe].

**ÉTOUFFEMENT, subst. m.**
**1.** Action d'étouffer qqn, qqch. **2.** Fait d'étouffer, de s'étouffer. Fin XIII^e s. ; étouffer ; [etufmɑ̃].

**ÉTOUFFER, verbe [3]**
**Trans. 1.** Provoquer la mort de (qqn, un animal) en empêchant sa respiration. **2.** Ext. Rendre la respiration difficile à : *La colère **étouffait** son père.* **3.** Anal. Empêcher (qqch.) de croître : ***Étouffer** une plante* ; éteindre : ***Étouffer** un feu* ; au fig. : ***Étouffer** un scandale.* **4.** Atténuer, contenir (qqch.) : ***Étouffer** un cri, un sanglot ; **Étouffer** un son*, l'assourdir ; au fig. : ***Étouffer** la voix de sa conscience, du peuple.* **5.** Loc. *Ce n'est pas la générosité qui l'**étouffe*** : il est mesquin (fam. et iron.) ; ***Étouffer** qqch. dans l'œuf* : l'arrêter avant tout développement. **Intrans. 1.** Mourir par asphyxie ; respirer difficilement : *On **étouffe** ici !*, il fait trop chaud ; ***Étouffer** d'indignation, de rage.* **2.** Fig. Se sentir mal à l'aise : *Il **étouffait** dans ce milieu bourgeois.* **Pronom. 1.** S'asphyxier. **2.** Perdre la respiration : *S'**étouffer** en mangeant*, avaler de travers. 1230 ; crois. de l'anc. fr. *estoper*, « obstruer », et de l'anc. fr. *estofer*, « rembourrer » ; [etufe].

**ÉTOUFFOIR, subst. m.**
**1.** Ustensile cylindrique à couvercle servant à étouffer les braises (vieilli). **2.** Anal. Lieu insuffisamment aéré (fam.). **3.** Fig. Milieu peu propice à l'épanouissement. **4.** *Mus.* Pièce de bois recouverte d'étoffe, permettant d'interrompre la vibration des cordes d'un piano, d'un clavecin. 1671 ; étouffer ; [etufwaʀ].

**ÉTOUPE, subst. f.**
Résidu grossier de la filasse provenant de plantes textiles (lin, chanvre, etc.) : *Calfater des fissures avec de l'**étoupe**.* ▸ Loc. *Cheveux d'**étoupe**, en **étoupe*** : touffus, broussailleux. 1119 ; lat. *stuppa* ; [etup].

**ÉTOUPER, verbe trans. [3]**
Boucher (qqch.) avec de l'étoupe. Déb. XII^e s. ; lat. pop. °*stuppare* ; [etupe].

**ÉTOUPILLE, subst. f.**
Amorce permettant l'explosion d'une charge de poudre, d'une mine. 1632 ; étoupe ; [etupij].

**ÉTOURDERIE, subst. f.**
**1.** Acte ou parole d'étourdi ; faute légère d'inattention ou oubli : *Simple **étourderie** de notre part.* **2.** Caractère d'une personne qui parle, agit sans réfléchir, ou avec distraction : *Son **étourderie** lui joue bien des tours.* 1674 ; étourdi ; [etuʀdəʀi].

**ÉTOURDI, IE, adj.**
**1.** Qui agit sans réfléchir ; qui oublie facilement : *Un enfant **étourdi*** ; empl. subst. : *Quelle **étourdie** !* **2.** Méton. *Une parole **étourdie*** : dite sans réflexion. **3.** Loc. *À l'**étourdie*** : de manière irréfléchie (vieilli). XIV^e s. ; p. p. de *étourdir* ; [etuʀdi].

**ÉTOURDIMENT, adv.**
Avec étourderie. XIV^e s. ; étourdi ; [etuʀdimɑ̃].

**ÉTOURDIR, verbe trans. [19]**
**1.** Faire perdre à (qqn) la claire conscience de la réalité : ***Étourdir** qqn d'un coup de gourdin* ; importuner, abrutir : *Ce tapage m'**étourdit**.* **2.** Enivrer légèrement, griser : *Une coupe de champagne suffit à l'**étourdir**.* **3.** Fig. Frapper de stupeur : *Cette nouvelle l'a **étourdi**.* **Pronom.** S'évertuer à oublier les réalités par les distractions, les plaisirs. 1086 ; lat. pop. °*exturdire*, du lat. *turdus*, « grive », cet oiseau étant censé s'enivrer de raisin ; [etuʀdiʀ].

**ÉTOURDISSANT, ANTE, adj.**
**1.** Bruyant à étourdir. **2.** Fig. Qui éblouit, saisit d'admiration : *Carrière, éloquence **étourdissante**.* 1615 ; p. pr. de *étourdir* ; [etuʀdisɑ̃, ɑ̃t].

**ÉTOURDISSEMENT, subst. m.**
**1.** Malaise caractérisé par une sensation de vertige. **2.** Action d'étourdir, de griser ; l'état qui en résulte. 1213 ; étourdir ; [etuʀdismɑ̃].

**ÉTOURNEAU, subst. m.**
**1.** *Zool.* Passereau à plumage tacheté de blanc, de la famille des Sturnidés (synon. *sansonnet*). **2.** Fig. Personne étourdie, irréfléchie (fam.). XI^e s. ; bas lat. *sturnellus*, du lat. *sturnus* ; [etuʀno].

**ÉTRANGE, adj.**
**1.** Vx. Étranger. **2.** Qui sort de l'ordinaire, qui est surprenant et inexpliqué : *Comme c'est **étrange** !* **3.** *Phys. part.* Qualifie une particule d'étrangeté non nulle. Mil. XI^e s. ; lat. *extraneus* ; [etʀɑ̃ʒ].

**ÉTRANGEMENT, adv.**
**1.** Vx. Extrêmement. **2.** D'une manière étrange. Fin XII^e s. ; étrange ; [etʀɑ̃ʒmɑ̃].

**ÉTRANGER, ÈRE, adj. et subst.**
**1.** Se dit d'une personne qui n'est pas ressortissante d'un État pris en référence : *Statut d'**étranger** ; Travailleurs **étrangers** en France ; Allemand marié à une **étrangère***, à une femme non allemande. **2.** Ext. Se dit d'une personne non intégrée à un milieu social donné, à un groupe : *Se sentir **étranger** parmi ses amis.* **Adj. 1.** Qui n'appartient pas à une nation, à un État donné : *Pays **étrangers** ; Langue **étrangère**.* **2.** Étranger à. Qui ne participe pas à : *Je suis **étranger** à cette affaire* ; qui n'a aucune notion, aucune pratique de : *Rester **étranger** à la musique* ; qui n'est pas propre, pas naturel à qqn ou à qqch. : *Ces préoccupations me sont **étrangères*** ; qui n'est pas ou ne semble pas connu de : *Ce visage m'est **étranger**.* ▸ Abs. *Pathol. Corps **étranger*** : anormalement inclus dans un organisme vivant. **Subst. masc. L'étranger.** Pays, ensemble de pays étrangers : *Il vit à l'**étranger**.* 1369 ; étrange ; [etʀɑ̃ʒe, ɛʀ].

**ÉTRANGETÉ, subst. f.**
**1.** Caractère de ce qui est étrange. **2.** Méton. Chose, action étrange (littér.). **3.** *Phys. part.* Nombre

quantique S défini pour toute particule élémentaire, non nul si elle contient un quark étrange ou son antiquark. S permet de préciser le comportement d'une particule devant l'interaction faible. Fin XIVe s. ; ☞ *étrange* ; [etʀɑ̃ʒte].

**ÉTRANGLEMENT, subst. m.**

**1.** Action d'étrangler ; son résultat. **2.** Anal. Resserrement : ***Étranglement*** *d'une rivière.* ▸ Loc. *Goulet, goulot d'****étranglement*** : passage étroit ou, au fig., difficulté inévitable retardant un processus. 1240 ; ☞ *étrangler* ; [etʀɑ̃gləmɑ̃].

**ÉTRANGLER, verbe trans. [3]**

**1.** Couper la respiration à (qqn, un animal) par compression du cou, jusqu'à provoquer la mort ou non. **2.** Anal. Resserrer, comprimer : *Ceinture qui* ***étrangle*** *la taille.* **3.** Fig. Ruiner, détruire par une contrainte très forte : *Régime qui* ***étrangle*** *le peuple.* **Pronom. 1.** Avaler de travers ; par ext. : ***S'étrangler*** *de rire, de peur.* **2.** Anal. Se resserrer : *Rivière qui* ***s'étrangle*** *dans une gorge.* Déb. XIIe s. ; lat. *strangulare*, du gr. *straggalân* ; [etʀɑ̃gle].

**ÉTRANGLEUR, EUSE, subst.**

Assassin qui tue par étranglement. **Masc.** *Autom.* Élément du carburateur réglant le débit du mélange gazeux. Mil. XIVe s. ; ☞ *étrangler* ; [etʀɑ̃glœʀ, øz].

**ÉTRANGLOIR, subst. m.**

*Mar.* **1.** Dispositif servant à ralentir la course d'une chaîne d'ancre. **2.** Cordage utilisé comme cargue. 1838 ; ☞ *étrangler* ; [etʀɑ̃glwaʀ].

**ÉTRAVE, subst. f.**

**1.** *Mar.* Lourde pièce de bois ou de métal située à l'extrémité de la coque du navire, constituant la proue. **2.** Ext. *Aéron.* Partie antérieure de la coque d'un hydravion. 1573 ; anc. nord. *stafn* ; [etʀav].

**ÊTRE (I), verbe intrans. [1]**

**I.** Exister, avoir une réalité : *Je pense, donc je* ***suis*** (Descartes) ; *Nul ne pourra faire que ce qui* ***a été*** *ne* ***fût*** *pas* ; par ext. : *Il* ***n'est*** *plus*, il est mort. ▸ Empl. impers. *Il* ***est*** *des gens à qui tout réussit* : il y a ; *Il* ***n'est*** *que de les voir pour comprendre qu'ils s'aiment* : il suffit de ; *Un menteur s'il en* ***est****, s'il en* ***fût*** : un parfait menteur. **II.** Relie l'attribut au sujet : *Pierre* ***est*** *médecin* ; *Cette rose* ***est*** *magnifique* ; *Quelle* ***est*** *cette personne ?* ; *Ne* ***suis****-je donc rien pour vous ?* **III.** Suivi d'une préposition, d'un adverbe, sert à exprimer divers rapports. **1.** Désigne un état : ***Être*** *bien*, se sentir bien. **2.** Marque le lieu : *Je* ***suis*** *à Paris.* ▸ Fig. ***Être*** *ailleurs* : rêver ; ***Être*** *à ce que l'on fait* : s'y consacrer entièrement ; *Vous n'y* ***êtes*** *pas* : vous ne comprenez pas. **3.** Au sens de « aller » : *J'****ai été*** *au cinéma* ; *Dès qu'elle le vit, elle s'en* ***fut*** (littér.). **4.** Employé avec certaines prépositions, marque l'appartenance, la provenance, la manière d'être : *Ce livre* ***est*** *à moi* ; au fig. : *Je* ***suis*** *à vous.* ▸ **Être de.** *Je* ***suis*** *de l'Yonne* : originaire de l'Yonne ; *Ce texte* ***est*** *de Rousseau* : écrit par Rousseau ; ***Être*** *de la famille, des nôtres* : en faire partie. ▸ *Comme si de rien* ***n'était*** : en affectant une certaine indifférence pour ce qui s'est passé. ▸ **En être.** *Nous allons au théâtre, en* ***serez****-vous ?* : participerez-vous à cette activité ? ; *En* ***être*** *pour son argent, pour ses frais* : avoir perdu de l'argent ; *En* ***être*** *à mi-parcours, arrivé là* : être arrivé à ce point. ▸ **Être en.** ***Être*** *en chemise, en short* : porter une telle tenue. ▸ ***Être*** *pour qqn, qqch.* : en faveur de ; ***Être*** *pour qqch., dans qqch.* : avoir une part de responsabilité dans. ▸ **Être sans.** ***Être*** *sans domicile fixe* : en être privé ; *Vous n'****êtes*** *pas sans savoir* : vous savez certainement. **IV. C'est (ce sont, c'était, ce sera...).** Sert à présenter, à mettre en relief : ***C'est*** *à lui de commencer* ; ***C'est*** *une personne détestable* ; ***C'est*** *de cette maison que je t'ai parlé.* ▸ ***C'est*** *à qui la raccompagnera* : ils s'empressent tous pour la raccompagner. ▸ *Si ce* ***n'était*** ou, par ell., ***N'était*** : s'il n'y avait. ▸ **Est-ce que ? ; N'est-ce pas ?** ***Est****-ce que vous viendrez ?* : viendrez-vous ? ; *Vous le savez,* ***n'est****-ce pas ?* : je suppose que vous le savez. **V.** Verbe auxiliaire. **1.** Sert à former la voix passive : *Le prévenu* ***fut*** *placé sous haute surveillance.* **2.** Sert à former les temps composés de certains verbes intransitifs : *Elle* ***est*** *arrivée hier.* **3.** Sert à former les temps composés des verbes pronominaux ou employés pronominalement : *Ils se* ***sont*** *enfuis.* 842 ; lat. pop. °*essere*, du lat. *esse* ; [ɛtʀ].

**ÊTRE (II), subst. m.**

**1.** *Philos.* Fait d'être, existence ; en partic., essence : *L'****être*** *et le paraître.* ▸ *L'****Être*** *suprême* : Dieu. **2.** Ce qui est doué d'existence : *Les* ***êtres*** *animés et inaminés* ; *Un* ***être*** *humain.* **3.** Personne, individu : *Un seul* ***être*** *vous manque et tout est dépeuplé* (Lamartine). Mil. XIIe s. ; ☞ *être* (I) ; [ɛtʀ].

**ÉTRÉCIR, verbe trans. [19]**

Rétrécir (vx). 1366 ; anc. fr. *estrecier* ; [etʀesiʀ].

**ÉTREINDRE, verbe trans. [53]**

**1.** Serrer fortement entre ses membres : ***Étreindre*** *un adversaire* ; ***Étreindre*** *qqn affectueusement.* **2.** Fig. Causer une sensation d'oppression à (qqn) : *Le doute l'****étreignit.*** **Pronom.** Se serrer étroitement, en partic., s'enlacer amoureusement. Mil. XIIe s. ; lat. *stringere*, « serrer » ; [etʀɛ̃dʀ].

**ÉTREINTE, subst. f.**

Action d'étreindre ; son résultat ; par euphém., union charnelle : *Une* ***étreinte*** *conjugale.* Déb. XIIIe s. ; p. p. de *étreindre* ; [etʀɛ̃t].

**ÊTRE-LÀ, subst. m. inv.**

*Philos.* Dasein. Comp. de *être* (I) et de *là* ; [ɛtʀəla].

**ÉTRENNE, subst. f.**

**1.** Vx. Première vente de la journée, de la semaine ; premier usage d'une chose : *Avoir l'****étrenne*** *d'une robe.* **2.** Présent offert à l'occasion du jour de l'an et, en partic., gratification remise à certains employés (gén. au plur.) : *Les* ***étrennes*** *du facteur.* Mil. XIIe s. ; lat. *strena*, « présage » ; [etʀɛn].

**ÉTRENNER, verbe [3]**

**Trans.** Faire un premier usage de (qqch.) : ***Étrenner*** *un habit neuf.* **Intrans.** Être le premier à subir un désagrément ou un reproche (vieilli et fam.). Fin XIIe s. ; ☞ *étrenne* ; [etʀene].

**ÊTRES, voir AÎTRES**

**ÉTRÉSILLON, subst. m.**

*Techn.* Pièce d'étai, gén. en bois, soutenant transversalement les parois d'une tranchée, d'une galerie. XVe s. ; anc. fr. *estesillon*, « bâillon » ; [etʀezijɔ̃].

**ÉTRIER, subst. m.**

**1.** *Équit.* Arceau métallique suspendu de chaque côté de la selle, servant d'appui au pied du cavalier. **2.** Anal. Pièce de la fixation du ski maintenant l'avant de la chaussure. **3.** Loc. *Coup de l'****étrier*** : verre que l'on boit avant le départ ; *Mettre à qqn le pied à l'****étrier*** : l'aider dans ses débuts ; *Vider les* ***étriers*** : se laisser désarçonner. **4.** *Spéc.* ▸ *Alp.* Courte échelle de corde. ▸ *Anat.* L'un des trois osselets de l'oreille moyenne (avec le marteau et l'enclume). ▸ *Autom.* ***Étrier*** *de frein à disque* : pièce en forme de U supportant les plaquettes de part et d'autre du disque. ▸ *Bât.* Fer plat destiné à soutenir ou à relier des poutres. ▸ *Méd.* Dispositif fixé à une table d'opération ou d'examen servant à maintenir les jambes écartées en position allongée. Fin XIe s. ; prob. anc. bas frq. °*streup* ; [etʀije].

**ÉTRILLE, subst. f.**

**1.** Instrument à petites lames dentelées servant à brosser la robe des chevaux. **2.** *Zool.* Crustacé supérieur de la famille des Malacostracés, appartenant à l'ordre des Décapodes, aux appendices courts et puissants et dont les pattes postérieures aplaties en rames servent à la nage. Mil. XIIIe s. ; lat. pop. °*strigila*, du lat. *strigilis* ; [etʀij].

**ÉTRILLER, verbe trans. [3]**

**1.** Frotter avec une étrille. **2.** Ext. Malmener (un adversaire). **3.** Fig. et Fam. ▸ Critiquer sévèrement. ▸ Faire payer trop cher, escroquer : ***Étriller*** *un client.* Fin XIIe s. ; lat. pop. °*strigilare* ; [etʀije].

**ÉTRIPAGE, subst. m.**

Action d'étriper. 1877 ; ☞ *étriper* ; [etʀipaʒ].

**ÉTRIPER, verbe trans. [3]**

**1.** Ôter les entrailles de (un animal) : ***Étriper*** *une volaille.* **2.** Fig. Massacrer sauvagement (fam.). **Pronom.** S'entretuer ; au fig., se critiquer avec virulence (fam.). 1534 ; ☞ *tripe* + *é-*[2] ; [etʀipe].

**ÉTRIQUÉ, ÉE, adj.**

**1.** Qui manque d'ampleur : *Veste* ***étriquée*** ; par ext., exigu : *Jardin* ***étriqué.*** **2.** Fig. Étroit, borné, mesquin : *Esprit* ***étriqué.*** 1707 ; p. p. de *étriquer* ; [etʀike].

**ÉTRIQUER, verbe trans. [3]**

**1.** Rendre trop étroit (un vêtement). **2.** Serrer à l'excès : *Cette robe l'****étrique.*** **3.** *Techn.* Amincir (une pièce de bois) pour l'ajuster à une autre. XVIIIe s. ; m. néerl. *striken*, « s'étendre », à propos d'un objet qui s'étend en s'amincissant ; [etʀike].

**ÉTRIVE, subst. f.**

*Mar.* Amarrage fait au croisement de deux cordages. 1773 ; ☞ *étrier* ; [etʀiv].

**ÉTRIVIÈRE, subst. f.**

Courroie servant à suspendre l'étrier à la selle. ▸ Loc. *Donner les* ***étrivières*** *à qqn* : le fouetter (vx). Fin XIIe s. ; anc. fr. *estrief*, « étrier » ; [etʀivjɛʀ].

**ÉTROIT, OITE, adj.**

**1.** Qui a peu de largeur : *Lit* ***étroit*** ; ***Étroit*** *de carrure.* **2.** Ext. Exigu : *Logement* ***étroit*** ; au fig., limité, sans envergure : *Vues* ***étroites.*** **3.** Qui tient serré (anton. *lâche*) : *Liens* ***étroits*** ; au fig., intime : *Rapports* ***étroits.*** **4.** Strict, contraignant : ***Étroite*** *dépendance.* **5.** Loc. **À l'étroit.** Dans un espace trop petit ; au fig. : *Vivre à l'****étroit***, dans la gêne ; *Se sentir à l'****étroit***, mal à l'aise. Fin XIe s. ; lat. *strictus* ; [etʀwa, wat].

**ÉTROITEMENT, adv.**

**1.** Dans un espace exigu, à l'étroit. **2.** Au plus près : ***Étroitement*** *enlacés.* **3.** Fig. Intimement : *Souvenirs* ***étroitement*** *mêlés* ; de façon stricte : *Suivre* ***étroitement*** *la règle.* Mil. XIIe s. ; ☞ *étroit* ; [etʀwatmɑ̃].

**ÉTROITESSE, subst. f.**

**1.** Caractère de ce qui est étroit, exigu : *L'****étroitesse*** *d'un corridor, d'un orifice.* **2.** Fig. Défaut d'un caractère borné, mesquin : *L'****étroitesse*** *d'esprit.* Fin XIVe s. (XIIe s., angoisse) ; ☞ *étroit* ; [etʀwatɛs].

**ÉTRON, subst. m.**

Matière fécale, de forme allongée et moulée, de l'homme et de certains animaux. Fin XIIe s. ; anc. bas frq. °*strunt* ; [etʀɔ̃].

**ÉTRONÇONNER, verbe trans. [3]**

*Sylvic.* Dégager le tronc de (un arbre) en coupant les branches. 1564 ; ☞ *tronçon* + *é-*[2] ; [etʀɔ̃sɔne].

**ÉTRUSQUE, adj. et subst.**

D'Étrurie. **Subst. masc.** Langue des Étrusques, restée indéchiffrable. 1534 ; lat. *etruscus* ; [etʀysk].

**ÉTUDE, subst. f.**

**I. 1.** Application de l'esprit visant à comprendre et à apprendre avec méthode : *Avoir le goût de l'****étude.*** **2.** Effort intellectuel fait en vue d'acquérir des connaissances : *L'****étude*** *des sciences* ; effort de mémoire : *L'****étude*** *d'un rôle.* **3.** Effort de compréhension faisant appel à l'observation et à l'analyse : *L'****étude*** *de la nature, du langage* ; *Une* ***étude*** *de marché* ; *Bureau d'****études***, société ou service d'une entreprise où l'on étudie des projets. ▸ Loc. *Être à l'****étude*** : faire l'objet d'un examen approfondi. **II. 1.** Ouvrage littéraire résultant d'une recherche : *Offrir une* ***étude*** *sur les mœurs des abeilles.* **2.** *B.-a.* Dessin, peinture ou modelage exécuté à titre d'essai ou d'exercice : *Une* ***étude*** *de nu.* **3.** *Mus.* Morceau composé dans un but didactique : *Une* ***étude*** *pour piano.* **III.** Temps scolaire, en dehors des heures de classe, consacré aux devoirs : *Une heure d'****étude*** ; salle réservée à cette activité : *Rester en* ***étude.*** **IV.** Lieu de travail d'un officier ministériel : *Une* ***étude*** *de notaire* ; par méton., charge de cet officier : *Racheter une* ***étude.*** XIIe s. ; lat. *studium* ; [etyd].

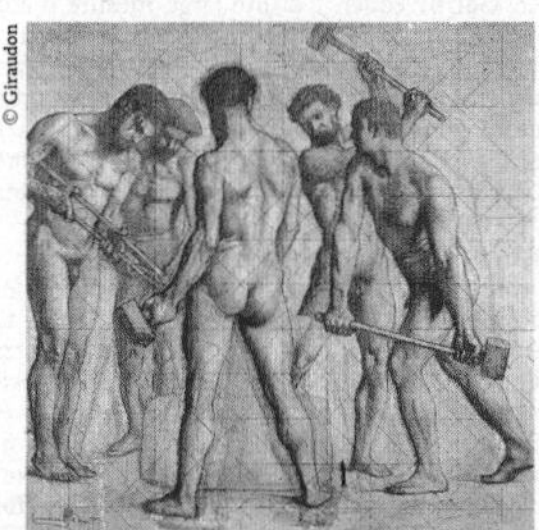


*Les Forgerons*, ***étude*** *pour* l'Allégorie du Travail, *sanguine de Pierre Puvis de Chavannes (1824-1898). Musée Bonnat, Bayonne.*

**ÉTUDIANT, ANTE, subst. et adj.**

**Subst.** Personne qui fait des études supérieures. **Adj.** Qui a trait aux ***étudiants*** ; qui se compose d'***étudiants.*** 1261 ; p. pr. de *étudier* ; [etydjɑ̃, ɑ̃t].

**ÉTUDIÉ, ÉE, adj.**

**1.** Mûrement réfléchi, longuement élaboré : *Inter-*

vention *étudiée* ; *Élégance étudiée* ; *Prix étudiés*, calculés au plus juste. **2.** Affecté, composé : *Posture étudiée.* XVIe s. ; p. p. de *étudier* ; [etydje].

**ÉTUDIER, verbe trans.** [6]
**1.** Se livrer à l'étude de : *Étudier la chimie, un auteur, des dossiers* ; empl. abs. : *Étudier d'arrache-pied.* **2.** Composer avec soin et recherche : *Elle étudie ses gestes, ses effets.* PRONOM. S'observer soi-même ; s'observer l'un l'autre : *Adversaires qui s'étudient.* 1155 ; anc. fr. *estudier* ; [etydje].

**ÉTUI, subst. m.**
Contenant souple ou rigide, adapté à la forme de l'objet qu'il protège : *Étui à cigares, à violon* ; *Étui de cartouche*, cylindre qui contient sa charge. Fin XIIe s. ; anc. fr. *estuier*, « conserver » ; [etɥi].

**ÉTUVAGE, subst. m.**
Action d'étuver (synon. *étuvement*). 1874 ; ☞ *étuver* ; [etyvaʒ].

**ÉTUVE, subst. f.**
**1.** Pièce que l'on surchauffe pour provoquer la sudation : *Étuve sèche*, sans vapeur ; *Étuve humide*. **2.** Anal. Lieu où l'on a trop chaud. **3.** *Spéc.* ▸ *Biol.* Appareil destiné à maintenir à température constante les cultures microbiennes. ▸ *Cuis.* Appareil utilisé pour tenir les plats au chaud. ▸ *Méd.* Enceinte destinée à la stérilisation à chaud. ▸ *Techn.* Cellule servant à sécher le bois ou à déshydrater des fruits, des légumes. XIe s. ; lat. pop. °*extupa*, « pièce pour bains de vapeur » ; [etyv].

**ÉTUVÉE (À L'), loc. adv.**
*Cuis.* À l'étouffée ; empl. adj. : *Petits pois à l'étuvée.* Fin XIVe s. ; p. p. de *étuver* ; [aletyve].

**ÉTUVER, verbe trans.** [3]
**1.** Passer (qqch.) à l'étuve. **2.** *Cuis.* Faire cuire à l'étuvée. Fin XIIe s. ; ☞ *étuve* ; [etyve].

**ÉTUVEUR, subst. m.**
*Techn.* Appareil à étuver. 1923 (1260, tenancier de bains) ; ☞ *étuver* ; var. *une étuveuse* ; [etyvœʀ].

**ÉTYMOLOGIE, subst. f.**
**1.** Étude de l'origine et de l'évolution des mots. **2.** Méton. Origine et évolution d'un mot : *Une étymologie douteuse.* Fin XIIe s. ; lat. *etymologia*, du gr. *etumologia*, « recherche du vrai » ; [etimɔlɔʒi].

**ÉTYMOLOGIQUE, adj.**
**1.** Qui concerne l'étymologie. **2.** Conforme à l'étymologie. Mil. XVIe s. ; lat. *etymologicus*, du gr. *etumologikos* ; [etimɔlɔʒik].

**ÉTYMOLOGIQUEMENT, adv.**
Conformément à l'étymologie. 1838 ; ☞ *étymologique* ; [etimɔlɔʒikmɑ̃].

**ÉTYMOLOGISTE, subst.**
Spécialiste en étymologie. 1578 ; ☞ *étymologie* ; [etimɔlɔʒist].

**ÉTYMON, subst. m.**
*Ling.* Forme attestée ou reconstruite dont est issu un mot par évolution ou par emprunt. 1892 ; gr. *etumon*, « vrai sens » ; [etimɔ̃].

**Eu, voir EUROPIUM**

**EUBAGE, subst. m.**
*Antiq.* Prêtre gaulois spécialisé dans les sciences divinatoires. 1664 ; bas lat. *euhages*, du gr. *euagês*, « pur, saint » ; [øbaʒ].

**EUCALYPTOL, subst. m.**
Huile essentielle tirée des feuilles d'eucalyptus. 1870 ; ☞ *eucalyptus* ; [økaliptɔl].

**EUCALYPTUS, subst. m.**
*Bot.* Arbre de la famille des Myrtacées, à feuilles odorantes riches en essences variées (cinéol, citral, citronellol, etc.). 1796 ; gr. *kaluptos*, « couvert », + *eu-* ; [økaliptys].

**EUCARYOTE, adj. et subst. m.**
*Biol.* Se dit d'un être vivant dont les cellules ont le cytoplasme compartimenté par un système membranaire complexe, ce qui permet la constitution d'un noyau contenant les chromosomes. V. 1960 ; gr. *karuon*, « noyau », + *eu-* ; [økaʀjɔt].

**EUCHARISTIE, subst. f.**
*Relig.* **1.** Sacrement et mémorial perpétuant le sacrifice de Jésus-Christ par la transsubstantiation (catholiques et orthodoxes) ou la consubstantiation (protestants) des espèces (pain et vin, corps et sang du Christ) consacrées et partagées (communion) ; par méton., ces espèces elles-mêmes. **2.** Ext. Moment de la messe, ou de l'office, où est célébré ce sacrement. Fin XIIe s. ; lat. chrét. *eucharistia*, du gr. *eukharistia*, « action de grâces » ; [økaʀisti].

**EUCHARISTIQUE, adj.**
Relatif à l'eucharistie : *Vin eucharistique.* 1577 ; lat. chrét. *eucharisticus*, du gr. *eukharistikos*, « reconnaissant » ; [økaʀistik].

**EUCLIDIEN, IENNE, adj.**
*Math.* ▸ *Géométrie euclidienne* : à l'origine, géométrie plane découlant des travaux d'Euclide (notamment du cinquième axiome : par un point extérieur à une droite passe une parallèle à cette droite et une seule) ; auj., étude du groupe orthogonal sur un espace vectoriel **euclidien.** ▸ *Espace vectoriel euclidien* $E$ : espace vectoriel réel muni d'un produit scalaire (☞ *scalaire*) ; la norme **euclidienne** de $x \in E$ est alors $\|x\| = \sqrt{(x|x)}$, où $(x|y)$ désigne le produit scalaire, et la distance **euclidienne** de $x$ à $y$ dans $E$ est $d(x, y) = \|x - y\|$. En particulier dans $\mathbb{R}^2$ : $x = (x_1, x_2)$, $y = (y_1, y_2)$ dans une base orthonormée, $\|x\| = \sqrt{x_1^2 + x_2^2}$, $d(x, y) = \sqrt{(x_1 - y_1)^2 + (x_2 - y_2)^2}$ ; dans $\mathbb{R}$ : $\|x\| = |x|$ et $d(x, y) = |x - y|$. ▸ *Division euclidienne* (☞ *division*). Mil. XVIIIe s. ; anthropon. *Euclide* ; [øklidjɛ̃, jɛn].

**EUCOLOGE, subst. m.**
*Liturg.* **1.** Livre liturgique des Églises de rite byzantin. **2.** Missel latin des dimanches et fêtes, à l'usage des fidèles (rare). 1610 ; lat. eccl. *euchologium*, du gr. *eukhologion*, « livre de prières » ; [økɔlɔʒ].

**EUDÉMIS, subst. m.**
*Zool.* Papillon de la famille des Tortricidés, dont la chenille est appelée ver de la grappe ou pyrale de la vigne. 1909 ; gr. *dêmas*, « corps », + *eu-* ; [ødemis].

**EUDÉMONISME, subst. m.**
*Philos.* Morale du bonheur, en partic. chez Épicure. 1845 ; gr. *eudaimonismos*, « action de regarder comme heureux » ; [ødemɔnism].

**EUDIOMÈTRE, subst. m.**
*Chim.* Instrument servant à déterminer le volume et la composition d'un gaz. 1775 ; gr. *eudia*, « beau temps », + *-mètre*[1] ; [ødjɔmɛtʀ].

**EUDIOMÉTRIE, subst. f.**
Analyse des mélanges gazeux au moyen d'un eudiomètre. 1796 ; ☞ *eudiomètre* ; [ødjɔmetʀi].

**EUDISTE, subst. m.**
*Cath.* Membre de la congrégation séculière de Jésus-et-Marie, établie en 1643 par saint Jean Eudes, vouée à l'enseignement dans les séminaires diocésains et les missions paroissiales. Fin XVIIe s. ; anthropon. *saint Jean Eudes* ; [ødist].

**EUGÉNATE, subst. m.**
*Dent.* Pâte durcissante à base d'oxyde de zinc et d'eugénol, utilisée pour les pansements et les obturations dentaires. 1933 ; ☞ *eugénol* ; [øʒenat].

**EUGÉNIQUE, subst. f.**
Ensemble des recherches, notamment génétiques, qui visent à l'amélioration de l'espèce humaine (synon. masc. *eugénisme*). Déb. XXe s. ; angl. *eugenics*, du gr. *eu*, « bien », et *genos*, « naissance ; race » ; [øʒenik].

**EUGÉNISTE, subst.**
Partisan de l'eugénique. 1935 ; angl. *eugenist* ; [øʒenist].

**EUGÉNOL, subst. m.**
*Chim.* Composé phénolique huileux et odorant extrait de l'essence de girofle, antiseptique et anesthésiant. 1855 ; lat. sc. *eugenia*, « girofle » ; [øʒenɔl].

**EUGLÈNE, subst. f.**
*Bot.* Algue unicellulaire qui possède une zone (le stigma) sensible à la lumière. 1860 ; lat. sc. *euglena*, du gr. *euglênos*, « qui a de beaux yeux » ; [øglɛn].

**EUH, interj.**
Onomatopée marquant l'embarras ou l'hésitation, ou ménageant un temps de réflexion avant une réponse. 1662 ; onomat. ; var. *heu* ; [ø].

**EUNECTE, subst. m.**
*Zool.* Anaconda. 1842 ; gr. *nêktos*, « nageur », + *eu-* ; [ønɛkt].

**EUNUQUE, subst. m.**
**1.** *Hist.* En Orient, homme châtré chargé de la garde des femmes dans les harems. **2.** *Pathol.* Homme ayant subi une castration. ▸ Loc. *Voix d'eunuque* : très haut perchée. **3.** Fig. Homme mou, sans virilité (fam.). 1274 ; lat. *eunuchus*, du gr. *eunoukhos*, « gardien du lit (des femmes) » ; [ønyk].

**EUPATOIRE, subst. f.**
*Bot.* Plante de la famille des Astéracées dont une variété, le chanvre d'eau, à fleurs roses, est commune dans les lieux humides. XVe s. ; lat. *eupatoria*, du gr. *eupatorion*, « aigremoine », par réf. au roi Eupator qui en répandit l'usage médicinal ; [øpatwaʀ].

**EUPEPTIQUE, adj. et subst. m.**
*Pharm.* Se dit d'une substance qui facilite la digestion. 1908 ; gr. *pepsis*, « digestion », + *eu-* ; [øpɛptik].

**EUPHÉMIQUE, adj.**
Qui relève de l'euphémisme, qui en constitue un. 1838 ; ☞ *euphémisme* ; [øfemik].

**EUPHÉMISME, subst. m.**
*Rhét.* Expression atténuée employée pour évoquer une réalité dont la désignation directe est choquante ou désagréable (par ex. « troisième âge » au lieu de « vieillesse »). 1730 ; bas lat. *euphemismus*, du gr. *euphêmismos* ; [øfemism].

**EUPHONIE, subst. f.**
*Ling.* et *Mus.* Harmonie de sons agréablement assemblés (anton. *cacophonie*). Déb. XIVe s. ; bas lat. *euphonia*, du gr. *euphônia* ; [øfɔni].

**EUPHONIQUE, adj.**
Qui engendre l'euphonie : *Le « t » euphonique de « Où va-t-on ? ».* 1756 ; ☞ *euphonie* ; [øfɔnik].

**EUPHORBE, subst. f.**
*Bot.* Plante type de la famille des Euphorbiacées, très commune, qui sécrète un latex blanc. Mil. XIIIe s. ; lat. *euphorbia*, de l'anthropon. *Euphorbus*, médecin de Juba, roi de Numidie ; [øfɔʀb].

**EUPHORBIACÉES, subst. f. plur.**
*Bot.* Famille végétale dont le type est l'euphorbe et qui comprend aussi l'hévéa, le manioc, la mercuriale, etc. AU SING. *Le ricin est une euphorbiacée.* 1807 ; lat. *euphorbia*, « euphorbe » ; [øfɔʀbjase].

**EUPHORIE, subst. f.**
Sentiment intense de bien-être général, de joie : *La bonne nouvelle provoqua l'euphorie.* 1732 ; gr. *euphoria*, « force de porter, de supporter » ; [øfɔʀi].

**EUPHORIQUE, adj.**
**1.** Qui provoque l'euphorie (vieilli). **2.** Qui dénote l'euphorie : *Ton euphorique* ; qui éprouve de l'euphorie. 1922 ; ☞ *euphorie* ; [øfɔʀik].

**EUPHORISANT, ANTE, adj.**
Qui procure une sensation d'euphorie ; empl. subst masc., substance **euphorisante.** Mil. XXe s. ; p. pr. de *euphoriser* ; [øfɔʀizɑ̃, ɑ̃t].

**EUPHORISER, verbe trans.** [3]
Rendre euphorique. 1926 ; ☞ *euphorie* ; [øfɔʀize].

**EUPHUISME, subst. m.**
*Litt.* Préciosité de langage ayant eu cours dans l'Angleterre élisabéthaine. Déb. XIXe s. ; *Euphues*, héros de romans précieux de J. Lyly ; [øfɥism].

**EURAFRICAIN, AINE, adj.**
Qui se rapporte à la fois à l'Europe et à l'Afrique. 1930 ; ☞ *africain* + *euro-* ; [øʀafʀikɛ̃, ɛn].

**EURASIATIQUE, adj.**
Qui a trait à l'Eurasie : *Continent eurasiatique.* 1930 ; topon. *Eurasie* ; [øʀazjatik].

**EURASIEN, IENNE, adj. et subst.**
Se dit d'un métis né de parents européen et asiatique. ADJ. Qui a trait à ce métissage. 1865 ; angl. *Eurasian* ; [øʀazjɛ̃, jɛn].

**EURÊKA, interj.**
Exclamation de satisfaction, provoquée par la découverte de la solution d'un problème. 1821 ; gr. *eurêka*, « j'ai trouvé » ; par réf. au cri d'Archimède découvrant dans son bain la loi du poids spécifique des corps immergés ; [øʀeka].

**EURISTIQUE, voir HEURISTIQUE**

**EURO, subst. m.**
Nom de la future monnaie européenne. Les premiers billets devraient être mis en circulation dès le 1er janvier 2002. 1995 ; topon. *Europe* ; [øʀo].

**EUROCRATE, subst.**
Fonctionnaire des institutions européennes (fam. et souv. péj.). V. 1960 ; formé de *euro-* et de *-crate* ; [øʀɔkʀat].

**EURODEVISE, subst. f.**
Devise placée en Europe dans une banque d'un pays différent du pays émetteur, par un non-résident. V. 1960 ; ☞ *devise* (II) + *euro-* ; [øʀod(ə)viz].

**EURODOLLAR, subst. m.**
Dollar placé dans une banque européenne. V. 1970 ; ☞ *dollar* + *euro-* ; [øʀodɔlaʀ].

**EUROFRANC, subst. m.**
Franc déposé dans une banque européenne non française. Mil. XXe s. ; ☞ *franc* (III) + *euro-* ; [øʀofʀɑ̃].

**EUROMARCHÉ, subst. m.**
Marché européen des capitaux. V. 1970 ; ☞ *marché* + *euro-* ; [øʀomaʀʃe].

**EUROMISSILE, subst. m.**
Missile nucléaire américain à moyenne portée, basé naguère en Europe. V. 1980 ; ☞ *missile* + *euro-* ; [øʀomisil].

**EUROPÉANISATION, subst. f.**
Action d'européaniser, de s'européaniser ; son résultat. 1911 ; ☞ *européaniser* ; [øʀɔpeanizasjɔ̃].

**EUROPÉANISER, verbe trans. [3]**
1. Faire adopter des caractéristiques européennes à : ***Européaniser*** *une ville d'Afrique* ; empl. pronom. : *Population qui* ***s'européanise.*** 2. *Pol.* Envisager (qqch.) du point de vue de l'Europe, en partic., fédérale ; empl. pronom., passer d'une perspective nationale à une perspective européenne : *La recherche spatiale* ***s'européanise.*** 1806 ; ☞ *européen* ; [øʀɔpeanize].

**EUROPÉANISME, subst. m.**
1. Intérêt envers l'Europe, goût pour ce qui est européen. 2. *Pol.* Doctrine ou attitude politique favorable à l'unification de l'Europe. 1807 ; ☞ *européen* ; var. *européisme* ; [øʀɔpeanism].

**EUROPÉEN, ÉENNE, adj. et subst.**
D'Europe. ADJ. 1. Relatif à l'Union européenne. 2. Favorable à cette dernière ; empl. subst. : *Un* ***européen*** *convaincu.* 1563 ; topon. *Europe* ; [øʀɔpeɛ̃, eɛn].

**EUROPIUM, subst. m.**
*Chim.* Élément nº 63 de la table de Mendeleïev (symb. : Eu) ; masse atomique : 151,96 ; masse volumique : 5,26 g/cm$^3$. Il appartient au groupe des lanthanides. 1901 ; topon. *Europe* ; [øʀɔpjɔm].

**EUROSTRATÉGIE, subst. f.**
1. Étude des questions stratégiques concernant l'Europe. 2. Stratégie globale de défense de l'Europe. V. 1980 ; ☞ *stratégie* + *euro-* ; [øʀostʀateʒi].

**EUROVISION, subst. f.**
*Télév.* Organisme chargé de la coordination des échanges de programmes européens ; leur diffusion simultanée. 1954 ; abrév. de *Union européenne de radiodiffusion et de télévision* ; [øʀovizjɔ̃].

**EURYHALIN, INE, adj.**
*Biol.* Qui supporte des taux de salinité variables, en parlant d'un organisme marin. 1921 ; gr. *eurus*, « large », et *hals*, « sel » ; [øʀialɛ̃, in].

**EURYTHERME, adj. et subst. m.**
*Biol.* Qualifie ou désigne un organisme qui supporte de fortes variations de température. Déb. XXe s. ; formé de *eury-* et de *-therme* ; [øʀitɛʀm].

**EURYTHMIE, subst. f.**
1. Harmonie dans la composition d'une œuvre d'art plastique ou d'un morceau musical. 2. *Méd.* Régularité du pouls. 1547 ; lat. *eurythmia*, du gr. *euruthmia*, « harmonie » ; [øʀitmi].

**EURYTHMIQUE, adj.**
1. Relatif à l'eurythmie. 2. De composition équilibrée, harmonieuse. 1838 ; ☞ *eurythmie* ; [øʀitmik].

**EUSKARA, subst. m.**
Nom donné par les Basques à leur langue. 1850 ; mot basque ; var. *eskuara, euscara, euskera* ; [øskaʀa].

**EUSKARIEN, IENNE, subst. et adj.**
Du Pays basque. 1850 ; ☞ *euskara* ; var. *eskuarien, euscarien* ou *euskerien, ienne* ; [øskaʀjɛ̃, jɛn].

**EUSTACHE, subst. m.**
Argot et Vieilli. 1. Couteau de poche à lame unique et à manche de bois protégé d'une virole. 2. Ext. Couteau à cran d'arrêt. 1782 ; anthropon. *Eustache Dubois*, coutelier ; [østaʃ].

**EUSTATIQUE, adj.**
*Géol.* Qui a trait aux variations du niveau des mers. 1906 ; all. *eustatische*, du gr. *eu*, « bon, bien », et *stasis*, « niveau » ; [østatik].

**EUSTATISME, subst. m.**
Théorie expliquant des variations du niveau relatif de la mer dues à des changements climatiques ou à des bombements du fond des océans, et non à une déformation locale du continent, d'origine tectonique. V. 1960 ; ☞ *eustatique* ; [østatism].

**EUTECTIQUE, adj.**
Relatif à l'eutexie. 1907 ; angl. *eutectic*, du gr. *eutêktos*, « qui fond aisément » ; [øtɛktik].

**EUTEXIE, subst. f.**
*Chim.* Propriété de certains mélanges, à deux ou trois composants, qui se solidifient à température constante, appelée point d'**eutexie.** 1903 ; angl. *eutexia*, du gr. *eutêxia*, « fusion facile » ; [øtɛksi].

**EUTHANASIE, subst. f.**
1. Vx. *Philos.* Mort douce. 2. *Méd.* Pratique, illégale en France, qui consiste à provoquer la mort d'une personne, afin de mettre un terme à des souffrances intolérables ou à une longue agonie. 1771 ; gr. *euthanasia*, de *thanatos*, « mort » ; [øtanazi].

**EUTHANASIQUE, adj.**
Qui relève de l'euthanasie. 1959 ; ☞ *euthanasie* ; [øtanazik].

**EUTHÉRIENS, subst. m. plur.**
*Zool.* Sous-classe de mammifères placentaires. AU SING. *L'embryon d'un* ***euthérien*** *se développe entièrement dans l'utérus.* Mil. XXe s. ; gr. *thêrion*, « bête sauvage », + *eu-* ; [øteʀjɛ̃].

**EUTHROPHISATION, subst. f.**
*Écol.* Accumulation excessive de matières nutritives dans une eau stagnante, due à la prolifération d'algues qui raréfie l'oxygène. V. 1970 ; gr. *trophê*, « nourriture », + *eu-* ; [øtʀɔfizasjɔ̃].

**EUX, pron. pers. m. plur.**
Pronom personnel à fonction de complément prépositionnel, correspondant au sujet *ils*, et pluriel de *lui* : *Je pars avec* ***eux*** ; *Allons chez* ***eux*** ; marque l'insistance : *Nous travaillons et* ***eux*** *s'amusent.* Xe s. ; lat. *illos* ; [ø].

**eV, voir ÉLECTRONVOLT**

**ÉVACUANT, ANTE, adj.**
*Pharm.* Qui aide à évacuer les selles ; empl. subst. masc., substance **évacuante.** XVIIIe s. ; p. pr. de *évacuer* ; [evakɥɑ̃, ɑ̃t].

**ÉVACUATEUR, TRICE, adj. et subst. m.**
ADJ. Qui permet d'évacuer. SUBST. *Trav. publ.* Système de vannes qui sert à évacuer les eaux en crue d'un barrage. 1825 ; ☞ *évacuer* ; [evakɥatœʀ, tʀis].

**ÉVACUATION, subst. f.**
1. *Méd.* Expulsion hors du corps, par voie naturelle ou artificielle, d'une substance organique, pathologique ou non : ***Évacuation*** *d'un abcès.* 2. Anal. Rejet de déchets : ***Évacuation*** *des eaux usées.* 3. *Milit.* Abandon d'une place, d'un territoire ; renvoi vers l'arrière de soldats blessés ou malades. ▶ Ext. Action de quitter un lieu ou de faire quitter un lieu à qqn. 1314 ; bas lat. *evacuatio* ; [evakɥasjɔ̃].

**ÉVACUER, verbe trans. [3]**
1. *Méd.* Expulser (une substance organique) par voie naturelle ou artificielle : ***Évacuer*** *du pus.* 2. Anal. Faire écouler, rejeter : ***Évacuer*** *des vapeurs toxiques.* 3. *Milit.* Abandonner (une place occupée) ; éloigner du front (les soldats blessés). ▶ Ext. Quitter (un lieu), par nécessité ou par ordre ; faire quitter ce lieu à : ***Évacuer*** *une zone sinistrée* ; ***Évacuer*** *la foule* ; empl. adj. : *Population* ***évacuée.*** 4. Fig. Se débarrasser de (un sentiment pénible) : ***Évacuer*** *une angoisse.* 1314 ; lat. *evacuare* ; [evakɥe].

**ÉVADÉ, ÉE, adj. et subst.**
Se dit d'une personne qui s'est échappée de son lieu de détention : *Un détenu* ***évadé*** ; *Capturer un* ***évadé.*** 1694 ; p. p. de *s'évader* ; [evade].

**ÉVADER (S'), verbe pronom. [3]**
1. S'échapper (de son lieu de détention) : ***S'évader*** *du bagne.* 2. Ext. Quitter discrètement : ***S'évader*** *d'une réunion.* 3. Fig. Soustraire son esprit (à une réalité pénible) : ***S'évader*** *de l'ennui par l'imagination.* Fin XIVe s. ; lat. *evadere* ; [evade].

**ÉVAGINATION, subst. f.**
*Pathol.* Sortie d'un organe hors de sa gaine. 1870 ; lat. *vagina*, « gaine », + *é-*[2] ; [evaʒinasjɔ̃].

**ÉVALUABLE, adj.**
Qu'il est possible d'évaluer. 1790 ; ☞ *évaluer* ; [evalɥabl].

**ÉVALUATEUR, TRICE, subst.**
Québ. Personne dont la profession consiste à évaluer un bien, en partic. un bien immobilier. Mil. XIXe s. ; ☞ *évaluer* ; [evalɥatœʀ, tʀis].

**ÉVALUATION, subst. f.**
1. Action d'évaluer. 2. Méton. Valeur évaluée : ***Évaluation*** *faible.* 1365 ; ☞ *évaluer* ; [evalɥasjɔ̃].

**ÉVALUER, verbe trans. [3]**
1. Attribuer une valeur, un prix précis à (qqch.) : ***Évaluer*** *un tableau.* 2. Ext. Estimer approximativement : ***Évaluer*** *une distance* ; ***Évaluer*** *un candidat.* 1366 ; anc. fr. *value*, « valeur », + *é-*[1] ; [evalɥe].

**ÉVANESCENCE, subst. f.**
Caractère de ce qui est évanescent. 1877 ; ☞ *évanescent* ; [evanesɑ̃s].

**ÉVANESCENT, ENTE, adj.**
Littér. Qui s'évanouit, s'efface peu à peu ; éphémère : *Silhouette* ***évanescente.*** 1810 ; lat. *evanescens*, de *evanescere*, « disparaître » ; [evanesɑ̃, ɑ̃t].

**ÉVANGÉLIAIRE, subst. m.**
1. *Liturg.* Recueil exhaustif des passages de l'Évangile lus ou chantés à la messe pendant l'année liturgique. 2. Manuscrit relié reproduisant le texte intégral des quatre Évangiles : *Un* ***évangéliaire*** *enluminé.* 1362 ; lat. médiév. *evangeliarium* ; [evɑ̃ʒeljɛʀ].

**ÉVANGÉLIQUE, adj.**
*Relig.* 1. Relatif à l'Évangile ; fidèle à la doctrine de l'Évangile : *Charité* ***évangélique.*** 2. Qui appartient à la religion protestante : *Les Églises* ***évangéliques*** *luthérienne, anglicane* ; empl. subst. : *Les* ***évangéliques***, les protestants. 1295 ; lat. chrét. *evangelicus*, du gr. *euaggelikos* ; [evɑ̃ʒelik].

**ÉVANGÉLISATEUR, TRICE, adj. et subst.**
*Relig.* ADJ. Qui évangélise : *Un saint* ***évangélisateur.*** SUBST. Personne qui évangélise. 1849 ; ☞ *évangéliser* ; [evɑ̃ʒelizatœʀ, tʀis].

**ÉVANGÉLISATION, subst. f.**
Action d'évangéliser ; état qui en résulte. XVIIIe s. ; ☞ *évangéliser* ; [evɑ̃ʒelizasjɔ̃].

**ÉVANGÉLISER, verbe trans. [3]**
*Relig.* Prêcher l'Évangile à (une population) afin de la christianiser : *Saint Patrick* ***évangélisa*** *l'Irlande.* Fin XIIe s. ; lat. chrét. *evangelizare*, du gr. *euaggelizein* ; [evɑ̃ʒelize].

**ÉVANGÉLISME, subst. m.**
*Relig.* 1. Conformité à l'Évangile ; caractère de la doctrine de l'Évangile. 2. Doctrine des Églises issues de la Réforme. 1803 (1740, fête de l'Annonciation, en Grèce) ; ☞ *évangéliste* ; [evɑ̃ʒelism].

**ÉVANGÉLISTE, subst. m.**
*Relig.* 1. Chacun des quatre auteurs des Évangiles canoniques : *Saint Jean l'****Évangéliste.*** 2. Prédicateur laïc itinérant, dans certaines Églises protestantes. 3. Fidèle de l'évangélisme protestant (quelquefois au fém.). Fin XIIe s. ; lat. chrét. *evangelista*, du gr. *euaggelistês* ; [evɑ̃ʒelist].

**ÉVANGILE, subst. m.**
1. Message de Jésus-Christ, son enseignement. 2. Méton. Chacun des quatre livres faisant partie du Nouveau Testament, témoignant des paroles et des actes du Christ : ***Évangiles*** *synoptiques*, selon saint Matthieu, saint Marc et saint Luc ; *Le quatrième* ***Évangile***, selon saint Jean ; *Un* ***évangile*** *apocryphe*, non reçu dans le canon des Écritures. ▶ Abs. *L'****Évangile*** : ouvrage regroupant ces quatre **Évangile** : canoniques. ▶ Loc. *Être parole d'****évangile*** : être digne de foi, indubitable. 3. Passage des **Évangiles** lu à la messe. 4. Fig. Texte de référence absolue d'une doctrine : *« Le Petit Livre rouge », de Mao Zedong,* ***évangile*** *des maoïstes.* Fin XIIe s. ; lat. chrét. *evangelium*, « bonne nouvelle », du gr. *euaggelion*, « récompense » ; [evɑ̃ʒil].

**ÉVANOUIR (S'), verbe pronom. [19]**
1. Perdre connaissance : ***S'évanouir*** *à la vue du sang.* 2. Cesser d'être perceptible : *La silhouette* ***s'évanouit*** *dans la brume.* ▶ Loc. ***S'évanouir*** *en fumée* : se consumer ou, au fig., n'aboutir à rien. 3. Fig. Perdre toute réalité, se dissiper, disparaître : *Face au danger, son courage* ***s'évanouit*** ; *L'objection* ***s'évanouit*** *d'elle-même.* Mil. XIIe s. ; anc. fr. *esvanir*, du bas lat. *°e(x)vanire*, du lat. *evanescere*, « disparaître » ; [evanwiʀ].

**ÉVANOUISSEMENT, subst. m.**
1. Action de s'évanouir ; perte de connaissance qui en résulte. 2. Effacement, disparition (littér.). 3. *Télécomm.* Affaiblissement momentané de l'intensité des ondes radioélectriques reçues au poste récepteur (recomm. off pour *fading*). XIIIe s. ; ☞ *évanouir* ; [evanwismɑ̃].

**ÉVAPORABLE, adj.**
Qui peut s'évaporer. 1625 ; ☞ *évaporer* ; [evapɔʀabl].

**ÉVAPORATEUR, subst. m.**
*Techn.* 1. Partie d'une installation frigorifique où se produit l'évaporation du fluide frigorigène. 2. Appareil servant à la dessiccation ou au séchage de divers produits. 3. Appareil utilisé pour distiller l'eau de mer. 1894 ; ☞ *évaporer* ; [evapɔʀatœʀ].

**ÉVAPORATION, subst. f.**
Transformation d'un corps liquide en corps gazeux. Fin XIVe s. ; lat. *evaporatio* ; [evapɔʀasjɔ̃].

**ÉVAPORÉ, ÉE, adj.**
Écervelé, étourdi, qui manque de sérieux : *Gandin* ***évaporé*** ; par méton. : *Des airs* ***évaporés.*** ▶ Empl. subst. Personne **évaporée.** Déb. XVIIe s. ; p. p. de *évaporer* ; [evapɔʀe].

**ÉVAPORER,** verbe trans. [3]
Transformer (un liquide) en vapeur. PRONOM. **1.** Se transformer en vapeur. **2.** Fig. Cesser d'exister, se dissiper (littér.) : *Sa fureur s'évapora* ; disparaître brusquement (fam.) : *S'évaporer dans la nature*, disparaître sans laisser de traces. 1314 ; bas lat. *evaporare* ; [evapɔʀe].

**ÉVAPOTRANSPIRATION,** subst. f.
Quantité d'eau évaporée par les plantes, le sol et les nappes phréatiques. V. 1970 ; crois. de *évaporation* et de *transpiration* ; [evapotʀɑ̃spiʀasjɔ̃].

**ÉVASEMENT,** subst. m.
Action d'évaser (rare) ; état de ce qui est évasé. Mil. XIIe s. ; ☞ *évaser* ; [evazmɑ̃].

**ÉVASER,** verbe trans. [3]
Élargir l'orifice, l'extrémité de (qqch.) : *Évaser un tuyau* ; *Évaser une jupe*, lui donner une ampleur progressive, de la taille à l'ourlet ; empl. pronom., s'élargir : *La vallée s'évase vers la plaine* ; empl. adj. : *Un récipient évasé*, dont l'ouverture est plus large que le corps. Fin XIVe s. ; ☞ *vase* (I) + *é-*[1] ; [evaze].

**ÉVASIF, IVE,** adj.
Qui vise à éluder, imprécis, vague : *Une promesse évasive.* 1547 ; ☞ *évasion* ; [evazif, iv].

**ÉVASION,** subst. f.
**1.** Action de s'évader. **2.** *Dr. Évasion fiscale* : fait de soustraire au fisc des revenus par interprétation habile des textes de loi. ▸ *Écon. Évasion de capitaux* : déplacement de capitaux à l'étranger pour les préserver du fisc ou des effets de la politique économique ou monétaire nationale. **3.** Fig. Action de se soustraire à une réalité contraignante ; distraction, changement : *L'évasion par la lecture.* ▸ Loc. **D'évasion.** Visant à divertir : *Film d'évasion.* XIIIe s. ; lat. *evasio*, de *evadere*, « sortir de » ; [evazjɔ̃].

**ÉVASIVEMENT,** adv.
D'une manière évasive. Fin XVIIIe s. ; ☞ *évasif* ; [evazivmɑ̃].

**ÉVASURE,** subst. f.
Ouverture d'un vase ; par ext., toute ouverture évasée (rare). 1611 ; ☞ *évaser* ; [evazyʀ].

**ÉVÊCHÉ,** subst. m.
**1.** Territoire placé sous la juridiction d'un évêque (synon. *diocèse*). **2.** Méton. Ville où réside l'évêque ; sa demeure. **3.** *Hist.* État dont le souverain est un évêque : *Évêché de Bâle.* Xe s. ; ☞ *évêque* ; [eveʃe].

**ÉVECTION,** subst. f.
*Astron.* Inégalité périodique observée dans le mouvement de la Lune, due à l'attraction solaire. XIVe s. ; lat. *evectio*, « action de s'élever » ; [evɛksjɔ̃].

**ÉVEIL,** subst. m.
**1.** Vx. État d'alerte. ▸ Loc. *Donner l'éveil* : attirer l'attention, mettre en garde ; *Être en éveil* : attentif, vigilant. **2.** Action d'éveiller, fait de s'éveiller (vieilli ou littér.) ; au fig. : *L'éveil de la nature au printemps.* **3.** Fig. Première manifestation : *Éveil de la puberté* ; *Éveil de la curiosité* ; première marque d'ouverture, de sensibilité à qqch. : *L'éveil à la poésie.* ▸ *Activités d'éveil* : activités pédagogiques destinées à stimuler les aptitudes intellectuelles et artistiques du jeune enfant. Fin XIIe s. ; ☞ *éveiller* ; [evɛj].

**ÉVEILLÉ, ÉE,** adj.
**1.** Qui ne dort pas ; par méton. : *Un rêve éveillé.* **2.** Vif, à l'esprit ouvert et intelligent. XIIIe s. ; p. p. de *éveiller* ; [eveje].

**ÉVEILLER,** verbe trans. [3]
**1.** Tirer du sommeil, réveiller. **2.** Fig. Faire naître, stimuler, provoquer (un sentiment, une réaction) : *Éveiller des soupçons, le désir.* ▸ *Éveiller qqn à qqch.* : le lui faire découvrir. PRONOM. **1.** Sortir du sommeil, se réveiller ; au fig., naître, s'animer : *La campagne s'éveille* ; *Les sens s'éveillent.* **2.** **S'éveiller à.** Connaître pour la première fois : *Il s'éveille à l'amour* ; se sensibiliser à : *S'éveiller à la musique.* Fin XIe s. ; lat. pop. °*exvigilare*, du lat. *evigilare* ; [eveje].

**ÉVEILLEUR, EUSE,** subst.
Personne qui suscite chez autrui une ouverture de l'esprit ou du cœur (rare) : *Un éveilleur de consciences.* Mil. XIVe s. ; ☞ *éveiller* ; [evɛjœʀ, øz].

**ÉVÈNEMENT,** subst. m.
**1.** Vx. Fait résultant d'une situation. ▸ *Théâtre.* Dénouement (vx). **2.** Fait qui se produit et dont l'importance est notable : *La signature du traité fut un évènement* ; *Un heureux évènement*, une naissance. **3.** *Stat.* Notion primitive du calcul des probabilités : *Dans l'épreuve du lancer d'un dé (toujours de la même façon), « le nombre 5 est apparu » est un évènement.* PLUR. Ensemble des faits significatifs de l'actualité présente ou passée ; en partic., par euphém., explosion de violence, guerre : *Les évènements d'Indochine.* Mil. XVe s. ; lat. *evenire*, « avoir un résultat ; arriver », d'apr. *avènement* ; var. *événement* ; [evɛnmɑ̃].

**ÉVÈNEMENTIEL, ELLE,** adj.
Qui relate les évènements, sans analyser leurs causes : *Histoire évènementielle.* 1953 ; ☞ *évènement* ; var. *événementiel, elle* ; [evɛnmɑ̃sjɛl].

**ÉVENT,** subst. m.
**1.** *Zool.* Orifice situé au sommet de la tête des Cétacés, par lequel ils respirent et d'où jaillit l'eau qu'ils rejettent. **2.** *Techn.* Conduit ménagé dans un moule, un réservoir, un tuyau pour assurer le passage des gaz. **3.** Vieilli. Exposition au vent, à l'air ; par méton., caractère d'une substance éventée. 1558 (1521, égout) ; ☞ *éventer* ; [evɑ̃].

**ÉVENTAIL,** subst. m.
**1.** Accessoire léger, semi-circulaire, que l'on déplie pour s'éventer. **2.** Anal. Ce qui rappelle un **éventail** ouvert : *Un éventail de billets posé sur la table.* ▸ **En éventail.** Disposé à la manière d'un **éventail** déplié : *Tenir ses cartes en éventail* ; *Avoir les doigts de pieds en éventail*, ne rien faire, être au repos (fam.). **3.** Fig. Choix d'éléments ou d'articles de même nature : *Un éventail de chaussures* ; *Éventail des salaires*, gamme des salaires, du plus bas au plus élevé. **4.** *Archit. Voûte en éventail* : voûte caractéristique du style gothique perpendiculaire. 1416 ; ☞ *éventer*, d'apr. *ventail* ; plur. *éventails* ; [evɑ̃taj].

*La Japonaise*, *peinture de Claude Monet (1840-1926). Musée de Boston. L'**éventail** est un élément essentiel de cette composition.*

**ÉVENTAILLISTE,** subst.
Personne qui fabrique, peint ou vend des éventails. 1678 ; ☞ *éventail* ; [evɑ̃tajist].

**ÉVENTAIRE,** subst. m.
**1.** Vx. Plateau d'osier que l'on porte devant soi pour la vente ambulante (vieilli). **2.** Étalage de marchandises en plein air. 1690 ; orig. obsc. ; [evɑ̃tɛʀ].

**ÉVENTÉ, ÉE,** adj.
**1.** Exposé au vent : *Jardin éventé.* **2.** Qui est gâté par l'air ; qui a perdu son goût, son odeur : *Des épices éventées.* **3.** Fig. Divulgué, révélé : *Un secret éventé.* XIIIe s. ; p. p. de *éventer* ; [evɑ̃te].

**ÉVENTER,** verbe trans. [3]
**1.** Aérer, exposer (qqch.) à l'air : *Éventer la literie, le grain.* **2.** Brasser l'air autour de (une personne) pour la rafraîchir. **3.** Fig. Deviner ; divulguer (un dessein caché) : *Éventer un complot.* PRONOM. **1.** S'altérer au contact de l'air : *Les marchandises se sont éventées.* **2.** Brasser, agiter l'air pour se rafraîchir. Fin XIIe s. (déb. XIIe s., rechercher avec soin) ; lat. *exventare*, de *ventus*, « vent » ; [evɑ̃te].

**ÉVENTRATION,** subst. f.
**1.** *Pathol.* Déchirement ou relâchement congénital ou postopératoire de la paroi abdominale ; par ext., plaie laissant échapper les entrailles. **2.** Anal. Action d'éventrer. 1743 ; ☞ *éventrer* ; [evɑ̃tʀasjɔ̃].

**ÉVENTREMENT,** subst. m.
Action d'éventrer qqn, qqch. ; son résultat. 1669 ; ☞ *éventrer* ; [evɑ̃tʀəmɑ̃].

**ÉVENTRER,** verbe trans. [3]
**1.** Ouvrir le ventre de (qqn, un animal) pour le vider de ses entrailles. **2.** Anal. Ouvrir brutalement, défoncer (qqch.) ; percer, creuser profondément. PRONOM. **1.** S'ouvrir le ventre. **2.** Anal. S'ouvrir en se vidant. 1538 ; ☞ *ventre* + *é-*[2] ; [evɑ̃tʀe].

**ÉVENTREUR,** subst. m.
**1.** Assassin qui éventre ses victimes : *Jack l'Éventreur.* **2.** Anal. Personne qui ouvre brutalement ou qui défonce qqch. : *Un éventreur de coffres-forts.* 1890 ; ☞ *éventrer* ; [evɑ̃tʀœʀ].

**ÉVENTUALITÉ,** subst. f.
**1.** Caractère de ce qui est éventuel, hypothétique. **2.** Évènement qui peut survenir. ▸ Loc. *Parer à toute éventualité* : se préparer à faire face à toute circonstance. 1793 ; ☞ *éventuel* ; [evɑ̃tɥalite].

**ÉVENTUEL, ELLE,** adj.
**1.** *Dr.* Qui est soumis ou dont l'exécution est soumise à certaines conditions : *Il a des droits éventuels à la succession.* **2.** Ext. Possible, hypothétique. 1718 ; lat. *eventus*, « évènement » ; [evɑ̃tɥɛl].

**ÉVENTUELLEMENT,** adv.
De manière éventuelle ; selon les circonstances. 1737 ; ☞ *éventuel* ; [evɑ̃tɥɛlmɑ̃].

**ÉVÊQUE,** subst. m.
**1.** *Relig.* ▸ Dans l'Église catholique et orthodoxe, ministre sacré ayant reçu la plénitude du sacerdoce (l'ordre le plus élevé) et qui, nommé par le pape, gouverne un diocèse. ▸ Dans l'Église anglicane, chef spirituel d'un diocèse. **2.** Loc. ▸ *Pierre d'évêque* : améthyste. ▸ *Bonnet d'évêque* : mitre et, au fig. (fam.), croupion découpé d'une volaille. Mil. Xe s. ; lat. chrét. *episcopus*, du gr. *episkopos*, « surveillant » ; [evɛk].

**ÉVERSION,** subst. f.
**1.** *Méd. Éversion d'une paupière* : action de la retourner pour examiner une conjonctivite. **2.** *Pathol.* Retournement vers l'extérieur d'une muqueuse, d'un organe au niveau d'un orifice naturel. 1897 (mil. XVe s., destruction, renversement) ; lat. *eversio* ; [evɛʀsjɔ̃].

**ÉVERTUER (S'),** verbe pronom. [3]
**1.** Vx. S'agiter. **2.** **S'évertuer à.** Employer tous ses efforts à : *Elle s'évertuait à les convaincre.* Fin XIe s. ; ☞ *vertu* + *é-*[1] ; [evɛʀtɥe].

**ÉVHÉMÉRISME,** subst. m.
*Philos.* Doctrine du philosophe grec Évhémère, selon laquelle les dieux de l'Olympe auraient été des êtres humains divinisés après leur mort. 1838 ; anthropon. *Évhémère* ; [evemeʀism].

**ÉVICTION,** subst. f.
**1.** *Dr.* Dépossession d'un droit en raison de l'exercice, par un tiers, d'un droit antérieur sur la même chose. **2.** Ext. Action d'évincer qqn ; son résultat. ▸ *Enseign.* Exclusion temporaire d'un élève contagieux. 1283 ; lat. jur. *evictio* ; [eviksjɔ̃].

**ÉVIDEMENT,** subst. m.
**1.** Action d'évider (synon. *évidage*). ▸ *Chir.* Action de vider une cavité de son contenu ; ablation de moelle osseuse sans atteinte du périoste. **2.** Méton. Partie évidée de qqch. 1852 ; ☞ *évider* ; [evidmɑ̃].

**ÉVIDEMMENT,** adv.
**1.** De façon évidente : *Cette toile est évidemment un faux.* **2.** Certainement, bien sûr : *Vous venez ? - Évidemment !* XIIIe s. ; ☞ *évident* ; [evidamɑ̃].

**ÉVIDENCE,** subst. f.
**1.** Caractère de ce qui est évident. **2.** Méton. Fait certain ; affirmation tenue pour sûre. **3.** Loc. *Se rendre à l'évidence* : reconnaître ce qui est incontestable ; *À l'évidence* : certainement ; *Mettre en évidence qqch.* : souligner, insister sur cette chose, ou l'exposer. 1314 ; lat. *evidentia* ; [evidɑ̃s].

**ÉVIDENT, ENTE,** adj.
**1.** Qui s'impose à l'esprit par son caractère indiscutable : *Une preuve évidente de sa bonne foi.* **2.** Immédiatement perceptible par les sens, notamment par la vue : *Des marques évidentes de timidité.* **3.** Loc. *C'est évident* : cela va de soi ; *Ce n'est pas évident* : pas facile à faire (fam.). XIIIe s. ; lat. *evidens*, de *videre*, « voir » ; [evidɑ̃, ɑ̃t].

**ÉVIDER, verbe trans.** [3]
**1.** Ôter de la matière à l'intérieur ou à la surface de (un objet). **2.** *Cout.* Échancrer. 🕮 1642 (mil. XIIe s., évacuer ; anéantir ; abandonner) ; ☞ *vide* + *é-*[1] ; [evide].

**ÉVIDOIR, subst. m.**
*Techn.* Outil qui sert à évider. 🕮 1756 ; ☞ *évider* ; [evidwaʀ].

**ÉVIER, subst. m.**
**1.** Vx. Rigole de pierre servant d'égout. **2.** Dans une cuisine, cuve munie d'une arrivée d'eau et d'un système de vidange, dans laquelle on lave la vaisselle, les légumes, etc. 🕮 1247 ; lat. pop. *aquarium*, de *aquarius*, « qui concerne l'eau » ; [evje].

**ÉVINCEMENT, subst. m.**
Action d'évincer qqn (rare). 🕮 1875 ; ☞ *évincer* ; [evɛ̃smɑ̃].

**ÉVINCER, verbe trans.** [4]
**1.** *Dr.* Déposséder légalement (qqn) d'un bien, d'un droit. **2.** Ext. Écarter (qqn), souv. par intrigue, d'une position avantageuse ; éconduire. 🕮 1412 ; lat. *evincere*, de *vincere*, « vaincre » ; [evɛ̃se].

**ÉVISCÉRATION, subst. f.**
**1.** Action d'éviscérer ; son résultat. **2.** *Pathol.* Sortie des viscères hors de l'abdomen, due à une déchirure de la paroi abdominale, et qui nécessite une intervention urgente. 🕮 1585 ; lat. *eviscerare* ; [eviseʀasjɔ̃].

**ÉVISCÉRER, verbe trans.** [8]
Retirer les viscères de : *Éviscérer un poulet.* 🕮 1330 ; ☞ *viscère* + *é-*[2] ; [eviseʀe].

**ÉVITAGE, subst. m.**
*Mar.* **1.** Action d'éviter, en parlant d'un navire : *Bassin, cercle d'évitage.* **2.** Méton. Espace requis pour cette opération. 🕮 1772 ; ☞ *éviter* ; [evitaʒ].

**ÉVITEMENT, subst. m.**
**1.** Action d'éviter qqn ou qqch. **2.** *Ch. de fer.* Gare, *voie d'évitement* : où l'on gare les trains pour permettre à d'autres de passer. **3. Réaction d'évitement.** ▸ *Biol.* Acte effectué par un être vivant mobile pour ne pas être confronté à un environnement dangereux. ▸ *Psychol.* Réaction de défense contre l'angoisse. 🕮 1538 ; ☞ *éviter* ; [evitmɑ̃].

**ÉVITER, verbe** [3]
**Trans.** Faire en sorte de ne pas subir (qqch.) ou de ne pas rencontrer (qqn) : *Il est parti plus tôt pour éviter la tempête* ; *Il évite son voisin* ; *Éviter les obstacles*, les contourner ; au fig. : *Éviter une difficulté* ; *Éviter les bavards.* ▸ **Éviter** *qqch. à qqn* : le lui épargner (empl. critiqué). ▸ **Éviter de** (+ inf.). Faire en sorte de ne pas ; s'abstenir de : *Évitez de fumer !* ▸ **Éviter que** (+ subj.). Empêcher que. **Intrans.** *Mar.* Changer de direction sous l'action du vent ou de la marée, en parlant d'un navire au mouillage. 🕮 1324 ; lat. *evitare* ; [evite].

**ÉVOCATEUR, TRICE, adj.**
Se dit de qqn ou de qqch. qui a un pouvoir d'évocation ; empl. subst. : *Cet homme est un évocateur d'esprits.* 🕮 1857 ; ☞ *évoquer* ; [evɔkatœʀ, tʀis].

**ÉVOCATION, subst. f.**
**I.** *Dr.* **Droit d'évocation. 1.** Vx. Pouvoir donné au roi de statuer sur tout litige. **2.** Droit ou obligation, pour une juridiction supérieure, de se saisir d'une affaire relevant d'une juridiction inférieure. **II. 1.** *Occult.* Action d'évoquer les esprits par la magie. **2.** Ext. Action de rappeler le souvenir de qqn, de qqch., ou de rendre présent à l'esprit ; par méton., les propos qui évoquent : *Il frémissait à l'évocation de son enfance malheureuse.* 🕮 1348 ; lat. *evocatio* ; [evɔkasjɔ̃].

**ÉVOCATOIRE, adj.**
**1.** *Dr.* Qui permet de fonder une évocation. **2.** *Occult.* Qui a le pouvoir d'évoquer les esprits. **3.** Ext. Qui a le pouvoir de rendre présent à l'esprit (littér.). 🕮 1395 ; lat. *evocatorius*, « qui appelle » ; [evɔkatwaʀ].

**ÉVOLUÉ, ÉE, adj.**
**1.** Dont l'évolution ou le développement atteint un certain stade : *Une espèce, une nation évoluée.* **2.** Qui est ouvert à la culture, aux idées nouvelles : *Des gens évolués.* 🕮 1865 ; p. p. de *évoluer* ; [evɔlɥe].

**ÉVOLUER, verbe intrans.** [3]
**1.** *Milit.* Manœuvrer. **2.** Ext. Se déplacer dans l'espace par mouvements successifs. **3.** Se transformer progressivement, passer d'un état à un autre. ▸ *Méd. Maladie qui évolue* : qui connaît différents stades. **4.** Fig. *Évoluer dans un certain milieu* : le fréquenter. 🕮 1536 ; ☞ *évolution* ; [evɔlɥe].

**ÉVOLUTIF, IVE, adj.**
Susceptible d'évoluer ou de provoquer une évolution. ▸ *Méd. Pathologie évolutive* : qui ne cesse d'évoluer, gén. en s'aggravant. 🕮 Déb. XIXe s. ; ☞ *évolution* ; [evɔlytif, iv].

**ÉVOLUTION, subst. f.**
**1.** *Milit.* Mouvement de troupes. ▸ *Mar.* Changement de cap. **2.** Ext. Action de se déplacer par mouvements successifs (souv. au plur.) : *Les évolutions d'une ballerine, d'un avion.* **3.** Processus de transformation : *L'évolution des mœurs.* ▸ *Méd.* Succession des différentes phases d'une maladie, de ses manifestations, de ses symptômes. **4.** *Biol.* Ensemble des transformations qui ont conduit à l'apparition puis à la diversification des espèces. 🕮 1536 ; lat. *evolutio*, « action de dérouler » ; [evɔlysjɔ̃].

**ÉVOLUTIONNISME, subst. m.**
**1.** Système philosophique de Herbert Spencer, selon lequel l'évolution du monde repose sur l'individualisation des choses, elle-même impliquant le passage d'un état incohérent, indéfini et homogène de la matière à un état cohérent, défini et hétérogène. **2.** *Spéc.* ▸ *Biol.* Théorie relative à l'origine des espèces vivantes pour laquelle les nouvelles espèces proviennent de la modification de formes plus anciennes (anton. *créationnisme*). 🕮 1873 ; ☞ *évolution* ; [evɔlysjɔnism].

**ÉVOLUTIONNISTE, adj. et subst.**
**Adj.** Relatif, propre ou favorable à l'évolutionnisme. **Subst.** Partisan de l'évolutionnisme. 🕮 1873 ; ☞ *évolution* ; [evɔlysjɔnist].

**ÉVOQUER, verbe trans.** [3]
**1.** Vx. Faire apparaître par la magie : *Évoquer les esprits.* **2.** Ext. Rappeler le souvenir de (qqn, qqch.) : *Il évoque souvent son enfance* ; rappeler, du fait d'une analogie : *Cette musique évoque des chants d'oiseaux.* **3.** Rendre présent à l'esprit : *Évoquer certaines difficultés* ; mentionner brièvement : *Ils n'ont fait qu'évoquer ce point.* **4.** *Dr.* Se réserver d'examiner (une cause qui devrait être jugée en première instance), en parlant d'une cour d'appel. 🕮 XIVe s. ; lat. *evocare*, de *vocare*, « appeler à soi » ; [evɔke].

**ÉVULSION, subst. f.**
*Chir.* Extraction (vx). 🕮 1540 ; lat. *evulsio* ; [evylsjɔ̃].

**EVZONE, subst. m.**
Fantassin de l'armée grecque. 🕮 1907 ; gr. *euzōnos*, « qui a une belle ceinture » ; [evzon].

**EX ABRUPTO, loc. adv.**
De manière abrupte, sans préambule. 🕮 Déb. XVIIIe s. ; lat. *ex*, « de », et *abruptus*, « abrupt » ; [ɛksabʀypto].

**EXACERBATION, subst. f.**
Intensification des symptômes d'une maladie ; au fig. : *L'exacerbation d'un sentiment.* 🕮 1503 ; lat. *exacerbatio*, « irritation » ; [ɛgzasɛʀbasjɔ̃].

**EXACERBER, verbe trans.** [3]
Rendre plus aigu (un mal, une souffrance physique ou, par ext., morale) ; porter (un sentiment, un état) à son paroxysme. 🕮 Fin XIVe s. ; lat. *exacerbare*, « irriter » ; [ɛgzasɛʀbe].

**EXACT, EXACTE, adj.**
**1.** Vx. Qui est accompli avec soin, conformément aux règles, aux usages : *Justice exacte.* **2.** Précis, ponctuel, consciencieux : *Un employé exact* ; qui est à l'heure : *Être exact au rendez-vous.* **3.** Conforme à la vérité, à la réalité : *Compte rendu exact.* **4.** Qui est en adéquation avec son objet : *Le terme exact.* **5.** Précis, sans approximation : *L'heure exacte.* ▸ *Sciences exactes* : fondées sur la déduction à partir de concepts rigoureux et de mesures, par oppos. aux sciences humaines, fondées sur l'interprétation d'observations. 🕮 Mil. XVIe s. ; lat. *exactus*, de *exigere*, « mener à terme » ; [ɛgza(kt), ɛgzakt].

**EXACTEMENT, adv.**
De manière exacte, précise, rigoureuse. 🕮 1539 ; ☞ *exact* ; [ɛgzaktəmɑ̃].

**EXACTION, subst. f.**
Action d'exiger, en gén. par la force ou un abus de pouvoir, le paiement de ce qui n'est pas dû ou la majoration d'un dû. **Plur.** Sévices, actes de violence. 🕮 1365 (1261, impôt) ; lat. *exactio*, « action de faire rentrer l'impôt » ; [ɛgzaksjɔ̃].

**EXACTITUDE, subst. f.**
**1.** Vx. Soin apporté à l'accomplissement d'une tâche. **2.** Caractère de ce qui est juste, précis. **3.** Ponctualité : *L'exactitude est la politesse des rois* (Louis XVIII). 🕮 1647 ; ☞ *exact* ; [ɛgzaktityd].

**EX ÆQUO, loc. adv.**
À égalité, sur le même rang : *Ils sont arrivés ex æquo* ; empl. subst. inv. : *Il y a trois ex æquo*, trois personnes ayant obtenu le même classement. 🕮 1837 ; lat. *ex*, « de », et *aequus*, « égal » ; var. *ex aequo* ; [ɛgzeko].

**EXAGÉRATION, subst. f.**
**1.** Action d'exagérer ; par méton., propos excessif. **2.** Caractère de ce qui est exagéré. 🕮 1549 ; lat. *exaggeratio*, « accumulation » ; [ɛgzaʒeʀasjɔ̃].

**EXAGÉRÉ, ÉE, adj.**
Qui dénote l'exagération, qui manque de mesure. 🕮 Mil. XVIe s. ; p. p. de *exagérer* ; [ɛgzaʒeʀe].

**EXAGÉRÉMENT, adv.**
D'une manière exagérée : *Il est exagérément poli.* 🕮 1805 ; ☞ *exagéré* ; [ɛgzaʒeʀemɑ̃].

**EXAGÉRER, verbe trans.** [8]
**1.** Donner une importance excessive à (qqch.) : *Il exagère la portée de son acte.* **2.** Abs. ▸ Grossir, déformer la réalité. ▸ Abuser, en prendre trop à son aise : *Tu exagères !* **Pronom.** *S'exagérer qqch.* : s'abuser sur, surestimer qqch. 🕮 Mil. XVIe s. ; lat. *exaggerare*, « augmenter, amplifier » ; [ɛgzaʒeʀe].

**EXALTANT, ANTE, adj.**
Stimulant pour l'esprit ou la sensibilité, enthousiasmant. 🕮 1865 ; p. pr. de *exalter* ; [ɛgzaltɑ̃, ɑ̃t].

**EXALTATION, subst. f.**
**1.** Vx. *Cath.* Action d'élever très haut : *L'Exaltation de la sainte Croix.* ▸ Intronisation d'un nouveau pape. **2.** Action d'exalter qqn ou qqch. ; son résultat. **3.** Tendance à éprouver des impressions très intenses, des sentiments extrêmes ; excitation de l'esprit. **4.** *Psychol.* Surexcitation psychique pouvant aller jusqu'au délire. 🕮 Mil. XIIIe s. ; lat. chrét. *exaltatio*, « action d'élever » ; [ɛgzaltasjɔ̃].

**EXALTÉ, ÉE, subst. et adj.**
Se dit d'une personne portée à l'exaltation, voire au fanatisme. **Adj. 1.** Qui dénote l'exaltation : *Des propos exaltés.* **2.** Très intense : *Une imagination exaltée.* 🕮 XVIIe s. ; p. p. de *exalter* ; [ɛgzalte].

**EXALTER, verbe trans.** [3]
**1.** Élever très haut, glorifier : *Exalter la vertu.* **2.** Enthousiasmer, enflammer : *Son discours exalta la foule.* **3.** Augmenter l'intensité ou la force d'expression de : *Exalter un parfum* ; au fig., élever : *La poésie exalte l'esprit.* **Pronom.** S'enthousiasmer. 🕮 Xe s. ; lat. *exaltare*, « élever », de *altus*, « haut » ; [ɛgzalte].

**EXAMEN, subst. m.**
**1.** Action d'observer avec attention pour tirer des conséquences. ▸ *Dr. Mise en examen* : acte par lequel un juge d'instruction fait connaître à qqn les faits qui lui sont reprochés (synon. *inculpation*). ▸ *Méd.* Ensemble d'observations faites sur une personne et destinées à permettre un diagnostic. ▸ *Examen de conscience* : analyse critique de ses propres actions du point de vue moral. ▸ *Philos. Libre examen* : principe moral selon lequel nul n'est tenu d'accepter ce que la raison ou l'expérience ne lui indique pas comme vrai. **2.** Ensemble d'épreuves servant à contrôler les connaissances et les aptitudes d'une personne à entrer dans une école, à obtenir un diplôme, à exercer une fonction. 🕮 Mil. XIVe s. ; lat. *examen*, de *exigere*, « pousser hors de ; peser » ; [ɛgzamɛ̃].

**EXAMINATEUR, TRICE, subst.**
Personne qui fait passer un examen. 🕮 1307 ; bas lat. *examinator*, « celui qui pèse » ; [ɛgzaminatœʀ, tʀis].

**EXAMINER, verbe trans.** [3]
**1.** Procéder à l'observation attentive, à l'étude de ; regarder longuement. ▸ *Méd.* Procéder à l'examen de (un patient). **2.** Soumettre (un candidat) à un examen. 🕮 Mil. XIIIe s. ; lat. *examinare* ; [ɛgzamine].

**EXANTHÉMATIQUE, adj.**
Qui est le siège d'un exanthème : *Zone cutanée exanthématique* ; qui s'accompagne d'un exanthème : *Fièvre exanthématique.* 🕮 1765 ; ☞ *exanthème* ; synon. *exanthémateux, euse* ; [ɛgzɑ̃tematik].

**EXANTHÈME, subst. m.**
*Pathol.* Rougeur cutanée qui ne s'accompagne ni de papules ni de vésicules, et qui apparaît lors de certaines maladies infectieuses (rougeole, rubéole, scarlatine, varicelle, variole, etc.). 🕮 1545 ; lat. *exanthema*, du gr. *exanthêma* ; [ɛgzɑ̃tɛm].

**EXARCHAT, subst. m.**
**1.** Dignité, fonction d'un exarque. **2.** ▸ *Hist.* Province d'Afrique ou d'Italie gouvernée par un exarque : *L'exarchat de Ravenne.* ▸ *Relig.* Province ecclésiastique de l'Église d'Orient, administrée par

un exarque. ▫ Mil. XVIe s. ; lat. médiév. *exarchatus*, « territoire administré par l'exarque » ; [ɛgzaʀka].

**EXARQUE, subst. m.**
1. *Hist.* Représentant direct de l'empereur d'Orient, qui gouvernait une province en Afrique ou en Italie (VI-VIIIe s.). 2. *Dr. canon.* Dans les Églises d'Orient, délégué du patriarche officiant dans une province ecclésiastique située hors du patriarcat. ▫ 1511 ; bas lat. *exarchus*, du gr. *exarkhos* ; [ɛgzaʀk].

**EXASPÉRANT, ANTE, adj.**
Qui exaspère : *Une attente* ***exaspérante***. ▫ 1294 ; p. pr. de *exaspérer* ; [ɛgzaspeʀɑ̃, ɑ̃t].

**EXASPÉRATION, subst. f.**
1. Vieilli. Aggravation d'un mal ; au fig., intensification (littér.) : *L'****exaspération*** *d'un désir.* 2. État d'irritation extrême. ▫ 1588 ; bas lat. *exasperatio*, « action de rendre raboteux » ; [ɛgzaspeʀasjɔ̃].

**EXASPÉRER, verbe trans. [8]**
1. Vieilli. Aggraver (une douleur physique ou morale). 2. Ext. Rendre plus intense (littér.) : ***Exaspérer*** *la colère du peuple.* 3. Mettre (qqn) dans un état d'irritation extrême. ▫ Fin XIIIe s. ; lat. *exasperare*, « rendre rude ; irriter » ; [ɛgzaspeʀe].

**EXAUCEMENT, subst. m.**
Action d'exaucer ; son résultat. ▫ 1690 ; ☞ *exaucer* ; [ɛgzosmɑ̃].

**EXAUCER, verbe trans. [4]**
1. S'agissant de Dieu ou d'une puissance supérieure, écouter favorablement la prière de (qqn). 2. Accorder à qqn (ce qu'il demande). ▫ Mil. XVIe s. ; var. de *exhausser*, d'apr. le lat. *exaudire* ; [ɛgzose].

**EX CATHEDRA, loc. adv.**
1. *Théol.* Sous le sceau de l'infaillibilité pontificale : *Le pape définit un dogme* ***ex cathedra***. 2. Ext. Avec autorité, d'un ton doctoral. ▫ 1677 ; lat. *ex cathedra*, « du haut de la chaire » ; [ɛkskatedʀa].

**EXCAVATEUR, subst. m.**
*Trav. publ.* Engin de terrassement, muni d'une chaîne à godets, servant à creuser le sol en déblayant les matériaux enlevés. ▫ 1843 ; anglo-amér. *excavator* ; var. *une excavatrice* ; [ɛkskavatœʀ].

**EXCAVATION, subst. f.**
1. Action de creuser le sol. 2. Méton. Cavité, creux. ▫ Mil. XVIe s. ; lat. *excavatio*, « cavité » ; [ɛkskavasjɔ̃].

**EXCAVER, verbe trans. [3]**
*Trav. publ.* Creuser (le sol). ▫ XIIIe s. ; lat. *excavare*, « creuser » ; [ɛkskave].

**EXCÉDANT, ANTE, adj.**
1. Qui excède : *Les recettes* ***excédantes***. 2. Qui fatigue au-delà du supportable ; qui exaspère. ▫ XIVe s. ; p. pr. de *excéder* ; [ɛksedɑ̃, ɑ̃t].

**EXCÉDENT, subst. m.**
1. Ce qui va au-delà de la quantité, du nombre donné ou autorisé : ***Excédent*** *de bagages*, ce qui dépasse le poids transporté gratuitement. ► Loc. *En* ***excédent*** : en surplus. 2. *Écon.* Bénéfice (anton. *déficit*) : ***Excédent*** *brut d'exploitation.* ▫ Fin XIVe s. ; lat. *excedens*, de *excedere*, « sortir de » ; [ɛksedɑ̃].

**EXCÉDENTAIRE, adj.**
Qui présente ou constitue un excédent (anton. *déficitaire*). ▫ 1935 ; ☞ *excédent* ; [ɛksedɑ̃tɛʀ].

**EXCÉDER, verbe trans. [8]**
1. Dépasser en nombre, en quantité, en durée ; être supérieur à : *Ce travail* ***excède*** *ses forces* ; outrepasser (un droit, des compétences). 2. Fatiguer au-delà du supportable ; mettre hors de soi à force d'exaspérer : *Cet enfant m'****excède*** ; empl. adj. : *Un homme* ***excédé***, *un ton* ***excédé***. ▫ Fin XIVe s. ; lat. *excedere*, « sortir de » ; [ɛksede].

**EXCELLEMMENT, adv.**
D'une manière excellente. ▫ 1326 ; ☞ *excellent* ; [ɛksɛlamɑ̃].

**EXCELLENCE, subst. f.**
1. Qualité de ce qui est excellent : *L'****excellence*** *d'un mets, d'un ouvrage* ; *Prix d'****excellence***, remis en fin d'année au meilleur élève d'une classe. ► Loc. *Par* ***excellence*** : de manière caractéristique, très représentative. 2. Appellation protocolaire de certains hauts dignitaires ecclésiastiques ou politiques : *Votre, Son* ***Excellence***. ▫ Fin XIIe s. ; lat. *excellentia* ; [ɛksɛlɑ̃s].

**EXCELLENT, ENTE, adj.**
1. Qui possède toutes les qualités requises ; très bon : *Une* ***excellente*** *idée.* 2. Qui fait preuve de générosité : *Un* ***excellent*** *homme.* ▫ Fin XIIe s. ; lat. *excellens* ; [ɛksɛlɑ̃, ɑ̃t].

**EXCELLENTISSIME, adj.**
1. Parfait (vieilli). 2. Titre donné aux sénateurs de Venise. ▫ Déb. XIVe s. ; ital. *eccellentissimo*, de *eccelente*, « excellent » ; [ɛksɛlɑ̃tisim].

**EXCELLER, verbe intrans. [3]**
Être, se montrer excellent : *Il* ***excelle*** *dans sa profession, en musique, au tir à l'arc.* ▫ 1544 ; lat. *excellere*, « surpasser » ; [ɛksɛle].

**EXCENTRÉ, ÉE, adj.**
Situé loin du centre : *Maison* ***excentrée***. ▫ 1865 ; p. p. de *excentrer* ; [ɛksɑ̃tʀe].

**EXCENTRER, verbe trans. [3]**
1. *Techn.* Déplacer le centre, l'axe de : ***Excentrer*** *une roue.* 2. Ext. Placer loin du centre. ▫ 1865 ; ☞ *centre* + *ex-*[2] ; [ɛksɑ̃tʀe].

**EXCENTRICITÉ, subst. f.**
1. État de ce qui est éloigné d'un centre géométrique : ***Excentricité*** *d'un axe de rotation*, centrage imparfait d'un élément mécanique. ► *Géom.* Soit une conique de foyer F et de directrice D, et soit M un point de la conique dont la projection orthogonale sur D est le point H, alors l'***excentricité*** de la conique est définie par le rapport MF/MH 2. Anal. État de ce qui est éloigné d'un centre d'activité, d'une ville : *L'****excentricité*** *des banlieues.* 3. Fig. Manière d'être, comportement éloigné des usages communs : *L'****excentricité*** *d'une conduite* ; par méton., acte, propos excentrique (souv. au plur.) : *Vos* ***excentricités*** *m'agacent.* ▫ 1562 ; lat. médiév. *excentricitas* ; [ɛksɑ̃tʀisite].

**EXCENTRIQUE, adj. et subst. m.**
ADJ. 1. *Géom.* *Cercles* ***excentriques*** : inclus les uns dans les autres, et de centres différents. 2. Anal. Qui est éloigné du centre : *Un quartier* ***excentrique***. 3. Fig. Qui diffère de l'usage habituel ; insolite, bizarre, original : *Une toilette* ***excentrique*** ; empl. subst., personne **excentrique**. SUBST. 1. *Astron.* Cercle imaginé par les anciens astronomes pour représenter la trajectoire des planètes. 2. *Mécan.* Pièce ou outil dont l'axe de rotation ne correspond pas à son centre géométrique. ▫ 1375 ; lat. médiév. *excentricus* ; [ɛksɑ̃tʀik].

**EXCENTRIQUEMENT, adv.**
De manière excentrique. ▫ Déb. XVIe s. ; ☞ *excentrique* ; [ɛksɑ̃tʀikmɑ̃].

**EXCEPTÉ, ÉE, adj. et prép.**
ADJ. Non inclus, non compris (toujours placé après le substantif) : *Les mineurs* ***exceptés***, *tous ont le droit de vote.* PRÉP. **Excepté.** 1. En excluant, à l'exception de : *Ce médecin reçoit tous les jours,* ***excepté*** *le lundi.* 2. Loc. conj. **Excepté que.** Mis à part que : *Ce tableau me plaît,* ***excepté*** *qu'il est trop cher.* ▫ Déb. XIIIe s. ; p. p. de *excepter* ; [ɛksɛpte].

**EXCEPTER, verbe trans. [3]**
Ne pas inclure dans un ensemble : ***Excepter*** *les récidivistes de l'amnistie* ; ne pas tenir compte de : *Si l'on* ***excepte*** *le début, c'est un bon film.* ▫ Fin XIIe s. ; lat. *exceptare*, « recueillir » ; [ɛksɛpte].

**EXCEPTION, subst. f.**
1. Action d'excepter ; son résultat : *Faire une* ***exception***. ► Méton. Ce qui échappe à la règle ; ce qui est inhabituel : *Un homme d'****exception*** ; *Une* ***exception*** *grammaticale.* ► Loc. *Par* ***exception*** : contrairement à la règle établie. ► Loc. prép. *À l'****exception*** *de* : sauf, hormis. 2. *Dr.* ► Moyen invoqué pour suspendre une procédure sans discuter le principe du droit sur lequel elle repose : ***Exception*** *d'incompétence, d'irrecevabilité.* ► Cas juridique dérogeant à la règle : *Loi d'****exception***, promulguée en raison de circonstances spéciales ; *Tribunal d'****exception***, en dehors du droit commun. ▫ 1243 ; lat. *exceptio*, de *excipere*, « excepter » ; [ɛksɛpsjɔ̃].

**EXCEPTIONNEL, ELLE, adj.**
1. Qui constitue une exception. 2. Ext. Qui n'est pas ordinaire ; remarquable par sa rareté : *Une force* ***exceptionnelle*** ; empl. subst. masc. : *L'****exceptionnel*** *est le quotidien des aventuriers.* 3. *Dr.* Qui ne dépend pas du droit commun. ▫ 1739 ; ☞ *exception* ; [ɛksɛpsjɔnɛl].

**EXCEPTIONNELLEMENT, adv.**
1. Par exception. 2. Ext. De manière extraordinaire. ▫ 1838 ; ☞ *exceptionnel* ; [ɛksɛpsjɔnɛlmɑ̃].

**EXCÈS, subst. m.**
1. Quantité qui dépasse la mesure, la limite ordinaire : ***Excès*** *d'urée* ; ***Excès*** *de zèle.* ► *Avec* ***excès*** : sans mesure ; *Sans* ***excès*** : modérément. ► Loc. *À l'****excès*** : trop. 2. Acte ou parole qui dépasse la mesure admise : *Un* ***excès*** *de vitesse, de langage* ; *Un* ***excès*** *de pouvoir*, acte d'une autorité qui outrepasse ses pouvoirs ; *Un* ***excès*** *de table*, un abus de nourriture et de boisson. 3. Excédent, surplus : ***Excès*** *de l'actif sur le passif* ; *Arrondir par* ***excès***, à l'unité supérieure (anton. *par défaut*). PLUR. Actes de violence, sévices : *Se livrer aux pires* ***excès***. ▫ Fin XIIe s. ; lat. *excessus*, de *excedere*, « dépasser » ; [ɛksɛ].

**EXCESSIF, IVE, adj.**
1. Qui va trop loin, qui dépasse la mesure : *Prix* ***excessif***. 2. Ext. Qui ne peut se tempérer : *Un caractère* ***excessif***. ▫ Déb. XIVe s. ; lat. médiév. *excessivus* ; [ɛksɛsif, iv].

**EXCESSIVEMENT, adv.**
1. Avec excès, trop : *Il parle* ***excessivement***. 2. Extrêmement (empl. abusif) : *Il est* ***excessivement*** *doué.* ▫ 1359 ; ☞ *excessif* ; [ɛksɛsivmɑ̃].

**EXCIPER, verbe trans. indir. [3]**
Exciper de. 1. *Dr.* Tirer exception de (qqch.) : ***Exciper*** *d'un jugement.* 2. Ext. Se servir de (qqch.) pour sa défense (littér.) : ***Exciper*** *de son ignorance.* ▫ 1279 ; lat. *excipere*, « tirer de » ; [ɛksipe].

**EXCIPIENT, subst. m.**
*Pharm.* Diluant inerte (eau, huile, miel, sirop, etc.) des principes actifs d'un médicament. ▫ 1747 ; lat. *excipiens*, de *excipere*, « recevoir » ; [ɛksipjɑ̃].

**EXCISE, subst. f.**
Impôt indirect perçu en Angleterre, aux États-Unis et au Canada sur certains produits, tel l'alcool. ▫ 1650 ; angl. *excise*, d'orig. néerl. ; [ɛksiz].

**EXCISER, verbe trans. [3]**
*Chir.* Ôter à l'aide d'un instrument tranchant : ***Exciser*** *un kyste* ; en partic., pratiquer l'ablation rituelle du clitoris et parfois des petites lèvres sur (une fille) ; empl. adj. : *Une adolescente* ***excisée***. ▫ XVIe s. ; lat. *excisium*, de *excidere* ; [ɛksize].

**EXCISION, subst. f.**
*Chir.* Ablation au moyen d'un instrument tranchant ; en partic., ablation rituelle du clitoris. ▫ 1340 ; lat. *excisio*, « entaille ; destruction » ; [ɛksizjɔ̃].

**EXCITABILITÉ, subst. f.**
1. *Physiol.* Propriété qu'a une structure organique de réagir à une stimulation : ***Excitabilité*** *du système nerveux végétatif.* 2. Ext. Caractère de ce qui est excitable. ▫ 1805 ; ☞ *excitable* ; [ɛksitabilite].

**EXCITABLE, adj.**
1. *Physiol.* Capable de réagir à un stimulus : *Le neurone est* ***excitable***. 2. Enclin à s'exciter. ▫ 1816 (déb. XIVe s., propre à réveiller) ; lat. *excitabilis* ; [ɛksitabl].

**EXCITANT, ANTE, adj.**
1. *Physiol.* Qui a la propriété de stimuler l'activité psychique, physiologique ou motrice ; empl. subst. masc. : *Le café est un* ***excitant***. 2. Qui excite, stimule un sentiment, une sensation ; qui aiguise la curiosité, éveille l'attention, le désir : *Un voyage* ***excitant***. ▫ 1613 ; p. pr. de *exciter* ; [ɛksitɑ̃, ɑ̃t].

**EXCITATEUR, TRICE, adj. et subst.**
Se dit d'une personne qui excite : *Un* ***excitateur*** *de troubles.* SUBST. FÉM. *Électr.* Générateur de courant continu (dynamo) alimentant le circuit inducteur d'un alternateur. SUBST. MASC. *Électr.* Dispositif servant à décharger un condensateur. ▫ Mil. XIVe s. ; bas lat. *excitator* ; [ɛksitatœʀ, tʀis].

**EXCITATION, subst. f.**
1. Action d'exciter ; son résultat : *Ce discours est une* ***excitation*** *à la rébellion.* 2. État d'une personne agitée ; exaltation : *L'****excitation*** *des enfants à Noël.* 3. *Phys.* Passage d'un courant électrique dans le circuit inducteur d'une dynamo. 4. *Phys. quantique.* Processus augmentant l'énergie d'un système microphysique (tel un atome), en y provoquant une transition, et le faisant passer d'un état stationnaire à un autre. 5. *Physiol.* Processus qui déclenche le fonctionnement d'un organe excitable : *L'****excitation*** *de la rétine.* ► ***Excitation sexuelle*** : état provoqué par des stimulus psychiques, sensoriels ou physiologiques. ▫ Fin XVe s. ; bas lat. *excitatio* ; [ɛksitasjɔ̃].

**EXCITÉ, ÉE, adj.**
1. *Physiol.* Qui a réagi à une excitation : *Une fibre nerveuse* ***excitée***. 2. Qui se trouve dans un état d'agitation mentale et physique excessive ; empl. subst. : *Cet* ***excité*** *conduit trop vite !* ; par méton., qui dénote l'excitation : *Un ton* ***excité***. ▫ 1846 ; p. p. de *exciter* ; [ɛksite].

**EXCITER, verbe trans. [3]**
1. Déclencher, provoquer ou aviver (une réaction physique, mentale) : ***Exciter*** *le rire, l'appétit* ; ***Exciter***

*la pitié, la colère.* **2.** Encourager, stimuler : ***Exciter** un cheval, ses troupes.* ▸ **Exciter à.** Pousser, inciter à : ***Exciter** qqn au travail ; **Exciter** une foule à l'émeute.* **3.** Énerver, irriter (qqn) ; en partic., éveiller le désir sexuel de. **4.** Intéresser (fam.) : *Ce dîner ne l'**excite** guère.* **5.** *Phys.* Envoyer un courant d'excitation dans (un moteur, un générateur). **6.** *Physiol.* Faire réagir à une excitation. **Pronom.** S'agiter ; s'énerver, s'irriter. 📖 Déb. XIII^e s. (fin XII^e s., réveiller) ; lat. *excitare,* « réveiller » ; [ɛksite].

**EXCLAMATIF, IVE, adj.**

Qui traduit une exclamation : *Une phrase **exclamative.*** 📖 1747 ; ☞ *exclamation* ; [ɛksklamatif, iv].

**EXCLAMATION, subst. f.**

**1.** Cri traduisant une vive émotion : ***Exclamation** de joie.* **2.** *Ling.* Interjection ou phrase exprimant une émotion. ▸ *Point d'**exclamation*** : signe de ponctuation (!) placé après une interjection ou une phrase exclamative. 📖 Déb. XIII^e s. ; lat. *exclamatio* ; [ɛksklamasjɔ̃].

**EXCLAMER (S'), verbe pronom.** [3]

Pousser des exclamations ; s'écrier : ***S'exclamer** de joie, de surprise ; « Jamais je ne le ferai ! », **s'exclama-t-il**.* 📖 1495 ; lat. *exclamare,* de *clamare,* « crier » ; [ɛksklame].

**EXCLU, UE, adj.**

**1.** Qui a été rejeté d'un groupe, d'un ensemble : *Liste des ouvrages **exclus** des bibliothèques ; Un joueur **exclu** de son équipe* ; empl. subst. : *Les **exclus** de la société, d'un parti, de la croissance économique.* **2.** Qui n'est pas contenu dans l'ensemble cité : *Ils lirent jusqu'à la page 19 **exclue**.* **3.** Qui n'a pas lieu d'être : *Sa venue était tout à fait **exclue**.* 📖 1467 ; p. p. de *exclure* ; [ɛkskly].

**EXCLURE, verbe trans.** [79]

**1.** Chasser, écarter, rejeter : ***Exclure** un élève de l'école.* **2.** Tenir à l'écart, ne pas admettre dans un ensemble : *L'Église catholique **exclut** les femmes de la prêtrise.* **3.** Être incompatible avec : *La faveur des princes n'**exclut** pas le mérite* (La Bruyère). **4.** Loc. *C'est **exclu*** : c'est hors de question. **Impers.** *Il est **exclu**, il n'est pas **exclu** que* : il est hors de question que, il est possible que. 📖 XIII^e s. ; lat. *excludere,* « ne pas admettre » ; [ɛksklyʀ].

**EXCLUSIF, IVE, adj. et subst. f.**

**Adj. 1.** *Dr. canon.* Qui peut déclarer l'exclusion (vieilli) : *Voix **exclusive**.* **2.** Qui n'admet aucun partage : *Un privilège **exclusif**.* **3.** Méton. ▸ *Concessionnaire, agent **exclusif*** : seul habilité à représenter une marque sur un territoire donné. ▸ *Modèle **exclusif*** : fabriqué par une seule entreprise. **4.** Qui est possessif dans ses sentiments ; intransigeant, absolu : *Un amour passionné et **exclusif**.* **Subst. 1.** *Dr. canon.* ▸ Vote permettant au conclave d'éliminer un candidat à l'élection pontificale. ▸ Prérogative, abolie en 1904, dont jouissaient certains souverains catholiques, d'écarter un candidat à cette élection. **2.** Ext. Disposition, mesure prise pour exclure qqn ou qqch. ▸ Loc. *Sans **exclusive*** : en n'écartant rien ni personne. 📖 1453 (XII^e s., exclu) ; lat. médiév. *exclusivus* ; [ɛksklyzif, iv].

**EXCLUSION, subst. f.**

**1.** Action d'exclure, fait d'être exclu ; état qui en résulte : *Vivre dans l'**exclusion**.* **2.** Loc. prép. *À l'**exclusion** de* : à l'exception de. **3.** *Log.* Relation entre deux ensembles, deux concepts qui n'ont aucun élément commun. **4.** *Phys. part.* *Principe d'**exclusion*** : l'un des principes fondamentaux de la physique quantique, qui établit que deux fermions dans un microsystème donné ne peuvent être dans le même état quantique. 📖 Mil. XIV^e s. ; lat. *exclusio* ; [ɛksklyzjɔ̃].

**EXCLUSIVEMENT, adv.**

**1.** Sans compter le dernier terme énoncé d'un ensemble : *De mars à juin **exclusivement**,* jusqu'à mai inclus. **2.** À l'exclusion de tout le reste : *Il choisissait **exclusivement** les voyages organisés.* 📖 1419 ; ☞ *exclusif* ; [ɛksklyzivmɑ̃].

**EXCLUSIVISME, subst. m.**

Propension à exclure (rare). 📖 1835 ; ☞ *exclusif* ; [ɛksklyzivism].

**EXCLUSIVITÉ, subst. f.**

**1.** Nature de ce qui est exclusif, absolu : *Elle souffrait de l'**exclusivité** de cet amour.* **2.** Droit exclusif de diffuser un livre, un film, un produit, etc. ; par méton. : *Une **exclusivité**,* le produit auquel ce droit est attaché. ▸ Loc. En ***exclusivité*** : diffusé par les seuls organismes ou personnes bénéficiant de ce droit. **3.** *Journ.* Information importante donnée par un seul organe de diffusion (synon. déconseillé *scoop*). 📖 Fin XVIII^e s. ; ☞ *exclusif* ; [ɛksklyzivite].

**EXCOMMUNICATION, subst. f.**

**1.** *Dr. canon.* Condamnation religieuse, prononcée par le pape ou un évêque, retranchant de l'Église un de ses membres et lui interdisant la communion. **2.** Anal. Mise au ban d'une communauté. 📖 Fin XII^e s. ; lat. chrét. *excommunicatio* ; [ɛkskɔmynikasjɔ̃].

**EXCOMMUNIER, verbe trans.** [6]

**1.** *Dr. canon.* Frapper (qqn) d'excommunication ; empl. subst. : *S'éloigner des **excommuniés**.* **2.** Anal. Bannir (qqn) d'une communauté. 📖 XII^e s. ; lat. chrét. *excommunicare* ; [ɛkskɔmynje].

**EXCORIATION, subst. f.**

*Pathol.* Égratignure, petite déchirure de la peau. 📖 1377 ; lat. médiév. *excoriatio* ; [ɛkskɔʀjasjɔ̃].

**EXCORIER, verbe trans.** [6]

Écorcher superficiellement (la peau). 📖 Fin XIV^e s. ; bas lat. *excoriare,* du lat. *corium,* « peau » ; [ɛkskɔʀje].

**EXCRÉMENT, subst. m.**

**1.** Vx. Toute matière évacuée par voie naturelle d'un organisme animal ou humain. **2.** Matière fécale (gén. au plur.). **3.** Fig. Individu rejeté : *Va-t'en, chétif insecte, **excrément** de la terre* (La Fontaine). 📖 1534 ; lat. *excrementum* ; [ɛkskʀemɑ̃].

**EXCRÉMENTIEL, ELLE, adj.**

Qui est de la nature des excréments ; qui s'y rapporte. 📖 1561 ; ☞ *excrément* ; [ɛkskʀemɑ̃sjɛl].

**EXCRÉTER, verbe trans.** [8]

*Physiol.* Éliminer par excrétion. 📖 1836 ; ☞ *excrétion* ; [ɛkskʀete].

**EXCRÉTEUR, TRICE, adj.**

*Physiol.* Qui sert à l'excrétion : *Un canal **excréteur**.* 📖 1540 ; ☞ *excrétion* ; [ɛkskʀetœʀ, tʀis].

**EXCRÉTION, subst. f.**

*Physiol.* **1.** Évacuation des produits de l'activité organique (en partic. de la digestion). **2.** Ext. Action par laquelle les substances émises par une glande sont déversées à l'extérieur de l'organisme (sécrétion exocrine) ou dans les liquides organiques (sécrétion endocrine). **Plur.** Méton. Substances rejetées en dehors de l'organisme : *La bile, la sueur, les matières fécales sont des **excrétions**.* 📖 1534 ; bas lat. *excretio,* « action de séparer » ; [ɛkskʀesjɔ̃].

**EXCRÉTOIRE, adj.**

*Physiol.* Relatif à l'excrétion. 📖 1536 ; ☞ *excrétion* ; [ɛkskʀetwaʀ].

**EXCROISSANCE, subst. f.**

**1.** *Pathol.* Tumeur bénigne, proéminence qui apparaît à la surface de la peau, d'une muqueuse, d'une écorce, etc. : *Une petite **excroissance** sur le sein gauche.* **2.** Fig. Prolongement, développement de qqch. 📖 1314 ; bas lat. *excrescentia* ; [ɛkskʀwasɑ̃s].

**EXCURSION, subst. f.**

**1.** Vx. Raid guerrier en territoire ennemi. **2.** Voyage que l'on effectue dans une région pour la découvrir, l'explorer. **3.** *Sc.* Écart maximal par rapport à un point moyen. 📖 Déb. XVI^e s. ; lat. *excursio* ; [ɛkskyʀsjɔ̃].

**EXCUSABLE, adj.**

Que l'on peut excuser. 📖 XIII^e s. ; lat. *excusabilis* ; [ɛkskyzabl].

**EXCUSE, subst. f.**

**1.** Raison invoquée pour se défendre d'une accusation, d'un reproche : *Présenter une **excuse** valable.* **2.** Prétexte présenté pour échapper à un devoir, à une obligation : *Cette fièvre fut une bonne **excuse** pour ne pas travailler.* **3.** *Jeux.* Au tarot, carte qui dispense de jouer la couleur ou l'atout demandé. **Plur.** Formule de civilité traduisant le regret d'une offense, d'une action incorrecte : *Après un tel affront, il exigea des **excuses** ; Se confondre en **excuses**.* 📖 XIV^e s. ; ☞ *excuser* ; [ɛkskyz].

**EXCUSER, verbe trans.** [3]

**1.** Justifier (qqch.) ou tenter de le faire ; par ext., servir d'excuse, de justification à : *La fatigue **excuse** son acte.* **2.** Disculper, ne pas tenir rigueur à (qqn) : ***Excuser** un enfant qui a avoué sa faute* ; considérer (qqch.) avec indulgence : *On **excusa** sa maladresse.* ▸ *Se faire **excuser*** : faire connaître les motifs de son absence. **3.** Pardonner (qqn ou qqch.), dans une formule de politesse : *Veuillez m'**excuser** ; Vous **excuserez** mon absence.* **Pronom. 1.** Invoquer des motifs pour se justifier : *Il **s'était excusé** de son retard* ; exprimer ses regrets (empl. considéré comme impoli) : *Je m'**excuse**.* **2.** Être excusable : *Un tel acte ne s'**excuse** pas.* **3.** *Jeux.* Au tarot, abattre l'excuse. 📖 Déb. XII^e s. ; lat. *excusare* ; [ɛkskyze].

**EXEAT, subst. m. inv.**

**1.** *Dr. canon.* Acte délivré par l'évêque, autorisant un prêtre à remplir sa charge dans un autre diocèse. **2.** Anal. Permission accordée à un instituteur de postuler dans un autre département. **3.** Ext. Autorisation de sortie (vx). 📖 1622 ; lat. *exeat,* « qu'il sorte » ; [ɛgzeat].

**EXÉCRABLE, adj.**

**1.** Vx. Qui fait horreur. **2.** Très mauvais, épouvantable. 📖 Fin XIV^e s. ; lat. *execrabilis* ; [ɛgzekʀabl] ou [ɛkse-].

**EXÉCRATION, subst. f.**

**1.** Vx. Virulente imprécation. **2.** Ext. Détestation farouche, abomination (littér.). 📖 XIII^e s. ; lat. *execratio,* « malédiction » ; [ɛgzekʀasjɔ̃] ou [ɛkse-].

**EXÉCRER, verbe trans.** [8]

**1.** Abhorrer, tenir pour détestable (littér.). **2.** Ext. Éprouver de la répugnance pour. 📖 1495 ; lat. *execrari,* « maudire » ; [ɛgzekʀe] ou [ɛkse-].

**EXÉCUTABLE, adj.**

Susceptible d'être exécuté. 📖 Mil. XV^e s. ; ☞ *exécuter* ; [ɛgzekytabl].

**EXÉCUTANT, ANTE, subst.**

**1.** Personne qui exécute, en partic. ce qui a été décidé par autrui. **2.** *Mus.* Interprète : *Une sonate difficile pour ses **exécutants**.* 📖 XIV^e s. ; p. pr. de *exécuter* ; [ɛgzekytɑ̃, ɑ̃t].

**EXÉCUTER, verbe trans.** [3]

**I. 1.** Accomplir, effectuer : *Il **exécuta** parfaitement sa mission* ; empl. pronom. : *Cela s'**exécute** aisément.* **2.** Réaliser (un ouvrage) : ***Exécuter** un tableau* ; interpréter (une œuvre musicale) : ***Exécuter** un prélude.* **3.** *Dr.* Rendre effectives les dispositions de (une loi, un jugement). ▸ ***Exécuter** un débiteur* : le contraindre à payer son dû, par exécution forcée sur ses biens. **II. 1.** *Dr.* Priver (qqn) de la vie, à la suite d'un jugement : ***Exécuter** un condamné.* **2.** Ext. Assassiner (empl. critiqué). **3.** Fig. Discréditer (qqn). **Pronom.** Se résigner à faire une chose pénible, désagréable ; obéir : *Il s'**exécuta** de mauvaise grâce.* 📖 1351 ; ☞ *exécution* ; [ɛgzekyte].

**EXÉCUTEUR, TRICE, subst.**

Personne qui exécute ; empl. adj. : *Le bras **exécuteur**.* ▸ *Dr.* ***Exécuteur** testamentaire* : chargé par le testateur d'exécuter son testament. ▸ *Just.* ***Exécuteur** des hautes œuvres* : bourreau (vx) ; par ext. : ***Exécuteur** des basses œuvres,* personne chargée des besognes honteuses. 📖 Fin XII^e s. ; lat. *exsecutor* ; [ɛgzekytœʀ, tʀis].

**EXÉCUTIF, IVE, adj.**

**1.** Qui a la charge de mettre en œuvre, d'appliquer les lois, les décisions d'une assemblée délibérante : *Le pouvoir **exécutif*** ou, empl. subst. masc., *L'**exécutif**.* **2.** Qui fait exécuter des décisions : *Le bureau **exécutif** d'un parti.* 📖 XIV^e s. ; ☞ *exécution* ; [ɛgzekytif, iv].

**EXÉCUTION, subst. f.**

**1.** Action d'exécuter, de réaliser qqch. ; mise en œuvre. ▸ Loc. *Mettre à **exécution*** : commencer à faire, à appliquer. **2.** Réalisation, interprétation d'une œuvre : *L'**exécution** d'un concerto, d'un tableau.* **3.** *Dr.* ▸ Réalisation d'un acte, d'un contrat, d'un jugement : ***Exécution** forcée,* application d'un jugement à l'aide de la force publique. ▸ Action d'exécuter qqn : ***Exécution** capitale,* peine de mort sur un ordre de justice ; par ext., mise à mort (empl. critiqué) ; au fig., condamnation totale d'une personne, d'une œuvre. 📖 Mil. XIII^e s. ; lat. *exsecutio,* « accomplissement », de *exsequi,* « suivre jusqu'au bout » ; [ɛgzekysjɔ̃].

**EXÉCUTOIRE, adj.**

*Dr.* Qui doit être mis à exécution : *Une sentence **exécutoire** sans délai ; Formule **exécutoire**,* qui accompagne un jugement et donne à son bénéficiaire le droit et le pouvoir de le faire exécuter par tous les moyens légaux. 📖 1337 ; bas lat. *exsecutorius,* « exécutif » ; [ɛgzekytwaʀ].

**EXÈDRE, subst. f.**

**1.** *Antiq.* Salle où l'on venait s'asseoir pour converser. **2.** *Archit.* Élément d'une basilique chrétienne, constitué d'un banc semi-circulaire adossé à l'abside ; par ext., banc de pierre en demi-cercle, agrémentant un jardin. 📖 1547 ; lat. *exedra,* du gr. *exedra* ; [ɛgzɛdʀ].

**EXÉGÈSE, subst. f.**

**1.** *Relig.* Analyse philologique d'un texte sacré, notamment biblique. **2.** Ext. Commentaire d'un texte, d'une pensée : *Ce chercheur consacra sa vie à l'exégèse de l'œuvre de Bossuet.* 1705 ; gr. *exêgêsis*, « récit, explication » ; [ɛgzeʒɛz].

**EXÉGÈTE, subst.**
Personne qui se livre à l'exégèse. 1732 ; gr. *exêgêtês*, « qui interprète les oracles » ; [ɛgzeʒɛt].

**EXÉGÉTIQUE, adj.**
Qui relève de l'exégèse. 1694 ; gr. *exêgêtikos*, « qui explique en détail » ; [ɛgzeʒetik].

**EXEMPLAIRE (I), subst. m.**
**1.** Modèle, exemple à suivre (vx). **2.** Chacun des objets reproduits d'après un modèle (gén. un livre) : *Un **exemplaire** numéroté et dédicacé.* **3.** *Bot.* et *Zool.* Individu type d'une espèce ; spécimen. 1170 (1119, récit) ; bas lat. *exemplarium*, « copie exemplaire ; original » ; [ɛgzɑ̃plɛʀ].

**EXEMPLAIRE (II), adj.**
**1.** Que l'on peut considérer comme un modèle : *La vie **exemplaire** du curé d'Ars.* **2.** Qui doit servir d'avertissement ou de leçon : *Un châtiment **exemplaire**.* XIIIe s. ; lat. *exemplaris* ; [ɛgzɑ̃plɛʀ].

**EXEMPLAIREMENT, adv.**
De manière exemplaire. Fin XVe s. ; ☞ *exemplaire* (II) ; [ɛgzɑ̃plɛʀmɑ̃].

**EXEMPLARITÉ, subst. f.**
Caractère de ce qui est exemplaire : *Débattre de l'**exemplarité** de la peine de mort.* Mil. XIVe s. ; ☞ *exemplaire* (II) ; [ɛgzɑ̃plaʀite].

**EXEMPLATIF, IVE, adj.**
Belg. Qui illustre, sert d'exemple : ***Valeur exemplative.*** ► Loc. *À titre **exemplatif*** : à titre d'exemple. Déb. XXe s. ; ☞ *exemple* ; [ɛgzɑ̃platif, iv].

**EXEMPLE, subst. m.**
**1.** Ce qui sert à éclairer, à préciser un concept ou à illustrer un propos, un texte : *La Forêt-Noire est un **exemple** de relief hercynien* ; *Un **exemple** de l'emploi absolu d'un verbe.* ► Loc. *Par **exemple*** : pour illustrer ce qui vient d'être dit ; *Ça, par **exemple** !* : marquant l'étonnement (fam.). **2.** Personne, action que l'on peut prendre comme modèle. ► Loc. *Donner l'**exemple*** : montrer ce qui doit être fait (fam.) ; *À l'**exemple** de* : en suivant la conduite de. **3.** Ce qui peut servir de leçon ou d'avertissement : *Punir pour l'**exemple**.* ► Loc. *Faire un **exemple*** : adopter une mesure sévère pour frapper les esprits. 1119 ; lat. *exemplum*, « modèle original » ; [ɛgzɑ̃pl].

**EXEMPLIFIER, verbe trans.** [6]
Illustrer par des exemples : ***Exemplifier** une abstraction.* 1365 ; ☞ *exemple* ; [ɛgzɑ̃plifje].

**EXEMPT, EXEMPTE, adj. et subst. m.**
Adj. Exempt de. **1.** Dispensé de (une charge, une obligation) : *Des revenus **exempts** d'impôts.* **2.** Préservé, à l'abri de (un mal) : *Une vie **exempte** de soucis* ; dépourvu de : *Une dictée **exempte** de fautes.* Subst. **1.** Sous-officier de cavalerie qui, en l'absence du lieutenant, prenait le commandement. **2.** *Dr. canon.* Bénéficiaire d'une exemption. 1260 ; lat. *exemptus*, de *eximere*, « retirer » ; [ɛgzɑ̃, ɛgzɑ̃t].

**EXEMPTER, verbe trans.** [3]
**1.** Rendre exempt, dispenser d'une obligation, d'une charge : ***Exempter** qqn du service militaire.* **2.** Fig. Préserver : *Cette rente l'**exemptera** de tout souci financier.* Pronom. Se dispenser : *Je ne pus m'**exempter** de cette démarche difficile.* 1320 ; ☞ *exempt* ; [ɛgzɑ̃(p)te].

**EXEMPTION, subst. f.**
**1.** Dispense d'une charge, d'une obligation : ***Exemption** de taxes.* **2.** *Dr. canon.* Privilège soustrayant un religieux, un ordre à l'autorité épiscopale pour le faire relever directement de Rome. 1330 ; lat. *exemptio*, « action d'ôter » ; [ɛgzɑ̃psjɔ̃].

**EXEQUATUR, subst. m. inv.**
*Dr.* **1.** Procédure par laquelle une sentence arbitrale ou un jugement rendu à l'étranger obtient force exécutoire sur le territoire français. **2.** Autorisation donnée par un gouvernement à un consul étranger d'exercer ses fonctions. 1752 ; lat. *exequatur*, « qu'il exécute » ; [ɛgzekwatyʀ].

**EXERCÉ, ÉE, adj.**
Que l'exercice ou la pratique a rendu habile, compétent : *Le palais **exercé** du gourmet.* 1690 ; p. p. de *exercer* ; [ɛgzɛʀse].

**EXERCER, verbe trans.** [4]
**1.** Développer, entretenir par un entraînement méthodique ; former : ***Exercer** sa mémoire* ; ***Exercer** un coq au combat.* **2.** Faire usage de ; faire éprouver : ***Exercer** un droit, un pouvoir, une influence.* ► Faire subir : *Le sang **exerce** une pression sur la paroi des artères.* **3.** Pratiquer (une activité, une profession) : ***Exercer** la médecine* ; empl. abs. : *Avocat qui n'**exerce** plus.* Pronom. **1.** S'entraîner : *S'**exercer** au tir.* **2.** Agir (sur, contre qqn ou qqch.) : *Sa méchanceté s'**exerce** surtout contre les faibles.* Déb. XIIe s. ; lat. *exercere*, « mettre en mouvement » ; [ɛgzɛʀse].

**EXERCICE, subst. m.**
**I. 1.** Activité visant à développer ou à entretenir des aptitudes physiques, intellectuelles ou morales : *Des **exercices** d'assouplissement* ; *« **Exercices** spirituels », œuvre d'Ignace de Loyola.* ► Abs. Activité physique, sportive : *Un peu d'**exercice** vous fera du bien.* **2.** Travail scolaire mettant en pratique des connaissances théoriques : ***Exercices** de grammaire.* **3.** *Milit.* Entraînement des soldats aux manœuvres sur le terrain et au maniement des armes. **II. 1.** Fait d'exercer un droit, une fonction, un métier : *L'**exercice** du pouvoir* ; *L'**exercice** de la médecine.* ► Loc. *En **exercice*** : en activité, en fonction. **2.** *Comptab.* Période comprise entre deux inventaires, deux bilans. Déb. XIIIe s. ; lat. *exercitium* ; [ɛgzɛʀsis].

**EXERCISEUR, subst. m.**
Appareil de gymnastique destiné à développer la musculature des bras. 1901 ; angl. *exerciser*, de *to exercise*, « s'exercer » ; [ɛgzɛʀsizœʀ].

**EXÉRÈSE, subst. f.**
*Chir.* Ablation d'un corps étranger, d'une tumeur, d'un organe. 1617 ; gr. *exairesis*, « extraction » ; [ɛgzeʀɛz].

**EXERGUE, subst. m.**
**1.** *Numism.* Partie inférieure d'une médaille où l'on grave une date, une devise, un nom ; par méton., inscription qui figure dans cet espace : *L'**exergue** de ce florin est presque effacé.* ► Loc. *Mettre en **exergue*** : faire ressortir, faire valoir. **2.** Fig. Citation, formule placée en tête d'ouvrage (synon. abusif d'*épigraphe*). 1636 ; lat. mod. *exergum*, du gr. *ex*, « hors de », et *ergon*, « travail, œuvre » ; [ɛgzɛʀg].

**EXFILTRER, verbe trans.** [3]
Rapatrier (un agent secret) au terme de sa mission. V. 1980 ; angl. *to exfiltrate*, « s'esquiver d'un lieu hostile » ; [ɛksfiltʀe].

**EXFOLIANT, ANTE, adj.**
Qui exfolie, desquame : *Une pommade **exfoliante**.* V. 1960 ; p. pr. de *exfolier* ; [ɛksfɔljɑ̃, ɑ̃t].

**EXFOLIATION, subst. f.**
**1.** Action d'exfolier, fait de s'exfolier ; son résultat. **2.** *Méd.* Élimination des parties superficielles d'un tissu (épiderme, os, tendon) qui se détachent sous forme de lamelles. 1478 ; bas lat. *exfoliare*, « effeuiller » ; [ɛksfɔljasjɔ̃].

**EXFOLIER, verbe trans.** [6]
Détacher par lamelles : ***Exfolier** un arbre, un revêtement mural* ; empl. pronom. : *Des ongles qui s'**exfolient**.* 1560 ; bas lat. *exfoliare* ; [ɛksfɔlje].

**EXHALAISON, subst. f.**
Odeur, gaz qui s'exhale d'un corps, d'un lieu. 1561 ; ☞ *exhaler* ; [ɛgzalɛzɔ̃].

**EXHALATION, subst. f.**
*Physiol.* Élimination de l'air chargé de vapeurs lors de l'expiration. 1361 ; lat. *exhalatio* ; [ɛgzalasjɔ̃].

**EXHALER, verbe trans.** [3]
**1.** Dégager (une odeur, un gaz) : *Le marais **exhalait** ses miasmes* ; au fig. : *Cette affaire **exhale** un relent de scandale* ; empl. pronom. : *Le parfum qui s'**exhale** d'une fleur.* **2.** Anal. Émettre (un son) : ***Exhaler** des plaintes* ; ***Exhaler** le dernier soupir*, mourir. ► Fig. Exprimer (un sentiment) : ***Exhaler** sa rage.* Mil. XIVe s. ; lat. *exhalare* ; [ɛgzale].

**EXHAURE, subst. f.**
*Techn.* Pompage des eaux d'infiltration dans une mine, un terrain, etc. 1872 ; lat. *exhaurire*, « épuiser » ; [ɛgzɔʀ].

**EXHAUSSEMENT, subst. m.**
Action d'exhausser ; son résultat. Mil. XVIe s. (1165, glorification) ; ☞ *exhausser* ; [ɛgzosmɑ̃].

**EXHAUSSER, verbe trans.** [3]
Rendre plus haut, surélever : ***Exhausser** un mur.* Mil. XIVe s. (1119, ennoblir) ; ☞ *hausser* + *ex-*[1] ; [ɛgzose].

**EXHAUSTEUR, subst. m.**
**1.** *Techn.* Appareil permettant de conduire un fluide d'un réservoir à un autre placé plus haut. **2.** *Alim.* ***Exhausteur** de goût* : produit destiné à renforcer la saveur d'un aliment. 1873 ; lat. *exhaustum*, de *exhaurire*, « épuiser » ; [ɛgzostœʀ].

**EXHAUSTIF, IVE, adj.**
Qui traite un sujet à fond, sans rien omettre ; complet : *Une énumération **exhaustive**.* 1818 ; angl. *exhaustive*, de *to exhaust*, « épuiser » ; [ɛgzostif, iv].

**EXHAUSTION, subst. f.**
**1.** *Log.* Méthode de démonstration qui consiste à examiner tous les cas possibles, toutes les hypothèses touchant une question. **2.** *Math.* *Calcul par **exhaustion*** : par approximations successives. 1740 ; bas lat. *exhaustio*, « épuisement » ; [ɛgzostjɔ̃].

**EXHAUSTIVITÉ, subst. f.**
Caractère de ce qui est exhaustif : *L'**exhaustivité** d'une liste.* V. 1970 ; ☞ *exhaustif* ; [ɛgzostivite].

**EXHÉRÉDATION, subst. f.**
*Dr. anc.* Action d'exhéréder, de déshériter ; son résultat. 1437 ; lat. *exheredatio* ; [ɛgzeʀedasjɔ̃].

**EXHÉRÉDER, verbe trans.** [8]
*Dr. anc.* Déshériter (qqn), l'exclure d'une succession à laquelle il pourrait légalement prétendre. Fin XIVe s. ; lat. *exheredare*, de *heres*, « héritier » ; [ɛgzeʀede].

**EXHIBER, verbe trans.** [3]
**1.** *Dr.* Produire, présenter (un document) à la requête d'une autorité. **2.** Exposer à la vue du public : ***Exhiber** des chiens savants.* **3.** Montrer sans pudeur, avec ostentation : ***Exhiber** ses blessures* ; empl. pronom. : *S'**exhiber** dans une tenue légère.* XIIIe s. ; lat. *exhibere* ; [ɛgzibe].

**EXHIBITION, subst. f.**
**1.** *Dr.* Présentation d'un document officiel à la requête d'une autorité. **2.** Présentation au public : ***Exhibition** de fauves.* **3.** Action de montrer avec ostentation, sans pudeur : *Faire **exhibition** de ses sentiments.* Déb. XIIIe s. ; lat. *exhibitio* ; [ɛgzibisjɔ̃].

**EXHIBITIONNISME, subst. m.**
**1.** *Psychol.* Impulsion perverse conduisant certaines personnes à exhiber leurs organes génitaux. **2.** Fig. Fait d'exposer sans retenue ses sentiments, sa vie privée. 1866 ; ☞ *exhibition* ; [ɛgzibisjɔnism].

**EXHIBITIONNISTE, subst. et adj.**
Se dit d'une personne qui se livre à l'exhibitionnisme, qui y est encline. Adj. Qui dénote l'exhibitionnisme : *Tendances **exhibitionnistes**.* 1880 ; ☞ *exhibition* ; [ɛgzibisjɔnist].

**EXHORTATION, subst. f.**
**1.** Discours visant à inciter qqn à faire qqch. ; au fig. : *Le silence est une **exhortation** à la prière.* **2.** *Relig.* Prédication invitant à la dévotion. Déb. XIIIe s. ; lat. *exhortatio*, « encouragement » ; [ɛgzɔʀtasjɔ̃].

**EXHORTER, verbe trans.** [3]
**1.** Tenter par des discours d'amener (qqn) à un sentiment ou à faire qqch. : *Les Évangiles nous **exhortent** à espérer le salut.* **2.** Encourager : ***Exhorter** les soldats avant l'assaut.* **3.** Fig. Inciter : *Je vous **exhorte** à la patience.* Déb. XIIIe s. ; lat. *exhortari*, « encourager » ; [ɛgzɔʀte].

**EXHUMATION, subst. f.**
Action d'exhumer ; son résultat : ***Exhumation** d'un corps, d'un trésor.* 1690 ; ☞ *exhumer* ; [ɛgzymasjɔ̃].

**EXHUMER, verbe trans.** [3]
**1.** Retirer (un cadavre) de sa sépulture. **2.** Anal. Déterrer. **3.** Fig. Faire sortir de l'oubli : ***Exhumer** un auteur grec.* Déb. XVIIe s. ; lat. médiév. *exhumare*, du lat. *ex*, « hors de », et *humus*, « terre » ; [ɛgzyme].

**EXIGEANT, ANTE, adj.**
Qui exige beaucoup : *Un professeur **exigeant** avec ses élèves.* 1762 ; p. pr. de *exiger* ; [ɛgziʒɑ̃, ɑ̃t].

**EXIGENCE, subst. f.**
**1.** Ce que les circonstances requièrent (vieilli). **2.** Ce qui est nécessaire à la satisfaction des aspirations, des besoins humains : *Les **exigences** du cœur.* **3.** Caractère d'une personne exigeante envers elle-même ou autrui : ***Exigence** morale.* Plur. **1.** Contraintes ; discipline : *Les **exigences** du métier.* **2.** Ce que qqn réclame à autrui, attend de lui : *Les **exigences** de la clientèle* ; en partic., prétentions financières. Fin XIVe s. ; bas lat. *exigentia* ; [ɛgziʒɑ̃s].

**EXIGER, verbe trans.** [5]
**1.** Réclamer avec autorité (un dû ou ce que l'on considère comme tel). **2.** Nécessiter, imposer : *La politesse **exige** que vous le saluiez.* 1357 ; lat. *exigere*, « pousser dehors » ; [ɛgziʒe].

**EXIGIBILITÉ, subst. f.**
Caractère de ce qui est exigible : *L'**exigibilité** des traites à payer.* 1783 ; ☞ *exigible* ; [ɛgziʒibilite].

**EXIGIBLE, adj.**
Que l'on est en droit d'exiger : *Dette **exigible**.* 1603 ; ☞ *exiger* ; [ɛgziʒibl].

**EXIGU, UË, adj.**
Qui est de dimensions réduites, insuffisantes : *Un couloir **exigu**.* 1495 ; lat. *exiguus* ; [ɛgzigy].

**EXIGUÏTÉ, subst. f.**
Caractère de ce qui est exigu : *L'**exiguïté** d'un logement.* 1495 ; lat. *exiguitas* ; [ɛgzigyite].

**EXIL, subst. m.**
**1.** Peine qui condamne qqn à quitter son pays ; situation de la personne ainsi condamnée : *J'accepte l'âpre **exil**, n'eût-il ni fin ni terme* (Hugo) ; *Être en **exil**.* **2.** Éloignement du lieu où l'on vit habituellement, où l'on aime vivre. **3.** Méton. Lieu où l'on est exilé : *Changer d'**exil**.* Fin XIe s. ; anc. fr. *essil*, du lat. *exsilium* ; [ɛgzil].

**EXILÉ, ÉE, adj. et subst.**
Se dit de qqn qui vit loin de son pays, par choix ou contraint. Déb. XIIe s. ; p. p. de *exiler* ; [ɛgzile].

**EXILER, verbe trans.** [3]
**1.** Condamner à l'exil : *Auguste **exila** Ovide à Tomes.* **2.** Ext. Éloigner (qqn) d'un lieu : *Son entreprise l'a **exilé** en province.* PRONOM. **1.** S'expatrier volontairement. **2.** Se retirer dans un lieu écarté : *S'**exiler** à la campagne.* Déb. XIIe s. ; ☞ *exil* ; [ɛgzile].

**EXINSCRIT, ITE, adj.**
*Géom. Cercle **exinscrit** dans le secteur angulaire (AB, AC) d'un triangle ABC* : cercle tangent aux trois droites (AB), (BC), (AC), de centre extérieur au triangle. Ce centre est le point de concours de la bissectrice intérieure en A, et des bissectrices extérieures en B et C. 1877 ; ☞ *inscrit* + *ex-*2 ; [ɛgzɛ̃skʀi, it].

**EXISTANT, ANTE, adj. et subst. m.**
ADJ. **1.** Qui existe actuellement : *Stock **existant***, disponible, présent. **2.** Qui est en vigueur : *Les lois **existantes**.* SUBST. *Philos.* L'homme en tant qu'il est conscient de son existence, qu'il est sujet du Dasein. 1690 ; p. pr. de *exister* ; [ɛgzistɑ̃, ɑ̃t].

**EXISTENCE, subst. f.**
**I. 1.** Fait d'exister, d'être : *Les preuves de l'**existence** de Dieu* ; *Les plantes n'ont pas conscience de leur **existence**.* ▸ *Philos.* Réalité unique et contingente de l'homme, par oppos. à son essence ; Dasein. **2.** Fait d'avoir une réalité, une présence observable : *L'**existence** de la planète Pluton fut découverte en 1930* ; *Le prisonnier en vint à oublier l'**existence** de ses gardiens* ; *L'**existence** des lois est une garantie pour l'individu.* **II. 1.** La vie, dans sa durée et son contenu : *Mon **existence** est une campagne triste où il pleut toujours* (Léon Bloy). ▸ Durée de qqch. : *Les États-Unis ont plus de deux siècles d'**existence**.* **2.** Mode de vie : *Une **existence** studieuse.* 1330 ; bas lat. *existentia* ; [ɛgzistɑ̃s].

**EXISTENTIALISME, subst. m.**
*Philos.* Doctrine théorisée par Jean-Paul Sartre. ▸ ***Existentialisme** chrétien* : doctrine de Gabriel Marcel. 1944 ; ☞ *existentiel* ; [ɛgzistɑ̃sjalism].

PHILOSOPHIE – Si l'existentialisme prend sa source dans la pensée de « philosophes de l'existence » tels que Kierkegaard, Jaspers puis Heidegger, il s'agit, à proprement parler, d'une conception théorisée par Sartre et qui fit école chez Merleau-Ponty et d'autres auteurs. Largement médiatisé à partir de la thèse selon laquelle « l'existence précède l'essence », l'existentialisme, affirmation métaphysique de la liberté humaine, met entre les mains de l'être humain la responsabilité totale de son existence.

**EXISTENTIALISTE, adj.**
**1.** *Philos.* Relatif à l'existentialisme ; empl. subst., partisan de l'existentialisme. **2.** Qualifie, un courant de pensée et une mode se réclamant au lendemain de la Seconde Guerre mondiale, de l'existentialisme : *Caveaux **existentialistes** de Saint-Germain-des-Prés.* 1944 ; ☞ *existentiel* ; [ɛgzistɑ̃sjalist].

**EXISTENTIEL, ELLE, adj.**
*Philos.* Relatif à l'existence : *Angoisse **existentielle**.* 1907 ; bas lat. *existentialis* ; [ɛgzistɑ̃sjɛl].

**EXISTER, verbe intrans.** [3]
**1.** Avoir une réalité objective : *Le Père Noël **existe**-t-il ?* **2.** Avoir une réalité en un lieu ou en un temps donné : *Ce modèle n'**existe** plus* ; empl. impers. : *Il n'**existe** pas de remède à cette maladie.* **3.** Vivre, être en vie : *Cesser d'**exister***, être mort. **4.** Avoir de l'importance : *L'argent n'**existe** pas pour lui.* XVe s. ; lat. *existere*, « sortir de, se manifester » ; [ɛgziste].

**EXIT, mot inv.**
*Théâtre.* Indication scénique signifiant la sortie de scène d'un acteur : ***Exit** la soubrette.* ▸ Ext. *Aux premières difficultés, **exit** la volonté de changer* : elle disparaît (fam. et iron.). 1832 ; lat. *exit*, « il sort » ; [ɛgzit].

**EX-LIBRIS, subst. m.**
**1.** Inscription portée à l'intérieur d'un livre, qui en indique le propriétaire. **2.** Méton. Vignette qu'un bibliophile colle en tête de ses ouvrages et où figurent son nom, sa devise, etc. 1840 ; lat. *ex libris*, « d'entre les livres (de) » ; [ɛkslibʀis].

**EX NIHILO, loc. adv.**
À partir de rien ; empl. adj. inv. : *Création **ex nihilo**.* Lat. *ex nihilo*, « de rien » ; [ɛksniilo].

**EXOBIOLOGIE, subst. f.**
Science qui étudie les possibilités de vie extraterrestre. V. 1960 ; ☞ *biologie* + *exo-* ; [ɛgzobjɔlɔʒi].

**EXOCET, subst. m.**
*Zool.* Poisson volant de la famille des Exocétidés. Ces poissons des mers chaudes accomplissent hors de l'eau des vols planés de 100 à 200 m, grâce à leurs grandes nageoires pectorales ; l'espèce *Exocetus volitans* est commune en Méditerranée. 1558 ; lat. *exocoetus*, du gr. *exôkoitos*, « qui sort de sa demeure » ; [ɛgzɔsɛ].

© N. Wu-Jacana

*Exocet.*

**EXOCRINE, adj.**
*Physiol. Glande **exocrine*** : qui déverse le produit de ses sécrétions à l'extérieur de l'organisme ou dans une cavité de l'organisme en communication avec l'extérieur (anton. *endocrine*). 1906 ; gr. *krinein*, « sécréter », + *exo-* ; [ɛgzokʀin].

**EXODE, subst. m.**
**1.** *Antiq.* et *Relig.* *L'**Exode*** : la sortie d'Égypte des Hébreux sous la conduite de Moïse et, par méton., le livre de la Bible qui rapporte cet évènement. **2.** Ext. Émigration, départ massif d'une population. ▸ *L'**exode*** : fuite des populations belge et française devant l'avancée allemande, en mai et juin 1940. ▸ *L'**exode** rural* : départ massif de la population des campagnes vers les villes. **3.** Anal. ***Exode** des capitaux* : leur déplacement vers l'étranger. Fin XIIIe s. ; lat. chrét. *exodus*, du gr. *exodos*, « sortie » ; [ɛgzɔd].

**EXOGAME, adj.**
Qui pratique l'exogamie (anton. *endogame*) : *Peuple **exogame**.* 1874 ; formé de *exo-* et de *-game* ; [ɛgzɔgam].

**EXOGAMIE, subst. f.**
*Anthropol.* Obligation, pour un individu, de choisir son ou ses conjoints en dehors du groupe auquel il appartient (anton. *endogamie*). 1874 ; formé de *exo-* et de *-gamie* ; [ɛgzɔgami].

**EXOGAMIQUE, adj.**
Relatif à l'exogamie : *Union **exogamique**.* 1893 ; ☞ *exogamie* ; [ɛgzɔgamik].

**EXOGÈNE, adj.**
**1.** Dont l'origine n'est pas interne, qui provient de l'extérieur (anton. *endogène*). **2.** *Biol.* Qui se développe hors du corps ou d'un organe : *Kyste **exogène**.* **3.** *Géol. Roche **exogène*** : qui se forme à la surface du globe. 1813 ; formé de *exo-* et de *-gène* ; [ɛgzɔʒɛn].

**EXONDATION, subst. f.**
*Géogr.* Émersion d'une terre, d'une région, après une régression ou une inondation. 1870 (1560, débordement) ; lat. *exundatio* ; [ɛgzɔ̃dasjɔ̃].

**EXONDER (S'), verbe pronom.** [3]
*Géogr.* Émerger, en parlant d'un lieu inondé. 1870 ; ☞ *onde* + *ex-*1 ; [ɛgzɔ̃de].

**EXONÉRATION, subst. f.**
Action d'exonérer ; son résultat : ***Exonération** fiscale.* 1845 ; bas lat. *exoneratio* ; [ɛgzɔneʀasjɔ̃].

**EXONÉRER, verbe trans.** [8]
Libérer d'une charge, d'une obligation financière : ***Exonérer** qqn de l'impôt* ; ***Exonérer** une marchandise*, ne pas la soumettre aux droits de douane. 1680 ; lat. *exonerare*, « décharger » ; [ɛgzɔneʀe].

**EXOPHTALMIE, subst. f.**
*Pathol.* Saillie du globe oculaire hors de l'orbite. 1741 ; gr. *exophthalmos*, de *ex*, « hors », et de *ophtalmos*, « œil » ; [ɛgzɔftalmi].

**EXOPHTALMIQUE, adj.**
*Pathol.* Relatif à l'exophtalmie ; qui s'en accompagne. 1836 ; ☞ *exophtalmie* ; [ɛgzɔftalmik].

**EXORBITANT, ANTE, adj.**
**1.** Qui dépasse la mesure, qui est exagéré : *Des frais **exorbitants**.* **2.** *Dr.* Qui sort de, qui déroge à : *Clause **exorbitante** du droit commun.* 1459 ; bas lat. *exorbitans*, de *exorbitare*, « dévier » ; [ɛgzɔʀbitɑ̃, ɑ̃t].

**EXORBITÉ, ÉE, adj.**
*Yeux **exorbités*** : qui sortent de leur orbite ou, par ext., qui semblent en sortir. 1887 ; ☞ *orbite* + *ex-*2 ; [ɛgzɔʀbite].

**EXORCISATION, subst. f.**
Action d'exorciser. 1374 ; lat. chrét. *exorcizatio* ; [ɛgzɔʀsizasjɔ̃].

**EXORCISER, verbe trans.** [3]
**1.** Chasser (un démon) du corps d'un possédé par des formules ou des gestes rituels ; par méton., délivrer du démon (un possédé, un lieu). **2.** Fig. Se délivrer de (un sentiment, une obsession) : ***Exorciser** sa peur.* 1374 ; lat. chrét. *exorcizare*, du gr. *exorkizein*, « chasser » ; [ɛgzɔʀsize].

**EXORCISME, subst. m.**
**1.** *Relig.* Sacramental de l'Église destiné à chasser les démons ; par ext., rite magique pratiqué dans le même but. **2.** Fig. Ce qui délivre d'une angoisse, d'une douleur morale. Mil. XIIIe s. ; lat. chrét. *exorcismus*, du gr. *exorkismos* ; [ɛgzɔʀsism].

**EXORCISTE, subst.**
**1.** Personne qui exorcise (synon. vieilli *exorciseur*). **2.** *Relig.* ▸ Clerc chargé par un évêque d'exorciser. ▸ Vieilli. Clerc ayant reçu le troisième ordre mineur (l'exorcistat, supprimé en 1972). Déb. XIIIe s. ; lat. chrét. *exorcista*, du gr. *exorkistês* ; [ɛgzɔʀsist].

**EXORDE, subst. m.**
**1.** *Rhét.* Première partie d'un discours. **2.** Ext. Introduction d'une œuvre littéraire ou musicale. 1488 ; lat. *exordium*, « commencement » ; [ɛgzɔʀd].

**EXORÉIQUE, adj.**
*Géogr.* Se dit d'une région dont les eaux courantes rejoignent la mer (anton. *endoréique*). Mil. XXe s. ; gr. *rhein*, « couler », + *exo-* ; [ɛgzɔʀeik].

**EXORÉISME, subst. m.**
Caractère d'une région exoréique (anton. *endoréisme*). 1926 ; gr. *rhein*, « couler », + *exo-* ; [ɛgzɔʀeism].

**EXOSPHÈRE, subst. f.**
*Astron.* Zone la plus élevée de l'atmosphère (à plus de 1 000 km), dans laquelle les molécules les plus légères tendent à s'échapper vers l'espace intersidéral. 1951 ; ☞ *atmosphère* + *exo-* ; [ɛgzɔsfɛʀ].

**EXOSQUELETTE, subst. m.**
*Zool.* Structure externe et dure de certains animaux, telle la carapace d'arthropode ou la coquille de mollusque. 1903 ; ☞ *squelette* + *exo-* ; [ɛgzɔskəlɛt].

**EXOSTOSE, subst. f.**
*Pathol.* Tumeur osseuse qui se développe à la surface d'un os. 1575 ; gr. *exostôsis* ; [ɛgzɔstoz].

**EXOTÉRIQUE, adj.**
Qui peut être divulgué, dispensé publiquement, en parlant d'un enseignement philosophique ou religieux (anton. *ésotérique*). 1568 ; lat. *exotericus*, du gr. *exôterikos* ; [ɛgzɔteʀik].

**EXOTHERMIQUE, adj.**
*Chim.* Qui dégage de la chaleur, en parlant d'une réaction (anton. *endothermique*). 1879 ; ☞ *thermique* + *exo-* ; [ɛgzɔtɛʀmik].

**EXOTIQUE, adj.**
Qui appartient à des pays étrangers, gén. lointains, tropicaux ou équatoriaux ; qui en provient : *Bois, épices, nourritures **exotiques**.* 1552 ; lat. *exoticus*, du gr. *exôtikos*, « étranger » ; [ɛgzɔtik].

**EXOTISME, subst. m.**
**1.** Caractère de ce qui est exotique : *L'**exotisme** d'une musique.* **2.** Goût, attirance pour ce qui est exotique : *L'**exotisme** dans l'art.* 1860 ; ☞ *exotique* ; [ɛgzɔtism].

**EXOTOXINE, subst. f.**
*Bactériol.* Toxine bactérienne qui diffuse dans le milieu ambiant. 1905 ; ☞ *toxine* + *exo-* ; [ɛgzotɔksin].

**EXPANSÉ, ÉE, adj.**
*Techn.* Qualifie un matériau ayant subi une expansion et possédant de ce fait une structure cellulaire qui comporte de nombreux vides : *Polystyrène **expansé**.* V. 1960 ; ☞ *expansion* ; [ɛkspɑ̃se].

**EXPANSIBILITÉ, subst. f.**
*Phys.* et *Chim.* Capacité d'expansion de certains corps : *L'**expansibilité** de la vapeur.* 1756 ; ☞ *expansible* ; [ɛkspɑ̃sibilite].

**EXPANSIBLE, adj.**
*Phys.* et *Chim.* Qui est susceptible d'expansion. 1756 ; ☞ *expansion* ; [ɛkspɑ̃sibl].

**EXPANSIF, IVE, adj.**
**1.** *Phys.* et *Chim.* Qui tend à dilater ou à se dilater : *Gaz **expansif** ; Ciment **expansif**,* qui augmente de volume en se durcissant. **2.** Fig. Qui manifeste volontiers ses sentiments : *Être d'un naturel **expansif**.* 1721 ; ☞ *expansion* ; [ɛkspɑ̃sif, iv].

**EXPANSION, subst. f.**
**1.** *Phys.* et *Chim.* Augmentation d'un corps en volume ou en surface : *L'**expansion** de l'air.* **2.** Mouvement de ce qui s'étend, s'agrandit, augmente en importance : ***Expansion** coloniale ; **Expansion** démographique ; **Expansion** économique,* phase de croissance ; au fig., propagation : *L'**expansion** du marxisme au XXe siècle.* **3.** Épanchement des sentiments, des pensées : *Il s'est confié dans un moment d'**expansion**.* **4.** *Spéc.* ▸ *Astron.* ***Expansion** de l'Univers* : théorie selon laquelle les différentes galaxies de l'Univers s'écarteraient les unes des autres. ▸ *Biol.* Croissance, extension. 1584 ; bas lat. *expansio* ; [ɛkspɑ̃sjɔ̃].

**EXPANSIONNISME, subst. m.**
**1.** Attitude politique visant à l'expansion territoriale ou économique d'un pays au-delà de ses frontières. **2.** Régime économique où la croissance est favorisée par l'État. 1922 ; ☞ *expansion* ; [ɛkspɑ̃sjɔnism].

**EXPANSIONNISTE, adj. et subst.**
Se dit d'un partisan de l'expansionnisme. **Adj.** Relatif ou favorable à l'expansionnisme : *Les visées **expansionnistes** de l'Europe au XIXe siècle.* 1920 ; ☞ *expansion* ; [ɛkspɑ̃sjɔnist].

**EXPANSIVITÉ, subst. f.**
Caractère d'une personne expansive. 1875 ; ☞ *expansif* ; [ɛkspɑ̃sivite].

**EXPATRIATION, subst. f.**
Action d'expatrier, fait de s'expatrier ; son résultat. 1395 ; ☞ *expatrier* ; [ɛkspatʀijasjɔ̃].

**EXPATRIÉ, ÉE, adj. et subst.**
Se dit de qqn qui, contraint ou non, a quitté sa patrie. 1390 ; ☞ *patrie* + *ex-*² ; [ɛkspatʀije].

**EXPATRIER, verbe trans.** [6]
**1.** Obliger (qqn) à quitter sa patrie, exiler. **2.** Anal. ***Expatrier** des capitaux* : les placer à l'étranger. **Pronom.** Quitter son pays, aller vivre à l'étranger. 1395 ; ☞ *patrie* + *ex-*² ; [ɛkspatʀije].

**EXPECTANT, ANTE, adj.**
Littér. Qui préfère attendre avant d'agir ; attentiste : *Une politique **expectante**.* Mil. XVe s. ; lat. *exspectans*, de *exspectare*, « attendre » ; [ɛkspɛktɑ̃, ɑ̃t].

**EXPECTATIVE, subst. f.**
**1.** Attente d'une chose promise ou probable : *L'**expectative** d'un emploi.* **2.** Attente prudente avant d'agir : *Demeurer dans l'**expectative**.* 1461 ; lat. *exspectatum*, de *exspectare*, « attendre » ; [ɛkspɛktativ].

**EXPECTORANT, ANTE, adj. et subst. m.**
*Pharm.* Se dit d'un remède qui favorise l'expectoration. 1752 ; p. pr. de *expectorer* ; [ɛkspɛktɔʀɑ̃, ɑ̃t].

**EXPECTORATION, subst. f.**
*Méd.* Action d'expectorer ; par méton., ce qui est expectoré. 1611 ; lat. *expectorare*, « expectorer » ; [ɛkspɛktɔʀasjɔ̃].

**EXPECTORER, verbe trans.** [3]
*Méd.* Rejeter par la bouche (des mucosités qui encombrent les voies respiratoires). 1752 (1664, parler franchement) ; lat. *expectorare*, de *pectus*, « poitrine » ; [ɛkspɛktɔʀe].

**EXPÉDIENT, ENTE, adj. et subst. m.**
**Adj.** Qui est utile, judicieux ou opportun (littér.). **Subst.** **1.** Moyen habile et rapide de se tirer d'embarras, de surmonter un obstacle. **2.** Moyen qui permet d'échapper momentanément à une situation difficile sans la résoudre (péj.) : *User d'**expédients**.* ▸ Loc. *Vivre d'**expédients*** : recourir à des moyens douteux pour se procurer de l'argent. Mil. XIVe s. ; lat. *expediens*, de *expedire*, « être à propos » ; [ɛkspedjɑ̃, ɑ̃t].

**EXPÉDIER, verbe trans.** [6]
**I. 1.** Exécuter rapidement (une tâche, une opération) : ***Expédier** les affaires courantes.* **2.** En terminer au plus vite avec (qqch., qqn), pour s'en débarrasser : ***Expédier** ses devoirs ; **Expédier** un client.* **II. 1.** *Dr.* Établir et délivrer (la copie d'un acte officiel) : ***Expédier** un jugement.* **2.** Ext. Faire partir (qqch.) vers une destination : ***Expédier** un colis.* **3.** Fam. Envoyer (qqn) quelque part : ***Expédier** un enfant dans la cour* ; au fig. : ***Expédier** qqn dans l'autre monde,* le tuer. 1360 ; ☞ *expédient* ; [ɛkspedje].

**EXPÉDITEUR, TRICE, subst. et adj.**
**Subst.** Personne qui expédie, fait expédier qqch. : *Retour à l'**expéditeur**.* **Adj.** Qui fait l'expédition ; d'où se fait l'expédition : *Le bureau **expéditeur** ; La gare **expéditrice**.* XVe s. ; ☞ *expédier* ; [ɛkspeditœʀ, tʀis].

**EXPÉDITIF, IVE, adj.**
**1.** Qui exécute promptement sa tâche : *Un employé **expéditif**.* **2.** Ext. Qui témoigne d'une hâte excessive : *Une méthode **expéditive** ; Un tribunal **expéditif**.* 1544 ; lat. médiév. *expeditivus*, « expédient » ; [ɛkspeditif, iv].

**EXPÉDITION, subst. f.**
**I. 1.** Action d'exécuter rapidement une affaire, une activité : *L'**expédition** du travail courant.* **2.** Déplacement de troupes militaires hors des frontières : *L'**expédition** des Alliés aux Dardanelles.* **3.** Voyage d'exploration, de recherche : ***Expédition** scientifique.* ▸ Méton. L'ensemble des personnes y prenant part. ▸ Fig. Déplacement difficile, mouvementé (iron.) : *Quelle **expédition** de traverser Paris !* **II. 1.** *Dr.* Copie d'un acte officiel. **2.** Action d'expédier qqch. vers une destination : ***Expédition** d'un colis.* Déb. XIIIe s. ; lat. *expeditio* ; [ɛkspedisjɔ̃].

**EXPÉDITIONNAIRE, adj. et subst.**
**Adj.** Qui participe à une expédition militaire : *Corps **expéditionnaire**.* **Subst.** **1.** Employé d'administration chargé de l'expédition des actes officiels. **2.** Employé chargé de l'expédition des colis ou des marchandises, dans une entreprise. 1553 ; ☞ *expédition* ; [ɛkspedisjɔnɛʀ].

**EXPÉRIENCE, subst. f.**
**1.** Fait d'acquérir ou de développer une connaissance par la pratique, la confrontation avec la réalité : *Faire l'**expérience** de la souffrance.* ▸ *Philos.* Exercice des facultés intellectuelles en tant qu'il enrichit la connaissance humaine des données de la perception. **2.** Évènement vécu apportant un enseignement : *Son séjour à l'étranger fut une **expérience** profitable.* **3.** Ensemble des connaissances acquises par l'usage, par l'exercice d'une activité : *Croyez-en ma vieille **expérience**.* **4.** Épreuve visant à étudier un phénomène ou à vérifier une hypothèse : *Une **expérience** de physique.* **5.** Essai, tentative : *Tenter une **expérience** de vie communautaire.* Mil. XIIIe s. ; lat. *experientia*, « épreuve, essai » ; [ɛkspeʀjɑ̃s].

**EXPÉRIMENTAL, ALE, AUX, adj.**
**1.** Qui se fonde sur l'expérience scientifique : *Méthode **expérimentale**.* **2.** Qui est fait à titre d'essai ; qui utilise des moyens nouveaux : *Un film **expérimental**.* 1503 ; lat. médiév. *experimentalis* ; [ɛkspeʀimɑ̃tal, o].

**EXPÉRIMENTALEMENT, adv.**
De façon expérimentale ; à titre d'essai. 1755 ; ☞ *expérimental* ; [ɛkspeʀimɑ̃talmɑ̃].

**EXPÉRIMENTATEUR, TRICE, subst.**
Personne qui expérimente, qui se livre à des expériences scientifiques. Fin XIVe s. ; ☞ *expérimenter* ; [ɛkspeʀimɑ̃tatœʀ, tʀis].

**EXPÉRIMENTATION, subst. f.**
Action d'expérimenter : ***Expérimentation** humaine,* essai thérapeutique pratiqué sur l'homme. 1834 ; ☞ *expérimenter* ; [ɛkspeʀimɑ̃tasjɔ̃].

**EXPÉRIMENTÉ, ÉE, adj.**
Qui a acquis une grande expérience : *Un médecin **expérimenté**.* Mil. XVe s. ; p. p. de *expérimenter* ; [ɛkspeʀimɑ̃te].

**EXPÉRIMENTER, verbe trans.** [3]
**1.** Connaître par l'expérience : *Il **a expérimenté** la nouvelle cuisine.* **2.** Soumettre (qqch.) à une expérience : ***Expérimenter** un prototype.* 1360 ; anc. fr. *experiment*, du lat. *experimentum*, « expérience » ; [ɛkspeʀimɑ̃te].

**EXPERT, ERTE, adj. et subst. m.**
**Adj.** Qui a, par la pratique, acquis une grande compétence, une grande habileté dans un domaine : *Il est **expert** en mécanique* ; par ext. : *Des mains **expertes**.* **Subst.** **1.** Spécialiste chargé de faire des évaluations, des estimations, etc. : *Un **expert** en assurances ; **Expert** en œuvres d'art.* ▸ *Dr.* *Un **expert** judiciaire* ou, empl. abs., *Un **expert*** : spécialiste choisi par un tribunal pour émettre un avis sur un point technique. **2.** Ext. Connaisseur : *C'est un **expert** en la matière.* ▸ Loc. *À dire d'**experts*** : selon l'avis des spécialistes. Mil. XIIIe s. ; lat. *expertus*, de *experiri*, « éprouver » ; [ɛkspɛʀ, ɛʀt].

**EXPERT-COMPTABLE, subst.**
Professionnel chargé d'analyser et de vérifier des comptabilités. 1927 ; comp. de *expert* et de *comptable* ; plur. *experts-comptables* ; [ɛkspɛʀkɔ̃tabl].

**EXPERTISE, subst. f.**
**1.** Examen confié à un expert ; constatation qui en résulte : ***Expertise** judiciaire, médicale ; Que dit l'**expertise** ?* **2.** Examen, par un expert, d'une œuvre d'art visant à établir son authenticité, à estimer sa valeur. ☞ *expert* ; [ɛkspɛʀtiz].

**EXPERTISER, verbe trans.** [3]
Soumettre à une expertise : *Faire **expertiser** une écriture.* 1807 ; ☞ *expertise* ; [ɛkspɛʀtize].

**EXPIABLE, adj.**
Qui peut être expié. XIVe s. ; ☞ *expier* ; [ɛkspjabl].

**EXPIATEUR, TRICE, adj.**
Qui constitue une expiation (littér.) : *Peine **expiatrice**.* 1554 ; lat. chrét. *expiator* ; [ɛkspjatœʀ, tʀis].

**EXPIATION, subst. f.**
**1.** *Relig.* Rite destiné à apaiser la fureur divine : *Les hécatombes offertes aux dieux par les Grecs étaient des **expiations**.* ▸ Dans la religion chrétienne, réparation du péché par la pénitence. ▸ *Fête juive de l'**Expiation*** : le Yom Kippour. **2.** Ext. Châtiment ; souffrance considérée comme la réparation d'une faute : *L'**expiation** d'un crime.* Fin XIIe s. ; lat. *expiatio* ; [ɛkspjasjɔ̃].

**EXPIATOIRE, adj.**
Qui sert à expier : *Sacrifice **expiatoire** ; Chapelle **expiatoire**.* 1562 ; lat. chrét. *expiatorius* ; [ɛkspjatwaʀ].

**EXPIER, verbe trans.** [6]
**1.** Réparer (une faute, un crime) en subissant une expiation. **2.** Subir la contrepartie pénible de (une action, un comportement ressenti comme coupable) : *Il n'a pas fini d'**expier** sa négligence.* Fin XIIIe s. ; lat. *expiare* ; [ɛkspje].

**EXPIRANT, ANTE, adj.**
**1.** Qui est sur le point de mourir. **2.** Fig. Qui touche à sa fin : *Civilisation **expirante** ; Voix **expirante**,* à peine audible. XVIIe s. ; p. pr. de *expirer* ; [ɛkspiʀɑ̃, ɑ̃t].

**EXPIRATEUR, TRICE, adj.**
*Anat.* Qui permet l'expiration : *Les muscles **expirateurs**.* 1735 ; ☞ *expirer* ; [ɛkspiʀatœʀ, tʀis].

**EXPIRATION, subst. f.**
**1.** *Physiol.* Action d'expulser l'air inspiré par les poumons. **2.** Fig. Fin d'une durée préalablement fixée ou convenue : ***Expiration** d'un bail, d'un délai.* XVe s. ; lat. *exspiratio* ; [ɛkspiʀasjɔ̃].

**EXPIRATOIRE, adj.**
*Physiol.* Relatif à l'expiration. 1852 ; ☞ *expirer* ; [ɛkspiʀatwaʀ].

**EXPIRER, verbe** [3]
**Trans.** *Physiol.* Expulser hors des poumons (l'air inspiré) ; empl. abs. : ***Expirer** profondément.* **Intrans.** **1.** Rendre le dernier soupir, mourir. **2.** Fig. S'affaiblir : *Les vagues **expirent** sur le rivage.* **3.** Arriver à son terme : *La location **expire** le 31 de ce mois.* Déb. XIIe s. ; lat. *exspirare* ; [ɛkspiʀe].

**EXPLANT, subst. m.**
*Biol.* Segment organique ou tissulaire prélevé sur un corps vivant et que l'on cultive in vitro : ***Explant** du tissu cutané,* servant à traiter les grands brûlés par autogreffe de peau. 1937 ; angl. *explant*, du lat. *explantare*, « déraciner » ; [ɛksplɑ̃].

**EXPLÉTIF, IVE, adj.**
*Gramm.* Se dit d'un mot qui n'a pas de fonction logique dans la phrase et qui n'est pas indispensable au sens de l'énoncé : *Dans « J'ai peur qu'il ne nous voie » ou dans « Écoutez-moi ce charabia ! », les mots « ne » et « moi » sont **explétifs*** ; empl. subst. masc., mot **explétif**. XIVe s. ; bas lat. *expletivus*, de *explere*, « remplir » ; [ɛkspletif, iv].

**EXPLICABLE, adj.**
Qui peut être expliqué : *Une absence, un mystère **explicable**.* 1554 ; lat. *explicabilis* ; [ɛksplikabl].

**EXPLICATIF, IVE,** adj.
**1.** Qui explique, qui aide à comprendre, à clarifier : *Détails* ***explicatifs.*** **2.** *Gramm. Proposition relative* ***explicative*** : qui apporte une simple précision sur l'antécédent, dont elle ne restreint pas la signification, au contraire de la proposition relative déterminative : *Dans la phrase « Saint Louis, qui lança la septième croisade, est mort à Tunis », la proposition relative est* ***explicative*** (sa suppression ne changerait pas le sens du message principal). 1587 ; ☞ *explication* ; [ɛksplikatif, iv].

**EXPLICATION,** subst. f.
**1.** Action d'expliquer ; développement plus ou moins détaillé servant à faire comprendre qqch. : *L'****explication*** *d'un mot.* ▸ ***Explication*** *de texte* : exercice consistant à analyser et à commenter un texte. **2.** Ce qui constitue la cause, l'origine de qqch. : *L'****explication*** *d'un phénomène.* **3.** Ce qui éclaircit, justifie la conduite de qqn : *Son attitude mérite des* ***explications*** ; par ext., discussion plus ou moins animée lors de laquelle qqn est prié de justifier ou d'éclairer sa conduite : *Ils ont eu une* ***explication*** *tendue.* Déb. XIVe s. ; lat. *explicatio* ; [ɛksplikasjɔ̃].

**EXPLICITATION,** subst. f.
Action d'expliciter ; son résultat. 1840 ; ☞ *expliciter* ; [ɛksplisitasjɔ̃].

**EXPLICITE,** adj.
**1.** Qui est clairement exprimé, sans la moindre ambiguïté (anton. *implicite*) : *Respecter la volonté* ***explicite*** *d'une personne.* **2.** Qui s'exprime clairement, sans équivoque : *Soyez plus* ***explicite****, je vous prie.* **3.** *Dr.* Qui est énoncé réellement : *Clause* ***explicite.*** 1488 ; lat. *explicitus*, « clair » ; [ɛksplisit].

**EXPLICITEMENT,** adv.
De façon explicite : *Donner* ***explicitement*** *ses ordres.* 1488 ; ☞ *explicite* ; [ɛksplisitmɑ̃].

**EXPLICITER,** verbe trans. [3]
Exprimer (qqch.) clairement et objectivement, sans la moindre ambiguïté : ***Expliciter*** *une directive.* 1840 ; ☞ *explicite* ; [ɛksplisite].

**EXPLIQUER,** verbe trans. [3]
**1.** Faire comprendre (qqch.) par un développement plus ou moins détaillé : ***Expliquer*** *une difficulté, une attitude.* ▸ ***Expliquer*** *un texte* : le commenter. **2.** Faire connaître la cause, l'origine de (qqch.) : ***Expliquer*** *un mystère ; Ceci* ***explique*** *cela.* PRONOM. **1.** Faire connaître sa pensée, son intention, ses raisons : *Me suis-je bien* ***expliqué*** *? ; Elle* ***s'est expliquée*** *sur son comportement*, elle s'est justifiée. **2.** Comprendre la cause, l'origine de (qqch.) : *Je* ***m'explique*** *enfin son silence à ce sujet !* **3.** Devenir compréhensible, clair : *Tout* ***s'explique*** *!* **4.** Avoir une discussion avec qqn : *Ils ont enfin pu* ***s'expliquer*** ; se quereller, se battre (fam.) : *Ils se sont* ***expliqués*** *en pleine rue.* 1450 ; lat. *explicare*, « déployer, exposer clairement » ; [ɛksplike].

**EXPLOIT,** subst. m.
**1.** Vx. Action courageuse, héroïque accomplie à la guerre. **2.** Ext. Action remarquable, performance brillante : ***Exploit*** *sportif.* ▸ ***Exploits*** *amoureux* : succès auprès des femmes ou, par iron., performances sexuelles. **3.** *Dr.* ***Exploit*** *d'huissier* : acte judiciaire (saisie, mise en demeure, notification, etc.) signifié par huissier. Fin XIe s. ; ☞ *exploiter* ; [ɛksplwa].

**EXPLOITABILITÉ,** subst. f.
Caractère de ce qui est exploitable : *L'****exploitabilité*** *d'une mine.* 1845 ; ☞ *exploitable* ; [ɛksplwatabilite].

**EXPLOITABLE,** adj.
**1.** Qui peut être exploité : *Sol* ***exploitable.*** **2.** Fig. Que l'on peut utiliser à profit : *Un prétexte* ***exploitable*** ; dont on peut abuser, profiter : *Vieille personne riche et* ***exploitable.*** 1690 (1270, qui peut faire l'objet d'une saisie) ; ☞ *exploiter* ; [ɛksplwatabl].

**EXPLOITANT, ANTE,** adj. et subst.
ADJ. Qui profite abusivement de qqn, de qqch. : *La classe* ***exploitante.*** SUBST. Personne qui gère une exploitation : ***Exploitant*** *vinicole, agricole.* ▸ *Cin.* Gérant ou propriétaire qui exploite une salle. Fin XVIIIe s. ; p. pr. de *exploiter* ; [ɛksplwatɑ̃, ɑ̃t].

**EXPLOITATION,** subst. f.
**1.** Action d'exploiter, de rendre qqch. productif : ***Exploitation*** *d'une forêt* ; gestion : ***Exploitation*** *d'une ligne aérienne.* ▸ *Informat. Système d'****exploitation*** (☞ *système*). **2.** Bien que l'on exploite ; lieu où l'on exploite : ***Exploitation*** *minière.* **3.** Fig. Mise à profit de qqch. : ***Exploitation*** *d'un renseignement.* **4.** Action de profiter abusivement de qqn ou de qqch. (péj.) : ***Exploitation*** *de la naïveté du public* ; ***Exploitation*** *de l'homme par l'homme*, dans la théorie marxiste, utilisation du travail salarié pour produire de la plus-value. 1662 (1340, saisie judiciaire) ; ☞ *exploiter* ; [ɛksplwatasjɔ̃].

**EXPLOITÉ, ÉE,** subst. et adj.
Se dit d'une personne dont on profite abusivement : *Exploiteurs et* ***exploités.*** ADJ. Qui est en exploitation : *Une terre peu* ***exploitée.*** Fin XVIIe s. ; p. p. de *exploiter* ; [ɛksplwate].

**EXPLOITER,** verbe trans. [3]
**1.** Rendre productif, tirer profit de (qqch.) : ***Exploiter*** *une source.* **2.** Fig. Mettre à profit, tirer parti de (qqch.) : ***Exploiter*** *un évènement.* **3.** Profiter abusivement de (qqn, qqch.) : ***Exploiter*** *la détresse de qqn* ; ***Exploiter*** *un employé*, le sous-payer. 1274 (fin XIe s., accomplir) ; lat. pop. °*explicitare*, « accomplir » ; [ɛksplwate].

**EXPLOITEUR, EUSE,** subst.
Personne qui profite abusivement de qqn ou de qqch. (péj.) : *Un* ***exploiteur*** *sans scrupule.* 1839 (fin XIVe s., huissier) ; ☞ *exploiter* ; [ɛksplwatœʀ, øz].

**EXPLORATEUR, TRICE,** subst.
**1.** Personne qui explore un pays, une région éloignée ou peu connue. **2.** Fig. Personne qui étudie de manière approfondie un sujet, un domaine : *Freud, l'****explorateur*** *de l'inconscient.* MASC. *Méd.* Instrument que l'on introduit dans un orifice naturel pour effectuer un examen interne ; empl. adj. : *Ponction* ***exploratrice.*** XIVe s. ; lat. *explorator*, « éclaireur » ; [ɛksplɔʀatœʀ, tʀis].

**EXPLORATION,** subst. f.
**1.** Action d'explorer un pays, un lieu mal connu ou éloigné : *L'****exploration*** *du pôle Nord par le capitaine Peary* ; par ext. : ***Exploration*** *d'une ruine.* **2.** Fig. Étude approfondie et méthodique d'un sujet : ***Exploration*** *des mécanismes de la mémoire.* **3.** *Méd.* Ensemble des examens permettant de connaître l'état ou le fonctionnement d'un organe : ***Exploration*** *clinique, fonctionnelle.* Déb. XVIe s. ; lat. *exploratio*, « observation » ; [ɛksplɔʀasjɔ̃].

**EXPLORATOIRE,** adj.
Qui vise à explorer : *Méthode* ***exploratoire.*** ▸ Qui a pour but de préparer une négociation : *Entretiens* ***exploratoires.*** V. 1970 ; ☞ *explorer* ; [ɛksplɔʀatwaʀ].

**EXPLORER,** verbe trans. [3]
**1.** Parcourir (un pays, un lieu mal connu ou éloigné), afin de l'étudier méthodiquement : ***Explorer*** *la forêt amazonienne* ; par ext. : ***Explorer*** *le grenier.* **2.** Fig. Étudier de manière approfondie (un sujet) : ***Explorer*** *une œuvre musicale.* **3.** *Méd.* Procéder à l'exploration de (un organe, une partie du corps). 1546 ; lat. *explorare*, « observer » ; [ɛksplɔʀe].

**EXPLOSER,** verbe intrans. [3]
**1.** Faire explosion, éclater : *Bombe qui* ***explose.*** **2.** Fig. Se manifester avec force, brusquement et sans contrôle : *Sa joie* ***explosa.*** ▸ Ext. Manifester violemment (un sentiment contenu) : ***Exploser*** *en invectives ; Il* ***explosa*** *de colère* ou, empl. abs., *Il* ***explosa.*** **3.** S'accroître brusquement (fam.) : *Les prix* ***explosent.*** 1801 ; ☞ *explosion* ; [ɛksploze].

**EXPLOSEUR,** subst. m.
*Techn.* Dispositif de mise à feu à distance d'un explosif, d'une mine, etc. 1867 ; ☞ *exploser* ; [ɛksplozœʀ].

**EXPLOSIBILITÉ,** subst. f.
Caractère de ce qui est explosible. 1870 ; ☞ *explosible* ; [ɛksplozibilite].

**EXPLOSIBLE,** adj.
Qui peut exploser. 1848 ; ☞ *exploser* ; [ɛksplozibl].

**EXPLOSIF, IVE,** adj. et subst. m.
ADJ. **1.** Relatif à l'explosion : *Onde* ***explosive.*** **2.** Qui peut ou doit exploser : *Mixture, balle* ***explosive.*** **3.** Fig. Susceptible de provoquer une réaction brutale, une crise : *Situation, doctrine* ***explosive.*** **4.** *Phon. Consonne* ***explosive*** ou, empl. subst. fém., *Une* ***explosive*** : consonne occlusive placée au début d'une syllabe, devant une voyelle, comme le *b* de « bille ». SUBST. Toute substance susceptible de produire une explosion. 1816 (1691, sens médical) ; ☞ *explosion* ; [ɛksplozif, iv].

**EXPLOSIMÈTRE,** subst. m.
*Techn.* Appareil utilisé dans l'industrie minière pour détecter la présence anormale de gaz explosifs dans l'atmosphère (grisou, par ex.). Fin XIXe s. ; crois. de *explosion* et de *-mètre*[1] ; [ɛksplozimɛtʀ].

**EXPLOSION,** subst. f.
**1.** Fait de se rompre, d'éclater violemment, en projetant des fragments : *L'****explosion*** *d'un bâton de dynamite* ; bruit qui accompagne cet éclatement. **2.** *Chim.* Phénomène au cours duquel sont produits ou libérés des gaz sous pression et à haute température, dégageant une grande quantité d'énergie. **3.** *Techn.* Troisième temps du moteur à quatre temps (ou moteur à **explosion**), correspondant à la combustion rapide, causée par une étincelle, du mélange air-carburant. **4.** Fig. Manifestation soudaine et incontrôlée : *Une* ***explosion*** *de joie, de larmes.* ▸ Anal. Apparition ou développement soudain d'un phénomène : ***Explosion*** *démographique.* 1701 (1581, sens médical) ; lat. *explosio*, « action de huer » ; [ɛksplozjɔ̃].

**EXPONENTIEL, ELLE,** adj.
**1.** *Math.* ▸ *Fonction* ***exponentielle*** *de base a* ou, empl. subst. fém., ***Exponentielle*** *de base a (a réel strictement positif)* : unique fonction $f$ définie sur $\mathbb{R}$ à valeurs strictement positives qui soit continue et telle que $f(x + x') = f(x) \,.\, f(x')$ pour tous $x$, $x'$ réels et $f(1) = a$. On note $f(x) = a^x$ (car pour $n \in \mathbb{Z}$, $a^n$ est la puissance $n$-ième de $a$). On a : $a^{x+y} = a^x \,.\, a^y$, $a^1 = a$, $a^0 = 1$. ▸ *Fonction* ***exponentielle*** ou, empl. subst. fém., ***Exponentielle*** *naturelle* : seule fonction **exponentielle** égale à sa fonction dérivée sur $\mathbb{R}$. Sa base est notée e (valeur approchée de e : 2,718 281 8), et on a, pour tout réel $x$, $(e^x)' = e^x$. ▸ ***Exponentielle*** *complexe* : fonction de $\mathbb{C}$ dans $\mathbb{C}$, somme de la série entière de terme général $\frac{z^n}{n!}$, $n \geqslant 0$. On a donc, pour $z \in \mathbb{C}$, $e^z = \sum_{n=0}^{+\infty} \frac{z^n}{n!} = 1 + \frac{z}{1} + \frac{z_2}{2!} + \ldots + \frac{z_n}{n!} + \ldots$ Elle est périodique de période $2i\pi$ et prolonge à $\mathbb{C}$ l'**exponentielle** naturelle. **2.** Ext. Qui croît d'une manière rapide et continue. 1711 ; lat. *exponens*, de *exponere*, « exposer » ; [ɛkspɔnɑ̃sjɛl].

**EXPORTABLE,** adj.
Qui peut être exporté. 1859 ; ☞ *exporter* ; [ɛkspɔʀtabl].

**EXPORTATEUR, TRICE,** subst. et adj.
Se dit d'une personne, d'un organisme, d'un pays qui exporte, qui fait du commerce d'exportation : *Un* ***exportateur*** *de vin ; Entreprise* ***exportatrice.*** 1756 ; ☞ *exporter* ; [ɛkspɔʀtatœʀ, tʀis].

**EXPORTATION,** subst. f.
**1.** Action d'exporter : *Aides à l'****exportation*** ; au fig. : ***Exportation*** *d'une idée, d'une mode.* **2.** Méton. Produit que l'on exporte : *Baisse des* ***exportations*** *de blé.* 1734 (XVIe s., action de porter au-dehors) ; lat. *exportatio*, d'apr. l'angl. *exportation* ; [ɛkspɔʀtasjɔ̃].

**EXPORTER,** verbe trans. [3]
**1.** Transporter et vendre dans un pays étranger (une production nationale) ; par anal. : ***Exporter*** *des capitaux*, les investir à l'étranger. **2.** Fig. Diffuser à l'étranger (une doctrine, des idées, etc.). 1734 (XVIe s., porter au-dehors) ; lat. *exportare*, d'apr. l'angl. *to export* ; [ɛkspɔʀte].

**EXPOSANT, ANTE,** subst.
**1.** Vx. *Dr.* Personne qui présente l'objet de sa requête. **2.** Personne ou société qui présente, dans un salon, une exposition, ses œuvres, ses produits, des marchandises, etc. : *Les* ***exposants*** *d'une foire commerciale.* MASC. *Math.* Désigne l'élément $b$ dans l'écriture $a^b$ qui se lit « *a* ***exposant*** *b* » ou « *a puissance b* » (☞ *exponentiel, puissance*). 1389 ; p. pr. de *exposer* ; [ɛkspozɑ̃, ɑ̃t].

**EXPOSÉ,** subst. m.
**1.** Compte rendu, rapport oral ou écrit présentant qqch. : *Faire un* ***exposé*** *alarmant de la situation.* **2.** Exercice didactique, gén. oral : *Il fit un* ***exposé*** *brillant sur Racine.* **3.** *Dr.* ***Exposé*** *des motifs* : texte explicatif qui précède le dispositif d'un projet ou d'une proposition de loi. 1638 ; p. p. de *exposer* ; [ɛkspoze].

**EXPOSER,** verbe trans. [3]
**1.** Disposer de manière à présenter aux regards : ***Exposer*** *des fruits sur un étal.* ▸ *B.-a. Artiste qui* ***expose*** *ses toiles* : qui les présente dans le cadre d'une exposition ; empl. abs. : *Il n'****expose*** *plus.* **2.** Fig. Présenter (des faits, des idées) d'une manière ordonnée : ***Exposer*** *ses arguments.* **3.** Disposer de manière à soumettre à une certaine action : ***Exposer*** *un métal au feu.* ▸ *Phot.* Soumettre (une surface sensible) aux rayons lumineux. **4.** Disposer,

La Guerre (1925), peinture de Marcel Gromaire (1892-1971). Musée d'Art moderne de la Ville de Paris.
© Lauros-Giraudon-By Spadem, 1996

Café turc 11, peinture d'August Macke (1887-1914). Mouvement Der Blaue Reiter. Städtisches Kunst Museum, Bonn.
© Bridgeman-Giraudon

Maturité, peinture d'Alexeï von Jawlensky (1864-1941). Städtische Galerie im Lenbachhaus, Munich.
© Giraudon-A. D. A. G. P., Paris, 1996

Révolution agraire d'Emiliano Zapata (détail), peinture de David A. Siqueiros (1896-1974). Musée national d'Histoire, Mexico.
© Giraudon

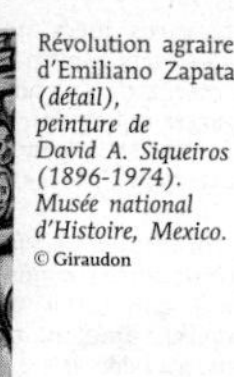

Grande Tête de Diego (1954), bronze d'Alberto Giacometti (1901-1966). Kunsthaus, Zurich.
© Lauros-Giraudon A. D. A. G. P., Paris, 1996

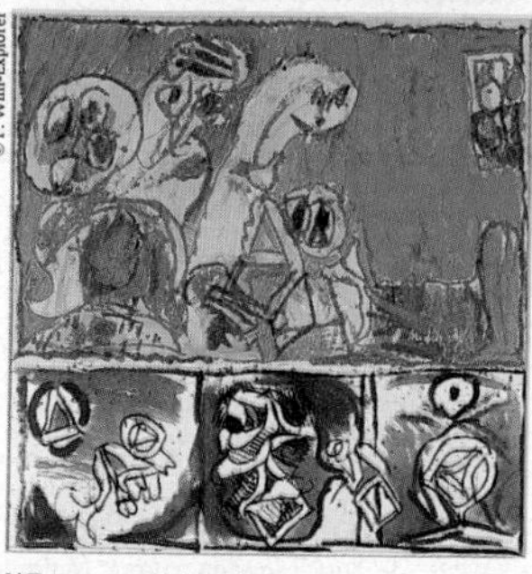

L'Œuvre au noir (1969), peinture de Pierre Alechinsky (né en 1927). Le mouvement Cobra, auquel appartient ce peintre, est une résurgence de l'expressionnisme. Musée d'Art moderne de la Ville de Paris.
© P. Willi-Explorer

L'EXPRESSIONNISME EN ART

orienter dans une direction précise : *La façade est exposée au sud* ; empl. adj. : *Maison bien exposée.* **5.** Faire courir tel risque à : ***Exposer** les siens à la ruine* ; ***Exposer** sa vie*, la mettre en péril. ► Empl. pronom. Prendre le risque (d'un danger, d'un désagrément) ; encourir : *S'**exposer** à la calomnie.* 🕮 Fin XIIe s. ; lat. *exponere* ; [ɛkspoze].

**EXPOSITION, subst. f.**

**1.** Action d'exposer ; en partic., action de présenter au public (abrév. fam. : expo) : ***Exposition** de peinture* ; ***Exposition** universelle*, qui présente les réalisations prestigieuses de divers pays. ► Méton. Ensemble des œuvres, des produits exposés : *Catalogue de l'**exposition*** ; lieu où ils sont exposés. ► *Dr.* Peine qui consistait à exposer un condamné aux regards de la foule. **2.** Fig. Action de présenter d'une manière ordonnée un ensemble de faits, d'idées : *L'**exposition** d'une doctrine.* ► *Litt.* Partie d'introduction d'une œuvre. **3.** Action de soumettre, fait d'être soumis à une action : *L'effet néfaste des **expositions** prolongées au soleil.* ► *Phot.* Action d'exposer une surface sensible aux rayons lumineux : *Temps d'**exposition**.* **4.** Situation, orientation : *Cette pièce a une double **exposition**.* **5.** Fait d'être exposé à un risque. ► ***Exposition** d'un enfant* : son abandon (rare). 🕮 1119 ; lat. *expositio* ; [ɛkspozisjɔ̃].

**EXPRÈS (I), ESSE, adj.**

**1.** Explicite, formel : *Une condition **expresse**.* **2.** Qui est chargé de transmettre un message urgent (vx) : *Un porteur **exprès*** ; empl. subst. masc. : *Dépêcher un **exprès**.* **3.** Méton. Qui exige une remise rapide : *Colis, lettre **exprès*** ou, empl. subst. masc., *Un **exprès**.* 🕮 Fin XIIIe s. ; lat. *expressus* ; genre inv. au sens 3 ; [ɛkspʀɛs].

**EXPRÈS (II), adv.**

Délibérément, à dessein : *Il l'a fait **exprès**.* ► Loc. *Un fait **exprès*** : coïncidence, le plus souvent fâcheuse, qui paraît délibérée (fam.). 🕮 XIVe s. ; ☞ *exprès* (I) ; [ɛkspʀɛ].

**EXPRESS (I), adj.**

Qui permet d'effectuer un déplacement rapide : *Voie **express**.* ► *Ch. de fer. Train **express*** ou, empl. subst. masc., *Un **express*** : train rapide, s'arrêtant dans les gares importantes. ► *Réseau **express** régional (R. E. R.)* : desservant la région parisienne ; *Train **express** régional (T. E. R.)* : desservant une région. 🕮 1849 ; angl. *express*, du fr. *exprès* (I) ; inv. en genre ; [ɛkspʀɛs].

**EXPRESS (II), adj. et subst. m.**

*Café **express*** ou ***Express*** : obtenu en faisant passer de la vapeur d'eau sous pression à travers du café moulu. 🕮 1950 ; ital. *espresso* ; adj. inv. en genre ; [ɛkspʀɛs].

**EXPRESSÉMENT, adv.**

**1.** De manière expresse ; explicitement, formellement : *Il est **expressément** interdit de fumer.* **2.** Avec une intention bien définie : *Cela t'est **expressément** destiné.* 🕮 Fin XIIe s. ; ☞ *exprès* (I) ; [ɛkspʀɛsemɑ̃].

**EXPRESSIF, IVE, adj.**

**1.** Qui exprime bien, avec force et justesse, ce que l'on veut dire : *Image, formule **expressive**.* **2.** Qui a beaucoup de force, de vivacité dans l'expression des pensées, des sentiments : *Figure, moue **expressive**.* 🕮 1483 ; ☞ *expression* ; [ɛkspʀesif, iv].

**EXPRESSION, subst. f.**

**I. 1.** Action d'exprimer, de faire sortir un liquide en exerçant une pression : ***Expression** de jus, d'huile.* **2.** *Méd. **Expression** abdominale* : pression exercée, lors de l'accouchement, sur l'abdomen pour aider à l'expulsion de l'enfant. **II. 1.** Action d'exprimer une idée, un sentiment, de s'exprimer : *L'**expression** de la joie* ; *Moyen, liberté d'**expression**.* **2.** Manière d'exprimer qqch. par le langage ; tour de la langue écrite ou parlée : ***Expression** imagée, populaire.* **3.** Manière de s'exprimer par une technique artistique : ***Expression** picturale.* **4.** Qualité d'une œuvre, d'un artiste, qui exprime avec force des sentiments, des pensées : *Portrait qui manque d'**expression**.* **5.** Ensemble des signes qui expriment un sentiment, une émotion, un caractère : *Un visage sans **expression**.* **6.** Ce par quoi qqch. ou qqn s'exprime : *Son attitude est l'**expression** d'un malaise.* **7.** *Math. **Expression** algébrique* : suite de symboles numériques (réels, complexes, etc.), de signes opératoires et de signes syntaxiques (parenthèses, crochets, accolades...) ; au fig. : *Réduire qqch. à sa plus simple **expression***, à sa formule la plus simple. 🕮 1314 ; bas lat. *expressio* ; [ɛkspʀɛsjɔ̃].

**EXPRESSIONNISME, subst. m.**

Tendance artistique d'origine nordique qui s'est répandue au XXe s. et qui privilégie la subjectivité et l'intensité de l'expression. 🕮 1921 ; ☞ *expression* ; [ɛkspʀɛsjɔnism].

ARTS – Libération pulsionnelle des émotions, exacerbation de la couleur, écriture libre, rejet des tabous, refus du réalisme objectif, expression de l'élan vital en tant qu'énergie... telles sont les principales caractéristiques de l'expressionnisme. S'il existe un expressionnisme « historique », né à Dresde vers 1905, les précurseurs s'appellent Grünewald, Munch (*le Cri*, 1893), ou encore Van Gogh, Ensor. Mais c'est le groupe Die Brücke (1905-1913) qui va le premier se proclamer « expressionniste ». Kirchner, Schmidt-Rottluff, Nolde peignent en réaction contre l'impressionnisme. Der Blaue Reiter (1911), Kandinsky, Jawlensky recherchent un nouvel accord entre l'homme et le monde. Leur art, plus métaphysique et musical, ouvre la voie à l'aventure abstraite. La revue *Der Sturm* dénonce la bourgeoisie, le militarisme, l'argent... Après la défaite, le groupe Die Neue Sachlichkeit (Nouvelle Objectivité) – Grosz, Dix, Beckmann – donne une dimension sociale à la révolte et tente de s'opposer à la montée du nazisme. Parallèlement, l'énergie de l'expressionnisme se met à l'unisson de la révolution mexicaine (1910-1920), produisant un art monumental et collectif (Rivera, Tamayo). On a coutume de considérer comme expressionnistes tous ceux qui peignent non des objets mais des sentiments, parfois jusqu'aux limites de la folie, tels Schiele ou ses compatriotes viennois Kokoschka et Klimt, les solitaires Rouault, Soutine, ou encore Pascin, Chagall... Plus tard, c'est Bacon se révoltant contre la barbarie. Picasso, avec *Guernica* (1936), revivifie l'expressionnisme. Après la guerre, cet élan resurgit dans Cobra, avec Jorn, Appel, Alechinsky, et dans l'expressionnisme abstrait (Pollock, Kline, De Kooning) : énergie violente, automatisme de l'*action painting* – qui n'est pas sans correspondances avec le surréalisme –, abolition des limites du tableau. Si la frénésie de la couleur participe à la force de leur peinture, les artistes expressionnistes ont aussi recours à la violence du noir et du blanc : de larges cernes noirs appuient les taches colorées, les xylographies sont taillées à grands coups en bois de fil, les photographies présentent des contrastes puissants...

CINÉMA – Dans les jours de désarroi qui suivent la défaite de 1918, le cinéma se fait lui aussi expressionniste. *Le Cabinet du docteur Caligari* (1920), de Robert Wiene, *le Docteur Mabuse* (1922), de Fritz Lang, ou encore *Nosferatu le Vampire* (1922), de Friedrich Wilhelm Murnau, semblent annoncer, avec leurs personnages monstrueux, leurs atmosphères inquiétantes, leurs décors stylisés, la réalité de la terreur nazie.

**EXPRESSIONNISTE, adj.**
Qui appartient à l'expressionnisme ou qui s'en inspire : *Le cinéma* ***expressionniste*** *allemand* ; empl. subst., artiste rattaché à ce courant. 1904 ; ☞ *expression* ; [ɛkspʀɛsjɔnist].

**EXPRESSIVITÉ, subst. f.**
Qualité, caractère de ce qui est expressif. 1905 ; ☞ *expressif* ; [ɛkspʀɛsivite].

**EXPRIMER, verbe trans.** [3]
**1.** Faire sortir (un liquide) en exerçant une pression : ***Exprimer*** *le jus d'un citron.* **2.** Faire connaître, manifester (une pensée, un sentiment, une intention) par le langage, l'attitude, les gestes, etc. : ***Exprimer*** *son avis* ; empl. pronom. : *Sa colère* ***s'exprima*** *par des hurlements* ; ***S'exprimer*** *couramment en russe.* ▸ Rendre sensible par une représentation, révéler, signifier : *Cette allégorie* ***exprime*** *l'amour de la philosophie.* **3.** *Sc.* Noter, en parlant d'un signe mathématique, d'une relation, d'une unité : *Le signe* × ***exprime*** *la multiplication.* Fin XIV^e^ s. ; lat. *exprimere* ; [ɛkspʀime].

**EXPROMISSION, subst. f.**
*Dr. rom.* Substitution d'un débiteur à un autre dans une affaire civile, le nouveau s'étant engagé sans accord préalable avec l'ancien. 1585 ; lat. *expromissio*, de *promissio*, « promesse » ; [ɛkspʀɔmisjɔ̃].

**EXPROPRIATEUR, TRICE, adj. et subst.**
*Dr.* Se dit d'une personne, d'un organisme qui exproprie (synon. *expropriant, ante*). 1874 ; ☞ *exproprier* ; [ɛkspʀɔpʀijatœʀ, tʀis].

**EXPROPRIATION, subst. f.**
*Dr.* Action d'exproprier : ***Expropriation*** *pour cause d'utilité publique* ; ***Expropriation*** *forcée*, saisie immobilière. 1789 ; ☞ *exproprier* ; [ɛkspʀɔpʀijasjɔ̃].

**EXPROPRIER, verbe trans.** [6]
*Dr.* Déposséder (qqn, une collectivité) de la propriété d'un bien immobilier, pour le saisir ou pour cause d'utilité publique ; par méton. : ***Exproprier*** *un immeuble.* 1611 ; ☞ *approprier* (I) + *ex-*[2] ; [ɛkspʀɔpʀije].

**EXPULSÉ, ÉE, adj. et subst.**
Se dit d'une personne qui a été l'objet d'une expulsion : *Locataire* ***expulsé*** ; *Les* ***expulsés*** *politiques.* XVII^e^ s. ; p. p. de *expulser* ; [ɛkspylse].

**EXPULSER, verbe trans.** [3]
**1.** Contraindre (qqn) à quitter un lieu par la loi ou par la force : ***Expulser*** *un locataire* ; ***Expulser*** *un étranger en situation irrégulière* ; par ext., exclure (qqn) d'un groupe : ***Expulser*** *un joueur d'une équipe.* **2.** *Méd.* Rejeter (qqch.) hors de l'organisme : ***Expulser*** *un calcul.* Mil. XV^e^ s. ; lat. *expulsare*, de *expellere*, « pousser hors de » ; [ɛkspylse].

**EXPULSIF, IVE, adj.**
*Méd.* Qui est lié à l'expulsion : *Douleurs* ***expulsives***, qui surviennent lors des contractions utérines de l'accouchement. Fin XIII^e^ s. ; bas lat. *expulsivus* ; [ɛkspylsif, iv].

**EXPULSION, subst. f.**
**1.** Action d'expulser qqn ; son résultat : ***Expulsion*** *d'un perturbateur* ; *Mesure d'****expulsion***, obligeant un étranger à quitter le territoire national. **2.** *Méd.* et *Physiol.* Action d'expulser qqch. de l'organisme ; en partic., phase terminale de l'accouchement. 1309 ; lat. *expulsio* ; [ɛkspylsjɔ̃].

**EXPURGATION, subst. f.**
**1.** Action d'expurger ; son résultat. **2.** *Sylvic.* Action d'éclaircir les futaies trop serrées. Fin XIV^e^ s. ; lat. *expurgatio*, « justification, excuse » ; [ɛkspyʀgasjɔ̃].

**EXPURGER, verbe trans.** [5]
Éliminer de (un texte) les passages jugés non conformes à la morale, à la religion, aux convenances, etc. : ***Expurger*** *un livre pour enfants* ; empl. adj. : *Édition* ***expurgée*** ; par ext. : ***Expurger*** *une équipe*, en exclure les membres indésirables. 1503 (fin XIV^e^ s., purger) ; anc. fr. *espurgier*, du lat. *expurgare* ; [ɛkspyʀʒe].

**EXQUIS, ISE, adj.**
**1.** Délicat, agréable aux sens : *Un mets, un parfum* ***exquis***. **2.** Raffiné, recherché : *Une politesse* ***exquise*** ; *Un être* ***exquis***, charmant, d'une compagnie très agréable. **3.** *Pathol.* *Douleur* ***exquise*** : douleur très vive, localisée en un point précis. Déb. XIII^e^ s. ; lat. *exquisitus*, « recherché » ; [ɛkski, iz].

**EXSANGUE, adj.**
**1.** *Pathol.* Qui a été vidé de son sang, ou qui en a perdu beaucoup ; par ext., très pâle : *Visage* ***exsangue***. **2.** Fig. Qui a perdu sa force, son énergie : *Pays* ***exsangue***. 1549 ; lat. *exsanguis* ; [ɛksɑ̃g] ou [ɛgzɑ̃g].

**EXSANGUINO-TRANSFUSION, subst. f.**
*Méd.* Remplacement total du sang d'un malade par une transfusion, utilisé surtout comme traitement de la maladie hémolytique du nouveau-né. 1953 ; comp. du lat. *exsanguis*, « exsangue », et de *transfusion* ; plur. *exsanguino-transfusions* ; [ɛksɑ̃ginotʀɑ̃sfyzjɔ̃].

**EXSTROPHIE, subst. f.**
*Pathol.* Malformation d'un organe creux dont la muqueuse est extériorisée. 1867 ; gr. *strophê*, « retournement », + *ex-*[2] ; [ɛkstʀɔfi].

**EXSUDAT, subst. m.**
**1.** *Pathol.* Liquide organique, séreux ou fibrineux, qui suinte sur les bords d'une plaie ou à la surface d'une inflammation. **2.** *Bot.* Liquide suintant d'un végétal. 1858 ; ☞ *exsuder* ; [ɛksyda].

**EXSUDATION, subst. f.**
*Pathol.* et *Bot.* Formation d'un exsudat. 1755 ; bas lat. *exsudatio*, « action de suer » ; [ɛksydasjɔ̃].

**EXSUDER, verbe** [3]
INTRANS. Sortir, suinter comme la sueur : *Il arrive, dans certains cas, que le sang* ***exsude***. TRANS. Produire en surface, par exsudation : *Le pin* ***exsude*** *sa résine.* 1575 ; lat. *exsudare*, « suinter » ; [ɛksyde].

**EXTASE, subst. f.**
**1.** État d'une personne qui se sent transportée hors d'elle-même et du monde : *Tomber en* ***extase***. ▸ *Relig.* Expérience mystique de communion avec Dieu. **2.** Fig. Joie, admiration, plaisir extrême. 1319 ; lat. chrét. *ecstasis* ou *extasis*, du gr. *ekstasis*, « fait d'être hors de soi » ; [ɛkstɑz].

**EXTASIER (S'), verbe pronom.** [6]
Manifester son admiration, son émerveillement : *Il* ***s'extasiait*** *sur tout ce qu'elle disait* ; empl. adj. : *Un sourire* ***extasié***. 1599 (1556, *extasé*, en extase) ; *extasie*, anc. forme de *extase* ; [ɛkstɑzje].

**EXTATIQUE, adj. et subst.**
ADJ. Qui est causé par l'extase ou qui en a le caractère : *Une attitude* ***extatique*** ; *Personne* ***extatique***, en extase. SUBST. Personne en état d'extase, notamment mystique. 1546 ; gr. *ekstatikos* ; [ɛkstatik].

**EXTEMPORANÉ, ÉE, adj.**
*Méd.* Se dit d'un médicament préparé au moment même où il doit être administré, ou d'un examen pratiqué au cours d'une intervention chirurgicale : *Biopsie* ***extemporanée***. 1527 ; bas lat. *extemporaneus*, « improvisé » ; [ɛkstɑ̃pɔʀane].

**EXTENSEUR, adj. m. et subst. m.**
ADJ. *Anat.* *Muscle* ***extenseur*** ou, empl. subst. masc., *Un* ***extenseur*** : qui sert à produire un mouvement d'extension. SUBST. *Sp.* Appareil de musculation. 1654 ; ☞ *extension* ; [ɛkstɑ̃sœʀ].

**EXTENSIBILITÉ, subst. f.**
Caractère de ce qui est extensible. 1752 ; ☞ *extensible* ; [ɛkstɑ̃sibilite].

**EXTENSIBLE, adj.**
**1.** Susceptible d'être allongé par étirement : *Le métal est* ***extensible*** *à chaud.* **2.** Fig. Qui peut être étiré dans le temps : *Une journée n'est pas* ***extensible*** ; qui peut être étendu, appliqué à autre chose : *Le sens de ce mot est* ***extensible***. XV^e^ s. ; ☞ *extension* ; [ɛkstɑ̃sibl].

**EXTENSIF, IVE, adj.**
**1.** Qui produit une extension : *Force* ***extensive***. **2.** *Agric.* *Culture* ***extensive*** : culture à faible rendement pratiquée sur de vastes étendues (anton. *intensif*). **3.** *Ling.* Qui exprime une extension. XIV^e^ s. ; bas lat. *extensivus* ; [ɛkstɑ̃sif, iv].

**EXTENSION, subst. f.**
**1.** Action d'étendre ou de s'étendre : ***Extension*** *des membres, des muscles* ; ***Extension*** *d'une route.* **2.** Fig. Accroissement en importance : *L'****extension*** *d'un pouvoir* ; élargissement de la portée de qqch. : *L'****extension*** *du droit de grève aux policiers.* **3.** *Spéc.* ▸ *Informat.* Augmentation de la capacité de mémoire d'un logiciel, d'une installation. ▸ *Ling.* Ensemble des objets désignés par un mot ; élargissement du champ sémantique d'un mot. ▸ *Log.* Ensemble des objets auxquels un concept s'applique : *Le concept « mammifère » a plus d'****extension*** *que le concept « homme ».* ▸ *Math.* *Ensemble défini en* ***extension*** : par la donnée explicite de ses éléments. Fin XIII^e^ s. ; lat. *extensio* ; [ɛkstɑ̃sjɔ̃].

**EXTENSO (IN), voir IN EXTENSO**

**EXTENSOMÈTRE, subst. m.**
*Techn.* Appareil servant à mesurer, le plus souvent à l'aide de jauges de contrainte, les déformations subies par un corps. Déb. XX^e^ s. ; crois. de *extension* et de *-mètre*[1] ; [ɛkstɑ̃sɔmɛtʀ].

**EXTÉNUANT, ANTE, adj.**
Qui exténue : *Des allées et venues* ***exténuantes***. Mil. XIX^e^ s. ; p. pr. de *exténuer* ; [ɛkstenɥɑ̃, ɑ̃t].

**EXTÉNUATION, subst. f.**
**1.** Vx. Amaigrissement. **2.** Fatigue, affaiblissement extrême. 1398 ; lat. *extenuatio* ; [ɛkstenɥasjɔ̃].

**EXTÉNUER, verbe trans.** [3]
**1.** Vx. Rendre ténu, maigre. ▸ Fig. Atténuer, affaiblir : ***Exténuer*** *des arguments par une critique radicale.* **2.** Mettre dans un état de grande fatigue : *Ces efforts m'ont* ***exténué*** ; empl. pronom. : ***S'exténuer*** *à courir* ; ***S'exténuer*** *à la tâche.* 1344 ; lat. *extenuare*, « amincir » ; [ɛkstenɥe].

**EXTÉRIEUR, EURE, adj. et subst. m.**
ADJ. **1.** Qui est situé ou qui se produit hors d'un lieu donné : *Escalier* ***extérieur*** ; *Les bruits* ***extérieurs*** *nous parvenaient à peine.* **2.** Qui est situé sur le pourtour de qqch., qui est visible du dehors : *Les murs* ***extérieurs*** *d'une maison* ; *Porte* ***extérieure***, qui donne sur le dehors ; au fig. : *Une Rolls-Royce est un signe* ***extérieur*** *de richesse.* **3.** Qui ne fait pas partie de qqch. ; qui est étranger à qqch. : *Je reste totalement* ***extérieur*** *à cette dispute.* **4.** Qui existe en dehors de l'individu, qui appartient à la réalité objective : *Le monde* ***extérieur***. **5.** Qui concerne les relations avec les pays étrangers : *Politique* ***extérieure***. **6.** *Géom.* *Angle* ***extérieur*** *d'un polygone* : angle formé par un côté du polygone avec la demi-droite prolongeant le côté adjacent à l'extérieur du polygone ; *Bissectrice* ***extérieure*** *d'un triangle ABC en A* : droite perpendiculaire en A à la bissectrice intérieure en A du triangle. SUBST. **1.** Ce qui est en dehors : *À l'****extérieur***, *la fête battait son plein* ; empl. coll., les pays étrangers : *Relations avec l'****extérieur***. **2.** Partie de qqch. située sur le pourtour, visible du dehors : *Repeindre l'****extérieur*** *d'une maison.* **3.** Fig. Apparence, aspect physique de qqn (littér.) : *Personne d'un* ***extérieur*** *agréable.* **4.** *Cin.* Séquence tournée hors du studio (gén. au plur.). 1447 ; lat. *exterior*, de *exter*, « du dehors » ; [ɛksteʀjœʀ].

**EXTÉRIEUREMENT, adv.**
**1.** À l'extérieur : *Un mur peint **extérieurement**.* **2.** En apparence : *Ils ne sont d'accord qu'**extérieurement**.* 1470 ; ☞ *extérieur* ; [ɛksteʀjœʀmɑ̃].

**EXTÉRIORISATION, subst. f.**
Action d'extérioriser. 1843 ; ☞ *extérioriser* ; [ɛksteʀjɔʀizasjɔ̃].

**EXTÉRIORISER, verbe trans. [3]**
Manifester (un état intérieur) par son comportement : ***Extérioriser** son chagrin* ; empl. pronom., laisser s'exprimer sa personnalité, ses émotions, ses sentiments. 1866 ; ☞ *extérieur* ; [ɛksteʀjɔʀize].

**EXTÉRIORITÉ, subst. f.**
Caractère de ce qui est à l'extérieur. 1541 ; ☞ *extérieur* ; [ɛksteʀjɔʀite].

**EXTERMINATEUR, TRICE, adj. et subst.**
Se dit d'une personne qui extermine : *Les conquistadors furent les premiers **exterminateurs** des Indiens d'Amérique.* ▸ *L'ange **exterminateur*** : dans la Bible, ange chargé d'exterminer les Égyptiens, persécuteurs des Hébreux. Adj. Qui extermine : *Une guerre **exterminatrice**.* Déb. XIII^e s. ; lat. chrét. *exterminator* ; [ɛkstɛʀminatœʀ, tʀis].

**EXTERMINATION, subst. f.**
Action d'exterminer : *L'**extermination** des tribus indiennes.* ▸ *Hist. Camps d'**extermination*** : dans lesquels les nazis procédaient à l'élimination physique des personnes déportées, en partic. des Juifs et des Tsiganes (☞ *concentration*). Fin XII^e s. ; lat. chrét. *exterminatio*, « destruction » ; [ɛkstɛʀminasjɔ̃].

**EXTERMINER, verbe trans. [3]**
Tuer, détruire jusqu'au dernier ou en très grand nombre : ***Exterminer** les rats* ; *Vouloir **exterminer** un peuple.* Déb. XII^e s. ; lat. chrét. *exterminare*, « chasser, bannir » ; [ɛkstɛʀmine].

**EXTERNAT, subst. m.**
**1.** *Enseign.* Institution qui n'admet que des élèves externes ; régime de l'élève externe : *L'**externat** est la règle de cet établissement.* **2.** Fonction d'externe dans un hôpital : *L'**externat** et l'internat.* 1829 ; ☞ *externe* ; [ɛkstɛʀna].

**EXTERNE, adj. et subst.**
Adj. **1.** Qui est situé au-dehors ; qui est tourné vers l'extérieur : *L'angle **externe** des paupières.* **2.** Qui vient du dehors : *Des bruits **externes*** ; *La cause **externe** d'une maladie.* **3.** *Pharm. Médicament à usage **externe*** : à appliquer sur la peau, à ne pas avaler ni injecter dans l'organisme. **4.** *Math. Loi de composition **externe*** (☞ *composition*). Subst. et Adj. **1.** *Enseign.* Qualifie ou désigne un élève d'un établissement scolaire qui n'y prend pas ses repas et n'y couche pas. **2.** Se dit d'un étudiant en médecine qui assiste un interne dans un hôpital. 1500 ; lat. *externus*, « extérieur » ; [ɛkstɛʀn].

**EXTÉROCEPTEUR, subst. m.**
*Physiol.* Récepteur sensoriel situé dans la peau ou dans les muqueuses et stimulé par des agents extérieurs à l'organisme (chaleur, pression, etc.). XX^e s. ; crois. du lat. *exterus*, « extérieur », et de *récepteur* ; [ɛksteʀosɛptœʀ].

**EXTÉROCEPTIF, IVE, adj.**
*Physiol.* Qui est propre aux extérocepteurs : *La sensibilité **extéroceptive**.* XX^e s. ; crois. du lat. *exterus*, « extérieur », et de *réceptif* ; [ɛksteʀosɛptif, iv].

**EXTÉROCEPTIVITÉ, subst. f.**
*Physiol.* Sensibilité extéroceptive. XX^e s. ; ☞ *extéroceptif* ; [ɛksteʀosɛptivite].

**EXTERRITORIALITÉ, subst. f.**
*Dr. internat.* Privilège par lequel certaines personnes ou certains lieux (agents et locaux diplomatiques notamment) échappent à l'autorité de l'État sur le territoire duquel ils se trouvent : *L'**exterritorialité** d'une ambassade.* 1845 ; ☞ *territorial* + *ex-*[2] ; var. *extraterritorialité* ; [ɛksteʀitɔʀjalite].

**EXTINCTEUR, TRICE, adj. et subst. m.**
Se dit d'un appareil, d'une installation servant à combattre un incendie par la projection d'une substance sous pression (eau, poudre, mousse, neige carbonique). 1867 (déb. XVIII^e s., celui qui éteint) ; lat. *exstinctor* ; [ɛkstɛ̃ktœʀ, tʀis].

**EXTINCTION, subst. f.**
**1.** Action d'éteindre un feu, une lumière, ou fait de s'éteindre ; son résultat : *L'**extinction** des flambeaux* ; *L'**extinction** d'un brasero* ; *L'**extinction** des feux*, heure règlementaire à laquelle toute lumière doit être éteinte, dans une caserne, un internat. **2.** Perte progressive de vigueur ; cessation, disparition de qqch. : ***Extinction** de voix*, aphonie. ▸ *Dr.* Expiration : ***Extinction** d'une obligation, d'un droit, d'une action.* 1374 ; lat. *exstinctio* ; [ɛkstɛ̃ksjɔ̃].

**EXTIRPABLE, adj.**
Qui peut être extirpé : *Une racine dentaire **extirpable** sous anesthésie.* 1870 ; ☞ *extirper* ; [ɛkstiʀpabl].

**EXTIRPATEUR, subst. m.**
*Agric.* Instrument servant à arracher les mauvaises herbes. 1838 (XV^e s., celui qui extirpe un mal) ; ☞ *extirper* ; [ɛkstiʀpatœʀ].

**EXTIRPATION, subst. f.**
Action d'extirper ; son résultat. XV^e s. ; lat. *exstirpatio*, « arrachage, déracinement » ; [ɛkstiʀpasjɔ̃].

**EXTIRPER, verbe trans. [3]**
**1.** Faire disparaître complètement (qqch.) en s'attaquant à son origine, à son principe premier : ***Extirper** des superstitions, un vice.* **2.** Arracher (une plante) avec ses racines pour qu'elle ne puisse pas repousser : ***Extirper** des mauvaises herbes.* ▸ Anal. Extraire avec ses ramifications : ***Extirper** une tumeur.* **3.** Ext. et Fam. Faire sortir, extraire (qqn, qqch.) avec difficulté : ***Extirper** un paresseux de son lit* ; empl. pronom. : *Il s'**extirpa** non sans mal de sa voiture de sport.* 1220 ; lat. *exstirpare* ; [ɛkstiʀpe].

**EXTORQUER, verbe trans. [3]**
Obtenir (qqch.) par la force ou par la ruse. Déb. XIV^e s. ; lat. *extorquere* ; [ɛkstɔʀke].

**EXTORQUEUR, EUSE, subst.**
Personne qui extorque. 1390 ; ☞ *extorquer* ; [ɛkstɔʀkœʀ, øz].

**EXTORSION, subst. f.**
Action d'extorquer ; son résultat : *L'**extorsion** d'une promesse* ; *Une **extorsion** de fonds par chantage.* 1290 ; bas lat. *extorsio* ; [ɛkstɔʀsjɔ̃].

**EXTRA, subst. m. et adj. inv.**
Subst. **1.** Ce qui sort de l'ordinaire, de l'habituel (achat, sortie, mets, boisson, etc.) : *S'offrir, faire un **extra**.* **2.** Service occasionnel et temporaire : *En été, il trouvera à faire des **extras*** ; par méton., personne effectuant ce service : *Un cuisinier assisté de deux **extras**.* Adj. **1.** Qui est de qualité supérieure : *Un filet de bœuf **extra**.* **2.** Exceptionnel, formidable (fam.) : *Une idée **extra**.* 1825 (1732, séance extraordinaire au Palais) ; apocope de *extraordinaire* ; plur. du subst. *extra(s)* ; [ɛkstʀa].

**EXTRACONJUGAL, ALE, AUX, adj.**
Qui a lieu hors du mariage : *Liaison **extraconjugale**.* 1836 ; ☞ *conjugal* + *extra-* ; [ɛkstʀakɔ̃ʒygal, o].

**EXTRACORPOREL, ELLE, adj.**
*Méd.* Qui se fait à l'extérieur du corps : *Circulation **extracorporelle***, réalisée au moyen d'un cœur-poumon artificiel. Mil. XX^e s. ; ☞ *corporel* + *extra-* ; [ɛkstʀakɔʀpɔʀɛl].

**EXTRACOURANT, subst. m.**
*Électr.* Courant induit produit par l'ouverture ou par la fermeture d'un circuit. 1847 ; ☞ *courant* (II) + *extra-* ; var. *extra-courant* (plur. *extra-courants*) ; [ɛkstʀakuʀɑ̃].

**EXTRACTEUR, subst. m.**
**1.** Vx. Celui qui procède à la collecte ou à l'extraction de qqch. **2.** Instrument, dispositif servant à l'extraction : *Un **extracteur** de charbon.* ▸ *Apic.* Centrifugeur servant à extraire le miel des rayons. ▸ *Arm.* Pièce mobile servant à l'évacuation de la douille restée dans un canon. ▸ *Chim.* Appareil servant à extraire une substance d'un corps animal ou végétal. ▸ *Chir.* Instrument servant à extraire de l'organisme une dent, un os, un corps étranger. ▸ *Techn.* Installation aspirant l'air vicié. 1532 ; lat. médiév. *extractor*, du lat. *extrahere*, « extraire » ; [ɛkstʀaktœʀ].

**EXTRACTIBLE, adj.**
Que l'on peut extraire. 1877 ; ☞ *extraction* ; [ɛkstʀaktibl].

**EXTRACTIF, IVE, adj.**
Qui se rapporte à l'extraction, aux extraits. 1555 ; ☞ *extraction* ; [ɛkstʀaktif, iv].

**EXTRACTION, subst. f.**
**I.** Origine sociale, lignage (littér.) : *De haute **extraction**.* **II. 1.** Action d'extraire : *L'**extraction** de la houille* ; *L'**extraction** d'une dent.* **2.** *Chim.* Action d'extraire une substance contenue dans une matière première : *L'**extraction** du sucre de la betterave.* **3.** *Math. **Extraction** de la racine (carrée, cubique, etc.) d'un nombre* : utilisation d'un algorithme pour calculer une valeur approchée de cette racine. Fin XII^e s. ; bas lat. *extractio*, « action de retirer » ; [ɛkstʀaksjɔ̃].

**EXTRADER, verbe trans. [3]**
*Dr. internat.* Livrer (qqn) par extradition. 1777 ; ☞ *extradition* ; [ɛkstʀade].

**EXTRADITION, subst. f.**
*Dr. internat.* Procédure par laquelle un État livre l'auteur d'une infraction à un autre État qui le réclame pour le juger. 1763 ; lat. *traditio*, « livraison », + *ex-*[2] ; [ɛkstʀadisjɔ̃].

**EXTRADOS, subst. m.**
**1.** *Archit.* Surface extérieure d'un voussoir, d'un arc ou d'une voûte (anton. *intrados*). **2.** *Aéron.* Face supérieure de l'aile d'un avion. 1676 ; ☞ *dos* + *extra-* ; [ɛkstʀado].

**EXTRA-DRY, adj. inv.**
Très sec, en parlant d'une boisson alcoolique : *Champagnes **extra-dry**.* 1878 ; comp. de *extra-* et de l'angl. *dry*, « sec » ; [ɛkstʀadʀaj].

**EXTRAFIN, FINE, adj.**
**1.** Très fin : *Les fils **extrafins** de la soie.* ▸ *Petits pois, haricots verts **extrafins*** : de très petit calibre, par oppos. à *fins, très fins.* **2.** De qualité supérieure : *Confiseries **extrafines**.* 1828 ; ☞ *fin* (II) + *extra-* ; var. *extra-fin, -fine* (plur. *extra-fins, -fines*) ; [ɛkstʀafɛ̃, fin].

**EXTRAFORT, FORTE, adj. et subst. m.**
Adj. Très fort : *Condiment **extrafort*** ; très résistant : *Carton **extrafort**.* Subst. *Cout.* Ruban servant à renforcer un ourlet ou une couture. 1870 ; ☞ *fort* + *extra-* ; var. *extra-fort, -forte* (plur. *extra-forts, -fortes*) ; [ɛkstʀafɔʀ, fɔʀt].

**EXTRAGALACTIQUE, adj.**
*Astron.* Extérieur à notre Galaxie. 1904 ; ☞ *galactique* + *extra-* ; [ɛkstʀagalaktik].

**EXTRAIRE, verbe trans. [58]**
**1.** Dégager, tirer (une chose) de l'endroit où elle est enfouie, enfoncée, contenue : ***Extraire** du charbon* ; ***Extraire** une dent.* ▸ Faire sortir (qqn) d'un lieu où il est retenu : ***Extraire** un blessé d'une voiture* ; empl. pronom. : *S'**extraire** de son lit*, en sortir péniblement. **2.** Séparer (une substance) du corps auquel elle appartient par une opération physique ou chimique : ***Extraire** l'huile d'une graine.* **3.** Tirer (un passage) d'un texte, d'un discours : ***Extraire** une citation.* **4.** Fig. Dégager, faire apparaître : ***Extraire** quelques idées simples d'une doctrine complexe.* **5.** *Math. **Extraire** la racine d'un nombre* : la calculer. Fin X^e s. ; lat. pop. °*extragere*, du lat. *extrahere* ; [ɛkstʀɛʀ].

**EXTRAIT, subst. m.**
**1.** Substance que l'on a extraite d'un corps par une opération physique ou chimique : ***Extrait** de belladone* ; en partic., parfum concentré : ***Extrait** de rose* ; concentré alimentaire : ***Extrait** de viande.* **2.** Passage tiré d'un texte, d'un discours, d'un film ou d'une œuvre musicale ; au plur., recueil de morceaux choisis d'un ou de plusieurs auteurs : ***Extraits** de Sophocle.* **3.** *Dr.* Copie littérale d'une partie d'un acte officiel, ayant une valeur légale : ***Extrait** de naissance, de casier judiciaire.* 1312 ; p. p. de *extraire* ; [ɛkstʀɛ].

**EXTRAJUDICIAIRE, adj.**
Qui ne concerne pas l'instance judiciaire ; qui est fait en dehors d'un cadre juridictionnel : *Une conciliation **extrajudiciaire**.* 1539 ; ☞ *judiciaire* + *extra-* ; [ɛkstʀaʒydisjɛʀ].

**EXTRALÉGAL, ALE, AUX, adj.**
En dehors du cadre défini par les lois : *Une activité, une procédure **extralégale**.* Déb. XIX^e s. ; ☞ *légal* + *extra-* ; [ɛkstʀalegal, o].

**EXTRALUCIDE, adj. et subst.**
Se dit d'une personne douée d'un pouvoir de voyance. 1866 ; ☞ *lucide* + *extra-* ; [ɛkstʀalysid].

**EXTRA-MUROS, adv.**
Hors des limites d'une ville ; empl. adj. inv. : *Des quartiers **extra-muros**.* Déb. XIX^e s. ; lat. *extra muros*, « hors des murs » ; [ɛkstʀamyʀos].

**EXTRANÉITÉ, subst. f.**
**1.** *Dr.* Qualité d'étranger. **2.** Caractère de ce qui est étranger. 1619 ; lat. médiév. *extraneitas*, du lat. *extraneus*, « étranger » ; [ɛkstʀaneite].

**EXTRAORDINAIRE, adj.**
**1.** Qui sort de l'ordinaire ; qui se produit rarement : *Évènement **extraordinaire**.* ▸ Loc. *Par **extraordinaire*** : par exception. **2.** Qui frappe par sa singularité : *Dénouement **extraordinaire**.* **3.** Remarquable, exceptionnel : *Intuition **extraordinaire**.* Mil. XIII^e s. ; lat. *extraordinarius* ; [ɛkstʀaɔʀdinɛʀ].

**EXTRAORDINAIREMENT, adv.**
De manière extraordinaire ; extrêmement. 1313 ; ☞ *extraordinaire* ; [ɛkstʀaɔʀdinɛʀmɑ̃].

**EXTRAPARLEMENTAIRE, adj.**
Qui se situe ou se fait hors du Parlement. 1833 ; ☞ *parlementaire* + *extra-* ; [ɛkstʀapaʀləmɑ̃tɛʀ].

**EXTRAPOLATION, subst. f.**
**1.** *Math.* Méthode de calcul permettant d'établir une loi générale théorique et la courbe qui lui correspond à partir de quelques valeurs choisies dans un champ différent. **2.** Fig. Généralisation plus intuitive que calculée. 1877 ; ☞ *intrapolation* + *extra-* ; [ɛkstʀapɔlasjɔ̃].

**EXTRAPOLER, verbe intrans.** [3]
**1.** *Math.* Faire une extrapolation. **2.** Fig. Généraliser à partir de ce que l'on sait ; empl. trans. : ***Extrapoler** les bénéfices de l'année à venir à partir des premiers résultats.* Fin XIXe s. ; ☞ *intrapoler* + *extra-* ; [ɛkstʀapɔle].

**EXTRASCOLAIRE, adj.**
Qui se fait en dehors du contexte scolaire. 1906 ; ☞ *scolaire* + *extra-* ; [ɛkstʀaskɔlɛʀ].

**EXTRASENSIBLE, adj.**
Qui n'est pas perçu par les sens. 1914 ; ☞ *sensible* + *extra-* ; [ɛkstʀasɑ̃sibl].

**EXTRASENSORIEL, ELLE, adj.**
*Psychol.* Qui est perçu sans l'aide des sens. Mil. XXe s. ; ☞ *sensoriel* + *extra-* ; [ɛkstʀasɑ̃sɔʀjɛl].

**EXTRASYSTOLE, subst. f.**
*Pathol.* Contraction prématurée du cœur qui se glisse entre deux systoles normales, suivie d'une pause plus longue que la pause normale. Les **extrasystoles** s'observent aussi bien chez des sujets au cœur sain que dans certaines cardiopathies. 1916 ; ☞ *systole* + *extra-* ; [ɛkstʀasistɔl].

**EXTRATEMPOREL, ELLE, adj.**
Qui est en dehors du temps. 1922 ; ☞ *temporel* + *extra-* ; [ɛkstʀatɑ̃pɔʀɛl].

**EXTRATERRESTRE, adj. et subst.**
**Adj.** Situé en dehors de la Terre. **Subst.** Être hypothétique provenant d'un lieu autre que la Terre. 1856 ; ☞ *terrestre* + *extra-* ; [ɛkstʀatɛʀɛstʀ].

© Lauros-Giraudon

*La* Rencontre du 2 bis, rue Perrel, *peinture de Victor Brauner (1903-1966) à travers laquelle l'artiste propose sa vision surréaliste de l'**extraterrestre**. Musée d'Art moderne, Paris.*

**EXTRATERRITORIAL, ALE, AUX, adj.**
Se dit de ce qui, dans un pays étranger, est considéré comme détaché de ce pays. ▸ *Fin.* Se dit du secteur financier et bancaire établi à l'étranger et dépendant du pays d'origine. Mil. XXe s. ; ☞ *territorial* + *extra-* ; [ɛkstʀatɛʀitɔʀjal, o].

**EXTRATERRITORIALITÉ, voir EXTERRITORIALITÉ**

**EXTRA-UTÉRIN, INE, adj.**
*Pathol.* Qui se forme et se développe en dehors de l'utérus : *Grossesse **extra-utérine**.* 1812 ; comp. de *utérin* (II) et de *extra-* ; plur. *extra-utérins, ines* ; [ɛkstʀayteʀɛ̃, in].

**EXTRAVAGANCE, subst. f.**
**1.** Caractère d'une personne ou d'une chose extravagante, bizarre, excentrique. **2.** Action, parole, opinion extravagante. 1595 (1560, digression) ; ☞ *extravagant* ; [ɛkstʀavagɑ̃s].

**EXTRAVAGANT, ANTE, adj.**
**1.** Vx. *Dr. canon.* Qui n'est pas inséré dans les recueils canoniques. **2.** Qui dépasse la mesure : *Des gains **extravagants**.* **3.** Bizarre, délirant : *Un décor **extravagant**.* **4.** Dont la conduite est déraisonnable ; empl. subst., personne excentrique, fantasque. Fin XIVe s. ; lat. scol. *extravagans*, du lat. *vagari*, « errer » ; [ɛkstʀavagɑ̃, ɑ̃t].

**EXTRAVASER (S'), verbe pronom.** [3]
*Pathol.* Se répandre hors des vaisseaux qui le contiennent, en parlant d'un liquide organique. 1673 ; lat. *vas*, « vase », + *extra-* ; [ɛkstʀavaze].

**EXTRAVERSION, subst. f.**
*Psychol.* Comportement d'une personne au caractère ouvert, qui établit facilement des contacts avec les autres (anton. *introversion*). 1921 (1747, terme de chimie) ; all. *Extraversion*, du lat. *vertere*, « tourner » ; var. *extroversion* ; [ɛkstʀavɛʀsjɔ̃].

**EXTRAVERTI, IE, adj. et subst.**
**Adj.** Caractérisé par l'extraversion. **Subst.** Personne **extravertie**. 1921 ; all. *extravertiert* ; var. *extroverti, ie* ; [ɛkstʀavɛʀti].

**EXTRÊME, adj. et subst. m.**
**Adj. 1.** Qui est à la limite d'un espace ou d'une durée : *L'**Extrême**-Orient*, partie de l'Asie la plus éloignée de l'Europe ; *Une **extrême** vieillesse.* **2.** Porté au plus haut point : *Une **extrême** douleur* ; *Une **extrême** justice est souvent une injure* (Racine). **3.** Excessif : *Un climat **extrême**.* **Subst. 1.** Limite ultime : *C'est l'**extrême** de l'intelligence.* **2.** Loc. *À l'**extrême*** : au plus haut point. **Subst. plur.** *Les **extrêmes*** : les contraires. ▸ *Math.* Les nombres *a* et *d* d'une proportion $\frac{a}{b}=\frac{c}{d}$. Le produit des **extrêmes** *ad* est égal au produit des moyens *bc*. Fin XIVe s. ; lat. *extremus*, « le plus à l'extérieur » ; [ɛkstʀɛm].

**EXTRÊMEMENT, adv.**
Au plus haut point. 1549 ; ☞ *extrême* ; [ɛkstʀɛm(ə)mɑ̃].

**EXTRÊME-ONCTION, subst. f.**
*Cath.* Sacrement (appelé auj. *onction des malades*) administré, par l'onction des saintes huiles, aux grands malades ou aux mourants. 1549 ; comp. de *extrême* et de *onction* ; plur. *extrêmes-onctions* ; [ɛkstʀɛmɔ̃ksjɔ̃].

**EXTRÊME-ORIENTAL, ALE, AUX, adj. et subst.**
De l'Extrême-Orient. 1908 ; comp. de *extrême* et de *oriental* ; [ɛkstʀɛmɔʀjɑ̃tal, o].

**EXTREMIS (IN), voir IN EXTREMIS**

**EXTRÉMISME, subst. m.**
Tendance, attitude de l'extrémiste. 1918 ; ☞ *extrême* ; [ɛkstʀemism].

**EXTRÉMISTE, subst.**
Partisan d'une attitude radicale, poussant à l'extrême l'affirmation de ses idées ; empl. adj. : *Une politique, une attitude **extrémiste**.* 1915 ; ☞ *extrême* ; [ɛkstʀemist].

**EXTRÉMITÉ, subst. f.**
**1.** Partie extrême, limite, début ou fin d'une chose : *L'**extrémité** de la table.* **2.** Loc. *Être réduit à la dernière **extrémité*** : sombrer dans la misère ; *Être à la dernière **extrémité*** : à l'article de la mort. **3.** Fig. Attitude, conduite extrême : *N'en viens pas à cette **extrémité** !* **Plur. 1.** *Les **extrémités*** : les pieds et les mains. **2.** Fig. Actes de violence : *Se livrer à de coupables **extrémités**.* Mil. XIIIe s. ; lat. *extremitas* ; [ɛkstʀemite].

**EXTREMUM, subst. m.**
*Math.* Maximum ou minimum. 1929 ; mot lat. ; [ɛkstʀemɔm].

**EXTRINSÈQUE, adj.**
**1.** Qui vient de l'extérieur : *Les causes **extrinsèques** d'un conflit, d'une maladie.* **2.** *Anat.* et *Physiol.* *Muscles, nerfs **extrinsèques*** : qui environnent un organe sans lui appartenir ; *Facteur **extrinsèque*** : vitamine $B_{12}$. **3.** *Fin.* *Valeur **extrinsèque** d'une monnaie* : sa valeur conventionnelle, légale. 1314 ; lat. *extrinsecus*, « du dehors » ; [ɛkstʀɛ̃sɛk].

**EXTRORSE, adj.**
*Bot.* Qualifie une étamine dont l'anthère est tournée vers l'extérieur de la fleur (anton. *introrse*). 1855 ; lat. *extrorsus* ; [ɛkstʀɔʀs].

**EXTROVERSION, voir EXTRAVERSION**

**EXTROVERTI, voir EXTRAVERTI**

**EXTRUDER, verbe** [3]
**Intrans.** *Géol.* Subir une extrusion. **Trans.** *Techn.* Réaliser l'extrusion de (une matière) : ***Extruder** du polystyrène.* Fin XXe s. ; ☞ *extrusion* ; [ɛkstʀyde].

**EXTRUSIF, IVE, adj.**
*Géol.* Relatif à une extrusion. Mil. XXe s. ; ☞ *extrusion* ; [ɛkstʀyzif, iv].

**EXTRUSION, subst. f.**
**1.** *Géol.* Émission de lave, formant des aiguilles ou des dômes, sans écoulements ni projections. **2.** *Techn.* Procédé de mise en forme d'une matière, qui est poussée à chaud par une presse dans une filière. 1905 ; lat. *extrusum*, de *extrudere*, « pousser dehors » ; [ɛkstʀyzjɔ̃].

**EXUBÉRANCE, subst. f.**
**1.** Surabondance : *L'**exubérance** de la végétation tropicale.* **2.** Fig. Débordement de vitalité ; manifestation excessive des sentiments. Mil. XVIe s. ; bas lat. *exuberantia* ; [ɛgzybeʀɑ̃s].

**EXUBÉRANT, ANTE, adj.**
**1.** Qui croît abondamment, qui se développe avec excès. **2.** Fig. Qui est plein de vitalité ; expansif. XVe s. ; lat. *exuberans* ; [ɛgzybeʀɑ̃, ɑ̃t].

**EXULCÉRATION, subst. f.**
*Pathol.* Ulcération superficielle de la peau ou d'une muqueuse. 1537 ; lat. *exulceratio* ; [ɛgzylseʀasjɔ̃].

**EXULCÉRER verbe trans.** [8]
Provoquer une exulcération sur (la peau, une muqueuse). 1534 ; lat. *exulcerare*, « former des ulcères » ; [ɛgzylseʀe].

**EXULTATION, subst. f.**
Allégresse. Fin XIIe s. ; lat. *exsultatio* ; [ɛgzyltasjɔ̃].

**EXULTER, verbe intrans.** [3]
Manifester une joie immense. 1516 (XIVe s., glorifier) ; lat. *exsultare*, « bondir, sauter » ; [ɛgzylte].

**EXUTOIRE, subst. m.**
**1.** Vx. *Méd.* Ulcère artificiel permettant une suppuration dérivative. **2.** Conduit d'évacuation des eaux. **3.** Fig. Moyen par lequel on détourne ce qui est en excès ou trop pesant ; dérivatif : *Le sport fut un bon **exutoire** à son chagrin.* 1767 ; lat. *exutus*, de *exuere*, « débarrasser ; dépouiller » ; [ɛgzytwaʀ].

**EXUVIE, subst. f.**
*Zool.* Peau rejetée par un animal qui mue. Chez les Arthropodes, l'**exuvie** n'est pas la peau mais la cuticule. 1930 ; lat. *exuviae*, « dépouille » ; [ɛgzyvi].

**EX-VOTO, subst. m. inv.**
Objet que l'on place dans un lieu vénéré, en accomplissement d'un vœu ou en remerciement d'une grâce obtenue. 1643 ; lat. *ex voto suscepto*, « selon le vœu fait » ; [ɛksvoto].

*Fougères des forêts tempérées.* © Stock Image

**F, subst. m. inv.**
**1.** Sixième lettre et quatrième consonne de l'alphabet, qui note la fricative sourde [f]. **2.** Abrév. et Symb. ▸ F : franc (unité monétaire). ▸ *Chim.* F : fluor. ▸ *Mus.* F : *fa*, dans les pays anglo-saxons et en Allemagne. ▸ *Phys.* F : farad ; °F : degré Fahrenheit. [ɛf].

**FA, subst. m. inv.**
*Mus.* La quatrième des sept notes de la gamme d'*ut*. ▸ *Clé de « fa »* : signe en forme de C retourné suivi de deux points, placé sur la quatrième ligne de la portée, qu'on utilise pour le registre grave. Déb. XIIIe s. ; 1re syllabe du lat. *famuli*, « serviteurs », au 2e vers de l'hymne de saint Jean-Baptiste choisi par Gui d'Arezzo pour nommer les notes de musique ; [fa].

**FABACÉES, subst. f. plur.**
*Bot.* Légumineuses. XXe s. ; lat. *faba*, « fève » ; [fabase].

**FABLE, subst. f.**
**1.** *Litt.* Récit allégorique assorti d'une vérité morale : *Les fables d'Ésope.* **2.** Histoire, nouvelle mensongère (littér.). **3.** Loc. *Être la **fable** de* : un sujet de moquerie pour, la risée de. XIIe s. ; lat. *fabula* ; [fabl].

**FABLIAU, subst. m.**
*Litt.* Conte populaire en vers, au Moyen Âge. Déb. XIIIe s. ; forme pic. de l'anc. fr. *fableau* ; [fablijo].

**FABLIER, subst. m.**
**1.** Vx. Fabuliste. **2.** Recueil de fables. 1729 ; ☞ *fable* ; [fablije].

**FABRICANT, ANTE, subst.**
Personne qui fabrique ou fait fabriquer des produits commerciaux : ***Fabricant** de lits.* 1604 ; lat. *fabricans*, de *fabricare*, « fabriquer » ; [fabʀikɑ̃, ɑ̃t].

**FABRICATEUR, TRICE, subst.**
Personne qui fabrique qqch. (vieilli). 1279 ; lat. *fabricator*, « constructeur, artisan » ; [fabʀikatœʀ, tʀis].

**FABRICATION, subst. f.**
Action ou façon de fabriquer qqch. 1488 ; ☞ *fabriquer* ; [fabʀikasjɔ̃].

**FABRIQUE, subst. f.**
**1.** Vx. Action de fabriquer. **2.** Vieilli. Construction d'un édifice, gén. religieux ; par ext., son entretien. **3.** Établissement où l'on transforme les produits semi-finis ou les matières premières en produits manufacturés. ▸ Loc. *Marque de **fabrique*** : label apposé par le fabricant ; *Prix de **fabrique*** : prix d'un objet acheté chez le fabricant. **4.** *Spéc.* ▸ *Archit.* Construction décorant un jardin, un parc. ▸ *B.-a.* Édifice, ruine figurant dans un tableau. 1364 ; lat. *fabrica*, de *faber*, « ouvrier, artisan » ; [fabʀik].

**FABRIQUER, verbe trans.** [3]
**1.** Confectionner (un objet) en travaillant une matière. **2.** Transformer (des matières premières) en objets manufacturés. **3.** Réaliser (qqch.) de manière à tromper : ***Fabriquer** un faux.* **4.** Fig. Faire (fam.) : *Que **fabriques**-tu ici ?* XIIe s. ; lat. *fabricare* ; [fabʀike].

**FABULATEUR, TRICE, adj. et subst.**
ADJ. **1.** Relatif à la fabulation. **2.** Qui fabule. SUBST. Personne qui fabule. XXe s. (1541, conteur) ; lat. *fabulator*, « conteur » ; [fabylatœʀ, tʀis].

**FABULATION, subst. f.**
**1.** *Psychol.* Récit fictif présenté comme vrai. **2.** *Philos.* Activité de l'imagination. 1830 ; lat. *fabula*, « fable » ; [fabylasjɔ̃].

**FABULER, verbe intrans.** [3]
Échafauder des fabulations. XVe s. ; lat. *fabulari*, « bavarder ; inventer une fable » ; [fabyle].

**FABULEUSEMENT, adv.**
De façon fabuleuse, incroyable, extraordinaire. 1488 ; ☞ *fabuleux* ; [fabyløzmɑ̃].

**FABULEUX, EUSE, adj.**
**1.** *Litt.* Qui a trait à la fable : *Un héros **fabuleux**.* **2.** Surprenant, incroyable, prodigieux : *Une force **fabuleuse**.* XIVe s. ; lat. *fabulosus* ; [fabylø, øz].

**FABULISTE, subst.**
Auteur qui compose des fables. 1688 (1588, conteur de fables) ; lat. *fabula*, « fable » ; [fabylist].

**FAÇADE, subst. f.**
**1.** Face antérieure d'un bâtiment, où s'ouvre l'entrée principale ; par ext., chacun des côtés d'un bâtiment : ***Façade** latérale.* **2.** Anal. Visage (fam.) : *Se ravaler la **façade***, se farder. **3.** Fig. Apparence trompeuse : *Son amabilité est une pure **façade**.* ▸ Loc. *De **façade*** : trompeur, simulé, illusoire. **4.** *Géogr.* Zone littorale. 1565 ; ital. *facciata*, de *faccia*, « face » ; [fasad].

**FACE, subst. f.**
**1.** Partie antérieure de la tête humaine ; visage, figure. ▸ Loc. *Se voiler la **face*** : refuser de voir ce qui est horrible, indigne ; *Perdre la **face*** : perdre sa crédibilité ; *Sauver la **face*** : préserver sa dignité. **2.** Côté d'une médaille, d'une pièce de monnaie qui présente une figure (synon. *avers*) : *Tirer à pile ou **face*** (☞ *pile*). **3.** Surface, étendue (littér.) : *La **face** de la Terre.* **4.** Chacun des côtés d'une chose : *Un miroir à trois **faces** ; La **face** visible de la Lune.* **5.** Fig. Aspect sous lequel se présente une chose : *Les différentes **faces** de ce problème.* **6.** Loc. *De **face*** : du côté du visage de qqn, de l'avant d'un objet ; ***Face** à **face*** : en présence l'un de l'autre. **7.** Loc. prép. ▸ **Face à.** Devant : *Faire **face** à*, se tourner vers ou, au fig., réagir à, faire front à. ▸ *En **face** de* : vis-à-vis de. **8.** *Géom.* ***Face** d'un polyèdre* : chacun des polygones limitant ce polyèdre (☞ *dièdre, trièdre, polyèdre*). Déb. XIIe s. ; lat. pop. °*facia*, « portrait », du lat. *facies*, « figure » ; [fas].

**FACE-À-FACE, subst. m. inv.**
Débat contradictoire public entre deux personnes. V. 1960 (1842, confrontation) ; ☞ *face* ; [fasafas].

**FACE-À-MAIN, subst. m.**
Binocle à petit manche que l'on tient à la main. 1890 ; comp. de *face* et de *main* ; plur. *faces-à-main* ; [fasamɛ̃].

**FACÉTIE, subst. f.**
Plaisanterie, farce. Fin XVe s. ; lat. *facetia* ; [fasesi].

**FACÉTIEUX, EUSE, adj.**
**1.** Qui dit ou fait des facéties ; empl. subst. : *Quel **facétieux** !* **2.** Qui relève de la facétie : *Un conte **facétieux**.* Fin XVe s. ; ☞ *facétie* ; [fasesjø, øz].

**FACETTE, subst. f.**
**1.** Chacune des petites faces planes d'un objet : ***Facettes** d'un cristal.* **2.** Fig. Chacun des aspects différents de qqn ou de qqch. : *Les **facettes** d'un personnage.* ▸ Loc. *À **facettes*** : à aspects multiples. **3.** *Zool.* Limite externe d'une ommatidie. 1589 (XIIIe s., petit visage) ; ☞ *face* ; [fasɛt].

**FACETTER, verbe trans.** [3]
*Joaill.* Tailler (une pierre) à facettes. 1454 ; ☞ *facette* ; [fasɛt(t)e] ou [-sete].

**FÂCHÉ, ÉE, adj.**
**1.** Ennuyé, peiné, désolé. **2.** Mécontent : *Un visage, un air **fâché** ; **Fâché** avec*, brouillé avec (qqn, qqch.). XVe s. ; p. p. de *fâcher* ; [faʃe].

**FÂCHER, verbe trans.** [3]
Désobliger, contrarier ; irriter. ▸ ***Fâcher** avec* : brouiller avec. PRONOM. **1.** Se mettre en colère. **2.** Se brouiller (avec qqn). Mil. XVe s. ; prob. lat. pop. °*fasticare*, du lat. *fastidire*, « éprouver du dégoût » ; [faʃe].

**FÂCHERIE, subst. f.**
Action de se fâcher ; désaccord ; brouille passagère. 1504 (1470, dégoût) ; ☞ *fâcher* ; [faʃʀi].

**FÂCHEUSEMENT, adv.**
De manière fâcheuse. 1585 (1558, avec colère) ; ☞ *fâcheux* ; [faʃøzmɑ̃].

**FÂCHEUX, EUSE, adj. et subst.**
ADJ. **1.** Qui est source de déplaisir, de peine : *Une nouvelle bien **fâcheuse**.* **2.** Qui est source d'inconvénients : *Un contretemps **fâcheux**.* SUBST. Personne gênante, importune. 1480 ; ☞ *fâcher* ; [faʃø, øz].

**FACIAL, ALE, AUX, adj.**
**1.** *Anat.* Qui appartient à la face : *Muscle **facial**.* ▸ *Angle **facial*** : angle formé par la rencontre de deux lignes, l'une allant des incisives supérieures à la partie la plus saillante du front, l'autre allant des mêmes incisives au conduit auditif. **2.** *Fin.* *Valeur **faciale** d'un billet, d'une monnaie, d'un timbre* : sa valeur conventionnelle, qui y est inscrite. 1545 ; lat. *facies*, « figure » ; [fasjal, o].

**FACIÈS, subst. m.**
**1.** Aspect du visage : *Un **faciès** ovale, rond.* **2.** *Géol.* Ensemble des caractères minéraux et paléontologiques permettant de déterminer les conditions de formation d'une roche ou d'une couche de terrain : *Un **faciès** continental, abyssal.* **3.** *Préhist.* Ensemble des éléments (outils, mode d'implantation, etc.) caractérisant une période, correspondant à un type culturel déterminé, indépendamment de son âge : *Le **faciès** acheuléen est caractérisé par le débitage des bifaces.* 1823 ; lat. *facies*, « figure » ; [fasjɛs].

**FACILE, adj.**
**1.** Qui s'effectue sans peine : *Un travail **facile**.* ▸ Loc. **Facile à** (+ inf.). Qu'il est aisé de : *Une énigme **facile** à résoudre.* **2.** Qui paraît n'avoir demandé aucun effort : *Une victoire **facile*** ; relâché (péj.) : *Un style **facile**.* **3.** D'un naturel accommodant : *Un enfant **facile**.* ▸ *Femme **facile*** : aux mœurs légères. 1441 ; lat. *facilis* ; [fasil].

**FACILEMENT,** adv.
1. Avec facilité ; pour peu de chose : *S'irriter facilement.* 2. Au moins (fam.) : *Il mesure facilement 2 mètres.* Mil. XVe s. ; ☞ *facile* ; [fasilmɑ̃].

**FACILITATION,** subst. f.
Action de faciliter. 1832 ; ☞ *faciliter* ; [fasilitasjɔ̃].

**FACILITÉ,** subst. f.
1. Caractère de ce qui est accompli sans effort. 2. Méton. Moyen permettant d'obtenir ou de faire qqch. sans peine (gén. au plur.) : *Facilités de paiement,* délai accordé pour payer ou rembourser qqch. 3. Habileté, don inné, disposition naturelle : *Facilité d'élocution.* 4. Manque d'exigence : *Céder à la facilité.* 5. Docilité ; adaptabilité : *Faire preuve de facilité de caractère.* 1455 ; lat. *facilitas* ; [fasilite].

**FACILITER,** verbe trans. [3]
Rendre (qqch.) facile ou plus facile, accessible. XVe s. ; ital. *facilitare* ; [fasilite].

**FAÇON,** subst. f.
I. 1. Action de façonner : *Un meuble de façon artisanale.* 2. Travail de l'artisan. ▸ Loc. *Travailler à façon* : sans fournir la matière première. 3. Méton. Forme donnée à une chose : *La façon d'un habit.* 4. *Agric.* Préparation d'un sol (nettoyage, labourage, etc.) pour permettre la culture. II. 1. Manière d'être, d'agir : *L'étrange façon de marcher des crabes* ; *Répondre de façon courtoise.* 2. Loc. *C'est une façon de parler* : c'est à ne pas prendre à la lettre ; *De toute façon* : quoi qu'il en soit ; *En aucune façon* : absolument pas. 3. Loc. conj. *De (telle) façon que* (+ ind.) : dans des conditions telles que (vieilli) ; *De (telle) façon que* (+ subj.) : afin que. 4. Loc. prép. *De façon à* : de manière à. PLUR. 1. Manière de se comporter : *D'agréables façons.* 2. Politesses excessives : *Ne fais pas de façons !* ▸ Loc. *Sans façon(s)* : simplement, sans cérémonie. Déb. XIIe s. ; lat. *factio,* « manière de faire » ; [fasɔ̃].

**FACONDE,** subst. f.
Facilité d'élocution, volubilité. Mil. XIIe s. ; lat. *facundia* ; [fakɔ̃d].

**FAÇONNAGE,** subst. m.
Action de façonner qqch., de former qqn ; son résultat. ▸ *Arboric.* Action de tirer des produits utilisables des arbres abattus. ▸ *Impr.* Ensemble des opérations qui terminent la fabrication d'un livre. 1838 ; ☞ *façonner* ; [fasɔnaʒ].

**FAÇONNEMENT,** subst. m.
Façonnage. 1611 ; ☞ *façonner* ; [fasɔnmɑ̃].

**FAÇONNER,** verbe trans. [3]
I. 1. Travailler (qqch.) pour lui donner forme ; empl. adj. : *Un outil grossièrement façonné.* 2. Fabriquer (un objet). 3. *Agric.* Préparer (une terre) à la culture. II. Former (qqn) par l'éducation, l'habitude ; empl. adj. : *Un homme façonné à obéir.* 1176 ; ☞ *façon* ; [fasɔne].

**FAÇONNIER, IÈRE,** adj. et subst.
Se dit d'une personne qui travaille à façon. ADJ. Maniéré (littér.). 1549 ; ☞ *façon* ; [fasɔnje, jɛʀ].

**FAC-SIMILÉ,** subst. m.
1. Reproduction exacte d'un texte, d'un dessin. 2. Télécopie (abrév. : fax). 1808 ; lat. *fac simile,* « fais une chose semblable » ; plur. *fac-similés* ; [faksimile].

**FACTAGE,** subst. m.
1. Livraison de marchandises ou de courrier. 2. Méton. Entreprise assurant ce service ; prix de ce service. 1842 ; ☞ *facteur* ; [faktaʒ].

**FACTEUR, TRICE,** subst.
1. Vx. Personne agissant pour le compte d'un marchand : *Facteur des halles.* 2. Fabricant d'instruments de musique. 3. Employé des postes chargé de distribuer le courrier (synon. off. *préposé*) ; employé d'une messagerie ou des chemins de fer chargé du factage. MASC. 1. Élément qui contribue au déroulement d'un processus : *Facteur de croissance* ; au fig., élément qui concourt à un résultat : *L'ardeur au travail fut le facteur essentiel de sa réussite.* 2. *Biol.* Substance ou corps chimique qui favorise une fonction physiologique. 3. *Math.* Chacun des éléments d'un produit. ▸ *Facteur premier d'un nombre entier* : nombre premier qui divise ce nombre. ▸ *Mettre en facteur dans un anneau* : la multiplication y étant distributive par rapport à l'addition, on a $ab + ac = a(b + c)$, $ba + ca = (b + c)a$ et on dit que dans le deuxième terme de ces égalités $a$ est mis en **facteur**. 4. *Phys.* Rapport de deux grandeurs de même nature. 1326 ; lat. *factor,* « auteur, fabricant » ; [faktœʀ, tʀis].

**FACTICE,** adj.
1. Imité du naturel : *Perles factices.* 2. Fig. Feint, affecté, forcé : *Des larmes factices.* 3. *Comm.* Qui imite un produit réel, à des fins publicitaires ou d'étalage ; empl. subst. masc. : *Une vitrine agrémentée de factices.* 1534 ; lat. *facticius* ; [faktis].

**FACTIEUX, EUSE,** subst. et adj.
Se dit d'une personne œuvrant à renverser le pouvoir établi. ADJ. Qui a un caractère subversif : *Des propos factieux.* Mil. XVe s. ; lat. *factiosus,* « intrigant » ; [faksjø, øz].

**FACTION,** subst. f.
1. Groupe de personnes exerçant une activité factieuse (péj.) ; sédition, conspiration (vx et péj.). 2. *Antiq.* Groupe de personnes défendant une écurie aux jeux du cirque. 3. *Milit.* Surveillance exercée par un soldat : *Être en faction, de faction* ; par ext., guet, attente prolongée. 4. *Industr.* Chacune des trois tranches de huit heures de travail, dans une entreprise à travail continu. Mil. XIVe s. ; lat. *factio,* « groupe, parti » ; [faksjɔ̃].

**FACTIONNAIRE,** subst. m.
Militaire en faction. 1671 (mil. XVIe s., factieux) ; ☞ *faction* ; [faksjɔnɛʀ].

**FACTITIF, IVE,** adj. et subst. m.
*Gramm.* Se dit d'une tournure, d'une forme verbale où le sujet fait faire l'action (synon. *causatif*). 1890 ; lat. *factitare,* « faire souvent » ; [faktitif, iv].

**FACTO (DE),** voir **DE FACTO**

**FACTORERIE,** subst. f.
Agence d'une compagnie commerciale à l'étranger (synon. vx de *comptoir*). 1568 ; lat. *factor,* « auteur, fabricant » ; [faktɔʀʀi].

**FACTORIEL, ELLE,** adj. et subst. f.
ADJ. 1. Relatif à un facteur. 2. *Stat. Analyse factorielle* : analyse de données supposant qu'un petit nombre de caractères indépendants rendent compte des dépendances entre les caractères étudiés ; méthode utilisée pour déterminer ces caractères indépendants. SUBST. *Math.* Application $f$ de $\mathbb{N}$ dans $\mathbb{N}$ définie par $f(0) = 1$ et, pour $n \geqslant 1$, $f(n) = n \times f(n - 1)$ ; on note $f(n) = n!$ (lu « **factorielle** $n$ ») et on a $n! = 1 \times 2 \times ... \times (n - 1) \times n$, produit des $n$ premiers entiers. 1845 ; ☞ *facteur* ; [faktɔʀjɛl].

**FACTORING,** subst. m.
Affacturage (anglic.). XXe s. ; mot angl. ; [faktɔʀiŋ].

**FACTORISATION,** subst. f.
*Math.* Écriture d'une somme dans un anneau sous forme d'un produit de facteurs ; action de mettre en facteurs (☞ *facteur*). Mil. XXe s. ; ☞ *factoriser* ; [faktɔʀizasjɔ̃].

**FACTORISER,** verbe trans. [3]
*Math.* Mettre en facteurs (une expression). Mil. XXe s. ; lat. *factor,* « auteur, fabricant » ; [faktɔʀize].

**FACTOTUM,** subst. m.
Employé chargé de tâches très diverses, et gén. mineures. 1545 ; lat. tardif *fac totum,* « fais tout » ; [faktɔtɔm].

**FACTUEL, ELLE,** adj.
Relatif aux faits ; par ext., qui s'en tient aux faits. Mil. XXe s. ; angl. *factual,* de *fact,* « fait » ; [faktɥɛl].

**FACTUM,** subst. m.
1. Vx. *Dr.* Document exposant sommairement les termes d'un procès ainsi que les griefs et justifications des parties en cause. 2. *Litt.* Libelle, pamphlet, publication polémique. 1532 ; lat. *factum,* « action, travail » ; [faktɔm].

*Facteur d'orgues au travail.*

© P. Landmann-Gamma

**FACTURATION,** subst. f.
Action de facturer ; par méton., service d'une entreprise où l'on établit les factures. 1935 ; ☞ *facturer* ; [faktyʀasjɔ̃].

**FACTURE (I),** subst. f.
1. Manière dont est réalisée une œuvre littéraire ou artistique : *Un roman de belle facture.* 2. Fabrication d'instruments de musique ; par méton., dimension des tuyaux d'orgue. 1548 (XIIIe s., maintien du corps) ; lat. *factura,* « fabrication, façon » ; [faktyʀ].

**FACTURE (II),** subst. f.
1. Mémoire détaillant la nature, la quantité et le prix des marchandises vendues ou des services fournis ; par méton., montant à payer pour ces marchandises, ces services. ▸ *Facture pro forma* : devis permettant à l'acheteur de solliciter l'octroi d'un crédit ou d'une licence d'importation. 2. Ext. et Fam. Prix à payer pour qqch. : *La facture de la grève* ; au fig., concessions, sacrifices, inconvénients qu'entraîne une action fâcheuse ou risquée. 1540 ; ☞ *facteur* ; [faktyʀ].

**FACTURER,** verbe trans. [3]
Inscrire (une marchandise, un service) sur une facture ; établir la facture de. 1829 (1616, fabriquer) ; ☞ *facture* (II) ; [faktyʀe].

**FACTURIER, IÈRE,** subst.
MASC. Livre où sont enregistrées les factures. MASC. et FÉM. Employé chargé de la facturation, de la tenue du **facturier** ; empl. adj. : *Secrétaire facturière.* 1849 ; ☞ *facture* (II) ; [faktyʀje, jɛʀ].

**FACULE,** subst. f.
*Astron.* Zone brillante que l'on peut observer sur le disque solaire, et qui correspond à une zone active du Soleil. 1678 (déb. XIVe s., petite torche) ; lat. *facula,* « petite torche » ; [fakyl].

**FACULTATIF, IVE,** adj.
Que l'on peut faire, pratiquer, ou non ; laissé à la libre appréciation de chacun (anton. *obligatoire*) : *Pourboire, arrêt facultatif.* 1836 (1694, qui donne un droit) ; lat. *facultas,* « faculté » ; [fakyltatif, iv].

**FACULTÉ,** subst. f.
I. 1. Pouvoir propre à un être d'exercer telle ou telle fonction mentale ou physique : *L'homme a la faculté de parler, de raisonner.* ▸ Don, aptitude : *Une remarquable faculté de travail* ; *Des facultés artistiques.* 2. Ext. Propriété, vertu (vieilli) : *La faculté enivrante de l'alcool.* 3. Anal. Droit ; possibilité : *Vous avez la faculté de refuser.* PLUR. 1. Fonctions mentales : *Jouir de toutes ses facultés.* 2. *Dr.* Biens, ressources, moyens dont on dispose. II. 1. Corps des professeurs enseignant une même discipline, dans une université. ▸ Vieilli. *La Faculté* : celle de médecine et, par méton. (fam.), les médecins, le médecin traitant. 2. Établissement d'enseignement supérieur : *Une faculté de sciences, de droit* ; par méton., ses locaux. Déb. XIIIe s. ; lat. *facultas* ; [fakylte].

**FADA,** adj. et subst.
Région. (Midi). Se dit de qqn qui semble un peu fou (fam.). 1611 ; prov. *fadas,* « sot » ; [fada].

**FADAISE,** subst. f.
Propos insignifiant ou inepte ; chose futile, sans intérêt. 1560 ; prov. *fadeza,* « sottise » ; [fadɛz].

**FADASSE,** adj.
Fam. 1. Désagréablement fade. 2. Anal. Sans éclat, terne. 3. Fig. Sans intérêt ; ennuyeux. 1755 ; ☞ *fade* ; [fadas].

**FADE,** adj.
1. Sans saveur, sans goût. 2. À la saveur ou à l'odeur écœurante : *L'odeur fade du sang.* 3. Anal. Sans éclat, terne : *Des couleurs fades.* 4. Fig. Sans vigueur ; sans intérêt, ennuyeux : *Un style fade.* 5. Belg. *Il fait fade* : le temps est lourd, étouffant. Déb. XIIIe s. (fin XIIe s., faible) ; lat. pop. °*fatidus,* crois. du lat. *fatuus,* « fade », et *sapidus,* « qui a de la saveur » ; [fad].

**FADEUR,** subst. f.
Caractère de ce qui est fade. 1611 (déb. XIIIe s., dégoût) ; ☞ *fade* ; [fadœʀ].

**FADING,** subst. m.
*Télécomm.* Évanouissement (anglic.). 1924 ; mot angl. ; [fadiŋ].

**FADO,** subst. m.
Chant populaire du Portugal aux intonations nostalgiques. 1907 ; port. *fado,* « destin funeste », du lat. *fatum,* « destin » ; [fado].

**FAFIOT,** subst. m.
Argot. et Vieilli. Billet de banque. PLUR. Papiers d'identité. 1821 (1624, marque, jeton) ; rad. onomat. *faf-,* désignant une chose de peu de valeur ; [fafjo].

**FAGNE, subst. f.**
Tourbière des plateaux ardennais. ⊠ 1838 ; wallon *fagne*, de l'anc. bas frq. °*fanja*, « boue » ; [faɲ].

**FAGOT, subst. m.**
**1.** Faisceau de petites branches, que l'on utilise pour le feu, la couverture des toits ou la construction de haies mortes. ▸ Loc. *Sentir le **fagot*** : être suspect d'hérésie, d'opinions contestataires ; *De derrière les **fagots*** : de la meilleure qualité et conservé pour une grande occasion. **2.** En Afrique, bois de chauffage. ⊠ XIIe s. ; orig. obsc. ; [fago].

**FAGOTAGE, subst. m.**
**1.** Confection des fagots. **2.** Fig. Négligence dans la façon de se vêtir ou de faire qqch. (péj.). ⊠ 1571 ; ☞ *fagoter* ; [fagɔtaʒ].

**FAGOTER, verbe trans.** [3]
**1.** Mettre en fagots. **2.** Fig. Composer à la hâte : ***Fagoter** un discours.* **3.** Vêtir sans goût ; empl. adj. : *Un enfant mal **fagoté**.* ⊠ 1260 ; ☞ *fagot* ; [fagɔte].

**FAGOTIN, subst. m.**
Petit fagot de brindilles. ⊠ 1584 ; ☞ *fagot* ; [fagɔtɛ̃].

**FAIBLARD, ARDE, adj.**
Faible (fam.). ⊠ 1878 ; ☞ *faible* ; [fɛblaʀ, aʀd].

**FAIBLE, adj. et subst.**
**Adj. 1.** Qui manque de vigueur physique : *Il se sent encore **faible** ; Le sexe **faible**,* les femmes (iron.). **2.** Anal. ▸ Qui manque de robustesse : *Le point **faible** d'une construction.* ▸ De peu de puissance : *Un vent **faible**.* ▸ De peu d'importance, de valeur : *Un **faible** écart.* **3.** Fig. ▸ Qui manque de force morale. ▸ Insuffisant, médiocre : *Un élève **faible** ; Un raisonnement **faible**.* **Subst. 1.** Personnage sans rigueur morale, lâche. **2.** Personne vulnérable, sans défense : *Un économiquement **faible** ; **Faible** d'esprit,* débile mental. **Subst. masc. 1.** Inclination, penchant : *Elle a un **faible** pour les vieux livres.* **2.** Loc. **Le faible de.** Le point sensible de : *Le **faible** de la cuirasse.* ⊠ Fin XIe s. ; lat. pop. °*febilis*, du lat. *flebilis*, « affligeant » ; [fɛbl].

**FAIBLEMENT, adv.**
De manière faible. ⊠ Fin XIe s. ; ☞ *faible* ; [fɛbləmɑ̃].

**FAIBLESSE, subst. f.**
**1.** Manque de force physique : *La **faiblesse** d'un convalescent.* **2.** Anal. Manque de solidité : *La **faiblesse** d'une poutre.* **3.** Fig. Défaut de talent, de valeur intellectuelle : *La **faiblesse** d'une interprétation, d'un raisonnement.* **4.** Carence morale : *La **faiblesse** d'un caractère ; J'ai eu la **faiblesse** de l'inviter à dîner.* **5.** Inclination, penchant. **6.** Indulgence excessive, complaisance : *La **faiblesse** d'une mère.* **7.** Petitesse : *La **faiblesse** des effectifs.* ⊠ 1265 ; ☞ *faible* ; [fɛblɛs].

**FAIBLIR, verbe intrans.** [19]
Devenir faible. ⊠ 1188 ; ☞ *faible* ; [fɛbliʀ].

**FAÏENCE, subst. f.**
Céramique émaillée ou vernissée ; par méton., objet fait de cette matière. ▸ Loc. *Se regarder en chiens de **faïence*** : d'un air méfiant, avec hostilité. ⊠ 1532 ; topon. *Faenza* (Italie) ; [fajɑ̃s].

*Carreaux de faïence de Delft.*

**FAÏENCÉ, ÉE, adj.**
Qui imite la faïence, qui a l'aspect de la faïence. ⊠ 1752 ; ☞ *faïence* ; [fajɑ̃se].

**FAÏENCERIE, subst. f.**
**1.** Lieu où l'on fabrique, où l'on vend de la faïence. **2.** Objets en faïence. ⊠ 1691 ; ☞ *faïence* ; [fajɑ̃sʀi].

**FAÏENCIER, IÈRE, subst.**
Fabricant ou marchand de faïence. ⊠ 1666 ; ☞ *faïence* ; [fajɑ̃sje, jɛʀ].

**FAIGNANT,** voir **FEIGNANT**

**FAILLE (I), subst. f.**
**1.** Manque, faute, défaut : *Un raisonnement sans **faille**.* **2.** Discontinuité étroite affectant un relief ; fente, ravin. ▸ *Géol.* Cassure affectant une série de couches géologiques d'un massif rocheux, avec déplacement d'un des compartiments. Une **faille** peut être normale (d'affaissement) ou inverse (de chevauchement). ▸ *Mines.* Discontinuité dans un filon. ⊠ Mil. XIIe s. ; ☞ *faillir* ; [faj].

**FAILLE (II), subst. f.**
*Text.* Étoffe de soie ou de rayonne d'aspect côtelé. ⊠ 1752 (mil. XIIIe s., voile de femme) ; orig. obsc. ; [faj].

**FAILLER (SE), verbe pronom.** [3]
*Géol.* Se couvrir de failles ; présenter des failles. ⊠ V. 1900 ; ☞ *faille* (I) ; [faje].

**FAILLI, IE, adj. et subst.**
Se dit d'une personne qui a fait faillite. ⊠ 1606 ; ital. *fallito*, de *fallire*, « faillir » ; [faji].

**FAILLIBILITÉ, subst. f.**
Faculté de se tromper, de commettre des fautes. ⊠ Déb. XIVe s. ; ☞ *faillible* ; [fajibilite].

**FAILLIBLE, adj.**
Qui peut se tromper, commettre des fautes. ⊠ Fin XIIIe s. ; ☞ *faillir* ; [fajibl].

**FAILLIR, verbe** [31]
**Trans. indir. Faillir à.** Littér. Faire défaut à ; manquer à (un devoir) : *Le cœur me **faut** ; **Faillir** à sa parole.* **Intrans. 1.** Se tromper ; commettre une faute (littér.). ▸ *Comm.* Faire faillite. **2.** Être sur le point de : *J'ai **failli** attendre !* (mot attribué à Louis XIV). ⊠ Mil. XIe s. ; lat. pop. °*fallire*, du lat. *fallere*, « tromper, échapper à » ; verbe défectif ; [fajiʀ].

**FAILLITE, subst. f.**
**1.** *Dr. comm.* État d'un commerçant dont le tribunal constate l'incapacité à payer ses créanciers : *Faire **faillite*** ; procédure judiciaire en vue du règlement collectif de la **faillite** (terme abandonné en 1967 et remplacé par *liquidation judiciaire*). ▸ Ext. État d'une personne, d'une collectivité qui ne peut plus tenir ses engagements. **2.** Fig. Échec total : *La **faillite** d'un projet.* ⊠ 1566 ; ital. *fallita*, « faute », du lat. pop. °*fallire*, « tromper », d'apr. *faillir* ; [fajit].

**FAIM, subst. f.**
**1.** Besoin de manger ; sensation que provoque ce besoin : *Cette promenade m'a donné **faim** ; Une **faim** de loup,* une très grande **faim**. ▸ Fam. *Mourir de **faim*** : avoir très **faim** ou, par ext., être dans la misère. ▸ Loc. *Grève de la **faim*** (☞ *grève*). **2.** Ext. Famine : *La **faim** dans le monde.* **3.** Fig. Besoin, désir ardent : ***Faim** de liberté.* ⊠ Mil. XIe s. ; lat. *fames* ; [fɛ̃].

**FAINE, subst. f.**
Fruit du hêtre. ⊠ Mil. XIIe s. ; lat. pop. °*fagina glans*, « gland du hêtre », du lat. *fagus*, « hêtre » ; var. *faîne* ; [fɛn].

**FAINÉANT, ANTE, subst. et adj.**
**Subst.** Personne qui ne fait rien ou ne veut rien faire. **Adj.** Paresseux. ▸ *Hist. Les rois **fainéants*** : les derniers rois mérovingiens, qui abandonnèrent le pouvoir aux maires du palais. ⊠ 1306 ; altér. pop. de *feignant*, crois. de *faire* (I) et de *néant* ; [feneɑ̃, ɑ̃t].

**FAINÉANTER, verbe intrans.** [3]
Ne rien faire, faire preuve de fainéantise. ⊠ 1690 ; ☞ *fainéant* ; [feneɑ̃te].

**FAINÉANTISE, subst. f.**
Caractère du fainéant ; état du fainéant. ⊠ 1570 ; ☞ *fainéant* ; [feneɑ̃tiz].

**FAIRE (I), verbe** [57]
**Trans. 1.** Employé comme substitut d'un verbe déjà exprimé, dans une proposition comparative : *Je ne pourrais pas courir comme vous le **faites**.* **2.** Créer, produire, fabriquer : *Dieu **a fait** l'homme à son image ; **Faire** un gâteau ; **Faire** des enfants,* leur donner naissance. ▸ Produire par un processus naturel : *Arbre qui **fait** des fruits ; Bébé qui **fait** ses dents,* dont les dents poussent. ▸ Ext. et Fam. ***Faire** ses besoins* : uriner, déféquer ; empl. abs. : *Il **fait** encore au lit.* **3.** Se fournir en, obtenir : ***Faire** de l'essence ; **Faire** fortune.* **4.** Constituer, former : ***Faire** équipe ; Les deux **font** la paire* ; égaler : *Deux et deux **font** quatre* ; prendre la forme de : *« Bail » **fait** « baux » au pluriel.* **5.** Accomplir (un acte, une action) : ***Faire** une farce ; **Faire** l'amour ; **Faire** un effort* ; empl. abs., agir, se comporter : *Comment **faire** ? ; **Faites** comme chez vous.* ▸ **Ne faire que** (+ inf.). Ne pas cesser de : *Il ne **fait** que s'amuser* ; se contenter de : *Il ne **fait** que passer.* ▸ **Ne faire que de** (+ inf.). Venir à peine de : *La séance ne **fait** que de commencer.* **6.** Effectuer (un mouvement) : ***Faire** un geste ; **Faire** le gros dos.* ▸ Franchir, parcourir (une distance) : ***Faire** 10 kilomètres à pied ; **Faire** la Grèce,* la visiter (fam.). **7.** Effectuer (une tâche, une opération) : ***Faire** ses devoirs ; Ne plus rien avoir à **faire**.* ▸ Mettre ou remettre en état, préparer : ***Faire** son lit ; **Faire** ses ongles.* **8.** Exercer (une activité), s'adonner à (une pratique) : *Que **faites**-vous dans la vie ? ; **Faire** du sport.* **9.** Causer, avoir pour effet : ***Faire** du bien, du mal ; **Faire** du bruit ; **Faire** peur ; L'explosion **a fait** plusieurs blessés ; Ça ne **fait** rien,* ça n'a pas d'importance. ▸ Loc. proverb. *L'argent ne **fait** pas le bonheur.* ▸ **Faire que** (+ ind.). Avoir pour résultat que : *Ce retard **fait** que tout est à recommencer.* **10.** Conférer un titre, une qualité à (qqn) : *Je vous **fais** juge.* ▸ **Faire (qqch.) de qqn.** Transformer qqch., qqn en : ***Faire** d'un bloc de pierre une statue ; Le succès **a fait** de lui un autre homme.* ▸ Vendre (fam.) : *À combien me **faites**-vous ce vase ?* **11.** Jouer le rôle de, se comporter comme : ***Faire** le malin* ; avoir fonction de : *Table qui **fait** bureau.* **12. Faire** (+ inf.). ▸ **Faire** cause que : ***Faire** tomber qqn ; **Faire** changer d'opinion.* ▸ Charger qqn de : ***Faire** réparer des chaussures ; **Faire faire**,* charger qqn de réaliser. ▸ ***Faire** dire qqch. à qqn* : affirmer, prétendre qu'il l'a dit. **Intrans. 1.** Paraître, sembler (+ attribut) : ***Faire** jeune, vieux ; **Faire** son âge ; Ça **fait** Renaissance.* **2.** Produire tel effet, avoir telle apparence (+ adv.) : *Ce meuble **fait** bien ici.* **3.** Mesurer, peser, valoir, etc. (avec un compl. exprimant une quantité, une durée, etc.) : *Cette pièce **fait** 3 mètres sur 4.* **Impers. 1. Il fait** (+ adj. ou subst.). Pour indiquer des conditions météorologiques ou climatiques : *Il **fait** chaud, beau* ; par ext. : *Il **fait** nuit.* **2. Il fait bon, mauvais** (+ inf.). Il est agréable, désagréable ou dangereux de : *Il **fait** bon vivre ici.* **Pronom. 1.** Sens passif. ▸ Être accompli, réalisé, produit : *Cet article ne se **fait** plus.* ▸ Être en usage, à la mode, convenable : *Cela ne se **fait** pas.* ▸ Empl. impers. **Il se fait.** Il y a, il arrive : *Il se fit un grand silence.* **2.** Sens réfl. indir. ▸ Former dans son esprit : *Se **faire** du souci, des idées ; S'en **faire**,* s'inquiéter. ▸ Parvenir à acquérir, se procurer : *Se **faire** des relations.* **3.** Sens réfl. dir. ▸ S'accomplir, s'épanouir : *Un homme qui s'**est fait** tout seul ; Vin, fromage qui se **fait**,* qui arrive à maturité. ▸ Commencer à être, devenir : *Les clients se **font** rares* ; empl. impers. : *Il se **fait** tard.* ▸ Devenir volontairement : *Se **faire** beau ; Se **faire** moine.* ▸ **Se faire à.** S'habituer, s'adapter à : *Se **faire** à une idée.* ⊠ 842 ; lat. *facere* ; lorsque l'inf. qui suit *faire* a un compl. d'objet dir., on emploie *lui*, *leur*, et non pas *le*, *la*, *les* (ex. : « Je le fais écrire », mais « Je lui fais écrire une lettre ») ; [fɛʀ].

**FAIRE (II), subst. m.**
**1.** Action de faire, fait d'agir : *Il y a loin du dire au faire.* **2.** Manière d'un artiste, d'un artisan, d'un écrivain (vieilli). ⊠ Mil. XIe s. ; ☞ *faire* (I) ; [fɛʀ].

**FAIRE-PART, subst. m. inv.**
Lettre ou avis annonçant un évènement marquant de la vie privée : ***Faire-part** de mariage, de décès ; Cet avis tient lieu de **faire-part**.* ⊠ 1819 ; comp. de *faire* (I) et de *part* (I) ; [fɛʀpaʀ].

**FAIRE-VALOIR, subst. m. inv.**
**1.** Action de faire produire des revenus : ***Faire-valoir** direct,* exploitation d'une terre par son propriétaire (anton. *fermage, métayage*). **2.** Anal. *Théâtre* et *Cin.* Acteur de second plan qui met en valeur l'acteur principal ; par ext., personne qui en met une autre en valeur : *Il utilise ce nigaud comme **faire-valoir**.* ⊠ 1883 ; comp. de *faire* (I) et de *valoir* ; [fɛʀvalwaʀ].

**FAIR-PLAY, subst. m. inv.**
**1.** *Sp.* Respect des règles du jeu, de l'adversaire et du résultat, en partic. de la défaite. **2.** Ext. Loyauté, absence de duplicité dans les relations privées ou professionnelles ; empl. adj. : *Il est très **fair-play*** ; empl. adv. : *Elle joue **fair-play**.* ⊠ 1856 ; angl. *fair play*, « jeu loyal » ; recomm. off. *franc-jeu* ; [fɛʀplɛ].

**FAIRWAY, subst. m.**
*Sp.* Partie d'un parcours de golf constituée de pelouse. ⊠ 1933 ; angl. *fair way*, « bon chemin » ; [fɛʀwɛ].

**FAISABILITÉ, subst. f.**
Caractère de ce qui est faisable dans des conditions données, techniques, financières, etc. ⊠ Mil. XXe s. ; angl. *feasability*, d'apr. *faisable* ; [fəzabilite].

**FAISABLE, adj.**
Qui peut être fait (synon. *possible, réalisable*). ⊠ Mil. XIVe s. ; ☞ *faire* (I) ; [fəzabl].

**FAISAN, ANE, subst.**
*Zool.* Oiseau gallinacé sauvage de la famille des Phasianidés, à la chair appréciée et dont le mâle est pourvu d'un plumage éclatant ; en appos. : *Coq **faisan** ; Poule **faisane**.* MASC. Fig. Escroc (fam.). Fin XIIe s. ; lat. *phasianus*, du gr. *phasianos*, « oiseau du Phase (fleuve de la Colchide) » ; [fəzɑ̃, an].

*Faisan de Colchide.*

**FAISANDAGE, subst. m.**
Action de faisander ; fait de se faisander. 1852 ; ☞ *faisander* ; [fəzɑ̃daʒ].

**FAISANDÉ, ÉE, adj.**
**1.** Qui a subi le faisandage. **2.** Anal. Avarié ; au fig., avili (vieilli). 1393 ; p. p. de *faisander* ; [fəzɑ̃de].

**FAISANDEAU, subst. m.**
Jeune faisan. 1373 ; ☞ *faisan* ; [fəzɑ̃do].

**FAISANDER, verbe trans.** [3]
**1.** Laisser se décomposer (une pièce de gibier) pendant quelques jours pour qu'elle acquière un fumet relevé ; empl. intrans. ou pronom. : *Une viande qui (se) **faisande**.* **2.** Fig. Corrompre moralement. 1393 ; ☞ *faisan* ; [fəzɑ̃de].

**FAISANDERIE, subst. f.**
Élevage de faisans. 1669 ; ☞ *faisan* ; [fəzɑ̃dʀi].

**FAISCEAU, subst. m.**
**I.** Assemblage d'objets longs, formant un cylindre ou un cône : *Un **faisceau** de branches ; Un **faisceau** d'arbres, de tubes, de sabres levés.* PLUR. *Hist.* ► Dans l'Antiquité romaine, ensemble de verges liées autour du manche d'une hache, symbole de l'autorité d'un grand magistrat. ► Motif décoratif et symbolique, sous la Révolution. ► Emblème du fascisme italien ; par anal. et par méton., groupes paramilitaires fascistes. **II.** Fig. Ensemble convergent d'éléments de même nature : *Un **faisceau** de preuves, d'habitudes.* **III.** *Spéc.* **1.** *Anat.* Ensemble de fibres nerveuses ou musculaires, constituant du nerf ou du muscle. **2.** *Archit.* *Colonne en **faisceau*** : formée d'un assemblage de colonnettes. **3.** *Bot.* Ensemble de vaisseaux transportant la sève. **4.** *Ch. de fer.* ***Faisceau** de voies* : ensemble de voies parallèles réunies par des aiguillages à leurs extrémités. **5.** *Géom.* ***Faisceau** de droites (resp. de plans) dans le plan (resp. dans l'espace) engendré par deux droites distinctes $D_1$ et $D_2$ (resp. deux plans distincts $P_1$ et $P_2$)* : si $D_1$ et $D_2$ (resp. $P_1$ et $P_2$) sont parallèles, c'est l'ensemble des droites (resp. des plans) parallèles à $D_1$ et $D_2$ (resp. à $P_1$ et $P_2$) ; si $D_1$ et $D_2$ se coupent en O (resp. $P_1$ et $P_2$ se coupent suivant la droite $\Delta$), c'est l'ensemble des droites passant par O, sommet du **faisceau** (resp. ensemble des plans passant par $\Delta$, arête du **faisceau**). **6.** *Milit.* *Former les **faisceaux*** : poser les fusils les crosses au sol et les extrémités des canons s'appuyant les unes contre les autres ; ***Faisceau** de tir* : ensemble des plans de tir d'une batterie. **7.** *Phys.* Ensemble de rayons ayant la même origine et dont les trajectoires forment un cône ou un cylindre : ***Faisceau** lumineux.* **8.** *Techn.* ***Faisceau** tubulaire* : ensemble des tubes parallèles d'une chaudière, d'un condenseur ou d'un échangeur. Fin XIIe s. ; lat. pop. *°fascellus*, du lat. *fascis* ; [fɛso].

**FAISEUR, EUSE, subst.**
**1.** Vx. Personne qui fabrique qqch. ; artisan. **2.** Personne qui se livre par habitude à une activité : *Un **faiseur** de rébus* ; au fig. : *Un **faiseur** d'ennuis.* ► ***Faiseuse** d'anges* : avorteuse clandestine (pop.). **3.** Abs. Personne qui cherche à se donner de l'importance (vieilli et littér.). 1260 ; ☞ *faire* (I) ; [fəzœʀ, øz].

**FAISSELLE, subst. f.**
Panier en osier et, par ext., tout récipient percé de trous destiné à l'égouttage des fromages. Fin XIIe s. ; lat. *fiscella* ; [fɛsɛl].

**FAIT (I), FAITE, adj.**
**1.** Fabriqué, réalisé, accompli : *Un travail vite et bien **fait** ; Idées toutes **faites**,* préjugés ; *Bien **fait** !,* c'est mérité ! (fam.). ► Vêtu, accoutré (vx). ► Maquillé : *Yeux, ongles **faits**.* **2.** Achevé, mûr, à point : *Un homme **fait** ; Fromage **fait** à cœur.* **3.** Constitué, conformé : *Une femme bien **faite** ; Une tête bien **faite**,* un esprit sain et équilibré, apte à bien juger. **4.** Adapté, destiné : *Ils semblent **faits** l'un pour l'autre.* ► *C'est **fait** pour* : tel est son usage, son but (fam.). ► Habitué : *Il est **fait** à ce climat.* **5.** Fig. Pris : *Tu es **fait** !,* tu ne t'échapperas pas (fam.) ; *C'en est **fait** de moi,* je suis perdu (littér.). **6.** Loc. *Si **fait*** : si, oui (vx). P. p. de *faire* ; [fɛ, fɛt].

**FAIT (II), subst. m.**
**1.** Action humaine : *Commenter les **faits** et gestes de qqn ; Prendre qqn sur le **fait**,* en train de commettre un acte, gén. répréhensible ; *Cette erreur n'est pas de mon **fait**,* je n'en suis pas l'auteur. ► Action remarquable : *Hauts **faits** ; **Faits** d'armes,* exploits guerriers. ► Manière d'être ou d'agir propre à qqn : *C'est le **fait** d'un homme d'esprit ; Dire son **fait** à qqn,* lui dire nettement ce que l'on pense de lui, de ses agissements. **2.** Accomplissement de l'idée évoquée par un verbe, gén. hors de toute intervention humaine : *La croissance est le **fait** de croître.* **3.** Ce qui s'est produit, évènement : *Rétablir les **faits** ; S'en tenir aux **faits** ; **Faits** divers* (☞ *divers*). ► Ce qui existe ; ce dont la réalité est observable : *S'incliner devant les **faits** ; État de **fait** ; Situation de **fait**,* qui existe sans être fondée sur le droit ; *Le **fait** est que,* il est certain que. **4.** Sujet dont il est question : *En venir au **fait** ; Être sûr de son **fait**,* de ce que l'on prétend, du succès de son entreprise ; *Au **fait** de,* informé de ; *Mettre au **fait**,* informer. **5.** Loc. *Au **fait*** : à propos, j'y pense (en début de phrase) ; *En **fait*** : en réalité, effectivement ; *Tout à **fait*** : entièrement, exactement. ► Loc. conj. *Du **fait** que* : puisque. ► Loc. prép. *Du **fait** de* : en raison de ; *En **fait** de* : en matière de. **6.** *Dr.* Action, évènement, élément qui a des conséquences juridiques : *Voies de **fait**,* violences physiques (envers qqn) ; *Soulever un point de **fait** ; Prendre **fait** et cause pour qqn,* prendre résolument son parti. Fin XIIe s. ; lat. *factum*, de *facere*, « faire » ; [fɛ(t)].

**FAÎTAGE, subst. m.**
*Archit.* **1.** Panne faîtière ; par méton., sa couverture. **2.** Ext. Sommet d'un toit. 1676 (1223, droit annuel dû au seigneur pour chaque maison) ; ☞ *faîte* ; [fɛtaʒ].

**FAÎTE, subst. m.**
**1.** *Archit.* ► Sommet d'un bâtiment. ► Partie supérieure de la charpente d'un toit. **2.** Ext. Sommet : *Le **faîte** des arbres, de la colline.* **3.** Fig. Le plus haut degré : *Le **faîte** de sa carrière ; Au **faîte** des honneurs.* **4.** *Géogr.* *Ligne de **faîte*** : ligne de crête. Déb. XIIe s. ; anc. bas frq. *°first* ; [fɛt].

**FAÎTEAU, subst. m.**
*Archit.* Ornement du faîte, du faîtage d'un toit (synon. *épi de faîtage*). 1824 (1329, grosse poutre supportant les solives d'un faîte) ; ☞ *faîte* ; [fɛto].

**FAÎTIER, IÈRE, adj.**
**1.** *Archit.* Qui concerne le faîte ou le faîtage : *Solin **faîtier**, poutre **faîtière*** ; empl. subst. fém., panne, tuile ou lucarne **faîtière**. **2.** Ext. Qui concerne le sommet : *Les branches **faîtières**.* **3.** Helv. Central : *Bureau **faîtier**.* 1287 ; ☞ *faîte* ; [fetje, jɛʀ].

**FAIT-TOUT, subst. m. inv.**
Marmite basse munie d'anses. 1890 ; comp. de *faire* (I) et de *tout* ; var. *faitout* ; [fɛtu].

**FAIX, subst. m.**
**1.** Littér. Fardeau ; au fig., charge morale. **2.** *Constr.* Tassement normal d'un édifice récent. **3.** *Méd.* Fœtus (vx). Fin XIe s. ; lat. *fascis* ; [fɛ].

**FAKIR, subst. m.**
**1.** *Relig.* ► Ascète musulman. ► En Inde et au Pakistan, ascète se livrant à des mortifications. **2.** Ext. Illusionniste se parant de pouvoirs supranormaux. 1653 ; ar. *faqīr*, « pauvre » ; [fakiʀ].

**FALAISE, subst. f.**
**1.** *Géogr.* Escarpement rocheux littoral, vertical ou à forte pente, dû à l'érosion marine : ***Falaise** vive,* encore battue par la mer ; ***Falaise** morte,* séparée de la mer. **2.** Anal. À-pic, rocheux ou non, dû à une cause autre que l'érosion marine : ***Falaise** de glace.* Mil. XIIe s. ; germ. *°falisa*, « rocher » ; [falɛz].

**FALBALA, subst. m.**
Vx. Volant ornant le bas d'une jupe ou d'un rideau. PLUR. **1.** Ornements vestimentaires (vx). **2.** Ornements vestimentaires prétentieux et d'un goût douteux (péj.) ; au fig. : *Un style plein de **falbalas**.* 1692 ; prob. franco-prov. *farbella*, « frange ; guenille » ; [falbala].

**FALCIFORME, adj.**
En forme de lame de faux ou de faucille. ► *Pathol.* *Anémie **falciforme*** : drépanocytose. 1766 ; lat. *falx*, « faux, faucille », + *-forme* ; [falsifɔʀm].

**FALCONIDÉS, subst. m. plur.**
*Zool.* Famille de rapaces diurnes qui comprend en partic. les vautours non américains, les aigles et les milans. AU SING. *La buse est un **falconidé**.* 1868 ; lat. *falco*, « faucon » ; [falkɔnide].

**FALERNE, subst. m.**
Vin renommé dans l'Antiquité, produit dans la région de Falerne. Mil. XVIIIe s. ; topon. *Falerne*, ville antique de Campanie (Italie) ; [falɛʀn].

**FALLACIEUX, EUSE, adj.**
Trompeur : *Un raisonnement **fallacieux*** (synon. *captieux, spécieux*) ; *Des dehors **fallacieux**.* Mil. XVe s. ; bas lat. *fallaciosus* ; [fal(l)asjø, øz].

**FALLOIR, verbe impers.** [43]
**1.** **S'en falloir.** Manquer, faillir : *Le compte n'y est pas, il s'en **faut** de 1 000 francs ; Il s'en est **fallu** de cinq minutes que vous ne la croisiez.* ► Loc. *Il s'en **faut** de beaucoup, beaucoup s'en **faut*** : il y a une grande différence ; *Il s'en **faut** de peu, peu s'en **faut*** : presque, en faible quantité ; *Tant s'en **faut*** : bien au contraire ; *Tant s'en **faut** que* : bien loin que. **2.** Être obligatoire, nécessaire : *Il **faut** que nous partions ; Il me **faudra** deux heures pour venir.* ► Loc. *Il le **faut*** : c'est indispensable ; *Il **faut** voir* : il est souhaitable de voir, de vérifier ; ***Faut** voir !* : c'est admirable ou affligeant (fam.). ► *Comme il **faut*** : convenablement ou distingué, respectable, bien élevé (fam.). **3.** Être probable (avec une nuance d'étonnement, d'amusement ou de colère) : *Il **faut** qu'il soit bien amoureux pour ne pas venir.* ► ***Faut**-il être têtu !* : qu'il est têtu ! (fam.). **4.** Être fatal : *Évidemment, il a **fallu** qu'il soit en retard, même le jour de son mariage.* Mil. XIIe s. ; altér. de *faillir*, d'apr. *valoir* ; [falwaʀ].

**FALOT (I), subst. m.**
**1.** *Milit.* ► Grosse lanterne (vx). ► Conseil de guerre (argot.). **2.** Ext. *Mar.* Fanal de poupe. 1371 ; toscan *falò*, « feu de joie » ; [falo].

**FALOT (II), OTE, adj.**
**1.** Vx. Joyeux, plaisant ; par anal., ridicule. **2.** Effacé, sans personnalité ; pâle : *Un personnage **falot** ; Une lumière **falote**.* Mil. XVe s. ; p.-ê. angl. *fallow*, var. de *fellow*, « compagnon » ; [falo, ɔt].

**FALSAFA, subst. f.**
*Philos.* Courant aristotélicien de la philosophie arabe, représenté en partic. par Avicenne (Xe-XIe s.) et Averroès (XIIe s.). Mot d'orig. ar. ; [falsafa].

**FALSIFIABILITÉ, subst. f.**
*Philos.* Qualité d'une théorie, d'une hypothèse falsifiable, qui, selon Karl Popper, témoigne de son caractère scientifique (synon. *réfutabilité*). V. 1960 ; angl. *falsifiability* ; [falsifjabilite].

**FALSIFIABLE, adj.**
**1.** Que l'on peut falsifier : *Document **falsifiable**.* **2.** Philos. *Théorie, hypothèse **falsifiable*** : pour laquelle on peut imaginer une expérience, un fait qui en démontre la fausseté (synon. *réfutable*). 1580 ; ☞ *falsifier* ; [falsifjabl].

**FALSIFICATEUR, TRICE, subst.**
Individu qui falsifie, faussaire. 1510 ; ☞ *falsifier* ; [falsifikatœʀ, tʀis].

**FALSIFICATION, subst. f.**
**1.** Action de falsifier ; son résultat. **2.** *Philos.* Preuve de la fausseté d'une théorie scientifique (anton. *corroboration*). 1369 ; lat. médiév. *falsificatio* ; [falsifikasjɔ̃].

**FALSIFIER, verbe trans.** [6]
**1.** Altérer, contrefaire, dénaturer afin de tromper : ***Falsifier** du lait, un passeport, l'histoire.* **2.** *Philos.* Réfuter (anglic.). 1495 ; lat. médiév. *falsificare* ; [falsifje].

**FALUCHE, subst. f.**
Grand béret noir traditionnel des étudiants. 1888 ; lillois *faluche*, « galette » ; [falyʃ].

**FALUN, subst. m.**
*Pétrogr.* Dépôt sédimentaire formé de coquilles et de fragments de fossiles divers, non cimenté, utilisé comme amendement calcique : *Épandage de **faluns**.* 1720 ; orig. inc. ; [falœ̃].

**FALUNER,** verbe trans. [3]
Amender avec du falun. 1720 ; ☞ *falun* ; [falyne].

**FALZAR,** subst. m.
Pantalon (fam.). 1878 ; argot *falzar,* d'orig. inc. ; [falzaʀ].

**FAMÉ, ÉE,** adj.
*Lieu mal famé* : de mauvaise réputation, mal fréquenté (var. *malfamé*). Mil. XVe s. ; anc. fr. *fame,* du lat. *fama,* « réputation » ; [fame].

**FAMÉLIQUE,** adj.
Affamé, émacié, misérable : *Un pauvre hère famélique.* 1457 ; lat. *famelicus* ; [famelik].

**FAMEUX, EUSE,** adj.
**1.** Célèbre : *Héros, criminel **fameux** ; Le **fameux** mot de Cambronne.* **2.** Remarquable dans son genre : *Un **fameux** crétin.* ► Délicieux : *Ta tarte est **fameuse**.* Déb. XIVe s. ; lat. *famosus* ; [famø, øz].

**FAMILIAL, ALE, AUX,** adj.
Qui concerne la famille : *Fête **familiale** ; Allocations **familiales** ; Planning **familial**.* ► *Voiture **familiale*** ou, empl. subst. fém., *Une **familiale*** : voiture de tourisme carrossée et équipée pour transporter jusqu'à huit passagers. 1830 ; ☞ *famille* ; [familjal, o].

**FAMILIARISATION,** subst. f.
Action de familiariser, fait de se familiariser ; accoutumance. 1855 ; ☞ *familiariser* ; [familjaʀizasjɔ̃].

**FAMILIARISER,** verbe trans. [3]
Rendre (qqn) familier avec qqch. : ***Familiariser** un enfant avec la musique.* Pronom. Se rendre familier par la pratique : *Se **familiariser** avec le sanskrit.* 1551 ; lat. *familiaris,* « familier » ; [familjaʀize].

**FAMILIARITÉ,** subst. f.
**1.** Relations étroites, intimité ; grande habitude de qqch. **2.** Comportement libre et familier envers qqn : *Une **familiarité** affectueuse* ; au plur., manières trop libres (péj.) : *Cessez vos **familiarités** !* Fin XIIe s. ; lat. *familiaritas* ; [familjaʀite].

**FAMILIER, IÈRE,** adj.
**1.** Qui participe à l'intimité d'une famille ou y est admis : *Dieux lares ou **familiers** ; Animal **familier** ; Ami **familier**.* ► Empl. subst. masc. Personne proche de la famille, qui la fréquente assidûment ; par ext. : *C'est un **familier** de notre hôtel.* **2.** Bien connu : *Odeur **familière**, décor **familier*** ; dont la pratique est habituelle : *Le russe lui est **familier**.* **3.** Simple et amical : *Conversation **familière**.* **4.** Se dit d'un mot ou d'une expression de la conversation courante parfois acceptable à l'écrit mais à exclure dans un langage soutenu. Fin XIIe s. ; lat. *familiaris* ; [familje, jɛʀ].

**FAMILIÈREMENT,** adv.
De manière familière, simple. Fin XIIe s. ; ☞ *familier* ; [familjɛʀmɑ̃].

**FAMILISTÈRE,** subst. m.
Coopérative ouvrière de production, d'inspiration fouriériste. 1859 ; crois. de *famille* et de *phalanstère* ; [familistɛʀ].

**FAMILLE,** subst. f.
**I. 1.** Groupe de personnes apparentées vivant gén. ensemble : ***Famille** patriarcale, étendue, nucléaire* ; ***Famille** polygamique, monogamique.* **2.** Ensemble de personnes liées par la filiation, l'adoption ou le mariage : *Inviter sa belle-**famille** ; Une réunion de **famille*** ; *Air de **famille***, ressemblance. **3.** Groupe formé par un couple ou l'un des parents et ses enfants : *Fonder une **famille** ; Nom, livret de **famille** ; **Famille** monoparentale ; La vie de **famille**.* ► Les enfants d'un couple : *Mère de **famille** nombreuse ; Être chargé de **famille**.* **4.** Ensemble de personnes apparentées descendant d'ancêtres communs : *La **famille** royale ; Caveau de **famille** ; Jeune fille de bonne **famille***, d'origine bourgeoise ; *Il tient ça de **famille***, c'est héréditaire ou atavique chez lui. ► *Bijoux de **famille*** : bijoux transmis de génération en génération et, par métaph. (pop.), organes génitaux masculins. **II. 1.** Ensemble d'êtres ou de choses ayant une origine ou des caractères communs : *Une **famille** politique.* **2.** *Spéc.* ► *Bot.* et *Zool.* Subdivision taxinomique des ordres, groupant des genres partageant des caractères communs : *La **famille** des Falconidés, des Rosacées, des Brassicacées.* ► *Ling.* Ensemble de langues ayant une origine commune : *La **famille** des langues romanes* ; ***Famille** de mots*, ensemble des mots construits sur le même radical. ► *Math. **Famille** d'éléments d'un ensemble E* : application $f$ d'un ensemble I dans E vue comme une indexation de certains éléments de E par I (synon. *ensemble*). On note $i \in I$, $x_i = f(i)$ et on écrit aussi $(x_i)_{i \in I}$ la **famille** (des images de $f$), $i$ indice de $x_i$. Si I est l'ensemble des entiers naturels $\mathbb{N}$, $(x_n)_{n \in \mathbb{N}}$ est une suite d'éléments de E. 1337 ; lat. *familia* ; [famij].

**FAMINE,** subst. f.
Manque absolu d'aliments : *Année de **famine*** ; au fig. : *Salaire de **famine***, très bas. ► Loc. *Crier **famine*** : se plaindre d'être affamé. Mil. XIIe s. ; lat. *fames,* « faim » ; [famin].

**FAN,** subst.
Admirateur ou admiratrice enthousiaste d'une vedette (anglic.). 1923 ; apocope de l'anglo-amér. *fanatic,* « fanatique » ; [fan].

**FANA,** adj.
Fam. Fanatique, passionné : *Ils sont **fanas** du cinéma* ; empl. subst. : *Un, une **fana**.* XXe s. (1793, royaliste) ; apocope de *fanatique* ; [fana].

**FANAGE,** subst. m.
*Agric.* Action de faner. 1312 ; ☞ *faner* ; [fanaʒ].

**FANAL,** subst. m.
Lanterne ou feu servant à signaler la position d'un navire ou à baliser une côte ; par ext. : *Les **fanaux** d'une locomotive.* 1372 ; ital. *fanale,* du gr. byzantin *phanarion* ; plur. *fanaux* ; [fanal], plur. [-no].

**FANATIQUE,** adj.
**1.** Vx. Qui se croit inspiré de Dieu. **2.** Ext. Qui sert une doctrine, un idéal avec un zèle aveugle et une intolérance implacable : *Un moine, un révolutionnaire **fanatique*** ; par méton. : *Un geste, une haine **fanatique*** ; empl. subst., personne **fanatique** : *Redouter les **fanatiques**.* **3.** Animé d'une passion ardente pour qqn, qqch. : *Être **fanatique** de jazz* ; par méton. : *Un amour **fanatique*** ; empl. subst. : *Des **fanatiques** d'opéra.* 1564 ; lat. *fanaticus* ; abrév. fam. du sens 3 *fana* ; [fanatik].

**FANATIQUEMENT,** adv.
De manière fanatique. Fin XVIIIe s. ; ☞ *fanatique* ; [fanatikmɑ̃].

**FANATISER,** verbe trans. [3]
Rendre fanatique : ***Fanatiser** un peuple.* 1793 (1752, faire le fanatique) ; ☞ *fanatique* ; [fanatize].

**FANATISME,** subst. m.
Disposition d'esprit ou agissements d'une personne fanatique. 1688 ; ☞ *fanatique* ; [fanatism].

**FANCHON,** subst. f.
Coiffe paysanne faite d'un fichu plié en triangle, noué sous le menton (région. ou vieilli). 1828 ; *Fanchon,* dimin. de *Françoise* ; [fɑ̃ʃɔ̃].

**FANDANGO,** subst. m.
Danse andalouse accompagnée à la guitare, rythmée par des castagnettes et des claquements de talon ; musique de cette danse. 1756 ; mot esp. ; [fɑ̃dɑ̃go].

**FANE,** subst. f.
**1.** Vx. Herbe, foin. **2.** Feuille morte (vieilli). Plur. Tiges et feuilles de certaines plantes herbacées cultivées pour leur tubercule, leurs racines ou leurs graines : ***Fanes** de radis, de crosnes, de haricots.* XIIIe s. ; ☞ *faner* ; [fan].

**FANER,** verbe [3]
Trans. **1.** *Agric.* Retourner (du fourrage fauché) pour le faire sécher ; empl. abs., faire les foins. **2.** Faire perdre sa fraîcheur, son éclat à (une plante, une étoffe, un teint, etc.) ; au fig., rendre moins vif, estomper : *Le temps a **fané** les souvenirs.* ► Empl. adj. *Une dentelle, des lilas, un amour **fané**.* Intrans. et Pronom. Devenir défraîchi, flétri : *Les géraniums ont **fané** ; Les couleurs se **fanent** au soleil.* Déb. XIIIe s. ; lat. pop. °*fenare,* du lat. *fenum,* « foin » ; [fane].

**FANEUR, EUSE,** subst.
*Agric.* Personne qui fane. Fém. Machine à faner. 1275 ; ☞ *faner* ; [fanœʀ, øz].

**FANFARE,** subst. f.
*Mus.* **1.** Air vif et entraînant joué surtout par des trompettes et des cors. ► Loc. *Réveil en **fanfare*** : brutal, causé par du tapage. **2.** Orchestre de cuivres et, éventuellement, de percussions : *La **fanfare** municipale* ; par méton., ses musiciens. 1542 ; prob. orig. onomat. ; [fɑ̃faʀ].

**FANFARON, ONNE,** subst. et adj.
Se dit d'une personne qui affecte la bravoure, qui exagère ses mérites : *Faire le **fanfaron** ; Un gamin **fanfaron**.* Adj. Méton. Qui dénote le caractère d'un **fanfaron** : *Il a toujours un petit air **fanfaron**.* 1609 ; esp. *fanfarrón,* prob. d'orig. onomat. ; [fɑ̃faʀɔ̃, ɔn].

**FANFARONNADE,** subst. f.
**1.** Propension à fanfaronner. **2.** Attitude, propos de fanfaron (gén. au plur.) : *Ses **fanfaronnades** nous fatiguent.* 1598 ; ☞ *fanfaron* ; [fɑ̃faʀɔnad].

**FANFARONNER,** verbe intrans. [3]
Se vanter exagérément, faire le fanfaron. 1642 ; ☞ *fanfaron* ; [fɑ̃faʀɔne].

**FANFRELUCHE,** subst. f.
**1.** Vx. Bagatelle, ineptie. **2.** Ouvrage de passementerie qui orne un vêtement ; par ext., accessoire décoratif utilisé en ameublement. 1535 ; anc. fr. *fanfelue,* du bas lat. *famfaluca,* « bulle d'air » ; [fɑ̃fʀəlyʃ].

**FANGE,** subst. f.
**1.** Vx. Mélange liquide de boue et de purin. **2.** Boue épaisse et collante. **3.** Fig. Abjection, avilissement (littér.) : *Sombrer dans la **fange**.* ► Loc. *Traîner qqn dans la **fange*** : répandre sur lui des propos infamants. Fin XIe s. ; germ. °*fanga* ; [fɑ̃ʒ].

**FANGEUX, EUSE,** adj.
**1.** Plein de fange. **2.** Fig. Abject, infâme (littér.) : *Un être **fangeux**.* Mil. XIIe s. ; ☞ *fange* ; [fɑ̃ʒø, øz].

**FANGOTHÉRAPIE,** subst. f.
*Méd.* Traitement qui consiste en bains de boue. 1952 ; ☞ *fange* + *-thérapie* ; [fɑ̃goteʀapi].

**FANION,** subst. m.
Petit drapeau servant d'emblème à une unité militaire, à une voiture officielle, à une organisation, ou jalonnant un parcours sportif. XVe s. ; prob. °*fanillon* (pop.), « petit fanon » ; [fanjɔ̃].

**FANON,** subst. m.
**1.** *Liturg.* Manipule de prêtre ; chacune des deux bandes d'étoffe fixées derrière la mitre épiscopale. **2.** *Zool.* ► Repli cutané ou excroissance membraneuse qui pend sous le cou de divers animaux : ***Fanon** de l'iguane, du bœuf ; **Fanon** du dindon.* ► Chacune des lames cornées garnissant la mâchoire de certains cétacés et leur permettant de retenir le plancton : ***Fanons** de la baleine.* ► Touffe de crins qui retombe sur l'ergot du cheval. Fin XIIe s. ; anc. bas frq. °*fano,* « morceau d'étoffe » ; [fanɔ̃].

**FANTAISIE,** subst. f.
**1.** Vx. Imagination ; chimère, fantasme, rêve produit par cette faculté. **2.** Pouvoir créatif qui ne se plie à aucune règle : *Donner libre cours à sa **fantaisie**.* ► Méton. Œuvre de ton libre, qui n'obéit pas à une règle formelle : ***Fantaisie** pour piano.* **3.** Humeur d'une personne décidée à suivre ses envies : *Agir à sa **fantaisie*** ; caprice, lubie : *Se plier aux **fantaisies** de qqn.* **4.** Qualité d'une personne originale, qui vit selon ses goûts : *Avoir de la **fantaisie*** ; ce qui permet d'échapper à l'ennui, à la routine : *Une vie sans **fantaisie**.* **5.** Loc. *Bijoux (de) **fantaisie*** : sans valeur ; *Nom, uniforme de **fantaisie*** : inventé de toutes pièces ; *Kirsch **fantaisie*** : eau-de-vie qui imite le kirsch ; *Pain (de) **fantaisie*** : vendu à l'unité et non au poids. Déb. XIIIe s. ; bas lat. *phantasia,* « imagination », du gr. *phantasia,* « apparition » ; [fɑ̃tɛzi].

**FANTAISISTE,** subst. et adj.
Se dit d'une personne qui n'obéit qu'à sa fantaisie, qui manque de rigueur. Adj. Dépourvu de sérieux : *Témoignage **fantaisiste**,* peu crédible ; *Hypothèse **fantaisiste**,* sans fondement. Subst. Artiste de cabaret, humoriste. 1845 ; ☞ *fantaisie* ; [fɑ̃tɛzist].

**FANTASIA,** subst. f.
Fête arabe au cours de laquelle des cavaliers lancés au galop se livrent à des démonstrations d'adresse, qu'ils accompagnent de coups de feu et de cris. 1840 ; ar. *fantaziya,* « splendeur, magnificence », prob. de l'esp. *fantasia,* « arrogance » ; [fɑ̃tazja].

*Fantasia au Maroc.*

ART ET CINÉMA FANTASTIQUES

1. Le Sabbat des sorcières, *peinture de Francisco de Goya y Lucientes (1746-1828). Musée du Prado, Madrid.*

2. La Tentation de saint Antoine. *Détail du deuxième panneau du* Retable d'Issenheim, *peinture de Matthias Grünewald (v. 1460-1528). Musée d'Unterlinden, Colmar.*

3. *Robert De Niro dans* Frankenstein, *adaptation cinématographique du roman de Mary Shelley (1797-1851) réalisée en 1994 par Kenneth Branagh.*

4. *Jean Marais et Josette Day dans* la Belle et la Bête *(1946), film de Jean Cocteau (1889-1963).*

5. La Condition humaine, *peinture de René Magritte (1898-1967). Coll. part.*

6. *Sadie Frost dans* Dracula, *adaptation cinématographique du roman (1897) de Bram Stoker réalisée en 1992 par Francis Ford Coppola.*

7. *Gravure illustrant « L'assassinat de la rue Morgue », l'une des* Histoires extraordinaires *d'Edgar Poe (1809-1849). Bibliothèque nationale, Paris.*

**FANTASMAGORIE,** subst. f.
**1.** Vx. Art de faire apparaître dans l'obscurité des figures fantomatiques par illusion d'optique ; par ext., ces figures. **2.** Anal. Spectacle fantastique, féerie. **3.** Fig. Représentation imaginaire, chimère. **4.** *Litt.* Emploi d'effets fantastiques visant à créer une atmosphère surnaturelle. 1787 ; prob. crois. de *fantasme* et de *allégorie* ; [fɑ̃tasmagɔʀi].

**FANTASMAGORIQUE,** adj.
Qui relève de la fantasmagorie : *Vision **fantasmagorique.*** 1798 ; ☞ *fantasmagorie* ; [fɑ̃tasmagɔʀik].

**FANTASMATIQUE,** adj.
**1.** Vx. De la nature du fantôme. **2.** Relatif aux fantasmes. 1604 ; ☞ *fantasme* ; [fɑ̃tasmatik].

**FANTASME,** subst. m.
**1.** Vx. Illusion, fausse apparence. **2.** *Psychanal.* Scénario imaginaire mettant en scène le sujet et figurant plus ou moins directement l'accomplissement d'un désir refoulé par lui. ▸ Ext. Chimère, rêverie. XIIIe s. ; lat. *phantasma*, du gr. *phantasma*, « apparition, fantôme » ; var. *phantasme* (vieilli) ; [fɑ̃tasm].

**FANTASMER,** verbe [3]
Intrans. Se livrer à des fantasmes : ***Fantasmer** sur qqch., qqn* ; empl. abs. : ***Fantasmer** sans cesse.* Trans. Avoir pour fantasme : ***Fantasmer** une agression.* V. 1960 ; ☞ *fantasme* ; [fɑ̃tasme].

**FANTASQUE,** adj.
**1.** D'humeur imprévisible : *Caractère **fantasque.*** **2.** Bizarre, extravagant : *Supposition **fantasque.*** XVe s. ; anc. fr. *fantaste*, d'apr. *fantastique* ; [fɑ̃task].

**FANTASSIN,** subst. m.
Soldat d'infanterie. 1567 ; ital. *fantaccino*, de *infante*, « jeune guerrier », du lat. *infans*, « enfant » ; [fɑ̃tasɛ̃].

**FANTASTIQUE,** adj. et subst. m.
Adj. **1.** Qui n'existe qu'en imagination : *La licorne, animal **fantastique** ; Conte, peinture, film **fantastique**,* mettant en scène des êtres irréels, des phénomènes surnaturels. **2.** Qui paraît insolite, étrange, onirique : *Beauté **fantastique** d'un paysage embrumé.* **3.** Ext. Remarquable, exceptionnel par sa démesure : *Exploit **fantastique** ; Quel aplomb **fantastique** !* Subst. Genre artistique, notamment littéraire et cinématographique, où prédomine le surnaturel. Fin XIVe s. ; bas lat. *phantasticus*, du gr. *phantastikos* ; [fɑ̃tastik].

**FANTOCHE,** subst. m.
**1.** Marionnette à fils. **2.** Fig. Personne sans caractère, qui se laisse manipuler ; en appos. : *Gouvernement **fantoche**,* sans réelle autorité, servant d'instrument à d'autres. 1842 ; ital. *fantoccio* ; [fɑ̃tɔʃ].

**FANTOMATIQUE,** adj.
Qui évoque un fantôme par son apparence. 1807 ; ☞ *fantôme* ; [fɑ̃tomatik].

**FANTÔME,** subst. m.
**1.** Vx. Illusion. **2.** Apparition fantastique, non identifiable : *Avoir peur des **fantômes.*** **3.** Personne défunte se manifestant au monde réel ; revenant : *Maison hantée par un **fantôme.*** ▸ En appos. *Vaisseau **fantôme*** : navire légendaire, sans équipage ou manœuvré par des spectres, condamné à errer sans fin sur les mers. **4.** Fig. ▸ Souvenir qui hante l'esprit. ▸ Pensée, sentiment obsessionnel : *Combattre ses **fantômes.*** ▸ Personne ou chose qui n'est qu'en apparence ce qu'elle devrait être : *Un **fantôme** de père* ou, en appos., *Un père **fantôme**,* inconsistant ou souvent absent ; *Gouvernement **fantôme**,* sans pouvoir ou qui ne l'assume pas. **5.** *Spéc.* ▸ *Doc.* Fiche identificatrice mise à la place d'un ouvrage, d'un document déplacé. ▸ *Pathol. Membre **fantôme*** : membre amputé que le sujet continue à percevoir, comme s'il était encore présent. 1160 ; lat. pop. °*phantauma*, du gr. ionien °*phantagma*, du gr. *phantasma* ; [fɑ̃tom].

**FANTON,** voir **FENTON**

**FANUM,** subst. m.
*Antiq. rom.* Lieu, temple consacré à une divinité. Mil. XVIIIe s. ; mot lat. ; [fanɔm].

**FANZINE,** subst. m.
Revue spécialisée, de faible diffusion, publiée par

des amateurs. V. 1970 ; anglo-amér. *fanzine*, de *fan*, « amateur », et de *magazine*, « revue » ; [fɑ̃zin].

**FAON, subst. m.**
1. Vx. Petit de toute bête. 2. Petit d'un cervidé : *Le **faon** d'une biche, d'une daine.* XIIe s. ; lat. pop. °*feto*, du lat. *fetus*, « fœtus » ; [fɑ̃].

**FAQUIN, subst. m.**
1. Vx. Portefaix. 2. Fig. Homme fat, sot et malhonnête. 1534 ; prob. m. fr. *facque*, « poche » ; [fakɛ̃].

**FAR, subst. m.**
*Cuis.* Flan breton, gén. aux raisins secs ou aux pruneaux. 1799 ; prob. bas lat. *farsus*, « farce », du lat. *far*, « blé » ; [faʀ].

**FARAD, subst. m.**
*Phys.* Unité de mesure de capacité électrique (symb. : F), correspondant à la capacité d'un condensateur entre les armatures duquel s'établit une différence de potentiel de 1 volt lorsqu'il est chargé d'une quantité d'électricité égale à 1 coulomb. 1881 ; anthropon. *Faraday*, physicien britannique ; [faʀad].

**FARADAY, subst. m.**
*Phys.* Ancienne unité de quantité d'électricité, égale à 96 490 coulombs. 1948 ; anthropon. *Faraday*, physicien britannique ; [faʀadɛ].

**FARADIQUE, adj.**
*Phys.* Induit (vieilli) : *Courant **faradique*** (cet adj. est encore utilisé en électrophysiologie). 1876 ; anthropon. *Faraday*, physicien britannique ; [faʀadik].

**FARAMINEUX, EUSE, adj.**
Étonnant, extraordinaire (fam.) : *Somme **faramineuse***, excessive. Déb. XVIe s. ; *bête faramine*, « animal fantastique », du bas lat. *feramen*, « bête sauvage » ; var. *pharamineux, euse* ; [faʀaminø, øz].

**FARANDOLE, subst. f.**
Danse provençale à six-huit, exécutée par des hommes et des femmes se tenant par la main et disposés en alternance ; par ext., chaîne de danseurs. 1776 ; prov. *farandoulo* ; [faʀɑ̃dɔl].

**FARAUD, AUDE, subst. et adj.**
SUBST. Personne qui cherche à se faire valoir : *Faire le **faraud***, le malin. ADJ. Prétentieux : *Des airs **farauds***. 1725 ; esp. *faraute*, « messager », du fr. *héraut* ; [faʀo, od].

**FARCE (I), subst. f.**
Hachis dont on fourre certains mets avant la cuisson. XIIe s. ; lat. pop. °*farsa*, de °*farsus*, « farci » ; [faʀs].

**FARCE (II), subst. f. et adj.**
SUBST. 1. Vx. Petit intermède comique que l'on jouait au cours de la représentation d'un mystère, au Moyen Âge. 2. Pièce de théâtre où domine le burlesque. 3. Ext. Tour joué à qqn pour se rire de lui ; par méton., objet utilisé pour faire une **farce** : ***Farces** et attrapes.* 4. Loc. *Être le dindon de la **farce*** (☞ *dindon*). ADJ. Comique (fam. et vieilli). XIIIe s. ; ☞ *farce* (I), par réf. à l'intermède comique inséré dans le mystère comme la farce dans un mets ; [faʀs].

**FARCEUR, EUSE, subst. et adj.**
SUBST. Personne qui aime jouer des tours à autrui ou, par ext., que son comportement fantaisiste rend peu crédible. ADJ. Qui aime faire des farces : *Écolier **farceur***. Mil. XVe s. ; ☞ *farce* (II) ; [faʀsœʀ, øz].

**FARCIN, subst. m.**
*Vétér.* Morve cutanée du cheval et du mulet. XIIIe s. ; lat. *farcimen*, « saucisse, boudin », par allus. aux gonflements engendrés par cette maladie ; [faʀsɛ̃].

**FARCIR, verbe trans.** [19]
1. Garnir (un mets) de farce : ***Farcir** une dinde* ; empl. adj. : *Chou farci.* 2. Ext. ***Farcir** de plombs un gibier* : l'en cribler. 3. Fig. Encombrer, surcharger : ***Farcir** une conversation de lieux communs.* PRONOM. Fam. 1. Manger : *Se **farcir** un bon repas.* 2. Accomplir (une corvée) : *Se **farcir** la vaisselle.* 3. Supporter, subir (qqn) : *Celui-là, il faut se le **farcir** !* Fin XIIe s. ; lat. *farcire* ; [faʀsiʀ].

**FARD, subst. m.**
Cosmétique servant à embellir le teint ou à rehausser les détails du visage : ***Fard** à joues.* ► Loc. *Piquer un **fard*** : rougir brusquement, d'émotion ou d'embarras (fam.) ; *Sans **fard*** : sans détour, sans dissimulation. 1213 (fin XIIe s., artifice visant à embellir la réalité) ; ☞ *farder* (I) ; [faʀ].

**FARDAGE (I), subst. m.**
*Mar.* 1. Prise au vent des superstructures et de la coque d'un bateau. 2. Plancher de bois, à fond de cale, sur lequel on pose les marchandises. 1392 ; ☞ *farder* (II) ; [faʀdaʒ].

**FARDAGE (II), subst. m.**
*Comm.* Action frauduleuse consistant à farder une marchandise. 1896 ; ☞ *farder* (I) ; [faʀdaʒ].

**FARDE (I), subst. f.**
1. Balle de café de 185 kg. 2. Ext. Balle, de poids variable, contenant des produits exotiques exportés. 1775 (mil. XIIe s., charge) ; ar. *farda* ; [faʀd].

**FARDE (II), subst. f.**
Belg. Liasse de papiers ; dossier qui la contient. 1812 ; prob. anc. fr. *fardes*, « vêtements » ; [faʀd].

**FARDEAU, subst. m.**
1. Charge lourde que l'on soulève ou porte. 2. Fig. Charge pénible à supporter : *Le **fardeau** des ans, des remords.* Déb. XIIIe s. ; ☞ *farde* (I) ; [faʀdo].

**FARDER (I), verbe trans.** [3]
1. Enduire de fard ; maquiller : ***Farder** un comédien.* 2. Fig. Déguiser, masquer : ***Farder** la vérité.* ► *Comm.* ***Farder** la marchandise* : recouvrir les articles médiocres par d'autres de bonne qualité pour duper l'acheteur. PRONOM. Se maquiller. Mil. XIIe s. ; prob. anc. bas frq. °*farwidon*, « colorer » ; [faʀde].

**FARDER (II), verbe intrans.** [3]
1. Peser de tout son poids (vieilli). 2. Anal. *Mur qui **farde*** : qui s'affaisse sous son propre poids. 3. *Mar. Navire qui **farde** sur un autre* : qui s'en approche trop ; *Voile qui **farde*** : qui offre une bonne prise au vent. Mil. XIVe s. ; ☞ *farde* (I) ; [faʀde].

**FARDOCHES, subst. f. plur.**
Québ. Broussailles. 1667 ; orig. inc. ; [faʀdɔʃ].

**FARÉ, subst. m.**
Habitation tahitienne traditionnelle. Mot tahitien ; [faʀe].

**FARFADET, subst. m.**
Être irréel, espiègle et gracieux, des contes populaires. 1542 ; prov. *farfadet*, de *fado*, « fée » ; [faʀfadɛ].

**FARFELU, UE, adj.**
Saugrenu, absurde, loufoque : *Une idée **farfelue*** ; empl. subst., personne **farfelue**. 1921 (1460, dodu) ; prob. anc. fr. *fanfelue*, « bagatelle », + rad. *fa(r)f-*, désignant une chose gonflée, vaine ; [faʀfəly].

**FARFOUILLER, verbe intrans.** [3]
Fouiller sans méthode, en bouleversant tout (fam.). 1546 ; ☞ *fouiller* + *far-* (particule de renforcement) ; [faʀfuje].

**FARGUES, subst. f. plur.**
*Mar.* Planches du bordé supérieur d'une embarcation, dans lesquelles sont creusées les dames de nage. 1694 ; altér. de *falque* (vx), de l'esp. *falca* ; [faʀg].

**FARIBOLE, subst. f.**
Idée creuse, baliverne (gén. au plur.) : *Ce ne sont que **fariboles** !* 1532 ; orig. obsc. ; [faʀibɔl].

**FARIDONDAINE, subst. f.**
1. Mot vide de sens utilisé dans le refrain de certaines chansons populaires. 2. Méton. Refrain de chanson populaire. 1753 ; orig. onomat. ; [faʀidɔ̃dɛn].

**FARIGOULE, subst. f.**
Région. (Provence). Thym. 1528 ; prov. *farigoulo*, du lat. pop. °*fericula*, « plante sauvage » ; [faʀigul].

**FARIGOULETTE, subst. f.**
Région. (Provence). Lieu planté de thym. 1914 ; ☞ *farigoule* ; [faʀigulɛt].

**FARINACÉ, ÉE, adj.**
Qui a la nature ou l'aspect de la farine : *Drogue **farinacée***. 1798 ; ☞ *farine* ; [faʀinase].

**FARINAGE, subst. m.**
*Peint.* Dégradation subie par une peinture dont la surface se délite en une fine couche poussiéreuse. V. 1900 (déb. XIVe s., droit payé sur le blé moulu) ; ☞ *fariner* ; [faʀinaʒ].

**FARINE, subst. f.**
1. Produit de la mouture de graines de céréales : ***Farine** de seigle, d'orge.* ► Mouture du blé : *Tamiser la **farine**.* 2. Poudre résultant du broyage de graines ou de plantes autres que les céréales : ***Farine** de pois, de manioc* ; ***Farine** de moutarde*, à usage médicinal. 3. Loc. fam. *De la même **farine*** : de la même espèce (péj.) ; *Rouler qqn dans la **farine*** : le duper. Mil. XIIe s. ; lat. *farina* ; [faʀin].

**FARINER, verbe** [3]
TRANS. Saupoudrer de farine, rouler (qqch.) dans la farine : ***Fariner** un merlan.* INTRANS. *Peint.* Perdre son éclat par farinage. Fin XVe s. ; ☞ *farine* ; [faʀine].

**FARINEUX, EUSE, adj. et subst. m.**
ADJ. 1. Qui contient de la farine, de la fécule ; qui évoque la farine par son goût, sa consistance : *Pomme **farineuse**.* 2. Couvert de farine. 3. *B.-a. Composition **farineuse*** : aux teintes fades. SUBST. Plante alimentaire contenant de la fécule (synon. *féculent*). 1539 ; bas lat. *farinosus* ; [faʀinø, øz].

**FARLOUSE, subst. f.**
*Zool.* Petit passereau à plumage jaune rayé de brun, dit aussi pipit des prés. 1555 ; orig. inc. ; [faʀluz].

**FARNIENTE, subst. m.**
Agréable oisiveté. 1676 ; ital. *farniente*, de *fare*, « faire », et de *niente*, « rien » ; [faʀnjɑ̃t] ou [-njɛnte].

**FARO, subst. m.**
Belg. Bière de malt d'orge et de froment additionnée de lambic et de sucre candi. 1833 ; wallon *faro*, du néerl. *faro*, variété de bière ; [faʀo].

**FAROUCHE (I), adj.**
1. Qui est à l'état sauvage et fuit à l'approche de l'homme : *Animal **farouche**.* 2. Anal. Qualifie une personne peu sociable : *Des voisins bien **farouches*** ; *Une femme peu **farouche***, d'un abord facile. 3. Ext. Hostile, effrayant : *Mine **farouche*** ; violent, opiniâtre : *Résistance **farouche**.* Déb. XIIIe s. ; prob. anc. fr. *fora(s)che*, du bas lat. *forasticus*, « étranger » ; [faʀuʃ].

**FAROUCHE (II), subst. m.**
*Agric.* Trèfle incarnat qui sert de fourrage. 1796 ; prov. *farotge*, du lat. *farrago*, « mélange de grains » ; var. *farouch* ; [faʀuʃ].

**FAROUCHEMENT, adv.**
De manière farouche, acharnée. Fin XIVe s. ; ☞ *farouche* (I) ; [faʀuʃmɑ̃].

**FARRAGO, subst. m.**
*Agric.* Semence composée de diverses graines fourragères. 1551 ; prov. *farrage*, du lat. *farrago* ; [faʀago].

**FARSI, subst. m.**
*Ling.* Autre nom du persan. Persan *fārsi* ; [faʀsi].

**FART, subst. m.**
Substance cireuse que l'on applique sur les semelles des skis pour les rendre plus glissantes. 1906 ; prob. norv. *fart*, « voyage ; vitesse » ; [faʀ(t)].

**FARTAGE, subst. m.**
Action de farter des skis ; son résultat. 1932 ; ☞ *farter* ; [faʀtaʒ].

**FARTER, verbe trans.** [3]
Enduire de fart (des skis). 1908 ; ☞ *fart* ; [faʀte].

**FASCE, subst. f.**
1. *Archit.* Ensemble des bandes que comporte l'architrave. 2. *Hérald.* Pièce honorable qui occupe horizontalement le tiers central de l'écu. Déb. XIIe s. ; lat. *fascia*, « bande » ; [fas].

**FASCIA, subst. m.**
*Anat.* Membrane fibreuse, formation aponévrotique, qui cloisonne et maintient des muscles ou des organes. 1806 ; lat. *fascia*, « bande » ; [fasja].

**FASCIATION, subst. f.**
*Bot.* Anomalie de croissance des végétaux, dont certains éléments (branches, rameaux, pédoncules des fleurs) prennent une forme aplatie et non cylindrique. 1829 ; lat. *fascia*, « bande » ; [fasjasjɔ̃].

**FASCICULE, subst. m.**
1. Chacune des parties d'un ouvrage publié de façon fragmentée. 2. *Milit.* ***Fascicule** de mobilisation* : annexe du livret militaire, indiquant au réserviste que faire en cas de mobilisation. 1690 (début XVIe s., petit paquet) ; lat. *fasciculus*, de *fascis*, « faix » ; [fasikyl].

**FASCICULÉ, ÉE, adj.**
1. *Archit.* Se dit d'une colonne constituée d'un faisceau de colonnettes. 2. *Bot.* Qui se présente en faisceau : *Racine **fasciculée** des Poacées.* 1786 ; ☞ *fascicule* ; [fasikyle].

**FASCIÉ, ÉE, adj.**
1. *Bot.* Affecté de fasciation. 2. *Zool.* Marqué de bandes : *L'abdomen **fascié** de jaune et de noir de la guêpe.* 1737 ; lat. *fascia*, « bande » ; [fasje].

**FASCINAGE, subst. m.**
*Techn.* Action de garnir de fascines ; ouvrage fait de fascines. 1693 ; ☞ *fascine* ; [fasinaʒ].

**FASCINANT, ANTE, adj.**
Qui séduit, éblouit, subjugue : *Héros, pays **fascinant***. Mil. XIXe s. ; p. pr. de *fasciner* (I) ; [fasinɑ̃, ɑ̃t].

**FASCINATEUR, TRICE, adj.**
Qui fascine ; qui soumet par le regard (littér.). 1550 ; ☞ *fasciner* (I) ; [fasinatœʀ, tʀis].

**FASCINATION,** subst. f.
1. Action de fasciner. 2. Fig. Pouvoir de subjuguer ; enchantement : *Subir la **fascination** de qqn.* 1488 ; lat. *fascinatio*, « enchantement » ; [fasinasjɔ̃].

**FASCINE,** subst. f.
1. Fagot. 2. *Techn.* Fagot serré de branchages utilisé dans certains travaux de terrassement, de protection. Déb. XIIIe s. ; lat. *fascina*, de *fascis*, « fardeau » ; [fasin].

**FASCINER (I),** verbe trans. [3]
1. Figer sur place, maîtriser par le seul regard : *Hypnotiseur qui **fascine** ses patients.* 2. Fig. Séduire, captiver, éblouir : ***Fasciner** son auditoire.* Fin XIVe s. ; lat. *fascinare* ; [fasine].

**FASCINER (II),** verbe trans. [3]
*Techn.* Garnir de fascines. Déb. XVe s. ; ☞ *fascine* ; [fasine].

**FASCISANT, ANTE,** adj.
Qui tend vers le fascisme : *Parti **fascisant**.* 1936 ; ☞ *fasciste* ; [faʃizɑ̃, ɑ̃t] ou [-si-].

**FASCISME,** subst. m.
1. Système politique totalitaire caractérisé par le nationalisme, le militarisme et, sur le plan économique, par le corporatisme et le respect du fonctionnement capitaliste, établi en Italie en 1922 par Mussolini et ses partisans. 2. Ext. Idéologie ou régime politique présentant des analogies avec l'idéologie et le régime mussoliniens. 1921 ; ital. *fascismo*, de *fascio*, « faisceau » ; [faʃism] ou [-si-].

**FASCISTE,** adj. et subst.
ADJ. Propre ou favorable au fascisme. SUBST. Membre d'un parti **fasciste** ou fascisant ; partisan d'un régime **fasciste** ou fascisant (abrév. fam. et péj. : facho). 1922 ; ital. *fascista* ; [faʃist] ou [-si-].

**FASEYER,** verbe intrans. [3]
*Mar.* Battre au vent, en parlant d'une voile. 1687 ; prob. m. néerl. *faselen*, « se mouvoir violemment » ; [faseje] ou [-ze-].

**FASTE (I),** adj.
1. *Antiq. Jour **faste*** : jour du calendrier romain où certains actes publics étaient autorisés. 2. Favorable, heureux : *Une période **faste**.* Fin XIVe s. ; lat. *fastus*, de *fas*, « droit divin » ; [fast].

**FASTE (II),** subst. m.
Déploiement de luxe, de magnificence : *Le **faste** de la cour de Louis XIV.* 1540 ; lat. *fastus*, « orgueil, fierté » ; [fast].

**FASTES,** subst. m. plur.
1. *Antiq. rom.* Calendrier qui indiquait les jours fastes et néfastes : ***Fastes** consulaires*, faisant figurer, par ordre chronologique, le nom des consuls. 2. Ext. Annales, recueil d'évènements importants : *Les **fastes** sacrés de l'Église*, le martyrologe. 1488 ; lat. *fasti dies*, « jours fastes » ; [fast].

**FAST-FOOD,** subst. m.
Anglic. 1. Restauration rapide et bon marché. 2. Méton. Établissement offrant ce type de restauration. V. 1970 ; anglo-amér. *fast food*, de *fast*, « rapide », et de *food*, « nourriture » ; plur. *fast-foods*, recomm. off. *restauration rapide* (repas), *restovite* (restaurant) ; [fastfud].

**FASTIDIEUX, EUSE,** adj.
Qui suscite l'ennui, la lassitude : *Un travail **fastidieux** ; Une énumération **fastidieuse**.* XVe s. ; lat. *fastidiosus*, « qui cause du dégoût » ; [fastidjø, øz].

**FASTIGIÉ, ÉE,** adj.
*Bot.* Dont les fleurs ou les rameaux se dressent verticalement et forment un faisceau. 1781 ; bas lat. *fastigiatus*, du lat. *fastigium*, « faîte » ; [fastiʒje].

**FASTUEUX, EUSE,** adj.
1. Qui aime le faste. 2. Qui traduit le faste : *Une vie **fastueuse** ; Un décor **fastueux**.* 1537 ; bas lat. *fastuosus*, du lat. *fastosus*, « superbe » ; [fastyø, øz].

**FAT, FATE,** adj.
1. Vx. Stupide. 2. Suffisant, prétentieux (avec un certain ridicule) : *Un air **fat*** ; empl. subst. masc. : *Quel **fat**, ce vicomte !* 1534 ; anc. prov. *fat*, « sot », du lat. *fatuus*, « insensé » ; le fém. est rare ; [fa(t), fat].

**FATAL, ALE, ALS,** adj.
1. Propre au destin : *Les déesses **fatales***, les Parques ; marqué par le destin. 2. Ext. Qui doit arriver inévitablement. ▸ Auquel on n'échappe pas (fam.) : *La **fatale** dinde de Noël.* 3. Qui est lourd de conséquences pour la suite : *Instant **fatal*** ; qui a des conséquences désastreuses : *Commettre une erreur **fatale** ; Femme **fatale***, à la séduction ravageuse. 4. Qui entraîne la mort : *Chute **fatale**.* Fin XIVe s. ; lat. *fatalis*, de *fatum*, « destin » ; [fatal].

**FATALEMENT,** adv.
De manière fatale, inéluctable : *La ruine devait **fatalement** arriver.* 1549 ; ☞ *fatal* ; [fatalmɑ̃].

**FATALISME,** subst. m.
1. Doctrine selon laquelle tous les évènements sont déterminés à l'avance par une volonté surnaturelle. 2. Ext. Attitude morale et intellectuelle consistant à se soumettre aux évènements sans chercher à en modifier le cours : *Accepter une épreuve avec **fatalisme**.* 1724 ; ☞ *fatal* ; [fatalism].

**FATALISTE,** subst. et adj.
Se dit d'une personne qui croit à la fatalité, qui se soumet avec fatalisme aux évènements. ADJ. Qui témoigne de fatalisme, résigné : *Une attitude **fataliste**.* 1584 ; ☞ *fatal* ; [fatalist].

**FATALITÉ,** subst. f.
1. Force surnaturelle qui déterminerait à l'avance, d'une manière irrévocable, tous les évènements : *Accuser la **fatalité**.* 2. Caractère fatal, inéluctable de qqch. : *La **fatalité** de la mort.* 3. Série d'évènements fâcheux, malheureux, inexplicables ; adversité : *Une sorte de **fatalité** semble s'acharner contre lui.* XVe s. ; bas lat. *fatalitas* ; [fatalite].

**FATIDIQUE,** adj.
Marqué par le destin : *Heure, jour **fatidique** ; Des paroles **fatidiques**.* Fin XVe s. ; lat. *fatidicus* ; [fatidik].

**FATIGANT, ANTE,** adj.
1. Qui entraîne de la fatigue : *Un voyage **fatigant**.* 2. Fig. Qui lasse, importune : *Elle est **fatigante**, à toujours se plaindre.* 1666 ; p. pr. de *fatiguer* ; [fatigɑ̃, ɑ̃t].

**FATIGUE,** subst. f.
1. État de lassitude causé par un travail physique ou intellectuel excessif, entraînant une baisse de l'activité, auquel le repos peut remédier : ***Fatigue** musculaire, cérébrale ; Être brisé, mort de **fatigue**.* 2. Méton. Ce qui est cause de **fatigue** (souv. au plur.) : *Se remettre des **fatigues** d'un voyage.* 3. *Techn.* État, différent de l'usure, qui modifie la résistance d'un matériau après qu'il a été soumis maintes fois à la même opération : *Fissure de **fatigue**.* Déb. XIVe s. ; ☞ *fatiguer* ; [fatig].

**FATIGUÉ, ÉE,** adj.
1. Qui ressent de la fatigue ; par ext. : *Être **fatigué** de*, las de. 2. Qui dénote la fatigue : *Un visage **fatigué**.* 3. Usagé, défraîchi : *Des chaussures **fatiguées**.* Mil. XVe s. ; p. p. de *fatiguer* ; [fatige].

**FATIGUER,** verbe [3]
TRANS. 1. Causer de la fatigue à : *Cette marche prolongée m'a **fatigué*** ; soumettre (un organe) à un effort excessif : *Ces petits caractères **fatiguent** les yeux.* 2. Ext. Lasser (qqn) en l'ennuyant ou en l'importunant : *Ces cris d'enfants me **fatiguent**.* 3. *Agric.* ***Fatiguer** un sol* : causer une baisse de sa fertilité par une exploitation intensive. INTRANS. 1. Éprouver de la fatigue (fam.) : *En fin de course, il **fatigue**.* 2. *Techn.* Supporter un trop gros effort, en parlant d'un matériau, d'un mécanisme : *Moteur qui **fatigue**.* PRONOM. 1. Fournir un effort physique ou intellectuel excessif, sentir la fatigue. 2. **Se fatiguer à.** S'évertuer à (fam.) : *Je me **fatigue** à te le répéter.* 3. **Se fatiguer de.** Se lasser de : *Se **fatiguer** de la solitude.* Déb. XIVe s. ; lat. *fatigare*, « épuiser » ; [fatige].

**FATMA,** subst. f.
Femme musulmane, dans le français des colons d'Afrique du Nord. 1900 ; ar. *Fāṭma*, prononciation dial. de *Fāṭimah*, prénom féminin usuel ; [fatma].

**FATRAS,** subst. m.
1. Fouillis, amas d'objets disparates. 2. Fig. Ensemble de paroles, d'idées incohérentes : *Un **fatras** idéologique.* Déb. XIVe s. ; orig. obsc. ; [fatʀa].

**FATRASIE,** subst. f.
*Litt.* Au Moyen Âge, poème satirique dérivé de la rêverie, présentant des incohérences dans la composition et les idées. Déb. XIIIe s. ; ☞ *fatras* ; [fatʀazi].

**FATUITÉ,** subst. f.
Vanité, suffisance qui s'exprime de façon ridicule : *Être plein de **fatuité**.* Fin XVIIe s. (fin XIVe s., sottise, folie) ; lat. *fatuitas*, « sottise » ; [fatɥite].

**FATUM,** subst. m.
Destin (littér.). 1754 ; mot lat. ; [fatɔm].

**FATWA,** subst. f.
1. Consultation accordée par un mufti sur un point de droit musulman. 2. Décision qui en résulte, qui fait jurisprudence. Ar. *fatwā* ; [fatwa].

**FAUBERT,** subst. m.
*Mar.* Balai de cordages utilisé pour essuyer le pont d'un navire. 1643 ; p.-ê. néerl. *zwabber* ; [fobɛʀ].

**FAUBOURG,** subst. m.
1. *Hist.* Partie d'une ville située hors de l'enceinte. 2. Quartier situé autrefois en dehors d'une enceinte urbaine, auj. inclus dedans : *Le **faubourg** Saint-Antoine, à Paris.* 3. Ext. Quartier citadin périphérique : *Les **faubourgs** industriels* ; par méton., la population ouvrière d'un tel quartier. Déb. XVe s. ; anc. fr. *fors borc*, « hors du bourg » ; [fobuʀ].

**FAUBOURIEN, IENNE,** subst. et adj.
SUBST. Habitant des faubourgs, en partic. des faubourgs populaires de Paris. ADJ. Relatif aux faubourgs de Paris : *Un accent **faubourien**.* 1801 ; ☞ *faubourg* ; [fobuʀjɛ̃, jɛn].

**FAUCARD,** subst. m.
*Agric.* Grande faux utilisée pour couper les herbes des marais et des rivières. 1838 ; norm.-pic. *fauchard*, « serpette » ; [fokaʀ].

**FAUCARDER,** verbe trans. [3]
Faucher (les herbes) à l'aide d'un faucard. 1838 ; ☞ *faucard* ; [fokaʀde].

**FAUCHAGE,** subst. m.
1. *Agric.* Action de couper avec une faux : *Le **fauchage** des blés.* 2. *Arm.* Effet du tir d'une arme automatique. 3. *Sp.* Action de faire tomber irrégulièrement le joueur qui est en possession du ballon, au football. 1311 ; ☞ *faucher* ; [foʃaʒ].

**FAUCHAISON,** subst. f.
*Agric.* 1. Action de faucher. 2. Saison où l'on fauche. Fin XIIe s. ; ☞ *faucher* ; [foʃɛzɔ̃].

**FAUCHARD,** subst. m.
1. *Hist.* Hallebarde en forme de serpe. 2. *Agric.* Serpe à long manche munie d'un double tranchant, servant à couper les branches hautes des arbres. 1352 ; anc. fr. *fauçard*, « arme d'hast » ; [foʃaʀ].

**FAUCHE,** subst. f.
1. *Agric.* Fauchage ; fauchaison. 2. Fam. Vol, chapardage : *La **fauche** à l'étalage* ; par méton., ce qui est volé : *Ta bague, c'est de la **fauche** ?* 1360 ; ☞ *faucher* ; [foʃ].

**FAUCHÉ, ÉE,** adj.
1. Coupé à la faux : *Les blés **fauchés**.* 2. Fig. Dépourvu d'argent (fam.) : *Être **fauché** comme les blés.* XIIIe s. ; p. p. de *faucher* ; [foʃe].

**FAUCHER,** verbe [3]
TRANS. 1. Couper avec une faux ou avec une faucheuse : ***Faucher** les foins* ; par méton. : ***Faucher** un pré.* 2. Faire tomber, abattre (qqch.) : *La grêle a **fauché** les tulipes.* 3. Jeter à terre (qqn) en le blessant ou en le tuant : *Chauffard qui **fauche** un piéton* ; au fig. : *La mort l'a **fauché** à vingt ans.* ▸ Abattre en grand nombre : *Tir de mitrailleuse qui **fauche** des troupes.* 4. *Sp.* Faire tomber irrégulièrement (un adversaire en pleine course). 5. Voler, chaparder (fam.). INTRANS. Marcher en décrivant un demi-cercle avec l'un de ses membres antérieurs, en parlant d'un cheval. Fin XIIe s. ; lat. pop. *°falcare*, du lat. *falx*, « faux » ; [foʃe].

**FAUCHET,** subst. m.
*Agric.* Râteau de bois, pourvu de deux rangées de dents, utilisé pour ramasser le foin. 1213 ; ☞ *faucher* ; [foʃɛ].

**FAUCHETTE,** subst. f.
*Agric.* Serpette utilisée pour tailler des arbustes, pour faire des fagots. 1811 ; ☞ *fauchet* ; [foʃɛt].

**FAUCHEUR, EUSE,** subst.
Personne qui fauche l'herbe, le foin ; au fig. : *La **Faucheuse***, la mort (littér.). FÉM. Machine agricole servant à faucher. MASC. *Zool.* Faucheux. Déb. XIIIe s. ; ☞ *faucher* ; [foʃœʀ, øz].

**FAUCHEUX,** subst. m.
*Zool.* Arachnide non venimeux pourvu de quatre paires de pattes longues et grêles (synon. *faucheur*). 1690 ; ☞ *faucher* ; [foʃø].

**FAUCHON,** subst. m.
*Agric.* Faux munie d'une sorte de râteau, servant à couper les céréales et les herbes. XIIIe s. ; ☞ *faux* (II) ; [foʃɔ̃].

**FAUCILLE,** subst. f.
1. *Agric.* Outil, constitué d'une lame incurvée fixée sur un manche, servant à couper l'herbe ou à moissonner les céréales. ▸ ***La faucille** et le marteau* : emblème du communisme, symbole de l'union des paysans et des ouvriers. 2. Métaph. La lune (littér.) : *Cette **faucille** d'or dans le champ des étoiles* (Hugo). Déb. XIIe s. ; bas lat. *falcicula* ; [fosij].

**FAUCON,** subst. m.
**1.** *Zool.* Rapace diurne puissant et rapide de la famille des Falconidés. Il est utilisé parfois comme oiseau de chasse, et peut mesurer jusqu'à 50 cm : *Le pèlerin, le gerfaut, la crécerelle sont des* ***faucons.*** **2.** *Artill.* Petit canon en usage en France aux XVI^e^ et XVII^e^ s. **3.** *Pol.* Partisan du recours à la force (anton. *colombe*). Fin XI^e^ s. ; bas lat. *falco* ; [fokɔ̃].

**FAUCONNEAU,** subst. m.
**1.** Jeune faucon. **2.** *Artill.* Petit canon, qui resta en usage jusqu'au XVIII^e^ s. 1498 ; ☞ *faucon* ; [fokɔno].

**FAUCONNERIE,** subst. f.
**1.** Art de dresser les faucons et les autres oiseaux de proie. **2.** Ext. Chasse pratiquée avec des oiseaux de proie : ***Fauconnerie*** *de haut vol,* avec des oiseaux nobles, tels que le gerfaut, le faucon ; ***Fauconnerie*** *de bas vol,* avec l'épervier, par ex. **3.** Ensemble des installations affectées à l'élevage et au dressage des oiseaux de proie. 1361 ; ☞ *faucon* ; [fokɔnʀi].

**FAUCONNIER,** subst. m.
Personne qui dresse les faucons et les autres oiseaux de proie. Mil. XII^e^ s. ; ☞ *faucon* ; [fokɔnje].

**FAUCRE,** subst. m.
*Hist.* Crochet fixé sur le côté droit de l'armure du cavalier, qui servait à maintenir la lance. XII^e^ s. ; anc. fr. *fautre,* du germ. *felt* ; [fokʀ].

**FAUFIL,** subst. m.
*Cout.* Fil provisoire utilisé pour le faufilage. 1865 ; ☞ *faufiler* ; [fofil].

**FAUFILAGE,** subst. m.
*Cout.* Action de faufiler. 1841 ; ☞ *faufiler* ; [fofilaʒ].

**FAUFILER,** verbe trans. [3]
*Cout.* Assembler provisoirement (les pièces d'un ouvrage) par un fil passé à grands points, avant de réaliser la couture définitive (synon. *bâtir*). **Pronom. 1.** S'ouvrir un chemin en se glissant, passer avec adresse : *Cycliste qui se* ***faufile*** *entre des voitures* ; *Se* ***faufiler*** *dans, à travers la foule.* **2.** Fig. S'introduire, s'immiscer (souv. péj.) : *Se* ***faufiler*** *dans un milieu.* XIV^e^ s. ; altér., d'apr. *faux* (I), de *forfiler* (vx), formé de *fors,* « hors », et de *filer* ; [fofile].

**FAUFILURE,** subst. f.
Couture provisoire faite avec du faufil (synon. *bâti*). XIV^e^ s. ; ☞ *faufiler* ; [fofilyʀ].

**FAUNE (I), FAUNESSE,** subst.
*Myth.* **Masc.** Divinité bucolique des Romains, représentée avec un torse d'homme, de longues oreilles pointues, des pieds et des cornes de chèvre. **Fém.** Faune de sexe féminin. 1372 ; lat. *Faunus,* dieu champêtre ; [fon, fonɛs].

**FAUNE (II),** subst. f.
**1.** Vx. Description des animaux d'une région ; ouvrage qui la contient. **2.** Ensemble des animaux peuplant un lieu déterminé : *La* ***faune*** *et la flore* ; *La* ***faune*** *protégée d'une réserve.* **3.** Fig. Groupe humain typique d'un lieu donné (péj.) : *La* ***faune*** *des champs de courses.* 1783 ; lat. sc. *fauna,* du lat. *Faunus,* dieu champêtre ; [fon].

**FAUNIQUE,** adj.
Relatif à la faune. 1907 ; ☞ *faune* (II) ; [fonik].

**FAUNISTIQUE,** adj. et subst. f.
**Adj.** Faunique. **Subst.** *Sc.* Étude de la faune d'un milieu déterminé. XX^e^ s. ; ☞ *faune* (II) ; [fonistik].

**FAUSSAIRE,** subst.
Personne coupable d'un délit de contrefaçon : ***Faussaires*** *en œuvres d'art, en billets de banque.* Fin XII^e^ s. ; lat. *falsarius* ; [fosɛʀ].

**FAUSSEMENT,** adv.
**1.** Contre la vérité, à tort : *Une parole* ***faussement*** *attribuée à qqn.* **2.** D'une manière inexacte : *Raisonner* ***faussement.*** **3.** D'une manière feinte : *Un air* ***faussement*** *naïf.* Fin XII^e^ s. ; ☞ *faux* (I) ; [fosmɑ̃].

**FAUSSER,** verbe trans. [3]
**1.** Vx. Manquer à (un engagement) ; enfreindre (qqch.). ► Loc. ***Fausser*** *compagnie à qqn* : le quitter sans prendre congé. **2.** Rendre faux, inexact : ***Fausser*** *la vérité, la réalité.* **3.** Altérer ; empl. adj. : *Une voix* ***faussée*** *par le tabac* ; pervertir : ***Fausser*** *le caractère de qqn.* **4.** Déformer, gauchir (un objet, un mécanisme) ; empl. pronom. : *La direction de la voiture s'est* ***faussée.*** Mil. XII^e^ s. (fin XI^e^ s., dementir) ; bas lat. *falsare,* « falsifier » ; [fose].

**FAUSSET (I),** subst. m.
**1.** *Voix de* ***fausset*** ou, par ell., ***Fausset*** : registre de voix masculine dont le timbre se situe au-dessus de la limite normale de l'aigu (synon. *voix de tête*) ; par ext., voix suraiguë. **2.** Méton. Homme doté d'une telle voix : *Un motet interprété par un ténor et un* ***fausset.*** Fin XII^e^ s. ; ☞ *faux* (I) ; [fosɛ].

**FAUSSET (II),** subst. m.
*Techn.* Cheville de bois servant à obturer le trou percé dans un tonneau pour goûter le vin. 1322 ; ☞ *fausser* ; [fosɛ].

**FAUSSETÉ,** subst. f.
**1.** Caractère de ce qui est faux, opposé à la vérité ou à l'exactitude : ***Fausseté*** *d'un diagnostic, d'une hypothèse.* **2.** Caractère de ce qui manque de justesse, de pertinence : ***Fausseté*** *d'un jugement.* **3.** Manque de franchise, duplicité : *Un air de* ***fausseté.*** Mil. XII^e^ s. ; bas lat. *falsitas* ; [foste].

**FAUTE,** subst. f.
**I. 1.** Vx. Manque : *Faire* ***faute,*** manquer, faire défaut. **2.** Loc. ► *Ne pas se faire* ***faute*** *de* : ne pas se priver de. ► Loc. prép. **Faute de.** À défaut de : ***Faute*** *de grives, on mange des merles,* il faut se satisfaire de ce que l'on a ; ***Faute*** *de quoi,* sinon. ► *Sans* ***faute*** : sans y manquer. **II. 1.** Fait de faillir, de manquer à un devoir, à une loi morale ; acte répréhensible : *Reconnaître ses* ***fautes*** ; *Commettre une* ***faute*** *grave* ; *Prendre qqn en* ***faute,*** sur le fait. **2.** Atteinte portée à une règle, à une norme ou à un principe ; erreur : ***Faute*** *d'orthographe* ; ***Faute*** *de frappe* ; ***Faute*** *de goût.* **3.** Responsabilité ; cause (d'un tort) : *Je suis tombé par terre, / C'est la* ***faute*** *à Voltaire* (Hugo) ; *Je n'y suis pour rien, c'est sa* ***faute*** ou, fam., *c'est de sa* ***faute.*** **4.** Bévue, maladresse ; imprudence : *C'est plus qu'un crime, c'est une* ***faute*** (attribué, à tort, à Talleyrand). **5.** *Dr.* Acte ou omission, délictuel ou non, contrevenant à une obligation contractuelle ou légale : ***Faute*** *civile* ; ***Faute*** *de gestion* ; ***Faute*** *professionnelle.* **6.** *Relig.* Manquement aux prescriptions : *Confesser ses* ***fautes*** ; *La* ***faute*** *originelle,* le péché originel. **7.** *Sp.* Erreur technique, manquement au règlement : ***Faute*** *de main du footballeur* ; *Double* ***faute,*** fait de manquer deux services consécutifs, au tennis ; *Parcours sans* ***faute.*** Fin XII^e^ s. ; lat. pop. °*fallita,* du lat. *fallere,* « tromper » ; [fot].

**FAUTER,** verbe intrans. [3]
**1.** Avoir des relations charnelles hors mariage, en parlant d'une femme (vieilli). **2.** En Afrique, faire une faute d'orthographe, de français. 1864 (1568, commettre une faute) ; ☞ *faute* ; [fote].

**FAUTEUIL,** subst. m.
**1.** Siège pour une personne, muni d'un dossier et d'accoudoirs : ***Fauteuil*** *de dentiste* ; ***Fauteuil*** *roulant.* ► Loc. fam. *Arriver, gagner (comme) dans un* ***fauteuil*** : gagner facilement une compétition ou réussir sans effort. **2.** Fig. Titre, charge, fonction dans une assemblée ; en partic., poste d'académicien : *Être candidat au* ***fauteuil*** *vacant.* Fin XI^e^ s. ; anc. bas frq. °*faldistôl,* « siège pliant » ; [fotœj].

**FAUTEUR, TRICE,** subst.
Personne qui provoque ou fomente qqch. de répréhensible : ***Fauteurs*** *de guerre* ; ***Fauteur*** *de troubles.* 1295 ; lat. *fautor,* « partisan » ; [fotœʀ, tʀis].

**FAUTIF, IVE,** adj.
**1.** Vx. Qui est faillible ou défectueux : *Son ouïe est quelque peu* ***fautive.*** **2.** À qui revient la faute ; coupable : *Se sentir* ***fautif*** ; empl. subst. : *C'est elle la* ***fautive.*** **3.** Qui comporte des fautes, des erreurs : *Un calcul* ***fautif.*** Fin XV^e^ s. ; ☞ *faute* ; [fotif, iv].

**FAUVE,** adj. et subst. m.
**Adj. 1.** De couleur jaune tirant sur le roux : *Une chevelure* ***fauve.*** **2. Bête fauve.** ► *Vèn.* Ruminant sauvage au pelage **fauve,** tels le cerf, le daim, le chevreuil (vx). ► Grand félin. **3.** Anal. *Odeur* ***fauve*** : odeur forte et musquée, caractéristique des **fauves.** **Subst. 1.** Grand carnivore sauvage ; en partic., grand félin : *Le lion et le tigre sont des* ***fauves.*** ► Loc. *Sentir le* ***fauve*** : sentir mauvais. **2.** *B.-a.* Adepte du fauvisme : *Van Gogh fut un précurseur des* ***fauves*** ; empl. adj. : *La période* ***fauve*** *de Matisse.* Fin XI^e^ s. ; germ. °*falwa* ; [fov].

**FAUVERIE,** subst. f.
**1.** Ménagerie pour les fauves. **2.** Dans un zoo, partie réservée aux fauves. 1949 ; ☞ *fauve* ; [fovʀi].

**FAUVETTE,** subst. f.
*Zool.* Passereau insectivore de la famille des Sylviidés, à plumage fauve ou grisâtre, au chant mélodieux, qui niche dans les broussailles : ***Fauvette*** *babillarde, grisette, pitchou.* Déb. XIII^e^ s. ; ☞ *fauve* ; [fovɛt].

**FAUVISME,** subst. m.
*B.-a.* Mouvement pictural né en France vers 1900 en réaction contre l'académisme et l'impressionnisme, et caractérisé par l'utilisation de couleurs pures, souv. violentes, par une touche expressive, et par la simplification systématique des formes et des éléments plastiques : *Matisse, Vlaminck, Derain, Marquet, Braque, Dufy, Van Dongen furent des adeptes du* ***fauvisme.*** 1927 ; ☞ *fauve,* par allus. à un tableau d'Henri Rousseau et à la couleur ; [fovism].

**PEINTURE** – C'est à l'occasion d'une exposition qui fit scandale en 1905 que le critique d'art Louis Vauxcelles qualifia de « fauves » les œuvres de Matisse (*Femme au chapeau*), Vlaminck (*Vallée de la Seine à Marly*), Manguin (*Sieste*) et Derain (*Vue de Collioure*). « On a jeté un pot de peinture à la face du public », s'écrie le critique Camille Mauclair. Matisse, qui, influencé par le néo-impressionnisme et les théories de Seurat, peint dès 1904 *Luxe, calme et volupté* avec des petites touches de couleurs vives, est l'initiateur du mouvement. La touche, en s'élargissant, aboutit à une simplification formelle, et l'autonomie de la couleur par rapport au réel (les arbres rouges de Vlaminck, par exemple) n'est pas sans évoquer l'expressionnisme allemand. Dès 1908, la plupart des peintres optent pour d'autres orientations. (*Voir planche p. 470.*)

**FAUX (I), FAUSSE,** adj., adv. et subst. m.
**Adj. 1.** Qui est contraire à la vérité, à l'exactitude : ***Faux*** *témoignage* ; *Ce résultat est* ***faux*** ; *Raisonnement* ***faux.*** **2.** Qui est contrefait, falsifié : ***Faux*** *papiers* ; artificiel : ***Fausses*** *dents,* ***faux*** *cils.* **3.** Dont l'apparence est trompeuse ; affecté, simulé : ***Fausse*** *fenêtre* ; ***Faux*** *air de bonté* ; *Un homme* ***faux,*** hypocrite. **4.** Qui n'est pas fondé, justifié : ***Fausse*** *alerte* ; *Invoquer de* ***fausses*** *raisons.* **5.** Qui présente une certaine ressemblance, sans avoir les caractéristiques essentielles de la chose désignée : ***Faux*** *bourdon,* mâle de l'abeille ; ***Faux*** *jumeaux,* dizygotes. **6.** Qui dévie de la direction, de la destination normale ou souhaitée : ***Faux*** *mouvement* ; *Faire* ***fausse*** *route* ; ***Faux*** *pas.* **7.** Qui n'est pas juste, qui n'est pas dans le ton : ***Fausse*** *note.* **8.** ***Fausse*** *couche* (☞ *couche*). **Adv. 1.** De manière fausse : *Chanter* ***faux*** ; *Son explication sonnait* ***faux.*** **2.** *Porter à* ***faux*** : ne pas être d'aplomb. **Subst. 1.** Ce qui n'est pas vrai : *Plaider le* ***faux*** *pour savoir le vrai.* **2.** Contrefaçon, falsification d'un document écrit ; par méton., le document falsifié : *Condamné pour* ***faux*** *et usage de* ***faux.*** ► Loc. *S'inscrire en* ***faux*** *contre qqch.* : plaider en justice la fausseté d'une pièce, d'un acte ou, au fig., opposer un démenti à qqch. **3.** Contrefaçon d'une œuvre d'art : *Ce tableau de Carpaccio est un* ***faux.*** ► Imitation d'un matériau précieux : *Cette bague, c'est du* ***faux.*** Fin XI^e^ s. ; lat. *falsus* ; [fo, fos].

**FAUX (II),** subst. f.
**1.** Instrument tranchant à long manche muni d'une lame recourbée, servant à faucher ; par métaph. : *La* ***faux*** *de la Mort* (littér.). **2.** *Anat.* Repli membraneux en forme d'arc : *La* ***faux*** *du cerveau,* qui sépare les deux hémisphères cérébraux. Fin XII^e^ s. ; lat. *falx* ; [fo].

**FAUX-BORD,** subst. m.
*Mar.* Inclinaison d'un navire, due à un défaut de construction ou à la mauvaise répartition d'un chargement. XVIII^e^ s. ; comp. de *faux* (I) et de *bord* ; plur. *faux-bords* ; [fobɔʀ].

**FAUX-BOURDON,** subst. m.
*Mus.* Polyphonie religieuse d'origine anglaise (XIII^e^ s.) dont la mélodie est chantée par une voix basse, suivie, en tierce et en sixte, par des voix plus aiguës ; par ext., harmonisation à quatre voix d'un chant d'église. Mil. XV^e^ s. ; comp. de *faux* (I) et de *bourdon* (II) ; plur. *faux-bourdons* ; [fobuʀdɔ̃].

**FAUX-FILET,** subst. m.
*Bouch.* Morceau situé contre le filet, le long de l'échine (synon. *contre-filet*) ; tranche de ce morceau, servie grillée. XIX^e^ s. ; comp. de *faux* (I) et de *filet* (I) ; plur. *faux-filets* ; [fofilɛ].

**FAUX-FUYANT,** subst. m.
**1.** Vx. *Chasse.* Chemin détourné par où peut fuir le gibier ; sentier dans un bois. **2.** Fig. Moyen détourné de se tirer d'une situation embarrassante, d'éluder une question, d'éviter de s'engager. Mil. XVI^e^ s. ; altér. de *forsfuyant* (vx), « serf passant dans un autre domaine » ; plur. *faux-fuyants* ; [fofɥijɑ̃].

1

2

3

4

LE FAUVISME

1. La Danse, *peinture (1906) d'André Derain (1880-1954). Fridart Foundation.*

2. Vieilles Maisons sur le port du Havre, *peinture (1907) de Raoul Dufy (1877-1953). Association Peindre en Normandie, dépôt au musée des Beaux-Arts de Caen.*

3. Travail à l'automne, *peinture (1908) d'Othon Friesz (1879-1949). Musée d'Art moderne de la Ville de Paris.*

4. En la Plaza, femmes à la balustrade, *peinture (1907) de Kees Van Dongen (1877-1968). Musée de l'Annonciade, Saint-Tropez.*

**FAUX-MONNAYEUR, subst. m.**
Personne qui fabrique de la fausse monnaie. 1332 ; comp. de *faux* (I) et de *monnayeur* ; plur. *faux-monnayeurs* ; [fomɔnɛjœʀ].

**FAUX-SEMBLANT, subst. m.**
Apparence trompeuse ; en partic., affectation de sentiments que l'on n'éprouve pas : *Un **faux-semblant** d'humilité.* 1176 ; comp. de *faux* (I) et de *semblant* ; plur. *faux-semblants* ; [fosɑ̃blɑ̃].

**FAUX-SENS, subst. m.**
Interprétation fautive du sens exact d'un mot dans un texte. Comp. de *faux* (I) et de *sens* (I) ; [fosɑ̃s].

**FAVELA, subst. f.**
Au Brésil, quartier d'habitations de fortune, sans hygiène ni confort, où vit une population misérable (synon. *bidonville*). Mil. XX^e s. ; mot brés. ; [favela].

**FAVEROLE, voir FÈVEROLE**

**FAVEUR, subst. f.**
**I. 1.** Disposition à se montrer bienveillant envers une personne de préférence aux autres, à lui accorder son appui : *Se concilier, gagner la **faveur** de qqn.* **2.** Méton. Marque de bienveillance accordée à titre exceptionnel ; passe-droit : *Accorder, obtenir une **faveur** ; Faire une **faveur** à qqn.* **3.** Crédit, estime dont bénéficie qqn : *Avoir la **faveur** du public ; Être en **faveur** auprès de qqn.* **4.** Loc. prép. *En **faveur** de* : au bénéfice, au profit de ; *À la **faveur** de* : au moyen de, grâce à, à l'occasion de. Plur. Marques d'amour qu'une femme donne à un homme (vieilli ou littér.) : *Accorder ses **faveurs***, se donner charnellement, en parlant d'une femme. **II. 1.** *M. Â.* Ruban offert par une dame au chevalier dont elle souhaitait la victoire au tournoi. **2.** Ext. Petit ruban, léger et étroit, qui sert d'ornement : *Un paquet de lettres noué d'une **faveur**.* Fin XII^e s. ; lat. *favor* ; [favœʀ].

**FAVORABLE, adj.**
**1.** Favorable à. Animé de dispositions bienveillantes à l'égard de : *La presse ne leur est pas **favorable** ; Il est **favorable** à ma proposition* ; propice à : *Les dieux nous sont **favorables**.* **2.** Abs. Qui est en faveur, à l'avantage de qqn ou de qqch. : *Regarder qqch. d'un œil **favorable** ; Se montrer sous un jour **favorable*** ; qui est propice : *Un accueil **favorable** ; Des vents **favorables**.* Fin XIII^e s. ; lat. *favorabilis* ; [favɔʀabl].

**FAVORABLEMENT, adv.**
De manière favorable. Fin XIII^e s. ; ☞ *favorable* ; [favɔʀabləmɑ̃].

**FAVORI, ITE, adj. et subst.**
Adj. **1.** Qui est l'objet d'une faveur particulière de la part de qqn : *Ton auteur **favori**.* **2.** *Sp.* Qui passe pour détenir les meilleures chances de gagner. Subst. **1.** Personne qui fait l'objet de la prédilection de qqn : *Être le **favori** du moment* ; en partic. : *Le **favori** du roi ; La **favorite** de la reine.* **2.** *Sp.* Concurrent favori. Subst. fém. Maîtresse préférée du souverain. Subst. masc. plur. Touffes de barbe qui encadrent les joues : *Louis-Philippe portait des **favoris**.* 1541 ; ital. *favorito*, de *favore*, « faveur » ; [favɔʀi, it].

**FAVORISER, verbe trans. [3]**
**1.** Faire bénéficier (qqn) de sa bienveillance active ; traiter (qqn) avec une faveur particulière : ***Favoriser** un candidat* ; par méton., considérer favorablement (qqch.) : ***Favoriser** une requête* ; empl. adj. : *Classes sociales **favorisées**,* aisées. **2.** Gratifier (qqn) d'un avantage, d'une faveur (littér.) : *Il la **favorisa** d'un regard.* **3.** Aider, faciliter, contribuer au développement de : ***Favoriser** l'évasion d'un détenu ; **Favoriser** la croissance.* 1336 ; lat. *favor*, « faveur » ; [favɔʀize].

**FAVORITISME, subst. m.**
Tendance à accorder des traitements de faveur, à concéder avantages et privilèges de manière arbitraire. 1819 ; ☞ *favori* ; [favɔʀitism].

**FAVUS, subst. m.**
*Pathol.* Maladie de la peau, en partic. du cuir chevelu, caractérisée par des croûtes jaunâtres et la chute des cheveux, due à un champignon parasite. 1811 ; lat. *favus*, « rayon de miel », par anal. entre les croûtes de cette maladie et les rayons de miel ; [favys].

**FAX, subst. m.**
Télécopieur ; télécopie : *Recevoir un **fax**.* V. 1990 ; aphérèse de l'angl. *telefax*, du lat. *fac simile*, « fais de même » ; [faks].

**FAXER, verbe trans. [3]**
Envoyer par télécopie. V. 1990 ; ☞ *fax* ; [fakse].

**FAYARD, subst. m.**
Hêtre (région.). 1373 ; franco-prov. *fayard*, de l'anc. fr. *fou* ; [fajaʀ].

**FAYOT, subst. m.**
**1.** Haricot sec (fam.). **2.** Argot. Sous-officier qui s'est rengagé ; par ext., personne qui chercher à s'attirer les bonnes grâces d'un supérieur, d'un professeur, en manifestant un zèle excessif (péj.). 1721 ; prov. *fayol*, du lat. *phaseolus*, « haricot » ; [fajo].

**FAYOTER, verbe intrans. [3]**
Se conduire en fayot, faire du zèle (argot.). 1936 ; ☞ *fayot* ; [fajɔte].

**FAZENDA, subst. f.**
Au Brésil, grand domaine agricole. 1822 ; brés. *fazenda*, du lat. *facienda*, « choses à faire » ; [fazɛnda].

**Fe, voir FER**

**FÉAL, FÉALE, FÉAUX, adj. et subst.**
Adj. *Hist.* Fidèle à la foi jurée ; loyal envers son suzerain : *De **féaux** chevaliers* ; par méton. : *Un **féal** dévouement.* Subst. Ami cher, dévoué ; partisan fidèle (littér. ou iron.) : *Les **féaux** du président.* Fin XII^e s. ; anc. fr. *feeil*, du lat. *fidelis*, « loyal » ; [feal, feo].

**FÉBRIFUGE, adj.**
*Pharm.* Qui diminue ou qui supprime la fièvre (synon. *antipyrétique*) ; empl. subst. masc., médicament **fébrifuge**. 1666 ; bas lat. *febrifuga*, du lat. *febris*, « fièvre », et *fugare*, « fuir » ; [febʀifyʒ].

**FÉBRILE, adj.**
**1.** *Pathol.* Qui est propre à la fièvre ; qui signale de la fièvre : *Accès **fébrile** ; Pouls **fébrile*** ; qui a de la fièvre : *Malade **fébrile**.* **2.** Fig. Qui manifeste une agitation intense ; qui témoigne d'un état de fébrilité : *Une ardeur **fébrile**.* 1520 ; bas lat. *febrilis* ; [febʀil].

**FÉBRILEMENT, adv.**
D'une manière fébrile : *Attendre **fébrilement** le courrier.* 1864 ; ☞ *fébrile* ; [febʀilmɑ̃].

**FÉBRILITÉ, subst. f.**
État de grande excitation, d'agitation désordonnée : *Parler avec **fébrilité**.* 1842 ; ☞ *fébrile* ; [febʀilite].

**FÉCAL, ALE, AUX, adj.**
Relatif aux fèces, aux excréments : ***Matières fécales**.* 1478 ; lat. *faex*, « résidu » ; [fekal, o].

**FÈCES, subst. f. plur.**
*Physiol.* Excréments solides des humains et des animaux, formés des résidus de la digestion. 1515 ; lat. *faeces*, de *faex*, « résidu » ; [fɛs].

**FÉCOND, ONDE, adj.**
**1.** *Biol.* Capable d'assurer la reproduction de l'espèce (anton. *stérile*). **2.** Capable d'avoir beaucoup d'enfants, de petits : *Race **féconde***, prolifique. **3.** Qui produit en abondance, en parlant d'une terre (littér.) : *Sol **fécond**.* **4.** Fig. Qui produit beaucoup ; qui porte ses fruits : *Auteur **fécond** ; Imagination **féconde**, esprit **fécond** ; Période **féconde** en inventions.* Fin XII^e s. ; lat. *fecundus* ; [fekɔ̃, ɔ̃d].

**FÉCONDABLE, adj.**
*Biol.* Qui peut être fécondé : *Ovule **fécondable**.* 1805 ; ☞ *féconder* ; [fekɔ̃dabl].

**FÉCONDANT, ANTE, adj.**
Qui féconde ou qui rend fécond : *Pluie **fécondante**.* 1771 ; p. pr. de *féconder* ; [fekɔ̃dɑ̃, ɑ̃t].

**FÉCONDATEUR, TRICE, adj.**
Qui a la propriété de féconder (littér.) ; empl. subst. : *Cet étalon est le **fécondateur**.* 1762 ; ☞ *féconder* ; [fekɔ̃datœʀ, tʀis].

**FÉCONDATION, subst. f.**
*Biol.* **1.** Action de féconder ; son résultat. **2.** Stade de la reproduction sexuée consistant dans la fusion des gamètes mâle (spermatozoïde) et femelle (ovule) en une cellule unique (œuf ou zygote) qui, en se multipliant, va se développer en un être

vant : **Fécondation** *artificielle*, réalisée in vitro ☞ *fivète*). 📖 1488 ; ☞ *féconder* ; [fekɔ̃dasjɔ̃].

**FÉCONDER, ver**'**e trans.** [3]
*Biol.* Transformer (un ovocyte, un ovule) en œuf, ı zygote, grâce à l'apport d'un spermatozoïde. Ext. Rendre (une femme) enceinte ; rendre pleine ıne femelle). **3.** Rendre (une terre) fertile (littér.). Fig. Rendre fécond, fertile (l'esprit, l'imagina- ɔn) : *Lecture qui* ***féconde*** *l'esprit.* 📖 Fin XIIe s. ; lat. *:undare* ; [fekɔ̃de].

**FÉCONDITÉ, subst. f.**
Propriété qu'a un être vivant de se reproduire de çon sexuée. **2.** Fait d'être prolifique, en partic. avoir beaucoup d'enfants. ▸ *Démogr. Taux de* ***condité*** : fréquence des naissances dans une popu- tion donnée. **3.** Ext. Capacité de la terre à pro- ıire. **4.** Fig. Fertilité, notamment en parlant d'un rivain : *La* ***fécondité*** *de Balzac* ; qualité de ce qui ffre des voies multiples, richesse : *La* ***fécondité*** *de* ·*n imagination.* 📖 Mil. XIe s. ; lat. *fecunditas* ; [fekɔ̃dite].

**FÉCULE, subst. f.**
ɔudre amylacée blanche et très fine extraite des cines, des tubercules ou des graines de certains ·égétaux : ***Fécule*** *de pomme de terre* ; ***Fécule*** *de manioc,* pioca. 📖 1679 ; lat. *faecula*, « tartre » ; [fekyl].

**FÉCULENCE, subst. f.**
. Vx. État d'un liquide féculent. **2.** Qualité d'un ɔrps contenant de la fécule. 📖 XVe s. ; lat. *faeculentia*, abondance d'ordures » ; [fekylɑ̃s].

**FÉCULENT, ENTE, adj. et subst. m.**
DJ. **1.** Vx. Chargé de sédiments. **2.** Riche en fécule ı en amidon (synon. *farineux*). SUBST. Aliment che en fécule : *Les lentilles sont des* ***féculents.*** 📖 1520 ; lat. *faeculentus*, « plein de boue » ; [fekylɑ̃, ɑ̃t].

**FÉCULER, verbe trans.** [3]
*chn.* Extraire la fécule de (un aliment) : ***Féculer*** *ı manioc.* 📖 1865 ; ☞ *fécule* ; [fekyle].

**FEDAYIN, subst. m.**
ombattant nationaliste palestinien. 📖 1956 ; ar. *fidā'iyyīn*, « ceux qui sacrifient leur vie » ; plur. *fedayin(s)* ; ·edajin].

**FÉDÉRAL, ALE, AUX, adj. et subst. m.**
DJ. **1.** *Pol.* Qui se rapporte à une fédération 'États : *Système* ***fédéral.*** ▸ *Dr. État* ***fédéral*** : union États qui partagent leur souveraineté avec l'État ı'ils composent (synon. *État fédératif, fédération* ; ☞ *confédération*). **2.** Propre au gouvernement cen- ·al d'un État fédéral (par oppos. à *provincial*, au 'anada, et à *cantonal*, en Suisse) : *Police* ***fédérale*** ; *: palais* ***fédéral*** *de Berne*, siège du gouvernement e la Confédération helvétique. **3.** Anal. Qui a trait un groupement d'associations, à une fédération ·ndicale : *Secrétaire* ***fédéral.*** SUBST. *Hist.* Soldat ou artisan de l'Union fédérale pendant la guerre de écession, aux États-Unis (gén. au plur.) : *Les* ***:déraux*** *étaient aussi appelés nordistes.* 📖 1783 ; lat. ·*edus*, « traité d'alliance » ; [federal, o].

**FÉDÉRALISER, verbe trans.** [3]
*ol.* Organiser (un État) en une fédération. 📖 1793 ; ☞ *fédéral* ; [federalize].

**FÉDÉRALISME, subst. m.**
*'ol.* **1.** Système politique dans lequel les compé- ·nces sont partagées entre l'État fédéral et les États ıembres. **2.** En Suisse romande, doctrine prônant ne plus grande autonomie des cantons vis-à-vis u pouvoir central. **3.** *Hist.* Pendant la Révolution, ɔurant décentralisateur, animé par les Girondins. 📖 1792 ; ☞ *fédéral* ; [federalism].

**FÉDÉRALISTE, adj. et subst.**
*ol.* ADJ. Qui concerne le fédéralisme ; qui prône : fédéralisme. SUBST. Partisan du fédéralisme ou du ·nforcement de la souveraineté des États fédérés. 📖 1792 ; ☞ *fédéral* ; [federalist].

**FÉDÉRATEUR, TRICE, adj.**
)ui organise ou favorise une fédération : *Des rincipes* ***fédérateurs*** ; empl. subst., personne à la ensée ou à l'action **fédératrice.** 📖 1914 ; ☞ *fédé- ·er* ; [federatœr, tris].

**FÉDÉRATIF, IVE, adj.**
. Vx. *Pol.* Qui constitue une fédération d'États : *ne république* ***fédérative.*** **2.** Anal. *Hist.* Relatif aux édérations de 1789, en partic., au pacte de la édération du 14 juillet 1790. 📖 1748 ; lat. *foede- ·atus*, « allié » ; [federatif, iv].

**FÉDÉRATION, subst. f.**
. *Pol.* Union d'États qui renoncent à leur souverai- ·eté au profit d'un pouvoir fédéral, lequel leur délègue des compétences définies en nombre limité (par oppos. à la confédération, où des États souverains délèguent des compétences en nombre limité à un pouvoir confédéral) : *L'Autriche, la Suisse sont des* ***fédérations.*** ▸ Anal. Alliance entre peuples, nations, États. **2.** Anal. Fusion en une seule de plusieurs associations poursuivant un but commun. **3.** *Hist.* ▸ Mouvement national issu des provinces, en 1789, et défendant l'unité française ; chacune des associations de gardes nationaux à l'origine de ce mouvement : *Fête de la* ***Fédération***, le 14 juillet 1790, où députés et délégués des gardes nationales prêtèrent serment à la Constitution. ▸ Pendant les Cent-Jours, enrôlement des volontaires. ▸ ***Fédération*** *républicaine de la garde nationale* : en 1871, union de deux cents bataillons de Paris, qui constitua l'essentiel des forces de la Commune. **4.** Groupement de plusieurs sociétés : *La* ***fédération*** *du bâtiment.* **5.** Fig. Union d'êtres, de forces (vieilli). 📖 XIVe s. ; bas lat. *foederatio*, « alliance » ; [federasjɔ̃].

**FÉDÉRÉ, ÉE, adj. et subst. m.**
ADJ. *Pol.* Qui appartient à une fédération ou à un État fédéral. SUBST. *Hist.* ▸ Membre d'une fédération pendant la Révolution de 1789 ou durant les Cent-Jours. ▸ Soldat de la Commune de Paris : *Mur des* ***Fédérés***, au cimetière du Père-Lachaise, mur contre lequel furent fusillés les derniers insurgés de 1871. 📖 1521 ; lat. *foederatus*, « allié » ; [federe].

**FÉDÉRER, verbe trans.** [8]
**1.** *Pol.* Réunir (des États) en fédération. **2.** Anal. Réunir en fédération (des associations, des individus). PRONOM. S'unir pour composer un État fédéral ou pour former une fédération. 📖 1792 ; ☞ *fédéré* ; [federe].

**FÉE, subst. f.**
**1.** Être imaginaire, aux pouvoirs magiques, qui apparaît sous les traits d'une femme. ▸ *Conte de* ***fées*** : récit où interviennent des **fées** ou, au fig., histoire merveilleuse. ▸ Loc. *Avoir des doigts de* ***fée*** : une adresse extraordinaire ; *Une* ***fée*** *du logis* : une maîtresse de maison hors pair. **2.** Anal. Femme qui charme par sa grâce, sa bonté : *La* ***fée*** *aux yeux de velours* (Baudelaire). 📖 Mil. XIIe s. ; lat. *Fata*, « Parque », de *fatum*, « destin » ; [fe].

**FEED-BACK, subst. m. inv.**
Anglic. **1.** *Techn.* Réglage des causes par les effets (synon. *rétroaction*). **2.** Ext. Modification de ce qui précède par ce qui suit. **3.** *Physiol.* Rétrocontrôle. 📖 1950 ; angl. *feedback*, de *to feed*, « nourrir », et de *back*, « en retour » ; var. inv. *feed back*, *feedback* ; [fidbak].

**FEEDER, subst. m.**
*Techn.* Canalisation reliant un système producteur d'énergie à un lieu d'utilisation (anglic.). 📖 1888 ; angl. *feeder*, de *to feed*, « nourrir » ; recomm. off. *ligne d'alimentation, câble coaxial* ; [fidœr].

**FEELING, subst. m.**
Anglic. **1.** *Mus.* Expressivité des sentiments, en partic. dans le jazz, le blues. **2.** Faculté d'évaluer une situation, de sentir une atmosphère (fam.) : *Il n'a aucun* ***feeling.*** 📖 1946 ; angl. *feeling*, « sentiment », de *to feel*, « sentir » ; [filiŋ].

**FÉERIE, subst. f.**
**1.** Univers merveilleux des fées. **2.** Pièce de théâtre, spectacle campant des personnages surnaturels. **3.** Anal. Spectacle enchanteur, merveilleux : *Une* ***féerie*** *de lumières.* 📖 Fin XIIe s. ; ☞ *fée* ; [fe(e)ri].

**FÉERIQUE, adj.**
**1.** Qui a trait à l'univers des fées. **2.** Anal. Merveilleux, irréel. 📖 1828 ; ☞ *féerie* ; [fe(e)rik].

**FEIGNANT, ANTE, adj. et subst.**
Fam. Se dit d'une personne très paresseuse (synon. *fainéant*). 📖 1200 ; p. pr. de *feindre* ; var. *faignant, ante* ; [fɛɲɑ̃, ɑ̃t] ou [fe-].

**FEINDRE, verbe trans.** [53]
Présenter comme réel (un sentiment, un comportement qui ne l'est pas) ; simuler : ***Feindre*** *la douleur.* ▸ **Feindre de** (+ inf.). Faire semblant de : ***Feindre*** *d'être indifférent.* ▸ Abs. Dissimuler ses sentiments : *L'art de* ***feindre.*** 📖 Fin XIe s. ; lat. *fingere*, « façonner, inventer » ; [fɛ̃dr].

**FEINT, FEINTE, subst. f. et adj.**
SUBST. **1.** Vx. Fiction, invention poétique. **2.** Affectation (rare). **3.** Action de dissimuler qqch. : *User de* ***feintes.*** ▸ Action de simuler une attaque d'un côté pour surprendre son adversaire de l'autre : *Les* ***feintes*** *d'un boxeur* ; *Encercler des troupes par une* ***feinte.*** **4.** Piège, ruse (fam.). ADJ. **1.** Simulé : *Une gaieté* ***feinte.*** **2.** *Archit.* Faux, factice : *Des boiseries* ***feintes.*** 📖 Déb. XIIIe s. ; p. p. de *feindre* ; [fɛ̃, fɛ̃t].

**FEINTER, verbe** [3]
INTRANS. *Sp.* Simuler un mouvement pour tromper l'adversaire. TRANS. **1.** *Sp.* Tromper (un adversaire) par une feinte. **2.** Duper (fam.) : *Il nous a* ***feintés.*** 📖 1898 ; ☞ *feinte* ; [fɛ̃te].

**FELD-MARÉCHAL, subst. m.**
*Milit.* Ancien grade le plus élevé de la hiérarchie militaire de certains pays (Allemagne, Autriche, Suède...). 📖 1657 ; all. *Feldmarschall*, « maréchal de camp » ; plur. *feld-maréchaux* ; [fɛldmareʃal], plur. [-ʃo].

**FELDSPATH, subst. m.**
*Minér.* Minéral de couleur claire ou très sombre, présent dans de nombreuses roches cristallines, contenant de la silice, de l'alumine, de la soude et de la potasse. Les **feldspaths** calco-sodiques (plagioclases) constituent jusqu'à plus de 60 % du volume des roches les plus basiques (basalte, gabbros) comme des plus acides (trachyte, granite). Les **feldspaths** potassiques sont localisés dans les roches acides. 📖 1773 ; all. *Feldspath*, « spath des champs » ; [fɛldspat].

**FELDSPATHIQUE, adj.**
Qui renferme du feldspath. 📖 1802 ; ☞ *feldspath* ; [fɛldspatik].

**FELDSPATHOÏDE, subst. m.**
*Minér.* Silicate d'alumine qui se distingue du feldspath par sa faible teneur en alumine et sa richesse en soude et en potasse. 📖 ☞ *feldspath* + *-oïde* ; [fɛldspatɔid].

**FÊLER, verbe trans.** [3]
**1.** Fissurer (un objet) sans le casser ; empl. adj. : *Une tasse* ***fêlée*** ; au fig. : *Il est* ***fêlé***, un peu fou. PRONOM. Se fendre ; par anal. : *Voix qui se* ***fêle*** ; au fig. : *Leur entente s'est* ***fêlée.*** 📖 XIIIe s. ; prob. lat. pop. *°fagellare*, du lat. *flagellare*, « fouetter, battre » ; [fele].

**FÉLIBRE, subst. m. et adj. m.**
*Litt.* Se dit d'un écrivain, d'un poète de langue d'oc et, en partic., d'un membre du félibrige. 📖 1868 ; prov. *felibre*, p.-ê. du bas lat. *fellibis*, « nourrisson », les poètes étant les nourrissons des muses ; [felibr].

**FÉLIBRIGE, subst. m.**
*Litt.* École littéraire fondée en 1854 par Frédéric Mistral et six autres écrivains afin de perpétuer la culture provençale et la langue d'oc. 📖 1876 ; prov. *felibrige* ; [felibriʒ].

© Giraudon

Devant les Alpilles, Mistral et ses amis, *peinture de Louis Denis-Valveran.*
*Musée des Beaux-Arts, Nîmes. Frédéric Mistral, au centre, est l'un des fondateurs du* ***félibrige.***

**FÉLICITATION, subst. f.**
**1.** Action de féliciter qqn. **2.** Méton. Parole, formule par laquelle on complimente qqn lors d'un évènement heureux de sa vie (gén. au plur.) : *Lettre de* ***félicitations.*** **3.** Ext. Éloge (gén. au plur.) : *Les* ***félicitations*** *du jury.* 📖 1623 ; ☞ *féliciter* ; [felisitasjɔ̃].

**FÉLICITÉ, subst. f.**
Littér. **1.** Bonheur absolu. ▸ *Relig.* Béatitude : *Accéder à la* ***félicité.*** **2.** Grande joie causée par un évènement particulier (gén. au plur.) : *Les* ***félicités*** *de l'amour.* 📖 Fin XIIIe s. ; lat. *felicitas*, « bonheur » ; [felisite].

**FÉLICITER, verbe trans.** [3]
**1.** Assurer (qqn) que l'on s'associe à son bonheur, à son succès : ***Féliciter*** *la mariée.* **2.** Faire compliment à (qqn). PRONOM. **Se féliciter de.** Se louer de ; s'estimer heureux de. 📖 1611 (mil. XVe s., rendre heureux) ; bas lat. *felicitare*, « rendre heureux » ; [felisite].

**FÉLIDÉS,** subst. m. plur.
*Zool.* Famille de mammifères carnivores digitigrades à griffes rétractiles. Leur denture est caractérisée par des molaires et des prémolaires coupantes et par l'absence de dents broyeuses ; la quatrième molaire supérieure et la première molaire inférieure forment une sorte de paire de ciseaux : ce sont les carnassières. **AU SING.** *Le caracal, comme le chat ou le tigre, est un **félidé**.* 🕮 1838 ; lat. *felis*, « chat » ; [felide].

**FÉLIN, INE,** adj. et subst. m.
**ADJ. 1.** Qui tient du chat : *L'espèce **féline**.* **2.** Fig. Qui évoque le chat : *Un charme **félin**.* **SUBST.** Animal de la famille des Félidés : *Les grands **félins**.* 🕮 1792 ; lat. *felinus* ; [felɛ̃, in].

**FÉLINITÉ,** subst. f.
Caractère félin (littér.). 🕮 1875 ; ☞ *félin* ; [felinite].

**FELLAGA,** subst. m.
Partisan de l'indépendance, soulevé contre l'autorité française en Tunisie, puis en Algérie, de 1952 à 1962. 🕮 1954 ; ar. algérien *fallāga*, « mauvais garçon », de l'ar. *fallāq*, « casseur (de têtes) » ; var. *fellagha* ; [felaga] ou [fɛlla-].

**FELLAH,** subst. m.
Paysan, dans les pays arabes. 🕮 1661 ; ar. d'Égypte *fallāḥ*, « paysan, laboureur » ; [fela] ou [fɛlla].

**FELLATION,** subst. f.
Pratique sexuelle qui consiste en des caresses buccales sur le sexe d'un homme. 🕮 Déb. XXe s. ; lat. *fellatio*, de *fellare*, « sucer, téter » ; [felasjɔ̃] ou [fɛlla-].

**FELLE,** subst. f.
*Techn.* Tube de fer utilisé par le verrier pour prendre le verre en fusion et le souffler. 🕮 1723 ; lat. *fistula*, « tuyau » ; [fɛl].

**FÉLON, ONNE,** subst. et adj.
**SUBST. 1.** *Féod.* Vassal qui trahit la foi jurée à son seigneur. **2.** Ext. Traître, être déloyal (littér.). **ADJ.** Déloyal : *Un acte **félon**.* 🕮 Fin Xe s. ; anc. bas frq. *°fillo*, « qui maltraite » ; [felɔ̃, ɔn].

**FÉLONIE,** subst. f.
Traîtrise, forfaiture. ▸ *Féod.* Acte déloyal du vassal envers son suzerain. 🕮 Mil. XIe s. ; ☞ *félon* ; [felɔni].

**FELOUQUE,** subst. f.
*Mar.* Petit voilier méditerranéen, muni de rames. 🕮 1544 ; esp. *faluca*, de l'ar. *falūka*, « chaloupe, embarcation » ; [fəluk].

**FÊLURE,** subst. f.
**1.** Légère fente, fissure. **2.** Anal. Altération du timbre de la voix. **3.** Fig. *Avoir une **fêlure*** : être atteint de folie douce (fam.). 🕮 Fin XIIIe s. ; ☞ *fêler* ; [felyʀ].

**Fm,** voir **FERMIUM**

**FEMELLE,** subst. f. et adj.
**SUBST. 1.** Animal du sexe apte à produire des ovules pouvant être fécondés par le mâle : *La lionne est **la femelle** du lion.* **2.** Ext. Femme (péj.). **ADJ.** Qui appartient au sexe **femelle**, qui y est relatif. ▸ *Bot.* Pourvu d'un organe **femelle** : *Plante **femelle**.* ▸ *Techn.* Qualifie une pièce creuse destinée à recevoir une pièce mâle : *Prise **femelle**.* 🕮 Déb. XIIe s. ; lat. *femella*, dimin. de *femina*, « femme » ; [fəmɛl].

**FÉMININ, INE,** adj.
**1.** Du sexe opposé au sexe masculin : *La population **féminine** d'un pays.* **2.** Qui appartient en propre à la femme : *Des traits **féminins** ; L'appareil génital **féminin**.* ▸ *Elle est **féminine*** : elle correspond à l'image que la société se fait de la femme. ▸ Empl. subst. masc. *Le **féminin**, l'éternel **féminin*** : l'ensemble des traits dominants et permanents considérés comme caractéristiques des femmes. **3.** Qui évoque la femme : *Le timbre **féminin** des clarinettes.* **4.** Qui se rapporte ou s'adresse aux femmes, qui rassemble des femmes : *La presse **féminine**.* **5.** *Gramm.* Genre **féminin** ou, empl. subst. masc., *Le **féminin*** : genre qui s'oppose au genre masculin ; *Nom **féminin*** : nom qui appartient à ce genre. **6.** *Versif.* *Rime **féminine*** : qui se termine par un *e* muet. 🕮 Fin XIIe s. ; lat. *femininus* ; [feminɛ̃, in].

**FÉMINISANT, ANTE,** adj.
*Biol.* Qui féminise : *Gènes **féminisants**.* 🕮 1936 ; p. pr. de *féminiser* ; [feminizɑ̃, ɑ̃t].

**FÉMINISATION,** subst. f.
**1.** Action de féminiser ; son résultat. **2.** Fait de se féminiser. 🕮 1865 ; ☞ *féminiser* ; [feminizasjɔ̃].

**FÉMINISER,** verbe trans. [3]
**1.** Donner un caractère ou un aspect féminin à : *Sa coiffure le **féminise*** ; empl. pronom., prendre un aspect féminin plus marqué : *Elle se **féminise** enfin.* **2.** Accroître la proportion de femmes dans : *Féminiser une administration.* **3.** *Biol.* Faire apparaître des caractères sexuels secondaires femelles chez (un mâle). **4.** *Gramm.* Donner le genre féminin à (un mot). 🕮 1534 ; lat. *femina*, « femme » ; [feminize].

**FÉMINISME,** subst. m.
**1.** Doctrine, mouvement social ayant pour objet l'émancipation des femmes, et revendiquant pour elles des droits sociopolitiques et un statut juridique égaux à ceux des hommes. **2.** *Biol.* Présence chez un homme de caractères sexuels secondaires féminins. 🕮 1837 ; lat. *femina*, « femme » ; [feminism].

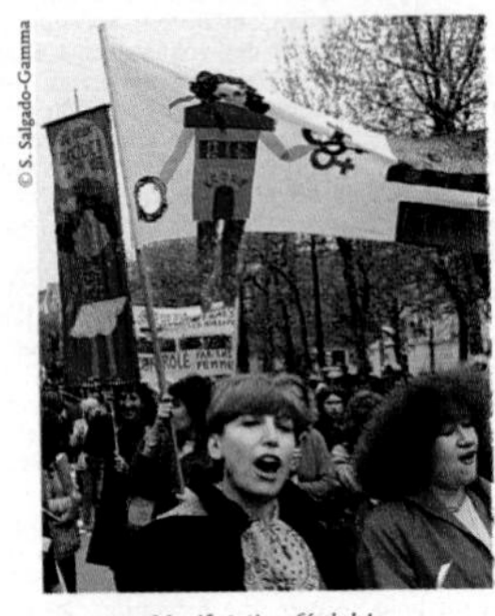
© S. Salgado-Gamma

*Manifestation **féministe**.*

**FÉMINISTE,** adj. et subst.
**ADJ.** Relatif au féminisme. **SUBST.** Adepte du féminisme. 🕮 1872 ; lat. *femina*, « femme » ; [feminist].

**FÉMINITÉ,** subst. f.
Ensemble des caractères propres à la femme, ou supposés tels (par oppos. à ceux de l'homme). 🕮 1265 ; lat. *femina*, « femme » ; [feminite].

**FEMME,** subst. f.
**1.** Être humain de sexe féminin : *La durée de vie des **femmes** est supérieure à celle des hommes.* **2.** Adulte de sexe féminin : *Les **femmes** et les enfants d'abord.* **3.** Adulte de sexe féminin considéré dans sa personnalité, son apparence, son comportement, ou dans son statut social et professionnel : *Maîtresse **femme** ; **Femme** de cœur ; **Femme** du peuple ; **Femme** d'affaires.* ▸ ***Femme** de ménage* : employée qui fait le ménage. ▸ *Bonne **femme*** : **femme** âgée, un peu simple (vieilli) ; **femme** (fam. et péj.). **4.** Épouse : *M. X et sa **femme*** ; par ext., compagne. ▸ Loc. *Prendre **femme*** : se marier, pour un homme. 🕮 Fin Xe s. ; lat. *femina* ; [fam].

**FEMMELETTE,** subst. f.
**1.** Vx. Femme chétive. **2.** Homme faible, sans énergie (fam. et péj.). 🕮 Fin XIVe s. ; ☞ *femme* ; [famlɛt].

**FÉMORAL, ALE, AUX,** adj.
*Anat.* Qui appartient au fémur ou est situé dans la région de la cuisse : *Artère **fémorale*** ou, empl. subst. fém., *La **fémorale**.* 🕮 Fin XVIIIe s. ; bas lat. *femoralis*, « de la cuisse » ; [femɔʀal, o].

**FÉMUR,** subst. m.
*Anat.* Os de la cuisse, dont l'extrémité supérieure, la tête, s'articule par le col avec la cavité cotyloïde de l'os iliaque, les trochanters, et dont l'extrémité inférieure, les condyles, s'articule avec les plateaux tibiaux. 🕮 1541 ; lat. *femur*, « cuisse » ; [femyʀ].

**FENAISON,** subst. f.
Fauchage et récolte des foins ; par méton., période de **fenaison**. 🕮 1275 ; anc. fr. *fener*, « faner » ; [fənɛzɔ̃].

**FENDAGE,** subst. m.
*Techn.* Action de fendre : ***Fendage** du bois, du diamant, de l'ardoise.* 🕮 1845 ; ☞ *fendre* ; [fɑ̃daʒ].

**FENDANT,** subst. m.
**1.** Vx. *Escr.* Coup d'épée donné de haut en bas. ▸ Loc. *Faire le **fendant*** : se comporter en fanfaron. **2.** Pantalon (argot.). **3.** *Vitic.* Variété de chasselas ; par méton., vin du Valais, issu de ce cépage. 🕮 Fin XVIe s. ; p. pr. de *fendre* ; [fɑ̃dɑ̃].

**FENDARD, ARDE,** subst. m. et adj.
**SUBST.** Pantalon (argot.). **ADJ.** Comique (fam.). 🕮 1896 ; ☞ *fendre* ; var. *fendart* ; [fɑ̃daʀ, aʀd].

**FENDILLEMENT,** subst. m.
Fait de se fendiller ; son résultat : *Le **fendillement** d'une fresque.* 🕮 1841 ; ☞ *fendiller* ; [fɑ̃dijmɑ̃].

**FENDILLER,** verbe trans. [3]
Faire des petites fentes dans. **PRONOM.** Se crevasser superficiellement. 🕮 1588 ; ☞ *fendre* ; [fɑ̃dije].

**FENDOIR,** subst. m.
*Techn.* Outil servant à fendre. 🕮 1701 ; ☞ *fendre* ; [fɑ̃dwaʀ].

**FENDRE,** verbe trans. [51]
**1.** Couper dans le sens de la longueur : ***Fendre** une bille de bois.* **2.** Ext. Provoquer des fissures dans : *Le gel **a fendu** le sol.* ▸ Loc. *Il gèle à pierre **fendre*** : il fait très froid ; *À **fendre** le cœur, l'âme* : très émouvant, affligeant. **3.** Anal. Se frayer un passage à travers : *Le navire **fend** les flots ; Il **fend** la foule.* **PRONOM. 1.** Se blesser : *Se **fendre** la lèvre.* **2.** Se fissurer. ▸ Loc. fam. *Se **fendre** la pipe* : rire, s'amuser. **3. Se fendre de.** Payer, offrir (fam.) : *Il **s'est fendu** d'un cadeau.* **4.** *Escr.* Porter vivement un pied en avant. 🕮 Mil. XIe s. ; lat. *findere* ; [fɑ̃dʀ].

**FENESTRATION,** subst. f.
**1.** *Archit.* Ouverture réelle ou en trompe-l'œil. **2.** *Chir.* Création d'une fenêtre pour faire communiquer l'oreille moyenne avec l'oreille interne. 🕮 1900 ; ☞ *fenêtre* ; [fənɛstʀasjɔ̃].

**FENESTRAGE,** voir **FENÊTRAGE**

**FENESTRER,** voir **FENÊTRER**

**FENESTRON,** subst. m.
**1.** Petite fenêtre (région.). **2.** *Aéron.* Ouverture, à l'arrière d'un hélicoptère, où tourne un rotor qui annule le couple de rotation du fuselage ; par ext., ce rotor. 🕮 1930 ; ☞ *fenêtre* ; [fənɛstʀɔ̃].

**FENÊTRAGE,** subst. m.
*Constr.* **1.** Pose des fenêtres. **2.** Méton. Ensemble des fenêtres d'un bâtiment ; leur disposition. 🕮 Déb. XIIIe s. ; ☞ *fenêtre* ; var. *fenestrage* ; [fənɛtʀaʒ].

**FENÊTRE,** subst. f.
**1.** Ouverture pratiquée dans le mur d'un local pour y faire pénétrer l'air et la lumière : *Une **fenêtre** garnie de rideaux* ; par méton., le châssis vitré permettant de fermer cette ouverture : *Ouvrir la **fenêtre*** ; au fig. : *Un bon livre est une **fenêtre** ouverte sur le monde.* ▸ Loc. *Jeter son argent par les **fenêtres*** : le dilapider. ▸ Loc. proverb. *Chassez-le par la porte, il reviendra par la **fenêtre*** : on ne peut se débarrasser de lui. **2.** Anal. Ouverture découpée dans un matériau : *Enveloppe à **fenêtre***, munie d'un rectangle transparent. **3.** *Spéc.* ▸ *Anat.* ***Fenêtre** ovale et **fenêtre** ronde* : orifices de l'oreille moyenne. ▸ *Astronaut.* ***Fenêtre** de lancement* : période favorable au lancement d'un engin spatial. ▸ *Informat.* Zone d'un écran de visualisation où s'inscrivent des informations. 🕮 Mil. XIIe s. ; lat. *fenestra* ; [f(ə)nɛtʀ].

**FENÊTRER,** verbe trans. [3]
**1.** *Constr.* Pourvoir (un mur, une façade) de fenêtres. **2.** Anal. Pratiquer des trous dans (un matériau). 🕮 1403 ; ☞ *fenêtre* ; var. *fenestrer* [fənetʀe].

**FENIL,** subst. m.
Grenier à foin. 🕮 Fin XIIIe s. ; lat. *fenile* ; [fəni(l)].

**FENNEC,** subst. m.
*Zool.* Mammifère carnivore de la famille des Canidés, vivant dans les régions sahariennes, à museau pointu et aux grandes oreilles rondes, appelé aussi renard du désert. 🕮 1791 ; angl. *fennec*, de l'ar. *fanak* ; [fenɛk].

© Frédéric-Jacana

*Fennec.*

**FENOUIL,** subst. m.
*Bot.* Plante aromatique herbacée de la famille des Apiacées, dont on consomme le bulbe et les graines. ▸ ***Fenouil** bâtard* : aneth. 🕮 1176 ; bas lat. *fenuculum*, du lat. *feniculum*, « petit foin » ; [fənuj].

**FENTE,** subst. f.
Action de fendre : *La fente du bois* ; *Bois de* ıte. **2.** Fissure, lézarde à la surface de qqch. : *fentes d'un rocher.* **3.** Ouverture étroite et allon- pratiquée dans l'épaisseur d'un objet : *La fente* ıne *tirelire.* **4.** *Sp.* Action d'avancer un ski. *Escr.* Action de se fendre. **6.** *Dr.* ***Fente succes-*** *ale* : partage égal de la succession, en l'ab- ıce de descendants, entre les lignes maternelle paternelle. Déb. 1332 ; ☞ *fendre* ; [fɑ̃t].

**FENTON,** subst. m.
:hn. **1.** Tige de fer servant d'armature ; ferrure. Morceau de bois servant à la fabrication de evilles. 1676 ; ☞ *fente* ; var. *fanton* ; [fɑ̃tɔ̃].

**FENUGREC,** subst. m.
ıt. Plante herbacée de la famille des Fabacées, dont emploie les graines en cataplasmes. XIIIe s. ; . *faenum graecum,* « foin grec » ; [fənygʀɛk].

**FÉODAL, ALE, AUX,** adj. et subst. m.
ist. **Adj.** Propre au régime économique et poli- que fondé sur l'institution du fief : *Droit* ***féodal*** ; *oque* ***féodale,*** du Xe au XIVe s. en France ; qui relève un fief : *Seigneur* ***féodal.*** ▸ De l'époque **féodale** ; fig., archaïque, rétrograde. **Subst. 1.** Seigneur odal. **2.** Anal. Personne, spéc. propriétaire terrien, i s'arroge un pouvoir de type **féodal.** 1328 ; . médiév. *feodalis,* de *feudum,* « fief » ; [feɔdal, o].

**FÉODALISME,** subst. m.
*Hist.* Système féodal. **2.** Anal. Caractère de ce qui oque ce système (péj.) : ***Féodalisme*** *industriel.* 1823 ; ☞ *féodal* ; [feɔdalism].

**FÉODALITÉ,** subst. f.
ist. **1.** Ordre économique et politique de l'Europe cidentale né de la désagrégation de l'empire rolingien, fondé sur l'existence de fiefs et de liens ciproques entre suzerains, vassaux et serfs ; par éton., ensemble des personnes possédant des fiefs ı appartenant à la vieille noblesse. **2.** Fig. Puis- ınce autonome d'intérêts privés (péj.) : ***Féodalité*** *ancière.* 1515 ; ☞ *féodal* ; [feɔdalite].
istoire – La féodalité, souvent confondue avec le égime seigneurial, a fini par désigner un moment le l'histoire européenne, quoiqu'elle ne s'identifie raiment avec le Moyen Âge occidental ni dans temps ni dans l'espace. Ses traits se retrouvent n effet dans les civilisations les plus diverses : es guerriers unis par des rapports de vassalité ominent, par exemple, le Japon du XIIe-XVe s. En aule franque, la féodalité tend, à partir du VIIe s., pallier la défaillance du lien social et la régression le l'État. Elle se traduit par une structure foncière iérarchisée, l'émiettement du pouvoir politique, a naissance d'une noblesse qui s'arroge héréditai- ement les fonctions de la puissance publique et rend toute sa dimension à la chute de l'empire arolingien (Xe s.) avec la formation de grands fiefs. a monarchie française triomphe de ces fiefs au VIe s., au terme d'une lutte séculaire, mais ils onstituent en Allemagne de véritables États qui ont plier le pouvoir impérial. Expression d'une ociété rurale, le système féodal est battu en brèche ar la renaissance des villes, dès le XIIe s., en Italie t en Flandre. Les nécessités de la Reconquête 'empêchent de s'épanouir pleinement en Espa- ne, tandis que les traditions anglo-saxonnes et eltiques freinent son implantation en Grande- 3retagne. En France, la centralisation royale chève, au XVIIe s., de priver la noblesse de tout ôle politique : les droits féodaux (en fait eigneuriaux) sont abolis en 1789.

**FER,** subst. m.
. **1.** Épée (vx). ▸ Loc. *Croiser le fer* : se battre en uel ou, au fig., se disputer. ▸ Empl. coll. Les armes : *es grandes questions de notre époque seront résolues ..] par le fer et par le sang* (Bismarck). **2.** Métal, liage contenant du **fer** : ***Fer*** *chromé.* **3.** Matériau ɔntenant du **fer** (fonte, acier), utilisé dans la brication d'objets à usage domestique ou indus- iel : ***Fer*** *forgé* ; *Fil de* ***fer*** ; *Chemin de* ***fer*** (voir mot). **4.** Méton. Objet, outil réalisé avec un atériau contenant du **fer** ; spéc., instrument ɔmportant une partie métallique et servant à ɔnner une forme à qqch. : ***Fer*** *à repasser* ; ***Fer*** *à iser* ; ***Fer*** *à dorer,* servant à décorer les reliures. Pièce de métal placée sous le sabot d'un animal : *er à cheval.* ▸ Lame, partie tranchante d'un objet : *fer d'une charrue* ; ***Fer*** *de lance,* son extrémité en r ou, au fig., l'élément le plus en pointe, le plus combatif d'un groupe. ▸ ***Fer*** *rouge* : pièce de métal portée au rouge pour marquer le bétail et, autrefois, les criminels. ▸ *Sp.* Club de golf dont la tête est en métal. **5.** Loc. ▸ **De fer.** Résistant ; inflexible : *Une santé, une volonté de* ***fer*** ; *Une poigne de* ***fer.*** ▸ *Croire dur comme* ***fer*** : sans réserve. ▸ *Il faut battre le* ***fer*** *quand il est chaud* : agir au moment opportun. ▸ *Tomber les quatre* ***fers*** *en l'air* : à la renverse (fam.). **6.** *Spéc.* ▸ *Hist.* *Âge du* ***fer*** : époque protohistorique caractérisée par la généralisation de la métallurgie. ▸ *Myth.* *Âge de* ***fer*** : période marquée par la violen- ce, la guerre. **Plur. 1.** Forceps (vieilli). **2.** Chaînes d'un prisonnier. ▸ *Dans les* ***fers*** : en servitude. **II. 1.** *Chim.* Élément no 26 de la table de Mende- leïev (symb. : Fe) ; masse atomique : 55,847 ; point de fusion : 1535 °C ; point d'ébullition : 2 750 °C ; masse volumique : 7,9 g/cm$^3$. C'est un métal ductile et malléable, unique par ses propriétés magnétiques. Chauffé au rouge, il décompose la vapeur d'eau et donne l'oxyde magnétique $Fe_3O_4$. Le **fer** est très abondant dans la lithosphère (4,1 %), et il se présente sous forme de minerais variés : l'oxyde ferrique, ou hématite rouge, l'oxyde ferrique hydraté, ou hématite brune, et l'oxyde magnétique $Fe_3O_4$, ou magnétite ; on le trouve aussi à l'état de sidérose (carbonate) et de sulfure de **fer,** ou pyrite ($FeS_2$). Le traitement de ces minerais dans des hauts fourneaux donne la fonte (mélange de **fer** et de carbone) ; lorsque la teneur en carbone est inférieure à 1,8 %, il s'agit d'acier. ▸ ***Fer*** *doux* : acier à très faible teneur en carbone. **2.** *Biochim.* Élément indispensable au bon fonctionnement de plusieurs protéines, telle l'hémoglobine. Fin Xe s. ; lat. *fer- rum* ; [fɛʀ].

**FÉRA,** subst. f.
*Zool.* Poisson osseux de la famille des Salmonidés, qui vit dans les lacs alpins. 1558 ; dial. romand *ferra,* du lat. médiév. *ferrata* ; var. *un férat* ; [feʀa].

**FÉRALIES,** subst. f. plur.
*Antiq.* Fête romaine en l'honneur des morts. Mil. XIXe s. ; lat. *feralia,* de *feralis,* « qui concerne les dieux mêmes » ; [feʀali].

**FER-BLANC,** subst. m.
Feuille de fer doux recouverte d'étain. 1317 ; comp. de *fer* et de *blanc* ; plur. *fers-blancs* ; [fɛʀblɑ̃].

**FERBLANTERIE,** subst. f.
**1.** Ensemble des objets de fer-blanc, de laiton et de zinc ; le commerce de ces objets. **2.** Fig. Objet de pacotille. 1831 ; ☞ *ferblantier* ; [fɛʀblɑ̃tʀi].

**FERBLANTIER,** subst. m.
Personne qui fabrique et vend des objets de fer-blanc. 1671 ; ☞ *fer-blanc* ; [fɛʀblɑ̃tje].

**FÉRIA,** subst. f.
Fête annuelle comportant notamment des courses de taureaux, en Espagne et dans le sud de la France : *La* ***féria*** *de Nîmes.* 1926 ; esp. *feria,* « jour de fête », du lat. chrét. *feria,* « foire » ; var. *feria* ; [fəʀja].

**FÉRIE,** subst. f.
**1.** *Antiq. rom.* Fête religieuse pendant laquelle tout travail était défendu. **2.** *Cath.* Dans la liturgie, jour de la semaine, excepté le samedi et le dimanche. Déb. XIIe s. ; lat. *feriae,* « jour de repos » ; [feʀi].

**FÉRIÉ,** adj. m.
*Jour* ***férié*** : jour de fête civile ou religieuse chômé. Mil. XIIe s. ; lat. *feriatus,* « oisif, de fête » ; [feʀje].

**FÉRIR,** verbe trans.
**1.** Vx. Frapper. **2.** Loc. ▸ *Sans coup* ***férir*** : sans combattre ou, au fig., sans difficulté, à coup sûr. ▸ Empl. adj. *Être* ***féru*** *de* (☞ *féru*). Fin Xe s. ; lat. *ferire* ; ne s'emploie qu'à l'inf. et au p. p. ; [feʀiʀ].

**FERLER,** verbe trans. [3]
*Mar.* Replier (une voile) sur elle-même et la fixer sur sa vergue afin qu'elle n'offre plus de prise au vent. 1553 ; p.-ê. lat. *ferula,* « baguette » ; [fɛʀle].

**FERMAGE,** subst. m.
*Agric.* **1.** Louage d'un domaine agricole pour une somme fixe ; par ext., le loyer annuel ainsi arrêté. **2.** Méton. L'exploitation agricole elle-même (rare). 1367 ; ☞ *ferme* (II) ; [fɛʀmaʒ].

**FERME (I),** adj. et adv.
**Adj. 1.** Qui est résistant à la pression, compact, sans être dur : *Un fruit à chair* ***ferme.*** ▸ *Terre* ***ferme*** : le sol, par oppos. à l'eau et à l'air, ou le continent, par rapport à une île voisine. **2.** Stable, bien assuré : *Un vieillard au pied* ***ferme*** ; *Il empoigna le volant d'une main* ***ferme.*** ▸ Loc. *Attendre de pied* ***ferme*** *(qqn, un évènement)* : sans bouger ; sans crainte. **3.** Fig. Inébranlable ; qui ne montre aucune hésitation : *Un refus poli mais* ***ferme*** ; *Il répliqua d'une voix* ***ferme.*** ▸ Définitif : *Des prix* ***fermes.*** **Adv. 1.** Avec vigueur, énergiquement : *Ça discute* ***ferme*** ; *On s'ennuyait* ***ferme,*** beaucoup. ▸ *Acheter, vendre* ***ferme*** : de manière sûre et définitive. **2.** *Dr.* *Un an de prison* ***ferme*** : sans sursis. Déb. XIIe s. ; lat. *firmus* ; [fɛʀm].

**FERME (II),** subst. f.
**I. 1.** *Dr.* ▸ Acte qui autorise un tiers à jouir d'un droit, à exploiter un domaine agricole en échange d'une rente versée au titulaire du droit ou au propriétaire (vieilli) : *La* ***ferme*** *des chaises d'une église* ; *Prendre une exploitation à* ***ferme.*** ▸ Méton. Domaine rural ainsi exploité. ▸ Ext. Toute exploitation agricole ; en partic., les bâtiments qui s'y rattachent : *Les animaux de la* ***ferme*** ; *Retaper une vieille* ***ferme.*** **2.** *Hist.* Sous l'Ancien Régime, autorisation accordée par le roi à des particuliers de lever certains revenus publics. **II. 1.** *Archit.* Assemblage de pièces de bois ou de métal supportant le faîtage d'un toit. **2.** *Théâtre.* Décor monté sur un châssis. Déb. XIIe s. ; *fermer* (vx), « fixer » ; [fɛʀm].

**FERMÉ, ÉE,** adj.
**1.** Sans ouverture : *Un port* ***fermé.*** **2.** Dont on a rapproché les bords : *Une plaie* ***fermée.*** **3.** Fig. Qui est replié sur soi ; qui témoigne d'un caractère peu expansif : *Un enfant* ***fermé*** ; *Un cœur* ***fermé,*** qui ne s'épanche pas librement ; *Une société* ***fermée,*** qui admet difficilement de nouveaux membres. ▸ **Fermé à.** Inaccessible à : *Un esprit* ***fermé*** *à la poésie.* **4.** *Écon.* *Système* ***fermé*** : où les échanges commerciaux avec l'extérieur existent peu. **5.** *Phon.* *Voyelle* ***fermée*** : produite par resserrement du canal vocal (par ex. *é,* noté [e]). **6.** *Math.* *Intervalle* ***fermé*** *d'un ensemble ordonné E* : si $a$ et $b$ sont deux éléments de E, l'intervalle **fermé** d'extrémités $a$ et $b$ est l'ensemble des $x \in E$ tels que $a \leqslant x \leqslant b$, souv. noté $[a, b]$ ; empl. subst. masc. : ***Fermé*** *d'un espace topologique,* complémentaire d'un ouvert. 1296 ; p. p. de *fermer* ; [fɛʀme].

**FERMEMENT,** adv.
**1.** Avec vigueur et sûreté. **2.** Fig. Résolument. Mil. XIIe s. ; ☞ *ferme* (I) ; [fɛʀməmɑ̃].

**FERMENT,** subst. m.
**1.** Ce qui permet la fermentation ; au fig. : *La lecture est un* ***ferment*** *de réflexion.* **2.** *Biochim.* et *Bactériol.* Enzyme (vx) ; par ext., préparation capable de transformer des substances selon un processus assimilé à une fermentation. XIVe s. ; lat. *fermentum* ; [fɛʀmɑ̃].

**FERMENTATION,** subst. f.
**1.** Action de fermenter, de faire fermenter : *Le vin provient de la* ***fermentation*** *du moût.* ▸ *Biochim.* Processus différent de la respiration, gén. mis en œuvre lorsque l'oxygène fait défaut, et par lequel des cellules exploitent les substances nutritives se trouvant à leur disposition pour renouveler leurs molécules d'A. T. P. **2.** Fig. Agitation sourde ; état de tension, d'effervescence précédant de possibles bouleversements : *Calmer la* ***fermentation*** *des esprits.* 1539 ; lat. chrét. *fermentatio* ; [fɛʀmɑ̃tasjɔ̃].

**FERMENTER,** verbe intrans. [3]
**1.** Être en fermentation : *Le vin* ***fermente*** *dans des cuves* ; empl. adj. : *Boisson* ***fermentée.*** **2.** Fig. Être travaillé par une agitation, par des remous internes ; lever sourdement : *La révolte* ***fermentait*** *dans le peuple.* 1270 ; lat. *fermentare* ; [fɛʀmɑ̃te].

**FERMENTESCIBLE,** adj.
Susceptible de fermenter. 1764 ; lat. *fermentescere,* « entrer en fermentation » ; [fɛʀmɑ̃tesibl].

**FERMER,** verbe [3]
**Trans. 1.** Manœuvrer (une partie mobile) de façon à boucher une ouverture : ***Fermer*** *une porte.* **2.** Priver (un espace, un objet) de communication avec l'extérieur : ***Fermer*** *une armoire, la cave.* **3.** Manœuvrer (un élément mobile) de façon à fixer l'objet auquel il est assujetti ou à interrompre un débit : ***Fermer*** *le verrou* ; ***Fermer*** *un robinet, une écluse* ; par méton. : ***Fermer*** *l'eau, la télévision.* **4.** Rapprocher l'un contre l'autre les éléments mobiles de (un ensemble) de façon qu'il n'y ait plus d'écart entre eux : ***Fermer*** *une enveloppe, un couteau* ; ***Fermer*** *le poing.* **5.** Rendre infranchissable : ***Fermer*** *une frontière.* ▸ Ext. Rendre inaccessible : ***Fermer*** *un pays aux importations* ; au fig. : ***Fermer*** *une carrière à qqn.* **6.** Faire cesser ou interrompre l'activité de (une entreprise) : ***Fermer*** *un chantier.* **7.** Mettre une borne à (qqch.) : *Un bois* ***ferme*** *le champ au sud* ; ***Fermer*** *les guillemets, la parenthèse,* placer des guillemets fermants, une parenthèse fermante.

INTRANS. Être fermé : *Ce tiroir **ferme** mal* ; *La poste **ferme** à 5 heures*. PRONOM. **1.** Se clore : *Ses yeux se **fermaient** à demi*. **2.** Anal. Se renfrogner : *Son visage **se ferme***. **3. Se fermer à.** Refuser ; devenir inaccessible à. Fin XIIe s. (fin XIe s., rendre fixe) ; lat. *firmare*, « rendre ferme, fortifier » ; [fɛʀme].

**FERMETÉ,** subst. f.
Qualité de ce qui est ferme : *La **fermeté** de la chair d'un poisson* ; au fig. : *Gouverner avec **fermeté***. Déb. XIIIe s. (mil. XIIe s., forteresse) ; lat. *firmitas*, « solidité » ; [fɛʀməte].

**FERMETTE,** subst. f.
**1.** Petite ferme. **2.** Ext. Résidence secondaire aménagée dans une ferme. 1941 ; ☞ *ferme* (II) ; [fɛʀmɛt].

**FERMETURE,** subst. f.
**1.** Action de fermer ; état de ce qui est fermé : *Assister à la **fermeture** d'un coffre* ; *La **fermeture** de la chasse* ; au fig. : ***Fermeture** d'esprit*. **2.** Méton. Dispositif servant à fermer : ***Fermeture** automatique, à glissière*. Fin XIe s. ; ☞ *fermer* ; [fɛʀmətyʀ].

**FERMI,** subst. m.
*Phys. part.* Unité de longueur : 1 fermi = $10^{-15}$ m, soit 1 milliardième de micromètre. 1968 ; anthropon. *Enrico Fermi*, physicien italien ; [fɛʀmi].

**FERMIER, IÈRE,** subst. et adj.
SUBST. **1.** *Dr.* Personne qui tient un droit ou un bien à ferme (vieilli) ; empl. adj. : *Compagnie **fermière***. **2.** *Hist.* Financier qui, sous l'Ancien Régime, prenait à ferme la perception de certains impôts : *Un **fermier** général*. **3.** Ext. Personne qui exploite un domaine agricole. ADJ. Élevé ou produit à la ferme : *Poulet, fromage **fermier***. 1207 ; ☞ *ferme* (II) ; [fɛʀmje, jɛʀ].

**FERMION,** subst. m.
*Phys. part.* Nom donné aux particules constituant la matière (électrons, protons, par ex.), entre lesquelles ont lieu les quatre interactions fondamentales de la nature (gravitation, interaction électromagnétique, interaction faible et interaction forte), par oppos. aux bosons, qui sont les intermédiaires assurant ces interactions. 1955 ; anthropon. *Enrico Fermi*, physicien italien ; [fɛʀmjɔ̃].

**FERMIUM,** subst. m.
*Chim.* Élément transuranien n° 100 de la table de Mendeleïev (symb. : Fm). 1957 ; anthropon. *Enrico Fermi*, physicien italien, d'apr. *uranium* ; [fɛʀmjɔm].

**FERMOIR (I),** subst. m.
Dispositif de fermeture d'un bracelet, d'un portefeuille, d'un sac à main ou d'un livre : *Une bible à **fermoir** en or*. Mil. XIIIe s. ; ☞ *fermer* ; [fɛʀmwaʀ].

**FERMOIR (II),** subst. m.
*Techn.* Outil à lame ou à tige biseautée, servant à travailler le bois, le métal ou la pierre. 1396 ; altér. de *formoir* (vx), de *former* ; [fɛʀmwaʀ].

**FÉROCE,** adj.
**1.** Qui a l'instinct de tuer : *Les animaux **féroces***. **2.** Ext. Brutal, méchant ; qui dénote la dureté, l'intransigeance : *Un sourire **féroce***. **3.** Fig. Intraitable : *Un interlocuteur **féroce***. ▸ Énorme (fam.) : *Un **féroce** appétit*. 1611 (1460, orgueilleux) ; lat. *ferox*, « fougueux ; fier », de *ferus*, « bête sauvage » ; [feʀɔs].

**FÉROCITÉ,** subst. f.
**1.** Caractère naturel d'un animal féroce. **2.** Ext. Brutalité : ***Férocité** des combattants*. **3.** Fig. Dureté : *La **férocité** d'un critique* ; ***Férocité** d'un regard*. Déb. XIVe s. ; lat. *ferocitas*, « fougue ; fierté » ; [feʀɔsite].

**FERRADE,** subst. f.
Action de marquer le bétail au fer rouge. 1624 ; prov. *ferrado*, de *ferra*, « marquer au fer » ; [feʀad].

**FERRAGE,** subst. m.
**1.** Action de ferrer. **2.** *Techn.* Pose des ferrures nécessaires au fonctionnement d'une porte ; l'ensemble de ces ferrures. 1338 ; ☞ *ferrer* ; [feʀaʒ].

**FERRAILLAGE,** subst. m.
*Constr.* Armature métallique d'un ouvrage en béton armé. 1953 ; ☞ *ferraille* ; [feʀajaʒ].

**FERRAILLE,** subst. f.
**1.** Débris métalliques ; objet, machine hors d'usage (péj.). **2.** Menue monnaie (fam.). Mil. XIVe s. ; ☞ *fer* ; [feʀaj].

**FERRAILLEMENT,** subst. m.
**1.** Action de ferrailler. **2.** Bruit de ferraille. Fin XIXe s. ; ☞ *ferrailler* ; [feʀajmɑ̃].

**FERRAILLER,** verbe intrans. [3]
**1.** Se battre à l'épée ou au sabre (souv. péj.). ▸ Fig. ***Ferrailler** avec, contre qqn, qqch.* : discuter âprement avec qqn, contester qqch. **2.** Faire un bruit de ferraille. 1654 ; ☞ *ferraille* ; [feʀaje].

**FERRAILLEUR (I), EUSE,** subst.
Marchand de ferraille. 1630 ; ☞ *ferraille* ; [feʀajœʀ, øz].

**FERRAILLEUR (II), EUSE,** subst.
Personne qui aime à ferrailler (vx et péj.). Fin XVIIe s. ; ☞ *ferrailler* ; [feʀajœʀ, øz].

**FERRATE,** subst. m.
*Chim.* Sel de l'acide ferrique obtenu à partir de l'oxyde ferrique. 1839 ; ☞ *fer* ; [feʀat].

**FERRATIER,** subst. m.
*Techn.* Marteau qui sert à façonner les fers des chevaux. 1690 ; ☞ *fer* ; var. *ferretier* ; [feʀatje].

**FERRÉ, ÉE,** adj.
**1.** Garni de fer ; muni de ferrures, de fers : *Armoire **ferrée*** ; *Cheval **ferré***. ▸ *Voie **ferrée*** : voie de chemin de fer. **2.** Fig. *Être **ferré** dans un domaine, sur un sujet* : très bien le connaître (fam.). XIIe s. ; p. p. de *ferrer* ; [feʀe].

**FERREMENT (I),** subst. m.
Armature, garniture de fer. Mil. XIIe s. ; lat. *ferramentum*, « outil, arme de fer » ; [fɛʀmɑ̃].

**FERREMENT (II),** subst. m.
**1.** Vx. Action de mettre un forçat aux fers. **2.** Action de ferrer un cheval. 1813 ; ☞ *ferrer* ; [fɛʀmɑ̃].

**FERRER,** verbe trans. [3]
**1.** Revêtir, garnir de fer (un objet), en partic. les sabots de (un animal) : ***Ferrer** des chaussures* ; ***Ferrer** un âne*. **2.** ***Ferrer** un poisson* : l'accrocher à l'hameçon en donnant un coup sec à la ligne. Mil. XIIe s. ; bas lat. *ferrare* ; [feʀe].

**FERRET,** subst. m.
**1.** Embout métallique ou, par ext., petite broche souvent ornée de pierres précieuses, terminant un lacet, une aiguillette. **2.** *Minér.* ***Ferret** d'Espagne* : variété d'hématite rouge. XIVe s. ; ☞ *fer* ; [feʀɛ].

**FERRETIER,** voir **FERRATIER**

**FERREUR,** subst. m.
Ouvrier qui ferre des animaux, ou qui pose des ferrets, des ferrures. Mil. XIIe s. ; ☞ *ferrer* ; [feʀœʀ].

**FERREUX, EUSE,** adj.
**1.** Qui contient du fer. **2.** *Chim.* Qualifie un composé dans lequel le fer est bivalent. 1838 (1611, de fer, dur comme le fer) ; ☞ *fer* ; [feʀø, øz].

**FERRICYANURE,** subst. m.
*Chim.* Ion complexe de formule $Fe(CN)_6^{3-}$ qui, associé à trois ions potassium $K^+$, donne le **ferricyanure** de potassium, $K_3Fe(CN)_6$. Fin XIXe s. ; ☞ *cyanure* + *ferri-* ; [feʀisjanyʀ].

**FERRIMAGNÉTISME,** subst. m.
*Phys.* Magnétisme propre aux ferrites. Déb. XXe s. ; ☞ *magnétisme* + *ferri-* ; [feʀimaɲetism].

**FERRIQUE,** adj.
*Chim.* Qualifie un composé où le fer est trivalent : *Oxyde **ferrique***, $Fe_2O_3$. 1842 ; ☞ *fer* ; [feʀik].

**FERRITE,** subst. f.
*Chim.* Composé de formule générale $MFe_2O_4$, où M est un métal bivalent (magnésium, manganèse, fer, cobalt, etc.). Les **ferrites** donnent des cristaux cubiques, leurs propriétés magnétiques sont spécifiques. Mil. XXe s. (1878, de fer) ; ☞ *fer* ; [feʀit].

**FERROCYANURE,** subst. m.
*Chim.* Ion complexe $Fe(CN)_6^{4-}$ qui, associé à des ions potassium $K^+$, donne le **ferrocyanure** de potassium $K_4Fe_6(CN)_4$. 1868 ; ☞ *cyanure* + *ferro-* ; [feʀosjanyʀ].

**FERROÉLECTRICITÉ,** subst. f.
*Phys.* Polarisation électrique qui apparaît spontanément dans certains cristaux et qui disparaît au-dessus d'une température critique, variable selon les cristaux. Cette polarisation peut être inversée par l'action d'un champ magnétique. Mil. XXe s. ; ☞ *électricité* + *ferro-* ; [feʀoelɛktʀisite].

**FERROMAGNÉTISME,** subst. m.
*Phys.* Propriété (longtemps la seule connue) du fer, du cobalt, du nickel et de leurs alliages ou oxydes (magnétite), qui possèdent un magnétisme permanent, en l'absence de tout champ magnétique extérieur, et ne le perdent qu'à partir d'une température critique, variable selon l'élément considéré. 1911 ; ☞ *magnétisme* + *ferro-* ; [feʀomaɲetism].

**FERROMANGANÈSE,** subst. m.
*Chim.* Alliage de fer et de manganèse (jusqu'à 80 %). XXe s. ; ☞ *manganèse* + *ferro-* ; [feʀomɑ̃ganɛz].

**FERRONICKEL,** subst. m.
*Chim.* Alliage de fer et de nickel (plus de 25 %). 1889 ; ☞ *nickel* + *ferro-* ; [feʀonikɛl].

**FERRONNERIE,** subst. f.
**1.** *Artis.* Fabrication d'objets en fer ; par méton., ces objets eux-mêmes. ▸ Ext. Atelier de l'artisan. **2.** Fabrique de gros ouvrages de fer. Fin XIIIe s. ; *ferron* (vx), « ouvrier qui travaille le fer » ; [feʀɔnʀi].

**FERRONNIER, IÈRE,** subst.
Personne qui fabrique, vend de la ferronnerie. 1332 ; ☞ *ferronnerie* ; [feʀɔnje, jɛʀ].

**FERRONNIÈRE,** subst. f.
Ornement constitué d'une chaînette et d'un joyau, porté sur le front. 1832 ; *la Belle Ferronnière*, tableau de Léonard de Vinci ; [feʀɔnjɛʀ].

**FERROUTAGE,** subst. m.
Transport de camions ou de semi-remorques par wagons spéciaux. V. 1970 ; formé de *fer* et de *routage* ; [fɛʀʀutaʒ].

**FERROVIAIRE,** adj.
Relatif aux chemins de fer. 1911 ; ital. *ferroviario*, de *ferrovia*, « chemin de fer » ; [feʀɔvjɛʀ].

**FERRUGINEUX, EUSE,** adj.
Qui contient du fer. Fin XVIe s. ; lat. *ferrugineus*, « couleur de fer ; ferrugineux » ; [feʀyʒinø, øz].

**FERRURE,** subst. f.
**1.** Garniture de fer. **2.** Action, manière de ferrer un cheval ; ensemble des fers du cheval. Mil. XIIe s. ; ☞ *ferrer* ; [feʀyʀ].

**FERRY-BOAT,** subst. m.
Navire aménagé pour le transport des trains, des véhicules routiers et de leurs passagers. 1785 ; angl. *ferryboat*, de *ferry*, « bac », et de *boat*, « bateau » ; plur. *ferry-boats*, abrév. *ferry* (plur. *ferries* ou *ferrys*), recomm. off. *transbordeur* ; [feʀibot].

**FERTÉ,** subst. f.
Forteresse, dans un nom de ville : *La **Ferté**-Bernard*. XIIe s. ; forme pop. de *fermeté* (vx), « forteresse » ; [fɛʀte].

**FERTILE,** adj.
**1.** Qui produit beaucoup, en parlant d'un sol ou d'une terre. **2.** Fig. Inventif, riche : *Une imagination **fertile***. ▸ Loc. ***Fertile** en* : qui abonde en. **3.** *Phys.* *Élément **fertile*** : qui devient fissile, ou crée des produits fissiles, sous l'action de neutrons. Fin XIVe s. ; lat. *fertilis* ; [fɛʀtil].

**FERTILISANT, ANTE,** adj.
Qui fertilise ; empl. subst. masc., produit **fertilisant**. 1771 ; p. pr. de *fertiliser* ; [fɛʀtilizɑ̃, ɑ̃t].

**FERTILISATION,** subst. f.
Action de fertiliser un sol, une terre. 1764 ; ☞ *fertiliser* ; [fɛʀtilizasjɔ̃].

**FERTILISER,** verbe trans. [3]
Rendre fertile. 1558 ; ☞ *fertile* ; [fɛʀtilize].

**FERTILITÉ,** subst. f.
**1.** Qualité d'une chose fertile. **2.** Capacité de procréer. Déb. XIVe s. ; lat. *fertilitas* ; [fɛʀtilite].

**FÉRU, UE,** adj.
**Féru de.** Passionné par : *Elle est **férue** de civilisation japonaise*. 1651 (XIe s., blessé) ; p. p. de *férir* ; [fery]

**FÉRULE,** subst. f.
**1.** *Bot.* Plante de la famille des Apiacées, à tige creuse et souple, à fleurs jaunes odorantes. **2.** Palette de cuir ou de bois, utilisée autrefois pour punir les élèves. ▸ Loc. *Sous la **férule** de* : sous l'autorité, le pouvoir de (qqn). 1372 ; lat. *ferula* ; [feʀyl].

**FERVENT, ENTE,** adj.
**1.** *Relig.* Ardent, brûlant de piété. **2.** Ext. Enthousiaste, passionné ; empl. subst., partisan zélé : *Un **fervent** de l'unité européenne*. Fin XIIe s. ; lat. *fervens*, de *fervere*, « bouillir ; brûler de » ; [fɛʀvɑ̃, ɑ̃t].

**FERVEUR,** subst. f.
**1.** *Relig.* Foi, piété ardente. **2.** Ext. Passion, chaleur, zèle : *Aimer avec **ferveur***. Fin XIIe s. ; lat. *fervor*, « bouillonnement ; ardeur » ; [fɛʀvœʀ].

**FESSE,** subst. f.
Chacune des deux parties charnues de l'être humain ou de certains animaux situées au-dessous et à l'arrière du bassin. ▸ Loc. fam. *Serrer les **fesses*** : avoir peur ; *Être assis sur une **fesse*** : être mal assis ou, au fig., être dans une situation délicate ; *Coûter la peau des **fesses*** : fort cher. Déb. XIIIe s. ; lat. pop. *°fissa*, du lat. *findere*, « fendre » ; [fɛs].

**FESSÉE,** subst. f.
**1.** Série de coups répétés portés sur les fesses de qqn, en gén. pour le punir. **2.** Fig. Humiliation, défaite (fam.). 1526 ; p. p. de *fesser* ; [fese].

**FESSE-MATHIEU,** subst. m.
**1.** Vx. Usurier. **2.** Ext. Avare. 1585 ; comp. de *fesser* et de l'anthropon. *saint Matthieu*, patron des changeurs ; plur. *fesse-mathieux* ; [fɛsmatjø].

**FESSER,** verbe trans. [3]
Donner une fessée à. 1489 ; prob. anc. fr. *faisse*, « lien », du lat. *fascia*, « bande », d'apr. *fesse* ; [fese].

**FESSIER, IÈRE,** subst. m. et adj.
Subst. Les deux fesses (fam.). Adj. *Anat.* Relatif aux fesses. Déb. XVIe s. ; ☞ *fesse* ; [fesje, jɛʀ].

**FESSU, UE,** adj.
Aux fesses charnues. 1230 ; ☞ *fesse* ; [fesy].

**FESTIF, IVE,** adj.
Relatif à la fête. XVe s. ; lat. *festivus*, « gai » ; [fɛstif, iv].

**FESTIN,** subst. m.
Repas de fête, banquet. 1382 ; prob. ital. *festino*, de *festa*, « fête » ; [fɛstɛ̃].

**FESTIVAL,** subst. m.
**1.** Ensemble de représentations artistiques se déroulant en un lieu et à une période donnés. **2.** Fig. Enchaînement particulièrement remarquable d'éléments (fam.) : *Un **festival** de bons mots.* 1830 ; angl. *festival*, de l'anc. fr. *festival*, « de fête », du lat. *festivus*, « gai, amusant » ; plur. *festivals* ; [fɛstival].

**FESTIVALIER, IÈRE,** subst.
Personne qui participe à un festival. 1955 ; ☞ *festival* ; [fɛstivalje, jɛʀ].

**FESTIVITÉ,** subst. f.
Fête, réjouissance (gén. au plur.). XIIIe s. ; lat. *festivitas*, « joie d'un jour de fête » ; [fɛstivite].

**FEST-NOZ,** subst. m.
Fête traditionnelle bretonne (région.). V. 1970 ; breton *fest-noz*, « fête de nuit » ; plur. *festou-noz* ou inv. ; [fɛstnoz], plur. [fɛstunoz].

**FESTON,** subst. m.
**1.** Guirlande décorative de fleurs et de feuilles. **2.** *Archit.* Ornement sculpté ou peint représentant un **feston**. **3.** *Cout.* Découpure ou broderie en forme d'arc. 1533 ; ital. *festone*, « ornement de fête », de *festa*, « fête » ; [fɛstɔ̃].

**FESTONNER,** verbe trans. [3]
**1.** Orner de festons. **2.** *Cout.* Découper en festons. 1533 ; ☞ *feston* ; [fɛstɔne].

**FESTOYER,** verbe intrans. [17]
Prendre part à un festin ; faire bombance. 1864 (fin XIIe s., célébrer une fête) ; ☞ *fête* ; [fɛstwaje].

**FÉTA,** subst. f.
Fromage grec fait au lait de brebis. XXe s. ; mot d'orig. gr. ; var. *feta* ; [feta].

**FÊTARD, ARDE,** subst.
Personne qui fait souvent la fête (fam.). 1884 ; ☞ *fête* ; [fɛtaʀ, aʀd].

**FÊTE,** subst. f.
**1.** Ensemble de cérémonies ou de réjouissances qui commémorent un évènement, célèbrent qqn : ***Fête** du 14 Juillet* ; ***Fête** des Mères* ; au plur., réjouissances s'étalant sur plusieurs jours : *Les **fêtes** de fin d'année.* **2.** Jour de la **fête** d'un saint et de ceux qui en portent le nom. ▸ Loc. *Faire sa **fête** à qqn* : le malmener (fam.). **3.** Réjouissance organisée. **4.** Loc. *Faire la **fête*** : se divertir entre amis, mener une vie de plaisir ; *Faire **fête** à qqn* : l'accueillir chaleureusement ; *Être à la **fête*** : éprouver une grande joie ; *Ne pas être à la **fête*** : être dans une situation défavorable. Mil. XIe s. ; lat. *festa* ; [fɛt].

**FÊTE-DIEU,** subst. f.
*Cath.* Célébration de la Présence réelle dans l'Eucharistie (synon. *fête du Saint-Sacrement*). 1521 ; comp. de *fête* et de *Dieu* ; plur. *Fêtes-Dieu* ; [fɛtdjø].

**FÊTER,** verbe trans. [3]
**1.** Célébrer (qqch.) par une fête. **2.** Accueillir (qqn) chaleureusement. Déb. XIIIe s. ; ☞ *fête* ; [fete].

**FÉTICHE,** subst. m.
**1.** Nom donné aux objets de culte des civilisations animistes. **2.** Objet censé avoir un pouvoir bénéfique ; en appos. : *Une couleur **fétiche**.* 1605 ; port. *feitiço*, « artificiel », du lat. *facticius*, « factice » ; [fetiʃ].

**FÉTICHEUR,** subst. m.
*Anthropol.* Prêtre d'un culte animiste ; initié utilisant des fétiches. 1605 ; ☞ *fétiche* ; [fetiʃœʀ].

**FÉTICHISME,** subst. m.
**1.** Adoration des fétiches ; animisme. **2.** Fig. Attachement excessif, superstitieux à qqn, à qqch. **3.** *Psych.* Perversion dans laquelle l'excitation ou la satisfaction sexuelle est obtenue par le biais d'un objet particulier, exempt de signification érotique. 1757 ; ☞ *fétiche* ; [fetiʃism].

**FÉTICHISTE,** adj. et subst.
Se dit d'une personne pratiquant le fétichisme. Adj. Relatif au fétichisme. 1824 ; ☞ *fétiche* ; [fetiʃist].

**FÉTIDE,** adj.
Qui est nauséabond : *Une odeur, une haleine **fétide**.* 1464 ; lat. *fœtidus*, « qui sent mauvais » ; [fetid].

**FÉTU,** subst. m.
Brin de paille. Fin XIIe s. ; bas lat. *festucum* ; [fety].

**FÉTUQUE,** subst. f.
*Bot.* Plante fourragère de la famille des Poacées. 1775 ; lat. *festuca*, « brin de paille » ; [fetyk].

**FEU (I),** subst. m.
**I. 1.** Dégagement de chaleur, de lumière, de flammes provoqué par une combustion : *Faire du **feu*** ; *La grange prit **feu**.* ▸ Loc. *Mise à **feu*** : allumage. **2.** Matière en combustion : ***Feu** de bois.* ▸ *Hist. Supplice du **feu*** : qui consistait à brûler vif un condamné. ▸ *Relig. Les **feux** de l'enfer* : tourments éternels des damnés. ▸ Loc. ***Feu** de paille* : élan soudain et passager ; *J'en mettrais ma main au **feu*** : j'en suis absolument sûr ; *Jouer avec le **feu*** : avec le danger. **3.** Méton. ▸ Âtre, cheminée : *Se tenir au coin du **feu*** ; par ext., habitation, famille (vx) : *Un village de cent **feux**.* ▸ Source de chaleur servant à cuire : ***Feux** d'une gazinière* ; *Cuire à **feu** doux, vif*, doucement, vivement ; *Coup de **feu*** : hausse brusque de la chaleur de cuisson ou, au fig., moment d'urgence. **4.** Flamme ; incendie : *Des **feux** de forêt.* ▸ Méton. Ce qui produit du **feu** (briquet, allumette) : *Demander du **feu** à qqn pour allumer sa cigarette.* **II. 1.** Déflagration, détonation d'une matière explosive : *Arme à **feu**.* ▸ Loc. *Faire long **feu*** : ne pas avoir d'effet, échouer ; *Ne pas faire long **feu*** : ne pas durer. **2.** Tir d'une arme à **feu** : *Un **feu** nourri* ; *Faire **feu**,* tirer ; empl. interj. : ***Feu** !* ▸ Loc. *Être pris sous un **feu** croisé de questions* : être questionné par plusieurs personnes à la fois ; *Être pris entre deux **feux*** : entre deux adversaires, deux dangers ; *Un baptême du **feu*** : une première expérience. **III. 1.** Lumière provenant d'un corps en combustion. ▸ Loc. *N'y voir que du **feu*** : être ébloui au point de ne rien voir ou, au fig., être abusé. **2.** Ext. Lumière électrique. **3.** Signal lumineux : ***Feux** de position* ; ***Feu** rouge, vert*, servant à régler la circulation. **IV. 1.** Sensation de chaleur, de brûlure : ***Feu** du rasoir.* **2.** Couleur vive ; éclat : ***Feux** d'une pierre précieuse* ; en appos. : *Animal au pelage **feu***, d'un roux ardent. **3.** Fougue, vigueur ; exaltation : *Le **feu** de la passion* ; *Dans le **feu** de l'action.* ▸ Loc. *Avoir le **feu** sacré* : être passionné ; *Être tout **feu** tout flamme* : enthousiaste. Fin IXe s. ; lat. *focus*, « foyer » ; [fø].

**FEU (II), FEUE,** adj.
Mort récemment : ***Feu** votre mère* ; *Mes **feus** amis.* 1172 ; lat. pop. °*fatutus*, « qui a tel destin », du lat. *fatum*, « destin » ; plur. *feus, feues*, s'accorde avec le nom qui suit s'il est précédé d'un adj. poss. ou d'un art. ; [fø].

**FEUDATAIRE,** subst. m.
*Féod.* Détenteur d'un fief ; vassal. 1282 ; lat. médiév. *feudatarius*, de *feudum*, « fief » ; [fødatɛʀ].

**FEUDISTE,** subst.
Spécialiste du droit féodal. 1586 ; lat. médiév. *feudum*, « fief » ; [fødist].

**FEUILLAGE,** subst. m.
**1.** Ensemble des feuilles d'un arbre ou d'une plante. **2.** Branche coupée et feuillue. **3.** *B.-a.* Motif représentant des feuilles. 1324 ; ☞ *feuille* ; [fœjaʒ].

**FEUILLAISON,** subst. f.
Régénération annuelle du feuillage. 1776 ; ☞ *feuille* ; [fœjɛzɔ̃].

**FEUILLANT, ANTINE,** subst.
**1.** *Cath.* Religieux, religieuse appartenant à une congrégation de l'ordre de Cîteaux fondée en 1145 et réformée en 1577 par Jean de La Barrière. Masc. *Hist.* Sous la Révolution (1791-1792), partisan de la monarchie constitutionnelle, qui siégeait dans l'ancien couvent des **Feuillants** : *Le club des **Feuillants**, animé par La Fayette.* Déb. XVIIe s. ; topon. *Feuillants* (Haute-Garonne) ; [fœjɑ̃, ɑ̃tin].

**FEUILLANTINE,** subst. f.
*Cuis.* Gâteau à pâte feuilletée. 1653 ; prob. *florentine* (vx), « rissole au sucre », d'apr. *feuillantine*, « religieuse de l'ordre de Cîteaux » ; [fœjɑ̃tin].

**FEUILLARD,** subst. m.
**1.** Branche feuillue (littér.). **2.** *Techn.* ▸ Branche flexible, fendue en deux, dont on cercle les tonneaux. ▸ Bande de métal servant à renforcer des emballages. 1394 ; prob. languedocien *fulhard*, « branche fendue pour cercler les tonneaux », du bas lat. *fallia*, « artifice », d'apr. *feuille* ; [fœjaʀ].

**FEUILLE,** subst. f.
**I.** *Bot.* Organe des végétaux supérieurs, de forme variée, gén. constitué d'une lame verte aplatie (limbe) s'insérant sur la tige par un pétiole. **II. 1.** Morceau de papier, gén. coupé en forme de rectangle : *Recto d'une **feuille*** ; ***Feuille** manuscrite.* **2.** *Impr. Bonnes **feuilles*** : feuilles de tirage définitif ou, par ext., extrait d'un livre destiné à une publication. **3.** *Admin.* Imprimé, document : ***Feuille** de maladie.* **4.** Journal, périodique (vx). ▸ Loc. ***Feuille** de chou* : petit journal sans intérêt (fam.). **III.** Plaque mince de différentes matières : ***Feuille** d'or, de bois.* **IV.** Fam. Oreille. ▸ Loc. *Être dur de la **feuille*** : entendre mal. XIIe s. ; bas lat. *folia*, du lat. *folium* ; [fœj].

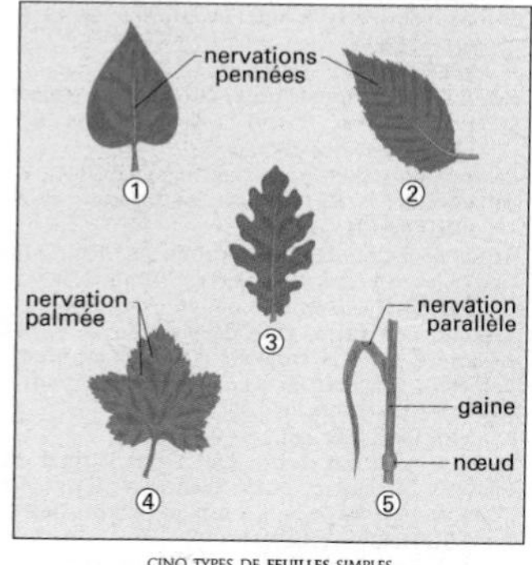


Cinq types de feuilles simples
1. *Feuille entière, le lilas.* 2. *Feuille dentée, l'orme.* 3. *Feuille lobée, le chêne.* 4. *Feuille découpée, le groseillier.* 5. *Feuille entière et engainante, le blé.*

**FEUILLÉE,** subst. f.
Abri formé par le feuillage (littér.). Plur. *Milit.* Tranchée servant de latrines aux troupes en campagne. XIIe s. ; ☞ *feuille* ; [fœje].

**FEUILLE-MORTE,** adj. inv.
Brun-roux : *Des gilets **feuille-morte**.* Fin XVIe s. ; comp. de *feuille* et de *mort* (II) ; [fœjmɔʀt].

**FEUILLER,** verbe [3]
Intrans. Se couvrir de feuilles. Trans. *Menuis.* Faire une feuillure sur (qqch.). XIIe s. ; ☞ *feuille* ; [fœje].

**FEUILLERET,** subst. m.
*Menuis.* Rabot servant à feuiller. 1647 ; ☞ *feuiller* ; [fœjʀɛ].

**FEUILLET,** subst. m.
**1.** Feuille de papier pliée sur elle-même pour former une feuille double, un cahier. **2.** *Zool.* Troisième poche de l'estomac des Ruminants. **3.** *Embryol. Les **feuillets** embryonnaires* : les trois formations (l'ectoblaste, l'endoblaste, le mésoblaste) constituées de nappes cellulaires, d'où vont se différencier les éléments de l'organisme. **4.** *Menuis.* Planche mince. Mil. XIIe s. ; anc. fr. *feuil* ; [fœjɛ].

**FEUILLETAGE,** subst. m.
*Cuis.* Action de feuilleter de la pâte ; aspect feuilleté de cette pâte. 1680 ; ☞ *feuilleter* ; [fœjtaʒ].

**FEUILLETÉ, ÉE,** adj. et subst. m.
Adj. **1.** Qui est constitué de lames minces. **2.** *Cuis. Pâte **feuilletée*** : formée de feuilles fines et superposées. Subst. *Cuis.* Mets à base de pâte **feuilletée**, que l'on garnit. 1234 ; p. p. de *feuilleter* ; [fœjte].

**FEUILLETER,** verbe trans. [14]
**1.** Tourner les pages de (un journal, un livre) en les regardant au hasard, en les lisant à peine. **2.** *Cuis.* Travailler (une pâte) afin qu'elle lève en feuilles à la cuisson. 1549 ; ☞ *feuillet* ; [fœjte].

**FEUILLETIS,** subst. m.
**1.** *Géol.* Endroit où l'ardoise se divise aisément en feuilles. **2.** *Joaill.* Contour tranchant d'un diamant, d'une pierre fine. 1756 ; ☞ *feuilleter* ; [fœjti].

**FEUILLETON,** subst. m.
**1.** Vx. *Impr.* Petit cahier composé de feuillets in-12. **2.** Fragment d'une œuvre, en partic. chapitre d'un roman paraissant régulièrement et occupant le même emplacement dans un journal. **3.** Histoire divisée en épisodes courts d'égale durée, diffusée par une radio ou une télévision. **4.** Fig. Histoire invraisemblable. 1790 ; ☞ *feuillet* ; [fœjtɔ̃].

**FEUILLETONISTE, subst.**
Écrivain de feuilletons dans un journal. 1817 ; ☞ *feuilleton* ; [fœjtɔnist].

**FEUILLETTE, subst. f.**
Tonneau d'une capacité variant de 114 à 140 l. 1678 (1396, petite mesure valant 0,466 l) ; p.-ê. lat. médiév. *folia*, « mesure de liquide » ; [fœjɛt].

**FEUILLU, UE, adj. et subst. m.**
Adj. Qui a beaucoup de feuilles. Subst. *Bot.* Arbre à feuilles caduques (par oppos. aux résineux, à aiguilles). Déb. XII<sup>e</sup> s. ; ☞ *feuille* ; [fœjy].

**FEUILLURE, subst. f.**
*Menuis.* Rainure, entaille ménagée dans un panneau de bois pour recevoir une autre pièce. 1334 ; ☞ *feuiller* ; [fœjyʀ].

**FEULEMENT, subst. m.**
Cri du tigre ; grondement du chat en colère. 1923 ; ☞ *feuler* ; [følmɑ̃].

**FEULER, verbe intrans.** [3]
Pousser son cri, en parlant du tigre ; gronder, en parlant du chat. 1843 ; p.-ê. orig. onomat. ; [føle].

**FEUTRAGE, subst. m.**
Action de feutrer, fait de se feutrer. 1930 (1723, mise en feutre du poil, de la laine) ; ☞ *feutrer* ; [føtʀaʒ].

**FEUTRE, subst. m.**
**1.** Étoffe non tissée, faite de poils ou de laines agglutinés, qui a la propriété d'amortir les bruits. **2.** Méton. Chapeau. **3.** Stylo à pointe de **feutre**. Fin XI<sup>e</sup> s. ; anc. bas frq. °*filtir* ; [føtʀ].

**FEUTRÉ, ÉE, adj.**
**1.** Garni de feutre. **2.** Ext. Qui a pris l'aspect du feutre. **3.** Fig. Discret, ouaté, silencieux : *Il s'avance à pas* ***feutrés.*** Fin XI<sup>e</sup> s. ; p. p. de *feutrer* ; [føtʀe].

**FEUTRER, verbe** [3]
Trans. **1.** Transformer (du poil, de la laine) en feutre. **2.** Ext. Garnir de feutre : ***Feutrer*** *les pieds d'une chaise.* **3.** Fig. Étouffer, amortir (un bruit). Intrans. et Pronom. Prendre l'aspect du feutre. Fin XI<sup>e</sup> s. ; ☞ *feutre* ; [føtʀe].

**FEUTRINE, subst. f.**
Tissu de laine feutré, léger et serré. 1951 ; ☞ *feutre* ; [føtʀin].

**FÈVE, subst. f.**
**1.** *Bot.* Plante de la famille des Fabacées, dont les graines sont gén. contenues dans une gousse. **2.** Graine de cette plante. **3.** Petit objet que l'on place dans la galette des Rois. 1178 ; lat. *faba* ; [fɛv].

**FÈVEROLE, subst. f.**
*Bot.* Variété de fève à graines riches en protéines. Déb. XIV<sup>e</sup> s. ; ☞ *fève* ; var. *féverole, faverole* ; [fɛvʀɔl].

**FÉVIER, subst. m.**
*Bot.* Arbre ornemental de la famille des Césalpiniacées, dont le fruit contient des graines ressemblant à des fèves. 1786 ; ☞ *fève* ; [fevje].

**FÉVRIER, subst. m.**
Deuxième mois de l'année, divisé en 28 jours (29 dans les années bissextiles). 1119 ; bas lat. *febrarius*, du lat. *februarius*, « février, mois des purifications », de *februare*, « purifier » ; [fevʀije].

**FEZ, subst. m.**
*Cost.* Coiffure masculine tronconique en laine feutrée portée en Afrique du Nord et au Proche-Orient. 1664 ; topon. *Fez*, var. de Fès (Maroc) ; [fɛz].

**fg, voir FRIGORIE**

**FI, interj.**
Exprime le dédain, le dégoût. ▸ Loc. ***Faire fi de*** : mépriser, ne pas tenir compte de. Fin XII<sup>e</sup> s. ; onomat. ; [fi].

**FIABILISER, verbe trans.** [3]
Rendre plus fiable. V. 1980 ; ☞ *fiable* ; [fjabilize].

**FIABILITÉ, subst. f.**
*Techn.* **1.** Capacité d'un dispositif à fonctionner de façon sûre pendant un temps donné. **2.** Qualité de ce qui est sûr. XIII<sup>e</sup> s. ; ☞ *fiable* ; [fjabilite].

**FIABLE, adj.**
**1.** *Techn.* Qui présente un caractère de fiabilité : *Un moteur* ***fiable.*** **2.** En qui on peut avoir confiance : *Un homme* ***fiable.*** XIII<sup>e</sup> s. ; ☞ *se fier* ; [fjabl].

**FIACRE, subst. m.**
Voiture à cheval louée à l'heure ou à la course. 1650 ; anthropon. *saint Fiacre*, dont l'effigie servait d'enseigne, au XVII<sup>e</sup> s., à une maison de louage ; [fjakʀ].

**FIANÇAILLES, subst. f. plur.**
**1.** Promesse de mariage entre deux futurs époux. **2.** Période entre cette promesse et le mariage. Déb. XIII<sup>e</sup> s. ; ☞ *fiancer* ; [f(i)jɑ̃saj].

**FIANCÉ, ÉE, subst.**
Personne promise au mariage. 1367 ; p. p. de *fiancer* ; [f(i)jɑ̃se].

**FIANCER, verbe trans.** [4]
Engager (qqn) par une promesse solennelle de mariage ; empl. pronom. : *Elle s'est* ***fiancée*** *avec, à un voisin.* Déb. XIII<sup>e</sup> s. (fin XII<sup>e</sup> s., engager sa parole) ; anc. fr. *fiance*, « serment de fidélité » ; [f(i)jɑ̃se].

**FIASCO, subst. m.**
**1.** Insuccès ; échec patent. **2.** Défaillance sexuelle. 1820 ; ital. *fare fiasco*, « essuyer un échec » ; [fjasko].

**FIASQUE, subst. f.**
Bouteille à col allongé et à panse élargie, en usage en Italie. 1803 (1580, mesure italienne de capacité) ; ital. *fiasco*, « bouteille ; mesure de capacité » ; [fjask].

**FIAT, subst. m. inv.**
*Psychol.* Décision délibérée. 1893 ; lat. *fiat*, « que cela soit fait », de *fieri*, « être fait, devenir » ; [fjat].

**FIBRANNE, subst. f. inv.**
Textile synthétique à fibres cellulosiques. 1946 ; ☞ *fibre* ; n. déposé ; [fibʀan].

**FIBRE, subst. f.**
**1.** *Biol.* Filament mince et allongé, formé de plusieurs cellules ou du prolongement filamenteux d'une seule cellule, présent chez les animaux et les végétaux et constituant des faisceaux : ***Fibres*** *cellulosiques ou ligneuses des plantes*, formées de cellules allongées aux parois riches en cellulose ou en lignine ; ***Fibres*** *nerveuses,* ***fibres*** *musculaires des animaux.* **2.** Tout élément filamenteux constitutif d'un fil, d'une feuille de papier, d'une substance minérale : ***Fibre*** *de laine, de bois* ; ***Fibre*** *de verre*, utilisée dans l'isolation thermique ; ***Fibre*** *optique*, cylindre conducteur de lumière par réflexion totale. **3.** Fig. Sensibilité : ***Fibre*** *maternelle, anarchiste.* 1372 ; lat. *fibra* ; [fibʀ].

**FIBREUX, EUSE, adj.**
Constitué de fibres. 1549 ; ☞ *fibre* ; [fibʀø, øz].

**FIBRILLAIRE, adj.**
*Histol.* Constitué de fibrilles : *Protéine* ***fibrillaire***, molécule géante en forme de filament (anton. *globulaire*). 1811 ; ☞ *fibrille* ; [fibʀil(l)ɛʀ] ou [-bʀijɛʀ].

**FIBRILLATION, subst. f.**
**1.** *Méd.* Contraction isolée d'une fibre musculaire, ou contraction désordonnée d'un ensemble de fibres. **2.** *Pathol.* ***Fibrillation*** *cardiaque* : contractions rapides et désordonnées des fibres musculaires du cœur, qui donnent à la paroi de ce muscle un aspect grouillant. 1907 ; ☞ *fibrille* ; [fibʀil(l)asjɔ̃] ou [-bʀija-].

**FIBRILLE, subst. f.**
Petite fibre. 1674 ; ☞ *fibre* ; [fibʀil] ou [-bʀij].

**FIBRINE, subst. f.**
*Biochim.* Protéine fibreuse donnant lieu à la formation d'un caillot à la suite d'une blessure. La **fibrine** provient du découpage du fibrinogène sanguin soluble. 1805 ; ☞ *fibre* ; [fibʀin].

**FIBRINEUX, EUSE, adj.**
*Physiol.* Relatif à la fibrine ; riche en fibrine : *Caillot* ***fibrineux.*** 1837 ; ☞ *fibrine* ; [fibʀinø, øz].

**FIBRINOGÈNE, subst. m.**
*Physiol.* Protéine plasmatique qui se transforme en fibrine par l'action d'une enzyme (la thrombine), lors de la coagulation du sang. 1858 ; ☞ *fibrine* + *-gène* ; [fibʀinɔʒɛn].

**FIBRINOLYSE, subst. f.**
*Physiol.* Dissolution de la fibrine d'un caillot de sang, après la coagulation ; trop rapide, elle peut provoquer des hémorragies graves. 1937 ; ☞ *fibrine* + *-lyse* ; [fibʀinɔliz].

**FIBROBLASTE, subst. m.**
*Biol.* Cellule fusiforme participant au tissu conjonctif (les **fibroblastes** ne sont pas jointifs). 1893 ; formé de *fibro-* et de *-blaste* ; [fibʀoblast].

**FIBROCIMENT, subst. m. inv.**
*Techn.* Matériau fait de ciment et de fibres d'amiante. 1907 ; ☞ *ciment* + *fibro-* ; n. déposé ; [fibʀosimɑ̃].

**FIBROMATEUX, EUSE, adj.**
Qui a trait au fibrome ; qui en a la nature. Déb. XX<sup>e</sup> s. ; ☞ *fibrome* ; [fibʀɔmatø, øz].

**FIBROMATOSE, subst. f.**
*Pathol.* Développement de tumeurs fibreuses, le plus souvent dans le tissu cellulaire sous-cutané, qui, en général, ne donnent pas de métastases. 1929 ; ☞ *fibrome* + *-ose* ; [fibʀɔmatoz].

**FIBROME, subst. m.**
*Pathol.* Tumeur bénigne constituée de tissu fibreux. 1856 ; ☞ *fibre* + *-ome* ; [fibʀom].

**FIBROMYOME, subst. m.**
*Pathol.* Nom de certaines tumeurs utérines formées de cellules conjonctives et de tissu musculaire lisse. 1890 ; crois. de *fibrome* et de *myome* ; [fibʀomjom].

**FIBROSCOPIE, subst. f.**
Exploration d'un organe à l'aide d'un endoscope conduisant des rayons lumineux par un réseau de fibres de verre souples. V. 1970 ; formé de *fibro-* et de *-scopie* ; [fibʀɔskɔpi].

**FIBROSE, subst. f.**
*Pathol.* Prolifération fibreuse d'un tissu. 1886 ; ☞ *fibre* + *-ose* ; [fibʀoz].

**FIBULE, subst. f.**
*Antiq.* Agrafe, broche de métal servant à retenir les extrémités d'un vêtement. 1530 ; lat. *fibula* ; [fibyl].

*Fibule en S. Art mérovingien (481-752). Musée Cristiano Cividale Del Friuli, Italie.* © Giraudon

**FIC, subst. m.**
*Vétér.* Grosse verrue des Bovidés, des Équidés. Mi XIII<sup>e</sup> s. ; lat. méd. *ficus* ; [fik].

**FICAIRE, subst. f.**
*Bot.* Petite plante à fleurs jaunes de la famille de Renonculacées. 1786 ; lat. sc. *Ranunculus ficaria*, d lat. méd. *ficus*, « fic » ; [fikɛʀ].

**FICELAGE, subst. m.**
Action de ficeler ; son résultat. 1765 ; ☞ *ficeler* [fislaʒ].

**FICELÉ, ÉE, adj.**
**1.** Qui est lié avec de la ficelle. **2.** Fig. et Fam Habillé : *Être mal* ***ficelé*** ; conçu, arrangé : *Une histoir bien* ***ficelée.*** 1694 ; p. p. de *ficeler* ; [fisle].

**FICELER, verbe trans.** [12]
**1.** Lier avec de la ficelle. **2.** Fig. et Fam. Habill (rare) ; échafauder, concevoir : ***Ficeler*** *l'intrigue d'u roman.* 1694 ; ☞ *ficelle* ; [fisle].

**FICELLE, subst. f.**
**1.** Corde mince. **2.** Fig. Ruse, procédé astucieux empl. adj., malin, roué (fam. et vieilli). ▸ Loc. ***Tir sur la ficelle*** : exagérer ; ***Tirer les ficelles*** : diriger e restant dans l'ombre. **3.** Anal. ▸ Petit pain allong ▸ *Milit.* Galon d'officier (argot.). 1524 ; lat. po °*filicella*, du lat. *filum*, « fil » ; [fisɛl].

**FICELLERIE, subst. f.**
Fabrique de ficelle. 1872 ; ☞ *ficelle* ; [fisɛlʀi].

**FICHAGE, subst. m.**
Action de ficher, de mettre en fiches ; son résulta ***Fichage*** *de documents.* 1930 ; ☞ *ficher* (I) ; [fiʃa

**FICHANT, ANTE, adj.**
*Balist.* Qui frappe l'objectif presque verticalemen *Tir* ***fichant.*** 1678 ; p. pr. de *ficher* (I) ; [fiʃɑ̃, ɑ̃t].

**FICHE (I), subst. f.**
**1.** Tige de bois ou de métal destinée à être enfonc et à fixer qqch. : ***Fiche*** *de téléphone, d'arpente* **2.** Petite plaque servant de marque dans certai jeux. **3.** Feuillet, carton, bristol sur lequel on no des renseignements : ***Fiche*** *médicale, de bibliothèq* 1413 ; ☞ *ficher* (I) ; [fiʃ].

**FICHE (II), voir FICHER (II)**

**FICHER (I), verbe trans.** [3]
**1.** Enfoncer par la pointe : ***Ficher*** *un pieu* ; em pronom. : *La flèche se* ***ficha*** *dans son bras.* **2.** Noter s une fiche ; empl. adj. : *Être* ***fiché*** *par la police.* XII<sup>e</sup> lat. pop. °*figicare*, du lat. *figere*, « enfoncer ; fixer » ; [fi

**FICHER (II), verbe trans.** [3]
Fam. **1.** Faire : *Il ne* ***fiche*** *rien !* **2.** Donner (une gi

un coup). **3.** Mettre, jeter : *Il m'a **fichu** à la rue* ; *Ficher des papiers à la poubelle.* PRONOM. **Se ficher de.** Se moquer de, railler : *Elle se **fiche** de nous.* XIIe s. ; ☞ *ficher* (I) ; p. p. *fichu, ue* ; var. de l'inf. *fiche* (II) ; [fiʃe].

**FICHIER, subst. m.**
**1.** Collection de fiches. **2.** Méton. Boîte, meuble où l'on range des fiches. **3.** *Informat.* Ensemble de données : *Copier un **fichier** sur une disquette.* 1922 ; ☞ *fiche* (I) ; [fiʃje].

**FICHTRE, interj.**
Marque l'étonnement, l'admiration, le désagrément (fam. et vieilli) : ***Fichtre**, c'est cher !* 1793 ; crois. de *ficher* (II) et de *foutre* ; [fiʃtʀ].

**FICHTREMENT, adv.**
Extrêmement (fam.). 1892 ; ☞ *fichtre* ; [fiʃtʀəmɑ̃].

**FICHU, UE, adj. et subst. m.**
ADJ. Fam. **1.** Désagréable, détestable : *Un **fichu** point de vue.* **2.** Détérioré, perdu : *Ma cravate est **fichue**.* **3.** Qui est dans un certain état : *Il est toujours bien **fichu**,* bien mis. ▸ Loc. *Mal **fichu*** : souffrant. **4. *Fichu de*** : capable de. SUBST. *Cost.* Pointe de tissu que les femmes portent sur la tête, les épaules ou autour du cou. 1611 ; p. p. de *ficher* (II) ; [fiʃy].

**FICTIF, IVE, adj.**
**1.** Né de l'imagination : *Un amour **fictif**.* **2.** Qui n'est qu'apparent. **3.** *Écon.* Conventionnel : *La monnaie a une valeur **fictive**.* XVe s. ; lat. *fictus*, de *fingere*, « façonner, inventer » ; [fiktif, iv].

**FICTION, subst. f.**
**1.** Vx. Tromperie. **2.** Élaboration imaginaire : *Ce témoignage est une pure **fiction*** ; en appos. : *Science-**fiction*** (voir ce mot). **3.** Méton. *Livre de **fiction*** ou, par ell., *Une **fiction*** : œuvre née de l'imagination. **4.** *Dr. **Fiction** de droit* : recours à un fait supposé pour en déduire une conséquence juridique. Déb. XIIIe s. ; lat. *fictio*, de *fingere*, « façonner, inventer » ; [fiksjɔ̃].

**FICTIONNEL, ELLE, adj.**
Propre à une fiction. 1971 ; ☞ *fiction* ; [fiksjɔnɛl].

**FICTIVEMENT, adv.**
De manière fictive. XVe s. ; ☞ *fictif* ; [fiktivmɑ̃].

**FICUS, subst. m.**
*Bot.* Plante ornementale tropicale de la famille des Moracées. 1870 ; lat. *ficus*, « figuier » ; [fikys].

**FIDÉICOMMIS, subst. m.**
*Dr.* Disposition testamentaire par laquelle le testateur (le disposant) lègue un bien à une personne (le grevé de restitution) pour qu'il soit remis à un tiers (le fidéicommissaire) sous certaines conditions. XIIIe s. ; lat. *fidei commissum*, de *fidei committere*, « remettre à la bonne foi de qqn » ; [fideikɔmi].

**FIDÉICOMMISSAIRE, subst. m.**
*Dr.* Personne qui bénéficie d'un fidéicommis. XIIIe s. ; bas lat. *fideicommissarius* ; [fideikɔmisɛʀ].

**FIDÉISME, subst. m.**
*Philos.* Doctrine, condamnée par l'Église, selon laquelle les vérités premières reposent sur la foi, et non sur la raison. 1838 ; lat. *fides*, « foi » ; [fideism].

**FIDÉISTE, adj. et subst.**
Se dit d'une personne professant le fidéisme. ADJ. Relatif au fidéisme. 1838 ; ☞ *fidéisme* ; [fideist].

**FIDÈLE, subst. et adj.**
SUBST. **1.** Personne liée par sa foi à une religion : *L'assemblée des **fidèles**.* **2.** Personne dont l'attachement à qqch. ou à qqn ne varie pas : *De solides partisans, des **fidèles**.* **3.** Personne qui fréquente habituellement un lieu : *Les **fidèles** d'un restaurant.* ADJ. **1.** Qui ne manque pas à ses engagements : ***Fidèle** à un serment* ; *Un époux **fidèle*** ; *Une servante **fidèle**,* dévouée, loyale. ▸ Loc. ***Fidèle** au poste* : toujours présent, disponible. **2.** Ext. Qui est constant, sûr dans ses sentiments, qui témoigne un attachement durable à qqch. ou à qqn : *Rester **fidèle** aux traditions* ; *Un client **fidèle**.* **3.** Fig. ▸ Conforme à la réalité, à la vérité : *Portrait **fidèle*** ; par ext. : *Mémoire **fidèle**.* ▸ Sûr, fiable : *Une balance **fidèle**.* Fin Xe s. ; lat. *fidelis*, de *fides*, « foi » ; [fidɛl].

**FIDÈLEMENT, adv.**
Avec fidélité. Déb. XIIe s. ; ☞ *fidèle* ; [fidɛlmɑ̃].

**FIDÉLISATION, subst. f.**
Action de fidéliser ; son résultat. V. 1970 ; ☞ *fidéliser* ; [fidelizasjɔ̃].

**FIDÉLISER, verbe trans.** [3]
Rendre (un client, un public) fidèle. V. 1970 ; ☞ *fidèle* ; [fidelize].

**FIDÉLITÉ, subst. f.**
**1.** Qualité d'une personne fidèle ; en partic., loyauté conjugale. **2.** Exactitude : *La **fidélité** d'un récit* ; en appos. : *Une chaîne haute-**fidélité**.* 1155 ; lat. *fidelitas*, de *fides*, « foi » ; [fidelite].

**FIDUCIAIRE, adj.**
**1.** *Dr.* Qui se rapporte à la fiducie, au fidéicommis : *Contrat **fiduciaire**.* ▸ *Héritier **fiduciaire*** ou, empl. subst. masc., *Un **fiduciaire*** : légataire, créancier chargé d'un fidéicommis, d'une fiducie. **2.** *Écon.* Se dit de valeurs fondées sur la confiance publique : *Monnaie **fiduciaire**,* monnaie de papier dont la valeur est conventionnelle. ▸ *Société **fiduciaire*** : qui intervient pour le compte d'entreprises privées dans les domaines juridique, comptable et financier ; empl. subst. fém. : *La **fiduciaire** X...* 1593 ; lat. jur. *fiduciarius*, du lat. *fiducia*, « confiance » ; [fidysjɛʀ].

**FIDUCIE, subst. f.**
*Dr.* Acte par lequel un débiteur (le fiduciant) cède un bien à son créancier (le fiduciaire), qui devra le restituer au premier ou à un tiers à l'extinction de la dette. 1752 ; lat. *fiducia*, « confiance » ; [fidysi].

**FIEF, subst. m.**
**1.** *Féod.* Terre concédée par un seigneur à un vassal en échange de services. **2.** Fig. Domaine où s'exerce sans partage l'influence de qqn : *Un **fief** électoral.* Fin XIe s. ; prob. anc. bas frq. °*fehu*, « bétail » ; [fjɛf].

**FIEFFÉ, ÉE, adj.**
**1.** *Féod.* Qui est pourvu d'un fief : *Vassal **fieffé*** ; qui est concédé en fief : *Domaine **fieffé**.* **2.** Fig. Affligé au plus haut point d'un défaut (fam.) : *Un **fieffé** coquin.* Mil. XIIe s. ; ☞ *fief* ; [fjefe].

**FIEL, subst. m.**
**1.** Vx. Bile. ▸ Bile des animaux de boucherie. **2.** Fig. Amertume (littér.) ; animosité, méchanceté : *Des propos chargés de **fiel**.* Fin Xe s. ; lat. *fel* ; [fjɛl].

**FIELLEUX, EUSE, adj.**
Qui est haineux, malveillant (littér.). 1552 (1478, qui tient du fiel) ; ☞ *fiel* ; [fjelø, øz].

**FIENTE, subst. f.**
Excrément liquide ou flasque de certains animaux, princ. des oiseaux. Fin XIIe s. ; lat. pop. °*femita*, du lat. *fimus*, « fumier » ; [fjɑ̃t].

**FIENTER, verbe intrans.** [3]
Faire de la fiente. XVe s. ; ☞ *fiente* ; [fjɑ̃te].

**FIER, FIÈRE, adj.**
**1.** Vx. Féroce ; farouche, sauvage, en parlant d'un animal. **2.** Qui est habité de sentiments nobles, de dignité : *Une âme **fière*** ; par méton., qui dénote cette qualité : *Un port de tête **fier**,* altier. **3. Fier de.** Qui tire une vive satisfaction de : ***Fier** de la réussite de son fils.* ▸ Loc. *Ne pas être **fier** de* : avoir honte de. **4.** Qui a une attitude hautaine, arrogante (péj.) ; empl. subst. : *Faire le **fier**,* être prétentieux, suffisant. ▸ Loc. ***Fier** comme Artaban* : vaniteux. **5.** Remarquable : *Un **fier** gredin.* ▸ Loc. *Devoir une **fière** chandelle à qqn* : lui être profondément redevable. Fin XIe s. ; lat. *ferus* ; au sens 5, *fier* est toujours placé devant le subst. ; [fjɛʀ].

**FIER (SE), verbe pronom.** [6]
**Se fier à.** Accorder sa confiance à (qqn, qqch.) : *Ne vous **fiez** pas aux apparences.* Fin XIe s. ; lat. pop. °*fidare*, « confier », du lat. *fidus*, « fidèle, sûr » ; [fje].

**FIER-À-BRAS, subst. m.**
Fanfaron (vieilli). XIVe s. ; *Fierabras*, géant sarrasin des chansons de geste ; plur. *fier(s)-à-bras* ; [fjɛʀabʀa].

**FIÈREMENT, adv.**
D'une manière fière. Fin XIe s. ; ☞ *fier* ; [fjɛʀmɑ̃].

**FIÉROT, OTE, adj. et subst.**
Se dit d'une personne puérilement fière d'elle-même (fam.). 1545 ; ☞ *fier* ; [fjeʀo, ɔt].

**FIERTÉ, subst. f.**
**1.** Vx. Férocité ; intrépidité. **2.** Estime de soi ; noblesse d'âme. **3.** Caractère de qqn qui se croit supérieur aux autres (péj.). **4.** Méton. Objet de **fierté** : *Cette œuvre est sa **fierté**.* Fin XIe s. ; ☞ *fier* ; [fjɛʀte].

**FIESTA, subst. f.**
Fête (fam.). V. 1960 ; mot esp. ; [fjɛsta].

**FIÈVRE, subst. f.**
**1.** Élévation anormale de la température du corps : *Faire tomber la **fièvre**.* ▸ Loc. ***Fièvre** de cheval* : très forte (fam.). **2.** Ext. Maladie fébrile : ***Fièvre** typhoïde.* **3.** Fig. État de grande agitation ; surexcitation d'une personne, d'un groupe : ***Fièvre** amoureuse* ; ***Fièvre** révolutionnaire.* ▸ Loc. *Une **fièvre** de* : un désir ardent de. 1155 ; lat. *febris* ; [fjɛvʀ].

**FIÉVREUSEMENT, adv.**
Avec fièvre. 1842 ; ☞ *fiévreux* ; [fjevʀøzmɑ̃].

**FIÉVREUX, EUSE, adj.**
**1.** Qui a de la fièvre ; qui la dénote ou en est la conséquence : *Un regard **fiévreux**.* **2.** Fig. Qui manifeste un état d'exaltation, d'inquiétude : *Auditoire **fiévreux*** ; par ext., très intense : *Activité **fiévreuse**.* Mil. XIIe s. ; ☞ *fièvre* ; [fjevʀø, øz].

**FIFRE, subst. m.**
*Mus.* **1.** Petite flûte traversière en bois, au son très aigu. **2.** Méton. Joueur de **fifre**. 1507 ; m. haut all. *pfife*, « flûte » ; [fifʀ].

**FIFRELIN, subst. m.**
Objet sans importance (vieilli) ; par ext., menue monnaie (fam.) : *Cela ne vaut pas un **fifrelin**,* cela ne vaut rien. 1821 ; all. *Pfifferling*, « girolle » ; [fifʀəlɛ̃].

**FIFTY-FIFTY, adv. et subst. m.**
ADV. *Faire **fifty-fifty*** : partager en deux parts égales. SUBST. Yacht de croisière naviguant à la voile ou au moteur (abrév. : fifty). 1928 ; angl. *fifty*, « cinquante » ; plur. *fifty-fiftys* ou *-fifties* ; [fiftififti].

**FIGARO, subst. m.**
Coiffeur (vx et fam.). 1867 (1828, valet rusé) ; *Figaro*, personnage du *Barbier de Séville*, de Beaumarchais ; [figaʀo].

**FIGEMENT, subst. m.**
Fait de se figer ; état de ce qui est figé (rare) : *Le **figement** du sang.* 1549 ; ☞ *figer* ; [fiʒmɑ̃].

**FIGER, verbe trans.** [5]
**1.** Coaguler (le sang). **2.** Anal. Condenser, solidifier : *Le froid **fige** la sauce dans son plat.* **3.** Rendre immobile : *L'étonnement **figea** ses traits.* ▸ Empl. adj. *Ling. Expression **figée*** : dont les éléments et le sens ne varient plus. Déb. XIIIe s. ; lat. pop. °*feticare*, « prendre l'aspect du foie » ; [fiʒe].

**FIGNOLAGE, subst. m.**
Action de fignoler. 1874 ; ☞ *fignoler* ; [fiɲɔlaʒ].

**FIGNOLER, verbe trans.** [3]
Exécuter (qqch.) avec un soin méticuleux (fam.) : ***Fignoler** son travail.* 1743 ; ☞ *fin* (II) ; [fiɲɔle].

**FIGNOLEUR, EUSE, subst.**
Personne qui fignole. Mil. XIXe s. ; ☞ *fignoler* ; [fiɲɔlœʀ, øz].

**FIGUE, subst. f.**
**1.** Fruit comestible du figuier. Il ne s'agit pas d'un fruit simple, mais d'une inflorescence dont le réceptacle se gonfle, l'été, après fécondation. ▸ ***Figue** de Barbarie* : fruit du figuier de Barbarie. ▸ Loc. *Mi-**figue**, mi-raisin* : mitigé ; *Faire la **figue** à qqn* : se moquer de qqn. **2.** *Zool. **Figue** de mer* : nom usuel d'une espèce d'ascidie, que l'on consomme crue. 1170 ; anc. prov. *figa*, du lat. *ficus* ; [fig].

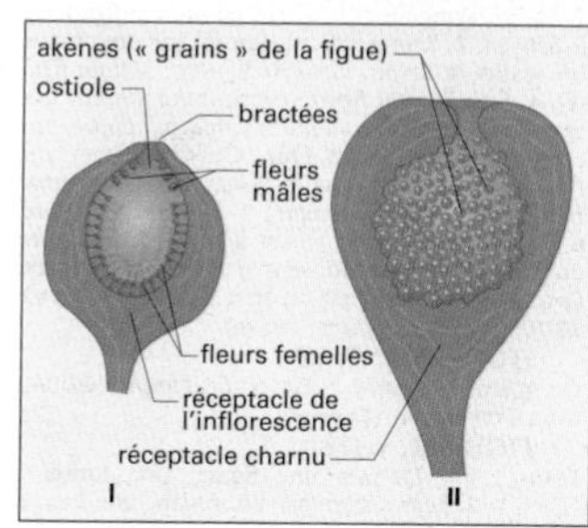


COUPE D'UNE FIGUE
*I. Inflorescence. II. Réceptacle charnu contenant les fruits.*

**FIGUERIE, subst. f.**
Terrain planté de figuiers (rare). Mil. XIVe s. ; ☞ *figuier* ; var. *figueraie* ; [figʀi].

**FIGUIER, subst. m.**
*Bot.* **1.** Arbre de la famille des Moracées originaire des régions chaudes, à feuilles lobées. **2. *Figuier** de Barbarie* : oponce. Fin XIIe s. ; ☞ *figue* ; [figje].

**FIGULIN, INE, adj. et subst. f.**
ADJ. Propre à la poterie, aux potiers : *Des briques en argile **figuline**.* SUBST. **1.** *Archéol.* Vase de terre cuite. **2.** *B.-a.* Poterie émaillée, ornée de motifs : *Les **figulines** de Bernard Palissy.* 1834 ; lat. *figulinus* ; [figylɛ̃, in].

**FIGURANT, ANTE, subst.**
1. Personne chargée d'un emploi secondaire dans un spectacle ; rôle non dansé, dans un ballet. 2. Anal. Personne dépourvue de rôle actif (synon. *potiche*) : *Jouer les* ***figurants*** *dans une réunion.* 1756 ; p. pr. de *figurer* ; [figyRɑ̃, ɑ̃t].

**FIGURATIF, IVE, adj.**
1. Vx. Qui donne de qqch. une représentation symbolique. 2. Qui figure qqch. sous son aspect caractéristique : *Une carte* ***figurative***. 3. *B.-a. L'art* ***figuratif*** : qui représente l'apparence du modèle ; *Artiste* ***figuratif*** ou, empl. subst., *Un* ***figuratif*** : artiste qui pratique cet art. Fin XIIe s. ; lat. chrét. *figurativus*, « symbolique » ; [figyRatif, iv].

**FIGURATION, subst. f.**
1. Action de figurer qqn ou qqch. 2. Action, fait de tenir un rôle de figurant ; cet emploi : *Vivre de* ***figurations*** ; ensemble des figurants d'un spectacle ; au fig., rôle sans importance. 3. *B.-a.* ▸ Représentation figurative. ▸ *Nouvelle* ***figuration*** : mouvement né dans les années soixante, qui a opéré un retour à l'art figuratif. ▸ ***Figuration*** *libre* : mouvement des années quatre-vingt qui s'inspire de la bande dessinée pour produire de grandes peintures au style simple et coloré. XVe s. (1314, forme) ; lat. *figuratio*, « forme, figure » ; [figyRasjɔ̃].

**FIGURE, subst. f.**
I. 1. Aspect, forme extérieure de qqch., de qqn. ▸ Loc. *Faire* ***figure*** *de* : passer pour ; *Prendre* ***figure*** : prendre forme. 2. *Géom.* Ensemble de points (partie) du plan ou de l'espace ; représentation graphique d'un tel ensemble ou, plus gén., d'un objet mathématique. 3. *Chorégr.* Ensemble de pas enchaînés ; par anal. : ***Figures*** *libres, imposées*, mouvements effectués en patinage, en ski artistique. 4. *Mus.* Motif, groupe de notes formant une unité rythmique ou thématique. 5. *Rhét.* Manière de parler, d'écrire. ▸ ***Figure*** *de style* : représentation imagée de qqch. par le langage. II. 1. Illustration : *Livre de* ***figures***. 2. *B.-a.* Représentation plastique d'un être vivant : ***Figure*** *anatomique* ; ***Figure*** *de bas-relief.* 3. *Hérald.* Pièce figurant sur un écu. 4. *Jeux.* Carte portant un personnage. 5. *Mar.* ***Figure*** *de proue* : tête, buste ornant la proue d'un navire ou, au fig., personne qui montre la voie aux autres. 6. *Théol.* Personnage, évènement de l'Ancien Testament qui en préfigure un autre, du Nouveau Testament. III. 1. Visage. ▸ Loc. *Faire bonne, triste* ***figure*** : avoir l'air gai, morose ; *Casser la* ***figure*** *à qqn* : le battre (fam.). 2. Personnage marquant : *Les grandes* ***figures*** *du passé.* Fin IXe s. ; lat. *figura* ; [figyR].

**FIGURÉ, ÉE, adj.**
1. Stylisé, symbolisé : *Le Christ est souvent* ***figuré*** *par le poisson.* 2. Représenté au naturel par une image, un dessin. 3. *Archit.* Orné de figures : *Métope* ***figurée***. 4. *Biol. Élément* ***figuré*** : élément qui possède une forme propre, visible au microscope, par oppos. aux éléments amorphes. 5. *Ling.* Qui fait appel aux figures de style, comme la métaphore, la comparaison, etc. (anton. *propre*) : *Un langage* ***figuré***. ▸ *Sens* ***figuré*** *d'un mot* : son acception détournée ou abstraite, tirée du sens premier ou concret (« amour », par ex., est un sens **figuré** de « feu »). 1050 ; p. p. de *figurer* ; [figyRe].

**FIGURÉMENT, adv.**
De manière figurée : *Parler* ***figurément***. Déb. XIVe s. ; ☞ *figuré* ; [figyRemɑ̃].

**FIGURER, verbe [3]**
TRANS. 1. Vx. Donner une figure, une forme à (qqch.). 2. Représenter par un dessin, une image, etc. : *L'enfant a* ***figuré*** *sa mère dans le jardin* ; par ext., offrir la représentation de (qqch.) : *Le tableau* ***figure*** *une scène guerrière.* 3. Représenter de manière symbolique, allégorique : *On* ***figure*** *la paix sous la forme d'une colombe.* INTRANS. 1. Exécuter des figures de danse (vx). 2. Être inclus dans un ensemble ; apparaître : *Son nom* ***figure*** *dans l'annuaire.* 3. Tenir un rôle de figurant : *Je me contente de* ***figurer***. PRONOM. Se représenter, s'imaginer (qqch.) : *Il se* ***figure*** *que je l'aime.* Déb. XIIe s. ; lat. *figurare* ; [figyRe].

**FIGURINE, subst. f.**
Petite statuette : *Une* ***figurine*** *d'or.* 1829 (1578, petite figure) ; ital. *figurina*, « petite figure » ; [figyRin].

**FIGURISME, subst. f.**
*Théol.* Doctrine qui voit dans l'Ancien Testament la préfiguration du Nouveau, ainsi que celle de l'histoire de l'Église. 1729 ; ☞ *figure* ; [figyRism].

**FIGURISTE, subst.**
1. *Théol.* Partisan du figurisme. 2. Mouleur de figures en plâtre. 1604 ; ☞ *figure* ; [figyRist].

**FIL, subst. m.**
1. *Text.* Fibre longue et mince d'origine naturelle ou synthétique : *Un* ***fil*** *de lin, de soie, de Nylon* ; par méton., ensemble de plusieurs **fils** tordus et filés : *Du* ***fil*** *à coudre.* ▸ Loc. *De* ***fil*** *en aiguille* : petit à petit ; *Cousu de* ***fil*** *blanc* : trop évident ; *Donner du* ***fil*** *à retordre à qqn* : lui causer des difficultés, du souci ; ***Fil*** *à plomb* : morceau de plomb pendu à un **fil** et donnant la verticale ; ***Fil*** *d'Ariane* : ce qui guide dans les difficultés (par allus. au **fil** qu'Ariane donna à Thésée pour l'aider à sortir du Labyrinthe). 2. Filament sécrété par les araignées et certaines chenilles : ***Fil*** *de la Vierge*, filandre. 3. Anal. Métal étiré jusqu'à former un brin filiforme : ***Fil*** *d'argent, de fer, d'acier* ; ***Fil*** *à couper le beurre* ; ***Fil*** *électrique*, **fil** de métal conducteur d'électricité. ▸ Loc. *Passer un coup de* ***fil*** : téléphoner. 4. Fig. Ce qui s'étire, s'écoule continûment : *Au* ***fil*** *de l'eau*, en suivant le courant ; *Au* ***fil*** *du temps, des jours, des idées, de la plume*, en suivant leur cours. 5. Partie effilée d'une lame, tranchant : *Le* ***fil*** *d'un couteau.* ▸ Loc. *Sur le* ***fil*** *du rasoir* : dans une situation périlleuse ; *Passer (qqn) au* ***fil*** *de l'épée* : transpercer (qqn) avec la lame d'une épée. Mil. XIIe s. ; lat. *filum* ; [fil].

**FIL-À-FIL, subst. m. inv.**
Tissu très solide, de coton ou de laine, où alternent des fils de deux couleurs. 1930 ; ☞ *fil* ; [filafil].

**FILAGE, subst. m.**
1. *Text.* Action de filer certaines matières fibreuses : ***Filage*** *de la soie* ; travail du fileur. 2. *Techn. Le* ***filage*** *d'un métal* : le façonnage d'un fil métallique. 3. *Théâtre.* Répétition continue et rapide : *Faire le* ***filage*** *d'une scène.* 4. *Cin.* Problème de synchronisation entre le défilement du film et l'obturation de la caméra. XIIIe s. ; ☞ *filer* ; [filaʒ].

**FILAIRE (I), subst. f.**
*Zool.* Nom de plusieurs vers plats de la classe des Nématodes, répandus dans les régions chaudes et humides, parasites de divers vertébrés et de l'homme. 1801 ; lat. sc. *filaria*, du lat. *filum*, « fil » ; [filɛR].

**FILAIRE (II), adj.**
*Techn.* Se dit d'appareils de transmission par fil (anton. *sans fil*). Mil. XXe s. ; ☞ *fil* ; [filɛR].

**FILAMENT, subst. m.**
1. Sécrétion organique filiforme ; par anal., matière ou structure filiforme. 2. *Électr.* ***Filament*** *d'une ampoule électrique* : fil conducteur que le passage du courant rend incandescent. 1538 ; bas lat. *filamentum*, du lat. *filum*, « fil » ; [filamɑ̃].

**FILAMENTEUX, EUSE, adj.**
Qui se compose de filaments ; qui a l'aspect d'un filament. 1571 ; ☞ *filament* ; [filamɑ̃tø, øz].

**FILANDIÈRE, subst. f.**
1. Vx. Femme qui file à la main (synon. *fileuse*). 2. *Myth. Les Sœurs* ***filandières*** : les Parques. 1292 ; ☞ *filer* ; [filɑ̃djɛR].

**FILANDRE, subst. f.**
1. Vx. Fil d'araignée qui flotte dans l'air (synon. *fil de la Vierge*). 2. Fibre longue et coriace de certains aliments. Fin XIIIe s. ; ☞ *filer* ; [filɑ̃dR].

**FILANDREUX, EUSE, adj.**
1. Qui contient des filandres : *Viande, légume* ***filandreux***. 2. Fig. Confus, embarrassé : *Discours* ***filandreux***. 1603 ; ☞ *filandre* ; [filɑ̃dRø, øz].

**FILANT, ANTE, adj.**
1. Qui coule lentement, continûment. 2. *Astron. Étoile* ***filante*** : traînée lumineuse dans le ciel produite par une météorite qui pénètre dans l'atmosphère terrestre. 3. *Pathol. Pouls* ***filant*** : pouls très faible. 1835 ; p. pr. de *filer* ; [filɑ̃, ɑ̃t].

**FILAO, subst. m.**
*Bot.* Casuarina. 1808 ; mot créole de la Réunion ; [filao].

**FILARIOSE, subst. f.**
*Pathol.* Maladie parasitaire due à la présence de filaires. 1901 ; lat. sc. *filaria*, « filaire », + *-ose* ; [filaRjoz].

**FILASSE, subst. f.**
*Text.* Matière constituée de filaments de végétaux textiles non encore filés ; empl. adj. inv. : *Cheveux* ***filasse***, d'un blond terne et pâle. Mil. XIIe s. ; lat. pop. *°filacea*, du lat. *filum*, « fil » ; [filas].

**FILATEUR, TRICE, subst.**
Personne qui dirige une filature. 1812 ; ☞ *filature* ; [filatœR, tRis].

**FILATURE, subst. f.**
1. *Text.* Ensemble des opérations de transformation des matières textiles en fil : *La* ***filature*** *du lin, du coton* ; par méton., usine où se déroulent ces opérations. 2. Action de suivre qqn pour le surveiller : *Le policier prit l'homme en* ***filature***. 1724 ; ☞ *filer* ; [filatyR].

**FILDEFÉRISTE, subst.**
Équilibriste qui évolue sur un fil métallique. 1943 ; comp. de *fil* et de *fer* ; var. *fil-de-fériste* (plur. *fil-de-féristes*) ; [fildəfeRist].

**FILE, subst. f.**
1. Suite de personnes ou de choses : ***File*** *d'attente* ; ***File*** *de chariots.* ▸ Loc. *En* ***file***, *à la* ***file*** *(indienne)* : à la suite, l'un derrière l'autre ; *Se garer en double* ***file*** : à côté d'une rangée de voitures stationnées sur le bas-côté. 2. *Milit.* Rangée de soldats placés les uns derrière les autres. ▸ *Chef de* ***file*** : soldat placé en tête ou, au fig., celui qui dirige un mouvement, un groupe. Mil. XVe s. ; ☞ *filer* ; [fil].

**FILÉ, subst. m.**
*Text.* 1. Fil employé pour le tissage. 2. Fil métallique fin entourant un fil de soie, de lin, employé en broderie. XIIIe s. ; p. p. de *filer* ; [file].

**FILER, verbe [3]**
TRANS. 1. Fabriquer des fils à partir de (une matière textile) : ***Filer*** *du lin.* ▸ Loc. ***Filer*** *doux* : rester calme, effacé ; obéir. 2. Tisser (qqch.) en sécrétant un fil : *L'araignée* ***fila*** *sa toile.* 3. Anal. Étirer (un métal) en fil : ***Filer*** *de l'acier.* 4. Dérouler : ***Filer*** *une amarre* ; au fig., développer : ***Filer*** *un discours, une métaphore.* ▸ *Mar.* ***Filer*** *10 nœuds* : parcourir 10 milles marins à l'heure. ▸ *Mus.* ***Filer*** *une note* : la tenir longuement d'un seul souffle de plus en plus ténu. 5. ***Filer*** *qqn* : le suivre discrètement pour le surveiller. 6. Donner, prêter (fam.) : *Il m'a* ***filé*** *ses clés.* INTRANS. 1. Se dérouler, se dévider : *Une maille qui* ***file***, qui se défait ; au fig., couler continuellement : *Les jours* ***filaient***, *paisibles.* 2. Fam. Partir rapidement : ***Filer*** *à l'anglaise*, partir discrètement. ▸ Diminuer rapidement : *L'argent lui* ***file*** *entre les doigts.* Mil. XIIe s. ; bas lat. *filare*, « étirer en fil » ; [file].

**FILET (I), subst. m.**
I. 1. Ce qui évoque un fil par sa finesse, sa fragilité : *Un* ***filet*** *d'eau* ; au fig. : *Un* ***filet*** *de voix.* 2. *Anat.* Ramification nerveuse ou musculaire très fine ; repli d'une muqueuse. 3. *Artis.* Mince bande d'argent, d'ivoire, etc., dans un ouvrage d'ébénisterie, de reliure. 4. *Archit.* Fine moulure entre des moulures plus épaisses. 5. *Bot.* Partie inférieure de l'étamine. 6. *Techn.* Rainure hélicoïdale d'une vis, filetage. 7. *Typogr.* Trait utilisé pour séparer ou encadrer. II. 1. *Bouch.* Morceau de viande tendre prélevé dans la région lombaire : ***Filet*** *de veau* ; *Contre-****filet***, *faux-****filet***, parties placées contre le **filet**. 2. Anal. ▸ ***Filet*** *de volaille* : mince tranche découpée sous les ailes. ▸ ***Filet*** *de poisson* : morceau découpé le long de l'arête dorsale. Fin XIIe s. ; ☞ *fil* ; [filɛ].

**FILET (II), subst. m.**
1. Réseau de mailles permettant de capturer un animal : *Jeter ses* ***filets*** *à la mer.* ▸ Loc. *Passer à travers les mailles du* ***filet*** : déjouer un piège. 2. Ext. Tout réseau de mailles servant à envelopper, à retenir qqch. : ***Filet*** *à provisions, à bagages.* ▸ Loc. *Travailler sans* ***filet*** : agir sans protection, prendre des risques (par réf. aux acrobates). 3. *Sp.* ▸ Réseau de mailles au milieu d'un terrain, d'une table de jeu délimitant les camps : ***Filet*** *de tennis, de volley-ball.* ▸ ***Filets*** *(de but)* : ensemble des cordes attachées aux poteaux de but pour arrêter le ballon. 1461 ; anc. fr. *filé*, « ouvrage en fil » ; [filɛ].

**FILETAGE, subst. m.**
*Techn.* 1. Action de fileter (une vis, un écrou, etc.) ; son résultat. 2. Ext. Ensemble des filets d'une vis, d'un écrou. 1865 ; ☞ *fileter* ; [filtaʒ].

**FILETÉ, subst. m.**
Étoffe dont certains fils, plus gros, forment un relief dans le sens du tissu. 1930 ; p. p. de *fileter* ; [filte].

**FILETER, verbe trans. [14]**
1. *Artis.* Décorer (un objet) d'un filet, en ébénisterie, en reliure, etc. 2. *Techn.* ▸ Réaliser les filets de (une vis, un écrou). ▸ Faire passer (un métal) à la filière. 1838 ; ☞ *filet* (I) ; [filte].

**FILEUR, EUSE, subst.**
Personne qui file une matière textile ; ouvrier travaillant sur un métier à tisser dans une filature. 1260 ; ☞ *filer* ; [filœR, øz].

**FILIAL, ALE, AUX,** adj. et subst. f.
ADJ. Qui est le fait d'un enfant vis-à-vis de ses parents : *Respect filial.* SUBST. *Écon.* Société juridiquement distincte, mais contrôlée par une société mère possédant plus de la moitié de son capital social. 1419 ; bas lat. *filialis*, du lat. *filius*, « fils » ; [filjal, o].

**FILIALISER,** verbe trans. [3]
*Écon.* **1.** Créer une ou plusieurs filiales à partir de (une société mère). **2.** Prendre le contrôle de (une entreprise) par acquisition de la majorité de son capital. V. 1970 ; ☞ *filiale* ; [filjalize].

**FILIATION,** subst. f.
**1.** *Dr.* Lien unissant un enfant à ses parents. **2.** Ext. L'ensemble des générations successives d'une famille ; lignée. **3.** Fig. Enchaînement de choses résultant les unes des autres : *La filiation latine des mots français et espagnols.* **4.** *Cath.* Dépendance d'une abbaye à l'égard d'une autre, qui l'a fondée. XIIIe s. ; bas lat. *filiatio*, du lat. *filius*, « fils » ; [filjasjɔ̃].

**FILICALES,** subst. f. plur.
*Bot.* Ordre de fougères aux grandes frondes, communes dans la flore française. AU SING. *La fougère grand aigle est une filicale.* XIXe s. ; lat. *filix*, « fougère » ; [filikal].

**FILICINÉES,** subst. f. plur.
*Bot.* Classe de plantes cryptogames vasculaires dont la plupart sont des fougères. AU SING. *Une filicinée.* 1834 ; lat. *filix*, « fougère » ; [filisine].

**FILIÈRE,** subst. f.
**I. 1.** *Techn.* Pièce trouée qui sert à filer qqch. ; par anal., pièce servant à fileter une vis. **2.** *Zool.* Organe par lequel certains animaux produisent un fil. **II. 1.** Succession d'étapes à franchir pour arriver à un but, en partic. dans les études : *Suivre une filière scientifique.* **2.** Réseau d'intermédiaires successifs : *La filière de la drogue.* **3.** *Écon.* Ensemble des activités de transformation d'un produit : *La filière agroalimentaire.* **4.** *Phys. nucl.* Type de réacteur, caractérisé par le combustible utilisé ; par méton., ensemble de réacteurs du même type. **III.** *Fin.* Ordre de livraison d'une marchandise dans les Bourses de commerce. **IV.** *Mar.* Cordage, filin tendu horizontalement. 1243 (1228, pelote de fil) ; ☞ *fil* ; [filjɛʀ].

**FILIFORME,** adj.
**1.** Mince, allongé comme un fil : *Une adolescente filiforme.* **2.** *Pathol.* *Pouls filiforme* : très faible. 1762 ; lat. *filum*, « fil », + *-forme* ; [filifɔʀm].

**FILIGRANE,** subst. m.
**1.** *Orfèvr.* Pièce ajourée, formée d'un entrelacs de fils (de métal, de verre) finement soudés : *Bracelet en filigrane d'or.* **2.** *Impr.* Empreinte visible par transparence dans le papier des billets de banque, des timbres, obtenue par un entrelacs de fils placé dans la forme qui reçoit la pâte à papier. ▸ Loc. *En filigrane* : implicitement. 1664 ; ital. *filigrana*, de *fili*, « fils », et de *grana*, « graine » ; [filigʀan].

**FILIGRANER,** verbe trans. [3]
**1.** Façonner (qqch.) en filigrane. **2.** *Impr.* Marquer d'un filigrane. 1845 ; ☞ *filigrane* ; [filigʀane].

**FILIN,** subst. m.
*Mar.* Cordage en chanvre ; par ext. : *Un filin d'acier, de Nylon.* 1611 ; ☞ *fil* ; [filɛ̃].

**FILIPENDULE,** subst. f.
*Bot.* Plante herbacée à tubercules, de la famille des Rosacées. XVe s. ; lat. médiév. *filipendula*, du lat. *filum*, « fil », et *pendulus*, « qui pend » ; [filipɑ̃dyl].

**FILLE,** subst. f.
**1.** Personne du sexe féminin considérée dans sa relation d'ascendance (par oppos. à *fils*) : *Fille aînée ; Fille adoptive.* ▸ Loc. *Jouer la fille de l'air* : s'évader (fam.). **2.** Enfant de sexe féminin (anton. *garçon*). ▸ *Jeune fille* : adolescente ; très jeune femme célibataire. **3.** Femme non mariée (péj.) : *Rester fille ; Une vieille fille.* **4.** Personne du sexe féminin considérée du point de vue de sa condition sociale : *Fille de cuisine, de ferme ; Fille de joie, fille publique,* prostituée (péj.). **5.** Ext. Femme (fam.) : *C'est une brave fille.* **6.** Fig. Ce qui (de genre fém.) est le fruit de qqch. : *La paix, fille de la sagesse des peuples.* **7.** *Cath.* Religieuse de certains ordres : *Les Filles de la Charité.* Fin Xe s. ; lat. *filia* ; [fij].

**FILLÉR,** subst. m.
Monnaie hongroise, valant un centième de forint. 1930 ; mot hongr. ; plur. *fillér(s)* ; [filɛʀ].

**FILLETTE (I),** subst. f.
Petite fille. Fin XIIe s. ; ☞ *fille* ; [fijɛt].

**FILLETTE (II),** subst. f.
Bouteille d'une contenance d'un tiers de litre, utilisée en partic. pour les vins d'Anjou. 1387 ; prob. altér. de *feuillette* ; [fijɛt].

**FILLEUL, EULE,** subst.
**1.** Personne dont on est le parrain ou la marraine. **2.** Anal. *Filleul de guerre* : combattant auquel une femme, appelée marraine, apporte un soutien moral par l'envoi de lettres, de colis, etc. Déb. XIIe s. ; lat. *filiolus*, dimin. de *filius*, « fils » ; [fijœl].

**FILM,** subst. m.
**1.** Mince feuille de Celluloïd recouverte d'une émulsion photosensible susceptible d'enregistrer des images. **2.** Méton. Œuvre cinématographique qui résulte de cet enregistrement : *Film policier.* **3.** Fig. Succession d'évènements : *Voir défiler le film de sa vie.* **4.** *Techn.* Fine pellicule qui couvre une surface (synon. *feuil*) : *Film adhésif.* 1889 ; angl. *film*, « membrane » ; [film].

**FILMER,** verbe trans. [3]
**1.** *Cin.* Enregistrer (des images) sur un film. **2.** *Techn.* Protéger en couvrant d'un film ; empl. adj. : *Viande filmée.* 1908 ; ☞ *film* ; [filme].

**FILMIQUE,** adj.
*Cin.* Relatif au film. 1936 ; ☞ *filmer* ; [filmik].

**FILMOGÈNE,** adj.
*Techn.* Se dit d'une peinture apte à former une pellicule. V. 1970 ; ☞ *film* + *-gène* ; [filmɔʒɛn].

**FILMOGRAPHIE,** subst. f.
*Cin.* Liste de films établie selon un critère particulier (par auteur, par genre, par thème, etc.). 1947 (1922, cinématographe) ; ☞ *film* + *-graphie* ; [filmɔgʀafi].

**FILMOLOGIE,** subst. f.
Étude du cinéma comme phénomène esthétique, social, etc. 1946 ; ☞ *film* + *-logie* ; [filmɔlɔʒi].

**FILMOTHÈQUE,** subst. f.
Collection d'archives sur microfilms ; lieu qui les abrite. V. 1970 ; ☞ *microfilm* + *-thèque* ; [filmɔtɛk].

**FILOGUIDÉ, ÉE,** adj.
*Arm.* Guidé par un fil : *Missile filoguidé.* V. 1970 ; formé de *fil* et du p. p. de *guider* ; [filogide].

**FILON,** subst. f.
**1.** *Géol.* Concentration relativement homogène de minerai remplissant une fissure plus ou moins large du sous-sol : *Filon de cuivre, d'or.* **2.** Fig. Source de profits ; situation agréable, avantageuse (fam.). 1562 ; ital. *filone*, de *filo*, « fil » ; [filɔ̃].

**FILONIEN, IENNE,** adj.
*Géol.* Qui constitue ou contient des filons : *Gîte filonien.* 1877 ; ☞ *filon* ; [filɔnjɛ̃, jɛn].

**FILOSELLE,** subst. f.
Vieilli. **1.** Bourre de soie mêlée à du coton, utilisée en bonneterie. **2.** Méton. Étoffe fabriquée avec ce mélange : *Des gants de filoselle.* 1369 ; ital. dial. *filosella*, du lat. pop. °*follicellus*, « petit sac » ; [filozɛl].

**FILOU,** subst. m.
**1.** Vx. Voleur rusé. **2.** Ext. Escroc. **3.** Enfant espiègle (fam.). 1564 ; var. de *fileur* ; le fém., *filoute*, est rare ; [filu].

**FILOUTAGE,** subst. m.
Action de filouter. Fin XVIIe s. ; ☞ *filouter* ; [filutaʒ].

**FILOUTER,** verbe trans. [3]
**1.** Vx. Dérober (qqch.) à qqn avec adresse. **2.** Escroquer (qqn). 1656 ; ☞ *filou* ; [filute].

**FILOUTERIE,** subst. f.
**1.** Vx. Escroquerie ou vol commis avec ruse. **2.** *Dr.* Grivèlerie. 1644 ; ☞ *filouter* ; [filutʀi].

**FILS,** subst. m.
**1.** Personne du sexe masculin considérée dans sa relation d'ascendance (par oppos. à *fille*) : *Fils unique ; De père en fils,* par descendance directe ; *Fils à papa,* qui profite de la situation paternelle. ▸ Loc. proverb. *Tel père, tel fils* : un fils ressemble à son père ; *À père avare, fils prodigue* : un fils ne ressemble pas à son père. ▸ *Théol.* *Le Fils* : le Christ, la deuxième Personne de la Sainte Trinité. **2.** Anal. Descendant : *Fils de Saint Louis, montez au ciel* (l'abbé Edgeworth à Louis XVI sur l'échafaud) ; *Fils d'Albion,* les Anglais ; *Fils spirituel,* disciple ; *Être le fils de ses œuvres,* devoir sa réussite à son seul mérite. **3.** *Cath.* Religieux : *Les Fils de saint Benoît.* Fin Xe s. ; lat. *filius* ; [fis].

**FILTRAGE,** subst. m.
Action de filtrer ; son résultat : *Le filtrage de l'huile de friture* ; au fig. : *Le filtrage des invités, des informations.* 1842 ; ☞ *filtrer* ; [filtʀaʒ].

**FILTRANT, ANTE,** adj.
**1.** Dont la caractéristique est de filtrer : *Papier, verre filtrant.* **2.** *Méd.* *Virus filtrant* : qui traverse les filtres les plus fins. 1752 ; p. pr. de *filtrer* ; [filtʀɑ̃, ɑ̃t].

**FILTRAT,** subst. m.
Liquide filtré. 1891 ; ☞ *filtrer* ; [filtʀa].

**FILTRATION,** subst. f.
**1.** Action de filtrer. **2.** Écoulement d'un fluide à travers qqch. (matière perméable, fente) : *Filtration des eaux de pluie.* 1578 ; ☞ *filtrer* ; [filtʀasjɔ̃].

**FILTRE,** subst. m.
**1.** Corps poreux, dispositif percé de trous permettant de débarrasser un fluide des particules en suspension qui s'y trouvent : *Filtre à essence.* ▸ En appos. *Café filtre* : café préparé avec un filtre ; *Cigarette filtre* : munie d'un embout retenant une partie de la nicotine et du goudron. **2.** *Phot.* Verre, trame servant à éliminer certaines radiations. **3.** *Phys.* Dispositif destiné à éliminer certaines fréquences (acoustiques, électriques, mécaniques, optiques). 1575 ; lat. médiév. *filtrum*, du frq. °*filtir*, « feutre » ; [filtʀ].

**FILTRE-PRESSE,** subst. m.
*Techn.* Appareil servant à filtrer les liquides sous pression. 1865 ; comp. de *filtre* et de *presse* ; plur. *filtres-presses* ; [filtʀəpʀɛs].

**FILTRER,** verbe [3]
TRANS. **1.** Faire passer (un liquide) à travers un filtre. **2.** Ext. Atténuer la force, l'éclat de ; laisser passer en partie : *Les persiennes filtrent la lumière.* **3.** Fig. Soumettre à un contrôle, trier : *Filtrer les entrées.* INTRANS. **1.** Traverser un filtre. **2.** Anal. Passer malgré un obstacle : *Des rires filtraient à travers la porte.* 1575 ; ☞ *filtre* ; [filtʀe].

**FIN (I),** subst. f.
**I. 1.** Limite, dans l'espace ou dans le temps, où se termine qqch. : *La fin du chemin ; La fin de la nuit.* **2.** Arrêt, cessation, expiration : *La fin d'une romance ; Prendre fin,* cesser ; *C'est le mot de la fin,* la discussion est terminée. ▸ Loc. fam. *La fin des haricots* (☞ *haricot*). **3.** Derniers instants de qqch. : *En fin de semaine ; La fin d'un monde ; Une fin de carrière.* ▸ Loc. *À la fin* : en définitive. **4.** Mort : *Une fin rapide, tragique.* **5.** Achèvement, aboutissement : *Conduire une étude à bonne fin.* **II. 1.** But, objectif, qui est le terme de qqch. ; intention : *Parvenir à ses fins.* ▸ Loc. *À cette fin* : dans cette intention. ▸ Loc. prép. *À (la) seule fin de* : dans le seul but de. **2.** *Dr.* But juridiquement poursuivi : *Les fins et les conclusions ; Fin de non-recevoir,* refus catégorique d'une demande. **3.** *Philos.* But vers lequel qqn ou qqch. tend instinctivement ou dirige ses actions ; finalité. **4.** *Théol.* *Les fins dernières* : le Jugement dernier, le ciel et l'enfer. Mil. Xe s. ; lat. *finis* ; [fɛ̃].

**FIN (II), FINE,** adj.
**I. 1.** ▸ Pur : *Or fin.* ▸ D'une qualité supérieure : *Liqueur fine ; Épicerie fine* ; au fig. : *La fine fleur de,* l'élite de. **2.** Qui est au dernier degré de l'achèvement : *De la fine coutellerie* ; empl. subst. masc. : *Le fin du fin,* ce qu'il y a de mieux. **II. 1.** Délicat, subtil, très sensible : *Avoir l'oreille fine, le goût fin ; C'est un esprit fin,* perspicace ; *Avoir le nez fin,* avoir du flair, de l'intuition. **2.** Accompli, qui excelle dans ses activités : *Une fine lame ; Une fine bouche* (ou *gueule*), un gourmet. ▸ Loc. *Faire la fine bouche* : se montrer exigeant. **3.** Rusé, malin : *Un fin renard* ; empl. adv. : *Il faut jouer fin* ; par iron. : *Avoir l'air fin,* ridicule. **III. 1.** De très petite taille ou dont les éléments sont très petits : *Des graines fines ; Du sable fin* ; empl. adv. : *Moudre fin.* **2.** Effilé, élancé, peu épais : *Une taille fine.* **IV.** Qui constitue l'extrémité de qqch. : *Le fin fond de,* l'endroit le plus reculé de ; *Avoir le fin mot de l'histoire,* le dernier mot, qui en fait comprendre le sens caché ; empl. adv. : *Elle est fin prête,* complètement prête. Fin XIe s. ; lat. *finis*, « degré suprême » ; [fɛ̃, fin].

**FINAGE,** subst. m.
*Hist.* Sous l'Ancien Régime, territoire sur lequel s'exerçait une juridiction civile ou religieuse. 1231 ; lat. médiév. *finagium* ; [finaʒ].

**FINAL (I), ALE, ALS** ou **AUX,** adj. et subst. f.
ADJ. **1.** Qui se trouve à la fin de qqch. ; qui marque un terme : *La clause finale du contrat ; Point final,* point qui indique la fin d'une phrase, d'un texte ; au fig. : *Mettre un point final à qqch.,* le conclure d'une manière définitive. ▸ Loc. *Au final* : finalement. **2.** *Philos.* Qui marque une finalité : *Cause*

*finale*. **3.** *Gramm.* Qui exprime une intention : *Proposition finale*, de but. SUBST. **1.** *Ling.* Dernière lettre ou dernière syllabe d'un mot. **2.** *Mus.* Note qui termine un chant, un morceau. **3.** Ultime épreuve qui décide, après les tours éliminatoires, de celui qui remportera la compétition. Fin XIIe s. ; bas lat. *finalis* ; [final, o].

**FINAL (II), subst. m.**
*Mus.* Dernier mouvement d'une symphonie, d'un acte d'opéra, etc. 1779 ; ital. *finale*, de *fine*, « fin » ; plur. *finals*, var. *un finale* ; [final].

**FINALEMENT, adv.**
Pour finir. 1280 ; ☞ *final* (I) ; [finalmɑ̃].

**FINALISATION, subst. f.**
Action de finaliser ; son résultat. V. 1940 ; ☞ *finaliser* ; [finalizasjɔ̃].

**FINALISER, verbe trans. [3]**
**1.** Fixer un objectif à (qqch.) : *Finaliser un procédé.* **2.** Parachever (anglic.) : *Finaliser une maquette.* 1936 ; ☞ *final* (I) ; [finalize].

**FINALISME, subst. m.**
*Philos.* Doctrine attribuant à la finalité un rôle central dans l'explication du monde. 1890 ; ☞ *final* (I) ; [finalism].

**FINALISTE, subst. et adj.**
**1.** *Philos.* Se dit d'un partisan du finalisme. **2.** Se dit d'une équipe ou d'une personne qualifiée pour participer à une finale : *Les finalistes du tournoi d'échecs.* ADJ. *Philos.* Relatif à la finalité, au finalisme. 1808 ; ☞ *final* (I) ; [finalist].

**FINALITÉ, subst. f.**
**1.** Caractère de ce qui tend vers un but précis : *La finalité de la publicité est de faire consommer.* **2.** *Philos.* Qualité de ce qui tend à une fin, de ce qui semble résulter d'une intention démiurgique ou d'une direction mécanique : *Au « pourquoi ? » de la finalité, la science a substitué le « comment ? » de l'explication fonctionnelle.* 1819 ; ☞ *final* (I) ; [finalite].

**FINANCE, subst. f.**
**1.** Vx. Argent. ▸ Loc. *Moyennant finance* : en échange d'argent comptant. **2.** Méton. Ensemble du secteur bancaire et des activités qui touchent au domaine de l'argent : *Faire carrière dans la finance.* PLUR. **1.** Ressources, revenus de l'État : *Ministère de l'Économie et des Finances* ; *Loi de finances* ; *Faites-nous de bonne politique et je vous ferai de bonnes finances* (baron Louis). ▸ Méton. Administration qui gère les fonds publics. **2.** Ressources dont on dispose (fam.) : *Ses finances sont au plus bas.* 1314 (fin XIIIe s., rançon) ; anc. fr. *finer*, « payer » ; [finɑ̃s].

**FINANCEMENT, subst. m.**
Action de financer ; son résultat : *Le financement d'un projet.* 1845 ; ☞ *financer* ; [finɑ̃smɑ̃].

**FINANCER, verbe trans. [4]**
Fournir des capitaux à (qqn, une entreprise). 1544 ; ☞ *finance* ; [finɑ̃se].

**FINANCIER, IÈRE, subst. m. et adj.**
SUBST. **1.** *Hist.* Celui qui gérait les finances publiques, sous l'Ancien Régime. **2.** Expert, professionnel des opérations financières. **3.** *Cuis.* Pâtisserie rectangulaire à base de blanc d'œuf et de poudre d'amandes. ADJ. **1.** Qui se rapporte aux finances, à la finance. **2.** *Cuis. Sauce financière* ou, empl. subst. fém., *Une financière* : préparation contenant notamment des ris de veau, des champignons. 1494 (mil. XVe s., propriétaire) ; ☞ *finance* ; [finɑ̃sje, jɛʀ].

**FINANCIÈREMENT, adv.**
En matière de finances. 1829 ; ☞ *financier* ; [finɑ̃sjɛʀmɑ̃].

**FINASSER, verbe intrans. [3]**
User de finesses plus ou moins loyales, d'objections spécieuses. 1649 ; ☞ *finesse* ; [finase].

**FINASSERIE, subst. f.**
Manière d'agir d'une personne qui finasse ; procédé qu'elle emploie. 1718 ; ☞ *finasser* ; [finasʀi].

**FINASSIER, IÈRE, subst.**
Personne qui finasse (vieilli). 1718 ; ☞ *finasser* ; var. *finasseur, euse* ; [finasje, jɛʀ].

**FINAUD, AUDE, adj.**
Qui est fin, rusé sous des dehors de simplicité ; empl. subst. : *Une petite finaude.* 1762 ; ☞ *fin* (II) ; [fino, od].

**FINAUDERIE, subst. f.**
Attitude du finaud. 1841 ; ☞ *finaud* ; [finodʀi].

**FINE, subst. f.**
Eau-de-vie de raisin, de qualité supérieure. 1868 ; ☞ *fin* (II) ; [fin].

**FINEMENT, adv.**
De manière fine ; avec finesse, subtilité. Fin XIIe s. ; ☞ *fin* (II) ; [finmɑ̃].

**FINES, subst. f. plur.**
*Techn.* **1.** Miettes de charbon traitées séparément des blocs de minerai, pour être incorporées à du béton, à un sol, afin d'en renforcer la compacité. **2.** Résidus de bois issus de la fabrication de la pâte à papier. 1865 ; ☞ *fin* (II) ; [fin].

**FINESSE, subst. f.**
**1.** Stratagème, tromperie (vieilli). **2.** Subtilité : *Les finesses de la langue* ; *Finesse d'esprit.* **3.** Acuité d'un sens : *Finesse de l'ouïe.* **4.** Qualité de ce qui est délicat ou subtilement exécuté : *La finesse d'une construction* ; *La finesse d'un style.* **5.** Qualité de ce qui est mince, ténu. **6.** *Aéron. Finesse aérodynamique* : rapport entre la force de portance et la force de résistance. **7.** *Mar.* Étroitesse des lignes d'eau avant et arrière d'un navire. XVe s. ; ☞ *fin* (II) ; [finɛs].

**FINETTE, subst. f.**
Étoffe de coton dont l'envers, gratté, est pelucheux. 1519 ; m. fr. *finet*, « fin » ; [finɛt].

**FINI, IE, adj. et subst. m.**
ADJ. **1.** Que l'on a mené ou qui est arrivé à son terme : *Son stage fini, il fut embauché* ; *C'est fini, le bon temps !* ▸ Usé (fam.) : *Ce boxeur est fini.* **2.** Achevé dans le dernier détail : *Ce vêtement est très bien fini.* ▸ Accompli (péj.) : *Un menteur fini.* **3.** Limité, borné (anton. *infini*) : *L'Univers est-il fini ?* **4.** *Math. Cardinal fini d'un ensemble* : nombre entier naturel d'éléments de l'ensemble ; *Ensemble fini E* : de cardinal **fini**, tel que toute application injective de E dans E soit une bijection de E sur E. SUBST. **1.** Qualité de ce qui est achevé, soigné dans chaque détail. **2.** Caractère de ce qui est limité : *Le fini et l'infini.* XIIIe s. ; p. p. de *finir* ; [fini].

**FINIR, verbe [19]**
TRANS. DIR. **1.** Mener à bien, cesser de faire (qqch.) : *Finir un puzzle.* **2.** Arriver au terme de : *Finir sa vie* ; constituer le terme de. **3.** *Finir qqn sur place* : le tuer (fam.). TRANS. INDIR. **1.** Finir de (+ inf.). Achever de : *Finir de parler.* **2.** En finir avec. Résoudre, régler (qqch.) ; se débarrasser de (qqn). INTRANS. **1.** Cesser, se terminer : *Le concert finit bientôt* ; empl. adj. : *Une gloire finissante*, à son déclin. **2.** Avoir une certaine fin : *Finir sur la paille*, mourir pauvre. **3.** Finir par. Réussir finalement à : *Finir par trouver.* Fin XIe s. ; lat. *finire*, « limiter ; achever » ; [finiʀ].

**FINISH, subst. m. inv.**
Anglic. *Sp.* Ultime effort à la fin d'une épreuve. ▸ *Avoir du finish* : une aptitude à cet effort ; *Au finish* : à l'usure (fam.). 1934 (1904, derniers instants d'une compétition) ; angl. *finish*, « fin » ; [finiʃ].

**FINISSAGE, subst. m.**
*Techn.* Action de finir, de parfaire une fabrication, un travail. 1786 ; ☞ *finir* ; [finisaʒ].

**FINISSEUR, EUSE, subst.**
**1.** *Techn.* Personne employée au finissage. **2.** *Sp.* Qui excelle dans les fins de course. MASC. *Trav. publ.* Engin qui réalise le revêtement des chaussées jusqu'à la finition. 1756 ; ☞ *finir* ; [finisœʀ, øz].

**FINITION, subst. f.**
**1.** Action de finir (rare). **2.** *Techn.* Opération ou ensemble d'opérations terminant la fabrication d'un produit. ▸ Méton. Qualité donnée à l'achèvement d'un travail ; soin qu'on y apporte. Fin XIVe s. ; lat. *finitio*, « limite ; achèvement » ; [finisjɔ̃].

**FINITISME, subst. m.**
*Philos.* Système de pensée selon lequel rien n'est infini. XXe s. ; ☞ *fini* ; [finitism].

**FINITUDE, subst. f.**
*Philos.* Caractère de ce qui est fini (anton. *infini*) ou de ce qui est promis à une fin : *La finitude humaine.* 1920 ; ☞ *fini*, p.-ê. d'apr. l'angl. *finitude* ; [finityd].

**FINLANDAIS, AISE, adj. et subst.**
De la Finlande. SUBST. MASC. *Ling.* Finnois. 1701 ; topon. *Finlande* ; [fɛ̃lɑ̃dɛ, ɛz].

**FINLANDISATION, subst. f.**
*Pol.* Perte relative de souveraineté due à la présence d'un voisin puissant (par allus. à la neutralité qui fut imposée par l'U. R. S. S. à la Finlande). Mil. XXe s. ; topon. *Finlande*, d'apr. *balkanisation* ; [fɛ̃lɑ̃dizasjɔ̃].

**FINNOIS, OISE, adj. et subst.**
Du peuple non indo-européen de Finlande. SUBST. MASC. Langue officielle en Finlande. 1721 ; topon. lat. *Finni*, peuple scandinave ; [finwa, waz].

**FINNO-OUGRIEN, IENNE, adj.**
*Langues finno-ougriennes* ou, empl. subst. masc., *Le finno-ougrien* : groupe linguistique, comprenant le finnois, le lapon, l'estonien et le hongrois. Fin XIXe s. ; comp. de *finnois* et de *ougrien* ; plur. *finno-ougriens, iennes* ; [finougʀijɛ̃, jɛn].

**FIOLE, subst. f.**
**1.** Petite bouteille au col étroit ; par méton., son contenu. **2.** Fig. Tête (pop.) : *Se payer la fiole de qqn*, se moquer de lui. Déb. XIIIe s. ; lat. médiév. *fiola*, du lat. *phiala*, du gr. *phialê*, « coupe » ; [fjɔl].

**FION (I), subst. m.**
**1.** *Donner le dernier coup de fion à un travail* : y mettre la dernière main (fam. et vieilli). **2.** Helv. Trait d'esprit, pointe, quolibet. 1792 (1744, coup) ; p.-ê. *fignoler* ; [fjɔ̃].

**FION (II), subst. m.**
Anus (argot.) ; au fig. : *Avoir du fion*, de la chance. 1880 ; ☞ *troufignon* ; [fjɔ̃].

**FIORD, voir FJORD**

**FIORITURE, subst. f.**
**1.** *Mus.* Ornement ajouté à la phrase musicale. **2.** Ext. Détail, ornementation excessive (gén. au plur.). ▸ Loc. *Sans fioritures* : sobrement, simplement. 1823 ; ital. *fioritura*, de *fiorire*, « fleurir » ; [fjɔʀityʀ].

**FIOUL, subst. m.**
Combustible liquide dérivé du pétrole. ▸ *Fioul domestique* : gazole de chauffage, coloré en rouge pour le distinguer des carburants (synon. *mazout*). XXe s. ; angl. *fuel* ; var. *fuel* (anglic. déconseillé) ; [fjul].

**FIRMAMENT, subst. m.**
Voûte céleste étoilée (littér.). 1119 ; lat. chrét. *firmamentum*, de *firmare*, « rendre ferme » ; [fiʀmamɑ̃].

**FIRMAN, subst. m.**
*Hist.* Édit, ordre émanant du souverain de l'Empire ottoman ou de l'Iran. 1663 ; persan *farmân*, « ordonnance royale » ; [fiʀmɑ̃].

**FIRME, subst. f.**
Entreprise, société, groupe industriel ou commercial. 1909 (1844, raison sociale) ; angl. *firm* ou all. *Firma*, de l'ital. *firma*, « signature » ; [fiʀm].

**FISC, subst. m.**
**1.** Vx. Le trésor d'un souverain, de l'État. **2.** Administration chargée du calcul, du recouvrement des impôts et de la répression de la fraude fiscale. 1278 ; lat. *fiscus*, « panier à argent » ; [fisk].

**FISCAL, ALE, AUX, adj.**
Relatif au fisc, à la fiscalité, à l'imposition : *Droit, timbre fiscal.* 1401 ; lat. *fiscalis* ; [fiskal, o].

**FISCALISATION, subst. f.**
Action de fiscaliser ; son résultat. Mil. XXe s. ☞ *fiscaliser* ; [fiskalizasjɔ̃].

**FISCALISER, verbe trans. [3]**
**1.** Assujettir à l'impôt : *Fiscaliser une plus-value* **2.** Financer par l'impôt : *Fiscaliser les déficits sociaux* 1919 ; ☞ *fiscal* ; [fiskalize].

**FISCALISTE, subst.**
Juriste spécialisé dans le droit fiscal. Mil. XXe s. ☞ *fiscal* ; [fiskalist].

**FISCALITÉ, subst. f.**
Système fiscal ; ensemble de la législation sur le fis[c] et des modalités administratives de recouvremen[t] des impôts. 1749 ; ☞ *fiscal* ; [fiskalite].

**FISH-EYE, subst. m.**
*Phot.* Objectif à très grand angle de vision (20[0] env.). V. 1960 ; angl. *fish-eye*, « œil de poisson » plur. *fish-eyes* ; [fiʃaj].

**FISSIBLE, adj.**
*Phys. nucl.* Fissile (vieilli). 1953 ; ☞ *fission* [fisibl].

**FISSILE, adj.**
**1.** *Minér.* Qui tend à se détacher par lamelles, e[n] feuillets : *Roche schisteuse fissile.* **2.** *Phys. nucl.* Q[ui] peut être soumis à la fission (synon. *fissible* 1566 ; lat. *fissilis*, « facile à fendre » ; [fisil].

**FISSION, subst. f.**
*Phys. nucl.* Désintégration d'un noyau atomiqu[e] lourd (plutonium 239, uranium 235, etc.) e[n] plusieurs noyaux (gén. deux) : *Fission résultant d'u[n] bombardement du noyau par des neutrons.* 194[6] angl. *fission*, du lat. *fissio*, « action de fendre » ; [fisj[ɔ̃]].

**FISSURATION, subst. f.**
Fait de se fissurer ; son résultat. 1842 ; ☞ *fiss[u]rer* ; [fisyʀasjɔ̃].

**FISSURE,** subst. f.
Petite fente, lézarde : ***Fissure** d'un verre, d'un mur,* *une planche.* **2.** Fig. Faille, point faible : *Une **fissure** 'st produite dans notre amour.* **3.** *Pathol.* ***Fissure** ale* : ulcération superficielle apparaissant dans les s anaux. 1314 ; lat. *fissura* ; [fisyʀ].

**FISSURER,** verbe trans. [3]
ovoquer des fissures dans (qqch.). ▸ Empl. pro- om. : *L'enduit s'est **fissuré*** ; au fig. : *Leur amitié **fissure**.* 1610 ; ☞ *fissure* ; [fisyʀe].

**FISTON,** subst. m.
s (fam.). 1585 ; ☞ *fils* ; [fistɔ̃].

**FISTULAIRE,** adj.
Relatif à une fistule. **2.** Anal. Qui présente un idement dans sa longueur : *Stalactite **fistulaire**.* XVe s. ; bas lat. *fistularis* ; [fistylɛʀ].

**FISTULE,** subst. f.
*thol.* Canal par où s'écoule continûment un quide physiologique ou pathologique vers la peau ı vers un organe creux. XIIIe s. ; lat. *fistula*, « tuyau ; tule » ; [fistyl].

**FISTULEUX, EUSE,** adj.
Qui présente l'aspect d'une fistule ; qui en a les ractéristiques : *Orifice **fistuleux**.* **2.** Anal. *Bot.* ualifie un organe cylindrique, creux : *Une tige **stuleuse**.* 1363 ; lat. *fistulosus* ; [fistylø, øz].

**FIVÈTE,** subst. f.
*'éd.* Méthode de procréation assistée. V. 1980 ; ron. de *fécondation in vitro et transfert d'embryon* ; var. *ete* ; [fivɛt].

**FIXAGE,** subst. m.
*Techn.* Action de fixer. **2.** *Phot.* Procédé d'insen- oilisation à la lumière d'une image par élimi- ıtion des sels d'argent, après développement. 1850 ; ☞ *fixer* ; [fiksaʒ].

**FIXATEUR, TRICE,** adj. et subst. m.
**DJ.** Qui a la propriété de fixer. **SUBST. 1.** *Techn.* aporisateur servant à projeter une couche de fixatif r un dessin. **2.** *Phot.* Produit chimique servant au ⟨x⟩age. **3.** Produit qui maintient la coiffure. **4.** *Bio- im.* Substance utilisée pour la fixation de cellules. 1844 ; ☞ *fixer* ; [fiksatœʀ, tʀis].

**FIXATIF, IVE,** adj. et subst. m.
**DJ.** Qui permet de fixer. **SUBST.** *Techn.* Enduit liquide ıe l'on vaporise sur un dessin pour le préserver de ·ffacement. 1800 ; ☞ *fixer* ; [fiksatif, iv].

**FIXATION,** subst. f.
Action de fixer, d'établir fermement : ***Fixation** un prix, d'un rendez-vous* ; action de s'établir ıelque part : *La **fixation** des Francs en Gaule.* Dispositif servant à fixer : ***Fixations** de ski.* **3.** *Biol.* :at des végétaux et des animaux solidaires d'un ıpport. **4.** *Cytol.* Stabilisation de cellules ou de ssus à l'aide d'un fixateur, en vue d'une étude ıicroscopique. **5.** *Psychanal.* Attachement excessif : la libido à des personnes, à des images ou à un ade d'évolution (oral, anal, etc.) ; par ext. : *Faire ıe **fixation** sur qqch.*, en être obsédé, ne pouvoir ı détacher sa pensée. 1432 ; ☞ *fixer* ; [fiksasjɔ̃].

**FIXE,** adj.
Qui ne se meut pas, qui reste immobile : *Point ‹e* ; *Regard **fixe**,* arrêté sur qqch., ou vide ; npl. interj. : ***Fixe !**,* ordre donné aux soldats de se ettre au garde-à-vous. ▸ *Astron. Étoiles **fixes*** : qui mblent garder la même position les unes par ıpport aux autres. **2.** Qui ne varie pas, qui est onstant, permanent : *Taux **fixe*** ; *Domicile **fixe*** ; *Idée ‹e*, idée arrêtée ou obsession ; *Beau **fixe**,* beau temps ırable. ▸ Empl. subst. masc. *Avoir un bon **fixe*** : un ɔn salaire de base (auquel peuvent s'ajouter primes, ɔmmissions, etc.). **3.** Qui est déterminé, réglé de ıçon définitive : *Menu à prix **fixe*** ; *Droit **fixe**,* taxe ıvariable. **4.** *Informat. Virgule **fixe*** : mode de repré- ·ntation des nombres décimaux où la virgule se ·ouve toujours à la même place, la partie fraction- aire comportant toujours le même nombre de hiffres. **5.** *Math. Point **fixe** d'une application* (☞ *in- ıriant*). XIVe s. ; lat. *fixus*, de *figere*, « enfoncer ; xer » ; [fiks].

**FIXEMENT,** adv.
. De manière fixe (rare). **2.** *Regarder **fixement*** : sans ıller. 1503 ; ☞ *fixe* ; [fiksəmɑ̃].

**FIXER,** verbe trans. [3]
. Rendre fixe. **1.** Maintenir durablement (qqch.) ans une position. **2.** Établir en un lieu : ***Fixer** sa ·meure* ; empl. pronom. : *Se **fixer** définitivement.* . Déterminer de façon ferme : ***Fixer** un prix, une règle, une date.* **4.** Appliquer (son attention, son esprit) sur qqch. ▸ ***Fixer** son regard, ses yeux sur qqch.*, *qqn* : les y attacher ; par ext. : ***Fixer** qqn,* le dévisager (empl. critiqué). ▸ Empl. pronom. Déterminer son choix : *Se **fixer** sur telle marchandise.* **II.** Rendre stable. **1.** Arrêter l'évolution de (un processus) : *Une langue vivante ne se **fixe** pas.* **2.** Empêcher la dégradation de (une substance) : ***Fixer** une teinture, un pastel* ; ***Fixer** une photo*, procéder à son fixage. **3.** Fig. ***Fixer** ses idées sur le papier* : par l'écriture, un schéma, etc. **III.** Renseigner (qqn) sur : *Il l'a **fixé** sur tes intentions* ; empl. adj. : *Nous voilà **fixés**,* nous savons à quoi nous en tenir. Fin XIVe s. ; ☞ *fixe* ; [fikse].

**FIXISME,** subst. m.
Doctrine (auj. abandonnée) selon laquelle les espèces animales et végétales sont restées immuables depuis leur apparition sur la Terre. 1922 ; ☞ *fixe* ; [fiksism].

**FIXITÉ,** subst. f.
État de ce qui est fixe. 1603 ; ☞ *fixe* ; [fiksite].

**FJELD,** subst. m.
*Géogr.* **1.** Haut plateau rocheux dont les formes résultent d'une ancienne érosion glaciaire. **2.** Surface des glaciers élevés qui constituent les inlandsis du Groenland et du continent antarctique. 1878 ; mot norv. ; var. *fjell* ; [fjɛld].

**FJORD,** subst. m.
*Géogr.* Golfe très étroit s'avançant profondément dans les terres, bordé par des versants parfois escarpés. Nombreux sur la côte de Norvège, les **fjords** sont d'anciennes vallées glaciaires, envahies par la mer. 1829 ; mot norv. ; var. *fiord* (vx) ; [fjɔʀ(d)].

*Fjord de Norvège.*

**FLA,** subst. m. inv.
Double coup de baguette frappé sur un tambour : *Les ra et les **fla** des fanfares.* 1815 ; onomat. ; [fla].

**FLAC,** interj.
Rappelle le bruit d'un objet qui tombe dans l'eau, ou de l'eau qui tombe. 1464 ; onomat. ; [flak].

**FLACCIDITÉ,** subst. f.
Caractère de ce qui est flasque : *La **flaccidité** d'un muscle.* 1756 ; *flaccide* (vx), « flasque » ; [flaksidite].

**FLACHE,** subst. f.
**1.** Flaque (région.). **2.** *Techn.* Creux déformant l'arête d'une poutre, dû à un équarrissage inégal ; partie affaissée d'un dallage, d'un plancher. 1341 ; anc. fr. *flache*, du lat. *flaccus*, « flasque, mou » ; [flaʃ].

**FLACHERIE,** subst. f.
*Zool.* Maladie des vers à soie. 1870 ; anc. fr. *flache*, du lat. *flaccus*, « flasque, mou » ; [flaʃʀi].

**FLACHEUX, EUSE,** adj.
*Techn.* Qui comporte des flaches malgré le délignage : *Tronc **flacheux**.* 1690 ; ☞ *flache* ; [flaʃø, øz].

**FLACON,** subst. m.
**1.** Petite bouteille, le plus souvent de verre, munie d'un bouchon ; par méton., son contenu. **2.** Ext. Carafe, flasque ou simple bouteille. Mil. XIIIe s. ; bas lat. *flasco*, « récipient pour le vin », du germ. °*flaska*, « bouteille clissée » ; [flakɔ̃].

**FLACONNAGE,** subst. m.
**1.** Fabrication de flacons. **2.** Mise en flacon. **3.** Ensemble de flacons. 1894 ; ☞ *flacon* ; [flakɔnaʒ].

**FLAFLA,** subst. m.
Fam. Ce qui vise à faire de l'effet (gén. au plur.). 1830 ; ☞ *fla* ; var. *fla-fla* (plur. *fla-fla* ou *-flas*) ; [flafla].

**FLAGADA,** adj. inv.
Sans force, mou, épuisé (fam.). 1936 ; orig. obsc. ; [flagada].

**FLAGELLAIRE,** adj.
Qui se rapporte au flagelle. Fin XIXe s. ; ☞ *flagelle* ; [flaʒɛllɛʀ] ou [-ʒelɛʀ].

**FLAGELLANT,** subst. m.
*M. Â.* Pénitent qui se livrait à la flagellation en public. 1598 ; p. pr. de *flageller* ; [flaʒɛllɑ̃] ou [-ʒelɑ̃].

**FLAGELLATEUR, TRICE,** subst.
Personne qui flagelle. 1587 ; ☞ *flageller* ; [flaʒɛllatœʀ, tʀis] ou [-ʒela-].

**FLAGELLATION,** subst. f.
Action de flageller qqn, par châtiment, ou de se flageller, par pénitence. Fin XIVe s. (1282, battage du grain) ; lat. chrét. *flagellatio* ; [flaʒɛllasjɔ̃] ou [-ʒela-].

**FLAGELLE,** subst. m.
*Biol.* Filament mobile servant d'organe locomoteur aux protozoaires flagellés et aux spermatozoïdes. Fin XIXe s. ; lat. *flagellum*, « fouet » ; [flaʒɛl].

**FLAGELLÉ, ÉE,** adj. et subst. m. plur.
*Biol.* **ADJ.** Muni d'un ou de plusieurs flagelles. **SUBST.** Superclasse de l'embranchement des Protozoaires, dont les représentants sont munis de flagelles ; au sing. : *Le trypanosome est un **flagellé**.* Fin XIXe s. ; p. p. de *flageller* ; [flaʒɛlle] ou [-ʒele].

**FLAGELLER,** verbe trans. [3]
Battre à coups de fléau, de fouet. Fin Xe s. ; lat. *flagellare* ; [flaʒɛlle] ou [-ʒele].

**FLAGEOLANT, ANTE,** adj.
Qui flageole. 1833 ; p. pr. de *flageoler* ; [flaʒɔlɑ̃, ɑ̃t].

**FLAGEOLER,** verbe intrans. [3]
**1.** Trembler, en parlant des membres inférieurs d'une personne ou d'un animal, sous l'effet de la fatigue ou d'une émotion. **2.** Fig. Manquer d'assurance. Mil. XVIIIe s. ; p.-ê. *flageolet* (I) ; [flaʒɔle].

**FLAGEOLET (I),** subst. m.
*Mus.* **1.** Flûte à bec, de tessiture aiguë ; par méton., joueur de cet instrument. **2.** Anal. Registre aigu de l'orgue. Déb. XIIIe s. ; anc. fr. *flajol*, prob. du lat. pop. °*flabeolum*, « flûte ; souffle » ; [flaʒɔlɛ].

**FLAGEOLET (II),** subst. m.
*Agric.* Haricot nain dont on consomme les graines. 1813 ; ital. *fagiuolo*, du lat. *phaseolus*, d'apr. *flageolet* (I) ; [flaʒɔlɛ].

**FLAGORNER,** verbe trans. [3]
Flatter (qqn) d'une manière outrancière (littér.). Mil. XVIe s. (mil. XVe s., bavarder niaisement) ; p.-ê. crois. de *flatter* et de *corner* (I) ; [flagɔʀne].

**FLAGORNERIE,** subst. f.
Flatterie intéressée et grossière (littér.). 1582 ; ☞ *flagorner* ; [flagɔʀn(ə)ʀi].

**FLAGORNEUR, EUSE,** subst.
Personne qui flagorne ; empl. adj. : *Un discours, un article **flagorneur**.* Mil. XVe s. ; ☞ *flagorner* ; [flagɔʀnœʀ, øz].

**FLAGRANCE,** subst. f.
*Dr.* Caractère de ce qui est flagrant. 1611 ; ☞ *flagrant* ; [flagʀɑ̃s].

**FLAGRANT, ANTE,** adj.
**1.** Qui apparaît avec évidence : *Une mauvaise foi **flagrante**.* **2.** *Dr. **Flagrant** délit* : délit dont on fait le constat au moment où il est commis. Déb. XVe s. ; lat. *flagrans*, « brûlant » ; [flagʀɑ̃, ɑ̃t].

**FLAIR,** subst. m.
**1.** Odorat développé de certains animaux : *Le **flair** du chien.* **2.** Fig. *Avoir du **flair*** : avoir de l'intuition. 1555 (1176, odeur) ; ☞ *flairer* ; [flɛʀ].

**FLAIRER,** verbe trans. [3]
**1.** Vx. Fleurer : *Une armoire **flairant** la lavande.* **2.** Sentir, discerner par l'odorat, en parlant d'un animal : *Le chien **flairait** sa pâtée* ; suivre à l'odeur : ***Flairer** le gibier.* **3.** Fig. Soupçonner, avoir le pressentiment de : ***Flairer** une machination.* Fin XIIe s. ; lat. pop. °*flagrare*, du lat. *fragrare* ; [flɛʀe].

**FLAMAND, ANDE,** adj. et subst.
De Flandre : *Les peintres **flamands** du XVe s.* **SUBST. MASC.** Ensemble des dialectes néerlandais parlés dans une partie de la Belgique et, en France, dans la région de Dunkerque et de Hazebrouck. Fin XIe s. ; m. néerl. *vlaminc* ; [flamɑ̃, ɑ̃d].

**FLAMANT,** subst. m.
*Zool.* Oiseau palmipède de la famille des Phœnicoptéridés, au bec busqué, au plumage blanc, rose, rouge ou noir, aux mœurs aquatiques : *Le **flamant** rose de Camargue.* 1542 ; prov. *flamenc*, du lat. *flamma*, « flamme » ; [flamɑ̃].

**FLAMBAGE, subst. m.**
**1.** Action de flamber, de passer à la flamme : *Le flambage d'un poulet* ; *Flambage d'un tissu*, pour le débarrasser de sa bourre. **2.** *Techn.* Déformation latérale d'une longue pièce de bois ou de métal travaillant en compression (synon. *flambement*). 1776 ; ☞ *flamber* ; [flɑ̃baʒ].

**FLAMBANT, ANTE, adj.**
**1.** Qui flambe. **2.** Anal. Brillant, lumineux : *Les néons* ***flambants*** *des grands magasins.* ▸ Empl. adv. **Flambant neuf.** Tout neuf, qui a l'éclat du neuf : *Des motos* ***flambant*** *neuves*, ou ***flambant*** *neuf* (« flambant » toujours inv., « neuf » s'accorde ou reste inv.). XVI^e^ s. ; p. pr. de *flamber* ; [flɑ̃bɑ̃, ɑ̃t].

**FLAMBARD, subst. m.**
*Faire le* ***flambard*** : le fanfaron (fam.). 1837 (1285, graisse recueillie sur un bouillon) ; ☞ *flambe* ; [flɑ̃baʀ].

**FLAMBE, subst. f.**
**1.** Vx. Flamme claire (région.). **2.** *Hortic.* Variété d'iris. **3.** *Arm.* Épée à lame ondulée. **4.** Gros jeu (argot.) ; par méton., établissement de jeu. Mil. XI^e^ s. ; anc. fr. *flamble*, du lat. *flammula*, de *flamma* ; [flɑ̃b].

**FLAMBEAU, subst. m.**
**1.** Torche formée de plusieurs mèches enduites de cire. **2.** Méton. Grand chandelier, candélabre. **3.** Fig. Ce qui éclaire, guide : *Le* ***flambeau*** *du progrès.* ▸ Loc. *Transmettre, reprendre le* ***flambeau*** : donner, prendre le relais. Fin XIV^e^ s. ; ☞ *flambe* ; [flɑ̃bo].

**FLAMBÉE, subst. f.**
**1.** Feu vif et bref : *Faire une* ***flambée.*** **2.** Fig. Brusque manifestation d'un sentiment, d'une action : ***Flambée*** *de haine, de grèves.* ▸ Hausse brusque : ***Flambée*** *des prix.* Déb. XIII^e^ s. ; p. p. de *flamber* ; [flɑ̃be].

**FLAMBER, verbe** [3]
**Intrans. 1.** Brûler avec des flammes vives, en produisant de la lumière. ▸ Anal. Briller (littér.) : *Vitraux qui* ***flambent*** *sous le soleil.* **2.** Fig. ▸ Être animé d'un sentiment très vif (littér.) : ***Flamber*** *d'amour.* ▸ Augmenter rapidement, en parlant des prix (fam.). **Trans. 1.** Passer (qqch.) à la flamme. ▸ *Cuis.* Arroser (un aliment cuisiné) d'un alcool que l'on enflamme ; empl. adj. : *Omelette* ***flambée.*** **2.** Fig. Dépenser follement (fam.) ; empl. abs., jouer gros jeu (fam.). Mil. XII^e^ s. ; ☞ *flambe* ; [flɑ̃be].

**FLAMBERGE, subst. f.**
Épée longue et fine, gén. utilisée pour se battre en duel (vx). ▸ Loc. *Mettre* ***flamberge*** *au vent* : tirer l'épée ou, au fig., s'attaquer à qqn, qqch. Fin XII^e^ s. ; nom de l'épée de Renaud de Montauban, du germ. °*froberga*, « défense du seigneur » ; [flɑ̃bɛʀʒ].

**FLAMBEUR, EUSE, subst.**
Personne qui joue gros au jeu (fam.). 1885 ; ☞ *flamber* ; [flɑ̃bœʀ, øz].

**FLAMBOIEMENT, subst. m.**
Éclat de ce qui flamboie. XV^e^ s. ; ☞ *flamboyer* ; [flɑ̃bwamɑ̃].

**FLAMBOYANT, ANTE, adj. et subst. m.**
**Adj. 1.** Qui flamboie : *Feu* ***flamboyant*** ; *Regard* ***flamboyant.*** **2.** Anal. Qui a la couleur du feu : *Cheveux* ***flamboyants.*** **3.** *Archit.* *Gothique* ***flamboyant*** : style gothique tardif (XV^e^ s.), développé principalement en France, caractérisé par des ornements aux formes sinueuses comme des flammes ; par méton. : *Une église* ***flamboyante.*** **Subst.** *Bot.* Arbre tropical aux fleurs d'un rouge éclatant. XII^e^ s. ; p. pr. de *flamboyer* ; [flɑ̃bwajɑ̃, ɑ̃t].

**FLAMBOYER, verbe intrans.** [17]
**1.** Jeter des flammes par intermittence. **2.** Ext. Briller comme une flamme : *Une épée qui* ***flamboie.*** Fin XI^e^ s. ; ☞ *flambe* ; [flɑ̃bwaje].

**FLAMENCO, subst. m.**
Genre musical traditionnel andalou, associant le chant et la danse, gén. accompagnés de la guitare. 1927 (1890, langue des Gitans des Flandres) ; esp. *flamenco*, « des Flandres » ; [flamɛnko].

**FLAMICHE, subst. f.**
Belg. et Région. (Nord). *Cuis.* Tourte aux poireaux. XV^e^ s. ; ☞ *flamme* ; [flamiʃ].

**FLAMINE, subst. m.**
*Antiq. rom.* Prêtre attaché au culte d'une divinité. Fin XIV^e^ s. ; lat. *flamen* ; [flamin].

**FLAMINGANT, ANTE, adj. et subst.**
**Adj.** Qui parle flamand ; où l'on parle flamand. **Subst. et Adj.** Partisan du flamingantisme. 1432 ; prob. pic. *flaminguer*, « parler flamand » ; [flamɛ̃gɑ̃, ɑ̃t].

**FLAMINGANTISME, subst. m.**
Belg. Mouvement qui combat, en Flandre belge, l'influence linguistique, culturelle et politique de la minorité francophone. Déb. XX^e^ s. ; ☞ *flamingant* ; [flamɛ̃gɑ̃tism].

**FLAMME, subst. f.**
**I. 1.** Phénomène lumineux produit par le mélange gazeux qui se dégage d'une substance en combustion ; par méton., au plur., feu, incendie : *Prisonnier des* ***flammes.*** ▸ *Les* ***flammes*** *éternelles* : l'enfer. **2.** Anal. Éclat : ***Flamme*** *des yeux.* **3.** Fig. ▸ Fougue : *Harangue pleine de* ***flamme.*** ▸ Ardeur, passion amoureuse (littér.) : *Déclarer sa* ***flamme.*** **II.** Anal. **1.** *Archit.* Élément terminal en forme de flamme, ornant certains objets (vases, colonnes, etc.). **2.** *Mar.* Pavillon long et étroit que l'on hisse au sommet du mât principal des bâtiments de guerre. **3.** *Milit.* Banderole à deux pointes garnissant, au niveau du fer, les lances des cavaliers. **4.** *Postes.* Marque postale imprimée sur les lettres, à côté de l'oblitération. X^e^ s. ; lat. *flamma* ; [flam].

**FLAMMÈCHE, subst. f.**
Parcelle enflammée qui se détache d'un feu. Fin XII^e^ s. ; germ. occ. °*falawiska*, « cendre chaude », d'apr. *flamme* ; [flamɛʃ].

**FLAMMEROLE, subst. f.**
Feu follet (vieilli ou région.). 1528 ; ☞ *flamme* ; [flamʀɔl].

**FLAN (I), subst. m.**
**1.** *Cuis.* Crème sucrée à base d'œufs, de lait et de farine, cuite au four ; par ext., crème renversée ; par méton., tarte garnie d'un mélange crémeux. **2.** *Numism.* Disque de métal destiné à recevoir une empreinte, pour devenir une monnaie, une médaille. **3.** *Impr.* Carton appliqué humide sur des caractères mobiles afin d'en prendre l'empreinte, en vue du clichage. **4.** Loc. *En être, en rester comme deux ronds de* ***flan*** : être stupéfait, en rester coi (fam.). Fin XII^e^ s. ; germ. occ. °*flado*, « galette » ; [flɑ̃].

**FLAN (II), subst. m.**
Fam. *Au* ***flan*** : au hasard ; *C'est du* ***flan*** : c'est une blague. Déb. XIX^e^ s. ; orig. inc. ; [flɑ̃].

**FLANC, subst. m.**
**1.** *Anat.* Chacune des parties latérales du corps, situées sous les côtes et au-dessus des hanches chez l'homme, entre les membres antérieurs et les membres postérieurs chez certains animaux : *Couché sur le* ***flanc***, sur le côté. ▸ Loc. fam. *Être sur le* ***flanc*** : exténué ; *Tirer au* ***flanc*** : paresser. **2.** Méton. Région du corps qui semble être le siège de la vie (vx ou littér.) : *Porter un enfant dans son* ***flanc***, dans ses entrailles. **3.** Partie latérale de qqch. : ***Flanc*** *de colline* ; ***Flanc*** *d'une armée.* ▸ Loc. *Prêter le* ***flanc*** *à* : présenter à (l'ennemi) un **flanc** non protégé ou, au fig., s'exposer à (la critique). ▸ Loc. prép. *À* ***flanc*** *de* : sur la pente de. **4.** *Hérald.* Chacune des parties latérales de l'écu. Fin XI^e^ s. ; anc. bas frq. °*hlanka* ; [flɑ̃].

**FLANC-GARDE, subst. f.**
*Milit.* Petit détachement qu'une troupe envoie sur ses flancs pour assurer sa sécurité. 1890 ; comp. de *flanc* et de *garde* (I) ; plur. *flancs-gardes* ; [flɑ̃gaʀd].

**FLANCHER, verbe intrans.** [3]
Fam. **1.** Manquer de résolution, de courage. **2.** Faiblir, céder : *Son cœur, sa foi a* ***flanché.*** 1862 (1835, jouer) ; p.-ê. anc. fr. *flenchir*, « faiblir », de l'anc. bas frq. °*hlankjan*, « fléchir » ; [flɑ̃ʃe].

**FLANCHET, subst. m.**
*Bouch.* Morceau de bœuf, de veau formé par la partie inférieure des muscles abdominaux. Fin XIV^e^ s. ; ☞ *flanc* ; [flɑ̃ʃɛ].

**FLANDRICISME, subst. m.**
Mot emprunté au flamand ou construction calquée sur la syntaxe flamande, en partic. dans le français de Belgique. 1778 ; topon. *Flandre* ; [flɑ̃dʀisism].

**FLANDRIN, subst. m.**
Homme de haute taille, d'allure gauche et manquant de vigueur. 1640 ; topon. *Flandre* ; [flɑ̃dʀɛ̃].

**FLANELLE, subst. f.**
Tissu de laine cardée ou peignée, souple et doux ; par anal., tissu de coton filé. 1656 ; angl. *flannel*, du gallois *gwlân*, « laine » ; [flanɛl].

**FLÂNER, verbe intrans.** [3]
**1.** Se promener sans but précis ni hâte. **2.** Ext. Perdre son temps ; se complaire dans l'indolence : *Faire un travail en* ***flânant.*** 1808 ; norm. *flanner*, de l'anc. nord. *flana*, « courir ici et là » ; [flɑne].

**FLÂNERIE, subst. f.**
**1.** Action, habitude de flâner. **2.** Promenade faite en flânant. Déb. XIX^e^ s. ; ☞ *flâner* ; [flɑnʀi].

**FLÂNEUR, EUSE, subst.**
Personne qui flâne ; empl. adj., qui se complaît dans l'inaction. Déb. XIX^e^ s. ; ☞ *flâner* ; [flɑnœʀ, øz].

**FLANQUEMENT, subst. m.**
*Fortif.* Action de flanquer ; ouvrage qui en flanque un autre. ▸ *Tir de* ***flanquement*** : parallèle à la ligne de défense. Fin XVIII^e^ s. ; ☞ *flanquer* (I) ; [flɑ̃kmɑ̃].

**FLANQUER (I), verbe trans.** [3]
**1.** *Constr.* et *Fortif.* Garnir latéralement, dans un but défensif, décoratif, etc. ; être placé sur le côté de : *Un pigeonnier* ***flanquait*** *la ferme* ; par ext. : ***Flanquer*** *une cheminée de chandeliers.* **2.** *Milit.* Défendre le flanc de : *Unité de cavalerie* ***flanquant*** *des fantassins.* **3.** Fig. Accompagner (fam.) : *Il est toujours* ***flanqué*** *de son chien.* 1555 ; ☞ *flanc* ; [flɑ̃ke].

**FLANQUER (II), verbe trans.** [3]
Fam. **1.** Jeter, appliquer brutalement : ***Flanquer*** *une fessée.* ▸ ***Flanquer*** *qqn dehors, à la porte* : le renvoyer, le congédier. **2.** ***Flanquer*** *la frousse à qqn* : lui faire peur. 1596 ; prob. altér. de *flaquer* (vx), « lancer brusquement » ; [flɑ̃ke].

**FLAPI, IE, adj.**
Exténué, abattu (fam.). 1486 ; p.-ê. franco-prov. *flapir*, « amollir », du lat. médiév. *faluppa*, « balle de blé » ; [flapi].

**FLAQUE, subst. f.**
Petite nappe d'eau stagnante ; par ext. : *Une* ***flaque*** *d'huile.* Fin XIII^e^ s. ; var. norm.-pic. de *flache*, du lat. *flaccus*, « mou » ; [flak].

**FLASH, subst. m.**
**1.** *Phot.* Lumière très brève, intense, émise par une lampe spéciale et permettant de faire une prise de vue en milieu sombre ; par méton., tube à décharge, dispositif produisant cette lumière. **2.** *Cin.* et *Télév.* Plan très bref. **3.** *Journ.* Information importante transmise en urgence ; résumé d'informations. **4.** Brève sensation de plaisir éprouvée après une injection de drogue (fam.). 1918 ; mot angl. ; plur. *flash(e)s* ; [flaʃ].

**FLASH-BACK, subst. m.**
*Cin.* et *Télév.* Séquence, plan évoquant une période antérieure à celle de l'action qui se déroule (anglic.). Déb. XX^e^ s. ; mot anglo-amér. ; plur. *flash-back(s)*, recomm. off. *retour en arrière* ; [flaʃbak].

**FLASHER, verbe** [3]
**Trans.** *Techn.* Procéder à l'impression de (un film, un bromure) en se servant d'une photocomposeuse. **Intrans.** ***Flasher*** *sur (qqn, qqch.)* : avoir une attirance subite pour (fam.). V. 1970 ; ☞ *flash* ; [flaʃe].

**FLASQUE (I), subst. f.**
**1.** Poire à poudre (vx). **2.** Flacon plat. 1535 (déb. XIV^e^ s., bouteille) ; prob. catalan *flasco*, du germ. occ. °*flaska*, « bouteille clissée » ; [flask].

**FLASQUE (II), subst. m.**
**1.** *Artill.* Chacune des deux pièces latérales d'un affût de canon. **2.** *Techn.* Chacune des plaques allant par paires, servant de support à une pièce de machine. 1561 (1414, planche) ; orig. obsc. [flask].

**FLASQUE (III), adj.**
Qui est mou, sans vigueur : *Chair* ***flasque*** ; au fig. *Style* ***flasque.*** 1421 ; altér. de *flaque*, var. de *flache*, du lat. *flaccus* ; [flask].

**FLATTER, verbe trans.** [3]
**1.** Louer (qqn) avec excès, pour plaire, séduire : *Vous me* ***flattez*** ! **2.** Encourager, entretenir avec complaisance : ***Flatter*** *les vices de qqn.* **3.** Caresser (un animal) du plat de la main. **4.** Affecter agréablement (un sens) : *Jus qui* ***flatte*** *le palais.* **5.** Procurer une satisfaction, en partic. d'amour-propre, à charmer : *Votre estime me* ***flatte.*** ▸ ***Être flatté*** *de* (+ inf.), *que* (+ subj.) : être honoré de, que. **6.** Donner une apparence avantageuse à ; embellir : *Ce portrait la* ***flatte.*** **Pronom.** Se flatter de. Être persuadé de ; tirer satisfaction de : *Se* ***flatter*** *d'avoir raison.* Fin XII^e^ s. ; anc. bas frq. °*flat*, « plat » ; [flate].

**FLATTERIE, subst. f.**
**1.** Action de flatter. **2.** Méton. Louange excessive ou fausse (gén. au plur.). Fin XII^e^ s. ; ☞ *flatter* ; [flatʀ…

**FLATTEUR, EUSE, subst. et adj.**
**Subst.** Personne qui flatte. **Adj. 1.** Qui berce d'illusions (vieilli). **2.** Qui flatte. Déb. XIII^e^ s. ; ☞ *flatter* ; [flatœʀ, øz].

**FLATULENCE, subst. f.**
*Pathol.* Augmentation de la quantité de gaz dans l'appareil digestif, provoquant un ballonnement, émission de ces gaz. 1747 ; ☞ *flatulent* ; [flatylɑ̃…

**FLATULENT, ENTE,** adj.
*Pathol.* Qui produit une flatulence ; qui s'en accompagne. 1575 ; lat. *flatus,* « vent » ; [flatylɑ̃, ɑ̃t].

**FLAVESCENT, ENTE,** adj.
Qui tire sur le jaune doré (littér.). 1833 ; lat. *flavescens,* de *flavescere,* « jaunir » ; [flavesɑ̃, ɑ̃t].

**FLAVEUR,** subst. f.
Sensation olfactive et gustative ressentie quand on mange un aliment. V. 1970 ; angl. *flavour* ; [flavœʀ].

**FLAVINE,** subst. f.
*Biochim.* Constituant de la vitamine $B_{12}$ (riboflavine) présent chez les animaux et les végétaux. 1878 ; lat. *flavus,* « jaune » ; [flavin].

**FLÉAU,** subst. m.
**I. 1.** *M. Â. Fléau d'armes* : arme constituée d'un manche court relié par une chaîne à une masse hérissée de pointes. **2.** *Agric.* Instrument composé de deux tiges de bois reliées par des courroies, utilisé pour battre les céréales. **3.** Barre horizontale aux extrémités de laquelle sont fixés les plateaux d'une balance. **II.** Fig. Personne, chose funeste qui paraît être l'instrument de la colère divine : *Attila, le* **fléau** *de Dieu* ; par exagér. : *Cet enfant est un* **fléau**. Mil. XIIe s. (fin Xe s., peine) ; lat. *flagellum,* « fouet » ; [fleo].

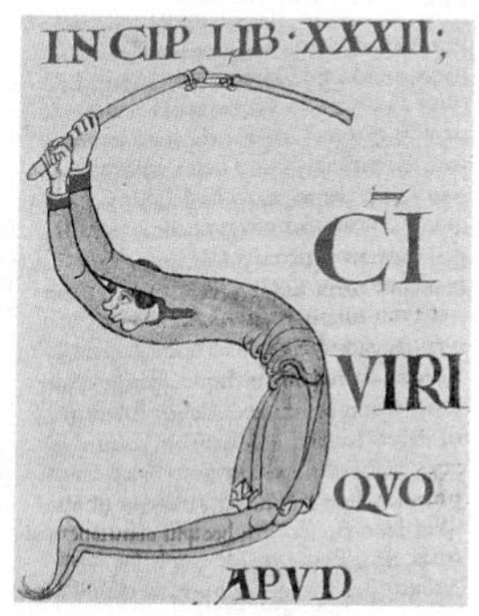


Battage au **fléau** *(lettrine S).*
*Miniature de l'école bourguignonne (XIIe s.).*
*Bibliothèque municipale, Dijon.*

**FLÉCHAGE,** subst. m.
Action de flécher un parcours ; son résultat. Mil. XXe s. ; ☞ *flécher* ; [fleʃaʒ].

**FLÈCHE (I),** subst. f.
**I. 1.** Projectile formé d'une tige de bois dont une extrémité porte une pointe et l'autre des ailerons, destiné à être lancé par un arc, une arbalète. **2.** Fig. Mot piquant ; raillerie acerbe. ▸ *Flèche du Parthe* : trait d'esprit qui clôt une conversation (littér.). **3.** Loc. *Monter en flèche* : s'élever en ligne droite, très vite ou, au fig., augmenter rapidement ; *Faire flèche de tout bois* : utiliser tous les moyens pour parvenir à ses fins. **II.** Anal. **1.** Signe figurant une flèche, indiquant une direction. **2.** Timon mobile utilisé à la place des brancards pour atteler deux chevaux. ▸ *Chevaux attelés en flèche* : l'un derrière l'autre ; au fig. : *Se trouver en flèche,* à l'avant-garde. **3.** *Aéron.* Inclinaison du bord d'attaque d'une aile d'avion. **4.** *Archit.* ▸ Comble conique ou pyramidal qui surmonte un clocher, une tour : *Les flèches d'une cathédrale.* ▸ Hauteur d'une clef de voûte. **5.** *Artill.* Élément arrière de l'affût d'un canon monté sur roues. **6.** *Balist.* Hauteur maximale de la trajectoire d'un projectile. **7.** *Bot. Flèche d'eau* : plante aquatique, aussi appelée sagittaire. **8.** *Géogr. Flèche littorale* : cordon de terre parallèle à la côte. **9.** *Géom. Flèche d'un arc de cercle* : segment de droite joignant le milieu de l'arc au milieu de la corde qui le sous-tend. **10.** *Mar.* Partie effilée d'un mât. **11.** *Sp.* Slalom géant destiné à tester le niveau d'un skieur. **12.** *Techn. Flèche d'une grue* : partie de la structure supportant le point d'attache de la poulie. Fin Ie s. ; prob. frq. °*fliukka* ; [flɛʃ].

**FLÈCHE (II),** subst. f.
Morceau de lard, levé sur le flanc du porc. Mil. XVe s. ; crois. de l'anc. fr. *fliche* et de l'anc. pic. *flec* ; [flɛʃ].

**FLÉCHÉ, ÉE,** adj.
**1.** Qui porte un signe en forme de pointe de flèche à son extrémité : *Croix* **fléchée**. **2.** Qui est jalonné de flèches indiquant la direction à suivre : *Parcours* **fléché**. 1933 ; p. p. de *flécher* ; [fleʃe].

**FLÉCHER,** verbe trans. [8]
Baliser (une voie) de flèches d'orientation. 1933 (1573, atteindre d'une flèche) ; ☞ *flèche* (I) ; [fleʃe].

**FLÉCHETTE,** subst. f.
Petite flèche qu'on lance à la main contre une cible. 1902 ; ☞ *flèche* (I) ; [fleʃɛt].

**FLÉCHIR,** verbe [19]
**Trans. 1.** Faire ployer progressivement ; courber. ▸ Plier : **Fléchir** *le genou.* **2.** Fig. Amener (qqn) à céder, à être indulgent : *Il ne put* **fléchir** *ses juges.* **Intrans. 1.** Ployer lentement sous une charge, une pression. **2.** Fig. Perdre de sa vigueur, de sa fermeté ; cesser de résister : *Je ne* **fléchirai** *pas.* ▸ Perdre de sa valeur ; baisser : *Valeurs boursières qui* **fléchissent**. Fin XIIe s. ; anc. fr. *flechier,* du bas lat. *flecticare,* du lat. *flectere* ; [fleʃiʀ].

**FLÉCHISSEMENT,** subst. m.
**1.** Action de fléchir ; état de ce qui fléchit. **2.** Fig. Fait de fléchir, de céder ; diminution. 1314 ; ☞ *fléchir* ; [fleʃismɑ̃].

**FLÉCHISSEUR,** adj. m. et subst. m.
*Anat.* Se dit d'un muscle qui permet de fléchir une partie du corps. 1575 ; ☞ *fléchir* ; [fleʃisœʀ].

**FLEGMATIQUE,** adj.
**1.** Vx. *Méd.* Lymphatique. **2.** Qui conserve aisément son calme et domine ses émotions ; par méton. : *Réponse* **flegmatique**. ▸ Empl. subst. Personne **flegmatique**. Déb. XIIIe s. ; bas lat. *phlegmaticus,* du gr. *phlegmatikos* ; [flɛgmatik].

**FLEGME,** subst. m.
**1.** Vx. *Méd.* Lymphe. **2.** *Techn.* Produit obtenu en début de distillation d'un liquide alcoolique. **3.** Comportement calme, impassible : *Le légendaire* **flegme** *britannique.* XIIIe s. ; bas lat. *phlegma,* du gr. *phlegma,* « mucus, humeur » ; [flɛgm].

**FLEGMON,** voir **PHLEGMON**

**FLEIN,** subst. m.
Corbeille à anse, servant à l'emballage de certains fruits et légumes fragiles. 1907 ; orig. obsc. ; [flɛ̃].

**FLEMMARD, ARDE,** adj. et subst.
Se dit d'une personne que l'effort, le travail rebute (fam.). 1874 ; ☞ *flemme* ; [flemaʀ, aʀd].

**FLEMMARDER,** verbe intrans. [3]
Ne rien faire, paresser (fam.). 1905 ; ☞ *flemmard* ; [flemaʀde].

**FLEMMARDISE,** subst. f.
Comportement de flemmard (fam.). Mil. XXe s. ; ☞ *flemmard* ; [flemaʀdiz].

**FLEMME,** subst. f.
Paresse accentuée (fam.). Fin XVIIIe s. ; ital. *flemma,* « placidité », du bas lat. *phlegma,* « humeur » ; [flɛm].

**FLÉOLE,** subst. f.
*Bot.* Plante fourragère, peu sensible au froid, qui s'adapte bien à tous les sols. 1786 ; prob. gr. *phleôs,* sorte d'osier ; var. *phléole* ; [fleɔl].

**FLET,** subst. m.
*Zool.* Poisson plat en forme de losange, de la famille des Pleuronectidés, qui vit dans les estuaires. XIIIe s. ; m. néerl. *vlete,* sorte de raie ; [flɛ].

**FLÉTAN,** subst. m.
*Zool.* Poisson plat des mers froides, de la famille des Pleuronectidés, recherché pour son foie riche en vitamines A et D. 1554 ; néerl. °*vleting,* du m. néerl. *vlete,* sorte de raie ; [fletɑ̃].

**FLÉTRIR (I),** verbe trans. [19]
**1.** Faire perdre sa forme, ses couleurs à (une plante). **2.** Anal. Priver de sa fraîcheur, de son éclat : *Le temps a* **flétri** *son teint.* **Pronom.** Se faner. XIIe s. ; anc. fr. *flestre,* du lat. *flaccidus,* « flasque » ; [fletʀiʀ].

**FLÉTRIR (II),** verbe trans. [19]
**1.** *Hist.* Marquer au fer rouge, en punition d'un crime ; par ext., frapper d'une condamnation infamante. **2.** Fig. Stigmatiser, dénoncer en s'indignant : **Flétrir** *la corruption.* Mil. XIIIe s. ; anc. fr. *flatir,* « jeter à terre », de l'anc. bas frq. °*flat,* « plat » ; [fletʀiʀ].

**FLÉTRISSURE (I),** subst. f.
**1.** État d'une plante flétrie. **2.** Anal. Altération du teint, de la beauté. XVe s. ; ☞ *flétrir* (I) ; [fletʀisyʀ].

**FLÉTRISSURE (II),** subst. f.
**1.** *Hist.* Marque au fer rouge. **2.** Fig. Atteinte grave à l'honneur. 1404 ; ☞ *flétrir* (II) ; [fletʀisyʀ].

**FLEUR,** subst. f.
**1.** Partie colorée et souvent odorante de certains végétaux : *Pommier en* **fleur** ; *Verger en* **fleurs**. **2.** Ext. Cette partie avec sa tige ; par méton., plante à **fleurs** : *Gerbe de* **fleurs** ; **Fleurs** *en pot.* **3.** Anal. Représentation d'une **fleur** : *Tissu à* **fleurs**. ▸ *Hist. Les* **fleurs** *de lis* : symbole des rois de France. **4.** Fig. Ornement poétique conventionnel : **Fleurs** *de rhétorique* ; *« Les* **Fleurs** *du mal », poèmes de Baudelaire.* **5.** Fraîcheur (littér.) : *Jeunes filles en* **fleur(s)** ; *Perdre sa* **fleur**, sa virginité. ▸ Partie d'une chose, d'une collectivité, considérée comme la meilleure, la plus distinguée : **Fleur** *de farine* ; *La fine* **fleur** *d'une société,* son élite. **6.** Moisissure qui se forme à la surface du vin, du vinaigre, etc., au cours de la fermentation. **7.** Loc. ▸ *Comme une* **fleur** : facilement. ▸ *Couvrir qqn de* **fleurs** : le complimenter abondamment. ▸ *Être* **fleur** *bleue* : d'une sentimentalité romanesque. ▸ *Faire une* **fleur** *à qqn* : lui accorder un avantage, une faveur (fam.). ▸ **À la, dans la fleur de.** Dans le plein épanouissement de : *Être à la* **fleur** *de l'âge,* en pleine jeunesse. ▸ **À fleur de.** Presque à la surface de : *Avoir les nerfs à* **fleur** *de peau,* à vif. **8.** *Techn.* Côté d'une peau tannée qui portait les poils. Fin XIe s. ; lat. *flos* ; [flœʀ].

BOTANIQUE – Les fleurs sont les organes sexuels des végétaux supérieurs, appelés pour cette raison phanérogames. Toutes ces plantes possèdent des ovules, destinés à devenir des graines après fécondation : quand les ovules sont nus, elles sont dites gymnospermes, quand ils sont cachés dans un ovaire, elles sont dites angiospermes. Chez les Gymnospermes, les organes reproducteurs sont des cônes. Les cônes mâles sont des fleurs porteuses de bouquets d'étamines, les cônes femelles sont des groupements de petites fleurs porteuses d'ovules nus. Chez les Angiospermes, les fleurs peuvent être mâles (elles ne portent que des étamines), femelles (elles ne portent que des carpelles), ou hermaphrodites ; les carpelles et les étamines sont portés par le réceptacle, qui est enveloppé par le périanthe, composé des sépales (qui forment le calice) et des pétales (qui constituent la corolle).

**FLEURAGE (I),** subst. m.
Ensemble des motifs à fleurs représentés sur un tapis, une tenture. 1552 ; ☞ *fleur* ; [flœʀaʒ].

**FLEURAGE (II),** subst. m.
Farine très fine dont on saupoudre le pain. 1832 ; *fleurer* (vx), « saupoudrer de son » ; [flœʀaʒ].

**FLEURDELISÉ, ÉE,** adj.
Orné, semé de fleurs de lis : *Blason* **fleurdelisé**. 1502 ; loc. *fleur de lis* ; [flœʀdəlize].

**FLEURER,** verbe trans. [3]
Répandre (une odeur agréable) ; empl. intrans. : **Fleurer** *bon.* XIVe s. ; anc. fr. *fleur,* « odeur », du lat. pop. °*flator,* « souffle, haleine » ; [flœʀe].

**FLEURET,** subst. m.
**1.** Épée très fine, à section carrée et à pointe terminée par un bouton de cuir, utilisée en escrime pour l'entraînement et la compétition. ▸ Loc. *À* **fleurets** *mouchetés* (☞ *moucheté*). **2.** *Techn.* Tige terminale d'un marteau-piqueur. 1580 ; prob. ital. *fioretto,* « petite fleur » ; [flœʀɛ].

**FLEURETTE,** subst. f.
**1.** Petite fleur (vieilli). **2.** Loc. *Conter* **fleurette** *à une femme* : lui faire la cour. **3.** *Cuis. Crème* **fleurette** : première crème, peu épaisse, se formant à la surface du lait. XIIe s. ; ☞ *fleur* ; [flœʀɛt].

**FLEURETTISTE,** subst.
Escrimeur qui tire au fleuret. 1907 ; ☞ *fleuret* ; [flœʀɛtist].

**FLEURI, IE,** adj.
**1.** Qui est en fleur ; couvert de fleurs. ▸ Méton. *Pâques* **fleuries** : fête des Rameaux (vieilli). **2.** Ext. Garni de fleurs ; décoré de motifs floraux : *Corso* **fleuri**. **3.** Anal. Coloré : *Un teint* **fleuri**. **4.** Fig. Chargé d'ornements : *Style* **fleuri** ; *Gothique* **fleuri**. Fin XIe s. ; p. p. de *fleurir* ; [flœʀi].

**FLEURIR,** verbe [19]
**Intrans. 1.** Produire des fleurs ; être en fleur. **2.** Fig. Être au mieux de son développement ; prospérer (synon. préférable *florir*) : *Époque où les arts* **fleurissent**. **Trans.** Orner de fleurs : **Fleurir** *son salon.* Fin XIe s. ; lat. pop. °*florire,* du lat. *florere* ; [flœʀiʀ].

**FLEURISTE,** subst.
**1.** Vx. Amateur de fleurs. **2.** Personne qui cultive ou vend des fleurs. **3.** Personne qui fabrique ou vend des fleurs artificielles. 🕮 1658 ; ☞ *fleur* ; [flœʀist].

**FLEURON,** subst. m.
**1.** Ornement en forme de fleur. **2.** Fig. Élément remarquable, précieux : *Le plus beau **fleuron** d'une collection.* **3.** *Bot.* Petite fleur dont les pétales sont soudés entre eux, constitutive du capitule des Astéracées. **4.** *Typogr.* Ornement du texte d'un ouvrage, de sa reliure ; fer utilisé pour réaliser cet ornement. 🕮 1302 ; ☞ *fleur* ; [flœʀɔ̃].

**FLEURONNÉ, ÉE,** adj.
Qui est orné de fleurs, de fleurons. 🕮 Fin XVe s. : ☞ *fleuron* ; [flœʀɔne].

**FLEUVE,** subst. m.
**1.** Long cours d'eau qui se jette dans la mer : *Le Nil, plus long **fleuve** du monde.* ► *Géogr.* ***Fleuve** côtier* : petit cours d'eau se jetant directement dans la mer. **2.** Anal. Ce qui s'écoule en abondance : ***Fleuve** de boue* ; ***Fleuve** de larmes.* **3.** Fig. Ce qui s'écoule lentement : *Le **fleuve** du temps* ; en appos. : *Discours, roman(-)**fleuve***, interminable. 🕮 Mil. XIIe s. ; lat. *fluvius* ; [flœv].

**FLEXIBILITÉ,** subst. f.
**1.** Qualité de ce qui est flexible, se plie aisément. **2.** Fig. Capacité à s'adapter, à changer : ***Flexibilité** des prix.* 🕮 1381 ; bas lat. *flexibilitas* ; [flɛksibilite].

**FLEXIBLE,** adj. et subst. m.
**Adj. 1.** Qui se courbe facilement ; souple : *Jonc **flexible**.* **2.** Fig. Qui s'adapte aisément aux circonstances, aux besoins : *Horaire **flexible*** ; *Caractère **flexible***, docile. **Subst. 1.** *Techn.* Tuyau souple. **2.** *Mécan.* Organe souple servant à transmettre un mouvement rotatif. 🕮 1314 ; lat. *flexibilis* ; [flɛksibl].

**FLEXION,** subst. f.
**1.** Action ou fait de fléchir ; état de ce qui est fléchi : ***Flexion** des jambes* ; ***Flexion** d'un ressort.* **2.** *Phys.* Déformation d'un solide soumis à des forces perpendiculaires à son axe longitudinal. **3.** *Ling.* Modification de la forme d'un mot consistant gén. à ajouter au radical des éléments propres à exprimer certaines catégories grammaticales ou à indiquer certaines fonctions syntaxiques : ***Flexion** verbale*, conjugaison ; ***Flexion** nominale*, déclinaison. 🕮 Déb. XVe s. ; lat. *flexio* ; [flɛksjɔ̃].

**FLEXIONNEL, ELLE,** adj.
*Ling.* Qui est susceptible de flexion ; qui comporte des flexions : *Langues **flexionnelles** et langues agglutinantes.* 🕮 1877 ; ☞ *flexion* ; [flɛksjɔnɛl].

**FLEXOGRAPHIE,** subst. f.
*Impr.* Procédé d'impression constitué de clichés souples en relief, et utilisant une encre non grasse. 🕮 Mil. XXe s. ; ☞ *flexible* + *-graphie* ; [flɛksɔgʀafi].

**FLEXUEUX, EUSE,** adj.
Qui est courbé plusieurs fois en divers sens : *Tige **flexueuse**.* ► Qui ondoie (littér.) : *Ligne **flexueuse**.* 🕮 1549 ; lat. *flexuosus* ; [flɛksɥø, øz].

**FLEXUOSITÉ,** subst. f.
État de ce qui est flexueux. ► Littér. Ondulation (gén. au plur.) : *Les **flexuosités** de la rivière.* 🕮 1541 ; bas lat. *flexuositas* ; [flɛksɥozite].

**FLEXURE,** subst. f.
*Géol.* Déformation des couches géologiques qui s'infléchissent sans cassure, le compartiment abaissé gardant le même pendage que le compartiment surélevé : *La **flexure** saharienne.* 🕮 1901 (1520, repli) ; lat. *flexura*, « courbure » ; [flɛksyʀ].

**FLIBUSTE,** subst. f.
*Hist.* Piraterie pratiquée par les flibustiers ; ensemble des flibustiers. 🕮 Mil. XVIIe s. ; ☞ *flibustier* ; [flibyst].

**FLIBUSTIER,** subst. m.
**1.** *Hist.* Pirate de la mer des Antilles (XVIIe-XVIIIe s.). **2.** Ext. Escroc ; filou. 🕮 1666 ; angl. *flibutor*, du néerl. *vrijbuiter*, « qui fait son butin librement » ; [flibystje].

**FLIC,** subst. m.
Fam. Agent de police ; tout membre de la police. 🕮 1828 ; p.-ê. argot all. *Flick*, « jeune homme » ; [flik].

**FLIC FLAC,** interj.
Évoque le bruit d'un coup donné avec un objet flexible ou d'un liquide qui tombe goutte à goutte. 🕮 1646 ; onomat. ; [flikflak].

**FLINGUE,** subst. m.
Arme à feu (argot.). 🕮 1881 ; all. dial. *flinke*, de l'all. *Flinte* ; [flɛ̃g].

**FLINGUER,** verbe trans. [3]
Fam. Tirer sur (qqn) avec une arme à feu ; empl. pronom., se suicider. 🕮 1947 ; ☞ *flingue* ; [flɛ̃ge].

**FLINT-GLASS,** subst. m. inv.
*Opt.* Verre à base d'oxyde de plomb, à haut indice de réfraction et à coefficient élevé de dispersion ; dans l'usage courant, ce verre est appelé cristal. 🕮 1771 ; angl. *flint-glass*, comp. de *flint* « silex », et de *glass*, « verre » ; abrév. *flint* (plur. *flints*) ; [flintglas].

**FLIP,** subst. m.
Fam. État dépressif lié à l'absorption d'une drogue ; par ext., angoisse. 🕮 V. 1980 ; ☞ *flipper* (II) ; [flip].

**FLIPPER (I),** subst. m.
Petit levier commandé par un bouton latéral et permettant de relancer la boule d'un billard électrique ; par méton., le billard lui-même. 🕮 V. 1960 ; anglo-amér. *to flip*, « frapper ; renvoyer » ; [flipœʀ].

**FLIPPER (II),** verbe intrans. [3]
Fam. Être angoissé après une prise de drogue. ► Ext. Être très déprimé ; avoir peur. 🕮 V. 1970 ; anglo-amér. *to flip*, « perdre la tête » ; [flipe].

**FLIRT,** subst. m.
**1.** Relation amoureuse, gén. chaste et passagère ; par méton., personne avec qui l'on flirte. **2.** Fig. Rapprochement de courte durée, spéc. en politique : *Un **flirt** avec l'opposition.* 🕮 1879 ; ☞ *flirter* ; [flœʀt].

**FLIRTER,** verbe intrans. [3]
**1.** Avoir une relation amoureuse brève et gén. chaste (avec qqn). **2.** Fig. Se rapprocher (en partic. d'un groupement politique). 🕮 1855 (XVIe s., folâtrer) ; angl. *to flirt*, « jeter ; badiner » ; [flœʀte].

**FLIRTEUR, EUSE,** subst. et adj.
Se dit d'une personne qui flirte, qui aime à flirter. 🕮 1858 ; ☞ *flirter* ; [flœʀtœʀ, øz].

**FLOC,** interj.
Évoque le bruit d'un corps qui tombe, gén. dans un liquide. 🕮 Fin XVe s. ; onomat. ; [flɔk].

**FLOCAGE,** subst. m.
*Bât.* et *Text.* Application de fibres textiles sur un support adhésif. 🕮 1938 ; angl. *flock*, « bourre de laine » ; var. *flockage* ; [flɔkaʒ].

**FLOCHE (I),** adj.
*Text.* Dont la torsion est faible : *Un fil de soie **floche**.* 🕮 1611 ; gascon *floche*, du lat. *fluxus*, « flasque » ; [flɔʃ].

**FLOCHE (II),** subst. f.
**1.** Petit pompon ornemental utilisé en passementerie. **2.** Flocon (région.). 🕮 1838 (fin XIIIe s., amas floconneux) ; lat. *floccus*, « flocon de laine » ; [flɔʃ].

**FLOCKAGE,** voir **FLOCAGE**

**FLOCK-BOOK,** subst. m.
Livre généalogique des ovins et des caprins de race. 🕮 1921 ; comp. de l'angl. *flock*, « troupeau », et de *book*, « livre » ; plur. *flock-books* ; [flɔkbuk].

**FLOCON,** subst. m.
Petit amas léger : ***Flocon** de soie, de laine* ; ***Flocon** de neige, de brume.* **Plur.** *Alim.* Grains de céréales découpés en lamelles : ***Flocons** d'avoine.* 🕮 1178 ; lat. *floccus*, « flocon de laine » ; [flɔkɔ̃].

**FLOCONNER,** verbe intrans. [3]
S'agglomérer en flocons. 🕮 1801 (1410, faire un vêtement avec un tissu de laine) ; ☞ *flocon* ; [flɔkɔne].

**FLOCONNEUX, EUSE,** adj.
Qui est en flocons ; qui a l'aspect des flocons. 🕮 1796 ; ☞ *flocon* ; [flɔkɔnø, øz].

**FLOCULATION,** subst. f.
*Chim.* Transformation d'une solution colloïdale, due à la précipitation de micelles ou de protéines sous forme de flocons. 🕮 1908 ; ☞ *floculer* ; [flɔkylasjɔ̃].

**FLOCULER,** verbe intrans. [3]
*Chim.* Précipiter par floculation. 🕮 1911 ; bas lat. *flocculus*, « petit flocon » ; [flɔkyle].

**FLONFLON,** subst. m.
Refrain simple (vx). **Plur.** Accords bruyants de certaines musiques populaires. 🕮 1680 ; orig. onomat. ; [flɔ̃flɔ̃].

**FLOP,** subst. m.
Échec (fam.) : *Ce roman a fait un **flop**.* 🕮 1952 ; angl. *to flop*, « s'effondrer », d'orig. onomat. ; [flɔp].

**FLOPÉE,** subst. f.
Grand nombre (fam.) : *Une **flopée** de gens.* 🕮 1866 (1843, volée) ; *floper* (vx), « battre » ; [flɔpe].

**FLOQUER,** verbe trans. [3]
*Bât.* et *Text.* Effectuer le flocage de (une surface). 🕮 XXe s. ; angl. *flock*, « bourre de laine » ; [flɔke].

**FLORAISON,** subst. f.
**1.** Épanouissement des fleurs ; par méton., période de cet épanouissement. **2.** Fig. Apparition en grande quantité : *La **floraison** des arts, à la Renaissance.* 🕮 1731 ; *fleuraison* (vx), du lat. *flos*, « fleur » ; [flɔʀɛzɔ̃].

© Ly. Loirat-Explorer

*Floraison dans un verger.*

**FLORAL, ALE, AUX,** adj.
Qui se rapporte à la fleur, aux fleurs. 🕮 1520 ; bas lat. *floralis*, du lat. *flos*, « fleur » ; [flɔʀal, o].

**FLORALIES,** subst. f. plur.
**1.** *Antiq. rom.* Fêtes données en l'honneur de la déesse Flore. **2.** Exposition horticole. 🕮 1546 ; lat. *floralia loca*, « parterre de fleurs » ; [flɔʀali].

**FLORE,** subst. f.
**1.** Ensemble des végétaux d'une région ou d'une époque déterminée. **2.** *Bactériol.* Ensemble des micro-organismes vivant dans un milieu donné : ***Flore** bactérienne intestinale.* 🕮 1771 ; lat. *Flora*, nom de la déesse des Fleurs, de *flos*, « fleur » ; [flɔʀ].

**FLORÉAL,** subst. m.
*Hist.* Huitième mois du calendrier républicain (du 20 ou 21 avril au 19 ou 20 mai). 🕮 1793 ; lat. *floreus*, « fleuri », de *flos*, « fleur » ; plur. *floréals* ; [flɔʀeal]

**FLORENCE,** subst. f.
Crin de soie résistant, servant à la pêche. 🕮 1907 (1721, étoffe de soie) ; topon. Florence (Italie) ; [flɔʀɑ̃s]

**FLORENTIN, INE,** adj. et subst.
De Florence. **Adj.** Qui évoque la vie politique de Florence à la Renaissance : *Ruses **florentines**.* 🕮 Fin XVe s. (mil. XIIIe s., monnaie de Florence) ; ital. *florentino* du topon. *Firenze*, « Florence » (Italie) ; [flɔʀɑ̃tɛ̃, in].

**FLORÈS (FAIRE),** loc. verbale
Obtenir des succès, la réussite (littér. et vieilli). 🕮 1638 ; p.-ê. prov. *faire flori*, « être prospère », du lat. *floridus*, « couvert de fleurs » ; [fɛʀflɔʀɛs].

**FLORICOLE,** adj.
*Zool.* Qui vit sur les fleurs. 🕮 1842 ; formé de *flor* et de *-cole* ; [flɔʀikɔl].

**FLORICULTURE,** subst. f.
Culture des fleurs et des plantes ornementales. 🕮 1852 ; ☞ *culture* + *flori-* ; [flɔʀikyltyʀ].

**FLORIDÉES,** subst. f. plur.
*Bot.* Sous-classe d'algues rouges, pour la plupart marines. **Au sing.** *La coralline est une **floridée**.* 🕮 1827 lat. *floridus*, « fleuri » ; [flɔʀide].

**FLORIFÈRE,** adj.
*Bot.* Qui porte des fleurs ; par ext., qui donne de nombreuses fleurs. 🕮 1783 ; lat. *florifer* ; [flɔʀifɛ

**FLORILÈGE,** subst. m.
Recueil de morceaux choisis. 🕮 1697 ; lat. *florilegium* de *florilegus*, « qui cueille des fleurs », d'apr. *spicilegium* « glanage » ; [flɔʀilɛʒ].

**FLORIN,** subst. m.
**1.** *Hist.* Monnaie qui eut cours à Florence, en France et dans divers pays. **2.** Unité monétaire des Pays-B (symb. : FL). 🕮 1278 ; ital. *fiorino* ; [flɔʀɛ̃].

**FLORISSANT, ANTE,** adj.
**1.** Qui est en plein épanouissement ; prospère : *Une ville **florissante**.* **2.** Qui dénote une bonne santé : *Une mine **florissante**.* 🕮 XIIIe s. ; *florir* (rare), « prospérer » [flɔʀisɑ̃, ɑ̃t].

**FLORISTIQUE,** adj.
*Bot.* Qui se rapporte à la flore. 🕮 1931 ; lat. *flo* « fleur » ; [flɔʀistik].

**FLOT,** subst. m.
**1.** Marée montante (anton. *jusant*) : *Courants de **flot**.* **2.** Grande masse d'eau en mouvement (gé

u plur.) : *Les flots d'un lac* ; empl. abs. : *Les flots*, a mer. **3.** Ext. Masse liquide en mouvement : *Flots* e *boue*. **4.** Fig. Quantité importante : *Flots de* armes ; *Flot de lumière*. **5.** Ce qui ondoie comme es vagues : *Flot de dentelles*. **6.** Loc. **À flots.** Abondamment : *L'argent coule à flots*. ▸ **À flot.** *Se* naintenir *à flot* : flotter ; au fig. : *Être à flot*, cesser l'avoir des embarras financiers. Mil. XIIe s. ; rad. rq. °*flot-*, « flux » ; [flo].

**FLOTTABILITÉ, subst. f.**

Propriété de certains corps à rester insubmersibles. 1856 ; *flottable* ; [flɔtabilite].

**FLOTTABLE, adj.**

**1.** Qui permet l'acheminement du bois par flottage : *Fleuve flottable*. **2.** Qui peut flotter : *Grume flottable*. 1572 ; *flotter* (I) ; [flɔtabl].

**FLOTTAGE, subst. m.**

Transport de trains de bois par voie d'eau. 1701 (1446, action d'irriguer) ; *flotter* (I) ; [flɔtaʒ].

**FLOTTAISON, subst. f.**

*Mar.* Limite, à la surface d'une eau calme, entre les parties émergée et immergée d'un corps flottant : *Ligne de flottaison*, niveau atteint par la surface de l'eau sur la coque d'un navire. 1691 (1446, action d'irriguer) ; *flotter* (I) ; [flɔtɛzɔ̃].

**FLOTTANT, ANTE, adj.**

**1.** Qui flotte : *Glaces flottantes*. ▸ *Île flottante* : entrelacs dérivant de végétaux portant une fine couche de terre et, par anal, entremets fait d'œufs en neige baignant dans une crème anglaise. **2.** Qui ondoie, voltige au gré du vent : *Brume flottante*. **3.** Qui n'est pas stable, pas fixe : *Effectifs flottants*. **4.** Qui ne s'arrête à rien de précis ; qui hésite : *Caractère flottant*. **5.** *Spéc.* ▸ *Fin. Capitaux flottants* : qui vont et viennent, disponibles pour des placements rémunérateurs à court terme ; *Monnaie flottante* : qui n'a pas de parité fixe ; *Dette flottante* : dette publique à court terme. ▸ *Informat. Virgule flottante* : mode de représentation des nombres décimaux dans lequel la position de la virgule n'est pas fixée. XVIe s. ; p. pr. de *flotter* (I) ; [flɔtɑ̃, ɑ̃t].

**FLOTTATION, subst. f.**

*Techn.* Procédé de séparation de particules solides mélangées, fondé sur leur différence de densité en milieu liquide, appliqué à des charbons et à des minerais. 1923 ; angl. *floatation*, de *to float*, « flotter » ; [flɔtasjɔ̃].

**FLOTTE (I), subst. f.**

**1.** Groupe de navires de guerre ou de commerce qui naviguent ensemble, affectés aux mêmes opérations ou ayant la même activité. **2.** Ext. Ensemble des forces navales d'un pays : *La flotte de guerre* ou, empl. abs., *La Flotte*. ▸ Totalité des navires d'une compagnie maritime. **3.** Anal. Formation d'avions militaires ; ensemble des avions d'une compagnie aérienne. Mil. XIIe s. ; anc. nord. *floti*, « flotte ; radeau » ; [flɔt].

**FLOTTE (II), subst. f.**

Flotteur équipant une ligne ou un filet de pêche. 1407 ; *flotter* (I) ; [flɔt].

**FLOTTE (III), subst. f.**

Fam. Eau ; pluie. 1883 ; orig. obsc. ; [flɔt].

**FLOTTEMENT, subst. m.**

**1.** Mouvement ondulant d'un objet qui flotte. ▸ *Milit.* Mouvement d'ondulation rompant l'alignement d'une troupe. **2.** Fig. Manque de résolution, de certitude : *Flottement des opinions*. **3.** *Fin.* État d'une monnaie qui n'a pas de parité fixe. **4.** *Techn.* Oscillation des roues directrices d'une machine, en partic. d'un véhicule automobile. Fin XIVe s. (déb. XIVe s., mouvement des flots) ; *flotter* (I) ; [flɔtmɑ̃].

**FLOTTER (I), verbe [3]**

**Intrans. 1.** Être porté par un liquide en restant à la surface. **2.** Anal. Se maintenir en suspension dans l'air : *Nappes brumeuses qui flottent au-dessus d'une route*. **3.** Ondoyer au gré du vent ; se déployer, retomber librement : *Drapeaux qui flottent* ; *Chevelure flottant sur les reins* ; *Laisser flotter les rênes de sa monture*, les laisser lâches. ▸ Ext. Être ample ou trop grand, en parlant d'un vêtement ; par méton. : *Flotter dans sa robe*. **4.** Fig. Être errant, instable : *Sourire qui flotte sur les lèvres* ; *Laisser flotter son imagination*, la laisser vagabonder. ▸ Être hésitant, indécis : *Flotter entre la joie et la colère*. **5.** *Fin.* Avoir un cours qui fluctue au gré de l'offre et de la demande, en parlant d'une monnaie. **Trans.** Acheminer (du bois) par flottage : *Flotter des trains de bouleaux* ; empl. adj. : *Bois flotté*. Fin XIe s. ; rad. frq. °*flot-*, « flux » ; [flɔte].

**FLOTTER (II), verbe impers. [3]**

Pleuvoir (fam.). 1886 ; orig. obsc. ; [flɔte].

**FLOTTEUR, subst. m.**

**1.** Ouvrier employé au flottage du bois. **2.** Objet flottant sur un liquide, servant à indiquer le niveau, à contrôler le débit, ou à maintenir en surface un corps submersible : *Flotteur d'une chaudière* ; *Flotteur d'un carburateur* ; *Flotteur en verre d'un filet de pêche*. ▸ Dispositif permettant à un catamaran, à un hydravion, etc., de se maintenir à la surface de l'eau. 1415 ; *flotter* (I) ; [flɔtœʀ].

**FLOTTILLE, subst. f.**

**1.** Groupe de navires de faible tonnage : *Une flottille de barques* ; *Une flottille de destroyers*. **2.** Anal. Ensemble d'appareils de combat d'une force aéronavale. 1691 ; esp. *flotilla*, de *flotta*, « flotte » ; [flɔtij].

**FLOU, FLOUE, adj.**

**1.** *B.-a.* Dont les contours ne se distinguent pas nettement, sont estompés : *Motifs, coloris flous*, fondus ; empl. subst. masc. : *Le flou d'un dessin*. **2.** *Cin.* et *Phot.* Dont les contours ne sont pas nets : *Un tirage flou*. ▸ Empl. subst. masc. *Flou artistique* : effet obtenu en réduisant la netteté de l'ensemble d'une image ou de ses contours ou, au fig., ambiguïté, imprécision délibérée. **3.** Ext. Qui n'a pas de forme bien définie : *Un vêtement flou*, non ajusté ; empl. subst. masc. : *Le flou d'une coiffure*. **4.** Fig. Qui est imprécis, vague : *Une définition floue* ; empl. subst. masc. : *Le flou d'un discours*. 1676 (fin XIIe s., inculte, désert) ; lat. *flavu*, « jauni, flétri » ; [flu].

**FLOUER, verbe trans. [3]**

**1.** Voler (qqn) en l'escroquant (fam. et vieilli). **2.** Tromper, sur un plan moral (gén. au passif) : *Se sentir floué*. XVIe s. ; orig. inc. ; [flue].

**FLOUSE, voir FLOUZE**

**FLOUVE, subst. f.**

*Bot.* Plante fourragère de la famille des Poacées. 1786 ; orig. inc. ; [fluv].

**FLOUZE, subst. m.**

Argent (argot.). 1885 ; ar. dial. *flūs*, de l'ar. *fulūs*, « piécettes de cuivre » ; var. *flouse* ; [fluz].

**FLUAGE, subst. m.**

*Techn.* Déformation qui affecte lentement un métal subissant une pression. 1918 ; *fluer* ; [flyaʒ].

**FLUCTUANT, ANTE, adj.**

Qui est sujet à des fluctuations, à des variations ; instable. XIVe s. ; p. pr. de *fluctuer* ; [flyktɥɑ̃, ɑ̃t].

**FLUCTUATION, subst. f.**

**1.** Mouvement oscillatoire qui rappelle celui des flots (rare). **2.** Fig. Variation répétée, dans un sens, puis dans l'autre (gén. au plur.) : *Les fluctuations de l'opinion*. **3.** Variation dont l'amplitude peut être mesurée par rapport à une moyenne : *Fluctuation d'une grandeur*. ▸ *Écon.* et *Fin. Fluctuations saisonnières* ; *Fluctuation des cours boursiers*. XIIe s. ; lat. *fluctuatio*, « agitation ; hésitation » ; [flyktɥasjɔ̃].

**FLUCTUER, verbe intrans. [3]**

Être soumis à des fluctuations ; changer. XIVe s. ; lat. *fluctuare*, « être agité, en parlant de la mer ; hésiter » ; [flyktɥe].

**FLUENT, ENTE, adj.**

**1.** *Pathol.* Se dit d'une lésion qui laisse échapper un liquide. **2.** Qui ne cesse pas de changer (littér.). Fin XVe s. ; lat. *fluens*, de *fluere*, « couler » ; [flyɑ̃, ɑ̃t].

**FLUER, verbe intrans. [3]**

**1.** Couler ; se répandre (littér.) : *La mer flue et reflue*. **2.** *Méd.* S'écouler lentement, en parlant de sérosités. 1281 ; lat. *fluere* ; [flye].

**FLUET, ETTE, adj.**

Qui est mince, d'apparence délicate, en parlant du corps, d'une partie du corps. ▸ Anal. Faible ; qui manque d'intensité : *Une voix fluette* ; *Un son fluet*. 1694 ; altér. de *flouet* (vx), de *flou* ; [flyɛ, ɛt].

**FLUIDE, adj. et subst. m.**

**Adj. 1.** Qui coule, s'écoule facilement : *Sauce trop fluide* ; par anal. : *Une circulation automobile fluide*, qui n'est pas gênée par les embouteillages. **2.** Fig. Qui est coulant, harmonieux : *Style fluide*. ▸ Qu'il est malaisé de saisir, d'appréhender : *Pensée fluide* ; *Situation fluide*. **Subst. 1.** Corps liquide ou gazeux qui prend la forme de son contenant. ▸ *Phys. Mécanique des fluides* : science qui étudie le mouvement des fluides. **2.** Énergie ou influence mystérieuse, occulte, qui se dégagerait de certains êtres, de certains objets : *Fluide magnétique*. 1356 ; lat. *fluidus*, de *fluere*, « couler » ; [flɥid] ou [flyid].

PHYSIQUE – Un fluide n'ayant pas de forme propre, on étudie son mouvement dans un référentiel lié au solide par rapport auquel il est en mouvement. On recherche en particulier les variations, au cours du temps, du champ des vitesses, conjointement à celles du champ de pression, aux différents points de ce référentiel. Cela permet d'appliquer à des milieux fluides, continus et déformables, les lois de la mécanique newtonienne.

**FLUIDIFIANT, ANTE, adj. et subst. m.**

**1.** *Pharm.* Se dit d'un médicament qui fluidifie certaines sécrétions, gén. bronchiques. **2.** *Techn.* Se dit d'un produit pétrochimique utilisé pour réduire la consistance de l'asphalte, des peintures, etc. 1856 ; p. pr. de *fluidifier* ; [flɥidifjɑ̃, ɑ̃t] ou [flyi-].

**FLUIDIFICATION, subst. f.**

Action de fluidifier ; fait de se fluidifier. 1832 ; *fluidifier* ; [flɥidifikasjɔ̃] ou [flyi-].

**FLUIDIFIER, verbe trans. [6]**

Rendre fluide, plus fluide. 1830 ; *fluide* ; [flɥidifje] ou [flyi-].

**FLUIDIQUE, adj. et subst. f.**

**Adj. 1.** Relatif au fluide magnétique. **2.** Relatif à la **fluidique. Subst.** Branche de la mécanique des fluides. 1872 ; *fluide* ; [flɥidik] ou [flyi-].

**FLUIDITÉ, subst. f.**

**1.** État, qualité de ce qui est fluide : *Fluidité d'une huile* ; par anal. : *Fluidité de la circulation routière* ; au fig. : *Fluidité d'un langage*. **2.** *Écon.* État d'un marché où l'offre est équilibrée par la demande. 1548 ; *fluide* ; [flɥidite] ou [flyi-].

**FLUOR, subst. m.**

**1.** *Chim.* Élément n° 9 de la table de Mendeleïev (symb. : F) ; masse atomique : 18,99 ; point de fusion : – 219,6 °C ; point d'ébullition : – 188 °C. Le **fluor** est un non-métal de la famille des halogènes. Il existe à l'état naturel sous forme de fluorure de calcium. **2.** *Métall. Spath fluor* : fluorine. 1687 ; lat. *fluor*, « écoulement » ; [flyɔʀ].

**FLUORATION, subst. f.**

Ajout de fluorure aux eaux de consommation ; application préventive de composés fluorés sur les dents. Mil. XXe s. ; *fluor* ; [flyɔʀasjɔ̃].

**FLUORÉ, ÉE, adj.**

*Chim.* Qui contient du fluor. 1838 ; *fluor* ; [flyɔʀe].

**FLUORESCÉINE, subst. f.**

*Chim.* Solution colorante à fluorescence verte, notamment utilisée pour colorer les eaux qui s'infiltrent dans les réseaux karstiques et déterminer leur trajet jusqu'à leur résurgence. 1878 ; *fluorescent* ; [flyɔʀɛsein].

**FLUORESCENCE, subst. f.**

*Phys.* Luminescence cessant avec la cause qui l'a provoquée (*luminescence*). 1865 ; angl. *fluorescence*, d'apr. *opalescence* ; [flyɔʀɛsɑ̃s].

**FLUORESCENT, ENTE, adj.**

Qualifie une substance susceptible de présenter un phénomène de fluorescence ou, par méton., la lumière produite par ce phénomène. 1865 ; angl. *fluorescent* ; [flyɔʀɛsɑ̃, ɑ̃t].

**FLUORHYDRIQUE, adj.**

*Chim.* Qualifie l'acide de l'ion fluor $F^-$, de formule HF. 1838 ; *fluor* + *-hydrique* ; [flyɔʀidʀik].

**FLUORINE, subst. f.**

Fluorure naturel de calcium, cristal aussi appelé spath fluor. 1833 ; *fluor* ; var. *fluorite* ; [flyɔʀin].

**FLUOROSE, subst. f.**

*Pathol.* Intoxication par le fluor ou ses dérivés. V. 1970 ; *fluor* + *-ose* ; [flyɔʀoz].

**FLUORURE, subst. m.**

*Chim.* Combinaison du fluor avec les corps simples : *NaF est le fluorure de sodium et $SiF_4$ le tétrafluorure de silicium*. 1820 ; *fluor* ; [flyɔʀyʀ].

**FLUOTOURNAGE, subst. m.**

*Métall.* Procédé d'usinage permettant d'obtenir des pièces de révolution. Mil. XXe s. ; crois. du lat. *fluere*, « couler », et de *tournage* ; [flyotuʀnaʒ].

**FLUSH, subst. m.**

*Jeux.* Au poker, série de cinq cartes de la même couleur. ▸ *Quinte flush* : une telle série avec des cartes qui se suivent. 1896 ; mot angl. ; plur. *flush(e)s* ; [flœʃ] ou [flɔʃ].

**FLÛTE (I),** subst. f.
**1.** *Mus.* Instrument à vent formé d'un tube de bois ou de métal muni d'une embouchure et percé de trous : ***Flûte** à bec*, ou ***Flûte** douce*, en bois ou en plastique, à embouchure en forme de bec ; ***Flûte** traversière*, ou *Grande **flûte***, à embouchure latérale et à clés ; *Petite **flûte***, piccolo ; ***Flûte** à l'oignon*, mirliton. ► ***Flûte** de Pan* : instrument à vent constitué de plusieurs tubes d'inégale longueur, sur lesquels on fait glisser les lèvres. **2.** Anal. ► Pain mince et long, plus petit que la baguette. ► Verre à pied haut et étroit. ► Fam. Jambe (gén. au plur.). **3.** Loc. *Être du bois dont on fait les **flûtes*** : très accommodant. INTERJ. Marque la déception, l'irritation (fam.). Mil. XII^e s. ; prob. orig. onomat. ; [flyt].

**FLÛTE (II),** subst. f.
*Mar.* Navire de charge qui transportait vivres et munitions. 1559 ; p.-ê. néerl. *fluit* ; [flyt].

**FLÛTÉ, ÉE,** adj.
Qui évoque le son de la flûte : *Rire **flûté***. 1740 ; p. p. de *flûter* ; [flyte].

**FLÛTEAU,** subst. m.
**1.** *Mus.* Petite flûte rudimentaire. **2.** *Bot.* Nom vulgaire d'une plante herbacée aquatique, l'alisma. Mil. XIII^e s. ; ☞ *flûte* (I) ; var. *flûtiau* ; [flyto].

**FLÛTER,** verbe intrans. [3]
Jouer de la flûte ; par anal., émettre un son semblable à celui de la flûte. ► Loc. *C'est comme si on **flûtait*** : cela ne sert à rien du tout (fam.). 1170 ; ☞ *flûte* (I) ; [flyte].

**FLÛTIAU,** voir **FLÛTEAU**

**FLÛTISTE,** subst.
Joueur de flûte. 1828 ; ☞ *flûte* (I) ; [flytist].

**FLUVIAL, ALE, AUX,** adj.
**1.** Qui se rapporte aux fleuves, aux rivières. **2.** Ext. Qui s'effectue ou se situe sur un fleuve, une rivière. 1314 ; lat. *fluvialis* ; [flyvjal, o].

**FLUVIATILE,** adj.
**1.** *Sc. nat.* Qui vit dans les cours d'eau ou sur leurs bords : *Faune, flore **fluviatile***. **2.** *Géol.* Qui provient des cours d'eau : *Sédiments **fluviatiles***. 1559 ; lat. *fluviatilis* ; [flyvjatil].

**FLUVIOGLACIAIRE,** adj.
*Géol.* Relatif à l'influence successive ou simultanée des fleuves et des glaciers. 1886 ; formé du lat. *fluvius*, « fleuve », et de *glaciaire* ; [flyvjoglasjɛʀ].

**FLUVIOMÈTRE,** subst. m.
*Métrol.* Instrument de mesure des variations du niveau d'un cours d'eau. 1865 ; formé du lat. *fluvius*, « fleuve », et de *-mètre*[1] ; [flyvjomɛtʀ].

**FLUVIOMÉTRIQUE,** adj.
Relatif à la mesure du niveau et du débit d'un cours d'eau. 1865 ; ☞ *fluviomètre* ; [flyvjometʀik].

**FLUX,** subst. m.
**1.** Écoulement d'un liquide organique et, par ext., d'un fluide quelconque. **2.** Fig. Abondance, grande quantité : *Un **flux** de paroles*. **3.** Marée montante ; par anal. : *Le **flux** et le reflux d'une foule*. **4.** *Écon.* ***Flux** monétaires* : ensemble des valeurs échangées entre les agents de la vie économique. **5.** *Math.* ***Flux** d'un champ de vecteurs à travers une surface* : intégrale (sur la surface) du produit de la composante normale du champ par l'élément d'aire au point considéré. **6.** *Phys.* Quantité d'énergie (lumineuse, électrique, électromagnétique, etc.) qui traverse par unité de temps une surface donnée : *L'unité de **flux** lumineux est le lumen*. **7.** *Phys. part.* ***Flux** de particules* : nombre de particules d'un faisceau traversant une section de ce faisceau pendant l'unité de temps. 1306 ; lat. *fluxus* ; [fly].

**FLUXION,** subst. f.
*Pathol.* Afflux de sang accompagné de tuméfaction inflammatoire en un point du corps : ***Fluxion** de poitrine*, congestion inflammatoire du tissu pulmonaire, de la plèvre ou des bronches (vieilli) ; ***Fluxion** dentaire*, gonflement infectieux de la gencive. XIV^e s. ; bas lat. *fluxio*, « écoulement » ; [flyksjɔ̃].

**FLUXMÈTRE,** subst. m.
*Métrol.* Appareil mesurant les variations d'un flux magnétique ou la vitesse d'écoulement d'un gaz. 1908 ; ☞ *flux* + *-mètre*[1] ; [flymɛtʀ].

**FLYSCH,** subst. m.
*Géol.* Dépôt sédimentaire composite formé, dans des bassins marins profonds, d'une alternance de grès et de marnes en accumulations très épaisses, caractéristique des premières étapes de l'orogenèse. 1875 ; mot suisse além. ; [fliʃ].

**Fm,** voir **FERMIUM**

**FOC,** subst. m.
*Mar.* Voile triangulaire située à l'avant d'un navire : *Petit, grand **foc*** ; ***Foc** d'artimon*, voile d'étai située entre le grand mât et le mât d'artimon. 1463 ; m. néerl. *focke*, « misaine » ; [fɔk].

**FOCAL, ALE, AUX,** adj.
**1.** *Opt.* Relatif au foyer d'un système optique (lentille, miroir) : *Distance **focale*** ou, empl. subst. fém., ***Focale***, comprise entre le foyer d'un système optique et le plan principal de ce dernier ; *Plans **focaux***, perpendiculaires à l'axe d'un système optique contenant le foyer. **2.** *Géom. Axe **focal** d'une conique* : axe de symétrie passant par le ou les foyers de la conique ; *Distance **focale** d'une conique* : distance du centre de la conique à l'un des deux foyers. 1812 (XV^e s., *tenir focale residence*, avoir feu et lieu) ; lat. *focus*, « foyer » ; [fɔkal, o].

**FOCALISATION,** subst. f.
*Phys.* Action de focaliser ; son résultat. Mil. XX^e s. ; ☞ *focaliser* ; [fɔkalizasjɔ̃].

**FOCALISER,** verbe trans. [3]
**1.** *Phys.* Faire converger (un faisceau de particules, un rayonnement) en un point. **2.** Fig. Concentrer : ***Focaliser** l'intérêt*. 1929 ; ☞ *focal* ; [fɔkalize].

**FOEHN,** subst. m.
**1.** Vent du sud chaud et sec, qui souffle en partic. dans les vallées suisses et autrichiennes. **2.** Helv. Sèche-cheveux. 1810 ; suisse além. *föhn*, du lat. *favonius*, « zéphyr » ; var. *fœhn, föhn* ; [føn].

**FOËNE,** subst. f.
*Pêche.* Harpon en forme de fourche, à branches barbelées et à long manche (synon. *fouine*). XII^e s. ; lat. *fuscina*, « trident » ; var. *foëne, fouëne* ; [fwɛn].

**FŒTAL, ALE, AUX,** adj.
Du fœtus : *Annexes **fœtales*** ; *Maturité **fœtale*** ; *Rythme cardiaque **fœtal***, rythme accéléré rappelant celui d'un fœtus. 1813 ; ☞ *fœtus* ; [fetal, o].

**FŒTOSCOPIE,** subst. f.
*Méd.* Examen du fœtus in utero avec un endoscope. V. 1980 ; ☞ *fœtus* + *-scopie* ; [fetɔskɔpi].

**FŒTUS,** subst. m.
*Biol.* Nom donné à l'embryon chez les Mammifères lorsque les caractères spécifiques de l'adulte sont reconnaissables. Fin XIV^e s. ; lat. *fetus*, « enfantement ; portée » ; [fetys].

**FOFOLLE,** voir **FOUFOU**

**FÖHN,** voir **FOEHN**

**FOI,** subst. f.
**I.** *Relig.* **1.** Croyance en Dieu, aux enseignements d'une religion : *Avoir la **foi***. ► *N'avoir ni **foi** ni loi* : ni religion ni morale. ► *Théol. La **Foi*** : première des trois vertus théologales. **2.** Méton. L'objet de cette croyance ; la religion elle-même : *Professer la **foi** chrétienne* ; *Embrasser la **foi** judaïque, musulmane*. **II. 1.** Assurance donnée d'être fidèle à sa parole, à ses engagements : *Trahir sa **foi***, son serment. ► Loc. *Ma **foi*** : se dit pour appuyer une affirmation, une négation. **2.** Garantie résultant de la parole donnée, d'un engagement : *Respecter la **foi** des traités* ; *Sous la **foi** du serment*. ► *Faire **foi*** : attester la véracité ; établir de façon incontestable. ► *Sur la **foi** de* : en se fiant à. **3.** ► *Bonne **foi*** : qualité d'une personne qui parle, agit avec loyauté, selon sa conscience ; *Être de bonne **foi*** : convaincu de la véracité de ses propos. ► *Mauvaise **foi*** : absence de loyauté, de sincérité dans ses propos, ses actes. **III. 1.** Confiance totale en qqn, en qqch. : *Une personne digne de **foi*** ; *Ajouter **foi** à un témoignage* ; *Avoir **foi** en l'avenir*. **2.** *Techn. Ligne de **foi*** : ligne servant, dans un instrument optique, à faire une visée exacte. Mil. XI^e s. ; lat. *fides*, « foi, confiance » ; [fwa].

**FOIE,** subst. m.
**1.** *Anat.* Viscère volumineux, situé sous le diaphragme, dans l'hypocondre droit, qui sécrète la bile et contrôle de multiples processus vitaux et de nombreux métabolismes. **2.** *Cuis.* **Foie** de certains animaux : *Tranche de **foie** de veau* ; *Terrine de **foies** de volaille*. ► ***Foie** gras* : **foie** d'oie ou de canard gavés. **3.** Loc. fam. *Avoir les **foies*** : avoir peur ; *Se ronger le(s) **foie(s)*** : être soucieux. VIII^e s. ; bas lat. *ficatum*, « foie (gras) », du lat. *ficus*, « figue », d'apr. le gr. *sukôton*, « foie gras (d'animal nourri aux figues) » ; [fwa].

PHYSIOLOGIE – Le foie présente quatre lobes constitués d'une multitude de lobules microscopiques, dont les éléments cellulaires, les hépatocytes, véritables usines biochimiques, synthétisent environ cinq cents enzymes différentes et produisent la bile, indispensable à la digestion des graisses. Il reçoit, par la veine porte et l'artère hépatique, le sang qui a circulé dans l'organisme, et le renvoie, après épuration, par la veine cave inférieure. Par l'intermédiaire du canal cholédoque, il déverse la bile dans le tube digestif. Le foie est une glande mixte, endocrine et exocrine, qui remplit des fonctions d'épuration et de détoxication (globules rouges altérés, poisons organiques, cholestérol), de synthèse et de stockage (glucose, urée, hématies, fer, acides gras, vitamines...), et de régulation.

**FOIE-DE-BŒUF,** subst. m.
*Bot.* Champignon parasite des chênes et des châtaigniers, au chapeau rouge et épais, comestible (synon. *fistuline*). Fin XIX^e s. ; comp. de *foie* et de *bœuf* ; plur. *foies-de-bœuf* ; [fwadbœf].

**FOIL,** subst. m.
*Mar.* Plan porteur équipant certaines embarcations et destiné à les faire déjauger. Mot angl. ; [fɔjl].

**FOIN (I),** subst. m.
**1.** Herbe fauchée et séchée qui sert à nourrir le bétail. **2.** Herbe sur pied, prête à être fauchée : *Faire les **foins***. **3.** Anal. Poils souples qui garnissent le fond d'un artichaut. **4.** Loc. *Avoir du **foin** dans ses bottes* : être dans une situation aisée (fam.) ; *Il est bête à manger du **foin*** : stupide ; *Faire du **foin*** : du scandale (pop.). Déb. XII^e s. ; lat. *fenum* ; [fwɛ̃].

**FOIN (II),** interj.
Marque le dédain, le mépris (vieilli ou littér.) : ***Foin** de cela !* 1579 ; p.-ê. altér. de *fi*, d'apr. *foin* (I) ; [fwɛ̃].

**FOIRAIL,** subst. m.
Région. (Centre et Sud). Champ de foire. Mil. XIX^e s. ; prov. *fieral*, du bas lat. *feria*, « foire » ; plur. *foirails*, var. *foiral* (plur. *foirals*) ; [fwaʀaj].

**FOIRE,** subst. f.
**1.** Grand marché public, spécialisé ou non dans un produit, qui se tient à dates fixes et dans un même lieu : ***Foire** aux vins* ; *Champ de **foire***, emplacement où se tient ce marché. ► *Théâtres de la **Foire*** : compagnies de théâtre burlesque qui, aux XVII^e et XVIII^e s., se produisaient dans les **foires** parisiennes et dont est issu le théâtre de boulevard. ► Loc. *S'entendre comme larrons en **foire*** : très bien ; ***Foire** d'empoigne* : mêlée ; *Faire la **foire*** : faire la fête (fam.). **2.** Fête foraine périodique. **3.** Grande exposition industrielle et commerciale où est proposée une large gamme de produits. Mil. XII^e s. ; bas lat. *feria*, du lat. *feriae*, « jours de fête » ; [fwaʀ].

**FOIRER,** verbe intrans. [3]
Fam. **1.** Avoir la diarrhée (vieilli). **2.** Fig. Mal fonctionner (faire long feu, par ex.), en parlant d'une arme ; tourner à vide, en parlant d'une vis. **3.** Rater lamentablement : *L'affaire a **foiré***. Fin XII^e s. ; *foire* (vx), « diarrhée » ; [fwaʀe].

**FOIREUX, EUSE,** adj.
Fam. **1.** Qui a la diarrhée (vieilli) ; empl. subst., personne lâche, peureuse. **2.** Fig. Qui est raté : *Film **foireux*** ; qui risque d'échouer : *Projet **foireux***. Fin XII^e s. ; *foire* (vx), « diarrhée » ; [fwaʀø, øz].

**FOIROLLE,** subst. f.
*Bot.* Plante aux vertus purgatives, de la famille des Euphorbiacées, aussi appelée mercuriale annuelle. 1548 ; *foire* (vx), « diarrhée » ; var. *foirole* ; [fwaʀɔl].

**FOIS,** subst. f.
**1.** Exprime l'unité d'un fait ou sa répétition : *On ne meurt qu'une **fois*** ; *Une **fois** par semaine* ; *C'est la troisième **fois** que je la vois* ; *Combien de **fois** devrai-je te le dire ?* ; *Vingt **fois** sur le métier remettez votre ouvrage* (Boileau). **2.** Exprime la multiplication d'une quantité, la comparaison, l'intensité : *Quatre **fois** deux font huit* ; *J'ai deux **fois** moins de temps que vous* ; *Il est dix **fois** plus fort que toi*. **3.** Loc. ► *Une bonne **fois** (pour toutes)* : définitivement. ► *Une **fois*** un certain jour ; *Il était une **fois*** : il y avait jadis, une certaine époque. ► Belg. *Dites-moi une **fois*** donc. ► *Cette **fois*** : désormais, dans cette circonstance ; *Cette **fois**-ci* : dans ce cas précis. ► *Une autre **fois*** : quand l'occasion se représentera. ► *Pour une **fois*** : exceptionnellement. ► *Ne pas se faire dire une chose deux **fois*** : la réaliser immédiatement. ► *Y regarder à deux **fois*** : bien réfléchir avant d'entreprendre qqch. ► *Des **fois*** : parfois, éventuellement (pop.). ► *À la **fois**, tout à la **fois*** : en même temps ; *Souventes **fois*** (ou *souventefois*) : maintes **fois** (vx). ► Loc. conj. *Des **fois** que* : au cas où, si jamais (pop.) ; *Une **fois** que* : dès que, après que ; *La **fois** où* : le jour où ; *chaque **fois** que* : dans chaque circonstance où

*Toutes les **fois** que* : dans tous les cas où. ► Loc. proverb. *Une **fois** n'est pas coutume* ; *Il n'y a que la première **fois** qui coûte.* XIe s. ; lat. *vices*, « tour ; succession » ; [fwa].

**FOISON, subst. f.**
Vx. Grande quantité. ► Loc. ***À foison*** : à profusion. Fin XIe s. ; lat. *fusio*, « action de répandre » ; [fwazɔ̃].

**FOISONNANT, ANTE, adj.**
Qui foisonne : *Une végétation **foisonnante**.* 1551 ; p. pr. de *foisonner* ; [fwazɔnɑ̃, ɑ̃t].

**FOISONNEMENT, subst. m.**
**1.** Fait de foisonner ; son résultat ; au fig. : ***Foisonnement** d'idées.* **2.** *Techn.* Augmentation de volume d'une matière. 1554 ; ☞ *foisonner* ; [fwazɔnmɑ̃].

**FOISONNER, verbe intrans. [3]**
**1.** Abonder. ► **Foisonner en, de.** Avoir en abondance. **2.** Être en abondance. ► *Bot.* et *Zool.* Se multiplier. **3.** *Techn.* Augmenter de volume, pour une matière. XIIe s. ; ☞ *foison* ; [fwazɔne].

**FOL, voir FOU**

**FOLÂTRE, adj.**
Espiègle (vx) ; léger, plaisant. 1394 ; ☞ *fol* ; [fɔlɑtʀ].

**FOLÂTRER, verbe intrans. [3]**
Jouer, s'agiter de manière folâtre. XVe s. ; ☞ *folâtre* ; [fɔlɑtʀe].

**FOLIACÉ, ÉE, adj.**
*Bot.* Qui a la forme d'une feuille : *Un lobe **foliacé**.* 1751 ; lat. *foliaceus* ; [fɔljase].

**FOLIAIRE, adj.**
*Bot.* Qui concerne les feuilles : *Nervures **foliaires**.* 1778 ; lat. *folium*, « feuille » ; [fɔljɛʀ].

**FOLIATION, subst. f.**
**1.** *Bot.* ► Disposition des feuilles sur une tige (synon. *phyllotaxie*). ► Moment où les feuilles d'une plante poussent (synon. *feuillaison*). **2.** *Géol.* Structure de certaines roches métamorphiques, présentant des feuillets d'une constitution différente. 1778 ; lat. *folium*, « feuille » ; [fɔljasjɔ̃].

**FOLICHON, ONNE, adj.**
Léger, gai (empl. surtout négatif) : *Ce travail n'est guère **folichon**.* 1615 ; ☞ *fol* ; [fɔliʃɔ̃, ɔn].

**FOLIE, subst. f.**
**I. 1.** Trouble mental. ► *Psych.* ***Folie** circulaire ou périodique* : autre nom de la psychose maniaco-dépressive (vieilli). **2.** Manque de jugement, de bon sens ; irrationalité. ► Loc. ***À la folie*** : extrêmement. **3.** Méton. Idée ou action extravagante. ► *Faire une **folie*** : une sottise, en partic. une dépense excessive. **4.** État d'exaltation ; manie : *La **folie** des grandeurs.* **II.** Riche maison de plaisance (vx). Fin XIe s. ; ☞ *fol* ; [fɔli].

**FOLIÉ, ÉE, adj.**
**1.** *Bot.* Garni de feuilles. **2.** *Géol.* Disposé en lamelles, en feuillets. 1713 ; lat. *foliatus* ; [fɔlje].

**FOLIO, subst. m.**
**1.** Feuillet d'un registre, en partic. d'un manuscrit. **2.** Ext. Numéro de chaque page d'un livre. Mil. XVe s. ; lat. *folium*, « feuille » ; [fɔljo].

**FOLIOLE, subst. f.**
*Bot.* Chacune des parties du limbe d'une feuille composée : *La feuille de trèfle comprend trois **folioles**.* 1749 ; lat. sc. *foliolum*, « petite feuille » ; [fɔljɔl].

**FOLIOTAGE, subst. m.**
Action de folioter ; son résultat. 1845 ; ☞ *folioter* ; [fɔljɔtaʒ].

**FOLIOTER, verbe trans. [3]**
Numéroter les feuillets, les pages de (un ouvrage). 1832 ; ☞ *folio* ; [fɔljɔte].

**FOLIOTEUR, subst. m.**
Numéroteur mécanique. 1872 ; ☞ *folioter* ; var. *une folioteuse* ; [fɔljɔtœʀ].

**FOLIQUE, adj.**
*Biochim. Acide **folique*** : vitamine ($B_9$) jouant un rôle très important dans la synthèse des protéines et des bases puriques et pyrimidiques ; elle est présente principalement dans la levure et de manière moins importante dans le foie, les légumes et les fruits frais. La carence en acide **folique** se traduit par des troubles neurologiques et hématologiques tels que l'anémie. Déb. XXe s. ; lat. *folium*, « feuille » ; [fɔlik].

**FOLK, subst. m. et adj.**
**Subst.** Folksong. **Adj.** Relatif au folksong. V. 1970 ; apocope de *folksong* ; [fɔlk].

**FOLKLORE, subst. m.**
**1.** Ensemble des traditions populaires d'une région, d'un pays : *Le **folklore** breton.* **2.** Ext. Chose pittoresque, mais sans importance. ► Loc. *C'est du **folklore*** : ce n'est pas sérieux (fam.). 1885 ; angl. *folk-lore*, de *folk*, « peuple », et de *lore*, « science » ; [fɔlklɔʀ].

**FOLKLORIQUE, adj.**
**1.** Relatif au folklore : *Une danse, un chant **folklorique**.* **2.** Ext. Pittoresque, mais peu sérieux (fam.). 1894 ; ☞ *folklore* ; abrév. fam. *folklo* ; [fɔlklɔʀik].

*Costumes **folkloriques** hongrois.*

**FOLKLORISTE, subst.**
Spécialiste des traditions populaires. 1882 ; ☞ *folklore* ; [fɔlklɔʀist].

**FOLKSONG, subst. m.**
Musique pop inspirée du folklore, qui s'est répandue aux États-Unis, puis en Europe, à partir des années soixante. Mil. XXe s. ; mot angl. ; [fɔlksɔ̃g].

**FOLLE (I), voir FOU**

**FOLLE (II), subst. f.**
Région. (Normandie). Filet de pêche fixe à larges mailles. 1553 ; lat. *follis*, « outre » ; [fɔl].

**FOLLEMENT, adv.**
D'une manière folle ; par ext., extrêmement : *C'est **follement** beau.* Mil. XIIe s. ; ☞ *fol* ; [fɔlmɑ̃].

**FOLLET, ETTE, adj.**
**1.** Vx. Un peu fou ; empl. subst., personne un peu folle. ► *Esprit **follet*** ou, empl. subst. masc., *Un **follet*** : lutin malicieux. **2.** Fig. Capricieux, indocile. ► *Feu **follet*** : petite flamme née de la combustion de gaz issus de la décomposition de matières organiques ou, par anal., chose fugace, personne insaisissable. XIIe s. ; ☞ *fol* ; [fɔlɛ, ɛt].

**FOLLICULAIRE (I), subst. m.**
Journaliste médiocre et peu soucieux de respecter la vérité (vx). 1759 ; mot créé par Voltaire, du lat. *folliculus*, « petit sac », pris à tort pour un dérivé de *folium*, « feuille » ; [fɔlikylɛʀ].

**FOLLICULAIRE (II), adj.**
*Anat.* Relatif à un follicule. 1814 ; ☞ *follicule* ; [fɔlikylɛʀ].

**FOLLICULE, subst. m.**
**1.** *Anat.* Structure organique en forme de sac : ***Follicule** pileux*, base renflée d'un poil. **2.** *Bot.* Fruit sec, formé d'un seul carpelle, s'ouvrant spontanément par une fente ventrale à maturité : *Le fruit de la pivoine est un **follicule**.* Déb. XIVe s. ; lat. *folliculus*, « petit sac », de *follis*, « soufflet ; bourse » ; [fɔlikyl].

**FOLLICULINE, subst. f.**
*Biol.* Hormone ovarienne qui déclenche la prolifération de la muqueuse utérine avant l'ovulation et est responsable du développement des organes génitaux et des caractères sexuels secondaires à la puberté (synon. *œstrone*). 1932 ; ☞ *follicule* ; [fɔlikylin].

**FOLLICULITE, subst. f.**
*Pathol.* Inflammation d'un follicule pilo-sébacé, qui peut provoquer l'apparition d'un bouton d'acné. 1836 ; ☞ *follicule* + *-ite* ; [fɔlikylit].

**FOMENTATION, subst. f.**
**1.** Vx. *Pharm.* Application sur la peau d'une médication chaude, sèche ou humide, pour soulager une inflammation ; le remède appliqué. **2.** Action de fomenter. 1314 ; bas lat. *fomentatio* ; [fɔmɑ̃tasjɔ̃].

**FOMENTER, verbe trans. [3]**
Provoquer, entretenir (un sentiment) : ***Fomenter** des passions* ; préparer (une action néfaste) : ***Fomenter** une révolte, un complot.* Fin XVIe s. (déb. XIIIe s., appliquer un cataplasme sur) ; lat. méd. *fomentare*, de *fomentum*, « cataplasme » ; [fɔmɑ̃te].

**FONÇAGE, subst. m.**
**1.** Action de garnir d'un fond. **2.** Action de creuser. 1840 ; ☞ *foncer* (I) ; [fɔ̃saʒ].

**FONCÉ, ÉE, adj.**
Dont la couleur est sombre (anton. *clair*) : *Un bois **foncé*** ; *Bleu **foncé**.* 1690 ; p. p. de *foncer* (I) ; [fɔ̃se].

**FONCER (I), verbe trans. [4]**
**1.** Garnir d'un fond. ► *Cuis.* Garnir de pâte, de lard, etc., le fond de (un plat). **2.** Pousser au fond ; creuser verticalement. **3.** Rendre plus sombre, plus foncé (une couleur) ; empl. intrans., devenir plus foncé, plus sombre. 1375 ; ☞ *fond* ; [fɔ̃se].

**FONCER (II), verbe intrans. [4]**
**1.** Se jeter (sur qqn, qqch.). **2.** Aller devant soi, très vite : *Il **fonce** dans la nuit.* 1680 ; altér. de *fondre*, d'apr. *foncer* (I) ; [fɔ̃se].

**FONCEUR, EUSE, subst.**
Personne qui fonce, qui va de l'avant (fam.). XXe s. ; ☞ *foncer* (II) ; [fɔ̃sœʀ, øz].

**FONCIER, IÈRE, adj.**
**1.** Relatif à un bien-fonds : *Propriétaire, impôt **foncier**.* **2.** Qui est au fond du caractère de qqn : *Une loyauté **foncière**.* 1370 ; ☞ *fonds* ; [fɔ̃sje, jɛʀ].

**FONCIÈREMENT, adv.**
**1.** Complètement. **2.** Dans le fond, intimement. Fin XVe s. ; ☞ *foncier* ; [fɔ̃sjɛʀmɑ̃].

**FONCTION, subst. f.**
**I. 1.** Exercice d'une charge ; par ext., profession en tant que contribution à la vie sociale : *S'acquitter de ses **fonctions*** ; *La **fonction** d'aide sociale* ; *Appartement de **fonction***, attribué gracieusement à une personne dans le cadre de son emploi. ► *Admin. La **fonction** publique* : ensemble des postes de gestion des affaires publiques ; ensemble des agents de l'État ; leur activité. **2.** Loc. *Faire **fonction** de* : remplir la charge de. ► Loc. prép. *En **fonction** de* : en considération de. **3.** Rôle actif caractéristique, dans un ensemble : *Les **fonctions** de l'esprit.* ► *Biol.* Ensemble des activités exercées par un organe, une cellule, un appareil : *Les **fonctions** respiratoires.* ► *Chim.* Propriété attribuée à des molécules possédant des groupes d'atomes spécifiques (par ex., le groupement fonctionnel –COOH fournit la **fonction** acide aux molécules dans lesquelles il se trouve). **4.** *Ling.* ► Rôle que joue un élément linguistique dans la structure syntaxique de l'énoncé (par oppos. à *nature*) : *Dans « Je lis un roman », « roman » a une **fonction** de complément d'objet.* ► *Les **fonctions** du langage* : les diverses fins assignées aux énoncés. **II.** *Math. **Fonction** d'un ensemble E vers un ensemble F* : relation $\mathcal{R}$ de E vers F telle que pour tout élément $x$ de E il existe au plus un élément $y$ de F relié à $x$ suivant $\mathcal{R}$. L'ensemble des $x$ de E pour lesquels un tel $y$ (unique) existe est l'ensemble (ou domaine) D de définition de $\mathcal{R}$. Pour $x \in D$, on note $\mathcal{R}(x) = y$ l'élément associé à $x$, dit image de $x$ par $\mathcal{R}$, et $\mathcal{R}$ est une application de D dans F. 1566 (fin XIVe s., exécution) ; lat. *functio*, « accomplissement, exécution » ; [fɔ̃ksjɔ̃].

**FONCTIONALISME, subst. m.**
**1.** *Anthropol.* Doctrine considérant une société comme un tout organisé dont les différentes parties assument des fonctions définies. **2.** *Archit.* Doctrine esthétique selon laquelle chaque partie d'un édifice doit être adaptée à un besoin défini. **3.** *Ling.* Linguistique fonctionnelle. 1866 ; ☞ *fonctionnel* ; var. *fonctionnalisme* ; [fɔ̃ksjɔnalism].

**FONCTIONALISTE, adj. et subst.**
**Adj.** Relatif, propre au fonctionalisme. **Subst.** Partisan du fonctionalisme. Mil. XXe s. ☞ *fonctionalisme* ; var. *fonctionnaliste* ; [fɔ̃ksjɔnalist].

**FONCTIONALITÉ, subst. f.**
Caractère de ce qui est fonctionnel. Mil. XXe s. ; ☞ *fonctionnel* ; var. *fonctionnalité* ; [fɔ̃ksjɔnalite].

**FONCTIONNAIRE, subst.**
Agent d'une administration publique, en partic. de l'État, titulaire d'un emploi permanent ; par ext., agent d'une administration internationale. 1770 ; ☞ *fonction* ; [fɔ̃ksjɔnɛʀ].

**FONCTIONNARIAT, subst. m.**
État de fonctionnaire. 1914 ; ☞ *fonctionnaire* ; [fɔ̃ksjɔnaʀja].

**FONCTIONNARISATION, subst. f.**
Action de fonctionnariser ; fait d'être fonctionnarisé. 1912 ; ☞ *fonctionnariser* ; [fɔ̃ksjɔnaʀizasjɔ̃].

**FONCTIONNARISER**, verbe trans. [3]
1. Transformer (un employé) en fonctionnaire. 2. Introduire les méthodes de travail d'un organisme d'État dans (une entreprise). 1933 ; ☞ *fonctionnaire* ; [fɔ̃ksjɔnaʀize].

**FONCTIONNARISME**, subst. m.
Prépondérance gênante des fonctionnaires de l'État (péj.). Mil. XIXe s. ; ☞ *fonctionnaire* ; [fɔ̃ksjɔnaʀism].

**FONCTIONNEL, ELLE**, adj.
1. *Méd.* Relatif aux fonctions d'un organe : *Trouble **fonctionnel***. 2. Qui remplit une fonction pratique ; rationnel : *Un mobilier **fonctionnel***. 3. *Chim.* Se dit d'un groupement d'atomes caractéristique d'une fonction chimique. 4. *Ling.* *Mots **fonctionnels*** : mots indiquant certaines relations grammaticales entre les constituants d'un énoncé (prépositions, conjonctions, articles, par ex.). ▸ *Linguistique **fonctionnelle*** : qui étudie les relations entre les constituants de l'énoncé du point de vue de leur fonction (synon. *fonctionalisme*). 5. *Math.* *Analyse **fonctionnelle*** : étude de certains ensembles de fonctions munis de structures algébriques et topologiques. Déb. XIXe s. ; ☞ *fonction* ; [fɔ̃ksjɔnɛl].

**FONCTIONNEMENT**, subst. m.
Fait de fonctionner ; manière dont qqch. fonctionne. 1838 ; ☞ *fonctionner* ; [fɔ̃ksjɔnmɑ̃].

**FONCTIONNER**, verbe intrans. [3]
1. Remplir sa fonction ou être en état de marche, pour un organe, un appareil. 2. Fam. Exercer son rôle ; agir : *Faire **fonctionner** sa mémoire*. 1787 (1637, remplir une charge) ; ☞ *fonction* ; [fɔ̃ksjɔne].

**FOND**, subst. m.
I. 1. Partie la plus basse d'une chose creuse (récipient, dépression, etc.). 2. Méton. Ce qui est contenu au **fond** d'un récipient : *Vider le **fond** d'un verre*. 3. Sol sur lequel reposent les eaux. ▸ Partie inférieure des eaux : *Les grands **fonds*** ; *Lame de **fond***. 4. Fig. Degré extrême, en parlant d'un état pénible : *Toucher le **fond** de la misère*. II. 1. Partie la plus reculée d'un lieu. ▸ Loc. *Le fin **fond** de* : la partie la plus lointaine de. 2. Partie opposée à l'ouverture ou à l'orifice : ***Fond** d'un tiroir, de la gorge*. III. 1. Réalité profonde, intime : *Du **fond** du cœur* ; *Le **fond** du problème*. ▸ Loc. *Au **fond*** : en réalité ; *Dans le **fond*** : en dernière analyse ; *Tout au **fond*** : complètement. 2. Élément essentiel ou permanent de la nature d'un être (synon. vx *fonds*) : *Avoir un bon **fond***. 3. Ce qui fait la matière, l'essence d'une œuvre (anton. *forme*). 4. *Sp.* Qualité physique essentielle de résistance : *Une course de **fond***. 5. Loc. **De fond**. Qui porte sur l'essentiel : *Article de **fond***. IV. 1. Ce qui sert d'appui, de base : *Un **fond** de lit*. ▸ *Cuis.* *Un **fond** de sauce*. 2. *Text.* Support sur lequel un décor est brodé. 3. Arrière-plan spatial : *Rideau de **fond***, fermant, au lointain, une scène ; arrière-plan sonore : ***Fond** musical*. 4. *Peint.* Première couche d'un tableau ; arrière-plan : *Un **fond** de paysage*. 5. *Typogr.* Chacune des marges d'une page imprimée. 6. ***Fond** de teint* : crème colorée servant au maquillage. Fin XIe s. ; lat. *fundus* ; [fɔ̃].

**FONDAMENTAL, ALE, AUX**, adj.
1. Qui sert de fondement, de base à qqch. : *Lois **fondamentales*** ; qui est essentiel : *Une contradiction **fondamentale***. ▸ *Couleurs **fondamentales*** (☞ *couleur*). 2. *Mus.* *Note **fondamentale*** ou, empl. subst. fém., *La **fondamentale*** : note qui sert de base à un accord. 3. *Sc.* *Recherche **fondamentale*** : orientée vers les domaines théoriques d'une discipline (anton. *appliquée*). XVe s. ; lat. chrét. *fundamentalis*, du lat. *fundamentum*, « fondement » ; [fɔ̃damɑ̃tal, o].

**FONDAMENTALEMENT**, adv.
De manière fondamentale. Fin XVIe s. ; ☞ *fondamental* ; [fɔ̃damɑ̃talmɑ̃].

**FONDAMENTALISME**, subst. m.
1. Courant religieux, né aux États-Unis, qui s'en tient à une interprétation littérale des Écritures. 2. Ext. Courant religieux conservateur et intégriste. V. 1920 ; ☞ *fondamental* ; [fɔ̃damɑ̃talism].

**FONDAMENTALISTE**, adj. et subst.
Se dit d'une personne qui se livre à la recherche fondamentale. Adj. Relatif, propre au fondamentalisme. V. 1970 ; ☞ *fondamental* ; [fɔ̃damɑ̃talist].

**FONDANT, ANTE**, adj. et subst. m.
Adj. 1. Qui fond : *Neige **fondante***. 2. Qui fond dans la bouche ; empl. subst. masc., préparation à base de sucre. Subst. *Métall.* Substance ajoutée à une autre pour en faciliter la fusion. 1611 (1553, où l'on s'enfonce) ; p. pr. de *fondre* ; [fɔ̃dɑ̃, ɑ̃t].

**FONDATEUR, TRICE**, subst. et adj.
Subst. 1. Personne qui fonde ou a fondé : ***Fondateur** d'une cité* ; ***Fondateur** d'une doctrine*. 2. Personne qui a créé un établissement d'utilité publique par voie de donation. Adj. Qui fonde, qui est à l'origine de qqch. 1370 ; lat. *fundator* ; [fɔ̃datœʀ, tʀis].

**FONDATION**, subst. f.
1. Action de fonder, d'établir. 2. Ensemble des travaux et ouvrages qui assurent les fondements d'une construction (gén. au plur.). 3. Création d'un établissement d'utilité publique par voie de donation ; par méton., l'établissement lui-même. 4. Attribution à une œuvre de fonds destinés à un usage précis. XIIe s. ; lat. chrét. *fundatio* ; [fɔ̃dasjɔ̃].

**FONDÉ, ÉE**, adj. et subst.
Adj. 1. Qui est établi solidement ; légitime. 2. Autorisé, en droit de : *Être **fondé** à croire*. Subst. ***Fondé** de pouvoir* : personne autorisée à exercer certains pouvoirs au nom d'une autre personne ou d'une société. XIIe s. ; p. p. de *fonder* ; [fɔ̃de].

**FONDEMENT**, subst. m.
1. Fesses (fam.). 2. Ce sur quoi repose qqch. : *Jeter les **fondements** d'un nouvel État*. 3. Raison, motif : *Une peur sans **fondement***. 4. Ensemble de principes de base d'un système d'idées : *Les **fondements** d'une doctrine*. 1119 ; lat. *fundamentum* ; [fɔ̃dmɑ̃].

**FONDER**, verbe trans. [3]
1. Établir sur des fondations. 2. Instituer, établir : *Il a **fondé** son entreprise*. 3. Établir (qqch.) sur une base déterminée : ***Fonder** un raisonnement sur des faits* ; empl. pronom. : *Sur quoi vous **fondez**-vous ?* 4. Fournir les fonds nécessaires à la création de (qqch.). Déb. XIIe s. ; lat. *fundare*, de *fundus*, « fond » ; [fɔ̃de].

**FONDERIE**, subst. f.
1. Technique et industrie de la fonte des métaux. 2. Usine où l'on fond le minerai. 1373 ; ☞ *fondre* ; [fɔ̃dʀi].

**FONDEUR (I), EUSE**, subst.
Masc. 1. Personne qui fabrique des objets en métal fondu. 2. Personne qui dirige une fonderie ; ouvrier qui y travaille. Fém. Machine utilisée en fonderie. 1260 ; ☞ *fondre* ; [fɔ̃dœʀ, øz].

**FONDEUR (II), EUSE**, subst.
*Sp.* Personne qui pratique le ski de fond. 1951 ; ☞ *fond* ; [fɔ̃dœʀ, øz].

**FONDIS**, voir **FONTIS**

**FONDOIR**, subst. m.
Lieu où l'on fond les graisses, dans un abattoir. 1680 ; ☞ *fondre* ; [fɔ̃dwaʀ].

**FONDOUK**, subst. m.
Entrepôt et auberge pour les marchands, dans les pays arabes. 1659 (1637, logement des janissaires) ; ar. *funduq*, du gr. *pandokeion*, « auberge » ; [fɔ̃duk].

**FONDRE**, verbe [51]
Trans. dir. 1. Vx. Répandre, verser. 2. Rendre liquide en chauffant : ***Fondre** du métal*. ▸ Méton. Fabriquer au moyen d'une matière en fusion : ***Fondre** une cloche*. 3. Fig. Combiner en un tout. ▸ *Peint.* ***Fondre** des couleurs* : les mêler de façon que le passage de l'une à l'autre soit graduel. Trans. indir. **Fondre sur**. Se précipiter sur, s'abattre sur : *L'aigle **fondit** sur sa proie*. Intrans. 1. Devenir liquide : *La neige **fond** au soleil*. ▸ Loc. ***Fondre** en larmes* : se mettre à pleurer abondamment. 2. Ext. Se dissoudre dans un liquide. 3. Fig. Diminuer rapidement : *Toute sa fortune a **fondu*** ; maigrir beaucoup (fam.). 4. Se laisser attendrir : ***Fondre** devant tant d'amabilité*. Pronom. Se combiner, se confondre : *Il se **fond** dans la foule*. Mil. XIe s. ; lat. *fundere* ; [fɔ̃dʀ].

**FONDRIÈRE**, subst. f.
Affaissement de terrain souvent envahi d'eau ; trou bourbeux. Mil. XIIIe s. ; lat. *fundus*, « fond » ; [fɔ̃dʀijɛʀ].

**FONDS**, subst. m.
I. 1. Terrain sur lequel on bâtit. 2. Bien meuble ou immeuble : ***Fonds** de terre*. ▸ ***Fonds** de commerce* : ensemble de biens, corporels ou non, dont dispose un industriel ou un commerçant pour exercer son métier ou, au fig. (péj.), ensemble d'arguments ou d'acquis utilisés pour séduire un public ou affermir une position. II. 1. Capital dont on dispose. ▸ Loc. *Être en **fonds*** : avoir de l'argent disponible ; *À **fonds** perdu(s)* : sans espérer recouvrer sa créance. 2. Capital qui sert à financer une entreprise (gén. au plur.) : *Bailleur de **fonds***. ▸ ***Fonds** publics* : argent procuré par l'État ou qui jouit de sa garantie. 3. Organisme chargé de financer : *Le **Fonds** monétaire international (F. M. I.)*. III. Fig. 1. Ensemble des qualités d'un individu : *Un **fonds** d'optimisme*. 2. Ensemble de ressources exploitables : *Le **fonds** d'un musée, d'une bibliothèque* ; ensemble d'archives et de documents légués par qqn à un organisme public : *Le **fonds** Klotz*. Déb. XIIIe s. ; ☞ *fond* ; [fɔ̃].

**FONDU, UE**, adj. et subst.
Adj. 1. Passé à l'état liquide. 2. Ext. Flou : *Des contours **fondus***. 3. *Peint.* *Couleurs **fondues*** : qui passent par des tons gradués ; empl. subst. masc. : *Un **fondu** de bleus*. Subst. masc. *Cin.* Apparition ou disparition graduelle de l'image, du son : *Un **fondu** enchaîné*. Subst. fém. *Cuis.* 1. Plat d'origine suisse, composé de fromages à pâte cuite que l'on fait fondre avec du vin blanc, et qui se mange avec du pain que l'on trempe dans le caquelon : ***Fondue** savoyarde*. 2. Anal. ***Fondue** bourguignonne* : plat composé de petits cubes de viande que l'on plonge dans l'huile bouillante et que l'on agrémente avec différentes sauces. 1170 ; p. p. de *fondre* ; [fɔ̃dy].

**FONGIBLE**, adj.
*Dr.* *Bien **fongible*** : bien qui se consomme par l'usage et qui peut être remplacé par un autre de mêmes nature, qualité et quantité. 1752 ; lat. *fungi*, « s'acquitter de ; consommer » ; [fɔ̃ʒibl].

**FONGICIDE**, adj.
Propre à détruire les champignons parasites ; empl. subst. masc., substance, traitement **fongicide**. 1912 ; ☞ *fongus* + *-cide* ; [fɔ̃ʒisid].

**FONGIFORME**, adj.
Qui a la forme d'un champignon. 1825 ; ☞ *fongus* + *-forme* ; [fɔ̃ʒifɔʀm].

**FONGIQUE**, adj.
Relatif aux champignons. 1846 ; ☞ *fongus* ; [fɔ̃ʒik].

**FONGOSITÉ**, subst. f.
1. État de ce qui est fongueux. 2. *Pathol.* Végétation vasculaire en bourgeons, qui se développe à la surface d'une plaie. 1561 ; ☞ *fongueux* ; [fɔ̃gozite].

**FONGUEUX, EUSE**, adj.
Qui a l'aspect d'un champignon ou d'une éponge. 1561 ; lat. *fungosus*, « spongieux » ; [fɔ̃gø, øz].

**FONGUS**, subst. m.
1. *Bot.* Champignon. 2. *Pathol.* Tumeur fongueuse. 1528 ; lat. *fungus* ; [fɔ̃gys].

**FONTAINE**, subst. f.
1. Eau vive sortant d'une source. 2. Récipient qui contient de l'eau pour les usages domestiques (vieilli). 3. Construction aménagée pour l'écoulement de l'eau, avec un ou plusieurs bassins : *Les **fontaines** Wallace, à Paris*. Mil. XIIe s. ; bas lat. *fontana*, du lat. *fons*, « source, fontaine » ; [fɔ̃tɛn].

**FONTAINIER**, subst. m.
1. Employé chargé de l'entretien des fontaines publiques ou du réseau hydraulique. 2. Personne qui cherche des eaux souterraines exploitables. 1292 ; ☞ *fontaine* ; var. *fontenier* ; [fɔ̃tɛnje].

**FONTANELLE**, subst. f.
*Anat.* Espace cartilagineux situé entre les os du crâne du nouveau-né, qui s'amenuise au fur et à mesure de l'ossification. 1690 ; anc. fr. *fontenelle* « petite fontaine ; haut du crâne » ; [fɔ̃tanɛl].

**FONTANGE**, subst. f.
Coiffure faite de tissus et de rubans, retenue droite sur la tête par des fils de laiton, portée par les femmes sous Louis XIV. 1688 ; anthropon. *duchesse de Fontanges*, maîtresse de Louis XIV ; [fɔ̃tɑ̃ʒ]

**FONTE (I)**, subst. f.
1. Fait de fondre, de se liquéfier : *La **fonte** des neiges*. 2. Action de fondre des métaux ; par ext., fabrication d'objets avec du métal fondu : *La **fonte** de canons*. 3. Méton. Alliage de fer et de carbone : *Un poêle en **fonte***. 4. *Typogr.* Ensemble complet de caractères de même type. 1472 ; lat. pop. °*fundita*, du lat. *fundere*, « fondre » ; [fɔ̃t].

**FONTE (II)**, subst. f.
Chacun des deux étuis en cuir suspendus de chaque côté de l'arçon d'une selle et contenant des pistolets (gén. au plur.). 1733 ; ital. *fonda*, « bourse » ; [fɔ̃t].

**FONTENIER**, voir **FONTAINIER**

**FONTIS**, subst. m.
Affaissement du sol provoqué par un éboulement souterrain. 1287 ; ☞ *fondre* ; var. *fondis* ; [fɔ̃ti]

**FONTS**, subst. m. plur.
*Relig.* ***Fonts** baptismaux* : cuve remplie d'eau bénite servant pour les baptêmes. Fin XIe s. ; lat. chrét. *fontes*, du lat. *fons*, « source, fontaine » ; [fɔ̃].

**FOOTBALL,** subst. m.
*Sp.* **1.** Jeu au cours duquel deux équipes de onze joueurs tentent, en le poussant du pied, d'envoyer un ballon rond dans le but adverse. **2.** ***Football américain*** : jeu qui se pratique avec un ballon ovale que l'on fait circuler au pied ou à la main. 1698 ; angl. *football*, de *foot*, « pied », et de *ball*, « balle » ; abrév. fam. *foot* ; [futbol].

© B. Thomas-Gamma

**Football.** *Le joueur de droite amorce un dribble.*

**FOOTBALLEUR, EUSE,** subst.
Personne qui joue au football. 1894 ; angl. *footballer* ; [futbolœʀ, øz].

**FOOTING,** subst. m.
Marche ou course à pied en terrain libre, visant à entretenir sa forme physique (synon. *jogging*). 1895 ; angl. *footing*, « pied ; position » ; [futiŋ].

**FOR,** subst. m.
**1.** Vx. Juridiction ecclésiastique. **2.** Loc. *Dans, en son **for** intérieur* : dans le secret de sa conscience. 1611 ; lat. *forum*, « place publique ; tribunal » ; [fɔʀ].

**FORAGE,** subst. m.
Action de forer ; son résultat : *Forage d'un puits.* Déb. XIVe s. ; ☞ *forer* ; [fɔʀaʒ].

**FORAIN, AINE,** adj. et subst. m.
Adj. **1.** Vx. Qui vient de l'extérieur. **2.** Qui vend sur les foires, les marchés : *Les marchands **forains**.* **3.** Qui se produit sur les foires : *Fête **foraine**,* fête itinérante proposant un ensemble d'attractions (jeux, manèges, etc.). Subst. Personne qui propose une attraction dans le cadre de fêtes **foraines**. Mil. XIIe s. ; bas lat. *foranus*, « étranger », du lat. *foris*, « dehors » ; [fɔʀɛ̃, ɛn].

**FORAMEN,** subst. m.
*Anat.* Petit orifice. Fin XVIIIe s. ; mot lat. ; [fɔʀamɛn].

**FORAMINÉ, ÉE,** adj.
Percé de petits trous. 1838 ; ☞ *foramen* ; [fɔʀamine].

**FORAMINIFÈRES,** subst. m. plur.
*Zool.* Ordre de protozoaires marins de très petite taille, entourés d'une capsule calcaire d'où sortent des pseudopodes qui leur servent à se nourrir et à se mouvoir. Au sing. *La nummulite est un **foraminifère**.* 1826 ; ☞ *foramen* + *-fère* ; [fɔʀaminifɛʀ].

**FORBAN,** subst. m.
**1.** Pirate qui écumait les mers pour son propre profit. **2.** Ext. Personne sans foi ni loi, brigand. Fin XIIIe s. (1247, bannissement) ; *forbannir* (vx), de l'anc. bas frq. °*firbannjan*, « bannir » ; [fɔʀbɑ̃].

**FORÇAGE,** subst. m.
**1.** Action de soumettre à une force vive, à une pression : *Forçage d'un coin dans une fente.* ▸ *Vén. Forçage d'un gibier* : fait de le traquer jusqu'à épuisement. **2.** *Hortic.* Technique particulière de culture des plantes, visant à en hâter le développement. Fin XIIe s. ; ☞ *forcer* ; [fɔʀsaʒ].

**FORÇAT,** subst. m.
**1.** Vx. Galérien, bagnard. **2.** Fig. Homme qui mène une existence très pénible. 1528 ; ital. *forzato*, de *forzare*, « forcer ; condamner » ; [fɔʀsa].

**FORCE,** subst. f.
**I. 1.** Énergie musculaire qui permet à un être vivant d'agir sur son environnement : *Une **force** herculéenne ; Blessé, il n'avait plus la **force** de crier.* ▸ Au plur. Ressources physiques : *Recouvrer ses **forces** après une longue maladie.* ▸ Loc. *À la **force** du poignet* : par ses seuls moyens ; *En **force*** : en y mettant beaucoup ou trop de dépense physique ; *La **force** de l'âge* : période où l'individu est dans la pleine possession de ses moyens ; *Ne pas sentir sa **force*** : faire mal à qqn sans s'en rendre compte ; *Travailleur de **force*** : qui doit fournir de gros efforts physiques. **2.** Ensemble des ressources intellectuelles et morales d'un individu : ***Force** de l'esprit, de caractère ; **Force** d'âme,* courage moral. ▸ *Théol. La **Force*** : acceptation et endurance patiente des épreuves (l'une des quatre vertus cardinales). **3.** Habileté, talent : *Deux joueurs de même **force**.* **4.** *La **force** de travail* : concept marxiste caractérisant l'activité humaine comme facteur de production pour la distinguer des machines et des matières transformées. **II. 1.** Pouvoir de contrainte ; exercice de ce pouvoir : ***Force** reste à la loi ; S'incliner devant la **force**.* ▸ Loc. *Coup de **force*** : intervention violente ; *Épreuve de **force*** : conflit dans lequel la volonté très grande de triompher de l'autre est prédominante ; *De gré ou de **force*** : volontairement ou non. ▸ *Dr. **Force** exécutoire* : qualité d'un acte juridique qui permet d'avoir recours à la **force** publique pour son exécution. **2.** Caractère irrésistible de qqch. : *La **force** de l'instinct, de l'habitude ; La **force** des choses,* le poids de la nécessité. ▸ **Force est de** (+ inf.). Il faut : ***Force** est de constater, de reconnaître la vérité.* **III.** Pouvoir d'action que confèrent à un groupe son nombre, ses moyens matériels, son organisation : *L'union fait la **force**.* ▸ Empl. coll. *La **force** publique* : l'ensemble des organismes de maintien de l'ordre. ▸ *Arm. **Force** de dissuasion* : capacité de riposte nucléaire dissuadant un adversaire d'une agression éventuelle ; ***Force** de frappe* : capacité d'attaque ou de riposte rapide et puissante. Plur. Ensemble des moyens en hommes et en matériel dont disposent les armées : *Les **forces** aéronavales* ; par ext. : *Les **forces** de l'ordre,* la police ou la gendarmerie. ▸ Anal. Groupe social exerçant une influence : *Les **forces** d'opposition ; Les **forces** vives d'un pays,* ceux qui, par l'âge, la compétence, l'engagement, sont l'élément dynamique de ce pays. **IV. 1.** Pouvoir d'action ou d'influence de qqch. : *La **force** d'une digue.* ▸ En appos. *Idée(-)**force*** : idée sur laquelle repose un raisonnement. **2.** Degré d'intensité, d'efficacité : *La **force** d'un raisonnement, d'un style, d'une conviction.* ▸ Loc. *Dans toute la **force** du terme, du mot* : au sens non affaibli du terme. **3.** Manifestation de la puissance de la nature : *Les **forces** cosmiques, telluriques.* **4.** Degré de puissance d'un élément atmosphérique ou terrestre : *Être emporté par la **force** du courant ; Un vent de **force** 4.* **5.** *Phys.* Dans le langage classique des physiciens, toute « cause » susceptible de déformer un corps ou de modifier son état de mouvement (de l'accélérer, de le ralentir). En fait, la **force** n'est pas une réalité physique au même titre que, par ex., la masse d'une particule ; c'est un concept forgé à partir de grandeurs directement observables (masse, vitesse, accélération d'une particule ou d'un corps), et défini par la loi fondamentale de la dynamique (Newton) comme le produit *ma* de la masse *m* d'une particule (ou d'un corps, qui est un ensemble de particules) par l'accélération *a* qui lui est communiquée. Cette accélération est le résultat d'une interaction entre la particule considérée et une autre (ou un autre ensemble de particules). **6.** *Techn. Jambe de **force*** : étai incliné servant à soutenir une structure ou une construction. **V. 1.** Loc. *À **force*** : à la longue (fam.) ; *À toute **force*** : impérativement. ▸ **Force.** Beaucoup de : *Après **force** tentatives.* **2.** Loc. prép. **À force de.** ▸ (+ inf.) En répétant l'action de : *Décourager qqn à **force** de le critiquer.* ▸ (+ subst.) Grâce à : *Réussir à **force** de persévérance.* Fin XIe s. ; bas lat. *fortia*, du lat. *fortis*, « fort » ; [fɔʀs].

**FORCÉ, ÉE,** adj.
**1.** Qui est imposé par contrainte extérieure (humaine ou circonstancielle) : *Travaux **forcés** ; Atterrissage **forcé** ; Départ **forcé**.* **2.** Que l'on ne peut éviter (fam.) : *Il va souffrir, c'est **forcé** !* **3.** Exagéré, poussé au-delà des limites habituelles, naturelles ou souhaitables : *Sourire **forcé** ; Un film aux effets **forcés**.* XVIe s. ; p. p. de *forcer* ; [fɔʀse].

**FORCEMENT,** subst. m.
Action de forcer, de traiter avec violence : ***Forcement** d'une serrure, d'une place forte.* ▸ *Vén.* Forçage. 1611 (1341, viol) ; ☞ *forcer* ; [fɔʀsəmɑ̃].

**FORCÉMENT,** adv.
**1.** Vx. Par force. **2.** De manière nécessaire, inéluctable. Fin XIIIe s. ; ☞ *forcé* ; [fɔʀsemɑ̃].

**FORCENÉ, ÉE,** adj. et subst.
Adj. **1.** Vx. Qui a perdu la raison, fou. **2.** Qui est d'une extrême violence, d'une forte intensité : *Une passion **forcenée**.* **3.** Acharné, tenace : *Un travail **forcené**.* Subst. Personne qui ne se maîtrise pas ou qui perd la mesure d'un sentiment, d'une activité : *Hurler comme un **forcené** ; Un **forcené** de la gâchette.* Mil. XIe s. ; formé de *fors* et de *sen* (vx), « raison, sens », d'apr. *force* ; [fɔʀsəne].

**FORCEPS,** subst. m.
*Méd.* Instrument obstétrical composé de deux pièces (cuillers), articulées en forme de pince, servant à saisir la tête de l'enfant en cas d'expulsion difficile. 1692 ; lat. *forceps*, « pince de forgeron » ; [fɔʀsɛps].

**FORCER,** verbe [4]
Trans. **1.** Enfoncer, fracturer : ***Forcer** un coffre-fort, une grille d'entrée* ; par anal., franchir en force : ***Forcer** un barrage policier* ; au fig. : ***Forcer** la porte de qqn,* entrer chez lui contre son gré. **2.** Fausser, tordre : ***Forcer** une clé.* **3.** Astreindre (qqn) par la force ou la contrainte ; obliger : ***Forcer** qqn à la démission, à démissionner ; Il **fut forcé** de prolonger son séjour.* **4.** S'assurer (qqch.) par la lutte ou la volonté : ***Forcer** la victoire, une décision.* ▸ Susciter irrésistiblement : *Un tel geste **forcera** l'admiration.* **5.** Dépasser ; outrer : ***Forcer** la dose ; **Forcer** une description.* **6.** Pousser au-delà de l'activité normale : ***Forcer** sa voix ; **Forcer** le pas.* **7.** *Spéc.* ▸ *Agric. **Forcer** une plante, des fleurs* : activer leur maturation. ▸ *Vén.* Épuiser, mettre aux abois (un animal). Intrans. Fournir un effort excessif : *Il gagna sans **forcer**.* ▸ **Forcer sur.** Abuser de (fam.) : ***Forcer** sur le sel.* Pronom. Se contraindre (à faire qqch.) : *Se **forcer** à sourire* ; faire un effort sur soi : *Faites de l'exercice, **forcez-vous** un peu !* Déb. XIIIe s. (XIe s., faire violence à qqn) ; lat. pop. °*fortiare*, du bas lat. *fortia*, « force » ; [fɔʀse].

**FORCERIE,** subst. f.
*Hortic.* Serre bien chauffée favorable à la maturation des plantes. 1862 ; ☞ *forcer* ; [fɔʀsəʀi].

**FORCES,** subst. f. plur.
*Techn.* Cisailles utilisées pour la tonte des moutons ou pour la taille des cuirs et des métaux. Déb. XIIe s. ; lat. *forficem* ; [fɔʀs].

**FORCING,** subst. m.
Anglic. **1.** *Sp.* Attaque soutenue. **2.** Fig. Pression insistante (fam.). **3.** Effort intensif. 1916 ; angl. *forcing*, de *to force*, « forcer » ; [fɔʀsiŋ].

**FORCIPRESSURE,** subst. f.
*Chir.* Compression d'un vaisseau à l'aide d'une pince hémostatique. 1877 ; lat. *forceps*, « pince », et *pressura*, « action de presser » ; [fɔʀsipʀesyʀ].

**FORCIR,** verbe intrans. [19]
**1.** Devenir plus robuste : *Il **avait** grandi, **forci*** ; par ext., devenir plus gros : *Elle **a** un peu **forci**.* **2.** Devenir plus intense : *Le vent **forcit**.* 1865 ; ☞ *fort*, d'apr. *forcer* ; [fɔʀsiʀ].

**FORCLORE,** verbe trans. [80]
*Dr.* Déchoir (qqn) d'un droit qui n'a pas été exercé dans les délais légaux ou fixés par contrat. XIIe s. ; formé de *fors* et de *clore* ; verbe défectif ; [fɔʀklɔʀ].

**FORCLOS, OSE,** adj.
**1.** Exclu, rejeté : *Se sentir désespéré, **forclos**.* **2.** *Dr.* Qui a perdu son droit d'agir en justice : *Condamné **forclos**.* XIVe s. ; p. p. de *forclore* ; [fɔʀklo, oz].

**FORCLUSION,** subst. f.
**1.** *Dr.* Perte d'un droit qui n'a pas été exercé dans les délais prescrits : *Il y a **forclusion** du droit d'appel.* **2.** *Psychanal.* Mécanisme de défense consistant à rejeter toute représentation insupportable. 1446 ; ☞ *forclore*, d'apr. *exclusion* ; [fɔʀklyzjɔ̃].

**FORER,** verbe trans. [3]
**1.** *Techn.* Percer, trouer : ***Forer** des métaux.* **2.** Ext. Creuser le sol pour former (un conduit, un puits, etc.) : ***Forer** un tunnel.* Fin XIIe s. ; lat. *forare* ; [fɔʀe].

**FORESTAGE,** subst. m.
Activité du forestier. XXe s. ; *forest*, anc. forme de *forêt* ; [fɔʀɛstaʒ].

**FORESTERIE,** subst. f.
Ensemble des activités et des méthodes liées à la gestion des forêts. 1946 ; ☞ *forestier* ; [fɔʀɛstəʀi].

**FORESTIER, IÈRE,** subst. m. et adj.
Subst. Professionnel de la forêt ; en appos. : *Un garde **forestier**.* Adj. Relatif aux forêts : *Administration **forestière*** ; qui est couvert de forêts : *Massif **forestier**.* Mil. XIIe s. ; prob. *forest*, anc. forme de *forêt* ; [fɔʀɛstje, jɛʀ].

**FORET,** subst. m.
Outil métallique servant à forer le métal, le bois, etc. ▸ *Dent.* Instrument utilisé pour forer les dents. XIIIe s. ; ☞ *forer* ; [fɔʀɛ].

**FORÊT,** subst. f.
**1.** Vaste étendue boisée ; ensemble des arbres qui la couvrent : *Une **forêt** de feuillus, de résineux* ; *La **forêt** amazonienne* ; *L'administration des Eaux et **Forêts**.* **2.** Anal. Profusion : *Une **forêt** de banderoles multicolores, de pylônes* ; au fig. : *Se perdre dans une **forêt** de détails.* Déb. XII^e s. ; bas lat. *silva forestis*, « forêt relevant de la cour de justice du roi » ; [fɔʀɛ].

**FORÊT-GALERIE,** subst. f.
*Géogr.* Bande forestière qui borde les cours d'eau dans certaines régions de savane. XX^e s. ; comp. de *forêt* et de *galerie* ; plur. *forêts-galeries* ; [fɔʀɛgalʀi].

**FOREUR, EUSE,** subst. et adj.
**Subst. masc.** Personne spécialiste du forage : ***Foreur** de métaux, de puits.* **Subst. fém.** Machine servant à forer. **Adj.** Qui est capable de forer. 1838 ; ☞ *forer* ; [fɔʀœʀ, øz].

**FORFAIRE,** verbe [57]
**Intrans.** Vx. Commettre une faute, un manquement. **Trans. indir.** Forfaire à. Manquer lourdement à : ***Forfaire** à sa parole, à l'honneur.* Fin X^e s. ; crois. de *fors* et de *faire* (I) ; verbe défectif ; [fɔʀfɛʀ].

**FORFAIT (I),** subst. m.
Crime monstrueux, faute atroce : *Les **forfaits** de la reine Frédégonde.* Fin X^e s. ; p. p. de *forfaire* ; [fɔʀfɛ].

**FORFAIT (II),** subst. m.
**1.** Clause d'un contrat déterminant un prix invariable pour une prestation, un service ; tarif déterminé par avance : *Fixer un **forfait** pour des travaux.* ► Prix fixé pour un ensemble de prestations : *Un **forfait** séjour.* **2.** *Fisc.* Système d'imposition de certains contribuables non salariés, qui détermine l'assiette imposable. 1580 ; crois. de *fort* (du m. fr. *fuer*, « taux ») et de *faire* (I), d'apr. *forfait* (I) ; [fɔʀfɛ].

**FORFAIT (III),** subst. m.
*Sp.* Indemnité que doit verser aux organisateurs d'une course le propriétaire d'un cheval lorsqu'il ne le fait pas courir ; par ext., amende due pour la rupture du contrat dans une épreuve sportive. ► Loc. *Déclarer **forfait*** : annoncer qu'on ne prendra finalement pas part à une compétition et, au fig., renoncer à une entreprise. 1829 ; angl. *forfeit*, de l'anc. fr. *forfait*, « manquement » ; [fɔʀfɛ].

**FORFAITAIRE,** adj.
Dont le montant est fixé par forfait : *Verser une somme **forfaitaire**.* 1910 ; ☞ *forfait* (II) ; [fɔʀfɛtɛʀ].

**FORFAITURE,** subst. f.
**1.** *Féod.* Félonie, violation d'un serment de foi et d'hommage prêté par un vassal à son suzerain. **2.** *Dr.* Prévarication, faute commise par un fonctionnaire : *Un crime de **forfaiture**.* **3.** Ext. Violation d'un texte, trahison d'une parole. Fin XIII^e s. (déb. XII^e s., amende qui punit un délit) ; ☞ *forfaire* ; [fɔʀfɛtyʀ].

**FORFANTERIE,** subst. f.
**1.** Caractère d'une personne encline à se vanter, à exagérer ses mérites. **2.** Acte, propos dénotant ce caractère. 1669 (fin XVI^e s., imposture, tromperie) ; *forfant* (vx), de l'ital. *forfante*, « coquin » ; [fɔʀfɑ̃tʀi].

**FORFICULE,** subst. f.
*Zool.* Insecte brun noirâtre de la famille des Forficulidés : *Le perce-oreille est une **forficule**.* 1791 ; lat. sc. *forficula*, de *forfex*, « ciseau » ; [fɔʀfikyl].

**FORGE,** subst. f.
**1.** Atelier où l'on travaille les métaux au feu et au marteau. **2.** Méton. Fourneau à soufflerie destiné à chauffer les métaux. ► Loc. *Souffler comme une **forge*** : avoir le souffle court. **3.** Action de forger (rare) : *La **forge** du fer.* Mil. XII^e s. ; lat. *fabrica*, « atelier, forge » ; [fɔʀʒ].

**FORGEABLE,** adj.
Qui peut être forgé. 1627 ; ☞ *forger* ; [fɔʀʒabl].

**FORGEAGE,** subst. m.
*Techn.* Action de forger : ***Forgeage** au marteau* ; ***Forgeage** mécanique.* 1755 ; ☞ *forger* ; [fɔʀʒaʒ].

**FORGER,** verbe trans. [5]
**1.** Travailler (un métal, un alliage) au marteau ou à la presse : ***Forger** du cuivre* ; ***Forger** à chaud, à froid* ; empl. adj. : *Une grille en fer **forgé*** ; par méton. : ***Forger** un sabre, des chaînes.* ► Loc. proverb. *C'est en **forgeant** qu'on devient forgeron* : c'est avec le travail qu'on acquiert la connaissance de son métier, l'habileté. **2.** Fig. ► Endurcir : *Cette épreuve lui a **forgé** le caractère.* ► Créer de toutes pièces : ***Forger** une doctrine, un terme nouveau.* ► Imaginer, inventer ; empl. pronom. : *Se **forger** des illusions* ; *Se **forger** un alibi*, l'inventer pour tromper. Mil. XII^e s. ; lat. *fabricare*, « fabriquer, forger » ; [fɔʀʒe].

**FORGERON,** subst. m.
**1.** Artisan qui travaille au marteau le métal chauffé. **2.** Ouvrier d'une forge industrielle. XIV^e s. ; ☞ *forger* ; [fɔʀʒəʀɔ̃].

**FORGEUR, EUSE,** subst.
**Masc.** Artisan qui fabrique des objets en les façonnant à la forge. **Masc.** et **Fém.** Fig. Personne qui construit, invente qqch. : *Des charlatans, des **forgeurs** de rêves.* XIII^e s. ; ☞ *forger* ; [fɔʀʒœʀ, øz].

**FORINT,** subst. m.
Monnaie officielle de la Hongrie (FOR) : *Un **forint** compte 100 fillérs.* Mil. XX^e s. ; mot hongr. ; [fɔʀint].

**FORJETER,** verbe [14]
*Archit.* **Trans.** Construire en saillie. **Intrans.** Déborder un alignement, un aplomb. 1543 (déb. XII^e s., repousser qqn) ; formé de *fors* et de *jeter* ; [fɔʀʒəte].

**FORLANCER,** verbe trans. [4]
*Vèn.* Faire sortir (le gibier) de son gîte, débusquer. 1690 ; formé de *fors* et de *lancer* (I) ; [fɔʀlɑ̃se].

**FORLANE,** subst. f.
Ancienne danse italienne, à deux temps ; musique composée sur ce rythme allègre. 1720 ; ital. *furlana*, forme dial. fém. de *friulano*, « du Frioul » ; [fɔʀlan].

**FORLIGNER,** verbe intrans. [3]
**1.** Vx. Trahir son lignage ; dévier de la voie tracée par ses ancêtres. **2.** Manquer à l'honneur, déchoir. Déb. XII^e s. ; formé de *fors* et de *ligne* ; [fɔʀliɲe].

**FORLONGER,** verbe [5]
*Vèn.* **Intrans.** S'éloigner de son territoire, en parlant d'un animal traqué. **Trans.** Prendre de l'avance sur, distancer : *Le cerf **forlongeait** la meute.* Fin XIV^e s. ; crois. de *fors* et de *éloigner* ; [fɔʀlɔ̃ʒe].

**FORMAGE,** subst. m.
*Techn.* Action de mettre en forme un objet manufacturé. 1877 (1512, dessin) ; ☞ *former* ; [fɔʀmaʒ].

**FORMALDÉHYDE,** subst. m.
*Chim.* Autre nom du méthanal, qu'on appelle aussi aldéhyde formique ou formol. 1893 ; crois. de *formique* et de *aldéhyde* ; [fɔʀmaldeid].

**FORMALISATION,** subst. f.
Action de formaliser ; le résultat de cette action. 1945 ; ☞ *formaliser*, prob. d'apr. l'angl. *formalization* ; [fɔʀmalizasjɔ̃].

**FORMALISER,** verbe trans. [3]
*Log.* Réduire (un système de connaissances) à ses caractères formels ; donner une forme logique aux éléments de (un problème), en faisant abstraction du contenu. 1878 ; ☞ *formel*, d'apr. l'angl. *to formalize*, « donner une forme » ; [fɔʀmalize].

**FORMALISER (SE),** verbe pronom. [3]
Être choqué par un manquement à la bienséance, par un comportement qui n'est pas celui attendu. 1539 ; lat. *formalis*, « relatif au moule » ; [fɔʀmalize].

**FORMALISME,** subst. m.
**1.** *Philos.* Doctrine soutenant que les vérités scientifiques sont purement formelles et reposent sur des conventions : *La doctrine morale de Kant est un **formalisme**.* **2.** *Dr.* Principe selon lequel un acte n'est valide que s'il respecte les formes prescrites. **3.** Ext. Attachement pointilleux au respect des règles morales, religieuses, sociales, etc. **4.** *Litt.* ► Mouvement qui, prônant « l'art pour l'art », instaure le culte de la perfection formelle : *Le **formalisme** des parnassiens.* ► Courant de critique littéraire russe qui tend à ne considérer que le texte pur, à l'exclusion de toute référence historique, biographique, etc. 1823 ; lat. *formalis*, « relatif au moule » ; [fɔʀmalism].

**FORMALISTE,** adj.
**1.** Très scrupuleux à l'égard des règles, des formes. **2.** Relatif au formalisme. **3.** Partisan du formalisme ; empl. subst. : *Les **formalistes** russes.* 1585 ; lat. *formalis*, « relatif au moule » ; [fɔʀmalist].

**FORMALITÉ,** subst. f.
**1.** Opération exigée pour le bon accomplissement de certains actes administratifs, juridiques ou religieux (gén. au plur.) : ***Formalités** à remplir pour obtenir un visa.* **2.** Ext. Procédure purement formelle à laquelle on doit se soumettre, ne présentant ni risque ni difficulté : *Ce test n'est qu'une simple **formalité**.* **3.** Manière d'agir dictée par les convenances : *Pas de **formalités** entre nous !* 1425 ; lat. *formalis*, « relatif au moule » ; [fɔʀmalite].

**FORMANT,** subst. m.
**1.** *Ling.* Élément de formation lexicale ou grammaticale (synon. *morphème*) : *Les suffixes sont des **formants*** ou, empl. adj., *des éléments **formants**.* **2.** *Phon.* Fréquence de résonance maximale du spectre vocal propre à chaque phonème. 1933 ; lat. *formare*, « donner une forme » ; [fɔʀmɑ̃].

**FORMARIAGE,** subst. m.
*Féod.* Mariage d'un serf avec une personne de condition libre ou d'une autre seigneurie. 1221 ; formé de *fors* et de *mariage* ; [fɔʀmaʀjaʒ].

**FORMAT,** subst. m.
**1.** *Impr.* Dimension caractéristique de la page d'un ouvrage imprimé, définie par le nombre de feuillets obtenus en pliant (ou non) la feuille d'impression : ***Format** in-plano* ; *Le **format** in-quarto (in-4°) donne huit pages* ; par ext., dimension d'un livre, d'un journal : ***Format** de poche.* **2.** Hauteur et largeur d'une feuille de papier, identifiée à l'origine par son filigrane : ***Format** raisin* ; par ext., grandeur standard de tout support graphique plat et mince : ***Format** A 4 (21 × 29,7 cm)* ; *Enveloppe de **format** commercial.* **3.** Taille d'un objet quelconque : *Un écran de grand **format*** ; en appos. (fam.) : *Une table grand **format**.* **4.** *Informat.* Disposition des informations enregistrées sur un disque dur ou une disquette ; enchaînement de données ou d'instructions servant à agencer une mise en page, à présenter un texte. 1723 ; ital. *formato* ; [fɔʀma].

**FORMATAGE,** subst. m.
*Informat.* Action de formater ; son résultat. V. 1970 ; ☞ *formater* ; [fɔʀmataʒ].

**FORMATER,** verbe trans. [3]
*Informat.* Rendre (un disque, une disquette) apte à recevoir et à restituer des informations selon un format donné. V. 1970 ; ☞ *format* ; [fɔʀmate].

**FORMATEUR, TRICE,** adj. et subst.
**Adj.** Qui crée ou développe des aptitudes, qui éduque : *Un échec **formateur**.* **Subst.** Personne qui a pour fonction de former des professionnels. 1488 ; lat. *formator* ; [fɔʀmatœʀ, tʀis].

**FORMATIF, IVE,** adj.
Qui sert à former : *Les éléments **formatifs** d'un mot.* 1413 ; ☞ *former* ; [fɔʀmatif, iv].

**FORMATION,** subst. f.
**I. 1.** Action de former, de créer, de composer qqch. : *La **formation** d'un train* ; *La **formation** d'un groupe de travail.* **2.** Processus selon lequel une chose se forme : *La **formation** de cristaux dans une solution* ; *La **formation** des montagnes* ; *La **formation** d'une langue.* ► *Physiol.* Développement conduisant à un état adulte achevé : *La **formation** du système nerveux* ; empl. abs. : *La **formation**,* la puberté. **3.** Loc. *En (voie de) **formation*** : en train de se former, d'être formé. **II.** Méton. Ce qui s'est formé ; ce que l'on a formé : *Une **formation** végétale* ; *Une **formation** musicale* ; *Une **formation** syndicale, politique.* ► *Géol.* Ensemble de dépôts de même nature pétrographique et de même condition de sédimentation : ***Formation** tertiaire* ; ***Formation** calcaire.* ► *Milit.* Détachement : ***Formation** aérienne* ; groupe de soldats ou de bâtiments de guerre disposés de façon particulière. **III.** Action d'éduquer qqn ; développement intellectuel et moral : ***Formation** d'un stagiaire* ; ***Formation** religieuse, littéraire.* ► ***Formation** professionnelle* : permettant à un travailleur de se former, de se perfectionner dans un métier. Fin XII^e s. ; lat. *formatio*, « forme ; confection » ; [fɔʀmasjɔ̃].

**FORME,** subst. f.
**I. 1.** Configuration extérieure et particulière d'un être, d'une chose : *La **forme** sphérique de la Terre.* ► Ce que l'on aperçoit confusément ; silhouette : *Je vis disparaître une **forme** vague.* ► **En forme de.** Ressemblant à : *Des sourcils en **forme** d'accent circonflexe.* ► **Sous la forme de.** Sous l'apparence de : *L'ange apparut sous la **forme** d'un oiseau.* **2.** Ext. Contour (gén. au plur.) : *Les **formes** majestueuses d'un édifice* ; *Les **formes** athlétiques d'un corps* ; empl. abs., contours du corps humain : *Des **formes** graciles, généreuses.* ► Loc. *Prendre des **formes*** : grossir (fam.). **3.** Manière dont une chose, en partic. une œuvre de l'esprit, est exprimée : *Le fond et la **forme*** ; *Un sonnet à **forme** fixe* ; *Un essai en **forme** de lettre ouverte.* **4.** *Techn.* Gabarit, moule ; châssis utilisé pour la fabrication à la main du papier. **II.** Chacune des modalités, chacun des états possibles de qqch. : *Passer d'une **forme** liquide à une **forme** gazeuse* ; *La **forme** aiguë d'une maladie.* ► *Gramm.* Aspect d'un mot, d'un énoncé : ***Formes** du pluriel* ; *La **forme** interrogative, négative.* ► *Pol.* Constitution : *Un État de **forme** républicaine.* **III. 1.** Manière d'agir, de procéder selon certains usages ou modèles (gén. au plur.) : *Il lui a annoncé la nouvelle en y mettant des **formes**.* ► Loc. *Pour la*

*forme* : sans grande conviction. **2.** *Dr.* Ensemble des conditions exigées pour qu'un acte juridique soit valable : *Un jugement cassé pour vice de **forme*** ; *Un contrat rédigé en bonne et due **forme**.* **IV.** Condition physique : *Une **forme** rayonnante.* ► Loc. *Être en **forme*** : aller bien. **V.** Principe de synthèse et d'organisation. **1.** *Philos.* ► Principe d'organisation d'un être, chez Aristote et les scolastiques (anton. *matière*). ► ***Formes** de l'entendement et de la raison* : chez Kant, les catégories et les idées ; ***Formes** a priori de la sensibilité* : le temps et l'espace kantiens. **2.** *Psychol. Théorie ou psychologie de la **forme*** : gestaltisme. 1119 ; lat. *forma* ; [fɔʀm].

**FORMÉ, ÉE, adj.**
Qui est parvenu à maturité ; dont le développement est suffisant ou achevé : *Épi, fruit **formé*** ; en partic. : *Jeune fille **formée***, nubile, pubère ; au fig. : *Avoir le jugement **formé**.* 1160 ; p. p. de *former* ; [fɔʀme].

**FORMEL, ELLE, adj.**
**1.** *Philos.* Qui possède une existence réelle. **2.** Qui est précis, net, sans équivoque : *Un jugement **formel*** ; *Le règlement est **formel** sur ce point.* **3.** Relatif à la forme ; en partic., relatif au style d'une œuvre. **4.** *Log. Logique **formelle*** : étude des règles déductives du raisonnement. **5.** Qui ne s'attache qu'à l'apparence extérieure : *Une politesse **formelle**.* Fin XIII^e s. ; lat. *formalis*, « relatif au moule » ; [fɔʀmɛl].

**FORMELLEMENT, adv.**
**1.** De manière catégorique : *Il est **formellement** interdit de fumer.* **2.** Du point de vue de la forme : *Une démonstration **formellement** irréfutable.* Fin XIV^e s. ; ☞ *formel* ; [fɔʀmɛlmɑ̃].

**FORMER, verbe trans.** [3]
**I. 1.** Créer, fonder : ***Former** une troupe de théâtre.* **2.** Concevoir, imaginer : ***Former** le vœu de réussir.* **3.** Organiser, composer : ***Former** un train* ; au fig. : ***Former** une équipe.* **4.** Constituer : *Les atomes **forment** des molécules.* **5.** Avoir la forme, l'apparence de : *Ces maisons **forment** un arc de cercle.* **II. 1.** Façonner : ***Formez** distinctement vos « u » et vos « n ».* **2.** Éduquer, instruire : ***Former** des apprentis* ; *Les voyages **forment** la jeunesse.* **Pronom. 1.** Naître, prendre forme. **2.** Se constituer. **3.** Se développer, se cultiver. Mil. XII^e s. ; lat. *formare* ; [fɔʀme].

**FORMERET, subst. m.**
*Archit.* Arc saillant latéral d'une travée, parallèle à l'axe de la voûte. 1397 ; ☞ *forme* ; [fɔʀməʀɛ].

**FORMIATE, subst. m.**
*Chim.* Sel ou ester de l'acide formique. 1865 ; ☞ *formique* ; [fɔʀmjat].

**FORMICA, subst. m. inv.**
Matériau stratifié revêtu de résine artificielle : *Table de cuisine en **Formica**.* V. 1950 ; ☞ *formique* ; n. déposé ; [fɔʀmika].

**FORMICANT, ANTE, adj.**
*Méd.* Qui donne une sensation de fourmillement (vieilli) : *Pouls **formicant**.* 1560 ; lat. *formicans*, de *formicare*, « fourmiller » ; [fɔʀmikɑ̃, ɑ̃t].

**FORMIDABLE, adj.**
**1.** Qui inspire, par sa nature ou son aspect, une crainte extrême (littér.) : *Un monstre **formidable**.* **2.** D'une taille, d'une intensité impressionnante : *Un choc **formidable**.* **3.** Qui suscite l'admiration, l'enthousiasme ou l'étonnement (fam.) : *Une amie, une soirée **formidable**.* 1392 ; lat. *formidabilis*, « terrible » ; [fɔʀmidabl].

**FORMIDABLEMENT, adv.**
De manière formidable. 1840 ; ☞ *formidable* ; [fɔʀmidabləmɑ̃].

**FORMIQUE, adj.**
*Chim.* Qualifie des composés organiques issus du méthane. La nomenclature moderne utilise de préférence les dénominations formées sur le radical « méth- », signalant l'existence d'un seul carbone dans la molécule : *Acide **formique**, ou méthanoïque*, contenu à l'état naturel dans le corps des fourmis et dans les orties ; *Aldéhyde **formique**, ou méthanal.* Fin XIV^e s. ; lat. *formica*, « fourmi » ; [fɔʀmik].

**FORMOL, subst. m.**
*Chim.* Solution aqueuse de méthanal, utilisée comme antiseptique et servant au tannage des peaux. 1892 ; ☞ *formique* ; [fɔʀmɔl].

**FORMULAIRE, subst. m.**
**1.** Recueil de formules, de prescriptions : ***Formulaire** de notaire, de pharmacien.* **2.** Imprimé comportant des questions auxquelles la personne intéressée doit répondre : ***Formulaire** administratif.* XIV^e s. ; ☞ *formule* ; [fɔʀmylɛʀ].

**FORMULATION, subst. f.**
Action, manière de formuler qqch. ; son résultat. Mil. XIX^e s. ; ☞ *formuler* ; [fɔʀmylasjɔ̃].

**FORMULE, subst. f.**
**I.** Forme convenue ou normative par laquelle on exprime qqch. **1.** Paroles rituelles prononcées dans certaines occasions : ***Formule** magique.* **2.** *Dr.* Ensemble de termes validant un acte. **3.** Modèle d'expression dans les échanges sociaux courants : ***Formule** de politesse.* **II. 1.** Expression synthétique d'une règle, d'une loi de la nature, d'une pensée, etc. ► *Math.* Nom donné à certaines égalités ou inégalités algébriques remarquables par leur usage fréquent dans les calculs ou par leur valeur fondamentale dans un contexte. ► *Chim. **Formule** chimique d'un composé défini* : notation, à l'aide de symboles, des atomes constituant la molécule de ce composé (par ex., $C_2H_6$ est la **formule** de l'éthane) ; ***Formule** développée* : représentant en outre les modes de liaison entre les atomes (par ex., HC≡CH est la **formule** développée de l'acétylène, elle met en évidence une triple liaison entre les atomes de carbone). ► ***Formule** dentaire* (☞ *dentaire*). **2.** Méthode de résolution d'un problème : *Il a trouvé la **formule**.* **3.** Manière de présenter qqch. : *Une **formule** d'accord.* ► *Sp.* Catégorie de voiture de course. 1372 ; lat. *formula* ; [fɔʀmyl].

**FORMULER, verbe trans.** [3]
**1.** Énoncer de façon claire et précise : ***Formuler** un diagnostic.* **2.** Exprimer ou rédiger selon une formule : ***Formuler** un acte notarié.* XIV^e s. ; ☞ *formule* ; [fɔʀmyle].

**FORNICATEUR, TRICE, subst.**
Personne qui fornique. Fin XII^e s. ; lat. chrét. *fornicator* ; [fɔʀnikatœʀ, tʀis].

**FORNICATION, subst. f.**
**1.** *Relig.* Péché de la chair. **2.** Ext. Rapport sexuel. Déb. XII^e s. ; lat. chrét. *fornicatio* ; [fɔʀnikasjɔ̃].

**FORNIQUER, verbe intrans.** [3]
**1.** *Relig.* Commettre le péché de fornication. **2.** Ext. Se livrer à l'acte sexuel. XIV^e s. ; lat. chrét. *fornicare*, du lat. *fornix*, « chambre voûtée », où les prostituées recevaient leurs clients ; [fɔʀnike].

**FORS, prép.**
Hormis, excepté (vx ou littér.) : *Tout est perdu, **fors** l'honneur* (attribué à François I^er). Mil. X^e s. ; lat. *foris*, « dehors » ; [fɔʀ].

**FORSYTHIA, subst. m.**
*Bot.* Arbuste ornemental de la famille des Oléacées, aux fleurs jaunes apparaissant au début du printemps, avant les feuilles. 1823 ; lat. sc. *forsythia*, de l'anthropon. *Forsyth*, arboriculteur anglais ; [fɔʀsisja].

© G. Thouvenin-Jacana

*Forsythia.*

**FORT, FORTE, adj., subst. m. et adv.**
**I. Adj. 1.** Qui possède une grande force physique : *Il est grand et **fort**.* **2.** Gros, épais : *Une **forte** poitrine.* **3.** Qui possède une grande force morale : *Caractère **fort**.* ► Ext. *Un esprit **fort*** : qui ne se conforme pas à l'opinion commune ; *Une **forte** tête* : une personne rebelle, rétive. **4.** Qui a de bonnes connaissances : *Il est très **fort** en latin* ; empl. subst. : *Un **fort**, une **forte** en thème.* **5.** Qui a du pouvoir, de l'autorité : *Un régime **fort**.* ► Loc. **Se faire fort de** (+ inf.). S'estimer capable de, se targuer de : *Ils se firent **fort** d'obtenir ce marché.* **6.** Résistant, solide : *Une **forte** charpente* ; *Un château **fort**.* **Subst. 1.** Personne dotée d'une grande force physique : *Un **fort** des Halles*, portefaix des anciennes halles de Paris. **2.** Personne qui détient la puissance : *Le **fort** domine le faible.* **Adv. 1.** De manière vigoureuse, intense : *Parler haut et **fort**.* **2.** Beaucoup : *Elle l'aime **fort**.* **3.** Très : *Il fait **fort** beau.* **II. Adj. 1.** Inhabituel, prononcé : *Une **forte** pente* ; *Une **forte** fièvre.* **2.** Intense : *Un vent **fort*** ; *Une **forte** douleur.* **3.** Dense, riche : *Des temps **forts*** ; *Des images **fortes**.* **4.** Qui nécessite de bonnes aptitudes : *C'est une **forte** tâche* ; *Une **forte** affaire.* **5.** Qui s'appuie sur qqch. de solide : *Une **forte** conviction.* **6.** Exagéré : *C'est un peu **fort** !* **Subst.** Aspect le plus prononcé, le plus intense d'un être, d'une chose, d'un lieu, d'un moment : *La générosité n'est pas son **fort*** ; *Au plus **fort** de l'orage.* ► *Mar. Le **fort** d'un navire* : sa partie la plus large. ► *Vén. Relancer une bête dans son **fort*** : au plus dense de la forêt. **III. Subst.** Ouvrage de fortification. Fin XI^e s. (fin X^e s., pénible) ; lat. *fortis* ; [fɔʀ, fɔʀt].

**FORTE, adv. et subst. m. inv.**
*Mus.* **Adv.** En renforçant nettement l'intensité du son (abrév. : *f* ou F). **Subst.** Passage à exécuter **forte**. 1705 ; ital. *forte*, « fortement » ; [fɔʀte].

**FORTEMENT, adv.**
**1.** Avec force. **2.** Beaucoup, grandement. Fin X^e s. ; ☞ *fort* ; [fɔʀtəmɑ̃].

**FORTERESSE, subst. f.**
**1.** Lieu fortifié qui défend un territoire. **2.** Citadelle servant de prison d'État ou de prison militaire. **3.** *Forteresse volante* : bombardier américain B17 utilisé pendant la Seconde Guerre mondiale. **4.** Fig. Ce qui résiste aux attaques extérieures : *La **forteresse** du conservatisme.* Mil. XII^e s. ; ☞ *fort* ; [fɔʀtəʀɛs].

**FORTICHE, adj. et subst.**
Fam. **1.** Fort. **2.** Malin : *Faire le **fortiche***, se montrer sûr de soi. 1897 ; ☞ *fort* ; [fɔʀtiʃ].

**FORTIFIANT, ANTE, adj.**
**1.** Qui donne des forces physiques : *Un séjour **fortifiant** à la mer* ; empl. subst. masc., aliment, remède **fortifiant**. **2.** Qui réconforte moralement (littér.) : *Des paroles **fortifiantes**.* 1690 ; p. pr. de *fortifier* ; [fɔʀtifjɑ̃, ɑ̃t].

**FORTIFICATION, subst. f.**
**1.** Action de pourvoir un lieu, une place d'ouvrages de défense. **2.** Méton. Ouvrage défensif (souv. au plur.) : *Les **fortifications** de Vauban.* ► Emplacement des anciennes enceintes de Paris (abrév. fam. : fortifs). 1360 ; lat. *fortificatio* ; [fɔʀtifikasjɔ̃].

**HISTOIRE** – Dès le Néolithique, il existe des villages protégés par des remparts de terre surmontés d'une palissade de bois et précédés d'un fossé. Durant l'Antiquité, les fortifications vont gagner en puissance en devenant des murailles structurées. Les systèmes fortifiés médiévaux s'établissent dans la continuité formelle des systèmes antiques : un mur rythmé de tours carrées ou semi-circulaires. À la fin du Moyen Âge, la hauteur des ouvrages diminue ; ils deviennent horizontaux pour échapper au tir de l'artillerie naissante. Des plates-formes apparaissent, qui se transformeront plus tard en bastions, sur lesquels on pourra installer des canons. Ces bastions sont implantés de manière à constituer un réseau dépourvu des angles morts propices à l'assaillant, de sorte qu'ils se protègent mutuellement. Jusqu'à la fin du XIX^e s., les fortifications se développent selon une logique horizontale, cherchant, par une multiplication des ouvrages avancés, à éloigner toute menace du lieu à protéger. Pour faire face à l'évolution de l'artillerie et à l'apparition de l'aviation, les ouvrages s'enterrent, jusqu'à devenir totalement souterrains, ne laissant émerger ponctuellement que des points d'artillerie et d'observation.

**FORTIFIER, verbe trans.** [6]
**1.** Rendre plus fort physiquement ; rendre plus solide : ***Fortifier** son corps* ; ***Fortifier** un mur.* **2.** Rendre plus fort moralement : ***Fortifier** sa volonté* ; conforter : ***Fortifier** des soupçons.* **3.** Équiper (une place, un lieu) de fortifications. 1308 ; lat. *fortificare* ; [fɔʀtifje].

**FORTIN, subst. m.**
Petit ouvrage fortifié. 1642 ; ital. *fortino* ; [fɔʀtɛ̃].

**FORTIORI (A), voir A FORTIORI**

**FORTISSIMO, adv. et subst. m. inv.**
*Mus.* **Adv.** Très fortement (abrév. : *ff* ou *FF*). **Subst.** Passage à exécuter **fortissimo**. 1705 ; ital. *fortissimo*, de *forte*, « fortement » ; [fɔʀtisimo].

**FORTRAIT, AITE, adj.**
Épuisé, en parlant d'un cheval. 1701 ; anc. fr. *fortraire*, de *fors* et du p. p. de *traire*, « tirer » ; [fɔʀtʀɛ, ɛt].

**FORTRAN,** subst. m.
*Informat.* Langage de programmation conçu pour le traitement des problèmes scientifiques, spéc. pour le calcul numérique. 1959 ; angl. *fortran*, acron. de *formular translation*, « traduction formulaire » ; [fɔʀtʀɑ̃].

**FORTUIT, ITE,** adj.
Qui est dû au hasard ; imprévisible : *Rencontre* ***fortuite***. XIVe s. ; lat. *fortuitis* ; [fɔʀtɥi, it].

**FORTUITEMENT,** adv.
De manière fortuite. 1567 ; ☞ *fortuit* ; [fɔʀtɥitmɑ̃].

**FORTUNE,** subst. f.
**1.** *Myth. La* ***Fortune*** : divinité du hasard, chez les Romains ; par méton. : *Une* ***fortune***, sa représentation figurée. **2.** Ext. Ce qui préside à la destinée : *La* ***fortune*** *sourit aux audacieux.* ► Loc. *Bonne, mauvaise* ***fortune*** : chance, malchance ; *Faire contre mauvaise* ***fortune*** *bon cœur* : prendre un revers avec philosophie ; *À la* ***fortune*** *du pot* : en toute simplicité ; *De* ***fortune*** : provisoire, improvisé. **3.** Méton. Destinée heureuse ou malheureuse ; par anal., succès ou échec (littér.) : *La* ***fortune*** *inattendue d'un calembour.* **4.** Richesse, biens matériels : *Faire* ***fortune***. ► *Dr. mar.* ***Fortune*** *de mer* : biens d'un armateur, valeur de la cargaison ou, par ext., dommage, incident subi en mer. Mil. XIIe s. ; lat. *fortuna* ; [fɔʀtyn].

**FORTUNÉ, ÉE,** adj.
**1.** Vx. Favorisé par la chance. **2.** Qui possède des biens matériels. Déb. XIVe s. ; lat. *fortunatus*, de *fortunare*, « faire réussir » ; [fɔʀtyne].

**FORUM,** subst. m.
**1.** *Antiq. rom.* Place des villes, lieu des assemblées du peuple où se traitaient les affaires publiques et privées. **2.** Lieu de réunion ; par ext., congrès, colloque. 1757 ; mot lat. ; [fɔʀɔm].

**FORURE,** subst. f.
*Techn.* Trou percé au foret, en partic. dans l'axe d'une clé. XIVe s. ; ☞ *forer* ; [fɔʀyʀ].

**FOSSE,** subst. f.
**1.** Cavité, souv. large, assez profonde, creusée dans le sol : ***Fosse*** *à purin* ; ***Fosse*** *de garage.* ► ***Fosse*** *commune* : où sont inhumées les personnes qui ne possèdent pas de concession. ► ***Fosse*** *d'orchestre* : emplacement des musiciens dans un opéra, un théâtre, un music-hall. ► ***Fosse*** *septique* : qui collecte et traite les matières fécales. ► ***Fosse*** *aux ours, aux lions* : où ces animaux sont tenus captifs. **2.** *Anat.* Cavité du squelette : ***Fosses*** *nasales.* **3.** *Océanogr.* ***Fosse*** *océanique* : dépression marine dont la profondeur dépasse 7 000 m. Fin XIe s. ; lat. *fossa* ; [fos].

**FOSSÉ,** subst. m.
**1.** Fosse creusée en longueur dans le sol pour permettre aux eaux de s'écouler ou pour séparer des terrains. **2.** Large tranchée qui borde une fortification et participe au système défensif. **3.** Fig. Ce qui sépare ou oppose. **4.** *Géomorph.* ***Fossé*** *d'effondrement*, ou *tectonique* : zone effondrée entre deux zones de failles. Fin XIe s. ; bas lat. *fossatum* ; [fose].

**FOSSETTE,** subst. f.
**1.** Vx. Petite fosse. **2.** *Anat.* Petit creux dans une partie du visage ou du corps : *Une* ***fossette*** *au menton.* Déb. XIIe s. ; ☞ *fosse* ; [fosɛt].

**FOSSILE,** adj. et subst. m.
**Adj.** Qui est extrait du sol, d'anciennes couches sédimentaires : *Le charbon, le pétrole sont des combustibles* ***fossiles***. ► *Paléont.* Qualifie les restes ou empreintes d'organismes conservés dans le sous-sol, plus ou moins transformés, souv. par minéralisation : *L'ambre est une résine* ***fossile***. **Subst.** **1.** *Paléont.* Reste ou moulage d'un organisme des temps géologiques : *Les dinosaures et les ammonites sont des* ***fossiles*** *du Secondaire.* **2.** *Zool.* ***Fossile*** *vivant* : être dont l'organisation n'a pas varié depuis son apparition (le cœlacanthe, par ex.). **3.** Fig. Personne dépassée (fam.). 1556 ; lat. *fossilis*, de *fodere*, « creuser » ; [fosil].

**FOSSILIFÈRE,** adj.
*Paléont.* Qui contient des fossiles : *Un gisement* ***fossilifère***. 1837 ; ☞ *fossile* + *-fère* ; [fosilifɛʀ].

**FOSSILISATION,** subst. f.
*Paléont.* Passage d'un organisme vivant à l'état de fossile ; les processus qui permettent cette transformation. 1832 ; ☞ *fossiliser* ; [fosilizasjɔ̃].

**FOSSILISER,** verbe trans. [3]
*Géol.* Rendre fossile. **Pronom.** **1.** *Paléont.* Devenir fossile. **2.** Fig. S'arrêter dans son évolution. 1832 ; ☞ *fossile* ; [fosilize].

**FOSSOIR,** subst. m.
*Vitic.* Houe de vigneron. XIe s. ; lat. *fossorium*, « instrument pour creuser » ; [foswaʀ].

**FOSSOYER,** verbe trans. [17]
**1.** Vx. Travailler au fossoir : ***Fossoyer*** *une vigne.* **2.** Creuser (une fosse). XIIIe s. ; ☞ *fosse* ; [foswaje].

**FOSSOYEUR,** subst. m.
**1.** Ouvrier chargé de creuser les tombes dans les cimetières. **2.** Fig. Celui qui détruit, fait disparaître qqch. (littér.) : ***Fossoyeur*** *du vieux monde.* 1328 ; ☞ *fossoyer* ; [foswajœʀ].

La Nef des **fous** *(détail), peinture de Jérôme Bosch (1450-1516). Musée du Louvre, Paris.*

**FOU, FOL, FOLLE,** adj. et subst.
**Adj.** **1.** Qui n'a pas sa raison : *Devenir* ***fou*** ; ***Fou*** *à lier.* **2.** Ext. Dont les facultés mentales sont passagèrement altérées sous l'effet d'une émotion anormalement intense, démesurée : ***Fou*** *de colère, d'amour.* ► **Fou de.** Passionnément attaché à, engoué de : *Il est* ***fou*** *de ses enfants, d'opéra* ; empl. subst. : *Un* ***fou*** *de mécanique.* **3.** Que l'on ne peut pas contrôler, retenir : *Une patte* ***folle*** ; *Être pris d'un* ***fou*** *rire.* **4.** Qui fait preuve de déraison, d'extravagance : *Tu es* ***fou*** *de rouler si vite* ; par méton. : *Un* ***fol*** *espoir.* ► ***Folle*** *enchère* (☞ *enchère*). **5.** Désordonné : *Des cheveux* ***fous*** ; *Des herbes* ***folles***. **6.** Inimaginable, exceptionnel : *Avoir une chance* ***folle*** ; *Il a un chic* ***fou***. **Subst.** **1.** Personne atteinte d'aliénation mentale. **2.** Personne enjouée, démonstrative : *Un jeune* ***fou***. ► *Une* ***folle*** : homosexuel efféminé (fam.). **Subst. masc.** **1.** Bouffon au service du roi et des princes : *Un* ***fou*** *de cour* ; par anal., pièce du jeu d'échecs : *La diagonale du* ***fou***. **2.** *Zool.* Oiseau palmipède marin blanc de la famille des Sulidés, qui vit en colonies sur les littoraux rocheux et pêche en plongeant, dont le plus connu est le **fou** de Bassan. Fin XIe s. ; lat. *follis*, « soufflet ; outre ; ballon » ; *fou* devient *fol* devant une voyelle ou un *h* muet ; [fu, fɔl].

**FOUACE,** subst. f.
Galette de froment cuite au four ou sous la cendre (région.). Fin XIIe s. ; lat. pop. °*focacia*, du bas lat. *focacium panis*, « pain cuit sous la cendre » ; [fwas].

**FOUACIER,** subst. m.
Celui qui fait, qui vend des fouaces (vx). 1307 ; ☞ *fouace* ; [fwasje].

*Reconstitution du squelette d'un reptile fossile par un paléontologue.*

**FOUAGE,** subst. m.
*Féod.* Redevance versée par chaque feu ou foyer, qui fut remplacée par la taille en 1370. XIIIe s. ; anc. fr. *fou*, du lat. *focus*, « feu ; foyer » ; [fwaʒ].

**FOUAILLE,** subst. f.
*Vèn.* Bas morceaux du sanglier, cuits au feu, donnés aux chiens en récompense de la chasse. 1379 (fin XIIe s., fagot ; bois de chauffage) ; anc. fr. *fou*, du lat. *focus*, « feu ; foyer » ; [fwaj].

**FOUAILLER,** verbe [3]
Littér. ou Vieilli. **Trans.** Fouetter à coups répétés : ***Fouailler*** *des chevaux* ; au fig., attaquer violemment : *Elle le* ***fouailla*** *d'injures.* **Intrans.** *Équit. Cheval qui* ***fouaille*** *de la queue* : dont la queue bat nerveusement. 1690 ; ☞ *fouaille* ; [fwaje].

**FOUCADE,** subst. f.
Mouvement soudain, élan capricieux : *Ce n'est qu'une* ***foucade***. 1611 ; ☞ *fougue* (I), d'apr. le norm. *éfouque*, « violence inutile » ; [fukad].

**FOUDRE (I),** subst.
**Fém.** **1.** Violente décharge d'électricité survenant pendant un orage, entre deux nuages ou entre un nuage et la terre, qui se traduit par une vive lumière (éclair) et par une puissante détonation (tonnerre). **2.** Fig. Ce qui porte une atteinte brutale, qui terrasse : *Coup de* ***foudre***, manifestation subite d'un amour ardent ; colère, vive réprobation : *Les* ***foudres*** *divines* ; *S'attirer les* ***foudres*** *de qqn.* **Masc.** **1.** *Myth.* Faisceau d'éclairs symbolisant la puissance de Zeus, de Jupiter. **2.** Personne particulièrement douée dans un domaine : ***Foudre*** *de guerre* ; ***Foudre*** *d'éloquence.* Fin XIe s. ; lat. *fulgura*, de *fulgur*, « éclair » ; [fudʀ].

**FOUDRE (II),** subst. m.
Tonneau de grande contenance. XVe s. (XIIIe s., sorte de mesure) ; all. *Fuder*, mesure de liquide ; [fudʀ].

**FOUDROIEMENT,** subst. m.
Littér. Action de foudroyer ; son résultat. Fin XIVe s. ; ☞ *foudroyer* ; [fudʀwamɑ̃].

**FOUDROYAGE,** subst. m.
*Mines.* Éboulement provoqué pour combler le vide à l'arrière du front de taille. 1893 ; ☞ *foudroyer* ; [fudʀwajaʒ].

**FOUDROYANT, ANTE,** adj.
**1.** Qui foudroie. **2.** Ext. Qui agit ou se produit aussi soudainement et violemment que la foudre : *Démarrage* ***foudroyant*** ; qui élimine, anéantit : *Poison* ***foudroyant*** ; par méton. : *Mort* ***foudroyante***. **3.** Fig. Qui frappe de stupeur. 1469 ; p. pr. de *foudroyer* ; [fudʀwajɑ̃, ɑ̃t].

**FOUDROYER,** verbe trans. [17]
**1.** Frapper de la foudre ; par métaph. : ***Foudroyer*** *qqn du regard*, lui lancer un regard de haine ou de colère. **2.** Ext. Tuer brutalement : ***Être foudroyé*** *par une crise cardiaque.* **3.** Fig. Provoquer un choc émotionnel chez ; anéantir moralement. Fin XIIe s. ; ☞ *foudre* (I) ; [fudʀwaje].

**FOUÉE,** subst. f.
**1.** Flambée de branches (vx). **2.** Feu allumé la nuit pour la chasse aux oiseaux ; par méton., cette chasse. 1379 (1208, taxe sur le transport du bois) ; anc. fr. *fou*, du lat. *focus*, « feu ; foyer » ; [fwe].

**FOUËNE, voir FOËNE**

**FOUET,** subst. m.
**1.** Instrument fait d'une lanière de corde ou de cuir fixée à un manche, servant à diriger les animaux de trait et employé naguère dans les châtiments corporels. ► Loc. *Coup de* ***fouet*** : impulsion, stimulation suivie d'effets immédiats ; *De plein* ***fouet*** : de face et violemment. **2.** *Cuis.* Ustensile servant à battre une préparation. **3.** *Zool.* ► Extrémité de l'aile d'un oiseau. ► Queue de certains chiens. Fin XIVe s. (XIIIe s., brigand, coquin) ; anc. fr. *fou*, « hêtre ; baguette de hêtre » ; [fwɛ].

**FOUETTARD,** adj. m.
*Père* ***fouettard*** : personnage légendaire, dont on menace les enfants. 1610 ; ☞ *fouetter* ; [fwɛtaʀ].

**FOUETTÉ,** subst. m.
*Chorégr.* Rotation sur une jambe, l'élan étant donné par des mouvements rapides d'aller et retour de l'autre jambe. XVIIe s. ; p. p. de *fouetter* ; [fwete].

**FOUETTEMENT,** subst. m.
Action de fouetter. 1564 ; ☞ *fouetter* ; [fwɛtmɑ̃].

**FOUETTE-QUEUE,** subst. m.
*Zool.* Grand lézard de la famille des Agamidés, dont la queue est hérissée d'épines. Il vit au Sahara et dans les déserts du Proche-Orient. Comp. de *fouetter* et de *queue* ; plur. *fouette-queues* ; [fwɛtkø].

**FOUETTER,** verbe [3]
**Trans. 1.** Frapper (un animal, qqn) avec un fouet. ► Loc. *Il n'y a pas de quoi **fouetter** un chat* : c'est une erreur sans gravité ; *J'ai d'autres chats à **fouetter*** : j'ai mieux à faire. **2.** Anal. ► Frapper vivement, cingler : *La bise **fouettait** les rosiers.* ► Battre (un ingrédient) pour le faire mousser : ***Fouetter** la crème.* **3.** Fig. Stimuler : *Ce livre **fouette** l'esprit.* **Intrans. 1.** S'agiter comme un fouet : *La queue du chat **fouette**.* **2.** Trembler de peur (fam.). **3.** Sentir mauvais (fam.). 1514 ; ☞ *fouet* ; [fwete].

**FOUETTEUR, EUSE,** adj. et subst.
Se dit d'une personne qui fouette (vx) : *Frère **fouetteur**,* dans les collèges religieux d'autrefois. 1552 ; ☞ *fouetter* ; [fwɛtœʀ, øz].

**FOUFOU, FOFOLLE,** adj.
Qui est un peu fou, léger (fam.). XXe s. ; ☞ *fou* ; [fufu, fɔfɔl].

**FOUGASSE (I),** subst. f.
*Arm.* Mine enterrée (vieilli). Fin XVIe s. ; ital. *fogata*, de *fogare*, « se précipiter sur » ; [fugas].

**FOUGASSE (II),** subst. f.
Région. (Sud). Fouace. 1596 ; anc. prov. *fogatza*, du lat. pop. °*focacia*, du lat. *focus*, « feu ; foyer » ; [fugas].

**FOUGER,** verbe intrans. [5]
*Vén.* Fouiller le sol avec le groin, en parlant du sanglier. 1490 ; m. fr. *feuge*, du lat. pop. °*filica*, « fougère » ; [fuʒe].

**FOUGERAIE,** subst. f.
Champ de fougères. 1611 ; ☞ *fougère* ; [fuʒʀɛ].

**FOUGÈRE,** subst. f.
*Bot.* Plante de l'embranchement des Ptéridophytes, qui comprend aussi les prêles et les sélaginelles. Les **fougères** sont des plantes possédant racines, tiges et feuilles, ce qui les distingue des végétaux inférieurs. Leurs feuilles (frondes), très découpées, sont fixées sur une tige souterraine (rhizome). Premiers végétaux vasculaires, avec les prêles et les sélaginelles, elles sont apparues il y a 500 millions d'années, au Cambrien. Les **fougères** constituent la classe des Filicinées. Mil. XIIe s. ; lat. pop. °*filicaria*, « fougeraie », du lat. *filix*, « fougère » ; [fuʒɛʀ].

BOTANIQUE – Le cycle reproducteur des fougères est caractérisé par l'alternance d'une phase haploïde (gamétophyte dont les cellules ne contiennent que *n* chromosomes) et d'une phase diploïde (sporophyte dont les cellules contiennent 2*n* chromosomes). Le gamétophyte, ou prothalle, est un organisme lamelleux, de petite taille (1 cm), autotrophe et à la durée de vie limitée. Il est porteur des appareils reproducteurs mâle et femelle. La fécondation est tributaire de l'eau. Elle produit un œuf, qui, en se divisant, construira le sporophyte. Ce dernier constitue la forme pérenne et visible de la plante, la fougère proprement dite. Sur la face inférieure des frondes du sporophyte apparaissent des sporanges, qui produisent, par le biais d'une division réductionnelle, des spores haploïdes, qui, en tombant sur le sol, germeront en prothalles.

**FOUGEROLE,** subst. f.
Petite fougère (rare). 1817 ; ☞ *fougère* ; [fuʒʀɔl].

**FOUGUE (I),** subst. f.
**1.** Vx. Brusque colère. **2.** Ardeur farouche, mouvement impétueux : *La **fougue** d'un poulain ; La **fougue** amoureuse* ; par anal. : *La **fougue** d'un torrent.* **3.** Virulence, verve. **4.** *Hortic.* Défaut d'un arbre dont le bois se développe au détriment des fruits. 1580 ; ital. *foga*, « fuite précipitée ; impétuosité », du lat. *fuga*, « fuite » ; [fug].

**FOUGUE (II),** subst. f.
*Mar. Mât de **fougue*** : mât de hune d'artimon, qui porte les voiles de gros temps. 1643 ; orig. inc. ; [fug].

**FOUGUEUSEMENT,** adv.
Avec fougue. 1840 ; ☞ *fougueux* ; [fugøzmɑ̃].

**FOUGUEUX, EUSE,** adj.
Qui a de la fougue : *Un jeune homme **fougueux** ; Un discours **fougueux**,* véhément. 1615 ; ☞ *fougue* (I) ; [fugø, øz].

**FOUILLE (I),** subst. f.
Poche (pop.). Mil. XVe s. ; anc. fr. *fueil*, « doublure de bourse » ; [fuj].

**FOUILLE (II),** subst. f.
**1.** Action de fouiller la terre ; excavation ainsi pratiquée ; au plur., opérations de creusement et de recherche de vestiges ensevelis : ***Fouilles** archéologiques.* **2.** Inspection minutieuse de qqch. ou des vêtements de qqn : ***Fouille** de bagages, d'un suspect.* 1578 ; ☞ *fouiller* ; [fuj].

**FOUILLER,** verbe [3]
**Trans. 1.** Remuer (la terre), creuser (le sol) pour y trouver une chose enfouie ; en partic. : ***Fouiller** un site archéologique.* **2.** Soumettre à une exploration, à une inspection minutieuse : ***Fouiller** un bois, une valise, des passagers.* **3.** Fig. Examiner avec soin ; approfondir : ***Fouiller** un sujet.* **Intrans.** Creuser ; par ext., rechercher à l'intérieur de qqch. avec insistance : ***Fouiller** dans l'armoire, dans ses poches* ; au fig. : ***Fouiller** dans le passé de qqn.* **Pronom.** Rechercher dans ses poches. ► Loc. *Il peut se **fouiller** !* : qu'il ne compte pas obtenir satisfaction ! (fam.). Mil. XIIIe s. ; lat. pop. °*fodiculare*, du lat. *fodicare*, « percer, creuser » ; [fuje].

**FOUILLEUR, EUSE,** subst.
Personne qui fouille. 1511 ; ☞ *fouiller* ; [fujœʀ, øz].

**FOUILLIS,** subst. m.
**1.** Amas d'objets hétéroclites (péj.). **2.** Anal. Entrelacs désordonné ; enchevêtrement confus : *Un **fouillis** d'arbustes.* XIVe s. ; ☞ *fouiller* ; [fuji].

**FOUINE (I),** subst. f.
**1.** *Zool.* Mammifère carnivore de la famille des Mustélidés, à la robe gris-brun foncé avec une tache blanche sous la gorge, qui vit dans les bois et est friand de gallinacés. ► *Avoir une tête de **fouine*** : un visage chafouin. **2.** Fig. Personne rusée, curieuse. 1174 ; anc. fr. *faine*, du lat. pop. °*mustela fagina*, « martre des hêtres » ; [fwin].

© M. Danegger-Jacana

*Fouine.*

**FOUINE (II),** subst. f.
**1.** *Pêche.* Trident, foène. **2.** *Agric.* Fourche montée sur une perche. XIIIe s. ; lat. *fuscina* ; [fwin].

**FOUINER,** verbe intrans. [3]
Fam. **1.** Vx. S'enfuir comme une fouine. **2.** Faire des recherches minutieuses, fureter, chiner. **3.** Fouiller avec indiscrétion : *Il **fouinait** dans tes affaires.* 1749 ; ☞ *fouine* (I) ; [fwine].

**FOUINEUR, EUSE,** subst. et adj.
Se dit d'une personne qui aime à fouiner. 1866 ; ☞ *fouiner* ; [fwinœʀ, øz].

**FOUIR,** verbe trans. [19]
Creuser (la terre, le sol) ; empl. abs. : *Le ver **fouit**.* Déb. XIIe s. ; lat. pop. °*fodire* ; [fwiʀ].

**FOUISSAGE,** subst. m.
Action de creuser le sol, en parlant d'un animal (synon. *fouissement*). 1953 ; ☞ *fouir* ; [fwisaʒ].

**FOUISSEMENT,** subst. m.
Fouissage. V. 1970 ; ☞ *fouir* ; [fwismɑ̃].

**FOUISSEUR, EUSE,** adj. et subst. m.
Se dit d'un animal qui creuse habituellement la terre : *Les taupes sont des animaux **fouisseurs*** ou, par ell., *des **fouisseurs**.* 1370 ; ☞ *fouir* ; [fwisœʀ, øz].

**FOULAGE,** subst. m.
*Techn.* Action de fouler. 1284 ; ☞ *fouler* ; [fulaʒ].

**FOULANT, ANTE,** adj.
**1.** Qui écrase, comprime. ► *Techn. Pompe **foulante*** : qui, par pression, permet à un liquide de s'élever dans une conduite. **2.** Fig. Fatigant (fam.). Déb. XVIIIe s. ; p. pr. de *fouler* ; [fulɑ̃, ɑ̃t].

**FOULARD,** subst. m.
**1.** Étoffe légère en fibres naturelles (soie, coton) ou artificielles. **2.** Méton. Carré de tissu porté autour du cou ou sur la tête. 1747 ; prov. *foulat*, « drap léger d'été » ; [fulaʀ].

**FOULE,** subst. f.
**1.** Ensemble de personnes groupées en très grand nombre dans un lieu : *La **foule** des écoliers.* ► Empl. coll. La masse humaine (gén. par oppos. à *élite*) : *Détester la **foule**.* **2.** Loc. *Une **foule** de* : un grand nombre de ; *En **foule*** : en masse. 1172 ; ☞ *fouler* ; [ful].

**FOULÉE,** subst. f.
**1.** *Hippol.* Appui que prend le cheval à chaque pas, au trot ou au galop ; distance entre chaque appui. ► *Sp.* Enjambée du coureur. **2.** Loc. *Dans la **foulée*** : en gardant son élan, dans l'action entreprise (fam.). **Plur.** *Vén.* Empreintes légères laissées par un animal sur un terrain mou. XIIIe s. ; p. p. de *fouler* ; [fule].

**FOULER,** verbe trans. [3]
**1.** Écraser, comprimer (qqch.) d'une pression des pieds, des mains ou avec une machine. ► *Peauss. **Fouler** les peaux, les cuirs* : les apprêter. ► *Text. **Fouler** les étoffes* : les traiter avec un fouloir. ► *Vitic. **Fouler** le raisin* : le presser pour en faire sortir le jus. **2.** Ext. Mettre le pied sur, marcher sur (le sol) : ***Fouler** la terre de ses ancêtres.* ► Loc. ***Fouler** aux pieds* : piétiner violemment, avec mépris ou colère ou, au fig., bafouer, dédaigner. **3.** Causer la foulure de : *Ce faux mouvement lui **foula** la cheville.* ► Empl. pronom. Se faire une foulure ; au fig., se donner de la peine (fam.) : *Il ne s'est pas **foulé**.* XIe s. ; lat. pop. °*fullare*, du lat. *fullo*, « foulon » ; [fule].

**FOULERIE,** subst. f.
**1.** Atelier où l'on foule les textiles ou les cuirs. **2.** Machine à fouler. 1549 (1260, métier de foulon) ; ☞ *fouler* ; [fulʀi].

**FOULEUR, EUSE,** subst.
*Techn.* Personne qui foule le cuir, le drap, le feutre des chapeaux. Fin XIIIe s. ; ☞ *fouler* ; [fulœʀ, øz].

**FOULOIR,** subst. m.
Instrument servant à fouler : ***Fouloir** de peaussier, de vigneron.* 1585 ; ☞ *fouler* ; [fulwaʀ].

**FOULON,** subst. m.
**1.** Vx. Artisan foulant le drap ou le feutre (synon. *fouleur*). **2.** *Text.* Machine utilisée pour le foulage des étoffes ou pour la fabrication du feutre. ► *Terre à **foulon*** : argile servant à dégraisser les étoffes. **3.** *Peauss.* Tonneau de bois servant à travailler, à tanner certains cuirs. Fin XIIe s. ; lat. *fullo* ; [fulɔ̃].

**FOULQUE,** subst. f.
*Zool.* Oiseau migrateur aquatique, de la famille des Rallidés, au plumage noir cendré, avec une tache blanche sur le front et un bec blanc. 1393 ; anc. prov. *folca*, du lat. *fulica* ; [fulk].

**FOULTITUDE,** subst. f.
Multitude (fam.) : *Quelle **foultitude** de détails !* 1848 ; crois. de *foule* et de *multitude* ; [fultityd].

**FOULURE,** subst. f.
*Pathol.* Distension des ligaments articulaires. Fin XIIIe s. (XIe s., action de fouler) ; ☞ *fouler* ; [fulyʀ].

**FOUR,** subst. m.
**1.** Ouvrage en maçonnerie servant à cuire le pain, la pâtisserie, etc. **2.** Partie encastrée d'une cuisinière ; appareil électrique servant à cuire les aliments : *Rôtir une oie au **four** ; **Four** à micro-ondes.* **3.** Appareil servant à transformer physiquement ou chimiquement une matière sous l'action d'une très grande chaleur : ***Four** à céramique ; **Four** solaire.* **4.** Fig. Insuccès d'une représentation théâtrale, d'un spectacle : *Faire un **four**.* Fin XIIe s. ; lat. *furnus* ; [fuʀ].

**FOURBE,** subst. et adj.
Se dit d'une personne qui trompe autrui au moyen de ruses odieuses : *Et vous m'avez cru **fourbe** ou de peu de pouvoir* (Corneille). **Adj.** Qui traduit la traîtrise, la perfidie : *Une gentillesse un peu **fourbe**.* 1455 ; argot *fourbir*, « voler » ; [fuʀb].

**FOURBERIE,** subst. f.
Caractère, comportement d'une personne fourbe ; action fourbe. 1640 ; ☞ *fourbe* ; [fuʀbəʀi].

**FOURBI,** subst. m.
Fam. **1.** *Milit.* Ensemble du matériel d'un soldat. ► Ext. Ensemble d'effets personnels. **2.** Désordre : *Quel **fourbi** ici !* **3.** Toute chose dont on ignore ou prétend ignorer le nom précis. XIXe s. (1542, sorte de jeu de cartes) ; p. p. de *fourbir* ; [fuʀbi].

**FOURBIR,** verbe trans. [19]
Frotter, nettoyer (une arme) ; par ext., faire briller (un objet de métal). ► Loc. ***Fourbir** ses armes* : se préparer au mieux à affronter un danger, un interlocuteur. Fin XIe s. ; frq. °*furbjan* ; [fuʀbiʀ].

**FOURBISSAGE,** subst. m.
Action de fourbir. ⚭ 1402 ; ☞ *fourbir* ; [fuʀbisaʒ].

**FOURBU, UE,** adj.
**1.** Harassé. **2.** *Vétér.* Atteint de fourbure. ⚭ 1546 ; *forboire* (vx), « boire avec excès » ; [fuʀby].

**FOURBURE,** subst. f.
*Vétér.* Congestion inflammatoire du pied d'un ongulé, en partic. du cheval. ⚭ 1611 ; ☞ *fourbu* ; [fuʀbyʀ].

**FOURCHE,** subst. f.
**1.** Instrument, gén. agricole, à long manche pourvu de deux ou de plusieurs dents : ***Fourche*** *à foin.* **2.** Anal. Disposition ou objet en forme de **fourche** : ***Fourche*** *d'un arbre, d'un chemin* ; ***Fourche*** *d'un cycle,* pièce constituée de deux tubes métalliques parallèles entre lesquels tourne la roue avant. ► Loc. *Passer sous les* ***fourches*** *caudines* : subir des conditions déshonorantes (par réf. au défilé où furent battus les Romains). **3.** Belg. Temps libre dans l'horaire d'un élève ou d'un professeur. **4.** *Zool.* Mandibule inférieure des Oiseaux. ⚭ XIe s. ; lat. *furca* ; [fuʀʃ].

**FOURCHÉE,** subst. f.
*Agric.* Quantité de fumier, de fourrage prise en une fois avec une fourche. ⚭ 1872 ; ☞ *fourche* ; [fuʀʃe].

**FOURCHER,** verbe [3]
**Intrans. 1.** Se diviser, gén. en deux : *La route* ***fourche.*** **2.** Loc. *La langue lui a* ***fourché*** : il a fait un lapsus. **Trans.** *Agric.* Manipuler avec une fourche. ⚭ XIIIe s. ; ☞ *fourche* ; [fuʀʃe].

**FOURCHET,** subst. m.
*Vétér.* Maladie du pied du mouton ou de la vache. ⚭ 1690 ; ☞ *fourche* ; [fuʀʃɛ].

**FOURCHETTE,** subst. f.
**1.** Ustensile de table en forme de petite fourche, servant à piquer les aliments : ***Fourchette*** *à poisson, à dessert.* ► Loc. *Avoir un bon coup de* ***fourchette*** ou *Être une bonne* ***fourchette*** : être un gros mangeur. **2.** Anal. Ce qui évoque une **fourchette** à deux dents. ► *Mécan.* ***Fourchette*** *d'une boîte de vitesses* : pièce mécanique à deux dents. ► *Zool.* ***Fourchette*** *d'un équidé* : partie du sabot en corne élastique située dans l'échancrure de la sole ; ***Fourchette*** *d'un oiseau* : os constitué par les deux clavicules, soudées à une extrémité. **3.** Fig. ► *Artill.* Écart de portée entre le tir le plus long et le tir le plus court. ► *Jeux. Tenir un adversaire en* ***fourchette*** : avoir les cartes immédiatement supérieure et inférieure à celle qu'il détient. ► *Stat.* Écart entre deux valeurs extrêmes : *Une* ***fourchette*** *de prix.* ⚭ 1302 ; ☞ *fourche* ; [fuʀʃɛt].

**FOURCHU, UE,** adj.
Qui fourche : *Cheveux* ***fourchus.*** ► *Zool. Pied* ***fourchu*** : pied à deux doigts des Ruminants et, au fig., pied attribué aux diables, aux faunes et aux satyres. ⚭ XIIIe s. ; ☞ *fourche* ; [fuʀʃy].

**FOURGON (I),** subst. m.
Barre métallique utilisée pour remuer la braise d'un four ou d'un fourneau. ⚭ XIIIe s. ; lat. pop. °*furico*, de °*furicare*, « fureter » ; [fuʀgɔ̃].

**FOURGON (II),** subst. m.
Long véhicule utilitaire : ***Fourgon*** *à bestiaux* ; ***Fourgon*** *cellulaire,* servant au transport des prisonniers ; ***Fourgon*** *mortuaire.* ► *Ch. de fer.* Wagon placé en tête ou en queue d'un train de voyageurs, affecté à un transport particulier : ***Fourgon*** *postal.* ⚭ Déb. XVIIe s. ; orig. obsc. ; [fuʀgɔ̃].

**FOURGONNER,** verbe intrans. [3]
**1.** Remuer la braise, la charge d'un four avec un fourgon. **2.** Fig. Fouiller en mettant du désordre (fam.). ⚭ Déb. XIVe s. ; ☞ *fourgon* (I) ; [fuʀgɔne].

**FOURGONNETTE,** subst. f.
Voiture plus petite qu'une camionnette, s'ouvrant gén. à l'arrière, servant au transport des marchandises. ⚭ 1949 ; ☞ *fourgon* (II) ; [fuʀgɔnɛt].

**FOURGUER,** verbe trans. [3]
Argot. **1.** Vendre (des objets volés) à un receleur. **2.** Ext. Se débarrasser de (une marchandise de piètre qualité) en la cédant à prix très bas. ⚭ 1835 (1821, acheter des objets volés) ; prob. ital. *frugare*, du lat. pop. °*furicare*, « fouiller » ; [fuʀge].

**FOURIÉRISME,** subst. m.
Doctrine développée par Charles Fourier, qui s'apparente au socialisme utopique. Ses partisans vivaient et travaillaient dans des communautés appelées phalanstères. ⚭ 1832 ; anthropon. *Charles Fourier*, philosophe et économiste ; [fuʀjeʀism].

**FOURIÉRISTE,** adj. et subst.
**Adj.** Relatif au fouriérisme. **Subst.** Partisan du fouriérisme. ⚭ 1832 ; anthropon. *Charles Fourier* ; [fuʀjeʀist].

**FOURME,** subst. f.
Fromage à pâte cuite, au lait de vache : ***Fourme*** *d'Auvergne* ; ***Fourme*** *d'Ambert,* à moisissures. ⚭ 1803 ; var. anc. de *forme*, « moule à fromage » ; [fuʀm].

**FOURMI,** subst. f.
**1.** *Zool.* Insecte social de la superfamille des Formicoïdes (ordre des Hyménoptères), dont on décrit 6 000 espèces : ***Fourmi*** *noire, rouge.* ► Loc. *Avoir des* ***fourmis*** *dans les jambes* : ressentir des picotements et, par ext., éprouver le besoin de bouger. **2.** Fig. Personne laborieuse, patiente et économe : *Travail de* ***fourmi***, délicat et de longue haleine. ⚭ Déb. XIIe s. ; lat. *formica* ; [fuʀmi].

*Fourmis légionnaires d'Amérique centrale.*

ENTOMOLOGIE – Les fourmis, réparties partout dans le monde, vivent dans des fourmilières à la structure complexe, où résident les femelles reproductrices, les reines, et de nombreuses petites femelles stériles, les ouvrières. Les mâles n'apparaissent qu'avant l'essaimage et s'accouplent aux reines (en l'air ou sur le sol, selon les espèces) après un vol nuptial. De nombreuses espèces exploitent, voire élèvent des pucerons, dont les résidus de la digestion contiennent une substance sucrée et nourrissante, le miellat.

**FOURMILIER,** subst. m.
*Zool.* Mammifère de la famille des Myrmécophagidés, au pelage épais et au museau très allongé. Il se nourrit de fourmis et de termites, qu'il attrape à l'aide d'une longue et fine langue visqueuse. ⚭ 1756 ; ☞ *fourmi* ; [fuʀmilje].

*Grand* ***fourmilier****, ou tamanoir.*

**FOURMILIÈRE,** subst. f.
**1.** Nid de fourmis, constitué d'étages, de galeries, de loges : *Les* ***fourmilières*** *géantes d'Amérique* ; par méton., la colonie de fourmis d'une **fourmilière**. **2.** Fig. Lieu où vont et viennent un très grand nombre de personnes : *La* ***fourmilière*** *du métro.* ⚭ Fin XIIe s. ; anc. fr. *formiiere* ; [fuʀmiljɛʀ].

**FOURMILION,** subst. m.
*Zool.* Insecte de la famille des Murméléonidés dont les larves se nourrissent de fourmis, qu'elles capturent en creusant un piège dans le sable. ⚭ 1372 ; formé de *fourmi* et de *lion* ; var. *fourmi-lion* (plur. *fourmis-lions*) ; [fuʀmiljɔ̃].

**FOURMILLEMENT,** subst. m.
**1.** Picotement ressenti dans un membre ankylosé, qui évoque le passage de fourmis sur la peau. **2.** Va-et-vient intense et continuel d'un grand nombre d'êtres ; au fig. : *Un* ***fourmillement*** *de projets.* ⚭ 1562 ; ☞ *fourmiller* ; [fuʀmijmɑ̃].

**FOURMILLER,** verbe intrans. [3]
**1.** Être le siège de picotements ; démanger : *Bras qui* ***fourmille.*** **2.** Aller et venir en tous sens, en parlant d'une multitude ; par ext., foisonner : *Ce manuel* ***fourmille*** *d'illustrations.* ⚭ 1575 ; anc. fr. *formier*, du lat. *formicare*, « démanger » ; [fuʀmije].

**FOURNAISE,** subst. f.
**1.** Vx. Grand four où brûle un feu intense. **2.** Ext. Feu violent. **3.** Anal. Lieu surchauffé ; par exagér., grande chaleur. **4.** Fig. Lieu de combats acharnés. ⚭ Déb. XIIe s. ; anc. fr. *fornaiz*, du lat. *fornax*, de *furnus*, « four » ; [fuʀnɛz].

**FOURNEAU,** subst. m.
**1.** Appareil chauffant servant à cuire les aliments : ***Fourneau*** *à charbon.* ► Loc. *Être aux* ***fourneaux*** : faire la cuisine. **2.** Appareil dans lequel on fond ou calcine certaines substances : ***Fourneau*** *de forge, de verrier* ; *Bas* ***fourneau***, four à cuve basse pour la production de ferroalliages ; *Haut(-)****fourneau***, construction en forme de tour où l'on fait fondre le minerai de fer en mélange avec le combustible. **3.** Anal. ► ***Fourneau*** *d'une pipe* : dans lequel brûle le tabac. ► *Mines.* Cavité destinée à recevoir une charge d'explosif. ⚭ 1165 ; anc. fr. *forn*, « four » ; [fuʀno].

**FOURNÉE,** subst. f.
**1.** Quantité de pains ou, par ext., d'objets que l'on fait cuire ensemble dans un four. **2.** Fig. Ensemble de personnes faisant, subissant ou recevant la même chose. ⚭ Déb. XIIIe s. ; anc. fr. *forn*, « four » ; [fuʀne].

**FOURNI, IE,** adj.
**1.** Approvisionné : *Épicerie bien* ***fournie.*** **2.** Dense, épais : *Pelage* ***fourni.*** ⚭ XIIe s. ; p. p. de *fournir* ; [fuʀni].

**FOURNIER, IÈRE,** subst.
Personne chargée de la marche d'un four. **Masc.** *Zool.* Passereau d'Amérique du Sud, dont le nid en terre a la forme d'un four. ⚭ 1153 ; lat. *furnarius*, « boulanger » ; [fuʀnje, jɛʀ].

**FOURNIL,** subst. m.
Pièce de la boulangerie où se trouvent le four et le pétrin. ⚭ Fin XIIIe s. ; anc. fr. *forn*, « four » ; [fuʀni(l)].

**FOURNIMENT,** subst. m.
Ensemble de l'équipement d'un soldat et, par ext., d'une personne exerçant une activité quelconque. ⚭ 1750 ; ☞ *fournir* ; [fuʀnimɑ̃].

**FOURNIR,** verbe trans. [19]
**Trans. dir. 1.** Exécuter, accomplir : ***Fournir*** *un effort.* **2.** Procurer, donner : ***Fournir*** *des fonds, un certificat* ; empl. abs. : *Je n'arrive plus à* ***fournir,*** à satisfaire la demande. **3.** Approvisionner, pourvoir : ***Fournir*** *une boutique* ; empl. pronom. : *Je me* ***fournis*** *chez lui.* **4.** Produire : *Cépage qui* ***fournit*** *un grand vin.* **Trans. indir. Fournir à.** Subvenir à (qqch.) : *La terre* ***fournissait*** *aux besoins de tous.* ⚭ Mil. XIIe s. ; frq. °*frumjan*, « exécuter » ; [fuʀniʀ].

**FOURNISSEUR, EUSE,** subst.
Personne, entreprise qui fournit une ou des marchandises (anton. *client*) ; empl. adj. : *Pays* ***fournisseur*** *de pétrole.* ⚭ 1415 ; ☞ *fournir* ; [fuʀnisœʀ, øz].

**FOURNITURE,** subst. f.
**1.** Action de fournir ; chose fournie : *Une* ***fourniture*** *non conforme à l'échantillon.* **2.** Petit matériel nécessaire à l'exercice d'une activité (gén. au plur.) : ***Fournitures*** *de plomberie* ; ***Fournitures*** *scolaires.* ⚭ Fin XIIe s. ; ☞ *fournir* ; [fuʀnityʀ].

**FOURRAGE (I),** subst. m.
Toute nourriture végétale destinée au bétail, sauf l'herbe sur pied et les grains. ⚭ Mil. XIIe s. ; anc. fr. *feurre*, de l'anc. bas frq. °*fodar*, « paille » ; [fuʀaʒ].

**FOURRAGE (II),** subst. m.
**1.** Action de doubler un vêtement ; la doublure elle-même. **2.** Action de fourrer un gâteau ; la garniture elle-même. ⚭ 1930 (1489, métier de fourreur) ; ☞ *fourrer* ; [fuʀaʒ].

**FOURRAGER (I),** verbe intrans. [5]
Fouiller (dans qqch.) ; empl. trans. : ***Fourrager*** *sa barbe,* y passer les doigts. ⚭ 1684 (mil. XIVe s., couper du fourrage) ; ☞ *fourrage* (I) ; [fuʀaʒe].

**FOURRAGER (II), ÈRE,** adj. et subst. f.
**Adj.** Qui fournit du fourrage pour le bétail : *Plante* ***fourragère.*** **Subst. 1.** Champ à fourrage. **2.** Charrette à fourrage. ⚭ 1829 ; ☞ *fourrage* (I) ; [fuʀaʒe, ɛʀ].

**FOURRAGÈRE,** subst. f.
*Milit.* Cordelière portée sur l'épaule gauche, aux couleurs d'une décoration décernée collectivement à une unité. ⚭ 1850 ; p.-ê. ell. de *corde fourragère*, « corde à fourrage » ; [fuʀaʒɛʀ].

**FOURRE, subst. f.**
Helv. **1.** Taie d'oreiller ; housse de couette. **2.** Pochette de disque, protège-cahier, couvre-livre. xv$^{e}$ s. ; germ. °*fodr*, « gaine » ; [fuʀ].

**FOURRÉ, ÉE, adj. et subst. m.**
Adj. **1.** Garni intérieurement : *Bottes* ***fourrées***, doublées de fourrure ; *Bonbon, pâtisserie* ***fourrés***. **2.** Garni extérieurement (vieilli) : *Robe de juge* ***fourrée*** *d'hermine* ; *Animal bien* ***fourré***, à la fourrure épaisse. ▸ Loc. *Chat* ***fourré*** : juge (fam.). **3.** Orné en vue de tromper (vieilli) : *Monnaie* ***fourrée***, de vil métal plaqué d'or ou d'argent. ▸ Loc. *Paix* ***fourrée*** : jurée de mauvaise foi et lourde d'arrière-pensées ; *Coup* ***fourré*** : traîtrise. Subst. Ensemble touffu d'arbustes et de buissons sauvages à branches basses. Déb. xiii$^{e}$ s. ; p. p. de *fourrer* ; [fuʀe].

**FOURREAU, subst. m.**
**1.** Gaine allongée destinée à recevoir un objet de même forme, en partic. une arme blanche. **2.** Ext. Robe étroite et moulante : *Un* ***fourreau*** *de soie noire*. **3.** *Zool.* Gaine cutanée recouvrant la verge de certains animaux (cheval, chien, etc.). Fin xi$^{e}$ s. ; anc. fr. *fuerre*, du germ. °*fodr* ; [fuʀo].

**FOURRER, verbe trans.** [3]
**I. 1.** Doubler (un vêtement) de fourrure ou de tissu chaud. **2.** Garnir l'intérieur de (un mets) : ***Fourrer*** *un chou de crème*. **3.** Garnir l'extérieur de. ▸ *Mar.* ***Fourrer*** *un cordage* : le gainer. ▸ *Orfèvr.* ***Fourrer*** *une monnaie* : couvrir d'un placage le flan à frapper. **II.** Fam. **1.** Introduire : ***Fourrer*** *ses mains dans ses poches*. **2.** Faire entrer (qqch.) sans précaution : ***Fourrer*** *ses affaires dans son sac* ; empl. pronom. : ***Fourre****-toi ça dans le crâne !*, garde-le à l'esprit ! **3.** Faire entrer (qqn) sans égards : ***Fourrer*** *un voleur au cachot* ; empl. pronom., se mettre : *Se* ***fourrer*** *dans un guêpier*. **4.** Loc. ***Fourrer*** *une idée dans la tête de qqn* : lui faire croire qqch. ; ***Fourrer*** *son nez dans qqch.* : s'en mêler indiscrètement ; *S'en* ***fourrer*** *jusque-là* : s'empiffrer ; *Ne plus savoir où se* ***fourrer*** : être paralysé de honte, de confusion. Mil. xii$^{e}$ s. ; anc. fr. *fuerre*, « fourreau » ; [fuʀe].

**FOURRE-TOUT, subst. m. inv.**
**1.** Fam. Pièce ou placard à usage de débarras. **2.** Sac de voyage souple non compartimenté. **3.** Fig. Texte, œuvre de composition hétéroclite. 1858 ; comp. de *fourrer* et de *tout* ; [fuʀtu].

**FOURREUR, EUSE subst.**
Personne qui apprête les peaux en fourrures et qui les vend. 1260 ; ☞ *fourrer* ; [fuʀœʀ, øz].

**FOURRIER, IÈRE, subst.**
Masc. **1.** *Milit.* Soldat responsable des vivres, des vêtements et du couchage dans une unité militaire. **2.** *Hist.* Officier de la cour chargé d'assurer les logements et les vivres lors des déplacements. **3.** Fig. Personne, chose qui en annonce ou en précède une autre (littér.) : *Se faire le* ***fourrier*** *de qqch., de qqn*, en préparer, en faciliter l'arrivée (souv. péj.). Fém. Lieu de dépôt des animaux ou des véhicules abandonnés ou saisis sur la voie publique. Mil. xii$^{e}$ s. ; anc. fr. *feurre*, « fourrage » ; [fuʀje, jɛʀ].

**FOURRURE, subst. f.**
**1.** Peau de certains mammifères, avec son poil ; pelage : *La* ***fourrure*** *d'un ours*. **2.** Ext. Cette peau préparée pour servir de vêtement : *Une* ***fourrure*** *de loup* ; par méton., le vêtement lui-même : *Porter une* ***fourrure***. **3.** *Hérald.* L'un des émaux de l'écu figurant une peau (hermine, contre-hermine, vair, contre-vair). **4.** *Orfèvr.* Action de fourrer une monnaie ou un bijou de métal vil. **5.** *Techn.* Pièce intercalaire servant à combler un vide, à rattraper un jeu. Mil. xii$^{e}$ s. ; ☞ *fourrer* ; [fuʀyʀ].

**FOURVOIEMENT, subst. m.**
Littér. Fait de se fourvoyer ; erreur, égarement. xiii$^{e}$ s. ; ☞ *fourvoyer* ; [fuʀvwamɑ̃].

**FOURVOYER, verbe trans.** [17]
**1.** Écarter (qqn) du bon chemin (littér.) ; égarer : *Tu nous as* ***fourvoyés*** *dans cette banlieue*. **2.** Fig. Berner : ***Fourvoyer*** *l'ennemi*. Pronom. Faire fausse route ; au fig. : *Se* ***fourvoyer*** *dans une affaire douteuse*. Mil. xii$^{e}$ s. ; formé de *fors* et de *voie* ; [fuʀvwaje].

**FOUTAISE, subst. f.**
Futilité, chose sans valeur (fam.) : *C'est de la* ***foutaise***, de la blague. 1668 ; ☞ *foutre* ; [futɛz].

**FOUTOIR, subst. m.**
Lieu où règne un grand désordre (fam.). 1857 (1610, engin de guerre) ; ☞ *foutre* ; [futwaʀ].

**FOUTRE, verbe trans.** [51]
**1.** Vieilli et Vulg. Posséder sexuellement (qqn) ; au fig. : *Va te faire* ***foutre*** *!*, va au diable ! **2.** Ficher (très fam.). Fin xii$^{e}$ s. ; lat. *futuere* ; [futʀ].

**FOUTRIQUET, subst. m.**
Homme malingre et, par ext., insignifiant (fam.). 1791 ; ☞ *foutre* ; [futʀikɛ].

**FOUTU, UE, adj.**
Fichu (très fam.). 1416 ; p. p. de *foutre* ; [futy].

**FOVÉA, subst. f.**
*Anat.* Zone concave de la rétine, au centre de la tache jaune, où la perception visuelle est le plus nette. 1877 ; lat. *fovea*, « fosse » ; [fɔvea].

**FOX-HOUND, subst. m.**
Grand chien courant anglais. 1828 ; angl. *fox-hound*, de *fox*, « renard », et de *hound*, « chien » ; plur. *fox-hounds* ; [fɔksawnd].

**FOX-TERRIER, subst. m.**
Chien terrier d'origine anglaise : *Un* ***fox-terrier*** *à poil dur*. 1866 ; angl. *fox-terrier*, de *fox*, « renard », et de *terrier* ; plur. *fox-terriers* ; [fɔkstɛʀje].

**FOX-TROT, subst. m.**
Danse à deux temps d'origine américaine. 1919 ; angl. *fox-trot*, « trot du renard » ; plur. *fox-trots* ; [fɔkstʀɔt].

**FOYARD, subst. m.**
Helv. et Région. Hêtre. 1865 ; lat. *fageus* ; [fwajaʀ].

**FOYER, subst. m.**
**I. 1.** Âtre ; feu que l'on y fait : *Se chauffer près du* ***foyer***. **2.** Partie d'un appareil dans laquelle a lieu la combustion : *Le* ***foyer*** *d'un fourneau, d'une chaudière* ; ***Foyer*** *à chargement automatique*. **II.** Ext. **1.** Lieu où habite une famille : *Le* ***foyer*** *conjugal* ; *Fonder un* ***foyer*** ; *Femme au* ***foyer***, sans activité professionnelle. ▸ *Dr.* ***Foyer*** *fiscal* : unité démographique d'imposition englobant un ménage et les personnes à sa charge. **2.** Local collectif à usage d'habitation ou de réunion : *Loger dans un* ***foyer*** *de jeunes travailleurs* ; *Le* ***foyer*** *des élèves*, dans un collège, un lycée. ▸ *Théâtre.* ***Foyer*** *des artistes* : salle commune où se réunissent les comédiens ; ***Foyer*** *du public* : salle accessible durant les entractes. **III.** Anal. **1.** Source, point de départ d'un phénomène : *Un* ***foyer*** *d'incendie* ; *Le* ***foyer*** *d'un séisme* (synon. *hypocentre*), *d'une révolte* ; *Un* ***foyer*** *de civilisation*. **2.** *Géom.* ***Foyer*** *d'une conique* (☞ *conique*). **3.** *Opt.* Point de convergence de rayons parallèles après réflexion ou réfraction : *Le* ***foyer*** *d'une lentille* ; *Verres à double* ***foyer***. **4.** *Pathol.* Lieu d'où se développe une maladie : *Un* ***foyer*** *infectieux*. Plur. Pays natal, domicile : *Renvoyer un soldat dans ses* ***foyers***, le démobiliser. Mil. xii$^{e}$ s. ; lat. pop. °*focarium*, du lat. *focus* ; [fwaje].

**Fr, voir FRANCIUM**

**FRAC, subst. m.**
Habit masculin de cérémonie ou de soirée, sombre, pourvu à l'arrière de basques en queue de pie (synon. *habit*). 1767 ; angl. *frock*, du fr. *froc* ; [fʀak].

**FRACAS, subst. m.**
**1.** Vx. Action de fracasser. ▸ Loc. *Avec pertes et* ***fracas*** : de façon brutale. **2.** Bruit produit par qqch. qui se casse, par un choc brutal : *Le* ***fracas*** *du tonnerre*. **3.** Fig. Éclat, retentissement : *Lancer un journal à grand* ***fracas***. 1475 ; ☞ *fracasser* ; [fʀaka].

**FRACASSANT, ANTE, adj.**
**1.** Qui fait du fracas : *Un son* ***fracassant***. **2.** Fig. Retentissant, sensationnel : *Déclaration* ***fracassante***. 1871 ; p. pr. de *fracasser* ; [fʀakasɑ̃, ɑ̃t].

**FRACASSEMENT, subst. m.**
Action de fracasser ; fait de se fracasser. 1579 ; ☞ *fracasser* ; [fʀakasmɑ̃].

**FRACASSER, verbe trans.** [3]
Briser violemment, mettre en pièces : ***Fracasser*** *le crâne de qqn* ; empl. pronom. : *Se* ***fracasser*** *l'épaule*. 1475 ; ital. *fracassare* ; [fʀakase].

**FRACTAL, ALE, ALS, adj. et subst. f.**
*Math.* Adj. Qualifie un objet mathématique (ensemble, courbe) dont l'irrégularité ou le morcellement sont partout présents. Les ensembles aléatoires sont gén. **fractals**. Subst. Courbe **fractale**. Certaines **fractales** sont des courbes fermées de longueur infinie, dont aucun point n'admet de tangente. V. 1970 ; lat. *fractus*, « irrégulier, morcelé » ; [fʀaktal].

**FRACTION, subst. f.**
**1.** *Liturg.* Action de rompre le pain eucharistique. **2.** Portion d'un tout : *Une* ***fraction*** *de seconde* ; *Parti éclaté en* ***fractions***. ▸ *Chim.* ***Fractions*** *du pétrole* : hydrocarbures issus de la distillation fractionnée du pétrole. ▸ *Math.* Représentant d'un nombre rationnel constitué d'un couple $(p, q)$ d'entiers relatifs avec $q \neq 0$, noté aussi $p/q$ (deux **fractions** $p/q$ et $p'/q'$ représentent le même nombre rationnel si et seulement si $pq' = qp'$ ; on écrit alors $p/q = p'/q'$) ; en tant que nombre réel, c'est le quotient de $p$ par $q$, $p$ étant le numérateur et $q$ le dénominateur de la **fraction** $p/q$. Fin xii$^{e}$ s. ; bas lat. *fractio* ; [fʀaksjɔ̃].

**FRACTIONNAIRE, adj.**
*Math.* Qui a la forme d'une fraction. ▸ *Exposant* ***fractionnaire*** : soient $a$ un réel strictement positif, $p$ un entier relatif, $q$ un entier strictement positif, alors $a^p$ a une unique racine $q$-ième positive, $\sqrt[q]{a^p}$, c'est aussi $a^{p/q}$, image de $p/q$ par la fonction exponentielle de base $a$, et on dit que $a^{p/q}$ est l'écriture de $\sqrt[q]{a^p}$ sous forme d'exposant **fractionnaire**. 1725 ; ☞ *fraction* ; [fʀaksjɔnɛʀ].

**FRACTIONNÉ, ÉE, adj.**
*Chim. Distillation, cristallisation* ***fractionnée*** : qui permet de séparer les composantes chimiques d'une substance. P. p. de *fractionner* ; [fʀaksjɔne].

**FRACTIONNEMENT, subst. m.**
Action de fractionner ; son résultat. ▸ Séparation des constituants d'un corps composé : ***Fractionnement*** *d'un hydrocarbure, du sang*. 1838 ; ☞ *fractionner* ; [fʀaksjɔnmɑ̃].

**FRACTIONNER, verbe trans.** [3]
**1.** Partager en fractions. **2.** *Chim.* Procéder au fractionnement de. 1789 ; ☞ *fraction* ; [fʀaksjɔne].

**FRACTIONNISME, subst. m.**
*Pol.* Attitude tendant à créer une fraction au sein d'un groupe. V. 1950 ; ☞ *fraction* ; [fʀaksjɔnism].

**FRACTURE, subst. f.**
**1.** Vx. Action de fracturer : ***Fracture*** *d'une serrure*. **2.** Méton. État de ce qui est brisé. ▸ *Géol.* Rupture de la continuité des couches géologiques, faille. ▸ *Pathol.* Traumatisme, rupture d'un os : ***Fracture*** *ouverte*, qui met l'os au contact du milieu extérieur. Fin xiii$^{e}$ s. ; lat. *fractura*, « éclat, fragment » ; [fʀaktyʀ].

**FRACTURER, verbe trans.** [3]
**1.** Causer la fracture de (un os) ; empl. pronom. : *Se* ***fracturer*** *le poignet*. **2.** Briser violemment : ***Fracturer*** *une porte*. 1560 ; ☞ *fracture* ; [fʀaktyʀe].

**FRAGILE, adj.**
**1.** Qui se brise facilement : *Une tasse* ***fragile***. **2.** Qui est peu robuste : *Santé* ***fragile***. **3.** Qui manque d'assurance ; peu stable : *Une majorité, un bonheur* ***fragile***. Mil. xiv$^{e}$ s. ; lat. *fragilis* ; [fʀaʒil].

**FRAGILISATION, subst. f.**
Action de fragiliser ; fait de se fragiliser. V. 1960 ; ☞ *fragiliser* ; [fʀaʒilizasjɔ̃].

**FRAGILISER, verbe trans.** [3]
Rendre fragile. 1956 ; ☞ *fragile* ; [fʀaʒilize].

**FRAGILITÉ, subst. f.**
Caractère de ce qui est fragile. Fin xii$^{e}$ s. ; lat. *fragilitas* ; [fʀaʒilite].

**FRAGMENT, subst. m.**
**1.** Morceau d'une chose cassée ou déchirée : *Un* ***fragment*** *de vase*. **2.** Ext. Portion d'un ensemble : ***Fragment*** *de ciel*. **3.** Extrait d'une œuvre d'art inachevée ou d'un ouvrage dont l'essentiel est perdu. Mil. xiii$^{e}$ s. ; lat. *fragmentum* ; [fʀagmɑ̃].

**FRAGMENTAIRE, adj.**
**1.** Qui se présente à l'état de fragments : *Texte* ***fragmentaire***. **2.** Fig. Qui n'appréhende pas l'intégralité d'une chose : *Vision* ***fragmentaire***. 1801 ; ☞ *fragment* ; [fʀagmɑ̃tɛʀ].

**FRAGMENTATION, subst. f.**
Action de fragmenter, fait de se fragmenter. ▸ *Bombe à* ***fragmentation*** : qui libère de multiples projectiles mortels. 1840 ; ☞ *fragmenter* ; [fʀagmɑ̃tasjɔ̃].

**FRAGMENTER, verbe trans.** [3]
Diviser en fragments ; empl. pronom. : *La roche s'est* ***fragmentée***. 1845 ; ☞ *fragment* ; [fʀagmɑ̃te].

**FRAGON, subst. m.**
*Bot.* Plante de la famille des Liliacées, aux baies rouges et aux feuilles épineuses, appelée aussi petit houx. Fin xii$^{e}$ s. ; bas lat. *frisco*, « houx » ; [fʀagɔ̃].

**FRAGRANCE, subst. f.**
Odeur exquise, parfum (littér.). xiii$^{e}$ s. ; lat. chrét. *fragrantia* ; [fʀagʀɑ̃s].

**FRAGRANT, ANTE, adj.**
Parfumé (littér.). 1516 ; lat. *fragrans*, de *fragrare*, « répandre une odeur » ; [fʀagʀɑ̃, ɑ̃t].

**FRAI, subst. m.**
**1.** *Zool.* Chez les poissons, ponte ou fécondation des œufs. ▸ Méton. Les œufs ou les alevins ; période

où les poissons fraient. **2.** *Numism.* Usure d'une monnaie causée par le frottement (vieilli). 1340 ; ☞ *frayer* ; [fʀɛ].

**FRAÎCHEMENT, adv.**

**1.** Récemment : *Mur **fraîchement** repeint.* **2.** De façon à être au frais : *Être **fraîchement** vêtu.* **3.** Fig. Avec une froideur hostile : *Recevoir qqn **fraîchement**.* Mil. XIIe s. ; ☞ *frais* (I) ; [fʀɛʃmɑ̃].

**FRAÎCHEUR, subst. f.**

**1.** Caractère de ce qui est frais, légèrement froid : *La **fraîcheur** matinale.* **2.** Fig. Absence de cordialité. **3.** Qualité de ce qui n'a pas été abîmé par le temps : *Sardines de première **fraîcheur*** ; par anal. : *La **fraîcheur** d'un teint.* **4.** Ext. Qualité de ce qui est pur, spontané : ***Fraîcheur** d'âme,* candeur. Déb. XIIIe s. ; ☞ *frais* (I) ; [fʀɛʃœʀ].

**FRAÎCHIN, subst. m.**

Forte odeur de poisson frais, de marée. 1573 ; m. fr. *frescume* ; [fʀɛʃɛ̃].

**FRAÎCHIR, verbe intrans.** [19]

**1.** Se refroidir, en parlant de la température. **2.** *Mar.* Forcir, en parlant du vent. 1626 (fin XIIe s., redonner des forces à qqn) ; ☞ *frais* (I) ; [fʀɛʃiʀ].

**FRAIRIE, subst. f.**

**1.** Vx. Réunion joyeuse où l'on fait bonne chère. **2.** Fête patronale d'un village (région.). 1543 (mil. XIIe s., confrérie) ; lat. *fratria,* du gr. *phratria,* « phratrie » ; [fʀɛʀi].

**FRAIS (I), FRAÎCHE, adj.**

**I. 1.** Légèrement froid : *Une eau **fraîche**.* **2.** Agréablement froid : *Une cave bien **fraîche*** ; empl. adv. : *Il fait **frais** ; Boire, servir **frais**.* ► Empl. subst. masc. Air **frais** : *Prendre le **frais** ; Mettre, garder qqch. au **frais**,* dans un endroit froid. ► Empl. subst. fém. Le moment (matin ou soir) d'une journée où il fait **frais** : *Sortir à la **fraîche**.* **3.** Fig. Qui manque de cordialité : *Faire **fraîche** mine à qqn.* **II. 1.** Récent : *Traces **fraîches** ; Nouvelles **fraîches**.* **2.** Récemment produit ou récolté : *Pain, œufs **frais** ; Ce poisson n'est plus très **frais*** ; qui n'a pas subi de traitement de conservation : *Figues **fraîches** ; Légumes **frais**.* ► Empl. adv. (avec ou sans accord, devant un p. p.). Récemment : *Fleurs **fraîches** cueillies* ou ***frais** cueillies ; Étudiant **frais** émoulu du lycée.* **3.** *Argent **frais*** : nouvellement disponible. **4.** Qui n'est pas encore sec : *Attention, peinture **fraîche** !* **III. 1.** Qui respire la santé : *Teint **frais**.* **2.** Plein de vitalité : *Se lever **frais** et dispos ; Troupes **fraîches** ; Nous voilà **frais** !,* en fâcheuse posture (iron.). **3.** *Mar. Vent **frais*** : vent assez fort ; empl. subst. masc. : *Avis de grand **frais**,* d'un vent de force 7. **IV.** Qui exprime la jeunesse, la pureté : *Une voix **fraîche** ; Un **frais** regard d'enfant.* Fin XIe s. ; germ. occ. °*frisk* ; [fʀɛ, fʀɛʃ].

**FRAIS (II), subst. m. plur.**

**1.** Argent dépensé en achats divers : ***Frais** d'habillement, de rentrée scolaire* ; somme allouée pour subvenir à des obligations : ***Frais** de route ; Faux **frais**,* petites dépenses imprévues ; *Rentrer dans ses **frais**,* les récupérer ou en obtenir l'équivalent. **2.** Fig. Effort sur soi-même, en partic. pour plaire : *Faire des **frais** d'éloquence, d'amabilité ; Se mettre en **frais** pour qqn ; Arrêter les **frais**,* cesser de se donner du mal pour rien (fam.). **3.** Loc. *Aux **frais** de la princesse* : sur le compte de l'État, d'une collectivité (fam.) ; *À grands **frais**, à peu de **frais*** : en dépensant beaucoup, peu d'argent ou, au fig., d'énergie ; *Faire les **frais** de qqch.* : en être la victime. **4.** *Dr.* Coût d'une formalité légale ou d'un acte juridique : ***Frais** de douane ; **Frais** de justice ; Être condamné aux **frais** et dépens,* être condamné à les payer. **5.** *Écon.* Argent dépensé par une entreprise dans un but particulier : ***Frais** de fabrication, d'expédition, commerciaux ; **Frais** généraux,* liés au fonctionnement de l'entreprise ; ***Frais** financiers,* coût des capitaux empruntés. 1260 ; lat. *fractum,* de *frangere,* « briser » ; [fʀɛ].

**FRAISAGE, subst. m.**

*Techn.* Action de fraiser une pièce métallique ; son résultat. 1842 ; ☞ *fraiser* (II) ; [fʀɛzaʒ].

**FRAISE (I), subst. f.**

**I.** *Bouch.* Membrane comestible enveloppant les intestins du veau, de l'agneau. **II. 1.** Collerette finement tuyautée du costume élégant des XVIe et XVIIe s. **2.** Anal. Caroncule du dindon. **3.** *Trav. publ.* Rang de pieux protégeant la pile d'un pont. Mil. XIIe s. ; orig. obsc. ; [fʀɛz].

**FRAISE (II), subst. f.**

**Subst. 1.** Fruit du fraisier, qui est en fait une inflorescence ; le véritable fruit du fraisier est un grain sec, indéhiscent (un akène), fixé, avec d'autres grains, à ce réceptable charnu appelé communément **fraise**. ► Empl. adj. inv. De la couleur de la **fraise** : *Des gants **fraise**.* ► Loc. fam. *Sucrer les **fraises*** : être tremblotant et, par ext., être gâteux. **2.** *Pathol.* Nom courant de l'angiome tubéreux. **3.** Fam. Visage, tête : *Ramener sa **fraise**,* arriver ou tenter de se faire remarquer. Fin XIIe s. ; lat. pop. °*fraga,* du lat. *fragum* ; [fʀɛz].

**FRAISE (III), subst. f.**

Outil rotatif de coupe comportant des arêtes tranchantes disposées autour d'un axe, utilisé en menuiserie, en mécanique, en dentisterie et pour les forages géologiques. 1676 ; ☞ *fraiser* (II) ; [fʀɛz].

**FRAISER (I), verbe trans.** [3]

*Cuis.* Rouler, malaxer (une pâte) pour la rendre homogène. Déb. XIIIe s. ; lat. *fresum,* de *frendere,* « broyer » ; var. *fraser* ; [fʀeze].

**FRAISER (II), verbe trans.** [3]

*Techn.* Usiner à l'aide d'une fraise. ► ***Fraiser** un trou de vis* : en élargir l'orifice en tronc de cône pour que la tête de la vis s'y adapte. 1676 ; prob. lat. pop. °*fresare,* « dépouiller de son enveloppe » ; [fʀeze].

**FRAISERAIE, subst. f.**

Lieu planté de fraisiers. 1914 ; ☞ *fraise* (II) ; var. *fraisière* ; [fʀɛzʀɛ].

**FRAISEUR, EUSE, subst.**

Ouvrier, ouvrière qui fait des travaux de fraisage. 1930 ; ☞ *fraiser* (II) ; [fʀɛzœʀ, øz].

**FRAISEUSE, subst. f.**

Machine-outil servant au fraisage des métaux. 1873 ; ☞ *fraiser* (II) ; [fʀɛzøz].

**FRAISIER, subst. m.**

**1.** *Bot.* Plante vivace, rampante, de la famille des Rosacées, dont le fruit, la fraise, est très apprécié. **2.** *Cuis.* Gâteau fait d'une génoise garnie de crème et de fraises. Fin XIIIe s. ; ☞ *fraise* (II) ; [fʀezje].

**FRAISIÈRE, voir FRAISERAIE**

**FRAISIL, subst. m.**

Résidu du charbon après sa combustion. 1676 ; altér. de l'anc. fr. *faisil,* « noir de charbon », du lat. pop. °*facilis,* du lat. *fax,* « torche, brandon » ; [fʀezil].

**FRAISURE, subst. f.**

Évidement conique pratiqué au moyen d'une fraise. 1792 ; ☞ *fraiser* (II) ; [fʀezyʀ].

**FRAMBOISE, subst. f.**

**Subst. 1.** Fruit comestible du framboisier, constitué de petites drupes rouges ou blanches. ► Empl. adj. inv. De la couleur de la **framboise** : *Des rubans **framboise*** ou, en appos., *rouge **framboise**.* **2.** Méton. Eau-de-vie de **framboise**. Fin XIIe s. ; prob. anc. bas frq. °*brambasi,* « mûre de ronce » ; [fʀɑ̃bwaz].

*Framboises.*

**FRAMBOISER, verbe trans.** [3]

Parfumer à la framboise. 1651 ; ☞ *framboise* ; [fʀɑ̃bwaze].

**FRAMBOISIER, subst. m.**

**1.** *Bot.* Sous-arbrisseau de la famille des Rosacées. Cultivé ou sauvage, il donne un fruit apprécié, la framboise. **2.** *Cuis.* Génoise garnie de crème et de framboises. 1306 ; ☞ *framboise* ; [fʀɑ̃bwazje].

**FRAMÉE, subst. f.**

*Hist.* Lance à long fer dont se servaient les Francs. 1559 ; lat. *framea* ; [fʀame].

**FRANC (I), FRANQUE, adj.**

**1.** Des Francs, peuples germaniques. **2.** Relatif aux Européens du Levant : *Langue **franque**,* le sabir utilisé jusqu'au XIXe s. dans les ports du Levant. Fin Xe s. ; bas lat. *Francus,* du frq. °*frank* ; [fʀɑ̃, fʀɑ̃k].

**FRANC (II), FRANCHE, adj.**

**I. 1.** Vx. Qui est de condition libre (anton. *esclave, serf*). **2.** Exempt de certaines charges : *Port **franc**, zone **franche**,* où les marchandises ne sont taxées ni à l'entrée ni à la sortie. ► Loc. **Franc de port.** Franco de port : *Recevoir **franc** de port une lettre ; Des envois **francs** de port.* **3.** Sans entrave : *Avoir les coudées **franches**,* la liberté d'agir. ► *Sp. Coup **franc*** (☞ *coup*). **II. 1.** Qui s'exprime sans ambages ; loyal, sincère : *Un homme **franc*** ; par méton. : *Un regard **franc*** ; empl. adv. : *Parler **franc**.* **2.** Ext. Pur, sans mélange : *Une couleur **franche** ; Un vin **franc**,* de qualité sûre et de saveur naturelle ; par iron. : *Une **franche** crapule.* Mil. XIe s. ; ☞ *franc* (I) ; [fʀɑ̃, fʀɑ̃ʃ].

**FRANC (III), subst. m.**

**1.** *Hist.* Monnaie d'or équivalant à une livre. **2.** Unité monétaire légale de la France, de la Belgique, du Luxembourg et de la Suisse (abrév. : F ou FF, FB, FL, FS). **3.** Unité monétaire de certains pays d'Afrique francophone (abrév. : FCFA). 1360 ; p.-ê. *Francorum rex,* « roi des Francs » ; [fʀɑ̃]

**Économie** – Les premières pièces de 1 franc furent frappées en 1360 ; elles portaient la devise *Francorum rex* (« Roi des Francs »). Pourtant, le mot « franc » n'est utilisé pour désigner l'unité monétaire française qu'à partir de 1575. La loi du 17 germinal an XI (1803) institue la convertibilité du franc avec l'or et l'argent. Progressivement, seule la convertibilité avec l'or sera maintenue, 1 franc ayant la valeur de 322,5 mg d'or. Ce franc-or disparaît après la Première Guerre mondiale. En 1928 est instauré le franc Poincaré, qui vaut 1/5 de l'ancienne unité. Plusieurs fois dévalué (par ex. lors de la dépression des années 1930 ou de l'occupation allemande), le franc cède la place, le 1er janvier 1960, au nouveau franc (1 NF représente 100 francs). La zone franc comprend, outre la France, les territoires d'outre-mer du Pacifique (franc CFP) et certaines anciennes colonies d'Afrique, où le franc CFA (Communauté financière africaine) existe depuis 1945. Quant au franc vert, monnaie fictive utilisée dans le cadre de l'Union européenne, il permet d'ajuster les prix des produits agricoles entre les pays membres.

**FRANÇAIS, AISE, adj. et subst.**

De France. **Subst. masc.** Langue romane parlée en France et dans plusieurs pays, en partic. en Belgique, en Suisse, au Canada et dans certains États d'Afrique. ► Loc. *En bon **français*** : en termes clairs. Fin XIe s. ; topon. *France* ; [fʀɑ̃sɛ, ɛz].

**FRANC-ALLEU, subst. m.**

*Féod.* Terre de pleine propriété, affranchie de toute servitude. 1258 ; comp. de *franc* (II) et de *alleu* ; plur. *francs-alleux* ; [fʀɑ̃kalø].

**FRANC-BORD, subst. m.**

**1.** Espace laissé libre de propriétaire, en bordure d'un cours d'eau. **2.** *Mar.* Hauteur, mesurée au milieu d'un navire, entre la ligne de flottaison en charge et le bord du pont le plus élevé. 1752 ; comp. de *franc* (II) et de *bord* ; plur. *francs-bords* ; [fʀɑ̃bɔʀ].

**FRANC-BOURGEOIS, subst. m.**

*M. Â.* Habitant d'une ville exempt de charges municipales. 1467 ; comp. de *franc* (II) et de *bourgeois* ; plur. *francs-bourgeois* ; [fʀɑ̃buʀʒwa].

**FRANC-COMTOIS, OISE, adj. et subst.**

De Franche-Comté. Fin XVIIe s. ; topon. *Franche-Comté* ; plur. *francs-comtois, franc-comtoises* ; [fʀɑ̃kɔ̃twa, waz].

**FRANC-FIEF, subst. m.**

*Féod.* **1.** Fief non soumis à l'hommage. **2.** *Droit de **franc-fief*** : taxe versée au roi par un roturier ayant acquis des biens nobles. 1283 ; comp. de *franc* (II) et de *fief* ; plur. *francs-fiefs* ; [fʀɑ̃fjɛf].

**FRANCHEMENT, adv.**

**1.** Vx. Librement ; noblement. **2.** Sans hésitation ni détour. **3.** Tout à fait : *Il est **franchement** laid.* Mil. XIIe s. ; ☞ *franc* (II) ; [fʀɑ̃ʃmɑ̃].

**FRANCHIR, verbe trans.** [19]

**1.** Passer (un obstacle) ; traverser : ***Franchir** une haie ; **Franchir** une mer.* ► Fig. Surmonter (une difficulté) : ***Franchir** le pas,* prendre une décision. **2.** Aller au-delà de (une limite) : ***Franchir***

*la ligne de démarcation.* Déb. XIVe s. (1130, affranchir) ; ☞ *franc* (II) ; [fʀɑ̃ʃiʀ].

**FRANCHISAGE, subst. m.**
*Comm.* Contrat par lequel un commerçant indépendant, le franchisé, est autorisé par une entreprise, le franchiseur, à exploiter une marque, un brevet. V. 1970 ; angl. *franchising*, du fr. *franchise* ; [fʀɑ̃ʃizaʒ].

**FRANCHISE, subst. f.**
**I. 1.** *Hist.* ▸ Condition libre. ▸ Droit qui limitait l'autorité du souverain au profit d'une ville, d'une corporation, d'une personne. **2.** Exemption d'une taxe ; exonération d'un droit : *Franchise postale.* **3.** Somme forfaitaire qu'un assuré conserve à sa charge en cas de dommage. **4.** *Comm.* Franchisage. **II. 1.** Noblesse de cœur. **2.** Caractère d'une personne qui dit la vérité. ▸ Loc. *En toute **franchise*** : franchement. Déb. XIIe s. ; ☞ *franc* (II) ; [fʀɑ̃ʃiz].

**FRANCHISÉ, ÉE, adj.**
Qui bénéficie d'un franchisage ; empl. subst., exploitant **franchisé**. V. 1970 ; ☞ *franchisage* ; [fʀɑ̃ʃize].

**FRANCHISER, verbe trans.** [3]
Lier (un commerçant, une entreprise) par un franchisage. V. 1970 ; ☞ *franchisage* ; [fʀɑ̃ʃize].

**FRANCHISEUR, subst. m.**
Entreprise qui accorde un franchisage. V. 1970 ; ☞ *franchisage* ; [fʀɑ̃ʃizœʀ].

**FRANCHISSABLE, adj.**
Qui peut être franchi. 1831 ; ☞ *franchir* ; [fʀɑ̃ʃisabl].

**FRANCHISSEMENT, subst. m.**
Action de franchir ; son résultat. 1864 (1283, action d'affranchir) ; ☞ *franchir* ; [fʀɑ̃ʃismɑ̃].

**FRANCHOUILLARD, ARDE, adj.**
Fam. Qui manifeste les travers généralement attribués au Français moyen (chauvinisme, par ex.) ; empl. subst., personne **franchouillarde**. Mil. XXe s. ; argot *franchouillard*, « sot », de *tranche*, « tronche », d'apr. *français* ; [fʀɑ̃ʃujaʀ, aʀd].

**FRANCIEN, subst. m.**
Dialecte de langue d'oïl à l'origine du français, parlé au Moyen Âge en Île-de-France et en Orléanais. 1889 ; topon. *France* ; [fʀɑ̃sjɛ̃].

**FRANCILIEN, IENNE, adj. et subst.**
De l'Île-de-France. Mil. XXe s. ; formé de *France* et de *ilien*, d'apr. *Île-de-France* ; [fʀɑ̃siljɛ̃, jɛn].

**FRANCIQUE, subst. m.**
Ensemble des dialectes du groupe germanique occidental parlés jadis par les Francs ; empl. adj. : *Étymologie **francique**.* 1872 (1721, vainqueur des Francs) ; ☞ *franc* (I) ; [fʀɑ̃sik].

**FRANCISATION, subst. f.**
**1.** Action de franciser : ***Francisation** d'un mot latin.* **2.** *Dr. mar. Acte de **francisation*** : acte d'immatriculation conférant à un navire le droit de naviguer en battant pavillon français, avec les privilèges qui s'y rattachent. 1796 ; ☞ *franciser* ; [fʀɑ̃sizasjɔ̃].

**FRANCISCAIN, AINE, adj. et subst.**
**Adj.** Relatif à saint François d'Assise ou à son ordre. **Subst. masc.** Religieux de l'ordre mendiant fondé par saint François d'Assise au début du XIIIe s., qui comprend les Conventuels, les Capucins et les Frères mineurs. **Subst. fém.** Religieuse du tiers ordre régulier de saint François d'Assise. Mil. XVIe s. ; lat. médiév. *Franciscus*, « François » ; [fʀɑ̃siskɛ̃, ɛn].

**FRANCISER, verbe trans.** [3]
**1.** Donner une forme française à (un mot étranger) ; par ext., donner un caractère français à (qqch.). **2.** *Dr. mar.* Donner la francisation à (un navire). Mil. XVIe s. ; ☞ *français* ; [fʀɑ̃size].

**FRANCISQUE, subst. f.**
**1.** Hache de guerre des Francs et des Germains. **2.** ***Francisque** gallique* : emblème du gouvernement de Vichy, figurant une hache à deux fers. 1599 ; bas lat. *securis francisca*, « hache franque » ; [fʀɑ̃sisk].

**FRANCITÉ, subst. f.**
Culture commune aux peuples de langue française. 1936 ; topon. *France* ; [fʀɑ̃site].

**FRANCIUM, subst. m.**
*Chim.* Élément n° 87 de la table de Mendeleïev (symb. : Fr) ; masse atomique : 223. Cet élément radioactif, provenant de la désintégration de l'actinium, appartient à la famille des métaux alcalins. 1939 ; topon. *France* ; [fʀɑ̃sjɔm].

**FRANC-MAÇON, ONNE, subst.**
Membre de la franc-maçonnerie ; empl. adj. : *L'esprit **franc-maçon**.* 1735 ; angl. *free mason* ; plur. *francs-maçons, franc-maçonnes* ; [fʀɑ̃masɔ̃, ɔn].

**FRANC-MAÇONNERIE, subst. f.**
**1.** Association ésotérique à caractère philanthropique, dont les membres relèvent d'une obédience, sont organisés en loges et pratiquent des rites symboliques : *La **franc-maçonnerie** a choisi comme emblème les outils de l'architecte et du maçon du Moyen Âge.* **2.** Fig. Alliance entre personnes solidaires les unes des autres (souv. péj.). 1742 ; ☞ *franc-maçon* ; plur. *franc-maçonneries* ; [fʀɑ̃masɔnʀi].

**SOCIÉTÉ** – Si elle se réclame, pour ses rites et ses symboles (tablier, équerre, compas, etc.), des bâtisseurs de cathédrales (maçons opératifs du Moyen Âge), la franc-maçonnerie moderne, dite spéculative, ne remonte qu'au XVIIe s. pour la Grande-Bretagne et au XVIIIe s. pour la France. Elle se définit comme une association initiatique universelle, non pas secrète mais fermée, reposant sur la fraternité. Elle vise à rassembler les êtres humains par-delà leurs différences. Quelle que soit la branche à laquelle ils appartiennent, les francs-maçons professent l'humanisme, souvent rattaché à la croyance en un Être suprême (le Grand Architecte de l'Univers), et veulent œuvrer à la construction du « Temple de l'Humanité ». L'influence de la maçonnerie sur le mouvement des idées fut particulièrement vive en France dans la seconde moitié du XVIIIe s., à travers les Lumières et dans la préparation de la Révolution ; le Grand Orient, rationaliste et anticlérical, joua un rôle politique notable sous la troisième République. Aujourd'hui encore, la franc-maçonnerie reste active dans le monde de la politique et de la haute finance, toutes idéologies confondues.

**FRANC-MAÇONNIQUE, adj.**
Relatif à la franc-maçonnerie (synon. préférable *maçonnique*). Mil. XIXe s. ; ☞ *franc-maçon* ; plur. *francs-maçonniques* (masc.), *franc-maçonniques* (fém.) ; [fʀɑ̃masɔnik].

**FRANCO (I), adv.**
Sans frais, à la charge du destinataire : *Un objet **franco** de port* ou, par ell., ***franco***. 1754 ; ital. *franco*, « libre, franc, exempt » ; [fʀɑ̃ko].

**FRANCO (II), adv.**
Franchement (fam.) : *Dites-le-moi **franco***. 1879 ; abrév. de *franchement*, d'apr. *franco* (I) ; [fʀɑ̃ko].

**FRANCO-CANADIEN, IENNE, subst. m. et adj.**
Se dit du français parlé par les Canadiens francophones. 1880 ; ☞ *canadien* + *franco-* ; plur. *franco-canadiens, iennes* ; [fʀɑ̃kokanadjɛ̃, jɛn].

**FRANCO-FRANÇAIS, AISE, adj.**
Exclusivement français (fam.). V. 1970 ; ☞ *français* + *franco-* ; plur. *franco-français, aises* ; [fʀɑ̃kofʀɑ̃sɛ, ɛz].

**FRANCOLIN, subst. m.**
*Zool.* Gallinacé d'Asie et d'Afrique tropicales de la famille des Phasianidés, ressemblant à une grosse perdrix. Mil. XIIIe s. ; ital. *francolino* ; [fʀɑ̃kɔlɛ̃].

**FRANCOPHILE, adj.**
Qui aime la France et les Français : *Un pays **francophile*** ; empl. subst., personne **francophile**. 1591 ; formé de *franco-* et de *-phile* ; [fʀɑ̃kɔfil].

**FRANCOPHILIE, subst. f.**
Amitié envers la France et les Français. V. 1920 ; formé de *franco-* et de *-philie* ; [fʀɑ̃kɔfili].

**FRANCOPHOBE, adj.**
Qui est hostile à la France et aux Français ; empl. subst., personne **francophobe**. 1864 ; formé de *franco-* et de *-phobe* ; [fʀɑ̃kɔfɔb].

**FRANCOPHOBIE, subst. f.**
Hostilité envers la France et les Français. 1907 ; formé de *franco-* et de *-phobie* ; [fʀɑ̃kɔfɔbi].

**FRANCOPHONE, adj. et subst.**
Se dit d'une personne parlant le français ou d'une région du monde où l'on parle le français : *L'Afrique **francophone**.* Fin XIXe s. ; formé de *franco-* et de *-phone* ; [fʀɑ̃kɔfɔn].

**FRANCOPHONIE, subst. f.**
**1.** Le fait de parler le français. **2.** Ensemble des personnes et des pays de langue française. 1880 ; ☞ *francophone* ; [fʀɑ̃kɔfɔni].

**FRANCO-PROVENÇAL, ALE, AUX, subst. m. et adj.**
Se dit des dialectes intermédiaires entre les langues d'oïl et d'oc, parlés dans le Lyonnais, les Alpes du Nord et la Suisse romande. 1890 ; ☞ *provençal* + *franco-* ; [fʀɑ̃kopʀɔvɑ̃sal, o].

**FRANC-PARLER, subst. m.**
Liberté de langage : *Avoir son **franc-parler**,* s'exprimer très franchement, voire crûment. Fin XVIIIe s. ; comp. de *franc* (II) et de *parler* (II) ; plur. *francs-parlers* ; [fʀɑ̃paʀle].

**FRANC-QUARTIER, subst. m.**
*Hérald.* Carré couvrant le quart de l'écu. 1681 ; comp. de *franc* (II) et de *quartier* ; plur. *francs-quartiers* ; [fʀɑ̃kaʀtje].

**FRANC-TIREUR, subst. m.**
**1.** Celui qui combat hors des rangs d'une armée régulière. **2.** Fig. Personne qui agit isolément, rejette la discipline d'un groupe. 1792 ; comp. de *franc* (II) et de *tireur* ; plur. *francs-tireurs* ; [fʀɑ̃tiʀœʀ].

**FRANGE, subst. f.**
**1.** Bordure d'un tissu constituée d'un des fils de l'armure ou d'une passementerie rapportée à fils travaillés : ***Frange** torsadée.* **2.** Anal. Bande de cheveux couvrant le front. **3.** Ext. Bordure, limite aux contours imprécis : ***Frange** de joncs bordant un marais* ; au fig. : *La **frange** entre orgueil et vanité.* **4.** Partie minoritaire d'un groupe : *Une **frange** de l'opinion.* **5.** *Opt. **Franges** d'interférence* : bandes alternativement brillantes et sombres d'un spectre résultant de l'interférence de deux ondes lumineuses. Fin XIIe s. ; lat. pop. °*frimbia*, du lat. *fimbria* ; [fʀɑ̃ʒ].

**FRANGER, verbe trans.** [5]
**1.** Munir (un tissu) d'une frange. **2.** Anal. Border : *Haie vive qui **frange** un pré* ; empl. adj. : *Récifs **frangeants***, récifs côtiers coralliens. Fin XIIe s. ; ☞ *frange* ; [fʀɑ̃ʒe].

**FRANGIN, INE, subst.**
Fam. Frère, sœur ; ami. 1821 ; orig. inc. ; [fʀɑ̃ʒɛ̃, in].

**FRANGIPANE, subst. f.**
**1.** Parfum utilisé jusqu'au début du XXe s. pour imprégner les gants de peau. **2.** Crème pâtissière contenant de la poudre d'amandes. **3.** Fruit du frangipanier. Mil. XVIIe s. ; anthropon. *Frangipani*, inventeur du parfum ; [fʀɑ̃ʒipan].

**FRANGIPANIER, subst. m.**
*Bot.* Arbrisseau ornemental d'Amérique tropicale, de la famille des Apocynacées, cultivé pour ses fleurs. 1700 ; ☞ *frangipane* ; [fʀɑ̃ʒipanje].

**FRANGLAIS, subst. m.**
Français dans lequel il est fait usage de mots, de tournures ou d'acceptions empruntés à l'anglais. 1959 ; crois. de *français* et de *anglais* ; [fʀɑ̃glɛ].

**FRANQUETTE (À LA BONNE), loc. adv.**
En toute simplicité : *Recevoir **à la bonne franquette**.* Mil. XVIIe s. ; ☞ *franc* (II) ; [alabɔnfʀɑ̃kɛt].

**FRANQUISME, subst. m.**
Régime dictatorial et militaire instauré en Espagne en 1936 par le général Franco ; son idéologie. V. 1940 ; anthropon. *Franco* ; [fʀɑ̃kism].

**FRANQUISTE, adj. et subst.**
**Adj.** Relatif ou favorable au franquisme. **Subst.** Partisan du franquisme et du général Franco. 1936 ; anthropon. *Franco* ; [fʀɑ̃kist].

**FRANSQUILLON, ONNE, subst.**
Belg. **1.** Belge francophone qui parle le français avec l'accent parisien (péj.). **2.** Francophone en Belgique néerlandophone. 1793 ; wallon *franskilion* ; [fʀɑ̃skijɔ̃, ɔn].

**FRAPPAGE, subst. m.**
Action de frapper une étoffe, une boisson ou un aliment, de la monnaie ; son résultat. 1838 ; ☞ *frapper* ; [fʀapaʒ].

**FRAPPANT, ANTE, adj.**
Qui impressionne, saisit ; évident : *Coïncidence **frappante**.* Mil. XVIIIe s. ; p. pr. de *frapper* ; [fʀapɑ̃, ɑ̃t].

**FRAPPE (I), subst. f.**
**1.** *Techn.* Action de frapper, d'estamper une monnaie, une médaille en marquant d'une empreinte les deux faces du flan. **2.** Action de taper à la machine à écrire : *Faute de **frappe*** ; par méton., la copie dactylographiée. **3.** *Milit.* Action de frapper l'ennemi : ***Frappe** aérienne*, bombardement ; *Force de **frappe*** (☞ *force*). **4.** *Sp.* Action ou manière de frapper un ballon, un adversaire (à la boxe). 1576 ; ☞ *frapper* ; [fʀap].

**FRAPPE (II), subst. f.**
Voyou (fam.) : *Une petite **frappe**.* 1888 ; apocope de *frapouille*, var. de *fripouille* ; [fʀap].

**FRAPPÉ, ÉE, adj.**
Fou (fam.). XIXe s. ; p. p. de *frapper* ; [fʀape].

**FRAPPEMENT,** subst. m.
Action de frapper ; le son ainsi produit. XIIIe s. ; ☞ *frapper* ; [fʀapmɑ̃].

**FRAPPER,** verbe trans. [3]
TRANS. DIR. **1.** Donner un ou plusieurs coups à (qqn), sur (qqch.) : ***Frapper** qqn au visage* ; ***Frapper** le sol* ; ***Frapper** un ballon du pied* ; ***Frapper** un accord au piano* ; ***Être frappé** à mort* ; empl. pronom. : *Se **frapper** le front.* ► Méton. ***Frapper** un coup* : l'asséner ; au fig. : ***Frapper** un grand coup*, accomplir une action retentissante. **2.** Venir heurter, atteindre, tomber sur : *La pluie **frappe** les tuiles* ; *Projectile qui **frappe** la cible.* **3.** Atteindre (qqn), en parlant d'un mal : *Le deuil les **frappe*** ; ***Être frappé** de cécité.* **4.** Faire subir une contrainte légale à : ***Frapper** les coupables d'indignité nationale, d'une amende* ; ***Frapper** le tabac d'une taxe.* **5.** Produire une vive impression sur : ***Frapper** la vue, l'esprit* ; ***Frapper** qqn de stupeur.* **6.** *Spéc.* ► *Cuis.* ***Frapper** une boisson, un fruit* : les refroidir dans la glace. ► *Fin.* ***Frapper** monnaie* : la fabriquer, l'émettre. ► *Mar.* et *Pêche.* ***Frapper** un cordage* : l'amarrer ; ***Frapper** un hameçon* : l'enfiler. ► *Techn.* ***Frapper** une monnaie, une médaille* : l'estamper. TRANS. INDIR. **Frapper à.** ***Frapper** à la porte de qqn* ou, par ell., ***Frapper** chez qqn* : cogner à sa porte pour se faire ouvrir ; empl. abs. : *Qui a **frappé** ?* ; au fig. : ***Frapper** aux portes*, demander de l'aide. PRONOM. S'inquiéter (fam.) : *Ne te **frappe** donc pas !* 1178 ; p.-ê. frq. °*hrappan* ; [fʀape].

**FRAPPEUR, EUSE,** adj.
Qui frappe, donne des coups. ► *Esprit **frappeur*** : qui se manifeste aux spirites en frappant. Fin XIVe s. ; ☞ *frapper* ; [fʀapœʀ, øz].

**FRASER,** voir **FRAISER (I)**

**FRASQUE,** subst. f.
**1.** Vx. Farce. **2.** Écart de conduite, extravagance (gén. au plur.). Mil. XVe s. ; ital. *frasca*, « sornette » ; [fʀask].

**FRATERNEL, ELLE,** adj.
Propre aux relations unissant des frères, des frères et des sœurs, ou des personnes se traitant en frères : *Amour **fraternel*** ; *Adresser un message **fraternel**.* Mil. XIIe s. ; lat. *fraternus*, « de frère » ; [fʀatɛʀnɛl].

**FRATERNELLEMENT,** adv.
D'une manière fraternelle : *S'aimer **fraternellement**.* 1395 ; ☞ *fraternel* ; [fʀatɛʀnɛlmɑ̃].

**FRATERNISATION,** subst. f.
Action de fraterniser ; son résultat. 1792 ; ☞ *fraterniser* ; [fʀatɛʀnizasjɔ̃].

**FRATERNISER,** verbe intrans. [3]
Se prendre d'une amitié réciproque ; se solidariser ; cesser de se combattre : ***Fraterniser** avec l'ennemi.* 1548 ; ☞ *fraternel* ; [fʀatɛʀnize].

**FRATERNITÉ,** subst. f.
**1.** Lien qui unit frères et sœurs (vieilli). **2.** Anal. Lien qui unit des personnes ayant le sentiment d'appartenir à une même famille : *La **fraternité** universelle* ; *Liberté, Égalité, **Fraternité**,* devise de la République française. **3.** Nom de certaines communautés religieuses ou laïques. Mil. XIIe s. ; lat. *fraternitas* ; [fʀatɛʀnite].

**FRATRICIDE (I),** subst. m.
Meurtre d'un frère ou d'une sœur. Fin XIIe s. ; bas lat. *fraticidium*, de *frater*, « frère », et de *caedere*, « tuer » ; [fʀatʀisid].

**FRATRICIDE (II),** subst. et adj.
Se dit d'une personne qui tue son frère ou sa sœur. ADJ. Fig. Qui oppose de manière violente des membres d'une même communauté : *Querelle **fratricide**.* Mil. XVe s. ; lat. *fratricida* ; [fʀatʀisid].

**FRATRIE,** subst. f.
Ensemble des frères et sœurs d'une même famille. V. 1970 ; lat. *frater*, « frère » ; [fʀatʀi].

**FRAUDE,** subst. f.
Acte commis au détriment d'autrui, contrevenant à la loi. ► Loc. *En **fraude*** : illégalement ou en cachette. 1255 ; lat. *fraus*, « mauvaise foi » ; [fʀod].

**FRAUDER,** verbe [3]
TRANS. Commettre une fraude envers (qqn, une personne morale) : ***Frauder** le fisc.* INTRANS. Commettre une fraude : ***Frauder** sur la marchandise, sur les prix.* Déb. XIVe s. ; lat. *fraudare* ; [fʀode].

**FRAUDEUR, EUSE,** subst.
Personne qui fraude : *Poursuivre les **fraudeurs**.* Fin XIVe s. ; ☞ *frauder* ; [fʀodœʀ, øz].

**FRAUDULEUSEMENT,** adv.
D'une manière frauduleuse. XIVe s. ; ☞ *frauduleux* ; [fʀodyløzmɑ̃].

**FRAUDULEUX, EUSE,** adj.
Entaché de fraude : *Une transaction **frauduleuse**.* Mil. XIVe s. ; bas lat. *fraudulosus* ; [fʀodylø, øz].

**FRAXINELLE,** subst. f.
*Bot.* Plante à grandes fleurs roses de la famille des Rutacées, appelée aussi dictame. 1562 ; lat. sc. *fraxinella*, du lat. *fraxinus*, « frêne » ; [fʀaksinɛl].

**FRAYAGE,** subst. m.
**1.** Action de frayer un passage (rare). **2.** *Physiol.* Facilitation de la transmission de l'influx nerveux dans les voies nerveuses par la répétition. 1946 ; ☞ *frayer* ; [fʀɛjaʒ].

**FRAYEMENT,** subst. m.
*Vétér.* Inflammation cutanée causée par le frottement. XVIe s. ; ☞ *frayer* ; [fʀɛjmɑ̃].

**FRAYER,** verbe [15]
TRANS. DIR. **1.** Vx. *Vén.* Frotter : *Cerf qui **fraie** ses bois contre un arbre.* **2.** Ouvrir (un passage) en ôtant les obstacles ; empl. pronom. : *Se **frayer** un chemin.* ► Fig. ***Frayer** la voie à* : être le précurseur de, faciliter l'apparition de. TRANS. INDIR. **Frayer avec.** Fréquenter (qqn) ; empl. abs., se lier : *Il ne **fraie** pas facilement.* INTRANS. Déposer ses œufs, en parlant du poisson femelle ; les féconder, en parlant du mâle. Mil. XIIe s. ; lat. *fricare*, « frotter » ; [fʀeje].

**FRAYÈRE,** subst. f.
Emplacement où fraient les poissons. 1812 ; ☞ *frayer* ; [fʀɛjɛʀ].

**FRAYEUR,** subst. f.
Peur intense et soudaine déclenchée par un danger réel ou imaginaire : *Cri de **frayeur**.* 1460 (mil. XIIe s., vacarme) ; lat. *fragor*, « fracas » ; [fʀɛjœʀ].

**FREAK,** subst. m.
Jeune marginal (anglic.). V. 1970 ; anglo-amér. *freak*, « monstre » ; [fʀik].

**FREDAINE,** subst. f.
Écart de conduite sans conséquence. Déb. XIVe s. ; prob. anc. prov. *fradin*, « scélérat » ; [fʀədɛn].

**FREDONNEMENT,** subst. m.
Chant à mi-voix d'une personne qui fredonne. 1546 ; ☞ *fredonner* ; [fʀədɔnmɑ̃].

**FREDONNER,** verbe trans. [3]
Chantonner à mi-voix sans articuler les paroles de (une chanson) ; empl. abs. : *Il **fredonnait** en se rasant.* 1547 ; m. fr. *fredon*, « air chanté à mi-voix », du lat. *fritinnire*, « gazouiller » ; [fʀədɔne].

**FREE JAZZ,** subst. m. inv.
*Mus.* Forme de jazz née aux États-Unis au début des années soixante, fondée sur l'improvisation et le dégagement des contraintes de l'harmonie, de la mélodie et du tempo. V. 1960 ; comp. de l'angl. *free*, « libre », et de *jazz* ; var. *free-jazz* (inv.) ; [fʀidʒaz].

**FREE-LANCE,** adj. inv. et subst.
Anglic. Se dit d'une personne qui exerce un métier, gén. intellectuel ou artistique, en indépendant : *Journaliste, graphiste **free-lance**.* SUBST. MASC. Cette manière de travailler. V. 1970 ; angl. *freelance*, « franc-tireur » ; plur. du subst. *free-lances* ; [fʀilɑ̃s].

**FREE-MARTIN,** subst. m.
*Biol.* Génisse, jumelle d'un veau, rendue stérile par des échanges sanguins entre les deux fœtus au niveau de leur circulation extraembryonnaire. 1917 ; angl. *freemartin* ; plur. *free-martins* ; [fʀimaʀtɛ̃].

**FREESIA,** subst. m.
*Bot.* Plante bulbeuse de la famille des Iridacées, cultivée pour ses fleurs odoriférantes disposées en grappes. 1872 ; anthropon. *Freese*, médecin allemand ; var. *frésia* ; [fʀezja].

© J.-P. Champroux-Jacana

*Freesia.*

**FREEZER,** subst. m.
Compartiment de congélation d'un réfrigérateur. V. 1950 ; anglo-amér. *to freeze*, « geler » ; [fʀizœʀ].

**FRÉGATAGE,** subst. m.
*Mar.* Rétrécissement de la coque d'un bateau à l[a] hauteur du pont. XXe s. ; ☞ *frégate* ; [fʀegataʒ].

**FRÉGATE,** subst. f.
**1.** *Mar.* ► Vx. Chaloupe à rames, gén. au servic[e] d'un grand navire. ► Ancien navire rapide de guerr[e] à trois mâts, doté d'une seule batterie couvert[e]. ► Navire de guerre de tonnage moyen, intermédiair[e] entre la corvette et le croiseur : ***Frégate** anti-aérienn[e], anti-sous-marine.* **2.** Anal. *Zool.* Oiseau à patt[es] palmées des mers tropicales, de l'ordre des Pélécan[i]formes. 1525 ; ital. *fregata* ; [fʀegat].

© Giraudon

Combat de la **frégate** française « La Canonnière » contre le vaisseau anglais « Le Tremendous », 21 avril 1806 *(détail), peinture de Pierre J. Gilbert (1783-1860). Château de Versailles.*

**FRÉGATER,** verbe trans. [3]
*Mar.* Affiner les formes de (un navire) pour l[e] rendre plus rapide. XVIIe s. ; ☞ *frégate* ; [fʀegate].

**FREIN,** subst. m.
**1.** Vx. Mors d'un cheval. ► Loc. *Ronger son **frein*** : contenir avec peine sa colère, son impatience. **2.** Fig. Ce qui entrave, contrarie le développemen[t] de qqch. ► **Sans frein.** Sans bornes, immodéré : *Un[e] ambition sans **frein**.* **3.** *Techn.* Dispositif servant [à] ralentir ou à arrêter une mécanique en mouvement : *Un **frein** à main* ; ***Frein** moteur*, résistance du moteu[r] à la rotation des roues. ► Loc. *Donner un coup d[e] **frein*** : ralentir brutalement. Fin XIe s. ; lat. *frenum*, « bride, mors » ; [fʀɛ̃].

**FREINAGE,** subst. m.
Action de freiner ; son résultat : ***Freinage** brutal* ; au fig. : *Le **freinage** de l'inflation.* 1892 ; ☞ *freiner* ; [fʀɛnaʒ].

**FREINER,** verbe [3]
TRANS. **1.** Ralentir (un mouvement, un processus) : ***Freiner** la progression ennemie.* ► Tempérer, contenir : ***Freiner** ses ardeurs* ; empl. pronom., se modérer (fam.). **2.** Ralentir, arrêter (une machine, u[n] véhicule) à l'aide d'un frein : *Il **freina** son camion.* INTRANS. Ralentir, décélérer : *Il **freina** avant le virage* ; par méton. : *Le car **freina** devant l'école.* 1899 ; ☞ *frein* ; [fʀene].

**FREINTE,** subst. f.
Perte de volume ou de poids subie par un[e] marchandise au cours de sa fabrication ou de so[n] transport. 1877 (XIIe s., vacarme) ; anc. fr. *frainte*, d[u] lat. *frangere*, « briser » ; [fʀɛ̃t].

**FRELATAGE,** subst. m.
Action de frelater ; son résultat. 1684 ; ☞ *frelater* ; [fʀəlataʒ].

**FRELATER,** verbe trans. [3]
Altérer, dénaturer (une boisson, un aliment) en [y] introduisant des substances étrangères : ***Frelater** u[n] vin.* ► Empl. adj. *Médicament **frelaté*** ; au fig. : *U[n] milieu **frelaté**,* corrompu. 1546 (fin XIVe s., transvaser) ; m. néerl. *verlaten*, « transvaser » ; [fʀəlate].

**FRÊLE,** adj.
**1.** Fragile, ténu, fluet : *Silhouette **frêle*** ; *Beauté fort[e] à genoux devant la beauté **frêle*** (Baudelaire). **2.** Fig. Facile à ébranler, fragile (littér.) : *Un **frêle** espoir.* Mil. XIe s. ; lat. *fragilis*, « friable, fragile » ; [fʀɛl].

**FRELON,** subst. m.
*Zool.* Insecte hyménoptère du sous-ordre de[s]

Aculéates, ou porte-aiguillons. Cette grosse guêpe inflige des piqûres très douloureuses. Fin XIIe s. ; anc. bas frq. °hursio ; [fʀəlɔ̃].

**FRELUQUET, subst. m.**
**1.** Jeune homme d'apparence frêle. **2.** Jeune homme coquet, léger et prétentieux (péj.). 1609 ; *freluque* (vx), altér. de *freluche*, « ornement sans valeur » ; [fʀəlykɛ].

**FRÉMIR, verbe intrans. [19]**
**1.** Frissonner légèrement, bruire : *Le violon **frémit** comme un cœur qu'on afflige* (Baudelaire). **2.** Être à la limite de l'ébullition, en parlant d'un liquide. **3.** Fig. Trembler sous l'emprise d'une émotion : ***Frémir** d'aise, d'épouvante* ; empl. abs., être horrifié. Fin XIe s. ; lat. pop. °*fremire*, du lat. *fremere* ; [fʀemiʀ].

**FRÉMISSANT, ANTE, adj.**
Qui frémit. 1480 ; p. pr. de *frémir* ; [fʀemisɑ̃, ɑ̃t].

**FRÉMISSEMENT, subst. m.**
**1.** Léger mouvement de vibration accompagné d'un faible bruit. **2.** Frisson, tremblement causé par une émotion. **3.** *Écon.* et *Pol.* Évolution presque imperceptible. Déb. XIIe s. ; ☞ *frémir* ; [fʀemismɑ̃].

**FRÊNAIE, subst. f.**
Plantation de frênes. Fin XIIIe s. ; ☞ *frêne* ; [fʀɛnɛ].

**FRENCH CANCAN, subst. m.**
Cancan. 1953 ; angl. *french cancan*, de *french*, « français », et du fr. *cancan* (II) ; plur. *french cancans* ; [fʀɛnʃkɑ̃kɑ̃].

**FRÊNE, subst. m.**
**1.** *Bot.* Arbre des forêts tempérées, de la famille des Oléacées. L'espèce la plus répandue est le **frêne** élevé, qui peut atteindre 35 m de hauteur et vivre jusqu'à deux cents ans. **2.** Méton. Le bois du **frêne**, utilisé notamment pour faire des tonneaux, des manches d'outils. Fin XIe s. ; lat. *fraxinus* ; [fʀɛn].

© H. Berthoule-Jacana

*Frêne.*

**FRÉNÉSIE, subst. f.**
**1.** Vx. Délire, exaltation violente. **2.** Ext. Ardeur, passion : *Discuter avec **frénésie**.* ▸ Profusion, intensité : *Une **frénésie** de couleurs.* Déb. XIIIe s. ; lat. médiév. *phrenesia*, du gr. *phrenêsis* ; [fʀenezi].

**FRÉNÉTIQUE, adj.**
**1.** Vx. Fou ; empl. subst. : *Un dangereux **frénétique**.* **2.** Ext. Dément, exalté. ▸ Effréné, intense : *Danser avec une ardeur **frénétique**.* Déb. XIIIe s. ; lat. *phreneticus*, du gr. *phrenêtikos* ; [fʀenetik].

**FRÉNÉTIQUEMENT, adv.**
De manière frénétique. 1845 ; ☞ *frénétique* ; [fʀenetikmɑ̃].

**FRÉON, subst. m. inv.**
*Chim.* Dérivé fluoré ou chloré du méthane et de l'éthane, utilisé dans l'industrie du froid. 1947 ; ☞ *froid*, d'apr. *néon* ; n. déposé ; [fʀeɔ̃].

**FRÉQUEMMENT, adv.**
De manière fréquente. Fin XIVe s. ; ☞ *fréquent* ; [fʀekamɑ̃].

**FRÉQUENCE, subst. f.**
**1.** Fait de se produire, de réapparaître souvent : *La **fréquence** des accidents à un carrefour dangereux.* **2.** Nombre de fois où un phénomène se reproduit dans un temps donné, où un élément apparaît dans un ensemble donné. ▸ *Ling.* Nombre de fois où une unité lexicale apparaît dans un corpus. **3.** *Phys.* ***Fréquence** d'un phénomène périodique ou d'une onde* : nombre *f*, mesuré en hertz, caractéristique de ce phénomène ou de l'onde émise par une source vibrante, correspondant au nombre de vibrations par seconde. ▸ ***Fréquences** audibles* : **fréquences** de vibration sonore comprises entre 20 et 15 000 Hz. En deçà (infrason) ou au-delà (ultrason) de ces valeurs, la **fréquence** d'un son est imperceptible à l'oreille humaine. ▸ ***Fréquences** visibles* : **fréquences** d'ondes électromagnétiques, de l'ordre de $10^{15}$ Hz, comprises entre celles de la lumière rouge (basses **fréquences** visuelles) et celles de la lumière violette. ▸ ***Fréquence**-seuil* : **fréquence** au-dessous de laquelle certains phénomènes électromagnétiques ne peuvent pas se produire. **4.** *Stat.* Pour un caractère quantitatif discret (resp. continu) prenant les valeurs $x_1, x_2, ..., x_n$ (resp. de classes $c_1, c_2, ..., c_n$) sur une population de N individus, la **fréquence** de la valeur $x_i$ (resp. de la classe $c_i$) est $f_i = \frac{n_i}{N}$, où $n_i$ est le nombre d'individus pour lesquels la valeur prise par le caractère est $x_i$ (resp. appartient à $c_i$). ▸ ***Fréquence** cumulée pour la valeur $x_k$ (resp. la classe $c_k$)* : la somme $f_1 + f_2 + ... + f_k$. 1587 (fin XIIe s., compagnie) ; lat. *frequentia*, « affluence, abondance » ; [fʀekɑ̃s].

**FRÉQUENCEMÈTRE, subst. m.**
*Métrol.* Instrument qui mesure la fréquence d'un courant alternatif ou d'un phénomène périodique. 1907 ; ☞ *fréquence* + *-mètre*[1] ; [fʀekɑ̃smɛtʀ].

**FRÉQUENT, ENTE, adj.**
Qui se produit à maintes reprises : *Des inondations **fréquentes**.* ▸ Habituel : *Une erreur **fréquente**.* XVe s. (fin XIVe s., fréquenté) ; lat. *frequens* ; [fʀekɑ̃, ɑ̃t].

**FRÉQUENTABLE, adj.**
Que l'on peut fréquenter, recommandable. 1838 (déb. XVIe s., fréquent) ; ☞ *fréquenter* ; [fʀekɑ̃tabl].

**FRÉQUENTATIF, IVE, adj. et subst. m.**
*Ling.* Se dit d'un verbe qui marque que l'action est considérée dans la répétition (synon. *itératif*) : *« Sautiller », « recommencer » sont des **fréquentatifs**.* XIVe s. ; lat. *frequentativus*, « qui marque la répétition » ; [fʀekɑ̃tatif, iv].

**FRÉQUENTATION, subst. f.**
**1.** Action de fréquenter un lieu ou qqn : *La **fréquentation** des salles de vente.* **2.** Méton. Personne que l'on fréquente. **3.** Fig. Usage habituel (vieilli) : *La **fréquentation** des sacrements.* Mil. XIVe s. ; lat. *frequentatio*, « emploi fréquent » ; [fʀekɑ̃tasjɔ̃].

**FRÉQUENTER, verbe [3]**
Trans. **1.** Aller souvent dans (un même lieu) : ***Fréquenter** un restaurant* ; empl. adj. : *Une plage très **fréquentée***, où il y a beaucoup de monde. **2.** Entretenir des relations suivies avec ; empl. pronom. : *Nos familles ne se **fréquentent** plus.* **3.** Avoir une relation amoureuse avec : *Elle **fréquente** un artiste* ; empl. abs. : *Ce garçon **fréquente***, il sort avec une fille (pop.). **4.** Fig. Pratiquer ; lire souvent, assidûment : *Il **fréquente** les bons auteurs.* Intrans. **1.** Aller souvent dans un lieu, chez des personnes (vx et littér.) : *Il **fréquente** dans les salons.* **2.** En Afrique, aller à l'école. Fin XIIe s. ; lat. *frequentare* ; [fʀekɑ̃te].

**FRÉQUENTIEL, ELLE, adj.**
Relatif à la fréquence d'un phénomène périodique. V. 1980 ; ☞ *fréquence* ; [fʀekɑ̃sjɛl].

**FRÈRE, subst. m.**
**1.** Garçon né des mêmes parents qu'une autre personne prise en référence : *Je suis le **frère** de ma sœur* ; ***Frères** utérins et **frères** consanguins sont des demi-frères* ; ***Frères** jumeaux, siamois.* **2.** Ami très proche. **3.** Personne unie à d'autres par le sentiment d'appartenance à une communauté : ***Frères** de race* ; ***Frères** d'armes*, compagnons qui combattent ou ont combattu ensemble ; *Les **frères** de la côte*, pirates des Antilles aux XVIIe et XVIIIe s. ; *Faux **frère***, traître à ses amis. ▸ ***Frère** maçon* ou, par ell., ***Frère*** : appellatif entre francs-maçons ; ***Frères** trois-points* (abrév. : F ∴), francs-maçons (fam.). ▸ Empl. adj. Étroitement solidaire : *Pays, peuples **frères**.* **4.** *Relig.* Homme considéré comme créature d'un même Dieu (gén. au plur.) : *Être **frères** en Jésus-Christ.* ▸ Fidèle : *Mes bien chers **frères**.* ▸ Titre de certains religieux, notamment des non prêtres : *Les **Frères** prêcheurs*, les Dominicains ; *Être élevé chez les **frères**.* **5.** Homme considéré comme membre de la famille humaine : *Tous les hommes sont **frères**.* 842 ; lat. *frater* ; [fʀɛʀ].

**FRÉROT, subst. m.**
Petit frère (fam.). Mil. XVIe s. ; ☞ *frère* ; [fʀeʀo].

**FRÉSIA, voir FREESIA**

**FRESQUE, subst. f.**
**1.** *B.-a.* Technique consistant à peindre un mur sur l'enduit frais avec des couleurs délayées à l'eau : *Peindre à **fresque**.* **2.** Méton. Peinture exécutée selon cette technique. **3.** Ext. Grande peinture murale. **4.** Fig. Œuvre littéraire ou cinématographique dépeignant une époque, une société. Mil. XVIe s. ; ital. *dipingere a fresco*, « peindre sur du frais » ; [fʀɛsk].

**FRESQUISTE, subst.**
Peintre de fresques. 1865 ; ☞ *fresque* ; [fʀɛskist].

**FRESSURE, subst. f.**
*Bouch.* Ensemble des gros viscères d'un animal. Déb. XIIIe s. ; bas lat. *frixura*, « poêle à frire » ; [fʀɛsyʀ].

**FRET, subst. m.**
**1.** Prix du transport des marchandises par mer (ou, auj., par tout autre moyen). **2.** Cargaison. **3.** Transport de marchandises : *Avion de **fret**.* XIIIe s. ; néerl. *vrecht* ; [fʀɛ(t)].

**FRÉTER, verbe trans. [8]**
**1.** Donner en location (un navire). **2.** Prendre en location (un véhicule). XIIIe s. ; ☞ *fret* ; [fʀete].

**FRÉTEUR, subst. m.**
Exploitant d'un navire, qui le donne en location à un affréteur. Fin XVIe s. ; ☞ *fréter* ; [fʀetœʀ].

**FRÉTILLANT, ANTE, adj.**
Qui frétille. Fin XVe s. ; p. pr. de *frétiller* ; [fʀetijɑ̃, ɑ̃t].

**FRÉTILLEMENT, subst. m.**
Mouvement de ce qui frétille. Fin XIVe s. ; ☞ *frétiller* ; [fʀetijmɑ̃].

**FRÉTILLER, verbe intrans. [3]**
Être agité de petits mouvements rapides : *Gardon qui **frétille** ; **Frétiller** de joie.* Mil. XIIe s. ; anc. fr. *freter*, du bas lat. *frictare*, du lat. *fricare*, « frotter » ; [fʀetije].

**FRETIN, subst. m.**
**1.** Petits poissons. **2.** Fig. Gens ou choses sans importance (fam.). 1536 (fin XIIe s., menus débris) ; anc. fr. *frait*, du lat. *fractus*, « brisé » ; [fʀətɛ̃].

**FRETTAGE, subst. m.**
Action de fretter. 1865 ; ☞ *fretter* ; [fʀɛtaʒ].

**FRETTE (I), subst. f.**
**1.** *Techn.* Cercle métallique dont on entoure une pièce pour la renforcer. **2.** *Lutherie.* Repère transversal de l'emplacement d'un demi-ton sur le manche d'un instrument à cordes pincées. Fin XIIe s. ; prob. frq. °*fetur*, « chaîne » ; [fʀɛt].

**FRETTE (II), subst. f.**
**1.** *Archit.* Moulure en forme de ligne brisée. **2.** *Hérald.* Meuble fait de baguettes entrecroisées. 1352 ; prob. fém. de l'anc. fr. *frait*, « brisé » ; [fʀɛt].

**FRETTER, verbe trans. [3]**
*Techn.* Garnir d'une frette : ***Fretter** le manche d'un outil.* Fin XIIe s. ; ☞ *frette* (I) ; [fʀɛte].

**FREUDIEN, IENNE, adj.**
Relatif à Freud, au freudisme ; empl. subst., partisan de Freud, du freudisme. 1917 ; anthropon. *Sigmund Freud* ; [fʀødjɛ̃, jɛn].

**FREUDISME, subst. m.**
Ensemble des théories et des pratiques psychanalytiques de Freud et de ses disciples. 1915 ; anthropon. *Sigmund Freud* ; [fʀødism].

**FREUX, subst. m.**
*Zool.* Grand oiseau (45 cm) au plumage entièrement noir, de la famille des Corvidés, aux mœurs grégaires. Déb. XIIIe s. ; prob. anc. bas frq. °*hrôk* ; [fʀø].

**FRIABILITÉ, subst. f.**
Caractère d'une substance, d'une matière friable. 1641 ; ☞ *friable* ; [fʀijabilite].

**FRIABLE, adj.**
Qui peut se réduire en menus fragments, qui se désagrège facilement. 1535 ; lat. *friabilis* ; [fʀijabl].

**FRIAND, ANDE, adj. et subst. m.**
Adj. **1.** D'un goût agréable (vx). **2.** Qui aime et recherche les mets fins et délicats (vx) ; par méton. : *Mine **friande**.* ▸ Loc. **Friand de.** Qui apprécie beaucoup, amateur de : *Le chat est **friand** de poisson* ; *Notable **friand** d'honneurs.* Subst. Petit feuilleté salé garni d'un hachis de viande, ou sucré et fourré à la pâte d'amandes. Déb. XIVe s. (fin XIIe s., avide, voluptueux) ; p. pr. de *frire* (vx), « brûler d'envie » ; [fʀijɑ̃, ɑ̃d].

**FRIANDISE, subst. f.**
Petite préparation culinaire au goût fin, gén. sucrée. 1541 (1342, gourmandise) ; ☞ *friand* ; [fʀijɑ̃diz].

**FRIBOURG, subst. m.**
Fromage de lait de vache à pâte cuite de la région de Fribourg. Topon. *Fribourg* (Suisse) ; [fʀibuʀ].

**FRIC, subst. m.**
Argent (fam.). 1879 ; orig. obsc. ; [fʀik].

**FRICANDEAU, subst. m.**
*Cuis.* Médaillon de veau piqué de lardons. 1548 ; ☞ *fricasser* ; [fʀikɑ̃do].

**FRICASSÉE, subst. f.**
*Cuis.* **1.** Ragoût de morceaux de volaille ou de viande blanche revenus à la poêle et cuits en sauce. ▸ Loc. ***Fricassée de museaux*** : embrassade générale (fam.). **2.** Belg. Œufs brouillés au lard. Mil. XVe s. ; p. p. de *fricasser* ; [fʀikase].

**FRICASSER, verbe trans.** [3]
Faire cuire en fricassée. XVe s. ; orig. obsc. ; [fʀikase].

**FRICATIF, IVE, adj.**
*Phon. Consonne **fricative*** ou, empl. subst. fém., *Une **fricative*** : consonne caractérisée par un bruit de frottement obtenu par resserrement en un point du conduit buccal (synon. *constrictive*). 1873 ; lat. *fricatum*, de *fricare*, « frotter » ; [fʀikatif, iv].

**FRIC-FRAC, subst. m.**
Cambriolage avec effraction (fam.). 1836 (1545, *ne fric ne frac*, rien du tout) ; orig. obsc. ; plur. *fric-frac(s)* ; [fʀikfʀak].

**FRICHE, subst. f.**
Sol non cultivé, laissé à l'abandon ; par ext. : ***Friche** industrielle*, zone industrielle désaffectée. ▸ Loc. **En friche.** Inculte, non exploité : *Terres en **friche*** ; au fig. : *Esprit en **friche**.* 1251 ; m. néerl. *virsch lant*, « terre fraîche » ; [fʀiʃ].

**FRICHTI, subst. m.**
Repas, plat que l'on mitonne (fam.). 1834 ; als. *fristick*, de l'all. *Frühstück*, « petit déjeuner » ; [fʀiʃti].

**FRICOT, subst. m.**
Fam. Ragoût ; par ext., repas médiocre. ▸ Loc. ***Faire le fricot*** : cuisiner. 1758 ; ☞ *fricasser* ; [fʀiko].

**FRICOTAGE, subst. m.**
Trafic louche (fam.). 1895 (1856, action de cuisiner) ; ☞ *fricoter* ; [fʀikɔtaʒ].

**FRICOTER, verbe** [3]
Fam. TRANS. **1.** Accommoder en ragoût. **2.** Fig. Manigancer. INTRANS. **1.** Être de connivence (avec qqn) dans des affaires louches. **2.** Avoir des rapports sexuels (avec qqn). 1825 ; ☞ *fricot* ; [fʀikɔte].

**FRICOTEUR, EUSE, subst.**
Petit escroc (fam.). 1843 (1812, soldat maraudeur) ; ☞ *fricoter* ; [fʀikɔtœʀ, øz].

**FRICTION, subst. f.**
**1.** Frottement appuyé et prolongé, massage vigoureux pratiqué sur une partie du corps pour faciliter l'absorption d'une substance par la peau, activer la circulation, décongestionner, etc. : ***Friction** au gant de crin.* **2.** Fig. Tension, heurt entre personnes (souv. au plur.) : *Avoir des **frictions** avec un collègue.* **3.** *Mécan.* Frottement de résistance entre deux pièces en contact. 1538 ; lat. *frictio* ; [fʀiksjɔ̃].

**FRICTIONNEL, ELLE, adj.**
**1.** *Mécan.* Relatif à la friction : *Perte **frictionnelle***, déperdition d'énergie due au frottement. **2.** *Écon. Chômage **frictionnel*** : inactivité momentanée, en période de plein-emploi. V. 1960 ; ☞ *friction* ; [fʀiksjɔnɛl].

**FRICTIONNER, verbe trans.** [3]
Faire une friction à. 1782 ; ☞ *friction* ; [fʀiksjɔne].

**FRIDOLIN, subst. m.**
Allemand, en partic. militaire allemand (fam., péj. et vieilli). 1917 ; prénom all. *Fridolin*, de *Friedo*, dimin. de *Friedrich*, « Frédéric » ; [fʀidɔlɛ̃].

**FRIGIDAIRE, subst. m. inv.**
Réfrigérateur. 1920 ; lat. *frigidarium*, « chambre froide » ; n. déposé ; [fʀiʒidɛʀ].

**FRIGIDARIUM, subst. m.**
*Antiq. rom.* Partie des thermes réservée aux bains froids. 1838 ; mot lat. ; [fʀiʒidaʀjɔm].

**FRIGIDE, adj. f.**
Qualifie une femme qui souffre de frigidité. Mil. XIXe s. (1706, froid) ; lat. *frigidus*, « froid » ; [fʀiʒid].

**FRIGIDITÉ, subst. f.**
Absence ou faiblesse du désir et du plaisir sexuels chez la femme. Fin XIVe s. ; bas lat. *frigiditas*, « froidure » ; [fʀiʒidite].

**FRIGO, subst. m.**
Réfrigérateur (fam.). 1941 (1918, *être frigo*, avoir froid) ; apocope de *frigorifié* ou de *frigorifique* ; [fʀigo].

**FRIGORIE, subst. f.**
*Métrol.* Vieilli. Dans l'industrie frigorifique, quantité de chaleur dont la soustraction abaisse de 1 degré 1 kilogramme d'eau à 15 °C (symb. : fg). 1890 ; lat. *frigus*, « froid » ; [fʀigɔʀi].

**FRIGORIFIER, verbe trans.** [6]
Conserver (un aliment) en le soumettant au froid ; empl. adj., transi, gelé (fam.). 1894 ; ☞ *frigorifique* ; [fʀigɔʀifje].

**FRIGORIFIQUE, adj.**
Qui produit du froid ; empl. subst. masc., appareil **frigorifique**. Fin XVIIe s. ; lat. *frigorificus*, de *frigus*, « froid », et de *facere*, « faire » ; [fʀigɔʀifik].

**FRIGORISTE, subst.**
Spécialiste des processus industriels de réfrigération. 1948 ; lat. *frigus*, « froid » ; [fʀigɔʀist].

**FRILEUSEMENT, adv.**
De manière frileuse, avec frilosité. Fin XIVe s. ; ☞ *frileux* ; [fʀiløzmɑ̃].

**FRILEUX, EUSE, adj.**
**1.** Qui redoute, craint le froid ; empl. subst. : *Une grande **frileuse**.* **2.** Fig. Timide, pusillanime. Déb. XIIIe s. ; bas lat. *frigorosus*, « glacial » ; [fʀilø, øz].

**FRILOSITÉ, subst. f.**
Grande sensibilité au froid ; au fig., prudence excessive, pusillanimité. Fin XIVe s. ; ☞ *frileux* ; [fʀilozite].

**FRIMAIRE, subst. m.**
Troisième mois du calendrier républicain (du 21, 22 ou 23 novembre au 20, 21 ou 22 décembre). 1793 ; ☞ *frimas* ; [fʀimɛʀ].

**FRIMAS, subst. m.**
Épais brouillard givrant : *La saison des **frimas**.* 1456 ; anc. fr. *frime*, de l'anc. bas frq. °*hrîm* ; [fʀima].

**FRIME, subst. f.**
**1.** Fam. Attitude visant à leurrer ou à éblouir autrui. ▸ Loc. ***Pour la frime*** : en apparence seulement. **2.** Visage, tête (argot.). XVe s. (XIIe s., *faire frume*, manifester de la mauvaise humeur) ; p.-ê. bas lat. *frumen*, « gosier » ; [fʀim].

**FRIMER, verbe intrans.** [3]
Chercher à en imposer, à faire illusion (fam.). 1867 (1836, envisager) ; ☞ *frime* ; [fʀime].

**FRIMEUR, EUSE, subst.**
Personne qui frime (fam.). V. 1970 (1954, curieux, espion) ; ☞ *frimer* ; [fʀimœʀ, øz].

**FRIMOUSSE, subst. f.**
Visage agréable d'une personne jeune ou d'un enfant (fam.). 1814 ; ☞ *frime* ; [fʀimus].

**FRINGALE, subst. f.**
Fam. **1.** Désir irrépressible. **2.** Faim impérieuse et soudaine. 1774 ; altér. de *faim-valle* (rare), « boulimie névrotique des chevaux » ; [fʀɛ̃gal].

**FRINGANT, ANTE, adj.**
**1.** Alerte, plein de vigueur, en parlant d'un cheval. **2.** Sémillant, chic, plein d'allant : ***Fringante** demoiselle.* Fin XVe s. ; p. pr. de *fringuer* ; [fʀɛ̃gɑ̃, ɑ̃t].

**FRINGILLIDÉS, subst. m. plur.**
*Zool.* Famille de passereaux qui comprend notamment les pinsons, les chardonnerets, les tarins, les becs-croisés, les bouvreuils, les serins et les grosbecs. AU SING. *L'ortolan est un **fringillidé**.* 1839 ; lat. *fringilla*, « pinson » ; [fʀɛ̃ʒilide].

**FRINGUE, subst. f.**
Fam. Vêtement (gén. au plur.). 1878 (XIIIe s., gambade) ; orig. obsc. ; [fʀɛ̃g].

**FRINGUER, verbe** [3]
INTRANS. Gambader (vieilli). TRANS. Fam. Vêtir ; empl. pronom : *Mal se **fringuer**.* XVe s. ; ☞ *fringue* ; [fʀɛ̃ge].

**FRIPE, subst. f.**
Vêtement usagé, d'occasion (gén. au plur.). XIVe s. ; bas lat. *faluppa*, « chose sans valeur » ; [fʀip].

**FRIPER, verbe trans.** [3]
**1.** Chiffonner, froisser (un tissu, un vêtement). **2.** Anal. Rider, défraîchir (la peau). XIIIe s. ; anc. fr. *frepe*, « vieux vêtement » ; [fʀipe].

**FRIPERIE, subst. f.**
**1.** Vêtements usagés. **2.** Méton. Le commerce du fripier ; sa boutique. Fin XIIIe s. ; ☞ *fripe* ; [fʀipʀi].

**FRIPIER, IÈRE, subst.**
Personne qui revend des vêtements d'occasion. Fin XIIIe s. ; ☞ *fripe* ; [fʀipje, jɛʀ].

**FRIPON, ONNE, subst.**
**1.** Voleur habile et rusé (vx). **2.** Fam. Enfant espiègle ; personne malicieuse, un peu délurée ; empl. adj. : *Un petit air **fripon**.* 1558 (déb. XVIe s., gourmand) ; m. fr. *friper*, « avaler goulûment » ; [fʀipɔ̃, ɔn].

**FRIPONNERIE, subst. f.**
Vieilli. Caractère du fripon ; acte de fripon. 1790 (1530, acte de débauche) ; ☞ *fripon* ; [fʀipɔnʀi].

**FRIPOUILLE, subst. f.**
**1.** Racaille (vx). **2.** Individu sans scrupule, crapule (fam.) : *L'appât du gain en a fait une **fripouille**.* 1872 (1797, bon à rien) ; ☞ *fripe* ; [fʀipuj].

**FRIPOUILLERIE, subst. f.**
Rare et Fam. Caractère d'une fripouille ; acte de fripouille. 1897 ; ☞ *fripouille* ; [fʀipujʀi].

**FRIQUÉ, ÉE, adj.**
Riche (fam.). 1930 ; ☞ *fric* ; [fʀike].

**FRIQUET, subst. m.**
**1.** *Zool.* Petit moineau des champs ; en appos. : *Moineau **friquet**.* **2.** Mouchard, indicateur (argot.). 1555 ; anc. fr. *frique*, « pimpant, sémillant » ; [fʀikɛ].

*Moineau **friquet**.*

**FRIRE, verbe** [64]
TRANS. Faire cuire dans une matière grasse bouillante ; empl. abs. : *Poêle à **frire*** ; empl. adj. : *Œufs **frits**.* INTRANS. Cuire dans la friture : *Le bacon fut mis à **frire**.* Fin XIIe s. ; lat. *frigere* ; verbe défectif ; [fʀiʀ].

**FRISAGE, subst. m.**
**1.** Action de friser des cheveux, une matière. **2.** *Techn.* Treillage serré, fait de lattes minces. 1827 ; ☞ *friser* ; [fʀizaʒ].

**FRISANT, ANTE, adj.**
Qualifie une lumière qui effleure. XIXe s. ; p. pr. de *friser* ; [fʀizɑ̃, ɑ̃t].

**FRISBEE, subst. m. inv.**
Disque de plastique que l'on se lance en le faisant tourner sur lui-même ; par méton. : *Une partie de **Frisbee**.* V. 1980 ; mot anglo-amér. ; n. déposé ; [fʀizbi].

**FRISE, subst. f.**
**1.** *Archit.* Partie de l'entablement d'un édifice de style grec comprise entre la corniche et l'architrave, gén. sculptée. **2.** Ext. Bordure plate et continue, à fonction d'ornement : ***Frise** de plafond, de porte.* ▸ *Menuis. **Frise** de parquet* : planche étroite servant à la finition des bordures d'un parquet, d'un carrelage ; ***Frise** de seuil.* ▸ *Théâtre.* Bande de toile figurant le plafond de la scène ou complétant son décor. 1524 ; ital. du Nord *friso*, de l'ital. *fregio*, « ornement », prob. du bas lat. *phrygium opus*, « ouvrage phrygien » ; [fʀiz].

**FRISÉ, ÉE, adj. et subst. f.**
ADJ. **1.** En forme de boucle ou disposé en boucles : *Poil **frisé*** ; *Une chevelure **frisée**.* ▸ Méton. Dont les cheveux ou les poils sont finement bouclés : *Une femme **frisée** comme un caniche* ; empl. subst. : *Un grand **frisé**.* **2.** Anal. Dont les feuilles sont très dentelées : *Salade **frisée**.* SUBST. *Agric.* Plante à feuilles frisées de la famille des Astéracées, consommée en salade. 1552 (1407, étoffe) ; p. p. de *friser* ; [fʀize].

**FRISELÉE, voir FRISOLÉE**

**FRISELIS, subst. m.**
Frémissement léger (littér.) : *Les **friselis** d'un lac que le vent caresse.* 1864 ; rad. onomat. *fris-*, évoquant un murmure ; [fʀizli].

**FRISER, verbe** [3]
TRANS. **1.** Arranger en boucles fines : ***Friser** une barbe* ; par ext. : ***Friser** une étoffe*, la plisser finement. **2.** Frôler, effleurer : *La flèche lui a **frisé** la joue* ; au fig., s'approcher de : *Il **frise** la trentaine.* INTRANS. Se mettre en boucles ; former des boucles : *Ses cheveux **frisent** naturellement.* ▸ Avoir les cheveux frisés : *Elle **frise**.* XVe s. ; orig. obsc. ; [fʀize].

**FRISETTE (I), subst. f.**
Bouclette de cheveux. 1872 ; ☞ *friser* ; [fʀizɛt].

**FRISETTE (II), subst. f.**
*Menuis.* Lambris. 1928 ; ☞ *frise* ; [fʀizɛt].

**FRISOLÉE, subst. f.**
*Agric.* Maladie de la pomme de terre, qui donne à son feuillage un aspect frisé, gaufré. 1785 ; dial. *frisoler*, de *friser* ; var. *friselée* ; [fʀizɔle].

**FRISON (I), ONNE, adj. et subst.**
De la Frise : *L'archipel **frison**.* SUBST. MASC. Langue

germanique parlée dans cette région. Déb. XIVe s. ; topon. *Frise* ; [fʀizɔ̃, ɔn].

**FRISON (II),** subst. m.
**1.** Bouclette qui frise sur le visage ou la nuque. **2.** Copeau, rognure qui s'enroule en boucle. 1560 ; ☞ *friser* ; [fʀizɔ̃].

**FRISOTTER,** verbe [3]
**Trans.** Friser (une chevelure, une barbe, etc.) en petites boucles serrées. **Intrans.** Friser légèrement : *Barbe qui **frisotte**.* Mil. XVIe s. ; ☞ *friser* ; [fʀizɔte].

**FRISQUET, ETTE,** adj.
Frais et piquant, en parlant du temps, de la température (fam.) ; empl. adv. : *Il fait **frisquet**.* 1827 ; wallon *frisque*, « froid » ; [fʀiskɛ, ɛt].

**FRISSON,** subst. m.
**1.** Tremblement subit et irrégulier accompagné d'une sensation de froid : *Un **frisson** de fièvre.* **2.** Ext. Mouvement convulsif provoqué par une vive émotion : *Un **frisson** d'angoisse, de plaisir.* **3.** Anal. Frémissement, mouvement léger qui s'étend par ondes successives : *Un **frisson** se propagea sur l'étang.* Fin XIIe s. ; bas lat. *frictio* ; [fʀisɔ̃].

**FRISSONNANT, ANTE,** adj.
Qui frissonne : *Un enfant **frissonnant** de fièvre.* 1368 ; p. pr. de *frissonner* ; [fʀisɔnɑ̃, ɑ̃t].

**FRISSONNEMENT,** subst. m.
**1.** Action de frissonner ; léger frisson. **2.** Anal. Frémissement (littér.) : *Le **frissonnement** de l'onde.* Fin XVIe s. ; ☞ *frissonner* ; [fʀisɔnmɑ̃].

**FRISSONNER,** verbe intrans. [3]
**1.** Avoir le frisson ; être pris de frissons : ***Frissonner** de froid.* **2.** Ext. Être saisi de tremblements sous le coup d'une vive émotion : *Elle **frissonna** de peur.* **3.** Anal. Trembler légèrement : *Le feuillage **frissonne**.* 1368 ; ☞ *frisson* ; [fʀisɔne].

**FRISURE,** subst. f.
Manière de friser ; état des cheveux, des poils qui frisent. Mil. XVIe s. ; ☞ *friser* ; [fʀizyʀ].

**FRITE,** subst. f.
**1.** *Cuis.* Petit morceau de pomme de terre, gén. de forme allongée, que l'on consomme frit et chaud : *Un cornet de **frites**.* **2.** Loc. *Avoir la **frite*** : être en forme (fam.). 1858 ; p. p. de *frire* ; [fʀit].

**FRITERIE,** subst. f.
Baraque, boutique de marchand de frites. 1926 ; ☞ *frire* ; [fʀitʀi].

**FRITEUSE,** subst. f.
Ustensile de cuisine utilisé pour faire des fritures. 1954 ; ☞ *frire* ; [fʀitøz].

**FRITILLAIRE,** subst. f.
*Bot.* Plante bulbeuse de la famille des Liliacées, cultivée pour ses belles fleurs tombantes. 1658 ; lat. *fritillus*, « cornet à dés » ; [fʀitilɛʀ].

**FRITON,** subst. m.
Résidu frit provenant de la graisse d'oie ou de porc que l'on a fait fondre. 1907 ; ☞ *frire* ; [fʀitɔ̃].

**FRITTAGE,** subst. m.
**1.** *Techn.* Élimination, par chauffage, des éléments volatils, préalablement à la fabrication du verre et des céramiques. **2.** *Métall.* Agglomération de poudres métalliques par l'action de la chaleur et de la pression. 1838 ; ☞ *fritter* ; [fʀitaʒ].

**FRITTE,** subst. f.
*Techn.* Mélange de sable et de soude soumis au frittage ; par méton., cuisson de ce mélange. 1690 ; prob. ital. *fritta*, de *fritto*, « frit » ; [fʀit].

**FRITTER,** verbe trans. [3]
Soumettre au frittage. 1765 ; ☞ *fritte* ; [fʀite].

**FRITURE,** subst. f.
**1.** Action ou manière de faire frire un aliment ; matière grasse servant à frire : ***Friture** au saindoux* ; *Bain de **friture**.* **2.** Méton. Aliment frit : ***Friture** d'ablettes* ; empl. abs. : *Manger une **friture**,* des petits poissons frits. **3.** Anal. Grésillement parasitant une communication radio ou téléphonique. Déb. XIIe s. ; lat. *frictum*, de *frigere*, « frire » ; [fʀityʀ].

**FRIVOLE,** adj.
**1.** Qui est léger, superficiel, futile : *Une vie **frivole*** ; *Un discours **frivole**.* **2.** Qui se complaît dans la légèreté, la futilité ; en partic., qui fait preuve d'inconstance en amour : *Esprit **frivole*** ; *Femme **frivole**.* 1246 ; lat. *frivolus*, « futile ; étourdi » ; [fʀivɔl].

**FRIVOLITÉ,** subst. f.
**1.** Caractère d'une personne ou de ce qui est frivole : *La **frivolité** de la vie mondaine* ; par méton., action, chose frivole : *S'occuper à des **frivolités**.* **2.** *Cout.* Dentelle de coton exécutée à la main. **Plur.** Parures de fantaisie. Déb. XVIIIe s. ; ☞ *frivole* ; [fʀivɔlite].

**FROC,** subst. m.
**1.** Vêtement de moine. ▸ Loc. *Prendre le **froc*** : entrer dans les ordres ; *Quitter le **froc*** : abandonner l'état monacal. **2.** Pantalon, culotte (pop.). Fin XIIe s. ; anc. bas frq. °*hrokk*, « habit » ; [fʀɔk].

**FROID, FROIDE,** adj. et subst. m.
**Adj. 1.** Dont la température est inférieure à celle du corps humain : ***Froide** journée d'hiver* ; *Sueur **froide**,* dont la sensation est glaciale. ▸ Loc. *Recevoir une douche **froide*** : éprouver une brusque déception. **2.** Caractérisé par de basses températures : *Pays **froids**.* ▸ *Techn. Chambre **froide*** : équipée d'un système réfrigérant. **3.** Qui a perdu sa chaleur ; qui n'a pas acquis de chaleur : *Cendres **froides*** ; *Moteur **froid**.* ▸ *Repas **froid*** : composé d'aliments crus ou refroidis ; empl. adv. : *Manger **froid**.* **4.** Qui ne procure que peu de chaleur : ***Froid** soleil d'hiver.* **5.** Fig. ▸ Qui maîtrise ses émotions ; qui est insensible ou indifférent : *Un homme **froid*** ; *Cela me laisse **froid*** ; par ext. : *Une colère **froide**,* sans emportement ; *Garder la tête **froide**,* rester raisonnable ; *Guerre **froide*** (☞ *guerre*). ▸ Qui manque de cordialité ; sévère ou réservé : *Accueil **froid*** ; *Des rapports **froids** et distants.* ▸ Qui ne suscite pas l'enthousiasme ; qui est sans éclat : *Discours **froid*** ; *Une beauté **froide*** ; spéc. : *Couleurs **froides**,* proches du bleu. **6.** Loc. **À froid.** *Coller, souder, peindre à **froid*** : sans l'intervention de la chaleur, du feu ; par ext. : *Cueillir un adversaire à **froid**,* sans lui laisser le temps de se préparer ; au fig. : *Agir à **froid**,* avec lucidité, sans émotion. **Subst. 1.** État de basse température ; sensation qu'il produit : *Le **froid** de l'hiver* ; *Trembler de **froid**.* ▸ Loc. *Un **froid** de canard* : très rigoureux ; *Prendre **froid*** : tomber malade à la suite d'un refroidissement ; *Souffler le chaud et le **froid*** : agir successivement en sens opposés ; *Ne pas avoir **froid** aux yeux* : être courageux ; *Cela ne me fait ni chaud ni **froid*** : cela m'est indifférent. **2.** Fig. Manque de cordialité, discorde : *Il y eut un **froid** entre nous.* ▸ Loc. *Être en **froid*** : ne plus être en bons termes ; *Jeter un **froid*** : provoquer une gêne. Fin XIe s. ; lat. *frigidus* ; [fʀwa, fʀwad].

**FROIDEMENT,** adv.
**1.** De manière calme ; de sang-froid : *Assassiner **froidement**.* **2.** Avec froideur, sécheresse : *Répondre **froidement**.* Déb. XIVe s. ; ☞ *froid* ; [fʀwadmɑ̃].

**FROIDEUR,** subst. f.
**1.** État, qualité de ce qui est froid : *La **froideur** d'une eau de source.* **2.** Fig. Défaut de sensibilité, indifférence ; dureté, sécheresse : *La **froideur** d'un caractère, d'un regard.* Fin XIIe s. (déb. XIIe s., froid) ; ☞ *froid* ; [fʀwadœʀ].

**FROIDURE,** subst. f.
Temps froid (littér.). Déb. XIIe s. ; ☞ *froid* ; [fʀwadyʀ].

**FROISSEMENT,** subst. m.
**1.** Action de froisser, de chiffonner ; son résultat : *Le **froissement** d'un tissu* ; par méton., bruit d'une chose que l'on froisse. **2.** *Pathol.* Meurtrissure, lésion due à un choc, à une pression : *Le **froissement** d'un muscle.* **3.** Fig. Fait d'être atteint dans sa sensibilité, vexation. Fin XVIe s. (fin XIIIe s., action de faire voler en éclats) ; ☞ *froisser* ; [fʀwasmɑ̃].

**FROISSER,** verbe trans. [3]
**1.** Meurtrir, léser, déformer par un choc, une pression : ***Froisser** un muscle* ; par anal. : ***Froisser** une tôle.* **2.** Chiffonner, faire des plis à. **3.** Fig. Blesser, heurter moralement : ***Froisser** un ami* ; empl. pronom., se vexer, s'offusquer. Déb. XIVe s. (fin XIe s., briser en morceaux) ; lat. pop. °*frustiare*, « mettre en pièces », du lat. *frustum*, « fragment » ; [fʀwase].

**FROISSURE,** subst. f.
Marque, pli occasionné par le froissement (rare). 1803 (XIIIe s., action de briser) ; ☞ *froisser* ; [fʀwasyʀ].

**FRÔLEMENT,** subst. m.
Action de frôler ; léger contact ou léger bruit qui en résulte. 1700 ; ☞ *frôler* ; [fʀolmɑ̃].

**FRÔLER,** verbe trans. [3]
**1.** Toucher légèrement au passage, effleurer. **2.** Ext. Passer très près de, raser, friser : ***Frôler** un mur* ; au fig. : ***Frôler** la mort,* y échapper de justesse. 1679 (1458, rosser) ; prob. orig. onomat. ; [fʀole].

**FRÔLEUR, EUSE,** adj. et subst.
**Adj.** Qui frôle. **Subst. masc.** Homme qui, dans la foule, cherche à frôler les femmes. **Subst. fém.** Aguicheuse. 1876 ; ☞ *frôler* ; [fʀolœʀ, øz].

*Fromages de Roquefort en cours d'affinage.*

**FROMAGE,** subst. m.
**1.** *Alim.* Préparation à base de lait caillé et égoutté ; masse moulée de cette préparation : ***Fromage** frais, fermenté* ; ***Fromage** de brebis* ; par anal. : ***Fromage** de tête,* pâté de tête de porc en gelée. **2.** Fig. Situation lucrative et de tout repos. **3.** Loc. *Entre la poire et le **fromage*** : dans la détente qui règne à la fin d'un bon repas ; *En faire tout un **fromage*** : exagérer (fam.). Mil. XIIe s. ; bas lat. *formaticus caesus*, « fromage moulé dans une forme » ; [fʀɔmaʒ].

**FROMAGER (I), ÈRE,** subst. et adj.
**Subst.** Personne qui fabrique ou vend du fromage. **Adj.** Relatif à la production ou au commerce du fromage : *Une cave **fromagère**.* 1254 ; ☞ *fromage* ; [fʀɔmaʒe, ɛʀ].

**FROMAGER (II),** subst. m.
*Bot.* Grand arbre tropical de la famille des Bombacées, au bois blanc et tendre, dont les fruits donnent le kapok et les graines une huile comestible. 1664 ; ☞ *fromage*, car son bois est mou comme du fromage ; [fʀɔmaʒe].

**FROMAGERIE,** subst. f.
Fabrique de fromages ; lieu où l'on conserve le fromage ; par ext., industrie fromagère. Déb. XIVe s. ; ☞ *fromage* ; [fʀɔmaʒʀi].

**FROMENT,** subst. m.
*Bot.* Plante de la famille des Poacées. L'espèce *Triticum vulgare* est le blé. ▸ Méton. Grain de blé. Déb. XIIe s. ; lat. *frumentum*, « céréale, blé » ; [fʀɔmɑ̃].

**FROMENTAL,** subst. m.
Avoine élevée, plante fourragère de la famille des Poacées. 1761 (déb. XIIIe s., vin de Champagne) ; ☞ *froment* ; plur. *fromentaux* ; [fʀɔmɑ̃tal], plur. [-to].

**FRONCE,** subst. f.
*Cout.* Pli étroit obtenu en coulissant un tissu sur un fil (souv. au plur.) : *Robe à **fronces**.* Fin XIe s. ; anc. bas frq. °*hrunkja*, « ride » ; [fʀɔ̃s].

**FRONCEMENT,** subst. m.
Action de froncer ; son résultat. 1530 ; ☞ *froncer* ; [fʀɔ̃smɑ̃].

**FRONCER,** verbe trans. [4]
**1.** *Cout.* Faire des fronces sur (un tissu). **2.** Plisser en contractant (une partie du visage) : ***Froncer** les sourcils.* Fin XIe s. ; ☞ *fronce* ; [fʀɔ̃se].

**FRONCIS,** subst. m.
*Cout.* Succession de fronces, de plis exécutés sur une étoffe. 1563 ; ☞ *fronce* ; [fʀɔ̃si].

**FRONDAISON,** subst. f.
Apparition du feuillage des arbres au printemps ; par méton., le feuillage lui-même (littér.). 1823 ; ☞ *fronde* (II) ; [fʀɔ̃dɛzɔ̃].

**FRONDE (I),** subst. f.
Arme de jet formée de deux lanières et d'une poche de cuir qui accueille un projectile ; par ext., lance-pierre. Mil. XIIIe s. ; lat. pop. °*fundula* ; [fʀɔ̃d].

**FRONDE (II),** subst. f.
**1.** Vx. Frondaison. **2.** *Bot.* ▸ Feuilles des fougères. ▸ Appareil végétatif de certaines algues, ressemblant à une feuille. XVe s. ; lat. *frons*, « feuillage » ; [fʀɔ̃d].

**FRONDE (III),** subst. f.
*Hist.* **1.** *La **Fronde*** : rébellion nobiliaire contre Mazarin, sous la régence d'Anne d'Autriche, puis sous le règne de Louis XIV. **2.** Fig. Révolte d'un groupe d'individus contre l'autorité : *La **fronde** des étudiants* ; *Un vent de **fronde**.* 1649 ; ☞ *fronder* ; [fʀɔ̃d].

**FRONDER,** verbe intrans. [3]
1. Vx. Lancer des projectiles au moyen d'une fronde. 2. Se rebeller ; être frondeur ; empl. trans. : *Fronder le gouvernement, les autorités,* les contester ouvertement. 1611 ; ☞ *fronde* (I) ; [fʀɔ̃de].

**FRONDEUR, EUSE,** subst.
MASC. Vx. Soldat armé d'une fronde. MASC. et FÉM. 1. *Hist.* Personne du parti de la Fronde. 2. Ext. Individu enclin à braver les autorités, à contester l'ordre établi ; empl. adj. : *Un tempérament **frondeur**.* 1648 ; ☞ *fronder* ; [fʀɔ̃dœʀ, øz].

**FRONT,** subst. m.
I. 1. *Anat.* Partie supérieure de la face de certains vertébrés, comprise, chez l'homme, entre le haut des sourcils et la racine des cheveux : ***Front** large, fuyant* ; *Le **front** du cheval.* 2. Ext. Tête : *Courber le **front*** ; *Aller le **front** haut.* 3. Fig. Hardiesse, aplomb : *Tu as le **front** de dire cela !* II. Anal. 1. Façade ; partie avancée d'une chose : ***Front** d'un édifice, d'un défilé.* ▸ ***Front** de mer* : site urbanisé bordant la mer. 2. *Milit.* Armée rangée face à l'ennemi ; par ext., zone de contact entre les armées ennemies (anton. *arrière*). ▸ Loc. *Faire **front*** : affronter. 3. *Spéc.* ▸ *Météor.* Zone de partage entre deux masses d'air convergentes. ▸ *Mines.* ***Front** de taille* : partie d'un filon en cours d'exploitation. ▸ *Pol.* Coalition de personnes ou de partis autour d'une cause commune : ***Front** antifasciste.* 4. Loc. **De front.** *Aller de **front*** : côte à côte ; *Attaquer de **front*** : de face ; au fig. : *Mener deux affaires de **front**,* en même temps. Fin XIe s. ; lat. *frons* ; [fʀɔ̃].

**FRONTAIL,** subst. m.
Pièce du harnais qui vient sur le front du cheval. 1762 (1559, bandeau royal) ; altér. de *frontal* ; plur. *frontails* ou *frontaux* ; [fʀɔ̃taj], plur. [-taj] ou [-to].

**FRONTAL, ALE, AUX,** adj. et subst. m.
SUBST. 1. Bandeau porté autour du front ; frontail. 2. *Anat.* Os du front. ADJ. 1. *Anat.* Relatif au front : *Les sinus **frontaux**.* 2. Qui se présente de face : *Une attaque **frontale**.* 3. *Géom. descriptive. Plan (droite) **frontal(e)*** : tout plan (droite) parallèle au plan **frontal** de référence (plan vertical) sur lequel on projette un solide. Déb. XIIe s. ; ☞ *front* ; [fʀɔ̃tal, o].

**FRONTALIER, IÈRE,** adj.
1. Qui est proche ou réside à proximité d'une frontière : *Ville **frontalière*** ; *Population **frontalière*** ; empl. subst., personne qui réside près d'une frontière. 2. Qui concerne les frontières. 1730 ; gascon *frountalié,* de *froun,* « front » ; [fʀɔ̃talje, jɛʀ].

**FRONTALITÉ,** subst. f.
*B.-a. Loi de **frontalité*** : principe de la sculpture archaïque qui veut que le corps humain soit représenté dans un plan vertical et selon une stricte symétrie. 1914 ; ☞ *frontal* ; [fʀɔ̃talite].

**FRONTEAU,** subst. m.
1. Vx. Bijou porté sur le front. 2. Bandeau porté autour du front par certains religieux. 3. Frontail. 4. *Archit.* Petit fronton disposé au-dessus d'une ouverture. 1393 ; ☞ *front* ; [fʀɔ̃to].

**FRONTIÈRE,** subst. f.
1. Limite d'un territoire ; ligne conventionnelle qui sépare deux États ; en appos. : *Poste **frontière**.* 2. Ext. Limite d'une zone linguistique : *Les **frontières** d'un patois.* 3. Fig. Limite, point de séparation : *Aux **frontières** du réel* ; *La **frontière** entre le vrai et le faux.* 4. Math. ***Frontière** d'une partie A d'un espace topologique* : ensemble des points **frontières** de A. Un point de l'espace est **frontière** pour A si chacun de ses voisinages contient au moins un point de A et un point n'appartenant pas à A. Fin XIVe s. (déb. XIIIe s., front d'une armée) ; ☞ *front* ; [fʀɔ̃tjɛʀ].

**FRONTIGNAN,** subst. m.
Vin muscat récolté dans la région de Frontignan. 1688 ; topon. *Frontignan* (Hérault) ; [fʀɔ̃tiɲɑ̃].

**FRONTISPICE,** subst. m.
1. *Archit.* Façade principale d'un édifice. 2. *Typogr.* Grand titre d'un ouvrage, souv. orné ; par ext., illustration placée en regard de la page de titre. 1528 ; bas lat. *frontispicium* ; [fʀɔ̃tispis].

**FRONTON,** subst. m.
1. *Archit.* Ornement triangulaire ou semi-circulaire qui couronne l'entrée principale d'un édifice. 2. Partie supérieure du mur contre lequel on envoie la balle, à la pelote basque ; par méton., ce mur lui-même et la zone de jeu attenante. 1624 ; ital. *frontone,* de *fronte,* « front » ; [fʀɔ̃tɔ̃].

**FROTTAGE,** subst. m.
Action de frotter. 1690 (1327, droit payé au seigneur pour faire du vin) ; ☞ *frotter* ; [fʀɔtaʒ].

**FROTTANT, ANTE,** adj.
Qui frotte ou est soumis à un frottement. Déb. XIIe s. ; p. pr. de *frotter* ; [fʀɔtɑ̃, ɑ̃t].

**FROTTEMENT,** subst. m.
1. Contact de deux corps en mouvement l'un par rapport à l'autre : *Usure par **frottement*** ; par ext., bruit de **frottement**. 2. *Mécan.* Force qui tend à s'opposer au glissement d'un corps sur un autre : *Coefficient de **frottement**.* 3. *Pathol.* Bruit anormal entendu à l'auscultation, dans le cas, notamment, d'une inflammation de la plèvre ou du péricarde. 4. Fig. Difficulté relationnelle, friction (gén. au plur.). 1490 ; ☞ *frotter* ; [fʀɔtmɑ̃].

**FROTTER,** verbe trans. [3]
1. Faire glisser (qqch.) sur une surface en exerçant une certaine pression : ***Frotter** ses mains sur ses genoux* ; au fig. : ***Frotter** les oreilles de qqn,* l'admonester, le corriger. ▸ Empl. intrans. Produire un frottement : *La roue **frotte** contre le garde-boue.* 2. Nettoyer, faire briller (qqch.) en le soumettant à la pression d'un corps en mouvement : ***Frotter** des cuivres, du linge.* 3. Enduire par frottement : ***Frotter** d'ail du pain.* ▸ *B.-a.* Enduire (une toile) d'un frottis. PRONOM. 1. Se frictionner. ▸ Loc. fig. *Se **frotter** les mains* : se réjouir, jubiler ; *Se **frotter** les yeux* : être ébahi. 2. **Se frotter à.** Se heurter à, se confronter à. Déb. XIIe s. ; prob. lat. pop. °*frictare,* du lat. *fricare* ; [fʀɔte].

**FROTTEUR, EUSE,** subst.
Personne qui frotte, spéc. les parquets ou les meubles. MASC. 1. Frôleur (fam.). 2. *Techn.* Mécanisme assurant un contact électrique par frottement. 1372 ; ☞ *frotter* ; [fʀɔtœʀ, øz].

**FROTTIS,** subst. m.
1. *B.-a.* Mince couche de peinture appliquée sur la toile d'un tableau et qui en laisse transparaître la texture. 2. *Méd.* Fine pellicule de substance organique disposée sur une lamelle de verre, destinée à être observée au microscope : ***Frottis** tissulaire.* 1850 (1611, action de frotter) ; ☞ *frotter* ; [fʀɔti].

**FROTTOIR,** subst. m.
1. Ustensile qui sert à frotter les sols. 2. Surface contre laquelle on frotte une allumette pour l'enflammer (synon. *grattoir*). 3. *Reliure.* Instrument de bois utilisé pour frotter le dos d'un volume encollé. 1423 ; ☞ *frotter* ; [fʀɔtwaʀ].

**FROUER,** verbe intrans. [3]
Imiter le cri d'un oiseau au moyen d'un appeau. 1732 ; orig. obsc. ; [fʀue].

**FROUFROU,** subst. m.
1. Léger bruit que produit un froissement d'étoffe, le frottement de feuilles, de plumes entre elles. 2. Tissu léger ornant certains vêtements féminins (gén. au plur.) : *Chemisier à **froufrous**.* 1738 ; orig. onomat. ; var. *frou-frou* (plur. *frous-frous*) ; [fʀufʀu].

**FROUFROUTANT, ANTE,** adj.
Qui froufroute : *Un taffetas **froufroutant**.* 1883 ; p. pr. de *froufrouter* ; [fʀufʀutɑ̃, ɑ̃t].

**FROUFROUTEMENT,** subst. m.
Fait de froufrouter. 1907 ; ☞ *froufrouter* ; [fʀufʀutmɑ̃].

**FROUFROUTER,** verbe intrans. [3]
Émettre un froufrou : *Cette jupe **froufroute** lorsque je marche.* 1876 ; ☞ *froufrou* ; [fʀufʀute].

**FROUSSARD, ARDE,** adj. et subst.
Se dit d'une personne lâche, peureuse (fam.). 1890 ; ☞ *frousse* ; [fʀusaʀ, aʀd].

**FROUSSE,** subst. f.
Peur (fam.). 1858 ; orig. onomat. ; [fʀus].

**FRUCTIDOR,** subst. m.
Douzième et dernier mois du calendrier républicain (du 18-19 août au 21-23 septembre). 1793 ; lat. *fructus,* « fruit », et gr. *dôron,* « don » ; [fʀyktidɔʀ].

**FRUCTIFÈRE,** adj.
*Bot.* Qui porte ou peut porter des fruits : *Une vigne **fructifère**.* 1505 ; lat. *fructus,* « fruit » ; [fʀyktifɛʀ].

**FRUCTIFICATION,** subst. f.
*Bot.* Formation des fruits sur une plante. ▸ Méton. Époque où elle a lieu ; les fruits portés. 1782 (XIVe s., bénéfice) ; bas lat. *fructificatio* ; [fʀyktifikasjɔ̃].

**FRUCTIFIER,** verbe intrans. [6]
1. Produire un résultat avantageux, un bénéfice : *Placer son argent afin qu'il **fructifie**.* 2. Produire des fruits ou des récoltes : *La vigne **fructifiera** tôt cette année.* 1165 ; bas lat. *fructificare* ; [fʀyktifje].

**FRUCTOSE,** subst. m.
*Biochim.* Sucre simple présent dans le miel et dans de nombreux fruits, isomère du glucose, mais dont la configuration moléculaire porte une fonction cétone. 1924 ; lat. *fructus,* « fruit » ; [fʀyktoz].

**FRUCTUEUSEMENT,** adv.
De manière fructueuse. 1350 ; ☞ *fructueux* ; [fʀyktɥøzmɑ̃].

**FRUCTUEUX, EUSE,** adj.
1. Vx. Qui donne des fruits. 2. Qui est fécond, avantageux ; qui rapporte des bénéfices : *Opération **fructueuse**.* Fin XIIe s. ; lat. *fructuosus* ; [fʀyktɥø, øz].

**FRUGAL, ALE, AUX,** adj.
1. Qui se contente d'une alimentation sobre et simple. 2. Qui consiste en aliments simples et peu abondants : *Un dîner **frugal**.* 1534 ; lat. pop. °*frugalis,* « qui rapporte ; sobre, sage » ; [fʀygal, o].

**FRUGALEMENT,** adv.
Avec frugalité. 1547 ; ☞ *frugal* ; [fʀygalmɑ̃].

**FRUGALITÉ,** subst. f.
Qualité d'une personne ou d'une chose frugale ; sobriété, simplicité. XIVe s. ; lat. *frugalitas,* « récolte de fruits ; modération, sagesse » ; [fʀygalite].

**FRUGIVORE,** adj.
Se dit d'un animal qui se nourrit surtout de fruits : *Ce passereau est **frugivore*** ou, empl. subst. masc., *est un **frugivore**.* 1764 ; lat. *frux,* « fruit », + *-vore* ; [fʀyʒivɔʀ].

**FRUIT (I),** subst. m.
I. 1. Produit, profit, succès retiré d'une chose ou d'une activité : *Jouir du **fruit** de son travail* ; *Mon ardeur porte enfin ses **fruits**.* ▸ Loc. *Avec, sans **fruit*** : avec, sans profit. 2. Ext. Résultat, bon ou mauvais, de qqch. : *Le **fruit** de l'expérience* ; *Le **fruit** d'une longue réflexion.* II. 1. *Bot.* Organe dérivant directement des parties femelles d'une fleur fécondée. Sitôt la fécondation effectuée, le terme de **fruit** doit être substitué à celui d'ovaire. Le **fruit** renferme autant de graines que l'ovaire renfermait d'ovules. La diversité des **fruits** est grande : drupe, baie, capsule, akène, silique. 2. Produit de certains végétaux qui sert à l'alimentation des hommes et des animaux : *Un **fruit** mûr, blet, pourri* ; ***Fruit** sec, confit, au sirop* ; *La saison des **fruits**.* ▸ Ext. ***Fruits** de mer* : mollusques et crustacés marins comestibles. 3. Anal. Enfant, considéré comme le produit d'une union : *Le **fruit** de l'hymen.* 4. Fig. ***Fruit** sec* : personne, en partic. élève, qui trahit les espoirs que l'on fondait sur elle ; ***Fruit** vert* : jeune fille prépubère ; ***Fruit** défendu* : chose proscrite par la morale. Déb. XIIe s. (Xe s., fruit spirituel) ; lat. *fructus,* « produit, revenu » ; [fʀɥi].

Catalogue de **fruits** : octobre, *gravure (1732) de Robert Furber. Victoria and Albert Museum, Londres.*

**FRUIT (II),** subst. m.
*Constr.* Inclinaison donnée par diminution de son épaisseur au parement extérieur d'un mur, à mesure qu'on l'élève. 1576 ; *effriter,* « amenuiser » ; [fʀɥi].

**FRUITÉ, ÉE,** adj.
Qui a le goût, l'arôme d'un fruit frais ; qui évoque ce goût. 1906 ; ☞ *fruit* (I) ; [fʀɥite].

**FRUITERIE,** subst. f.
1. Local où l'on conserve les fruits frais. 2. Bouti-

que, commerce de fruits et légumes. ꕥ 1328 (1261, ensemble des fruits) ; ☞ *fruit* (I) ; [fʀɥitʀi].

**FRUITIER, IÈRE, adj. et subst.**
ADJ. Qui produit des fruits comestibles : *Un arbre fruitier* ; *Une essence fruitière*. SUBST. MASC. **1.** Terrain planté d'arbres à fruits (synon. *verger*). **2.** Local où l'on conserve les fruits frais. SUBST. FÉM. Helv. Fabrique de fromages. ꕥ 1220 ; ☞ *fruit* (I) ; [fʀɥitje, jɛʀ].

**FRUMENTAIRE, adj.**
*Antiq. rom. Lois frumentaires* : lois qui régissaient la distribution gratuite de blé. ꕥ XVIe s. ; lat. *frumentarius* ; [fʀymɑ̃tɛʀ].

**FRUSQUES, subst. f. plur.**
Fam. Vêtements ; en partic., vêtements ordinaires ou usés. ꕥ 1790 ; ☞ *saint-frusquin* ; [fʀysk].

**FRUSTE, adj.**
Mal dégrossi ; dépourvu d'élégance et de raffinement : *Paysan fruste* ; *Romancier au style fruste*. ꕥ 1831 (1580, usée, en parlant d'une médaille) ; ital. *frusto*, « usé », du lat. *frustum*, « morceau » ; [fʀyst].

**FRUSTRANT, ANTE, adj.**
Qui frustre. ꕥ Fin XIVe s. ; p. pr. de *frustrer* ; [fʀystʀɑ̃, ɑ̃t].

**FRUSTRATION, subst. f.**
**1.** Action de frustrer ; déception qui en résulte. **2.** *Psychanal.* État d'un individu qui, du fait d'une censure ou d'un refoulement, ne peut satisfaire un désir (gén. d'ordre sexuel) : *Sentiment de frustration*. ꕥ Mil. XVe s. ; lat. *frustratio* ; [fʀystʀasjɔ̃].

**FRUSTRÉ, ÉE, adj.**
Qui souffre de frustration ; par ext. : *Attente frustrée*. ꕥ Fin XIVe s. ; p. p. de *frustrer* ; [fʀystʀe].

**FRUSTRER, verbe trans.** [3]
**1.** Priver (qqn) d'un dû, d'un bien qui lui revient légitimement : *Frustrer un héritier*. **2.** Priver (qqn) d'une satisfaction. **3.** Ext. Décevoir : *Frustrer qqn dans ses espoirs*. ꕥ Fin XIVe s. ; lat. *frustrare* ; [fʀystʀe].

**FRUTESCENT, ENTE, adj.**
*Bot.* De la nature d'un arbrisseau. ꕥ 1802 ; lat. *frutescens*, de *frutescere*, « se couvrir de rejetons », de *frutex*, « arbrisseau » ; [fʀytɛsɑ̃, ɑ̃t].

**FUCALES, subst. f. plur.**
*Bot.* Ordre d'algues brunes. AU SING. *Le fucus est la fucale type*. ꕥ XIXe s. ; lat. *fucus*, « fucus » ; [fykal].

**FUCHSIA, subst. m.**
*Bot.* Arbuste ornemental de la famille des Onagracées ; empl. adj. inv., de la couleur rose ou rouge violacé des fleurs de cette plante : *Des corsages fuchsia*. ꕥ 1693 ; lat. sc. *fuchsia*, de l'anthropon. *Fuchs*, botaniste bavarois du XVIe s. ; [fyksja] ou [fyʃja].

**FUCHSINE, subst. f.**
*Chim.* Matière rouge à base d'aniline, qui colore notamment la chromatine des noyaux cellulaires (réaction dite de Feulgen). ꕥ 1859 ; all. *Fuchs*, traduction de *Renard*, nom de la firme pour laquelle travaillait l'inventeur de ce produit ; [fyksin] ou [fyʃin].

**FUCUS, subst. m.**
*Bot.* Algue brune au thalle aplati et ramifié. Le **fucus** vésiculeux est un des composants du goémon. ꕥ 1562 ; lat. *fucus*, du gr. *phukos* ; [fykys].

**FUÉGIEN, IENNE, adj. et subst.**
De la Terre de Feu. ꕥ XIXe s. ; esp. *fuegino*, de *fuego*, « feu » ; [fɥeʒjɛ̃, jɛn].

**FUEL, voir FIOUL**

**FUGACE, adj.**
**1.** Vx. Qui fuit, qui s'enfuit. **2.** Qui dure peu, passager, éphémère : *Lueur, odeur fugace* ; *Sensation, souvenir fugace*. ꕥ 1726 ; lat. *fugax* ; [fygas].

**FUGACITÉ, subst. f.**
Caractère de ce qui est fugace (littér.). ꕥ 1791 ; ☞ *fugace* ; [fygasite].

**FUGITIF, IVE, adj.**
**1.** Qui s'est échappé, qui est en fuite ; empl. subst. : *On a rattrapé le fugitif*. **2.** Ext. Qui passe ; bref : *Beauté fugitive* ; au fig. : *Impression fugitive*. ꕥ Déb. XIVe s. ; lat. *fugitivus* ; [fyʒitif, iv].

**FUGITIVEMENT, adv.**
De manière fugitive. ꕥ 1828 ; ☞ *fugitif* ; [fyʒitivmɑ̃].

**FUGUE, subst. f.**
**1.** *Mus.* Composition polyphonique à plusieurs voix entrant successivement (sujet, réponse, contre-sujet superposés), et qui met en œuvre toutes les ressources du contrepoint. **2.** Fuite, abandon subit et momentané de l'endroit où l'on vit : *Faire une fugue*. **3.** *Psychol.* Fuite résultant d'une impulsion morbide, gén. chez un enfant ou un adolescent. ꕥ 1598 ; ital. *fuga*, du lat. *fuga*, « fuite » ; [fyg].

**FUGUÉ, ÉE, adj.**
*Mus.* Qui procède selon les techniques de la fugue : *Passage fugué*. ꕥ 1817 ; ☞ *fugue* ; [fyge].

**FUGUER, verbe intrans.** [3]
Faire une fugue, s'enfuir du domicile familial (fam.). ꕥ V. 1960 ; ☞ *fugue* ; [fyge].

**FUGUEUR, EUSE, adj. et subst.**
Se dit d'une personne qui fait des fugues : *Un enfant fugueur*. ꕥ 1930 ; ☞ *fugue* ; [fygœʀ, øz].

**FUIE, subst. f.**
Colombier sur piliers pour les pigeons domestiques. ꕥ 1278 ; lat. pop. °*fugita*, du lat. *fugere*, « fuir » ; [fɥi].

**FUIR, verbe** [32]
INTRANS. **1.** Quitter précipitamment un lieu pour échapper à une menace : *Fuir devant le danger*. **2.** Anal. S'éloigner rapidement (littér.) : *La jeunesse qui fuit*. **3.** S'échapper par une ouverture, en parlant d'un liquide, d'un gaz : *L'eau fuit sous le lavabo* ; laisser échapper son contenu : *Le robinet fuit*. TRANS. **1.** Chercher à éviter (qqn) : *Je le fuis comme la peste* ; empl. pronom., chercher à s'éviter. **2.** Chercher à se soustraire à (qqch.) ; quitter précipitamment (un lieu) : *Fuir une menace* ; *Fuir son pays* ; esquiver : *Fuir ses responsabilités*. **3.** Fig. Se refuser à (littér.) : *La réussite le fuit*. ꕥ Fin IXe s. ; lat. pop. °*fugire*, du lat. *fugere* ; [fɥiʀ].

© Coll. ES-Explorer

*Gravure figurant l'arrestation de Louis XVI à Varennes, alors qu'il tente de* **fuir** *la France (juin 1791).*

**FUITE, subst. f.**
**1.** Action de fuir : *Une fuite précipitée* ; par anal. : *La fuite du temps*. ▸ Loc. *Prendre la fuite* : s'enfuir ; *Mettre en fuite* : faire s'enfuir ; *Être en fuite* : en train de fuir. ▸ *Dr. Délit de fuite* : commis par l'auteur d'un accident de la route qui s'enfuit pour ne pas se faire connaître. ▸ *Fin. Fuite des capitaux, des devises* : leur transfert massif à l'étranger. **2.** Fig. Fait de se soustraire à un devoir, à une difficulté. ▸ *Fuite en avant* : fait d'éluder un problème au risque d'en créer un autre ; fait d'accentuer un processus que l'on ne peut contrôler. **3.** Écoulement d'un liquide, émanation d'un gaz par une fissure : *Fuite d'eau* ; par méton., la fissure elle-même. ▸ Fig. Divulgation d'une information confidentielle, secrète. **4.** *B.-a. Point de fuite* : point de convergence des lignes parallèles en perspective, dans un dessin, une peinture. ꕥ 1200 ; lat. pop. °*fugita*, du lat. *fugere*, « fuir » ; [fɥit].

**FULGURANCE, subst. f.**
Caractère de ce qui est fulgurant (littér.). ꕥ 1866 ; ☞ *fulgurer* ; [fylgyʀɑ̃s].

**FULGURANT, ANTE, adj.**
**1.** Qui est entouré d'éclairs. **2.** Ext. Dont la luminosité est semblable à celle de l'éclair ; au fig. : *Regard fulgurant*. **3.** Qui frappe avec intensité et soudaineté : *Douleur fulgurante* ; *Ascension fulgurante*, extrêmement rapide. ꕥ 1488 ; lat. *fulgurans*, de *fulgurare*, « lancer des éclairs » ; [fylgyʀɑ̃, ɑ̃t].

**FULGURATION, subst. f.**
**1.** Éclair de chaleur (sans tonnerre). **2.** Ext. Brillance : *La fulguration d'un diamant*. **3.** Accident mortel causé par la foudre. ▸ *Méd.* Emploi thérapeutique des étincelles électriques. **4.** Fig. Inspiration subite. ꕥ 1532 ; lat. *fulguratio* ; [fylgyʀasjɔ̃].

**FULGURER, verbe intrans.** [3]
Lancer des éclairs ; par ext., émettre une lueur intense et brève ; au fig. : *Une pensée fulgura*. ꕥ 1854 ; lat. *fulgurare* ; [fylgyʀe].

**FULGURITE, subst. f.**
*Pétrogr.* Masse vitrifiée, tubulaire et parfois ramifiée, résultant de l'effet de la foudre dans une couche de sable. ꕥ 1824 ; lat. *fulgur*, « éclair » ; [fylgyʀit].

**FULIGINEUX, EUSE, adj.**
**1.** Qui a l'aspect de la suie ; de la couleur noirâtre de la suie : *Langue fuligineuse*. ▸ Qui produit de la suie. **2.** Fig. Inintelligible, obscur (littér.) : *Discours fuligineux*. ꕥ 1549 ; bas lat. *fuliginosus*, du lat. *fuligo*, « suie » ; [fyliʒinø, øz].

**FULIGULE, subst. m.**
*Zool.* Canard plongeur et migrateur aux formes lourdes, de la famille des Anatidés. ꕥ 1922 ; lat. *fuligo*, « suie », par allus. à l'aspect terne de son plumage ; [fyligyl].

**FULL, subst. m.**
*Jeux.* Au poker, main formée par un brelan et une paire : *Full aux as*. ꕥ Fin XIXe s. ; anglo-amér. *full*, ell. de *full hand*, « main pleine » ; [ful].

**FULL-CONTACT, subst. m.**
Sport de combat proche du karaté, appelé aussi boxe américaine. ꕥ V. 1980 ; anglo-amér. *full contact*, « contact total » ; plur. *full-contacts* ; [fulkɔ̃takt].

**FULLERÈNE, subst. m.**
*Chim.* Nom générique de variétés moléculaires de carbone à molécules polyédriques. Le cristal du **fullerène** de formule $C_{60}$ (synon. *footballène*), à 12 faces pentagonales et 20 hexagonales, peut rayer le diamant. ꕥ V. 1980 ; anthropon. *R. M. Fuller*, architecte américain ; [fyl(ɛ)ʀɛn].

**FULMICOTON, subst. m.**
Nitrate de cellulose traité chimiquement pour constituer un explosif puissant (synon. *coton-poudre*). ꕥ 1847 ; crois. de *fulminique* et de *coton* ; [fylmikɔtɔ̃].

**FULMINANT, ANTE, adj.**
**1.** Vx. Qui lance la foudre : *Jupiter fulminant*. **2.** Fig. Qui dénote une violente colère. **3.** *Chim.* Qui possède un pouvoir détonant : *Poudre fulminante*. ꕥ XVe s. ; p. pr. de *fulminer* ; [fylminɑ̃, ɑ̃t].

**FULMINATE, subst. m.**
*Chim.* Sel de l'acide fulminique. ꕥ 1823 ; lat. *fulmen*, « foudre » ; [fylminat].

**FULMINATION, subst. f.**
**1.** *Dr. canon.* Prononciation publique, dans les formes requises, d'un décret, d'une excommunication, etc. **2.** Fig. Violent emportement de colère. ꕥ 1406 ; lat. *fulminatio*, « lancement de la foudre » ; [fylminasjɔ̃].

**FULMINATOIRE, adj.**
*Dr. canon.* Relatif à la fulmination : *Sentence fulminatoire*. ꕥ 1512 ; lat. eccl. *fulminatorius* ; [fylminatwaʀ].

**FULMINER, verbe** [3]
INTRANS. **1.** Vx. Lancer la foudre. **2.** Fig. Exploser de colère : *Fulminer contre qqn, qqch*. **3.** *Chim.* Exploser, en parlant d'une matière fulminante. TRANS. **1.** *Dr. canon.* Publier (une fulmination). **2.** Ext. Formuler avec violence (des invectives, des critiques). ꕥ 1330 ; lat. *fulminare*, « lancer la foudre » ; [fylmine].

**FULMINIQUE, adj.**
*Chim.* Qualifie un acide très instable de formule C=N—OH, dont les sels sont détonants. ꕥ 1824 ; lat. *fulmen*, « foudre » ; [fylminik].

**FUMABLE, adj.**
**1.** Agréable à fumer. **2.** Non toxique si on le fume. ꕥ 1829 ; ☞ *fumer* (I) ; [fymabl].

**FUMAGE (I), subst. m.**
*Agric.* Action de fumer une terre. ꕥ 1356 ; ☞ *fumer* (II) ; [fymaʒ].

**FUMAGE (II), subst. m.**
Procédé par lequel on conserve, on sèche des aliments en les exposant à la fumée : *Fumage du lard*. ꕥ Mil. XVIIIe s. ; ☞ *fumer* (I) ; [fymaʒ].

**FUMAGINE, subst. f.**
*Arboric.* Maladie des arbres et des arbustes caractérisée par des taches noirâtres sur les feuilles. ꕥ 1845 ; lat. *fumus*, « fumée » ; [fymaʒin].

**FUMAISON, subst. f.**
Fumage. ꕥ 1865 ; ☞ *fumer* (I) ; [fymɛzɔ̃].

**FUMANT, ANTE, adj.**
**1.** Qui produit, dégage de la fumée : *Cendres encore fumantes*. **2.** Anal. Qui dégage de la vapeur : *Plat tout fumant* ; *Campagne fumante au petit matin*. **3.** Fig. ▸ Échauffé, enragé : *Fumant de colère*. ▸ Sensationnel (fam.) : *Coup fumant*, succès mémorable. ꕥ Mil. XVIe s. ; p. pr. de *fumer* (I) ; [fymɑ̃, ɑ̃t].

**FUMÉ, ÉE, adj. et subst. m.**
ADJ. **1.** Conservé par fumage : *Lard fumé*. **2.** Qui présente un léger goût de fumée : *Un pouilly fumé*. **3.** *Verres fumés* : verres de lunettes teintés, atténuant la lumière solaire. SUBST. Épreuve d'essai en noir

d'une gravure sur bois ou d'une photographie. 1690 ; p. p. de *fumer* (I) ; [fyme].

**FUME-CIGARE,** subst. m.
Tube court dans lequel on introduit un cigare pour le fumer. 1907 ; comp. de *fumer* (I) et de *cigare* ; plur. *fume-cigare(s)* ; [fymsigaʀ].

**FUME-CIGARETTE,** subst. m.
Petit tube à l'extrémité duquel on fixe une cigarette pour la fumer. 1894 ; comp. de *fumer* (I) et de *cigarette* ; plur. *fume-cigarette(s)* ; [fymsigaʀɛt].

**FUMÉE,** subst. f.
**1.** Mélange de gaz, de vapeur d'eau et de particules infimes que dégage un corps en combustion ou porté à haute température : *Nuage de* ***fumée*** ; ***Fumées*** *d'usines* ; en partic., **fumée** de tabac. ▸ Loc. *Il n'y a pas de* ***fumée*** *sans feu* : tout a une cause. **2.** Anal. Vapeur dégagée par un corps plus chaud que l'air ambiant. **Plur. 1.** Effet d'excitation produit par l'alcool ou par certains stupéfiants (littér.). **2.** *Vèn.* Excréments des cerfs, des animaux sauvages. Déb. XIIe s. ; p. p. de *fumer* (I) ; [fyme].

**FUMER (I),** verbe [3]
**Intrans. 1.** Dégager de la fumée : *Cratère qui* ***fume.*** **2.** Anal. Dégager de la vapeur : *Lait qui* ***fume.*** **3.** Fig. Être furieux, dépité (fam.). **Trans. 1.** Exposer (un produit comestible) à la fumée pour le conserver : ***Fumer*** *du poisson.* **2.** Faire brûler (en partic. du tabac) en aspirant la fumée par la bouche : ***Fumer*** *le cigare* ; empl. abs. : *Il* ***fume*** *trop.* Déb. XIIe s. ; lat. *fumare* ; [fyme].

**FUMER (II),** verbe trans. [3]
*Agric.* Amender (un sol) par adjonction d'engrais ou de fumier ; empl. adj. : *Terre* ***fumée.*** Fin XIIe s. ; lat. pop. °*femare*, du lat. *fimus*, « fumier » ; [fyme].

**FUMERIE,** subst. f.
Lieu où l'on fume, en partic. de l'opium. 1786 ; ☞ *fumer* (I) ; [fymʀi].

**FUMEROLLE,** subst. f.
Mélange gazeux brûlant qui émane du sol à proximité d'un volcan. 1824 ; ital. *fumaruola*, « orifice de cheminée » ; [fymʀɔl].

**FUMERON,** subst. m.
**1.** Morceau de bois incomplètement calciné qui dégage encore de la fumée. **2.** Argot. Jambe maigre (gén. au plur.). 1640 ; ☞ *fumer* (I) ; [fymʀɔ̃].

**FUMET,** subst. m.
**1.** Odeur appétissante qui émane de certaines préparations culinaires, notamment des viandes, en cours de cuisson : ***Fumet*** *de civet* ; ***Fumet*** *d'un vin*, son bouquet. **2.** *Chasse.* Odeur caractéristique de certains animaux, des lieux où ils séjournent. **3.** *Cuis.* Préparation à base de jus de cuisson aromatisé, qui sert à relever les sauces : ***Fumet*** *de poisson, de truffes.* 1558 ; ☞ *fumer* (I) ; [fymɛ].

**FUMETERRE,** subst. f.
*Bot.* Plante des champs, de la famille des Fumariacées, à feuilles ciselées et à petites fleurs variant du blanc au pourpre. Mil. XIIIe s. ; lat. médiév. *fumus terrae*, « fumée de la terre », le suc de cette plante passant pour faire pleurer les yeux comme de la fumée ; [fymtɛʀ].

**FUMEUR, EUSE,** subst.
Personne qui a l'habitude de fumer, en partic. du tabac : ***Fumeur*** *de pipe* ; en appos. : *Compartiment* ***fumeurs.*** 1690 ; ☞ *fumer* (I) ; [fymœʀ, øz].

**FUMEUX, EUSE,** adj.
**1.** Qui produit de la fumée : *Cheminée* ***fumeuse*** ; par anal., qui produit de la vapeur : *Bain* ***fumeux.*** **2.** Fig. Embrouillé, vague, qui manque de clarté : *Raisonnement* ***fumeux.*** Fin XIIe s. ; lat. *fumosus* ; [fymø, øz].

**FUMIER,** subst. m.
**1.** Engrais naturel obtenu par la fermentation des déjections des animaux mêlées à leur litière : ***Fumier*** *de cheval, de mouton.* **2.** Fig. Ce qui est sale, qui inspire le dégoût ; terme injurieux à l'égard d'un homme jugé méprisable (vulg.) : *Hors d'ici,* ***fumier*** *!* Fin XIIe s. ; lat. pop. °*femarium*, du lat. *fimus* ; [fymje].

**FUMIGATEUR,** subst. m.
Appareil permettant de réaliser des fumigations. 1929 (1803, celui qui fumige) ; ☞ *fumiger* ; [fymigatœʀ].

**FUMIGATION,** subst. f.
**1.** Technique de désinfection, de désinsectisation par la fumée ou la vapeur de produits brûlés ou chauffés. **2.** *Pharm.* Action de soumettre une partie du corps à la fumée ou à la vapeur que dégagent des produits médicamenteux brûlés ou chauffés. 1314 ; bas lat. *fumigatio* ; [fymigasjɔ̃].

**FUMIGATOIRE,** adj.
Qui sert aux fumigations. 1503 ; ☞ *fumigation* ; [fymigatwaʀ].

**FUMIGÈNE,** adj.
Qui produit de la fumée : *Grenade, fusée* ***fumigène*** ; empl. subst. masc. : *Lancer un* ***fumigène.*** 1909 ; lat. *fumus*, « fumée », + *-gène* ; [fymiʒɛn].

**FUMIGER,** verbe trans. [5]
Exposer à la fumigation (rare). Déb. XIVe s. ; lat. *fumigare*, « enfumer » ; [fymiʒe].

**FUMISTE,** subst.
**1.** Technicien installateur et réparateur de cheminées, d'appareils de chauffage. **2.** Fam. Farceur ; personne peu sérieuse, sur laquelle on ne peut compter (par réf. au **fumiste** d'un vaudeville qui qualifiait ses bons tours de « farces de **fumiste** ») ; empl. adj. : *Élève* ***fumiste.*** 1735 ; ☞ *fumée* ; [fymist].

**FUMISTERIE,** subst. f.
**1.** Métier, commerce du fumiste. **2.** Fam. Affaire peu crédible ou manquant totalement de sérieux ; mystification, canular : *Cette histoire est une vaste* ***fumisterie.*** 1845 ; ☞ *fumiste* ; [fymistəʀi].

**FUMIVORE,** adj. et subst. m.
Se dit d'un dispositif qui absorbe la fumée : *Hotte* ***fumivore.*** 1799 ; lat. *fumus*, « fumée », + *-vore* ; [fymivɔʀ].

**FUMOIR,** subst. m.
**1.** Local où l'on fume des aliments. **2.** Pièce destinée aux fumeurs. 1821 ; ☞ *fumer* (I) ; [fymwaʀ].

**FUMURE,** subst. f.
*Agric.* **1.** Amendement d'un sol par un apport de fumier ou d'engrais. **2.** Méton. L'engrais, le fumier ajouté. 1327 ; ☞ *fumer* (II) ; [fymyʀ].

**FUN, voir FUNBOARD**

**FUNAMBULE,** subst.
Acrobate qui évolue sur une corde tendue au-dessus du sol. Déb. XVIe s. ; lat. *funambulus*, de *funis*, « corde », et de *ambulare*, « marcher » ; [fynɑ̃byl].

**FUNAMBULESQUE,** adj.
**1.** Qui est propre au funambule, à son art. **2.** Fig. Absurde, délirant : *Situation, aventure* ***funambulesque.*** 1859 ; ☞ *funambule* ; [fynɑ̃bylɛsk].

**FUNBOARD,** subst. m.
Anglic. Planche à voile courte permettant d'effectuer des sauts sur l'eau ; sport pratiqué avec une telle planche (abrév. : fun). V. 1980 ; anglo-amér. *funboard*, de *fun*, « amusement », et de *board*, « planche » ; [fœnbɔʀd].

**FUNDUS,** subst. m.
*Anat.* Fond d'un organe creux : *Le* ***fundus*** *gastrique*, portion gauche de l'estomac, comprenant la grosse tubérosité. XXe s. ; lat. *fundus*, « fond » ; [fɔ̃dys].

**FUNÈBRE,** adj.
**1.** Qui se rapporte aux funérailles, à la mort : *Veillée* ***funèbre*** ; *Oraison* ***funèbre.*** ▸ *Pompes* ***funèbres*** : service chargé de l'organisation des obsèques. **2.** Ext. Qui évoque la mort ou inspire la tristesse : *De* ***funèbres*** *pensées.* XIVe s. ; lat. *funebris* ; [fynɛbʀ].

**FUNÉRAILLES,** subst. f. plur.
Cérémonies accompagnant l'enterrement d'une personnalité : ***Funérailles*** *grandioses, nationales* ; par ext., obsèques. XIVe s. ; lat. eccl. *funeralia*, du bas lat. *funeralis*, « propre aux funérailles » ; [fyneʀaj].

**FUNÉRAIRE,** adj.
**1.** Relatif aux funérailles. **2.** Relatif aux sépultures : *Urne* ***funéraire.*** 1565 ; bas lat. *funerarius* ; [fyneʀɛʀ].

*L'embrasement du cercueil (ici en forme d'éléphant), l'un des rites* ***funéraires*** *de l'Inde et de l'Asie du Sud-Est.*

© J. Lenars-Explorer

**FUNÉRARIUM,** subst. m.
Local où la famille d'un défunt se réunit avant les obsèques. V. 1970 ; ☞ *funérailles*, d'apr. *crématorium* ; [fyneʀaʀjɔm].

**FUNESTE,** adj.
**1.** Qui cause la mort (vx) : *Une* ***funeste*** *épidémie.* **2.** Qui apporte, annonce un malheur (littér.) : *Un* ***funeste*** *pressentiment.* 1564 (XIVe s., endeuillé, attristé) ; lat. *funestus* ; [fynɛst].

**FUNICULAIRE,** adj.
**1.** Qui est tracté au moyen de cordes, de câbles, en partic. pour gravir de fortes pentes : *Chemin de fer, tramway* ***funiculaire*** ou, empl. subst. masc., *Un* ***funiculaire.*** **2.** *Anat.* Relatif au cordon spermatique. 1725 ; lat. *funiculus*, « petite corde » ; [fynikylɛʀ].

**FUNICULE,** subst. m.
*Bot.* Filament rattachant l'ovule d'une plante au placenta ovarien. 1808 ; lat. *funiculus*, « petite corde » ; [fynikyl].

**FUNIN,** subst. m.
*Mar.* Cordage de fils non goudronnés. Fin XIIe s. lat. pop. °*funamen*, du lat. *funis*, « corde » ; [fynɛ̃].

**FUNK,** subst. m.
Musique rock des années soixante-dix, inspirée du funky ; empl. adj. inv. : *Un groupe* ***funk.*** V. 1970 apocope de *funky* ; [fœnk].

**FUNKY,** subst. m.
Musique d'origine afro-américaine, inspirée de la soul et du disco ; empl. adj. inv. : *Air* ***funky.*** V. 1960 ; argot anglo-amér. *funky*, « malodorant » [fœnki].

**FURANNE,** subst. m.
*Chim.* Composé hétérocyclique mono-oxygéné, de formule $C_4H_4O$, que l'on trouve dans le goudron de sapin. 1902 ; aphérèse de *furfurane*, du lat. *furfur* « son de céréales » ; var. *furane* ; [fyʀan].

**FURAX,** adj. inv.
Furieux (fam.). 1944 ; lat. *furax*, « voleur » ; [fyʀaks].

**FURET,** subst. m.
**1.** *Zool.* Petit carnivore de la famille des Mustélidés, au pelage blanc jaunâtre et aux yeux rouges, que l'on utilise pour chasser le lapin de garenne. **2.** Fig. Personne curieuse qui fouille partout (vieilli). **3.** Jeu de société, où des enfants, assis en rond et chantant « Il court, il court, le **furet**... », se font passer dans le dos, un objet (le **furet**), tandis qu'un joueur placé au centre doit deviner qui le tient. Déb. XIIIe s. lat. pop. °*furittus*, « petit voleur » ; [fyʀɛ].

© S. Cordier-Jacana

*Furet.*

**FURETAGE,** subst. m.
Action de fureter. XIXe s. ; ☞ *fureter* ; [fyʀtaʒ].

**FUR,** subst. m.
**1.** Vx. Proportion, taux. **2.** ▸ Loc. adv. **Au fur et à mesure.** En plusieurs fois, peu à peu : *Je le ferai au* ***fur*** *et à mesure.* ▸ Loc. conj. **Au fur et à mesure que.** À mesure que, dès que : *Au* ***fur*** *et à mesure que je m'approche, l'animal s'éloigne.* ▸ Loc. prép. **Au fur et à mesure de.** Selon ; à proportion de : *Au* ***fur*** *et à mesure des besoins.* XIIe s. ; lat. *forum*, « marché ; prix » ; [fyʀ].

**FURETER,** verbe intrans. [13]
**1.** Chasser au furet. **2.** Fouiller minutieusement un lieu à la recherche d'un objet, d'un secret. Fin XIVe s. ; ☞ *furet* ; [fyʀte].

**FURETEUR, EUSE,** subst.
Personne qui fouille, qui furète ; empl. adj. : *Un regard* ***fureteur.*** 1514 (1285, officier de vènerie qui s'occupe des furets) ; ☞ *fureter* ; [fyʀtœʀ, øz].

**FUREUR,** subst. f.
**1.** Délire d'inspiration (littér.) : ***Fureur*** *poétique.* **2.** Colère d'une violence démesurée : *Une* ***fureur*** *aveugle* ; par anal., violence : ***Fureur*** *d'un orage, d'une bataille.* **3.** Passion (littér.) : ***Fureur*** *de vivre, d'aimer.*

▸ Loc. *Faire **fureur*** : susciter un vif enthousiasme. ⚄ Fin xᵉ s. ; lat. *furor* ; [fyʀœʀ].

**FURFURACÉ, ÉE, adj.**
*Pathol.* Qualifie une exfoliation de l'épiderme qui se fait par petites plaques ayant l'aspect de grains de son : *La desquamation **furfuracée** de la rougeole.* ⚄ 1806 ; bas lat. *furfuraceus*, du lat. *furfur*, « son de céréales ; pellicule » ; [fyʀfyʀase].

**FURFURAL, subst. m.**
*Chim.* Aldéhyde dérivé du furanne, de formule $C_5H_4O_2$. ⚄ 1848 ; lat. *furfur*, « son de céréales ; pellicule » ; plur. *furfurals* ; [fyʀfyʀal].

**FURIA, subst. f.**
Enthousiasme, impétuosité dans l'action (rare). ⚄ 1867 ; ital. *furia*, du lat. *furia*, « furie » ; [fyʀja].

**FURIBARD, ARDE, adj.**
Furibond (fam.). ⚄ xixᵉ s. ; ☞ *furibond* ; [fyʀibaʀ, aʀd].

**FURIBOND, ONDE, adj.**
**1.** Qui est en colère ; empl. subst. : *Il se leva comme un **furibond**.* **2.** Qui manifeste de la fureur. ⚄ Mil. xiiiᵉ s. ; lat. *furibundus*, « délirant, égaré » ; [fyʀibɔ̃, ɔ̃d].

**FURIE, subst. f.**
**1.** Accès de fureur, de colère extrême : *Se mettre en **furie*** ; par anal. : *Lion en **furie*** ; *Mer en **furie**,* déchaînée. **2.** Ardeur, passion excessive. **3.** *Myth. Une **Furie*** : une des trois divinités infernales chargées d'exécuter les vengeances des divinités romaines ; au fig. : *Une **furie**,* femme emportée par une fureur haineuse et vengeresse. ⚄ xivᵉ s. ; lat. *Furiae*, « Furies » ; [fyʀi].

**FURIEUSEMENT, adv.**
De manière furieuse ; par hyperb., énormément. ⚄ Fin xivᵉ s. ; ☞ *furieux* ; [fyʀjøzmɑ̃].

**FURIEUX, EUSE, adj.**
**1.** Qui est en proie à des accès de fureur caractéristiques de certaines folies : *Fou **furieux**.* **2.** Qui est très en colère ; par méton., qui exprime la fureur : *Des yeux **furieux**.* **3.** Violent, excessif, impétueux (littér.) : *Un combat **furieux*** ; au fig., énorme : *Une **furieuse** envie de rire.* ⚄ 1372 ; lat. *furiosus* ; [fyʀjø, øz].

**FURIOSO, adj.**
*Mus.* D'un caractère furieux, violent : *Un allégro **furioso*** ; empl. adv. : *Jouer **furioso**.* ⚄ 1836 ; ital. *furioso*, « furieux » ; [fyʀjozo] ou [fu-].

**FURONCLE, subst. m.**
*Pathol.* Infection de la peau localisée au niveau de l'appareil pilo-sébacé, caractérisée par une petite tuméfaction (un clou) dont le centre nécrosé et purulent s'élimine sous forme d'un bourbillon. L'agent habituel en est le staphylocoque doré. ⚄ 1372 ; lat. *furunculus*, « verrue » ; [fyʀɔ̃kl].

**FURONCULEUX, EUSE, adj.**
**1.** Qui se traduit par un furoncle, qui évolue vers la formation d'un furoncle : *Abcès **furonculeux**.* **2.** Atteint de furonculose ; empl. subst., personne **furonculeuse**. ⚄ 1834 ; ☞ *furoncle* ; [fyʀɔ̃kylø, øz].

**FURONCULOSE, subst. f.**
*Pathol.* Affection caractérisée par l'apparition d'une série de furoncles, simultanément ou successivement. ⚄ 1864 ; ☞ *furoncle* + *-ose* ; [fyʀɔ̃kyloz].

**FURTIF, IVE, adj.**
**1.** Vx. Clandestin. **2.** Qui est fait pour ne pas attirer l'attention ; qui passe inaperçu : *Un regard **furtif**.* ⚄ 1545 ; lat. *furtivus*, « secret, caché » ; [fyʀtif, iv].

**FURTIVEMENT, adv.**
De manière furtive. ⚄ xivᵉ s. ; ☞ *furtif* ; [fyʀtivmɑ̃].

**FUSAIN, subst. m.**
**1.** *Bot.* Arbrisseau ornemental à feuilles luisantes de la famille des Célastracées. **2.** Bâtonnet en bois de **fusain** carbonisé, utilisé pour dessiner ; par méton., dessin au **fusain**. ⚄ Fin xiiᵉ s. ; lat. pop. °*fusago*, du lat. *fusus*, « fuseau » ; [fyzɛ̃].

**FUSAINISTE, subst.**
Artiste qui dessine au fusain. ⚄ 1877 ; ☞ *fusain* ; var. *fusiniste* ; [fyzenist].

**FUSANT, ANTE, adj.**
**1.** Qui fuse. **2.** *Arm.* Qui explose avant l'impact : *Obus **fusant*** ou, empl. subst. masc., *Un **fusant**.* ⚄ 1865 ; p. pr. de *fuser* ; [fyzɑ̃, ɑ̃t].

**FUSCINE, subst. f.**
Pigment noir de la rétine. ⚄ 1908 (1834, colorant brun) ; lat. *fuscus*, « noir, sombre » ; [fysin].

**FUSEAU, subst. m.**
**1.** Instrument cylindrique, renflé au milieu et effilé aux extrémités, utilisé pour filer à la quenouille. ▸ *Text.* Petite bobine utilisée pour enrouler du fil : *Dentelle au **fuseau**.* **2.** Objet qui rappelle la forme du **fuseau** ; en appos. : *Un pantalon **fuseau*** ou, par ell., *Un **fuseau**,* dont les jambes, terminées par un sous-pied, se rétrécissent jusqu'à la cheville. ▸ Loc. *En **fuseau*** : de la forme d'un **fuseau**. **3.** *Spéc.* ▸ *Anat. **Fuseau** musculaire* : faisceau de fibres musculaires striées entrant dans la composition d'un muscle. ▸ *Biol. **Fuseau** achromatique* : ensemble de microtubules préexistant dans le cytoplasme des cellules des eucaryotes pendant l'interphase. Au moment de la mitose, ces microtubules se dissocient avant de se réorganiser à partir des centrosomes en deux demi-**fuseaux** achromatiques qui se séparent et migrent de part et d'autre du noyau en prophase mitotique et dont la double membrane va rapidement disparaître. ▸ *Géogr. **Fuseau** horaire* : chacune des vingt-quatre divisions conventionnelles de la surface de la Terre en zones fusiformes s'étendant d'un pôle à l'autre et soumises à la même heure légale. ▸ *Géom.* Portion d'une surface de révolution découpée par deux demi-plans passant par l'axe de cette surface. ▸ *Zool.* Nom usuel du fusus, mollusque gastéropode long et pointu à ses extrémités, courant en Méditerranée. ⚄ xiiᵉ s. ; anc. fr. *fus*, du lat. *fusus* ; [fyzo].

**FUSÉE, subst. f.**
**I. 1.** Vx. Masse de fil enroulé sur un fuseau. **2.** Anal. ▸ *Hérald.* Pièce losangique. ▸ *Horlog.* Pièce conique entrant dans le couple moteur de certains mécanismes. ▸ *Mécan.* Chacune des extrémités d'un essieu. **II. 1.** *Pyrotechnie.* Pièce de feu d'artifice propulsée dans les airs où elle produit une explosion lumineuse. ▸ ***Fusée** éclairante* : moyen de signalisation. ▸ Loc. *Partir comme une **fusée*** : brusquement et très vite. **2.** Ext. *Arm.* Dispositif de mise à feu d'un projectile ; par méton., le projectile : ***Fusée** d'obus* ; ***Fusée** air-sol.* **3.** *Astronaut.* Engin équipé d'un moteur à réaction lui permettant d'évoluer hors de l'atmosphère : ***Fusée** interplanétaire.* **4.** Anal. Ce qui jaillit. ▸ *Mus.* Trait rapide entre deux notes éloignées. ▸ *Pathol.* Trajet parcouru par le pus d'une fistule. ⚄ 1230 ; anc. fr. *fus*, du lat. *fusus*, « fuseau » ; [fyze].

© Y. Layma-Explorer

*Centre de lancement de la **fusée** Ariane, sur le pas de tir de Kourou.*

**FUSELAGE, subst. m.**
*Aéron.* Corps d'un avion, qui porte les ailes et contient l'habitacle. ⚄ 1908 ; ☞ *fuseler* ; [fyz(ə)laʒ].

**FUSELÉ, ÉE, adj.**
Qui a la forme d'un fuseau. ⚄ Fin xivᵉ s. ; *fusel*, anc. forme de *fuseau* ; [fyz(ə)le].

**FUSELER, verbe trans.** [12]
Donner une forme de fuseau à (qqch.). ⚄ 1838 ; ☞ *fuselé* ; [fyz(ə)le].

**FUSER, verbe intrans.** [3]
**1.** *Techn.* ▸ Fondre et couler en se répandant : *La cire **fuse**.* ▸ Brûler sans détoner, en parlant de la poudre. **2.** Jaillir comme une fusée ; au fig. : *Des rires **fusaient** çà et là.* **3.** *Chim.* Se décomposer en crépitant, en parlant de certains sels. ⚄ Mil. xviᵉ s. ; lat. *fusus* « fondu », de *fundere*, « fondre » ; [fyze].

**FUSETTE, subst. f.**
*Cout.* Petit tube de carton, de matière plastique, autour duquel on enroule du fil à coudre. ⚄ 1936 ; ☞ *fuseau* ; [fyzɛt].

**FUSIBILITÉ, subst. f.**
Qualité de ce qui est fusible. ⚄ 1641 ; ☞ *fusible* ; [fyzibilite].

**FUSIBLE, adj. et subst. m.**
Adj. Qui peut fondre, en partic. à une température peu élevée. Subst. *Électr.* Dans un circuit électrique, fil d'un alliage spécial qui fond si l'intensité du courant devient trop forte, interrompant ainsi le circuit. ⚄ Fin xivᵉ s. ; bas lat. *fusibilis*, du lat. *fusilis*, « fondu » ; [fyzibl].

**FUSIFORME, adj.**
De la forme d'un fuseau. ⚄ 1778 ; lat. *fusus*, « fuseau », + *-forme* ; [fyzifɔʀm].

**FUSIL, subst. m.**
**1.** Vx. Petite pièce d'acier servant à battre un silex pour en faire jaillir des étincelles : *Pierre à **fusil**.* **2.** Baguette d'acier servant à aiguiser les lames. **3.** Arme à feu portative constituée d'une crosse, d'un fût, d'un canon, d'un mécanisme de mise à feu et d'un dispositif de visée : ***Fusil** de chasse* ; ***Fusil** à pompe.* **4.** Méton. Personne armée d'un **fusil** : *C'est un bon **fusil**.* **5.** Loc. *Changer son **fusil** d'épaule* : changer d'attitude, d'opinion ; *Couché en chien de **fusil*** : sur le côté ; *Coup de **fusil*** : note de restaurant, d'hôtel très élevée (fam.). ⚄ xiᵉ s. ; lat. pop. °*focilis*, « qui produit le feu », du lat. *focus*, « feu, foyer » ; [fyzi].

**FUSILIER, subst. m.**
Vx. Soldat armé d'un fusil. ▸ ***Fusiliers** de l'air* : chargés de défendre les bases aériennes ; ***Fusiliers** marins* : employés à des combats à terre et chargés de la discipline à bord. ⚄ 1589 ; ☞ *fusil* ; [fyzilje].

**FUSILLADE, subst. f.**
**1.** Décharge de plusieurs armes à feu ; en partic., échange de coups de feu. **2.** Action de fusiller un condamné. ⚄ 1771 ; ☞ *fusiller* ; [fyzijad].

**FUSILLER, verbe trans.** [3]
**1.** Exécuter (un condamné) à coups de fusil ; par ext., tuer (qqn) avec une arme à feu (rare). ▸ Loc. ***Fusiller** qqn du regard* : lui lancer un regard furieux. **2.** Endommager gravement (fam.) : *Il a **fusillé** le moteur.* ⚄ 1732 ; ☞ *fusil* ; [fyzije].

**FUSILLEUR, subst. m.**
Celui qui fusille un condamné ; par ext., celui qui ordonne de fusiller. ⚄ 1797 ; ☞ *fusiller* ; [fyzijœʀ].

**FUSIL-MITRAILLEUR, subst. m.**
Arme automatique pouvant tirer par rafales (abrév. : F.-M.). ⚄ 1919 ; comp. de *fusil* et de *mitrailleur* ; plur. *fusils-mitrailleurs* ; [fyzimitʀajœʀ].

**FUSINISTE, voir FUSAINISTE**

**FUSION, subst. f.**
**1.** Passage de l'état solide à l'état liquide sous l'action de la chaleur : *Température, point de **fusion**.* **2.** État d'un corps liquéfié par la chaleur : *Du métal en **fusion**.* **3.** Fig. Combinaison en une union intime de plusieurs éléments : ***Fusion** des esprits, des cultures.* **4.** *Phys. nucl.* ***Fusion** nucléaire* : union de deux noyaux atomiques légers (hydrogène, hélium) en un seul. Pour réaliser une **fusion**, il faut vaincre la répulsion électrostatique qui existe entre deux noyaux chargés positivement, en leur fournissant une énergie cinétique considérable correspondant à une température très élevée (plusieurs dizaines de millions de kelvins). Les réactions de **fusion** les plus étudiées concernent deux isotopes de l'hydrogène : le deutérium et le tritium. Il en résulte des noyaux d'hélium, avec dégagement de neutrons et d'une énergie considérable, l'énergie thermonucléaire. ⚄ 1578 (1547, diffusion, éparpillement) ; lat. *fusio*, « diffusion » ; [fyzjɔ̃].

**FUSIONNEMENT, subst. m.**
Action de fusionner ; son résultat. ⚄ 1861 ; ☞ *fusionner* ; [fyzjɔnmɑ̃].

**FUSIONNER, verbe trans.** [3]
Unir par fusion : ***Fusionner** deux clubs* ; empl. intrans., s'unir par fusion. ⚄ 1802 ; ☞ *fusion* ; [fyzjɔne].

**FUSTANELLE, subst. f.**
Jupon court et évasé, à plis empesés et tuyautés, porté par les hommes, qui fait partie du costume national grec et albanais. ⚄ 1834 ; lat. médiév. *fustaneum*, « futaine » ; [fystanɛl].

**FUSTET, subst. m.**
*Bot.* Arbrisseau de la famille des Anacardiacées, appelé aussi arbre à perruque, qui pousse de la Méditerranée à la Chine. ⚄ 1351 ; anc. prov. *fustet*, de l'ar. *fustuq*, « pistachier » ; [fystɛ].

**FUSTIGATION,** subst. f.
**1.** Vx. Action de fustiger. **2.** *Méd.* Massage consistant en de petites tapes. ⚭ 1411 ; ☞ *fustiger* ; [fystigasjɔ̃].

**FUSTIGER,** verbe trans. [5]
**1.** Vx. Frapper à coups de bâton, de fouet, de verges. **2.** Fig. Combattre, critiquer violemment (littér.) : ***Fustiger*** *les ambitieux.* ⚭ XVe s. ; bas lat. *fustigare*, du lat. *fustis*, « bâton » ; [fystiʒe].

**FÛT,** subst. m.
**1.** Partie du tronc d'un arbre comprise entre le sol et les premiers rameaux ; par ext., tronc d'arbre. ▸ *Archit.* Partie d'une colonne située entre la base et le chapiteau. **2.** *Arm.* Partie de la monture en bois sur laquelle repose le canon d'un fusil. **3.** *Techn.* Pièce de bois formant le corps d'un outil, d'un instrument, d'un meuble, etc. **4.** Tonneau : *Vin vieilli en* ***fût.*** ⚭ Fin XIe s. ; lat. *fustis*, « bâton » ; [fy].

**FUTAIE,** subst. f.
**1.** Groupe d'arbres au tronc très élevé. **2.** *Sylvic.* Ensemble d'arbres issus de semences et destinés à être exploités à leur plein développement : ***Futaie*** *de peupliers.* ⚭ Déb. XIIIe s. ; ☞ *fût* ; [fytɛ].

**FUTAILLE,** subst. f.
Tonneau de bois servant à contenir du vin, de l'huile, du goudron, etc. ; empl. coll., ensemble de tonneaux. ⚭ XIIIe s. (XIIe s., morceaux, objets de bois) ; ☞ *fût* ; [fytɑj].

**FUTAINE,** subst. f.
Étoffe pelucheuse et croisée de fil et de coton. ⚭ XIIe s. ; lat. médiév. *fustaneum* ; [fytɛn].

**FUTÉ, ÉE,** adj. et subst.
Se dit d'une personne à l'intelligence malicieuse (fam.) ; par ext. : *Un air* ***futé.*** ⚭ 1645 ; m. fr. *se futer*, « échapper à », du lat. *fugere*, « fuir » ; [fyte].

**FUTÉE,** subst. f.
*Techn.* Mastic composé de sciure de bois et de colle forte utilisé pour boucher les trous du bois. ⚭ 1676 ; ☞ *fût* ; [fyte].

**FUTILE,** adj.
**1.** Qui a peu de valeur ; sans importance : *Propos* ***futiles.*** **2.** Qui ne se préoccupe que de choses frivoles : *Un caractère* ***futile.*** ⚭ XVe s. (XIVe s., qui laisse échapper son contenu) ; lat. *futilis*, « vain, inutile » ; [fytil].

**FUTILITÉ,** subst. f.
Caractère d'une chose ou d'une personne futile ; par méton., propos, chose futile : *Perdre son temps en* ***futilités.*** ⚭ XVIe s. ; lat. *futilitas* ; [fytilite].

**FUTON,** subst. m.
Matelas, d'origine japonaise, composé de couches de flocons de coton. ⚭ V. 1990 ; mot jap. ; [fytɔ̃].

**FUTUR, URE,** adj. et subst. m.
ADJ. **1.** Qui existera dans un temps à venir : *Un évènement* ***futur*** ; *La vie* ***future.*** **2.** Qui sera tel dans un temps à venir : *Un* ***futur*** *diplômé* ; *Des* ***futurs*** *époux* ; empl. subst., personne que l'on va épouser (vieilli). SUBST. **1.** Temps à venir : *Vivre dans le* ***futur.*** **2.** *Gramm.* Temps de l'indicatif qui situe un fait, une action dans l'avenir par rapport au présent : ***Futur*** *simple* (par ex. : « Je viendrai demain »). ▸ ***Futur*** *antérieur* : qui exprime une action **future**, accomplie avant celle du **futur** simple. ▸ ***Futur*** *dans le passé* : conditionnel présent exprimant, dans une subordonnée, le **futur** dépendant d'une principale au passé. ▸ ***Futur*** *proche* ou *immédiat* : emploi du présent de l'indicatif ou du semi-auxiliaire « aller » suivi de l'infinitif, gén. en liaison avec des adverbes ou des compléments de temps, pour situer l'action dans un avenir rapproché ou immédiat. ⚭ Déb. XIIIe s. ; lat. *futurus*, « à venir », de *esse*, « être » ; [fytyʀ].

**FUTURISME,** subst. m.
**1.** Mouvement littéraire et artistique italien qui, autour du poète Filippo Marinetti, prônait la révolte et la démolition des musées. **2.** Caractère de ce qui est tourné vers l'avenir, vers l'évolution future. ⚭ 1909 ; ital. *futurismo*, de *futuro*, « futur » ; [fytyʀism].

ARTS PLASTIQUES – À la suite du manifeste publié par Marinetti dans *le Figaro* en 1909, le sculpteur Umberto Boccioni et les peintres Carlo Carra, Gino Severini et Giacomo Balla partent en guerre contre le traditionalisme culturel. Ils glorifient la ville industrielle et la vitesse, faisant de la machine en mouvement le nouveau héros d'une société en pleine métamorphose. Par une décomposition de la couleur (pour exprimer la lumière) et des formes (pour traduire la vitesse), la peinture futuriste affirme un espace dynamique dont les lignes directrices sont des faisceaux qui se croisent. Avec la Première Guerre mondiale, le mouvement se dissout, pour renaître dans une seconde version qui n'aura jamais la même unité créatrice que la première.

**FUTURISTE,** subst. et adj.
SUBST. Partisan du futurisme. ADJ. **1.** Relatif, propre au futurisme : *Poésie* ***futuriste.*** **2.** Qui évoque le monde futur : *Urbanisme* ***futuriste.*** ⚭ 1909 ; ital. *futurista*, de *futuro*, « futur » ; [fytyʀist].

**FUTUROLOGIE,** subst. f.
Discipline qui a pour objet la prévision de l'évolution sociale, économique, scientifique et technologique des sociétés humaines. ⚭ V. 1970 ; ☞ *futur* + *-logie* ; [fytyʀɔlɔʒi].

**FUTUROLOGUE,** subst.
Chercheur spécialisé en futurologie. ⚭ V. 1970 ; ☞ *futur* + *-logue* ; [fytyʀɔlɔg].

**FUYANT, ANTE,** adj.
**1.** Qui fuit, s'éloigne rapidement (littér.) : *Une silhouette* ***fuyante.*** **2.** Fig. Qui se dérobe ; insaisissable : *Regard* ***fuyant.*** **3.** *B.-a.* Qui paraît s'éloigner dans l'arrière-plan : *Ligne* ***fuyante*** ou, empl. subst. fém., *Une* ***fuyante.*** ▸ *Menton, front* ***fuyant*** : dont les lignes s'incurvent vers l'arrière. ⚭ Déb. XIIIe s. ; p. pr. de *fuir* ; [fɥijɑ̃, ɑ̃t].

**FUYARD, ARDE,** adj. et subst.
ADJ. Vx. Qui est porté à fuir ; qui s'enfuit, se dérobe. SUBST. Personne qui fuit. SUBST. MASC. Soldat en fuite (péj.). ⚭ 1538 ; ☞ *fuir* ; [fɥijaʀ, aʀd].

LE FUTURISME

Filippo Tommaso Marinetti, poète, *peinture d'Enrico Prampolini (1894-1956). Galerie nationale d'Art moderne, Rome.*

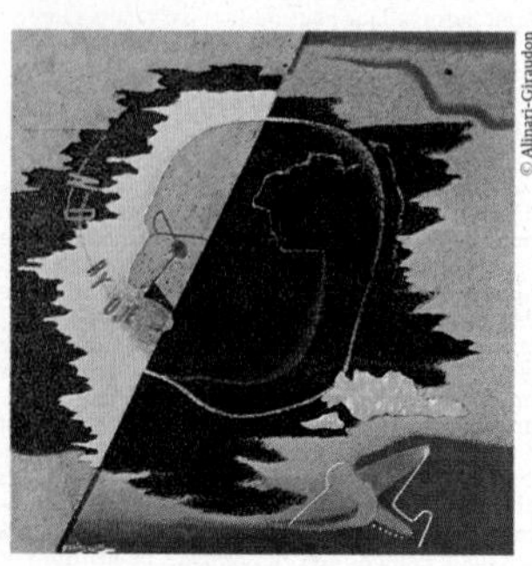
© Alinari-Giraudon

Canon en action, *peinture de Gino Severini (1883-1966). Coll. P. Guarini, Milan.*

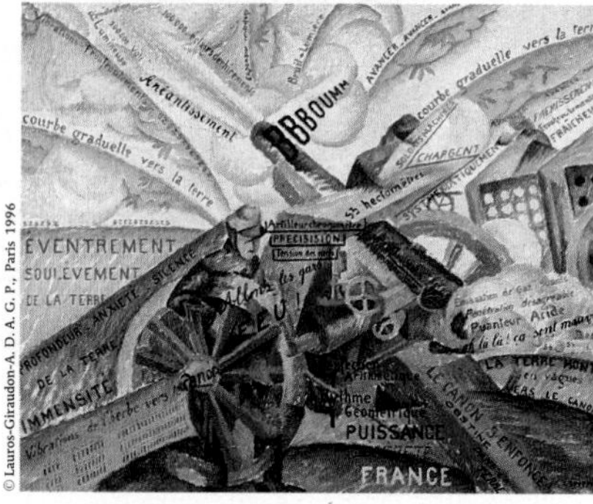

© Lauros-Giraudon-A. D. A. G. P., Paris 1996

La Femme aux bulles de savon, *peinture de Luigi Russolo (1885-1947). Musée d'Art moderne de la Ville de Paris.*

© Lauros-Giraudon

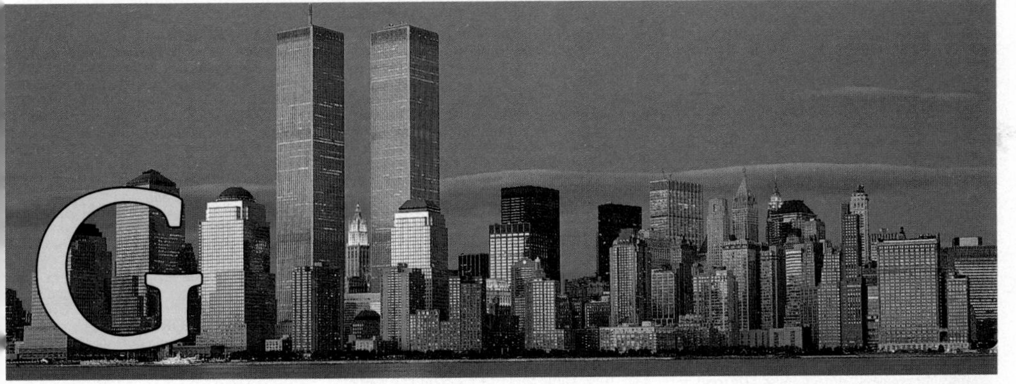

*Les gratte-ciel de Manhattan.* © Stock Image

**G,** subst. m. inv.
**1.** Septième lettre et cinquième consonne de l'alphabet. Elle note l'occlusive sonore [g] devant *a, o, u* et devant une consonne (sauf *n*), la fricative sonore [ʒ] devant *e, i, y* ; elle entre dans de nombreux digrammes : *gu* [gy] ou [g], *ge* [ʒə] ou [ʒ], *gn* [ɲ] ou [gn], *ng* [ŋ]. **2.** Abrév. et Symb. ▸ *Métrol.* G : giga- ; g : gramme. ▸ *Mus.* G : la note *sol* dans la notation anglo-saxonne et germanique. ▸ *Phys.* g : accélération due à la pesanteur. ▸ *Psychol.* *Facteur G* : facteur général commun à un ensemble de tests. [ʒe].

**Ga,** voir **GALLIUM**

**GABARDINE,** subst. f.
Tissu croisé de laine ou de coton, légèrement côtelé à l'endroit ; par méton., manteau imperméable fait avec ce tissu. Fin XIXe s. ; m. fr. *gaverdine*, de l'esp. *gabardina*, « caban » ; [gabaʀdin].

**GABARE,** subst. f.
**1.** Bateau à fond plat servant au transport des marchandises dans les ports et sur les rivières. **2.** *Pêche.* Grande seine. 1338 ; anc. prov. *gabarra*, du basque *kabarra*, du bas lat. *carabus*, « barque recouverte de peaux » ; var. *gabarre* ; [gabaʀ].

**GABARIAGE,** subst. m.
**1.** Construction d'un gabarit. **2.** Comparaison avec un gabarit. 1839 ; ☞ *gabarier* (II) ; [gabaʀjaʒ].

**GABARIER (I), IÈRE,** subst.
Professionnel qui charge ou décharge une gabare. 1478 ; ☞ *gabare* ; var. *gabarrier* ; [gabaʀje, jɛʀ].

**GABARIER (II),** verbe trans. [6]
Fabriquer d'après un gabarit. 1764 ; ☞ *gabarit* ; [gabaʀje].

**GABARIT,** subst. m.
**1.** Modèle en dimension réelle, servant à vérifier les dimensions d'une pièce que l'on fabrique. **2.** Méton. Dimension règlementaire d'un objet, en partic. d'un véhicule. **3.** Appareil servant à vérifier formes et dimensions. ▸ *Ch. de fer.* *Gabarit de chargement* : dispositif servant à contrôler le chargement des wagons. **4.** Fig. Importance physique, morale : *Un lutteur d'un* ***gabarit*** *impressionnant* ; *Des voyous du même* ***gabarit***. 1643 ; prov. *gabarrit*, de *garbi*, du got. °*garwi*, « préparation » ; [gabaʀi].

**GABARRE,** voir **GABARE**

**GABARRIER,** voir **GABARIER (I)**

**GABBRO,** subst. m.
*Pétrogr.* Roche éruptive basique (moins de 50 % de silice), constituée de feldspath et de pyroxène. 1778 ; ital. *gabbro*, « terrain infertile » ; [gabʀo].

**GABEGIE,** subst. f.
Gaspillage provenant d'une mauvaise gestion. Fin XVIIIe s. ; prob. anc. fr. *gaber*, « railler », de l'anc. scand. *gabb*, « raillerie » ; [gabʒi].

**GABELLE,** subst. f.
*Hist.* **1.** Impôt indirect prélevé par l'État, en partic. sur le sel, sous l'Ancien Régime. **2.** Méton. Administration chargée de percevoir cet impôt. 1267 ; ital. *gabella*, de l'ar. *qabāla*, « taxe » ; [gabɛl].

**GABELOU,** subst. m.
**1.** *Hist.* Employé de la gabelle. **2.** Douanier (péj.). 1585 ; var. dial. de l'anc. fr. *gabelleur* ; [gablu].

**GABIER,** subst. m.
Matelot chargé d'entretenir le gréement et de manœuvrer les voiles d'un navire. 1678 ; m. fr. *gabie*, « hune », du lat. *cavea*, « cage » ; [gabje].

**GABION,** subst. m.
**1.** *Milit.* Enveloppe cylindrique remplie de terre ou de cailloux, servant de protection. **2.** Grand panier à anses servant au transport de la terre ou du fumier. **3.** Abri pour les chasseurs de gibier d'eau. 1525 ; ital. *gabbione*, de *gabbia*, « cage » ; [gabjɔ̃].

**GABLE,** subst. m.
*Archit.* **1.** Fronton triangulaire qui surmonte l'arc du portail d'une cathédrale gothique. **2.** Support triangulaire d'une lucarne. Déb. XIIIe s. ; bas lat. *gabulum*, « gibet » ; var. *gâble* ; [gabl].

**GÂCHAGE,** subst. m.
Action de gâcher. 1807 ; ☞ *gâcher* ; [gɑʃaʒ].

**GÂCHE (I),** subst. f.
**1.** Pièce métallique fixée verticalement au chambranle d'une porte et formant mortaise pour recevoir le pêne d'une serrure. **2.** Anneau de fixation semi-circulaire servant à maintenir contre un mur un tuyau ou une conduite. Fin XIVe s. (1294, crampon) ; anc. bas frq. °*gaspia*, « boucle » ; [gɑʃ].

**GÂCHE (II),** subst. f.
**1.** Truelle de maçon, de plâtrier, servant au gâchage ; par anal., petite pelle de pâtissier. **2.** *Impr.* Ensemble du papier perdu au cours de la fabrication. 1636 (1376, rame, aviron) ; ☞ *gâcher* ; [gɑʃ].

**GÂCHER,** verbe trans. [3]
**1.** *Bât.* Mélanger (du plâtre, du ciment en poudre) avec de l'eau. **2.** Fig. ▸ Accomplir (un travail) avec négligence, bâcler : ***Gâcher*** *sa dissertation*. ▸ Perdre (qqch.) pour en avoir fait mauvais usage, compromettre : ***Gâcher*** *la nourriture* ; ***Gâcher*** *sa vie* ; empl. adj. : *Des vacances* ***gâchées***. ▸ Loc. ***Gâcher*** *le métier* : accepter de travailler sans être assez payé (fam.). Déb. XIVe s. (1260, faire dessaler un poisson) ; anc. bas frq. °*waskōn*, « laver » ; [gɑʃe].

**GÂCHETTE,** subst. f.
**1.** Cran d'arrêt du pêne d'une serrure. **2.** Pièce d'une arme à feu immobilisant le percuteur. ▸ Méton. La détente (empl. abusif) : *Avoir le doigt sur la* ***gâchette*** ; le tireur : *C'est une fameuse* ***gâchette***. **3.** *Électron.* Grille. 1478 ; ☞ *gâche* (I) ; [gɑʃɛt].

**GÂCHEUR, EUSE,** subst.
**1.** *Bât.* Ouvrier qui gâche du plâtre, du ciment. **2.** Fig. Personne qui bâcle, gaspille. 1292 ; ☞ *gâcher* ; [gɑʃœʀ, øz].

**GÂCHIS,** subst. m.
**1.** Mortier obtenu en gâchant ; par anal., boue. **2.** Action de gâcher ; son résultat : *C'est un beau* ***gâchis*** *!* 1636 (1564, eau jetée par mégarde) ; ☞ *gâcher* ; [gɑʃi].

**GADGET,** subst. m.
**1.** Objet ou dispositif nouveau, ingénieux mais peu nécessaire. **2.** Fig. Solution séduisante mais simpliste (péj.). V. 1950 ; mot angl. ; [gadʒɛt].

**GADIDÉS,** subst. m. plur.
*Zool.* Famille de poissons osseux au corps allongé, comprenant notamment le colin, la morue, l'églefin, qui sont des espèces marines (synon. *Gades*). Au sing. *La lotte de rivière est un* ***gadidé*** *d'eau douce*. 1788 ; gr. *gados*, « morue » ; [gadide].

**GADIN,** subst. m.
Chute (fam.) : *Prendre un* ***gadin***, tomber par terre. 1918 (1867, jeu d'adresse) ; orig. inc. ; [gadɛ̃].

**GADJO,** subst.
Nom donné par les Gitans à ceux qui ne sont pas des leurs. Mot gitan ; plur. *gadjos* ou *gadjé* ; [gadʒo], plur. [-dʒo] ou [-dʒe].

**GADOLINIUM,** subst. m.
*Chim.* Métal gris clair, trivalent, de la famille des terres rares, élément no 64 de la table de Mendeleïev (symb. : Gd) ; masse atomique : 157,25 ; point de fusion : 1 313 °C. 1886 ; *gadolinite*, silicate découvert par le minéralogiste Gadolin ; [gadɔlinjɔm].

**GADOUE,** subst. f.
**1.** Engrais formé de résidus végétaux et ménagers. **2.** Ext. Terre boueuse. 1561 ; orig. obsc. ; var. *gadouille* ; [gadu].

**GAÉLIQUE,** adj. et subst. m.
Adj. Relatif, propre aux Gaëls, ancien peuple celtique d'Irlande et d'Écosse. Subst. Groupe de langues celtes, auquel appartiennent l'irlandais et l'écossais. 1828 ; angl. *gaelic*, de *Gael*, altér. de l'anc. écossais *Gaidheal*, nom de peuple ; [gaelik].

**GAFFE (I),** subst. f.
**1.** Perche terminée par un croc métallique, servant à manœuvrer une embarcation. **2.** Fam. Maladresse ; parole ou action intempestive : *Faire une* ***gaffe***. 1393 ; anc. prov. *gaf*, de *gafar*, « saisir » ; [gaf].

**GAFFE (II),** subst. f.
**1.** Surveillant de prison, guetteur (argot.). **2.** Loc. *Faire* ***gaffe*** : faire attention (fam.). 1455 ; m. haut all. *kapfen*, « badauder » ; [gaf].

**GAFFER (I),** verbe trans. [3]
Saisir avec une gaffe. 1687 ; anc. prov. *gafar*, du lat. médiév. °*gaffare*, « saisir » ; [gafe].

**GAFFER (II),** verbe trans. [3]
Surveiller, regarder attentivement (fam.) : ***Gaffe*** *un peu le gars !* Pronom. Helv. Prendre garde. 1836 ; ☞ *gaffe* (II) ; [gafe].

**GAFFER (III),** verbe intrans. [3]
Commettre une gaffe. 1883 ; ☞ *gaffe* (I) ; [gafe].

**GAFFEUR, EUSE,** subst.
Personne qui commet des gaffes ; empl. adj. : *Une élève* ***gaffeuse***. 1886 ; ☞ *gaffer* (III) ; [gafœʀ, øz].

**GAG,** subst. m.
Plaisanterie, situation burlesque provoquant un effet de surprise comique. 1922 ; mot angl. ; [gag].

**GAGA,** adj.
Fam. Gâteux ; empl. subst. : *De vieux* ***gagas***. 1879 ; orig. onomat. ; [gaga].

**GAGE,** subst. m.
**1.** Dépôt d'un bien comme garantie : *Mettre ses bijoux en* ***gage***. **2.** Méton. Le bien mis en dépôt : *Un*

*prêteur sur **gages***. **3.** Fig. Garantie, preuve, promesse : *Un **gage** de fidélité, de réussite*. **4.** *Jeux*. Enjeu déposé par les joueurs perdants et destiné à être remis au gagnant ; par ext., punition infligée au perdant d'un jeu : *Le **gage** consistait à grimper à l'arbre*. Plur. **1.** Rémunération d'un domestique. **2.** *Tueur à **gages*** : personne payée pour commettre des assassinats. Déb. XII^e s. ; anc. bas frq. °*waddi* ; [gaʒ].

**GAGER**, verbe trans. [5]
**1.** Mettre en gage. ► Garantir par un gage ; empl. adj. : *Un emprunt **gagé** sur l'or*. **2.** Ext. Gager que. Parier, soutenir que : ***Gageons** qu'il sera en retard*. Déb. XII^e s. ; prob. anc. bas frq. °*wadjare* ; [gaʒe].

**GAGEUR, EUSE**, subst.
Personne qui gage. 1798 ; ☞ *gager* ; [gaʒœʀ, øz].

**GAGEURE**, subst. f.
**1.** Action de gager. **2.** Fig. Forme de défi : *Cette expédition est une vraie **gageure***. Fin XII^e s. ; ☞ *gager* ; [gaʒyʀ] ou, critiqué, [gaʒœʀ].

**GAGISTE**, subst.
Personne bénéficiaire d'un gage garantissant une créance, une promesse, etc. ; en appos. : *Un créancier **gagiste***. 1890 (1666, salarié) ; ☞ *gage* ; [gaʒist].

**GAGMAN**, subst. m.
Auteur de gags (anglic.). 1922 ; angl. *gagman*, de *gag*, « gag », et de *man*, « homme » ; plur. *gagmans* ou *gagmen* ; [gagman], plur. [-mɛn].

**GAGNAGE**, subst. m.
**1.** Vx. Terre de labour. **2.** *Vèn*. Lieu où le gibier va se nourrir. Mil. XII^e s. ; ☞ *gagner* ; [gaɲaʒ].

**GAGNANT, ANTE**, adj. et subst.
Se dit d'une personne qui gagne, a gagné. Adj. Qui fait gagner. XIII^e s. ; p. pr. de *gagner* ; [gaɲɑ̃, ɑ̃t].

**GAGNE-PAIN**, subst. m. inv.
Activité qui permet de gagner sa vie ; par méton., l'instrument de cette activité. 1508 (1292, ouvrier peu payé) ; comp. de *gagner* et de *pain* ; [gaɲpɛ̃].

**GAGNE-PETIT**, subst. m. inv.
**1.** Personne qui gagne peu d'argent. **2.** Personne sans ambition. 1640 (1597, rémouleur ambulant) ; comp. de *gagner* et de *petit* ; [gaɲpəti].

**GAGNER**, verbe trans. [3]
**I. 1.** Obtenir (un profit matériel) par son travail ou par le jeu du hasard : ***Gagner** le gros lot* ; par méton. : ***Gagner** sa vie, son pain* ; par ell. : ***Gagner** au loto*. **2.** Acquérir (un avantage), mériter : ***Gagner** des galons, de l'assurance* ; économiser : ***Gagner** du temps*. ► Gagner à (+ inf.). Tirer avantage de : *Il **gagnerait** à être connu*. ► Gagner en. Progresser, s'améliorer en matière de : ***Gagner** en sagesse*. **3.** S'attirer (une chose favorable) : ***Gagner** la confiance des électeurs*. ► Se concilier, rallier : ***Gagner** qqn à sa cause*. **II. 1.** Obtenir, remporter (un prix, un enjeu). **2.** Être vainqueur de (une compétition, une lutte) : ***Gagner** la course, la guerre* ; empl. abs. : *On a **gagné** !* **3.** Loc. ***Gagner** du terrain* : prendre de l'avance (sur qqn), réduire l'écart (avec qqn). ► Fig. S'étendre, progresser ; empl. abs. : *L'inondation **gagne***. **III. 1.** Atteindre (un lieu) en se déplaçant : ***Gagner** la sortie*. **2.** Atteindre en se propageant : *Le feu **gagne** les combles*. **3.** Envahir progressivement : *La fatigue me **gagne***. Déb. XII^e s. ; anc. bas frq. °*waidanjan*, « faire paître ; s'assurer un profit » ; [gaɲe].

**GAGNEUR, EUSE**, subst.
Personne qui s'emploie à gagner dans une lutte, une compétition : *Il a un mental de **gagneur***. Fém. Prostituée (argot.). Fin XII^e s. ; ☞ *gagner* ; [gaɲœʀ, øz].

**GAI (I), GAIE**, adj.
**1.** Qui fait preuve de gaieté ; qui est enjoué : *Une enfant vive et **gaie***. **2.** Légèrement ivre ; par méton. : *Avoir le vin **gai***. **3.** Qui incite à la gaieté : *Un **gai** matin de printemps* ; *Des couleurs **gaies*** ; par antiphr. : *J'ai perdu mes clés, c'est **gai** !* **4.** Où règne la gaieté, la bonne humeur : *La soirée fut très **gaie***. Fin XI^e s. ; got. °*gaheis*, « impétueux » ; [ge] ou [gɛ].

**GAI (II)**, voir **GAY**

**GAÏAC**, subst. m.
*Bot*. Arbre d'Amérique tropicale, de la famille des Zygophyllacées, dont le bois, très dur et lourd, donne une résine balsamique. Déb. XVI^e s. ; hisp.-amér. *guayaco*, d'une langue des Antilles ; [gajak].

**GAÏACOL**, subst. m.
Substance extraite de la résine du gaïac ou de la créosote du hêtre, utilisée comme antiseptique pulmonaire. 1859 ; ☞ *gaïac* ; [gajakɔl].

**GAIEMENT**, adv.
Avec gaieté, avec entrain : *Allons-y **gaiement** !* Fin XIII^e s. ; ☞ *gai* (I) ; var. *gaîment* (vieilli) ; [gemɑ̃] ou [gɛ-].

**GAIETÉ**, subst. f.
**1.** État d'une personne exprimant la joie de vivre, l'envie de rire ; disposition à s'amuser : *Elle est d'une **gaieté** naturelle*. ► Loc. *De **gaieté** de cœur* : volontiers, sans réserve. **2.** Caractère de ce qui est gai : *Une note de **gaieté** dans le décor* ; par antiphr. : *Les **gaietés** de l'administration*. Mil. XII^e s. ; ☞ *gai* (I) ; var. *gaîté* (vieilli) ; [gete].

**GAILLARD (I), ARDE**, adj. et subst.
Adj. **1.** Plein de vaillance, de santé, de robustesse : *Encore **gaillard**, à son âge*. **2.** Vif et enjoué : *Humeur **gaillarde***. **3.** D'une gaieté un peu grivoise. Subst. fém. **1.** Femme aux mœurs libres (vieilli). **2.** Danse de couple, à trois temps, au rythme très enlevé, fort prisée dans l'Europe des XVI^e et XVII^e s. ; par ext., air accompagnant cette danse. Subst. masc. Homme vigoureux ; garçon : *Ah ! mes **gaillards** !* Fin XI^e s. ; gallo-roman. *galia*, « force » ; [gajaʀ, aʀd].

**GAILLARD (II)**, subst. m.
*Mar*. **1.** Vx. Partie surélevée à l'avant et à l'arrière du pont supérieur d'un navire. **2.** Superstructure du pont avant d'un bateau. 1573 ; ell. de *château gaillard*, « château fort » ; [gajaʀ].

**GAILLARDE**, subst. f.
*Bot*. Plante de la famille des Astéracées, recherchée pour la beauté de ses fleurs jaunes ou rouges. 1839 ; lat. sc. *gaillardia*, prob. de l'anthropon. *Gaillard*, botaniste français ; [gajaʀd].

**GAILLARDEMENT**, adv.
De manière gaillarde, avec vigueur ; gaiement. Fin XI^e s. ; ☞ *gaillard* (I) ; [gajaʀdəmɑ̃].

**GAILLARDISE**, subst. f.
**1.** Humeur joyeuse et libertine. **2.** Méton. Propos gaillard, grivois : *Des **gaillardises** de fin de banquet*. Déb. XVI^e s. ; ☞ *gaillard* (I) ; [gajaʀdiz].

**GAILLET**, subst. m.
*Bot*. Plante herbacée à petites fleurs blanches ou jaunes, de la famille des Rubiacées, appelée aussi caille-lait ou croisette. 1786 ; crois. de *caille-lait* et du lat. sc. *galium* ; [gajɛ].

**GAILLETTE**, subst. f.
Morceau de houille, de taille moyenne. 1803 ; wallon *gaillette*, dimin. de *gaille*, « noix » ; [gajɛt].

**GAÎMENT**, voir **GAIEMENT**

**GAIN**, subst. m.
**1.** Ce que l'on gagne en argent ; profit financier : *Réaliser des **gains** importants* ; *L'appât du **gain*** ; *Être âpre au **gain***, faire preuve de cupidité. **2.** Économie : ***Gain** de place, de temps*. **3.** Accroissement : ***Gain** de production*. **4.** Action de gagner un combat, une compétition, etc. : *Le **gain** d'un match, d'un procès*. ► Loc. *Obtenir **gain** de cause* : l'emporter, obtenir ce que l'on recherchait. Mil. XII^e s. ; ☞ *gagner* ; [gɛ̃].

**GAINAGE**, subst. m.
*Techn*. Action de gainer ; par méton., ce qui gaine : *Un **gainage** de cuivre*. 1930 ; ☞ *gainer* ; [gɛnaʒ].

**GAINE**, subst. f.
**1.** Étui protecteur épousant les formes de l'objet qu'il contient ; fourreau : ***Gaine** d'un poignard, d'un revolver*. **2.** Sous-vêtement féminin qui enserre la taille et les hanches. **3.** *Anat*. Enveloppe protectrice d'un organe. **4.** *B.-a*. Socle (gén. d'un buste) s'évasant vers le bas. **5.** *Bot*. Base d'une feuille entourant plus ou moins étroitement la tige. **6.** *Techn*. Enveloppe isolant un câble, un fil ; conduit : ***Gaine** d'aération*. Déb. XIII^e s. ; lat. pop. °*wagina*, du lat. *vagina* ; [gɛn].

**GAINER**, verbe trans. [3]
**1.** Revêtir d'une gaine : ***Gainer** un câble électrique*. **2.** Ext. Enserrer, mouler comme le fait une gaine. 1773 ; ☞ *gaine* ; [gene].

**GAINERIE**, subst. f.
Ensemble des activités liées à la fabrication et à la vente de gaines, d'étuis. 1412 ; ☞ *gaine* ; [gɛnʀi].

**GAINIER, IÈRE**, subst.
Personne qui fabrique ou vend des articles de gainerie. Masc. *Bot*. Arbre d'agrément aux fleurs d'un mauve rosé, aussi appelé arbre de Judée, de la famille des Fabacées. 1252 ; ☞ *gaine* ; [genje, jɛʀ].

**GAÎTÉ**, voir **GAIETÉ**

**GAIZE**, subst. f.
*Pétrogr*. Roche sédimentaire siliceuse. 1839 ; aphérèse de *agaise* (vx), « rocher schisteux » ; [gɛz].

**GAL**, subst. m.
*Métrol*. Unité employée en géodésie et en géophysique pour exprimer l'accélération due à la pesanteur (symb. : Gal) et correspondant à $10^{-2}$ m par seconde carrée. 1948 ; anthropon. *Galilée* ; plur. *gals* ; [gal].

**GALA**, subst. m.
Réception somptueuse, souvent à caractère officiel : *Dîner de **gala*** ; *Tenue de **gala***. 1670 ; esp. *gala*, « habit d'apparat », de l'anc. fr. *gale*, « réjouissance » ; [gala].

**GALACTIQUE**, adj.
*Astron*. Relatif à une galaxie : *Le plan **galactique**, le plan de symétrie de notre galaxie*. 1877 (1782, acide galactique) ; gr. *galaktikos*, « blanc comme du lait » ; [galaktik].

**GALACTOGÈNE**, adj. et subst. m.
*Physiol*. Se dit de ce qui stimule la sécrétion du lait. 1866 ; formé de *galacto-* et de *-gène* ; [galaktɔʒɛn].

**GALACTOPHORE**, adj.
*Anat*. Qui permet l'écoulement du lait hors de la glande mammaire : *Canal **galactophore***. 1729 ; formé de *galacto-* et de *-phore* ; [galaktɔfɔʀ].

**GALACTOSE**, subst. m.
*Chim*. Sucre simple dont la molécule comprend six atomes de carbone et une fonction aldéhyde, ayant la même formule brute que le glucose ($C_6H_{12}O_6$). 1860 (1665, formation du lait) ; gr. *galaktôsis*, « transformation en suc laiteux » ; [galaktoz].

**GALAGO**, subst. m.
*Zool*. Petit lémurien omnivore d'Afrique tropicale, à pelage roux. 1808 ; prob. wolof *gulago* ; [galago].

*Galago.*

**GALALITHE**, subst. f. inv.
Matière plastique dure obtenue par l'action du formol sur la caséine. 1906 ; formé de *gala-* et de *-lithe* ; n. déposé ; [galalit].

**GALAMMENT**, adv.
De manière galante, avec délicatesse et courtoisie. 1636 ; ☞ *galant* ; [galamɑ̃].

**GALANDAGE**, subst. m.
*Bât*. Cloison de briques posées de chant. 1706 ; anc. fr. *galande*, « guirlande » ; [galɑ̃daʒ].

**GALANT, ANTE**, adj. et subst. m.
Adj. **1.** Vif au combat. **2.** Qui exprime la grâce, la délicatesse, en parlant de qqch. (vx) : *Musique, peinture **galante***. **3.** Qui a le sens de l'honneur, chevaleresque, loyal (vieilli). **4.** ► Au masc. Courtois, prévenant avec les femmes. ► Au fém. *Femme **galante*** : femme de mœurs légères. **5.** Relatif au désir amoureux : *Être en **galante** compagnie* ; *Rendez-vous **galant***. Subst. Vieilli. **1.** Séducteur. ► **Vert galant.** Homme très entreprenant avec les femmes : *Henri IV était surnommé le Vert-Galant*. **2.** Amoureux, soupirant. XIV^e s. ; *galer* (vx), « s'amuser », de l'anc. bas frq. °*wala*, « bien » ; [galɑ̃, ɑ̃t].

**GALANTERIE**, subst. f.
**1.** Raffinement, délicatesse dans les manières (vx). **2.** Propos galant (vieilli). **3.** Égard témoigné à une femme par un homme ; empressement qu'il manifeste pour la séduire. 1611 (1537, mauvais tour) ; ☞ *galant* ; [galɑ̃tʀi].

**GALANTINE**, subst. f.
*Cuis*. Préparation froide en gelée, composée de morceaux de viande blanche et de farce. Déb.

XIIIe s. ; prob. dalmate de Raguse *galatina*, du lat. *gelare*, « geler » ; [galɑ̃tin].

**GALAPIAT, subst. m.**

Galopin, vaurien (fam. et vieilli). 1792 ; crois. de *galer* (vx), « s'amuser », et de *laper* ; [galapja].

**GALATE, adj. et subst.**

*Hist.* De la Galatie, ancienne région au centre de l'Asie Mineure. Lat. *Galatae*, du gr. *Galatai* ; [galat].

**GALAXIE, subst. f.**

**1.** *Astron.* Ensemble de matière condensée sous forme d'étoiles, de gaz et de poussière interstellaire, qui constitue, dans l'Univers, une unité cosmique. Une **galaxie**, qui est une sorte d'univers-île dans l'espace, contient des milliards ou des centaines de milliards d'étoiles, et il existe des centaines de milliards de **galaxies**, réparties dans l'espace d'une manière relativement uniforme (mais, à ce jour, les astronomes n'en ont observé qu'environ un milliard). Les **galaxies** ont été découvertes en 1924-1925 par l'astronome américain Hubble, qui a établi qu'elles étaient bien plus loin de la Terre que les plus lointaines étoiles et qu'elles s'éloignaient les unes des autres avec une vitesse $v$ reliée à leur distance $r$ par la relation $v = Hr$ (où H est la constante dite de Hubble), appelée loi de Hubble. Depuis 1965, on connaît aussi l'existence de **galaxies** émettant de puissants rayonnements électromagnétiques, les radio-**galaxies**, que les télescopes optiques ne peuvent déceler. **2.** Fig. Ensemble formé de tout ce qui est relatif à une même activité. ▸ *La* **galaxie** *Gutenberg* : nom donné par McLuhan à la civilisation de l'imprimé. 1557 ; lat. *galaxias*, du gr. *galaxias*, « Voie lactée », de *gala*, « lait » ; [galaksi].

ASTRONOMIE – La Galaxie, ou Voie lactée, est une galaxie parmi des milliards d'autres, à l'intérieur de laquelle se trouvent le Soleil et le système solaire, donc la Terre. Elle a la forme d'un disque aplati bombé au centre (bulbe galactique), d'où partent des bras spiraux qui s'enroulent autour d'elle ; son diamètre est de 100 000 années-lumière, et le Soleil est à environ 27 000 années-lumière de son centre. Elle contient plus de 200 milliards d'étoiles, réparties en deux populations stellaires : la population I comprend des étoiles chaudes, récemment formées, situées dans les bras spiraux ; la population II contient des étoiles naines venues de l'extérieur et qui la traversent, des amas globulaires et les étoiles du bulbe galactique. Au centre de la Galaxie, où règne une intense activité énergétique, existe peut-être un trou noir.

**GALBE, subst. m.**

**1.** Forme plus ou moins courbe d'un élément architectural, d'une sculpture. **2.** Anal. Forme harmonieuse d'une partie du corps : *Le* **galbe** *d'une hanche, d'un sein.* 1676 (XVIe s., grâce) ; ital. *garbo*, « forme », prob. de *garbare*, « plaire » ; [galb].

**GALBÉ, ÉE, adj.**

Qui présente un galbe : *Les pieds* **galbés** *d'un fauteuil.* 1676 (1578, élégant) ; ☞ *galbe* ; [galbe].

**GALBER, verbe trans.** [3]

Donner du galbe à (un objet). 1907 (1575, se parer) ; ☞ *galbe* ; [galbe].

**GALE, subst. f.**

**1.** *Pathol.* Maladie cutanée contagieuse se manifestant par des démangeaisons et causée par un acarien. ▸ Loc. *Ne pas avoir la* **gale** : être fréquentable. **2.** *Bot.* Maladie des végétaux provoquant l'apparition de pustules sur les tissus externes de la plante. **3.** Fig. Personne méchante. 1508 ; var. de *galle* ; [gal].

**GALÉASSE, subst. f.**

Galère de grande taille utilisée jusqu'au XVIIIe s., abritant une artillerie imposante. Fin XVe s. ; ital. *galeazza*, de *galea*, « galère » ; var. *galéace* ; [galeas].

**GALÉJADE, subst. f.**

**1.** Mystification mêlant l'humour et l'exagération. **2.** Ext. Chose dérisoire. 1881 ; prov. *galejado*, de *galeja*, « plaisanter, berner » ; [galeʒad].

**GALÉJER, verbe intrans.** [8]

Raconter des galéjades. 1888 ; prov. *galeja*, « plaisanter, berner », de *se gala*, « se réjouir » ; [galeʒe].

**GALÈNE, subst. f.**

*Chim.* Sulfure naturel de plomb (PbS), cristallisé en système gén. cubique, utilisé comme détecteur d'ondes électromagnétiques dans les anciens récepteurs de radio. 1553 ; lat. *galena*, du gr. *galênê*, « minerai de plomb » ; [galɛn].

**GALÉNIQUE, adj.**

**1.** Propre à la médecine de Galien. **2.** *Pharmacie* **galénique** : qui recourt aux plantes médicinales. 1581 ; anthropon. lat. *Galenus*, « Galien » ; [galenik].

**GALÉNISME, subst. m.**

Médecine suivant la doctrine de Galien. 1771 ; anthropon. lat. *Galenus*, « Galien » ; [galenism].

**GALÉOPITHÈQUE, subst. m.**

*Zool.* Petit mammifère semi-insectivore de l'ordre des Dermoptères, proche des Primates, que l'on rencontre dans le Sud-Est asiatique. Une membrane qui relie le membre antérieur au talon postérieur (le patagium, membrane alaire) lui permet de planer d'un arbre à l'autre. 1545 ; lat. sc. *galeopithecus*, du gr. *galê*, « belette, putois », et *pithêkos*, « singe » ; [galeɔpitɛk].

**GALÈRE, subst. f.**

**I.** Nom générique des navires de guerre ou de commerce, à rames et à voiles, utilisés de l'Antiquité au XVIIIe s. ▸ Loc. *Vogue la* **galère** *!* : advienne que pourra ! **II. PLUR. 1.** Sous l'Ancien Régime, peine condamnant à servir comme rameur sur les **galères** du roi. **2.** Ext. Peine des travaux forcés, après 1791 ; par méton., bagne. SING. et PLUR. Fig. et Fam. Travail pénible ; circonstance difficile et inextricable. 1402 ; catalan *galera*, du lat. *galea* ; [galɛʀ].

**GALÉRER, verbe intrans.** [8]

Fam. **1.** Vivre péniblement, sans perspectives d'avenir. **2.** Travailler durement, sans guère de profit. V. 1980 ; ☞ *galère* ; [galeʀe].

**GALERIE, subst. f.**

**1.** Long passage couvert, intérieur ou extérieur : *Les* **galeries** *du Palais-Royal* ; *Une* **galerie** *marchande.* **2.** Salle plus ou moins longue où l'on expose des œuvres d'art : *La* **galerie** *des Offices, à Florence* ; par ext., magasin où sont exposées des œuvres d'art destinées à la vente. **3.** Allée couverte réservée aux spectateurs (autrefois du jeu de paume) ; par méton., ces spectateurs : *Jouer pour la* **galerie** ; *Épater la* **galerie**. **4.** Dans un théâtre, étage surmontant le dernier balcon. **5.** Passage souterrain ou enterré : *Une* **galerie** *de mine* ; *Les* **galeries** *creusées par les taupes dans les champs.* **6.** Dispositif faisant fonction de balustrade : **Galerie** *d'un navire*, balcon à la poupe des anciens voiliers en bois ; **Galerie** *d'un buffet.* **7.** Cadre métallique fixé sur le toit d'une voiture et servant à transporter des bagages. 1331 (1316, porche d'église) ; ital. *galleria*, du lat. médiév. *galeria* ; [galʀi].

© Thouvenin-Explorer

*La galerie Vivienne, à Paris.*

**GALÉRIEN, subst. m.**

**1.** Homme condamné à la peine des galères. **2.** Ext. Bagnard. 1568 ; ☞ *galère* ; [galeʀjɛ̃].

**GALERISTE, subst.**

Personne qui tient une galerie d'art. V. 1980 ; ☞ *galerie* ; [galʀist].

**GALERNE, subst. f.**

Vent d'ouest-nord-ouest. Mil. XIIe s. ; mot de l'Ouest, prob. du gaul. *galare*, « geler », d'apr. le lat. *hibernus*, « hiver » ; [galɛʀn].

**GALET, subst. m.**

**1.** *Pétrogr.* Caillou poli par les eaux : *Les* **galets** *de la plage de Nice.* **2.** *Préhist.* **Galet** *aménagé* : façonné en outil tranchant. **3.** *Techn.* Roulette pleine permettant de déplacer un meuble ou facilitant l'enroulement d'une bande magnétique, d'un film, etc. : **Galets** *d'une desserte* ; **Galets** *d'un magnétophone.* Fin XIIe s. ; anc. fr. *gal*, « caillou » ; [galɛ].

**GALETAS, subst. m.**

**1.** Chambre située sous les combles. **2.** Ext. Logement misérable. **3.** Helv. Local de débarras, dans un grenier. Fin XIVe s. ; *tour de Galata*, érigée au point culminant de Constantinople ; [galta].

**GALETTE, subst. f.**

**1.** Gâteau rond et plat, à base de farine ou de féculents, cuit à la poêle ou au four : **Galette** *des Rois*, gâteau traditionnel de l'Épiphanie, contenant une fève qui désigne le roi d'un jour. ▸ Crêpe salée de farine de sarrasin ou de maïs. **2.** Anal. Chose plate et ronde : *Une chaise garnie d'une* **galette** *de velours.* **3.** Fig. Argent, fortune (fam.) : *Ils ont de la* **galette**. XIIIe s. ; ☞ *galet*, par anal. de forme ; [galɛt].

**GALEUX, EUSE, adj.**

**1.** Qui est atteint de la gale ; empl. subst., personne **galeuse**. ▸ Loc. *Brebis* **galeuse** (☞ *brebis*). **2.** Relatif à la gale : *Des vésicules* **galeuses**. 1534 (déb. XIVe s., calleux) ; ☞ *gale* ; [galø, øz].

**GALHAUBAN, subst. m.**

*Mar.* Hauban latéral partant de la tête du mât et passant à l'extérieur des barres de flèche, qui assure la rigidité du gréement. 1643 ; prob. contraction de *caler* (I) et de *hauban* ; [galobɑ̃].

**GALIBI, subst. m.**

Langue caraïbe de Guyane. [galibi].

**GALIBOT, subst. m.**

Très jeune ouvrier affecté au service des voies d'une mine de charbon (vx). 1871 ; altér. du pic. *galibier*, « polisson » ; [galibo].

**GALILÉEN (I), ÉENNE, adj.**

De Galilée, région du nord d'Israël. 1544 ; topon. *Galilée* ; [galileɛ̃, eɛn].

**GALILÉEN (II), ÉENNE, adj.**

*Phys.* Relatif, propre à Galilée, à sa doctrine et à ses travaux sur la rotation de la Terre et la mécanique. 1929 ; anthropon. *Galilée* ; [galileɛ̃, eɛn].

**GALIMATIAS, subst. m.**

Propos incompréhensible, confus. 1580 ; orig. obsc. ; [galimatja].

**GALION, subst. m.**

Grand voilier armé que les Espagnols utilisaient pour convoyer les métaux précieux provenant de leurs colonies américaines. 1626 (déb. XIIIe s., petit navire de guerre) ; anc. fr. *galie*, « galère » ; [galjɔ̃].

**GALIOTE, subst. f.**

*Mar.* **1.** Vx. Petite galère. **2.** Voilier à la poupe et à la proue convexes, utilisé en partic. par les Hollandais pour le cabotage et la pêche. **3.** Barre de métal qui supporte les panneaux fermant les écoutilles. Fin XIIIe s. ; anc. fr. *galie*, « galère », d'apr. l'ital. *galeotta* ; [galjɔt].

**GALIPETTE, subst. f.**

Culbute, pirouette (fam.). 1883 ; dial. de l'Ouest, p.-ê. de *galipia*, « goinfre » ; [galipɛt].

**GALIPOT, subst. m.**

**1.** Résine du pin maritime. **2.** *Mar.* Substance faite de cette résine mélangée à des matières grasses, dont on enduit certaines parties des bateaux. 1571 ; altér. de l'anc. fr. *garipot*, « pin résineux » ; [galipo].

**GALLE, subst. f.**

*Bot.* Réaction de certains végétaux à la présence d'un parasite (champignon, bactérie, insecte, larve), qui se traduit par une prolifération (excroissance ou cécidie) sur certaines de ses parties (les feuilles, par ex.). Déb. XIIe s. ; lat. *galla* ; [gal].

**GALLEC, voir GALLO**

**GALLEUX, EUSE, adj.**

*Chim.* Qualifie des composés du gallium bivalent. XIXe s. ; ☞ *gallium* ; [galø, øz].

**GALLICAN, ANE, adj.**

*Relig.* Relatif à l'Église catholique de France, en tant qu'elle possède, ou revendique, une certaine indépendance à l'égard de Rome : *L'ancien rite* **gallican** ; empl. subst., partisan du gallicanisme. 1294 ; lat. médiév. *gallicanus*, « français », du topon. lat. *Gallia*, « Gaule » ; [gal(l)ikɑ̃, an].

**GALLICANISME,** subst. m.
**1.** Doctrine des partisans de l'Église gallicane. **2.** Ext. Attachement au principe d'une certaine indépendance de l'Église de France à l'égard du Saint-Siège. 1809 ; ☞ *gallican* ; [gal(l)ikanism].
RELIGION – L'alliance de la papauté et des Francs contre les Lombards (VIIIe s.), en même temps qu'elle conforta le pouvoir royal en France, aida l'Église à acquérir un pouvoir temporel, symbolisé par la création des États pontificaux. Entre ces deux pouvoirs de plus en plus forts et jaloux de leur autorité, les relations ne purent que prendre un tour particulier, souvent tendu : le gallicanisme en sera l'expression, qui instituera, ou tentera d'instituer, une certaine indépendance de l'Église de France à l'égard de Rome. Son assise théologique lui est donnée en 1417, au concile de Constance, qui conteste la suprématie absolue du pape. Mais le gallicanisme s'exprime principalement dans la politique religieuse des souverains, qui, de Charlemagne et surtout de Philippe le Bel à Napoléon, s'emploient à contrôler l'Église de France (à travers la nomination des clercs et la fiscalité, notamment). Et les velléités d'apaisement des souverains se heurtent à la résistance gallicane de l'Université et des parlements. Toujours latent, comme l'ultramontanisme, qui s'y oppose, le gallicanisme provoquera entre Innocent XI et Louis XIV la crise de la Régale, sur les revenus des évêchés vacants : le clergé français soutient le roi à travers la *Déclaration des quatre articles*, rédigée par Bossuet (1682). La condamnation du jansénisme par Rome renforce le courant gallican, dont la Constitution civile du clergé (1791) et les articles organiques du Concordat (1801) seront les ultimes expressions politiques. Bientôt, le gallicanisme perdra sa raison d'être : la laïcisation du pouvoir, entamée en 1830 et achevée avec la séparation de l'Église et de l'État (1905), rend impossible à soutenir l'idée d'une Église nationale, idée à laquelle déjà la proclamation de l'infaillibilité pontificale (1870) avait porté un coup décisif.

**GALLICISME,** subst. m.
*Ling.* **1.** Emploi, construction propre à la langue française. **2.** Mot, tour emprunté au français et introduit dans une autre langue. 1578 ; lat. *gallicus*, « gaulois, français » ; [gal(l)isism].

**GALLICOLE,** adj.
*Zool.* Qualifie un insecte qui vit dans une galle ou produit des galles. 1817 ; ☞ *galle* + *-cole* ; [galikɔl].

**GALLIFORMES,** subst. m. plur.
*Zool.* Gallinacés. 1872 ; lat. sc. *galliformis*, du lat. *gallus*, « coq », et *forma*, « forme » ; [galifɔʀm].

**GALLINACÉS,** subst. m. plur.
*Zool.* Ordre d'oiseaux percheurs et coureurs (médiocres voiliers), pourvus de quatre orteils à griffes à chaque patte et au bec recourbé dans sa partie supérieure. AU SING. *Le coq est un* ***gallinacé.*** 1770 ; lat. *gallinaceus*, de *gallina*, « poule » ; [galinase].

**GALLIQUE,** adj.
*Chim.* Qualifie les composés du gallium trivalent : *L'oxyde* ***gallique.*** XIXe s. ; ☞ *galle* ; [galik].

**GALLIUM,** subst. m.
*Chim.* Élément no 31 de la table de Mendeleïev (symb. : Ga) ; masse atomique : 69,72 ; point de fusion : 29,8 °C ; point d'ébullition : 2 403 °C ; masse volumique : 5,9 g/cm³. 1877 ; lat. *gallus*, « coq », traduction de l'anthropon. *Lecoq de Boisbaudran*, son inventeur ; [galjɔm].

**GALLO,** adj. et subst.
De la Bretagne non bretonnante. SUBST. MASC. Dialecte de la langue d'oïl parlé dans la partie orientale de la Bretagne. XIVe s. ; breton *gall*, du lat. *gallus*, « gaulois » ; var. *gallot, gallec* ; [galo].

**GALLOIS, OISE,** adj. et subst.
Du Pays de Galles. SUBST. MASC. Langue celtique du groupe brittonique, proche du cornique et du breton. 1176 ; topon. *Galles* ; [galwa, waz].

**GALLON,** subst. m.
Unité de mesure de capacité utilisée en Grande-Bretagne et au Canada (4,54 l), ainsi qu'aux États-Unis (3,78 l). 1669 ; angl. *gallon*, de l'anc. fr. du Nord *galon*, mesure pour les liquides ; [galɔ̃].

**GALLO-ROMAIN, AINE,** adj.
Relatif à la population, à la civilisation de la Gaule conquise et administrée par les Romains (Ier s. av. J.-C.–Ve s. apr. J.-C.). 1833 ; ☞ *romain* + *gallo-* ; plur. *gallo-romains, aines* ; [gal(l)ɔʀɔmɛ̃, ɛn].

**GALLO-ROMAN, ANE,** adj. et subst. m.
Qualifie ou désigne l'ensemble des dialectes parlés en Gaule à l'époque romaine. 1887 ; ☞ *roman* (II) + *gallo-* ; plur. *gallo-romans, anes* ; [gal(l)ɔʀɔmɑ̃, an].

**GALLOT,** voir **GALLO**

**GALOCHE,** subst. f.
**1.** Chaussure de cuir à semelle de bois, portée par-dessus les souliers ou les chaussons ; par ext., grosse chaussure à semelle de bois. ▸ Loc. *Menton en* ***galoche*** : long et recourbé vers l'avant (fam.). **2.** *Mar.* Poulie longue et plate à ouverture transversale. 1263 ; orig. obsc. ; [galɔʃ].

**GALON,** subst. m.
**1.** Bande tissée ou tressée servant à border ou à orner un vêtement, un ouvrage de tissu. **2.** *Milit.* Signe distinctif d'une fonction, d'un grade, porté sur un uniforme. ▸ Loc. *Prendre du* ***galon*** : obtenir de l'avancement. 1379 ; ☞ *galonner* ; [galɔ̃].

**GALONNER,** verbe trans. [3]
Garnir ou border d'un galon. 1611 (mil. XIIe s., orner une chevelure de rubans) ; orig. obsc. ; [galɔne].

**GALOP,** subst. m.
**1.** Allure la plus rapide du cheval et de certains équidés ; par méton. : *Un cavalier lancé au* ***galop.*** ▸ Loc. ***Galop*** *d'essai* : mise à l'épreuve, test ; *Au (triple)* ***galop*** : très vite (fam.). **2.** Danse très vive cadencée à deux temps, en vogue sous le Second Empire. **3.** *Pathol. Bruit de* ***galop*** : bruit anormal que fait le cœur quand un troisième battement s'ajoute aux deux temps normaux. Fin XIe s. ; p.-ê. frq. °*walhlaup*, de *wal*, « champ de bataille », et de °*hlaup*, « saut, course » ; [galo].

**GALOPADE,** subst. f.
Action de galoper. 1611 ; ☞ *galoper* ; [galɔpad].

**GALOPANT, ANTE,** adj.
Qui connaît une progression très rapide : *Inflation* ***galopante.*** 1832 ; p. pr. de *galoper* ; [galɔpɑ̃, ɑ̃t].

**GALOPE,** subst. f.
*Techn.* Outil de relieur servant à tracer rapidement de petites raies. 1820 ; ☞ *galoper* ; [galɔp].

**GALOPER,** verbe [3]
INTRANS. **1.** Aller au galop. **2.** Anal. Courir, se hâter. **3.** Fig. *Laisser ses pensées* ***galoper*** : leur donner libre cours. TRANS. Mettre (un cheval) au galop (rare). Mil. XIIe s. ; ☞ *galop* ou frq. °*wala hlaupan*, « bien sauter, bien courir » ; [galɔpe].

**GALOPEUR, EUSE,** adj. et subst.
Se dit d'un cheval qui galope bien ou qui dispute des courses de galop. 1583 ; ☞ *galoper* ; [galɔpœʀ, øz].

**GALOPIN,** subst. m.
**1.** Vx. Jeune garçon de courses. **2.** Ext. Garnement (fam.). 1388 ; ☞ *galoper* ; [galɔpɛ̃].

**GALOUBET,** subst. m.
*Mus.* Petite flûte à bec à trois trous, utilisée surtout dans le sud de la France. 1765 ; prov. *galoubet*, prob. de °*galaubar*, « jouer avec virtuosité » ; [galubɛ].

**GALUCHAT,** subst. m.
Peau de certains poissons (raies, squales), utilisée pour gainer des objets de maroquinerie, des meubles, etc. 1755 ; anthropon. *Galuchat* ; [galyʃa].

**GALURIN,** subst. m.
Chapeau (fam.). 1866 ; altér. de l'anc. fr. *galeron*, du lat. *galerus*, « bonnet » ; var. *galure* ; [galyʀɛ̃].

*Statuette de dieu guerrier gallo-romain (Ier s.).*

**GALVANIQUE,** adj.
*Phys.* Qualifie un courant électrique continu, utilisé notamment à des fins thérapeutiques. 1801 ☞ *galvanisme* ; [galvanik].

**GALVANISATION,** subst. f.
Action de galvaniser ; le résultat de cette action. 1802 ; ☞ *galvaniser* ; [galvanizasjɔ̃].

**GALVANISER,** verbe trans. [3]
**1.** Électriser (qqch.) par l'intermédiaire d'une pile galvanique ou voltaïque. ▸ *Méd.* Appliquer un courant galvanique à (un muscle) pour provoquer des contractions. **2.** Fig. Donner de l'énergie à : *Le recul ennemi* ***galvanisa*** *les troupes.* **3.** *Techn.* Recouvrir (un métal) d'une couche de zinc. 1799 ; ☞ *galvanisme* ; [galvanize].

**GALVANISME,** subst. m.
**1.** Ensemble des phénomènes électriques qui se produisent dans les muscles et les nerfs. **2.** *Méd.* Action du courant galvanique sur un tissu vivant. 1797 ; anthropon. *Luigi Galvani*, physicien italien [galvanism].

**GALVANOMÈTRE,** subst. m.
*Phys.* Appareil servant à mesurer l'intensité des courants électriques faibles. 1802 ; formé de *galvano-* et de *-mètre*[1] ; [galvanɔmɛtʀ].

**GALVANOPLASTIE,** subst. f.
*Techn.* Procédé qui consiste à déposer, par électrolyse, une mince couche de métal sur un objet que l'on veut protéger ou dont on veut prendre l'empreinte. 1854 ; formé de *galvano-* et de *-plastie* [galvanoplasti].

**GALVANOTYPIE,** subst. f.
*Techn.* Application de la galvanoplastie à la reproduction en relief de clichés, de gravures, etc. 1892 ; formé de *galvano-* et de *-typie* ; [galvanotipi].

**GALVAUDAGE,** subst. m.
Action de galvauder, de se galvauder ; son résultat. 1842 ; ☞ *galvauder* ; [galvodaʒ].

**GALVAUDER,** verbe [3]
TRANS. Gaspiller par un mauvais usage : ***Galvauder*** *son talent* ; ***Galvauder*** *un nom*, le déshonorer ; ***Galvauder*** *un mot*, en affaiblir la portée ; empl. pronom., se compromettre. INTRANS. Errer, vagabonder (vieilli). 1770 (1690, humilier par des reproches) ; prob. crois. de l'anc. fr. *galer*, « festoyer », et de *ravauder* ; [galvode].

**GAMAY,** subst. m.
Cépage cultivé principalement dans le Beaujolais, la Côte-d'Or et les pays de la Loire ; vin issu de ce cépage. 1775 ; topon. *Gamay* (Bourgogne) ; [gamɛ].

**GAMBADE,** subst. f.
Petit bond avec remuement désordonné des membres, exprimant l'entrain et la vivacité. Fin XVe s. ; prob. prov. *cambado*, de *cambo*, « jambe » ; [gɑ̃bad].

**GAMBADER,** verbe intrans. [3]
Faire des gambades ; au fig. : *Laisser* ***gambader*** *sa pensée, son regard.* 1532 ; ☞ *gambade* ; [gɑ̃bade].

**GAMBAS,** subst. f. plur.
Grosses crevettes de la Méditerranée. V. 1960 ; catalan *gambas*, du lat. pop. °*gambarus* ; le sing., *gamba* ou *gambas*, est rare ; [gɑ̃bas].

**GAMBE,** subst. f.
*Mus. Viole de* ***gambe*** : instrument à cordes et à archet, ancêtre du violoncelle, en usage du XVIe au XVIIIe s. 1646 ; ital. *viola da gamba*, « viole de jambe » cet instrument se plaçant entre les jambes ; [gɑ̃b].

**GAMBERGE,** subst. f.
Réflexion, pensée (argot.). 1952 ; ☞ *gamberger* ; [gɑ̃bɛʀʒ].

**GAMBERGER,** verbe [5]
Argot. INTRANS. Réfléchir. TRANS. Projeter, manigancer : ***Gamberger*** *un plan.* 1926 (1844, compter) ; p.-ê. var. de *comberger* (vx), « compter » ; [gɑ̃bɛʀʒe].

**GAMBETTE,** subst.
FÉM. Jambe (fam.). MASC. *Zool.* Petit échassier migrateur, au bec droit, également appelé chevalier à pieds rouges, nichant dans la majeure partie de l'Europe et en Asie septentrionale. XIIIe s. ; var. pic. de *jambette*, « petite jambe » ; [gɑ̃bɛt].

**GAMBILLER,** verbe intrans. [3]
**1.** Vx. Gigoter. **2.** Danser (fam.). 1609 ; pic. *gambe*, « jambe » ; [gɑ̃bije].

**GAMBIT,** subst. m.
*Jeux.* Aux échecs, sacrifice d'un pion ou d'une pièce en vue de s'assurer une meilleure position. 1743 ; prob. esp. *gambito*, de l'ital. *gambetto*, « croc-en-jambe », de *gamba*, « jambe » ; [gɑ̃bit].

**GAMBUSIE,** subst. f.
*Zool.* Poisson osseux qui vit dans les marais et les étangs, où il dévore les larves de moustiques. 1933 ; hisp.-amér. *gambuxia* ; [gɑ̃byzi].

**GAMELLE,** subst. f.
**1.** Vx. Grande écuelle collective dans laquelle mangeaient les matelots ou les soldats ; son contenu. ► Ext. Table commune où les officiers d'un navire prennent leurs repas. **2.** Récipient individuel, parfois composé de plusieurs éléments empilés, qui sert à transporter ou à réchauffer un repas ; son contenu. **3.** Anal. Projecteur de forme cylindrique utilisé au théâtre, au cinéma, etc. (fam.). **4.** Fam. *Ramasser, prendre une gamelle* : tomber ou, au fig., échouer. 1584 ; esp. *gamella*, « auge », du bas lat. *gamella*, du lat. *camella*, « coupe » ; [gamɛl].

**GAMÈTE,** subst. m.
*Biol.* Cellule sexuelle, mâle ou femelle, produite dans des organes spécialisés (par ex. les testicules et les ovaires chez les animaux). Tout **gamète** est haploïde, c.-à-d. qu'au niveau nucléaire chaque chromosome n'est présent qu'en un seul exemplaire. La fécondation aboutit à l'union de **gamètes** de sexe opposé et donne naissance à un zygote diploïde (à $2n$ chromosomes). Les **gamètes** mâles sont appelés spermatozoïdes et les **gamètes** femelles, ovules ou ovocytes chez les animaux et oosphères chez les plantes. 1884 ; gr. *gametê*, « épouse » ; [gamɛt].

**GAMÉTOCYTE,** subst. m.
*Biol.* Deuxième étape par laquelle passe une cellule germinale (destinée, dès le stade embryonnaire, à devenir un gamète) pour se transformer en spermatozoïde ou en ovule. XXe s. ; formé de *gaméto-* et de *-cyte* ; [gametosit].

**GAMÉTOGENÈSE,** subst. f.
*Biol.* Ensemble des étapes par lesquelles passe une cellule germinale (indifférenciée) avant de devenir un spermatozoïde ou un ovule. 1935 ; formé de *gaméto-* et de *-genèse* ; [gametoʒənɛz].

**GAMÉTOPHYTE,** subst. m.
*Bot.* Organisme caractérisé par des noyaux cellulaires à $n$ chromosomes, qui produit des gamètes et représente la phase haploïde du cycle reproducteur des végétaux. 1897 ; formé de *gaméto-* et de *-phyte* ; [gametofit].

**GAMIN, INE,** subst.
**1.** Vx. Jeune aide, dans différents métiers ; enfant qui court les rues. **2.** Enfant ou jeune adolescent (fam.) ; empl. adj. : *Un comportement* **gamin**, espiègle, insouciant. **3.** Fils ou fille (fam.). 1765 ; orig. obsc. ; [gamɛ̃, in].

**GAMINERIE,** subst. f.
Conduite, acte ou parole de gamin, digne d'un gamin (souv. au plur.). 1836 ; ☞ *gamin* ; [gaminʀi].

**GAMMA,** subst. m. inv.
**1.** Troisième lettre de l'alphabet grec, qui s'écrit $\gamma$ en minuscule et $\Gamma$ en majuscule, et qui correspond au *g* français. **2.** *Astron.* *Point* **gamma** : intersection de l'équateur céleste et de l'écliptique, aussi appelée point vernal (symb. : $\gamma$). Le Soleil passe par ce point le jour de l'équinoxe de printemps. Ce point sert d'origine aux mesures d'ascensions droites (mesurées sur l'équateur) ainsi qu'à celles des longitudes (mesurées sur l'écliptique). **3.** *Phys.* *Rayons* **gamma** : nom donné au rayonnement électromagnétique émis par un corps radioactif. Ce sont des ondes de très haute fréquence, donc de très petite longueur (de l'ordre de 0,1 nm). Ils véhiculent une énergie considérable, sous forme de photons **gamma**. 1829 ; mot gr. ; [gama].

**GAMMAGLOBULINE,** subst. f.
*Pharm.* Globuline du sérum sanguin, support des anticorps. 1950 ; formé de *gamma* et de *globuline* ; [gamaglɔbylin].

**GAMMAGRAPHIE,** subst. f.
*Méd.* Scintigraphie. 1953 ; ☞ *gamma* + *-graphie* ; [gamagʀafi].

**GAMMARE,** subst. m.
*Zool.* Crustacé malacostracé, sans carapace, au corps aplati transversalement, qui vit dans les rivières et est communément appelé crevette d'eau douce. 1534 ; lat. *gammarus*, « écrevisse » ; [gamaʀ].

**GAMME,** subst. f.
**1.** *Mus.* Série de sons conjoints (tons ou demi-tons) compris dans une octave : ***Gamme*** *par tons*, formée de six tons successifs ; ***Gamme*** *chromatique*, formée de douze demi-tons successifs. ► *Faire ses* ***gammes*** : s'exercer (à jouer d'un instrument). **2.** Ext. Ensemble de nuances d'une même couleur formant une série allant du clair au sombre ou du sombre au clair. **3.** Fig. Série complète et graduée d'éléments de même nature. **4.** Loc. *Changer de* ***gamme*** : changer de ton, de manière d'être ; *Haut de* ***gamme***, *bas de* ***gamme*** : d'une qualité supérieure, inférieure. V. 1155 ; lat. médiév. *gamma*, du gr. *gamma*, 3e lettre de l'alphabet grec, choisie par Gui d'Arezzo pour désigner la 1re note de la gamme, puis la gamme elle-même ; [gam].

MUSIQUE – La gamme, fondement de la musique tonale, dérive des anciens modes grecs. On distingue traditionnellement gamme chromatique et gamme diatonique (qui peut être majeure ou mineure). Les sept notes, ou degrés, qui composent la gamme majeure, *ut* ou *do*, *ré*, *mi*, *fa*, *sol*, *la*, *si*, forment des intervalles successifs de tons (*do/ré*, *ré/mi*, *fa/sol*, *sol/la*, *la/si*) et de demi-tons (*mi/fa*, *si/do*). Dans la gamme mineure, on baisse les troisième et sixième degrés d'un demi-ton (par ex., en *do*, *mi* et *la* deviennent bémols). On peut faire varier les tons ou la gamme elle-même (tonalité) d'un demi-ton ascendant (dièse, soit ♯) ou descendant (bémol, soit ♭). Depuis Jean-Sébastien Bach, dans la gamme « tempérée », ces demi-tons sont considérés comme strictement égaux : ainsi, *do*♯ = *ré*♭, *ré*♯ = *mi*♭, etc. La première note, « tonique », de chaque gamme donne son nom à cette gamme. Par exemple, la gamme de *si*♭ majeur commence par un *si*♭, celle de *la* mineur par un *la*.

**GAMMÉE,** adj. f.
Se dit d'une croix dont les quatre branches ont la forme coudée d'un gamma majuscule : *Les croix* ***gammées*** *ornant les vases grecs de l'époque archaïque* ; *La croix* ***gammée*** *branches vers la droite fut l'emblème du nazisme.* 1872 ; ☞ *gamma* ; [game].

**GAMOPÉTALE,** adj. et subst. f.
*Bot.* Adj. À pétales soudés. Subst. Plante à fleurs **gamopétales**. Déb. XIXe s. ; ☞ *pétale* + *gamo-* ; [gamopetal].

**GAMOSÉPALE,** adj.
*Bot.* Dont les sépales sont soudés : *Calice* ***gamosépale***. 1865 ; *sépale* + *gamo-* ; [gamosepal].

**GANACHE (I),** subst. f.
**1.** Partie latérale et postérieure de la mâchoire inférieure du cheval. **2.** Fig. Personne bornée (fam.) : *Une vieille* ***ganache***. 1642 ; ital. *ganascia*, du bas lat. *ganathos*, du gr. *gnathos*, « mâchoire » ; [ganaʃ].

**GANACHE (II),** subst. f.
*Cuis.* Mélange de chocolat fondu et de crème fraîche. 1936 ; orig. inc. ; [ganaʃ].

**GANDIN,** subst. m.
Jeune homme à l'élégance raffinée et aux manières quelque peu ridicules : *Faire le* ***gandin***. 1855 ; p.-ê. *boulevard de Gand* (auj. *des Italiens*), à Paris ; [gɑ̃dɛ̃].

**GANDOURA,** subst. f.
Tunique légère et sans manches, couvrant les jambes, portée par les hommes dans les pays du Maghreb. 1756 ; ar. d'Algérie *gandūra*, de l'ar. *qandūra* ; var. *gandourah* ; [gɑ̃duʀa].

**GANG,** subst. m.
Organisation de malfaiteurs : *Un chef de* ***gang***. 1831 ; angl. *gang*, « équipe, bande » ; [gɑ̃g].

**GANGA,** subst. m.
*Zool.* Oiseau de la famille des Ptéroclididés, proche du pigeon, d'Afrique du Nord et du sud de l'Europe. 1771 ; catalan *ganga*, d'orig. onomat. ; [gɑ̃ga].

**GANGÉTIQUE,** adj.
*Géogr.* Du Gange, fleuve de l'Inde : *La plaine* ***gangétique***. 1838 ; lat. *gangeticus* ; [gɑ̃ʒetik].

**GANGLION,** subst. m.
*Anat.* Petit renflement situé en certains points des vaisseaux lymphatiques et des nerfs. Les **ganglions** lymphatiques produisent des lymphocytes ; les **ganglions** nerveux contiennent les corps cellulaires des neurones. Fin XVIe s. ; bas lat. *ganglion*, du gr. *gagglion* ; [gɑ̃glijɔ̃].

**GANGLIONNAIRE,** adj.
*Anat.* Relatif aux ganglions. 1816 ; ☞ *ganglion* ; [gɑ̃glijɔnɛʀ].

**GANGRÈNE,** subst. f.
**1.** *Pathol.* Atteinte locale et grave des tissus, qui provoque leur mortification et leur putréfaction, et qui peut s'étendre. La **gangrène** est causée par des brûlures, des gelures, des thromboses, etc., avec ou sans invasion bactérienne. La **gangrène** gazeuse se voit surtout sur des plaies souillées de terre ; due à des micro-organismes anaérobies, elle se caractérise par une production de bulles de gaz. **2.** Fig. Mal insidieux, qui corrompt une personne, une société : *La* ***gangrène*** *de la corruption.* Fin XIVe s. ; lat. *gangraena*, du gr. *gaggraina* ; [gɑ̃gʀɛn].

**GANGRENER,** verbe trans. [10]
**1.** *Pathol.* Affecter (un membre, une plaie) de gangrène ; empl. pronom. : *Cette jambe se* ***gangrène***. **2.** Fig. Corrompre, vicier : *La jalousie* ***gangrène*** *l'âme.* 1503 ; ☞ *gangrène* ; var. *gangréner* [8] ; [gɑ̃gʀəne].

**GANGRENEUX, EUSE,** adj.
*Pathol.* De la nature de la gangrène. 1539 ; ☞ *gangrène* ; var. *gangréneux, euse* ; [gɑ̃gʀənø, øz].

**GANGSTER,** subst. m.
**1.** Personne qui commet, seule ou avec d'autres, une action criminelle, souv. accompagnée de violences. **2.** Ext. Personne au comportement crapuleux, dénuée de tout scrupule : *Il avait comme associé un véritable* ***gangster***. 1925 ; anglo-amér. *gangster*, de *gang*, « bande de malfaiteurs » ; [gɑ̃gstɛʀ].

© F. P. G. Int-Explorer

*Al Capone (à gauche), le plus célèbre des gangsters américains durant les années trente.*

**GANGSTÉRISME,** subst. m.
**1.** Ensemble des méthodes mises en œuvre, des crimes perpétrés par les gangsters (synon. *banditisme*). **2.** Fig. Comportement crapuleux. 1934 ; ☞ *gangster* ; [gɑ̃gsteʀism].

**GANGUE,** subst. f.
**1.** *Pétrogr.* Masse non métallique qui englobe les filons métallifères ; en partic., masse rocheuse qui renferme une pierre fine ou précieuse : *Des cristaux d'améthyste dans leur* ***gangue***. **2.** *Biol.* Tissu scléreux qui enveloppe un organe. **3.** Fig. Ce qui enferme, dissimule une idée, un sentiment, etc. : *La* ***gangue*** *de l'ignorance, des idées reçues.* 1552 ; all. *Gang*, « filon » ; [gɑ̃g].

**GANOÏDE,** adj. et subst. m. plur.
*Zool.* Adj. *Écailles* ***ganoïdes*** : écailles brillantes, couvertes d'émail, de certains poissons. Subst. Superordre de poissons, auj. appelés Holostéens ; au sing. : *L'esturgeon est un* ***ganoïde***. 1834 ; gr. *ganos*, « éclat d'un liquide limpide » ; [ganɔid].

**GANSE,** subst. f.
*Cout.* Ruban plat tressé ou cordonnet rond servant à attacher, à orner ou à border un vêtement, un tissu d'ameublement. 1611 ; prob. prov. *ganso*, du gr. *gampsos*, « courbé » ; [gɑ̃s].

**GANSER,** verbe trans. [3]
*Cout.* Garnir d'une ganse : ***Ganser*** *un col* ; empl. adj. : *Une robe* ***gansée***. 1765 ; ☞ *ganse* ; [gɑ̃se].

**GANSETTE,** subst. f.
**1.** *Cout.* Petite ganse. **2.** *Techn.* Maille de filet. 1754 ; ☞ *ganse* ; [gɑ̃sɛt].

**GANT,** subst. m.
**1.** Accessoire de l'habillement, dans lequel on introduit la main et qui recouvre séparément chaque doigt : ***Gants*** *de laine*. **2.** Accessoire servant à divers usages ou à protéger les mains : ***Gants*** *de toilette, de jardinage*. **3.** Loc. *Jeter le* ***gant*** *à qqn* : lui lancer un défi ; *Relever le* ***gant*** : accepter le défi ; *Aller comme un* ***gant*** : convenir parfaitement ; *Ne pas mettre, prendre de* ***gants*** : agir sans ménagement ; *Une main de fer dans un* ***gant*** *de velours* : se dit d'une personne très autoritaire sous des dehors de douceur. Fin XIe s. ; anc. bas frq. *°want*, « moufle, mitaine » ; [gɑ̃].

**GANTELET, subst. m.**
**1.** Gant de cuir ou de peau couvert de lames de fer et de clous, qui complétait l'armure. **2.** *Fauconn.* Gant de cuir épais protégeant la main du fauconnier. **3.** *Techn.* Pièce de cuir qui protège la main, en partic. la paume, dans certains corps de métiers. 1260 ; ☞ *gant* ; [gɑ̃t(ə)lɛ].

**GANTER, verbe trans.** [3]
Couvrir d'un gant ; empl. intrans., avoir comme pointure de gants : ***Ganter*** *du sept* ; empl. pronom., mettre ses gants. 1488 ; ☞ *gant* ; [gɑ̃te].

**GANTERIE, subst. f.**
Industrie ou commerce des gants ; magasin du gantier. 1360 ; ☞ *gantier* ; [gɑ̃tʀi].

**GANTIER, IÈRE, subst.**
Personne qui confectionne des gants ou qui tient une ganterie. 1197 ; ☞ *gant* ; [gɑ̃tje, jɛʀ].

**GAP, subst. m.**
Anglic. Écart, décalage important : ***Gap*** *des générations* ; par ext., déficit, retard : ***Gap*** *technologique.* 1948 ; anglo-amér. *gap*, « fossé » ; [gap].

**GAPERON, subst. m.**
Fromage d'Auvergne au lait de vache, aromatisé à l'ail. [gapʀɔ̃].

**GÂPETTE, subst. f.**
Casquette (pop.). 1919 ; p.-ê. altér. de *capette* (vx), « petite chape ; bonnet » ; var. *gapette* ; [gɑpɛt].

**GARAGE, subst. m.**
**1.** Action de garer un véhicule. ► *Voie de* ***garage*** : voie sur laquelle on aiguille des wagons, des locomotives pour les garer ou, au fig., emploi, situation sans avenir. **2.** Local, gén. couvert, où l'on parque un véhicule : *Sortir la voiture du* ***garage***. **3.** Ext. Entreprise d'entretien et de réparation d'automobiles : *Faire réviser sa voiture au* ***garage***. 1802 ; ☞ *garer* ; [gaʀaʒ].

**GARAGISTE, subst.**
Personne qui possède ou exploite un garage. 1922 ; ☞ *garage* ; [gaʀaʒist].

**GARANCE, subst. f. et adj. inv.**
**Subst. 1.** *Bot.* Plante grimpante de la famille des Rubiacées, dont la racine produit une substance colorante rouge. **2.** Méton. Teinture tirée de cette plante. **Adj.** De couleur rouge vif : *Des pantalons* ***garance***. Fin XIe s. ; anc. bas frq. °*wratja* ; [gaʀɑ̃s].

**GARANT, ANTE, subst. et adj.**
**Subst.** *Dr.* **1.** Personne civile ou morale liée à une autre par une obligation de garantie ; en partic., personne qui répond de la dette de qqn, qui se porte caution. **2.** Personne ou collectivité tenue de sauvegarder des droits. **Subst. masc. 1.** Ce qui garantit ; assurance, gage : *L'égalité des droits est le* ***garant*** *de la paix sociale.* **2.** *Mar.* Cordage servant à former un palan. **Adj. 1.** *Dr.* Qui répond de la dette d'autrui. **2.** *Dr. internat.* Se dit d'un État qui garantit le respect d'une situation politique : *Les pays* ***garants*** *d'un traité.* **3.** Qui assure la validité de qqch., qui en permet la réalisation : *Des succès* ***garants*** *d'un brillant avenir.* **4.** Loc. *Être, se porter* ***garant*** *de qqch.* : prendre la responsabilité de qqch., répondre de qqch. ; *Être* ***garant*** *que* : assurer, certifier que. Fin XIe s. ; *garir* (vx), de l'anc. bas frq. °*warjan*, « désigner comme vrai » ; [gaʀɑ̃, ɑ̃t].

**GARANTIE, subst. f.**
**1.** *Dr.* ► Obligation d'assurer à qqn la jouissance d'une chose ou d'un droit, de protéger qqn contre un dommage : *Contrat de* ***garantie*** ; ***Garantie*** *décennale*, fournie par un constructeur ou une entreprise de bâtiment ; ***Garantie*** *d'intérêts*, donnée par l'État pour des emprunts contractés par des collectivités publiques. ► Obligation faite au vendeur d'assurer à l'acheteur la qualité d'un produit : ***Garantie*** *d'un an* ; *Appareil sous* ***garantie***. **2.** Mesure ou moyen servant à garantir ou à se garantir : *Demander, obtenir des* ***garanties*** ; ***Garantie*** *des droits individuels*, octroyée par la loi. ► Fig. Gage, assurance : *Offrir des* ***garanties*** *de sérieux.* Fin XIe s. ; ☞ *garantir* ; [gaʀɑ̃ti].

**GARANTIR, verbe trans.** [19]
**1.** *Dr.* Se porter garant de (qqch.) : ***Garantir*** *le versement d'une pension* ; s'engager sur la qualité, l'authenticité, l'origine de (qqch.) : ***Garantir*** *une voiture, un vin.* **2.** Ext. Répondre de (qqch.), certifier : *Le maçon m'a* ***garanti*** *que le trou serait bouché demain.* **3.** Préserver, mettre (qqn) à l'abri de qqch. : *Cette porte ignifugée vous* ***garantit*** *contre l'incendie.* **Pronom. 1.** Se protéger (de qqch.) : *Se* ***garantir*** *du soleil.* **2.** Se donner des assurances : *Se* ***garantir*** *mutuelle protection.* Fin XIe s. ; ☞ *garant* ; [gaʀɑ̃tiʀ].

**GARBURE, subst. f.**
*Cuis.* Soupe du sud-ouest de la France, composée de légumes, en partic. de choux, et de confit d'oie. 1735 ; gascon *garburo* ; [gaʀbyʀ].

**GARCE, subst. f.**
**1.** Vx. Prostituée. **2.** Jeune fille (vieilli). **3.** Fam. Fille ou femme malveillante ; empl. adj. : *Elle est assez* ***garce*** ; par anal., pour parler de ce qui fait souffrir : ***Garce*** *de vie !* Mil. XIIe s. ; ☞ *gars* ; [gaʀs].

**GARCETTE, subst. f.**
*Mar.* **1.** Vx. Petite tresse faite de vieux cordages, utilisée pour infliger des châtiments. **2.** Petit cordage tressé servant à divers nœuds d'amarrage. 1636 (déb. XIIIe s., fillette) ; ☞ *garce* ; [gaʀsɛt].

**GARÇON, subst. m.**
**1.** Enfant de sexe masculin (anton. *fille*). **2.** Jeune homme ou homme jeune. **3.** Jeune homme encore célibataire (vieilli) : *Enterrer sa vie de* ***garçon***. **4.** Employé subalterne : ***Garçon*** *coiffeur.* **5.** Serveur dans un restaurant ou un café. Mil. XIIe s. (fin XIe s., valet) ; anc. bas frq. °*wrakkjo*, « vagabond » ; [gaʀsɔ̃].

**GARÇONNE, subst. f.**
Jeune fille émancipée (vieilli) : *Se couper les cheveux à la* ***garçonne***, très court. 1922 (1880, adolescente aux formes encore enfantines) ; ☞ *garçon* ; [gaʀsɔn].

**GARÇONNET, subst. m.**
Petit garçon. Fin XIIe s. ; ☞ *garçon* ; [gaʀsɔnɛ].

**GARÇONNIER, IÈRE, adj. et subst. f.**
**Adj.** Dont l'allure, le comportement évoque un garçon, en parlant d'une jeune fille : *Silhouette, démarche* ***garçonnière***. **Subst.** Petit appartement de célibataire (vieilli). 1803 (fin XIIe s., fille publique) ; ☞ *garçon* ; [gaʀsɔnje, jɛʀ].

© Plat-Gamma

*La garde républicaine rendant les honneurs.*

**GARDE (I), subst. f.**
**I. 1.** Action de garder qqch., qqn pour le protéger : ***Garde*** *d'un enfant* ; ***Garde*** *d'un vestiaire.* ► *Dr. Droit de* ***garde*** : attribut de l'autorité parentale selon lequel le parent ou le tuteur qui en est investi doit veiller à l'éducation de l'enfant. **2.** Action de surveiller qqn, qqch. pour s'en protéger ou pour l'empêcher de fuir. ► *Dr.* ***Garde*** *juridique* : obligation faite au propriétaire d'un animal ou d'une chose d'empêcher qu'ils causent des dommages à autrui ; ***Garde*** *à vue* : retenue d'une personne dans les locaux de la police pendant une durée fixée par la loi. **3.** Service régulier, périodique de surveillance : *Poste de* ***garde*** ; *Pharmacien de* ***garde***. **4.** Attitude prise en boxe, en escrime, etc., pour se défendre ou attaquer. ► Loc. *Ouvrir, fermer sa* ***garde*** : se découvrir, se couvrir. **5.** Fig. Attitude de méfiance, de vigilance. ► Loc. *Être, se tenir sur ses* ***gardes*** : se méfier ; *Prendre* ***garde*** : faire attention ; *Mettre en* ***garde*** : avertir ; *N'avoir* ***garde*** *de* : s'abstenir de (littér.). **II. 1.** Groupe de soldats en faction. ► *Corps de* ***garde*** : troupe chargée de garder un lieu ou, par ext., local où se tient cette troupe. ► ***Garde*** *mobile* : ancienne dénomination de la gendarmerie mobile. **2.** Corps de troupe chargé de la protection d'un souverain, d'un chef d'État ou du maintien de l'ordre. ► *La* ***garde*** *républicaine* : corps d'élite de la gendarmerie nationale. ► *Pol. La vieille* ***garde*** : les plus anciens partisans d'une personnalité, d'un régime. **III. 1.** Partie d'une arme blanche servant à protéger la main : *La* ***garde*** *d'un fleuret.* ► Loc. *Jusqu'à la* ***garde*** : jusqu'au bout, complètement. **2.** *Mar.* Amarre frappée de manière à éviter les mouvements d'un bateau à quai. **3.** *Reliure. Pages de* ***garde*** : pages vierges placées au début et à la fin d'un livre. **Plur.** *Techn.* Pièces d'une serrure qui en interdisent l'ouverture à toute clé étrangère. Mil. XIe s. ; ☞ *garder* ; [gaʀd].

**GARDE (II), subst. m.**
**1.** Gardien d'un prisonnier. **2.** Personne qui garde, surveille, protège un lieu, une chose. ► ***Garde*** *forestier* : agent public ou privé chargé de surveiller une étendue de forêt ; ***Garde*** *champêtre* : employé communal qui a la garde des propriétés rurales ; *Le* ***garde*** *des Sceaux* : le ministre de la Justice. **3.** Personne, notamment soldat d'un corps de troupe, chargée de la sécurité d'un souverain, d'un chef d'État : *Les* ***gardes*** *suisses du pape.* ► ***Garde*** *du corps* : homme attaché à la garde personnelle de qqn. XIIe s. ; ☞ *garde* (I) ; [gaʀd].

**GARDE (III), subst.**
Personne qui garde, qui soigne un malade chez lui. Mil. XVIIIe s. ; ell. de *garde-malade* ; [gaʀd].

**GARDE-À-VOUS, subst. m. inv.**
Position immobile, les bras le long du corps, que prennent les militaires en certaines occasions. 1839 ; loc. *garde à vous !* ; [gaʀdavu].

**GARDE-BARRIÈRE, subst.**
*Ch. de fer.* Personne chargée d'assurer la sécurité à un passage à niveau et d'en manœuvrer les barrières. 1845 ; comp. de *garde* (II) et de *barrière* ; plur. *gardes-barrières* ; [gaʀd(ə)baʀjɛʀ].

**GARDE-BŒUF, subst. m.**
*Zool.* Petit héron, appelé aussi pique-bœuf, qui se perche sur les bœufs, les buffles, les éléphants pour manger leurs parasites. 1809 ; comp. de *garder* et de *bœuf* ; plur. *garde-bœuf(s)* ; [gaʀdəbœf], plur. [-bø].

**GARDE-BOUE, subst. m. inv.**
Pièce incurvée disposée au-dessus d'une roue d'un véhicule pour protéger des éclaboussures. 1869 ; comp. de *garder* et de *boue* ; [gaʀdəbu].

**GARDE-CHASSE, subst. m.**
Gardien qui, sur un domaine privé, veille à la conservation du gibier. 1669 ; comp. de *garde* (II) et de *chasse* ; plur. *gardes-chasse(s)* ; [gaʀdəʃas].

**GARDE-CHIOURME, subst. m.**
**1.** Surveillant de bagnards, de galériens (vx). **2.** Surveillant brutal (péj.). 1814 ; comp. de *garde* (II) et de *chiourme* ; plur. *gardes-chiourme* ; [gaʀdəʃjuʀm].

**GARDE-CORPS, subst. m. inv.**
**1.** *Mar.* Cordage tendu sur le pont d'un navire servant d'appui aux matelots. **2.** Barrière empêchant de tomber dans le vide. 1812 (déb. XIIIe s. pièce d'armure) ; comp. de *garder* et de *corps* ; [gaʀdəkɔʀ].

**GARDE-CÔTE(S), subst. m.**
*Mar.* **1.** Petit bâtiment militaire chargé de défendre les côtes (vieilli). **2.** Bateau qui contrôle la pêche côtière et veille au respect des règles douanières. 1690 (1599, service de guet) ; comp. de *garder* et de *côte* ; plur. *garde-côtes* ; [gaʀdəkot].

© Brylak/Liaison-Gamma

*Garde-côte au large de la Floride.*

**GARDE-FEU, subst. m.**
Plaque ou grille de métal que l'on place devant une cheminée pour se protéger des étincelles. 1377 ; comp. de *garder* et de *feu* (I) ; plur. *garde-feu(x)* ; [gaʀdəfø].

**GARDE-FOU, subst. m.**
**1.** Garde-corps. **2.** Fig. Ce qui retient de s'égarer, de verser dans l'erreur. Déb. XVe s. ; comp. de *garder* et de *fou* ; plur. *garde-fous* ; [gaʀdəfu].

**GARDE-MAGASIN, subst. m.**
*Milit.* Magasinier. 1634 ; comp. de *garde* (II) et de *magasin* ; plur. *gardes-magasin(s)* ; [gaʀd(ə)magazɛ̃].

**GARDE-MALADE(S), subst.**
Personne qui garde les malades et assure les soins élémentaires. 1754 ; comp. de *garde* (II) et de *malade* ; plur. *gardes-malades* ; [gaʀd(ə)malad].

**GARDE-MANGER, subst. m. inv.**
**1.** Pièce fraîche où l'on conserve des aliments (vieilli). **2.** Armoire grillagée où l'on place des aliments. 1304 (1285, officier de bouche) ; comp. de *garder* et de *manger* (II) ; [gaʀd(ə)mɑ̃ʒe].

**GARDE-MEUBLE(S), subst. m.**
Lieu, bâtiment qui abrite le mobilier de l'État ou celui de particuliers. 1658 ; comp. de *garder* et de *meuble* ; plur. *garde-meubles* ; [gaʀd(ə)mœbl].

**GARDÉNAL, subst. m. inv.**
*Pharm.* Barbiturique utilisé comme sédatif et tranquillisant. 1926 ; crois. de *garder* et de *Véronal* ; n. déposé ; [gaʀdenal].

**GARDÉNIA, subst. m.**
*Bot.* Plante odorante à fleurs blanches, de la famille des Rubiacées, originaire d'Asie et cultivée comme plante ornementale. 1777 ; anthropon. *Alexander Garden*, botaniste écossais ; [gaʀdenja].

**GARDEN-PARTY, subst. f.**
Réception mondaine donnée dans un jardin. 1882 ; mot angl. ; plur. *garden-partys* ou *-parties* ; [gaʀdɛnpaʀti].

**GARDE-PÊCHE, subst. m.**
*Mar.* **1.** Agent chargé de faire respecter les règlements de pêche. **2.** Bâtiment chargé de la surveillance et de la protection des bateaux de pêche ; en appos. : *Des vedettes* ***garde-pêche.*** 1669 ; comp. de *garde* (II) ou de *garder* et de *pêche* (II) ; plur. *gardes-pêche* au sens 1, *garde-pêche* au sens 2 ; [gaʀdəpɛʃ].

**GARDE-PORT, subst. m.**
*Comm.* Agent qui, dans un port fluvial, assure la réception des marchandises. 1641 ; comp. de *garde* (II) et de *port* (I) ; plur. *gardes-port(s)* ; [gaʀd(ə)pɔʀ].

**GARDER, verbe trans. [3]**
**I. 1.** Protéger, veiller sur (qqn, qqch.) : ***Garder*** *un nourrisson ;* ***Garder*** *des moutons.* **2.** Surveiller (qqn) pour l'empêcher de fuir : ***Garder*** *un prisonnier.* **3.** Surveiller, assurer la défense de (un lieu) : ***Garder*** *un aéroport* ; empl. adj. : *Chasse, pêche* ***gardée,*** réservée à son propriétaire et surveillée par un garde. **4. Garder de.** Préserver de : *Cet échec le* ***gardera*** *de recommencer.* **II. 1.** Conserver (qqch.) en bon état. **2.** Mettre de côté, réserver (qqch.) : ***Garder*** *une part de gâteau.* **3.** Déposer, mettre en lieu sûr (qqch.) : ***Garder*** *de l'argent à la banque.* **4.** Conserver (qqch.) pour soi : ***Garder*** *un parapluie trouvé.* **5.** Conserver (qqch.) sur soi, près de soi : ***Garder*** *sa veste, un document.* **6.** Retenir (qqn) près de soi : ***Garder*** *un visiteur à déjeuner.* **7.** Continuer à employer, à fréquenter (qqn) : ***Garder*** *un secrétaire, un ami.* **8.** Ne pas révéler (un secret, un sentiment). **9.** Conserver (une attitude, une position, une qualité, un sentiment), rester dans (un état) : ***Garder*** *le moral.* **10.** Suivre scrupuleusement (qqch.) : ***Garder*** *une ligne de conduite.* **III.** Ne pas quitter (un lieu) : *Ce malade doit* ***garder*** *la chambre.* **IV. Pronom. 1.** Se protéger, se défendre (vx) : *Père,* ***gardez-vous*** *à droite, père,* ***gardez-vous*** *à gauche* (Philippe, fils de Jean II le Bon). **2. Se garder de.** ► Prendre garde à : ***Garde-toi*** *de la facilité !* ► Éviter de : *Je me* ***suis gardé*** *de raconter ma mésaventure.* **3.** Se conserver. Mil. XIIe s. (fin Xe s., regarder) ; germ. occ. °*wardôn,* « regarder vers » ; [gaʀde].

**GARDERIE, subst. f.**
**1.** *Sylvic.* Étendue de bois surveillée par un garde forestier. **2.** Surveillance de jeunes enfants ; lieu où s'effectue cette garde. 1832 (1579, salle de garde) ; ☞ *garder* ; [gaʀdəʀi].

**GARDE-ROBE, subst. f.**
**1.** Pièce ou penderie où l'on range les vêtements. **2.** Méton. Ensemble des vêtements appartenant à une personne. **3.** Lieu où se trouvait la chaise percée, cabinet d'aisances (vx). Fin XIIe s. ; comp. de *garder* et de *robe* ; plur. *garde-robes* ; [gaʀdəʀɔb].

**GARDE-TEMPS, subst. m. inv.**
Horloge de très haute précision servant de référence unique pour les calculs astronomiques. 1797 ; comp. de *garder* et de *temps* ; [gaʀdətɑ̃].

**GARDEUR, EUSE, subst.**
Personne qui garde des animaux. Mil. XIIe s. ; ☞ *garder* ; [gaʀdœʀ, øz].

**GARDE-VOIE, subst. m.**
Employé des chemins de fer ou militaire qui surveille une voie. 1872 ; comp. de *garde* (II) et de *voie* ; plur. *gardes-voie(s)* ; [gaʀdəvwa].

**GARDE-VUE, subst. m. inv.**
Vieilli. **1.** Abat-jour. **2.** Visière qui protège les yeux d'une lumière trop crue. 1642 ; comp. de *garder* et de *vue* ; [gaʀdəvy].

**GARDIAN, subst. m.**
Région. (Camargue). Gardien à cheval de troupeaux de chevaux, de taureaux. 1911 ; prov. *gardian,* prob. du got. °*wardja,* « gardien » ; [gaʀdjɑ̃].

**GARDIEN, IENNE, subst.**
**1.** Personne qui a la garde de qqn, de qqch., d'un lieu. **2.** Ext. Protecteur, garant : *La Constitution est la* ***gardienne*** *des principes de la République.* ► ***Gardien*** *de la paix* : agent de police en uniforme. ► Empl. adj. *Ange* ***gardien*** (☞ *ange*). **3.** *Sp.* ***Gardien*** *de but* : joueur qui défend les buts, au football, au hockey, etc. 1255 ; ☞ *garder* ; [gaʀdjɛ̃, jɛn].

**GARDIENNAGE, subst. m.**
**1.** Emploi, fonction de gardien. **2.** Service de garde. 1803 ; ☞ *gardien* ; [gaʀdjɛnaʒ].

**GARDON, subst. m.**
*Zool.* Petit poisson d'eau douce, de la famille des Cyprinidés, dont l'espèce la plus courante est le **gardon** blanc. ► Loc. *Frais comme un* ***gardon*** : qui a bonne mine. Déb. XIIIe s. ; orig. obsc. ; [gaʀdɔ̃].

**GARE (I), interj.**
**1.** Cri lancé pour avertir d'un danger. ► Loc. *Arriver sans crier* ***gare*** : à l'improviste. **2.** Avertissement menaçant : ***Gare*** *à toi, si tu ne travailles pas !* Mil. XIIe s. ; altér. de *garde,* impér. de *garder* ; [gaʀ].

**GARE (II), subst. f.**
**1.** Bassin aménagé sur un cours d'eau pour que les bateaux puissent se croiser, se garer : ***Gare*** *d'eau.* **2.** *Ch. de fer.* Ensemble des installations et des bâtiments établis pour l'embarquement et le débarquement des voyageurs et des marchandises : *La* ***gare*** *Saint-Lazare.* ► ***Gare*** *de triage* : où les trains sont constitués. ► ***Gare*** *maritime* : dont les voies aboutissent aux quais d'un port pour transborder voyageurs et marchandises. **3.** ***Gare*** *routière* : espace conçu pour accueillir les camions, les autocars qui assurent un service régulier. 1690 (1533, distance) ; ☞ *garer* ; [gaʀ].

**GARENNE, subst. f.**
**1.** *Féod.* Domaine de chasse réservée. **2.** Étendue boisée où les lapins vivent à l'état sauvage : *Lapin de* ***garenne*** ou, empl. subst. masc., *Un* ***garenne.*** Mil. XIIe s. ; orig. obsc. ; [gaʀɛn].

**GARER, verbe trans. [3]**
Ranger (un véhicule) dans un lieu de stationnement. **Pronom. 1.** Se placer de côté pour laisser passer un véhicule. **2.** Parquer son véhicule. **3.** *Se* ***garer*** *de* : éviter, se protéger de. Fin XIIe s. ; anc. bas frq. °*warôn,* « protéger » ; [gaʀe].

**GARGANTUA, subst. m.**
Gros mangeur. 1802 (1707, homme géant) ; *Gargantua,* personnage d'un roman de Rabelais ; [gaʀgɑ̃tɥa].

**GARGANTUESQUE, adj.**
Qui est digne de Gargantua. 1836 ; *Gargantua,* personnage d'un roman de Rabelais ; [gaʀgɑ̃tɥɛsk].

Gargantua à son grand couvert.
*Un repas* ***gargantuesque,*** *à la mesure de l'appétit du géant. Lithographie du début du XIXe s. Musée Carnavalet, Paris.*

**GARGARISER (SE), verbe pronom. [3]**
**1.** Se rincer l'arrière-bouche avec un liquide médicamenteux. **2.** Fig. ***Se gargariser*** *de banalités, de compliments* : s'en délecter (fam.). XIIIe s. ; lat. *gargarizare,* du gr. *gargarizein* ; [gaʀgaʀize].

**GARGARISME, subst. m.**
**1.** Liquide médicamenteux avec lequel on se gargarise. **2.** Action de se gargariser. Déb. XIe s. ; bas lat. *gargarisma* ; [gaʀgaʀism].

**GARGOTE, subst. f.**
Petit restaurant où l'on sert des plats d'une qualité médiocre et à bas prix (péj.). 1680 ; *gargoter* (vx), « manger de façon malpropre » ; [gaʀgɔt].

**GARGOTIER, IÈRE, subst.**
Personne qui tient une gargote ; mauvais cuisinier (péj.). 1642 ; *gargoter* (vx), « manger de façon malpropre » ; [gaʀgɔtje, jɛʀ].

**GARGOUILLE, subst. f.**
Dégorgeoir en saillie, souv. orné d'un monstre sculpté, qui sert à évacuer à distance des murs les eaux de pluie contenues dans une gouttière ; par méton., la sculpture qui l'orne : *Les* ***gargouilles*** *de Notre-Dame.* 1294 ; crois. du rad. *garg-,* « gorge », et de l'anc. fr. *goule,* « gueule » ; [gaʀguj].

**GARGOUILLEMENT, subst. m.**
**1.** Bruit que fait une gargouille dégorgeant de l'eau. **2.** Anal. Bruit d'un liquide qui se déplace dans l'estomac, les intestins, etc. 1478 ; ☞ *gargouiller* ; synon. *gargouillis* ; [gaʀgujmɑ̃].

**GARGOUILLER, verbe intrans. [3]**
Produire un gargouillement (fam.). 1594 (mil. XIVe s., bavarder) ; ☞ *gargouille* ; [gaʀguje].

**GARGOULETTE, subst. f.**
Vase en terre poreux dans lequel l'eau se rafraîchit sous l'effet de l'évaporation. 1686 (1337, petite gargouille) ; anc. fr. *gargoule,* « gargouille » ; [gaʀgulɛt].

**GARGOUSSE, subst. f.**
*Techn.* Enveloppe cylindrique contenant la charge de poudre destinée à une bouche à feu. 1505 ; prob. prov. *gargousso,* de *carga,* « charger » ; [gaʀgus].

**GARNEMENT, subst. m.**
**1.** Vaurien (vieilli). **2.** Garçon turbulent, impertinent. Fin XIIIe s. (fin XIe s., équipement d'un soldat ; guerrier) ; ☞ *garnir* ; [gaʀnəmɑ̃].

**GARNI, IE, adj. et subst. m.**
**Adj.** Pourvu du nécessaire. ► *Cuis. Viande* ***garnie*** : accompagnée de légumes ; *Choucroute* ***garnie*** : accompagnée de charcuterie. **Subst.** Location meublée (vieilli). Déb. XIIe s. ; p. p. de *garnir* ; [gaʀni].

**GARNIR, verbe trans. [19]**
**1.** Pourvoir (qqch.) de ce qui lui convient : ***Garnir*** *sa maison de meubles ;* ***Garnir*** *un fauteuil,* le rembourrer. **2.** Pourvoir d'éléments qui protègent, renforcent : ***Garnir*** *une porte d'un blindage.* **3.** Orner : ***Garnir*** *un mur de photos.* **Pronom.** Se remplir peu à peu : *La salle se* ***garnit*** *de spectacteurs.* Déb. XIIe s. (fin Xe s., mettre en garde) ; germ. °*warnjan,* « prendre garde » ; [gaʀniʀ].

**GARNISON, subst. f.**
*Milit.* **1.** Ensemble de troupes occupant un ouvrage fortifié pour le défendre. **2.** Anal. Ensemble de troupes casernées dans une ville. Déb. XIIIe s. (fin XIe s., défense, protection) ; ☞ *garnir* ; [gaʀnizɔ̃].

**GARNISSAGE, subst. m.**
Action de garnir ; ce qui garnit. ► *Techn.* Revêtement intérieur d'un four, d'un creuset, d'un convertisseur. ► *Text.* Opération d'apprêt des draps destinée à en rendre la surface laineuse. 1785 ; ☞ *garnir* ; [gaʀnisaʒ].

**GARNITURE, subst. f.**
**1.** Ce que l'on ajoute à une chose pour la compléter, la renforcer ou l'embellir : ***Garniture*** *d'un manteau ;* ***Garniture*** *de bureau,* ensemble des accessoires utilisés sur un bureau. **2.** *Spéc.* ► *Archit.* Ensemble des lattes, tuiles ou ardoises utilisées pour couvrir un toit. ► *Cuis.* Ce qui accompagne la pièce principale d'un plat. ► *Mécan.* ***Garniture*** *de frein, d'embrayage* : pièce qui assure le freinage, l'embrayage par frottement. ► *Typogr.* Bloc figurant les blancs à l'imposition. 1498 (mil. XIIIe s., ornement d'une selle) ; ☞ *garnir* ; [gaʀnityʀ].

**GAROU, subst. m.**
*Bot.* Arbrisseau des garrigues du Midi, à fleurs blanches odorantes. C'est une variété de daphné appelée aussi sainbois. 1587 ; prov. *garoup* ; [gaʀu].

**GARRIGUE, subst. f.**
*Géogr.* Type de végétation méditerranéenne des sols calcaires, moins dense que le maquis, provenant de la dégradation des forêts due à l'abus de pâture, au feu, etc. 1544 ; prov. *garriga* ; [gaʀig].

**GARROT (I), subst. m.**
1. Morceau de bois court que l'on passe dans une corde pour la serrer en tordant. 2. Anal. Collier de fer qui était utilisé en Espagne pour étrangler les condamnés à mort (var. *une garrote*). 3. Ext. Lien élastique, appareil disposé autour d'un membre afin d'interrompre la circulation sanguine. xve s. (fin xiiie s., gourdin) ; p.-ê. anc. bas frq. °*wrok*, « partie noueuse d'un tronc d'arbre » ; [gaʀo].

**GARROT (II), subst. m.**
Partie du corps des grands quadrupèdes située au-dessus de l'épaule et qui prolonge l'encolure. 1444 ; anc. prov. *garra*, « jambe, jarret » ; [gaʀo].

**GARROTTAGE, subst. m.**
Action de garrotter ; son résultat. 1588 ; ☞ *garrotter* ; [gaʀɔtaʒ].

**GARROTTER, verbe trans.** [3]
1. Lier très solidement ; au fig. : *Quoique tout **garotté** dans vos complots hideux* (Hugo). 2. Infliger le supplice du garrot à (un condamné à mort). xiiie s. ; ☞ *garrot* (I) ; [gaʀɔte].

**GARS, subst. m.**
Fam. 1. Garçon, jeune homme, fils. 2. Ext. Homme. Fin xiie s. (déb. xiie s., lâche, goujat) ; ☞ *garçon* ; [gɑ].

**GASCON, ONNE, adj. et subst.**
De Gascogne. **Subst. masc.** Dialecte d'oc parlé en Gascogne. Fin xie s. ; lat. *Vascones*, peuple établi sur les deux versants pyrénéens ; [gaskɔ̃, ɔn].

**GASCONNADE, subst. f.**
Vantardise. Déb. xviie s. ; ☞ *gascon* ; [gaskɔnad].

**GAS-OIL, voir GAZOLE**

**GASPACHO, subst. m.**
*Cuis.* Potage froid, fait de crudités, de pain et d'épices. 1776 ; esp. *gazpacho* ; [gaspatʃo].

**GASPILLAGE, subst. m.**
Action de gaspiller ; son résultat. 1732 ; ☞ *gaspiller* ; [gaspijaʒ].

**GASPILLER, verbe trans.** [3]
Dépenser ou consommer inutilement ; au fig. : ***Gaspiller** son temps.* Déb. xvie s. ; prob. crois. du dial. de l'Ouest *gaspailler*, « répandre la paille », et du prov. *gaspilha*, « grapiller » ; [gaspije].

**GASPILLEUR, EUSE, subst. et adj.**
Se dit d'une personne qui gaspille. 1538 ; ☞ *gaspiller* ; [gaspijœʀ, øz].

**GASTÉROMYCÈTE, voir GASTROMYCÈTE**

**GASTÉROPODES, subst. m. plur.**
*Zool.* Classe la plus importante de l'embranchement des Mollusques (près de 20 000 espèces). **Au sing.** *Le buccin est un **gastéropode**.* 1795 ; formé de *gastéro-* et de *-pode* ; var. *Gastropodes* ; [gasteʀɔpɔd].

Zoologie – Les Gastéropodes sont caractérisés par un pied très développé permettant la reptation, surmonté d'une masse viscérale enroulée, gén. protégée par une coquille sécrétée par la paroi externe du corps, dont un repli délimite la cavité palléale. Cette dernière renferme une ou deux branchies, sauf chez les Pulmonés (escargots, limaces), chez qui elle joue le rôle de poumon ; elle est ouverte vers l'avant de l'animal dans l'ancien groupe des Prosobranches (la majorité des Gastéropodes), vers l'arrière chez les Opisthobranches.

**GASTRALGIE, subst. f.**
*Pathol.* Douleur vive à l'estomac. 1824 ; formé de *gastro-* et de *-algie* ; [gastʀalʒi].

**GASTRECTOMIE, subst. f.**
*Chir.* Ablation totale ou partielle de l'estomac. 1879 ; formé de *gastro-* et de *-ectomie* ; [gastʀɛktɔmi].

**GASTRIQUE, adj.**
Relatif à l'estomac : *Suc **gastrique**.* 1560 ; gr. *gastêr*, « estomac » ; [gastʀik].

**GASTRITE, subst. f.**
*Pathol.* Inflammation de la muqueuse de l'estomac. 1795 ; gr. *gastêr*, « estomac » ; [gastʀit].

**GASTRO-ENTÉRITE, subst. f.**
*Pathol.* Inflammation des muqueuses gastrique et intestinale. 1821 ; ☞ *entérite* + *gastro-* ; plur. *gastro-entérites*, var. *gastroentérite* ; [gastʀoɑ̃teʀit].

**GASTRO-ENTÉROLOGIE, subst. f.**
Partie de la médecine étudiant les maladies du système digestif. 1938 ; comp. de *gastro-*, de *entéro-* et de *-logie* ; plur. *gastro-entérologies*, var. *gastroentérologie* ; [gastʀoɑ̃teʀɔlɔʒi].

**GASTRO-ENTÉROLOGUE, subst.**
Médecin spécialiste de la gastro-entérologie. Mil. xxe s. ; comp. de *gastro-*, de *entéro-* et de *-logue* ; plur. *gastro-entérologues*, var. *gastroentérologue* ; [gastʀoɑ̃teʀɔlɔg].

**GASTRO-INTESTINAL, ALE, AUX, adj.**
*Méd.* Qui a trait à l'estomac et à l'intestin. 1808 ; ☞ *intestinal* + *gastro-* ; [gastʀoɛ̃tɛstinal, o].

**GASTROMYCÈTE, adj.**
*Bot.* Qualifie un champignon dont les spores sont enfermées dans une enveloppe close, telle la vesse-de-loup. 1823 ; formé de *gastro-* et de *-mycète* ; var. *gastéromycète* ; [gastʀomisɛt].

**GASTRONOME, subst.**
Personne appréciant la bonne chère. 1803 ; ☞ *gastronomie* ; [gastʀɔnɔm].

**GASTRONOMIE, subst. f.**
Art de la bonne cuisine, de sa préparation et de sa dégustation. 1800 ; gr. *gastronomia*, « art de régler l'estomac » ; [gastʀɔnɔmi].

**GASTRONOMIQUE, adj.**
Qui se rapporte à la gastronomie. 1807 ; ☞ *gastronomie* ; [gastʀɔnɔmik].

**GASTROPODES, voir GASTÉROPODES**

**GASTROSCOPE, subst. m.**
*Méd.* Endoscope servant aux gastroscopies. 1896 ; formé de *gastro-* et de *-scope* ; [gastʀɔskɔp].

**GASTROSCOPIE, subst. f.**
*Méd.* Examen visuel de la cavité gastrique par introduction d'un gastroscope dans l'œsophage. 1896 ; formé de *gastro-* et de *-scopie* ; [gastʀɔskɔpi].

**GASTROSTOMIE, subst. f.**
*Chir.* Opération consistant à faire communiquer l'estomac et la paroi abdominale, qui permet l'alimentation à l'aide d'une sonde lorsque la partie supérieure du tube digestif est obstruée. xixe s. ; formé de *gastro-* et de *-stomie* ; [gastʀɔstɔmi].

**GASTROTOMIE, subst. f.**
*Chir.* Incision de la paroi de l'estomac, dans un but d'exploration. 1611 ; formé de *gastro-* et de *-tomie* ; [gastʀɔtɔmi].

**GASTRULA, subst. f.**
*Embryol.* Troisième stade du développement de l'embryon. À ce stade, les cellules de l'embryon se sont multipliées, déplacées et réparties en trois feuillets, l'ectoderme, l'endoderme et le mésoderme, d'où naîtront trois catégories d'organes et de tissus du futur organisme. 1874 ; lat. sc. *gastrula*, « petit vase », du gr. *gastêr*, « estomac » ; [gastʀyla].

**GASTRULATION, subst. f.**
*Embryol.* Processus par lequel l'embryon passe du stade blastula au stade gastrula. 1893 ; ☞ *gastrula* ; [gastʀylasjɔ̃].

**GÂTEAU, subst. m.**
1. Pâtisserie à base de farine, de beurre, de sucre et d'œufs : ***Gâteau** au chocolat* ; par ext., entremets moulé : ***Gâteau** de riz.* ► Loc. fam. *Avoir sa part du **gâteau*** : du bénéfice ; *C'est du **gâteau*** : aisé, évident. ► Empl. adj. inv. *Maman, papa **gâteau*** : qui gâte ses enfants (fam.). 2. Helv. Tarte. 3. Anal. Masse de matière évoquant un **gâteau** : ***Gâteau** de boue.* ► *Apic.* ***Gâteau** de miel, de cire* : ensemble des alvéoles où les abeilles conservent leur miel. ► *Sculpt.* Morceau de cire ou de terre placé à l'intérieur d'un moule pour en prendre l'empreinte. Mil. xiie s. ; prob. frq. °*wastil*, « nourriture » ; [gɑto].

**GÂTER, verbe trans.** [3]
**I.** 1. Détériorer, pourrir : *Le sucre **gâte** les dents.* 2. Gâcher : *Tu as **gâté** la soirée.* 3. Nuire à (qqch.) : *Cette rougeur **gâte** sa beauté.* **Pronom.** S'abîmer ; par anal. : *Le temps se **gâte*** ; au fig. : *L'affaire se **gâte***, prend un tour fâcheux. **II.** 1. ***Gâter** un enfant* : lui témoigner une indulgence excessive, entretenir ses caprices. 2. Combler de gentillesses. Déb. xiiie s. (fin xie s., dévaster) ; lat. *vastare*, « dévaster » ; [gɑte].

**GÂTERIE, subst. f.**
1. Action de choyer qqn. 2. Présent ; friandise. 1815 (1609, altération d'un texte) ; ☞ *gâter* ; [gɑtʀi].

**GÂTE-SAUCE, subst. m.**
Mauvais cuisinier (vx) ; marmiton. 1808 ; comp. de *gâter* et de *sauce* ; plur. *gâte-sauce(s)* ; [gɑtsos].

**GÂTEUX, EUSE, adj. et subst.**
Se dit d'une personne atteinte de gâtisme ou, par ext., qui bêtifie. 1836 ; ☞ *gâter* ; [gɑtø, øz].

**GÂTINE, subst. f.**
*Géogr.* Étendue de landes d'un faible rendement agricole : *La **gâtine** vendéenne.* Déb. xiie s. ; prob. frq. °*wôstinna*, « désert » ; [gɑtin].

**GÂTION, subst. m.**
Helv. Enfant gâté (fam.). 1843 ; ☞ *gâter* ; [gɑtjɔ̃].

**GÂTISME, subst. m.**
État d'une personne, gén. âgée, dont les fonctions psychiques et physiques sont très altérées. 1869 ; ☞ *gâteux* ; [gɑtism].

**GATTE, subst. f.**
*Mar.* 1. Compartiment situé à l'avant d'un navire, recevant les chaînes d'ancre. 2. Récipient qui, placé sous le moteur, recueille les égouttures d'huile. 1694 (1525, hune) ; frq. °*wahta*, « guet » ; [gat].

**GATTILIER, subst. m.**
*Bot.* Arbrisseau à longues grappes de fleurs mauves, de la famille des Verbénacées, commun en bordure de la Méditerranée. On l'appelle aussi agnus-castus, poivre sauvage ou petit poivre. 1755 ; esp. *sauzgatillo* ; [gatilje].

**GAUCHE, adj. et subst.**
**I. Adj.** 1. Qui est de travers : *Bâton **gauche**.* 2. *Géom.* Qualifie une figure de l'espace qui n'est pas plane. 3. Fig. Qui manque d'aisance ; qui est malhabile : *Des manières **gauches***, sans grâce, empruntées. **II. Adj.** 1. Qui est situé du côté du cœur, en parlant de la main ou d'une autre partie du corps. ► Loc. *Se lever du pied **gauche*** : être de mauvaise humeur dès le matin ; *Mariage de la main **gauche*** : union libre (fam.). 2. Se dit de la partie d'une chose située du côté **gauche** de celui qui regarde et qui se tient dans le même sens : *Aile **gauche** d'une façade* ; *Rive **gauche** d'un fleuve*, du côté **gauche** d'une personne qui en descend le cours. **Subst. fém.** 1. Main **gauche** ; côté **gauche** d'une personne. 2. Partie d'un objet, d'un espace correspondant au côté **gauche** de l'observateur : *Marcher sur la **gauche** de la route.* ► Loc. *À **gauche*** : du côté **gauche**. 3. *Pol.* Ensemble des parlementaires aux idées progressistes siégeant à la **gauche** du président ; partie de l'opinion qu'ils représentent : *L'extrême **gauche***, fraction de la **gauche** aux idées les plus avancées. **Subst. masc.** *Sp.* ► Poing **gauche**, en boxe. ► Pied **gauche**, au football, au rugby. Déb. xiiie s. ; orig. obsc. ; [goʃ].

**GAUCHEMENT, adv.**
De façon gauche. 1575 ; ☞ *gauche* ; [goʃmɑ̃].

**GAUCHER, ÈRE, adj. et subst.**
Se dit d'une personne qui se sert naturellement de sa main gauche, en partic. pour écrire. 1444 ; ☞ *gauche* ; [goʃe, ɛʀ].

**GAUCHERIE, subst. f.**
1. Manque d'habileté, d'aisance ; lourdeur. 2. Acte, geste maladroit. 3. *Physiol.* Fait d'être gaucher. 1739 ; ☞ *gauche* ; [goʃʀi].

**GAUCHIR, verbe** [19]
**Intrans.** Se déformer, dévier, en parlant d'un objet. **Trans.** Rendre gauche, voiler (qqch.) ; au fig., fausser : ***Gauchir** une idée.* Mil. xvie s. (fin xiie s., se diriger vers) ; prob. altér. de l'anc. fr. *ganchir*, « faire des détours », du frq. °*wenkjan*, « vaciller » ; [goʃiʀ].

**GAUCHISANT, ANTE, adj.**
*Pol.* Dont les opinions sont favorables à la gauche. 1959 ; ☞ *gauche* ; [goʃizɑ̃, ɑ̃t].

**GAUCHISME, subst. m.**
Courant, attitude politique d'extrême gauche, prônant l'action directe et mettant l'accent sur le rôle révolutionnaire des masses. 1838 ; ☞ *gauche* ; [goʃism].

**GAUCHISSEMENT, subst. m.**
1. Action de gauchir ; son résultat. 2. Fig. Déviation, déformation. 1700 (1547, fléchissement) ; ☞ *gauchir* ; [goʃismɑ̃].

**GAUCHISTE, adj. et subst.**
**Adj.** Relatif au gauchisme. **Subst.** Partisan du gauchisme. 1954 (1839, qui appartenait à l'opposition de gauche) ; ☞ *gauche* ; [goʃist].

**GAUCHO, subst. m.**
Cavalier qui garde les troupeaux dans la pampa argentine. 1771 ; esp. *gaucho*, du guarani *cachu*, « beuverie » ; [goʃo].

**GAUDE, subst. f.**
*Bot.* Espèce de réséda, dont on extrayait une teinture jaune (synon. *herbe jaune, herbe des teinturiers*). Mil. xiiie s. ; germ. °*walda*, « réséda » ; [god].

**GAUDRIOLE, subst. f.**
Fam. 1. Propos égrillard (gén. au plur.). 2. *Être porté sur la **gaudriole*** : être porté sur le sexe, les relations amoureuses (synon. *bagatelle*). 1761 ; prob. crois. de *gaudir* (vx), « être joyeux », et de *cabriole* ; [godʀijɔl].

**GAUFRAGE, subst. m.**
Action de gaufrer ; son résultat : ***Gaufrage** d'un papier.* 1573 ; ☞ *gaufrer* ; [gofʀaʒ].

**GAUFRE,** subst. f.
1. Pain de cire alvéolé que fabriquent les abeilles. 2. Anal. Gâteau à pâte légère dont les deux faces sont quadrillées d'alvéoles. ▭ Fin XIIe s. ; anc. bas frq. °wafla, « rayon de miel » ; [gofʀ].

**GAUFRER,** verbe trans. [3]
Imprimer sur (une étoffe, du papier, etc.) des motifs en creux et en relief ; empl. adj. : *Tissu, papier gaufré.* ▭ 1439 ; ☞ *gaufre* ; [gofʀe].

**GAUFRETTE,** subst. f.
Biscuit sec et croustillant, alvéolé, souv. fourré. ▭ XIVe s. ; ☞ *gaufre* ; [gofʀɛt].

**GAUFRIER,** subst. m.
Moule servant à cuire les gaufres, formé de deux plaques métalliques articulées et alvéolées. ▭ 1393 ; ☞ *gaufre* ; [gofʀije].

**GAUFROIR,** subst. m.
Outil métallique servant à gaufrer à la main cuirs et étoffes. ▭ 1784 ; ☞ *gaufrer* ; [gofʀwaʀ].

**GAUFRURE,** subst. f.
Motif en relief produit par le gaufrage. ▭ XVe s. ; ☞ *gaufrer* ; [gofʀyʀ].

**GAULAGE,** subst. m.
Action de gauler. ▭ 1845 ; ☞ *gauler* ; [golaʒ].

**GAULE,** subst. f.
1. Longue perche ; par ext., canne à pêche. 2. Baguette servant à mener des animaux ou à fouetter qqn (vx). ▭ 1278 ; anc. bas frq. °walu, « bâton » ; [gol].

**GAULEITER,** subst. m.
*Hist.* Chef de district, en Allemagne nazie ; en partic., administrateur allemand d'un territoire occupé rattaché au Reich. ▭ Mil. XXe s. ; all. *Gauleiter*, de *Gau* « district », et de *Leiter*, « chef, conducteur » ; [golajtœʀ].

**GAULER,** verbe trans. [3]
1. Frapper avec une gaule (un arbre dont on veut faire tomber les fruits) ; par méton. : *Gauler des noix.* 2. *Se faire gauler* : se faire prendre en flagrant délit (fam.). ▭ 1360 ; ☞ *gaule* ; [gole].

**GAULIS,** subst. m.
Taillis dont on a laissé croître les branches ; par méton., branche de ce taillis, longue et mince, dont on peut faire une gaule. ▭ 1392 ; ☞ *gaule* ; [goli].

**GAULLIEN, IENNE,** adj.
Propre au général de Gaulle, à sa personnalité, à son action ou à sa pensée : *Un style gaullien.* ▭ 1959 ; anthropon. *Charles de Gaulle* ; [goljɛ̃, jɛn].

**GAULLISME,** subst. m.
Courant politique se réclamant de l'action et de la pensée du général de Gaulle. ▭ 1941 ; anthropon. *Charles de Gaulle* ; [golism].

**GAULLISTE,** subst. et adj.
SUBST. 1. Partisan du général de Gaulle à l'époque de la Résistance et de la Libération. 2. Partisan du général de Gaulle en tant qu'homme politique ou que chef de l'État. ADJ. Qui se rapporte ou qui appartient au gaullisme. ▭ 1941 ; anthropon. *Charles de Gaulle* ; [golist].

**GAULOIS, OISE,** adj. et subst.
De Gaule : *Tribus gauloises.* ADJ. D'une gaieté empreinte de grivoiserie : *Une histoire gauloise.* SUBST. MASC. Langue celtique continentale, parlée en Gaule. SUBST. FÉM. Cigarette française, de tabac brun à l'origine. ▭ XVe s. ; anc. bas frq. °walhisk, « roman », de °Walha, « Gaule, pays des Romans » ; [golwa, waz].

**GAULOISERIE,** subst. f.
Propos épicé et gaillard, grivoiserie. ▭ 1872 ; ☞ *gaulois* ; [golwazʀi].

**GAULTHÉRIE,** subst. f.
*Bot.* Arbuste d'Amérique du Nord, qui fournit l'essence de wintergreen. ▭ 1839 ; anthropon. *Gaulther*, botaniste canadien ; var. *gaulthéria* ; [golteʀi].

**GAUPE,** subst. f.
1. Vx. Femme de mauvaise vie (pop.). 2. Souillon, femme négligée ou malpropre (pop. et vieilli). ▭ 1401 ; prob. all. *Walpe*, « femme sotte » ; [gop].

**GAUR,** subst. m.
*Zool.* Ruminant sauvage de la famille des Bovidés, qui vit dans les montagnes indo-malaises. ▭ 1861 ; hindoustani *gour*, transcrit *gore* en angl. ; [gɔʀ].

**GAUSS,** subst. m.
*Métrol.* Ancienne unité d'induction magnétique (symb. : G). ▭ 1883 ; anthropon. *Carl Friedrich Gauss*, mathématicien allemand ; [gos].

**GAUSSER (SE),** verbe pronom. [3]
Se gausser de. Se moquer de, railler ; empl. abs. : *Pourquoi vous gaussez-vous ?* ▭ Mil. XVIe s. ; p.-ê. esp. *gozarse*, « se réjouir », du lat. *gaudium*, « joie » ; [gose].

**GAUSSERIE,** subst. f.
Raillerie, moquerie ; plaisanterie goguenarde (littér.). ▭ 1552 ; ☞ *gausser* ; [gosʀi].

**GAVAGE,** subst. m.
1. Action de gaver une volaille ; son résultat. 2. *Méd.* Alimentation artificielle d'un malade au moyen d'une sonde gastrique. ▭ 1877 ; ☞ *gaver* ; [gavaʒ].

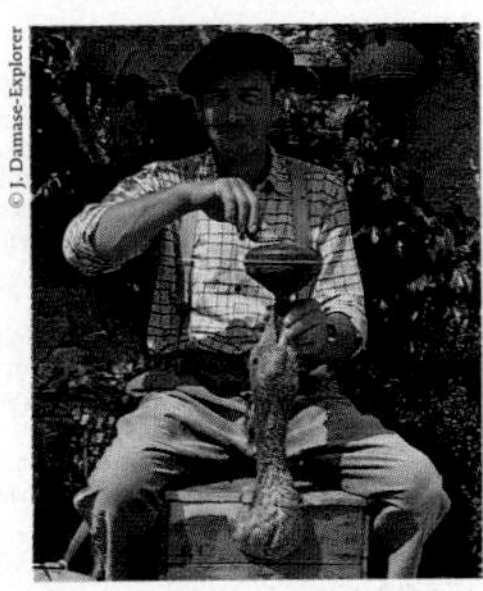
© J. Damase-Explorer

*La méthode traditionnelle de gavage des oies.*

**GAVE,** subst. m.
Torrent, eau vive, dans les Pyrénées : *Le gave d'Oloron.* ▭ Fin XIVe s. ; anc. gascon *gave* ; [gav].

**GAVER,** verbe trans. [3]
1. Alimenter de force et en abondance (une volaille) pour l'engraisser. 2. Anal. Faire manger avec excès, gorger ; au fig. : *Gaver qqn de bonnes paroles* ; empl. pronom. : *Se gaver de petits fours.* ▭ 1642 ; anc. pic. *gave*, « jabot, gosier » ; [gave].

**GAVEUR, EUSE,** subst.
Personne qui gave les volailles. FÉM. Appareil servant à gaver. ▭ 1870 ; ☞ *gaver* ; [gavœʀ, øz].

**GAVIAL,** subst. m.
*Zool.* Crocodilien de la famille des Gavialidés, au museau très allongé, vivant dans les rivières d'Inde et de Birmanie et atteignant 10 m de longueur. ▭ 1789 ; hindi *ghaḍiyāl* ; plur. *gavials* ; [gavjal].

© J.-Ph. Varin-Jacana

*Gavial du Gange.*

**GAVOTTE,** subst. f.
Danse populaire française à deux ou quatre temps, appréciée aux XVIIe et XVIIIe s. ; par méton., musique accompagnant cette danse. ▭ 1588 ; prov. *gavoto*, « danse des gavots (habitants des montagnes de Provence) » ; [gavɔt].

**GAVROCHE,** subst. m.
Gamin de Paris, gouailleur et généreux ; empl. adj. : *Un air, un ton gavroche.* ▭ 1866 ; *Gavroche*, personnage des *Misérables*, de Victor Hugo ; [gavʀɔʃ].

**GAY,** subst. m.
Anglic. Homosexuel ; empl. adj. inv. : *La communauté, la presse gay.* ▭ 1952 ; angl. *gay*, « gai » ; var. *gai* ; [gɛ].

**GAYAL,** subst. m.
*Zool.* Ruminant, forme domestique du gaur. ▭ 1861 ; hindi *gāyal* ; plur. *gayals* ; [gajal].

**GAZ,** subst. m.
1. *Phys.* L'un des états de la matière (avec les liquides et les solides), substance dénuée de forme propre, compressible, expansible et dilatable, de faible masse volumique : *Gaz réels* ; *Gaz parfaits.* Les paramètres permettant d'étudier un gaz sont sa température et sa pression. 2. *Chim.* Élément (hydrogène, oxygène, azote, chlore, etc.), composé défini (méthane, acide chlorhydrique, dioxyde de carbone, etc.) ou mélange (air, gaz de ville) qui se présente à l'état gazeux dans les conditions normales de température (0 °C) et de pression (1 013 hPa) : *Gaz rares*, gaz monoatomiques peu réactifs (ils sont dits inertes), qui existent dans l'air atmosphérique en très petite quantité (argon, néon, hélium, krypton, xénon, radon). 3. Corps gazeux naturel ou manufacturé, utilisé surtout comme combustible ou comme carburant : *Gaz à l'air*, produit dans un gazogène ; *Gaz à l'eau*, obtenu par décomposition de la vapeur d'eau ; *Gaz de houille* (ou *de cokerie*), obtenu par distillation de la houille dans des fours à coke ; *Gaz naturel*, mélange d'hydrocarbures gazeux tiré de gisements souterrains ; *Gaz de pétrole liquéfié* (G. P. L.) : mélange d'hydrocarbures légers amené à l'état liquide. 4. *Le gaz* : gaz de ville (gaz naturel ou gaz de houille) distribué par canalisations ; *Compteur à gaz.* ► Loc. *Il y a de l'eau dans le gaz* : l'atmosphère est tendue. 5. *Autom.* Mélange gazeux d'air ambiant et de vapeurs d'essence, utilisé dans les moteurs à explosion : *Gaz d'admission, d'échappement.* ► Loc. *À pleins gaz* : à toute vitesse (fam.). 6. Corps gazeux utilisé pour ses effets toxiques sur l'organisme : *Gaz lacrymogènes* ; *Gaz de combat*, utilisé comme arme de guerre ; *Chambres à gaz*, utilisées dans les camps de concentration nazis pour l'extermination massive des déportés. PLUR. Mélange d'air et de produits volatils dus à la fermentation des aliments dans le tube digestif : *Gaz dans les tissus* ; *Avoir des gaz.* ▭ 1670 ; flam. *gas*, mot créé par Van Helmont, médecin flamand, d'apr. le lat. *chaos* (le *ch* se prononçant [g] en flamand) ; [gɑz].

**GAZAGE,** subst. m.
1. *Text.* Action de gazer les fils d'un tissu (synon. *flambage*). 2. Action d'intoxiquer une personne, un être vivant par un gaz. ▭ 1873 ; ☞ *gazer* ; [gɑzaʒ].

**GAZE,** subst. f.
Tissu fin et transparent de coton, de lin ou de soie : *Robe de gaze.* ► Tissu de coton aéré utilisé pour les pansements : *Bande de gaze stérile.* ▭ 1461 ; p.-ê. ar. *qazz*, « soie grège », ou topon. *Gaza* (Palestine) ; [gɑz].

**GAZÉ, ÉE,** adj.
Intoxiqué par des gaz ; empl. subst. : *Les gazés de la Grande Guerre.* ▭ 1914 ; ☞ *gaz* ; [gɑze].

**GAZÉIFICATION,** subst. f.
1. Transformation d'un liquide en gaz. 2. Transformation d'une substance en gaz combustible. 3. Adjonction de dioxyde de carbone dans une boisson. ▭ 1840 ; ☞ *gazéifier* ; [gazeifikasjɔ̃].

**GAZÉIFIER,** verbe trans. [6]
1. *Chim.* Faire passer (un corps) à l'état gazeux. 2. Rendre (une boisson) gazeuse par addition de gaz carbonique. ▭ 1832 ; ☞ *gaz* ; [gazeifje].

**GAZELLE,** subst. f.
*Zool.* Petite antilope, aux cornes en V ou en forme de lyre, au pelage couleur sable et aux larges sabots, vivant dans les steppes d'Afrique et d'Asie. ► *Corne de gazelle* (☞ *corne*). ▭ Fin XIIe s. ; ar. d'Afrique du Nord *ġazēl*, de l'ar. *ġazāl* ; [gazɛl].

**GAZER,** verbe [3]
TRANS. 1. *Text.* Éliminer (le duvet d'un fil) en le passant à la flamme. 2. Intoxiquer avec un gaz de combat ; empl. adj. : *Populations gazées.* 3. Exterminer dans une chambre à gaz. INTRANS. Fam. 1. Aller à toute vitesse. 2. Bien aller : *Ça ne gaze plus entre eux.* ▭ 1829 ; ☞ *gaz* ; [gɑze].

**GAZETIER, IÈRE,** subst.
Fondateur, rédacteur d'une gazette (vx). ▭ 1633 ; ☞ *gazette* ; [gaz(ə)tje, jɛʀ].

**GAZETTE,** subst. f.
1. Vieilli. Publication périodique rapportant des nouvelles politiques, artistiques ou mondaines ; par ext., journal, magazine (souv. iron.) : *C'est dans toutes les gazettes !* 2. Fig. Personne qui aime à colporter des nouvelles (fam.). ▭ 1611 ; ital. *gazzetta*, « feuille d'information », du vénitien *gazeta*, pièce de monnaie équivalant au prix d'une gazette locale ; [gazɛt].

**GAZEUX, EUSE,** adj.
1. Qui est de la nature du gaz : *Corps gazeux.* 2. Qui contient du gaz carbonique en dissolution : *Eau gazeuse.* ▭ 1775 ; ☞ *gaz* ; [gɑzø, øz].

**GAZIER, IÈRE, adj. et subst. m.**
ADJ. Relatif au gaz. SUBST. **1.** Ouvrier dans une usine à gaz ; employé d'une compagnie du gaz. **2.** Homme (argot.). 1802 ; ☞ *gaz* ; [gazje, jɛʀ].

**GAZINIÈRE, subst. f.**
Cuisinière à gaz. 1934 ; crois. de *gaz* et de *cuisinière* ; [gazinjɛʀ].

**GAZODUC, subst. m.**
Conduite servant au transport du gaz naturel vers des lieux d'exploitation éloignés. 1958 ; crois. de *gaz* et de *oléoduc* ; [gazodyk].

**GAZOGÈNE, subst. m.**
Appareil transformant, par oxydation incomplète, un combustible en gaz. 1832 ; formé de *gazo-* et de *-gène* ; [gazoʒɛn].

**GAZOLE, subst. m.**
Produit pétrolier, liquide et visqueux, utilisé comme combustible et comme carburant. V. 1970 ; angl. *gas-oil*, d'apr. *pétrole* ; var. *gas-oil* ; [gazɔl].

**GAZOLINE, subst. f.**
Produit de la distillation fractionnée du pétrole. 1878 ; angl. *gasoline*, de *gas*, « gaz » ; [gazɔlin].

**GAZOMÈTRE, subst. m.**
**1.** Vx. Appareil de mesure du volume des gaz. **2.** Appareil réglant le débit du gaz de ville ; grand réservoir de gaz de ville auquel sont reliés les usagers. 1789 ; formé de *gazo-* et de *-mètre*[1] ; [gazɔmɛtʀ].

**GAZON, subst. m.**
**1.** Herbe courte et fine. **2.** Méton. Surface qui en est couverte : *Tennis, hockey sur **gazon**.* Fin XIVe s. (1178, motte de terre couverte d'herbe) ; anc. bas frq. °*waso* ; [gazɔ̃].

**GAZONNANT, ANTE, adj.**
Qui forme un gazon : *Des plantes **gazonnantes**.* 1338 ; p. pr. de *gazonner* ; [gazɔnɑ̃, ɑ̃t].

**GAZONNEMENT, subst. m.**
Action de couvrir de gazon (synon. *gazonnage*). 1701 ; ☞ *gazonner* ; [gazɔnmɑ̃].

**GAZONNER, verbe** [3]
TRANS. Revêtir de gazon. INTRANS. Pousser en gazon ; se couvrir de gazon. 1328 (1295, lever des mottes de terre) ; ☞ *gazon* ; [gazɔne].

**GAZOUILLANT, ANTE, adj.**
Qui gazouille. Déb. XVIIIe s. ; p. pr. de *gazouiller* ; [gazujɑ̃, ɑ̃t].

**GAZOUILLEMENT, subst. m.**
Action de gazouiller ; bruit qui en résulte. Mil. XIVe s. ; ☞ *gazouiller* ; synon. *gazouillis* ; [gazujmɑ̃].

**GAZOUILLER, verbe intrans.** [3]
**1.** Faire entendre un babil, en parlant d'un nourrisson. **2.** Produire un bruit léger et doux, en parlant d'un petit oiseau. **3.** Produire un murmure, en parlant de l'eau. 1316 ; orig. onomat. ; [gazuje].

**GAZOUILLEUR, EUSE, adj.**
Qui gazouille, en parlant d'un bébé ou d'un oiseau. 1571 ; ☞ *gazouiller* ; [gazujœʀ, øz].

**Gd, voir GADOLINIUM**

**Ge, voir GERMANIUM**

**GEAI, subst. m.**
*Zool.* Passereau de la famille des Corvidés, à plumage brun, bleu et blanc, commun dans les bois, où il se nourrit de fruits, de rongeurs et de jeunes oiseaux. 1176 ; bas lat. *gaius* ; [ʒɛ].

© M. Danegger-Jacana

*Geai des chênes.*

**GÉANT, GÉANTE, subst. et adj.**
SUBST. **1.** Être fabuleux de taille colossale. **2.** Personne atteinte de gigantisme ; personne de très grande taille ; au fig., personne hors du commun : *Hugo, ce **géant** de la poésie.* ▸ Loc. *À pas de **géant*** : très vite. **3.** Ext. Animal ou chose de dimensions exceptionnelles ; en partic., entreprise ou pays d'une puissance remarquable : *Un **géant** de l'industrie.* ADJ. **1.** D'une taille très supérieure à la moyenne : *Lézard **géant**.* **2.** Formidable, épatant (fam.). Fin XIe s. ; lat. pop. °*gagantem*, du gr. *Gigas*, fils de Gaïa, dans la mythologie grecque ; [ʒeɑ̃, ʒeɑ̃t].

**GÉASTER, subst. m.**
*Bot.* Champignon globuleux de l'ordre des Gastréales, dont l'enveloppe se déchire en étoile à maturité. Gr. *gê*, « terre », et *astêr*, « étoile » ; [ʒeastɛʀ].

**GECKO, subst. m.**
*Zool.* Lézard de la famille des Geckonidés, reconnaissable à ses doigts épais (cinq à chaque membre), dont la face inférieure est garnie de ventouses. Commun dans les régions chaudes, ce petit reptile nocturne, bruyant et inoffensif, se nourrit d'insectes. 1734 ; lat. sc. *gekko*, du néerl. *gecco*, d'orig. onomat. ; [ʒeko].

**GÉHENNE, subst. f.**
**1.** Enfer, dans le langage biblique. **2.** Ext. Supplice de la question (vx). Mil. XIIIe s. ; lat. chrét. *gehenna*, de l'hébreu *gê' hinnom*, « vallée de Hinnom » ; [ʒeɛn].

**GEIGNARD, ARDE, adj.**
Qui se lamente sans cesse ; empl. subst., personne **geignarde**. 1867 ; ☞ *geindre* (I) ; [ʒɛɲaʀ, aʀd].

**GEIGNEMENT, subst. m.**
Action de geindre ; gémissement. 1842 ; ☞ *geindre* (I) ; [ʒɛɲmɑ̃].

**GEINDRE (I), verbe intrans.** [53]
**1.** Se lamenter sans cesse (péj.). **2.** Pousser des cris ; émettre des sons qui ressemblent à une plainte. Fin XIIe s. ; lat. *gemere*, « gémir » ; [ʒɛ̃dʀ].

**GEINDRE (II), voir GINDRE**

**GEISHA, subst. f.**
Femme japonaise rompue à la pratique des rites traditionnels, du chant et de la danse, employée comme hôtesse dans une maison de thé ou dont on loue les services en diverses occasions. 1887 ; mot jap. ; [gɛ(j)ʃa].

© L. Rebmann-Explorer

*Geisha en habit de cérémonie.*

**GEL, subst. m.**
**1.** Froid qui provoque la gelée ; fait de geler, d'être gelée, en parlant de l'eau. **2.** Anal. Blocage d'une activité, d'un processus : *Le **gel** des salaires.* **3.** *Chim.* Agglomération d'une substance colloïdale et d'un liquide en une masse non rigide. ▸ Produit pharmaceutique, cosmétique, etc., de consistance gélatineuse. Fin XIe s. ; lat. *gelu*, « gelée, grand froid » ; [ʒɛl].

**GÉLATINE, subst. f.**
**1.** Substance colloïdale protidique extraite de tissus animaux ou végétaux, formant une masse ferme mais non rigide, que l'on utilise en biologie, en cuisine, en photographie, etc. **2.** Mélange détonant, d'aspect gélatineux, à base de nitroglycérine et de fulmicoton. 1611 ; ital. *gelatina*, de *gelare*, « geler » ; [ʒelatin].

**GÉLATINEUX, EUSE, adj.**
Qui a la consistance ou l'apparence de la gélatine. 1743 ; ☞ *gélatine* ; [ʒelatinø, øz].

**GÉLATINIFORME, adj.**
*Méd.* Qui ressemble à la gélatine. 1845 ; ☞ *gélatine* + *-forme* ; [ʒelatinifɔʀm].

**GÉLATINOBROMURE, subst. m.**
*Chim.* Préparation renfermant des cristaux de sel d'argent en suspension dans de la gélatine, constituant l'émulsion photographique photosensible. 1871 ; formé de *gélatine* et de *bromure* ; var. *gélatino-bromure* (plur. *gélatino-bromures*) ; [ʒelatinobʀɔmyʀ].

**GELÉE, subst. f.**
**1.** Abaissement de la température au-dessous de zéro, qui provoque la congélation de l'eau. ▸ *Gelée blanche* : congélation de la rosée avant le lever du soleil, par nuit claire. **2.** Suc de viande ou de poisson solidifié : *Des œufs en **gelée**.* **3.** Jus de fruits cuit avec du sucre, qui s'est coagulé en refroidissant : *Gelée de framboise.* **4.** Toute substance de consistance gélatineuse. ▸ ***Gelée royale*** : liquide sécrété par les glandes pharyngiennes de certaines abeilles et servant à nourrir les jeunes larves. Déb. XIIe s. ; lat. *gelata*, de *gelare*, « geler » ; [ʒ(ə)le].

**GELER, verbe** [11]
TRANS. **1.** Transformer en glace ; empl. adj. : *Un lac gelé.* **2.** Endommager, endolorir, en parlant du froid : *Le vent lui **gèle** les doigts* ; au fig., mettre mal à l'aise. **3.** Fig. Bloquer (une activité, un processus) : ***Geler** des pourparlers* ; ***Geler** les prix*, en empêcher la hausse ; ***Geler** des capitaux, des crédits, des terres*, en interdire la circulation, l'utilisation ou la vente. INTRANS. **1.** Se transformer en glace. **2.** Être endommagé par le froid. **3.** Souffrir du froid. IMPERS. Descendre au-dessous de zéro, en parlant de la température. Mil. XIIe s. ; lat. *gelare* ; [ʒ(ə)le].

**GÉLIF, IVE, adj.**
Qui peut se fendre sous l'effet de l'alternance du gel et du dégel en ambiance humide : *Roches **gélives**.* Déb. XVIe s. ; ☞ *geler* ; [ʒelif, iv].

**GÉLIFIANT, subst. m.**
Produit qui gélifie, en partic. une préparation culinaire. Mil. XXe s. ; p. pr. de *gélifier* ; [ʒelifjɑ̃].

**GÉLIFICATION, subst. f.**
Transformation d'une substance en gel. Fin XIXe s. ; ☞ *gel* ; [ʒelifikasjɔ̃].

**GÉLIFIER, verbe trans.** [6]
Transformer (une substance) en gel ; empl. adj. *De la peinture **gélifiée**.* 1901 ; ☞ *gel* ; [ʒelifje].

**GÉLINOTTE, subst. f.**
*Zool.* Oiseau gallinacé de la famille des Tétraonidés à plumage roux tacheté de blanc et de noir, commun dans les forêts d'altitude, appelé aussi poule des bois. 1552 (fin XIIe s., petite poule) ; *geline* (vx), « poule » ; var. *gelinotte* ; [ʒelinɔt].

**GÉLIVURE, subst. f.**
Fissure creusée par le gel dans les arbres, les pierres, le sol, etc. 1737 ; ☞ *gélif* ; [ʒelivyʀ].

**GÉLOSE, subst. f.**
Agar-agar. 1870 ; ☞ *gélatine*, d'apr. *cellulose* [ʒeloz].

**GÉLULE, subst. f.**
*Pharm.* Capsule formée de deux demi-cylindres en gélatine emboîtés et contenant un médicament en poudre. 1922 ; crois. de *gélatine* et de *capsule* [ʒelyl].

**GELURE, subst. f.**
*Pathol.* Grave lésion cutanée causée par le froid. 1542 (1538, gelée) ; ☞ *geler* ; [ʒ(ə)lyʀ].

**GÉMEAU, ELLE, adj. et subst.**
Vx. Jumeau, jumelle. SUBST. MASC. PLUR. **1.** *Astron.* Constellation zodiacale. **2.** *Astrol. Les **Gémeaux*** : troisième signe du zodiaque (21 mai-21 juin) ; par méton. : *Elle est **Gémeaux***, elle est née sous ce signe. Mil. XIIe s. ; lat. *gemellus* ; [ʒemo, ɛl].

**GÉMELLAIRE, adj.**
Relatif aux jumeaux : *Grossesse **gémellaire**.* 1842 lat. *gemellus*, « jumeau » ; [ʒemɛllɛʀ] ou [-melɛʀ].

**GÉMELLIPARE, adj.**
*Méd.* Qui porte ou a porté des jumeaux. 1842 lat. *gemellus*, « jumeau », + *-pare* ; [ʒemɛllipaʀ] ou [-meli-].

**GÉMELLITÉ, subst. f.**
**1.** État d'êtres jumeaux. **2.** Caractère de deux choses parfaitement semblables. 1866 ; lat. *gemellus* « jumeau » ; [ʒemɛllite] ou [-meli-].

**GÉMINATION, subst. f.**
État de ce qui est disposé par paire. ▸ *Phon.* Redoublement d'une consonne. 1478 ; lat. *geminatum*, de *geminare*, « géminer » ; [ʒeminasjɔ̃].

**GÉMINÉ, ÉE, adj.**
Groupé par deux, disposé par paire : *Fleurs **géminées*** ; *Fenêtres **géminées**.* ▸ *Phon. Consonne **géminée*** ou, empl. subst. fém., *Une **géminée*** : consonne redoublée dont l'articulation renforce le son. 1529 ; p. p. de *géminer* ; [ʒemine].

**GÉMINER, verbe trans.** [3]
Grouper deux par deux. Mil. XXe s. (fin XVe s., joindre) ; lat. *geminare* ; [ʒemine].

**GÉMIR, verbe intrans.** [19]
**1.** Exprimer une souffrance d'une voix plaintive ;

par ext. : *Gémir de plaisir.* **2.** Anal. Émettre un son semblable à une plainte : *La cabane **gémissait** dans la tempête.* **3.** Ext. Se lamenter. **4.** Fig. Éprouver des tourments (littér.). ⊠ Fin XIIe s. ; lat. *gemere* ; [ʒemiʀ].

**GÉMISSANT, ANTE, adj.**
Qui gémit. ⊠ Déb. XVIe s. ; p. pr. de *gémir* ; [ʒemisɑ̃, ɑ̃t].

**GÉMISSEMENT, subst. m.**
**1.** Son inarticulé et plaintif exprimant la souffrance ; par anal. : *Le **gémissement** d'un vieux portail.* **2.** Fig. Vive douleur morale (littér.) : *Les **gémissements** des esclaves.* ⊠ XIIe s. ; ☞ *gémir* ; [ʒemismɑ̃].

**GEMMAGE, subst. m.**
*Sylvic.* Action de gemmer un pin. ⊠ 1864 ; ☞ *gemmer* ; [ʒɛmmaʒ] ou [ʒemaʒ].

**GEMMAIL, subst. m.**
Vitrail formé de morceaux de verre colorés, assemblés sans plomb. ⊠ 1957 ; crois. de *gemme* et de *vitrail* ; plur. *gemmaux* ; [ʒɛmmaj] ou [ʒemaj], plur. [-mo].

**GEMMATION, subst. f.**
*Bot.* Formation des bourgeons ; époque où ils se forment. ⊠ 1798 ; lat. *gemmatum*, de *gemmare*, « bourgeonner » ; [ʒɛmmasjɔ̃] ou [ʒema-].

**GEMME, subst. f.**
**1.** Nom générique des pierres précieuses autres que le diamant, le rubis, l'émeraude et le saphir (les pierres précieuses proprement dites) : ***Gemmes** transparentes*, pierres fines (topaze, améthyste, etc.) ; ***Gemmes** translucides*, ou *opaques* (turquoise, jade, etc.) ; empl. adj. : *Sel **gemme***, sel fossile extrait du sous-sol. **2.** Résine de conifère. **3.** Bourgeon constituant le rudiment d'un nouvel animal ou d'un nouveau végétal. ⊠ Mil. XIe s. ; lat. *gemma*, « bourgeon ; pierre précieuse » ; [ʒɛm].

**GEMMER, verbe trans.** [3]
**1.** Orner de pierres précieuses ; empl. adj. : *Bague **gemmée**.* **2.** *Sylvic.* Inciser l'écorce de (un pin) pour recueillir la résine. ⊠ Fin XIe s. ; ☞ *gemme* ; [ʒeme].

**GEMMEUR, EUSE, subst. et adj.**
*Sylvic.* Se dit d'une personne qui gemme les pins. ⊠ Fin XIXe s. ; ☞ *gemmer* ; [ʒɛmmœʀ, øz] ou [ʒemœʀ].

**GEMMIFÈRE, adj.**
**1.** *Bot.* Qui porte des bourgeons. **2.** *Minér.* Qui contient des gemmes : *Gisement **gemmifère**.* **3.** *Sylvic.* Qui produit de la gemme. ⊠ 1596 ; ☞ *gemme* + *-fère* ; [ʒɛmmifɛʀ] ou [ʒemi-].

**GEMMIPARE, adj.**
*Bot.* et *Zool.* Qui se reproduit par gemmation, par bourgeonnements successifs. ⊠ 1771 ; ☞ *gemme* + *-pare* ; [ʒɛmmipaʀ] ou [ʒemi-].

**GEMMOLOGIE, subst. f.**
Science qui étudie les pierres précieuses. ⊠ V. 1960 ; ☞ *gemme* + *-logie* ; [ʒɛmmɔlɔʒi] ou [ʒemɔ-].

**GEMMOTHÉRAPIE, subst. f.**
Utilisation thérapeutique de bourgeons végétaux frais. ⊠ ☞ *gemme* + *-thérapie* ; [ʒɛmmɔteʀapi] ou [ʒemɔ-].

**GEMMULE, subst. f.**
*Bot.* Petit bourgeon d'une plantule, qui fournira, lors de la germination, la tige et les feuilles de la nouvelle plante. ⊠ 1808 ; bas lat. *gemmula* ; [ʒɛmmyl] ou [ʒemyl].

**GÉMONIES, subst. f. plur.**
*Antiq.* Escalier au flanc du Capitole, où l'on exposait les cadavres des suppliciés avant de les jeter dans le Tibre. ▶ Loc. *Vouer qqn, qqch. aux **gémonies*** : le couvrir d'opprobre. ⊠ 1548 ; lat. *gemoniae scalae*, « escalier des gémissements » ; [ʒemɔni].

**GÊNANT, ANTE, adj.**
**1.** Qui cause une gêne physique. **2.** Qui importune. ⊠ XVIe s. ; p. pr. de *gêner* ; [ʒɛnɑ̃, ɑ̃t].

**GENCIVE, subst. f.**
Muqueuse très vascularisée qui recouvre les maxillaires et adhère à la base des dents. ⊠ Fin XIe s. ; lat. *gingiva* ; [ʒɑ̃siv].

**GENDARME, subst. m.**
**I. 1.** *Hist.* Homme d'armes à cheval conduisant un groupe d'autres cavaliers ; par ext., soldat. **2.** Militaire appartenant à un corps de gendarmerie. **3.** Fig. Personne rude et autoritaire. **4.** Loc. *Chapeau de **gendarme*** : chapeau de papier évoquant le bicorne des **gendarmes** du XIXe s. ; *La peur du **gendarme*** : la peur des sanctions, qui retient de mal agir. **II.** Anal. (par réf. à la raideur du **gendarme** ou à son uniforme). **1.** *Alim.* ▶ Hareng saur (fam.). ▶ Saucisse sèche et plate. **2.** *Alp.* Proéminence rocheuse difficile à franchir. **3.** *Zool.* Punaise des bois. ⊠ Mil. XVe s. ; formé de *gens* (I) et de *arme* ; [ʒɑ̃daʀm].

**GENDARMER (SE), verbe pronom.** [3]
S'emporter, s'irriter pour peu de chose ; par ext., protester, réagir avec vivacité. ⊠ 1566 ; ☞ *gendarme* ; [ʒɑ̃daʀme].

**GENDARMERIE, subst. f.**
**1.** *Hist.* Corps de gendarmes. **2.** Corps militaire chargé de la police administrative du territoire, de la surveillance des armées de terre et de mer, et de certaines tâches qui relèvent de la police judiciaire. **3.** Méton. Caserne où sont logés les gendarmes ; bureaux où ils exercent leurs fonctions. ⊠ Fin XVe s. ; ☞ *gendarme* ; [ʒɑ̃daʀməʀi].

**GENDRE, subst. m.**
Mari de la fille, par rapport aux parents de cette dernière (synon. *beau-fils*). ⊠ 1130 ; lat. *gener* ; [ʒɑ̃dʀ].

**GÈNE, subst. m.**
*Génét.* Facteur biochimique (fragment d'une molécule d'A. D. N.) conditionnant l'apparition des caractères biologiques, anatomiques et physiologiques d'un individu. ⊠ 1911 ; gr. *genos*, « génération, naissance » ; [ʒɛn].

BIOLOGIE – La notion de gène s'est dégagée progressivement après la découverte, en 1833, de l'existence du noyau dans la cellule. Vers 1860, Gregor Mendel déduit, après une série de croisements de pois cultivés, qu'il existe des particules héréditaires, indépendantes et responsables de caractères bien précis. Vers 1880, on découvre que l'œuf fécondé contient à l'intérieur du noyau les chromosomes du spermatozoïde et de l'ovule. En 1909, Morgan et son équipe étudient la drosophile et montrent qu'il existe un parallélisme entre le comportement des allèles d'un gène dans un croisement et celui des chromosomes d'une même paire au moment de la méiose. Puis il est démontré que l'A. D. N. constitue le support de l'information génétique : le message génétique apparaît comme enregistré dans la succession des nucléotides. Dans l'avenir, il sera possible d'identifier l'ensemble des gènes nécessaires à la réalisation et au fonctionnement d'un être humain (leur nombre pourrait être cent mille).

**GÊNE, subst. f.**
**1.** Vx. Torture, supplice ; par ext., instrument de torture. **2.** Trouble physique que l'on ressent dans l'accomplissement de certaines fonctions ou de certaines actions : *Une **gêne** respiratoire.* **3.** Situation embarrassante, contraignante : *Sa présence fut une **gêne** considérable* ; *Être dans la **gêne***, avoir des difficultés financières. **4.** Malaise psychologique, trouble, confusion : *Ses jurons plongèrent son entourage dans une **gêne** extrême.* ⊠ Déb. XIIIe s. ; anc. fr. *gehir*, « avouer », du frq. °*jehhjan*, d'apr. *géhenne* ; [ʒɛn].

**GÊNÉ, ÉE, adj.**
**1.** Qui ressent une gêne physique. **2.** Qui a des difficultés financières. **3.** Qui est mal à l'aise : *Elle rougit, **gênée** par son regard* ; par ext. : *Un sourire **gêné**.* ⊠ P. p. de *gêner* ; [ʒene].

**GÉNÉALOGIE, subst. f.**
**1.** Dénombrement, par filiation, des ascendants d'un individu. **2.** Science qui a pour objet de recenser les ascendants d'un individu, d'une famille et d'en établir la filiation. ⊠ Fin XIIe s. ; bas lat. *genealogia*, du gr. *genealogia* ; [ʒenealɔʒi].

**GÉNÉALOGIQUE, adj.**
Qui concerne la généalogie : *Arbre **généalogique**.* ⊠ 1480 ; ☞ *généalogie* ; [ʒenealɔʒik].

**GÉNÉALOGISTE, subst.**
Personne qui établit des généalogies. ⊠ 1654 ; ☞ *généalogie* ; [ʒenealɔʒist].

**GÉNÉPI, subst. m.**
**1.** *Bot.* Armoise aromatique de montagne. **2.** Liqueur fabriquée avec cette plante. ⊠ 1733 ; p.-ê. mot savoyard, du lat. *Dianae spicum*, « épi de Diane » ; var. *genépi* ; [ʒenepi].

**GÊNER, verbe trans.** [3]
**1.** Vx. Mettre (qqn) à la torture. **2.** Causer à (qqn) une gêne physique : *Le bruit me **gêne**.* **3.** Contrarier le déroulement de (qqch.) ; causer de l'embarras, du dérangement à (qqn) : *La grève des dockers **gênait** l'industrie du port* ; *Son arrivée impromptue **gêna** les habitudes de la famille.* **4.** Mettre (qqn) mal à l'aise, troubler : *Son regard me **gêne**.* PRONOM. S'imposer une contrainte physique ou morale (surtout à la forme négative) : *Ne vous **gênez** pas pour moi* ; par iron. : *Surtout ne vous **gênez** pas !*, vous exagérez un peu ! ⊠ 1363 ; ☞ *gêne* ; [ʒene].

**GÉNÉRAL (I), ALE, AUX, adj. et subst.**
ADJ. **1.** Qui est commun à un ensemble de cas ou d'individus : *L'opinion **générale**.* **2.** Qui concerne la totalité ou la majorité d'un ensemble : *L'assemblée **générale** des copropriétaires.* ▶ *Théâtre. Répétition **générale*** ou, empl. subst. fém., *La **générale*** : dernière répétition d'une pièce, devant un public d'invités. **3.** Qui est vague, imprécis : *On lui répondit en termes **généraux**.* **4.** Qui englobe un ensemble de domaines, de connaissances ; qui n'est pas spécialisé : *Médecine **générale**.* **5.** Qui est à l'échelon le plus élevé dans une hiérarchie : *Directeur **général**.* **6.** Loc. *En **général**, d'une manière **générale**, en règle **générale*** : dans la plupart des cas ; habituellement. SUBST. MASC. Ce qui se réfère ou s'applique à un ensemble : *Passer du **général** au particulier.* SUBST. FÉM. Batterie de tambour ou sonnerie de clairon appelant au rassemblement des troupes (vx). ⊠ Déb. XIIe s. ; lat. *generalis*, de *genus*, « genre » ; [ʒeneʀal, o].

**GÉNÉRAL (II), ALE, subst.**
MASC. **1.** Officier dont le grade est l'un des plus élevés dans la hiérarchie des armées de terre et de l'air. **2.** Supérieur de certains ordres religieux : *Le **général** des Jésuites.* FÉM. Femme d'un **général**. ⊠ Déb. XVe s. ; ☞ *général* (I) ; plur. du masc. *généraux* ; [ʒeneʀal], plur. [-ʀo].

**GÉNÉRALAT, subst. m.**
**1.** Grade de général dans l'armée. **2.** Fonction de général dans certains ordres religieux. ⊠ 1585 ; ital. *generalato* ; [ʒeneʀala].

**GÉNÉRALEMENT, adv.**
En général. ⊠ Fin XIIe s. ; ☞ *général* (I) ; [ʒeneʀalmɑ̃].

**GÉNÉRALISATEUR, TRICE, adj.**
Qui généralise : *Une analyse trop **généralisatrice**.* ⊠ 1792 ; ☞ *généraliser* ; [ʒeneʀalizatœʀ, tʀis].

**GÉNÉRALISATION, subst. f.**
Action de généraliser ; fait de se généraliser. ⊠ 1773 ; ☞ *généraliser* ; [ʒeneʀalizasjɔ̃].

**GÉNÉRALISER, verbe trans.** [3]
**1.** Rendre général (qqch.) en l'étendant à un ensemble de cas ou d'individus : ***Généraliser** les prélèvements sociaux* ; empl. pronom., s'étendre : *La crise **s'est généralisée*** ; empl. adj. : *Cancer **généralisé**.* **2.** Donner à (un fait, une idée) une portée ou une extension plus grande : ***Généraliser** son cas personnel* ; empl. abs. : *Il ne faut pas **généraliser**, c'est un cas particulier.* ⊠ Déb. XVIIe s. ; ☞ *général* (I) ; [ʒeneʀalize].

**GÉNÉRALISSIME, subst. m.**
Général qui assume le commandement suprême de forces armées coalisées. ⊠ Déb. XVIIe s. ; ital. *generalissimo* ; [ʒeneʀalisim].

**GÉNÉRALISTE, adj.**
**1.** *Médecin **généraliste*** : qui exerce la médecine générale ; empl. subst. : *Un, une **généraliste**.* **2.** Ext. Se dit d'une personne, d'une entreprise qui n'est pas spécialisée : *Éditeur **généraliste*** ; *Chaîne de télévision **généraliste***, qui propose des programmes destinés à un large public. ⊠ V. 1960 ; ☞ *général* (I) ; [ʒeneʀalist].

**GÉNÉRALITÉ, subst. f.**
**1.** Caractère de ce qui est général ; par ext., propos flou, idée vague (gén. au plur.) : *S'en tenir à des **généralités**.* **2.** Le plus grand nombre, la majorité (vieilli) : *La **généralité** des gens s'opposait à de telles pratiques.* **3.** *Hist.* Sous l'Ancien Régime, circonscription du général des finances puis de l'intendant. ⊠ Fin XIIIe s. ; ☞ *général* (I) ; [ʒeneʀalite].

**GÉNÉRATEUR, TRICE, adj. et subst. m.**
ADJ. **1.** Qui engendre ; qui sert à la reproduction. **2.** Fig. Qui produit, qui a pour conséquence : *Les causes **génératrices** de la Révolution.* **3.** *Math. Partie **génératrice*** ou, empl. subst. fém., ***Génératrice** (resp. système **générateur**) d'un groupe G (resp. d'un espace vectoriel E)* : partie telle que le sous-groupe (ou le sous-espace vectoriel) qu'elle engendre soit égal à G (ou égal à E ; en partic., $(\vec{e_1}, \vec{e_2}, ..., \vec{e_n})$ est un système **générateur** si tout vecteur de E s'écrit comme combinaison linéaire de $\vec{e_1}, ..., \vec{e_n}$). SUBST. *Phys.* Tout appareil ou dispositif produisant de l'énergie ou des particules matérielles : ***Générateur** d'électrons* ; ***Générateur** électrique* ou, empl. subst. fém., *Une **génératrice**,* à courant continu. ⊠ 1519 ; lat. *generator* ; [ʒeneʀatœʀ, tʀis].

**GÉNÉRATIF, IVE, adj.**
**1.** Qui engendre, qui concerne la génération (vieilli) : *La sagesse est **générative** de vertu.* **2.** *Ling. Grammaire **générative*** : système formel qui comprend un nombre fini de règles permettant d'engendrer toutes les phrases possibles d'une langue

et de vérifier qu'elles sont grammaticalement correctes. 🕮 1314 ; bas lat. *generativus*, « qui engendre » ; [ʒeneʀatif, iv].

**GÉNÉRATION**, subst. f.
1. Action d'engendrer, fonction de reproduction. ▸ *Génération spontanée* : doctrine admise jusqu'au XIXe s. pour certains micro-organismes et abandonnée après les travaux de Pasteur, selon laquelle un être vivant pourrait se former à partir d'une substance non vivante. 2. Ext. Création, production : *La génération des connaissances.* 3. Méton. ▸ Ensemble des descendants d'un individu : *La génération de Noé.* ▸ Chaque degré de filiation : *Il y a une génération entre le père et le fils.* ▸ Ext. Intervalle de temps d'environ trente ans : *Il faudra plusieurs générations pour que ces pays se réconcilient.* ▸ Ensemble des individus vivant à la même époque et ayant à peu près le même âge : *La génération de la guerre.* 4. Techn. Chacun des stades de développement d'une technologie : *Téléviseur de la première génération.* 🕮 Déb. XIIe s. ; lat. *generatio* ; [ʒeneʀasjɔ̃].

**GÉNÉRER**, verbe trans. [8]
Produire, avoir pour conséquence, engendrer : *Sa politique va générer des conflits sociaux.* 🕮 1518 (déb. XIIIe s., régénérer qqn par la vertu du baptême) ; lat. *generare* ; [ʒeneʀe].

**GÉNÉREUSEMENT**, adv.
1. Vx. Avec bravoure. 2. Avec grandeur d'âme. 3. En faisant preuve de générosité. 4. Abondamment. 🕮 Déb. XVIe s. ; ☞ *généreux* ; [ʒeneʀøzmɑ̃].

**GÉNÉREUX, EUSE**, adj.
1. Vx. Qui est de race noble. 2. Ext. Qui a de la grandeur d'âme, qui est dévoué, indulgent, désintéressé : *Vous êtes mon lion superbe et généreux !* (Hugo). 3. Qui donne avec largesse. 4. Qui est riche, abondant : *Le déjeuner fut généreux* ; *Un sol généreux*, fertile ; *Un vin généreux*, riche en alcool ; *Une poitrine généreuse*, plantureuse. 🕮 1540 ; lat. *generosus*, « de bonne extraction » ; [ʒeneʀø, øz].

**GÉNÉRIQUE**, adj. et subst. m.
Adj. 1. Qui se rapporte à un genre ; qui lui est propre. ▸ **Terme générique.** Dont le sens inclut toute une catégorie d'objets : *« Siège » est un terme générique englobant « fauteuil », « chaise », « tabouret », etc.* 2. Pharm. *Médicament générique* : dont la formule est tombée dans le domaine public et qui est, de ce fait, meilleur marché ; par ext. : *Produit générique*, vendu sans nom de marque. Subst. Cin. et Télév. Partie d'un film, d'une émission de télévision où sont indiqués les noms de ceux qui y ont collaboré. 🕮 1647 ; lat. *genus*, « origine, naissance ; genre » ; [ʒeneʀik].

**GÉNÉROSITÉ**, subst. f.
1. Vx. Qualité d'une âme noble, qui a le sens de l'honneur. 2. Qualité d'une personne, d'une action généreuse : *Le jury fit preuve de générosité.* 3. Qualité d'une personne encline aux largesses : *Sa générosité le ruinera* ; au plur., largesses, actes de générosité. 🕮 1509 ; lat. *generositas* ; [ʒeneʀozite].

**GENÈSE**, subst. f.
1. *La Genèse* : premier livre de la Bible, contant le récit de la création du monde et du péché originel. 2. Processus de formation, d'élaboration de qqch. : *La genèse de l'œuvre de Proust.* 🕮 Déb. XIIe s. ; lat. chrét. *genesis*, du gr. *genesis*, « naissance, origine » ; [ʒənɛz].

**GÉNÉSIAQUE**, adj.
1. Relatif à la Genèse. 2. Relatif à la genèse d'une chose. 🕮 1834 ; bas lat. *genesiacus* ; [ʒenezjak].

**GÉNÉSIQUE**, adj.
Relatif à la reproduction sexuée ; par ext., relatif à la sexualité. 🕮 1825 ; ☞ *genèse* ; [ʒenezik].

**GENET**, subst. m.
Petit cheval d'Espagne (vx). 🕮 1374 ; esp. *jinete*, « cavalier », de l'ar. *zanātī*, nom d'une tribu berbère réputée pour sa cavalerie légère ; [ʒənɛ].

**GENÊT**, subst. m.
Bot. Arbrisseau à fleurs jaunes très odorantes, de la famille des Fabacées, répandu dans les landes des zones tempérées. 🕮 XIIe s. ; anc. fr. *geneste*, du lat. *genista* ; [ʒ(ə)nɛ].

**GÉNÉTHLIAQUE**, adj.
*Astrologie généthliaque* : fondée sur la position des astres à la naissance. 🕮 1552 ; lat. *genethliacus*, du gr. *genethliakos*, « horoscope » ; [ʒenetli(j)ak].

**GÉNÉTICIEN, IENNE**, subst.
Spécialiste de la génétique. 🕮 1931 ; ☞ *génétique* ; [ʒenetisjɛ̃, jɛn].

**GÉNÉTIQUE**, adj. et subst. f.
Adj. 1. Génét. Qui concerne les gènes et leur transmission héréditaire : *Un caractère génétique* (anton. *acquis*). ▸ *Génie génétique* (☞ *génie*). ▸ *Code génétique* : grille qui fait correspondre à chaque séquence de trois bases azotées, dans une molécule d'A. R. N. messager, l'un des vingt amino-acides constitutifs des protéines. 2. Ext. Qui concerne la genèse, le développement d'une chose matérielle : *Études génétiques des roches sédimentaires.* 3. Fig. Qui concerne le développement de la pensée, d'une doctrine, d'un concept. ▸ *Épistémologie génétique* (☞ *épistémologie*). ▸ *Psychologie génétique* : qui se donne pour but d'étudier les étapes du développement mental, de l'enfant à l'adulte. Subst. Branche de la biologie qui a pour objet l'étude de l'hérédité et des caractères héréditaires : *Génétique mendélienne*, fondée sur les lois de Mendel ; *Génétique chromosomique*, fondée sur l'étude des chromosomes ; *Génétique moléculaire*, fondée sur les concepts d'A. D. N. et de code génétique ; *Génétique des populations*, étude des caractères génétiques des populations d'êtres vivants. 🕮 1865 ; gr. *gennêtikos*, de *genesis*, « naissance » ; [ʒenetik].

**GÉNÉTIQUEMENT**, adv.
Du point de vue génétique. 🕮 1949 ; ☞ *génétique* ; [ʒenetikmɑ̃].

**GÉNÉTISME**, subst. m.
Psychol. Théorie selon laquelle la perception de l'espace par les sens n'est pas innée, mais acquise. 🕮 1943 ; ☞ *génétique* ; [ʒenetism].

**GÉNÉTISTE**, subst. et adj.
Qualifie ou désigne un partisan du génétisme. Adj. Relatif, propre au génétisme. 🕮 V. 1950 ; ☞ *génétisme* ; [ʒenetist].

**GENETTE**, subst. f.
Zool. Mammifère carnivore d'Europe et d'Afrique, de la famille des Viverridés, au corps allongé, au museau pointu, au pelage clair tacheté de noir. 🕮 1260 ; ar. d'Afrique du Nord *ğarnaṭ* ; [ʒənɛt].

*Genette.*

**GÊNEUR, EUSE**, subst.
Personne qui gêne, importune. 🕮 1863 ; ☞ *gêner* ; [ʒɛnœʀ, øz].

**GENEVOIS, OISE**, adj. et subst.
De Genève, de son canton ou de la région française voisine. 🕮 1382 ; topon. *Genève* (Suisse) ; [ʒənvwa, waz].

**GENÉVRIER**, subst. m.
Bot. Arbuste de la famille des Cupressacées, à feuilles épineuses et à baies noires ou violettes utilisées pour parfumer le gin et la choucroute (synon. *genièvre*). 🕮 Fin XIIIe s. ; ☞ *genièvre* ; [ʒənevʀije].

**GÉNIAL, ALE, AUX**, adj.
1. Qui relève du génie : *Une œuvre géniale.* 2. Qui a du génie : *Un inventeur génial.* 3. Formidable (fam.). 🕮 1837 (1509, agréable) ; ☞ *génie* ; [ʒenjal, o].

**GÉNIALEMENT**, adv.
De façon géniale. 🕮 1869 ; ☞ *génial* ; [ʒenjalmɑ̃].

**GÉNIALITÉ**, subst. f.
Qualité de qqn qui a du génie, de qqch. qui est génial. 🕮 1873 ; ☞ *génial* ; [ʒenjalite].

**GÉNIE**, subst. m.
I. 1. Vx. Tendance naturelle de l'esprit : *Forcer son génie.* 2. Ext. Ce qui constitue le caractère spécifique et éminent d'un peuple, d'une langue, d'une religion, etc. : *« Génie du christianisme », œuvre de Chateaubriand* ; *Goethe incarne le génie allemand.* 3. Disposition naturelle et remarquable pour qqch. : *Avoir le génie des affaires* ; *Il a le génie de semer la zizanie.* 4. Aptitude exceptionnelle de l'esprit, qui confère une grande puissance créatrice, inventive : *L'homme de génie est connu de la postérité, l'homme en est ignoré* (Diderot) ; par méton., personne possédant cette aptitude : *Einstein était un génie.* II. 1. Myth. Esprit, bienfaisant ou malfaisant, qui présidait à la destinée d'un individu, d'une collectivité, d'un lieu. ▸ Loc. *Être le bon, le mauvais génie de qqn* : avoir sur lui une influence bénéfique, néfaste. 2. Être surnaturel doué de pouvoirs magiques : *Génie des bois, des sources.* 3. Être allégorique qui personnifie une idée : *Le génie de l'amour, de la liberté* ; par méton., sa représentation : *Le génie de la Bastille.* III. 1. *Génie militaire* : ensemble des techniques mises en œuvre pour construire et entretenir les infrastructures militaires ; par ext., arme, service de l'armée qui est chargé de ces travaux. 2. Anal. ▸ *Génie civil* : ensemble des techniques utilisées dans les travaux publics ; corps des ingénieurs civils. ▸ *Génie informatique, chimique* : ensemble des connaissances et des techniques mises en œuvre par les ingénieurs en informatique, en chimie. ▸ *Génie génétique* : ensemble des techniques visant à modifier un ou plusieurs caractères héréditaires de cellules ou d'organismes vivants, en vue d'applications biologiques ou industrielles. 🕮 1532 ; lat. *genius*, « divinité qui veille sur l'homme dès sa conception » ; [ʒeni].

**GENIÈVRE**, subst. m.
1. Bot. Nom usuel du genévrier ; par ext., baie de cet arbre. 2. Eau-de-vie de grain distillée sur des baies de **genièvre**. 🕮 Fin XIe s. ; lat. *juniperus* ; [ʒənjɛvʀ].

**GÉNIQUE**, adj.
Génét. Relatif aux gènes. 🕮 XXe s. ; ☞ *gène* ; [ʒenik].

**GÉNISSE**, subst. f.
Jeune vache qui n'a pas encore vêlé. 🕮 Fin XIIe s. ; lat. pop. °*junicia*, du lat. *junix* ; [ʒenis].

**GÉNITAL, ALE, AUX**, adj.
1. Relatif à la reproduction sexuée des animaux et de l'homme : *Organes génitaux.* 2. Psychanal. *Stade génital* : dernier stade de la libido, caractéristique de la sexualité, qui apparaît à la puberté. 🕮 1380 ; lat. *genitalis* ; [ʒenital, o].

**GÉNITEUR, TRICE**, subst.
1. Personne qui engendre (gén. iron.) : *Mes géniteurs*, mes parents. Masc. Elev. Mâle choisi pour la reproduction. 🕮 1137 ; lat. *genitor*, « père » ; [ʒenitœʀ, tʀis].

**GÉNITIF**, subst. m.
Gramm. Dans les langues à flexion, cas exprimant une relation de dépendance entre deux termes. 🕮 1380 ; lat. *genitivus casus*, « cas qui engendre, qui marque l'origine » ; [ʒenitif].

**GÉNITO-URINAIRE**, adj.
Relatif à l'appareil reproducteur et à l'appareil urinaire. 🕮 1840 ; comp. de *génital* et de *urinaire* ; plur. *génito-urinaires* ; [ʒenitoyʀinɛʀ].

**GÉNOCIDE**, subst. m.
Destruction systématique d'un groupe ethnique : *Le génocide des Juifs par les nazis.* 🕮 1945 ; gr. *genos*, « race », + *-cide* ; [ʒenɔsid].

**GÉNOIS, OISE**, adj. et subst.
De Gênes : *Les comptoirs génois.* Subst. masc. Mar. Foc de grande dimension. Subst. fém. 1. Pâte à biscuit légère, servant de base à divers gâteaux. 2. Archit. Frise composée de tuiles romaines, souv. employée dans les pays méditerranéens. 🕮 1625 ; topon. *Gênes* (Italie) ; [ʒenwa, waz].

**GÉNOME**, subst. m.
Génét. Ensemble des gènes qui déterminent tous les caractères d'une espèce. L'inventaire du **génome** humain permettra de dépister toutes les maladies héréditaires dès la vie intra-utérine, en établissant la séquence complète des nucléotides de tout l'A. D. N. chromosomique. 🕮 1936 ; crois. de *gène* et de *chromosome* ; [ʒenom].

**GÉNOTYPE**, subst. m.
Génét. Situation de l'état allélique des gènes appartenant à un génome déterminé. 🕮 1930 ; formé de *gène* et de *type* ; [ʒenotip].

**GENOU**, subst. m.
1. Anat. Articulation du fémur (de la cuisse) et du tibia (de la jambe) : *Les ménisques du genou* ; spéc., cuisses d'une personne assise : *Prendre un enfant sur ses genoux.* ▸ Méton. Partie d'un vêtement recouvrant le genou : *Un trou au genou.* ▸ Loc. *Être, se mettre à genoux* : les genoux au sol ; *Demander qqch. à genoux* : humblement, en implorant ; *Être*

*les genoux* : épuisé (fam.) ; *Faire du* **genou** *à qqn* : toucher discrètement le **genou** avec son propre ou, en partic. dans un but galant. **2.** Anal. *Zool.* z certains quadrupèdes, articulation du membre érieur, au-dessus du canon. **3.** *Techn.* Pièce de ction articulée. Fin Xe s. ; bas lat. *genuculum*, du *geniculum*, dimin. de *genu* ; plur. *genoux* ; [ʒ(ə)nu].

**GENOUILLÈRE, subst. f.**
ièce que l'on place sur le genou pour le ntenir, le protéger. **2.** *Techn.* Charnière mobile ; articulé. Mil. XIIe s. ; ☞ *genou* ; [ʒ(ə)nujɛʀ].

**GÉNOVÉFAIN, subst. m.**
anoine régulier de l'ordre de Sainte-Geneviève. 1752 ; lat. *Genovefa*, « Geneviève » ; [ʒenɔvefɛ̃].

**GENRE, subst. m.**
. Ensemble d'êtres ou d'objets ayant des caracs communs. ▸ *Le* **genre** *humain* : l'ensemble des s humains. **2.** *Biol.* Dans la classification des s vivants, subdivision de la famille, regroupant espèces. *(Voir tableau p. 1065).* **3.** *Litt.* et *B.-a.* égorie d'œuvres définie par la nature du sujet, on ou le style : *Le* **genre** *épique, poétique* ; *Le* **genre** *portrait* ; *Peinture de* **genre**, qui représente des nes de la vie quotidienne. **II.** *Gramm.* Catégorie mots d'une langue, fondée sur des critères natu- (distinction entre les sexes) ou convention- : *Les* **genres** *masculin, féminin et neutre du e, de l'allemand, du grec.* **III. 1.** Sorte, catée : *J'aime ce* **genre** *d'émission* ; *Il est arrivé une oire du même* **genre**. ▸ Loc. *En tout* **genre**, *en tous* res : de toute(s) sorte(s). **2.** Manière d'être, de comporter : *Avoir mauvais* **genre** ; *Ce n'est pas* **genre**, cela ne correspond pas à mes goûts, cela st pas dans ma nature ; *Faire du* **genre**, se inguer par des manières affectées. ▸ **Genre** *de* : ensemble des comportements, des habitudes ne personne, d'un groupe. Déb. XIIe s. ; lat. us, « origine, naissance » ; [ʒɑ̃ʀ].

**GENS (I), subst. m. plur. et f. plur.**
ersonnes en nombre indéterminé : *Le parc est n de* **gens** *qui se promènent* ; *Toutes les bonnes* **gens** *ueux.* ▸ *Les vieilles* **gens** : les personnes âgées ; *petites* **gens** : les personnes de condition deste ; *Jeunes* **gens** : jeunes filles et jeunes gars, ou plur. de *jeune homme*. **II. Masc. Gens** de subst.). Personnes appartenant à un groupe déiné : *Les* **gens** *de mer*, les marins, les pêcheurs ; **gens** *de lettres*, les écrivains ; *Les* **gens** *de maison*, domestiques salariés. Fin Xe s. ; plur. de *gent* (I) ; é immédiatement devant *gens* (au sens I), l'adj., de ne que ses déterminants, se met au fém., placé après, . se met au masc. ; [ʒɑ̃].

**GENS (II), subst. f.**
*iq. rom.* Groupe de familles ayant un ancêtre mun et le même nom. 1834 ; mot lat. ; plur. *tes* ; [ʒɛ̃s] ou [gɛns], plur. [ʒɛ̃t] ou [gɛntɛs].

**GENT (I), subst. f.**
ion (vx) : *Droit des* **gens**. **Sing.** Race, espèce ér. ou iron.) : *La* **gent** *ailée*, les oiseaux ; *La* **gent** *ique.* Fin XIe s. ; lat. *gens*, « famille, race » ; plur. s, uniquement dans *droit des gens* ; [ʒɑ̃(t)].

**GENT (II), GENTE, adj.**
ntil, agréable, gracieux (vx) : *Mesdemoiselles de an ont le cœur noble et le corps* **gent** (Voiture). Fin XIe s. ; lat. *genitus*, « né » ; [ʒɑ̃, ʒɑ̃t].

**GENTIANE, subst. f.**
Plante à fleurs jaunes ou violettes, commune altitude. La grande **gentiane**, officinale, fournit racine apéritive. Fin XIIIe s. ; lat. *gentiana* ; sjan].

*Gentiane.*

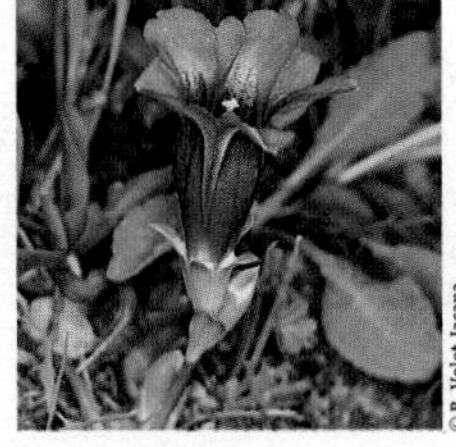

© R. Volot-Jacana

**GENTIL (I), ILLE, adj.**
**1.** Vx. D'extraction noble. **2.** Qui charme par son apparence : *Un* **gentil** *bambin.* **3.** Aimable, prévenant : *Un geste* **gentil**. **4.** Important, en parlant d'une somme d'argent (fam.) : *Un* **gentil** *bénéfice.* Mil. XIe s. ; lat. *gentilis*, « qui concerne la famille, la race » ; [ʒɑ̃ti, ij].

**GENTIL (II), subst. m.**
*Relig.* **1.** Nom donné par les anciens Hébreux aux non-juifs. **2.** Nom donné par les premiers chrétiens aux païens : *L'apôtre des* **gentils**, saint Paul. 1488 ; lat. chrét. *gentiles*, « païens » ; [ʒɑ̃ti].

**GENTILÉ, subst. m.**
Nom que portent les habitants d'une ville, d'une région, d'un pays : *Le* **gentilé** *s'écrit avec une majuscule (par ex. : « la vie des Parisiens »).* 1752 ; lat. *gentile nomen*, « nom de gens » ; [ʒɑ̃tile].

**GENTILHOMME, subst. m.**
**1.** *Hist.* Homme noble de naissance ; en partic., noble attaché à la personne d'un grand. **2.** Anal. Homme qui fait preuve de dignité, de distinction dans ses sentiments, son comportement. Mil. XIe s. ; formé de *gentil* (I) et de *homme* ; plur. *gentilshommes* ; [ʒɑ̃tijɔm], plur. [ʒɑ̃tizɔm].

**GENTILHOMMIÈRE, subst. f.**
Maison de campagne appartenant à un gentilhomme ; par ext., manoir, petit château à la campagne. 1604 ; ☞ *gentilhomme* ; [ʒɑ̃tijɔmjɛʀ].

**GENTILITÉ, subst. f.**
*Relig.* Ensemble des païens. Déb. XVIIe s. (1495, paganisme) ; lat. chrét. *gentilitas* ; [ʒɑ̃tilite].

**GENTILLESSE, subst. f.**
**1.** Caractère de ce qui a de la grâce, du charme (vieilli). **2.** Qualité d'une personne aimable, prévenante : *Tous abusent de sa* **gentillesse**. **3.** Parole ou action gentille (gén. au plur.) : *Dire des* **gentillesses**. 1578 (1176, noblesse) ; ☞ *gentil* (I) ; [ʒɑ̃tijɛs].

**GENTILLET, ETTE, adj.**
Assez gentil, agréable, mais sans plus : *La soirée était* **gentillette**. 1550 ; ☞ *gentil* (I) ; [ʒɑ̃tijɛ, ɛt].

**GENTIMENT, adv.**
**1.** De façon agréable, charmante : *Recevoir* **gentiment** *qqn.* **2.** Docilement : *Tu vas* **gentiment** *aller te coucher.* Déb. XIIIe s. ; ☞ *gentil* (I) ; [ʒɑ̃timɑ̃].

**GENTLEMAN, subst. m.**
Homme d'une parfaite distinction dans ses sentiments, ses manières. 1558 ; angl. *gentleman*, d'apr. *gentilhomme* ; plur. *gentlemans* ou *gentlemen* ; [ʒɑ̃tləman] ou [dʒɛn-], plur. [-man] ou [-mɛn].

**GENTLEMAN-FARMER, subst. m.**
Anglic. Riche propriétaire foncier qui réside sur ses terres et s'occupe de leur exploitation. 1810 ; mot angl. ; plur. *gentlemans-farmers* ou *gentlemen-farmers* ; [ʒɑ̃tləmanfaʀmœʀ] ou [dʒɛn-], plur. [-man-] ou [-mɛnfaʀmœʀs].

**GENTLEMEN'S AGREEMENT, subst. m.**
Anglic. Convention de principe entre les représentants de plusieurs États, les engageant moralement mais non juridiquement ; par ext., contrat oral. 1948 ; angl. *gentlemen's agreement*, « accord de gentlemans » ; plur. *gentlemen's agreements* ; [ʒɑ̃tləmɛnsagʀimɛnt] ou [dʒɛn-], plur. [-mɛnts].

**GENTRY, subst. f.**
En Angleterre, noblesse non titrée. 1688 ; mot angl. ; plur. *gentrys* ou *gentries* ; [dʒɛntʀi].

**GÉNUFLEXION, subst. f.**
Action de fléchir un genou ou les genoux, en signe de soumission, de déférence, de dévotion. XIVe s. ; lat. chrét. *genuflexio* ; [ʒenyflɛksjɔ̃].

**GÉOCENTRIQUE, adj.**
*Astron.* Dont le point de référence est la Terre : *Le système de Ptolémée était* **géocentrique**. 1721 ; ☞ *centre + géo-* ; [ʒeosɑ̃tʀik].

**GÉOCENTRISME, subst. m.**
Ancienne théorie faisant de la Terre le centre de l'Univers. XXe s. ; ☞ *géocentrique* ; [ʒeosɑ̃tʀism].

**GÉOCHIMIE, subst. f.**
Science qui étudie l'origine, la répartition et l'évolution des sédiments, des roches et des couches profondes du globe terrestre du point de vue de leur composition chimique. 1838 ; ☞ *chimie + géo-* ; [ʒeoʃimi].

**GÉOCHRONOLOGIE, subst. f.**
Science dont l'objet est la datation des formations et des évènements géologiques qui ont marqué l'histoire de la Terre : **Géochronologie** *relative*, qui détermine l'ordre de succession des formations ; **Géochronologie** *absolue* ou, empl. abs., **Géochronologie**, qui détermine l'âge absolu des formations (☞ *radiochronologie*). 1943 ; ☞ *chronologie + géo-* ; [ʒeokʀɔnɔlɔʒi].

GÉOLOGIE – Deux principes dominent la géochronologie relative : l'âge d'une couche est le même en tous ses points (principe de continuité) ; les fossiles contenus dans une couche donnée sont contemporains (principe d'identité paléontologique). Certains fossiles, typiques d'un âge relatif donné, sont nommés fossiles stratigraphiques. En s'appuyant sur ces principes, les géologues ont divisé l'histoire de la Terre en quatre ères, qu'ils ont nommées ères primaire (ou Paléozoïque, car c'est l'époque où apparaissent les premiers animaux), secondaire (ou Mésozoïque), tertiaire et quaternaire (le Cénozoïque réunit ces deux dernières). Chaque ère a été divisée en périodes (ou systèmes), nommées d'après les lieux où elles ont été décrites pour la première fois. À l'intérieur de chaque période, on a ensuite précisé des époques (séries). La découverte de la radioactivité, enfin, a permis d'élaborer une méthode, la radiochronologie, grâce à laquelle on a pu dater les couches, et ainsi mesurer la durée des ères, des périodes, des époques et des étages de l'histoire de la Terre.

**GÉODE, subst. f.**
**1.** *Minér.* Cavité à l'intérieur d'une roche, tapissée de cristaux. **2.** Anal. ▸ *Pathol.* Cavité à l'intérieur d'un tissu : **Géode** *osseuse.* ▸ Vaste sphère creuse dont la surface intérieure sert d'écran de projection. 1556 ; lat. *geodes* ; [ʒeɔd].

© R. Gaillarde-Gamma

*Le cinéma La* **Géode**, *dans le parc de la Villette, à Paris.*

**GÉODÉSIE, subst. f.**
Science qui étudie les dimensions et la forme de la Terre. XVIe s. ; gr. *geôdaisia*, de *gê*, « terre », et de *daiein*, « diviser » ; [ʒeɔdezi].

**GÉODÉSIQUE, adj.**
**1.** Qui se rapporte à la géodésie. **2.** *Math. Ligne* **géodésique** *d'une surface* ou, empl. subst. fém., *Une* **géodésique** : courbe de cette surface telle que l'arc joignant deux points de cette courbe soit le plus court parmi tous les arcs de la surface joignant ces deux points. 1584 ; ☞ *géodésie* ; [ʒeɔdezik].

**GÉODYNAMIQUE, subst. f. et adj.**
*Géol.* **Subst.** Étude des modifications subies par le globe terrestre : **Géodynamique** *externe*, qui étudie l'action des agents extérieurs (eau, température, vent, glaciers, etc.) à la surface de l'écorce terrestre ; **Géodynamique** *interne*, qui étudie l'action des forces internes (tectonique, volcanisme, métamorphisme). **Adj.** Qui se rapporte à la **géodynamique**. Fin XIXe s. ; ☞ *dynamique + géo-* ; [ʒeɔdinamik].

**GÉOGRAPHE, subst.**
Spécialiste de la géographie : *Ingénieur* **géographe**, qui établit des cartes géographiques. 1532 ; bas lat. *geographus*, du gr. *geôgraphos* ; [ʒeɔgʀaf].

**GÉOGRAPHIE, subst. f.**
**1.** Science dont l'objet est la description et l'explication des actions et des interactions des phénomènes

physiques et humains à la surface de la Terre : ***Géographie** physique, humaine, régionale.* **2.** Ensemble des réalités physiques, biologiques, humaines propres à un espace : *La **géographie** de la France.* 1513 ; lat. *geographia*, du gr. *geôgraphia* ; [ʒeɔgʀafi].

SCIENCES – Ce sont les Grecs Hérodote et Strabon (Vᵉ s. av. J.-C.) qui fondent la géographie historique et descriptive, tandis qu'Ératosthène et Ptolémée, astronomes et mathématiciens, jettent les bases de la cartographie. Au Moyen Âge, les voyageurs arabes décrivent notamment le bassin méditerranéen. Les grandes découvertes accéléreront les progrès de la cartographie (*Atlas* et mappemonde de Mercator). La géographie moderne naît au XVIIIᵉ s., avec les travaux d'A. von Humboldt, qui s'attache à établir, au cours de ses voyages, la cause des phénomènes observés. L'enseignement de la discipline est stimulé par l'affirmation des sentiments nationaux : parution en Prusse des premiers manuels scolaires, fondation de l'école française de géographie par P. Vidal de La Blache (*Tableau de la géographie de la France*, 1903). Au XXᵉ s., on observe d'abord une plus grande spécialisation, fondée sur la division entre géographie physique (géomorphologie, climatologie, pédologie) et humaine (démographie, géographie rurale et urbaine). Les progrès des techniques d'observation (photographie aérienne, par satellite) permettent un nouvel usage de la cartographie (thématisme), et les méthodes statistiques une plus grande objectivité. La tendance récente à l'interdisciplinarité (géoéconomie, géoécologie, géopolitique) illustre l'importance accrue donnée aux faits de société et à l'influence humaine sur le milieu.

**GÉOGRAPHIQUE, adj.**
Propre ou relatif à la géographie : *L'Institut **géographique** national (I. G. N.).* 1532 ; bas lat. *geographicus*, du gr. *geôgraphikos* ; [ʒeɔgʀafik].

**GÉOGRAPHIQUEMENT, adv.**
Du point de vue de la géographie. Mil. XVIᵉ s. ; ☞ *géographique* ; [ʒeɔgʀafikmɑ̃].

**GÉOÏDE, subst. m.**
*Géophys.* Surface virtuelle représentant la Terre et passant par le niveau moyen des mers. 1890 ; formé de *géo-* et de *-oïde* ; [ʒeɔid].

**GEÔLE, subst. f.**
Prison (vx ou littér.). Déb. XIIᵉ s. ; bas lat. *caveola*, du lat. *cavea*, « cavité ; cage » ; [ʒol].

**GEÔLIER, IÈRE, subst.**
Personne qui garde des prisonniers, gardien de prison (vx ou littér.). XIIIᵉ s. ; ☞ *geôle* ; [ʒolje, jɛʀ].

**GÉOLOGIE, subst. f.**
Science dont l'objet est la description et l'explication de la formation et de l'évolution de la Terre. *La **géologie** comprend la minéralogie, la pétrographie, la sédimentologie, la stratigraphie, la paléontologie, la tectonique, la **géologie** structurale, la paléogéographie et la **géologie** historique.* 1751 ; formé de *géo-* et de *-logie* ; [ʒeɔlɔʒi].

**GÉOLOGIQUE, adj.**
Relatif, propre à la géologie : *Ères **géologiques**.* 1797 ; ☞ *géologie* ; [ʒeɔlɔʒik].

**GÉOLOGIQUEMENT, adv.**
Du point de vue de la géologie. 1843 ; ☞ *géologique* ; [ʒeɔlɔʒikmɑ̃].

**GÉOLOGUE, subst.**
Spécialiste de la géologie. 1797 ; formé de *géo-* et de *-logue* ; [ʒeɔlɔg].

**GÉOMAGNÉTIQUE, adj.**
Relatif au géomagnétisme. V. 1960 ; ☞ *géomagnétisme* ; [ʒeomaɲetik].

**GÉOMAGNÉTISME, subst. m.**
Magnétisme terrestre. 1953 ; ☞ *magnétisme + géo-* ; [ʒeomaɲetism].

**GÉOMANCIE, subst. f.**
Art divinatoire fondé sur l'examen de la configuration d'une poignée de terre, de cailloux, etc., jetée au hasard sur une surface. Déb. XIVᵉ s. ; bas lat. *geomantia*, du gr. *geômanteia* ; [ʒeɔmɑ̃si].

**GÉOMÉTRAL, ALE, AUX, adj.**
Qui illustre avec précision la configuration et les dimensions des diverses faces d'un objet, d'un ouvrage, indépendamment de la perspective : *Plan, tracé **géométral*** ; empl. subst. masc. : *Dresser un **géométral**.* 1665 ; ☞ *géomètre* ; [ʒeɔmetʀal, o].

**GÉOMÈTRE, subst.**
**1.** Spécialiste en géométrie ; par ext., mathématicien (vieilli). **2.** Spécialiste de l'arpentage et des relevés de terrains : *Un arpenteur-**géomètre*** ou, empl. abs., *Un **géomètre**.* **MASC.** *Zool.* Papillon de la famille des Géométridés, issu de la chenille appelée communément arpenteuse car elle semble mesurer le sol en cheminant par ondulations. Déb. XIVᵉ s. ; lat. *geometres*, du gr. *geômetrês* ; [ʒeɔmɛtʀ].

**GÉOMÉTRIDÉS, subst. m. plur.**
*Zool.* Famille de papillons aux mœurs nocturnes ou crépusculaires, au corps svelte et aux ailes larges, appelés aussi phalènes. **AU SING.** *Un **géométridé**.* XXᵉ s. ; ☞ *géomètre* ; [ʒeɔmetʀide].

© P. Lorne-Jacana

*Phalène du groseillier, papillon de la famille des Géométridés.*

**GÉOMÉTRIE, subst. f.**
**1.** Vx. Mathématique. **2.** Science de l'espace, partie des mathématiques étudiant les rapports entre les points, les lignes, les surfaces et les volumes : *Figure de **géométrie** ; **Géométrie** analytique, descriptive, projective, euclidienne.* **3.** Forme, figure, configuration : *La **géométrie** d'un édifice, d'un ballet.* ► Loc. *À **géométrie** variable* : se dit d'un avion dont on peut modifier l'angle formé par les ailes selon la vitesse ou, au fig., de qqch. de souple, de modulable. Mil. XIIᵉ s. ; lat. *geometria*, du gr. *geômetria* ; [ʒeɔmetʀi].

**GÉOMÉTRIQUE, adj.**
**1.** Propre à la géométrie. ► *Progression ou suite **géométrique*** : suite de terme général $ka^n$, $n \geqslant 0$, $a$ réel ou complexe fixé (dit raison de la suite). **2.** Anal. Qui représente des formes de géométrie ; qui peut être décomposé en formes de géométrie. ► *B.-a. Style **géométrique*** : caractéristique de l'art grec archaïque ; *Abstraction **géométrique*** : dont l'expressivité relève de la géométrie. **3.** Ext. Rigoureux, exact (vieilli) : *Précision **géométrique**.* Fin XIVᵉ s. ; lat. *geometricus*, du gr. *geômetrikos* ; [ʒeɔmetʀik].

**GÉOMÉTRIQUEMENT, adv.**
**1.** Par la géométrie. **2.** De manière géométrique. 1561 ; ☞ *géométrique* ; [ʒeɔmetʀikmɑ̃].

**GÉOMÉTRISER, verbe trans. [3]**
*B.-a.* Réduire à des figures géométriques ; traiter (la nature) « en termes de sphère, de cylindre et de cône » (Cézanne). Fin XVIᵉ s. ; ☞ *géométrie* ; [ʒeɔmetʀize].

**GÉOMORPHOLOGIE, subst. f.**
Branche de la géographie qui a pour objet la description des formes actuelles du relief et l'explication de leur genèse par la géologie et l'étude des paléoclimats. 1939 ; ☞ *morphologie + géo-* ; [ʒeomɔʀfɔlɔʒi].

**GÉOPHAGE, adj.**
*Zool.* et *Psych.* Qui mange de la terre. 1823 ; formé de *géo-* et de *-phage* ; [ʒeɔfaʒ].

**GÉOPHILE, subst. m.**
*Zool.* Arthropode qui vit dans la terre et sous la mousse. 1827 ; formé de *géo-* et de *-phile* ; [ʒeɔfil].

**GÉOPHYSICIEN, IENNE, subst.**
Spécialiste en géophysique. 1944 ; ☞ *géophysique* ; [ʒeofizisjɛ̃, jɛn].

**GÉOPHYSIQUE, adj. et subst. f.**
**ADJ.** Relatif à la physique du globe. **SUBST.** Étude par la physique de la composition, de la structure et de la dynamique du globe terrestre : *La tectonique des plaques relève de la **géophysique**.* Fin XIXᵉ s. ; ☞ *physique* (II) *+ géo-* ; [ʒeofizik].

**GÉOPOLITIQUE, subst. f.**
Étude des rapports entre les données géographiques et la politique des États ; empl. adj. : *Cadre **géopolitique**.* 1929 ; suédois *geopolitisk*, angl. *geopolitics* ou all. *Geopolitik* ; [ʒeɔpɔlitik].

**GÉORGIEN (I), IENNE, adj. et subs**
De Géorgie, État du Caucase. **SUBST. MASC.** La caucasienne parlée en Géorgie. 1540 ; ☞ *Géorgie* (Caucase) ; [ʒeɔʀʒjɛ̃, jɛn].

**GÉORGIEN (II), IENNE, adj. et sub**
De Géorgie, État des États-Unis. **SUBST. MASC.** Étage inférieur du Cambrien. 1840 ; topon. *gie*, État des États-Unis ; [ʒeɔʀʒjɛ̃, jɛn].

**GÉORGIQUE, adj.**
*Litt.* Qui traite de l'agriculture et de la vie champê empl. subst. fém. : *Virgile dédia ses « **Géorgique** Mécène.* Fin XIIIᵉ s. ; lat. *georgicus*, du gr. *geôrgiko gê*, « terre », et de *ergon*, « travail » ; [ʒeɔʀʒik].

**GÉOSCIENCE, subst. f.**
Chacune des sciences qui étudient la Terre. X ☞ *science + géo-* ; [ʒeosjɑ̃s].

**GÉOSTATIONNAIRE, adj.**
*Astronaut.* Se dit d'un satellite artificiel géo chrone gravitant sur une orbite équator V. 1970 ; ☞ *stationnaire + géo-* ; [ʒeostasjɔnɛ

**GÉOSTRATÉGIE, subst. f.**
Étude de stratégie en fonction de données géo phiques. V. 1960 ; ☞ *stratégie + géo-* ; [ʒeostʀa

**GÉOSYNCHRONE, adj.**
Dont la période de révolution est égale à cell la Terre. V. 1970 ; ☞ *synchrone + géo-* ; [ʒeosɛ̃k

**GÉOSYNCLINAL, subst. m.**
*Géol.* Fosse synclinale en bordure de continen s'accumule une masse importante de sédime empl. adj., se dit des différentes parties et constituants d'un **géosynclinal**. 1886 ; ☞ *s nal + géo-* ; plur. *géosynclinaux* ; [ʒeosɛ̃klinal], plur.

**GÉOTECHNIQUE, adj.**
Relatif à la recherche géologique appliquée construction, aux travaux publics, etc. V. 19 ☞ *technique + géo-* ; [ʒeotɛknik].

**GÉOTHERMIE, subst. f.**
**1.** Chaleur de la Terre. **2.** Étude du régime the que de la croûte terrestre. 1867 ; formé de et de *-thermie* ; [ʒeotɛʀmi].

**GÉOTHERMIQUE, adj.**
Relatif à la géothermie : *Gradient **géothermique**,* de variation de la chaleur en fonction de la pro deur. 1860 ; ☞ *géothermie* ; [ʒeotɛʀmik].

**GÉOTROPISME, subst. m.**
*Biol.* Propriété caractérisant l'influence de la pe teur terrestre sur la croissance de certains org végétaux : *Les racines manifestent un **géotropi** positif en s'enfonçant dans le sol, les tiges **géotropisme** négatif en s'élevant au-dessus.* 18 formé de *géo-* et de *-tropisme* ; [ʒeotʀɔpism].

**GÉOTRUPE, subst. m.**
*Zool.* Insecte coléoptère de la famille des Sc béidés, aussi appelé bousier, qui se nourrit d' ments. 1801 ; lat. sc. *geotrupes*, du gr. *gê*, « te et *trupan*, « percer » ; [ʒeotʀyp].

**GÉRANCE, subst. f.**
**1.** Fonction de gérant ; sa durée : *Une géranc trois ans.* ► *Dr.* et *Écon.* Gestion, administration un gérant : *Location-**gérance*** ; ***Gérance** salariée* le propriétaire du fonds de commerce reste res sable de la gestion effectuée par le salarié. **2.** *P **Gérance** d'une publication* : responsabilité jurid de la publication. Fin XVIᵉ s. ; ☞ *gérant* ; [ʒe

**GÉRANIACÉES, subst. f. plur.**
*Bot.* Famille de plantes dont les fleurs présen cinq sépales libres. **AU SING.** *Le géranium est **géraniacée**.* 1820 ; ☞ *géranium* ; [ʒeʀanjase].

**GÉRANIUM, subst. m.**
*Bot.* Plante, souvent ornementale, de la famille Géraniacées ; par ext., nom usuel donné aux pla du genre *Pelargonium* (300 espèces), ou géran cultivé. 1545 ; lat. sc. *geranium*, du gr. *geranior geranos*, « grue » ; [ʒeʀanjɔm].

**GÉRANT, ANTE, subst.**
**1.** Personne ou société qui gère, sous mandat non, des biens ne lui appartenant pas : *Le gé d'un parc immobilier, d'un café, d'un portefeu* **2.** ***Gérant** d'un journal* : responsable juridique d publication. **3.** Fig. Personne qui gère un bien, activité. 1787 ; p. pr. de *gérer* ; [ʒeʀɑ̃, ɑ̃t].

**GERBAGE, subst. m.**
**1.** Action de mettre en gerbes. **2.** Action d'entas Fin XVIᵉ s. ; ☞ *gerber* ; [ʒɛʀbaʒ].

**GERBE, subst. f.**
**1.** Botte de céréales coupées présentant tous les

même côté. **2.** Ext. Bouquet de fleurs à longues :s : *Gerbe de lis, de glaïeuls.* **3.** Anal. Ce qui, par forme, évoque une **gerbe** : *Une gerbe d'eau, tincelles.* ▸ *Artill.* Ensemble des trajectoires des ments d'un tir ou d'un faisceau produit par les répétés d'une même arme sur une même cible. *hys. nucl.* Particules secondaires produites lors l'arrivée dans l'atmosphère de rayons cosmiques nergie élevée, qui ne pourraient être décelés sans :s : *Détecteur de* **gerbes**. **4.** Fig. Regroupement de oses de même nature. Fin XIIe s. ; anc. bas frq. *rba* ; [ʒɛʀb].

**GERBÉE, subst. f.**
Gerbe de paille où il reste des épis. **2.** Botte de ntes. 1432 ; ☞ *gerber* ; [ʒɛʀbe].

**GERBER, verbe [3]**
ANS. **1.** Mettre en gerbes. **2.** Entasser : *Gerber des* s. INTRANS. Produire un effet de gerbe. ▸ Vomir ılg.). XIVe s. ; ☞ *gerbe* ; [ʒɛʀbe].

**GERBERA, subst. m.**
. Plante de la famille des Astéracées, cultivée pour grands capitules. XVIIIe s. ; lat. sc. *gerbera*, de l'anopon. *Trangott Gerber*, naturaliste allemand ; [ʒɛʀbeʀa].

© P. Bourges-Jacana

*Gerberas.*

**GERBEUR, EUSE, adj. et subst. f.**
. *Agric.* Qui sert à gerber. SUBST. *Techn.* Appareil manutention, de levage. 1907 (XIVe s., qui met gerbes) ; ☞ *gerber* ; [ʒɛʀbœʀ, øz].

**GERBIER, subst. m.**
:ule de gerbes. 1460 ; ☞ *gerbe* ; [ʒɛʀbje].

**GERBIÈRE, subst. f.**
*ric.* Charrette servant au transport des gerbes. 1600 (1560, lucarne d'une grange par laquelle sont oduites les gerbes) ; ☞ *gerbe* ; [ʒɛʀbjɛʀ].

**GERBILLE, subst. f.**
*ol.* Petit rongeur nocturne de la famille des uridés, rappelant la gerboise, qui vit dans les zones sertiques chaudes, où il consomme des graines. 1804 ; lat. sc. *gerbillus* ; [ʒɛʀbij].

© Yoff-Jacana

*Gerbille.*

**GERBOISE, subst. f.**
*ol.* Mammifère rongeur de la famille des Dipoıdés, à pattes antérieures très courtes et postéures très développées, se déplaçant par sauts. 1655 ; ar. d'Afrique du Nord *ǧarbūʿ* ; [ʒɛʀbwaz].

**GERCE, subst. f.**
Teigne qui s'attaque aux étoffes et aux papiers. Petite fissure causée au bois par le séchage. 1607 (XIIIe s., lancette à saigner) ; ☞ *gercer* ; [ʒɛʀs].

**GERCER, verbe [4]**
ANS. Causer des petites fentes dans : *La sècheresse rce la terre.* INTRANS. et PRONOM. Se couvrir de gerres : *Certaines lèvres (se)* **gercent** *au soleil.* Mil. s. (déb. XIIIe s., se piquer) ; p.-ê. bas lat. *charaxare*, du *kharassein*, « fendre, entailler » ; [ʒɛʀse].

**GERÇURE, subst. f.**
Craquelure de l'épiderme ou des muqueuses : *Des çures aux mains.* **2.** Anal. Crevasse causée par le oid ou la dessiccation sur une surface : *Les gerçures un sol aride.* Fin XIVe s. ; ☞ *gercer* ; [ʒɛʀsyʀ].

**GÉRER, verbe trans. [8]**
**1.** *Dr.* Assumer la gérance, la conduite de (une entreprise) dont on n'est pas propriétaire : ***Gérer*** *un hôtel.* **2.** Assumer l'administration, l'organisation de (qqch.), en recherchant une rentabilité optimale ; par ext., administrer (ses propres affaires) : ***Gérer*** *son budget.* **3.** Fig. Contrôler, maîtriser au mieux (une situation, un problème) ; par ext., organiser : *Savoir* ***gérer*** *son emploi du temps.* 1445 ; lat. *gerere*, « porter ; administrer » ; [ʒeʀe].

**GERFAUT, subst. m.**
*Zool.* Rapace diurne de la famille des Falconidés, dont la livrée, claire, porte une tache noire sur chaque plume. Fin XIIe s. ; anc. fr. *gir*, « vautour », et *faus*, « faucon » ; [ʒɛʀfo].

**GÉRIATRE, subst.**
Médecin spécialisé en gériatrie. V. 1960 ; gr. *gerôn*, « vieillard », + *-iatre* ; [ʒeʀjatʀ].

**GÉRIATRIE, subst. f.**
Spécialité traitant les maladies de la vieillesse, et cherchant notamment à ralentir la sénescence. 1915 ; gr. *gerôn*, « vieillard », + *-iatrie* ; [ʒeʀjatʀi].

**GERMAIN (I), AINE, adj. et subst.**
ADJ. **1.** *Dr. Frères* ***germains****, sœur* ***germaine*** : nés de mêmes père et mère. **2.** *Cousin* ***germain*** : né d'un frère ou d'une sœur du père ou de la mère. SUBST. *Cousin issu de* ***germain*** : né d'un cousin **germain**. Fin XIIe s. ; lat. *germanus* ; [ʒɛʀmɛ̃, ɛn].

**GERMAIN (II), AINE, adj. et subst.**
De Germanie (synon. *germanique*). 1512 ; lat. *Germanus*, p.-ê. d'orig. celt. ; [ʒɛʀmɛ̃, ɛn].

**GERMANDRÉE, subst. f.**
*Bot.* Plante herbacée aromatique et tonique, de la famille des Lamiacées. XIIe s. ; lat. *chamaedrys*, du gr. *khamaidrus*, « chêne nain » ; [ʒɛʀmɑ̃dʀe].

**GERMANIQUE, adj. et subst.**
De Germanie et, par ext., d'Allemagne : *Peuples* ***germaniques***. ADJ. Propre à la civilisation, à la culture des Germains, des Allemands : *Saint Empire romain* ***germanique*** ; *Langue* ***germanique***. SUBST. MASC. Ensemble de langues indo-européennes comprenant trois groupes : oriental, septentrional et occidental (auquel appartient l'allemand). 1532 ; lat. *Germanicus* ; [ʒɛʀmanik].

**GERMANISANT, ANTE, adj. et subst.**
ADJ. Qui s'intéresse à tout ce qui est germanique, allemand ; empl. subst. personne **germanisante**. SUBST. Germaniste. 1872 ; p. pr. de *germaniser* ; [ʒɛʀmanizɑ̃, ɑ̃t].

**GERMANISATION, subst. f.**
Action de germaniser, fait d'être germanisé. 1875 ; ☞ *germaniser* ; [ʒɛʀmanizasjɔ̃].

**GERMANISER, verbe trans. [3]**
**1.** Donner une forme germanique à (un mot). **2.** Imposer à (un peuple) le caractère germanique ; empl. adj. : *Province* ***germanisée***. 1578 ; ☞ *germain* (II) ; [ʒɛʀmanize].

**GERMANISME, subst. m.**
*Ling.* Tournure propre ou empruntée à la langue allemande. 1720 ; ☞ *germanique* ; [ʒɛʀmanism].

**GERMANISTE, subst.**
Spécialiste des langues et de la culture germaniques. 1865 ; ☞ *germanique* ; [ʒɛʀmanist].

**GERMANIUM, subst. m.**
*Chim.* Métal rare, élément n° 32 de la table de Mendeleïev (symb. : Ge) ; masse atomique : 72,59 ; point de fusion : 940 °C ; point d'ébullition : 2 830 °C ; masse volumique : 5,32 g/cm³. C'est un métal gris, cassant, chimiquement proche de deux non-métaux, le carbone et le silicium. 1885 ; topon. lat. *Germania*, « Germanie » ; [ʒɛʀmanjɔm].

**GERMANOPHILE, adj.**
Qui éprouve de la sympathie, de l'intérêt pour l'Allemagne et la culture allemande ; empl. subst., personne **germanophile**. 1894 ; formé de *germano-* et de *-phile* ; [ʒɛʀmanɔfil].

**GERMANOPHOBE, adj.**
Qui est hostile à l'Allemagne et aux Allemands ; empl. subst., personne **germanophobe**. 1894 ; formé de *germano-* et de *-phobe* ; [ʒɛʀmanɔfɔb].

**GERMANOPHONE, adj.**
De langue allemande ; empl. subst., personne **germanophone**. V. 1940 ; formé de *germano-* et de *-phone* ; [ʒɛʀmanɔfɔn].

**GERME, subst. m.**
**I. 1.** Élément susceptible de donner la vie ; premier état d'un être vivant. **2.** *Biol.* ▸ Micro-organisme. ▸ Embryon au début de son développement. **3.** *Bot.* Plantule. **II.** Fig. Origine, source. ▸ Loc. *En* ***germe*** : à l'état latent. 1120 ; lat. *germen* ; [ʒɛʀm].

**GERMEN, subst. m.**
*Biol.* Notion théorique inexacte selon laquelle, chez tous les organismes, la lignée germinale est en permanence complètement distincte du soma. 1901 ; lat. *germen*, « germe, bourgeon » ; [ʒɛʀmɛn].

**GERMER, verbe intrans. [3]**
**1.** Pousser un germe au-dehors, en parlant de graines, de bulbes, etc. **2.** Fig. Commencer à se développer. 1120 ; lat. *germinare* ; [ʒɛʀme].

**GERMICIDE, adj.**
Qui détruit les germes ; empl. subst. masc., produit **germicide**. 1784 ; ☞ *germe* + *-cide* ; [ʒɛʀmisid].

**GERMINAL, ALE, AUX, subst. m. et adj.**
SUBST. *Hist.* Septième mois du calendrier républicain (du 21 ou 22 mars au 19 ou 20 avril). ADJ. *Biol.* Relatif au germe. 1793 ; lat. *germen*, « germe, bourgeon » ; [ʒɛʀminal, o].

**GERMINATIF, IVE, adj.**
**1.** Relatif à la germination. **2.** *Biol.* Relatif à la lignée germinale. 1551 ; lat. *germinatum*, de *germinare*, « germer, bourgeonner » ; [ʒɛʀminatif, iv].

**GERMINATION, subst. f.**
*Bot.* Développement d'un embryon végétal, mettant fin à la période de la vie latente. 1580 (déb. XVIe s., descendance) ; lat. *germinatio* ; [ʒɛʀminasjɔ̃].

**GERMOIR, subst. m.**
**1.** Récipient où l'on conserve des graines à semer. **2.** Endroit où l'on fait germer l'orge : ***Germoir*** *de brasserie.* 1700 ; ☞ *germer* ; [ʒɛʀmwaʀ].

**GERMON, subst. m.**
*Zool.* Grand poisson de la famille des Thunnidés surtout pêché dans l'Atlantique, aussi appelé thon blanc. 1769 (XIVe s., tanche) ; ☞ *germe* ; [ʒɛʀmɔ̃].

**GÉROMÉ, subst. m.**
Fromage à pâte molle fabriqué dans les Vosges. 1757 ; forme région. du topon. *Gérardmer* (Vosges) ; [ʒeʀɔme].

**GÉRONDIF, subst. m.**
*Gramm.* **1.** En latin, forme déclinée de l'infinitif. **2.** En français, participe présent précédé de la préposition « en » (elle peut être sous-entendue), qui complète le verbe principal en exprimant une circonstance (par ex. : « Il sifflotait en marchant » ; « Chemin faisant, il la rencontra »). 1464 ; lat. *gerundium*, de *gerere*, « accomplir » ; [ʒeʀɔ̃dif].

**GÉRONTE, subst. m.**
**1.** *Antiq. gr.* Nom donné, à Sparte, aux membres du Sénat, éligibles à partir de soixante ans. **2.** *Théâtre.* Vieillard naïf qu'il est facile d'abuser. 1704 ; gr. *gerôn*, « vieillard » ; [ʒeʀɔ̃t].

**GÉRONTOCRATIE, subst. f.**
Gouvernement exercé par des vieillards. 1825 ; formé de *géronto-* et de *-cratie* ; [ʒeʀɔ̃tɔkʀasi].

**GÉRONTOLOGIE, subst. f.**
Étude du vieillissement, sous ses aspects biologiques, psychologiques, sociaux, économiques, etc. 1955 ; formé de *géronto-* et de *-logie* ; [ʒeʀɔ̃tɔlɔʒi].

**GÉRONTOLOGUE, subst.**
Spécialiste de la gérontologie. Mil. XXe s. ; ☞ *gérontologie* ; [ʒeʀɔ̃tɔlɔg].

**GÉRONTOPHILIE, subst. f.**
Attirance sexuelle pour les vieillards. 1909 ; formé de *géronto-* et de *-philie* ; [ʒeʀɔ̃tɔfili].

**GERRIS, subst. m.**
*Zool.* Insecte hétéroptère à longues pattes, marchant rapidement à la surface des eaux stagnantes. 1872 ; lat. *gerres*, petit poisson de mer ; [ʒeʀis].

**GERSEAU, subst. m.**
*Mar.* Filin de soutien d'une poulie. 1678 ; prob. altér. de *herseau* (vx), dimin. de *herse* ; [ʒɛʀso].

**GERZEAU, subst. m.**
Vieilli. Plante parasite du blé (synon. *nielle des blés*). Déb. XIIIe s. ; dial. de l'Ouest ou du Centre ; [ʒɛʀzo].

**GÉSIER, subst. m.**
Troisième poche de l'estomac des oiseaux, dans laquelle les aliments sont broyés. Situé en arrière de la poche où sont produits les sucs gastriques, le **gésier** est un lieu de broyage, mais aussi d'attaque chimique des aliments. Déb. XIIIe s. (mil. XIIe s., foie) ; lat. *gigeria*, « entrailles de volaille » ; [ʒezje].

**GÉSINE, subst. f.**
État d'une femme en train d'accoucher (vx) : *Être en* ***gésine***, en couches. Fin XIIe s. ; lat. pop. °*jacina*, « couche », du lat. *jacere*, « être couché » ; [ʒezin].

**GÉSIR,** verbe intrans. [35]
**1.** Être étendu, en parlant d'une personne : *Les réfugiés **gisaient** à même le sol* ; être enterré : *Ci-**gît**...*, formule d'épitaphe. ▸ Ext. Être à terre : *Des panneaux renversés **gisaient** sur la route.* **2.** Fig. Résider (dans) : *Toute la sagesse du monde **gît** dans cet aphorisme.* Mil. XE s. ; lat. *jacere,* « être couché » ; verbe défectif ; [ʒeziʀ].

**GESSE,** subst. f.
*Bot.* Plante vivace de la famille des Fabacées, dont les graines peuvent être toxiques, surtout dans les pays chauds : *Gesse odorante,* plante d'agrément, appelée aussi pois de senteur. Fin XIe s. ; prov. *gieissa,* p.-ê. du lat. *faba Aegyptia,* « fève d'Égypte » ; [ʒɛs].

**GESTALTISME,** subst. m.
*Philos.* Conception, théorisée par Köhler, Wertheimer et Koffka, selon laquelle la compréhension d'un phénomène, parce qu'il constitue une unité autonome possédant ses lois propres, n'est pas réductible à l'analyse de ses parties (synon. *théorie de la forme*). 1946 ; all. *Gestalt,* « forme », d'apr. *Gestalttheorie,* « théorie de la forme » ; [gɛʃtaltism].

**GESTALT-THÉRAPIE,** subst. f.
*Psychol.* Thérapie dont l'objet est la mobilisation des ressources de l'individu, lui permettant la mise en évidence de ses contradictions. V. 1960 ; angl. *gestalt therapy* ; plur. *gestalt-thérapies* ; [gɛʃtaltteʀapi].

**GESTATION,** subst. f.
**1.** *Zool.* Chez une femelle vivipare, période qui s'étend de la conception à l'accouchement, correspondant à la grossesse chez la femme : *La **gestation** dure 21 jours chez la souris et 24 mois environ chez l'éléphant.* **2.** Fig. Travail d'élaboration d'une œuvre, d'un projet : *La **gestation** d'un roman.* 1537 ; lat. *gestatio,* « action de porter » ; [ʒɛstasjɔ̃].

**GESTATOIRE,** adj.
*Chaise **gestatoire*** : chaise à porteurs utilisée par les papes jusqu'à Paul VI. 1531 ; lat. *gestatorius,* « qui sert à porter » ; [ʒɛstatwaʀ].

**GESTE (I),** subst. f.
**1.** *Litt.* Ensemble de poèmes épiques du Moyen Âge relatant les exploits d'un héros : *La **geste** du roi Arthur* ; *Une chanson de **geste**,* l'un de ces poèmes. **2.** Loc. *Les faits et **gestes** de qqn* : les moindres détails de sa conduite. Déb. XIIe s. ; lat. *gesta,* « exploits », de *gerere,* « accomplir » ; [ʒɛst].

**GESTE (II),** subst. m.
**1.** Mouvement du corps qui traduit la manière d'être ou de faire de qqn : *Faire un **geste** d'impatience* ; *Le **geste** auguste du semeur.* **2.** Fig. *Faire un **geste*** : faire un acte de générosité. Déb. XIIIe s. ; lat. *gestus* ; [ʒɛst].

**GESTICULANT, ANTE,** adj.
Qui gesticule : *Des boursiers affairés et **gesticulants**.* 1769 ; p. pr. de *gesticuler* ; [ʒɛstikylɑ̃, ɑ̃t].

**GESTICULATION,** subst. f.
Action de gesticuler. 1552 (1495, mouvement rapide) ; lat. *gesticulatio* ; [ʒɛstikylasjɔ̃].

**GESTICULER,** verbe intrans. [3]
Faire beaucoup de grands gestes en tous sens, s'agiter à l'excès. 1578 ; lat. *gesticulari* ; [ʒɛstikyle].

**GESTION,** subst. f.
**1.** Action, manière de gérer une administration, une entreprise, un département et, par ext., ses propres affaires : ***Gestion** du personnel.* **2.** *Dr.* ▸ Administration d'un patrimoine par le représentant légal de son possesseur. ▸ ***Gestion** d'affaires* : fait de s'occuper des intérêts d'autrui sans en avoir reçu mandat. **3.** *Fin.* *Compte de **gestion*** : ensemble des opérations comptables effectuées pendant l'année budgétaire. **4.** *Informat.* *Système de **gestion** de base de données (S. G. B. D.)* : logiciel permettant de créer, de faire évoluer et d'interroger une base de données. 1481 ; lat. *gestio* ; [ʒɛstjɔ̃].

**GESTIONNAIRE,** adj. et subst.
Se dit d'une personne chargée de gérer une affaire. **Adj.** Relatif à une gestion : *Bilan **gestionnaire**.* **Subst. masc. 1.** *Informat.* Logiciel effectuant la gestion d'un périphérique ou d'informations. **2.** *Milit.* Officier ou sous-officier responsable de la gestion d'un établissement militaire ou d'un service des armées. 1874 ; ☞ *gestion* ; [ʒɛstjɔnɛʀ].

**GESTIQUE,** subst. f.
Ensemble de gestes obéissant à un code : *La **gestique** des sourds-muets.* V. 1960 ; ☞ *geste* (II) ; [ʒɛstik].

**GESTUALITÉ,** subst. f.
*Sémiologie.* Ensemble des gestes, mouvements et postures considérés sur le plan de leur signification, et qui diffère selon les cultures (synon. *gestique*) : *La **gestualité** des danseurs japonais.* V. 1960 ; ☞ *gestuel* ; [ʒɛstɥalite].

**GESTUEL, ELLE,** adj. et subst. f.
**Adj. 1.** Relatif aux gestes. **2.** *B.-a.* *Peinture **gestuelle*** : tendance picturale née dans les années cinquante, qui utilise la dynamique du geste de l'artiste pour produire une peinture gén. abstraite, et qui est représentée notamment par Georges Mathieu, avec l'« abstraction lyrique », et Jackson Pollock, adepte de l'*action painting.* **Subst.** Ensemble des gestes expressifs propres à un individu : *La **gestuelle** d'un acteur.* 1945 ; ☞ *geste* (II), d'apr. *manuel* ; [ʒɛstɥɛl].

**GEWURZTRAMINER,** subst. m.
Vin blanc d'Alsace, à la saveur très fruitée. Fin XIXe s. ; all. *gewürzt,* « épicé », et *Traminer,* cépage blanc ; [gevyʀtstʀaminɛʀ].

**GEYSER,** subst. m.
**1.** Source éruptive d'eau chaude d'origine volcanique, dont le jaillissement intermittent est déclenché par la pression de la vapeur d'eau accumulée dans le siphon. **2.** Anal. Projection en forme de gerbe : *Les obus faisaient jaillir des **geysers*** (Cendrars). 1783 ; topon. *Geysir,* source chaude d'Islande ; [ʒɛzɛʀ].

© J. Valentin-Explorer

*Geyser dans le parc de Yellowstone (États-Unis).*

**GHAZEL,** subst. m.
*Litt.* Dans la poésie persane et arabe, courte pièce lyrique, de forme rigoureuse, célébrant l'amour. 1694 ; ar. *ġazal* ; [gazɛl].

**GHETTO,** subst. m.
**1.** Quartier, dans certaines villes d'Europe, où les Juifs étaient forcés de résider, du Moyen Âge au XIXe s. et à l'époque nazie : *La révolte du **ghetto** de Varsovie.* **2.** Anal. Lieu où une minorité défavorisée vit isolée du reste de la population : *Le **ghetto** noir de Brooklyn, à New York.* **3.** Fig. Situation de ségrégation ou de marginalité : *Un **ghetto** économique.* 1536 ; topon. ital. *Ghetto,* île vénitienne où l'on relégua les Juifs au XVIe s., de *ghet(t)o,* « fonderie pour bombardes » ; [geto].

**GHILDE,** voir **GUILDE**

**GIAOUR,** subst. m.
Terme méprisant désignant les non-musulmans en Turquie : *« Le **Giaour** », poème de Byron.* 1542 ; turc *gâvur,* « infidèle » ; [ʒjauʀ].

**GIBBEUX, EUSE,** adj.
**1.** Qui présente une ou plusieurs gibbosités. **2.** Anal. D'une forme bombée : *Lune **gibbeuse**,* dont la partie visible est plus importante que la partie obscure. XVe s. ; bas lat. *gibbosus* ; [ʒibø, øz].

**GIBBON,** subst. m.
*Zool.* Singe des forêts d'Asie tropicale, sans queue et aux bras très longs, qui le rendent très agile. C'est le plus petit des anthropoïdes (env. 1 m). 1766 ; dial. d'Inde orientale ; [ʒibɔ̃].

**GIBBOSITÉ,** subst. f.
**1.** *Pathol.* Déformation de la colonne vertébrale, formant une bosse. **2.** Anal. Saillie arrondie (littér.). 1314 ; bas lat. *gibbosus,* « gibbeux » ; [ʒibozite].

**GIBECIÈRE,** subst. f.
**1.** Sac en toile ou en cuir, porté en bandoulière, où les pêcheurs et, surtout, les chasseurs enferment leurs prises. **2.** Anal. ▸ Cartable d'écolier porté à l'épaule ou sur le dos (vieilli). ▸ Sac féminin en forme de **gibecière**. Fin XIIIe s. ; anc. fr. *gibiez,* « chasse aux oiseaux » ; [ʒib(ə)sjɛʀ].

**GIBELET,** subst. m.
Petite vrille utilisée pour percer les tonneaux de [...] afin d'en goûter le contenu. 1412 ; var. rég. (Ouest) de l'anc. fr. *wimbelquin,* « vilebrequin » ; [ʒi...]

**GIBELIN, INE,** subst. et adj.
*Hist.* **Subst.** Dans l'Italie du bas Moyen Âge et [de] la Renaissance, partisan de l'empereur romain [...] manique, opposé au guelfe, qui soutenait la [pa]pauté. **Adj.** Relatif aux **gibelins**. 1339 ; ital. *gh[ibel]lino,* de l'all. *Waiblingen,* château de Frédéric II ; [ʒiblɛ̃...]

**GIBELOTTE,** subst. f.
*Cuis.* Fricassée de lapin au vin blanc. 1617 ; fr. *gibelet,* « plat d'oiseaux » ; [ʒiblɔt].

**GIBERNE,** subst. f.
*Arm.* Boîte à cartouches, portée à la ceinture ou [en] bandoulière par les soldats, du XVIIe au XIXe [s.] 1573 ; prob. bas lat. *zaberna* ; [ʒibɛʀn].

**GIBET,** subst. m.
**1.** Vx. Bâton servant d'arme. **2.** Potence où [l'on] exécute les condamnés à la pendaison. ▸ Fourc[hes] patibulaires où l'on suspendait les supplic[iés]. **3.** Méton. Lieu où se dresse la potence : *Le g[ibet] de Montfaucon.* 1155 ; anc. bas frq. °*gibb,* « b[âton] fourchu » ; [ʒibɛ].

**GIBIER,** subst. m.
**1.** Ensemble des animaux que l'on prend à [la] chasse : *Gros, petit **gibier**.* **2.** Méton. Viande [de] gibier : ***Gibier** faisandé.* **3.** Fig. Personne qui es[t la] proie d'un séducteur, d'un escroc ou qui [est] recherchée par la police. ▸ Loc. ***Gibier** de poten[ce]* : mauvais sujet. 1539 (1377, chair d'oise[aux] chassés) ; anc. fr. *gibiez,* « chasse aux oiseaux », de l'[anc.] bas frq. °*gabaiti,* « chasse au faucon » ; [ʒibje].

**GIBOULÉE,** subst. f.
Averse, souvent accompagnée de grêle : ***Gibou[lées]** de mars.* 1548 ; orig. obsc. ; [ʒibule].

**GIBOYEUX, EUSE,** adj.
Riche en gibier : *Une terre, une année **giboye[use]***. 1740 ; *giboyer* (vx), « chasser » ; [ʒibwajø, øz].

**GIBUS,** subst. m.
Chapeau claque. 1834 ; anthropon. *Gibus,* inventeur ; [ʒibys].

**GICLÉE,** subst. f.
Jet éclaboussant. 1852 ; p. p. de *gicler* ; [ʒikle].

**GICLEMENT,** subst. m.
Fait de gicler ; son résultat. 1918 ; ☞ *gic[ler]* ; [ʒikləmɑ̃].

**GICLER,** verbe intrans. [3]
Jaillir avec force et en éclaboussant : *L'eau **gicl[e du]** tuyau d'arrosage.* 1542 ; franco-prov. *jicler,* du p[rov.] *gisclar,* « siffler ; pleuvoir, venter » ; [ʒikle].

**GICLEUR,** subst. m.
*Techn.* Petite pièce dont l'orifice calibré sert à ré[gler] le débit d'un fluide : ***Gicleur** de carburat[eur]*. 1907 ; ☞ *gicler* ; [ʒiklœʀ].

**GIFLE,** subst. f.
**1.** Coup donné sur la joue, du plat ou du re[vers] de la main : *Une paire de **gifles**.* **2.** Fig. H[umiliation] cuisante, humiliation : *Recevoir une **gifle** [aux] élections.* 1808 (déb. XIIIe s., joue) ; mot du Nord[...] de l'anc. bas frq. °*kifel,* « mâchoire » ; [ʒifl].

**GIFLER,** verbe trans. [3]
**1.** Frapper d'une gifle. **2.** Fig. Humilier, morti[fier]. 1808 ; ☞ *gifle* ; [ʒifle].

**GIGANTESQUE,** adj.
**1.** Propre au géant. **2.** D'une taille supérieure [à la] normale : *Tour **gigantesque**.* **3.** Fig. Démesuré : ***gigantesque** projet.* 1598 ; ital. *gigantesco,* de [gi]*gante,* « géant » ; [ʒigɑ̃tɛsk].

**GIGANTISME,** subst. m.
**1.** Développement démesuré du corps d'un i[ndi]vidu. **2.** Fig. Caractère de ce qui est gigantesq[ue] : *Le **gigantisme** d'une multinationale.* Mil. XVIIIe [s.] ; lat. *Gigas,* héros mythologique ; [ʒigɑ̃tism].

**GIGANTOMACHIE,** subst. f.
*Myth.* Combat des Géants contre les dieux gr[ecs] ; par méton., œuvre qui en fait son sujet. 16[...] ; lat. *gigantomachia,* du gr. *gigantomakhia,* de *Gigas,* h[éros] mythologique, et de *makhê,* « combat » ; [ʒigɑ̃tɔm...]

**GIGOGNE,** adj. et subst. f.
**Subst.** *Une mère **Gigogne*** : une mère de fam[ille] nombreuse. **Adj.** Qualifie un ensemble d'élém[ents] similaires de taille décroissante pouvant s'embo[îter] les uns dans les autres : *Poupées **gigognes*** ; *Va[lises]* ***gigognes**.* 1842 ; *Dame Gigogne,* marionnette c[réée] en 1602 et qui figure une géante abritant sous ses ju[pes] une kyrielle d'enfants, prob. altér. de *cigogne* ; [ʒig...]

**GIGOLETTE, subst. f.**
.m. et Vieilli. Prostituée ; jeune fille dévergondée. 1864 ; ☞ *gigue* (II), p.-ê. d'apr. l'angl. *giglet* ; [ʒigɔlɛt].

**GIGOLO, subst. m.**
Vx. Amant d'une gigolette. **2.** Anal. Jeune homme ،ant d'une femme plus âgée, qui l'entretient .m.). ◘ 1850 ; prob. *gigolette* ; [ʒigɔlo].

**GIGOT, subst. m.**
Cuisse d'agneau, de mouton, de chevreuil, cou- : pour la consommation : *Un gigot aillé.* **2.** Ext. ،isse, jambe d'une personne (fam.). **3.** Anal. *Cost.* *anche (à) gigot* : manche bouffante au niveau de paule, ajustée à partir de l'avant-bras. ◘ XV^e s. ; *gigue* (I), par anal. de forme ; [ʒigo].

**GIGOTER, verbe intrans.** [3]
ter les jambes et, par ext., tout le corps (fam.). 1694 ; *giguer* (vx), « sauter », de *gigue* (II) ; [ʒigɔte].

**GIGUE (I), subst. f.**
*ıs.* Instrument à cordes frottées, ressemblant à mandoline. ◘ Déb. XII^e s. ; anc. haut all. *gīga* ; [ʒig].

**GIGUE (II), subst. f.**
Fam. Jambe ; par méton., grande fille maigre. Cuisse de certains animaux, en partic. du che- :uil (synon. *cuissot, gigot*). ◘ 1650 ; ☞ *gigot* ; [ʒig].

**GIGUE (III), subst. f.**
ınse vive, venue d'Angleterre ou d'Irlande ; air de te danse. ▸ Ext. *Danser la gigue* : se trémousser. 1650 ; angl. *jig*, p.-ê. du fr. *gigue* (I) ; [ʒig].

**GILET, subst. m.**
Vêtement masculin sans manches, à boutons, rté sous le veston. **2.** Ext. Tricot à manches ıgues, boutonné sur le devant, habillant le haut corps. **3.** *Spéc.* ▸ *Arm.* ***Gilet d'armes*** : veste de ıilles protégeant des coups d'épée (vx) ; ***Gilet re-balles*** : formé de plaques de métal sur lesquelles ochent les balles. ▸ *Mar.* ***Gilet de sauvetage*** : gilet nflable ou en matériau insubmersible, qui empê- : de couler. ◘ 1664 ; ar. d'Afrique du Nord *ǧalīka*, turc *yelek* ; [ʒilɛ].

**GILETIER, IÈRE, subst.**
Personne qui confectionne des gilets. **Fém.** Chaî- tte de montre, en or, que l'on attache à la utonnière du gilet. ◘ 1828 ; ☞ *gilet* ; [ʒil(ə)tje, jɛʀ].

**GILLE, subst. m.**
Type du niais, dans la comédie burlesque (vx). Anal. Nigaud, benêt. **3.** Belg. Personnage bossu carnaval de Binche, ceinturé de grelots et portant haut couvre-chef emplumé. ◘ XVII^e s. ; *Gilles le* *ıis*, pseudonyme d'un acteur qui se produisait à Paris 1640 ; var. *gilles* ; [ʒil].

**GIMMICK, subst. m.**
ıdget visant à attirer l'attention (anglic.) : ***Gim-ck publicitaire.*** ◘ V. 1970 ; anglo-amér. *gimmick*, stuce utilisée pour tricher au jeu » ; [gimik].

**GIN, subst. m.**
u-de-vie de grain (orge, avoine ou blé) aromatisée ɛc des baies de genièvre. ◘ 1759 ; angl. *gin*, de *ıeva*, du néerl. *genever*, « genièvre » ; [dʒin].

**GINDRE, subst. m.**
ıvrier boulanger (vx). ◘ Déb. XII^e s. ; lat. *junior*, de *enis*, « jeune » ; var. *geindre* (II) ; [ʒɛ̃dʀ].

**GINGEMBRE, subst. m.**
t. Nom courant d'une plante de la famille des ıgibéracées, dont le rhizome aromatique est uti- é comme condiment. ◘ Fin XI^e s. ; lat. *zingiberi*, gr. *ziggiberis*, d'orig. indienne ; [ʒɛ̃ʒɑ̃bʀ].

**GINGIVAL, ALE, AUX, adj.**
latif aux gencives : ***Pâte gingivale.*** ◘ 1837 ; lat. *giva*, « gencive » ; [ʒɛ̃ʒival, o].

**GINGIVITE, subst. f.**
*thol.* Inflammation des gencives. ◘ 1832 ; lat. *giva*, « gencive », + *-ite* ; [ʒɛ̃ʒivit].

**GINGUET, subst. m.**
m. et Vieilli. Vin un peu aigre, acide ; empl. adj. : ı *rosé* ***ginguet.*** ◘ 1568 ; anc. fr. *ginguer*, var. de *uer*, « sauter » ; var. *ginglard, ginglet* ; [ʒɛ̃gɛ].

**GINKGO, subst. m.**
t. Arbre type et seul représentant de la famille des nkgoacées, appelé parfois arbre aux écus, qui usse en Chine et au Japon, où on le tient pour sacré. mesure de 30 à 40 m de haut, et son diamètre peut teindre 1 m. ◘ 1786 ; mot jap. ; [ʒiŋko] ou [ʒɛ̃ko].

**GIN-RUMMY, subst. m.**
ı de cartes se jouant à deux, variante du rami. V. 1960 ; mot anglo-amér. ; plur. *gin-rummys*, var. *-rami* (plur. *gin-ramis*) ; [dʒinʀœmi].

**GINSENG, subst. m.**
*Bot.* **1.** Plante de la famille des Araliacées. **2.** Méton. Sa racine, tonique et aphrodisiaque. ◘ 1663 ; chinois *renshen*, « homme-plante » ; [ʒinsɛŋ] ou [ʒɛ̃sɑ̃g].

**GIORNO (A), voir A GIORNO**

**GIRAFE, subst. f.**
**1.** *Zool.* Ruminant d'Afrique, de la famille des Giraffidés, au très long cou, dont la taille atteint 6 m de haut et qui peut rester longtemps sans boire. ▸ Loc. *Peigner la girafe* : perdre son temps (fam.). **2.** *Audiov.* Longue perche munie d'un microphone. ◘ 1298 ; ital. *giraffa*, de l'ar. *zarāfa* ; [ʒiʀaf].

**GIRAFEAU, subst. m.**
Petit de la girafe. ◘ 1874 ; ☞ *girafe* ; var. *girafon* ; [ʒiʀafo].

**GIRANDOLE, subst. f.**
**1.** Faisceau de jets d'eau ; gerbe tournante, dans un feu d'artifice. **2.** Chandelier pyramidal dont les branches portent des pendeloques de cristal. **3.** *Joaill.* Pendant d'oreilles formé de pierres précieuses. **4.** Ext. Guirlande lumineuse. ◘ 1571 ; ital. *girandola*, de *girare*, « tourner » ; [ʒiʀɑ̃dɔl].

**GIRASOL, subst. m.**
**1.** *Minér.* Variété d'opale bleutée employée en joaillerie, qui s'irise aux reflets du soleil. **2.** Tournesol (région. ou vx). ◘ 1562 (1505, chicorée sauvage) ; ital. *girasole*, « tournesol », de *girare*, « tourner », et de *sole*, « soleil » ; [ʒiʀasɔl].

**GIRATION, subst. f.**
Mouvement giratoire. ◘ 1377 ; bas lat. *gyratum*, de *gyrare*, « faire tourner » ; [ʒiʀasjɔ̃].

**GIRATOIRE, adj.**
Qui pivote sur lui-même ; qui décrit un cercle : *Mouvement* ***giratoire.*** ▸ ***Sens giratoire obligatoire*** : sens imposé aux véhicules contournant un rond-point. ◘ 1773 ; bas lat. *gyratum*, de *gyrare*, « faire tourner » ; [ʒiʀatwaʀ].

**GIRAUMONT, subst. m.**
*Bot.* Courge d'Amérique ayant pour variété le **giraumont** turban. ◘ 1614 ; tupi °*jirumum* ; var. *giraumon* ; [ʒiʀomɔ̃].

**GIRAVION, subst. m.**
*Aéron.* Aéronef dont la sustentation est assurée par des voilures tournantes. ◘ V. 1960 ; crois. de *giration* et de *avion* ; [ʒiʀavjɔ̃].

**GIRELLE, subst. f.**
*Zool.* Poisson aux couleurs vives, de la famille des Labridés, commun en Méditerranée. ◘ 1561 ; prov. *girello*, du lat. *gyrus*, « cercle » ; [ʒiʀɛl].

**GIRIES, subst. f. plur.**
Fam. **1.** Jérémiades sans objet (vx). **2.** Manières affectées. ◘ 1790 ; anc. fr. *girer*, du bas lat. *gyrare*, « faire tourner » ; [ʒiʀi].

**GIRL, subst. f.**
Danseuse de revue, de music-hall. ◘ 1913 (1888, jeune Anglaise) ; angl. *girl*, « jeune fille » ; [gœʀl].

**GIRODYNE, subst. m.**
*Aéron.* Giravion dont la sustentation et la propulsion sont assurées par deux moteurs différents. ◘ Mil. XX^e s. ; bas lat. *gyrare*, « faire tourner » + *-dyne* ; [ʒiʀodin].

**GIROFLE, subst. m.**
Bouton floral du giroflier qui, desséché, sert d'épice sous le nom de clou de **girofle**. ◘ Mil. XII^e s. ; lat. *caryophyllon*, du gr. *karuophullon* ; [ʒiʀɔfl].

**GIROFLÉE, subst. f.**
**1.** *Bot.* Plante vivace herbacée de la famille des Brassicacées, aux fleurs odorantes. **2.** ***Giroflée (à cinq feuilles)*** : gifle qui laisse la marque des doigts (fam.). ◘ 1393 ; *giroflé* (vx), « parfumé au girofle » ; [ʒiʀɔfle].

**GIROFLIER, subst. m.**
*Bot.* Arbre tropical de la famille des Myrtacées, dont les boutons floraux donnent les clous de girofle. ◘ 1372 ; ☞ *girofle* ; [ʒiʀɔflije].

**GIROLLE, subst. f.**
*Bot.* Champignon jaune orangé, au goût apprécié, appelé aussi chanterelle. ◘ Déb. XVI^e s. ; p.-ê. anc. prov. *giroilla*, du lat. *gyrus*, « cercle » ; [ʒiʀɔl].

**GIRON, subst. m.**
**1.** Vx. Pan de vêtement taillé en pointe. **2.** Espace compris entre la taille et les genoux d'une personne assise : *Se réfugier dans le* ***giron*** *maternel.* **3.** Fig. ***Rentrer dans le giron de*** : réintégrer (une communauté, un groupe qu'on avait quitté). **4.** *Spéc.* ▸ *Archit.* Partie horizontale d'une marche d'escalier. ▸ *Hérald.* Triangle dont la pointe est au centre de l'écu. ◘ Mil. XII^e s. ; anc. bas frq. °*gēro*, « pan coupé en pointe » ; [ʒiʀɔ̃].

**GIROND, ONDE, adj.**
Fam. **1.** Qui a un corps harmonieux. **2.** Qualifie une femme aux formes épanouies. ◘ 1815 ; p.-ê. lat. *gyrus*, « cercle », d'apr. *ronde* ; [ʒiʀɔ̃, ɔ̃d].

**GIRONDIN, INE, adj. et subst.**
De la Gironde. **Subst. masc.** *Hist.* Membre de la Gironde, parti animé notamment par Brissot et Vergniaud, sous la Législative et au début de la Convention (synon. *brissotin*) ; empl. adj. : *Le parti* ***girondin.*** ◘ 1792 ; topon. *Gironde* ; [ʒiʀɔ̃dɛ̃, in].

**GIRONNÉ, ÉE, adj.**
**1.** *Hérald.* ***Écu gironné*** : divisé en triangles à émaux alternés. **2.** *Archit.* ***Marche, tuile gironnée*** : dont une extrémité est plus étroite que l'autre. ◘ Fin XIII^e s. (fin XII^e s., qui a des pans coupés en biais, en parlant d'un vêtement) ; ☞ *giron* ; [ʒiʀɔne].

**GIROUETTE, subst. f.**
**1.** Silhouette de métal qui pivote sur un axe sous l'effet du vent, indiquant ainsi sa direction. **2.** Fig. Personne inconstante. ◘ 1501 ; crois. de *girer*, « tourner », et de *pirouette* ; [ʒiʀwɛt].

**GISANT, ANTE, adj. et subst. m.**
**Adj.** Qui est étendu immobile (littér.). **Subst.** Statue funéraire figurant le défunt couché sur le dos (par oppos. à *orant*). ◘ 1260 ; p. pr. de *gésir* ; [ʒizɑ̃, ɑ̃t].

**GISEMENT, subst. m.**
**1.** *Mar.* Angle que fait une direction donnée avec l'axe d'un navire : ***Gisement d'une direction***, angle que fait cette direction avec la direction du nord, compté dans le sens des aiguilles d'une montre. **2.** *Minér.* Disposition des couches minérales dans le sous-sol ; par ext., masse minérale exploitable : *Un* ***gisement*** *d'or, de pétrole.* **3.** Fig. Matériau, potentiel humain exploitable : ***Gisement*** *d'informations* ; ***Gisement*** *d'audience.* ◘ 1632 (fin XII^e s., action de se coucher) ; ☞ *gésir* ; [ʒizmɑ̃].

**GITAN, ANE, subst.**
Rom (Tsigane) d'Espagne et du sud de la France ; empl. adj. : *Une fête* ***gitane.*** **Fém.** Cigarette, brune à l'origine, de la Régie française des tabacs. ◘ 1784 (1661, égyptien) ; esp. *gitano* ; [ʒitɑ̃, an].

**GÎTE, subst.**
**Masc. 1.** Endroit, logement où l'on couche (littér. et vieilli). ▸ ***Gîte rural*** : logement à la campagne destiné à la location et aménagé selon des normes. **2.** Lieu où s'abrite un lièvre. **3.** *Bouch.* Partie inférieure de la cuisse du bœuf. **4.** *Minér.* Gisement. **Fém.** *Mar.* **1.** Lieu d'échouage d'un navire (vx). **2.** Bande, inclinaison latérale d'un navire qui gîte. ◘ Fin XII^e s. ; ☞ *gésir* ; [ʒit].

**GÎTER, verbe intrans.** [3]
**I. 1.** Habiter, demeurer (littér. et vieilli). **2.** Être au gîte, en parlant d'un lièvre. **II.** *Mar.* **1.** Reposer sur le flanc, être échoué (vx). **2.** S'incliner sur un bord. ◘ Déb. XIII^e s. ; ☞ *gîte* ; [ʒite].

**GITON, subst. m.**
Mignon, jeune homme entretenu par un homosexuel (littér.). ◘ 1714 ; lat. *Gito*, personnage du *Satiricon*, de Pétrone ; [ʒitɔ̃].

**GIVRAGE, subst. m.**
Formation de givre sur une surface exposée au froid. ◘ 1939 ; ☞ *givrer* ; [ʒivʀaʒ].

**GIVRANT, ANTE, adj.**
Qui givre : ***Brouillards givrants.*** ◘ Mil. XX^e s. ; p. pr. de *givrer* ; [ʒivʀɑ̃, ɑ̃t].

*Boutons floraux de giroflier.*

© M. Viard-Jacana

**GIVRE, subst. m.**
Fine couche de glace provenant de la cristallisation, au contact d'un corps solide, des gouttelettes d'eau en surfusion. XV$^{e}$ s. ; prélatin °*gev(e)ro* ; [ʒivʀ].

**GIVRÉ, ÉE, adj.**
**1.** Couvert de givre. ▸ *Fruit* ***givré*** : sorbet fait avec la pulpe de ce fruit, servi dans son écorce **givrée**. **2.** Fig. Fou (fam.). 1845 ; p. p. de *givrer* ; [ʒivʀe].

**GIVRER, verbe trans. [3]**
**1.** Recouvrir de givre. **2.** Anal. Recouvrir d'une substance qui rappelle le givre. 1845 ; ☞ *givre* ; [ʒivʀe].

**GIVREUX, EUSE, adj.**
*Joaill.* Qualifie une pierre précieuse abîmée par une givrure. 1829 ; ☞ *givre* ; [ʒivʀø, øz].

**GIVRURE, subst. f.**
*Joaill.* Tache blanche laissée par l'outil du lapidaire sur une pierre précieuse. 1755 ; ☞ *givre* ; [ʒivʀyʀ].

**GLABELLE, subst. f.**
*Anat.* Espace compris entre les sourcils. 1806 ; lat. *glabellus*, de *glaber*, « glabre » ; [glabɛl].

**GLABRE, adj.**
**1.** Dépourvu de poils : *Joues* ***glabres***. **2.** *Bot.* Sans duvet ni poils : *Les feuilles* ***glabres*** *de la tulipe.* 1548 ; lat. *glaber* ; [glabʀ].

**GLAÇAGE, subst. m.**
**1.** *Techn.* Action de donner un aspect lisse et brillant à un objet, à une étoffe. **2.** *Cuis.* Action de couvrir un mets d'une couche de fondant ou de gelée. 1857 ; ☞ *glacer* ; [glasaʒ].

**GLAÇANT, ANTE, adj.**
**1.** Qui glace (vieilli). **2.** Fig. Qui décourage par sa froideur. 1716 ; p. pr. de *glacer* ; [glasɑ̃, ɑ̃t].

**GLACE, subst. f.**
**I. 1.** Eau congelée naturellement ou artificiellement : *Une couche de* ***glace***. **2.** Fig. Raideur impassible, froideur : *Il est resté de* ***glace*** *face à l'adversité.* ▸ Loc. *Rompre la* ***glace*** : dissiper la gêne du premier contact. **3.** Ext. Crème sucrée, aromatisée et congelée : ***Glace*** *à la vanille.* PLUR. Banquise : *La fonte des* ***glaces***. **II. 1.** Plaque de verre poli dont on fait un vitrage ou un miroir. **2.** Miroir. **3.** *Cuis.* Jus de viande réduit ou mélange de sucre et de blanc d'œuf dont on nappe un mets ; en appos. : *Sucre* ***glace***, sucre en poudre très fine. **4.** *Joaill.* Givrure. Mil. XII$^{e}$ s. ; bas lat. *glacia*, du lat. *glacies* ; [glas].

**GLACÉ, ÉE, adj.**
**1.** Durci par le froid. **2.** Aussi froid que la glace : *Une boisson* ***glacée*** ; *Avoir les pieds* ***glacés***. **3.** Fig. Empreint d'une extrême froideur : *Regard* ***glacé*** ; saisi d'une émotion violente : ***Glacé*** *d'épouvante.* **4.** *Cuis.* Recouvert d'un glaçage. **5.** Qui offre l'aspect brillant et lisse de la glace : *Papier* ***glacé***. XII$^{e}$ s. ; p. p. de *glacer* ; [glase].

**GLACER, verbe trans. [4]**
**1.** Transformer (un liquide) en glace. ▸ Loc. ***Glacer*** *le sang* : saisir d'une émotion violente ; empl. pronom. : *Mon sang se* ***glace*** *dans mes veines.* **2.** Durcir par le froid : *Le gel a* ***glacé*** *la terre.* **3.** Rendre très froid : ***Glacer*** *du champagne.* **4.** Pénétrer d'un froid intense : *La bise* ***glace*** *mes mains.* **5.** Fig. Figer par sa froideur : *Son regard nous* ***glaça***. **6.** *Cuis.* Napper (une pâtisserie, une viande) de fondant, de gelée. **7.** Donner un aspect brillant à : ***Glacer*** *un papier, une poterie, une étoffe.* Mil. XII$^{e}$ s. ; lat. *glaciare* ; [glase].

**GLACERIE, subst. f.**
Industrie ou commerce des glaces de verre. 1765 ; ☞ *glace* ; [glasʀi].

**GLACEUR, EUSE, subst.**
*Techn.* Personne employée au glaçage des étoffes, des papiers. FÉM. *Phot.* Machine servant à effectuer le glaçage des épreuves photographiques. 1829 ; ☞ *glacer* ; [glasœʀ, øz].

**GLACIAIRE, adj.**
*Géol.* Relatif aux glaciers : *Une vallée* ***glaciaire***. ▸ *Période* ***glaciaire*** : glaciation quaternaire. 1847 ; lat. *glacies*, « glace » ; [glasjɛʀ].

**GLACIAL, ALE, ALS ou AUX, adj.**
**1.** Extrêmement froid : *Pluie* ***glaciale***. **2.** Fig. D'une froideur paralysante, voire hostile : *Accueil* ***glacial***. 1534 (fin XIV$^{e}$ s., cristallin) ; lat. *glacialis* ; [glasjal, o].

**GLACIATION, subst. f.**
**1.** Transformation en glace. **2.** *Géol.* Chacune des périodes du Primaire et du Quaternaire au cours desquelles la température du globe a baissé considérablement, de sorte que des glaciers de montagne et les calottes polaires ont envahi tous les continents jusqu'aux latitudes tempérées. Fin XVI$^{e}$ s. ; lat. *glacies*, « glace » ; [glasjasjɔ̃].

**GLACIER, subst. m.**
**I.** *Géol.* Grande masse constituée d'épaisses couches de neige que l'accumulation transforme en glace et fait lentement descendre vers la plaine. **II. 1.** Miroitier (vx). **2.** Personne qui fabrique ou vend des glaces et des sorbets. 1757 ; ☞ *glace* ; [glasje].

**GLACIÈRE, subst. f.**
**1.** Vx. Local souterrain dans lequel on conservait la glace. **2.** Ext. Armoire ou récipient maintenu à basse température par de la glace pour assurer la conservation des denrées alimentaires : ***Glacière*** *de camping.* **3.** Fig. Lieu très froid. Mil. XVII$^{e}$ s. ; ☞ *glace* ; [glasjɛʀ].

**GLACIOLOGIE, subst. f.**
*Géophysique.* Étude des glaciers. 1901 ; lat. *glacies*, « glace », + *-logie* ; [glasjɔlɔʒi].

**GLACIOLOGIQUE, adj.**
Relatif, propre à la glaciologie. V. 1900 ; ☞ *glaciologie* ; [glasjɔlɔʒik].

**GLACIOLOGUE, subst.**
Spécialiste en glaciologie. 1901 ; ☞ *glaciologie* ; [glasjɔlɔg].

**GLACIS (I), subst. m.**
**1.** Vx. Pente douce et régulière. **2.** *Fortif.* Talus incliné qui protège un ouvrage fortifié. **3.** *Géol.* Surface d'érosion doucement inclinée au pied d'un relief, typique des climats semi-arides. **4.** *Archit.* Pente ménagée à la saillie d'une corniche pour l'écoulement des eaux. **5.** *Pol.* Ensemble de pays protégeant une puissance dont ils dépendent militairement. 1345 ; *glacer* (vx), « glisser » ; [glasi].

**GLACIS (II), subst. m.**
*Peint.* Enduit transparent, légèrement teinté, que l'on applique sur des couleurs sèches pour leur donner de l'éclat ; au fig. : *Son* ***glacis*** *de culture ne leurrait personne.* 1757 ; ☞ *glacer* ; [glasi].

**GLAÇON, subst. m.**
**1.** Fragment de glace naturelle. **2.** Petit cube de glace artificielle servant à rafraîchir les boissons. **3.** Fig. Personne très réservée et froide (fam.). Fin XII$^{e}$ s. ; ☞ *glace* ; [glasɔ̃].

**GLAÇURE, subst. f.**
*Techn.* Enduit appliqué sur une céramique pour la rendre imperméable et brillante. 1844 ; all. *Glasur* ; [glasyʀ].

**GLADIATEUR, subst. m.**
*Antiq. rom.* Condamné à mort ou engagé volontaire qui combattait dans les jeux contre d'autres hommes ou des bêtes féroces. Fin XIII$^{e}$ s. ; lat. *gladiator*, de *gladius*, « épée » ; [gladjatœʀ].

**GLAGOLITIQUE, adj.**
Qualifie l'écriture du vieux slave utilisée lors de l'évangélisation des Balkans, au XI$^{e}$ s. 1872 ; slavon *glagoli*, « parle », nom de la quatrième lettre de l'alphabet de cette écriture ; [glagɔlitik].

**GLAÏEUL, subst. m.**
*Bot.* Plante à bulbe herbacée, de la famille des Iridacées, aux fleurs en épi et aux feuilles longues et pointues, en forme de glaive. XII$^{e}$ s. ; lat. *gladiolus*, « épée courte » ; [glajœl].

**GLAIRE, subst. f.**
**1.** *Physiol.* Substance visqueuse, plus consistante que le mucus, sécrétée par des muqueuses : *Cracher des* ***glaires***. ▸ ***Glaire*** *cervicale* : sécrétée au niveau du col de l'utérus au moment de la fécondation. **2.** Blanc d'œuf cru (vieilli). **3.** *Reliure.* Blanc d'œuf dont on enduit un cuir avant d'y appliquer la dorure ou pour lui donner de l'éclat (synon. *glairure*). Fin XI$^{e}$ s. ; lat. pop. °*clarea*, du lat. *clarus*, « clair » ; [glɛʀ].

**GLAIRER, verbe trans. [3]**
*Reliure.* Frotter de glaire (la couverture d'un livre). 1680 ; ☞ *glaire* ; [gleʀe].

**GLAIREUX, EUSE, adj.**
**1.** De la nature de la glaire. **2.** Anal. Visqueux. Mil. XIII$^{e}$ s. ; ☞ *glaire* ; [gleʀø, øz].

**GLAIRURE, subst. f.**
*Reliure.* Glaire. 1810 ; ☞ *glairer* ; [glɛʀyʀ].

**GLAISE, subst. f.**
Terre argileuse, imperméable et compacte, utilisée notamment en poterie et en sculpture ; empl. adj. : *Terre* ***glaise***. Fin XI$^{e}$ s. ; gaul. °*gliso* ; [glɛz].

**GLAISER, verbe trans. [3]**
**1.** Enduire de glaise. **2.** Amender (un sol) avec la glaise. 1690 ; ☞ *glaise* ; [gleze].

**GLAISEUX, EUSE, adj.**
Qui contient de la glaise. Déb. XIII$^{e}$ s. ; ☞ *gla*
[glɛzø, øz].

**GLAISIÈRE, subst. f.**
Endroit d'où l'on extrait de la glaise. 17
☞ *glaise* ; [glɛzjɛʀ].

**GLAIVE, subst. m.**
**1.** Épée courte et large, à double tranchant, utili
autrefois, notamment par les gladiateurs. **2.** C
épée, symbole de puissance (littér.) : *Le* ***glaive***
*la Justice.* Déb. XII$^{e}$ s. (fin X$^{e}$ s., lance) ; lat. *glad*
« épée » ; [glɛv].

**GLAMOUR, subst. m.**
Beauté éclatante et sophistiquée, propre à certai
actrices de Hollywood (anglic.). V. 1970 ; a
*glamour*, « séduction » ; [glamuʀ].

**GLANAGE, subst. m.**
Action de glaner. 1596 ; ☞ *glaner* ; [glanaʒ].

**GLAND, subst. m.**
**1.** Fruit du chêne, akène dont la base est enchâs
dans une cupule. **2.** Anal. Ornement ayant la for
d'un **gland**. **3.** *Anat.* Extrémité du pénis. D
XII$^{e}$ s. ; lat. *glans* ; [glɑ̃].

**GLANDE, subst. f.**
**1.** *Anat.* Organe dont la fonction est de prod
des sécrétions et de les déverser soit à l'extéri
du corps ou dans une cavité (**glandes** exocrin
salivaire, lacrymale, etc.), soit dans le sang (**glan**
endocrines : thyroïde, surrénales, etc.), soit d
les deux (foie, rein, etc.). **2.** Ganglion lymphati
enflammé (vieilli et fam.). **3.** Loc. *Avoir les* ***gland***
être énervé ou avoir peur (fam.). Fin XII$^{e}$ s. ;
médiév. *glandula*, du lat. *glans*, « gland » ; [glɑ̃d].

**GLANDÉE, subst. f.**
**1.** Vx. Pâturage des porcs dans les forêts de chên
**2.** Récolte des glands. 1581 ; ☞ *gland* ; [glɑ̃
**GLANDER, verbe intrans. [3]**
**1.** Vx. Produire des glands. **2.** Ne rien faire de pr
(fam.) : *Il* ***glande*** *toute la journée.* Fin XIV$^{e}$
☞ *gland* ; [glɑ̃de].

**GLANDEUR, EUSE, subst.**
Personne qui perd son temps (fam.). V. 19
☞ *glander* ; [glɑ̃dœʀ, øz].

**GLANDULAIRE, adj.**
Relatif aux glandes. 1611 ; *glandule* (vx), « pe
glande » ; [glɑ̃dylɛʀ].

**GLANDULEUX, EUSE, adj.**
**1.** Glandulaire. **2.** *Bot.* Qui possède des glandes :
*crins* ***glanduleux*** *d'une plante aromatique.* 13
lat. *glandulosus* ; [glɑ̃dylø, øz].

**GLANE, subst. f.**
**1.** Action de glaner ; par méton., poignée d'
ainsi récoltés. **2.** Ext. Chapelet d'oignons, d'ails,
Déb. XIII$^{e}$ s. ; ☞ *glaner* ; [glan].

**GLANER, verbe trans. [3]**
**1.** Ramasser dans un champ moissonné (les é
qui y ont été laissés). **2.** Fig. Recueillir çà et
grappiller (des informations, des idées, et
Déb. XIII$^{e}$ s. ; bas lat. *glenare*, d'orig. gaul. ; [glar

**GLANEUR, EUSE, subst.**
Personne qui glane. 1291 ; ☞ *glaner* ; [glanœʀ,

**GLANURE, subst. f.**
Ce que l'on glane (vx). 1562 ; ☞ *glaner* ; [glan

**GLAPIR, verbe intrans. [19]**
**1.** Pousser des cris aigus et brefs : *L'épervier, le la*
*et le renard* ***glapissent***. **2.** Anal. Crier d'une v
aigre ; empl. trans. : ***Glapir*** *des reproches.* D
XIII$^{e}$ s. ; altér. de *glatir*, p.-ê. d'apr. *japper* ; [glapiʀ].

**GLAPISSANT, ANTE, adj.**
Qui glapit. 1623 ; p. pr. de *glapir* ; [glapisɑ̃,

**GLAPISSEMENT, subst. m.**
Cri aigu d'un animal ou, par anal., d'une persor
qui glapit. 1538 ; ☞ *glapir* ; [glapismɑ̃].

**GLARÉOLE, subst. f.**
*Zool.* Échassier de la famille des Glaréolidés, à
queue fourchue et aux grandes ailes pointues, app
aussi poule des sables ou perdrix de mer. 17
lat. sc. *glareola*, du lat. *glarea*, « gravier » ; [glaʀeɔl].

**GLAS, subst. m.**
Tintement lent d'une cloche d'église, qui anno
une agonie, une mort ou des obsèques. ▸ Loc. *S*
*ner le* ***glas*** *de qqch.* : annoncer la fin de qqch. D

’ s. (mil. XIIe s., sonnerie) ; lat. pop. °*classum*, du lat. *ssicum*, « sonnerie de trompette » ; [glɑ].

**GLASNOST, subst. f.**
st. Politique de transparence menée à la fin des nées 1980 en Union soviétique, dans le cadre de perestroïka. 🕮 V. 1990 ; russe *glasnost'*, de *glasnyj*, endu public » ; [glasnɔst].

**GLASS, subst. m.**
rre d'une boisson alcoolique (argot. et vieilli). 1628 ; all. *Glas*, « verre à boire » ; [glas].

**GLATIR, verbe intrans. [19]**
usser son cri, en parlant de l'aigle. 🕮 Fin XIe s. ; *glattire*, « japper » ; [glatiʀ].

**GLAUCOME, subst. m.**
*thol.* Affection de l'œil, entraînant une baisse de cuité visuelle pouvant aller jusqu'à la cécité, ractérisée par une pression intraoculaire due à xistence d'un obstacle empêchant l'écoulement rmal de l'humeur aqueuse. 🕮 1649 ; lat. *glaucoma*, du gr. *glaukôma*, de *glaukos*, « glauque » ; okom].

**GLAUCONIE, subst. f.**
*inér.* Minéral silicaté vert foncé que l'on trouve ns les roches sédimentaires d'origine marine. Sa te teneur en isotope radioactif de potassium rmet de l'utiliser pour la datation radiochronologue des sédiments qui renferment des cristaux sez abondants. 🕮 1826 ; gr. *glaukon*, de *glaukos*, lauque » ; var. *glauconite* ; [glokɔni].

**GLAUQUE, adj.**
D'un vert pâle ou bleuâtre qui évoque la mer. Ext. Blafard : *Une lumière* ***glauque***. 3. Fig. Lugue ; louche : *L'atmosphère* ***glauque*** *d'un bar*. 🕮 Mil. e s. ; lat. *glaucus*, du gr. *glaukos* ; [glok].

**GLAVIOT, subst. m.**
achat (vulg.). 🕮 1862 ; altér. de *claviot* (vx), du lat. *vus*, « clou », d'apr. *glaire* ; [glavjo].

**GLÈBE, subst. f.**
Vx. Motte de terre. 2. Terre cultivée (littér.). *Féod.* Domaine auquel étaient attachés des serfs. XVe s. ; lat. *gleba* ; [glɛb].

**GLÉCHOME, subst. m.**
t. Plante vivace à fleurs mauves, à tige rampante, mmunément appelée lierre terrestre. 🕮 1816 ; lat. *glechoma*, du gr. *glêkhon* ; var. *glécome* ; [glekom].

**GLÈNE (I), subst. f.**
*ar.* Cordage enroulé sur lui-même. 🕮 XVe s. ; prov. *eno* ; [glɛn].

**GLÈNE (II), subst. f.**
*at.* Petite cavité arrondie d'un os dans laquelle rticule un autre os. 🕮 1561 ; gr. *glênê* ; [glɛn].

**GLÉNER, verbe trans. [8]**
*ar.* Lover (un cordage). 🕮 1803 ; ☞ *glène* (I) ; ene].

**GLÉNOÏDE, adj.**
forme de glène (synon. *glénoïdal*) : *Fossette glénoïde*. 🕮 1541 ; gr. *glênoeidês* ; [glenɔid].

**GLIAL, ALE, AUX, adj.**
latif à la glie : *Une cellule* ***gliale***. 🕮 V. 1960 ; *glie* ; [glijal, o].

**GLIE, subst. f.**
*at.* Tissu assurant la nutrition et le soutien des urones du système nerveux central (synon. *vroglie*). 🕮 XIXe s. ; gr. *gloios*, « glu » ; [gli].

**GLIOME, subst. m.**
*thol.* Tumeur du système nerveux central, qui se veloppe aux dépens de la glie. 🕮 1869 ; lat. sc. *oma*, du gr. *gloios*, « glu » ; [glijom].

**GLISSADE, subst. f.**
Action de glisser ; mouvement qui en résulte. *Chorégr.* Mouvement d'enchaînement de pas, écuté en effleurant le sol. 2. Glissoire. 🕮 1553 ; *glisser* ; [glisad].

**GLISSAGE, subst. m.**
pération qui consiste à faire descendre le long de ssoirs du bois abattu. 🕮 1866 ; ☞ *glisser* ; [glisaʒ].

**GLISSANDO, subst. m.**
*us.* Technique d'exécution consistant à réaliser intervalle en glissant rapidement sur tous les grés intermédiaires, sans aucune accentuation. 1903 ; ital. *glissando*, « en glissant » ; [glisɑ̃do].

**GLISSANT, ANTE, adj.**
Qui glisse : *Un savon* ***glissant***. 2. Qui fait glisser : *oute* ***glissante***. ▸ Loc. fig. *Terrain* ***glissant*** : situation asardeuse, risquée. 3. *Math. Vecteur* ***glissant*** : isseur. 🕮 Mil. XIIIe s. ; p. pr. de *glisser* ; [glisɑ̃, ɑ̃t].

**GLISSE, subst. f.**
1. Helv. ▸ Traîneau d'attelage ; par ext., luge. ▸ Glissoire. ▸ Glissade. 2. *Sp.* Aptitude d'un sportif ou de son matériel à glisser sur la neige, la glace, l'eau. ▸ *Sports de* ***glisse*** : ski, bobsleigh, Skwal, patinage, surf, etc. 🕮 1793 ; ☞ *glisser* ; [glis].

**GLISSEMENT, subst. m.**
1. Action de glisser ; mouvement qui en résulte. ▸ Méton. Frottement léger que l'on fait entendre en glissant : *Le* ***glissement*** *furtif des pas*. ▸ *Géol.* ***Glissement*** *de terrain* : affaissement rapide d'une masse de terre et d'une partie du sous-sol, qui se produit sur une pente, gén. à la suite de fortes précipitations. 2. Fig. Passage graduel et continu d'une chose à une autre. ▸ *Ling.* ***Glissement*** *de sens* : évolution sémantique d'un mot. ▸ *Écon.* ***Glissement*** *des prix* : variation du niveau des prix entre deux dates. 🕮 Mil. XVe s. ; ☞ *glisser* ; [glismɑ̃].

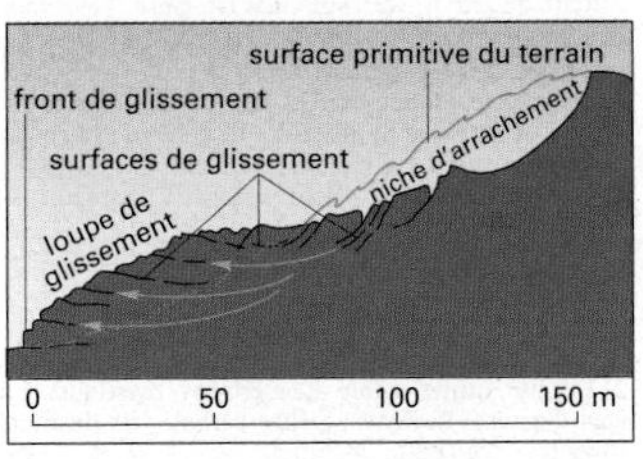


*Mécanisme d'un* ***glissement*** *de terrain.*

**GLISSER, verbe [3]**
INTRANS. 1. Se déplacer de façon continue sur une surface lisse : ***Glisser*** *sur la neige* ; *Les larmes* ***glissent*** *sur ses joues*. 2. Perdre l'équilibre, déraper : ***Glisser*** *sur une peau de banane*. ▸ Être glissant : *Ça* ***glisse*** ! 3. Anal. Avancer sans bruit, régulièrement. 4. Fig. ▸ Ne pas insister : ***Glisser*** *sur un sujet*. ▸ Effleurer : *Les regards* ***glissaient*** *sur elle*. ▸ Évoluer progressivement d'un état à un autre : *Les sondages* ***glissent*** *en sa faveur*. ▸ Se laisser aller : *Il* ***glissait*** *vers la folie*. TRANS. 1. Faire passer (qqch.) adroitement ou subrepticement : ***Glisser*** *une lettre dans la boîte*. 2. Fig. Dire discrètement : *Je lui en* ***glisserai*** *un mot* ; insinuer. PRONOM. S'introduire, se faufiler : *Le renard* ***se glissa*** *dans le poulailler* ; *Une erreur* ***s'est glissée*** *dans la liste*. 🕮 Fin XIIe s. ; crois. de l'anc. fr. *gliier*, « glisser », et de *glacier*, anc. forme de *glacer*, « glisser » ; [glise].

**GLISSEUR, EUSE, subst.**
Vx. Personne qui glisse sur la glace. MASC. *Math.* Couple (D, $\vec{v}$) où D est une droite (le support) et $\vec{v}$ le vecteur nul ou un vecteur directeur de D. 🕮 1636 ; ☞ *glisser* ; [glisœʀ, øz].

**GLISSIÈRE, subst. f.**
1. Rainure pratiquée dans une pièce fixe pour guider le mouvement d'une autre pièce : *Fermeture à* ***glissière*** *d'une robe*. 2. ***Glissière*** *de sécurité* : barrière métallique bordant une chaussée, destinée à retenir un véhicule qui déraperait. 🕮 1861 (1810, sentier frayé sur la glace) ; ☞ *glisser* ; [glisjɛʀ].

**GLISSOIR, subst. m.**
1. Couloir ménagé sur la pente d'une montagne pour le glissage du bois vers la vallée. 2. Petit coulant mobile où passe une chaîne. 🕮 1820 (1636, glissoire) ; ☞ *glisser* ; [gliswaʀ].

**GLISSOIRE, subst. f.**
Sentier de glace où les enfants s'amusent à glisser (synon. *glissade*). 🕮 1611 (1308, conduit d'écoulement de l'eau) ; ☞ *glisser* ; [gliswaʀ].

**GLOBAL, ALE, AUX, adj.**
1. Qui est considéré dans son ensemble : *Approche, vision* ***globale*** ; *Coût* ***global*** *des travaux*. 2. *Enseign. Méthode* ***globale*** : méthode d'enseignement de la lecture qui consiste à présenter des phrases et des mots avant de les décomposer en syllabes et en lettres. 🕮 1864 ; ☞ *globe* ; [glɔbal, o].

**GLOBALEMENT, adv.**
De manière globale. 🕮 1840 ; ☞ *global* ; [glɔbalmɑ̃].

**GLOBALISER, verbe trans. [3]**
Considérer (les éléments d'un ensemble) comme un tout. 🕮 V. 1960 ; ☞ *global* ; [glɔbalize].

**GLOBALISME, subst. m.**
Théorie d'après laquelle un tout composé a des propriétés que n'ont pas ses composants. 🕮 1923 ; ☞ *global* ; [glɔbalism].

**GLOBALITÉ, subst. f.**
Caractère global de qqch. 🕮 1936 ; ☞ *global* ; [glɔbalite].

**GLOBE, subst. m.**
1. Corps, masse sphérique ou sphéroïdale. ▸ *Anat. Le* ***globe*** *oculaire* : l'œil. ▸ *Le* ***globe*** *terrestre* ou, empl. abs., *Le* ***globe*** : la Terre ; par ext. : *Un* ***globe***, sphère portant une carte de la Terre. 2. Cloche ou abat-jour de verre plus ou moins sphérique ou hémisphérique : *Pendule sous* ***globe*** ; ***Globe*** *de luminaire*. 🕮 1552 (fin XIVe s., rouleau) ; lat. *globus* ; [glɔb].

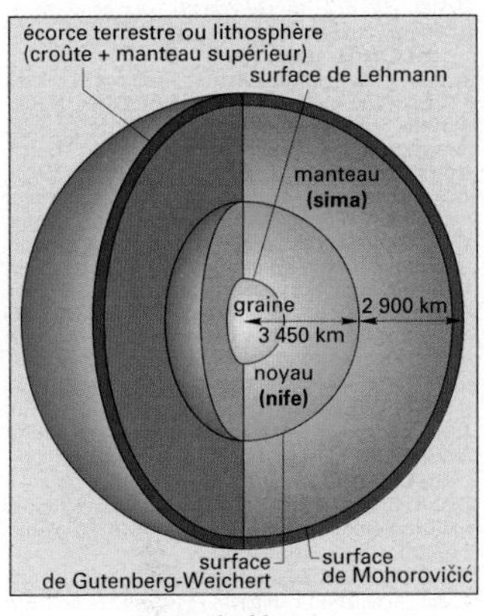


*Structure du globe terrestre.*

**GLOBE-TROTTER, subst.**
Personne qui se déplace à travers le monde (vieilli). 🕮 1873 ; angl. *globetrotter* ; plur. *globe-trotters* ; [glɔbtʀɔtœʀ] ou [-tɛʀ].

**GLOBICÉPHALE, subst. m.**
*Zool.* Mammifère marin de la famille des Delphinidés, au front très bombé, au corps allongé et pourvu de puissantes nageoires pectorales. 🕮 1872 ; lat. *globus*, « globe », + *-céphale* ; [glɔbisefal].

**GLOBIGÉRINE, subst. f.**
*Zool.* Protozoaire de l'ordre des Foraminifères, dont les coquilles calcaires perforées se retrouvent dans des vases dites boues à **globigérines**, dans les mers tempérées et chaudes. 🕮 1826 ; lat. *globus*, « globe », et *gerere*, « porter » ; [glɔbiʒeʀin].

**GLOBINE, subst. f.**
*Biochim.* Chaîne polypeptidique constitutive de l'hémoglobine. 🕮 1901 ; aphérèse de *hémoglobine* ; [glɔbin].

**GLOBIQUE, adj.**
1. En forme de globe. 2. *Techn. Vis* ***globique*** : vis dont le diamètre est plus grand aux extrémités qu'au centre, utilisée dans certaines directions automobiles. 🕮 XXe s. ; ☞ *globe* ; [glɔbik].

**GLOBULAIRE (I), adj.**
1. Qui a la forme d'un globe. 2. *Biol.* Qualifie certaines constantes sanguines concernant les globules du sang : *Numération* ***globulaire***, comptage du nombre de globules sanguins, classés par catégories, par $mm^3$ de sang. 🕮 1679 ; ☞ *globule* ; [glɔbylɛʀ].

**GLOBULAIRE (II), subst. f.**
*Bot.* Plante type de la famille des Globulariacées, dont les fleurs sont regroupées en capitules globuleux. 🕮 1694 ; lat. sc. *globularia*, du lat. *globulus*, « petite boule » ; [glɔbylɛʀ].

**GLOBULE, subst. m.**
1. Vx. Corps sphérique de très petite taille. 2. *Biol.* ▸ ***Globule*** *polaire* : l'une des deux cellules produites au cours de la méiose, correspondant à la formation des gamètes femelles chez les animaux. ▸ Constituant cellulaire du sang et de la lymphe. Le sang contient des **globules** rouges (hématies), des **globules** blancs (leucocytes) et des plaquettes. Les hématies sont porteuses d'une molécule qui a la propriété de fixer l'hémoglobine ; les leucocytes jouent un rôle capital dans l'immunité. 🕮 Mil. XVIIe s. ; lat. *globulus*, « petite boule » ; [glɔbyl].

**GLOBULEUX, EUSE, adj.**
Qui a la forme d'un globule, d'une petite sphère.

▸ *Yeux* ***globuleux*** : saillants. 1571 ; lat. *globulus*, « petite boule » ; [glɔbylø, øz].

**GLOBULINE, subst. f.**
*Biochim.* Terme général imprécis désignant principalement les protéines du sang : *Les* ***gamma-globulines*** *sont des agents de l'immunité.* 1830 (1827, vésicule composant le tissu végétal) ; ☞ *globule* ; [glɔbylin].

**GLOCKENSPIEL, subst. m.**
*Mus.* Carillon composé de lames de métal que l'on fait vibrer grâce à des marteaux actionnés par un clavier. 1872 ; all. *Glockenspiel*, « jeu de cloches » ; [glɔkœnʃpil] ou [-kɛn-].

**GLOIRE, subst. f.**
**I. 1.** *Relig.* Splendeur divine ; béatitude céleste. ▸ Loc. *Rendre* ***gloire*** *à Dieu* : louer Dieu. **2.** *B.-a.* Auréole enveloppant le corps du Christ ; rayons divergents d'un triangle symbolisant la Trinité ; représentation du ciel ouvert avec Dieu, les anges, etc. **3.** Dans un théâtre, machine suspendue permettant d'évoquer les apparitions célestes. **II. 1.** Honneur, éclat acquis par des talents ou des actions méritoires : *Se couvrir de* ***gloire***. ▸ Loc. *Faire qqch. pour la* ***gloire*** : pour le seul prestige. **2.** Méton. Personne célèbre : *Les* ***gloires*** *de l'Empire.* **3.** Ce qui est source de célébrité : *Cette œuvre est sa* ***gloire***. **4.** Fierté et, par ext., vanité : *Se faire* ***gloire*** *de qqch.*, s'en vanter. Mil. XIe s. ; lat. *gloria* ; [glwaʀ].

**GLOME, subst. m.**
*Zool.* Renflement corné du sabot, chez les Équidés. 1872 ; lat. *glomus*, « peloton, boule » ; [glom].

**GLOMÉRIS, subst. m.**
*Zool.* Petit arthropode au corps cylindrique, qui se roule en boule pour se protéger. 1839 ; lat. *glomus*, « peloton, boule » ; [glɔmeʀis].

**GLOMÉRULE, subst. m.**
**1.** *Bot.* Agrégation compacte et irrégulière de fleurs et de fruits. **2.** *Anat.* Petit peloton de capillaires sanguins. ▸ ***Glomérule*** *de Malpighi* : élément initial du néphron, qui filtre les produits destinés à être excrétés et qui participe à la constitution de l'urine. 1819 ; lat. *glomus*, « peloton, boule » ; [glɔmeʀyl].

**GLOMÉRULONÉPHRITE, subst. f.**
*Pathol.* Terme générique désignant toute maladie des reins comportant principalement une inflammation des glomérules rénaux. XXe s. ; formé de *glomérule* et de *néphrite* ; [glɔmeʀylonefʀit].

**GLORIA, subst. m. inv.**
*Liturg.* Hymne de louange commençant par ***Gloria*** *in excelsis Deo*, « Gloire à Dieu au plus haut des cieux ». ▸ *Mus.* Composition vocale sur le texte de cette hymne. 1680 (fin XIIe s., partie de la messe) ; lat. *gloria*, « gloire » ; [glɔʀja].

**GLORIETTE, subst. f.**
**1.** *Archit.* Petit pavillon d'agrément et, par ext., tonnelle dans un parc. **2.** Volière en forme de pavillon. 1538 (mil. XIIe s., nom du palais de Guillaume d'Orange) ; *glorie*, anc. forme de *gloire* ; [glɔʀjɛt].

**GLORIEUSEMENT, adv.**
De manière glorieuse. Fin XIIe s. ; ☞ *glorieux* ; [glɔʀjøzmɑ̃].

**GLORIEUX, EUSE, adj.**
**1.** *Relig.* Qui jouit de la gloire de Dieu, en parlant d'un élu : *La* ***glorieuse*** *Vierge Marie.* **2.** Qui est couvert de gloire : *Un* ***glorieux*** *champion.* **3.** Qui procure la gloire, une satisfaction, la considération : *Un fait d'armes* ***glorieux***. ▸ Empl. subst. fém. *Les Trois* ***Glorieuses*** : les journées révolutionnaires des 27, 28 et 29 juillet 1830. Fin XIe s. ; lat. *gloriosus* ; [glɔʀjø, øz].

**GLORIFICATEUR, TRICE, adj. et subst.**
**Adj.** Qui glorifie. **Subst.** Personne qui glorifie. Fin XVe s. ; ☞ *glorification* ; [glɔʀifikatœʀ, tʀis].

**GLORIFICATION, subst. f.**
**1.** *Théol.* Élévation à la gloire éternelle : ***Glorification*** *des martyrs.* **2.** Action de glorifier. Fin XIIIe ; lat. chrét. *glorificatio* ; [glɔʀifikasjɔ̃].

**GLORIFIER, verbe trans.** [6]
**1.** Proclamer les mérites, la gloire de ; empl. pronom. : *Se* ***glorifier*** *de*, tirer gloire de (péj.). **2.** *Relig.* Rendre gloire à (Dieu). Déb. XIIe s. ; lat. chrét. *glorificare* ; [glɔʀifje].

**GLORIOLE, subst. f.**
Vanité tirée de riens, gloire dérisoire. 1735 ; lat. *gloriola* ; [glɔʀjɔl].

**GLOSE, subst. f.**
**1.** Explication d'un mot, d'un passage obscur, notée en marge ou entre les lignes d'un texte. **2.** Ext. Commentaire, note explicative sur un texte. **3.** Commentaire stérile, critique malveillante. Fin XIIe s. ; bas lat. *glosa*, « mot rare, qu'il est nécessaire d'expliquer », du gr. *glôssa*, « langue » ; [gloz].

**GLOSER, verbe trans.** [3]
**Trans. dir.** Faire la glose de (un texte). **Trans. indir.** **Gloser sur.** S'égarer en commentaires vains ou malveillants sur. Fin XIIe s. ; ☞ *glose* ; [gloze].

**GLOSSAIRE, subst. m.**
**1.** Dictionnaire donnant le sens de termes peu courants d'une langue. **2.** Lexique d'une langue, d'un dialecte ou d'un domaine spécialisé : ***Glossaire*** *d'astronomie.* 1585 ; lat. *glossarium* ; [glɔsɛʀ].

**GLOSSATEUR, subst. m.**
Auteur de gloses. 1426 ; bas lat. *glosa*, « mot rare, qu'il est nécessaire d'expliquer » ; [glɔsatœʀ].

**GLOSSINE, subst. f.**
*Zool.* Insecte piqueur de la famille des Muscinés, appelé aussi mouche tsé-tsé, qui véhicule le trypanosome, agent de la maladie du sommeil. 1845 ; lat. sc. *glossina*, du gr. *glôssa*, « langue » ; [glɔsin].

**GLOSSITE, subst. f.**
*Pathol.* Inflammation de la langue. 1808 ; gr. *glôssa*, « langue », + *-ite* ; [glɔsit].

**GLOSSOLALIE, subst. f.**
**1.** Chez les chrétiens, don surnaturel des langues. **2.** Langue inintelligible de certains mystiques en état d'extase. **3.** *Psych.* Délire verbal, fait de mots inventés. 1866 ; formé de *glosso-* et de *-lalie* ; [glɔsɔlali].

**GLOSSO-PHARYNGIEN, IENNE, adj.**
*Anat.* Relatif à la langue et au pharynx. 1747 ; *pharyngien*, « du pharynx », + *glosso-* ; plur. *glosso-pharyngiens, iennes* ; [glɔsofaʀɛ̃ʒjɛ̃, jɛn].

**GLOSSOTOMIE, subst. f.**
*Chir.* Section ou incision de la langue. 1771 ; formé de *glosso-* et de *-tomie* ; [glɔsɔtɔmi].

**GLOTTAL, ALE, AUX, adj.**
*Phon. Consonne* ***glottale*** ou, empl. subst. fém., *Une* ***glottale*** : consonne produite au niveau de la glotte. 1888 ; ☞ *glotte* ; [glɔtal, o].

**GLOTTE, subst. f.**
**1.** *Anat.* Partie du larynx comprise entre les deux cordes vocales, qui est le siège de la phonation. **2.** *Coup de* ***glotte*** : occlusion de la glotte qui accompagne l'émission d'une voyelle, dans certaines langues. 1618 ; gr. *glôttis* ; [glɔt].

**GLOTTIQUE, adj.**
Relatif à la glotte. 1856 ; ☞ *glotte* ; [glɔtik].

**GLOUGLOU, subst. m.**
**1.** Bruit d'un liquide se déversant par un goulot, un conduit (fam.). **2.** Cri du dindon, de la dinde. 1619 ; onomat. ; [gluglu].

**GLOUGLOUTER, verbe intrans.** [3]
Émettre des glouglous : *Le siphon* ***glougloutait***. 1569 ; orig. onomat. ; [gluglute].

**GLOUSSANT, ANTE, adj.**
Qui glousse. 1600 ; p. pr. de *glousser* ; [glusɑ̃, ɑ̃t].

**GLOUSSEMENT, subst. m.**
**1.** Cri de la poule, de la gélinotte. **2.** Anal. Rire ou bruit évoquant ce cri. XVe s. ; ☞ *glousser* ; [glusmɑ̃].

**GLOUSSER, verbe intrans.** [3]
**1.** Pousser de petits cris répétés, en parlant de la poule. **2.** Anal. Rire de façon saccadée et étouffée. Mil. XIVe s. ; lat. pop. *°clociare*, du lat. *glocire* ; [gluse].

**GLOUTON, ONNE, adj. et subst.**
Se dit d'une personne, d'un animal qui engloutit la nourriture avec excès et avidité. **Subst. masc.** *Zool.* Mammifère carnivore et vorace de la famille des Mustélidés, proche de la martre (synon. *carcajou*). Déb. XIIIe s. (fin XIe s., traître, félon) ; bas lat. *gluttonem*, de *gluttus*, « gosier » ; [glutɔ̃, ɔn].

**GLOUTONNEMENT, adv.**
De manière gloutonne. Déb. XVe s. ; ☞ *glouton* ; [glutɔnmɑ̃].

**GLOUTONNERIE, subst. f.**
Voracité du glouton. XIIe s. ; ☞ *glouton* ; [glutɔnʀi].

**GLU, subst. f.**
**1.** Matière visqueuse et adhésive, extraite des baies du gui ou de l'écorce du houx. **2.** Ext. Colle forte. **3.** Fig. Personne dont on ne peut se débarrasser (fam.). Fin XIe s. ; bas lat. *glus*, du lat. *gluten* ; [gly].

**GLUANT, ANTE, adj.**
**1.** Visqueux et adhésif ; qui évoque la glu par [s]on aspect : *Boue* ***gluante***. **2.** Couvert d'une matière [visqueuse] et collante : *Des murs* ***gluants***. Mil. XIIIe s. ; p[. pr.] de *gluer* (vx), « engluer » ; [glyɑ̃, ɑ̃t].

**GLUAU, subst. m.**
Petite branche ou baguette enduite de glu p[our] capturer les petits oiseaux. 1376 ; ☞ *glu* ; [gl[yo]].

**GLUCAGON, subst. m.**
*Biochim.* Hormone hyperglycémiante, antagon[iste] de l'insuline, sécrétée par le pancréas. 1926 ; [gr.] *glukus*, « doux, sucré », et *agôn*, « conduisant » ; [glyka[gɔ̃]].

**GLUCIDE, subst. m.**
*Biochim.* Molécule biologique, appelée parfois inc[o]rrectement hydrate de carbone, constituée à pa[rtir] de molécules polyalcooliques comportant une fo[nc]tion aldéhyde ou cétone et entre 3 et 7 atomes [de] carbone, les oses. Les organismes photosynthétiq[ues] synthétisent les oses à partir du dioxyde de carbo[ne] et de l'eau : *Le saccharose est un* ***glucide*** *consti[tué] par l'association d'une molécule de glucose et d'[une] molécule de fructose.* 1826 ; gr. *glukus*, « do[ux,] sucré », + *-ide* ; [glysid].

**GLUCIDIQUE, adj.**
Qui a trait aux glucides ou au glucose : *App[ort]* ***glucidique***. V. 1960 ; ☞ *glucide* ; [glysidik].

**GLUCOCORTICOÏDE, subst. m.**
*Biochim.* Hormone sécrétée par la glande corticos[urrénale], qui agit sur le métabolisme des glucid[es]. Cette hormone a aussi une action anti-inflamm[a]toire et anti-allergique. XXe s. ; ☞ *cortic[o-]* + *gluco-* ; [glykokɔʀtikɔid].

**GLUCOMÈTRE, subst. m.**
*Techn.* Aréomètre qui dose le sucre contenu d[ans] le moût du raisin (synon. *pèse-moût*). 18[...] formé de *gluco-* et de *-mètre*[1] ; var. *glycomèt[re]* [glykɔmɛtʀ].

**GLUCONIQUE, adj.**
*Biochim.* Se dit d'un acide formé par oxydation [du] glucose. 1890 ; ☞ *glucose* ; [glykɔnik].

**GLUCOSE, subst. m.**
*Biochim.* Ose à six atomes de carbone, dont [la] molécule est porteuse d'une fonction aldéh[yde] (c'est donc un aldohexose) et qui constitue u[ne] ressource énergétique essentielle de l'organis[me]. 1838 ; gr. *gleukos*, d'apr. *glukus*, « doux, sucré » [glykoz].

**GLUCOSERIE, subst. f.**
Fabrique de glucose. 1904 ; ☞ *glucose* ; [glykoz[ʀi]].

**GLUCOSIDE, subst. m.**
*Biochim.* Nom générique des composés du gluc[ose]. 1859 ; ☞ *glucose* + *-ide* ; [glykozid].

**GLUI, subst. m.**
Paille de seigle utilisée comme chaume, pour f[aire] des liens, etc. Fin XIIe s. ; lat. pop. *°glodium* ; [gl[ɥi]].

**GLUME, subst. f.**
*Bot.* Bractée stérile qui enveloppe chaque épillet [des] Poacées. 1585 ; lat. *gluma* ; [glym].

**GLUMELLE, subst. f.**
*Bot.* Chacune des deux bractées entourant les fle[urs] d'un épillet de poacée. 1817 ; ☞ *glume* ; [glym[ɛl]].

**GLUON, subst. m.**
*Phys. part.* Classe de particules transmettant l'int[eraction] forte (force qui lie les particules à l'intéri[eur] du noyau atomique) et qui se manifestent [par] l'existence d'un champ d'agglutination s'exerç[ant] entre les quarks à l'intérieur des protons et [des] neutrons, et entre ces derniers à l'intérieur [du] noyau. V. 1970 ; ☞ *glu* ; [glyɔ̃].

**GLUTAMATE, subst. m.**
Sel de l'acide glutamique. 1898 ; ☞ *glutamiq[ue]* [glytamat].

**GLUTAMIQUE, adj.**
*Biochim. Acide* ***glutamique*** : un des acides ami[nés] participant à la constitution des protéines, qui jo[ue] aussi un rôle de médiateur chimique dans le c[er]veau. 1872 ; crois. de *gluten* et de *amide* ; [glytam[ik]].

**GLUTEN, subst. m.**
**1.** Substance liant les différentes parties d'un co[rps] solide (vieilli). **2.** Fraction protéique, insoluble [et] visqueuse, contenue dans les graines de céréal[es]. 1515 ; lat. *gluten*, « glu, colle » ; [glytɛn].

**GLUTINEUX, EUSE, adj.**
**1.** Qui a la nature ou la consistance du glut[en]. **2.** Qui contient du gluten. 1787 (mil. XIIIe [s.,] visqueux, collant) ; lat. *glutinosus* ; [glytinø, øz].

**GLYCÉMIE,** subst. f.
*ol.* Quantité de glucose contenue dans le sang, ›rmalement comprise entre 0,7 et 1,1 g/l à jeun. elle est supérieure, on parle d'hyperglycémie ; si e est inférieure, d'hypoglycémie. 1872 ; gr. ıkus, « doux, sucré », + *-émie* ; [glisemi].

**GLYCÉRIDE,** subst. m.
*ochim.* Variété de lipide résultant de l'estérifi-tion du glycérol par des acides gras. 1868 ; ☞ *glycérine* + *-ide* ; [gliseʀid].

**GLYCÉRIE,** subst. f.
›t. Plante des lieux humides, de la famille des ›acées, qui produit une matière sucrée. 1823 ; : sc. *glyceria*, du gr. *glukeros*, « doux » ; [gliseʀi].

**GLYCÉRINE,** subst. f.
om usuel du glycérol. 1823 ; gr. *glukeros*, doux » ; [gliseʀin].

**GLYCÉRINER,** verbe trans. [3]
ıduire (qqch.) de glycérine. 1856 ; ☞ *glycérine* ; iseʀine].

**GLYCÉRIQUE,** adj.
*him.* *Acide* ***glycérique*** : obtenu par oxydation de glycérine. Mil. XIX^e s. ; ☞ *glycérine* ; [gliseʀik].

**GLYCÉROL,** subst. m.
*him.* Trialcool extrait des corps gras, incolore et ès visqueux, utilisé dans la fabrication de la ›namite. 1905 ; gr. *glukeros*, « doux » ; [gliseʀɔl].

**GLYCÉROPHTALIQUE,** adj.
*him.* Qualifie une résine dérivée du glycérol et de ıcide phtalique. V. 1950 ; crois. de *glycérol* et de *talique* ; [gliseʀoftalik].

**GLYCINE (I),** subst. f.
›t. Plante grimpante de la famille des Fabacées, ıltivée pour ses fleurs violettes en grappes pen-ıntes. 1744 ; gr. *glukus*, « doux, sucré » ; [glisin].

**GLYCINE (II),** subst. f.
*ochim.* Le plus simple des aminoacides. 1866 ; ☞ *protéine* + *glyco-* ; [glisin].

**GLYCOGÈNE,** adj. et subst. m.
*ochim.* **Adj.** Qui produit du sucre (vx). **Subst.** Glu-de résultant de l'association d'un grand nombre : molécules de glucose, présent dans les muscles : le foie, principale réserve de glucose de l'orga-ısme. 1855 ; formé de *glyco-* et de *-gène* ; [glikoʒɛn].

**GLYCOGENÈSE,** subst. f.
*ochim.* Processus constitué d'un ensemble de réac-›ns biochimiques permettant aux organismes de nthétiser du glucose à partir des acides lactique : pyruvique. 1876 ; formé de *glyco-* et de *-genèse* ; likoʒənɛz].

**GLYCOGÉNIQUE,** adj.
ualifie ce qui se rapporte au glycogène. 1855 ; ☞ *glycogène* ; [glikoʒenik].

**GLYCOGÉNOGENÈSE,** subst. f.
*iochim.* Transformation des molécules de glucose ı glycogène, dans le foie. V. 1960 ; formé de *ycogène* et de *genèse* ; [glikoʒenoʒənɛz].

**GLYCOL,** subst. m.
*him.* Composé dérivé de l'éthane possédant deux ›nctions alcool, de formule $CH_2OH{-}CH_2OH$. 1856 ; gr. *glukus*, « doux, sucré » ; [glikɔl].

**GLYCOLYSE,** subst. f.
*iochim.* Dégradation, ou catabolisme, du glucose. 1896 ; formé de *glyco-* et de *-lyse* ; [glikoliz].

**GLYCOMÈTRE,** voir **GLUCOMÈTRE**

**GLYCOPROTÉINE,** subst. f.
*iochim.* Protéine couplée à un nombre plus ou ıoins grand de groupements glucidiques. 1908 ; ☞ *protéine* + *glyco-* ; [glikopʀɔtein].

**GLYCORÉGULATION,** subst. f.
*hysiol.* Processus de régulation du métabolisme des ucides dans l'organisme. XX^e s. ; ☞ *régulation glyco-* ; [glikoʀegylasjɔ̃].

**GLYCOSURIE,** subst. f.
*athol.* Présence de sucre dans les urines. 1844 ; ›rmé de *glyco-* et de *-urie* ; [glikozyʀi].

**GLYCOSURIQUE,** adj.
elatif à la glycosurie ; atteint de glycosurie. 1853 ; ☞ *glycosurie* ; [glikozyʀik].

**GLYPHE,** subst. m.
*rchit.* Trait gravé en creux dans un ornement. 1701 ; gr. *gluphê*, « ciselure » ; [glif].

**GLYPTIQUE,** subst. f.
ırt de graver sur pierres fines, en creux ou en relief ntailles ou camées). 1796 ; gr. *gluptikos*, « propre la gravure » ; [gliptik].

**GLYPTODON,** subst. m.
*Paléont.* Très grand mammifère fossile, édenté et pourvu d'une carapace, qui vivait au Quaternaire en Amérique du Sud et au sud des États-Unis. 1839 ; formé de *glypto-* et de *-odonte* ; var. *glyptodonte* ; [gliptɔdɔ̃].

**GLYPTOGRAPHIE,** subst. f.
Science dont l'objet est la glyptique antique. 1756 ; formé de *glypto-* et de *-graphie* ; [gliptɔgʀafi].

**GLYPTOTHÈQUE,** subst. f.
Musée de pierres gravées et, par ext., de sculptures. 1834 ; formé de *glypto-* et de *-thèque* ; [gliptɔtɛk].

**GNANGNAN,** adj. inv.
Fam. **1.** Mou, indolent ; empl. subst. (variable en nombre) : *Quels* ***gnangnans*** *!* **2.** Mièvre : *Musique* ***gnangnan***. 1825 ; onomat. ; [ɲɑ̃ɲɑ̃].

**GNAULE,** voir **GNÔLE**

**GNEISS,** subst. m.
*Pétrogr.* Roche métamorphique acide et foliée, où alternent des zones claires (feldspaths, quartz) et des zones noires (riches en micas). Les différentes variétés de **gneiss** se définissent d'après les minéraux accessoires qu'elles contiennent (grenat, cordiérite, sillimanite, etc.) et le degré de continuité de la foliation. Les **gneiss** peuvent résulter de la transformation de roches granitiques ou sédimentaires. 1759 ; all. *Gneis* ; [gnɛs].

**GNEISSIQUE,** adj.
Qui est de la nature du gneiss (synon. *gneisseux, euse*). 1846 ; ☞ *gneiss* ; [gnɛsik].

**GNIÔLE,** voir **GNÔLE**

**GNOCCHI,** subst. m.
*Cuis.* Boulette à base de semoule, de pomme de terre ou de pâte à choux salée, pochée. 1851 ; ital. *gnocchi*, plur. de *gnocco*, « petit pain rond à l'anis » ; plur. *gnocchi(s)* ; [ɲɔki].

**GNOGNOTE,** subst. f. sing.
*C'est de la* ***gnognote*** *!* : ça ne vaut rien (fam.). Déb. XIX^e s. ; orig. onomat. ; var. *gnognotte* ; [ɲɔɲɔt].

**GNÔLE,** subst. f.
Eau-de-vie (fam.). 1882 ; franco-prov. *gnole*, « eau-de-vie de sureau » ; var. *gnole, gniôle ou gnaule* ; [ɲol].

**GNOME,** subst. m.
**1.** Petit génie difforme, qui vit au sein de la terre et en protège les trésors, selon la tradition kabbalistique. **2.** Fig. Homme petit et difforme. 1583 ; lat. des alchimistes *gnomus* ; [gnom].

**GNOMIQUE,** adj.
**1.** Qui exprime des vérités morales sous forme de sentences. **2.** *Ling.* Qui sert à exprimer un fait général, en parlant d'un temps ou d'un mode. 1616 ; gr. *gnômikos*, « en forme de sentence » ; [gnɔmik].

**GNOMON,** subst. m.
*Astron.* Cadran solaire dont le style est vertical. 1547 ; lat. *gnomon*, du gr. *gnômôn*, « aiguille de cadran solaire » ; [gnɔmɔ̃].

**GNOMONIQUE,** adj. et subst. f.
**Adj.** Relatif aux gnomons. **Subst.** Art de la fabrication des cadrans solaires. 1547 ; lat. *gnomonicus*, du gr. *gnômonikos* ; [gnɔmɔnik].

**GNON,** subst. m.
Coup (fam.). 1651 ; aphérèse d'*oignon*, par anal. entre l'oignon et l'enflure provoquée par le gnon ; [ɲɔ̃].

**GNOSE,** subst. f.
*Philos.* Conception ésotérique de la connaissance du divin, à l'origine liée au judaïsme et au néoplatonisme, fondée sur la révélation aux initiés des mystères de leur origine afin de leur procurer le salut. 1697 ; gr. *gnôsis*, « connaissance » ; [gnoz].

**GNOSÉOLOGIE,** subst. f.
*Philos.* Théorie de la connaissance. 1954 ; gr. *gnôsis*, « connaissance », + *-logie* ; [gnozeolɔʒi].

**GNOSIE,** subst. f.
Connaissance d'un objet par l'un des sens : ***Gnosie*** *visuelle*. 1937 ; gr. *gnôsis*, « connaissance » ; [gnozi].

**GNOSTICISME,** subst. m.
*Philos.* Doctrine de plusieurs sectes (II^e-III^e s.) condamnées par l'Église, qui présentaient la Création non comme l'œuvre de Dieu mais comme celle de l'esprit du Mal et qui rejetaient l'Ancien Testament et sa promesse messianique. 1828 ; angl. *gnosticism*, du gr. *gnôsis*, « connaissance » ; [gnɔstisism].

**GNOSTIQUE,** subst. et adj.
**Subst.** Adepte du gnosticisme. **Adj.** Relatif à la gnose, au gnosticisme. 1586 ; gr. *gnôstikos*, « qui sait » ; [gnɔstik].

**GNOU,** subst. m.
*Zool.* Grande antilope africaine de savane, dotée d'une crinière et d'une barbe. 1775 ; mot hottentot ; [gnu].

**GO,** subst. m.
Jeu de stratégie d'origine chinoise, au cours duquel deux joueurs posent alternativement leurs pions sur l'une des intersections du damier en s'efforçant d'y former des territoires et d'y encercler l'adversaire. V. 1960 ; mot jap. ; [go].

**GO (TOUT DE),** loc. adv.
**1.** Directement (fam.) : *Elle m'avoua* ***tout de go*** *le fond de sa pensée*. **2.** Librement (fam.). Fin XVI^e s. ; formé de *tout* et de *gober* ; [tud(ə)go].

**GOAL,** subst. m.
*Sp.* Gardien de but (anglic.). 1924 (1882, but) ; ell. de l'angl. *goal-keeper*, de *goal*, « but », et de *keeper*, « gardien » ; [gol].

**GOAL-AVERAGE,** subst. m.
*Sp.* Différence entre le nombre de buts ou de points marqués et encaissés, permettant de départager deux équipes ex æquo à l'issue d'une compétition (anglic.). 1927 ; angl. *goal*, « but », et *average*, « moyenne » ; plur. *goal-averages* ; [golaveʀaʒ].

**GOBELET,** subst. m.
**1.** Récipient cylindrique sans anse ni pied, dont on se sert pour boire ; son contenu. **2.** Ext. Récipient servant à lancer les dés ou à faire des tours de prestidigitation. XIII^e s. ; anc. prov. *gobel*, « verre pour boire, pour gober » ; [gɔblɛ].

**GOBELETERIE,** subst. f.
Production et commerce des récipients à boire. 1791 ; ☞ *gobelet* ; [gɔblɛtʀi].

**GOBELIN,** subst. m.
Tapisserie issue de la manufacture des Gobelins. 1873 ; topon. *les Gobelins*, à Paris ; [gɔblɛ̃].

**GOBE-MOUCHE(S),** subst. m.
**1.** *Zool.* Passereau forestier qui se nourrit d'insectes, qu'il happe en volant, et de baies. **2.** Fig. Niais, naïf. 1611 ; comp. de *gober* et de *mouche* ; plur. *gobe-mouches* ; [gɔbmuʃ].

**GOBER,** verbe trans. [3]
**1.** Avaler (qqch.) vivement, en aspirant et sans mâcher. **2.** Fig. Croire sans discernement (fam.). **3.** Estimer, apprécier (empl. gén. négatif) : *Je ne peux pas gober ce confrère.* **Pronom.** Être prétentieux. 1549 ; gaul. °*gobbo*, « bec, bouche » ; [gɔbe].

**GOBERGER (SE),** verbe pronom. [5]
**1.** Vx. Se moquer (fam.). **2.** Prendre du bon temps (fam.). 1532 ; prob. m. fr. *goberge*, « forfanterie » ; [gɔbɛʀʒe].

**GOBEUR, EUSE,** subst.
**1.** Personne qui gobe. **2.** Fig. Personne crédule (fam.). 1679 ; ☞ *gober* ; [gɔbœʀ, øz].

**GOBIE,** subst. m.
*Zool.* Petit poisson vivant le long des côtes et qui se fixe aux rochers par ses nageoires ventrales, dont la réunion forme une ventouse. 1803 ; lat. *gobio*, « goujon » ; [gɔbi].

**GODASSE,** subst. f.
Chaussure (fam.). 1888 ; ☞ *godillot* ; [gɔdas].

**GODELUREAU,** subst. m.
Jeune séducteur (fam.). XVI^e s. ; crois. de l'onomat. *god*, cri d'appel, et de *galureau* (vx), « galant luron » ; [gɔdlyʀo].

**GODEMICHÉ,** subst. m.
Accessoire utilisé comme phallus de substitution. 1578 ; prob. esp. *gaudameci*, « cuir de Gadames » ; var. *godemichet* ; [gɔdmiʃe].

**GODENDART,** subst. m.
**1.** Vx. Hallebarde. **2.** Québ. Grosse scie. 1306 ; m. néerl. *goedendach*, « bonjour », nom iron. d'une hallebarde ; var. *godendard* ; [gɔdɑ̃daʀ].

**GODER,** verbe intrans. [3]
*Cout.* Faire des faux plis, en parlant d'un vêtement (synon. fam. *godailler*). 1762 ; ☞ *godron* ; [gɔde].

**GODET (I),** subst. m.
**1.** Petit gobelet. **2.** Anal. Petit récipient dans lequel on recueille ou délaie une substance. **3.** *Mécan.* Auge fixée à une roue hydraulique, à la chaîne d'une noria ou à un engin de terrassement. Mil. XIV^e s. ; m. néerl. *kodde*, « morceau de bois cylindrique » ; [gɔdɛ].

**GODET (II),** subst. m.
**1.** Faux pli d'un vêtement ou d'un papier qui renfle. **2.** *Cout.* Pli qui va en s'évasant. 1849 ; ☞ *goder* ; [gɔdɛ].

**GODICHE,** adj. et subst. f.
Se dit d'une personne gauche, niaise (fam.). 1743 ; prob. *Godon*, dimin. de *Claude* ; [gɔdiʃ].

**GODICHON, ONNE,** adj. et subst.
Se dit d'une personne niaise (fam.). 1752 ; ☞ *godiche* ; [gɔdiʃɔ̃, ɔn].

**GODILLE,** subst. f.
**1.** Aviron placé à l'arrière d'une embarcation, auquel on imprime un mouvement en forme de huit horizontal. **2.** *Sp.* Technique de ski consistant à enchaîner des virages serrés, face à la pente, pour ralentir la descente. 1792 ; orig. inc. ; [gɔdij].

**GODILLER,** verbe intrans. [3]
**1.** Faire avancer une embarcation en se servant de la godille. **2.** *Sp.* Skier en pratiquant la godille. 1792 ; ☞ *godille* ; [gɔdije].

**GODILLEUR, EUSE,** subst.
**1.** Personne qui manie une godille. **2.** *Sp.* Skieur qui godille. 1840 ; ☞ *godiller* ; [gɔdijœʀ, øz].

**GODILLOT,** subst. m.
**1.** Chaussure militaire. **2.** Ext. Gros soulier usagé (fam.). **3.** Parlementaire suivant à la lettre les consignes de son parti (fam.). 1869 ; anthropon. *Alexis Godillot*, fabricant de brodequins militaires ; [gɔdijo].

**GODIVEAU,** subst. m.
*Cuis.* Hachis de viande ou de poisson. 1546 ; altér. de *gaudebillaux* (vx), de l'anc. fr. *god*, « animal domestique », et du poitevin *beille*, « boyau » ; [gɔdivo].

**GODRON,** subst. m.
**1.** *Techn.* Moulure ovale et renflée symétriquement, sur les bords d'une pièce d'argenterie. **2.** *Archit.* Moulure de même forme. **3.** *Cost.* Pli rond d'une fraise (vx). 1369 ; ☞ *godet* (I) ; [gɔdʀɔ̃].

**GOÉLAND,** subst. m.
*Zool.* Oiseau palmipède marin de grande taille, au bec comprimé latéralement et aux larges ailes, vivant en gén. près des côtes. Fin XVe s. ; breton *gwelan*, « mouette » ; [gɔelɑ̃].

© Ph. Prigent-Jacana

*Goéland argenté.*

**GOÉLETTE,** subst. f.
**1.** *Mar.* Fin navire à deux mâts (le grand étant à l'arrière) et à voiles gén. auriques. **2.** Sterne (région.). 1740 ; prob. *goéland* ; [gɔelɛt].

**GOÉMON,** subst. m.
Varech des côtes bretonnes et normandes, servant d'engrais. XIVe s. ; breton *gwemon* ; [gɔemɔ̃].

**GOÉTIE,** subst. f.
Pratique magique qui consistait à invoquer des esprits maléfiques (anton. *théurgie*). 1570 ; lat. *goetia*, du gr. *goêteia*, « magie » ; [gɔesi].

**GOGLU,** subst. m.
Québ. Passereau chanteur d'Amérique du Nord. 1854 ; prob. anc. fr. *gogue*, « plaisanterie » ; [gɔgly].

**GOGO,** subst. m.
Personne que l'on dupe aisément (fam.). 1834 ; *Gogo*, personnage crédule de la pièce *Robert Macaire*, de Frédérick Lemaître ; [gogo].

**GOGO (À),** loc. adv.
À volonté, à profusion (fam.). Mil. XVe s. ; anc. fr. *gogue*, « plaisanterie » ; [agogo].

**GOGUENARD, ARDE,** adj.
Moqueur, narquois. 1607 ; anc. fr. *gogue*, « plaisanterie, raillerie » ; [gɔg(ə)naʀ, aʀd].

**GOGUENARDISE,** subst. f.
Moquerie, plaisanterie narquoise. 1853 ; ☞ *goguenard* ; [gɔg(ə)naʀdiz].

**GOGUENOT,** subst. m.
Argot. Pot de chambre (abrév. : gogue). **Plur.** Ext. Latrines (abrév. : gogs, gogues). 1831 (1805, gobelet, pot à cidre) ; crois. de *goguenard* et p.-ê. du dial. norm. *godeneau*, « vase à boire » ; [gɔg(ə)no].

**GOGUETTE,** subst. f.
*Être en goguette* : être plus ou moins ivre et bien décidé à faire la fête (fam.). 1549 (1462, se régaler) ; anc. fr. *gogue*, « plaisanterie » ; [gɔgɛt].

**GOÏ,** voir **GOY**

**GOINFRE,** subst. m.
Personne qui mange voracement et sans raffinement ; empl. adj. : *Un enfant goinfre.* 1622 (1611, débauché) ; orig. inc. ; [gwɛ̃fʀ].

**GOINFRER (SE),** verbe pronom. [3]
Manger comme un goinfre, se gaver (fam.). Déb. XVIIe s. ; ☞ *goinfre* ; [gwɛ̃fʀe].

**GOINFRERIE,** subst. f.
Caractère, comportement du goinfre ; voracité. Mil. XVIIe s. ; ☞ *goinfre* ; [gwɛ̃fʀəʀi].

**GOITRE,** subst. m.
*Pathol.* Hypertrophie de la glande thyroïde, se manifestant par une grosseur à la base du cou : *Goitre endémique*, dû, dans certaines régions montagneuses, à une carence en iode, générant le crétinisme lorsque la fonction thyroïdienne est altérée ; *Goitre exophtalmique*, maladie de Basedow. 1492 ; anc. fr. *goitron*, du lat. pop. °*gutturio*, du lat. *guttur*, « gorge, gosier » ; [gwatʀ].

**GOITREUX, EUSE,** adj.
**1.** Relatif au goitre ; de la nature du goitre. **2.** Affecté d'un goitre ; empl. subst., personne **goitreuse**. 1411 ; anc. fr. *goitron* ; [gwatʀø, øz].

**GOLDEN,** subst. f.
Pomme jaune, à chair juteuse et sucrée. 1959 ; ell. de l'angl. *golden delicious*, « délicieuse dorée » ; [gɔldɛn].

**GOLD-POINT,** subst. m.
*Écon.* Seuil limite de taux de change d'une monnaie dans un système d'étalon-or. 1890 ; angl. *gold point*, de *gold*, « or », et de *point*, « point » ; plur. *gold-points* ; [gɔldpɔjnt].

**GOLEM,** subst. m.
Créature de forme humaine des légendes juives d'Europe orientale, à qui l'on donne vie en lui appliquant au front le texte d'un verset biblique. 1877 ; hébreu *gôlem*, « masse informe ; corps brut » ; [gɔlɛm].

**GOLF,** subst. m.
**1.** Sport consistant à lancer une balle avec un club dans des trous sur un parcours aménagé, en un minimum de coups. ► *Golf miniature* : pratiqué sur un petit parcours cimenté, jalonné d'obstacles. **2.** Méton. Le terrain sur lequel on pratique ce sport. 1776 ; mot angl. ; [gɔlf].

**GOLFE,** subst. m.
*Géogr.* Étendue de mer qui pénètre dans les terres, gén. caractérisée par une large échancrure du littoral et un accès aisé à la mer ouverte : *Le golfe du Lion, de Gascogne* ; *Le golfe Persique* ou, empl. abs., *Le Golfe*. 1284 ; ital. *golfo*, du bas lat. *colfus*, du gr. *kolpos*, « creux » ; [gɔlf].

**GOLFEUR, EUSE,** subst.
Joueur, joueuse de golf. 1891 ; ☞ *golf* ; [gɔlfœʀ, øz].

**GOLMOTTE,** subst. f.
*Bot.* Nom usuel de certains champignons, telle l'amanite rougeâtre. 1900 ; altér. région. de *coulemelle* ; var. *golmote* ; [gɔlmɔt].

**GOMBO,** subst. m.
*Bot.* Plante potagère tropicale aux feuilles et aux fruits comestibles. 1757 ; anglo-amér. *gumbo*, du bantou angolais *kingombo* ; [gɔ̃bo].

**GOMÉNOL,** subst. m. inv.
Huile essentielle de niaouli, utilisée en gouttes nasales. 1894 ; topon. *Gomen* (Nouvelle-Calédonie) ; n. déposé ; [gɔmenɔl].

**GOMÉNOLÉ, ÉE,** adj.
Qui contient du Goménol. 1908 ; ☞ *Goménol* ; [gɔmenɔle].

**GOMINA,** subst. f. inv.
Pommade servant à fixer et à lustrer les cheveux. 1926 ; hisp.-amér. *gomina*, de l'esp. *goma*, « gomme » ; n. déposé ; [gɔmina].

**GOMINER (SE),** verbe pronom. [3]
Pommader ses cheveux à la Gomina ; empl. adj. : *Mèche gominée.* 1931 ; ☞ *Gomina* ; [gɔmine].

**GOMMAGE,** subst. m.
**1.** Action d'enduire de gomme ; son résultat : *Gommage du taffetas.* **2.** Action d'effacer à l'aide d'une gomme ; son résultat. **3.** Nettoyage en profondeur de la peau par élimination des cellules mortes. 1832 ; ☞ *gommer* ; [gɔmaʒ].

**GOMME,** subst. f.
**1.** Substance visqueuse suintant de divers végétau[x] *Gomme adragante* (☞ *astragale*) ; *Gomme arabiq*[ue] provenant de certains acacias. ► *Boule de gomm*[e] bonbon adoucissant. ► *Gomme à mâcher* : chewir[ng-]gum. **2.** Ext. Morceau de caoutchouc servant [à] effacer ; colle sèche. **3.** *Bot.* Maladie de certa[ins] arbres. **4.** *Pathol.* Lésion inflammatoire de la pe[au] caractérisée par des nodules infectieux. **5.** Loc. *À gomme* : sans valeur, ridicule (fam.) ; *Mettre (tou[te]) la gomme* : accélérer l'allure. Mil. XIIe s. ; bas [lat.] *gumma*, du lat *gummi* ; [gɔm].

**GOMMÉ, ÉE,** adj.
**1.** Enduit de gomme : *Toile gommée.* **2.** Addition[né] de gomme. XIVe s. ; p. p. de *gommer* ; [gɔme].

**GOMME-GUTTE,** subst. f.
Résine jaune produite par un arbuste d'Asie, utili[sée] comme colorant ou purgatif. 1654 ; comp. *gomme* et de *gutte*, du lat. *gutta*, « goutte » ; plur. *gomm[es-] guttes* ; [gɔmgyt].

**GOMME-LAQUE,** subst. f.
Résine sécrétée par un insecte parasitant div[ers] arbres d'Inde, soluble dans l'alcool et utilisée da[ns] la fabrication des vernis. 1679 ; comp. de *gom[me]* et de *laque* ; plur. *gommes-laques* ; [gɔmlak].

**GOMMER,** verbe trans. [3]
**1.** Enduire de gomme. **2.** Additionner de gomm[e]. **3.** Effacer à l'aide d'une gomme ; au fig. : *Gomm[er] les inégalités sociales.* XIVe s. ; ☞ *gomme* ; [gɔm[e]].

**GOMME-RÉSINE,** subst. f.
Mélange naturel de gomme et de résine, tel q[ue] l'encens et la myrrhe. 1694 ; comp. de *gomme* de *résine* ; plur. *gommes-résines* ; [gɔmʀezin].

**GOMMETTE,** subst. f.
Petit morceau de papier coloré et gommé, parf[ois] adhésif. XXe s. ; ☞ *gomme* ; [gɔmɛt].

**GOMMEUX, EUSE,** adj. et subst. m.
**Adj.** **1.** Gummifère. **2.** De la nature de la gomm[e] : *Tumeur gommeuse.* **Subst.** Jeune homme à l'élégar[nce] prétentieuse. 1314 ; ☞ *gomme* ; [gɔmø, øz].

**GOMMIER,** subst. m.
*Bot.* Arbre producteur de gomme, tel l'acacia [ou] l'eucalyptus. 1645 ; ☞ *gomme* ; [gɔmje].

**GOMMIFÈRE,** voir **GUMMIFÈRE**

**GONADE,** subst. f.
*Physiol.* Glande sexuelle produisant des gamè[tes] (spermatozoïdes ou ovules) et des hormone[s] : *Gonades mâles*, testicules ; *Gonades femelles*, ovair[es]. 1893 ; gr. *gonê*, « action d'engendrer » ; [gɔnad].

**GONADOSTIMULINE,** subst. f.
*Biol.* Nom générique des hormones qui stimul[ent] l'activité des glandes sexuelles. Les unes so[nt] sécrétées par le lobe antérieur de l'hypophyse, [les] autres par les villosités placentaires (synon. *gona[do]trophine*). Mil. XXe s. ; formé de *gonade* et de *sti[mu]line* ; [gɔnadostimylin].

**GONADOTROPE,** adj.
*Biol.* Qui stimule l'activité des gonades : *Des h[or]mones gonadotropes.* 1938 ; ☞ *gonade* + *-trop[e]* ; [gɔnadɔtʀɔp].

**GOND,** subst. m.
Pièce de métal coudée servant de pivot aux batta[nts] de porte ou de fenêtre. ► Loc. *Sortir de ses gond[s]* : se mettre en colère. Mil. XIIe s. ; bas lat. *gomph[us]*, du gr. *gomphos* ; [gɔ̃].

**GONDOLAGE,** subst. m.
Fait de gondoler ; état de ce qui est gond[olé]. 1845 ; ☞ *gondoler* ; synon. *gondolement* ; [gɔ̃dɔla[ʒ]].

**GONDOLANT, ANTE,** adj.
Très drôle, hilarant (fam.). 1884 ; p. pr. *gondoler* ; [gɔ̃dɔlɑ̃, ɑ̃t].

**GONDOLE,** subst. f.
**1.** Barque vénitienne, longue et plate, aux ext[ré]mités relevées et recourbées, mue par une perc[he]. **2.** *Comm.* Présentoir de marchandises. 1246 ; i[tal.] *gondola*, du gr. byzantin *kontoura*, « petite embarcatio[n] », du gr. *kontos*, « petit », et *oura*, « queue » ; [gɔ̃dɔl].

**GONDOLER,** verbe intrans. [3]
**1.** *Mar.* Avoir la proue et la poupe relevées (v[x]). **2.** Ext. Bomber et se déformer. **Pronom.** Rire sa[ns] retenue (fam.). 1687 ; ☞ *gondole* ; [gɔ̃dɔle].

**GONDOLIER, IÈRE,** subst.
**Masc.** Batelier qui conduit une gondole. **Masc.** [et] **Fém.** *Comm.* Personne chargée de disposer les m[ar]chandises sur les gondoles. XVIe s. ; ital. *gondolie[re]*, de *gondola*, « gondole » ; [gɔ̃dɔlje, jɛʀ].

**GONE,** subst. m.
Région. (Lyon). Jeune enfant. 1868 (mil. XIIe s., habit de moine) ; franco-prov. *goné*, « mal habillé » ; [gɔn].

**GONELLE,** subst. f.
*Zool.* Poisson de la famille des Pholidés, tacheté de noir, appelé aussi papillon de mer. 1832 ; orig. obsc. ; var. *gonnelle* ; [gɔnɛl].

**GONFALON,** subst. m.
*M. Â.* Étendard à fanons sous lequel se rangeaient les vassaux d'un suzerain. ▸ Ext. Bannière religieuse ; bannière de républiques italiennes. Mil. XIe s. ; anc. bas frq. °*gundfano* ; var. *gonfanon* ; [gɔ̃falɔ̃].

**GONFALONIER,** subst. m.
*M. Â.* **1.** Porteur du gonfalon. **2.** ***Gonfalonier de justice*** : premier magistrat de certaines cités de l'Italie médiévale. Fin XIe s. ; ☞ *gonfalon* ; var. *gonfanonier* ; [gɔ̃falɔnje].

**GONFLABLE,** adj.
Qu'on peut gonfler. XXe s. ; ☞ *gonfler* ; [gɔ̃flabl].

**GONFLAGE,** subst. m.
Action de gonfler un ballon, un pneu, etc. ; son résultat. 1893 ; ☞ *gonfler* ; [gɔ̃flaʒ].

**GONFLANT, ANTE,** adj.
**1.** Qui a du volume. **2.** Fig. Qui importune, énerve (fam.). 1925 ; p. pr. de *gonfler* ; [gɔ̃flɑ̃, ɑ̃t].

**GONFLE,** subst. f.
Helv. Congère. XXe s. ; ☞ *gonfler* ; [gɔ̃fl].

**GONFLEMENT,** subst. m.
**1.** Action ou fait de gonfler ; état de ce qui est gonflé. **2.** Fig. Augmentation excessive. 1561 ; ☞ *gonfler* ; [gɔ̃fləmɑ̃].

**GONFLER,** verbe [3]
**Trans. 1.** Remplir d'air ou de gaz. **2.** Augmenter le volume de (qqch.) : *La fonte des neiges **gonfle** le torrent.* **3.** Fig. ▸ Surestimer, grossir : ***Gonfler** une facture.* ▸ Emplir : *Sa promotion le **gonfle** de suffisance.* ▸ Fam. Importuner vivement ; empl. adj. : ***Être gonflé***, avoir de l'aplomb, exagérer. **Intrans.** Enfler. **Pronom. 1.** Devenir volumineux. **2.** Être envahi (par un sentiment). 1555 ; mot du Sud-Ouest, du lat. *conflare*, « activer (le feu) en soufflant » ; [gɔ̃fle].

**GONFLETTE,** subst. f.
Fam. Culture physique visant à augmenter spectaculairement le volume des muscles ; la musculature ainsi obtenue. V. 1970 ; ☞ *gonfler* ; [gɔ̃flɛt].

**GONFLEUR,** subst. m.
Appareil servant à gonfler : *Le **gonfleur** d'un canot pneumatique.* 1932 ; ☞ *gonfler* ; [gɔ̃flœʀ].

**GONG,** subst. m.
**1.** *Mus.* Instrument de percussion composé d'un disque de métal suspendu, que l'on frappe avec un maillet. **2.** Instrument similaire servant à donner un signal sonore. 1681 ; malais *gung* ; [gɔ̃g].

**GONGORISME,** subst. m.
*Litt.* Préciosité excessive du style. 1832 ; anthropon. *Luis de Góngora*, poète espagnol ; [gɔ̃gɔʀism].

**GONIOMÈTRE,** subst. m.
*Techn.* Instrument servant à mesurer des angles. 1783 ; formé de *gonio-* et de *-mètre*[1] ; [gɔnjɔmɛtʀ].

**GONIOMÉTRIE,** subst. f.
Science de la mesure des angles. 1724 ; formé de *gonio-* et de *-métrie* ; [gɔnjɔmetʀi].

**GONIOMÉTRIQUE,** adj.
Relatif à la goniométrie. 1832 ; ☞ *goniométrie* ; [gɔnjɔmetʀik].

**GONNELLE,** voir **GONELLE**

**GONOCHORISME,** subst. m.
*Biol.* Caractère des êtres vivants à reproduction sexuée dont les sexes sont déterminés et invariables (anton. *hermaphrodisme*). 1877 ; gr. *khôrismos*, « séparation », + *gono-* ; [gɔnɔkɔʀism].

**GONOCOCCIE,** subst. f.
*Pathol.* Maladie infectieuse provoquée par le gonocoque. 1900 ; ☞ *gonocoque* ; [gɔnɔkɔksi].

**GONOCOQUE,** subst. m.
*Bactériol.* Bactérie Gram- responsable de la blennorragie et de ses séquelles. 1890 ; formé de *gono-* et de *-coque* ; [gɔnɔkɔk].

**GONOCYTE,** subst. m.
*Biol.* Terme générique désignant les cellules de la lignée germinale quand elles entrent en méiose ; elles sont alors appelées **gonocytes** I, ou primaires (encore à $2n$ chromosomes). La première division méiotique débouche sur les **gonocytes** II, ou secondaires (à $n$ chromosomes clivés en paires de chromatides). Formé de *gono-* et de *-cyte* ; [gɔnɔsit].

**GONOPHORE,** subst. m.
*Bot.* Partie du réceptacle d'une fleur qui contient les étamines et le pistil. 1889 ; formé de *gono-* et de *-phore* ; [gɔnɔfɔʀ].

**GONZE,** subst. m.
Homme (argot.). 1753 (1628, homme qui vide les ordures de l'hôpital) ; ital. *gonzo*, « idiot » ; [gɔ̃z].

**GONZESSE,** subst. f.
Fille, femme (fam.). 1811 ; ☞ *gonze* ; [gɔ̃zɛs].

**GORD,** subst. m.
Pêcherie de rivière formée par deux rangées de perches en angle, et fermée par un filet. Fin XIe s. ; gaul. °*gorto*, « haie » ; [gɔʀ].

**GORDIEN,** adj. m.
***Nœud gordien*** : difficulté, obstacle très difficile à surmonter. 1552 ; lat. *gordius*, du topon. *Gordion*, anc. capitale de la Phrygie ; [gɔʀdjɛ̃].

**GORET,** subst. m.
Porcelet. 1297 ; anc. fr. *gore*, « truie », d'orig. onomat. ; [gɔʀɛ].

**GORFOU,** subst. m.
*Zool.* Manchot de l'Antarctique, de la famille des Sphéniscidés, doté d'aigrettes au-dessus des yeux. 1760 ; danois *goirfugel*, « pingouin » ; [gɔʀfu].

**GORGE,** subst. f.
**1.** Partie antérieure du cou : *Se protéger la **gorge** avec un foulard.* ▸ Loc. *Mettre à qqn le couteau sous la **gorge*** : le contraindre par la violence, la menace ; *Avoir le couteau sous la **gorge*** : être sous la menace de qqn ou de qqch. **2.** Seins (littér.). **3.** Cavité située au fond de la bouche, à l'entrée du pharynx : *Maux de **gorge** ; Avoir la **gorge** serrée d'émotion ; Chanter à pleine **gorge**,* à tue-tête. ▸ Loc. *Avoir un chat dans la **gorge*** : être enroué ; *Ça m'est resté en travers de la **gorge*** : je n'ai pas pu l'admettre ; *Faire des **gorges** chaudes de* : se moquer méchamment de. **4.** Anal. ▸ *Géogr.* Passage étroit entre deux montagnes ; vallée encaissée : *Les **gorges** du Tarn.* ▸ *Menuis.* Moulure concave. ▸ *Techn.* Entaille, évidement : ***Gorge** de poulie* ; ***Gorge** de serrure*, pièce mobile qui immobilise ou libère le pêne. Déb. XIIe s. ; lat. pop. °*gurga*, « gosier », du lat. *gurges*, « gouffre » ; [gɔʀʒ].

*Les gorges du Verdon, dans les Alpes-de-Haute-Provence.*

**GORGE-DE-PIGEON,** adj. inv.
D'une couleur aux reflets changeants allant du rose au bleu : *Taffetas **gorge-de-pigeon**.* 1640 ; comp. de *gorge* et de *pigeon* ; [gɔʀʒdəpiʒɔ̃].

**GORGÉE,** subst. f.
Quantité de liquide avalée en une seule déglutition : *Boire à petites **gorgées**.* XIIIe s. ; ☞ *gorge* ; [gɔʀʒe].

**GORGER,** verbe trans. [5]
**1.** Faire manger ou boire (qqn) avec excès ; gaver (un animal) ; empl. pronom. : *Se **gorger** de fruits.* **2.** Saturer ; empl. adj. : *Une terre **gorgée** d'eau ; Un air **gorgé** d'humidité.* **3.** Fig. Pourvoir à profusion (qqn), combler (littér.) : ***Gorger** qqn d'honneurs.* Déb. XIVe s. ; ☞ *gorge* ; [gɔʀʒe].

**GORGERIN,** subst. m.
**1.** Partie d'un casque d'armure qui protégeait le cou. **2.** *Archit.* Partie de certains chapiteaux (notamment doriques et toscans) située au-dessus de l'astragale de la colonne. 1419 ; anc. fr. *gorgère* ; [gɔʀʒəʀɛ̃].

**GORGET,** subst. m.
*Menuis.* Rabot servant à creuser les gorges ; petite gorge. 1757 ; ☞ *gorge* ; [gɔʀʒɛ].

**GORGONE,** subst. f.
**1.** *Myth.* Chez les Grecs, personnage fabuleux à la chevelure de serpents, dont le regard pétrifiait les humains. **2.** *Zool.* Petit animal coralliaire des mers chaudes, de l'embranchement des Cnidaires, qui forme des colonies arborescentes (polypiers). Mil. XVIe s. ; lat. *Gorgo(n)*, du gr. *Gorgô*, de *gorgos*, « terrible » ; [gɔʀgɔn].

**GORGONZOLA,** subst. m.
Fromage italien à pâte fermentée et persillée. 1890 ; topon. *Gorgonzola* (Italie) ; [gɔʀgɔ̃zɔla].

**GORILLE,** subst. m.
**1.** *Zool.* Grand singe anthropoïde d'Afrique centrale, de la famille des Pongidés, pouvant atteindre 2 m de hauteur et peser plus de 200 kg. Semi-arboricoles et frugivores, les **gorilles** vivent en familles polygames, sous l'autorité d'un mâle dominant. **2.** Fig. Garde du corps (fam.). 1759 ; lat. sc. *gorilla* ; [gɔʀij].

**GOSETTE,** subst. f.
Belg. Chausson aux fruits : ***Gosette** aux pommes.* 1860 ; wallon *gosette*, de *gousse* ; [gozɛt].

**GOSIER,** subst. m.
**1.** *Anat.* Partie interne du cou formant une cavité au début du pharynx et contenant certains organes de la voix : *Isthme du **gosier**.* **2.** Loc. *Chanter à plein **gosier*** : à pleine voix ; *Avoir le **gosier** sec* : avoir très soif (fam.) ; *Avoir le **gosier** en pente* : être porté sur l'alcool ou le vin (fam.). Fin XIIIe s. ; bas lat. *geusiae* ; [gozje].

**GOSPEL,** subst. m.
Chant religieux des Afro-Américains (synon. *negro spiritual*). 1958 ; ell. de l'anglo-amér. *gospel song*, de *gospel*, « évangile », et de *song*, « chant » ; [gɔspɛl].

**GOSSE,** subst.
Fam. Enfant ou adolescent : *Sale **gosse**,* enfant insupportable ; *Une belle **gosse**, un beau **gosse**,* une belle fille, un beau garçon ; empl. adj. : *Quand j'étais **gosse**.* Fin XVIIIe s. ; orig. inc. ; [gɔs].

**GOTHA,** subst. m.
**1.** Aristocratie figurant dans l'almanach de Gotha. **2.** Ext. Ensemble des personnalités éminentes d'un milieu particulier : *Tout le **gotha** du cinéma.* 1890 ; *almanach de Gotha*, du topon. *Gotha* (Allemagne) ; [gɔta].

**GOTHIQUE,** adj. et subst.
**Adj. 1.** Relatif aux Goths. **2.** *B.-a.* Qualifie un style, en partic. architectural, répandu en Europe du XIIe au XVIe s. env., qui se situe entre les styles roman et Renaissance. **Subst. masc.** ***Le gothique*** : style, art **gothique**. **Subst. fém.** Écriture à caractères droits, anguleux, ornés de pointes ; empl. adj. : ***Lettre gothique.*** 1482 ; bas lat. *gothicus* ; [gɔtik].

**ARCHITECTURE** – L'art gothique débute au XIIe s., avec la construction de la future basilique Saint-Denis. Mais ce n'est qu'à la Renaissance qu'il reçoit son nom, un nom qui porte la marque de l'aversion que l'on éprouve alors pour un style considéré comme barbare, bien éloigné en tout cas de la beauté antique. Le style gothique est pourtant la manifestation d'un mode de pensée : les bâtisseurs cherchent à rendre immatériel ce qui est matériel, par l'introduction dans l'édifice de la lumière naturelle. L'architecture gothique est dotée de formes structurelles particulières, les plus fréquentes étant la voûte d'ogives, l'arc brisé et l'arc-boutant. Bien qu'il se soit répandu dans toute l'Europe, le gothique a toujours conservé des caractéristiques régionales. Il perd de son importance dès la fin du XVe s., pour resurgir au XIXe s. avec le néogothique, qui s'inspire des modèles médiévaux en espérant retrouver le même souffle spirituel. *(Voir planche p. 530.)*

**GOTIQUE,** subst. m.
Langue des Goths, formant le rameau oriental du groupe des langues germaniques. 1545 ; bas lat. *gothicus* ; [gɔtik].

**GOUACHE,** subst. f.
**1.** Peinture à l'eau, rendue opaque et pâteuse par des liants (gomme). **2.** Œuvre peinte selon cette technique, en gén. sur du papier. 1746 ; ital. *guazzo*, « détrempe » ; [gwaʃ].

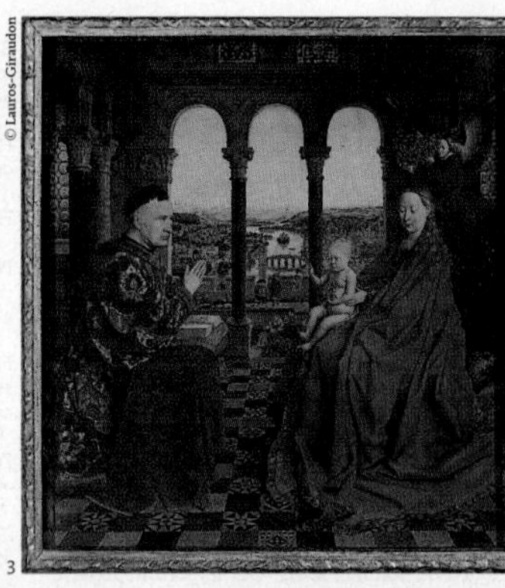


LE GOTHIQUE EN ART ET EN ARCHITECTURE

1. *Tympan du Jugement dernier, portail central de la cathédrale Saint-Étienne de Bourges (XIIIe s.).*

2. *Nef de la cathédrale Notre-Dame de Paris (1180-1220).*

3. La Vierge du chancelier Rolin, *peinture de Jan Van Eyck (v. 1390-1441). Musée du Louvre, Paris.*

4. *Apôtres, sculptures de la prédelle du retable d'Issenheim (v. 1490). Atelier de Nicolas Hagueneau. Musée d'Unterlinden, Colmar.*

5. Dame suivie de sa servante, *miniature (XVe s.). Musée Condé, Chantilly.*

6. *La Vie de Joseph*, vitrail de la cathédrale Saint-Étienne, Bourges.

7. *Statues-colonnes de la façade ouest de cathédrale de Chartres (XIIe-XIIIe s.).*

**GOUACHER,** verbe trans. [3]
Rehausser (un dessin, une aquarelle) à la gouache. 1847 ; ☞ *gouache* ; [gwaʃe].

**GOUAILLE,** subst. f.
Attitude ou façon de parler railleuse, goguenarde, empreinte d'impertinence : *La **gouaille** parisienne.* 1748 ; ☞ *gouailler* ; [gwaj].

**GOUAILLER,** verbe [3]
**TRANS.** Se moquer grossièrement de (vieilli). **INTRANS.** Plaisanter avec insolence, railler. 1732 ; orig. onomat. ; [gwaje].

**GOUAILLERIE,** subst. f.
Attitude moqueuse et insolente ; raillerie. 1823 ; ☞ *gouailler* ; [gwajʀi].

**GOUAILLEUR, EUSE,** adj.
Empreint de gouaille : *Un ton, un sourire **gouailleur**.* 1755 ; ☞ *gouailler* ; [gwajœʀ, øz].

**GOUAPE,** subst. f.
Voyou, vaurien (fam.). 1847 ; argot esp. *guapo*, « coupe-jarret » ; [gwap].

**GOUDA,** subst. m.
Fromage de Hollande à base de lait de vache, à pâte pressée et sans trous. 1957 ; topon. *Gouda* (Pays-Bas) ; [guda].

**GOUDRON,** subst. m.
**1.** Substance visqueuse et noirâtre, obtenue par distillation de diverses matières organiques : ***Goudron végétal** ; **Goudron de bois**.* ► ***Goudron de houille*** ou, empl. abs., ***Goudron*** : servant à calfater les navires ou, mélangé avec des cailloux, à revêtir les routes. **2.** Ext. Chaussée, bitume (fam.). Fin XIIe s. ; ar. *qaṭrān* ; [gudʀɔ̃].

**GOUDRONNAGE,** subst. m.
Action de goudronner ; son résultat. 1675 ; ☞ *goudronner* ; [gudʀɔnaʒ].

**GOUDRONNER,** verbe trans. [3]
Enduire de goudron : ***Goudronner** un chemin* ; ***Goudronner** une toile pour l'imperméabiliser* ; empl. adj. : *Papier **goudronné**.* 1457 ; ☞ *goudron* ; [gudʀɔne].

**GOUDRONNEUR, EUSE,** subst.
Personne dont le métier consiste à préparer ou à manipuler du goudron. **FÉM.** Machine à goudronner. 1532 ; ☞ *goudronner* ; [gudʀɔnœʀ, øz].

**GOUDRONNEUX, EUSE,** adj.
De la nature du goudron : *Matière, odeur **goudronneuse**.* 1841 ; ☞ *goudron* ; [gudʀɔnø, øz].

**GOUET,** subst. m.
**1.** Vx. Grosse serpe de bûcheron ou de vigneron. **2.** *Bot.* Arum. 1325 ; franco-prov. *gouy*, du lat. pop. °*gubius* ; [gwɛ].

**GOUFFRE,** subst. m.
**1.** Faille large et profonde dans le sol. ► Loc. *Être au bord, au fond du **gouffre*** : devant, dans une situation catastrophique. **2.** *Géol.* Cavité creusée par les eaux dans une région calcaire : *Le **gouffre** de Padirac.* **3.** Fig. ► Abîme, distance infranchissable : *Un **gouffre** nous sépare.* ► Chose ruineuse : *L'entretien de ce mas est un **gouffre**.* Fin XIIe s. ; gr. *kolpos*, « creux ; golfe » ; [gufʀ].

**GOUGE,** subst. f.
*Techn.* Ciseau à bout tranchant et courbe, utilisé en menuiserie, en gravure, en sculpture. 1344 ; bas lat. *gubia* ; [guʒ].

**GOUGÈRE,** subst. f.
*Cuis.* Gâteau salé fait de pâte à choux addition[…] de gruyère. 1316 ; orig. inc. ; [guʒɛʀ].

**GOUGNAFIER,** subst. m.
Fam. Bon à rien ; goujat. 1899 ; orig. obs[…] [guɲafje].

**GOUILLE,** subst. f.
Helv. Flaque d'eau, fondrière ; par ext., lac, m[…] XIIIe s. ; anc. bas frq. °*gullja* ; [guj].

**GOUINE,** subst. f.
**1.** Vx. Prostituée. **2.** Lesbienne (vulg. et péj[…] Mil. XVIIe s. ; norm. *gouain*, « salaud », p.-ê. de l'hébr[…] *goyim*, « non-Juifs ; chrétiens » ; [gwin].

**GOUJAT,** subst. m.
**1.** Vx. Valet d'armée. **2.** Homme dénué de savo[…] vivre, en partic. vis-à-vis des femmes. Fin XVe […] anc. prov. *gojat*, « jeune homme » ; [guʒa].

**GOUJATERIE,** subst. f.
Caractère ou action de goujat : *Être d'une **goujate**[…] éhontée.* 1853 (1611, ensemble des valets d'armé[…] ☞ *goujat* ; [guʒatʀi].

**GOUJON (I),** subst. m.
*Techn.* **1.** Cheville de bois ou de métal utilisée po[…] assembler deux pièces. **2.** Tige métallique qui s[…] à unir les deux parties d'une charnière. **3.** Axe […] poulie. Fin XIIe s. ; ☞ *gouge* ; [guʒɔ̃].

**GOUJON (II),** subst. m.
*Zool.* Petit poisson à barbillons, de la famille d[…] Cyprinidés, qui vit sur les fonds sableux des ea[…] douces. ► Loc. *Taquiner le **goujon*** : pêcher en am[…] teur, dans une rivière. Déb. XIIIe s. ; lat. *gobio*, gr. *kôbios* ; [guʒɔ̃].

**GOUJONNER,** verbe trans. [3]
chn. Cheviller (deux pièces) à l'aide d'un goujon. 1364 ; ☞ *goujon* (I) ; [guʒɔne].

**GOUJONNIÈRE,** adj. f.
ol. *Perche* ***goujonnière*** : grémille. 1845 ; ☞ *gou-* (II) ; [guʒɔnjɛʀ].

**GOULACHE,** subst. m. ou f.
lis. Ragoût de bœuf préparé avec du paprika, des gnons hachés et des pommes de terre. Fin s. ; hongrois *gulyás* ; var. *un goulasch* ; [gulaʃ].

**GOULAFRE,** adj. et subst.
elg. et Région. (Nord-Est). Goinfre, glouton. Déb. XIIIe s. ; anc. fr. *goule,* « gueule » ; var. *gouliafre* ; ulafʀ].

**GOULAG,** subst. m.
*Hist. Le Goulag* : institution soviétique chargée l'organisation des camps de travail forcé (dissous 1956). **2.** Camp de travail forcé, dans l'U. R. S. S. par ext., dans tout pays à régime totalitaire. V. 1970 ; acron. russe de *Glavnoe upravlenie lagerej,* Direction générale des camps » ; [gulag].

**GOULASCH,** voir **GOULACHE**

**GOULE,** subst. f.
émon femelle qui dévore les cadavres dans les metières, selon certaines croyances superstitieuses Europe centrale. 1697 ; ar. *ġūl* ; [gul].

**GOULÉE,** subst. f.
rosse bouchée ou gorgée (fam.) ; par ext. : *Une ulée d'air.* 1176 ; anc. fr. *goule,* « gueule » ; [gule].

**GOULET,** subst. m.
Vx. Goulot d'une bouteille. **2.** Anal. Passage sserré entre deux montagnes. **3.** Entrée étroite un port, d'une rade (synon. *passe*). **4.** Fig. ***Goulet*** *étranglement* (☞ *goulot*). 1544 (1358, petit isseau) ; anc. fr. *goule,* « gueule » ; [gulɛ].

**GOULEYANT, ANTE,** adj.
ualifie un vin frais et léger. 1931 ; anc. fr. *goule,* gueule » ; [gulɛjɑ̃, ɑ̃t].

**GOULIAFRE,** voir **GOULAFRE**

**GOULOT,** subst. m.
Bouche, gosier (pop.) : *Se rincer le* ***goulot,*** boire. Col étroit d'un récipient : *Boire au* ***goulot.*** **3.** Fig. ***oulot*** *(ou* ***goulet****) d'étranglement* : passage difficile, bstacle. 1616 ; anc. fr. *goule,* « gueule » ; [gulo].

**GOULOTTE,** subst. f.
chn. **1.** Petite rigole d'écoulement des eaux plu- ales. **2.** Conduit ou tuyau incliné permettant le ansport par pesanteur de matériaux divers. 1694 ; anc. fr. *goule,* « gueule » ; [gulɔt].

**GOULU, UE,** adj.
ui mange avec avidité ; par méton. : *Des lèvres* ***ulues.*** Déb. XVIe s. ; anc. fr. *goule,* « gueule » ; [guly].

**GOULÛMENT,** adv.
vec avidité, voracité. 1546 ; ☞ *goulu* ; [gulymɑ̃].

**GOUM,** subst. m.
ist. Contingent militaire formé d'autochtones, en frique du Nord durant la colonisation. 1844 ; d'Afrique du Nord *gūm,* de l'ar. *gawm,* « ensemble des erriers d'une tribu, d'un clan » ; [gum].

**GOUPIL,** subst. m.
enard (vx). Déb. XIIe s. ; bas lat. *vulpiculus,* du lat. *lpes* ; [gupi(l)].

**GOUPILLE,** subst. f.
heville métallique servant à assembler deux pièces ercées d'un trou. 1439 ; ☞ *goupil* ; [gupij].

**GOUPILLER,** verbe trans. [3]
Assujettir au moyen de goupilles. **2.** Fig. Arranger, mbiner (fam.) ; empl. pronom. : *Ça se* ***goupille*** *al !* 1670 ; ☞ *goupille* ; [gupije].

**GOUPILLON,** subst. m.
Bâton de bois ou de métal garni de soies de porc 1 d'une boule métallique creuse et percée de trous, ilisé pour l'aspersion d'eau bénite. ▸ Loc. *Le sabre le* ***goupillon*** : l'armée et l'Église (péj.). **2.** Anal. ge terminée par une brosse cylindrique servant nettoyer les bouteilles (synon. *écouvillon*). Fin s. ; anc. fr. *guipon,* de l'anc. nord. *vippa* ; [gupijɔ̃].

**GOUR (I),** subst. m.
artie creuse d'un cours d'eau, remplie d'eau même période sèche. Fin XIIe s. (déb. XIIe s., cours d'eau) ; t. *gurges,* « masse d'eau ; abîme » ; [guʀ].

**GOUR (II),** subst. m.
éogr. Au Sahara, table rocheuse à flancs abrupts, olée par l'érosion. 1858 ; ar. d'Afrique du Nord ir, plur. de *gāra,* de l'ar. *qāra* ; [guʀ].

**GOURA,** subst. m.
*Zool.* Pigeon de Nouvelle-Guinée, de la famille des Columbidés, doté d'un plumage bleu et d'une huppe érectile. 1776 ; malais *goura* ; [guʀa].

**GOURAMI,** subst. m.
*Zool.* Poisson d'ornement de la famille des Bélontidés, originaire du Sud-Est asiatique. 1839 ; malais *gourami* ; [guʀami].

**GOURBI,** subst. m.
**1.** Habitation rudimentaire, faite de branchages et de terre, en Afrique du Nord. **2.** Abri de fortune dans les tranchées (argot.). **3.** Ext. Habitation misérable et sale. 1743 ; ar. d'Algérie *gurbī* ; [guʀbi].

**GOURD, GOURDE,** adj.
**1.** Engourdi, raidi par le froid. **2.** Fig. Maladroit, emprunté. Fin XIIe s. (déb. XIIe s., immobile, en parlant du vent) ; lat. *gurdus,* « lourdaud » ; [guʀ, guʀd].

**GOURDE (I),** subst. f.
**1.** *Bot.* Fruit long et renflé de certaines Cucurbitacées. **2.** Ext. Petit bidon étanche servant à transporter une boisson. **3.** Fig. Personne niaise et maladroite (fam.) ; empl. adj. : *Il a l'air un peu* ***gourde.*** XIIIe s. ; anc. fr. *coorde,* du lat. *cucurbita* ; [guʀd].

**GOURDE (II),** subst. f.
**1.** Vx. Monnaie d'argent. **2.** Unité monétaire principale de Haïti (symb. : G). 1827 ; esp. *gordo,* « gros », du lat. *gurdus,* « lourdaud » ; [guʀd].

**GOURDIN,** subst. m.
**1.** Vx. Corde dont on frappait les galériens. **2.** Ext. Gros bâton court : *S'armer d'un* ***gourdin.*** 1526 ; ital. *cordino,* de *corda,* « corde » ; [guʀdɛ̃].

**GOURER (SE),** verbe pronom. [3]
Fam. **1.** Se tromper. **2.** Se douter (vieilli). 1807 (fin XIIIe s., *gourer,* duper qqn) ; p.-ê. *goret* ; [guʀe].

**GOURGANDINE,** subst. f.
Femme légère, facile (fam. et vieilli). 1640 ; prob. crois. du rad. de *goret* et de l'anc. prov. *gandir,* « s'esquiver » ; [guʀgɑ̃din].

**GOURMAND, ANDE,** adj.
**1.** Vx. Qui mange goulûment. **2.** Qui aime la bonne chère ; qui aime les sucreries ; empl. subst., personne **gourmande.** **3.** Qui est réputé pour sa gastronomie : *Région* ***gourmande.*** **4.** Fig. Qui marque l'envie ; sensuel : *Mine, bouche* ***gourmande.*** ▸ Qui est avide, en partic. en matière d'argent. **5.** *Arboric. Branche* ***gourmande*** ou, empl. subst. masc., *Un* ***gourmand*** : branche qui ne donne pas de fruits mais tire la sève à elle. 1354 ; orig. obsc. ; [guʀmɑ̃, ɑ̃d].

**GOURMANDER,** verbe trans. [3]
Réprimander avec sévérité (littér.). 1611 (mil. XIVe s., manger goulûment) ; ☞ *gourmand* ; [guʀmɑ̃de].

**GOURMANDISE,** subst. f.
**1.** Caractère, défaut d'une personne gourmande. ▸ *Relig.* L'un des sept péchés capitaux. **2.** Friandise (gén. au plur.). Déb. XVe s. ; ☞ *gourmand* ; [guʀmɑ̃diz].

**GOURME,** subst. f.
**1.** *Vétér.* Maladie infectieuse et contagieuse du jeune cheval. ▸ Loc. *Jeter sa* ***gourme*** : contracter cette maladie pour la première fois, en parlant d'un poulain ou, au fig., se livrer aux frasques de la jeunesse (vieilli). **2.** *Pathol.* Impétigo du visage et du cuir chevelu (vieilli et pop.). Mil. XIVe s. (1228, écrouelles) ; anc. bas frq. °*worm,* « pus » ; [guʀm].

**GOURMÉ, ÉE,** adj.
Dont l'attitude est guindée (littér.). Fin XVIIe s. ; p. p. de *gourmer* (rare), « brider un cheval » ; [guʀme].

**GOURMET,** subst. m.
**1.** Vx. Goûteur de vin. **2.** Personne qui prise la bonne cuisine et en goûte la finesse : *Fin* ***gourmet.*** 1402 (mil. XIVe s., *groumete,* courtière en vins) ; anc. fr. *grommes,* « valet » ; [guʀmɛ].

**GOURMETTE,** subst. f.
**1.** Chaînette passée sous la mâchoire du cheval et maintenant le mors en place dans sa bouche. **2.** *Bijout.* Bracelet fait d'anneaux aplatis ; chaîne de montre. Mil. XVe s. ; ☞ *gourme* ; [guʀmɛt].

**GOURNABLE,** subst. f.
*Mar.* Cheville de chêne servant à fixer les bordages, sur les navires en bois. 1678 ; néerl. °*gordnagel* ; [guʀnabl].

**GOUROU,** subst. m.
**1.** Maître spirituel hindou. **2.** Maître à penser (souv. péj.) : *Le* ***gourou*** *d'une secte.* 1732 ; hindi *guru,* du skr. *guru,* « lourd, grave » ; var. *guru* ; [guʀu].

**GOUSSE,** subst. f.
*Bot.* **1.** Fruit déhiscent des Fabacées et de quelques autres plantes, capsule bivalve contenant les graines de la plante. **2.** Bourgeon secondaire du bulbe de certaines plantes : ***Gousse*** *d'ail.* Déb. XIIIe s. ; orig. inc. ; [gus].

**GOUSSET,** subst. m.
**1.** Vx. Aisselle ; bourse autrefois portée sous l'aisselle. **2.** Petite poche de veste, de gilet ou de pantalon : *Montre de* ***gousset.*** **3.** *Techn.* ▸ Pièce triangulaire servant à renforcer ou à assembler des éléments. ▸ Support de tablette formé d'une console en bois. 1278 ; ☞ *gousse* ; [gusɛ].

**GOÛT,** subst. m.
**I. 1.** Sens permettant de percevoir les saveurs (salé, sucré, amer, acide) des aliments. **2.** Saveur : ***Goût*** *poivré ;* ***Goût*** *de brûlé ; Ce plat n'a aucun* ***goût*** ; au fig. : *Expérience qui laisse un* ***goût*** *amer.* **3.** Ext. Envie. ▸ Loc. *Faire passer le* ***goût*** *de qqch. à qqn* : lui en ôter l'envie. **II. 1.** Aptitude à apprécier esthétiquement les choses ; discernement : *Avoir un* ***goût*** *sûr ; Avoir du* ***goût*** *; Femme de* ***goût*** *; Plaisanterie de mauvais* ***goût.*** **2.** Inclination, attirance pour qqch. : *Avoir le* ***goût*** *du risque ; Prendre* ***goût*** *à la cuisine slave.* PLUR. Penchants, préférences propres à chacun : *Avoir des* ***goûts*** *simples.* XIIIe s. ; lat. *gustus* ; [gu].

**GOÛTER (I),** verbe [3]
TRANS. DIR. **1.** Percevoir par le goût ; par méton., prélever, absorber une petite quantité de (un aliment, une boisson) pour en tester la saveur : ***Goûter*** *un cru* ; empl. abs. : ***Goûtez*** *donc !* **2.** Fig. Apprécier, aimer (littér.) : ***Goûter*** *la solitude.* TRANS. INDIR. **Goûter à, de.** Boire ou manger une certaine quantité de ; consommer pour la première fois : ***Goûter*** *à un plat* ; au fig., faire l'essai de. INTRANS. Prendre une collation dans l'après-midi : *Viens* ***goûter*** *!* 1155 ; lat. *gustare* ; [gute].

**GOÛTER (II),** subst. m.
Collation prise au milieu de l'après-midi : ***Goûter*** *d'anniversaire.* 1538 ; ☞ *goûter* (I) ; [gute].

**GOÛTEUR, EUSE,** subst.
Personne chargée de goûter une boisson ou un aliment. 1579 ; ☞ *goûter* (I) ; [gutœʀ, øz].

**GOÛTEUX, EUSE,** adj.
Qui a de la saveur, beaucoup de goût. 1910 ; ☞ *goûter* (I) ; [gutø, øz].

**GOUTTE (I),** subst. f.
**1.** Très petite quantité de liquide, de forme arrondie : ***Goutte*** *de pluie, d'huile.* ▸ Loc. *La* ***goutte*** *d'eau qui fait déborder le vase* : le petit rien qui fait sortir des limites du supportable ; *Une* ***goutte*** *d'eau dans la mer* : une quantité négligeable ; *Se ressembler comme deux* ***gouttes*** *d'eau* : trait pour trait ; *N'y voir, n'y entendre* ***goutte*** : ne rien voir, ne rien comprendre (littér.). **2.** Petite quantité de liquide, en partic. de boisson alcoolique : *Reprendre une* ***goutte*** *de cognac ; Ne plus boire une* ***goutte,*** cesser de boire de l'alcool. **3.** *Pharm.* Unité de dosage de certains médicaments liquides (gén. au plur.) : *Prendre ses* ***gouttes.*** Fin Xe s. ; lat. *gutta* ; [gut].

**GOUTTE (II),** subst. f.
*Pathol.* Excès d'acide urique dans les tissus, provoquant de fortes douleurs inflammatoires des articulations, en partic. du gros orteil et du genou : *Un accès de* ***goutte.*** Fin XIIe s. ; ☞ *goutte* (I) ; [gut].

**GOUTTE-À-GOUTTE,** subst. m. inv.
*Méd.* Dispositif permettant d'administrer une perfusion à un malade, et d'en régler le débit ; cette perfusion. 1931 ; ☞ *goutte* (I) ; [gutagut].

**GOUTTELETTE,** subst. f.
Petite goutte. Fin XIIIe s. ; ☞ *goutte* (I) ; [gutlɛt].

**GOUTTER,** verbe intrans. [3]
Tomber goutte à goutte : *Sang qui* ***goutte*** ; par méton., laisser tomber des gouttes : *Robinet, nez qui* ***goutte.*** XIIIe s. ; p.-ê. *goutte* (I) ou lat. *guttare* ; [gute].

**GOUTTEREAU,** adj. m.
*Archit. Mur* ***gouttereau*** : qui porte une gouttière ou un chéneau. 1398 ; ☞ *goutte* (I) ; [gutʀo].

**GOUTTEUX, EUSE,** adj.
*Pathol.* **1.** Qui souffre de la goutte. **2.** Propre à la goutte. Fin XIIe s. ; ☞ *goutte* (II) ; [gutø, øz].

**GOUTTIÈRE,** subst. f.
**1.** Vx. Bord inférieur d'un toit, d'où l'eau de pluie goutte. **2.** Méton. Conduite fixée au bord du toit, recevant les eaux de pluie et débouchant en gén.

sur un tuyau de descente (synon. *chéneau*). **3.** *Méd.* Appareil servant à immobiliser un membre fracturé ou malade. Déb. XIIe s. ; ☞ *goutte* (I) ; [gutjeʀ].

**GOUVERNAIL, subst. m.**
**1.** *Mar.* Plaque de bois ou de métal fixée sur un axe, servant à diriger un navire ; par ext. : *Gouvernail de direction d'un avion.* **2.** Fig. *Tenir le* **gouvernail** : diriger, commander. Fin XIe s. ; lat. *gubernaculum* ; plur. *gouvernails* ; [guvɛʀnaj].

**GOUVERNANT, ANTE, adj. et subst.**
**Adj.** Qui gouverne : *Classes* **gouvernantes**. **Subst.** Personne qui gouverne un pays, un territoire : *Des* **gouvernants** *intègres.* **Subst. fém. 1.** Femme à qui l'on confie l'éducation d'un ou de plusieurs enfants. **2.** Femme qui s'occupe d'une personne seule. 1437 ; p. pr. de *gouverner* ; [guvɛʀnɑ̃, ɑ̃t].

**GOUVERNE, subst. f.**
**1.** Ce qui sert de règle de conduite (vx). ► Loc. *Pour votre* **gouverne** : pour vous servir de ligne de conduite. **2.** *Mar.* Action de gouverner, de piloter une embarcation ; par ext., ensemble des organes de direction d'un avion. 1723 (1240, nourriture) ; ☞ *gouverner* ; [guvɛʀn].

**GOUVERNEMENT, subst. m.**
**1.** Action, manière de diriger qqch. ou qqn (vx). **2.** Action de gouverner, d'exercer un pouvoir politique sur un groupe social. ► Manière dont est organisé ce pouvoir : **Gouvernement** *républicain.* **3.** Le pouvoir exécutif, qui assume la direction d'un pays, représenté par le chef de l'État et les ministres (par oppos. au pouvoir législatif). ► Partie de ce pouvoir responsable devant le Parlement : *Chef du* **gouvernement**, le Premier ministre. **4.** *Hist.* Fonction du gouverneur d'une province. Fin XIIe s. ; ☞ *gouverner* ; [guvɛʀnəmɑ̃].

**GOUVERNEMENTAL, ALE, AUX, adj.**
**1.** Relatif au gouvernement, au pouvoir exécutif, ou à l'ensemble des ministres : *Crise* **gouvernementale**. **2.** Qui soutient le gouvernement en place. 1801 ; ☞ *gouvernement* ; [guvɛʀnəmɑ̃tal, o].

**GOUVERNER, verbe trans.** [3]
**1.** Diriger (un État) ; exercer le pouvoir politique sur : *Les Français sont réputés difficiles à* **gouverner**. ► Abs. Détenir, exercer le pouvoir exécutif : **Gouverner**, *c'est choisir* (Mendès France) ; *La reine d'Angleterre ne* **gouverne** *pas.* **2.** Influencer, dominer (qqn, qqch.) : *L'argent* **gouverne** *le monde.* **3.** *Mar.* Piloter, conduire (un navire) ; par ext. : *Gouverner un* **avion**. Mil. XIe s. ; lat. *gubernare*, du gr. *kubernan* ; [guvɛʀne].

**GOUVERNEUR, subst. m.**
**1.** *Milit.* Général commandant une région militaire. **2.** *Admin.* Haut fonctionnaire nommé par l'État à la tête d'une grande institution financière : *Le* **gouverneur** *de la Banque de France.* **3.** *Hist.* Représentant de l'État dans une colonie. **4.** Aux États-Unis, détenteur du pouvoir exécutif dans un État. XIIe s. ; lat. *gubernator*, de *gubernare*, « gouverner » ; [guvɛʀnœʀ].

**GOY, subst. et adj.**
Qualifie ou désigne un non-Juif, en partic. un chrétien, pour un Juif. XVIe s. ; hébreu *goy* ; plur. *goys* ou *goyim*, var. *goï* (plur. *gois* ou *goïm*) ; [gɔj], plur. [gɔj] ou [gɔjim].

**GOYAVE, subst. f.**
Fruit comestible et sucré du goyavier. 1555 ; langue des Caraïbes *guayaba* ; [gɔjav].

© J.-P. Hervy-Jacana

*Goyaves.*

**GOYAVIER, subst. m.**
*Bot.* Arbuste de la famille des Myrtacées. Originaire d'Amérique tropicale, il a été acclimaté sur le pourtour méditerranéen. 1601 ; ☞ *goyave* ; [gɔjavje].

**gr,** voir **GRADE**

**GRAAL, subst. m.**
*Le Graal* : vase qui aurait servi au cours de la Cène, et dans lequel Joseph d'Arimathie aurait recueilli le sang du Christ sur la croix. ► *M. Â.* Symbole du salut spirituel. Déb. XIIIe s. ; lat. *gradalis*, « plat large et creux » ; [gʀal].

**GRABAT, subst. m.**
**1.** Mauvais lit. **2.** Lit de malade (vieilli) : *Il gisait sur son* **grabat**. 1050 ; lat. *grabatus* ; [gʀaba].

**GRABATAIRE, adj. et subst.**
Se dit d'un malade gardant le lit : *Une infirme* **grabataire**. Déb. XVIIIe s. ; ☞ *grabat* ; [gʀabatɛʀ].

**GRABEN, subst. m.**
*Géol.* Fossé d'effondrement dû à un affaissement de terrains situés entre deux systèmes de failles : *La vallée du Rhin est un vaste* **graben**. Fin XIXe s. ; all. *Graben*, « fossé » ; [gʀabɛn].

**GRABUGE, subst. m.**
Fam. Dispute, querelle bruyante ; par ext., agitation, remue-ménage : *Faire du* **grabuge**. 1526 ; vénitien *garbugio*, de l'ital. *garbuglio*, « tumulte » ; [gʀabyʒ].

**GRÂCE, subst. f.**
**1.** Manifestation de la bonté divine : *Roi par la* **grâce** *de Dieu* ; *L'an de* **grâce**... ► *Théol.* Aide surnaturelle permettant à l'homme d'obtenir le salut : *La* **grâce** *et la prédestination* ; **Grâce** *suffisante, efficace* (voir ces mots). ► Loc. *État de* **grâce** : état de celui qui est sans péché ou, au fig., de celui à qui tout sourit ; *À la* **grâce** *de Dieu !* : à Dieu vat ! **2.** Bienfait accordé à qqn pour lui être agréable : *Solliciter une* **grâce** ; *Les bonnes* **grâces** *de qqn*, ses faveurs ; *Être en* **grâce** *auprès de qqn*, jouir de sa confiance ; *Coup de* **grâce** (☞ *coup*). **3.** Titre honorifique, dans les pays anglo-saxons : *Votre* **Grâce**. **4.** Pardon octroyé pour une faute, un crime, une dette : *Demander* **grâce**. ► Remise de peine capitale accordée par le chef de l'État à un condamné à mort : *Recours en* **grâce**. ► Loc. **Faire grâce de.** Épargner : *Je vous ferai* **grâce** *des détails.* **5.** Remerciement ; reconnaissance : *Rendre* **grâce(s)**, remercier. ► *Action de* **grâce(s)** (☞ *action*). ► Loc. prép. **Grâce à.** Par l'aide, la faveur de : *C'est* **grâce** *à moi qu'il a réussi.* **6.** Attrait, charme : *La* **grâce** *des félins* ; par ext., comportement. ► Loc. *De bonne, de mauvaise* **grâce** : de bon, de mauvais gré. Mil. XIe s. ; lat. *gratia* ; [gʀɑs].

**GRACIER, verbe trans.** [6]
Remettre ou réduire la peine de (un condamné). 1832 (XIe s., rendre grâce) ; lat. médiév. *gratiare* ; [gʀasje].

**GRACIEUSEMENT, adv.**
**1.** De manière charmante, délicate. **2.** Gratuitement. 1302 ; ☞ *gracieux* ; [gʀasjøzmɑ̃].

**GRACIEUSETÉ, subst. f.**
**1.** Vx. Amabilité. **2.** Gratification. Mil. XVe s. ; ☞ *gracieux* ; [gʀasjøzte].

**GRACIEUX, EUSE, adj.**
**1.** Vx. Qui fait preuve de bienveillance. **2.** Qui est accordé sans contrepartie : *À titre* **gracieux**. ► Dr. *Juridiction* **gracieuse** : qui s'exerce indépendamment de tout litige (anton. *contentieuse*). **3.** Qui est empreint de grâce, de charme. 1176 ; lat. *gratiosus* ; [gʀasjø, øz].

**GRACILE, adj.**
Qui est élancé, frêle, délicat (littér.) : *Des doigts* **graciles**. 1515 ; lat. *gracilis*, « mince, grêle » ; [gʀasil].

**GRACILITÉ, subst. f.**
Caractère de ce qui est gracile. 1488 ; lat. *gracilitas* ; [gʀasilite].

**GRADATION, subst. f.**
**1.** *Rhét.* Succession de mots de force croissante ou décroissante : *L'expression de Bossuet, « Madame se meurt, Madame est morte », est une* **gradation** *ascendante.* **2.** Passage par degrés d'un état à un autre, gén. ascendant. ► *Mus.* Progression d'un son à un autre. ► *Peint.* Passage d'un ton à un autre. 1464 ; lat. *gradatio* ; [gʀadasjɔ̃].

**GRADE, subst. m.**
**1.** Degré dans une hiérarchie, en partic. militaire ou universitaire : *Monter en* **grade** ; *Le* **grade** *de capitaine* ; *Le* **grade** *de docteur en droit.* ► Loc. *En prendre, en avoir pour son* **grade** : être sévèrement réprimandé, puni (fam.). **2.** Belg. Mention accompagnant l'obtention d'un diplôme : *Licencié avec* **grade** *« satisfaction ».* **3.** *Géom.* Unité de mesure des arcs de cercle, valant 1/400 de la circonférence du cercle (symb. : gr) ; unité de mesure des angles associant un secteur angulaire à un angle donné (un secteur angulaire mesure 1 **grade** si et seulement si il intercepte un cercle centré en son sommet suivant un arc [...] 1 grade). 1578 ; lat. *gradus*, « pas ; degré » ; [gʀa...

**GRADÉ, ÉE, adj. et subst.**
Se dit d'un militaire pourvu d'un grade. 17[...] ☞ *grade* ; [gʀade].

**GRADIENT, subst. m.**
**1.** Taux de variation d'une grandeur, caractérisa[...] une propriété d'un système. **2.** *Biol.* Variat[...] progressive d'une propriété biologique ou physic[...] gique dans une cellule, dans un organisme. **3.** *Ma*[...] **Gradient** *d'une fonction f de* $\mathbb{R}^n$ *dans* $\mathbb{R}$ *dériv*[...] *sur un ouvert U de* $\mathbb{R}^n$ : champ de vecteurs, n[...] $\overrightarrow{\text{grad}}\, f$ (ou encore $\nabla f$), dont les composantes d[...] une base orthonormée de $\mathbb{R}^n$, $(\vec{e_1}, \vec{e_2}, \ldots, \vec{e_n})$, s[...] les dérivées partielles de *f*. **4.** *Météor.* Taux [...] variation d'un élément météorologique en fonct[...] de la distance par rapport au point d'observatio[...] **Gradient** *de pression*, taux de variation de la press[...] atmosphérique par degré géophysique (1° de lon[...] tude équivaut à environ 111 km). **5.** *Phys.* **Gradi**[...] *de potentiel* : variation du potentiel (électrique [...] magnétique) entre deux points. 1890 ; lat. *grad*[...] « degré » ; [gʀadjɑ̃].

**GRADIN, subst. m.**
**1.** Petite marche formant étagère sur un meub[...] **2.** Chacun des bancs fixes s'étageant dans un a[...] phithéâtre, une tribune, etc. **3.** Anal. Chaque p[...] d'un terrain façonné en terrasses : *Jardin en* **gradi**[...] 1643 ; ital. *gradino*, de *grado*, « degré » ; [gʀa...

**GRADUAT, subst. m.**
Belg. Cycle d'études techniques ou administrati[...] juste inférieur au niveau universitaire ; diplô[...] sanctionnant ce cycle. ☞ *graduer* ; [gʀadɥa].

**GRADUATION, subst. f.**
Action de graduer un instrument de mesure [...] degrés ; par méton., chacune des divisions ai[...] obtenues ; ensemble de ces divisions. 1718 (14[...] dosage) ; ☞ *graduer* ; [gʀadɥasjɔ̃].

**GRADUÉ, ÉE, adj.**
**1.** Qui porte une graduation : *Règle* **graduée**. **2.** P[...] gressif : *Tests* **gradués**. 1625 ; p. p. *gradu*[...] [gʀadɥe].

**GRADUEL, ELLE, adj. et subst. m.**
**Subst.** *Liturg.* Psaume chanté ou récité après l'é[...] tre ; par méton., livre de chants pour la mes[...] **Adj.** Qui progresse par degrés. 1374 ; lat. méd[...] *gradualis*, du lat. *gradus*, « degré » ; [gʀadɥɛl].

**GRADUELLEMENT, adv.**
Progressivement. 1596 ; ☞ *graduel* ; [gʀadɥɛlm[...]

**GRADUER, verbe trans.** [3]
**1.** Augmenter progressivement. **2.** Diviser en [...] grés : **Graduer** *une éprouvette.* 1545 (déb. XVe [...] conférer un grade) ; lat. scol. *graduare*, du lat. *grad*[...] « degré ; rang » ; [gʀadɥe].

**GRADUS, subst. m.**
Dictionnaire de la langue poétique latine [...] grecque. 1821 ; ell. de *Gradus ad Parnassum*, « De[...] vers le Parnasse », dictionnaire latin ; [gʀadys].

**GRAFFITI, subst. m.**
**1.** *Archéol.* Inscription, dessin exécuté sur les m[...] ou les monuments des villes antiques. **2.** [...] Inscription, dessin tracé sur un mur. 1856 ; [...] ital. ; plur. *graffiti(s)* ; [gʀafiti].

**GRAILLEMENT, subst. m.**
Cri de la corneille ; par anal., son de voix rauq[...] 1552 ; ☞ *grailler* (II) ; [gʀɑjmɑ̃].

**GRAILLER (I), verbe intrans.** [3]
*Vén.* Sonner du cor pour rappeler les chiens. [...] XIIe s. ; anc. fr. *graile*, « trompette », du lat. *grac*[...] « grêle » ; [gʀɑje].

**GRAILLER (II), verbe intrans.** [3]
**1.** Pousser son cri, en parlant de la corneille ou [...] corbeau. **2.** Anal. Parler d'une voix rauq[...] 1552 ; anc. fr. *graille*, « corneille » ; [gʀɑje].

**GRAILLER (III), verbe intrans.** [3]
Manger (fam.). 1944 ; argot *graille*, « nourritur[...] de *graillon* (I) ; [gʀɑje].

**GRAILLON (I), subst. m.**
**Plur.** Vx. Restes de nourriture, vendus aux pauv[...] **Sing.** Odeur de graisse brûlée ; par ext., odeur [...] mauvaise cuisine. 1642 ; anc. fr. *graillier*, « rôtir [...] un gril » ; [gʀɑjɔ̃].

**GRAILLON (II), subst. m.**
Crachat (fam.). 1808 ; *crailler* (vx), « cracher [...] [gʀɑjɔ̃].

**GRAILLONNER (I), verbe intrans.** [3]
Fam. Se débarrasser la gorge, en toussant, [...]

mucosités qui l'encombrent ; par ext., avoir la voix rauque. 1808 ; graillon (II) ; [gʀɑjɔne].

**GRAILLONNER (II), verbe intrans.** [3]
Sentir le graillon : *Une poêlée qui **graillonne**.* 1866 ; *graillon* (I) ; [gʀɑjɔne].

**GRAIN, subst. m.**
**1.** Production végétale de petite taille et de forme sphérique ; graine : ***Grain** de blé, de pollen, de raisin.* ▸ Empl. abs. et coll. **Grains** de céréales : *Poulet nourri au **grain**.* **2.** Anal. Petit élément de forme sphérique ou oblongue : ***Grain** de chapelet* ; particule : ***Grain** de sable* ; au fig. : *Un **grain** de fantaisie.* ▸ Loc. fam. *Mettre son **grain** de sel* : intervenir (dans une conversation) sans y être invité ; *Avoir un **grain*** : être un peu fou. **3.** Petite aspérité apparaissant sur une surface : ***Grain** de beauté*, petite tache noire ou brune sur la peau. ▸ Aspect d'une surface parsemée de **grains** : *Le **grain** d'une orange* ; aspect évoquant une surface grenue : *Le **grain** d'une photographie.* **4.** *Météor.* Pluie subite et gén. brève ; en mer, fort coup de vent, souv. accompagné d'averses ; au fig. : *Veiller au **grain***, être attentif, prêt à toute éventualité. Mil. XIIe s. ; lat. *granum* ; [gʀɛ̃].

**GRAINAGE, subst. m.**
**1.** *Techn.* Grenage. **2.** Production des œufs du ver à soie. 1600 ; *grainer* ; [gʀɛnaʒ].

**GRAINE, subst. f.**
**1.** *Bot.* Résultat du développement d'un ovule fécondé. La **graine**, qui peut être nue (chez les Gymnospermes) ou enfermée dans un fruit (chez les Angiospermes), comprend, à l'intérieur d'une enveloppe, une plantule et des matières de réserve situées soit dans un albumen, soit dans les cotylédons de la plantule. L'embryon végétal contenu dans la **graine** ne se développe que quelque temps après sa formation. **2.** Loc. ▸ *Monter en **graine*** : se développer jusqu'à la production de **graines** ou, au fig., grandir vite, en parlant d'un enfant, d'un adolescent. ▸ *Mauvaise **graine*** : enfant que l'on craint de voir mal tourner. ▸ **Graine de** (+ subst.). Personne que l'on suppose devenir (telle) : ***Graine** de voyou.* ▸ *En prendre de la **graine*** : tirer la leçon de, prendre exemple sur. ▸ *Casser une petite **graine*** : manger (fam.). **3.** *Géol.* Partie centrale du noyau de la Terre (env. 2 400 km de diamètre, à 5 000 °C et plus), composée surtout de nickel et de fer. 1176 ; lat. pop. *grana*, du lat. *granum*, « grain » ; [gʀɛn].

**GRAINER, voir GRENER**

**GRAINETERIE, subst. f.**
Commerce de grains ; boutique du grainetier. 1660 (1328, office de juge du grenier à sel) ; *grainetier* ; [gʀɛnt(ə)ʀi] ou [-nɛtʀi].

**GRAINETIER, IÈRE, subst.**
Commerçant en grains, légumes secs, oignons, bulbes, etc. 1484 (XIIIe s., officier du grenier) ; lat. médiév. *granatarius*, « préposé du grenier », du lat. *granum*, « grain » ; [gʀɛntje, jɛʀ].

**GRAINIER, IÈRE, subst.**
Marchand de graines à semer. 1672 ; *graine* ; [gʀɛnje, jɛʀ].

**GRAISSAGE, subst. m.**
Action de graisser : ***Graissage** d'un moteur.* XVIe s. (1460, matière grasse) ; *graisser* ; [gʀɛsaʒ].

**GRAISSE, subst. f.**
**1.** Substance lipidique présente dans les tissus cellulaires animaux ou végétaux. **2.** Cette substance, utilisée à diverses fins : ***Graisse** alimentaire.* ▸ Substance d'origine minérale : ***Graisse** de moteur.* ▸ Ext. Corps gras : *Régime sans **graisses**.* **3.** ***Graisse** du vin* : altération du vin, qui lui donne une consistance huileuse. **4.** Anal. *Typogr.* Épaisseur du trait d'un caractère, d'un filet. Déb. XIIe s. ; bas lat. *crassia*, du lat. *crassus*, « gras » ; [gʀɛs].

**GRAISSER, verbe** [3]
**Trans. 1.** Enduire (qqch.) de graisse, d'une matière grasse pour l'entretenir, le protéger : ***Graisser** un mécanisme.* ▸ Loc. ***Graisser** la patte à qqn* : lui donner de l'argent pour en obtenir une faveur (fam.). **2.** Tacher (qqch.) de graisse. **Intrans.** En parlant du vin, s'altérer en prenant une apparence huileuse. Déb. XVIe s. ; *graisse* ; [gʀɛse].

**GRAISSEUR, subst. m.**
*Mécan.* **1.** Système, appareil permettant d'effectuer un graissage. **2.** Technicien qui procède au graissage d'un moteur ou d'éléments mécaniques. 1861 (1532, graisseur de bottes) ; *graisser* ; [gʀɛsœʀ].

**GRAISSEUX, EUSE, adj.**
**1.** Constitué de graisse ou qui en contient : *Substance **graisseuse**.* **2.** Imprégné, sali de graisse : *Tablier **graisseux**.* 1532 ; *graisse* ; [gʀɛsø, øz].

**GRAMINÉES, subst. f. plur.**
*Bot.* Famille unique de l'ordre des Graminales, aujourd'hui appelée Poacées. Les **Graminées** sont toutes des herbes, à l'exception des bambous. Leurs tiges sont creuses (chaumes), non ramifiées, terminées par un épi composé de plusieurs épillets sur lesquels se trouvent des bractées, appelées glumelles. Le fruit est un akène dans lequel le péricarpe et le tégument de la graine sont soudés (caryopse). **Au sing.** *Le riz est une **graminée**.* XVe s. ; lat. *gramineus*, de *gramen*, « gazon » ; [gʀamine].

**GRAMMAGE, subst. m.**
*Papet.* Poids de l'unité de surface d'une feuille de papier ou de carton, calculé en grammes par mètre carré. V. 1950 ; *gramme* ; [gʀamaʒ].

**GRAMMAIRE, subst. f.**
**1.** Ensemble des règles qu'il faut suivre pour écrire et parler correctement une langue : *La **grammaire** française est difficile* ; *Une faute de **grammaire**.* **2.** Étude descriptive des éléments, des structures qui constituent une langue : *La morphologie, la syntaxe sont des champs d'étude de la **grammaire**.* **3.** Méton. Livre qui expose l'ensemble des règles prescriptives : *Une **grammaire** en dix volumes.* **4.** Ext. Ensemble des règles d'un art : *La **grammaire** de la musique.* Déb. XIIe s. ; lat. *grammatica*, du gr. *grammatikê* ; [gʀam(m)ɛʀ].

LINGUISTIQUE – La grammaire, étymologiquement l'« art des lettres », concerne surtout la langue écrite. On distingue généralement les grammaires normatives, qui prescrivent des règles, et les grammaires descriptives, qui exposent les propriétés d'une langue. Des grammaires ont été élaborées très tôt. En Occident, elles trouvent leur modèle dans l'Antiquité gréco-latine : chez Platon, Aristote et les stoïciens, puis chez les Alexandrins Denys de Thrace et Apollonios Dyscole, qui lui confèrent un statut autonome. Le Latin Priscien, reprenant l'enseignement d'Apollonios, établira la tripartition classique : phonétique, morphologie, syntaxe. La première grande grammaire française est publiée en 1530 par un Anglais, John Palsgrave. Suivront de nombreux ouvrages, qui, jusqu'à la fin du XVIIIe s., s'attacheront surtout à comparer le français avec le latin. La grammaire de Port-Royal (1660) avancera l'idée d'une grammaire générale : les principes d'une langue pourraient s'appliquer à toute autre. L'étude comparée et la méthode historique en arrêteront le développement. À la fin du XIXe s. apparaîtront de nouvelles disciplines, telle la linguistique, qui prendront un prodigieux essor.

**GRAMMAIRIEN, IENNE, subst.**
Personne spécialisée dans l'étude de la grammaire, qui l'enseigne ou qui écrit des ouvrages de grammaire. 1245 ; *grammaire* ; [gʀam(m)ɛʀjɛ̃, jɛn].

**GRAMMATICAL, ALE, AUX, adj.**
Relatif à la grammaire : *Analyse **grammaticale***, analyse systématique qui définit la nature et la fonction des termes d'une phrase. ▸ *Mots **grammaticaux*** : termes constituant les articulations syntaxiques indispensables et propres à une langue (les conjonctions, les prépositions, les pronoms, etc.), par oppos. aux mots lexicaux. XVe s. ; lat. tardif *grammaticalis* ; [gʀam(m)atikal, o].

**GRAMMATICALEMENT, adv.**
Du point de vue grammatical : *Tournure **grammaticalement** fautive* ; dans les règles grammaticales. 1529 ; *grammatical* ; [gʀam(m)atikalmɑ̃].

**GRAMMATICALISATION, subst. f.**
Fait de se grammaticaliser. V. 1970 ; *grammaticaliser* ; [gʀam(m)atikalizasjɔ̃].

**GRAMMATICALISER, verbe trans.** [3]
*Ling.* Transformer (un terme lexical) en terme grammatical ; empl. pronom. : *Le mot latin « homo », « hommе », s'est **grammaticalisé** pour devenir en français le pronom personnel indéfini « on ».* V. 1960 ; *grammatical* ; [gʀam(m)atikalize].

**GRAMMATICALITÉ, subst. f.**
Caractère de conformité d'une phrase, d'un énoncé à la grammaire, aux règles syntaxiques d'une langue. V. 1960 ; *grammatical* ; [gʀam(m)atikalite].

**GRAMME, subst. m.**
*Métrol.* Unité de masse du système C. G. S., valant un millième de kilogramme (symb. : g). 1790 ; lat. *gramma*, « petit poids, 24e partie de l'once » ; [gʀam].

**GRAM-NÉGATIF, IVE, adj.**
*Bactériol.* Qualifie un micro-organisme que la coloration de Gram colore en rose (abrév. : Gram-) : *Le bacille du choléra est **gram-négatif**.* 1897 ; comp. de l'anthropon. *Hans C. Gram*, médecin danois, et de *négatif* ; plur. *gram-négatifs, ives* ; [gʀamnegatif, iv].

**GRAMOPHONE, subst. m.**
Phonographe (vx). 1901 ; anglo-amér. *Grammophone* (n. déposé), p.-ê. inversion de *phonogram*, « enregistrement d'un son » ; [gʀamɔfɔn].

**GRAM-POSITIF, IVE, adj.**
*Bactériol.* Qualifie un micro-organisme que la coloration de Gram colore en violet (abrév. : Gram+) : *Le bacille du tétanos est **gram-positif**.* 1897 ; comp. de l'anthropon. *Hans C. Gram*, médecin danois, et de *positif* ; plur. *gram-positifs, ives* ; [gʀampozitif, iv].

**GRAND, GRANDE, adj., adv. et subst.**
**Adj. 1.** Qui dépasse la norme par sa taille : *Un homme **grand**.* **2.** Qui a atteint un stade de développement psychique élevé ; adulte : *Il est déjà **grand*** ; *Une **grande** personne.* **3.** Qui dépasse la norme par sa longueur, sa surface, son volume : *Faire des **grands** pas* ; *Un **grand** appartement* ; *Un **grand** immeuble.* ▸ Loc. *Rincer à **grande** eau* : abondamment ; *Monter sur ses **grands** chevaux* : s'indigner ; *Ouvrir de **grands** yeux* : s'étonner ; *Jurer ses **grands** dieux* : protester. **4.** Qui occupe un rang prééminent, un rang social élevé : *Le **grand** monde*, la haute société. **5.** Qui possède des qualités supérieures, doué : *Un **grand** musicien* ; par ext., qui est noble, courageux : *Une **grande** action.* ▸ Loc. *De **grand** cœur* : volontiers. **6.** Remarquable, brillant, en parlant de qqch., d'un évènement : *Une **grande** époque.* ▸ Loc. *Mener la **grande** vie* : vivre somptueusement. **Adv.** Largement : ***Grand** ouvert* ; *Voir **grand**.* **Subst. 1.** Personne plus âgée (par rapport à qqn) : *La cour des **grands**.* ▸ Appellatif affectueux (fam.) : *Bonjour, ma **grande** !* **2.** Personne de haute taille. **Subst. masc. 1.** Personne importante : *Côtoyer les **grands**.* **2.** *Les cinq **Grands*** : les cinq États membres permanents du Conseil de sécurité de l'O. N. U. (États-Unis, Grande-Bretagne, France, Russie, Chine). **3.** *Hist.* Seigneur de la haute noblesse : *Les **grands** d'Espagne.* 881 ; lat. *grandis* ; [gʀɑ̃, gʀɑ̃d], [gʀɑ̃t] au masc., devant une voyelle ou un *h* muet.

**GRAND-ANGLE, subst. m.**
*Phot.* Objectif couvrant un large champ visuel (synon. *grand-angulaire*). XXe s. ; comp. de *grand* et de *angle* ; plur. *grands-angles* ; [gʀɑ̃tɑ̃gl], plur. [gʀɑ̃zɑ̃gl].

**GRAND-CHOSE, subst. inv.**
**1.** *Pas **grand-chose*** : peu de chose, presque rien. **2.** *Un, une pas **grand-chose*** : une personne méprisable (fam.). Fin XVe s. ; comp. de *grand* et de *chose* ; [gʀɑ̃ʃoz].

**GRAND-CROIX, subst.**
**Fém.** Dignité la plus haute dans certains ordres de chevalerie : *La **grand-croix** de l'ordre de Malte.* **Masc.** ou **Fém.** Méton. Personne qui a reçu la **grand-croix** : *Un **grand-croix** de la Légion d'honneur.* 1633 ; comp. de *grand* et de *croix* ; le fém. est inv., plur. du masc. *grands-croix* ; [gʀɑ̃kʀwɑ].

**GRAND-DUC, subst. m.**
**1.** Souverain d'un grand-duché : ***Grand-duc** de Hesse-Darmstadt.* **2.** *Hist.* Prince de la famille impériale russe. **3.** Loc. *Faire la tournée des **grands-ducs*** : des lieux de plaisir (fam.). 1690 ; comp. de *grand* et de *duc* ; plur. *grands-ducs* ; [gʀɑ̃dyk].

**GRAND-DUCAL, ALE, AUX, adj.**
**1.** Relatif à un grand-duc, à un grand-duché : *Dignités **grand-ducales**.* **2.** Du grand-duché de Luxembourg (surtout empl. en Belgique et au Luxembourg). 1815 ; comp. de *grand* et de *ducal* ; [gʀɑ̃dykal, o].

**GRAND-DUCHÉ, subst. m.**
Pays gouverné par un grand-duc, une grande-duchesse. 1573 ; comp. de *grand* et de *duché* ; plur. *grands-duchés* ; [gʀɑ̃dyʃe].

**GRANDE-DUCHESSE, subst. f.**
**1.** Souveraine d'un grand-duché. **2.** *Hist.* Femme ou fille d'un grand-duc ; en partic., princesse de l'ancien empire russe. 1620 ; comp. de *grand* et de *duchesse* ; plur. *grandes-duchesses* ; [gʀɑ̃ddyʃɛs].

**GRANDELET, ETTE, adj.**
Qui commence à devenir grand (fam. et vieilli). 1380 ; *grand* ; [gʀɑ̃dlɛ, ɛt].

**GRANDEMENT, adv.**
**1.** À la manière des grands, somptueusement : *Recevoir **grandement*** ; au fig., d'une manière noble.

2. Suffisamment : *On a* **grandement** *le temps de déjeuner.* **3.** Tout à fait : *Avoir* **grandement** *raison.* Fin XIIe s. ; ☞ *grand* ; [gʀɑ̃dmɑ̃].

**GRANDESSE, subst. f.**
*Hist.* Dignité des grands d'Espagne ; par méton., ensemble de ces nobles. 1664 ; esp. *grandeza* ; [gʀɑ̃dɛs].

**GRANDEUR, subst. f.**
**1.** Caractère de ce qui est de grandes dimensions. **2.** Quantité mesurable, susceptible de varier. ▸ ***Grandeur** nature* : aux dimensions réelles. ▸ *Ordre de* ***grandeur*** : dimension, en valeur approximative. ▸ *Astron.* Éclat relatif d'une étoile ou d'un groupe d'étoiles : *Astres de première* ***grandeur.*** **3.** Importance sociale, prestige. **4.** Qualité d'une personne, d'une chose dont la valeur est jugée importante : *Politique de* ***grandeur*** ; noblesse : *La* ***grandeur*** *d'un sentiment.* **5.** Loc. *Regarder qqn du haut de sa* ***grandeur*** : le considérer avec condescendance ; *Avoir la folie des* ***grandeurs*** : agir ou penser avec démesure. **6.** *Psych. Délire de* ***grandeur*** : conviction délirante qu'un sujet a de sa propre importance. 1155 ; ☞ *grand* ; [gʀɑ̃dœʀ].

**GRAND-GUIGNOL, subst. m.**
Situation invraisemblable rappelant les pièces d'épouvante jouées au théâtre du Grand-Guignol. 1903 ; *théâtre du Grand-Guignol*, fondé à Montmartre en 1897 ; plur. *grands-guignols* ; [gʀɑ̃giɲɔl].

**GRAND-GUIGNOLESQUE, adj.**
Qui a le caractère d'horreur invraisemblable des pièces du Grand-Guignol. 1903 ; ☞ *grand-guignol* ; plur. *grand-guignolesques* ; [gʀɑ̃giɲɔlɛsk].

**GRANDILOQUENCE, subst. f.**
Emphase de l'expression ; par métaph. : *La* ***grandiloquence*** *d'une sculpture.* 1544 ; lat. *grandiloquus*, « au style pompeux » ; [gʀɑ̃dilɔkɑ̃s].

**GRANDILOQUENT, ENTE, adj.**
**1.** Qui s'exprime d'une manière pompeuse. **2.** Qui a un caractère emphatique : *Un plaidoyer* ***grandiloquent.*** 1876 ; lat. *grandiloquus* ; [gʀɑ̃dilɔkɑ̃, ɑ̃t].

**GRANDIOSE, adj.**
Impressionnant par sa grandeur, sa majesté, sa noblesse. 1798 ; ital. *grandioso* ; [gʀɑ̃djoz].

**GRANDIR, verbe [19]**
**Intrans. 1.** Devenir plus grand. **2.** Augmenter en valeur, en importance, en intensité : *Le silence* ***grandit.*** **3.** Fig. S'élever moralement : *Il* ***grandissait*** *en sagesse.* **Trans. 1.** Rendre ou faire paraître plus grand. **2.** Exagérer : *Tu* ***grandis*** *les difficultés.* **3.** Élever moralement. 1260 ; ☞ *grand* ; [gʀɑ̃diʀ].

**GRANDISSANT, ANTE, adj.**
Qui s'accroît. 1845 ; p. pr. de *grandir* ; [gʀɑ̃disɑ̃, ɑ̃t].

**GRANDISSEMENT, subst. m.**
**1.** Fait de grandir, action d'agrandir ; son résultat. **2.** *Opt.* ***Grandissement*** *d'un dispositif optique (d'une loupe, par ex.)* : rapport I/O de la grandeur I de l'image obtenue d'un objet de grandeur O. 1845 ; ☞ *grandir* ; [gʀɑ̃dismɑ̃].

**GRANDISSIME, adj.**
Très grand (fam.). Déb. XIVe s. ; ital. *grandissimo*, de *grande*, « grand » ; [gʀɑ̃disim].

**GRAND-LIVRE, subst. m.**
**1.** Registre sur lequel on reporte toutes les écritures comptables du journal d'une entreprise. **2.** *Dr.* ***Grand-livre*** *de la dette publique* : livre où sont inscrits tous les créanciers de l'État. 1723 ; comp. de *grand* et de *livre* (II) ; plur. *grands-livres* ; [gʀɑ̃livʀ].

**GRAND-MAMAN, subst. f.**
Grand-mère. 1690 ; comp. de *grand* et de *maman* ; plur. *grand(s)-mamans* ; [gʀɑ̃mamɑ̃].

**GRAND-MÈRE, subst. f.**
**1.** Mère du père ou de la mère. **2.** Ext. Femme âgée (fam.). 1529 ; comp. de *grand* et de *mère* (I) ; plur. *grand(s)-mères* ; [gʀɑ̃mɛʀ].

**GRAND-MESSE, subst. f.**
**1.** Messe solennelle chantée. **2.** Fig. Manifestation solennelle : *La* ***grand-messe*** *d'un parti politique.* Déb. XIVe s. ; comp. de *grand* et de *messe* ; plur. *grand(s)-messes* ; [gʀɑ̃mɛs].

**GRAND-ONCLE, subst. m.**
Frère du grand-père ou de la grand-mère. 1538 ; comp. de *grand* et de *oncle* ; plur. *grands-oncles* ; [gʀɑ̃tɔ̃kl], plur. [gʀɑ̃zɔ̃kl].

**GRAND-PAPA, subst. m.**
Grand-père. 1680 ; comp. de *grand* et de *papa* ; plur. *grands-papas* ; [gʀɑ̃papa].

**GRAND-PEINE (À), loc. adv.**
Très difficilement. Déb. XIIe s. ; comp. de *grand* et de *peine* ; [agʀɑ̃pɛn].

**GRAND-PÈRE, subst. m.**
**1.** Père du père ou de la mère. **2.** Ext. Homme âgé (fam.). XIIe s. ; comp. de *grand* et de *père* ; plur. *grands-pères* ; [gʀɑ̃pɛʀ].

**GRANDS-PARENTS, subst. m. plur.**
Le grand-père et la grand-mère. 1798 (XIIe s., les proches) ; comp. de *grand* et de *parent* ; [gʀɑ̃paʀɑ̃].

**GRAND-TANTE, subst. f.**
Sœur du grand-père ou de la grand-mère. 1538 ; comp. de *grand* et de *tante* ; plur. *grand(s)-tantes* ; [gʀɑ̃tɑ̃t].

**GRAND-VOILE, subst. f.**
Voile principale du grand mât. 1463 ; comp. de *grand* et de *voile* ; plur. *grand(s)-voiles* ; [gʀɑ̃vwal].

**GRANGE, subst. f.**
Bâtiment de ferme servant à abriter les récoltes, le foin, le fourrage, les instruments agricoles, etc. Fin XIIe s. ; lat. pop. °*granica* ; [gʀɑ̃ʒ].

**GRANGÉE, subst. f.**
Contenu d'une grange. 1564 ; ☞ *grange* ; [gʀɑ̃ʒe].

**GRANITE, subst. m.**
*Pétrogr.* Roche plutonique formée de feldspath, de mica et de quartz. Les nombreuses variétés de **granites** se distinguent soit par la grosseur de leurs grains, soit par leur composition minéralogique, soit par leur texture. 1611 ; ital. *granito*, de *granire*, « former des grains » ; var. *granit* ; [gʀanit].

**GRANITÉ, ÉE, adj. et subst. m.**
**Adj.** Dont la surface présente une texture grenue : *Pierre* ***granitée.*** **Subst. 1.** Tissu à gros grains. **2.** Sorbet granuleux. 1845 ; p. p. de *graniter* ; [gʀanite].

**GRANITER, verbe trans. [3]**
Peindre (une surface) en lui donnant l'apparence du granite. 1866 ; ☞ *granite* ; [gʀanite].

**GRANITEUX, EUSE, adj.**
**1.** Vx. Qui contient du granite. **2.** Granité : *Étoffe* ***graniteuse.*** 1783 ; ☞ *granite* ; [gʀanitø, øz].

**GRANITIQUE, adj.**
Constitué de granite : *Sol* ***granitique.*** 1783 ; ☞ *granite* ; [gʀanitik].

**GRANITO, subst. m. inv.**
Béton présentant l'aspect du granite. Mil. XXe s. ; ☞ *granite* ; n. déposé ; [gʀanito].

**GRANITOÏDE, adj.**
**1.** Qui a l'aspect du granite. **2.** *Roches* ***granitoïdes*** ou, empl. subst. masc., *Le* ***granitoïde*** : ensemble constitué par les **granites** et des roches voisines plus riches en calcium, en magnésium et en fer. 1783 ; ☞ *granite* + *-oïde* ; [gʀanitɔid].

**GRANIVORE, adj.**
Qui se nourrit de graines ; empl. subst. masc., animal **granivore.** 1751 ; lat. *granum*, « grain », + *-vore* ; [gʀanivɔʀ].

**GRANNY-SMITH, subst. f. inv.**
Variété de pomme verte à chair ferme et acidulée. V. 1960 ; anthropon. *M. A. Smith* dite *Granny Smith*, « mémé Smith », productrice de ces pommes ; [gʀanismis].

**GRANULAIRE, adj.**
Qui est constitué de petits grains. 1834 ; lat. *granulum*, « petit grain » ; [gʀanylɛʀ].

**GRANULAT, subst. m.**
Ensemble des sables et cailloux composant mortiers et bétons. V. 1900 ; ☞ *granuler* ; [gʀanyla].

**GRANULATION, subst. f.**
**1.** Agglomération de petits grains. **2.** Légère aspérité que présente une surface (gén. au plur.). **3.** *Pathol.* et *Biol.* Masse arrondie, pathologique ou non, de la forme d'un grain : ***Granulations*** *grises*, lésions tuberculeuses nodulaires ; ***Granulations*** *de mélanine*, qui existent dans les cellules pigmentaires. **4.** *Techn.* Action de granuler ; son résultat. 1651 ; ☞ *granuler* ; [gʀanylasjɔ̃].

**GRANULE, subst.**
**Masc. 1.** Petit grain. **2.** *Pharm.* Médicament conditionné sous forme de petite pilule, utilisé surtout en homéopathie. **Fém.** *Astron.* Élément de la surface du Soleil donnant l'apparence d'une fine granulation sur tout le disque. Chaque **granule** a en moyenne 1 000 km de diamètre. Leur existence met en évidence les mouvements de convection subis par la matière solaire. 1832 ; lat. *granulum*, de *granum*, « grain » ; [gʀanyl].

**GRANULÉ, ÉE, adj. et subst. m.**
**Adj.** Constitué de granules ; qui présente des granulations. **Subst.** *Pharm.* Substance médicamenteuse mêlée à du sucre en granules. 1798 ; p. p. de *granuler* ; [gʀanyle].

**GRANULER, verbe trans. [3]**
**1.** *Techn.* Réduire (un métal) en granules par fusion puis plongée dans l'eau froide. **2.** Réduire en granules. 1611 ; lat. *granulum*, « petit grain » ; [gʀanyle].

**GRANULEUX, EUSE, adj.**
**1.** Constitué de granules. **2.** Dont la surface présente des petits grains. **3.** *Méd.* Qui contient des granulations. 1575 ; lat. *granulum*, « petit grain » ; [gʀanylø, øz].

**GRANULIE, subst. f.**
*Pathol.* Forme aiguë et généralisée de la tuberculose, qui se traduit par l'apparition dans presque tous les organes de nodosités de la taille d'un grain de mil (synon. *tuberculose miliaire*). 1866 ; lat. *granulum*, « petit grain » ; [gʀanyli].

**GRANULITE, subst. f.**
*Pétrogr.* **1.** Vx. Roche éruptive de la famille des granites, dite granite à mica blanc. **2.** Roche massive de très haute pression et de température très élevée, constituée de minéraux anhydres. 1886 ; lat. *granulum*, « petit grain », + *-lite* ; [gʀanylit].

**GRANULOCYTE, subst. m.**
*Biol.* Type de leucocyte possédant un noyau polylobé et contenant des granulations qui permettent de classer les **granulocytes** en polynucléaires acidophiles, basophiles et neutrophiles. Mil. XXe s. ; lat. *granulum*, « petit grain », + *-cyte* ; [gʀanylɔsit].

**GRANULOME, subst. m.**
*Pathol.* Petite tumeur d'origine inflammatoire constituée d'un tissu conjonctif infiltré de différentes cellules sanguines. 1869 ; lat. *granulum*, « petit grain », + *-ome* ; [gʀanylom].

**GRANULOMÉTRIE, subst. f.**
**1.** *Métrol.* Mesure de la distribution et des dimensions des grains d'un mélange, utilisée pour estimer l'aptitude d'un sol à être cultivé ou pour élaborer des matériaux de construction. **2.** Ext. Résultat de cette mesure. Déb. XXe s. ; lat. *granulum*, « petit grain », + *-métrie* ; [gʀanylometʀi].

**GRAPHE, subst. m.**
*Math.* **1.** ***Graphe*** *d'une relation* $\mathcal{R}$ *d'un ensemble E vers un ensemble F* : partie de E $\times$ F constituée des couples $(x, y)$ tels que $x$ de E soit relié à $y$ de F suivant $\mathcal{R}$ (c.-à-d. $x \mathcal{R} y$) ; en partic., si $f$ de E dans F est une fonction, son **graphe** est l'ensemble des couples $(x, f(x))$, $x \in$ D, ensemble de définition de $f$. **2.** Ensemble fini ou dénombrable de points (les sommets) dont certaines paires sont reliées par un arc orienté (flèche) ou non (arête). Le **graphe** est orienté si tous ses arcs sont orientés. 1926 ; gr. *graphein*, « écrire » ; [gʀaf].

**GRAPHÈME, subst. m.**
*Ling.* La plus petite unité graphique dans un système d'écriture, correspondant à un phonème ou ayant une fonction morphologique ou étymologique. 1913 ; ☞ *graphie*, d'apr. *phonème* ; [gʀafɛm].

**GRAPHEUR, subst. m.**
*Informat.* Logiciel de création de graphiques. V. 1980 ; gr. *graphein*, « écrire » ; [gʀafœʀ].

**GRAPHIE, subst. f.**
Représentation écrite d'un mot. 1877 (1762 description) ; gr. *graphein*, « écrire » ; [gʀafi].

**GRAPHIOSE, subst. f.**
*Arboric.* Maladie cryptogamique qui affecte l'orme. V. 1960 ; *graphium*, champignon agent de cette maladie ; [gʀafjoz].

**GRAPHIQUE, adj. et subst.**
**Adj. 1.** Qui figure qqch. par un tracé : *Signe* ***graphique.*** ▸ ***Arts graphiques*** : dessin, peinture, gravure ; par ext., arts qui utilisent un procédé d'impression. **2.** Méton. Sur lequel on a inscrit des figures, des signes ou des mots : *Colonne* ***graphique.*** **3.** *Minér.* Se dit d'un assemblage de minéraux dont la disposition ressemble à une écriture. **4.** *Math. Représentation* ***graphique*** *d'une fonction réelle f de la variable réelle x* : dans un repère du plan, courbe plane, ensemble des points de coordonnées $(x, f(x))$. **Subst. masc.** Représentation d'un phénomène mesurable ou d'une relation fonctionnelle par un tracé, par une ligne brisée ou courbe, continue ou discontinue. **Subst. fém.** Technique de cette représentation. 1757 ; gr. *graphikos*, « qui concerne l'action d'écrire » ; [gʀafik].

ART DU GRAPHISTE

. Pierre Faucheux, reliure. Club français du Livre, 948.
. Anonyme, graffitis sur un mur. Paris, 1995.
. Massin, couverture de la collection Folio (illustration de oland Topor). Éditions Gallimard, 1973.
4. José Mendoza, quelques caractères de la police Mendoza, 1991. C'est cette police qui est utilisée pour la composition de ce dictionnaire.
5. Jean Widmer, panneau présentant trois pictogrammes. Autoroute du sud de la France, 1972.
6. Claude Médiavilla, calligraphie, 1985.
7. Albert Boton, logo. Agence Carré Noir, 1989.
8. Roger Excoffon, graphisme de l'Exposition française de Montréal, 1963.

**GRAPHIQUEMENT,** adv.
ar un procédé graphique. ⌧ 1762 ; ☞ *graphique* ; ʒrafikmɑ̃].

**GRAPHISME,** subst. m.
. Représentation écrite d'un langage parlé ou ɪusical. **2.** Ext. Ensemble des caractéristiques d'une criture : ***Graphisme*** *en pattes de mouche.* **3.** *Arts raph.* Qualité du tracé : *Un* ***graphisme*** *élégant.* ⌧ 1875 ; ☞ *graphique* ; [grafism].

**GRAPHISTE,** subst.
pécialiste des arts graphiques. ⌧ V. 1970 ; ☞ *graphisme* ; [grafist].

**GRAPHITE,** subst. m.
*étrogr.* Variété naturelle cristallisée du carbone, tilisée pour la fabrication des crayons et comme ıbrifiant. ⌧ 1799 ; gr. *graphein*, « écrire » ; [grafit].

**GRAPHITER,** verbe trans. [3]
. Précipiter (le carbone) à l'état de graphite. . Mélanger (qqch.) à du graphite ; enduire (qqch.) e graphite. ⌧ 1907 ; ☞ *graphite* ; [grafite].

**GRAPHITIQUE,** adj.
)ui se rapporte au graphite ; qui contient du raphite : *Composant* ***graphitique.*** ⌧ 1866 ; ☞ *graphite* ; synon. *graphiteux, euse* ; [grafitik].

**GRAPHOLOGIE,** subst. f.
tude de l'écriture comme expression de la personalité ; ses théories ; ses procédés. ⌧ 1868 ; formé e *grapho-* et de *-logie* ; [grafolɔʒi].

**GRAPHOLOGIQUE,** adj.
elatif, propre à la graphologie. ⌧ 1891 ; ☞ *graphologie* ; [grafolɔʒik].

**GRAPHOLOGUE,** subst.
pécialiste de la graphologie. ⌧ 1877 ; formé de *rapho-* et de *-logue* ; [grafolɔg].

**GRAPHOMÈTRE,** subst. m.
ncien instrument de mesure des angles d'un errain dans un lever de plan. ⌧ 1597 ; formé de *rapho-* et de *-mètre*[1] ; [grafɔmɛtr].

**GRAPPA,** subst. f.
'au-de-vie italienne à base de marc de raisin. ⌧ 1936 ; ital. *grappa*, du lombard *grapa*, « rafle de aisin » ; [grapa].

**GRAPPE,** subst. f.
**1.** Groupement étagé de fleurs ou de fruits sur une tige : ***Grappe*** *de raisin.* **2.** Anal. Groupe serré de petits éléments et, au fig., de personnes : *Des* ***grappes*** *de touristes.* ⌧ Déb. XIIe s. ; germ. °*krappa*, « crochet » ; [grap].

**GRAPPILLAGE,** subst. m.
Action de grappiller ; son résultat. ⌧ 1585 ; ☞ *grappiller* ; [grapijaʒ].

**GRAPPILLER,** verbe [3]
Trans. **1.** Cueillir (des fruits) çà et là. **2.** Fig. Recueillir, plus ou moins honnêtement (des informations, de l'argent, etc.), en petite quantité. Intrans. **1.** Cueillir les grappes restées sur les ceps après la vendange. **2.** Fig. Faire de petits profits. ⌧ 1549 ; anc. fr. *grapper*, « cueillir des raisins », prob. d'apr. *piller* ; [grapije].

**GRAPPILLON,** subst. m.
Petite grappe ; partie d'une grappe. ⌧ 1583 ; ☞ *grappe* ; [grapijɔ̃].

**GRAPPIN,** subst. m.
**1.** *Mar.* Petite ancre à plusieurs crochets ; crochet en fer utilisé pour aborder un navire ennemi. **2.** Anal. Tout instrument muni d'un crochet. **3.** Loc. *Mettre le* ***grappin*** *sur qqch., sur qqn* : s'en emparer, le retenir. ⌧ 1376 ; ☞ *grappe* ; [grapɛ̃].

**GRAPTOLITE,** subst. m.
*Paléont.* Organisme marin colonial (voisin des Ptérobranches actuels) aux loges tubulaires, fossile de l'ère primaire (du Cambrien au Carbonifère). ⌧ 1850 ; lat. sc. *graptolithus*, du gr. *graptos*, « gravé », et *lithos*, « pierre » ; var. *graptolithe* ; [graptɔlit].

**GRAS, GRASSE,** adj., adv. et subst. m.
Adj. **1.** Gros, épais, charnu. **2.** Ext. Riche en matière grasse, en lipides : *Corps* ***gras*** ; au fig., riche, fertile, prospère : *Terres* ***grasses.*** **3.** Anal. Qui contient trop de graisse : *Des viandes, des frites* ***grasses*** ; par ext., sali, luisant de graisse : *Papier* ***gras*** ; *Cheveux* ***gras.*** **4.** Fig. Grossier, vulgaire : *Rire* ***gras*** ; graveleux : *De* ***grasses*** *plaisanteries.* **5.** À base de viande, de graisse : *Choux* ***gras*** ; *Jours* ***gras,*** période où l'alimentation carnée est autorisée, dans la religion catholique. **6.** Loc. *Tuer le veau* ***gras*** : célébrer avec faste le retour de qqn ; *Faire la* ***grasse*** *matinée* : se lever tard ; *Faire ses choux* ***gras*** *de* : faire son régal de (ce que les autres délaissent) ou, par ext., profiter de (une aubaine). **7.** *Spéc.* ▶ *B.-a. Crayon* ***gras*** : qui donne un trait noir, épais ; *Couleur* ***grasse*** : à la consistance épaisse. ▶ *Bot. Plante* ***grasse*** : aux tiges et aux feuilles épaisses et charnues. ▶ *Industr. Charbon* ***gras,*** *houille* ***grasse*** : riche en produits bitumeux ; *Mortier* ***gras*** : comportant beaucoup de liant. ▶ *Œnol. Vin* ***gras*** : moelleux, qui a de la chair. ▶ *Typogr. Encre* ***grasse*** : épaisse ; *Filet, caractère* ***gras*** : qui ressort dans un texte par sa couleur plus foncée et son épaisseur supérieure à la norme. Adv. D'une manière **grasse** : *Cuisiner trop* ***gras*** ; *Peindre* ***gras*** ; *Parler* ***gras.*** Subst. **1.** Partie **grasse** d'une viande : *Manger le* ***gras*** *du cochon.* **2.** Anal. Matière ou substance à l'aspect graisseux, gluant : *Le* ***gras*** *de l'eau de vaisselle.* **3.** Loc. fam. *Se disputer le bout de* ***gras*** : se battre pour de menus avantages ; *Discuter le bout de* ***gras*** : bavarder. **4.** *Typogr.* Mode d'impression d'un caractère plus épais que la norme : *Imprimer en* ***gras,*** *en* ***demi-gras.*** ⌧ Fin XIIe s. ; lat. *crassus*, « épais », prob. d'apr. *grossus*, « gras » ; [grɑ, grɑs].

**GRAS-DOUBLE,** subst. m.
Membrane de l'estomac du bœuf, que l'on peut cuisiner de diverses manières. ⌧ 1611 ; comp. de *gras* et de *double* ; plur. *gras-doubles* ; [grɑdubl].

**GRASSEMENT,** adv.
**1.** Généreusement : *Payer* ***grassement.*** **2.** Avec une certaine vulgarité : *Parler* ***grassement.*** ⌧ 1290 ; ☞ *gras* ; [grɑsmɑ̃].

**GRASSERIE,** subst. f.
Maladie contagieuse du ver à soie, due à un virus. ⌧ 1763 ; ☞ *gras* ; [grɑsri].

**GRASSET,** subst. m.
*Zool.* Région du membre postérieur du cheval ou du bœuf formée par la rotule et la peau plissée qui la recouvre. ⌧ 1757 (XIIe s., un peu gras) ; ☞ *gras* ; [grɑsɛ].

**GRASSEYANT, ANTE,** adj.
Qui grasseye : *Parler d'une voix* ***grasseyante.*** ⌧ Fin XVIIIe s. ; p. pr. de *grasseyer* ; [grasɛjɑ̃, ɑ̃t].

**GRASSEYEMENT, subst. m.**
Prononciation grasseyante. 1694 ; ☞ *grasseyer* ; [grasɛjmɑ̃].

**GRASSEYER, verbe [3]**
Trans. Prononcer (en partic. le r) en faisant vibrer la luette. Intrans. Parler gras, gutturalement. 1530 ; ☞ *gras* ; [grasɛje].

**GRASSOUILLET, ETTE, adj.**
Aux chairs rebondies. 1680 ; ☞ *gras* ; [grɑsujɛ, ɛt].

**GRATERON, voir GRATTERON**

**GRATIFIANT, ANTE, adj.**
Qui gratifie, procure une satisfaction : *Un salaire **gratifiant**.* Mil. XXe s. ; p. pr. de *gratifier* ; [gratifjɑ̃, ɑ̃t].

**GRATIFICATION, subst. f.**
**1.** Prestation accordée à un employé en plus de son salaire. **2.** Valorisation psychologique. 1362 ; lat. *gratificatio* ; [gratifikasjɔ̃].

**GRATIFIER, verbe trans. [6]**
Accorder une faveur à (qqn) ; procurer une satisfaction à : ***Gratifier** un héros de la Légion d'honneur* ; *Sa réussite le **gratifie**.* ► Par iron. Infliger un désagrément à : ***Gratifier** qqn d'un coup de pied.* 1366 ; lat. *gratificari* ; [gratifje].

**GRATIN, subst. m.**
**1.** Mode de cuisson consistant à enfourner certains mets recouverts de chapelure, de fromage pour leur donner une croûte dorée ; par méton., le plat cuit de cette façon ; par ext., la croûte elle-même. **2.** Fig. Élite (fam.) : *Le **gratin** parisien* ; *Le **gratin** des savants.* 1564 ; ☞ *gratter* ; [gratɛ̃].

**GRATINÉ, ÉE, adj. et subst. f.**
Adj. **1.** Cuit au gratin. **2.** Fig. et Fam. Extraordinaire en son genre ; outré et ridicule : *Une tenue **gratinée**.* Subst. Soupe à l'oignon **gratinée**. 1829 ; p. p. de *gratiner* ; [gratine].

**GRATINER, verbe [3]**
Trans. Faire cuire (qqch.) au gratin : ***Gratiner** un chou-fleur.* Intrans. Se couvrir d'une croûte dorée : *Les lasagnes **gratinent**.* 1825 ; ☞ *gratin* ; [gratine].

**GRATIOLE, subst. f.**
*Bot.* Plante herbacée vivace qui croît dans les lieux humides et dont une espèce a des effets purgatifs violents. 1557 ; prob. ital. *graziola*, du bas lat. *gratiola*, « petite grâce » ; [grasjɔl].

**GRATIS, adv. et adj. inv.**
Adj. Gratuit : *Spectacle **gratis**.* Adv. Gratuitement : *Voyager **gratis**.* 1495 (1468, affranchissement d'impôts) ; lat. *gratis*, de *gratia*, « faveur, grâce » ; [gratis].

**GRATITUDE, subst. f.**
Sentiment de reconnaissance : *Éprouver une vive **gratitude**.* 1445 ; p.-ê. *ingratitude* ; [gratityd].

**GRATOUILLER, verbe trans. [3]**
Fam. Gratter légèrement (qqch.) ; démanger (qqn). 1882 ; prob. altér. du franco-prov. *gratiller*, « chatouiller », d'apr. *chatouiller* ; var. *grattouiller* ; [gratuje].

**GRATTAGE, subst. m.**
Action de gratter ; son résultat. 1766 ; ☞ *gratter* ; [grataʒ].

**GRATTE, subst. f.**
**1.** *Mar.* Instrument formé d'un manche et d'un triangle aux trois côtés coupants, servant à gratter les parties d'un navire. **2.** *Agric.* Sarcloir. **3.** Fig. Petit profit plus ou moins honnête (fam.). **4.** Guitare (fam.). 1773 (fin XIIIe s., gale) ; ☞ *gratter* ; [grat].

**GRATTE-CIEL, subst. m. inv.**
Immeuble de très grande hauteur : *Habiter au trentième étage d'un **gratte-ciel**.* 1911 ; comp. de *gratter* et de *ciel*, calque de l'anglo-amér. *skyscraper* ; [gratsjɛl].

**GRATTE-CUL, subst. m. inv.**
*Bot.* Cynorhodon. 1530 ; comp. de *gratter* et de *cul* ; [gratky].

**GRATTE-DOS, subst. m. inv.**
Tige munie, à l'une de ses extrémités, d'une petite main permettant de se gratter le dos. 1872 ; comp. de *gratter* et de *dos* ; [gratdo].

**GRATTEMENT, subst. m.**
**1.** Action de gratter. **2.** Méton. Son provenant de qqch. qui gratte : ***Grattement** du stylo sur le papier.* 1585 ; ☞ *gratter* ; [gratmɑ̃].

**GRATTE-PAPIER, subst. m.**
**1.** Employé subalterne spécialisé dans les écritures de bureau (fam. et péj.). **2.** Piètre écrivain (fam.). 1578 ; comp. de *gratter* et de *papier* ; plur. *gratte-papier(s)* ; [gratpapje].

**GRATTE-PIED(S), subst. m.**
Paillasson métallique. 1930 ; comp. de *gratter* et de *pied* ; plur. *gratte-pieds* ; [gratpje].

**GRATTER, verbe [3]**
Trans. **1.** Racler, frotter (qqch.) avec un outil, un ongle, etc. ; empl. abs. : *Plume, stylo qui **gratte**.* **2.** Ext. et Fam. Irriter la peau de : *Ce tissu me **gratte*** ; empl. abs. : *Ça **gratte** !* **3.** Fig. et Fam. Récupérer (de menus profits) : ***Gratter** quelques sous.* **4.** *Sp.* Fam. Dépasser (un adversaire), devancer. Intrans. **1.** Produire un grattement : ***Gratter** à la porte.* **2.** Jouer d'un instrument à cordes pincées (fam.). **3.** Travailler (fam.). Pronom. **1.** Frotter (ce qui démange) : *Se **gratter** le nez.* **2.** Loc. *Tu peux toujours te **gratter** !* : tu n'obtiendras rien ! (fam.). 1155 ; prob. germ. °*krattôn* ; [grate].

**GRATTERON, subst. m.**
*Bot.* Nom donné à certaines plantes (comme la bardane) dont les fruits ou les graines sont dotés de petits crochets. 1314 ; anc. fr. *gleton*, « bardane » ; var. *grateron* ; [gratrɔ̃].

**GRATTEUR, EUSE, subst.**
Personne qui gratte. Déb. XIVe s. ; ☞ *gratter* ; [gratœr, øz].

**GRATTOIR, subst. m.**
**1.** Outil servant à gratter (synon. *frottoir*) : ***Grattoir** de cordonnier, de menuisier.* **2.** Décrottoir. **3.** Enduit séché sur lequel on frotte les allumettes. 1571 ; ☞ *gratter* ; [gratwar].

**GRATTOUILLER, voir GRATOUILLER**

**GRATUIT, UITE, adj.**
**1.** Donné, exécuté ou reçu sans compensation financière : *Instruction publique, **gratuite** et obligatoire* ; *Spectacle **gratuit**.* **2.** Sans raison, infondé : *Des affirmations **gratuites**.* ► *Acte **gratuit*** : sans cause extérieure, irrationnel. 1495 ; lat. *gratuitus* ; [gratɥi, ɥit].

**GRATUITÉ, subst. f.**
Caractère de ce qui est gratuit. Mil. XIVe s. ; lat. *gratuitus*, « gratuit », ou lat. médiév. *gratuitas*, « faveur » ; [gratɥite].

**GRATUITEMENT, adv.**
De manière gratuite : *Travailler **gratuitement*** ; *Agir **gratuitement**.* 1400 ; ☞ *gratuit* ; [gratɥitmɑ̃].

**GRAU, subst. m.**
**1.** Chenal reliant une lagune à la mer. **2.** Défilé de montagne. 1704 ; occitan *grau*, prob. du lat. *gradus*, « degré » ; plur. *graus* ; [gro].

**GRAVATIER, IÈRE, subst.**
Personne chargée de débarrasser les gravats d'un chantier. 1762 ; ☞ *gravats* ; [gravatje, jɛr].

**GRAVATS, subst. m. plur.**
**1.** Morceaux de plâtre restant après le tamisage. **2.** Anal. Résidus de matériaux provenant d'un chantier, en partic. d'une démolition. Déb. XVIe s. ; altér. de *gravois*, « débris », d'apr. *plâtras*, de l'anc. fr. *gravoi*, « grève, gravier » ; var. *gravois* ; [grava].

**GRAVE (I), adj.**
**I. 1.** Sérieux et réfléchi : *Une personne **grave*** ; par ext., solennel : *Un ton **grave**.* **2.** Important, tragique : *De **graves** ennuis* ; *Une maladie **grave*** ; par ext. : *Un blessé **grave**.* **II. 1.** Pesant (vieilli). **2.** Bas, de faible fréquence : *Voix **grave*** ; *Son **grave** du violoncelle* ; empl. subst. masc. : *Une voix qui passe du **grave** à l'aigu* ; *Jouer dans les **graves**.* **3.** *Gramm. Accent **grave*** : signe diacritique (`) qui, placé sur le *e*, marque gén. une prononciation ouverte [ɛ], comme dans « crème », et qui sert également à différencier des homophones, tels « a/à », « la/là », « ou/où ». Déb. XIVe s. ; lat. *gravis* ; [grav].

**GRAVE (II), subst. f.**
Terrain homogène constitué de cailloux, de sable, etc., servant à la construction d'une chaussée. 1530 (1390, gravier) ; var. de *grève* (I) ; [grav].

**GRAVELÉE, adj. f. et subst. f.**
Se dit de la cendre provenant de la calcination de la lie de vin. 1534 ; anc. fr. *gravele*, « lie » ; [gravle].

**GRAVELEUX, EUSE, adj.**
**1.** Qui comporte des petits cailloux, du gravier : *Terrain **graveleux*** ; par ext., dont la chair contient des petits éléments solides : *Poire **graveleuse**.* **2.** Fig. Grivois : *Propos **graveleux**.* Déb. XIIIe s. ; ☞ *gravelle* ; [grav(ə)lø, øz].

**GRAVELLE, subst. f.**
*Pathol.* Petite concrétion rénale de même type que les calculs ; maladie caractérisée par ces concrétions (vx). XIIe s. ; lat. pop. °*grava*, « grève » ; [gravɛl].

**GRAVEMENT, adv.**
De manière grave. 1396 ; ☞ *grave* (I) ; [gravmɑ̃].

**GRAVER, verbe trans. [3]**
**1.** Tracer (qqch.) en entaillant une matière dure (bois, pierre, etc.) avec un instrument pointu ou un produit chimique : ***Graver** un portrait à l'eau-forte* ; par méton. : ***Graver** une monnaie* ; ***Graver** un disque*, y tracer un sillon qui porte l'enregistrement. **2.** Fig. Fixer (qqch.) : *Son visage **est gravé** dans ma mémoire.* 1475 (déb. XIIIe s., partager les cheveux par une raie) ; anc. bas frq. °*graban*, « creuser » ; [grave].

**GRAVES, subst.**
Fém. plur. Terrains tertiaires du Bordelais. Masc. Vin des vignobles de ces terrains : *Un vieux **graves**.* 1595 (1390, gravier) ; var. de *grève* (I) ; [grav].

**GRAVETTIEN, IENNE, subst. m. et adj.**
*Préhist.* Subst. Faciès culturel du Paléolithique supérieur, initialement appelé Périgordien, situé entre l'Aurignacien et le Solutréen. Il est caractérisé par de nombreux burins en forme de pointe. C'est au **Gravettien** que l'on attribue l'« horizon à statuettes féminines » illustré notamment par celles de Willendorf et de Brassempouy. Les peintures pariétales des grottes profondes deviennent plus fréquentes et les peintures animalières atteignent le niveau de chefs-d'œuvre (grotte Cosquer). Adj. Du **Gravettien** : *Une fresque **gravettienne**.* Topon. *la Gravette*, lieu-dit de Dordogne ; [grav(ɛ)tjɛ̃, jɛn].

*La Vénus de Willendorf, statuette en calcaire du Gravettien. Musée d'Histoire naturelle, Vienne (Autriche).*

**GRAVEUR, EUSE, subst.**
Professionnel de la gravure ; en partic., artiste réalisant des gravures. Masc. *Graveur de disques* : appareil qui grave les disques. 1398 ; ☞ *graver* ; [gravœr, øz].

**GRAVIDE, adj.**
**1.** *Méd.* Qualifie un utérus qui renferme un embryon, un fœtus. **2.** Qualifie un animal en période de gestation : *Brebis **gravide**.* 1863 ; lat. *gravidus* « chargé, rempli », de *gravis*, « lourd » ; [gravid].

**GRAVIDIQUE, adj.**
Qui se rapporte à la grossesse. 1857 ; ☞ *gravide* [gravidik].

**GRAVIDITÉ, subst. f.**
État d'un utérus, d'une femelle gravide. 1872 lat. *graviditas*, « grossesse » ; [gravidite].

**GRAVIER, subst. m.**
*Pétrogr.* Roche détritique meuble formée de cailloux plus petits que les galets, de 2 à 20 mm de diamètre par convention ; ces cailloux. ► Ensemble de petits cailloux utilisés pour recouvrir les allées. 1155 (1135, grève, rivage) ; anc. fr. *grave*, « grève » [gravje].

**GRAVIÈRE, subst. f.**
Lieu d'extraction de gravier, de sable et de galets. Fin XIIe s. ; ☞ *gravier* ; [gravjɛr].

**GRAVILLON, subst. m.**
Gravier très fin : *Épandre du **gravillon** sur une chaussée* ; petit caillou. 1558 ; ☞ *gravier* ; [gravijɔ̃].

**GRAVILLONNAGE, subst. m.**
Action de gravillonner ; son résultat. 1953 ☞ *gravillonner* ; [gravijɔnaʒ].

**GRAVILLONNER, verbe trans. [3]**
Couvrir (une chaussée, une allée) de gravillons. 📖 1931 ; ☞ *gravillon* ; [gʀavijɔne].

**GRAVIMÈTRE, subst. m.**
**1.** Instrument mesurant l'intensité du champ de pesanteur. **2.** Instrument mesurant la densité gravimétrique des poudres. 📖 1797 ; lat. *gravis*, « lourd », + *-mètre*[1] ; [gʀavimɛtʀ].

**GRAVIMÉTRIE, subst. f.**
**1.** *Phys.* Science qui a pour objet l'étude de l'intensité du champ de la pesanteur. **2.** *Chim.* Analyse quantitative réalisée par pesée. 📖 1922 ; lat. *gravis*, « lourd », + *-métrie* ; [gʀavimetʀi].

**GRAVIMÉTRIQUE, adj.**
Qui se rapporte à la gravimétrie. 📖 1922 ; ☞ *gravimétrie* ; [gʀavimetʀik].

**GRAVIR, verbe trans. [19]**
**1.** Monter péniblement : ***Gravir** une montagne.* **2.** Fig. Progresser pas à pas dans (une hiérarchie) : ***Gravir** tous les échelons.* 📖 Fin XIIe s. ; anc. bas frq. *°krawjan*, « grimper en s'aidant de ses griffes » ; [gʀaviʀ].

**GRAVISSIME, adj.**
Extrêmement grave (fam.). 📖 1942 ; lat. *gravissimus* ; [gʀavisim].

**GRAVITATION, subst. f.**
*Phys.* L'une des quatre interactions fondamentales de la nature, en vertu de laquelle tous les corps de l'Univers, de l'électron aux galaxies géantes, s'attirent réciproquement. 📖 1717 ; angl. *gravitation*, du lat. sc. *gravitare*, « graviter » ; [gʀavitasjɔ̃].

**GRAVITATIONNEL, ELLE, adj.**
Relatif à la gravitation : *Un champ **gravitationnel**.* 📖 1912 ; ☞ *gravitation* ; [gʀavitasjɔnɛl].

**GRAVITÉ, subst. f.**
**1.** Qualité d'une personne grave, sérieuse ; par ext. : *La **gravité** d'un propos.* **2.** Caractère de ce qui est grave : ***Gravité** d'une maladie.* **3.** *Mus.* Caractère d'un son grave. **4.** *Phys.* Manifestation de la gravitation universelle, en ce qui concerne un corps qui, livré à lui-même, dans le voisinage de la Terre, tombe selon la verticale dans la direction du centre de la Terre. 📖 Déb. XIIIe s. ; lat. *gravitas*, « pesanteur » ; [gʀavite].

**GRAVITER, verbe intrans. [3]**
**1.** *Phys.* Se mouvoir selon les lois de la gravitation. **2.** Fig. Évoluer dans l'entourage de qqn ou de qqch. : *Les conseillers qui **gravitent** autour des puissants ; La philosophie cartésienne **gravite** autour du « cogito ».* 📖 1732 ; lat. sc. *gravitare*, du lat. *gravitas*, « pesanteur » ; [gʀavite].

**GRAVITON, subst. m.**
*Phys. part.* Particule de liaison, comme le photon (associé à l'interaction électromagnétique) ou comme les bosons intermédiaires (associés aux autres interactions). 📖 Mil. XXe s. ; crois. de *gravitation* et de *électron* ; [gʀavitɔ̃].

**GRAVOIS, voir GRAVATS**

**GRAVURE, subst. f.**
**1.** Action de graver ; art de graver. **2.** Méton. Reproduction réalisée au moyen d'une planche gravée. **3.** Ext. Toute image tirée à plusieurs exemplaires. ▸ Loc. fig. ***Gravure de mode*** : personne vêtue de façon trop recherchée. 📖 1538 (XIIIe s., rainure d'arbalète) ; ☞ *graver* ; [gʀavyʀ].

**ARTS** – Des gravures rupestres du Périgord aux gravures utilisées comme moyen de populariser les œuvres d'art avant l'invention de la photographie, cette forme d'expression artistique a beaucoup évolué. Aujourd'hui, la technique de la gravure permet de reproduire une image en plusieurs exemplaires (appelés également « estampes ») à partir d'une même plaque. Pour le métal, la plaque est gravée en creux, ou en taille douce : ce sont les parties creusées qui retiendront l'encre à l'impression. Pour le bois, on parle de taille d'épargne, les parties à imprimer étant laissées en relief. Le burin, la pointe sèche, le mezzotinto (pour ces trois techniques, l'artiste creuse avec un outil le cuivre ou le zinc), l'eau-forte et l'aquatinte (ici, les creux sont dus à la morsure de l'acide nitrique aux endroits non protégés par du vernis) sont les principaux procédés de la gravure sur métal. De Dürer à Picasso en passant par Rembrandt (autoportraits) et Piranèse (*Prisons*), nombreux sont les peintres qui se sont passionnés pour la gravure.

**GRAY, subst. m.**
*Métrol.* Unité de mesure de dose absorbée lors d'une irradiation (symb. : Gy), correspondant à la dose absorbée par une masse de 1 kilogramme à laquelle les rayonnements ionisants transmettent de façon uniforme une énergie de 1 joule. 📖 Anthropon. *Stephen Gray*, physicien anglais du XVIIe s. ; [gʀɛ].

**GRÉ, subst. m.**
**1.** Consentement ; volonté : *De son plein **gré** ; Agir contre son **gré**.* ▸ Loc. *Bon **gré**, mal **gré*** : avec résignation ; ***De gré ou de force*** : avec ou sans consentement. ▸ Loc. prép. **Au gré de.** Selon la volonté de : *Au gré du vent, des évènements.* **2.** Gratitude (vx). ▸ Loc. *Savoir **gré*** : être reconnaissant. 📖 Fin Xe s. ; lat. *gratum*, de *gratus*, « agréable ; reconnaissant » ; [gʀe].

**GRÈBE, subst. m.**
*Zool.* Oiseau palmipède de la famille des Podicipédidés, qui se nourrit dans les étangs d'insectes aquatiques et de poissons : *Le **grèbe** huppé hiverne dans le Midi.* 📖 Mil. XVIe s. ; orig. obsc. ; [gʀɛb].

**GRÉBICHE, subst. f.**
**1.** Ornement métallique rectangulaire utilisé en maroquinerie. **2.** *Typogr.* Numéro sous lequel un manuscrit est inscrit chez l'imprimeur ; ligne portant le nom de l'imprimeur, indiquant la date, le tirage, etc. 📖 1866 ; orig. obsc. ; var. *grébige*, *gribiche* ; [gʀebiʃ].

**GREC, GRECQUE, adj. et subst.**
De Grèce : *L'Église **grecque**,* l'Église orthodoxe autocéphale de Grèce. **SUBST. MASC.** Langue parlée et écrite en Grèce : ***Grec** moderne ou **grec** ancien.* 📖 Mil. XIIe s. ; lat. *graecus*, du gr. *graikos* ; [gʀɛk].

**GRÉCISER, verbe trans. [3]**
*Ling.* Donner à (un mot) une forme grecque (synon. *helléniser*). 📖 1551 ; ☞ *grec* ; [gʀesize].

**GRÉCITÉ, subst. f.**
Caractère de ce qui est grec. 📖 1808 ; ☞ *grec* ; [gʀesite].

**GRÉCO-BOUDDHIQUE, adj.**
Relatif à l'art du Gandhara, fortement influencé par l'art grec. 📖 1923 ; ☞ *bouddhique* + *gréco-* ; plur. *gréco-bouddhiques* ; [gʀekobudik].

**GRÉCO-LATIN, INE, adj.**
Relatif à la fois au grec et au latin. 📖 1821 ; ☞ *latin* + *gréco-* ; plur. *gréco-latins, ines* ; [gʀekolatɛ̃, in].

*L'alphabet grec.*

| FIGURES majuscules | FIGURES minuscules | transcription | appellation | FIGURES majuscules | FIGURES minuscules | transcription | appellation |
|---|---|---|---|---|---|---|---|
| Α | α | *a* | alpha | Ν | ν | *n* | nu |
| Β | β, ϐ | *b* | bêta | Ξ | ξ | *x* | xi |
| Γ | γ | *g* | gamma | Ο | ο | *o* | omicron |
| Δ | δ | *d* | delta | Π | π | *p* | pi |
| Ε | ε | *e* | epsilon | Ρ | ρ | *r* | rhô |
| Ζ | ζ | *z* | zêta | Σ | σ, ς | *s* | sigma |
| Η | η | *ê* | êta | Τ | τ | *t* | tau |
| Θ | θ | *th* | thêta | Υ | υ | *u* | upsilon |
| Ι | ι | *i* | iota | Φ | φ | *ph* | phi |
| Κ | κ | *k* | kappa | Χ | χ | *kh* | khi |
| Λ | λ | *l* | lambda | Ψ | ψ | *ps* | psi |
| Μ | μ | *m* | mu | Ω | ω | *ô* | oméga |

© J.-P. Daudier-Explorer
1

© J.-P. Daudier-Explorer
2

© Giraudon
3

© Lauros-Giraudon
4

© Coll. Soazig-Explorer
5

L'ART DE LA **GRAVURE**

1. *Le Chevalier, la Mort et le Diable, gravure sur cuivre d'Albrecht Dürer (1471-1528).*
2. *Les Trois Croix, de Rembrandt (1606-1669). Rijksmuseum, Amsterdam.*
3. *Deux personnages de Jacques Callot (1592-1635).*
4. *Détail d'une illustration de Charles Nicolas Cochin (1715-1790) pour les Mois, poème de Jean Antoine Roucher (1745-1794).*
5. *Gravure de Joan Miró (1893-1983).*

**GRÉCO-ROMAIN, AINE, adj.**
**1.** *Antiq.* Relatif ou propre à la civilisation née de la conquête de la Grèce par les Romains, de la prise d'Athènes, en 146 av. J.-C., à la chute de Rome, au Vᵉ s. **2.** *Sp. Lutte* ***gréco-romaine*** : qui interdit les prises au-dessous de la ceinture et l'emploi des jambes. 1832 ; ☞ *romain + gréco-* ; plur. *gréco-romains, aines* ; [gʀekoʀɔmɛ̃, ɛn].

**GRECQUE, subst. f.**
**1.** *Reliure.* Rainure perpendiculaire pratiquée au dos des cahiers, destinée à recevoir le lien ; la scie utilisée pour pratiquer cette rainure. **2.** *Archit.* Frise ornementale à motifs faits de lignes perpendiculaires. 1635 ; ☞ *grec* ; [gʀɛk].

**GREDIN, INE, subst.**
**1.** Vx. Gueux. **2.** Personne vile, vaurien. 1640 ; m. néerl. *gredich*, « avide » ; [gʀədɛ̃, in].

**GREDINERIE, subst. f.**
Caractère du gredin ; le méfait qu'il commet. 1690 ; ☞ *gredin* ; [gʀədinʀi].

**GRÉEMENT, subst. m.**
*Mar.* **1.** Ensemble des équipements nécessaires à la marche d'un navire (manœuvres, poulies, mâts, voiles, etc.). **2.** Action, manière de gréer un bateau ; son résultat. 1670 ; ☞ *gréer* ; [gʀemɑ̃].

**GREEN, subst. m.**
Partie de gazon plus rase autour de chaque trou d'un golf. Déb. XXᵉ s. ; angl. *green*, « vert » ; [gʀin].

**GRÉER, verbe trans. [7]**
*Mar.* Pourvoir (un navire) de son gréement. Fin XIIᵉ s. ; anc. nord. *greida*, « équiper, arranger » ; [gʀee].

**GREFFAGE, subst. m.**
Action de greffer. 1872 ; ☞ *greffer* ; [gʀɛfaʒ].

**GREFFE, subst.**
**Masc. 1.** Vx. Stylet, poinçon à écrire. **2.** *Just.* Service qui enregistre et conserve les minutes, les pièces d'une affaire judiciaire. **Fém. 1.** *Hortic.* Insertion sur une plante d'un greffon qui lui donnera ses caractères ; greffon. **2.** *Chir.* Opération consistant à implanter sur un individu un fragment de tissu ou d'organe (greffon) prélevé sur lui-même ou sur un donneur (lorsqu'il s'agit d'un organe entier, on parle plutôt de transplantation) : ***Greffe*** *de cornée.* Déb. XIIᵉ s. ; lat. *graphium*, du gr. *grapheion*, de *graphein*, « écrire » ; [gʀɛf].

**GREFFER, verbe trans. [3]**
**1.** *Hortic.* Pratiquer la greffe de (une plante). **2.** *Chir.* Pratiquer une greffe de (un organe, un tissu). **3.** Fig. Ajouter, introduire (qqch.) : ***Greffer*** *une théorie nouvelle sur une ancienne* ; empl. pronom. : *Une idée qui se* ***greffe*** *sur une autre.* 1496 ; ☞ *greffe* ; [gʀefe].

**GREFFIER, IÈRE, subst.**
*Just.* Officier public chargé du greffe. **Masc.** Chat (vieilli). 1278 ; ☞ *greffe* ; [gʀɛfje, jɛʀ].

**GREFFOIR, subst. m.**
*Hortic.* Couteau à greffer. 1700 ; ☞ *greffer* ; [gʀɛfwaʀ].

**GREFFON, subst. m.**
**1.** *Hortic.* Partie d'une plante que l'on greffe sur une autre plante. **2.** *Chir.* Fragment de tissu ou d'organe greffé sur un sujet. 1552 ; ☞ *greffe* ; [gʀɛfɔ̃].

**GRÉGAIRE, adj.**
**1.** Qui vit en groupe, en parlant de certaines espèces. **2.** Qui provoque ou qui adopte un comportement de groupe, en parlant des hommes : *Esprit* ***grégaire.*** 1829 (1520, simple soldat) ; lat. *gregarius*, « relatif au troupeau » ; [gʀegɛʀ].

**GRÉGARINE, subst. f.**
*Zool.* Sporozoaire, parasite de divers invertébrés. 1866 ; lat. *gregarius*, « relatif au troupeau » ; [gʀegaʀin].

**GRÉGARISME, subst. m.**
Instinct, esprit grégaire. 1876 ; lat. *gregarius*, « relatif au troupeau » ; [gʀegaʀism].

**GRÈGE, adj.**
**1.** *Soie* ***grège*** : soie naturelle, écrue, qui n'a pas été décreusée. **2.** Anal. Qui a la couleur de la soie brute, gris-beige. 1576 ; ital. *greggio* ; [gʀɛʒ].

**GRÉGEOIS, adj. m.**
*Hist. Feu* ***grégeois*** : amalgame de soufre, de poix et de salpêtre, inflammable même au contact de l'eau, utilisé par l'armée byzantine. 1190 ; anc. fr. *grezois*, « grec », du lat. *graecus*, « grec » ; [gʀeʒwa].

**GRÉGORIEN, IENNE, adj.**
Relatif à certains papes portant le nom de Grégoire. ▸ *Mus. Chant* ***grégorien*** ou, empl. subst. masc., *Le* ***grégorien*** : plain-chant de l'Église catholique romaine, monodique, sans chromatisme (hormis le *si* bémol) ni degré sensible, dont la codification, attribuée à tort à saint Grégoire Iᵉʳ le Grand, est très probablement carolingienne. ▸ *Hist. Réforme* ***grégorienne*** : rétablissement de la discipline dans l'Église mené par Grégoire VII, qui aboutit à la querelle des Investitures. ▸ *Calendrier* ***grégorien*** : adopté en 1582 sous le pape Grégoire XIII, en usage de nos jours. 1410 ; lat. médiév. *gregorianus*, de l'anthropon. lat. *Gregorius* ; [gʀegɔʀjɛ̃, jɛn].

**GRÈGUES, subst. f. plur.**
Hauts-de-chausses (vx). Fin XVᵉ s. ; prov. *grèga*, « grecque » ; [gʀɛg].

**GRÊLE (I), adj.**
**1.** Mince et allongé : *Une silhouette* ***grêle.*** **2.** Faible et aigu : *Un son* ***grêle.*** **3.** *Anat. Intestin* ***grêle*** : partie la plus longue de l'intestin (env. 7 m), qui va du pylore au côlon et se compose du duodénum et du jéjuno-iléon. Fin XIᵉ s. ; lat. *gracilis* ; [gʀɛl].

**GRÊLE (II), subst. f.**
**1.** Précipitation météorologique de grains de glace, ou grêlons. **2.** Fig. Ce qui arrive brusquement, comme la **grêle** : *Une grêle de coups, d'injures.* Fin XIᵉ s. ; anc. bas frq. °*grisilôn*, « grêler » ; [gʀɛl].

**GRÊLÉ, ÉE, adj.**
Parsemé de petites cicatrices, en partic. des marques de la variole : *Un visage* ***grêlé.*** Fin XIIᵉ s. ; p. p. de *grêler* ; [gʀele].

**GRÊLER, verbe [3]**
**Impers.** Tomber, en parlant de la grêle. **Trans.** Ravager par la grêle ; empl. adj. : *Vignoble* ***grêlé.*** Fin XIIᵉ s. ; anc. bas frq. °*grisilôn* ; [gʀele].

**GRELIN, subst. m.**
*Mar.* Fort cordage, plus mince que le câble. Déb. XVIᵉ s. ; ☞ *grêle* (I) ; [gʀəlɛ̃].

**GRÊLON, subst. m.**
Grain de glace de diamètre variable qui tombe au cours d'une averse de grêle. Déb. XVIIᵉ s. ; ☞ *grêle* (II) ; [gʀɛlɔ̃].

**GRELOT, subst. m.**
**1.** Petite sphère métallique contenant un morceau de métal qui produit un son grêle quand on l'agite. **2.** Loc. *Avoir les* ***grelots*** : avoir peur (pop.) ; *Donner un coup de* ***grelot*** : un coup de téléphone (fam. et vieilli). 1392 ; du m. haut all. *grellen*, « crier », de *grell*, « aigu » ; [gʀəlo].

**GRELOTTANT, ANTE, adj.**
Qui grelotte : *Une enfant* ***grelottante*** *de fièvre.* Fin XIXᵉ s. ; p. pr. de *grelotter* ; [gʀəlɔtɑ̃, ɑ̃t].

**GRELOTTEMENT, subst. m.**
**1.** Bruit de ce qui grelotte. **2.** Tremblement, gén. dû au froid. 1562 ; ☞ *grelotter* ; [gʀəlɔtmɑ̃].

**GRELOTTER, verbe intrans. [3]**
**1.** Émettre un bruit de grelot. **2.** Trembler. 1562 ; ☞ *grelot* ; [gʀəlɔte].

**GRELUCHE, subst. f.**
Jeune femme (fam. et péj.). V. 1930 ; ☞ *greluchon* ; [gʀəlyʃ].

**GRELUCHON, subst. m.**
Amant d'une femme entretenue par un autre homme (fam. et vieilli). 1725 ; *saint Greluchon*, saint fantaisiste du Berry, censé guérir la stérilité, de *grelu* (vx), « misérable » ; [gʀəlyʃɔ̃].

**GRÉMIL, subst. m.**
*Bot.* Plante de la famille des Borraginacées, aux fruits ressemblant à des perles ou à des grains de mil. Fin XIIIᵉ s. ; formé de *gré*, d'orig. obsc., et de *mil* (II) ; [gʀemil].

**GRÉMILLE, subst. f.**
*Zool.* Poisson osseux de la famille des Percidés, long de 15 à 20 cm, aux flancs jaunâtres tachetés de brun, à la tête sans écailles. Il vit dans les eaux courantes à fond vaseux : *La* ***grémille*** *des pêcheurs est appelée perche goujonnière.* 1788 ; lat. pop. °*grimellus*, « petit tas » ; [gʀemij].

**GRENACHE, subst. m.**
*Vitic.* Cépage blanc ou noir du Languedoc et du Roussillon ; par méton., vin doux produit par ce cépage. XIIIᵉ s. ; ital. *vernaccia*, du topon. *Vernazza*, ville de la région vinicole de La Spezia ; [gʀənaʃ].

**GRENADE, subst. f.**
**1.** Fruit du grenadier, de la grosseur d'une pomme, revêtu d'une écorce et renfermant des graines rouges et charnues groupées dans des compartiments membraneux. **2.** Anal. *Arm.* Projectile, composé d'une enveloppe de métal munie d'un détonateur et contenant une charge, qu'on lance à la main ou au fusil : ***Grenade*** *incendiaire, lacrymogène* ; ***Grenade*** *sous-marine*, utilisée dans les combats sous-marins. ▸ Méton. Insigne représentant une **grenade** (sapeurs-pompiers, gendarmerie, etc.). Fin XIIᵉ s. ; lat. *granatum*, « à grains » ; [gʀənad].

**GRENADER, verbe trans. [3]**
*Milit.* Lancer des grenades sur (un objectif). 1918 ; ☞ *grenade* ; [gʀənade].

**GRENADIER, subst. m.**
**1.** *Bot.* Petit arbre aux fleurs rouge foncé, de la famille des Punicacées, dont le fruit est la grenade. **2.** *Hist.* Soldat chargé du lancement des grenades ; par ext., soldat d'élite de certains corps de l'infanterie. Fin XIVᵉ s. ; ☞ *grenade* ; [gʀənadje].

**GRENADIÈRE, subst. f.**
**1.** Vx. Giberne à grenades. **2.** *Arm.* Anneau métallique qui relie le canon au fût d'une arme. 1680 ; ☞ *grenadier* ; [gʀənadjɛʀ].

**GRENADILLE, subst. f.**
*Bot.* Plante herbacée de la famille des Passifloracées, dont le fruit comestible ressemble à celui du grenadier. 1602 ; hisp.-amér. *granadillo*, de *granada*, « grenade » ; [gʀənadij].

**GRENADIN, subst. m.**
**1.** *Cuis.* Tranche de noix de veau lardée ; par anal. : ***Grenadin*** *de volaille, de poisson.* **2.** *Hortic.* Œillet rouge. **3.** *Zool.* Petit oiseau du sud de l'Afrique, appartenant à la famille des Fringillidés. 1755 ; ☞ *grenade* ; [gʀənadɛ̃].

**GRENADINE, subst. f.**
Sirop de jus de grenade ou de la couleur des graines de la grenade ; par méton., un verre de ce sirop. 1866 ; ☞ *grenade* ; [gʀənadin].

**GRENAGE, subst. m.**
*Techn.* **1.** Action de réduire en grains une substance. **2.** Action de donner du grain à une surface lisse en vue d'un travail ultérieur. 1730 ; ☞ *grener* ; var. *grainage* ; [gʀənaʒ].

**GRENAILLE, subst. f.**
**1.** Rebut de grain. **2.** Anal. Matière réduite en grains : ***Grenaille*** *de fer.* 1354 ; ☞ *grain* ; [gʀənɑj].

**GRENAILLER, verbe trans. [3]**
*Techn.* **1.** Mettre en grenaille (un métal). **2.** Décaper par projection de grenaille (une surface). 1757 ; ☞ *grenaille* ; [gʀənɑje].

**GRENAT, subst. m. et adj. inv.**
**Subst.** *Minér.* Gemme transparente, silicate d'alumine des roches métamorphiques, dont la couleur rappelle parfois celle de la grenade. **Adj.** Rouge foncé : *Robe* ***grenat*** ; empl. subst. : *Un beau* ***grenat.*** Déb. XIIᵉ s. ; *grenate*, anc. forme de *grenade* ; [gʀəna].

**GRENÉ, ÉE, adj.**
*Techn.* **1.** Réduit en grains. **2.** Dont la surface est marquée de petits grains rapprochés : *Cuir, papier* ***grené*** ; empl. subst. masc. : *Le* ***grené*** *d'une pierre.* 1528 ; p. p. de *grener* ; [gʀəne].

**GRENELER, verbe trans. [12]**
Marquer de grains ou de petits points (une surface). 1553 ; ☞ *grener* ; [gʀənle] ou [gʀɛnle].

**GRENER, verbe [10]**
**Intrans.** *Agric.* Produire des graines : *Le maïs a bien* ***grené*** *cette année.* **Trans.** Procéder au grenage de (qqch.). Fin XIIᵉ s. ; ☞ *grain* ; var. *grainer* ; [gʀəne].

**GRÈNETIS, subst. m.**
*Numism.* Bordure perlée de petits grains. 1676 ; anc. fr. *greneter*, « greneler » ; [gʀɛnti].

**GRENIER, subst. m.**
**1.** Local affecté à l'entreposage et à la conservation des graines ou des fourrages. **2.** Magasin public où étaient autrefois emmagasinées les denrées : *Les* ***greniers*** *à sel de l'Ancien Régime.* **3.** Fig. Contrée fertile en blé : *L'Ukraine,* ***grenier*** *de l'Europe orientale.* **4.** Ext. Étage d'une maison situé sous les combles. Fin XIIᵉ s. ; lat. *granarium* ; [gʀənje].

**GRENOUILLAGE, subst. m.**
Ensemble de manœuvres, d'intrigues malhonnêtes (fam.). Mil. XXᵉ s. ; ☞ *grenouiller* ; [gʀənujaʒ].

**GRENOUILLE, subst. f.**
*Zool.* Batracien anoure de la famille des Ranidés à peau verte ou rousse, dont les larves, ou têtards se développent dans l'eau. Sauteuse et nageuse, la **grenouille** se nourrit des invertébrés des mares e

des étangs. ▸ Loc. *Manger la **grenouille*** : utiliser les fonds d'un groupe, d'une association, d'une entreprise pour son compte personnel. 1225 ; anc. fr. *renoille*, du lat. *rana* ; [gʀənuj].

**GRENOUILLER, verbe intrans.** [3]
**1.** Vx. Barboter dans l'eau. **2.** Fig. Se livrer au grenouillage (fam.). 1527 ; ☞ *grenouille* ; [gʀənuje].

**GRENOUILLÈRE, subst. f.**
**1.** Marécage peuplé de grenouilles (rare). **2.** Combinaison pour bébé. 1299 ; ☞ *grenouille* ; [gʀənujɛʀ].

**GRENOUILLETTE, subst. f.**
**1.** *Bot.* Plante aquatique à fleurs blanches, de la famille des Renonculacées. **2.** *Pathol.* Tumeur d'origine salivaire qui se développe sous la langue. 1299 ; ☞ *grenouille* ; [gʀənujɛt].

**GRENU, UE, adj.**
**1.** Gorgé de grains : *Blé bien **grenu***. **2.** Grené : *Cuir **grenu*** ; empl. subst. masc. : *Le **grenu** d'une étoffe.* **3.** *Minér. Roche **grenue*** : formée de cristaux visibles à l'œil nu. Déb. XIIIe s. ; ☞ *grain* ; [gʀəny].

**GRENURE, subst. f.**
État de ce qui est grené. XVIIIe s. ; ☞ *grener* ; [gʀənyʀ].

**GRÈS, subst. m.**
**1.** *Pétrogr.* Roche sédimentaire d'origine détritique, constituée de sables consolidés par une cimentation des grains. Les différentes variétés de **grès** se distinguent d'après la nature des grains de sable qui les constituent, associés au quartz, qui domine, et d'après leur ciment (**grès** ferrugineux, phosphaté). **2.** Anal. Type de céramique formée à partir d'un mélange de kaolin et de feldspath en poudre, qui, cuite à plus de 1 150 °C, a une dureté et une imperméabilité remarquables. **3.** Couche gommeuse recouvrant les fils de soie. 1175 ; anc. bas frq. °*greot*, « gravier » ; [gʀɛ].

**GRÉSAGE, subst. m.**
*Techn.* Action de gréser ; son résultat. XIXe s. ; ☞ *gréser* ; [gʀezaʒ].

**GRÉSER, verbe trans.** [8]
*Techn.* Abraser, polir (qqch.) avec une meule ou du sable de grès. Fin XVIIe s. ; ☞ *grès* ; [gʀeze].

**GRÉSEUX, EUSE, adj.**
De la nature du grès ; contenant du grès. 1774 ; ☞ *grès* ; [gʀezø, øz].

**GRÉSIL, subst. m.**
Sorte de neige formée de petits grains de glace fondue. Déb. XIIe s. ; ☞ *grésiller* (I) ; [gʀezil].

**GRÉSILLEMENT, subst. m.**
**1.** Fait de grésiller ; crépitement. **2.** Cri de certains insectes. 1721 ; ☞ *grésiller* (II) ; [gʀezijmɑ̃].

**GRÉSILLER (I), verbe impers.** [3]
Tomber, en parlant du grésil (rare). Déb. XIIe s. ; m. néerl. *griselen*, « frissonner » ; [gʀezije].

**GRÉSILLER (II), verbe** [3]
**Trans.** Vx. Racornir (qqch.) en le chauffant. **Intrans.** **1.** Crépiter comme le grésil : *Le lard **grésille** dans la poêle.* **2.** Pousser son cri, en parlant du grillon, de la mante, etc. Fin XIVe s. ; m. fr. *grediller*, d'apr. *grésiller* (I) ; [gʀezije].

**GRÉSOIR, subst. m.**
*Techn.* Outil servant à abraser les pointes du verre taillé au diamant. Fin XVIIe s. ; ☞ *gréser* ; [gʀezwaʀ].

**GRESSIN, subst. m.**
Fin bâtonnet de pain, sec et friable. XIXe s. ; ital. *grissino* ; [gʀɛsɛ̃].

**GRÈVE (I), subst. f.**
Étendue de sable, de gravier, bordant la mer ou un cours d'eau. Mil. XIIe s. ; lat. pop. °*grava* ; [gʀɛv].

**GRÈVE (II), subst. f.**
**1.** Action revendicative ou protestataire de travailleurs, consistant à suspendre collectivement le travail : ***Grève** sauvage*, qui éclate soudainement, en dehors de toute consigne ; ***Grève** générale*, qui touche tous les secteurs d'activité. **2.** Anal. Refus, collectif ou individuel, de poursuivre une activité, de souscrire à une obligation : *La **grève** de l'impôt.* ▸ ***Grève** de la faim* : refus de s'alimenter, à des fins revendicatives. 1805 ; topon. *place de Grève*, anc. nom de l'actuelle place de l'Hôtel-de-Ville de Paris, où se réunissaient les ouvriers en quête d'un emploi ; [gʀɛv].

**GREVER, verbe trans.** [10]
**1.** Soumettre (qqn, qqch.) à une lourde charge financière. **2.** *Dr.* Charger (qqn) d'une substitution, d'un fidéicommis. Fin XIIe s. ; lat. *gravare*, de *gravis*, « lourd » ; [gʀəve].

**GRÉVISTE, subst.**
Personne qui fait grève ; empl. adj. : *Mouvement **gréviste**.* 1821 ; ☞ *grève* (II) ; [gʀevist].

**GRIBICHE (I), adj.**
*Cuis. Sauce **gribiche*** : vinaigrette mêlée de jaune d'œuf dur et de fines herbes. 1913 ; p.-ê. norm. *gribiche*, « femme méchante » ; [gʀibiʃ].

**GRIBICHE (II), voir GRÉBICHE**

**GRIBOUILLAGE, subst. m.**
Action de gribouiller ; son résultat. 1741 ; ☞ *gribouiller* ; synon. *gribouillis* ; [gʀibujaʒ].

**GRIBOUILLE, subst. m.**
Personne naïve et sotte qui se jette dans des difficultés pires que celles qu'elle voulait éviter. 1548 ; ☞ *gribouiller* ; [gʀibuj].

**GRIBOUILLER, verbe trans.** [3]
Écrire, dessiner de façon maladroite, désordonnée ou précipitée. XVIe s. ; néerl. *kriebelen* ; [gʀibuje].

**GRIBOUILLEUR, EUSE, subst.**
**1.** Personne qui gribouille. **2.** Écrivain, peintre médiocre (fam.). 1808 ; ☞ *gribouiller* ; [gʀibujœʀ, øz].

**GRIEF, subst. m.**
**1.** Vx. Préjudice subi. **2.** Sujet de plainte contre qqn, qqch. ▸ Loc. *Faire **grief** à qqn de qqch.* : lui en faire le reproche. **Plur.** *Dr.* Écritures qui exposent le préjudice résultant d'un jugement dont on a fait appel. Fin XIIIe s. ; *grief, griève* (vx), « lourd, pénible », ou *grever* ; [gʀijɛf].

**GRIÈVEMENT, adv.**
De manière grave. Fin XIIe s. ; ☞ *grief* ; [gʀijɛvmɑ̃].

**GRIFFE, subst. f.**
**1.** *Zool.* Formation cornée pointue, située à l'extrémité des doigts de certains vertébrés. **2.** Fig. Moyen d'attaque ou de défense : *Les parties adverses sortirent leurs **griffes**.* **3.** Pouvoir tyrannique : *Tomber sous la **griffe** de qqn.* **4.** Méton. Signature, cachet, estampille : *La **griffe** d'un couturier célèbre* ; au fig. : *La **griffe** d'un auteur.* **5.** *Archit.* Ornement rattachant le bas d'une colonne cylindrique à son soubassement carré. **6.** *Bot.* Racine ou rhizome de certaines plantes : *La **griffe** de l'asperge.* **7.** *Techn.* Instrument, crochet en forme de **griffe** : *Les **griffes** d'un bijou.* Fin XIIe s. ; frq. °*grif*, « action de saisir » ; [gʀif].

**GRIFFER, verbe trans.** [3]
**1.** Donner un coup de griffe, d'ongle à (qqn) ; par ext., érafler. **2.** Marquer (un vêtement) de sa griffe. Mil. XIVe s. ; anc. haut all. *grifan*, « saisir » ; [gʀife].

**GRIFFON (I), subst. m.**
**1.** *Myth.* Monstre ailé à tête d'aigle et à corps de lion, pourvu de griffes puissantes. **2.** *Zool.* Grand rapace, martinet noir. **3.** Chien de chasse ou d'agrément, souv. au poil broussailleux. Fin Xe s. ; anc. fr. *grif*, du lat. chrét. *gryphus* ; [gʀifɔ̃].

*Griffon, bas-relief en briques moulées et émaillées provenant du palais de Darius Ier (roi de 522 à 486 av. J.-C.). Art perse de l'époque achéménide. Musée du Louvre, Paris.*

**GRIFFON (II), subst. m.**
Point d'émergence d'un filet d'eau constituant une source. 1866 ; prob. prov. *grifo* ; [gʀifɔ̃].

**GRIFFONNAGE, subst. m.**
Action de griffonner ; le résultat de cette action. 1608 ; ☞ *griffonner* ; [gʀifɔnaʒ].

**GRIFFONNER, verbe trans.** [3]
Écrire hâtivement et sans soin ; empl. abs., faire une esquisse. 1555 ; ☞ *griffe* ; [gʀifɔne].

**GRIFFU, UE, adj.**
Qui a des griffes ; par ext., qui a des ongles longs, crochus. 1555 ; ☞ *griffe* ; [gʀify].

**GRIFFURE, subst. f.**
Blessure faite par des griffes, des ongles, égratignure. 1494 ; ☞ *griffer* ; [gʀifyʀ].

**GRIGNARDE, adj. f.**
Qualifie les incisives supérieures d'un quadrupède lorsqu'elles sont situées en arrière des inférieures. 1775 ; ☞ *grigner* ; [gʀiɲaʀ, aʀd].

**GRIGNE, subst. f.**
**1.** Vx. Grimace (pop.). **2.** *Boulangerie.* Entaille pratiquée sur le pain ; couleur dorée de la croûte. **3.** *Text.* Irrégularité dans le feutre. 1694 ; ☞ *grigner* ; [gʀiɲ].

**GRIGNER, verbe intrans.** [3]
**1.** Vx. Montrer les dents (pop.). **2.** *Cout.* Froncer, goder au niveau de la couture. Fin XIIe s. ; frq. °*grînan*, « grimacer » ; [gʀiɲe].

**GRIGNON, subst. m.**
Morceau de la croûte bien cuite du pain. 1553 ; ☞ *grigner* ; [gʀiɲɔ̃].

**GRIGNOTAGE, subst. m.**
Action de grignoter (synon. *grignotement*) ; son résultat. 1882 ; ☞ *grignoter* ; [gʀiɲɔtaʒ].

**GRIGNOTEMENT, subst. m.**
**1.** Action de grignoter. **2.** Méton. Bruit produit par cette action. 1792 ; ☞ *grignoter* ; [gʀiɲɔtmɑ̃].

**GRIGNOTER, verbe trans.** [3]
**1.** Manger (qqch.) petit à petit, du bout des dents : *L'écureuil **grignotait** ses réserves* ; empl. abs., manger par petites quantités et souvent : *Cesse de **grignoter** !* **2.** Fig. Anéantir (qqch.) peu à peu : *L'austérité **avait grignoté** ses élans* ; s'approprier petit à petit. 1535 ; ☞ *grigner* ; [gʀiɲɔte].

**GRIGNOTEUR, EUSE, adj. et subst. f.**
**Adj.** Qui grignote ; empl. subst., personne qui grignote. **Subst.** *Techn.* Machine servant à découper le bois ou le métal en feuilles. 1564 ; ☞ *grignoter* ; [gʀiɲɔtœʀ, øz].

**GRIGOU, subst. m.**
Homme très avare (fam. et péj.). XVIIe s. ; languedocien *grigou*, « gredin », de *grec* ; [gʀigu].

**GRI-GRI, subst. m.**
**1.** Amulette, en Afrique. **2.** Porte-bonheur. 1637 (1557, esprit malfaisant) ; orig. inc. ; plur. *gris-gris*, var. *grigri* ; [gʀigʀi].

**GRIL, subst. m.**
**1.** Grille métallique sur laquelle on fait cuire des aliments à feu vif. **2.** Ext. Instrument utilisé autrefois pour le supplice du feu. ▸ Loc. *Être sur le **gril*** : être inquiet, impatient. **3.** *Spéc.* ▸ *Anat. **Gril** costal* : cage thoracique. ▸ *Mar.* Chantier de carénage à claire-voie. ▸ *Techn.* Claire-voie établie en amont d'une vanne. ▸ *Théâtre.* Plancher ajouré surmontant les cintres. Fin XIe s. ; ☞ *grille* ; [gʀil].

**GRILL, subst. m.**
Restaurant où l'on sert des grillades. 1896 ; angl. *grill-room* ; [gʀil].

**GRILLADE, subst. f.**
Tranche de viande ou de poisson cuite sur un gril. ▸ *Bouch.* Morceau de viande, gén. de porc, destiné à être grillé. 1623 ; ☞ *griller* ; [gʀijad].

**GRILLAGE (I), subst. m.**
**1.** Treillis métallique servant à obstruer une fenêtre, une porte, ou utilisé comme clôture. **2.** *Pêche.* Treillis retenant les poissons dans un étang. 1328 ; ☞ *grille* ; [gʀijaʒ].

**GRILLAGE (II), subst. m.**
**1.** Action de griller : *Le **grillage** du café*, sa torréfaction. **2.** *Spéc.* ▸ *Techn.* Opération de calcination du minerai en présence d'un gaz, afin d'en extraire une substance ou de le rendre friable. ▸ *Text.* Flambage. 1735 ; ☞ *griller* ; [gʀijaʒ].

**GRILLAGER, verbe trans.** [5]
Garnir, entourer d'un grillage. 1805 ; ☞ *grillage* (I) ; [gʀijaʒe].

**GRILLARDIN, subst. m.**
Employé chargé de la cuisson sur le gril, dans un restaurant. XXe s. ; ☞ *gril* ; [gʀijaʀdɛ̃].

**GRILLE, subst. f.**
**I. 1.** Assemblage à claire-voie de barreaux, parallèles ou entrecroisés, servant à fermer une ouverture ou à établir une séparation : ***Grille** de parloir.* **2.** Clôture en métal, gén. ouvragée : ***Grille** d'un parc.* **3.** Anal. Châssis en fonte ajourée sur lequel on place le combustible d'un poêle, d'un fourneau, etc. **4.** *Électron.* Électrode en forme de plaque grillagée ou de spirale, située entre l'anode et la cathode d'un tube

à vide, et servant à faire varier l'intensité du courant anodique. **II. 1.** Carton ajouré permettant de crypter et de décrypter des messages codés. **2.** Anal. ▸ Tableau présentant une organisation pouvant être chiffrée : ***Grille** des horaires* ; l'organisation elle-même : ***Grille** de programmes audiovisuels.* ▸ ***Grille** des salaires* : ensemble des salaires correspondant aux différents emplois, en partic. dans l'Administration. ▸ Figure quadrillée : ***Grille** de mots croisés.* XIIIe s. (fin Xe s., instrument de supplice) ; lat. *craticula*, de *cratis*, « claie » ; [gʀij].

© F. Jalain-Explorer

*Grille de la place Stanislas à Nancy.*

**GRILLE-PAIN,** subst. m. inv.
Petit appareil servant à griller des tranches de pain. 1835 ; comp. de *griller* et de *pain* ; [gʀijpɛ̃].

**GRILLER,** verbe [3]
**I. Trans. 1.** Cuire (un aliment) sur le gril : ***Griller** une côte de bœuf* ; faire cuire à sec sur la braise : ***Griller** des châtaignes.* **2.** Ext. Brûler : *Il **a grillé** sa moustache* ; ***Griller** une cigarette*, la fumer (fam.). ▸ Chauffer de façon excessive : *Ce feu nous **grille** le visage.* **3.** Anal. Dessécher par un excès de chaleur ou de froid. **4.** Fig. et Fam. Dépasser, supplanter : ***Griller** un concurrent* ; ***Griller** un feu rouge*, ne pas s'y arrêter ; par ext. : *Être **grillé**,* discrédité. **5.** Torréfier. **6.** Endommager, mettre hors d'usage par un échauffement excessif, une surtension électrique : ***Griller** un moteur, une ampoule.* **7.** *Techn.* Procéder au grillage de (un minerai). **Intrans. 1.** Rôtir sur une vive source de chaleur : *Faire **griller** des côtelettes sur la braise.* **2.** Être impatient : ***Griller** de curiosité.* **II. Trans.** Fermer par une grille : ***Griller** l'entrée d'un souterrain.* Fin XIIe s. (1155, supplicier par le feu) ; ☞ *grille* ; [gʀije].

**GRILLOIR,** subst. m.
Gril d'un four. 1819 ; ☞ *griller* ; [gʀijwaʀ].

**GRILLON,** subst. m.
*Zool.* Insecte orthoptère sauteur, appelé familièrement cricri, de la famille des Gryllidés, aux téguments velus, qui est doté d'un appareil stridulant (la stridulation est obtenue par le frottement des élytres). 1485 ; anc. fr. *grillet*, du lat. *grillus* ; [gʀijɔ̃].

**GRIMAÇANT, ANTE,** adj.
Qui grimace : *Une figure **grimaçante**.* Mil. XVIIe s. ; p. pr. de *grimacer* ; [gʀimasɑ̃, ɑ̃t].

**GRIMACE,** subst. f.
**1.** Déformation passagère du visage, provoquée par la contraction de certains muscles : ***Grimaces** d'un pitre* ; ***Grimace** de souffrance.* ▸ Loc. *Faire **la grimace*** : exprimer son mécontentement ou son dégoût par une moue ; *La soupe **à la grimace*** : accueil hostile ou mécontent (fam.). **2.** Anal. *Cout.* Faux pli d'un vêtement, d'une étoffe (rare). **Plur.** Simagrées (littér.). Fin XIVe s. ; anc. fr. *grimuche*, de l'anc. bas frq. °*grîma*, « masque » ; [gʀimas].

**GRIMACER,** verbe intrans. [4]
**1.** Faire des grimaces ; empl. trans. : ***Grimacer** un sourire*, faire un sourire forcé. **2.** Anal. *Cout.* Présenter un faux pli. 1428 ; ☞ *grimace* ; [gʀimase].

**GRIMACIER, IÈRE,** adj.
**1.** Qui fait des grimaces. **2.** Fig. Feint, hypocrite (vieilli) : *Apitoiement **grimacier**.* 1660 (1580, sculpteur de figures grotesques) ; ☞ *grimace* ; [gʀimasje, jɛʀ].

**GRIMAGE,** subst. m.
Action de grimer, de se grimer ; son résultat. 1860 ; ☞ *grimer* ; [gʀimaʒ].

**GRIMAUD,** subst. m.
**1.** Vx. Écolier des petites classes ; mauvais élève. **2.** Littér. Homme fat et ignorant ; mauvais écrivain. Fin XVe s. ; *Grimaud*, nom de personne, de l'anc. bas frq. °*grimwald*, de °*grîma*, « masque » ; [gʀimo].

**GRIME,** subst. m.
*Théâtre.* Vieilli. Rôle de vieillard ridicule ; comédien qui joue ce rôle. 1778 ; ☞ *grimace* ; [gʀim].

**GRIMER,** verbe trans. [3]
**1.** Marquer de rides (un comédien) pour lui vieillir le visage (vx). **2.** Maquiller, farder. 1823 ; ☞ *grime* ; [gʀime].

**GRIMOIRE,** subst. m.
**1.** Livre de magie. **2.** Ext. Écrit, ouvrage obscur, incompréhensible (péj.). Fin XIIe s. ; altér. de *grammaire (latine)* ; [gʀimwaʀ].

**GRIMPANT, ANTE,** adj. et subst. m.
**Adj.** *Bot.* Dont la tige s'élève le long d'un mur, d'un tuteur, etc., en s'enroulant ou en se fixant par des crampons, des vrilles. **Subst.** Pantalon (fam. et vieilli). 1691 ; p. pr. de *grimper* ; [gʀɛ̃pɑ̃, ɑ̃t].

**GRIMPE,** subst. f.
Varappe, escalade (fam.). V. 1980 ; ☞ *grimper* ; [gʀɛ̃p].

**GRIMPÉE,** subst. f.
Ascension pénible (fam.). 1811 ; ☞ *grimper* ; [gʀɛ̃pe].

**GRIMPER,** verbe [3]
**Intrans. 1.** Monter en s'agrippant des mains et des pieds : ***Grimper** à un arbre* ; empl. subst. masc. : *Épreuve de **grimper** à la corde lisse.* **2.** S'élever en s'enroulant, en s'accrochant, pour une plante : *La glycine **grimpait** le long du mur.* **3.** Ext. Monter, se hisser jusqu'à un point élevé, avec ou sans effort : *Chaque été, il **grimpait** vers l'alpage* ; ***Grimper** sur une chaise.* **4.** Anal. S'élever en pente raide, en parlant d'une voie. **5.** Fig. et Fam. ▸ S'élever à un rang supérieur, en partic. dans l'échelle sociale. ▸ Aller croissant : *Le cours du dollar **a grimpé** en 1984.* **Trans.** Escalader, gravir : ***Grimper** un escalier, une côte.* 1495 ; ☞ *gripper*, d'apr. *ramper* ; [gʀɛ̃pe].

**GRIMPEREAU,** subst. m.
*Zool.* Passereau de la famille des Certhiidés, un peu plus petit que le moineau, qui grimpe le long des arbres. 1555 ; ☞ *grimper* ; [gʀɛ̃p(ə)ʀo].

**GRIMPETTE,** subst. f.
Fam. **1.** Chemin court en pente raide. **2.** Action de monter ; grimpée. 1855 ; ☞ *grimper* ; [gʀɛ̃pɛt].

**GRIMPEUR, EUSE,** adj. et subst.
**Adj.** Qui grimpe : *Animaux **grimpeurs**.* **Subst.** *Sp.* **1.** Alpiniste. **2.** Coureur cycliste qui excelle dans la montée des côtes. 1596 ; ☞ *grimper* ; [gʀɛ̃pœʀ, øz].

**GRINÇANT, ANTE,** adj.
**1.** Qui grince. **2.** Qui est discordant, en parlant d'un son. **3.** Fig. Qui est aigre, railleur : *Sourire, propos **grinçant**.* 1846 ; p. pr. de *grincer* ; [gʀɛ̃sɑ̃, ɑ̃t].

**GRINCEMENT,** subst. m.
**1.** ***Grincement** de dents* : action de grincer des dents. ▸ Loc. *Des pleurs et des **grincements** de dents* : de la tristesse et de la douleur. **2.** Fait de grincer ; son discordant ou strident : ***Grincement** d'une porte, d'une roue.* 1530 ; ☞ *grincer* ; [gʀɛ̃smɑ̃].

**GRINCER,** verbe intrans. [4]
**1.** ***Grincer** des dents* : produire un bruit en frottant les dents d'en haut contre celles d'en bas. **2.** Produire par frottement un son prolongé aigu : *Poulie qui **grince**.* **3.** Anal. Faire entendre un son discordant, sec (en parlant d'un instrument à cordes). XIVe s. ; anc. fr. *grisser*, « crisser » ; [gʀɛ̃se].

**GRINCHEUX, EUSE,** adj.
De mauvaise humeur, désagréable ; par méton. : *Voix **grincheuse*** ; empl. subst., personne **grincheuse**. 1844 ; var. dial. de *grinceur* (vx), « qui grince des dents » ; [gʀɛ̃ʃø, øz].

**GRINGALET,** subst. m.
Homme petit et chétif. 1785 (1611, bouffon) ; p.-ê. suisse all. °*gränggeli* ; [gʀɛ̃galɛ].

**GRINGO,** subst. m.
Américain du Nord, pour les *Latino-Américains (péj.). 1899 ; p.-ê. esp. *grigo*, de *griego*, « grec » ; [gʀingo].

**GRINGUE,** subst. m.
*Faire du **gringue** à qqn* : chercher à le séduire (fam.). 1901 (1878, pain) ; ☞ *grigne* ; [gʀɛ̃g].

**GRIOT, OTTE,** subst.
En Afrique noire, personne appartenant à la caste des poètes-musiciens itinérants, auxquels on prête des pouvoirs surnaturels. 1637 ; p.-ê. port. *criado*, « domestique » ; [gʀijo, ɔt].

**GRIOTTE,** subst. f.
**1.** Cerise acidulée à queue courte. **2.** *Pétrogr.* Variété de marbre tacheté de rouge et de brun. 1505 ; prov. *agriota*, de *agre*, « aigre » ; [gʀijɔt].

**GRIOTTIER,** subst. m.
*Bot.* Cerisier qui produit la griotte. 1557 ; ☞ *griotte* ; [gʀijɔtje].

**GRIP,** subst. m.
*Sp.* **1.** Position des mains sur un club de golf, une raquette de tennis. **2.** Revêtement du manche d'un club de golf, d'une raquette de tennis, assurant la prise. XXe s. ; angl. *to grip*, « agripper, serrer » ; [gʀip].

**GRIPPAGE,** subst. m.
**1.** *Mécan.* Arrêt ou ralentissement d'un mécanisme, dû à un frottement anormal de ses pièces par échauffement, lubrification défectueuse, etc. **2.** Fig. Dysfonctionnement d'un système. 1869 ; ☞ *gripper* ; [gʀipaʒ].

**GRIPPAL, ALE, AUX,** adj.
*Pathol.* Relatif, propre à la grippe. 1871 ; ☞ *grippe* ; [gʀipal, o].

**GRIPPE,** subst. f.
**1.** Caprice, fantaisie subite (vx). ▸ Loc. *Prendre en **grippe*** : éprouver soudainement de l'antipathie pour qqn ou qqch. **2.** *Pathol.* Maladie infectieuse, virale, contagieuse et épidémique, dont le début, brutal, est marqué par une forte fièvre, des céphalées, des courbatures et un abattement général. La **grippe** évolue spontanément vers la guérison en quelques jours. 1632 (1306, querelle) ; frq. °*grip*, « griffe ; querelle » ; [gʀip].

**GRIPPÉ, ÉE,** adj.
Atteint de la grippe. 1782 ; ☞ *grippe* ; [gʀipe].

**GRIPPER,** verbe [3]
**Trans.** Vx. Agripper, saisir rapidement ; par ext., arrêter (un malfaiteur). **Intrans.** Frotter ; s'arrêter par grippage, en parlant d'un mécanisme ; empl. pronom. : *Le moteur **s'est grippé**.* 1425 ; anc. bas frq. °*grîpan*, « saisir » ; [gʀipe].

**GRIPPE-SOU,** subst.
**1.** Vx. Personne qui encaissait les rentes pour les rentiers ; usurier. **2.** Personne avare qui économise sur tout. 1680 ; comp. de *gripper* et de *sou* ; plur. *grippe-sous* ; [gʀipsu].

**GRIS, GRISE,** adj. et subst. m.
**Adj. 1.** D'une couleur intermédiaire entre le blanc et le noir : *Une cravate **grise**.* **2.** Qui commence à blanchir, en parlant d'une chevelure, du poil. **3.** Qui est peu lumineux : *Journée **grise*** ; *Teint **gris***, sans fraîcheur. **4.** Morne, sans intérêt : *Existence **grise**.* ▸ Loc. *Faire **grise** mine à qqn* : lui faire un accueil froid, lui présenter une mine renfrognée. **5.** *Anat. Substance **grise*** : tissu du cortex cérébral et du cervelet, de couleur **grise**, formé par les corps cellulaires des neurones ; *Matière **grise*** (☞ *matière*). **6.** *Œnol. Vin **gris*** : variété de vin rosé. **7.** Qui est presque ivre. **Subst. 1.** Couleur **grise**. **2.** Tabac ordinaire et fort, emballé dans du papier **gris**. Mil. XIIe s. ; anc. bas frq. °*grîs* ; [gʀi, gʀiz].

**GRISAILLE,** subst. f.
**1.** *B.-a.* Peinture monochrome en camaïeu de gris, donnant une impression de relief. **2.** Anal. Temps gris, triste : *La **grisaille** d'une journée pluvieuse.* **3.** Fig. Caractère terne, atmosphère ennuyeuse. 1625 ; ☞ *gris* ; [gʀizaj].

**GRISAILLER,** verbe [3]
**Trans.** *B.-a.* Peindre en grisaille. **Intrans.** Devenir gris, grisâtre (vieilli). 1649 ; ☞ *grisaille* ; [gʀizaje].

**GRISANT, ANTE,** adj.
Qui grise, excite, exalte : *Réussite **grisante**.* 1877 ; p. pr. de *griser* ; [gʀizɑ̃, ɑ̃t].

**GRISARD,** subst. m.
**1.** *Zool.* Jeune goéland. **2.** *Bot.* Haut peuplier dont la feuille a des reflets argentés. 1562 (mil. XIVe s., grisâtre) ; ☞ *gris* ; [gʀizaʀ].

**GRISÂTRE,** adj.
Qui tire sur le gris : *Nuage **grisâtre*** ; au fig., terne, morne. 1510 ; ☞ *gris* ; [gʀizɑtʀ].

**GRISBI,** subst. m.
Argent (argot.). 1896 ; *griset* (vx), « pièce d'une valeur de 6 liards, de couleur grise » ; [gʀizbi].

**GRISÉ,** subst. m.
Teinte grise donnée par des pointillés, de fines hachures (sur un dessin, une carte, etc.). 1873 ; p. p. de *griser* ; [gʀize].

**GRISER,** verbe trans. [3]
**1.** Colorer de gris. **2.** Rendre légèrement ivre : *Ce vin grise vite.* ▸ Anal. Exciter physiquement, en donnant une impression d'ivresse : *Cet air pur me grise.* ▸ Fig. Exalter, étourdir : *Son succès le grise.* 1609 (1538, grisonner) ; ☞ *gris* ; [gʀize].

**GRISERIE,** subst. f.
**1.** Ivresse légère (vieilli). **2.** Anal. Excitation proche de celle que procure un début d'ivresse : *La griserie de la vitesse.* **3.** Fig. Exaltation qui peut perturber le jugement. 1838 ; ☞ *griser* ; [gʀizʀi].

**GRISET,** subst. m.
*Zool.* **1.** Jeune chardonneret. **2.** Requin de la Méditerranée, aux flancs gris, de 3 à 5 m de longueur, dont on utilise la peau en maroquinerie. 1721 ; ☞ *gris* ; [gʀizɛ].

**GRISETTE,** subst. f.
**1.** Vx. Étoffe grise et ordinaire dont étaient faits autrefois les vêtements des personnes de condition modeste. **2.** Méton. Jeune ouvrière coquette et délurée (vieilli). 1651 ; ☞ *gris* ; [gʀizɛt].

**GRISOLLER,** verbe intrans. [3]
Faire entendre son cri, en parlant de l'alouette. 1718 ; p.-ê. orig. onomat. ; [gʀizɔle].

**GRISONNANT, ANTE,** adj.
Qui grisonne. 1546 ; p. pr. de *grisonner* ; [gʀizɔnɑ̃, ɑ̃t].

**GRISONNEMENT,** subst. m.
État d'une chevelure, d'une barbe, etc., qui grisonne. 1546 ; ☞ *grisonner* ; [gʀizɔnmɑ̃].

**GRISONNER,** verbe intrans. [3]
Prendre une teinte grise, en parlant de la chevelure, du poil ; par méton. : *Il **grisonnait** déjà à trente ans.* 1527 ; *grison* (vx), « qui a le poil, les cheveux gris » ; [gʀizɔne].

**GRISOU,** subst. m.
Nom courant d'un mélange gazeux naturel à grande proportion de méthane ($CH_4$), libéré par les houilles et qui devient explosible en présence d'oxygène dans certaines proportions : *Catastrophe minière due à un coup de **grisou**.* 1796 ; forme wallonne de *grégeois* ; [gʀizu].

**GRIVE,** subst. f.
**1.** *Zool.* Oiseau de la famille des Turdidés, voisin du merle. **2.** Loc. proverb. *Faute de grives, on mange des merles* : quand ce que l'on désire vient à manquer, il faut bien se contenter de ce que l'on a. Fin XIIIe s. ; anc. fr. *grieu*, du lat. *graecus*, « (oiseau) grec » ; [gʀiv].

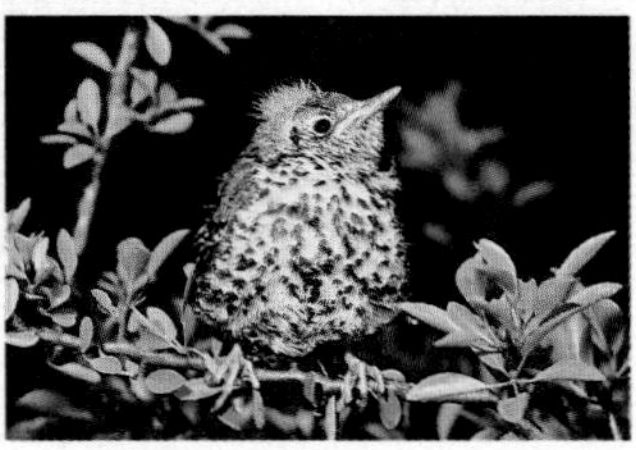
© R. Volot-Jacana
*Grive musicienne.*

**GRIVELÉ, ÉE,** adj.
Tacheté de blanc et de brun, ou de blanc et de gris, comme le plumage de la grive. Déb. XIIIe s. ; bas lat. *cribellum*, « crible, tamis » ; [gʀiv(ə)le].

**GRIVELER,** verbe intrans. [12]
Se rendre coupable de grivèlerie. 1620 ; ☞ *grive*, cet oiseau étant réputé pillard ; [gʀiv(ə)le].

**GRIVÈLERIE,** subst. f.
*Dr.* Acte délictueux consistant à consommer sans payer (vieilli). XVIe s. ; ☞ *griveler* ; [gʀivɛlʀi].

**GRIVELURE,** subst. f.
Coloration blanche et brune, ou blanche et grise. XVIe s. ; ☞ *grivelé* ; [gʀivlyʀ].

**GRIVNA,** subst. f.
Unité monétaire de l'Ukraine. 1994 ; mot ukrainien, du vieux russe ; [gʀivna].

**GRIVOIS, OISE,** adj.
Qui est d'une gaieté leste, osée, licencieuse (synon. *égrillard, gaulois*). 1696 (1690, *un grivois*, soldat) ; *grive* (vx), « guerre » ; [gʀivwa, waz].

**GRIVOISERIE,** subst. f.
Caractère de ce qui est grivois, d'une personne grivoise ; geste, propos égrillard. 1843 ; ☞ *grivois* ; [gʀivwazʀi].

**GRIZZLI,** subst. m.
*Zool.* Sous-espèce d'ours brun d'Amérique du Nord, au pelage tirant sur le grisâtre, qui peut se montrer agressif. 1860 ; anglo-amér. *grizzly bear*, « ours gris » ; var. *grizzly* ; [gʀizli].

© A. Carey/P. H. R.-Jacana
*Grizzli.*

**GRŒNENDAEL,** subst. m.
Chien de berger belge, à longs poils noirs. 1933 ; topon. *Grœnendael* (Belgique) ; [gʀɔnɛndal].

**GROENLANDAIS, AISE,** adj. et subst.
Du Groenland. **Subst. masc.** Dialecte inuit parlé au Groenland. 1721 ; topon. *Groenland*, du danois *grønland*, « terre verte » ; [gʀɔɛnlɑ̃dɛ, ɛz].

**GROG,** subst. m.
Boisson chaude faite d'eau sucrée, de citron et d'eau-de-vie ou de rhum. 1757 ; mot angl. ; [gʀɔg].

**GROGGY,** adj. inv.
**1.** *Sp.* Qui perd à demi connaissance sous les coups mais qui reste debout, en parlant d'un boxeur. **2.** Ext. Qui est étourdi par un choc physique ou moral. 1916 ; angl. *groggy*, « ivre (de grog) » ; [gʀɔgi].

**GROGNARD, ARDE,** adj. et subst. m.
**Adj.** Qui grogne, bougonne sans cesse. **Subst.** *Hist.* Soldat de la Vieille Garde, sous le premier Empire. Fin XIIIe s. ; ☞ *grogner* ; [gʀɔɲaʀ, aʀd].

**GROGNE,** subst. f.
Mécontentement. 1364 ; ☞ *grogner* ; [gʀɔɲ].

**GROGNEMENT,** subst. m.
**1.** Cri du porc, du sanglier, de l'ours et, par ext., du chien. **2.** Anal. Ensemble de sons, de paroles inarticulées qu'émet une personne qui grogne. XVe s. ; ☞ *grogner* ; [gʀɔɲ(ə)mɑ̃].

**GROGNER,** verbe [3]
**Intrans. 1.** Pousser son cri, en parlant de certains animaux. **2.** Anal. Émettre un bruit sourd, un grondement, en signe de mécontentement ; maugréer, grommeler. **Trans.** Dire de façon peu intelligible : *Grogner une réponse.* Fin XIIe s. ; anc. fr. *gronir*, du lat. *grunnire* ; [gʀɔɲe].

**GROGNON, ONNE,** adj. et subst.
**Adj.** Qui grogne, qui est habituellement de mauvaise humeur ; par ext. : *Un air grognon.* **Subst.** Personne grognonne. 1721 ; ☞ *grogner* ; [gʀɔɲɔ̃, ɔn].

**GROGNONNER,** verbe intrans. [3]
Grommeler. 1634 ; ☞ *grogner* ; [gʀɔɲɔne].

**GROIN,** subst. m.
**1.** *Zool.* Museau des animaux de la famille des Suidés, notamment du porc et du sanglier. **2.** Anal. Visage bestial (fam. et péj.). Fin XIIe s. ; bas lat. *grunium*, « groin » ; [gʀwɛ̃].

**GROISIL,** subst. m.
Débris de verre servant à fabriquer du verre ordinaire (synon. *calcin*). 1611 ; ☞ *grès* ; [gʀwazil].

**GROLLE (I),** subst. f.
Chaussure (fam.). XIIIe s. ; lat. pop. °*grolla* ; [gʀɔl].

**GROLLE (II),** subst. f.
Corbeau, corneille, choucas (région.). 1523 ; bas lat. *graula*, du lat. *gracula*, « femelle du choucas » ; [gʀɔl].

**GROMMELER,** verbe [12]
**Intrans.** Exprimer sa mauvaise humeur par des paroles confuses, bougonner. **Trans.** Exprimer peu distinctement et sur un ton bougon : *Grommeler des menaces.* 1342 ; anc. fr. *grommer*, du m. néerl. *grommen*, « gronder » ; [gʀɔm(ə)le].

**GROMMELLEMENT,** subst. m.
Action de grommeler ; paroles, sons grommelés. 1567 ; ☞ *grommeler* ; [gʀɔmɛlmɑ̃].

**GRONDANT, ANTE,** adj.
Qui gronde. XVIe s. ; p. pr. de *gronder* ; [gʀɔ̃dɑ̃, ɑ̃t].

**GRONDEMENT,** subst. m.
**1.** Son menaçant, sourd et prolongé, que peuvent émettre certains animaux. **2.** Ext. Bruit sourd et prolongé, parfois menaçant : *Grondement d'un moteur, de tonnerre, d'armes lourdes.* Fin XIIIe s. ; ☞ *gronder* ; [gʀɔ̃dmɑ̃].

**GRONDER,** verbe [3]
**Intrans. 1.** Émettre un grondement, en parlant de certains animaux : *Le chien **gronde**.* **2.** Anal. Produire un bruit sourd et prolongé, parfois menaçant ; au fig., menacer d'éclater : *La révolution **gronde**.* **3.** Exprimer son mécontentement, se plaindre d'une voix sourde (vieilli ou littér.) : *Il **grondait** dans son coin.* **Trans.** Réprimander (en partic. un enfant) : *Gronder un écolier indiscipliné.* ▸ Réprimander de façon amicale : *Vous auriez dû rester alité, je devrais vous **gronder**.* Fin XIIe s. ; lat. *grundire*, var. de *grunnire*, « grogner » ; [gʀɔ̃de].

**GRONDERIE,** subst. f.
**1.** Action de gronder. **2.** Reproche ; réprimande amicale. 1598 ; ☞ *gronder* ; [gʀɔ̃dʀi].

**GRONDEUR, EUSE,** adj.
**1.** Qui produit un grondement : *Mer **grondeuse**.* **2.** Qui gronde, qui a l'habitude de gronder, en parlant d'une personne ; par méton. : *Humeur, voix **grondeuse**.* 1586 ; ☞ *gronder* ; [gʀɔ̃dœʀ, øz].

**GRONDIN,** subst. m.
*Zool.* Poisson osseux au museau proéminent, de la famille des Triglidés, qui vit dans les fonds vaseux du littoral ; en appos. : *Rouget **grondin**.* 1769 (1598, cochon) ; ☞ *gronder* ; [gʀɔ̃dɛ̃].

© Labat/Lanceau-Jacana
*Grondin papillon.*

**GROOM,** subst. m.
**1.** Jeune laquais d'écurie (vieilli). **2.** Jeune employé en livrée, chargé des courses dans un hôtel. 1669 ; mot angl. ; [gʀum].

**GROS, GROSSE,** adj., adv. et subst. m.
**Adj. 1.** Dont le volume, les dimensions excèdent la mesure ordinaire : *Une **grosse** branche* ; épais, charnu : *Un **gros** nez.* ▸ Qui a de l'embonpoint : *Un homme **gros** et gras* ; empl. subst., personne corpulente. **2.** Qui est de grande taille, par rapport à d'autres éléments de même nature : ***Grosse** cylindrée* ; ***Gros** gibier* ; par ell. : *Pêche au **gros***, aux **gros** poissons. **3.** Qui a pris du volume ; enflé : ***Grosse** mer*, forte, agitée ; *Faire les **gros** yeux, le **gros** dos* ; au fig. : *Avoir le cœur **gros***, lourd de chagrin ; *Avoir la **grosse** tête* (☞ *tête*). ▸ Au fém. Enceinte (vx) ; pleine : *Une jument **grosse**.* ▸ Loc. **Gros de.** Qui porte en germe : *Une situation **grosse** de périls.* **4.** Sans finesse, grossier : ***Gros** drap* ; au fig. : *Dire des **gros** mots.* **5.** Important : *Un **gros** succès* ; *Un **gros** mangeur.* ▸ Riche, opulent : *Un **gros** fermier* ; empl. subst. (fam.), personne riche, influente. ▸ Qui concerne l'essentiel : *Le **gros** œuvre* (☞ *œuvre*). ▸ Intense ; grave : *Une **grosse** fièvre* ; *De **gros** ennuis.* **Adv. 1.** En grande dimension : *Est-ce écrit assez **gros** ?* **2.** Beaucoup : *Jouer **gros**.* **3.** Loc. *En **gros*** : dans les grandes lignes. **Subst. 1.** La plus grande part : *Le **gros** des troupes.* **2.** *Commerce de **gros*** : vente ou achat en grandes quantités. Fin XIe s. ; bas lat. *grossus*, du lat. *crassus*, « épais, gras » ; [gʀo, gʀos].

**GROS-BEC,** subst. m.
*Zool.* Oiseau de la famille des Fringillidés, au plumage brun-roux, de petite taille et doté d'un bec pointu et très large à sa base. 📖 1553 ; comp. de *gros* et de *bec* ; plur. *gros-becs* ; [gʀobɛk].

**GROSCHEN,** subst. m.
**1.** Ancienne monnaie d'Europe centrale. **2.** Monnaie autrichienne, valant un centième de schilling. 📖 1723 ; all. *Groschen* ; [gʀɔʃɛn].

**GROSEILLE,** subst. f. et adj. inv.
**Subst.** Fruit du groseillier, rouge ou blanc, comestible, qui pousse en grappe : *Gelée de **groseille**.* ► ***Groseille** à maquereau* : fruit du groseillier épineux. ► ***Groseille** noire* : fruit du cassis. **Adj.** D'une couleur rouge clair. 📖 XIIIe s. ; anc. bas frq. °*krusil* ; [gʀozɛj].

**GROSEILLIER,** subst. m.
*Bot.* Arbrisseau de la famille des Grossulariacées, cultivé pour ses fruits, les groseilles. 📖 Déb. XIIe s. ; *grosele*, anc. forme de *groseille* ; [gʀozeje].

**GROS-GRAIN,** subst. m.
**1.** Tissu de soie, à côtes transversales de grosseur variable. **2.** Ruban sans lisière, à côtes verticales plus ou moins grosses. 📖 1611 ; comp. de *gros* et de *grain* ; plur. *gros-grains* ; [gʀogʀɛ̃].

**GROS-PLANT,** subst. m.
Cépage cultivé en partic. dans la région nantaise ; par méton., vin blanc issu de ce cépage. 📖 Comp. de *gros* et de *plant* ; plur. *gros-plants* ; [gʀoplɑ̃].

**GROS-PORTEUR,** subst. m.
*Aéron.* Avion de très grande capacité. 📖 V. 1970 ; comp. de *gros* et de *porteur* ; plur. *gros-porteurs* ; [gʀopɔʀtœʀ].

**GROSSE,** subst. f.
**1.** *Comm.* Douze douzaines : *Une **grosse** d'huîtres.* ► Loc. *À la **grosse*** : en grande quantité ou, par ext., à la va-vite (vieilli). **2.** *Dr.* Copie, en caractères plus gros que ceux de la minute, d'un acte notarié ou d'un jugement, revêtue de la formule exécutoire. **3.** Écriture en gros caractères. 📖 1453 ; ☞ *gros* ; [gʀos].

**GROSSERIE,** subst. f.
**1.** Vx. Commerce de gros. **2.** *Techn.* Gros ouvrage de taillanderie. **3.** Ouvrage important d'orfèvrerie, en partic. vaisselle d'argent. 📖 1611 (XVIe s., gros œuvre) ; ☞ *gros* ; [gʀosʀi].

**GROSSESSE,** subst. f.
*Physiol.* État de la femme enceinte. La **grossesse** commence avec la fécondation de l'ovule par un spermatozoïde et la nidation de l'œuf dans la cavité utérine. Elle se termine avec l'accouchement, env. neuf mois après la fécondation. ► *Pathol.* ***Grossesse** extra-utérine* : développement de l'ovule fécondé en dehors de l'utérus (abrév. : G. E. U.) ; ***Grossesse** nerveuse* : état d'une femme qui présente les symptômes apparents de la **grossesse** mais qui n'est pas enceinte. 📖 1283 (fin XIIe s., épaisseur) ; ☞ *gros* ; [gʀosɛs].

**GROSSEUR,** subst. f.
**1.** État de ce qui excède la mesure ordinaire. **2.** Volume, taille de qqch. : *Un trou de la **grosseur** du bras.* **3.** *Pathol.* Tuméfaction : *Une **grosseur** à l'aine.* 📖 Déb. XIIe s. ; ☞ *gros* ; [gʀosœʀ].

**GROSSIER, IÈRE,** adj.
**1.** Qui n'a pas été instruit, affiné par les bonnes manières ou la culture : *Gens **grossiers** et ignorants* ; *Esprit **grossier*** ; par ext. : *Erreur **grossière**,* qui marque la maladresse, la balourdise, l'ignorance. **2.** Qui manque aux convenances, indécent : *Geste, mot **grossier**.* **3.** Qui a été fait sans soin : *Meuble, dessin **grossier*** ; par ext., rudimentaire, peu délicat : *Traits **grossiers**.* 📖 1550 (1260, ouvrier du fer) ; ☞ *gros* ; [gʀosje, jɛʀ].

**GROSSIÈREMENT,** adv.
De manière grossière ; avec grossièreté. 📖 1488 ; ☞ *grossier* ; [gʀosjɛʀmɑ̃].

**GROSSIÈRETÉ,** subst. f.
**1.** Caractère d'une personne grossière, impolie ; par ext., acte ou parole vulgaire : *Dire des **grossièretés**.* **2.** Caractère de ce qui est grossier, mal fini. 📖 Mil. XVIIe s. ; ☞ *grossier* ; [gʀosjɛʀte].

**GROSSIR,** verbe [19]
**Intrans. 1.** Devenir plus gros ; enfler : *Ses veines **grossissaient** sous l'effort.* ► *La mer **grossit*** : devient houleuse. **2.** Augmenter en intensité, en nombre, en quantité, etc. : *Un son qui **grossit*** ; au fig. : *Une rumeur qui **grossit**.* **Trans. 1.** Rendre plus gros, plus volumineux. **2.** Faire paraître plus gros : *Ce pull te **grossit**.* **3.** Augmenter l'intensité de ; renforcer ; au fig., exagérer. 📖 1317 ; ☞ *gros* ; [gʀosiʀ].

**GROSSISSANT, ANTE,** adj.
**1.** Qui grossit (vx) : *Flots **grossissants**.* **2.** Qui fait paraître plus gros : *Verres **grossissants**.* ► Fig. Qui exagère. 📖 1763 ; p. pr. de *grossir* ; [gʀosisɑ̃, ɑ̃t].

**GROSSISSEMENT,** subst. m.
**1.** Fait de devenir plus gros, plus volumineux. **2.** Action de rendre ou de faire paraître plus gros ; son résultat. **3.** Fig. Exagération. **4.** *Opt.* ***Grossissement** d'un instrument d'optique* : rapport entre le diamètre apparent de l'image d'un objet donnée par un instrument et le diamètre apparent de l'objet vu à l'œil nu. 📖 1560 ; ☞ *grossir* ; [gʀosismɑ̃].

**GROSSISTE,** subst.
Commerçant qui achète en gros aux producteurs et revend aux détaillants. 📖 1922 ; ☞ *gros* ; [gʀosist].

**GROSSO MODO,** loc. adv.
En gros, sans entrer dans le détail. 📖 1566 ; lat. médiév. *grosso modo*, « de manière grosse » ; [gʀosomodo].

**GROSSOYER,** verbe trans. [17]
*Dr.* Établir la grosse de (un acte, un jugement, un contrat). 📖 1335 ; ☞ *grosse* ; [gʀoswaje].

**GROTESQUE,** subst. et adj.
**Subst. fém. plur.** *B.-a.* Ornements composés d'arabesques et de figures fantastiques, découverts à la Renaissance sur les murs des monuments antiques italiens ; par ext., figures exécutées à leur imitation. **Subst. masc.** *B.-a.* et *Litt.* Catégorie esthétique caractérisée par la caricature et le bizarre (anton. *sublime*). **Adj.** Qui prête à rire par son ridicule : *Une allure **grotesque*** ; *Des idées **grotesques**.* 📖 1532 ; ital. *grottesca*, de *grotta*, « grotte » ; [gʀɔtɛsk].

**GROTTE,** subst. f.
**1.** Grande cavité naturelle ouverte dans le rocher ; caverne : ***Grotte** préhistorique, sous-marine.* **2.** Ext. Construction évoquant une caverne, réalisée dans les parcs et les jardins baroques. 📖 1280 ; ital. *grotta*, du lat. *crypta* ; [gʀɔt].

**GROUILLANT, ANTE,** adj.
Qui grouille. 📖 1480 ; p. pr. de *grouiller* ; [gʀujɑ̃, ɑ̃t].

**GROUILLEMENT,** subst. m.
Mouvement, bruit de ce qui grouille : ***Grouillement** d'insectes.* 📖 Fin XVIIIe s. ; ☞ *grouiller* ; [gʀujmɑ̃].

**GROUILLER,** verbe intrans. [3]
**1.** S'agiter dans tous les sens et en grand nombre, fourmiller : *Des anguilles **grouillaient** dans le seau.* **2.** Être rempli, couvert (d'êtres en mouvement) : *Les rues **grouillaient** d'enfants.* **Pronom.** Se dépêcher (fam.). 📖 1480 (mil. XVe s., gronder) ; anc. fr. *grouler*, « s'agiter » ; [gʀuje].

**GROUILLOT,** subst. m.
**1.** À la Bourse, jeune employé qui transmet les ordres d'achat et de vente. **2.** Apprenti chargé des courses (fam.). 📖 1913 ; ☞ *grouiller* ; [gʀujo].

**GROUP,** subst. m.
Sac postal cacheté, utilisé pour l'expédition de valeurs et de titres (vx). 📖 1723 ; ital. *gruppo* ; [gʀup].

**GROUPAGE,** subst. m.
**1.** Action de grouper des colis en un même envoi. **2.** *Biol.* Détermination d'un groupe : ***Groupage** tissulaire, sanguin.* 📖 1806 ; ☞ *grouper* ; [gʀupaʒ].

**GROUPE,** subst. m.
**1.** *B.-a.* Réunion de plusieurs figures composant un ensemble. **2.** Ensemble d'êtres ou de choses réunis dans un même lieu : *Des **groupes** de manifestants.* **3.** Ensemble de personnes, de choses ayant une organisation ou des caractéristiques communes : ***Groupe** ethnique, social* ; ***Groupes** de langues, de verbes.* ► ***Groupe** artistique, littéraire* : école réunissant plusieurs artistes. ► ***Groupe** parlementaire* : ensemble des parlementaires d'une même tendance. ► ***Groupe** de pression* : ensemble de personnes exerçant, dans leur intérêt commun, des pressions sur les organismes de décision. ► ***Groupe** de presse, financier, industriel* : ensemble d'entreprises réunies autour d'une société mère. ► ***Groupe** scolaire* : ensemble des bâtiments d'une école ; *Dynamique de **groupe*** (☞ *dynamique*). ► *Milit.* Unité élémentaire ; ensemble de divisions, d'armées placées sous un commandement unique : ***Groupe** d'armée* ; ***Groupe** de combat.* ► *Mus.* Petite formation : *Un **groupe** de rock.* **4.** *Biol.* et *Méd.* ***Groupe** tissulaire* : antigènes appelés H. L. A., dont la compatibilité est fondamentale pour la réussite d'une greffe ; ***Groupe** sanguin érythrocytaire* : ensemble des antigènes présents sur les globules rouges, déterminés génétiquement et permettant d'identifier les individus. On distingue notamment les **groupes** A, B, O et le facteur Rhésus, qui permettent d'effectuer une transfusion de sang selon les règles de compatibilité. **5.** *Math.* Ensemble muni d'une loi de composition interne associative, possédant un élément neutre, et telle que tout élément admette un symétrique pour cette loi. On écrit souvent (E, $\star$), E étant l'ensemble et $\star$ la loi dont est muni E. ($\mathbb{R}$, +), ($\mathbb{Z}$, +), ($\mathbb{R}^*$, ×) et ($\mathbb{C}$, +) sont des **groupes**. **6.** *Techn.* ***Groupe** électrogène* (☞ *électrogène*). 📖 1668 ; ital. *gruppo*, prob. germ. °*kruppa*, « masse arrondie » ; [gʀup].

**GROUPEMENT,** subst. m.
**1.** Action de grouper ; état de ce qui est groupé. **2.** Réunion de personnes ou de choses ayant des intérêts communs ou une organisation commune : ***Groupement** militaro-industriel.* **3.** *Spéc.* ► *Dr.* Association de personnes physiques ou morales réunies sur le principe d'un partage d'intérêts, de moyens : ***Groupement** d'intérêt économique (G. I. E.).* ► *Milit.* ***Groupement** tactique* : réunion temporaire de différents corps d'armée sous un seul commandement. 📖 1801 ; ☞ *grouper* ; [gʀupmɑ̃].

**GROUPER,** verbe trans. [3]
Mettre ensemble dans un même lieu, une même catégorie ; réunir en groupe : ***Grouper** des élèves, des achats.* **Pronom. 1.** S'assembler. **2.** *Sp.* Ramener les genoux contre le torse. 📖 1680 ; ☞ *groupe* ; [gʀupe].

**GROUPIE,** subst.
**1.** Personne admirant un chanteur, un groupe (gén. de rock ou de pop) au point de le suivre dans tous ses déplacements. **2.** Partisan inconditionnel de qqn, d'un parti, etc. 📖 V. 1970 ; anglo-amér. *groupie*, de *group*, « groupe » ; synon. fam. *fan* ; [gʀupi].

**GROUPUSCULE,** subst. m.
Petit groupe politique (souv. péj.) : ***Groupuscules** d'extrême gauche.* 📖 1936 ; ☞ *groupe*, d'apr. *minuscule* ; [gʀupyskyl].

**GROUSE,** subst. f.
*Zool.* Oiseau de la famille des Tétraonidés, également appelé lagopède, qui vit notamment en Écosse. 📖 1771 ; mot angl. ; [gʀuz].

**GRUAU (I),** subst. m.
**1.** Grain grossièrement moulu après qu'on en a ôté le son ; mets à base de cette préparation. **2.** Farine très fine issue de la partie du froment la plus riche en gluten : *Pain de **gruau**.* 📖 Fin XIIe s. ; anc. fr. *gru*, de l'anc. bas frq. °*grût* ; [gʀyo].

**GRUAU (II),** subst. m.
Petit de la grue (rare). 📖 1547 ; ☞ *grue* (I) ; var. *gruon* ; [gʀyo].

**GRUE (I),** subst. f.
**1.** *Zool.* Oiseau de la famille des Gruidés, terrestre, aux longues pattes et au long cou, et très bon voilier. Selon les espèces, il mesure de 0,80 m à 2 m de hauteur. ► Loc. *Faire le pied de **grue*** : attendre, en gén. debout et longtemps. **2.** Fam. Prostituée (vx) ; femme aux mœurs légères. 📖 Déb. XIIe s. ; lat. pop. °*grua* ; [gʀy].

**GRUE (II),** subst. f.
**1.** Appareil de levage et de manutention composé d'une flèche montée sur une tour. **2.** *Cin.* Appareil permettant des mouvements de caméra aériens. 📖 1467 ; ☞ *grue* (I), d'apr. le m. néerl. *crane*, « appareil qui sert à soulever » ; [gʀy].

**GRUGEOIR,** subst. m.
*Techn.* Pince servant à rogner les bords d'une pièce de verre pour en ajuster la coupe. 📖 1606 ; ☞ *gruger* ; [gʀyʒwaʀ].

**GRUGER,** verbe trans. [5]
**1.** Vx. Broyer, réduire en grains. ► Québ. Manger. **2.** Fig et Fam. Tromper, voler (qqn). **3.** *Techn.* Rogner (une pièce de verre) à l'aide d'un grugeoir. 📖 1484 ; néerl. *gruizen*, de l'anc. bas frq. °*grût*, « gruau » ; [gʀyʒe].

**GRUIFORMES,** subst. m. plur.
*Zool.* Ordre d'échassiers terrestres à longues pattes et aux ailes souvent courtes. **Au sing.** *L'outarde est un **gruiforme**.* 📖 ☞ *grue* (I) + *-forme* ; [gʀyifɔʀm].

**GRUME,** subst. f.
**1.** Vx. Grain de raisin. **2.** Tronc d'arbre abattu, ébranché mais couvert de son écorce : *Bois en **grume**.* 📖 1552 ; bas lat. *gruma*, du lat. *gluma*, « pellicule (des grains) » ; [gʀym].

**GRUMEAU,** subst. m.
Petite masse de matière agglomérée ou en suspension dans un liquide : *Des **grumeaux** de farine.*

Mil. XIIIe s. ; lat. pop. °*grimellus*, du lat. *grumulus*, petit tertre » ; [grymo].

**GRUMELER (SE),** verbe pronom. [12]
;e mettre en grumeaux. 1548 (fin XIIe s., ridé, flétri) ; anc. fr. *grumel*, « grumeau » ; [grymle].

**GRUMELEUX, EUSE,** adj.
. Qui contient des grumeaux : *Bouillie* ***grumeleuse***. . Dont la surface présente des petites rugosités : *'écorce* ***grumeleuse*** *de l'orange*. 1376 ; anc. fr. *rumel*, « grumeau » ; [grymlø, øz].

**GRUMELURE,** subst. f.
*'echn*. Petite cavité dans une pièce de fonderie. 1668 ; ☞ *se grumeler* ; [grymlyr].

**GRUON,** voir **GRUAU (II)**

**GRUPPETTO,** subst. m.
*Mus*. Ornement de trois ou quatre notes rapides et conjointes autour d'une note principale. 1835 ; ital. *gruppetto*, « petit groupe » ; plur. *gruppettos* ou *gruppetti* ; [grupɛt(t)o], plur. [-pɛt(t)i].

**GRUTIER, IÈRE,** subst.
Personne qui manœuvre une grue. Déb. XXe s. ; ☞ *grue* (II) ; [grytje, jɛr].

**GRUYÈRE,** subst. m.
Fromage au lait de vache, à pâte pressée cuite. 1655 ; topon. *Gruyère* (Suisse) ; [gryjɛr].

**GRYPHÉE,** subst. f.
*Zool*. Mollusque lamellibranche, dont une espèce est l'huître portugaise, aux valves inégales. 1801 ; lat. chrét. *gryphus*, « oiseau fabuleux », du gr. *grupos*, « recourbé » ; [grife].

**GUAI,** adj. m.
*Hareng* ***guai*** : qui, après avoir frayé, est sans œufs ni laitance. 1723 ; prob. var. de *gai*, « vif, pétulant » ; var. *guais* ; [gɛ].

**GUANACO,** subst. m.
*Zool*. Ruminant sauvage de la famille des Camélidés, qui vit dans la cordillère des Andes. 1568 ; hisp.-amér. *guanaco*, du quechua *huanacu*, « lama » ; [gwanako].

**GUANINE,** subst. f.
*Biochim*. Base organique azotée, dite purique, que l'on trouve associée à du ribose ou du désoxyribose dans un nucléotide requis pour la synthèse des acides nucléiques. Dans la double hélice d'A. D. N., chaque **guanine** se trouve en vis-à-vis de la base pyrimidique cytosine. 1858 ; ☞ *guano* ; [gwanin].

**GUANO,** subst. m.
**1.** Matière composée d'excréments d'oiseaux marins, longtemps utilisée comme engrais. **2.** Ext. Engrais obtenu à partir de matière animale : ***Guano*** *de poisson, de viande, de chauve-souris*. 1598 ; esp. *guano*, du quechua *huanu*, « engrais » ; [gwano].

**GUARANI,** adj. et subst.
De l'ethnie des Guaranis, peuple amérindien du Paraguay. Subst. masc. **1.** Langue amérindienne parlée au Paraguay. **2.** Unité monétaire du Paraguay. 1803 ; mot guarani ; [gwarani].

**GUATÉMALTÈQUE,** adj. et subst.
Du Guatemala. Fin XIXe s. ; topon. *Guatemala* ; [gwatemaltɛk].

**GUÉ (I),** subst. m.
Endroit peu profond d'un cours d'eau, que l'on peut traverser à pied. Fin XIe s. ; anc. bas frq. °*wad* ; [ge].

**GUÉ (II),** interj.
Interjection exprimant la joie (vx) : *La liberté demain, ô* ***gué*** *!* 1666 ; prob. var. de *gai*, « vif, pétulant » ; [ge].

**GUÉABLE,** adj.
Que l'on peut guéer. 1160 ; ☞ *guéer* ; [geabl].

**GUÈBRE,** subst. et adj.
Se dit des descendants des Perses restés fidèles à la religion de Zoroastre après l'invasion musulmane. 1653 ; persan *gabr*, « infidèle ; zoroastrien » ; [gɛbr].

**GUÈDE,** subst. f.
**1.** *Bot*. Plante à fleurs jaunes de la famille des Brassicacées, croissant dans les régions tempérées (synon. *pastel*). **2.** Couleur bleue extraite de la **guède**. Fin XIe s. ; germ. °*waizda* ; [gɛd].

**GUÉER,** verbe trans. [7]
Traverser à gué (vx). Mil. XIIe s. ; ☞ *gué* (I) ; [gee].

**GUÉGUERRE,** subst. f.
Conflit dérisoire (fam.). 1948 ; ☞ *guerre* ; [gegɛr].

**GUELFE,** subst. et adj.
*Hist*. Subst. Partisan du pape, qui s'opposa, dans l'Italie médiévale, aux gibelins, partisans de l'empereur du Saint Empire romain germanique. Adj. Relatif aux **guelfes**. Mil. XIIIe s. ; anthropon. all. *Welfe*, famille alliée des papes, p.-ê. par l'ital. *guelfo* ; [gɛlf].

**GUELTE,** subst. f.
*Comm*. Pourcentage accordé à un vendeur sur ses ventes (vx). 1859 ; all. *Geld*, « argent » ; [gɛlt].

**GUENILLE,** subst. f.
Vêtement en lambeaux (souv. au plur.) : *Être vêtu de* ***guenilles***. 1611 ; altér. de *guenipe* (vx), « hardes boueuses ; femme malpropre », de *gasne*, « mare fangeuse », du gaul. °*wadana*, « eau » ; [gənij].

**GUENON,** subst. f.
**1.** Femelle d'un singe, quelle que soit son espèce. **2.** Fig. Femme très laide (fam.). 1505 ; *guenipe* (vx), « hardes boueuses ; femme malpropre » ; [gənɔ̃].

**GUÉPARD,** subst. m.
*Zool*. Mammifère carnivore de la famille des Félidés, au pelage tacheté, qui se distingue du léopard notamment par sa plus petite taille et par ses griffes non rétractiles. C'est le mammifère le plus rapide à la course (plus de 100 km/h). 1637 ; ital. *gattopardo*, « chat-léopard » ; [gepar].

© Ferrero/Labat-Jacana

*Guépard sur le point de saisir sa proie.*

**GUÊPE,** subst. f.
**1.** *Zool*. Insecte hyménoptère, porte-aiguillon, de la famille des Vespidés, dont l'abdomen est orné de cercles jaunes et noirs. Les **guêpes** sont des insectes sociaux, leurs colonies comprennent reines, ouvrières et mâles, mais elles n'essaiment pas et ne produisent pas de miel. ▸ Nom usuel donné à divers insectes proches des Vespidés : ***Guêpe*** *des sables*. **2.** Anal. *Avoir une taille de* ***guêpe*** : avoir la taille très fine. Fin XIIe s. ; altér. du lat. *vespa*, « guêpe », d'apr. l'anc. bas frq. °*waspa* ; [gɛp].

**GUÊPIER,** subst. m.
*Zool*. **1.** Oiseau au plumage vivement coloré, se nourrissant de guêpes et d'abeilles. **2.** Ensemble des alvéoles où les guêpes pondent leurs œufs et nourrissent les larves qui éclosent ; nid de guêpes. ▸ Fig. Situation d'où l'on risque de ne pouvoir sortir sans dommage : *Dans quel* ***guêpier*** *s'est-il fourré ?* 1376 ; ☞ *guêpe* ; [gepje].

**GUÊPIÈRE,** subst. f.
Sous-vêtement féminin qui prend le buste et descend jusque sous la taille, qu'il serre et affine, souv. muni de jarretelles. V. 1950 ; ☞ *guêpe* ; [gepjɛr].

**GUÈRE,** adv.
Pas beaucoup, peu : *Il n'a* ***guère*** *plus de trois ans* ; par ell. : *Ça te plaît ? -* ***Guère*** *!* Fin XIe s. ; anc. bas frq. °*waigaro*, « beaucoup » ; [gɛr].

**GUÉRET,** subst. m.
Champ labouré qui n'est pas encore ensemencé ; jachère. Fin XIe s. ; lat. *vervactum*, « jachère » ; [gerɛ].

**GUÉRIDON,** subst. m.
Petite table, gén. ronde et à pied central. 1650 ; *Guéridon*, personnage de farce ; [geridɔ̃].

**GUÉRILLA,** subst. f.
**1.** Vx. Troupe de partisans. **2.** Méton. Guerre de harcèlement et d'embuscades, menée par des troupes de partisans : ***Guérilla*** *urbaine*. 1812 ; esp. *guerrilla*, de *guerra*, « guerre » ; [gerija].

**GUÉRILLERO,** subst. m.
Combattant d'une guérilla. Déb. XIXe s. ; esp. *guerrillero*, de *guerrilla*, « guérilla » ; [gerijero].

**GUÉRIR,** verbe [19]
Trans. **1.** Rendre la santé à (qqn, un animal) : ***Guérir*** *un malade* ; par méton. : ***Guérir*** *une maladie*. **2.** Fig. Soulager, corriger (qqn) : *Cette indigestion l'a* ***guéri*** *de sa gourmandise*. Intrans. **1.** Recouvrer la santé : *Il a vite* ***guéri*** ; par méton. : *Une toux qui ne* ***guérit*** *pas*, qui ne cesse pas ; empl. adj. : *Une plaie mal* ***guérie***, mal cicatrisée. **2.** Fig. Être délivré (d'un tourment, d'un défaut) : ***Guérir*** *d'une obsession* ; empl. pronom., se débarrasser, abandonner : *S'est-il* ***guéri*** *de sa cleptomanie ?* XIIe s. (mil. XIe s., protéger) ; anc. bas frq. °*warjan*, « défendre » ; [gerir].

**GUÉRISON,** subst. f.
**1.** Fait de guérir, de recouvrer la santé. **2.** Fig. Apaisement, délivrance : ***Guérison*** *d'une passion*. 1155 (fin XIe s., protection) ; ☞ *guérir* ; [gerizɔ̃].

**GUÉRISSABLE,** adj.
Qui peut être guéri. Déb. XIVe s. ; ☞ *guérir* ; [gerisabl].

**GUÉRISSEUR, EUSE,** subst.
Personne n'appartenant pas au corps médical et qui prétend soigner en vertu de dons ou par des méthodes non reconnues officiellement. XIVe s. ; ☞ *guérir* ; [gerisœr, øz].

**GUÉRITE,** subst. f.
**1.** Cabane étroite servant d'abri à une sentinelle. **2.** Petite construction où se tient un travailleur isolé : ***Guérite*** *de péage* ; baraque de chantier. Déb. XIIIe s. ; anc. prov. *garida*, de *garir*, « protéger » ; [gerit].

**GUERRE,** subst. f.
**1.** Lutte armée entre groupes sociaux, en partic., entre États : *Déclarer la* ***guerre*** ; *Faire la* ***guerre*** ; *Gagner, perdre la* ***guerre*** ; ***Guerre*** *mondiale, ethnique* ; ***Guerre*** *coloniale* ; ***Guerre*** *de libération* ; ***Guerre*** *sainte*, que des fidèles entreprennent au nom de leur foi ; ***Guerre*** *en dentelles*, menée par des officiers vêtus de dentelles selon le code de courtoisie propre aux XVIIe et XVIIIe s. ; ***Guerre*** *civile*, entre citoyens d'un même État ; *Petite* ***guerre***, guerre de harcèlement ou, par ext., exercice de combat ; ***Guerre*** *propre*, qui prétend ne pas toucher les populations ; ***Guerre*** *totale*, visant à l'anéantissement de l'adversaire par tous les moyens ; ***Guerre*** *éclair*, attaque foudroyante dont l'audace est déterminante ; ***Guerre*** *chimique, bactériologique, nucléaire*, où sont utilisées de telles armes ; ***Guerre*** *des étoiles*, nom courant de l'initiative de défense stratégique (☞*initiative*). **2.** Conflit entre puissances, qui ne dégénère pas en affrontement armé : ***Guerre*** *économique, idéologique* ; ***Guerre*** *des nerfs*, psychologique ; ***Guerre*** *froide*, état de tension qui a régné entre l'U. R. S. S. et les États-Unis de 1945 à 1990 et qui prit fin avec l'effondrement du communisme. **3.** Fig. Inimitié, querelle qui oppose des individus : *C'est la* ***guerre*** *entre les générations* ; par ext., ensemble de moyens mis en œuvre pour combattre qqn, qqch. : *Faire la* ***guerre*** *au tabac, aux préjugés*. **4.** Loc. ▸ **En guerre.** En situation de **guerre** : *Nations en* ***guerre***. ▸ **De guerre.** Relatif ou consécutif à la **guerre** : *Industrie, dommages de* ***guerre*** ; *Nom de* ***guerre***, pseudonyme ; *Criminel de* ***guerre***, qui a commis des actes contraires aux lois de la **guerre**. ▸ *De bonne* ***guerre*** : légitime. ▸ *De* ***guerre*** *lasse* : en renonçant à toute résistance. ▸ *Le nerf de la* ***guerre*** : l'argent. Fin XIe s. ; anc. bas frq. °*werra*, « troubles ; querelle » ; [gɛr].

**GUERRIER, IÈRE,** subst. et adj.
Se dit d'une personne qui fait la guerre, ou qui aime le combat, les armes. Adj. Relatif à la guerre : *Danses* ***guerrières***. Fin XIe s. ; ☞ *guerre* ; [gɛrje, jɛr].

**GUERROYER,** verbe intrans. [17]
Faire sans cesse la guerre, combattre (littér.) ; au fig., lutter contre des choses abstraites. Fin XIe s. ; ☞ *guerre* ; [gɛrwaje].

**GUET,** subst. m.
**1.** Action de guetter. ▸ Loc. *Faire le* ***guet*** : épier pour éviter d'être pris ou pour surprendre qqn. **2.** *Hist*. Surveillance d'une ville exercée la nuit par une troupe : *Les sergents du* ***guet*** ; par méton., cette troupe. Mil. XIIe s. ; ☞ *guetter* ; [gɛ].

**GUET-APENS,** subst. m.
**1.** Fait de guetter qqn dans un endroit propice afin de l'attaquer par surprise. **2.** Fig. Mauvais tour médité en vue de piéger qqn. 1508 ; altér. de *en aguet apensé*, « avec préméditation », de l'anc. fr. *aguet*, de *agaitier*, « guetter », et *apenser*, « réfléchir, s'aviser de » ; plur. *guets-apens* ; [gɛtapɑ̃], plur. [gɛtapɑ̃].

**GUÊTRE,** subst. f.
Pièce de cuir ou d'étoffe qui gaine le dessus du pied et le bas de la jambe. ▸ Loc. *Traîner ses* ***guêtres*** : flâner. 1426 ; prob. anc. bas frq. °*wrist*, « cou-de-pied » ; [gɛtr].

**GUÊTRER,** verbe trans. [3]
Revêtir de guêtres (rare) ; empl. adj. : *Des jambes guêtrées de cuir.* 1549 ; ☞ *guêtre* ; [getʀe].

**GUETTER,** verbe trans. [3]
**1.** Vx. Veiller (un mort). **2.** Surveiller attentivement pour surprendre ou ne pas être surpris : ***Guetter** sa proie.* **3.** Attendre avec impatience et vigilance : ***Guetter** le facteur* ; ***Guetter** le bon moment.* **4.** Fig. Menacer : *Le diabète le **guette**.* Fin XIe s. ; anc. bas frq. °*wahtôn*, « surveiller », de °*wahta*, « guet » ; [gete].

**GUETTEUR, EUSE,** subst.
Personne qui guette. **Masc. 1.** *M. Â.* Veilleur qui, du haut d'une tour, donnait l'alerte. **2.** *Milit.* Sentinelle chargée de signaler les mouvements ennemis. Fin XIIe s. ; ☞ *guetter* ; [getœʀ, øz].

**GUEULANTE,** subst. f.
**1.** Clameur de protestation ou de joie (argot.). **2.** Explosion de colère (fam.) : *Pousser une **gueulante**.* 1939 ; ☞ *gueuler* ; [gœlɑ̃t].

**GUEULARD (I),** subst. m.
*Techn.* Ouverture de chargement d'un haut fourneau, située au-dessus de sa cuve. Mil. XVIIIe s. (1395, grosse cruche de laitier) ; ☞ *gueule* ; [gœlaʀ].

**GUEULARD (II), ARDE,** adj.
Qui s'exprime volontiers en criant, en vociférant ; empl. subst. : *Ce **gueulard** nous fatigue !* 1660 ; ☞ *gueuler* ; [gœlaʀ, aʀd].

**GUEULE,** subst. f.
**I.** Fam. ou Pop. **1.** Bouche de l'homme. ► Loc. *Un fort en **gueule**, une grande **gueule*** : qqn qui parle haut et fort mais agit peu ; *Une fine **gueule*** : un gourmet ; *Se bourrer la **gueule*** : se soûler ; *Se fendre la **gueule*** : rire ; *Ferme ta **gueule** !, ta **gueule** !* : tais-toi ! **2.** Figure, visage. ► Loc. ***Gueule** noire* : mineur ; *Casser la **gueule** à qqn* : le frapper ; *Faire la **gueule*** : bouder ; *Se payer la **gueule** de qqn* : se moquer de lui ; *Se casser la **gueule*** : tomber. **3.** Apparence, aspect : *Elle a une drôle de **gueule**, ta voiture.* ► Loc. *Avoir de la **gueule*** : avoir de l'allure. **II.** Bouche de certains animaux, en partic. des carnivores. **III.** Anal. Ouverture béante : ***Gueule** de canon, de poêle.* Fin Xe s. ; lat. *gula*, « gosier, bouche » ; [gœl].

**GUEULE-DE-LOUP,** subst. f.
*Bot.* Muflier. 1809 ; comp. de *gueule* et de *loup* ; plur. : *gueules-de-loup* ; [gœldəlu].

**GUEULER,** verbe [3]
Fam. **Intrans. 1.** Crier, chanter très fort. **2.** Vociférer ; hurler de douleur. **3.** Revendiquer bruyamment. **4.** Avoir un aspect criard, en parlant d'une couleur : *Ce vert **gueule**.* **Trans.** Dire en criant : ***Gueuler** des injures.* 1648 ; ☞ *gueule* ; [gœle].

**GUEULES,** subst. m.
*Hérald.* Émail rouge, figuré en gravure par des tailles verticales. Mil. XIIe s. ; ☞ *gueule* ; [gœl].

**GUEULETON,** subst. m.
Repas copieux et très arrosé (fam.). 1751 ; ☞ *gueule* ; [gœltɔ̃].

**GUEUSE (I),** subst. f.
*Techn.* Bloc de fonte de première fusion servant de lest. 1543 ; bas all. *Göse*, de *Gos*, « oie » ; [gøz].

**GUEUSE (II),** voir **GUEUZE**

**GUEUSERIE,** subst. f.
Littér. ou Vieilli. **1.** Condition de gueux. **2.** Action vile et basse. 1567 ; ☞ *gueux* ; [gøzʀi].

**GUEUX, GUEUSE,** subst.
**1.** Celui, celle qui vit de mendicité (vx). **2.** Personne pauvre, qui vit en dessous de sa condition sociale. **3.** Être vil, méprisable (littér.). **4.** *Hist. Les **gueux*** : calvinistes flamands en lutte contre l'hégémonie catholique espagnole au XVIe s. **Fém.** Femme de mauvaise vie. ► Loc. *Courir la **gueuse*** : se débaucher. Mil. XVe s. ; prob. m. néerl. *guit*, « fripon » ; [gø, gøz].

**GUEUZE,** subst. f.
Bière belge obtenue à partir d'un mélange de lambics et ayant fermenté une seconde fois en bouteille. 1866 ; mot bruxellois ; var. *gueuse* (II) ; [gøz].

**GUÈZE,** subst. m.
Langue ancienne chamito-sémitique, conservée dans la liturgie de l'Église d'Éthiopie. 1791 ; mot d'orig. éthiopienne ; [gɛz].

**GUI (I),** subst. m.
*Bot.* Plante apétale à feuilles persistantes, de la famille des Loranthacées, qui parasite divers arbres, tels le peuplier, le pommier, etc. De ses baies blanches, on tire la glu. 1347 ; lat. *viscum* ; [gi].

**GUI (II),** subst. m.
*Mar.* Bôme (vieilli). 1687 ; néerl. *gijk* ; [gi].

**GUIBOLLE,** subst. f.
Jambe (pop.). 1836 ; prob. *guibonne* (vx), du norm. *guibon*, « cuisse » ; var. *guibole* ; [gibɔl].

**GUIBRE,** subst. f.
*Mar.* Construction prolongeant l'étrave d'un voilier en bois et servant de point d'appui au gréement du beaupré. 1773 ; prob. altér. de *guivre* ; [gibʀ].

**GUICHE,** subst. f.
Accroche-cœur (gén. au plur.). 1876 ; p.-ê. anthropon. *marquis de La Guiche* ; [giʃ].

**GUICHET,** subst. m.
**1.** Vx. Petite porte ménagée dans une muraille, une porte monumentale ; par anal., passage étroit menant à un édifice, à une enceinte : *Les **guichets** du Louvre.* **2.** Ext. Comptoir derrière lequel le public est reçu, dans les administrations, les banques, etc. : *Faire la queue au **guichet**.* ► ***Guichet** automatique* : ordinateur auquel les clients d'une banque peuvent accéder avec une carte à puce afin de réaliser diverses opérations. **3.** Loc. *Jouer à **guichets** fermés* : faire salle comble, tous les billets ayant été vendus avant le jour du spectacle. Déb. XIIe s. ; dimin. de l'anc. nord. *vik*, « baie ; cachette » ; [giʃɛ].

**GUICHETIER, IÈRE,** subst.
Personne préposée à un guichet. 1941 (1611, geôlier) ; ☞ *guichet* ; [giʃ(ə)tje, jɛʀ].

**GUIDAGE,** subst. m.
**1.** *Techn.* ► Dispositif équipant une machine et servant à guider les matériaux utilisés. ► Ensemble des installations verticales d'une mine, qui guide les cages d'extraction dans les puits. **2.** *Aéron.* Système permettant de commander la trajectoire d'un avion, d'une fusée, etc., soit à distance, soit au moyen d'appareils placés à bord. 1872 ; ☞ *guider* ; [gidaʒ].

**GUIDANCE,** subst. f.
Aide psychothérapique destinée aux enfants en difficulté. V. 1950 ; mot angl. ; [gidɑ̃s].

**GUIDE,** subst.
**Masc. 1.** Personne qui accompagne qqn pour lui indiquer le chemin : *Servir de **guide*** ; ***Guide** de haute montagne*, alpiniste professionnel diplômé ; ***Guide** de musée* ; ***Guide**-interprète*, personne dont le métier est de diriger les touristes et de les informer sur ce qu'ils voient. **2.** Fig. Maître à penser, conseiller : ***Guide** spirituel.* ► Principe directeur qui oriente la vie de qqn. **3.** Ext. Recueil d'informations pratiques sur les ressources, les curiosités d'un lieu : ***Guide** gastronomique.* **4.** *Spéc.* ► *Électron.* ***Guide** d'ondes* : dispositif destiné à optimiser la propagation de l'énergie électromagnétique. ► *Techn.* Partie d'une machine servant à guider une pièce. **Fém. 1.** Jeune fille appartenant à un mouvement scout. **2.** Lanière de cuir adaptée à la bride et utilisée pour mener une bête de trait (gén. au plur.). 1370 ; anc. prov. *guida*, de *guidar*, « conduire », du got. °*widan*, « atteler ensemble » ; [gid].

**GUIDE-ÂNE,** subst. m.
Fascicule donnant des conseils pratiques à ceux qui débutent dans un art, un métier (vieilli). 1732 ; comp. de *guider* et de *âne* ; plur. *guide-ânes* ; [gidan].

**GUIDEAU,** subst. m.
**1.** *Mar.* Barrage en planches, utilisé pour canaliser un écoulement d'eau. **2.** *Pêche.* Filet en forme de sac. 1322 ; ☞ *guider* ; [gido].

**GUIDER,** verbe trans. [3]
**1.** Accompagner (qqn) pour lui indiquer le chemin. **2.** Ext. Faire avancer (un animal) ; diriger à distance (un véhicule, un engin volant). **3.** Mettre dans la bonne direction : *La musique les **guida**.* **4.** Fig. Conseiller, orienter (qqn) : ***Guider** un enfant dans ses choix* ; au fig., pousser à agir : *C'est la cupidité qui le **guide**.* **Pronom.** *Se **guider** sur qqch.* : le prendre pour repère. 1368 ; anc. fr. *guier*, de l'anc. bas frq. °*witan*, « conduire », d'apr. *guide* ; [gide].

**GUIDEROPE,** subst. m.
Corde qu'on laisse pendre d'un aérostat à l'approche du sol pour le ralentir. 1856 ; angl. *guide-rope*, de *guide*, « guide », et de *rope*, « corde » ; [gidʀɔp].

**GUIDON,** subst. m.
**I. 1.** *Hist.* Étendard d'une compagnie de gendarmerie ou de cavalerie sous l'Ancien Régime ; par méton., officier portant cet étendard. **2.** *Mar.* Pavillon triangulaire ou fendu en deux pointes : ***Guidon** de commandement.* **3.** *Milit.* Petit drapeau carré utilisé dans l'infanterie pour l'alignement des files. **II. 1.** Petite pièce fixée au canon d'une arme à feu, utilisée pour viser. **2.** Barre équipée de poignées commandant la roue directrice d'une bicyclette, d'un cyclomoteur, etc. XVe s. ; ☞ *guider* ; [gidɔ̃].

**GUIGNARD, ARDE,** adj.
Qui a la guigne, malchanceux (fam. et vieilli). 1880 ; ☞ *guigne* (II) ; [giɲaʀ, aʀd].

**GUIGNE (I),** subst. f.
**1.** Petite cerise sucrée et de couleur foncée. **2.** Loc. *Se soucier de qqch., de qqn comme d'une **guigne*** : s'en moquer éperdument (fam.). Fin XIVe s. ; p.-ê. anc. bas frq. °*wîhsila*, « griotte » ; [giɲ].

**GUIGNE (II),** subst. f.
Malchance (fam.) : *Avoir, porter la **guigne**.* 1811 ; ☞ *guignon* ; [giɲ].

**GUIGNER,** verbe trans. [3]
**1.** Regarder (qqch., qqn) à la dérobée. **2.** Ext. ***Guigner** une place* : la convoiter. XIIIe s. ; gallo-roman °*gwinyare*, de l'anc. bas frq. °*wingjan*, « faire signe » ; [giɲe].

**GUIGNETTE,** subst. f.
**1.** Vx. Serpette. **2.** *Mar.* Outil courbe utilisé pour calfater les navires. 1465 ; anc. fr. *goy*, du bas lat. *gubia*, « gouge » ; [giɲɛt].

**GUIGNOL,** subst. m.
**1.** Marionnette à gaine qu'un opérateur anime avec ses doigts ; par anal., personne qu'on ne prend pas au sérieux. ► Loc. *Faire le **guignol*** : faire des pitreries ou se rendre ridicule. **2.** Méton. Théâtre de marionnettes dont Guignol est le héros ; le spectacle lui-même : *Une séance de **guignol**.* ► Loc. *C'est du **guignol*** : une farce grossière. 1847 ; *Guignol*, « celui qui guigne », nom d'une marionnette ; [giɲɔl].

© C. Delpal-Explorer

*Au **guignol** : Guignol (à droite) dîne avec ses amis.*

**GUIGNOLET,** subst. m.
Liqueur de guigne. 1823 ; *guignole* (vx), de *guigne* (I) ; [giɲɔlɛ].

**GUIGNON,** subst. m.
Malchance (vieilli). 1609 ; ☞ *guigner* ; [giɲɔ̃].

**GUILDE,** subst. f.
**1.** *M. Â.* Corporation de marchands, d'artisans ou d'artistes créée aux fins d'assistance mutuelle et de solidarité sociale. **2.** Association commerciale pratiquant des tarifs préférentiels pour ses adhérents. 1260 (1155, bande de soldats à pied) ; lat. médiév. *gilda*, du m. néerl. *gilde*, « réunion de fête » ; var. *ghilde* ; [gild].

**GUILLAUME,** subst. m.
*Menuis.* Rabot servant à rainurer et à creuser les moulures. 1506 ; prénom *Guillaume* ; [gijom].

**GUILLEDOU,** subst. m.
*Courir le **guilledou*** : se mettre en quête d'aventures galantes (fam.). 1620 ; prob. crois. de l'anc. fr. *guiler*, « tromper », et de *doux* ; [gijdu].

**GUILLEMET,** subst. m.
**1.** *Typogr.* Signe double (« ... ») utilisé par paire pour encadrer une citation, un discours en style direct ou un mot que l'on souhaite faire ressortir (gén. au plur.) : *Ouvrir, fermer les **guillemets*** ; *Placer une phrase entre **guillemets**.* **2.** Loc. fig. *Entre **guillemets*** : Se dit d'un mot, d'une phrase que ne prend pas à son compte celui qui parle. 1677 ; anthropon. *Guillaume*, inventeur présumé de ce signe ; [gijmɛ].

**GUILLEMETER,** verbe trans. [14]
Placer entre guillemets. 1800 ; ☞ *guillemet* ; [gijmɛte].

**GUILLEMOT,** subst. m.
*Zool.* Oiseau palmipède des mers boréales de la famille des Alcidés, qui ressemble à un petit pingouin. 1555 ; dimin. de *Guillaume* ; [gijmo].

**GUILLERET, ETTE,** adj.
**1.** Qui est vif et gai ; par méton., qui témoigne de cet état : *Un air, un pas **guilleret**.* **2.** Un peu leste

coquin : *Un conte guilleret.* Fin XV^e s. ; anc. fr. *guiler*, « tromper », de l'anc. bas frq. °*wigila*, « ruse » ; [gijʀɛ, ɛt].

**GUILLOCHAGE, subst. m.**
Action de guillocher ; son résultat. 1765 ; *guillocher* ; [gijɔʃaʒ].

**GUILLOCHE, subst. f.**
Ciseau servant à guillocher. 1866 ; *guillocher* ; [gijɔʃ].

**GUILLOCHER, verbe trans. [3]**
Orner de guillochis : *Guillocher une plaque de cuivre.* XVI^e s. ; ital. du Nord *ghiocciare*, prob. crois. de l'ital. *gocciare*, « goutter », et *ghiotto*, « glouton » ; [gijɔʃe].

**GUILLOCHIS, subst. m.**
Motif ornemental gravé ou sculpté formé de lignes symétriques entrecroisées. 1555 ; *guillocher* ; [gijɔʃi].

**GUILLOCHURE, subst. f.**
Chacune des lignes d'un guillochis. 1858 ; *guillocher* ; [gijɔʃyʀ].

**GUILLON, subst. m.**
Helv. Cheville de bois servant à boucher un tonneau (synon. *fausset*). 1616 ; *guille*, altér. de *quille* ; [gijɔ̃].

**GUILLOTINE, subst. f.**
**1.** Instrument de supplice constitué d'une lame glissant entre deux montants verticaux, naguère utilisé pour décapiter les condamnés à mort : *Envoyer qqn à la **guillotine**,* le condamner à mort. **2.** Anal. *Fenêtre à **guillotine*** : dont le châssis coulisse verticalement. 1790 ; anthropon. *Guillotin*, médecin qui en préconisa l'usage ; [gijɔtin].

**GUILLOTINER, verbe trans. [3]**
Décapiter par la guillotine. 1790 ; *guillotine* ; [gijɔtine].

**GUIMAUVE, subst. f.**
**1.** *Bot.* Plante herbacée de la famille des Malvacées, familière des lieux humides. La **guimauve** officinale est émolliente. **2.** Anal. *Pâte de **guimauve*** ou, par ell., ***Guimauve*** : friandise sucrée, de consistance molle, à base de gomme arabique et, à l'origine, de **guimauve**. **3.** Fig. Propos, expression artistique sans vigueur ni consistance : *Ce n'est pas du jazz, c'est de la **guimauve**.* XII^e s. ; crois. du lat. *hibiscum*, « guimauve », et *malva*, « mauve » ; [gimov].

**GUIMBARDE, subst. f.**
**1.** Grand chariot destiné au transport des hommes et des marchandises (vx) ; par ext., vieille voiture sans confort (fam.). **2.** *Mus.* Petit instrument de métal que l'on maintient entre les lèvres et dont on joue en faisant vibrer une languette située entre deux branches de fer ; par ext., mauvaise guitare (fam.). **3.** *Techn.* Outil d'ébéniste servant à aplanir le fond des entailles. 1622 ; prov. mod. *guimbardo*, « instrument », de *guimba*, « sauter » ; [gɛ̃baʀd].

**GUIMPE, subst. f.**
**1.** Fichu en toile fine porté par certaines religieuses, qui encadre le visage et le buste. **2.** Chemisette sans manches qui monte jusqu'au cou et se porte sous une robe décolletée. Mil. XII^e s. ; anc. bas frq. °*wimpil* ; [gɛ̃p].

**GUINCHER, verbe intrans. [3]**
Danser (fam.). 1821 ; var. de l'anc. fr. *guenchir*, « obliquer » ; [gɛ̃ʃe].

**GUINDAGE, subst. m.**
Action de guinder ; son résultat. 1611 (1386, ensemble des cordages) ; *guinder* ; [gɛ̃daʒ].

**GUINDAILLE, subst. f.**
Belg. **1.** Joyeuse beuverie (argot des étudiants). **2.** Repas bien arrosé (fam.). 1880 ; crois. de *godaille* et du picardo-wallon *guinse*, « beuverie » ; [gɛ̃dɑj].

**GUINDANT, subst. m.**
*Mar.* ▸ ***Guindant** d'une voile* : hauteur d'une voile le long d'un mât. ▸ ***Guindant** de mât* : hauteur comprise entre les jottereaux et le pont supérieur. 1643 ; p. pr. de *guinder* ; [gɛ̃dɑ̃].

**GUINDÉ, ÉE, adj.**
**1.** Raide dans son maintien, à l'air grave, solennel, dépourvu de naturel : *Un homme un peu **guindé**.* **2.** Ext. Qui manque d'aisance, paraît embarrassé, gauche : *Une posture **guindée**.* **3.** Fig. Qui est ampoulé, plein d'emphase : *Un style **guindé**.* 1643 ; p. p. de *guinder* ; [gɛ̃de].

**GUINDEAU, subst. m.**
*Mar.* Treuil servant à relever l'ancre. 1642 ; anc. fr. *guindas*, de l'anc. nord. *vindáss* ; [gɛ̃do].

**GUINDER, verbe trans. [3]**
**1.** Hisser au moyen d'un palan, d'un treuil : *Guinder un mât.* **2.** Fig. Donner un tour affecté, une allure rigide à : ***Guinder** son style* ; empl. pronom., se donner un air supérieur, prendre la pose. XII^e s. ; anc. nord. *vinda*, « enrouler, brandir » ; [gɛ̃de].

**GUINDERESSE, subst. f.**
*Mar.* Câble ou fort cordage dont on se sert pour guinder un mât. 1525 ; *guinder* ; [gɛ̃dʀɛs].

**GUINÉE, subst. f.**
Ancienne monnaie anglaise valant 21 shillings, frappée avec de l'or de Guinée. 1669 ; angl. *guinea*, du topon. *Guinea*, « Guinée » ; [gine].

**GUINGOIS (DE), loc. adv.**
De travers (fam.) : *Marcher de **guingois**.* Mil. XV^e s. ; prob. *guinguer* (vx), « danser » ; [dəgɛ̃gwa].

**GUINGUETTE, subst. f.**
Cabaret populaire en gén. près d'une ville, où l'on peut danser en plein air : ***Guinguette** des bords de Marne.* 1697 ; *ginguet* (vx), « étroit » ; [gɛ̃gɛt].

**GUIPAGE, subst. m.**
**1.** Action de guiper ; son résultat. **2.** *Électr.* Gaine isolante dont on entoure les fils électriques. 1867 ; *guiper* ; [gipaʒ].

**GUIPER, verbe trans. [3]**
**1.** Entourer (une torsade) d'un fil de soie. **2.** *Électr.* Recouvrir (un conducteur) d'un isolant. 1350 ; anc. bas frq. °*wîpan*, « envelopper de soie » ; [gipe].

**GUIPOIR, subst. m.**
*Techn.* Outil de passementerie dont on se sert pour faire des torsades. 1723 ; *guiper* ; [gipwaʀ].

**GUIPON, subst. m.**
**1.** *Mar.* Balai rustique servant à nettoyer le pont des bateaux et à répandre le calfat. **2.** Québ. Serpillière. 1342 ; orig. obsc. ; [gipɔ̃].

**GUIPURE, subst. f.**
Dentelle sans fond à mailles larges et à motifs espacés. 1393 ; *guiper* ; [gipyʀ].

**GUIRLANDE, subst. f.**
**1.** Élément de décoration consistant en un cordon orné de fleurs, de motifs en papier coloré, etc. : ***Guirlandes** de Noël.* **2.** Anal. Ce dont la forme ou la disposition évoque une **guirlande** : *Une **guirlande** de lierre* ; *Une joyeuse **guirlande** de danseurs.* 1403 ; ital. *ghirlanda*, « couronne », de l'anc. bas frq. °*wêra*, « bijou d'or fin porté en couronne » ; [giʀlɑ̃d].

**GUISARME, subst. f.**
*M. Â.* Arme d'hast dont le fer était garni d'un crochet du côté du taillant et d'une pointe à son revers. Mil. XII^e s. ; anc. bas frq. °*wîsarm* ; [g(ɥ)izaʀm].

**GUISE, subst. f.**
**1.** Vx. Manière, façon. **2.** ▸ Loc. *À ma (ta, sa...) **guise*** : comme je (tu, il...) l'entend(s). ▸ Loc. prép. **En guise de.** À la place de, comme : *Un verre d'eau en **guise** d'apéritif.* Fin X^e s. ; germ. °*wisa* ; [giz].

**GUITARE, subst. f.**
*Mus.* Instrument à cordes pincées (six en gén., accordées par quartes sauf *sol-si*, par tierce), composé d'un manche et d'une caisse de résonance à fond plat. ▸ ***Guitare** électrique* : sans caisse de résonance et dont le son est amplifié électriquement (par oppos. à ***guitare** sèche*). Fin XIII^e s. ; esp. *guitarra*, du gr. *kithara*, « cithare » ; [gitaʀ].

**GUITARISTE, subst.**
Personne qui joue de la guitare : *Un **guitariste** de jazz.* 1829 ; *guitare* ; [gitaʀist].

**GUITOUNE, subst. f.**
Tente ; abri rudimentaire, baraque (fam.). 1838 ; ar. *qayṭūn*, « tente » ; [gitun].

**GUIVRE, subst. f.**
**1.** Serpent fabuleux à ailes de chauve-souris et à pattes de cochon. **2.** *Hérald.* Motif représentant un serpent semblant dévorer un homme. Fin XI^e s. ; lat. pop. °*wipera*, du lat. *vipera*, « vipère » ; [givʀ].

**GUIVRÉ, ÉE, adj.**
*Hérald.* Orné de guivres, d'une tête de guivre : *Blason **guivré** des Visconti.* 1611 ; *guivre* ; [givʀe].

**GULDEN, subst. m.**
Pièce d'un florin, monnaie officielle des Pays-Bas. 1704 ; all. *Gulden*, « florin », du m. haut all. *guldîn phennic*, « monnaie en or » ; [gyldɛn].

**GUMMIFÈRE, adj.**
Qui produit de la gomme : *Pin **gummifère**.* 1845 ; lat. *gummi*, « gomme », + *-fère* ; var. *gommifère* ; [gɔmifɛʀ].

**GUNITE, subst. f.**
Mortier utilisé pour enduire des constructions en béton et projeté au moyen d'une machine pneumatique. V. 1940 ; angl. *gun*, « canon » ; [gynit].

**GÜNZ, subst. m.**
*Géol.* Troisième glaciation alpine au Quaternaire, qui a eu lieu il y a 1,5 à 2 millions d'années. 1927 ; *Günz*, affluent du Danube ; [gynz].

**GUPPY, subst. m.**
*Zool.* Petit poisson d'eau douce aux couleurs vives, très apprécié des aquariophiles. Mil. XX^e s. ; anthropon. *Guppy* ; plur. *guppys* ou *guppies* ; [gypi].

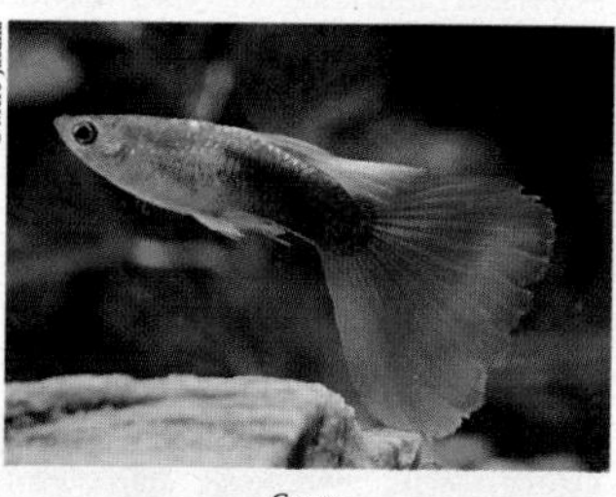
© Mero-Jacana

*Guppy.*

**GURU, voir GOUROU**

**GUS, subst. m.**
**1.** *Milit.* Homme de troupe (argot.). **2.** Homme (fam.). 1954 ; prov. *gus*, « gueux » ; [gys].

**GUSTATIF, IVE, adj.**
Relatif au sens du goût : *Papilles **gustatives**.* Fin XIV^e s. ; lat. *gustare*, « goûter » ; [gystatif, iv].

**GUSTATION, subst. f.**
Action de goûter, de percevoir les saveurs. 1530 ; bas lat. *gustatio* ; [gystasjɔ̃].

**GUTTA-PERCHA, subst. f.**
*Bot.* Gomme de latex provenant d'arbres de la famille des Sapotacées. 1845 ; malais *getah percha*, de *getah*, « gomme », et *percha*, arbre produisant cette substance ; plur. *guttas-perchas* ; [gytapɛʀka].

**GUTTIFÉRACÉES, subst. f. plur.**
*Bot.* Famille de plantes de l'ordre des Théales, des régions chaudes et tempérées (synon. *Clusiacées*). Diverses espèces donnent des baumes et des bois précieux (comme le bois de rose). **Au sing.** *Le mangoustanier est une **guttiféracée**.* 1789 ; *gomme-gutte* + *-fère* ; var. *Guttifères* ; [gutifɛʀase].

**GUTTURAL, ALE, AUX, adj.**
**1.** Qui se rapporte au gosier : *Artère, fosse **gutturale**.* **2.** Dont le son âpre et rauque semble provenir du gosier : *Un rire **guttural**.* **3.** *Ling.* Vélaire ; empl. subst. fém. : *Les lettres « g » et « k » sont des **gutturales**.* 1542 ; lat. *guttur*, « gosier » ; [gytyʀal, o].

**GUYOT (I), subst. f.**
Variété de poire sucrée. 1924 ; anthropon. *Jules Guyot* ; [gɥijo].

**GUYOT (II), subst. m.**
*Océanogr.* Volcan sous-marin, pouvant culminer à 4 000 m au-dessus de la plaine abyssale. 1956 ; anthropon. *Arnold Guyot*, géographe américain ; [gɥijo].

**GUZLA, subst. f.**
*Mus.* Instrument monocorde à archet, en usage dans les Balkans. 1791 ; serbo-croate *gusle* ; [gyzla].

**Gy, voir GRAY**

**GYMKHANA, subst. m.**
**1.** Vx. Fête de plein air avec des jeux d'adresse et des épreuves sportives. **2.** Course d'automobiles, de motocyclettes, au parcours parsemé d'obstacles. 1901 ; angl. *gymkhana*, crois. de l'angl. *gymnastic*, « gymnastique », et du hindi *gendkhāna*, « salle de jeu de balle » ; [ʒimkana].

**GYMNASE, subst. m.**
**1.** *Antiq. gr.* Établissement public où la jeunesse se formait aux exercices du corps et où les citoyens parlaient affaires ou philosophie. **2.** Bâtiment aménagé pour la pratique de la gymnastique. **3.** Établissement d'enseignement secondaire en Allemagne et en Suisse (synon. *lycée*). Déb. XIII^e s. ; lat. *gymnasium*, du gr. *gumnasion* ; [ʒimnɑz].

**GYMNASTE, subst.**
**1.** *Antiq. gr.* Responsable, dans les gymnases, de l'entraînement et de l'alimentation des athlètes. **2.** Sportif qui pratique la gymnastique. XV^e s. ; gr. *gumnastês* ; [ʒimnast].

**GYMNASTIQUE, adj. et subst. f.**
ADJ. Qui concerne les exercices du corps (rare) : *Mouvements* ***gymnastiques.*** SUBST. **1.** Ensemble des techniques visant à assouplir et à fortifier le corps par l'exercice physique (synon. *culture physique*). ▸ ***Gymnastique*** *corrective* : exercices physiques visant à corriger les anomalies de la posture. **2.** Sport de compétition consistant à enchaîner des mouvements acrobatiques sur divers appareils (anneaux, barres parallèles, poutre, etc.) ou au sol. ▸ ***Gymnastique*** *rythmique et sportive* : discipline olympique qui associe danse, acrobatie et jonglerie. **3.** Anal. Effort déployé pour se dégager d'une situation délicate ou atteindre un objectif déterminé : *Quelle* ***gymnastique*** *pour un élu que de vouloir satisfaire tout le monde !* **4.** Fig. Exercices susceptibles de développer des facultés intellectuelles : *Les échecs sont une excellente* ***gymnastique*** *de l'esprit.* **5.** Loc. *Au pas de* ***gymnastique*** : au pas de course cadencé. Fin XIVe s. ; lat. *gymnasticus*, du gr. *gumnastikos* ; [ʒimnastik].

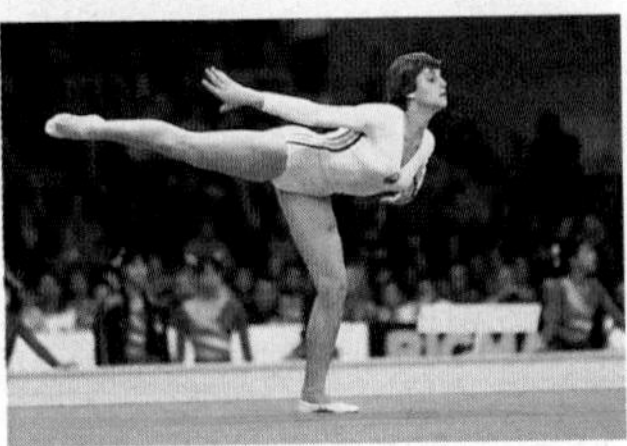
© Uzan-Gamma

*Nadia Comaneci, championne olympique de* ***gymnastique*** *en 1976.*

**GYMNIQUE, adj.**
**1.** *Antiq.* Se disait des jeux où les athlètes s'affrontaient nus. **2.** Qui concerne la gymnastique : *Exercices* ***gymniques.*** 1542 ; lat. *gymnicus*, du gr. *gumnikos* ; [ʒimnik].

**GYMNOCARPE, adj.**
*Bot.* Qualifie un champignon basidiomycète dont l'hyménium est nu au niveau des fructifications. 1821 ; formé de *gymno-* et de *-carpe* ; [ʒimnokaʀp].

**GYMNOSOPHISTE, subst. m.**
Sage d'une secte hindoue, qui vivait presque nu et menait une vie contemplative. 1488 ; lat. *gymnosophista*, du gr. *gumnosophista* ; [ʒimnosɔfist].

**GYMNOSPERME, adj. et subst. f. plur.**
*Bot.* ADJ. Se dit d'une plante dont les graines sont nues (anton. *angiosperme*) : *Les pins, les cyprès, les cèdres sont des plantes* ***gymnospermes.*** SUBST. Sous-embranchement des Phanérogames groupant les plantes dont les graines sont nues ; au sing. : *L'if est une* ***gymnosperme.*** Fin XVIIIe s. ; gr. *gumnospermos* ; [ʒimnospɛʀm].

**GYMNOTE, subst. m.**
*Zool.* Poisson d'eau douce de la famille des Gymnotidés, au long corps cylindrique, qui possède des organes électriques lui permettant de paralyser ses proies. Il peut mesurer 2,50 m de long. 1777 ; lat. sc. *gymnotus*, du gr. *gumnos*, « nu », et *nôtos*, « dos » ; [ʒimnɔt].

**GYNANDRIE, subst. f.**
**1.** *Bot.* Caractère d'une fleur dont les étamines sont soudées sur le pistil. **2.** *Méd.* Présence, chez la femme, de caractères sexuels secondaires de type masculin. 1749 ; lat. sc. *gynandria*, du gr. *gunandros*, de *gunê*, « femme », et *anêr*, « homme » ; [ʒinɑ̃dʀi].

**GYNANDROMORPHISME, subst. m.**
*Biol.* Anomalie manifestée par certains individus d'une espèce (souv. des insectes) dont environ une moitié du corps est mâle et l'autre femelle. 1913 ; ☞ *gynandrie* + *-morphisme* ; [ʒinɑ̃dʀomɔʀfism].

**GYNÉCÉE, subst. m.**
**1.** *Antiq.* Appartement des femmes dans les demeures grecques et romaines d'importance, où, à la différence du harem, la claustration n'était pas la règle. **2.** *Bot.* Pistil. 1568 ; lat. *gynaeceum*, du gr. *gunaikeion*, de *gunê*, « femme » ; [ʒinese].

**GYNÉCOLOGIE, subst. f.**
Partie de la médecine consacrée à l'organisme féminin, en partic. à la physiologie et à la pathologie de l'appareil génital. 1823 ; formé de *gynéco-* et de *-logie* ; [ʒinekɔlɔʒi].

**GYNÉCOLOGIQUE, adj.**
Qui se rapporte à la gynécologie. 1873 ; ☞ *gynécologie* ; [ʒinekɔlɔʒik].

**GYNÉCOLOGUE, subst.**
Médecin spécialisé en gynécologie. 1832 ; formé de *gynéco-* et de *-logue* ; [ʒinekɔlɔg].

**GYNÉCOMASTIE, subst. f.**
*Pathol.* Hypertrophie des glandes mammaires chez l'homme. V. 1900 ; gr. *mastos*, « mamelle », + *gynéco-* ; [ʒinekɔmasti].

**GYPAÈTE, subst. m.**
*Zool.* Grand rapace diurne de la famille des Vulturidés, qui vit en haute montagne et se nourrit de charognes. 1800 ; gr. *gups*, « oiseau de proie », et *aetos*, « aigle » ; [ʒipaɛt].

***Gypaète*** *barbu.*

© A. P. E. G. E.-Gamma

**GYPSE, subst. m.**
*Minér.* Minéral constitué de sulfate de calcium hydraté par l'évaporation d'une eau lagunaire lacustre ou de nappe souterraine. Sa déshydratation complète par chauffage produit le plâtre. XIVe s. ; lat. *gypsum*, du gr. *gupsos* ; [ʒips].

**GYPSEUX, EUSE, adj.**
*Minér.* Qui est de la nature du gypse ou en contient : *Roches* ***gypseuses.*** Fin XIVe s. ; ☞ *gypse* ; [ʒipsø, øz].

**GYPSOPHILE, subst. f.**
*Bot.* Plante herbacée de la famille des Caryophyllacées, à petites fleurs roses ou blanches. 1803 ; lat. sc. *gypsophila*, d'apr. *gypse* ; [ʒipsɔfil].

**GYRIN, subst. m.**
*Zool.* Coléoptère aux mœurs aquatiques, qui nage en tournoyant rapidement à la surface de l'eau. 1770 (1548, têtard) ; lat. *gyrinus*, « têtard », du gr. *guros*, « cercle, rond » ; [ʒiʀɛ̃].

**GYROCOMPAS, subst. m.**
*Mar.* et *Aéron.* Compas de navigation doté d'un mécanisme gyroscopique. 1922 ; crois. de *gyroscope* et de *compas* ; [ʒiʀokɔ̃pa].

**GYROMAGNÉTIQUE, adj.**
*Phys. part. Rapport* ***gyromagnétique*** : quotient $\gamma = \mu/L$ du module $\mu$ du moment magnétique par le module L du moment cinétique d'une charge électrique ponctuelle en mouvement sur une orbite fermée ou d'une particule en rotation. 1927 ; ☞ *magnétique* + *gyro-* ; [ʒiʀomaɲetik].

**GYROMÈTRE, subst. m.**
*Aéron.* Appareil servant à mesurer les changements d'orientation d'un avion. Mil. XXe s. ; formé de *gyro-* et de *-mètre*[1] ; [ʒiʀɔmɛtʀ].

**GYROPHARE, subst. m.**
Lanterne rotative, à lumière clignotante, que l'on place sur le toit d'un véhicule prioritaire. V. 1970 ; ☞ *phare* + *gyro-* ; [ʒiʀɔfaʀ].

**GYROPILOTE, subst. m.**
*Aéron.* et *Mar.* Pilote automatique muni d'un gyroscope. V. 1960 ; ☞ *pilote* + *gyro-* ; [ʒiʀopilɔt].

**GYROSCOPE, subst. m.**
*Phys.* Appareil constitué par un lourd volant (disque plein) tournant autour de son axe. Un système dit de suspension par inertie permet à cet axe de rester toujours dans la même direction, malgré la rotation de la Terre. On construit sur le même principe des dispositifs antiroulis pour les navires. 1852 ; formé de *gyro-* et de *-scope* ; [ʒiʀɔskɔp].

**GYROSCOPIQUE, adj.**
Relatif au gyroscope : *Effet* ***gyroscopique*** ; qualifie les instruments de navigation ou les appareils de mesure qui exploitent les propriétés du gyroscope. 1852 ; ☞ *gyroscope* ; [ʒiʀɔskɔpik].

**GYROSTAT, subst. m.**
Solide animé d'un mouvement rapide autour d'un axe. 1901 ; formé de *gyro-* et de *-stat* ; [ʒiʀɔsta].

**GYRUS, subst. m.**
*Anat.* Circonvolution du cerveau. 1953 ; lat. *gyrus*, du gr. *guros*, « cercle » ; [ʒiʀys].

*Hippocampes.* © B. Josedupont-Jacana

**H, subst. m. inv.**

**1.** Huitième lettre et sixième consonne de l'alphabet. À l'initiale d'un mot, l'**h**, qui ne transcrit aucun son, est soit muet soit aspiré ; s'il est muet, il y a élision ou liaison (« j'habille » [ʒabij] ; « nous habillons » [nuzabijɔ̃]) ; s'il est aspiré, élision et liaison sont interdites (« je hurle » [ʒəˈyʀl] ; « nous hurlons » [nuˈyʀlɔ̃]). L'h entre aussi dans plusieurs digrammes courants : *ch* [ʃ] ou [k], *ph* [f], par ex. ▸ Loc. *Heure H* : heure décisive, en partic. pour une opération militaire. **2.** Abrév. et Symb. ▸ *Chim.* H : hydrogène. ▸ *Métrol.* h : heure ; hecto- (hg, hectogramme ; hm, hectomètre ; etc.). ▸ *Mus.* H : la note *si*, dans la notation germanique. ▸ *Phys.* H : henry. [aʃ].

**ha,** voir **HECTARE**

**HA, interj.**

**1.** Traduit l'étonnement : *Ha ! c'était vous !* **2.** Doublé, traduit le reproche : *Ha ! ha ! on triche ?* **3.** Répété, exprime le rire : *Ha ! ha ! ha !* Fin XIIe s. ; onomat. ; [ɑ].

**HABANERA, subst. f.**

**1.** Danse afro-cubaine au rythme binaire très syncopé ; air sur lequel on l'exécute. **2.** *Mus.* Composition qui s'inspire de la **habanera** : *La habanera de « Carmen », de G. Bizet.* 1883 ; hisp.-amér. *habanera*, « de La Havane » ; [ˈabaneʀa].

**HABEAS CORPUS, subst. m.**

*Dr.* Loi anglaise de 1679 qui fonde la liberté individuelle, obligeant le pouvoir judiciaire à justifier la détention de toute personne. 1672 ; lat. jur. *habeas corpus ad subjiciendum*, « que tu aies le corps à présenter (devant la cour) » ; [abeaskɔʀpys].

**HABILE, adj.**

**1.** Vx. Apte. **2.** Qui agit avec compétence, adresse ou astuce : *Un **habile** chirurgien* ; *Il est **habile** de ses mains* ; *Politicien **habile**.* **3.** Qui témoigne d'habileté : *D'**habiles** paroles* ; *Un film **habile**.* Fin XIIIe s. ; lat. *habilis*, « convenable, propre à » ; [abil].

**HABILEMENT, adv.**

De manière habile, avec adresse ou avec ingéniosité : *Elle a mené sa carrière **habilement**.* 1374 ; ☞ *habile* ; [abilmɑ̃].

**HABILETÉ, subst. f.**

**1.** Vx. Capacité, aptitude. **2.** Adresse, compétence, ingéniosité : *L'**habileté** d'un artisan, d'un musicien* ; *S'y prendre avec **habileté**.* **3.** Qualité de ce qui est fait adroitement : *L'**habileté** d'une stratégie.* 1539 ; ☞ *habile* ; [abilte].

**HABILITATION, subst. f.**

Action d'habiliter ; son résultat : *L'**habilitation** d'un juge à instruire un dossier.* 1373 ; lat. médiév. *habilitatio* ; [abilitasjɔ̃].

**HABILITÉ, subst. f.**

*Dr.* Capacité légale (vx). Fin XIVe s. ; lat. *habilitas*, « aptitude » ; [abilite].

**HABILITER, verbe trans.** [3]

*Dr.* **1.** Conférer à (qqn) la capacité légale. **2.** Rendre (qqn) légalement capable d'effectuer certains actes. **3.** Autoriser (un établissement) à dispenser un enseignement et à conférer des diplômes. Fin XIIIe s. ; lat. médiév. *habilitare* ; [abilite].

**HABILLAGE, subst. m.**

**1.** Action d'habiller, de s'habiller. **2.** Aspect extérieur donné à une chose. 1462 ; ☞ *habiller* ; [abijaʒ].

**HABILLÉ, ÉE, adj.**

**1.** Vêtu (anton. *nu*). **2.** Vêtu avec élégance. ▸ Méton. *Tenue **habillée*** : très élégante ; *Dîner **habillé*** : qui exige une tenue élégante. XIVe s. ; p. p. de *habiller* ; [abije].

**HABILLEMENT, subst. m.**

**1.** Ensemble des vêtements que porte qqn, tenue : *Un **habillement** très simple.* **2.** Action d'habiller, de fournir des vêtements : *Dépenses, magasin d'**habillement**.* **3.** *L'**habillement*** : profession du vêtement. 1456 (1374, équipement) ; ☞ *habiller* ; [abijmɑ̃].

**HABILLER, verbe trans.** [3]

**I.** Apprêter (qqch.). **1.** *Agric.* Tailler rameaux et radicelles de (une plante à transplanter). **2.** *Alim.* Préparer (une viande, un gibier, un poisson) pour la vente ou la cuisson. **3.** *Techn.* ▸ ***Habiller** des peaux* : les apprêter. ▸ ***Habiller** une bouteille* : l'étiqueter. ▸ ***Habiller** une montre* : mettre en place son mécanisme. **II. 1.** Revêtir (qqn) de vêtements : ***Habiller** un acteur.* **2.** Fournir en vêtements : *Magnutis **habille** les grands.* **3.** Convenir à (qqn), en parlant d'un vêtement : *Cette veste l'**habille** fort bien* ; *Un rien t'**habille**,* tout ce que tu portes te sied. **4.** Anal. Couvrir (qqch.) comme d'un vêtement : ***Habiller** un fauteuil de velours.* **5.** Fig. Revêtir : ***Habiller** son discours de belles envolées lyriques* ; maquiller : ***Habiller** la vérité.* PRONOM. **1.** Se couvrir de vêtements. **2.** Se fournir en vêtements : *Je m'**habille** chez Fior.* **3.** Choisir et coordonner ses vêtements : *Savoir s'**habiller**.* **4.** Revêtir une tenue de soirée : *Dois-je m'**habiller** pour ce dîner ?* Fin XIIe s. ; *abiller* (vx), « préparer une bille de bois », de *bille* (II) + *a*-¹, d'apr. *habit* ; [abije].

**HABILLEUR, EUSE, subst.**

Personne responsable des costumes de scène, dans les métiers de la mode et du spectacle. 1846 (1552, ouvrier tanneur) ; ☞ *habiller* ; [abijœʀ, øz].

**HABIT, subst. m.**

**1.** Vx. Pièce de vêtement : *Un **habit** de soie.* **2.** Vêtement de religieux : *Prendre l'**habit**,* entrer dans les ordres. ▸ Loc. *L'**habit** ne fait pas le moine* : les apparences sont trompeuses. **3.** Tenue caractéristique d'une fonction : *Huissier en **habit*** ; ***Habit** vert,* tenue de cérémonie des académiciens. **4.** Costume masculin de cérémonie, noir, à veste à longues basques. PLUR. Ensemble de vêtements : *Les **habits** du dimanche.* 1155 ; lat. *habitus*, « tenue » ; [abi].

**HABITABILITÉ, subst. f.**

**1.** Qualité de ce qui est habitable. **2.** Qualité de l'espace prévu pour les personnes à bord d'un véhicule : *Faible **habitabilité** d'un cabriolet.* 1801 ; ☞ *habitable* ; [abitabilite].

**HABITABLE, adj.**

**1.** Où l'on peut habiter. **2.** Assez grand pour que l'on y habite. Mil. XIIe s. ; lat. *habitabilis* ; [abitabl].

**HABITACLE, subst. m.**

**1.** *Mar.* Boîte vitrée contenant les instruments de bord d'un navire. **2.** *Autom.* Espace réservé aux occupants d'un véhicule. **3.** *Aéron.* Partie de l'avion réservée à l'équipe de pilotage. Déb. XIIe s. ; lat. eccl. *habitaculum*, « petite maison » ; [abitakl].

**HABITANT, ANTE, subst.**

**1.** Personne qui habite un lieu : *Village de cent **habitants*** ; par ext. : *Les **habitants** d'une mare, d'un bois,* leur faune (littér.). **2.** Au Canada et aux Antilles, cultivateur. Déb. XIIe s. ; p. pr. de *habiter* ; [abitɑ̃, ɑ̃t].

**HABITAT, subst. m.**

**1.** Milieu géographique propre à la vie d'une espèce animale ou végétale. **2.** Peuplement d'un milieu par l'homme : ***Habitat** rural, urbain, dispersé.* **3.** Ext. Ensemble des conditions de logement : *Améliorer l'**habitat**.* 1808 ; ☞ *habiter* ; [abita].

**HABITATION, subst. f.**

**1.** Fait d'habiter : *Taxe d'**habitation**.* **2.** Méton. Lieu où l'on habite : ***Habitation** à loyer modéré (H. L. M.).* Déb. XIIe s. ; lat. *habitatio* ; [abitasjɔ̃].

**HABITER, verbe** [3]

TRANS. **1.** Occuper habituellement (un lieu) : ***Habiter** la campagne, une maison* ; avoir sa demeure dans : ***Habiter** Brest.* **2.** Fig. Occuper l'esprit de, hanter : *La foi qui **habite** le martyr.* INTRANS. Résider : ***Habiter** en ville* ; ***Habiter** à Aix* ; ***Habiter** chez qqn.* Déb. XIIe s. ; lat. *habitare* ; [abite].

**HABITUATION, subst. f.**

*Psychol.* Fait de s'habituer à qqch., accoutumance. V. 1960 ; ☞ *habituer* ; [abitɥasjɔ̃].

**HABITUDE, subst. f.**

**1.** Tendance, disposition à se comporter, à agir de la même façon, pour un individu : *Fumer par **habitude**,* machinalement. **2.** Capacité, aptitude acquise par la répétition : *Avoir l'**habitude** d'un outil* ; *J'ai l'**habitude** de ce genre de travail.* **3.** Usage, coutume d'un lieu, d'un groupe (gén. au plur.) : *Les **habitudes** de cette maison.* **4.** Loc. *D'**habitude*** : usuellement ; *Comme d'**habitude*** : comme toujours. 1580 (1365, relation, rapport) ; bas lat. *habitudo*, « aspect ; manière d'être », du lat. *habere*, « avoir » ; [abityd].

**HABITUÉ, ÉE, subst.**

**1.** Personne qui fréquente un lieu de façon habituelle : *Clientèle d'**habitués**.* **2.** Personne coutumière d'une activité : *Un **habitué** du tennis.* 1778 ; p. p. de *habituer* ; [abitɥe].

**HABITUEL, ELLE, adj.**

**1.** Qui relève de l'habitude, coutumier : *Prenez l'itinéraire **habituel**.* **2.** Fréquent, régulier, ordinaire : *Les **habituels** embouteillages parisiens.* XIVe s. ; lat. médiév. *habitualis* ; [abitɥɛl].

**HABITUELLEMENT, adv.**

De façon habituelle. Fin XIVe s. ; ☞ *habituel* ; [abitɥɛlmɑ̃].

**HABITUER, verbe trans.** [3]
Habituer qqch., qqn à. Lui faire prendre l'habitude de, l'accoutumer à : ***Habituer** son corps au froid* ; ***Habituer** un animal à obéir*, le dresser. PRONOM. **1.** *S'habituer à qqch.* : en prendre l'habitude, se familiariser avec lui. **2.** *S'habituer à qqn* : apprendre à le connaître. Fin XIVe s. (1330, habiller) ; lat. médiév. *habituare*, « accoutumer » ; [abitɥe].

**HABITUS, subst. m.**
**1.** *Méd.* Aspect général d'une personne, indiquant son état de santé. **2.** *Sociol.* Ensemble des particularités du comportement d'une personne, caractérisant son appartenance à un groupe social. 1586 ; lat. *habitus*, « manière d'être » ; [abitys].

**HÂBLERIE, subst. f.**
Propos d'une personne hâbleuse. 1628 ; *hâbler* (vx), « se vanter », de l'esp. *hablar*, « parler » ; [ˈɑblǝʀi].

**HÂBLEUR, EUSE, subst.**
Littér. Personne qui parle beaucoup, avec exagération et vantardise ; empl. adj. : *Discours **hâbleur**.* 1555 ; *hâbler* (vx), « se vanter », de l'esp. *hablar*, « parler » ; [ˈɑblœʀ, øz].

**HACHAGE, subst. m.**
Action de hacher (synon. *hachement*). 1873 ; ☞ *hacher* ; [ˈaʃaʒ].

**HACHE, subst. f.**
Outil ou arme servant à couper et à fendre, composé d'une lame triangulaire fixée à un manche : ***Hache** de bûcheron* ; ***Hache** de pierre*, instrument préhistorique ; ***Hache** d'armes*, arme médiévale. ► Loc. *À la **hache*** : grossièrement ; *Déterrer, enterrer la **hache** de guerre* : ouvrir, clore les hostilités. Mil. XIIe s. ; anc. haut all. *happja* ; [ˈaʃ].

© Ph. Roy-Explorer

*Hache votive de pierre polie (v. 1000 av. J.-C.).*

**HACHÉ, ÉE, adj.**
**1.** Coupé en menus morceaux : *Persil **haché*** ; empl. subst. masc. : *Du **haché**,* de la viande **hachée**. **2.** Fig. Discontinu : *Débit, propos **hachés** d'un orateur.* **3.** *Arts graph.* Couvert de hachures. 1690 (1380, ciselé) ; p. p. de *hacher* ; [ˈaʃe].

**HACHE-LÉGUME(S), subst. m.**
Hachoir à légumes. 1866 ; comp. de *hacher* et de *légume* ; plur. *hache-légumes* ; [ˈaʃlegym].

**HACHE-PAILLE, subst. m. inv.**
Appareil servant à hacher la paille. 1765 ; comp. de *hacher* et de *paille* ; [ˈaʃpɑj].

**HACHER, verbe trans.** [3]
**1.** Débiter en menus morceaux avec un instrument tranchant. **2.** Anal. Endommager en mettant en pièces : *La vigne **a été hachée** par la grêle.* **3.** Fig. Interrompre, entrecouper : *L'excès de ponctuation **hache** les phrases.* **4.** *Arts graph.* Hachurer. Déb. XIIIe s. ; ☞ *hache* ; [ˈaʃe].

**HACHEREAU, subst. m.**
**1.** Petite cognée de bûcheron. **2.** Petite hache faisant marteau d'un côté. 1456 ; ☞ *hache* ; [ˈaʃʀo].

**HACHETTE, subst. f.**
Petite hache. 1250 ; ☞ *hache* ; [ˈaʃɛt].

**HACHIS, subst. m.**
Préparation à base d'aliments finement hachés. 1539 (1355, travail de burin) ; ☞ *hacher* ; [ˈaʃi].

**HACHISCH, voir HASCHISCH**

**HACHOIR, subst. m.**
**1.** Planche sur laquelle on hache la viande. **2.** Couteau ou appareil utilisé pour hacher : ***Hachoir** électrique.* 1471 ; ☞ *hacher* ; [ˈaʃwaʀ].

**HACHURE, subst. f.**
**1.** *Arts graph.* Chacun des traits parallèles ou croisés qui marquent les demi-teintes, les reliefs d'un dessin, d'une gravure. **2.** Sur une carte, chacun des traits parallèles indiquant par convention le relief, la densité de population, etc. 1675 (mil. XVe s., cordon liant les lambrequins, dans un blason) ; ☞ *hacher* ; [ˈaʃyʀ].

**HACHURER, verbe trans.** [3]
Couvrir de hachures : ***Hachurer** une gravure.* 1893 ; ☞ *hachure* ; [ˈaʃyʀe].

**HACIENDA, subst. f.**
Grande exploitation agricole d'Amérique du Sud hispanophone. 1827 ; esp. *hacienda*, « exploitation », du lat. *facienda*, « choses à faire » ; [asjɛnda].

**HADAL, ALE, AUX, adj.**
*Océanogr.* Se dit des fonds océaniques dépassant 6 500 m de profondeur et des êtres qui y vivent. V. 1960 ; *Hadès*, dieu grec des Enfers ; [adal, o].

**HADDOCK, subst. m.**
Églefin fumé. Fin XIIIe s. ; mot angl. ; [ˈadɔk].

**HADITH, subst. m.**
*Relig.* Paroles ou actes du prophète Mahomet relatifs au Coran et à des règles de conduite, recueillis par écrit environ un siècle après sa mort. 1697 ; ar. *hadīt* ; [ˈadit].

**HADJ, subst. m.**
*Relig.* Grand pèlerinage collectif à La Mecque, que doit accomplir tout musulman au moins une fois dans sa vie. 1743 ; ar. *ḥağğ* ; [ˈadʒ].

**HADJI, subst. m.**
Musulman ayant accompli le hadj. 1567 ; turc *ḥağğī* ; var. *hadj* ; [ˈadʒi].

**HADRON, subst. m.**
*Phys. part.* Particule élémentaire intervenant dans les interactions fortes. V. 1960 ; crois. du gr. *hadros*, « abondant », et de *électron* ; [adʀɔ̃].

**HAFNIUM, subst. m.**
*Chim.* Élément n° 72 de la table de Mendeleïev (symb. : Hf) ; masse atomique : 178,49 ; point de fusion : 2 230 °C ; point d'ébullition : 4 602 °C ; masse volumique : 13,3 g/cm³. 1923 ; topon. lat. *Hafnia*, « Copenhague » ; [ˈafnjɔm].

**HAGARD, ARDE, adj.**
**1.** *Fauconn.* Qualifie un faucon capturé après l'âge d'un an et difficile à dresser. **2.** Ext. Dont l'attitude générale exprime un désarroi panique : *Une foule **hagarde*** ; par ext. : *Avoir l'œil **hagard**.* Fin XIVe s. ; orig. obsc. ; [ˈagaʀ, aʀd].

**HAGGIS, subst. m.**
*Cuis.* Panse de mouton farcie de fressure de l'animal, plat national écossais. 1877 ; mot écossais ; [ˈagis].

**HAGIOGRAPHE, adj. et subst.**
ADJ. *Livre **hagiographe*** : livre de l'Ancien Testament autre que ceux dus à Moïse et aux Prophètes. SUBST. Auteur d'hagiographies. Fin XVe s. ; bas lat. *hagiographa*, du gr. *hagios*, « saint », et *graphê*, « ce qui est écrit » ; [aʒjɔgʀaf].

**HAGIOGRAPHIE, subst. f.**
**1.** Branche de l'histoire religieuse qui étudie la vie des saints. **2.** Biographie d'un saint ; par ext., biographie trop élogieuse. 1813 ; ☞ *hagiographe* ; [aʒjɔgʀafi].

**HAGIOGRAPHIQUE, adj.**
Relatif à l'hagiographie ; par ext., exagérément laudatif. 1840 ; ☞ *hagiographie* ; [aʒjɔgʀafik].

**HAÏDOUK, subst. m.**
*Hist.* Milicien opposé aux Ottomans en Hongrie, puis dans les Balkans. 1565 ; hongr. *hajdúk*, du turc *hajdud*, « brigand » ; var. *heiduque* ; [ˈajduk].

**HAIE, subst. f.**
**1.** Alignement d'arbres ou d'arbustes marquant la limite entre deux parcelles : *Pré clos d'une **haie**.* **2.** *Sp.* Obstacle à franchir dans une épreuve de course : *Course de **haies** à Auteuil* ; *Le 400 mètres **haies**.* **3.** Anal. Rangée de personnes alignées le long d'une voie, d'un passage : *Une **haie** de spectateurs se massait sur le parcours du cortège* ; *Une **haie** d'honneur.* Déb. XIIe s. ; anc. bas frq. *°hagja* ; [ˈɛ].

**HAÏK, subst. m.**
Grande pièce d'étoffe dans laquelle se drapent les musulmanes. 1654 ; ar. *hā'ik* ; [ˈaik].

**HAÏKU, subst. m.**
Poème japonais constitué d'un tercet de dix-sept syllabes (5-7-5). 1922 ; jap. *haiku* ; [ˈajku].

**HAILLON, subst. m.**
**1.** Lambeau d'étoffe : *Manteau qui tombe en **haillons**.* **2.** Vêtement en loques. ► Loc. *En **haillons*** : déguenillé. 1391 ; m. haut all. *hadel*, « guenille » ; [ˈɑjɔ̃].

**HAINE, subst. f.**
**1.** Sentiment violent d'hostilité envers qqn. **2.** Aversion profonde pour qqch. Mil. XIIe s. ; ☞ *haïr* ; [ˈɛn].

**HAINEUSEMENT, adv.**
Avec haine. Mil. XIVe s. ; ☞ *haineux* ; [ˈɛnøzmɑ̃].

**HAINEUX, EUSE, adj.**
**1.** Enclin à haïr. **2.** Inspiré par la haine ; qui l'exprime : *Regard **haineux**.* 1155 ; ☞ *haine* ; [ˈɛnø, øz].

**HAÏR, verbe trans.** [20]
**1.** Ressentir de la haine pour (qqn) : *Va, je ne te **hais** point* (Corneille). **2.** Tenir (qqch.) en aversion. Fin XIe s. ; anc. bas frq. *°hatjan* ; [ˈaiʀ].

**HAIRE, subst. f.**
Chemise de crin ou de poil de chèvre portée par mortification. Déb. Xe s. ; anc. bas frq. *°harja*, « vêtement grossier fait de poil » ; [ˈɛʀ].

**HAÏSSABLE, adj.**
Qui mérite d'être haï : *Le moi est **haïssable*** (Pascal). XIIIe s. ; ☞ *haïr* ; [ˈaisabl].

**HALAGE, subst. m.**
**1.** Action de haler un bateau : *Chemin de **halage***, longeant une voie d'eau et qui était emprunté par les haleurs. **2.** Québ. Action de tirer des grumes hors des forêts. 1488 ; ☞ *haler* ; [ˈalaʒ].

**HALAL, adj. inv.**
*Relig. Viande **halal*** : viande d'un animal tué selon les rites musulmans. V. 1990 ; ar. *ḥalāl*, « licite, permis » ; [ˈalal].

**HALBI, subst. m.**
Boisson normande faite à base de pommes et de poires fermentées. 1771 ; néerl. *haalbier*, « petite bière » ; [ˈalbi].

**HALBRAN, subst. m.**
Jeune canard sauvage. Fin XIVe s. ; m. haut all. *halberant*, « demi-canard » ; [ˈalbʀɑ̃].

**HÂLE, subst. m.**
**1.** Vx. Dessèchement dû à l'air et au soleil. **2.** Brunissement de la peau sous l'action de l'air et du soleil. 1176 ; ☞ *hâler* ; [ˈɑl].

**HALECRET, subst. m.**
*Hist.* Corselet d'armure articulé. 1488 ; m. néerl. *halskleedt*, « tour de cou » ; [ˈalkʀɛ].

**HALEINE, subst. f.**
**1.** Air rejeté des poumons lors de l'expiration : *Avoir l'**haleine** fraîche.* **2.** Souffle, respiration : *Une **haleine** régulière, précipitée.* ► Loc. *À perdre **haleine*** : jusqu'à l'essoufflement ; *Reprendre **haleine*** : reprendre son souffle ; *Hors d'**haleine*** : essoufflé ; *D'une **haleine*** : sans interruption. **3.** Fig. Endurance. ► Loc. *De longue **haleine*** : long et difficile ; *Tenir qqn en **haleine*** : garder son attention en éveil. Fin XIe s. ; anc. fr. *alener*, du lat. *anhelare*, « exhaler » ; [alɛn].

**HALENER, verbe trans.** [10]
*Chasse.* Flairer (le gibier), en parlant d'un chien. Mil. XIIe s. ; lat. *anhelare*, « exhaler » ; [al(ə)ne] ou [-le-].

**HALER, verbe trans.** [3]
**1.** *Mar.* ► Tirer sur (un cordage) : ***Haler** la bouline de misaine.* ► Tirer, soulever, amener (qqch., qqn) au moyen d'un cordage : ***Haler** un naufragé à bord.* ► Ext. Remorquer (un bateau) en le tirant de la rive : ***Haler** un chaland.* **2.** Québ. Tirer vers soi. Déb. XIIe s. ; germ. occ. *°halôn*, « amener » ; [ˈale].

**HÂLER, verbe trans.** [3]
**1.** Vx. Dessécher par le soleil, le grand air. **2.** Brunir (la peau, le teint), en parlant du soleil, du grand air. Fin XIIe s. ; lat. pop. *°assulare*, du lat. *assare*, « faire rôtir » ; [ˈɑle].

**HALETANT, ANTE, adj.**
**1.** Qui halète : *Chien **haletant*** ; par méton. : *Une voix **haletante**.* **2.** Fig. ► Très impatient. ► Qui tient en haleine : *Une histoire **haletante**.* 1539 ; p. pr. de *haleter* ; [ˈal(ə)tɑ̃, ɑ̃t].

**HALÈTEMENT, subst. m.**
Action de haleter ; par méton., respiration courte et saccadée ; par anal. : *Le **halètement** d'une locomotive.* 1495 ; ☞ *haleter* ; [ˈalɛtmɑ̃].

**HALETER, verbe intrans.** [13]
**1.** Respirer avec peine, à un rythme précipité. **2.** Fig. Être tenu en haleine : *Le public **haletait**.* Mil. XIIe s. ; p.-ê. lat. *halare*, « souffler » ; [ˈal(ə)te].

**HALEUR, EUSE, subst.**
Personne qui hale un bateau. MASC. Treuil servant à haler les filets à bord. 1680 ; ☞ *haler* ; [ˈalœʀ, øz].

**HALF-TRACK, subst. m.**
*Milit.* Engin blindé semi-chenillé (anglic.). 1946 ; mot anglo-amér. ; plur. *half-tracks* ; [ˈa(l)ftʀak].

**HALICTE,** subst. m.
*Zool.* Insecte social de la famille des Apidés, qui vit dans des nids souterrains. ▭ 1804 ; orig. inc. ; ['alikt].

**HALIEUTIQUE,** adj. et subst. f.
Adj. Relatif à la pêche : *L'activité* **halieutique** *d'un port.* Subst. Art, technique de la pêche. ▭ 1732 ; lat. *halieuticus*, du gr. *halieutikos* ; [aljøtik].

**HALIOTIDE,** subst. f.
*Zool.* Mollusque marin gastéropode à la coquille nacrée en forme d'écuelle (synon. *orneau, oreille-de-mer*). ▭ 1763 ; gr. *halios*, « marin », et *ous*, « oreille » ; [aljɔtid].

**HALITE,** subst. f.
*Minér.* Sel fossile, utilisé comme sel de cuisine, comme minerai de sodium et pour fabriquer de l'acide chlorhydrique. ▭ Gr. *hals*, « sel », + *-lite* ; [alit].

**HALL,** subst. m.
Grande salle à large entrée. ▭ 1872 (1672, maison où se réunissent les corps de métier) ; mot angl. ; ['ol].

**HALLAGE,** subst. m.
*Comm.* Taxe levée par la commune auprès des marchands des halles. ▭ Mil. XIIIe s. ; ☞ *halle* ; ['alaʒ].

**HALLALI,** subst. m.
*Vén.* Cri ou sonnerie de cor annonçant que la bête poursuivie est aux abois. ▭ 1683 ; anc. fr. *hare a li* (cri de chasse), « sus à lui », formé de *hare*, « par ici, haro », et de *a li*, « à lui » ; [alali].

**HALLE,** subst. f.
**1.** Vaste emplacement couvert abritant le commerce de gros d'une marchandise : *La* **halle** *aux vins.* ▸ Au plur. Marché central des denrées alimentaires d'une ville : *Les halles de Paris* ou, empl. abs., *Les Halles*, auj. transférées à Rungis. ▸ Loc. *La langue des halles* : la langue verte, populaire. **2.** Helv. Gymnase, salle de fêtes. ▭ 1213 ; anc. bas frq. °*hala* ; ['al].

**HALLEBARDE,** subst. f.
Arme d'hast, au fer principal flanqué d'une hache et d'une pointe. ▸ Loc. *Il pleut des* **hallebardes** : à verse (fam.). ▭ 1333 ; m. haut all. *helmbarte*, de *helm*, « poignée », et de *barte*, « hache » ; ['albaʀd].

**HALLEBARDIER,** subst. m.
Soldat armé d'une hallebarde. ▭ 1483 ; ☞ *hallebarde* ; ['albaʀdje].

**HALLIER,** subst. m.
Gros buisson touffu. ▭ Mil. XVe s. ; pic. *hallot*, « buisson », de l'anc. bas frq. °*hasal*, « noisetier » ; ['alje].

**HALLOWEEN,** subst. f.
Veille de la Toussaint, jour de fête pour les enfants nord-américains. ▭ Mil. XXe s. ; angl. *Halloween*, de *All Hallow Even*, « veille de la Toussaint » ; [alɔwin].

**HALLSTATTIEN, IENNE,** adj.
*Préhist.* Relatif, propre au premier âge du fer européen. ▭ 1882 ; topon. *Hallstatt*, village d'Autriche ; ['alʃtatjɛ̃, jɛn].

**HALLUCINANT, ANTE,** adj.
**1.** Qui hallucine. **2.** Qui produit un effet saisissant : *Nouvelle* **hallucinante** ; par ext., extraordinaire (fam.). ▭ 1866 ; p. pr. de *halluciner* ; [al(l)ysinɑ̃, ɑ̃t].

**HALLUCINATION,** subst. f.
*Pathol.* Perception, par un sujet éveillé, de phénomènes qui n'existent pas : **Hallucinations** *visuelles, auditives.* ▭ 1660 ; lat. *hallucinatio* ; [al(l)ysinasjɔ̃].

**HALLUCINATOIRE,** adj.
**1.** Qui provoque l'hallucination. **2.** Relatif à l'hallucination. ▭ 1872 ; ☞ *hallucination* ; [al(l)ysinatwaʀ].

**HALLUCINÉ, ÉE,** adj. et subst.
Se dit d'une personne qui a des hallucinations. Adj. Ext. Hagard, bizarre : *Un regard* **halluciné**. ▭ 1611 ; lat. *hallucinatus* ; [al(l)ysine].

**HALLUCINER,** verbe trans. [3]
Provoquer des hallucinations chez (qqn). ▭ 1862 ; lat. *hallucinari*, « divaguer, rêver » ; [al(l)ysine].

**HALLUCINOGÈNE,** subst. m. et adj.
Se dit d'un produit, naturel ou synthétique, qui provoque des hallucinations : *Un champignon, une substance* **hallucinogène**. ▭ 1934 ; ☞ *hallucination* + *-gène* ; [al(l)ysinɔʒɛn].

**HALLUCINOSE,** subst. f.
*Psych.* Phénomène hallucinatoire dont le sujet reconnaît le caractère irréel. ▭ 1911 ; ☞ *hallucination* + *-ose* ; [al(l)ysinoz].

**HALO,** subst. m.
**1.** *Astron.* Arc ou anneau, plus ou moins brillant, apparaissant autour d'un astre, dû à la présence de cristaux de glace en suspension dans l'atmosphère terrestre. **2.** Ext. Auréole lumineuse diffuse entourant une source de lumière. ▭ Mil. XIVe s. ; lat. *halos*, du gr. *halôs*, « aire où l'on bat le blé » ; ['alo].

**HALOGÉNATION,** subst. f.
*Chim.* Réaction dans laquelle un atome d'halogène est introduit dans une molécule : *Une fluoruration (introduction d'un atome de fluor) est une* **halogénation**. ▭ 1930 ; ☞ *halogène* ; [alɔʒenasjɔ̃].

**HALOGÈNE,** subst. m.
**1.** *Chim.* Chacun des éléments figurant dans la colonne VII de la table de Mendeleïev, tels le chlore, le fluor, etc. **2.** *Lampe à* **halogène** ou, par ell., *Un* **halogène** : lampe à incandescence dont le filament baigne dans un **halogène** qui intensifie et concentre la lumière. ▭ 1826 ; gr. *hals*, « sel », + *-gène* ; [alɔʒɛn].

**HALOGÉNURE,** subst. m.
*Chim.* Combinaison contenant un halogène. ▭ 1934 ; ☞ *halogène* ; [alɔʒenyʀ].

**HALOPÉRIDOL,** subst. m.
*Pharm.* Psychotrope du groupe des neuroleptiques, utilisé dans le traitement de certains troubles mentaux psychotiques. ▭ Mil. XXe s. ; orig. obsc. ; [alopeʀidɔl].

**HALOPHILE,** adj. et subst. m.
*Biol.* Se dit d'un organisme qui vit dans des milieux salés. ▭ 1817 ; gr. *hals*, « sel », + *-phile* ; [alɔfil].

**HALOPHYTE,** subst. f.
*Bot.* Végétal croissant dans un milieu salé. ▭ 1878 ; gr. *hals*, « sel », + *-phyte* ; [alɔfit].

**HALTE,** subst. f. et interj.
Subst. **1.** Arrêt, pause dans le cours d'un mouvement : *Faire* **halte**, s'arrêter, prendre du repos. **2.** Méton. Lieu où l'on s'arrête. ▸ *Ch. de fer.* Petite gare, station. Interj. **Halte !**, **Halte-là !** : arrêtez !, stop ! ▭ 1566 ; ital. *alto*, de l'all. *Halt* ; ['alt].

**HALTÈRE,** subst. m.
*Sp.* Instrument formé de deux boules ou disques de métal réunis par une tige, que l'on soulève (souv. au plur.) : *Les poids et* **haltères**. ▭ 1534 ; bas lat. *halteres*, du gr. *haltêres* ; [altɛʀ].

**HALTÉROPHILE,** subst.
Sportif qui pratique l'haltérophilie. ▭ 1903 ; ☞ *haltère* + *-phile* ; [alteʀɔfil].

**HALTÉROPHILIE,** subst. f.
Sport qui consiste à soulever des poids et haltères. ▭ 1926 ; ☞ *haltère* + *-philie* ; [alteʀɔfili].

**HALVA,** subst. m.
Confiserie orientale à base de sésame, de miel et de graines oléagineuses. ▭ 1826 ; turc *helva* ; ['alva].

**HAMAC,** subst. m.
Rectangle de toile ou filet suspendu par ses extrémités à deux points fixes, utilisé pour le couchage. ▭ Déb. XVIe s. ; esp. *hamaca*, du taïno (langue amérindienne de Haïti) *hamacu* ; ['amak].

© Giraudon

Les **Haleurs** de la Volga, *peinture d'Ilya Repine (1844-1930). Musée russe, Saint-Pétersbourg.*

**HAMADA,** subst. f.
*Géogr.* Dans les déserts sahariens, étendue formée de dalles rocheuses. ▭ 1880 ; ar. *ḥammâda* ; ['amada].

**HAMADRYADE,** subst. f.
**1.** *Myth.* En Grèce, nymphe des bois qui s'identifiait à un arbre qu'elle habitait et dont elle partageait la vie, de la naissance à la mort. **2.** *Zool.* Cobra royal, grand serpent venimeux d'Asie. ▭ Mil. XVe s. ; lat. *hamadryas*, du gr. *hamadruas*, de *hama*, « avec », et *drus*, « arbre » ; [amadʀijad].

**HAMADRYAS,** subst. m.
*Zool.* Grand singe cynocéphale d'Afrique, à crinière fournie. ▭ 1805 ; ☞ *hamadryade* ; [amadʀijas].

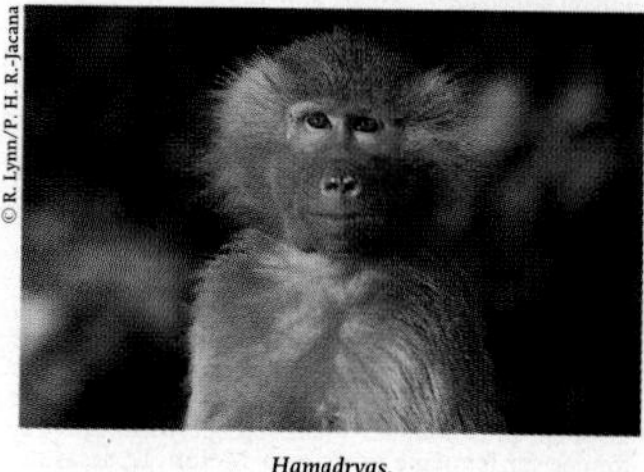

© R. Lynn/P. H. R.-Jacana

*Hamadryas.*

**HAMAMÉLIS,** subst. m.
*Bot.* Arbuste d'Amérique, type de la famille des Hamamélidacées, dont les feuilles ont des propriétés vasoconstrictrices. ▭ 1615 ; gr. *hamamêlis*, de *hama*, « ensemble », et de *melon*, « pomme » ; [amamelis].

**HAMBURGER,** subst. m.
Bifteck haché servi chaud dans un pain rond (anglic.). ▭ 1930 ; anglo-amér. *Hamburger steak*, « steak de Hambourg » ; ['ɑ̃buʀgœʀ] ou [-bœʀ].

**HAMEAU,** subst. m.
Petit groupe d'habitations rurales situées à l'écart d'un village. ▭ Fin XIIe s. ; anc. fr. *ham*, de l'anc. bas frq. °*haim* ; ['amo].

**HAMEÇON,** subst. m.
Petit crochet métallique fixé à l'extrémité d'une ligne et garni d'un appât pour capturer du poisson. ▸ Loc. *Mordre à l'***hameçon** : se laisser prendre à un piège, à une proposition séduisante. ▭ Fin XIIe s. ; anc. fr. *aim*, du lat. *hamus* ; [amsɔ̃].

**HAMMAM,** subst. m.
Établissement où l'on prend des bains de vapeur (synon. *bain turc*). ▭ 1655 ; ar. *ḥammâm* ; ['amam].

**HAMMERLESS,** subst. m.
Fusil de chasse à percussion centrale, dont le chien n'est pas apparent (anglic.). ▭ 1878 ; angl. *hammerless*, de *hammer*, « marteau », et de *less*, « sans » ; ['ameʀlɛs].

**HAMPE (I),** subst. f.
**1.** *Vén.* Poitrine du cerf. **2.** *Bouch.* Partie abdominale charnue du bœuf, du côté de la cuisse. ▭ Fin XIIIe s. ; p.-ê. crois. de l'anc. haut all. *wampa*, « ventre, panse », et de l'anc. bas frq. °*hamma*, « jarret, cuisse » ; ['ɑ̃p].

**HAMPE (II),** subst. f.
**1.** Long manche de bois auquel est fixé le fer d'une lance, d'une hallebarde, etc., ou bien un drapeau. **2.** *Bot.* Tige d'une plante sans rameaux ni feuilles, se terminant par la fleur (unique ou en bouquet). **3.** Partie verticale du dessin de certaines consonnes qui dépasse vers le haut ou vers le bas : *La* **hampe** *d'un « h », d'un « p ».* ▭ Fin XVe s. ; altér. de l'anc. fr. *hante*, du lat. *hasta*, « lance, pic » ; ['ɑ̃p].

**HAMSTER,** subst. m.
*Zool.* Rongeur de la famille des Cricétidés, à pelage roussâtre, qui amasse des provisions dans son terrier et qui est apprécié comme animal de compagnie. ▭ 1765 ; all. *Hamster* ; ['amstɛʀ].

**HAN,** interj.
Cri sourd émis lors d'un effort ; empl. subst. masc. inv. : *Les* **han** *du bûcheron.* ▭ XIIIe s. ; onomat. ; ['ɑ̃].

**HANAP,** subst. m.
*M. Â.* Grande coupe à boire en métal, munie d'un pied et d'un couvercle. ▭ Déb. XIIe s. ; germ. °*hnapp*, « écuelle » ; ['anap].

**HANCHE,** subst. f.
**1.** *Anat.* Partie latérale du corps qui unit le membre inférieur au bassin et comporte une portion osseuse, l'articulation coxo-fémorale, et des parties molles. ▶ L'articulation elle-même. ▶ Région externe du corps qui lui correspond : *Mettre ses poings sur ses **hanches**.* **2.** Anal. *Mar.* Partie supérieure arrière de la muraille d'un bateau. ⚮ 1155 ; germ. °*hanka* ; ['ɑ̃ʃ].

**HANCHEMENT,** subst. m.
Position du corps faisant saillir une hanche. ⚮ 1867 ; ☞ *hancher* ; ['ɑ̃ʃmɑ̃].

**HANCHER,** verbe [3]
**INTRANS.** Adopter une posture qui fait saillir une hanche ; empl. pronom. : *Il se **hanche**.* **TRANS.** *B.-a.* Représenter (un personnage, une statue) de manière à faire saillir une hanche. ⚮ 1836 (1397, faire un croc-en-jambe) ; ☞ *hanche* ; ['ɑ̃ʃe].

**HANDBALL,** subst. m.
Sport qui oppose deux équipes de sept joueurs et qui se joue avec un ballon rond, uniquement avec les mains. ⚮ 1912 ; all. *Handball*, de *Hand*, « main », et de *Ball*, « ballon » ; var. *hand-ball* (plur. *hand-balls*) ; ['ɑ̃dbal].

**HANDBALLEUR, EUSE,** subst.
Personne qui pratique le handball. ⚮ V. 1970 ; ☞ *handball* ; ['ɑ̃dbalœʀ, øz].

**HANDICAP,** subst. m.
**1.** *Sp.* Course hippique dans laquelle on égalise les chances des concurrents en imposant aux meilleurs de porter un poids plus grand ou de parcourir une distance plus longue. ▶ Ext. *Sp.* et *Jeux.* Épreuve fondée sur le même principe. ▶ Méton. Le désavantage imposé à un concurrent. **2.** Infirmité ; déficience. **3.** Fig. Entrave, gêne ; infériorité. ⚮ 1827 ; angl. *handicap*, prob. contraction de *hand in the cap*, « main dans le chapeau » ; ['ɑ̃dikap].

**HANDICAPANT, ANTE,** adj.
Qui handicape, qui gêne. ⚮ V. 1980 ; p. pr. de *handicaper* ; ['ɑ̃dikapɑ̃, ɑ̃t].

**HANDICAPÉ, ÉE,** adj. et subst.
Se dit d'une personne atteinte d'une déficience physique ou mentale : *Des **handicapés** moteurs.* ⚮ 1957 ; p. p. de *handicaper* ; ['ɑ̃dikape].

**HANDICAPER,** verbe trans. [3]
**1.** *Sp.* Attribuer un handicap à (un cheval, un concurrent) dans une compétition. **2.** Fig. Désavantager ; gêner. ⚮ 1854 ; ☞ *handicap* ; ['ɑ̃dikape].

**HANDICAPEUR,** subst. m.
Commissaire qui établit les handicaps d'une course, d'une épreuve. ⚮ 1855 ; ☞ *handicaper* ; ['ɑ̃dikapœʀ].

**HANDISPORT,** adj. et subst. m.
**ADJ.** Propre aux sports pratiqués par les handicapés. **SUBST.** Ensemble de ces sports. ⚮ V. 1980 ; crois. de *handicapé* et de *sport* ; ['ɑ̃dispɔʀ].

**HANGAR,** subst. m.
Construction sommaire qui abrite du matériel agricole, des marchandises, des avions ou d'autres véhicules. ⚮ 1337 ; anc. bas frq. °*haimgard*, de °*haim*, « petit village », et de °*gard*, « clôture » ; ['ɑ̃gaʀ].

**HANGUL,** subst. m.
Alphabet utilisé pour écrire le coréen. ⚮ Mot coréen ; ['angul].

**HANNETON,** subst. m.
*Zool.* Coléoptère broyeur de la famille des Scarabéidés, aux antennes lamellées, dont la larve ronge les racines et dont l'adulte est un grand mangeur de feuilles. ⚮ Fin XIe s. ; anc. bas frq. °*hano*, « coq » ; ['an(ə)tɔ̃].

© P. Lorne-Jacana

*Hanneton.*

**HANOUKKA,** subst. f.
*Relig.* Fête juive, d'une durée de huit jours, célébrée fin décembre, qui commémore la dédicace du Temple, et est nommée fête des Lumières. ⚮ Hébreu *hănukkāh*, « inauguration » ; ['anuka].

**HANSE,** subst. f.
*M. Â.* **1.** Association de marchands : *La **hanse** des marchands d'eau parisiens.* **2.** *La **Hanse** teutonique* ou, empl. abs., *La **Hanse*** : confédération de villes marchandes de l'Allemagne du Nord et de la Baltique, du XIIe au XVIe s. ⚮ XIIIe s. ; m. haut all. *hanse*, de l'anc. haut all. *hansa*, « troupe de soldats » ; ['ɑ̃s].

**HANSÉATIQUE,** adj.
Qui concerne une hanse, en partic. la Hanse teutonique. ⚮ 1605 ; lat. médiév. *hanseaticus* ; ['ɑ̃seatik].

**HANTÉ, ÉE,** adj.
**1.** Habité, visité par des esprits, des fantômes : *Un château **hanté**.* **2.** Fig. Obsédé : *Homme **hanté** par la mort.* ⚮ Déb. XIXe s. ; p. p. de *hanter* ; ['ɑ̃te].

**HANTER,** verbe trans. [3]
**1.** Fréquenter (un lieu) d'une manière régulière (littér.). **2.** Visiter, occuper (un lieu), en parlant d'esprits, de fantômes. **3.** Fig. Obséder. ⚮ Déb. XIIe s. ; anc. nord. *heimta*, « conduire à la maison » ; ['ɑ̃te].

**HANTISE,** subst. f.
**1.** Vx. Fréquentation d'un lieu. **2.** Fig. Obsession : *La **hantise** de l'échec.* ⚮ 1228 ; ☞ *hanter* ; ['ɑ̃tiz].

**HAOUSSA,** adj. et subst.
De l'ethnie africaine des Haoussas. **SUBST. MASC.** Langue soudanaise du groupe nigéro-tchadien. ⚮ ['ausa].

**HAPAX,** subst. m.
*Ling.* Mot ou forme dont on ne peut relever qu'un exemple. ⚮ 1909 ; gr. *hapax legomenon*, « chose dite une seule fois » ; var. *apax* ; [apaks].

**HAPLOÏDE,** adj.
*Biol.* Qualifie certaines cellules chez lesquelles chaque chromosome n'est présent qu'en un seul exemplaire : *Les cellules reproductrices, ou gamètes, sont **haploïdes**.* ⚮ 1913 ; all. *haploid*, du gr. *haploeidês*, « d'aspect simple » ; [aplɔid].

**HAPLOLOGIE,** subst. f.
*Ling.* Fait de réduire à une seule une syllabe qui devrait normalement être redoublée (synon. *hapaxépie, haplographie, haplolalie*) : *« Tragico-comique » devient « tragi-comique » par **haplologie**.* ⚮ 1908 ; gr. *haploos*, « simple », + *-logie* ; [aplɔlɔʒi].

**HAPPE,** subst. f.
*Constr.* Crampon métallique qui lie deux pierres, deux pièces en bois. ⚮ 1260 ; ☞ *happer* ; ['ap].

**HAPPEMENT,** subst. m.
Action de happer. ⚮ 1330 ; ☞ *happer* ; ['apmɑ̃].

**HAPPENING,** subst. m.
Forme d'expression artistique des années 1960, où l'artiste intervient en tant qu'acteur devant un public parfois appelé à participer. ⚮ V. 1960 ; anglo-amér. *happening*, de *to happen*, « avoir lieu » ; ['ap(ə)niŋ].

**HAPPER,** verbe trans. [3]
**1.** Attraper brusquement avec la gueule, le bec. **2.** Saisir brutalement (qqch., qqn). ⚮ Fin XIIe s. ; rad. onomat. *happ-*, exprimant une saisie brutale ; ['ape].

**HAPPY END,** subst. m.
Dénouement heureux d'un film tragique et, par ext., fin heureuse d'une histoire, d'une affaire (anglic.). ⚮ 1945 ; angl. *happy end*, de *happy*, « heureux », et de *end*, « fin » ; plur. *happy ends* ; ['apiɛnd].

**HAPTÈNE,** subst. m.
*Biochim.* Groupement chimique simple non immunogène en lui-même, mais qui associé à une protéine lui confère un pouvoir antigénique nouveau. L'injection d'une protéine porteuse d'**haptène** à un animal déclenche chez lui la production d'anticorps qui reconnaissent spécifiquement l'**haptène**. ⚮ 1935 ; gr. *haptein*, « attacher » ; [aptɛn].

**HAQUEBUTE,** subst. f.
*Arm.* Type primitif d'arquebuse (XVe s.). ⚮ 1473 ; m. néerl. *hakebusse*, « arquebuse » ; ['ak(ə)byt].

**HAQUENÉE,** subst. f.
Petit cheval ou jument allant l'amble, que montaient les dames (vx). ⚮ Mil. XIVe s. ; m. angl. *hackney*, prob. du topon. *Hackney* (Angleterre) ; ['ak(ə)ne].

**HAQUET,** subst. m.
Charrette sans ridelles, utilisée pour le transport des tonneaux (vx). ⚮ 1481 ; prob. m. fr. *haquet*, « cheval propre à tirer ce type de charrette » ; ['akɛ].

**HARA-KIRI,** subst. m.
Mode de suicide rituel japonais par éviscération (synon. *seppuku*) ; par ext. : *(Se) faire **hara-kiri**,* se suicider ou, au fig., se sacrifier pour une cause. ⚮ 1873 ; jap. *hara kiri*, « ventre coupé » ; plur. *hara-kiris* ; ['aʀakiʀi].

**HARANGUE,** subst. f.
**1.** Discours solennel prononcé devant une assemblée, un dignitaire. **2.** Discours ennuyeux ; longue remontrance (péj.). ⚮ Mil. XVe s. ; ital. *aringa*, « discours public », du got. °*hriggs*, « cercle » ; ['aʀɑ̃g].

**HARANGUER,** verbe trans. [3]
**1.** Adresser une harangue à (qqn, un groupe) : ***Haranguer** les troupes.* **2.** Faire des discours ennuyeux ; sermonner (péj.). ⚮ 1414 ; ital. *aringare* ; ['aʀɑ̃ge].

**HARAS,** subst. m.
Établissement destiné à la reproduction et à l'amélioration des races chevalines. ▶ ***Haras** nationaux* : établissements de ce type, administrés par l'État. ⚮ 1280 ; prob. anc. nord. *hârr*, « au poil gris » ; ['aʀɑ].

**HARASSANT, ANTE,** adj.
Très fatigant, épuisant : *Une journée **harassante**.* ⚮ 1845 ; p. pr. de *harasser* ; ['aʀasɑ̃, ɑ̃t].

**HARASSE,** subst. f.
Emballage léger, à claire-voie, servant au transport du verre et de la vaisselle fragile. ⚮ XIIIe s. ; orig. obsc. ; ['aʀas].

**HARASSER,** verbe trans. [3]
**1.** Vx. Harceler. **2.** Épuiser de fatigue. ⚮ 1527 ; anc. fr. *harache*, de *hare !*, cri pour exciter les chiens ; ['aʀase].

**HARCELANT, ANTE,** adj.
Qui harcèle. ⚮ 1845 ; p. pr. de *harceler* ; ['aʀsəlɑ̃, ɑ̃t].

**HARCÈLEMENT,** subst. m.
Action de harceler. ▶ *Tir de **harcèlement*** : tir prolongé destiné à décourager l'ennemi ou à le réduire. ▶ ***Harcèlement** sexuel* : fait d'abuser de sa position de supérieur hiérarchique pour obtenir de qqn une faveur sexuelle. ⚮ 1632 ; ☞ *harceler* ; ['aʀsɛlmɑ̃].

**HARCELER,** verbe trans. [12]
**1.** Vx. Provoquer, exciter (qqn). **2.** Soumettre à des attaques réitérées ; en partic. : ***Harceler** l'ennemi.* **3.** Fig. Fatiguer (qqn) de questions, de moqueries, de reproches, etc. ⚮ Fin XVe s. ; var. de *herceler* (vx), de l'anc. fr. *herser*, « malmener » ; ['aʀsəle].

**HARD,** adj. inv.
**1.** Dur, brutal (fam.) : *Un discours très **hard**.* ▶ *Mus.* ***Hard** rock* : variété de rock très violente. **2.** Pornographique : *Film **hard*** ; empl. subst. masc. : *Le **hard**,* la pornographie, le cinéma pornographique. ⚮ V. 1980 ; mot angl. ; anglic. ; ['aʀd].

**HARDE (I),** subst. f.
Troupe d'animaux sauvages : *Une **harde** de sangliers.* ⚮ Mil. XIIe s. ; anc. bas frq. °*herda*, « troupeau » ; ['aʀd].

**HARDE (II),** subst. f.
*Vèn.* Lien servant à attacher les chiens par couples ; par méton., groupe de chiens de chasse ainsi attachés. ⚮ 1671 (1391, corde) ; ☞ *hart* ; ['aʀd].

**HARDES,** subst. f. plur.
**1.** Vx. Vêtements, meubles, objets personnels que l'on emporte avec soi. **2.** Vêtements usagés, haillons (littér. et péj.). ⚮ 1480 ; gasc. *harde*, de l'ar. *farda*, « demi-charge d'une bête de somme » ; ['aʀd].

**HARDI, IE,** adj. et interj.
**ADJ. 1.** Courageux, vaillant. **2.** Téméraire ; insolent (péj.). **3.** Qui dénote de l'audace : *Des propos **hardis** ; Une scène **hardie**, osée.* **INTERJ.** Sert à encourager : ***Hardi**, matelots !* ⚮ Fin XIe s. ; anc. fr. *hardir*, de l'anc. bas frq. °*hardjan*, « rendre dur » ; ['aʀdi].

**HARDIESSE,** subst. f.
**1.** Qualité d'une personne ou d'une chose hardie, courageuse. **2.** Ext. Caractère novateur, audacieux, dans le domaine des arts, des sciences, etc. : ***Hardiesse** d'un style, d'une théorie.* **3.** Effronterie, impudence : *Avoir la **hardiesse** de réclamer plus que son dû.* **4.** Méton. Parole, attitude, action hardie (souv. au plur.) : *Prose émaillée de nombreuses **hardiesses**.* ⚮ Fin XIIe s. ; ☞ *hardi* ; ['aʀdjɛs].

**HARDIMENT,** adv.
D'une manière hardie : *Combattre **hardiment**.* ⚮ Mil. XIIe s. ; ☞ *hardi* ; ['aʀdimɑ̃].

**HARDWARE,** subst. m.
Anglic. *Informat.* Matériel (anton. *software*). ⚮ V. 1970 ; anglo-amér. *hardware*, « quincaillerie », de *hard*, « dur », et de *ware*, « marchandise » ; ['aʀdwɛʀ].

**HAREM,** subst. m.
**1.** Chez les musulmans, appartement réservé aux femmes. **2.** Méton. Ensemble des femmes d'un **harem**. **3.** Ext. Groupe de femmes entourant un homme (iron.). ⚮ Mil. XVIIe s. (1559, grand péché) ; ar. *ḥaram* ; ['aʀɛm].

**HARENG,** subst. m.
*Zool.* Poisson téléostéen de la famille des Clupéidés,

migrateur qui vit en bancs souv. immenses, dans l'Atlantique, la mer du Nord et la Baltique. ► *Hareng saur* : fumé. XIIe s. ; anc. bas frq. °*hâring* ; [ˈaʀɑ̃].

**HARENGAISON, subst. f.**
**1.** Pêche au hareng. **2.** Période où a lieu cette pêche. 1262 ; ☞ *hareng* ; [ˈaʀɑ̃gɛzɔ̃].

**HARENGÈRE, subst. f.**
**1.** Vx. Marchande de poissons au détail, en partic. de harengs. **2.** Femme criarde et grossière (péj. et vieilli). 1226 ; ☞ *hareng* ; [ˈaʀɑ̃ʒɛʀ].

**HARENGUET, subst. m.**
*Zool.* Sprat. 1775 ; ☞ *hareng* ; [ˈaʀɑ̃gɛ].

**HARFANG, subst. m.**
*Zool.* Grande chouette blanche de la famille des Strigidés, qui vit dans les régions arctiques et jusqu'en Scandinavie, et chasse de jour comme de nuit. 1760 ; suédois *harfång* ; [ˈaʀfɑ̃].

*Harfang.*

**HARGNE, subst. f.**
**1.** Vx. Dispute. **2.** Mauvaise humeur se manifestant par un comportement agressif, des propos acerbes. XVe s. ; *hergner* (vx), « se plaindre », de l'anc. bas frq. °*harmjan*, « insulter » ; [ˈaʀɲ].

**HARGNEUSEMENT, adv.**
Avec hargne. 1876 ; ☞ *hargneux* ; [ˈaʀɲøzmɑ̃].

**HARGNEUX, EUSE, adj.**
**1.** Qui est plein de hargne, d'agressivité. **2.** Ext. Qui dénote de la hargne : *Un pamphlet* ***hargneux***. Mil. XIIe s. ; ☞ *hargne* ; [ˈaʀɲø, øz].

**HARICOT, subst. m.**
**1.** *Cuis.* ***Haricot*** *de mouton* : ragoût de mouton, de pommes de terre, d'oignons et de navets. **2.** *Bot.* Plante de la famille des Fabacées, originaire d'Amérique. *Phaseolus vulgaris* est le **haricot** commun, *Phaseolus coccineus* le **haricot** à fleurs rouges. ► Méton. La partie comestible de cette plante, sa gousse ou ses graines : ***Haricots*** *blancs, verts, rouges.* ► Loc. fam. *Des* ***haricots*** : rien du tout ; *C'est la fin des* ***haricots*** : c'est la fin de tout, la catastrophe ; *Courir sur le* ***haricot*** : exaspérer, importuner. **3.** Anal. *Méd.* Petit récipient en forme de graine de **haricot**, qui sert habituellement à déposer des déchets. Fin XIVe s. ; *harigoter* (vx), « déchiqueter », de l'anc. bas frq. °*hariôn*, « gâcher » ; [ˈaʀiko].

**HARIDELLE, subst. f.**
Cheval efflanqué et médiocre (vieilli). 1558 ; orig. inc. ; [ˈaʀidɛl].

**HARISSA, subst. f.**
Poudre ou purée de piments, employée comme condiment dans la cuisine du Maghreb. 1930 ; ar. *harīsa*, « pilé, broyé » ; [ˈaʀisa].

**HARKI, subst. m.**
Soldat indigène d'Afrique du Nord qui servait dans une troupe auxiliaire (harka) aux côtés des Français. V. 1960 ; ar. *ḥarka*, « expédition militaire » ; [ˈaʀki].

**HARLE, subst. m.**
*Zool.* Oiseau de la famille des Anatidés, proche du canard, qui vit dans la zone arctique et hiverne dans les régions tempérées. Fin XIIIe s. ; orig. inc. ; [ˈaʀl].

**HARMATTAN, subst. m.**
Alizé du nord-est qui souffle sur l'Afrique occidentale durant la saison sèche (de novembre à mars). 1753 ; fanti (langue du Ghana) *haramata* ; [aʀmatɑ̃].

**HARMONICA, subst. m.**
*Mus.* **1.** Vx. Instrument constitué de récipients de verre contenant plus ou moins d'eau, que l'on faisait résonner par frottement. **2.** Petit instrument formé d'une succession de tuyaux courts à anches libres que l'on fait vibrer par le souffle. 1765 ; angl. *harmonica*, de l'ital. *armonico*, « qui est en harmonie » ; [aʀmɔnika].

**HARMONIE, subst. f.**
**I. 1.** Série de sons agréablement accordés : ***Harmonie*** *suave.* ► *Versif.* ***Harmonie*** *imitative* : évocation d'une réalité naturelle grâce à un choix de sonorités appropriées. **2.** *Mus.* Science et ensemble de lois qui régissent la combinaison des parties et des voix, la formation et la juxtaposition des accords : ***Harmonie*** *et contrepoint* ; *Un traité d'****harmonie****.* ► *Orchestre d'****harmonie*** : orchestre constitué d'instruments à vent et à percussion. **II. 1.** Concordance agréable entre les différentes parties d'un ensemble : ***Harmonie*** *d'un paysage.* **2.** Union, affinité, symbiose entre des personnes ou des choses : *Une équipe où règne l'****harmonie****.* **3.** *Litt.* et *B.-a.* Impression de beauté qui résulte du choix et de l'agencement des divers éléments d'un chef-d'œuvre. Mil. XIIe s. ; lat. *harmonia*, du gr. *harmonia* ; [aʀmɔni].

**HARMONIEUSEMENT, adv.**
D'une manière harmonieuse. 1512 ; ☞ *harmonieux* ; [aʀmɔnjøzmɑ̃].

**HARMONIEUX, EUSE, adj.**
**1.** Qui est agréable à l'oreille. **2.** Ext. Se dit d'un ensemble dont les parties sont agréablement combinées : *Décor* ***harmonieux****.* **3.** Fig. Qui est source de bien-être et de sérénité : *Une vie de couple* ***harmonieuse****.* XIIIe s. ; ☞ *harmonie* ; [aʀmɔnjø, øz].

**HARMONIQUE, adj.**
**1.** *Mus.* Se dit d'un élément musical (accord, phrase mélodique, etc.) qui respecte les lois de l'harmonie, par oppos. à l'écriture contrapuntique. **2.** *Acoust.* Qualifie une vibration sonore dont la fréquence est un multiple entier de la fréquence fondamentale définissant la hauteur du son ; par ex., la fréquence du *la* d'un diapason est $f = 440$ Hz, ses fréquences **harmoniques** sont $2f = 880$ Hz, $3f = 1\,320$ Hz, etc. La superposition de la fréquence fondamentale $f$ et des fréquences **harmoniques** caractérise le timbre de l'instrument ; empl. subst. : *Un* ou *Une* ***harmonique****.* **3.** *Math.* *Division* ***harmonique*** : formée par un quadruplet (A, B, C, D) de points d'une droite dont le birapport est égal à –1, c.-à-d. $\frac{\overline{AC}}{\overline{BC}} = -\frac{\overline{AD}}{\overline{BD}}$ (C et D sont dits conjugués **harmoniques** de A et B) ; *Moyenne* ***harmonique*** (☞ *moyenne*). 1377 ; lat. *harmonicus*, du gr. *harmonikos* ; [aʀmɔnik].

**HARMONIQUEMENT, adv.**
**1.** *Géom.* De manière à former une division harmonique. **2.** *Mus.* Conformément aux lois de l'harmonie. 1576 ; ☞ *harmonique* ; [aʀmɔnikmɑ̃].

**HARMONISATION, subst. f.**
Action d'harmoniser ; son résultat. ► *Phon.* ***Harmonisation*** *vocalique* : modification par assimilation de la prononciation d'une voyelle sous l'influence d'une voyelle voisine, portant dans certaines langues sur toutes les voyelles d'un mot. 1842 ; ☞ *harmoniser* ; [aʀmɔnizasjɔ̃].

**HARMONISER, verbe trans.** [3]
**1.** Mettre en harmonie (des choses) : ***Harmoniser*** *des points de vue divergents.* **2.** *Mus.* ► Composer (une mélodie) selon les lois de l'harmonie. ► Régler le timbre des tuyaux de (un orgue). PRONOM. Se mettre, être en harmonie, en accord (avec qqch.) : *Sa cravate s'****harmonise*** *à (avec) sa chemise.* Fin XVe s. ; ☞ *harmonie* ; [aʀmɔnize].

**HARMONISTE, subst.**
*Mus.* ► Spécialiste des lois de l'harmonie. ► Spécialiste du réglage des jeux d'orgues. 1768 ; ☞ *harmonie* ; [aʀmɔnist].

**HARMONIUM, subst. m.**
*Mus.* Instrument à clavier et à soufflerie, comme l'orgue, mais muni d'anches libres au lieu de tuyaux et qui accompagne souvent le service religieux. 1840 ; ☞ *harmonie* ; [aʀmɔnjɔm].

**HARNACHEMENT, subst. m.**
**1.** Action de harnacher. **2.** Équipement des chevaux et, par ext., des animaux de selle et de trait. **3.** Anal. Habillement, équipement lourd et encombrant ; par ext., accoutrement ridicule. XIVe s. ; ☞ *harnacher* ; [ˈaʀnaʃmɑ̃].

**HARNACHER, verbe trans.** [3]
**1.** Mettre le harnais à. **2.** Anal. Vêtir d'habits encombrants ; par ext., accoutrer. PRONOM. S'équiper lourdement. Déb. XIIIe s. ; ☞ *harnais* ; [ˈaʀnaʃe].

**HARNAIS, subst. m.**
**1.** Vx. Armure complète d'un soldat ; par ext., uniforme militaire. ► Loc. *Blanchir sous le* ***harnais*** : vieillir dans le métier des armes et, par anal., dans son métier. **2.** Anal. Système de sangles destiné à maintenir qqn ou à le relier à un dispositif : ***Harnais*** *de sécurité d'un alpiniste* ; ***Harnais*** *d'un parachute.* **3.** Ensemble des pièces composant l'équipement d'un animal de trait ; en partic., les pièces souples en cuir. **4.** *Techn.* Ensemble des pièces d'un métier à tisser. Mil. XIIe s. ; anc. nord. *hernest*, « provisions pour l'armée » ; var. *harnois* (vx ou can.) ; [ˈaʀnɛ].

**HARO, interj. et subst. m.**
INTERJ. Vx. *Dr.* Cri d'appel à l'aide qui rendait obligatoire l'intervention de ceux qui l'entendaient. ► Loc. *Crier* ***haro*** *sur qqn, sur le baudet* : dénoncer qqn à l'indignation de tous. SUBST. Expression de réprobation : *Déclencher un* ***haro*** *dans la presse.* Fin XIIe s. ; anc. bas frq. °*hara*, « ici, de ce côté » ; [ˈaʀo].

**HARPAGON, subst. m.**
Homme d'une grande avarice (littér.). 1696 ; *Harpagon*, personnage de Molière, du lat. *harpago*, « harpon » ; [aʀpagɔ̃].

**HARPE (I), subst. f.**
*Mus.* Instrument triangulaire à cordes d'inégale longueur, que l'on pince des deux mains. 1080 ; germ. °*harpa*, sorte d'instrument à cordes ; [ˈaʀp].

**HARPE (II), subst. f.**
**1.** *Techn.* Instrument ou élément de forme crochue ; fer coudé. **2.** *Archit.* Saillie d'une pierre de taille. 1409 ; prob. *harper* (vx), « s'accrocher à », du germ. °*harpan*, « saisir » ; [ˈaʀp].

**HARPIE, subst. f.**
**1.** *Myth.* En Grèce, monstre mythique à tête de femme et à corps d'oiseau. **2.** Fig. ► Personne rapace (vieilli). ► Femme acariâtre. **3.** *Zool.* Grand rapace diurne d'Amérique tropicale. XIVe s. ; lat. *harpyia*, du gr. *harpuia* ; [ˈaʀpi].

**HARPISTE, subst.**
Joueur de harpe. 1677 ; ☞ *harpe* (I) ; [ˈaʀpist].

**HARPON, subst. m.**
**1.** Vx. Agrafe. **2.** *Constr.* Pièce métallique coudée qui relie deux pièces de maçonnerie. **3.** *Pêche.* Dard barbelé, fixé à une hampe et muni d'un câble, qu'on lance à la main, au fusil ou au canon pour capturer gros poissons et cétacés. ► *Préhist.* Pointe d'arme de jet en os ou en bois de cervidé munie de barbelures. **4.** *Mar.* Grappin tranchant utilisé pour l'abordage d'un vaisseau ennemi. ► Anal. Grappin de sapeurs-pompiers. Déb. XIIe s. ; *harper* (vx), « s'accrocher à », du germ. °*harpan*, « saisir » ; [ˈaʀpɔ̃].

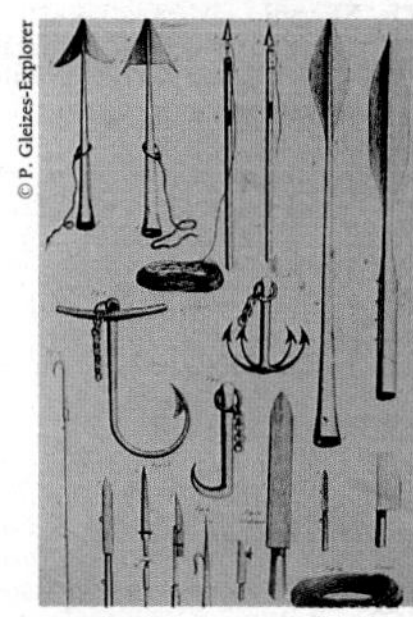

*Panoplie de* ***harpons*** *et d'outils de dépeçage pour la chasse à la baleine.*

**HARPONNAGE, subst. m.**
Action de harponner (synon. *harponnement*). 1769 ; ☞ *harponner* ; [ˈaʀpɔnaʒ].

**HARPONNER, verbe trans.** [3]
**1.** Accrocher avec un harpon ou, par ext., avec un instrument semblable. **2.** Fig. Arrêter au passage, saisir brutalement (fam.) : *Se faire* ***harponner*** *dans l'escalier.* 1613 ; ☞ *harpon* ; [ˈaʀpɔne].

**HART, subst. f.**
**1.** Vx. Corde avec laquelle on pendait les criminels ; par méton., la pendaison elle-même. **2.** Lien d'osier, de bois flexible servant à attacher les fagots (vx). Mil. XIIe s. ; anc. bas frq. °*hard*, « filasse » ; [ˈaʀ].

**HARUSPICE,** voir **ARUSPICE**

**HASARD,** subst. m.
**1.** *M.Â.* Jeu de dés ; coup heureux à ce jeu. ▸ *Jeu de* ***hasard*** : qui ne laisse pas place au calcul ou à l'habileté. **2.** Risque, danger (souv. au plur.) : *Les* ***hasards*** *de la guerre.* **3.** Cas, évènement fortuit : *Un heureux* ***hasard.*** ▸ Loc. *Au* ***hasard*** : à l'aventure, sans ordre, sans réflexion ; *À tout* ***hasard*** : en prévision de ce qui peut arriver ; *Par* ***hasard*** : fortuitement. **4.** Cause que l'on attribue à ce qui arrive sans raison apparente : *Les lois du* ***hasard.*** Mil. XIIe s. ; ar. *al-zahr,* « dé à jouer ; coup aux dés » ; [ˈazaʀ].

**HASARDER,** verbe trans. [3]
**1.** Livrer à l'incertitude du sort, risquer (littér.) : ***Hasarder*** *sa vie.* **2.** Faire (qqch.), exprimer (une opinion, une idée) en risquant d'échouer : ***Hasarder*** *une démarche* ; ***Hasarder*** *une suggestion* ; empl. adj. : *Une conclusion* ***hasardée,*** dont on peut douter, osée. **Pronom. 1.** S'aventurer. **2. Se hasarder à.** Se risquer à. 1407 (déb. XIIIe s., jouer aux dés) ; ☞ *hasard* ; [ˈazaʀde].

**HASARDEUX, EUSE,** adj.
**1.** Qui comporte des risques : *Un plan* ***hasardeux.*** **2.** Qui s'expose au risque (en parlant d'une personne). 1540 ; ☞ *hasard* ; [ˈazaʀdø, øz].

**HASCHISCH,** subst. m.
Résine sécrétée par les plants femelles du chanvre indien (*Cannabis sativa*), qui, mâchée ou fumée, engendre une ivresse particulière et dont l'usage abusif peut induire une toxicomanie. 1556 ; ar. *ḥašīš,* « herbe » ; var. *hachisch* ; [ˈaʃiʃ].

**HASE,** subst. f.
Femelle du lièvre. 1556 ; all. *Hase,* « lièvre » ; [ˈɑz].

**HASSIDIM,** subst. m. plur.
Juifs orthodoxes se réclamant du hassidisme. XVIIe s. ; hébreu *ḥassidim,* « les pieux » ; [ˈasidim].

**HASSIDISME,** subst. m.
*Relig.* **1.** Courant mystique juif né au Moyen Âge en Allemagne, prônant l'amour du prochain et l'ascèse contemplative. **2.** Courant mystique développé au XVIIIe s. par un juif ukrainien, Ba'al Shem Tov (1700-1760), qui, plutôt que l'ascèse, exalte la ferveur et la foi. 1923 ; ☞ *hassidim* ; [ˈasidism].

**HAST,** subst. m.
Vx. Lance, pique. ▸ *Arme d'****hast*** : dont le fer est emmanché sur une hampe. XIIIe s. ; lat. *hasta* ; [ast].

**HASTAIRE,** subst. m.
*Antiq. rom.* Soldat armé d'une lance. 1549 ; lat. *hastarius,* « qui concerne les javelots » ; [ˈastɛʀ].

**HASTÉ, ÉE,** adj.
*Bot.* Qualifie une feuille possédant à sa base deux lobes étalés et ressemblant à un fer de hallebarde. 1789 ; ☞ *hast* ; [ˈaste].

**HÂTE,** subst. f.
Précipitation, empressement ; diligence, promptitude : *Il travaille avec trop de* ***hâte.*** ▸ Loc. *En (toute)* ***hâte*** : (très) rapidement ; *À la* ***hâte*** : au plus vite ; *Sans* ***hâte*** : en prenant son temps. Mil. XIIe s. ; anc. bas frq. °*haist,* « violence, véhémence » ; [ˈɑt].

**HÂTELET,** subst. m.
Petite broche à rôtir. Fin XIVe s. ; anc. fr. *haste,* « broche à rôtir » ; [ˈɑt(ə)lɛ].

**HÂTER,** verbe trans. [3]
**1.** Faire arriver (qqch.) plus vite : ***Hâter*** *son départ.* **2.** Rendre plus rapide : ***Hâter*** *la guérison d'un malade.* **Pronom.** Faire diligence ; se dépêcher. ▸ Loc. ***Hâte-toi*** *lentement* : agis sans te précipiter (expression attribuée à Auguste). Fin XIe s. ; ☞ *hâte* ; [ˈɑte].

**HÂTIER,** subst. m.
**1.** Vx. Broche à rôtir. **2.** Chenet sur lequel on place des broches à rôtir superposées. Fin XIIe s. ; anc. fr. *haste* ; [ˈɑtje].

**HÂTIF, IVE,** adj.
**1.** Qui se hâte (littér.). **2.** Qui vient avant son temps ; précoce : *Été, fruit* ***hâtif.*** **3.** Fait trop vite, bâclé : *Jugement* ***hâtif.*** Fin XIe s. ; ☞ *hâte* ; [ˈɑtif, iv].

**HÂTIVEAU,** subst. m.
Fruit ou légume précoce (vx). Fin XIIIe s. (déb. XIIIe s., saison hâtive) ; ☞ *hâtif* ; [ˈɑtivo].

**HÂTIVEMENT,** adv.
**1.** Précocement. **2.** Précipitamment. Mil. XIIe s. ; ☞ *hâtif* ; [ˈɑtivmɑ̃].

**HATTÉRIA,** subst. m.
*Zool.* Reptile, seul représentant actuel de l'ordre des Rhynchocéphales, vivant en Nouvelle-Zélande (synon. *sphénodon*). 1908 ; lat. sc. *hatteria* ; var. *une hatterie* ; [ˈateʀja].

**HAUBAN,** subst. m.
**1.** *Mar.* Câble ou cordage étayant un mât par le travers ou par l'arrière. **2.** Ext. Câble ou cordage servant à maintenir ou à consolider : *Les* ***haubans*** *du pont de saint-Nazaire.* 1155 ; anc. nord. *höfudbendur,* « câble principal d'un navire » ; [ˈobɑ̃].

**HAUBANAGE,** subst. m.
**1.** Action de haubaner. **2.** Ensemble de haubans. 1927 ; ☞ *hauban* ; [ˈobanaʒ].

**HAUBANER,** verbe trans. [3]
Étayer, consolider au moyen de haubans. 1676 ; ☞ *hauban* ; [ˈobane].

**HAUBERT,** subst. m.
*M. Â.* Cotte de mailles que portaient les hommes d'armes. Fin XIe s. ; anc. bas frq. °*halsberg,* « ce qui protège le cou », de °*hals,* « cou », et de °*bergan,* « mettre en sûreté » ; [ˈobɛʀ].

**HAUSSE,** subst. f.
**I. 1.** Dispositif servant à hausser. **1.** *Arm.* Dispositif gradué, placé sur le canon d'une arme à feu, qui sert au pointage. **2.** *Mus.* ***Hausse*** *d'un archet* : pièce de bois servant à écarter les crins de la baguette. **II. 1.** Fait de s'élever : *La* ***hausse*** *barométrique.* **2.** Augmentation de prix, de valeur : *La* ***hausse*** *des salaires.* **3.** Loc. *En* ***hausse*** : en train d'augmenter. 1376 ; ☞ *hausser* ; [ˈos].

**HAUSSE-COL,** subst. m.
**1.** *Milit.* Pièce d'armure qui protégeait la base du cou (vieilli). **2.** *Méd.* Minerve. 1415 ; orig. obsc. ; plur. *hausse-cols* ; [ˈoskɔl].

**HAUSSEMENT,** subst. m.
**1.** Vx. Action de hausser. **2.** ***Haussement*** *d'épaules* : mouvement traduisant l'agacement, le dédain, la résignation, etc. 1358 ; ☞ *hausser* ; [ˈosmɑ̃].

**HAUSSER,** verbe trans. [3]
**1.** Mettre à un niveau plus élevé (anton. *baisser*) : ***Hausser*** *les épaules* ; empl. pronom. : *Se* ***hausser*** *sur la pointe des pieds.* **2.** Relever, accroître la hauteur de : ***Hausser*** *un mur.* **3.** Augmenter l'intensité de (un son). ▸ ***Hausser*** *la voix, le ton* : parler fort, d'un ton mécontent. **4.** Fig. Augmenter la valeur de, élever : ***Hausser*** *les prix.* Déb. XIIe s. ; lat. pop. °*altiare,* du lat. *altus,* « haut » ; [ˈose].

**HAUSSIER, IÈRE,** subst. m. et adj.
*Bourse.* **Subst.** Personne qui joue à la hausse. **Adj.** Relatif à la hausse des cours : *Tendance* ***haussière.*** 1823 ; ☞ *hausse* ; [ˈosje, jɛʀ].

**HAUSSIÈRE,** subst. f.
*Mar.* Gros cordage servant à haler ou à amarrer un bateau. 1803 (1382, cordage) ; lat. pop. °*helciaria,* du lat. *helcium,* « collier de trait » ; var. *aussière* ; [ˈosjɛʀ].

**HAUT, HAUTE,** adj., adv. et subst. m.
**Adj. 1.** Qui a en hauteur telle dimension : *La tour Eiffel est* ***haute*** *de 320 mètres.* ▸ Loc. ***Haut*** *comme trois pommes* : de très petite taille. **2.** Qui a une hauteur supérieure à celle d'éléments de même nature : ***Haut*** *(-) fourneau* (☞ *fourneau*). **3.** Qui est situé au-dessus d'éléments comparables : *Ville* ***haute.*** ▸ *Géogr.* Qualifie une zone située en altitude : *Les* ***hauts*** *plateaux* ; qualifie la partie d'un fleuve ou d'un pays la plus distante de la mer : *La* ***haute*** *Loire* ; *La* ***haute*** *Égypte* ; qui est éloigné du rivage : *Gagner la* ***haute*** *mer.* ▸ Qui est à son niveau le plus élevé : *Les* ***hautes*** *eaux de la Seine en crue.* **4.** Qui est en position redressée, relevée : *Ils avançaient, bannières* ***hautes.*** ▸ Loc. *Aller la tête* ***haute*** : avec assurance, n'ayant rien à se reprocher ; *Tenir la dragée* ***haute*** *à qqn* (☞ *dragée*). **5.** Qui est le plus proche de son commencement, en parlant d'une ère, d'une époque : *Le* ***haut*** *Moyen Âge.* **6.** Dont l'intensité est élevée. ▸ Qui est aigu, dans l'échelle des sons : *Les notes* ***hautes*** *du violon.* ▸ Bruyant, fort : *À voix* ***haute.*** ▸ Loc. ***Haut*** *en couleur* : aux couleurs vives et bariolées ou, au fig., pittoresque, original. **7.** Qui est prééminent, supérieur : *Le* ***haut*** *clergé* ; *La* ***haute*** *société* ou, par ell. (fam.), *La* ***haute*** ; empl. subst. masc. : *Le Très-****Haut,*** Dieu. ▸ Qui est d'une grande efficience, d'une qualité remarquable : *Avoir de* ***hautes*** *compétences.* **8.** Qui est d'une valeur élevée : *Jouir de* ***hauts*** *revenus.* **9.** *Diplom. Les* ***hautes*** *parties contractantes* : les États cosignataires d'un accord, d'un traité. **10.** *Just. La* ***Haute*** *Cour de justice* (☞ *justice*) ; ***Haute*** *trahison* (☞ *trahison*). **Adv. 1.** Sur une certaine hauteur ; en altitude : *Ce village est* ***haut*** *perché* ; *Aigle qui plane* ***haut*** *dans le ciel.* ▸ En position relevée : *Retrousser* ***haut*** *ses manches.* **2.** À voix élevée : *Parlez moins* ***haut !*** ▸ Loc. *Parler* ***haut*** *et ferme* : sans ambiguïté et résolument. **3.** À un rang supérieur : *Personne* ***haut*** *placée.* **4. De haut.** D'un endroit situé en hauteur : *Il faut admirer ce paysage de* ***haut.*** ▸ Loc. *Tomber de* ***haut*** : perdre tout d'un coup ses illusions ; *Traiter qqn de* ***haut*** : avec dédain ; *Le prendre de* ***haut*** : réagir avec arrogance, par amour-propre. **5. En haut.** Dans la partie élevée de qqch. ; au fig. : *Ordres qui émanent d'en* ***haut,*** de l'autorité supérieure. ▸ Loc. prép. *En* ***haut*** *de* : dans ou sur la partie la plus élevée de. **Subst. 1.** Mesure verticale, de la base au sommet ; hauteur : *Immeuble mesurant 75 mètres de* ***haut.*** **2.** Altitude atteinte : *Oiseau qui vole à 50 mètres de* ***haut.*** **3.** Partie la plus élevée de qqch. : *Le* ***haut*** *d'une falaise* ; Les ***Hauts****-de-Seine.* **4.** *Cost.* Partie du vêtement féminin qui couvre la poitrine : *Le* ***haut*** *d'un maillot deux pièces.* Fin XIe s. ; lat. *altus* ; [ˈo, ˈot].

**HAUTAIN (I), AINE,** adj.
**1.** Noble, élevé (vx). **2.** Fier, méprisant : *Air* ***hautain.*** Fin XIIe s. (fin XIe s., élevé, haut) ; ☞ *haut* ; [ˈotɛ̃, ɛn].

**HAUTAIN (II),** subst. m.
*Agric.* Vigne cultivée en hauteur, qui s'appuie sur des arbres ou des échalas ; par méton. : *Vigne en* ***hautains.*** 1562 ; ☞ *haut* ; var. *hautin* ; [ˈotɛ̃].

**HAUTBOIS,** subst. m.
**1.** *Mus.* Instrument à vent, de la famille des bois, à anche double. **2.** Méton. Hautboïste. 1455 ; formé de *haut* et de *bois* ; [ˈobwɑ].

**HAUTBOÏSTE,** subst.
Joueur de hautbois. 1779 ; ☞ *hautbois* ; [ˈobɔist].

**HAUT-COMMISSAIRE,** subst. m.
**1.** Haut fonctionnaire dirigeant un grand service administratif. **2.** Haut fonctionnaire chargé d'une mission particulière. Comp. de *haut* et de *commissaire* ; plur. *hauts-commissaires* ; [ˈokɔmisɛʀ].

**HAUT-COMMISSARIAT,** subst. m.
**1.** Fonction de haut-commissaire. **2.** Méton. Bâtiments où siègent les services que dirige un haut-commissaire. Comp. de *haut* et de *commissariat* ; plur. *hauts-commissariats* ; [ˈokɔmisaʀja].

**HAUT-DE-CHAUSSES,** subst. m. inv.
*Cost.* Culotte bouffante allant de la taille aux genoux (vx). 1490 ; comp. de *haut* et de *chausse* ; [ˈod(ə)ʃos].

**HAUT-DE-FORME,** subst. m.
*Cost.* Chapeau d'homme en tissu soyeux, haut et cylindrique, accompagnant l'habit, la jaquette ou la redingote (vieilli). 1886 ; ell. de *chapeau haut de forme* ; plur. *hauts-de-forme* ; [ˈodfɔʀm].

**HAUTE-CONTRE,** subst.
*Mus.* **Fém.** Registre masculin plus aigu que celui du ténor, souv. utilisé dans le répertoire des XVIe et XVIIIe s. **Masc.** Interprète qui chante dans ce registre (synon. *contre-ténor*). 1553 (1486, baryton) ; comp. de *haut* et de *contre* ; plur. *hautes-contre* ; [ˈotkɔ̃tʀ].

**HAUTE-FIDÉLITÉ,** subst. f.
Ensemble des techniques permettant de reproduire des sons avec une grande précision ; empl. adj. : *Chaîne* ***haute-fidélité.*** 1955 ; comp. de *haut* et de *fidélité,* d'apr. l'angl. *high fidelity* ; abrév. *hi-fi* (anglic.), plur. *hautes-fidélités* ; [ˈotfidelite].

**HAUTEMENT,** adv.
**1.** Vx. À haute voix. **2.** Franchement, nettement. **3.** Fortement, à un haut degré : *Son échec est* ***hautement*** *probable.* Fin XIe s. ; ☞ *haut* ; [ˈotmɑ̃].

**HAUTESSE,** subst. f.
*Hist.* Titre honorifique qu'on donnait autrefois à certains personnages : *Sa* ***Hautesse*** *le sultan de Turquie.* XIIIe s. (déb. XIIe s., hauteur, lieu élevé) ; bas lat. *altitia,* « hauteur », du lat. *altus,* « haut » ; [ˈotɛs].

**HAUTEUR,** subst. f.
**I. 1.** Dimension dans le sens vertical, de la base au sommet : *Un arbre de 10 mètres de* ***hauteur.*** ▸ Taille d'un être vivant : *L'ours se dressa de toute sa* ***hauteur.*** **2.** Position relative verticalement à un niveau de référence (gén. le sol) : *Tableaux fixés à des* ***hauteurs*** *différentes* ; *Prendre, perdre de la* ***hauteur,*** de l'altitude. ▸ Loc. *À* ***hauteur*** *de* : au niveau de ou, au fig., à concurrence de. ▸ *Astron.* Angle que forme la direction d'un astre avec le plan de l'horizon : *Prendre la* ***hauteur*** *du Soleil,* mesurer cet angle pour faire le point en mer. ▸ *Mar. À la* ***hauteur*** *de* : à la latitude de ; par ext., sur la même ligne que : *Parvenu à sa* ***hauteur,*** *je le saluai.* ▸ *Sp. Saut en* ***hauteur*** ou, empl. abs., *La* ***hauteur*** : discipline

*Une des techniques du saut en* ***hauteur****, le fosbury.*

consistant à franchir une barre que l'on élève graduellement. **3.** Lieu, position dominante : *Château fort bâti sur une* ***hauteur****.* **4.** *Spéc.* ▸ *Acoust.* Degré d'acuité d'un son, lié à sa fréquence. ▸ *Géom.* ***Hauteur*** *d'un triangle* : l'une quelconque des trois droites passant par un sommet et perpendiculaire au côté opposé ; ***Hauteur*** *d'un parallélogramme, d'un trapèze* : distance entre deux côtés parallèles ; ***Hauteur*** *d'un cône* (☞ *cône*). ▸ *Phys.* ***Hauteur*** *barométrique* : **hauteur** (verticale) de la colonne de mercure dans un baromètre. **II.** Fig. **1.** Élévation spirituelle : ***Hauteur*** *de vues* ; *Un projet qui manque de* ***hauteur****.* ▸ Loc. *Être à la* ***hauteur*** : disposer des capacités requises. **2.** Attitude d'une personne hautaine, arrogance : *Toiser qqn avec* ***hauteur****.* ◻ 1155 ; ☞ *haut* ; [ˈotœʀ].

**HAUT-FOND, subst. m.**
Élévation locale du fond de la mer, d'un lac ou d'un cours d'eau, recouverte d'eau peu profonde, et qui peut être dangereuse pour la navigation. ◻ 1716 ; comp. de *haut* et de *fond* ; plur. *hauts-fonds* ; [ˈofɔ̃].

**HAUTIN, voir HAUTAIN (II)**

**HAUT-LE-CŒUR, subst. m. inv.**
**1.** Nausée. **2.** Fig. Sentiment de dégoût, répugnance. ◻ 1857 ; comp. de *haut* et de *cœur* ; [ˈol(ə)kœʀ].

**HAUT-LE-CORPS, subst. m. inv.**
**1.** *Équit.* Saut brusque et imprévu d'un cheval qui se cabre. **2.** Ext. Brusque raidissement du corps marquant la surprise, l'impatience, l'indignation, etc. ◻ 1560 ; comp. de *haut* et de *corps* ; [ˈol(ə)kɔʀ].

**HAUT-PARLEUR, subst. m.**
Appareil qui transforme des courants électriques en ondes acoustiques. ◻ 1898 ; comp. de *haut* et de *parleur* ; plur. *haut-parleurs* ; [ˈopaʀlœʀ].

**HAUT-RELIEF, subst. m.**
*B.-a.* Sculpture qui semble détachée du mur sur lequel elle fait saillie (anton. *bas-relief*). ◻ 1669 ; comp. de *haut* et de *relief* ; plur. *hauts-reliefs* ; [ˈoʀəljɛf].

**HAUTURIER, IÈRE, adj.**
*Mar.* Qui a trait à la haute mer : *Pêche, navigation* ***hauturière****.* ◻ 1632 ; ☞ *haut* ; [ˈotyʀje, jɛʀ].

**HAVAGE, subst. m.**
Action de haver. ◻ Mil. XIXᵉ s. ; ☞ *haver* ; [ˈavaʒ].

**HAVANAIS, AISE, adj. et subst.**
De La Havane. **Subst. masc.** Variété de chien bichon. ◻ Mil. XIXᵉ s. ; topon. *La Havane* ; [ˈavanɛ, ɛz].

**HAVANE, subst. m. et adj. inv.**
**Subst.** Tabac de La Havane ; par méton., cigare fabriqué avec ce tabac. **Adj.** D'un marron clair : *Un sac* ***havane****.* ◻ 1838 ; topon. *La Havane (Cuba)* ; [ˈavan].

**HÂVE, adj.**
Maigre et pâle, livide (littér.) : *Un visage* ***hâve****.* ◻ 1560 (fin XIIᵉ s., mat au jeu d'échecs) ; anc. bas frq. °*haswa*, « gris comme le lièvre » ; [ˈɑv].

**HAVENEAU, subst. m.**
Petit filet, fixé au bout d'un manche, utilisé pour pêcher la crevette. ◻ 1713 ; norm. *havenet*, de l'anc. nord. *hâfr-net*, de *hâfr*, « engin de pêche », et de *net*, « filet » ; var. *havenet* ; [ˈavno].

**HAVER, verbe trans.** [3]
*Mines.* Abattre (la roche) en taillant parallèlement à la stratification. ◻ Fin XIVᵉ s. ; orig. obsc. ; [ˈave].

**HAVEUR, EUSE, subst.**
Personne qui have. **Subst. fém.** Machine servant au havage. ◻ 1568 ; ☞ *haver* ; [ˈavœʀ, øz].

**HAVRE, subst. m.**
**1.** Petit port abrité (vieilli). **2.** Fig. Abri, refuge : ***Havre*** *de paix.* ◻ Mil. XIIᵉ s. ; m. néerl. *hafen* ; [ˈɑvʀ].

**HAVRESAC, subst. m.**
Sac porté sur le dos par un fantassin (vieilli) ; par ext., sac à dos. ◻ 1680 ; bas all. °*hawersack* ; [ˈɑvʀəsak].

**HAWAIIEN, IENNE, adj. et subst.**
Des îles Hawaii. **Adj.** *Géol. Volcan* ***hawaiien*** : qui émet une lave basaltique très fluide. ◻ 1839 ; topon. *Hawaii* ; var. *hawaïen, enne* ; [awajɛ̃, jɛn].

**HAYON, subst. m.**
**1.** Vx. Claie servant d'abri. **2.** Panneau amovible à l'avant ou à l'arrière d'une charrette ; par ext., panneau mobile tenant lieu de porte à l'arrière d'un véhicule. ◻ 1877 (1280, étal) ; ☞ *haie* ; [ˈajɔ̃].

**He, voir HÉLIUM**

**HÉ, interj.**
Sert à interpeller, à attirer l'attention, à marquer l'ironie, la surprise, etc. ◻ XIᵉ s. ; onomat. ; [ˈe].

**HEAUME, subst. m.**
**1.** *M. Â.* Casque des hommes d'armes enveloppant la tête et le visage. **2.** *Hérald.* Casque surmontant l'écu. ◻ Fin XIᵉ s. ; anc. bas frq. °*helm* ; [ˈom].

**HEAUMIER, IÈRE, subst.**
*M. Â.* **Masc.** Fabricant de heaumes. **Fém.** Femme d'un **heaumier**. ◻ 1260 ; ☞ *heaume* ; [ˈomje, jɛʀ].

**HEBDOMADAIRE, subst. m. et adj.**
**Subst.** Vx. Moine en fonction pour la semaine. **Adj. 1.** Qui s'accomplit, se renouvelle chaque semaine : *Repos* ***hebdomadaire****.* ▸ Qui paraît chaque semaine ; empl. subst. masc., publication **hebdomadaire** (abrév. : hebdo). **2.** Qui a lieu dans l'espace d'une semaine : *Travail* ***hebdomadaire****.* ◻ 1220 ; lat. chrét. *hebdomadarius* ; [ɛbdɔmadɛʀ].

**HEBDOMADAIREMENT, adv.**
Chaque semaine, une fois par semaine. ◻ 1781 ; ☞ *hebdomadaire* ; [ɛbdɔmadɛʀmɑ̃].

**HEBDOMADIER, IÈRE, subst.**
Religieux ou religieuse chargé d'un service précis pendant une semaine. ◻ Mil. XIIIᵉ s. ; lat. chrét. *hebdomadarius* ; [ɛbdɔmadje, jɛʀ].

**HÉBÉPHRÉNIE, subst. f.**
*Psych.* Psychose de type schizophrénique, de survenue précoce, accompagnée d'une très grave désorganisation de la personnalité (synon. *schizophrénie de type désorganisé*). ◻ 1892 ; all. *Häbephrenia*, du gr. *hêbê*, « jeunesse », et *phrên*, « intelligence » ; [ebefʀeni].

**HÉBERGE, subst. f.**
*Dr.* Limite de mitoyenneté de deux bâtiments de hauteur inégale, située au faîte du bâtiment le moins élevé. ◻ 1552 (mil. XIᵉ s., logis) ; ☞ *héberger* ; [ebɛʀʒ].

**HÉBERGEMENT, subst. m.**
Action d'héberger ; son résultat. ◻ 1586 (1155, logement) ; ☞ *héberger* ; [ebɛʀʒəmɑ̃].

**HÉBERGER, verbe trans.** [5]
**1.** Loger (qqn) chez soi. **2.** Ext. Recevoir sur son sol, accueillir : *Ce centre* ***héberge*** *des réfugiés.* ◻ Mil. XIᵉ s. ; anc. bas frq. °*heribergôn*, « loger (une armée) » ; [ebɛʀʒe].

**HÉBERTISME (I), subst. m.**
Doctrine du publiciste Hébert (1757-1794), révolutionnaire extrémiste, créateur du *Père Duchesne*. ◻ 1794 ; anthropon. *Jacques René Hébert* ; [ebɛʀtism].

**HÉBERTISME (II), subst. m.**
Méthode d'éducation physique, fondée sur les exercices naturels en plein air. ◻ 1930 ; anthropon. *Georges Hébert* ; [ebɛʀtism].

**HÉBERTISTE, subst. et adj.**
Se dit d'un partisan de l'hébertisme. **Adj.** Relatif, propre à l'hébertisme. ◻ 1794 ; ☞ *hébertisme* (I) ; [ebɛʀtist].

**HÉBÉTÉ, ÉE, adj.**
**1.** Qui est dans un état d'hébétude. **2.** Méton. Qui manifeste cet état : *Un regard* ***hébété****.* ◻ 1669 (mil. XIVᵉ s., émoussé) ; p. p. de *hébéter* ; [ebete].

**HÉBÈTEMENT, subst. m.**
État d'une personne hébétée. ◻ 1586 ; ☞ *hébéter* ; var. *hébétement* ; [ebɛtmɑ̃].

**HÉBÉTER, verbe trans.** [8]
**1.** Engourdir l'activité physique ou intellectuelle de (gén. au passif) : ***Être hébété*** *de fatigue.* **2.** Ext. Rendre stupide. ◻ XIVᵉ s. ; lat. *hebetare* ; [ebete].

**HÉBÉTUDE, subst. f.**
**1.** Engourdissement de l'esprit ; stupidité. **2.** *Pathol.* État morbide caractérisé par une diminution ou une perte des facultés psychiques. ◻ 1530 ; bas lat. *hebetudo*, « état d'une chose émoussée » ; [ebetyd].

**HÉBRAÏQUE, adj.**
Relatif, propre aux Hébreux ou à leur langue. ◻ Mil. XVᵉ s. ; lat. chrét. *hebraicus* ; [ebʀaik].

**HÉBRAÏSANT, ANTE, subst. et adj.**
**1.** Qualifie ou désigne une personne qui étudie l'hébreu, en partic. les textes sacrés hébraïques. **2.** Se dit d'un juif converti resté fidèle au mosaïsme. ◻ 1586 ; p. pr. de *hébraïser* ; [ebʀaizɑ̃, ɑ̃t].

**HÉBRAÏSER, verbe** [3]
**Intrans. 1.** Étudier ou pratiquer l'hébreu. **2.** Employer des tournures propres à l'hébreu. **3.** Adopter les coutumes, la culture hébraïques. **Trans. 1.** Conférer un caractère hébraïque à (qqch.). **2.** Enseigner l'hébreu à (qqn). ◻ 1586 ; gr. *hebraizein*, de *Hebraios*, « Hébreu » ; [ebʀaize].

**HÉBRAÏSME, subst. m.**
*Ling.* Expression, tournure propre à l'hébreu. ◻ 1566 ; lat. chrét. *hebraismus* ; [ebʀaism].

**HÉBREU, subst. m. et adj. m.**
**Subst.** Langue sémitique que parlaient les Hébreux, devenue langue officielle d'Israël. ▸ Loc. *C'est de l'****hébreu*** : c'est incompréhensible. **Adj.** Relatif ou propre aux **Hébreux**, à l'**hébreu** (synon. *hébraïque*). ◻ Déb. XIIᵉ s. ; lat. chrét. *hebraeus* ; [ebʀø].

| FIGURES | transcription | appellation | FIGURES | transcription | appellation |
|---|---|---|---|---|---|
| א | ’ | aleph | ל | l | lamed |
| בּ ב | b, b̲ | bêt | מ | m | mêm |
| גּ ג | g, g̲ | guimel | נ | n | noun |
| דּ ד | d, d̲ | dalet | ס | s | samekh |
| ה et הּ | h | hé | ע | ‘ | ayin |
| ו | w | vav | פּ פ | p, f | pé |
| ז | z | zayin | צ | ṣ | tsadé |
| ח | ḥ | hêt | ק | q | qoph |
| ט | ṭ | têt | ר | r | rêch |
| י | y | yod | שׁ שׂ | š, ś | chin |
| כּ כ | k, k̲ | kaph | תּ ת | t, t̲ | tav |

*Les consonnes de l'alphabet* ***hébreu****.*
*La notation des voyelles, apparue plus tardivement, se fait par un système de points et de traits.*

**HÉCATOMBE, subst. f.**
**1.** *Antiq.* Sacrifice de cent bœufs. **2.** Anal. Massacre, mort d'un grand nombre d'animaux ou de personnes : ***Hécatombe*** *routière*, grand nombre d'accidents de la route mortels. **3.** Fig. Échec de nombreux candidats (fam.). ◻ 1513 ; lat. *hecatombe*, du gr. *hekatombê*, de *hekaton*, « cent », et de *bous*, « bœuf » ; [ekatɔ̃b].

**HECTARE, subst. m.**
*Métrol.* Unité de superficie égale à 100 ares, soit 10 000 mètres carrés (symb. : ha). ◻ 1795 ; ☞ *are* + *hecto-* ; [ɛktaʀ].

**HECTIQUE, adj.**
*Pathol.* ***Fièvre hectique*** : fièvre à larges oscillations de température, accompagnée d'hectisie. ◻ 1548 (1538, malade consomptif) ; lat. *hecticus* ; [ɛktik].

**HECTISIE, subst. f.**
*Pathol.* État de faiblesse, de maigreur extrême causé par la fièvre hectique. ◻ 1570 ; ☞ *hectique*, d'apr. *phtisie* ; var. *étisie* ; [ɛktizi].

**HECTOGRAMME, subst. m.**
*Métrol.* Unité de masse égale à 100 grammes (symb. : hg). ◻ 1795 ; ☞ *gramme* + *hecto-* ; [ɛktogʀam].

**HECTOLITRE, subst. m.**
*Métrol.* Unité de capacité égale à 100 litres (symb. : hl). ◻ 1795 ; ☞ *litre* (II) + *hecto-* ; [ɛktɔlitʀ].

**HECTOMÈTRE, subst. m.**
*Métrol.* Unité de longueur de 100 mètres (symb. : hm). ◻ 1795 ; ☞ *mètre* (II) + *hecto-* ; [ɛktɔmɛtʀ].

**HECTOMÉTRIQUE, adj.**
*Bornes **hectométriques*** : placées tous les cent mètres. 1832 ; ☞ *hectomètre* ; [ɛktɔmetʀik].

**HECTOPASCAL, subst. m.**
*Météor.* Unité de pression égale à 100 pascals (symb. : hPa ; synon. anc. *millibar*). ☞ *pascal* (II) + *hecto-* ; [ɛktopaskal].

**HECTOWATT, subst. m.**
*Phys.* Unité de puissance égale à 100 watts (symb. : hW). 1881 ; ☞ *watt* + *hecto-* ; [ɛktowat].

**HÉDÉRACÉES, subst. f. plur.**
*Bot.* Famille de plantes de l'ordre des Apiales (synon. *Araliacées*). AU SING. *Le lierre est une **hédéracée**.* 1771 ; lat. *hederaceus*, de *hedera*, « lierre » ; [edeʀase].

**HÉDONISME, subst. m.**
**1.** *Philos.* Morale qui place le bien dans la recherche du plaisir et l'évitement de la douleur ; en partic., doctrine des cyrénaïques. **2.** *Écon.* Principe selon lequel toute activité économique doit procurer un maximum de satisfaction pour un minimum d'efforts. **3.** *Psychanal.* Fixation de la libido sur certaines parties du corps, au cours de l'évolution normale de l'enfant : ***Hédonisme** buccal, génital.* 1877 ; gr. *hêdonê*, « plaisir », de *hêdesthai*, « se réjouir » ; [edɔnism].

**HÉDONISTE, subst.**
Adepte de l'hédonisme ; empl. adj. : *Morale **hédoniste**.* 1885 ; ☞ *hédonisme* ; var. *hédonistique* ; [edɔnist].

**HÉGÉLIANISME, subst. m.**
*Philos.* Doctrine du philosophe allemand Hegel, qui se présente comme une tentative, fondée sur la dialectique, d'explication systématique de la totalité de l'univers et de son histoire. 1842 ; anthropon. *Georg Wilhelm Friedrich Hegel* ; [egeljanism].

PHILOSOPHIE – S'opposant au formalisme de Kant puis à l'irrationalisme de Schelling, le système hégélien se déploie sur un rythme triadique (l'Être, ensemble des caractères pensables de toute réalité, la Nature, manifestation du réel, et l'Esprit, qui intériorise toute réalité) en un mouvement où la réalité est posée en soi (thèse), se développe hors de soi (antithèse) pour retourner en soi (synthèse). S'appuyant sur le « travail du négatif », c'est dans ce mouvement dialectique que les triades se succèdent jusqu'à la réalité qui contient toutes les négations. L'histoire est ainsi conçue comme une œuvre de la raison réconciliant réalité et pensée, sujet et objet, particulier et universel. Les continuateurs de Hegel attachés au système réalisèrent l'hégélianisme orthodoxe ; ceux qui mirent l'accent sur l'homme concret constituèrent l'hégélianisme de gauche, qui compte des philosophes matérialistes et libéraux (Feuerbach) et des penseurs révolutionnaires (Stirner, Engels et Marx).

**HÉGÉMONIE, subst. f.**
**1.** *Antiq. gr.* Prééminence d'une cité sur les autres, dans une fédération. **2.** Ext. Suprématie politique, économique ou militaire qu'une ville, un État ou un peuple exerce sur d'autres. 1815 ; gr. *hêgemonia*, de *hêgemôn*, « chef » ; [eʒemɔni].

**HÉGÉMONISME, subst. m.**
Propension d'un pays, d'un groupe social à l'hégémonie. ☞ *hégémonie* ; [eʒemɔnism].

**HÉGIRE, subst. f.**
*Relig.* Point de départ de la chronologie musulmane, date de la fuite de Mahomet à Médine en 622 de l'ère chrétienne ; par ext., ère de l'islam. 1556 ; toscan *hegira*, de l'ar. *hiğra*, « émigration » ; [eʒiʀ].

**HEIDUQUE, voir HAÏDOUK**

**HEIN, interj.**
Fam. **1.** Pour solliciter la répétition ou une explication : ***Hein** ? que dis-tu ?* **2.** Marque une réaction de surprise, d'incompréhension : ***Hein** ! il arrive déjà !* **3.** Insiste sur une affirmation : *Elle est belle, **hein** !* XIIe s. ; onomat. lat. *hem* ; [ˈɛ̃].

**HÉLAS, interj.**
Exprime une réaction de souffrance, de regret : ***Hélas** ! nous n'avons pu le sauver !* XIIe s. ; formé de *hé* et de l'anc. fr. *las*, « malheureux » ; [ˈelas].

**HÉLER, verbe trans.** [8]
**1.** *Mar.* Appeler à distance (une embarcation) en criant ou à l'aide d'un porte-voix. **2.** Ext. Appeler de loin par geste ou avec la voix : ***Héler** un taxi.* 1391 ; m. angl. *heilen*, « saluer » ; [ˈele].

**HÉLIANTHE, subst. m.**
*Bot.* Plante de la famille des Astéracées, à grandes fleurs jaunes qui se tournent vers le soleil, cultivée pour ses graines oléagineuses (synon. *tournesol*). 1615 ; lat. sc. *helianthes*, du gr. *hêlios*, « soleil », et *anthos*, « fleur » ; [eljɑ̃t].

**HÉLIANTHÈME, subst. m.**
*Bot.* Plante de la famille des Cistacées, appelée aussi gerbe d'or. 1615 ; lat. sc. *helianthemum*, du gr. *hêlios*, « soleil », et *anthemon*, « fleur » ; [eljɑ̃tɛm].

**HÉLIANTHINE, subst. f.**
*Chim.* Matière colorante qui vire au rouge si le pH du milieu est inférieur à 4, et au jaune s'il est supérieur à 4. 1890 ; ☞ *hélianthe* ; [eljɑ̃tin].

**HÉLIAQUE, adj.**
*Astron. Lever, coucher **héliaque** d'un astre* : qui précède de peu le lever du Soleil ou suit de près son coucher. 1593 ; bas lat. *heliacus*, du gr. *hêliakos* ; [eljak].

**HÉLIASTE, subst. m.**
*Antiq. gr.* Membre du tribunal populaire d'Athènes, l'Héliée, dont les séances se tenaient en plein air, dès le lever du soleil. 1721 ; gr. *hêliastês*, de *hêliazein*, « faire cuire au soleil » ; [eljast].

**HÉLICE, subst. f.**
**1.** *Archit.* ▸ Volute de chapiteau corinthien. ▸ Spirale décrite par un escalier qui s'enroule autour d'un axe. **2.** *Biochim.* Modèle d'organisation de nombreuses macromolécules : *Double **hélice** d'A. D. N.* **3.** *Géom.* Courbe gauche dont la tangente en chaque point fait un angle constant avec une direction fixe. **4.** *Mar.* et *Aéron.* Organe de propulsion de certains navires ou aéronefs, formé de pales perpendiculaires à un axe de rotation actionné par un moteur. 1547 ; lat. *helix*, du gr. *helix*, « spirale » ; [elis].

**HÉLICICULTEUR, TRICE, subst.**
Personne qui élève des escargots. 1922 ; ☞ *hélix* + *-culteur* ; [elisikyltœʀ, tʀis].

**HÉLICICULTURE, subst. f.**
Élevage des escargots. 1914 ; ☞ *hélix* + *-culture* ; [elisikyltyʀ].

**HÉLICOÏDAL, ALE, AUX, adj.**
**1.** Qui est en forme d'hélice. **2.** *Géom. Déplacement **hélicoïdal*** : déplacement dans l'espace, produit d'une rotation autour d'un axe (axe du déplacement) et d'une translation dont le vecteur est parallèle à l'axe. 1862 ; ☞ *hélicoïde* ; [elikɔidal, o].

**HÉLICOÏDE, subst. m.**
*Géom.* Surface réglée engendrée par une droite qui s'appuie sur une hélice circulaire (directrice) et sur l'axe de cette hélice, en restant parallèle à un plan donné. 1704 ; gr. *helikoeidês*, de *helix*, « spirale », et de *eidos*, « forme » ; [elikɔid].

**HÉLICON, subst. m.**
*Mus.* Volumineux tuba contrebasse, de forme circulaire, porté autour de soi et utilisé dans les fanfares. 1902 ; gr. *helikos*, « sinueux » ; [elikɔ̃].

**HÉLICOPTÈRE, subst. m.**
*Aéron.* Aéronef à décollage vertical, dont la sustentation et la propulsion sont assurées par des hélices surmontant l'appareil (abrév. fam. : hélico). 1862 ; gr. *helix*, « spirale », et *pteron*, « aile » ; [elikɔptɛʀ].

**HÉLIOCENTRIQUE, adj.**
Considéré par rapport au Soleil pris comme centre. 1721 ; ☞ *centre* + *hélio-* ; [eljosɑ̃tʀik].

**HÉLIOCENTRISME, subst. m.**
*Astron.* Théorie faisant du Soleil le centre de l'Univers. XXe s. ; ☞ *héliocentrique* ; [eljosɑ̃tʀism].

**HÉLIOGRAPHE, subst. m.**
**1.** Héliostat. **2.** *Météor.* Appareil conçu pour mesurer la durée de l'ensoleillement. 1857 ; formé de *hélio-* et de *-graphe* ; [eljɔgʀaf].

**HÉLIOGRAPHIE, subst. f.**
**1.** *Astron.* Description du Soleil. **2.** *Arts graph.* Procédé photographique de reproduction, utilisant l'insolation. 1802 ; formé de *hélio-* et de *-graphie* ; [eljɔgʀafi].

**HÉLIOGRAVEUR, EUSE, subst.**
Spécialiste de l'héliogravure. 1905 ; ☞ *héliograveur*, d'apr. *graveur* ; [eljogʀavœʀ, øz].

**HÉLIOGRAVURE, subst. f.**
*Arts graph.* Procédé photomécanique d'impression (abrév. fam. : hélio). 1873 ; ☞ *gravure* + *hélio-* ; [eljogʀavyʀ].

**HÉLIOMARIN, INE, adj.**
Qui associe l'influence bénéfique du soleil à celle de l'air marin. 1933 ; ☞ *marin* + *hélio-* ; [eljomaʀɛ̃, in].

**HÉLIOSTAT, subst. m.**
*Astron.* Instrument d'optique qui, grâce à un miroir plan, permet de réfléchir en un point fixe les rayons du Soleil, en compensant le mouvement de rotation terrestre. 1746 ; lat. sc. *heliostata*, du gr. *hêlios*, « soleil », et *statos*, « stationnaire » ; [eljɔsta].

**HÉLIOSYNCHRONE, adj.**
*Astronaut.* Qualifie l'orbite d'un satellite artificiel dont le plan est incliné presque perpendiculairement à l'équateur et compense par la dérive le mouvement apparent du Soleil, permettant un ensoleillement identique ; par méton. : *Un satellite **héliosynchrone**.* XXe s. ; ☞ *synchrone* + *hélio-* ; [eljosɛ̃kʀon].

**HÉLIOTHÉRAPIE, subst. f.**
*Méd.* Utilisation thérapeutique des rayons solaires. 1900 ; formé de *hélio-* et de *-thérapie* ; [eljoteʀapi].

**HÉLIOTROPE, subst. m.**
**1.** *Bot.* Plante de la famille des Borraginacées. L'**héliotrope** du Pérou, au parfum de vanille, a des fleurs bleues et celui d'Europe, des fleurs blanches. **2.** *Minér.* Variété de calcédoine verdâtre veinée de rouge. XIIe s. ; lat. *heliotropium*, du gr. *hêliotropion*, de *hêlios*, « soleil », et de *trepein*, « tourner » ; [eljɔtʀɔp].

**HÉLIOTROPINE, subst. f.**
*Chim.* Phénol-aldéhyde à odeur d'héliotrope (synon. *pipéronal*). V. 1900 ; ☞ *héliotrope* ; [eljɔtʀɔpin].

**HÉLIOTROPISME, subst. m.**
*Biol.* Propriété qu'a un végétal ou un animal fixé de se tourner vers la lumière solaire (**héliotropisme** positif) ou à l'opposé (**héliotropisme** négatif). 1828 ; ☞ *tropisme* + *hélio-* ; [eljɔtʀɔpism].

**HÉLIPORT, subst. m.**
*Aéron.* Aéroport pour hélicoptères. 1952 ; crois. de *hélicoptère* et de *port* (I), d'apr. *aéroport* ; [elipɔʀ].

**HÉLIPORTAGE, subst. m.**
Transport par hélicoptère. V. 1960 ; ☞ *héliporté*, d'apr. *portage* ; [elipɔʀtaʒ].

**HÉLIPORTÉ, ÉE, adj.**
**1.** Transporté par hélicoptère. **2.** Effectué par hélicoptère : *Sauvetage **héliporté**.* 1955 ; crois. de *hélicoptère* et de *porter* (I) ; [elipɔʀte].

**HÉLITREUILLER, verbe trans.** [3]
Hisser à bord d'un hélicoptère au moyen d'un treuil. V. 1970 ; crois. de *hélicoptère* et de *treuiller* ; [elitʀœje].

**HÉLIUM, subst. m.**
*Chim.* Élément n° 2 de la table de Mendeleïev (symb. : He) ; masse atomique : 4,002 ; point de fusion : – 272 °C ; point d'ébullition : – 268,1 °C. C'est un gaz rare, ininflammable et très léger. 1873 ; lat. sc. *helium*, du gr. *hêlios*, « soleil » ; [eljɔm].

**HÉLIX, subst. m.**
**1.** *Anat.* Renflement en saillie constituant la bordure du pavillon de l'oreille. **2.** *Zool.* Escargot. 1690 ; gr. *helix*, « spirale » ; [eliks].

**HELLÉBORE, voir ELLÉBORE**

**HELLÈNE, adj. et subst.**
De la Grèce ancienne ou moderne. 1681 ; lat. *Hellenes*, du gr. *Hellênes*, « Grecs » ; [ɛl(l)ɛn] ou [elɛn].

**HELLÉNIQUE, adj.**
Relatif à la Grèce ancienne ou moderne : *L'art **hellénique**.* 1762 ; gr. *hellênikos* ; [ɛl(l)enik] ou [ele-].

**HELLÉNISANT, ANTE, adj. et subst.**
**1.** *Hist.* Se dit d'un Juif détaché du judaïsme et ayant adopté la culture hellénique. **2.** Se dit d'un spécialiste des études grecques (synon. *helléniste*). 1840 ; p. pr. de *helléniser* ; [ɛl(l)enizɑ̃, ɑ̃t] ou [ele-].

**HELLÉNISATION, subst. f.**
Action d'helléniser ; résultat de cette action. 1876 ; ☞ *helléniser* ; [ɛl(l)enizasjɔ̃] ou [ele-].

**HELLÉNISER, verbe** [3]
TRANS. Donner un caractère grec à. INTRANS. Étudier la langue et la civilisation grecques (rare). 1808 ; gr. *hellênizein* ; [ɛl(l)enize] ou [ele-].

**HELLÉNISME, subst. m.**
**1.** *Ling.* Construction propre au grec et, par ext., tournure empruntée au grec. **2.** *Hist.* Ensemble de la civilisation grecque ancienne. **3.** *Relig.* Religion d'origine grecque répandue dans l'Empire romain. 1580 ; gr. *hellênismos* ; [ɛl(l)enism] ou [ele-].

ANTIQUITÉ – L'expansion de l'hellénisme connaît trois phases. Du VIIIe au Ve s. av. J.-C., elle suit l'implantation de colonies grecques sur le pourtour de la Méditerranée, spécialement en Asie Mineure et en Italie. À la fin du IVe s. av. J.-C., les conquêtes d'Alexandre le Grand assurent à la culture grecque la primauté dans tout le Proche-

Orient et l'implantant jusqu'au cœur de l'Asie (art gréco-bouddhique). Dès le IIe s. av. J.-C., les Romains, conquis par la Grèce qu'ils ont soumise, prennent le relais : la civilisation gréco-romaine transmet les valeurs de l'hellénisme à l'Occident.

**HELLÉNISTE, subst.**
**1.** *Hist.* Juif converti au paganisme grec ou, par ext., vivant en Grèce. **2.** Spécialiste de la langue, de la culture grecques (synon. *hellénisant*). 🕮 1598 ; gr. *hellênistês* ; [ɛl(l)enist] ou [ele-].

**HELLÉNISTIQUE, adj.**
**1.** *Relig.* Relatif à la langue parlée par les Juifs hellénisants. **2.** *Hist.* Qui concerne l'époque allant de la conquête d'Alexandre à la conquête romaine de la Grèce, où s'opéra la fusion entre la culture grecque et celle des royaumes orientaux conquis par Alexandre. 🕮 1681 ; ☞ *helléniste* ; [ɛl(l)enistik] ou [ele-].

© Lauros-Giraudon

*Fragment d'entablement d'époque* ***hellénistique*** *(Ier s. av. J.-C.). Didymes, Asie Mineure.*

**HELLO, interj.**
S'emploie pour saluer qqn. 🕮 1927 ; mot angl. ; ['ɛllo].

**HELMINTHE, subst. m.**
Ver parasite de l'homme et d'autres vertébrés. 🕮 1538 ; gr. *helmins*, « ver » ; [ɛlmɛ̃t].

**HELMINTHIASE, subst. f.**
*Pathol.* Toute maladie due à des helminthes. 🕮 1814 ; gr. *helminthian*, « avoir des vers » ; [ɛlmɛ̃tjɑz].

**HÉLODÉE, voir ÉLODÉE**

**HELVELLE, subst. f.**
*Bot.* Champignon ascomycète de la famille des Helvellacées, comestible cuit mais toxique cru. 🕮 1789 ; lat. *helvella*, « champignon » ; [ɛlvɛl].

**HELVÈTE, adj. et subst.**
**1.** *Hist.* De l'Helvétie. **2.** De la Suisse (littér.). 🕮 1831 ; lat. *Helvetii* ; [ɛlvɛt].

**HELVÉTIQUE, adj.**
Relatif à la Suisse : *La Confédération* ***helvétique***. 🕮 Déb. XVIIIe s. ; lat. *helveticus* ; [ɛlvetik].

**HELVÉTISME, subst. m.**
*Ling.* Mot, tournure propre au français de la Suisse romande. 🕮 Mil. XIXe s. ; ☞ *helvétique* ; [ɛlvetism].

**HEM, interj.**
**1.** Sert à attirer discrètement l'attention : ***Hem !*** *regardez !* **2.** Exprime le doute (synon. *hum !*). 🕮 Mil. XVIe s. ; onomat. ; ['ɛm].

**HÉMARTHROSE, subst. f.**
*Pathol.* Épanchement de sang dans une articulation. 🕮 1880 ; ☞ *arthrose* + *héma-* ; [emaʀtʀoz].

**HÉMATÉMÈSE, subst. f.**
*Pathol.* Vomissement de sang à la suite d'une hémorragie dans le tube digestif. 🕮 1803 ; gr. *emesis*, « vomissement », + *hémato-* ; [ematemɛz].

**HÉMATIE, subst. f.**
*Biol.* Globule rouge du sang, qui doit sa couleur à la présence d'hémoglobine. Les **hématies** assurent le transport de l'oxygène et du dioxyde de carbone. Elles sont au nombre de 4,5 à 5,5 millions par $mm^3$ de sang (synon. *érythrocyte*). 🕮 1865 ; gr. *haima*, « sang » ; [emasi].

**HÉMATINE, subst. f.**
*Biochim.* Substance formée dans une méthode de dosage de l'hémoglobine lorsque cette dernière est soumise à un traitement acide ou alcalin. 🕮 1855 ; gr. *haima*, « sang » ; [ematin].

**HÉMATIQUE, adj.**
Qui est d'origine sanguine. 🕮 1850 ; gr. *haimatikos*, de *haima*, « sang » ; [ematik].

**HÉMATITE, subst. f.**
*Minér.* Oxyde de fer ($Fe_2O_3$), principal minerai de fer, appelé oligiste pour l'**hématite** rouge et limonite pour la brune. 🕮 Mil. XIIe s. ; lat. *haematites*, du gr. *haimatitês*, de *haima*, « sang » ; [ematit].

**HÉMATOCRITE, subst. m.**
*Biol.* Appareil servant à mesurer le pourcentage du volume qu'occupent les hématies par rapport au volume sanguin total ; par méton., cette valeur. 🕮 V. 1900 ; gr. *kritês*, « juge, arbitre », + *hémato-* ; [ematokʀit].

**HÉMATOLOGIE, subst. f.**
**1.** *Méd.* Étude des aspects cliniques et biologiques des maladies du sang. **2.** *Biol.* Étude du sang (composition, propriétés physiques et biochimiques). 🕮 1803 ; formé de *hémato-* et de *-logie* ; [ematɔlɔʒi].

**HÉMATOLOGIQUE, adj.**
Relatif à l'hématologie : *Un bilan* ***hématologique***. 🕮 1843 ; ☞ *hématologie* ; [ematɔlɔʒik].

**HÉMATOLOGISTE, subst.**
Spécialiste des maladies du sang. 🕮 1822 ; ☞ *hématologie* ; var. *hématologue* ; [ematɔlɔʒist].

**HÉMATOME, subst. m.**
*Pathol.* Épanchement de sang sous la peau ou à l'intérieur d'un tissu, provoqué par une rupture des vaisseaux ou un trouble du processus de coagulation. 🕮 1855 ; formé de *hémato-* et de *-ome* ; [ematom].

**HÉMATOPOÏÈSE, subst. f.**
*Physiol.* Processus de formation des cellules sanguines dans des organes spécifiques. 🕮 1873 ; gr. *haimatôpoiein*, « changer en sang » ; [ematopɔjɛz].

**HÉMATOPOÏÉTIQUE, adj.**
Relatif à l'hématopoïèse : *Organes* ***hématopoïétiques***, où se produit l'hématopoïèse (la rate, par ex.). 🕮 1863 ; gr. *haimatôpoiêtikos*, « propre à faire du sang » ; [ematopɔjetik].

**HÉMATOSE, subst. f.**
*Physiol.* Transformation, au niveau du poumon, du sang veineux, qui perd son gaz carbonique, en sang artériel, enrichi en oxygène. 🕮 1628 ; gr. *haimatôsis*, « action de convertir en sang » ; [ematoz].

**HÉMATOZOAIRE, subst. m.**
*Zool.* Parasite du groupe des Sporozoaires, qui vit dans le sang de l'homme et de certains animaux. 🕮 1843 ; formé de *hémato-* et de *-zoaire* ; [ematɔzɔɛʀ].

**HÉMATURIE, subst. f.**
*Pathol.* Présence de sang dans les urines. 🕮 1771 ; formé de *hémato-* et de *-urie* ; [ematyʀi].

**HÈME, subst. m.**
*Biochim.* Molécule organique azotée plane et annulaire dont le centre est occupé par un atome de fer ionisé (avec deux charges positives). Ni l'**hème** ni la globine ne peuvent séparément jouer le rôle de transporteur de dioxygène, mais leur association le permet. Le dioxygène est alors associé au fer de l'**hème**. 🕮 V. 1970 ; gr. *haima*, « sang » ; [ɛm].

**HÉMÉRALOPIE, subst. f.**
*Pathol.* Forte diminution de la vision quand la lumière baisse. 🕮 1751 ; gr. *hêmera*, « jour », + *-opie* ; [emeʀalɔpi].

**HÉMÉROCALLE, subst. f.**
*Bot.* Plante de la famille des Liliacées, cultivée pour ses fleurs jaunes ou orangées qui ne durent qu'une journée, d'où ses noms usuels de lis jaune et de belle-d'un-jour. 🕮 1573 ; lat. *hemerocalles*, du gr. *hêmerokalles*, « belle d'un jour » ; [emeʀɔkal].

**HÉMIALGIE, subst. f.**
*Pathol.* **1.** Migraine (rare). **2.** Douleur unilatérale. 🕮 1878 ; formé de *hémi-* et de *-algie* ; [emialʒi].

**HÉMIANOPSIE, subst. f.**
*Pathol.* Perte ou réduction de la vision dans une moitié du champ visuel, par atteinte des voies optiques. 🕮 Déb. XIXe s. ; formé de *hémi-* et de *-opsie* ; [emianɔpsi].

**HÉMICRÂNIE, subst. f.**
*Pathol.* Forme rare de migraine. 🕮 1765 ; lat. *hemicrania* ; [emikʀani].

**HÉMICYCLE, subst. m.**
Espace, construction en demi-cercle. ▸ Ensemble de gradins semi-circulaires accueillant des spectateurs, des auditeurs ou les membres d'une assemblée ; empl. abs. : ***L'hémicycle***, celui de l'Assemblée nationale. 🕮 1547 ; lat. *hemicyclium*, du gr. *hêmikuklion*, « demi-cercle » ; [emisikl].

**HÉMIÉDRIE, subst. f.**
*Minér.* Degré de symétrie d'un cristal égal à la moitié du degré de symétrie normal du système cristallin auquel il appartient. 🕮 1840 ; formé de *hémi-* et de *-èdre* ; [emiedʀi].

**HÉMINE, subst. f.**
*Biochim.* Substance à base d'hémoglobine servant, notamment, en médecine légale, à révéler la présence de sang. 🕮 1859 ; gr. *haima*, « sang » ; [emin].

**HÉMIONE, subst. m.**
*Zool.* Équidé d'Asie, intermédiaire entre le cheval et l'âne. 🕮 1793 ; lat. sc. *hemionus*, du gr. *hêmionos*, « mulet » ; [emjɔn].

**HÉMIPLÉGIE, subst. f.**
*Pathol.* Paralysie touchant en totalité ou partiellement une moitié latérale du corps, souv. due à une lésion cérébrale vasculaire. 🕮 1658 ; gr. *hêmiplêgia*, de *hêmiplêgos*, « à moitié frappé » ; [emipleʒi].

**HÉMIPLÉGIQUE, adj. et subst.**
**Adj. 1.** Qui concerne l'hémiplégie. **2.** Atteint d'hémiplégie. **Subst.** Personne atteinte d'hémiplégie. 🕮 1795 ; ☞ *hémiplégie* ; [emipleʒik].

**HÉMIPTÉROÏDES, subst. m. plur.**
*Zool.* Ordre d'insectes aux pièces buccales en forme de rostre, suceurs de sève ou de sang et susceptibles de transmettre à l'homme diverses maladies. **Au sing.** *La cochenille est un* ***hémiptéroïde***. 🕮 Lat. sc. *hemiptera* + *-oïde* ; [emipteʀɔid].

**HÉMISPHÈRE, subst. m.**
**1.** Chacune des deux parties d'une sphère obtenues en coupant cette dernière par un plan diamétral. **2.** *Spéc.* ▸ *Anat.* ***Hémisphère cérébral*** : chacune des moitiés latérales du cerveau. ▸ *Astron.* Chacune des moitiés de la sphère céleste imaginaire. ▸ *Géogr.* Chacune des moitiés du globe terrestre, par référence au plan de l'équateur : ***L'hémisphère*** *boréal, austral.* ▸ *Phys.* ***Hémisphères de Magdebourg*** : dispositif constitué par deux demi-sphères creuses entre lesquelles on a fait le vide, et destiné à montrer l'existence de la pression atmosphérique. 🕮 Déb. XIVe s. ; lat. *hemisphaerium*, du gr. *hêmisphairion* ; [emisfɛʀ].

**HÉMISPHÉRIQUE, adj.**
En forme d'hémisphère. 🕮 1551 ; ☞ *hémisphère* ; [emisfeʀik].

**HÉMISTICHE, subst. m.**
*Versif.* Moitié d'un vers coupé par une césure ; par méton., cette césure. 🕮 1548 ; bas lat. *hemistichium*, du gr. *hêmistikhion*, de *hêmi*, « demi », et de *stikhos*, « ligne ; vers » ; [emistiʃ].

**HÉMITROPIE, subst. f.**
*Minér.* Regroupement de cristaux de même forme et de même nature. 🕮 1801 ; formé de *hémi-* et de *-tropie* ; [emitʀɔpi].

**HÉMOCHROMATOSE, subst. f.**
*Pathol.* Maladie due à l'accumulation de fer dans les tissus de l'organisme, en partic. dans le foie. Elle peut être génétique (synon. *diabète bronzé*) ou la conséquence d'autres affections, telle la cirrhose du foie. 🕮 Mil. XXe s. ; gr. *khrôma*, « couleur », + *hémo-* et *-ose* ; [emokʀomatoz].

**HÉMOCULTURE, subst. f.**
*Biol.* Mise en culture d'un échantillon de sang susceptible de contenir des bactéries. 🕮 1909 ; formé de *hémo-* et de *-culture* ; [emokyltyʀ].

**HÉMOCYANINE, subst. f.**
*Biochim.* Protéine transporteuse de dioxygène, contenant du cuivre, pigment respiratoire (de couleur bleu-vert) des crustacés et des mollusques. 🕮 1878 ; gr. *kuanos*, « bleu sombre », + *hémo-* ; [emosjanin].

**HÉMODIALYSE, subst. f.**
*Méd.* Technique qui permet de purifier le sang quand le rein ne remplit plus ce rôle (synon. *rein artificiel, épuration extrarénale, dialyse*). 🕮 Mil. XXe s. ; ☞ *dialyse* + *hémo-* ; [emodjaliz].

**HÉMODYNAMIQUE, subst. f. et adj.**
*Méd.* **Subst.** Science qui étudie les variations des paramètres physiques (débit, pression, vitesse) de la circulation du sang dans le système cardio-vasculaire sous des conditions normales et pathologiques. **Adj.** Qui concerne l'objet de cette science. 🕮 1878 ; ☞ *dynamique* + *hémo-* ; [emodinamik].

**HÉMOGLOBINE, subst. f.**
*Biol.* Pigment des hématies formé d'une protéine, la globine, et d'un composé de couleur rouge, l'hème. L'**hémoglobine** assure le transport par le sang de l'oxygène des poumons vers les tissus et

facilite le rejet du gaz carbonique. 1872 ; ☞ *globuline* + *hémo-* ; [emɔglɔbin].

**HÉMOGLOBINOPATHIE, subst. f.**
*Pathol.* Maladie du sang due à une anomalie génétique de la molécule d'hémoglobine. 1958 ; ☞ *hémoglobine* + *-pathie* ; [emɔglɔbinɔpati].

**HÉMOGLOBINURIE, subst. f.**
*Pathol.* Présence d'hémoglobine dans les urines. 1890 ; ☞ *hémoglobine* + *-urie* ; [emɔglɔbinyʀi].

**HÉMOGRAMME, subst. m.**
*Biol.* Résultat de l'examen du sang en laboratoire, comprenant la numération globulaire (globules rouges et blancs) et celle des plaquettes, ainsi qu'une observation de la morphologie des cellules. 1938 ; formé de *hémo-* et de *-gramme* ; [emɔgʀam].

**HÉMOLYSE, subst. f.**
*Pathol.* Destruction des globules rouges avec libération de l'hémoglobine dans le sang, à la suite de l'altération de la paroi des hématies. 1900 ; formé de *hémo-* et de *-lyse* ; [emɔliz].

**HÉMOLYSINE, subst. f.**
*Biol.* Substance qui détruit les globules rouges du sang. 1900 ; ☞ *hémolyse* ; [emolizin].

**HÉMOLYTIQUE, adj.**
**1.** Qui provoque l'hémolyse : *Une substance, un médicament **hémolytique**.* **2.** Qui s'accompagne d'hémolyse : *Une maladie **hémolytique**.* 1900 ; ☞ *hémolyse* ; [emolitik].

**HÉMOPATHIE, subst. f.**
*Pathol.* Nom générique des maladies du sang. 1873 ; formé de *hémo-* et de *-pathie* ; [emɔpati].

**HÉMOPHILE, adj.**
**1.** Relatif à l'hémophilie. **2.** Atteint d'hémophilie ; empl. subst., personne **hémophile**. 1866 ; ☞ *hémophilie* ; [emɔfil].

**HÉMOPHILIE, subst. f.**
*Pathol.* Maladie héréditaire hémorragique due à un déficit en facteur de coagulation. Son gène est transmis par les femmes et ne touche que les hommes. 1858 ; formé de *hémo-* et de *-philie* ; [emɔfili].

**HÉMOPTYSIE, subst. f.**
*Pathol.* Crachement de sang dû à une hémorragie des voies respiratoires. 1694 ; bas lat. *haemoptyicus*, du gr. *haimoptuikos*, « qui crache le sang » ; [emɔptizi].

**HÉMORRAGIE, subst. f.**
**1.** *Pathol.* Effusion de sang hors d'un vaisseau sanguin due à une lésion vasculaire traumatique ou à un état pathologique. Elle peut siéger dans tous les tissus, organes et cavités. Elle est dite externe ou interne selon que le sang s'écoule à l'extérieur ou à l'intérieur du corps. Elle peut être occulte et uniquement détectable par une analyse chimique, chronique et responsable d'anémie, ou massive, mettant alors en jeu le pronostic vital immédiat. **2.** Fig. Perte en vies humaines ; par ext. : *Une **hémorragie** de capitaux.* Fin XIVe s. ; lat. *haemorrhagia*, du gr. *haimorragia* ; [emɔʀaʒi].

**HÉMORRAGIQUE, adj.**
Relatif, propre à l'hémorragie. 1795 ; ☞ *hémorragie* ; [emɔʀaʒik].

**HÉMORROÏDAIRE, adj.**
**1.** Affecté d'hémorroïdes. **2.** Relatif aux hémorroïdes. 1795 ; ☞ *hémorroïde* ; [emɔʀɔidɛʀ].

**HÉMORROÏDAL, ALE, AUX, adj.**
**1.** Relatif, propre aux hémorroïdes. **2.** Qui fait partie de la zone ano-rectale. 1575 ; ☞ *hémorroïde* ; [emɔʀɔidal, o].

**HÉMORROÏDE, subst. f.**
*Pathol.* Tumeur variqueuse des veines de la région ano-rectale, sujette à diverses complications douloureuses (gén. au plur.). XIIIe s. ; lat. *haemorrhoida*, du gr. *haimorrois*, « flux de sang » ; [emɔʀɔid].

**HÉMOSTASE, subst. f.**
*Méd.* et *Physiol.* Arrêt spontané ou provoqué d'une hémorragie. 1845 (1748, stagnation du sang due à la pléthore) ; gr. *haimostasis*, « arrêt du sang » » ; [emostɑz].

**HÉMOSTATIQUE, adj. et subst. m.**
Adj. *Méd.* Qualifie ce qui permet d'arrêter une hémorragie : *Pince **hémostatique**.* Subst. *Méd.* Produit **hémostatique** : *L'eau oxygénée est un **hémostatique**.* 1748 ; gr. *haimostatikos* ; [emostatik].

**HENDÉCAGONE, subst. m.**
*Géom.* Polygone ayant onze angles et onze côtés ; empl. adj. : *Une surface **hendécagone**.* 1652 ; bas lat. *hendecagonus*, du gr. *hendeka*, « onze », et *gônia*, « angle » ; [ɛ̃dekagon].

**HENDÉCASYLLABE, adj. et subst. m.**
*Versif.* Se dit d'un vers qui comporte onze syllabes. 1549 ; lat. *hendecasyllabus*, du gr. *hendekasullabos* ; [ɛ̃dekasil(l)ab].

**HENDIADYS, subst. m.**
*Rhét.* Figure de style consistant à coordonner deux noms qui forment normalement un tout indissociable (« Respirer l'air et la fraîcheur » pour « Respirer l'air frais », par ex.). 1902 ; gr. *hen*, « un », *dia*, « par l'intermédiaire », et *duoin*, « de deux » ; var. *hendiadis*, *hendiadyin* ; [ɛ̃djadis].

**HENNÉ, subst. m.**
**1.** *Bot.* Plante arbustive de la famille des Lythracées dont l'écorce et les feuilles broyées donnent un colorant. **2.** Méton. Ce colorant, utilisé pour teindre les cheveux, les lèvres et les ongles. 1541 ; lat. médiév. *henne*, de l'ar. *hinna* ; ['ene] ou ['ɛnne].

**HENNIN, subst. m.**
*Cost.* Haute coiffure conique, surmontée d'un voile retombant sur les épaules, portée par les femmes au XVe s. : *Un **hennin** à deux cornes.* Déb. XVe s. ; prob. néerl. *henninck*, « coq » ; ['enɛ̃].

**HENNIR, verbe intrans.** [19]
Pousser son cri, en parlant du cheval ; par anal., rire bruyamment. Fin XIe s. ; lat. *hinnire* ; ['eniʀ].

**HENNISSANT, ANTE, adj.**
Qui hennit. 1673 ; p. pr. de *hennir* ; ['enisɑ̃, ɑ̃t].

**HENNISSEMENT, subst. m.**
Cri du cheval ; par anal., ce qui évoque ce cri, rire bruyant. Déb. XIIIe s. ; ☞ *hennir* ; ['enismɑ̃].

**HENRY, subst. m.**
*Métrol.* Unité d'inductance électrique (symb. : H), équivalant à celle d'un circuit fermé parcouru par un courant électrique variant uniformément de 1 ampère par seconde, produisant une force électromotrice de 1 volt. 1902 ; anthropon. *Joseph Henry*, physicien américain ; ['ɑ̃ʀi].

**HEP, interj.**
Sert à appeler, à alerter. 1694 ; onomat. ; ['ɛp].

**HÉPARINE, subst. f.**
*Biochim.* Médicament anticoagulant d'origine naturelle ou semi-synthétique qui agit directement sur les facteurs de la coagulation, utilisé pour traiter ou prévenir les thromboses et les embolies. 1923 ; gr. *hêpar*, « foie » ; [epaʀin].

**HÉPATALGIE, subst. f.**
*Pathol.* Douleur au foie. 1803 ; formé de *hépato-* et de *-algie* ; [epatalʒi].

**HÉPATIQUE, adj. et subst. f.**
Adj. **1.** Relatif au foie ou aux voies biliaires : *Colique **hépatique**.* **2.** Qui souffre du foie ; empl. subst., personne **hépatique** (vieilli). Subst. *Bot.* Nom usuel d'une plante de la famille des Renonculacées. Subst. plur. *Bot.* L'une des trois sous-classes des Muscinées. 1240 ; bas lat. *hepaticus*, du gr. *hêpatikos*, de *hêpar*, « foie » ; [epatik].

**HÉPATITE, subst. f.**
*Pathol.* Nom générique des affections inflammatoires du foie. L'**hépatite** est caractérisée par la mort des cellules hépatiques. Ses agents sont essentiellement les virus, certains médicaments et des produits toxiques. 1660 ; bas lat. *hepatites*, du gr. *hêpatitis*, « du foie » ; [epatit].
PATHOLOGIE – L'hépatite virale est due à des virus désignés par des lettres (A, B, C, D, E). Les virus A et E, qui donnent des hépatites virales aiguës, sont disséminés par les excréments et absorbés par voie orale ; les virus B, C, D sont transmis par voie injectable, sexuelle ou de la mère à l'enfant in utero, et peuvent provoquer des hépatites chroniques, responsables parfois d'une cirrhose ou d'un cancer. La vaccination contre les hépatites A et B est accessible à tous.

**HÉPATOCYTE, subst. m.**
*Biol.* Cellule du foie. V. 1970 ; formé de *hépato-* et de *-cyte* ; [epatɔsit].

**HÉPATOLOGIE, subst. f.**
*Méd.* Étude du foie et de sa pathologie. 1803 ; formé de *hépato-* et de *-logie* ; [epatɔlɔʒi].

**HÉPATOMÉGALIE, subst. f.**
*Pathol.* Hypertrophie du foie. 1907 ; formé de *hépato-* et de *-mégalie* ; [epatomegali].

**HÉPATONÉPHRITE, subst. f.**
*Pathol.* Maladie grave associant des lésions hépatiques et rénales. 1920 ; ☞ *néphrite* + *hépato-* ; [epatonefʀit].

**HÉPATOPANCRÉAS, subst. m.**
*Zool.* Organe glandulaire relié au tube digestif chez divers invertébrés. Les aliments y pénètrent et y sont digérés, les produits de la digestion y sont absorbés, mais ce n'est ni un foie ni un pancréas. ☞ *pancréas* + *hépato-* ; [epatopɑ̃kʀeɑs].

**HEPTAÈDRE, subst. m.**
*Géom.* Polyèdre à sept faces. 1772 ; formé de *hepta-* et de *-èdre* ; [ɛptaɛdʀ].

**HEPTAGONAL, ALE, AUX, adj.**
Qui a sept côtés ; dont la base est un heptagone. 1632 ; ☞ *heptagone* ; [ɛptagɔnal, o].

**HEPTAGONE, subst. m.**
*Géom.* Polygone à sept angles et à sept côtés. 1542 ; bas lat. *heptagon*, du gr. *heptagônos*, de *hepta*, « sept », et de *gônia*, « angle » ; [ɛptagon].

**HEPTANE, subst. m.**
*Chim.* Hydrocarbure saturé dont la molécule contient sept atomes de carbone, utilisé comme solvant. 1890 ; gr. *hepta*, « sept » ; [ɛptan].

**HEPTASYLLABE, adj. et subst. m.**
*Versif.* Se dit d'un vers qui comporte sept syllabes. Mil. XVIIIe s. ; ☞ *syllabe* + *hepta-* ; [ɛptasil(l)ab].

**HEPTATHLON, subst. m.**
*Sp.* Épreuve combinée d'athlétisme féminin regroupant sept spécialités (100 m haies, 200 m, 800 m, saut en hauteur, saut en longueur, poids, javelot). V. 1980 ; gr. *athlon*, « combat », + *hepta-* ; [ɛptatlɔ̃].

**HÉRALDIQUE, adj. et subst. f.**
Adj. Relatif au blason : *Les termes **héraldiques**.* Subst. Science, art du blason et des armoiries. 1680 ; lat. médiév. *heraldus*, « héraut » ; [eʀaldik].
HISTOIRE – Au XIIe s., l'évolution de l'armure du chevalier (casque fermé, haubert...) rend difficile son identification dans les batailles. De là vient la coutume de porter sur son bouclier (écu) une marque distinctive (blason, ou armoiries). Cet usage s'étendra par la suite aux dames, aux hommes d'Église, aux villes, aux provinces, etc. Le blason se compose principalement d'un écu, parfois entouré d'ornements extérieurs symbolisant la dignité du titulaire : manteau, couronne, cimier, cordelière, pavillons, tenants humains ou supports animaux, listel portant devise. L'écu lui-même est divisé en neuf cantons (parties) égaux caractérisés par une partition verticale (de haut en bas : chef, cœur, pointe) et horizontale (de gauche à droite : dextre, cœur, senestre). Les émaux (teintes) utilisés sont : deux métaux (or, ou jaune, argent, ou blanc) ; cinq couleurs (azur, ou bleu, gueules, ou rouge, sinople, ou vert, pourpre, ou violet, sable, ou noir), auxquelles les Anglais ajoutent l'orangé ; quatre fourrures (hermine, contre-hermine, vair, contre-vair). L'écu peut être plain (nu) ou orné de pièces (figures géométriques) telles que pal, fasce, bande, barre, croix, sautoir, etc., ou de meubles (figures) tels que lion, léopard, guivre, ours, aigle, tour, besant, tourteau, fleur de lis, etc. Un écu se décrit selon un langage codifié ; les armes du royaume de France seront « d'azur à trois lis d'or » ; celles d'Angleterre « de gueules à trois lions passant d'or ».

**HÉRALDISTE, subst.**
Spécialiste de l'héraldique. 1873 ; ☞ *héraldique* ; [eʀaldist].

**HÉRAUT, subst. m.**
**1.** *M. Â.* Officier chargé de transmettre des messages publics, d'organiser les jeux et les cérémonies, de s'occuper des blasons. **2.** Fig. Annonciateur de la venue de qqn ou de qqch. (littér.) ; porte-parole : *André Breton, **héraut** du surréalisme.* Fin XIIe s. ; anc. bas frq. °*heriwald*, « chef d'armée » ; ['eʀo].

**HERBACÉ, ÉE, adj.**
*Bot.* Qualifie une plante non ligneuse, dont le maintien rigide résulte de la turgescence cellulaire. XVIe s. ; lat. *herbaceus*, « de couleur d'herbe », de *herba*, « herbe » ; [ɛʀbase].

**HERBAGE, subst. m.**
Prairie herbue naturelle où paissent les troupeaux. Mil. XIIe s. ; ☞ *herbe* ; [ɛʀbaʒ].

**HERBAGER (I), verbe trans.** [5]
Mettre à paître dans un herbage. 1420 ; ☞ *herbage* ; [ɛʀbaʒe].

**HERBAGER (II), ÈRE,** subst. et adj.
SUBST. 1. Éleveur qui engraisse des bestiaux. 2. Marchand d'herbes ou de légumes verts. ADJ. Caractérisé par des herbages : *Des collines **herbagères**.* 1736 ; ☞ *herbage* ; [ɛʀbaʒe, ɛʀ].

**HERBE,** subst. f.
1. *Bot.* Plante non ligneuse, dont les parties aériennes ont une durée de vie ne dépassant pas une année, les parties souterraines pouvant demeurer sous la forme d'une souche vivace. 2. Ext. Plante, ligneuse ou non, dont certaines parties (feuilles, tige, écorce) sont utilisées pour leurs propriétés comestibles ou pharmaceutiques (synon. *simple*) : ***Herbe** aux gueux*, clématite ; ***Herbe** aux verrues*, chélidoine ; *Mauvaise **herbe***, inutile, nuisible aux cultures ; *Fines **herbes***, plantes aromatiques servant à l'assaisonnement de certains mets (persil, cerfeuil, ciboulette, etc.). ▸ Chanvre indien, marijuana (fam.) : *Fumer de l'**herbe**.* 3. Méton. Toute végétation formée de diverses plantes herbacées, courtes ou hautes : *« Le Déjeuner sur l'**herbe** », peinture de Manet.* 4. Loc. ▸ **En herbe.** Qui n'a pas encore fait d'épis : *Du blé en **herbe*** ; au fig., qui semble avoir des dispositions pour qqch. : *Un musicien en **herbe**.* ▸ *Pousser comme de la mauvaise **herbe*** : rapidement. ▸ *Couper l'**herbe** sous le pied de qqn* : le devancer, le supplanter. Fin XIe s. ; lat. *herba* ; [ɛʀb].

**HERBE-AUX-CHATS,** subst. f.
*Bot.* Nom donné à la cataire et à la valériane, dont l'odeur attire les chats. 1547 ; comp. de *herbe* et de *chat* ; var. *herbe aux chats*, plur. *herbes(-)aux(-)chats* ; [ɛʀboʃa], plur. [ɛʀboʃa].

**HERBETTE,** subst. f.
Herbe courte et fine (vx). PLUR. Helv. Fines herbes. Fin XIIe s. ; ☞ *herbe* ; [ɛʀbɛt].

**HERBEUX, EUSE,** adj.
1. Couvert d'herbe : *Un sentier **herbeux**.* 2. Relatif à l'herbe : *Des senteurs **herbeuses**.* Fin XIe s. ; lat. *herbosus*, de *herba*, « herbe » ; [ɛʀbø, øz].

**HERBICIDE,** adj. et subst. m.
Se dit d'une substance qui détruit les mauvaises herbes. V. 1930 ; ☞ *herbe* + *-cide* ; [ɛʀbisid].

**HERBIER,** subst. m.
1. Ouvrage de botanique (vx). 2. Collection de plantes séchées conservées entre des feuilles de papier : *Un **herbier** de fleurs de montagne.* 3. Banc d'herbes aquatiques. XVe s. (mil. XIIe s., lieu couvert d'herbe) ; ☞ *herbe* ; [ɛʀbje].

**HERBIVORE,** adj. et subst. m.
Se dit d'un animal qui ne se nourrit que de végétaux : *L'éléphant, comme le rhinocéros, est un **herbivore**.* SUBST. PLUR. Ensemble des espèces animales **herbivores**. 1748 ; ☞ *herbe* + *-vore* ; [ɛʀbivɔʀ].

**HERBORISATION,** subst. f.
Action d'herboriser ; promenade ou excursion organisée pour recueillir des plantes ou les observer sur place. 1720 ; ☞ *herboriser* ; [ɛʀbɔʀizasjɔ̃].

**HERBORISER,** verbe intrans. [3]
Recueillir des plantes pour les étudier, les collectionner ou les vendre. 1534 ; ☞ *herboriste* ; [ɛʀbɔʀize].

**HERBORISTE,** subst.
Personne qui vend des plantes médicinales ; en appos. : *Un pharmacien **herboriste**.* 1690 (1442, celui qui connaît les vertus médicinales des plantes) ; lat. *herbula*, dimin. de *herba*, « herbe » ; [ɛʀbɔʀist].

**HERBORISTERIE,** subst. f.
Commerce, boutique de l'herboriste. 1842 ; ☞ *herboriste* ; [ɛʀbɔʀistəʀi].

**HERBU, UE,** adj. et subst. f.
ADJ. Couvert d'herbe épaisse. SUBST. Terre maigre, ne pouvant servir qu'à faire des pâturages (vx). Fin XIe s. ; ☞ *herbe* ; var. du subst. *erbue* ; [ɛʀby].

**HERCHAGE,** subst. m.
Action de hercher. 1769 ; ☞ *hercher* ; var. *herschage* ; [ˈɛʀʃaʒ].

**HERCHER,** verbe intrans. [3]
Pousser à bras les wagonnets de minerai, au fond d'une mine. 1769 ; wallon *hercher*, du bas lat. °*hirpicare*, du lat. *hirpex*, « herse » ; var. *herscher* ; [ˈɛʀʃe].

**HERCHEUR, EUSE,** subst.
Manœuvre chargé du herchage. 1769 ; ☞ *hercher* ; var. *herscheur, euse* ; [ˈɛʀʃœʀ, øz].

**HERCULE,** subst. m.
Homme fort et musclé, capable de grands exploits physiques : *Un **hercule** de foire*, forain exécutant des tours de force. 1550 ; lat. *Hercules*, du gr. *Hêraklês*, demi-dieu de la mythologie gréco-romaine ; [ɛʀkyl].

**HERCULÉEN, ÉENNE,** adj.
Digne d'Hercule, d'un hercule : *Force **herculéenne*** ; par anal. : *Ouvrage **herculéen**.* 1512 ; *Hercule*, demi-dieu de la mythologie gréco-romaine ; [ɛʀkyleɛ̃, eɛn].

**HERCYNIEN, IENNE,** adj.
*Géol.* Qualifie des plissements tectoniques datant du Carbonifère (fin de l'ère primaire), dont il subsiste aujourd'hui des massifs fortement érodés (Massifs central et armoricain, Vosges, Appalaches, Forêt-Noire, etc.). 1721 ; lat. *Hercynia silva*, « Forêt-Noire » ; [ɛʀsinjɛ̃, jɛn].

**HERD-BOOK,** subst. m.
Livre généalogique des races bovines ou porcines (anglic.). 1839 ; angl. *herd-book*, de *herd*, « troupeau », et de *book*, « livre » ; plur. *herd-books* ; [ˈœʀdbuk].

**HÈRE (I),** subst. m.
Vx. Homme miséreux. ▸ Loc. *Pauvre **hère*** : homme misérable, pitoyable. 1534 ; orig. obsc. ; [ˈɛʀ].

**HÈRE (II),** subst. m.
*Vén.* Jeune cerf ou daim âgé de six mois à un an, dont les bois n'ont pas encore poussé. 1756 ; p.-ê. néerl. *hert*, « cerf » ; [ˈɛʀ].

**HÉRÉDITAIRE,** adj.
1. Qui se transmet par voie de succession, par droit d'hérédité : *Une charge **héréditaire**.* 2. *Génét.* Qui est transmis d'ascendants à descendants par voie de reproduction : *Un caractère **héréditaire**.* 3. Fig. Transmis de génération en génération par l'éducation, la tradition : *Un ennemi **héréditaire**.* 1459 ; lat. *hereditarius* ; [eʀeditɛʀ].

**HÉRÉDITAIREMENT,** adv.
De façon héréditaire. 1323 ; ☞ *héréditaire* ; [eʀeditɛʀmɑ̃].

**HÉRÉDITÉ,** subst. f.
1. *Dr.* Qualité d'héritier légitime ; droit que possède qqn de recevoir tout ou partie des biens laissés en héritage. 2. Transmission d'un droit, d'une charge par voie de succession. 3. *Génét.* Mécanisme par lequel les parents transmettent certaines de leurs caractéristiques (phénotype) à leurs enfants, et dont l'étude constitue la génétique. 4. Ensemble de caractères physiques, de goûts, d'aptitudes acquises propres à une famille, à un groupe social, et qui se perpétuent de génération en génération. 1538 (mil. XIe s., biens qu'une personne laisse quand elle meurt) ; lat. *hereditas* ; [eʀedite].

**HÉRÉDOPATHIE,** subst. f.
*Pathol.* Maladie héréditaire. Formé de *hérédo-* et de *-pathie* ; [eʀedopati].

**HÉRÉSIARQUE,** subst. m.
*Relig.* Auteur d'une hérésie ; chef d'une secte hérétique. 1524 ; lat. chrét. *haeresiarches*, du gr. *hairesiarkhês*, de *hairesis*, « choix » ; [eʀezjaʀk].

**HÉRÉSIE,** subst. f.
1. *Relig.* Doctrine qui s'écarte de l'orthodoxie et des dogmes de l'Église, et condamnée par elle ; par ext. : *Les **hérésies** de l'islam.* 2. Anal. Idée, comportement, théorie contraire à l'opinion établie : *Une **hérésie** politique* ; par iron. : *Du champagne dans un gobelet, quelle **hérésie** !* Déb. XIIe s. ; lat. *haeresis*, « doctrine », du gr. *hairesis*, « action de prendre ; choix » ; [eʀezi].

**HÉRÉTIQUE,** adj.
1. Qui professe ou soutient une hérésie : *Un théologien **hérétique*** ; empl. subst., personne **hérétique**. 2. Qui constitue une hérésie. 3. Contraire aux opinions admises, aux usages. XIVe s. ; lat. eccl. *haereticus*, du gr. *hairetikos*, « qui choisit » ; [eʀetik].

**HÉRISSÉ, ÉE,** adj.
1. Dressé, en parlant de poils, de plumes, de cheveux ; par méton : *La crête **hérissée** du coq.* 2. Anal. Garni de piquants, de pointes : *Un paysage **hérissé** de montagnes.* 3. Revêche ; susceptible : *Quelle femme **hérissée** !* XIIe s. ; p. p. de *hérisser* ; [ˈeʀise].

**HÉRISSEMENT,** subst. m.
1. Fait de se hérisser ou d'être hérissé. 2. Fig. Fait d'être horripilé. Déb. XVe s. ; ☞ *hérisser* ; [ˈeʀismɑ̃].

**HÉRISSER,** verbe trans. [3]
1. Dresser (ses poils, ses plumes), en parlant d'un animal. 2. Faire dresser (les cheveux, les poils, etc.) ; empl. pronom. : *Ses cheveux se **hérissent**.* 3. Garnir d'objets acérés : ***Hérisser** le rebord d'un mur d'éclats de verre.* 4. Former des pointes aiguës à la surface de : *Épines qui **hérissent** la tige d'une rose* ; au fig. : ***Hérisser** de pièges une dictée.* 5. Fig. Irriter, exaspérer ; empl. pronom : *Il se **hérisse** dès qu'on lui en parle.* XIIe s. ; lat. pop. °*ericiare*, du lat. *ericius*, « hérisson » ; [ˈeʀise].

**HÉRISSON, ONNE,** subst.
MASC. 1. *Zool.* Mammifère essentiellement insectivore de la famille des Érinacéidés, au pelage dorsal couvert de piquants, qui se met en boule pour se protéger. 2. *Agric.* Rouleau garni de pointes utilisé pour écraser les mottes de terre ; dispositif d'une machine servant à épandre l'engrais. 3. *Constr.* Couche de fondation constituée de blocs de pierres placés sur chant. 4. *Milit.* Dispositif de défense parant aux attaques de tous côtés : *Formation en **hérisson**.* 5. *Techn.* ▸ Grosse brosse métallique utilisée par les ramoneurs. ▸ Égouttoir à bouteilles. FÉM. *Zool.* 1. Femelle du **hérisson** (rare). 2. Chenille de certains papillons nocturnes. Déb. XIIe s. ; anc. fr. °*eriz*, du lat. *ericius* ; [ˈeʀisɔ̃, ɔn].

*Hérisson.*

**HÉRITABILITÉ,** subst. f.
*Génét.* Grandeur statistique, comprise entre 0 et 1, relative à une population particulière. Elle donne une indication sur l'efficacité que l'on peut attendre d'une sélection pour un caractère donné. Les plus fortes **héritabilités** sont observées lorsque la population à partir de laquelle la sélection doit se faire est génétiquement très hétérogène. V. 1950 ; angl. *heritability* ; [eʀitabilite].

**HÉRITAGE,** subst. m.
1. Patrimoine appartenant à une personne et transmis, après sa mort, par succession ; fait d'hériter. 2. Anal. Ce qui est transmis par tradition : *L'**héritage** de croyances.* Mil. XIIe s. ; ☞ *hériter* ; [eʀitaʒ].

**HÉRITER,** verbe trans. [3]
TRANS. INDIR. Hériter de. 1. Entrer en possession de (qqch.) par voie d'héritage : *Il **a hérité** d'un manoir* ; empl. abs. : *Il **héritera** tôt ou tard.* 2. Recevoir un héritage de (qqn) : *Il **hérita** de sa tante.* 3. Ext. Se voir transmettre par hérédité : *Elle **a hérité** du charme de sa mère.* TRANS. DIR. 1. Recevoir de qqn (qqch.) en héritage : ***Hériter** une fortune de ses parents.* 2. Recueillir de qqn (une qualité) par hérédité ou tradition : ***Hériter** de ses maîtres le sens du devoir.* XIIe s. ; lat. chrét. *hereditare* ; [eʀite].

**HÉRITIER, IÈRE,** subst.
1. *Dr.* Parent qui recueille la succession d'un défunt. 2. Personne qui reçoit des biens en héritage. 3. Enfant (fam.) : *Ils attendent un **héritier**.* 4. Continuateur : *Les **héritiers** de Descartes.* XIIe s. ; lat. *hereditarius*, « héréditaire, d'héritage » ; [eʀitje, jɛʀ].

**HERMAPHRODISME,** subst. m.
*Biol.* État caractérisant de nombreuses espèces d'invertébrés et de végétaux, chez lesquelles coexistent, de manière naturelle et fonctionnelle, les systèmes reproducteurs mâle et femelle. L'**hermaphrodisme** est exceptionnel chez l'être humain. 1765 ; ☞ *hermaphrodite* ; [ɛʀmafʀodism].

**HERMAPHRODITE,** subst. m. et adj.
SUBST. *Biol.* Individu caractérisé par l'hermaphrodisme. ADJ. Qui réunit, normalement ou non, les caractères ou certains caractères des deux sexes. ▸ *Bot.* Qualifie une plante dont la fleur porte étamines et pistil (synon. *bisexué*). 1488 ; lat. *Hermaphroditus*, du gr. *Hermaphroditos*, fils bisexué d'Hermès et d'Aphrodite ; [ɛʀmafʀodit].

**HERMÉNEUTIQUE,** subst. f. et adj.
SUBST. 1. Art d'interpréter un texte, en partic. un texte sacré. 2. Système d'interprétation d'une séquence de signes et des codes qui l'organisent.

**Adj.** Relatif à l'**herméneutique.** 1777 ; gr. *hermêneutikos*, de *hermêneuein*, « interpréter » ; [ɛrmenøtik].

**HERMÈS, subst. m.**
1. *Antiq. gr.* Pilier surmonté d'un buste ou d'une tête du dieu Hermès, qui servait de borne. 2. *B.-a.* Buste ou tête (d'Hermès, à l'origine) surmontant une gaine. 1732 ; lat. *Hermae*, du gr. *Hermês*, dieu des Voyages, du Mensonge, etc. ; [ɛrmɛs].

**HERMÉTIQUE, adj.**
1. Relatif à l'alchimie et à l'hermétisme ; par ext., occulte, ésotérique, réservé à des initiés : *Une tradition **hermétique*** ; par anal., obscur, difficile à comprendre : *Écrivain **hermétique*** ; au fig., impénétrable : *Visage **hermétique**.* 2. Parfaitement clos, étanche : *Un bocal **hermétique**.* ► Fig. ***Hermétique** à* : fermé à. 1610 (1554, manière de boucher un vase, en alchimie) ; bas lat. *Hermes Trismegistus*, « Hermès Trismégiste » (en gr., « trois fois très grand ») ; [ɛrmetik].

**HERMÉTIQUEMENT, adv.**
De manière hermétique. 1608 ; ☞ *hermétique* ; [ɛrmetikmɑ̃].

**HERMÉTISME, subst. m.**
1. *M. Â.* Science occulte des alchimistes, inspirée principalement des écrits grecs contenant la révélation ésotérique du dieu Hermès Trismégiste. 2. Caractère de ce qui est obscur, incompréhensible. 1832 ; ☞ *hermétique* ; [ɛrmetism].

**HERMINE, subst. f.**
1. *Zool.* Petit mammifère carnivore de la famille des Mustélidés, au pelage blanc en hiver et fauve en été, et au bout de la queue noir. 2. *Hérald.* L'une des deux fourrures du blason : *Les **hermines** bretonnes.* 3. Bande de fourrure d'**hermine** : *L'**hermine** des magistrats.* Mil. XIIe s. ; *(h)ermin* (vx), « d'hermine », du lat. *armenius mus*, « rat d'Arménie » ; [ɛrmin].

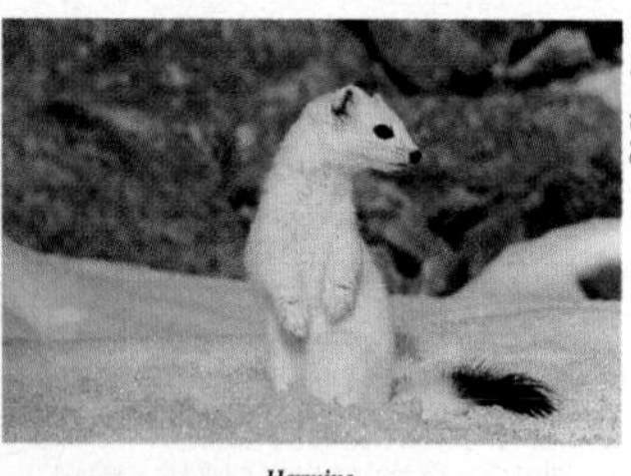
© J. Blanc-Jacana

*Hermine.*

**HERMINETTE, subst. f.**
1. *Zool.* Nom de l'hermine dotée de sa fourrure d'été ; cette fourrure. 2. Hachette de tonnelier ou de charpentier, à fer recourbé et dont le tranchant est perpendiculaire au manche. Déb. XIIIe s. ; ☞ *hermine* ; var. du sens 2 *erminette* ; [ɛrminet].

**HERNIAIRE, adj. et subst. f.**
**Adj.** *Pathol.* Relatif à la hernie : *Étranglement **herniaire***, constriction à la base d'une hernie provoquant une obstruction intestinale. **Subst.** *Bot.* Plante de la famille des Caryophyllacées, utilisée jadis contre les hernies. 1611 ; ☞ *hernie* ; [ˈɛrnjɛr].

**HERNIE, subst. f.**
1. *Pathol.* Sortie complète ou partielle d'un organe à travers un orifice naturel ou accidentel, cet organe formant alors une tuméfaction sous-cutanée susceptible de s'étrangler : ***Hernie** intestinale.* ► ***Hernie** discale* : saillie anormale du disque intervertébral dans le canal rachidien, susceptible de comprimer le nerf sciatique. 2. Anal. Partie d'une chambre à air qui saille de la déchirure d'un pneu. 3. *Agric.* Maladie des choux et d'autres brassicacées, due à un champignon et caractérisée par des excroissances sur les racines. Fin XIVe s. ; lat. *hernia* ; [ˈɛrni].

**HERNIÉ, ÉE, adj.**
*Pathol.* Qui forme une hernie : *Un ovaire **hernié**.* Mil. XIXe s. ; ☞ *hernie* ; [ˈɛrnje].

**HÉROÏ-COMIQUE, adj.**
1. *Litt.* Qualifie une œuvre qui traite un sujet épique ou héroïque sur un ton comique ou burlesque, ou inversement. 2. Ext. À la fois drôle et dramatique. 1640 ; *héroico-comique* (inus.), de *héroïque* et de *comique* ; plur. *héroï-comiques* ; [eʀɔikɔmik].

**HÉROÏNE (I), subst. f.**
Stupéfiant morphinique, analgésique très puissant, euphorisant et extrêmement toxique. 1903 ; prob. all. *Heroin*, du gr. *hêrôs*, « demi-dieu » ; [eʀɔin].

**HÉROÏNE (II), voir HÉROS**

**HÉROÏNOMANE, adj. et subst.**
Se dit d'une personne intoxiquée par l'héroïne. Déb. XXe s. ; ☞ *héroïne* (I) + *-mane*² ; [eʀɔinɔman].

**HÉROÏNOMANIE, subst. f.**
Dépendance morbide envers l'héroïne. Déb. XXe s. ; ☞ *héroïne* (I), + *-manie* ; [eʀɔinɔmani].

**HÉROÏQUE, adj.**
1. Qui concerne les héros de l'Antiquité : *L'âge **héroïque**.* ► Loc. *Temps **héroïques*** : très anciens. 2. *Litt.* Qui relate les exploits de héros, célèbre l'héroïsme : *Poème **héroïque**.* 3. Qui est digne d'un héros, d'une héroïne. Fin XIVe s. ; lat. *heroicus*, du gr. *hêrôikos* ; [eʀɔik].

**HÉROÏQUEMENT, adv.**
De manière héroïque. 1551 ; ☞ *héroïque* ; [eʀɔikmɑ̃].

**HÉROÏSME, subst. m.**
1. Force d'âme, bravoure extrême du héros : *L'**héroïsme** des martyrs, des guerriers.* 2. Ext. Caractère de ce qui est héroïque : *L'**héroïsme** d'une décision.* 1658 ; ☞ *héros* ; [eʀɔism].

**HÉRON, subst. m.**
*Zool.* Oiseau de la famille des Ardéidés, aux pattes grêles, au long cou, au bec long et acéré, qui vit au bord de l'eau et fait son nid au sommet des arbres. Mil. XIIe s. ; anc. bas frq. °*haigro* ; [ˈeʀɔ̃].

© F. Schreider/P. H. R.-Jacana

*Héron cendré.*

**HÉRONNEAU, subst. m.**
Petit du héron. Mil. XVIe s. ; ☞ *héron* ; [ˈeʀɔno].

**HÉRONNIÈRE, subst. f.**
Lieu où les hérons nichent en colonie ; lieu où l'on élève des hérons. Déb. XIVe s. ; ☞ *héron* ; [ˈeʀɔnjɛʀ].

**HÉROS, HÉROÏNE, subst.**
1. *Myth.* Homme ou femme né d'un dieu et d'une mortelle ou d'une déesse et d'un mortel : *Achille est un **héros** grec.* 2. Personne exemplaire par sa bravoure, ses exploits. 3. Personnage principal d'une œuvre : *Lorenzaccio, **héros** romantique* ; par ext., principal acteur d'un évènement. Fin XIVe s. ; lat. *heros*, du gr. *hêrôs* ; [ˈeʀo, eʀɔin].

**HERPÈS, subst. m.**
*Pathol.* Éruption cutanée ou muqueuse, due à un virus et récurrente, en bouquets de petites vésicules vitreuses sur une base enflammée : ***Herpès** labial, **herpès** génital.* XIIIe s. ; lat. *herpes*, du gr. *herpês*, « dartre » ; [ɛʀpɛs].

**HERPÉTIQUE, adj.**
Relatif à l'herpès. 1812 ; ☞ *herpès* ; [ɛʀpetik].

**HERPÉTOLOGIE, subst. f.**
*Zool.* Étude des Reptiles et des Amphibiens. 1789 ; gr. *herpeton*, « ce qui rampe ; serpent », + *-logie* ; var. *erpétologie* ; [ɛʀpetɔlɔʒi].

**HERSAGE, subst. m.**
Action de herser ; son résultat. Déb. XIVe s. ; ☞ *herser* ; [ˈɛʀsaʒ].

**HERSCHAGE, voir HERCHAGE**

**HERSCHER, voir HERCHER**

**HERSCHEUR, voir HERCHEUR**

**HERSE, subst. f.**
1. *Agric.* Instrument aratoire garni de pointes qui sert à ameublir la couche superficielle d'un sol déjà labouré. 2. Anal. Grille mobile verticalement garnie de pointes à sa partie inférieure, qui défendait l'entrée d'un château fort, d'une forteresse. ► Ext. Dispositif muni de pointes servant à barrer la route aux véhicules. ► *Hérald.* ***Herse** sarrasine* : figure du blason représentant une **herse** à six pointes. 3. Chandelier triangulaire. 4. *Théâtre.* Dispositif d'éclairage de la scène. Fin XIIe s. ; lat. *hirpex* ; [ˈɛʀs].

**HERSER, verbe trans.** [3]
*Agric.* Passer (un terrain) à la herse. Fin XIIe s. ; ☞ *herse* ; [ˈɛʀse].

**HERSEUR, EUSE, subst.**
*Agric.* Personne qui herse (rare). **Fém.** Machine à herser. Fin XIIe s. ; ☞ *herser* ; [ˈɛʀsœʀ, øz].

**HERTZ, subst. m.**
*Métrol.* Unité de fréquence du système S. I. (symb. : Hz), correspondant à la fréquence d'un phénomène périodique dont la période est T = 1 s. 1934 ; anthropon. *Heinrich Hertz*, physicien allemand ; [ˈɛʀts].

**HERTZIEN, IENNE, adj.**
*Télécomm.* 1. Relatif aux ondes électromagnétiques : *Ondes **hertziennes**.* 2. Qui utilise les ondes **hertziennes** : *Réseau **hertzien*** ; *Téléphone **hertzien***, téléphone sans fil, qui reçoit et émet des ondes **hertziennes** en provenance ou en direction d'une antenne reliée au réseau téléphonique câblé. 1894 ; anthropon. *Heinrich Hertz* ; [ɛʀtsjɛ̃, jɛn].

**HÉSITANT, ANTE, adj.**
1. Qui hésite, est irrésolu. 2. Ext. Qui trahit l'hésitation ; qui manque de fermeté, d'assurance : *Un geste **hésitant**, une voix **hésitante**.* Déb. XIXe s. ; p. pr. de *hésiter* ; [ezitɑ̃, ɑ̃t].

**HÉSITATION, subst. f.**
1. Fait d'hésiter, incertitude ; manque d'assurance : *Après maintes **hésitations**, il s'est enfin décidé.* 2. Modification du rythme d'une action qui traduit l'indécision : *Marquer une **hésitation**.* XVe s. ; lat. *haesitatio* ; [ezitasjɔ̃].

**HÉSITER, verbe intrans.** [3]
1. Se trouver dans un état d'irrésolution, d'indécision qui empêche de choisir ou d'agir : ***Hésiter** entre le menu et la carte* ; ***Hésiter** sur une date* ; *Il **hésite** à approcher.* 2. Marquer un ou plusieurs temps d'arrêt qui trahissent une incertitude : *Répondre en **hésitant**.* Déb. XVe s. ; lat. *haesitare* ; [ezite].

**HÉTAÏRE, subst. f.**
*Antiq. gr.* Courtisane de haut rang ; par ext., femme vénale (littér.). 1799 ; gr. *hetaira* ; [etaiʀ].

**HÉTAIRIE, subst. f.**
1. *Antiq. gr.* Association politique secrète. 2. Société littéraire et politique de la Grèce du XIXe s. Mil. XIXe s. ; lat. *hetaeria*, du gr. *hetaireia*, « association de camarades », de *hetairos*, « compagnon » ; var. *hétérie* ; [eteʀi].

**HÉTÉROCERQUE, adj.**
*Zool.* Qualifie la nageoire caudale de certains poissons (raies, requins, etc.) qui se compose de deux lobes inégaux (anton. *homocerque*). Mil. XIXe s. ; gr. *kerkos*, « queue », + *hétéro-* ; [eteʀɔsɛʀk].

**HÉTÉROCHROMOSOME, subst. m.**
*Génét.* Chaque chromosome de la paire de chromosomes sexuels, les autres chromosomes étant appelés autosomes (synon. *allosome*). Déb. XXe s. ; ☞ *chromosome* + *hétéro-* ; [eteʀokʀomozom].

**HÉTÉROCLITE, adj.**
1. *Gramm.* Qualifiait un verbe ou un substantif irrégulier (vx). 2. Ext. Sans homogénéité, disparate : *Un mobilier, un mélange **hétéroclite**.* 1549 (mil. XVe s., étrange) ; bas lat. *heteroclitos*, du gr. *heteroklitos*, « irrégulier » ; [eteʀɔklit].

**HÉTÉROCYCLE, subst. m.**
*Chim.* Chaîne fermée constituant le noyau d'une molécule organique, comprenant des atomes de carbone et un ou plusieurs autres atomes (par ex. de l'azote, de l'oxygène, du soufre). Déb. XXe s. ; formé de *hétéro-* et de *-cycle* ; [eteʀɔsikl].

**HÉTÉRODONTE, adj.**
*Zool.* Pourvu de dents différenciées (anton. *homodonte*). Mil. XIXe s. ; formé de *hétéro-* et de *-odonte* ; [eteʀɔdɔ̃t].

**HÉTÉRODOXE, adj.**
1. *Relig.* Qui n'adhère pas à la doctrine officielle de l'Église dominante (anton. *orthodoxe*) ; empl. subst., personne **hétérodoxe**. 2. Ext. Qui s'écarte d'une opinion admise : *Des commentaires **hétérodoxes**.* 1667 ; gr. *heterodoxos*, « qui pense autrement qu'un autre » ; [eteʀɔdɔks].

**HÉTÉRODOXIE,** subst. f.
**1.** *Relig.* Caractère de ce qui s'éloigne d'une doctrine officielle. **2.** Non-conformisme. 1700 ; gr. *heterodoxia*, « erreur d'opinion » ; [eteʀɔdɔksi].

**HÉTÉRODYNE,** subst. f.
*Électron.* Dispositif producteur d'ondes hertziennes entretenues, dont la fréquence est voisine de celle des ondes reçues par un récepteur et qui permet de les amplifier. Déb. XXe s. ; formé de *hétéro-* et de *-dyne* ; [eteʀɔdin].

**HÉTÉROGAMÉTIQUE,** adj.
*Biol.* Pour une espèce à sexes séparés, qualifie celui des sexes qui produit deux types de gamètes et détermine ainsi le sexe de ses descendants (anton. *homogamétique*) : *Les tritons femelles sont **hétérogamétiques**.* XXe s. ; ☞ *gamète + hétéro-* ; [eteʀɔgametik].

**HÉTÉROGAMIE,** subst. f.
**1.** *Biol.* Mode de reproduction dans lequel l'œuf fécondé, ou zygote, résulte de la fusion de deux gamètes morphologiquement différents (un spermatozoïde et un ovule) : *L'**hétérogamie** caractérise la plupart des espèces animales et végétales* (anton. *isogamie*). **2.** *Sociol.* Mariage entre personnes de groupes sociaux différents (anton. *homogamie*). Mil. XIXe s. ; formé de *hétéro-* et de *-gamie* ; [eteʀɔgami].

**HÉTÉROGÈNE,** adj.
**1.** Qui est composé d'éléments d'origine ou de nature différente ; sans unité (anton. *homogène*) : *Roche **hétérogène*** ; au fig. : *Population **hétérogène**.* **2.** *Gramm. Substantif **hétérogène*** : dont le genre change au pluriel (par ex. « orgue »). Fin XVIe s. ; lat. scol. *heterogeneus*, du gr. *heterogenês*, « d'un autre genre » ; [eteʀɔʒɛn].

**HÉTÉROGÉNÉITÉ,** subst. f.
Caractère de ce qui est hétérogène (anton. *homogénéité*). 1586 ; ☞ *hétérogène* ; [eteʀɔʒeneite].

**HÉTÉROGREFFE,** subst. f.
Greffe effectuée entre deux individus d'espèces différentes. V. 1900 ; ☞ *greffe + hétéro-* ; [eteʀɔgʀɛf].

**HÉTÉROMÉTABOLE,** adj.
*Zool.* Qualifie un insecte à métamorphoses incomplètes, c.-à-d. dont la larve est assez semblable à l'adulte, les ailes se développant de façon visible au cours de plusieurs stades successifs. Déb. XXe s. ; ☞ *métabole + hétéro-* ; [eteʀometabɔl].

**HÉTÉROMORPHE,** adj.
**1.** *Biol.* Se dit d'une cellule, d'un tissu, d'un organe qui diffère, par sa structure, des éléments analogues au sein d'une même espèce. **2.** *Chim.* Se dit de deux cristaux ou de deux minéraux dont les éléments (ions, atomes, molécules) sont les mêmes, mais différemment disposés dans l'espace (anton. *isomorphe*). **3.** *Zool.* Se dit d'une espèce ou d'un individu dont le développement comporte une série de métamorphoses, comme les papillons. 1816 ; formé de *hétéro-* et de *-morphe* ; [eteʀɔmɔʀf].

**HÉTÉROMORPHIE,** subst. f.
Caractère de ce qui est hétéromorphe (synon. *un hétéromorphisme*). 1866 ; ☞ *hétéromorphe* ; [eteʀɔmɔʀfi].

**HÉTÉRONOME,** adj.
Qui n'est pas autonome, qui est régi par des lois d'origine extérieure. 1840 ; formé de *hétéro-* et de *-nome* ; [eteʀɔnɔm].

**HÉTÉRONOMIE,** subst. f.
Caractère de ce qui est hétéronome. 1867 ; formé de *hétéro-* et de *-nomie* ; [eteʀɔnɔmi].

**HÉTÉROPHORIE,** subst. f.
*Pathol.* Trouble de la vision provenant d'un déséquilibre des muscles moteurs oculaires. XXe s. ; formé de *hétéro-* et de *-phorie* ; [eteʀɔfɔʀi].

**HÉTÉROPTÈRES,** subst. m. plur.
*Zool.* Ordre d'insectes à pièces buccales piqueuses-suceuses, dont les ailes supérieures diffèrent des ailes inférieures et dont la tête est séparée du thorax par une « gorge ». AU SING. *La punaise est un **hétéroptère**.* Déb. XIXe s. ; formé de *hétéro-* et de *-ptère* ; [eteʀɔptɛʀ].

**HÉTÉROSEXUALITÉ,** subst. f.
Comportement amoureux d'un individu hétérosexuel (anton. *homosexualité*). 1911 ; ☞ *sexualité + hétéro-* ; [eteʀosɛksɥalite].

**HÉTÉROSEXUEL, ELLE,** adj. et subst.
Se dit d'un individu qui éprouve une attirance sexuelle et affective pour les individus de sexe opposé (anton. *homosexuel*). ADJ. Relatif à l'hétérosexualité. 1903 ; ☞ *sexuel + hétéro-* ; [eteʀosɛksɥɛl].

**HÉTÉROSIDE,** subst. m.
*Chim.* Molécule de glucide formée d'un ose et d'une molécule d'un autre groupe chimique. Déb. XIXe s. ; ☞ *oside + hétéro-* ; [eteʀozid].

**HÉTÉROSPHÈRE,** subst. f.
*Météor.* Partie de la haute atmosphère située à env. 90 km du sol et caractérisée par la dissociation de certaines molécules de l'air. Déb. XXe s. ; ☞ *sphère + hétéro-* ; [eteʀɔsfɛʀ].

**HÉTÉROTROPHE,** adj.
*Biol.* Qualifie les êtres vivants (animaux, champignons et bactéries non photosynthétiques) dont la nutrition dépend de substances organiques qu'ils ne peuvent synthétiser (anton. *autotrophe*). 1905 ; formé de *hétéro-* et de *-trophe* ; [eteʀɔtʀɔf].

**HÉTÉROZYGOTE,** adj. et subst. m.
*Génét.* Se dit d'un individu diploïde qui présente deux allèles différents d'un gène particulier (anton. *homozygote*). 1911 ; ☞ *zygote + hétéro-* ; [eteʀɔzigɔt].

**HETMAN,** subst. m.
*Hist.* **1.** Chef militaire en Pologne et en Lituanie, du XVIe au XVIIIe s. **2.** Chef élu des clans cosaques d'Ukraine. 1660 ; mot polonais ; [ɛtmɑ̃] ou [-man].

**HÊTRAIE,** subst. f.
Forêt de hêtres. 1743 ; ☞ *hêtre* ; [ˈɛtʀɛ].

**HÊTRE,** subst. m.
*Bot.* Arbre de la famille des Fagacées ; par méton., bois de cet arbre. Déb. XIIIe s. ; frq. °*haistr* ; [ˈɛtʀ].

© W. Layer-Jacana

*Hêtres.*

**HEU,** voir **EUH**

**HEUR,** subst. m.
**1.** Vx. Destin, sort. **2.** Chance, bonheur (vieilli) : *Je n'ai pas l'**heur** de le connaître.* Déb. XIIe s. ; bas lat. *agurium*, du lat. *augurium*, « présage » ; [œʀ].

**HEURE,** subst. f.
**I. 1.** Espace de temps égal à la vingt-quatrième partie du jour solaire moyen et servant d'unité de mesure de la durée (égal à 60 minutes ou à 3 600 secondes) : *Le voyage dure trois **heures*** ; *Rouler à cent kilomètres à l'**heure*** ; *Être payé à l'**heure**.* **2.** Méton. Tarif horaire : *L'**heure** de manège est à soixante francs.* ▸ Loc. *S'ennuyer à cent sous de l'**heure*** : s'ennuyer profondément (fam.). **II. 1.** Système conventionnel, ou **heure** légale, permettant de définir le repère d'origine de la mesure quotidienne du temps dans un pays, repère déterminé à partir de midi quand le Soleil est au zénith sur le méridien moyen du pays (en France, celui de Greenwich). En fait, les pays utilisent l'**heure** d'été en avance d'une unité sur l'**heure** d'hiver ou **heure** théorique, cette dernière étant, en France, déjà en avance d'une unité sur l'**heure** solaire. **2.** Point précis de la journée (symb. : h), déterminé par rapport au temps civil d'un pays donné, indiqué par les montres et les horloges, elles-mêmes calées sur une horloge officielle (en France, celle de l'observatoire de Paris) : *Le train part à 6 h 35.* ▸ Loc. *À la bonne **heure** !* : c'est parfait ! ; *À ses **heures*** : de façon imprévisible, selon sa fantaisie ; *À toute **heure*** : sans interruption ; *Chercher midi à quatorze **heures*** : compliquer les choses ; *De bonne **heure*** : tôt ; *Être à l'**heure*** : donner l'**heure** exacte, en parlant d'une montre et, au fig., être ponctuel ou être au courant des modes de vie contemporains (fam.) ; *Je ne te demande pas l'**heure** qu'il est* : ça ne te regarde pas (fam.) ; *L'**heure** H* : moment fixé pour le déclenchement d'une opération ; *Ne pas avoir d'**heure*** : ne pas se soucier de respecter un horaire régulier ; *Ouvrier de la première **heure*** (par réf. à l'Évangile) : qui adhère à un processus dès le début ; *De la onzième **heure*** : qui se rallie au courant dominant, à une cause gagnée ; *Remettre les pendules à l'**heure*** : mettre de l'ordre dans une situation (fam.) ; *Sur l'**heure*** : immédiatement ; *Tout à l'**heure*** : dans un instant ou il y a quelques instants. **3.** Moment plus ou moins précis de la journée : *L'**heure** de la pause café.* **4.** Moment quelconque de la vie : *Les difficultés de l'**heure**,* celles du moment présent ; *La dernière **heure**,* le moment de la mort ; *C'est l'**heure** de vérité.* ▸ Loc. *Son **heure** viendra* : il réussira malgré tout. **III.** *Spéc.* **1.** *Antiq.* Douzième partie de la journée solaire, à durée variable selon les saisons, la sixième **heure** correspondant à midi. **2.** *Astron.* et *Mar. **Heure** d'angle* : unité de mesure d'angle égale au 1/24 de la circonférence, soit 15°. **3.** *Cath.* ▸ ***Heures** canoniales* : prières du bréviaire ou de l'office monastique réparties régulièrement dans la journée. ▸ **Livre d'heures.** Recueil de prières à usage personnel, souvent orné d'enluminures : *Les « Très Riches **Heures** du duc de Berry ».* Mil. XIe s. ; lat. *hora* ; [œʀ].

**HEUREUSEMENT,** adv.
**1.** Par chance, par un heureux hasard : ***Heureusement**, il n'y a pas de blessés.* **2.** Dans le bonheur (vx) : *Vivre **heureusement**.* **3.** De manière réussie, avantageuse, favorable : *Des tons **heureusement** assortis.* 1351 ; ☞ *heureux* ; [øʀøzmɑ̃].

**HEUREUX, EUSE,** adj.
**I. 1.** Qui est favorisé par le sort ; chanceux : *Une **heureuse** destinée* ; *Être **heureux** au jeu.* **2.** Particulièrement judicieux, réussi : *Une **heureuse** combinaison* ; *Une **heureuse** idée.* **3.** Gai, satisfait de son sort : *Un **heureux** caractère* ; *Un imbécile **heureux**.* **II. 1.** Qui est dans un état de bonheur : *Vivre ignoré, c'est vivre **heureux*** (Ovide) ; empl. subst. : *Cela va faire des **heureux**.* **2.** Qui manifeste ou procure le bonheur : *Un visage **heureux*** ; *Un **heureux** évènement.* Fin XIIe s. ; ☞ *heur* ; [øʀø, øz].

**HEURISTIQUE,** adj. et subst. f.
ADJ. Qui sert à la découverte : *Hypothèse **heuristique**.* ▸ *Enseign. Méthode **heuristique*** : méthode active où l'élève découvre lui-même ce que l'on veut lui enseigner. SUBST. Discipline dont l'objet est la détermination des règles de la recherche dans les sciences ; en partic., branche de l'histoire qui a pour objet la recherche des documents. 1845 ; prob. all. *heuristik*, du lat. sc. *heuristica*, du gr. *heuriskein*, « trouver » ; var. *euristique* ; [øʀistik].

**HEURT,** subst. m.
**1.** Choc, coup plus ou moins rude. **2.** Fort contraste, opposition entre des choses. **3.** Querelle, différend (gén. au plur.) : *Des **heurts** familiaux* ; accrochage : *On signale des **heurts** à la frontière.* Déb. XIIe s. ; ☞ *heurter* ; [ˈœʀ].

**HEURTÉ, ÉE,** adj.
**1.** Violemment contrasté : *Des teintes **heurtées**.* **2.** Qui manque de douceur, d'harmonie : *Style **heurté**.* Mil. XVIIIe s. ; p. p. de *heurter* ; [ˈœʀte].

**HEURTER,** verbe [3]
INTRANS. Vx. **1.** Entrer rudement et accidentellement en contact (avec qqch.) : *Il **heurta** contre un rocher.* **2.** Frapper volontairement : *Qui **heurte** à la porte ?* TRANS. **1.** Entrer brutalement en contact avec : *Une pierre le **heurta** au front* ; au fig. : *Le grincement lui **heurta** l'oreille.* **2.** Offenser, blesser : *Sa duplicité me **heurte**.* **3.** Contrarier, déranger : ***Heurter** la raison, les convenances.* PRONOM. **1.** Se cogner : *Il se **heurta** à la vitre, contre le réverbère.* **2.** Fig. ▸ S'affronter. ▸ **Se heurter à.** Se voir opposer : *Je me **heurtai** à un silence obstiné.* 1119 ; prob. anc. bas frq. °*hûrt*, « cogner à la manière d'un bélier » ; [ˈœʀte].

**HEURTOIR,** subst. m.
**1.** Marteau fixé par une charnière à une porte d'entrée, dont on se sert pour frapper. **2.** *Techn.* Butée, butoir de wagons. 1345 (fin XIIIe s., pièce de fer située entre l'essieu et le moyeu) ; ☞ *heurter* ; [ˈœʀtwaʀ].

**HÉVÉA,** subst. m.
*Bot.* Arbre de la famille des Euphorbiacées donnant un latex qui sert à fabriquer le caoutchouc. 1751 ; quechua *hyeve* ; [evea].

**HEXACHLOROCYCLOHEXANE,** subst. m.
*Chim.* Composé organique, de formule $C_6H_6Cl_6$, dérivé du cyclohexane. ☞ *hexane + hexa-, chloro-* et *cyclo-* ; [ɛgzaklɔʀosiklɔɛgzan].

**HEXACORALLIAIRES,** subst. m. plur.
*Zool.* Classe de l'embranchement des Cnidaires, polypes marins qui passent par un stade de développement à six tentacules. AU SING. *L'anémone de mer est un* ***hexacoralliaire.*** 1924 ; *Coralliaires* (vx), « Anthozoaires », + *hexa-* ; [ɛgzakɔʀaljɛʀ].

**HEXACORDE,** subst. m.
*Mus.* Gamme du plain-chant composée de six degrés diatoniques. Fin XVIIe s. ; *corde* + *hexa-* ; [ɛgzakɔʀd].

**HEXADÉCIMAL, ALE, AUX,** adj.
*Arithm.* Qualifie un système de numération de base 16 employé en informatique. V. 1970 ; *décimal* + *hexa-* ; [ɛgzadesimal, o].

**HEXAÈDRE,** adj. et subst. m.
*Géom.* Qualifie ou désigne un polyèdre à six faces : *Le cube est un* ***hexaèdre*** *régulier.* 1701 ; bas lat. *hexahedrum* ; [ɛgzaɛdʀ].

**HEXAFLUORURE,** subst. m.
*Chim.* Composé chimique dont la molécule contient six atomes de fluor. 1904 ; *fluorure* + *hexa-* ; [ɛgzaflyɔʀyʀ].

**HEXAGONAL, ALE, AUX,** adj.
**1.** *Géom.* ▸ Qualifie une figure plane qui a six angles et six côtés (égaux ou non). ▸ Qualifie un prisme dont la base est un hexagone (régulier ou non). **2.** Fig. Relatif à la France : *Les polémiques* ***hexagonales.*** 1633 ; *hexagone* ; [ɛgzagɔnal, o].

**HEXAGONE,** subst. m.
**1.** *Géom.* Polygone qui a six angles et six côtés : *Un* ***hexagone*** *régulier,* à six angles et à six côtés égaux. **2.** Anal. *L'****Hexagone*** : la France métropolitaine, dont la forme rappelle celle d'un **hexagone.** 1377 ; lat. *hexagonus*, du gr. *hexagônos* ; [ɛgzagɔn].

**HEXAMÈTRE,** subst. m.
*Versif.* Vers de six pieds : *Un* ***hexamètre*** *d'Homère.* 1450 ; lat. *hexameter*, du gr. *hexametros* ; [ɛgzamɛtʀ].

**HEXAMIDINE,** subst. f.
*Pharm.* Antiseptique à usage externe utilisé en dermatologie et en ophtalmologie. [ɛgzamidin].

**HEXANE,** subst. m.
*Chim.* Alcane de formule $C_6H_{14}$. Déb. XXe s. ; gr. *hex*, « six » ; [ɛgzan].

**HEXAPODE,** adj. et subst. m.
*Zool.* Se dit d'un animal à six pattes : *Les larves de certains papillons sont* ***hexapodes.*** 1762 ; gr. *hexapous*, « à six pieds » ; [ɛgzapɔd].

**HEXASTYLE,** adj.
*Archit.* Se dit d'un temple, d'un portique qui présente six colonnes de face : *La façade* ***hexastyle*** *du Panthéon de Paris.* Gr. *hexastulos* ; [ɛgzastil].

**HEXOSE,** subst. m.
*Biochim.* Nom générique des oses à six carbones tels que le glucose et le fructose. Fin XIXe s. ; *ose* + *hexa-* ; [ɛgzoz].

**Hf,** voir **HAFNIUM**

**Hg,** voir **MERCURE**

**HI,** interj.
Onomatopée, gén. répétée, qui transcrit le rire ou les pleurs. Fin XVe s. ; onomat. ; ['i].

**HIATAL, ALE, AUX,** adj.
*Anat.* et *Pathol.* Relatif à un hiatus. ▸ *Hernie* ***hiatale*** : saillie d'une partie de l'estomac à travers l'hiatus œsophagien. XXe s. ; *hiatus* ; [jatal, o] ou ['ja-].

**HIATUS,** subst. m.
**1.** *Ling.* Rencontre de deux voyelles dans un mot (dans « boa », par ex.) ou entre deux mots (dans « j'ai eu », par ex.). **2.** Fig. Discontinuité ; décalage. **3.** *Anat.* Fente dans un organe : ***Hiatus*** *œsophagien,* orifice du diaphragme par lequel l'œsophage passe du thorax dans l'abdomen. 1690 (1521, élision) ; lat. *hiatus*, « ouverture » ; [jatys] ou ['ja-].

**HIBERNAL, ALE, AUX,** adj.
**1.** Qui survient durant l'hiver (synon. *hivernal*) : *Germination* ***hibernale.*** **2.** Qui concerne l'hibernation. 1532 ; bas lat. *hibernalis* ; [ibɛʀnal, o].

**HIBERNANT, ANTE,** adj.
Qui hiberne, en parlant d'un animal. Déb. XIXe s. ; p. pr. de *hiberner* ; [ibɛʀnɑ̃, ɑ̃t].

**HIBERNATION,** subst. f.
**1.** *Zool.* État d'un animal qui hiberne, sommeil accompagné d'une baisse importante de l'activité biologique et de la température interne, d'une durée variable selon les espèces. **2.** *Méd.* ***Hibernation*** *artificielle* : thérapeutique consistant à refroidir progressivement l'organisme d'un sujet tout en inhibant chimiquement son système neuro-végétatif. 1838 ; *hiberner* ; [ibɛʀnasjɔ̃].

**HIBERNER,** verbe intrans. [3]
Passer l'hiver dans un état d'hibernation : *L'ours* ***hiberne.*** 1805 ; lat. *hibernare*, « passer l'hiver ; être en quartiers d'hiver » ; [ibɛʀne].

**HIBISCUS,** subst. m.
*Bot.* Plante ornementale tropicale, herbacée ou arbustive, de la famille des Malvacées. 1826 ; lat. sc. *hibiscus*, du lat. *hibiscum*, « guimauve » ; [ibiskys].

**HIBOU,** subst. m.
**1.** *Zool.* Nom de plusieurs espèces de rapaces nocturnes de la famille des Strigidés qui possèdent des aigrettes. **2.** Fig. Homme solitaire à l'air lugubre. 1530 ; orig. inc. ; plur. *hiboux* ; ['ibu].

**HIC,** subst. m.
Difficulté, point délicat (fam.) : *Il est riche, mais avare, voilà le* ***hic.*** 1690 ; lat. *hic*, « ici » ; ['ik].

**HIC ET NUNC,** loc. adv.
Ici et maintenant. 1833 ; loc. lat. ; ['ikɛtnɔ̃k] ou [-nœk].

**HICKORY,** subst. m.
*Bot.* Arbre de la famille des Juglandacées, dont le bois, très résistant, sert à fabriquer divers objets (skis, barques, etc.). 1765 ; angl. *hickory*, d'une langue amérindienne de Virginie *pohickery* ; ['ikɔʀi].

**HIDALGO,** subst. m.
Espagnol de petite noblesse, se prétendant de très vieille souche chrétienne. Déb. XVIe s. ; esp. *hidalgo*, de *hijo de algo*, « fils de qqch. » ; [idalgo].

**HIDEUR,** subst. f.
**1.** Caractère hideux de qqn, de qqch. (littér.). **2.** Méton. Ce qui est hideux. Déb. XIIIe s. (XIIe s., effroi, horreur) ; anc. fr. *hisde*, « horreur, frayeur » ; ['idœʀ].

**HIDEUSEMENT,** adv.
D'une manière hideuse : *Un visage* ***hideusement*** *brûlé.* Fin XIIe s. ; *hideux* ; ['idøzmɑ̃].

**HIDEUX, EUSE,** adj.
**1.** Horrible à voir, d'une laideur repoussante. **2.** Ext. Extrêmement disgracieux : *Une architecture* ***hideuse.*** **3.** Fig. Moralement ignoble : *Un vice* ***hideux.*** Mil. XIIe s. ; anc. fr. *hisde*, « horreur, frayeur » ; ['idø, øz].

**HIE,** subst. f.
*Techn.* Sorte de masse à deux anses utilisée pour enfoncer des pavés ou des pilotis (synon. *dame, demoiselle*). Déb. XVe s. (déb. XIIIe s., bélier de fer) ; m. néerl. *heie*, « bélier » ; ['i].

**HIÈBLE,** subst. f.
*Bot.* Arbre de la famille des Caprifoliacées, appelé petit sureau. XIIe s. ; lat. *ebulum* ; var. *yèble* ; [jɛbl].

**HIÉMAL, ALE, AUX,** adj.
Relatif à l'hiver, hivernal (littér.) : *Vent* ***hiémal*** ; *Plante* ***hiémale,*** qui fleurit en hiver. Mil. XIIIe s. ; lat. *hiemalis*, de *hiems*, « hiver » ; [jemal, o].

**HIER,** adv. et subst. m.
ADV. **1.** Dans le jour précédant celui où l'on parle : ***Hier,*** *il est allé à la pêche.* **2.** Dans un passé récent. ▸ Loc. *Ne pas être né d'****hier*** : ne pas être naïf, ignorant. SUBST. **1.** Jour précédant celui où l'on parle (vieilli) : *On a perdu* ***hier*** *en palabres.* **2.** Passé (littér.) : *Des* ***hiers*** *tristes.* Fin XIe s. ; lat. *heri* ; [ijɛʀ].

**HIÉRARCHIE,** subst. f.
**1.** *Théol.* Chacun des trois ordres regroupant les neuf chœurs des anges. **2.** *Relig. La* ***hiérarchie*** : ensemble des trois ordres sacrés dans l'Église (diaconat, prêtrise, épiscopat). **3.** Ext. Tout système fondé sur une échelle de rangs et de rapports de subordination ; par méton. : *Ma* ***hiérarchie,*** mes supérieurs. **4.** Fig. Classification d'éléments selon une échelle de valeur ou d'importance : ***Hiérarchie*** *des sons.* Déb. XIVe s. ; lat. eccl. *hierarchia*, du gr. *hieros*, « sacré », et *arkhia*, « commandement » ; ['jeʀaʀʃi].

**HIÉRARCHIQUE,** adj.
Qui relève d'une hiérarchie : *Supérieur* ***hiérarchique.*** XIVe s. ; lat. eccl. *hierarchicus* ; ['jeʀaʀʃik].

**HIÉRARCHIQUEMENT,** adv.
Conformément à la hiérarchie, dans l'ordre de la hiérarchie. 1690 ; *hiérarchique* ; ['jeʀaʀʃikmɑ̃].

**HIÉRARCHISATION,** subst. f.
Action de hiérarchiser ; son résultat. 1840 ; *hiérarchiser* ; ['jeʀaʀʃizasjɔ̃].

**HIÉRARCHISER,** verbe trans. [3]
**1.** Organiser selon une hiérarchie : ***Hiérarchiser*** *une collectivité, un État.* **2.** Fig. Classer par ordre de valeur ou d'importance : ***Hiérarchiser*** *les urgences.* 1834 ; *hiérarchie* ; ['jeʀaʀʃize].

**HIÉRARQUE,** subst. m.
**1.** *Relig.* Évêque ou archevêque de l'Église orthodoxe. **2.** Fig. Personnalité éminente : *Les* ***hiérarques*** *du pouvoir.* 1551 ; lat. eccl. *hierarcha*, du gr. eccl. *hierarchês*, « grand prêtre » ; ['jeʀaʀk].

**HIÉRATIQUE,** adj.
**1.** Relatif aux choses sacrées et conforme au rituel ▸ *B.-a. Style, art* ***hiératique*** : imposé par une tradition sacrée. ▸ *Écriture* ***hiératique*** : écriture cursive dérivée des hiéroglyphes. **2.** Au caractère imposant, solennel et immobile : *Un visage* ***hiératique.*** Mil. XVIe s. ; lat. *hieraticus*, du gr. *hieratikos*, de *hieros*, « sacré » ; ['jeʀatik].

**HIÉRATISME,** subst. m.
Caractère, aspect de ce qui est hiératique. 1858 *hiératique* ; ['jeʀatism].

**HIÉRODULE,** subst. m.
*Antiq. gr.* Esclave au service d'un temple. 1840 bas lat. *hierodulus*, du gr. *hierodoulos*, de *hieros*, « sacré » et de *doulos*, « esclave » ; ['jeʀɔdyl].

**HIÉROGLYPHE,** subst. m.
**1.** Signe, caractère de l'écriture égyptienne antique **2.** Fig. Signe, caractère illisible. 1546 ; *hiéroglyphique* ; ['jeʀɔglif].

© Giraudon

*Le Livre des morts du scribe Nebqed, papyrus égyptien orné de* ***hiéroglyphes*** *(XVIIIe dynastie). Musée du Louvre, Paris.*

**HIÉROGLYPHIQUE,** adj.
**1.** Composé de hiéroglyphes. **2.** Fig. Indéchiffrable. 1529 ; bas lat. *hieroglyphicus*, du gr. *hieroglyphikos* de *hieros*, « sacré », et de *gluphein*, « graver » ; ['jeʀɔglifik].

**HIÉRONYMITE,** subst. m.
*Relig.* Membre d'un ordre monastique dont le patron est saint Jérôme. Fin XVIIe s. ; anthropon. lat. *Hieronymus*, Jérôme ; ['jeʀɔnimit].

**HIÉROPHANTE,** subst. m.
*Antiq. gr.* Prêtre qui présidait aux mystères d'Éleusis. 1535 ; gr. *hierophantês*, de *hieros*, « sacré », et de *phainein*, « faire apparaître » ; ['jeʀɔfɑ̃t].

**HI-FI,** subst. f. inv.
Haute-fidélité (anglic.). Mil. XXe s. ; acron. de l'angl. *high-fidelity*, « haute-fidélité » ; ['ifi].

**HIGHLANDER,** subst. m.
*Milit.* Soldat de l'infanterie britannique vêtu du kilt écossais. 1688 ; angl. *Highlander*, habitant des Highlands, du topon. *Highlands*, « Hautes Terres » (Écosse) ; ['ajlɑ̃dœʀ].

**HIGH-TECH,** subst. m. inv.
Anglic. **1.** *Archit.* et *Ameubl.* Utilisation décorative d'éléments ou de matériaux conçus pour l'industrie. **2.** Technologie de pointe ; empl. adj. inv. : *Un laboratoire* ***high-tech.*** V. 1980 ; apocope de l'angl. *high technology*, « haute technologie » ; ['ajtɛk].

**HI-HAN,** interj.
Onomatopée imitant le cri de l'âne ; empl. subst. masc. inv., braiment. Déb. XIVe s. ; onomat. ; ['iɑ̃].

**HILAIRE,** adj.
**1.** *Anat.* Qui se rapporte au hile, en partic. au hile du poumon. **2.** *Bot.* Relatif à un hile. 1834 ; *hile* ; ['ilɛʀ].

**HILARANT, ANTE,** adj.
**1.** Vx. *Chim. Gaz* ***hilarant*** : protoxyde d'azote, qui provoque une contraction des muscles zygoma-

tiques, utilisé comme anesthésique. **2.** Qui provoque l'hilarité. 1805 ; lat. *hilarans*, de *hilarare*, « rendre gai » ; [ilaʀɑ̃, ɑ̃t].

**HILARE,** adj.
Euphorique, dans un état de gaieté béate ; qui dénote cet état. XVe s. ; lat. *hilaris*, du gr. *hilaros* ; [ilaʀ].

**HILARITÉ,** subst. f.
**1.** Vx. Joie sereine. **2.** Explosion de gaieté, de rires. Fin XIVe s. ; lat. *hilaritas* ; [ilaʀite].

**HILE,** subst. m.
**1.** *Bot.* Point d'attache du funicule sur la graine. **2.** Anal. *Anat.* Région de pénétration des vaisseaux sanguins, et éventuellement d'autres éléments anatomiques, dans un viscère : ***Hile** du poumon, du foie, du rein.* 1600 ; lat. *hilum*, « un rien, une parcelle ; point noir au haut de la fève » ; ['il].

**HILOIRE,** subst. f.
*Mar.* Pièce longitudinale bordant le pont d'un navire et empêchant l'eau de pénétrer à l'intérieur. 1643 ; néerl. *sloerie*, « plat bord » ; ['ilwaʀ].

**HILOTE,** voir **ILOTE**

**HIMATION,** subst. m.
*Antiq. gr.* Manteau sans manches que les hommes et les femmes drapaient autour de leur corps. 1876 ; mot gr. ; [imatjɔn].

**HINAYANA,** subst. m.
*Relig. Le **Hinayana** ou*, empl. adj., *Le bouddhisme **hinayana*** : la plus ancienne des deux grandes formes du bouddhisme, dite du Petit Véhicule. ► Auj., forme dérivée du Petit Véhicule pratiquée au Sri Lanka et en Asie du Sud-Est. Skr. *hīnayāna* ; [inajana].

**HINDI,** subst. m.
*Ling.* Langue indo-aryenne moderne dérivée du sanskrit, surtout parlée dans le nord de l'Inde, langue officielle de l'Union indienne ; empl. adj. : *Un mot **hindi**.* 1840 ; mot hindi ; ['indi].

**HINDOU, OUE,** adj. et subst.
Vx. Indien, de l'Inde. ADJ. Propre, relatif à l'hindouisme. SUBST. Adepte de l'hindouisme. 1653 ; persan *hendu*, « venant de l'Inde » ; [ɛ̃du].

**HINDOUISME,** subst. m.
Religion traditionnelle de l'Inde. 1876 ; ☞ *hindou* ; [ɛ̃duism].

© D. Dorval-Explorer

*Ganesha, le plus populaire des dieux **hindous** (Sri Lanka).*

RELIGION – Issu du védisme et du brahmanisme, l'hindouisme est apparu en Inde aux alentours du début de notre ère. Il se caractérise par la reconnaissance du système des castes, la croyance dans la transmigration des êtres sous forme humaine, divine ou animale, la théorie du karma, selon laquelle tout acte entraîne une rétribution (bonne ou mauvaise) dans une vie ultérieure, la recherche de la libération, par le biais du dharma, du rituel, de l'ascèse, des pratiques magiques, etc. De nouveaux dieux apparaissent, tels Skanda et le populaire Ganesha. Vishnou et Shiva prédominent, que leurs adeptes respectifs honorent comme la plus haute divinité. Deux des avatars de Vishnou, Rama et, surtout, Krishna, connaissent également une faveur particulière, associée à un élément récent dans l'hindouisme, la *bhakti*, ou dévotion totale à la divinité comme moyen de parvenir à la libération finale. Autre forme religieuse, le shaktisme est né de la primauté nouvelle accordée à la divinité féminine comme énergie du dieu. Le culte a lui aussi évolué, depuis l'âge védique : les sacrifices compliqués ont cédé la place à l'hommage rendu au dieu avec des offrandes d'eau, de fleurs ou de substances végétales.

**HINDOUISTE,** adj. et subst.
ADJ. Relatif à l'hindouisme. SUBST. Adepte de l'hindouisme. 1951 ; ☞ *hindou* ; [ɛ̃duist].

**HINDOUSTANI,** subst. m.
Nom donné, au XVIIe s., par les Anglais, et auj. discuté, à une forme populaire du hindi et de l'ourdou parlée dans le nord de l'Inde et caractérisée par de nombreux emprunts à l'arabe et au persan. 1653 ; topon. *Hindoustan* ; [ɛ̃dustani].

**HINTERLAND,** subst. m.
*Géogr.* Région qui s'étend à l'intérieur des terres (synon. *arrière-pays*). 1894 ; all. *Hinterland*, de *hinter*, « derrière », et de *Land*, « pays » ; [intɛʀlɑ̃d].

**HIP,** interj.
Souvent répété et suivi de « hourra ! », sert à acclamer ou à marquer sa joie : ***Hip**, **hip**, **hip**, hourra !* Fin XIXe s. ; onomat. angl. ; ['ip].

**HIPPARCHIE,** subst. f.
*Antiq. gr.* Division de cavalerie (env. 500 hommes). Déb. XIXe s. ; gr. *hipparkhia* ; [ipaʀʃi].

**HIPPARION,** subst. m.
*Paléont.* Mammifère fossile périssodactyle, ancêtre du cheval actuel, qui vivait à l'ère tertiaire. Mil. XIXe s. ; gr. *hipparion*, « petit cheval » ; [ipaʀjɔ̃].

**HIPPARQUE,** subst. m.
*Antiq. gr.* Officier commandant une hipparchie. Mil. XVIIIe s. ; gr. *hipparkhos* ; [ipaʀk].

**HIPPIATRIE,** subst. f.
Vieilli. Médecine vétérinaire qui concerne les maladies et l'hygiène des chevaux (synon. *hippiatrique*). 1534 ; gr. *hippos*, « cheval », et *iatreia*, « traitement, guérison » ; [ipjatʀi].

**HIPPIE,** subst. et adj.
SUBST. Adepte d'un mouvement né à San Francisco dans les années soixante, fondé sur le refus de la société de consommation et de toutes les formes d'encadrement institutionnel, prônant les expériences de groupes informels, la non-violence et la liberté en tout domaine. ADJ. Propre aux **hippies** : *La mode **hippie**.* V. 1970 ; anglo-amér. *hippie*, de *hip*, « dans le coup » ; var. *hippy* ; ['ipi].

**HIPPIQUE,** adj.
**1.** Équin (vx). **2.** Relatif au hippisme ; équestre. 1842 ; gr. *hippikos*, de *hippos*, « cheval » ; [ipik].

**HIPPISME,** subst. m.
Ensemble des sports pratiqués à cheval. 1898 ; ☞ *hippique* ; [ipism].

**HIPPOCAMPE,** subst. m.
**1.** *Myth.* Monstre marin, mi-cheval mi-poisson. **2.** *Zool.* Poisson marin de la famille des Syngnathidés, dont la tête évoque celle d'un cheval, à queue préhensile, et dont le mâle incube les œufs dans une poche ventrale. **3.** *Anat.* Anneau de substance grise et de fibres ou de faisceaux entourant le seuil de l'hémisphère cérébral. 1561 ; lat. *hippocampus*, du gr. *hippokampos*, de *hippos*, « cheval », et de *kampos*, sorte de poisson ; [ipɔkɑ̃p].

**HIPPOCRATIQUE,** adj.
**1.** Qui a trait à Hippocrate et à sa doctrine : *Médecine **hippocratique**.* **2.** *Pathol.* Relatif à l'hippocratisme. Déb. XVIe s. ; anthropon. *Hippocrate* ; [ipɔkʀatik].

**HIPPOCRATISME,** subst. m.
**1.** Doctrine médicale d'Hippocrate, fondée sur l'observation clinique et le diagnostic des maladies. **2.** *Pathol. **Hippocratisme** digital* : déformation des doigts avec élargissement de la pulpe de la dernière phalange et incurvation des ongles en verre de montre, observée au cours de maladies chroniques, en partic. respiratoires ou cardiaques. 1719 ; anthropon. *Hippocrate* ; [ipɔkʀatism].

**HIPPODROME,** subst. m.
**1.** *Antiq.* Lieu où se déroulaient les courses de chevaux et de chars. **2.** Champ de courses : ***Hippodrome** d'Évry.* XIIIe s. ; lat. *hippodromus*, du gr. *hippodromos*, de *hippos*, « cheval », et de *dromos*, « course » ; [ipɔdʀom].

**HIPPOGRIFFE,** subst. m.
*Myth.* Animal fabuleux ailé, mi-cheval mi-griffon. Mil. XVIe s. ; ital. *ippogrifo*, du gr. *hippos*, « cheval », et de l'ital. *grifo*, « griffon » ; [ipɔgʀif].

**HIPPOLOGIE,** subst. f.
Connaissance, étude du cheval. 1858 ; formé de *hippo-* et de *-logie* ; [ipɔlɔʒi].

**HIPPOLOGIQUE,** adj.
Relatif, propre à l'hippologie. 1776 ; ☞ *hippologie* ; [ipɔlɔʒik].

**HIPPOMOBILE,** adj.
Qui est mû par un ou plusieurs chevaux : *Voiture **hippomobile**.* 1896 ; formé de *hippo-* et de *-mobile*, d'apr. *automobile* ; [ipɔmɔbil].

**HIPPOPHAÉ,** subst. m.
*Bot.* Argousier. 1704 ; lat. *hippophae*, du gr. *hippophaes*, de *hippos*, « cheval », et de *phaos*, « lumière, éclat » ; [ipɔfae].

**HIPPOPHAGIE,** subst. f.
Consommation de viande de cheval. 1832 ; formé de *hippo-* et de *-phagie* ; [ipɔfaʒi].

**HIPPOPHAGIQUE,** adj.
Relatif à l'hippophagie : *Boucherie **hippophagique**.* Mil. XIXe s. ; ☞ *hippophagie* ; [ipɔfaʒik].

**HIPPOPOTAME,** subst. m.
*Zool.* Gros mammifère herbivore d'Afrique tropicale, de la famille des Hippopotamidés, qui vit dans les fleuves. Fin XIIe s. ; lat. *hippopotamus*, du gr. *hippopotamos*, de *hippos*, « cheval », et de *potamos*, « fleuve » ; [ipɔpɔtam].

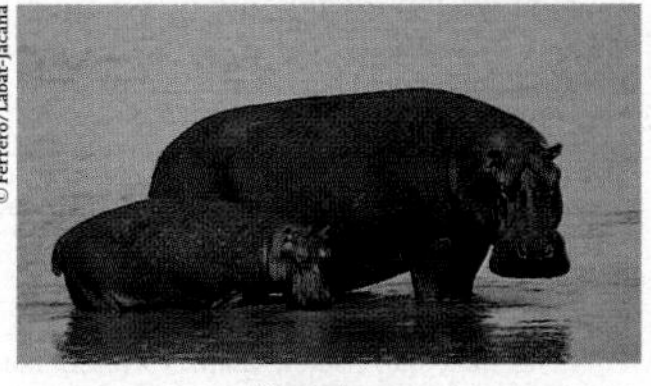
© Ferrero/Labat-Jacana

*Hippopotames.*

**HIPPOPOTAMESQUE,** adj.
Lourd et massif comme l'hippopotame (fam.). Mil. XIXe s. ; ☞ *hippopotame* ; [ipɔpɔtamɛsk].

**HIPPOTECHNIE,** subst. f.
Technique de l'élevage et du dressage des chevaux. Fin XIXe s. ; formé de *hippo-* et de *-technie* ; [ipotɛkni].

**HIPPURIQUE,** adj.
Se dit d'un acide organique faiblement concentré dans l'urine humaine et abondant dans l'urine des herbivores. 1830 ; ☞ *urique* + *hippo-* ; [ipyʀik].

**HIPPY,** voir **HIPPIE**

**HIRCIN, INE,** adj.
Relatif au bouc (rare) : *Puanteur **hircine**.* XVe s. ; lat. *hircinus*, de *hircus*, « bouc » ; [iʀsɛ̃, in].

**HIRONDEAU,** subst. m.
Petit de l'hirondelle. Mil. XVIIe s. ; ☞ *hirondelle* ; [iʀɔ̃do].

**HIRONDELLE,** subst. f.
**1.** *Zool.* Oiseau migrateur insectivore, à dos noir et à ventre blanc, de la famille des Hirundinidés. ► Loc. *Une **hirondelle** ne fait pas le printemps* (Aristote) : d'un seul exemple on ne peut tirer une loi générale. **2.** ***Hirondelle** de mer* : sterne. **3.** *Nid d'**hirondelle*** : nid de la salangane, mets apprécié des Chinois. **4.** Fig. Agent de police cycliste (fam. et vieilli). 1546 ; anc. prov. *irondela*, du lat. *hirundo* ; [iʀɔ̃dɛl].

**HIRSUTE,** adj.
Dont les cheveux ou les poils sont abondants et en désordre. Fin XIXe s. (1803, en parlant d'une plante) ; lat. *hirsutus* ; [iʀsyt].

**HIRSUTISME,** subst. m.
*Pathol.* Développement anormal du système pileux chez la femme, dû à une hypersécrétion d'hormones androgènes par les surrénales et les ovaires (synon. *virilisme pilaire*). 1920 ; ☞ *hirsute* ; [iʀsytism].

**HIRUDINÉES,** subst. f. plur.
*Zool.* Classe de l'embranchement des Annélides, qui comprend les sangsues, parasites des Vertébrés. AU SING. *La sangsue est une **hirudinée**.* 1820 ; lat. *hirudo*, « sangsue » ; [iʀydine].

**HISPANIQUE,** adj.
Relatif à l'Espagne et à sa civilisation. 1525 ; lat. *hispanicus*, du topon. *Hispania*, « Hispanie » ; [ispanik].

**HISPANISANT, ANTE,** subst. Spécialiste de la langue, de la littérature et de la civilisation espagnoles. 1919 ; hispanique ; [ispanizɑ̃, ɑ̃t].

**HISPANISME,** subst. m. *Ling.* Mot, tournure syntaxique propre à la langue espagnole. 1752 ; hispanique ; [ispanism].

**HISPANO-AMÉRICAIN, AINE,** adj. et subst. De l'Amérique de langue espagnole. ADJ. Relatif à l'Espagne et à l'Amérique. SUBST. MASC. La langue espagnole parlée en Amérique latine. 1845 ; *américain + hispano-* ; plur. *hispano-américains, aines* ; [ispanoameʀikɛ̃, ɛn].

**HISPANO-MAURESQUE,** adj. Qualifie l'art musulman au temps de la domination des califes de Cordoue sur l'Espagne et le Maroc, du VIIIe au XIIIe s. 1898 ; *mauresque + hispano-* ; plur. *hispano-mauresques*, var. *hispano-moresque* (plur. *hispano-moresques*) ; [ispanomɔʀɛsk].

**HISPANOPHONE,** adj. et subst. Se dit d'une personne qui parle l'espagnol. ADJ. Où l'on parle l'espagnol : *L'Amérique* ***hispanophone.*** Formé de *hispano-* et de *-phone* ; [ispanɔfɔn].

**HISPIDE,** adj. *Bot.* Hérissé de poils durs : *Une tige* ***hispide.*** 1495 ; lat. *hispidus*, « hérissé, velu » ; [ispid].

**HISSER,** verbe trans. [3] **1.** *Mar.* Faire monter à l'aide d'un cordage, d'une drisse : ***Hisser*** *la grand-voile, un foc.* ► Loc. ***Hisser*** *les couleurs* : envoyer le drapeau. **2.** Ext. Tirer vers le haut : ***Hisser*** *un blessé à bord d'un hélicoptère* ; empl. interj. : *Ho !* ***hisse !*** souligne l'effort d'un groupe qui soulève qqch., qqn. **3.** Fig. Faire accéder (qqn) à un plus haut degré. PRONOM. **1.** Se hausser en marquant un effort physique. **2.** Fig. S'élever. 1552 ; bas all. *hissen* ; ['ise].

**HISTAMINE,** subst. f. *Biochim.* Composé basique produit à partir de l'histidine. En tant que neuromédiateur, l'**histamine** déclenche la sécrétion d'acide chlorhydrique par les cellules de l'estomac et intervient dans les phénomènes inflammatoires, en partic. allergiques, déclenchant la contraction des muscles lisses des bronchioles et la vasodilatation des capillaires. 1931 ; *amine + histo-* ; [istamin].

**HISTAMINIQUE,** adj. *Biol.* En rapport avec l'histamine : *Choc* ***histaminique.*** Déb. XXe s. ; *histamine* ; [istaminik].

**HISTIDINE,** subst. f. *Biochim.* Acide aminé, servant à la synthèse des protéines, qui peut être transformé en histamine. 1897 ; all. *Histidine* ; [istidin].

**HISTIOCYTE,** subst. m. *Biol.* Macrophage dérivant d'un monocyte situé dans les tissus conjonctifs. 1922 ; all. *Histiozit*, du gr. *histos*, « tissu », et *kutos*, « cavité » ; [istjɔsit].

**HISTOCHIMIE,** subst. f. Branche de l'histologie qui étudie la nature et l'activité biochimique des constituants cellulaires des tissus. 1855 ; *chimie + histo-* ; [istoʃimi].

**HISTOCOMPATIBILITÉ,** subst. f. *Biol.* Degré de compatibilité des caractères antigéniques entre les tissus d'un donneur et ceux d'un receveur, déterminé par la comparaison de ces tissus. Mil. XXe s. ; *compatibilité + histo-* ; [istokɔ̃patibilite].

**HISTOGENÈSE,** subst. f. *Biol.* Processus de formation des tissus organiques, en partic. par différenciations successives des feuillets embryonnaires. Mil. XIXe s. ; formé de *histo-* et de *-genèse* ; var. *histogénèse* ; [istoʒənɛz].

**HISTOGRAMME,** subst. m. *Stat.* Mode de représentation des valeurs prises par un caractère continu sur un échantillon, associant à chaque classe un rectangle dont la longueur et la hauteur sont respectivement proportionnelles à l'amplitude et à l'effectif de la classe. 1956 ; angl. *histogram*, du gr. *histos*, « tissu, trame », et *gramma*, « écriture » ; [istɔgʀam].

**HISTOIRE,** subst. f. **I. 1.** Récit des évènements relatifs à la vie d'un peuple ou de l'humanité en gén. : ***Histoire*** *de la colonisation* ; ***Histoire*** *ancienne*, de l'Antiquité ; ***Histoire*** *du Moyen Âge*, de la chute de l'Empire romain (476) à celle de Constantinople (1453) ; ***Histoire*** *moderne*, de 1453 à 1789 ; ***Histoire*** *contemporaine*, de la Révolution à nos jours ; ***Histoire*** *sainte*, les récits de la Bible. ► Ouvrage relatant ces évènements : *Acheter une* ***histoire*** *de France.* ► Loc. *La petite* ***histoire*** : les anecdotes, les détails. **2.** Mémoire que la postérité garde des faits et des hommes : *L'****histoire*** *jugera* ; par ext. : *Un paysage chargé d'****histoire.*** **3.** Science humaine dont l'objet est l'étude du passé : *Enseigner l'****histoire*** ; *L'****histoire*** *peut-elle être impartiale ?* ► Période du passé connue par des documents écrits. **4.** Anal. Ensemble des connaissances de l'évolution d'un objet ; son étude : ***Histoire*** *de l'aviation* ; ***Histoire*** *d'une langue.* ► ***Histoire*** *naturelle* : sciences naturelles (vieilli). **II. 1.** Suite des évènements relatifs à la vie de qqn. **2.** Aventure ; incident, problème particulier : *C'est une sale* ***histoire.*** ► Loc. *Faire des* ***histoires*** : créer des ennuis ; *En faire toute une* ***histoire*** : exagérer ; *C'est toute une* ***histoire*** : c'est long et compliqué ; *C'est une autre* ***histoire*** : cela n'a pas de rapport ; *Sans* ***histoire*** : sans problème. ► Loc. prép. **Histoire de.** Pour (fam.) : *Allons au parc,* ***histoire*** *de prendre l'air.* **III. 1.** Récit réel ou fictif : *Raconter une* ***histoire*** *aux enfants* ; *Une* ***histoire*** *drôle.* **2.** Propos mensonger (gén. au plur.) : *Ce sont des* ***histoires !*** XIIe s. ; lat. *historia*, du gr. *historia* ; [istwaʀ].

**HISTOLOGIE,** subst. f. Partie de la biologie qui étudie les tissus organiques. 1823 ; formé de *histo-* et de *-logie* ; [istɔlɔʒi].

**HISTOLOGIQUE,** adj. *Biol.* Qui se rapporte à l'histologie : *Examen* ***histologique.*** 1832 ; *histologie* ; [istɔlɔʒik].

**HISTOLYSE,** subst. f. *Biol.* Destruction d'un tissu vivant, pathologique (par ex. **histolyse** cancéreuse) ou normale (lors des métamorphoses d'un insecte). 1890 ; formé de *histo-* et de *-lyse* ; [istɔliz].

**HISTONE,** subst. f. *Biochim.* Petite protéine basique eucaryotique présente en quantité dans le noyau cellulaire, qui participe à la structure des nucléosomes, base de la chromatine. Fin XIXe s. ; gr. *histos*, « tissu » ; [istɔn].

**HISTORICISME,** subst. m. Doctrine selon laquelle il est possible de déduire de la connaissance historique une morale, une vérité ou un enseignement propre à éclairer la nature humaine ou l'évolution future de l'humanité. 1908 ; *historique* ; [istɔʀisism].

**HISTORICITÉ,** subst. f. Caractère de ce qui est historiquement attesté. 1866 ; *historique* ; [istɔʀisite].

**HISTORIEN, IENNE,** subst. Personne qui se consacre à la recherche historique, écrit des ouvrages d'histoire ou enseigne l'histoire. 1213 ; *histoire* ; [istɔʀjɛ̃, jɛn].

**HISTORIER,** verbe trans. [6] *B.-a.* Décorer de scènes racontant une histoire ; orner ; empl. adj. : *Chapiteau, manuscrit* ***historié.*** Déb. XVe s. (fin XIVe s., raconter en historien) ; lat. médiév. *historiare*, du lat. *historia*, « histoire » ; [istɔʀje].

© J.-L. Charmet-Explorer

L'Enlèvement d'Europe,
*tapisserie* ***historiée*** *d'un fauteuil du* XVIIe *s.*

**HISTORIETTE,** subst. f. Petit récit anecdotique. 1650 ; *histoire* ; [istɔʀjɛt].

**HISTORIOGRAPHE,** subst. m. **1.** Personne chargée officiellement d'écrire l'histoire d'un règne, d'une institution : *Racine eut la charge d'****historiographe*** *de Louis XIV.* **2.** Ext. Personne qui relate les évènements historiques liés à une période ou à un personnage précis. 1213 ; bas lat. *historiographus*, du gr. *historiographos* ; [istɔʀjɔgʀaf].

**HISTORIOGRAPHIE,** subst. f. **1.** Travail de l'historiographe. **2.** Méton. Ensemble d'écrits historiques : *L'****historiographie*** *de la Révolution.* Fin XVe s. ; lat. médiév. *historiographia*, du gr. *historiographia* ; [istɔʀjɔgʀafi].

**HISTORIQUE,** adj. et subst. m. ADJ. **1.** Qui concerne l'histoire, son étude : *Recherche* ***historique*** ; *Le matérialisme* ***historique*** *de Karl Marx* (*matérialisme*). **2.** Dont l'existence, la réalité est attestée : *Personnage, fait* ***historique*** ; *Roman* ***historique,*** récit inspiré de l'histoire. **3.** Qui appartient à une période du passé connue par des documents écrits (anton. *préhistorique*). **4.** Qui a été retenu par l'histoire ou qui est digne de l'être : *Décision* ***historique*** ; *Monument* ***historique,*** classé et protégé par l'État. SUBST. Exposé chronologique : *L'****historique*** *de l'affaire Dreyfus.* XVe s. ; lat. *historicus*, du gr. *historikos* ; [istɔʀik].

**HISTORIQUEMENT,** adv. De manière historique ; conformément à la réalité historique. 1617 ; *historique* ; [istɔʀikmɑ̃].

**HISTORISME,** subst. m. **1.** Doctrine selon laquelle toute vérité évolue avec l'histoire (synon. *relativisme historique*). **2.** Tendance à privilégier l'explication historique des faits. Mil. XXe s. ; *historique* ; [istɔʀism].

**HISTRION,** subst. m. **1.** *Antiq. rom.* Comédien ou mime jouant des farces populaires. **2.** *M. Â.* Jongleur, baladin. **3.** Ext. Personne qui se donne en spectacle (péj.). 1544 ; lat. *histrio* ; [istʀijɔ̃].

**HISTRIONISME,** subst. m. *Psychol.* Trait de caractère ou trouble de la personnalité caractérisé par un comportement théâtral. Mil. XIXe s. ; *histrion* ; [istʀijɔnism].

**HITLÉRIEN, IENNE,** adj. Qui se rapporte à Hitler, à ses théories politiques, au régime qu'il institua : *Crimes* ***hitlériens*** ; empl. subst., personne partageant l'idéologie de Hitler. 1930 ; anthropon. *Adolf Hitler* ; [itleʀjɛ̃, jɛn].

**HITLÉRISME,** subst. m. Doctrine, système politique de Hitler. 1933 ; anthropon. *Adolf Hitler* ; [itleʀism].

**HIT-PARADE,** subst. m. Anglic. **1.** Palmarès des meilleures ventes de disques de variétés ; par ext., palmarès de toute forme de spectacle. **2.** Classement selon le succès, la popularité : *Le* ***hit-parade*** *des stations de ski.* V. 1960 ; angl. *hit parade*, « défilé des succès » ; plur. *hit-parades*, recomm. off. *palmarès* ; ['itpaʀad].

**HITTITE,** adj. et subst. m. ADJ. Du peuple antique des Hittites. SUBST. Langue indo-européenne parlée et écrite par les Hittites. 1884 ; angl. *hittite*, de l'hébreu *ḥittīm* ; ['itit].

**HIVER,** subst. m. **1.** Quatrième et dernière saison, qui s'étend du solstice d'hiver (21 ou 22 décembre selon les années) à l'équinoxe de printemps (20 ou 21 mars) dans l'hémisphère Nord, et, dans l'hémisphère Sud, du 20 ou 21 juin au 20 ou 21 septembre. **2.** Méton. Le climat froid caractéristique de l'**hiver** boréal. ► Loc. **D'hiver.** Adapté à l'**hiver** : *Vêtements d'****hiver*** ; *Blé d'****hiver*** ; *Sports d'****hiver.*** **3.** Fig. Vieillesse, âge avancé. XIe s. ; bas lat. *hibernum* ; [ivɛʀ].

**HIVERNAGE,** subst. m. **I. 1.** *Agric.* Semailles d'hiver ; labour fait avant l'hiver. **2.** *Biol.* Maintien d'organismes vivants à basse température, visant à retarder leur développement. **3.** Saison des pluies de la zone tropicale. **II.** Action d'hiverner. **1.** *Mar.* Période de relâche des navires à la mauvaise saison et, par méton., port où ils s'abritent. **2.** *Élev.* Séjour du bétail à l'abri dans l'étable ou la bergerie pendant la période du froid. 1226 ; *hiverner* ; [ivɛʀnaʒ].

**HIVERNAL, ALE, AUX,** adj. et subst. f. ADJ. Propre à l'hiver (anton. *estival*) : *Température* ***hivernale.*** SUBST. Escalade en haute montagne, pratiquée en hiver. 1119 ; bas lat. *hivernalis* ; [ivɛʀnal, o].

**HIVERNANT, ANTE,** subst. et adj. SUBST. Personne qui passe l'hiver dans un lieu différent de celui où elle séjourne habituellement (anton. *estivant*) : *Les* ***hivernants*** *à Monaco.* ADJ. Hibernant. 1888 ; p. pr. de *hiverner* ; [ivɛʀnɑ̃, ɑ̃t].

**HIVERNER,** verbe [3]
INTRANS. Passer l'hiver à l'abri, au repos, en parlant de navires, de personnes (en partic. de troupes) ou d'animaux. TRANS. *Agric.* **1.** Labourer (une terre) avant l'hiver. **2.** Mettre à l'abri (des bêtes) pour l'hiver. Fin XIIe s. ; lat. *hibernare* ; [ivɛʀne].

**HO,** interj.
**1.** S'emploie pour arrêter un animal ou pour interpeller qqn. **2.** Exprime l'étonnement ou l'admiration. Déb. XIIIe s. ; onomat. ; ['o].

**Ho,** voir **HOLMIUM**

**HOBBY,** subst. m.
Passe-temps, loisir favori. 1933 ; ell. de *hobby-horse,* « manie », de l'angl. *hobby horse,* « cheval de bois » ; plur. *hobbys* ou *hobbies* ; ['ɔbi].

**HOBEREAU,** subst. m.
**1.** *Zool.* Petit faucon d'un gris bleuté. **2.** Gentilhomme campagnard (péj.). Fin XIIe s. ; anc. fr. *hobel,* de *hobeler,* « harceler l'ennemi », du m. néerl. *hob(b)elen,* « tourner, rouler » ; ['ɔbʀo].

**HOCCO,** subst. m.
*Zool.* Oiseau de la famille des Cracidés, au plumage bleuté et à longue queue, vivant en Amérique du Sud. 1664 ; mot caraïbe ; ['ɔko].

**HOCHEMENT,** subst. m.
***Hochement** de tête* : mouvement de la tête que l'on hoche. XIVe s. ; ☞ *hocher* ; ['ɔʃmɑ̃].

**HOCHEQUEUE,** subst. m.
Bergeronnette grise. 1549 ; formé de *hocher* et de *queue* ; ['ɔʃkø].

**HOCHER,** verbe trans. [3]
**1.** Agiter (vx ou région.) : ***Hocher** un pommier.* **2.** ***Hocher** la tête* : la secouer en signe de désapprobation (de droite à gauche), d'acquiescement (de haut en bas) ou de doute. 1155 ; anc. bas frq. *°hottisōn,* de *°hotton,* « secouer » ; ['ɔʃe].

**HOCHET,** subst. m.
**1.** Jouet destiné aux bébés, dont les éléments mobiles qu'il contient font du bruit lorsqu'on le secoue. **2.** Fig. Chose futile qui console ou qui flatte la vanité : *Les **hochets** de la popularité.* XIVe s. ; ☞ *hocher* ; ['ɔʃɛ].

**HOCKEY,** subst. m.
*Sp.* Jeu d'équipe dans lequel les joueurs utilisent une crosse à l'extrémité aplatie : ***Hockey** sur gazon,* opposant deux équipes de onze joueurs qui doivent marquer des buts avec une balle de cuir ; ***Hockey** sur glace,* où la balle est remplacée par un palet et qui oppose deux équipes de six patineurs. 1889 ; mot angl. ; ['ɔkɛ].

© D. Clement-Explorer

*Hockey sur glace.*

**HOCKEYEUR, EUSE,** subst.
Joueur, joueuse de hockey. Déb. XXe s. ; ☞ *hockey* ; ['ɔkɛjœʀ, øz].

**HODOGRAPHE,** subst. m.
*Géom.* et *Mécan.* ***Hodographe** du mouvement d'un mobile ponctuel M par rapport à un point fixe O* : ensemble des points P tels que $\overrightarrow{OP} = \vec{V}$, où $\vec{V}$ est le vecteur vitesse de M. Gr. *hodos,* « route », + *-graphe* ; [ɔdɔgʀaf].

**HOIR,** subst. m.
*Dr.* Héritier en ligne directe (vieilli ou helv.). Fin XIe s. ; lat. pop. *°herem,* du lat. *heres,* « légataire » ; [waʀ].

**HOIRIE,** subst. f.
*Dr.* **1.** Vx. Héritage. ▸ Helv. Ensemble des héritiers indivis. **2.** *Avancement d'**hoirie*** : part d'héritage versée en avance à un héritier. 1318 ; ☞ *hoir* ; [waʀi].

**HOLÀ,** interj.
Sert à interpeller ou à inviter à la modération ; empl. subst. masc. : *Mettre le **holà** à,* mettre fin, bon ordre à. Mil. XIVe s. ; formé de *ho* et de *là* ; ['ɔla].

**HOLDING,** subst. m. ou f.
*Écon.* Société financière dont le capital est constitué d'actions d'autres sociétés qu'elle dirige et contrôle. 1930 ; ell. de l'angl. *holding company,* « société de portefeuille », de *to hold,* « détenir » ; ['ɔldiŋ].

**HOLD-UP,** subst. m. inv.
Vol commis en menaçant d'une arme, dans un lieu public (anglic.). 1925 ; anglo-amér. *hold up,* de *to hold up,* « tenir en l'air » ; ['ɔldœp].

**HOLISME,** subst. m.
*Philos.* Théorie selon laquelle tout phénomène est à considérer comme une totalité indivisible, ses différentes composantes ne pouvant se comprendre que par le tout qui leur donne une signification. 1939 ; angl. *holism,* du gr. *holos* « entier » ; ['ɔlism].

**HOLISTE,** adj.
Relatif à l'holisme (synon. *holistique*) ; empl. subst., partisan de l'holisme. Mil. XXe s. ; ☞ *holisme* ; ['ɔlist].

**HOLLANDAIS, AISE,** adj. et subst.
De Hollande ; par ext., des Pays-Bas (empl. abusif). ADJ. **1.** *B.-a.* *École **hollandaise*** : désigne la peinture **hollandaise,** au XVIIe s., dominée par le génie de Rembrandt. **2.** *Cuis. Sauce **hollandaise*** : sauce à base de jaunes d'œufs et de beurre. SUBST. MASC. Langue germanique parlée en Hollande, dont le néerlandais est une forme standardisée. XIIIe s. ; topon. *Hollande* (Pays-Bas) ; ['ɔl(l)ɑ̃dɛ, ɛz].

**HOLLANDE,** subst.
FÉM. **1.** Toile fine de lin. **2.** Variété de grosse pomme de terre. MASC. **1.** Fromage de vache à pâte orangée et croûte rouge. **2.** Papier de luxe, vergé et gén. filigrané. 1562 ; topon. *Hollande* ; ['ɔ(l)ɑ̃d].

**HOLLYWOODIEN, IENNE,** adj.
**1.** De Hollywood. **2.** Ext. Qui évoque le caractère démesuré, artificiel, le luxe de Hollywood. 1937 ; topon. *Hollywood* (États-Unis) ; ['ɔliwudjɛ̃, jɛn].

**HOLMIUM,** subst. m.
*Chim.* Élément chimique n° 67 de la table de Mendeleïev (symb. : Ho), du groupe des lanthanides, de masse atomique 164,93. 1880 ; topon. *Stockholm* (Suède) ; ['ɔlmjɔm].

**HOLOCAUSTE,** subst. m.
**1.** *Relig.* Chez les Hébreux, sacrifice où un animal était entièrement brûlé ; par ext., offrande ; par méton., l'animal. **2.** Fig. *S'offrir en **holocauste*** : sacrifier sa vie à une cause (littér.). **3.** *L'**Holocauste*** : l'extermination des Juifs par les nazis pendant la Seconde Guerre mondiale. Déb. XIIIe s. ; lat. chrét. *holocaustum,* du gr. *holokaustos,* de *holos,* « entier », et de *kaustos,* « brûlé » ; [ɔlokost].

**HOLOCÈNE,** subst. m.
*Géol.* Période la plus récente du Quaternaire, succédant au Pléistocène ; empl. adj. : *Période **holocène.*** Déb. XXe s. ; formé de *holo-* et de *-cène* ; [ɔlɔsɛn].

**HOLOGRAMME,** subst. m.
Image holographique donnant l'impression du relief. V. 1970 ; formé de *holo-* et de *-gramme* ; [ɔlɔgʀam].

**HOLOGRAPHE,** voir **OLOGRAPHE**

**HOLOGRAPHIE,** subst. f.
Méthode d'enregistrement et de reproduction des hologrammes par la superposition de deux faisceaux laser, l'un direct, l'autre réfléchi. Mil. XXe s. ; formé de *holo-* et de *-graphie* ; [ɔlɔgʀafi].

**HOLOGRAPHIQUE,** adj.
Relatif à l'holographie ; réalisé par holographie. XXe s. ; ☞ *holographie* ; [ɔlɔgʀafik].

**HOLOMÉTABOLE,** adj.
*Zool.* Qualifie un insecte à métamorphoses complètes, c.-à-d. dont les ailes ne sont visibles extérieurement qu'au stade précédant le stade adulte. V. 1900 ; ☞ *métabole* + *holo-* ; [ɔlometabɔl].

**HOLOPHRASTIQUE,** adj.
*Ling.* Se dit des langues dans lesquelles une phrase entière peut être, par regroupement de ses différents éléments, exprimée en un seul mot. Mil. XIXe s. ; gr. *phrastikos,* « relatif à la parole », + *holo-* ; [ɔlɔfʀastik].

**HOLOPROTÉINE,** subst. f.
*Biochim.* Protéine constituée à partir de plusieurs éléments de nature polypeptidique (vieilli). Mil. XXe s. ; ☞ *protéine* + *holo-* ; [ɔlɔpʀɔtein].

**HOLOSIDE,** subst. m.
*Biochim.* Glucide dont l'hydrolyse ne fournit que des oses (anton. *hétéroside*). Déb. XXe s. ; ☞ *oside* + *holo-* ; [ɔlɔzid].

**HOLOTHURIE,** subst. f.
*Zool.* Animal marin de forme cylindrique, à squelette calcaire, possédant une bouche et un anus, et qui se déplace en rampant sur des ambulacres. 1572 ; lat. *holothuria,* du gr. *holothourion* ; [ɔlɔtyʀi].

**HOMARD,** subst. m.
*Zool.* Crustacé de l'ordre des Décapodes, au corps long et cylindrique, doté d'une paire de grosses pinces et de quatre paires d'appendices grêles. ▸ *Cuis.* Cet animal accommodé : *Bisque de **homard.*** 1525 ; prob. bas all. *hummer* ; ['ɔmaʀ].

**HOMARDERIE,** subst. f.
Parc où l'on élève des homards. 1904 ; ☞ *homard* ; ['ɔmaʀd(ə)ʀi].

**HOMBRE,** subst. m.
*Jeux.* Ancien jeu de cartes espagnol. 1657 ; esp. *hombre,* « homme » ; [ɔ̃bʀ].

**HOME,** subst. m.
**1.** Vx. Domicile personnel. **2.** Foyer d'accueil, notamment pour des enfants en vacances. 1807 ; angl. *home,* « foyer, maison » ; ['om].

**HOMELAND,** subst. m.
Bantoustan. Angl. *homeland,* de *home,* « foyer », et de *land,* « terre » ; ['omlɑ̃d].

**HOMÉLIE,** subst. f.
**1.** Commentaire, prêche destiné à instruire les fidèles. **2.** Ext. Long discours moralisateur (péj.). Fin XIIe s. ; lat. chrét. *homilia* ; [ɔmeli].

**HOMÉOMORPHE,** adj.
Relatif à l'homéomorphisme. Déb. XXe s. ; formé de *homéo-* et de *-morphe* ; [ɔmeɔmɔʀf].

**HOMÉOMORPHISME,** subst. m.
**1.** *Math.* ***Homéomorphisme** d'un espace topologique E sur un espace topologique F* : bijection *f* de E sur F, continue ainsi que sa réciproque $f^{-1}$. **2.** *Chim.* Analogie des réseaux cristallins de deux cristaux. Déb. XXe s. ; ☞ *homéomorphe* ; [ɔmeɔmɔʀfism].

**HOMÉOPATHE,** subst.
Médecin qui traite ses patients par homéopathie ; empl. adj. : *Médecin **homéopathe.*** 1827 ; ☞ *homéopathie* ; [ɔmeɔpat].

**HOMÉOPATHIE,** subst. f.
Méthode thérapeutique consistant à administrer, à des doses infinitésimales, des agents produisant des symptômes analogues à ceux des affections traitées. 1827 ; all. *Homöopathie,* du gr. *homoios,* « semblable », et *pathos,* « ce dont on souffre » ; [ɔmeɔpati].

**HOMÉOPATHIQUE,** adj.
**1.** Relatif à l'homéopathie, à ses principes. **2.** Fig. *À dose **homéopathique*** : en très faible quantité. 1827 ; ☞ *homéopathie* ; [ɔmeɔpatik].

**HOMÉOSTASIE,** subst. f.
*Physiol.* Tendance des êtres vivants à maintenir en équilibre leurs différentes constantes physiologiques. 1945 ; angl. *homoeostasis* ; [ɔmeɔstazi].

**HOMÉOSTAT,** subst. m.
Appareil étudiant la capacité d'un système complexe, notamment d'un organisme vivant, à trouver un équilibre préalablement déterminé. 1953 ; angl. *homoeostat* ; [ɔmeɔsta].

**HOMÉOSTATIQUE,** adj.
*Physiol.* Qui a rapport à l'homéostasie. XXe s. ; ☞ *homéostasie* ; [ɔmeɔstatik].

**HOMÉOTHERME,** adj. et subst.
*Biol.* Se dit d'un animal dont la température interne reste constante quelle que soit celle du milieu ambiant (animal dit à sang chaud). 1878 ; formé de *homéo-* et de *-therme* ; [ɔmeɔtɛʀm].

**HOMÉOTHERMIE,** subst. f.
Spécificité des animaux homéothermes. XXe s. ; ☞ *homéotherme* ; [ɔmeɔtɛʀmi].

**HOMÉRIQUE,** adj.
**1.** Relatif à Homère, à son œuvre, à son époque : *Temps **homériques.*** **2.** Qui évoque Homère, ses descriptions grandioses : *Rire **homérique,*** rire sonore et prolongé, évoquant le rire prêté par Homère aux dieux de l'Olympe. 1548 ; lat. *homericus,* de l'anthropon. *Homerus,* « Homère » ; [ɔmeʀik].

**HOMESPUN,** subst. m.
Tissu écossais de laine fabriqué, à l'origine, à domicile. 1890 ; angl. *homespun,* de *home,* « chez soi », et de *spun,* « filé » ; ['omspœn].

**HOME-TRAINER,** subst. m.
Appareil fixe de culture physique (rameur ou bicyclette) utilisé pour s'entraîner à domicile (anglic.).

📖 V. 1980 ; angl. *home,* « chez soi », et *trainer,* « entraîneur » ; plur. *home-trainers* ; [ɔmtʀɛnœʀ].

**HOMICIDE (I),** subst. et adj.
**Subst.** Personne qui tue un être humain (littér.). **Adj.** Qui entraîne ou peut entraîner mort d'homme (vieilli ou littér.) : *Une guerre* ***homicide.*** 📖 Mil. XIIe s. ; lat. *homicida,* de *homo,* « homme », et de *caedere,* « tuer » ; [ɔmisid].

**HOMICIDE (II),** subst. m.
Action de tuer un être humain : ***Homicide*** *volontaire, involontaire.* 📖 XIIe s. ; lat. *homicidium* ; [ɔmisid].

**HOMINIDÉS,** subst. m. plur.
*Paléont.* Famille de mammifères primates comprenant les genres fossiles et actuels de la lignée de l'homme (ou des proches collatéraux) ainsi, pour certains spécialistes, que les grands singes anthropoïdes. **Au sing.** *« Homo sapiens » est un* ***hominidé.*** 📖 1834 ; lat. *homo,* « homme » ; [ɔminide].

**PALÉONTOLOGIE** – La bipédie, qui est à l'origine de l'évolution d'un groupe de singes anthropoïdes vers l'homme, semble apparaître en Afrique orientale, avant la fin du Tertiaire (au Pliocène, v. – 4,5 millions d'années). L'*Ardipithecus,* découvert en 1994, précède de 500 000 ans le plus ancien *Australopithecus* connu, *A. anamensis* (– 4 millions d'années, découvert en 1995), ancêtre possible de *A. afarensis.* C'est à cette dernière espèce qu'appartient le fameux squelette d'Éthiopie appelé Lucy (entre – 3 millions et – 3,6 millions d'années). Les premiers *Homo* (*H. habilis,* v. – 2 millions d'années, *H. erectus,* ou Pithécanthrope, de – 1,5 million à – 100 000 ans) ont envahi l'Ancien Monde et ont été contemporains, en Afrique, des derniers Australopithèques. En Europe, *Homo neanderthalensis,* apparu v. – 100 000 ans, semble s'être éteint sans descendance v. – 35 000 ans, relayé par un représentant de la même branche du genre *Homo* qui serait apparu v. – 40 000 ans : *Homo sapiens* (l'homme de Cro-Magnon ou homme moderne). Ces relais successifs illustrent une des interprétations actuelles de l'évolution des Hominidés, qui met en avant des relations de cousinage entre les espèces fossiles connues et qui peut remplacer la conception d'une lignée unique.

**HOMINIEN,** subst. m.
Membre d'un genre de la lignée de l'homme et de ses proches parents. **Plur.** Hominidés. 📖 1877 ; lat. *homo,* « homme » ; [ɔminjɛ̃].

**HOMINISATION,** subst. f.
*Paléont.* Processus d'évolution caractérisant le passage d'un primate simien à l'homme. 📖 1950 ; lat. *homo,* « homme » ; [ɔminizasjɔ̃].

**HOMINISÉ, ÉE,** adj.
*Anthropol.* Qui présente des caractères propres à l'homme. 📖 V. 1960 ; ☞ *hominisation* ; [ɔminize].

**HOMMAGE,** subst. m.
**1.** *Féod.* Promesse solennelle de fidélité et d'assistance faite par un vassal à son suzerain au cours d'une cérémonie ; par méton., cette cérémonie. **2.** Ext. Témoignage de déférence, de respect, de gratitude envers qqn ou qqch. ▸ Méton. Acte par lequel on rend hommage ; offrande, dédicace : *Les « Amours » de Ronsard sont un* ***hommage*** *aux femmes qu'il a aimées.* **Plur.** Marques de respect, soins dont on entoure qqn, en partic. une femme ; salutations. 📖 Mil. XIIe s. ; ☞ *homme* ; [ɔmaʒ].

**HOMMASSE,** adj.
Qualifie une femme qui a une allure, des manières masculines (péj.). 📖 XVIe s. ; ☞ *homme* ; [ɔmas].

**HOMME,** subst. m.
**I. 1.** Être humain défini par son espèce, sans considération de sexe : *Les premiers* ***hommes*** ; membre de la communauté humaine : *Les droits de l'****homme.*** **2.** Individu caractérisé par les qualités et les défauts propres à sa nature : *L'****homme*** *n'est ni bon ni méchant* (Balzac). **II. 1.** Mâle de l'espèce humaine quel que soit son âge : *Petit* ***homme,*** garçon ; *Vieil* ***homme.*** **2.** Individu mâle ayant acquis sa maturité physique et morale : *Enfant bâti comme un* ***homme*** ; *Son* ***homme,*** son mari (fam.). ▸ Loc. *D'****homme*** *à* ***homme*** : franchement ; *Comme un seul* ***homme*** : ensemble, à l'unisson ; *Être l'****homme*** *de la situation* : être capable de résoudre un problème ; *Être* ***homme*** *à (accomplir tel ou tel acte)* : en être capable. **3.** Être humain considéré du point de vue de son origine sociale, de sa fonction dans la société : ***Homme*** *du peuple* ; ***Homme*** *de loi.* **4.** Individu sous l'autorité d'un autre : *Le colonel et ses* ***hommes.*** 📖 Fin Xe s. ; lat. *hominem,* de *homo* ; [ɔm].

**HOMME-GRENOUILLE,** subst. m.
Plongeur équipé d'un scaphandre autonome, qui travaille sous l'eau. 📖 1949 ; comp. de *homme* et de *grenouille* ; plur. *hommes-grenouilles* ; [ɔmgʀənuj].

**HOMME-ORCHESTRE,** subst. m.
**1.** Musicien ambulant qui joue simultanément de plusieurs instruments. **2.** Fig. Personne qui accomplit des tâches multiples, endosse plusieurs responsabilités. 📖 1884 ; comp. de *homme* et de *orchestre* ; plur. *hommes-orchestres* ; [ɔmɔʀkɛstʀ], plur. [ɔmɔʀkɛstʀ].

**HOMME-SANDWICH,** subst. m.
Homme qui marche dans les rues équipé d'un panneau publicitaire dans le dos et d'un autre sur la poitrine. 📖 1881 ; comp. de *homme* et de *sandwich* ; plur. *hommes-sandwichs* ; [ɔmsɑ̃dwi(t)ʃ].

**HOMOCENTRIQUE,** adj.
**1.** *Géom.* Qualifie des cercles, des sphères, des coniques, ayant un même centre. **2.** *Phys.* Dont tous les rayons passent par un même point, en parlant d'un faisceau lumineux convergent ou divergent. 📖 Fin XVIIe s. ; gr. *homokentros,* de *homos,* « le même », et de *kentron,* « centre » ; [ɔmosɑ̃tʀik].

**HOMOCERQUE,** adj.
*Zool.* Qualifie la nageoire caudale à deux lobes égaux de certains poissons (anton. *hétérocerque*). 📖 1866 ; gr. *kerkos,* « queue », + *homo-* ; [ɔmosɛʀk].

**HOMOCHROMIE,** subst. f.
*Zool.* Aptitude de certains animaux à prendre ou à avoir la couleur de leur milieu. 📖 V. 1900 ; formé de *homo-* et de *-chromie* ; [ɔmokʀomi].

© P. Laboute-Jacana

*Une* ***homochromie*** *très poussée permet à ce poisson-bécasse écossais de passer presque inaperçu parmi les coraux au milieu desquels il guette ses proies.*

**HOMOCINÉTIQUE,** adj.
**1.** *Mécan.* Qualifie la liaison de deux arbres non alignés assurant une transmission régulière des vitesses. **2.** *Phys.* Se dit d'un faisceau composé de particules ayant la même vitesse. 📖 V. 1930 ; ☞ *cinétique* + *homo-* ; [omosinetik].

**HOMODONTE,** adj.
*Zool.* À dents toutes semblables (anton. *hétérodonte*). 📖 V. 1970 ; formé de *homo-* et de *-odonte* ; [ɔmɔdɔ̃t].

**HOMOFOCAL, ALE, AUX,** adj.
*Géom.* Qualifie des courbes, en partic. coniques, qui ont les mêmes foyers. 📖 V. 1900 ; ☞ *focal* + *homo-* ; [ɔmɔfɔkal, o].

**HOMOGAMÉTIQUE,** adj.
*Biol.* Pour une espèce à sexes séparés, qualifie celui des sexes qui produit un seul type de gamètes (anton. *hétérogamétique*) : *La femelle est* ***homogamétique*** *chez les mammifères, le mâle l'est chez les oiseaux.* 📖 Mil. XXe s. ; ☞ *gamète* + *homo-* ; [ɔmɔgametik].

**HOMOGAMIE,** subst. f.
*Sociol.* Mariage entre personnes du même groupe social (anton. *hétérogamie*). 📖 Mil. XIXe s. ; formé de *homo-* et de *-gamie* ; [ɔmɔgami].

**HOMOGÈNE,** adj.
**1.** Dont les éléments constitutifs sont de même nature ; dont la structure, la répartition est uniforme (anton. *hétérogène*) : *Poudre, pâte* ***homogène*** ; au fig. : *Un gouvernement* ***homogène.*** **2.** *Math.* ▸ *Fonction* ***homogène*** *de degré $\alpha \in \mathbb{R}$* : fonction numérique définie dans un espace vectoriel réel E, telle que pour tout $\lambda > 0$ et tout $u \in$ E, $f(\lambda u) = \lambda^{\alpha} f(u)$. ▸ *Polynôme* ***homogène*** *de degré (total) n* : polynôme à une ou plusieurs indéterminées dont chaque monôme a pour degré (total) *n.* 📖 1503 ; lat. scol. *homogeneus,* du gr. *homogenês,* « de même race ; semblable » ; [ɔmɔʒɛn].

**HOMOGÉNÉISATEUR, TRICE,** adj.
Qui sert à homogénéiser les liquides, en partic. le lait ; empl. subst. masc., appareil à homogénéiser. 📖 Déb. XXe s. ; ☞ *homogénéiser* ; [ɔmɔʒeneizatœʀ, tʀis].

**HOMOGÉNÉISATION,** subst. f.
Action d'homogénéiser ; son résultat. ▸ ***Homogénéisation*** *du lait* : réduction par fragmentation des globules gras pour empêcher la formation de la crème. 📖 1907 ; ☞ *homogénéiser* ; [ɔmɔʒeneizasjɔ̃].

**HOMOGÉNÉISER,** verbe trans. [3]
Rendre homogène en mélangeant les éléments formants ou en ôtant les éléments non conformes ; empl. adj. : *Lait* ***homogénéisé.*** 📖 1837 ; ☞ *homogène* ; [ɔmɔʒeneize].

**HOMOGÉNÉITÉ,** subst. f.
Qualité de ce qui est homogène ; cohérence, unité. 📖 1503 ; lat. scol. *homogeneitas* ; [ɔmɔʒeneite].

**HOMOGRAPHE,** adj. et subst. m.
*Ling.* Se dit de mots ayant la même orthographe mais n'étant pas forcément homophones : *Le substantif « car » et la conjonction « car » sont* ***homographes*** *et homophones.* 📖 1823 ; formé de *homo-* et de *-graphe* ; [ɔmɔgʀaf].

**HOMOGRAPHIE,** subst. f.
**1.** *Géom.* Transformation ponctuelle du plan associée à une fonction homographique. **2.** *Ling.* Caractère de mots homographes. 📖 1837 ; formé de *homo-* et de *-graphie* ; [ɔmɔgʀafi].

**HOMOGRAPHIQUE,** adj.
*Géom. Fonction* ***homographique*** : fonction *f* telle que $f(x) = \dfrac{ax + b}{cx + d}$ avec $ad - bc \neq 0$, *x* réel. Sa représentation graphique est une hyperbole si $c \neq 0$, une droite si $c = 0$. 📖 1837 ; ☞ *homographie* ; [ɔmɔgʀafik].

**HOMOGREFFE,** subst. f.
*Biol.* et *Chir.* Greffe pour laquelle le greffon provient d'un sujet de la même espèce que le sujet greffé. 📖 Fin XIXe s. ; ☞ *greffe* + *homo-* ; [ɔmɔgʀɛf].

**HOMOLOGATION,** subst. f.
Action d'homologuer : ***Homologation*** *d'un traité, d'un record.* 📖 1313 ; ☞ *homologuer* ; [ɔmɔlɔgasjɔ̃].

**HOMOLOGIE,** subst. f.
**1.** *Géom.* ***Homologie*** *de centre O, d'axe D et de birapport $k \in \mathbb{R}$* : transformation ponctuelle du plan qui, à tout point M non situé sur la droite passant par O et parallèle à D, associe le point M' de la droite (OM) tel que, si I est l'intersection de (OM) avec D, le birapport (O, I, M, M') soit égal à *k.* **2.** Caractère de ce qui est homologue. 📖 1822 ; gr. *homologia* ; [ɔmɔlɔʒi].

**HOMOLOGUE,** adj.
**1.** Qualifie des éléments qui appartiennent à des ensembles différents mais qui sont identiques ou équivalents ; empl. subst. : *Le secrétaire d'État américain et son* ***homologue*** *français, le ministre des Affaires étrangères.* **2.** *Biol. Chromosomes* ***homologues*** : les deux chromosomes d'une paire. **3.** *Chim.* Qualifie des composés organiques dont les molécules ont la même structure et qui ont la même fonction, mais qui diffèrent par le nombre d'atomes de carbone de leur chaîne carbonée. 📖 1585 ; gr. *homologos* ; [ɔmɔlɔg].

**HOMOLOGUER,** verbe trans. [3]
*Dr.* **1.** Donner valeur exécutoire à (un acte), ratifier. **2.** Ext. Donner son agrément à (qqch.) après vérification des normes. ▸ *Sp.* Enregistrer officiellement : ***Homologuer*** *une performance.* 📖 1329 ; lat. médiév. *homologare,* du gr. *homologein* ; [ɔmɔlɔge].

**HOMOMORPHISME,** subst. m.
*Math.* ▸ ***Homomorphisme*** *relatif à deux lois de composition internes,* $\top$ *sur l'ensemble E et* $\perp$ *sur l'ensemble F* : application *f* de E dans F telle que pour tout couple (*x, y*) d'éléments de E, on ait $f(x \top y) = f(x) \perp f(y)$. ▸ ***Homomorphisme*** *relatif à deux lois de compositions externes,* $*$ *sur E et* . *sur F, de même domaine d'opérateurs* $\Omega$ : application *f* de E dans F telle que pour tout $\alpha \in \Omega$ et tout $x \in$ E, $f(\alpha * x) = \alpha \,.\, f(x)$. 📖 Déb. XXe s. ; formé de *homo-* et de *-morphisme* ; [ɔmɔmɔʀfism].

**HOMONCULE,** voir **HOMUNCULE**

**HOMONYME,** adj. et subst. m.
*Ling.* Se dit de mots homophones de sens différents, qu'ils soient homographes ou non : *« Vert » et*

« verre » sont **homonymes.** Subst. Personne, ville qui porte le même nom qu'une autre. 1534 ; lat. *homonymus*, du gr. *homônumos* ; [ɔmɔnim].

**HOMONYMIE, subst. f.**
Caractère de mots homonymes. 1582 (1534, calembour) ; lat. *homonymia*, du gr. *homônumia* ; [ɔmɔnimi].

**HOMONYMIQUE, adj.**
De l'homonymie ; qui est fondé sur l'homonymie. 1952 ; ☞ *homonymie* ; [ɔmɔnimik].

**HOMOPHONE, adj. et subst. m.**
*Ling.* Se dit de mots ou d'unités linguistiques dont la prononciation est identique (par ex. : « cap » et « cape », « ph » et « f »). 1822 ; gr. *homophônos* ; [ɔmɔfɔn].

**HOMOPHONIE, subst. f.**
**1.** *Mus.* Système musical où les voix ou les instruments se produisent à l'unisson ou à l'octave (anton. *polyphonie*). **2.** *Ling.* Caractère de mots ou d'unités linguistiques homophones. 1752 ; gr. *homophônia* ; [ɔmɔfɔni].

**HOMOPTÈRES, subst. m. plur.**
*Zool.* Ordre d'insectes qui possèdent deux paires d'ailes transparentes et un appareil buccal piqueur-suceur. Au sing. *La cigale est un* ***homoptère.*** Fin XIXe s. ; gr. *homopteros*, « qui a les ailes semblables » ; [ɔmɔptɛʀ].

**HOMOSEXUALITÉ, subst. f.**
Comportement amoureux des homosexuels (anton. *hétérosexualité*). 1891 ; ☞ *homosexuel*, prob. d'apr. l'all. ; [ɔmosɛksɥalite].

**HOMOSEXUEL, ELLE, adj. et subst.**
Se dit d'un individu qui éprouve une attirance sexuelle et affective pour les personnes du même sexe que lui (anton. *hétérosexuel*). Adj. Relatif à l'homosexualité. 1891 ; ☞ *sexuel* + *homo-*, prob. d'apr. l'all. ; [ɔmosɛksɥɛl].

**HOMOSPHÈRE, subst. f.**
*Météor.* Partie de l'atmosphère qui s'étend depuis le sol jusqu'à une altitude de 90 km environ, où les constituants de l'air restent en proportions constantes (synon. *basse atmosphère*). V. 1960 ; formé de *homo-* et de *-sphère* ; [ɔmɔsfɛʀ].

**HOMOTHÉTIE, subst. f.**
*Géom.* ► ***Homothétie*** *de centre O et de rapport* $k \neq 0$ : transformation ponctuelle du plan ou de l'espace qui à tout point M associe le point M' tel que $\overrightarrow{OM'} = k\,\overrightarrow{OM}$. ► ***Homothétie*** *vectorielle de rapport* $k \in K$ *d'un espace vectoriel E sur un corps K* : endomorphisme $f$ de E tel que, pour tout $x$ de E, $f(x) = kx$. Mil. XIXe s. ; gr. *thesis*, « position », + *homo-* ; [ɔmɔtesi].

**HOMOTHÉTIQUE, adj.**
*Géom.* Qualifie un point, ou une figure, qui se transforme en un autre point, ou en une autre figure, par homothétie : *Figures* ***homothétiques****,* telles qu'il existe une homothétie qui transforme l'une en l'autre. Fin XIXe s. ; ☞ *homothétie* ; [ɔmɔtetik].

**HOMOZYGOTE, adj. et subst. m.**
*Génét.* Se dit d'un individu dont les deux allèles correspondant à un gène particulier sont identiques (anton. *hétérozygote*). 1911 ; ☞ *zygote* + *homo-* ; [ɔmɔzigɔt].

**HOMUNCULE, subst. m.**
**1.** Individu minuscule doué de pouvoirs surnaturels que les alchimistes du Moyen Âge prétendaient pouvoir créer. **2.** Ext. Petit homme malingre et contrefait, avorton (littér. et péj.). 1611 ; lat. *homunculus*, « petit homme » ; var. *homoncule* ; [ɔmɔ̃kyl].

**HONGRE, adj. m. et subst. m.**
Se dit d'un cheval mâle castré. 1372 ; lat. d'Allemagne *(h)ungarus*, « hongrois », l'usage de châtrer les chevaux venant de Hongrie ; [ˈɔ̃gʀ].

**HONGROIERIE, subst. f.**
*Techn.* Industrie et commerce des cuirs traités par hongroyage. 1790 ; ☞ *hongroyer* ; [ˈɔ̃gʀwaʀi].

**HONGROIS, OISE, adj. et subst.**
De Hongrie. Subst. masc. Langue finno-ougrienne parlée en Hongrie. XIIIe s. ; *Hongre* (vx), « Hongrois », du lat. d'Allemagne *(h)ungarus*, du turc *ogur*, « flèche » ; [ˈɔ̃gʀwa, waz].

**HONGROYAGE, subst. m.**
*Techn.* Méthode de tannage des cuirs à l'alun et au sel. Fin XIXe s. ; ☞ *hongroyer* ; [ˈɔ̃gʀwajaʒ].

**HONGROYER, verbe trans.** [17]
Travailler, traiter (le cuir) à la façon dite de Hongrie, à l'alun et au sel. 1734 ; topon. *Hongrie* ; [ˈɔ̃gʀwaje].

**HONNÊTE, adj.**
**1.** Qui est en accord avec la morale sociale : *Un homme* ***honnête*** *; Une conduite* ***honnête.*** **2.** Qui témoigne de sincérité intellectuelle. ► Loc. *Pour être* ***honnête*** : pour être franc. **3.** Qui donne satisfaction, qui est dans la moyenne : *Un résultat* ***honnête.*** Mil. XIe s. ; lat. *honestus* ; [ɔnɛt].

**HONNÊTEMENT, adv.**
De manière honnête. Déb. XIIe s. ; ☞ *honnête* ; [ɔnɛtmɑ̃].

**HONNÊTETÉ, subst. f.**
Qualité de celui ou de ce qui est honnête. 1538 (XIIIe s., bienséance) ; anc. fr. *onesté*, du lat. *honestas*, « honneur, vertu », d'apr. *honnête* ; [ɔnɛt(ə)te].

**HONNEUR, subst. m.**
**1.** Sentiment qui pousse une personne à observer les règles, les valeurs morales d'une société, à être digne de l'estime de soi-même et des autres ; fierté, conscience que l'on a de ce sentiment : *Perdre son* ***honneur*** *; L'amour n'est qu'un plaisir, l'****honneur*** *est un devoir* (Corneille). ► Loc. *Code d'****honneur*** : règles convenues pour maintenir des rapports loyaux ; *Homme d'****honneur*** : qui ne transige pas avec ses obligations ; *Mettre un point d'****honneur*** *à* (+ inf.) : considérer comme essentiel à sa dignité de ; *Donner sa parole d'****honneur*** : s'engager solennellement en mettant en jeu sa respectabilité. **2.** Considération, réputation dont on jouit : *Se tirer d'une situation difficile avec* ***honneur****,* sans perdre la face. ► Loc. *Affaire, dette d'****honneur*** : où la réputation de qqn est en jeu ; *En l'****honneur*** *de* : pour rendre hommage à ; *En quel* ***honneur*** *?* : pour quelle raison prétendument importante ? (iron.) ; *Mettre en* ***honneur*** : faire apprécier ; *Mort au champ d'****honneur*** : sur le champ de bataille ; *Sauver l'****honneur*** (dans une compétition sportive) : obtenir un résultat honorable. **3.** Marque de considération attachée au mérite, à la vertu. ► Loc. *Avoir l'****honneur*** *de* : formule de politesse marquant la déférence ; *À vous, à toi l'****honneur*** : pour engager qqn à commencer ; *Demoiselle, garçon d'****honneur*** : qui accompagne le cortège nuptial ; *Escalier, cour d'****honneur*** : que l'on n'utilise que pour les hôtes de marque ; *Être à l'****honneur*** : être fêté ; *Être l'****honneur*** *de* : une source de fierté pour ; *Faire* ***honneur*** *à un plat* : l'apprécier, en reprendre ; *La Légion d'****honneur*** : ordre national français créé par Napoléon Bonaparte pour récompenser d'éminents services militaires ou civils ; *Place d'****honneur*** : réservée à la personne que l'on veut honorer ; *Tour d'****honneur*** : tour d'acclamations accordé au vainqueur d'une compétition. Plur. **1.** Titres, charges qui confèrent de l'éclat dans la société : *Être comblé d'****honneurs.*** **2.** Témoignages d'estime, de considération. ► Loc. *Faire à qqn les* ***honneurs*** *d'une maison* : la lui faire visiter avec des attentions particulières ; ***Honneurs*** *de la guerre* : conditions honorables (conservation des armes) accordées à une troupe vaincue ; ***Honneurs*** *funèbres* : derniers hommages rendus lors des funérailles ; ***Honneurs*** *militaires* : marques spéciales de respect honorant une haute personnalité. **3.** *Jeux.* Les cartes les plus hautes, les figures dans certains jeux, tel le bridge. Xe s. ; lat. *honor* ; [ɔnœʀ].

**HONNIR, verbe trans.** [19]
Vouer au mépris, couvrir de honte (vieilli et littér.) ; empl. adj. : ***Honni*** *soit qui mal y pense,* devise de l'ordre britannique de la Jarretière. Fin XIe s. ; anc. bas frq. *°haunjan*, « railler, insulter » ; [ˈɔniʀ].

**HONORABILITÉ, subst. f.**
Qualité d'une personne honorable. 1845 (fin XIIIe s., faculté d'honorer) ; ☞ *honorable*, d'apr. le lat. *honorabilis* ; [ɔnɔʀabilite].

**HONORABLE, adj.**
**1.** Digne d'estime et de respect : *Une famille* ***honorable.*** **2.** Qui est conforme à la norme sociale : *Une conduite* ***honorable.*** **3.** Louable, qui procède de bonnes intentions : *Des scrupules* ***honorables.*** **4.** Satisfaisant, convenable : *Résultats* ***honorables.*** **5.** *Hérald. Pièces* ***honorables*** : pièces principales d'un blason. Déb. XIIe s. ; lat. *honorabilis* ; [ɔnɔʀabl].

**HONORABLEMENT, adv.**
D'une manière honorable. XIIe s. ; ☞ *honorable* ; [ɔnɔʀabləmɑ̃].

**HONORAIRE, adj.**
**1.** Qui n'exerce plus une fonction, mais en a conservé le titre : *Un professeur, un magistrat* ***honoraire.*** **2.** Qui bénéficie d'un titre honorifique, sans exercer les fonctions qui y sont attachées : *Membre* ***honoraire*** *d'une association.* 1496 ; lat. *honorarius* ; [ɔnɔʀɛʀ].

**HONORAIRES, subst. m. plur.**
Rémunération d'une personne qui exerce une profession libérale : *Les* ***honoraires*** *d'un médecin.* 1597 ; lat. *honorarium* ; [ɔnɔʀɛʀ].

**HONORARIAT, subst. m.**
Qualité, titre d'une personne qui, après avoir exercé une fonction, en conserve le titre. Mil. XIXe s. ; ☞ *honoraire* ; [ɔnɔʀaʀja].

**HONORER, verbe trans.** [3]
**1.** Rendre hommage à, traiter avec respect et considération : *J'****honore*** *la vertu, mais la beauté m'attire* (Rotrou). **2.** Procurer de l'honneur à (qqn, qqch.) : *La Fontaine, Molière et Racine* ***ont honoré*** *le siècle de Louis XIV* ; par ext. : *Elle m'****honore*** *de son amitié.* ► ***Être honoré*** *de* : être flatté de (dans une formule de politesse). **3.** Méton. Respecter (ses engagements) : ***Honorer*** *un traité.* Pronom. ***S'honorer*** de. Être fier de : *Elle peut s'****honorer*** *de son action en faveur des sans-abri.* Xe s. ; lat. *honorare* ; [ɔnɔʀe].

**HONORIFIQUE, adj.**
Qui procure des honneurs mais ne confère ni pouvoir ni avantages particuliers : *Un poste, un titre* ***honorifique.*** 1488 ; lat. *honorificus* ; [ɔnɔʀifik].

**HONORIS CAUSA, loc. adj.**
Qualifie un grade universitaire accordé, à titre honorifique, sans examen, à une personne éminente : *Docteur* ***honoris causa.*** 1854 ; lat. *honoris causa*, « pour l'honneur » ; [ɔnɔʀiskoza].

**HONTE, subst. f.**
**1.** Déshonneur, humiliation : ***Honte*** *à vous !* ; par méton. : *Être la* ***honte*** *de sa famille* ; *C'est une* ***honte*** *!,* c'est scandaleux. **2.** Sentiment pénible qu'a une personne de son déshonneur ; par ext., confusion, embarras que provoque la conscience de son insuffisance : *Avoir* ***honte*** ; *Rougir de* ***honte.*** ► Loc. *Faire* ***honte*** *à qqn* : être pour lui un sujet de **honte**, ou lui inspirer la **honte** par des reproches ; *Avoir toute* ***honte*** *bue* (☞ *boire*) ; *Fausse* ***honte*** : scrupule excessif. Fin XIe s. ; anc. bas frq. *°haunipa*, « dédain, mépris » ; [ˈɔ̃t].

**HONTEUSEMENT, adv.**
De façon honteuse. XIIe s. ; ☞ *honteux* ; [ˈɔ̃tøzmɑ̃].

**HONTEUX, EUSE, adj.**
**1.** Qui éprouve de la honte : *Le Corbeau,* ***honteux*** *et confus* (La Fontaine) ; *Être* ***honteux*** *d'avoir menti, de sa défaite.* **2.** Qui procure de la honte, déshonorant : *Conduite* ***honteuse*** ; *Le souvenir* ***honteux*** *d'une mauvaise action.* ► Vieilli. *Maladie* ***honteuse*** : maladie vénérienne ; *Les parties* ***honteuses*** : les organes sexuels. **3.** Qui n'ose avouer ses convictions : *Un fasciste* ***honteux.*** XIIe s. ; ☞ *honte* ; [ˈɔ̃tø, øz].

**HOOLIGAN, subst. m.**
Jeune asocial qui, à l'occasion de manifestations publiques, surtout sportives, participe à des actions organisées de violence et de vandalisme (anglic.). Déb. XXe s. ; mot angl. ; var. *houligan* ; [ˈuligan].

**HOP, interj.**
Sert à stimuler qqn ou à ponctuer une action brusque : ***Hop !*** *debout !* ; *J'ai sauté la barrière,* ***hop*** *là !* (Trenet). 1828 ; onomat. ; var. *houp* ; [ˈɔp].

**HÔPITAL, subst. m.**
**1.** Vx. Établissement charitable où l'on accueillait les pauvres et les voyageurs ; asile. **2.** Établissement public où l'on examine et soigne les malades, les blessés et toute personne nécessitant une surveillance médicale : ***Hôpital*** *civil, militaire* ; ***Hôpital*** *psychiatrique,* centre de traitement des troubles mentaux. Fin XIIe s. ; bas lat. *hospitalis domus*, « lieu de refuge, d'accueil » ; plur. *hôpitaux* ; [ɔpital], plur. [-to].

**HOPLITE, subst. m.**
*Antiq. gr.* Fantassin chargé d'un équipement lourd. 1721 ; lat. *hoplites*, du gr. *hoplitês* ; [ɔplit].

**HOQUET, subst. m.**
**1.** *Mus.* Chant à deux ou plusieurs voix de la polyphonie médiévale. **2.** Mouvement brusque, coup (vx). **3.** Secousse spasmodique du diaphragme entraînant la vibration des cordes vocales : *Avoir le* ***hoquet.*** 1310 ; orig. onomat. ; [ˈɔkɛ].

**HOQUETER, verbe intrans.** [14]
**1.** Avoir le hoquet : ***Hoqueter*** *de rire.* **2.** Fig. Tressauter bruyamment : *Le moteur* ***hoqueta*** *et cala.* 1538 (XIIIe s., chanter le hoquet) ; orig. onomat. ; [ˈɔk(ə)te].

**HOQUETON, subst. m.**
**1.** Tunique portée par les archers aux XIVe et XVe s. ; par méton., archer qui en était vêtu. **2.** Ext. Casaque. Déb. XIIe s. ; ar. *al-quṭun*, « le coton » ; [ˈɔk(ə)tɔ̃].

**HORAIRE (I),** adj.
**1.** Relatif aux heures. ► *Astron. Cercle* **horaire** *d'un astre* : cercle de la sphère céleste joignant cet astre et les pôles. **2.** Qui correspond à une durée de une heure : *Débit* **horaire** ; qui a lieu toutes les heures : *Repos* **horaire**. 1532 ; lat. médiév. *horarius* ; [ɔʀɛʀ].

**HORAIRE (II),** subst. m.
**1.** Tableau des heures de départ et d'arrivée d'un service de transports réguliers : **Horaire** *des trains, des avions*. **2.** Emploi du temps, déterminé heure par heure. ► Répartition des heures de travail : *Avoir un* **horaire** *très chargé* ; *Bénéficier d'un* **horaire** *flexible*. 1866 ; ital. *orario* ; [ɔʀɛʀ].

**HORDE,** subst. f.
**1.** Tribu guerrière, chez les peuples d'Asie centrale : **Hordes** *mongoles*. **2.** Ext. Bande indisciplinée : *Une* **horde** *d'enfants*. **3.** Troupe d'animaux vivant ensemble : *Une* **horde** *de chevaux sauvages*. 1559 ; tatar *orda*, « camp militaire » ; [ˈɔʀd].

**HORDÉINE,** subst. f.
*Biochim.* Substance de réserve protéique, de la catégorie des prolamines, contenue dans les grains d'orge. Déb. XIXe s. ; lat. *hordeum*, « orge » ; [ɔʀdein].

**HORION,** subst. m.
Littér. Coup porté en force (gén. au plur.) : *Les* **horions** *pleuvaient dans la bagarre*. Fin XIIIe s. ; p.-ê. anc. fr. *orillon*, « coup sur l'oreille » ; [ˈɔʀjɔ̃].

**HORIZON,** subst. m.
**1.** Dans un espace sans obstacles, ligne circulaire arrêtant le regard, où le ciel semble rejoindre la terre ou la mer. ► *Astron.* Ligne où la distance zénithale est égale à 90° et qui, sur la sphère céleste, représente la trace du plan horizontal. **2.** Ext. Zone lointaine proche de cette ligne : *Une île à l'***horizon** *!* **3.** Fig. Champ d'action ; perspective d'avenir : *Les nouveaux* **horizons** *de la génétique* ; *Une carrière sans* **horizon**. ► Loc. *À l'***horizon** *de (telle date)* : dans la perspective de cette date ; *Faire un tour d'***horizon** : aborder un à un et rapidement les différents sujets à traiter. **4.** *Géol.* ► Couche la plus mince qui puisse être caractérisée par son contenu paléontologique ou sa nature pétrographique. ► Couche que l'on différencie, à l'intérieur de la coupe d'un sol, par sa couleur, sa structure ou sa composition. XIIIe s. ; lat. *horizon*, du gr. *horizôn*, de *horizein*, « borner » ; [ɔʀizɔ̃].

**HORIZONTAL, ALE, AUX,** adj.
**1.** Parallèle à l'horizon : *Ligne* **horizontale** ; *Se mettre en position* **horizontale** ou, empl. subst. fém., *à l'***horizontale**, en position couchée. ► *Géom. Plan* **horizontal**, *droite* **horizontale** ou, empl. subst. fém., *Une* **horizontale** : plan ou droite parallèle au plan **horizontal** de référence. **2.** *Écon. Intégration* **horizontale** : absorption d'une entreprise par une autre ayant la même activité. 1545 ; ☞ *horizon* ; [ɔʀizɔ̃tal, o].

**HORIZONTALEMENT,** adv.
Selon un plan ou une direction horizontale. 1596 ; ☞ *horizontal* ; [ɔʀizɔ̃talmɑ̃].

**HORIZONTALITÉ,** subst. f.
**1.** Qualité de ce qui est horizontal. **2.** *B.-a.* et *Archit.* Caractère d'une composition où les lignes horizontales dominent. 1786 ; ☞ *horizontal* ; [ɔʀizɔ̃talite].

**HORLOGE,** subst. f.
**1.** Appareil, gén. de grande dimension, indiquant l'heure sur un cadran et muni ou non d'une sonnerie ponctuant des intervalles fixes : **Horloge** *murale, électronique, atomique*. ► **Horloge** *parlante* : service de diffusion de l'heure sur appel téléphonique. **2.** Loc. *Réglé comme une* **horloge** : qui a des habitudes très régulières ; *Une heure d'***horloge** : une heure pleine (fam.). **3.** *Biol.* **Horloge** *interne* ou *biologique* : système de régulation des rythmes fondamentaux des êtres vivants, qui leur permet un certain repérage dans le temps. Fin XIIe s. ; lat. *horologium*, du gr. *hôrologion* ; [ɔʀlɔʒ].

*La plus vieille* **horloge** *à carillon d'Europe (XIVe s.). Cathédrale de Beauvais.*

**HORLOGER, ÈRE,** subst. et adj.
Subst. Personne qui fabrique, entretient et vend des horloges, des montres, etc. Adj. Relatif à l'horlogerie. 1292 ; ☞ *horloge* ; [ɔʀlɔʒe, ɛʀ].

**HORLOGERIE,** subst. f.
**1.** Fabrication, industrie et commerce des appareils de mesure du temps ; ces appareils. **2.** Magasin de l'horloger. XVIIe s. ; ☞ *horloger* ; [ɔʀlɔʒʀi].

**HORMIS,** prép.
Sauf, excepté : *Il tolère tout,* **hormis** *le mensonge*. Fin XIVe s. ; crois. de *hors* et de *mis*, p. p. de *mettre* ; [ˈɔʀmi].

**HORMONAL, ALE, AUX,** adj.
*Physiol.* Qui a rapport aux hormones : *Équilibre* **hormonal**. 1932 ; ☞ *hormone* ; [ɔʀmɔnal, o].

**HORMONE,** subst. f.
*Physiol.* Substance produite par une glande endocrine et transportée par le sang vers des tissus ou des organes sur lesquels elle agit : *L'insuline est une* **hormone** *produite par le pancréas*. 1911 ; angl. *hormone*, du gr. *hormân*, « exciter » ; [ɔʀmɔn].

MÉDECINE – La sécrétion des hormones par les différentes glandes endocrines se fait sous l'influence de facteurs provenant notamment du cerveau (hypophyse et hypothalamus), qui la régulent et l'adaptent aux besoins. Les médicaments hormonaux sont d'origine naturelle ou, aujourd'hui, issus du génie génétique. Les anticorps monoclonaux permettent de synthétiser des hormones ayant les mêmes propriétés que les hormones naturelles avec moins de risque de réaction immunologique.

**HORMONOTHÉRAPIE,** subst. f.
*Pharm.* Emploi thérapeutique des hormones. 1940 ; ☞ *hormone + -thérapie* ; [ɔʀmɔnoteʀapi].

**HORNBLENDE,** subst. f.
*Minér.* Amphibole calcique de formule complexe, qui est un constituant de certaines roches magmatiques ou métamorphiques. 1775 ; all. *Hornblende*, de *Horn*, « corne », et de *Blende*, « blende » ; [ˈɔʀnblɛ̃d].

**HORODATÉ, ÉE,** adj.
Qualifie un document qui porte l'indication de la date et de l'heure auxquelles il a été établi. ► *Stationnement* **horodaté** : dont la durée est limitée à l'heure indiquée sur le ticket payant. V. 1970 ; p. p. de *dater + horo-* ; [ɔʀɔdate].

**HORODATEUR, TRICE,** adj. et subst. m.
Adj. Qualifie un appareil qui imprime automatiquement la date et l'heure sur certains documents. Subst. Compteur de stationnement. Déb. XXe s. ; ☞ *dateur + horo-* ; [ɔʀɔdatœʀ, tʀis].

**HOROKILOMÉTRIQUE,** adj.
Qui indique la vitesse en l'exprimant en kilomètres par heure : *Compteur* **horokilométrique**. Fin XIXe s. ; ☞ *kilométrique + horo-* ; [ɔʀɔkilɔmetʀik].

**HOROSCOPE,** subst. m.
**1.** *Astrol.* Examen de la position des constellations et des planètes dans le ciel au jour et à l'heure de la naissance d'un individu afin de décrire son caractère et sa destinée. **2.** Ext. Prédiction de l'avenir, fondée ou non sur l'astrologie. 1512 ; lat. *horoscopus*, du gr. *hôroskopos*, de *hôra*, « période, heure », et de *skopein*, « observer » ; [ɔʀɔskɔp].

**HORREUR,** subst. f.
**1.** Impression violente et réaction de rejet à la vue ou à l'idée de ce qui heurte la sensibilité ou la morale : *Un cri d'***horreur** ; *Avoir qqch. en* **horreur**, éprouver une forte répugnance à son égard. **2.** Caractère de ce qui inspire cette réaction : *L'***horreur** *d'un supplice*. **3.** Méton. Chose horrible. ► Loc. *Dire des* **horreurs** : prononcer des propos obscènes ou, par ext., se répandre en accusations outrageantes sur le compte de qqn. Fin XIIe s. ; lat. *horror* ; [ɔʀ(ʀ)œʀ].

**HORRIBLE,** adj.
**1.** De nature à provoquer un sentiment d'horreur, de répulsion : *D'***horribles** *escadrons, tourbillons d'hommes fauves* (Hugo) ; *Un crime* **horrible**. **2.** Très laid : *Un* **horrible** *manteau* ; très mauvais : *Une* **horrible** *odeur*. **3.** Excessif : *Une faim* **horrible**. Déb. XIIe s. ; lat. *horribilis* ; [ɔʀ(ʀ)ibl].

**HORRIBLEMENT,** adv.
**1.** De manière horrible : *Un pompier* **horriblement** *brûlé*. **2.** Extrêmement : *Il fait* **horriblement** *chaud*. Fin XIIe s. ; ☞ *horrible* ; [ɔʀ(ʀ)ibləmɑ̃].

**HORRIFIANT, ANTE,** adj.
Qui emplit d'horreur : *Un spectacle* **horrifiant**. 1862 ; p. pr. de *horrifier* ; [ɔʀ(ʀ)ifjɑ̃, ɑ̃t].

**HORRIFIER,** verbe trans. [6]
**1.** Frapper d'horreur, terrifier. **2.** Ext. Choquer, indigner. 1868 ; lat. *horrificare* ; [ɔʀ(ʀ)ifje].

**HORRIFIQUE,** adj.
Propre à horrifier (littér. ou iron.) : « *La Vie très* **horrifique** *du grand Gargantua* », œuvre de Rabelais. XVe s. ; lat. *horrificus* ; [ɔʀ(ʀ)ifik].

**HORRIPILANT, ANTE,** adj.
Qui horripile (fam.) : *Un grincement* **horripilant**. Déb. XIXe s. ; p. pr. de *horripiler* ; [ɔʀ(ʀ)ipilɑ̃, ɑ̃t].

**HORRIPILATEUR,** adj. m.
*Anat.* Se dit du muscle qui redresse le poil. Déb. XIXe s. ; ☞ *horripiler* ; [ɔʀipilatœʀ].

**HORRIPILATION,** subst. f.
**1.** *Physiol.* Réaction du système pileux qui se hérisse sous l'effet d'une émotion, du froid. **2.** Fig. Exaspération, vif agacement (fam.). 1495 ; bas lat. *horripilatio* ; [ɔʀ(ʀ)ipilasjɔ̃].

**HORRIPILER,** verbe trans. [3]
**1.** Provoquer l'horripilation de (un poil). **2.** Fig. Agacer, exaspérer (fam.). Déb. XIXe s. ; lat. *horripilare*, « avoir le poil hérissé » ; [ɔʀ(ʀ)ipile].

**HORS,** prép. et adv.
Adv. À l'extérieur (vx) : *Mettre* **hors**. Prép. **1.** En dehors de : *Des fruits* **hors** *saison* ; *Un fonctionnaire* **hors** *cadre*, détaché de sa fonction pour en occuper une autre ; *Joueur* **hors** *jeu*, qui se situe au-delà des limites autorisées ; *Personne mise* **hors** *la loi*, passible d'exécution sans jugement ; *Gravure* **hors** *texte* ; *Exemplaire* **hors** *commerce* ; *Militaire* **hors** *rang*, appartenant à une unité qui n'est pas appelée à combattre. **2.** Au-dessus de (avec une idée de supériorité) : *Dimensions* **hors** *tout*, dimensions maximales d'un objet, d'un édifice ; **Hors** *catégorie*, **hors** *(de) série*, **hors** *ligne*, **hors** *pair*, d'une valeur exceptionnelle, sans égal ; **Hors** *concours*, qui ne peut concourir en raison de sa supériorité. **3.** Excepté, hormis, sauf (littér.) : *Il n'y a personne* **hors** *mon frère*. **4.** Loc. prép. **Hors de.** ► En dehors de (un lieu) : *Il habite* **hors de** *Lyon* ; *Il bondit* **hors de** *son lit* ; par ell. : **Hors** *d'ici !*, sortez d'ici ! ► Fig. À l'écart de, en dehors de l'influence de : **Hors** *de danger* ; **Hors** *d'atteinte* ; **Hors** *de portée*. ► Loc. **Hors** *d'eau* : en construction mais protégé des pluies, en parlant d'un bâtiment ; **Hors** *d'affaire* : sorti d'embarras, en sécurité ; **Hors** *de doute* : irréfutable ; **Hors** *de combat* : qui n'est plus en état de combattre ; **Hors** *de cause* : disculpé ; **Hors** *de saison, de propos* : inopportun, déplacé ; **Hors** *d'usage* : qui n'est plus en état de servir ; **Hors** *de soi* : très furieux ou dans un état d'extase ; **Hors** *de prix* : d'un prix excessif ; **Hors** *de question* : totalement exclu ; **Hors** *du coup* : qui n'est pas concerné, qui ne s'intéresse pas à (fam.) ; **Hors** *d'état de nuire* : qui ne peut plus nuire. **5.** Loc. conj. **Hors que.** À moins que, excepté que (vx) : **Hors** *qu'un commandement exprès du roi ne vienne* (Molière). Mil. XIe s. ; ☞ *dehors* ; [ˈɔʀ].

**HORSAIN,** subst. m.
Région. (Normandie). Étranger au pays, au village. XIIIe s. ; norm. *horsain*, de *hors*, d'apr. *forain* ; var. *horsin* ; [ˈɔʀsɛ̃].

**HORS-BORD,** subst. m. inv.
**1.** Moteur fixé à l'extérieur de la coque d'un bateau ; en appos. : *Moteur* **hors-bord**. **2.** Méton. Canot muni de ce moteur. 1934 ; comp. de *hors* et de *bord*, d'apr. l'angl. *out board*, « à l'extérieur de la coque » ; [ˈɔʀbɔʀ].

**HORS-COTE,** subst. m. inv.
*Bourse.* Marché des valeurs mobilières dont la cotation n'est soumise à aucune règlementation. Comp. de *hors* et de *cote* ; [ˈɔʀkɔt].

**HORS-D'ŒUVRE,** subst. m. inv.
**I. 1.** *Archit.* Partie d'une construction en saillie par rapport au corps du bâtiment. **2.** Anal. Partie accessoire d'une œuvre littéraire ou musicale. **II. 1.** Mets chaud ou froid servi au début d'un repas. **2.** Fig. Préambule : *Cette réforme n'est qu'un* **hors-d'œuvre**. 1596 ; comp. de *hors* et de *œuvre* ; [ˈɔʀdœvʀ].

**HORSE-POWER,** subst. m. inv.
Ancienne unité de puissance (symb. : HP) utilisée

en Grande-Bretagne, équivalant à 0,745 7 kilowatt. Déb. XIXe s. ; angl. *horse power*, de *horse*, « cheval », et de *power*, « puissance » ; [ˈɔʀspɔwœʀ].

**HORSIN, voir HORSAIN**

**HORS-JEU, subst. m. inv.**
*Sp.* Dans certains sports d'équipe, faute commise par un joueur dont la position sur le terrain n'est pas conforme aux règles ; empl. adj. inv. (sans trait d'union) : *Joueur* **hors jeu**. 1897 ; comp. de *hors* et de *jeu* ; [ˈɔʀʒø].

**HORS-LA-LOI, subst. m. inv.**
Personne qui, par sa conduite, se met hors la loi : *Les* **hors-la-loi** *du Far West.* 1832 ; comp. de *hors* et de *loi*, d'apr. l'angl. *outlaw* ; [ˈɔʀlalwa].

**HORS-PISTE, subst. m. inv.**
Ski, surf, etc., pratiqué hors des pistes balisées. V. 1970 ; comp. de *hors* et de *piste* ; [ˈɔʀpist].

**HORST, subst. m.**
*Géol.* Bloc soulevé entre deux failles (anton. *graben*). 1902 ; all. *Horst* ; [ˈɔʀst].

**HORS-TEXTE, subst. m. inv.**
Feuillet ou cahier non folioté, gén. portant les illustrations, tiré à part et intercalé dans un livre. 1882 ; comp. de *hors* et de *texte* ; [ˈɔʀtɛkst].

**HORTENSIA, subst. m.**
*Bot.* Plante ornementale de la famille des Hydrangéacées, ligneuse ou herbacée selon les espèces, à fleurs bleues, blanches ou roses. 1789 ; lat. sc. *hortensia*, du lat. *hortensius*, « de jardin » ; [ɔʀtɑ̃sja].

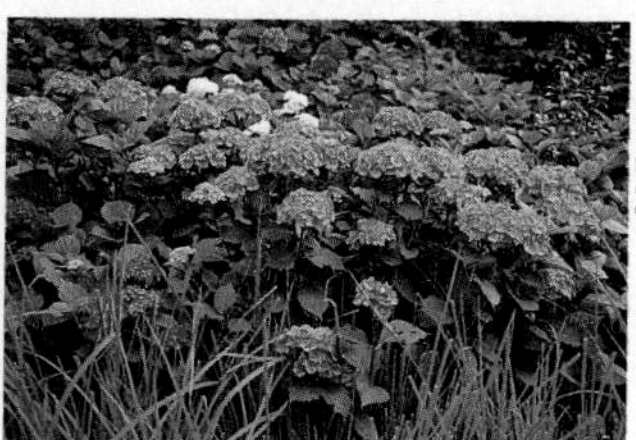
© G. Thouvenin-Jacana

*Hortensias.*

**HORTICOLE, adj.**
Qui concerne l'horticulture. 1829 ; lat. *hortus*, « jardin », + *-cole* ; [ɔʀtikɔl].

**HORTICULTEUR, TRICE, subst.**
Personne qui pratique l'horticulture. 1825 ; lat. *hortus*, « jardin », + *-culteur* ; [ɔʀtikyltœʀ, tʀis].

**HORTICULTURE, subst. f.**
Culture des légumes, des fleurs, des arbustes et arbres fruitiers et ornementaux. 1824 ; lat. *hortus*, « jardin », + *-culture* ; [ɔʀtikyltyʀ].

© M. Deville-Gamma

*Horticulture à grande échelle : champ de tulipes.*

**HORTILLONNAGE, subst. m.**
Région. (Picardie). Marais sillonné de canaux, où l'on pratique les cultures maraîchères. 1870 ; pic. *hortillon*, « jardinier », du lat. *hortus*, « jardin » ; [ɔʀtijɔnaʒ].

**HOSANNA, subst. m.**
**1.** *Liturg.* Acclamation utilisée dans les liturgies juive et chrétienne. **2.** Chant de triomphe (littér.). Fin Xe s. ; lat. chrét. *hosanna*, de l'hébreu *hôšaʿ naʾ*, « sauve-nous, je t'en prie ! » ; var. *hosannah* ; [ozan(n)a].

**HOSPICE, subst. m.**
**1.** Maison religieuse où l'on accueille les pèlerins, les voyageurs. **2.** Établissement public ou privé qui accueille des vieillards démunis. 1690 (1294, hospitalité) ; lat. *hospitium*, « hospitalité ; gîte » ; [ɔspis].

**HOSPITALIER (I), IÈRE, adj.**
**1.** Qualifie les ordres religieux militaires ou leurs membres qui recueillaient des pèlerins ou qui, auj., portent secours aux défavorisés ; empl. subst. : *Les Templiers étaient des* **hospitaliers**. ▸ **Sœurs hospitalières** : religieuses qui soignaient les malades dans les hôpitaux. **2.** Qui travaille dans les services des hôpitaux : *Médecin* **hospitalier** ou, empl. subst. masc., *Un* **hospitalier**. **3.** Relatif aux hôpitaux, aux hospices : *Établissement* **hospitalier**. Fin XIIe s. ; lat. médiév. *hospitalarius* ; [ɔspitalje, jɛʀ].

**HOSPITALIER (II), IÈRE, adj.**
Qui pratique volontiers l'hospitalité ; où l'on est bien accueilli. 1488 ; ☞ *hospitalité* ; [ɔspitalje, jɛʀ].

**HOSPITALISATION, subst. f.**
Action d'hospitaliser ; admission ou séjour dans un hôpital. ▸ **Hospitalisation** *à domicile* : système permettant à certains malades d'être soignés chez eux. 1872 ; ☞ *hospitaliser* ; [ɔspitalizasjɔ̃].

**HOSPITALISER, verbe trans.** [3]
Admettre (un malade, un blessé) dans un hôpital, une clinique. 1875 ; lat. *hospitalis*, « d'accueil » ; [ɔspitalize].

**HOSPITALISME, subst. m.**
*Psychol.* Ensemble des troubles psychosomatiques observés chez un jeune enfant qu'une longue hospitalisation a privé du contact avec sa mère. 1949 ; ☞ *hôpital* ; [ɔspitalism].

**HOSPITALITÉ, subst. f.**
**1.** Vx. Hébergement charitable proposé aux pèlerins, aux voyageurs et aux indigents dans un hospice. **2.** Accueil bienveillant et cordial, chez soi, de personnes auxquelles on offre le vivre et le couvert. **3.** Ext. Asile accordé par un État à un exilé : *En 1940, Londres offrit l'***hospitalité** *à de Gaulle.* Déb. XIIIe s. ; lat. *hospitalitas* ; [ɔspitalite].

**HOSPITALO-UNIVERSITAIRE, adj.**
*Centre* **hospitalo-universitaire** *(C. H. U.)* : hôpital où est dispensé l'enseignement de la médecine. 1958 ; comp. de *hospitalier* (I) et de *universitaire* ; plur. *hospitalo-universitaires* ; [ɔspitaloynivɛʀsitɛʀ].

**HOSPODAR, subst. m.**
*Hist.* Titre des princes des provinces roumaines de l'Empire ottoman (Moldavie et Valachie). 1663 ; vieux russe *gospodar'*, « seigneur » ; [ɔspɔdaʀ].

**HOST, voir OST**

**HOSTELLERIE, subst. f.**
Hôtel de campagne assez cossu (synon. *hôtellerie*). Fin XIIe s. ; anc. forme de *hôtellerie* ; [ɔstɛlʀi].

**HOSTIE, subst. f.**
**1.** *Relig.* Petit disque fin de pain (azyme dans le rite latin et normalement fermenté dans les autres rites) que le prêtre consacre lors de la messe au moment de l'Eucharistie. **2.** *Antiq.* Victime immolée. XIIIe s. ; lat. *hostia*, « victime expiatoire » ; [ɔsti].

**HOSTILE, adj.**
**1.** Qui se conduit en ennemi, qui manifeste de l'agressivité ou de la malveillance : *Foule* **hostile** ; par méton. : *Silence* **hostile**. ▸ **Hostile à.** Défavorable à : *Être* **hostile** *au changement.* **2.** Anal. Inhospitalier : *Climat* **hostile**. 1450 ; lat. *hostilis* ; [ɔstil].

**HOSTILITÉ, subst. f.**
Sentiment d'inimitié, attitude d'opposition à l'égard de qqn ou de qqch. : *Être en butte à l'***hostilité** *de qqn.* **Plur.** Méton. Actions de guerre : *Cesser les* **hostilités**. 1353 ; bas lat. *hostilitas* ; [ɔstilite].

**HOSTO, subst. m.**
Hôpital (fam.). 1886 (1807, logis) ; anc. fr. *hostel*, « maison », du lat. *hospitale*, « chambre d'hôte » ; [ɔsto].

**HOT, adj. inv. et subst. m. inv.**
*Jazz(-)***hot** ou, par ell., *Le* **hot** : jazz des années 1925-1930, très expressif, joué sur un rythme rapide. 1930 ; anglo-amér. *hot*, « chaud » ; [ˈɔt].

**HOT-DOG, subst. m.**
*Alim.* Petit pain garni d'une saucisse chaude et de moutarde. 1947 ; anglo-amér. *hot dog*, « chien chaud » ; var. *hot dog*, plur. *hot(-)dogs* ; [ˈɔtdɔg].

**HÔTE (I), HÔTESSE, subst.**
**1.** Personne qui donne l'hospitalité, qui reçoit qqn chez elle : *Remercier ses* **hôtes**. ▸ **Robe d'hôtesse** : robe d'intérieur longue et élégante. **2.** Personne qui fait commerce de loger et de restaurer des voyageurs : **Table d'hôte**. **Fém.** Ext. **Hôtesse d'accueil** : femme dont le métier est d'accueillir et de renseigner des clients, des visiteurs ; **Hôtesse** *de l'air* : femme chargée de veiller au confort et à la sécurité des passagers d'un avion. **Masc. 1.** *Biol.* Animal ou végétal hébergeant un parasite : **Hôte** *intermédiaire, définitif.* **2.** *Méd.* Organisme sur lequel est greffé ou transplanté un tissu, un viscère. Déb. XIIe s. ; lat. *hospes* ; [ot, otɛs].

**HÔTE (II), subst.**
**1.** Personne qui reçoit l'hospitalité. **2.** Client, cliente d'une auberge, d'un hôtel. ▸ **Hôte** *payant* : pensionnaire chez un particulier. **3.** Ext. Personne ou animal occupant habituellement un lieu (littér.) : *Vous êtes le phénix des* **hôtes** *de ces bois* (La Fontaine). Mil. XIIe s. ; lat. *hospes* ; [ot].

**HÔTEL, subst. m.**
**1.** Établissement assurant l'hébergement pour un prix journalier : *Un* **hôtel**-*restaurant.* **2.** *Hist.* Palais du roi ; par ext., demeure seigneuriale : *L'***hôtel** *des ducs de Bourgogne.* ▸ **Hôtel** *particulier* : belle maison urbaine appartenant à un riche particulier ; *Maître d'***hôtel** : chef du service de la table dans un restaurant. **3.** Édifice abritant un service public : **Hôtel** *de ville*, mairie ; **Hôtel** *de police*. Mil. XIe s. ; lat. *hospitale*, « chambre d'hôte » ; [otɛl].

**HÔTEL-DIEU, subst. m.**
Hôpital principal de certaines villes, de fondation ancienne ; empl. abs. : *L'***Hôtel-Dieu**, à Paris. 1260 ; comp. de *hôtel* et de *Dieu* ; plur. *hôtels-Dieu* ; [otɛldjø].

**HÔTELIER, IÈRE, subst. et adj.**
**Subst.** Gérant d'un hôtel, d'une auberge. **Adj.** Qui concerne les activités de l'hôtellerie : *L'industrie* **hôtelière** ; *Une école* **hôtelière**. Fin XIIIe s. (1130, hospitalier) ; ☞ *hôtel* ; [otəlje, jɛʀ].

**HÔTELLERIE, subst. f.**
**1.** Partie d'une abbaye destinée à loger des hôtes de passage. **2.** Secteur d'activité relatif à l'exploitation des hôtels : *Le syndicat de l'***hôtellerie**. **3.** Hostellerie. Fin XIIIe s. ; ☞ *hôtel* ; [otɛlʀi].

**HÔTESSE, voir HÔTE (I)**

**HOTTE, subst. f.**
**1.** Grand panier que l'on porte sur le dos : *La* **hotte** *du Père Noël.* **2.** Anal. Construction de forme pyramidale servant à évacuer les fumées, les vapeurs : **Hotte** *de forge.* ▸ **Hotte** *aspirante* : appareil électroménager placé au-dessus d'une cuisinière pour évacuer les buées grasses et éliminer les odeurs. XIIIe s. ; anc. bas frq. °*hotta* ; [ˈɔt].

**HOTTENTOT, OTE, adj.**
Relatif aux Hottentots. 1685 ; néerl. *hottentot*, « bégayeur » ; [ˈɔtɑ̃to, ɔt].

**HOTU, subst. m.**
*Zool.* Nom courant d'un poisson de la famille des Cyprinidés (synon. *nase*). 1873 ; wallon *hotu*, du m. néerl. *houtic*, « corégone » ; [ˈɔty].

**HOU, interj.**
**1.** Appel (souv. redoublé) : **Hou ! hou !** *venez tous !* **2.** Marque de désapprobation, d'hostilité, de moquerie : **Hou !** *la méchante !* Fin XIIIe s. ; onomat. ; [ˈu].

**HOUACHE, subst. f.**
*Mar.* Sillage d'un navire : *La* **houache** *boueuse de la drague.* 1643 ; néerl. *wech* ; var. *houaiche* ; [ˈwaʃ].

**HOUARI, subst. m.**
*Mar.* Gréement à grand-voile aurique quasi triangulaire. 1773 ; angl. *wherry*, « bachot » ; [ˈwaʀi].

**HOUBLON, subst. m.**
*Bot.* Plante volubile de la famille des Cannabinacées. *Humulus lupulus* est cultivé pour ses fleurs femelles qui parfument la bière. 1407 ; m. néerl. *hoppe* ; [ˈublɔ̃].

*Aromatisation de la bière au* **houblon** *dans une brasserie artisanale.*

© C. François/Fig Mag-Gamma

**HOUBLONNAGE,** subst. m.
Action de houblonner : *La cuisson et le* ***houblonnage*** *du moût de bière.* 1874 ; ☞ *houblonner* ; ['ublɔnaʒ].

**HOUBLONNER,** verbe trans. [3]
Aromatiser (une boisson) avec du houblon : ***Houblonner*** *la bière* ; empl. adj. : *Bière fortement* ***houblonnée.*** 1694 ; ☞ *houblon* ; ['ublɔne].

**HOUBLONNIER, IÈRE,** subst. et adj.
**Subst. fém.** Plantation de houblon. **Subst.** Personne qui cultive le houblon. **Adj.** Relatif au houblon. 1535 ; ☞ *houblon* ; ['ublɔnje, jɛʀ].

**HOUDAN,** subst. f.
Poule huppée, au plumage noir et blanc. 1873 ; topon. *Houdan* (Yvelines), où on créa cette race ; ['udɑ̃].

**HOUE,** subst. f.
Outil servant à biner, constitué d'une lame de fer recourbée, perpendiculaire au manche. Fin xiie s. ; anc. bas frq. °*hauwa* ; ['u].

**HOUILLE,** subst. f.
**1.** *Pétrogr.* Roche sédimentaire, gén. noire, combustible fossile à haut pouvoir calorifique, contenant de 75 à 90 % de carbone et résultant de la transformation d'anciens végétaux enfouis. On distingue les **houilles** grasses, utilisées en pétrochimie, et les **houilles** maigres, plus pauvres en matières volatiles. **2.** Anal. ***Houille*** *blanche* : énergie hydraulique fournie par les chutes d'eau. 1510 ; wallon *hoye*, prob. de l'anc. bas frq. °*hukila*, « tas » ; ['uj].

**HOUILLER, ÈRE,** adj. et subst.
**Subst. fém.** Mine de houille. **Subst. masc.** *Géol.* Carbonifère. **Adj.** Relatif à la houille ; qui renferme de la houille : *L'industrie* ***houillère*** ; *Un bassin* ***houiller.*** 1590 ; ☞ *houille* ; ['uje, ɛʀ].

**HOUKA,** subst. m.
Pipe à eau orientale à très long tuyau. 1771 ; hindi *huḳḳā*, de l'ar. *ḥuqqa*, « petit récipient » ; ['uka].

**HOULE,** subst. f.
Mouvement ondulatoire qui agite la surface de la mer sans déferlement des vagues ; par anal. (littér.) : *La* ***houle*** *d'un champ de blé agité par le vent.* 1484 ; anc. scand. *hol*, « caverne » ; ['ul].

**HOULETTE,** subst. f.
**1.** Bâton de berger terminé à une extrémité par un fer de bêche, et à l'autre par un crochet. ► Loc. *Sous la* ***houlette*** *de* : sous la conduite de. **2.** *Hortic.* Petite bêche. Fin xiiie s. ; anc. fr. *houler*, « jeter » ; ['ulɛt].

**HOULEUX, EUSE,** adj.
**1.** Agité par la houle. **2.** Fig. Troublé, agité : *Débats* ***houleux.*** 1716 ; ☞ *houle* ; ['ulø, øz].

**HOULIGAN,** voir **HOOLIGAN**

**HOULQUE,** subst. f.
*Bot.* Plante herbacée de la famille des Poacées, vivace ou annuelle. 1778 ; lat. *holcus*, « orge sauvage » ; var. *houque* ; ['ulk].

**HOUP,** voir **HOP**

**HOUPPE,** subst. f.
**1.** Petite touffe faite de brins de fil, de laine, de soie, etc. **2.** Touffe de plumes, de poils, de cheveux dressés : *« Riquet à la* ***houppe*** *», conte de Perrault.* Mil. xive s. ; prob. anc. bas frq. °*huppo*, « touffe » ; ['up].

**HOUPPELANDE,** subst. f.
Grand manteau ample, aux manches larges, souvent fourré (vieilli). 1281 ; p.-ê. anc. angl. *hop-pâda*, « pardessus » ; ['uplɑ̃d].

**HOUPPER,** verbe trans. [3]
**1.** Garnir de houppes. **2.** Assembler en houppe. 1587 (fin xiiie s., *houppé*, qui a une houppe) ; ☞ *houppe* ; ['upe].

**HOUPPETTE,** subst. f.
Petite houppe. 1399 ; ☞ *houppe* ; ['upɛt].

**HOUPPIER,** subst. m.
Ensemble des ramifications d'un arbre situées au-dessus du fût. 1343 ; ☞ *houppe* ; ['upje].

**HOUQUE,** voir **HOULQUE**

**HOURD,** subst. m.
**1.** *Fortif.* Galerie de bois courant à la hauteur des créneaux d'un château fort. **2.** *M. Â.* Tribune de bois, estrade pour les spectateurs d'un tournoi. Mil. xiiie s. ; anc. bas frq. °*hurd*, « claie » ; ['uʀ].

**HOURDAGE,** subst. m.
*Bât.* **1.** Maçonnerie grossière, maintenue par des éléments en bois. **2.** Couche de plâtre appliquée sur un lattis pour former l'aire d'un plancher ou d'une cloison (synon. *hourdis*). 1553 (fin xve s., échafaudage) ; ☞ *hourder* ; ['uʀdaʒ].

**HOURDER,** verbe trans. [3]
**1.** Vx. Garnir de hourds. **2.** *Bât.* Garnir d'un hourdis, d'un hourdage. Fin xiie s. ; ☞ *hourd* ; ['uʀde].

**HOURDIS,** subst. m.
*Bât.* **1.** Corps de remplissage léger garnissant les intervalles d'un colombage ou d'un plancher. **2.** Hourdage. 1553 ; ☞ *hourd* ; ['uʀdi].

**HOURI,** subst. f.
**1.** Jeune femme vierge promise par le Coran au croyant admis au paradis. **2.** Ext. Femme superbe. 1654 ; ar. *ḥūriyya* ; ['uʀi].

**HOURQUE,** subst. f.
*Mar.* Ancien navire de charge hollandais à voiles, aux flancs renflés. 1326 ; m. néerl. *hulke* ; ['uʀk].

**HOURRA,** subst. m.
**1.** *Mar.* Cri règlementaire de salutation des marins. **2.** Cri d'acclamation ou d'enthousiasme ; empl. interj. : ***Hourra*** *! il a gagné !* 1573 ; angl. *huzza* ; var. *hurrah* ; ['uʀa].

**HOURVARI,** subst. m.
**1.** *Vèn.* Cri des chasseurs pour rappeler des chiens en défaut ; par ext., ruse d'un animal poursuivi qui met les chiens en défaut (vieilli). **2.** Ext. Vacarme, tapage (littér.). 1561 ; prob. crois. de *horva* (vx), « il sort (de la piste) », et de *hari*, var. de *haro* ; ['uʀvaʀi].

**HOUSEAU,** subst. m.
Haute guêtre de cuir ou de toile (gén. au plur.). xiie s. ; anc. fr. *huese*, « botte », du frq. °*hosa* ; ['uzo].

**HOUSE-BOAT,** subst. m.
Bateau à fond plat avec cabine aménagée, utilisé pour le tourisme fluvial ou comme habitation (anglic.). Mil. xxe s. ; angl. *houseboat*, de *house*, « maison », et de *boat*, « bateau » ; plur. *house-boats* ; ['ausbot].

**HOUSPILLER,** verbe trans. [3]
**1.** Secouer (qqn) brutalement, malmener (rare). **2.** Fig. Quereller, réprimander (qqn). 1454 ; anc. fr. *houcepingnier*, de *houcer*, « frapper avec un houssoir », et de *pingnier*, « peigner » ; ['uspije].

**HOUSPILLEUR, EUSE,** subst.
Personne qui houspille, qui réprimande sans cesse les autres. 1873 ; ☞ *houspiller* ; ['uspijœʀ, øz].

**HOUSSAIE,** subst. f.
Lieu planté de houx. Mil. xiiie s. ; ☞ *houx* ; ['usɛ].

**HOUSSE,** subst. f.
**1.** Couverture de selle, protégeant la croupe d'un cheval. **2.** Enveloppe servant à protéger des meubles ou divers objets : ***Housse*** *de canapé, de couette.* Fin xiie s. ; anc. bas frq. °*hulftia*, « couverture » ; ['us].

**HOUSSER,** verbe trans. [3]
Couvrir d'une housse. 1260 ; ☞ *housse* ; ['use].

**HOUX,** subst. m.
*Bot.* Petit arbuste de la famille des Aquifoliacées, à feuilles persistantes épineuses et à baies rouges. Fin xiie s. ; anc. bas frq. °*hulis* ; ['u].

© G. Thouvenin-Jacana

*Houx.*

**HOVERCRAFT,** subst. m.
Aéroglisseur (anglic.). V. 1960 ; angl. *hovercraft*, de *to hover*, « planer », et de *craft*, « embarcation » ; [ovœʀkʀaft].

**HOYAU,** subst. m.
*Agric.* Houe à lame taillée en biseau. Fin xiiie s. ; ☞ *houe* ; ['ɔjo] ou ['wajo].

**hPa,** voir **HECTOPASCAL**

**HUARD,** subst. m.
*Zool.* **1.** Pygargue. **2.** Québ. Plongeon arctique. 1613 ; ☞ *huer* ; var. *huart* ; ['ɥaʀ].

**HUBLOT,** subst. m.
**1.** Fenêtre étanche, gén. circulaire, munie d'un verre épais, pratiquée dans la coque d'un navire ou dans le fuselage d'un avion. **2.** Anal. Partie vitrée d'un appareil ménager, permettant d'en vérifier le fon tionnement : *Le* ***hublot*** *d'un four, d'un lave-ling* **Plur.** Yeux, lunettes (fam.). 1773 ; p.-ê. altér. c *hulot* (vx), « ouverture », du norm. *houle*, « trou » ; ['yblc

**HUCHE,** subst. f.
Grand coffre de bois rectangulaire, à couvercle ***Huche*** *à pain.* Fin xiie s. ; lat. médiév. *hutica* ; ['y

**HUCHER,** verbe trans. [3]
Appeler en criant ou en sifflant (vieilli). xiie s lat. pop. °*huccare*, p.-ê. d'orig. onomat. ; ['yʃe].

**HUCHET,** subst. m.
*Vèn.* et *Hérald.* Petit cor de chasse. Mil. xive s ☞ *hucher* ; ['yʃɛ].

**HUE,** interj.
Cri émis pour faire avancer un cheval, ou pour faire tourner à droite. ► Loc. *À* ***hue*** *et à dia* : dar des directions contraires ou, au fig., de maniè contradictoire. 1680 ; onomat. ; ['y].

**HUÉE,** subst. f.
**1.** *Vèn.* Cri des chasseurs pour faire lever le gibie **2.** Ext. Cri hostile (souv. au plur.) : *Ministre accueil par des* ***huées.*** 1376 ; p. p. de *huer* ; ['ɥe].

**HUER,** verbe [3]
**Trans. 1.** *Vèn.* Pousser des huées contre (le gibier **2.** Ext. Pousser des cris hostiles contre (qqn, qqch. **Intrans.** Pousser son cri, en parlant de la chouett du hibou. Mil. xiie s. ; ☞ *hue* ; ['ɥe].

**HUERTA,** subst. f.
*Géogr.* En Espagne, grande plaine irriguée (cultur fruitières et maraîchères). 1907 ; esp. *huerta*, d lat. *hortus*, « jardin » ; ['wɛʀta] ou ['ɥɛʀ-].

**HUGUENOT, OTE,** subst.
**1.** Péj. Surnom donné par les catholiques frança aux protestants calvinistes, du xvie au xviiie s. ; emp adj. : *Le parti* ***huguenot.*** **2.** Ext. Protestant (fam.) 1519 ; all. *Eidgenossen*, « confédérés », nom de Genevois adversaires du duc de Savoie ; ['yg(ə)no, ɔt

**HUILAGE,** subst. m.
Action d'huiler. 1840 ; ☞ *huiler* ; [ɥilaʒ].

**HUILE,** subst. f.
**1.** Substance grasse, inflammable, liquide à tempé rature ordinaire, insoluble dans l'eau, d'origin végétale, animale ou minérale, employée à de nom breux usages alimentaires, pharmaceutiques, indus triels, etc. : ***Huiles*** *alimentaires* ; ***Huile*** *vierge*, pur extraite par des procédés mécaniques uniquement ***Huile*** *essentielle*, liquide odorant, volatil, extrait pa distillation de plantes aromatiques ; ***Huiles*** *grasses* corps gras, saponifiables, formés d'esters de la glycé rine ; ***Huile*** *lourde*, gazole ; ***Huile*** *brute*, pétrole brut ► Loc. *Faire tache d'****huile*** : se propager de manièr insensible mais continue ; ***Huile*** *de coude* : dépens physique nécessaire à la réalisation d'un travai (fam.) ; *Jeter de l'****huile*** *sur le feu* : envenimer un dispute ; *Mer d'****huile*** : mer immobile ; *Mettre d l'****huile*** *dans les rouages* : user de diplomatie pou réduire des antagonismes. **2.** Fig. Personnage hau placé (fam.). **3.** *Liturg. Saintes* ***huiles*** : **huile** d'oliv sans mélange, consacrée et utilisée pour certain sacrements. **4.** *Peinture à l'****huile*** ou, empl. abs. ***Huile*** : mélange d'**huile** de lin ou d'œillette ave une matière colorante et, par méton., tablea exécuté à l'**huile.** Déb. xiie s. ; lat. *oleum* ; [ɥil].

**HUILER,** verbe trans. [3]
**1.** Lubrifier (qqch.) avec de l'huile. **2.** Assaisonne avec de l'huile. xive s. ; ☞ *huile* ; [ɥile].

**HUILERIE,** subst. f.
Fabrique d'huile végétale. 1547 ; ☞ *huile* ; [ɥilʀi]

**HUILEUX, EUSE,** adj.
**1.** Qui est de la nature de l'huile ; qui contient d l'huile. **2.** Qui a l'aspect luisant de l'huile, qui paraî graisseux. 1474 ; ☞ *huile* ; [ɥilø, øz].

**HUILIER, IÈRE,** subst. m. et adj.
**Subst. 1.** Fabricant ou marchand d'huile. **2.** Ustensile de table comportant une burette d'huile et une de vinaigre. **Adj.** Relatif à la fabrication des huiles : *L'industrie* ***huilière.*** 1260 ; ☞ *huile* ; [ɥilje, jɛʀ].

**HUIS,** subst. m.
**1.** Vx. Porte. **2.** Loc. **À huis clos.** Toutes portes fermées ; secrètement : *Se réunir à* ***huis clos.*** ► *Dr.* Sans que le public soit admis : *Délibérer à* ***huis*** *clos* ; empl. subst. masc. : *Ordonner le* ***huis*** *clos.* Mil. xie s. ; bas lat. *ustium*, du lat. *ostium*, « ouverture » ; [ɥi].

**HUISSERIE,** subst. f.
*Constr.* Bâti fixe, en bois ou en métal, formant l'encadrement d'une baie. xiie s. ; ☞ *huis* ; [ɥisʀi]

**HUISSIER,** subst. m.
**1.** Vx. Portier. **2.** Personne chargée d'annoncer et d'introduire les visiteurs chez un haut personnage. **3.** Employé préposé au service dans les assemblées, les administrations (synon. *appariteur*). **4.** ***Huissier** de justice* ou, par ell., ***Huissier*** : officier ministériel chargé de signifier les actes de procédure et de procéder à l'exécution des décisions de justice et de certains actes. Mil. XII^e s. ; ☞ *huis* ; [ɥisje].

**HUIT,** adj. num. inv. et subst. m. inv.
ADJ. CARD. Sept plus un : *Avoir* ***huit*** *ans.* ▸ Loc. **En huit.** De la semaine suivante : *Dimanche en* ***huit.*** ADJ. ORD. **1.** Huitième : *Il est* ***huit*** *heures.* **2.** Qui porte le numéro **huit** : *La table* ***huit*** ou, empl. subst., *La* ***huit.*** SUBST. **1.** Le nombre ou le numéro **huit**. **2.** Représentation graphique de ce nombre. **3.** *Jeux.* Carte à jouer portant ce numéro. **4.** *Sp.* En aviron, équipe de **huit** rameurs. XII^e s. ; lat. *octo* ; ['ɥit], ['ɥi] devant une consonne.

**HUITAIN,** subst. m.
*Litt.* Strophe ou court poème composé de huit vers. Fin XV^e s. ; ☞ *huit* ; ['ɥitɛ̃].

**HUITAINE,** subst. f.
**1.** Ensemble de huit éléments ou environ : *Il y a une* ***huitaine*** *d'années.* **2.** Ensemble de huit jours ; par ext., semaine : *Sous* ***huitaine***, dans la semaine ; *À* ***huitaine***, au même jour de la semaine suivante. 1260 ; ☞ *huit* ; ['ɥitɛn].

**HUITANTE,** adj. num. inv.
Helv. Quatre-vingt(s). XII^e s. ; lat. *octoginta* ; ['ɥitɑ̃t].

**HUITIÈME,** adj. et subst. m.
ADJ. NUM. ORD. Qui occupe le rang marqué par le nombre huit : *Août est le* ***huitième*** *mois de l'année* ; empl. subst. : *Le, la* ***huitième.*** ADJ. Qui constitue une fraction d'un tout divisé également en huit : *La* ***huitième*** *partie de ses revenus* ou, empl. subst. masc., *Le* ***huitième.*** SUBST. ***Huitième*** *de finale* : épreuve éliminatoire opposant deux à deux seize concurrents ou seize équipes. Fin XII^e s. ; ☞ *huit* ; ['ɥitjɛm].

**HUITIÈMEMENT,** adv.
En huitième lieu. 1480 ; ☞ *huitième* ; ['ɥitjɛmmɑ̃].

**HUÎTRE,** subst. f.
**1.** *Zool.* Mollusque de la classe des Lamellibranches, à la chair estimée : ***Huître*** *d'élevage* ; ***Huître*** *perlière*, qui sécrète des perles fines. **2.** Fig. Personne sotte (fam. et vieilli). Fin XIII^e s. ; lat. *ostrea* ; [ɥitʀ].

**HUÎTRIER, IÈRE,** subst. et adj.
SUBST. FÉM. **1.** Banc d'huîtres naturel. **2.** Parc à huîtres. SUBST. MASC. *Zool.* Grand oiseau échassier de la famille des Charadriidés, vivant sur le littoral de la Manche et de l'Atlantique, qui se nourrit de mollusques. ADJ. Relatif, propre à l'huître. 1546 ; ☞ *huître* ; [ɥitʀije, jɛʀ].

**HULOTTE,** subst. f.
*Zool.* Rapace nocturne de la famille des Strigidés ; en appos. : *Chouette* ***hulotte.*** 1530 ; anc. fr. *huller* du lat. *ululare*, « hurler » ; ['ylɔt].

**HULULEMENT,** voir **ULULEMENT**

**HULULER,** voir **ULULER**

**HUM,** interj.
Exprime le doute, la réticence : ***Hum !*** *vous en êtes bien sûr ?* 1611 ; onomat. ; [œm].

**HUMAIN, AINE,** adj. et subst. m.
ADJ. **1.** Relatif, propre à l'homme : *Le corps* ***humain*** ; *L'esprit* ***humain.*** **2.** Qui a tous les caractères propres à l'homme, sa force et sa faiblesse : *Un personnage profondément* ***humain.*** **3.** Qui se compose d'hommes : *Le genre* ***humain.*** **4.** Bon, généreux, compatissant : *Se montrer* ***humain.*** **5.** Qui a l'homme pour objet : *Les sciences* ***humaines.*** **6.** Adapté à l'homme, à sa nature, à ses besoins : *Entreprise à échelle* ***humaine.*** SUBST. **1.** Homme : *Les* ***humains***, l'humanité. **2.** Ce qui est le propre de l'homme : *Idéologie niant l'****humain.*** Mil. XII^e s. ; lat. *humanus* ; [ymɛ̃, ɛn].

**HUMAINEMENT,** adv.
**1.** Selon la nature, les capacités de l'être humain : *Faire tout ce qui est* ***humainement*** *possible.* **2.** Avec humanité, bienveillance. Fin XII^e s. ; ☞ *humain* ; [ymɛnmɑ̃].

**HUMANISATION,** subst. f.
Action d'humaniser, de rendre plus humain ; son résultat. 1845 ; ☞ *humaniser* ; [ymanizasjɔ̃].

**HUMANISER,** verbe trans. [3]
**1.** Vx ou Littér. Rendre humain ; mettre à la portée de l'homme : *Socrate* ***a humanisé*** *la philosophie.* **2.** Rendre plus humain, moins cruel, moins dur : ***Humaniser*** *le travail* ; empl. pronom. : *Il* ***s'humanise*** *en vieillissant.* 1554 ; ☞ *humain* ; [ymanize].

**HUMANISME,** subst. m.
**1.** Attitude philosophique qui pose l'être humain comme valeur suprême. **2.** Mouvement intellectuel de la Renaissance, marqué par un retour aux sources gréco-romaines et par la valorisation de l'homme et de l'esprit humain. 1846 (1765, amour de l'humanité) ; ☞ *humanité* ; [ymanism].

HISTOIRE – Dès le XIV^e s., avec Pétrarque, Boccace, Salutati, l'humanisme prérenaissant tourne le dos au théocentrisme médiéval, en mettant l'homme au centre de ses préoccupations. Il se propage au siècle suivant, avec l'afflux des manuscrits grecs. Il reste encore, cependant, un courant marginal, jusqu'à ce qu'il crée ses propres réseaux : académies en Italie, cénacles qui se forment autour de grands imprimeurs (Alde Manuce, par ex.), « collèges » où, en plus du latin, on étudie le grec et l'hébreu... Les facultés de théologie tentent de résister au mouvement, mais les humanistes (et notamment Érasme) entretiennent d'importantes relations épistolaires à travers l'Europe. Le livre imprimé remplace le cours magistral et met directement à la portée des jeunes clercs les œuvres de l'Antiquité. Les rapports que l'on entretient avec les grands textes canoniques (Cicéron, Plutarque...) changent du tout au tout : l'intense activité philologique à laquelle ils sont soumis réduit à néant les interpolations de la scolastique, qui les proposait, dans un environnement ecclésial, comme de simples modèles d'éloquence. État d'esprit plutôt que doctrine, l'humanisme inaugure une diversité jusque-là impensable.

Érasme, *l'une des grandes figures de l'****humanisme.*** *Peinture sur bois de Hans Holbein le Jeune (1497-1543). Musée du Louvre, Paris.*

**HUMANISTE,** subst. m. et adj.
SUBST. **1.** Vx. Spécialiste des langues et des littératures grecques et latines. **2.** Érudit lettré de la Renaissance : *Érasme, Montaigne furent des* ***humanistes.*** **3.** Partisan de l'humanisme philosophique. ADJ. Relatif, propre à l'humanisme. 1539 ; ☞ *humanité* ; [ymanist].

**HUMANITAIRE,** adj.
Qui se préoccupe du bien de l'humanité, qui vise à améliorer son sort : *Organisations* ***humanitaires.***

*Aide* ***humanitaire*** *aux réfugiés du Rwanda.*

▸ Méton. *Couloir* ***humanitaire*** : passage ménagé pour acheminer l'aide **humanitaire** aux civils dans un pays en guerre. 1835 ; ☞ *humanité* ; [ymanitɛʀ].

**HUMANITARISME,** subst. m.
Attitude, doctrine humanitaire jugée naïve ou utopique (péj.). 1837 ; ☞ *humanitaire* ; [ymanitaʀism].

**HUMANITÉ,** subst. f.
**1.** Ensemble des caractères propres à la nature humaine : *Notre part d'****humanité.*** **2.** Bonté, bienveillance. **3.** Ensemble des hommes : *L'histoire de l'****humanité.*** PLUR. **1.** Étude des langues et des littératures latines et grecques (vieilli). **2.** Belg. Études secondaires. 1119 ; lat. *humanitas* ; [ymanite].

**HUMANOÏDE,** adj. et subst.
ADJ. Qui présente des similitudes avec l'homme. SUBST. Personnage de science-fiction (créature ou robot) ayant une apparence humaine. Mil. XX^e s. ; ☞ *humain* + *-oïde* ; [ymanɔid].

**HUMBLE,** adj.
**1.** Qui est conscient de ses limites et le manifeste par un comportement effacé, modeste (anton. *orgueilleux*) : *Rester* ***humble*** *dans le succès.* **2.** Qui montre une grande déférence à l'égard d'autrui : *Un serviteur* ***humble*** *et dévoué.* ▸ Loc. *À mon* ***humble*** *avis...* : manière polie de présenter son opinion. **3.** Qui est de condition modeste : *D'****humbles*** *métayers* ; empl. subst. masc. plur. : *Les* ***humbles***, les petites gens (littér.). **4.** Qui est sans prétention ou sans envergure : *Une* ***humble*** *chaumière* ; *Occuper d'****humbles*** *fonctions.* Fin XI^e s. ; lat. *humilis*, « bas, près du sol », de *humus*, « terre » ; [œbl].

**HUMBLEMENT,** adv.
De manière humble. XII^e s. ; ☞ *humble* ; [œbləmɑ̃].

**HUMECTAGE,** subst. m.
Action d'humecter qqch. ; son résultat. 1873 ; ☞ *humecter* ; [ymɛktaʒ].

**HUMECTER,** verbe trans. [3]
Mouiller légèrement : ***Humecter*** *les lèvres, le front d'un malade* ; empl. pronom. : *Ses tempes* ***s'humectèrent*** *de sueur.* 1503 ; lat. *humectare* ; [ymɛkte].

**HUMECTEUR,** subst. m.
*Techn.* Appareil servant à humecter les étoffes, le papier, etc. 1840 ; ☞ *humecter* ; [ymɛktœʀ].

**HUMER,** verbe trans. [3]
**1.** Vx. Boire en aspirant. **2.** Sentir (une odeur, gén. agréable). Fin XI^e s. ; orig. onomat. ; ['yme].

**HUMÉRAL, ALE, AUX,** adj.
*Anat.* Qui se rapporte à l'humérus ou aux éléments vasculaires et nerveux du bras : *Artère* ***humérale.*** 1541 ; ☞ *humérus* ; [ymeʀal, o].

**HUMÉRUS,** subst. m.
*Anat.* Os unique du bras, s'articulant avec l'omoplate d'une part et avec les deux os de l'avant-bras d'autre part. 1579 ; lat. *humerus*, « épaule » ; [ymeʀys].

**HUMEUR,** subst. f.
**I. 1.** Vx. Tout liquide organique : *Les quatre* ***humeurs*** *de la médecine ancienne*, le sang, la bile, la lymphe et l'atrabile, censés déterminer quatre types de tempéraments. **2.** *Physiol.* ***Humeur*** *aqueuse, vitrée de l'œil* (☞ *vitré*). **II. 1.** Tendance dominante du caractère d'une personne, tempérament : *Un homme d'****humeur*** *égale* ; *Incompatibilité d'****humeur.*** **2.** Disposition affective momentanée, état d'esprit : *Être de bonne, de mauvaise* ***humeur***, être gai, mécontent ; empl. abs. : *Mouvement d'****humeur***, mouvement de mauvaise **humeur**, de colère. 1119 ; lat. *humor* ; [ymœʀ].

**HUMIDE,** adj.
**1.** Vx. De la nature de l'eau. **2.** Imprégné d'eau, de liquide ou de vapeur : *Mur, chiffon* ***humide*** ; *Végétation* ***humide*** *de rosée.* XIV^e s. ; lat. *humidus* ; [ymid].

**HUMIDIFICATEUR,** subst. m.
*Techn.* Appareil servant à augmenter ou à maintenir le degré hygrométrique de l'air. 1895 ; ☞ *humidifier* ; [ymidifikatœʀ].

**HUMIDIFICATION,** subst. f.
Action d'humidifier : *L'****humidification*** *de l'air.* 1875 ; ☞ *humidifier* ; [ymidifikasjɔ̃].

**HUMIDIFIER,** verbe trans. [6]
Rendre humide. 1649 ; ☞ *humide* ; [ymidifje].

**HUMIDITÉ,** subst. f.
État de ce qui est humide : ***Humidité*** *du climat.* ▸ *Phys.* ***Humidité*** *absolue* : rapport de la masse de vapeur d'eau au volume d'air qui la contient ; ***Humidité*** *relative* (☞ *hydrométrie*). 1361 ; bas lat. *humiditas* ; [ymidite].

**HUMIFICATION,** subst. f.
*Biochim.* Transformation de la matière organique en humus. 1922 ; ☞ *humus* ; [ymifikasjɔ̃].

**HUMILIANT, ANTE,** adj.
Qui humilie : *Une défaite* ***humiliante.*** XVIIe s. (1160, qui s'humilie) ; p. pr. de *humilier* ; [ymiljɑ̃, ɑ̃t].

**HUMILIATION,** subst. f.
**1.** Action d'humilier, de s'humilier. **2.** État d'une personne humiliée. **3.** Ce qui humilie : *Infliger une* ***humiliation.*** XIVe s. ; lat. chrét. *humiliatio* ; [ymiljasjɔ̃].

**HUMILIER,** verbe trans. [6]
**1.** Vx. Rendre humble. **2.** Rabaisser, faire apparaître comme méprisable, inférieur : ***Humilier*** *qqn par des railleries* ; empl. adj. : *Se sentir* ***humilié*** ; empl. subst. : *Défendre les* ***humiliés.*** PRONOM. Se faire humble ; s'abaisser volontairement : ***S'humilier*** *devant un vainqueur.* Déb. XIIe s. ; lat. chrét. *humiliare* ; [ymilje].

**HUMILITÉ,** subst. f.
**1.** État d'esprit, attitude d'une personne qui s'abaisse volontairement par sentiment de sa faiblesse, de son insuffisance. ▸ Loc. *En toute* ***humilité*** : très humblement. **2.** Caractère de ce qui est humble, sans éclat (littér.) : *L'****humilité*** *d'une tâche.* Xe s. ; lat. *humilitas* ; [ymilite].

**HUMIQUE,** adj.
Qui a rapport à l'humus ; qui contient de l'humus : *Sol* ***humique.*** 1834 ; ☞ *humus* ; [ymik].

**HUMORAL, ALE, AUX,** adj.
Relatif aux humeurs de l'organisme (vieilli). Fin XIVe s. ; lat. médiév. *humoralis* ; [ymɔʀal, o].

**HUMORISME,** subst. m.
*Méd.* Théorie médicale de Galien, selon laquelle les maladies résulteraient d'un déséquilibre humoral. 1825 ; ☞ *humeur* ; [ymɔʀism].

**HUMORISTE,** subst. et adj.
SUBST. Personne qui a de l'humour, qui pratique l'humour ; en partic., auteur de dessins, de textes humoristiques. ADJ. Qui a de l'humour ; humoristique. 1793 (1578, homme capricieux) ; angl. *humorist*, prob. de l'ital. *umorista*, « capricieux » ; [ymɔʀist].

**HUMORISTIQUE,** adj.
Qui relève de l'humour ; qui est empreint d'humour. 1801 ; angl. *humoristic* ; [ymɔʀistik].

**HUMOUR,** subst. m.
Forme d'esprit qui consiste à souligner le caractère comique, absurde ou insolite de la réalité : *Avoir le sens de l'****humour***, le pratiquer, le comprendre ; ***Humour noir***, dont l'effet comique repose sur l'exploitation d'une situation cruelle, macabre. 1725 ; angl. *humour*, du fr. *humeur* ; [ymuʀ].

**HUMUS,** subst. m.
Matière organique colloïdale du sol, formée de débris végétaux et animaux partiellement décomposés. 1765 ; lat. *humus*, « sol, terre » ; [ymys].

**HUNE,** subst. f.
*Mar.* Plate-forme fixée sur un bas-mât. Fin XIIe s. ; anc. scand. *hûnn* ; ['yn].

**HUNIER,** subst. m.
*Mar.* Voile carrée se situant au-dessus des basses voiles. 1557 ; ☞ *hune* ; ['ynje].

**HUNTER,** subst. m.
*Équit.* Cheval spécialisé dans le saut d'obstacles. 1802 ; angl. *hunter*, « chasseur » ; ['œntœʀ].

**HUPPE,** subst. f.
**1.** *Zool.* Passereau de la famille des Upupidés, au plumage roux et noir, pourvu d'une crête de plumes orange à extrémité noire, à la démarche sautillante. **2.** Ext. Touffe de plumes érectiles que certains oiseaux portent sur la tête (synon. *houppe*). Déb. XIIe s. ; lat. *upupa*, d'orig. onomat. ; ['yp].

*Huppe fasciée.*

© G. Ziesler-Jacana

**HUPPÉ, ÉE,** adj.
**1.** Fam. D'un rang social élevé ; riche : *Une famille* ***huppée.*** **2.** *Zool.* Qui porte une huppe : *Perdrix* ***huppée.*** Déb. XVe s. ; ☞ *huppe* ; ['ype].

**HURDLER,** subst. m.
*Sp.* Coureur de haies (anglic.). 1930 ; mot angl. ; ['œʀdlœʀ].

**HURE,** subst. f.
**1.** Tête du sanglier, du porc et, par ext., de certaines bêtes fauves ou de certains poissons : *La* ***hure*** *du loup.* **2.** *Alim.* Charcuterie à base de tête de porc ou de sanglier. Fin XIIe s. ; orig. obsc. ; ['yʀ].

**HURLANT, ANTE,** adj.
Qui hurle. XVIe s. ; p. pr. de *hurler* ; ['yʀlɑ̃, ɑ̃t].

**HURLEMENT,** subst. m.
**1.** Cri aigu et prolongé de certains animaux : *Les* ***hurlements*** *d'un loup.* **2.** Ext. Cri violent : *Un* ***hurlement*** *de rage* ; par ext. : *Des* ***hurlements*** *de rire.* **3.** Anal. Bruit aigu et prolongé : *Le* ***hurlement*** *d'une sirène.* Fin XIIe s. ; ☞ *hurler* ; ['yʀləmɑ̃].

**HURLER,** verbe [3]
INTRANS. **1.** Pousser des hurlements : *Chien qui* ***hurle*** *à la mort* ; ***Hurler*** *de douleur.* **2.** Ext. Parler, crier, chanter très fort : *Inutile de* ***hurler*** *!* **3.** Anal. Émettre un son évoquant un hurlement : *Vent qui* ***hurle.*** **4.** Fig. Produire un effet discordant : *Contrastes qui* ***hurlent.*** TRANS. **1.** Exprimer par des hurlements : ***Hurler*** *son amour.* **2.** Dire en criant très fort : ***Hurler*** *des injures.* Fin XIIe s. ; lat. *ululare* ; ['yʀle].

**HURLEUR, EUSE,** adj.
Se dit d'un animal, d'une personne qui hurle : *Chien* ***hurleur.*** ▸ *Zool. Singe* ***hurleur*** ou, empl. subst. masc., *Un* ***hurleur*** : singe de la famille des Cébidés, dont le larynx fait office de caisse de résonance. 1606 ; ☞ *hurler* ; ['yʀlœʀ, øz].

© J.-Ph. Varin-Jacana

*Singe* ***hurleur.***

**HURLUBERLU, UE,** subst.
Personne extravagante, irréfléchie, bizarre. 1564 ; orig. obsc. ; [yʀlybɛʀly].

**HURON, ONNE,** subst. et adj.
**1.** Se dit d'une personne grossière (vx). **2.** Des Hurons, peuplade indienne d'Amérique du Nord : *Chef* ***huron.*** SUBST. MASC. Langue du groupe iroquois, parlée par les Hurons. 1380 (1360, paysan révolté) ; ☞ *hure* ; ['yʀɔ̃, ɔn].

**HURRAH,** voir **HOURRA**

**HURRICANE,** subst. m.
*Météor.* Cyclone, en Amérique centrale et aux Antilles. 1840 ; anglo-amér. *hurricane*, du caraïbe *hurakàn* ; ['yʀikan].

**HUSKY,** subst. m.
Chien de traîneau à belle fourrure épaisse, aux yeux généralement bleus. V. 1980 ; angl. *husky*, « enroué » ; plur. *huskys* ou *huskies* ; ['œski].

**HUSSARD, ARDE,** subst.
MASC. **1.** *Hist.* Cavalier de l'armée hongroise. **2.** *Milit.* Soldat d'un corps de cavalerie légère : *Le 2e régiment de* ***hussards*** ou, par ell., *Le 2e* ***hussards.*** FÉM. **1.** Ancienne danse d'origine hongroise. **2.** Loc. ***À la hussarde.*** Brutalement, sans délicatesse : *Vaincre* ***à la hussarde.*** 1605 ; all. *Husar*, du hongrois *huszâr*, « le vingtième » ; ['ysaʀ, aʀd].

**HUSSITE,** subst.
*Hist.* Partisan de Jan Hus ; empl. adj. : *La guerre* ***hussite.*** 1688 ; anthropon. *Jan Hus* ; ['ysit].

**HUTTE,** subst. f.
Abri sommaire fait de roseaux, de bois, de terre. 1358 ; anc. haut all. *°hutta* ; ['yt].

**HYACINTHE,** subst. f.
**1.** *Joaill.* Pierre fine de couleur ocre, qui est une variété de zircon. **2.** *Bot.* Jacinthe (vx). 1523 ; lat. *hyacinthus*, du gr. *huakinthos*, « jacinthe » ; [jasɛ̃t].

**HYALIN, INE,** adj.
Transparent comme le verre : *Quartz* ***hyalin***, cristal de roche. Mil. XVe s. ; bas lat. *hyalinus*, du gr. *hualos*, « verre » ; [jalɛ̃, in].

**HYALITE,** subst. f.
**1.** *Minér.* Variété d'opale. **2.** *Pathol.* Inflammation du corps vitré de l'œil. 1827 ; ☞ *hyalin* ; [jalit].

**HYBRIDATION,** subst. f.
*Génét.* Croisement entre deux variétés ou races de la même espèce, ou entre deux espèces très voisines. 1826 ; ☞ *hybride* ; [ibʀidasjɔ̃].

**HYBRIDE,** adj. et subst. m.
Se dit du produit d'une hybridation : *Le bardot est un* ***hybride*** *du cheval et de l'ânesse.* ADJ. **1.** *Ling. Mot* ***hybride*** : formé d'éléments empruntés à des langues différentes (par ex. « aéroport », du grec *aêr* et du latin *portus*). **2.** Composé d'éléments disparates ; qui participe de plusieurs types : *Solution* ***hybride.*** 1596 ; lat. *hybrida*, « bâtard » ; [ibʀid].

**HYBRIDER,** verbe trans. [3]
Réaliser l'hybridation de. 1862 ; ☞ *hybride* ; [ibʀide].

**HYBRIDISME,** subst. m.
*Biol.* Caractère d'un hybride (synon. vieilli *hybridité*). 1826 ; ☞ *hybride* ; [ibʀidism].

**HYBRIDOME,** subst. m.
*Biol.* Lignée cellulaire créée in vitro, produit de la fusion de cellules génétiquement différentes, comme un lymphocyte sensibilisé et une cellule d'origine cancéreuse, et permettant d'obtenir des anticorps monoclonaux. V. 1980 ; angl. *hybridome*, du gr. *hubris* « excès » ; [ibʀidom].

**HYDARTHROSE,** subst. f.
*Pathol.* Épanchement inflammatoire dans une articulation : ***Hydarthrose*** *du coude.* 1824 ; gr. *hudôr*, « eau », et *arthron*, « articulation », + *-ose* ; [idaʀtʀoz].

**HYDATIDE,** subst. f.
*Zool.* Larve du ténia échinocoque, qui se fixe dans le foie ou les poumons des Mammifères et provoque des kystes. 1538 ; gr. *hudatis*, de *hudôr*, « eau » ; [idatid].

**HYDATIQUE,** adj.
Relatif aux hydatides ; qui contient des hydatides. 1795 ; ☞ *hydatide* ; [idatik].

**HYDNE,** subst. m.
*Bot.* Champignon hyménomycète de la famille des Hydnacées, dont la surface fertile est garnie de petits aiguillons. L'espèce *Hydnum repandum* est le pied-de-mouton, comestible. 1783 ; lat. sc. *hydnum*, du gr. *hudnon*, « tubercule » ; [idn].

**HYDRACIDE,** subst. m.
*Chim.* Composé acide dont la molécule comprend de l'hydrogène et un non-métal, mais pas d'atomes d'oxygène. 1816 ; ☞ *acide* + *hydro-* ; [idʀasid].

**HYDRAIRES,** subst. m. plur.
*Zool.* Classe de cnidaires. AU SING. *L'hydre verte est un* ***hydraire.*** 1877 ; ☞ *hydre* ; [idʀɛʀ].

**HYDRAMNIOS,** subst. m.
*Pathol.* Surabondance de liquide amniotique. Mil. XXe s. ; ☞ *amnios* + *hydro-* ; [idʀamnjɔs].

**HYDRANT,** subst. m.
Helv. Borne d'incendie. 1872 ; all. *Hydrant*, du gr. *hudôr*, « eau » ; var. *une hydrante* ; [idʀɑ̃].

**HYDRARGYRE,** subst. m.
*Chim.* Mercure (vx). 1548 ; lat. *hydrargyrus*, « vif-argent » ; [idʀaʀʒiʀ].

**HYDRARGYRISME,** subst. m.
*Pathol.* Intoxication aiguë ou chronique au mercure. 1856 ; ☞ *hydrargyre* ; [idʀaʀʒiʀism].

**HYDRASTIS,** subst. m.
*Bot.* Plante de la famille des Renonculacées dont le rhizome contient des alcaloïdes. Lat. sc. *hydrastis*, du gr. *hudôr*, « eau » ; [idʀastis].

**HYDRATANT, ANTE,** adj.
Qualifie une substance qui hydrate, en partic. la

DESSINS HUMORISTIQUES

aizant, 1963. « Vous allez rire ! Devinez qui est mort ? » (les Vieilles Dames).

*Siné, 1982. « Chat aigne »* (les Chats).

*Sempé, 1962* (Rien n'est simple).

*Chaval* (Chaval inconnu).

*Desclozeaux, 1996* (le Monde).

*Tim, 1982. « Conflit des Malouines : à l'aide d'un Exocet de fabrication française, un chasseur argentin détruit le* Sheffield *britannique. »*

*Plantu, 1993. « But à Sarajevo. Deux obus tombent sur une aire de jeu : onze morts, dont plusieurs enfants »* (le Monde).

eau : *Crème* **hydratante** ; empl. subst. masc. : *Un* **hydratant.** ▫ Fin XIXe s. ; p. pr. de *hydrater* ; [idʀatɑ̃, ɑ̃t].

**HYDRATATION,** subst. f.
**1.** *Chim.* Fixation d'une ou de plusieurs molécules d'eau par un composé chimique, sans décomposition de la substance. **2.** Introduction d'eau dans l'organisme : ***Hydratation** de la peau.* ▫ 1846 ; ☞ *hydrater* ; [idʀatasjɔ̃].

**HYDRATE,** subst. m.
*Chim.* **1.** Composé chimique contenant une ou plusieurs molécules d'eau. **2.** ***Hydrate** de carbone* : glucide (vieilli). ▫ 1802 ; gr. *hudôr*, « eau » ; [idʀat].

**HYDRATER,** verbe trans. [3]
**1.** *Chim.* Transformer (un composé) en hydrate par fixation de molécules d'eau. **2.** Introduire de l'eau dans (l'organisme). ▫ 1836 ; ☞ *hydrate* ; [idʀate].

**HYDRAULICIEN, IENNE,** subst.
Ingénieur spécialisé en hydraulique. ▫ 1829 ; ☞ *hydraulique* ; [idʀolisjɛ̃, jɛn].

**HYDRAULIQUE,** adj. et subst. f.
**Adj. 1.** Mû par l'eau ; qui fonctionne à l'aide de l'eau ou d'un liquide sous pression : *Énergie* ***hydraulique***, fournie par la force de l'eau. **2.** Relatif à l'eau : *Installation* ***hydraulique.*** **3.** Qui durcit sous l'eau : *Ciment* ***hydraulique.*** **Subst.** Science, technique des liquides. ▫ Déb. XVIe s. ; lat. *hydraulicus*, du gr. *hudôr*, « eau », et *aulos*, « flûte, tuyau » ; [idʀolik].

**HYDRAVION,** subst. m.
*Aéron.* Avion muni de flotteurs lui permettant de décoller de la surface de l'eau et de s'y poser. ▫ 1913 ; ☞ *avion* + *hydro-* ; [idʀavjɔ̃].

**HYDRAZINE,** subst. f.
*Chim.* Composé de formule $H_2N{-}NH_2$, utilisé comme composant des propergols (carburant). ▫ 1890 ; ☞ *azote* + *hydro-* ; [idʀazin].

**HYDRE,** subst. f.
**1.** *Myth.* Serpent monstrueux dont les sept têtes repoussent à mesure qu'on les tranche : *L'**hydre** de Lerne*, tuée par Hercule. **2.** Fig. Fléau indestructible qui se renouvelle ou s'étend (littér.) : *L'**hydre** du fascisme.* **3.** *Zool.* Animal fixé, muni d'une bouche entourée de tentacules. ▫ Mil. XIIIe s. ; lat. *hydra*, du gr. *hudra* ; [idʀ].

**HYDRÉMIE,** subst. f.
*Méd.* Quantité d'eau dans le sang. ▫ 1846 ; formé de *hydro-* et de *-émie* ; var. *hydrohémie* ; [idʀemi].

**HYDRIE,** subst. f.
*Archéol.* Vase grec à trois anses, servant à puiser de l'eau. ▫ 1360 ; lat. *hydria*, du gr. *hudria* ; [idʀi].

**HYDRIQUE,** adj.
**1.** Relatif à l'eau ; qui contient de l'eau : *Solution* ***hydrique.*** **2.** *Méd. Diète* ***hydrique*** : qui n'autorise que l'eau. ▫ 1874 (1826, relatif à l'hydrogène) ; gr. *hudôr*, « eau » ; [idʀik].

**HYDROCARBONATE,** subst. m.
*Chim.* Carbonate hydraté. ▫ 1809 ; ☞ *carbonate* + *hydro-* ; [idʀokaʀbɔnat].

**HYDROCARBONÉ, ÉE,** adj.
*Chim.* Qui contient de l'hydrogène et du carbone. ▫ 1840 ; ☞ *carboné* + *hydro-* ; [idʀokaʀbɔne].

**HYDROCARBURE,** subst. m.
*Chim.* Composé constitué de carbone et d'hydrogène. ▫ 1809 ; ☞ *carbure* + *hydro-* ; [idʀokaʀbyʀ].

**HYDROCÈLE,** subst. f.
*Pathol.* Épanchement séreux dans la tunique vaginale du testicule. ▫ 1538 ; lat. *hydrocele*, du gr. *hudrokêlê* ; [idʀosɛl].

**HYDROCÉPHALE,** subst. et adj.
Se dit d'une personne qui présente une hydrocéphalie. ▫ 1798 ; gr. *hudrokephalon*, de *hudôr*, « eau », et de *kephalê*, « tête » ; [idʀosefal].

**HYDROCÉPHALIE,** subst. f.
*Pathol.* Surabondance de liquide céphalo-rachidien dans les ventricules cérébraux, pouvant entraîner une augmentation de volume du crâne et un déficit intellectuel. ▫ 1832 ; ☞ *hydrocéphale* ; [idʀosefali].

**HYDROCORALLIAIRES,** subst. m. plur.
*Zool.* Classe de l'embranchement des Cnidaires, constituée d'hydrozoaires vivant en colonies recouvertes de calcaire. **Au sing.** *Le millépore est un* ***hydrocoralliaire.*** ▫ 1933 ; *Coralliaires* (vx), « Anthozoaires », + *hydro-* ; [idʀokɔʀaljɛʀ].

**HYDROCORTISONE,** subst. f.
*Pharm.* Principale hormone sécrétée par la corticosurrénale, anti-inflammatoire puissant du groupe des corticoïdes (synon. *cortisol*). ▫ 1959 ; ☞ *cortisone* + *hydro-* ; [idʀokɔʀtizɔn].

**HYDROCOTYLE,** subst. f.
*Bot.* Plante aquatique de la famille des Apiacées. ▫ 1694 ; gr. *kotulê*, « écuelle », + *hydro-* ; [idʀokɔtil].

**HYDROCRAQUAGE,** subst. m.
*Techn.* Craquage du pétrole en présence d'hydrogène. ▫ V. 1970 ; angl. *hydrocracking* ; [idʀokʀakaʒ].

**HYDROCUTION,** subst. f.
*Méd.* Syncope réflexe brutale, causée par un bain trop froid, pouvant entraîner la mort par noyade. ▫ 1950 ; ☞ *électrocution* + *hydro-* ; [idʀɔkysjɔ̃].

**HYDRODYNAMIQUE,** adj. et subst. f.
**Adj. 1.** Qui concerne les mouvements des fluides. **2.** Qui est conçu pour minimiser la résistance de l'eau. **Subst.** Branche de la physique qui étudie les mouvements des fluides. ▫ 1738 ; ☞ *dynamique* + *hydro-* ; [idʀodinamik].

**HYDROÉLECTRICITÉ,** subst. f.
*Techn.* Électricité fournie par l'énergie hydraulique. ▫ Mil. XXe s. ; ☞ *électricité* + *hydro-* ; [idʀoelɛktʀisite].

**HYDROÉLECTRIQUE, adj.**
*Techn.* Relatif à l'hydroélectricité : *Usine* ***hydroélectrique.*** 1823 ; ☞ *électrique* + *hydro-* ; [idʀoelɛktʀik].

**HYDROFOIL, subst. m.**
*Mar.* Hydroptère (anglic.). 1955 ; angl. *hydrofoil*, de *foil*, « feuille, surface plane », + *hydro-* ; [idʀofɔjl].

**HYDROFUGE, adj.**
*Techn.* Qualifie une substance qui élimine l'humidité ou qui en préserve : *Enduit* ***hydrofuge.*** 1826 ; formé de *hydro-* et de *-fuge* ; [idʀofyʒ].

**HYDROFUGER, verbe trans.** [5]
Rendre hydrofuge : ***Hydrofuger*** *un mur.* 1933 ; ☞ *hydrofuge* ; [idʀofyʒe].

**HYDROGÉNATION, subst. f.**
Fixation d'hydrogène sur un corps simple ou sur un corps composé. 1832 ; ☞ *hydrogéner* ; [idʀoʒenasjɔ̃].

**HYDROGÈNE, subst. m.**
*Chim.* et *Phys.* Élément chimique n° 1 de la table de Mendeleïev (symb. : H) ; masse atomique : 1,008 ; point de fusion : – 259,1 °C ; point d'ébullition : – 252,8 °C ; masse volumique à l'état solide : 0,071 g/cm$^3$. Dans la nature, l'**hydrogène** apparaît gén. dans des composés, dont les plus importants sont l'eau ($H_2O$) et les composés organiques (notamment les hydrocarbures et les sucres). L'**hydrogène** ordinaire (99,985 % de l'**hydrogène** naturel) est constitué d'atomes formés d'un proton (noyau) et d'un électron, d'où sa formule atomique $^1_1H$. L'atome d'**hydrogène** possède deux isotopes, l'**hydrogène** lourd, ou deutérium, et l'**hydrogène** hyperlourd, ou tritium. 1787 ; formé de *hydro-* et de *-gène* ; [idʀoʒɛn].

**HYDROGÉNÉ, ÉE, adj.**
*Chim.* Combiné à l'hydrogène ; qui contient de l'hydrogène. 1802 ; ☞ *hydrogène* ; [idʀoʒene].

**HYDROGÉNER, verbe trans.** [8]
*Chim.* Combiner (une substance) avec de l'hydrogène. 1804 ; ☞ *hydrogène* ; [idʀoʒene].

**HYDROGÉOLOGIE, subst. f.**
Partie de la géologie qui étudie la circulation des eaux souterraines que l'on veut capter et exploiter. 1851 ; ☞ *géologie* + *hydro-* ; [idʀoʒeɔlɔʒi].

**HYDROGLISSEUR, subst. m.**
*Mar.* Embarcation rapide à fond plat, mue par un réacteur ou une hélice aérienne. 1914 ; ☞ *glisser* + *hydro-* ; [idʀoglisœʀ].

**HYDROGRAPHE, subst.**
*Géogr.* Spécialiste de l'hydrographie. 1548 ; formé de *hydro-* et de *-graphe* ; [idʀogʀaf].

**HYDROGRAPHIE, subst. f.**
1. *Géogr.* ► Étude et description physique des eaux couvrant la surface du globe. ► Ensemble des eaux de surface d'une région, d'un pays. 2. *Mar.* Étude de la bathymétrie, des marées et des courants marins. 1551 ; ☞ *hydrographe* ; [idʀogʀafi].

**HYDROGRAPHIQUE, adj.**
Relatif à l'hydrographie : *Réseau* ***hydrographique*** *d'une région.* 1551 ; ☞ *hydrographie* ; [idʀogʀafik].

**HYDROHÉMIE, voir HYDRÉMIE**

**HYDROLASE, subst. f.**
*Biochim.* Enzyme catalysant une hydrolyse. 1899 ; crois. de *hydrolyse* et de *diastase* ; [idʀolɑz].

**HYDROLAT, subst. m.**
*Techn.* Préparation obtenue par distillation d'eau contenant des substances végétales aromatiques : ***Hydrolat*** *de roses.* 1830 ; préf. *hydro-*, d'apr. *alcoolat* ; [idʀola].

**HYDROLITHE, subst. f.**
*Chim.* Produit industriel contenant de l'hydrure de calcium et servant à préparer l'hydrogène. 1827 ; formé de *hydro-* et de *-lithe* ; [idʀolit].

**HYDROLOGIE, subst. f.**
Science qui étudie l'eau dans la nature, son cycle, ses propriétés physico-chimiques et mécaniques. 1614 ; formé de *hydro-* et de *-logie* ; [idʀolɔʒi].

**HYDROLOGIQUE, adj.**
Qui relève de l'hydrologie : *Analyse* ***hydrologique.*** 1832 ; ☞ *hydrologie* ; [idʀolɔʒik].

**HYDROLOGISTE, subst.**
Spécialiste en hydrologie. 1753 ; ☞ *hydrologie* ; var. *hydrologue* ; [idʀolɔʒist].

**HYDROLYSABLE, adj.**
Susceptible d'être décomposé par l'eau. 1902 ; ☞ *hydrolyser* ; [idʀolizabl].

**HYDROLYSE, subst. f.**
1. *Chim.* Décomposition d'un corps, d'une molécule par l'eau ou par les ions $H_3O^+$ et $OH^-$ issus de l'eau, avec formation de nouvelles molécules. 2. *Géol.* Décomposition par mise en solution de certains ions, fondamentale dans l'altération des cristaux des roches magmatiques ou métamorphiques et des sédiments. 1895 ; formé de *hydro-* et de *-lyse* ; [idʀoliz].

**HYDROLYSER, verbe trans.** [3]
*Chim.* Décomposer (un corps, une molécule) par l'eau. 1898 ; ☞ *hydrolyse* ; [idʀolize].

**HYDROMÉCANIQUE, adj.**
*Techn.* Se dit d'un appareil dans lequel un liquide sous pression (eau ou huile) est employé comme dispositif de transmission de puissance. 1846 ; ☞ *mécanique* + *hydro-* ; [idʀomekanik].

**HYDROMEL, subst. m.**
Boisson faite d'un mélange d'eau et de miel, le plus souvent fermentée. 1314 ; lat. *hydromeli*, du gr. *hudromeli*, de *hudôr*, « eau », et de *meli*, « miel » ; [idʀomɛl].

**HYDROMÈTRE, subst. m.**
1. *Phys.* Instrument permettant d'effectuer des mesures relatives aux liquides. 2. *Zool.* Insecte hémiptéroïde à longues pattes, qui se déplace à la surface de l'eau (synon. *araignée d'eau*). 1751 ; formé de *hydro-* et de *-mètre*[1] ; [idʀomɛtʀ].

**HYDROMÉTRIE, subst. f.**
1. Étude des propriétés physico-chimiques de l'eau et, par ext., des liquides. 2. *Phys.* ► Teneur en eau d'un matériau : *Taux d'****hydrométrie.*** ► Pourcentage de la pression de vapeur d'eau dans l'air rapportée à la pression de vapeur saturante (correspondant à la formation de brouillard). 1710 ; formé de *hydro-* et de *-métrie* ; [idʀometʀi].

**HYDROMINÉRAL, ALE, AUX, adj.**
Qui a trait aux eaux minérales : *Cure* ***hydrominérale.*** 1839 ; ☞ *minéral* + *hydro-* ; [idʀomineʀal, o].

**HYDRONÉPHROSE, subst. f.**
*Pathol.* Distension du bassinet et des calices du rein par rétention d'urine, lors d'une obstruction des uretères. 1866 ; ☞ *néphrose* + *hydro-* ; [idʀonefʀoz].

**HYDROPHILE (I), subst. m.**
*Zool.* Insecte coléoptère des eaux stagnantes, de la famille des Hydrophilidés. 1762 ; lat. sc. *hydrophilus* ; [idʀofil].

**HYDROPHILE (II), adj.**
1. Qui absorbe l'eau : *Coton, gaze* ***hydrophile.*** 2. *Chim.* Se dit d'un colloïde qui tend à rester dispersé en milieu aqueux. 1902 ; formé de *hydro-* et de *-phile* ; [idʀofil].

**HYDROPHOBE, adj. et subst.**
Se dit d'une personne atteinte d'hydrophobie. **Adj.** Que l'eau ne mouille pas, en partic. en parlant d'une fibre textile : *Le polyester est* ***hydrophobe.*** 1640 ; bas lat. *hydrophobus* ; [idʀofɔb].

**HYDROPHOBIE, subst. f.**
*Psych.* Peur morbide de l'eau. 1314 ; bas lat. *hydrophobia* ; [idʀofɔbi].

**HYDROPHONE, subst. m.**
*Techn.* Détecteur immergé d'ondes acoustiques, utilisé pour la prospection pétrolière, en sismologie, etc. Mil. XX^e s. ; formé de *hydro-* et de *-phone* ; [idʀofɔn].

**HYDROPIQUE, adj. et subst.**
Se dit d'une personne atteinte d'hydropisie (vieilli). 1174 ; lat. *hydropicus*, du gr. *hudrôpikos* ; [idʀopik].

**HYDROPISIE, subst. f.**
*Pathol.* Anasarque (vieilli). 1174 ; prob. bas lat. *hydropicia*, du lat. *hydropicus*, « hydropique » ; [idʀopizi].

**HYDROPNEUMATIQUE, adj.**
*Techn.* Qui fonctionne par l'action combinée d'un liquide (eau, huile) et d'un gaz comprimé. 1872 ; ☞ *pneumatique* + *hydro-* ; [idʀopnømatik].

**HYDROPONIQUE, adj.**
*Agric. Culture* ***hydroponique*** : réalisée sans le support d'un sol, par apport des substances nutritives. 1951 ; lat. *ponere*, « poser », + *hydro-* ; [idʀopɔnik].

**HYDROPTÈRE, subst. m.**
*Mar.* Navire muni d'ailes portantes fixées à la coque, qui lui permettent de s'élever sur l'eau à grande vitesse. V. 1960 ; formé de *hydro-* et de *-ptère* ; recomm. off. pour *hydrofoil* ; [idʀoptɛʀ].

**HYDROQUINONE, subst. f.**
*Chim.* Diphénol utilisé comme révélateur en photographie. 1866 ; ☞ *quinone* + *hydro-* ; [idʀokinɔn].

**HYDROSILICATE, subst. m.**
*Chim.* Silicate hydraté. 1842 ; ☞ *silicate* + *hydro-* ; [idʀosilikat].

**HYDROSOLUBLE, adj.**
Soluble dans l'eau : *La vitamine C est* ***hydrosolub***
1933 ; ☞ *soluble* + *hydro-* ; [idʀosɔlybl].

**HYDROSPHÈRE, subst. f.**
Ensemble des eaux présentes à la surface de la Ter
1897 ; formé de *hydro-* et de *-sphère* ; [idʀosfɛʀ].

**HYDROSTATIQUE, subst. f. et adj.**
**Subst.** Partie de la physique qui étudie les conditio d'équilibre des liquides. **Adj.** Relatif à l'équilibre d liquides : *Balance* ***hydrostatique***, appareil servant déterminer la densité des corps par immersio 1691 ; formé de *hydro-* et de *-statique* ; [idʀostati

**HYDROTHÉRAPIE, subst. f.**
*Méd.* Mode de traitement utilisant l'eau sous tout ses formes et à toutes les températures. 184 formé de *hydro-* et de *-thérapie* ; [idʀoteʀapi].

**HYDROTHÉRAPIQUE, adj.**
Qui relève de l'hydrothérapie. 1844 ; ☞ *hydrot rapie* ; [idʀoteʀapik].

**HYDROTHERMAL, ALE, AUX, adj.**
1. *Géol.* Relatif, propre aux circulations d'eau proximité d'un magma et aux sources qui peuve en résulter : *Roches* ***hydrothermales.*** 2. *Méd.* Q concerne les eaux thermales : *Cure* ***hydrotherma*** 1866 ; ☞ *thermal* + *hydro-* ; [idʀotɛʀmal, o].

**HYDROTHORAX, subst. m.**
*Pathol.* Épanchement de liquide clair dans la plèv 1795 ; ☞ *thorax* + *hydro-* ; [idʀotɔʀaks].

**HYDROTIMÉTRIE, subst. f.**
*Métrol.* Mesure de la dureté d'une eau (teneur e sels de calcium et de magnésium). 1855 ; g *hudrotês*, « qualité d'un liquide », + *-métrie* ; [idʀotimetʀ

**HYDROXYDE, subst. m.**
*Chim.* Combinaison d'un cation métallique et d'u ou de plusieurs anions $OH^-$. Les **hydroxydes** on la fonction base. 1840 ; ☞ *oxyde* + *hydro* [idʀɔksid].

**HYDROXYLAMINE, subst. f.**
*Chim.* Composé organique de la famille des amine de formule $NH_2OH$. C'est une base faible. 187 formé de *hydroxyle* et de *amine* ; [idʀɔksilamin].

**HYDROXYLE, subst. m.**
*Chim.* Radical monovalent —OH, présent dans l'ea et dans tous les alcools. 1872 ; ☞ *oxygèr* + *hydro-* et de *-yle* ; [idʀɔksil].

**HYDROZOAIRES, subst. m. plur.**
*Zool.* L'une des trois classes de Cnidaires, compre nant des organismes de forme polype, souver coloniaux, et de forme libre (méduse). **Au sing.** *L physalie est un* ***hydrozoaire.*** 1878 ; formé de *hydr* et de *-zoaire* ; [idʀozɔɛʀ].

**HYDRURE, subst. m.**
*Chim.* Composé de l'hydrogène avec un corp simple. 1789 ; formé de *hydro-* et de *-ure* ; [idʀyʀ

**HYÈNE, subst. f.**
*Zool.* Mammifère carnivore de la famille de Hyénidés, qui se nourrit de charognes et vit e Afrique et en Asie. Déb. XII^e s. ; lat. *hyaena*, du g *huaina* ; [jɛn] ou [ʼjɛn].

© G. Ziesler-Jacana

*Hyènes tachetées dévorant un gnou.*

**HYGIAPHONE, subst. m. inv.**
Dispositif qui équipe certains guichets, constitu d'une plaque transparente perforée séparant client et employés et permettant une communication plu hygiénique. V. 1970 ; gr. *hugiês*, « sain », + *-phone* n. déposé ; [iʒjafɔn].

**HYGIÈNE, subst. f.**
1. Ensemble des principes et des pratiques visan à préserver et à améliorer la santé : *Mesure*

*d'hygiène* ; *Hygiène alimentaire* ; *Hygiène publique*, visant la prévention des épidémies. **2.** Ensemble des soins de propreté corporelle : ***Hygiène** intime.* 1575 ; gr. *hugieinon*, « santé » ; [iʒjɛn].

**HYGIÉNIQUE, adj.**
**1.** Relatif à l'hygiène ; conforme aux principes de l'hygiène ; bon pour la santé : *Conditions **hygiéniques** insuffisantes.* **2.** Relatif à la propreté du corps, spéc. des parties intimes : *Papier **hygiénique** ; Serviette **hygiénique***, serviette périodique. 1791 ; ☞ *hygiène* ; [iʒjenik].

**HYGIÉNISTE, subst.**
*Méd.* Spécialiste de l'hygiène. 1830 ; ☞ *hygiène* ; [iʒjenist].

**HYGROMA, subst. m.**
*Pathol.* Inflammation des bourses séreuses proches de certaines articulations : ***Hygroma** du coude.* 1808 ; formé de *hygro-* et de *-ome* ; [igʀoma].

**HYGROMÈTRE, subst. m.**
Appareil servant à mesurer le degré d'humidité de l'air. 1687 ; formé de *hygro-* et de *-mètre*[1] ; [igʀomɛtʀ].

**HYGROMÉTRIE, subst. f.**
Partie de la météorologie qui a pour objet de mesurer le degré d'humidité de l'air (synon. *hygroscopie*) ; ce degré d'humidité. 1783 ; ☞ *hygromètre* ; [igʀometʀi].

**HYGROMÉTRIQUE, adj.**
Relatif à l'hygrométrie : *État **hygrométrique** de l'air.* 1783 ; ☞ *hygrométrie* ; [igʀometʀik].

**HYGROPHILE, adj.**
*Biol.* Se dit d'un organisme qui a besoin d'une forte humidité pour bien se développer (anton. *hygrophobe*). 1873 ; formé de *hygro-* et de *-phile* ; [igʀofil].

**HYGROPHOBE, adj.**
*Biol.* Se dit d'un organisme qui ne peut pas se développer en milieu humide (anton. *hygrophile*). Fin XIXe s. ; formé de *hygro-* et de *-phobe* ; [igʀofɔb].

**HYGROPHORE, subst. m.**
*Bot.* Champignon hyménomycète des bois ou des prés, aux spores blanches, et dont certaines espèces sont comestibles. 1892 ; formé de *hygro-* et de *-phore* ; [igʀofɔʀ].

**HYGROSCOPE, subst. m.**
Appareil qui indique les variations de l'état hygrométrique de l'air, sans les mesurer avec précision. 1666 ; formé de *hygro-* et de *-scope* ; [igʀɔskɔp].

**HYGROSCOPIE, subst. f.**
Hygrométrie. 1839 ; ☞ *hygroscope* ; [igʀɔskɔpi].

**HYGROSCOPIQUE, adj.**
**1.** Relatif à l'hygroscope, à l'hygroscopie. **2.** Qui a la propriété d'absorber l'humidité de l'air : *Substance **hygroscopique**.* 1840 ; ☞ *hygroscope* ; [igʀɔskɔpik].

**HYGROSTAT, subst. m.**
Appareil servant à maintenir l'humidité de l'air à un niveau constant. V. 1960 ; formé de *hygro-* et de *-stat* ; [igʀɔsta].

**HYMEN (I), subst. m.**
*Anat.* Membrane qui obstrue plus ou moins complètement l'orifice vaginal chez la femme vierge. 1520 ; bas lat. *hymen*, du gr. *humên* ; [imɛn].

**HYMEN (II), subst. m.**
Mariage (littér. ou vieilli) : *Les fruits de l'**hymen***, la progéniture. Mil. XVIe s. ; lat. *hymen*, du gr. *Humên*, dieu du Mariage ; [imɛn].

**HYMÉNÉE, subst. m.**
Mariage (littér. ou vieilli). 1580 ; lat. *hymenaeus*, du gr. *humenaios* ; [imene].

**HYMÉNIUM, subst. m.**
*Bot.* Partie fertile des champignons supérieurs, contenant, selon les cas, les asques ou les basides et produisant les spores. 1816 ; lat. sc. *hymenium*, du gr. *humenion*, « petite membrane » ; [imenjɔm].

**HYMÉNOMYCÈTES, subst. m. plur.**
*Bot.* Groupe de champignons basidiomycètes à carpophore gymnocarpe, c.-à-d. où les basides sont réunies en un hyménium à l'air libre. AU SING. *L'agaric est un **hyménomycète**.* 1855 ; formé de *hyméno-* et de *-mycète* ; [imenomisɛt].

**HYMÉNOPTÈRES, subst. m. plur.**
*Zool.* Ordre d'insectes du type broyeur-lécheur, à métamorphose complète et dont les ailes postérieures sont deux fois plus petites que les antérieures. Les **Hyménoptères** sont divisés en symphytes, dont l'abdomen est en continuité avec le thorax, et en apocrites, qui présentent un étranglement entre le thorax et l'abdomen. AU SING. *La guêpe est un **hyménoptère**.* 1765 ; gr. *humenopteros*, « aux ailes membraneuses » ; [imenɔptɛʀ].

**HYMNE, subst.**
FÉM. *Liturg.* Poème, souvent composé en latin, faisant partie de l'office divin : *Le chœur chantera une **hymne** de louange.* MASC. **1.** *Antiq.* Chant, poème qui honore un dieu ou un héros, gén. associé à un rituel : *Les **hymnes** homériques.* **2.** Ext. Chant ou poème lyrique célébrant un personnage, un évènement, etc. : *« Les **Hymnes** », œuvre de Ronsard.* ▸ ***Hymne** national* : chant officiel d'un État. **3.** Fig. Œuvre, acte qui célèbre qqch. : *Ce film est un **hymne** à la nature.* Déb. XIIe s. ; lat. *hymnus* ; [imn].

**HYOÏDE, adj.**
*Anat. Os **hyoïde*** ou, empl. subst. masc., *L'**hyoïde*** : os incurvé en fer à cheval, placé au-dessus du larynx. 1541 ; gr. *huoeidês ostoun*, « os en forme de Y » ; [jɔid].

**HYPALLAGE, subst. f.**
*Rhét.* Figure consistant à attribuer à un mot d'une phrase ce qui conviendrait normalement à d'autres mots de cette phrase (par ex. : « Ils allaient obscurs dans la nuit solitaire », Virgile). Fin XVIe s. ; lat. *hypallage*, du gr. *hupallagê*, « échange » ; [ipalaʒ].

**HYPERACOUSIE, subst. f.**
*Pathol.* Perception purement subjective de l'augmentation d'intensité des sons. 1896 ; gr. *akousis*, « action d'entendre », + *hyper-* ; [ipɛʀakuzi].

**HYPERACTIF, IVE, adj.**
Qui déploie une activité intense : *Un enfant **hyperactif**.* Déb. XXe s. ; ☞ *actif* + *hyper-* ; [ipɛʀaktif, iv].

**HYPERACTIVITÉ, subst. f.**
Activité intense ou excessive. 1903 ; ☞ *activité* + *hyper-* ; [ipɛʀaktivite].

**HYPERAZOTÉMIE, subst. f.**
*Pathol.* Augmentation anormale dans le sang du taux de matière azotée, notamment de l'urée. 1922 ; ☞ *azotémie* + *hyper-* ; [ipɛʀazɔtemi].

**HYPERBARE, adj.**
*Techn.* Qualifie une enceinte où la pression est supérieure à la pression atmosphérique. XXe s. ; formé de *hyper-* et de *-bare* ; [ipɛʀbaʀ].

**HYPERBATE, subst. f.**
*Rhét.* Figure par laquelle on inverse l'ordre habituel des mots (par ex. : « Je vais vous lire mon préféré poème »). 1545 ; lat. *hyperbaton*, du gr. *huperbaton*, « inversion » ; [ipɛʀbat].

**HYPERBOLE, subst. f.**
**1.** *Rhét.* Exagération volontaire de l'expression, par ex. : « J'ai une faim atroce » (anton. *litote*). **2.** *Géom.* Conique, ensemble des points M dont la différence des distances à deux points fixes F et F' (les foyers) est constante ; le milieu O du segment [FF'] est centre de symétrie, les droites (FF') et la perpendiculaire en O à (FF') sont des axes de symétrie. Dans un repère orthonormé porté par ces axes, l'**hyperbole** a une équation de la forme $x^2/a^2 - y^2/b^2 = 1$. XIIIe s. ; lat. *hyberbole*, du gr. *huperbolê* ; [ipɛʀbɔl].

**HYPERBOLIQUE, adj.**
**1.** *Rhét.* Qui a le caractère d'une hyperbole, qui contient des hyperboles : *Célébration **hyperbolique**.* **2.** *Géom.* Relatif à l'hyperbole. **3.** *Math. Fonctions **hyperboliques*** : sinus, cosinus et tangente **hyperboliques**, fonctions définies sur $\mathbb{R}$ par :
$\text{sh}\, x = \frac{1}{2}(e^x - e^{-x})$, $\text{ch}\, x = \frac{1}{2}(e^x + e^{-x})$, $\text{th}\, x = \frac{\text{sh}\, x}{\text{ch}\, x}$
de relation fondamentale $\text{ch}^2\, x - \text{sh}^2\, x = 1$, dont est issue la trigonométrie **hyperbolique**. **4.** *Phys.* Qualifie un miroir dont la surface a la forme d'un hyperboloïde de révolution. 1541 ; lat. *hyperbolicus*, du gr. *huperbolikos* ; [ipɛʀbɔlik].

**HYPERBOLOÏDE, subst. m.**
*Géom.* Surface d'ordre 2 admettant un centre de symétrie et dont certaines sections planes sont des hyperboles. ▸ ***Hyperboloïde** de révolution* : surface engendrée par la rotation d'une hyperbole autour de l'un de ses axes. 1765 ; ☞ *hyperbole* + *-oïde* ; [ipɛʀbɔlɔid].

**HYPERBORÉEN, ÉENNE, adj.**
De l'extrême nord (littér.) : *Paysages **hyperboréens**.* 1542 ; bas lat. *hyperboreanus*, du gr. *huperboreos*, « au-dessus du vent du nord » ; [ipɛʀbɔʀeɛ̃, eɛn].

**HYPERCALCÉMIE, subst. f.**
*Pathol.* Excès de calcium dans le sang. 1927 ; ☞ *calcémie* + *hyper-* ; [ipɛʀkalsemi].

**HYPERCHLORHYDRIE, subst. f.**
*Pathol.* Excès d'acide chlorhydrique dans le suc gastrique. Fin XIXe s. ; ☞ *chlorhydrique* + *hyper-* ; [ipɛʀklɔʀidʀi].

**HYPERCHOLESTÉROLÉMIE, subst. f.**
*Pathol.* Excès de cholestérol dans le sang, qui est l'une des causes de l'artériosclérose et des maladies cardio-vasculaires. 1912 ; ☞ *cholestérolémie* + *hyper-* ; [ipɛʀkɔlɛsteʀɔlemi].

**HYPERCORRECTION, subst. f.**
*Ling.* Reconstruction fautive d'une forme supposée à tort incorrecte ou altérée (par ex. l'ajout, au XVIe s., du *d* dans « poids », que l'on supposait issu du latin *pondus*). Mil. XXe s. ; ☞ *correction* + *hyper-* ; [ipɛʀkɔʀɛksjɔ̃].

**HYPERDULIE, subst. f.**
*Relig.* Culte de vénération rendu à la Vierge Marie, supérieur au culte de dulie, que l'on rend aux saints. 1488 ; lat. chrét. *hyperdulia* ; [ipɛʀdyli].

**HYPERÉMIE, subst. f.**
*Pathol.* Congestion sanguine locale obtenue par des moyens actifs (en partic. par compression exercée) ou passifs (par ex. par station debout prolongée). 1833 ; formé de *hyper-* et de *-émie* ; [ipɛʀemi].

**HYPERÉMOTIVITÉ, subst. f.**
Émotivité extrême ou excessive : *Son **hyperémotivité** le fait bafouiller.* 1926 ; ☞ *émotivité* + *hyper-* ; [ipɛʀemɔtivite].

**HYPERESTHÉSIE, subst. f.**
*Pathol.* Perception cutanée anormalement intense, par laquelle une stimulation normale est ressentie comme douloureuse. 1803 ; formé de *hyper-* et de *-esthésie* ; [ipɛʀɛstezi].

**HYPERFOCAL, ALE, AUX, adj.**
*Opt. Distance **hyperfocale*** ou, empl. subst. fém., *Une **hyperfocale*** : distance minimale à partir de laquelle un objectif mis au point sur l'infini donne une image nette d'un objet. 1902 ; ☞ *focal* + *hyper-* ; [ipɛʀfɔkal, o].

**HYPERFOLLICULINIE, subst. f.**
*Pathol.* Augmentation anormale de la sécrétion de folliculine, non équilibrée par celle de progestérone. 1952 ; ☞ *folliculine* + *hyper-* ; [ipɛʀfɔlikylini].

**HYPERFONCTIONNEMENT, subst. m.**
*Pathol.* Augmentation anormale de l'activité d'un organe. 1903 ; ☞ *fonctionnement* + *hyper-* ; [ipɛʀfɔ̃ksjɔnmɑ̃].

**HYPERFRÉQUENCE, subst. f.**
*Électron.* Gamme de fréquence allant de 10 à 1 000 gigahertz. 1951 ; ☞ *fréquence* + *hyper-* ; [ipɛʀfʀekɑ̃s].

**HYPERGLYCÉMIE, subst. f.**
*Pathol.* Excès de sucre dans le sang. 1877 ; ☞ *glycémie* + *hyper-* ; [ipɛʀglisemi].

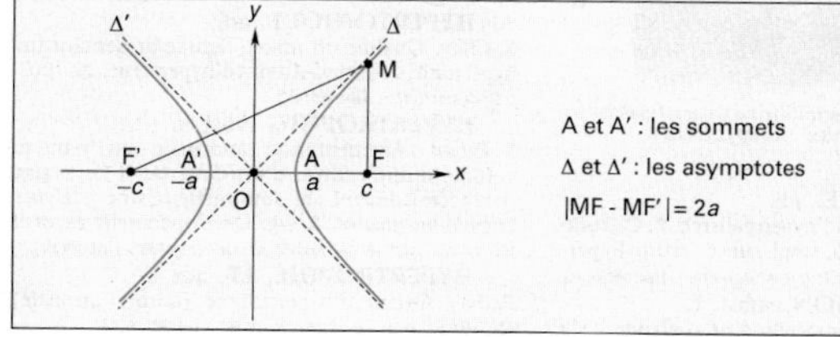


*Schéma d'une **hyperbole**, dont l'équation est de la forme* $\frac{x^2}{a^2} - \frac{y^2}{b^2} = 1$.

**HYPERGOL, subst. m.**
*Chim.* Propergol dont les ergols réagissent spontanément entre eux. ☐ XXe s. ; angl. *hypergol*, d'apr. *propergol* ; [ipɛʀgɔl].

**HYPERKALIÉMIE, subst. f.**
*Pathol.* Excès de potassium dans le sang. ☐ XXe s. ; ☞ *kaliémie* + *hyper-* ; [ipɛʀkaljemi].

**HYPERLIPIDÉMIE, subst. f.**
*Pathol.* Excès de lipides dans le sang. ☐ Mil. XXe s. ; ☞ *lipidémie* + *hyper-* ; var. *hyperlipémie* ; [ipɛʀlipidemi].

**HYPERMARCHÉ, subst. m.**
Magasin en libre service, de surface supérieure à 2 500 m². ☐ V. 1970 ; ☞ *marché* + *hyper-* ; [ipɛʀmaʀʃe].

**HYPERMÉTROPE, adj. et subst.**
Se dit d'une personne atteinte d'hypermétropie, qui voit mal les objets très proches. ☐ 1866 ; gr. *hupermetros*, « excessif », + *-ope* ; [ipɛʀmetʀɔp].

**HYPERMÉTROPIE, subst. f.**
*Pathol.* Anomalie de la vision dans laquelle l'image vient se former en arrière du plan de la rétine. ☐ 1866 ; ☞ *hypermétrope* ; [ipɛʀmetʀɔpi].

**HYPERMNÉSIE, subst. f.**
*Psych.* État d'excitation mentale caractérisé par l'évocation incontrôlée de souvenirs qui surgissent dans le champ de la conscience. ☐ 1890 ; ☞ *amnésie* + *hyper-* ; [ipɛʀmnezi].

**HYPÉRON, subst. m.**
*Phys. part.* Nom générique des baryons (désignés par les lettres grecques Λ, Σ, Ξ, Ω), appartenant à la classe des fermions, dont la masse est comprise entre celle du proton et celle du deutéron. La charge électrique d'un hypéron peut être + e, – e ou 0. ☐ 1953 ; ☞ *électron* + *hyper-* ; [ipeʀɔ̃].

**HYPERONYME, subst. m.**
*Ling.* Terme dont le sens inclut celui d'autres mots (anton. *hyponyme*) : *« Félin » est l'**hyperonyme** de « chat »*. ☐ V. 1970 ; formé de *hyper-* et de *-onyme* ; [ipɛʀɔnim].

**HYPERPLAN, subst. m.**
*Math.* Sous-espace vectoriel de dimension $n - 1$ d'un espace vectoriel de dimension $n$ (par ex. une droite dans le plan, un plan dans l'espace). ☐ XXe s. ; ☞ *plan* (I) + *hyper-* ; [ipɛʀplɑ̃].

**HYPERPLASIE, subst. f.**
*Pathol.* Développement exagéré d'un tissu, d'un organe par multiplication cellulaire. ☐ 1865 ; formé de *hyper-* et de *-plasie* ; [ipɛʀplazi].

**HYPERRÉALISME, subst. m.**
*B.-a.* Courant artistique américain des années soixante-dix, né en réaction contre l'expressionnisme abstrait et dont les adeptes cherchent à reproduire le plus fidèlement possible la réalité, par le biais de la projection de photographies pour les peintres et du moulage pour les sculpteurs. ☐ V. 1970 ; ☞ *réalisme* + *hyper-* ; [ipɛʀʀealism].

© Bridgeman-Giraudon

Caddie, *sculpture **hyperréaliste** de Duane Hanson (1925-1996). Musée Magyar, Budapest.*

**HYPERRÉALISTE, adj.**
*B.-a.* **1.** Relatif, propre à l'hyperréalisme. **2.** Qui pratique l'hyperréalisme ou, empl. subst., artiste **hyperréaliste**. ☐ V. 1970 ; ☞ *hyperréalisme* ; [ipɛʀʀealist].

**HYPERSÉCRÉTION, subst. f.**
*Pathol.* Sécrétion immodérée d'une glande : *Le ptyalisme est une **hypersécrétion** salivaire.* ☐ 1845 ; ☞ *sécrétion* + *hyper-* ; [ipɛʀsekʀesjɔ̃].

**HYPERSENSIBILITÉ, subst. f.**
**1.** Sensibilité extrême ou excessive. **2.** *Pathol.* Réaction négative d'un organisme vis-à-vis d'une substance, déterminée par des mécanismes immunitaires. ☐ 1896 ; ☞ *sensibilité* + *hyper-* ; [ipɛʀsɑ̃sibilite].

**HYPERSENSIBLE, adj.**
D'une sensibilité extrême ou excessive ; empl. subst., personne **hypersensible**. ☐ 1905 ; ☞ *sensible* + *hyper-* ; [ipɛʀsɑ̃sibl].

**HYPERSOMNIE, subst. f.**
*Pathol.* **1.** Augmentation anormale du temps de sommeil. **2.** Affection caractérisée par une narcolepsie ou par des troubles variés tels la boulimie, l'agressivité ou les apnées du sommeil. ☐ 1927 ; lat. *somnus*, « sommeil », + *hyper-* ; [ipɛʀsɔmni].

**HYPERSONIQUE, adj.**
*Aéron.* Qualifie des vitesses supérieures à Mach 5 et, par méton., des engins volant à ces vitesses. ☐ Mil. XXe s. ; ☞ *son* (II) + *hyper-*, d'apr. *supersonique* ; [ipɛʀsɔnik].

**HYPERSTATIQUE, adj.**
*Phys.* Qualifie un système mécanique dont le nombre de liaisons est plus grand que le nombre de degrés de liberté (par ex. une table à quatre pieds ou plus, alors que trois suffisent à son équilibre). ☐ 1955 ; formé de *hyper-* et de *-statique* ; [ipɛʀstatik].

**HYPERSUSTENTATION, subst. f.**
*Aéron.* Augmentation momentanée de la portance d'une aile d'avion. ☐ Mil. XXe s. ; ☞ *sustentation* + *hyper-* ; [ipɛʀsystɑ̃tasjɔ̃].

**HYPERTÉLIE, subst. f.**
*Biol.* Développement naturel excessif d'un organe, pouvant provoquer une gêne : *Les bois du grand cerf des tourbières sont des manifestations d'**hypertélie**.* ☐ Mil. XXe s. ; gr. *hupertelês*, « qui dépasse » ; [ipɛʀteli].

**HYPERTENDU, UE, subst. et adj.**
Se dit d'une personne atteinte d'hypertension artérielle. ☐ 1907 ; ☞ *tendu* + *hyper-* ; [ipɛʀtɑ̃dy].

**HYPERTENSIF, IVE, adj.**
*Méd.* Qui s'accompagne d'hypertension ; qui provoque l'hypertension (synon. *hypertenseur*) : *Un médicament **hypertensif** ou, empl. subst. masc., Un **hypertensif**.* ☐ 1907 ; ☞ *hypertension* ; [ipɛʀtɑ̃sif, iv].

**HYPERTENSION, subst. f.**
*Pathol.* Augmentation de la pression dans un vaisseau ou dans une cavité : ***Hypertension** artérielle* ; ***Hypertension** gravidique*, forme grave de l'**hypertension** artérielle pouvant toucher la femme enceinte et disparaissant après l'accouchement. ☐ 1895 ; ☞ *tension* + *hyper-* ; [ipɛʀtɑ̃sjɔ̃].

**HYPERTEXTE, subst. m.**
*Informat.* Système qui permet, en sélectionnant un mot du document affiché, d'appeler à l'écran un autre document en liaison avec ce mot, et de créer ainsi un dossier, thématique par ex. ☐ V. 1970 ; ☞ *texte* + *hyper* ; [ipɛʀtɛkst].

**HYPERTHERMIE, subst. f.**
*Pathol.* Hausse anormale (au-delà de 37 °C) de la température centrale d'un sujet (synon. *fièvre*). ☐ 1877 ; formé de *hyper-* et de *-thermie* ; [ipɛʀtɛʀmi].

**HYPERTHYROÏDIE, subst. f.**
*Pathol.* Hypersécrétion prolongée d'hormones thyroïdiennes avec augmentation de l'activité de la glande thyroïde, par ex. dans la maladie de Basedow. ☐ 1906 ; ☞ *thyroïde* + *hyper-* ; [ipɛʀtiʀɔidi].

**HYPERTONIE, subst. f.**
**1.** *Biol.* État d'une solution aqueuse dont la concentration molaire en soluté est supérieure à cette même grandeur rapportée au contenu d'une cellule. **2.** *Pathol.* Augmentation anormale du tonus musculaire. ☐ 1803 ; formé de *hyper-* et de *-tonie* ; [ipɛʀtɔni].

**HYPERTONIQUE, adj.**
**1.** *Chim.* Qualifie un milieu liquide présentant une hypertonie. **2.** *Pathol.* Atteint d'hypertonie. ☐ 1803 ; ☞ *hypertonie* ; [ipɛʀtɔnik].

**HYPERTROPHIE, subst. f.**
**1.** *Pathol.* Augmentation anormale ou non du volume d'une cellule, d'un tissu ou d'un organe par accroissement de son métabolisme : ***Hypertrophie** mammaire.* **2.** Fig. Développement excessif. ☐ 1818 ; formé de *hyper-* et de *-trophie* ; [ipɛʀtʀɔfi].

**HYPERTROPHIÉ, ÉE, adj.**
*Pathol.* Atteint d'hypertrophie (anton. *atrophié*). ☐ 1843 ; p. p. de *hypertrophier* ; [ipɛʀtʀɔfje].

**HYPERTROPHIER, verbe trans.** [6]
Provoquer l'hypertrophie de (un organe, un tissu). PRONOM. S'accroître par hypertrophie : *Muscle qui s'**hypertrophie*** ; au fig. : *Son goût du pouvoir s'est **hypertrophié**.* ☐ 1833 ; ☞ *hypertrophie* ; [ipɛʀtʀɔfje].

**HYPERTROPHIQUE, adj.**
*Pathol.* Qui présente une hypertrophie ; qui a les caractères de l'hypertrophie. ☐ 1832 ; ☞ *hypertrophie* ; [ipɛʀtʀɔfik].

**HYPERVITAMINOSE, subst. f.**
*Pathol.* Ensemble des symptômes dus à l'ingestion excessive d'une ou de plusieurs vitamines. ☐ 1938 ; ☞ *vitamine* + *hyper-* et *-ose* ; [ipɛʀvitaminoz].

**HYPHE, subst. f.**
*Bot.* Nom donné aux filaments constituant le mycélium des champignons supérieurs et des lichens. ☐ 1840 ; lat. sc. *hypha*, du gr. *huphos*, « tissu » ; [if].

**HYPHOLOME, subst. m.**
*Bot.* Champignon de la famille des Agaricacées, non comestible, poussant sur les souches. ☐ 1902 ; gr. *huphos*, « tissu », et *lôma*, « frange » ; [ifɔlɔm].

**HYPNAGOGIQUE, adj.**
Qui survient lors de l'endormissement : *Hallucinations **hypnagogiques**.* ☐ 1855 ; formé de *hypno-* et de *-agogique* ; [ipnagɔʒik].

**HYPNE, subst. f.**
*Bot.* Mousse commune des sous-bois et des troncs d'arbres. ☐ 1771 ; gr. *hupnon* ; [ipn].

**HYPNOÏDE, adj.**
*Psych.* Qualifie un état mental proche du sommeil. ☐ 1954 ; all. *hypnoid* ; [ipnɔid].

**HYPNOLOGIE, subst. f.**
Partie de la physiologie ayant pour objet l'étude du sommeil et de sa pathologie. ☐ Formé de *hypno-* et de *-logie* ; [ipnɔlɔʒi].

**HYPNOSE, subst. f.**
**1.** État artificiel proche du sommeil, provoqué par suggestion ou par des médicaments hypnotiques ; technique de suggestion provoquant cet état. **2.** Anal. État de fascination caractérisé par l'engourdissement des facultés intellectuelles et morales. ☐ 1873 ; ☞ *hypnotique* ; [ipnoz].

**HYPNOTIQUE, adj. et subst. m.**
Se dit d'un médicament qui provoque le sommeil, tels les barbituriques, les anxiolytiques, etc. ADJ. Relatif à l'hypnose, à l'hypnotisme. ☐ Mil. XVIe s. ; bas lat. *hypnoticus*, du gr. *hupnos*, « sommeil » ; [ipnɔtik].

**HYPNOTISER, verbe trans.** [3]
**1.** Mettre en état d'hypnose. **2.** Fig. Fasciner, obnubiler ; empl. pronom. : *S'**hypnotiser** devant, sur qqch.* ☐ 1866 ; ☞ *hypnotique* ; [ipnɔtize].

**HYPNOTISEUR, EUSE, subst.**
Personne qui hypnotise. ☐ 1873 ; ☞ *hypnotiser* ; [ipnɔtizœʀ, øz].

**HYPNOTISME, subst. m.**
Ensemble des phénomènes qui caractérisent l'hypnose et des techniques qui permettent de la provoquer. ☐ 1845 ; angl. *hypnotism* ; [ipnɔtism].

**HYPOACOUSIE, subst. f.**
*Pathol.* Diminution anormale de l'acuité auditive. ☐ 1900 ; gr. *akousis*, « action d'entendre », + *hypo-* ; [ipoakuzi].

**HYPOALLERGÉNIQUE, adj.**
*Pharm.* Qui provoque peu de réactions allergiques : *Produit **hypoallergénique*** ou, empl. subst. masc., *Un **hypoallergénique**.* ☐ V. 1970 ; ☞ *allergène* + *hypo-* ; var. déconseillée *hypoallergique* ; [ipoalɛʀʒenik].

**HYPOCAGNE, voir HYPOKHÂGNE**

**HYPOCALCÉMIE, subst. f.**
*Pathol.* Insuffisance de calcium dans le sang. ☐ 1927 ; ☞ *calcémie* + *hypo-* ; [ipokalsemi].

**HYPOCALORIQUE, adj.**
Pauvre en calories : *Régime alimentaire **hypocalorique**.* ☐ V. 1970 ; ☞ *calorique* + *hypo-* ; [ipokalɔʀik].

**HYPOCAUSTE, subst. m.**
*Antiq. rom.* Système de chauffage par circulation d'air chaud installé sous le sol des thermes et de certaines villas. ☐ 1547 ; gr. *hupokauston*, de *hupo*, « dessous », et de *kaiein*, « brûler » ; [ipokost].

**HYPOCENTRE, subst. m.**
*Géol.* Point du sous-sol où se produit l'ébranlement initial d'un séisme (synon. *foyer*). ☐ 1922 ; ☞ *centre* + *hypo-* ; [iposɑ̃tʀ].

**HYPOCHLOREUX, adj. m.**
*Chim.* Qualifie un acide obtenu par l'action du

lichlore sur l'eau : *L'acide* **hypochloreux** *est un bon oxydant.* 1866 ; ☞ *chloreux + hypo-* ; [ipoklɔʀø].

**HYPOCHLORHYDRIE, subst. f.**
*Pathol.* Quantité insuffisante d'acide chlorhydrique dans le suc gastrique. Fin XIXe s. ; ☞ *chlorhydrique + hypo-* ; [ipoklɔʀidʀi].

**HYPOCHLORITE, subst. m.**
*Chim.* Sel de l'acide hypochloreux. 1855 ; ☞ *chlore + hypo-* ; [ipoklɔʀit].

**HYPOCHROME, adj.**
*Pathol. Anémie* **hypochrome** : caractérisée par une diminution anormale de la concentration en hémoglobine des globules rouges. Mil. XXe s. ; formé de *hypo-* et de *-chrome* ; [ipokʀom].

**HYPOCONDRE, subst. m.**
*Anat.* Chacune des zones latérales supérieures de l'abdomen. XIVe s. ; bas lat. *hypochondria,* du gr. *hupokhondria* ; [ipɔkɔ̃dʀ].

**HYPOCONDRIAQUE, adj. et subst.**
Se dit d'une personne qui souffre d'hypocondrie. 1572 ; gr. *hupokhondriakos,* « malade des hypocondres » ; [ipɔkɔ̃dʀijak].

**HYPOCONDRIE, subst. f.**
*Psych.* État pathologique d'un sujet obsédé par sa santé, qui sollicite en permanence l'attention de ses proches et du corps médical. XVe s. ; ☞ *hypocondre* ; [ipɔkɔ̃dʀi].

**HYPOCORISTIQUE, adj. et subst. m.**
*Ling.* Se dit d'une forme qui exprime une intention affectueuse : ***Hypocoristiques*** *formés par redoublement (« nounou »), par adjonction d'un diminutif (« sœurette »).* 1893 ; gr. *hupokoristikos,* « caressant » ; [ipɔkɔʀistik].

**HYPOCRAS, subst. m.**
Vin sucré dans lequel on faisait infuser de la cannelle, des clous de girofle, etc. (vx). 1377 ; anthropon. *Hippocras,* forme médiév. de *Hippocrate* ; [ipɔkʀɑs].

**HYPOCRISIE, subst. f.**
**1.** Attitude d'une personne qui dissimule son véritable caractère et affecte des pensées, des sentiments, des qualités qu'elle n'a pas : *L'***hypocrisie** *de Tartuffe.* **2.** Caractère de ce qui est faux, affecté, mensonger : *L'***hypocrisie** *d'une promesse, d'un sourire.* Fin XIIe s. ; bas lat. *hypocrisis,* du gr. *hupokrisis,* « mimique ; rôle » ; [ipɔkʀizi].

**HYPOCRITE, adj. et subst.**
Se dit de qqn qui fait preuve d'hypocrisie. **ADJ.** Qui dénote de l'hypocrisie. 1179 ; bas lat. *hypocrita,* du gr. *hupokritês,* « acteur » ; [ipɔkʀit].

**HYPOCRITEMENT, adv.**
De manière hypocrite, avec hypocrisie. 1584 ; ☞ *hypocrite* ; [ipɔkʀitmɑ̃].

**HYPOCYCLOÏDE, subst. f.**
*Géom.* Courbe plane décrite par un point fixe d'un cercle qui roule intérieurement sans glisser sur un autre cercle fixe. 1863 ; ☞ *cycloïde + hypo-* ; [iposiklɔid].

**HYPODERME, subst. m.**
**1.** *Histol.* Partie de la peau située sous le derme, contenant un tissu conjonctif lâche richement vascularisé qui enserre des lobules graisseux plus ou moins abondants. **2.** *Bot.* Tissu végétal qui s'étend sous l'épiderme de certaines plantes. **3.** *Zool.* Insecte de l'ordre des Diptères, dont les larves parasitent certains ruminants en s'implantant sous leur peau. 1884 ; formé de *hypo-* et de *-derme* ; [ipodɛʀm].

**HYPODERMIQUE, adj.**
*Histol.* Qui concerne l'hypoderme. 1854 ; ☞ *hypoderme* ; [ipodɛʀmik].

**HYPODERMOSE, subst. f.**
*Vétér.* Maladie des animaux, en partic. des bovins, due aux larves d'hypodermes. 1910 ; ☞ *hypoderme + -ose* ; [ipodɛʀmoz].

**HYPOESTHÉSIE, subst. f.**
*Pathol.* Diminution de la perception des sensations cutanées élémentaires qui sont le toucher, la température, la douleur. 1873 ; formé de *hypo-* et de *-esthésie* ; [ipoɛstezi].

**HYPOGASTRE, subst. m.**
*Anat.* Partie basse de l'abdomen. 1536 ; gr. *hupogastrion,* « bas-ventre » ; [ipogastʀ].

**HYPOGASTRIQUE, adj.**
Qui concerne l'hypogastre : *Douleur* **hypogastrique**. 1562 ; ☞ *hypogastre* ; [ipogastʀik].

**HYPOGÉ, ÉE, adj.**
**1.** *Bot.* et *Zool.* Qui se développe sous terre : *Les truffes sont des champignons* ***hypogés.*** **2.** Anal. Qui est construit sous terre : *Tombe* ***hypogée.*** 1831 ; bas lat. *hypogaeus,* du gr. *hupogaios* ; [ipɔʒe].

**HYPOGÉE, subst. m.**
*Archéol.* Construction souterraine ; tombeau, lieu de culte souterrain. 1564 ; bas lat. *hypogaeum,* du gr. *hupogeion,* « souterrain » ; [ipɔʒe].

© Baumgartner-Explorer

*Hypogée de l'un des fils de Ramsès III (XIIe s. av. J.-C.). Thèbes (Égypte), Vallée des Reines.*

**HYPOGLOSSE, adj.**
*Anat. Nerf (grand)* ***hypoglosse*** ou, empl. subst. masc., *Le grand* ***hypoglosse*** : nerf venant du bulbe rachidien et qui innerve les muscles de la langue. 1752 ; gr. *hupoglôssios,* de *hupo,* « sous », et de *glôssa,* « langue » ; [ipɔglɔs].

**HYPOGLYCÉMIANT, ANTE, adj.**
*Méd.* Qui entraîne la diminution de la glycémie : *L'action* ***hypoglycémiante*** *d'une hormone* ; empl. subst. masc., médicament **hypoglycémiant**. V. 1960 ; ☞ *hypoglycémie* ; [ipoglisemjɑ̃, ɑ̃t].

**HYPOGLYCÉMIE, subst. f.**
*Pathol.* Diminution anormale du taux de sucre dans le sang. 1893 ; ☞ *glycémie + hypo-* ; [ipoglisemi].

**HYPOGYNE, adj.**
*Bot.* Désigne un organe floral inséré sous l'ovaire (anton. *épigyne*) : *Étamines* ***hypogynes.*** 1801 ; formé de *hypo-* et de *-gyne* ; [ipɔʒin].

**HYPOKALIÉMIE, subst. f.**
*Pathol.* Diminution anormale du taux de potassium dans le sang. ☞ *kaliémie + hypo-* ; [ipokaljemi].

**HYPOKHÂGNE, subst. f.**
Classe de lettres supérieures, qui précède la khâgne (argot scol.). Fin XIXe s. ; ☞ *khâgne + hypo-* ; var. *hypocagne* ; [ipokaɲ].

**HYPOMANIE, subst. f.**
*Psych.* Forme atténuée de manie. 1933 ; ☞ *manie + hypo-* ; [ipomani].

**HYPONEURIEN, subst. m.**
*Zool.* Animal dont le système nerveux est constitué d'un cerveau antérieur et d'une chaîne nerveuse ventrale. Gr. *neuron,* « nerf », + *hypo-* ; [iponøʀjɛ̃].

**HYPONOMEUTE, subst. m.**
*Zool.* Genre d'insecte lépidoptère dont les larves (chenilles) causent de gros dégâts aux arbres fruitiers en en minant les feuilles. 1878 ; gr. *huponomeutes,* « mineur », de *huponomos,* « qui creuse en dessous » ; var. *yponomeute* ; [ipɔnɔmøt].

**HYPONYME, subst. m.**
*Ling.* Terme dont le signifié est plus restreint que celui d'un autre terme (anton. *hyperonyme*) : *« Voiture » est un* ***hyponyme*** *de « véhicule ».* V. 1960 ; formé de *hypo-* et de *-onyme* ; [ipɔnim].

**HYPOPHOSPHITE, subst. m.**
*Chim.* Sel de l'acide hypophosphoreux. ☞ *phosphite + hypo-* ; [ipofɔsfit].

**HYPOPHOSPHOREUX, EUSE, adj.**
*Chim.* Qualifie l'acide le moins oxygéné du phosphore, officiellement appelé acide phosphinique, ou une substance qui en contient. 1823 ; ☞ *phosphoreux + hypo-* ; [ipofɔsfɔʀø, øz].

**HYPOPHYSAIRE, adj.**
Relatif, propre à l'hypophyse. 1894 ; ☞ *hypophyse* ; [ipɔfizɛʀ].

**HYPOPHYSE, subst. f.**
*Anat.* Glande endocrine située sous le cerveau, qui sécrète de nombreuses hormones agissant sur d'autres glandes endocrines (synon. *glande pituitaire*). 1818 ; gr. *hupophusis,* « croissance en dessous » ; [ipɔfiz].

**HYPOPLASIE, subst. f.**
*Pathol.* Diminution anormale de volume ou insuffisance de développement d'un tissu ou d'un organe. 1907 ; formé de *hypo-* et de *-plasie* ; [ipoplazi].

**HYPOSÉCRÉTION, subst. f.**
*Pathol.* Sécrétion insuffisante ou inférieure à la normale. 1896 ; ☞ *sécrétion + hypo-* ; [iposekʀesjɔ̃].

**HYPOSODÉ, ÉE, adj.**
Pauvre en sel. XXe s. ; ☞ *sodé + hypo-* ; [iposɔde].

**HYPOSPADIAS, subst. m.**
*Pathol.* Malformation caractérisée par l'ouverture de l'urètre à la face inférieure de la verge, et non à son extrémité. 1850 ; gr. *hupospadias,* de *hupo,* « en dessous », et de *span,* « déchirer » ; [ipospadjas].

**HYPOSTASE, subst. f.**
**1.** *Théol.* Chacune des trois Personnes distinctes et consubstantielles, au sein de la Trinité. **2.** *Méd.* Accumulation de sang dans les parties déclives des organes d'un sujet décédé. 1541 (1398, sédiment dans un liquide organique) ; gr. *hupostasis,* « action de se placer en dessous » ; [ipɔstɑz].

**HYPOSTASIER, verbe trans. [6]**
*Philos.* Considérer à tort (une abstraction, une idée) comme une réalité. 1907 ; ☞ *hypostase* ; [ipɔstazje].

**HYPOSTATIQUE, adj.**
*Théol.* Qui se rapporte aux trois Personnes trinitaires. ► *Union* ***hypostatique*** : union des deux natures (divine et humaine) en une seule Personne, dans le Christ. 1474 ; ☞ *hypostase* ; [ipostatik].

**HYPOSTYLE, adj.**
*Archit.* Dont le plafond est supporté par des colonnes. 1824 ; gr. *hupostulos* ; [ipostil].

**HYPOSULFITE, subst. m.**
*Chim.* Sel de l'acide hyposulfureux. 1817 ; ☞ *sulfite + hypo-* ; [iposylfit].

**HYPOSULFUREUX, EUSE, adj.**
*Chim.* Qualifie un acide instable thiosulfurique ou une substance qui en contient (vx). 1817 ; ☞ *sulfureux + hypo-* ; [iposylfyʀø, øz].

**HYPOTAUPE, subst. f.**
Classe de mathématiques supérieures, qui précède directement la taupe (argot scol.). ☞ *taupe + hypo-* ; [ipotop].

**HYPOTENDU, UE, adj. et subst.**
*Pathol.* Se dit d'un sujet qui présente une diminution anormale de la tension artérielle. 1907 ; ☞ *tendu + hypo-* ; [ipotɑ̃dy].

**HYPOTENSEUR, adj. m.**
*Méd.* Qui diminue la tension artérielle ; empl. subst. masc., médicament **hypotenseur**. 1906 ; ☞ *hypotension* ; [ipotɑ̃sœʀ].

**HYPOTENSIF, IVE, adj.**
Qui s'accompagne d'hypotension : *Malaise* ***hypotensif.*** 1903 ; ☞ *hypotension* ; [ipotɑ̃sif, iv].

**HYPOTENSION, subst. f.**
*Pathol.* Diminution anormale, ponctuelle ou permanente, de la tension artérielle d'un sujet : ***Hypotension*** *orthostatique,* baisse exagérée de la tension artérielle d'un sujet passant de la position couchée à la position debout. 1895 ; ☞ *tension + hypo-* ; [ipotɑ̃sjɔ̃].

**HYPOTÉNUSE, subst. f.**
*Géom.* Côté opposé à l'angle droit, dans un triangle rectangle : *Le carré de l'***hypoténuse** *est égal à la somme des carrés des deux autres côtés du triangle* (théorème de Pythagore). 1520 ; lat. *hypotenusa,* du gr. *hupoteinousa,* « (côté) tendu sous les angles » ; [ipɔtenyz].

**HYPOTHALAMIQUE, adj.**
Relatif, propre à l'hypothalamus. 1953 ; ☞ *hypothalamus* ; [ipotalamik].

**HYPOTHALAMUS, subst. m.**
*Anat.* Région du diencéphale qui sécrète des hormones et régule les fonctions végétatives fondamentales de l'organisme (sommeil, faim, développement sexuel secondaire, température du corps, équilibre de l'eau). 1933 ; ☞ *thalamus + hypo-* ; [ipotalamys].

**HYPOTHÉCAIRE, adj.**
*Dr.* Relatif à l'hypothèque ; garanti par une hypothèque : *Prêt* ***hypothécaire.*** 1305 ; bas lat. *hypothecarius,* du lat. *hypotheca,* « hypothèque » ; [ipɔtekɛʀ].

**HYPOTHÉNAR, adj. inv.**
*Anat. Éminence* ***hypothénar*** ou, empl. subst. masc.,

*L'**hypothénar*** : saillie située sur le bord interne cubital de la paume de la main. 1541 ; gr. *hupothenar*, « le creux de la main » ; [ipɔtenaʀ].

**HYPOTHÈQUE, subst. f.**

**1.** *Dr.* Droit accordé par un débiteur, en garantie de sa dette, à un créancier sur un bien immeuble lui appartenant : *Lever une **hypothèque**.* ▸ Loc. *Prendre une **hypothèque** sur l'avenir* : engager l'avenir en fonction de ce que l'on croit devoir se réaliser. **2.** Fig. Obstacle au déroulement d'un processus. XIII^e s. ; lat. *hypotheca*, du gr. *hupothêkê*, « gage » ; [ipɔtɛk].

**HYPOTHÉQUER, verbe trans.** [9]

**1.** *Dr.* Garantir par une hypothèque : ***Hypothéquer** un emprunt* ; grever d'une hypothèque : ***Hypothéquer** un bien.* **2.** Fig. Engager, risquer (qqch.) : ***Hypothéquer** sa carrière.* 1369 ; ☞ *hypothèque* ; [ipɔteke].

**HYPOTHERMIE, subst. f.**

*Pathol.* Diminution de la température du corps en dessous de la normale. ▸ ***Hypothermie** provoquée* : méthode utilisée en anesthésie pour diminuer la consommation d'oxygène de l'organisme (☞ ***hibernation***). 1889 ; formé de *hypo-* et de *-thermie* ; [ipotɛʀmi].

**HYPOTHÈSE, subst. f.**

**1.** *Log.* et *Math.* Énoncé à partir duquel on établit une démonstration. Les définitions, axiomes et théorèmes déjà établis dans la théorie et qui ne figurent pas explicitement dans l'énoncé participent à la démonstration (**hypothèses** implicites). **2.** Supposition devant servir à expliquer ou à prévoir un évènement. 1539 ; lat. *hypothesis*, du gr. *hupothesis*, « action de mettre dessous ; supposition » ; [ipɔtɛz].

**HYPOTHÉTICO-DÉDUCTIF, IVE, adj.**

*Log.* Qualifie une forme de raisonnement qui déduit des propositions selon les principes fondamentaux de la raison à partir d'hypothèses initiales dont l'origine est arbitraire ou expérimentale : *Une théorie mathématique est un système **hypothético-déductif**.* Mil. XX^e s. ; comp. de *hypothétique* et de *déductif* ; plur. *hypothético-déductifs, ives* ; [ipɔtetikodedyktif, iv].

**HYPOTHÉTIQUE, adj.**

**1.** *Log.* Se dit d'une proposition soumise à une condition. **2.** Incertain ; douteux. 1290 ; bas lat. *hypotheticus*, du gr. *hupothetikos* ; [ipɔtetik].

**HYPOTHYROÏDIE, subst. f.**

*Pathol.* Insuffisance des sécrétions hormonales de la glande thyroïde. 1908 ; ☞ *thyroïde + hypo-* ; [ipotiʀɔidi].

**HYPOTONIE, subst. f.**

**1.** *Biol.* Diminution de la tension osmotique d'un milieu plasmatique ou cellulaire par rapport à un état d'équilibre appelé isotonie. **2.** *Pathol.* Diminution anormale du tonus musculaire. 1898 ; formé de *hypo-* et de *-tonie* ; [ipɔtɔni].

**HYPOTONIQUE, adj.**

**1.** *Chim.* Qualifie un milieu liquide dont la concentration moléculaire est inférieure à celle d'un milieu voisin ou pris comme référence. **2.** *Pathol.* Qui présente une diminution anormale du tonus musculaire. 1907 ; ☞ *hypotonie* ; [ipɔtɔnik].

**HYPOTROPHIE, subst. f.**

*Pathol.* Développement insuffisant d'un organe. ▸ ***Hypotrophie** nutritionnelle* : retard de croissance dû à une carence alimentaire. 1857 ; formé de *hypo-* et de *-trophie* ; [ipɔtʀɔfi].

**HYPOTYPOSE, subst. f.**

*Rhét.* Figure de style qui consiste à décrire une scène de façon extrêmement vivante. 1555 ; gr. *hupotupôsis* ; [ipɔtipoz].

**HYPOVITAMINOSE, subst. f.**

*Pathol.* Carence d'apport en vitamines. 1955 ; ☞ *vitamine + hypo-* et *-ose* ; [ipovitaminoz].

**HYPOXÉMIE, subst. f.**

*Pathol.* Diminution anormale du taux d'oxygène dissous dans le sang artériel. 1854 ; ☞ *oxygène + hypo-* et *-émie* ; [ipɔksemi].

**HYPOXIE, subst. f.**

*Pathol.* Anoxie. XX^e s. ; ☞ *oxygène + hypo-* ; [ipɔksi].

**HYPSOMÈTRE, subst. m.**

Instrument qui permet de mesurer l'altitude d'un lieu d'après la température d'ébullition de l'eau. 1856 ; formé de *hypso-* et de *-mètre*[1] ; [ipsɔmɛtʀ].

**HYPSOMÉTRIE, subst. f.**

**1.** Mesure de l'altitude d'un lieu. **2.** *Cartogr.* Représentation du relief par des courbes de niveau. 1831 ; formé de *hypso-* et de *-métrie* ; [ipsɔmetʀi].

**HYPSOMÉTRIQUE, adj.**

Qui concerne l'hypsométrie : *Courbe **hypsométrique** des fonds océaniques*, comportant un modelé en relief ou des courbes représentant les variations d'altitude. 1811 ; ☞ *hypsométrie* ; [ipsɔmetʀik].

**HYSOPE, subst. f.**

*Bot.* Plante herbacée de la famille des Lamiacées, répartie de la Méditerranée à l'Asie centrale et utilisée pour ses vertus thérapeutiques. Déb. XII^e s. ; lat. *hyssopus*, du gr. *hussôpos*, d'orig. sémitique ; [izɔp].

**HYSTÉRECTOMIE, subst. f.**

*Chir.* Ablation totale ou partielle de l'utérus. 1879 ; formé de *hystéro-* et de *-ectomie* ; [isteʀɛktɔmi].

**HYSTÉRÉSIS, subst. f.**

*Phys.* Phénomène ne dépendant pas seulement des conditions présentes, mais aussi de l'histoire antérieure du système (effet de mémoire, à la base de tous les dispositifs de stockage ou d'enregistrement). 1890 ; angl. *hysteresis*, du gr. *husterein*, « être en retard » ; [isteʀezis].

**HYSTÉRIE, subst. f.**

**1.** Vx. Trouble caractérisé par une instabilité émotionnelle et des modes d'expression théâtralisés, observé le plus souvent chez la femme jeune et autrefois attribué à un dérèglement de sa fonction libidinale. **2.** Excitation incontrôlée, frénésie : ***Hystérie** collective*, qui saisit un groupe, une foule. **3.** *Psych.* Affection mentale caractérisée par une très grande suggestibilité et qui peut aussi se manifester par une série de troubles (paralysie, aphasie, cécité, crises d'épilepsie, grossesse nerveuse, etc.) sans cause organique. 1731 ; ☞ *hystérique* ; [isteʀi].

PSYCHIATRIE – L'hystérie a tout d'abord été décrite chez les femmes et particulièrement étudiée par Charcot puis par Freud. Ses symptômes peuvent être provoqués et guéris par la suggestion ; appelés troubles de conversion, ils ont une valeur symbolique et expriment un conflit ou un besoin psychique qui peut être mis au jour lors d'une cure psychanalytique. « Hystérie d'angoisse », appelée actuellement névrose phobique, est le nom donné par Freud à une névrose caractérisée par des phobies permettant au sujet d'éviter les situations qui entraînent l'angoisse.

**HYSTÉRIFORME, adj.**

*Psych.* Dont les manifestations rappellent celles de l'hystérie. Déb. XIX^e s. ; ☞ *hystérie + -forme* ; [isteʀifɔʀm].

**HYSTÉRIQUE, adj. et subst.**

*Psych.* Se dit d'un sujet atteint d'hystérie. Adj. Relatif à l'hystérie. 1568 ; bas lat. *hystericus*, du gr. *husterikos*, de *hustera*, « utérus » ; [isteʀik].

**HYSTÉROGRAPHIE, subst. f.**

*Méd.* Hystérosalpingographie. 1945 ; formé de *hystéro-* et de *-graphie* ; [isteʀɔgʀafi].

**HYSTÉROMÉTRIE, subst. f.**

*Méd.* Mesure de la profondeur de la cavité utérine à l'aide d'une tige de métal graduée. Formé de *hystéro-* et de *-métrie* ; [isteʀometʀi].

**HYSTÉROSALPINGOGRAPHIE, subst. f.**

*Méd.* Système d'exploration radiologique de la cavité utérine et de ses annexes à l'aide d'un produit opaque aux rayons X (synon. *hystérographie*). Mil. XX^e s. ; gr. *salpigx*, « trompette », + *hystéro-* et *-graphie* ; [isteʀosalpɛ̃gɔgʀafi].

**HYSTÉROTOMIE, subst. f.**

*Chir.* Incision de l'utérus. 1721 ; formé de *hystéro-* et de *-tomie* ; [isteʀɔtɔmi].

**Hz, voir HERTZ**

*Jean Martin Charcot (1825-1893) présentant une expérience sur une femme **hystérique** en état d'hypnose, à la Salpêtrière (1885).*

*Massif d'iris.* © Ch. Favardin-Jacana

**I,** subst. m. inv.
**1.** Neuvième lettre et troisième voyelle de l'alphabet. Suivi d'une voyelle, **i** prend en gén. la valeur de la semi-voyelle [j] ; avec *m* ou *n*, il forme une voyelle nasale : *im, in* [ɛ̃] ; il entre dans les digrammes *oi, ai* ou *ei, ui*, prononcés [wa], [ɛ], [ɥi] et dans les trigrammes *ain* ou *ein, oin, ien*, prononcés [ɛ̃], [wɛ̃], [jɛ̃] ; avec un tréma, il se prononce séparément, par ex. « caïd » [kaid]. ► Loc. *Droit comme un* I : très droit ; *Mettre les points sur les « i »* : préciser qqch., de façon ferme. **2.** Abrév. et Symb. ► I : chiffre romain correspondant à 1. ► *Chim.* I : iode. ► *Électr.* i ou I : intensité d'un courant électrique. ► *Math.* i : nombre complexe de partie réelle 0 et de partie imaginaire 1, qui est une des racines de l'équation $z^2 + 1 = 0$ dans ℂ ($i^2 = -1$). ► *Opt.* I : intensité lumineuse. ⚘ [i].

**IAMBE,** subst. m.
*Versif.* Dans la poésie antique, pied composé de deux syllabes, une brève suivie d'une longue ; par ext., vers de six pieds dont les deuxième, quatrième et sixième sont des **iambes** ; par méton., poème formé d'**iambes**. PLUR. *Litt.* Poème satirique où alternent alexandrins et octosyllabes. ⚘ 1532 ; lat. *iambus*, du gr. *iambos* ; var. *ïambe* ; [jɑ̃b].

**IAMBIQUE,** adj.
*Versif.* Composé d'iambes. ⚘ 1466 ; lat. *iambicus*, du gr. *iambikos* ; var. *ïambique* ; [jɑ̃bik].

**IATROGÈNE,** adj.
*Méd.* Qui provoque une maladie, un accident, en parlant d'un acte médical ou d'un médicament ; par méton. : *Perforation* **iatrogène** *de l'œsophage.* ⚘ V. 1970 ; gr. *iatros*, « médecin », + *-gène* ; synon. *iatrogénique* ; [jatʀɔʒɛn].

**IBÈRE,** adj. et subst.
*Antiq.* Du peuple qui occupait l'Ibérie vers le Vᵉ s. av. J.-C. SUBST. MASC. Langue non indo-européenne parlée par ce peuple. ⚘ Mil. XVIIᵉ s. ; lat. *Iberus*, du gr. *Ibêr* ; [ibɛʀ].

**IBÉRIDE,** voir **IBÉRIS**

**IBÉRIQUE,** adj.
**1.** Relatif à l'Ibérie, aux Ibères. **2.** Relatif à l'Espagne, aux Espagnols. **3.** Relatif à l'Espagne et au Portugal : *La péninsule* **Ibérique**. ⚘ 1765 ; lat. *ibericus*, du gr. *ibêrikos* ; synon. *ibérien, ienne* ; [ibeʀik].

**IBÉRIS,** subst. f. ou m.
*Bot.* Plante de la famille des Brassicacées, dont certaines espèces sont cultivées pour leurs fleurs odoriférantes. ⚘ 1615 ; lat. *iberis*, du gr. *ibêris*, « cresson » ; var. *une ibéride* ; [ibeʀis].

**IBIDEM,** adv.
Dans le même passage, au même endroit d'un texte, d'un ouvrage déjà cité (abrév. : *ibid.*). ⚘ 1769 ; lat. *ibidem*, « ici même » ; [ibidɛm].

**IBIS,** subst. m.
*Zool.* Oiseau de l'ordre des Ardéiformes, aux longues pattes grêles, au bec long et arqué vers le bas. ⚘ Déb. XIIᵉ s. ; lat. *ibis*, du gr. *ibis* ; [ibis].

**ICAQUE,** subst. f.
**1.** Fruit de l'icaquier. **2.** Icaquier. ⚘ 1658 ; esp. *icaco*, d'orig. taïno, langue amérindienne ; [ikak].

**ICAQUIER,** subst. m.
*Bot.* Arbrisseau d'Amérique tropicale de la famille des Chrysobalanacées, dont le fruit est comestible (synon. *icaque*). ⚘ ☞ *icaque* ; [ikakje].

**ICARIEN, IENNE,** adj.
**1.** Relatif à Icare, à sa légende. ► *Jeux* **icariens** : numéros de cirque combinant acrobatie et voltige au sol (rare). **2.** Relatif à l'Icarie, île de la mer Égée. ⚘ 1721 ; *Icare*, personnage de la mythologie grecque ; [ikaʀjɛ̃, jɛn].

**ICEBERG,** subst. m.
**1.** Masse de glace d'eau douce flottant à la surface de la mer et provenant de la fragmentation de glaciers ou d'inlandsis. La partie émergée de l'**iceberg** correspond environ au cinquième de sa hauteur totale. **2.** Fig. *La partie cachée, immergée de l'***iceberg** : ce qui, dans une affaire, est occulte mais fondamental. ⚘ 1715 ; angl. *iceberg*, du nord. *isberg*, « montagne de glace » ; [isbɛʀg] ou [ajs-].

**ICELUI, ICELLE,** pron. dém. et adj. dém.
Ce, cette ; celui-ci, celle-ci (vx ou iron.). ⚘ Mil. XIᵉ s. ; formes renforcées de *celui, celle* ; plur. *iceux, icelles* ; [isəlɥi, isɛl], plur. [isø, isɛl].

**ICHNEUMON,** subst. m.
*Zool.* Genre d'insecte de la famille des Ichneumonidés, dit aussi mouche vibrante, qui introduit ses œufs dans les œufs ou les larves d'autres insectes. ⚘ 1562 (1547, mangouste) ; lat. *ichneumon*, du gr. *ikhneumôn*, « qui suit à la piste » ; [iknømɔ̃].

**ICHOR,** subst. m.
*Méd.* Vx. Sang mêlé de pus (synon. *sanie*). ⚘ 1538 ; gr. *ikhôr* ; [ikɔʀ].

**ICHTYOL,** subst. m.
*Pharm.* Substance soufrée aux propriétés kératoplastiques, utilisée en dermatologie. ⚘ 1887 ; gr. *ikhthus*, « poisson », + *-ol*, « huile » ; [iktjɔl].

**ICHTYOLOGIE,** subst. f.
Branche de la zoologie qui étudie les poissons. ⚘ 1649 ; formé de *ichtyo-* et de *-logie* ; [iktjɔlɔʒi].

**ICHTYOLOGISTE,** subst.
Spécialiste d'ichtyologie. ⚘ 1765 ; ☞ *ichtyologie* ; [iktjɔlɔʒist].

*Ibis.*

© D. Nigel/P. H. R.-Jacana

**ICHTYOPHAGE,** adj. et subst.
Se dit d'un être qui se nourrit uniquement ou principalement de poisson (synon. *piscivore*). ⚘ Fin XIIIᵉ s. ; lat. *ichtyophagus*, du gr. *ikhthuophagos* ; [iktjɔfaʒ].

**ICHTYORNIS,** subst. m.
*Paléont.* Oiseau fossile du Crétacé supérieur, muni de dents et ayant la taille d'une mouette. ⚘ 1890 ; lat. sc. *ichtyornis*, du gr. *ikhthus*, « poisson », et *ornis*, « oiseau » ; [iktjɔʀnis].

**ICHTYOSAURE,** subst. m.
*Paléont.* Grand reptile fossile marin du Secondaire. ⚘ 1828 ; lat. sc. *ichthyosaurus* ; [iktjɔzɔʀ].

**ICHTYOSE,** subst. f.
*Pathol.* Affection dermatologique dans laquelle la peau est sèche, rugueuse et squameuse. ⚘ 1810 ; lat. méd. *ichthyosis* ; [iktjoz].

**ICI,** adv.
**1.** Exprime divers rapports de lieu. ► À l'endroit où se trouve celui qui parle : *Viens* **ici** *!* ; *Arrêtons-nous* **ici** *!* ; *J'habite* **ici**, dans cette maison, dans cette ville. ► À cet endroit ; à l'endroit indiqué (dans un ouvrage) : *Signez* **ici** ; *L'auteur,* **ici**, *emploie volontairement ce terme.* ► **D'ici.** De cette région, de ce pays : *Les gens d'***ici** ; *Je vois ça d'***ici**, j'imagine la scène (fam.). ► **Par ici.** Par cet endroit ; dans les environs : *Passez par* **ici** ; *Il doit se cacher par* **ici**. ► **Ici-bas.** Sur terre, dans le réel (par oppos. au monde de l'esprit) : *N'attachons pas trop d'importance aux choses d'***ici-bas**. ► **Ici** *et* **là** : par endroits. **2.** Exprime divers rapports de temps. ► *Jusqu'***ici** : jusqu'à présent, jusqu'à maintenant. ► **D'ici.** Marque un point de départ dans le temps : *D'***ici** *à deux jours, nous serons fixés* ; *D'***ici** peu, bientôt, dans peu de temps ; *D'***ici** *là*, de ce moment présent jusqu'au moment évoqué. ⚘ Mil. XIᵉ s. ; crois. de l'anc. fr. *iluec*, « là », et de *ci* (I) ; [isi].

**ICÔNE (I),** subst. f.
Dans l'Église d'Orient, peinture religieuse sur panneau de bois, destinée à être vénérée par les fidèles. *(Voir planche p. 578.)* ⚘ 1838 ; russe *ikona*, du gr. byzantin *eikona*, « image » ; [ikon].

**ICÔNE (II),** subst. f.
*Informat.* Représentation graphique, sur l'écran, d'une fonction ou d'une ressource d'un ordinateur. ⚘ V. 1970 ; angl. *icon*, « icône » ; [ikon].

**ICONIQUE,** adj.
**1.** Relatif à l'image. ► *Antiq. Statue* **iconique** : statue grecque représentant un vainqueur aux jeux sacrés. **2.** Qui concerne les icônes. ⚘ 1562 ; lat. *iconicus*, du gr. *eikonikos* ; [ikɔnik].

**ICONOCLASME,** subst. m.
*Relig.* Dans l'Empire byzantin, aux VIIIᵉ et IXᵉ s., hérésie qui proscrivait le culte des images saintes. ⚘ 1832 ; ☞ *iconoclaste* ; [ikɔnɔklasm].

RELIGION – Des chrétiens de Constantinople, notamment influencés par l'hostilité du judaïsme et de l'Islam contre les images religieuses, et inquiets du culte parfois excessif dont ces dernières étaient l'objet, entreprirent de les frapper d'interdit. Partageant cette opinion, l'empereur Léon III ouvrit en 730 la « querelle des images » ; son fils,

© Coll. ES-Explorer

© Giraudon

ICÔNES

1. Saint Grégoire. *Icône russe (XIV^e s.). Musée Pouchkine, Moscou.*

2. L'Archange saint Michel. *Icône byzantine (X^e s.).*

Constantin V déchaîna la persécution contre leurs défenseurs. On tenta de remplacer par des mosaïques aux thèmes profanes les images saintes que les monastères, bravant l'interdit, continuaient de diffuser secrètement. Le tournant majeur de la crise eut lieu en 787 avec la convocation, à Nicée, du VII^e concile par Irène, et sous l'impulsion du pape Adrien I^er. Saint Jean Damascène y fit triompher la *théologie de l'icône*, qu'il fonda sur le mystère de l'Incarnation (le Verbe de Dieu ayant pris chair, il est licite de représenter par l'icône toute chair). Le concile condamna l'iconoclasme comme hérésie, et Irène rétablit le culte des saintes images, mais Léon V, en 813, puis Théophile, l'interdirent de nouveau jusqu'en 843, date où Théodora le restaura définitivement.

**ICONOCLASTE, subst. et adj.**
SUBST. **1.** *Relig.* Partisan de l'iconoclasme. **2.** Fig. Personne qui s'attaque ouvertement aux traditions. ADJ. Relatif à l'iconoclasme. 1557 ; gr. byzantin *eikonoklastês*, « briseur d'images » ; [ikɔnɔklast].

**ICONOGRAPHE, subst.**
Spécialiste de l'iconographie, en partic. dans l'édition. 1803 ; ☞ *iconographie* ; [ikɔnɔɡʀaf].

**ICONOGRAPHIE, subst. f.**
**1.** Étude des représentations (dessins, peintures, sculptures) d'un sujet : *L'**iconographie** de Louis XIV.* **2.** Ext. Ensemble de ces représentations répertoriées ; ouvrage qui les contient. **3.** Ensemble des illustrations d'un ouvrage, d'une publication. 1547 ; gr. *eikonographia*, « peinture de portraits » ; [ikɔnɔɡʀafi].

**ICONOGRAPHIQUE, adj.**
Qui se rapporte à l'iconographie. 1762 ; ☞ *iconographie* ; [ikɔnɔɡʀafik].

**ICONOLOGIE, subst. f.**
**1.** Étude de la représentation des figures allégoriques, des symboles et des attributs qui s'y attachent. **2.** Méton. Ensemble répertorié de ces symboles et attributs propres à une religion, à une civilisation. 1636 ; gr. *eikonologia*, « langage figuré » ; [ikɔnɔlɔʒi].

**ICONOSCOPE, subst. m.**
*Télév.* Tube à rayons cathodiques, ancêtre des tubes utilisés actuellement dans les télévisions. 1902 (1866, instrument destiné à donner du relief aux images planes) ; gr. *eikôn*, « image », + *-scope* ; [ikɔnɔskɔp].

**ICONOSTASE, subst. f.**
Dans les églises de rite byzantin, cloison ouvragée et ornée d'icônes, qui sépare la nef du chœur. 1822 ; russe *ikonostas*, du gr. *eikonostasion* ; [ikɔnɔstaz].

**ICOSAÈDRE, subst. m.**
*Géom.* Polyèdre à vingt faces : ***Icosaèdre** régulier*, dont les vingt faces sont des triangles équilatéraux égaux. 1377 ; bas lat. *icosahedrum*, du gr. *eikosaedron*, « à vingt faces » ; [ikɔzaɛdʀ].

**ICTÈRE, subst. m.**
*Pathol.* Nom générique désignant les maladies caractérisées par une coloration jaune de la peau, due à une augmentation de la bilirubine dans le sang et dans les tissus (synon. *jaunisse*). 1578 ; lat. *icterus*, du gr. *ikteros*, « jaunisse » ; [iktɛʀ].

**ICTÉRIQUE, adj.**
**1.** Relatif, propre à l'ictère. **2.** Qui présente un ictère ou, empl. subst., personne atteinte d'un ictère. Fin XIII^e s. ; lat. *ictericus*, du gr. *ikterikos* ; [ikteʀik].

**ICTUS, subst. m.**
**1.** *Versif.* et *Mus.* Accentuation marquée d'une syllabe ou, dans le plain-chant, d'une note, soulignant le rythme. **2.** *Pathol.* Accident vasculaire cérébral : ***Ictus** amnésique*, épisode brutal et bref, laissant une amnésie sans troubles neurologiques ; ***Ictus** laryngé*, perte de connaissance due à un accès de toux prolongé. 1861 ; lat. *ictus*, « coup » ; [iktys].

**IDE, subst. m.**
*Zool.* Poisson d'eau douce, ornemental, de la famille des Cyprinidés, de couleur rouge doré ou noir bleuté. 1785 ; lat. sc. *idus* ; [id].

**IDÉAL (I), ALE, ALS ou AUX, adj.**
**1.** Qui est construit par la pensée (anton. *réel*) : *Une figure **idéale**.* **2.** Qui constitue un type parfait : *Rêver à la société **idéale*** ; par ext., le meilleur possible : *Un endroit **idéal** pour camper.* **3.** *Log.* et *Math.* *Énoncé **idéal*** : qui présuppose la notion d'infini et est dénué de sens intuitif. 1551 ; lat. médiév. *idealis*, « relatif à l'idée » ; [ideal, o].

**IDÉAL (II), subst. m.**
**1.** Ce que l'on conçoit comme modèle absolu : *Un **idéal** de beauté* ; perfection que l'on se donne pour but : *L'**idéal** d'une vie.* **2.** Ce qui satisfait ou devrait satisfaire pleinement : *Ce travail, pour lui, c'est l'**idéal**.* **3.** *Math.* ***Idéal** à gauche* (*resp. à droite*) *d'un anneau A* : sous-groupe additif I de A tel que, pour tout $x \in A$ et tout $y \in I$, $x \cdot y \in I$ (resp. $y \cdot x \in I$). Si I est **idéal** à gauche et à droite, I est dit **idéal** bilatère (c'est toujours le cas si A est commutatif). 1746 ; all. *Ideal* ; plur. *idéals* ou *idéaux* ; [ideal], plur. [ideo].

**IDÉALEMENT, adv.**
De manière idéale. 1551 ; ☞ *idéal* (I) ; [idealmɑ̃].

**IDÉALISATION, subst. f.**
Action d'idéaliser ; son résultat : *L'**idéalisation** d'un héros.* 1831 ; ☞ *idéaliser* ; [idealizasjɔ̃].

**IDÉALISER, verbe trans.** [3]
Donner un caractère idéal à (qqn, qqch.) : ***Idéaliser** l'être aimé.* 1795 ; ☞ *idéal* (I) ; [idealize].

**IDÉALISME, subst. m.**
**1.** *Philos.* Conception ramenant tout ce qui existe à la pensée du sujet qui le conçoit. **2.** *B.-a.* Conception selon laquelle le but de l'art n'est pas d'imiter la réalité mais de suivre des idéaux (anton. *réalisme*). **3.** Attitude intellectuelle qui porte à privilégier les idéaux, en gén. moraux, dans un projet de réforme sociale ; par ext., tendance à ne pas tenir compte de la réalité (souv. péj.). 1749 ; ☞ *idéal* (II) ; [idealism].

PHILOSOPHIE – Si l'hégémonie naturelle de l'idéalisme tend à ramener tout l'exercice de la philosophie à une réflexion sur la nature de l'être conçu comme une idée réalisée, on distingue l'idéalisme réaliste de Platon, l'idéalisme problématique de Descartes, l'idéalisme dogmatique de Berkeley, l'idéalisme transcendantal de Kant et les idéalismes subjectif, objectif et absolu, respectivement de Fichte, de Schelling et de Hegel.

**IDÉALISTE, adj. et subst.**
ADJ. Qui se rapporte, qui est propre à l'idéalisme. ADJ. et SUBST. **1.** *Philos.* et *B.-a.* Qualifie ou désigne un auteur, un artiste partisan de l'idéalisme. **2.** S… dit d'une personne motivée par des idéaux ou, p… ext., qui s'éloigne des réalités. Déb. XVIII^e s… ☞ *idéal* (II) ; [idealist].

**IDÉALITÉ, subst. f.**
**1.** *Philos.* Caractère de ce qui est idéal (anto… *réalité*) ; objet idéal. **2.** *Math.* Caractère d'obje… mathématiques soumis à une définition ou à d… relations comportant des énoncés idéaux. 177… ☞ *idéal* (I) ; [idealite].

**IDÉATION, subst. f.**
*Psychol.* Processus de formation et d'enchaînemen… des idées chez un sujet. 1870 ; *idéer* (rare… « concevoir », d'apr. l'angl. *ideation* ; [ideasjɔ̃].

**IDÉE, subst. f.**
**I. 1.** Toute représentation abstraite conçue p… l'esprit ; objet de la pensée : *Exprimer une **idée** e… quelques mots clairs* ; *Association d'**idées*** ; *L'**idée** de … mort* ; *Avoir une haute **idée** de soi.* ▸ Loc. *Avoir d… **idées** noires* : avoir le cafard. **2.** Perspective : *Accept… l'**idée** d'une défaite, c'est être vaincu* (Foch). ▸ Lo… *À l'**idée** de, que* : à la pensée de, que. **3.** Représenta… tion approximative : *As-tu une **idée** du trajet ?* ▸ Lo… *On n'a pas **idée** de* : il est inconcevable de (fam.… **4.** Conception imaginaire, illusion : *En voilà u… **idée** !* ▸ Loc. *Se faire des **idées*** : imaginer des chos… fausses. **5.** Conception originale, vue intéressante… *Une **idée** diabolique* ; *J'ai une **idée** !* ; *Manquer d'**idée**…* ▸ Projet, intention : *Caresser, abandonner une **idé**…* **6.** Manière de concevoir qqch. ; opinion : *Avoir d… **idées** sur tout* ; *Agir à son **idée*** ; ***Idée** reçue*, préjug… PLUR. Ensemble des opinions d'une personne, d'u… groupe sur des sujets divers : *Mourir pour ses **idée**… Avoir les **idées** larges.* **II.** L'esprit, la pensée : *Ça … me vient pas à l'**idée*** ; *J'ai dans l'**idée** que rien n'e… perdu.* **III.** *Philos.* Concept. 1119 ; lat. *idea*, du g… *idea*, « forme visible » ; [ide].

PHILOSOPHIE – Chez Platon, l'Idée est la form… d'une chose en tant que cette forme est contenu… dans la raison ; l'Idée, éternelle et immuabl… constitue le modèle de cette chose. Forme perçu… par les sens selon Aristote, l'idée est pour le… scolastiques le dessein préconçu que suit celui q… agit. Chez Descartes et Locke, elle est à la fois act… intellectuel et image des choses imprimée dan… l'esprit. Chez Kant, les idées transcendantales son… des concepts nécessaires de la raison, mais te… qu'aucune expérience ne peut en fournir l'intu… tion. Pour les modernes, l'idée est la pensée d'u… objet s'opposant à ce qu'est l'objet lui-même.

**IDÉEL, ELLE, adj.**
*Philos.* Idéal ; conceptuel. 1671 ; p.-ê. all. *idee…* « qui constitue l'idée » ; [ideɛl].

**IDEM, adv.**
**1.** Sert à éviter la répétition d'un nom ou d'u… syntagme dans une énumération (abrév. : *id.*… **2.** De même (fam.). Déb. XVI^e s. ; lat. *idem*, « l… même chose » ; [idɛm].

**IDENTIFIABLE, adj.**
Qui peut être identifié ; reconnaissable. 1905 ☞ *identifier* ; [idɑ̃tifjabl].

**IDENTIFICATEUR, TRICE, adj. et subst. m**
ADJ. Qui sert à identifier. SUBST. *Informat.* Dans un… programmation, symbole servant à désigner un… variable, une fonction, ou encore l'unité de lectur… utilisée (disque dur, disquette). 1936 ; ☞ *ident…fier* ; [idɑ̃tifikatœʀ, tʀis].

**IDENTIFICATION, subst. f.**
**1.** Action d'identifier ; son résultat : ***Identificatio**… d'un criminel* ; ***Identification** d'une bactérie, d'un son* **2.** Fait de s'identifier à qqn, à qqch. ▸ *Psychol…* Processus par lequel une personne assimile le… caractéristiques d'une autre et se transforme totale… ment ou de façon partielle, en la prenant pou… modèle. 1610 ; ☞ *identifier* ; [idɑ̃tifikasjɔ̃].

**IDENTIFIER, verbe trans.** [6]
**1.** Considérer comme identique ; assimiler à ***Identifier** Satan au mal absolu.* **2.** Reconnaître déterminer la nature de (qqch.), l'identité de (qqn) ***Identifier** un bruit* ; *L'auteur de la lettre **a été identifié*** ; ***Identifier** un cadavre.* PRONOM. Se rendre mentalement identique (à qqn) ; se confondre (ave… qqch.) : *S'**identifier** à un héros.* 1610 ; lat. scol *identificare*, « rendre semblable » ; [idɑ̃tifje].

**IDENTIQUE, adj.**
**1.** Qualifie des choses distinctes mais d'aspec… parfaitement semblable : *Deux chaises **identiques*** ; *Ma réaction fut **identique** à la sienne.* ▸ Loc. *À l'**identique*** : de la même façon, avec les même…

noyens. **2.** Se dit d'une chose unique perçue ou ommée de différentes façons : *Le prix est partout* ***identique***. **3.** Qui reste le même dans le temps ; onstant : *Je l'ai trouvé* ***identique*** *à lui-même.* 1610 ; lat. scol. *identicus*, « semblable » ; [idɑ̃tik].

**IDENTITAIRE, adj.**

elatif à l'identité : *Crise* ***identitaire*** *d'un peuple.* V. 1970 ; ☞ *identité* ; [idɑ̃titɛʀ].

**IDENTITÉ, subst. f.**

. Qualité de plusieurs objets de pensée identiques : ***dentité*** *de vue entre deux personnes.* **2.** Caractère de e qui ne fait qu'un, représente la même réalité. **.** Caractère de ce qui demeure identique dans le emps ; permanence : ***Identité*** *culturelle*, caractéristiues linguistiques, religieuses, artistiques propres à n groupe. ► *Psychol.* Ensemble des éléments sur esquels se fonde la persistance de la conscience u'une personne a d'elle-même. **4.** Ensemble des aractéristiques (état civil, signalement...) qui indiidualisent la personne : *Pièce, carte d'****identité*** ; *Relevé d'****identité*** *bancaire* ; par méton. : ***Identité*** *udiciaire*, service de police chargé de la recherche t de l'identification des malfaiteurs. **5.** *Math.* Égalité vérifiée pour toutes les valeurs assignables ux termes indéterminés : ***Identité*** *remarquable*, ***dentité*** algébrique fréquemment utilisée, par ex. $(a + b)^2 = a^2 + 2ab + b^2$ ; ***Identité*** *sur un ensemble E*, pplication de E qui, à chaque élément *x* de E, ssocie *x*. Déb. XIVe s. ; bas lat. *identitas*, du lat. *idem*, le même » ; [idɑ̃tite].

**IDÉOGRAMME, subst. m.**

Dans certaines écritures, signe graphique représenant non pas un son, mais un mot, une notion : ***déogrammes*** *sumériens, chinois.* 1859 ; formé de *déo-* et de *-gramme* ; [ideɔgʀam].

**IDÉOGRAPHIQUE, adj.**

Qualifie une écriture ou un système de communicaion qui utilise des idéogrammes. 1822 ; formé le *idéo-* et de *-graphique* ; [ideɔgʀafik].

**IDÉOLOGIE, subst. f.**

**1.** Vx. *Philos.* Discipline, fondée par Destutt de Tracy (v. 1796), ayant pour objet l'étude des idées. **2.** Ensemble d'idées inspirant un parti. ► Dans l'analyse marxiste, ensemble des idées propres à une époque, à une classe sociale (par oppos. aux faits économiques). **3.** Pensée politique abstraite, ignorante des réalités (péj.). 1796 ; formé de *idéo-* et le *-logie* ; [ideɔlɔʒi].

**IDÉOLOGIQUE, adj.**

Qui relève de l'idéologie. 1801 ; ☞ *idéologie* ; [ideɔlɔʒik].

**IDÉOLOGUE, subst.**

**1.** Vx. *Philos.* Philosophe de l'idéologie. **2.** Personne à l'origine d'un système de pensée (vieilli). **3.** Doctrinaire convaincu de la force des idées (péj.). Déb. XIXe s. ; ☞ *idéologie* ; [ideɔlɔg].

**IDÉOMOTEUR, TRICE, adj.**

*Psychol.* Qui concerne les structures et les fonctions motrices mises en jeu par la représentation mentale d'un mouvement. 1879 ; formé de *idéo-* et de *-moteur*, d'apr. l'angl. *ideo-motor* ; [ideomɔtœʀ, tʀis].

**IDES, subst. f. plur.**

*Antiq.* Dans le calendrier romain, jour qui revenait le 15 pour les mois de mars, mai, juillet et octobre, le 13 pour les autres mois : *Jules César fut assassiné aux* ***ides*** *de mars.* 1119 ; lat. *idus* ; [id].

**ID EST, loc. conj.**

C'est-à-dire (abrév. : *i. e.*). Mil. XXe s. ; loc. lat. ; [idɛst].

**IDIOMATIQUE, adj.**

Propre à un idiome : *Expression, tournure, forme* ***idiomatique***. Mil. XIXe s. (1547, particulier à une nation) ; gr. *idiômatikos*, « particulier » ; [idjɔmatik].

**IDIOME, subst. m.**

*Ling.* Moyen d'expression propre à une communauté spécifique : *L'****idiome*** *français, alsacien.* 1558 ; bas lat. *idioma*, du gr. *idiôma* ; [idjom].

**IDIOPATHIE, subst. f.**

Maladie indépendante de tout autre état pathologique. 1586 ; gr. *idiopatheia* ; [idjɔpati].

**IDIOSYNCRASIE, subst. f.**

**1.** *Méd.* Tempérament individuel déterminant les réactions propres d'un sujet à certaines affections, à certains médicaments ou à d'autres agents extérieurs. **2.** Ext. Caractère propre ; personnalité. 1581 ; gr. *idiosugkrasia*, « tempérament particulier » ; [idjɔsɛ̃kʀazi].

**IDIOT, OTE, adj. et subst.**

ADJ. **1.** Qui manque de vivacité intellectuelle, de bon sens ; sot, ignorant : *Tu es* ***idiot*** *! ; C'est une question* ***idiote***. **2.** *Psych.* Qui est atteint d'idiotie. SUBST. **1.** Personne dénuée d'intelligence : *Faire l'****idiot***, simuler la bêtise. **2.** *Psych.* Personne atteinte d'idiotie. ► *L'****idiot*** *du village* : le simple d'esprit (fam.). Fin XIIe s. ; lat. *idiota*, du gr. *idiotês*, « étranger à une spécialité » ; [idjo, ɔt].

**IDIOTIE, subst. f.**

**1.** *Psych.* État d'arriération mentale profonde. **2.** Manque d'intelligence, de discernement. **3.** Caractère stupide, irrationnel de qqch. : *Cette émission est d'une* ***idiotie*** *!* **4.** Méton. Action, parole idiote : *Écrire des* ***idioties***. 1818 ; ☞ *idiot* ; [idjɔsi].

**IDIOTISME, subst. m.**

*Ling.* Construction, tournure, expression propre à une langue et intraduisible littéralement dans une autre langue : *Anglicismes, gallicismes, hispanismes sont des* ***idiotismes***. 1558 ; lat. *idiotismus*, du gr. *idiôtismos*, « langage courant » ; [idjɔtism].

**IDOINE, adj.**

Propre à qqch., approprié (vieilli ou iron.) : *C'est l'endroit* ***idoine***. Fin XIIe s. ; lat. *idoneus* ; [idwan].

**IDOLÂTRE, adj.**

**1.** Qui adore les idoles : *Peuple* ***idolâtre*** ; empl. subst. : *Convertir les* ***idolâtres***. **2.** Ext. Qui voue un culte exagéré à qqn ou à qqch. : *Mari* ***idolâtre***. 1268 ; lat. eccl. *idolatra*, du gr. *eidôlotratês*, de *eidôlon*, « image », et de *latreuein*, « servir » ; [idɔlɑtʀ].

**IDOLÂTRER, verbe trans.** [3]

Aimer avec excès (qqn, qqch.), vouer une sorte de culte à : ***Idolâtrer*** *un chanteur.* Mil. XVIe s. (fin XIVe s., adorer les idoles) ; ☞ *idolâtre* ; [idɔlatʀe].

**IDOLÂTRIE, subst. f.**

**1.** *Relig.* Culte rendu aux idoles. **2.** Fig. Amour, admiration sans mesure. Fin XIIe s. ; lat. chrét. *idololatria*, du gr. *eidôlolatreia* ; [idɔlatʀi].

**IDOLE, subst. f.**

**1.** Représentation figurée d'une divinité, à laquelle on rend un culte : *Les Hébreux fabriquèrent une* ***idole*** *en forme de veau d'or.* **2.** Fig. Personne qui est l'objet d'une admiration excessive ; en partic., vedette du spectacle : *Cette actrice est mon* ***idole***. Déb. XIIIe s. ; lat. *idolum*, du gr. *eidôlon*, « image » ; [idɔl].

*Idole polynésienne.*

**IDYLLE, subst. f.**

**1.** *Litt.* Petit poème pastoral ou bucolique chantant l'amour. **2.** Fig. Aventure amoureuse empreinte d'un tendre sentiment. ► Ext. Relation, entre personnes ou groupes, marquée par un climat d'entente parfaite. 1555 ; ital. *idillio*, du lat. *idyllium*, du gr. *eidullion* ; [idil].

**IDYLLIQUE, adj.**

**1.** *Litt.* Relatif à l'idylle. **2.** Fig. Relatif, propre à une idylle : *Amours* ***idylliques*** ; par ext., merveilleux : *Situation, avenir* ***idyllique***. 1845 ; ☞ *idylle* ; [idilik].

**IF, subst. m.**

**1.** *Bot.* Conifère de la famille des Taxacées, qui vit longtemps (cent ans et plus) et que l'on utilise comme arbre d'ornement. Ses baies contiennent un alcaloïde toxique. **2.** Anal. *If à bouteilles* : cône garni de pointes, utilisé pour égoutter les bouteilles. Fin XIe s. ; gaul. *ivos* ; [if].

**IGLOO, subst. m.**

Construction hémisphérique, faite d'un assemblage de blocs de neige ou de glace, servant d'abri aux Esquimaux. 1880 ; mot esquimau ; var. *iglou* ; [iglu].

**IGNAME, subst. f.**

*Bot.* Plante de la famille des Dioscoréacées, dont les rhizomes, riches en amidon, se mangent cuits. 1515 ; port. *inhame*, prob. du bantou ; [iɲam].

**IGNARE, adj. et subst.**

Se dit d'une personne ignorante. ADJ. Qui dénote l'ignorance. 1365 ; lat. *ignarus* ; [iɲaʀ].

**IGNÉ, ÉE, adj.**

**1.** Littér. Qui est en feu ; de la nature du feu. **2.** *Pétrogr.* Qualifie les roches formées par le refroidissement de matières en fusion, aussi appelées roches éruptives : *Le basalte est une roche* ***ignée***. Mil. XVe s. ; lat. *igneus* ; [igne] ou [iɲe].

**IGNIFUGATION, subst. f.**

Action d'ignifuger ; son résultat. 1900 ; ☞ *ignifuger* ; [ignifygasjɔ̃] ou [iɲi-].

**IGNIFUGE, adj. et subst. m.**

*Techn.* Se dit d'une substance qui rend ininflammables les matières naturellement combustibles. 1890 ; formé de *igni-* et de *-fuge* ; [ignifyʒ] ou [iɲi-].

**IGNIFUGER, verbe trans.** [5]

*Techn.* Rendre (un matériau) ininflammable ; recouvrir d'un produit ignifuge, faire entrer un produit ignifuge dans la composition de (un matériau). 1895 ; ☞ *ignifuge* ; [ignifyʒe] ou [iɲi-].

**IGNITION, subst. f.**

État d'un corps en combustion. 1765 (fin XIVe s., brûlure) ; lat. *ignis*, « feu » ; [ignisjɔ̃] ou [iɲi-].

**IGNOBLE, adj.**

**1.** Qui est d'une grande bassesse ; qui inspire un dégoût moral : *Un* ***ignoble*** *individu* ; *Une affaire* ***ignoble***. **2.** Qui choque par sa laideur, sa saleté ou son aspect répugnant : *Une odeur* ***ignoble*** ; par exagér. : *Un temps* ***ignoble***. 1694 (fin XIVe s., qui n'est pas noble) ; lat. *ignobilis*, « de basse naissance » ; [iɲɔbl].

**IGNOBLEMENT, adv.**

De façon ignoble. 1576 ; ☞ *ignoble* ; [iɲɔbləmɑ̃].

**IGNOMINIE, subst. f.**

**1.** Déshonneur profond dû à une action infamante ; opprobre, déchéance : *Être frappé d'****ignominie***. **2.** Méton. ► Caractère ignominieux de qqch. : *L'****ignominie*** *d'une condamnation.* ► Acte, propos ignoble, infâme. Mil. XVe s. ; lat. *ignominia* ; [iɲɔmini].

**IGNOMINIEUSEMENT, adv.**

Avec ignominie (littér.). Mil. XVe s. ; ☞ *ignominieux* ; [iɲɔminjøzmɑ̃].

**IGNOMINIEUX, EUSE, adj.**

Qui cause l'ignominie (littér.). 1455 ; lat. *ignominiosus* ; [iɲɔminjø, øz].

**IGNORANCE, subst. f.**

**1.** État d'une personne qui n'a pas la connaissance de qqch. ; fait de ne pas savoir qqch. : *Il est resté longtemps dans l'****ignorance*** *de sa maladie.* **2.** Manque de connaissances dans un domaine particulier ; empl. abs. : *Pécher par* ***ignorance***, par inexpérience. **3.** Manque d'instruction, de culture générale. Déb. XIIe s. ; lat. *ignorancia* ; [iɲɔʀɑ̃s].

**IGNORANT, ANTE, adj.**

**1.** Qui n'a pas connaissance de qqch. : *Être* ***ignorant*** *des risques, du danger.* **2.** Qui manque de connaissances dans un domaine particulier ; empl. subst. : *Faire l'****ignorant***, feindre de ne pas être au courant. **3.** Qui manque d'instruction ; empl. subst. : *C'est un* ***ignorant***. Mil. XIIIe s. ; lat. *ignorans* ; [iɲɔʀɑ̃, ɑ̃t].

**IGNORANTIN, adj. m. et subst. m.**

*Frères* ***ignorantins*** ou, par ell., *Les* ***Ignorantins*** : nom que se donnaient, par humilité, les religieux de l'ordre des Frères hospitaliers de Saint-Jean-de-Dieu, et appliqué, par iron., aux frères des écoles chrétiennes. 1752 ; ☞ *ignorant* ; [iɲɔʀɑ̃tɛ̃].

*Ifs taillés.*

**IGNORER,** verbe trans. [3]
1. Ne pas savoir, ne pas connaître : *J'ignore son nom* ; empl. pronom. : *C'est un séducteur qui s'ignore*, qui n'a pas conscience d'être un séducteur. 2. Ne pas avoir l'expérience, la pratique de : *Ignorer la pauvreté.* 3. Ne pas prendre (qqch.) en considération : *Ignorer le danger.* ▸ Ne pas prêter attention à (qqn) : *Depuis des semaines, il m'ignore* ; empl. pronom. : *Des voisins qui s'ignorent.* ꕥ Déb. XIVe s. ; lat. *ignorare* ; [iɲɔʀe].

**IGUANE,** subst. m.
*Zool.* Reptile saurien type de la famille des Iguanidés, qui peut atteindre 2 mètres de longueur. Il est insectivore et vit en Amérique tropicale et dans les îles limitrophes. ꕥ 1658 ; esp. *iguana*, de l'arawak des Antilles ; [igwan].

© Frédéric-Jacana

*Iguanes marins des Galapagos.*

**IGUANODON,** subst. m.
*Paléont.* Reptile dinosaurien fossile du Secondaire. ꕥ 1825 ; angl. *iguanodon*, de *iguana*, « iguane », et du gr. *odôn*, « dent » ; [igwanɔdɔ̃].

**IGUE,** subst. f.
Aven (région.). ꕥ 1889 ; dial. du Quercy *igo* ; [ig].

**IL, ILS,** pron. pers. m.
Pronom personnel de la troisième personne du singulier (**il**) et du pluriel (**ils**), qui remplace un nom masculin de personne ou de chose et qui ne peut être que sujet d'un verbe. Plur. Désigne les personnes ou les institutions mal identifiées, ou que l'on ne veut pas nommer, tenues pour responsables de certaines situations : ***Ils** ont encore augmenté les impôts !* Sing. S'emploie, avec une valeur neutre comme sujet des verbes impersonnels ou employés impersonnellement : ***Il** pleut, **il** vente* ; ***Il** m'est arrivé de la voir.* ꕥ 842 ; lat. *ille*, « celui-là » ; [il].

**ILANG-ILANG,** subst. m.
*Bot.* Arbre de la famille des Anonacées, cultivé dans certaines îles de l'océan Indien pour ses fleurs, utilisées en parfumerie. ꕥ 1874 ; prob. mot indonésien ; plur. *ilangs-ilangs*, var. *ylang-ylang* (plur. *ylangs-ylangs*) ; [ilɑ̃ilɑ̃], plur. [ilɑ̃ilɑ̃].

**ÎLE,** subst. f.
1. Étendue de terre complètement entourée d'eau, dans une mer, un lac, un cours d'eau : *L'Irlande est une **île*** ; *L'**île** de Beauté*, la Corse. ▸ *Les **Îles*** : les Antilles ; *Oiseau, bois des **îles*** : exotique. 2. *Cuis.* ***Île** flottante* (☞ *flottant*). ꕥ Déb. XIIe s. ; lat. *insula* ; [il].

**ILÉAL, ALE, AUX,** adj.
Relatif à l'iléon. ꕥ 1931 ; ☞ *iléon* ; [ileal, o].

**ILÉITE,** subst. f.
*Pathol.* Maladie inflammatoire de l'iléon. ꕥ 1839 ; ☞ *iléon* + *-ite* ; [ileit].

**ILÉO-CÆCAL, ALE, AUX,** adj.
*Anat.* Qui concerne l'iléon et le cæcum ou qui leur est propre. ꕥ 1846 ; comp. de *iléon* et de *cæcal* ; var. *iléocæcal, ale, aux* ; [ileosekal, o].

**ILÉON,** subst. m.
*Anat.* Segment terminal de l'intestin grêle, dont l'abouchement dans le cæcum constitue la jonction iléo-cæcale. ꕥ XVe s. ; lat. médiév. *ileum*, du gr. *eilein*, « enrouler » ; [ileɔ̃].

**ILÉUS,** subst. m.
*Pathol.* Occlusion intestinale (vieilli). ꕥ XVe s. ; gr. *eileos*, de *eilein*, « enrouler » ; [ileys].

**ILIAQUE,** adj.
*Anat.* 1. *Os **iliaque*** : chacun des deux os du bassin, de forme irrégulière, comportant trois segments, l'ilion, la cavité cotyloïde, qui reçoit la tête du fémur, et un segment inférieur en cadre osseux formé de l'ischion et du pubis. 2. Qui se situe au voisinage de l'ilion ou de l'os **iliaque** : *Une douleur de la fosse **iliaque**.* ꕥ 1370 ; lat. *ilia*, « flancs » ; [iljak].

**ÎLIEN, ÎLIENNE,** adj. et subst.
Se dit de celui ou de celle qui habite une île : *Les **îliens** d'Ouessant.* ꕥ 1800 ; ☞ *île* ; [iljɛ̃, iljɛn].

**ILION,** subst. m.
*Anat.* Partie supérieure de l'os coxal, large et aplatie (synon. *aile iliaque*). ꕥ 1562 ; bas lat. *ilium* ; [iljɔ̃].

**ILLÉGAL, ALE, AUX,** adj.
Qui n'est pas légal ; contraire à la loi. ꕥ Fin XIVe s. ; lat. médiév. *illegalis* ; [il(l)egal, o].

**ILLÉGALEMENT,** adv.
De façon illégale. ꕥ 1789 ; ☞ *illégal* ; [il(l)egalmɑ̃].

**ILLÉGALITÉ,** subst. f.
1. Caractère de ce qui est illégal. 2. Méton. Acte illégal : *Dénoncer des **illégalités**.* 3. Situation illégale : *Être, vivre dans l'**illégalité**.* ꕥ Fin XIVe s. ; lat. médiév. *illegalitas* ; [il(l)egalite].

**ILLÉGITIME,** adj.
1. *Dr. Enfant **illégitime*** : né hors du mariage et non légitimé. 2. Non conforme au droit, à la loi, à la morale : *Autorité **illégitime*** ; *Acte **illégitime**.* 3. Non conforme à la raison, au bon sens ; non fondé. ꕥ 1458 ; lat. jur. *illegitimus* ; [il(l)eʒitim].

**ILLÉGITIMITÉ,** subst. f.
État, caractère illégitime de qqn, de qqch. ꕥ Déb. XVIIe s. ; ☞ *illégitime* ; [il(l)eʒitimite].

**ILLETTRÉ, ÉE,** subst. et adj.
1. Vx. Se dit d'une personne qui n'est pas lettrée, pas cultivée. 2. Se dit d'une personne qui ne maîtrise ni la lecture ni l'écriture ; par ext., analphabète. ꕥ 1560 ; lat. *illitteratus* ; [il(l)ɛtʀe] ou [il(l)e-].

**ILLETTRISME,** subst. m.
État d'une personne illettrée. ꕥ V. 1980 ; ☞ *illettré* ; [il(l)ɛtʀism] ou [il(l)e-].

**ILLICITE,** adj.
Condamné par la morale ou par la loi : *Amours **illicites*** ; *Gain **illicite**.* ꕥ 1364 ; lat. *illicitus* ; [il(l)isit].

**ILLICO,** adv.
Aussitôt, sur-le-champ (fam.) : *On m'appelle, et j'arrive **illico** !* ꕥ Mil. XVe s. ; mot lat. ; [il(l)iko].

**ILLIMITÉ, ÉE,** adj.
Sans limites. ꕥ 1611 ; bas lat. *illimitatus* ; [il(l)imite].

**ILLISIBILITÉ,** subst. f.
Caractère de ce qui est illisible. ꕥ 1801 ; ☞ *illisible* ; [il(l)izibilite].

**ILLISIBLE,** adj.
Impossible ou très difficile à lire : *Signature **illisible*** ; par ext. : *Livre **illisible***, dont la lecture est désagréable ou difficile. ꕥ 1671 ; ☞ *lisible* + *in-*[2] ; [il(l)izibl].

**ILLITE,** subst. f.
*Minér.* Mica argileux potassique. ꕥ Topon. *Illinois* (États-Unis) ; [ilit].

**ILLOGIQUE,** adj.
Contraire à la logique, irrationnel : *Raisonnement **illogique*** ; qui manque de logique, imprévisible : *Un être **illogique**.* ꕥ 1819 ; ☞ *logique* ; [il(l)ɔʒik].

**ILLOGISME,** subst. m.
Caractère de ce qui est illogique ; par méton., chose illogique. ꕥ 1852 ; ☞ *illogique* ; [il(l)ɔʒism].

**ILLUMINATION,** subst. f.
I. 1. *Relig.* Lumière divine qui éclaire l'âme humaine, qui éveille à la vérité. 2. Inspiration, idée soudaine : *Avoir une **illumination**.* II. Action d'illuminer, d'éclairer, gén. un monument ; ensemble des décorations lumineuses utilisées lors d'une fête (gén. au plur.) : *Les **illuminations** de Noël.* ꕥ Fin XIVe s. ; bas lat. *illuminatio*, « action d'éclairer » ; [il(l)yminasjɔ̃].

**ILLUMINÉ, ÉE,** adj. et subst.
Adj. 1. *Relig.* Saisi d'une vision divine. 2. Brillamment éclairé. 3. Fig. Qui rayonne de clarté, radieux. Subst. 1. *Relig.* ▸ Visionnaire absorbé dans l'extase mystique, en contact avec Dieu. ▸ Adepte de l'illuminisme. 2. Personne exaltée, qui suit aveuglément ce en quoi elle croit. ꕥ 1564 ; p. p. de *illuminer* ; [il(l)ymine].

**ILLUMINER,** verbe trans. [3]
1. *Relig.* Éclairer par une révélation divine. 2. Éclairer d'une vive lumière. 3. Fig. Donner une clarté radieuse à ; empl. pronom. : *Son visage s'**illumina**.* ꕥ Mil. XIVe s. (déb. XIIIe s., rendre la vue aux aveugles) ; lat. *illuminare* ; [il(l)ymine].

**ILLUMINISME,** subst. m.
Doctrine de certains théosophes (Emerson, Böhme, etc.) qui recherchent l'illumination mystique comme un but en soi. ꕥ 1798 ; ☞ *illuminé* ; [il(l)yminism].

**ILLUSION,** subst. f.
1. Perception erronée d'un phénomène dans le domaine sensoriel : ***Illusion** de la perspective, du relief* ; ***Illusion** d'optique.* 2. Apparence sans réalité : *Créer l'**illusion**.* ▸ Effet obtenu par un illusionniste : *C'est le roi de l'**illusion**.* 3. Conception erronée dans le domaine intellectuel ; idée fausse qui séduit et abuse l'esprit : *Se faire des **illusions**, se bercer d'**illusions***, s'abuser ; *Perdre ses **illusions***, déchanter. ▸ Loc. *Faire **illusion*** : tromper en se présentant sous un aspect avantageux. ꕥ Déb. XIIIe s. (déb. XIIe s., moquerie) ; lat. *illusio*, « ironie » ; [il(l)yzjɔ̃].

**ILLUSIONNER,** verbe trans. [3]
Tromper en faisant illusion. Pronom. Se tromper, se faire des illusions : *Il s'**illusionne** sur ses chances de réussite.* ꕥ 1801 ; ☞ *illusion* ; [il(l)yzjɔne].

**ILLUSIONNISME,** subst. m.
1. Art de créer l'illusion par des artifices, des tours de prestidigitation. 2. *B.-a.* Art de créer l'illusion par une technique appropriée (le trompe-l'œil, par ex.). ꕥ 1845 ; ☞ *illusion* ; [il(l)yzjɔnism].

**ILLUSIONNISTE,** subst.
Artiste qui pratique l'illusionnisme (synon. *prestidigitateur*). ꕥ 1888 ; ☞ *illusion* ; [il(l)yzjɔnist].

**ILLUSOIRE,** adj.
1. Qui tient de l'illusion ; qui est sans valeur, sans réalité : *Bonheur **illusoire**.* 2. Qui relève de l'illusion, trompeur : *Promesses **illusoires**.* ꕥ Fin XIVe s. ; bas lat. *illusorius* ; [il(l)yzwaʀ].

**ILLUSTRATEUR, TRICE,** subst.
Artiste spécialisé dans l'illustration de textes. ꕥ 1845 (mil. XIIIe s., celui qui donne de l'éclat) ; lat. chrét. *illustrator* ; [il(l)ystʀatœʀ, tʀis].

**ILLUSTRATION,** subst. f.
1. Action de rendre illustre, glorieux (vieilli) : *« Défense et **illustration** de la langue française »*, *œuvre de Joachim du Bellay.* 2. Action d'illustrer, d'éclairer par des exemples, des commentaires : *Voilà bien l'**illustration** de sa mauvaise foi !* 3. Représentation graphique (dessin, gravure, photo) destinée à illustrer, à rehausser un texte. ꕥ 1509 (mil. XIVe s., lumière resplendissante) ; lat. *illustratio* ; [il(l)ystʀasjɔ̃].

**ILLUSTRE,** adj.
Dont le renom est grand, du fait de mérites, de qualités hors du commun ; par iron. : *Un **illustre** inconnu.* ꕥ Mil. XVe s. ; lat. *illustris*, « clair, éclatant » ; [il(l)ystʀ].

**ILLUSTRÉ, ÉE,** adj. et subst. m.
Adj. Orné d'illustrations. Subst. Périodique composé essentiellement de récits en images, de bandes dessinées. ꕥ 1825 ; p. p. de *illustrer* ; [il(l)ystʀe].

**ILLUSTRER,** verbe trans. [3]
1. Rendre illustre (vieilli). ▸ Empl. pronom. Se distinguer : *S'**illustrer** dans un sport.* 2. Rendre plus clair par des exemples, des explications : ***Illustrer** un propos d'une anecdote.* 3. Orner (un livre, une revue) d'illustrations. ꕥ 1508 (fin XVe s., brillant) ; lat. *illustrare*, « éclairer, illuminer » ; [il(l)ystʀe].

**ILLUSTRISSIME,** adj.
1. Très illustre (vx ou iron.). 2. Titre de certains dignitaires ecclésiastiques. ꕥ Fin XVe s. ; ital. *illustrissimo* ; [il(l)ystʀisim].

**ILLUVIAL, ALE, AUX,** adj.
Qui résulte de l'illuviation. ꕥ 1946 ; bas lat. *illuvio*, « débordement », d'apr. *alluvial* ; [il(l)yvjal, o].

**ILLUVIATION,** subst. f.
*Géol.* Processus de concentration, dans un horizon du sol, de substances entraînées vers le bas par les eaux d'infiltration. ꕥ 1946 ; bas lat. *illuvio*, « débordement » ; [il(l)yvjasjɔ̃].

**ÎLOT,** subst. m.
1. Petite île. 2. Anal. Ce qui est isolé au milieu d'un ensemble : *Un **îlot** de verdure dans la ville* ; au fig. : *Un **îlot** de résistance.* 3. Groupe de maisons délimité par des rues, dans une ville : ***Îlot** insalubre.* 4. *Anat. **Îlots** de Langerhans* : groupements de cellules du pancréas qui sécrètent l'insuline. ꕥ 1529 ; ☞ *île* ; [ilo].

**ÎLOTAGE,** subst. m.
Division d'une ville, d'un quartier en îlots placés sous surveillance policière. ꕥ V. 1970 ; ☞ *îlot* ; [ilɔtaʒ].

**ILOTE,** subst.
1. *Antiq. gr.* Esclave, à Sparte (var. *hilote*). 2. Anal. Personne avilie par la misère ou l'ignorance (littér.) ꕥ Fin XVIe s. ; lat. *ilota*, du gr. *heilôs* ; [ilɔt].

**ÎLOTIER,** subst. m.
Policier affecté à la surveillance d'un îlot urbain. 1893 ; ☞ *îlot* ; [ilɔtje].

**IMAGE,** subst. f.
**I.** Représentation physique d'un être, d'une chose. **1.** Reproduction inversée d'un objet, d'un être, renvoyée par une surface réfléchissante : *Voir son **image** à la surface de l'eau.* **2.** Représentation par les arts plastiques, graphiques, etc. : *Sculpteur d'**images** du Moyen Âge.* ▸ Représentation obtenue par la technique photographique, cinématographique, etc. : *Réglage de l'**image** ; Arrêt sur **image**.* **3.** Petite estampe : ***Image** pieuse ; Collectionner des **images**.* ▸ ***Image** d'Épinal* : gravure populaire fabriquée à Épinal (surtout au XIXe s.) ou, au fig., représentation simpliste, naïve d'une réalité complexe. ▸ Loc. *Sage comme une **image*** : très calme, en parlant d'un enfant. **4.** *Méd.* Aspect sous lequel apparaît un organe au cours d'un examen radiologique ou d'imagerie médicale : ***Image** d'un œsophage distendu.* **II.** Représentation analogique d'un être, d'une chose, d'une abstraction. **1.** Réplique : *Cet enfant est l'**image** de son père ; Dieu créa l'homme à son **image**,* à sa ressemblance. **2.** Évocation ; symbole : *Il est l'**image** même de la bonté.* **3.** Métaphore : *Un style où abondent les **images**.* **4.** *Math.* ▸ ***Image** d'un élément x d'un ensemble E par une relation $\mathcal{R}$ de E vers l'ensemble F* : ensemble des éléments de F associés à $x$ suivant $\mathcal{R}$. Si $\mathcal{R}$ est une application $f$, l'**image** de $x$ par $f$ est réduite à un élément de F noté $f(x)$. ▸ ***Image** d'une application f de E vers F* : ensemble des **images** par $f$ des éléments de E, noté $\mathrm{im}(f)$ ou $f(\mathrm{E})$. **III.** Représentation mentale. **1.** Représentation d'une sensation, d'une impression éprouvée dans le passé : ***Image** auditive, visuelle.* **2.** Vision intérieure, conception ; souvenir : *Se faire une fausse **image** de la situation ; Garder l'**image** d'un être, d'un lieu.* ▸ ***Image** de marque* : ce que le public perçoit d'un produit, d'une marque de fabrique et, par ext., d'une institution, d'un individu. **3.** *Psychol.* ***Image** mentale* : représentation d'un objet en esprit. XIe s. ; lat. *imago* ; [imaʒ].

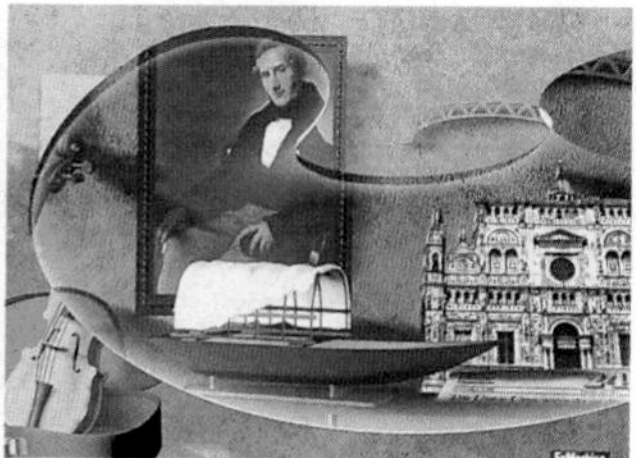

*L'ordinateur permet aujourd'hui de créer les **images** les plus insolites.*

© Gamma

**IMAGÉ, ÉE,** adj.
Riche en images, en métaphores, en parlant d'un langage, d'un écrit. 1481 ; ☞ *image* ; [imaʒe].

**IMAGERIE,** subst. f.
**1.** Art, fabrication, commerce des images. **2.** Ensemble d'images de même origine, de même style, de même inspiration : ***Imagerie** religieuse, populaire.* **3.** *Psychol.* ***Imagerie** mentale* : ensemble d'images qui surgissent pendant la veille ou le rêve. **4.** *Méd.* ***Imagerie** médicale* : ensemble des techniques d'exploration du corps humain visant à obtenir une image, à l'analyser et à poser un diagnostic. Les principales techniques d'**imagerie** actuelles sont la radiologie, l'angiographie, la scintigraphie, l'**imagerie** par résonance magnétique (I. R. M.), le scanner, l'échographie (ultrasons), l'endoscopie, etc. 1829 (fin XIIIe s., ensemble d'objets sculptés) ; ☞ *image* ; [imaʒʀi].

**IMAGIER, IÈRE,** subst.
**1.** *M. Â.* Sculpteur, peintre : *Les **imagiers** d'Autun* ; empl. adj. : *Les maîtres **imagiers**.* **2.** Personne qui fabrique ou vend des images, des estampes (vx). 1260 ; ☞ *image* ; [imaʒje, jɛʀ].

**IMAGINABLE,** adj.
Que l'on peut imaginer, concevoir. Fin XIVe s. ; bas lat. *imaginabilis* ; [imaʒinabl].

**IMAGINAIRE,** adj. et subst. m.
**Adj. 1.** Créé par l'imagination ; fictif, irréel : *Créatures **imaginaires** ; Un pays **imaginaire**.* **2.** Qui n'est tel qu'en imagination : *Malade **imaginaire**.* **3.** *Math. Partie **imaginaire** d'un nombre complexe z* : réel $b$, noté $\mathrm{im}(z)$, dans l'écriture $z = a + ib$ ; *Nombre **imaginaire*** : nombre complexe dont la partie **imaginaire** est non nulle (ce nombre n'est donc pas réel). **Subst. 1.** Monde de l'imagination : *Vivre dans l'**imaginaire**.* **2.** *Psychol.* Le monde mental constitué d'images, qui se substitue à la réalité de façon non pathologique. 1496 ; lat. *imaginarius* ; [imaʒinɛʀ].

**IMAGINAL, ALE, AUX,** adj.
*Zool.* Relatif à l'imago d'un insecte. 1893 ; lat. *imago*, « image » ; [imaʒinal, o].

**IMAGINATIF, IVE,** adj.
Doué d'une imagination fertile : *Un conteur, un esprit **imaginatif*** ; empl. subst., personne **imaginative**. Fin XIVe s. (1314, *l'imaginative*, la faculté d'imaginer) ; bas lat. *imaginativus* ; [imaʒinatif, iv].

**IMAGINATION,** subst. f.
**1.** Faculté mentale permettant de se représenter des images : *Évènement qui frappe l'**imagination*** ; faculté d'évoquer des faits déjà vécus, des lieux ou des êtres connus. **2.** Capacité, aptitude à combiner des idées, à créer, à inventer : *Manquer d'**imagination**.* **3.** Ce que l'on imagine ; fantasme, invention (rare). Fin XIIIe s. (fin XIIe s., image venant dans un rêve) ; lat. *imaginatio* ; [imaʒinasjɔ̃].

**IMAGINER,** verbe trans. [3]
**1.** Se représenter mentalement : *C'est tel que je l'avais **imaginé*** ; supposer, deviner : *J'**imagine** qu'il viendra* ; anticiper : ***Imaginer** le pire.* **2.** Inventer, concevoir l'idée de : ***Imaginer** un nouveau système.* **Pronom. 1.** Se représenter : *Je me l'**imaginais** autrement.* **2.** Se figurer, croire à tort : *Il s'**imagine** qu'on l'admire.* 1290 ; lat. *imaginari* ; [imaʒine].

**IMAGO,** subst.
**Masc.** ou **Fém.** *Zool.* Forme adulte définitive d'un insecte, à l'issue de sa dernière mue. **Fém.** *Psychanal.* Image ou idéalisation d'une personne que le sujet a acquise pendant l'enfance et qu'il projette plus tard sur son entourage. 1866 ; lat. *imago*, « image » ; [imago].

**IMAM,** subst. m.
**1.** Personne qui dirige la prière des musulmans. **2.** Guide religieux musulman doté d'une autorité particulière, en partic. juridique et politique. **3.** Chez les chiites, chef légitime de la communauté, descendant en ligne directe d'Ali et de Fatima, fille de Mahomet. 1559 ; ar. *imâm*, « guide » ; [imam].

**IMAMAT,** subst. m.
Charge, dignité, fonction de l'imam. 1697 ; ☞ *imam* ; [imama].

**IMBATTABLE,** adj.
Qui ne peut être battu, surpassé : *Il est **imbattable** aux échecs.* 1806 ; ☞ *battre* + *in-*[2] ; [ɛ̃batabl].

**IMBÉCILE,** adj. et subst.
**Adj. 1.** Vx. Faible. **2.** *Psych.* Arriéré. **3.** Qui manque d'intelligence ; sot. **Subst. 1.** *Psych.* Personne atteinte d'imbécillité. **2.** Individu sans intelligence, qui agit sottement. 1496 ; lat. *imbecillus* ; [ɛ̃besil].

**IMBÉCILLITÉ,** subst. f.
**1.** Vx. Faiblesse physique. **2.** *Psych.* Degré d'arriération mentale situé entre l'idiotie et la débilité. **3.** Manque d'intelligence, sottise ; caractère de ce qui est imbécile. **4.** Méton. Acte ou parole imbécile. Mil. XIVe s. ; lat. *imbecillitas* ; [ɛ̃besilite].

**IMBERBE,** adj.
Qui n'a pas de barbe. 1509 ; lat. *imberbis* ; [ɛ̃bɛʀb].

**IMBIBER,** verbe trans. [3]
Imprégner (qqch.) d'un liquide : ***Imbiber** la terre d'eau.* **Pronom. 1.** Absorber (un liquide) : *Laissez le gâteau s'**imbiber** de rhum.* **2.** Boire trop (fam.). 1478 ; lat. *imbibere* ; [ɛ̃bibe].

**IMBIBITION,** subst. f.
Action d'imbiber, de s'imbiber ; état qui en résulte. Fin XIVe s. ; lat. médiév. *imbibitio* ; [ɛ̃bibisjɔ̃].

**IMBRICATION,** subst. f.
Disposition de choses imbriquées ; au fig. : *L'**imbrication** des faits.* 1812 ; ☞ *imbriqué* ; [ɛ̃bʀikasjɔ̃].

**IMBRIQUÉ, ÉE,** adj.
**1.** Se dit de choses qui se recouvrent en partie : *Tuiles **imbriquées** d'un toit.* **2.** Fig. Se dit de choses étroitement liées. 1584 (1555, tuile concave) ; lat. *imbricatus*, de *imbrex*, « tuile » ; [ɛ̃bʀike].

**IMBRIQUER,** verbe trans. [3]
Disposer (des choses) afin qu'elles soient imbriquées. **Pronom. 1.** S'ajuster par imbrication. **2.** Fig. S'entremêler. 1836 ; ☞ *imbriqué* ; [ɛ̃bʀike].

**IMBROGLIO,** subst. m.
**1.** Situation confuse ; affaire embrouillée : *Démêler un **imbroglio** ; **Imbroglio** politico-judiciaire.* **2.** *Théâtre.* Pièce dont l'intrigue est compliquée. Fin XVIIe s. ; mot ital. ; [ɛ̃bʀɔglijo] ou [ɛ̃bʀɔljo].

**IMBRÛLÉ, ÉE,** adj.
Se dit des parties non brûlées d'un combustible : *Gaz d'échappement **imbrûlés*** ou, empl. subst. masc., *Les **imbrûlés**.* 1840 ; ☞ *brûlé* + *in-*[2] ; [ɛ̃bʀyle].

**IMBU, UE,** adj.
Pénétré, imprégné de sentiments, d'idées : *Être **imbu** de soi-même,* faire preuve de vanité. XVe s. ; lat. *imbutus*, « imbibé » ; [ɛ̃by].

**IMBUVABLE,** adj.
**1.** Qui n'est pas buvable : *Ce café est **imbuvable**.* **2.** Fig. Insupportable (fam.) : *Un type **imbuvable**.* 1600 ; ☞ *buvable* + *in-*[2] ; [ɛ̃byvabl].

**IMITABLE,** adj.
Que l'on peut imiter (anton. *inimitable*). Déb. XVIe s. ; ☞ *imiter* ; [imitabl].

**IMITATEUR, TRICE,** adj. et subst.
**Adj.** Qui imite. **Subst.** Personne qui imite les manières, le style d'autrui ; en partic., artiste qui imite la voix et les manières de personnalités. 1422 ; lat. *imitator* ; [imitatœʀ, tʀis].

**IMITATIF, IVE,** adj.
Qui imite : *Musique **imitative**,* qui imite les sons de la nature ; *Mot **imitatif**,* onomatopée. 1466 ; bas lat. *imitativus* ; [imitatif, iv].

**IMITATION,** subst. f.
**1.** Action d'imiter ; son résultat : ***Imitation** d'un accent.* **2.** Fait de prendre qqn ou qqch. pour modèle, de s'en inspirer : ***Imitation** des Anciens* ; œuvre ainsi réalisée. ▸ Loc. *À l'**imitation** de* : sur le modèle de, à la manière de. **3.** *Mus.* Reproduction, par une voix, d'un motif qui vient d'être donné dans une autre voix. **4.** Reproduction d'une matière, d'un objet de plus grande valeur ; la matière, l'objet ainsi reproduit : *Méfiez-vous des **imitations** !* Déb. XIIIe s. ; lat. *imitatio* ; [imitasjɔ̃].

**IMITER,** verbe trans. [3]
**1.** Chercher à reproduire (les manières, la voix de qqn, des bruits, etc.) : ***Imiter** le cri de la chouette.* **2.** Se comporter, faire comme (qqn d'autre) : *Il sortit précipitamment et tout le monde l'**imita**.* **3.** *B.-a.* Prendre pour modèle, s'inspirer de : ***Imiter** la nature.* **4.** Reproduire frauduleusement ; copier, contrefaire : ***Imiter** une signature.* **5.** Avoir le même aspect que ; rappeler : *La moleskine **imite** le cuir.* 1493 ; lat. *imitari* ; [imite].

**IMMACULÉ, ÉE,** adj.
**1.** *Théol. L'**Immaculée** Conception* : Marie, conçue sans le péché originel. **2.** Anal. Exempt de souillure morale. **3.** Sans tache, net : *D'une blancheur **immaculée**.* Déb. XVe s. ; lat. *immaculatus* ; [im(m)akyle].

**IMMANENCE,** subst. f.
Caractère de ce qui est immanent, de ce qui constitue les êtres de ce monde-ci dans leur finitude (anton. *transcendance*). 1840 ; ☞ *immanent* ; [im(m)anɑ̃s].

**IMMANENT, ENTE,** adj.
*Philos.* Se dit de ce qui, pour un être, ne résulte que de lui-même et reste en lui-même (anton. *transcendant*). ▸ *Justice **immanente*** : dont le principe est contenu dans les choses elles-mêmes. ▸ Loc. ***Immanent** à* : impliqué dans. Fin XIVe s. ; lat. scol. *immanens*, de *immanere*, « demeurer dans » ; [im(m)anɑ̃, ɑ̃t].

**IMMANENTISME,** subst. m.
Doctrine qui, rejetant toute transcendance, prône l'immanence de Dieu, ou de tout principe du réel, à l'homme ou à la nature. V. 1900 ; ☞ *immanent* ; [im(m)anɑ̃tism].

**IMMANGEABLE,** adj.
Qui n'est pas bon à manger ; impropre à la consommation. 1600 ; ☞ *mangeable* + *in-*[2] ; [ɛ̃mɑ̃ʒabl].

**IMMANQUABLE,** adj.
**1.** Qui ne peut manquer de se produire. **2.** Que l'on ne peut rater. 1652 ; ☞ *manquer* + *in-*[2] ; [ɛ̃mɑ̃kabl].

**IMMARCESCIBLE,** adj.
Qui ne peut se flétrir (littér.). 1482 ; bas lat. *immarcescibilis* ; var. *immarcessible* ; [im(m)aʀsesibl].

**IMMATÉRIALISME,** subst. m.
*Philos.* Doctrine idéaliste de Berkeley. 1753 ; angl. *immaterialism* ; [im(m)ateʀjalism].

**IMMATÉRIALITÉ,** subst. f.
Qualité, état de ce qui est immatériel. 1648 ; ☞ *immatériel* ; [im(m)ateʀjalite].

**IMMATÉRIEL, ELLE,** adj.
Qui n'est pas de nature matérielle. Mil. XIVe s. ; lat. eccl. *immaterialis* ; [im(m)ateʀjɛl].

**IMMATRICULATION,** subst. f.
Action d'immatriculer ; fait d'être immatriculé : *Numéro d'**immatriculation** à la Sécurité sociale.* 1636 ; ☞ *immatriculer* ; [im(m)atʀikylasjɔ̃].

**IMMATRICULER,** verbe trans. [3]
Inscrire le nom et le numéro d'identification de (qqn, qqch.) sur un registre public, la matricule. 1485 ; lat. médiév. *immatriculare* ; [im(m)atʀikyle].

**IMMATURE,** adj.
Qui n'est pas mûr. ▸ *Biol.* Qui n'a pas encore l'âge de se reproduire. ▸ Qui manque de maturité psychologique. 1576 (1504, prématuré) ; lat. *immaturus* ; [im(m)atyʀ].

**IMMATURITÉ,** subst. f.
**1.** État de ce qui n'est pas mûr (rare). **2.** Manque de maturité psychologique. XVIe s. ; lat. *immaturitas* ; [im(m)atyʀite].

**IMMÉDIAT, ATE,** adj. et subst. m.
**Adj. 1.** Qui précède ou qui suit sans intermédiaire (dans l'espace, dans le temps, dans une hiérarchie) : *Proximité **immédiate** ; Réponse **immédiate** ; Prédécesseur **immédiat**.* **2.** *Spéc.* ▸ *Chim. Analyse **immédiate*** : détermination des corps purs constituant un mélange. ▸ *Féod. Fief **immédiat*** : qui relève directement du souverain. ▸ *Philos. Connaissance **immédiate*** : sans intermédiaire entre le sujet connaissant et l'objet connu, intuitive. **Subst.** Le moment même. ▸ Loc. *Dans l'**immédiat*** : en premier lieu ; pour le moment. 1382 ; bas lat. *immediatus* ; [im(m)edja, at].

**IMMÉDIATEMENT,** adv.
De façon immédiate ; à l'instant même : *Venez **immédiatement**.* 1534 ; ☞ *immédiat* ; [im(m)edjatmɑ̃].

**IMMÉDIATETÉ,** subst. f.
Qualité de ce qui est immédiat. Fin XVIIe s. ; ☞ *immédiat* ; [im(m)edjat(ə)te].

**IMMÉMORIAL, ALE, AUX,** adj.
Dont l'origine est si ancienne que l'on n'en garde plus trace en mémoire : *Coutumes **immémoriales**.* ▸ Loc. *De temps **immémorial*** : depuis une époque très lointaine. 1507 ; lat. médiév. *immemorialis* ; [im(m)emɔʀjal, o].

**IMMENSE,** adj.
**1.** Extrêmement étendu, qui semble infini : *La voûte **immense** du ciel.* **2.** Fig. Dont l'étendue, l'intensité, la valeur est considérable : *Un chagrin **immense**.* 1453 (1360, total) ; lat. *immensus* ; [im(m)ɑ̃s].

**IMMENSÉMENT,** adv.
D'une manière immense ; énormément. Fin XVIIe s. ; ☞ *immense* ; [im(m)ɑ̃semɑ̃].

**IMMENSITÉ,** subst. f.
Caractère de ce qui est immense : *L'**immensité** de l'Univers* ; au fig. : *L'**immensité** d'un savoir, d'une joie.* 1372 ; lat. *immensitas* ; [im(m)ɑ̃site].

**IMMERGÉ, ÉE,** adj.
**1.** Recouvert d'eau ; plongé dans l'eau. **2.** *Économie **immergée*** : ensemble des activités économiques non déclarées. 1649 ; p. p. de *immerger* ; [im(m)ɛʀʒe].

**IMMERGER,** verbe trans. [5]
Plonger dans un liquide. **Pronom.** Se plonger (dans un milieu, une ambiance, une occupation). 1649 (1501, enfouir) ; lat. *immergere* ; [im(m)ɛʀʒe].

**IMMÉRITÉ, ÉE,** adj.
**1.** Qui n'est pas mérité. **2.** Qui n'est pas dû au mérite. Déb. XVIe s. ; ☞ *mériter* + *in-*2 ; [im(m)eʀite].

**IMMERSION,** subst. f.
**1.** Action d'immerger (qqch., qqn) ; son résultat : *Baptême par **immersion** ; Sous-marin en **immersion**.* **2.** Fig. Fait d'être plongé dans un milieu, une activité. **3.** *Astron.* Première phase d'une occultation, entrée d'un astre dans le cône d'ombre d'une planète ou de la Lune. **4.** *Phys. Objectif à **immersion*** : objectif de microscope conçu pour être utilisé immergé dans un liquide d'indice de réfraction élevé couvrant l'objet observé. 1374 ; lat. *immersio* ; [im(m)ɛʀsjɔ̃].

**IMMETTABLE,** adj.
Qualifie un vêtement, des bijoux qu'il ne convient pas de porter. 1845 ; ☞ *mettable* + *in-*2 ; [ɛ̃mɛtabl].

**IMMEUBLE,** adj. et subst. m.
**Adj. 1.** Vx. Immobile. **2.** *Dr.* Qualifie un bien que l'on ne peut déplacer ou qui est considéré comme tel par la loi : *Biens **immeubles** par nature ou par destination.* **Subst. 1.** *Dr.* Bien **immeuble**. **2.** Bâtiment urbain de plusieurs étages, à usage d'habitation ou de bureaux : *Un **immeuble** en pierre de taille.* Déb. XIIIe s. ; lat. *immobilis*, « immobile » ; [immœbl].

**IMMIGRANT, ANTE,** adj. et subst.
Se dit d'une personne qui immigre ou vient d'immigrer. 1787 ; ☞ *immigré* ; [im(m)igʀɑ̃, ɑ̃t].

**IMMIGRATION,** subst. f.
Action d'immigrer. 1768 ; lat. *immigrare*, d'apr. *émigration* ; [im(m)igʀasjɔ̃].

**IMMIGRÉ, ÉE,** adj. et subst.
Se dit de qqn qui a immigré : *Les travailleurs **immigrés**.* 1769 ; lat. *immigrare* ; [im(m)igʀe].

**IMMIGRER,** verbe intrans. [3]
Entrer dans un pays étranger pour s'y établir, y travailler. 1838 ; ☞ *immigré* ; [im(m)igʀe].

**IMMINENCE,** subst. f.
Caractère de ce qui est imminent. 1787 ; bas lat. *imminentia* ; [im(m)inɑ̃s].

**IMMINENT, ENTE,** adj.
**1.** Qui menace de se produire bientôt : *La guerre est **imminente**.* **2.** Très proche : *Un départ **imminent**.* Fin XIVe s. ; lat. *imminens* ; [im(m)inɑ̃, ɑ̃t].

**IMMISCER (S'),** verbe pronom. [4]
Intervenir (dans une affaire) sans y être invité, s'ingérer : ***S'immiscer** dans une conversation.* 1482 ; lat. *immiscere*, « mêler à » ; [im(m)ise].

**IMMIXTION,** subst. f.
Action de s'immiscer. 1748 (1573, mélange) ; bas lat. *immixtio*, « action de mêler » ; [im(m)iksjɔ̃].

**IMMOBILE,** adj.
**1.** Qui ne bouge pas, fixe. **2.** Fig. Qui ne varie pas, n'évolue pas. Fin XIVe s. ; lat. *immobilis* ; [im(m)ɔbil].

**IMMOBILIER, IÈRE,** adj. et subst. m.
**Adj. 1.** *Dr.* Qui a trait aux biens immeubles : *Propriété **immobilière**.* **2.** Ext. Qui concerne un ou plusieurs immeubles. **Subst.** Marché de la construction, du négoce et de la gestion de biens **immobiliers**. 1721 ; ☞ *mobilier* + *in-*2 ; [im(m)ɔbilje, jɛʀ].

**IMMOBILISATION,** subst. f.
**1.** *Dr.* Application à un bien meuble de certains caractères juridiques des immeubles. **2.** Action de rendre immobile ; son résultat. **3.** *Fin. **Immobilisation** des actions* : blocage, gel des actions. **Plur.** *Écon.* Biens servant à l'exploitation d'une entreprise. 1819 ; ☞ *immobiliser* ; [im(m)ɔbilizasjɔ̃].

**IMMOBILISER,** verbe trans. [3]
**1.** Rendre, maintenir immobile : ***Immobiliser** un bras cassé* ; empl. adj. : *Véhicule **immobilisé**.* **2.** *Dr.* Convertir (un bien meuble) en bien immeuble. **3.** *Fin. **Immobiliser** des capitaux* : les rendre indisponibles pour une autre opération en les plaçant. **Pronom.** S'arrêter. 1654 ; ☞ *immobile* ; [im(m)ɔbilize].

**IMMOBILISME,** subst. m.
Opposition au changement. 1829 ; ☞ *immobile* ; [im(m)ɔbilism].

**IMMOBILITÉ,** subst. f.
État d'un être, d'une chose, d'un processus immobile. 1314 ; lat. *immobilitas* ; [im(m)ɔbilite].

**IMMODÉRÉ, ÉE,** adj.
Sans mesure, excessif : *Un goût **immodéré** pour le luxe.* XVe s. ; lat. *immoderatus* ; [im(m)ɔdeʀe].

**IMMODÉRÉMENT,** adv.
De manière immodérée. Fin XIIIe s. ; ☞ *immodéré* ; [im(m)ɔdeʀemɑ̃].

**IMMODESTE,** adj.
**1.** Impudique (vieilli). **2.** Dépourvu de modestie (rare). 1541 ; lat. *immodestus* ; [im(m)ɔdɛst].

**IMMODESTIE,** subst. f.
**1.** Manque de modestie (rare). **2.** Impudeur (vieilli). 1582 (1543, manque de modération) ; lat. *immodestia* ; [im(m)ɔdɛsti].

**IMMOLATION,** subst. f.
Action d'immoler ; son résultat. XIIe s. ; lat. *immolatio* ; [im(m)ɔlasjɔ̃].

**IMMOLER,** verbe trans. [3]
**1.** *Relig.* Offrir (une victime) en sacrifice à une divinité. **2.** Ext. Faire périr (littér.). **3.** Fig. Sacrifier (qqn, qqch.) à une passion, à une cause (littér.). **Pronom.** Se sacrifier (littér.). Mil. XVe s. ; lat. *immolare* ; [im(m)ɔle].

**IMMONDE,** adj.
**1.** *Relig.* Déclaré impur : *Animaux **immondes**.* **2.** Infect : *Lieu **immonde**.* **3.** Ignoble, immoral. Déb. XIIIe s. ; lat. *immundus*, de *mundus*, « propre » ; [im(m)ɔ̃d].

**IMMONDICE,** subst. f.
Saleté, impureté (vx). **Plur.** Déchets, ordure[s]. Déb. XIIIe s. ; lat. *immunditia* ; [im(m)ɔ̃dis].

**IMMORAL, ALE, AUX,** adj.
Qui ne respecte pas les principes de la morale ; q[ui] y est contraire. Mil. XVIIe s. ; ☞ *moral* + *in-*[2] [im(m)ɔʀal, o].

**IMMORALISME,** subst. m.
**1.** *Philos.* Doctrine proposant un système de valeu[rs] autre que celui fondé sur la morale chrétienne *L'**immoralisme** de Nietzsche.* **2.** Ext. Tendance [à] rejeter la morale établie. 1845 ; ☞ *immora[l]* [im(m)ɔʀalism].

**IMMORALISTE,** subst. et adj.
Se dit d'une personne partisane de l'immoralisme *« L'**Immoraliste** », roman d'André Gide.* **Adj.** Relatif [à] l'immoralisme. 1874 ; ☞ *immoral* ; [im(m)ɔʀalis[t]].

**IMMORALITÉ,** subst. f.
Caractère d'une personne immorale ou de ce qu[i] est contraire à la morale traditionnelle et au[x] bonnes mœurs. 1777 ; ☞ *immoral* ; [im(m)ɔʀalite].

**IMMORTALISER,** verbe trans. [3]
Rendre immortel dans la mémoire collective : *Prou[st] a **immortalisé** la société mondaine des années ving[t]* 1544 ; ☞ *immortel* ; [im(m)ɔʀtalize].

**IMMORTALITÉ,** subst. f.
**1.** Qualité, état de ce qui est immortel, d'un êt[re] immortel. **2.** Fig. Qualité de ce qui survit tr[ès] longtemps dans la mémoire des hommes. Dé[b.] XIIIe s. ; lat. *immortalitas* ; [im(m)ɔʀtalite].

**IMMORTEL, ELLE,** adj. et subst.
**Adj. 1.** Qui ne peut pas mourir : *Âme **immortell[e]*** **2.** Qui est censé durer toujours. **3.** Qui surv[it] éternellement dans la mémoire des homme[s]. **Subst. 1.** *Antiq.* Dieu, déesse (vieilli). **2.** Membre d[e] l'Académie française (fam.). **Subst. fém.** *Bot.* Plan[te] de la famille des Astéracées, qui ne se fane que trè[s] lentement. Déb. XIVe s. ; lat. *immortalis* ; [im(m)ɔʀtɛl].

**IMMOTIVÉ, ÉE,** adj.
**1.** Sans motif. **2.** *Ling.* Qualifie un signe qui n'es[t] pas motivé, dont le signifiant n'a aucun rappo[rt] avec le signifié. 1866 ; ☞ *motivé* + *in-*2 [im(m)ɔtive].

**IMMUABILITÉ,** subst. f.
Caractère de ce qui est immuable. XVIe s. ☞ *immuable* ; [im(m)ɥabilite].

**IMMUABLE,** adj.
**1.** Qui ne peut changer : *La régularité **immuable** d[e] l'horloge.* **2.** Ext. Qui semble ne jamais devo[ir] changer : *Des habitudes **immuables**.* 1327 ; *muab[le]* (vx), « sujet à la mue ; changeant », d'apr. le lat. *imm[u]tabilis* ; [im(m)ɥabl].

**IMMUABLEMENT,** adv.
De manière immuable. 1470 ; ☞ *immuable* [im(m)ɥabləmɑ̃].

**IMMUN, UNE,** adj.
*Biol.* **1.** Qualifie un organisme, ou l'un de se[s] constituants, qui est immunisé. **2.** Qui contien[t] des anticorps spécifiquement actifs vis-à-vis d'u[n] antigène (vieilli) ; immunisant : *Sérum **immun*** 1916 (1431, non soumis à la justice, à l'impôt) ; la[t.] *immunis*, « exempt » ; [im(m)œ̃, yn].

**IMMUNISATION,** subst. f.
*Méd.* Action d'immuniser ; son résultat. 1894 ☞ *immuniser* ; [im(m)ynizasjɔ̃].

**IMMUNISER,** verbe trans. [3]
**1.** *Méd.* Rendre réfractaire à une maladie. **2.** Fig Protéger contre une douleur, une souffrance 1894 ; lat. *immunis*, « exempt » ; [im(m)ynise].

**IMMUNITAIRE,** adj.
*Physiol.* Qui concerne l'immunité : *Système **immuni[taire]***, ensemble des éléments qui, dans l'organisme jouent un rôle de défense. 1955 ; ☞ *immunité* [im(m)ynitɛʀ].

**IMMUNITÉ,** subst. f.
**1.** *Dr.* Exemption de charge accordée à certaine[s] catégories de personnes. ▸ ***Immunité** parlementaire* privilège mettant un parlementaire à l'abri de procédures engagées contre lui. ▸ ***Immunité** diploma[tique]* : privilège soustrayant le personnel diplomati[que] à la législation du pays dans lequel il réside **2.** *Biol.* État privilégié de l'organisme capable de reconnaître ce qui lui appartient et de rejeter ce qu[i] lui est étranger ; ensemble des facteurs humorau[x] et cellulaires qui protègent l'organisme contre un[e] agression infectieuse ou toxique. 1276 ; lat *immunitas* ; [im(m)ynite].

**IMMUNOLOGIE** – L'organisme fait appel à trois types de défenses vis-à-vis d'une agression : l'immunité non spécifique, qui, à l'aide de cellules comme les globules blancs et les macrophages, fait intervenir la phagocytose ; l'immunité cellulaire, qui utilise des cellules immunocompétentes spécifiques, les lymphocytes T ; l'immunité humorale, grâce aux anticorps présents dans le sérum. Le V. I. H., virus de l'immunodéficience acquise en cause dans le sida, présente une affinité particulière avec des protagonistes de l'immunité cellulaire, en partic. avec les lymphocytes T – c'est pourquoi l'évolution de leur nombre constitue un critère de surveillance des sujets contaminés.

**IMMUNOCOMPÉTENT, ENTE,** adj.
*Biol.* Qualifie un organisme apte à produire des anticorps après l'injection d'une substance antigénique. V. 1970 ; ☞ *compétent* + *immuno-* ; [im(m)ynokɔ̃petɑ̃, ɑ̃t].

**IMMUNODÉFICIENCE,** subst. f.
*Pathol.* État d'un organisme dont les défenses immunitaires sont diminuées. V. 1980 ; ☞ *déficience* + *immuno-* ; [im(m)ynodefisjɑ̃s].

**IMMUNODÉFICITAIRE,** adj.
*Pathol.* Qualifie un syndrome acquis ou congénital qui s'accompagne d'une immunodéficience. XXe s. ; ☞ *déficitaire* + *immuno-* ; [im(m)ynodefisitɛʀ].

**IMMUNODÉPRESSEUR,** subst. m.
*Pharm.* Médicament ou technique capable de diminuer ou de supprimer les réponses immunitaires d'un organisme (synon. *immunosuppresseur*) ; empl. adj. : *Traitement* ***immunodépresseur.*** V. 1970 ; lat. *depressus*, « abaissé », + *immuno-* ; [im(m)ynodepʀesœʀ].

**IMMUNODÉPRESSIF, IVE,** adj.
*Pharm.* Relatif à l'action d'un immunodépresseur (synon. *immunosuppressif*). V. 1970 ; ☞ *dépressif* + *immuno-* ; [im(m)ynodepʀesif, iv].

**IMMUNODÉPRIMÉ, ÉE,** adj. et subst.
Se dit d'un sujet dont les défenses immunitaires sont diminuées. V. 1970 ; ☞ *déprimé* + *immuno-* ; [im(m)ynodepʀime].

**IMMUNOFLUORESCENCE,** subst. f.
*Biol.* Technique servant à révéler la présence et la répartition d'un type particulier de molécules protéiques dans une cellule. On rend chimiquement fluorescents des anticorps spécifiques de la protéine étudiée. En se fixant sur les molécules protéiques, les anticorps leur confèrent une fluorescence détectable. V. 1960 ; ☞ *fluorescence* + *immuno-* ; [im(m)ynoflyɔʀesɑ̃s].

**IMMUNOGÈNE,** adj.
*Biol.* Qui entraîne une réaction immunitaire. 1906 ; formé de *immuno-* et de *-gène* ; [im(m)ynoʒɛn].

**IMMUNOGLOBULINE,** subst. f.
*Biochim.* Nom générique de certaines protéines du plasma qui jouent un rôle fondamental dans les défenses de l'organisme (synon. *anticorps*). 1959 ; ☞ *globuline* + *immuno-* ; [im(m)ynoglɔbylin].

**IMMUNOLOGIE,** subst. f.
Science qui étudie les réactions immunitaires normales et pathologiques, et qui s'applique au diagnostic et au traitement des maladies infectieuses, des allergies, de certaines maladies dites auto-immunes, ainsi qu'aux greffes. 1924 ; formé de *immuno-* et de *-logie* ; [im(m)ynɔlɔʒi].

**IMMUNOLOGISTE,** subst.
Spécialiste en immunologie. 1946 ; ☞ *immunologie* ; [im(m)ynɔlɔʒist].

**IMMUNOSTIMULANT, ANTE,** adj.
*Méd.* Se dit d'une substance, d'une technique censée augmenter les défenses immunitaires d'un organisme ; empl. subst. masc., médicament **immunostimulant.** V. 1970 ; ☞ *stimulant* + *immuno-* ; [im(m)ynostimylɑ̃, ɑ̃t].

**IMMUNOSUPPRESSEUR,** subst. m.
Immunodépresseur. V. 1970 ; *suppresseur*, « qui supprime », + *immuno-* ; [im(m)ynosypʀesœʀ].

**IMMUNOSUPPRESSIF, IVE,** adj.
Immunodépressif. V. 1970 ; *suppressif*, « qui a la propriété de supprimer », + *immuno-* ; [im(m)ynosypʀesif, iv].

**IMMUNOTHÉRAPIE,** subst. f.
*Méd.* Traitement capable de modifier la réactivité d'un organisme vis-à-vis d'un antigène administré à dose croissante, utilisé notamment en allergologie (synon. *désensibilisation spécifique*). 1938 ; formé de *immuno-* et de *-thérapie* ; [im(m)ynoteʀapi].

**IMMUNOTOLÉRANT, ANTE,** adj.
*Biol.* Qui peut tolérer la greffe d'un corps étranger. V. 1970 ; ☞ *tolérant* + *immuno-* ; [im(m)ynotɔleʀɑ̃, ɑ̃t].

**IMMUTABILITÉ,** subst. f.
Caractère de ce qui ne peut changer (synon. *immuabilité*). ▸ *Dr.* ***Immutabilité*** *des conventions matrimoniales* : fait que ces conventions ne peuvent être modifiées par les époux après la cérémonie du mariage. 1470 ; lat. *immutabilitas* ; [im(m)ytabilite].

**IMPACT,** subst. m.
**1.** Choc d'un corps, en partic. d'un projectile, contre un autre corps : *Point d'****impact***, endroit où un projectile heurte sa cible. **2.** Fig. Effet de choc, retentissement (empl. critiqué) : *L'****impact*** *d'un discours sur l'opinion publique.* **3.** *Étude d'****impact*** : étude écologique qui précède de grands travaux d'aménagement. 1824 ; lat. *impactum*, de *impingere*, « heurter » ; [ɛ̃pakt].

© F. Gohier-Explorer

*Point d'****impact*** *de météorite en Arizona.*

**IMPAIR, AIRE,** adj. et subst. m.
**Adj. 1.** *Math. Nombre entier* ***impair*** : dont la division par deux donne un nombre décimal ; *Fonction* ***impaire*** *f d'un groupe additif G dans un autre groupe additif* : fonction qui vérifie $f(-x) = -f(x)$ pour tout élément $x$ de G. **2.** *Anat.* Se dit d'un organe unique, auquel ne correspond pas un autre organe qui lui soit symétrique, comme le nez, le foie, etc. **3.** *Bot.* Se dit d'une foliole isolée à l'extrémité d'une feuille composée. **Subst.** Maladresse ; manquement aux usages. 1484 ; lat. *impar* ; [ɛ̃pɛʀ].

**IMPALA,** subst. m.
*Zool.* Antilope africaine vivant en troupeaux et dont le mâle porte des cornes annelées, en forme de lyre. V. 1960 ; mot zoulou ; [impala].

© S. Cordier-Explorer

*Impala.*

**IMPALPABLE,** adj.
**1.** Que l'on ne peut toucher parce que immatériel : *Un fantôme est* ***impalpable.*** **2.** Ext. Que l'on ne peut toucher parce que trop ténu : *Particules* ***impalpables.*** Mil. XVe s. ; bas lat. *impalpabilis* ; [ɛ̃palpabl].

**IMPALUDATION,** subst. f.
*Pathol.* Infection d'un organisme par le plasmodium, parasite du sang agent du paludisme. 1844 ; ☞ *paludisme* + *in-*[1] ; [ɛ̃palydasjɔ̃].

**IMPALUDÉ, ÉE,** adj.
**1.** Atteint du paludisme ; empl. subst., personne **impaludée. 2.** Qualifie une zone géographique où sévit le paludisme. 1844 ; ☞ *impaludation* ; [ɛ̃palyde].

**IMPANATION,** subst. f.
*Théol.* Consubstantiation. XVIe s. ; lat. eccl. *impanatio*, du lat. *panis*, « pain » ; [ɛ̃panasjɔ̃].

**IMPARABLE,** adj.
Qui ne peut être paré, contré : *Coup* ***imparable.*** 1604 ; ☞ *parer* (II) + *in-*[2] ; [ɛ̃paʀabl].

**IMPARDONNABLE,** adj.
Qui ne peut être pardonné, qui est inexcusable. Fin XIVe s. ; ☞ *pardonnable* + *in-*[2] ; [ɛ̃paʀdɔnabl].

**IMPARFAIT, AITE,** adj. et subst. m.
**Adj. 1.** Inachevé, incomplet : *Une vision* ***imparfaite*** *d'un problème.* **2.** Qui manque de fini. **3.** *Zool.* Qui n'est pas parvenu au terme de son développement : *Un insecte* ***imparfait***, qui n'a pas terminé ses métamorphoses. **Subst.** *Gramm.* Temps du verbe situant une action dans le passé et servant à marquer la durée, l'habitude, la répétition ou à indiquer qu'une action se déroulait lorsqu'une autre s'est produite. Fin XIVe s. ; lat. *imperfectus* ; [ɛ̃paʀfɛ, ɛt].

**IMPARFAITEMENT,** adv.
D'une manière imparfaite. 1372 ; ☞ *imparfait* ; [ɛ̃paʀfɛtmɑ̃].

**IMPARIDIGITÉ, ÉE,** adj. et subst. m.
*Zool.* Qualifie ou désigne un mammifère ongulé qui possède un nombre impair de doigts à chaque patte (synon. *périssodactyle*) : *Le cheval est un* ***imparidigité.*** V. 1950 ; lat. *digitus*, « doigt », + *impari-* ; [ɛ̃paʀidiʒite].

**IMPARIPENNÉ, ÉE,** adj.
*Bot.* Qualifie une feuille à nombre impair de folioles. Mil. XIXe s. ; ☞ *penné* + *impari-* ; [ɛ̃paʀipene].

**IMPARISYLLABIQUE,** adj. et subst. m.
*Gramm.* En grec ou en latin, se dit d'un nom ou d'un adjectif qui, aux cas obliques du singulier, compte une syllabe de plus qu'au nominatif. 1812 ; ☞ *syllabique* + *impari-* ; [ɛ̃paʀisil(l)abik].

**IMPARITÉ,** subst. f.
Caractère de ce qui est impair. 1794 (fin XIVe s., inégalité) ; bas lat. *imparitas*, « inégalité » ; [ɛ̃paʀite].

**IMPARTIAL, ALE, AUX,** adj.
Qui est sans parti pris, juste, équitable : *Un témoin* ***impartial.*** 1576 ; ☞ *partial* + *in-*[2] ; [ɛ̃paʀsjal, o].

**IMPARTIALEMENT,** adv.
D'une manière impartiale. 1740 ; ☞ *impartial* ; [ɛ̃paʀsjalmɑ̃].

**IMPARTIALITÉ,** subst. f.
Caractère d'une personne ou d'une chose impartiale. 1576 ; ☞ *impartial* ; [ɛ̃paʀsjalite].

**IMPARTIR,** verbe trans. [19]
**1.** Attribuer en partage : *Le temps qui vous est* ***imparti.*** **2.** *Dr.* ***Impartir*** *un délai* : l'accorder. 1374 ; bas lat. *impartire*, du lat. *pars*, « part » ; utilisé surtout à l'ind. prés. et futur, à l'inf. et au p. p. ; [ɛ̃paʀtiʀ].

**IMPASSE,** subst. f.
**1.** *Jeux.* Au bridge, à la belote, tentative de faire une levée avec la carte inférieure d'une fourchette, en espérant que la carte intermédiaire est entre les mains de l'adversaire qui a joué. ▸ Anal. Partie d'un programme qu'un élève néglige d'étudier en espérant être interrogé sur un autre sujet. **2.** Petite rue sans issue. ▸ Fig. Situation bloquée, sans solution : *Les négociations sont dans une* ***impasse.*** ▸ *Écon.* ***Impasse*** *budgétaire* : déficit des recettes publiques par rapport aux dépenses inscrites dans la loi de finances. 1730 ; ☞ *passer* + *in-*[2] ; [ɛ̃pɑs].

**IMPASSIBILITÉ,** subst. f.
**1.** *Théol.* Qualité d'un être qui n'est pas susceptible de souffrance. **2.** Ext. Caractère d'une personne qui ne manifeste aucun trouble, aucune émotion. XIIIe s. ; bas lat. *impassibilitas* ; [ɛ̃pasibilite].

**IMPASSIBLE,** adj.
**1.** *Théol.* Qui n'est pas susceptible de souffrance. **2.** Ext. Qui ne manifeste aucun trouble, aucune émotion. Déb. XIVe s. ; bas lat. *impassibilis*, du lat. *pati*, « souffrir » ; [ɛ̃pasibl].

**IMPATIEMMENT,** adv.
Avec impatience. XIIIe s. ; ☞ *impatient* ; [ɛ̃pasjamɑ̃].

**IMPATIENCE,** subst. f.
**1.** Manque de patience ; inaptitude à se contenir. **2.** Incapacité à supporter qqn ou qqch. : *Geste d'****impatience.*** Fin XIIe s. ; lat. *impatientia* ; [ɛ̃pasjɑ̃s].

**IMPATIENS,** voir **IMPATIENTE**

**IMPATIENT, ENTE,** adj.
Qui manque de patience : *Un enfant* ***impatient*** ; empl. subst., personne **impatiente.** ▸ **Impatient de** (+ inf.). Fort désireux, pressé de : *Je suis* ***impatient*** *de le voir.* Déb. XIIIe s. ; lat. *impatiens* ; [ɛ̃pasjɑ̃, ɑ̃t].

**IMPATIENTE,** subst. f.
*Bot.* Balsamine des jardins. 1768 ; lat. sc. *impatiens* ; var. *impatiens* ; [ɛ̃pasjɑ̃t].

**IMPATIENTER,** verbe trans. [3]
Faire perdre patience à. **Pronom.** Perdre patience, s'énerver. 1584 ; ☞ *impatient* ; [ɛ̃pasjɑ̃te].

**IMPATRONISER (S'),** verbe pronom. [3]
S'introduire dans un milieu et s'y imposer en maître (vieilli). 1552 ; ☞ *patron* + *in-*[1] ; [ɛ̃patʀɔnize].

**IMPAVIDE,** adj.
Qui n'éprouve ou ne manifeste aucune peur (littér.). 1801 ; lat. *impavidus* ; [ɛ̃pavid].

**IMPAYABLE,** adj.
**1.** Qui ne peut être payé : *Dette* ***impayable*** ; par ext., qui n'a pas de prix, inestimable (littér.). **2.** D'une drôlerie extrême (fam.) : *Une histoire* ***impayable.*** Fin XIVe s. ; ☞ *payable* + *in-*[2] ; [ɛ̃pɛjabl].

**IMPAYÉ, ÉE,** adj. et subst. m.
**Adj.** Qui n'a pas été payé. **Subst.** Dette non payée. 1793 ; ☞ *payer* + *in-*[2] ; [ɛ̃peje].

**IMPEACHMENT,** subst. m.
Dans certains pays anglo-saxons, mise en accusation d'un élu devant le Parlement, le Congrès (anglic.). 1778 ; mot angl. ; [impitʃmɛnt].

**IMPECCABLE,** adj.
**1.** *Théol.* Qui ne peut pécher : *Dieu seul est* ***impeccable.*** **2.** Qui est à l'abri de tout reproche, sans défaut (littér.) : *Poète* ***impeccable*** ; *Prononciation* ***impeccable.*** ▸ Parfaitement propre : *Linge* ***impeccable.*** **3.** Hyperb. *C'est* ***impeccable*** ou, abrév. fam., *C'est* ***impec*** : c'est parfait. 1478 ; lat. *impeccabilis* ; [ɛ̃pekabl].

**IMPECCABLEMENT,** adv.
De manière impeccable. 1887 ; ☞ *impeccable* ; [ɛ̃pekabləmɑ̃].

**IMPÉCUNIEUX, EUSE,** adj.
Sans ressources (littér.) : *Un vieillard* ***impécunieux.*** 1677 ; lat. *pecunia*, « argent », + *in-*[2] ; [ɛ̃pekynjø, øz].

**IMPÉCUNIOSITÉ,** subst. f.
Pauvreté, manque d'argent (littér.). 1677 ; ☞ *impécunieux* ; [ɛ̃pekynjozite].

**IMPÉDANCE,** subst. f.
*Électr.* Valeur en ohms qui mesure, aux bornes d'un circuit parcouru par un courant alternatif, le quotient de la tension par l'intensité. 1892 ; angl. *impedance*, de *to impede*, « retenir, empêcher » ; [ɛ̃pedɑ̃s].

**IMPEDIMENTA,** subst. m. plur.
**1.** *Milit.* Véhicules et bagages qui gênent la progression d'une armée. **2.** Fig. Ce qui entrave une action, un déplacement (littér.). 1840 ; lat. *impedimentum*, de *impedire*, « entraver » ; [ɛ̃pedimɛ̃ta].

**IMPÉNÉTRABILITÉ,** subst. f.
**1.** *Phys.* Propriété en vertu de laquelle deux corps ne peuvent occuper le même espace au même instant. **2.** Fig. Caractère de ce qui est impénétrable. Mil. XVIIe s. ; ☞ *impénétrable* ; [ɛ̃penetʀabilite].

**IMPÉNÉTRABLE,** adj.
**1.** Qui ne peut être traversé : *Jungle* ***impénétrable.*** **2.** Fig. Caché, mystérieux : *Les voies du Seigneur sont* ***impénétrables.*** **3.** Énigmatique : *Sourire* ***impénétrable.*** Fin XIVe s. ; lat. *impenetrabilis* ; [ɛ̃penetʀabl].

**IMPÉNITENCE,** subst. f.
*Théol.* État d'une personne qui persiste dans le péché. 1372 ; lat. chrét. *impaenitentia* ; [ɛ̃penitɑ̃s].

**IMPÉNITENT, ENTE,** adj.
**1.** *Théol.* Qui ne se repent pas de ses péchés. **2.** Qui ne peut renoncer à une habitude : *Fumeur* ***impénitent.*** 1570 ; lat. chrét. *impaenitens* ; [ɛ̃penitɑ̃, ɑ̃t].

**IMPENSABLE,** adj.
**1.** Qui ne peut être élaboré par la pensée. **2.** Ext. Incroyable. 1845 ; ☞ *penser* + *in-*[2] ; [ɛ̃pɑ̃sabl].

**IMPENSES,** subst. f. plur.
*Dr.* Dépenses consacrées à l'entretien d'un immeuble par qqn qui n'en a que la jouissance. Fin XVe s. ; lat. *impensa*, « dépense, frais » ; [ɛ̃pɑ̃s].

**IMPÉRATIF, IVE,** subst. m. et adj.
**Subst. 1.** *Gramm.* Mode du verbe exprimant la défense, le commandement, l'exhortation (par ex. : « Partons ! », « Soyez partis demain ! »). **2.** *Philos.* Proposition prenant la forme d'un commandement, en gén. donné à soi-même. ▸ ***Impératif*** *catégorique* : sans condition (par ex. : « Sois juste ») ; ***Impératif*** *hypothétique* : subordonné à une fin (par ex. : « Travaille si tu veux réussir »). ▸ Méton. Nécessité impérieuse : *Les* ***impératifs*** *de l'heure.* **Adj. 1.** Qui a le caractère d'un ordre formel : *Des instructions* ***impératives.*** **2.** Autoritaire : *Ton* ***impératif.*** **3.** Nécessaire, urgent : *Une obligation* ***impérative*** *de dormir.* Mil. XIIIe s. ; bas lat. *imperativus* ; [ɛ̃peʀatif, iv].

**IMPÉRATIVEMENT,** adv.
De manière impérative. 1584 ; ☞ *impératif* ; [ɛ̃peʀativmɑ̃].

**IMPÉRATRICE,** subst. f.
**1.** Souveraine d'un empire : *Victoria,* ***impératrice*** *des Indes.* **2.** Épouse d'un empereur. 1482 ; lat. *imperatrix* ; [ɛ̃peʀatʀis].

**IMPERCEPTIBILITÉ,** subst. f.
Qualité de ce qui est imperceptible (rare). 1836 ; ☞ *imperceptible* ; [ɛ̃pɛʀsɛptibilite].

**IMPERCEPTIBLE,** adj.
**1.** Que les sens ne peuvent percevoir : *Odeur* ***imperceptible.*** **2.** Qui échappe à l'attention : *Variation* ***imperceptible.*** **3.** Infime : *Détail* ***imperceptible.*** Fin XIVe s. ; lat. médiév. *imperceptibilis*, du lat. *percipere*, « percevoir » ; [ɛ̃pɛʀsɛptibl].

**IMPERCEPTIBLEMENT,** adv.
De manière imperceptible. XIVe s. ; ☞ *imperceptible* ; [ɛ̃pɛʀsɛptibləmɑ̃].

**IMPERDABLE,** adj. et subst. f.
**Adj.** Qui ne peut être perdu. **Subst.** Helv. Épingle de nourrice. 1721 ; ☞ *perdre* + *in-*[2] ; [ɛ̃pɛʀdabl].

**IMPERFECTIBLE,** adj.
Qui n'est pas perfectible. 1819 ; ☞ *perfectible* + *in-*[2] ; [ɛ̃pɛʀfɛktibl].

**IMPERFECTIF, IVE,** adj. et subst. m.
*Gramm.* Se dit d'une forme verbale qui exprime l'action en train de s'accomplir (synon. *non-accompli*). 1916 ; ☞ *perfectif* + *in-*[2] ; [ɛ̃pɛʀfɛktif, iv].

**IMPERFECTION,** subst. f.
**1.** État d'une personne, d'une chose imparfaite. **2.** Ext. Ce qui empêche la perfection ; défaut : *Une* ***imperfection*** *de langage.* XIIe s. ; lat. chrét. *imperfectio* ; [ɛ̃pɛʀfɛksjɔ̃].

**IMPERFORATION,** subst. f.
*Pathol.* Absence congénitale d'ouverture d'un organe vers l'extérieur : ***Imperforation*** *anale.* 1611 ; ☞ *perforation* + *in-*[2] ; [ɛ̃pɛʀfɔʀasjɔ̃].

**IMPÉRIAL, ALE, AUX,** adj. et subst.
**Adj. 1.** Relatif à un empereur ou à un empire : *La couronne* ***impériale*** ; *La Rome* ***impériale.*** ▸ *Hist.* Relatif au Saint Empire romain germanique : *Ville* ***impériale***, ville libre ne relevant que de l'empereur. **2.** Anal. Aux caractéristiques dignes d'un empereur : *Un luxe* ***impérial.*** **Subst. fém. 1.** Aux cartes, série comportant valet, dame, roi, as de même couleur. **2.** Barbiche qu'on laisse pousser sous la lèvre inférieure, en vogue sous Napoléon III. **3.** Partie supérieure d'un véhicule de transport de voyageurs. **4.** Loc. *Lit à l'****impériale*** : surmonté d'un dôme en forme de couronne. **Subst. masc. plur.** *Les* ***Impériaux*** : les soldats du Saint Empire romain germanique. Mil. XIIe s. ; lat. *imperialis* ; [ɛ̃peʀjal, o].

**IMPÉRIALEMENT,** adv.
De manière impériale. Déb. XIIIe s. ; ☞ *impérial* ; [ɛ̃peʀjalmɑ̃].

**IMPÉRIALISME,** subst. m.
**1.** Volonté d'un État d'en dominer d'autres par sa politique militaire, économique et culturelle : ***L'impérialisme*** *colonial français ou britannique au* XIXe *s.* **2.** *Philos.* Dans la théorie marxiste, stade supérieur du développement du capitalisme. **3.** Fig. Volonté de suprématie, de domination. 1880 (1832, doctrine favorable au régime napoléonien) ; angl. *imperialism* ; [ɛ̃peʀjalism].

HISTOIRE – Constante historique affectant les systèmes les plus divers, l'impérialisme se réalise dans les domaines politique, économique et culturel. Quoique né avec l'histoire, succession d'expansions et de rétractions des empires, il désigne spécialement les relations établies par les peuples européens avec le reste du monde du XVIe au XXe s. Avec le temps, l'appétit de domination s'avoue moins aisément dans sa crudité ; il se prétend alors propagation de la civilisation, défense des droits de l'homme ou soumission au marché. Lénine pensait lui avoir arraché définitivement son masque en le qualifiant, en 1916, alors que s'affrontaient tous les grands empires coloniaux – et capitalistes – de l'époque, de « stade suprême du capitalisme ». Mais le régime issu de la révolution d'Octobre mena cependant par la suite une politique impérialiste, usant de son socialisme proclamé pour s'exonérer de l'accusation d'impérialisme.

**IMPÉRIALISTE,** adj. et subst.
Se dit d'un partisan de l'impérialisme. **Adj.** Relatif propre à l'impérialisme. 1893 (1525, partisan de l'empereur d'Allemagne) ; angl. *imperialist* ; [ɛ̃peʀjalist].

**IMPÉRIEUSEMENT,** adv.
De manière impérieuse. 1512 ; ☞ *impérieux* ; [ɛ̃peʀjøzmɑ̃].

**IMPÉRIEUX, EUSE,** adj.
**1.** Auquel on ne peut que céder, qui s'impose : *Raison* ***impérieuse.*** **2.** Autoritaire : *Ton* ***impérieux.*** Déb. XVe s. ; lat. *imperiosus*, « qui commande » ; [ɛ̃peʀjø, øz].

**IMPÉRISSABLE,** adj.
Qui ne peut périr ; qui dure très longtemps. 1528 ; ☞ *périssable* + *in-*[2] ; [ɛ̃peʀisabl].

**IMPÉRITIE,** subst. f.
Incompétence, en partic. dans l'exercice d'une fonction (littér.) : *L'****impéritie*** *du pouvoir.* Fin XVe s. ; lat. *imperitia*, de *imperitus*, « ignorant, inexpérimenté » ; [ɛ̃peʀisi].

**IMPERMÉABILISATION,** subst. f.
Action d'imperméabiliser ; son résultat. 1858 ; ☞ *imperméabiliser* ; [ɛ̃pɛʀmeabilizasjɔ̃].

**IMPERMÉABILISER,** verbe trans. [3]
Rendre (un tissu, un matériau) imperméable. 1858 ; ☞ *imperméable* ; [ɛ̃pɛʀmeabilize].

**IMPERMÉABILITÉ,** subst. f.
Qualité, état de ce qui est imperméable. 1779 ; ☞ *imperméable* ; [ɛ̃pɛʀmeabilite].

**IMPERMÉABLE,** adj. et subst. m.
**Adj. 1.** Qui ne se laisse pas pénétrer par les fluides : *La peau est* ***imperméable*** *à l'eau.* **2.** Fig. Qui est insensible à un argument, à un sentiment : *Il est* ***imperméable*** *à mon amour.* **Subst.** Vêtement de pluie (abrév. fam. : imper). 1783 (1546, que l'on ne peut connaître) ; ☞ *perméable* + *in-*[2] ; [ɛ̃pɛʀmeabl].

**IMPERSONNALITÉ,** subst. f.
Caractère de ce qui est impersonnel. 1765 ; ☞ *impersonnel* ; [ɛ̃pɛʀsɔnalite].

**IMPERSONNEL, ELLE,** adj.
**1.** *Gramm.* ▸ *Verbe* ***impersonnel*** : qui ne s'emploie qu'à la troisième personne du singulier et dont le sujet (« il »), au rôle purement grammatical, ne renvoie à aucun sujet réel ou déterminé (par ex. « pleuvoir », « neiger »). ▸ *Tournure* ***impersonnelle*** où le sujet du verbe est représenté devant le verbe par le pronom neutre « il » (par ex. : « Il manque un bouton à sa veste »). ▸ *Mode* ***impersonnel*** : qui ne comporte pas les marques de la personne (tels l'infinitif et le participe). **2.** Exempt de tout caractère personnel : *La loi est* ***impersonnelle.*** **3.** Sans personnalité, banal : *Une architecture* ***impersonnelle.*** Fin XIIe s. ; bas lat. *impersonalis* ; [ɛ̃pɛʀsɔnɛl].

**IMPERTINENCE,** subst. f.
**1.** Vx. Manque de pertinence. **2.** Irrévérence, insolence, provocation. **3.** Méton. Parole, action impertinente. 1533 ; ☞ *impertinent* ; [ɛ̃pɛʀtinɑ̃s].

**IMPERTINENT, ENTE,** adj.
**1.** Vx. Non conforme à la réalité ; inapproprié. **2.** Insolent, irrespectueux, déplacé ; empl. subst. : *Faites taire cet* ***impertinent !*** XIVe s. ; bas lat. *impertinens*, « qui est sans rapport avec » ; [ɛ̃pɛʀtinɑ̃, ɑ̃t].

**IMPERTURBABILITÉ,** subst. f.
Caractère d'une personne imperturbable. 1682 ; ☞ *imperturbable* ; [ɛ̃pɛʀtyʀbabilite].

**IMPERTURBABLE,** adj.
Que rien ne peut perturber, troubler. Déb. XVe s. ; lat. chrét. *imperturbabilis* ; [ɛ̃pɛʀtyʀbabl].

**IMPERTURBABLEMENT,** adv.
De façon imperturbable. 1548 ; ☞ *imperturbable* ; [ɛ̃pɛʀtyʀbabləmɑ̃].

**IMPÉTIGO,** subst. m.
*Pathol.* Infection cutanée très contagieuse atteignant surtout les enfants, caractérisée par des placards vésico-bulleux, ulcérés, suintants et croûteux, gén. autour du nez et de la bouche, et sur le cuir chevelu. Mil. XIIIe s. ; lat. *impetigo* ; [ɛ̃petigo].

**IMPÉTRANT, ANTE,** subst.
*Dr.* Personne qui a obtenu d'une autorité la charge, le diplôme sollicité. 1350 ; ☞ *impétrer* ; [ɛ̃petʀɑ̃, ɑ̃t].

**IMPÉTRER,** verbe trans. [8]
*Dr.* Obtenir (qqch.) à la suite d'une requête (rare et vieilli). 1260 ; lat. *impetrare*, « obtenir » ; [ɛ̃petʀe].

**IMPÉTUEUSEMENT,** adv.
Avec impétuosité (littér.). Fin XIVe s. ; ☞ *impétueux* ; [ɛ̃petɥøzmɑ̃].

**IMPÉTUEUX, EUSE,** adj.
**1.** Animé de mouvements brusques et violents (littér.) : *Vents* ***impétueux.*** **2.** Fig. Ardent, vif : *Caractère* ***impétueux.*** Déb. XIIIe s. ; bas lat. *impetuosus* ; [ɛ̃petɥø, øz].

**IMPÉTUOSITÉ,** subst. f.
Caractère de ce qui est violent, fort (littér.) ; au fig., vivacité, fougue : *L'****impétuosité*** *d'un enfant.* Déb. XIIIe s. ; bas lat. *impetuositas* ; [ɛ̃petɥozite].

**IMPIE,** adj. et subst.
Littér. Se dit d'une personne qui dédaigne la religion ; athée, blasphémateur. Adj. Qui dénote le mépris de la religion : *Paroles* ***impies.*** XVe s. ; lat. *impius*, de *pius*, « pieux » ; [ɛ̃pi].

**IMPIÉTÉ,** subst. f.
Littér. **1.** Dédain de la religion. **2.** Méton. Action, parole impie. XIIe s. ; lat. *impietas* ; [ɛ̃pjete].

**IMPITOYABLE,** adj.
**1.** Qui n'a aucune pitié : *Tyran* ***impitoyable.*** **2.** Ext. Sans indulgence, inflexible : *Jury* ***impitoyable.*** Déb. XVIe s. ; ☞ *pitoyable* + *in-*[2] ; [ɛ̃pitwajabl].

**IMPITOYABLEMENT,** adv.
De manière impitoyable. 1558 ; ☞ *impitoyable* ; [ɛ̃pitwajabləmɑ̃].

**IMPLACABLE,** adj.
**1.** Que l'on ne peut apaiser, inflexible : *Ennemi* ***implacable.*** **2.** Sévère, rigoureux, sans faiblesse : *Raisonnement* ***implacable.*** **3.** À quoi on ne peut échapper : *Destin* ***implacable.*** 1455 ; lat. *implacabilis*, de *placabilis*, « qui se laisse fléchir » ; [ɛ̃plakabl].

**IMPLACABLEMENT,** adv.
De manière implacable. 1546 ; ☞ *implacable* ; [ɛ̃plakabləmɑ̃].

**IMPLANT,** subst. m.
*Pharm.* et *Chir.* **1.** Comprimé stérile inséré sous la peau et qui assure la diffusion prolongée d'un médicament dans l'organisme. **2.** Élément prothésique ou autogreffe destiné à être placé dans le corps : ***Implant*** *mammaire.* 1932 ; ☞ *implanter* ; [ɛ̃plɑ̃].

**IMPLANTABLE,** adj.
*Méd.* **1.** Qui peut être implanté, en parlant d'un organe, d'un tissu organique, d'une prothèse. **2.** Qui peut subir une implantation, en parlant d'un sujet. Mil. XXe s. ; ☞ *implanter* ; [ɛ̃plɑ̃tabl].

**IMPLANTATION,** subst. f.
**1.** Action d'implanter, fait de s'implanter ; son résultat. **2.** *Anat.* Manière dont les dents, les cheveux sont plantés. **3.** *Chir.* Insertion d'un implant sous la peau. 1555 ; ☞ *implanter* ; [ɛ̃plɑ̃tasjɔ̃].

**IMPLANTER,** verbe trans. [3]
**1.** Insérer (une chose dans une autre). **2.** Introduire, installer (un groupe humain, qqch.) durablement, en un lieu donné : ***Implanter*** *une mode* ; ***Implanter*** *une usine à l'étranger.* **3.** *Chir.* Introduire (un implant) dans un organisme ; par méton. : ***Implanter*** *un animal.* Pronom. S'installer, se fixer. 1539 ; prob. bas lat. *implantare* ; [ɛ̃plɑ̃te].

**IMPLÉMENTER,** verbe trans. [3]
*Informat.* Équiper un ordinateur de (un logiciel, un accessoire, etc.), en aménageant sa configuration si nécessaire. V. 1970 ; angl. *to implement*, « exécuter, réaliser » ; [ɛ̃plemɑ̃te].

**IMPLEXE,** adj.
**1.** Vx. Dont l'intrigue est complexe, en parlant d'une œuvre littéraire. **2.** *Philos.* Qui ne se réduit pas à un schème, en parlant d'un concept. 1660 ; lat. *implexus*, de *implectere*, « entrelacer » ; [ɛ̃plɛks].

**IMPLICATION,** subst. f.
**1.** *Dr.* Action de mettre en cause qqn dans une affaire criminelle. **2.** Fait de s'impliquer, d'être impliqué, en parlant d'une personne : *Son* ***implication*** *dans le travail est excessive.* **3.** *Philos.* Relation entre deux choses qui consiste en ce que la première implique la seconde. **4.** *Math.* Connecteur noté $\Longrightarrow$ ou parfois $\rightarrow$ ; A et B étant des propositions, $A \Longrightarrow B$ (qu'on lit « A implique B » ou « A entraîne B » ou « Si A, alors B ») est vraie si et seulement si : A étant vraie, B est vraie, ou bien A est fausse (B pouvant indifféremment être vraie ou fausse dans ce cas). Plur. Méton. Ce qui est impliqué ; conséquences : *Les* ***implications*** *d'un choix.* 1611 (mil. XVe s., fait d'être embrouillé) ; lat. *implicatio* ; [ɛ̃plikasjɔ̃].

**IMPLICITE,** adj.
**1.** Qui n'est pas expressément formulé, mais se déduit aisément d'un fait, d'une proposition (anton. *explicite*) : *Volonté* ***implicite*** ; empl. subst. masc. : *L'****implicite***, ce qui est sous-entendu. **2.** *Math.* *Fonction* ***implicite*** : soit $f$ une fonction de $E \times F$ dans G, $c \in G$ fixé, l'égalité $f(x, y) = c$ définit une relation $\mathcal{R}$ de E vers F telle que $x \mathcal{R} y$ si et seulement si $f(x, y) = c$. Si $\mathcal{R}$ est une fonction, cette fonction est dite **implicite.** 1690 (1488, sans connaissance de la doctrine) ; lat. *implicitus*, « enveloppé » ; [ɛ̃plisit].

**IMPLICITEMENT,** adv.
De manière implicite. 1690 (1488, en combinant avec d'autres actions) ; ☞ *implicite* ; [ɛ̃plisitmɑ̃].

**IMPLIQUER,** verbe trans. [3]
**1.** *Dr.* Mettre (qqn) en cause dans une affaire judiciaire. **2.** Ext. Engager (qqn) dans une affaire fâcheuse ou risquée. **3.** Comporter implicitement : *Aimer* ***implique*** *des sacrifices.* **4.** *Math.* et *Log.* Entraîner par implication (une proposition). Pronom. S'investir : *S'****impliquer*** *dans un projet.* 1377 ; lat. *implicare*, « plier dans ; emmêler » ; [ɛ̃plike].

**IMPLORANT, ANTE,** adj.
Qui implore (littér.) : *Un regard, un ton* ***implorant.*** Mil. XVIIIe s. ; p. pr. de *implorer* ; [ɛ̃plɔʀɑ̃, ɑ̃t].

**IMPLORATION,** subst. f.
Action d'implorer, supplication (littér.). 1317 ; lat. *imploratio* ; [ɛ̃plɔʀasjɔ̃].

**IMPLORER,** verbe trans. [3]
**1.** Supplier avec humilité : ***Implorer*** *le ciel.* **2.** Demander de façon pressante : ***Implorer*** *l'indulgence du jury.* 1280 ; lat. *implorare* ; [ɛ̃plɔʀe].

**IMPLOSER,** verbe intrans. [3]
Faire implosion. V. 1960 ; ☞ *exploser* + *in-*[1] ; [ɛ̃ploze].

**IMPLOSIF, IVE,** adj. et subst. f.
*Phon.* Se dit de certaines consonnes dont l'articulation, dans la dernière phase de production, est différente lorsqu'elles se trouvent dans la deuxième moitié d'une syllabe : *Dans « capter », le « p » est* ***implosif,*** *alors qu'il est explosif dans « pétard ».* 1888 ; ☞ *explosif* + *in-*[1] ; [ɛ̃plozif, iv].

**IMPLOSION,** subst. f.
**1.** *Phon.* Première phase de l'articulation d'une consonne occlusive. **2.** *Techn.* Écrasement violent d'un corps creux soumis à une pression extérieure supérieure à sa résistance. **3.** Fig. Désagrégation interne d'un système : *L'****implosion*** *du bloc soviétique.* 1897 ; ☞ *explosion* + *in-*[1] ; [ɛ̃plozjɔ̃].

**IMPLUVIUM,** subst. m.
*Antiq. rom.* Dans une maison, bassin recueillant les eaux de pluie, au centre de l'atrium. 1837 ; lat. *impluvium*, de *impluere*, « pleuvoir dans » ; [ɛ̃plyvjɔm].

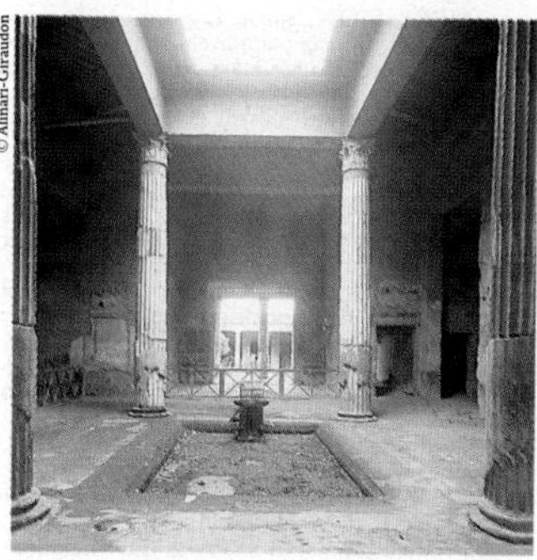


***Impluvium*** *de la maison des Noces d'argent (IIe s. av. J.-C.), à Pompéi.*

**IMPOLARISABLE,** adj.
*Électr.* Que l'on ne peut polariser : *Pile* ***impolarisable.*** 1876 ; ☞ *polariser* + *in-*[2] ; [ɛ̃pɔlaʀisabl].

**IMPOLI, IE,** adj.
**1.** Inculte, grossier (vx). **2.** Qui manque à la politesse ; empl. subst., personne **impolie.** 1588 (fin XIVe s., peu orné) ; ☞ *poli* (II) + *in-*[2] ; [ɛ̃pɔli].

**IMPOLIMENT,** adv.
De manière impolie : *Il sortit* ***impoliment,*** *sans saluer.* 1761 ; ☞ *impoli* ; [ɛ̃pɔlimɑ̃].

**IMPOLITESSE,** subst. f.
**1.** Manquement aux règles de la politesse, du savoir-vivre. **2.** Méton. Acte ou propos impoli. 1647 ; ☞ *politesse* + *in-*[2] ; [ɛ̃pɔlitɛs].

**IMPONDÉRABLE,** adj.
**1.** Trop léger pour être pesé : *Poussière* ***impondérable.*** **2.** Fig. Qui ne peut être évalué ni prévu, mais dont l'effet peut être décisif ; empl. subst. masc. (souv. au plur.) : *Les* ***impondérables*** *de l'existence.* 1795 ; ☞ *pondérable* + *in-*[2] ; [ɛ̃pɔ̃deʀabl].

**IMPOPULAIRE,** adj.
Qui n'a pas la faveur du plus grand nombre : *Chef* ***impopulaire.*** 1780 ; ☞ *populaire* + *in-*[2] ; [ɛ̃pɔpylɛʀ].

**IMPOPULARITÉ,** subst. f.
Manque de popularité ; caractère de ce qui est impopulaire. 1780 ; ☞ *popularité* + *in-*[2] ; [ɛ̃pɔpylaʀite].

**IMPORT,** subst. m.
Belg. Montant, total. ☞ *importer* (I) ; [ɛ̃pɔʀ].

**IMPORTABLE (I),** adj.
Immettable. XXe s. (1636, trop lourd pour être porté) ; ☞ *portable* + *in-*[2] ; [ɛ̃pɔʀtabl].

**IMPORTABLE (II),** adj.
Que l'on peut ou que l'on a le droit d'importer. 1802 ; ☞ *importer* (I) ; [ɛ̃pɔʀtabl].

**IMPORTANCE,** subst. f.
**1.** Caractère de ce qui est important : *L'****importance*** *d'un évènement.* ► Loc. *Prendre de l'****importance*** : se développer ; *C'est sans* ***importance*** : cela ne fait rien. **2.** Mesure, grandeur quantifiable : *L'****importance*** *des déficits publics.* **3.** Influence, prestige donné par le rang, le talent, les responsabilités : *L'****importance*** *d'un président de conseil régional.* **4.** Loc. **D'importance.** ► Loc adv. Fortement (vieilli) : *Tancer un enfant d'****importance.*** ► Loc. adj. Considérable : *Une nouvelle d'****importance.*** Mil. XVe s. ; ital. *importanza* ; [ɛ̃pɔʀtɑ̃s].

**IMPORTANT, ANTE,** adj. et subst. m.
Adj. **1.** Qui a de la valeur, de l'intérêt, de grandes conséquences : *Question* ***importante.*** **2.** Qui est grand quantitativement : *Gain* ***important.*** **3.** Qui est influent, puissant : *Personnage* ***important.*** Subst. **1.** Ce qui est essentiel : *L'****important,*** *c'est d'y croire.* **2.** Loc. *Faire l'****important*** : se conduire de manière prétentieuse (péj.). 1476 ; ital. *importante* ; [ɛ̃pɔʀtɑ̃, ɑ̃t].

**IMPORTATEUR, TRICE,** subst. et adj.
Se dit d'une personne, d'un organisme, d'un pays qui importe, qui fait du commerce d'importation. Mil. XVIIIe s. ; ☞ *importer* (I) ; [ɛ̃pɔʀtatœʀ, tʀis].

**IMPORTATION,** subst. f.
**1.** Action d'importer. **2.** Méton. Produit importé (gén. au plur.). **3.** Fig. Introduction : *L'****importation*** *d'une idée.* 1734 ; angl. *importation* ; [ɛ̃pɔʀtasjɔ̃].

**IMPORTER (I),** verbe trans. [3]
**1.** Introduire dans un pays (des marchandises provenant de l'étranger). **2.** Fig. Introduire dans un pays (des comportements, des coutumes d'autres nations). Fin XIVe s. ; lat. *importare* ; [ɛ̃pɔʀte].

**IMPORTER (II),** verbe [3]
Trans. indir. **Importer à.** Avoir de l'importance, de l'intérêt pour : *Les détails m'****importent*** *peu.* Impers. **1.** *Il* ***importe*** *de* (+ inf.), *que* (+ subj.) : il est nécessaire de, que. **2.** *Peu* ***importe,*** *qu'****importe*** : c'est sans importance. **3.** Loc. *N'****importe*** *qui, quoi* : une personne, une chose quelconque ; *N'****importe*** *quel* : qqch., qqn, quel qu'il soit ; *N'****importe*** *où, quand, comment* : en un lieu, en un temps, d'une façon quelconque. Mil. XVIe s. ; prob. ital. *importare*, du lat. *importare*, « être à la source de, causer » ; usité seulement aux 3es personnes ainsi qu'à l'inf. et au p. pr. ; [ɛ̃pɔʀte].

**IMPORT-EXPORT,** subst. m.
Commerce de produits importés et exportés. 1885 ; comp. de l'angl. *import*, « importation », et *export*, « exportation » ; plur. (rare) *imports-exports* ; [ɛ̃pɔʀɛkspɔʀ].

**IMPORTUN, UNE,** adj.
Littér. **1.** Qui ennuie par sa présence, son comportement déplacé, en parlant de qqn ; empl. subst. masc. : *Esquiver les* ***importuns.*** **2.** Qui incommode, gêne, survient mal à propos, en parlant de qqch. 1540 (1327, pressant) ; lat. *importunus*, de *portus*, « port, refuge » ; [ɛ̃pɔʀtœ̃, yn].

**IMPORTUNER,** verbe trans. [3]
**1.** Incommoder (qqn) par sa présence insistante. **2.** Ext. Gêner, en parlant d'une chose : *Ce vacarme m'****importune.*** Mil. XVe s. ; ☞ *importun* ; [ɛ̃pɔʀtyne].

**IMPORTUNITÉ,** subst. f.
Caractère d'une personne ou d'une chose importune (littér.). 1326 ; lat. *importunitas*, « position désavantageuse d'un lieu » ; [ɛ̃pɔʀtynite].

**IMPOSABLE,** adj.
Soumis à l'impôt. 1454 ; ☞ *imposer* ; [ɛ̃pozabl].

**IMPOSANT, ANTE,** adj.
**1.** Qui impose l'admiration, le respect ou la crainte : *Un air **imposant*** ; en partic. : *Elle est **imposante***, corpulente. **2.** Qui impressionne par son ampleur, sa quantité. 1715 ; p. pr. de *imposer* ; [ɛ̃pozɑ̃, ɑ̃t].

**IMPOSÉ, ÉE,** adj.
**1.** Obligatoire. **2.** Soumis à l'impôt ; empl. subst., contribuable. XIVe s. ; p. p. de *imposer* ; [ɛ̃poze].

**IMPOSER,** verbe trans. [3]
**I. TRANS. DIR. 1.** Soumettre (qqn) à l'impôt. **2.** Prélever un impôt sur (un revenu, une transaction). **3.** Obliger qqn, un groupe à subir (qqch.) : ***Imposer** silence à l'assemblée*. **4.** Obliger qqn, un groupe à admettre (qqn) ; par ext. : ***Imposer** sa présence*. **TRANS. INDIR.** *En **imposer** à qqn* : lui faire éprouver du respect ; *S'en laisser **imposer*** : se laisser impressionner. **PRONOM. 1.** Se faire reconnaître ou admettre, par sa force ou sa valeur. **2.** Imposer sa présence. **3.** Se forcer à : ***S'imposer** une discipline* ; ***S'imposer** de dormir*. **4.** Être indispensable : *Un changement **s'impose***. **II. TRANS. DIR. 1.** *Liturg.* ***Imposer** les mains* : les poser sur qqn pour le bénir ou lui conférer un sacrement. **2.** *Impr.* ***Imposer** une feuille* : disposer les pages de composition afin d'obtenir, après pliage, un cahier folioté doté de marges convenables. XIVe s. ; ☞ *poser* + *in-*¹, d'apr. le lat. *imponere*, « placer sur » ; [ɛ̃poze].

**IMPOSITION,** subst. f.
Action d'imposer ; son résultat : ***Imposition** d'un bénéfice* ; ***Imposition** des mains, des cendres* ; ***Imposition** d'une feuille*. Fin XIIIe s. ; lat. *impositio* ; [ɛ̃pozisjɔ̃].

**IMPOSSIBILITÉ,** subst. f.
**1.** Caractère de ce qui est impossible à concevoir, à réaliser. **2.** Méton. Chose impossible. Fin XIIIe s. ; lat. *impossibilitas* ; [ɛ̃pɔsibilite].

**IMPOSSIBLE,** adj. et subst. m.
**ADJ. 1.** Qui ne peut se réaliser : *Exigence **impossible** à satisfaire*. **2.** Très difficile : *Accomplir un voyage **impossible***. **3.** Invraisemblable, extravagant (fam.) : *Avoir des horaires **impossibles***. **4.** Insupportable (fam.) : *Cet enfant est **impossible***. **SUBST.** Ce qui ne peut être réalisé : *Vouloir **l'impossible***. ▸ Loc. *Par **impossible*** : bien que cela soit improbable (vieilli). Déb. XIIIe s. ; lat. *impossibilis* ; [ɛ̃pɔsibl].

**IMPOSTE,** subst. f.
**1.** *Archit.* Pierre en saillie couronnant un pilier et recevant l'extrémité d'un arc. **2.** *Menuis.* Châssis, fixe ou mobile, placé au-dessus d'une baie de porte ou de fenêtre. 1545 ; ital. *imposta*, du lat. *imponere*, « placer sur » ; [ɛ̃pɔst].

**IMPOSTEUR,** subst. m.
**1.** Personne qui trompe par des mensonges. **2.** Personne qui veut abuser autrui par de fausses apparences ; en partic., personne qui usurpe le nom, la qualité d'autrui. 1542 ; lat. *impostor* ; [ɛ̃pɔstœʀ].

**IMPOSTURE,** subst. f.
Action de tromper qqn par des mensonges, de fausses apparences ou en prenant l'identité d'une autre personne. Fin XIIe s. ; lat. *impostura* ; [ɛ̃pɔstyʀ].

**IMPÔT,** subst. m.
**1.** Prélèvement effectué par l'État et les collectivités locales, servant à couvrir les dépenses publiques ; ensemble des prélèvements. ▸ ***Impôt** direct* : perçu directement sur les revenus ou les bénéfices. ▸ ***Impôt** indirect* : perçu sur les transactions de biens ou de services. **2.** Fig. Contribution obligatoire. ▸ ***L'impôt** du sang* : l'obligation de servir sous les armes (vieilli). 1399 ; lat. *impositum* ; [ɛ̃po].

**IMPOTENCE,** subst. f.
État d'une personne impotente. Fin XIIIe s. ; lat. *impotentia*, « impuissance » ; [ɛ̃pɔtɑ̃s].

**IMPOTENT, ENTE,** adj.
Qui ne se meut qu'avec difficulté, en parlant d'une personne ; par ext. : *Un bras **impotent*** ; empl. subst., personne **impotente**. 1319 ; lat. *impotens*, « impuissant » ; [ɛ̃pɔtɑ̃, ɑ̃t].

**IMPRATICABLE,** adj.
**1.** Que l'on ne peut mettre en pratique, irréalisable : *Plan **impraticable***. **2.** Où il est impossible ou dangereux de passer. 1680 (1627, que l'on ne peut influencer) ; ☞ *praticable* + *in-*² ; [ɛ̃pʀatikabl].

**IMPRÉCATION,** subst. f.
**1.** Vx. *Antiq.* Invocation de la colère des dieux des Enfers contre qqn. **2.** Ext. Malédiction lancée contre qqn (littér.). Mil. XIVe s. ; lat. *imprecatio*, « malédiction » ; [ɛ̃pʀekasjɔ̃].

**IMPRÉCATOIRE,** adj.
Qui a trait à l'imprécation (littér.). Fin XVIe s. ; ☞ *imprécation* ; [ɛ̃pʀekatwaʀ].

**IMPRÉCIS, ISE,** adj.
**1.** Qui manque de précision, de netteté : *Une silhouette **imprécise***. **2.** Qui manque de clarté ; approximatif : *Esprit **imprécis***. **3.** Qui manque d'exactitude : *Montre **imprécise***. 1845 ; ☞ *précis* + *in-*² ; [ɛ̃pʀesi, iz].

**IMPRÉCISION,** subst. f.
**1.** Caractère de ce qui est imprécis. **2.** *Phys.* Marge d'erreur. 1845 ; ☞ *précision* + *in-*² ; [ɛ̃pʀesizjɔ̃].

**IMPRÉDICTIBLE,** adj.
Qui ne peut être prédit. XXe s. ; ☞ *prédire* + *in-*² ; [ɛ̃pʀediktibl].

**IMPRÉGNATION,** subst. f.
Action d'imprégner, fait de s'imprégner ; son résultat. Fin XIVe s. ; lat. médiév. *impraegnatio*, « conception » ; [ɛ̃pʀeɲasjɔ̃].

**IMPRÉGNER,** verbe trans. [8]
**1.** Vx. Féconder (un ovule). **2.** Faire pénétrer un fluide, une substance dans (qqch.) : ***Imprégner** d'encre un buvard*. **3.** Fig. Influencer (qqn) profondément : *Il **était imprégné** par les idées anarchistes propres à sa génération*. Déb. XIIe s. ; bas lat. *impraegnare*, « féconder » ; [ɛ̃pʀeɲe].

**IMPRENABLE,** adj.
**1.** Qui ne peut être pris : *Fort **imprenable***. **2.** *Vue **imprenable*** : qui ne peut être cachée par de nouvelles constructions ; par ext., vue magnifique. Mil. XIVe s. ; *prenable* (rare) + *in-*² ; [ɛ̃pʀənabl].

**IMPRÉPARATION,** subst. f.
Manque de préparation (littér.). 1794 ; ☞ *préparation* + *in-*² ; [ɛ̃pʀepaʀasjɔ̃].

**IMPRÉSARIO,** subst. m.
**1.** Vx. Entrepreneur de spectacles. **2.** Personne qui gère la vie professionnelle d'un artiste du spectacle. 1753 ; ital. *impresario*, « entrepreneur » ; var. *impresario* (plur. *impresarii*) ; [ɛ̃pʀesaʀjo] ou [-zaʀjo], plur. [-zaʀi].

**IMPRESCRIPTIBILITÉ,** subst. f.
*Dr.* Caractère de ce qui est imprescriptible. 1721 ; ☞ *imprescriptible* ; [ɛ̃pʀɛskʀiptibilite].

**IMPRESCRIPTIBLE,** adj.
**1.** *Dr.* Qui ne peut être aboli par prescription. **2.** Anal. Qui ne peut s'éteindre ; immuable : *Droits **imprescriptibles** de l'enfant*. 1481 ; ☞ *prescriptible* + *in-*² ; [ɛ̃pʀɛskʀiptibl].

**IMPRESSION,** subst. f.
**I. 1.** Empreinte laissée par une chose qui est pressée sur une matière : ***L'impression** de pas dans la boue*. **2.** Action d'imprimer à la surface de qqch. des caractères, des dessins en utilisant diverses techniques. ▸ Action d'imprimer un livre, un journal, etc. ; l'ensemble des techniques mises en œuvre. **3.** *Couche **d'impression*** : première couche de peinture appliquée sur un support pour le rendre moins absorbant. **II. 1.** Effet produit sur les sens, l'esprit par l'action d'un sentiment, d'un évènement, etc. : *Une **impression** de liberté*. ▸ Loc. *Donner **l'impression** de* : l'apparence, l'illusion de ; *Avoir **l'impression** de* : s'imaginer. **2.** Sentiment que confère une perception immédiate : *La première **impression** est la bonne*. ▸ Loc. *Faire **impression*** : étonner, se montrer à son avantage. Mil. XIIIe s. ; lat. *impressio* ; [ɛ̃pʀesjɔ̃].

**IMPRESSIONNABLE,** adj.
**1.** Facile à impressionner ; émotif. **2.** *Phot.* Sensible (vieilli). 1780 ; ☞ *impressionner* ; [ɛ̃pʀesjɔnabl].

**IMPRESSIONNANT, ANTE,** adj.
**1.** Qui impressionne vivement. **2.** Ext. Grandiose. XVIIIe s. ; p. pr. de *impressionner* ; [ɛ̃pʀesjɔnɑ̃, ɑ̃t].

**IMPRESSIONNER,** verbe trans. [3]
**1.** Faire une vive et forte impression sur (qqn) : *La vitesse **l'impressionne***. **2.** *Phot.* ***Impressionner** une pellicule* : y laisser une image. 1741 ; ☞ *impression* ; [ɛ̃pʀesjɔne].

**IMPRESSIONNISME,** subst. m.
**1.** Mouvement pictural français qui se développa dans le dernier quart du XIXe s. en réaction contre le réalisme et l'académisme, et dont les œuvres évoquent une impression lumineuse fugitive devant un paysage urbain ou rural. **2.** Ext. Tendance littéraire ou artistique se rattachant à ce mouvement. 1874 ; ☞ *impressionniste* ; [ɛ̃pʀesjɔnism].

PEINTURE – La première exposition impressionniste eut lieu en 1874 à Paris, dans l'atelier du photographe Nadar : le journaliste L. Leroy ironisa devant la toile de Claude Monet intitulée *Impression, soleil levant* (1872) en qualifiant d'« impressionnistes » les peintres Camille Pissarro, Auguste Renoir, Alfred Sisley et Edgar Degas. Ces artistes, constatant qu'un paysage se modifie en fonction des conditions climatiques, souhaitaient fixer sur leur toile une sensation instantanée (le soleil filtré par des feuillages, un jeu de reflets dans l'eau ou les volutes des fumées de train), au moyen de coloris clairs, vibrant par l'emploi systématique des touches superposées. Le chemin de fer apparaît à cette époque et devient le symbole de la modernité. Ainsi, dans la série des tableaux ayant pour sujet la gare Saint-Lazare (1877), Monet cherche à saisir le paysage urbain à travers l'épaisse fumée des trains. Les impressionnistes s'inspirent des éclairages violents des marines de William Turner et de ceux, plus réalistes et délicats, des plages normandes d'Eugène Boudin, mais aussi, dans leur cadrage, des estampes japonaises. L'invention du conditionnement de la peinture en tube leur permet de travailler en plein air, « sur le motif », ce qui implique une touche brossée rapidement et une certaine imprécision des formes due à l'épaisseur de la matière. Si le véritable sujet des *Meules de foin* (1891), des *Cathédrale de Rouen* (1894) ou des *Nymphéas* (1894-1920) de Monet est bien la lumière, cette dernière série ouvre la voie à l'abstraction, tant les formes semblent se dissoudre dans l'entrecroisement des touches aux variations chromatiques infinies.

**IMPRESSIONNISTE,** subst. et adj.
Se dit d'un peintre adepte de l'impressionnisme. **ADJ.** Qui relève de l'impressionnisme. 1874 ; ☞ *impression*, dans *Impression, soleil levant*, toile de Claude Monet ; [ɛ̃pʀesjɔnist].

**IMPRÉVISIBILITÉ,** subst. f.
Caractère de ce qui est imprévisible. 1907 ; ☞ *imprévisible* ; [ɛ̃pʀevizibilite].

**IMPRÉVISIBLE,** adj.
Que l'on ne peut pas prévoir. 1832 ; ☞ *prévisible* + *in-*² ; [ɛ̃pʀevizibl].

**IMPRÉVISION,** subst. f.
**1.** Manque de prévision, imprévoyance (rare). **2.** *Dr. Théorie de **l'imprévision*** : théorie juridique en vertu de laquelle un contrat avec l'administration peut être révisé en cas de circonstances imprévisibles. 1845 ; ☞ *prévision* + *in-*² ; [ɛ̃pʀevizjɔ̃].

**IMPRÉVOYANCE,** subst. f.
Manque de prévoyance. 1611 ; ☞ *prévoyance* + *in-*² ; [ɛ̃pʀevwajɑ̃s].

**IMPRÉVOYANT, ANTE,** adj. et subst.
Se dit d'une personne dénuée de prévoyance. 1596 ; ☞ *prévoyant* + *in-*² ; [ɛ̃pʀevwajɑ̃, ɑ̃t].

**IMPRÉVU, UE,** adj. et subst. m.
Se dit de ce que l'on n'avait pas prévu. 1535 ; ☞ *prévu* + *in-*² ; [ɛ̃pʀevy].

**IMPRIMABLE,** adj.
Qui peut être imprimé. 1583 ; ☞ *imprimer* ; [ɛ̃pʀimabl].

**IMPRIMANT, ANTE,** adj. et subst. f.
**ADJ.** Qui imprime ; qui sert à imprimer. **SUBST.** *Informat.* Périphérique d'impression. Mil. XXe s. ; p. pr. de *imprimer* ; [ɛ̃pʀimɑ̃, ɑ̃t].

**IMPRIMATUR,** subst. m.
**1.** Autorisation de publier un ouvrage, accordée par l'Église ou, jadis, par l'Université. **2.** Fig. Assentiment non formulé officiellement. 1844 ; lat. *imprimatur*, « que soit imprimé » ; [ɛ̃pʀimatyʀ].

**IMPRIMÉ,** subst. m.
**1.** Ouvrage ou document imprimé (par oppos. à *manuscrit*). **2.** Méton. *Les **imprimés*** : le département des **imprimés**, dans une bibliothèque. **3.** Tissu à motifs imprimés. 1532 ; p. p. de *imprimer* ; [ɛ̃pʀime].

**IMPRIMER,** verbe trans. [3]
**I.** Littér. **1.** Faire entrer (un sentiment, une opinion, un souvenir, etc.) dans l'esprit de qqn, et l'y fixer : ***Imprimer** la méfiance dans le cœur de qqn* ; empl. pronom. : *Son visage **s'est imprimé** dans ma mémoire*. **2.** Ext. Donner (un caractère particulier) : *Elle **imprime** son style à cette interprétation*. **3.** Communiquer, transmettre (un mouvement) : ***Imprimer** un nouvel élan*. **II. 1.** Former (une trace), dessiner (qqch.), en exerçant une pression ; empl. pronom. :

1

2

L'IMPRESSIONNISME EN PEINTURE

1. Le Déjeuner sur l'herbe *(1862), peinture d'Édouard Manet (1832-1883), inspirera à Claude Monet un des premiers tableaux impressionnistes. Musée d'Orsay, Paris.*

2. Impression, soleil levant *(1872), peinture de Claude Monet (1840-1926). Musée Marmottan, Paris.*

© Giraudon

© W. Peter-Explorer

3

4

5

© Giraudon

© Coll. ES-Explorer

© Giraudon

3. La Seine à Suresnes *(1877), peinture d'Alfred Sisley (1839-1899). Musée d'Orsay, Paris.*

4. Nu au soleil, *peinture d'Auguste Renoir (1841-1890). Musée d'Orsay, Paris.*

5. La Sieste *(1889) montre l'influence de l'impressionnisme sur l'œuvre de Vincent Van Gogh (1853-1890). Musée d'Orsay, Paris.*

*La trace de ses pas s'est **imprimée** dans la glaise.* **2.** Ext. Reproduire (un dessin, un signe, etc.) par pression : ***Imprimer** son sceau.* **3.** Reproduire (des textes, des images) sur une surface à l'aide de formes, plates (lithographie, report), en relief (typographie) ou en creux (héliogravure), enduites d'encre ou d'une autre matière colorante, ou par sérigraphie ; par méton. : ***Imprimer** un journal, une cotonnade* ; par ext., publier (des ouvrages ou des documents **imprimés**). **4.** *Peint.* Passer une couche d'impression sur (une toile, du bois, etc.). Mil. XIV$^e$ s. ; lat. *imprimere,* « presser ; laisser une empreinte sur » ; [ɛ̃pʀime].

**IMPRIMERIE,** subst. f.
**1.** Art d'imprimer des textes, des images, etc. ; ensemble des techniques utilisées. **2.** Méton. ▸ Atelier, établissement où l'on imprime ; matériel utilisé pour cette activité. ▸ Industrie de l'**imprimerie** et du façonnage des livres, brochures, etc. 1523 ; ☞ *imprimer* ; [ɛ̃pʀimʀi].

© Ch. Vioujard-Gamma

*L'**imprimerie** Maury de Manchecourt.*

**IMPRIMEUR,** subst. m.
**1.** Propriétaire d'une imprimerie. **2.** Personne qui travaille dans une imprimerie ; en appos. : *Ouvrier **imprimeur**.* 1441 ; ☞ *imprimer* ; [ɛ̃pʀimœʀ].

**IMPROBABILITÉ,** subst. f.
Caractère de ce qui est improbable. 1610 ; ☞ *improbable* ; [ɛ̃pʀɔbabilite].

**IMPROBABLE,** adj.
**1.** Vx. Condamnable. **2.** Que l'on ne peut pas prouver (vx). **3.** Qui a peu de chances de se produire. Fin XV$^e$ s. ; ☞ *probable + in-*$^2$ ; [ɛ̃pʀɔbabl].

**IMPROBITÉ,** subst. f.
Manque de probité (littér.). Mil. XIV$^e$ s. ; lat. *improbitas,* « mauvaise qualité ; perversité » ; [ɛ̃pʀɔbite].

**IMPRODUCTIF, IVE,** adj.
**1.** Qui ne produit pas ou ne peut rien produire : *Un sol **improductif**.* **2.** *Écon.* Qui ne concourt pas à la production ; empl. subst. : *Les **improductifs**.* 1785 ; ☞ *productif + in-*$^2$ ; [ɛ̃pʀɔdyktif, iv].

**IMPRODUCTIVITÉ,** subst. f.
Caractère d'une personne ou d'une chose improductive. 1840 ; ☞ *improductif* ; [ɛ̃pʀɔdyktivite].

**IMPROMPTU, UE,** subst. m., adj. et adv.
SUBST. **1.** *Litt.* Petit poème improvisé ou qui semble tel ; petite pièce de théâtre écrite rapidement. **2.** *Mus.* Courte composition dont la forme paraît improvisée. ADJ. Improvisé, spontané : *Une réunion **impromptue**.* ADV. À l'improviste, au pied levé : *Répondre **impromptu**.* 1651 ; lat. *in promptu,* « sous la main, tout prêt » ; [ɛ̃pʀɔ̃pty].

**IMPRONONÇABLE,** adj.
Que l'on ne peut pas prononcer. 1542 ; ☞ *prononcer + in-*$^2$ ; [ɛ̃pʀɔnɔ̃sabl].

**IMPROPRE,** adj.
**1.** Qui n'exprime pas exactement la pensée : *Terme **impropre**.* **2.** Loc. **Impropre à.** Inapte à : *Il est **impropre** à ce travail* ; qui ne convient pas à : ***Impropre** à la consommation.* 1372 ; lat. *improprius* ; [ɛ̃pʀɔpʀ].

**IMPROPREMENT,** adv.
D'une manière impropre. 1366 ; ☞ *impropre* ; [ɛ̃pʀɔpʀəmɑ̃].

**IMPROPRIÉTÉ,** subst. f.
*Ling.* Caractère de ce qui est impropre ; par méton., emploi incorrect d'un mot. 1488 ; lat. *improprietas* ; [ɛ̃pʀɔpʀijete].

**IMPROUVABLE,** adj.
Qu'il est impossible de prouver. 1444 ; *prouvable* (rare) + *in-*$^2$ ; [ɛ̃pʀuvabl].

**IMPROVISATEUR, TRICE,** subst.
Personne qui sait improviser. 1765 ; ☞ *improviser* ; [ɛ̃pʀɔvizatœʀ, tʀis].

**IMPROVISATION,** subst. f.
**1.** Art, action d'improviser : *L'**improvisation** musicale.* **2.** Méton. Ce que l'on improvise. 1807 ; ☞ *improviser* ; [ɛ̃pʀɔvizasjɔ̃].

**IMPROVISER,** verbe trans. [3]
**1.** Composer et exécuter dans le même temps (une œuvre musicale ou littéraire, un discours, etc.) ; empl. abs. : ***Improviser** brillamment.* **2.** Ext. Réaliser, organiser à la hâte (qqch.) sans préparation particulière : ***Improviser** une fête.* **3.** Confier inopinément une fonction, un rôle à ; empl. pronom. : *On ne s'**improvise** pas architecte.* 1642 ; ital. *improvvisare,* du lat. *improvisus,* « imprévu » ; [ɛ̃pʀɔvize].

**IMPROVISTE (À L'),** loc. adv.
D'une façon soudaine et inattendue. 1528 ; ital. *all'improvvista* ; [alɛ̃pʀɔvist].

**IMPRUDEMMENT,** adv.
De manière imprudente. 1508 ; ☞ *imprudent* ; [ɛ̃pʀydamɑ̃].

**IMPRUDENCE,** subst. f.
**1.** Manque de prudence. ▸ *Dr. Homicide par **imprudence*** : homicide involontaire commis à la suite d'un manque de précaution qui engage la responsabilité de son auteur. **2.** Caractère de ce qui est risqué, hasardeux. **3.** Méton. Acte imprudent. 1370 ; lat. *imprudentia* ; [ɛ̃pʀydɑ̃s].

**IMPRUDENT, ENTE,** adj.
**1.** Qui manque de prudence ; empl. subst. : *Quel **imprudent** !* **2.** Qui est dangereux, risqué : *Propos **imprudents**.* 1458 ; lat. *imprudens* ; [ɛ̃pʀydɑ̃, ɑ̃t].

**IMPUBÈRE,** subst. et adj.
Se dit de qqn qui n'a pas atteint le stade de la puberté. 1488 ; lat. *impubes,* « sans poil » ; [ɛ̃pybɛʀ].

**IMPUBERTÉ,** subst. f.
État d'une personne impubère (littér.). 1832 ; ☞ *puberté + in-*$^2$ ; [ɛ̃pybɛʀte].

**IMPUDEMMENT,** adv.
Avec impudence. 1461 ; ☞ *impudent* ; [ɛ̃pydamɑ̃].

**IMPUDENCE,** subst. f.
1. Attitude d'une personne qui agit avec insolence, cynisme ; caractère de ce qui est impudent : *Mentir avec **impudence** ; L'**impudence** d'un geste.* 2. Action, parole impudente. 1511 ; lat. *impudentia* ; [ɛ̃pydɑ̃s].

**IMPUDENT, ENTE,** adj.
1. Qui agit avec impudence ; empl. subst. : *Un odieux **impudent**.* 2. Qui révèle l'impudence : *Un regard **impudent**.* Déb. XVIe s. ; lat. *impudens* ; [ɛ̃pydɑ̃, ɑ̃t].

**IMPUDEUR,** subst. f.
1. Manque de pudeur. 2. Impudence (littér.). 1659 ; ☞ *pudeur* + *in-*2 ; [ɛ̃pydœʀ].

**IMPUDIQUE,** adj.
Qui manque de pudeur ; qui attente à la pudeur. Fin XIVe s. ; lat. *impudicus* ; [ɛ̃pydik].

**IMPUISSANCE,** subst. f.
1. Manque de force, de moyens pour agir. 2. *Pathol.* Chez l'homme, difficulté ou impossibilité d'obtenir une érection, due à un trouble physique ou psychique. 1361 ; ☞ *puissance* + *in-*2 ; [ɛ̃pɥisɑ̃s].

**IMPUISSANT, ANTE,** adj.
1. Qui est réduit à l'impuissance, en parlant d'un être vivant. 2. Méton. Inefficace : *Des efforts **impuissants**.* 3. *Pathol.* Atteint d'impuissance ; empl. subst. masc., homme **impuissant**. 1474 ; ☞ *puissant* + *in-*2 ; [ɛ̃pɥisɑ̃, ɑ̃t].

**IMPULSER,** verbe trans. [3]
Donner une impulsion à : ***Impulser** une machine ; **Impulser** un mouvement de grève.* V. 1940 (mil. XVIe s., pousser) ; ☞ *impulsion* ; [ɛ̃pylse].

**IMPULSIF, IVE,** adj.
1. Qui donne une impulsion (vieilli). 2. Ext. Qui agit sans réfléchir, dont la volonté cède à des impulsions ; empl. subst., personne **impulsive** ; par méton. : *Acte **impulsif**.* XVe s. ; bas lat. *impulsivus*, « qui incite » ; [ɛ̃pylsif, iv].

**IMPULSION,** subst. f.
1. Action de pousser : *Les feuilles s'envolaient sous l'**impulsion** du vent.* 2. Force qui, s'exerçant gén. pendant un temps très bref, crée un mouvement ; par méton., ce mouvement. ▸ *Phys.* Quantité de mouvement (ou variation de cette quantité). L'**impulsion** d'une particule de masse $m$ se déplaçant à la vitesse $v$ est $p = mv$ (en mécanique non relativiste). 3. Élan, incitation : *Donner une **impulsion** au tourisme local.* 4. Force qui pousse à agir ; penchant spontané. ▸ Ext. Tendance irrésistible : *L'**impulsion** pathologique du cleptomane.* Déb. XIVe s. ; lat. *impulsio* ; [ɛ̃pylsjɔ̃].

**IMPULSIVEMENT,** adv.
De manière impulsive. 1881 ; ☞ *impulsif* ; [ɛ̃pylsivmɑ̃].

**IMPULSIVITÉ,** subst. f.
Caractère impulsif de qqn ; par méton. : *L'**impulsivité** d'un geste.* 1907 ; ☞ *impulsif* ; [ɛ̃pylsivite].

**IMPUNÉMENT,** adv.
1. Sans subir ni encourir de punition. 2. Fig. Sans inconvénient, sans risque : *On ne s'affirme pas **impunément** supérieur aux autres.* 1553 ; ☞ *impuni* ; [ɛ̃pynemɑ̃].

**IMPUNI, IE,** adj.
Qui n'a pas été puni. 1320 ; lat. *impunitus* ; [ɛ̃pyni].

**IMPUNITÉ,** subst. f.
Absence de punition ; caractère de ce qui est impuni. ▸ Loc. *En toute **impunité*** : impunément. 1352 ; lat. *impunitas* ; [ɛ̃pynite].

**IMPUR, URE,** adj.
1. Qui est souillé par la présence de matières étrangères : *Un air **impur*** ; par anal. : *Un style **impur**.* 2. *Relig.* Moralement souillé ; dont on doit fuir le contact. 3. Fig. Corrompu, immoral ; en partic., contraire à la chasteté. XIIIe s. ; lat. *impurus* ; [ɛ̃pyʀ].

**IMPURETÉ,** subst. f.
1. Caractère de ce qui est impur. ▸ Méton. Corps étranger, qui rend impur : *Éliminer les **impuretés** de l'eau.* 2. État de ce qui est corrompu ; immoralité (vieilli). Fin XIVe s. ; lat. *impuritas* ; [ɛ̃pyʀte].

**IMPUTABILITÉ,** subst. f.
Caractère de ce qui est imputable. ▸ *Dr.* Condition requise pour qu'une infraction puisse être imputée à son auteur. 1759 ; ☞ *imputable* ; [ɛ̃pytabilite].

**IMPUTABLE,** adj.
Qui peut ou doit être imputé à qqn, à qqch. Mil. XIVe s. ; ☞ *imputer* ; [ɛ̃pytabl].

**IMPUTATION,** subst. f.
1. Action d'attribuer à qqn un acte, gén. blâmable. 2. *Fin.* Action d'imputer une somme à un compte. Mil. XVe s. ; lat. chrét. *imputatio* ; [ɛ̃pytasjɔ̃].

**IMPUTER,** verbe trans. [3]
1. Attribuer (gén. un acte blâmable) à qqn : ***Imputer** un crime, une erreur à qqn* ; par anal. : ***Imputer** un retard au verglas.* 2. *Fin.* Appliquer à un compte, à un budget : ***Imputer** les frais d'éclairage sur le budget communal.* Mil. XIIIe s. ; lat. *imputare* ; [ɛ̃pyte].

**IMPUTRESCIBILITÉ,** subst. f.
Propriété de ce qui est imputrescible. 1859 ; ☞ *imputrescible* ; [ɛ̃pytʀesibilite].

**IMPUTRESCIBLE,** adj.
Qui ne se putréfie pas : *Le teck, l'ébène sont des bois **imputrescibles**.* Fin XVe s. ; lat. *imputrescibilis* ; [ɛ̃pytʀesibl].

**In,** voir **INDIUM**

**IN,** adj. inv.
Anglic. À la mode (fam. et vieilli). V. 1960 ; angl. *in*, « dans » ; [in].

**INABORDABLE,** adj.
1. Où il est impossible d'aborder : *Une côte **inabordable*** ; par ext., inaccessible, ou difficilement accessible : *Un col **inabordable**.* 2. Fig. D'un abord difficile, en parlant d'une personne. 3. Ext. Trop cher. 1611 ; ☞ *abordable* + *in-*2 ; [inabɔʀdabl].

**INACCENTUÉ, ÉE,** adj.
*Ling.* Qui ne porte pas d'accent tonique (synon. *atone*). 1829 ; ☞ *accentué* + *in-*2 ; [inaksɑ̃tɥe].

**INACCEPTABLE,** adj.
Que l'on ne peut accepter : *Une conduite **inacceptable**.* 1779 ; ☞ *acceptable* + *in-*2 ; [inaksɛptabl].

**INACCESSIBILITÉ,** subst. f.
Caractère de ce qui est inaccessible. 1522 ; bas lat. *inaccessibilitas* ; [inaksɛsibilite].

**INACCESSIBLE,** adj.
1. Dont l'accès est impossible. 2. Fig. Que l'intelligence ne peut saisir. 3. Qui reste insensible à certains sentiments : ***Inaccessible** à la pitié.* 1372 ; bas lat. *inaccessibilis* ; [inaksɛsibl].

**INACCOMPLI, IE,** adj.
Qui n'a pas été fait ou achevé (littér.). 1834 ; ☞ *accompli* + *in-*2 ; [inakɔ̃pli].

**INACCOMPLISSEMENT,** subst. m.
Manque d'accomplissement (littér.). 1845 ; ☞ *accomplissement* + *in-*2 ; [inakɔ̃plismɑ̃].

**INACCORDABLE,** adj.
Rare. 1. Que l'on ne peut accorder : *Une faveur **inaccordable**.* 2. Que l'on ne peut mettre d'accord. 1776 ; ☞ *accordable* + *in-*2 ; [inakɔʀdabl].

**INACCOUTUMÉ, ÉE,** adj.
1. Inhabituel. 2. ***Inaccoutumé** à qqch.* : qui n'y est pas habitué. Fin XIVe s. ; ☞ *accoutumé* + *in-*2 ; [inakutyme].

**INACHEVÉ, ÉE,** adj.
Qui n'est pas achevé : *Le septennat **inachevé** de G. Pompidou.* 1783 ; ☞ *achevé* + *in-*2 ; [inaʃ(ə)ve].

**INACHÈVEMENT,** subst. m.
État de ce qui n'est pas achevé. 1836 ; ☞ *achèvement* + *in-*2 ; [inaʃɛvmɑ̃].

**INACTIF, IVE,** adj.
1. Qui n'a pas d'activité : *Un esprit **inactif**.* 2. Qui n'appartient pas à la population active ; empl. subst. : *Un **inactif**.* 3. Qui est sans effet : *Remède **inactif** contre la douleur.* 1717 ; ☞ *actif* + *in-*2 ; [inaktif, iv].

**INACTINIQUE,** adj.
*Phys.* Qualifie un rayonnement qui n'a aucune action chimique sur une surface sensible. 1904 ; ☞ *actinique* + *in-*2 ; [inaktinik].

**INACTION,** subst. f.
État d'une personne inactive ; absence d'activité : *L'**inaction** lui pèse.* 1647 ; ☞ *action* + *in-*2 ; [inaksjɔ̃].

**INACTIVER,** verbe trans. [3]
*Biochim.* Supprimer l'effet toxique de (une substance, un corps pathogène). 1911 ; ☞ *inactif*, d'apr. *activer* ; [inaktive].

**INACTIVITÉ,** subst. f.
1. Défaut d'activité ; inaction. 2. *Admin.* État d'un fonctionnaire qui n'est pas en activité. 1726 ; ☞ *activité* + *in-*2 ; [inaktivite].

**INACTUEL, ELLE,** adj.
Qui n'est pas d'actualité (littér.). 1893 ; ☞ *actuel* + *in-*2 ; [inaktɥɛl].

**INADAPTABLE,** adj.
Qui ne peut s'adapter. 1842 ; ☞ *adaptable* + *in-*2 ; [inadaptabl].

**INADAPTATION,** subst. f.
Manque d'adaptation, en partic. sociale. 1843 ; ☞ *adaptation* + *in-*2 ; [inadaptasjɔ̃].

**INADAPTÉ, ÉE,** adj.
1. Qui n'est pas adapté : *Des techniques **inadaptées** aux besoins.* 2. Qui n'est pas intégré à son milieu ; empl. subst., personne **inadaptée**. ▸ *Psychol. Enfance **inadaptée*** : ensemble des enfants qui ont un trouble affectif, associé ou non à d'autres handicaps, les empêchant de s'adapter au milieu familial ou social. 1845 ; ☞ *adapté* + *in-*2 ; [inadapte].

**INADÉQUAT, ATE,** adj.
Qui n'est pas adéquat ; inapproprié. 1760 ; ☞ *adéquat* + *in-*2 ; [inadekwa, at].

**INADÉQUATION,** subst. f.
Caractère de ce qui est inadéquat. 1907 ; ☞ *inadéquat* ; [inadekwasjɔ̃].

**INADMISSIBILITÉ,** subst. f.
Caractère de ce qui n'est pas admissible. 1789 ; ☞ *inadmissible* ; [inadmisibilite].

**INADMISSIBLE,** adj.
Que l'on ne saurait admettre : *Exigences **inadmissibles**.* 1475 ; ☞ *admissible* + *in-*2 ; [inadmisibl].

**INADVERTANCE,** subst. f.
Manque momentané d'attention (littér.) : *Commettre une erreur par **inadvertance**.* Mil. XIVe s. ; lat. médiév. *inadvertentia* ; [inadvɛʀtɑ̃s].

**INALIÉNABILITÉ,** subst. f.
*Dr.* Caractère de ce qui est inaliénable. 1722 ; ☞ *inaliénable* ; [inaljenabilite].

**INALIÉNABLE,** adj.
1. *Dr.* Qui ne peut être aliéné. 2. Qui ne peut être ôté (littér.). 1539 ; ☞ *aliénable* + *in-*2 ; [inaljenabl].

**INALIÉNATION,** subst. f.
*Dr.* État de ce qui n'est pas aliéné. 1764 ; ☞ *aliénation* + *in-*2 ; [inaljenasjɔ̃].

**INALTÉRABILITÉ,** subst. f.
Caractère de ce qui est inaltérable. 1724 ; ☞ *inaltérable* ; [inalteʀabilite].

**INALTÉRABLE,** adj.
Qui ne peut s'altérer ; au fig. : *Un sentiment **inaltérable**.* 1377 ; lat. médiév. *inalterabilis* ; [inalteʀabl].

**INAMICAL, ALE, AUX,** adj.
Qui n'est pas amical ; hostile. 1794 ; ☞ *amical* + *in-*2 ; [inamikal, o].

**INAMISSIBLE,** adj.
*Théol.* Qui ne peut se perdre : *Grâce **inamissible**.* 1457 ; lat. chrét. *inamissibilis* ; [inamisibl].

**INAMOVIBILITÉ,** subst. f.
1. *Dr.* Privilège dont jouissent certains magistrats et fonctionnaires de ne pouvoir être déplacés ou radiés sans leur consentement. 2. Ext. Immuabilité. 1774 ; ☞ *inamovible* ; [inamɔvibilite].

**INAMOVIBLE,** adj.
1. *Dr.* Qui ne peut être suspendu ou déplacé par voie administrative ordinaire : *Juge **inamovible*** ; par méton. : *Charge **inamovible**.* 2. Que l'on ne peut déplacer ; immuable. 1750 ; ☞ *amovible* + *in-*2 ; [inamɔvibl].

**INANIMÉ, ÉE,** adj.
1. Qui n'est pas vivant. 2. Qui a perdu la vie ou semble l'avoir perdue : *Elle tomba **inanimée**.* 3. Fig. Qui manque d'expression, de vivacité : *Des yeux **inanimés**.* 4. *Ling.* Qualifie les noms qui désignent des choses. 1478 ; ☞ *animé* + *in-*2 ; [inanime].

**INANITÉ,** subst. f.
1. Vx. Néant. 2. Caractère de ce qui est vain. 1495 ; lat. *inanitas*, « vide » ; [inanite].

**INANITION,** subst. f.
Faiblesse causée par une privation de nourriture : *Tomber, mourir d'**inanition**.* Mil. XIIIe s. ; bas lat. *inanitio*, « état de vide » ; [inanisjɔ̃].

**INAPAISEMENT,** subst. m.
Fait de ne pas être apaisé (littér.) : *L'**inapaisement** de l'âme.* 1866 ; ☞ *apaisement* + *in-*2 ; [inapɛzmɑ̃].

**INAPERÇU, UE,** adj.
Qui n'est pas aperçu. ▸ Loc. *Passer **inaperçu*** : ne pas être remarqué. 1770 ; p. p. de *apercevoir* + *in-*2 ; [inapɛʀsy].

**INAPPÉTENCE,** subst. f.
Manque d'appétit, de désir. 1549 ; ☞ *appétence* + *in-*2 ; [inapetɑ̃s].

**INAPPLICABLE,** adj.
Qui ne peut être appliqué : *Moyen, loi **inapplicable**.* 1762 ; ☞ *applicable* + *in-*2 ; [inaplikabl].

**INAPPLICATION, subst. f.**
**1.** Manque d'application, de sérieux, dans une tâche. **2.** Fait de ne pas appliquer une loi, un plan, etc. 1671 ; ☞ *application* + *in-*² ; [inaplikasjɔ̃].

**INAPPLIQUÉ, ÉE, adj.**
**1.** Qui manque d'application : *Élève **inappliqué**.* **2.** Qui n'a pas été mis en application : *Un décret **inappliqué**.* 1677 ; ☞ *appliqué* + *in-*² ; [inaplike].

**INAPPRÉCIABLE, adj.**
**1.** Que l'on ne peut évaluer : *Une quantité **inappréciable**.* **2.** D'une grande valeur : *Aide **inappréciable**.* Mil. XVe s. ; ☞ *appréciable* + *in-*² ; [inapʀesjabl].

**INAPPROCHABLE, adj.**
Que l'on ne peut approcher : *Star **inapprochable**.* Fin XVe s. ; *approchable* (rare) + *in-*² ; [inapʀɔʃabl].

**INAPPROPRIÉ, ÉE, adj.**
Qui n'est pas approprié : *Une expression **inappropriée**.* V. 1970 ; p. p. de *approprier* (I) + *in-*² ; [inapʀɔpʀije].

**INAPTE, adj.**
***Inapte** à* : qui n'est pas apte à ; empl. abs. : *Être déclaré **inapte**,* impropre au service national. Mil. XVe s. ; ☞ *apte* + *in-*² ; [inapt].

**INAPTITUDE, subst. f.**
Incapacité (à qqch., à faire qqch.) : ***Inaptitude** au sport.* 1380 ; ☞ *aptitude* + *in-*² ; [inaptityd].

**INARTICULÉ, ÉE, adj.**
Qui n'est pas articulé ; prononcé indistinctement : *Des sons **inarticulés**.* 1580 (XVe s., qui n'a pas les membres articulés) ; ☞ *articulé* + *in-*² ; [inaʀtikyle].

**INASSIMILABLE, adj.**
Qui n'est pas assimilable. 1834 ; ☞ *assimilable* + *in-*² ; [inasimilabl].

**INASSOUVI, IE, adj.**
Qui n'est pas assouvi : *Une rage **inassouvie**.* 1794 ; p. p. de *assouvir* + *in-*² ; [inasuvi].

**INASSOUVISSEMENT, subst. m.**
État de ce qui n'est pas assouvi. 1845 ; ☞ *assouvissement* + *in-*² ; [inasuvismɑ̃].

**INATTAQUABLE, adj.**
**1.** Que l'on ne peut attaquer, assaillir : *Un fort **inattaquable**.* **2.** Que l'on ne peut contester, critiquer : *Une conduite **inattaquable**.* **3.** Qui ne peut être corrodé : *Un métal **inattaquable**.* 1726 ; ☞ *attaquable* + *in-*² ; [inatakabl].

**INATTENDU, UE, adj.**
Que l'on n'attendait pas ; surprenant : *Une réaction **inattendue**.* 1613 ; p. p. de *attendre* + *in-*² ; [inatɑ̃dy].

**INATTENTIF, IVE, adj.**
Qui ne prête pas attention : *Auditeurs **inattentifs**.* 1723 ; ☞ *attentif* + *in-*² ; [inatɑ̃tif, iv].

**INATTENTION, subst. f.**
Défaut d'attention : *Un moment d'**inattention**.* 1662 ; ☞ *attention* + *in-*² ; [inatɑ̃sjɔ̃].

**INAUDIBLE, adj.**
**1.** Que l'oreille humaine ne perçoit pas : *Les ultrasons sont **inaudibles**.* **2.** Difficile à entendre. **3.** Désagréable à écouter : *Une musique **inaudible**.* 1840 ; bas lat. *inaudibilis* ; [inodibl].

**INAUGURAL, ALE, AUX, adj.**
Relatif à une inauguration : *Discours **inaugural**.* Fin XVIIe s. ; ☞ *inaugurer* ; [inogyʀal, o].

**INAUGURATION, subst. f.**
**1.** Vx. *Relig.* Consécration d'un édifice. **2.** Anal. Cérémonie marquant officiellement la mise en service d'un bâtiment, l'ouverture d'une manifestation culturelle, etc. **3.** Fig. Commencement, début (littér.). Mil. XIVe s. ; bas lat. *inauguratio* ; [inogyʀasjɔ̃].

**INAUGURER, verbe trans.** [3]
**1.** Vx. *Relig.* Consacrer (qqch., un lieu). **2.** Ouvrir, livrer officiellement au public : ***Inaugurer** un théâtre, une route.* **3.** Faire une première utilisation de. **4.** Fig. Marquer le début de : *Ce traité **inaugura** une ère de paix.* Mil. XIVe s. ; lat. *inaugurare* ; [inogyʀe].

**INAUTHENTICITÉ, subst. f.**
Caractère de ce qui est inauthentique. 1867 ; ☞ *inauthentique* ; [inotɑ̃tisite].

**INAUTHENTIQUE, adj.**
Qui n'est pas authentique. 1769 ; ☞ *authentique* + *in-*² ; [inotɑ̃tik].

**INAVOUABLE, adj.**
Qui n'est pas avouable : *Vice **inavouable**.* 1815 ; ☞ *avouable* + *in-*² ; [inavwabl].

**INAVOUÉ, ÉE, adj.**
Qui n'est pas avoué ; que l'on ne s'avoue pas. 1794 ; p. p. de *avouer* + *in-*² ; [inavwe].

**INCA, adj.**
Relatif aux Incas : *La civilisation **inca**.* 1558 ; quechua *inca*, « monarque » ; [ɛ̃ka].

© Giraudon

*Sanctuaire **inca** consacré à Viracocha (XIIIe-XVIe s.), à Cuzco (Pérou).*

**INCALCULABLE, adj.**
**1.** Considérable ; difficile à évaluer : *Conséquences **incalculables**.* **2.** Qui n'est pas calculable. 1779 ; *calculable* (rare) + *in-*² ; [ɛ̃kalkylabl].

**INCANDESCENCE, subst. f.**
*Phys.* Rayonnement électromagnétique lumineux dû à la transformation de l'énergie thermique d'un corps porté à une certaine température : *Lampe à **incandescence**.* 1779 ; ☞ *incandescent* ; [ɛ̃kɑ̃desɑ̃s].

**INCANDESCENT, ENTE, adj.**
Qui est en incandescence. 1771 ; lat. *incandescens* ; [ɛ̃kɑ̃desɑ̃, ɑ̃t].

**INCANTATION, subst. f.**
**1.** Emploi d'une formule magique ; par méton., cette formule. **2.** Fig. Action d'enchanter, d'émouvoir profondément : *L'**incantation** de sa poésie.* XIIIe s. ; bas lat. *incantatio*, du lat. *incantare*, « enchanter » ; [ɛ̃kɑ̃tasjɔ̃].

**INCANTATOIRE, adj.**
**1.** Qui constitue une incantation : *Phrase **incantatoire**.* **2.** Fig. Qui agit comme une incantation : *Rythme, discours **incantatoire**.* 1886 ; ☞ *incantation* ; [ɛ̃kɑ̃tatwaʀ].

**INCAPABLE, adj.**
**1.** *Dr.* Dont les droits civils sont restreints ou supprimés ; empl. subst. : *Les mineurs, les aliénés sont des **incapables**.* **2. Incapable de.** Qui n'est pas capable de : ***Incapable** de voler* ; ***Incapable** d'une mauvaise action.* **3.** Incompétent, sans talent : *Des généraux **incapables*** ; empl. subst. : *C'est un **incapable**.* 1464 ; ☞ *capable* + *in-*² ; [ɛ̃kapabl].

**INCAPACITANT, ANTE, adj.**
*Milit.* Qui met temporairement hors de combat ; empl. subst. masc., substance **incapacitante**. V. 1970 ; angl. *incapacitant*, de *incapacitate*, « rendre incapable » ; [ɛ̃kapasitɑ̃, ɑ̃t].

**INCAPACITÉ, subst. f.**
**1.** *Dr.* Inaptitude légale à jouir d'un droit ou à l'exercer. **2.** État d'une personne à qui il est impossible de faire qqch. ; incompétence. ▸ ***Incapacité** de travail* : état de qqn qui ne peut travailler à cause d'un accident, d'une maladie. 1534 ; ☞ *capacité* + *in-*² ; [ɛ̃kapasite].

**INCARCÉRATION, subst. f.**
**1.** Action d'incarcérer. **2.** État d'une personne incarcérée. 1418 (1314, rétention du placenta) ; ☞ *incarcérer* ; [ɛ̃kaʀseʀasjɔ̃].

**INCARCÉRER, verbe trans.** [8]
**1.** Mettre en prison. **2.** Ext. Enfermer. XIIIe s. ; lat. médiév. *incarcerare*, du lat. *carcer*, « prison » ; [ɛ̃kaʀseʀe].

**INCARNADIN, INE, adj.**
D'un rouge plus clair que l'incarnat. 1580 ; ital. *incarnatino*, de *incarnato*, « incarnat » ; [ɛ̃kaʀnadɛ̃, in].

**INCARNAT, ATE, adj. et subst. m.**
Adj. Rouge vif tirant vers le rose. Subst. La couleur **incarnate** ; en partic., couleur que prend le visage lorsqu'on rougit. Déb. XVIe s. ; ital. *incarnato*, de *carne*, « chair » ; [ɛ̃kaʀna, at].

**INCARNATION, subst. f.**
**1.** *Myth.* et *Relig.* Action de s'incarner ; son résultat. ▸ *Théol.* *L'**Incarnation*** : mystère par lequel le Verbe de Dieu a pris chair en la personne de Jésus-Christ. **3.** Manifestation visible d'une réalité abstraite : *Cette femme est l'**incarnation** de la bonté.* Déb. XIIe s. ; lat. eccl. *incarnatio* ; [ɛ̃kaʀnasjɔ̃].

**INCARNER, verbe trans.** [3]
**1.** *Myth.* et *Relig.* Donner un corps à (une divinité). **2.** Anal. Représenter (une abstraction) sous une forme matérielle : *Cet homme **incarne** la rigueur.* **3.** Interpréter (un personnage, un rôle), au théâtre ou dans la vie : *Elle **incarne** Ophélie* ; *Il **incarne** le chef toujours sûr de lui.* Pronom. **1. S'incarner dans, en.** ▸ *Myth.* et *Relig.* Prendre le corps de chair de : *Zeus s'**incarna** en cygne* ; empl. abs. : *Le Verbe s'est **incarné**.* ▸ Se matérialiser sous la forme de : *Tous nos espoirs s'**incarnent** en elle.* **2.** *Pathol.* Pénétrer dans la chair, en parlant d'un ongle ; empl. adj. : *Ongle **incarné**.* Mil. XIVe s. ; lat. eccl. *incarnare* ; [ɛ̃kaʀne].

**INCARTADE, subst. f.**
**1.** Vx. Insulte brusque et inconsidérée. **2.** Léger écart de conduite. **3.** *Équit.* Écart brusque du cheval. 1612 ; ital. *inquartata*, terme d'escrime ; [ɛ̃kaʀtad].

**INCASSABLE, adj.**
Qui n'est pas cassable ; qui est difficilement cassable. 1801 ; ☞ *cassable* + *in-*² ; [ɛ̃kɑsabl].

**INCENDIAIRE, subst. et adj.**
Subst. Personne qui allume volontairement un incendie. Adj. **1.** Destiné à causer un incendie : *Bombe **incendiaire**.* **2.** Fig. Séditieux, propre à enflammer les esprits : *Discours **incendiaire**.* XIIIe s. ; lat. *incendiarius* ; [ɛ̃sɑ̃djɛʀ].

**INCENDIE, subst. m.**
**1.** Grand feu destructeur qui se propage rapidement : ***Incendie** de forêt.* **2.** Anal. Lumière rougeoyante évoquant celle du feu : *L'**incendie** du soleil couchant.* **3.** Fig. Bouleversement : *Jeter l'**incendie** dans un cœur.* 1575 ; lat. *incendium* ; [ɛ̃sɑ̃di].

**INCENDIER, verbe trans.** [6]
**1.** Mettre en feu, détruire par le feu (qqch.) ; empl. adj. : *Maison **incendiée**.* **2.** Anal. Illuminer : *Le soleil **incendiait** l'horizon.* **3.** Fig. Enflammer (l'esprit, les sens). **4. *Incendier qqn*** : le couvrir de reproches violents (fam.). 1596 ; ☞ *incendie* ; [ɛ̃sɑ̃dje].

**INCERTAIN, AINE, adj. et subst. m.**
Adj. **1.** Qui n'est pas fixé, pas connu à l'avance ; aléatoire : *La date de son retour est **incertaine**.* ▸ *Temps **incertain*** : variable, dont l'évolution n'est pas prévisible. **2.** Douteux, contestable : *Une paternité **incertaine**.* **3.** Vague, imprécis : *Une mesure, une couleur **incertaine*** ; faible : *Lueur **incertaine**.* **4.** Indécis, hésitant, en parlant d'une personne : *Il est **incertain** de sa victoire*, il en doute ; par ext. : *Sourire **incertain**,* qui dénote l'hésitation. Subst. *Fin.* Cours d'une devise étrangère exprimé en monnaie nationale. 1329 ; ☞ *certain* + *in-*² ; [ɛ̃sɛʀtɛ̃, ɛn].

**INCERTITUDE, subst. f.**
**1.** Caractère de ce qui est incertain. **2.** Méton. Chose imprévisible : *La vie est faite d'**incertitudes**.* **3.** État d'une personne indécise : *L'**incertitude** d'un témoin.* **4.** *Arithm.* ***Incertitude** sur une approximation d'un nombre* : majorant de la valeur absolue de l'erreur (par ex. : 3,141 6 est une approximation de $\pi$ avec une **incertitude** de $10^{-4}$). Fin XVe s. ; ☞ *certitude* + *in-*² ; [ɛ̃sɛʀtityd].

**INCESSAMMENT, adv.**
**1.** Vx. Sans cesse. **2.** D'un instant à l'autre, tout de suite. 1358 ; ☞ *incessant* ; [ɛ̃sɛsamɑ̃].

**INCESSANT, ANTE, adj.**
Qui ne cesse pas : *Un bruit **incessant*** ; qui se répète, continuel : *Des récriminations **incessantes**.* 1552 ; ☞ *cesser* + *in-*² ; [ɛ̃sɛsɑ̃, ɑ̃t].

**INCESSIBILITÉ, subst. f.**
*Dr.* Caractère de ce qui est incessible. 1819 ; ☞ *incessible* ; [ɛ̃sɛsibilite].

**INCESSIBLE, adj.**
*Dr.* Qui n'est pas cessible : *Titre, privilège **incessible**.* 1576 ; ☞ *cessible* + *in-*² ; [ɛ̃sɛsibl].

**INCESTE, subst. m.**
Relations sexuelles entre deux personnes dont les liens de parenté entraînent, selon la loi d'une société ou d'un peuple, une interdiction de mariage : ***Inceste** père-fille, mère-fils.* Fin XIIIe s. ; lat. *incestum* ; [ɛ̃sɛst].

**INCESTUEUX, EUSE, adj.**
**1.** Qui constitue un inceste : *Relation **incestueuse**.* **2.** Coupable d'inceste : *Père **incestueux**.* **3.** Qui est né d'un inceste : *Enfant **incestueux**.* Mil. XIVe s. ; bas lat. *incestuosus* ; [ɛ̃sɛstɥø, øz].

**INCHANGÉ, ÉE,** adj.
Qui n'a subi aucun changement : *Le score reste* ***inchangé***. 1794 ; p. p. de *changer* + *in-*[2] ; [ɛ̃ʃɑ̃ʒe].

**INCHOATIF, IVE,** adj.
*Ling.* Qui exprime le commencement, la progression d'une action (par ex. : « s'endormir », « se mettre à ») : *Verbes* ***inchoatifs*** ou, empl. subst. masc., *Les* ***inchoatifs***. XIVe s. ; bas lat. *inchoativus*, du lat. *inchoare*, « commencer » ; [ɛ̃kɔatif, iv].

**INCIDEMMENT,** adv.
De façon incidente, accidentellement. 1310 ; ☞ *incident* ; [ɛ̃sidamɑ̃].

**INCIDENCE,** subst. f.
**1.** Vx. Ce qui arrive fortuitement, incident. **2.** Rencontre d'une ligne ou d'une surface avec une autre ligne ou une autre surface. ▸ *Phys.* Direction d'un rayon lumineux par rapport à la surface sur laquelle il se réfléchit ou qu'il traverse : *Angle d'****incidence***, formé par un rayon lumineux incident et la perpendiculaire à la surface sur laquelle il tombe. Lorsqu'un rayon lumineux tombe sur un miroir plan, l'angle de réflexion est égal à l'angle d'**incidence**. **3.** *Écon.* Effet d'une charge fiscale supportée par une autre personne que le contribuable concerné. ▸ Ext. Conséquence, influence : *L'****incidence*** *du froid sur les récoltes.* Fin XIIIe s. ; ☞ *incident* ; [ɛ̃sidɑ̃s].

**INCIDENT, ENTE,** subst. m. et adj.
**Subst. 1.** Petit évènement fortuit, gén. contrariant : ***Incident*** *sans gravité* ; ***Incident*** *de parcours*, difficulté vite surmontée. **2.** Querelle ou accrochage peu important en soi, mais dont les conséquences peuvent être graves : ***Incident*** *diplomatique.* **3.** *Litt.* Fait ou récit accessoire qui interrompt l'action principale. **4.** *Dr.* Contestation accessoire qui interrompt ou retarde un procès. ▸ Anal. Contestation, désaccord, dans une réunion : *L'****incident*** *est clos*, n'en parlons plus. **Adj. 1.** *Dr.* Qui survient au cours d'une affaire, d'un procès : *Requête* ***incidente***. **2.** Accessoire, occasionnel : *Une question* ***incidente***. **3.** *Phys.* Qualifie une particule ou une radiation qui va heurter une surface ou une autre particule : *Un rayon* ***incident*** *qui traverse une lentille change de direction et devient un rayon réfracté.* **4.** *Gramm. Une proposition* ***incidente*** ou, empl. subst. fém., *Une* ***incidente*** : une incise. Fin XIIIe s. ; lat. *incidens*, de *incidere*, « venir par coïncidence » ; [ɛ̃sidɑ̃, ɑ̃t].

**INCINÉRATEUR,** subst. m.
Appareil servant à incinérer, en partic. les ordures ménagères. 1894 ; ☞ *incinérer* ; [ɛ̃sineʀatœʀ].

**INCINÉRATION,** subst. f.
Action d'incinérer ; en partic., crémation. Fin XIVe s. ; lat. médiév. *incineratio* ; [ɛ̃sineʀasjɔ̃].

**INCINÉRER,** verbe trans. [8]
Réduire en cendres : ***Incinérer*** *des ordures, des cadavres.* 1488 ; lat. médiév. *incinerare* ; [ɛ̃sineʀe].

**INCIPIT,** subst. m. inv.
Premiers mots d'un texte : *Catalogue d'****incipit***. 1840 ; lat. *incipit*, « il commence » ; [ɛ̃sipit].

**INCISE,** subst. f.
*Gramm.* Proposition, gén. courte, insérée dans une phrase pour apporter une information secondaire (synon. *incidente*) ; empl. adj. fém. : *Proposition* ***incise***. 1770 ; lat. *incisa*, « coupée » ; [ɛ̃siz].

**INCISER,** verbe trans. [3]
Entailler avec un instrument tranchant : ***Inciser*** *un abcès.* Déb. XVe s. ; anc. fr. *enciser*, du lat. pop. °*incisare*, d'apr. *incision* ; [ɛ̃size].

**INCISIF, IVE,** adj. et subst. f.
**Adj. 1.** Qui incise (vx). **2.** Fig. Pénétrant, mordant : *Regard, style* ***incisif***. **Subst.** Dent plate et tranchante des mammifères, munie d'une seule racine, située à l'avant de la mâchoire et servant à couper les aliments. 1545 (1314, propre à dissoudre les humeurs) ; lat. médiév. *incisivus* ; [ɛ̃sizif, iv].

**INCISION,** subst. f.
Action d'inciser ; son résultat : ***Incision*** *de l'écorce d'un arbre.* 1314 ; bas lat. *incisio* ; [ɛ̃sizjɔ̃].

**INCISURE,** subst. f.
**1.** *Anat.* Sillon ou dépression à la surface d'un organe. **2.** *Bot.* Découpure irrégulière d'un organe. XVe s. ; lat. *incisura* ; [ɛ̃sizyʀ].

**INCITANT, ANTE,** adj. et subst. m.
*Méd.* Excitant. 1835 ; p. pr. de *inciter* ; [ɛ̃sitɑ̃, ɑ̃t].

**INCITATEUR, TRICE,** subst.
Personne qui incite ; par ext. : *La faim, grande* ***incitatrice*** *de révoltes.* 1470 ; bas lat. *incitator* ; [ɛ̃sitatœʀ, tʀis].

**INCITATIF, IVE,** adj.
Qui incite. 1481 ; ☞ *incitation* ; [ɛ̃sitatif, iv].

**INCITATION,** subst. f.
Action d'inciter ; ce qui incite : ***Incitation*** *à la débauche.* Fin XIVe s. ; lat. *incitatio*, « action de mettre en mouvement » ; [ɛ̃sitasjɔ̃].

**INCITER,** verbe trans. [3]
Pousser (qqn) à qqch., à faire qqch. : ***Inciter*** *un ami à la dépense, à agir.* Fin XIVe s. ; lat. *incitare* ; [ɛ̃site].

**INCIVIL, ILE,** adj.
Impoli, discourtois (littér.) : *Personne, attitude* ***incivile***. Fin XIVe s. ; lat. *incivilis*, « brutal » ; [ɛ̃sivil].

**INCIVILITÉ,** subst. f.
Littér. Manque de civilité, impolitesse ; parole, acte incivil. 1566 (1408, caractère de ce qui est contraire aux lois civiles) ; ☞ *incivil* ; [ɛ̃sivilite].

**INCIVIQUE,** adj. et subst.
**Adj.** Qui est indigne d'un citoyen : *Propos* ***inciviques***. **Subst.** Belg. Collaborateur, pendant l'Occupation. 1792 ; ☞ *civique* + *in-*[2] ; [ɛ̃sivik].

**INCLASSABLE,** adj.
Difficile à classer dans une catégorie : *Roman* ***inclassable***. 1842 ; ☞ *classer* + *in-*[2] ; [ɛ̃klasabl].

**INCLÉMENT, ENTE,** adj.
Littér. Rigoureux, sévère : *Verdict* ***inclément*** ; au fig. : *Temps* ***inclément***. 1546 ; lat. *inclemens* ; [ɛ̃klemɑ̃, ɑ̃t].

**INCLINABLE,** adj.
Dont on peut régler l'inclinaison : *Sièges* ***inclinables***. V. 1960 (1622, enclin à) ; ☞ *incliner* ; [ɛ̃klinabl].

**INCLINAISON,** subst. f.
**1.** État de ce qui est incliné par rapport au plan horizontal : *La forte* ***inclinaison*** *d'un toit.* **2.** Action de s'incliner : ***Inclinaison*** *de la tête* ; position inclinée : *L'****inclinaison*** *du skieur vers l'avant.* **3.** *Spéc.* ▸ *Astron.* Angle que fait le plan d'une orbite dans l'espace avec un plan de référence. Dans le cas des planètes, le plan de référence est celui de l'écliptique ; dans le cas des satellites, c'est celui de l'équateur de la planète. ▸ *Balist. Angle d'****inclinaison*** : angle que forme la trajectoire d'un projectile avec l'horizontale. ▸ *Phys.* ***Inclinaison*** *magnétique* : angle que forme la direction de l'induction magnétique terrestre (direction d'une aiguille aimantée suspendue par son centre de gravité) avec le plan horizontal en un lieu donné. Elle est positive si le pôle nord de l'aiguille se dirige vers le sol et négative dans le cas contraire. 1661 ; ☞ *incliner* ; [ɛ̃klinɛzɔ̃].

**INCLINATION,** subst. f.
**1.** Penchant, tendance spontanée : *Avoir de l'****inclination*** *pour les langues* ; en partic., penchant amoureux. **2.** Action d'incliner vers l'avant une partie du corps en signe de respect ou d'acquiescement. 1236 ; lat. *inclinatio* ; [ɛ̃klinasjɔ̃].

**INCLINER,** verbe [3]
**Trans. dir. 1.** Baisser vers le sol, pencher : ***Incliner*** *la tête* ; empl. pronom. : *Les blés s'****inclinent*** *sous le vent.* **2.** Fig. ▸ Soumettre : ***Incliner*** *sa volonté devant un ordre.* ▸ Rendre (qqn) enclin à : *Cela m'****incline*** *à penser que...* **Trans. indir. Incliner à.** Avoir une tendance pour : *J'****incline*** *à la franchise.* **Intrans.** Aller en penchant : *Le mur* ***incline***. **Pronom. 1. S'incliner devant.** Reconnaître l'autorité, la supériorité de. **2.** S'avouer vaincu : *S'****incliner*** *devant un adversaire.* 1213 ; lat. *inclinare* ; [ɛ̃kline].

**INCLURE,** verbe trans. [79]
**1.** Insérer : ***Incluez*** *ce document dans le dossier.* **2.** Contenir : *Strophe* ***incluant*** *dix vers.* Fin XVIe s. ; ☞ *inclus*, d'apr. *exclure* ; [ɛ̃klyʀ].

**INCLUS, USE,** adj.
**1.** Compris (dans) : *Voici le prix, T. V. A.* ***incluse*** ; *Les vacances durent jusqu'à mardi* ***inclus***. ▸ **Ci-inclus, ci-incluse.** Inséré dans cet envoi : *Vous trouverez ci-****inclus*** *copie de...* (empl. adv.) ; *Veuillez nous retourner la copie ci-****incluse*** (empl. adj.). **2.** *Dent* ***incluse*** : qui reste enfouie dans le maxillaire. **3.** *Math.* Un ensemble A est **inclus** dans un ensemble B, ou A est une partie de B, si tout élément de A est un élément de B (on note alors : $A \subset B$). 1394 ; lat. *inclusus*, de *includere*, « renfermer » ; [ɛ̃kly, yz].

**INCLUSIF, IVE,** adj.
*Log.* et *Math.* Qui renferme qqch. en soi. ▸ *« Ou »* ***inclusif*** : qui exprime qu'une valeur au moins est vraie dans deux propositions. Il est noté $\vee$ ou « et/ou » et est toujours employé en mathématique au sens **inclusif** (☞ *disjonction*). 1688 ; lat. médiév. *inclusivus*, « qui inclut » ; [ɛ̃klyzif, iv].

**INCLUSION,** subst. f.
**1.** Action d'inclure ; son résultat : ***Inclusion*** *d'une nouvelle clause dans un contrat.* **2.** État d'une chose incluse dans une autre : ***Inclusion*** *dentaire*, dent incluse. **3.** *Math.* Relation d'ordre partiel sur l'ensemble des parties d'un ensemble E, notée $\subset$ et définie par $A \subset B$ si et seulement si A est inclus dans B. **4.** *Pétrogr.* Corps solide, liquide ou gazeux contenu dans un cristal naturel : *Les* ***inclusions*** *avilissent le diamant.* 1605 (fin XIIe s., réclusion d'un moine) ; lat. *inclusio*, « emprisonnement » ; [ɛ̃klyzjɔ̃].

**INCLUSIVEMENT,** adv.
Y compris : *Jusqu'à lundi* ***inclusivement***. 1403 ; lat. médiév. *inclusivus*, « qui inclut » ; [ɛ̃klyzivmɑ̃].

**INCOERCIBLE,** adj.
Qu'on ne peut contenir ni maîtriser (littér.) : *Pleurs* ***incoercibles***. 1765 ; ☞ *coercible* + *in-*[2] ; [ɛ̃kɔɛʀsibl].

**INCOGNITO,** adv. et subst. m.
**Adv.** Sans dévoiler son identité ; secrètement : *Voyager* ***incognito***. **Subst.** Situation d'une personne qui cache son identité : *Garder l'****incognito***. 1581 ; ital. *incognito*, du lat. *incognitus*, « inconnu » ; [ɛ̃kɔɲito].

**INCOHÉRENCE,** subst. f.
État de ce qui est incohérent ; par méton., ce qui est incohérent : *Récit plein d'****incohérences***. 1700 ; ☞ *cohérence* + *in-*[2] ; [ɛ̃kɔeʀɑ̃s].

**INCOHÉRENT, ENTE,** adj.
Qui manque de cohérence, de cohésion, de logique : *Discours* ***incohérent*** ; *Un montage* ***incohérent***. ▸ *Phys. Ondes* ***incohérentes*** : dont la différence de phase n'est pas constante. 1751 ; ☞ *cohérent* + *in-*[2] ; [ɛ̃kɔeʀɑ̃, ɑ̃t].

**INCOLLABLE,** adj.
**1.** Qui est capable de répondre à n'importe quelle question (fam.). **2.** Qui ne colle pas à la cuisson : *Riz* ***incollable***. Mil. XXe s. ; ☞ *coller* + *in-*[2] ; [ɛ̃kɔlabl].

**INCOLORE,** adj.
**1.** Qui n'a pas de couleur : *Liquide* ***incolore***. **2.** Fig. Morne ; sans éclat : *Voix* ***incolore*** ; *Style* ***incolore***. 1797 ; bas lat. *incolor* ; [ɛ̃kɔlɔʀ].

**INCOMBER,** verbe trans. indir. [3]
**Incomber à.** Être imposé à, revenir à (qqn) : *Cette obligation m'****incombe*** ; empl. impers. : *Il vous* ***incombe*** *de l'achever.* 1789 ; lat. *incumbere*, « peser sur » ; [ɛ̃kɔ̃be].

**INCOMBUSTIBILITÉ,** subst. f.
Propriété de ce qui est incombustible. 1751 ; ☞ *incombustible* ; [ɛ̃kɔ̃bystibilite].

**INCOMBUSTIBLE,** adj.
Qui n'est pas combustible. 1361 ; lat. médiév. *incombustibilis* ; [ɛ̃kɔ̃bystibl].

**INCOMMENSURABLE,** adj.
**1.** *Math.* Qualifie deux grandeurs dont le rapport des mesures est un nombre irrationnel. **2.** Ext. Qualifie des choses qui n'ont pas de commune mesure : *Les ères géologiques et historiques sont* ***incommensurables***. **3.** Fig. Immense. Fin XIVe s. ; bas lat. *incommensurabilis* ; [ɛ̃kɔm(m)ɑ̃syʀabl].

**INCOMMODANT, ANTE,** adj.
Qui gêne, met mal à l'aise : *Odeur, bruit* ***incommodant***. 1690 ; p. pr. de *incommoder* ; [ɛ̃kɔmɔdɑ̃, ɑ̃t].

**INCOMMODE,** adj.
**1.** Qui cause un malaise, qui gêne : *Posture* ***incommode***. ▸ *Dr. Établissements* ***incommodes***, *insalubres ou dangereux* : dont le voisinage présente des inconvénients et qui sont soumis à une règlementation spéciale. **2.** Qui n'est pas d'usage pratique : *Meuble* ***incommode***. 1534 ; lat. *incommodus* ; [ɛ̃kɔmɔd].

**INCOMMODER,** verbe trans. [3]
Causer une gêne physique à (qqn) : *La fumée m'****incommode***. 1596 (fin XVe s., mettre à mal) ; lat. *incommodare* ; [ɛ̃kɔmɔde].

**INCOMMODITÉ,** subst. f.
Caractère de ce qui est incommode ; désagrément. 1389 ; lat. *incommoditas* ; [ɛ̃kɔmɔdite].

**INCOMMUNICABILITÉ,** subst. f.
**1.** Impossibilité de communiquer avec autrui. **2.** Caractère de ce qui est incommunicable. 1802 ; ☞ *incommunicable* ; [ɛ̃kɔ̃mynikabilite].

**INCOMMUNICABLE,** adj.
**1.** Qui est intransmissible : *Droit* ***incommunicable***, qui s'éteint avec son détenteur. **2.** Qu'on ne peut faire connaître à autrui : *Nostalgie* ***incommunicable***. 1470 ; bas lat. *incommunicabilis* ; [ɛ̃kɔmynikabl].

**INCOMMUTABLE,** adj.
**1.** Immuable (littér.). **2.** *Dr.* Qui ne peut changer

de propriétaire (synon. *inaliénable*) : *La propriété littéraire est **incommutable**.* 1372 ; lat. *incommutabilis* ; [ɛ̃kɔmytabl].

**INCOMPARABLE, adj.**
**1.** Qui n'est pas comparable : *Genres **incomparables**.* **2.** Qui est sans égal : *Spectacle **incomparable**.* Fin XIIe s. ; lat. *incomparabilis* ; [ɛ̃kɔ̃paʀabl].

**INCOMPARABLEMENT, adv.**
De façon incomparable. Fin XIIe s. ; ☞ *incomparable* ; [ɛ̃kɔ̃paʀabləmɑ̃].

**INCOMPATIBILITÉ, subst. f.**
**1.** Impossibilité de coexister, du fait d'une antipathie ou d'une différence essentielle : ***Incompatibilité** d'humeur, de deux remèdes, de deux ordinateurs.* **2.** *Biol.* et *Méd.* Impossibilité, pour des organes, des tissus, des cellules, de survivre après un transfert dans un autre organisme. ▸ ***Incompatibilité** sanguine* : rapport entre le sang d'un donneur et celui d'un receveur, tel que toute transfusion de l'un à l'autre provoque des accidents. **3.** *Dr.* Impossibilité de cumuler certaines fonctions. **4.** *Math.* Propriété d'un système d'équations incompatibles. Fin XVe s. ; ☞ *incompatible* ; [ɛ̃kɔ̃patibilite].

**INCOMPATIBLE, adj.**
**1.** Qui n'est pas compatible, qui ne peut coexister. **2.** *Spéc.* ▸ *Dr. Mandats, fonctions **incompatibles*** : dont le cumul est interdit. ▸ *Math. Système d'équations **incompatibles*** : n'ayant pas de solution. ▸ *Pharm. Médicaments **incompatibles*** : dont l'administration simultanée est dangereuse ou inefficace. ▸ *Stat. Évènements **incompatibles*** : ne pouvant se réaliser simultanément. Fin XVe s. ; lat. médiév. *incompatibilis* ; [ɛ̃kɔ̃patibl].

**INCOMPÉTENCE, subst. f.**
**1.** *Dr.* Inaptitude d'une autorité publique à accomplir un acte juridique : *Plaider l'**incompétence** d'un tribunal.* **2.** Ext. Manque des aptitudes, du savoir-faire requis. 1536 ; ☞ *incompétent* ; [ɛ̃kɔ̃petɑ̃s].

**INCOMPÉTENT, ENTE, adj.**
**1.** *Dr.* Qui n'est pas compétent. **2.** Qui n'est pas qualifié pour donner un avis ou effectuer un travail ; empl. subst., personne **incompétente**. 1505 ; bas lat. *incompetens*, « impropre » ; [ɛ̃kɔ̃petɑ̃, ɑ̃t].

**INCOMPLET, ÈTE, adj.**
Qui n'est pas complet, auquel il manque qqch. : *Ouvrage **incomplet** ; Liste **incomplète**.* 1746 (XVe s., inachevé) ; ☞ *complet* (I) + *in-*[2] ; [ɛ̃kɔ̃plɛ, ɛt].

**INCOMPLÈTEMENT, adv.**
De manière incomplète. 1503 ; ☞ *incomplet* ; [ɛ̃kɔ̃plɛtmɑ̃].

**INCOMPLÉTUDE, subst. f.**
**1.** État de ce qui est incomplet. **2.** *Log. Théorème d'**incomplétude*** : théorème de Gödel, démontrant qu'un système hypothético-déductif, s'il n'est pas fermé, comporte des propositions indécidables. **3.** *Psychol.* Sentiment d'insatisfaction éprouvé par certains psychasthéniques à propos de leurs propres pensées, paroles ou actions. 1903 ; ☞ *incomplet* ; [ɛ̃kɔ̃pletyd].

**INCOMPRÉHENSIBLE, adj.**
Que l'on ne peut comprendre, inconcevable, inintelligible : *Notion **incompréhensible** ; Jargon **incompréhensible**.* XIVe s. ; lat. *incomprehensibilis* ; [ɛ̃kɔ̃pʀeɑ̃sibl].

**INCOMPRÉHENSIF, IVE, adj.**
Qui manifeste de l'incompréhension envers qqn : *Professeur **incompréhensif** ; Attitude **incompréhensive**.* 1835 ; ☞ *compréhensif* + *in-*[2] ; [ɛ̃kɔ̃pʀeɑ̃sif, iv].

**INCOMPRÉHENSION, subst. f.**
Incapacité ou refus de comprendre qqch. ou qqn : *Rejeter une théorie par **incompréhension** ; Souffrir de l'**incompréhension** générale.* 1860 ; ☞ *compréhension* + *in-*[2] ; [ɛ̃kɔ̃pʀeɑ̃sjɔ̃].

**INCOMPRESSIBILITÉ, subst. f.**
Caractère de ce qui est incompressible. 1680 ; ☞ *compressible* + *in-*[2] ; [ɛ̃kɔ̃pʀesibilite].

**INCOMPRESSIBLE, adj.**
Qui ne peut être comprimé ou réduit : *Un solide **incompressible** ; Une peine **incompressible**.* 1680 ; ☞ *compressible* + *in-*[2] ; [ɛ̃kɔ̃pʀesibl].

**INCOMPRIS, ISE, adj.**
Qui n'est pas estimé à sa valeur : *Ouvrage **incompris*** ; empl. subst. : *Jouer les **incompris**.* Mil. XVe s. ; ☞ *compris* + *in-*[2] ; [ɛ̃kɔ̃pʀi, iz].

**INCONCEVABLE, adj.**
**1.** Qu'il est impossible de concevoir : *Un cercle pointu est **inconcevable**.* **2.** Ext. Qu'il est très difficile d'imaginer, de croire ou d'accepter : *Exploit **inconcevable** ; Insolence **inconcevable**,* inadmissible. 1584 ; ☞ *concevable* + *in-*[2] ; [ɛ̃kɔ̃s(ə)vabl].

**INCONCILIABLE, adj.**
Qui n'est pas conciliable : *Thèses **inconciliables**,* mutuellement exclusives ; *Intérêts **inconciliables**,* antagonistes. 1752 ; ☞ *conciliable* + *in-*[2] ; [ɛ̃kɔ̃siljabl].

**INCONDITIONNÉ, ÉE, adj.**
*Philos.* Qui n'est soumis à aucune condition, absolu. 1794 ; ☞ *conditionné* + *in-*[2] ; [ɛ̃kɔ̃disjɔne].

**INCONDITIONNEL, ELLE, adj.**
**1.** Qui ne comporte aucune condition : *Reddition **inconditionnelle**.* **2.** Qualifie un partisan opiniâtre de qqch. ou de qqn ; empl. subst. : *Une **inconditionnelle** de Lénine.* **3.** *Psychol. Réaction **inconditionnelle*** : réponse spécifique constante à un stimulus spécifique dit **inconditionnel**. 1777 ; ☞ *conditionnel* + *in-*[2], d'apr. l'angl. *unconditional* ; [ɛ̃kɔ̃disjɔnɛl].

**INCONDITIONNELLEMENT, adv.**
De manière inconditionnelle. 1845 ; ☞ *inconditionnel* ; [ɛ̃kɔ̃disjɔnɛlmɑ̃].

**INCONDUITE, subst. f.**
Conduite contraire aux bonnes mœurs ; débauche. 1693 ; ☞ *conduite* + *in-*[2] ; [ɛ̃kɔ̃dɥit].

**INCONFORT, subst. m.**
**1.** Défaut de confort : *L'**inconfort** d'une installation.* **2.** Fig. Sentiment de gêne, de malaise : ***Inconfort** intellectuel.* 1893 ; ☞ *confort* (II) + *in-*[2] ; [ɛ̃kɔ̃fɔʀ].

**INCONFORTABLE, adj.**
Qui n'est pas confortable. 1814 ; ☞ *confortable* + *in-*[2] ; [ɛ̃kɔ̃fɔʀtabl].

**INCONGRU, UE, adj.**
Contraire aux règles, à la bienséance : *Un rire, un bruit **incongru** ; Une idée **incongrue**,* déplacée. Fin XIVe s. ; bas lat. *incongruus* ; [ɛ̃kɔ̃gʀy].

**INCONGRUITÉ, subst. f.**
**1.** Caractère incongru de qqch. **2.** Méton. Propos ou acte incongru. Déb. XVIe s. ; bas lat. *incongruitas* ; [ɛ̃kɔ̃gʀɥite].

**INCONNAISSABLE, adj. et subst. m.**
Se dit de ce qui ne peut être connu. 1393 ; ☞ *connaissable* + *in-*[2] ; [ɛ̃kɔnɛsabl].

**INCONNU, UE, adj. et subst.**
**Adj. 1.** Que l'on ne connaît pas : *Cachette **inconnue** de tous* ; qui n'a aucune notoriété : *Chanteur **inconnu**.* ▸ Loc. ***Inconnu** au bataillon* : dont on n'a jamais entendu parler (fam.). **2.** Dont on n'a pas l'expérience : *Des plaisirs **inconnus**.* **Subst. 1.** Personne que l'on ne connaît pas : *Être abordé par un **inconnu**.* **2.** Personne qui n'est pas célèbre. **Subst. masc.** *L'**inconnu*** : ce qui est ignoré, mystérieux. **Subst. fém. 1.** *Math.* Grandeur variable dont la détermination donne la solution d'un problème, d'une équation ou d'une inéquation, ou d'un système d'équations ou d'inéquations, gén. notée par les dernières lettres de l'alphabet ($x$, $y$, $z$), éventuellement affectées d'indices ($x_1$, $x_2$, ..., $x_n$, $y_1$, $y_2$, ..., $y_p$, etc.). **2.** Fig. Élément indéterminé d'une opération intellectuelle quelconque. Fin XIVe s. ; ☞ *connu* + *in-*[2] ; [ɛ̃kɔny].

**INCONSCIEMMENT, adv.**
De manière inconsciente. 1862 ; ☞ *inconscient* ; [ɛ̃kɔ̃sjamɑ̃].

**INCONSCIENCE, subst. f.**
**1.** Absence ou manque de discernement, chez qqn ou dans son attitude : *L'**inconscience** du danger.* **2.** Absence de conscience, permanente ou temporaire : *Sombrer dans l'**inconscience**.* 1794 ; ☞ *conscience* + *in-*[2] ; [ɛ̃kɔ̃sjɑ̃s].

**INCONSCIENT, ENTE, adj. et subst. m.**
**Adj. 1.** Qui échappe à la conscience, machinal : *Geste **inconscient**.* **2.** Qui ne mesure pas les conséquences de ses actes : *Grimpeur **inconscient** du risque* ; empl. subst. : *C'est un **inconscient**.* **3.** Qui a perdu connaissance. **4.** *Physiol.* et *Psychol. Processus **inconscients*** : processus organiques et neurologiques qui échappent à la conscience (réflexes, régulations organiques, automatismes, etc.). **Subst.** *Psychanal.* Instance de fonctionnement de l'appareil psychique constituée d'éléments refoulés, dont Freud donna la première définition en 1900. ▸ ***Inconscient** collectif* : selon Jung, ensemble des symboles primitifs et universels enfouis dans le psychisme et transmis héréditairement. 1820 ; ☞ *conscient* + *in-*[2] ; [ɛ̃kɔ̃sjɑ̃, ɑ̃t].

**INCONSÉQUENCE, subst. f.**
**1.** Défaut de cohérence entre des idées, des actes. **2.** Caractère d'actes ou de propos irréfléchis. **3.** Parole, acte inconséquent. 1538 ; lat. *inconsequentia* ; [ɛ̃kɔ̃sekɑ̃s].

**INCONSÉQUENT, ENTE, adj.**
**1.** Qui manque de logique : *Raisonnement **inconséquent**.* **2.** Qui est fait ou dit à la légère : *Remarque **inconséquente**.* **3.** Qui agit ou parle à la légère. 1551 ; lat. *inconsequens* ; [ɛ̃kɔ̃sekɑ̃, ɑ̃t].

**INCONSIDÉRÉ, ÉE, adj.**
Irréfléchi et maladroit ; imprudent : *Propos **inconsidérés**.* 1509 ; lat. *inconsideratus* ; [ɛ̃kɔ̃sideʀe].

**INCONSIDÉRÉMENT, adv.**
De manière inconsidérée. 1549 ; ☞ *inconsidéré* ; [ɛ̃kɔ̃sideʀemɑ̃].

**INCONSISTANCE, subst. f.**
**1.** Absence de personnalité, d'envergure morale et intellectuelle : *L'**inconsistance** et la médiocrité vont de pair.* ▸ Manque d'intérêt, de densité : *L'**inconsistance** d'un roman.* ▸ *Log.* Propriété d'une théorie inconsistante. **2.** Défaut de consistance physique, de cohésion : *L'**inconsistance** d'une mayonnaise ratée.* 1738 ; ☞ *consistance* + *in-*[2], d'apr. l'angl. *inconsistence* ; [ɛ̃kɔ̃sistɑ̃s].

**INCONSISTANT, ANTE, adj.**
**1.** Qui manque de personnalité. ▸ Qui manque de profondeur, d'intérêt. ▸ *Log. Théorie **inconsistante*** : dans laquelle une proposition est à la fois démontrable et réfutable (synon. *contradictoire*). **2.** Qui manque de consistance physique. 1544 ; ☞ *consistant* + *in-*[2], d'apr. l'angl. *inconsistent* ; [ɛ̃kɔ̃sistɑ̃, ɑ̃t].

**INCONSOLABLE, adj.**
Qui ne peut se consoler : *Un veuf **inconsolable**.* Déb. XVIe s. ; lat. *inconsolabilis* ; [ɛ̃kɔ̃sɔlabl].

**INCONSOLÉ, ÉE, adj.**
Qui n'est pas consolé. Déb. XVIe s. ; p. p. de *consoler* + *in-*[2] ; [ɛ̃kɔ̃sɔle].

**INCONSOMMABLE, adj.**
Qui est impropre à la consommation. 1840 ; ☞ *consommable* + *in-*[2] ; [ɛ̃kɔ̃sɔmabl].

**INCONSTANCE, subst. f.**
**1.** Caractère versatile, changeant d'une personne : *L'**inconstance** du public* ; en partic., disposition à l'infidélité en amour. **2.** Caractère instable d'une chose (littér.) : ***Inconstance** de la chance.* Déb. XIIIe s. ; lat. *inconstantia* ; [ɛ̃kɔ̃stɑ̃s].

**INCONSTANT, ANTE, adj.**
Qui n'est pas constant, instable ; volage : *Humeur **inconstante** ; Épouse **inconstante**.* Fin XIIIe s. ; lat. *inconstans* ; [ɛ̃kɔ̃stɑ̃, ɑ̃t].

**INCONSTITUTIONNEL, ELLE, adj.**
*Dr.* Non conforme à la Constitution. Fin XVIIIe s. ; ☞ *constitutionnel* + *in-*[2] ; [ɛ̃kɔ̃stitysjɔnɛl].

**INCONSTRUCTIBLE, adj.**
Où il est interdit de construire. Mil. XXe s. ; ☞ *constructible* + *in-*[2] ; [ɛ̃kɔ̃stʀyktibl].

**INCONTESTABLE, adj.**
Qui n'est pas contestable : *Argument **incontestable**.* 1611 ; ☞ *contestable* + *in-*[2] ; [ɛ̃kɔ̃tɛstabl].

**INCONTESTABLEMENT, adv.**
De manière incontestable. 1660 ; ☞ *incontestable* ; [ɛ̃kɔ̃tɛstabləmɑ̃].

**INCONTESTÉ, ÉE, adj.**
Qui n'est pas contesté : *Victoire **incontestée**.* Fin XVIIe s. ; p. p. de *contester* + *in-*[2] ; [ɛ̃kɔ̃tɛste].

**INCONTINENCE, subst. f.**
**1.** Vx. Manque de retenue à l'égard des plaisirs sexuels, du point de vue de la morale chrétienne. **2.** *Pathol.* Émission involontaire ou inconsciente d'urines ou de selles. **3.** ***Incontinence** verbale* : manque de retenue dans les paroles (synon. *logorrhée*). XIIe s. ; lat. *incontinentia* ; [ɛ̃kɔ̃tinɑ̃s].

**INCONTINENT (I), adv.**
Sur-le-champ (littér.). Déb. XIVe s. ; lat. *in continenti tempore*, « dans un temps continu » ; [ɛ̃kɔ̃tinɑ̃].

**INCONTINENT (II), ENTE, adj.**
**1.** Vx. Qui pèche par incontinence. **2.** Qui manque de retenue dans ses paroles. **3.** *Pathol.* Qui souffre d'incontinence ; empl. subst., personne **incontinente**. Fin XIVe s. ; lat. *incontinens* ; [ɛ̃kɔ̃tinɑ̃, ɑ̃t].

**INCONTOURNABLE, adj.**
Que l'on ne peut éviter ; dont on doit tenir compte. V. 1980 ; ☞ *contourner* + *in-*[2] ; [ɛ̃kɔ̃tuʀnabl].

**INCONTRÔLABLE, adj.**
**1.** Que l'on ne peut vérifier : *Fait **incontrôlable**.* **2.** Que l'on ne peut maîtriser : *Panique **incontrôlable**.* 1614 ; ☞ *contrôler* + *in-*[2] ; [ɛ̃kɔ̃tʀolabl].

**INCONTRÔLÉ, ÉE,** adj.
Qui n'est pas vérifié ou maîtrisé. 1794 ; p. p. de *contrôler* + *in-*[2] ; [ɛ̃kɔ̃tʀole].

**INCONVENANCE,** subst. f.
**1.** Caractère de ce qui est inconvenant. **2.** Méton. Acte, propos inconvenant. 1573 ; ☞ *convenance* + *in-*[2] ; [ɛ̃kɔ̃v(ə)nɑ̃s].

**INCONVENANT, ANTE,** adj.
Qui est contraire aux convenances : *Tenue* ***inconvenante.*** 1790 ; p. pr. de *convenir* + *in-*[2] ; [ɛ̃kɔ̃v(ə)nɑ̃, ɑ̃t].

**INCONVÉNIENT,** subst. m.
**1.** Vx. Embarras, infortune. **2.** Conséquence ennuyeuse, désagréable d'une situation, d'une action : *Je n'y vois pas d'****inconvénient****,* cela ne me dérange pas. **3.** Désavantage inhérent à qqch. : *Les* ***inconvénients*** *de la promiscuité.* Déb. XIIIe s. ; bas lat. *inconveniens* ; [ɛ̃kɔ̃venjɑ̃].

**INCONVERTIBILITÉ,** subst. f.
*Fin.* État de ce qui est inconvertible : ***Inconvertibilité*** *d'une monnaie, d'un titre.* Mil. XXe s. ; ☞ *inconvertible* ; [ɛ̃kɔ̃vɛʀtibilite].

**INCONVERTIBLE,** adj.
**1.** Vx. *Relig.* Que l'on ne peut convertir. **2.** *Fin.* Que l'on ne peut échanger. 1546 ; lat. chrét. *inconvertibilis* ; [ɛ̃kɔ̃vɛʀtibl].

**INCOORDINATION,** subst. f.
**1.** Manque de coordination. **2.** *Pathol.* Ataxie. 1867 ; ☞ *coordination* + *in-*[2] ; [ɛ̃kɔɔʀdinasjɔ̃].

**INCORPORABLE,** adj.
Susceptible d'être incorporé. Déb. XIXe s. ; ☞ *incorporer* ; [ɛ̃kɔʀpɔʀabl].

**INCORPORATION,** subst. f.
**1.** Action d'intégrer une personne dans un groupe ; son résultat. ► *Milit.* Enregistrement d'une recrue dans le corps d'armée auquel elle est affectée. **2.** Action d'incorporer une chose dans une autre. **3.** *Psychanal.* Selon Freud, mode de relation à l'objet selon lequel le sujet, de façon fantasmatique ou réelle, fait pénétrer un objet (gén. de la nourriture) dans son corps, où il le conserve. 1461 ; bas lat. *incorporatio* ; [ɛ̃kɔʀpɔʀasjɔ̃].

**INCORPORÉITÉ,** subst. f.
Nature incorporelle d'un être (synon. *incorporalité*). 1769 ; *corporéité* (rare) + *in-*[2] ; [ɛ̃kɔʀpɔʀeite].

**INCORPOREL, ELLE,** adj.
**1.** Qui n'a pas de corps : *L'âme est* ***incorporelle****,* immatérielle. ► *Dr. Biens* ***incorporels*** : qui n'ont pas d'existence matérielle, tels les droits d'auteur, les noms de marques, etc. **2.** Qui n'est pas perçu par les sens. Déb. XIIIe s. ; lat. *incorporalis* ; [ɛ̃kɔʀpɔʀɛl].

**INCORPORER,** verbe trans. [3]
**1.** Intégrer (un élément) dans un ensemble. ► *Milit.* Effectuer l'incorporation de. **2.** Mélanger de façon homogène (une substance) avec une autre : ***Incorporer*** *du lait à la pâte.* 1411 (XIIe s., faire entrer dans le corps mystique de l'Église) ; bas lat. *incorporare* ; [ɛ̃kɔʀpɔʀe].

**INCORRECT, ECTE,** adj.
**1.** Qui comporte des fautes, des erreurs : *Schéma* ***incorrect.*** **2.** Inconvenant ; impoli : *Tenue* ***incorrecte*** ; *Attitude* ***incorrecte.*** **3.** Déloyal : *Être* ***incorrect*** *en affaires.* 1421 ; ☞ *correct* + *in-*[2] ; [ɛ̃kɔʀɛkt].

**INCORRECTION,** subst. f.
**1.** Faute de grammaire. **2.** Impolitesse : ***Incorrection*** *envers qqn.* 1512 ; ☞ *correction* + *in-*[2] ; [ɛ̃kɔʀɛksjɔ̃].

**INCORRIGIBLE,** adj.
Qui ne peut se corriger : *Un* ***incorrigible*** *menteur* ; *Une gourmandise* ***incorrigible.*** Mil. XIVe s. (1334, impuni) ; bas lat. *incorrigibilis* ; [ɛ̃kɔʀiʒibl].

**INCORRUPTIBILITÉ,** subst. f.
Caractère incorruptible d'une personne ou d'une chose : *L'****incorruptibilité*** *de l'or.* 1495 ; lat. chrét. *incorruptibilitas* ; [ɛ̃kɔʀyptibilite].

**INCORRUPTIBLE,** adj.
Qui n'est pas corruptible : *Matériau* ***incorruptible****,* inaltérable. ► *Juge* ***incorruptible*** : que l'on ne peut acheter ; empl. subst., personne que l'on ne peut corrompre : *L'****Incorruptible****,* surnom de Robespierre. XIIIe s. ; lat. *incorruptibilis* ; [ɛ̃kɔʀyptibl].

**INCRÉDIBILITÉ,** subst. f.
Caractère de ce qui n'est pas crédible. 1521 ; lat. *incredibilitas* ; [ɛ̃kʀedibilite].

**INCRÉDULE,** adj. et subst.
**Adj. 1.** Qui n'a pas de foi religieuse. **2.** Qui ne croit pas aisément ce qu'on lui dit : *Un jury* ***incrédule*** ; par méton. : *Une moue* ***incrédule.*** **Subst. 1.** Personne qui doute de la religion. **2.** Personne **incrédule.** Fin XIVe s. ; lat. *incredulus* ; [ɛ̃kʀedyl].

**INCRÉDULITÉ,** subst. f.
**1.** Doute religieux. **2.** Attitude d'une personne incrédule. Mil. Xe s. ; lat. *incredulitas* ; [ɛ̃kʀedylite].

**INCRÉÉ, ÉE,** adj.
Qui n'a pas été créé. 1458 ; p. p. de *créer* + *in-*[2] ; [ɛ̃kʀee].

**INCRÉMENT,** subst. m.
*Informat.* Quantité déterminée ajoutée à la valeur d'une variable à chaque itération d'une boucle d'un programme. 1974 (1529, accroissement) ; lat. *incrementum,* « accroissement » ; [ɛ̃kʀemɑ̃].

**INCREVABLE,** adj.
**1.** Qui ne peut être crevé. **2.** Très résistant, infatigable (fam.). 1895 ; ☞ *crever* + *in-*[2] ; [ɛ̃kʀəvabl].

**INCRIMINATION,** subst. f.
Action d'incriminer ; son résultat. 1829 ; ☞ *incriminer* ; [ɛ̃kʀiminasjɔ̃].

**INCRIMINER,** verbe trans. [3]
Mettre en cause, accuser. 1558 ; bas lat. *incriminare* ; [ɛ̃kʀimine].

**INCROCHETABLE,** adj.
Qu'il est impossible de crocheter : *Serrure* ***incrochetable.*** 1836 ; ☞ *crocheter* + *in-*[2] ; [ɛ̃kʀɔʃtabl].

**INCROYABLE,** adj. et subst. m.
**Adj. 1.** Qu'il est impossible ou très difficile de croire : ***Incroyable*** *mais vrai !* ; empl. subst. masc. : *L'****incroyable*** *était là, sous ses yeux.* **2.** Inouï, extrême : *Bonheur* ***incroyable*** ; qui dépasse les bornes : *Il est* ***incroyable****, avec ses exigences* ; *C'est* ***incroyable****, à la fin !,* inadmissible. **3.** Extravagant : *La reine et ses* ***incroyables*** *chapeaux.* **Subst.** *Hist.* Nom des jeunes gandins royalistes du début du Directoire, dont l'expression favorite était : « C'est **inc(r)oyable !** » Fin XVe s. ; ☞ *croyable* + *in-*[2] ; [ɛ̃kʀwajabl].

**INCROYABLEMENT,** adv.
De manière incroyable. Fin XVe s. ; ☞ *incroyable* ; [ɛ̃kʀwajabləmɑ̃].

**INCROYANCE,** subst. f.
Absence de foi religieuse. 1836 ; ☞ *croyance* + *in-*[2] ; [ɛ̃kʀwajɑ̃s].

**INCROYANT, ANTE,** adj. et subst.
**Adj.** Qui n'a pas de foi religieuse. **Subst.** Personne incroyante. 1783 ; ☞ *croyant* + *in-*[2] ; [ɛ̃kʀwajɑ̃, ɑ̃t].

**INCRUSTANT, ANTE,** adj.
Qui recouvre les objets d'une croûte minérale. 1752 ; p. pr. de *incruster* ; [ɛ̃kʀystɑ̃, ɑ̃t].

**INCRUSTATION,** subst. f.
**1.** Action d'incruster un élément dans un objet ; par méton., élément incrusté (gén. au plur.) : *Meuble à* ***incrustations*** *de nacre.* **2.** Anal. *Cout.* ***Incrustation*** *de dentelle* : motif de dentelle rapporté sur un tissu qui sera lui-même évidé suivant le contour du motif. **3.** Insertion d'une image dans une autre image, par un procédé électronique. **4.** *Minér.* et *Techn.* Dépôt minéral formant une croûte plus ou moins épaisse. 1553 ; bas lat. *incrustatio,* « revêtement de marbre » ; [ɛ̃kʀystasjɔ̃].

© P. Tetrel-Explorer

*Le deuxième sarcophage de Toutankhamon (XIVe s. av. J.-C.), recouvert d'or et d'****incrustations*** *de verre imitant des pierres précieuses. Musée égyptien du Caire.*

**INCRUSTER,** verbe trans. [3]
Orner (un objet) en fixant dans les creux pratiqués sur sa surface des éléments faits d'une autre matière : ***Incruster*** *d'ivoire les montants d'une commode* ; fixer (ces éléments) dans leur logement : ***Incruster*** *un fil d'or dans le dessin d'une lame* ; empl. adj. : *Une image* ***incrustée*** ; *Un plastron* ***incrusté*** *de dentelle.* **Pronom. 1.** Se couvrir d'un dépôt adhérent : *Canalisation qui s'****incruste*** *de tartre.* **2.** Fig. *S'****incruster*** *chez qqn* : y prolonger importunément son séjour (fam.). 1555 ; lat. *incrustare* ; [ɛ̃kʀyste].

**INCUBATEUR, TRICE,** adj. et subst. m.
**Adj.** Où s'effectue l'incubation. **Subst.** Couveuse. 1847 ; ☞ *incuber,* d'apr. *incubation* ; [ɛ̃kybatœʀ, tʀis].

**INCUBATION,** subst. f.
**1.** Action de couver des œufs ; *Temps d'****incubation****,* temps que met l'embryon pour se développer dans l'œuf. **2.** *Bactériol. Milieu d'****incubation*** : milieu nutritif qui permet à une bactérie de se multiplier en laboratoire. **3.** *Pathol.* Délai entre la contagion et l'apparition des premiers signes d'une maladie infectieuse. 1694 ; lat. *incubatio* ; [ɛ̃kybasjɔ̃].

**INCUBE,** subst. m.
Démon masculin qui abusait des femmes endormies (anton. *succube*). 1372 ; lat. *incubus* ; [ɛ̃kyb].

**INCUBER,** verbe trans. [3]
Effectuer l'incubation de. 1771 ; lat. *incubare* ; [ɛ̃kybe].

**INCULPATION,** subst. f.
*Dr.* Acte par lequel un juge d'instruction ouvrait une information judiciaire contre une personne soupçonnée d'infraction (auj. *mise en examen*). 1810 (1740, fait de considérer qqn comme coupable) ; bas lat. *inculpatio,* « accusation » ; [ɛ̃kylpasjɔ̃].

**INCULPÉ, ÉE,** adj. et subst.
*Dr.* Se dit d'une personne mise en examen. 1810 ; p. p. de *inculper* ; [ɛ̃kylpe].

**INCULPER,** verbe trans. [3]
*Dr.* Procéder à l'inculpation de (auj. *mettre en examen*). 1810 (1526, accuser) ; bas lat. *inculpare,* « blâmer, accuser » ; [ɛ̃kylpe].

**INCULQUER,** verbe trans. [3]
Enseigner durablement (qqch.) à qqn : ***Inculquer*** *les bonnes manières à ses enfants.* 1512 ; lat. *inculcare,* de *calcare,* « fouler » ; [ɛ̃kylke].

**INCULTE,** adj.
**1.** Dépourvu de culture intellectuelle : *Être* ***inculte.*** **2.** Qui n'est pas cultivé : *Sol* ***inculte.*** **3.** Négligé, en broussaille (vieilli) : *Toison* ***inculte.*** Fin XVe s. ; lat. *incultus* ; [ɛ̃kylt].

**INCULTIVABLE,** adj.
Qui ne peut être cultivé. 1776 ; ☞ *cultivable* + *in-*[2] ; [ɛ̃kyltivabl].

**INCULTURE,** subst. f.
État d'une personne manquant de culture. 1861 (1783, manque de soins) ; ☞ *culture* + *in-*[2] ; [ɛ̃kyltyʀ].

**INCUNABLE,** adj. et subst. m.
Qualifie ou désigne tout livre imprimé avant l'année 1500, aux débuts de l'imprimerie. 1802 ; lat. *incunabula,* « berceau, origine » ; [ɛ̃kynabl].

**INCURABLE,** adj.
**1.** Qui ne peut être guéri : *Malade* ***incurable*** ou, empl. subst., personne **incurable.** **2.** Fig. *Il est* ***incurable*** : il ne changera jamais. 1314 ; bas lat. *incurabilis* ; [ɛ̃kyʀabl].

**INCURIE,** subst. f.
Manque de soin, d'application dans l'exercice d'une fonction. 1611 ; lat. *incuria* ; [ɛ̃kyʀi].

**INCURIEUX, EUSE,** adj.
Qui n'est pas curieux (littér.). 1595 (fin XVe s., négligent) ; lat. *incuriosus* ; [ɛ̃kyʀjø, øz].

**INCURIOSITÉ,** subst. f.
Absence de curiosité, indifférence à apprendre (littér.). 1495 ; bas lat. *incuriositas,* « négligence » ; [ɛ̃kyʀjozite].

**INCURSION,** subst. f.
**1.** Attaque brève et soudaine, raid : *Une* ***incursion*** *de pillards.* **2.** Bref passage en un lieu : *Je fis une* ***incursion*** *au Louvre.* ► Irruption inopportune : *L'****incursion*** *de Léo dans la chambre de ses parents.* **3.** Fig. Intérêt momentané pour un domaine étranger au sien. Mil. XIVe s. ; lat. *incursio* ; [ɛ̃kyʀsjɔ̃].

**INCURVATION,** subst. f.
Action d'incurver ou fait de s'incurver ; courbure. Fin XIVe s. ; lat. *incurvatio* ; [ɛ̃kyʀvasjɔ̃].

**INCURVER,** verbe trans. [3]
Rendre courbe ; infléchir (littér.). **Pronom.** Devenir courbe : *Faîtière qui s'****incurve*** *vers le sol.* 1551 ; lat. *incurvare* ; [ɛ̃kyʀve].

**INCUS, USE,** adj. et subst. f.
*Numism.* Se dit d'une pièce de monnaie, d'une médaille dont le revers reproduit en creux la figure

qui apparaît en relief sur l'avers : *Frappe* ***incuse*** ; *Carré* ***incus***, marque d'un poinçon carré, sur les monnaies grecques archaïques. 1692 ; lat. *incusus*, « forgé au marteau » ; [ɛ̃ky, yz].

**INDATABLE, adj.**
Que l'on ne sait dater : *Un palimpseste* ***indatable***. Mil. XX^e s. ; ☞ *datable* + *in-*² ; [ɛ̃databl].

**INDE, subst. m.**
Couleur bleue, intense et violacée, tirée de l'indigo. Fin XII^e s. ; lat. *indicum*, « indigo » ; [ɛ̃d].

**INDÉBOULONNABLE, adj.**
Que l'on ne peut démettre de ses fonctions (fam.). Mil. XX^e s. ; ☞ *déboulonner* + *in-*² ; [ɛ̃debulɔnabl].

**INDÉBROUILLABLE, adj.**
Impossible à débrouiller (rare et fam.). 1764 ; ☞ *débrouiller* + *in-*² ; [ɛ̃debʀujabl].

**INDÉCELABLE, adj.**
Que l'on ne peut déceler. 1933 ; ☞ *déceler* + *in-*² ; [ɛ̃des(ə)labl].

**INDÉCENCE, subst. f.**
**1.** Caractère d'une personne indécente, de ce qui est contraire à la bienséance, à la pudeur, à la morale : *L'****indécence*** *d'un vêtement, d'une conduite* ; *Étaler son luxe avec* ***indécence***. **2.** Méton. Parole, action indécente. 1568 ; lat. *indecentia* ; [ɛ̃desɑ̃s].

**INDÉCENT, ENTE, adj.**
**1.** Contraire à la bienséance, inconvenant : *Rire* ***indécent***. **2.** Qui heurte la pudeur, grossier, voire obscène : *Tenue* ***indécente*** ; *Geste* ***indécent***. **3.** Qui choque par son côté exagéré : *Une fortune* ***indécente***. Fin XIV^e s. ; lat. *indecens* ; [ɛ̃desɑ̃, ɑ̃t].

**INDÉCHIFFRABLE, adj.**
Difficile ou impossible à déchiffrer. 1609 ; ☞ *déchiffrable* + *in-*² ; [ɛ̃deʃifʀabl].

**INDÉCHIRABLE, adj.**
Qui ne peut se déchirer. 1846 ; ☞ *déchirer* + *in-*² ; [ɛ̃deʃiʀabl].

**INDÉCIDABLE, adj.**
*Log.* *Proposition* ***indécidable*** : que l'on ne peut ni démontrer ni réfuter. 1957 ; ☞ *décidable* + *in-*² ; [ɛ̃desidabl].

**INDÉCIS, ISE, adj.**
**1.** Qui n'est pas décidé ou qui n'a pas fait l'objet d'une décision : *Question* ***indécise***. **2.** Ext. Imprécis, vague. **3.** Qui n'a pas pris de décision ou qui ne peut se décider ; par méton. : *Un air, un caractère* ***indécis***. ► Empl. subst. : *Un éternel* ***indécis***. 1747 (1467, non jugé) ; lat. médiév. *indecisus* ; [ɛ̃desi, iz].

**INDÉCISION, subst. f.**
**1.** Manque de décision. **2.** Caractère d'une personne indécise. **3.** Ext. Manque de précision. 1611 ; ☞ *indécis* ; [ɛ̃desizjɔ̃].

**INDÉCLINABLE, adj.**
*Gramm.* Qui ne se décline pas ; empl. subst. masc. : *Les adverbes sont des* ***indéclinables***. Fin XIV^e s. ; lat. *indeclinabilis*, « qui ne dévie pas » ; [ɛ̃deklinabl].

**INDÉCODABLE, adj.**
Qui ne peut être décodé. XX^e s. ; ☞ *décoder* + *in-*² ; [ɛ̃dekɔdabl].

**INDÉCOMPOSABLE, adj.**
Qui ne peut être décomposé. 1738 ; ☞ *décomposer* + *in-*² ; [ɛ̃dekɔ̃pozabl].

**INDÉCROTTABLE, adj.**
Qui ne peut être corrigé (fam.) : *Un idéaliste* ***indécrottable***. Mil. XVII^e s. ; ☞ *décrotter* + *in-*² ; [ɛ̃dekʀɔtabl].

**INDÉFECTIBLE, adj.**
**1.** Qui dure toujours, qui ne peut cesser d'être : *Un amour* ***indéfectible***. **2.** Ext. Infaillible : *Une mémoire* ***indéfectible***. 1501 ; lat. *defectus*, de *deficere*, « manquer, cesser », + *in-*² ; [ɛ̃defɛktibl].

**INDÉFENDABLE, adj.**
Qui ne peut être défendu. 1663 ; ☞ *défendable* + *in-*² ; [ɛ̃defɑ̃dabl].

**INDÉFINI, IE, adj.**
**1.** Qui ne peut être délimité, dans le temps et dans l'espace ; par ext., infini. **2.** Impossible à définir, vague, confus : *Un sentiment* ***indéfini***. **3.** *Gramm.* Qualifie des mots (articles, adjectifs, pronoms, formes verbales) qui ne se rapportent pas à des personnes ou à des objets déterminés (anton. *défini*) : *« Aucun », « chacun », « quiconque » sont des pronoms* ***indéfinis*** ; *« Un », « des » sont des articles* ***indéfinis*** ; empl. subst. masc. : *Un* ***indéfini***. **4.** *Math.* *Intégrale* ***indéfinie*** : soit $f$ une fonction continue sur un intervalle I de $\mathbb{R}$ à valeurs réelles, le symbole $\int f(x)dx$ désigne une quelconque primitive de $f$ sur I et s'appelle l'intégrale **indéfinie** de $f$ sur I. On écrit : $\int x^3dx = \frac{1}{4}x^4 + c,\ c \in \mathbb{R},\ x \in \mathrm{I}$. 1531 ; bas lat. *indefinitus* ; [ɛ̃defini].

**INDÉFINIMENT, adv.**
De manière indéfinie ; éternellement. Déb. XVI^e s. ; ☞ *indéfini* ; [ɛ̃definimɑ̃].

**INDÉFINISSABLE, adj.**
Que l'on ne peut définir. 1731 ; ☞ *définissable* + *in-*² ; [ɛ̃definisabl].

**INDÉFORMABLE, adj.**
Qui ne peut être déformé. 1867 ; ☞ *déformable* + *in-*² ; [ɛ̃defɔʀmabl].

**INDÉFRISABLE, adj. et subst. f.**
ADJ. Qui ne peut être défrisé. SUBST. Permanente (vieilli). 1846 ; ☞ *défriser* + *in-*² ; [ɛ̃defʀizabl].

**INDÉHISCENT, ENTE, adj.**
*Bot.* Qualifie un fruit, telle la noisette, qui ne s'ouvre pas naturellement à maturité (☞ *akène*). 1799 ; ☞ *déhiscent* + *in-*² ; [ɛ̃deisɑ̃, ɑ̃t].

**INDÉLÉBILE, adj.**
Impossible ou difficile à effacer : *L'encre de Chine est* ***indélébile*** ; au fig. : *Un échec* ***indélébile***. 1528 ; lat. *indelebilis* ; [ɛ̃delebil].

**INDÉLICAT, ATE, adj.**
**1.** Qui manque de délicatesse morale : *Une remarque* ***indélicate***. **2.** Malhonnête : *Un comptable* ***indélicat***. 1786 ; ☞ *délicat* + *in-*² ; [ɛ̃delika, at].

**INDÉLICATESSE, subst. f.**
**1.** Manque de délicatesse morale, de tact. **2.** Malhonnêteté ; par méton. : *Commettre des* ***indélicatesses***. 1794 ; ☞ *indélicat* ; [ɛ̃delikatɛs].

**INDÉMAILLABLE, adj.**
Dont les mailles ne peuvent se défaire : *Tricot* ***indémaillable***. 1932 ; ☞ *démailler* + *in-*² ; [ɛ̃demajabl].

**INDEMNE, adj.**
**1.** Vx. Exempt de toute redevance. **2.** Qui n'a subi aucun dommage physique ou matériel : *Sortir* ***indemne*** *d'un accident, d'une épidémie* ; au fig. : *Un divorce, un procès laissent rarement* ***indemne***. 1384 ; lat. *indemnis*, de *damnum*, « dommage » ; [ɛ̃dɛmn].

**INDEMNISABLE, adj.**
Susceptible d'être indemnisé : *Sinistre* ***indemnisable***. 1873 ; ☞ *indemniser* ; [ɛ̃dɛmnizabl].

**INDEMNISATION, subst. f.**
Action d'indemniser ; son résultat : *L'****indemnisation*** *des victimes*. 1754 ; ☞ *indemniser* ; [ɛ̃dɛmnizasjɔ̃].

**INDEMNISER, verbe trans.** [3]
Accorder une indemnité à : ***Indemniser*** *une victime, un État* ; accorder une indemnité en compensation de (un dommage) : ***Indemniser*** *un accident*. 1465 ; ☞ *indemne* ; [ɛ̃dɛmnize].

**INDEMNITAIRE, subst. et adj.**
*Dr.* SUBST. Personne qui bénéficie d'une indemnité. ADJ. Versé à titre d'indemnité : *Rente* ***indemnitaire***. 1832 ; ☞ *indemnité* ; [ɛ̃dɛmnitɛʀ].

**INDEMNITÉ, subst. f.**
**1.** Somme allouée en compensation d'un dommage subi : ***Indemnité*** *versée pour un dégât des eaux* ; ***Indemnité*** *journalière de chômage*, versée par l'État ; ***Indemnité*** *de licenciement*, versée par l'employeur à un salarié licencié. **2.** Somme accordée en remboursement de frais professionnels : ***Indemnité*** *de déplacement, de logement* ; ***Indemnité*** *parlementaire*, perçue par les députés et les sénateurs. 1671 (1369, droit payé au seigneur quand un fief tombe en mainmorte) ; lat. *indemnitas* ; [ɛ̃dɛmnite].

**INDÉMODABLE, adj.**
Qui ne se démode pas : *Un style* ***indémodable***. V. 1970 ; ☞ *démoder* + *in-*² ; [ɛ̃demɔdabl].

**INDÉMONTABLE, adj.**
Qui ne peut être démonté. 1896 ; ☞ *démonter* + *in-*² ; [ɛ̃demɔ̃tabl].

**INDÉMONTRABLE, adj.**
Qui ne peut être démontré. 1582 ; bas lat. *indemonstrabilis* ; [ɛ̃demɔ̃tʀabl].

**INDÉNIABLE, adj.**
Que l'on ne peut nier ou contester : *Une réussite* ***indéniable***. 1789 ; ☞ *dénier* + *in-*² ; [ɛ̃denjabl].

**INDÉNIABLEMENT, adv.**
D'une manière indéniable. 1874 ; ☞ *indéniable* ; [ɛ̃denjabləmɑ̃].

**INDÉNOMBRABLE, adj.**
Qui ne peut être dénombré. 1926 ; ☞ *dénombrable* + *in-*² ; [ɛ̃denɔ̃bʀabl].

**INDENTATION, subst. f.**
Découpure en forme de coup de dent, échancrure (synon. *dentelure*) : *Les* ***indentations*** *du littoral*. 1861 ; ☞ *dent* + *in-*¹ ; [ɛ̃dɑ̃tasjɔ̃].

**INDÉPENDAMMENT, adv.**
De façon indépendante, chacun de son côté. ► Loc. prép. **Indépendamment de.** En dehors de, sans dépendre de ; en plus : ***Indépendamment*** *de son métier, il écrit*. 1630 ; ☞ *indépendant* ; [ɛ̃depɑ̃damɑ̃].

**INDÉPENDANCE, subst. f.**
**1.** Absence de dépendance entre plusieurs choses ou phénomènes. **2.** État d'une personne libre qui ne dépend de rien ni de personne : ***Indépendance*** *financière, économique* ; ***Indépendance*** *d'idées*, non-conformisme. **3.** État d'une nation souveraine : *Guerre d'****indépendance***, par laquelle une nation cherche à gagner sa souveraineté. **4.** *Dr. publ.* Situation d'autonomie d'un organe ou d'une collectivité : *L'****indépendance*** *des pouvoirs (exécutif, législatif, judiciaire) est un des fondements de la démocratie*. 1610 ; ☞ *indépendant* ; [ɛ̃depɑ̃dɑ̃s].

**INDÉPENDANT, ANTE, adj.**
**1.** Qui est autonome, libre. ► *Sportif, artiste* ***indépendant*** : qui n'appartient à aucun club, aucune école ; empl. subst. : *Le Salon des* ***indépendants***. ► *Travailleur* ***indépendant*** : non salarié, non subordonné à un patron. ► Ext. Qui permet une relative liberté : *Vie* ***indépendante***. **2.** Qui aime à juger, à décider et à agir par soi-même ; par ext., anticonformiste. **3.** Qualifie un pays qui n'est pas soumis à l'autorité d'une autre puissance. **4.** Qualifie une chose, un phénomène qui n'a aucun lien de dépendance avec un autre : *Roues* ***indépendantes*** ; *Ceci est* ***indépendant*** *de ma volonté*, ne dépend pas de moi. **5.** *Gramm.* *Proposition* ***indépendante*** ou, empl. subst. fém., *Une* ***indépendante*** : proposition qui ne dépend d'aucune autre et dont aucune autre ne dépend. **6.** *Math.* *Vecteurs linéairement* ***indépendants*** *d'un espace vectoriel* : vecteurs $\vec{v}_1, \vec{v}_2, ..., \vec{v}_p$ tels que si $a_1, a_2, ..., a_p$ sont des scalaires vérifiant $a_1\vec{v}_1 + a_2\vec{v}_2 + ... + a_p\vec{v}_p = \vec{0}$, nécessairement $a_1 = a_2 = ... = a_p = 0$. **7.** *Probabilités.* ► *Évènements* ***indépendants*** *(d'un espace probabilisé)* : dont la probabilité de se réaliser simultanément est égale au produit de leur probabilité respective ($P(A \cap B) = P(A).P(B)$). ► *Variables aléatoires* ***indépendantes*** : variables aléatoires X et Y telles que, pour tout réel $a$ et tout réel $b$, les évènements $X^{-1}(]-\infty, a[)$ et $Y^{-1}(]-\infty, b[)$ sont **indépendants**. 1584 ; ☞ *dépendant* + *in-*² ; [ɛ̃depɑ̃dɑ̃, ɑ̃t].

**INDÉPENDANTISME, subst. m.**
*Pol.* Revendication d'indépendance en faveur d'un peuple. 1682 ; ☞ *indépendant* ; [ɛ̃depɑ̃dɑ̃tism].

**INDÉPENDANTISTE, adj. et subst.**
Qualifie ou désigne un partisan de l'indépendantisme. ADJ. Relatif, propre ou favorable à l'indépendantisme. V. 1970 ; ☞ *indépendant* ; [ɛ̃depɑ̃dɑ̃tist].

**INDÉRACINABLE, adj.**
Qui ne peut être déraciné ; par anal. : *Parti pris* ***indéracinable***. 1782 ; ☞ *déraciner* + *in-*² ; [ɛ̃deʀasinabl].

**INDÉRÉGLABLE, adj.**
Qui ne peut se dérégler. 1895 ; ☞ *dérégler* + *in-*² ; [ɛ̃deʀeglabl].

**INDESCRIPTIBLE, adj.**
Trop complexe ou trop intense pour être décrit : *Une machine, un désordre, une joie* ***indescriptible***. 1789 ; ☞ *description* + *in-*² ; [ɛ̃dɛskʀiptibl].

**INDÉSIRABLE, adj. et subst.**
Se dit d'une personne que l'on ne désire pas ou plus accueillir dans un pays, une communauté, un groupe : *Expulser les* ***indésirables*** ; *Il est devenu* ***indésirable*** ; par ext. : *Sa présence est* ***indésirable***. ADJ. Que l'on ne désire pas : *Effets secondaires* ***indésirables***. 1801 ; ☞ *désirable* + *in-*², d'apr. l'angl. *undesirable* ; [ɛ̃deziʀabl].

**INDESTRUCTIBILITÉ, subst. f.**
Caractère de ce qui est indestructible. 1737 ; ☞ *indestructible* ; [ɛ̃dɛstʀyktibilite].

**INDESTRUCTIBLE, adj.**
Qui ne peut être détruit. Fin XVII^e s. ; ☞ *destructible* + *in-*² ; [ɛ̃dɛstʀyktibl].

**INDÉTERMINABLE, adj.**
Qui ne peut être déterminé. 1470 ; lat. chrét. *indeterminabilis* ; [ɛ̃detɛʀminabl].

**INDÉTERMINATION, subst. f.**
**1.** État d'hésitation dans lequel se trouve qqn qui ne peut se décider. **2.** Caractère de ce qui n'est pas défini avec précision. Fin XVI^e s. ; ☞ *détermination* + *in-*² ; [ɛ̃detɛʀminasjɔ̃].

**INDÉTERMINÉ, ÉE, adj.**
**1.** Qui n'est pas déterminé ; qui est vague, imprécis ; incertain. **2.** *Math. Système d'équations* ***indéterminé*** : admettant une infinité de solutions ; *Forme* ***indéterminée*** : on dit que $f - g$, $f / g$, $f \cdot g$, $f^g$ présentent une forme **indéterminée** en $a$, connaissant les limites en $a$ des fonctions numériques $f$ et $g$, si les règles élémentaires du calcul des limites ne permettent pas de déterminer leur limite en $a$. Ce sont les formes « $\infty - \infty$ », « $0 / 0$ », « $\infty / \infty$ », « $0 \cdot \infty$ », « $1^{\infty}$ ». **3.** *Philos.* Qui n'est pas soumis au déterminisme. Fin XIVe s. ; ☞ *déterminé + in-²* ; [ɛ̃detɛʀmine].

**INDÉTERMINISME, subst. m.**
**1.** Caractère d'un acte ou d'un phénomène non déterminé. **2.** *Philos.* Doctrine selon laquelle l'univers n'est pas soumis à la nécessité ni régi par des lois précises et invariables (anton. *déterminisme*). 1865 ; ☞ *déterminisme + in-²* ; [ɛ̃detɛʀminism].

**INDEX, subst. m.**
**1.** Deuxième doigt de la main humaine, entre le pouce et le majeur. **2.** *Techn.* Objet mobile qui se déplace sur un cadran gradué, en fonction d'un phénomène à mesurer. **3.** Table, gén. alphabétique, des noms ou des sujets traités et de leurs références, placée à la fin d'un ouvrage. ▸ *Informat.* Indice de classification servant à modifier un adressage. **4.** ***L'Index*** : jusqu'en 1965, liste des livres que l'Église romaine interdisait de lire ; au fig. : *Mettre une personne, une chose à* ***l'index***, la désigner comme dangereuse, l'exclure. 1503 ; lat. *index*, « qui indique » ; [ɛ̃dɛks].

**INDEXATION, subst. f.**
Action d'indexer. 1948 ; ☞ *index* ; [ɛ̃dɛksasjɔ̃].

**INDEXER, verbe trans. [3]**
**1.** Établir l'index de (un ouvrage). **2.** *Écon.* Lier les variations de (une valeur économique) aux variations d'une ou de plusieurs valeurs de référence : ***Indexer*** *un loyer sur les prix de la construction* ; par ext., modifier, réévaluer périodiquement. **3.** *Math.* ***Indexer*** *les éléments d'une partie A d'un ensemble par l'ensemble I* : se donner une application $f$ de I sur A ; on note alors $A = (x_i)_{i \in I}$ où $x_i = f(i)$, $i \in I$ (si $I = \mathbb{N}$, $A = (x_n)_{n \in \mathbb{N}}$ est une suite). **4.** *Informat.* Attribuer à (une donnée) un indice de classification ; empl. adj. : *Adressage* ***indexé***. 1948 ; ☞ *index* ; [ɛ̃dɛkse].

**INDIANISME, subst. m.**
**1.** Étude des langues et des cultures de l'Inde. **2.** *Ling.* Idiotisme propre à une langue de l'Inde. 1840 ; ☞ *indien* ; [ɛ̃djanism].

**INDIANISTE, subst.**
Spécialiste des langues et des cultures de l'Inde. 1814 ; ☞ *indien* ; [ɛ̃djanist].

**INDICAN, subst. m.**
*Biochim.* Glucoside présent dans l'indigo et dans l'urine. 1873 ; lat. *indicum*, « indigo » ; [ɛ̃dikɑ̃].

**INDICATEUR, TRICE, adj. et subst.**
**Adj.** Qui indique, qui montre, qui signale l'existence de qqch. : *Panneau* ***indicateur***. **Subst.** Personne qui renseigne les policiers (abrév. argot. : indic). **Subst. masc. 1.** Ouvrage ou brochure contenant des renseignements utiles : ***L'indicateur*** *des chemins de fer.* **2.** Instrument fournissant des indications : ***Indicateur*** *de pression.* **3.** Ext. ▸ *Chim.* ***Indicateur*** *coloré* : substance (teinture de tournesol, par ex.) qui change de couleur selon qu'elle est en milieu acide ou basique. ▸ *Écon.* Élément variable et mesurable, permettant de suivre l'évolution d'une situation économique ou sociale : *Le taux de chômage, l'indice des prix sont des* ***indicateurs***. **4.** *Zool.* Petit oiseau voisin du pic, des pays chauds d'Afrique et d'Asie, qui se nourrit de larves, de cire et de miel. 1498 ; bas lat. *indicator*, du lat. *indicare*, « indiquer » ; [ɛ̃dikatœʀ, tʀis].

**INDICATIF, IVE, adj. et subst. m.**
**Adj. 1.** Qui indique : *Prix* ***indicatifs*** ; *À titre* ***indicatif***, pour servir d'indication. **2.** *Gramm. Mode* ***indicatif*** ou, empl. subst. masc., ***L'indicatif*** : mode du verbe au moyen duquel l'action ou l'état exprimé est présenté de manière objective, neutre, sans interprétation. **Subst.** Signal permettant d'identifier l'expéditeur d'un message. ▸ ***Indicatif*** *téléphonique* : chiffres définissant conventionnellement une zone géographique. ▸ ***Indicatif*** *musical* : signalant une émission régulière de radio ou de télévision. 1361 ; bas lat. *indicativus* ; [ɛ̃dikatif, iv].

**INDICATION, subst. f.**
**1.** Action d'indiquer. **2.** Méton. Ce qui est indiqué (conseil, renseignement, repère) : *Suivre les* ***indications*** *routières.* **3.** *Méd.* Cas relevant de l'utilisation d'un médicament. 1333 ; lat. *indicatio*, « indication de prix » ; [ɛ̃dikasjɔ̃].

**INDICE, subst. m.**
**1.** Signe qui indique l'existence probable de qqch. : *C'est* ***l'indice*** *que*, c'est le signe que. **2.** *Dr.* Fait qui permet d'établir comme preuve une réalité contestée (souv. au plur.) : *Tous les* ***indices*** *l'accusent.* **3.** *Écon.* Rapport de deux valeurs prises par une même grandeur à des moments différents, qui indique l'évolution de cette grandeur dans l'intervalle : ***Indice*** *des prix.* ▸ *Admin.* ***Indice*** *de traitement* : sur lequel est calculé le salaire d'un employé. **4.** *Math.* Symbole (lettre ou nombre, gén.) adjoint à un autre symbole suivant le graphisme : $a_*$, où $*$ est écrit en **indice** par rapport à $a$ ; si $(x_i)_{i \in I}$ est une famille indexée par I, $i$ est **l'indice** de $x_i$, I est l'ensemble d'**indices** de la famille. **5.** *Phys.* ***Indice*** *de réfraction d'un milieu par rapport à un autre* : rapport de la vitesse de la lumière dans les deux milieux. Cet **indice** est dit absolu quand le milieu d'incidence est le vide (il s'écrit alors $n = c / v$, $c$ étant la vitesse de la lumière dans le vide, $v$ dans le milieu) et relatif lorsqu'il en est autrement. 1488 (1306, dénonciation) ; lat. *indicium* ; [ɛ̃dis].

**INDICIAIRE, adj.**
**1.** Relatif à un, à des indices (synon. *indiciel*). **2.** *Dr.* *Impôt* ***indiciaire*** : dont l'assiette est déterminée selon des indices. Déb. XVIe s. (1475, chroniqueur) ; lat. *indicium*, « indication, indice » ; [ɛ̃disjɛʀ].

**INDICIBLE, adj.**
Qui ne peut être exprimé par des mots : *Terreur* ***indicible***. 1452 ; lat. médiév. *indicibilis* ; [ɛ̃disibl].

**INDICIEL, ELLE, adj.**
**1.** Qui utilise des indices : *Notation* ***indicielle***. **2.** Indiciaire. 1540 ; ☞ *indice* ; [ɛ̃disjɛl].

**INDICTION, subst. f.**
*Dr. canon.* **1.** Période de quinze ans dans le comput latin ; par méton., rang qu'occupe chaque année de cette période : ***Indiction*** *première.* **2.** Ordonnance par laquelle le pape convoque un concile, un synode. Déb. XIIe s. ; bas lat. *indictio*, du lat. *indicere*, « notifier, convoquer » ; [ɛ̃diksjɔ̃].

**INDIEN, IENNE, adj. et subst. f.**
**1.** De l'Inde. **2.** Des peuples autochtones de l'Amérique. ▸ Loc. *L'été* ***indien*** (☞ *été*) ; *En file* ***indienne*** (☞ *file*). **Subst.** Toile de coton peinte ou imprimée, fabriquée à l'origine en Inde. Fin XIIIe s. ; bas lat. *indianus*, du lat. *India*, « Inde » ; [ɛ̃djɛ̃, jɛn].

**INDIFFÉREMMENT, adv.**
**1.** Vx. Avec indifférence. **2.** Sans faire de différence : *Il écrit* ***indifféremment*** *des deux mains.* 1314 ; ☞ *indifférent* ; [ɛ̃difeʀamɑ̃].

**INDIFFÉRENCE, subst. f.**
**1.** État d'une personne indifférente ; détachement, froideur, spéc. absence d'amour. **2.** *Philos. Liberté* ***d'indifférence*** : faculté de se décider dans une situation où les mobiles pour ou contre qqch. sont égaux. **3.** *Psychol. États* ***d'indifférence*** : états neutres du point de vue affectif. 1372 ; bas lat. *indifferentia*, « absence de particularités physiques » ; [ɛ̃difeʀɑ̃s].

**INDIFFÉRENCIATION, subst. f.**
État de ce qui reste indifférencié. 1843 ; ☞ *indifférencié*, d'apr. *différenciation* ; [ɛ̃difeʀɑ̃sjasjɔ̃].

**INDIFFÉRENCIÉ, ÉE, adj.**
Qui n'est pas différencié. ▸ *Biol.* Qui n'a pas subi de différenciation. 1843 ; p. p. de *différencier + in-²* ; [ɛ̃difeʀɑ̃sje].

**INDIFFÉRENT, ENTE, adj.**
**1.** Qui ne justifie pas qu'on le préfère ; équivalent : *Un choix* ***indifférent*** ; *C'est* ***indifférent***, c'est égal. **2.** Qui est sans intérêt, sans importance : *Cette histoire m'est* ***indifférente***. **3.** Qui est insensible, qui montre du détachement, spéc. qui n'éprouve pas de sentiment pour qqn : *Il est* ***indifférent*** *aux siens* ; par méton. : *Un air* ***indifférent*** ; empl. subst. : *Jouer les* ***indifférents***. 1314 ; lat. *indifferens* ; [ɛ̃difeʀɑ̃, ɑ̃t].

**INDIFFÉRER, verbe trans. indir. [8]**
Fam. **Indifférer à qqn.** Être indifférent à qqn. : *Ton avis m'****indiffère***. 1888 ; ☞ *indifférent* ; [ɛ̃difeʀe].

**INDIGÉNAT, subst. m.**
*Hist.* Au temps des empires coloniaux, statut administratif des indigènes. 1888 (1699, droit de cité) ; ☞ *indigène* ; [ɛ̃diʒena].

**INDIGENCE, subst. f.**
État d'une personne ou d'une chose indigente. Fin XIIIe s. ; lat. *indigentia* ; [ɛ̃diʒɑ̃s].

**INDIGÈNE, adj. et subst.**
**Adj. 1.** Qui est né dans le pays où il vit : *Populatic* ***indigène*** ; par anal. : *La faune et la flore* ***indigèn*** *d'une région.* **2.** Qui est originaire d'un pays avar sa colonisation. **3.** Propre à une population **ind gène** : *Artisanat, village* ***indigène***. **Subst.** Personn **indigène.** 1532 ; lat. *indigena* ; [ɛ̃diʒɛn].

**INDIGÉNISME, subst. m.**
Mouvement littéraire ou politique de soutien aι Indiens d'Amérique latine. XXe s. ; esp. *indig nismo* ; [ɛ̃diʒenism].

**INDIGENT, ENTE, adj. et subst.**
Se dit d'une personne qui manque des biens les plι nécessaires. **Adj.** Qui dénote le dénuement : *D meure* ***indigente*** ; au fig. : *Comédie* ***indigente***, trè mauvaise. Fin XIIIe s. ; lat. *indigens* ; [ɛ̃diʒɑ̃, ɑ̃t].

**INDIGESTE, adj.**
**1.** Difficile à digérer : *Un ragoût* ***indigeste***. **2.** Fi Difficile à assimiler, confus : *Un livre* ***indigest*** Fin XIIIe s. ; bas lat. *indigestus*, « non digéré » ; [ɛ̃diʒɛs

**INDIGESTION, subst. f.**
**1.** Mauvaise digestion, se manifestant par des doι leurs gastriques, des vomissements, etc. **2.** Fig. Reje dégoût de qqch. dont on a abusé (fam.) : ***Indigestic*** *de soleil.* XIIIe s. ; bas lat. *indigestio* ; [ɛ̃diʒɛstjɔ̃].

**INDIGÈTE, adj.**
*Antiq. rom.* Qualifie des divinités propres à un lie à une famille. 1488 ; lat. *indiges* ; [ɛ̃diʒɛt].

**INDIGNATION, subst. f.**
Sentiment de colère ou de mépris soulevé par ur action indigne, qui heurte la conscience morale *Provoquer l'****indignation*** *de qqn* ; *Un cri d'****indignatio*** 1120 ; lat. *indignatio* ; [ɛ̃diɲasjɔ̃].

**INDIGNE, adj.**
**1. Indigne de.** ▸ Qui n'est pas digne d'une faveu d'un honneur, qui ne le mérite pas : *Cet homme e* ***indigne*** *de notre confiance.* ▸ Qui ne convient pas a rang, à la fonction de qqn : *Cet emploi est* ***indigne*** *lui !* **2.** Sans dignité, vil, méprisable : *Un comport ment* ***indigne***. Fin XIIe s. ; lat. *indignus* ; [ɛ̃diɲ].

**INDIGNÉ, ÉE, adj.**
**1.** Qui ressent de l'indignation. **2.** Qui déno l'indignation. Déb. XIVe s. ; p. p. de *indigner* ; [ɛ̃diɲe

**INDIGNEMENT, adv.**
De manière indigne : *Il s'est* ***indignement*** *condui* Fin XIIe s. ; ☞ *indigne* ; [ɛ̃diɲ(ə)mɑ̃].

**INDIGNER, verbe trans. [3]**
Provoquer l'indignation de (qqn) : *Ses agissemen avaient* ***indigné*** *l'assemblée.* **Pronom.** Se révolte ressentir de la colère : *Il s'****indignait*** *contre la bêtis* Déb. XIVe s. ; lat. *indignari*, « s'indigner » ; [ɛ̃diɲe].

**INDIGNITÉ, subst. f.**
**1.** Caractère d'une personne ou d'un comportemer indigne. **2.** Méton. Action indigne : *Se rendre coupe ble d'une* ***indignité***. **3.** *Dr.* ▸ ***Indignité*** *successorale* qui exclut d'une succession un héritier coupable c fautes graves envers le défunt. ▸ ***Indignité*** *nationale* peine instituée en 1944 pour sanctionner les act de collaboration avec l'ennemi. Fin XIIIe s. ; la *indignitas* ; [ɛ̃diɲite].

**INDIGO, subst. m.**
**1.** Matière colorante d'un bleu violacé, jadis extrai des feuilles de l'indigotier et de nos jours obtenι par synthèse ; empl. adj. inv. : *Un ciel, une m* ***indigo***, de la couleur de cette matière. **2.** *Phys.* Ur des sept couleurs fondamentales du spectre solair 1544 ; prob. port. *indigo*, du lat. *indicum* ; [ɛ̃digo

**INDIGOTIER, subst. m.**
*Bot.* Plante herbacée ou arbustive de la famille d Fabacées, dont une espèce, *Indigofera tinctori* fournit l'indigo. 1718 ; ☞ *indigo* ; [ɛ̃digɔtje].

**INDIQUER, verbe trans. [3]**
**1.** Faire voir, montrer de façon précise (par un gest un signal) : *Son doigt lui* ***indiquait*** *la porte.* **2.** Rer seigner sur, faire connaître : *Pouvez-vous m'****indiqu*** *son adresse ?* ▸ Empl. adj. *Traitement* ***indiqué*** recommandé ; au fig. : *Cela me semble tout* ***indiqu*** opportun. **3.** Être le signe, l'indice de : *Ces trac* ***indiquent*** *la présence d'un sanglier.* **4.** *B.-a.* Esquisse par anal., suggérer. 1510 ; lat. *indicare* ; [ɛ̃dike

**INDIRECT, ECTE, adj.**
**1.** Qui n'est pas direct, qui fait un ou plusieu détours : *Trajet* ***indirect*** ; *Éclairage* ***indirect***, qι se réfléchit sur une surface ; *Tir* ***indirect***, dont cible est invisible au tireur. **2.** Fig. Qui passe p des intermédiaires : *Témoignage* ***indirect***. ▸ *Gramn Complément* ***indirect*** : qui se rattache au verbe o

à la phrase au moyen d'une préposition ; *Style* ***indirect*** : par lequel sont rapportées les paroles de qqn à l'intérieur d'un autre énoncé (par ex. : « Il dit qu'il viendra jeudi »). ► *Fin. Impôts* ***indirects*** (☞ *impôt*). 1364 ; lat. *indirectus* ; [ɛ̃diʀɛkt].

**INDIRECTEMENT, adv.**
De manière indirecte. 1419 ; ☞ *indirect* ; [ɛ̃diʀɛktəmɑ̃].

**INDISCERNABLE, adj. et subst. m.**
Adj. Qui ne peut être discerné. Subst. *Philos. Principe des* ***indiscernables*** : chez Leibniz, principe selon lequel deux êtres diffèrent toujours intrinsèquement. 1582 ; *discernable* (rare), « qui peut être discerné », + *in-*[2] ; [ɛ̃disɛʀnabl].

**INDISCIPLINE, subst. f.**
Attitude de qqn qui manque de discipline. 1501 ; bas lat. *indisciplina*, « manque d'instruction » ; [ɛ̃disiplin].

**INDISCIPLINÉ, ÉE, adj.**
Qui manque de discipline : *Élève* ***indiscipliné*** ; au fig. : *Cheveux* ***indisciplinés***, rebelles, en désordre. Mil. xive s. ; bas lat. *indisciplinatus* ; [ɛ̃disipline].

**INDISCRET, ÈTE, adj.**
**1.** Vx. Qui manque de discernement. **2.** Qui manque de retenue, de discrétion : *Coup d'œil* ***indiscret*** ; *Personne* ***indiscrète***, personne trop curieuse ou qui dit ce qu'elle devrait taire ; empl. subst. : *Il faut se méfier des* ***indiscrets***. 1380 ; lat. *indiscretus*, « indistinct » ; [ɛ̃diskʀɛ, ɛt].

**INDISCRÈTEMENT, adv.**
**1.** Vx. De manière irréfléchie. **2.** De manière indiscrète. Fin xive s. ; ☞ *indiscret* ; [ɛ̃diskʀɛtmɑ̃].

**INDISCRÉTION, subst. f.**
**1.** Vx. Manque de mesure. **2.** Manque de discrétion ; curiosité excessive. **3.** Défaut de celui qui révèle un secret ; par méton. : *Par quelle* ***indiscrétion*** *sais-tu cela ?* Déb. xiiie s. ; bas lat. *indiscretio* ; [ɛ̃diskʀesjɔ̃].

**INDISCUTABLE, adj.**
Qui n'est pas discutable, dont on ne peut douter. 1832 ; ☞ *discutable* + *in-*[2] ; [ɛ̃diskytabl].

**INDISCUTABLEMENT, adv.**
De manière indiscutable. 1876 ; ☞ *indiscutable* ; [ɛ̃diskytabləmɑ̃].

**INDISCUTÉ, ÉE, adj.**
Qui ne se prête à aucune discussion, à aucun doute. 1794 ; ☞ *discuté* + *in-*[2] ; [ɛ̃diskyte].

**INDISPENSABLE, adj.**
**1.** Vx. *Cath.* Pour lequel il ne peut y avoir de dispense. **2.** Dont on ne peut être dispensé, obligatoire. **3.** Dont on ne peut se passer : *Outil* ***indispensable*** ; empl. subst. masc., ce dont on a absolument besoin. 1585 ; ☞ *dispenser* + *in-*[2] ; [ɛ̃dispɑ̃sabl].

**INDISPONIBILITÉ, subst. f.**
État d'une personne, d'une chose indisponible ; en partic., situation d'un fonctionnaire indisponible. 1789 ; ☞ *indisponible* ; [ɛ̃dispɔnibilite].

**INDISPONIBLE, adj.**
Qui n'est pas disponible. 1752 ; ☞ *disponible* + *in-*[2] ; [ɛ̃dispɔnibl].

**INDISPOSÉ, ÉE, adj.**
Qui souffre d'une indisposition ; par euphém., se dit d'une femme qui a ses règles. 1455 (déb. xve s., gâté, mis à mal) ; p. p. de *indisposer* ; [ɛ̃dispoze].

**INDISPOSER, verbe trans. [3]**
**1.** Causer une indisposition à ; incommoder : *La chaleur m'****indispose***. **2.** Ext. Mettre (qqn) dans de mauvaises dispositions ; contrarier : *Ses remarques avaient* ***indisposé*** *son interlocuteur.* Déb. xve s. ; ☞ *disposer* + *in-*[2] ; [ɛ̃dispoze].

**INDISPOSITION, subst. f.**
Trouble physique passager, légère altération de la santé ; par euphém., état d'une femme indisposée. Mil. xve s. ; ☞ *disposition* + *in-*[2] ; [ɛ̃dispozisjɔ̃].

**INDISSOCIABLE, adj.**
Qui ne peut être dissocié. 1892 (1542, indissoluble) ; lat. chrét. *indissociabilis* ; [ɛ̃disɔsjabl].

**INDISSOLUBILITÉ, subst. f.**
Caractère de ce qui est indissoluble. 1610 ; lat. médiév. *indissolubilitas* ; [ɛ̃disɔlybilite].

**INDISSOLUBLE, adj.**
Qui ne peut être dissous : *Assemblée* ***indissoluble***. 1495 ; lat. *indissolubilis* ; [ɛ̃disɔlybl].

**INDISTINCT, INCTE, adj.**
Qui n'est pas distinct ; imprécis, vague. 1495 ; lat. *indistinctus* ; [ɛ̃distɛ̃(kt), ɛ̃kt].

**INDISTINCTEMENT, adv.**
**1.** De manière indistincte. **2.** Sans faire de distinction : *Ils furent tous punis* ***indistinctement***. 1495 ; ☞ *indistinct* ; [ɛ̃distɛ̃ktəmɑ̃].

**INDIUM, subst. m.**
*Chim.* Élément n° 49 de la table de Mendeleïev (symb. : In) ; masse atomique : 114,82 ; point de fusion : 156 °C ; point d'ébullition : 2 080 °C ; masse volumique : 7,31 g/cm³. C'est un métal trivalent, de la famille de l'aluminium et dont les propriétés sont voisines de celles du gallium et du thorium. 1863 ; all. *Indium*, d'apr. *indigo* ; [ɛ̃djɔm].

**INDIVIDU, subst. m.**
**1.** Tout être ayant une existence propre. ► *Biol.* Spécimen vivant d'une espèce donnée : *Les* ***individus*** *mâles d'une espèce végétale.* ► *Log.* Objet primitif, dans une théorie logique. ► *Stat.* Élément d'une population. **2.** Être vivant membre d'une société : *Ruche comptant cinquante mille* ***individus***. ► Être humain (souv. pris collectivement) : *Un groupe social représente plus que la somme des* ***individus*** *qui le composent* ; *Les droits de l'****individu***, de tout **individu**. ► Anonyme, homme quelconque (gén. péj.) : *Un* ***individu*** *louche.* 1377 ; lat. *individuum*, « corps indivisible » ; [ɛ̃dividy].

**INDIVIDUALISATION, subst. f.**
**1.** Action d'individualiser qqn ou qqch. ; son résultat : *L'****individualisation*** *d'un gène.* **2.** Action d'adapter qqch. aux particularités d'un individu ; son résultat. ► *Dr.* ***Individualisation*** *des peines* : qui consiste à faire varier une peine en fonction des caractères personnels du délinquant. 1803 ; ☞ *individualiser* ; [ɛ̃dividɥalizasjɔ̃].

**INDIVIDUALISER, verbe trans. [3]**
**1.** Caractériser (qqn, qqch.) par des traits spécifiques ; empl. pronom. : *Un peuple qui s'****individualise***. **2.** Adapter (qqch.) à l'individu, à ses particularités. 1732 ; ☞ *individuel* ; [ɛ̃dividɥalize].

**INDIVIDUALISME, subst. m.**
**1.** Théorie affirmant la prééminence de l'individu sur la société, sur l'ordre politique ou moral, et lui accordant la plus haute valeur : *L'****individualisme*** *de Nietzsche.* ► *Pol.* et *Écon.* Libéralisme : *L'****individualisme*** *s'oppose au collectivisme.* **2.** Attitude d'esprit favorisant l'affirmation personnelle. ► Préoccupation exclusive de soi : *L'****individualisme*** *des temps de crise.* 1825 ; ☞ *individuel* ; [ɛ̃dividɥalism].

**INDIVIDUALISTE, adj. et subst.**
Adj. **1.** Partisan de l'individualisme. **2.** Qui manifeste son individualisme. Subst. Personne **individualiste**. 1825 ; ☞ *individualisme* ; [ɛ̃dividɥalist].

**INDIVIDUALITÉ, subst. f.**
**1.** Ensemble des caractères propres à qqn, à qqch. : *L'****individualité*** *d'une région* ; par ext., originalité. **2.** Ce qui existe à l'état d'individu. ► Personnalité remarquable : *C'est une des grandes* ***individualités*** *du siècle.* 1760 ; ☞ *individuel* ; [ɛ̃dividɥalite].

**INDIVIDUATION, subst. f.**
*Philos.* Ce qui fait qu'un être est distinct d'un autre. 1551 ; lat. *individuatio*, « fait de devenir un individu » ; [ɛ̃dividɥasjɔ̃].

**INDIVIDUEL, ELLE, adj.**
**1.** Qui constitue un individu ; propre à l'individu : *Un être* ***individuel*** *et indivisible* ; *Caractères* ***individuels***. **2.** Qui concerne un individu considéré isolément (anton. *collectif*) : *Les libertés* ***individuelles*** ; *Chambre, ration* ***individuelle*** ; empl. subst. masc., sportif qui ne fait pas partie d'une équipe. 1490 (1372, indivisible) ; ☞ *individu* ; [ɛ̃dividɥɛl].

**INDIVIDUELLEMENT, adv.**
De manière individuelle, un à un, séparément. 1551 ; ☞ *individuel* ; [ɛ̃dividɥɛlmɑ̃].

**INDIVIS, ISE, adj.**
*Dr.* Se dit d'un bien possédé par plusieurs personnes à la fois, sans avoir été matériellement divisé : *Terre* ***indivise*** ; par méton. : *Héritiers* ***indivis***, héritiers d'un bien **indivis**. ► Loc. *Par* ***indivis*** : sans partage, en commun. Mil. xive s. ; lat. *indivisus*, « non partagé » ; [ɛ̃divi, iz].

**INDIVISAIRE, subst.**
*Dr.* Personne qui possède un bien indivis. 1936 ; ☞ *indivis* ; [ɛ̃divizɛʀ].

**INDIVISÉMENT, adv.**
*Dr.* Par indivis. 1497 ; ☞ *indivis* ; [ɛ̃divizemɑ̃].

**INDIVISIBILITÉ, subst. f.**
Caractère de ce qui est indivisible. 1380 ; ☞ *indivisible* ; [ɛ̃divizibilite].

**INDIVISIBLE, adj.**
Qui ne peut être divisé, partagé. 1314 ; bas lat. *indivisibilis* ; [ɛ̃divizibl].

**INDIVISION, subst. f.**
*Dr.* Situation juridique de personnes possédant un bien ou des droits indivis ; état d'un bien indivis : *L'****indivision*** *cesse après un partage ou une vente.* xve s. ; ☞ *indivis*, d'apr. *division* ; [ɛ̃divizjɔ̃].

**IN-DIX-HUIT, adj. inv. et subst. m. inv.**
*Impr.* Se dit du format d'un livre dont chaque feuille d'impression est pliée en 18 feuillets, donnant ainsi 36 pages ; par méton., se dit d'un livre de ce format. 1723 ; comp. du lat. *in*, « dans, en », et de *dix-huit* ; abrév. : in-18 ; [indizɥit].

**INDO-ARYEN, ENNE, adj. et subst. m.**
Se dit des langues indo-européennes du sous-continent indien : *Le mahratte, le bengali, le bihari, le hindi, le pendjabi, le gujerati sont des langues* ***indo-aryennes***. 1934 ; ☞ *aryen* + *indo-* ; plur. *indo-aryens, ennes* ; [ɛ̃doaʀjɛ̃, ɛn].

**INDOCILE, adj.**
Qui n'est pas docile. 1490 ; lat. *indocilis* ; [ɛ̃dɔsil].

**INDOCILITÉ, subst. f.**
Caractère d'une personne, d'un animal indocile. 1615 ; lat. *indocilitas* ; [ɛ̃dɔsilite].

**INDO-EUROPÉEN, ÉENNE, adj. et subst.**
Adj. et Subst. masc. Se dit d'une famille de langues d'Europe et d'Asie qui comprend notamment le sanskrit, l'avestique, le grec et le latin, et la plupart des langues modernes de l'Europe et du sous-continent indien. Adj. et Subst. Se dit d'une personne qui parle l'une de ces langues ; empl. adj., propre aux Indo-Européens. 1836 ; ☞ *européen* + *indo-* ; plur. *indo-européens, éennes* ; [ɛ̃doøʀɔpeɛ̃, eɛn].

**INDOLE, subst. m.**
*Chim.* Composé organique hétérocyclique de formule brute $C_8H_7N$. 1867 ; crois. de *indigo* et du lat. *oleum*, « huile » ; [ɛ̃dɔl].

**INDOLEMMENT, adv.**
Avec indolence. xviiie s. ; ☞ *indolent* ; [ɛ̃dɔlamɑ̃].

**INDOLENCE, subst. f.**
**1.** Vx. Insensibilité à la douleur ; fait de ne pas être douloureux physiquement. **2.** Nonchalance, apathie. xive s. ; lat. *indolentia* ; [ɛ̃dɔlɑ̃s].

**INDOLENT, ENTE, adj.**
**1.** Vx. Insensible à la douleur ; qui n'est pas douloureux : *Tumeur* ***indolente***. **2.** Nonchalant, qui ne fait pas d'efforts : *Un responsable* ***indolent*** ; empl. subst., personne **indolente** ; par méton. : *Une attitude* ***indolente***. 1590 ; bas lat. *indolens* ; [ɛ̃dɔlɑ̃, ɑ̃t].

**INDOLORE, adj.**
Qui ne cause pas de douleur physique. 1833 ; bas lat. *indolorius*, « qui ne souffre pas » ; [ɛ̃dɔlɔʀ].

**INDOMPTABLE, adj.**
Que l'on ne peut dompter : *Animal* ***indomptable*** ; au fig. : *Passion* ***indomptable***. 1420 ; ☞ *dompter* + *in-*[2] ; [ɛ̃dɔ̃(p)tabl].

**INDOMPTÉ, ÉE, adj.**
Qui n'a pas été dompté ou, au fig., soumis, maîtrisé : *Peuple* ***indompté***. Déb. xvie s. ; ☞ *dompter* + *in-*[2] ; [ɛ̃dɔ̃(p)te].

**INDONÉSIEN, IENNE, adj. et subst.**
D'Indonésie. Subst. masc. Langue officielle de l'Indonésie. 1885 ; topon. *Indonésie* ; [ɛ̃dɔnezjɛ̃, jɛn].

**INDOOR, adj. inv.**
*Sp.* Pratiqué en salle, à l'intérieur (anglic.) : *Tournoi* ***indoor***. 1956 ; mot angl. ; [indɔʀ].

**IN-DOUZE, adj. inv. et subst. m. inv.**
*Impr.* Se dit du format d'un livre dont chaque feuille d'impression est pliée en 12 feuillets, donnant ainsi 24 pages ; par méton., se dit d'un livre de ce format. 1567 ; comp. du lat. *in*, « dans, en », et de *douze* ; abrév. : in-12 ; [induz].

**INDRI, subst. m.**
*Zool.* Lémurien arboricole et végétarien de Madagascar, dont le corps peut atteindre 90 cm de longueur. 1780 ; malgache *indri*, « le voilà ! », exclamation prise, à tort, pour le nom de l'animal ; [ɛ̃dʀi].

**INDU, UE, adj.**
**1.** Qui va à l'encontre des règles, des usages : *Une absence* ***indue*** ; *Une heure* ***indue***, peu convenable, tardive. **2.** *Dr.* Injustifié, non fondé : *Requête* ***indue*** ; empl. subst. masc., ce qui n'est pas dû. Mil. xive s. ; ☞ *dû* + *in-*[2] ; [ɛ̃dy].

**INDUBITABLE, adj.**
**1.** Vx. Inéluctable. **2.** Qui ne peut être mis en doute. 1538 ; bas lat. *indubitabilis* ; [ɛ̃dybitabl].

**INDUBITABLEMENT, adv.**
Assurément. 1488 ; ☞ *indubitable* ; [ɛ̃dybitabləmɑ̃].

**INDUCTANCE, subst. f.**
*Phys.* Rapport entre l'augmentation $\Delta\Phi$ du flux d'induction magnétique $\Phi$ à travers un circuit fermé et la variation $\Delta I$ de l'intensité du courant électrique qui produit ce flux. 1902 ; ☞ *induction* ; [ɛ̃dyktɑ̃s].

**INDUCTEUR, TRICE, adj.**
**1.** Qui induit, pousse à faire qqch. (vieilli) : *Un raisonnement* ***inducteur.*** **2.** *Biol.* Qui déclenche ou peut déclencher un processus biologique : *Le collagène est le facteur* ***inducteur*** *qui favorise l'adhésion des plaquettes sanguines.* **3.** *Phys.* Qui produit un phénomène d'induction ; empl. subst masc., partie d'une machine électromagnétique (aimant ou électro-aimant) qui, en tournant, fournit le champ magnétique agissant sur l'induit. **4.** *Psychol.* Qualifie un terme qui conduit à une association d'idées ; empl. subst. masc., ce terme. 1624 ; bas lat. *inductor*, « celui qui incite » ; [ɛ̃dyktœʀ, tʀis].

**INDUCTIF, IVE, adj.**
**1.** *Log.* Qui procède par induction, par généralisation (anton. *déductif*). **2.** *Phys.* Relatif à l'induction : *Un circuit* ***inductif.*** 1376 ; lat. *inductivus* ; [ɛ̃dyktif, iv].

**INDUCTION, subst. f.**
**1.** *Log.* Mode de raisonnement consistant à inférer une proposition générale d'expériences ou de faits particuliers, à remonter des effets au principe ; par méton., conclusion ainsi obtenue. **2.** *Embryol.* Mécanisme intervenant au cours de l'embryogenèse, qui dirige les processus de différenciation cellulaire jusqu'à la constitution de l'embryon. **3.** *Math.* Raisonnement par récurrence. **4.** *Phys.* ▸ ***Induction*** *magnétique* : grandeur vectorielle caractérisant la densité du flux magnétique qui traverse une substance. ▸ ***Induction*** *électromagnétique* : production d'un courant électrique dans un circuit conducteur, due à une variation du flux magnétique à travers ce circuit. Mil. XIVe s. (1290, suggestion) ; lat. *inductio* ; [ɛ̃dyksjɔ̃].

**INDUIRE, verbe trans. [69]**
**1.** Conduire, engager (qqn) à une action : ***Induire*** *qqn au mal, à mal agir* ; ***Induire*** *qqn en erreur*, l'amener, délibérément ou non, à se tromper. **2.** *Log.* Tirer (une conséquence) par induction. **3.** Anal. Provoquer, engendrer : *Le chômage qu'****induisent*** *souvent les restructurations.* **4.** *Phys.* Produire par induction. 1355 ; anc. fr. *enduire*, « inciter », d'apr. le lat. *inducere*, « conduire » ; [ɛ̃dɥiʀ].

**INDUIT, ITE, adj. et subst. m.**
Adj. **1.** Obtenu à partir d'un phénomène inducteur ou par induction : *Courant* ***induit*** ; *Profits, conséquences* ***induites.*** **2.** *Math. Loi* ***induite*** *sur une partie stable A d'un ensemble muni d'une loi de composition interne* : restriction de cette loi aux seuls éléments de A. Subst. *Phys.* Partie d'une machine électrique à induction tournante qui porte les enroulements dans lesquels circulent les courants produits par l'inducteur. 1866 ; p. p. de *induire* ; [ɛ̃dɥi, it].

**INDULGENCE, subst. f.**
**1.** *Dr. canon.* Rémission devant Dieu, partielle ou plénière, accordée par l'Église, des peines temporelles dues pour les péchés pardonnés : *La querelle des* ***indulgences*** *est considérée comme le point de départ de la Réforme.* **2.** Disposition à excuser les fautes d'autrui, à n'être pas sévère : *Une* ***indulgence*** *coupable.* Fin XIIe s. ; lat. *indulgentia*, « bienveillance » ; [ɛ̃dylʒɑ̃s].

**INDULGENT, ENTE, adj. et subst. m.**
Adj. Enclin à l'indulgence ; par méton., qui dénote l'indulgence : *Sourire* ***indulgent.*** Subst. *Hist.* Partisan de l'arrêt de la Terreur, au printemps 1794. 1542 ; lat. *indulgens* ; [ɛ̃dylʒɑ̃, ɑ̃t].

**INDULINE, subst. f.**
*Chim.* Substance de couleur bleue plus ou moins foncée dérivant de l'aniline. 1890 ; crois. de *indigo* et de *aniline*, par l'angl. ; [ɛ̃dylin].

**INDULT, subst. m.**
*Dr. canon.* Exemption ou privilège accordé à un fidèle, à une communauté par le pape, à un religieux par son supérieur, en dérogation à la règle commune. 1498 ; lat. chrét. *indultum*, « faveur » ; [ɛ̃dylt].

**INDÛMENT, adv.**
De manière indue. 1309 ; ☞ *indu* ; [ɛ̃dymɑ̃].

**INDURATION, subst. f.**
*Pathol.* Épaississement anormalement dur d'une zone tissulaire ; par méton., la zone indurée elle-même. 1370 (déb. XIVe s., endurcissement) ; lat. chrét. *induratio* ; [ɛ̃dyʀasjɔ̃].

**INDURER, verbe trans. [3]**
*Pathol.* Durcir (un tissu organique) ; empl. adj. : *Ganglion* ***induré.*** 1867 (1466, endurci) ; lat. *indurare*, « endurcir » ; [ɛ̃dyʀe].

**INDUSIE, subst. f.**
*Bot.* Enveloppe protectrice des sores (amas de sporanges), chez certaines fougères, ou d'organes reproducteurs en position superficielle, chez les algues. 1015 ; lat. *indusium*, « chemise » ; [ɛ̃dyzi].

**INDUSTRIALISATION, subst. f.**
**1.** Action d'industrialiser une activité, un secteur ; son résultat. **2.** Fait de passer à une économie où prédomine l'industrie. 1847 ; ☞ *industrialiser* ; [ɛ̃dystʀijalizasjɔ̃].

**INDUSTRIALISER, verbe trans. [3]**
**1.** Appliquer les méthodes, les techniques de l'industrie à : ***Industrialiser*** *l'agriculture.* **2.** Doter d'industries ; empl. pronom. : *La France s'****industrialisa*** *au* XIXe *siècle.* 1827 ; ☞ *industriel* ; [ɛ̃dystʀijalize].

**INDUSTRIALISME, subst. m.**
*Hist.* et *Écon.* Tendance à considérer l'industrie comme la source essentielle du bien-être de l'humanité. 1823 ; ☞ *industriel* ; [ɛ̃dystʀijalism].

**INDUSTRIE, subst. f.**
**I. 1.** Littér. ou Vieilli. Habileté déployée dans une activité ; savoir-faire, ingéniosité : *Il a mille* ***industries*** *pour faire plaisir à son voisin* (Fénelon). **2.** Pratique douteuse, répréhensible (vx). ▸ Loc. *Chevalier d'****industrie*** : escroc, aigrefin. **II. 1.** Travail, métier (vx) : *Vivre de l'****industrie*** *d'autrui.* **2.** Activité de production : *L'****industrie*** *néolithique de la pierre taillée.* **3.** Ensemble des activités économiques, caractérisées par la mécanisation et la concentration des moyens de production, dont l'objet est l'exploitation, la transformation des matières premières et la fabrication en grande quantité de biens matériels : *L'****industrie*** *lourde, légère* ; *L'****industrie*** *métallurgique, textile* ; *L'****industrie*** *japonaise.* **4.** Entreprise industrielle, usine (vieilli). Fin XIVe s. (1356, moyen ingénieux) ; lat. *industria*, « activité ; application » ; [ɛ̃dystʀi].

**INDUSTRIEL, ELLE, adj. et subst.**
Adj. **1.** Produit par le travail humain (vx). **2.** Relatif, propre à l'industrie : *Essor* ***industriel*** ; *Zone* ***industrielle.*** ▸ *Révolution* ***industrielle*** : ensemble des mutations techniques, économiques et sociales qui se produisirent d'abord en Angleterre, à partir du milieu du XVIIIe s., et accompagnèrent les progrès du machinisme et la concentration des capitaux et des moyens de production. **3.** Produit par l'industrie : *Vêtements* ***industriels.*** ▸ Utilisé par l'industrie : *Dessin* ***industriel*** ; *Véhicule* ***industriel.*** ▸ Loc. *Quantité* ***industrielle*** : très grand nombre (fam.). Subst. Propriétaire ou dirigeant d'industrie : *Un petit, un grand* ***industriel.*** 1471 ; ☞ *industrie* ; [ɛ̃dystʀijɛl].

**INDUSTRIELLEMENT, adv.**
**1.** En utilisant les moyens de l'industrie. **2.** Du point de vue de l'industrie : *Un pays* ***industriellement*** *avancé.* 1834 ; ☞ *industriel* ; [ɛ̃dystʀijɛlmɑ̃].

**INDUSTRIEUX, EUSE, adj.**
Qui fait preuve de savoir-faire ; actif et ingénieux : *Nation* ***industrieuse.*** 1455 ; bas lat. *industriosus*, « actif » ; [ɛ̃dystʀijø, øz].

**INDUVIE, subst. f.**
*Bot.* Formation qui se développe chez les Spermatophytes après que la fécondation a eu lieu, mais qui n'appartient pas aux pièces femelles de la fleur : *Le réceptacle de la fraise est une* ***induvie.*** 1827 ; lat. *induviae*, « vêtement » ; [ɛ̃dyvi].

**INÉBRANLABLE, adj.**
**1.** Que l'on ne peut ébranler : *Mur* ***inébranlable.*** **2.** Qui fait preuve de fermeté, de constance ; par ext., qui est solidement fondé : *Une amitié* ***inébranlable.*** 1606 ; ☞ *ébranler* + *in-*[2] ; [inebʀɑ̃labl].

**INÉCOUTÉ, ÉE, adj.**
Qui n'est pas écouté, suivi (littér.) : *Des conseils* ***inécoutés.*** 1794 ; p. p. *de écouter* + *in-*[2] ; [inekute].

**INÉDIT, ITE, adj.**
**1.** Qui n'a pas encore été édité, publié : *Roman* ***inédit*** ; empl. subst. masc. : ***Inédit*** *de Rimbaud.* **2.** Nouveau, original : *Technique* ***inédite*** ; empl. subst masc. : *Enfin de l'****inédit*** *!* 1729 ; lat. *ineditus* ; [inedi, it].

**INEFFABLE, adj.**
Qui ne peut être nommé, exprimé par le langage, en parlant d'une chose agréable : *Et d'****ineffables*** *vents m'ont ailé par instants* (Rimbaud). Mil. XVe s. ; lat. *ineffabilis* ; [inefabl].

**INEFFAÇABLE, adj.**
**1.** Qui ne peut être effacé, oublié : *Une faute* ***ineffaçable.*** **2.** Indélébile : *L'encre de Chine est* ***ineffaçable.*** 1523 ; ☞ *effacer* + *in-*[2] ; [inefasabl].

**INEFFICACE, adj.**
Qui n'agit pas utilement, ne produit pas l'effet recherché : *Remède* ***inefficace*** ; *Gouvernement* ***inefficace.*** Fin XIVe s. ; lat. *inefficax* ; [inefikas].

**INEFFICACITÉ, subst. f.**
Défaut d'efficacité : *L'****inefficacité*** *d'une politique.* 1694 ; ☞ *inefficace* ; [inefikasite].

**INÉGAL, ALE, AUX, adj.**
**I.** Plur. **1.** Qui sont différents quantitativement ou qualitativement : *Des poids* ***inégaux.*** **2.** Qui n'ont pas les mêmes aptitudes, les mêmes droits : *Des joueurs* ***inégaux*** *en force.* Sing. **1.** Dont la mesure n'est pas identique : *Des immeubles d'****inégale*** *hauteur.* **2.** Qui avantage l'un par rapport à l'autre : *Une instruction* ***inégale.*** **II. 1.** Qui n'est pas uni : *Terrain* ***inégal.*** **2.** Irrégulier, variable : *Pouls* ***inégal.*** **3.** Qui n'a pas un caractère constant : *Être d'humeur* ***inégale.*** **4.** Dont la qualité n'est pas uniforme : *Œuvre* ***inégale*** ; par méton. : *Un artiste* ***inégal.*** 1370 ; lat. *inaequalis*, « dissemblable ; variable, inconstant » ; [inegal, o].

**INÉGALABLE, adj.**
Qui ne peut être égalé. 1842 ; ☞ *égaler* + *in-*[2] ; [inegalabl].

**INÉGALÉ, ÉE, adj.**
Qui n'a pas encore été égalé ; sans égal : *Une beauté, une bêtise* ***inégalée.*** 1842 ; p. p. de *égaler* + *in-*[2] ; [inegale].

**INÉGALEMENT, adv.**
De façon inégale. 1484 ; ☞ *inégal* ; [inegalmɑ̃].

**INÉGALITAIRE, adj.**
Qui n'est pas égalitaire : *Un système économique* ***inégalitaire.*** 1876 ; ☞ *inégalité* ; [inegalitɛʀ].

**INÉGALITÉ, subst. f.**
**I. 1.** Défaut d'égalité, fait de présenter des différences : *L'****inégalité*** *des ressources* ; ***Inégalité*** *des chances.* **2.** *Math.* Dans un ensemble E muni d'une relation d'ordre $\leqslant$, expression de la relation entre deux éléments de E : $a \leqslant b$ (lu « *a* inférieur ou égal à *b* »). ▸ **Inégalité stricte.** Relation entre deux éléments distincts : $a < b$ pour : $a \leqslant b$ et $a \neq b$ (lu « *a* inférieur à *b* »). **II.** Caractère de ce qui n'est pas uni, de ce qui est variable : ***Inégalité*** *d'un revêtement, d'un rythme* ; ***Inégalité*** *d'un comportement*, inconstance. 1290 ; ☞ *égalité* + *in-*[2] ; [inegalite].

**INÉLASTIQUE, adj.**
*Phys.* Qualifie une collision dans laquelle l'énergie cinétique finale du système qui entre en collision (deux particules, par ex.) n'est pas la même qu'à l'état initial. 1741 ; ☞ *élastique* + *in-*[2] ; [inelastik].

**INÉLÉGANCE, subst. f.**
**1.** Manque d'élégance. **2.** Fig. Manque de tact, incorrection. 1525 ; bas lat. *inelegantia* ; [inelegɑ̃s].

**INÉLÉGANT, ANTE, adj.**
**1.** Qui n'est pas élégant : *Un vêtement* ***inélégant.*** **2.** Dépourvu de tact, de courtoisie : *Une réponse* ***inélégante.*** 1520 ; lat. *inelegans* ; [inelegɑ̃, ɑ̃t].

**INÉLIGIBILITÉ, subst. f.**
État d'une personne inéligible : *L'****inéligibilité*** *d'un candidat.* 1791 ; ☞ *inéligible* ; [inelizibilite].

**INÉLIGIBLE, adj.**
Qui n'est pas éligible. Déb. XVIIIe s. ; ☞ *éligible* + *in-*[2] ; [inelizibl].

**INÉLUCTABLE, adj.**
Qui s'accomplit fatalement, inévitable : *La mort est* ***inéluctable*** ; empl. subst. masc. : *Se résigner à l'****inéluctable.*** 1500 ; lat. *ineluctabilis*, de *eluctari*, « surmonter en luttant » ; [inelyktabl].

**INEMPLOYÉ, ÉE, adj.**
Qui n'est pas employé. 1794 ; p. p. de *employer* + *in-*[2] ; [inɑ̃plwaje].

**INÉNARRABLE, adj.**
**1.** Vx. Que l'on ne peut raconter. **2.** Cocasse à l'extrême. Fin XVe s. ; lat. *inenarrabilis* ; [inenaʀabl].

**INEPTE, adj.**
**1.** Vx. Inapte. **2.** Qui manque d'intelligence et de jugement : *Un dirigeant* ***inepte*** ; par méton. *Un projet, un comportement* ***inepte***, insensé. XVe s. ; lat. *ineptus* ; [inɛpt].

**INEPTIE, subst. f.**
**1.** Caractère de ce qui est inepte. **2.** Méton. Acte, parole inepte. 1626 (1546, maladresse) ; lat. *ineptia* ; [inɛpsi].

**INÉPUISABLE, adj.**
**1.** Qui ne peut être épuisé. **2.** Fig. Prolixe ; infatigable. Fin XVI^e s. ; *épuisable* (rare) + *in-*² ; [inepɥizabl].

**INÉPUISÉ, ÉE, adj.**
Qui n'est pas encore épuisé. 1794 ; p. p. de *épuiser* + *in-*² ; [inepɥize].

**INÉQUATION, subst. f.**
*Math.* Inégalité conditionnelle $f(x) \leqslant g(x)$, où $f$ et $g$ sont des applications d'un ensemble E dans un ensemble F ordonné. La résoudre dans la partie A de E, c'est déterminer les éléments $a$ de A pour lesquels l'inégalité $f(a) \leqslant g(a)$ est effectivement vérifiée. 1804 ; ☞ *équation* + *in-*² ; [inekwasjɔ̃].

**INÉQUITABLE, adj.**
Qui n'est pas équitable : *Un partage* ***inéquitable.*** 1519 ; ☞ *équitable* + *in-*² ; [inekitabl].

**INERME, adj.**
**1.** *Bot.* Dépourvu d'épines, d'aiguillons. **2.** *Zool.* Sans crochets : *Ténia* ***inerme.*** 1798 (1515, sans défense) ; lat. *inermis*, « non armé » ; [inɛʀm].

**INERTE, adj.**
**1.** Dépourvu d'activité ou de mouvement propre. ▸ *Chim. Substance* ***inerte*** : qui ne réagit pas ou qui réagit peu en présence d'autres substances, qui ne se combine pas avec elles ; en partic. : *Gaz* ***inerte,*** gaz rare. ▸ *Phys. Matière, masse* ***inerte*** : qui ne peut changer d'elle-même l'état de repos ou de mouvement dans lequel elle se trouve. **2.** Qui est immobile ; qui paraît sans vie : *Corps, regard* ***inerte*** ; au fig. : *La nouvelle la laissa* ***inerte,*** sans réaction. 1505 ; lat. *iners* ; [inɛʀt].

**INERTIE, subst. f.**
**1.** *Pathol.* Perte de la contractilité d'un muscle, d'un organe. **2.** *Phys.* Résistance opposée par un corps matériel au changement de son état de mouvement. **3.** Fig. Absence de réaction, manque d'énergie physique ou morale. Fin XIV^e s. ; lat. *inertia* ; [inɛʀsi].
PHYSIQUE – Dans un référentiel d'inertie (ou galiléen), une particule matérielle ponctuelle isolée (qui n'est soumise à aucune interaction) reste au repos si elle l'est initialement ou garde une vitesse constante (mouvement rectiligne uniforme) si elle est initialement en mouvement (principe d'inertie). Si la vitesse change, c'est que la particule est soumise à une interaction. En dynamique non relativiste, une accélération $a$ non nulle correspond à une force d'inertie $F = ma$ s'exerçant sur la particule ($m$ : masse d'inertie). Pour des corps ayant une structure plus complexe, le principe d'inertie s'applique également aux mouvements de rotation (par ex. autour d'un axe).

**INERTIEL, ELLE, adj.**
*Phys.* Relatif à l'inertie ; dont le fonctionnement repose sur la notion d'inertie. ▸ *Aéron. Centrale* ***inertielle*** : ensemble d'appareils coordonnés (accéléromètres, gyroscopes, ordinateur) pour la navigation par inertie. XX^e s. ; ☞ *inertie*, prob. d'apr. l'angl. *inertial* ; [inɛʀsjɛl].

**INESCOMPTABLE, adj.**
*Fin.* Impossible à escompter. Fin XIX^e s. ; *escomptable* (rare), « admis à l'escompte », + *in-*² ; [inɛskɔ̃tabl].

**INESPÉRÉ, ÉE, adj.**
Que l'on n'espérait pas ou plus : *Un mariage* ***inespéré*** ; qui dépasse toute attente : *Des gains* ***inespérés.*** 1466 ; p. p. de *espérer* + *in-*² ; [inɛspeʀe].

**INESTHÉTIQUE, adj.**
Qui heurte la sensibilité esthétique (synon. *laid*). 1880 ; ☞ *esthétique* + *in-*² ; [inɛstetik].

**INESTIMABLE, adj.**
**1.** Qu'on ne peut évaluer. **2.** Dont la valeur est au-delà de toute estimation : *Un joyau* ***inestimable.*** **3.** Fig. Précieux, qui mérite beaucoup d'estime : *Un avantage* ***inestimable*** ; *Une femme* ***inestimable.*** Fin XIV^e s. ; ☞ *estimable* + *in-*² ; [inɛstimabl].

**INÉTENDU, UE, adj.**
Qui est sans étendue (littér.). 1752 ; ☞ *étendu* + *in-*² ; [inetɑ̃dy].

**INÉVITABLE, adj.**
**1.** Qui ne peut être évité, fatal : *Une issue* ***inévitable.*** **2.** Incontournable, qu'il faut se résigner à subir (iron.) : *Son* ***inévitable*** *acolyte.* 1377 ; *évitable* (rare) + *in-*² ; [inevitabl].

**INÉVITABLEMENT, adv.**
De manière inévitable. 1493 ; ☞ *inévitable* ; [inevitabləmɑ̃].

**INEXACT, ACTE, adj.**
**1.** Qui n'est pas exact : *Un calcul* ***inexact,*** erroné, faux. **2.** Qui n'est pas ponctuel : *Un employé* ***inexact.*** 1689 ; ☞ *exact* + *in-*² ; [inɛgza(kt), akt].

**INEXACTITUDE, subst. f.**
**1.** Caractère de ce qui est inexact ; par méton., ce qui est inexact, erreur. **2.** Défaut de ponctualité. 1689 ; ☞ *inexact*, d'apr. *exactitude* ; [inɛgzaktityd].

**INEXAUCÉ, ÉE, adj.**
Qui n'a pu être exaucé (littér.) : *Désirs* ***inexaucés.*** 1832 ; p. p. de *exaucer* + *in-*² ; [inɛgzose].

**INEXCITABLE, adj.**
*Physiol.* Qui ne peut être excité, stimulé : *Nerf* ***inexcitable.*** 1845 ; ☞ *excitable* + *in-*² ; [inɛksitabl].

**INEXCUSABLE, adj.**
Qui ne peut être excusé. 1402 ; lat. *inexcusabilis* ; [inɛkskyzabl].

**INEXÉCUTABLE, adj.**
Qui ne peut être exécuté. Fin XVI^e s. ; ☞ *exécutable* + *in-*² ; [inɛgzekytabl].

**INEXÉCUTION, subst. f.**
**1.** Absence d'exécution. **2.** *Dr.* Défaut d'exécution d'une obligation juridique : ***Inexécution*** *d'un testament.* 1620 ; ☞ *exécution* + *in-*² ; [inɛgzekysjɔ̃].

**INEXERCÉ, ÉE, adj.**
Qui n'est pas exercé : *L'œil* ***inexercé*** *du profane.* 1794 ; ☞ *exercé* + *in-*² ; [inɛgzɛʀse].

**INEXIGIBILITÉ, subst. f.**
*Dr.* Caractère de ce que l'on ne peut exiger (rare). Mil. XIX^e s. ; *inexigible* (rare) ; [inɛgziʒibilite].

**INEXISTANT, ANTE, adj.**
**1.** Qui n'existe pas ; qui fait défaut : *Des preuves* ***inexistantes.*** **2.** Sans consistance, dérisoire : *Débat* ***inexistant.*** 1784 ; ☞ *existant* + *in-*² ; [inɛgzistɑ̃, ɑ̃t].

**INEXISTENCE, subst. f.**
**1.** Fait de ne pas exister. **2.** *Dr.* Caractère d'un acte juridique que le défaut ou l'inexactitude d'un élément constitutif rend nul et non avenu. 1609 ; ☞ *existence* + *in-*² ; [inɛgzistɑ̃s].

**INEXORABLE, adj.**
**1.** Auquel on ne peut échapper : *Une fin* ***inexorable.*** **2.** Dont on ne peut atténuer la rigueur : *Des lois* ***inexorables.*** Déb. XVI^e s. ; lat. *inexorabilis* ; [inɛgzɔʀabl].

**INEXORABLEMENT, adv.**
De manière inexorable. 1661 ; ☞ *inexorable* ; [inɛgzɔʀabləmɑ̃].

**INEXPÉRIENCE, subst. f.**
Manque d'expérience : *L'****inexpérience*** *d'un enfant.* 1452 ; ☞ *expérience* + *in-*² ; [inɛkspeʀjɑ̃s].

**INEXPÉRIMENTÉ, ÉE, adj.**
**1.** Qui n'a pas été expérimenté. **2.** Qui manque d'expérience, de pratique, en partic. dans un domaine donné : *Un conducteur* ***inexpérimenté.*** Fin XV^e s. ; ☞ *expérimenté* + *in-*² ; [inɛkspeʀimɑ̃te].

**INEXPERT, ERTE, adj.**
Qui n'est pas expert, qui manque d'habileté. XV^e s. ; ☞ *expert* + *in-*² ; [inɛkspɛʀ, ɛʀt].

**INEXPIABLE, adj.**
**1.** Qui ne peut être expié : *Faute* ***inexpiable.*** **2.** Que rien ne peut tempérer, faire cesser (littér.) : *Haine* ***inexpiable.*** Déb. XVI^e s. ; lat. *inexpiabilis* ; [inɛkspjabl].

**INEXPLICABLE, adj.**
Qui ne s'explique pas ou se comprend difficilement. 1486 ; lat. *inexplicabilis* ; [inɛksplikabl].

**INEXPLICABLEMENT, adv.**
De manière inexplicable. 1486 ; ☞ *inexplicable* ; [inɛksplikabləmɑ̃].

**INEXPLIQUÉ, ÉE, adj.**
Qui reste sans explication. 1792 ; p. p. de *expliquer* + *in-*² ; [inɛksplike].

**INEXPLOITABLE, adj.**
Qui ne peut être exploité : *Un filon* ***inexploitable.*** 1867 ; ☞ *exploitable* + *in-*² ; [inɛksplwatabl].

**INEXPLOITÉ, ÉE, adj.**
Qui n'est pas exploité : *Terre* ***inexploitée*** ; au fig. : *Des dons* ***inexploités.*** 1839 ; ☞ *exploité* + *in-*² ; [inɛksplwate].

**INEXPLORÉ, ÉE, adj.**
Qui n'a pas été exploré ; au fig. : *Plaisirs* ***inexplorés.*** 1825 ; p. p. de *explorer* + *in-*² ; [inɛksplɔʀe].

**INEXPRESSIF, IVE, adj.**
**1.** Sans expressivité : *Un style* ***inexpressif.*** **2.** Sans expression : *Un visage* ***inexpressif.*** 1781 (déb. XV^e s., qu'on ne peut exprimer) ; ☞ *expressif* + *in-*² ; [inɛkspʀesif, iv].

**INEXPRIMABLE, adj.**
Qui ne peut être exprimé par des mots. 1579 ; *exprimable* (rare) + *in-*² ; [inɛkspʀimabl].

**INEXPRIMÉ, ÉE, adj.**
Qui n'est pas exprimé : *Une crainte* ***inexprimée.*** 1836 ; p. p. de *exprimer* + *in-*² ; [inɛkspʀime].

**INEXPUGNABLE, adj.**
Qui résiste à tous les assauts, à tous les sièges (littér.). XIV^e s. ; lat. *inexpugnabilis*, de *pugnus*, « poing » ; [inɛkspyɲabl].

**INEXTENSIBLE, adj.**
Qui n'est pas extensible : *Une étoffe* ***inextensible.*** 1777 ; ☞ *extensible* + *in-*² ; [inɛkstɑ̃sibl].

**IN EXTENSO, loc. adv.**
Dans toute son étendue, intégralement : *Publier un texte* ***in extenso.*** 1840 ; loc. lat. ; [inɛkstɛ̃so].

**INEXTINGUIBLE, adj.**
**1.** Qui ne peut être éteint (rare) : *Feu* ***inextinguible.*** **2.** Fig. Que l'on ne peut calmer, satisfaire ou réprimer : *Une rancune, une soif, un rire* ***inextinguible.*** 1447 ; bas lat. *inextinguibilis* ; [inɛkstɛ̃gibl].

**IN EXTREMIS, loc. adv.**
Au tout dernier moment, de justesse. 1843 (1708, à l'article de la mort) ; loc. lat. ; [inɛkstʀemis].

**INEXTRICABLE, adj.**
**1.** Que l'on ne peut démêler : *D'****inextricables*** *difficultés.* **2.** Dont on ne peut sortir : *Jungle* ***inextricable.*** 1365 ; lat. *inextricabilis* ; [inɛkstʀikabl].

**INFAILLIBILITÉ, subst. f.**
**1.** Qualité d'une personne, d'une institution qui est infaillible. ▸ *Cath.* ***Infaillibilité*** *pontificale* : dogme, défini en 1870, selon lequel le pape est infaillible lorsqu'il s'exprime ex cathedra sur des points de doctrine (foi ou morale). **2.** Caractère de ce qui ne peut manquer d'arriver et, par ext., de ce dont le résultat est assuré. 1558 ; ☞ *infaillible* ; [ɛ̃fajibilite].

**INFAILLIBLE, adj.**
**1.** Qui se produira nécessairement (vieilli). **2.** Ext. Dont l'effet, le résultat est assuré : *Méthode* ***infaillible.*** **3.** Qui ne peut se tromper : *Se croire* ***infaillible.*** 1580 (mil. XV^e s., inaltérable) ; bas lat. *infallibilis*, du lat. *fallere*, « tromper ; faire défaut » ; [ɛ̃fajibl].

**INFAILLIBLEMENT, adv.**
**1.** De façon certaine, nécessaire. **2.** Sans risque d'erreur (rare). Mil. XV^e s. ; ☞ *infaillible* ; [ɛ̃fajibləmɑ̃].

**INFAISABLE, adj.**
Qui ne peut être fait : *Un travail* ***infaisable.*** 1613 ; ☞ *faisable* + *in-*² ; [ɛ̃fəzabl].

**INFALSIFIABLE, adj.**
Qui ne peut être falsifié : *Monnaie* ***infalsifiable.*** 1867 ; ☞ *falsifiable* + *in-*² ; [ɛ̃falsifjabl].

**INFAMANT, ANTE, adj.**
**1.** Qui déshonore, voue à l'opprobre : *Soupçons* ***infamants.*** **2.** *Dr. Peine* ***infamante*** : qui prive des droits civiques. 1557 ; *infamer* (vx), « diffamer », du lat. *infamare*, « décrier » ; [ɛ̃famɑ̃, ɑ̃t].

**INFÂME, adj.**
Littér. **1.** Qui est vil, indigne, méprisable : *Un* ***infâme*** *traître.* **2.** Qui provoque la flétrissure légale ou sociale (vx) ; déshonorant. **3.** Qui inspire le dégoût par sa saleté, sa laideur : *Un* ***infâme*** *taudis.* 1335 ; lat. *infamis*, « malfamé », de *fama*, « réputation » ; [ɛ̃fɑm].

**INFAMIE, subst. f.**
Littér. **1.** Acte, propos infâme : *Commettre une* ***infamie.*** **2.** Caractère de celui ou de ce qui est infâme : *L'****infamie*** *d'un viol.* **3.** Flétrissure légale ou sociale faite à la réputation de qqn : *Être frappé d'****infamie.*** Fin XIV^e s. ; lat. *infamia*, « déshonneur » ; [ɛ̃fami].

**INFANT, ANTE, subst.**
Titre donné aux enfants puînés des souverains d'Espagne et du Portugal. Fin XIV^e s. ; esp. *infante*, « fils de roi », du lat. *infans*, « enfant » ; [ɛ̃fɑ̃, ɑ̃t].

**INFANTERIE, subst. f.**
*Milit.* **1.** Ensemble des troupes qui se déplacent et combattent à pied (vx). **2.** Corps d'armée spécialement destiné à conquérir ou à contrôler un territoire : *Régiment d'****infanterie.*** Déb. XVI^e s. ; ital. *infanteria*, de *infante*, « enfant ; fantassin » ; [ɛ̃fɑ̃tʀi].

**INFANTICIDE (I), adj. et subst.**
Se dit d'une personne qui tue volontairement un enfant. 1564 ; lat. chrét. *infanticida*, du lat. *infans*, « enfant », et *caedere*, « tuer » ; [ɛ̃fɑ̃tisid].

**INFANTICIDE (II), subst. m.**
Meurtre d'un enfant. 1611 ; lat. chrét. *infanticidium* ; [ɛ̃fɑ̃tisid].

**INFANTILE,** adj.
**1.** Propre à la petite enfance : *Mortalité* ***infantile.*** **2.** Qui est immature, digne d'un enfant (péj.) : *Réaction* ***infantile.*** Déb. XIIIe s. ; lat. *infantilis* ; [ɛ̃fɑ̃til].

**INFANTILISER,** verbe trans. [3]
Favoriser, engendrer un comportement, une attitude infantile chez. Mil. XXe s. ; ☞ *infantile* ; [ɛ̃fɑ̃tilize].

**INFANTILISME,** subst. m.
**1.** *Pathol.* État d'un sujet adulte qui présente des caractères (morphologiques, sexuels ou psychiques) rappelant ceux d'un enfant. **2.** Fig. Caractère infantile d'une personne, d'une conduite (synon. *puérilité*). 1871 ; ☞ *infantile* ; [ɛ̃fɑ̃tilism].

**INFARCTUS,** subst. m.
*Pathol.* Lésion tissulaire avec nécrose des cellules, causée par un trouble circulatoire : ***Infarctus*** *du myocarde*, lésion du cœur due à l'oblitération d'une artère coronaire. 1826 ; lat. sc. *infarctus*, du lat. *infartus*, de *infarcire*, « remplir » ; [ɛ̃faʀktys].

**INFATIGABLE,** adj.
Que rien ne semble pouvoir fatiguer : *Marcheur* ***infatigable*** ; par méton. : *Une ardeur* ***infatigable.*** 1470 ; lat. *infatigabilis* ; [ɛ̃fatigabl].

**INFATUATION,** subst. f.
Autosatisfaction excessive (littér.). 1836 (1622, engouement) ; ☞ *infatuer* ; [ɛ̃fatɥasjɔ̃].

**INFATUÉ, ÉE,** adj.
**1.** Entiché (vieilli). **2.** Trop satisfait de sa personne, de ses mérites. 1488 ; p. p. de *s'infatuer* ; [ɛ̃fatɥe].

**INFATUER (S'),** verbe pronom. [3]
**1.** Vieilli. S'enticher (de) : ***S'infatuer*** *d'une grisette, d'astrologie.* **2.** S'emplir de fatuité. Fin XIVe s. ; lat. *infatuare*, « rendre sot » ; [ɛ̃fatɥe].

**INFÉCOND, ONDE,** adj.
**1.** Vx. Vain, sans résultat. **2.** Qui n'est pas fécond (littér.). **3.** Improductif : *Terre* ***inféconde*** ; au fig. : *Peintre* ***infécond.*** 1458 ; lat. *infecundus* ; [ɛ̃fekɔ̃, ɔ̃d].

**INFÉCONDITÉ,** subst. f.
Manque, absence de fécondité (synon. *stérilité*). Fin XIVe s. ; lat. *infecunditas* ; [ɛ̃fekɔ̃dite].

**INFECT, ECTE,** adj.
**1.** Qui rebute les sens : *Odeur, goût* ***infect.*** ▸ Ext. D'une saleté répugnante : *Chambre d'hôtel* ***infecte*** ; très mauvais : *Temps* ***infect.*** **2.** Qui suscite un vif dégoût moral : *Un procédé* ***infect.*** 1363 ; lat. *infectus*, de *inficere*, « imprégner ; empoisonner » ; [ɛ̃fɛkt].

**INFECTANT, ANTE,** adj.
Qui occasionne une infection : *Virus* ***infectant.*** Mil. XIXe s. ; p. pr. de *infecter* ; [ɛ̃fɛktɑ̃, ɑ̃t].

**INFECTER,** verbe trans. [3]
**1.** Souiller, empoisonner (vieilli) : ***Infecter*** *une rivière.* **2.** *Pathol.* Contaminer par des germes pathogènes : *Le malade* ***infecta*** *son entourage* ; empl. pronom., devenir infectieux : *Cette brûlure* ***s'infecte.*** **3.** Empester. 1416 ; ☞ *infect* ; [ɛ̃fɛkte].

**INFECTIEUX, EUSE,** adj.
**1.** Caractérisé ou causé par une infection : *Une épidémie* ***infectieuse.*** **2.** Qui infecte : *Des bactéries* ***infectieuses.*** 1821 ; ☞ *infection* ; [ɛ̃fɛksjø, øz].

**INFECTION,** subst. f.
**1.** Action d'infecter ; son résultat. ▸ *Pathol.* Agression d'un organisme par des agents pathogènes ; les troubles qu'elle entraîne. L'**infection** est soit locale (abcès, méningite, cystite), soit diffuse ou généralisée (septicémie). Sa gravité dépend de l'agent infectieux (bactérie, virus, champignon) ainsi que de l'état général du patient ; elle est redoutable chez les sujets immunodéprimés. **2.** Ext. Extrême puanteur. Fin XIIIe s. ; bas lat. *infectio*, du lat. *inficere*, « recouvrir de » ; [ɛ̃fɛksjɔ̃].

**INFÉODATION,** subst. f.
Action d'inféoder, de s'inféoder ; son résultat. 1467 ; ☞ *inféoder* ; [ɛ̃feɔdasjɔ̃].

**INFÉODER,** verbe trans. [3]
**1.** *Féod.* Concéder (une terre) en fief à qqn ; par ext. : ***Inféoder*** *un vassal d'une terre.* **2.** Fig. Assujettir, soumettre ; empl. pronom. : ***S'inféoder*** *à un clan, à un parti.* 1411 ; lat. médiév. *infeodare* ; [ɛ̃feɔde].

**INFÈRE,** adj.
*Bot.* Qualifie un ovaire situé au-dessous de l'insertion des sépales, des pétales et des étamines (anton. *supère*). 1770 ; lat. *inferus* ; [ɛ̃fɛʀ].

**INFÉRENCE,** subst. f.
**1.** *Log.* Opération par laquelle on décide de la vérité ou de la fausseté d'une assertion, en vertu des propositions, tenues pour vraies, dont elle dépend : ***Inférence*** *du particulier au particulier*, qui conclut d'un fait à un autre, par analogie. **2.** *Informat. Moteur d'****inférence*** : programme assurant la suite des étapes de la résolution d'un problème. 1867 (1609, conséquence) ; ☞ *inférer* ; [ɛ̃feʀɑ̃s].

**INFÉRER,** verbe trans. [8]
Tirer (la conséquence logique) d'un fait, d'un ensemble de propositions et, par ext., d'un propos, d'une situation (littér.). 1372 ; lat. *inferre*, « jeter dans, vers, sur » ; [ɛ̃feʀe].

**INFÉRIEUR, EURE,** adj. et subst.
ADJ. **1.** Situé au-dessous, plus bas, en bas : *Membres* ***inférieurs.*** **2.** D'une importance, d'une valeur moindre : *Qualité* ***inférieure.*** **3.** *Spéc.* ▸ *Géogr.* Qualifie la partie d'un fleuve la plus rapprochée de l'embouchure. ▸ *Géol.* Qualifie la plus ancienne période d'un âge géologique : *Crétacé* ***inférieur.*** SUBST. Personne au rang social, hiérarchique **inférieur**. Mil. XVe s. ; lat. *inferior* ; [ɛ̃feʀjœʀ].

**INFÉRIEUREMENT,** adv.
De manière inférieure ; en position inférieure, au-dessous. 1584 ; ☞ *inférieur* ; [ɛ̃feʀjœʀmɑ̃].

**INFÉRIORISATION,** subst. f.
Action d'inférioriser ; son résultat. 1894 ; ☞ *inférioriser* ; [ɛ̃feʀjɔʀizasjɔ̃].

**INFÉRIORISER,** verbe trans. [3]
**1.** Rendre inférieur ; diminuer la valeur, le mérite de (qqn, qqch.). **2.** Donner un sentiment d'infériorité à (qqn). 1878 ; ☞ *inférieur* ; [ɛ̃feʀjɔʀize].

**INFÉRIORITÉ,** subst. f.
**1.** État d'une chose située plus bas (rare). **2.** État de ce qui est inférieur, plus faible : ***Infériorité*** *numérique.* ▸ *Complexe d'****infériorité*** : disposition d'un sujet à se déprécier et à se sentir inférieur. 1588 ; ☞ *inférieur* ; [ɛ̃feʀjɔʀite].

**INFERNAL, ALE, AUX,** adj.
**1.** De l'enfer ou des Enfers : *Divinités* ***infernales.*** **2.** Fig. Qui évoque les supplices de l'enfer : *Chaleur, douleur* ***infernale.*** ▸ *Cycle* ***infernal*** : auquel on ne peut mettre fin. **3.** Ext. Excessivement pénible : *Cadences* ***infernales*** ; *Vacarme* ***infernal*** ; *Enfant* ***infernal***, très turbulent (fam.). **4.** Inspiré par le mal : *Machine* ***infernale***, engin explosif. 1119 ; bas lat. *infernalis* ; [ɛ̃fɛʀnal, o].

**INFÉROVARIÉ, ÉE,** adj.
*Bot.* Qualifie une plante dont l'ovaire est infère. 1845 ; crois. de *infère* et de *ovaire* ; [ɛ̃feʀɔvaʀje].

**INFERTILE,** adj.
Qui ne produit rien ou presque rien (littér.) : *Sol* ***infertile*** ; au fig. : *Imagination* ***infertile.*** 1434 ; bas lat. *infertilis* ; [ɛ̃fɛʀtil].

**INFERTILITÉ,** subst. f.
Manque, absence de fertilité (littér.). 1456 ; bas lat. *infertilitas* ; [ɛ̃fɛʀtilite].

**INFESTATION,** subst. f.
**1.** Pillage, ravage (vieilli). **2.** *Pathol.* Pénétration de parasites dans un organisme vivant ; état de l'organisme parasité. 1558 (1370, action de tourmenter) ; lat. chrét. *infestatio*, « attaque » ; [ɛ̃fɛstasjɔ̃].

**INFESTER,** verbe trans. [3]
**1.** Soumettre au pillage, au brigandage : *Les bandits* ***infestaient*** *les chemins.* ▸ Ext. Envahir (un lieu) au point de causer des ravages, en parlant d'animaux, de plantes nuisibles ; empl. adj. : *Cave* ***infestée*** *de rats.* **2.** *Pathol.* Pénétrer dans (un organisme) et s'y fixer, en parlant de parasites. 1552 (1390, importuner qqn) ; lat. *infestare* ; [ɛ̃fɛste].

**INFEUTRABLE,** adj.
Qui ne se feutre pas : *Tissu* ***infeutrable.*** V. 1970 ; ☞ *feutre* + *in-*[2] ; [ɛ̃føtʀabl].

**INFIBULATION,** subst. f.
**1.** *Anthropol.* Opération pratiquée chez certains peuples d'Afrique, consistant à coudre les grandes lèvres afin d'empêcher les relations sexuelles (cette mutilation est dénoncée par des organisations internationales depuis 1979). **2.** *Antiq.* ***Infibulation*** *masculine* : chez les Romains, fermeture du prépuce avec une fibule ou un anneau. 1578 ; lat. *infibulatio*, de *fibula*, « agrafe » ; [ɛ̃fibylasjɔ̃].

**INFIDÈLE,** adj.
**1.** Vx. Qui vénère un autre dieu que celui considéré comme le seul et vrai ; empl. subst. : *Croisade contre les* ***infidèles.*** **2.** Qui manque à ses obligations, à ses engagements : *Ami* ***infidèle.*** **3.** Qui manque d'exactitude, s'écarte de la vérité : *Mémoire* ***infidèle*** ; *Traduction* ***infidèle.*** Déb. XIVe s. ; lat. *infidelis* ; [ɛ̃fidɛl].

**INFIDÉLITÉ,** subst. f.
**1.** Vx. Manquement à la foi. **2.** Non-respect d'un engagement, inconstance dans les sentiments. **3.** Défaut de conformité, d'exactitude : ***Infidélité*** *d'une narration.* Fin XIIe s. ; lat. *infidelitas* ; [ɛ̃fidelite].

**INFILTRAT,** subst. m.
*Pathol.* Opacité observée dans un tissu, pouvant être le signe d'une lésion : ***Infiltrat*** *pulmonaire.* V. 1920 ; ☞ *infiltrer* ; [ɛ̃filtʀa].

**INFILTRATION,** subst. f.
**1.** Pénétration lente d'un fluide à travers un solide poreux, qui se comporte à la manière d'un filtre : *Un plafond auréolé de traces d'****infiltration.*** **2.** Ext. Pénétration clandestine d'éléments étrangers sur un territoire ou dans un groupe : ***Infiltration*** *d'un commando.* **3.** *Méd.* Traitement consistant à injecter une substance thérapeutique dans une cavité articulaire, un tissu ou un organe. **4.** *Pathol.* Envahissement d'un tissu normal par des éléments pathologiques qui en modifient la structure. Fin XIVe s. ; ☞ *infiltrer* ; [ɛ̃filtʀasjɔ̃].

**INFILTRER,** verbe trans. [3]
**1.** *Méd.* Faire pénétrer peu à peu (un liquide) dans un corps, comme à travers un filtre, pratiquer une infiltration. **2.** Fig. Introduire des agents, des observateurs dans (un groupe) à son insu : ***Infiltrer*** *un gang.* PRONOM. **1.** Se répandre lentement dans (un corps poreux), en parlant d'un fluide : *L'eau de pluie* ***s'infiltre*** *mal dans les sols argileux.* **2.** Fig. Se glisser, progresser furtivement : ***S'infiltrer*** *derrière les lignes ennemies.* Fin XIVe s. ; ☞ *filtrer* + *in-*[1] ; [ɛ̃filtʀe].

**INFIME,** adj.
**1.** Qui est situé au plus bas d'une échelle de valeurs : *Autorité* ***infime.*** **2.** Ext. Très petit : *Quantité* ***infime.*** 1447 ; lat. *infimus* ; [ɛ̃fim].

**IN FINE,** loc. adv.
À la fin (d'un chapitre, d'un ouvrage) : *Notes explicatives* ***in fine.*** 1899 ; loc. lat. ; [infine].

**INFINI, IE,** adj. et subst. m.
ADJ. **1.** Qui est sans fin ; que ne borne aucune limite et, par ext., aucun terme : *Dieu, l'être* ***infini*** *en tous ses attributs* ; *L'espace et le temps sont-ils* ***infinis*** ? **2.** Impossible à mesurer ; immense : *L'****infinie*** *diversité du vivant* ; *Ressentir un bien* ***infini.*** **3.** *Math.* *Ensemble* ***infini*** : ensemble en bijection avec une de ses parties propres (son cardinal est dit **infini**). SUBST. **1.** Ce qui est ou semble sans limites. ▸ Loc. **À l'infini**. À une distance **infinie** ; indéfiniment : *Discuter à l'****infini.*** **2.** *Math.* *Plus l'****infini****, moins l'****infini*** : éléments notés resp. $+\infty$ et $-\infty$, adjoints à l'ensemble $\mathbb{R}$ des nombres réels de façon à prolonger la relation d'ordre par $-\infty < x < +\infty$ pour tout réel $x$ ($-\infty$ et $+\infty$ ne sont pas des nombres). 1214 ; lat. *infinitus* ; [ɛ̃fini].

**INFINIMENT,** adv.
**1.** De manière infinie ; par hyperb., extrêmement, énormément : *Je vous remercie* ***infiniment.*** **2.** *Math.* On appelle **infiniment** grand (resp. petit) au voisinage de $x_0 \in \mathbb{R}$ toute fonction $f$ numérique définie sur un intervalle contenant $x_0$, sauf peut-être en $x_0$, telle que $|f(x)|$ ait pour limite $+\infty$ (resp. 0) quand $x$ tend vers $x_0$ (☞ *limite*). Fin XIVe s. ; ☞ *infini* ; [ɛ̃finimɑ̃].

**INFINITÉ,** subst. f.
**1.** Très grande quantité : *Une* ***infinité*** *de possibilités.* **2.** Caractère de ce qui est infini : *L'****infinité*** *de l'espace et du temps.* 1214 ; lat. *infinitas* ; [ɛ̃finite].

**INFINITÉSIMAL, ALE, AUX,** adj.
**1.** Extrêmement petit : *Dose* ***infinitésimale.*** **2.** *Math.* *Calcul* ***infinitésimal*** : partie des mathématiques recouvrant le calcul différentiel, le calcul intégral et le calcul des variations. 1706 ; angl. *infinitesimal*, du lat. *infinitus*, « infini » ; [ɛ̃finitezimal, o].

**INFINITIF, IVE,** subst. m. et adj.
*Gramm.* SUBST. **1.** Mode non personnel et non temporel du verbe, forme nominale du verbe, qui présente une action ou un état de manière indéterminée (par ex. « manger », « boire ») ; empl. adj. : *Le mode* ***infinitif.*** **2.** Verbe à l'**infinitif**. ▸ ***Infinitif*** *substantivé* : employé comme substantif (par ex. « le manger », « le boire »). ADJ. *Proposition* ***infinitive*** ou, empl. subst. fém., *Une* ***infinitive*** : proposition subordonnée dont le verbe est à l'**infinitif**. 1368 ; lat. *infinitivus* ; [ɛ̃finitif, iv].

**INFINITUDE,** subst. f.
Qualité de ce qui est infini (littér.). 1522 ; ☞ *infini* ; [ɛ̃finityd].

**INFIRMATIF, IVE, adj.**
*Dr.* Qui infirme, annule : *Arrêt* ***infirmatif***. 1501 ; ☞ *infirmer* ; [ɛ̃fiʀmatif, iv].

**INFIRMATION, subst. f.**
**1.** Action d'infirmer ; son résultat : ***Infirmation*** *d'un diagnostic.* **2.** *Dr.* Annulation d'un jugement en appel. 1478 ; lat. *infirmatio* ; [ɛ̃fiʀmasjɔ̃].

**INFIRME, adj.**
Qui présente une ou plusieurs infirmités : *Être* ***infirme*** *des jambes* ; empl. subst. : *Aider un* ***infirme*** *à se déplacer.* ▸ ***Infirme*** *moteur cérébral (I. M. C.)* : se dit d'un sujet qui présente des lésions neurologiques, essentiellement motrices. 1539 ; lat. *infirmus*, « faible » ; [ɛ̃fiʀm].

**INFIRMER, verbe trans. [3]**
**1.** Démontrer la faiblesse de (qqch.) : ***Infirmer*** *une hypothèse.* **2.** *Dr.* Prononcer l'infirmation de (un jugement). Fin XIVᵉ s. ; lat. *infirmare* ; [ɛ̃fiʀme].

**INFIRMERIE, subst. f.**
Local d'une collectivité où l'on accueille et soigne les blessés légers et les malades. 1509 ; ☞ *infirmier* ; [ɛ̃fiʀməʀi].

**INFIRMIER, IÈRE, subst.**
Personne qualifiée pour dispenser des soins en institution (hôpital, clinique, etc.) ou à domicile, sur prescription médicale : *Une* ***infirmière*** *diplômée d'État* ; empl. adj. : *Acte* ***infirmier***, acte effectué par un **infirmier**, une **infirmière**. 1398 ; *enfermier* (vx), d'apr. *infirme* ; [ɛ̃fiʀmje, jɛʀ].

**INFIRMITÉ, subst. f.**
**1.** Vx. Faiblesse, débilité physique. **2.** Affection entraînant la perte, totale ou partielle, de fonction d'un organe ou d'un membre : ***Infirmité*** *de la hanche.* 1413 ; lat. *infirmitas* ; [ɛ̃fiʀmite].

**INFIXE, subst. m.**
*Ling.* Affixe inséré à l'intérieur d'un mot et qui en modifie le sens : *« Boitiller » est formé à partir de « boiter » avec l'****infixe*** *« -ill- ».* 1877 ; lat. *infixus*, « inséré » ; [ɛ̃fiks].

**INFLAMMABILITÉ, subst. f.**
Propriété d'une substance inflammable. 1641 ; ☞ *inflammable* ; [ɛ̃flamabilite].

**INFLAMMABLE, adj.**
Qui s'enflamme facilement : *Matière* ***inflammable***. Fin XIVᵉ s. ; lat. *inflammare*, « enflammer » ; [ɛ̃flamabl].

**INFLAMMATION, subst. f.**
**1.** Vx. Irritation, colère. **2.** *Pathol.* Réaction première de l'organisme à une agression, caractérisée par une chaleur du point irrité, une douleur, une rougeur et une tuméfaction ; ces symptômes. **3.** Action de s'enflammer, de brûler ; son résultat : *L'****inflammation*** *d'un gaz.* XIVᵉ s. ; lat. *inflammatio* ; [ɛ̃flamasjɔ̃].

**INFLAMMATOIRE, adj.**
*Pathol.* Relatif à l'inflammation ; qui provoque ou qui est caractérisé par une inflammation : *Syndrome* ***inflammatoire***. 1549 ; ☞ *inflammation* ; [ɛ̃flamatwaʀ].

**INFLATION, subst. f.**
**1.** Vx. *Pathol.* Gonflement. **2.** Situation de hausse généralisée et continue des prix : *Taux d'****inflation*** ; ***Inflation*** *galopante*, très rapide. **3.** Ext. Développement excessif de qqch. : ***Inflation*** *verbale.* XIVᵉ s. ; lat. *inflatio*, « enflure » ; [ɛ̃flasjɔ̃].

ÉCONOMIE – Les théories expliquent l'inflation par un déséquilibre entre l'offre et la demande (école keynésienne), par l'excès de la création monétaire comparée à la production (théorie quantitativiste de Jean Bodin, dès 1568, et école monétariste de Milton Friedman, au XXᵉ s.), par la volonté des entreprises de maintenir leurs profits (école marxiste), par les coûts de production, par les structures entravant le libre jeu de la concurrence (les oligopoles, l'État providence) et par la tendance des groupes de pression (syndicats, par ex.) à protéger leurs intérêts. L'inflation « importée » est liée aux relations internationales (rôle du S. M. I., prédominance du dollar...). L'État tente de lutter contre l'inflation par des mesures budgétaires, monétaires et de rigueur en matière de salaires et de prix.

**INFLATIONNISTE, adj.**
Relatif à l'inflation ; qui l'entraîne. 1894 ; anglo-amér. *inflationist*, du lat. *inflatio*, « enflure » ; [ɛ̃flasjɔnist].

**INFLÉCHI, IE, adj.**
**1.** Recourbé, ployé : *Arc* ***infléchi***. **2.** *Phon.* Qualifie une voyelle faisant l'objet d'une inflexion. 1738 ; p. p. de *infléchir* ; [ɛ̃fleʃi].

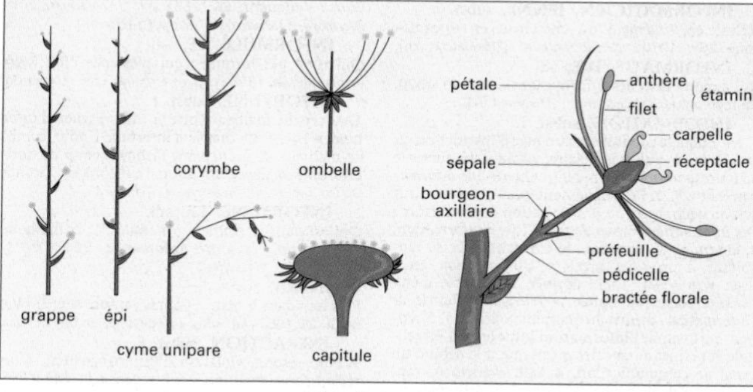

*Types d'****inflorescence***.

**INFLÉCHIR, verbe trans. [19]**
**1.** Fléchir, courber (qqch.). ▸ *Opt.* Dévier : ***Infléchir*** *des rayons lumineux.* **2.** Fig. Changer l'orientation de : ***Infléchir*** *une politique.* PRONOM. **1.** Former un coude, ployer. **2.** Fig. Se modifier. 1738 ; ☞ *fléchir* + *in-*[1] ; [ɛ̃fleʃiʀ].

**INFLÉCHISSEMENT, subst. m.**
Léger changement de direction ; au fig., atténuation d'une tendance. 1888 ; ☞ *infléchir* ; [ɛ̃fleʃismɑ̃].

**INFLEXIBILITÉ, subst. f.**
Propriété de ce que l'on ne peut fléchir (rare). ▸ Fig. Qualité d'une personne inflexible ; par ext. : *L'****inflexibilité*** *d'une loi.* 1314 ; ☞ *inflexible* ; [ɛ̃flɛksibilite].

**INFLEXIBLE, adj.**
**1.** Que l'on ne peut plier, courber (rare) : *Matériau* ***inflexible***. **2.** Fig. Qui ne se laisse pas fléchir, influencer : *Juge* ***inflexible*** ; par ext. : *Volonté* ***inflexible*** ; *Loi, règle* ***inflexible***, rigide. 1314 ; lat. *inflexibilis* ; [ɛ̃flɛksibl].

**INFLEXION, subst. f.**
**1.** Action d'infléchir, fait de s'infléchir ; son résultat. ▸ *Géom. Point d'****inflexion*** *d'une courbe plane* : point où cette courbe traverse sa tangente. ▸ *Phys.* Changement de direction d'une trajectoire, d'un rayon, d'une ligne de force. **2.** Modulation de la voix : *Des* ***inflexions*** *caressantes.* ▸ *Phon.* Modification du timbre d'une voyelle sous l'influence de la voyelle suivante. Fin XIVᵉ s. ; lat. *inflexio* ; [ɛ̃flɛksjɔ̃].

**INFLIGER, verbe trans. [5]**
**1.** Appliquer (une peine) : ***Infliger*** *une amende.* **2.** Faire subir : ***Infliger*** *une correction* ; par ext., imposer (qqch de pénible) : ***Infliger*** *un monologue à qqn.* 1451 ; lat. *infligere* ; [ɛ̃fliʒe].

La Dégringolade du mark.
*Lithographie d'Henri Zislin (1875-1958).*
*Une vision caricaturale de l'****inflation***
*dans l'Allemagne des années vingt.*
*Musée royal de l'Armée, Bruxelles.*

**INFLORESCENCE, subst. f.**
*Bot.* **1.** Manière dont les fleurs d'une plante sont groupées : ***Inflorescence*** *en grappe, en épi.* **2.** Les fleurs ainsi disposées. 1792 ; lat. sc. *inflorescentia*, du lat. *inflorescere*, « se couvrir de fleurs » ; [ɛ̃flɔʀɛsɑ̃s].

**INFLUENÇABLE, adj.**
Qui se laisse influencer ; qu'il est aisé d'influencer. 1831 ; ☞ *influencer* ; [ɛ̃flyɑ̃sabl].

**INFLUENCE, subst. f.**
**1.** Vx. Sorte de flux que l'on supposait provenir des astres, censé agir sur la destinée humaine. **2.** Action continue exercée par un agent physique : *L'****influence*** *du milieu sur l'individu.* ▸ *Électr. Électrisation par* ***influence*** : polarisation d'un corps au voisinage d'un conducteur électrisé. **3.** Ascendant psychologique ou intellectuel exercé sur autrui : *J'ai une bonne* ***influence*** *sur lui* ; *L'****influence*** *du cubisme sur le surréalisme.* ▸ *Psych. Délire d'****influence*** : conviction obsessionnelle d'être mû par des forces étrangères et occultes. **4.** Autorité, pouvoir que confère une position sociale ou politique : *User de son* ***influence*** *en faveur de qqn* ; *L'****influence*** *américaine dans le monde.* XIIIᵉ s. ; lat. médiév. *influentia*, du lat. *influere*, « couler dans » ; [ɛ̃flyɑ̃s].

**INFLUENCER, verbe trans. [4]**
User de son influence sur : *Le président doit se garder d'****influencer*** *le jury.* 1771 ; ☞ *influence* ; [ɛ̃flyɑ̃se].

**INFLUENT, ENTE, adj.**
Qui a de l'influence, du crédit : *Un ministre* ***influent***. 1520 ; lat. *influens*, « qui s'insinue » ; [ɛ̃flyɑ̃, ɑ̃t].

**INFLUENZA, subst. f.**
Grippe (vieilli). 1782 ; ital. *influenza*, du lat. médiév. *influentia*, prob. « flux de sang » ; [ɛ̃flyɑ̃za] ou [-ɛnza].

**INFLUER, verbe trans. indir. [3]**
**Influer sur.** Exercer une action sur. 1375 ; lat. *influere*, « couler dans » ; [ɛ̃flye].

**INFLUX, subst. m.**
**1.** Vx. Influence des astres ; par ext., action d'une force mystérieuse. **2.** *Physiol.* ***Influx*** *nerveux* : ensemble des phénomènes bioélectriques qui permettent à l'excitation de se propager dans le nerf. 1547 ; bas lat. *influxus*, « écoulement » ; [ɛ̃fly].

**INFO, subst. f.**
Information (fam.) : *Écouter les* ***infos***. V. 1970 ; apocope de *information* ; [ɛ̃fo].

**INFOGRAPHIE, subst. f.**
Traitement informatique des images et des représentations graphiques. V. 1970 ; ☞ *informatique* + *-graphie* ; n. déposé ; [ɛ̃fogʀafi].

**IN-FOLIO, adj. inv. et subst. m.**
*Impr.* Se dit du format d'un livre dont chaque feuille d'impression est pliée en 2 feuillets, donnant ainsi 4 pages ; par méton., se dit d'un livre de ce format. 1560 ; lat. *in folio*, « en feuille » ; plur. du subst. *in-folio(s)*, abrév. : in-f° ; [infɔljo].

**INFONDÉ, ÉE, adj.**
Qui est dépourvu de fondement ; injustifié : *Peur* ***infondée***. 1840 ; ☞ *fondé* + *in-*[2] ; [ɛ̃fɔ̃de].

**INFORMATEUR, TRICE, subst.**
Personne chargée de recueillir et de transmettre des informations : ***Informateur*** *de police, de presse.* XVᵉ s. ; ☞ *informer* ; [ɛ̃fɔʀmatœʀ, tʀis].

**INFORMATICIEN, IENNE,** subst.
Technicien, ingénieur ou chercheur en informatique. V. 1970 ; ☞ *informatique* ; [ɛ̃fɔʀmatisjɛ̃, jɛn].

**INFORMATIF, IVE,** adj.
Qui apporte une, des informations. 1939 (1520, qui représente) ; ☞ *informer* ; [ɛ̃fɔʀmatif, iv].

**INFORMATION,** subst. f.
**1.** *Dr.* Enquête conduite par un juge d'instruction ou un officier de police judiciaire, visant à découvrir le ou les responsables d'un délit : *Ouvrir une* ***information*** *contre X.* **2.** Renseignement que l'on obtient sur qqn ou qqch. (gén. au plur.) ; action de s'informer : *Des* ***informations*** *dignes de foi* ; *Visite d'****information****.* **3.** Ensemble de données, de connaissances se rapportant à un sujet précis : *L'****information*** *génétique.* ▸ *Informat.* Toute donnée susceptible d'être stockée, codée ou traitée. ▸ *Télécomm. Théorie de l'****information*** : théorie du mathématicien C. E. Shannon, qui assimile l'**information** à une levée d'incertitude et permet de calculer précisément le débit d'un canal de communication. **4.** Fait, évènement rapporté par voie de presse : *Censurer une* ***information*** ; au plur., par méton., bulletin qui diffuse les **informations**, à la radio ou à la télévision : *Regarder les* ***informations***. 1274 ; ☞ *informer* ; [ɛ̃fɔʀmasjɔ̃].

**INFORMATIQUE,** subst. f. et adj.
Subst. Discipline scientifique qui traite de l'automatisation des moyens de calcul et de gestion de l'information ; ensemble des techniques mises en œuvre par cette discipline : ***Informatique*** *théorique* ; *Les métiers de l'****informatique***. Adj. Relatif à l'**informatique** : *Le traitement* ***informatique*** *des données.* V. 1960 ; ☞ *information* ; [ɛ̃fɔʀmatik].

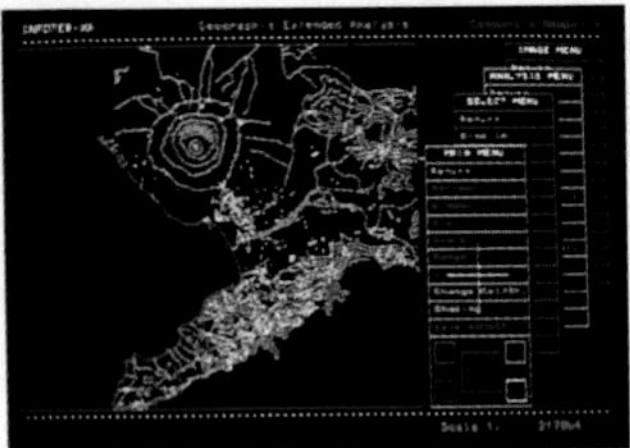
© Gamma-Liaison

*L'****informatique*** *au service de l'archéologie : le site de Pompéi et le Vésuve.*

**INFORMATISATION,** subst. f.
Action d'informatiser ; son résultat. V. 1970 ; ☞ *informatiser* ; [ɛ̃fɔʀmatizasjɔ̃].

**INFORMATISER,** verbe trans. [3]
**1.** Traiter (une activité) à l'aide de moyens informatiques : ***Informatiser*** *la gestion du personnel.* **2.** Pourvoir d'un matériel informatique : ***Informatiser*** *une entreprise.* V. 1970 ; ☞ *informatique* ; [ɛ̃fɔʀmatize].

**INFORME,** adj.
**1.** Dont on ne peut définir la forme ; qui n'a pas de forme propre, brut : *Matière* ***informe***. **2.** Dont la forme est imparfaite : *L'esquisse* ***informe*** *d'un roman.* **3.** Dont la forme est disgracieuse ; qui est difforme : *Un corps obèse et* ***informe***. Déb. XVIe s. ; lat. *informis* ; [ɛ̃fɔʀm].

**INFORMÉ, ÉE,** adj. et subst. m.
Adj. Qui est bien renseigné, qui est au fait d'un sujet : *Un public* ***informé***. Subst. *Dr. Un plus ample* ***informé*** : un complément d'information judiciaire. ▸ Loc. *Jusqu'à plus ample* ***informé*** : sous réserve d'informations complémentaires. 1671 ; p. p. de *informer* ; [ɛ̃fɔʀme].

**INFORMEL, ELLE,** adj.
**1.** *B.-a.* Qui tente de figurer l'impact du réel sur la sensibilité sans avoir recours à la représentation formelle : *L'art* ***informel*** ou, empl. subst. masc., *L'****informel***. **2.** Sans caractère officiel (anglic.) : *Assemblée* ***informelle*** ; *Dîner* ***informel***. 1951 ; ☞ *formel* + *in-*[2] ; [ɛ̃fɔʀmɛl].

**INFORMER,** verbe [3]
Trans. **1.** *Philos.* Doter (qqch.) d'une forme, d'une signification (vieilli). **2.** Mettre (qqn) au fait de qqch. : *Le devoir d'****informer*** *le public.* Intrans. *Dr.* Ouvrir une information sur, contre qqn ou qqch. : ***Informer*** *contre X.* Pronom. Collecter des informations ; s'enquérir. 1286 ; anc. fr. *enformer*, du lat. *informare*, « former dans l'esprit » ; [ɛ̃fɔʀme].

**INFORMULÉ, ÉE,** adj.
Qui n'est pas formulé ; qui n'est pas dit : *Regret* ***informulé***. 1855 ; p. p. de *formuler* + *in-*[2] ; [ɛ̃fɔʀmyle].

**INFORTUNE,** subst. f.
**1.** Adversité, malheur (littér.) : *Compagnon d'****infortune***. ▸ Loc. *Pour comble d'****infortune*** : pour comble de malheur. **2.** Évènement fâcheux, coup du sort : ***Infortune*** *conjugale*, situation d'un conjoint trompé. Fin XIVe s. ; lat. *infortunium* ; [ɛ̃fɔʀtyn].

**INFORTUNÉ, ÉE,** adj.
Qui est dans le malheur ; marqué par le malheur ; empl. subst., personne **infortunée**. Fin XIVe s. ; ☞ *infortune* ; [ɛ̃fɔʀtyne].

**INFRA,** adv.
Plus loin dans le texte, ci-après (anton. *supra*) : *Voir* ***infra***. 1862 ; lat. *infra*, « au-dessous, en bas » ; [ɛ̃fʀa].

**INFRACTION,** subst. f.
**1.** Non-respect, violation d'un engagement, d'une règle, d'une tradition : ***Infraction*** *à la déontologie.* **2.** *Dr.* Transgression d'une loi (contravention, délit, crime), sanctionnée par une peine prévue par le Code pénal. 1250 ; lat. *infractio*, « action de briser » ; [ɛ̃fʀaksjɔ̃].

**INFRALIMINAL, ALE, AUX,** adj.
*Psychol.* Qualifie un stimulus trop faible pour entraîner une réponse manifeste de l'organisme (synon. *infraliminaire, subliminal*). V. 1980 ; lat. *limen*, « seuil », + *infra-* ; [ɛ̃fʀaliminal, o].

**INFRANCHISSABLE,** adj.
Qui ne peut être franchi, en parlant d'un obstacle. 1792 ; ☞ *franchissable* + *in-*[2] ; [ɛ̃fʀɑ̃ʃisabl].

**INFRANGIBLE,** adj.
Qui ne peut être brisé (littér.) : *Principe* ***infrangible***. 1488 ; *frangible* (vx), « sujet à se briser », du lat. *frangere*, « briser, mettre en pièces », + *in-*[2] ; [ɛ̃fʀɑ̃ʒibl].

**INFRAROUGE,** adj. et subst. m.
*Phys.* Se dit de rayonnements électromagnétiques d'une fréquence *f* inférieure à celle de la lumière rouge (la plus basse des fréquences visibles), c.-à-d. inférieure à environ $4.10^{14}$ Hz ; leur longueur d'onde $\lambda$ est donc supérieure à celle du rouge, soit à 0,8 $\mu$m. 1873 ; ☞ *rouge* + *infra-* ; [ɛ̃fʀaʀuʒ].

**INFRASON,** subst. m.
*Phys.* Vibration mécanique (de l'air ou d'un autre milieu) dont la fréquence est inférieure à celle des sons audibles pour l'oreille humaine. 1925 ; ☞ *son* (II) + *infra-* ; [ɛ̃fʀasɔ̃].

**INFRASTRUCTURE,** subst. f.
**I. 1.** Ensemble des parties inférieures qui servent de fondations à un ouvrage (anton. *superstructure*) : ***Infrastructure*** *d'une route, d'une voie ferrée.* **2.** Ensemble des installations et des services nécessaires au fonctionnement d'une activité ou d'une entreprise : ***Infrastructure*** *aérienne*, ensemble des installations au sol (pistes, hangars, tour de contrôle, bureaux, etc.). **II. 1.** Disposition interne qui soustend et qui structure l'ensemble d'un organisme : ***Infrastructure*** *d'un parti.* **2.** *Philos.* Dans l'analyse marxiste, ensemble des moyens et des rapports de production, qui déterminent les superstructures idéologiques (politiques, culturelles, etc.) d'une société. 1875 ; ☞ *structure* + *infra-* ; [ɛ̃fʀastʀyktyʀ].

**INFRÉQUENTABLE,** adj.
Qui ne peut être fréquenté. 1842 ; ☞ *fréquentable* + *in-*[2] ; [ɛ̃fʀekɑ̃tabl].

**INFROISSABLE,** adj.
Qui ne se froisse pas : *Tissu* ***infroissable***. 1912 ; *froissable* (rare), « qui se froisse », + *in-*[2] ; [ɛ̃fʀwasabl].

**INFRUCTUEUX, EUSE,** adj.
**1.** Vx. Stérile. **2.** Fig. Dont le résultat est faible ou nul : *Enquête* ***infructueuse***. XIVe s. ; lat. *infructuosus* ; [ɛ̃fʀyktɥø, øz].

**INFULE,** subst. f.
*Antiq. rom.* Bandelette rituelle de laine blanche que portaient sur le front les prêtres et les victimes vouées au sacrifice. XVe s. ; lat. *infula* ; [ɛ̃fyl].

**INFUMABLE,** adj.
**1.** Trop mauvais pour être fumé : *Cigare, tabac* ***infumable***. **2.** Toxique, si on le fume. 1868 ; ☞ *fumable* + *in-*[2] ; [ɛ̃fymabl].

**INFUNDIBULUM,** subst. m.
*Anat.* Toute structure anatomique ayant la forme d'un entonnoir. 1694 (1611, entonnoir) ; lat. *infundibulum*, « entonnoir » ; [ɛ̃fɔ̃dibylɔm].

**INFUS, USE,** adj.
**1.** Vx. Infusé. **2.** *Théol.* Qui n'est pas acquis mais qui est accordé par Dieu : *Science* ***infuse***, qu'Adam a reçue. ▸ Loc. *Avoir la science* ***infuse*** : prétendre tout savoir sans l'avoir appris (iron.). **3.** Que l'être humain possède de manière innée. XIIIe s. ; lat. *infusus*, de *infundere*, « verser dans » ; [ɛ̃fy, yz].

**INFUSER,** verbe trans. [3]
**1.** Laisser tremper (une substance) dans un liquide bouillant afin qu'elle y répande ses principes actifs, son arôme ; empl. intrans. : *Laisser* ***infuser*** *un thé.* **2.** Fig. Communiquer, faire pénétrer : ***Infuser*** *l'espoir dans les cœurs.* 1575 (1380, faire pénétrer une âme dans un corps) ; ☞ *infusion* ; [ɛ̃fyze].

**INFUSIBILITÉ,** subst. f.
Propriété d'une matière infusible. 1769 ; ☞ *infusible* ; [ɛ̃fyzibilite].

**INFUSIBLE,** adj.
*Phys.* Qui ne peut fondre. 1760 ; ☞ *fusible* + *in-*[2] ; [ɛ̃fyzibl].

**INFUSION,** subst. f.
**1.** Action d'infuser ; par méton. : *Boire une* ***infusion***. **2.** *Cath. Baptême par* ***infusion*** : qui consiste à verser de l'eau consacrée sur la tête du baptisé (par oppos. à *baptême par immersion*). 1605 (fin XIIe s., pénétration dans l'âme d'une grâce surnaturelle) ; lat. *infusio*, « action de verser dans » ; [ɛ̃fyzjɔ̃].

**INGAMBE,** adj.
Alerte : *Une vieille femme encore* ***ingambe***. 1585 ; ital. *in gambe*, « en jambes » ; [ɛ̃gɑ̃b].

**INGÉNIER (S'),** verbe pronom. [6]
Faire preuve d'ingéniosité pour atteindre un but ; s'évertuer : *Elle* ***s'ingénie*** *à lui être agréable.* 1404 ; lat. *ingenium*, « intelligence, talent, génie » ; [ɛ̃ʒenje].

**INGÉNIERIE,** subst. f.
**1.** Activité pluridisciplinaire qui a pour objet la définition, la conception de projets industriels et la coordination des moyens nécessaires pour les mettre en œuvre. ▸ ***Ingénierie*** *génétique* : génie génétique. **2.** *Informat.* Conception et réalisation de systèmes informatiques en fonction de projets spécifiques. V. 1960 ; ☞ *ingénieur*, d'apr. l'angl. *engineering* ; recomm. off. pour *engineering* ; [ɛ̃ʒeniʀi].

**INGÉNIEUR,** subst. m.
**1.** Vx. Inventeur et constructeur de machines de guerre. **2.** Personne qui, qualifiée par une formation supérieure spécifique, assure l'exécution de travaux publics, de constructions et de fabrications industrielles : ***Ingénieur*** *civil, agronome, militaire, chimiste* ; *Une école d'****ingénieurs*** ; ***Ingénieur*** *des Mines, des Ponts et Chaussées* ; en appos. : *Une femme* ***ingénieur***. ▸ ***Ingénieur-conseil*** : spécialiste qui conseille dans le cadre de la conception et de la réalisation de projets. ▸ *Informat.* ***Ingénieur*** *système* : personne qui met en place un système informatique. ▸ *Audiov.* ***Ingénieur*** *du son* : **ingénieur** électricien spécialiste de la prise du son. Mil. XVIe s. ; anc. fr. *engigneor*, de *engin*, « machine de guerre », d'apr. *s'ingénier* ; [ɛ̃ʒenjœʀ].

**INGÉNIEUSEMENT,** adv.
De manière ingénieuse ; astucieusement. Fin XIVe s. ; ☞ *ingénieux* ; [ɛ̃ʒenjøzmɑ̃].

**INGÉNIEUX, EUSE,** adj.
**1.** Qui fait preuve d'habileté ; inventif : *Bricoleur* ***ingénieux***. **2.** Subtil : *Stratagème* ***ingénieux***. Fin XIVe s. ; anc. fr. *engenious*, du lat. *ingeniosus* ; [ɛ̃ʒenjø, øz].

**INGÉNIOSITÉ,** subst. f.
**1.** Qualité d'un esprit ingénieux. **2.** Caractère de ce qui est ingénieux : *L'****ingéniosité*** *d'un dispositif.* 1488 ; ☞ *ingénieux* ; [ɛ̃ʒenjozite].

**INGÉNU, UE,** adj. et subst.
Adj. **1.** *Dr. rom.* Qui est né libre (anton. *affranchi*). **2.** Qui laisse voir, avec franchise et naïveté, ses sentiments : *Petite fille* ***ingénue*** ; par méton., qui dénote la candeur, l'innocence : *Un regard* ***ingénu***. Subst. Personne ingénue : *Une fausse* ***ingénue***, qui feint l'ingénuité. ▸ Au fém. *Théâtre.* Rôle de jeune fille candide. 1480 ; lat. *ingenuus* ; [ɛ̃ʒeny].

**INGÉNUITÉ,** subst. f.
**1.** *Dr. rom.* État d'une personne née libre. **2.** Qualité d'une personne, d'une attitude ingénue. 1372 lat. *ingenuitas* ; [ɛ̃ʒenɥite].

**INGÉNUMENT,** adv.
De façon ingénue. 1554 ; ☞ *ingénu* ; [ɛ̃ʒenymɑ̃].

**INGÉRABLE (I),** adj.
Qui peut être absorbé par voie buccale. XXe s. ☞ *ingérer* ; [ɛ̃ʒeʀabl].

**INGÉRABLE (II), adj.**
Qui est impossible ou très difficile à gérer. ☞ XXe s. ; *gérable* (rare), « que l'on peut gérer » + *in-*[2] ; [ɛ̃ʒeʀabl].

**INGÉRENCE, subst. f.**
**1.** Immixtion dans les affaires d'autrui. ▸ *Pol.* Intervention d'un État dans les affaires d'un autre. **2.** *Dr.* *Délit d'ingérence* : délit commis par un fonctionnaire ou par un élu qui utilise son poste ou sa fonction pour favoriser ses intérêts personnels. ☞ 1860 ; ☞ *ingérer* ; [ɛ̃ʒeʀɑ̃s].

**INGÉRER, verbe trans. [8]**
Absorber par voie buccale ; avaler ; par ext., manger ou boire : *Ils n'ingèrent plus que des choses mal préparées* (Proust). **Pronom.** S'immiscer abusivement (dans les affaires d'autrui) : *S'ingérer dans la vie privée de qqn.* ☞ 1362 ; lat. *ingerere* ; [ɛ̃ʒeʀe].

**INGESTION, subst. f.**
Action d'ingérer. ☞ 1520 ; bas lat. *ingestio* ; [ɛ̃ʒɛstjɔ̃].

**INGOUVERNABLE, adj.**
**1.** Difficile ou impossible à gouverner. **2.** Fig. Qui ne peut être maîtrisé : *Une fureur ingouvernable.* ☞ 1713 ; ☞ *gouverner* + *in-*[2] ; [ɛ̃guvɛʀnabl].

**INGRAT, ATE, adj. et subst.**
**Adj. 1.** Qui ne manifeste pas de gratitude : *Enfant ingrat* ; par méton. : *Cœur ingrat.* **2.** Dépourvu de beauté ; disgracieux : *Une face ingrate.* ▸ *L'âge ingrat* : la puberté. **3.** Qui exige, sans les récompenser, des efforts, de la peine : *Tâche ingrate* ; *Terre ingrate*, aride, improductive. **Subst.** Personne ingrate. ☞ Fin XIVe s. ; lat. *ingratus* ; [ɛ̃gʀa, at].

**INGRATEMENT, adv.**
Avec ingratitude, de manière ingrate. ☞ 1510 ; ☞ *ingrat* ; [ɛ̃gʀatmɑ̃].

**INGRATITUDE, subst. f.**
Caractère d'une personne ou d'une chose ingrate ; manque de gratitude ; par méton., acte, propos ingrat. ☞ 1279 ; bas lat. *ingratitudo* ; [ɛ̃gʀatityd].

**INGRÉDIENT, subst. m.**
Élément entrant dans une préparation : *Les ingrédients d'une recette* ; au fig. : *Les ingrédients du succès, du bonheur.* ☞ 1508 ; lat. *ingrediens*, de *ingredi*, « entrer dans » ; [ɛ̃gʀedjɑ̃].

**INGUÉRISSABLE, adj.**
Qui ne peut être guéri : *Un mal inguérissable* ; au fig. : *Passion, chagrin inguérissable.* ☞ XVe s. ; ☞ *guérissable* + *in-*[2] ; [ɛ̃geʀisabl].

**INGUINAL, ALE, AUX, adj.**
*Anat.* Qui se situe au niveau de l'aine : *Ganglion inguinal.* ☞ 1478 ; bas lat. *inguinalis* ; [ɛ̃gɥinal, o].

**INGURGITATION, subst. f.**
Action d'ingurgiter. ☞ 1488 ; bas lat. *ingurgitatio* ; [ɛ̃gyʀʒitasjɔ̃].

**INGURGITER, verbe trans. [3]**
**1.** Vx. Faire avaler : *Ingurgiter un remède à un malade.* **2.** Avaler goulûment et en grande quantité ; au fig. : *Ingurgiter deux romans en une nuit.* ☞ 1488 (1469, rempli de) ; lat. *ingurgitare*, de *gurges*, « gouffre ; gosier » ; [ɛ̃gyʀʒite].

**INHABILE, adj.**
**1.** Vx. Inapte. ▸ *Dr.* Dépourvu de la capacité légale : *Inhabile à porter témoignage.* **2.** Qui manque d'habileté : *Un cavalier inhabile* ; *Manœuvre inhabile*, maladroite. ☞ Fin XIVe s. ; lat. *inhabilis*, « difficile à manier » ; [inabil].

**INHABILETÉ, subst. f.**
**1.** Vx. Incapacité. **2.** Manque d'habileté ; maladresse. ☞ Fin XIVe s. ; ☞ *habileté* + *in-*[2] ; [inabilte].

**INHABILITÉ, subst. f.**
*Dr.* Incapacité légale (vieilli) : *L'inhabilité d'un mineur à voter.* ☞ Fin XIVe s. ; lat. médiév. *inhabilitas* ; [inabilite].

**INHABITABLE, adj.**
Qui n'est pas habitable. ☞ Fin XIIIe s. ; lat. *inhabitabilis* ; [inabitabl].

**INHABITÉ, ÉE, adj.**
Qui n'est pas habité ; au fig. : *Un regard inhabité.* ☞ 1426 ; p. p. de *habiter* + *in-*[2] ; [inabite].

**INHABITUEL, ELLE, adj.**
Qui n'est pas habituel ; insolite : *Un visage inhabituel.* ☞ 1829 ; ☞ *habituel* + *in-*[2] ; [inabitɥɛl].

**INHALATEUR, TRICE, adj. et subst. m.**
**Adj.** Qui sert à pratiquer des inhalations : *Masque inhalateur*, relié à une réserve d'oxygène. **Subst.** Appareil qui sert à pratiquer des inhalations. ☞ 1873 ; ☞ *inhalation* ; [inalatœʀ, tʀis].

**INHALATION, subst. f.**
**1.** *Physiol.* Absorption de gaz et de vapeurs par les voies respiratoires. **2.** *Méd.* Traitement consistant à respirer des vapeurs d'eau contenant des substances volatiles médicamenteuses. ☞ 1760 ; bas lat. *inhalatio*, « exhalaison » ; [inalasjɔ̃].

**INHALER, verbe trans. [3]**
Absorber par inhalation ; inspirer (anton. *exhaler*). ☞ 1825 ; lat. *inhalare* ; [inale].

**INHARMONIEUX, EUSE, adj.**
Qui manque d'harmonie : *Un son inharmonieux* ; *Ensemble architectural inharmonieux.* ☞ Fin XVIIIe s. ; ☞ *harmonieux* + *in-*[2] ; [inaʀmɔnjø, øz].

**INHÉRENCE, subst. f.**
Caractère de ce qui est inhérent à un être, à une chose. ☞ 1377 ; lat. médiév. *inherentia*, du lat. *inhaerere*, « tenir à » ; [ineʀɑ̃s].

**INHÉRENT, ENTE, adj.**
Qui est partie intégrante, qui est indissociable d'un être ou d'une chose : *Le risque est inhérent au jeu.* ▸ *Log.* Se dit d'une détermination, d'un jugement qui a le caractère d'inhérence. ☞ 1520 ; lat. *inhaerens*, de *inhaerere*, « tenir à » ; [ineʀɑ̃, ɑ̃t].

**INHIBER, verbe trans. [3]**
**1.** Vx. *Dr.* Interdire. **2.** *Physiol.* et *Psychol.* Bloquer, suspendre ou ralentir (une fonction organique ou psychique) ; empl. adj. : *Pulsions inhibées.* ☞ 1391 ; lat. *inhibere* ; [inibe].

**INHIBITEUR, TRICE, adj. et subst. m.**
**Adj.** *Physiol.* et *Psychol.* Qui provoque une inhibition : *Hormone inhibitrice* ; *Conflit inconscient inhibiteur.* **Subst.** *Chim.* Substance capable d'inhiber une réaction : *Un inhibiteur d'oxydation.* ▸ *Pharm.* *Inhibiteurs de la monoamine oxydase (I. M. A. O.)* : famille de médicaments psychotropes, utilisés dans le traitement de certaines dépressions. ☞ 1890 (1534, celui qui interdit) ; prob. lat. chrét. *inhibitor*, « celui qui protège des violences », du lat. *inhibere*, « empêcher, interdire » ; [inibitœʀ, tʀis].

**INHIBITION, subst. f.**
**1.** Vx. *Dr.* Interdiction. **2.** *Biol.* et *Chim.* Suspension ou diminution d'un processus. **3.** *Physiol.* et *Psychol.* Blocage, freinage ou suspension temporaire d'une fonction organique ou physique toujours présente, mais qui ne peut s'exprimer : *L'inhibition motrice chez un sujet déprimé s'exprime dans la perte des initiatives.* ▸ *Psychanal.* Dans la théorie freudienne, abandon des éléments pervers du processus pulsionnel, constituant un début de sublimation. ☞ Fin XIIIe s. ; bas lat. *inhibitio* ; [inibisjɔ̃].

**INHOSPITALIER, IÈRE, adj.**
Qui n'est pas hospitalier. ☞ Mil. XVIIe s. ; ☞ *hospitalier* (II) + *in-*[2] ; [inɔspitalje, jɛʀ].

**INHUMAIN, AINE, adj.**
**1.** Dépourvu d'humanité, de clémence ; dur, effroyable : *Un traitement inhumain.* **2.** Qui semble étranger à la nature humaine : *Une voix inhumaine.* ☞ 1373 ; lat. *inhumanus* ; [inymɛ̃, ɛn].

**INHUMANITÉ, subst. f.**
Caractère inhumain d'un être ou d'une chose ; acte cruel, inhumain : *Châtier avec inhumanité.* ☞ 1312 ; lat. *inhumanitas* ; [inymanite].

**INHUMATION, subst. f.**
Action d'inhumer. ☞ 1417 ; ☞ *inhumer* ; [inymasjɔ̃].

**INHUMER, verbe trans. [3]**
Mettre en terre (une personne défunte), avec les cérémonies, les rites d'usage. ▸ Abs. *Permis d'inhumer* : délivré par l'état civil sur certificat médical. ☞ 1413 ; lat. *inhumare* ; [inyme].

**INIMAGINABLE, adj.**
Que l'on ne peut imaginer ; invraisemblable, inouï. ☞ 1580 ; ☞ *imaginable* + *in-*[2] ; [inimaʒinabl].

**INIMITABLE, adj.**
Qui ne peut être imité : *Style inimitable.* ☞ Déb. XVIe s. ; lat. *inimitabilis* ; [inimitabl].

**INIMITIÉ, subst. f.**
Sentiment de forte hostilité ; haine, aversion tenace. ☞ XIIIe s. ; anc. fr. *enemistié*, du lat. *inimicitia* ; [inimitje].

**ININFLAMMABLE, adj.**
Qui n'est pas inflammable ; qui est incombustible. ☞ 1616 ; ☞ *inflammable* + *in-*[2] ; [inɛ̃flamabl].

**ININTELLIGENCE, subst. f.**
Manque d'intelligence, déficience intellectuelle ; défaut de compréhension ou de sens critique ; par méton. : *L'inintelligence d'un discours.* ☞ 1791 ; ☞ *intelligence* + *in-*[2] ; [inɛ̃tɛl(l)iʒɑ̃s] ou [-teli-].

**ININTELLIGENT, ENTE, adj.**
Qui fait preuve d'inintelligence ou qui la dénote. ☞ 1770 ; ☞ *intelligent* + *in-*[2] ; [inɛ̃tɛl(l)iʒɑ̃, ɑ̃t] ou [-teli-].

**ININTELLIGIBLE, adj.**
Incompréhensible, confus. ☞ 1640 ; ☞ *intelligible* + *in-*[2] ; [inɛ̃tɛl(l)iʒibl] ou [-teli-].

**ININTÉRESSANT, ANTE, adj.**
Dénué d'intérêt : *Un propos inintéressant.* ☞ 1845 ; ☞ *intéressant* + *in-*[2] ; [inɛ̃teʀɛsɑ̃, ɑ̃t].

**ININTERROMPU, UE, adj.**
Qui n'est pas interrompu ; continu. ☞ 1754 ; p. p. de *interrompre* + *in-*[2] ; [inɛ̃teʀɔ̃py].

**INIQUE, adj.**
Non conforme à l'équité, injuste : *Une sentence inique.* ☞ Fin XIVe s. ; lat. *iniquus* ; [inik].

**INIQUITÉ, subst. f.**
**1.** Corruption des mœurs : *Le Déluge punit l'iniquité des hommes.* **2.** Manque d'équité : *L'iniquité d'un jugement.* ☞ Mil. XIIe s. ; lat. *iniquitas* ; [inikite].

**INITIAL, ALE, AUX, adj. et subst. f.**
**Adj. 1.** Qui est au commencement, à l'origine de qqch. : *Phase initiale d'un processus.* **2.** Qui vient en premier, par ordre d'importance ou par ordre chronologique. **Subst.** Première lettre d'un mot : *Les initiales d'une personne*, les premières lettres de son prénom et de son nom. ☞ XIIIe s. ; bas lat. *initialis*, de *initium*, « commencement » ; [inisjal, o].

**INITIALEMENT, adv.**
Au début. ☞ 1851 ; ☞ *initial* ; [inisjalmɑ̃].

**INITIALISATION, subst. f.**
*Informat.* **1.** Étape de mise en service d'un ordinateur, qui suit immédiatement sa mise sous tension. **2.** Formatage. ☞ V. 1970 ; ☞ *initialiser* ; [inisjalizasjɔ̃].

**INITIALISER, verbe trans. [3]**
Effectuer l'initialisation de. ☞ V. 1970 ; angl. *to initialize* ; [inisjalize].

**INITIATEUR, TRICE, subst.**
**1.** Personne qui initie qqn à des secrets, des connaissances. **2.** Personne qui ouvre, découvre une voie nouvelle dans un domaine particulier. ☞ 1586 ; bas lat. *initiator*, de *initiare* ; [inisjatœʀ, tʀis].

**INITIATION, subst. f.**
**1.** *Antiq.* Admission de qqn aux mystères d'un culte divin, notamment dans l'Orient ancien, puis en Grèce et à Rome : *Initiation au culte d'Osiris* ; par ext., fait d'admettre qqn au sein d'une secte, d'une société secrète, etc. : *Initiation maçonnique.* **2.** Méton. Rituel et cérémonie d'**initiation**. ▸ *Anthropol.* Rite de passage. **3.** Fig. Révélation, à un profane, de secrets, de connaissances, de pratiques spécifiques : *Initiation à la politique, à l'astronomie, à l'amour.* ☞ XVe s. ; lat. *initiatio* ; [inisjasjɔ̃].

**INITIATIQUE, adj.**
Qui a trait à l'initiation ; qui fait partie d'une initiation. ☞ 1922 ; ☞ *initiation* ; [inisjatik].

**INITIATIVE, subst. f.**
**1.** Action d'une personne qui projette, réalise qqch. avant quiconque ; son résultat : *Prendre l'initiative d'une réorganisation.* ▸ *Pol.* *Droit d'initiative* : droit de soumettre un projet de loi, une proposition à une autorité compétente en vue de son adoption. ▸ *Initiative de défense stratégique (I. D. S.)* : programme de création d'un réseau de satellites antimissiles (synon. *guerre des étoiles*). **2.** Aptitude d'une personne qui sait entreprendre en toute autonomie : *Manquer d'initiative.* ☞ 1567 ; ☞ *initier* ; [inisjativ].

**INITIÉ, ÉE, subst.**
**1.** Personne qui a reçu une initiation secrète, religieuse. **2.** Personne qui est dans le secret (d'une affaire, d'un art, etc.). **3.** *Fin.* *Délit d'initié* : commis par qqn qui utilise les informations confidentielles qu'il détient de par ses fonctions pour réaliser des bénéfices en Bourse. ☞ 1756 ; p. p. de *initier* ; [inisje].

**INITIER, verbe trans. [6]**
**1.** *Antiq.* Procéder à l'initiation de (qqn), dans les religions à mystères ; par ext., admettre dans une société secrète ; faire subir une initiation à. **2.** Révéler le premier à (qqn) des secrets, des connaissances. **3.** Dispenser à (qqn) les bases d'un enseignement : *Initier qqn au piano.* **Pronom.** *S'initier à.* Acquérir les rudiments (d'un art, d'une science, etc.) : *S'initier à l'informatique.* ☞ Fin XIVe s. ; lat. *initiare* ; [inisje].

**INJECTABLE, adj.**
Qui peut ou doit être administré par injection. ☞ 1925 ; ☞ *injecter* ; [ɛ̃ʒɛktabl].

**INJECTÉ, ÉE,** adj.
**1.** Rougi par un afflux de sang : *Yeux* ***injectés***. **2.** Qui a fait l'objet d'une injection d'un fluide : *Bois* ***injecté*** *de créosote.* 1722 ; p. p. de *injecter* ; [ɛ̃ʒɛkte].

**INJECTER,** verbe trans. [3]
**1.** *Méd.* Pratiquer l'injection de (un médicament). **2.** Anal. Introduire (un fluide) sous pression dans qqch. : ***Injecter*** *du mortier dans une maçonnerie.* **3.** *Fin.* ***Injecter*** *des capitaux dans une entreprise* : y investir de l'argent. PRONOM. **1.** Devenir injecté. **2.** S'administrer une injection. 1555 ; lat. *injectare,* « jeter sur » ; [ɛ̃ʒɛkte].

**INJECTEUR, TRICE,** adj. et subst. m.
ADJ. Qui sert à injecter : *Une sonde* ***injectrice***. SUBST. *Techn.* Appareil dont on se sert pour effectuer des injections de gaz, de liquide ou de matières pâteuses ; en partic., dispositif qui injecte le combustible dans les cylindres d'un moteur à injection. 1845 (1840, celui qui fait des injections) ; ☞ *injecter* ; [ɛ̃ʒɛktœʀ, tʀis].

**INJECTIF, IVE,** adj.
*Math. Application* ***injective*** *d'un ensemble E dans un ensemble F* : application telle que tout élément de F soit l'image d'au plus un élément de E. XXe s. ; ☞ *injection* ; [ɛ̃ʒɛktif, iv].

**INJECTION,** subst. f.
**1.** *Méd.* Administration sous pression d'une substance dans une cavité de l'organisme, gén. par voie parentérale ; par méton., produit injecté. **2.** Anal. Action d'injecter une substance sous pression dans une matière ou dans une machine. ▸ *Autom. Moteur à* ***injection*** : alimenté par un combustible injecté sous pression dans les cylindres. **3.** *Fin.* ***Injection*** *de capitaux dans une affaire* : action d'y investir de l'argent. **4.** *Math.* Application injective. 1478 (déb. XVe s., action de jeter ; violence) ; lat. *injectio,* « action de jeter sur » ; [ɛ̃ʒɛksjɔ̃].

**INJOIGNABLE,** adj.
Qui ne peut être joint, notamment par téléphone. Mil. XXe s. ; ☞ *joignable* + *in-*2 ; [ɛ̃ʒwaɲabl].

**INJONCTIF, IVE,** adj.
Qui comporte une injonction, un ordre. 1768 ; ☞ *injonction* ; [ɛ̃ʒɔ̃ktif, iv].

**INJONCTION,** subst. f.
Ordre impératif réclamant une exécution immédiate et sans appel. 1295 ; bas lat. *injunctio,* « action d'imposer (une charge) » ; [ɛ̃ʒɔ̃ksjɔ̃].

**INJOUABLE,** adj.
**1.** Très difficile ou impossible à jouer : *Pièce* ***injouable***. **2.** Où il est difficile ou impossible de jouer : *Terrain* ***injouable***. 1767 ; ☞ *jouable* + *in-*2 ; [ɛ̃ʒwabl].

**INJURE,** subst. f.
**1.** Vx. Injustice. **2.** Dommage subi par qqn ou par qqch. (littér.) : *Les* ***injures*** *du temps.* **3.** Offense grave, volontaire : *Faire* ***injure*** *à qqn,* manquer d'égards envers lui (vieilli) ; en partic., insulte (souv. au plur.) : *Abreuver qqn d'****injures***. **4.** *Dr.* Outrage accompli en public, terme de mépris, ne renfermant l'imputation d'aucun fait. 1155 ; lat. *injuria* ; [ɛ̃ʒyʀ].

**INJURIER,** verbe trans. [6]
Lancer des injures à, insulter. 1606 (fin XIIe s., faire du tort) ; bas lat. *injuriari* ; [ɛ̃ʒyʀje].

**INJURIEUSEMENT,** adv.
De façon injurieuse, blessante. 1333 ; ☞ *injurieux* ; [ɛ̃ʒyʀjøzmɑ̃].

**INJURIEUX, EUSE,** adj.
**1.** Vx. Injuste. **2.** Qui constitue une injure ; qui recèle des injures : *Une lettre* ***injurieuse***. Mil. XIIIe s. (fin XIIe s., médisant) ; lat. *injuriosus* ; [ɛ̃ʒyʀjø, øz].

**INJUSTE,** adj.
**1.** Qui agit d'une manière contraire à la justice. **2.** Qui n'est pas conforme à la justice, à l'équité : *Sentence* ***injuste***. 1293 ; lat. *injustus* ; [ɛ̃ʒyst].

**INJUSTEMENT,** adv.
De manière injuste, inéquitable. Déb. XIVe s. ; ☞ *injuste* ; [ɛ̃ʒystəmɑ̃].

**INJUSTICE,** subst. f.
**1.** Absence de justice : *Combattre l'****injustice***. **2.** Caractère d'une personne ou de ce qui est injuste : *L'****injustice*** *d'un reproche.* **3.** Ce qui est injuste : *Dénoncer une* ***injustice***. Fin XIIe s. ; lat. *injustitia* ; [ɛ̃ʒystis].

**INJUSTIFIABLE,** adj.
Qui ne saurait être justifié ; inadmissible. 1791 ; ☞ *justifiable* + *in-*2 ; [ɛ̃ʒystifjabl].

**INJUSTIFIÉ, ÉE,** adj.
Qui n'est pas justifié ; infondé : *Un soupçon* ***injustifié***. Déb. XIXe s. ; p. p. de *justifier* + *in-*2 ; [ɛ̃ʒystifje].

**INLANDSIS,** subst. m.
*Géogr.* Épais glacier continental polaire. 1888 ; scand. *inlandsis,* « glace à l'intérieur du pays » ; [inlɑ̃dsis].

**INLASSABLE,** adj.
Qui ne se lasse pas. 1933 (1869, incessant, inépuisable) ; ☞ *lasser* + *in-*2 ; [ɛ̃lasabl].

**INLASSABLEMENT,** adv.
De manière inlassable. 1907 ; ☞ *inlassable* ; [ɛ̃lasabləmɑ̃].

**INLAY,** subst. m.
*Dent.* Métal coulé dans une cavité dentaire pour l'obturer. 1891 ; angl. *inlay,* « incrustation » ; [inlɛ].

**INNÉ, ÉE,** adj.
**1.** Qui appartient à un être dès sa naissance (anton. *acquis*) : *Don* ***inné*** ; *Réflexe* ***inné***, instinctif. **2.** *Philos. Idées* ***innées*** : qui, selon Descartes, existeraient en l'être humain dès sa naissance. 1611 ; lat. *innatus,* de *innasci,* « naître dans » ; [in(n)e].

**INNÉISME,** subst. m.
*Philos.* Doctrine, fondée par Descartes, selon laquelle l'être humain possède, par nature, des idées innées, c.-à-d. qui ne proviendraient ni des sens ni de l'imagination : *L'empirisme de Locke s'opposa à l'****innéisme***. Fin XIXe s. ; ☞ *inné* ; [in(n)eism].

**INNÉITÉ,** subst. f.
*Philos.* Caractère de ce qui est inné. 1810 ; ☞ *inné* ; [in(n)eite].

**INNERVATION,** subst. f.
*Anat.* Répartition des fibres nerveuses dans l'organisme. 1824 ; lat. *nervus,* « nerf », + *in-*1 ; [inɛʀvasjɔ̃].

**INNERVER,** verbe trans. [3]
*Méd.* Parcourir (un organe), en parlant d'un nerf. 1826 ; lat. *nervus,* « nerf », + *in-*1 ; [inɛʀve].

**INNOCEMMENT,** adv.
De manière innocente ; sans mauvaise intention. 1349 ; ☞ *innocent* ; [inɔsamɑ̃].

**INNOCENCE,** subst. f.
**1.** État d'une personne qui ignore le mal. ▸ Loc. *En toute* ***innocence*** : sans penser à mal. **2.** *Théol.* État de l'être humain avant le péché originel ou purifié par le baptême. **3.** État d'une personne non coupable d'un acte répréhensible (anton. *culpabilité*) : *Établir l'****innocence*** *d'un accusé.* **4.** Naïveté, candeur. Déb. XIIe s. ; lat. *innocentia* ; [inɔsɑ̃s].

**INNOCENT, ENTE,** subst. et adj.
**1.** Se dit de qqn qui ignore le mal, qui est pur : ***Innocent*** *comme l'agneau.* ▸ *Relig. Massacre des* ***Innocents*** : mise à mort des petits enfants ordonnée par Hérode, qui espérait que l'Enfant Jésus serait ainsi tué. **2.** Se dit d'un individu qui n'est pas coupable du mal dont il est soupçonné ou accusé : *Réhabiliter un* ***innocent***. **3.** Qualifie ou désigne une personne qui n'est pas responsable du mal qui lui arrive : *Victimes* ***innocentes***. **4.** Se dit de qqn qui est trop ignorant des difficultés de la vie, trop naïf ; en partic. : *L'****innocent*** *du village,* le simple d'esprit, l'idiot. ▸ Loc. proverb. *Aux* ***innocents*** *les mains pleines* : ceux qui agissent avec simplicité sont souvent plus favorisés que ceux qui intriguent. ADJ. **1.** Qui dénote l'innocence : *Visage* ***innocent***. **2.** Qui n'est pas nuisible : *Occupations, lectures* ***innocentes***. Fin XIe s. ; lat. *innocens* ; [inɔsɑ̃, ɑ̃t].

Le Massacre des **Innocents**, *peinture de Nicolas Poussin (1594-1665). Musée Condé, Chantilly.*

**INNOCENTER,** verbe trans. [3]
**1.** Déclarer (qqn) légalement innocent ; par ext. *Cet alibi l'****innocente***. **2.** Absoudre, considérer (qqch. comme non blâmable. 1704 (1547, fouetter, le jou de la fête des Innocents, les femmes que l'on surprena au lit) ; ☞ *innocent* ; [inɔsɑ̃te].

**INNOCUITÉ,** subst. f.
Qualité de ce qui n'est pas nocif. 1783 ; la *innocuus,* « qui n'est pas nuisible » ; [in(n)ɔkɥite].

**INNOMBRABLE,** adj.
Trop nombreux pour être compté ; par hyperb., trè nombreux. 1341 ; ☞ *nombrable* + *in-*2 ; [inɔ̃bʀabl]

**INNOMINÉ, ÉE,** adj.
*Anat. Ligne* ***innominée*** : éminence située sur la fac interne de l'os iliaque. 1560 ; lat. *innominatus* « non nommé » ; [in(n)ɔmine].

**INNOMMABLE,** adj.
**1.** Qui ne peut être nommé, qualifié. **2.** Qui est tro ignoble, trop abject pour être nommé : *Vi* ***innommable***. 1584 ; ☞ *nommer* + *in-*2 ; [in(n)ɔmabl]

**INNOVANT, ANTE,** adj.
Qui constitue une innovation : *Techniques* ***inno vantes***. V. 1980 ; p. pr. de *innover* ; [inɔvɑ̃, ɑ̃t].

**INNOVATEUR, TRICE,** subst. et adj.
SUBST. Personne qui apporte des innovations ADJ. Qui innove : *Un gouvernement* ***innovateu*** 1483 ; ☞ *innover* ; synon. *novateur* ; [inɔvatœʀ, tʀis]

**INNOVATION,** subst. f.
**1.** Action d'innover ; son résultat. **2.** Chose inédite nouveauté. 1297 ; bas lat. *innovatio* ; [inɔvasjɔ̃].

**INNOVER,** verbe intrans. [3]
Réaliser qqch. de neuf dans un domaine spécifique ***Innover*** *en matière d'art* ; *La passion d'****innove*** 1315 ; bas lat. *innovare,* « renouveler » ; [inɔve].

**INOBSERVABLE,** adj.
**1.** Qui ne peut être observé, aperçu. **2.** Fig. Qui n peut être mis à exécution : *Des directives* ***inobser vables***. 1754 ; ☞ *observable* + *in-*2 ; [inɔpsɛʀvabl]

**INOBSERVANCE,** subst. f.
Fait de ne pas observer des prescriptions en matiè de religion, de morale, de médecine, etc. 1521 ☞ *observance* + *in-*2 ; [inɔpsɛʀvɑ̃s].

**INOBSERVATION,** subst. f.
Négligence dans l'observation d'une règle, d'une lo d'un traité, etc. 1550 ; ☞ *observation* + *in-*2 [inɔpsɛʀvasjɔ̃].

**INOBSERVÉ, ÉE,** adj.
Qui n'a pas fait l'objet d'une observance ou d'un observation : *Tradition, précaution, loi* ***inobservé*** 1794 ; p. p. de *observer* + *in-*2 ; [inɔpsɛʀve].

**INOCCUPATION,** subst. f.
**1.** État d'une personne inoccupée. **2.** État d'un lie non occupé. 1761 ; ☞ *inoccupé* ; [inɔkypasjɔ̃].

**INOCCUPÉ, ÉE,** adj.
**1.** Qui n'est pas occupé, en parlant d'un lieu. **2.** Q n'a pas d'occupation, oisif : *Un retraité* ***inoccupé*** 1544 ; ☞ *occupé* + *in-*2 ; [inɔkype].

**IN-OCTAVO,** adj. inv. et subst. m.
*Impr.* Se dit du format d'un livre dont chaque feuill d'impression est pliée en 8 feuillets, donnant ains 16 pages ; par méton., se dit d'un livre de ce forma 1529 ; lat. *in octavo,* « en huitième » ; plur. du subs *in-octavo(s),* abrév. : in-8° ; [inɔktavo].

**INOCULABLE,** adj.
*Méd.* Qui peut être inoculé. 1858 (1759, suj inoculé) ; ☞ *inoculer* ; [inɔkylabl].

**INOCULATION,** subst. f.
**1.** *Méd.* Introduction volontaire ou accidentell d'un germe (bactérie, virus) dans un organisme **2.** Fig. Fait d'inoculer une idée. 1723 (1580, gref en écusson) ; angl. *inoculation,* du lat. *inoculatio,* « gref en écusson » ; [inɔkylasjɔ̃].

**INOCULER,** verbe trans. [3]
**1.** *Méd.* Introduire, communiquer (un germe, un maladie) par inoculation. **2.** Fig. Introduire subtile ment (une idéologie, une mode) dans l'esprit d qqn, dans un groupe. 1722 ; angl. *to inoculate,* d lat. *inoculare,* « greffer », de *oculus,* « œil (d'une plante) » [inɔkyle].

**INODORE,** adj.
Qui n'a pas d'odeur. 1765 ; lat. *inodorus* ; [inɔdɔʀ

**INOFFENSIF, IVE,** adj.
**1.** Qui ne peut nuire : *Ce chien est* ***inoffensi*** **2.** Ext. Dépourvu de malignité : *Plaisanterie* ***inoffen sive***. Fin XVIIIe s. ; ☞ *offensif* + *in-*2 ; [inɔfɑ̃sif, iv

**INONDABLE, adj.**
Qui peut être inondé. 1874 ; ☞ *inonder* ; [inɔ̃dabl].

**INONDATION, subst. f.**
**1.** Débordement d'un cours d'eau ; submersion des terres qui en résulte : *L'**inondation** de Florence, en 1966* ; par ext. : *Une fuite d'eau a provoqué une **inondation** dans la cuisine.* **2.** Action de submerger volontairement des terres : *Irrigation par **inondation**.* **3.** Fig. Afflux massif de choses, invasion. 1374 (fin XIII^e s., déluge) ; lat. *inundatio* ; [inɔ̃dasjɔ̃].

**INONDER, verbe trans. [3]**
**1.** Submerger, couvrir d'eau : *En 1910, la Seine **inonda** Paris* ; par métaph. : *Le soleil **inonde** le salon* ; par exagér. : *La sueur **inonde** son front.* **2.** Fig. Envahir massivement : *Gadget qui **inonde** le marché.* Mil. XIII^e s. (déb. XII^e s., déborder) ; lat. *inundare* ; [inɔ̃de].

**INOPÉRABLE, adj.**
*Chir.* Qui ne peut pas être opéré. 1812 ; ☞ *opérable* + *in-²* ; [inɔpeʀabl].

**INOPÉRANT, ANTE, adj.**
Qui ne produit aucun effet. Mil. XIX^e s. ; ☞ *opérer* + *in-²* ; [inɔpeʀɑ̃, ɑ̃t].

**INOPINÉ, ÉE, adj.**
Qui se produit à l'improviste ; subit : *Visite **inopinée**.* 1488 ; lat. *inopinatus* ; [inɔpine].

**INOPINÉMENT, adv.**
De façon inopinée. 1488 ; ☞ *inopiné* ; [inɔpinemɑ̃].

**INOPPORTUN, UNE, adj.**
Qui n'est pas opportun : *Une démarche **inopportune**.* Fin XIV^e s. ; bas lat. *inopportunus*, « qui ne convient pas » ; [inɔpɔʀtœ̃, yn].

**INOPPORTUNITÉ, subst. f.**
Caractère de ce qui est inopportun (littér.). 1433 ; bas lat. *inopportunitas* ; [inɔpɔʀtynite].

**INOPPOSABLE, adj.**
*Dr.* Qualifie un acte qui ne peut être opposé à un tiers. 1845 ; ☞ *opposable* + *in-²* ; [inɔpozabl].

**INORGANIQUE, adj.**
**1.** Dépourvu de vie : *Matière **inorganique**, minérale.* **2.** *Chim.* Qualifie les composés autres que ceux du carbone. 1579 ; ☞ *organique* + *in-²* ; [inɔʀganik].

**INORGANISATION, subst. f.**
Manque d'organisation. 1794 ; ☞ *organisation* + *in-²* ; [inɔʀganizasjɔ̃].

**INORGANISÉ, ÉE, adj.**
**1.** Dont l'organisation fait défaut : *Activité **inorganisée**.* **2.** *Pol.* et *Soc.* Qui n'est pas membre d'un parti, d'un syndicat ; empl. subst. : *La fraction des **inorganisés**.* 1769 ; ☞ *organisé* + *in-²* ; [inɔʀganize].

**INOUBLIABLE, adj.**
Qui ne peut être oublié : *Un amour **inoubliable**.* 1840 ; ☞ *oublier* + *in-²* ; [inublijabl].

**INOUÏ, ÏE, adj.**
**1.** Jamais entendu (vx). **2.** Sans précédent, extraordinaire, immense : *Succès **inouï*** ; *Des souffrances **inouïes**.* Déb. XVI^e s. ; ☞ *ouïr* + *in-²* ; [inwi].

**INOX, subst. m. inv.**
Acier inoxydable : *Couverts en **Inox**.* Mil. XX^e s. ; apocope de *inoxydable* ; n. déposé ; [inɔks].

**INOXYDABLE, adj.**
Qui ne peut s'oxyder. 1842 ; ☞ *oxydable* + *in-²* ; [inɔksidabl].

**IN-PACE, subst. m. inv.**
*Hist.* Cachot d'un monastère, où l'on enfermait à vie les auteurs de scandales. Mil. XV^e s. ; lat. *in pace*, « en paix » ; var. *in pace* ; [inpatʃe].

**IN PARTIBUS, loc. adj.**
*Cath.* Qualifie un évêque titulaire d'un diocèse disparu, mais dont l'Église maintient le titre. 1703 ; lat. *in partibus infidelium*, « dans les régions des infidèles » ; [inpaʀtibys].

**IN PETTO, loc. adv.**
**1.** *Cath. Cardinal nommé **in petto*** : sans que le pape l'annonce publiquement. **2.** Ext. En secret, à part soi : *Rire **in petto**.* 1657 ; ital. *avere in petto*, « tenir caché », du lat. *pectus*, « poitrine, cœur » ; [inpɛtto].

**IN-PLANO, adj. inv. et subst. m.**
*Impr.* Se dit du format d'un livre dont chaque feuille d'impression n'est pas pliée, donnant ainsi un feuillet, soit 2 pages ; par méton., se dit d'un livre de ce format. 1835 ; lat. *in plano*, « en plan » ; plur. du subst. *in-plano(s)* ; [inplano].

**INPUT, subst. m.**
Anglic. *Écon.* Ensemble des éléments entrant dans une production (synon. *intrant*). 1953 ; angl. *input*, de *to input*, « mettre dedans » ; [input].

**INQUALIFIABLE, adj.**
Que l'on ne peut qualifier, faute de termes assez sévères. 1834 ; ☞ *qualifiable* + *in-²* ; [ɛ̃kalifjabl].

**INQUART, subst. m.**
*Orfèvr.* Opération consistant à ajouter à un alliage d'or et de cuivre trois fois son poids d'argent avant la fonte (synon. *inquartation*). 1676 ; ☞ *quart* (II) + *in-¹* ; [ɛ̃kaʀ].

**IN-QUARTO, adj. inv. et subst. m.**
*Impr.* Se dit du format d'un livre dont chaque feuille d'impression est pliée en 4 feuillets, donnant ainsi 8 pages ; par méton., se dit d'un livre de ce format. 1529 ; lat. *in quarto*, « en quart » ; plur. du subst. *in-quarto(s)*, abrév. : in-4° ; [inkwaʀto].

**INQUIET, ÈTE, adj.**
**1.** Qui est agité, troublé (vieilli ou littér.) : *Malade **inquiet**.* **2.** Qui est en proie à l'inquiétude : *Je suis **inquiet** pour toi* ; *Une mère **inquiète** de la santé de son enfant* ; empl. subst., personne **inquiète**. **3.** Qui révèle l'inquiétude. 1588 ; lat. *inquietus* ; [ɛ̃kjɛ, ɛt].

**INQUIÉTANT, ANTE, adj.**
Qui inquiète, qui est propre à inquiéter. 1714 ; p. pr. de *inquiéter* ; [ɛ̃kjetɑ̃, ɑ̃t].

**INQUIÉTER, verbe trans. [8]**
**1.** Déranger dans sa quiétude (vieilli ou littér.). **2.** Tourmenter : ***Inquiéter** qqn par un chantage.* ► Menacer (surtout en sport) : *L'avance du coureur est telle qu'il ne peut plus être **inquiété**.* **3.** Remplir d'inquiétude : *Son absence prolongée les **inquiète**.* **Pronom.** **1.** S'alarmer, se faire du souci. **2.** *S'**inquiéter** de* : se préoccuper de. Fin XII^e s. ; lat. *inquietare* ; [ɛ̃kjete].

**INQUIÉTUDE, subst. f.**
**1.** Absence de quiétude, agitation (vieilli ou littér.). **2.** État de préoccupation, anxiété : *De nombreux sujets d'**inquiétude**.* 1447 ; bas lat. *inquietudo* ; [ɛ̃kjetyd].

**INQUISITEUR, TRICE, subst. m. et adj.**
**Subst.** *Hist.* Juge d'un tribunal de l'Inquisition. **Adj.** Qui cherche à obtenir des renseignements de manière autoritaire, insistante ; par méton. : *Un œil **inquisiteur**.* 1321 (1294, juge, enquêteur) ; lat. *inquisitor*, « celui qui examine » ; [ɛ̃kizitœʀ, tʀis].

**INQUISITION, subst. f.**
**1.** *Hist. La Sainte **Inquisition*** : organisme judiciaire ecclésiastique institué par la papauté au XIII^e s. et confié à l'ordre des Dominicains en vue de réprimer et d'éradiquer dans toute la chrétienté la sorcellerie et l'hérésie. **2.** Anal. Enquête pointilleuse et vexatoire : *Une **inquisition** policière.* 1223 (fin XII^e s., recherche) ; lat. *inquisitio* ; [ɛ̃kizisjɔ̃].

**INQUISITOIRE, adj.**
*Dr.* Se dit d'une procédure dont l'initiative revient au juge. 1587 ; lat. médiév. *inquisitorius* ; [ɛ̃kizitwaʀ].

**INQUISITORIAL, ALE, AUX, adj.**
**1.** Autoritaire, vexatoire : *Subir un examen **inquisitorial**.* **2.** Relatif à l'Inquisition. 1570 (1516, qui enquête) ; lat. médiév. *inquisitorius* ; [ɛ̃kizitɔʀjal, o].

**INSAISISSABLE, adj.**
**1.** Qui ne peut être capturé : *Fuyard **insaisissable*** ; par hyperb., qu'il est impossible de rencontrer : *Le ministre était **insaisissable**.* **2.** Qui ne peut être saisi par les sens ou par l'entendement : *Nuance **insaisissable**.* **3.** *Dr.* Qui ne peut faire l'objet d'une saisie. 1770 ; ☞ *saisissable* + *in-²* ; [ɛ̃sezisabl].

**INSALIVATION, subst. f.**
*Physiol.* Premier temps de la digestion, au cours duquel les aliments sont imprégnés de salive. 1805 ; ☞ *salivation* + *in-¹* ; [ɛ̃salivasjɔ̃].

**INSALUBRE, adj.**
Qui n'est pas salubre : *Climat, aliment, maison **insalubre**.* 1505 ; lat. *insalubris* ; [ɛ̃salybʀ].

**INSALUBRITÉ, subst. f.**
Caractère de ce qui est insalubre. 1560 ; ☞ *insalubre* ; [ɛ̃salybʀite].

**INSANE, adj.**
**1.** Qui a perdu la raison, dément (vieilli). **2.** Ext. Qui paraît fou, privé de bon sens (littér.) : *Conduite **insane**.* 1784 ; angl. *insane*, du lat. *insanus* ; [ɛ̃san].

**INSANITÉ, subst. f.**
**1.** Vx. Démence. **2.** Ext. Caractère de ce qui est contraire au bon sens, à la raison : *L'**insanité** de ses projets.* **3.** Méton. Action, parole insane, digne d'un insensé (gén. au plur.). 1784 ; angl. *insanity*, du lat. *insanitas* ; [ɛ̃sanite].

**INSATIABILITÉ, subst. f.**
Caractère d'une personne ou de ce qui est insatiable. 1544 ; bas lat. *insatiabilitas* ; [ɛ̃sasjabilite].

**INSATIABLE, adj.**
Qu'on ne peut rassasier ou, au fig., satisfaire, combler : *Un appétit **insatiable*** ; *Un lecteur **insatiable**.* Déb. XIV^e s. ; lat. *insatiabilis* ; [ɛ̃sasjabl].

**INSATISFACTION, subst. f.**
**1.** Absence de satisfaction. **2.** *Psychanal.* ***Insatisfaction** pulsionnelle* : frustration. Déb. XVII^e s. ; ☞ *satisfaction* + *in-²* ; [ɛ̃satisfaksjɔ̃].

**INSATISFAISANT, ANTE, adj.**
Qui n'est pas satisfaisant : *Résultat **insatisfaisant**.* 1794 ; ☞ *satisfaisant* + *in-²* ; [ɛ̃satisfəzɑ̃, ɑ̃t].

**INSATISFAIT, AITE, adj.**
Qui n'est pas satisfait : *Client **insatisfait*** ; *Vœu **insatisfait*** ; empl. subst., personne **insatisfaite**. Déb. XVI^e s. ; ☞ *satisfait* + *in-²* ; [ɛ̃satisfɛ, ɛt].

**INSATURÉ, ÉE, adj.**
*Chim.* Non saturé : *Hydrocarbure **insaturé**.* Mil. XIX^e s. ; ☞ *saturé* + *in-²* ; [ɛ̃satyʀe].

**INSCRIPTIBLE, adj.**
*Géom.* Qui peut être inscrit dans une courbe plane (resp. dans une surface), en parlant d'un polygone (resp. d'un polyèdre). 1691 ; lat. *inscriptum*, de *inscribere*, « inscrire » ; [ɛ̃skʀiptibl].

**INSCRIPTION, subst. f.**
**1.** Texte écrit, signe gravé sur un support dur ; l'ensemble formé par ces caractères : *Lire l'**inscription** ornant une façade* ; *Une **inscription** funéraire.* **2.** Action d'inscrire ou de faire inscrire qqch., le nom de qqn ou son propre nom sur un document, une liste ou un registre, en partic. pour une démarche administrative : ***Inscription** à la cantine, en faculté* ; ***Inscription** au chômage, à l'état civil.* ► *Mar. **Inscription** maritime* : recensement des marins professionnels. **3.** *Dr. **Inscription** en faux* : procédure civile tendant à établir qu'un acte réputé authentique est falsifié ; ***Inscription** hypothécaire* : attestant l'hypothèque d'un bien immobilier. 1509 (1444, fait de s'inscrire comme partie dans un procès) ; lat. *inscriptio* ; [ɛ̃skʀipsjɔ̃].

**INSCRIRE, verbe trans. [67]**
**1.** Écrire, noter (qqch.) sur un document afin d'en garder la trace. **2.** Enregistrer (le nom de qqn) sur une liste, un registre. **3.** Graver (des signes, des caractères) dans la pierre, dans le métal, etc. : ***Inscrire** une devise sur le fronton d'un monument.* ► *Techn.* Tracer mécaniquement (des signes, un graphisme) : *Appareil qui **inscrit** les oscillations d'un électrocardiogramme.* **4.** *Sp.* Marquer : ***Inscrire** un but.* **Pronom.** **1.** Faire enregistrer son nom pour participer à qqch., pour entrer dans un organisme, etc. : *S'**inscrire** à un cours, au chômage, à un parti.* **2.** Fig. Faire partie, s'insérer : *Objectifs qui s'**inscrivent** dans le cadre d'un plan.* **3.** *Dr. S'**inscrire** en faux* : contester judiciairement la validité d'un acte authentique soupçonné d'être un faux ; au fig. : *S'**inscrire** en faux contre qqch.*, le nier, le démentir. XIII^e s. ; lat. *inscribere* ; [ɛ̃skʀiʀ].

**INSCRIT, ITE, adj. et subst.**
Se dit d'une personne dont le nom apparaît sur la liste d'un groupe constitué, en partic. sur une liste électorale : *Il y a toujours moins de votants que d'**inscrits**.* **Adj.** **1.** Helv. *Colis **inscrit*** : envoi recommandé. **2.** *Géom.* ► *Angle (de deux demi-droites) **inscrit** dans un cercle* : dont le sommet appartient au cercle et dont les côtés rencontrent ce cercle. ► *Cercle **inscrit** dans un polygone convexe* : tangent à chaque côté du polygone. ► *Polygone (resp. polyèdre) **inscrit** dans un cercle (resp. une sphère)* : dont tous les sommets appartiennent à ce cercle (resp. à cette sphère). 1835 (1532, écrit) ; p. p. de *inscrire* ; [ɛ̃skʀi, it].

**INSCRIVANT, ANTE, subst.**
*Dr.* Personne qui demande l'inscription d'une hypothèque. 1872 ; p. pr. de *inscrire* ; [ɛ̃skʀivɑ̃, ɑ̃t].

**INSCULPER, verbe trans. [3]**
*Techn.* Marquer d'un poinçon. 1497 ; lat. *insculpere* ; [ɛ̃skylpe].

**INSÉCABLE, adj.**
Qui ne peut être coupé, divisé en parties : *La chimie ancienne considérait l'atome comme **insécable**.* ► *Typogr. Une espace **insécable*** ou, empl. subst. fém., *Une **insécable*** : qui interdit, en fin de ligne, le passage à la ligne du signe qui la suit. 1561 ; bas lat. *insecabilis*, du lat. *secare*, « couper » ; [ɛ̃sekabl].

**INSECTARIUM, subst. m.**
Établissement spécialisé dans l'élevage des insectes. 1922 ; ☞ *insecte* ; [ɛ̃sɛktaʀjɔm].

**INSECTE,** subst. m.
Tout invertébré de très petite taille (empl. abusif). PLUR. *Zool.* Classe de l'embranchement des Arthropodes. Les **Insectes** sont des invertébrés au corps formé de segments et recouvert de cuticule ; leur tête porte une paire d'antennes et leur thorax trois paires de pattes. La plupart d'entre eux passent du stade embryonnaire à leur forme définitive (imago) après des mues ou des métamorphoses, et beaucoup sont ovipares. ▸ Au sing. *La fourmi est un* ***insecte.*** 1553 ; lat. *insectus*, « coupé », par réf. aux étranglements du corps de ces animaux ; [ɛ̃sɛkt].

**INSECTICIDE,** adj.
Qui tue les insectes : *Poudre* ***insecticide*** ; empl. subst. masc., produit **insecticide.** 1838 ; ☞ *insecte + -cide* ; [ɛ̃sɛktisid].

**INSECTIVORE,** adj. et subst. m. plur.
ADJ. Qui se nourrit principalement d'insectes. SUBST. *Zool.* Ordre de mammifères **insectivores,** à 44 dents aiguës ; au sing. : *Le hérisson est un* ***insectivore.*** 1764 ; ☞ *insecte + -vore* ; [ɛ̃sɛktivɔʀ].

**INSÉCURITÉ,** subst. f.
Absence de sécurité : *Sentiment d'****insécurité***, inquiétude liée à un sentiment de danger. 1794 ; ☞ *sécurité + in-²* ; [ɛ̃sekyʀite].

**IN-SEIZE,** adj. inv. et subst. m. inv.
*Impr.* Se dit du format d'un livre dont chaque feuille d'impression est pliée en 16 feuillets, donnant ainsi 32 pages ; par méton., se dit d'un livre de ce format. 1550 ; comp. du lat. *in*, « dans, en », et de *seize* ; abrév. : in-16 ; [insɛz].

**INSELBERG,** subst. m.
*Géogr.* Relief isolé s'élevant au-dessus d'une plaine d'érosion. 1953 ; all. *Inselberg*, de *Insel*, « île », et de *Berg*, « montagne » ; [insɛlbɛʀg].

**INSÉMINATEUR, TRICE,** adj. et subst.
*Élev.* ADJ. Qui sert à inséminer : *Pistolet* ***inséminateur***, utilisé pour inséminer les vaches. SUBST. Spécialiste qui pratique l'insémination artificielle. 1950 ; ☞ *inséminer* ; [ɛ̃seminatœʀ, tʀis].

**INSÉMINATION,** subst. f.
*Biol.* Dépôt de sperme dans les voies génitales d'une femme ou de la femelle d'un animal : ***Insémination*** *naturelle, artificielle.* 1931 ; lat. *inseminare*, « semer dans ; féconder » ; [ɛ̃seminasjɔ̃].

**INSÉMINER,** verbe trans. [3]
Féconder par insémination artificielle. 1931 ; lat. *inseminare*, de *seminare*, « semer » ; [ɛ̃semine].

**INSENSÉ, ÉE,** adj.
**1.** Qui n'a pas sa raison (vieilli) ; empl. subst. : *C'est un* ***insensé*** *!* **2.** Extravagant, contraire au bon sens : *Un espoir* ***insensé*** ; par ext., énorme : *Une somme* ***insensée.*** 1406 ; lat. chrét. *insensatus* ; [ɛ̃sɑ̃se].

**INSENSIBILISATION,** subst. f.
Abolition de la sensibilité ; en partic., abolition de la sensibilité à la douleur. 1878 ; ☞ *insensibiliser* ; [ɛ̃sɑ̃sibilizasjɔ̃].

**INSENSIBILISER,** verbe trans. [3]
Rendre insensible : ***Insensibiliser*** *le nerf d'une dent.* 1784 ; ☞ *insensible* ; [ɛ̃sɑ̃sibilize].

**INSENSIBILITÉ,** subst. f.
Défaut de sensibilité physique ou morale. 1314 ; bas lat. *insensibilitas* ; [ɛ̃sɑ̃sibilite].

**INSENSIBLE,** adj.
**1.** Dépourvu de sensibilité physique. **2.** Qui ne ressent pas certaines sensations naturelles : *Être* ***insensible*** *au chaud.* **3.** Dénué de sensibilité morale, incapable d'émotion, d'affectivité : *Rester* ***insensible*** *aux reproches* ; *Un cœur* ***insensible***, que rien ne touche. **4.** À peine perceptible : *Des variations* ***insensibles*** *de température.* ▸ Graduel : *La montée* ***insensible*** *des eaux.* Déb. XIIIᵉ s. ; bas lat. *insensibilis* ; [ɛ̃sɑ̃sibl].

**INSENSIBLEMENT,** adv.
**1.** De manière presque imperceptible. **2.** De manière graduelle. 1571 ; ☞ *insensible* ; [ɛ̃sɑ̃sibləmɑ̃].

**INSÉPARABLE,** adj. et subst. m.
ADJ. **1.** Que l'on ne peut séparer, isoler d'une autre chose : *La couleur est* ***inséparable*** *de la lumière.* **2.** Qui est presque toujours avec qqn : *Des amis* ***inséparables*** ; empl. subst. : *Des* ***inséparables***, que l'on voit toujours ensemble. SUBST. Perruche qui ne peut vivre qu'en couple. 1444 ; lat. *inseparabilis* ; [ɛ̃sepaʀabl].

**INSÉRER,** verbe trans. [8]
**1.** Introduire (un élément de texte) dans un texte : ***Insérer*** *une clause dans un traité.* ▸ *Prière d'****insérer*** : court texte qu'un éditeur adresse à la presse écrite pour présenter un ouvrage. **2.** Introduire, glisser (une chose) à l'intérieur d'une autre ; par ext., intercaler, incorporer : ***Insérer*** *un document dans un dossier.* PRONOM. **1.** S'implanter, se fixer : *Les muscles s'****insèrent*** *sur les os.* **2.** Trouver sa place dans un ensemble ; s'intégrer. 1363 ; lat. *inserere* ; [ɛ̃seʀe].

**INSERMENTÉ,** adj. m. et subst. m.
*Hist.* Se dit d'un prêtre qui, en 1790, refusa de prêter serment à la Constitution civile du clergé. 1792 ; ☞ *serment + in-²* ; [ɛ̃sɛʀmɑ̃te].

**INSERT,** subst. m.
Anglic. **1.** *Cin.* Plan, gén. fixe, inséré entre deux autres plans. **2.** Anal. Brève séquence radiophonique ou télévisuelle intercalée dans une émission. 1946 ; mot angl. ; [ɛ̃sɛʀ].

**INSERTION,** subst. f.
**1.** Action d'insérer ; son résultat. ▸ *Dr.* ***Insertion*** *légale* : publication par voie de presse d'une décision judiciaire ou d'une mise au point légitime. **2.** Fait de s'intégrer au sein d'un groupe : ***Insertion*** *professionnelle, sociale.* **3.** *Spéc.* ▸ *Anat.* Attache d'un muscle, d'un ligament sur un os. ▸ *Bot.* Point d'attache d'un organe végétal. Fin XIVᵉ s. ; bas lat. *insertio* ; [ɛ̃sɛʀsjɔ̃].

**INSIDIEUSEMENT,** adv.
De manière insidieuse. 1549 ; ☞ *insidieux* ; [ɛ̃sidjøzmɑ̃].

**INSIDIEUX, EUSE,** adj.
**1.** Qui tend un piège ; perfide : *Une question, une rumeur* ***insidieuse.*** **2.** *Méd.* Se dit d'une maladie dont l'évolution n'est pas franche, dont les signes ne traduisent pas la gravité réelle. 1420 ; lat. *insidiosus*, de *insidiae*, « embûches » ; [ɛ̃sidjø, øz].

**INSIGNE (I),** subst. m.
**1.** Signe extérieur d'une dignité, d'un grade : *Les* ***insignes*** *de la royauté* ; *L'****insigne*** *des huissiers est une lourde chaîne.* **2.** Signe qui marque l'appartenance à un groupe, à une association : *Arborer l'****insigne*** *de son parti, de son club.* 1484 ; lat. *insignia* ; [ɛ̃siɲ].

**INSIGNE (II),** adj.
Exceptionnel, digne d'être remarqué : *Un honneur* ***insigne.*** 1500 ; lat. *insignis* ; [ɛ̃siɲ].

**INSIGNIFIANCE,** subst. f.
Caractère d'une personne, d'une chose insignifiante. 1785 ; ☞ *insignifiant* ; [ɛ̃siɲifjɑ̃s].

**INSIGNIFIANT, ANTE,** adj.
**1.** Qui ne se distingue en rien, passe inaperçu ; sans intérêt : *Un homme, un article* ***insignifiant.*** **2.** Dérisoire, négligeable : *Production* ***insignifiante.*** **3.** Dénué de signification (rare). 1750 ; p. pr. de *signifier + in-²* ; [ɛ̃siɲifjɑ̃, ɑ̃t].

**INSINCÈRE,** adj.
Qui n'est pas sincère (littér.). 1794 ; ☞ *sincère + in-²* ; [ɛ̃sɛ̃sɛʀ].

**INSINCÉRITÉ,** subst. f.
Absence ou manque de sincérité (littér.). 1785 ; ☞ *insincère* ; [ɛ̃sɛ̃seʀite].

**INSINUANT, ANTE,** adj.
Qui s'insinue, qui s'introduit habilement ; par méton. : *Un ton* ***insinuant***, allusif, visant à circonvenir autrui (péj.). 1654 ; p. pr. de *insinuer* ; [ɛ̃sinɥɑ̃, ɑ̃t].

Couple d'*inséparables.*

© Axel-Jacana

**INSINUATION,** subst. f.
**1.** Vx. *Dr.* Notification d'un acte. **2.** Action d'insinuer, fait de s'insinuer ; par méton., propos insinu[ant], sous-entendu. 1319 ; lat. *insinuatio* ; [ɛ̃sinɥasj[ɔ̃]].

**INSINUER,** verbe trans. [3]
**1.** Vx. *Dr.* Enregistrer (un acte, un contrat, etc. **2.** Faire pénétrer adroitement (qqch.) dans l'esp[rit] de qqn (vieilli) : ***Insinuer*** *la jalousie.* **3.** Dire, évoqu[er] (qqch.) de façon allusive (souv. péj.) : *Qu'****insinue****[z-]vous par là ?* PRONOM. **1.** S'introduire habilement *S'****insinuer*** *dans tous les milieux.* **2.** Pénétrer, s'inf[il]trer : *L'eau s'****insinue*** *par une fissure* ; au fig. : *Le dou[te]* *s'****insinue*** *en lui.* 1336 ; lat. *insinuare* ; [ɛ̃sinɥe].

**INSIPIDE,** adj.
**1.** Qui n'a pas de saveur particulière, fade : *L'e[au] distillée est* ***insipide.*** **2.** Fig. Qui manque de piquan[t], ennuyeux : *Un personnage* ***insipide*** ; *Film* ***insipi[de].*** 1534 ; bas lat. *insipidus* ; [ɛ̃sipid].

**INSIPIDITÉ,** subst. f.
Caractère de ce qui est insipide. 1572 ; ☞ *in[si]pide* ; [ɛ̃sipidite].

**INSISTANCE,** subst. f.
Action d'insister, persévérance : *Appeler avec* ***insi[s]tance.*** 1556 ; ☞ *insister* ; [ɛ̃sistɑ̃s].

**INSISTANT, ANTE,** adj.
Qui fait preuve d'insistance : *Regards* ***insistant[s]*** 1553 ; p. pr. de *insister* ; [ɛ̃sistɑ̃, ɑ̃t].

**INSISTER,** verbe intrans. [3]
**1.** Persévérer dans une requête : *L'enfant* ***insista*** *po[ur] qu'on l'emmène.* **2.** Mettre l'accent, appuyer (sur u[n] point, un sujet). 1400 (1366, s'appliquer à) ; la[t.] *insistere* ; [ɛ̃siste].

**IN SITU,** loc. adv.
Dans son milieu naturel : *Étude zoologique* ***in sit[u]*** 1842 ; lat. *in situ*, « dans le lieu même » ; [insit[y]].

**INSOCIABILITÉ,** subst. f.
Caractère ou comportement d'une personne ins[o]ciable. 1721 ; ☞ *insociable* ; [ɛ̃sɔsjabilite].

**INSOCIABLE,** adj.
Qui n'est pas ou qui est peu sociable. 1548 ; la[t.] *insociabilis*, « incompatible » ; [ɛ̃sɔsjabl].

**INSOLATION,** subst. f.
**1.** Exposition d'une personne ou d'une chose à chaleur solaire : *Sécher du sel par* ***insolatio[n]*** **2.** *Météor.* Durée et intensité de l'ensoleillemen[t]. **3.** *Pathol.* Syndrome grave causé par l'expositio[n] prolongée au soleil. **4.** *Phot.* Exposition d'un su[p]port photosensible à la lumière. 1575 ; la[t.] *insolatio* ; [ɛ̃sɔlasjɔ̃].

**INSOLEMMENT,** adv.
De manière insolente : *Répondre* ***insolemment*** *à qq[n]* Mil. XIVᵉ s. ; ☞ *insolent* ; [ɛ̃sɔlamɑ̃].

**INSOLENCE,** subst. f.
**1.** Morgue (vx ou littér.). **2.** Impertinence irrespe[c]tueuse, provocante ; par méton., propos, ac[te] insolent : *Punir un élève pour ses* ***insolences.*** **3.** F[ig.] Fière assurance : *L'****insolence*** *du génie.* Mil. XVᵉ s[.] lat. *insolentia*, « inexpérience ; étrangeté » ; [ɛ̃sɔlɑ̃s].

**INSOLENT, ENTE,** adj.
**1.** Audacieux, plein d'orgueil : *Oh ! l'****insolente*** *n[a]tion !* (Guillaume d'Orange, à propos de la France **2.** Dont l'irrespect est injurieux, cynique ; em[pl.] subst., personne **insolente** ; par méton. : *Rire* ***ins[o]lent.*** **3.** Inouï, provocant : *Chance* ***insolente.*** 149[.] lat. *insolens*, « inaccoutumé » ; [ɛ̃sɔlɑ̃, ɑ̃t].

**INSOLER,** verbe trans. [3]
Exposer à la lumière solaire ou artificielle. 161[.] lat. *insolare* ; [ɛ̃sɔle].

**INSOLITE,** adj.
Qui surprend par son caractère étrange, inhabitue[l] *Un bruit* ***insolite*** ; *Une présence* ***insolite.*** Fin XVᵉ s[.] lat. *insolitus* ; [ɛ̃sɔlit].

**INSOLUBILITÉ,** subst. f.
Caractère de ce qui est insoluble. 1627 ; ☞ *ins[o]luble* ; [ɛ̃sɔlybilite].

**INSOLUBLE,** adj.
**1.** Que l'on ne peut résoudre : *Une question* ***insolub[le]*** **2.** *Chim.* Qui ne peut être dissous. Mil. XIIIᵉ s. ; la[t.] *insolubilis*, « indissoluble ; indubitable » ; [ɛ̃sɔlybl].

**INSOLVABILITÉ,** subst. f.
*Dr.* État d'une personne physique ou morale i[n]capable de faire face à ses obligations financière[s] 1603 ; ☞ *insolvable* ; [ɛ̃sɔlvabilite].

**INSOLVABLE,** adj.
Qui est en état d'insolvabilité : ***Débiteur insolvab[le]*** 1431 ; ☞ *solvable + in-²* ; [ɛ̃sɔlvabl].

**INSOMNIAQUE**, adj.
ujet à l'insomnie ; empl. subst., personne **insom-
iaque**. 1883 ; ☞ *insomnie* ; [ɛ̃sɔmnjak].

**INSOMNIE**, subst. f.
rouble du sommeil qui se traduit par une difficulté
s'endormir, à dormir : ***Insomnies** rebelles, passa-
ères.* 1611 ; lat. *insomnia* ; [ɛ̃sɔmni].

**INSONDABLE**, adj.
. Qui ne peut être sondé : *Un abysse **insondable**.*
. Fig. Impénétrable : *Pensées **insondables**.* **3.** Ext.
mpossible à mesurer : *Une ignorance **insondable**.*
1578 ; ☞ *sonder* + *in-*[2] ; [ɛ̃sɔ̃dabl].

**INSONORE**, adj.
. Qui ne produit aucun son : *Mécanisme **insonore**.*
. Qui étouffe les bruits, amortit les ondes sonores :
*latériaux de construction **insonores**.* **3.** Insonorisé.
1794 ; ☞ *sonore* + *in-*[2] ; [ɛ̃sɔnɔʀ].

**INSONORISATION**, subst. f.
ction d'insonoriser ; son résultat : ***Insonorisation**
'un local.* 1943 ; ☞ *insonoriser* ; [ɛ̃sɔnɔʀizasjɔ̃].

**INSONORISER**, verbe trans. [3]
endre insonore, moins sonore (un lieu) ; empl.
dj. : *Studio d'enregistrement **insonorisé**.* 1941 ;
☞ *insonore* ; [ɛ̃sɔnɔʀize].

**INSONORITÉ**, subst. f.
bsence de sonorité ; caractère d'un local insono-
isé. 1845 ; ☞ *sonorité* + *in-*[2] ; [ɛ̃sɔnɔʀite].

**INSOUCIANCE**, subst. f.
aractère d'une personne insouciante : *L'**insou-
iance** des enfants* ; absence de souci : *L'**insouciance**
u lendemain.* 1764 ; ☞ *insouciant* ; [ɛ̃susjɑ̃s].

**INSOUCIANT, ANTE**, adj.
. Qui n'est soucieux de rien ; empl. subst., per-
onne **insouciante**. ► ***Insouciant** de qqch.* : qui ne
'en soucie pas. **2.** Qui dénote l'insouciance : *Air
nsouciant.* 1752 ; ☞ *soucier* + *in-*[2] ; [ɛ̃susjɑ̃, ɑ̃t].

**INSOUCIEUX, EUSE**, adj.
)ui n'est pas soucieux de qqch. (littér.) : ***Insoucieux**
e l'avenir.* 1761 ; ☞ *soucieux* + *in-*[2] ; [ɛ̃susjø, øz].

**INSOUMIS, ISE**, adj. et subst.
DJ. Qui ne se laisse pas soumettre : *Une nation
**isoumise**.* SUBST. Personne **insoumise** ; au masc.,
oldat ou objecteur de conscience en état d'insou-
nission. 1564 ; ☞ *soumis* + *in-*[2] ; [ɛ̃sumi, iz].

**INSOUMISSION**, subst. f.
. État, caractère d'une personne insoumise. **2.** État
'un militaire ou d'un objecteur de conscience qui
e rejoint pas, dans un délai déterminé, l'affectation
ui lui a été assignée. 1818 ; ☞ *soumission* + *in-*[2] ;
sumisjɔ̃].

**INSOUPÇONNABLE**, adj.
. Sur qui ne peut peser aucun soupçon. **2.** Dont
n ne peut pas deviner l'existence, l'ampleur :
*otentiel **insoupçonnable**.* 1840 ; ☞ *soupçonnable*
*in-*[2] ; [ɛ̃supsɔnabl].

**INSOUPÇONNÉ, ÉE**, adj.
)ont on ne soupçonne pas l'existence. 1794 ;
p. p. de *soupçonner* + *in-*[2] ; [ɛ̃supsɔne].

**INSOUTENABLE**, adj.
. Que l'on ne peut supporter, endurer davantage :
*)ouleur, chaleur **insoutenable**.* **2.** Que l'on ne peut
éfendre, faire admettre : *Thèse **insoutenable**.* Fin
v^e s. ; ☞ *soutenir* + *in-*[2] ; [ɛ̃sutnabl].

**INSPECTER**, verbe trans. [3]
. Procéder à l'inspection de (ce que l'on a mission
e surveiller). **2.** Examiner avec soin : ***Inspecter** le
renier.* Fin XVIII^e s. ; lat. *inspectare* ; [ɛ̃spɛkte].

**INSPECTEUR, TRICE**, subst.
gent chargé de surveiller, de contrôler l'activité,
e fonctionnement d'un service public ou privé
t le respect des normes, des lois : ***Inspecteur** de
olice* ; ***Inspecteur** du travail*, chargé de veiller à
application de la législation du travail. 1611
447, celui qui scrute le cœur) ; lat. *inspector*, « observa-
eur » ; [ɛ̃spɛktœʀ, tʀis].

**INSPECTION**, subst. f.
. Examen attentif, minutieux (vieilli). **2.** Opéraion de contrôle, de vérification, enquête faite par
n inspecteur : *L'**inspection** d'une école.* **3.** Méton.
nsemble des inspecteurs, des services d'une admi-
istration : *L'**inspection** générale des Finances.*
1290 ; lat. *inspectio* ; [ɛ̃spɛksjɔ̃].

**INSPIRATEUR, TRICE**, subst. et adj.
. SUBST. **1.** Personne qui inspire ou dont on s'ins-
ire ; au fém., femme qui donne l'inspiration
réatrice, muse. **2.** Instigateur : *L'**inspirateur** d'un
projet, d'un complot.* ADJ. Qui favorise l'inspiration : *Lecture **inspiratrice**.* **II.** ADJ. *Anat.* *Muscle **inspirateur*** : qui sert à l'inspiration au cours du cycle respiratoire. XIV^e s. ; bas lat. *inspirator* ; [ɛ̃spiʀatœʀ, tʀis].

**INSPIRATION**, subst. f.
**I. 1.** *Relig.* Impulsion surnaturelle, divine, qui conduirait l'homme à agir, éclairerait son âme. **2.** Souffle créateur qui anime l'artiste : *Avoir, perdre l'**inspiration**.* **3.** Influence particulière qui marque une œuvre : *Musique d'**inspiration** folklorique.* **4.** Idée qui surgit à l'improviste : *J'eus la bonne **inspiration** de changer d'itinéraire.* **II.** *Physiol.* Phase active de la respiration, où le diaphragme s'abaisse pour faire entrer l'air dans les poumons. Déb. XII^e s. ; bas lat. *inspiratio*, « souffle, haleine » ; [ɛ̃spiʀasjɔ̃].

**INSPIRATOIRE**, adj.
*Physiol.* Qui concerne l'inspiration de l'air dans les poumons. 1833 ; ☞ *inspirer* ; [ɛ̃spiʀatwaʀ].

**INSPIRÉ, ÉE**, adj.
**1.** Habité par l'inspiration divine ou créatrice : *Prophète, musicien **inspiré**.* **2.** Loc. *Être bien, mal **inspiré*** : avoir une bonne, une mauvaise idée. 1530 ; p. p. de *inspirer* ; [ɛ̃spiʀe].

**INSPIRER**, verbe trans. [3]
**I. 1.** *Relig.* Animer par une inspiration divine. **2.** Donner l'inspiration créatrice à. **3.** Suggérer, susciter : ***Inspirer** une conduite* ; ***Inspirer** le dégoût, l'envie.* PRONOM. **S'inspirer de.** Trouver ses idées, son inspiration dans (qqch.), auprès de (qqn) : *La Fontaine s'**inspira** des fables d'Ésope.* **II.** *Physiol.* Emplir (d'air) ses poumons ; empl. abs. : ***Inspirez**, puis expirez !* Fin XII^e s. ; lat. *inspirare*, de *spirare*, « souffler » ; [ɛ̃spiʀe].

**INSTABILITÉ**, subst. f.
**1.** Défaut de stabilité : *L'**instabilité** des sentiments, d'un emploi, d'un échafaudage.* **2.** *Chim.* et *Phys.* État, caractère d'un élément instable. 1236 ; lat. *instabilitas*, « mobilité » ; [ɛ̃stabilite].

**INSTABLE**, adj.
**1.** Précaire, fluctuant : *Bonheur, climat **instable**.* **2.** Versatile, changeant : *Humeur **instable*** ; empl. subst., personne **instable**. **3.** Qui ne se fixe pas, errant : *Population **instable**.* **4.** Qui n'est pas en équilibre, qui menace de tomber : *Chaise **instable**.* **5.** *Spéc.* ► *Chim.* Qualifie un corps, une molécule ou une solution susceptible de se décomposer ou de se modifier spontanément lorsque varie, même légèrement, un facteur d'équilibre. ► *Phys.* Qualifie un noyau atomique susceptible de subir une transmutation spontanée ; qualifie une particule qui se désintègre spontanément en deux ou en plusieurs particules. Déb. XIII^e s. ; lat. *instabilis* ; [ɛ̃stabl].

**INSTALLATEUR, TRICE**, subst.
Personne qui effectue des installations d'appareils. 1875 (1863, celui qui installe un dignitaire ecclésiastique) ; ☞ *installer* ; [ɛ̃stalatœʀ, tʀis].

**INSTALLATION**, subst. f.
**1.** *Relig.* Action d'installer un dignitaire : *L'**installation** d'un pape* ; par anal. : ***Installation** d'un fonctionnaire à son poste.* **2.** Action de s'installer dans un lieu, emménagement ; par méton., manière dont on est installé : *Modifier son **installation**.* **3.** Action de mettre en place qqch. : ***Installation** d'une cuisine, d'un décor* ; ***Installation** d'une ligne téléphonique, d'un lave-linge*, sa mise en service ; par méton. : *Des **installations** vétustes.* 1349 ; ☞ *installer* ; [ɛ̃stalasjɔ̃].

**INSTALLER**, verbe trans. [3]
**1.** *Relig.* Mettre solennellement en possession de sa charge, dans sa fonction : ***Installer** un évêque* ; par anal. : ***Installer** un juge.* **2.** Établir (qqn) dans un lieu d'habitation ; au fig. : ***Être (bien) installé***, jouir d'une situation stable, aisée. **3.** Placer dans un endroit précis : *On **installa** l'armoire dans le couloir* ; placer de façon particulière : ***Installer** un malade dans son lit.* ► Procéder à la mise en service de : ***Installer** un scanner dans un hôpital* ; ***Installer** l'électricité.* PRONOM. **1.** Se fixer, s'établir durablement : *S'**installer** sur la Côte d'Azur* ; s'établir en tant que travailleur indépendant ; au fig. : *S'**installer** dans la médiocrité.* **2.** Se mettre, s'asseoir : *S'**installer** sur un canapé.* 1349 ; lat. médiév. *installare* ; [ɛ̃stale].

**INSTAMMENT**, adv.
De façon instante. 1356 ; ☞ *instant* ; [ɛ̃stamɑ̃].

**INSTANCE**, subst. f.
**1.** Sollicitation, demande pressante (gén. au plur.) : *Céder aux **instances** d'un ami.* ► Loc. *Avec **instance*** : avec insistance. **2.** *Dr.* Ensemble des actes d'une procédure judiciaire. ► *Tribunal d'**instance**, de grande **instance*** : degré de juridiction. ► Loc. *En **instance** de* : en cours de, sur le point de. **3.** Ext. Autorité, ensemble de dirigeants : *Les **instances** d'un parti.* **4.** *Psychanal.* Chez Freud, composante de l'appareil psychique. Mil. XIII^e s. ; lat. *instantia*, « imminence, proximité » ; [ɛ̃stɑ̃s].

**INSTANT, ANTE**, adj. et subst. m.
ADJ. Littér. **1.** Imminent : *Un péril **instant**.* **2.** Qui sollicite vivement, pressant : *Une demande **instante**.* SUBST. Bref laps de temps : *Hésiter un **instant*** ; *Profiter de l'**instant***, du moment présent ; *Les derniers **instants***, la mort. ► Loc. *À l'**instant*** : tout de suite ; *D'un **instant** à l'autre* : de façon imminente ; *Dès l'**instant** que, où* : à partir du moment où, et, par ext., puisque. Fin XIV^e s. ; lat *instans*, de *instare*, « être imminent » ; [ɛ̃stɑ̃, ɑ̃t].

**INSTANTANÉ, ÉE**, adj.
**1.** Qui a lieu en un instant ; immédiat : *Séchage **instantané*** ; *Réplique **instantanée**.* **2.** Qui n'exige pas de préparation : *Café **instantané**.* **3.** *Phot.* *Cliché **instantané*** ou, empl. subst. masc., *Un **instantané*** : obtenu avec un temps de pose très bref. 1604 ; ☞ *instant* ; [ɛ̃stɑ̃tane].

**INSTANTANÉITÉ**, subst. f.
Caractère de ce qui est instantané. Mil. XVIII^e s. ; ☞ *instantané* ; [ɛ̃stɑ̃taneite].

**INSTANTANÉMENT**, adv.
De manière instantanée. 1787 ; ☞ *instantané* ; [ɛ̃stɑ̃tanemɑ̃].

**INSTAR DE (À L')**, loc. prép.
À l'exemple, à la manière de (littér.) : ***À l'instar** de ses maîtres.* 1560 ; bas lat. *ad instar*, « à la ressemblance de » ; [alɛ̃staʀdə].

**INSTAURATEUR, TRICE**, subst.
Personne qui instaure qqch. ; fondateur. 1504 ; ☞ *instaurer* ; [ɛ̃stɔʀatœʀ, tʀis].

**INSTAURATION**, subst. f.
Action d'instaurer, fait de s'instaurer ; son résultat. 1451 ; ☞ *instaurer* ; [ɛ̃stɔʀasjɔ̃].

**INSTAURER**, verbe trans. [3]
Mettre en place pour la première fois, fonder : ***Instaurer** un régime, une loi* ; empl. pronom. : *L'usage s'est peu à peu **instauré**.* 1509 (mil. XIV^e s., célébrer de nouveau) ; lat. *instaurare* ; [ɛ̃stɔʀe].

**INSTIGATEUR, TRICE**, subst.
Personne qui incite à faire qqch. : *L'**instigateur** d'une émeute.* 1363 ; lat. *instigator* ; [ɛ̃stigatœʀ, tʀis].

**INSTIGATION**, subst. f.
Action de pousser à faire qqch. ► Loc. *À l'**instigation** de qqn* : à son incitation. 1332 ; lat. *instigatio* ; [ɛ̃stigasjɔ̃].

**INSTIGUER**, verbe trans. [3]
Belg. Inciter (qqn) à faire qqch. Mil. XIV^e s. ; lat. *instigare* ; [ɛ̃stige].

**INSTILLATION**, subst. f.
Action d'instiller. 1377 ; lat. *instillatio* ; [ɛ̃stilasjɔ̃].

**INSTILLER**, verbe trans. [3]
**1.** Faire pénétrer goutte à goutte (un liquide) dans qqch. **2.** Fig. Communiquer lentement, subrepticement (une idée, un sentiment) à qqn : ***Instiller** la jalousie.* Fin XIV^e s. ; lat. *instillare* ; [ɛ̃stile].

**INSTINCT**, subst. m.
**1.** Comportement impulsif, inné, mécanique et héréditaire des êtres humains et des animaux : ***Instinct** maternel* ; ***Instinct** de conservation.* ► Loc. *D'**instinct*** : spontanément. **2.** Intuition : *Son **instinct** ne le trompe jamais.* **3.** Fig. Disposition naturelle : *Elle a l'**instinct** de la peinture.* 1512 (1495, instigation) ; lat. *instinctus*, « instigation » ; [ɛ̃stɛ̃].

**INSTINCTIF, IVE**, adj.
**1.** Qui relève de l'instinct, inné : *Un comportement **instinctif**.* **2.** Intuitif, spontané : *Un enfant **instinctif**.* 1801 ; ☞ *instinct* ; [ɛ̃stɛ̃ktif, iv].

**INSTINCTIVEMENT**, adv.
D'une manière instinctive. 1801 ; ☞ *instinctif* ; [ɛ̃stɛ̃ktivmɑ̃].

**INSTINCTUEL, ELLE**, adj.
*Psychol.* Qui a trait à l'instinct : *Peur **instinctuelle**.* 1840 ; ☞ *instinct* ; [ɛ̃stɛ̃ktɥɛl].

**INSTITUER**, verbe trans. [3]
**1.** Créer, établir (une institution, une coutume). **2.** Établir officiellement (un dignitaire) dans sa charge. **3.** *Dr.* Désigner (un héritier) par testament. 1219 ; lat. *instituere* ; [ɛ̃stitɥe].

**INSTITUT,** subst. m.
**1.** Vx. Ce qui a été établi ; en partic., règle d'un ordre religieux prescrite lors de sa fondation. **2.** Ensemble constitué de savants, d'artistes, d'écrivains : *L'**Institut** de France* ; par méton., lieu où ils se réunissent. **3.** Établissement scientifique ou d'enseignement : *L'**Institut** géographique national (I. G. N.)* ; *Un **institut** universitaire de technologie (I. U. T.)* ; organisme économique : *L'**Institut** national de la statistique et des études économiques (Insee).* **4.** Établissement commercial : *Un **institut** de beauté.* 1480 ; lat. *institutum*, « plan établi » ; [ɛ̃stity].

© P. Wysocki-Explorer

*L'**Institut** de France, quai Conti, à Paris.*

**INSTITUTEUR, TRICE,** subst.
Personne qui enseigne dans une école maternelle ou primaire, auj. appelée professeur des écoles (abrév. fam. : instit). 1441 ; lat. *institutor*, « celui qui dispose, administre » ; [ɛ̃stitytœʀ, tʀis].

**INSTITUTION,** subst. f.
**I. 1.** Action d'instituer qqch. : ***Institution** d'un jour férié.* **2.** Méton. Ce qui est institué : *L'**institution** du mariage* ; *Une **institution** de crédit.* PLUR. *Dr. publ.* Ensemble des structures politiques, sociales, établies par la loi ou la coutume, qui déterminent la vie d'un État : *Les **institutions** de la France.* **II. 1.** Action d'instruire, d'éduquer (vx). **2.** Méton. Établissement privé d'éducation et d'instruction : ***Institution** de garçons.* Fin XIIe s. ; lat. *institutio* ; [ɛ̃stitysjɔ̃].

**INSTITUTIONALISATION,** subst. f.
Action d'institutionaliser ; le résultat de cette action. 1949 ; ☞ *institutionaliser* ; var. *institutionnalisation* ; [ɛ̃stitysjɔnalizasjɔ̃].

**INSTITUTIONALISER,** verbe trans. [3]
Donner un caractère institutionnel à. 1956 ; ☞ *institutionnel* ; var. *institutionnaliser* ; [ɛ̃stitysjɔnalize].

**INSTITUTIONALISME,** subst. m.
**1.** *Écon.* Doctrine soulignant l'importance des institutions dans l'activité économique. **2.** Tendance à multiplier les institutions. 1939 ; ☞ *institutionnel* ; var. *institutionnalisme* ; [ɛ̃stitysjɔnalism].

**INSTITUTIONNEL, ELLE,** adj.
**1.** Qui a trait aux institutions : *Réforme **institutionnelle.*** **2.** Qui est mis en application dans une institution : *Pédagogie **institutionnelle**,* recommandant la création de structures collectives d'organisation. 1933 ; ☞ *institution* ; [ɛ̃stitysjɔnɛl].

**INSTRUCTEUR, TRICE,** subst.
Personne qui instruit. MASC. ▸ *Milit.* Gradé chargé de l'instruction des recrues. ▸ *Just.* ***Instructeur*** ou, empl. adj., *Magistrat **instructeur*** : qui mène l'instruction. XIVe s. ; lat. *instructor*, « ordonnateur » ; [ɛ̃stʀyktœʀ].

**INSTRUCTIF, IVE,** adj.
Qui instruit, informe, éduque : *Échange **instructif.*** XIVe s. ; ☞ *instruire* ; [ɛ̃stʀyktif, iv].

**INSTRUCTION,** subst. f.
**I. 1.** Ordre, directive qu'un supérieur donne à ses subordonnés : ***Instruction** ministérielle.* **2.** *Informat.* Commande élémentaire d'un langage de programmation. PLUR. Directives, explications pour mener à bien une entreprise, pour se servir d'un appareil, etc. **II. 1.** Action d'instruire, d'enseigner, de former : *L'**instruction** publique est gratuite.* **2.** Méton. Savoir, culture : *Une solide **instruction.*** **III.** *Just.* Phase de la procédure pénale au cours de laquelle un juge d'**instruction** met tout en œuvre pour permettre qu'une affaire soit jugée. 1320 ; lat. *instructio*, « action d'adapter, de disposer » ; [ɛ̃stʀyksjɔ̃].

**INSTRUIRE,** verbe trans. [69]
**1.** Édifier (qqn) en lui faisant acquérir des connaissances : ***Instruire** qqn par la tolérance.* **2.** Donner un enseignement à (qqn). **3.** Informer (qqn) de qqch. : *Je l'ai **instruit** de notre affaire.* **4.** *Just.* Procéder à l'instruction de (une affaire, une cause). PRONOM. Approfondir ses connaissances. Déb. XIIe s. ; lat. *instruere*, « dresser ; outiller » ; [ɛ̃stʀɥiʀ].

**INSTRUIT, ITE,** adj.
Qui a de l'instruction, de la culture. XVIIIe s. (1346, éduqué) ; p. p. de *instruire* ; [ɛ̃stʀɥi, it].

**INSTRUMENT,** subst. m.
**1.** Outil, dispositif servant à créer qqch., à exécuter une opération : ***Instrument** de précision* ; ***Instrument** de travail.* ▸ *Mus.* Appareil conçu pour produire des sons : ***Instrument** à vent, à cordes.* **2.** Fig. Moyen, intermédiaire utilisé pour parvenir à un but : *Je suis l'**instrument** de son ambition.* 1119 ; lat. *instrumentum*, de *instruere*, « dresser ; outiller » ; [ɛ̃stʀymɑ̃].

**INSTRUMENTAIRE,** adj.
*Dr. Témoin **instrumentaire*** : qui assiste un officier ministériel lorsqu'une telle présence est exigée par la loi. 1477 ; ☞ *instrument* ; [ɛ̃stʀymɑ̃tɛʀ].

**INSTRUMENTAL, ALE, AUX,** adj.
Relatif à un instrument. ▸ *Mus.* Qui utilise seulement des instruments, sans recours à la voix : *Musique **instrumentale*** ; *Ensemble **instrumental.*** Fin XIVe s. ; ☞ *instrument* ; [ɛ̃stʀymɑ̃tal, o].

**INSTRUMENTALISME,** subst. m.
*Philos.* Forme du pragmatisme qui considère l'intelligence, les théories comme des outils, des instruments de l'action. 1955 ; angl. *instrumentalism* ; [ɛ̃stʀymɑ̃talism].

**INSTRUMENTATION,** subst. f.
**1.** *Mus.* Art de choisir les instruments les mieux appropriés à une composition selon leurs propriétés expressives. **2.** *Techn.* Ensemble d'instruments ou d'appareils : ***Instrumentation** d'un navire.* 1823 ; ☞ *instrumenter* ; [ɛ̃stʀymɑ̃tasjɔ̃].

**INSTRUMENTER,** verbe [3]
INTRANS. *Dr.* Rédiger un acte public : ***Instrumenter** contre qqn.* TRANS. **1.** *Mus.* Orchestrer. **2.** *Techn.* Doter (une installation) d'instruments de contrôle. 1431 ; ☞ *instrument* ; [ɛ̃stʀymɑ̃te].

**INSTRUMENTISTE,** subst.
**1.** *Mus.* Personne qui joue d'un instrument. **2.** *Chir.* Personne qui prépare les instruments et les tend au chirurgien lors d'une opération. 1810 ; ☞ *instrument* ; [ɛ̃stʀymɑ̃tist].

**INSU DE (À L'),** loc. prép.
Sans que cela soit su de : *Il s'échappa **à l'insu de** ses gardiens.* ▸ Empl. réfl. Inconsciemment : *Il a sombré dans l'alcool **à son insu.*** 1538 (déb. XVIe s., inconnu) ; p. p. de *savoir* (I) + *in-*2 ; [alɛ̃sydə].

**INSUBMERSIBLE,** adj.
Qui ne peut être submergé : *Digue **insubmersible.*** 1775 ; ☞ *submersible* + *in-*2 ; [ɛ̃sybmɛʀsibl].

**INSUBORDINATION,** subst. f.
Attitude de qqn qui refuse de se plier à une autorité. 1770 ; ☞ *subordination* + *in-*2 ; [ɛ̃sybɔʀdinasjɔ̃].

**INSUBORDONNÉ, ÉE,** adj.
Se dit de qqn qui refuse la subordination. 1789 ; ☞ *subordonné* + *in-*2 ; [ɛ̃sybɔʀdɔne].

**INSUCCÈS,** subst. m.
Manque de succès ; revers, échec : *L'**insuccès** des négociations.* 1794 ; ☞ *succès* + *in-*2 ; [ɛ̃syksɛ].

**INSUFFISAMMENT,** adv.
De manière insuffisante. 1391 ; ☞ *insuffisant* ; [ɛ̃syfizamɑ̃].

**INSUFFISANCE,** subst. f.
**1.** Caractère de ce qui ne suffit pas. **2.** Fig. Lacune, incompétence (gén. au plur.). **3.** *Pathol.* Diminution de la capacité d'un organe à remplir ses fonctions : ***Insuffisance** cardiaque.* 1323 ; ☞ *insuffisant*, d'apr. le lat. chrét. *insufficientia* ; [ɛ̃syfizɑ̃s].

**INSUFFISANT, ANTE,** adj.
**1.** Qui ne suffit pas. **2.** Qui n'a pas les qualités requises. **3.** *Pathol.* Qualifie une fonction, un organe déficient ; empl. subst. : *Un **insuffisant** rénal*, personne atteinte d'insuffisance rénale. 1323 ; ☞ *suffisant* + *in-*2 ; [ɛ̃syfizɑ̃, ɑ̃t].

**INSUFFLATEUR,** subst. m.
*Méd.* Appareil qui, par intubation trachéale ou par trachéotomie, permet d'introduire, de façon artificielle, de l'air, du gaz, un médicament, etc., dans les poumons ou dans une autre cavité du corps. 1862 ; ☞ *insuffler* ; [ɛ̃syflatœʀ].

**INSUFFLATION,** subst. f.
*Méd.* Action d'insuffler de l'air, du gaz, un médicament, etc., dans une cavité du corps. 1374 ; bas lat. *insufflatio* ; [ɛ̃syflasjɔ̃].

**INSUFFLER,** verbe trans. [3]
**1.** Vx. Communiquer par le souffle : *Dieu, nous dit la Bible, **insuffla** la vie au premier homme.* **2.** Communiquer, inspirer (une idée, un sentiment, etc.) à qqn. **3.** *Méd.* Introduire (de l'air) dans une cavité du corps à l'aide d'un insufflateur. XVe s. ; bas lat. *insufflare* ; [ɛ̃syfle].

**INSULAIRE,** adj.
**1.** Qui habite une île ; empl. subst. : *Les **insulaires.*** **2.** Relatif à une île. 1516 ; bas lat. *insularis* ; [ɛ̃sylɛʀ].

**INSULARITÉ,** subst. f.
**1.** État d'un pays formé d'une ou de plusieurs îles. **2.** Caractère de ce qui est insulaire. 1840 ; ☞ *insulaire* ; [ɛ̃sylaʀite].

**INSULINE,** subst. f.
*Biochim.* et *Biol.* Hormone hypoglycémiante, sécrétée par le pancréas ou obtenue artificiellement, utilisée dans le traitement du diabète insulinodépendant (☞ *îlots de Langerhans*). 1909 ; lat. *insula*, « île », d'apr. *îlots de Langerhans* ; [ɛ̃sylin].

**INSULINODÉPENDANT, ANTE,** adj.
*Pathol. Diabète **insulinodépendant*** : qui ne peut être traité que par l'insuline ; empl. subst., personne atteinte d'un tel diabète. XXe s. ; formé de *insuline* et de *dépendant* ; [ɛ̃sylinodepɑ̃dɑ̃, ɑ̃t].

**INSULINOTHÉRAPIE,** subst. f.
*Méd.* Traitement par l'insuline. Mil. XXe s. ; ☞ *insuline* + *-thérapie* ; [ɛ̃sylinoteʀapi].

**INSULTANT, ANTE,** adj.
Qui constitue une insulte : *Propos, comportement **insultant.*** Fin XVIIe s. ; p. pr. de *insulter* ; [ɛ̃syltɑ̃, ɑ̃t].

**INSULTE,** subst. f.
Propos, acte qui a pour but d'insulter, qui constitue une offense à la dignité ou à l'honneur ; par ext. : *Sa tenue est une **insulte** au bon goût.* XVIe s. (1380, soulèvement, sédition) ; ☞ *insulter* ; [ɛ̃sylt].

**INSULTER,** verbe trans. [3]
Attaquer, offenser (qqn) par des propos ou des actes injurieux. Mil. XVe s. (mil. XIVe s., braver) ; lat. *insultare*, « sauter sur ; braver ; insulter » ; [ɛ̃sylte].

**INSUPPORTABLE,** adj.
Que l'on ne peut supporter, endurer : *Absence, mal **insupportable*** ; par ext. : *Enfant **insupportable.*** 1312 ; bas lat. *insupportabilis* ; [ɛ̃sypɔʀtabl].

**INSUPPORTER,** verbe trans. [3]
Être insupportable à (qqn), exaspérer (empl. critiqué) : *Vos bavardages m'**insupportent** !* 1864 ☞ *insupportable*, d'apr. *supporter* ; [ɛ̃sypɔʀte].

**INSURGÉ, ÉE,** adj. et subst.
ADJ. Qui s'est insurgé, révolté. SUBST. Personne participant à une insurrection ; agitateur. Fin XVe s. ; p. p. de *s'insurger* ; [ɛ̃syʀʒe].

**INSURGER (S'),** verbe pronom. [5]
Se soulever (contre le pouvoir établi, l'autorité) au fig. : ***S'insurger** contre les évènements.* 1474 lat. *insurgere* ; [ɛ̃syʀʒe].

**INSURMONTABLE,** adj.
Qui ne peut être surmonté : *Difficulté **insurmontable*** ; *Timidité, répugnance **insurmontable.*** 1611 ☞ *surmontable* + *in-*2 ; [ɛ̃syʀmɔ̃tabl].

**INSURPASSABLE,** adj.
Qui ne peut être surpassé. 1554 ; ☞ *surpasser* + *in-*2 ; [ɛ̃syʀpasabl].

**INSURRECTION,** subst. f.
Action de s'insurger, soulèvement, émeute. Fin XIVe s. ; bas lat. *insurrectio* ; [ɛ̃syʀɛksjɔ̃].

**INSURRECTIONNEL, ELLE,** adj.
Relatif à l'insurrection ; qui a le caractère d'une insurrection. 1792 ; ☞ *insurrection* ; [ɛ̃syʀɛksjɔnɛ

**INTACT, ACTE,** adj.
**1.** Qui n'a pas été touché, entamé ; qui n'a subi aucun dommage : *Le typhon n'a laissé aucune maison **intacte.*** **2.** Fig. Qui n'a été ni souillé ni altéré : *Un plaisir **intact.*** 1461 ; lat. *intactus* ; [ɛ̃takt].

**INTAILLE,** subst. f.
Pierre fine gravée en creux, employée notamment comme sceau ou comme cachet. 1740 ; it. *intaglio*, « entaille » ; [ɛ̃taj].

**INTAILLER,** verbe trans. [3]
chn. Graver en creux (une pierre fine). 1860 ; ☞ *intaille* ; [ɛ̃taje].

**INTANGIBILITÉ,** subst. f.
ıractère de ce qui est intangible. 1834 ; ☞ *intan- ɔle* ; [ɛ̃tɑ̃ʒibilite].

**INTANGIBLE,** adj.
Vx. Que l'on ne peut toucher : *L'air est* ***intangible****.* Qui ne peut ou ne doit pas être modifié ; ımuable, sacré : *Dogmes, principes* ***intangibles****.* Fin XV^e^ s. ; ☞ *tangible* + *in-*$^2$ ; [ɛ̃tɑ̃ʒibl].

**INTARISSABLE,** adj.
Qui ne peut tarir : *Un puits* ***intarissable*** ; par agér. : *Pleurs* ***intarissables****.* **2.** Fig. Qui semble sans ı : *Discours* ***intarissable*** ; par méton. : *Orateur* ***tarissable****.* 1586 ; ☞ *tarir* + *in-*$^2$ ; [ɛ̃taʀisabl].

**INTÉGRABLE,** adj.
*ath.* Qualifie une fonction qui admet une tégrale de Riemann finie, ou une équation diffé- ntielle qui admet une solution. 1704 ; ☞ *in- ɡrer* ; [ɛ̃tegʀabl].

**INTÉGRAL, ALE, AUX,** adj. et subst. f.
**ɔJ. 1.** Qui est entier, complet, qui n'a subi aucune ›upure ni modification : *Paiement* ***intégral*** *d'une tte* ; *L'édition* ***intégrale*** *d'une œuvre.* ▸ *Casque* ***tégral*** : qui protège entièrement la tête. **2.** *Math.* ːlatif aux **intégrales** : *Calcul* ***intégral***, ensemble des éthodes et procédés relatifs au calcul des primi- ves et des **intégrales**, ainsi qu'à la résolution équations différentielles. **Subst. 1.** Totalité de œuvre d'un auteur, d'un compositeur : *L'****intégrale*** *'s symphonies de Mahler.* **2.** *Math.* Forme linéaire ırticulière sur certains espaces vectoriels de fonc- ɔns. ▸ ***Intégrale*** *définie sur [a, b] d'une fonction f [a, b] vers* ℝ : **intégrale** de Riemann de $f$ sur , $b]$ notée $\int_a^b f(t)dt$, avec : $\int_b^a f(t)dt = -\int_a^b f(t)dt$ $\int_a^b f(t)dt = F(b) - F(a)$ si F est une primitive de sur $[a, b]$). Une application **intégrale** de $f$ sur $[a,$ est alors une fonction $g$ de $[a, b]$ vers ℝ définie ır $g(x) = \int_c^x f(t)dt$ où $c \in [a, b]$ fixé. XIV^e^ s. ; t. *integer* ; [ɛ̃tegʀal, o].

**INTÉGRALEMENT,** adv.
e manière intégrale ; complètement. 1511 ; ☞ *intégral* ; [ɛ̃tegʀalmɑ̃].

**INTÉGRALITÉ,** subst. f.
:at de ce qui est complet : *Recevoir l'****intégralité*** *d'un ritage.* ▸ Loc. *Dans son* ***intégralité*** : entièrement. 1611 ; ☞ *intégral* ; [ɛ̃tegʀalite].

**INTÉGRANT, ANTE,** adj.
ui entre dans la constitution d'un tout. ▸ Loc. ıire, être partie intégrante de.** Être indissociable (un tout) : *Ce chapeau fait partie* ***intégrante*** *de n personnage.* 1520 ; lat. *integrans* ; [ɛ̃tegʀɑ̃, ɑ̃t].

**INTÉGRATEUR,** subst. m.
chn. Appareil qui effectue une intégration, qui talise des valeurs continues. 1890 ; ☞ *intégrer* ; tegʀatœʀ].

**INTÉGRATION,** subst. f.
*Math.* Calcul de l'intégrale d'une fonction. ***Intégration*** *d'une équation différentielle* : détermi- ation de ses solutions. **2.** Action d'intégrer, d'in- ›rporer dans un tout organisé : ***Intégration*** *d'un ève dans une classe* ; *L'****intégration*** *des immigrés* ; ***intégration*** *de la Savoie à la France.* **3.** *Physiol.* ocessus par lequel le système nerveux harmonise ıctivité fonctionnelle de certains organes. 1700 309, rétablissement) ; lat. *integratio,* « renouvelle- ent » ; [ɛ̃tegʀasjɔ̃].

**INTÈGRE,** adj.
ıcorruptible, d'une honnêteté irréprochable : *Un agistrat* ***intègre****.* 1671 (1558, entier) ; lat. *integer,* ntact ; entier » ; [ɛ̃tɛgʀ].

**INTÉGRÉ, ÉE,** adj.
Qui est incorporé dans un ensemble ; dont les éments forment un tout homogène : *Une cuisine* ***tégrée****.* ▸ *Écon. Commerce* ***intégré*** : où le gros et le tail font partie d'une même unité économique. *Informat. Traitement* ***intégré*** : effectuant auto- ıatiquement une série d'opérations ; *Gestion* ***inté- ée*** : qui saisit une fois pour toutes les données en gère toutes les applications. **2.** Qui est ssimilé : *Une minorité bien* ***intégrée*** *dans un pays.* Fin XV^e^ s. ; p. p. de *intégrer* ; [ɛ̃tegʀe].

**INTÉGRER,** verbe trans. [8]
*Math.* Déterminer l'intégrale de (une fonction). Incorporer dans un ensemble : ***Intégrer*** *une tation dans un texte* ; empl. pronom. : *S'****intégrer*** *à un groupe.* **3.** Fam. Être reçu au concours d'entrée de (une grande école) : ***Intégrer*** *Polytechnique.* 1700 (1340, exécuter) ; lat. *integrare,* « réparer ; renouveler » ; [ɛ̃tegʀe].

**INTÉGRISME,** subst. m.
Conservatisme intransigeant de certains croyants dans une religion, de militants dans un parti, etc. 1913 ; esp. *integrismo* ; [ɛ̃tegʀism].

**INTÉGRISTE,** adj. et subst.
Qualifie ou désigne un partisan de l'intégrisme. **Adj.** Relatif, propre ou favorable à l'intégrisme. 1913 ; ☞ *intègre,* d'apr. l'esp. *integrista* ; [ɛ̃tegʀist].

**INTÉGRITÉ,** subst. f.
**1.** État de ce qui est entier, complet : *L'****intégrité*** *d'un territoire.* **2.** Qualité d'une personne intègre ; par méton. : *L'****intégrité*** *d'un jugement.* Mil. XV^e^ s. (déb. XIV^e^ s., chasteté) ; lat. *integritas,* de *integer,* « intact ; entier » ; [ɛ̃tegʀite].

**INTELLECT,** subst. m.
**1.** Faculté de juger, de former des concepts, des idées abstraites (synon. *entendement*). **2.** Ensemble des facultés intellectuelles. Mil. XIII^e^ s. ; lat. *intellectus,* de *intellegere,* « comprendre » ; [ɛ̃tɛl(l)ɛkt] ou [-telɛk-].

**INTELLECTION,** subst. f.
*Psychol.* Fonction de l'intellect qui, dans la compréhension de qqch., effectue des opérations conceptuelles (anton. *imagination*). 1488 ; lat. *intellectio,* de *intellegere,* « comprendre » ; [ɛ̃tɛl(l)ɛksjɔ̃] ou [-telɛk-].

**INTELLECTUALISATION,** subst. f.
**1.** Action d'intellectualiser ; son résultat. **2.** *Psychanal.* Résistance à l'analyse d'un patient qui intellectualise ses émotions et ses conflits affectifs pour éviter de les affronter. 1922 ; ☞ *intellectualiser* ; [ɛ̃tɛl(l)ɛktɥalizasjɔ̃] ou [-telɛk-].

**INTELLECTUALISER,** verbe trans. [3]
Ramener (une œuvre, un sentiment, une émotion, etc.) à des éléments intellectuels, à des idées : ***Intellectualiser*** *une œuvre d'art.* 1801 ; ☞ *intellectuel* ; [ɛ̃tɛl(l)ɛktɥalize] ou [-telɛk-].

**INTELLECTUALISME,** subst. m.
**1.** *Philos.* Doctrine affirmant la primauté de la pensée sur les sentiments, sur la volonté. **2.** Ext. Propension à considérer les choses sur un plan intellectuel, au mépris de la sensibilité. 1851 ; ☞ *intellectuel* ; [ɛ̃tɛl(l)ɛktɥalism] ou [-telɛk-].

**INTELLECTUALISTE,** adj.
**1.** Relatif à l'intellectualisme. **2.** Qui prône l'intellectualisme ; empl. subst., personne **intellectualiste**. 1853 ; ☞ *intellectuel* ; [ɛ̃tɛl(l)ɛktɥalist] ou [-telɛk-].

**INTELLECTUALITÉ,** subst. f.
Littér. Caractère de ce qui est intellectuel ; ensemble des facultés intellectuelles. 1784 ; ☞ *intellectuel* ; [ɛ̃tɛl(l)ɛktɥalite] ou [-telɛk-].

**INTELLECTUEL, ELLE,** adj. et subst.
**Adj. 1.** Relatif à l'activité mentale : *Travail* ***intellectuel****.* **2.** Relatif à la faculté d'abstraction : *Spéculation* ***intellectuelle****.* **Subst.** Personne qui se consacre principalement à la réflexion et au travail abstrait (anton. *manuel*). Mil. XIII^e^ s. ; bas lat. *intellectualis,* du lat. *intellectus,* « intellect » ; [ɛ̃tɛl(l)ɛktɥɛl] ou [-telɛk-].

**INTELLECTUELLEMENT,** adv.
De manière intellectuelle, sur le plan intellectuel. 1501 ; ☞ *intellectuel* ; [ɛ̃tɛl(l)ɛktɥɛlmɑ̃] ou [-telɛk-].

**INTELLIGEMMENT,** adv.
De manière intelligente. 1636 ; ☞ *intelligent* ; [ɛ̃tɛl(l)iʒamɑ̃] ou [-teli-].

**INTELLIGENCE,** subst. f.
**I. 1.** Faculté de comprendre, de saisir par la pensée : *Avoir l'****intelligence*** *vive, lente, précoce.* ▸ *Informat.* ***Intelligence*** *artificielle (I. A.)* : domaine de l'informatique visant à créer des programmes capables de résoudre des problèmes sans faire appel à des algorithmes, mais en procédant d'une façon similaire à celle du raisonnement humain. **2.** Ensemble des fonctions psychophysiologiques concourant à l'exercice de cette faculté, à la connaissance abstraite des choses ; entendement (anton. *instinct*) : ***Intelligence*** *pure,* où n'intervient pas la sensibilité. **3.** Aptitude à s'adapter aux situations, à résoudre une difficulté : *Faire appel à son* ***intelligence*** ; *Tests d'****intelligence****.* **4.** Caractère d'une personne qui comprend facilement ; ingéniosité, perspicacité : *Il eut l'****intelligence*** *de se taire.* **II. 1.** Être spirituel : *L'****intelligence*** *suprême,* Dieu. **2.** Être humain en tant qu'il est doué de réflexion : *Les grandes* ***intelligences*** *d'un pays.* **III.** Action de s'entendre, de se comprendre ; son résultat : *Un signe d'****intelligence****, de connivence.*

© M. Deville-Gamma

*Test d'intelligence mené sur des singes capucins au centre de primatologie de l'université Louis-Pasteur, à Strasbourg.*

▸ Loc. *Avoir des* ***intelligences****, être d'****intelligence*** *avec qqn* : s'entendre secrètement avec qqn ; *Vivre en bonne* ***intelligence*** : en accord, en harmonie. Fin XII^e^ s. ; lat. *intelligentia* ; [ɛ̃tɛl(l)iʒɑ̃s] ou [-teli-].

**INTELLIGENT, ENTE,** adj.
**1.** Qui est doué d'intelligence. **2.** Ext. Qui a l'esprit délié, qui comprend vite. **3.** Méton. Qui dénote l'intelligence : *Une décision* ***intelligente*** ; *Un visage* ***intelligent****.* 1488 (1420, qui connaît bien) ; lat. *intellegens,* de *intellegere,* « comprendre » ; [ɛ̃tɛl(l)iʒɑ̃, ɑ̃t] ou [-teli-].

**INTELLIGENTSIA,** subst. f.
**1.** *Hist.* Classe des intellectuels russes réformateurs, à la fin de la période tsariste. **2.** Ext. Ensemble des intellectuels d'une société, d'un pays. 1930 ; russe *intelligentsia,* du lat. *intelligentia,* « compréhension » ; var. *intelligentzia* ; [ɛ̃teli(d)ʒɛntsja] ou [intɛlligɛntsja].

**INTELLIGIBILITÉ,** subst. f.
Caractère de ce qui est intelligible. 1712 ; ☞ *intelligible* ; [ɛ̃tɛl(l)iʒibilite] ou [-teli-].

**INTELLIGIBLE,** adj.
**1.** *Philos.* Qui ne peut être connu ou saisi que par l'intelligence (anton. *sensible*) : *Le monde* ***intelligible*** *des Idées, chez Platon.* **2.** Qui peut être compris sans difficulté : *Explication* ***intelligible****.* **3.** Perceptible par l'ouïe : *À haute et* ***intelligible*** *voix.* Mil. XIII^e^ s. ; lat. *intelligibilis* ; [ɛ̃tɛl(l)iʒibl] ou [-teli-].

**INTELLIGIBLEMENT,** adv.
De manière intelligible. 1521 ; ☞ *intelligible* ; [ɛ̃tɛl(l)iʒibləmɑ̃] ou [-teli-].

**INTEMPÉRANCE,** subst. f.
**1.** Vx. Manque de modération, excès. **2.** Abus des plaisirs de la table ou de la chair. Fin XIV^e^ s. ; lat. *intemperantia* ; [ɛ̃tɑ̃peʀɑ̃s].

**INTEMPÉRANT, ANTE,** adj.
Qui fait preuve d'intempérance. 1552 ; lat. *intemperans* ; [ɛ̃tɑ̃peʀɑ̃, ɑ̃t].

**INTEMPÉRIE,** subst. f.
Vx. Dérèglement du climat. **Plur.** Mauvaises conditions climatiques : *Affronter les* ***intempéries****.* 1534 ; lat. *intemperies,* « état déréglé » ; [ɛ̃tɑ̃peʀi].

**INTEMPESTIF, IVE,** adj.
**1.** Qui se produit à contre-temps, mal à propos : *Son arrivée* ***intempestive*** *a gâché la fête.* **2.** Ext. Déplacé, inconvenant : *Un zèle* ***intempestif****.* Fin XV^e^ s. ; lat. *intempestivus* ; [ɛ̃tɑ̃pɛstif, iv].

**INTEMPESTIVEMENT,** adv.
De manière intempestive. 1555 ; ☞ *intempestif* ; [ɛ̃tɑ̃pɛstivmɑ̃].

**INTEMPORALITÉ,** subst. f.
Caractère de ce qui est intemporel. 1933 ; ☞ *intemporel* ; [ɛ̃tɑ̃pɔʀalite].

**INTEMPOREL, ELLE,** adj.
Qui est hors du temps, qui ne dépend pas de lui : *Une pensée* ***intemporelle*** ; par ext., immuable, invariable. 1794 ; ☞ *temporel* + *in-*$^2$ ; [ɛ̃tɑ̃pɔʀɛl].

**INTENABLE,** adj.
**1.** *Milit.* Qui ne peut être défendu : *Une ville* ***intenable****.* **2.** Anal. Que l'on ne peut soutenir : *Une position* ***intenable****.* **3.** Insupportable : *Une odeur* ***intenable*** ; par ext. (fam.) : *Un enfant* ***intenable****.* 1627 ; ☞ *tenable* + *in-*$^2$ ; [ɛ̃t(ə)nabl].

**INTENDANCE,** subst. f.
**1.** Administration des biens d'autrui (vx). **2.** *Hist.* Charge d'un intendant, sous l'Ancien Régime ; par méton., le territoire soumis à son autorité (synon. *généralité*). **3.** *Milit.* Service chargé de l'administration, du ravitaillement et de l'entretien des troupes ;

par méton., les locaux affectés à ce service : *L'intendance est fermée.* ▸ Loc. *L'intendance suivra* : les solutions économiques, matérielles suivront les décisions politiques. **4.** *Admin.* Service chargé d'administrer matériellement un établissement public (synon. *économat*). 1537 ; ☞ *intendant* ; [ɛ̃tɑ̃dɑ̃s].

**INTENDANT, ANTE, subst.**
MASC. **1.** *Hist.* Agent du pouvoir royal chargé d'administrer un service public ou un territoire : ***Intendant** des Finances* ; ***Intendant** du Languedoc.* **2.** *Milit.* Fonctionnaire chargé de l'intendance. FÉM. **1.** *Hist.* Femme d'un **intendant**. **2.** *Cath.* Supérieure de certains monastères. MASC. et FÉM. **1.** *Admin.* Fonctionnaire chargé de l'intendance d'un établissement. **2.** Ext. Personne gérant les biens d'un particulier. 1565 ; aphérèse de *superintendant* (vx), du bas lat. *superintendere*, « surveiller » ; [ɛ̃tɑ̃dɑ̃, ɑ̃t].

**INTENSE, adj.**
**1.** Qui se manifeste avec une force qui dépasse la commune mesure : *Chaleur, froid, couleur, bruit* ***intense***. **2.** Ext. Se dit d'un état, d'une activité, d'un sentiment particulièrement soutenu : *Une joie* ***intense***. Déb. XIVe s. ; bas lat. *intensus* ; [ɛ̃tɑ̃s].

**INTENSÉMENT, adv.**
Avec intensité. Fin XIVe s. ; ☞ *intense* ; [ɛ̃tɑ̃semɑ̃].

**INTENSIF, IVE, adj.**
**1.** Qui comporte un effort intense, qui se fait avec des moyens très importants : *Un travail, un entraînement* ***intensif*** ; *Soins* ***intensifs***. **2.** *Agric.* *Culture* ***intensive*** : pratiquée en vue de hauts rendements, sur une surface d'exploitation gén. limitée (anton. *extensif*). **3.** *Ling.* Qui renforce le sens : *« Ultra- » est un préfixe* ***intensif*** ; *« Très » est un adverbe* ***intensif***. 1495 ; lat. médiév. *intensivus* ; [ɛ̃tɑ̃sif, iv].

**INTENSIFICATION, subst. f.**
Action d'intensifier ou de s'intensifier. 1893 ; ☞ *intensifier* ; [ɛ̃tɑ̃sifikasjɔ̃].

**INTENSIFIER, verbe trans.** [6]
Rendre plus intense, plus important ; augmenter. PRONOM. Devenir plus intense : *Le feu s'****intensifie*** *sous l'action du vent.* 1868 ; ☞ *intense* ; [ɛ̃tɑ̃sifje].

**INTENSION, subst. f.**
*Log.* Ensemble des caractères qui constituent la définition d'un concept (synon. *compréhension* ; anton. *extension*). Fin XVIe s. (XIVe s., augmentation) ; lat. *intensio*, « intensité » ; [ɛ̃tɑ̃sjɔ̃].

**INTENSIONNEL, ELLE, adj.**
*Log.* *Définition* ***intensionnelle*** : en intension (synon. *compréhensif* ; anton. *extensif*). Mil. XXe s. ; ☞ *intension* ; [ɛ̃tɑ̃sjɔnɛl].

**INTENSITÉ, subst. f.**
**1.** Degré d'énergie, de force, de puissance : ***L'intensité** du froid, d'une tempête.* **2.** Caractère de ce qui est intense : *L'****intensité*** *d'une passion.* **3.** *Phys.* Grandeur numérique exprimant l'importance d'un phénomène : ***Intensité** d'un courant électrique*, quantité de charge électrique traversant un circuit par unité de temps (mesurée en ampères) ; ***Intensité** d'une onde sonore ou électromagnétique*, puissance par unité de surface (mesurée en watts par mètre carré) ; ***Intensité** d'un rayonnement*, nombre de particules traversant une surface donnée par unité de temps. 1740 ; ☞ *intense* ; [ɛ̃tɑ̃site].

**INTENSIVEMENT, adv.**
De manière intensive. Fin XIVe s. ; ☞ *intensif* ; [ɛ̃tɑ̃sivmɑ̃].

**INTENTER, verbe trans.** [3]
*Dr.* Entreprendre (une action en justice, un procès) contre qqn. 1355 ; lat. *intentare* ; [ɛ̃tɑ̃te].

**INTENTION, subst. f.**
**1.** Vx. Entendement, opinion. **2.** Action de tendre vers un but, projet, fin ; par méton., ce but lui-même : *À cette* ***intention***, pour atteindre ce but. ▸ Loc. *L'enfer est pavé de bonnes* ***intentions*** : de bonnes idées ont parfois de mauvaises conséquences ; *Procès d'****intention*** : reproche portant sur les **intentions** que l'on prête à qqn. **3.** Dessein, mobile : *Avec* ***intention***, sciemment ; *À l'****intention*** *de qqn*, pour qqn. ▸ Loc. *Avoir des* ***intentions*** *sur* : avoir des vues sur. ▸ *Dr.* Volonté consciente d'enfreindre la loi, préméditation. 1119 ; lat. *intentio* ; [ɛ̃tɑ̃sjɔ̃].

**INTENTIONALITÉ, subst. f.**
**1.** Caractère intentionnel d'une attitude. **2.** *Philos.* ▸ Caractère de la conscience qui, pour la phénoménologie de Husserl, est toujours conscience de qqch., où l'objet n'a de sens que par le projet de la conscience vers lui. ▸ Relation qui, en philosophie de l'esprit, unit un état psychologique (croyance, attente, désir, etc.) à des conditions de satisfaction (réalisation d'un souhait, existence d'un état de fait, etc.). 1877 ; ☞ *intentionnel* ; var. *intentionnalité* ; [ɛ̃tɑ̃sjɔnalite].

**INTENTIONNÉ, ÉE, adj.**
*Être bien, mal* ***intentionné*** : avoir de bonnes, de mauvaises intentions. 1567 ; ☞ *intention* ; [ɛ̃tɑ̃sjɔne].

**INTENTIONNEL, ELLE, adj.**
Délibéré : *Une erreur* ***intentionnelle***. ▸ *Dr.* *Délit* ***intentionnel*** : infraction dont on peut démontrer le caractère délibéré. 1798 (fin XIVe s., que l'on vise) ; ☞ *intention* ; [ɛ̃tɑ̃sjɔnɛl].

**INTENTIONNELLEMENT, adv.**
D'une manière intentionnelle. 1566 ; ☞ *intentionnel* ; [ɛ̃tɑ̃sjɔnɛlmɑ̃].

**INTER (I), subst. m.**
*Sp.* Joueur de football, placé entre un ailier et l'avant-centre. 1905 ; apocope de *intérieur* ; [ɛ̃tɛʀ].

**INTER (II), subst. m.**
Réseau téléphonique interurbain (fam. et vieilli). 1920 ; apocope de *interurbain* ; [ɛ̃tɛʀ].

**INTERACTIF, IVE, adj.**
**1.** Se dit de tout phénomène qui présente ou permet une interaction. **2.** *Informat.* Se dit d'un système doué d'interactivité (synon. *conversationnel*). **3.** Qui est fondé sur l'échange, sur l'interactivité : *Un jeu, un livre* ***interactif***. V. 1980 ; ☞ *actif* + *inter-* ; [ɛ̃tɛʀaktif, iv].

**INTERACTION, subst. f.**
**1.** Action réciproque de deux phénomènes, de deux êtres : *L'****interaction*** *entre le climat et le comportement.* **2.** *Méd.* ***Interaction** médicamenteuse* : réaction entre deux médicaments associés, qui neutralise leur effet ou modifie leur activité et qui peut entraîner des effets secondaires. **3.** *Phys.* Action réciproque de deux corps, de deux particules, pouvant modifier leur état (leur mouvement, par ex.) : *L'attraction gravitationnelle, la force magnétique, le frottement entre deux corps solides sont des exemples d'****interaction***. 1876 ; ☞ *action* + *inter-* ; [ɛ̃tɛʀaksjɔ̃].

PHYSIQUE – Toutes les interactions observées dans la nature peuvent, au moins en principe, s'interpréter comme quatre interactions fondamentales entre particules élémentaires. L'interaction gravitationnelle, attractive, à longue portée, s'exerce entre tous les corps : de faible amplitude ($10^{-40}$ en prenant comme référence l'interaction forte), elle est néanmoins très sensible à notre échelle et explique la cohésion des systèmes astronomiques (la théorie de la relativité générale la décrit bien). L'interaction électromagnétique, elle aussi à grande portée, a une force de l'ordre de $10^{-2}$ : elle explique la cohésion des systèmes atomiques et moléculaires. Les deux autres interactions sont à très courte portée ($10^{-15}$ m, ordre de grandeur de la taille des noyaux atomiques) et ne peuvent être décrites convenablement sans recourir à la mécanique quantique : l'interaction faible (force $10^{-5}$) est responsable de l'instabilité de quelques particules ; l'interaction forte (force 1) est responsable de la stabilité des nucléons (protons et neutrons, assemblages de trois quarks) et des noyaux atomiques. Les trois dernières interactions sont maintenant unifiées dans un cadre théorique commun. La gravitation pose des difficultés, mais des progrès récents (théorie de supercordes) permettent d'espérer la prochaine grande unification de toutes les interactions.

**INTERACTIVITÉ, subst. f.**
**1.** Caractère d'un média interactif. **2.** *Informat.* Activité de dialogue entre un système et son utilisateur, au moyen de périphériques (écran, clavier, souris, etc.). V. 1980 ; ☞ *interactif* ; [ɛ̃tɛʀaktivite].

**INTERALLIÉ, ÉE, adj.**
Qui est commun à des nations alliées, en partic. à celles de la Première ou de la Seconde Guerre mondiale. 1916 ; ☞ *allié* + *inter-* ; [ɛ̃tɛʀalje].

**INTERARMÉES, adj. inv.**
Qui est commun à plusieurs armées : *État-major* ***interarmées***. 1953 ; ☞ *armée* + *inter-* ; [ɛ̃tɛʀaʀme].

**INTERARMES, adj. inv.**
Commun à plusieurs armes (infanterie, génie, etc.) d'une même armée : *École militaire* ***interarmes*** *de Coëtquidan.* 1948 ; ☞ *arme* + *inter-* ; [ɛ̃tɛʀaʀm].

**INTERASTRAL, ALE, AUX, adj.**
*Astron.* Qualifie l'espace qui s'étend entre les astres et les phénomènes qui s'y produisent (synon. *intersidéral, interstellaire*). 1886 ; ☞ *astral* + *inter-* ; [ɛ̃tɛʀastʀal, o].

**INTERATOMIQUE, adj.**
*Phys. nucl.* Qualifie l'espace qui s'étend entre les atomes et les phénomènes qui s'y produisent : *Le vide* ***interatomique***. Fin XIXe s. ; ☞ *atomique* + *inter-* ; [ɛ̃tɛʀatɔmik].

**INTERBANCAIRE, adj.**
Relatif aux opérations entre banques : *Taux* ***interbancaire***. V. 1960 ; ☞ *bancaire* + *inter-* ; [ɛ̃tɛʀbɑ̃kɛʀ].

**INTERCALAIRE, adj.**
**1.** *Jour* ***intercalaire*** : qui est ajouté pour rétablir la concordance entre année civile et année solaire, soit le 29 février des années bissextiles, dans le calendrier grégorien. **2.** Qui est intercalé, inséré dans un ensemble : *Feuillet* ***intercalaire*** ; empl. subst. masc., feuille particulière servant à diviser un fichier, à séparer d'autres feuilles, etc. Mil. XIVe s. ; lat. *intercalaris* ; [ɛ̃tɛʀkalɛʀ].

**INTERCALATION, subst. f.**
Action d'intercaler, de s'intercaler ; son résultat. XVe s. ; lat. *intercalatio* ; [ɛ̃tɛʀkalasjɔ̃].

**INTERCALER, verbe trans.** [3]
**1.** Ajouter (un jour intercalaire) pour rétablir la concordance entre années civile et solaire. **2.** Insérer (qqch.) dans un ensemble. PRONOM. Être placé ou se placer entre deux éléments d'un ensemble. 1520 ; lat. *intercalare* ; [ɛ̃tɛʀkale].

**INTERCÉDER, verbe intrans.** [8]
Intervenir (en faveur de qqn) : *Laissez-moi* ***intercéder*** *pour vous auprès du directeur.* Mil. XVe s. ; lat. *intercedere* ; [ɛ̃tɛʀsede].

**INTERCELLULAIRE, adj.**
*Biol.* Qualifie le milieu situé entre les cellules d'un tissu, et les phénomènes qui s'y produisent. 1827 ; ☞ *cellulaire* + *inter-* ; [ɛ̃tɛʀselylɛʀ].

**INTERCEPTER, verbe trans.** [3]
**1.** Saisir au passage, capter (une chose destinée à qqn d'autre) : ***Intercepter** une lettre* ; ***Intercepter** le ballon.* **2.** Ext. Arrêter le cours de : ***Intercepter** un navire*, l'arraisonner ; *Les persiennes* ***interceptent*** *la lumière du soleil.* 1528 ; ☞ *interception* ; [ɛ̃tɛʀsɛpte].

**INTERCEPTEUR, subst. m.**
*Milit.* Avion de chasse à grande vitesse destiné à intercepter des appareils ennemis. 1950 (1757, celui qui intercepte) ; ☞ *intercepter* ; [ɛ̃tɛʀsɛptœʀ].

**INTERCEPTION, subst. f.**
Action d'intercepter ; son résultat. XIIIe s. ; lat. *interceptio*, « interruption » ; [ɛ̃tɛʀsɛpsjɔ̃].

**INTERCESSEUR, subst. m.**
*Relig.* ou Littér. Personne qui intercède en faveur de qqn. 1216 ; lat. *intercessor* ; [ɛ̃tɛʀsɛsœʀ].

**INTERCESSION, subst. f.**
*Relig.* ou Littér. Action d'intercéder ; son résultat : ***Intercession** de la Vierge*, auprès de Dieu pour le salut des hommes. Déb. XIIIe s. ; lat. *intercessio* ; [ɛ̃tɛʀsɛsjɔ̃].

**INTERCHANGEABLE, adj.**
Se dit de choses ou de personnes qui peuvent être mises à la place l'une de l'autre : *Des rôles* ***interchangeables***. 1870 ; prob. angl. *interchangeable*, de l'anc. fr. *entrechanjable* ; [ɛ̃tɛʀʃɑ̃ʒabl].

**INTERCIRCULATION, subst. f.**
*Ch. de fer.* Circulation d'une voiture à l'autre. 1909 ; ☞ *circulation* + *inter-* ; [ɛ̃tɛʀsiʀkylasjɔ̃].

**INTERCLASSE, subst. m.**
*Enseign.* Bref intervalle de temps entre deux cours. 1948 ; ☞ *classe* + *inter-* ; [ɛ̃tɛʀklas].

**INTERCLASSER, verbe trans.** [3]
Classer (plusieurs séries) en une seule série. 1951 ; ☞ *classer* + *inter-* ; [ɛ̃tɛʀklase].

**INTERCLASSEUSE, subst. f.**
Machine à interclasser, gén. des cartes perforées. 1951 ; ☞ *classer* + *inter-* ; [ɛ̃tɛʀklasøz].

**INTERCOMMUNAL, ALE, AUX, adj.**
Qui se rapporte, qui appartient à plusieurs communes : *Syndicat* ***intercommunal***. Fin XIXe s. ; ☞ *communal* + *inter-* ; [ɛ̃tɛʀkɔmynal, o].

**INTERCOMMUNAUTAIRE, adj.**
Relatif aux relations entre plusieurs communautés. ☞ *communautaire* + *inter-* ; [ɛ̃tɛʀkɔmynotɛʀ].

**INTERCOMMUNICATION, subst. f.**
**1.** Communication réciproque. **2.** Installation téléphonique ou radiotéléphonique permettant une communication entre différents postes. 186[illegible] ; ☞ *communication* + *inter-* ; [ɛ̃tɛʀkɔmynikasjɔ̃].

**INTERCOMPRÉHENSION,** subst. f.
Faculté de compréhension réciproque entre deux personnes ou deux groupes. 1913 ; ☞ *compréhension* + *inter-* ; [ɛ̃tɛʀkɔ̃pʀeɑ̃sjɔ̃].

**INTERCONNECTER,** verbe trans. [3]
Unir par interconnexion. V. 1960 ; ☞ *connecter* + *inter-* ; [ɛ̃tɛʀkɔnɛkte].

**INTERCONNEXION,** subst. f.
Connexion étroite et réciproque entre plusieurs choses, plusieurs phénomènes : ***Interconnexion** de deux réseaux électriques.* 1937 ; ☞ *connexion* + *inter-* ; [ɛ̃tɛʀkɔnɛksjɔ̃].

**INTERCONTINENTAL, ALE, AUX,** adj.
Qui s'opère entre plusieurs continents ; qui les relie l'un à l'autre : *Liaisons **intercontinentales**.* 1867 ; ☞ *continental* + *inter-* ; [ɛ̃tɛʀkɔ̃tinɑ̃tal, o].

**INTERCOSTAL, ALE, AUX,** adj.
*Anat.* Qui est situé entre les côtes : *Muscles **intercostaux** ; Douleur **intercostale**.* 1536 ; ☞ *costal* + *inter-* ; [ɛ̃tɛʀkɔstal, o].

**INTERCOTIDAL, ALE, AUX,** adj.
*Océanogr.* Intertidal (vieilli). 1897 ; ☞ *cotidal* + *inter-* ; [ɛ̃tɛʀkɔtidal, o].

**INTERCOURS,** subst. m.
Interclasse. XX^e s. ; ☞ *cours* + *inter-* ; [ɛ̃tɛʀkuʀ].

**INTERCOURSE,** subst. f.
*Dr. mar.* Droit d'accès et de pratique de certains ports que s'accordent mutuellement deux nations. 1839 ; angl. *intercourse*, « échange » ; [ɛ̃tɛʀkuʀs].

**INTERCURRENT, ENTE,** adj.
**1.** Vx. Qui survient pendant le cours de qqch. **2.** *Pathol.* Qualifie une maladie survenant au cours d'une autre maladie. 1741 ; lat. *intercurrens*, de *intercurrere*, « courir dans l'intervalle » ; [ɛ̃tɛʀkyʀɑ̃, ɑ̃t].

**INTERDÉPARTEMENTAL, ALE, AUX,** adj.
Qui est commun à plusieurs départements. 1871 ; ☞ *départemental* + *inter-* ; [ɛ̃tɛʀdepaʀtəmɑ̃tal, o].

**INTERDÉPENDANCE,** subst. f.
Relation de dépendance réciproque. 1867 ; ☞ *dépendance* + *inter-* ; [ɛ̃tɛʀdepɑ̃dɑ̃s].

**INTERDÉPENDANT, ANTE,** adj.
Qui est lié par une interdépendance ; par méton., qui est constitué de parties **interdépendantes**. 1916 ; ☞ *dépendant* + *inter-* ; [ɛ̃tɛʀdepɑ̃dɑ̃, ɑ̃t].

**INTERDICTION,** subst. f.
**1.** Action d'interdire ; son résultat : ***Interdiction** de fumer.* **2.** *Dr.* Sanction d'une autorité juridique interdisant à qqn l'exercice de ses fonctions ou de ses droits. ▸ ***Interdiction** judiciaire* : prise à l'encontre d'un malade atteint de troubles mentaux, qui est mis en tutelle. ▸ ***Interdiction** légale ou correctionnelle* : privant un condamné de ses droits civils. ▸ ***Interdiction** de séjour* : faisant défense à qqn de séjourner dans certaines villes, certains départements, un pays. ▸ ***Interdiction** bancaire* : pénalisant des paiements effectués en l'absence de provision du compte. 1410 ; lat. *interdictio* ; [ɛ̃tɛʀdiksjɔ̃].

**INTERDIGITAL, ALE, AUX,** adj.
*Anat.* Situé entre les doigts : *Espaces **interdigitaux**.* 1858 ; ☞ *digital* (I) + *inter-* ; [ɛ̃tɛʀdiʒital, o].

**INTERDIRE,** verbe trans. [65]
**1.** Défendre, refuser (qqch.) à qqn : *Son père lui **interdit** de sortir* ; par méton. : ***Interdire** sa porte à qqn*, refuser de le recevoir. **2.** Empêcher : *Sa timidité lui **interdit** tout succès.* **3.** *Dr.* Frapper (qqn) d'interdiction : ***Interdire** un avocat.* **4.** Troubler fortement, frapper de stupeur (vieilli) : *Une telle vision m'**interdit**.* Mil. XIII^e s. ; lat. *interdicere* ; [ɛ̃tɛʀdiʀ].

**INTERDISCIPLINAIRE,** adj.
Qui met en relation plusieurs sciences ou disciplines. 1959 ; ☞ *discipline* + *inter-* ; [ɛ̃tɛʀdisiplinɛʀ].

**INTERDISCIPLINARITÉ,** subst. f.
Caractère de ce qui est interdisciplinaire. V. 1970 ; ☞ *interdisciplinaire* ; [ɛ̃tɛʀdisiplinaʀite].

**INTERDIT (I),** subst. m.
**1.** *Dr. canon.* Peine prononcée par une autorité ecclésiastique, défendant à un prêtre d'exercer son ministère et de recevoir les sacrements. **2.** *Dr.* Interdiction. ▸ Loc. *Jeter l'**interdit** sur qqn, qqch.* : exclure qqn d'un groupe, défendre l'usage de qqch. **3.** Contrainte imposée par la société, la morale, etc. ▸ *Psychanal.* Facteur d'inhibition résultant de la censure ou de complexes inconscients : ***Interdits** œdipiens.* 1366 ; lat. *interdictum*, « interdiction » ; [ɛ̃tɛʀdi].

**INTERDIT (II), ITE,** adj.
**1.** Qui est défendu, illégal : *Entrée **interdite**.* ▸ *Dr.* Qui est sous le coup d'un **interdit** : *Un député **interdit**.* **2.** Qui est frappé d'étonnement : *Devant ce spectacle, il demeura **interdit**.* Mil. XV^e s. (1383, excommunié) ; p. p. de *interdire* ; [ɛ̃tɛʀdi, it].

**INTÉRESSANT, ANTE,** adj.
**1.** Qui suscite l'intérêt, l'attention ; empl. subst. : *Faire l'**intéressant***, attirer l'attention. **2.** Qui procure un avantage matériel, financier. **3.** Qui est moralement digne d'intérêt, qui suscite la considération : *Cet homme-là n'est pas **intéressant**.* ▸ Loc. *Être dans une position **intéressante*** : être enceinte (vieilli). 1718 ; p. pr. de *intéresser* ; [ɛ̃teʀesɑ̃, ɑ̃t].

**INTÉRESSÉ, ÉE,** adj.
**1.** Qui a un rôle, un intérêt dans une affaire ; qui est concerné par qqch. : *Les parties **intéressées*** ; empl. subst. : *Avertissez les **intéressés**.* **2.** Qui n'a en vue que son intérêt personnel, gén. matériel : *C'est une personne **intéressée**.* **3.** Qui est inspiré par l'intérêt : *Un conseil **intéressé**.* **4.** Dont l'attention est retenue par qqch. 1547 ; p. p. de *intéresser* ; [ɛ̃teʀese].

**INTÉRESSEMENT,** subst. m.
**1.** Vx. Dédommagement. **2.** Fait d'intéresser les salariés aux résultats de leur entreprise ; par méton. : *Toucher l'**intéressement**.* 1464 ; ☞ *intéresser* ; [ɛ̃teʀɛsmɑ̃].

**INTÉRESSER,** verbe trans. [3]
**1.** Vx. Faire tort à. **2.** Présenter de l'intérêt pour (qqn) : *L'argent l'**intéresse*** ; par anal., concerner, impliquer : *Affaire qui **intéresse** la Défense nationale.* **3.** Retenir l'attention de (qqn) : *Cette histoire va l'**intéresser*** ; émouvoir : *Sa détresse **intéressera** les âmes charitables.* **4.** Faire prendre à (qqn) le goût de qqch. : ***Intéresser** son voisin au golf* ; empl. abs. : *Ce professeur sait **intéresser** ses élèves.* **5.** Faire participer (qqn) à un profit : ***Intéresser** ses associés aux résultats* ; par méton. : ***Intéresser** une partie*, jouer de l'argent. Pronom. Prendre intérêt (à qqn, à qqch.) : *Je m'**intéresse** de très près aux sports automobiles.* 1356 ; ☞ *intérêt* ; [ɛ̃teʀese].

**INTÉRÊT,** subst. m.
**I. 1.** Vx. Tort, préjudice. **2.** *Dr.* Dédommagement, indemnisation réparant un préjudice : *Réclamer des dommages et **intérêts**.* **3.** *Fin.* Revenu produit par un capital prêté ou placé : *Taux d'**intérêt** de 6 %* ; *Payer des **intérêts**.* **II. 1.** Ce qui importe, est avantageux à qqn : *Dans cette affaire, chacun trouve son **intérêt*** ; au plur. : *Avoir des **intérêts** dans une société*, des parts. **2.** Considération de ce qui est avantageux pour soi-même (péj.) : *Agir par **intérêt**.* **3.** Attention portée à qqn, à qqch. ; état d'esprit attentif, curieux : *Manifester de l'**intérêt*** ; *Lire avec **intérêt**.* **4.** Qualité de ce qui suscite l'attention : *Être dénué d'**intérêt**.* 1290 ; lat. *interest*, « il importe » ; [ɛ̃teʀɛ].

**INTERETHNIQUE,** adj.
Qui a trait aux relations entre des ethnies différentes. Mil. XX^e s. ; ☞ *ethnique* + *inter-* ; [ɛ̃teʀɛtnik].

**INTERFACE,** subst. f.
**1.** *Chim.* Surface de contact entre deux milieux. **2.** Fig. Élément commun à deux ensembles, permettant des échanges entre eux. **3.** *Informat.* Jonction permettant à deux systèmes informatiques d'échanger des informations grâce à des règles et conventions communes. V. 1960 ; mot angl. ; [ɛ̃tɛʀfas].

**INTERFÉCONDITÉ,** subst. f.
*Biol.* Situation propre à deux espèces, lorsqu'il est possible de croiser avec succès deux individus de ces espèces en vue d'obtenir des hybrides féconds. V. 1930 ; ☞ *fécondité* + *inter-* ; [ɛ̃tɛʀfekɔ̃dite].

**INTERFÉRENCE,** subst. f.
**1.** *Phys.* Phénomène observé lorsque plusieurs mouvements vibratoires de même nature et de même fréquence, portés par une onde, parviennent en un même point. ▸ *Franges d'**interférence*** : série alternée de bandes brillantes (**interférences** constructives) et sombres (**interférences** destructives) observée lorsque l'on reçoit sur un écran des faisceaux lumineux qui interfèrent. **2.** Fig. Rencontre, interaction de deux ou de plusieurs phénomènes. **3.** Intervention contradictoire, immixtion. 1819 ; angl. *interference* ; [ɛ̃tɛʀfeʀɑ̃s].

**INTERFÉRENT, ENTE,** adj.
**1.** *Phys.* Se dit de mouvements vibratoires, d'ondes qui produisent un phénomène d'interférence. **2.** Fig. Se dit de deux phénomènes qui se rencontrent et qui agissent en même temps. 1840 ; ☞ *interférence* ; [ɛ̃tɛʀfeʀɑ̃, ɑ̃t].

**INTERFÉRENTIEL, ELLE,** adj.
*Phys.* Qui a trait aux interférences. 1872 ; ☞ *interférence* ; [ɛ̃tɛʀfeʀɑ̃sjɛl].

**INTERFÉRER,** verbe intrans. [8]
**1.** *Phys.* Produire un phénomène d'interférence : *Ondes lumineuses qui **interfèrent**.* **2.** Fig. Agir en même temps en s'influençant ou en s'opposant : *La crise économique **interfère** avec la vie politique.* **3.** Intervenir, s'immiscer dans : *Il ne cesse d'**interférer** dans notre vie.* 1819 ; angl. *to interfere*, de l'anc. fr. *s'entreferir*, « s'entrechoquer » ; [ɛ̃tɛʀfeʀe].

**INTERFÉROMÈTRE,** subst. m.
*Phys.* Appareil servant à mesurer certaines grandeurs (longueurs d'onde, distances angulaires, indices de réfraction, etc.) à partir de l'observation à haute précision de phénomènes d'interférence : ***Interféromètre** atomique* ; ***Interféromètre** stellaire*, pour mesurer le diamètre apparent des étoiles. 1908 ; ☞ *interférence* + *-mètre*[1] ; [ɛ̃tɛʀfeʀɔmɛtʀ].

**INTERFÉROMÉTRIE,** subst. f.
Méthode de mesure à l'aide d'interféromètres. 1938 ; ☞ *interféromètre* ; [ɛ̃tɛʀfeʀɔmetʀi].

**INTERFÉRON,** subst. m.
*Biochim.* et *Biol.* Glycoprotéine produite en réponse à une infection par des virus à A. R. N., pour permettre aux cellules non infectées de lutter par inhibition de la multiplication virale. V. 1960 ; angl. *interferon*, de *to interfere*, « intervenir dans » ; [ɛ̃tɛʀfeʀɔ̃].

**INTERFLUVE,** subst. m.
*Géogr.* Relief entre deux vallées. 1956 ; angl. *interfluve*, du lat. *fluvius*, « fleuve » ; [ɛ̃tɛʀflyv].

**INTERFOLIER,** verbe trans. [6]
*Techn.* Insérer des feuillets blancs entre les pages de (un manuscrit, un livre imprimé) avant de le brocher ou de le relier. 1798 ; lat. *folium*, « feuille », + *inter-* ; [ɛ̃tɛʀfɔlje].

**INTERGALACTIQUE,** adj.
*Astron.* Qui est situé entre les galaxies. V. 1960 ; ☞ *galactique* + *inter-* ; [ɛ̃tɛʀgalaktik].

**INTERGLACIAIRE,** adj.
*Géol.* Qualifie les périodes situées entre deux glaciations ; empl. subst. masc. : ***Interglaciaire** Minsk.* ▸ Méton. Qui s'est formé au cours d'une telle période. 1875 ; ☞ *glaciaire* + *inter-* ; [ɛ̃tɛʀglasjɛʀ].

**INTERGOUVERNEMENTAL, ALE, AUX,** adj.
Qui concerne plusieurs gouvernements. 1954 ; ☞ *gouvernemental* + *inter-* ; [ɛ̃tɛʀguvɛʀnəmɑ̃tal, o].

**INTERGROUPE,** subst. m.
*Pol.* Groupe de parlementaires issus de partis politiques différents, chargé d'étudier une question précise. 1949 ; ☞ *groupe* + *inter-* ; [ɛ̃tɛʀgʀup].

**INTÉRIEUR, EURE,** adj. et subst. m.
Adj. **1.** Qui est situé dans les limites d'une chose ou d'un corps : *Cour **intérieure**.* ▸ Qui se trouve vers le dedans d'une chose : *Poche **intérieure**.* **2.** Ext. Qui concerne le dedans d'une chose ou d'un être vivant : *Structure **intérieure** d'un moteur.* **3.** Anal. Qui se trouve dans les limites d'un ensemble humain ou géographique ; qui concerne cet ensemble : *Règlement **intérieur** d'un club* ; *Politique **intérieure** d'un pays* ; *Mer **intérieure***, entourée par des terres. **4.** Fig. Qui concerne la vie morale ou spirituelle d'une personne ; par ext., secret, intime : *Vie **intérieure**.* **5.** *Géom.* *Bissectrice **intérieure** d'un triangle ABC en A* : bissectrice du secteur angulaire (AB, AC) qui coupe le segment [B, C] (les trois bissectrices **intérieures** concourent en un point, centre du cercle inscrit dans le triangle). Subst. **1.** Partie de l'espace située dans les limites d'une chose ou d'un corps ; par méton., son contenu : *L'**intérieur** d'une boîte, de la Terre.* ▸ Espace compris entre le sol, le toit et les murs d'un bâtiment : *L'**intérieur** d'une cabane* ; empl. abs. : *Il attend à l'**intérieur**.* **2.** Ext. Foyer domestique et ce qu'il contient : ***Intérieur** bourgeois* ; *Femme d'**intérieur***, qui aime à s'occuper de sa maison ; *Robe, veste d'**intérieur***, que l'on porte chez soi. **3.** Anal. Le territoire d'un pays limité par ses frontières. ▸ *Le ministère de l'**Intérieur*** ou, par ell., *L'**Intérieur*** : chargé de l'administration **intérieure** d'un pays. ▸ Région. (Alsace). Le reste de la France, au-delà des Vosges. **4.** Fig. La personnalité morale, spirituelle de qqn : *L'introspection est une connaissance tournée vers l'**intérieur** du moi.* **5.** Loc. prép. *À l'**intérieur** de* : dans (un espace). **6.** *B.-a.* Tableau représentant une scène intimiste, dans une habitation : *Une collection d'**intérieurs** flamands.* **7.** *Cin.* Séquence tournée, en studio ou à l'extérieur, dans un décor figurant un **intérieur**. Mil. XV^e s. ; lat. *interior* ; [ɛ̃teʀjœʀ].

**INTÉRIEUREMENT,** adv.
**1.** Dans l'intérieur, au-dedans : *Repeindre une maison* ***intérieurement***. **2.** Fig. Secrètement, en soi-même. Fin XVe s. ; ☞ *intérieur* ; [ɛ̃teʀjœʀmɑ̃].

**INTÉRIM,** subst. m.
**1.** Période pendant laquelle une fonction est exercée par un remplaçant. ▸ Loc. **Par intérim.** Pendant le temps de l'**intérim** : *Exercer la présidence de la République par* ***intérim***. **2.** Méton. Exercice d'une charge par **intérim** : *Accepter un* ***intérim***. **3.** *Écon.* Activité salariée soumise à un contrat temporaire : *Agence d'****intérim***, organisme de gestion des offres et des demandes d'emplois temporaires. 1412 ; lat. *interim*, « pendant ce temps » ; [ɛ̃teʀim].

**INTÉRIMAIRE,** adj.
**1.** Qui se fait par intérim : *Charge* ***intérimaire***. **2.** Qui exerce une fonction par intérim ; empl. subst., personne **intérimaire**. 1796 ; ☞ *intérim* ; [ɛ̃teʀimɛʀ].

**INTERINDIVIDUEL, ELLE,** adj.
Qui concerne les relations entre individus : *Psychologie* ***interindividuelle***. 1897 ; ☞ *individu* + *inter-*, d'apr. *individuel* ; [ɛ̃tɛʀɛ̃dividɥɛl].

**INTÉRIORISATION,** subst. f.
**1.** Action ou fait d'intérioriser ; repliement de qqn sur lui-même. **2.** *Psychanal.* Introjection. 1914 ; ☞ *intérioriser* ; [ɛ̃teʀjɔʀizasjɔ̃].

**INTÉRIORISER,** verbe trans. [3]
**1.** Rendre (qqch.) plus intérieur, le faire sien : ***Intérioriser*** *un mode de pensée*. **2.** *Psychol.* Garder (qqch.) à l'intérieur de soi : ***Intérioriser*** *un conflit d'autorité*. 1893 ; ☞ *intérieur* ; [ɛ̃teʀjɔʀize].

**INTÉRIORITÉ,** subst. f.
**1.** Caractère de ce qui est intérieur (rare). **2.** *Psychol.* Caractère de ce qui est intériorisé. Déb. XVIe s. ; ☞ *intérieur* ; [ɛ̃teʀjɔʀite].

**INTERJECTIF, IVE,** adj.
*Gramm.* Qui a valeur d'interjection ; qui s'y rapporte. 1765 ; ☞ *interjection* ; [ɛ̃tɛʀʒɛktif, iv].

**INTERJECTION,** subst. f.
**1.** *Gramm.* Mot ou groupe de mots invariable, souv. isolé, qui traduit, selon l'intonation, diverses réactions affectives et que ponctue gén. un point d'exclamation (par ex. : « Ah ! », « Juste ciel ! »). **2.** *Dr.* Action d'interjeter. Déb. XIVe s. ; lat. *interjectio* ; [ɛ̃tɛʀʒɛksjɔ̃].

**INTERJETER,** verbe trans. [14]
*Dr.* ***Interjeter*** *appel* : faire appel d'un jugement. 1461 ; ☞ *jeter* + *inter-* ; [ɛ̃tɛʀʒəte].

**INTERLEUKINE,** subst. f.
*Biochim.* et *Biol.* Glucoprotéine produite par les leucocytes et qui active le système immunitaire. V. 1980 ; gr. *leukos*, « blanc », et *kinein*, « mettre en mouvement », + *inter-* ; [ɛ̃tɛʀløkin].

**INTERLIGNAGE,** subst. m.
Action, manière d'interligner. 1873 ; ☞ *interligner* ; [ɛ̃tɛʀliɲaʒ].

**INTERLIGNE,** subst.
**MASC. 1.** Vx. Ce que l'on écrit entre deux lignes. **2.** Espace entre deux lignes écrites ou imprimées. **FÉM.** *Typogr.* Lame métallique que l'on intercale entre les lignes pour déterminer l'**interligne**. Déb. XVIIe s. ; ☞ *ligne* + *inter-* ; [ɛ̃tɛʀliɲ].

**INTERLIGNER,** verbe trans. [3]
**1.** Insérer, écrire (des mots) entre les lignes. **2.** *Typogr.* Séparer par des interlignes. 1579 ; ☞ *interligne* ; [ɛ̃tɛʀliɲe].

**INTERLOCUTEUR, TRICE,** subst.
**1.** Vx. Personnage qu'un écrivain introduit dans un dialogue. **2.** Personne qui converse avec une autre : *Écouter son* ***interlocuteur***. **3.** Personne avec laquelle on engage une négociation. 1549 ; lat. *interlocutores* ; [ɛ̃tɛʀlɔkytœʀ, tʀis].

**INTERLOCUTOIRE,** adj.
*Dr. Jugement* ***interlocutoire*** : qui ne statue pas définitivement sur un litige, mais qui, préjugeant le fond, ordonne un complément d'enquête pour fonder sa décision. 1283 ; lat. *interlocutum*, de *interloqui*, « couper la parole » ; [ɛ̃tɛʀlɔkytwaʀ].

**INTERLOPE,** adj. et subst. m.
**SUBST.** Vx. Navire marchand qui trafiquait en fraude. **ADJ. 1.** Qui fait du trafic illégal : *Navire, commerce* ***interlope***. **2.** Fig. Équivoque, suspect : *Un bar* ***interlope***. 1685 ; angl. *interloper*, « intrus » ; [ɛ̃tɛʀlɔp].

**INTERLOQUER,** verbe trans. [3]
**1.** Vx. *Dr.* Interrompre (une affaire de justice) par un jugement interlocutoire. **2.** Surprendre, décontenancer (qqn) ; empl. adj. : *Elle en resta* ***interloquée***. XVe s. ; lat. *interloqui*, « couper la parole » ; [ɛ̃tɛʀlɔke].

**INTERLUDE,** subst. m.
**1.** *Mus.* Pièce d'orgue reliant deux psaumes ou deux strophes d'un hymne. **2.** Ext. Intermède, musical ou non, entre deux parties d'un spectacle, d'un programme radiophonique ou télévisuel. 1819 ; angl. *interlude*, du lat. *ludus*, « jeu » ; [ɛ̃tɛʀlyd].

**INTERMÈDE,** subst. m.
**1.** Divertissement inséré entre les actes d'une pièce de théâtre, les parties d'un spectacle. **2.** Fig. Événement qui interrompt momentanément le cours des choses : *Ce voyage n'a été qu'un* ***intermède***. 1554 ; ital. *intermedio*, du lat. *intermedius* ; [ɛ̃tɛʀmɛd].

**INTERMÉDIAIRE,** adj. et subst.
**ADJ.** Qui se trouve entre deux termes, en position moyenne : *Classe sociale* ***intermédiaire***, entre la haute société et le prolétariat. **SUBST. MASC. 1.** Ce qui se trouve entre deux termes : *L'****intermédiaire*** *entre dévotion et impiété*. ▸ Loc. *Sans* ***intermédiaire*** : directement. **2.** Entremise, truchement (rare). ▸ Loc. *Par l'****intermédiaire*** *de* : par l'entremise de. **SUBST.** Personne qui met plusieurs autres personnes en relation. 1678 ; lat. *intermedius*, « intermède » ; [ɛ̃tɛʀmedjɛʀ].

**INTERMÉDIATION,** subst. f.
*Fin.* Action de recueillir des fonds et de les prêter à des tiers : ***Intermédiation*** *bancaire*. V. 1970 ; angl. *intermediation* ; [ɛ̃tɛʀmedjasjɔ̃].

**INTERMÉTALLIQUE,** adj.
*Techn.* Se dit d'un composé formé de plusieurs métaux. Mil. XXe s. ; ☞ *métallique* + *inter-* ; [ɛ̃tɛʀmetalik].

**INTERMEZZO,** subst. m.
*Mus.* **1.** Interlude musical entre deux actes d'un opéra ou d'une pièce de théâtre. **2.** Mouvement qui fait la liaison entre deux parties d'une œuvre musicale. 1868 ; mot ital. ; [ɛ̃tɛʀmɛdzo].

**INTERMINABLE,** adj.
Qui est ou qui semble sans fin : *Journée* ***interminable***. Fin XIVe s. ; bas lat. *interminabilis* ; [ɛ̃tɛʀminabl].

**INTERMINABLEMENT,** adv.
De manière interminable. 1839 ; ☞ *interminable* ; [ɛ̃tɛʀminabləmɑ̃].

**INTERMINISTÉRIEL, ELLE,** adj.
**1.** Qui relève de plusieurs ministères. **2.** Qui réunit plusieurs ministres : *Un conseil* ***interministériel***. 1906 ; ☞ *ministériel* + *inter-* ; [ɛ̃tɛʀministeʀjɛl].

**INTERMITTENCE,** subst. f.
**1.** Caractère de ce qui est intermittent. ▸ Loc. *Par* ***intermittence*** : à intervalles plus ou moins réguliers. **2.** *Pathol.* Intervalle entre deux accès de fièvre ou entre deux apparitions d'un symptôme récurrent : *Les* ***intermittences*** *du paludisme*. 1721 (1660, intervalle) ; ☞ *intermittent* ; [ɛ̃tɛʀmitɑ̃s].

**INTERMITTENT, ENTE,** adj.
Discontinu, qui s'arrête et qui recommence par intervalles : *Une source* ***intermittente*** ; empl. subst., travailleur dont l'activité reste **intermittente** : *Un* ***intermittent*** *du spectacle*. 1559 ; lat. *intermittens*, de *intermittere*, « laisser au milieu » ; [ɛ̃tɛʀmitɑ̃, ɑ̃t].

**INTERMOLÉCULAIRE,** adj.
Qui est situé entre les molécules ou qui s'y exerce : *Espace, force* ***intermoléculaire***. 1868 ; ☞ *moléculaire* + *inter-* ; [ɛ̃tɛʀmɔlekylɛʀ].

**INTERMUSCULAIRE,** adj.
*Anat.* Qui est situé ou se produit entre les muscles. 1765 ; ☞ *musculaire* + *inter-* ; [ɛ̃tɛʀmyskylɛʀ].

**INTERNAT,** subst. m.
**1.** Établissement scolaire où les élèves sont nourris et logés. **2.** État d'un élève interne. **3.** Fonction d'interne dans un hôpital ; concours donnant le titre d'interne : *Se présenter à l'****internat***. 1820 ; ☞ *interne* ; [ɛ̃tɛʀna].

**INTERNATIONAL, ALE, AUX,** adj.
**1.** Qui concerne plusieurs nations ; qui a lieu entre plusieurs nations : *Le droit* ***international*** ; *Colloque* ***international***. ▸ Empl. subst. fém. Association **internationale** de travailleurs : *La Ire* ***Internationale*** ; « *L'****Internationale*** », hymne révolutionnaire. **2.** Qui est placé sous le contrôle de plusieurs nations : *Port* ***international***. **3.** Qui est composé de personnes appartenant à des nations différentes : *Un public* ***international***. **4.** *Sp. Sportif* ***international*** ou, empl. subst., *Un* ***international*** : sportif d'une équipe nationale qui participe à des rencontres **internationales**. 1802 ; ☞ *national* + *inter-* ; [ɛ̃tɛʀnasjɔnal, o].

**INTERNATIONALISATION,** subst. f.
Action d'internationaliser ; son résultat. 1845 ; ☞ *internationaliser* ; [ɛ̃tɛʀnasjɔnalizasjɔ̃].

**INTERNATIONALISER,** verbe trans. [3]
**1.** Donner un caractère international à (qqch.) : ***Internationaliser*** *un conflit*. **2.** Placer sous contrô[le] d'une autorité internationale : ***Internationaliser*** *u[n] port*. 1845 ; ☞ *international* ; [ɛ̃tɛʀnasjɔnalize].

**INTERNATIONALISME,** subst. m.
**1.** Caractère international (vieilli). **2.** Doctrine pr[ô]nant la subordination des intérêts nationaux à u[n] intérêt supranational : ***Internationalisme*** *prolétarie[n]*. 1845 ; ☞ *international* ; [ɛ̃tɛʀnasjɔnalism].

**INTERNATIONALISTE,** subst. et adj.
Se dit d'un partisan de l'internationalisme. **ADJ.** R[e]latif, propre ou favorable à l'internationalism[e]. 1871 ; ☞ *international* ; [ɛ̃tɛʀnasjɔnalist].

**INTERNATIONALITÉ,** subst. f.
Caractère de ce qui est international. 1845 ☞ *international* ; [ɛ̃tɛʀnasjɔnalite].

**INTERNAUTE,** subst.
*Informat.* Utilisateur d'un réseau de communica[]tion, en partic. d'Internet. Fin XXe s. ; *Intern[et]* (réseau américain) + *-naute* ; [ɛ̃tɛʀnot].

**INTERNE,** adj. et subst.
**ADJ. 1.** Qui est situé au-dedans de qqch. ; qui e[st] orienté vers l'intérieur. ▸ *Anat.* et *Méd.* Qui est [à] l'intérieur du corps ou qui s'y produit : *Orei[lle]* ***interne*** ; *Hémorragie* ***interne***. **2.** Qui appartient à u[ne] chose, qui lui est intérieur : *Évolution* ***interne***. **3.** Fi[g.] Qui est du domaine de la vie intérieure : *Une jo[ie]* ***interne***. **4.** *Géom. Angles alternes* ***internes*** (☞ *alter[ne]* et *angle*). **SUBST. 1.** Étudiant en médecine qui tr[a]vaille dans un service hospitalier. **2.** Anal. Pensio[n]naire dans un établissement scolaire. 1561 ; la[t.] *internus* ; [ɛ̃tɛʀn].

**INTERNÉ, ÉE,** adj.
Qui fait l'objet d'un internement ; empl. subst., pe[r]sonne **internée**. 1867 ; p. p. de *interner* ; [ɛ̃tɛʀne].

**INTERNEMENT,** subst. m.
Action d'interner qqn ; son résultat. 185[] ☞ *interner* ; [ɛ̃tɛʀnəmɑ̃].

**INTERNER,** verbe trans. [3]
**1.** Assigner (qqn) à résidence dans un lieu en l['] interdisant d'en sortir. **2.** Emprisonner (qqn) sa[ns] jugement, par une décision administrative. **3.** Ho[s]pitaliser (qqn) dans un établissement psychiatriqu[e]. Mil. XIX[e] s. (1704, *s'interner*, s'unir intimement ☞ *interne* ; [ɛ̃tɛʀne].

**INTERNONCE,** subst. m.
*Cath.* Prélat qui exerce les fonctions de nonce p[ar] intérim ou dans les pays où il n'y en a pas. 16[] (fin XVI[e] s., intermédiaire) ; lat. eccl. *internuntius*, du la[t.] *nuntius*, « envoyé » ; [ɛ̃tɛʀnɔ̃s].

**INTEROCÉANIQUE,** adj.
Qui relie deux océans : *Canal* ***interocéaniq[ue]***. 1855 ; ☞ *océanique* + *inter-* ; [ɛ̃tɛʀɔseanik].

**INTÉROCEPTIF, IVE,** adj.
*Physiol. Sensibilité* ***intéroceptive*** : propriété d[es] terminaisons nerveuses sensitives d'enregistrer l[es] sensations douloureuses et les pressions au nivea[u] des muscles, des os, des articulations et des viscère[s] déclenchant ainsi des réflexes végétatifs. 194[] crois. de *intérieur* et de *réceptif* ; [ɛ̃teʀɔsɛptif, iv].

**INTEROSSEUX, EUSE,** adj.
*Anat.* Qui est situé entre deux os ; qui les rel[ie]. 1690 ; ☞ *osseux* + *inter-* ; [ɛ̃tɛʀɔsø, øz].

**INTERPARLEMENTAIRE,** adj.
Qui est composé de parlementaires appartenant [à] plusieurs assemblées : *Une commission* ***interparl[e]mentaire***, composée de députés et de sénateu[rs]. 1894 ; ☞ *parlementaire* + *inter-* ; [ɛ̃tɛʀpaʀləmɑ̃tɛ]

**INTERPELLATEUR, TRICE,** subst.
Personne qui interpelle : *Il répondit à son* ***interpell[a]teur***. ▸ *Pol.* Parlementaire qui adresse une interpell[a]tion. 1549 ; lat. *interpellator* ; [ɛ̃tɛʀpɛlatœʀ, tʀis].

**INTERPELLATION,** subst. f.
Action d'interpeller qqn. Fin XIV[e] s. ; lat. *interpel[la]tio* ; [ɛ̃tɛʀpɛlasjɔ̃].

**INTERPELLER,** verbe trans. [3]
**1.** Appeler (qqn), lui adresser la parole de loi[n,] inopinément, ou lui couper la parole. ▸ *Pol.* Somm[er] (le gouvernement, un ministre) de s'expliquer s[ur] un point précis, en séance publique. **2.** *Dr.* Interr[o]ger (qqn) lors d'un contrôle de police ou d'u[ne] enquête ; par ext., l'arrêter. **3.** Retenir l'attention d[e]

ɹsciter une prise de position chez (qqn) : *Cela l'interpelle.* 1534 ; lat. *interpellare* ; [ɛ̃tɛʀpəle].

**INTERPÉNÉTRATION, subst. f.**
ction de se pénétrer mutuellement, jusqu'à se onfondre ; état qui en résulte : ***Interpénétration** de istaux* ; ***Interpénétration** des cultures.* 1889 ; ☞ *pénétration + inter-* ; [ɛ̃tɛʀpenetʀasjɔ̃].

**INTERPÉNÉTRER (S'), verbe pronom.** [8]
e pénétrer mutuellement. 1907 ; ☞ *pénétrer inter-* ; [ɛ̃tɛʀpenetʀe].

**INTERPERSONNEL, ELLE, adj.**
)ui a trait aux relations entre plusieurs personnes. 1920 ; ☞ *personnel + inter-* ; [ɛ̃tɛʀpɛʀsɔnɛl].

**INTERPHASE, subst. f.**
*iol.* Période de croissance de la cellule qui sépare eux mitoses. 1953 ; ☞ *phase + inter-* ; [ɛ̃tɛʀfɑz].

**INTERPHONE, subst. m. inv.**
ystème de communication téléphonique interne. Mil. XX^e s. ; crois. de *intérieur* et de *téléphone* ; n. éposé ; [ɛ̃tɛʀfɔn].

**INTERPLANÉTAIRE, adj.**
)ui est situé ou qui s'exerce entre les planètes. 1867 ; ☞ *planétaire + inter-* ; [ɛ̃tɛʀplanetɛʀ].

**INTERPOLATION, subst. f.**
. Action d'interpoler un texte ; son résultat. Méton. Passage interpolé : *Les **interpolations** des pistes médiévaux.* **2.** *Math.* ***Interpolation** d'une onction f définie aux points $x_1$, $x_2$, ..., $x_n$ de* $\mathbb{R}$ : onction $\bar{f}$ définie sur $\mathbb{R}$ qui prolonge $f$ (c.-à-d. $\bar{f}(x_i) = f(x_i)$, $i = 1, 2, ..., n$). Les **interpolations** s plus usuelles sont des fonctions polynômes ou fonction affine sur chaque $[x_i, x_{i+1}]$ (**interpolation** linéaire). **3.** *Stat.* Intercalation, dans une suite e valeurs statistiques, d'une ou de plusieurs valeurs alculées et non observées. 1702 (fin XIV^e s., terruption) ; lat. *interpolatio* ; [ɛ̃tɛʀpɔlasjɔ̃].

**INTERPOLER, verbe trans.** [3]
Introduire dans un texte (des mots absents de original), par erreur ou par fraude ; par ext., énaturer (un texte) par des interpolations. **2.** *Math.* )éterminer (resp. effectuer) l'interpolation de (une onction, une série statistique). 1704 (fin XIV^e s., terrompre) ; lat. *interpolare* ; [ɛ̃tɛʀpɔle].

**INTERPOSER, verbe trans.** [3]
. Placer entre : ***Interposer** un paravent.* **2.** Fig. Faire ntervenir : ***Interposer** sa médiation* ; empl. adj. : *ar personne **interposée**,* par l'intermédiaire d'un ers. PRONOM. Fig. Intervenir comme médiateur : ***interposer** entre des adversaires.* 1355 ; lat. *interponere* ; [ɛ̃tɛʀpoze].

**INTERPOSITION, subst. f.**
ction d'interposer ou de s'interposer ; son résultat. *Dr. **Interposition** de personne* : procédé qui consiste faire intervenir, dans un acte juridique, qqn en eu et place de l'intéressé. 1165 ; lat. *interpositio* ; tɛʀpozisjɔ̃].

**INTERPRÉTABLE, adj.**
. Qui peut être interprété, expliqué. **2.** *Mus.* Qui eut être exécuté malgré sa difficulté. 1380 ; ☞ *interpréter* ; [ɛ̃tɛʀpʀetabl].

**INTERPRÉTARIAT, subst. m.**
onction ou profession d'interprète. 1890 ; ☞ *interprète* ; [ɛ̃tɛʀpʀetaʀja].

**INTERPRÉTATIF, IVE, adj.**
)ui interprète qqch. : *Loi **interprétative**.* 1762 in XIV^e s., interprétable) ; lat. médiév. *interpretativus* ; tɛʀpʀetatif, iv].

**INTERPRÉTATION, subst. f.**
ction d'interpréter. ► *Psych. Délire d'**interprétation*** : trouble qui consiste à attribuer à des perceptions réelles une signification erronée et à organiser es **interprétations** en un réseau cohérent. Mil. I^e s. ; lat. *interpretatio* ; [ɛ̃tɛʀpʀetasjɔ̃].

**INTERPRÈTE, subst.**
. Personne qui explique ce qui est complexe ou ymbolique. **2.** Personne qui traduit oralement les ropos échangés entre locuteurs de langues différentes. **3.** Personne chargée de faire connaître la ensée d'une autre. **4.** Artiste qui interprète un rôle u une œuvre musicale. XV^e s. (1321, crieur public) ; t. *interpres*, « intermédiaire » ; [ɛ̃tɛʀpʀɛt].

**INTERPRÉTER, verbe trans.** [8]
. Expliquer et rendre clair (ce qui est obscur ou omplexe) : ***Interpréter** des songes, une expérience cientifique.* **2.** Traduire oralement (vieilli). **3.** Doner un sens particulier à : ***Interpréter** un silence.* **4.** Jouer (un rôle) ou exécuter (un morceau de musique). 1155 ; lat. *interpretari* ; [ɛ̃tɛʀpʀete].

**INTERPRÉTEUR, subst. m.**
*Informat.* Logiciel qui permet la traduction et l'exécution d'instructions d'un programme écrit en langage évolué. V. 1970 ; angl. *interpreter* ; [ɛ̃tɛʀpʀetœʀ].

**INTERPROFESSIONNEL, ELLE, adj.**
Qui concerne plusieurs professions : *Salaire minimum **interprofessionnel** de croissance (Smic),* audessous duquel un salarié ne doit être légalement rémunéré. 1932 ; ☞ *professionnel + inter-* ; [ɛ̃tɛʀpʀɔfɛsjɔnɛl].

**INTERRÉGIONAL, ALE, AUX, adj.**
Qui concerne plusieurs régions : *Train **interrégional**.* 1906 ; ☞ *régional + inter-* ; [ɛ̃tɛʀʀeʒjɔnal, o].

**INTERRÈGNE, subst. m.**
Intervalle entre la mort d'un roi et l'intronisation de son successeur ; par ext., vacance d'une fonction, d'un pouvoir. Fin XIV^e s. ; lat. *interregnum* ; [ɛ̃tɛʀʀɛɲ].

**INTERROGATEUR, TRICE, subst. et adj.**
SUBST. Personne qui interroge, enquêteur. ADJ. Qui interroge : *Air **interrogateur**.* 1530 ; bas lat. *interrogator* ; [ɛ̃tɛʀɔgatœʀ, tʀis].

**INTERROGATIF, IVE, adj.**
Qui exprime l'interrogation. ► *Gramm.* Qui sert à interroger : *Les pronoms, les adjectifs, les adverbes **interrogatifs*** ou, empl. subst. masc., *Les **interrogatifs*** ; *Une proposition **interrogative*** ou, empl., subst. fém., *Une **interrogative**.* 1499 ; bas lat. *interrogativus* ; [ɛ̃tɛʀɔgatif, iv].

**INTERROGATION, subst. f.**
**1.** Action d'interroger, question, demande ; en partic., ensemble de questions destinées à vérifier les connaissances d'un candidat. **2.** Action de s'interroger soi-même, en pensée. **3.** *Gramm.* Construction utilisée pour poser une question. ► ***Interrogation** directe* : où la phrase interrogative est indépendante (dans la phrase « Il m'a demandé : " Viendras-tu ? " », « Viendras-tu ? » est une **interrogation** directe). ► ***Interrogation** indirecte* : où la phrase interrogative forme une proposition subordonnée (dans la phrase « Il m'a demandé si je viendrais », « si je viendrais » est une **interrogation** indirecte). ► *Point d'**interrogation*** : signe de ponctuation (?) qui indique la fin d'une phrase d'**interrogation** directe. 1283 ; lat. *interrogatio* ; [ɛ̃tɛʀɔgasjɔ̃].

**INTERROGATOIRE, subst. m.**
**1.** *Dr.* Stade préliminaire d'une procédure pénale au cours de laquelle un magistrat interroge qqn ; par méton., procès-verbal sur lequel est consigné l'**interrogatoire**. **2.** Ext. Série de questions indiscrètes ou soupçonneuses que l'on pose à qqn (souv. péj.). 1265 ; bas lat. *interrogatorius* ; [ɛ̃tɛʀɔgatwaʀ].

**INTERROGER, verbe trans.** [5]
**1.** Poser à (qqn) une ou plusieurs questions en vue d'obtenir des réponses. **2.** Fig. Examiner soigneusement (qqch.) pour trouver une réponse à une question que l'on se pose : ***Interroger** le ciel.* **3.** *Télécomm. **Interroger** une banque de données* : la consulter, souvent à distance, pour obtenir des informations. 1355 ; lat. *interrogare* ; [ɛ̃tɛʀɔʒe].

**INTERROMPRE, verbe trans.** [51]
**1.** Vx. Fendre (qqch.) en deux. **2.** Rompre la continuité de (qqch.) : ***Interrompre** un circuit, ses études.* **3.** Empêcher (qqn) de poursuivre son activité ; en partic., lui couper la parole. PRONOM. Mettre fin à son activité ; en partic., cesser de parler. Déb. XII^e s. ; lat. *interrumpere* ; [ɛ̃tɛʀɔ̃pʀ].

**INTERRO-NÉGATIF, IVE, adj.**
Se dit d'une forme grammaticale où l'interrogation porte sur une phrase négative (par ex. : « Ne prendrez-vous pas le thé avec moi ? »). Crois. de *interrogatif* et de *négatif* ; plur. *interro-négatifs, ives* ; [ɛ̃teʀonegatif, iv].

**INTERRUPTEUR, TRICE, subst.**
Personne qui coupe la parole à qqn (rare). MASC. *Électr.* Dispositif permettant de fermer ou d'ouvrir un circuit. 1572 ; bas lat. *interruptor* ; [ɛ̃tɛʀyptœʀ, tʀis].

**INTERRUPTION, subst. f.**
**1.** Action d'interrompre ; état de ce qui est interrompu. ► Loc. *Sans **interruption*** : sans discontinuité dans l'espace, dans le temps. **2.** *Dr. **Interruption** de prescription* : arrêt de son cours. **3.** *Méd. **Interruption** volontaire de grossesse (I. V. G.)* : avortement volontaire. **4.** Action de couper la parole à qqn ; par méton., paroles, cris qui interrompent un orateur. 1281 ; bas lat. *interruptio* ; [ɛ̃tɛʀypsjɔ̃].

**INTERSAISON, subst. f.**
Période séparant deux saisons sportives ou touristiques. 1934 ; ☞ *saison + inter-* ; [ɛ̃tɛʀsɛzɔ̃].

**INTERSECTÉ, ÉE, adj.**
*Math.* Coupé. V. 1900 ; *intersecter* (rare), « couper » ; [ɛ̃tɛʀsɛkte].

**INTERSECTION, subst. f.**
**1.** Vx. Interruption. **2.** Rencontre de deux volumes, de deux lignes, de deux espaces qui se coupent ; par anal., lieu où se croisent des voies de communication : ***Intersection** de deux rues.* **3.** *Math. **Intersection** de deux ensembles A et B* : ensemble des éléments communs à A et à B, noté $A \cap B$ et lu « A inter B ». 1390 ; lat. *intersectio* ; [ɛ̃tɛʀsɛksjɔ̃].

**INTERSESSION, subst. f.**
Intervalle de temps qui sépare deux sessions d'une assemblée. 1877 ; ☞ *session + inter-* ; [ɛ̃tɛʀsɛsjɔ̃].

**INTERSEXUALITÉ, subst. f.**
*Biol.* Caractère d'un individu intersexué. 1931 ; ☞ *sexualité + inter-* ; [ɛ̃tɛʀsɛksɥalite].

**INTERSEXUÉ, ÉE, adj.**
*Biol.* Qualifie un individu appartenant à une espèce gonochorique (à sexes séparés), chez lequel se trouve réalisé un phénotype intermédiaire entre ceux des mâles et des femelles, et qui est gén. stérile. 1915 ; ☞ *sexué + inter-* ; [ɛ̃tɛʀsɛksɥe].

**INTERSIDÉRAL, ALE, AUX, adj.**
*Astron.* Qui est situé entre les astres ou qui s'y produit. 1880 ; ☞ *sidéral + inter-* ; [ɛ̃tɛʀsideʀal, o].

**INTERSIGNE, subst. m.**
Signe, lien mystérieux entre deux évènements. Fin XV^e s. ; lat. médiév. *intersignum* ; [ɛ̃tɛʀsiɲ].

**INTERSPÉCIFIQUE, adj.**
*Biol.* Relatif à deux espèces et à leurs relations. Mil. XX^e s. ; ☞ *spécifique + inter-* ; [ɛ̃tɛʀspesifik].

**INTERSTELLAIRE, adj.**
*Astron.* Qui est situé entre les étoiles ou qui s'y produit : *Espace **interstellaire*** ; *Matière **interstellaire**,* matière diffuse existant entre les étoiles d'une galaxie. 1803 ; ☞ *stellaire + inter-* ; [ɛ̃tɛʀstelɛʀ].

**INTERSTICE, subst. m.**
**1.** Vx. Intervalle de temps. **2.** Petit espace entre deux éléments. Fin XV^e s. ; bas lat. *interstitium* ; [ɛ̃tɛʀstis].

**INTERSTITIEL, ELLE, adj.**
Qui se trouve dans un interstice (rare). ► *Anat.* Qui se trouve, se diffuse dans les interstices organiques : *Tissu **interstitiel**,* tissu de soutien (conjonctif) et vaisseaux entourant les tissus nobles d'un organe. 1832 ; ☞ *interstice* ; [ɛ̃tɛʀstisjɛl].

**INTERSUBJECTIF, IVE, adj.**
Qui a trait à l'intersubjectivité. 1931 ; ☞ *subjectif + inter-* ; [ɛ̃tɛʀsybʒɛktif, iv].

**INTERSUBJECTIVITÉ, subst. f.**
Caractère des relations de personne à personne, chacune étant considérée comme un sujet. 1931 ; all. *Intersubjektivität* ; [ɛ̃tɛʀsybʒɛktivite].

**INTERSYNDICAL, ALE, AUX, adj.**
Qui concerne plusieurs syndicats ; empl. subst. fém., regroupement de plusieurs syndicats en vue d'une action commune : *L'**intersyndicale** universitaire.* 1931 ; ☞ *syndical + inter-* ; [ɛ̃tɛʀsɛ̃dikal, o].

**INTERTEXTUALITÉ, subst. f.**
Ensemble des relations qu'un texte, en partic. littéraire, entretient avec d'autres textes connus. 1958 ; ☞ *textuel + inter-* ; [ɛ̃tɛʀtɛkstɥalite].

**INTERTIDAL, ALE, AUX, adj.**
*Océanogr. Zone **intertidale*** : comprise entre la basse mer et la haute mer (synon. vieilli *intercotidal*). 1921 ; angl. *intertidal*, de *tide*, « marée » ; [ɛ̃tɛʀtidal, o].

**INTERTITRE, subst. m.**
**1.** Titre secondaire qui résume un ou plusieurs paragraphes d'un article tout en l'aérant. **2.** *Cin.* Texte inséré entre deux séquences d'un film, gén. muet. 1955 ; ☞ *titre + inter-* ; [ɛ̃tɛʀtitʀ].

**INTERTRIGO, subst. m.**
*Pathol.* Inflammation survenant au niveau des plis de la peau. 1798 ; lat. *intertrigo* ; [ɛ̃tɛʀtʀigo].

**INTERTROPICAL, ALE, AUX, adj.**
Qui est situé entre les tropiques ou qui s'y produit. 1817 ; ☞ *tropical + inter-* ; [ɛ̃tɛʀtʀɔpikal, o].

**INTERURBAIN, AINE, adj. et subst. m.**
ADJ. Qualifie une liaison de ville à ville : *Transport **interurbain**.* SUBST. Service téléphonique de ville à ville (vieilli). 1887 ; ☞ *urbain + inter-* ; [ɛ̃tɛʀyʀbɛ̃, ɛn].

**INTERVALLE,** subst. m.
**1.** Temps qui sépare deux dates, deux évènements. **2.** Distance qui sépare deux points, deux objets dans l'espace. **3.** Fig. Écart entre deux notions abstraites : *L'intervalle entre le dire et le faire.* **4.** Loc. *Par* ***intervalles*** : de temps à autre ou de place en place ; *Dans l'****intervalle*** : pendant ce temps. **5.** *Math.* ***Intervalle*** *dans un ensemble ordonné E* : partie I de E telle que, pour tout couple $(x, y)$ d'éléments de I, si $x < z < y$ alors $z \in I$. Pour $a$ et $b$ fixés dans E, $a$ inférieur à $b$, $[a, b]$ (resp. $]a, b]$, $[a, b[$, $]\leftarrow, a]$, $[a, \rightarrow[$) désigne l'ensemble des éléments $x$ de E tels que : $a \leqslant x \leqslant b$ (resp. $a < x \leqslant b$, $a \leqslant x < b$, $x \leqslant a$, $a \leqslant x$). Dans $\mathbb{R}$, $]\leftarrow, a]$ et $[a, \rightarrow[$ sont notés resp. $]-\infty, a]$ et $[a, +\infty[$. **6.** *Mus.* Distance qui sépare deux notes dans l'échelle des sons. ⌘ Mil. XIII^e s. ; lat. *intervallum* ; [ɛ̃tɛʀval].

**INTERVENANT, ANTE,** adj. et subst.
**Adj.** Qui intervient. **Subst. 1.** *Dr.* Personne qui intervient dans un procès ou dans une transaction économique. **2.** Personne qui intervient dans un débat, une discussion : *Les* ***intervenants*** *d'un colloque.* ⌘ 1606 ; p. pr. de *intervenir* ; [ɛ̃tɛʀvənɑ̃, ɑ̃t].

**INTERVENIR,** verbe intrans. [22]
**1.** Prendre part à une action, à une affaire. ► Entrer dans un conflit comme médiateur ou comme belligérant. **2.** User de son influence, de son crédit en faveur de qqn. **3.** Prendre la parole dans une conversation, dans un débat. **4.** Jouer un rôle dans un processus. **5.** *Chir.* Pratiquer une intervention. **6.** *Dr.* Survenir au cours d'un procès : *Un incident est* ***intervenu*** ; par anal. : *Un accord est* ***intervenu.*** ► Avoir lieu, échoir normalement (empl. abusif) : *Le vote est* ***intervenu*** *à l'issue des débats.* ⌘ 1363 ; lat. *intervenire* ; [ɛ̃tɛʀvəniʀ].

**INTERVENTION,** subst. f.
**1.** Action, fait d'intervenir ; son résultat. ► Acte d'ingérence d'un État dans les affaires d'un autre. **2.** *Chir.* Acte chirurgical, opération. ⌘ Déb. XIV^e s. ; lat. *interventio* ; [ɛ̃tɛʀvɑ̃sjɔ̃].

**INTERVENTIONNISME,** subst. m.
**1.** *Écon.* et *Pol.* Doctrine préconisant l'intervention de l'État en matière d'économie, ou l'intervention d'un État dans les affaires d'un autre moins puissant. **2.** Ext. Attitude d'une personne qui intervient dans les affaires privées d'une autre. ⌘ 1897 ; ☞ *intervention* ; [ɛ̃tɛʀvɑ̃sjɔnism].

**INTERVENTIONNISTE,** adj. et subst.
Se dit d'une personne qui prône ou pratique l'interventionnisme. **Adj.** Qui dénote l'interventionnisme. ⌘ 1837 ; ☞ *intervention* ; [ɛ̃tɛʀvɑ̃sjɔnist].

**INTERVERSION,** subst. f.
Action d'intervertir ; son résultat : ***Interversion*** *des lettres d'un mot* ; au fig. : ***Interversion*** *des rôles.* ⌘ 1507 ; bas lat. *interversio*, « action de prendre à contresens » ; [ɛ̃tɛʀvɛʀsjɔ̃].

**INTERVERTÉBRAL, ALE, AUX,** adj.
Qui est situé ou qui se produit entre deux vertèbres. ⌘ 1765 ; ☞ *vertébral* + *inter-* ; [ɛ̃tɛʀvɛʀtebʀal, o].

**INTERVERTIR,** verbe trans. [19]
**1.** Changer de place (des éléments d'une série). **2.** Fig. ***Intervertir*** *les rôles* : jouer ou faire jouer à qqn le rôle d'une autre personne et réciproquement. ⌘ 1507 ; lat. *intervertere*, « détourner » ; [ɛ̃tɛʀvɛʀtiʀ].

**INTERVIEW,** subst. f.
Anglic. **1.** Entretien accordé à un journaliste. **2.** Ext. Publication ou diffusion de cet entretien. ⌘ 1872 ; angl. *interview*, « interview », du fr. *entrevue* ; [ɛ̃tɛʀvju].

**INTERVIEWER,** verbe trans. [3]
Soumettre (qqn) à une interview. ⌘ 1883 ; ☞ *interview* ; [ɛ̃tɛʀvjuve].

**INTERVIEWEUR, EUSE,** subst.
Journaliste qui réalise une interview ou qui est spécialisé dans les interviews. ⌘ V. 1960 ; ☞ *interview* ; [ɛ̃tɛʀvjuvœʀ, øz].

**INTERVOCALIQUE,** adj.
*Phon.* Qui est encadré par deux voyelles. ⌘ 1895 ; ☞ *vocalique* + *inter-* ; [ɛ̃tɛʀvɔkalik].

**INTERZONE,** adj.
**1.** Commun à plusieurs zones. **2.** *Hist.* Qui a trait aux rapports entre la zone occupée et la zone libre, en France pendant la Seconde Guerre mondiale. ⌘ 1926 ; ☞ *zone* + *inter-* ; [ɛ̃tɛʀzon].

**INTESTAT,** adj.
*Dr.* Qui n'a pas laissé de testament : *Elle est morte* ***intestat*** ; empl. subst., personne **intestat**. ⌘ Déb. XIV^e s. ; lat. *intestatus* ; inv. en genre ; [ɛ̃tɛsta].

**INTESTIN (I), INE,** adj.
**1.** Qui se produit à l'intérieur de qqch. ou, au fig., à l'intérieur d'une communauté : *Guerre* ***intestine***, guerre civile. **2.** Qui se produit à l'intérieur de l'organisme (vieilli) : *Fièvre* ***intestine.*** ⌘ Mil. XIV^e s. ; lat. *intestinus*, « intérieur » ; [ɛ̃tɛstɛ̃, in].

**INTESTIN (II),** subst. m.
*Anat.* Partie creuse du tube digestif située entre l'estomac et l'anus et divisée en deux grands segments : l'**intestin** grêle et le gros **intestin**. ⌘ XIV^e s. ; lat. *intestinum* ; [ɛ̃tɛstɛ̃].

**INTESTINAL, ALE, AUX,** adj.
Relatif à l'intestin ou qui s'y produit : *Villosités* ***intestinales*** ; *Occlusion* ***intestinale.*** ⌘ XIV^e s. ; ☞ *intestin* (II) ; [ɛ̃tɛstinal, o].

**INTIMATION,** subst. f.
**1.** *Dr.* Assignation devant une juridiction d'appel. **2.** Ext. Injonction autoritaire. ⌘ 1322 ; bas lat. *intimatio*, « accusation » ; [ɛ̃timasjɔ̃].

**INTIME,** adj.
**1.** Qui se situe au plus profond d'une personne ou d'une chose : ***Intime*** *conviction.* **2.** Ext. Qui est personnel, tenu secret : *Vie* ***intime*** ; *Journal* ***intime*** ; par euphém. : *Les parties* ***intimes***, les organes génitaux humains. **3.** Qui concerne la vie privée et familiale ; empl. subst. : *Réunir un cercle d'****intimes***, d'amis, de familiers. **4.** Anal. Qui lie étroitement : *L'union* ***intime*** *des atomes dans une molécule.* **5.** Méton. Qui favorise l'intimité : *Un éclairage* ***intime.*** ⌘ Fin XIV^e s. ; lat. *intimus*, « qui est le plus en dedans » ; [ɛ̃tim].

**INTIMÉ, ÉE,** adj. et subst.
*Dr.* Se dit de la partie contre laquelle est engagée une procédure devant une juridiction d'appel. ⌘ 1412 ; p. p. de *intimer* ; [ɛ̃time].

**INTIMEMENT,** adv.
De manière intime : *J'en suis* ***intimement*** *convaincu.* ⌘ 1406 ; ☞ *intime* ; [ɛ̃timmɑ̃].

**INTIMER,** verbe trans. [3]
**1.** *Dr.* Assigner (qqn) devant une juridiction d'appel. **2.** Ext. Ordonner, notifier (qqch.) avec autorité : ***Intimer*** *un ordre à qqn.* ⌘ 1325 ; bas lat. *intimare*, « faire connaître » ; [ɛ̃time].

**INTIMIDANT, ANTE,** adj.
Qui intimide. ⌘ 1867 (1580, qui effraie) ; p. pr. de *intimider* ; [ɛ̃timidɑ̃, ɑ̃t].

**INTIMIDATION,** subst. f.
Action d'intimider volontairement ; son résultat : *Se livrer à des manœuvres d'****intimidation.*** ⌘ 1552 ; ☞ *intimider* ; [ɛ̃timidasjɔ̃].

**INTIMIDER,** verbe trans. [3]
**1.** Effrayer (qqn) volontairement. **2.** Impressionner, troubler (qqn) ; remplir (qqn) de timidité. ⌘ 1546 (1515, menacer) ; ☞ *timide* + *in-*[1] ; [ɛ̃timide].

**INTIMISME,** subst. m.
*Litt.* et *B.-a.* École, manière intimiste. ⌘ 1905 ; ☞ *intimiste* ; [ɛ̃timism].

**INTIMISTE,** adj. et subst.
**1.** *B.-a.* Se dit d'un peintre de scènes d'intérieur. **2.** *Litt.* Se dit d'un écrivain qui s'attache à décrire la vie quotidienne ou la vie intime. **Adj.** Qui relève de l'intimisme : *Roman* ***intimiste.*** ⌘ 1881 ; ☞ *intime* ; [ɛ̃timist].

**INTIMITÉ,** subst. f.
**1.** Caractère profond, secret ; nature essentielle de qqn, réalité profonde de qqch. : *L'****intimité*** *d'un cœur, de la matière.* **2.** Relations étroites entre personnes : *L'****intimité*** *d'un ami.* **3.** La vie intime, privée. ► Loc. *Dans l'****intimité*** : entre intimes. **4.** Méton. Agrément d'un lieu où l'on se sent bien, à l'aise : ***Intimité*** *d'un logement confortable.* ⌘ 1684 ; ☞ *intime* ; [ɛ̃timite].

**INTITULÉ,** subst. m.
**1.** Titre donné à un ouvrage ou à un chapitre. **2.** *Dr.* Formule placée en tête d'un acte : ***Intitulé*** *d'un inventaire.* ⌘ 1694 ; p. p. de *intituler* ; [ɛ̃tityle].

**INTITULER,** verbe trans. [3]
**1.** Donner un titre à (qqch.). **2.** *Dr.* Mettre un intitulé en tête de (un acte). **Pronom. 1.** Avoir pour titre. **2.** Se donner le titre de (souv. péj.) : *Ce charlatan s'****intitulait*** *médecin.* ⌘ Fin XIV^e s. ; bas lat. *intitulare* ; [ɛ̃tityle].

**INTOLÉRABLE,** adj.
**1.** Que l'on ne peut supporter, tolérer : *Bruit* ***intolérable*** ; par hyperb., extrêmement désagréable. **2.** Que l'on ne peut admettre : *Des exigences* ***intolérables.*** ⌘ Fin XIII^e s. ; lat. *intolerabilis* ; [ɛ̃tɔleʀabl].

**INTOLÉRANCE,** subst. f.
**1.** Incapacité à supporter qqn ou qqch. **2.** Attitu[de] hostile à l'égard des opinions, des croyanc[es] d'autrui ; fanatisme. **3.** *Pathol.* Réaction anorma[le] d'un organisme à une substance naturelle ou à [un] médicament. ⌘ 1596 ; ☞ *tolérance* + *in-*[2] ; [ɛ̃tɔleʀɑ̃...]

**INTOLÉRANT, ANTE,** adj.
**1.** Qui ne peut supporter ce qui lui déplaît, [q...] manque d'indulgence ; empl. subst. : *Un* ***intoléra[nt]*** **2.** Qui manifeste de l'intolérance, en partic. da[ns] les domaines religieux et politique : *Doctr[ine]* ***intolérante.*** **3.** *Pathol.* Qui est sujet à une into[lé]rance. ⌘ 1609 ; ☞ *tolérant* + *in-*[2] ; [ɛ̃tɔleʀɑ̃, ɑ̃t].

**INTONATION,** subst. f.
**1.** *Mus.* Hauteur à laquelle un son musical [est] chanté ou joué. **2.** Ext. Ton, inflexion de la vo[ix]. **3.** *Phon.* Variation de la hauteur des sons dans u[ne] langue donnée. ⌘ 1372 ; lat. médiév. *intonare*, « ent[on]ner » ; [ɛ̃tɔnasjɔ̃].

**INTOUCHABLE,** adj. et subst.
**Adj. 1.** Qui ne peut être perçu par le touch[er ;] intangible. **2.** Que l'on ne doit pas toucher. **Adj.** **Subst.** Fig. Se dit d'une personne qui ne peut fa[ire] l'objet d'aucune critique, d'aucune sanctio[n.] **Subst.** En Inde, personne hors caste dont le sim[ple] contact est considéré comme une souillure (ce[tte] discrimination a été mise hors la loi en 194[9).] ⌘ 1569 ; ☞ *touchable* + *in-*[2] ; [ɛ̃tuʃabl].

**INTOXICATION,** subst. f.
**1.** Vx. Poison. **2.** Maladie provoquée par l'acti[on] d'un poison sur l'organisme. **3.** Fig. Influen[ce] néfaste et insidieuse d'une idéologie, d'un discou[rs] ou, par hyperb., d'un sentiment (abrév. fam. intox). ⌘ 1408 ; ☞ *intoxiquer* ; [ɛ̃tɔksikasjɔ̃].

**INTOXIQUER,** verbe trans. [3]
**1.** Vx. Empoisonner. **2.** Provoquer une intoxicati[on] chez (qqn). ► Empl. adj. : *Enfant* ***intoxiqué*** ; em[pl.] subst., personne **intoxiquée**, toxicomane. **3.** F[ig.] Agir psychologiquement sur (qqn) par intoxicatio[n.] ⌘ 1484 ; lat. médiév. *intoxicare* ; [ɛ̃tɔksike].

**INTRA-ATOMIQUE,** adj.
*Phys.* Qui est à l'intérieur de l'atome, qui s'y pr[o]duit. ⌘ V. 1900 ; ☞ *atomique* + *intra-* ; plur. *int[ra-]atomiques* ; [ɛ̃tʀaatɔmik].

**INTRACARDIAQUE,** adj.
*Anat.* Qui concerne les cavités du cœur. ⌘ 186[...] ☞ *cardiaque* + *intra-* ; [ɛ̃tʀakaʀdjak].

**INTRACELLULAIRE,** adj.
*Biol.* Qui se trouve dans une cellule ou qui [s'y] produit. ⌘ 1843 ; ☞ *cellulaire* + *intra-* ; [ɛ̃tʀaselyl[ɛʀ]].

**INTRACOMMUNAUTAIRE,** adj.
Qui a lieu à l'intérieur d'une communauté, sp[éc.] de l'Union (ex-Communauté) européenne. ⌘ 1970 ; ☞ *communautaire* + *intra-* ; [ɛ̃tʀakɔmynotɛʀ].

**INTRACRÂNIEN, IENNE,** adj.
*Anat.* Qui est situé, qui se produit à l'intérieur [de] la boîte crânienne. ⌘ 1828 ; ☞ *crânien* + *intr[a-]* ; [ɛ̃tʀakʀɑnjɛ̃, jɛn].

**INTRADERMIQUE,** adj.
*Anat.* et *Méd.* Qui est situé, qui se fait da[ns] l'épaisseur du derme : *Injection* ***intradermique*** [;] empl. subst. fém., *Une* ***intradermique.*** ⌘ 185[...] ☞ *dermique* + *intra-* ; [ɛ̃tʀadɛʀmik].

**INTRADERMO-RÉACTION,** subst. f.
*Méd.* Injection d'une substance dans le derm[e] permettant d'observer la sensibilité de l'organism[e] à son égard. ⌘ 1908 ; crois. de *intradermique* et *réaction* ; plur. *intradermo-réactions* ; [ɛ̃tʀadɛʀmoʀeaksj[ɔ̃]].

**INTRADOS,** subst. m.
**1.** *Archit.* Face intérieure concave d'un arc ou d'u[ne] voûte. **2.** *Aéron.* Surface inférieure d'une aile d'avi[on.] ⌘ 1676 ; ☞ *dos* + *intra-* ; [ɛ̃tʀado].

**INTRADUISIBLE,** adj.
**1.** Qui ne peut pas être traduit. **2.** Fig. Que le la[n]gage ne parvient pas à rendre : *Émotion* ***intradu[i]sible.*** ⌘ 1687 ; ☞ *traduisible* + *in-*[2] ; [ɛ̃tʀadɥizibl].

**INTRAITABLE,** adj.
Intransigeant, qui se refuse à tout comprom[is.] ⌘ Mil. XV^e s. ; ☞ *traitable* + *in-*[2] ; [ɛ̃tʀɛtabl].

**INTRAMOLÉCULAIRE,** adj.
*Chim.* Qui est à l'intérieur d'une molécule ou q[ui] s'y produit : *Liaisons* ***intramoléculaires***, entre [les] atomes d'une molécule. ⌘ 1877 ; ☞ *molécula[ire]* + *intra-* ; [ɛ̃tʀamɔlekylɛʀ].

**INTRA-MUROS,** adv. et adj. inv.
**1.** À l'intérieur des murs d'une ville ceinte (ant[o]. *extra-muros*). **2.** Ext. À l'intérieur d'une ville,

:cluant sa périphérie : *Paris **intra-muros**.* 1805 ; :. *intra muros* ; [ɛ̃tʀamyʀos].

**INTRAMUSCULAIRE, adj.**
*Anat.* Qui est situé à l'intérieur d'un muscle : *aisseaux, nerfs **intramusculaires**.* **2.** *Méd. Injection **tramusculaire*** ou, empl. subst. fém., *Une **intra-usculaire*** : pratiquée dans l'épaisseur d'un muscle. 1861 ; ☞ *musculaire + intra-* ; [ɛ̃tʀamyskylɛʀ].

**INTRANSIGEANCE, subst. f.**
ıractère d'une personne, d'une attitude intransi-ante. 1874 ; ☞ *intransigeant* ; [ɛ̃tʀɑ̃ziʒɑ̃s].

**INTRANSIGEANT, ANTE, adj.**
ui refuse de transiger, qui n'admet aucun compro-is : *Personne, doctrine **intransigeante**.* 1875 ; esp. *'ransigente* ; [ɛ̃tʀɑ̃ziʒɑ̃, ɑ̃t].

**INTRANSITIF, IVE, adj. et subst. m.**
*'amm.* Se dit d'un verbe qui n'admet pas de mplément d'objet (par ex. « marcher », « jeû-ɜr »). ADJ. Relatif à un tel verbe : *« Monter » a des nplois transitifs et **intransitifs**.* 1664 ; lat. *intransi-ɩum* ; [ɛ̃tʀɑ̃zitif, iv].

**INTRANSITIVEMENT, adv.**
ɛ manière intransitive. 1678 ; ☞ *intransitif* ; ɪtʀɑ̃zitivmɑ̃].

**INTRANSITIVITÉ, subst. f.**
aractère d'un verbe intransitif. Mil. XXᵉ s. ; ☞ *intransitif* ; [ɛ̃tʀɑ̃zitivite].

**INTRANSMISSIBILITÉ, subst. f.**
aractère de ce qui est intransmissible. 1877 ; ☞ *intransmissible* ; [ɛ̃tʀɑ̃smisibilite].

**INTRANSMISSIBLE, adj.**
ui ne peut se transmettre : *Droit **intransmissible**.* 1801 ; ☞ *transmissible + in-²* ; [ɛ̃tʀɑ̃smisibl].

**INTRANSPORTABLE, adj.**
ıpossible à transporter : *Malade **intransportable**.* 1775 ; ☞ *transportable + in-²* ; [ɛ̃tʀɑ̃spɔʀtabl].

**INTRANT, subst. m.**
*:on.* Élément qui entre dans la production d'un ɜn (synon. *input*). XXᵉ s. (1552, délégué) ; lat. *'rans*, de *intrare*, « entrer » ; [ɛ̃tʀɑ̃].

**INTRANUCLÉAIRE, adj.**
*Biol.* Qui est situé dans le noyau d'une cellule. *Phys.* Qui est situé ou qui se produit à l'intérieur un noyau atomique. 1883 ; ☞ *nucléaire + intra-* ; ʀanykleɛʀ].

**INTRA-UTÉRIN, INE, adj.**
*ıysiol.* Qui se situe ou se produit à l'intérieur de ıtérus. 1826 ; ☞ *utérin + intra-* ; plur. *intra-utérins*, ɛs ; [ɛ̃tʀayteʀɛ̃, in].

**INTRAVEINEUX, EUSE, adj.**
*éd.* Qui se fait à l'intérieur d'une veine : *Injection **traveineuse*** ou, empl. subst. fém., *Une **intravei-'use**.* 1868 ; ☞ *veineux + intra-* ; [ɛ̃tʀavɛnø, øz].

**INTRÉPIDE, adj.**
ui ne faiblit pas devant le danger ; empl. subst., ɜrsonne **intrépide**. 1495 ; lat. *intrepidus* ; [ɛ̃tʀepid].

**INTRÉPIDITÉ, subst. f.**
aractère d'une personne, d'un comportement trépide. 1665 ; ☞ *intrépide* ; [ɛ̃tʀepidite].

**INTRICATION, subst. f.**
ıt, aspect de ce qui est intriqué ; complexité. Fin XIIIᵉ s. ; lat. *intricatio* ; [ɛ̃tʀikasjɔ̃].

**INTRIGANT, ANTE, adj. et subst.**
· dit d'une personne qui recourt à l'intrigue par nbition. 1583 ; ☞ *intriguer* ; [ɛ̃tʀigɑ̃, ɑ̃t].

**INTRIGUE, subst. f.**
Vx. Affaire galante, souvent secrète. **2.** Situation ·mpliquée et embarrassante (vieilli). **3.** Affaire enée en secret ; en partic., manœuvre visant à surer le succès ou l'échec d'une entreprise. Trame narrative d'une pièce de théâtre, d'un man, d'un scénario. 1578 ; ital. *intrigo* ; [ɛ̃tʀig].

**INTRIGUER, verbe [3]**
ANS. **1.** Mettre (qqn) dans l'embarras (vx). **2.** Ext. 'eiller la curiosité de ; par hyperb., étonner. TRANS. Mener une intrigue. 1640 (1532, em-ɔuiller) ; ital. *intrigare*, du lat. *intricare*, « embrouiller » ; ʀige].

**INTRINSÈQUE, adj.**
*Anat.* Qui appartient à un organe. **2.** Qui ·partient à la nature même, à l'essence d'un être, une chose : *Des vertus **intrinsèques**.* **3.** *Biochim. :cteur **intrinsèque*** : facteur glycoprotéique synthé-sé par des cellules de la muqueuse stomacale et ıpliqué dans la fixation de la vitamine $B_{12}$. 1314 ; lat. scol. *intrinsecus*, « intérieur » ; [ɛ̃tʀɛ̃sɛk].

**INTRINSÈQUEMENT, adv.**
De manière intrinsèque. Fin XVᵉ s. ; ☞ *intrinsèque* ; [ɛ̃tʀɛ̃sɛkmɑ̃].

**INTRIQUER, verbe trans. [3]**
Entremêler (rare). PRONOM. S'enchevêtrer, s'imbriquer : *Des causes qui **s'intriquent** étroitement.* Fin XIIIᵉ s. ; lat. *intricare*, « embrouiller » ; [ɛ̃tʀike].

**INTRODUCTEUR, TRICE, subst.**
**1.** Personne qui introduit qqn. **2.** Fig. Personne qui introduit des idées, une mode, etc. 1606 (1554, celui qui initie) ; bas lat. *introductor* ; [ɛ̃tʀɔdyktœʀ, tʀis].

**INTRODUCTIF, IVE, adj.**
**1.** Vx. Qui guide. **2.** Qui présente, qui sert d'introduction. ▸ *Dr.* Qui sert d'introduction à un procès. 1520 ; ☞ *introducteur* ; [ɛ̃tʀɔdyktif, iv].

**INTRODUCTION, subst. f.**
**I. 1.** Action d'introduire, de s'introduire : *Lettre d'**introduction**, de recommandation.* **2.** *Dr. **Introduction** d'instance* : engagement d'une procédure. **3.** *Écon. **Introduction** d'un titre en Bourse* : son admission à la cote. **II. 1.** Initiation à la connaissance, à la pratique d'une chose ; ouvrage qui la contient. **2.** Avant-propos d'un ouvrage ; paragraphe préliminaire d'une dissertation ; entrée en matière. **3.** *Mus.* Partie instrumentale précédant le premier mouvement. 1314 ; lat. *introductio* ; [ɛ̃tʀɔdyksjɔ̃].

**INTRODUIRE, verbe trans. [69]**
**1.** Faire entrer (qqn) dans un lieu ; par ext., faire admettre dans un groupe, présenter : ***Introduire** un témoin.* **2.** Faire adopter (qqch.) : *Parmentier **introduisit** l'usage de la pomme de terre en France.* **3.** Faire entrer, enfoncer (qqch.) dans autre chose : ***Introduire** une pièce dans un horodateur* ; au fig., inclure, incorporer. **4.** *Dr. **Introduire** une instance* : saisir un tribunal d'une affaire. PRONOM. **1.** Pénétrer. **2.** Se faire admettre. 1120 ; lat. *introducere* ; [ɛ̃tʀɔdɥiʀ].

**INTROÏT, subst. m.**
*Liturg.* Prière récitée par le prêtre ou chantée par le chœur au début d'une messe ; antienne de cette prière chantée. Fin XIIIᵉ s. ; lat. *introitus*, « action d'entrer » ; [ɛ̃tʀɔit].

**INTROJECTION, subst. f.**
*Psychanal.* Processus inconscient par lequel une personne aimée ou haïe, ou une chose, est introduite dans le moi ou dans le surmoi (anton. *projection*). 1909 ; all. *Introjektion* ; [ɛ̃tʀɔʒɛksjɔ̃].

**INTROMISSION, subst. f.**
Action d'introduire. 1465 ; lat. *intromissum* ; [ɛ̃tʀɔmisjɔ̃].

**INTRONISATION, subst. f.**
Action d'introniser ; cérémonie qui l'accompagne. Fin XIVᵉ s. ; ☞ *introniser* ; [ɛ̃tʀɔnizasjɔ̃].

**INTRONISER, verbe trans. [3]**
Installer solennellement (un souverain, un évêque, etc.) sur le trône. Déb. XIIIᵉ s. ; lat. eccl. *inthronizare* ; [ɛ̃tʀɔnize].

**INTRORSE, adj.**
*Bot.* Qualifie une étamine dont l'anthère est tournée vers le centre de la fleur (anton. *extrorse*). 1846 ; lat. *introrsum* ; [ɛ̃tʀɔʀs].

**INTROSPECTIF, IVE, adj.**
Qui relève de l'introspection. 1840 ; angl. *introspective* ; [ɛ̃tʀɔspɛktif, iv].

**INTROSPECTION, subst. f.**
*Psychol.* Méthode de connaissance du sujet par lui-même, par l'observation et par l'analyse de sa vie intérieure, de ses états de conscience. 1840 ; angl. *introspection*, du lat. *introspicere*, « regarder dans » ; [ɛ̃tʀɔspɛksjɔ̃].

**INTROUVABLE, adj.**
Impossible ou difficile à trouver. ▸ *Hist. La Chambre **introuvable*** : celle de 1815, dominée par les ultra-royalistes. 1639 ; ☞ *trouvable + in-²* ; [ɛ̃tʀuvabl].

**INTROVERSION, subst. f.**
*Psychol.* Détournement de l'énergie psychique vers le moi, au détriment de ses liens avec les réalités extérieures (anton. *extraversion*) ; égocentrisme. 1913 ; all. *Introversion*, du lat. *introversus*, « vers l'intérieur » ; [ɛ̃tʀɔvɛʀsjɔ̃].

**INTROVERTI, IE, adj. et subst.**
Se dit d'une personne portée à l'introversion (anton. *extraverti*). 1922 ; all. *introvertiert* ; [ɛ̃tʀɔvɛʀti].

**INTRUS, USE, subst. et adj.**
**1.** Vx. Se dit d'une personne qui usurpe une dignité, une charge. **2.** Se dit d'une personne ou d'une chose qui fait intrusion. Fin XIVᵉ s. ; lat. médiév. *intrusus*, du lat. *intrudere*, « introduire de force » ; [ɛ̃tʀy, yz].

**INTRUSION, subst. f.**
**1.** Vx. Usurpation d'une dignité, d'une charge. **2.** Action de s'introduire dans un lieu, dans un groupe où l'on ne devrait pas être ou à un moment inopportun. **3.** Fig. Arrivée inopportune de qqch. **4.** *Géol.* Pénétration d'un magma (constitution d'un batholite, d'un filon) ou d'une roche saline (constitution d'un diapir) dans des formations préexistantes. 1304 ; lat. jur. *intrusio* ; [ɛ̃tʀyzjɔ̃].

**INTUBATION, subst. f.**
*Méd.* Introduction, par la bouche ou par le nez, d'un tube dans la trachée, visant à maintenir la perméabilité des voies aériennes en les séparant des voies digestives ou à pratiquer une ventilation artificielle. 1924 ; angl. *intubation*, du lat. *tubus*, « tube » ; [ɛ̃tybasjɔ̃].

**INTUBER, verbe trans. [3]**
*Méd.* Pratiquer une intubation sur (un malade). XXᵉ s. ; angl. *to intubate* ; [ɛ̃tybe].

**INTUITIF, IVE, adj.**
**1.** Qui relève de l'intuition ; qui repose sur l'intuition (anton. *discursif*) : *Connaissance **intuitive**, immédiate.* **2.** Qui est doué d'intuition ; empl. subst., personne **intuitive**. 1480 ; lat. *intuitus*, « coup d'œil, vue » ; [ɛ̃tɥitif, iv].

**INTUITION, subst. f.**
**1.** *Philos.* Connaissance immédiate, indépendante de tout raisonnement. ▸ ***Intuition** intellectuelle* : rencontre et déploiement d'une évidence qui se donne à la pensée. **2.** Faculté d'entrevoir, de pressentir ce qui n'existe pas encore. Mil. XVIIᵉ s. (1542, contemplation) ; lat. médiév. *intuitio*, « vue », de *intueri*, « examiner » ; [ɛ̃tɥisjɔ̃].

**INTUITIONNISME, subst. m.**
**1.** *Philos.* Conception de la connaissance où l'intuition joue un rôle central : *L'**intuitionnisme** bergsonien.* **2.** *Log.* et *Math.* École fondée au début du XXᵉ s. par Brouwer et Heyting, qui n'accepte que les systèmes d'objets mathématiques engendrés par des procédés de construction en nombre fini et exclusivement fondés sur l'intuition. 1908 ; ☞ *intuition* ; [ɛ̃tɥisjɔnism].

**INTUITIVEMENT, adv.**
Par intuition. 1599 ; ☞ *intuitif* ; [ɛ̃tɥitivmɑ̃].

**INTUMESCENCE, subst. f.**
Gonflement, enflure : *L'**intumescence** d'un bourgeon.* 1611 ; lat. *intumescere*, « gonfler » ; [ɛ̃tymesɑ̃s].

**INTUSSUSCEPTION, subst. f.**
**1.** *Biol.* Pénétration, par osmose, d'éléments nutritifs dans les cellules d'un tissu organique. **2.** *Pathol.* Invagination. Mil. XVIIᵉ s. ; lat. *intus*, « dedans », et *susceptio*, « action de prendre sur soi » ; [ɛ̃tysysɛpsjɔ̃].

**INUIT, adj.**
Relatif aux Inuits. XXᵉ s. ; plur. de *inuk*, « être humain », dans la langue des Inuits ; inv. en genre ; [inɥit].

*Un élément essentiel de l'économie **inuit** : la chasse.*

**INULE, subst. f.**
*Bot.* Plante herbacée de la famille des Astéracées, à capitules jaunes, dont une espèce est officinale (synon. *aunée*). 1549 ; lat. sc. *inula* ; [inyl].

**INULINE, subst. f.**
*Biochim.* Polymère de fructose constituant les réserves glucidiques des plantes de certaines familles, par ex. les Astéracées. 1809 ; ☞ *inule* ; [inylin].

**INUSABLE, adj.**
Qui ne peut s'user ; par hyperb., qui s'use peu et lentement. 1838 ; ☞ *user + in-²* ; [inyzabl].

**INUSITÉ, ÉE,** adj.
1. Inhabituel. 2. Qui n'est pas ou qui est peu usité. 1455 ; lat. *inusitatus* ; [inyzite].

**INUSUEL, ELLE,** adj.
Qui n'est pas usuel. 1794 ; ☞ *usuel* + *in-*[2] ; [inyzɥɛl].

**IN UTERO,** loc. adv. et loc. adj. inv.
*Méd.* et *Physiol.* Qui se situe ou qui se passe dans l'utérus gravide. V. 1960 ; loc. lat. ; [inyteʀo].

**INUTILE,** adj.
1. Qui n'est pas utile : *Connaissances* **inutiles**. 2. Qui ne rend pas de services ; empl. subst., personne jugée **inutile**. 1120 ; lat. *inutilis* ; [inytil].

**INUTILEMENT,** adv.
De manière inutile, en vain. Mil. XVe s. ; ☞ *inutile* ; [inytilmɑ̃].

**INUTILISABLE,** adj.
Que l'on ne peut pas ou plus utiliser. 1845 ; ☞ *utilisable* + *in-*[2] ; [inytilizabl].

**INUTILISÉ, ÉE,** adj.
Qui n'est pas ou plus utilisé. 1834 ; p. p. de *utiliser* + *in-*[2] ; [inytilize].

**INUTILITÉ,** subst. f.
Caractère de ce qui est inutile. PLUR. Paroles ou choses inutiles. 1396 ; ☞ *utilité* + *in-*[2] ; [inytilite].

**INVAGINATION,** subst. f.
1. *Biol.* Repli d'un feuillet enveloppant une cavité vers l'intérieur de cette cavité : ***Invagination** de la blastula*. 2. *Pathol.* Retournement en doigt de gant d'un organe creux, notamment de l'intestin. 1765 ; lat. *vagina*, « gaine », + *in-*[1] ; [ɛ̃vaʒinasjɔ̃].

**INVAGINER (S'),** verbe pronom. [3]
*Pathol.* Se retourner par invagination. 1832 ; ☞ *invagination* ; [ɛ̃vaʒine].

**INVAINCU, UE,** adj.
Qui n'a jamais été vaincu : *Équipe* ***invaincue** en championnat*. 1495 ; ☞ *vaincu* + *in-*[2] ; [ɛ̃vɛ̃ky].

**INVALIDANT, ANTE,** adj.
Qui rend qqn invalide : *L'asthme est une maladie* ***invalidante***. V. 1970 ; p. pr. de *invalider* ; [ɛ̃validɑ̃, ɑ̃t].

**INVALIDATION,** subst. f.
Action d'invalider ; son résultat. 1636 ; ☞ *invalider* ; [ɛ̃validasjɔ̃].

**INVALIDE,** adj. et subst.
ADJ. *Dr.* Qui n'a pas de valeur légale, juridiquement nul : *Testament déclaré* ***invalide***. ADJ. et SUBST. Se dit d'un infirme inapte à mener une vie active. SUBST. MASC. Militaire que l'âge ou les infirmités empêchent de servir : *Grand* ***invalide** de guerre (G. I. G.)*. 1515 ; lat. *invalidus*, « faible » ; [ɛ̃valid].

**INVALIDER,** verbe trans. [3]
1. *Dr.* Déclarer juridiquement nul : ***Invalider** une donation* ; par méton. : ***Invalider** un député*. 2. *Méd.* Rendre invalide. 1452 ; ☞ *invalide* ; [ɛ̃valide].

**INVALIDITÉ,** subst. f.
1. *Dr.* Manque de validité qui entraîne la nullité juridique. 2. État d'une personne rendue invalide. 1521 ; ☞ *invalide* ; [ɛ̃validite].

**INVAR,** subst. m. inv.
Alliage d'acier (64 %) et de nickel (36 %), dont le coefficient de dilatation linéaire est très faible. 1904 ; apocope de *invariable* ; n. déposé ; [ɛ̃vaʀ].

**INVARIABILITÉ,** subst. f.
Caractère de ce qui est invariable. 1616 ; ☞ *variabilité* + *in-*[2] ; [ɛ̃vaʀjabilite].

**INVARIABLE,** adj.
1. Qui ne varie pas, qui se répète sans varier ; par anal., ferme, inébranlable. 2. *Gramm.* Qualifie un mot dont la forme ne varie pas, quel que soit son emploi. Fin XIVe s. ; ☞ *variable* + *in-*[2] ; [ɛ̃vaʀjabl].

**INVARIABLEMENT,** adv.
De manière invariable, constante ; immanquablement. 1495 ; ☞ *invariable* ; [ɛ̃vaʀjabləmɑ̃].

**INVARIANCE,** subst. f.
Caractère de ce qui est invariant. 1908 ; ☞ *invariant* ; [ɛ̃vaʀjɑ̃s].

**INVARIANT, ANTE,** adj. et subst. m.
ADJ. Qui ne varie pas. ▸ *Math. Point (resp. partie, figure)* ***invariant(e)** par une application f de E dans E* : élément *a* de E (resp. partie A de E) tel(le) que $f(a) = a$ (resp. $f(A) = A$) ; synon. *point fixe*. Une partie **invariante** est dite **invariante** point par point si chacun de ses points est **invariant**. ▸ *Chim. Système* ***invariant*** : de variance nulle. SUBST. Donnée qui ne varie pas, constante. 1877 ; p. pr. de *varier* + *in-*[2] ; [ɛ̃vaʀjɑ̃, ɑ̃t].

**INVASIF, IVE,** adj.
1. *Méd.* Se dit d'un traitement ou d'une méthode d'exploration qui nécessite une agression de l'organisme. 2. *Pathol.* Qualifie une tumeur qui grossit et s'étend aux tissus voisins. 1797 ; ☞ *invasion* ; [ɛ̃vazif, iv].

**INVASION,** subst. f.
1. Action d'envahir, de pénétrer par force dans un pays pour l'occuper. ▸ *Hist. Les grandes* ***invasions*** : ensemble des migrations de peuples venus d'Asie, qui ont touché l'Europe et l'Afrique du Nord du IVe au VIIe s. 2. Ext. Action de se répandre en masse : *L'***invasion** *des baigneurs sur les plages*. 3. Anal. Apparition massive d'animaux ou d'un élément naturel nuisible à l'homme : ***Invasion** de sauterelles* ; *L'***invasion** *des eaux lors d'une crue*. 4. Fig. Arrivée soudaine d'une chose qui s'impose : *L'***invasion** *du jazz*. 5. *Pathol. Phase d'***invasion** : phase de contagiosité maximale d'une maladie infectieuse, caractérisée par l'apparition des premiers signes cliniques. Mil. XIIe s. ; bas lat. *invasio* ; [ɛ̃vazjɔ̃].

**INVECTIVE,** subst. f.
Insulte ; propos agressif. 1512 (1404, discours vif) ; bas lat. *invectivus*, « violent » ; [ɛ̃vɛktiv].

**INVECTIVER,** verbe [3]
INTRANS. Proférer des invectives. TRANS. Couvrir (qqn) d'invectives. 1542 ; ☞ *invective* ; [ɛ̃vɛktive].

**INVENDABLE,** adj.
Qui n'est pas vendable. 1764 ; ☞ *vendable* + *in-*[2] ; [ɛ̃vɑ̃dabl].

**INVENDU, UE,** adj.
Qui n'a pas été vendu ; empl. subst. masc. : *Retourner les* ***invendus** au fabricant*. 1706 ; ☞ *vendu* + *in-*[2] ; [ɛ̃vɑ̃dy].

**INVENTAIRE,** subst. m.
1. *Dr.* Opération, imposée par la loi dans certaines circonstances, qui consiste à énumérer et à décrire les biens d'une personne physique ou morale, ou d'un groupe : ***Inventaire** des stocks d'une entreprise* ; *Sous bénéfice d'***inventaire**, après vérification, sous réserve. 2. Ext. Dénombrement et description de choses effectuées dans un but de classement ou d'entretien ; par anal., examen détaillé : *Faire l'***inventaire** *de ses poches*. 1344 ; lat. jur. *inventarium* ; [ɛ̃vɑ̃tɛʀ].

**INVENTER,** verbe trans. [3]
1. Trouver, créer (qqch. qui n'existait pas). 2. Ext. Imaginer, combiner : ***Inventer** un subterfuge*. 3. Loc. fam. *Il n'a pas* ***inventé** la poudre* : il n'est pas très intelligent ; *Ça ne s'***invente** *pas !* : c'est certainement vrai. Mil. XVe s. ; ☞ *inventeur* ; [ɛ̃vɑ̃te].

**INVENTEUR, TRICE,** subst.
1. *Dr.* Personne qui découvre un objet caché ou perdu : *L'***inventeur** *d'un trésor*. 2. Personne qui invente qqch. 1431 ; lat. *inventor* ; [ɛ̃vɑ̃tœʀ, tʀis].

**INVENTIF, IVE,** adj.
Qui a le talent d'inventer, dont l'imagination est fertile. Mil. XVe s. ; lat. médiév. *inventivus* ; [ɛ̃vɑ̃tif, iv].

**INVENTION,** subst. f.
1. Action de mettre au jour qqch. ▸ *Relig.* Découverte d'une relique : *L'***invention** *de la sainte Croix*. 2. Action d'inventer ; par méton., chose inventée. 3. Faculté, don d'inventer. 4. Fable imaginée pour tromper ; mystification. 5. *Mus.* Petite pièce à caractère contrapuntique (notamment du XVIIe ou du XVIIIe s.). Déb. XIIe s. ; lat. *inventio* ; [ɛ̃vɑ̃sjɔ̃].

**INVENTIVITÉ,** subst. f.
Capacité d'inventer. 1917 ; ☞ *inventif* ; [ɛ̃vɑ̃tivite].

**INVENTORIER,** verbe trans. [6]
Faire l'inventaire de. 1313 ; lat. médiév. *inventorium* ; [ɛ̃vɑ̃tɔʀje].

**INVÉRIFIABLE,** adj.
Qui ne peut être vérifié. 1845 ; ☞ *vérifiable* + *in-*[2] ; [ɛ̃veʀifjabl].

**INVERSE,** adj. et subst. m.
ADJ. 1. Qui est, qui va en sens contraire : *Ordre* ***inverse***. ▸ Loc. *En raison, en proportion* ***inverse** de qqch.* : avec une variation proportionnellement inverse à celle de cette chose. 2. *Math.* ▸ *Fonction* ***inverse** d'une fonction numérique f définie sur un ensemble E et ne s'annulant pas sur E* : fonction *g* de E dans ℝ définie par $g(x) = 1/f(x)$ pour tout *x* de E, notée $g = 1/f$. ▸ *Application* ***inverse** d'une bijection* : application réciproque. ▸ *Géom. Figures* ***inverses*** : dont l'une est la transformée de l'autre par inversion. SUBST. 1. *L'***inverse** *(de)* : le contraire, l'opposé (de). ▸ Loc. prép. *À l'***inverse** *de* : au contraire de. 2. *Math.* Élément symétrique relativement à une loi de composition interne notée multiplicativement. On note l'**inverse** de *x* $x^{-1}$, $1/x$, si la loi est commutative et admet un éléme[nt] neutre noté 1. 1611 ; lat. *inversus* ; [ɛ̃vɛʀs].

**INVERSEMENT,** adv.
De façon inverse. 1752 ; ☞ *inverse* ; [ɛ̃vɛʀsəm[ɑ̃]].

**INVERSER,** verbe trans. [3]
Renverser l'ordre, la direction, la position de[…] ***Inverser** un courant électrique continu*, changer s[on] sens. 1840 ; ☞ *inverse* ; [ɛ̃vɛʀse].

**INVERSEUR,** subst. m.
*Mécan.* et *Électr.* Dispositif qui permet d'inver[ser] le sens de rotation d'un axe ou le sens d'un coura[nt] continu. 1848 ; ☞ *inverser* ; [ɛ̃vɛʀsœʀ].

**INVERSIBLE,** adj.
*Phot. Film* ***inversible*** : négatif qui devient positif n[on] par tirage, mais par inversion au développemen[t] : *Les diapositives, le super-huit sont des pellicu[les]* ***inversibles***. XIXe s. ; ☞ *inverser* ; [ɛ̃vɛʀsibl].

**INVERSION,** subst. f.
1. *Ling.* Renversement de l'ordre habituel des mo[ts] d'une phrase : ***Inversion** du sujet dans l'interrog[a]tion* (par ex. : « Où est-il ? ») ; ***Inversion** poétiq[ue] de l'attribut* (par ex. : « Vive est ma joie »). 2. Acti[on] d'inverser, fait de s'inverser : ***Inversion** du sens [de] la marche d'un train* ; ***Inversion** des priorités*. 3. Sp[…] ▸ *Chim.* Changement de sens du pouvoir rotato[ire] d'une substance : ***Inversion** d'une solution [de] saccharose par transformation de cette moléculose [en] molécules de glucose et de levulose*. ▸ *Électr.* Chan[ge]ment de sens d'un courant électrique dans [un] circuit. ▸ *Géol.* ***Inversion** magnétique* : phénomè[ne] périodique de l'histoire de la Terre, consistant [en] un renversement des pôles magnétiques. ▸ *Géo[m.]* Transformation ponctuelle du plan ou de l'espa[ce] qui à tout point M distinct d'un point O (le pô[le]) associe le point M′ de la droite (OM) tel q[ue] $\overline{OM} \cdot \overline{OM'} = k$ (*k* étant un nombre réel fixé n[on] nul, appelé puissance de l'**inversion**). ▸ *Géomor[ph.]* ***Inversion** de relief* : alternance de roches tendr[es] épaisses et de roches dures plus minces qui fait q[ue] les points hauts d'un relief correspondent topogr[a]phiquement à des dépressions ou vallées, [et] inversement. ▸ *Météor.* ***Inversion** de températur[e]* : phénomène d'augmentation de la température av[ec] l'altitude. ▸ *Pathol.* Retournement d'un organe s[ur] lui-même. 1529 ; lat. *inversio*, « action de retc[ur]ner » ; [ɛ̃vɛʀsjɔ̃].

**INVERTÉBRÉ, ÉE,** adj. et subst. m. pl[…]
*Zool.* ADJ. Qui n'a pas de colonne vertébra[le]. SUBST. Embranchement d'animaux pluricellulai[res] qui ne possèdent pas de colonne vertébrale ; [au] sing. : *La moule est un* ***invertébré***. 1860 ; ☞ *ve[rté]bré* + *in-*[2] ; [ɛ̃vɛʀtebʀe].

**INVERTI, IE,** adj. et subst.
ADJ. *Chim.* Se dit du sucre hydrolysé pour form[er] un mélange de glucose et de maltose, aux propr[ié]tés optiques inversées. SUBST. Homosexuel (vieil[li]). 1877 ; p. p. de *invertir* ; [ɛ̃vɛʀti].

**INVERTIR,** verbe trans. [19]
Retourner, renverser symétriquement. 1537 ; [lat.] *invertere*, « retourner » ; [ɛ̃vɛʀtiʀ].

**INVESTIGATEUR, TRICE,** subst.
Personne qui procède à des investigations ; em[pl.] adj., par méton. : *Esprit, œil* ***investigateur***. 15[…] lat. *investigator* ; [ɛ̃vɛstigatœʀ, tʀis].

**INVESTIGATION,** subst. f.
Recherche minutieuse, systématique : ***Investigati[ons]** policières*. Fin XIVe s. ; lat. *investigatio* ; [ɛ̃vɛstigas[jɔ̃]].

**INVESTIR (I),** verbe trans. [19]
Revêtir solennellement (qqn) d'une charge, d'[un] pouvoir ; par ext. : ***Investir** qqn de sa confian[ce]*. 1241 ; lat. *investire*, « revêtir, garnir » ; [ɛ̃vɛstiʀ].

**INVESTIR (II),** verbe trans. [19]
1. *Milit.* Encercler avec des troupes : ***Investir** u[ne] place forte*. 2. Ext. Cerner, assaillir. Déb. XIVe [s.] ; ital. *investire*, du lat. *investire* ; [ɛ̃vɛstiʀ].

**INVESTIR (III),** verbe trans. [19]
Engager (des capitaux) dans une affaire. 192[…] ; angl. *to invest* ; [ɛ̃vɛstiʀ].

**INVESTIR (IV),** verbe trans. [19]
*Psychanal.* Concentrer son énergie psychique da[ns] (une représentation, une activité) : ***Investir** [sa] souffrance* ; empl. intrans. ou pronom. : *[…] (s')***investit** *dans le travail*. Mil. XXe s. ; all. *besetz[en]*, « assaillir, occuper » ; [ɛ̃vɛstiʀ].

**INVESTISSEMENT (I),** subst. m.
Action d'investir militairement un lieu ; son rés[ul]tat. 1704 ; ☞ *investir* (II) ; [ɛ̃vɛstismɑ̃].

**INVESTISSEMENT (II), subst. m.**
Action de fournir des capitaux à une entreprise •ur lui permettre de fonctionner et de se déve- •pper ; les capitaux investis. **2.** Ext. Placement ıancier. 1924 ; ☞ *investir* (III) ; [ɛ̃vɛstismɑ̃].

**INVESTISSEMENT (III), subst. m.**
ychanal. Fait d'investir. 1949 ; all. *Besetzung,* ›ccupation » ; [ɛ̃vɛstismɑ̃].

**INVESTISSEUR, subst. m.**
•rsonne ou institution qui procède à des investisse- •ents financiers ; empl. adj. : *Organisme* ***investis-*** ***ur.*** 1937 ; ☞ *investir* (III) ; le fém., *investisseuse,* t rare ; [ɛ̃vɛstisœʀ].

**INVESTITURE, subst. f.**
*Hist.* et *Relig.* Mise en possession solennelle d'un ·f ou d'une juridiction ecclésiastique. **2.** *Pol.* Sous la quatrième République, procédure par quelle l'Assemblée nationale votait ou non sa •nfiance au président du Conseil désigné par le ·ef de l'État. ► Acte par lequel un parti désigne •n candidat à une élection. XIIIe s. ; lat. médiév. *vestitura* ; [ɛ̃vɛstityʀ].

**INVÉTÉRÉ, ÉE, adj.**
Que le temps a fortifié, enraciné : *Un usage* ***vétéré.*** **2.** Chez qui s'est ancrée une façon d'être, ıe habitude : *Un joueur* ***invétéré.*** 1480 ; lat. *veteratus,* de *inveterare,* « faire vieillir » ; [ɛ̃veteʀe].

**INVINCIBILITÉ, subst. f.**
aractère d'une personne ou d'une chose invin- ble. 1508 ; ☞ *invincible* ; [ɛ̃vɛ̃sibilite].

**INVINCIBLE, adj.**
Qu'il est impossible de vaincre : *Un guerrier* ***vincible*** ; par anal. : *Une ardeur* ***invincible.*** **2.** Ext. ıquel on ne peut résister : *Un attrait* ***invincible.*** Fin XIVe s. ; lat. *invincibilis* ; [ɛ̃vɛ̃sibl].

**INVINCIBLEMENT, adv.**
e manière invincible. XVe s. ; ☞ *invincible* ; ɛ̃sibləmɑ̃].

**INVIOLABILITÉ, subst. f.**
Caractère de ce qui est inviolable. **2.** *Dr.* Immu- ıté, temporaire et relative, dont bénéficient les ɡents diplomatiques, les parlementaires. 1611 ; *inviolable* ; [ɛ̃vjɔlabilite].

**INVIOLABLE, adj.**
Que l'on ne doit pas violer : *Sanctuaire* ***inviolable*** ; *i* ***inviolable.*** **2.** À qui la loi interdit de porter teinte : *Le chef de l'État est* ***inviolable.*** Déb. XIVe s. ; *inviolabilis* ; [ɛ̃vjɔlabl].

**INVIOLÉ, ÉE, adj.**
Vx. Dont la virginité a été préservée ; par anal. : •rêt ***inviolée.*** **2.** Qui n'a pas été profané, enfreint ittér.). Déb. XVe s. ; p. p. de *violer* + *in-*[2] ; [ɛ̃vjɔle].

**INVISIBILITÉ, subst. f.**
aractère de ce qui est invisible. Mil. XVIe s. ; lat. rét. *invisibilitas* ; [ɛ̃vizibilite].

**INVISIBLE, adj.**
Qui, par essence, ne peut être vu : *L'air est* ***visible.*** **2.** Ext. Qui échappe à la vue : *Un avion* ***visible.*** **3.** Impossible à rencontrer : *Depuis un ois, il est* ***invisible.*** XIIIe s. ; bas lat. *invisibilis* ; vizibl].

**INVITANT, ANTE, adj.**
•ui invite ; qui encourage ou attire (littér.). 1856 ; p. pr. de *inviter* ; [ɛ̃vitɑ̃, ɑ̃t].

**INVITATION, subst. f.**
Action d'inviter ; son résultat. ► Billet d'**invita-** **on.** **2.** Incitation. XIVe s. ; lat. *invitatio* ; [ɛ̃vitasjɔ̃].

**INVITE, subst. f.**
Vx. *Jeux.* Au whist, carte jouée pour faire un appel son partenaire. **2.** Invitation indirecte et adroite faire qqch. 1767 ; ☞ *inviter* ; [ɛ̃vit].

**INVITÉ, ÉE, subst.**
ersonne conviée à une réception, à un repas, à une érémonie. 1786 ; p. p. de *inviter* ; [ɛ̃vite].

**INVITER, verbe trans. [3]**
Prier (qqn), plus ou moins formellement, de venir ı un lieu, d'assister à qqch. ; empl. abs., offrir s consommations (fam.) : *C'est moi qui* ***invite.*** Ext. Engager, inciter : *Je* ***t'invite*** *à réfléchir* ; *Ce* ɜmps ***invite*** *à la sieste.* 1356 ; lat. *invitare* ; [ɛ̃vite].

**IN VITRO, loc. adv. et loc. adj. inv.**
iol. Dans l'éprouvette, en laboratoire (anton. *in* vo) : *Expérience, fécondation* ***in vitro.*** 1877 ; lat. *vitro,* « dans le verre » ; [invitʀo].

**INVIVABLE, adj.**
Où l'on ne peut pas vivre ; très difficile à vivre. Pénible, insupportable (fam.) : *Cet enfant est* ***ıvivable.*** 1927 ; ☞ *vivable* + *in-*[2] ; [ɛ̃vivabl].

**IN VIVO, loc. adv.**
*Biol.* et *Biochim.* Dans l'organisme vivant (anton. *in vitro*). 1901 ; lat. *in vivo,* « dans le vivant » ; [invivo].

**INVOCATION, subst. f.**
Action d'invoquer ; son résultat. ► *Relig. Sous* ***l'invocation*** *de* : sous le patronage de. Fin XIIe s. ; lat. *invocatio* ; [ɛ̃vɔkasjɔ̃].

**INVOCATOIRE, adj.**
Qui sert à invoquer (littér.). Déb. XVIIe s. ; ☞ *invocation* ; [ɛ̃vɔkatwaʀ].

**INVOLONTAIRE, adj.**
**1.** Qui n'est pas volontaire ; qui n'est pas accompli à dessein. **2.** Qui est mêlé à une situation sans le vouloir : *Le complice* ***involontaire*** *d'un vol.* 1361 ; bas lat. *involuntarius* ; [ɛ̃vɔlɔ̃tɛʀ].

**INVOLONTAIREMENT, adv.**
D'une manière involontaire. 1361 ; ☞ *involontaire* ; [ɛ̃vɔlɔ̃tɛʀmɑ̃].

**INVOLUCRE, subst. m.**
*Bot.* Verticille d'organes foliacés (bractées) apparaissant à la base d'une fleur ou d'une inflorescence. 1545 ; lat. *involucrum,* « enveloppe » ; [ɛ̃vɔlykʀ].

**INVOLUTÉ, ÉE, adj.**
*Bot.* Qualifie un organe plan dont la marge est enroulée vers la face supérieure (synon. *involutif*). 1798 ; lat. *involutus,* « enroulé » ; [ɛ̃vɔlyte].

**INVOLUTIF, IVE, adj.**
**1.** *Bot.* Involuté. **2.** *Math. Application* ***involutive*** *f d'un ensemble E dans lui-même* : telle que $f \circ f$ soit l'application identique de E (c'est une bijection de E sur E égale à sa bijection réciproque). **3.** *Méd. Mécanisme* ***involutif*** : involution. 1798 ; lat. *involutus,* « enroulé » ; [ɛ̃vɔlytif, iv].

**INVOLUTION, subst. f.**
**1.** *Bot.* État d'un organe involuté. **2.** *Biol.* Processus évolutif selon lequel, au sein d'une espèce ou d'une population, un organe inutilisé régresse. **3.** *Géom.* Transformation d'un axe, possédant deux points fixes A et B, qui associe à tout point M distinct du milieu O de [A, B] le point M' tel que $\overline{MA} \cdot \overline{M'B} + \overline{M'A} \cdot \overline{MB} = O$. **4.** *Math.* Application involutive. **5.** *Méd.* ► Retour d'un tissu à son état normal : ***L'involution*** *de l'utérus après un accouchement.* ► Diminution d'une tumeur à la suite d'un traitement. ► Régression d'un sujet due au vieillissement. 1314 ; lat. *involutio,* « enroulement » ; [ɛ̃vɔlysjɔ̃].

**INVOQUER, verbe trans. [3]**
**1.** En appeler, par la prière, à (une divinité). **2.** Ext. Implorer : ***Invoquer*** *la clémence du juge.* **3.** Fig. Se fonder sur ; prétexter : ***Invoquer*** *une loi.* Fin XIVe s. ; lat. *invocare* ; [ɛ̃vɔke].

**INVRAISEMBLABLE, adj.**
**1.** Qui n'est pas vraisemblable. **2.** Ext. Extraordinaire ; extravagant (souv. iron.). 1763 ; ☞ *vraisemblable* + *in-*[2] ; [ɛ̃vʀɛsɑ̃blabl].

**INVRAISEMBLANCE, subst. f.**
**1.** Manque de vraisemblance. **2.** Chose invraisemblable. 1763 ; ☞ *vraisemblance* + *in-*[2] ; [ɛ̃vʀɛsɑ̃blɑ̃s].

**INVULNÉRABILITÉ, subst. f.**
Caractère de ce qui est invulnérable. 1732 ; ☞ *invulnérable* ; [ɛ̃vylneʀabilite].

**INVULNÉRABLE, adj.**
**1.** Qui ne peut être blessé ; par ext. : *Une forteresse* ***invulnérable,*** imprenable. **2.** Fig. Qui ne peut être atteint dans son honneur, sa position. 1509 ; lat. *invulnerabilis* ; [ɛ̃vylneʀabl].

**IODATE, subst. m.**
*Chim.* Sel de l'acide iodique : *La formule de l'****iodate*** *de potassium est* $KIO_3$. 1816 ; ☞ *iode* ; [jɔdat].

**IODE, subst. m.**
*Chim.* Élément chimique n° 53 de la table de Mendeleïev (symb. : I) ; masse atomique : 126,904 5 ; point de fusion : 113,5 °C ; point d'ébullition : 184 °C ; masse volumique : 4,93 g/cm³. Corps solide de la famille des halogènes, l'**iode** existe à l'état naturel dans l'eau de mer et s'accumule dans les varechs. Ses sels sont utilisés en photographie et en pharmacie. 1812 ; gr. *iôdês,* « violet » ; [jɔd].

**IODÉ, ÉE, adj.**
**1.** *Chim.* Qui contient de l'iode : *Alcool* ***iodé.*** **2.** Ext. Qui contient des composés **iodés** variés : *L'air* ***iodé*** *des bords de mer.* 1824 ; ☞ *iode* ; [jɔde].

**IODER, verbe trans. [3]**
Additionner d'iode. 1824 ; ☞ *iode* ; [jɔde].

**IODHYDRIQUE, adj. m.**
*Chim.* Qualifie un hydracide résultant d'une combinaison d'iode et d'hydrogène, de formule HI. 1845 ; ☞ *iode* + *-hydrique* ; [jɔdidʀik].

**IODIQUE, adj. m.**
Qualifie un oxacide obtenu par action de l'iode sur l'acide nitrique : *La formule de l'acide* ***iodique*** *est* $HIO_3$. 1812 ; ☞ *iode* ; [jɔdik].

**IODISME, subst. m.**
*Pathol.* Intoxication aiguë ou chronique par l'iode ou par un de ses dérivés. 1855 ; ☞ *iode* ; [jɔdism].

**IODLER, voir JODLER**

**IODOFORME, subst. m.**
*Chim.* et *Pharm.* Composé organique dérivé du méthane ($CHI_3$), utilisé comme antiseptique. 1834 ; ☞ *iode* + *-forme* ; [jɔdɔfɔʀm].

**IODURE, subst. m.**
*Chim.* Nom des sels (métalliques et organiques) de l'acide iodhydrique. 1812 ; ☞ *iode* ; [jɔdyʀ].

**IODURÉ, ÉE, adj.**
Qui contient un iodure : *Solution iodo-****iodurée,*** solution aqueuse d'iode et de iodure de potassium. 1812 ; ☞ *iodure* ; [jɔdyʀe].

**ION, subst. m.**
*Chim.* et *Phys.* Atome ou groupe d'atomes qui, ayant soit gagné soit perdu un ou plusieurs électrons, se trouve porteur d'une charge électrique soit négative (anion) soit positive (cation) : $H^+$ *est l'****ion*** *hydrogène* (il provient d'un atome d'hydrogène ayant perdu son unique électron). 1840 ; angl. *ion,* du gr. *ion,* « allant » ; [jɔ̃].

**IONIEN, IENNE, adj. et subst.**
*Antiq.* De l'Ionie, ancienne province grecque d'Asie Mineure. ► *Philos. École* ***ionienne*** : école créée à Milet v. 590-580 av. J.-C. et illustrée par Thalès, Anaximandre et Anaximène, qui se caractérise par la recherche d'une explication rationnelle du monde. SUBST. MASC. Un des principaux dialectes du grec ancien, parlé en Ionie. 1529 ; topon. *Ionie* ; [jɔnjɛ̃, jɛn].

**IONIQUE (I), adj.**
*Ordre* ***ionique*** ou, empl. subst. masc., ***L'ionique*** : ordre de l'architecture grecque classique, caractérisé en particulier par un chapiteau orné de volutes. Mil. XVIe s. ; lat. *ionicus,* du gr. *iônikos,* « de l'Ionie » ; [jɔnik].

**IONIQUE (II), adj.**
Relatif, propre aux ions. 1903 ; ☞ *ion* ; [jɔnik].

**IONISANT, ANTE, adj.**
Qui entraîne le processus d'ionisation. 1903 ; p. pr. de *ioniser* ; [jɔnizɑ̃, ɑ̃t].

**IONISATION, subst. f.**
*Phys.* et *Chim.* Transformation d'une molécule ou d'un atome en ions. 1895 ; ☞ *ion* ; [jɔnizasjɔ̃].

**IONISER, verbe trans. [3]**
Entraîner l'ionisation de. 1895 ; ☞ *ion* ; [jɔnize].

**IONONE, subst. f.**
*Chim.* Nom commun à plusieurs cétones isomères, utilisées en parfumerie et présentant une forte odeur de violette. 1907 ; gr. *ion,* « violette » ; [jɔnɔn].

**IONOSPHÈRE, subst. f.**
Zone de la haute atmosphère d'une planète (en partic. de la Terre), caractérisée par la présence de particules électrisées (ions et électrons) formées sous l'effet du rayonnement solaire et des rayons cosmiques qui ionisent les gaz. XXe s. ; angl. *ionosphere* ; [jɔnɔsfɛʀ].

**IOTA, subst. m. inv.**
Neuvième lettre de l'alphabet grec ($\iota$, I), correspondant au *i.* ► Loc. *Pas un* ***iota,*** *pas d'un* ***iota*** : rien, en rien. XIIIe s. ; lat. *iota,* du gr. *iôta* ; [jɔta].

**IOTACISME, subst. m.**
*Ling.* **1.** Prononciation fautive du [ʒ] en [j]. **2.** Phénomène propre au grec par lequel une voyelle ou une diphtongue est remplacée par le son [i]. 1803 ; lat. *iotacismus,* du gr. *iotakismos* ; [jɔtasism].

**IOULER, voir JODLER**

**IOURTE, voir YOURTE**

**IPÉCA, subst. m.**
**1.** *Bot.* Plante de la famille des Rubiacées, originaire d'Amérique du Sud. **2.** *Pharm.* Racine de cette plante, riche en alcaloïdes, aux propriétés laxatives et vomitives. 1640 ; apocope de *ipécacuana,* du port. *ipecacuanha,* du tupi-guarani ; [ipeka].

**IPOMÉE, subst. f.**
*Bot.* Plante de la famille des Convolvulacées, représentée notamment par la patate douce, riche en amidon, et par le jalap blanc, dont la racine est purgative. 1803 ; lat. sc. *ipomaea*, du gr. *ips*, « ver », et *homoios*, « semblable » ; [ipɔme].

**IPSÉITÉ, subst. f.**
*Philos.* Caractère de l'être conscient en tant qu'il est lui-même, irréductible à aucun autre. 1840 ; lat. *ipseitas*, de *ipse*, « soi-même » ; [ipseite].

**IPSO FACTO, loc. adv.**
**1.** *Dr.* Par le fait même. **2.** Ext. Automatiquement : *Tout retardataire sera* ***ipso facto*** *éliminé.* 1668 ; loc. lat. ; [ipsofakto].

**Ir, voir IRIDIUM**

**IRAKIEN, IENNE, adj. et subst.**
De l'Iraq. **Subst. masc.** Langue arabe parlée en Iraq. 1846 ; topon. *Iraq* ; var. *iraq(u)ien, ienne* ; [iʀakjɛ̃, jɛn].

**IRANIEN, IENNE, adj. et subst.**
De l'Iran. **Subst. masc.** Groupe de langues indo-européennes en usage en Iran et en Asie centrale. 1840 ; topon. *Iran* ; [iʀanjɛ̃, jɛn].

**IRASCIBILITÉ, subst. f.**
Caractère ou comportement d'une personne irascible. 1370 ; lat. *irascibilitas* ; [iʀasibilite].

**IRASCIBLE, adj.**
Qui se met facilement en colère, irritable ; par ext. : *Caractère* ***irascible.*** 1175 ; lat. *irascibilis* ; [iʀasibl].

**IRE, subst. f.**
Colère (vx ou littér.). Fin xe s. ; lat. *ira* ; [iʀ].

**IRÉNIQUE, adj.**
**1.** *Relig.* Qui cherche à empêcher ou à calmer les conflits religieux : *Un sermon* ***irénique.*** **2.** Anal. Pacifique. 1867 ; lat. eccl. *irenicus*, du gr. *eirênê*, « paix » ; [iʀenik].

**IRÉNISME, subst. m.**
*Relig.* Attitude de tolérance lors de discussions théologiques entre chrétiens de confessions différentes. 1962 ; ☞ *irénique* ; [iʀenism].

**IRIDACÉES, subst. f. plur.**
*Bot.* Famille de plantes herbacées, à bulbes ou à rhizomes, de l'ordre des Liliales, parmi lesquelles on trouve les safrans et les iris. **Au sing.** *Le glaïeul est une* ***iridacée.*** xixe s. ; ☞ *iris* ; [iʀidase].

**IRIDECTOMIE, subst. f.**
*Chir.* Ablation d'un fragment de l'iris de l'œil. 1823 ; ☞ *iris* + *-ectomie* ; [iʀidɛktɔmi].

**IRIDIÉ, ÉE, adj.**
*Chim.* Qui contient de l'iridium : *Platine* ***iridié.*** 1872 ; ☞ *iridium* ; [iʀidje].

**IRIDIEN, IENNE, adj.**
*Anat.* Qui concerne l'iris de l'œil (synon. *irien*). 1860 ; ☞ *iris* ; [iʀidjɛ̃, jɛn].

**IRIDIUM, subst. m.**
*Chim.* Élément n° 77 de la table de Mendeleïev (symb. : Ir) ; masse atomique : 192,2 ; point de fusion : 2 410 °C ; masse volumique : 22,56. C'est un métal brillant de la famille du platine, lourd, difficilement fusible, presque inaltérable. 1805 ; angl. *iridium*, du lat. *iris*, « arc-en-ciel » ; [iʀidjɔm].

**IRIDOLOGIE, subst. f.**
Méthode diagnostique et pratique thérapeutique reposant sur l'observation de l'iris de l'œil. Mil. xxe s. ; formé de *irido-* et de *-logie* ; [iʀidɔlɔʒi].

**IRIS, subst. m.**
**1.** *Minér.* Variété de quartz, de calcédoine, etc., aux reflets irisés. **2.** *Anat.* Membrane circulaire et diversement colorée de l'œil, située entre la cornée et le cristallin, percée d'un orifice central, la pupille, qui joue le rôle d'un diaphragme en se dilatant ou en se rétractant selon que la luminosité est faible ou intense. ▸ Anal. *Phot.* Diaphragme. **3.** *Bot.* Plante herbacée de la famille des Iridacées, à fleurs ornementales odorantes, dont le rhizome est utilisé en pharmacie et dont les pétales, broyés, donnent un colorant vert, utilisé pour l'aquarelle. Déb. xiie s. ; lat. *iris*, du gr. *iris* ; [iʀis].

**IRISATION, subst. f.**
*Opt.* Propriété qu'ont certains corps de décomposer la lumière qui les frappe en des faisceaux de couleurs du spectre lumineux ; par méton., les reflets ainsi produits. 1833 ; ☞ *iriser* ; [iʀizasjɔ̃].

**IRISÉ, ÉE, adj.**
Qui a les couleurs de l'arc-en-ciel : *Des reflets* ***irisés.*** 1783 ; p. p. de *iriser* ; [iʀize].

**IRISER, verbe trans.** [3]
**1.** Produire l'irisation de. **2.** Rendre brillant, chatoyant. 1749 ; ☞ *iris* ; [iʀize].

**IRISH-COFFEE, subst. m.**
Boisson composée de café chaud sucré et de whisky, nappée de crème fraîche battue. 1959 ; angl. *irish coffee*, « café irlandais » ; plur. *irish-coffees* ; [ajʀiʃkɔfi].

**IRITIS, subst. f.**
*Pathol.* Inflammation de l'iris, d'origine infectieuse ou rhumatismale. 1818 ; ☞ *iris* + *-itis* ; [iʀitis].

**IRLANDAIS, AISE, adj. et subst.**
De l'Irlande. **Subst. masc.** Langue celtique appartenant au groupe gaélique, parlée en Irlande. 1567 ; topon. *Irlande* ; [iʀlɑ̃dɛ, ɛz].

**IRONE, subst. f.**
*Chim.* Cétone odorante extraite du rhizome de l'iris, utilisée en parfumerie. 1902 ; ☞ *iris* ; [iʀɔn].

**IRONIE, subst. f.**
**1.** Manière de railler qqn, de tourner qqch. en dérision, par laquelle on dit le contraire de ce que l'on veut faire entendre : *C'est à l'****ironie*** *que commence la liberté* (Hugo). ▸ ***Ironie socratique*** : méthode de discussion prêtée à Socrate, consistant à feindre l'ignorance pour amener l'interlocuteur à constater sa propre ignorance. **2.** Loc. ***Ironie du sort*** : malice du destin, qui paraît s'employer à contrarier, à décevoir une attente. Fin xiiie s. ; lat. *ironia*, du gr. *eirôneia*, « interrogation » ; [iʀɔni].

**IRONIQUE, adj.**
Qui utilise l'ironie ; par méton., qui la dénote : *Sourire* ***ironique*** ; au fig., qui est ou paraît victime de l'ironie du sort. 1521 ; bas lat. *ironicus*, du gr. *eirônikos* ; [iʀɔnik].

**IRONIQUEMENT, adv.**
Avec ironie. Déb. xvie s. ; ☞ *ironique* ; [iʀɔnikmɑ̃].

**IRONISER, verbe intrans.** [3]
Utiliser l'ironie : ***Ironiser*** *sur les déboires d'un ministre.* Mil. xviie s. ; ☞ *ironie* ; [iʀɔnize].

**IRONISTE, subst.**
Personne, en partic. écrivain, qui emploie l'ironie. 1776 ; ☞ *ironie* ; [iʀɔnist].

**IROQUOIS, OISE, adj. et subst.**
Du peuple des Iroquois. **Subst. masc.** Famille de langues parlées par les Iroquois. 1644 ; algonquin *Iri-Akhoiw*, « Vipères », désignation péj. ; [iʀɔkwa, waz].

**IRRADIANT, ANTE, adj.**
**1.** Qui irradie. **2.** Anal. Disposé en rayons qui partent d'un centre : *Rosace* ***irradiante.*** Fin xve s. ; p. pr. de *irradier* ; [iʀ(ʀ)adjɑ̃, ɑ̃t].

**IRRADIATION, subst. f.**
**I. 1.** Émission de rayons, en partic. lumineux, à partir d'un centre : *L'****irradiation*** *du Soleil.* **2.** Fig. Rayonnement : *L'****irradiation*** *de la gloire.* **3.** *Anat.* Disposition en rayons de fibres, de vaisseaux. **4.** *Physiol.* Diffusion de la douleur à partir d'un point précis. **II. 1.** *Phys.* Action d'exposer qqch. à un rayonnement, en partic. à un rayonnement radioactif ; son résultat. **2.** *Méd.* Exposition d'un objet ou d'un organisme à des rayonnements ionisants ; état qui en résulte. 1390 ; bas lat. *irradiatio*, « action de rayonner » ; [iʀ(ʀ)adjasjɔ̃].

**IRRADIER, verbe** [6]
**Trans. 1.** Illuminer par rayonnement ; au fig. : *Elle* ***irradiait*** *une grande sérénité.* **2.** Exposer à des radiations : ***Irradier*** *un organisme* ; empl. adj. : *Une personne* ***irradiée.*** **Intrans.** Rayonner à partir d'une source : *Lumière qui* ***irradie.*** xve s. ; lat. *irradiare*, de *radius*, « piquet ; rayon » ; [iʀ(ʀ)adje].

**IRRAISONNÉ, ÉE, adj.**
Qui n'est pas raisonné, incontrôlé : *Une répulsion* ***irraisonnée.*** 1842 ; ☞ *raisonné* + *in-*[2] ; [iʀ(ʀ)ɛzɔne].

**IRRATIONALITÉ, subst. f.**
Caractère de ce qui n'est pas rationnel. 1812 ; ☞ *irrationnel* ; [iʀ(ʀ)asjɔnalite].

**IRRATIONNEL, ELLE, adj.**
**1.** Vx. Qui n'est pas doué de raison. **2.** Qui est étranger ou contraire à la raison ; illogique, absurde : *Peur* ***irrationnelle.*** ▸ Empl. subst. masc. *On ne peut comprendre l'****irrationnel.*** **3.** *Math.* *Nombre* ***irrationnel*** : nombre réel $a$ tel qu'il n'existe pas d'entiers (rationnels) $p$ et $q$ vérifiant $a \cdot p = q$, c.-à-d. $a \notin \mathbb{Q}$ (par ex., $\sqrt{2}$, $\pi$, e, ln 2 sont **irrationnels**). Fin xive s. ; bas lat. *irrationalis* ; [iʀ(ʀ)asjɔnɛl].

**IRRATTRAPABLE, adj.**
Qui ne peut être rattrapé : *Handicap, erreur* ***irrattrapable.*** 1955 ; ☞ *rattraper* + *in-*[2] ; [iʀ(ʀ)atʀapabl].

**IRRÉALISABLE, adj.**
Qui ne peut être réalisé : *Ambition* ***irréalisab***
1831 ; ☞ *réalisable* + *in-*[2] ; [iʀ(ʀ)ealizabl].

**IRRÉALISÉ, ÉE, adj.**
Qui n'a pas pu s'accomplir ou être réalisé (littér
1842 ; p. p. de *réaliser* + *in-*[2] ; [iʀ(ʀ)ealize].

**IRRÉALISME, subst. m.**
Absence, manque de réalisme : *L'****irréalisme*** *d'*
*projet.* 1907 ; ☞ *irréel* ; [iʀ(ʀ)ealism].

**IRRÉALISTE, adj.**
Qui manque de réalisme ; empl. subst., person
**irréaliste.** 1927 ; ☞ *irréalisme* ; [iʀ(ʀ)ealist].

**IRRÉALITÉ, subst. f.**
Caractère de ce qui est irréel. 1885 ; ☞ *irré*
[iʀ(ʀ)ealite].

**IRRECEVABILITÉ, subst. f.**
*Dr.* Caractère de ce qui est irrecevable. 187
☞ *irrecevable* ; [iʀ(ʀ)əsəvabilite].

**IRRECEVABLE, adj.**
**1.** Inadmissible, inacceptable. **2.** *Dr.* Qualifie u
demande en justice qui ne peut être prise en consid
ration. 1588 ; ☞ *recevable* + *in-*[2] ; [iʀ(ʀ)əsəvab

**IRRÉCONCILIABLE, adj.**
**1.** Sans merci, implacable : *Une jalousie* ***irrécon***
***liable.*** **2.** Qui refuse toute réconciliation. 155
bas lat. *irreconciliabilis* ; [iʀ(ʀ)ekɔ̃siljabl].

**IRRÉCOUVRABLE, adj.**
*Dr.* Qui ne peut être recouvré : *Impôt, créan*
***irrécouvrable.*** 1840 (xve s., irréparable) ; *recouvrab*
(rare) + *in-*[2] ; [iʀ(ʀ)ekuvʀabl].

**IRRÉCUPÉRABLE, adj.**
**1.** Vx. Irrémédiable. **2.** Qui n'est pas récupérab
1386 ; ☞ *récupérable* + *in-*[2] ; [iʀ(ʀ)ekypeʀabl].

**IRRÉCUSABLE, adj.**
Que l'on ne peut récuser. 1552 ; bas lat. *irrecus*
*bilis* ; [iʀ(ʀ)ekyzabl].

**IRRÉDENTISME, subst. m.**
**1.** *Hist.* Mouvement politique, né en Italie apr
1870, qui réclamait le rattachement des territoir
de langue italienne en possession de puissanc
étrangères. **2.** Anal. Tout mouvement nationali
s'inspirant de ce principe. 1890 ; ital. *irredentism*
de *irredento*, « non racheté » ; [iʀ(ʀ)edɑ̃tism].

**IRRÉDENTISTE, adj. et subst.**
Se dit d'un partisan de l'irrédentisme. **Adj.** Relat
propre à l'irrédentisme. 1890 ; ☞ *irrédentism*
[iʀ(ʀ)edɑ̃tist].

**IRRÉDUCTIBILITÉ, subst. f.**
Caractère de ce qui est irréductible. 176
☞ *irréductible* ; [iʀ(ʀ)edyktibilite].

**IRRÉDUCTIBLE, adj.**
**1.** *Sc.* ▸ *Chim.* Que l'on ne peut ramener à s
éléments. ▸ *Math.* *Fraction* ***irréductible*** : fraction p
telle que les entiers $p$ et $q$ n'aient pas d'autre divise
commun que 1 (par ex. 7/15) ; *Polynôme* ***irrédu***
***tible*** *sur un corps K* : polynôme ne pouvant
décomposer en produit de polynômes à coefficier
dans K. ▸ *Pathol.* Que l'on ne peut réduire, remett
en place : *Hernie* ***irréductible.*** **2.** Fig. Qui ne pe
être simplifié ou assimilé à autre chose. ▸ Que l'
ne peut entamer ou soumettre : *Volonté* ***irréductib***
1672 ; ☞ *réductible* + *in-*[2] ; [iʀ(ʀ)edyktibl].

**IRRÉDUCTIBLEMENT, adv.**
De manière irréductible. 1914 ; ☞ *irréductibl*
[iʀ(ʀ)edyktibləmɑ̃].

**IRRÉEL, ELLE, adj.**
**1.** Qui n'existe pas ou qui n'a de réalité qu'ima
naire ; empl. subst. masc., le monde de l'imaginai
**2.** Étrange, qui ne semble pas être réel. **3.** *Gram*
*Mode* ***irréel*** ou, empl. subst. masc., *L'****irréel***
construction ou forme verbale qui exprime u
hypothèse irréalisable dans le passé ou dans
présent (dans la phrase « Si tu étais venu, je m'
serais réjoui », les formes « étais venu » et « sera
réjoui » sont des **irréels**). 1794 ; ☞ *réel* + *in*
[iʀ(ʀ)eɛl].

**IRRÉFLÉCHI, IE, adj.**
**1.** Qui parle, agit sans réflexion. **2.** Dit ou fait sa
réflexion. 1784 ; ☞ *réfléchi* + *in-*[2] ; [iʀ(ʀ)efleʃi].

**IRRÉFLEXION, subst. f.**
Manque de réflexion, étourderie. 1785 ; ☞
*flexion* + *in-*[2] ; [iʀ(ʀ)eflɛksjɔ̃].

**IRRÉFRAGABLE, adj.**
Irrécusable, irréfutable : *Un argument* ***irréfragab***
(vieilli ou littér.). 1470 ; bas lat. *irrefragabilis*,
lat. *refragari*, « voter contre, s'opposer à » ; [iʀ(ʀ)efʀagab

**IRRÉFUTABLE, adj.**
Qui ne peut être réfuté : *Une preuve* ***irréfutable.*** Déb. XVIIIe s. ; bas lat. *irrefutabilis* ; [iʀ(ʀ)efytabl].

**IRRÉFUTABLEMENT, adv.**
De manière irréfutable. 1845 ; ☞ *irréfutable* ; [iʀ(ʀ)efytabləmɑ̃].

**IRRÉGULARITÉ, subst. f.**
**1.** Caractère de ce qui n'est pas régulier, uniforme. **2.** Action irrégulière ; manquement à la loi : *Des* ***irrégularités*** *de gestion.* Mil. XIVe s. ; bas lat. *irregularitas*, « non conformité aux règles » ; [iʀ(ʀ)egylaʀite].

**IRRÉGULIER, IÈRE, adj.**
**1.** Qui ne respecte pas les règles en usage ; qui exerce illégalement une fonction, un droit. ▸ Empl. subst. masc. Soldat n'appartenant pas à l'armée régulière. ▸ *Gramm. Conjugaison* ***irrégulière*** : qui s'écarte du type considéré comme la norme. **2.** Qui n'est pas de forme, d'apparence, de rythme régulier : *Pouls* ***irrégulier.*** ▸ Qui manque de constance ou de ponctualité : *Élève* ***irrégulier.*** 1283 ; bas lat. *irregularis* ; [iʀ(ʀ)egylje, jɛʀ].

**IRRÉGULIÈREMENT, adv.**
De manière irrégulière. Mil. XIVe s. ; ☞ *irrégulier* ; [iʀ(ʀ)egyljɛʀmɑ̃].

**IRRÉLIGIEUX, EUSE, adj.**
Qui n'a pas de religion ou qui conteste les religions ; par méton. : *Des actes, des propos* ***irréligieux***, impies. Déb. XVe s. ; lat. *irreligiosus* ; [iʀ(ʀ)eliʒjø, øz].

**IRRÉLIGION, subst. f.**
Absence de croyance ou de conviction religieuse. 1527 ; lat. *irreligio* ; [iʀ(ʀ)eliʒjɔ̃].

**IRRÉMÉDIABLE, adj.**
À quoi on ne peut remédier : *Une perte* ***irrémédiable*** ; empl. subst. masc., ce sur quoi on ne peut revenir. 1458 ; lat. *irremediabilis* ; [iʀ(ʀ)emedjabl].

**IRRÉMÉDIABLEMENT, adv.**
De manière irrémédiable. Fin XVe s. ; ☞ *irrémédiable* ; [iʀ(ʀ)emedjabləmɑ̃].

**IRRÉMISSIBLE, adj.**
Littér. **1.** Impardonnable, sans rémission possible : *Faute* ***irrémissible.*** **2.** Irréversible : *Échec* ***irrémissible.*** 1234 ; lat. chrét. *irremissibilis* ; [iʀ(ʀ)emisibl].

**IRREMPLAÇABLE, adj.**
Qui ne peut être remplacé ; sans équivalent. 1845 ; ☞ *remplaçable + in-²* ; [iʀ(ʀ)ɑ̃plasabl].

**IRRÉPARABLE, adj.**
**1.** Irrémissible : *Outrage* ***irréparable*** ; empl. subst. masc. : *Commettre l'****irréparable.*** **2.** Qui ne peut être réparé. 1234 ; lat. *irreparabilis* ; [iʀ(ʀ)epaʀabl].

**IRRÉPRESSIBLE, adj.**
Qui ne peut pas être réprimé. 1873 (1845, qui ne doit pas être châtié) ; *répressible* (rare) + *in-²* ; [iʀ(ʀ)epʀesibl].

**IRRÉPROCHABLE, adj.**
Qui ne prête à aucun reproche, à aucune critique. XVe s. ; ☞ *reprocher + in-²* ; [iʀ(ʀ)epʀɔʃabl].

**IRRÉSISTIBLE, adj.**
À qui ou à quoi on ne peut résister : *Une force* ***irrésistible*** ; *Une femme* ***irrésistible.*** 1687 ; ☞ *résistible + in-²* ; [iʀ(ʀ)ezistibl].

**IRRÉSISTIBLEMENT, adv.**
De manière irrésistible. 1701 ; ☞ *irrésistible* ; [iʀ(ʀ)ezistibləmɑ̃].

**IRRÉSOLU, UE, adj.**
**1.** Hésitant, indécis ; empl. subst., personne indécise. **2.** Qui reste sans solution. 1568 ; ☞ *résolu + in-²* ; [iʀ(ʀ)ezɔly].

**IRRÉSOLUTION, subst. f.**
État ou caractère d'une personne irrésolue. 1553 ; ☞ *résolution + in-²* ; [iʀ(ʀ)ezɔlysjɔ̃].

**IRRESPECT, subst. m.**
Manque de respect. 1794 ; ☞ *respect + in-²* ; [iʀ(ʀ)ɛspɛ].

**IRRESPECTUEUX, EUSE, adj.**
Qui n'est pas respectueux ; qui témoigne de l'irrespect : *Une mimique* ***irrespectueuse.*** 1611 ; ☞ *respectueux + in-²* ; [iʀ(ʀ)ɛspɛktɥø, øz].

**IRRESPIRABLE, adj.**
**1.** Dangereux à respirer ; empuanti : *Air* ***irrespirable.*** **2.** Fig. Insoutenable, insupportable : *Ambiance* ***irrespirable.*** 1779 ; ☞ *respirable + in-²* ; [iʀ(ʀ)ɛspiʀabl].

**IRRESPONSABILITÉ, subst. f.**
**1.** *Dr.* État d'une personne qui n'est pas responsable de ses actes : ***Irresponsabilité*** *d'un malade mental.* ***Irresponsabilité*** *du chef de l'État* : privilège en vertu duquel il échappe au contrôle juridictionnel et parlementaire. **2.** Ext. Légèreté, insouciance. 1790 ; ☞ *irresponsable* ; [iʀ(ʀ)ɛspɔ̃sabilite].

**IRRESPONSABLE, adj.**
**1.** *Dr.* Qui n'est pas responsable de ses actes, en raison de son âge, de son état mental ou d'un privilège. **2.** Qui agit sans mesurer les conséquences de ses actes ; empl. subst., personne **irresponsable.** 1786 ; ☞ *responsable + in-²* ; [iʀ(ʀ)ɛspɔ̃sabl].

**IRRÉTRÉCISSABLE, adj.**
Qui ne peut rétrécir : *Un tissu* ***irrétrécissable.*** 1846 ; ☞ *rétrécir + in-²* ; [iʀ(ʀ)etʀesisabl].

**IRRÉVÉRENCE, subst. f.**
Manque de révérence ; par méton., action, parole irrévérencieuse. XIIIe s. ; lat. *irreverentia* ; [iʀ(ʀ)eveʀɑ̃s].

**IRRÉVÉRENCIEUX, EUSE, adj.**
Qui fait preuve d'irrévérence, d'impertinence. 1776 ; ☞ *irrévérence* ; [iʀ(ʀ)eveʀɑ̃sjø, øz].

**IRRÉVERSIBILITÉ, subst. f.**
Caractère de ce qui est irréversible. 1900 ; ☞ *irréversible* ; [iʀ(ʀ)evɛʀsibilite].

**IRRÉVERSIBLE, adj.**
Qui n'est pas réversible : *Processus* ***irréversible*** ; par ext. : *Engagement* ***irréversible,*** définitif. ▸ *Chim.* Qualifie une réaction qui se poursuit jusqu'à son achèvement (synon. *totale*). ▸ *Mécan.* Qui ne transmet un mouvement que dans un seul sens. 1892 ; ☞ *réversible + in-²* ; [iʀ(ʀ)evɛʀsibl].

**IRRÉVERSIBLEMENT, adv.**
De manière irréversible : *On vieillit* ***irréversiblement.*** 1955 ; ☞ *irréversible* ; [iʀ(ʀ)evɛʀsibləmɑ̃].

**IRRÉVOCABILITÉ, subst. f.**
Qualité de ce qui est irrévocable : ***Irrévocabilité*** *d'une donation.* 1534 ; ☞ *irrévocable* ; [iʀ(ʀ)evɔkabilite].

**IRRÉVOCABLE, adj.**
**1.** Qui ne peut être révoqué ; définitif : *Décision* ***irrévocable.*** **2.** Qui ne peut revenir : *Le passé est* ***irrévocable.*** 1357 ; lat. *irrevocabilis* ; [iʀ(ʀ)evɔkabl].

**IRRÉVOCABLEMENT, adv.**
De manière irrévocable : *C'est* ***irrévocablement*** *décidé.* 1266 ; ☞ *irrévocable* ; [iʀ(ʀ)evɔkabləmɑ̃].

**IRRIGABLE, adj.**
Qui peut être irrigué. 1839 ; ☞ *irriguer* ; [iʀigabl].

**IRRIGATEUR, subst. m.**
*Agric.* Dispositif servant à irriguer ; empl. adj. : *Canal* ***irrigateur.*** 1827 ; ☞ *irriguer* ; [iʀigatœʀ].

**IRRIGATION, subst. f.**
**1.** *Agric.* Action d'irriguer des terres. **2.** *Méd.* Apport de liquide à une plaie, à une cavité de l'organisme. ▸ *Physiol.* ***Irrigation*** *sanguine* : distribution du sang dans les tissus par les vaisseaux sanguins. 1507 ; lat. *irrigatio* ; [iʀigasjɔ̃].

© A. Bordes-Explorer

*Irrigation traditionnelle dans une oasis, en Algérie.*

**IRRIGUER, verbe trans.** [3]
**1.** *Agric.* Amener l'eau nécessaire à l'exploitation de (un sol, une région). **2.** *Physiol.* Réaliser l'irrigation de (un tissu, un organe...). 1505 ; lat. *irrigare* ; [iʀige].

**IRRITABILITÉ, subst. f.**
**1.** *Biol.* et *Physiol.* Propriété d'un tissu ou d'un organe vivant qui s'irrite à la moindre agression : ***Irritabilité*** *cutanée.* **2.** Caractère, état d'une personne irritable. 1755 ; lat. *irritabilitas* ; [iʀitabilite].

**IRRITABLE, adj.**
**1.** *Biol.* et *Physiol.* Doué d'irritabilité. **2.** Qui s'irrite, s'énerve facilement. 1755 (1547, qui irrite) ; lat. *irritabilis* ; [iʀitabl].

**IRRITANT, ANTE, adj.**
**1.** Qui agace, exaspère : *Une obstination* ***irritante.*** **2.** Qui provoque une irritation : *Produit* ***irritant*** *pour les yeux.* 1549 ; p. pr. de *irriter* ; [iʀitɑ̃, ɑ̃t].

**IRRITATIF, IVE, adj.**
Qui déclenche une irritation ; qui résulte d'une irritation. 1498 ; ☞ *irriter* ; [iʀitatif, iv].

**IRRITATION, subst. f.**
**1.** État d'une personne irritée, agacée. **2.** *Pathol.* Légère inflammation d'un tissu ou d'un organe. Déb. XIVe s. ; lat. *irritatio* ; [iʀitasjɔ̃].

**IRRITER, verbe trans.** [3]
**1.** Mettre (qqn) dans un état d'agacement, de colère ; empl. pronom. : *Il ne s'****irrite*** *pas facilement.* **2.** *Physiol.* Provoquer l'irritation de (un tissu, une muqueuse). Mil. XIVe s. ; lat. *irritare* ; [iʀite].

**IRRUPTION, subst. f.**
**1.** Invasion soudaine et violente d'un lieu par des ennemis ; par ext. : *L'****irruption*** *des grévistes dans la préfecture.* ▸ *Faire* ***irruption*** *dans un lieu* : y pénétrer brusquement ; au fig. : *Faire* ***irruption*** *dans la vie de qqn.* **2.** Envahissement brutal par un élément naturel : ***Irruption*** *de la mer après la rupture d'une digue.* ▸ Fig. Apparition soudaine : ***Irruption*** *d'une mode.* 1495 ; lat. *irruptio* ; [iʀ(ʀ)ypsjɔ̃].

**ISABELLE, adj. inv.**
Qualifie la robe d'un cheval aux poils café au lait et aux crins noirs ; empl. subst., cheval de cette couleur. 1595 ; prénom esp. *Isabel* ; [izabɛl].

**ISALLOBARE, adj. et subst. f.**
*Météor. Courbe* ***isallobare*** ou, empl. subst. fém., *Une* ***isallobare*** : courbe joignant les points de la Terre où la pression atmosphérique a varié de la même quantité et dans le même sens en un laps de temps déterminé. 1948 ; crois. de *isobare* et du gr. *allos*, « autre » ; [izal(l)ɔbaʀ].

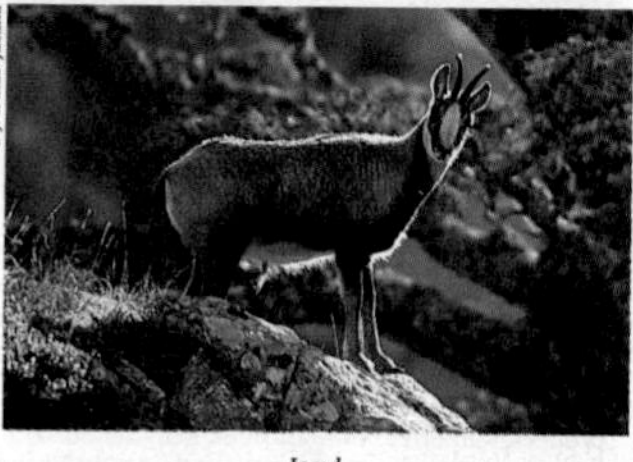

© J. Daffis-Jacana

*Isard.*

**ISARD, subst. m.**
*Zool.* Chamois des Pyrénées. Fin XIVe s. ; ibér. *isard*, p.-ê. du basque *izar*, « étoile » ; [izaʀ].

**ISATIS, subst. m.**
**1.** *Bot.* Plante de la famille des Brassicacées, appelée communément pastel ou guède, aux fleurs jaunes. **2.** Anal. *Zool.* Renard polaire dont la fourrure est brune l'été et blanche l'hiver. 1740 ; lat. *isatis*, du gr. *isatis* ; [izatis].

**ISBA, subst. f.**
Maison en bois de sapin d'Eurasie du Nord, en partic. de Russie. 1669 ; russe *izba* ; var. *izba* ; [izba].

**ISCHÉMIE, subst. f.**
*Pathol.* Insuffisance ou interruption de la circulation sanguine dans une partie du corps. 1832 ; gr. *iskhein*, « arrêter », + *-émie* ; [iskemi].

**ISCHIATIQUE, adj.**
*Anat.* Qui concerne l'ischion : *Une douleur* ***ischiatique.*** 1687 (1542, sciatique) ; ☞ *ischion* ; [iskjatik].

**ISCHION, subst. m.**
*Anat.* Un des trois segments de l'os iliaque, situé à sa partie inféro-postérieure. 1538 ; gr. *iskhion* ; [iskjɔ̃].

**ISENTROPIQUE, adj.**
*Phys.* Qualifie une transformation d'entropie constante. 1903 ; ☞ *entropie + iso-* ; [izɑ̃tʀɔpik].

**ISLAM, subst. m.**
**1.** Religion des musulmans. **2.** ***L'Islam*** : l'ensemble des peuples ayant cette religion ; la civilisation et la culture musulmanes ; le monde musulman. 1697 ; ar. *islām* ; [islam].

ART ET HAUTS LIEUX DE L'ISLAM

© Giraudon

© Giraudon

© Chr. Vioujard-Gamma

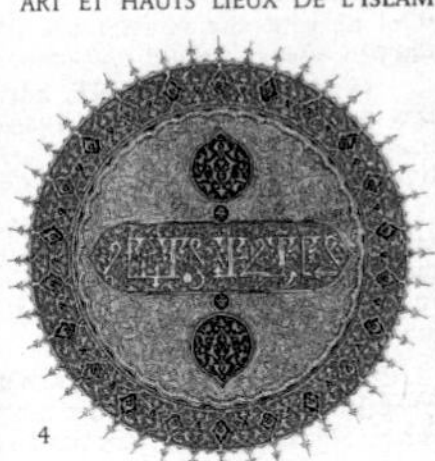

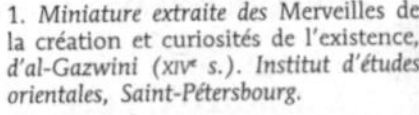

© A. Reffet-Explorer

© M. Lounes-Gamma

1. *Miniature extraite des* Merveilles de la création et curiosités de l'existence, *d'al-Gazwini (XIVe s.). Institut d'études orientales, Saint-Pétersbourg.*

2. Conversation mystique de cheikhs soufis, *miniature de l'art indo-musulman (XVIIe s.). Institut d'études orientales, Saint-Pétersbourg.*

3. *Calligraphies et ornements muraux de l'Alhambra de Grenade (XIIIe-XV[e] s.).*

4. *Médaillon extrait de* Khosro et Shirin, *roman poétique du Persan Nezami (1141-1209). Institut d'études orientales, Saint-Pétersbourg.* © Giraudon

5. *La mosquée de Cheikh Lotfollah, à Ispahan.*

6. *La Ka'ba, cœur de la mosquée de La Mecque, où tout musulman doit accompli[r] une fois dans sa vie un pèlerinage, le hadj*

RELIGION – Se réclamant de la même tradition monothéiste et prophétique que le judaïsme et le christianisme (dont les grandes figures sont mentionnées dans le Coran), l'islam se présente comme la forme ultime et achevée du message révélé aux prophètes antérieurs à Mahomet. Religion du salut, il se caractérise par un monothéisme intransigeant, insistant sur la transcendance et la toute-puissance divines : Dieu, ayant créé l'homme par un acte gratuit, le met au défi de le reconnaître (plutôt que de le connaître) en se soumettant à sa volonté. Sur ces bases, l'islam a développé un système éthico-juridique riche et complexe, fondé sur le Coran, mais plus encore sur la tradition (sunna) du Prophète, documenté par des commentaires (hadith) authentifiés sur ses paroles et ses actes. Parallèlement à cet islam des docteurs de la loi, qui a toujours gardé une légitimité éminente, se sont développées d'autres formes de piété, individuelles ou collectives, accordant une part plus grande à l'affectivité, et dont la plus significative est la mystique (soufisme). L'islam compte aujourd'hui 800 millions de fidèles environ, répartis principalement entre le nord de l'Afrique, le Proche-Orient, le Moyen-Orient, l'Asie centrale, le sous-continent indien et l'Insulinde.

**ISLAMIQUE,** adj.
Relatif, propre à l'islam. 1835 ; ☞ *islam* ; [islamik].

**ISLAMISATION,** subst. f.
Action d'islamiser ; son résultat. 1903 ; ☞ *islamiser* ; [islamizasjɔ̃].

**ISLAMISER,** verbe trans. [3]
Convertir à l'islam (une population, une région) ; empl. adj. : *Pays* ***islamisé.*** 1862 ; ☞ *islam* ; [islamize].

**ISLAMISME,** subst. m.
**1.** Vx. Religion musulmane (synon. *islam*). **2.** *Relig.* et *Pol.* Mouvement intégriste prônant, en terre d'islam, une stricte application des prescriptions de l'islam dans le droit, les institutions, la vie politique. 1697 ; ☞ *islam* ; [islamism].

**ISLAMISTE,** adj. et subst.
ADJ. Relatif ou favorable à l'islamisme. SUBST. Partisan de l'islamisme. 1803 ; ☞ *islamisme* ; [islamist].

**ISLAMOLOGIE,** subst. f.
Discipline ayant pour objet l'étude de l'islam. Mil. XXe s. ; ☞ *islam* + *-logie* ; [islamɔlɔʒi].

**ISLANDAIS, AISE,** adj. et subst.
**1.** D'Islande. **2.** Se dit des marins bretons qui allaient pêcher la morue au large de l'Islande. SUBST. MASC. Langue scandinave parlée en Islande. 1732 ; topon. *Islande* ; [islɑ̃dɛ, ɛz].

**ISMAÉLISME,** subst. m.
Branche du chiisme qui admet Ismaïl comme septième et dernier imam. 1839 ; anthropon. *Ismaïl* ; var. *ismaïlisme* ; [ismaelism].

**ISOBARE,** adj. et subst. f.
*Météor.* Se dit d'une ligne reliant, sur une carte, les points où la pression atmosphérique est identique. ADJ. **1.** *Phys.* Qualifie une transformation au cours de laquelle la pression reste constante. **2.** *Phys. nucl.* Se dit des nucléides qui ont le même nombre de masse mais des numéros atomiques différents. 1863 ; gr. *isobarês*, « de poids égal » ; [izɔbaʀ].

**ISOBATHE,** adj. et subst. f.
*Géogr.* et *Océanogr.* Se dit d'une ligne, d'une courbe reliant les points de profondeur égale, sous terre ou sous l'eau. 1904 ; gr. *isobathês* ; [izɔbat].

**ISOCÈLE,** adj.
*Géom.* Dont deux côtés sont égaux : *Triangle* ***isocèle*** ; *Trapèze* ***isocèle,*** dont les côtés opposés et non parallèles sont égaux. 1542 ; lat. *isosceles*, du gr. *isoskelês*, « ayant deux jambes égales » ; [izɔsɛl].

**ISOCHORE,** adj. et subst. f.
*Phys.* Se dit d'une courbe qui représente une transformation à volume constant. 1948 ; gr. *isokhôros*, « de même quantité » ; [izɔkɔʀ].

**ISOCHROMATIQUE,** adj.
**1.** De couleur uniforme. **2.** *Phot.* Sensible à toutes les couleurs spectrales. 1840 ; ☞ *chromatique* + *iso-* ; [izokʀɔmatik].

**ISOCHRONE,** adj.
**1.** Dont la durée est égale. **2.** *Phys.* Dont la périod[e] est indépendante de l'amplitude du mouvement 1675 ; gr. *isokhronos* ; var. *isochronique* ; [izokʀon]

**ISOCHRONISME,** subst. m.
Caractère de ce qui est isochrone. 1700 ; ☞ *isochrone* ; [izokʀɔnism].

**ISOCLINAL, ALE, AUX,** adj.
*Géomorph. Pli* ***isoclinal*** : dont les flancs son[t] parallèles ; *Style* ***isoclinal*** : où prédominent les pli[s] **isoclinaux.** 1886 ; ☞ *isocline* ; [izoklinal, o].

**ISOCLINE,** adj. et subst. f.
*Géophysique.* Se dit d'une ligne reliant, sur une carte les points de même inclinaison magnétique ADJ. *Math. Courbe* ***isocline*** *d'une famille de courbes* ensemble des points des courbes de la famille pou[r] lesquels la pente de la tangente a une valeur donné[e] 1840 ; gr. *isoklinês*, « qui penche également » [izoklin].

**ISODYNAMIE,** subst. f.
*Physiol.* Équivalence calorique d'apports alimentaires. 1907 (mil. XVIe s., règle des équipollences) ; g[r]. *isodunamia*, « égalité de puissance » ; [izodinami].

**ISODYNAMIQUE,** adj. et subst. f.
*Géophysique.* Se dit d'une ligne reliant les points d[e] la surface ou de l'atmosphère terrestre de même composante horizontale magnétique. ADJ. *Physio[l].* Qualifie des apports alimentaires de même valeu[r] énergétique. 1840 ; gr. *isodunamos*, « de puissance égale » ; var. *isodyname* ; [izodinamik].

**ISOÉDRIQUE,** adj.
*Minér.* À facettes semblables : *Cristal* ***isoédriqu[e]*** 1845 ; formé de *iso-* et de *-èdre* ; [izoedʀik].

**ISOÉLECTRIQUE,** adj.
Se dit d'un corps électriquement neutre. 190[.] ☞ *électrique* + *iso-* ; [izoelɛktʀik].

**ISOÈTE,** subst. m.
*Bot.* Plante herbacée de la famille des Isoétacée[s] à courte tige renflée et à longues feuilles. 181[.] gr. *isoetes*, de *etos*, « année » ; [izɔɛt].

**ISOGAME, adj.**
*l.* Dont le mode de reproduction est l'isogamie. 1904 ; formé de *iso-* et de *-game* ; [izɔgam].

**ISOGAMIE, subst. f.**
*l.* Reproduction sexuée dans laquelle les gamètes les et femelles sont morphologiquement iden-ues. 1904 ; ☞ *isogame* ; [izɔgami].

**ISOGLOSSE, subst. f.**
*g.* Limite géographique entre deux langues, lectes ou usages linguistiques ; empl. adj. : *Lieux glosses.* 1908 ; formé de *iso-* et de *-glosse* ; glɔs].

**ISOGLUCOSE, subst. m.**
ns l'agroalimentaire, glucose issu de l'amidon céréales. XX^e s. ; ☞ *glucose* + *iso-* ; [izoglykoz].

**ISOGONE, adj.**
*Géom.* Dont les angles sont égaux : *Triangles gones.* **2.** *Géophysique. Ligne* **isogone** : reliant, sur e carte, les points de même déclinaison magné-ue. 1682 ; gr. *isogônios* ; var. *isogonal, ale, aux* et *gonique* ; [izogɔn].

**ISOGREFFE, subst. f.**
*l.* et *Méd.* Greffe pratiquée entre individus de la me espèce et histocompatibles. V. 1970 ; *greffe* + *iso-* ; [izogʀɛf].

**ISOHYÈTE, adj. et subst. f.**
*matol.* Se dit d'une ligne, d'une courbe reliant points d'une carte où la pluviosité est la même. 1948 ; gr. *huetos*, « forte pluie », + *iso-*, d'apr. l'angl. *yet* ; [izojɛt].

**ISOHYPSE, adj. et subst. f.**
*ɔgr.* Qualifie ou désigne une courbe de niveau. 1867 ; gr. *isohupsês*, « d'une hauteur égale » ; [izoips].

**ISO-IONIQUE, adj.**
*im.* Qui présente la même quantité d'ions. V. 1960 ; ☞ *ionique* (II) + *iso-* ; plur. *iso-ioniques*, var. *onique, isoïonique* ; [izojɔnik].

**ISOLABLE, adj.**
e l'on peut isoler. 1846 ; ☞ *isoler* ; [izɔlabl].

**ISOLANT, ANTE, adj.**
Qui conduit mal l'électricité, la chaleur ou le : *Corps, matériau* **isolant** ou, empl. subst. masc., **isolant.** **2.** *Ling. Langue* **isolante** : dont les ports grammaticaux sont établis par la place et ton des termes, qui sont morphologiquement ariables. 1789 ; p. pr. de *isoler* ; [izɔlɑ̃, ɑ̃t].

**ISOLAT, subst. m.**
Groupe humain isolé géographiquement, sociale-nt ou culturellement ; par ext. : *Le basque est un lat environné de langues indo-européennes.* **2.** *Biol.* pulation animale ou végétale d'effectif limité ayant pas, ou presque pas, d'échanges géniques c les individus d'autres populations de la même èce. 1947 ; ☞ *isoler* ; [izɔla].

**ISOLATEUR, TRICE, adj. et subst. m.**
*J.* Qui isole. Subst. Support isolant d'un conduc-r d'électricité. 1783 ; ☞ *isoler* ; [izɔlatœʀ, tʀis].

**ISOLATION, subst. f.**
Vx. Solitude. **2.** *Électr.* Action d'isoler un conduc-r. **3.** *Techn.* Protection contre la chaleur, le froid, bruit, etc. **4.** *Psych.* Mécanisme de défense, tout manifeste chez les sujets atteints de troubles sessionnels, qui consiste à séparer une représen-ion, un acte de sa charge affective. 1774 ; *isoler* ; [izɔlasjɔ̃].

**ISOLATIONNISME, subst. m.**
litique d'isolement, de repli sur soi. 1931 ; glo-amér. *isolationism* ; [izɔlasjɔnism].

**ISOLATIONNISTE, adj. et subst.**
*J.* Relatif, favorable à l'isolationnisme. Subst. Par-an de l'isolationnisme. 1938 ; anglo-amér. *isola-nist* ; [izɔlasjɔnist].

**ISOLÉ, ÉE, adj.**
Séparé des êtres ou des choses de même nature : *bre* **isolé** ; par ext. : *Lieu* **isolé**, éloigné de toute bitation. **2.** Détaché de son contexte : *Mot* **isolé**. Unique : *Cas* **isolé** ; rare (gén. au plur.) : *Voix lées.* **4.** Pourvu d'une protection contre le froid, chaleur, le bruit, etc. **5.** *Math. Point* **isolé** *a d'une rtie A d'un espace topologique E* : point *a* de A ssédant un voisinage ne rencontrant A que ivant *a*. **6.** *Phys. Système* **isolé** : qui ne peut rien cevoir de l'extérieur, ni rien lui fournir. Mil. e s. (1575, construit en îlot) ; ital. *isolato*, du lat. *insula*, e » ; [izɔle].

**ISOLEMENT, subst. m.**
État d'une personne, d'un groupe humain isolé : *L'***isolement** *des personnes âgées, d'un village.* **2.** Mise à l'écart d'un malade contagieux, d'un prisonnier. **3.** Situation d'un pays qui n'a pas de relations avec les autres : **Isolement** *économique, diplomatique.* **4.** *Techn.* Isolation. **5.** *Biol.* Procédé utilisé en microbiologie pour obtenir une population homogène (ou clone) d'un micro-organisme unique, dont tous les individus descendent par multiplication asexuée. Ce clone constitue une souche de l'espèce. 1778 (1701, distance séparant une colonne et un pilastre) ; ☞ *isoler* ; [izɔlmɑ̃].

**ISOLÉMENT, adv.**
De manière isolée. 1787 ; ☞ *isolé* ; [izɔlemɑ̃].

**ISOLER, verbe trans.** [3]
**1.** Séparer (qqch., qqn) de ce qui l'entoure : *Relief montagneux qui* **isole** *une région* ; **Isoler** *une citation de son contexte* ; *Sa timidité l'***isole** *des autres* ; empl. abs. : *La souffrance* **isole.** **2.** *Biol.* et *Chim.* **Isoler** *un virus, un corps simple* : les séparer de leur milieu. **3.** *Électr.* Empêcher le passage du courant entre (des conducteurs) ; mettre hors tension (un circuit). **4.** *Techn.* Procéder à l'isolation de (un local). Pronom. Se mettre à part : *L'animal malade s'***isole.** 1690 (1653, faire une île de) ; ☞ *isolé* ; [izɔle].

**ISOLEUCINE, subst. f.**
*Biochim.* L'un des amino-acides constitutifs des protéines. 1906 ; ☞ *leucine* + *iso-* ; [izoløsin].

**ISOLOGUE, adj.**
*Chim.* Qualifie des composés organiques de même structure mais aux fonctions différentes. 1853 ; ☞ *homologue* + *iso-* ; [izɔlɔg].

**ISOLOIR, subst. m.**
Cabine dans laquelle l'électeur doit s'isoler pour mettre son bulletin de vote dans l'enveloppe. 1914 (1783, siège isolant) ; ☞ *isoler* ; [izɔlwaʀ].

**ISOMÈRE, adj. et subst. m.**
**1.** *Chim.* Se dit de chacune des molécules formées du même nombre d'atomes, identiques mais disposés ou liés différemment : **Isomères** *de constitution*, qui diffèrent en outre par leurs fonctions chimiques ; **Isomères** *optiques*, couple de molécules qui sont l'image en miroir l'une de l'autre. **2.** *Phys. nucl.* Qualifie ou désigne chacun des deux noyaux atomiques qui ont la même masse et le même numéro atomiques, mais dont l'énergie est différente, l'**isomère** dont l'énergie est la plus élevée étant dit métastable. 1834 ; gr. *isomerês*, « pourvu d'une part égale » ; [izɔmɛʀ].

**ISOMÉRIE, subst. f.**
*Chim.* Caractère des molécules isomères : **Isomérie** *nucléaire.* Déb. XIX^e s. ; ☞ *isomère* ; [izɔmeʀi].

**ISOMÉRISATION, subst. f.**
*Chim.* Transformation d'une molécule en un isomère. 1905 ; ☞ *isomère* ; [izɔmeʀizasjɔ̃].

**ISOMÉTRIE, subst. f.**
*Math.* **Isométrie** *d'un espace métrique (E, d) sur un espace métrique (E', d')* : bijection *f* de E sur E' telle que $d'(f(x), f(y)) = d(x, y)$ pour tout couple $(x, y)$ d'éléments de E. Dans le plan euclidien, les translations, rotations, symétries orthogonales sont des **isométries.** Mil. XX^e s. ; formé de *iso-* et de *-métrie* ; [izɔmetʀi].

**ISOMÉTRIQUE, adj.**
**1.** *Math.* Qualifie chacun des deux espaces métriques tels qu'il existe une isométrie de l'un sur l'autre. ▸ *Figures* **isométriques** *dans un espace métrique* : figures dont l'une est l'image de l'autre par une isométrie de l'espace. **2.** *Physiol.* Se dit de la contraction d'un muscle qui ne raccourcit pas ce dernier. 1832 ; formé de *iso-* et de *-mètre*[1] ; [izɔmetʀik].

**ISOMORPHE, adj.**
**1.** *Chim.* Qui a la même structure cristalline. **2.** *Math.* Qualifie chacun des deux ensembles munis d'une même structure algébrique, tels qu'il existe un isomorphisme de l'un sur l'autre pour les lois de composition de cette structure. 1821 ; formé de *iso-* et de *-morphe* ; [izɔmɔʀf].

**ISOMORPHISME, subst. m.**
**1.** *Chim.* Caractère d'un corps isomorphe. **2.** *Math.* Homomorphisme bijectif. 1824 ; ☞ *isomorphe* ; [izɔmɔʀfism].

**ISONIAZIDE, subst. m.**
*Pharm.* Médicament antituberculeux majeur, toujours utilisé associé à d'autres. Mil. XX^e s. ; crois. de *acide isonicotinique* et de *hydrazide* ; [izɔnjazid].

**ISOPET, voir YSOPET**

**ISOPHASE, adj.**
*Techn.* Dont les phases sont isochrones. XX^e s. ; ☞ *phase* + *iso-* ; [izɔfaz].

**ISOPODES, subst. m. plur.**
*Zool.* Ordre de crustacés sans carapace, au corps aplati et aux pattes toutes semblables, gén. marins. Au sing. *Le cloporte est un* **isopode** *terrestre.* 1806 ; formé de *iso-* et de *-pode* ; [izɔpɔd].

**ISOPRÈNE, subst. m.**
*Chim.* Liquide incolore, unité structurelle des terpènes et des caoutchoucs naturels et synthétiques (synon. *méthylbutadiène*). 1878 ; ☞ *propylène* + *iso-* ; [izɔpʀɛn].

**ISOPTÈRES, subst. m. plur.**
*Zool.* Ordre d'insectes à appareil buccal broyeur et à ailes égales. Au sing. *Le termite est un* **isoptère.** 1873 ; formé de *iso-* et de *-ptère* ; [izɔptɛʀ].

**ISOSISTE, adj. et subst. f.**
*Géol.* Se dit d'une courbe reliant, sur une carte, les points où l'intensité d'un séisme donné est la même. 1902 ; gr. *seistos*, « ébranlé », + *iso-* ; var. *isoséiste* ; [izosist].

**ISOSTASIE, subst. f.**
*Géol.* État d'équilibre hydrostatique des masses superficielles de l'écorce terrestre sur les masses profondes à comportement de fluides visqueux. 1900 ; angl. *isostasy*, du gr. *stasis*, « stabilité », + *iso-* ; [izostazi].

**ISOTHERME, adj. et subst. f.**
*Climatol.* Se dit d'une courbe reliant, sur une carte, les points de l'atmosphère, du sol ou du sous-sol ayant la même température moyenne pendant une période donnée. Adj. **1.** *Phys.* Qui s'effectue à température constante (synon. *isothermique*) : *Réaction* **isotherme.** **2.** Qui maintient ou se maintient à température constante : *Boîte* **isotherme.** 1816 ; formé de *iso-* et de *-therme* ; [izɔtɛʀm].

**ISOTONIE, subst. f.**
*Phys.* Équilibre de deux solutions liquides de même concentration séparées par une membrane osmotique. 1902 ; ☞ *isotonique* ; [izotɔni].

**ISOTONIQUE, adj.**
*Phys.* Qualifie des solutions où, à température égale, la pression osmotique est la même. 1897 ; gr. *isotonos*, « également tendu », prob. d'apr. l'all. *isotonisch* ; [izotɔnik].

**ISOTOPE, subst. m.**
*Phys. nucl.* Chacun des nucléides de même numéro atomique mais de masse atomique différente. 1914 ; formé de *iso-* et de *-tope*, d'apr. l'angl. ; [izɔtɔp].

**ISOTOPIQUE, adj.**
Relatif à un isotope. 1914 ; ☞ *isotope* ; [izɔtɔpik].

**ISOTRON, subst. m.**
*Phys. nucl.* Type particulier de spectromètre de masse. Mil. XX^e s. ; ☞ *cyclotron* + *iso-* ; [izɔtʀɔ̃].

**ISOTROPE, adj.**
*Phys.* Qualifie un milieu aux propriétés physiques identiques dans toutes les directions (anton. *anisotrope*). 1840 ; formé de *iso-* et de *-trope* ; [izɔtʀɔp].

**ISOTROPIE, subst. f.**
*Phys.* Propriété d'un milieu isotrope. 1890 ; ☞ *isotrope* ; [izɔtʀɔpi].

**ISRAÉLIEN, IENNE, adj. et subst.**
D'Israël : *L'armée* **israélienne.** 1948 ; topon. *Israël* ; [isʀaeljɛ̃, jɛn] ou [iz-].

**ISRAÉLITE, adj. et subst.**
**1.** De l'Israël biblique. **2.** Juif. 1458 ; lat. chrét. *Israelita*, de l'hébreu *yisrᵉ'ēlī* ; [isʀaelit].

**ISSANT, ANTE, adj.**
*Hérald.* Qualifie une figure d'animal dont on ne voit que le buste. 1561 ; *issir* (vx), « sortir » ; [isɑ̃, ɑ̃t].

**ISSU, UE, adj. et subst. f.**
Adj. Qui provient de : *Il est* **issu** *de la bourgeoisie* ; *Révolte* **issue** *d'une crise.* Subst. **1.** Sortie : **Issue** *de secours* ; *Voie sans* **issue**, impasse. **2.** Fig. Échappatoire : *Trouver une* **issue** *à une difficulté* ; par ext., aboutissement : *L'***issue** *d'un conflit syndical* ; *L'***issue** *fatale*, la mort. ▸ Loc. prép. *À l'***issue** *de* : à la fin de. Subst. plur. **1.** *Agric.* Sous-produits de la mouture des céréales. **2.** *Bouch.* Abats et parties non consommables des animaux. XII^e s. ; *issir* (vx), « sortir » ; [isy].

**ISTHME, subst. m.**
**1.** *Anat.* Partie rétrécie d'un organe : **Isthme** *de l'utérus.* **2.** *Géogr.* Langue de terre étroite séparant deux mers et réunissant deux terres : **Isthme** *de Panamá.* Mil. XIII^e s. ; lat. *isthmus*, du gr. *isthmos* ; [ism].

**ITALIANISANT, ANTE,** subst. et adj.
**1.** Se dit d'un artiste inspiré par l'art italien. **2.** Se dit d'un spécialiste de la langue et de la culture italiennes. 1908 ; p. pr. de *italianiser* ; [italjanizɑ̃, ɑ̃t].

**ITALIANISER,** verbe trans. [3]
Donner un caractère italien à. Mil. XVIe s. ; ☞ *italien* ; [italjanize].

**ITALIANISME,** subst. m.
**1.** Expression propre à l'italien empruntée par une autre langue. **2.** Goût pour ce qui vient d'Italie. 1578 ; ☞ *italien* ; [italjanism].

**ITALIEN, IENNE,** adj. et subst.
D'Italie. ▸ Loc. **À l'italienne.** À la manière **italienne** : *Format à l'**italienne***, format d'un livre dont la page imprimée est plus large que haute. SUBST. MASC. Langue romane parlée principalement en Italie. Mil. XIIIe s. ; topon. *Italie* ; [italjɛ̃, jɛn].

**ITALIQUE,** adj. et subst.
**I.** De l'Italie antique. SUBST. MASC. Groupe de langues antiques comprenant notamment le latin. **II.** ADJ. et SUBST. MASC. *Typogr.* Se dit d'un caractère penché vers la droite, créé par l'Italien Alde Manuce. 1488 ; lat. *italicus* ; [italik].

**ITEM (I),** adv.
*Comm.* De même ; par ext., en outre. 1279 ; mot lat. ; [itɛm].

**ITEM (II),** subst. m.
**1.** *Ling.* Élément minimal d'un système de signes, considéré comme terme particulier : ***Item** lexical.* **2.** *Psychol.* Élément d'un test, question. 1948 ; angl. *item*, « élément », du lat. *item*, « de même » ; [itɛm].

**ITÉRATIF, IVE,** adj.
**1.** Qui est répété à plusieurs reprises. **2.** *Ling.* Fréquentatif. 1403 ; bas lat. *iterativus* ; [iteʀatif, iv].

**ITÉRATION,** subst. f.
**1.** Répétition. **2.** *Math.* Répétition d'un calcul, dans la méthode de résolution par approximations successives. **3.** *Psych.* Répétition machinale d'un geste ou d'une parole. 1488 ; lat. *iteratio* ; [iteʀasjɔ̃].

**ITHYPHALLIQUE,** adj.
Qui présente ou évoque un phallus en érection : *Une statue de Shiva **ithyphallique**.* 1544 ; lat. *ithyphallus*, du gr. *ithuphallos*, « pénis en érection » ; [itifalik].

**ITINÉRAIRE,** subst. m. et adj.
SUBST. Route à suivre ou suivie pour aller d'un lieu à un autre. ADJ. *Topogr. Mesures **itinéraires*** : servant à évaluer les distances. 1351 ; bas lat. *itinerarium*, « récit de voyage » ; [itineʀɛʀ].

**ITINÉRANT, ANTE,** adj.
**1.** Qui se déplace pour accomplir son métier, sa mission : *Moine **itinérant** ; Théâtre **itinérant*** ; empl. subst., personne **itinérante**. **2.** *Géogr. Culture **itinérante*** : mode de culture tropical dans lequel l'épuisement des sols est pallié par le déplacement des zones cultivées. 1873 ; angl. *itinerant*, du lat. *itinerans*, « qui voyage » ; [itineʀɑ̃, ɑ̃t].

**ITOU,** adv.
Aussi, pareillement (fam.). 1665 ; prob. anc. fr. *ato(u)t*, « avec », d'apr. *itel*, « tel » ; [itu].

**IULE,** subst. m.
**1.** *Zool.* Arthropode de la famille des Iulidés, au corps cylindrique, noir et luisant, qui s'enroule en spirale quand on le touche (synon. *mille-pattes*). **2.** *Bot.* Chaton de certaines fleurs. 1611 ; lat. *iulus*, du gr. *ioulos* ; [jyl].

© D. Cauchoix-Jacana

*Iules.*

**IVE,** subst. f.
*Bot.* Plante, aussi appelée ivette ou petit if, à fleurs jaunes très parfumées. XVe s. ; ☞ *if* ; [iv].

**IVOIRE,** subst. m.
**1.** Matière dure, blanche et de grain fin, constitutive des défenses de l'éléphant et de quelques autres mammifères, considérée comme précieuse (son commerce est maintenant interdit) ; empl. adj. i de la couleur de l'**ivoire**. **2.** Méton. Objet fait **ivoire**. **3.** *Anat.* Partie dure des dents des mam fères. Mil. XIIe s. ; lat. *eboreus*, « d'ivoire » ; [ivw

**IVOIRERIE,** subst. f.
**1.** Art de l'ivoirier. **2.** Ensemble d'objets en ivo XVIIe s. ; ☞ *ivoire* ; [ivwaʀʀi].

**IVOIRIER, IÈRE,** subst.
Sculpteur d'ivoire. 1322 ; ☞ *ivoire* ; [ivwaʀje,

**IVOIRIN, INE,** adj. et subst. f.
ADJ. Qui a la blancheur, le poli de l'ivoire (syn *éburnéen*) : *Peau **ivoirine***. SUBST. Matière imit l'ivoire. Déb. XIIe s. ; ☞ *ivoire* ; [ivwaʀɛ̃, in].

**IVRAIE,** subst. f.
*Bot.* Plante de la famille des Poacées dont une esp est nuisible aux céréales. ▸ Loc. *Séparer le bon g de l'**ivraie*** : distinguer le bien du mal, les bons méchants, le vrai du faux. Déb. XIIIe s. ; lat. °*ebriaca*, « qui rend ivre » ; [ivʀɛ].

**IVRE,** adj.
**1.** Qui est troublé par les effets de l'alcool (syn *soûl*) : ***Ivre** mort*, à ne plus pouvoir bouger. **2.** **Ivre de.** Transporté par (un sentiment violen *Ivre de joie, de fureur.* Mil. XIIe s. ; lat. *ebrius* ; [

**IVRESSE,** subst. f.
**1.** État d'une personne qui est ivre (synon. *ébriét* *Conduite en état d'**ivresse***. **2.** Fig. Exaltatio *L'**ivresse** du pouvoir.* Déb. XIIe s. ; ☞ *ivre* ; [iv

**IVROGNE, ESSE,** adj. et subst.
Se dit d'une personne qui s'enivre fréquemm Fin XIIe s. ; lat. pop. °*ebrionia*, « ivresse » ; [ivʀɔɲ,

**IVROGNERIE,** subst. f.
Habitude de s'enivrer. 1538 ; ☞ *ivrogne* ; [ivʀɔ

**IWAN,** subst. m.
*Archit.* Porche ouvrant sur la cour, dans certa mosquées. Persan *eyvān* ; [iwan].

**IXIA,** subst. f.
*Bot.* Plante herbacée à rhizome ou à bulbe, de famille des Iridacées. 1627 ; lat. *ixia*, du gr. « carline » ; var. *ixie* ; [iksja].

**IXODE,** subst. m.
*Zool.* Acarien de la famille des Ixodidés, appelé a tique ou ricin, parasite externe suceur de sang Vertébrés. 1795 ; lat. sc. *ixodes*, du gr. *ixō* « gluant » ; [iksɔd].

**IZBA,** voir **ISBA**

*Jonque croisant dans le port de Hong Kong.* © Comstock

**J,** subst. m. inv.
. Dixième lettre et septième consonne de l'alhabet, qui précède toujours une voyelle. Elle se ronônce [ʒ], sauf dans les mots empruntés à anglais (par ex. « jean », [dʒin]), à l'allemand par ex. « junker » [juŋkɛʀ]) ou au norvégien (par x. « fjord », [fjɔʀd]). ► Loc. *Jour J* : jour décisif, n partic. pour une opération militaire. **2.** Abrév. t Symb. ► j : jour. ► *Math.* j : racine cubique e l'unité, dans le corps des nombres complexes $j = -\frac{1}{2} + i\frac{\sqrt{3}}{2}$). ► *Phys.* J : joule. [ʒi].

**JABIRU,** subst. m.
*'ool.* Grande cigogne vivant dans les régions ropicales. 1754 ; mot tupi-guarani ; [ʒabiʀy].

**JABLE,** subst. m.
*'echn.* Rainure pratiquée aux extrémités des douves 'un tonneau pour y fixer les fonds ; partie de la ouve débordant le fond d'un tonneau. 1443 397, chanlatte) ; bas lat. *gabulum,* « gibet » ; [ʒabl].

**JABLER,** verbe trans. [3]
*'echn.* Pratiquer un jable dans (une douve, un onneau). 1573 ; ☞ *jable* ; [ʒable].

**JABLOIR,** subst. m.
*'echn.* Rabot servant à jabler. Fin XVIIe s. ; ☞ *jable* ; ar. *une jabloire, une jablière* ; [ʒablwaʀ].

**JABORANDI,** subst. m.
*ot.* Arbuste d'Amérique tropicale, de la famille des utacées, dont les feuilles contiennent des alcaoïdes, notamment de la pilocarpine. 1752 ; upi-guarani *yaborandi* ; [ʒabɔʀɑ̃di].

**JABOT,** subst. m.
. *Zool.* Renflement de l'œsophage de certains iseaux, où les aliments sont ramollis avant d'être igérés ; par ext., poche œsophagienne servant de éservoir à miel chez les abeilles. **2.** *Cost.* Pièce de nousseline ou de dentelle ornant l'ouverture ou le lastron d'une chemise. 1555 ; prélatin °*gaba,* gorge » ; [ʒabo].

**JABOTER,** verbe intrans. [3]
. Bavarder. **2.** En parlant d'un oiseau, pousser son ri en secouant le jabot. 1694 ; ☞ *jabot* ; [ʒabɔte].

**JACARANDA,** subst. m.
*ot.* Arbre d'Amérique tropicale de la famille des ignoniacées, dont le bois est utilisé en ébénisterie. 1614 ; mot brés., du tupi-guarani ; [ʒakaʀɑ̃da].

**JACASSEMENT,** subst. m.
. Bavardage incessant et futile. **2.** Cri de la pie. 1845 ; ☞ *jacasser* ; [ʒakasmɑ̃].

**JACASSER,** verbe intrans. [3]
. Bavarder bruyamment, de façon incessante. . Pousser son cri, en parlant de la pie. 1806 ; rob. *jaquet(t)er* (vx), « crier, en parlant de la pie », d'apr. *gacer* ; [ʒakase].

**JACASSEUR, EUSE,** adj. et subst.
e dit d'une personne qui jacasse (fam. et péj.). 1866 ; ☞ *jacasser* ; [ʒakasœʀ, øz].

**JACÉE,** subst. f.
*ot.* Centaurée de la famille des Astéracées, à fleurs mauves (synon. *tête-de-moineau*). Déb. XIVe s. ; p.-ê. lat. médiév. *jacea,* « menthe » ; [ʒase].

**JACHÈRE,** subst. f.
État d'une terre laissée sans culture afin qu'elle repose, ou pour limiter la production ; par méton., terre en **jachère**. Fin XIIe s. ; lat. médiév. *gascaria,* p.-ê. du gaul. °*gansko,* « branche, charrue » ; [ʒaʃɛʀ].

**JACINTHE,** subst. f.
**1.** Vx. *Joaill.* Hyacinthe. **2.** *Bot.* Plante de la famille des Liliacées, aux fleurs blanches, bleues ou roses, très odorantes. Déb. XIIe s. ; lat. *hyacinthus,* du gr. *huakinthos* ; [ʒasɛ̃t].

**JACK,** subst. m.
*Électr.* Fiche à deux conducteurs coaxiaux, utilisée notamment dans les commutateurs téléphoniques manuels. 1870 ; mot angl. ; [(d)ʒak].

**JACKPOT,** subst. m.
**1.** Combinaison gagnante qui permet de libérer l'argent accumulé dans certaines machines à sous ; par méton., la machine. **2.** Fig. Somme importante vite gagnée. V. 1970 ; angl. *jackpot,* formé de *jack,* « valet », et de *pot,* « récipient » ; [(d)ʒakpɔt].

**JACO,** voir **JACQUOT**

**JACOBÉE,** subst. f.
*Bot.* Astéracée, appelée aussi herbe de Saint-Jacques, aux grandes fleurs jaunes. 1628 ; lat. sc. *jacobaea,* du bas lat. *Jacobus,* « Jacques » ; [ʒakɔbe].

**JACOBIN, INE,** subst. m. et adj.
Subst. **1.** Vx. Dominicain. **2.** *Hist.* Membre du club des Jacobins, société révolutionnaire fondée en 1789 et dominée à partir de 1792 par Robespierre et ses amis ; par ext., partisan d'une république centralisée. Adj. Relatif aux **Jacobins,** au jacobinisme. 1254 ; *rue Saint-Jacques,* à Paris, où s'établit le premier couvent dominicain ; [ʒakɔbɛ̃, in].

**JACOBINISME,** subst. m.
**1.** *Hist.* Doctrine des Jacobins. **2.** Ext. Tendance politique favorable à un État centralisé. 1791 ; ☞ *jacobin* ; [ʒakɔbinism].

**JACOBITE (I),** subst. et adj.
Se dit d'un membre de l'Église **jacobite.** Adj. *Église* ***jacobite*** : Église monophysite de rite syrien, organisée au VIe s. par Jacques Baradée et dont la majeure partie est catholique depuis le XVIIIe s. Fin XIIIe s. ; anthropon. *Jacques Baradée* ; [ʒakɔbit].

**JACOBITE (II),** subst.
*Hist.* Partisan de Jacques II d'Angleterre et des Stuarts. 1690 ; angl. *jacobite,* du bas lat. *Jacobus,* « Jacques » ; [ʒakɔbit].

**JACOBUS,** subst. m. inv.
Monnaie d'or anglaise, frappée sous Jacques Ier. 1622 ; bas lat. *Jacobus,* « Jacques » ; [ʒakɔbys].

**JACOT,** voir **JACQUOT**

**JACQUARD,** subst. m. et adj. inv.
Subst. Métier à tisser mis au point par Jacquard. Adj. *Pull, tricot **jacquard*** ou, empl. subst. masc., *Un **jacquard*** : tricot présentant des motifs géométriques aux couleurs variées. 1834 ; anthropon. *Joseph-Marie Jacquard* ; [ʒakaʀ].

**JACQUELINE,** voir **JAQUELIN**

**JACQUEMART,** voir **JAQUEMART**

**JACQUERIE,** subst. f.
**1.** *Hist. La Jacquerie du Beauvaisis* : soulèvement des paysans contre les seigneurs, en 1358. **2.** Ext. Insurrection paysanne. Fin XIVe s. ; ☞ *jacques* ; [ʒakʀi].

**JACQUES,** subst. m.
**1.** Vx. Paysan (péj.). ► *Hist.* Membre de la Jacquerie. **2.** *Maître **jacques*** : factotum (par allus. à un personnage de *l'Avare* de Molière). **3.** Loc. *Faire le **jacques*** : faire l'imbécile, se conduire stupidement. 1359 ; bas lat. *Jacobus,* « Jacques » ; [ʒɑk].

**JACQUET,** subst. m.
Jeu de table issu du trictrac. 1827 ; p.-ê. *ja(c)quet* (vx), « valet, bouffon » ; [ʒakɛ].

**JACQUIER,** voir **JAQUIER**

**JACQUOT,** subst. m.
*Zool.* Perroquet gris d'Afrique, à queue rouge. 1779 ; prénom *Jacques* ; var. *jaco, jacot* ; [ʒako].

**JACTANCE (I),** subst. f.
Littér. Attitude arrogante et suffisante ; vantardise. Déb. XIIIe s. ; lat. *jactantia* ; [ʒaktɑ̃s].

**JACTANCE (II),** subst. f.
Bavardage (fam.). 1876 ; ☞ *jacter* ; [ʒaktɑ̃s].

**JACTER,** verbe intrans. [3]
Parler (fam.) : ***Jacter** à tort et à travers.* 1821 ; *jaquette* (vx), « pie » ; [ʒakte].

**JACULATOIRE,** adj.
*Relig. Oraison **jaculatoire*** : prière brève et fervente. 1604 ; lat. *jaculari,* « lancer » ; [ʒakylatwaʀ].

**JACUZZI,** subst. m. inv.
Baignoire munie de jets d'eau provoquant des remous. V. 1980 ; mot amér. ; n. déposé ; [ʒakuzi].

**JADE,** subst. m.
*Minér.* Roche métamorphique monominérale très dure, dont la couleur varie du blanc au vert soutenu, utilisée en joaillerie ; par méton., objet d'art en **jade** : *Une collection de très vieux **jades** chinois.* 1633 ; esp. *piedra de la ijada,* « pierre des flancs », les Amérindiens croyant que cette pierre les préservait des coliques néphrétiques ; [ʒad].

*Masque de **jade** maya.*

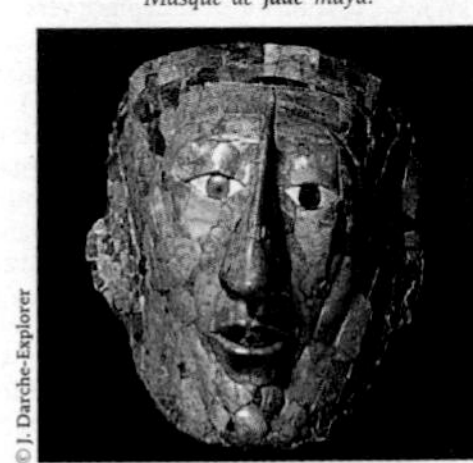

© J. Darche-Explorer

**JADÉITE, subst. f.**
*Pétrogr.* Variété de jade, très fusible. 1873 ; ☞ *jade* ; [ʒadeit].

**JADIS, adv.**
Autrefois (littér.) : *Le Paris de **jadis*** ; empl. adj. : *Le temps **jadis***. Déb. XIIe s. ; anc. fr. *ja a dis*, « il y a déjà des jours » ; [ʒɑdis].

**JAGUAR, subst. m.**
*Zool.* Grand mammifère carnassier de la famille des Félidés, à robe tachetée, vivant en Amérique centrale et du Sud. 1575 ; tupi-guarani *jaguara* ; [ʒagwaʀ].

**JAILLIR, verbe intrans.** [19]
**1.** Sortir avec force, en parlant d'un fluide : *La lave **jaillit** du volcan* ; par anal. : *Des rires **jaillirent***. **2.** Ext. Surgir, poindre : *Les ennemis **jaillissaient** de partout* ; au fig. : *Faire **jaillir** la vérité*. 1552 (déb. XIIe s., lancer) ; p.-ê. lat. pop. °*galire*, du rad. gaul. °*gali-* ; [ʒajiʀ].

**JAILLISSANT, ANTE, adj.**
Qui jaillit. 1694 ; p. pr. de *jaillir* ; [ʒajisɑ̃, ɑ̃t].

**JAILLISSEMENT, subst. m.**
Action, fait de jaillir. 1611 ; ☞ *jaillir* ; [ʒajismɑ̃].

**JAÏN, JAÏNE, adj. et subst.**
*Relig.* Se dit d'un adepte du jaïnisme. **Adj.** Relatif au jaïnisme. 1870 ; skr. *jaina*, « relatif à Jina ; vainqueur » ; var. *djaïn, jaina* (inv.) ; [(d)ʒain].

*Tissu gujerat représentant un moine **jaïn** (v. 1450).*

**JAÏNISME, subst. m.**
Religion de l'Inde dont le principe fondamental est la non-violence, et le but, l'accession de l'âme au nirvana. 1873 ; ☞ *jaïn* ; var. *djaïnisme, jinisme* ; [(d)ʒainism].

**RELIGION** – Apparu au VIe s. av. J.-C. dans l'actuel Bengale, le jaïnisme est, comme le bouddhisme, issu d'un mouvement réformateur du brahmanisme. Sous l'impulsion de son fondateur Vardhamana, dit Jina (« Vainqueur ») ou Mahavira (« Grand Héros »), il croit en l'existence de vingt-quatre personnages saints, les *tīrthaṅkara*, dont le dernier est Mahavira lui-même, et en une voie libératrice à partir de la possession du « triple joyau » (vision, connaissance, conduite droites). Plusieurs chemins sont possibles : hommage aux *tīrthaṅkara*, édification de temples, pèlerinages, méditation sur la doctrine consignée dans un canon, ascétisme. Dans l'ensemble, les règles sont plus rigoureuses que celles du bouddhisme. Le respect de la vie est également poussé à l'extrême. Les jaïns sont donc absolument végétariens et commerçants plutôt qu'agriculteurs. Dès le IIe s. av. J.-C., le jaïnisme s'est déplacé vers l'ouest et le sud de l'Inde. Deux branches distinctes sont nées : celle des Shvetambaras (« vêtus de blanc ») et celle des Digambaras (« vêtus d'air ») – les premiers concentrés à présent au Gujerat et au Rajasthan, les seconds surtout dans le Karnataka. Le jaïnisme a prospéré ensuite jusqu'au tournant du Xe s., menacé dans le Sud par la renaissance de l'hindouisme et dans le Nord par les invasions musulmanes. Contrairement au bouddhisme, cette religion a survécu sur son territoire. Deux mouvements réformateurs importants sont nés, au XVIIe s. (Sthanakvasin) et au XVIIIe s. (Terapanthin). À l'heure actuelle, les jaïns forment une minorité dynamique et influente de la société indienne.

**JAIS, subst. m.**
*Minér.* Variété de lignite de couleur noire à brun-noir. ▸ **De jais.** De la couleur du **jais**, d'un noir profond et brillant : *Des cheveux de **jais***. Déb. XIIe s. ; lat. *gagates*, du gr. *gagates*, « pierre de Gagas (ville d'Asie Mineure) » ; [ʒɛ].

**JALAP, subst. m.**
*Bot.* Plante d'Amérique de la famille des Convolvulacées, à racine purgative ; par méton., cette racine. ▸ *Faux **jalap*** : plante appelée aussi belle-de-nuit. 1640 ; topon. *Jalapa* (Mexique) ; [ʒalap].

**JALE, subst. f.**
Baquet ou seau utilisé par les vendangeurs (région.). XIIe s. ; *jalaie* (vx), « mesure de capacité » ; [ʒal].

**JALON, subst. m.**
**1.** Balise, borne plantée en terre pour déterminer un alignement, marquer une direction ou une limite : ***Jalons** d'arpentage*. ▸ *Topogr. **Jalon**-mire* : **jalon** surmonté d'une mire, permettant d'effectuer des relevés ou des tracés. **2.** Fig. Point de repère (gén. au plur). ▸ Loc. *Poser, planter des **jalons*** : préparer le terrain avant une action. 1690 ; p.-ê. lat. pop. °*galire*, du rad. gaul. °*gali-*, « jaillir » ; [ʒalɔ̃].

**JALONNEMENT, subst. m.**
Action de jalonner ; son résultat. 1840 ; ☞ *jalonner* ; [ʒalɔnmɑ̃].

**JALONNER, verbe trans.** [3]
**1.** Marquer (un terrain, un parcours, etc.) à l'aide de jalons : ***Jalonner** une allée*. ▸ Fig. *Une vie **jalonnée** d'échecs*. **2.** Border, délimiter : *Les cafés qui **jalonnent** la plage*. 1690 ; ☞ *jalon* ; [ʒalɔne].

**JALONNEUR, EUSE, subst.**
Personne qui pose des jalons. **Masc.** *Milit.* Soldat faisant fonction de jalon. 1835 ; ☞ *jalonner* ; [ʒalɔnœʀ, øz].

**JALOUSEMENT, adv.**
De manière jalouse. XIIIe s. ; ☞ *jaloux* ; [ʒaluzmɑ̃].

**JALOUSER, verbe trans.** [3]
Être jaloux de. Fin XIVe s. ; ☞ *jaloux* ; [ʒaluze].

**JALOUSIE (I), subst. f.**
**1.** Inquiétude douloureuse sur la fidélité de l'être aimé ; chagrin de se savoir trompé : *Scène de **jalousie***. ▸ *Psychol.* Désir de possession exclusive de l'autre, dans une relation affective. **2.** Attachement ombrageux à un bien, à un avantage. **3.** Envie, dépit éprouvé devant les avantages d'autrui : *Pâlir de **jalousie***. Fin XIIe s. ; ☞ *jaloux* ; [ʒaluzi].

**JALOUSIE (II), subst. f.**
**1.** Vx. Treillis de métal ou de bois permettant de voir sans être vu. **2.** Volet formé de minces lattes inclinables. 1549 ; ital. *gelosia* ; [ʒaluzi].

**JALOUX, OUSE, adj.**
**1.** Qui souffre de jalousie amoureuse : *Une femme **jalouse*** ; empl. subst. : *Othello est le type même du **jaloux***. **2.** Littér. Vivement attaché (à qqch.) : *Être **jaloux** de sa liberté*. ▸ *Avec un soin **jaloux*** : avec une extrême vigilance. **3.** Envieux : *Être **jaloux** d'un collègue, des succès d'autrui* ; empl. subst. : *Sa promotion fit des **jaloux***. Mil. XIIe s. ; lat. pop. °*zelosus*, « plein d'amour et de prévenance », du gr. *zêlos*, « empressement » ; [ʒalu, uz].

**JAMAIS, adv.**
**I.** Sens positif. Un jour, une fois, à un moment quelconque : *Si **jamais** vous passez, entrez* ; *C'est le plus beau poème que j'aie **jamais** lu*. ▸ Loc. *À **jamais**, à tout **jamais**, pour **jamais*** : pour toujours. **II.** Sens négatif. **1.** Seul, par ell. d'une négation. En nul temps, à aucun moment : *C'est le moment ou **jamais*** ; *Accepterez-vous enfin ? – **Jamais !*** ▸ Loc. proverb. *Mieux vaut tard que **jamais***. **2.** En corrélation avec « ne », « sans ». À aucun moment : *Je ne suis **jamais** venu ici* ; *Il l'a toujours aimée sans **jamais** le lui avouer*. ▸ **Ne... jamais que.** *Il n'a **jamais** fait que travailler* : à aucun moment il n'a fait autre chose ; *Cela ne fait **jamais** que 100 francs de perdus* : cela ne fait après tout que... Fin XIe s. ; anc. fr. *ja mais*, du lat. *jam*, « déjà », et *magis*, « plus » ; [ʒamɛ].

**JAMBAGE, subst. m.**
**1.** *Archit.* Chaque montant vertical encadrant une porte, une fenêtre, une cheminée (synon. *piédroit*) ; pilier, renfort : *Les **jambages** d'un pont*. **2.** Élément vertical de certaines lettres, en partic. du *m*, du *n* et du *u*. 1369 ; ☞ *jambe* ; [ʒɑ̃baʒ].

**JAMBE, subst. f.**
**I. 1.** Chacun des membres des quadrupèdes, en partic. partie inférieure du membre postérieur du cheval ; tibia des insectes. **2.** *Anat.* Partie du memb[re] inférieur de l'homme située entre le genou et [le] pied ; par ext., tout le membre inférieur. **3.** Méto[n.] Partie du pantalon qui recouvre la **jambe**. **4.** Ana[t.] ▸ *Chir.* Prothèse remplaçant le membre amputé : ***Jambe** de bois, articulée*. ▸ *Techn. **Jambes** d'un compa[s]* : ses branches. **5.** Loc. *À toutes **jambes*** : en coura[nt] le plus vite possible ; *Traîner la **jambe*** : marcher av[ec] difficulté. ▸ Fam. *Faire une belle **jambe** à qqn* : [ne] lui servir à rien ; *Par-dessus la **jambe*** : avec désinvo[l]ture ; *Tenir la **jambe** à qqn* : l'importuner par d[es] bavardages ; *Faire des ronds de **jambes*** : des cou[r]bettes. **6.** *Sp. Jeu de **jambes*** : manière de les utilise[r]. **II.** Anal. **1.** *Archit. **Jambe** de force* : pièce de bois q[ui] soutient les extrémités d'une poutre. **2.** *Autom.* Ti[ge] reliant l'essieu au cadre du châssis. **3.** *Aviat. **Jam**[be] de train d'atterrissage* : reliant la cellule de l'avi[on] et la roue du train d'atterrissage. **4.** *Bât. **Jam**[be] étrière* : pilier de renfort dans un mur. Fin XIe s. ; bas lat. *gamba*, « paturon du cheval », du gr. *kamp[ê]*, « articulation du pied du cheval » ; [ʒɑ̃b].

**JAMBETTE, subst. f.**
*Techn.* Petite pièce de bois destinée à renforcer u[n] élément de charpente. Déb. XV[e] s. (XIII[e] s., jam[be] d'une femme) ; ☞ *jambe* ; [ʒɑ̃bɛt].

**JAMBIER, IÈRE, subst. et adj.**
**Subst. fém. 1.** Pièce d'armure qui protégeait [la] jambe. **2.** *Sp.* Partie d'un vêtement, d'un équip[e]ment qui recouvre la jambe. **Subst. masc. 1.** *Bouc[h.]* Pièce de bois servant à maintenir écartées les jamb[es] d'une bête abattue. **2.** *Bât.* Étrier de peintre ou [de] couvreur. **3.** *Anat.* Muscle de la jambe : ***Jambi**[er] antérieur, postérieur*. **Adj.** *Anat.* Relatif à la jamb[e]. Déb. XIIIe s. ; ☞ *jambe* ; [ʒɑ̃bje, jɛʀ].

**JAMBON, subst. m.**
*Alim.* Épaule ou cuisse de porc préparée par cuiss[on] ou salaison. Fin XIIIe s. ; ☞ *jambe* ; [ʒɑ̃bɔ̃].

**JAMBONNEAU, subst. m.**
*Alim.* Partie de l'épaule ou de la jambe d'un po[rc] située au-dessous du genou, cuite et présent[ée] munie de son os. 1606 ; ☞ *jambon* ; [ʒɑ̃bɔn[o]].

**JAMBOREE, subst. m.**
Rassemblement international de scouts. 191[0] angl. *jamboree*, du hindi *jâbori* ; [ʒɑ̃bɔʀe] ou [-ʀi].

**JAMBOSE, subst. f.**
Fruit du jambosier. 1602 ; port. *jambo*, de l'h[in]doustani *jambū* ; var. *jamerose* ; [ʒɑ̃boz].

**JAMBOSIER, subst. m.**
*Bot.* Arbre de la famille des Myrtacées, dont u[ne] espèce produit des fruits comestibles. 178[.] ☞ *jambose* ; var. *jamerosier* ; [ʒɑ̃bozje].

**JAM-SESSION, subst. f.**
Réunion de musiciens de jazz improvisant libreme[nt] (anglic.). 1943 ; anglo-amér. *jam session*, de *ja[m]* « foule », et de *session*, « réunion » ; plur. *jam-session[s]* [dʒamsɛsjɔ̃] ou [-seʃən].

**JAN, subst. m.**
*Jeux.* Coup, au trictrac ; compartiment d'une tab[le] de trictrac ou de jacquet. 1510 ; orig. obsc. ; [ʒɑ̃].

**JANGADA, subst. f.**
*Mar.* Radeau des pêcheurs brésiliens, muni d'u[ne] cabane d'habitation. 1848 ; port. *jangada*, [du] malayalam *caṅṅāṭam* ; [ʒɑ̃gada].

**JANISSAIRE, subst. m.**
*Hist.* Fantassin d'élite de l'Empire ottoman, appa[r]tenant à la garde du sultan. 1457 ; ital. *giannizze[ro]* du turc *yeničeri*, « nouvelle troupe » ; [ʒanisɛʀ].

**JANOTISME, subst. m.**
*Gramm.* Construction syntaxique maladroite do[n]nant à une phrase un sens équivoque. 18[.] (1779, niaiserie) ; *Janot* ou *Jeannot*, nom d'un personna[ge] de sot, au théâtre ; var. *jeannotisme* ; [ʒanɔtism].

**JANSÉNISME, subst. m.**
**1.** *Relig.* Hérésie de Jansénius, soutenant que la grâ[ce] du salut est accordée aux uns et refusée aux autr[es] par prédestination ; mouvement religieux et poli[ti]que inspiré de cette hérésie, qui se développa aux X[VII[e]] et XVIII[e] s., professant un rigorisme moral et nia[nt] le rôle du libre arbitre dans l'économie du salu[t] : *L'abbaye de Port-Royal fut le berceau du **jansénism**[e]*. **2.** Ext. Austérité extrême, puritanisme en matière [de] piété, de morale, d'art. Mil. XVII[e] s. ; anthropo[n.] *Cornelius Jansen*, dit *Jansénius* ; [ʒɑ̃senism].

**RELIGION** – Les théologiens jésuites (Lessius, M[o]lina) défendaient le primat de la liberté humai[ne] face à la grâce du salut accordée à tous de maniè[re] suffisante (*grâce suffisante*). Jansénius, avec l'*Augu[s]tinus* (1640), tient, quant à lui, à un augustinism[e] interprété de manière très pessimiste (nécessité d'une grâce dite *efficace*, individuelle, pour parvenir au salut), et trouve un terrain favorable dans la bourgeoisie parisienne lettrée et dans la noblesse de robe qui se replient sur une piété doloriste et dans une triple opposition : théologique, morale et politique. Les soupçonnant de nourrir une nouvelle « Fronde », Louis XIV ordonne la destruction de l'abbaye de Port-Royal, principal foyer janséniste (1710), et le pape Clément XI, par la bulle *Unigenitus* (1713), porte sur leur doctrine la condamnation définitive. Saint-Cyran, Arnault le Grand, Blaise Pascal (les *Provinciales*) furent les grands chantres, éloquents et austères, du jansénisme. Le mouvement, religieux et intellectuel à la fois, dépérit au XVIIIe siècle.

**JANSÉNISTE, subst. et adj.**
SUBST. **1.** Partisan du jansénisme. **2.** Ext. Personne d'un grand rigorisme. ADJ. Relatif ou favorable au jansénisme : *Un christ **janséniste**,* dont les bras très rapprochés marquent qu'il y aura peu d'élus ; par ext., austère. 1656 ; ☞ *jansénisme* ; [ʒɑ̃senist].

**JANTE, subst. f.**
Anneau de métal ou de bois qui constitue la périphérie d'une roue. Déb. XIIe s. ; lat. pop. °*cambita*, du gaul. °*cambo*, « courbe » ; [ʒɑ̃t].

**JANVIER, subst. m.**
Premier mois de l'année : *Le 1er **janvier** est appelé jour de l'an.* XIe s. ; lat. pop. °*jenuarius*, du lat. *januarius*, de *Janus*, dieu à qui ce mois était dédié ; [ʒɑ̃vje].

**JAPON, subst. m.**
**1.** Porcelaine du Japon : *Une théière en **japon**.* **2.** Papier de luxe, de teinte ivoire, fabriqué à l'origine au Japon : *Une édition originale sur **japon**.* 1723 ; topon. *Japon* ; [ʒapɔ̃].

**JAPONAIS, AISE, adj. et subst.**
Du Japon. SUBST. MASC. Langue parlée au Japon. 1580 ; topon. *Japon* ; [ʒapɔnɛ, ɛz].

**JAPONAISERIE, subst. f.**
Objet d'art, bibelot de style japonais (parfois péj.). 1868 ; ☞ *japonais* ; var. *japonerie* ; [ʒapɔnɛzʀi].

**JAPONISANT, ANTE, subst. et adj.**
SUBST. Spécialiste de la langue et de la civilisation japonaises. ADJ. Influencé par l'art japonais traditionnel. 1935 ; p. pr. de *japoniser* ; [ʒapɔnizɑ̃, ɑ̃t].

**JAPONISER, verbe trans. [3]**
Rendre japonais ; marquer d'une influence japonaise. 1829 ; topon. *Japon* ; [ʒapɔnize].

**JAPONISME, subst. m.**
**1.** Goût pour les objets japonais. **2.** *B.-a.* Influence exercée par les expositions d'estampes japonaises sur des artistes tels que Degas, Monet, Van Gogh, Gauguin et Bonnard. 1876 ; topon. *Japon* ; [ʒapɔnism].

**JAPPEMENT, subst. m.**
Cri aigu d'un animal qui jappe. 1529 ; ☞ *japper* ; [ʒapmɑ̃].

**JAPPER, verbe intrans. [3]**
**1.** Aboyer, en parlant d'un jeune chien. **2.** Pousser son cri, en parlant du chacal. XIIIe s. ; anc. prov. *japar*, d'orig. onomat. ; [ʒape].

**JAPPEUR, EUSE, adj. et subst.**
Se dit d'un animal qui jappe souvent. 1546 ; ☞ *japper* ; [ʒapœʀ, øz].

**JAQUE (I), subst. m.**
*M. Â.* Justaucorps masculin à manches, rembourré aux épaules. 1364 ; prob. *Jacques*, anc. sobriquet donné aux paysans ; [ʒak].

**JAQUE (II), subst. m.**
Fruit du jaquier. Mil. XVIe s. ; du malayalam *cakka* ; [ʒak].

**JAQUELIN, subst. m.**
Cruche de grès à large panse, en usage dans les Flandres. 1640 ; prob. anthropon. *Jacqueline de Bavière* ; var. *une jacqueline* ; [ʒaklɛ̃].

**JAQUEMART, subst. m.**
Automate qui frappe les heures sur le timbre ou la cloche d'une horloge. 1534 ; anc. prov. *jaquomart*, de *Jacques* ; var. *jacquemart* ; [ʒakmaʀ].

**JAQUETTE (I), subst. f.**
**I.** *Cost.* **1.** Vx. Longue blouse ceinturée des hommes du peuple au Moyen Âge. **2.** Veste masculine de cérémonie, cintrée et munie de longs pans ouverts. **3.** Veste de femme ajustée et à basques (vieilli). **II.** *Techn.* Enveloppe thermostatique d'une chaudière. 1374 ; ☞ *jaque* (I) ; [ʒakɛt].

**JAQUETTE (II), subst. f.**
**1.** Chemise en papier, souv. illustrée, qui protège la couverture d'un livre. **2.** *Dent.* Revêtement, gén. en céramique, d'une couronne dentaire. 1951 ; angl. *jacket*, de *jaquette* (I) ; [ʒakɛt].

**JAQUIER, subst. m.**
*Bot.* Arbre de la famille des Moracées, voisin de l'arbre à pain. 1688 ; ☞ *jaque* (II) ; var. *jacquier* ; [ʒakje].

**JAR, subst. m.**
Argot du milieu (argot. et vieilli). 1615 (fin XVe s., bavardage, caquet) ; apocope de *jargon* ; [ʒaʀ].

**JARD, subst. m.**
Banc de sable mêlé de petits cailloux, qui se forme en partic. sur les bords de la Loire (région.). 1694 ; gallo-roman °*carra*, « pierre » ; var. *jar* ; [ʒaʀ].

**JARDIN, subst. m.**
**1.** Terrain, ordinairement clos, où l'on cultive des végétaux à des fins décoratives, utilitaires ou scientifiques : ***Jardin** potager, d'agrément* ; ***Jardin** botanique* ou ***Jardin** des plantes*, destiné à l'étude des végétaux ; ***Jardin** public* ; ***Jardin** d'hiver*, serre aménagée pour la culture des plantes fragiles. ▸ Fig. ***Jardin** secret* : vie intérieure, domaine intime de qqn. ▸ Loc. *Jeter une pierre dans le **jardin** de qqn* : l'attaquer, lui nuire de façon détournée ; *« Il faut cultiver notre **jardin** »* : conclusion du *Candide*, de Voltaire, invitant à agir à sa mesure et selon ses talents, sans se livrer à de vaines spéculations ; ***Le jardin** d'Éden* : le paradis terrestre. ▸ *Théâtre. Côté **jardin*** : côté gauche d'une scène vue du public (anton. *côté cour*). **2.** ***Jardin** d'enfants* : établissement privé accueillant des enfants d'âge préscolaire. Mil. XIIe s. ; prob. gallo-roman °*hortus gardinus*, de l'anc. bas frq. °*gart* ou °*gardo*, « clôture » ; [ʒaʀdɛ̃].

L'ART DU JARDIN

© P. Leroux-Explorer

*Le potager du château de Villandry, reconstitué selon les plans du XVIe s.*

© Callaghan-Explorer

*L'orangerie du château de Versailles, conçue par Jules Hardouin-Mansart en 1684-1686.*

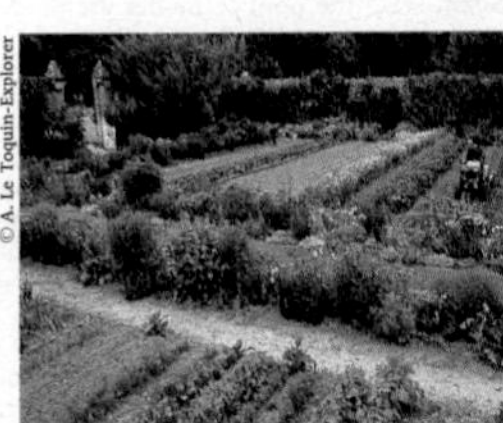
© A. Le Toquin-Explorer

*Jardin alliant cultures potagères, fleurs et arbustes d'ornement.*

© J.-P. Nacivet-Explorer

*L'orangerie et la roseraie du jardin de Bagatelle (XIXe s.), dans le bois de Boulogne.*

© Chr. Vioujard-Gamma

*Le bassin aux nymphéas, conçu par Claude Monet pour le jardin de sa maison, à Giverny.*

© Philippon-Explorer

*Le jardin exotique de Monaco, exclusivement planté de cactacées du Mexique ou d'Afrique australe.*

**CIVILISATION** – L'art des jardins, qui traduit une volonté de représentation du monde, est attesté dès la haute Antiquité (les jardins suspendus de Babylone). Dans le monde musulman, le jardin, plus ou moins clos et intégré à l'architecture, est animé de fontaines, de senteurs et de motifs géométriques (Alhambra de Grenade, jardins moghols). En Extrême-Orient, le jardin chinois est un monde clos, idéalisé, rythmé par l'eau et la rocaille. Le jardin japonais (qui en est issu vers le VI^e s.) est empreint d'harmonie et de symboles ; il peut être extrêmement dépouillé (jardin zen). En Occident, l'art des jardins se développe de façon notable à partir du XVI^e s., donnant naissance à deux grands types de jardins : pittoresques, romantiques, où l'aménagement reconstitue la spontanéité et la variété de la nature (jardin à l'anglaise), et réguliers, dont l'ordonnance géométrique rappelle que la raison a dominé la nature (jardin à la française). Au XIX^e s., le jardin tient dans l'urbanisme un rôle à part entière, qui s'amplifie au XX^e s., avec l'apparition de la notion d'espace vert et avec l'expansion du métier de paysagiste.

**JARDINAGE (I),** subst. m.
**1.** Culture et entretien d'un jardin. **2.** *Sylvic.* Mode d'exploitation d'une futaie consistant à couper certains arbres pour permettre aux autres de se développer. Fin XIV^e s. (1281, ensemble de jardins) ; ☞ *jardin* ; [ʒaʀdinaʒ].

**JARDINAGE (II),** subst. m.
*Joaill.* Opacité d'un diamant, due à la présence d'une substance étrangère ou à une fêlure. 1754 ; ☞ *jardineux* ; [ʒaʀdinaʒ].

**JARDINER,** verbe [3]
**INTRANS.** Cultiver, entretenir un jardin. **TRANS.** *Sylvic.* Procéder au jardinage de (une futaie) ; empl. adj. : *Un bois **jardiné**.* 1600 (fin XIV^e s., avoir une aventure galante) ; ☞ *jardin* ; [ʒaʀdine].

**JARDINERIE,** subst. f.
Grand magasin où l'on vend tout ce qui a trait au jardin, au jardinage. V. 1970 ; ☞ *jardin* ; [ʒaʀdinʀi].

**JARDINET,** subst. m.
Petit jardin. 1267 ; ☞ *jardin* ; [ʒaʀdinɛ].

**JARDINEUX, EUSE,** adj.
Qui présente un défaut, en parlant d'une gemme. 1622 ; anc. bas frq. °*gard*, « épine » ; [ʒaʀdinø, øz].

**JARDINIER, IÈRE,** subst. et adj.
**SUBST.** Personne dont le métier est de cultiver des jardins. **SUBST. FÉM. 1.** Petite voiture de maraîcher (vieilli). **2.** Bac dans lequel on fait pousser des fleurs. **3.** ***Jardinière d'enfants*** : éducatrice dans un jardin d'enfants. **4.** *Cuis.* Garniture composée de divers légumes printaniers coupés en petits morceaux. **5.** *Zool.* Nom vulgaire du carabe doré, de la courtilière et d'autres insectes nuisibles aux jardins. **ADJ.** Relatif aux jardins. ▸ *Sylvic.* ***Exploitation jardinière*** : jardinage. Fin XII^e s. ; ☞ *jardin* ; [ʒaʀdinje, jɛʀ].

**JARGON,** subst. m.
**1.** Vx. Gazouillement des oiseaux. **2.** *M. Â.* Argot. **3.** Langue formée d'éléments hétérogènes ou altérés (synon. *sabir*) : *Parler un **jargon** franco-anglais.* **4.** Langage propre à une profession, à une activité : *Le **jargon** des hommes de loi.* **5.** Langue, discours incompréhensible (péj.). **6.** Cri du jars (rare). Fin XII^e s. ; rad. onomat. *garg-*, « gosier » ; [ʒaʀgɔ̃].

**JARGONAPHASIE,** subst. f.
*Psych.* Trouble du langage caractérisé par une grande volubilité et l'utilisation de termes inintelligibles. 1906 ; formé de *jargon* et de *aphasie* ; [ʒaʀgɔnafazi].

**JARGONNER,** verbe intrans. [3]
**1.** S'exprimer de manière peu compréhensible ; empl. trans. : ***Jargonner** l'allemand.* **2.** Pousser son cri, en parlant du jars ou de l'oie. Déb. XIII^e s. ; ☞ *jargon* ; [ʒaʀgɔne].

**JARNICOTON,** interj.
Juron plaisant (vx). XVI^e s. ; altér. de *je renie Coton* (confesseur d'Henri IV), d'apr. *je renie Dieu* ; [ʒaʀnikɔtɔ̃].

**JAROSSE,** subst. f.
Nom donné dans le Poitou à la gesse cultivée. 1326 ; p.-ê. orig. gaul. ; var. *jarousse* ; [ʒaʀɔs].

**JARRE (I),** subst. f.
Grand vase, gén. en poterie, de forme ovoïde, servant à contenir des liquides, à conserver des denrées périssables. Déb. XIII^e s. ; ar. *ğarra* ; [ʒaʀ].

**JARRE (II),** subst. m.
Poil dur mélangé à la laine ou à la fourrure d'un animal et qui la déprécie (gén. au plur.). 1260 ; anc. bas frq. °*gard*, « épine » ; [ʒaʀ].

**JARRET,** subst. m.
**1.** *Anat.* Partie postérieure du genou humain. ▸ Loc. *Plier les **jarrets*** : faiblir, céder. **2.** Anal. Articulation du membre postérieur des quadrupèdes ; en partic., celle des Équidés, entre la jambe et le canon. **3.** *Bouch.* Morceau de viande correspondant au dessous de l'épaule ou de la cuisse : ***Jarret** de veau, de porc.* **4.** *Archit.* et *Menuis.* Saillie ou bosse venant rompre la continuité d'une courbe. Mil. XII^e s. ; gaul. °*garra*, « jambe » ; [ʒaʀɛ].

**JARRETÉ, ÉE,** adj.
Dont les jarrets convergent l'un vers l'autre, en parlant d'un équidé ; par anal. : *Danseur **jarreté**.* 1694 ; p. p. de *jarreter* ; [ʒaʀte].

**JARRETELLE,** subst. f.
**1.** Ruban élastique d'un porte-jarretelles, muni d'une petite pince qui maintient les bas. **2.** Fixe-chaussette (vieilli). 1892 ; ☞ *jarretière* ; [ʒaʀtɛl].

**JARRETER,** verbe intrans. [14]
*Archit.* et *Menuis.* Former, présenter des jarrets. 1694 ; ☞ *jarret* ; [ʒaʀte].

**JARRETIÈRE,** subst. f.
Ruban élastique placé au-dessus ou au-dessous du genou, qui maintient les bas. ▸ *Hist. Ordre de la **Jarretière*** : créé en 1348 par Édouard III d'Angleterre. Fin XIII^e s. ; ☞ *jarret* ; [ʒaʀtjɛʀ].

**JARS,** subst. m.
Mâle de l'oie domestique. Fin XII^e s. ; prob. anc. bas frq. °*gard*, « épine » ; [ʒaʀ].

**JAS (I),** subst. m.
*Mar.* Pièce (fixe ou mobile) d'une ancre, perpendiculaire à sa verge, et qui permet une bonne prise des pattes sur le fond. 1643 ; mot prov. ; [ʒɑ].

**JAS (II),** subst. m.
Bergerie, dans les Alpes et en Provence (région.). 1840 ; prov. *jas*, du bas lat. °*jacium*, « lieu où l'on gît », du lat. *jacere*, « gésir » ; [ʒɑ] ou [ʒas].

**JASER,** verbe intrans. [3]
**1.** Pousser son cri, en parlant de la pie, du perroquet, etc. **2.** Babiller ; bavarder (vieilli). **3.** Parler de façon indiscrète, trahir un secret. **4.** Médire : *On **jasait** de lui, sur lui.* Déb. XVI^e s. ; prob. rad. onomat. *gas-* ; [ʒɑze].

**JASERAN,** subst. m.
**1.** *Arm.* Cotte de mailles. **2.** *Joaill.* Petit collier à mailles d'or ou d'argent (vieilli). Déb. XII^e s. ; persan *kazāğand*, « jaquette rembourrée » ; var. *jaseron* ; [ʒazʀɑ̃].

**JASEUR, EUSE,** adj. et subst.
Se dit d'une personne qui jase. **SUBST. MASC.** *Zool.* Passereau au plumage brun, qui vit dans les forêts nordiques. 1534 ; ☞ *jaser* ; [ʒazœʀ, øz].

**JASMIN,** subst. m.
**1.** *Bot.* Arbuste de la famille des Oléacées, à fleurs odorantes blanches ou jaunes. **2.** Méton. Les fleurs du **jasmin** ; le parfum qu'on en extrait. 1512 ; ar. *yāsamīn*, du persan *yāsaman* ; [ʒasmɛ̃].

**JASPE,** subst. m.
**1.** *Pétrogr.* Roche siliceuse, gén. veinée, aux couleurs vives (rouge, brun, jaune, etc.). **2.** Objet d'art en jaspe. Déb. XII^e s. ; lat. *iaspis*, du gr. *iaspis* ; [ʒasp].

**JASPÉ, ÉE,** adj.
Qui a l'aspect du jaspe, marbré : *Reliure **jaspée**.* 1552 ; ☞ *jaspe* ; [ʒaspe].

**JASPER,** verbe trans. [3]
Bigarrer, donner l'aspect du jaspe à (une matière, un objet). 1564 ; ☞ *jaspe* ; [ʒaspe].

**JASPINER,** verbe intrans. [3]
Bavarder (fam.). 1718 ; prob. crois. de *jaser* et du dial. *japiner*, « japper, bavarder » ; [ʒaspine].

**JASPURE,** subst. f.
**1.** Action de jasper une reliure ; son résultat. **2.** Aspect jaspé, marbrure. 1557 ; ☞ *jasper* ; [ʒaspyʀ].

**JATTE,** subst. f.
Récipient rond, évasé, sans rebord ; par méton., son contenu. Fin XII^e s. ; lat. *gabata*, « écuelle » ; [ʒat].

**JAUGE,** subst. f.
**I. 1.** Capacité que doit avoir un récipient pour mesurer un liquide ou des grains (vieilli) : *Ce litre n'a pas la **jauge**.* **2.** *Mar.* ***Jauge** brute* : capacité intérieure totale d'un navire de commerce, exprimée autrefois en tonneaux de **jauge** (2,83 m$^3$) et auj. en mètres cubes ; ***Jauge** nette* : capacité de la partie d'un navire réservée aux marchandises et aux passagers (☞ *tonnage*). **3.** *Text.* Unité de mesure déterminant la finesse d'un tissu à mailles. **II. 1.** *Agric.* Cheville qui règle, sur la charrue, le degré de pénétration du soc. ▸ Ext. Sillon provisoire laissé entre la partie labourée et la partie labourable ; tranchée creusée pour conserver les plants à repiquer. **2.** *Mécan.* Instrument étalonné servant à mesurer le contenu ou la capacité d'un réservoir : ***Jauge** d'essence.* **3.** *Techn.* ▸ Instrument servant à mesurer les cotes des pièces, des corps solides, en partic. leurs dimensions intérieures. ▸ Manomètre. ▸ *Robinet de **jauge*** : qui permet de vérifier le niveau d'eau d'un réservoir, d'une chaudière. **4.** *Électr.* ***Jauge** de contrainte* : appareil de mesure utilisant la variation de résistance d'un fil soumis à des sollicitations mécaniques. 1260 ; anc. bas frq. °*galga*, « verge » ; [ʒoʒ].

**JAUGEAGE,** subst. m.
Action de jauger. 1248 ; ☞ *jauger* ; [ʒoʒaʒ].

**JAUGER,** verbe [5]
**TRANS. 1.** Mesurer avec une jauge : ***Jauger** un réservoir* ; déterminer la jauge de : ***Jauger** un navire.* **2.** Fig. Évaluer, apprécier : ***Jauger** un ennemi, une aptitude.* **INTRANS.** *Mar.* Avoir une capacité de : *Ce navire **jauge** 1 700 tonneaux* ; avoir un tirant d'eau de : *Une péniche qui **jauge** 2 mètres.* 1260 ; ☞ *jauge* ; [ʒoʒe].

**JAUGEUR, EUSE,** subst.
*Techn.* Spécialiste du jaugeage. **MASC.** Appareil qui sert à jauger. 1248 ; ☞ *jauger* ; [ʒoʒœʀ, øz].

**JAUMIÈRE,** subst. f.
*Mar.* Ouverture, pratiquée dans la voûte d'un navire, par laquelle passe la mèche du gouvernail. 1667 ; altér. de *heaumière*, de *heaume*, « barre du gouvernail », du m. néerl. *helm* ; [ʒomjɛʀ].

**JAUNÂTRE,** adj.
Qui tire sur le jaune (souv. péj.) : *Teint **jaunâtre** ; Gris **jaunâtre**.* 1530 ; ☞ *jaune* ; [ʒonɑtʀ].

**JAUNE,** adj., subst. et adv.
**ADJ. 1.** Qui est de la couleur située entre le vert et l'orangé dans le spectre solaire : *Les citrons sont **jaunes*** ; empl. inv. : *Robes **jaune** d'or, **jaune** safran.* **2.** Loc. ▸ *La race **jaune*** : race humaine asiatique, caractérisée par la couleur brun pâle de la peau et les yeux bridés. ▸ *Le métal **jaune*** : l'or. ▸ *Télécomm. Pages **jaunes*** : annuaire professionnel. **3.** *Biol. Corps **jaune*** : masse jaunâtre, produite dans l'ovaire après ovulation, qui sécrète la progestérone nécessaire à la gestation si l'ovule a été fécondé. **4.** *Hist.* ▸ *Syndicats **jaunes*** : organisations créées en 1899 contre les syndicats ouvriers (leur insigne était un gland **jaune** et un genêt). ▸ *Étoile **jaune*** (☞ *étoile*). **5.** *Jeux. Nain **jaune*** : jeu de cartes où les mises se font sur un tableau dont la case centrale représente un nain vêtu de **jaune** et tenant un sept de carreau. **6.** *Pathol. Fièvre **jaune*** : maladie infectieuse et contagieuse transmise à l'homme par les moustiques, dans les régions tropicales. **7.** *Sp. Maillot **jaune*** : porté, dans le Tour de France cycliste, par le coureur premier au classement général. **SUBST. MASC. 1.** Couleur jaune : *Le **jaune** des tournesols.* **2.** Matière qui sert à teindre ou à colorer en **jaune** : ***Jaune** de Naples, de Paris... ; **Jaune** de chrome, de cadmium, d'antimoine...* **3.** Partie jaune d'un objet : *Le **jaune** de l'œuf,* la partie centrale (vitellus) de l'œuf d'un oiseau, riche en lipides. **SUBST. 1.** Personne de race **jaune** (péj.). **2.** Membre d'un syndicat **jaune** (vx) ; par ext., personne qui refuse de prendre part à une grève. **ADV.** *Rire **jaune*** : avec contrainte, en dissimulant sa gêne. Fin XI^e s. ; lat. *galbinus*, « vert pâle » ; [ʒon].

**JAUNET, ETTE,** adj. et subst. m.
**ADJ.** Légèrement jaune. **SUBST.** Petite pièce d'or (vieilli et fam.). Mil. XIII^e s. ; ☞ *jaune* ; [ʒonɛ, ɛt].

**JAUNIR,** verbe [19]
**TRANS.** Rendre jaune ; teinter de jaune. **INTRANS.** Devenir jaune. 1213 ; ☞ *jaune* ; [ʒoniʀ].

**JAUNISSANT, ANTE,** adj.
Qui jaunit, qui est en train de jaunir : *Épis de blé **jaunissants**.* Mil. XVI^e s. ; p. pr. de *jaunir* ; [ʒonisɑ̃, ɑ̃t].

**JAUNISSE,** subst. f.
*Pathol.* Ictère. ▸ Loc. *Faire une **jaunisse** de qqch.* ; *En faire une **jaunisse*** : éprouver une vive contrariété à propos de qqch. (fam.). XI^e s. ; ☞ *jaune* ; [ʒonis].

**JAUNISSEMENT,** subst. m.
**1.** Action de jaunir qqch. **2.** Fait de jaunir. 1636 ; ☞ *jaunissant* ; [ʒonismɑ̃].

**JAVA, subst. f.**
**1.** Vx. *Faire la java* : danser en roulant les épaules (argot.) ; par ext., faire la fête (fam.). **2.** Danse de bal musette à trois temps, très populaire au début du XX^e s. ; morceau de musique qui l'accompagne. 1901 ; topon. *Java*, île d'Indonésie ; [ʒava].

**JAVANAIS (I), AISE, adj. et subst.**
De Java. SUBST. MASC. Langue du groupe occidental de la famille malayo-polynésienne, parlée à Java. 1813 ; topon. *Java*, île d'Indonésie ; [ʒavanɛ, ɛz].

**JAVANAIS (II), subst. m.**
Jargon dans lequel on intercale les syllabes *va* ou *av* entre une consonne et une voyelle : *« Gardien » devient « gavardavien » en **javanais**.* Mil. XIX^e s. ; p.-ê. alternance *j'ai/j'avais*, d'apr. *javanais* (I) ; [ʒavanɛ].

**JAVEAU, subst. m.**
Île de sable ou de limon, dans un cours d'eau, résultant d'une crue, de dépôts d'alluvions. 1572 (XIII^e s., monceau de victimes) ; ☞ *javelle* ; [ʒavo].

**JAVEL (EAU DE), subst. f.**
*Eau de Javel* : solution aqueuse d'hypochlorite et de chlorure de sodium servant d'antiseptique et de décolorant ; par ell. : *De la **javel**.* 1830 ; topon. *Javel*, village devenu quartier de Paris ; [od(ə)ʒavɛl].

**JAVELAGE, subst. m.**
*Agric.* **1.** Action de javeler. **2.** Durée de séchage des javelles. 1793 ; ☞ *javeler* ; [ʒav(ə)laʒ].

**JAVELER, verbe [12]**
*Agric.* TRANS. Mettre en javelles. INTRANS. Sécher et jaunir en javelles, en parlant d'une céréale. 1611 (1125, jeter en tas) ; ☞ *javelle* ; [ʒav(ə)le].

**JAVELEUR, EUSE, subst.**
Personne qui javelle des céréales. FÉM. Machine à javeler. 1611 ; ☞ *javeler* ; [ʒav(ə)lœʀ, øz].

**JAVELINE, subst. f.**
Javelot long et léger. 1451 ; ☞ *javelot* ; [ʒavlin].

**JAVELLE, subst. f.**
**1.** Brassée de céréales ou de plantes oléagineuses moissonnée et laissée en tas sur le sillon avant d'être liée en gerbes. **2.** Tas de sel extrait d'un marais salant. Fin XII^e s. ; gaul. °*gabella* ; [ʒavɛl].

**JAVELLISATION, subst. f.**
Stérilisation de l'eau par addition d'eau de Javel. 1916 ; ☞ *Javel (eau de)* ; [ʒavɛlizasjɔ̃].

**JAVELLISER, verbe trans. [3]**
Stériliser (l'eau) avec de l'eau de Javel. 1919 ; ☞ *Javel (eau de)* ; [ʒavɛlize].

**JAVELOT, subst. m.**
**1.** Arme de jet formée d'une hampe courte et d'une pointe en fer. **2.** *Sp.* Instrument de lancer. Mil. XII^e s. ; p.-ê. anglo-saxon °*zafeloc*, d'orig. celt. ; [ʒav(ə)lo].

**JAZZ, subst. m.**
*Mus.* Musique créée par les Noirs américains au début du XX^e s., qui repose sur l'improvisation, sur une façon originale de traiter temps et contretemps (le swing), sur un phrasé souv. ternaire et sur des harmonies mêlant des gammes pentatoniques aux gammes heptatoniques occidentales. 1920 (1918, danse des Noirs américains) ; mot anglo-amér. ; [dʒaz].

© G. Boutin-Explorer

*Formation de jazz dixieland en Louisiane.*

MUSIQUE – Le jazz naît de la fusion du blues avec les musiques populaires qui traversent le sud des États-Unis à la fin du XIX^e s. : ragtime, marches militaires, musiques de saloon, de bal ou d'église... Originaire de la Nouvelle-Orléans, il s'épanouit dans les années vingt à Chicago, puis gagne la côte Est, le reste des États-Unis, l'Europe. Le style Nouvelle-Orléans (1920) repose sur l'improvisation collective, jusqu'à ce que Louis Armstrong affirme la prédominance du soliste. L'ère du swing (années trente) est celle des grands orchestres, ou big bands, et de l'équilibre entre composition et improvisation (Duke Ellington). Le be-bop (début des années quarante) est marqué par la virtuosité instrumentale et les tempos rapides (Charlie Parker, Thelonious Monk). Le cool jazz (1950) se veut simple, malgré des arrangements plus écrits (Miles Davis, Chet Baker). Peu après apparaît le hard-bop, imprégné de soul music. Vers 1960, deux grandes figures du hard-bop, Miles Davis et John Coltrane, jettent les bases du jazz modal. Au même moment, le free jazz revient à l'improvisation collective et ouvre le jazz aux nappes de sons, de bruits, aux musiques du monde (Ornette Coleman, John Coltrane)...

**JAZZ-BAND, subst. m.**
Orchestre de jazz (vieilli). 1918 ; mot anglo-amér. ; plur. *jazz-bands* ; [dʒazbɑ̃d].

**JAZZMAN, subst. m.**
Musicien de jazz. V. 1930 ; mot anglo-amér. ; plur. *jazzmans* ou *jazzmen* ; [dʒazman], plur. [-mɛn].

**JAZZY, adj. inv.**
Relatif ou propre au jazz. V. 1970 ; mot anglo-amér. ; [dʒazi].

**JE, pron. pers. et subst. m. inv.**
PRON. Pronom de la première personne du singulier des deux genres, toujours employé comme sujet : *Je dors ; Dois-je venir ?* SUBST. *Philos.* Sujet connaissant ; le principe auquel l'individu rapporte l'ensemble de ses actes. Fin XI^e s. ; anc. fr. *eo*, du lat. *ego* ; s'élide devant une voyelle ou un *h* muet ; [ʒə].

**JEAN, subst. m.**
**1.** Blue-jean (fam.) ; par méton., toile indigo dont sont faits les **jeans**. **2.** Ext. Pantalon coupé comme un **jean**. 1948 ; anglo-amér. *jeans*, du topon. *Gênes*, ville d'Italie réputée pour ses tissus ; var. *jeans* ; [dʒin].

**JEAN-FOUTRE, subst. m. inv.**
Individu bon à rien, pas fiable (pop.). 1657 ; comp. du prénom *Jean* et de *foutre* ; [ʒɑ̃futʀ].

**JEAN-LE-BLANC, subst. m. inv.**
*Zool.* Circaète. 1555 ; comp. du prénom *Jean* et de *blanc* ; [ʒɑ̃l(ə)blɑ̃].

**JEANNETTE (I), subst. f.**
Planchette montée sur pied, servant au repassage des manches. 1922 ; prénom *Jeannette* ; [ʒanɛt].

**JEANNETTE (II), subst. f.**
Fillette âgée de huit à onze ans appartenant au scoutisme catholique. 1933 ; anthropon. *Jeanne d'Arc* ; [ʒanɛt].

**JEANNOTISME, voir JANOTISME**

**JEANS, voir JEAN**

**JECTISSE, adj. f.**
*Constr.* **1.** *Terres **jectisses*** : remuées ou rapportées. **2.** *Muret en pierres **jectisses*** : en pierres posées à la main. Déb. XIII^e s. ; ☞ *jeter* ; var. *jetisse* ; [ʒɛktis].

**JEEP, subst. f. inv.**
Véhicule tout-terrain à quatre roues motrices. 1944 ; anglo-amér. *jeep*, de *G. P.*, initiales de *general purpose*, « pour tous usages » ; n. déposé ; [dʒip].

**JÉJUNO-ILÉON, subst. m.**
*Anat.* Partie de l'intestin grêle comprise entre le duodénum et le cæcum. 1878 ; crois. de *jéjunum* et de *iléon* ; plur. *jéjuno-iléons* ; [ʒeʒynoileɔ̃].

**JÉJUNUM, subst. m.**
*Anat.* Partie de l'intestin grêle comprise entre le duodénum et l'iléon. Fin XIV^e s. ; lat. méd. *jejunum intestinum*, « intestin à jeun » ; [ʒeʒynɔm].

**JE-M'EN-FICHISME, subst. m.**
Indifférence, insouciance (fam.). 1891 ; ☞ *ficher* (II) ; plur. *je-m'en-fichismes* ; [ʒ(ə)mɑ̃fiʃism].

**JE-M'EN-FOUTISME, subst. m.**
Je-m'en-fichisme (vulg.). 1893 ; ☞ *foutre* ; plur. *je-m'en-foutismes* ; [ʒ(ə)mɑ̃futism].

**JE-NE-SAIS-QUOI, subst. m. inv.**
Chose que l'on ne peut définir ni exprimer avec précision. Fin XIII^e s. ; comp. de *je*, de *ne*, de *savoir* (I) et de *quoi* ; [ʒən(ə)sɛkwa].

**JENNY, subst. f.**
*Techn.* Machine à filer le coton. 1762 ; prénom angl. *Jenny*, « Jeannette » ; [(d)ʒeni].

**JÉRÉMIADE, subst. f.**
Plainte, récrimination persistante. 1738 ; *Jérémie*, prophète des Lamentations ; [ʒeʀemjad].

**JEREZ, voir XÉRÈS**

**JERK, subst. m.**
Danse en vogue à partir de 1965, que l'on exécute en imprimant au corps des mouvements saccadés. V. 1960 ; angl. *jerk*, « secousse, convulsion » ; [dʒɛʀk].

**JÉROBOAM, subst. m.**
Bouteille d'une contenance de 3 litres. 1906 ; angl. *jeroboam*, de *Jeroboam*, roi d'Israël ; [ʒeʀɔbɔam].

**JERRYCAN, subst. m.**
Bidon à essence d'une vingtaine de litres. 1944 ; angl. *Jerry*, surnom donné aux Allemands, et *can*, « récipient » ; var. *jerrican*, *jerricane* ; [(d)ʒeʀikan].

**JERSEY, subst. m.**
**1.** Corsage ou tricot moulant (vieilli). **2.** Tissu tricoté dont toutes les mailles sont identiques sur un même côté : *Une robe en **jersey**.* ▸ *Point de **jersey*** : où l'on fait alterner un rang de mailles à l'endroit et un rang de mailles à l'envers. 1881 (1667, tissu de laine) ; topon. *Jersey*, île anglo-normande ; [ʒɛʀzɛ].

**JÉSUITE, subst. m. et adj.**
SUBST. *Relig.* Membre de la Compagnie de Jésus : *Un collège de **jésuites**.* ADJ. **1.** Qui appartient, qui est relatif à l'ordre des **Jésuites** : *Un missionnaire **jésuite**.* **2.** *Archit.* *Style **jésuite*** : style baroque de la Contre-Réforme. **3.** *Air **jésuite*** : hypocrite (péj.). 1548 ; *Compagnie de Jésus* ; [ʒezɥit].

RELIGION – Fondée par saint Ignace de Loyola en 1534, approuvée par le pape Paul III en 1540, la Compagnie (ou Société) de Jésus est un ordre de clercs réguliers assujettis aux vœux de pauvreté, de chasteté et d'obéissance, en partic. au pape. Son but étant l'apostolat sous toutes ses formes, elle comprit très tôt l'importance de l'enseignement (création de collèges), des missions en Amérique et en Extrême-Orient. Elle prit une part active à la Contre-Réforme et lutta contre le jansénisme. Interdite en divers pays et totalement supprimée en 1773, à cause de ses ingérences dans la haute politique, elle fut restaurée par Pie VII en 1814. Elle reprit alors presque toute son influence sur le monde catholique, notamment dans les domaines théologique et intellectuel.

© Lauros-Giraudon

*« Le père Adam Schaal, **jésuite** missionnaire en Chine », gravure extraite de la* Description [...] de l'empire de la Chine *(1735), de Jean-Baptiste du Halde. Bibliothèque nationale, Paris.*

**JÉSUITIQUE, adj.**
**1.** *Relig.* Propre aux Jésuites. **2.** Hypocrite, retors (péj.). 1599 ; ☞ *jésuite* ; [ʒezɥitik].

**JÉSUITISME, subst. m.**
**1.** Casuistique excessive (attribuée aux jésuites). **2.** Fourberie (péj.). 1622 ; ☞ *jésuite* ; [ʒezɥitism].

**JÉSUS, interj. et subst. m.**
INTERJ. Exprime l'étonnement, l'admiration, la crainte : *Doux **Jésus** !* SUBST. **1.** Représentation de l'Enfant Jésus. **2.** Petit enfant doux. **3.** *Cuis.* Gros saucisson, gén. de porc. **4.** *Papet.* Grand format de papier qui portait le monogramme de Jésus (I. H. S.) : *Du **jésus*** ou, en appos., *Du papier **jésus***, 56 × 72 cm ; *Petit **jésus***, 55 × 70 cm ; *Grand **jésus***, 56 × 76 cm. 1496 ; *Jésus* ; [ʒezy].

**JET (I), subst. m.**
**I. 1.** Action de jeter qqch. dans l'espace ; mouvement de l'objet jeté : ***Jet** de pierres.* ▸ *Arme de **jet*** : pouvant être lancée ou lancer des projectiles, tels le javelot ou l'arc. **2.** Distance parcourue par ce qui est jeté : *À un **jet** de flèche.* **3.** *Mar.* ***Jet** à la mer* : fait de

jeter une partie de la cargaison pour alléger un navire. **4.** *Techn.* Opération par laquelle on fait couler un métal en fusion dans un moule : *Fondre d'un seul* ***jet****,* d'une seule coulée. **5.** Loc. *Écrire d'un seul* ***jet*** : d'une seule traite ; *Premier* ***jet*** : ébauche d'une œuvre, en partic. littéraire. **II. 1.** Mouvement d'un liquide, d'un gaz qui s'échappe avec force : ***Jet*** *de salive, de vapeur.* **2.** ***Jet*** *d'eau* : gerbe d'eau qui retombe dans un bassin. ► Ext. Dispositif d'arrosage : *Laver une voiture au* ***jet*** ; traverse placée au bas d'une fenêtre pour rejeter l'eau de pluie. **3.** Anal. Ce qui jaillit : ***Jet*** *de lumière, de flammes.* **4.** Fig. Flot de paroles. ► Loc. *À* ***jet*** *continu* : de manière ininterrompue. **5.** *Bot.* Pousse nouvelle des végétaux. Mil. XIIe s. ; ☞ *jeter* ; [ʒɛ].

**JET (II), subst. m.**

*Aéron.* Avion à réaction (anglic.). 1957 ; angl. *jet plane*, « avion à jaillissement de gaz » ; [dʒɛt].

**JETABLE, adj.**

Destiné à être jeté. V. 1970 ; ☞ *jeter* ; [ʒ(ə)tabl].

**JETAGE, subst. m.**

*Vétér.* **1.** Écoulement nasal purulent chez les animaux atteints de la morve. **2.** Anal. Sécrétion nasale importante chez l'homme. 1832 (1788, coulage d'un métal) ; ☞ *jeter* ; [ʒ(ə)taʒ].

**JETÉ, ÉE, subst. et adj.**

**Subst. fém. 1.** Construction qui s'avance dans l'eau pour protéger un port, permettre l'accostage des bateaux ou délimiter un chenal. **2.** Anal. Couloir reliant une aérogare, un satellite, à un poste de stationnement d'avion. **Subst. masc. 1.** *Chorégr.* Saut lancé d'une jambe sur l'autre. **2.** Disposition harmonieuse des plis d'une étoffe ; par méton., étoffe brodée qui orne un meuble. **3.** Au tricot, brin, fil jeté sur l'aiguille avant de traverser une maille. **4.** *Sp.* Mouvement de l'haltérophile qui projette verticalement la barre de sa poitrine au bout de ses bras tendus. **Adj.** Fou (fam.). 1362 (1216, distance parcourue par un objet jeté) ; p. p. de *jeter* ; [ʒəte].

La Jetée de Honfleur, *peinture de Raoul Dufy (1877-1953). Musée d'Art moderne de la Ville de Paris.*

**JETER, verbe trans. [14]**

**I. 1.** Envoyer à quelque distance, lancer : ***Jeter*** *une balle, des cailloux.* ► Loc. ***Jeter*** *l'argent par les fenêtres* : le dépenser sans compter ; ***Jeter*** *de l'huile sur le feu* (☞ *huile*) ; ***Jeter*** *l'éponge* (☞ *éponge*). **2.** Laisser tomber : ***Jeter*** *son sac à terre* ; ***Jeter*** *des tracts d'un avion* ; ***Jeter*** *l'ancre.* **3.** Donner en lançant : ***Jeter*** *du grain aux poules* ; au fig. : ***Jeter*** *un défi.* **4.** Mettre au rebut, à la poubelle : ***Jeter*** *ses vieux vêtements.* **5.** Poser avec vivacité : ***Jeter*** *un pull sur ses épaules.* **6.** Mettre en place, établir : ***Jeter*** *un pont* ; ***Jeter*** *des fondations.* **7.** Pousser avec force : ***Jeter*** *qqn dehors* ; ***Jeter*** *un bateau à la côte* ; au fig. : ***Jeter*** *qqn dans l'embarras.* **8.** Fig. Répandre : ***Jeter*** *le trouble, l'effroi.* **II. 1.** Faire mouvoir vivement (une partie de son corps) : ***Jeter*** *la tête en arrière* ; *J'ai* ***jeté*** *mes bras autour de son cou* ; au fig. : ***Jeter*** *un regard.* **2.** Répandre hors de soi, émettre : *Le serpent* ***jette*** *son venin* ; ***Jeter*** *un cri* ; ***Jeter*** *une lueur* ; au fig. : ***Jeter*** *des injures.* ► Loc. *En* ***jeter*** : faire beaucoup d'effet (fam.). **3.** *Bot.* Produire (des bourgeons) ; empl. abs. : *Les arbres commencent à* ***jeter****.* **III. Pronom. 1.** Se laisser tomber : *Se* ***jeter*** *dans le vide, sur son lit.* **2.** Se lancer avec vivacité : *Elle s'est* ***jetée*** *sur moi* ; *Se* ***jeter*** *à genoux* ; au fig. : *Se* ***jeter*** *dans l'action.* **3.** Se déverser, en parlant d'un cours d'eau : *Le Cher se* ***jette*** *dans la Loire.* Fin Xe s. ; lat. pop. °*jectare*, du lat. *jactare* ; [ʒəte].

**JETEUR, EUSE, subst.**

***Jeteur*** *de sort* : personne qui se sert de la magie pour jeter un sort, une malédiction. 1842 (fin XIIe s., celui qui jette) ; ☞ *jeter* ; [ʒ(ə)tœʀ, øz].

**JETISSE, voir JECTISSE**

**JETON, subst. m.**

**1.** Pièce plate et ronde symbolisant une valeur. **2.** Loc. fam. *Faux* ***jeton*** : hypocrite ; *Avoir les* ***jetons*** : avoir peur ; *Prendre un* ***jeton*** : prendre un coup. 1394 (XIIIe s., branche, lignée) ; ☞ *jeter* ; [ʒətɔ̃].

**JET-SET, subst. f.**

Ensemble des personnalités qui composent le milieu de la vie mondaine internationale et qui voyagent souvent en jet (anglic.) V. 1970 ; angl. *jet*, « jet », et *set*, « groupe » ; plur. *jet-sets* ; [dʒɛtsɛt].

**JET-STREAM, subst. m.**

*Météor.* Bande de vent violent (150 à 400 km/h) circulant à env. 10 km d'altitude, aux latitudes tempérées et subtropicales, et utilisée en aéronautique pour optimiser les vols long-courrier (anglic.). 1955 ; angl. *jet stream*, de *jet*, « jaillissement », et de *stream*, « courant » ; plur. *jet-streams*, recomm. off. *courant-jet* ; [dʒɛtstʀim].

**JETTATURA, subst. f.**

Action de jeter un mauvais sort, en Italie du Sud et en Sicile. 1817 ; ital. *iettatura*, altér. de *gettatura*, de *gettare*, « jeter (un sort) » ; [dʒɛtatuʀa].

**JEU, subst. m.**

**I. 1.** Divertissement, activité physique ou intellectuelle visant uniquement au plaisir de celui qui s'y livre : *Le* ***jeu*** *est une activité essentielle pour l'enfant* ; *Inventer un* ***jeu*** ; *Ce* ***jeu*** *n'est plus de son âge.* ► ***Jeu*** *d'esprit* : badinage ; ***Jeu*** *de mots* : allusion plaisante fondée sur une ressemblance de mots. **2.** Anal. Activité assimilée à un **jeu** pour sa facilité : *Ce fut un* ***jeu*** *pour lui de me prouver le contraire* ; *C'est un* ***jeu*** *d'enfant*, c'est facile. **3.** *Litt.* Au Moyen Âge, pièce dramatique ou comique d'une grande variété de tons et de sujets : *« Le* ***Jeu*** *de la Feuillée », d'Adam de la Halle.* **II.** Cette activité, en tant qu'elle est soumise à des règles. **1.** Activité ludique organisée à des fins pédagogiques : ***Jeu*** *éducatif* ; ***Jeux*** *d'entreprise*, méthode d'entraînement, par simulation sur ordinateur, de la gestion d'une entreprise. **2.** Activité ludique faisant appel à l'habileté ou à la vigueur physique et incluant la notion de succès ou d'échec : ***Jeu*** *de colin-maillard* ; ***Jeu*** *de boules, de palet* ; ***Jeu*** *d'équipe* ; ***Jeu*** *d'adresse* ; ***Jeu*** *à XIII*, rugby ; en partic., chacune des divisions d'une partie, au tennis. ► Au plur. Compétitions sportives pratiquées depuis l'Antiquité : ***Jeux*** *du stade, du cirque* ; *Les* ***jeux*** *Isthmiques*, jeux publics chez les Grecs ; *Les* ***jeux*** *Olympiques*, ensemble de compétitions sportives qui se déroulait à Olympie tous les quatre ans et qui, de nos jours, réunit les meilleurs amateurs dans un pays différent à chaque fois. ► Loc. *C'est la règle du* ***jeu*** : c'est la règle établie par convention ; *D'entrée de* ***jeu*** : dès le début ; *Se prendre au* ***jeu*** : prendre un intérêt croissant à qqch. ; *Tirer son épingle du* ***jeu*** : se dégager habilement d'une situation difficile. **3.** Activité, intéressée ou non, fondée sur la réflexion, les connaissances, le calcul, le hasard : ***Jeu*** *de go, d'échecs, de dés* ; ***Jeux*** *radiophoniques, télévisés*, qui permettent à des candidats sélectionnés de remporter des prix ; *Le Loto est un* ***jeu*** *organisé par l'État* ; ***Jeux*** *de hasard*, ensemble des **jeux** (fondés sur la chance) où l'on mise de l'argent (roulette, baccara) ; *Maison de* ***jeu***, établissement où l'on joue légalement à certains **jeux** de hasard. ► *Théorie des* ***jeux*** : théorie mathématique visant à définir le comportement des joueurs par l'analyse de leurs décisions antérieures et de leurs possibilités. ► Méton. Somme engagée dans la partie : *Jouer gros* ***jeu****.* ► Loc. *Les* ***jeux*** *sont faits* : tout est décidé. **III. 1.** Ce qui sert à jouer ; ensemble des éléments, pièces, cartes, jetons qu'un joueur a en main : *Le* ***jeu*** *de dames se compose d'un damier et de pions blancs et noirs* ; ***Jeux*** *vidéo* ; ***Jeu*** *de tarots*, **jeu** de cartes servant également à la divination ; *Faire le grand* ***jeu***, en cartomancie, prédire l'avenir selon la disposition des cartes. ► ***Jeu*** *d'arcade* : **jeu** vidéo payant, installé dans un lieu public. ► Loc. *Avoir du* ***jeu*** : de bonnes cartes en main ; *Lire dans le* ***jeu*** *de qqn* : deviner ses intentions. **2.** Ext. Assortiment d'objets de même nature : ***Jeu*** *de clés.* ► *Impr.* ***Jeu*** *d'épreuves* : série d'épreuves destinées à la correction. ► *Mus.* ***Jeu*** *d'orgue(s)* : série de tuyaux de même nature et de même timbre. **3.** Méton. ► Espace, aire où l'on joue, où se déroule une compétition : *Terrain de* ***jeu****.* ► Marque qui détermine l'espace de certains **jeux** : *Sortir du* ***jeu****.* **IV. 1.** Manière de jouer d'un instrument de musique, de se servir d'une arme : *Excellent* ***jeu*** *d'archet* ; ***Jeu*** *net*, à l'épée. **2.** Manière de bouger, d'interpréter un rôle au cinéma, au théâtre : ***Jeu*** *de jambes* ; ***Jeu*** *sobre d'un acteur* ; ***Jeu*** *de scène*, indication donnée par l'auteur pour guider le **jeu** de l'acteur ; ***Jeux*** *de physionomie*, expressions du visage qui traduisent les sentiments. ► Loc. *Être vieux* ***jeu*** : être démodé. **3.** Fig. Rôle que l'on joue pour arriver à ses fins. ► Loc. *Faire le* ***jeu*** *de qqn* : servir ses intérêts ; *Jouer un double* ***jeu*** : avoir deux manières d'agir dans l'intention de tromper. **V.** Fonctionnement aisé d'une ou de plusieurs choses entre elles. **1.** Mouvement régulier d'un organe, d'un mécanisme : ***Jeu*** *d'un ressort* ; *Donner du* ***jeu*** *à une pièce*, faciliter son fonctionnement en lui donnant suffisamment d'espace pour se mouvoir ; *Il y a du* ***jeu***, il y a un défaut de serrage (entre deux pièces) ; par ext. : *Le* ***jeu*** *des muscles.* **2.** Fig. Fonctionnement d'un système : *Le* ***jeu*** *des institutions* ; ***Jeu*** *de l'offre et de la demande* ; ***Jeu*** *d'écriture*, opération de comptabilité purement formelle. **3.** Assemblage d'éléments produisant un effet spécial : ***Jeux*** *de lumière* ; *Le* ***jeu*** *des couleurs.* Fin XIe s. ; lat. *jocus*, « badinage » ; [ʒø].

**JEUDI, subst. m.**

Quatrième jour de la semaine. ► Loc. *La semaine des quatre* ***jeudis*** : temps béni qui n'arrive jamais. 1119 ; lat. *Jovis dies*, « jour de Jupiter » ; [ʒødi].

**JEUN (À), loc. adv.**

Sans avoir ni bu ni mangé. 1215 ; anc. fr. *jeun* du lat. *jejunus* ; [aʒœ̃].

**JEUNE, adj. et subst.**

**Adj. 1.** Qui n'est pas d'un âge avancé. ► Belg. *Vieux* ***jeune*** *homme, vieille* ***jeune*** *fille* : vieux, vieille célibataire. **2.** Nouveau, récent : ***Jeune*** *démocratie.* **3.** Moins âgé que les personnes qui exercent la même activité : ***Jeune*** *auteur.* **4.** Qui n'est pas mature, naïf : *Une conduite un peu* ***jeune****.* **5.** Qui a les caractéristiques de la jeunesse : *Silhouette* ***jeune*** ; empl. adv. : *Pour son âge elle s'habille* ***jeune***, à la façon des personnes **jeunes**. **6.** Né après : *Dupont* ***jeune*** *et Dupont aîné.* **7.** Vert : *Vin* ***jeune****.* **8.** Loc. *C'est un peu* ***jeune*** : léger, insuffisant (fam.). **Subst. 1.** Personne **jeune**. **2.** Animal dont la croissance n'est pas achevée. Déb. XIIe s. ; lat. pop. °*jovenis*, du lat. *juvenis* ; [ʒœn].

**JEÛNE, subst. m.**

Action de jeûner. Déb. XIIe s. ; ☞ *jeûner* ; [ʒøn].

**JEUNEMENT, adv.**

**1.** Vx. De manière jeune. **2.** *Vèn.* Nouvellement : *Cerf dix cors* ***jeunement***, qui n'a pas encore atteint sa septième année. XIIIe s. ; ☞ *jeune* ; [ʒœnmɑ̃].

**JEÛNER, verbe intrans. [3]**

**1.** S'abstenir volontairement de manger ; être privé de nourriture. **2.** Observer une privation rituelle d'aliments. 1119 ; lat. eccl. *jejunare* ; [ʒøne].

**JEUNESSE, subst. f.**

**1.** Période de la vie comprise entre l'enfance et la maturité. **2.** Période de développement d'un animal de la naissance à l'âge adulte. **3.** Fig. Période pendant laquelle une nouvelle chose commence à se développer : *La* ***jeunesse*** *d'une science.* **4.** Qualité, état d'une personne jeune ; ardeur, fraîcheur : *Être en pleine* ***jeunesse****.* **5.** Caractère de ce qui est nouveau : *La* ***jeunesse*** *d'un vin.* **6.** Personne jeune (fam.) : *Une belle* ***jeunesse***, une belle jeune fille. **7.** L'ensemble des enfants et des jeunes : *La* ***jeunesse*** *d'un pays.* **Plur.** Mouvement organisé de jeunes personnes : *Les* ***Jeunesses*** *communistes.* 1155 ; ☞ *jeune* ; [ʒœnɛs].

**JEUNET, ETTE, adj.**

Très ou trop jeune. 1164 ; ☞ *jeune* ; [ʒœnɛ, ɛt].

**JEÛNEUR, EUSE, subst.**

Personne qui jeûne. XVe s. ; ☞ *jeûner* ; [ʒønœʀ, øz].

**JEUNOT, OTTE, adj. et subst. m.**

Se dit d'une personne toute jeune (fam.). 190[illegible] ; ☞ *jeune* ; [ʒœno, ɔt].

**JIGGER, subst. m.**

*Techn.* Transformateur servant à coupler les circuits radioélectriques (anglic.). 1899 (1887, cuve à teinture) ; angl. *jigger*, « cribleur » ; [(d)ʒigœʀ].

**JIHAD, voir DJIHAD**

**JINGLE, subst. m.**

Bref motif musical servant à introduire ou accompagner une émission ou un message publi taire (anglic.). ✉ V. 1970 ; angl. *jingle*, « son de cloche » ; recomm. off. *sonal* ; [dʒingœl].

**JINISME, voir JAÏNISME**

**JIU-JITSU, subst. m. inv.**
Art martial japonais, ancêtre du judo, qui est fondé sur la recherche des déséquilibres, les étranglements, les coups frappés sur les points vitaux du corps, etc. ✉ 1906 ; jap. *jūjutsu*, de *jū*, « souplesse », et de *jutsu*, « art, technique » ; [ʒjyʒitsy].

**JOAILLERIE, subst. f.**
**1.** Marchandise du joaillier. **2.** Art, commerce, magasin du joaillier. ✉ 1434 ; ☞ *joaillier* ; [ʒɔajʀi].

**JOAILLIER, IÈRE, subst.**
**1.** Personne dont le métier consiste à monter avec art des pierres précieuses et des perles fines sur des bijoux de grand prix. **2.** Commerçant qui vend ces bijoux. ✉ Fin XIVe s. ; anc. fr. *joiel*, « joyau » ; [ʒɔaje, jɛʀ].

**JOB, subst. m.**
Anglic. fam. **1.** Travail d'appoint rémunéré. **2.** Ext. Tout emploi rétribué. ✉ 1819 ; mot angl. ; [dʒɔb].

**JOBARD, ARDE, subst. et adj.**
Fam. Se dit d'une personne sotte, facile à tromper ; par méton. : *Air* **jobard**. ✉ 1807 ; m. fr. *jobe*, « sot », prob. de *Job*, personnage biblique ; [ʒɔbaʀ, aʀd].

**JOBARDISE, subst. f.**
Fam. Crédulité sotte (synon. *jobarderie*). ✉ 1887 ; ☞ *jobard* ; [ʒɔbaʀdiz].

**JOBELIN, subst. m.**
Argot des gueux et des maquignons du XVe s. ✉ Mil. XVe s. ; p.-ê. m. fr. °*job*, « gosier » ; [ʒɔblɛ̃].

**JOCASSE, subst. f.**
*Zool.* Autre nom de la grive litorne. ✉ 1764 ; p.-ê. altér. du région. (Anjou) *jacasse*, « pie » ; [ʒɔkas].

**JOCKEY, subst. m.**
**1.** Vx. Au XVIIIe s., jeune laquais qui accompagnait son maître à cheval ou qui conduisait, en postillon, une voiture légère. **2.** Cavalier professionnel qui monte des chevaux de course. ✉ 1776 ; angl. *jockey*, dimin. de *Jock*, forme région. de *Jack* ; [ʒɔkɛ].

**JOCRISSE, subst. m.**
Personnage niais, crédule (vx). ✉ 1587 ; *Jocrisse*, personnage niais du théâtre comique ; [ʒɔkʀis].

**JODHPURS, subst. m. plur.**
Pantalon d'équitation, élargi de la taille au genou et enserrant la jambe. ✉ 1939 ; angl. *jodhpurs*, du topon. *Jodhpur* (Inde) ; [ʒɔdpyʀ].

**JODLER, verbe intrans.** [3]
Vocaliser à la manière des Tyroliens. ✉ Fin XIXe s. ; all. dial. *jodeln* ; var. *iodler*, *iouler*, *yodler* ; [ʒɔdle].

**JOGGEUR, EUSE, subst.**
Adepte du jogging. **Masc.** Chaussure de sport. ✉ V. 1980 ; ☞ *jogging* ; var. *jogger* ; [(d)ʒɔgœʀ, øz].

**JOGGING, subst. m.**
Anglic. **1.** Course à pied d'entretien physique, pratiquée en ville, en forêt, etc. **2.** Survêtement. ✉ V. 1960 ; anglo-amér. *jogging*, de *to jog*, « trotter » ; [(d)ʒɔgiŋ].

**JOHANNIQUE, adj.**
*Relig.* Relatif à l'apôtre saint Jean ou à son œuvre : *L'Évangile* **johannique**. ✉ 1863 ; lat. *Johannes*, « saint Jean » ; [ʒɔanik].

**JOHANNITE, subst. et adj.**
*Relig.* Se dit d'un partisan d'une secte chrétienne orientale qui donne le baptême au nom de saint Jean-Baptiste. **Adj.** Relatif aux **johannites**. ✉ 1767 ; lat. *Johannes*, « saint Jean » ; [ʒɔanit].

**JOIE, subst. f.**
**1.** Émotion vive et agréable, sentiment de profond contentement : *Être fou de* **joie**. ▸ Loc. *C'est pas la* **joie** : c'est difficile, pénible (fam.). **2.** Cette émotion considérée dans sa relation avec une cause particulière : *Quelle* **joie** *de vous voir !* **3.** Ce qui déclenche cette émotion : *Cette paix est une vraie* **joie**. **Plur. 1.** Plaisir sexuel (vx) : *Les* **joies** *de la chair.* **2.** Les plaisirs, les satisfactions procurés par qqch. : *Les* **joies** *des vacances* ; par antiphr., déplaisirs, désagréments : *Les* **joies** *des embouteillages.* ✉ 1050 ; lat. *gaudia*, plur. de *gaudium* ; [ʒwa].

**JOIGNABLE, adj.**
Qui peut être joint, avec qui il est possible d'entrer en relation. ✉ XXe s. ; ☞ *joindre* ; [ʒwaɲabl].

**JOINDRE, verbe** [55]
**Trans. 1.** Rapprocher (des choses) de manière qu'elles soient en contact : **Joindre** *des lattes.* ▸ Loc. *Ne pas pouvoir* **joindre** *les deux bouts* : avoir des problèmes d'argent en fin de mois (fam.). **2.** Assembler (des choses) pour les faire tenir ensemble : **Joindre** *des bandes de tissu par une couture.* **3.** Relier (des choses) entre elles : *Le couloir* **joint** *les deux chambres.* **4.** Fig. Réunir, allier : **Joignons** *nos forces pour réussir !* **5.** Ajouter : **Joignez** *cette feuille aux autres.* **6.** Entrer en communication avec (qqn) : *Impossible de te* **joindre** *!* **Intrans.** Se toucher sans laisser d'espace : *Fenêtres qui* **joignent**. **Pronom.** *Se* **joindre** *à* : adhérer à, participer à. ✉ Fin XIe s. ; lat. *jungere*, « lier, unir » ; [ʒwɛ̃dʀ].

**JOINT (I), JOINTE, adj. et subst. m.**
**Adj. 1.** Lié, uni. **2.** Mis avec, ajouté. ▸ Loc. *Ci-***joint** : réuni à ceci. **Subst. 1.** Ligne, surface où se rejoignent deux éléments fixes et contigus : **Joints** *d'une fenêtre.* ▸ Point de raccordement de deux tuyaux, de deux rails, etc. ▸ Intervalle entre deux éléments juxtaposés ou superposés dans un assemblage : **Joint** *de dilatation* ; *Remplir un* **joint** *de mortier.* ▸ *Menuis.* Face latérale d'une planche. **2.** Méton. Garniture intercalée entre deux pièces et qui sert à rendre leur raccordement étanche : **Joint** *en caoutchouc* ; **Joint** *de culasse.* **3.** *Anat.* Endroit où deux os s'articulent (vieilli) : **Joint** *du genou.* ▸ Anal. *Mécan.* Dispositif qui sert à transmettre un mouvement : **Joint** *de Cardan.* ▸ Fig. *Chercher, trouver le* **joint** : la meilleure façon de résoudre un problème (fam.). ✉ Fin XIe s. ; p. p. de *joindre* ; [ʒwɛ̃, ʒwɛ̃t].

**JOINT (II), subst. m.**
Cigarette contenant du haschisch ou de la marijuana (fam.). ✉ V. 1970 ; mot anglo-amér. ; [ʒwɛ̃].

**JOINTIF, IVE, adj.**
Se dit de choses (planches, lattes, etc.) jointes sans intervalle entre elles. ✉ 1521 (mil. XVe s., bien ajusté, pour un vêtement) ; anc. fr. *jointis* ; [ʒwɛ̃tif, iv].

**JOINTOIEMENT, subst. m.**
Action de jointoyer ; son résultat. ✉ 1832 ; ☞ *jointoyer* ; [ʒwɛ̃twamɑ̃].

**JOINTOYER, verbe trans.** [17]
*Bât.* **Jointoyer** *un mur* : emplir ses joints de mortier ou de plâtre. ✉ 1335 ; ☞ *joint* (I) ; [ʒwɛ̃twaje].

**JOINTURE, subst. f.**
**1.** *Anat.* Endroit où se joignent les os. **2.** Anal. Endroit où se joignent deux éléments. ✉ Fin XIe s. ; lat. *junctura*, « articulation » ; [ʒwɛ̃tyʀ].

**JOINT-VENTURE, subst. m. ou f.**
*Écon.* Association d'entreprises créée pour mener à bien un projet (anglic.). ✉ V. 1970 ; mot anglo-amér. ; var. *joint venture*, plur. *joint(-)ventures*, recomm. off. *coentreprise* ; [dʒɔjntvɛntʃœʀ].

**JOJO (I), subst. m.**
*Affreux* **jojo** : garnement (fam.). ✉ V. 1970 ; *Jojo*, personnage de bande dessinée ; [ʒoʒo].

**JOJO (II), adj. inv.**
Joli (fam.) : *C'est pas* **jojo**, *tout ça !* ✉ ☞ *joli* ; [ʒoʒo].

**JOJOBA, subst. m.**
*Bot.* Arbuste originaire du Mexique, de Californie et d'Arizona, de la famille des Buxacées, dont les graines sont riches en une cire utilisée comme substitut de l'huile de cachalot. ✉ Mil. XXe s. ; mot esp. du Mexique ; [ʒɔʒɔba].

**JOKER, subst. m.**
*Jeux.* Carte à jouer pouvant remplacer n'importe quelle autre carte. ✉ 1912 ; angl. *joker*, de *to joke*, « plaisanter » ; [(d)ʒɔkɛʀ].

**JOLI, IE, adj.**
**1.** Aimable, élégant, galant (vx) : *Que vous êtes* **joli** *! que vous me semblez beau !* (La Fontaine). **2.** Bien fait, gracieux, séduisant : *Un* **joli** *brin de fille* ; *Un* **joli** *paysage.* **3.** Ext. Avantageux, non négligeable, important (fam.) : *Une* **jolie** *situation* ; *Un* **joli** *gain.* **4.** Agréable, piquant : *Une* **jolie** *histoire.* **5.** Odieux, laid (par antiphr.) : *Un* **joli** *monsieur* ; *Quel* **joli** *mot !* ▸ Empl. subst. masc. *C'est du* **joli** *!* : ce n'est pas bien (fam.). ✉ XIIIe s. (mil. XIIe s., lascif) ; prob. anc. scand. *jōl*, fête païenne du milieu de l'hiver ; [ʒɔli].

**JOLIESSE, subst. f.**
Caractère de ce qui est joli, gracieux. ✉ 1843 (XIVe s., plaisir, agrément) ; ☞ *joli* ; [ʒɔljɛs].

**JOLIMENT, adv.**
**1.** Agréablement, plaisamment ; par antiphr. : *Vous êtes* **joliment** *blessé*, sérieusement. **2.** Extrêmement (fam.) : *Je suis* **joliment** *surpris.* ✉ 1609 (XIIIe s., gaiement) ; ☞ *joli* ; [ʒɔlimɑ̃].

**JONC, subst. m.**
**1.** *Bot.* Plante herbacée de la famille des Juncacées, qui croît dans les lieux humides. ▸ **Jonc** *fleuri* : plante de la famille des Butomacées. ▸ **Jonc** *des chaisiers* : plante de la famille des Cypéracées, dont les tiges servent à la confection de paniers et au rempaillage des chaises. ▸ **Jonc** *des Indes* : rotin ; par ext., toute plante à tige flexible. **2.** *Bijout.* Bague ou bracelet d'une égale grosseur sur toute sa courbe. ▸ Ext. Or (argot.). ✉ Mil. XIIe s. ; lat. *juncus* ; [ʒɔ̃].

**JONCER, verbe trans.** [4]
*Techn.* Garnir (un objet) de jonc (rare) : **Joncer** *une chaise.* ✉ 1858 ; ☞ *jonc* ; [ʒɔ̃se].

**JONCHAIE, subst. f.**
Lieu humide où croissent des joncs (synon. *joncheraie*, *jonchère*). ✉ Mil. XIIe s. ; ☞ *jonc* ; [ʒɔ̃ʃɛ].

**JONCHÉE (I), subst. f.**
**1.** Vx. Litière de fleurs et de feuillages dont on jonchait le sol pour une cérémonie, une procession. **2.** Ext. Grande quantité de choses éparses sur le sol : **Jonchée** *de papiers.* ✉ Fin XIIe s. ; ☞ *joncher* ; [ʒɔ̃ʃe].

**JONCHÉE (II), subst. f.**
**1.** Vx. Petit panier en jonc où l'on met du lait caillé à égoutter. **2.** Méton. Le fromage frais ainsi obtenu. ✉ 1379 ; ☞ *jonc* ; [ʒɔ̃ʃe].

**JONCHER, verbe trans.** [3]
**1.** Couvrir de joncs et, par ext., de fleurs et de feuillages divers. **2.** Être épars sur (une surface). ✉ Fin XIe s. ; ☞ *jonc* ; [ʒɔ̃ʃe].

**JONCHÈRE, subst. f.**
**1.** Jonchaie. **2.** Touffe de joncs. ✉ XIIIe s. ; ☞ *jonc* ; [ʒɔ̃ʃɛʀ].

**JONCHET, subst. m.**
*Jeux.* Chacun des bâtonnets que l'on jette en tas sur une table et que l'on doit prendre un à un sans faire bouger les autres. **Plur.** Jeu pratiqué avec des **jonchets**. ✉ 1474 ; ☞ *jonc* ou *joncher* ; [ʒɔ̃ʃɛ].

**JONCTION, subst. f.**
**1.** Action de joindre, d'unir deux choses ; son résultat. **2.** Lieu où deux choses se joignent. ▸ **Jonction** *de deux câbles électriques* : raccordement assurant la continuité d'un circuit. ✉ 1477 (mil. XIIIe s., union matrimoniale) ; lat. *junctio*, « union » ; [ʒɔ̃ksjɔ̃].

**JONGLER, verbe intrans.** [3]
**1.** Lancer en l'air, à la suite les uns des autres, des objets (balles, quilles, etc.) que l'on relance à mesure qu'on les rattrape. **2.** Fig. **Jongler** *avec les mots* : les manier habilement. ✉ XIIe s. ; lat. *joculari*, « plaisanter », d'apr. l'anc. fr. *jangler*, du frq. °*jangalon*, « bavarder » ; [ʒɔ̃gle].

**JONGLERIE, subst. f.**
**1.** Art du jongleur. **2.** Fig. Façon habile d'agencer les mots et les idées : *Un discours qui tient de la* **jonglerie**. ✉ 1119 ; ☞ *jongler* ; [ʒɔ̃gləʀi].

**JONGLEUR, EUSE, subst.**
**1.** Au Moyen Âge, ménestrel itinérant. **2.** Saltimbanque qui exerce l'art de jongler. **3.** Fig. Personne qui manipule les êtres ou les choses avec virtuosité. ✉ Mil. XIIe s. ; lat. *joculator*, « bon plaisant », d'apr. l'anc. fr. *jangler*, « bavarder » ; [ʒɔ̃glœʀ, øz].

**JONQUE, subst. f.**
Bateau d'Extrême-Orient, dont les voiles sont des nattes cousues, tendues sur des lattes en bambou. ✉ 1521 ; port. *junco*, du javanais *djong* ; [ʒɔ̃k].

**JONQUILLE, subst. f.**
*Bot.* Nom usuel d'une espèce de narcisse, de la famille des Amaryllidacées, à feuilles cylindriques et à fleurs jaune vif ; empl. adj. inv., jaune vif. ✉ 1596 ; esp. *junquillo*, de *junco*, « jonc » ; [ʒɔ̃kij].

*Jonquille.*

**JOTA (I), subst. f. inv.**
Consonne de l'alphabet espagnol, écrite *j* et prononcée de façon gutturale [x]. ✉ 1840 ; esp. *jota*, du lat. *iota*, neuvième lettre de l'alphabet grec ; [xɔta].

**JOTA (II),** subst. f.
Danse espagnole à trois temps. 🕮 1840 ; esp. *jota*, de l'ar. *šaṭha* ; [xɔta].

**JOTTEREAU,** subst. m.
*Mar.* Renfort de bois ou de tôle apposé de chaque côté d'un bas-mât. 🕮 1678 ; prob. prov. *gauteiras*, de *gauta*, « joue » ; [ʒɔtʀo].

**JOUABLE,** adj.
**1.** Qui peut être joué. **2.** Fig. Faisable, réalisable. 🕮 1741 ; ☞ *jouer* ; [ʒwabl].

**JOUAL, ALES, ALS,** adj. et subst. m.
Se dit, au Québec, du parler populaire, où le français est souvent modifié et mêlé d'anglicismes. 🕮 V. 1960 ; prononciation région. de *cheval* ; [ʒwal].

**JOUBARBE,** subst. f.
*Bot.* Plante à tige velue et à feuilles disposées en rosette, de la famille des Crassulacées. 🕮 XIIᵉ s. ; lat. *Jovis barba*, « barbe de Jupiter » ; [ʒubaʀb].

**JOUE,** subst. f.
**1.** *Anat.* Partie latérale de la face, située entre l'œil, l'oreille et la bouche, comportant de nombreux muscles responsables de la mimique. ▸ Loc. *Mettre en joue* : placer la crosse d'un fusil entre la joue et l'épaule pour viser ; *Tendre l'autre joue* : s'exposer à être de nouveau outragé. **2.** Anal. Partie latérale de la face de certains animaux : *Les joues du cheval* ; par anal. : ***Joue** de lotte, de raie.* ▸ *Bouch.* ***Joue** de bœuf* : morceau de viande fondante destinée à être braisée. **3.** *Ameubl.* ***Joue** d'un fauteuil, d'un canapé* : espace vide ou rembourré, situé au-dessous de chacun des accotoirs. **4.** *Mar.* Partie renflée de chaque côté de l'avant d'un navire. **5.** *Techn.* Chacune des parties, des parois latérales d'une pièce, d'un objet : ***Joue** de poulie.* 🕮 Fin XIᵉ s. ; p.-ê. prélatin °*gaba*, « jabot, gosier » ; [ʒu].

**JOUÉE,** subst. f.
*Bât.* Épaisseur de mur dans l'ouverture d'une fenêtre, d'une porte. 🕮 XIIᵉ s. ; ☞ *joue* ; [ʒwe].

**JOUER,** verbe [3]
**Intrans. 1.** S'amuser en se livrant au jeu, à un jeu : *Dans la cour, les enfants **jouent**.* ▸ Fig. Pour une chose, se mouvoir capricieusement, comme par jeu : *Soleil qui **joue** dans le feuillage.* **2.** Fonctionner, se mouvoir aisément : *La clé **joue** librement dans la serrure.* **3.** Ne pas joindre parfaitement : *Cette porte **joue** à cause de l'humidité.* **4.** Interpréter un rôle : ***Jouer** en public.* **5.** Avoir un rôle, intervenir : *Les circonstances **jouent** contre vous* ; *Faire **jouer** ses relations.* **6.** S'adonner à un jeu de hasard : *Il **a joué** et perdu.* **Trans. dir. 1.** Faire (une partie d'un jeu), disputer (une épreuve sportive) : ***Jouer** la belle* ; ***Jouer** une finale.* ▸ ***Jouer** une carte* : la mettre en jeu. **2.** Miser (de l'argent) dans un jeu de hasard ; parier sur : ***Jouer** le favori* ; par ext. : ***Jouer** sa vie*, la risquer. ▸ Loc. ***Jouer** son va-tout* : tenter sa dernière chance ; ***Jouer** gros jeu* : risquer une grosse somme et, au fig., prendre des risques. **3.** *Mus.* Exécuter : ***Jouer** une sonate.* **4.** Représenter, interpréter, au théâtre, au cinéma : ***Jouer** un rôle* ; *Elle **joue** toujours les soubrettes.* ▸ Fig. Se prendre pour : ***Jouer** les héros, les durs* ; feindre : ***Jouer** l'étonnement.* **Trans. indir. 1. Jouer à.** ▸ S'adonner à (un jeu, un sport) : ***Jouer** à la poupée, au tennis.* ▸ Miser de l'argent dans (un jeu de hasard) : ***Jouer** à la roulette* ; par anal., spéculer sur (des valeurs boursières) : ***Jouer** à la hausse.* **2. Jouer avec.** S'amuser avec : ***Jouer** avec un ballon* ; par ext. : *Ses doigts **jouaient** avec sa bague*, la manipulaient distraitement. ▸ Loc. ***Jouer** avec sa santé, sa vie* : les mettre en péril ; ***Jouer** avec le feu* (☞ *feu*). **3. Jouer de.** Manipuler, se servir de (un objet, spéc. un instrument de musique) : ***Jouer** du couteau* ; ***Jouer** du piano.* ▸ Fig. Tirer profit de, exploiter : ***Jouer** de son charme.* ▸ Loc. ***Jouer** des coudes* (☞ *coude*) ; ***Jouer** de malchance* : avoir beaucoup de malchance. **Pronom. 1.** Être en jeu : *Son avenir **se joue** aujourd'hui.* **2. Se jouer de.** ▸ Affronter (qqch.) avec une grande aisance : *Il **se joue** des obstacles.* ▸ ***Se jouer** des lois* : s'en moquer ; ***Se jouer** de qqn* : le tromper. **3. Être joué**, en parlant d'un spectacle, d'une musique ou d'un jeu. 🕮 Fin XIᵉ s. ; lat. *jocari*, « plaisanter, s'amuser » ; [ʒwe].

**JOUET,** subst. m.
**1.** Objet avec lequel joue un enfant : ***Jouet** éducatif.* **2.** Fig. Personne ou chose à la merci de forces incontrôlables : *Être le **jouet** d'une illusion.* ▸ *Être un **jouet** entre les mains de qqn* : être totalement sous sa dépendance. 🕮 Mil. XIIIᵉ s. ; ☞ *jouer* ; [ʒwɛ].

**JOUEUR, EUSE,** subst. et adj.
**Subst. 1.** Personne qui joue à un jeu ou pratique un sport : ***Joueur** de dés* ; ***Joueur** de rugby.* **2.** Personne qui se passionne pour les jeux d'argent, les opérations financières. **3.** Loc. *Beau, mauvais **joueur*** : celui qui accepte loyalement sa défaite ou qui, au contraire, refuse de s'avouer vaincu. **4.** Personne qui joue d'un instrument de musique. **Adj.** Qui aime à jouer : *Chiot **joueur**.* 🕮 Mil. XIIᵉ s. ; ☞ *jouer* ; [ʒwœʀ, øz].

**JOUFFLU, UE,** adj.
**1.** Dont les joues sont grosses. **2.** Anal. Dont les formes sont pleines et rondes : *Fesses **joufflues*** ; *Nuages **joufflus**.* 🕮 1530 ; m. fr. *giflu*, d'apr. *joue* ; [ʒufly].

**JOUG,** subst. m.
**1.** Pièce d'attelage en bois placée sur la tête des bœufs. **2.** Fig. Entrave à la liberté : *Être sous le **joug** d'une passion.* **3.** *Antiq. rom.* Pique posée horizontalement sur deux autres plantées en terre, et sous laquelle les généraux vainqueurs faisaient passer les vaincus. **4.** *Techn.* Fléau d'une balance. 🕮 Déb. XIIᵉ s. ; lat. *jugum* ; [ʒu].

**JOUIR,** verbe trans. indir. [19]
**Jouir de. 1.** Avoir la possession de (un bien dont on tire profit) ; par ext. : ***Jouir** d'une bonne santé.* **2.** Tirer de la joie de (qqch.) : ***Jouir** d'un succès.* ▸ Abs. Éprouver du plaisir, en partic., atteindre l'orgasme. 🕮 1155 (déb. XIIᵉ s., faire fête à) ; lat. pop. °*gaudire*, du lat. *gaudere*, « se réjouir » ; [ʒwiʀ].

**JOUISSANCE,** subst. f.
**1.** Fait de posséder une chose et d'en tirer des avantages : ***Jouissance** d'un terrain.* ▸ *Dr.* Fait de recueillir les fruits d'un bien. **2.** Délectation, plaisir extrême : ***Jouissance** intellectuelle, esthétique.* **3.** Plaisir sexuel. 🕮 1466 ; ☞ *jouir* ; [ʒwisɑ̃s].

**JOUISSANT, ANTE,** adj.
Qui procure une certaine jouissance (vieilli) : *Repas **jouissant**.* 🕮 Mil. XIIᵉ s. ; p. pr. de *jouir* ; [ʒwisɑ̃, ɑ̃t].

**JOUISSEUR, EUSE,** subst.
Personne qui recherche les plaisirs. 🕮 1846 (1509, terme de droit) ; ☞ *jouir* ; [ʒwisœʀ, øz].

**JOUISSIF, IVE,** adj.
Qui procure un plaisir enivrant (fam.). 🕮 V. 1960 ; ☞ *jouir* ; [ʒwisif, iv].

**JOUJOU,** subst. m.
**1.** Dans le langage enfantin. ▸ *Faire **joujou*** : jouer. ▸ Jouet. **2.** Objet de petite taille, beau et d'un mécanisme perfectionné (fam.) : *Cette montre, quel **joujou** !* 🕮 Mil. XVᵉ s. ; ☞ *jouer* ; plur. *joujoux* ; [ʒuʒu].

**JOULE,** subst. m.
**1.** Unité d'énergie, dans le système international d'unités S. I. (symb. : J), qui correspond au travail d'une force de 1 newton déplaçant son point d'application de 1 mètre dans sa direction (multiple usuel : kilojoule). **2.** *Phys.* *Effet **joule*** : transformation irréversible d'énergie électrique en chaleur lors du passage d'un courant électrique continu d'intensité I (ou d'un courant alternatif d'intensité efficace $I_e$) dans un conducteur de résistance R. Pendant le temps t, l'énergie ainsi dégagée est $W = RI^2t$ (loi de Joule). 🕮 1890 ; anthropon. *J. Pr. Joule*, physicien anglais ; [ʒul].

**JOUR,** subst. m.
**I. 1.** Clarté, lumière émise par le soleil : *Le **jour** se lève* ; *Il fait **jour*** ; *Le petit **jour***, l'aube ; *En plein **jour***, en pleine lumière, en pleine journée. ▸ Loc. *Belle, beau comme le **jour*** : très belle, très beau ; *C'est clair comme le **jour*** : c'est évident ; *L'astre du **jour*** : le soleil. **2.** Source de lumière naturelle : *On releva les rideaux pour laisser entrer le **jour*** ; *Se placer face au **jour**, à contre-**jour**.* ▸ Loc. *Mettre au **jour*** : sortir de terre (une chose enfouie) ; au fig. : *Le scandale éclata au grand **jour***, se révéla aux yeux de tous. **3.** Manière dont les objets sont éclairés : *Faux **jour***, mauvais éclairage ; au fig., aspect sous lequel qqch. ou qqn se présente : *Il se montre sous son meilleur **jour**.* **4.** Loc. ▸ *Donner le **jour** à un enfant* : le mettre au monde. ▸ *Voir le **jour*** : naître ; au fig. : *Son roman ne verra jamais le **jour***, ne paraîtra pas. **II. 1.** Ouverture laissant passer la lumière du **jour** : *Percer un **jour** dans un mur* ; *Clocher à **jour**.* **2.** *Archit.* Espace vide autour duquel se développe un escalier. **3.** *Cout.* Partie d'une étoffe dont on a retiré les fils dans un but décoratif : *Faire des **jours** dans un drap.* **4.** *Dr.* ***Jour** de coutume* : fenêtre ouverte dans un mur mitoyen ; ***Jour** de souffrance* : ouverture donnant sur la propriété d'un voisin. **5.** Loc. *Se faire **jour*** : apparaître, se révéler ; *Percer à **jour*** : deviner (le caractère caché, secret de qqn ou de qqch.). **III. 1.** Espace de temps, période de clarté comprise entre le lever et le coucher du soleil : *Les **jours** rallongent.* ▸ Loc. **De jour.** Pendant le **jour** : *Travailler de **jour*** ; par méton. : *Équipe de **jour**.* **2.** Durée de la rotation de la Terre sur elle-même. ▸ *Astron.* Durée de la rotation d'une planète sur elle-même. Quand la rotation est repérée par rapport aux étoiles, il s'agit d'un **jour** sidéral ; quand elle est repérée par rapport au Soleil, il s'agit du **jour** solaire vrai. Le **jour** civil (de minuit à minuit) est fondé sur le **jour** solaire moyen, qui fait référence à un mouvement apparent uniforme du Soleil autour de la Terre (pour la Terre la durée du **jour** solaire moyen est de 24 heures). **3.** Période correspondant à un **jour** civil, considérée comme unité de temps ou comme repère chronologique : *Les sept **jours** de la semaine* ; *Quel **jour** vient-il ?* ▸ Loc. *Par **jour*** : dans une journée ; *Vivre au **jour** le **jour*** : sans souci du lendemain ; *L'autre **jour*** : il n'y a pas longtemps ; *Un **jour**, un de ces **jours*** : à une période indéterminée ; *Un **jour** ou l'autre* : tôt ou tard ; ***Jour** pour **jour*** : exactement le même **jour** (par rapport à une époque antérieure). **4.** Cette période, considérée relativement aux évènements qui la remplissent : ***Jour** de fête* ; ***Jour** de pluie* ; ***Jour** du Seigneur*, le dimanche ; ***Jour** férié* ; ***Jour** de fermeture.* ▸ Loc. *Être dans un bon, un mauvais **jour*** : de bonne, de mauvaise humeur. **5.** Moment présent, époque actuelle : *Au goût du **jour***, à la mode ; *Cette question est à l'ordre du **jour**.* ▸ Loc. *Mettre à **jour*** : actualiser ; *De nos **jours*** : à notre époque. **Plur. 1.** Existence, durée de l'existence : *Couler des **jours** heureux* ; *Ses **jours** sont comptés* ; *Les vieux **jours***, la vieillesse. **2.** *Hist.* *Les Grands **Jours*** ou *Les Hauts **Jours*** : sous l'Ancien Régime, assises extraordinaires tenues dans les provinces par des commissaires royaux pour ramener l'ordre. 🕮 Fin Xᵉ s. ; bas lat. *diurnum*, du lat. *dies* ; [ʒuʀ].

**JOURNAL,** subst. m.
**I.** Ancienne mesure agraire correspondant à la surface de terre labourable en un jour par un homme (vx). **II. 1.** Relation au jour le jour des évènements, des réflexions concernant la vie d'une personne : *Tenir son **journal**.* ▸ Cahier contenant ces notes. **2.** ***Journal** de bord* : compte rendu des circonstances relatives à la marche d'un navire, au vol d'un avion. **3.** Belg. ***Journal** de classe* : cahier de textes. **4.** *Comm.* Registre où sont consignées les opérations comptables ; empl. adj. : *Livre **journal*** (vx). **III. 1.** Publication périodique qui rend compte, pour un public donné, des évènements importants dans un ou plusieurs domaines : ***Journal** des courses.* ▸ Publication quotidienne relatant l'actualité. ▸ *Le « **Journal** officiel »* : quotidien publiant, sous l'autorité du gouvernement, les textes législatifs. **2.** Anal. Bulletin d'information oral ou visuel : ***Journal** parlé, télévisé* ; ***Journal** lumineux*, dispositif visible dans la rue présentant les nouvelles par un procédé électrique ou électronique. **3.** Méton. La rédaction du **journal**, son siège : *Écrire au **journal***. 🕮 1150 (déb. XIIᵉ s., relatif au jour) ; bas lat. *diurnalis* « de jour » ; plur. *journaux* ; [ʒuʀnal], plur. [-no].

**JOURNALIER, IÈRE,** adj.
**1.** Qui se fait, se produit chaque jour. **2.** Qui est payé à la journée, en partic. dans l'agriculture ; empl. subst. : *Le repas des **journaliers**.* 🕮 1535 ☞ *journal* ; [ʒuʀnalje, jɛʀ].

**JOURNALISME,** subst. m.
**1.** Ensemble des journaux, des journalistes (vieilli). **2.** Profession de journaliste. **3.** Type de traitement de l'information : ***Journalisme** d'investigation, scientifique.* 🕮 1781 ; ☞ *journaliste* ; [ʒuʀnalism].

**JOURNALISTE,** subst.
**1.** Personne qui fait ou qui publie un journal (vieilli). **2.** Professionnel qui participe à la rédaction d'un journal. 🕮 1704 ; ☞ *journal* ; [ʒuʀnalist].

**JOURNALISTIQUE,** adj.
Propre au journalisme ou aux journalistes. 🕮 1834 ☞ *journaliste* ; [ʒuʀnalistik].

**JOURNÉE,** subst. f.
**1.** Intervalle de temps compris entre le lever et le coucher du soleil. **2.** Distance parcourue en un jour : *Être à une **journée** de marche de son but.* **3.** ***Journée** de travail* : travail effectué en une **journée** ; rémunération équivalant à cette durée. **4.** Jour marqué par un fait important : *Une **journée** historique.* 🕮 Mil. XIIᵉ s. ; ☞ *jour* ; [ʒuʀne].

**JOURNELLEMENT,** adv.
**1.** Tous les jours, quotidiennement. **2.** Ext. Sar

esse, très fréquemment. Mil. xv^e s. ; anc. fr. *journel*, journalier » ; [ʒuʀnɛlmɑ̃].

**JOUTE, subst. f.**
. *M. Â.* Combat de parade entre deux chevaliers rmés d'une lance. **2.** *Joute nautique* : jeu où deux ommes, debout chacun sur une barque, essaient vec une longue perche de se faire tomber à l'eau. . Fig. Affrontement mettant en jeu le talent des adersaires : ***Joute oratoire.*** Déb. xii^e s. ; ☞ *jouter* ; [ʒut].

**JOUTER, verbe intrans.** [3]
. *M. Â.* Pratiquer la joute. **2.** Livrer combat sur 'eau avec des perches. **3.** Fig. et Littér. Rivaliser avec qqn). Fin xi^e s. ; lat. pop. °*juxtare*, « toucher », du lat. *juxta*, « près de » ; [ʒute].

**JOUTEUR, EUSE, subst.**
ersonne qui joute contre un adversaire (littér.). Fin xii^e s. ; ☞ *jouter* ; [ʒutœʀ, øz].

**JOUVENCE, subst. f.**
'au, élixir de jouvence* : censés faire rajeunir. Fin ii^e s. ; anc. fr. *jovente*, du lat. *juventa*, « jeunesse », d'apr. ouvenceau* ; [ʒuvɑ̃s].

**JOUVENCEAU, ELLE, subst.**
eune homme, jeune fille (vx ou iron.). Déb. ii^e s. ; lat. pop. °*juvencellus*, *cella* ; [ʒuvɑ̃so, ɛl].

**JOUXTER, verbe trans.** [3]
tre situé près de, être contigu à (littér.). 1155 ; uxte (vx), « près de », du lat. *juxta* ; [ʒukste].

**JOVIAL, ALE, ALS ou AUX, adj.**
ai, porté naturellement à la bonne humeur ; par néton. : *Un visage **jovial**.* 1532 ; bas lat. *jovialis*, (né sous le signe heureux) de Jupiter » ; [ʒɔvjal, o].

**JOVIALITÉ, subst. f.**
aractère d'une personne, d'une expression joviale. 1622 ; ☞ *jovial* ; [ʒɔvjalite].

**JOVIEN, IENNE, adj.**
elatif à la planète Jupiter. 1554 ; lat. *Jovis*, « de upiter » ; [ʒɔvjɛ̃, jɛn].

**JOYAU, subst. m.**
. Objet, parure, bijou orné de pierres précieuses ou fines. **2.** Fig. Chose parfaite en son genre : *Un **joyau** de l'art roman.* Mil. xii^e s. ; ☞ *jeu* ; [ʒwajo].

**JOYEUSEMENT, adv.**
De manière joyeuse, avec joie. 1155 ; ☞ *joyeux* ; [ʒwajøzmɑ̃].

**JOYEUSETÉ, subst. f.**
Fam. Acte, propos joyeux ; réjouissance. Déb. xv^e s. (fin xiii^e s., humeur joyeuse) ; ☞ *joyeux* ; [ʒwajøzte].

**JOYEUX, EUSE, adj.**
**1.** Qui ressent de la joie. **2.** Qui traduit la joie : *Des rires **joyeux** ; Réunion **joyeuse**,* où règne la joie. **3.** Qui apporte la joie : *Une **joyeuse** nouvelle.* Mil. xi^e s. ; ☞ *joie* ; [ʒwajø, øz].

**JUBARTE, subst. f.**
*Zool.* Autre nom de la baleine à bosse. 1665 ; angl. *jubartes*, du fr. *gibbar*, du lat. *gibbus*, « bosse » ; [ʒybaʀt].

**JUBÉ, subst. m.**
Galerie transversale servant de tribune, séparant la nef et le chœur dans certaines églises. 1386 ; lat. eccl. *jube Domine*, « ordonne, Seigneur », début d'une formule liturgique ; [ʒybe].

**JUBILAIRE, adj. et subst.**
**Adj. 1.** Qui comptabilise cinquante ans de profession. **2.** Relatif à un jubilé. **Subst.** Helv. Personne qui fête son jubilé. 1566 ; ☞ *jubilé* ; [ʒybilɛʀ].

**JUBILANT, ANTE, adj.**
Qui jubile ou qui exprime la jubilation : *Visage **jubilant**.* 1825 ; p. pr. de *jubiler* ; [ʒybilɑ̃, ɑ̃t].

**JUBILATION, subst. f.**
Joie vive exprimée sans retenue. Fin xiv^e s. (xii^e s., chant d'allégresse) ; lat. *jubilatio* ; [ʒybilasjɔ̃].

**JUBILATOIRE, adj.**
Qui porte à jubiler : *Une comédie **jubilatoire**.* 1828 ; ☞ *jubiler* ; [ʒybilatwaʀ].

**JUBILÉ, subst. m.**
**1.** *Relig.* ► Pour les Hébreux, solennité décrétant, tous les cinquante ans, une année exceptionnelle consacrée, au nom de Dieu, à la remise de toute peine, parmi le peuple. ► *Cath.* Année sainte (auj. tous les vingt-cinq ans) pendant laquelle le pape accorde à tout pèlerin de Rome l'indulgence plénière ; cette indulgence. **2.** Fête célébrant un cinquantenaire. Mil. xiii^e s. ; lat. chrét. *jubilaeus*, de l'hébreu *yôbel*, « corne annonçant la cérémonie » ; [ʒybile].

**JUBILER, verbe intrans.** [3]
Éprouver une joie intense. Déb. xiii^e s. (fin xii^e s., chanter dans l'allégresse) ; lat. *jubilare*, « pousser des cris de joie » ; [ʒybile].

**JUCHÉE, subst. f.**
Endroit où juchent les faisans. 1873 ; p. p. de *jucher* ; [ʒyʃe].

**JUCHER, verbe** [3]
**Intrans.** Se poser en un endroit élevé pour dormir, en parlant de certains oiseaux. **Trans.** Placer (qqch., qqn) en hauteur, comme sur un perchoir ; empl. pronom. : *Se **jucher** sur une échelle.* Mil. xii^e s. ; anc. fr. *joc*, « perchoir », de l'anc. bas frq. °*jŭk*, « joug » ; [ʒyʃe].

**JUCHOIR, subst. m.**
Perche, bâton installé pour faire jucher les oiseaux de basse-cour. 1538 ; ☞ *jucher* ; [ʒyʃwaʀ].

**JUDAÏCITÉ, subst. f.**
Fait d'être juif (synon. *judaïté, judéité*). 1931 ; ☞ *judaïque* ; [ʒydaisite].

**JUDAÏQUE, adj.**
Qui concerne les Juifs, leur religion. 1414 ; lat. *judaicus*, du gr. *ioudaikos* ; [ʒydaik].

**JUDAÏSER, verbe** [3]
**Intrans.** Observer les prescriptions du judaïsme. **Trans. 1.** Convertir au judaïsme. **2.** Peupler de Juifs. xiii^e s. ; lat. chrét. *judaizare*, du gr. *ioudaizein* ; [ʒydaize].

**JUDAÏSME, subst. m.**
**1.** Vx. Terre des Juifs. **2.** Ensemble des pratiques et des croyances culturelles et religieuses du peuple juif. **3.** Communauté juive ; sentiment d'y appartenir. Déb. xiii^e s. ; lat. eccl. *judaismus*, du gr. *ioudaismos* ; [ʒydaism].

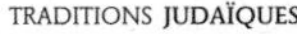
TRADITIONS **JUDAÏQUES**

© Lauros-Giraudon

© M. Evans-Explorer

2

© Lauros-Giraudon

3

1. *Miniature extraite du* Mishneh Torah, *de Moïse Maimonide (1135-1204).*

2. La Pâque juive, *miniature du xv^e s.*

3. *Porte de l'Arche de la Loi (Cracovie, xvii^e s.). Conservée au Grand Rabbinat de Jérusalem.*

4. *Fidèle portant la Torah lors de la prière du matin.*

5. *Le mur des Lamentations, à Jérusalem.*

6. *Les huit bougies du chandelier à neuf branches correspondent aux huit jours de la fête juive de hanoukka, la neuvième servant à allumer les autres.*

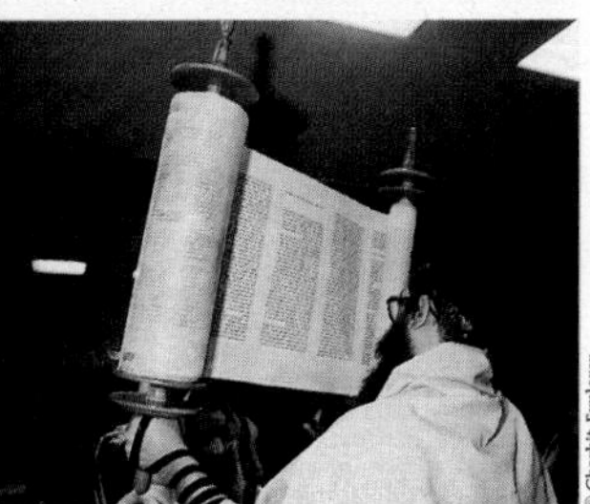
© Charbit-Explorer

© A. Tovy-Explorer

5

© N. Zebar-Gamma

6

RELIGION – Fondamentalement monothéiste, le judaïsme s'appuie originellement sur la Loi, révélée par Dieu à Moïse sur le Sinaï, qui consacre l'élection de la nation d'Israël. La double destruction du Temple de Jérusalem (586 av. J.-C., puis 70 apr. J.-C.), l'exil à Babylone et enfin la dispersion du peuple hébreu fixent l'attente messianique et ouvrent la voie au rabbinisme. Cet enseignement, fondé sur l'étude de la Bible, aboutit à la constitution du Talmud, commentaire savant et législation des prescriptions particulières (circoncision, loi alimentaire, etc.) qui règlent la vie du juif isolé dans le monde des païens. Au Moyen Âge se développent, sous protectorat musulman, une tradition hermétique, la kabbale, et, intégrant la philosophie grecque, une théologie spéculative, justification rationnelle de la législation rabbinique. Au XVIII<sup>e</sup> s., en réaction à l'élitisme talmudique, naît le hassidisme moderne, renouveau piétiste, tandis que l'ouverture de la bourgeoisie juive aux Lumières inaugure un mouvement d'émancipation et d'intégration à l'échelle européenne (XIX<sup>e</sup>-XX<sup>e</sup> s.), qui sera brisé par l'antisémitisme nazi. Du mouvement réformateur, né en Allemagne à la fin du XVIII<sup>e</sup> s., est issu, au XX<sup>e</sup> s., le judaïsme libéral. Le judaïsme contemporain porte la marque d'un double bouleversement, lié d'une part à la Shoah et d'autre part à la création de l'État d'Israël.

**JUDAÏTÉ, voir JUDÉITÉ**

**JUDAS, subst. m.**
1. Traître. 2. Petite ouverture ménagée dans un mur, une porte, etc., qui permet de voir sans être vu : ***Judas** optique*, œilleton équipé d'une lentille. Fin XII<sup>e</sup> s. ; *Judas*, apôtre qui trahit Jésus ; [ʒyda].

**JUDÉITÉ, subst. f.**
1. Fait d'être juif. 2. Ensemble des caractères définissant l'identité religieuse et culturelle juive. V. 1960 ; lat. *judaeus*, « juif » ; var. *judaïté* ; [ʒydeite].

**JUDELLE, subst. f.**
Région. (Bretagne, Anjou). Poule d'eau noire (synon. *foulque*). Fin XIII<sup>e</sup> s. ; orig. obsc. ; [ʒydɛl].

**JUDÉO-ALLEMAND, ANDE, adj. et subst.**
De la communauté des Juifs d'Allemagne. SUBST. MASC. Yiddish. V. 1960 ; ☞ *allemand* + *judéo-* ; plur. *judéo-allemands, andes* ; [ʒydeoalmɑ̃, ɑ̃d].

**JUDÉO-CHRÉTIEN, IENNE, subst. et adj.**
SUBST. Partisan du judéo-christianisme. ADJ. Commun au judaïsme et au christianisme : *Les valeurs **judéo-chrétiennes** qui imprègnent notre civilisation.* 1867 ; ☞ *chrétien* + *judéo-* ; plur. *judéo-chrétiens, iennes* ; [ʒydeokʀetjɛ̃, jɛn].

**JUDÉO-CHRISTIANISME, subst. m.**
1. *Relig.* Doctrine du I<sup>er</sup> s., selon laquelle l'accès au christianisme devait commencer par l'observance des pratiques du judaïsme (saint Paul en affranchit l'Église dès le concile de Jérusalem). 2. Ext. Doctrines et préceptes communs au christianisme et au judaïsme. 1867 ; ☞ *christianisme* + *judéo-* ; plur. *judéo-christianismes* ; [ʒydeokʀistjanism].

**JUDÉO-ESPAGNOL, OLE, adj. et subst.**
De la communauté des Juifs d'Espagne. SUBST. MASC. Ladino. V. 1930 ; ☞ *espagnol* + *judéo-* ; plur. *judéo-espagnols, oles* ; [ʒydeoɛspaɲɔl].

**JUDICATURE, subst. f.**
Dignité, fonction de juge (vx). 1426 ; lat. médiév. *judicatura*, du lat. *judicare*, « juger » ; [ʒydikatyʀ].

**JUDICIAIRE, adj.**
1. Qui se rapporte à la justice, à son administration. 2. Qui se fait par autorité de justice : *Liquidation **judiciaire*** ; qui émane d'une décision de justice : *Erreur **judiciaire***. ▸ *Duel **judiciaire*** (☞ *duel*). 3. Ext. Qui relève de l'aptitude à bien juger (vieilli). Fin XIV<sup>e</sup> s. ; lat. *judiciarius* ; [ʒydisjɛʀ].

**JUDICIAIREMENT, adv.**
Par voie judiciaire ; du point de vue judiciaire. 1453 ; ☞ *judiciaire* ; [ʒydisjɛʀmɑ̃].

**JUDICIEUSEMENT, adv.**
D'une manière judicieuse. 1611 ; ☞ *judicieux* ; [ʒydisjøzmɑ̃].

**JUDICIEUX, EUSE, adj.**
1. Qui possède un jugement sûr. 2. Méton. Qui révèle un bon jugement : *Choix **judicieux***. 1588 ; lat. *judicium*, « jugement » ; [ʒydisjø, øz].

**JUDO, subst. m.**
Sport de combat d'origine japonaise, alliant souplesse et rapidité, issu du jiu-jitsu et consistant à déséquilibrer son adversaire. 1931 ; jap. *jūdō*, de *jū*, « souplesse », et de *dō*, « voie » ; [ʒydo].

**JUDOKA, subst.**
Personne qui pratique le judo. V. 1940 ; mot jap. ; [ʒydɔka].

**JUGAL, ALE, AUX, adj.**
*Anat.* Relatif, propre à la pommette : *Os **jugal***. 1541 ; lat. *jugalis*, « en forme de joug » ; [ʒygal, o].

**JUGE, subst. m.**
1. *Antiq.* Chacun des chefs suprêmes des Hébreux, qui eurent pour mission, jusqu'à l'institution de la royauté, de délivrer le pays de la domination étrangère. 2. *Dr.* Magistrat ayant pour fonction de rendre la justice en appliquant la loi : *Comparaître devant le **juge*** ; ***Juge** d'instance*, **juge** unique qui statue au tribunal d'instance ; ***Juge** consulaire*, qui officie dans un tribunal de commerce ; ***Juge** d'instruction*, chargé de l'instruction préparatoire des affaires pénales ; ***Juge** de l'application des peines*, chargé de suivre l'exécution des peines des condamnés et de surveiller les modalités de leur traitement pénitentiaire ; ***Juge** aux affaires familiales*, dont le rôle est d'intervenir dans les problèmes que pose la famille et de défendre les intérêts des enfants mineurs, que les parents soient mariés ou non ; ***Juge** des tutelles*, chargé de veiller à la bonne gestion des biens d'un incapable ; ***Juge** des enfants*, qui s'occupe des délinquants mineurs et des enfants en danger moral ; ***Juge** des référés*, qui a le pouvoir d'ordonner des mesures urgentes, dans des affaires simples. 3. Personne appelée à arbitrer un différend, à départager des candidats, à faire appliquer un règlement : ***Juge** de concours* ; ***Juge**-arbitre* ; ***Juge** de touche*. 4. Anal. Celui ou celle qui est autorisé à porter un jugement : *Le **Juge** suprême*, Dieu. ▸ Ext. Personne à qui l'on demande son opinion : *Être bon, mauvais **juge***. Fin XII<sup>e</sup> s. ; lat. *judex* ; [ʒyʒ].

**JUGÉ (AU), loc. adv.**
De manière approximative : *Tirer **au jugé***, sans épauler ni viser. XIII<sup>e</sup> s. ; p. p. de *juger* (I) ; var. *au juger* ; [oʒyʒe].

**JUGEABLE, adj.**
Qui peut être jugé. Fin XII<sup>e</sup> s. ; ☞ *juger* (I) ; [ʒyʒabl].

**JUGEMENT, subst. m.**
I. 1. Action de juger (une affaire, un accusé) ; audience : ***Jugement** public*. 2. Méton. ▸ Décision rendue par un tribunal (et non par une cour) : ***Jugement** en dernier ressort*, qui n'est plus susceptible d'appel ; ***Jugement** par défaut*, rendu en l'absence de l'une des parties. ▸ Texte du **jugement**. II. Anal. 1. *Hist.* ***Jugement** de Dieu* : épreuves auxquelles on soumettait les accusés pour établir leur innocence ou leur culpabilité (synon. *ordalie*). 2. *Relig.* *Le **jugement** dernier* ou, par ell., *Le **Jugement*** : celui que Dieu prononcera à la fin du monde sur le sort de tous les hommes. III. 1. Avis porté sur qqn ou qqch. 2. Capacité à apprécier les choses avec discernement : *Former son **jugement*** ; bon sens. 3. *Philos.* Opération consistant à produire une opinion sur qqch., qqn ; estimation. ▸ ***Jugement** de valeur* : qui énonce une appréciation (anton. ***jugement** de réalité*). Fin XI<sup>e</sup> s. ; ☞ *juger* (I) ; [ʒyʒmɑ̃].

*Le judo, un art martial fondé sur la souplesse.*

**JUGEOTE, subst. f.**
Bon sens (fam.). 1871 ; ☞ *juger* (I) ; [ʒyʒɔt].

**JUGER (I), verbe trans.** [5]
TRANS. DIR. 1. Prononcer une sentence sur (une affaire, une personne), en qualité de juge : ***Juger** un crime, un criminel* ; empl. abs. : *Le tribunal **a jugé***. 2. Se prononcer sur, en qualité d'arbitre : ***Juger** un différend*. 3. Émettre un avis sur la valeur de (qqn, qqch.) ; empl. pronom. : *Il faut d'abord se **juger** soi-même*. 4. Estimer, penser : *Il **juge** que tu es indispensable* ; empl. pronom. : *Elle ne se **juge** pas prête*. TRANS. INDIR. **Juger de.** 1. Porter une appréciation sur : ***Juger du** mérite de qqn*. 2. Se représenter : ***Jugez de** ma joie !* Fin XI<sup>e</sup> s. ; lat. *judicare* ; [ʒyʒe].

**JUGER (II), voir JUGÉ**

**JUGULAIRE, adj. et subst. f.**
ADJ. *Anat.* Qui appartient au cou, à la gorge : *Veine **jugulaire*** ou, par ell., *Une **jugulaire***, une des quatre grosses veines des parties latérales du cou. SUBST. Attache d'une coiffure militaire, passant sous le menton. 1534 ; lat. *jugulum*, « gorge » ; [ʒygylɛʀ].

**JUGULER, verbe trans.** [3]
1. Vx. Égorger. 2. Empêcher le développement de, maîtriser la progression de (qqch.) : ***Juguler** une maladie, l'inflation*. 1213 ; lat. *jugulare* ; [ʒygyle].

**JUIF, JUIVE, subst. et adj.**
SUBST. 1. *Antiq.* *Les **Juifs*** : nom donné aux Hébreux à leur retour en Judée après leur captivité à Babylone. 2. *Un **Juif*** : un descendant de ce peuple. ▸ *Le **Juif** errant* : personnage légendaire condamné à parcourir éternellement le monde pour avoir insulté Jésus portant sa croix. 3. *Relig.* *Un **juif*** : personne professant le judaïsme. ADJ. Relatif, propre à la communauté des **Juifs**, à la religion judaïque. Fin X<sup>e</sup> s. ; lat. *judaeus*, du gr. *ioudaios*, de l'hébreu *Yehūdī*, de *Yehūdāh*, « royaume de Juda » ; [ʒɥif, ʒɥiv].

**JUILLET, subst. m.**
Septième mois de l'année : *Le 14 **Juillet***, fête nationale française. 1213 ; anc. fr. *juignet*, « petit juin », du lat. *Julius mensis*, « mois de Jules (César) » ; [ʒɥijɛ].

**JUILLETTISTE, subst.**
Personne qui prend ses vacances au mois de juillet (fam.). V. 1970 ; ☞ *juillet* ; [ʒɥijɛtist].

**JUIN, subst. m.**
Sixième mois de l'année. 1119 ; lat. *Junius mensis* « mois de Junius (Brutus) » ; [ʒɥɛ̃].

**JUJUBE, subst. m.**
1. Fruit du jujubier. 2. Pâte adoucissante faite avec ce fruit. Mil. XIII<sup>e</sup> s. ; lat. pop. °*zizupus*, du lat. *zizyphum*, du gr. *zizuphon*, « jujubier » ; [ʒyʒyb].

**JUJUBIER, subst. m.**
*Bot.* Arbre de la famille des Rhamnacées, à fruits comestibles. 1546 ; ☞ *jujube* ; [ʒyʒybje].

**JUKE-BOX, subst. m.**
Lecteur de disques public qui joue une sélection de titres. 1947 ; anglo-amér. *juke-box*, « boîte à danser » plur. *juke-box(es)* ; [dʒukbɔks] ou [ʒyk-].

**JULEP, subst. m.**
*Pharm.* Potion adoucissante composée d'eau distillée, de sirops, etc., servant d'excipient. XIV<sup>e</sup> s. esp. *julepe*, de l'ar. *ǧullāb*, « sirop » ; [ʒylɛp].

**JULES, subst. m.**
1. Vx. Vase de nuit (pop.). 2. Amant, mari (fam.). 3. Souteneur (argot.). 1866 ; prénom *Jules* ; [ʒyl]

**JULIEN, IENNE, adj.**
*Métrol.* Relatif à la réforme décidée par Jules César en 46 av. J.-C., au sujet de la mesure du temps et du calendrier : *Année **julienne***, année de 365,25 jours ; *Calendrier **julien***, en retard de 13 jours sur le calendrier grégorien. 1671 ; lat. *Julianus* « de Jules (César) » ; [ʒyljɛ̃, jɛn].

**JULIÉNAS, subst. m.**
Vin d'un cru réputé du Beaujolais. Topon. *Juliénas* (Rhône) ; [ʒyljenas].

**JULIENNE, subst. f.**
1. *Zool.* Autre nom de la lingue. 2. *Bot.* Plante herbacée de la famille des Brassicacées, cultivée comme plante ornementale. 3. *Cuis.* Potage de légumes coupés en petits dés ; les légumes ainsi découpés. Fin XV<sup>e</sup> s. ; prob. prénom *Julien* ou *Jules* ; [ʒyljɛn].

**JUMEAU, ELLE, adj. et subst.**
Se dit de chacun des enfants nés d'un même enfantement : *Frères **jumeaux*** ; *C'est sa **jumelle***. ADJ. Qualifie deux choses identiques ou constituant une paire : *Lits **jumeaux***. ▸ *Anat.* *Muscles **jumeaux*** ou, empl. subst. masc., *Les **jumeaux*** : les deux muscles pairs de la région fessière ou du mollet. Mil. XII<sup>e</sup> s. ; lat. *gemellus* ; [ʒymo, ɛl].

**EMBRYOLOGIE** – On distingue deux sortes de jumeaux : les dizygotes et les monozygotes. Les jumeaux dizygotes sont issus de la fécondation simultanée de deux ovocytes par deux spermatozoïdes distincts ; ils n'ont pas le même patrimoine génétique et peuvent être de sexe différent. Les jumeaux monozygotes sont au contraire issus du clivage accidentel, à un stade plus ou moins précoce, d'un zygote unique ; ils partagent donc le même patrimoine génétique (ils sont notamment du même sexe).

**JUMEL, adj. m.**
*Text.* Qualifie un coton égyptien à fibres longues. 1872 ; anthropon. *Jumel*, ingénieur français ; [ʒymɛl].

**JUMELAGE, subst. m.**
**1.** Action de jumeler ; son résultat. **2.** *Milit.* Assemblage sur le même affût de plusieurs armes, permettant leur tir simultané. 1872 ; ☞ *jumeler* ; [ʒym(ə)laʒ].

**JUMELER, verbe trans. [12]**
**1.** *Techn.* Renforcer par des jumelles : ***Jumeler** un mât.* **2.** Ajuster par paires ; empl. adj. : *Colonnes, bielles **jumelées**.* **3.** Associer (deux villes étrangères) en vue d'échanges ; empl. adj. : *Villes **jumelées**.* 1660 ; ☞ *jumeau* ; [ʒym(ə)le].

**JUMELLE (I), subst. f.**
**1.** *Hérald.* Pièce honorable constituée de deux filets parallèles. **2.** *Techn.* Ensemble de deux pièces fonctionnant de pair, en charpenterie et en mécanique (souv. au plur.). **3.** *Opt. Une **jumelle** ou Des **jumelles*** : double lorgnette permettant la vision d'objets lointains. 1234 ; ☞ *jumeau* ; [ʒymɛl].

**JUMELLE (II), voir JUMEAU**

**JUMENT, subst. f.**
Femelle du cheval. 1174 ; lat. *jumentum*, « bête de somme » ; [ʒymɑ̃].

**JUMPING, subst. m.**
*Hippisme.* Saut d'obstacles (anglic.). 1901 ; angl. *jumping*, « saut » ; [dʒœmpiŋ].

© Ph. Roy-Explorer

*Jumping à Arcachon.*

**JUNGLE, subst. f.**
**1.** *Géogr.* Végétation caractéristique de la plaine marécageuse de l'Inde, formée d'épais fourrés d'arbres, de lianes et de hautes herbes, où vivent de grands fauves. ▸ Ext. Toute végétation de ce type. **2.** Fig. Milieu où la concurrence est rude, où les plus faibles sont voués à l'échec : *La **jungle** des affaires.* ▸ Loc. *La loi de la **jungle*** : la loi du plus fort. 1796 ; angl. *jungle*, de l'hindoustani *jangal*, « lieu inhabité » ; [ʒœ̃gl] ou [ʒɔ̃gl].

**JUNIOR, adj. inv. et subst.**
**Adj. 1.** Fils ou cadet : *M. Dupont **junior**.* **2.** Fait pour les jeunes : *Un blouson **junior**.* **Adj.** et **Subst. 1.** Se dit d'une personne qui débute dans la vie professionnelle. **2.** *Sp.* Se dit d'un jeune sportif appartenant à la catégorie des **juniors**, comprise entre celle des cadets et celle des seniors. 1761 ; angl. *junior*, du lat. *junior*, « plus jeune » ; [ʒynjɔʀ].

**JUNKER, subst. m.**
*Hist.* Membre de la petite noblesse terrienne, dans l'ancienne Prusse. 1875 ; all. *Junker*, de *jung Herr*, « jeune seigneur » ; [juŋkɛʀ].

**JUNKIE, subst.**
Personne consommant une drogue dure, en partic. de l'héroïne (fam.). V. 1970 ; anglo-amér. *junkie*, de *junk*, « camelote » ; var. *junky*, plur. *junkies* ; [dʒœnki].

**JUNTE, subst. f.**
**1.** Assemblée administrative, en Espagne, au Portugal ou en Amérique latine. **2.** Gouvernement militaire issu d'un coup d'État. 1581 ; esp. *junta*, « assemblée », du lat. *jungere*, « joindre » ; [ʒœ̃t] ou [ʒɛ̃t].

**JUPE, subst. f.**
**1.** Vêtement féminin qui part de la ceinture et descend plus ou moins bas sur les jambes. **2.** Au plur., ensemble formé par la **jupe** et les jupons (vx). ▸ Loc. *Rester dans les **jupes** de sa mère* : ne jamais s'en éloigner. **3.** *Techn.* Pièce de forme cylindrique, ajustée à la partie inférieure d'un véhicule : *Les **jupes** d'une locomotive carénée, d'un aéroglisseur.* 1603 (fin XIIe s., pourpoint) ; anc. ital. *jupa*, de l'ar. *ǧubba*, « robe de dessus » ; [ʒyp].

**JUPE-CULOTTE, subst. f.**
Vêtement féminin formé d'une culotte très ample, qui a l'aspect d'une jupe. 1896 ; comp. de *jupe* et de *culotte* ; plur. *jupes-culottes* ; [ʒypkylɔt].

**JUPETTE, subst. f.**
Jupe très courte. 1894 ; ☞ *jupe* ; [ʒypɛt].

**JUPITÉRIEN, IENNE, adj.**
**1.** Relatif à Jupiter. **2.** Qui évoque Jupiter par son aspect redoutable (littér.) : *Un orage **jupitérien**.* **3.** *Astron.* Qui concerne la planète Jupiter (synon. *jovien*) : *Les sondes **jupitériennes**.* 1764 ; *Jupiter*, dieu romain ; [ʒypiteʀjɛ̃, jɛn].

**JUPON, subst. m.**
**1.** Jupe de dessous. **2.** Méton. Femme, fille (fam.) ; empl. coll., les femmes : *Un coureur de **jupon**.* 1380 ; ☞ *jupe* ; [ʒypɔ̃].

**JUPONNER, verbe trans. [3]**
**1.** Donner de l'ampleur à (une robe, une jupe), par un jupon. **2.** Vêtir (qqn) d'un jupon ; empl. adj. : *Femme **juponnée** de soie.* 1800 ; ☞ *jupon* ; [ʒypɔne].

**JURANÇON, subst. m.**
Vin de la région de Jurançon. 1840 ; topon. *Jurançon* (Pyrénées-Atlantiques) ; [ʒyʀɑ̃sɔ̃].

**JURANDE, subst. f.**
*Hist.* Sous l'Ancien Régime, charge de juré dans une corporation ; par méton., ensemble des jurés d'une corporation. XVIe s. ; ☞ *juré* ; [ʒyʀɑ̃d].

**JURASSIEN, IENNE, adj. et subst.**
Du Jura. **Adj.** *Géomorph. Relief **jurassien*** : type de relief qui résulte d'une érosion modérée affectant une région à plissement régulier (synon. *relief conforme*). 1840 ; topon. *Jura* ; [ʒyʀasjɛ̃, jɛn].

**JURASSIQUE, adj. et subst. m.**
*Géol.* Se dit d'un étage géologique de l'ère secondaire, période durant laquelle le Jura s'est formé. 1829 ; topon. *Jura* ; [ʒyʀasik].

**JURATOIRE, adj.**
*Dr. Caution **juratoire*** : serment, fait en justice, de se représenter en personne ou de rapporter un bien. 1274 ; lat. jur. *juratorius* ; [ʒyʀatwaʀ].

**JURE (DE), voir DE JURE**

**JURÉ, ÉE, adj. et subst. m.**
Se dit d'une personne qui exerce une charge, une fonction après avoir prêté serment : *Interprète, traducteur **juré**,* accrédité auprès d'un tribunal. ▸ *Hist. **Juré** d'une corporation* : sous l'Ancien Régime, membre élu d'une corporation, qui a fait serment d'en faire respecter les règles. **Adj.** *Ennemi **juré*** : implacable. **Subst.** *Dr.* Chacun des membres d'un jury, en partic. citoyen désigné par le sort pour faire partie d'un jury de cour d'assises. Fin XIIe s. ; lat. *juratus*, de *jurare*, « jurer » ; [ʒyʀe].

**JUREMENT, subst. m.**
**1.** Vx. Serment, en partic. en justice. **2.** Juron, blasphème (vieilli). Fin XIIe s. ; ☞ *jurer* ; [ʒyʀmɑ̃].

**JURER, verbe trans. [3]**
**1.** Promettre par un serment solennel : ***Jurer** la paix,* la signer ; empl. pronom. : *Ils se **sont juré** un amour éternel.* ▸ Abs. Prêter serment ; au fig. : *On ne **jure** plus que par lui,* on le prend pour modèle. **2.** Prendre (Dieu, une chose sacrée) à témoin sous serment (vx) : ***Jurer** Dieu.* ▸ Loc. ***Jurer** ses grands dieux* : proclamer solennellement. ▸ Abs. Proférer des jurons ; par anal., produire une discordance : *Sa voix **jure** avec son physique.* **3.** Affirmer fortement : *Je **jure** que ce n'est pas moi.* 842 ; lat. *jurare* ; [ʒyʀe].

**JUREUR, subst. m.**
**1.** Vx. Personne qui prête serment. **2.** *Hist.* Prêtre ayant prêté serment à la Constitution civile du clergé, en vigueur sous la Révolution ; en appos. : *Prêtre **jureur**.* Fin XIIe s. ; ☞ *jurer* ; [ʒyʀœʀ].

**JURIDICTION, subst. f.**
**1.** Pouvoir que possède un juge, un tribunal de juger ; par méton., territoire où s'exerce ce pouvoir. **2.** Ensemble de tribunaux de même degré ou de même classe. 1209 ; lat. *jurisdictio* ; [ʒyʀidiksjɔ̃].

© O. Martel-Explorer

*La Cour de cassation, **juridiction** suprême.*

**JURIDICTIONNEL, ELLE, adj.**
Relatif à une juridiction. 1537 ; ☞ *juridiction* ; [ʒyʀidiksjɔnɛl].

**JURIDIQUE, adj.**
**1.** Qui a lieu en justice, selon les formes prévues par la loi : *Un acte **juridique**.* **2.** Ext. Relatif au droit : *Études **juridiques**.* 1410 ; lat. *juridicus* ; [ʒyʀidik].

**JURIDIQUEMENT, adv.**
**1.** De manière juridique. **2.** Du point de vue du droit. 1410 ; ☞ *juridique* ; [ʒyʀidikmɑ̃].

**JURIDISME, subst. m.**
Attitude d'une personne qui s'en tient à la lettre des textes de loi. 1940 ; ☞ *juridique* ; [ʒyʀidism].

**JURISCONSULTE, subst. m.**
Personne que l'on peut consulter sur des questions de droit. 1393 ; lat. *jurisconsultus* ; [ʒyʀiskɔ̃sylt].

**JURISPRUDENCE, subst. f.**
**1.** Vx. Science du droit et des lois. **2.** Ensemble des décisions de justice constituant une source de droit ; par ext., ensemble des principes juridiques qui en émanent. ▸ Loc. *Faire **jurisprudence*** : faire autorité, servir de référence. 1562 ; bas lat. *jurisprudentia* ; [ʒyʀispʀydɑ̃s].

**JURISPRUDENTIEL, ELLE, adj.**
*Dr.* Relatif à la jurisprudence ou qui en résulte. 1845 ; ☞ *jurisprudence* ; [ʒyʀispʀydɑ̃sjɛl].

**JURISTE, subst.**
Personne qui a de grandes connaissances en droit ; auteur d'ouvrages juridiques. 1361 ; lat. médiév. *jurista*, du lat. *jus*, « droit » ; [ʒyʀist].

**JURON, subst. m.**
**1.** Vx. Serment. **2.** Blasphème. **3.** Interjection ou exclamation grossière traduisant une vive réaction de colère ou de surprise. 1599 ; ☞ *jurer* ; [ʒyʀɔ̃].

**JURY, subst. m.**
**1.** *Dr.* Ensemble des jurés qui siègent dans une cour d'assises. **2.** Anal. Assemblée de personnes chargées d'apprécier et de classer les candidats à un examen ou à un concours : ***Jury** du baccalauréat ; **Jury** d'un prix littéraire.* 1588 ; angl. *jury*, de l'anc. fr. *juree*, « serment, enquête » ; [ʒyʀi].

**JUS, subst. m.**
**1.** Suc d'un fruit ou d'un légume. **2.** Suc de cuisson d'une viande : *Le **jus** d'un rôti.* **3.** Café (pop.) : ***Jus** de chaussette,* mauvais café. **4.** Courant électrique (fam.) : *Prendre du **jus**.* Mil. XIIe s. ; mot lat. ; [ʒy].

**JUSANT, subst. m.**
Marée descendante (synon. *reflux*). 1484 ; *jus* (vx), « en bas », du lat. *deorsum* ; [ʒyzɑ̃].

**JUSÉE, subst. f.**
*Techn.* Liquide acide obtenu lors du lessivage du tan. 1765 ; ☞ *jus* ; [ʒyze].

**JUSQU'AU-BOUTISTE, subst. et adj.**
**Adj. 1.** Qui est partisan de mener la guerre jusqu'au bout. **2.** Ext. Qui va jusqu'au bout de ses idées, de son action. **Subst.** Personne **jusqu'au-boutiste**. 1917 ; loc. *jusqu'au bout*, de *jusque* et de *bout* ; plur. *jusqu'au-boutistes* ; [ʒyskobutist].

**JUSQUE, prép.**
Préposition toujours suivie d'une autre préposition ou d'un adverbe. **1.** Marque une limite dans l'espace ou dans le temps : *Aller* ***jusqu'en*** *Chine,* ***jusqu'à*** *Paris ; Du matin* ***jusqu'au*** *soir.* ▸ Loc. ***Jusqu'ici, jusque****-là* : jusqu'à cet endroit, jusqu'à ce moment. ▸ Loc. conj. ***Jusqu'à*** *ce que* (+ subj.) : jusqu'au moment où. **2.** Marque un point limite dans une énumération, un tout : *Ils ont pris* ***jusqu'à*** *son dernier meuble.* **3.** Marque un degré extrême : *Boire* ***jusqu'à*** *plus soif.* Fin Xe s. ; lat. *usque*, « jusqu'à » ; le *e* s'élide devant une voyelle, var. littér. *jusques* ; [ʒysk(ə)].

**JUSQUIAME, subst. f.**
*Bot.* Plante herbacée de la famille des Solanacées, toxique et narcotique. XIIIe s. ; bas lat. *jusquiamus*, du gr. *huoskuamos*, « fève de porc » ; [ʒyskjam].

**JUSSIÉE, subst. f.**
*Bot.* Plante exotique aquatique de la famille des Onagracées, utilisée pour l'ornement des pièces d'eau. 1803 ; anthropon. *Jussieu* ; var. *jussie* ; [ʒysje].

**JUSSION, subst. f.**
*Hist. Lettres de* ***jussion*** : sous l'Ancien Régime, lettres du roi enjoignant à un parlement d'enregistrer un édit ou une ordonnance. XVe s. ; bas lat. *jussio*, « ordre » ; [ʒysjɔ̃].

**JUSTAUCORPS, subst. m.**
**1.** Ancien vêtement serré à la taille, à basques et à manches. **2.** Maillot collant, utilisé en partic. pour la danse et la gymnastique. 1617 ; formé de *juste* et de *corps* ; [ʒystokɔʀ].

**JUSTE, adj. et adv.**
Adj. **1.** Qui agit, se comporte conformément à l'équité ou aux préceptes religieux : *Un enseignant exigeant mais* ***juste*** ; empl. subst. masc., personne **juste**, en partic. du point de vue de la religion : *Dormir du sommeil du* ***juste***. **2.** Conforme au droit, aux lois en vigueur : *Sentence* ***juste***. ▸ Ext. Fondé, légitime : ***Juste*** *récompense.* **3.** Conforme à la réalité, à la vérité, au bon sens : *Elle a une* ***juste*** *vue des choses* ; exact, précis : *Donner l'heure* ***juste***. **4.** Trop étroit, en parlant d'un vêtement ; par ext., qui suffit à peine : *Cinq minutes, c'est vraiment trop* ***juste***. Adv. **1.** Conformément à la réalité : *Voir, entendre* ***juste***. ▸ Avec précision : *Tirer* ***juste***. **2.** Précisément : *C'est* ***juste*** *l'inverse.* **3.** Seulement, à peine : *Je reste* ***juste*** *deux minutes.* ▸ De façon insuffisante : *Être chaussé un peu* ***juste***. **4.** Loc. *Au* ***juste*** : exactement ; *Au plus* ***juste*** : le plus exactement possible ; *Comme de* ***juste*** : comme il se doit. Déb. XIIe s. ; lat. *justus* ; [ʒyst].

**JUSTEMENT, adv.**
**1.** Selon la justice (rare) ; légitimement. **2.** Avec justesse, avec à-propos. **3.** Précisément ; à plus forte raison : *J'allais* ***justement*** *vous appeler ;* ***Justement****, taisez-vous !* Fin XIIe s. ; ☞ *juste* ; [ʒystəmɑ̃].

**JUSTESSE, subst. f.**
**1.** Qualité de ce qui est bien approprié, tel qu'il doit être : *La* ***justesse*** *d'un mot* ; par ext., exactitude, précision : *La* ***justesse*** *d'un tir ; La* ***justesse*** *d'un accord harmonique.* **2.** Qualité qui fait apprécier ou réaliser les choses de manière sûre, correcte : *Raisonner avec* ***justesse*** *; Chanter avec* ***justesse***. **3.** Loc. *De* ***justesse*** : de peu. 1611 ; ☞ *juste* ; [ʒystɛs].

**JUSTICE, subst. f.**
**1.** Vertu morale qui réside dans le respect d'autrui, de sa dignité : *Manquer de* ***justice***. ▸ *Théol.* L'une des quatre vertus cardinales. **2.** Principe moral qui implique le respect du droit et de l'équité : *Servir la* ***justice*** ; ***Justice*** *immanente* (☞ *immanent*). ▸ ***Justice*** *sociale* : qui a pour principe de répondre équitablement aux besoins des individus. ▸ *La* ***Justice*** : représentation allégorique de la **justice** sous les traits d'une femme aux yeux bandés portant un glaive et une balance. **3.** Mise en application de ce principe : *Faire* ***justice***, châtier un coupable ; *Se faire* ***justice***, se venger ou se suicider ; *Rendre* ***justice*** *à qqn*, lui reconnaître un mérite et, par ext., lui rendre hommage ; *Repris de* ***justice***, récidiviste. **4.** Pouvoir judiciaire en tant qu'institution ; les organes qui l'administrent : *Comparaître en* ***justice***, devant les tribunaux ; *Ministre de la* ***Justice***, garde des Sceaux ; *Palais de* ***justice***, où siègent les tribunaux ; *Haute cour de* ***justice***, tribunal de parlementaires chargé de juger le président de la République ou les ministres en cas de faute très grave ; ***Justice*** *administrative*, qui comprend les tribunaux administratifs et le Conseil d'État ; ***Justice*** *civile, militaire.* **5.** *Hist.* ▸ *Basse* ***justice*** : rendue par les seigneurs pour des petits délits ; *Haute* ***justice*** : celle qui les autorisait à prononcer des condamnations pouvant entraîner la mort. ▸ *Lit de* ***justice*** (☞ *lit*) ; *Main de* ***justice*** (☞ *main*). Mil. XIe s. ; lat. *justitia* ; [ʒystis].

**JUSTICIABLE, adj.**
**1.** *Dr.* Qui relève d'une juridiction déterminée ; empl. subst. : *Garanties offertes aux* ***justiciables***. **2.** Qui peut être jugé ; qui doit répondre de : *Être* ***justiciable*** *de ses actes.* **3.** Fig. Qui relève (de qqch.), qui nécessite : *Maladie* ***justiciable*** *d'un médicament.* XIIe s. ; *justicier* (vx), « punir » ; [ʒystisjabl].

**JUSTICIER, IÈRE, subst.**
**1.** *Féod.* Seigneur qui avait le pouvoir de rendre la justice sur ses terres. **2.** Personne qui rend la justice, qui la fait régner : *Saint Louis, roi et* ***justicier***. **3.** Ext. Personne qui se pose en défenseur du droit, de la morale, des faibles et des opprimés : *S'ériger en* ***justicier***. 1119 ; ☞ *justice* ; [ʒystisje, jɛʀ].

**JUSTIFIABLE, adj.**
Qui peut être justifié. Déb. XIVe s. ; ☞ *justifier* ; [ʒystifjabl].

**JUSTIFIANT, ANTE, adj.**
Qui justifie. ▸ *Relig. Grâce* ***justifiante*** : qui rend juste. ▸ *Typogr. Blanc* ***justifiant*** : blanc variable qui sépare également tous les mots d'une ligne pour la justifier. 1345 ; p. pr. de *justifier* ; [ʒystifjɑ̃, ɑ̃t].

**JUSTIFICATEUR, TRICE, subst. et adj.**
Vx. Se dit d'une personne qui justifie. Adj. Justificatif. Subst. Typographe qui justifie les lignes. Déb. XVIe s. ; lat. chrét. *justificator* ; [ʒystifikatœʀ, tʀis].

**JUSTIFICATIF, IVE, adj. et subst. m.**
Adj. Qui permet de justifier ou de prouver : *Un document, un témoignage* ***justificatif***. Subst. **1.** Pièce **justificative**. **2.** Exemplaire ou extrait d'un journal ou d'un livre envoyé à la personne qui y a demandé l'insertion d'un article ou d'une annonce. 1535 ; lat. *justificatum*, de *justificare*, « justifier » ; [ʒystifikatif, iv].

**JUSTIFICATION, subst. f.**
**1.** Action de justifier (qqn, qqch.), de se justifier : ***Justification*** *d'une décision.* **2.** Méton. Ensemble d[...] arguments présentés à cet effet ; en partic., preu[...] apportée par présentation de témoins, de papier[...] ***Justification*** *d'identité.* **3.** *Typogr.* Longueur d'u[...] ligne de texte imprimé comprise entre les marge[...] cette ligne elle-même. Mil. XIVe s. ; lat. ec[...] *justificatio* ; [ʒystifikasjɔ̃].

**JUSTIFIER, verbe trans.** [6]
Trans. dir. **1.** Mettre hors de cause, innocent[...] (qqn) : *L'avocat a réussi à* ***justifier*** *son client* ; emp[...] pronom. : *Il s'est* ***justifié*** *de cette calomnie.* **2.** Mo[...] trer le bien-fondé de, rendre légitime : *Il doit* ***justifi***[...] *son absence* ; empl. pronom. : *L'édition de ce liv*[...] *se* ***justifie*** *par sa qualité.* **3.** *Théol.* Placer (qqn) a[...] nombre des justes. **4.** *Typogr.* ***Justifier*** *les lignes* : le[...] donner la longueur requise au moyen de blan[...] Trans. indir. **Justifier de.** Apporter la preuve de[...] *Attestation qui* ***justifie*** *de revenus.* Déb. XIIe s. ; la[...] chrét. *justificare*, « déclarer juste » ; [ʒystifje].

**JUTE, subst. m.**
**1.** *Bot.* Plante herbacée de la famille des Tiliacé[...] **2.** Méton. ▸ Fibre extraite de cette plante. ▸ Étof[...] grossière faite avec cette fibre. 1849 ; angl. *ju*[...] du bengali *jhuto* ; [ʒyt].

**JUTER, verbe intrans.** [3]
Laisser couler du jus : *Des fruits qui* ***jutent***. 184[...] ☞ *jus* ; [ʒyte].

**JUTEUX, EUSE, adj. et subst. m.**
Adj. **1.** Qui a beaucoup de jus : *Orange* ***juteu***[...] **2.** Fig. Qui rapporte beaucoup d'argent, fructue[...] (fam.) : *Une affaire* ***juteuse***. Subst. Adjudant (arg[...] milit.). XVIe s. ; ☞ *jus* ; [ʒytø, øz].

**JUVÉNAT, subst. m.**
*Cath.* Dans certains ordres religieux, en partic. ch[...] les Jésuites, stage de préparation au professor[...] 1902 ; lat. *juvenis*, « jeune homme » ; [ʒyvena].

**JUVÉNILE, adj.**
Qui concerne les jeunes, propre à la jeunesse : *Ar*[...] *ardeur* ***juvénile***. Déb. XIIe s. ; lat. *juvenilis* ; [ʒyven[...]

**JUVÉNILITÉ, subst. f.**
État, caractère de ce qui est juvénile (littér[...] 1495 ; lat. *juvenilitas* ; [ʒyvenilite].

**JUXTALINÉAIRE, adj.**
*Traduction* ***juxtalinéaire*** : qui met face à face la lig[...] à traduire et la ligne traduite. 1843 ; ☞ *linéa*[...] + *juxta-* ; [ʒykstalineɛʀ].

**JUXTAPOSABLE, adj.**
Que l'on peut juxtaposer. 1927 ; ☞ *juxtapose*[...] [ʒykstapozabl].

**JUXTAPOSÉ, ÉE, adj.**
Qui est placé à côté, sans liaison. ▸ *Gramm. Term*[...] *propositions* ***juxtaposés*** : qui se succèdent sans li[...] de coordination ou de subordination (par ex., da[...] la phrase : « Il va, il vient, il ne cesse de s'agiter[...] les éléments séparés par des virgules sont **juxt**[...] **posés**). 1803 ; p. p. de *juxtaposer* ; [ʒykstapoz[...]

**JUXTAPOSER, verbe trans.** [3]
Placer (des éléments) les uns à côté des autres sa[...] les unir. 1803 ; ☞ *poser* + *juxta-* ; [ʒykstapoz[...]

**JUXTAPOSITION, subst. f.**
Action de juxtaposer ; son résultat. Mil. XVIIe s[...] ☞ *position* + *juxta-* ; [ʒykstapozisjɔ̃].

*Kangourous.* © N. Wu-Jacana

**K, subst. m. inv.**
**1.** Onzième lettre et huitième consonne de l'alphabet, utilisée dans les mots savants ou d'origine étrangère. **2.** Symb. ▸ *Chim.* K : potassium. ▸ *Métrol.* K : kelvin. [kɑ].

**KA, voir KAON**

**KABBALE, subst. f.**
Interprétation ésotérique juive de l'Ancien Testament, qui fonde une pratique mystique. 1532 ; hébreu *qabbālāh*, « tradition reçue » ; var. *cabale* ; [kabal].

**KABBALISTE, subst.**
Spécialiste de la kabbale. 1532 ; ☞ *kabbale* ; var. *cabaliste* ; [kabalist].

**KABBALISTIQUE, adj.**
Relatif, propre à la kabbale. 1532 ; ☞ *kabbale* ; var. *cabalistique* ; [kabalistik].

**KABIG, subst. m.**
Manteau court en drap de laine et à capuchon. Mil. XXe s. ; mot breton ; var. *kabic* ; [kabik].

**KABUKI, subst. m.**
Genre théâtral traditionnel du Japon, dans lequel alternent dialogues, chants et danses. 1895 ; jap. *kabuki*, de *ka*, « chant », de *bu*, « danse », et de *ki*, « art » ; [kabuki].

**KABYLE, adj. et subst.**
De Kabylie. Subst. masc. Langue berbère de Kabylie. 1664 ; ar. *qabā'il*, « tribus (de Kabylie) » ; [kabil].

**KACHA, subst. f.**
*Cuis.* Plat populaire slave à base de semoule de sarrasin (ou d'orge) mondé. 1852 ; russe *kaša*, « bouillie, brouet » ; [kaʃa].

**KACHER, ÈRE, adj.**
*Relig.* Se dit de tout aliment autorisé et préparé selon les prescriptions de la loi judaïque : *Viande **kachère*** ; par ext., se dit d'un lieu où il est vendu : *Magasins **kachers***. 1866 ; hébreu *kāšer*, « convenable ; apte » ; var. *kasher* (inv.), *casher* (inv.), *cacher, ère* ; [kaʃɛʀ].

**KADDISH, subst. m.**
*Relig.* Prière qui conclut chaque partie de l'office juif. 1866 ; araméen *qaddiš*, « saint » ; [kadiʃ].

**KAFKAÏEN, ÏENNE, adj.**
**1.** Relatif à Kafka. **2.** Dont le caractère absurde, oppressant évoque l'atmosphère des romans de Kafka. 1947 ; anthropon. *Franz Kafka* ; [kafkajɛ̃, jɛn].

**KAISER, subst. m.**
Empereur, en Allemagne, ou en Autriche ; en partic., l'empereur allemand, de 1871 à 1918. ▸ *Le **Kaiser*** : Guillaume II. 1859 ; all. *Kaiser*, du lat. *Caesar*, « César » ; [kajzœʀ] ou [kezɛʀ].

**KAKATOÈS, voir CACATOÈS**

**KAKÉMONO, subst. m.**
*B.-a.* Rouleau japonais de papier ou de soie peint, qui se déroule verticalement. 1878 ; jap. *kakemono*, de *kakeru*, « suspendre », et de *mono*, « chose » ; var. *kakemono* ; [kakemɔno].

**KAKI (I), subst. m.**
Fruit d'un plaqueminier, orangé, à chair fondante et riche en vitamines. 1765 ; mot jap. ; [kaki].

**KAKI (II), adj. inv. et subst. m.**
Adj. D'un jaune tirant sur le vert olive : *Veste **kaki***. Subst. Cette couleur : *Militaire en **kaki***. 1900 (1898, tissu pour vêtements indiens) ; angl. *khakee*, du hindi *khākī*, « couleur de poussière » ; [kaki].

**KALA-AZAR, subst. m.**
*Pathol.* Maladie endémique en Orient et rencontrée dans le Bassin méditerranéen, due à un parasite, la leishmania. 1883 ; langue de l'Assam *kālā āzār*, « maladie noire » ; plur. *kala-azars* ; [kalaazaʀ].

**KALACHNIKOV, subst. m.**
*Arm.* Fusil mitrailleur soviétique (calibre 7,62 mm). V. 1970 ; marque soviétique d'armes ; [kalaʃnikɔf].

**KALANCHOÉ, subst. m.**
*Bot.* Plante exotique ornementale de la famille des Crassulacées, à fleurs tubulaires. 1763 ; lat. sc. *kalanchoe*, du chinois ; [kalɑ̃kɔe].

**KALÉIDOSCOPE, subst. m.**
**1.** Instrument formé d'un tube contenant un jeu de miroirs qui, quand on fait tourner le tube face à une source lumineuse, produisent des figures symétriques et changeantes à partir des objets observés ou de morceaux de verre colorés mobiles placés à l'intérieur. **2.** Fig. Succession rapide d'éléments divers : *Un **kaléidoscope** de sensations*. 1818 ; angl. *kaleidoscope*, du gr. *kalos*, « beau », *eidos*, « aspect », et *skopein*, « regarder » ; [kaleidɔskɔp].

**KALI, subst. m.**
*Bot.* Plante de la famille des Chénopodiacées, riche en soude. 1553 ; ar. *qilī*, « cendres alcalines » ; [kali].

**KALICYTIE subst. f.**
*Biol.* Concentration en ions potassium d'une cellule. XXe s. ; ar. *qilī*, « cendres alcalines », + *-cyte* ; [kalisiti].

**KALIÉMIE, subst. f.**
*Biol.* Teneur en ions potassium du sang. 1938 ; ☞ *kalium* + *-émie* ; [kaljemi].

**KALIUM, subst. m.**
Potassium (vx). 1842 ; ☞ *kali* ; [kaljɔm].

**KALMOUK, OUKE, adj. et subst.**
De Kalmoukie ; du peuple mongol originaire de cette région. Subst. masc. Langue mongole (synon. *oïrat*). 1721 ; mot mongol ; [kalmuk].

**KAMALA, subst. m.**
*Bot.* Poudre orangée, colorante et ténifuge, qui recouvre les fruits d'un arbrisseau euphorbiacé. 1865 ; skr. *kamala*, « lotus » ; [kamala].

**KAMI, subst. m.**
*Relig.* Divinité, dans le shintoïsme. Mil. XIXe s. ; jap. *kami*, « supérieur ; seigneur » ; [kami].

**KAMICHI, subst. m.**
*Zool.* Échassier d'Amérique tropicale, de l'ordre des Antimiformes. 1741 ; caraïbe *kamityi* ; [kamiʃi].

**KAMIKAZE, subst. m.**
Avion-suicide japonais utilisé contre les Américains en 1944-1945. ▸ Méton. Volontaire pilotant cet avion ; par anal., personne qui s'expose délibérément à un grand danger ; empl. adj. : *Opération **kamikaze***, suicidaire. 1953 ; jap. *kamikaze*, « vent divin » ; [kamikaz].

**KAMMERSPIEL, subst. m.**
**1.** Au théâtre, technique destinée à créer l'intimité sur scène. **2.** Genre cinématographique reprenant cette technique. Déb. XXe s. ; all. *Kammerspiel*, de *Kammer*, « chambre », et de *Spiel*, « jeu » ; [kaməʀʃpil].

**KAN voir KHAN**

**KANA, subst. m. inv.**
Chacun des deux séries de quarante-huit signes à valeur syllabique utilisées en japonais pour transcrire les mots étrangers ou pour les terminaisons, particules, etc. Mot jap. ; [kana].

**KANAK, voir CANAQUE**

**KANDJAR, subst. m.**
Poignard oriental à lame courbe et à poignée sans garde. 1519 ; ar. *ḫanǧar*, d'orig. persane ; [kɑ̃dʒaʀ].

**KANGOUROU, subst. m.**
*Zool.* Animal de la famille des Macropodidés (mammifères marsupiaux), remarquable par ses longs membres postérieurs qui lui permettent des sauts de plusieurs mètres. 1774 ; angl. *kangaroo*, d'une langue australienne ; [kɑ̃guʀu].

**KANJI, subst. m. inv.**
Chacun des idéogrammes chinois utilisés dans l'écriture japonaise. Jap. *kan* (altér. du chinois *Han*) et *ji*, « caractère » ; [kɑ̃dji].

**KANTIEN, IENNE, adj.**
*Philos.* Relatif, propre à la philosophie de Kant ; empl. subst., adepte du kantisme. 1798 ; anthropon. *Emmanuel Kant* ; [kɑ̃sjɛ̃, jɛn] ou [kɑ̃tjɛ̃, jɛn].

**KANTISME, subst. m.**
*Philos.* Doctrine philosophique et morale de Kant. 1804 ; anthropon. *Emmanuel Kant* ; [kɑ̃tism].

PHILOSOPHIE – Homme du XVIIIe s., héritier de Newton, de Rousseau et de Hume, Kant est un philosophe des Lumières qui reconnaît en la raison l'instance majeure au service des sciences, de la morale et de l'homme. Dressant et délimitant les possibilités de la connaissance, le kantisme est un examen méthodique des facultés impliquées par la raison : une mise à l'épreuve et une justification de la raison scientifique et judiciaire qui trace les limites et les conditions de possibilité de la connaissance (*Critique de la raison pure*), des jugements moraux (*Critique de la raison pratique*) et du jugement finalisé (*Critique de la faculté de juger*). Par rupture du rapport séculaire sujet-objet et affirmation de la séparation du sensible et de l'intelligible, le kantisme pose l'objet comme phénomène, et relègue la « chose-en-soi » dans l'inconnaissable. Profonde refondation idéaliste, le kantisme est à la source de nombreux courants philosophiques contemporains.

**KAOLIANG, subst. m.**
Variété de sorgho d'Extrême-Orient. V. 1950 ; chinois *gaoliang jiu*, « alcool de sorgho » ; [kaɔljɑ̃g].

**KAOLIN, subst. m.**
*Pétrogr.* Roche argileuse formée surtout de kaolinite, résultant de l'altération de granites et servant à la fabrication de la porcelaine. 1712 ; chinois *gaoling*, « hautes collines » ; [kaɔlɛ̃].

**KAOLINISATION, subst. f.**
*Géol.* Processus d'altération des silicates entraînant la formation de kaolinite. 1873 ; ☞ *kaolin* ; [kaɔlinizasjɔ̃].

**KAOLINITE, subst. f.**
*Minér.* Silicate d'alumine hydraté, constituant essentiel du kaolin, se formant, soit par transformation en profondeur soit par altération, dans les sols des régions chaudes et humides. 1898 ; ☞ *kaolin* ; [kaɔlinit].

**KAON, subst. m.**
*Phys. part.* Particule dont la masse est à mi-chemin entre celle de l'électron et celle du proton, et qui fut appelée, lors de sa découverte, méson K (pour la distinguer du méson $\pi$, identifié en 1947). V. 1960 ; *méson K*, d'apr. *électron* ; var. *ka* ; [kaɔ̃].

**KAPO, subst. m.**
*Hist.* Dans les camps de concentration nazis, détenu chargé de commander les autres. 1940 ; all. *Kapo*, abrév. de *Kamerad Polizei*, ou ital. *capo*, « chef » ; [kapo].

**KAPOK, subst. m.**
Duvet recouvrant les graines de certains arbres de la famille des Bombacées, utilisé pour le rembourrage. 1680 ; malais *kâpuq* ; [kapɔk].

**KAPOKIER, subst. m.**
*Bot.* Arbre de la famille des Bombacées, qui fournit le kapok. 1691 ; ☞ *kapok* ; [kapɔkje].

**KAPPA, subst. m. inv.**
Dixième lettre de l'alphabet grec (κ, K), qui correspond au *k* français. 1690 ; mot gr. ; [kap(p)a].

**KARAÏTE, subst.**
*Relig.* Membre d'une secte juive qui n'admet que l'autorité de la Torah ; empl. adj., relatif à cette secte. Hébreu *qārā'īm*, « fils des Écritures » ; var. *caraïte*, *qaraïte* ; [kaʀait].

**KARAKUL, subst. m.**
Mouton d'Asie centrale à longue toison bouclée ; cette fourrure elle-même. Fin XVIIIe s. ; topon. *Karakoul* (Ouzbékistan) ; var. *caracul* ; [kaʀakyl].

**KARATÉ, subst. m.**
*Sp.* Art martial japonais alliant force et maîtrise de soi. 1956 ; jap. *karate*, « main vide » ; [kaʀate].

**KARATÉKA, subst.**
Personne qui pratique le karaté. V. 1970 ; jap. *karateka* ; [kaʀateka].

**KARBAU, subst. m.**
Buffle domestique d'Asie, à longues cornes. Fin XIXe s. ; mot malais ; var. *kérabau* ; [kaʀbo].

**KARITÉ, subst. m.**
*Bot.* Arbre d'Afrique tropicale de la famille des Sapotacées, dont la graine fournit une matière grasse, le beurre de **karité**. 1907 ; mot wolof ; [kaʀite].

**KARMA, subst. m.**
*Relig.* Dans l'hindouisme, principe selon lequel l'existence de l'individu est déterminée par les actes accomplis au cours de ses vies antérieures. 1931 ; skr. *karman*, « acte » ; var. *karman* ; [kaʀma].

**KARST, subst. m.**
*Géol.* Région présentant diverses cavités et galeries dues à la dissolution du calcaire par l'eau. 1892 ; topon. all. *Karst*, région de Slovénie ; [kaʀst].

**KARSTIQUE, adj.**
*Géol.* Qui se rapporte au karst : *Relief* ***karstique***, caractérisé par des dolines, des avens, des poljés, des grottes, etc. 1902 ; ☞ *karst* ; [kaʀstik].

**KART, subst. m.**
*Sp.* Petite automobile à une place, sans boîte de vitesses, ni suspension, ni carrosserie. V. 1960 ; anglo-amér. *kart*, de *cart*, « charrette » ; [kaʀt].

**KARTING, subst. m.**
Sport pratiqué avec des karts. V. 1960 ; mot anglo-amér. ; [kaʀtiŋ].

**KARYOKINÈSE, voir CARYOCINÈSE**

**KASBAH, voir CASBAH**

**KASHER, voir KACHER**

**KATAL, subst. m.**
*Biochim.* Unité d'activité enzymatique, égale à la quantité d'enzymes nécessaire transformer 1 mole de substrat par seconde (symb. : kat). XXe s. ; plur. *katals* ; [katal].

**KATCHINA, subst. m.**
Chez les Indiens Pueblo, être surnaturel qui tient à la fois des dieux et des hommes ; poupée ou masque le représentant. Mot hopi ; [katʃina].

**KATHAKALI, subst. m.**
Théâtre dansé de l'Inde, aux thèmes mythologiques. 1926 ; skr. *kathākali*, de *katha*, « récit », et de *kali*, « jeu » ; [katakali].

**KAVA, subst. m.**
*Bot.* Poivrier de Polynésie ; boisson euphorisante tirée de sa racine. Mil. XIXe s. ; mot polynésien ; var. *kawa* ; [kava].

**KAYAK, subst. m.**
**1.** Canot de pêche des Esquimaux, fait de peaux de phoques. **2.** *Sp.* Embarcation légère dans laquelle le rameur se glisse jusqu'à la taille, manœuvrée avec une pagaie double ; par méton., sport pratiqué avec un **kayak**. 1829 ; mot esquimau ; [kajak].

© F. Catelоy-Gamma-Sport

*Compétition de* ***kayak.***

**KAYAKISTE, subst.**
Personne qui pratique le kayak. V. 1960 ; ☞ *kayak* ; [kajakist].

**KAZAKH, AKHE, adj. et subst.**
Du Kazakhstan. **Subst. masc.** Langue turque parlée par les Kazakhs. XXe s. ; mot turc ; [kazak].

**KÉBAB, subst. m.**
*Cuis.* Plat oriental fait de brochettes de mouton ou de bœuf. 1743 ; ar. *kabāb* ; var. *kebab* ; [kebab].

**KEEPSAKE, subst. m.**
À l'époque romantique, album orné de fines gravures, offert en cadeau. 1828 ; angl. *keepsake*, de *to keep*, « garder », et de *sake*, « égard, amitié » ; [kipsɛk].

**KEFFIEH, subst. m.**
*Cost.* Coiffure des Bédouins faite d'un carré d'étoffe plié, maintenu par un cordon et tombant sur les épaules. XXe s. ; ar. *kūfiyya* ; [kefje].

**KÉFIR, subst. m.**
Boisson fermentée à base de lait de chèvre, de jument ou de vache. 1885 ; mot d'orig. caucasienne ; var. *képhir* ; [kefiʀ].

**KELVIN, subst. m.**
*Métrol.* Unité de température (symb. : K) dans le système international d'unités S. I., définie en assignant la valeur 273,16 K à la température dite absolue ou thermodynamique du point triple de l'eau (température à laquelle les trois états de l'eau – glace, liquide, vapeur – sont en équilibre) et en donnant au degré **Kelvin** la même valeur qu'au degré Celsius. La relation entre les deux échelles est : T (en degrés **Kelvin**) = t (en degrés Celsius) + 273,15. Ainsi, la température thermodynamique de la glace fondante (soit 0 °C) vaut 273,15 K. 1953 ; anthropon. *W. Th. Kelvin*, physicien anglais ; [kɛlvin].

**KENDO, subst. m.**
Art martial japonais pratiqué avec un sabre de bambou. V. 1970 ; jap. *kendo*, de *ken*, « sabre », et de *do*, « voie » ; [kɛndo].

**KÉPHIR, voir KÉFIR**

**KÉPI, subst. m.**
Coiffure cylindrique à visière, portée notamment en France par les officiers et les sous-officiers de l'armée de terre. 1809 ; além. *Käppi*, dimin. de *Kappe*, « bonnet » ; [kepi].

**KÉRABAU, voir KARBAU**

**KÉRATINE, subst. f.**
*Biochim.* Protéine riche en soufre, qui est le principal constituant des poils, des cheveux, des ongles, des sabots, des cornes, des plumes et de la partie supérieure de l'épiderme. 1855 ; gr. *keras*, « corne » ; [keʀatin].

**KÉRATINISATION, subst. f.**
*Histol.* Processus par lequel les cellules cutanées s'imprègnent progressivement de kératine, assurant ainsi le rôle de barrière protectrice de l'épiderme. 1892 ; ☞ *kératinisé* ; [keʀatinizasjɔ̃].

**KÉRATINISÉ, ÉE, adj.**
*Histol.* Qui a été imprégné de kératine. 1889 ; ☞ *kératine* ; [keʀatinize].

**KÉRATITE, subst. f.**
*Pathol.* Atteinte infectieuse de la cornée. 1827 ; formé de *kérato-* et de *-ite* ; [keʀatit].

**KÉRATOCÔNE, subst. m.**
*Pathol.* Déformation rare de la cornée, en forme de cône, qui serait due à une dégénérescence des fibres de collagène. V. 1900 ; ☞ *cône* + *kérato-* ; [keʀatokon].

**KÉRATOPLASTIE, subst. f.**
*Chir.* Remplacement d'un fragment de cornée opaque par un fragment de cornée saine. Fin XIXe s. ; formé de *kérato-* et de *-plastie* ; [keʀatoplasti].

**KÉRATOSE, subst. f.**
*Pathol.* Maladie caractérisée par l'épaississement de la couche cornée. 1884 ; formé de *kérato-* et de *-ose* ; [keʀatoz].

**KÉRATOTOMIE, subst. f.**
*Chir.* Incision de la cornée. Mil. XIXe s. ; formé de *kérato-* et de *-tomie* ; [keʀatɔtɔmi].

**KERMÈS, subst. m.**
**1.** *Zool.* Cochenille du chêne et, par ext., toute cochenille. **2.** *Bot.* Chêne vert des régions méditerranéennes ; en appos. : *Chêne* ***kermès.*** Déb. XVIe s. ; ar. *qirmiz*, « cochenille » ; [kɛʀmɛs].

**KERMESSE, subst. f.**
**1.** Fête patronale annuelle aux Pays-Bas et dans les Flandres (synon. *ducasse*). **2.** Ext. Fête de bienfaisance, gén. en plein air. 1397 ; flam. *kerkmisse*, « messe d'église » ; [kɛʀmɛs].

**KÉROGÈNE, subst. m.**
*Géol.* Corps solide organique présent dans les schistes bitumineux, dont la formation constitue une étape majeure de la genèse du pétrole. 1959 ; angl. *kerogen*, du gr. *kêros*, « cire » ; [keʀɔʒɛn].

**KÉROSÈNE, subst. m.**
*Chim.* Mélange d'hydrocarbures obtenu par distillation du pétrole brut, utilisé autrefois dans les lampes à pétrole et auj. comme carburant pour les avions à réaction. 1862 ; angl. *kerosene*, du gr. *kêros*, « cire » ; [keʀɔzɛn].

**KERRIA, subst. m.**
*Bot.* Arbuste ornemental d'Asie, de la famille des Rosacées. 1833 ; anthropon. *William Ker*, botaniste anglais ; var. *une kerrie* ; [keʀja].

**KETCH, subst. m.**
*Mar.* Voilier à deux mâts, dont l'artimon est situé à l'avant de la barre. 1666 ; mot angl. ; [kɛtʃ].

**KETCHUP, subst. m.**
*Cuis.* Condiment à base de purée de tomates. 1816 ; angl. *ketchup*, p.-ê. du chinois ; [kɛtʃœp].

**KETMIE, subst. f.**
*Bot.* Nom de plusieurs hibiscus ornementaux ou textiles. 1694 ; ar. *ḫitmī*, « guimauve » ; [kɛtmi].

**KEVLAR, subst. m. inv.**
*Techn.* Fibre de résine très résistante. V. 1970 ; n. déposé ; [kɛvlaʀ].

**KEYNÉSIANISME, subst. m.**
*Écon.* Doctrine de Keynes et des keynésiens. XXe s. ; anthropon. *J. M. Keynes* ; [kenezjanism].

**ÉCONOMIE** – Inspiré par la grande dépression des années trente, le keynésianisme est une mise en doute radicale de l'aptitude du marché à générer le plein-emploi. Keynes montre que, en période de crise, l'excès d'épargne réalisé par les entrepreneurs se traduit par une déficience de la demande effective et par la réalisation d'un équilibre de sous-emploi. Pour remédier à ce problème, il propose de placer l'État en situation d'arbitre du jeu économique, agissant sur les rouages de la monnaie et des finances publiques de manière à soutenir le pouvoir d'achat.

**KEYNÉSIEN, IENNE, adj. et subst.**
*Écon.* **Subst.** Partisan du keynésianisme. **Adj.** Relatif ou favorable au keynésianisme. 1952 ; anthropon. *J. M. Keynes* ; [kenezjɛ̃, jɛn].

**kg, voir KILOGRAMME**

**KHÂGNE, subst. f.**
Classe préparatoire à l'École normale supérieure, section lettres (fam.). 1888 ; région. *cagne*, « paresse », par iron., ou *cagneux* ; var. *cagne* ; [kaɲ].

**KHÂGNEUX, EUSE, subst.**
Élève de khâgne (fam.). 1888 ; ☞ *khâgne* ; var. *cagneux, euse* ; [kaɲø, øz].

**KHALIFAT, voir CALIFAT**

**KHALIFE, voir CALIFE**

**KHALKHA,** subst. m.
*Ling.* Mongol. ⚭ Mil. XXe s. ; mot mongol ; [kalka].

**KHAMSIN,** subst. m.
Vent de sable qui souffle en Égypte. ⚭ 1755 (1664, période de cinquante jours entre Pâques et la Pentecôte) ; ar. *ḫamsīn*, « cinquante » ; var. *chamsin* ; [xamsin].

**KHAN (I),** subst. m.
Titre porté par les chefs mongols et qui s'est étendu aux dignitaires des pays sous influence mongole. ⚭ Fin XIIIe s. ; mongol *kagan*, « prince » ; var. *kan* ; [kɑ̃].

**KHAN (II),** subst. m.
Caravansérail. ⚭ 1457 ; persan *xān* ; var. *kan* ; [kɑ̃].

**KHANAT,** subst. m.
*Hist.* **1.** Dignité, charge de khan. **2.** Pays soumis à un khan. ⚭ 1678 ; ☞ *khan* (I) ; [kana].

**KHARIDJISME,** subst. m.
Secte politico-religieuse de l'islam apparue à la fin du VIIe s., caractérisée par l'austérité de ses mœurs. ⚭ Déb. XXe s. ; ar. *ḫariğiyya* ; [kaʀidʒism].

**KHAT,** voir **QAT**

**KHÉDIVE,** subst. m.
*Hist.* Titre donné par le sultan ottoman au vice-roi d'Égypte en 1867, et porté jusqu'en 1914. ⚭ 1869 ; turc *ḫedīw*, « prince », du persan *xadiv* ; [kediv].

**KHI,** subst. m. inv.
Vingt-deuxième lettre de l'alphabet grec (χ, X). ⚭ 1832 ; mot gr. ; [ki].

**KHMER, KHMÈRE,** adj. et subst.
Du peuple majoritaire du Cambodge. SUBST. MASC. Langue officielle de ce pays. ⚭ 1873 ; orig. obsc. ; [kmɛʀ].

**KHOISAN,** adj. inv. et subst. inv.
De l'ensemble formé par les peuples Khoin (ou Hottentots) et San (ou Bochimans) d'Afrique australe. SUBST. MASC. Groupe de langues parlées par ces peuples. ⚭ Crois. de *Khoin* et de *San* ; [kɔisan].

**KHÔL,** subst. m.
Fard sombre utilisé pour les yeux. ⚭ 1646 ; ar. *kuḥl*, « collyre » ; var. *kohol* ; [kol].

**KIBBOUTZ,** subst. m.
En Israël, exploitation agricole communautaire. ⚭ V. 1950 ; hébreu *qibbūṣ*, de *qibbēs*, « rassembler » ; plur. *kibboutz(im)* ; [kibuts], plur. [-tsim].

**KICHENOTTE,** voir **QUICHENOTTE**

**KICK,** subst. m.
Dispositif de mise en marche d'un moteur de motocyclette actionné avec le pied (anglic.). ⚭ 1919 ; angl. *kick-starter*, de *kick*, « coup de pied », et de *starter*, « démarreur » ; recomm. off. *tir* ; [kik].

**KIDNAPPER,** verbe trans. [3]
Enlever (un enfant ou, par ext., qqn) en vue de l'échanger contre une rançon (anglic.). ⚭ 1931 ; angl. *to kidnap*, de *kid*, « enfant », et de *to nap*, « saisir » ; [kidnape].

**KIDNAPPEUR, EUSE,** subst.
Ravisseur (anglic.). ⚭ 1936 ; angl. *kidnapper* ; [kidnapœʀ, øz].

**KIDNAPPING,** subst. m.
Anglic. Action de kidnapper ; son résultat. ⚭ 1935 ; angl. *to kidnap* ; [kidnapiŋ].

**KIESELGUHR,** subst. m.
**1.** *Pétrogr.* Nom allemand de la diatomite. **2.** Composant inerte de la dynamite. ⚭ 1824 ; all. *Kieselguhr*, de *Kiesel*, « galet », et de *Guhr*, « masse humide émanant de la roche » ; var. *kieselgur* ; [kizɛlguʀ].

**KIF,** subst. m.
Mélange de chanvre indien et de tabac, en Afrique du Nord. ⚭ 1670 ; ar. maghrébin *kīf*, « bien-être » ; [kif].

**KIF-KIF,** adj. inv.
Pareil, égal (fam.) : *L'un ou l'autre, c'est* **kif-kif**. ⚭ 1867 ; ar. maghrébin *kīf kīf* ; [kifkif].

**KIKI,** subst. m.
Fam. **1.** Cou, gorge : *Je vais lui serrer le* **kiki**. **2.** Loc. *C'est parti, mon* **kiki** : ça commence. ⚭ 1876 ; aphérèse du dial. *quiquiriqui*, chant du coq ; [kiki].

**KIL,** subst. m.
*Un* **kil** *de rouge* : un litre de vin rouge (pop.). ⚭ 1880 ; ☞ *kilo* ; [kil].

**KILIM,** subst. m.
Tapis d'Orient, tissé. ⚭ Mot turc, du persan *gelim*, « tapis tressé » ; [kilim].

**KILO,** subst. m.
Kilogramme. ⚭ 1858 (fin XVIIIe s., mille) ; apocope de *kilogramme* ; [kilo].

**KILOGRAMME,** subst. m.
*Métrol.* Unité de masse équivalant à 1 000 grammes (symb. : kg), qui correspondait à l'origine à la masse de 1 décimètre cube d'eau pure (depuis 1889, l'étalon de masse est en platine iridié) : ***Kilogramme-force*** (☞ *newton*) ; ***Kilogramme par mètre carré***, unité de pression du système métrique ; ***Kilogramme par mètre cube***, unité de masse volumique. ⚭ 1795 ; ☞ *gramme* + *kilo-* ; [kilogʀam].

**KILOMÉTRAGE,** subst. m.
**1.** Action de kilométrer. **2.** Nombre de kilomètres parcourus. ⚭ 1867 ; ☞ *kilométrer* ; [kilɔmetʀaʒ].

**KILOMÈTRE,** subst. m.
*Métrol.* Unité de longueur égale à 1 000 mètres (symb. : km) : ***Kilomètre carré***, unité de superficie égale à 1 million de mètres carrés ; ***Kilomètre par heure, à l'heure***, unité de vitesse égale à 1/3,6 mètre par seconde (symb. : km/h). ▸ Loc. *Écrire au* **kilomètre** : abondamment, avec trop de facilité. ⚭ 1795 ; ☞ *mètre* (II) + *kilo-* ; [kilɔmɛtʀ].

**KILOMÉTRER,** verbe trans. [8]
Mesurer en kilomètres ; marquer de bornes kilométriques : ***Kilométrer** une voie*. ⚭ 1867 ; ☞ *kilomètre* ; [kilɔmetʀe].

**KILOMÉTRIQUE,** adj.
Évalué en kilomètres : *Distance* **kilométrique** ; qui marque le nombre de kilomètres : *Compteur* **kilométrique**. ⚭ 1811 ; ☞ *kilomètre* ; [kilɔmetʀik].

**KILOTONNE,** subst. f.
*Métrol.* Unité de puissance nucléaire équivalant à l'énergie dégagée par l'explosion de 1 000 tonnes de trinitrotoluène. ⚭ 1957 ; ☞ *tonne* + *kilo-* ; [kilotɔn].

**KILOWATT,** subst. m.
*Métrol.* Unité de puissance équivalant à 1 000 watts (symb. : kW). ⚭ 1889 ; ☞ *watt* + *kilo-* ; [kilowat].

**KILOWATTHEURE,** subst. m.
*Métrol.* Quantité d'énergie équivalant à une puissance constante de 1 kilowatt fournie ou utilisée pendant une heure (symb. : kWh). ⚭ 1894 ; formé de *kilowatt* et de *heure* ; [kilowatœʀ].

**KILT,** subst. m.
**1.** Jupe traditionnelle des Écossais, courte et plissée, en tartan. **2.** Ext. Jupe plissée en tissu écossais. ⚭ 1792 ; angl. *kilt*, de *to kilt*, « plisser » ; [kilt].

**KIMBANGUISME,** subst. m.
*Relig.* Mouvement chrétien fondé au Zaïre en 1921, institué en 1960 sous le nom « Église de Jésus-Christ sur la Terre par le prophète Simon Kimbangu ». ⚭ XXe s. ; anthropon. *Simon Kimbangu*, prédicateur zaïrois ; [kimbɑ̃gism].

**KIMBERLITE,** subst. f.
*Pétrogr.* Roche magmatique ultrabasique qui forme des cheminées volcaniques (pipes) exploitées pour les diamants qu'elles contiennent. ⚭ XXe s. ; topon. *Kimberley* (Afrique du Sud) ; [kẽbɛʀlit].

**KIMONO,** subst. m.
**1.** *Cost.* Longue tunique d'une seule pièce, à manches amples, tenue croisée à la taille par une large ceinture et portée par les hommes et les femmes au Japon. **2.** Anal. Vêtement léger d'intérieur. ▸ Empl. adj. inv. *Manches* **kimono** : amples et non rapportées ; *Une robe* **kimono** : à manches **kimono**. **3.** *Sp.* Tenue des judokas, des karatékas, etc., composée d'un pantalon, d'une veste et d'une ceinture en toile. ⚭ 1603 ; mot jap. ; [kimɔno].

**KINASE,** subst. f.
*Biochim.* Enzyme qui catalyse la phosphorylation par l'A. T. P. d'une molécule spécifique. ⚭ 1901 ; gr. *kinein*, « mettre en mouvement » ; [kinaz].

**KINESCOPE,** subst. m.
Dispositif d'enregistrement sur film cinématographique d'une émission de télévision. ⚭ 1948 ; gr. *kinêsis*, « mouvement », + *-scope* ; [kinɛskɔp].

**KINÉSITHÉRAPEUTE,** subst.
Praticien exerçant la kinésithérapie. ⚭ 1948 ; ☞ *thérapeute* + *kinési-* ; [kineziteʀapøt].

**KINÉSITHÉRAPIE,** subst. f.
Tout traitement fondé sur les mouvements passifs (massages) ou actifs (gymnastique fonctionnelle). ⚭ 1847 ; formé de *kinési-* et de *-thérapie* ; [kineziteʀapi].

**KINESTHÉSIE,** subst. f.
Ensemble des sensations qui renseignent sur la position et les mouvements du corps. ⚭ V. 1900 ; formé de *kinési-* et de *-esthésie*, d'apr. l'angl. ; var. *cinesthésie* ; [kinɛstezi].

**KINESTHÉSIQUE,** adj.
Relatif à la kinesthésie. ⚭ 1931 ; ☞ *kinesthésie* ; var. *cinesthésique* ; [kinɛstezik].

**KINÉTOSCOPE,** subst. m.
Appareil mis au point par Edison pour donner l'impression du mouvement grâce au déroulement rapide de photos prises à de très courts intervalles. ⚭ 1893 ; gr. *kinêtos*, « mobile », + *-scope* ; [kinetɔskɔp].

**KING-CHARLES,** subst. m. inv.
Épagneul nain à poil long. ⚭ 1845 ; angl. *King Charles's spaniel*, « épagneul du roi Charles » ; [kinʃaʀl].

**KINKAJOU,** subst. m.
*Zool.* Petit mammifère d'Amérique tropicale, de la famille des Procyonidés, plantigrade, au poil roux doré, frugivore et insectivore. ⚭ 1672 ; prob. mot indien d'Amérique du Nord ; [kẽkaʒu].

**KIOSQUE,** subst. m.
**1.** Pavillon de jardin ouvert sur toutes ses faces : *Un concert sera donné dans le* **kiosque** *à musique*. **2.** Anal. Abri édifié sur la voie publique pour la vente des journaux, des fleurs. **3.** *Mar.* Abri vitré installé sur le pont d'un navire. ▸ Superstructure d'un sous-marin qui sert de passerelle pour la navigation de surface. **4.** *Télécomm.* Service de messageries par Minitel (n. déposé). ⚭ 1608 ; ital. *chiosco*, du turc *köşk*, du persan *kušk*, « palais, forteresse » ; [kjɔsk].

**KIOSQUIER, IÈRE,** subst.
Personne qui tient un kiosque à journaux (synon. *kiosquiste*). ⚭ Mil. XXe s. ; ☞ *kiosque* ; [kjɔskje, jɛʀ].

**KIP,** subst. m.
Unité monétaire du Laos. ⚭ V. 1970 ; mot thaï ; [kip].

**KIPPA,** subst. f.
*Relig.* Petite calotte que portent les juifs pratiquants. ⚭ Hébreu *kippāh*, « coupole ; calotte » ; [kipa].

**KIPPER,** subst. m.
Hareng ouvert, salé et fumé. ⚭ Déb. XIXe s. ; angl. *kipper*, « saumon mâle » ; [kipœʀ].

**KIR,** subst. m.
Apéritif composé de vin blanc et de crème de cassis. ⚭ V. 1970 ; anthropon. *chanoine Kir*, ancien maire de Dijon ; [kiʀ].

**KIRGHIZ, IZE,** adj. et subst.
Des Kirghizes ou du Kirghizistan. SUBST. MASC. Langue d'origine turque parlée par les Kirghizes. ⚭ 1721 ; russe *kirgiz*, du turco-tatar ; [kiʀgiz].

**KIRSCH,** subst. m.
Eau-de-vie de merises ou de cerises. ⚭ 1775 ; all. *Kirschwasser*, « eau de cerise » ; [kiʀʃ].

**KIT,** subst. m.
Ensemble de pièces détachées constitutives d'un objet à monter soi-même. ⚭ 1958 ; angl. *kit*, « boîte à outils » ; recomm. off. *prêt-à-monter* ; [kit].

**KITCH,** voir **KITSCH**

**KITCHENETTE,** subst. f.
Cuisinette (recomm. off.). ⚭ 1936 ; mot anglo-amér. ; [kitʃənɛt].

**KITSCH,** subst. m. inv. et adj. inv.
Se dit d'un style d'œuvres, d'objets caractérisé par le mauvais goût, volontaire ou non. ADJ. Qui présente ce caractère : *Décor* **kitsch**. ⚭ V. 1960 ; all. *Kitsch*, de *kitschen*, « ramasser la boue des rues » ; var. *kitch* ; [kitʃ].

**KIWI (I),** subst. m.
*Zool.* Oiseau ratite, aux ailes atrophiées, de la taille d'une poule et de mœurs nocturnes, qui vit en Nouvelle-Zélande. ⚭ 1828 ; mot maori ; [kiwi].

**KIWI (II),** subst. m.
Fruit oblong d'un arbuste originaire d'Asie, l'actinidia (famille des Dilléniacées), à peau brune légèrement poilue et à chair verte et juteuse, très riche en vitamine C. ⚭ V. 1980 ; angl. *kiwi fruit*, de *Kiwi*, surnom des Néo-Zélandais ; [kiwi].

**KLAXON,** subst. m. inv.
Avertisseur sonore de véhicule. ⚭ 1911 ; anglo-amér. *Klaxon*, du gr. *klaxein*, « retentir » ; n. déposé ; [klaksɔn].

**KLAXONNER,** verbe intrans. [3]
Actionner un Klaxon. ⚭ 1930 ; ☞ *Klaxon* ; [klaksɔne].

**KLEENEX,** subst. m.
Mouchoir jetable en papier. ⚭ V. 1970 ; mot anglo-amér. ; n. déposé ; [klinɛks].

**KLEPHTE,** voir **CLEPHTE**

**KLEPTOMANE,** voir **CLEPTOMANE**

**KLEPTOMANIE,** voir **CLEPTOMANIE**

**KLYSTRON,** subst. m.
*Phys.* Tube électronique qui permet d'amplifier un champ électrique alternatif et de produire ensuite des oscillations électromagnétiques dont la lon-

gueur d'onde est de l'ordre du centimètre. ⌘ 1939 ; angl. *klystron*, du gr. *kluxein*, « envoyer un jet de liquide » ; [klistʀɔ̃].

**km, voir KILOMÈTRE**

**KNICKERS, subst. m. plur.**
Pantalon large et court resserré sous le genou, porté pour pratiquer les sports de montagne. ⌘ 1863 ; *Knickerbocker*, héros d'un livre sur les colons hollandais de New York ; [knikœʀ(s)].

**KNOCK-DOWN, subst. m. inv.**
*Sp.* Désigne l'état d'un boxeur mis à terre pendant une durée inférieure à dix secondes (anglic.). ⌘ 1909 ; angl. *knock-down*, de *to knock*, « frapper », et de *down*, « à terre » ; recomm. off *au tapis* ; [nɔkdawn].

**KNOCK-OUT, subst. m. inv.**
*Sp.* Mise hors de combat d'un boxeur resté au moins dix secondes à terre (abrév. : K.-O.) ; empl. adj. inv., assommé ou harassé (fam. et surtout empl. en abrév.). ⌘ 1899 ; angl. *knock-out*, de *to knock*, « frapper », et de *out*, « dehors » ; [nɔkaut].

**KNOUT, subst. m.**
Fouet de cuir à plusieurs lanières garnies de métal à leur extrémité, employé par les bouviers, puis comme instrument de supplice en Russie impériale ; par méton., ce supplice. ⌘ 1681 ; russe *knut*, de l'anc. nord. *knútr*, « nœud » ; [knut].

**KOALA, subst. m.**
*Zool.* Mammifère marsupial aux mœurs nocturnes et aux griffes robustes, arboricole et frugivore, vivant en Australie. ⌘ 1817 ; angl. *koala*, de *kula*, d'orig. australienne ; [kɔala].

**KOB, subst. m.**
*Zool.* Antilope africaine de la famille des Bovidés, qui vit dans les marécages. ⌘ 1764 ; mot wolof ; var. *cob* ; [kɔb].

**KOBOLD, subst. m.**
*Myth.* Génie familier des contes allemands, lutin gardien des métaux précieux enfouis dans la terre. ⌘ 1732 (1549, minerai) ; mot all. ; [kɔbɔld].

**KODIAK, subst. m.**
*Zool.* Grand ours brun d'Amérique. ⌘ [kɔdjak].

**KOHOL, voir KHÔL**

**KOINÈ, subst. f.**
*Ling.* **1.** Nom donné par les hellénistes à la langue commune dans laquelle se sont fondus tous les dialectes grecs antiques, au IVe s. av. J.-C. **2.** Ext. Toute langue commune se superposant à plusieurs variétés dialectales. ⌘ 1913 ; gr. *koinê*, de *koinos*, « commun à plusieurs personnes » ; var. *koinê* ; [kɔinɛ].

**KOLA, subst. m.**
**1.** Kolatier (vieilli). **2.** Fruit du kolatier (noix de **kola**), contenant des stimulants du système nerveux. ⌘ 1610 ; mot soudanais ; var. *cola* ; [kɔla].

**KOLATIER, subst. m.**
*Bot.* Arbre de la famille des Sterculiacées, originaire d'Afrique tropicale et produisant le kola. ⌘ 1905 ; ☞ *kola* ; var. *colatier* ; [kɔlatje].

**KOLINSKI, subst. m.**
Fourrure de putois ou de loutre de Sibérie. ⌘ 1922 ; p.-ê. russe *horečnij*, de *horëk*, « putois » ; [kɔlɛ̃ski].

**KOLKHOZE, subst. m.**
*Hist.* En U. R. S. S., coopérative agricole de production, jouissant d'une terre appartenant à l'État et propriétaire du bétail et des outils de travail. ⌘ 1931 ; russe *kolhoz*, acron. de *kollektivnoe hozâjstvo*, « économie collective » ; [kɔlkoz].

**KOLKHOZIEN, IENNE, adj. et subst.**
*Hist.* ADJ. Relatif au kolkhoze. SUBST. Membre d'un kolkhoze. ⌘ 1933 ; ☞ *kolkhoze* ; [kɔlkozjɛ̃, jɛn].

**KOMMANDANTUR, subst. f.**
*Hist.* Bâtiment, local abritant le commandement militaire allemand, en Allemagne ou dans une région occupée par son armée (empl. surtout dans le contexte de la Seconde Guerre mondiale) ; par méton., ce commandement. ⌘ 1871 ; mot all. ; [kɔmɑ̃dɑ̃tyʀ] ou [-tuʀ].

**KOMSOMOL, subst. m.**
*Hist.* En U. R. S. S., membre de l'organisation des jeunesses communistes. ⌘ 1929 ; russe *Komsomol*, acron. de *Kommunističeskij soûz molodëzi*, « Union communiste de la jeunesse » ; [kɔmsɔmɔl].

**KONZERN, subst. m.**
*Écon.* Forme d'entente très étroite entre entreprises, qui s'est particulièrement développée dans la métallurgie allemande sous la république de Weimar. ⌘ V. 1920 ; mot all. ; [kɔ̃zɛʀn] ou [konts-].

**KOPECK, subst. m.**
Monnaie russe (ou soviétique) valant un centième de rouble. ► Loc. *Sans un* **kopeck** : sans le sou (fam.). ⌘ 1607 ; russe *kopejka* ; [kɔpɛk].

**KORA, subst. f.**
Instrument de musique africain à cordes pincées. ⌘ Mot mandingue ; [kɔʀa].

**KORÊ, subst. f.**
*B.-a.* Statue grecque antique représentant une jeune fille drapée. ⌘ 1933 ; gr. *korê*, « jeune fille » ; var. *coré*, *corê* ; plur. *korês* ou *korai* ; [kɔʀɛ], plur. [-ʀaj].

**KORRIGAN, ANE, subst.**
*Myth.* Esprit, gén. malfaisant, des légendes bretonnes, prenant l'apparence d'un nain ou d'une fée. ⌘ 1831 ; mot breton ; [kɔʀigɑ̃, an].

**KOTO, subst. m.**
Instrument de musique japonais à cordes pincées. ⌘ 1907 ; mot jap. ; [kɔto].

**KOUBBA, subst. f.**
En Afrique du Nord, monument de forme cubique, surmonté d'une coupole, élevé sur la tombe d'un marabout. ⌘ 1568 ; ar. *qubba*, « coupole » ; [kuba].

**KOUDOURROU, subst. m.**
*Archéol.* Borne de pierre limitant un terrain ou jalonnant une route, en Mésopotamie. ⌘ Var. *kudurru* ; [kuduʀ(ʀ)u].

**KOUGLOF, subst. m.**
Gâteau alsacien fait d'une pâte de brioche garnie de raisins secs et cuit dans un moule percé d'une cheminée centrale. ⌘ 1827 ; alsacien *gugelhupf*, de l'all. *Kugel*, « boule » ; nombreuses var., parmi lesquelles *kougelhof* ; [kuglɔf].

**KOULAK, subst. m.**
Paysan enrichi et propriétaire, jusqu'à la fin de la Russie tsariste. ⌘ 1881 ; russe *kulak* ; [kulak].

**KOULIBIAK, subst. m.**
*Cuis.* Pâté en croûte, souv. à base de poisson. ⌘ 1855 ; russe *kulebâka* ; var. *koulibiac* ; [kulibjak].

**KOUMIS, subst. m.**
Boisson fermentée orientale, à base de lait de jument, d'ânesse, de chamelle ou de vache. ⌘ 1634 ; russe *kumys* ; var. *koumys* ; [kumis].

**KOUROS, subst. m.**
*B.-a.* Statue grecque antique représentant un jeune homme nu. ⌘ 1934 ; gr. *kouros*, « jeune homme » ; var. *couros*, plur. savant *kouroi* ; [kuʀos], plur. [-ʀɔj].

**Kr, voir KRYPTON**

**KRAAL, subst. m.**
**1.** Village de huttes des Hottentots. **2.** Enclos à bétail, en Afrique du Sud. ⌘ 1735 ; néerl. *Kraal*, de l'esp. *corral*, « enclos » ; [kʀal].

**KRACH, subst. m.**
**1.** Effondrement brutal des cours de la Bourse : *Le* **krach** *de Wall Street, en 1929.* **2.** Ext. Faillite d'une banque, d'une entreprise. ⌘ 1881 ; all. *Krach*, de *krachen*, « craquer » ; [kʀak].

**KRAFT, subst. m.**
Papier d'emballage très résistant, fabriqué à partir d'une pâte à base de bois traité à la soude ; en appos. : *Papier* **kraft**. ⌘ 1931 ; p.-ê. suédois *kraftpapper*, de *kraft*, « force », et de *papper*, « papier » ; [kʀaft].

**KRAK, subst. m.**
*Hist.* Forteresse construite par les croisés en Syrie et en Palestine : *Le* **krak** *des Chevaliers.* ⌘ Fin XIIe s. ; prob. araméen *karkā*, « ville » ; [kʀak].

**KRAKEN, subst. m.**
*Myth.* Poulpe géant, dans les légendes scandinaves. ⌘ 1764 ; mot norv. ; [kʀakɛn].

**KREMLIN, subst. m.**
Partie fortifiée des anciennes villes russes. ⌘ 1762 ; russe *kreml'*, « forteresse », de *kromit'*, « isoler » ; [kʀɛmlɛ̃].

**KREUTZER, subst. m.**
Ancienne monnaie d'Autriche-Hongrie, valant un centième de florin. ⌘ Fin XVe s. ; all. *Kreuzer*, de *Kreuz*, « croix » ; var. *kreuzer* ; [kʀøtsɛʀ] ou [-dzɛʀ].

**KRILL, subst. m.**
*Zool.* Petit crustacé planctonique formant des groupes de plusieurs millions d'individus, qui constitue l'essentiel de l'alimentation des baleines australes ; par méton., population planctonique surtout composée de ce crustacé. ⌘ V. 1970 ; norv. *kril*, « petite friture » ; [kʀil].

**KRISS, subst. m.**
Poignard malais à lame sinueuse. ⌘ 1529 ; malais *keris* ; var. *criss* ; [kʀis].

**KRONPRINZ, subst. m.**
*Hist.* Titre du prince héritier en Allemagne ou en Autriche avant 1918. ⌘ 1890 ; all. *Kronprinz*, de *Krone*, « couronne », et de *Prinz*, « prince » ; [kʀɔnpʀints].

**KROUMIR, subst. m.**
**1.** Voyou (fam. et vx). **2.** Chausson de basane porté dans les sabots, les bottes. ⌘ 1866 ; ar. *ḫumayr*, tribu berbère de Tunisie ; [kʀumiʀ].

**KRYPTON, subst. m.**
*Chim.* Élément n° 36 de la table de Mendeleïev (symb. : Kr) ; masse atomique : 83,80 ; point de fusion : – 156 °C ; point d'ébullition : – 152 °C ; masse volumique : 2,6 g/cm$^3$. C'est un gaz inerte, lourd et rare (1 cm$^3$ par mètre cube d'air). ⌘ 1898 ; angl. *krypton*, du gr. *kruptos*, « caché » ; [kʀiptɔ̃].

**KSAR, subst. m.**
Village fortifié, en Afrique du Nord. ⌘ Mil. XIXe s. ; ar. *qaṣr*, « château », du lat. *castrum*, « place forte » ; plur. *ksars* ou *ksour* ; [ksaʀ], plur. [ksaʀ] ou [ksuʀ].

**KSI, voir XI**

**KUDURRU, voir KOUDOURROU**

**KUFIQUE, voir COUFIQUE**

**KUMMEL, subst. m.**
Liqueur très forte aromatisée au cumin. ⌘ 1857 ; all. *Kümmel*, « cumin » ; [kymɛl].

**KUMQUAT, subst. m.**
*Bot.* Arbrisseau de la famille des Rutacées, originaire d'Asie ; fruit de cet arbre, semblable à une petite orange, souvent consommé confit. ⌘ 1891 ; angl. *kumquat*, du cantonnais *gam gurat*, de *gam*, « or », et *gurat*, « mandarine » ; [kɔmkwat] ou [kum-].

**KUNG-FU, subst. m. inv.**
Art martial chinois. ⌘ V. 1970 ; chinois *gongfu*, « habileté » ; [kuŋfu].

**KURDE, adj. et subst.**
Du Kurdistan. SUBST. MASC. Langue du groupe iranien parlée par les **Kurdes**. ⌘ 1697 ; mot indigène du Kurdistan ; [kyʀd].

**KURU, subst. m.**
*Pathol.* Encéphalopathie spongiforme, caractérisée par de très graves troubles nerveux, rencontrée chez les Forés de Nouvelle-Guinée et leurs voisins, et qui est en voie de disparition depuis leur abandon de l'anthropophagie rituelle. ⌘ 1957 ; langue des Forés (peuple vivant à l'est de la Nouvelle-Guinée) *kuru*, « trembler de peur » ; [kuʀu].

**kW, voir KILOWATT**

**KWAS, subst. m.**
Boisson des pays slaves, à base de seigle ou d'orge fermentée. ⌘ 1540 ; russe *kvas* ; var. *kvas* ; [kvas].

**KWASHIORKOR, subst. m.**
*Pathol.* Affection grave, due à une carence en protéines, qui touche le nourrisson au moment du sevrage, en Afrique. ⌘ Mil. XXe s. ; achanti *kwashiorkor*, de *kwashi*, « garçon », et de *orkor*, « rouge » ; [kwaʃjɔʀkɔʀ].

**K-WAY, subst. m. inv.**
Coupe-vent muni d'une poche dans laquelle on peut le replier. ⌘ V. 1970 ; n. déposé ; [kawe].

**KYAT, subst. m.**
Unité monétaire de la Birmanie. ⌘ [kjat].

**KYMRIQUE, adj. et subst. m.**
ADJ. Relatif au pays de Galles. SUBST. *Ling.* Gallois. ⌘ 1840 ; gallois *cymraeg*, « gallois », de *Cymru*, « pays de Galles » ; var. *cymrique* ; [kimʀik].

**KYRIE ELEISON, subst. m. inv.**
*Liturg.* Invocation au Seigneur, répétée trois fois, dans le rite romain et certains rites orientaux ; par méton., musique composée sur cette invocation. ⌘ Mil. XIIe s. ; lat. eccl. *kyrie eleison*, du gr. *kurie*, « seigneur », et *eleêson*, « prends pitié » ; var. *kyrie* (inv.) ; [kiʀ(i)jeeleisɔn].

**KYRIELLE, subst. f.**
**1.** Litanie, longue suite de paroles. **2.** Ext. Longue série de personnes ou de choses : *Une* **kyrielle** *d'amis.* ⌘ Mil. XIIe s. ; ☞ *kyrie eleison* ; [kiʀjɛl].

**KYSTE, subst. m.**
*Pathol.* Tuméfaction constituée d'une cavité remplie de liquide plus ou moins épais, et isolée par une paroi de l'organe dans lequel elle se trouve : **Kyste** *synovial, rénal.* ⌘ Fin XIVe s. ; gr. *kustis*, « poche gonflée, vessie » ; [kist].

**KYSTIQUE, adj.**
Qui a la nature du kyste ; qui présente un kyste. ⌘ 1721 ; ☞ *kyste* ; [kistik].

**KYU, subst. m.**
Chacun des degrés marquant la progression des pratiquants de certains arts martiaux vers la ceinture noire. ⌘ 1950 ; jap. *kyû* ; [kju].

**KYUDO, subst. m.**
Tir à l'arc japonais. ⌘ Jap. *kyûdô* ; [kjudo].

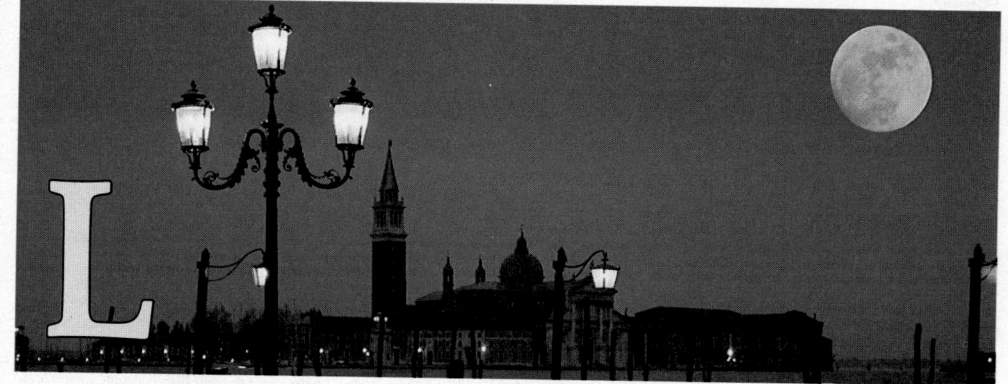


*Pleine lune sur Venise.* © Stock Image

**L, subst. m. inv.**
**1.** Douzième lettre et neuvième consonne de l'alphabet. La consonne latérale sonore [l] est prononcée sourde [l] en position finale suivant une occlusive sourde (« triple », [tʀipl]). Les groupes finaux *il* et *ul*, après consonne, se prononcent [il], [yl] (« vil », « nul ») ou [i], [y] (« outil », « cul ») ; *il* final après une voyelle se prononce [j] (« bail », « éveil »), sauf si cette voyelle forme un digramme avec *i* (« poil ») ; le groupe *ill* se prononce [ij] (« fille »), sauf dans « mille », « ville », « tranquille » et leurs dérivés. **2.** Abrév. et Symb. ▸ L : chiffre romain valant cinquante. ▸ L ou £ : livre sterling, unité monétaire de la Grande-Bretagne. ▸ *Phys.* l : litre ; livre (demi-kilo). [ɛl].

**LA (I), subst. m. inv.**
*Mus.* Sixième note de la gamme d'*ut* : *Donner le* **la**, donner le ton ou, au fig., l'exemple. XIIIe s. ; 1re syllabe du lat. *labii*, dans l'hymne de saint Jean-Baptiste choisi par Gui d'Arezzo pour nommer les notes ; [la].

**LA (II), voir LE**

**La, voir LANTHANE**

**LÀ, adv. et interj.**
**Adv. 1.** À tel endroit où l'on n'est pas (anton. *ici*) : *Entrons là.* ▸ Loc. *De-ci, de-là, Par-ci, par-là* : de côté et d'autre ou, au fig., en diverses occasions ; *Être, se poser un peu là* : prendre beaucoup de place (fam.). **2.** À l'endroit où l'on est (synon. *ici*) : *Viens là* ; à tel endroit que l'on montre : *J'ai mal là.* ▸ Loc. *En avoir jusque-là* : par-dessus la tête (fam.). **3.** Dans cela : *C'est là son point faible.* **4.** À ce moment : *Là, j'ai bien cru m'énerver.* ▸ Loc. *D'ici là* : jusqu'à ce moment à venir ; *Jusque-là* : jusqu'à ce moment. **5.** À ce point d'un processus : *En arriver, en être, en rester, s'en tenir là.* **6.** Marque un renforcement expressif : *Que me chantez-vous là ?* **7.** Loc. ▸ *De là* : de cet endroit ou, au fig., de cette cause. ▸ *Par là* : par ce lieu ou dans les environs ou par ce moyen, par ces mots. ▸ *Là contre* : contre cela. **8.** Sert à former des locutions adverbiales. ▸ Là-bas. Dans un lieu éloigné ; au fig. : *Va voir là-bas si j'y suis*, laisse-moi tranquille (fam.). ▸ *Là-haut* : dans un lieu situé au-dessus ou, au fig., au ciel. ▸ *Là-dedans* (☞ *dedans*) ; *Là-dessous* (☞ *dessous*) ; *Là-dessus* (☞ *dessus*). **9.** Particule renforçant des démonstratifs (☞ *ce*, *celui-ci*) ou des substantifs précédés de l'adjectif démonstratif « ce », « cet », « cette » ou « ces » (avec un trait d'union) : *Cette idée-là.* **Interj. 1.** Pour apaiser : *Là ! calmez-vous !* **2.** Renforce une autre interjection : *Halte-là !* ; *Ah là là ! les examens !*, indique une certaine contrariété. Fin Xe s. ; lat. *illac*, « par là » ; [la].

**LABARUM, subst. m.**
*Hist.* Étendard que l'empereur romain Constantin aurait fait orner d'une croix et du monogramme du Christ. 1555 ; mot lat. ; [labaʀɔm].

**LÀ-BAS, voir LÀ**

**LABDANUM, voir LADANUM**

**LABEL, subst. m.**
Anglic. **1.** *Comm.* Marque créée par un syndicat professionnel et apposée sur un produit pour en garantir la provenance, la conformité aux normes de fabrication, etc. **2.** Ext. Marque, signe qui garantit la qualité de qqch. ; au fig., étiquette sous laquelle se présente une personne : *Ce candidat porte le* **label** *de tel parti*, il est investi par ce parti. 1899 ; mot angl. ; recomm. off. *étiquette* ; [labɛl].

**LABÉLISER, voir LABELLISER**

**LABELLE, subst. m.**
**1.** *Bot.* Pétale médian antérieur des orchidées. **2.** *Zool.* ▸ Petite lèvre de la trompe des insectes. ▸ Bord renversé de certains coquillages. 1815 ; lat. *labellum*, « petite lèvre » ; [labɛl].

**LABELLISER, verbe trans. [3]**
Accorder un label à (un produit). V. 1980 ; ☞ *label* ; var. *labéliser* ; [labɛl(l)ize] ou [-beli-].

**LABEUR, subst. m.**
Tâche durable et souvent pénible (littér.) : *Un dur* **labeur**. **Sing.** *Impr. Le* **labeur** : ouvrage exigeant du temps et des moyens importants, par oppos. aux travaux de ville ; par méton., branche de l'imprimerie spécialisée dans ce type de travail. 1155 ; lat. *labor* ; [labœʀ].

**LABIAL, ALE, AUX, adj.**
**1.** *Phon. Consonne* **labiale** ou, empl. subst. fém., *Une* **labiale** : consonne dont l'articulation met en jeu une lèvre ou les deux. **2.** Relatif aux lèvres ou au labium. 1580 ; lat. *labium*, « lèvre » ; [labjal, o].

**LABIALISATION, subst. f.**
*Phon.* Action de labialiser ; fait de se labialiser. 1904 ; ☞ *labialiser* ; [labjalizasjɔ̃].

**LABIALISER, verbe trans. [3]**
*Phon.* Faire intervenir les lèvres dans (une articulation, un phonème) ; empl. pronom., devenir labiale, pour une consonne. 1846 ; ☞ *labial* ; [labjalize].

**LABIÉ, ÉE, adj. et subst. f. plur.**
*Bot.* **Adj.** Qualifie une corolle ou un calice dont un ou deux éléments forment comme une lèvre. **Subst.** Famille de plantes herbacées de l'ordre des Lamiales (synon. *Lamiacées*), dont les fleurs ont une corolle bilabiée et qui produisent des essences recherchées ; au sing. : *La lavande est une* **labiée**. 1694 ; lat. *labium*, « lèvre » ; [labje].

**LABILE, adj.**
**1.** *Biol.* et *Biochim.* Se dit d'une substance ou d'un phénomène à caractère instable : *Température* **labile**. **2.** *Psychol.* Se dit d'un individu ou d'un comportement capricieux et changeant. Mil. XV[e] s. ; bas lat. *labilis*, « sujet à glisser » ; [labil].

**LABIODENTAL, ALE, AUX, adj.**
*Phon. Consonne* **labiodentale** ou, empl. subst. fém., *Une* **labiodentale** : consonne articulée en rapprochant la lèvre inférieure des incisives supérieures ([f], [v]). 1909 ; crois. de *labial* et de *dental* ; [labjodɑ̃tal, o].

**LABIUM, subst. m.**
*Zool.* Pièce buccale (lèvre) inférieure d'un insecte. V. 1960 ; lat. *labium*, « lèvre » ; [labjɔm].

**LABORANTIN, INE, subst.**
Personne employée comme auxiliaire dans un laboratoire. V. 1920 ; all. *Laborantin* ; [labɔʀɑ̃tɛ̃, in].

**LABORATOIRE, subst. m.**
**1.** Local aménagé pour accueillir les travaux pratiques liés à diverses professions ou activités : **Laboratoire** *d'analyses* ; **Laboratoire** *photographique*, où sont développées et tirées des photographies ; **Laboratoire** *de langues*, local pourvu de cabines insonorisées pour la pratique orale des langues. **2.** Ext. Société qui fabrique des produits pharmaceutiques. **3.** Méton. Personnel d'un **laboratoire** ; en partic., équipe du C. N. R. S. 1620 ; lat. *laboratum*, de *laborare*, « travailler » ; [labɔʀatwaʀ].

**LABORIEUSEMENT, adv.**
**1.** Au prix de gros efforts. **2.** Sans grâce ni facilité (péj.). Fin XIVe s. ; ☞ *laborieux* ; [labɔʀjøzmɑ̃].

**LABORIEUX, EUSE, adj.**
**1.** Qui est consacré ou se consacre principalement au travail : *Vie* **laborieuse** ; *Classes* **laborieuses**. **2.** Qui demande beaucoup de travail ; qui se fait difficilement : *Accouchement* **laborieux**. **3.** Qui manque de spontanéité (péj.) : *Roman* **laborieux**. Fin XIIe s. ; lat. *laboriosus* ; [labɔʀjø, øz].

**LABOUR, subst. m.**
**1.** Action de labourer : *Chevaux de* **labour** ; préparation du sol qui en résulte : **Labour** *superficiel*. **2.** Méton. Terre labourée (souv. au plur.). Fin XIIe s. ; ☞ *labourer* ; [labuʀ].

**LABOURABLE, adj.**
Propre à être labouré : *Terres* **labourables**. 1308 ; ☞ *labourer* ; [labuʀabl].

**LABOURAGE, subst. m.**
**1.** Travail de la terre (vx). **2.** Action de labourer la terre. Mil. XIIIe s. (déb. XIIIe s., produit, revenu de la terre) ; ☞ *labourer* ; [labuʀaʒ].

**LABOURER, verbe [3]**
**Intrans.** Vx. Travailler, peiner. **Trans. 1.** Retourner (la terre) avec un instrument aratoire pour l'ameublir et enfouir la couche superficielle éventuellement amendée. **2.** Anal. Marquer de stries : *Les ronces lui* **labouraient** *les mains.* Mil. Xe s. ; lat. *laborare* ; [labuʀe].

**LABOUREUR, subst. m.**
**1.** Agriculteur, paysan (vx). **2.** Personne qui travaille un champ. 1155 (déb. XIIe s., celui qui produit qqch.) ; ☞ *labourer* ; [labuʀœʀ].

**LABRADOR, subst. m.**
**1.** *Minér.* Feldspath plagioclase calcique, composant essentiel des basaltes et des gabbros. **2.** Chien d'arrêt de grande taille, à robe noire ou fauve. 1803 ; topon. *Labrador* (Canada) ; [labʀadɔʀ].

**LABRE, subst. m.**
*Zool.* **1.** Poisson téléostéen de la famille des Labridés, aussi appelé vieille. **2.** Pièce buccale des

insectes faisant suite directement au front et constituant la lèvre supérieure de l'animal. 1754 ; lat. *labrum*, « lèvre » ; [labʀ].

**LABRET, subst. m.**
*Anthropol.* Ornement de formes variées (bâtonnet, disque, etc.) fixé à travers une lèvre percée. 1955 ; lat. *labrum*, « lèvre » ; [labʀɛ].

**LABRIT, subst. m.**
Petit chien de berger dont la race est originaire du sud-ouest de la France. 1877 ; topon. *Labrit* (Landes) ; var. *labri* ; [labʀi].

**LABYRINTHE, subst. m.**
**1.** Réseau compliqué de chemins, de couloirs, etc., dans lequel il est difficile de s'orienter et dont le modèle mythologique, conçu par Dédale, était un édifice dont il était quasi impossible, une fois que l'on était à l'intérieur, de découvrir l'unique issue : *Minos enferma le Minotaure dans le* ***Labyrinthe*** ; *Le* ***labyrinthe*** *des traboules lyonnaises.* **2.** Réseau aménagé d'allées enchevêtrées dans un bosquet ou entre des haies. **3.** Fig. Complication inextricable : *Le* ***labyrinthe*** *de la jurisprudence.* **4.** *Anat.* Ensemble des cavités et des conduits formant l'oreille interne. **5.** *Archit.* Dallage en méandres d'un pavement d'église, que les fidèles suivaient à genoux en guise de pèlerinage (synon. *chemin de Jérusalem*) : *Le* ***labyrinthe*** *de la cathédrale de Chartres.* 1418 ; lat. *labyrinthus*, du gr. *laburinthos* ; [labiʀɛ̃t].

© D. Mark-Explorer

*Labyrinthe végétal de l'architecte danois Piet Heins (1905-1996).*

**LABYRINTHIQUE, adj.**
**1.** Relatif à un labyrinthe. **2.** Fig. Très complexe (littér.). 1549 ; bas lat. *labyrinthicus* ; [labiʀɛ̃tik].

**LABYRINTHITE, subst. f.**
*Pathol.* Inflammation du labyrinthe de l'oreille. 1912 ; ☞ *labyrinthe* + *-ite* ; [labiʀɛ̃tit].

**LAC, subst. m.**
**1.** Grande étendue d'eau, gén. douce, située à l'intérieur des terres : ***Lac*** *Léman* ; *Les Grands* ***Lacs***. **2.** Anal. Retenue d'eau artificielle : *Le* ***lac*** *de Serre-Ponçon.* **3.** *Anat.* ***Lacs*** *sanguins* : cavités veineuses du cerveau, qui en régularisent l'irrigation. **4.** *Géol.* ***Lac*** *de lave* : étendue quasi permanente de lave dans certains cratères de volcans. **5.** Loc. fam. ▸ *Tomber, être dans le* ***lac*** : échouer, ne pas aboutir (par altér. de *Tomber dans le lacs*). ▸ Helv. *Il n'y a pas le feu au* ***lac*** : il n'y a pas lieu de se presser. XIIe s. ; lat. *lacus*, « étang » ; [lak].

**LAÇAGE, subst. m.**
Action de lacer ; son résultat. 1845 (déb. XIVe s., lien moral) ; ☞ *lacer* ; [lasaʒ].

**LACCOLITE, subst. m.**
*Géol.* Intrusion magmatique en lentille de plusieurs kilomètres, qui ne déforme que les couches sus-jacentes. 1890 ; angl. *laccolith*, du gr. *lakkos*, « réservoir », + *-lite* ; var. *laccolithe* ; [lakɔlit].

**LACER, verbe trans. [4]**
Lier, serrer avec un lacet : ***Lacer*** *ses chaussures.* Fin XIe s. ; lat. *laqueare*, « lier, garrotter » ; [lase].

**LACÉRATION, subst. f.**
Action de lacérer. 1356 ; lat. *laceratio* ; [laseʀasjɔ̃].

**LACÉRER, verbe trans. [8]**
**1.** Vx. *Dr.* Déchirer (un écrit) par décision de justice. **2.** Déchirer, mettre en lambeaux. 1355 ; lat. *lacerare* ; [laseʀe].

**LACERIE, subst. f.**
Tissu de paille ou d'osier fin. 1867 ; ☞ *lacer* ; var. *lasserie* ; [lasʀi].

**LACERTILIENS, subst. m. plur.**
*Zool.* Sauriens. 1817 ; lat. *lacerta*, « lézard » ; var. *lacertien* ; [lasɛʀtiljɛ̃].

**LACET, subst. m.**
**1.** Cordon que l'on passe dans des œillets pour attacher un vêtement, un soulier. **2.** Nœud coulant servant à piéger le petit gibier. **3.** Anal. Série de virages très prononcés : *Chemin en* ***lacet(s)***. 1315 ; ☞ *lacs* ; [lasɛ].

**LACEUR, EUSE, subst.**
Personne qui fabrique des filets de chasse ou de pêche. 1260 ; ☞ *lacer* ; [lasœʀ, øz].

**LÂCHAGE, subst. m.**
**1.** Action, fait de lâcher. **2.** Action d'abandonner qqn (fam.). 1855 ; ☞ *lâcher* (I) ; [lɑʃaʒ].

**LÂCHE, adj.**
**1.** Qui manque de courage, recule devant le danger ; qui manque de dignité, abuse bassement de sa position : *Homme* ***lâche*** *qui fuit ses responsabilités.* ▸ Empl. subst. Personne **lâche**. **2.** Qui dénote la lâcheté : *Un* ***lâche*** *assassinat.* **3.** Qui n'est pas tendu, pas serré : *Ce nœud est trop* ***lâche***. **4.** *B.-a.* et *Litt.* Sans vigueur, sans densité : *Style, écriture* ***lâche***. Déb. XIIe s. ; ☞ *lâcher* (I) ; [lɑʃ].

**LÂCHÉ, ÉE, adj.**
*B.-a.* et *Litt.* Dont la composition manque de vigueur ; bâclé. 1842 ; p. p. de *lâcher* (I) ; [lɑʃe].

**LÂCHEMENT, adv.**
De manière lâche. Mil. XIIe s. ; ☞ *lâche* ; [lɑʃmɑ̃].

**LÂCHER (I), verbe [3]**
Trans. **1.** Rendre (qqch.) moins tendu, moins serré : ***Lâcher*** *les rênes* ; au fig. : ***Lâcher*** *la bride à qqn*, lui laisser plus de liberté. **2.** Cesser de retenir : ***Lâchez*** *les chiens !* **3.** Cesser de tenir : ***Lâcher*** *la rampe.* **4.** Laisser tomber : ***Lâcher*** *son livre* ; ***Lâcher*** *des bombes.* ▸ Fig. Dire enfin ; laisser échapper : ***Lâchons*** *le mot, c'est un traître* ; ***Lâcher*** *un juron.* **5.** Abandonner : *Il a tout* ***lâché*** *pour voyager* ; quitter (qqn) brusquement (fam.). **6.** *Sp.* Distancer : ***Lâcher*** *le peloton.* Intrans. Être défaillant, céder, casser : *Le moteur a* ***lâché***. Fin XIe s. ; lat. pop. °*laxicare* ; [lɑʃe].

**LÂCHER (II), subst. m.**
Action de lâcher : *Un* ***lâcher*** *de pigeons.* 1873 ; ☞ *lâcher* (I) ; [lɑʃe].

**LÂCHETÉ, subst. f.**
Manque de courage, de dignité ; action qui le manifeste. Mil. XIIe s. ; ☞ *lâche* ; [lɑʃte].

**LÂCHEUR, EUSE, subst.**
Personne qui abandonne ou délaisse ses amis, ses collaborateurs, ses associés (fam.). 1858 ; ☞ *lâcher* (I) ; [lɑʃœʀ, øz].

**LACINIÉ, ÉE, adj.**
*Bot.* Découpé en longues lamelles irrégulières : *Les feuilles du fenouil sont* ***laciniées***. 1676 ; lat. *laciniatus*, « découpé » ; [lasinje].

**LACIS, subst. m.**
Entrelacement de fils, de chemins, de nerfs, etc. : *Un* ***lacis*** *de ruelles.* Déb. XIIe s. ; ☞ *lacer* ; [lasi].

**LACONIQUE, adj.**
Concis, succinct : *Commentaire* ***laconique***. 1529 ; lat. *laconicus*, du gr. *lakônikos*, « de Laconie » ; [lakɔnik].

**LACONIQUEMENT, adv.**
Avec laconisme. 1558 ; ☞ *laconique* ; [lakɔnikmɑ̃].

**LACONISME, subst. m.**
Manière laconique de s'exprimer, d'être exprimé. 1556 ; ☞ *laconique* ; [lakɔnism].

**LACRYMA-CHRISTI, subst. m. inv.**
Vin muscat des vignes cultivées autour du Vésuve. 1534 ; lat. *lachrima Christi*, « larme du Christ » ; var. *lacrima-christi* ; [lakʀimakʀisti].

**LACRYMAL, ALE, AUX, adj.**
*Anat.* Relatif aux larmes, à leur sécrétion. Fin XIVe s. ; lat. médiév. *lacrimalis* ; [lakʀimal, o].

**LACRYMOGÈNE, adj.**
Qui provoque la sécrétion de larmes. 1915 ; formé de *lacrymo-* et de *-gène* ; [lakʀimɔʒɛn].

**LACS, subst. m.**
**1.** Nœud coulant servant à prendre le gibier ; au fig., piège (vieilli). **2.** *Chir.* Cordon solide servant à effectuer des tractions. Fin XIIe s. (1080, attache) ; lat. *laqueus* ; [lɑ].

**LACTAIRE, subst. m.**
*Bot.* Champignon basidiomycète de la famille des Russulacées, qui laisse s'écouler un suc laiteux quand on le brise et dont certaines espèces sont comestibles. 1816 (1610, qui produit du lait) ; lat. *lactarius* ; [laktɛʀ].

**LACTALBUMINE, subst. f.**
*Biochim.* Protéine présente dans le lait humain. Fin XIXe s. ; ☞ *albumine* + *lacto-* ; [laktalbymin].

**LACTARIUM, subst. m.**
Centre de collecte et de distribution de lait maternel. 1949 ; lat. sc. *lactarium* ; [laktaʀjɔm].

**LACTASE, subst. f.**
*Biochim.* Enzyme sécrétée par la muqueuse intestinale, qui catalyse l'hydrolyse du lactose en glucose et en galactose. Fin XIXe s. ; lat. *lac*, « lait » ; [laktaz].

**LACTATE, subst. m.**
*Chim.* Sel ou ester de l'acide lactique. 1787 ; lat. *lac*, « lait » ; [laktat].

**LACTATION, subst. f.**
*Physiol.* Sécrétion du lait ; par méton., période durant laquelle elle se produit. 1623 ; bas lat. *lactatio*, « allaitement » ; [laktasjɔ̃].

**LACTÉ, ÉE, adj.**
**1.** Qui a la couleur du lait : *Pâleur* ***lactée***. ▸ *Anat.* *Veines* ***lactées*** : vaisseaux chylifères. ▸ *Astron.* *La Voie* ***lactée*** : zone de teinte blanchâtre qui traverse le ciel et représente la vue de notre propre galaxie, observée dans la direction de son plan médian, où la densité d'étoiles est maximale. **2.** Relatif au lait : *Sécrétion* ***lactée***. **3.** Qui est à base de lait ou qui en contient : *Produit* ***lacté*** ; *Diète* ***lactée***. 1398 ; lat. *lacteus*, « laiteux » ; [lakte].

**LACTESCENCE, subst. f.**
Caractère de ce qui a l'aspect du lait (littér.). 1812 ; ☞ *lactescent* ; [laktɛsɑ̃s].

**LACTESCENT, ENTE, adj.**
**1.** *Bot.* Qui contient un suc laiteux. **2.** Ext. D'un blanc laiteux (littér.). 1783 ; lat. *lactescens*, « qui devient laiteux » ; [laktɛsɑ̃, ɑ̃t].

**LACTIFÈRE, adj.**
*Anat.* Qui produit ou conduit le lait. 1665 ; bas lat. *lactifer*, « qui produit du lait » ; [laktifɛʀ].

**LACTIQUE, adj.**
*Biochim.* *Acide* ***lactique*** : acide-alcool produit par la fermentation de sucres ou par la dégradation du glucose lors d'une activité musculaire intense (qui limite l'apport en oxygène). Il est graduellement éliminé dans le sang et récupéré par les cellules hépatiques, qui l'utilisent pour reconstituer du glucose. 1787 ; lat. *lac*, « lait » ; [laktik].

**LACTOBACILLE, subst. m.**
*Biol.* Bacille lactique de la flore digestive des mammifères. Mil. XXe s. ; ☞ *bacille* + *lacto-* ; [laktobasil].

**LACTODENSIMÈTRE, subst. m.**
Appareil servant à mesurer la densité d'un lait. 1841 ; ☞ *densimètre* + *lacto-* ; [laktodɑ̃simɛtʀ].

**LACTOFLAVINE, subst. f.**
*Biochim.* Vitamine $B_2$ du lait, qui donne au colostrum sa couleur jaune et au petit-lait sa couleur jaunâtre. V. 1950 ; ☞ *flavine* + *lacto-* ; [laktoflavin].

**LACTOMÈTRE, subst. m.**
Appareil servant à mesurer la teneur d'un lait en matières grasses. 1839 ; formé de *lacto-* et de *-mètre*[1] ; [laktomɛtʀ].

**LACTOSE, subst. m.**
*Biochim.* Molécule glucidique résultant de l'association d'une molécule de galactose et d'une molécule de glucose. 1855 ; lat. *lac*, « lait » ; [laktoz].

**LACTOSÉRUM, subst. m.**
Petit-lait. 1908 ; ☞ *sérum* + *lacto-* ; [laktoseʀɔm].

**LACUNAIRE, adj.**
**1.** Qui comporte des lacunes, des manques ; incomplet : *Documentation* ***lacunaire***. **2.** *Psych.* *Amnésie* ***lacunaire*** : limitée à une période déterminée du passé. **3.** *Méd.* *Image* ***lacunaire*** : image radiologique ou isotopique anormale d'un tissu ou d'un organe présentant une zone qui en interrompt le tracé. 1822 ; ☞ *lacune* ; [lakynɛʀ].

**LACUNE, subst. f.**
**1.** Solution de continuité, cavité dans un corps. ▸ *Bot.* ***Lacunes*** *d'un parenchyme* : ensemble des faces intercellulaires, qui participe aux échanges gazeux d'une plante. ▸ *Géol.* Absence de sédiments dans une série stratigraphique : ***Lacune*** *d'érosion.* **2.** Interruption, absence d'un élément dans un texte, une série : ***Lacunes*** *d'une inscription* ; au fig., insuffisance : *Les* ***lacunes*** *d'une éducation, d'un élève.* 1515 ; lat. *lacuna*, « trou » ; [lakyn].

**LACUSTRE, adj.**
Relatif aux lacs ; qui en provient ou qui y vit. ▸ *Archéol. Cité **lacustre*** : bâtie sur pilotis (synon. *palafitte*). 1573 ; ☞ *lac*, d'apr. *palustre* ; [lakystʀ].

**LAD, subst. m.**
Palefrenier d'une écurie de course (anglic.). 1854 ; angl. *lad*, « valet » ; [lad].

**LADANUM, subst. m.**
Gomme-résine odorante provenant de certains cistes. 1256 ; lat. *ladanum*, du gr. *ladanon* ; var. *labdanum* ; [ladanɔm].

**LÀ-DEDANS, voir DEDANS**

**LÀ-DESSOUS, voir DESSOUS**

**LÀ-DESSUS, voir DESSUS**

**LADINO, subst. m.**
Dialecte espagnol parlé, en Afrique du Nord et au Proche-Orient, par les descendants des Juifs expulsés d'Espagne en 1492 (synon. *judéo-espagnol*). Esp. *ladino*, du lat. *latinus*, « latin » ; [ladino].

**LADITE, voir DIT**

**LADRE, subst. et adj.**
Adj. et Subst. **1.** Vx. Lépreux. **2.** Fig. Avare (littér.). Adj. *Vétér.* Atteint de ladrerie. Subst. masc. *Taches de **ladre*** : dépigmentation congénitale de la peau d'un cheval. XIIe s. ; lat. *Lazarus*, miséreux rongé d'ulcères, dans l'Évangile de saint Luc ; [ladʀ].

**LADRERIE, subst. f.**
**1.** Vx. Lèpre. **2.** Léproserie (vx). **3.** *Vétér.* Maladie causée par le cysticerque. **4.** Fig. Avarice (littér.). 1492 ; ☞ *ladre* ; [ladʀəʀi].

**LADY, subst. f.**
**1.** Titre donné à l'épouse ou à la fille d'un lord ou d'un chevalier anglais. **2.** Ext. Femme distinguée. 1669 ; angl. *lady*, « dame » ; plur. *ladys* ou *ladies* ; [ledi], plur. [-diz].

**LAGOMORPHES, subst. m. plur.**
*Zool.* Ordre de mammifères qui comprend deux familles, les Léporidés (lièvres et lapins) et les Ochotonidés. Au sing. *Le pika est un **lagomorphe**.* 1898 ; gr. *lagôs*, « lièvre », + *-morphe* ; [lagɔmɔʀf].

**LAGON, subst. m.**
Étendue d'eau marine située au centre d'un atoll ou entre la côte et un récif corallien. 1781 (1721, lac) ; ital. *lagone*, « grand lac » ; [lagɔ̃].

**LAGOPÈDE, subst. m.**
*Zool.* Oiseau de la famille des Tétraonidés, au plumage blanc l'hiver et coloré l'été (hormis celui du **lagopède** d'Écosse, qui reste toujours roux), et dont les pattes, couvertes de plumes, laissent une empreinte semblable à celle du lièvre. 1759 ; lat. *lagopus*, du gr. *lagôpous*, « patte de lièvre » ; [lagɔpɛd].

**LAGOTRICHE, subst. m.**
*Zool.* Singe d'Amérique de la famille des Cébidés, à la queue préhensile et au pouce réduit, appelé aussi singe laineux. 1817 ; lat. sc. *lagothrix*, du gr. *lagôs*, « lièvre », et *thrix*, « poil » ; [lagɔtʀiʃ].

**LAGUIOLE, subst. m.**
**1.** Fromage de l'Aubrac au lait de vache. **2.** Couteau de poche à manche incurvé. V. 1960 ; topon. *Laguiole* (Aveyron) ; [lajɔl].

**LAGUIS, subst. m.**
*Mar.* Cordage muni d'un nœud qui se serre sous le poids du corps halé ou soulevé. 1786 ; orig. obsc. ; [lagi(s)].

**LAGUNAGE, subst. m.**
*Techn.* Création de bassins ou d'étangs d'épuration. V. 1970 ; ☞ *lagune* ; [lagynaʒ].

**LAGUNAIRE, adj.**
Relatif aux lagunes. 1886 ; ☞ *lagune* ; [lagynɛʀ].

**LAGUNE, subst. f.**
Étendue d'eau séparée de la mer par un cordon littoral : *La **lagune** de Venise.* 1574 ; vénitien *laguna*, du lat. *lacuna*, « fossé, trou » ; [lagyn].

**LÀ-HAUT, voir LÀ**

**LAI (I), LAIE, adj.**
*Frère **lai**, sœur **laie*** : religieux subalterne assurant divers services matériels dans un couvent. Fin XIIe s. ; lat. eccl. *laicus*, du gr. *laikos*, « du peuple » ; [lɛ].

**LAI (II), subst. m.**
*Litt.* Poème médiéval narratif ou lyrique, gén. en octosyllabes. 1155 ; p.-ê. breton °*laid*, « chant » ; [lɛ].

**LAÏC, LAÏQUE, adj. et subst.**
**I.** Laïc, laïque. Adj. Qui, dans l'Église, n'est ni ecclésiastique ni religieux : *Habit **laïc** ; La société **laïque**.* Subst. Personne qui, dans l'Église, ne fait pas partie du clergé : *Un **laïc**, une **laïque** ; Faire enseigner le catéchisme par des **laïcs**.* **II.** Laïque. Adj. **1.** Qui ne dépend d'aucune autorité religieuse : *État **laïque** ; École **laïque*** ou, empl. subst. fém., *La **laïque*** (fam. et vieilli). **2.** Relatif au laïcisme, à la laïcité : *Lois **laïques**.* Adj. et Subst. Se dit d'un partisan du laïcisme (au sens d'indépendance à l'égard de toute religion), de la laïcité (au sens de séparation des pouvoirs civil et religieux) : *Manifestation de **laïques**.* 1487 ; lat. eccl. *laicus*, du gr. *laikos*, « du peuple » ; au sens I, var. du masc., surtout pour l'adj., *laïque* ; [laik].

*Cité **lacustre** au Bénin.*

**LAÏCAT, subst. m.**
Ensemble des chrétiens qui ne sont ni membres du clergé ni religieux. 1877 ; ☞ *laïc* ; [laika].

**LAÎCHE, subst. f.**
*Bot.* Nom usuel des plantes du genre *Carex*, de la famille des Cypéracées, très répandues au bord de l'eau. Fin XIe s. ; bas lat. *lisca*, du germ. ; [lɛʃ].

**LAÏCISATION, subst. f.**
Action de laïciser ; son résultat. 1886 ; ☞ *laïciser* ; [laisizasjɔ̃].

**LAÏCISER, verbe trans.** [3]
**1.** Rendre laïc : ***Laïciser** un dispensaire*, en remplacer le personnel religieux par des laïcs. **2.** Organiser selon les principes de la laïcité : ***Laïciser** l'enseignement.* 1885 ; ☞ *laïc* ; [laisize].

**LAÏCISME, subst. m.**
**1.** Vx. Doctrine revendiquant pour les laïcs la possibilité de gouverner l'Église. **2.** État de ce qui est indépendant de toute religion. **3.** Doctrine tendant à exclure le pouvoir religieux des institutions publiques. 1840 ; ☞ *laïc* ; [laisism].

**LAÏCITÉ, subst. f.**
**1.** Caractère de ce qui est laïc, ni ecclésiastique ni religieux. **2.** Caractère laïque, indépendant de toute religion. **3.** Principe de séparation des pouvoirs civil et religieux. 1871 ; ☞ *laïc* ; [laisite].

**LAID, LAIDE, adj.**
**1.** Qui n'est pas beau, qui heurte le sens esthétique ; empl. subst. masc. : *Le **laid***, ce qui est **laid**. **2.** Fig. Qui heurte le sens moral : *De bien **laides** pensées.* Fin XIe s. ; anc. bas frq. °*laip*, « désagréable » ; [lɛ, lɛd].

**LAIDERON, subst. m.**
Jeune fille, jeune femme laide (péj.). Mil. XVIe s. ; ☞ *laid* ; [lɛdʀɔ̃].

**LAIDEUR, subst. f.**
Caractère de ce qui est laid : *La **laideur** d'un visage, d'un acte.* Fin XIIe s. ; ☞ *laid* ; [lɛdœʀ].

**LAIE (I), subst. f.**
Femelle du sanglier. 1130 ; anc. bas frq. °*lêha* ; [lɛ].

**LAIE (II), subst. f.**
Voie que l'on a percée dans une forêt. Fin XIIIe s. ; ☞ *layer* ; [lɛ].

**LAINAGE (I), subst. m.**
**1.** Étoffe de laine. **2.** Méton. Vêtement de laine. **3.** *Agric.* Toison des moutons (rare). Fin XIIIe s. ; ☞ *laine* ; [lɛnaʒ].

**LAINAGE (II), subst. m.**
*Text.* Grattage d'un tissu, destiné à en faire ressortir le poil et à lui donner un aspect laineux. 1723 ; ☞ *lainer* ; [lɛnaʒ].

**LAINE, subst. f.**
**1.** Matière moelleuse constituée par les poils du mouton et de certains mammifères, utilisée comme textile : ***Laine** vierge*, tondue sur des animaux vivants. ▸ Loc. *Se laisser tondre (ou manger) la **laine** sur le dos* : se laisser exploiter. **2.** Méton. Fil de **laine** : ***Laine** à tricoter, à repriser* ; par ext., vêtement de **laine** (fam.) : *Mettre sa petite **laine**.* **3.** *Bot.* Fin duvet de certaines plantes. **4.** *Techn.* Matériau à base de fibres minérales : ***Laine** de verre*, servant d'isolant. Déb. XIIe s. ; lat. *lana* ; [lɛn].

**LAINER, verbe trans.** [3]
Effectuer le lainage de (un tissu). 1250 ; ☞ *laine* ; [lɛne].

**LAINERIE, subst. f.**
**1.** Vx. Magasin où l'on vend de la laine. **2.** Fabrication des étoffes de laine ; ces étoffes. **3.** Lieu où l'on tond les moutons. 1295 ; ☞ *laine* ; [lɛnʀi].

**LAINEUR, EUSE, subst.**
Personne qui laine les tissus. Fém. Machine à lainer. 1247 ; ☞ *lainer* ; [lɛnœʀ, -øz].

**LAINEUX, EUSE, adj.**
**1.** Recouvert ou constitué de laine : *Tapis **laineux*** ; par anal., couvert d'un fin duvet : *Chatons **laineux** des saules.* **2.** Qui évoque la laine : *Cheveux **laineux**.* Fin XVe s. ; ☞ *laine* ; [lɛnø, -øz].

**LAINIER, IÈRE, subst. et adj.**
Subst. Personne qui vend ou qui travaille la laine. Adj. Relatif à la laine : *Race **lainière***, élevée pour sa laine ; *Industrie **lainière**.* 1296 (déb. XIIIe s., berger qui subtilise de la laine) ; ☞ *laine* ; [lɛnje, -jɛʀ].

**LAÏQUE, voir LAÏC**

**LAIRD, subst. m.**
Grand propriétaire terrien, en Écosse. 1573 ; var. écossaise de l'angl. *lord* ; [lɛʀd].

**LAIS, subst. m. plur.**
*Dr.* Terrains que la mer découvre en se retirant et qui sont administrativement propriété de l'État. 1495 (fin XIIe s., legs) ; ☞ *laisser* ; [lɛ].

**LAISSE, subst. f.**
**1.** Lien servant à tenir un animal près de soi. **2.** *Litt.* Suite de vers d'une chanson de geste ou d'un poème médiéval. **3.** ▸ Espace qui se découvre à marée basse. ▸ Trace laissée sur le rivage, marquant la limite de la marée haute. 1178 ; ☞ *laisser* ; [lɛs].

**LAISSÉES, subst. f. plur.**
*Vén.* Excréments des sangliers, des loups, des ours. Fin XVIe s. ; p. p. de *laisser* ; var. *laisses* ; [lɛse].

**LAISSÉ, ÉE-POUR-COMPTE, adj. et subst.**
Adj. et Subst. masc. Se dit d'une marchandise dont on a refusé de prendre livraison pour défaut de conformité. Subst. Personne rejetée ou négligée : *Les **laissés-pour-compte** du progrès.* 1873 ; comp. du p. p. de *laisser* et de *compte* ; plur. *laissé(e)s-pour-compte*, var. de l'adj. *laissé(e) pour compte* ; [lɛsepuʀkɔ̃t].

**LAISSER, verbe trans.** [3]
**I. 1.** Ne pas empêcher de, permettre de (+ inf.) : ***Laissez**-moi faire* ; ***Laisser** échapper un soupir* ; *Les pêcheurs que le garde a **laissés** pêcher* ; *Les poissons qu'il a **laissé** pêcher.* ▸ Loc. ***Laisser** tomber* : abandonner (fam.). **2.** Ne pas modifier l'état, la situation de : ***Laisse** la porte ouverte* ; ***Laisse**-moi tranquille.* **3.** Accorder, ne pas priver de : ***Laissez**-lui une place, une chance.* **4.** Ne pas prendre : ***Laisser** le gras du jambon.* **II. 1.** Se séparer de, ne pas garder avec soi. ▸ Confier, remettre : ***Laisser** ses clés à la voisine.* ▸ Céder, léguer : *Je vous **laisse** le tout pour 100 francs* ; ***Laisser** une fortune à sa veuve.* **2.** Abandonner, quitter : ***Laisser** son foyer.* **3.** Être à l'origine de (qqch. qui subsiste) : ***Laisser** des traces, un goût amer.* ▸ Loc. ***Laisser** à penser* : donner à réfléchir ; ***Laisser** à désirer* : n'être pas satisfaisant. **4.** Perdre : ***Laisser** sa vie dans un combat.* **III. Ne pas laisser de** (+ inf.). Ne pas manquer de (littér.) : *Votre conduite ne **laisse** pas de choquer.* Pronom. Se laisser (+ inf.). **1.** S'abandonner à, accepter de : *Se **laisser** tomber sur un siège* ; *Elle s'est **laissée** mourir* ; *Elle s'est **laissé** persuader* ; *Se **laisser** aller*, ne pas résister à ses penchants ; *Se **laisser** faire*, subir la volonté d'autrui. ▸ *Se **laisser** dire que* : entendre dire que, sans y croire pleinement. **2.** N'être pas désagréable à (fam.) : *Un spectacle qui se **laisse** voir.* Fin IXe s. ; lat. *laxare*, « relâcher ; laisser » ; [lɛse].

**LAISSER-ALLER, subst. m. inv.**
Désinvolture dans la tenue, les manières, le travail. 1786 ; comp. de *laisser* et de *aller* (I) ; [lɛseale].

**LAISSER-FAIRE, subst. m. inv.**
Attitude de non-intervention. 1843 ; comp. de *laisser* et de *faire* (I) ; [lɛsefɛʀ].

**LAISSES, voir LAISSÉES**

**LAISSEZ-PASSER, subst. m. inv.**
Permis de circuler délivré par une autorité. 1673 ; comp. de *laisser* et de *passer* ; [lɛsepɑse].

**LAIT, subst. m.**
**I. 1.** Liquide blanc, très riche en éléments nutritifs,

sécrété par les glandes mammaires des femelles des mammifères : ***Lait** de vache, de baleine* ; ***Lait** maternel* ; *Veau, cochon de **lait**,* qui tète encore ; *Frères, sœurs de **lait**,* enfants nourris au sein par la même nourrice. **2. Lait** de certains mammifères domestiques, en partic. de la vache, utilisé comme aliment : *Café au **lait*** ; ***Lait** en poudre* ; ***Lait** U. H. T.*, stérilisé à ultrahaute température. ► Loc. *Surveiller qqn, qqch. comme le **lait** sur le feu* : très attentivement ; *Être soupe au **lait*** : se mettre facilement en colère ; *Boire du petit-**lait*** (☞ *boire*). **II.** Liquide évoquant le **lait** : ***Lait** de coco* ; ***Lait** de chaux*, chaux éteinte diluée dans de l'eau. ► ***Lait** démaquillant, **Lait** de toilette* : produit cosmétique fluide servant à nettoyer la peau. Déb. XIIe s. ; lat. *lac* ; [lɛ].

**LAITAGE, subst. m.**
Aliment à base de lait. 1376 ; ☞ *lait* ; [lɛtaʒ].

**LAITANCE, subst. f.**
Sperme des poissons. Fin XIIIe s. ; ☞ *lait* ; var. *laite* (rare) ; [lɛtɑ̃s].

**LAITÉ, ÉE, adj.**
Qui a de la laitance : *Carpes, sprats **laités**.* 1393 ; ☞ *lait* ; [lete].

**LAITERIE, subst. f.**
**1.** Local d'une ferme où le lait est stocké ou transformé en crème, beurre, fromage blanc ou yaourts. **2.** Usine de traitement du lait. **3.** Industrie ou commerce du lait et des laitages. 1315 ; ☞ *lait* ; [lɛtʀi].

**LAITERON, subst. m.**
*Bot.* Plante de la famille des Astéracées, qui contient un latex blanc. 1550 ; lat. *lactarius*, « qui donne du lait » ; [lɛtʀɔ̃].

**LAITEUX, EUSE, adj.**
De couleur blanchâtre. 1564 ; ☞ *lait* ; [lɛtø, øz].

**LAITIER, IÈRE, subst. et adj.**
**Subst.** Personne qui vend du lait. **Adj. 1.** Élevé pour son lait : *Cheptel **laitier*** ; *Une vache **laitière*** ou, empl. subst. fém., *Une **laitière**.* **2.** Relatif au lait ou aux produits que l'on en tire : *Coopérative **laitière**.* **Subst. masc.** Sous-produit de la fusion des métaux, utilisé dans le bâtiment et les travaux publics. Déb. XIIIe s. ; ☞ *lait* ; [lɛtje, jɛʀ].

**LAITON, subst. m.**
Alliage de cuivre et de zinc (à très faible teneur en nickel, en étain ou en manganèse), ductile et malléable, appelé aussi cuivre jaune. Fin XIIe s. ; orig. obsc. ; [lɛtɔ̃].

**LAITONNER, verbe trans. [3]**
**1.** *Métall.* Recouvrir d'une couche de laiton. **2.** Renforcer de fils de laiton. 1419 ; ☞ *laiton* ; [lɛtɔne].

**LAITUE, subst. f.**
*Bot.* Plante de la famille des Astéracées. *Lactuca sativa*, ou **laitue** romaine, que l'on consomme en salade, est une des espèces cultivées. Déb. XIIe s. ; lat. *lactuca* ; [lɛty].

**LAÏUS, subst. m.**
Discours emphatique et verbeux (fam.). 1842 ; lat. *Laius*, du gr. *Laios*, père d'Œdipe, d'apr. le *Discours de Laius*, sujet du concours d'entrée à Polytechnique en 1804 ; [lajys].

**LAIZE, subst. f.**
**1.** *Text.* Largeur d'une étoffe comprise entre ses deux lisières. **2.** *Mar.* Chaque bande de toile d'une voile. Mil. XIIe s. ; lat. pop. °*latia*, « largeur » ; [lɛz].

**LAKISTE, subst. et adj.**
**Subst.** Poète romantique anglais de l'école des Lacs. **Adj.** Propre à cette école. 1825 ; angl. *lakist*, de *Lake District*, « région des Lacs » ; [lakist].

**LALLATION, subst. f.**
**1.** Défaut de prononciation de la consonne *l* (synon. *lambdacisme*). **2.** Première forme d'émission vocale du nourrisson. 1803 ; lat. *lallare*, « chanter *la la* (pour endormir les enfants) » ; [lal(l)asjɔ̃].

**LAMA (I), subst. m.**
*Zool.* Ruminant de la famille des Camélidés, dont il existe quatre espèces : le **lama** proprement dit (*Lama peruana*) et l'alpaga (*Lama pacos*), domestiqués ; le guanaco (*Lama guanacoe*) et la vigogne (*Lama vicugna*), sauvages. Ces camélidés n'ont pas de bosse dorsale, vivent principalement dans la cordillère des Andes et sont recherchés comme bêtes de somme ou pour leur laine. 1598 ; esp. *llama*, du quechua *llama* ; [lama].

**LAMA (II), subst. m.**
Moine, dans le lamaïsme. 1629 ; tibétain *bla-ma*, de *bla*, « le supérieur », et de *ma*, « homme » ; [lama].

**LAMAGE, subst. m.**
*Techn.* Action de lamer. 1931 ; ☞ *lamer* ; [lamaʒ].

**LAMAÏSME, subst. m.**
Bouddhisme tantrique qui prévaut au Tibet et en Mongolie, et dont le chef spirituel est le dalaï-lama. 1813 ; ☞ *lama* (II) ; [lamaism].

**LAMANAGE, subst. m.**
*Mar.* **1.** Pilotage des navires dans les ports et les estuaires. **2.** Amarrage à quai des navires. 1355 ; anc. fr. *laman*, du néerl. *lootsman*, « pilote » ; [lamanaʒ].

**LAMANEUR, EUSE, subst.**
*Mar.* **1.** Pilote chargé du lamanage. **2.** Personne chargée de l'amarrage des navires à quai. 1584 ; ☞ *lamanage* ; [lamanœʀ, øz].

**LAMANTIN, subst. m.**
*Zool.* Mammifère aquatique de la famille des Trichéchidés, vivant dans les fleuves d'Afrique ou d'Amérique tropicale. C'est un animal massif, de grande taille (jusqu'à 3 m de longueur), à la lèvre supérieure épaisse et préhensile. 1533 ; esp. *manati*, « vache de mer », du galibi *manati*, « mamelle », d'apr. *lamenter* ; [lamɑ̃tɛ̃].

**LAMARCKISME, subst. m.**
Théorie qui explique l'évolution par l'adaptation des êtres vivants au milieu et par l'hérédité des caractères acquis. 1874 ; anthropon. *Lamarck*, naturaliste français ; [lamaʀkism].

**LAMASERIE, subst. f.**
Couvent de lamas. 1850 ; ☞ *lama* (II) ; [lamazʀi].

**LAMBDA, subst. m. inv. et adj. m. inv.**
**Subst.** Onzième lettre de l'alphabet grec (λ, Λ), correspondant au *l*. **Adj.** Quelconque (fam.) : *Citoyen **lambda**.* Mil. XVIe s. ; mot gr. ; [lɑ̃bda].

**LAMBEAU, subst. m.**
Morceau d'étoffe, de papier, de chair, etc., déchiré ou arraché ; au fig. : *Des **lambeaux** de souvenirs.* Mil. XVe s. ; anc. bas frq. °*labba* ; [lɑ̃bo].

**LAMBEL, subst. m.**
*Hérald.* Filet horizontal d'où se détachent des pendants (trois, en gén.) rectangulaires ou trapézoïdaux. 1273 ; anc. forme de *lambeau* ; [lɑ̃bɛl].

**LAMBIC, subst. m.**
Bière belge, obtenue par fermentation spontanée de froment et de malt. 1832 ; flam. *lambick* ; [lɑ̃bik].

**LAMBIN, INE, subst. et adj.**
Se dit d'une personne et, par ext., d'un véhicule qui lambine (fam.). 1584 ; ☞ *lambeau* ; [lɑ̃bɛ̃, in].

**LAMBINER, verbe intrans. [3]**
S'attarder, prendre son temps ou le perdre, agir avec mollesse (fam.). 1642 ; ☞ *lambin* ; [lɑ̃bine].

**LAMBLIASE, subst. f.**
*Pathol.* Ensemble des troubles causés, notamment chez l'enfant, par un parasite flagellé intestinal. 1927 ; *lamblia* (rare), parasite ; [lɑ̃blijaz].

**LAMBOURDE, subst. f.**
**1.** *Constr.* ► Pièce de bois de petite section, perpendiculaire aux solives, qui soutient les lames d'un parquet. ► Pièce de charpente fixée le long d'un mur pour soutenir les extrémités des solives. ► Pièce de bois servant au maintien d'une galerie de mine. **2.** *Arboric.* Rameau court d'un arbre fruitier, terminé par un bouton à fruit. 1294 ; anc. fr. *laon*, « planche », et *bourde*, « poutre » ; [lɑ̃buʀd].

*Lama tibétain faisant tourner son moulin à prières.*

**LAMBREQUIN, subst. m.**
**1.** Vx. Bande d'étoffe ornant un cimier, le bas d'une cuirasse. **2.** *Ameubl.* Bordure d'étoffe festonnée décorant un ciel de lit, une cantonnière de fenêtre. **3.** *Archit.* Ornement en métal ou en bois, bordant un toit, un auvent. **Plur.** *Hérald.* Rubans reliant le heaume à l'écu. Mil. XVe s. ; ☞ *lambeau* ; [lɑ̃bʀəkɛ̃].

**LAMBRIS, subst. m.**
**1.** Panneau en bois, en marbre ou en stuc décorant les murs d'une pièce et servant à l'isolation. **2.** Riche ornement de menuiserie appliqué sur un plafond ; par méton. : ***Lambris** dorés*, demeure luxueuse. Fin XIIe s. ; ☞ *lambrisser* ; [lɑ̃bʀi].

**LAMBRISSAGE, subst. m.**
Action de lambrisser ; par méton., ensemble de lambris. Mil. XVe s. ; ☞ *lambrisser* ; [lɑ̃bʀisaʒ].

**LAMBRISSER, verbe trans. [3]**
Revêtir de lambris. Fin XIIe s. ; lat. pop. °*lambruscare*, « orner avec les vrilles de la vigne » ; [lɑ̃bʀise].

**LAMBRUSQUE, subst. f.**
Vigne sauvage ; par méton., ses fruits, dont on fait, en Italie, un vin pétillant, le lambrusco. XVe s. ; lat. pop. °*lambrusca* ; var. *lambruche* ; [lɑ̃bʀysk].

**LAMBSWOOL, subst. m.**
Laine provenant de jeunes agneaux ; étoffe obtenue à partir de cette laine. 1959 ; angl. *lamb's wool*, de *lamb*, « agneau », et de *wool*, « laine » ; [lɑ̃bswul].

**LAME, subst. f.**
**I. 1.** Morceau de métal ou d'une autre matière dure, plat et mince : ***Lames** de parquet.* **2.** *Spéc.* ► *Anat.* Élément le plus souvent osseux, mince et plat que l'on trouve notamment dans la boîte crânienne : ***Lame** de l'ethmoïde.* ► *Bot.* Partie évasée des pétales de certaines fleurs ; lamelle de certains champignons. ► *Géol.* ***Lame** mince* : échantillon de roche de 0,03 mm d'épaisseur destiné à être étudié au microscope (synon. *plaque mince*). ► *Phys.* ***Lame** à faces parallèles* : système optique formé par un objet transparent limité par deux faces parallèles. ► *Préhist.* Dans l'outillage lithique, forme d'éclat ayant la particularité d'être deux fois plus long que large. ► *Text.* Fil de métal laminé employé dans le tissage d'une étoffe. **II.** Partie tranchante d'une arme blanche, d'un outil : ***Lame** d'une faux* ; par méton., l'arme elle-même, gén. l'épée. ► Loc. *Fine **lame*** : personne habile dans le maniement de l'épée. **III.** Vague de la mer. ► ***Lame** de fond* : vague puissante et isolée ou, au fig., phénomène brutal et violent. Déb. XIIe s. ; lat. *lamina* ; [lam].

**LAMÉ, ÉE, adj. et subst. m.**
Se dit d'une étoffe enrichie de fils d'or ou d'argent, ou d'une matière les imitant : *Corsage **lamé** d'argent* ; *Robe de **lamé**.* 1532 ; ☞ *lame* ; [lame].

**LAMELLAIRE, adj.**
*Sc.* Constitué de lamelles : *Structure **lamellaire** d'une roche.* 1807 ; ☞ *lamelle* ; [lamɛllɛʀ] ou [-melɛʀ].

**LAMELLE, subst. f.**
**1.** Petite lame, très mince. **2.** Fine tranche. **3.** *Anat.* Morceau très fin d'un tissu, d'une membrane : ***Lamelle** osseuse.* **4.** *Bot.* Feuillet situé sous le chapeau des champignons basidiomycètes. 1408 ; lat. *lamella* ; [lamɛl].

**LAMELLÉ, ÉE, adj.**
Formé de lamelles (synon. *lamelleux, euse*). 1783 ; ☞ *lamelle* ; [lamɛlle] ou [-mele].

**LAMELLÉ-COLLÉ, subst. m.**
Matériau formé de lamelles de bois collées. Comp. de *lamellé* et du p. p. de *coller* ; plur. *lamellés-collés* ; [lamɛllekɔle] ou [-mele].

**LAMELLIBRANCHES, subst. m. plur.**
*Zool.* L'une des deux grandes classes de mollusques (avec celle des Gastéropodes), tous aquatiques, à coquille bivalve et aux branchies découpées en lamelles, dont font partie les moules, huîtres, etc. **Au sing.** *La palourde est un **lamellibranche**.* 1822 ; lat. *branchia*, « branchie », + *lamelli-* ; [lamɛllibʀɑ̃ʃ] ou [-meli-].

**LAMELLICORNE, adj. et subst. m.**
*Zool.* Se dit de certains coléoptères dont les antennes possèdent des prolongements lamellés pouvant s'écarter en éventail. 1805 ; ☞ *corne* + *lamelli-* ; [lamɛllikɔʀn] ou [-meli-].

**LAMELLIFORME, adj.**
En forme de lamelle. 1827 ; formé de *lamelli-* et de *-forme* ; [lamɛllifɔʀm] ou [-meli-].

**LAMELLIROSTRE, adj. et subst. m.**
*Zool.* Se dit d'un oiseau dont les bords du bec sont garnis de lamelles qui servent de filtre, laissant

échapper l'eau et retenant les aliments : *Les oies, les canards sont des **lamellirostres***. ⌘ 1817 ; formé de *lamelli-* et de *-rostre* ; [lamɛllirɔstʀ] ou [-meli-].

**LAMENTABLE, adj.**
**1.** Pitoyable : *Victime **lamentable** à son destin offerte* (Mallarmé). **2.** Très mauvais : *Un film **lamentable***. ⌘ XV^e s. ; lat. *lamentabilis*, « plaintif » ; [lamɑ̃tabl].

**LAMENTABLEMENT, adv.**
De façon lamentable. ⌘ Mil. XV^e s. ; ☞ *lamentable* ; [lamɑ̃tabləmɑ̃].

**LAMENTATION, subst. f.**
**1.** Plainte prolongée, accompagnée de cris et de gémissements. ▸ *Relig. Le mur des **Lamentations*** : vestige du second Temple de Jérusalem, devant lequel les juifs viennent pleurer la destruction de leur ville. **2.** Ext. Expression plaintive d'une souffrance, d'un regret (gén. au plur.). ⌘ Déb. XIII^e s. ; lat. *lamentatio* ; [lamɑ̃tasjɔ̃].

**LAMENTER, verbe [3]**
**Intrans. 1.** Vx. Gémir. **2.** Pousser son cri, en parlant de certains oiseaux ou du crocodile. **Trans.** Déplorer (vx). **Pronom.** Proférer des lamentations ; par ext., se plaindre, se désoler. ⌘ Déb. XIII^e s. ; bas lat. *lamentare* ; [lamɑ̃te].

**LAMENTO, subst. m.**
*Mus.* Pièce vocale ou instrumentale aux accents plaintifs. ⌘ 1840 ; ital. *lamento*, « plainte » ; [lamɛnto].

**LAMER, verbe trans. [3]**
**1.** *Techn.* Usiner un évidement sur (une surface), autour d'un trou destiné à recevoir une pièce. **2.** Garnir (une étoffe) d'un lamé. ⌘ 1931 (fin XV^e s., couvrir d'une pierre tombale) ; ☞ *lame* ; [lame].

**LAMIACÉES, subst. f. plur.**
*Bot.* Famille de plantes, à tige gén. quadrangulaire, dont de nombreux genres, utilisés en parfumerie ou comme condiments, produisent des essences aromatiques volatiles (synon. *Labiées*). **Au sing.** *Le thym est une **lamiacée***. ⌘ 1873 ; lat. sc. *lamium*, « ortie » ; [lamjase].

**LAMIE, subst. f.**
**1.** *Myth.* Monstre à corps de serpent et à tête de femme. **2.** *Zool.* Requin du genre *Lamna*, de 3 à 4 m de longueur et au museau conique. ⌘ 1527 ; lat. *lamia* ; [lami].

**LAMIER, subst. m.**
*Bot.* Plante herbacée de la famille des Lamiacées, aux grandes fleurs blanches, jaunes ou pourpres. ⌘ 1785 ; lat. sc. *lamium*, « ortie » ; [lamje].

**LAMIFIÉ, ÉE subst. m. inv. et adj.**
**Subst.** Matériau stratifié (n. déposé). **Adj.** Stratifié. ⌘ V. 1960 ; ☞ *lame* ; [lamifje].

**LAMINAGE, subst. m.**
**1.** *Techn.* Action de laminer. **2.** Fig. Action de réduire, d'anéantir qqn, qqch. : *Le **laminage** d'un budget*. ⌘ 1731 ; ☞ *laminer* ; [laminaʒ].

**LAMINAIRE, subst. f. et adj.**
**Subst.** *Bot.* Algue brune, dont le thalle est formé de longues lames ; on en extrait de l'iode, de la soude et de la potasse. **Adj. 1.** *Minér.* Dont la structure est constituée de lames parallèles : *Cassure **laminaire***, selon le plan d'une des lames ; *Débitage **laminaire** d'un silex*, débitage en fines lames. **2.** *Phys. Écoulement **laminaire*** : écoulement d'un fluide sans turbulence. ⌘ 1828 ; lat. *lamina*, « lame » ; [laminɛʀ].

**LAMINECTOMIE, subst. f.**
*Chir.* Résection de l'arc postérieur des vertèbres avant d'intervenir sur la moelle épinière. ⌘ 1901 ; lat. *lamina*, « lame », + *-ectomie* ; [laminɛktɔmi].

**LAMINER, verbe trans. [3]**
**1.** *Techn.* Réduire en feuilles (une masse métallique) ou modifier son profil par passage au laminoir ; par anal. : ***Laminer** du papier*, en diminuer l'épaisseur au moyen d'un laminoir. **2.** Fig. Restreindre fortement ; écraser : *La guerre **lamina** tous les espoirs*. ⌘ 1743 (1596, orné de lamelles de métal) ; lat. *lamina*, « lame » ; [lamine].

**LAMINEUR, EUSE, subst. et adj.**
**Subst.** Personne qui travaille au laminage des métaux. **Adj.** Qui lamine : *Un duo **lamineur***. ⌘ 1823 ; ☞ *laminer* ; [laminœʀ, øz].

**LAMINEUX, EUSE, adj.**
Formé de lames ou de lamelles. ⌘ 1832 ; bas lat. *laminosus*, « qui se divise en lames » ; [laminø, øz].

**LAMINOIR, subst. m.**
*Techn.* **1.** Machine composée de deux cylindres qui tournent en sens inverse et entre lesquels on fait passer le métal à laminer. **2.** Ext. Dispositif analogue pour le papier, le carton, etc. **3.** Fig. *Passer au **laminoir*** : être soumis à de rudes épreuves. ⌘ 1643 ; ☞ *laminer* ; [laminwaʀ].

**LAMPADAIRE, subst. m.**
**1.** Luminaire d'appartement monté sur un support vertical élevé (vx). **2.** Réverbère. ⌘ 1535 ; lat. médiév. *lampadarium*, « chandelier » ; [lɑ̃padɛʀ].

**LAMPANT, ANTE, adj.**
Qualifie un combustible utilisable dans une lampe à flamme : *Pétrole **lampant***. ⌘ 1723 (1593, huile purifiée) ; prov. *lampant*, de *lampa*, « briller » ; [lɑ̃pɑ̃, ɑ̃t].

**LAMPARO, subst. m.**
Lampe utilisée pour la pêche, surtout en Méditerranée. ⌘ 1901 ; esp. *lámpara*, « lampe » ; [lɑ̃paʀo].

**LAMPAS (I), subst. m.**
*Vétér.* Affection de la muqueuse du palais, chez le cheval. ⌘ Déb. XIII^e s. ; *lampe*, « fanon de bœuf », de l'anc. bas frq. *°labba*, « bout d'étoffe » ; [lɑ̃pa(s)].

**LAMPAS (II), subst. m.**
Étoffe de soie à grands ramages colorés, utilisée en ameublement. ⌘ 1723 ; orig. obsc. ; [lɑ̃pa(s)].

**LAMPASSÉ, ÉE, adj.**
*Hérald.* Se dit d'un quadrupède dont la langue est d'un émail différent. ⌘ 1502 (1457, qui a une inflammation au palais) ; ☞ *lampas* (I) ; [lɑ̃pase].

**LAMPE, subst. f.**
**1.** Récipient dans lequel on met un combustible solide, liquide ou gazeux et une mèche, et qui sert à éclairer : ***Lampe** à huile, à pétrole, à acétylène* ; ***Lampe** tempête*, protégée des intempéries par un verre épais. **2.** Anal. Appareil portable destiné à produire de la chaleur : ***Lampe** à alcool* ; ***Lampe** à souder* ; ***Lampe** à infrarouge*. **3.** Source lumineuse utilisant l'électricité : ***Lampe** à arc, à iode, à halogène*. ▸ ***Lampe** à incandescence* (☞ *ampoule*). ▸ ***Lampe** témoin* : signalant le fonctionnement d'une machine. **4.** Méton. Ensemble constitué de la source lumineuse et de l'appareillage nécessaire à son usage : ***Lampe** de chevet*. **5.** Tube à vide employé en radioélectricité (vieilli) : ***Lampe** de radio*. ⌘ 1119 ; bas lat. *lampada*, « torche » ; [lɑ̃p].

**LAMPÉE, subst. f.**
Grande gorgée d'un liquide, que l'on avale d'un trait. ⌘ 1678 ; p. p. de *lamper* ; [lɑ̃pe].

**LAMPER, verbe trans. [3]**
Boire par lampées. ⌘ 1642 ; ☞ *laper* ; [lɑ̃pe].

**LAMPION, subst. m.**
**1.** Lampe à huile ou à suif utilisée pour les illuminations. **2.** Lanterne vénitienne, en papier coloré, contenant une bougie. **3.** *Hist. Des **lampions** !* : cri scandé par la foule lors des émeutes de 1827, pour réclamer des illuminations. ⌘ 1750 (1510, lanterne de bateau) ; ital. *lampione*, « grosse lanterne » ; [lɑ̃pjɔ̃].

**LAMPISTE, subst.**
**1.** Vx. Personne qui fabrique ou vend des lampes ; par ext., personne chargée des lampes, des éclairages. **2.** Subalterne à qui l'on impute les fautes de ses supérieurs (fam.). ⌘ 1797 ; ☞ *lampe* ; [lɑ̃pist].

**LAMPISTERIE, subst. f.**
Local où l'on entretient et où l'on range les lampes et lanternes (vx). ⌘ 1866 (1845, industrie et commerce des lampes) ; ☞ *lampiste* ; [lɑ̃pistəʀi].

**LAMPOURDE, subst. f.**
*Bot.* Plante herbacée de la famille des Astéracées qui pousse dans des endroits non cultivés. ⌘ 1600 ; prov. *lampourdo*, « bardane », du lat. *lappa* ; [lɑ̃puʀd].

**LAMPRILLON, subst. m.**
Larve de lamproie. ⌘ 1587 ; ☞ *lamproie* ; [lɑ̃pʀijɔ̃].

**LAMPROIE, subst. f.**
*Zool.* Vertébré aquatique dépourvu de mâchoires (agnathe), au corps allongé sans écailles ni nageoires. ⌘ 1178 ; bas lat. *lampreda* ; [lɑ̃pʀwa].

**LAMPYRE, subst. m.**
*Zool.* Insecte coléoptère de la famille des Lampyridés, dont la femelle ne possède ni ailes ni élytres ; le **lampyre** commun est le ver luisant (seules les femelles ont un appareil luminescent, situé sur les derniers segments de l'abdomen). ⌘ 1542 ; gr. *lampuris*, de *lampein*, « briller » ; [lɑ̃piʀ].

**LANÇAGE, subst. m.**
*Trav. publ.* Injection, dans le sol, d'eau ou d'air comprimé pour faciliter l'enfoncement d'un pieu. ⌘ XX^e s. (XVII^e s., action de lancer un navire neuf) ; ☞ *lancer* (I) ; [lɑ̃saʒ].

**LANCE, subst. f.**
**1.** Arme d'hast dont la longue hampe se termine par un fer pointu. ▸ *En fer de **lance*** : de forme allongée et pointue ; au fig. : *Être le fer de **lance*** (☞ *fer*). ▸ Loc. *Rompre une, des **lances** avec qqn* : soutenir une discussion avec qqn. **2.** Anal. ▸ Tuyau permettant de diriger un jet : ***Lance** d'arrosage, d'incendie*. ▸ Longue perche utilisée dans les joutes sur l'eau. ⌘ Fin XI^e s. ; lat. *lancea* ; [lɑ̃s].

**LANCÉ, ÉE, adj.**
*Sp.* Se dit d'une épreuve où la ligne de départ est franchie après une course d'élan : *Le kilomètre **lancé***, épreuve de vitesse à ski. ⌘ XVIII^e s. ; p. p. de *lancer* (I) ; [lɑ̃se].

**LANCE-BOMBE(S), subst. m.**
*Arm.* Dispositif installé dans un avion et servant à larguer des bombes. ⌘ 1918 ; comp. de *lancer* (I) et de *bombe* ; plur. *lance-bombes* ; [lɑ̃sbɔ̃b].

**LANCÉE, subst. f.**
Mouvement propulsif : *La **lancée** d'un engin* ; élan. ▸ Loc. *Continuer sur sa **lancée*** : poursuivre une action en profitant de l'impulsion initiale. ⌘ 1810 ; p. p. de *lancer* (I) ; [lɑ̃se].

**LANCE-FLAMME(S), subst. m.**
*Arm.* Engin servant à projeter des liquides enflammés. ⌘ 1916 ; comp. de *lancer* (I) et de *flamme*, d'apr. l'all. *Flammenwerfer* ; plur. *lance-flammes* ; [lɑ̃sflɑm].

**LANCE-FUSÉE(S), subst. m.**
*Arm.* Dispositif servant à envoyer des projectiles autopropulsés. ⌘ 1935 ; comp. de *lancer* (I) et de *fusée* ; plur. *lance-fusées* ; [lɑ̃sfyze].

**LANCE-GRENADE(S), subst. m.**
*Arm.* Engin servant à lancer des grenades, qui peut aussi s'adapter à un fusil. ⌘ 1922 ; comp. de *lancer* (I) et de *grenade* ; plur. *lance-grenades* ; [lɑ̃sgʀənad].

**LANCEMENT, subst. m.**
**1.** Action de lancer, en partic. avec un dispositif de propulsion : *Rampe de **lancement***. **2.** Fig. Promotion d'un produit, d'un artiste, etc. : ***Lancement** d'un acteur*. ⌘ 1306 ; ☞ *lancer* (I) ; [lɑ̃smɑ̃].

**LANCE-MISSILE(S), subst. m.**
*Arm.* Engin servant à lancer des missiles. ⌘ V. 1970 ; comp. de *lancer* (I) et de *missile* ; plur. *lance-missiles* ; [lɑ̃smisil].

**LANCÉOLE, subst. f.**
*Bot.* Feuille ou pétale en fer de lance. ⌘ 1842 ; bas lat. *lanceola*, « petite lance » ; [lɑ̃seɔl].

**LANCÉOLÉ, ÉE, adj.**
**1.** *Bot.* En fer de lance : *Épi de blé **lancéolé*** ; *Feuilles **lancéolées** du glaïeul*. **2.** *Archit.* Caractérisé par des arcs brisés, aigus, en lancette : *Gothique **lancéolé***. ⌘ 1778 ; lat. sc. *lanceolatus* ; [lɑ̃seɔle].

**LANCE-PIERRE(S), subst. m.**
Petite fourche munie de deux élastiques et d'une poche, servant à lancer des cailloux. ▸ Loc. fam. *Manger avec un **lance-pierre*** : rapidement ; *Être payé au **lance-pierre*** : insuffisamment. ⌘ 1894 ; comp. de *lancer* (I) et de *pierre* ; plur. *lance-pierres* ; [lɑ̃spjɛʀ].

**LANCER (I), verbe trans. [4]**
**1.** Envoyer loin de soi : ***Lancer** des pierres, le poids* ; ***Lancer** des flèches, une fusée*, les envoyer au moyen d'un dispositif. ▸ *Mar.* ***Lancer** un navire* : le mettre à l'eau en le faisant glisser, sur son ber, de sa cale de construction. **2.** Mouvoir d'un geste vif (une partie du corps) : ***Lancer** la tête en arrière* ; par ext. : ***Lancer** des coups de pied*. **3.** Faire partir vivement : ***Lancer** des troupes* ; au fig. : ***Lancer** un mandat d'arrêt*. **4.** Émettre avec force : ***Lancer** un cri, un soupir, un regard brûlant* ; dire brutalement, inopinément (des injures, des accusations, une plaisanterie) : ***Lancer** un bon mot*. **5.** ***Lancer** un moteur, une machine* : les mettre en marche ; ***Lancer** une entreprise, une grève* : en être l'initiateur. **6.** Faire connaître : ***Lancer** un chanteur, un produit, une idée, une mode*. **7.** Faire parler (qqn) sur un sujet qu'il aime aborder (fam.). **Pronom. 1.** S'envoyer mutuellement : *Des enfants se **lancent** des pierres* ; *Se **lancer** des injures*. **2.** S'élancer : *Se **lancer** à l'assaut, dans le vide*. **3.** Fig. ▸ S'engager hardiment dans une action. ▸ Se faire connaître. ⌘ Fin XI^e s. ; bas lat. *lanceare*, « manier la lance » ; [lɑ̃se].

**LANCER (II), subst. m.**
**1.** *Pêche au **lancer*** : pêche à la ligne, en partic. des poissons carnassiers, qui consiste à lancer au loin un leurre et à le ramener grâce à un moulinet. **2.** *Sp.* Action de projeter le plus loin possible un objet : ***Lancer** du poids, du disque, du javelot* ; par méton., cette discipline. ⌘ 1876 (1735, action de débusquer) ; ☞ *lancer* (I) ; [lɑ̃se].

**LANCE-ROQUETTE(S),** subst. m.
*Arm.* Arme conçue pour tirer des roquettes. 1953 ; comp. de *lancer* (I) et de *roquette* (II) ; plur. *lance-roquettes* ; [lɑ̃sʀɔkɛt].

**LANCE-TORPILLE(S),** subst. m.
*Arm.* Dispositif permettant de lancer des torpilles ; en appos. : *Tube **lance-torpille**.* 1890 ; comp. de *lancer* (I) et de *torpille* ; plur. *lance-torpilles* ; [lɑ̃stɔʀpij].

**LANCETTE,** subst. f.
**1.** *Chir.* Instrument de chirurgie qui était utilisé pour les saignées, les incisions de petits abcès, etc. **2.** *Archit.* Arc en tiers-point, lancéolé, caractéristique du gothique. XIIIe s. ; ☞ *lance* ; [lɑ̃sɛt].

**LANCEUR, EUSE,** subst.
Personne qui lance qqch. ► *Sp.* Spécialiste du lancer : *Un **lanceur** de marteau.* MASC. *Astronaut.* Engin destiné au lancement de satellites, de vaisseaux spatiaux. Déb. XIIIe s. ; ☞ *lancer* (I) ; [lɑ̃sœʀ, øz].

**LANCIER,** subst. m.
**1.** *Hist.* Soldat d'un régiment de cavalerie qui était armé d'une lance. **2.** *Quadrille des **lanciers*** ou *Les **lanciers*** : ancienne danse à figures. Déb. XIIIe s. ; ☞ *lance* ; [lɑ̃sje].

**LANCINANT, ANTE,** adj.
Qui lancine : *Douleur **lancinante*** ; au fig. : *Une rengaine **lancinante**.* 1546 ; lat. *lancinans*, de *lancinare*, « déchiqueter » ; [lɑ̃sinɑ̃, ɑ̃t].

**LANCINER,** verbe [3]
INTRANS. *Pathol.* Se manifester par des élancements (rare) : *Céphalée qui **lancine**.* TRANS. *Pathol.* Provoquer des élancements chez ; au fig., tourmenter, obséder : *Le remords le **lancinait**.* 1616 ; lat. *lancinare*, « déchiqueter » ; [lɑ̃sine].

**LANÇON,** subst. m.
*Zool.* Équille. 1672 ; ☞ *lance* ; [lɑ̃sɔ̃].

**LAND,** subst. m.
**1.** Chacun des seize États d'Allemagne. **2.** Province, en Autriche. XXe s. ; all. *Land*, « terre » ; plur. *länder* ; [lɑ̃d], plur. [lɛndœʀ].

**LANDAIS, AISE,** adj. et subst.
Des Landes. ► *Course **landaise*** : jeu régional dans lequel le coureur doit esquiver la charge d'une vache **landaise**, sans mise à mort. 1851 ; topon. *Landes* ; [lɑ̃dɛ, ɛz].

**LAND ART,** subst. m.
*B.-a.* Mouvement artistique né en 1967 aux États-Unis, qui exprime le refus des artistes d'entrer dans le circuit commercial de l'art et propose, pour lui échapper, de travailler directement dans la nature et même en plein désert. V. 1970 ; anglo-amér. *land art*, de *land*, « terre », et de *art*, « art » ; [lɑ̃daʀt].

**LANDAU,** subst. m.
**1.** Vx. Voiture hippomobile à quatre roues comportant deux banquettes en vis-à-vis. **2.** Voiture d'enfant haute sur roues, munie d'une capote. 1820 ; topon. *Landau* (Allemagne) ; plur. *landaus* ; [lɑ̃do].

**LANDE,** subst. f.
*Géogr.* Étendue de terre au sol acide, où ne poussent que quelques plantes sauvages (ajoncs, bruyères, genêts, etc.) ; cette végétation : *La **lande** bretonne.* Déb. XIIe s. ; gaul. °*landa* ; [lɑ̃d].

**LANDERNEAU,** subst. m.
Milieu restreint et fermé (synon. *microcosme*). Topon. *Landerneau* (Finistère) ; [lɑ̃dɛʀno].

**LANDGRAVE,** subst. m.
*Hist.* **1.** Titre de certains princes germaniques qui relevaient directement de l'empereur. **2.** Officier qui rendait la justice au nom de l'empereur. Fin XIIe s. ; m. haut all. *landgrave*, « comte du pays » ; [lɑ̃dgʀav].

**LANDIER,** subst. m.
Grand chenet muni de crochets latéraux pour les broches et surmonté d'un panier métallique. Fin XIIIe s. ; anc. fr. *andier*, du gaul. °*anderos*, « jeune taureau », ornement ancien des landiers ; [lɑ̃dje].

**LANDOLPHIA,** subst. f.
*Bot.* Plante de la famille des Apocynacées, dont le latex est riche en caoutchouc. 1804 ; anthropon. *Landolphe*, navigateur français ; [lɑ̃dɔlfja].

**LANDSTURM,** subst. m.
Troupe de réserve composée des plus anciennes classes du contingent, dans les pays germaniques et en Suisse. 1813 ; all. *Landsturm*, de *Land*, « terre », et de *Sturm*, « assaut » ; [lɑ̃dʃtuʀm].

**LANDTAG,** subst. m.
*Hist.* Assemblée délibérante dans certains États germaniques. 1668 ; all. *Landtag*, « diète », de *Land*, « terre », et de *Tag*, « journée » ; [lɑ̃dtag].

**LANERET,** subst. m.
*Fauconn.* Mâle du lanier. 1373 ; ☞ *lanier* ; [lanʀɛ].

**LANGAGE,** subst. m.
**1.** Faculté que possèdent les hommes d'exprimer leur pensée et de communiquer entre eux par un système conventionnel de signes oraux ou graphiques constituant une langue : *Structure du **langage*** ; ***Langage** articulé.* **2.** Ensemble conventionnel de signes vocaux ou graphiques : ***Langage** naturel*, parlé dans le monde ; ***Langage** artificiel*, construit à partir de composants logiques ; ***Langage** chiffré.* ► *Informat.* ***Langage** de programmation* : ensemble de caractères, de symboles et de règles utilisé pour formuler un problème mathématique ou logique en termes adaptés à un ordinateur. **3.** Ext. Tout système de symboles, toute forme d'expression utilisée par des individus pour communiquer : ***Langage** gestuel* ; ***Langage** des fleurs* ; par anal. : ***Langage** des abeilles, des baleines.* **4.** Manière de parler ponctuelle, spécifique à qqn, à un groupe ou à un domaine : *Surveiller son **langage*** ; ***Langage** fleuri, administratif.* **5.** Usage d'une langue envisagé quant au contenu exprimé : ***Langage** ambigu* ; *Des précautions de **langage*** ; par anal. : ***Langage** du rêve.* Fin Xe s. ; ☞ *langue* ; [lɑ̃gaʒ].

**LANGAGIER, IÈRE,** adj.
Qui concerne le langage : *Une mode **langagière**.* 1941 (1382, parleur) ; ☞ *langage* ; [lɑ̃gaʒje, jɛʀ].

**LANGE,** subst. m.
Pièce de tissu en laine ou en coton dont on emmaillotait les nourrissons. 1538 (fin XIIe s., vêtement de laine) ; lat. *laneus*, « de laine » ; [lɑ̃ʒ].

**LANGER,** verbe trans. [5]
Emmailloter (un bébé) dans un lange, lui mettre des couches. 1869 ; ☞ *lange* ; [lɑ̃ʒe].

**LANGOUREUSEMENT,** adv.
De manière langoureuse, avec langueur. Fin XIVe s. ; ☞ *langoureux* ; [lɑ̃guʀøzmɑ̃].

**LANGOUREUX, EUSE,** adj.
**1.** Vx. Affaibli. **2.** Plongé dans un état de langueur (littér.) : *Un homme **langoureux**.* **3.** Qui évoque la langueur amoureuse : *Musique, voix **langoureuse**.* XIIIe s. ; ☞ *langueur* ; [lɑ̃guʀø, øz].

**LANGOUSTE,** subst. f.
*Zool.* Crustacé marin de l'ordre des Décapodes, sans pinces, à très longues antennes, et dont la chair est très appréciée. 1393 (déb. XIIe s., sauterelle) ; anc. prov. *langosta*, du lat. *locusta*, « sauterelle » ; [lɑ̃gust].

© H. Chaumeton-Jacana

*Langouste.*

**LANGOUSTIER,** subst. m.
*Pêche.* **1.** Filet à langoustes. **2.** Bateau équipé pour la pêche à la langouste. 1769 ; ☞ *langouste* ; [lɑ̃gustje].

**LANGOUSTINE,** subst. f.
*Zool.* Petit crustacé de l'ordre des Décapodes, qui, avec ses deux longues pinces, ressemble à un petit homard. 1802 ; ☞ *langouste* ; [lɑ̃gustin].

**LANGRES,** subst. m.
Fromage au lait de vache, à pâte molle fermentée. Topon. *Langres* (Haute-Marne) ; [lɑ̃gʀ].

**LANGUE,** subst. f.
**I. 1.** *Anat.* Organe musculaire de la cavité buccale comportant une partie postérieure fixe et une partie antérieure mobile et allongée, couverte d'une muqueuse, siège des organes du goût, chez l'homme et chez certains animaux. ► Loc. *Tirer la **langue** à qqn* : par moquerie. **2.** Cet organe en tant qu'il sert à la parole : *Les paroles manquèrent à ma **langue*** (Chateaubriand). ► Loc. *Avoir la **langue** bien pendue* (☞ *pendu*) ; *Avoir perdu sa **langue*** : garder le silence ; *Tenir sa **langue*** : savoir garder un secret, se taire ; *Être mauvaise **langue**, une **langue** de vipère* : être médisant ; *Avoir un cheveu sur la **langue*** : zézayer ; *Avoir un mot sur le bout de la **langue*** (☞ *bout*) ; *Donner sa **langue** au chat* (☞ *chat*). **3.** Anal. *Géogr.* ***Langue** de terre* : bande de terre étroite ; ***Langue** glaciaire* : partie inférieure d'un glacier. ► *Relig. Les **langues** de feu* : manifestation de l'Esprit-Saint sur les apôtres, le jour de la Pentecôte, leur accordant le don de **langues** diverses. **II. 1.** Ensemble organisé de signes conventionnels vocaux et graphiques servant à un groupe de personnes pour exprimer leur pensée ou pour communiquer entre eux : *La **langue** allemande* ; *Étudier une **langue**.* ► ***Langue** morte* : qui n'est plus en usage ; ***Langues** classiques* : le latin et le grec ancien ; ***Langue** maternelle* : apprise au sein du milieu familial ; ***Langue** officielle* : toute langue dont l'usage est légalement admis dans un État. **2.** *Ling.* Système abstrait de signes, par oppos. au discours, à la parole, qui en sont l'actualisation : *La **langue** est une forme et non une substance* (Saussure). **3.** Manière de s'exprimer ; système et vocabulaire utilisés par un groupe ou dans un domaine donné (☞ *langage*) : *Pratiquer la **langue** de bois* (☞ *bois*) ; *La **langue** des signes* ; *La **langue** informatique.* Fin Xe s. ; lat. *lingua* ; [lɑ̃g].

**LANGUÉ, ÉE,** adj.
*Hérald.* Qualifie un oiseau dont la langue est d'un autre émail que le corps. 1450 ; ☞ *langue* ; [lɑ̃ge].

**LANGUE-DE-BŒUF,** subst. f.
*Bot.* Champignon basidiomycète poussant sur les troncs des chênes et des châtaigniers. 1790 (mil. XIIIe s., buglosse) ; comp. de *langue* et de *bœuf* ; plur. *langues-de-bœuf* ; [lɑ̃gdəbœf].

**LANGUE-DE-CHAT,** subst. f.
**1.** Biscuit allongé, plat et arrondi. **2.** *Grav.* Burin à bout très fin. 1867 (1765, coquillage plat et allongé) ; comp. de *langue* et de *chat* ; plur. *langues-de-chat* ; [lɑ̃gdəʃa].

**LANGUE-DE-SERPENT,** subst. f.
*Bot.* Ophioglosse. 1319 ; formé de *langue* et de *serpent* ; plur. *langues-de-serpent* ; [lɑ̃gdəsɛʀpɑ̃].

**LANGUEDOCIEN, IENNE,** adj. et subst.
Du Languedoc. SUBST. MASC. Dialecte occitan parlé dans le Languedoc. 1714 ; topon. *Languedoc* ; [lɑ̃gdɔsjɛ̃, jɛn].

**LANGUETTE,** subst. f.
**1.** Objet, pièce en forme de petite langue : ***Languette** d'une chaussure* ; *Couper une **languette** de gruyère.* **2.** *Techn.* Tenon entrant dans une rainure pour assurer l'assemblage de deux planches. **3.** *Mus.* Petite lame mobile de certains instruments, produisant un son par ses propres vibrations ou par l'intermédiaire d'une corde vibrante sur laquelle elle agit. 1266 ; ☞ *langue* ; [lɑ̃gɛt].

**LANGUEUR,** subst. f.
**1.** Vx. Affaiblissement physique de caractère maladif. **2.** Ext. Affaiblissement physique et moral engendrant l'apathie. **3.** Douce mélancolie : *Une étrange **langueur** la saisit.* **4.** Ralentissement d'une activité ; monotonie. Déb. XIIe s. ; lat. *languor* ; [lɑ̃gœʀ].

**LANGUEYER,** verbe trans. [3]
Munir de languettes (un tuyau d'orgue). 1350 ; ☞ *langue* ; [lɑ̃gɛje].

**LANGUIDE,** adj.
Languissant, langoureux (littér.). 1523 ; lat. *languidus*, « affaibli ; inactif » ; [lɑ̃gid].

**LANGUIR,** verbe intrans. [19]
**1.** Vx. S'affaiblir par souffrance ou maladie ; par anal. : *Plante qui **languit**, qui s'étiole.* **2.** Ext. Dépérir par l'effet d'un tourment moral persistant : *Le secret douloureux qui me faisait **languir*** (Baudelaire) ; ***Languir** d'amour.* **3.** Attendre impatiemment : ***Languir** après qqn ou qqch.* ; *Il nous fait **languir**.* **4.** Manquer d'entrain, de dynamisme, en parlant de qqch. : *Conversation qui **languit**.* PRONOM. Se **languir de**. Se morfondre dans l'attente de : *Je me **languis** de lui.* Déb. XIIe s. ; lat. pop. °*languire* ; [lɑ̃giʀ].

**LANGUISSANT, ANTE,** adj.
Qui (se) languit. 1694 ; p. pr. de *languir* ; [lɑ̃gisɑ̃, ɑ̃t].

**LANICE,** adj.
*Bourre **lanice*** : bourre de laine non filée (vx). 1290 ; ☞ *laine* ; [lanis].

**LANIER,** subst. m.
*Fauconn.* Faucon femelle qui était autrefois dressé pour la chasse à la perdrix. Mil. XIIe s. ; *l'anier* (vx), de *ane*, « canard » ; [lanje].

**LANIÈRE**, subst. f.
Longue bande étroite de matière souple : *Lanières d'un fouet* ; *Des sandales à lanières* ; par ext., bande étroite : *Découper sa viande en lanières*. ⌧ Fin XIIe s. ; anc. fr. °*nasle*, de l'anc. bas frq. °*nastila*, « lacet » ; [lanjɛʀ].

**LANIFÈRE**, adj.
**1.** Qui possède une toison laineuse : *Animaux lanifères*. **2.** Anal. Recouvert de duvet : *Feuilles lanifères*. ⌧ 1747 ; lat. *lana*, « laine », + *-fère* ; [lanifɛʀ].

**LANIGÈRE**, adj.
**1.** Lanifère. **2.** *Zool. Puceron lanigère* : puceron parasite des pommiers, qui sécrète une cire laineuse couvrant son corps. ⌧ XVe s. ; lat. *lana*, « laine », + *-gère* ; [laniʒɛʀ].

**LANISTE**, subst. m.
*Antiq. rom.* Homme qui formait, louait ou vendait les gladiateurs. ⌧ Déb. XVIe s. ; lat. *lanista* ; [lanist].

**LANOLINE**, subst. f.
Matière grasse extraite du suint de mouton, utilisée en pharmacie et en cosmétologie. ⌧ 1890 ; lat. *lana*, « laine », et *oleum*, « huile » ; [lanɔlin].

**LANSQUENET**, subst. m.
**1.** Mercenaire allemand qui servait en France, aux XVe et XVIe s. **2.** Méton. Jeu de cartes, introduit en France par les **lansquenets**. ⌧ Fin XVe s. ; all. *Landsknecht*, de *Land*, « terre », et de *Knecht*, « serviteur » ; [lɑ̃skənɛ].

**LANTANIER**, subst. m.
*Bot.* Arbuste exotique de la famille des Verbénacées, cultivé comme plante ornementale. ⌧ 1817 ; lat. sc. *lantana*, du gaul. °*lantana* ; var. *lantana* ; [lɑ̃tanje].

**LANTERNE**, subst. f.
**I. 1.** Appareil d'éclairage constitué d'une boîte translucide contenant une source lumineuse : ***Lanterne** sourde*, dont on peut occulter la source lumineuse ; *Les **lanternes** d'une voiture*, ses feux de position ; ***Lanterne** rouge*, posée à l'arrière du dernier véhicule d'un convoi. ▸ Loc. *Être la **lanterne** rouge* : le dernier d'un classement, d'une compétition (fam.) ; *Prendre des vessies pour des **lanternes*** : se méprendre grossièrement. **2.** Appareil d'éclairage des voies publiques (vx). ▸ Réverbère dont on utilisait les cordes pour pendre qqn, sous la Révolution : *Les aristocrates à la **lanterne** !* (dans la chanson « Ça ira »). **3.** ***Lanterne** magique* : appareil d'optique qui servait à projeter sur un écran des images peintes sur verre. ▸ Loc. *Éclairer la **lanterne** de qqn* : faciliter sa compréhension en lui fournissant des renseignements. **II.** Anal. **1.** *Archit.* Ouvrage circulaire, comportant plusieurs ouvertures, qui coiffe un bâtiment et l'éclaire. **2.** *Techn.* Pignon où s'engrènent les dents d'une roue. **3.** *Zool. **Lanterne** d'Aristote* : appareil masticateur de certains oursins. ⌧ Fin XIe s. ; lat. *lanterna*, du gr. *lamptêr* ; [lɑ̃tɛʀn].

**LANTERNEAU**, subst. m.
*Archit.* Partie surélevée d'un toit, munie d'ouvertures, servant à l'éclairage ou à la ventilation. ⌧ 1840 (1721, chaussée pratiquée dans les marais salants) ; ☞ *lanterne* ; var. *lanternon* ; [lɑ̃tɛʀno].

**LANTERNER**, verbe intrans. [3]
Ne pas se presser, perdre son temps : *Faire **lanterner** qqn*, le faire attendre. ⌧ 1552 ; ☞ *lanterne* ; [lɑ̃tɛʀne].

**LANTERNON**, voir **LANTERNEAU**

**LANTHANE**, subst. m.
*Chim.* Métal du groupe des terres rares, trivalent, élément n° 57 de la table de Mendeleïev (symb. : La) ; masse atomique : 138,91 ; point de fusion : 920 °C ; point d'ébullition : 3 457 °C ; masse volumique : 6,15 g/cm$^3$. ⌧ 1839 ; lat. sc. *lant(h)an(i)um*, du gr. *lanthanein*, « être caché » ; [lɑ̃tan].

**LANTHANIDES**, subst. m. plur.
*Chim.* Famille des terres rares, regroupant les éléments de la table de Mendeleïev numérotés de 57 (lanthane) à 71. **Au sing.** *Le samarium est un **lanthanide***. ⌧ Mil. XXe s. ; ☞ *lanthane* + *-ide* ; [lɑ̃tanid].

**LANUGINEUX, EUSE**, adj.
*Bot.* Couvert d'un duvet : *Fruit **lanugineux***. ⌧ Déb. XVIe s. ; lat. *lanuginosus* ; [lanyʒinø, øz].

**LAOTIEN, IENNE**, subst. et adj.
Du Laos. **Subst. masc.** Langue du groupe thaï, l'une des langues officielles du Laos (synon. *lao*). ⌧ 1765 ; topon. *Laos* ; [laɔsjɛ̃, jɛn].

**LAPALISSADE**, subst. f.
Affirmation ridicule par son évidence. ⌧ 1861 ; *La Palice* ou *La Palisse*, héros d'une chanson populaire ; [lapalisad].

**LAPAROSCOPIE**, subst. f.
*Méd.* Méthode d'exploration endoscopique des organes abdominaux. ⌧ 1916 ; gr. *lapara*, « flanc », + *-scopie* ; [lapaʀɔskɔpi].

**LAPAROTOMIE**, subst. f.
*Chir.* Ouverture de la paroi abdominale. ⌧ 1790 ; gr. *lapara*, « flanc », + *-tomie* ; [lapaʀɔtɔmi].

**LAPEMENT**, subst. m.
Action de laper ; bruit produit par un animal qui lape. ⌧ 1611 ; ☞ *laper* ; [lapmɑ̃].

**LAPER**, verbe trans. [3]
Boire à coups de langue, en parlant d'un animal. ⌧ Fin XIIe s. ; orig. onomat. ; [lape].

**LAPEREAU**, subst. m.
Jeune lapin. ⌧ Fin XIVe s. ; ibéro-roman °*lappa*, « pierre plate » ; [lapʀo].

**LAPIAZ**, subst. m.
*Géol.* Dans un relief karstique, surface que l'eau a creusée de cannelures ou de larges fissures. ⌧ 1844 ; lat. *lapis*, « pierre » ; var. *lapié* ; [lapjɑz].

**LAPICIDE**, subst.
Personne qui grave ou décore la pierre. ⌧ 1876 (1867, établi dans les creux rocheux, en parlant de plantes ou de mollusques) ; lat. *lapicida* ; [lapisid].

**LAPIDAIRE**, subst. m. et adj.
**Subst. 1.** Professionnel qui travaille ou vend des pierres fines ou précieuses, à l'exception du diamant. **2.** Petite meule. **Adj. 1.** Qui a trait aux pierres : *Musée **lapidaire***. **2.** Fig. Bref, concis comme une formule gravée sur la pierre : *Devise **lapidaire***. ⌧ Mil. XIIIe s. (XIIe s., traité sur les pierres) ; lat. *lapidarius*, de *lapis*, « pierre » ; [lapidɛʀ].

**LAPIDATION**, subst. f.
Action de lapider ; son résultat. ⌧ 1611 (fin XIIIe s., dévastation) ; lat. *lapidatio* ; [lapidasjɔ̃].

**LAPIDER**, verbe trans. [3]
Tuer à coups de pierre ; par anal., lancer des projectiles sur (qqn, qqch.). ⌧ Fin Xe s. ; lat. *lapidare* ; [lapide].

**LAPIÉ**, voir **LAPIAZ**

**LAPILLI**, subst. m. plur.
*Pétrogr.* Fragments de lave (de 4 à 32 mm) projetés par un volcan. ⌧ 1824 ; ital. *lapillo*, du lat. *lapillus*, « petite pierre » ; [lapil(l)i].

**LAPIN, INE**, subst.
*Zool.* Petit mammifère lagomorphe de la famille des Léporidés, très prolifique, vivant à l'état sauvage (**lapin** de garenne) ou élevé pour sa chair ou pour sa peau : *Le **lapin** clapit et vit dans un terrier*. **Masc. 1.** Méton. Chair ou fourrure du **lapin** : *Un civet de **lapin*** ; *Une toque en **lapin***. **2.** Loc. *Cage à **lapins*** : habitation exiguë évoquant un clapier ; *Chaud **lapin*** (☞ *chaud*) ; *Coup du **lapin*** (☞ *coup*) ; *Poser un **lapin** à qqn* : ne pas honorer un rendez-vous (fam.). ▸ Terme d'affection (fam.) : *Mon **lapin***, mon chéri, ma chérie. ⌧ 1458 ; ☞ *lapereau* ; ce terme a remplacé *connin* qui, dès le XIIe s., suscitait des jeux de mots obscènes ; [lapɛ̃, in].

**LAPINER**, verbe intrans. [3]
Mettre bas, en parlant d'une lapine. ⌧ 1732 ; ☞ *lapin* ; [lapine].

**LAPINIÈRE**, subst. f.
**1.** Lieu où les lapins abondent. **2.** Clapier. ⌧ 1762 ; ☞ *lapin* ; [lapinjɛʀ].

**LAPINISME**, subst. m.
Tendance, pour des êtres vivants, à se reproduire de façon jugée excessive (fam.). ⌧ Mil. XXe s. ; ☞ *lapin* ; [lapinism].

**LAPIS-LAZULI**, subst. m.
**1.** *Joaill.* Pierre fine bleu azur, qui est une roche métamorphique constituée de lazurite, de calcite et de pyrite. **2.** *Minér.* Lazurite. ⌧ XIIIe s. ; lat. médiév. *lapis lazuli*, de *lapis*, « pierre », et de *lazuli*, « d'azur » ; plur. *lapis-lazulis*, var. *lapis* ; [lapislazyli].

**LAPON, ONE**, subst. et adj.
De Laponie. **Subst. masc.** Langue finno-ougrienne, parlée en Laponie. ⌧ 1671 ; prob. lat. médiév. *lapo*, du finlandais *lapp* ; [lapɔ̃, ɔn].

**LAPS (I)**, subst. m.
***Laps** de temps* : durée. ⌧ 1266 ; lat. *lapsus*, « écoulement, cours », de *labi*, « glisser, couler » ; [laps].

**LAPS (II), LAPSE**, adj.
*Dr. canon.* Qui a renié la foi chrétienne : *Être **laps** et relaps*. ⌧ 1314 ; lat. *lapsus*, « qui est tombé », de *labi*, « glisser » ; [laps].

**LAPSUS**, subst. m.
Substitution involontaire d'un mot à un autre : *Pour le psychanalyste, le **lapsus** est un acte manqué*. ⌧ 1630 ; lat. *lapsus*, « faux pas, erreur » ; [lapsys].

**LAPTOT**, subst. m.
Manœuvre ou piroguier autochtone travaillant dans les ports africains (vx). ⌧ 1752 ; orig. obsc. ; [lapto].

**LAQUAGE**, subst. m.
**1.** Action de laquer ; son résultat. **2.** *Biol. **Laquage** du sang* : éclatement des hématies d'un échantillon sanguin. ⌧ 1881 ; ☞ *laquer* ; [lakaʒ].

**LAQUAIS**, subst. m.
**1.** Vx. Valet en livrée. **2.** Fig. Homme servile, soumis. ⌧ 1547 (1470, soldat catalan) ; orig. obsc. ; [lakɛ].

**LAQUE**, subst.
**Fém. 1.** Substance résineuse rouge-brun sécrétée par certains végétaux. **2.** Peinture résistante qui, une fois étalée, brille comme de la **laque**. **3.** Produit que l'on vaporise sur les cheveux pour les fixer. **4.** Épais vernis à ongles. **Masc. 1.** Vernis d'Orient, rouge ou noir. **2.** Objet d'art enduit de ce vernis. ⌧ XIVe s. ; ar. *lakk*, du persan *lâk* ; [lak].

*Atelier de **laqueurs** en Extrême-Orient, à la fin du XIXe s.*

**LAQUÉ, ÉE**, adj.
**1.** Enduit de laque : *Paravent **laqué***. **2.** Peint à la laque ; verni ou fixé avec une laque. **3.** *Cuis.* Enduit à plusieurs reprises, au cours de la cuisson, d'une sauce caramélisée : *Canard **laqué***. **4.** *Biol. Sang **laqué*** : dont l'hémoglobine a diffusé dans le sérum. ⌧ 1830 ; p. p. de *laquer* ; [lake].

**LAQUELLE**, voir **LEQUEL**

**LAQUER**, verbe trans. [3]
**1.** Enduire (un meuble) de laque. **2.** Vernir, peindre (un ongle, une carrosserie) à la laque. **3.** Vaporiser de la laque sur (les cheveux). ⌧ 1867 ; ☞ *laque* ; [lake].

**LAQUEUR, EUSE**, subst.
Personne qui laque des ouvrages en bois. ⌧ 1875 ; ☞ *laquer* ; [lakœʀ, øz].

**LARAIRE**, subst. m.
*Antiq. rom.* Autel, ou oratoire, placé à l'intérieur de la maison et destiné au culte des lares. ⌧ Mil. XVIe s. ; lat. *lararium* ; [laʀɛʀ].

**LARBIN**, subst. m.
Fam. **1.** Domestique. **2.** Homme servile. ⌧ 1829 (1827, mendiant) ; p.-ê. argot *habin*, « chien » ; [laʀbɛ̃].

**LARCIN**, subst. m.
Petit vol commis sans violence ; par méton., ce qui a été volé. ⌧ 1130 ; lat. *latrocinium*, « brigandage » ; [laʀsɛ̃].

**LARD**, subst. m.
**1.** Graisse sous-cutanée du porc : *Omelette au **lard***. ▸ Loc. *Du **lard** ou du cochon* (☞ *cochon*). **2.** Anal. Graisse sous-cutanée des cétacés et de certains amphibiens. **3.** Fam. Graisse de l'être humain. ▸ Loc. *Faire du **lard*** : grossir ; *Rentrer dans le **lard** de qqn* : l'attaquer ; *Tête de **lard*** : personne têtue. ⌧ Fin XIIe s. ; lat. *lardum* ; [laʀ].

**LARDER**, verbe trans. [3]
**1.** Piquer (une viande) de lardons. **2.** Anal. Transpercer, cribler ; empl. adj. : *Un corps **lardé** de coups d'épée*. **3.** Fig. Émailler : ***Larder** un texte d'expressions latines*. ⌧ 1155 ; ☞ *lard* ; [laʀde].

**LARDOIRE**, subst. f.
Tige creuse utilisée pour larder les viandes. ⌧ 1389 ; ☞ *larder* ; [laʀdwaʀ].

**LARDON, subst. m.**
**1.** Petit morceau de lard. **2.** Fig. Enfant (fam.). ◊ Déb. XIIIe s. ; ☞ *lard* ; [laʀdɔ̃].

**LARE, subst. m.**
*Antiq. rom.* Divinité protectrice du foyer, tenue pour l'âme d'un défunt (gén. au plur.) ; empl. adj. : *Dieux **lares**.* ◊ 1488 ; lat. *Lar* ; [laʀ].

**LARGABLE, adj.**
Qui peut être largué d'un avion, d'un navire, etc. ◊ 1931 ; ☞ *larguer* ; [laʀgabl].

**LARGAGE, subst. m.**
Action de larguer. ◊ Mil. XXe s. ; ☞ *larguer* ; [laʀgaʒ].

**LARGE, adj., subst. m. et adv.**
**Adj. 1.** Très étendu, vaste : *Une **large** enceinte.* **2.** Plus étendu que la moyenne, dans le sens de la largeur : *Un **large** fleuve* ; par ext. : *Un **large** sourire.* ► Qui mesure telle largeur, par rapport à la longueur ou à la hauteur : *Rue **large** de 10 mètres.* **3.** Ample : *Jupe **large**.* **4.** Fig. ► Généreux : *Être **large** avec ses amis.* ► Ouvert, tolérant : *Esprit **large**.* ► Grand ; important : *Une **large** majorité de voix.* **5.** *Math. Inégalité **large*** : qui inclut l'égalité, par oppos. à l'inégalité stricte. **Subst. 1.** Largeur : *2 mètres de **large**.* ► Loc. *En long et en **large**, de long en **large*** (☞ *long*) ; *Être au **large*** : être à l'aise. **2.** *Le **large*** : la haute mer. ► Loc. *Prendre le **large*** : s'enfuir ; partir (fam.). **Adv.** De manière large : *Compter **large**.* ► Loc. *Ne pas en mener **large*** : être mal à l'aise, inquiet (fam.). ◊ Mil. XIe s. ; lat. *largus* ; [laʀʒ].

**LARGEMENT, adv.**
**1.** De façon large : *Main **largement** ouverte.* **2.** Sans compter : *Se servir **largement**.* **3.** De beaucoup : *Être **largement** distancé.* ◊ Fin XIIe s. ; ☞ *large* ; [laʀʒəmɑ̃].

**LARGESSE, subst. f.**
Générosité. **Plur.** Dons, faveurs : *Dispenser des **largesses**.* ◊ Mil. XIIe s. ; ☞ *large* ; [laʀʒɛs].

**LARGEUR, subst. f.**
**1.** Dimension, d'une surface ou d'un volume, perpendiculaire à la longueur et plus petite que cette dernière. ► Loc. *Dans les grandes **largeurs*** : totalement (fam.). **2.** Fig. Caractère de ce qui est ouvert, dénué de mesquinerie : ***Largeur** d'esprit.* ◊ Fin XIIe s. ; ☞ *large* ; [laʀʒœʀ].

**LARGHETTO, adv. et subst. m.**
*Mus.* **Adv.** Un peu moins lentement que largo. **Subst.** Morceau exécuté **larghetto**. ◊ 1765 ; ital. *larghetto*, de *largo*, « largement » ; [laʀgɛt(t)o].

**LARGO, adv. et subst. m.**
*Mus.* **Adv.** Très lentement, avec majesté. **Subst.** Morceau exécuté **largo**. ◊ 1705 ; ital. *largo*, « largement » ; [laʀgo].

**LARGUE, adj. et subst. m.**
*Mar.* **Adj. 1.** *Vent **largue*** : oblique, de travers par rapport à la direction du bateau (vx). **2.** Qui n'est pas tendu : *Une amarre **largue**.* **Subst.** Allure du bateau qui reçoit un vent **largue** : *Petit **largue*** (entre près et travers), ***largue*** (travers) et *grand **largue*** (entre travers et vent arrière). ◊ 1560 (1553, *faire largue*, céder la place) ; ital. *largo*, « large » ; [laʀg].

**LARGUER, verbe trans. [3]**
**1.** *Mar.* Lâcher, détacher (une amarre). **2.** Faire tomber d'un avion : ***Larguer** des vivres.* **3.** Fam. Abandonner : ***Larguer** un travail* ; semer, distancer ; au fig. : *Être **largué***, ne plus comprendre. ◊ 1678 (1616, s'éloigner en bateau) ; esp. *largar* ; [laʀge].

**LARGUEUR, EUSE, subst.**
Spécialiste du largage à partir d'un moyen de transport aérien. ◊ V. 1980 ; ☞ *larguer* ; [laʀgœʀ, øz].

**LARIFORMES, subst. m. plur.**
*Zool.* Ordre d'oiseaux de mer palmipèdes et piscivores. **Au sing.** *La sterne est un **lariforme**.* ◊ XXe s. ; lat. *larus*, « goéland », + *-forme* ; [laʀifɔʀm].

**LARIGOT, subst. m.**
**1.** Petite flûte. **2.** Jeu d'orgue (synon. *petit nasard*). ► Loc. *À tire-larigot* (☞ *tire-larigot*). ◊ 1563 ; mot tiré d'un ancien refrain ; [laʀigo].

**LARME, subst. f.**
**1.** *Physiol.* Liquide alcalin et salé, sécrété par les glandes lacrymales, qui s'écoule de l'œil sous l'effet d'une inflammation légère ou d'une émotion : *Sécher ses **larmes**.* ► Loc. *Des **larmes** de crocodile* (☞ *crocodile*) ; *Rire aux **larmes*** : de fort bon cœur ; *Avoir la **larme** à l'œil* : être ému. **2.** Petite quantité de liquide : *Une **larme** de porto.* **3.** *Vén.* Liquide noirâtre, gras et odorant sécrété par le larmier des cervidés. ◊ Mil. XIe s. ; lat. *lacrima* ; [laʀm].

**LARME-DE-JOB, subst. f.**
*Bot.* Poacée à graines alimentaires cultivée en Asie et dont les fruits servent à faire bracelets, colliers et chapelets. ◊ 1456 ; comp. de *larme* et de *Job* ; plur. *larmes-de-Job* ; [laʀmdəʒɔb].

**LARMIER, subst. m.**
**1.** *Archit.* Partie saillante d'une corniche ou d'un mur, qui sert à guider les eaux de ruissellement vers le sol, à distance du mur. **2.** *Vén.* Glande située sous l'angle interne de l'œil des cervidés, qui sécrète la larme. ◊ 1321 ; ☞ *larme* ; [laʀmje].

**LARMOIEMENT, subst. m.**
**1.** *Pathol.* Afflux abondant de larmes au niveau de la conjonctive, d'origine organique ou psychique. **2.** Méton. Gémissement, pleurnicherie (gén. au plur.). ◊ 1538 ; ☞ *larmoyer* ; [laʀmwamɑ̃].

**LARMOYANT, ANTE, adj.**
**1.** Qui larmoie : *Des yeux **larmoyants*** ; par méton. : *Un enfant **larmoyant**.* **2.** Qui cherche à émouvoir, plaintif : *Une voix **larmoyante**.* ◊ 1470 ; p. pr. de *larmoyer* ; [laʀmwajɑ̃, ɑ̃t].

**LARMOYER, verbe intrans. [17]**
**1.** Être plein de larmes, en parlant de l'œil. **2.** Pleurnicher, se plaindre. ◊ Fin XIIe s. ; ☞ *larme* ; [laʀmwaje].

**LARRON, subst. m.**
**1.** Brigand (vieilli) : *Le bon et le mauvais **larron***, les deux voleurs crucifiés aux côtés du Christ. ► Loc. *S'entendre comme **larrons** en foire* : très bien. **2.** *Techn.* Petit canal d'écoulement d'une pièce d'eau. ◊ Fin Xe s. ; lat. *latro* ; le fém., *larronnesse*, est rare ; [laʀɔ̃].

**LARSEN, subst. m.**
Oscillation parasite provoquant un sifflement dans une chaîne électroacoustique (synon. *effet Larsen*). ◊ Mil. XXe s. ; anthropon. *Larsen* ; [laʀsɛn].

**LARVAIRE, adj.**
**1.** Relatif aux larves animales. **2.** Fig. Embryonnaire : *Roman à l'état **larvaire**.* ◊ 1876 ; ☞ *larve* ; [laʀvɛʀ].

**LARVE, subst. f.**
**1.** *Antiq. rom.* Esprit malfaisant venant tourmenter les vivants ; fantôme. **2.** *Zool.* Organisme sorti de l'œuf, dont l'anatomie et la physiologie sont très différentes de celles de l'adulte : ***Larves** d'insectes* ; *Le têtard est la **larve** de la grenouille.* **3.** Fig. Individu misérable, veule, sans énergie (fam. et péj.). ◊ 1495 ; lat. *larva* ; [laʀv].

**LARVÉ, ÉE, adj.**
**1.** *Pathol.* Qualifie une maladie qui ne se manifeste pas totalement. **2.** Ext. Qualifie un processus insidieux, menaçant plus que manifeste, ou atténué : *Une crise **larvée**.* ◊ 1814 ; ☞ *larve* ; [laʀve].

**LARVICIDE, adj. et subst. m.**
Se dit d'un produit qui détruit les larves. ◊ V. 1960 ; ☞ *larve* + *-cide* ; [laʀvisid].

**LARYNGALE, subst. f.**
*Phon.* Consonne articulée au niveau de la glotte. ◊ 1909 ; ☞ *larynx* ; [laʀɛ̃gal].

**LARYNGÉ, ÉE, adj.**
*Anat.* Qui concerne le larynx (synon. *laryngien, ienne*) : *Un œdème **laryngé**.* ◊ 1743 ; ☞ *larynx* ; [laʀɛ̃ʒe].

**LARYNGECTOMIE, subst. f.**
*Chir.* Ablation partielle ou totale du larynx. ◊ 1929 ; formé de *laryngo-* et de *-ectomie* ; [laʀɛ̃ʒɛktɔmi].

**LARYNGITE, subst. f.**
*Pathol.* Inflammation aiguë ou chronique du larynx, en partic. des cordes vocales. ◊ 1834 ; ☞ *larynx* + *-ite* ; [laʀɛ̃ʒit].

**LARYNGOLOGIE, subst. f.**
*Méd.* Étude du larynx et de ses affections. ◊ 1867 ; formé de *laryngo-* et de *-logie* ; [laʀɛ̃gɔlɔʒi].

**LARYNGOLOGUE, subst.**
*Méd.* Spécialiste en laryngologie. ◊ 1922 ; formé de *laryngo-* et de *-logue* ; var. *laryngologiste* ; [laʀɛ̃gɔlɔg].

**LARYNGOSCOPE, subst. m.**
*Méd.* Appareil qui permet d'examiner, directement ou par réfraction sur un petit miroir, le pharynx, la base de la langue et le larynx. ◊ 1860 ; formé de *laryngo-* et de *-scope* ; [laʀɛ̃gɔskɔp].

**LARYNGOSCOPIE, subst. f.**
*Méd.* Observation à l'aide d'un laryngoscope. ◊ 1861 ; formé de *laryngo-* et de *-scopie* ; [laʀɛ̃gɔskɔpi].

**LARYNGOTOMIE, subst. f.**
*Chir.* Incision du larynx. ◊ 1584 ; bas lat. *laryngotomia*, du gr. *laruggotomia* ; [laʀɛ̃gɔtɔmi].

**LARYNX, subst. m.**
*Anat.* et *Physiol.* Organe respiratoire situé dans la partie médiane et antérieure du cou, au-dessus de la trachée. Composé de cartilages mobiles reliés par des muscles, le **larynx** contient les cordes vocales. C'est l'organe essentiel de la phonation, la voix étant produite par la vibration des cordes vocales sous l'action de l'air expiré. ◊ 1532 ; gr. *larugx* « gosier » ; [laʀɛ̃ks].

**LAS (I), LASSE, adj.**
**1.** Fatigué physiquement. **2.** Fig. ► ***Las** de* : dégoûté de. ► Loc. *De guerre **lasse*** (☞ *guerre*). ◊ Fin XIe s. (mil. XIe s., malheureux, misérable) ; lat. *lassus* ; [lɑ, lɑs].

**LAS (II), interj.**
Hélas ! ◊ Mil. XIe s. ; anc. fr. *las*, « malheureux » ; [lɑs].

**LASAGNE, subst. f.**
*Cuis.* Pâte italienne en forme de large ruban ; plat fait de telles pâtes superposées avec de la viande hachée et des tomates (gén. au plur.). ◊ Fin XVe s. ; ital. *lasagna*, p.-ê. du fr. *losange* ; [lazaɲ].

**LASCAR, subst. m.**
**1.** Marin de l'océan Indien (vieilli). **2.** Homme rusé, audacieux (fam.). ◊ 1610 ; prob. angl. *lascar* du port. *lascar*, du persan *laškar*, « armée » ; [laskaʀ].

**LASCIF, IVE, adj.**
**1.** Vx. Enclin aux plaisirs amoureux. **2.** Sensuel : *Posture **lascive**.* ◊ 1512 ; lat. *lascivus* ; [lasif, iv].

**LASCIVITÉ, subst. f.**
Caractère d'une personne, d'une attitude lascive. ◊ Fin XVe s. ; lat. *lascivitas* ; var. *lasciveté* ; [lasivite].

**LASER, subst. m.**
*Phys.* Appareil mettant en œuvre l'effet laser, c.-à-d. générant un faisceau fin et unidirectionnel de lumière cohérente qui, focalisé, produit une grande concentration d'énergie par unité de surface et dont les applications sont multiples (en chirurgie, en technique, etc.). ◊ V. 1960 ; anglo-amér. *laser* acron. de *light amplification by stimulated emission of radiation*, « amplification de lumière par l'émission stimulée de rayonnement » ; [lazɛʀ].

**LASSANT, ANTE, adj.**
**1.** Qui fatigue physiquement. **2.** Qui excède : *Une insistance **lassante**.* ◊ 1680 ; p. pr. de *lasser* ; [lasɑ̃, ɑ̃t].

**LASSER, verbe trans. [3]**
**1.** Fatiguer. **2.** Ennuyer ; excéder. **Pronom.** Devenir las ; se décourager ; perdre goût : *Il se **lassa** même des honneurs.* ◊ Fin XIIe s. ; lat. *lassare* ; [lɑse].

**LASSERIE, voir LACERIE**

**LASSIS, subst. m.**
Bourre de soie ; étoffe faite avec cette bourre. ◊ XIIe s. ; var. de *lacis* ; [lɑsi].

**LASSITUDE, subst. f.**
**1.** État de fatigue physique. **2.** Ennui profond ; dégoût. ◊ XVe s. ; lat. *lassitudo* ; [lasityd].

**LASSO, subst. m.**
Corde à nœud coulant utilisée pour capturer les animaux : *Prendre un cheval au **lasso**.* ◊ 1809 ; hisp.-amér. *lazo*, de l'esp. *lazo*, « lien » ; [laso].

**LASTING, subst. m.**
Étoffe de laine rase, satinée, utilisée en confection. ◊ 1830 ; angl. *lasting*, de *to last*, « durer » ; [lastiŋ].

**LATANIER, subst. m.**
*Bot.* Palmier de la famille des Arécacées, à feuilles en éventail. ◊ 1645 ; caraïbe *alattani* ; [latanje].

**LATENCE, subst. f.**
État de ce qui est latent. ► *Physiol. Temps de **latence*** : temps qui s'écoule entre un stimulus et la réaction qu'il produit. ► *Psychol. Période de **latence*** : phase de développement de l'enfant, située entre la première phase de la sexualité et la puberté, au cours de laquelle la pulsion sexuelle est apaisée au profit d'investissements culturels. ◊ 1885 ; ☞ *latent* ; [latɑ̃s].

**LATENT, ENTE, adj.**
**1.** Caché, qui ne se manifeste pas clairement : *Danger **latent**.* ► *Biol. Vie **latente*** : état d'un organisme dont les activités vitales sont suspendues dans l'attente de meilleures conditions extérieures. ► *Hortic. Œil **latent*** : œil (d'un arbre) resté à l'état rudimentaire. ► *Méd. Maladie **latente*** : présente, mais non déclarée. ► *Phot. Image **latente*** : formée sur le film, mais non développée. ► *Psychanal. Contenu **latent** du rêve* : son sens caché, par oppos. au contenu manifeste. **2.** *Phys. Chaleur **latente** de fusion, de vaporisation* : quantité de chaleur nécessaire pour fondre (ou vaporiser) 1 gramme d'un corps. ◊ Fin XIVe s. ; lat. *latens* ; [latɑ̃, ɑ̃t].

**LATÉRAL, ALE, AUX,** adj.
1. Situé sur le côté : *Canal **latéral***. 2. Fig. Indirect ; secondaire, annexe : *Voie **latérale***. 3. *Phon. Consonne **latérale*** ou, empl. subst. fém., *Une **latérale*** : dont l'articulation laisse passer l'air sur les côtés de la langue. 1315 ; lat. *lateralis* ; [lateʀal, o].

**LATÉRALEMENT,** adv.
De côté. 1521 ; ☞ *latéral* ; [lateʀalmɑ̃].

**LATÉRALISATION,** subst. f.
*Physiol.* Spécialisation progressive des hémisphères cérébraux, durant l'enfance, entraînant leur asymétrie fonctionnelle. V. 1970 ; ☞ *latéral* ; [lateʀalizasjɔ̃].

**LATÉRALISÉ, ÉE,** adj.
*Physiol.* Dont l'activité motrice est déterminée par la prédominance d'un hémisphère cérébral sur l'autre. V. 1960 ; ☞ *latéral* ; [lateʀalize].

**LATÉRALITÉ,** subst. f.
*Physiol.* Prédominance d'un des hémisphères cérébraux dans l'activité motrice ou sensorielle d'une personne, qui détermine le fait d'être droitier ou gaucher. 1846 ; ☞ *latéral* ; [lateʀalite].

**LATÉRITE,** subst. f.
*Pétrogr.* Sol rouge brique, riche en hydroxydes de fer et exploitable comme minerai sédimentaire. 1867 ; angl. *laterite*, du lat. *later*, « brique » ; [lateʀit].

**LATÉRITIQUE,** adj.
Riche en latérite ; formé de latérite (synon. *ferralitique*) : *Sol **latéritique***. 1907 ; ☞ *latérite* ; [lateʀitik].

**LATEX,** subst. m.
*Bot.* Liquide visqueux, d'aspect laiteux, sécrété par les cellules laticifères de certaines plantes. Le **latex** desséché du pavot constitue l'opium et le **latex** de l'*Hevea brasiliensis* sert à la fabrication du caoutchouc. 1706 ; lat. *latex*, « liqueur, liquide » ; [latɛks].

© J. Valentin-Explorer

*La récolte du **latex**.*

**LATICIFÈRE,** adj.
*Bot.* Qui contient, produit un latex ; empl. subst. masc., structure produisant ou contenant un latex. 1840 ; ☞ *latex* + *-fère* ; [latisifɛʀ].

**LATICLAVE,** subst. m.
*Antiq. rom.* Bande pourpre qui ornait la toge des sénateurs ; par méton., la toge elle-même. 1595 ; lat. *laticlavus* ; [latiklav].

**LATIFOLIÉ, ÉE,** adj.
*Bot.* Qualifie une plante dont les feuilles sont larges. 1840 ; lat. *latifolius* ; [latifɔlje].

**LATIFUNDIUM,** subst. m.
1. *Antiq. rom.* Vaste domaine rural. 2. Ext. Grande propriété foncière où se pratique une culture extensive. 1596 ; mot lat. ; plur. *latifundiums* ou *latifundia* ; [latifɔ̃djɔm], plur. [-dja].

**LATIN, INE,** adj. et subst.
1. Du Latium. 2. Se dit des habitants des pays **latins**. SUBST. MASC. Langue indo-européenne parlée par les habitants du Latium, qui supplanta, à partir du IIe s. av. J.-C., les anciens parlers italiques tels l'étrusque ou l'osque ; ***Latin** classique*, env. jusqu'au IIe s. apr. J.-C. ; ***Bas latin***, tardif ; ***Latin** médiéval*, du Moyen Âge ; ***Latin** chrétien, ecclésiastique*, véhicule de la pensée et des institutions chrétiennes ; ***Latin** populaire*, **latin** parlé qui s'est différencié dans les langues romanes ; ***Latin** scientifique*, **latin** utilisé en botanique, zoologie, bactériologie, virologie ; ***Latin** de cuisine* (☞ *cuisine*). ADJ. 1. Relatif à cette langue : *Version **latine***. 2. Issu du **latin** ; influencé par la civilisation romaine : *Le roumain est une langue **latine*** ; *L'Amérique **latine***, où l'on parle l'espagnol ou le portugais. ▸ *Liturg. Rite **latin*** : pratiqué dans l'Église catholique d'Occident. 3. *Mar. Voile **latine*** : triangulaire et à antenne. 1119 ; lat. *latinus*, « du Latium », et *latinum*, « la langue latine » ; [latɛ̃, in].

**LATINISANT, ANTE,** adj. et subst.
*Relig.* Se dit des chrétiens d'Orient qui pratiquent le culte de l'Église latine. SUBST. Latiniste. 1840 ; p. pr. de *latiniser* ; [latinizɑ̃, ɑ̃t].

**LATINISATION,** subst. f.
Action de latiniser ; son résultat. 1722 ; ☞ *latiniser* ; [latinizasjɔ̃].

**LATINISER,** verbe [3]
TRANS. Donner une forme latine à (un mot, un nom propre) ; par ext., faire adopter la langue et la culture latines par (un peuple). INTRANS. 1. Affecter de parler latin (vx). 2. *Relig.* Pratiquer le culte de l'Église latine dans un pays de rite grec. 1551 ; bas lat. *latinizare*, « traduire en latin » ; [latinize].

**LATINISME,** subst. m.
*Ling.* Construction ou tournure de phrase propre au latin ; emprunt au latin. 1584 ; ☞ *latin* ; [latinism].

**LATINISTE,** subst.
Spécialiste de langue et de littérature latines ; par ext., personne qui enseigne ou étudie le latin. Mil. XVe s. ; ☞ *latin* ; [latinist].

**LATINITÉ,** subst. f.
1. Vx. Manière de parler ou d'écrire en latin. 2. Caractère latin d'une personne, d'un groupe ; par méton., le monde latin. XIVe s. ; lat. *latinitas*, « langue latine correcte ; droit latin » ; [latinite].

**LATINO-AMÉRICAIN, AINE,** adj. et subst.
D'Amérique latine (abrév. fam. : latino). 1931 ; comp. de *latin* et de *américain* ; plur. *latino-américains, aines* ; [latinoameʀikɛ̃, ɛn].

**LATITUDE,** subst. f.
1. Vx. Ampleur. 2. Large extension : *La **latitude** d'un système*. 3. Fig. Liberté d'action : *Avoir toute **latitude** dans son travail*. 4. *Géogr. **Latitude*** : angle formé par la verticale d'un lieu avec l'équateur terrestre, qui va de 0° à l'équateur à 90° au pôle. *(Voir schéma p. 663.)* ▸ Méton. Climat d'une région par rapport à ses coordonnées géographiques ; cette région : *Partir sous des **latitudes** meilleures*. 5. *Astron. **Latitude** écliptique* : représentation de l'angle que fait le rayon de visée d'un astre avec le plan de l'écliptique. 1314 ; lat. *latitudo*, de *latus*, « large » ; [latityd].

**LATITUDINAIRE,** adj. et subst.
Se dit d'une personne de moralité douteuse. 1704 (1696, partisan d'une doctrine religieuse étendant le salut à tout le genre humain) ; lat. *latitudo*, « largeur » ; [latitydinɛʀ].

**LATO SENSU,** loc. adv.
Au sens large. Déb. XXe s. ; loc. lat. ; [latosɛ̃sy].

**LATRIE,** subst. f.
*Relig. Culte de **latrie*** : rendu à Dieu seul (par oppos. à *culte de dulie*). 1376 ; lat. chrét. *latria*, du gr. *latreia*, « adoration » ; [latʀi].

**LATRINES,** subst. f. plur.
Lieux d'aisances. 1437 ; lat. *latrina* ; [latʀin].

**LATS,** subst. m.
Unité monétaire de la Lettonie. [lats].

**LATTE,** subst. f.
1. Pièce de bois longue, étroite et mince. 2. Ancien sabre de cavalerie à lame étroite. 3. Fam. Chaussure ; pied. Fin XIIe s. ; orig. obsc. ; [lat].

**LATTER,** verbe trans. [3]
Garnir (qqch.) de lattes. 1288 ; ☞ *latte* ; [late].

**LATTIS,** subst. m.
Ouvrage de menuiserie fait ou garni de lattes : ***Lattis** d'un plancher*. XIIIe s. ; ☞ *latte* ; [lati].

**LAUDANUM,** subst. m.
Teinture d'opium, utilisée autrefois comme sédatif. XIIIe s. ; lat. *ladanum*, du gr. *ladanon* ; [lodanɔm].

**LAUDATEUR, TRICE,** subst.
Littér. Personne qui fait l'éloge de qqn ou de qqch. ; empl. adj., laudatif. 1530 ; lat. *laudator*, de *laudare*, « louer » ; [lodatœʀ, tʀis].

**LAUDATIF, IVE,** adj.
Qui loue ; qui contient un éloge : *Discours **laudatif***. 1787 ; lat. *laudativus*, de *laudare*, « louer » ; [lodatif, iv].

**LAUDES,** subst. f. plur.
*Cath.* Prières psalmodiées après les matines. Déb. XIIIe s. ; lat. eccl. *laudes*, « louanges » ; [lod].

**LAURE,** subst. f.
Monastère orthodoxe. 1652 ; gr. *laura*, « chemin étroit » ; var. *lavra* ; [lɔʀ].

**LAURÉ, ÉE,** adj.
Couronné de lauriers (littér.). Fin XVe s. ; lat. *laureatus*, de *laurus*, « laurier » ; [lɔʀe].

**LAURÉAT, ATE,** adj. et subst.
1. Vx. Se dit d'un poète, d'un écrivain qui a été couronné de lauriers en consécration de son talent. 2. Se dit d'une personne qui remporte un prix dans un concours, une compétition. 1530 ; lat. *laureatus*, « orné de laurier » ; [lɔʀea, at].

**LAURIER,** subst. m.
*Bot.* Arbre de la famille des Amygdalacées, originaire de la région méditerranéenne, à feuilles persistantes et aromatiques, appelé aussi laurier-sauce ; par méton., ses feuilles, utilisées comme condiment. PLUR. Gloire, victoire : *Se couvrir de **lauriers***. ▸ Loc. *S'endormir sur ses **lauriers*** (☞ *endormir*). Fin XIe s. ; anc. fr. *lor*, du lat. *laurus* ; [lɔʀje].

**LAURIER-CERISE,** subst. m.
*Bot.* Arbuste de la famille des Rosacées, dont le fruit est toxique. 1690 ; comp. de *laurier* et de *cerise* ; plur. *lauriers-cerises* ; [lɔʀjes(ə)ʀiz].

**LAURIER-ROSE,** subst. m.
*Bot.* Oléandre. 1617 ; comp. de *laurier* et de *rose* ; plur. *lauriers-roses* ; [lɔʀjeʀoz].

**LAURIER-SAUCE,** subst. m.
*Bot.* Autre nom du laurier. 1803 ; comp. de *laurier* et de *sauce* ; plur. *lauriers-sauce* ; [lɔʀjesos].

**LAURIER-TIN,** subst. m.
*Bot.* Arbuste (*Viburnum tinus*) de la famille des Caprifoliacées. 1615 ; comp. de *laurier* et de *tin* ; plur. *lauriers-tins* ; [lɔʀjetɛ̃].

**LAUZE,** subst. f.
Pierre plate (gén. schiste ou calcaire) utilisée comme tuile ou comme dalle, dans le sud de la France. 1801 ; anc. prov. *lauza*, du gaul. °*lausa* ; var. *lause* ; [loz].

**LAVABLE,** adj.
Qui peut être lavé sans dommage : *Un tissu **lavable** en machine*. XVe s. ; ☞ *laver* ; [lavabl].

**LAVABO,** subst. m.
1. *Liturg.* Geste du prêtre qui se lave les mains à la fin de l'offertoire ; moment de la messe où se fait ce geste. 2. Cuvette fixe munie de robinets et d'une évacuation, utilisée pour la toilette ; par méton., toilettes publiques, où se trouvent gén. des **lavabos** (surtout au plur.). 1721 (1503, bassin) ; lat. *lavabo*, « je laverai » ; [lavabo].

**LAVAGE,** subst. m.
1. Action de laver. 2. *Méd.* Nettoyage d'un organe par irrigation : ***Lavage** d'estomac*. 3. Loc. ***Lavage** de cerveau* : action psychologique violente exercée sur qqn afin de modifier son raisonnement et son comportement. 1432 ; ☞ *laver* ; [lavaʒ].

**LAVALLIÈRE,** subst. f.
Cravate formée d'un large nœud flottant. 1874 ; anthropon. *Mlle de La Vallière* ; [lavaljɛʀ].

**LAVANDE,** subst. f. et adj. inv.
SUBST. *Bot.* Plante de la famille des Lamiacées, à fleurs bleues odorantes ; par méton., parfum extrait de cette plante : *Savon à la **lavande***. ADJ. Bleu mauve assez clair : *Des yeux **lavande***. Fin XIIIe s. ; ital. *lavanda*, « action de laver » ; [lavɑ̃d].

**LAVANDIÈRE,** subst. f.
1. Femme qui venait laver le linge à domicile. 2. *Zool.* Oiseau de la famille des Motacillidés, appelé aussi bergeronnette ou hochequeue, qui vit au bord de l'eau. 1180 ; ☞ *laver* ; [lavɑ̃djɛʀ].

**LAVANDIN,** subst. m.
*Bot.* Hybride de lavande et d'aspic : *Essence de **lavandin***. 1945 ; ☞ *lavande* ; [lavɑ̃dɛ̃].

**LAVARET,** subst. m.
*Zool.* Poisson de la famille des Salmonidés, que l'on trouve dans les lacs de l'hémisphère Nord. 1552 ; dial. savoyard *lavarè*, du lat. *levaricinus* ; [lavaʀɛ].

**LAVASSE,** subst. f.
Boisson, soupe trop diluée et insipide (fam.). 1829 (1447, pluie torrentielle) ; ☞ *laver* ; [lavas].

**LAVE,** subst. f.
1. *Géol.* et *Pétrogr.* Magma fluide qui traverse l'écorce terrestre, qui s'épanche et donne en refroidissant différentes roches volcaniques, également appelées **laves**. 2. ***Lave** torrentielle* : dépôt de boue et de blocs laissé par un écoulement torrentiel. 1739 ; ital. *lava*, du lat. *labes*, « éboulement » ; [lav].

**LAVE-DOS,** subst. m. inv.
Brosse munie d'un long manche, servant à se laver le dos. 1902 ; comp. de *laver* et de *dos* ; [lavdo].

**LAVE-GLACE,** subst. m.
*Autom.* Dispositif permettant de projeter de l'eau sur le pare-brise, afin de le laver. V. 1960 ; comp. de *laver* et de *glace* ; plur. *lave-glaces* ; [lavglas].

**LAVE-LINGE, subst. m. inv.**
Appareil électroménager servant à laver le linge. ⊡ V. 1970 ; comp. de *laver* et de *linge* ; [lavlɛ̃ʒ].

**LAVE-MAINS, subst. m. inv.**
Petit lavabo. ⊡ Fin XVe s. ; comp. de *laver* et de *main* ; [lavmɛ̃].

**LAVEMENT, subst. m.**
**1.** Action de laver (vx). ▸ *Liturg. Le **lavement** des pieds* : commémoration, le Jeudi saint, du geste de Jésus qui, le jour de la Cène, lava les pieds de ses apôtres. **2.** *Méd.* Injection d'un liquide dans l'intestin par voie rectale à des fins thérapeutiques ou diagnostiques. ⊡ Déb. XIIIe s. ; ☞ *laver* ; [lavmɑ̃].

**LAVER, verbe trans.** [3]
**1.** Nettoyer avec un liquide, en gén. de l'eau : ***Laver** du linge* ; empl. abs. : *Machine à **laver**.* ▸ Loc. ***Laver** son linge sale en famille* : régler ses conflits personnels en privé. **2.** Fig. Innocenter, disculper : ***Laver** qqn d'un soupçon.* ▸ Effacer : ***Laver** les péchés* ; ***Laver** un affront dans le sang,* s'en venger en tuant l'offenseur. **3.** *B.-a.* Exécuter, colorier au lavis ; empl. adj. : *Dessin **lavé**.* **4.** *Techn.* Éliminer les impuretés de (un produit, un matériau) : ***Laver** un minerai.* Pronom. **1.** Faire sa toilette. **2.** Se nettoyer (une partie du corps). ▸ Loc. *Se **laver** les mains de qqch.* : décliner toute responsabilité ; s'en moquer. **3.** Être lavable : *La soie se **lave** à l'eau froide.* ⊡ Fin Xe s. ; lat. *lavare* ; [lave].

**LAVERIE, subst. f.**
**1.** *Techn.* Local où s'effectue le lavage des minerais. **2.** Blanchisserie équipée de machines à laver en libre service. ⊡ 1776 (1555, lavage) ; ☞ *laver* ; [lavʀi].

**LAVETTE, subst. f.**
**1.** Torchon ou brosse souple servant à laver la vaisselle. ▸ Belg. et Helv. Carré de serviette-éponge utilisé pour faire sa toilette. **2.** Fig. Personne qui manque de courage, d'énergie (fam.). ⊡ 1636 ; ☞ *laver* ; [lavɛt].

**LAVEUR, EUSE, subst.**
Personne dont le métier consiste à laver : *Un **laveur** de vitres.* Masc. *Techn.* Appareil de lavage : ***Laveur** à betteraves.* ⊡ 1390 ; ☞ *laver* ; [lavœʀ, øz].

**LAVE-VAISSELLE, subst. m. inv.**
Appareil électroménager servant à laver la vaisselle. ⊡ V. 1970 ; comp. de *laver* et de *vaisselle* ; [lavvɛsɛl].

**LAVIS, subst. m.**
*B.-a.* Procédé qui consiste à teinter un dessin avec de l'encre de Chine, de la sépia ou des couleurs étendues d'eau : *Dessin au **lavis*** ; par méton., œuvre exécutée selon ce procédé. ⊡ 1676 ; ☞ *laver* ; [lavi].

**LAVOIR, subst. m.**
**1.** Bassin public aménagé pour laver le linge ; l'édifice qui l'abrite. **2.** *Techn.* Atelier de lavage de certains produits industriels. ⊡ 1465 (fin XIIe s., bassin à ablution) ; ☞ *laver* ; [lavwaʀ].

**LAVRA, voir LAURE**

**LAVURE, subst. f.**
**1.** Eau qui a servi à laver qqch., spéc. la vaisselle. **2.** *Techn.* Action de laver des matériaux ; par méton., parcelle d'or ou d'argent débarrassée des scories. ⊡ Mil. XIe s. ; ☞ *laver* ; [lavyʀ].

**LAWRENCIUM, subst. m.**
*Chim.* Élément transuranien radioactif no 103 de la table de Mendeleïev (symb. : Lr) obtenu à partir du californium. ⊡ V. 1960 ; anthropon. *E. O. Lawrence*, physicien américain ; [lɔʀɑ̃sjɔm].

**LAWSONIA, subst. m.**
*Bot.* Arbuste de la famille des Lythracées, originaire d'Arabie, qui fournit le henné. ⊡ 1803 ; lat. sc. *lawsonia*, de l'anthropon. *Lawson*, botaniste anglais ; var. *lawsonie* ; [losɔnja].

**LAXATIF, IVE, adj. et subst. m.**
*Pharm.* Se dit d'un produit ou d'un médicament qui contribue à l'évacuation intestinale. ⊡ XIIIe s. ; lat. médiév. *laxativus*, de *laxare*, « lâcher » ; [laksatif, iv].

**LAXISME, subst. m.**
**1.** *Relig.* Système moral tendant à limiter les interdits. **2.** Ext. Indulgence excessive ; manque de rigueur. ⊡ 1912 ; lat. *laxus*, « lâche » ; [laksism].

**LAXISTE, adj. et subst.**
Subst. **1.** *Relig.* Partisan du laxisme. **2.** Ext. Personne laxiste. Adj. **1.** *Relig.* Relatif, favorable au laxisme. **2.** Ext. Qui manifeste du laxisme. ⊡ 1908 ; lat. *laxus*, « desserré, lâche » ; [laksist].

**LAXITÉ, subst. f.**
État de ce qui est lâche, peu tendu : ***Laxité** musculaire, ligamentaire.* ⊡ 1559 ; lat. *laxitas* ; [laksite].

**LAYER, verbe trans.** [15]
*Sylvic.* **1.** Marquer (les arbres à conserver) dans une coupe. **2.** Ouvrir une laie dans (un bois, une forêt). ⊡ 1307 ; prob. anc. bas frq. °*lâkan*, « munir d'une marque indiquant une limite » ; [leje].

**LAYETIER, IÈRE, subst.**
Personne qui fabrique des caisses, des emballages en bois. ⊡ 1582 ; ☞ *layette* ; [lɛj(ə)tje, jɛʀ].

**LAYETTE, subst. f.**
**1.** Vx. Tiroir, coffret où l'on range des papiers, des vêtements. **2.** Garde-robe, linge d'un nouveau-né. ⊡ 1378 ; *laie* (vx), « boîte », du m. néerl. *laeye* ; [lɛjɛt].

**LAYON, subst. m.**
Sentier forestier étroit. ⊡ 1866 ; ☞ *laie* (II) ; [lɛjɔ̃].

**LAZARET, subst. m.**
**1.** Vx. Léproserie. **2.** Établissement où l'on isole et où l'on contrôle les personnes susceptibles d'être atteintes d'une affection contagieuse, dans un port, un aéroport, etc. ⊡ 1567 ; ital. *lazzaretto* ; [lazaʀɛ].

**LAZARISTE, subst. m.**
Membre de l'ordre séculier des Prêtres de la Mission, fondé par saint Vincent de Paul en 1625. ⊡ 1721 ; *Saint-Lazare*, nom d'un prieuré ; [lazaʀist].

**LAZULITE, subst. f.**
*Minér.* Phosphate hydraté d'aluminium, de magnésium et de fer, de couleur bleue. ⊡ 1795 ; prob. *lapis-lazuli* ; [lazylit].

**LAZURITE, subst. f.**
*Minér.* Silicate d'aluminium, de sodium, de calcium et de soufre, de couleur bleu-vert (synon. *lapis-lazuli*). ⊡ 1890 ; persan *lâj(a)vard* ; [lazyʀit].

**LAZZI, subst. m.**
Plaisanterie railleuse. ⊡ 1732 (1700, pantomime) ; mot ital. ; plur. *lazzi(s)* ; [la(d)zi].

**LE (I), LA, LES, pron. pers.**
Pronom personnel de la 3e personne. **1.** Complément d'objet direct : *Ces personnes, je **les** ai déjà rencontrées* ; *C'est un bon film, allez **le** voir.* ▸ À valeur neutre : *Cette étude n'est pas si difficile que je **le** pensais.* ▸ Entrant dans la formation de nombreux gallicismes : *Tenez-vous-**le** pour dit* ; *Vous me **la** baillez belle* ; *Je te **le** donne en mille.* **2.** Attribut : *Mariée, elle **l'**est depuis peu* ; *Êtes-vous le directeur ? – Je **le** suis.* ⊡ 842 ; lat. *ille*, « ce, celui-là » ; *le* et *la* s'élident en *l'* devant une voyelle et un *h* muet, sauf lorsqu'ils sont placés après un impératif, auquel cas ils ne s'élident que devant *en* (I) et *y* (II) ; [lə, la, lɛ].

**LE (II), LA, LES, art. déf.**
S'emploie devant un nom qui désigne une personne ou une chose connue et dont il indique le genre et le nombre. **1.** Devant un nom commun : *Déplaçons **la** table*, la table que l'on sait. ▸ Avec valeur de possessif : *Il s'est cassé **la** jambe.* ▸ Avec valeur de démonstratif : *Regarde **le** beau papillon !* ▸ Avec valeur distributive : *C'est 200 francs **la** place.* ▸ Avec valeur généralisante : ***L'**homme est un loup pour **l'**homme* (Plaute). **2.** Devant un nom propre. ▸ Désignant une famille, une dynastie : ***Les** Duval* ; ***Les** Bourbons.* ▸ Désignant un artiste italien ou une femme éminente : ***Le** Tasse* ; ***La** Malibran.* ▸ Désignant un pays, une province, une île, une ville s'il s'agit d'en distinguer un aspect : ***Le** Canada, **la** Corse* ; ***Le** Paris de mon enfance.* **3.** À **la**. Sert à former des locutions adverbiales : *À **la** dérobée* ; *À **l'**anglaise.* ⊡ 881 ; lat. *ille*, « ce, celui-là » ; *le* et *la* s'élident en *l'* devant une voyelle et un *h* muet, *le* et *les* précédés des prép. *à* et *de* se contractent en *au, aux* et *du, des* ; [lə, la, lɛ].

**LÉ, subst. m.**
**1.** Largeur d'une étoffe, comprise entre ses deux lisières (synon. *laize*) ; largeur d'une bande de papier peint. **2.** Méton. Bande de tissu ou de papier peint dans toute sa largeur. **3.** *Cout.* Panneau vertical d'une jupe. ⊡ 1412 (déb. XIIe s., large) ; lat. *latus*, « large » ; [le].

**LEADER, subst. m.**
Anglic. **1.** Chef d'un parti politique : *Les **leaders** de l'opposition.* **2.** Anal. Personne qui exerce une influence déterminante, chef de file : *Un **leader** d'opinion* ; empl. adj. : *Produit **leader**.* ▸ *Sp.* Concurrent, équipe qui est en tête d'une compétition. ⊡ 1829 ; angl. *leader*, « guide » ; [lidœʀ].

**LEADERSHIP, subst. m.**
Anglic. Fonction, position de leader ; hégémonie. ⊡ 1875 ; mot angl. ; [lidœʀʃip].

**LEASING, subst. m.**
*Comm.* Crédit-bail (anglic.). ⊡ V. 1960 ; angl. *leasing*, de *to lease*, « louer » ; [liziŋ].

**LEBEL, subst. m.**
*Arm.* Fusil à répétition adopté par l'armée française en 1886 et resté en usage jusqu'à la Seconde Guerre mondiale. ⊡ 1902 ; anthropon. *Nicolas Lebel* ; [ləbɛl].

**LÉCANORE, subst. f.**
*Bot.* Lichen qui encroûte les écorces ou les rochers. ⊡ 1836 ; gr. *lekanê*, « bassin » ; [lekanɔʀ].

**LÉCHAGE, subst. m.**
Action de lécher. ⊡ 1894 ; ☞ *lécher* ; [leʃaʒ].

**LÈCHE, subst. f.**
Action de flatter servilement (fam.) : *Faire de la **lèche** à qqn.* ⊡ 1878 ; ☞ *lécher* ; [lɛʃ].

**LÈCHEFRITE, subst. f.**
Plat de métal que l'on place sous le gril ou la broche pour recueillir le suc d'une viande. ⊡ 1197 ; anc. fr. *lechefroie*, « lèche, frotte », d'apr. *frit* ; [lɛʃfʀit].

**LÈCHEMENT, subst. m.**
Action de lécher ; son résultat. ⊡ Déb. XIVe s. ; ☞ *lécher* ; [lɛʃmɑ̃].

**LÉCHER, verbe trans.** [8]
**1.** Passer sa langue sur (qqch., qqn) pour nettoyer, caresser, absorber : *Le chien **lèche** sa plaie* ; *Enfant qui **lèche** un sorbet* ; empl. pronom. : *Se **lécher** les babines.* ▸ Loc. ***Lécher** les bottes à qqn* : le flatter servilement (fam.) ; ***Lécher** les vitrines* : flâner en regardant les vitrines (fam.) ; *Ours mal **léché*** : personne grossière, bourrue. **2.** Effleurer, en parlant du feu, des vagues : *Les flammes **lèchent** le mur.* **3.** Exécuter (qqch.) avec soin : ***Lécher** un portrait* ; empl. adj. : *Une rédaction **léchée**.* ⊡ Déb. XIIe s. ; anc. bas frq. °*lekkôn* ; [leʃe].

**LÉCHETTE, voir LICHETTE**

**LÉCHEUR, EUSE, adj. et subst.**
Adj. Qui lèche. ▸ *Zool. Insecte **lécheur*** : qui possède des pièces buccales lui permettant de lécher le nectar. Subst. **1.** Gourmand (vx). **2.** Personne qui flatte servilement. ⊡ 1138 ; ☞ *lécher* ; [leʃœʀ, øz].

**LÈCHE-VITRINE(S), subst. m.**
Action de flâner en regardant les vitrines : *Faire du **lèche-vitrine**.* ⊡ 1959 ; comp. de *lécher* et de *vitrine* ; plur. *lèche-vitrines* ; [lɛʃvitʀin].

**LÉCITHINE, subst. f.**
*Biochim.* Ancien nom d'une famille de phospholipides. Les **lécithines** sont utilisées dans l'industrie agroalimentaire comme émulsifiant. ⊡ 1850 ; gr. *lekithos*, « jaune d'œuf » ; [lesitin].

**LEÇON, subst. f.**
**1.** *Liturg.* Lecture de l'office, tirée de l'Écriture ou des Pères de l'Église. **2.** Ce qu'un élève doit apprendre. **3.** Séance d'enseignement donnée par un maître, un professeur, à une classe, à un auditoire ou à un élève : ***Leçon** d'histoire.* ▸ Division d'un enseignement, dans un ouvrage didactique : *Méthode de piano en vingt **leçons**.* **4.** Fig. Conseil, règle de conduite ou réprimande : *Faire la **leçon** à qqn.* **5.** Enseignement que l'on tire d'une expérience, d'une mésaventure : *Cela lui servira de **leçon**.* **6.** Chacune des versions d'un texte ayant fait l'objet de copies ou d'éditions différentes ; par ext., variante. ⊡ Déb. XIIe s. ; lat. *lectio*, « lecture » ; [ləsɔ̃].

**LECTEUR, TRICE, subst.**
**1.** Personne qui fait la lecture à haute voix devant un auditoire. **2.** Personne qui lit un ouvrage : *Un **lecteur** de journaux, de romans.* **3.** Personne dont la fonction est de lire et de juger les manuscrits proposés à un éditeur. **4.** Assistant étranger d'un professeur de langues dans un lycée, une université. Masc. **1.** *Relig.* Clerc chargé de lire les leçons à l'office (vx). **2.** *Techn.* Appareil servant à reproduire des sons, des images ou des données enregistrées : ***Lecteur** de cassettes.* **3.** *Informat.* Appareil ou dispositif permettant le transfert de données du support physique d'un périphérique de stockage à l'unité de traitement d'un ordinateur. ⊡ 1307 ; lat. *lector* ; [lɛktœʀ, tʀis].

**LECTIONNAIRE, subst. m.**
*Liturg.* Livre contenant les textes tirés de l'Écriture. ⊡ 1374 ; lat. médiév. *lectionarium* ; [lɛksjɔnɛʀ].

**LECTISTERNE, subst. m.**
*Antiq. rom.* Cérémonie propitiatoire consistant à servir un festin aux images des dieux installées sur des lits de parade. ⊡ 1599 ; lat. *lectisternium*, de *lectum*, « lit », et de *sternere*, « couvrir » ; [lɛktistɛʀn].

**LECTORAT, subst. m.**
**1.** Fonction de lecteur dans l'Église catholique, dans l'enseignement... **2.** Ensemble des lecteurs d'un écrivain, d'un journal... 1939 ; ☞ *lecteur* ; [lɛktɔʀa].

**LECTURE, subst. f.**
**1.** Action de lire, de déchiffrer des signes écrits : ***Lecture** d'une inscription ; Méthode de **lecture** rapide* ; par ext. : ***Lecture** d'une carte d'état-major.* ▶ Fait de savoir lire : *La **lecture** et l'écriture.* **2.** Action de lire, de prendre connaissance du contenu d'un texte : *La **lecture** d'un roman* ; empl. abs. : *Aimer la **lecture**.* ▶ Ce qui est lu : *Avoir de saines **lectures**.* **3.** Action de lire à haute voix devant un auditoire. ▶ *Dr.* Discussion d'un projet ou d'une proposition de loi par une assemblée législative. **4.** Manière d'interpréter un texte, un évènement : ***Lecture** symbolique de la Bible.* **5.** ▶ *Techn.* Reproduction, par un lecteur, d'images ou de sons enregistrés : *La **lecture** d'une cassette ; Tête de **lecture*** (☞ *tête*). ▶ *Informat.* Opération de transfert de données à laquelle se livre un lecteur informatique. 1445 (1352, récit) ; lat. médiév. *lectura* ; [lɛktyʀ].

**LÉCYTHE, subst. m.**
*Antiq. gr.* Vase à col long et étroit, à anse et à pied, dans lequel on conservait de l'huile ou du parfum. 1762 ; bas lat. *lecythus*, du gr. *lêkuthos* ; [lesit].

**LEDIT, voir DIT**

**LÉGAL, ALE, AUX, adj.**
Défini par la loi ; conforme à la loi ; qui a valeur de loi. 1365 ; lat. *legalis*, de *lex*, « loi » ; [legal, o].

**LÉGALEMENT, adv.**
De manière légale. 1320 ; ☞ *légal* ; [legalmɑ̃].

**LÉGALISATION, subst. f.**
Action de légaliser : ***Légalisation** de l'avortement.* 1690 ; ☞ *légaliser* ; [legalizasjɔ̃].

**LÉGALISER, verbe trans. [3]**
**1.** *Dr.* Authentifier (une signature, un acte). **2.** Rendre légal. 1668 ; ☞ *légal* ; [legalize].

**LÉGALISME, subst. m.**
Respect minutieux et littéral de la loi. Fin XIXe s. ; ☞ *légal* ; [legalism].

**LÉGALISTE, adj. et subst.**
Se dit d'une personne qui fait preuve de légalisme. **Adj.** Marqué par le légalisme. 1894 ; ☞ *légalisme* ; [legalist].

**LÉGALITÉ, subst. f.**
**1.** Caractère de ce qui est légal. **2.** État, situation conforme à la loi : *Sortir de la **légalité**.* 1606 (1370, loyauté) ; lat. médiév. *legalitas* ; [legalite].

**LÉGAT, subst. m.**
**1.** *Antiq. rom.* ▶ Ambassadeur nommé par le sénat. ▶ À partir du Ier s. av. J.-C., délégué d'un proconsul. ▶ Sous l'Empire, magistrat gouvernant une province ou commandant une légion. **2.** *Relig.* Représentant officiel du Saint-Siège : ***Légat** a latere*, qui représente personnellement le pape. XIIe s. ; lat. *legatus*, « envoyé, délégué » ; [lega].

**LÉGATAIRE, subst.**
*Dr.* Bénéficiaire d'un legs : ***Légataire** universel*, qui bénéficie de la totalité des biens du testateur. XIVe s. ; lat. *legatarius*, de *legare*, « léguer » ; [legatɛʀ].

**LÉGATION, subst. f.**
**1.** *Relig.* Charge de légat. ▶ Méton. Durée de cette charge ; pays où elle s'exerce. **2.** *Dr. internat.* Représentation diplomatique auprès d'un État où il n'y a pas d'ambassade. ▶ Méton. Bâtiment où elle réside. 1138 ; lat. *legatio*, de *legare*, « envoyer » ; [legasjɔ̃].

**LEGATO, adv.**
*Mus.* En liant les notes (anton. *staccato*) ; empl. subst. masc., partie ainsi exécutée. 1834 ; ital. *legato*, « lié » ; [legato].

**LÈGE, adj.**
*Mar.* Qualifie un navire qui n'est pas chargé. 1681 ; néerl. *leeg*, « vide » ; [lɛʒ].

**LÉGENDAIRE, adj.**
**1.** Qui appartient à la légende, qui n'existe que dans la légende : *Héros **légendaire**.* **2.** Devenu célèbre, connu de tous : *Une avarice **légendaire**.* 1836 (1402, recueil de légendes) ; ☞ *légende* ; [leʒɑ̃dɛʀ].

**LÉGENDE, subst. f.**
**I. 1.** Vx. *Relig.* Récit de la vie du saint du jour, lu à l'office de matines ; par méton., recueil de ces récits. **2.** Ext. Récit populaire et merveilleux d'évènements passés transformés par la tradition ou l'imagination poétique : *La **légende** du roi Arthur.* **3.** Relation déformée, embellie, de vies, de faits réels : *La **légende** napoléonienne* ; par ext., invention mensongère : *Une pure **légende**.* **II. 1.** Inscription d'une monnaie, d'une médaille. **2.** Texte accompagnant un dessin, une photographie ; liste des signes conventionnels utilisés sur une carte. Déb. XIIIe s. ; lat. médiév. *legenda*, « ce qui doit être lu » ; [leʒɑ̃d].

**LÉGENDER, verbe trans. [3]**
Accompagner (une image, une carte, etc.) d'une légende. 1936 ; ☞ *légende* ; [leʒɑ̃de].

**LÉGER, ÈRE, adj.**
**1.** Dont le poids est faible : *Sac **léger** ; Alliage **léger***, de faible densité. ▶ *Sp. Poids **léger*** : catégorie de poids en boxe, en lutte, etc. **2.** Facile à digérer : *Repas **léger*** ; empl. adv. : *Manger **léger**.* **3.** Peu épais : *Une **légère** couche de vernis ; Des vêtements **légers**.* **4.** Peu concentré, peu fort : *Café **léger**.* **5.** Qui donne une impression d'agilité, de grâce : *Une démarche **légère*** ; *Se sentir **léger***, alerte et dispos. ▶ Loc. : *Avoir le cœur **léger*** : être sans souci, sans remords ; *Avoir la main **légère*** : être habile, agir avec douceur. **6.** Qui a peu d'intensité ou d'importance ; peu sensible : ***Léger** bruit ; Blessure **légère** ; **Légère** différence.* **7.** Qui manque de sérieux, irréfléchi : *Il s'est montré **léger** dans cette affaire ; Femme **légère***, volage. ▶ Loc. **À la légère.** Inconsidérément : *Agir à la **légère**.* Fin XIe s. ; lat. pop. °*leviarius*, du lat. *levis* ; [leʒe, ɛʀ].

**LÉGÈREMENT, adv.**
**1.** D'une manière légère. **2.** Un peu, à peine : *Il est **légèrement** en retard.* **3.** Avec désinvolture : *Parler **légèrement**.* XIIe s. ; ☞ *léger* ; [leʒɛʀmɑ̃].

**LÉGÈRETÉ, subst. f.**
**1.** Caractère de ce qui est peu pesant, peu dense, peu épais. **2.** Caractère de ce qui est sans gravité, sans importance : *La **légèreté** d'une affirmation.* **3.** Agilité, grâce, délicatesse. **4.** Désinvolture : *Agir avec **légèreté**.* XIIe s. ; ☞ *léger* ; [leʒɛʀte].

**LEGGINS, subst. f. plur.**
Jambières de cuir ou de toile (anglic.). 1844 ; angl. *leggings*, de *leg*, « jambe » ; var. *leggings* ; [legins].

**LEGHORN, subst. f.**
*Zool.* Poule d'une race d'origine italienne, excellente pondeuse, élevée surtout aux États-Unis. 1888 ; topon. *Leghorn*, nom anglais de *Livourne* (Italie) ; [legɔʀn].

**LÉGIFÉRER, verbe intrans. [8]**
**1.** Faire des lois. **2.** Ext. Édicter des règles, des principes. 1796 ; lat. *legifer*, « législateur » ; [leʒifeʀe].

**LÉGION, subst. f.**
**1.** *Antiq. rom.* Grande unité de l'armée : *Les **légions** étaient divisées en cohortes, en manipules et en centuries.* **2.** Anal. Nombre très grand ou excessif d'êtres vivants : *Des **légions** de touristes, de fourmis.* ▶ Loc. *Être **légion*** : être nombreux. **3.** *Milit.* Nom donné depuis le XVIe s. à certaines unités de l'armée française : ***Légion** de gendarmerie ; La **Légion** étrangère*, formation de l'armée française, créée en 1831, composée de volontaires en majorité étrangers. **4.** *La **Légion** d'honneur* (☞ *honneur*). 1155 ; lat. *legio* ; [leʒjɔ̃].

*La **Légion** étrangère au défilé du 14 Juillet.*

**LÉGIONELLOSE, subst. f.**
*Pathol.* Infection bactérienne, parfois mortelle, caractérisée notamment par une pneumonie. V. 1980 ; *legionella* (rare), sorte de bactérie, + *-ose*, d'apr. *American Legion* ; [leʒjɔnɛl(l)oz].

**LÉGIONNAIRE, subst. m.**
**1.** *Antiq. rom.* Soldat d'une légion. **2.** Militaire de la Légion étrangère. **3.** Membre de la Légion d'honneur. **4.** *Pathol. Maladie du **légionnaire*** : légionellose, observée pour la première fois à la suite d'un congrès d'anciens combattants de l'American Legion. Fin XIIIe s. ; lat. *legionarius* ; [leʒjɔnɛʀ].

**LÉGISLATEUR, TRICE, subst.**
**1.** Personne qui fait les lois, qui donne des lois à un pays (vieilli) : *Solon, le **législateur** d'Athènes* ; empl. adj. : *La puissance **législatrice**.* **2.** Ext. Personne qui édicte les règles, les principes d'un art, d'une science. Fin XIVe s. ; lat. *legislator* ; [leʒislatœʀ, tʀis].

**LÉGISLATIF, IVE, adj.**
**1.** Qui a la mission, le pouvoir de faire les lois : *Le pouvoir **législatif*** ou, empl. subst. masc., *Le **législatif**.* ▶ *Élections **législatives*** ou, empl. subst. fém., *Les **législatives***, organisées pour désigner les députés. ▶ *Hist. L'Assemblée **législative*** ou, empl. subst. fém., *La **Législative** (1791-1792)* : l'assemblée qui succéda à la Constituante. **2.** Qui a le caractère d'une loi : *Texte **législatif**.* 1652 (fin XIVe s., au fém., science du législateur) ; ☞ *législateur*, d'apr. l'angl. *legislative* ; [leʒislatif, iv].

**LÉGISLATION, subst. f.**
Ensemble des lois d'un pays ou réglant un domaine déterminé : *La **législation** française ; La **législation** du travail.* Fin XIVe s. ; lat. *legislatio* ; [leʒislasjɔ̃].

**LÉGISLATURE, subst. f.**
**1.** Pouvoir législatif (rare). **2.** Période pendant laquelle une assemblée législative exerce ses pouvoirs. 1741 (1636, législation) ; ☞ *législateur*, d'apr. l'angl. *legislature* ; [leʒislatyʀ].

**LÉGISTE, adj. et subst.**
**Subst.** Spécialiste des lois. ▶ *Hist.* Conseiller juridique du roi, sous l'Ancien Régime. **Adj.** *Médecin **légiste*** : chargé d'expertises en matière légale. XIIIe s. ; lat. médiév. *legista*, de *lex*, « loi » ; [leʒist].

**LÉGITIMATION, subst. f.**
Action de légitimer ; son résultat. ▶ *Dr.* Acte conférant à un enfant naturel la qualité d'enfant légitime. 1340 ; ☞ *légitimer* ; [leʒitimasjɔ̃].

**LÉGITIME, adj. et subst. f.**
**Adj. 1.** Fondé en droit, conforme au droit : *Pouvoir **légitime** ; Enfant **légitime***, né dans le mariage (par oppos. à *naturel*). ▶ ***Légitime** défense* : droit d'accomplir un acte prohibé par la loi (homicide, coups et blessures) pour se défendre ou défendre autrui. **2.** Ext. Admis comme juste par l'équité, la raison : *Des revendications très **légitimes**.* **Subst.** Épouse (pop.). 1266 ; lat. *legitimus*, de *lex*, « loi » ; [leʒitim].

**LÉGITIMEMENT, adv.**
De manière légitime. 1266 ; ☞ *légitime* ; [leʒitimmɑ̃].

**LÉGITIMER, verbe trans. [3]**
**1.** Rendre légitime : ***Légitimer** un enfant naturel.* **2.** Faire admettre comme juste, raisonnable ou conforme au bon sens : ***Légitimer** une décision.* Fin XIIIe s. ; ☞ *légitime* ; [leʒitime].

**LÉGITIMISME, subst. m.**
Courant d'opinion des légitimistes. 1839 ; ☞ *légitime* ; [leʒitimism].

**LÉGITIMISTE, adj. et subst.**
Se dit d'un partisan d'un souverain, d'une dynastie légitime. ▶ En France, se dit d'un partisan de la branche aînée des Bourbons, détrônée en 1830 au profit des Orléans. **Adj.** Relatif aux **légitimistes**, à leur action. 1830 ; ☞ *légitime* ; [leʒitimist].

**LÉGITIMITÉ, subst. f.**
Qualité de ce qui est légitime, fondé en droit, en équité ou en raison : *La **légitimité** d'un souverain, d'une autorité, d'un enfant ; La **légitimité** d'une protestation.* 1694 ; ☞ *légitime* ; [leʒitimite].

**LEGS, subst. m.**
**1.** *Dr.* Don fait par testament au bénéfice d'une personne physique ou morale : ***Legs** particulier*, d'un ou de plusieurs biens particuliers ; ***Legs** universel*, de la totalité des biens. **2.** Fig. Ce qui est transmis aux générations suivantes (littér.). 1474 ; anc. fr. *lais*, de *laisser*, d'apr. le lat. *legatum* ; [lɛg] ou [lɛ].

**LÉGUER, verbe trans. [8]**
**1.** Donner par testament. **2.** Fig. Transmettre, laisser après soi : *Il a **légué** à son fils sa passion des livres.* 1477 ; lat. *legare* ; [lege].

**LÉGUME, subst.**
**Masc. 1.** Vx. *Bot.* Gousse des Fabacées, qui provient d'un carpelle unique. **2.** Ext. Plante potagère dont une partie au moins (feuille, fruit, racine, etc.) est comestible ; cette partie comestible : *Les pois et les haricots sont des **légumes** secs ; Les carottes, les pommes de terre sont des **légumes** verts.* **3.** Fig. Malade réduit à un état végétatif (fam.). **Fém.** *Grosse **légume*** : personne importante (fam.). XIVe s. ; lat. *legumen*, « plante à gousse » ; [legym].

**LÉGUMIER, IÈRE,** adj. et subst.
SUBST. MASC. **1.** Vx. Jardin potager. **2.** Plat creux dans lequel on sert les légumes ; son contenu. SUBST. Belg. Marchand de légumes. ADJ. Relatif aux légumes. 1715 ; ☞ *légume* ; [legymje, jɛʀ].

**LÉGUMINE,** subst. f.
*Biol.* et *Biochim.* Substance protidique extraite de graines de légumineuses. 1845 ; ☞ *légume* ; [legymin].

**LÉGUMINEUX, EUSE,** adj. et subst. f. plur.
*Bot.* ADJ. Dont le fruit (gousse) est issu d'un seul carpelle et s'ouvre à maturité en deux valves. SUBST. Sous-ordre (correspondant auj. à la famille des Fabacées) de l'ordre des Rosales, caractérisé par un fruit qui provient d'un carpelle unique et par des feuilles généralement pennées ; au sing. : *L'arachide est une* ***légumineuse***. 1570 ; lat. *legumen* ; [legyminø, øz].

**LEI,** voir **LEU (II)**

**LÉIOMYOME,** subst. m.
*Pathol.* Tumeur bénigne qui se forme sur des fibres musculaires lisses, en partic. celles de l'utérus. 1890 ; formé du gr. *leios*, « lisse », et de *myome* ; [lejomjom].

**LEISHMANIA,** subst. f.
*Zool.* Unicellulaire flagellé parasite, dont certaines espèces s'attaquent à l'homme, entraînant des troubles graves. Déb. XXe s. ; anthropon. *Leishman*, médecin anglais ; var. *leishmanie* ; [lɛʃmanja].

**LEISHMANIOSE,** subst. f.
*Pathol.* Kala-azar. 1907 ; ☞ *leishmania* + *-ose* ; [lɛʃmanjoz].

**LEITMOTIV,** subst. m.
**1.** *Mus.* Motif lié à un personnage, à un thème, à un sentiment, qui se répète tout au long d'une œuvre. **2.** Fig. Thème, formule qui revient sans cesse. 1896 ; all. *Leitmotiv*, « motif conducteur » ; plur. *leitmotiv(s)* ou *leitmotive* ; [lɛtmɔtiv] ou [lajtmɔtif].

**LEK,** subst. m.
Unité monétaire de l'Albanie. [lɛk].

**LEMME,** subst. m.
**1.** *Log.* L'une des deux prémisses d'un syllogisme. **2.** *Math.* Proposition intermédiaire permettant, dans un long raisonnement, la démonstration de certains théorèmes. 1629 ; lat. *lemma*, du gr. *lêmma* ; [lɛm].

**LEMMING,** subst. m.
*Zool.* Rongeur de la famille des Arvicolidés, à la queue courte et aux petites oreilles, proche du campagnol. 1765 ; mot norv. ; [lɛmiŋ].

**LEMNISCATE,** subst. f.
*Géom.* ***Lemniscate à n foyers*** : courbe plane, ensemble des points dont le produit des distances à *n* points $F_1$, $F_2$, ..., $F_n$ est constant et égal à un réel $k > 0$ (pour $n = 2$ et $k = \sqrt{2}\,F_1F_2$, c'est la **lemniscate** de Bernoulli). 1755 ; lat. *lemniscatus*, de *lemniscus*, « ruban », d'orig. gr. ; [lɛmniskat].

**LEMPIRA,** subst. m.
Unité monétaire du Honduras. Topon. *Lempira*, département du Honduras ; [lɛmpiʀa].

**LÉMUR,** subst. m.
*Zool.* Mammifère de la famille des Lémuridés, que l'on appelle aussi maki, au museau pointu, aux gros yeux et à la fourrure douce, vivant surtout à Madagascar. 1873 ; ☞ *Lémuriens* ; [lemyʀ].

**LÉMURE,** subst. m.
*Antiq. rom.* Spectre d'un mort qui revient la nuit tourmenter les vivants. 1488 ; lat. *lemures*, « spectres » ; [lemyʀ].

**LÉMURIENS,** subst. m. plur.
*Zool.* Sous-ordre de primates, aux mœurs arboricoles, au museau allongé, aux mains et aux pieds préhensiles. AU SING. *L'aye-aye est un* ***lémurien*** *de Madagascar.* 1804 ; ☞ *lémure*, ces animaux sortant souvent la nuit ; [lemyʀjɛ̃].

**LENDEMAIN,** subst. m.
**1.** Jour qui suit celui dont on parle. ▸ Loc. *Du jour au* ***lendemain*** : subitement. **2.** Avenir : *Il faut songer au* ***lendemain*** ; *Sans* ***lendemain***, éphémère. 1292 ; anc. fr. *l'endemain*, de *en* (I) et de *demain* ; [lɑ̃dmɛ̃].

**LÉNIFIANT, ANTE,** adj.
**1.** *Pharm.* Qui calme la douleur : *Crème* ***lénifiante***. **2.** Fig. Qui atténue, adoucit : *Propos* ***lénifiants***. 1850 ; p. pr. de *lénifier* ; [lenifjɑ̃, ɑ̃t].

**LÉNIFIER,** verbe trans. [6]
**1.** *Méd.* Adoucir au moyen d'un lénitif (rare). **2.** Fig. Calmer, apaiser (littér.) : *Douceur qui* ***lénifie*** *l'âme.* XVe s. ; bas lat. *lenificare* ; [lenifje].

**LÉNINISME,** subst. m.
Doctrine politique de Lénine, qui se présente comme la mise en œuvre et le prolongement des théories marxistes. 1918 ; anthropon. *Lénine* ; [leninism].

**LÉNINISTE,** adj. et subst.
Se dit d'un partisan du léninisme. ADJ. Relatif, propre au léninisme. 1917 ; anthropon. *Lénine* ; [leninist].

**LÉNITIF, IVE,** adj.
**1.** *Pharm.* Qui calme la douleur : *Un baume* ***lénitif*** ; empl. subst. masc. : *Un* ***lénitif***. **2.** Fig. Apaisant (littér.). Déb. XIVe s. ; lat. médiév. *lenitivus* ; [lenitif, iv].

**LENT, LENTE,** adj.
**1.** Qui n'est pas rapide : *Avoir l'esprit* ***lent***. **2.** Qui met du temps à agir, dont l'effet est progressif : *Réaction* ***lente***. Fin XIe s. ; lat. *lentus* ; [lɑ̃, lɑ̃t].

**LENTE,** subst. f.
*Zool.* Œuf de pou. Fin XIe s. ; lat. pop. °*lenditem*, du lat. *lens* ; [lɑ̃t].

**LENTEMENT,** adv.
De manière lente. 1155 ; ☞ *lent* ; [lɑ̃tmɑ̃].

**LENTEUR,** subst. f.
Manque de rapidité, de vivacité : *S'avancer avec* ***lenteur*** ; *La* ***lenteur*** *d'une guérison.* PLUR. Retard dans l'accomplissement de qqch. : *Les* ***lenteurs*** *de la justice.* 1355 ; ☞ *lent* ; [lɑ̃tœʀ].

**LENTICELLE,** subst. f.
*Bot.* Voie d'aération dans l'épiderme des rameaux, ayant l'aspect d'une petite tache à la surface du liège. 1825 ; lat. *lens*, « lentille » ; [lɑ̃tisɛl].

**LENTICULAIRE,** adj.
En forme de lentille (synon. *lenticulé, lentiforme*) : *Verre* ***lenticulaire***. 1314 ; lat. *lenticularis* ; [lɑ̃tikylɛʀ].

**LENTICULE,** subst. f.
*Bot.* Lentille d'eau. 1803 (XVIe s., pustule lenticulaire) ; lat. *lenticula* ; [lɑ̃tikyl].

**LENTIFORME,** adj.
Lenticulaire. 1775 ; lat. *lentis* + *-forme* ; [lɑ̃tifɔʀm].

**LENTIGO,** subst. m.
*Pathol.* Petite tache cutanée brune et plane, le plus souvent ronde, formée d'un amas de cellules pigmentées (mélanocytes). 1832 ; lat. *lentigo*, de *lens*, « lentille » ; var. *une lentigine* ; [lɑ̃tigo].

**LENTILLE,** subst. f.
**I.** *Bot.* **1.** Plante herbacée de la famille des Fabacées, cultivée pour sa graine ; la graine elle-même. **2.** Ext. ***Lentille*** *d'eau* : plante aquatique de la famille des Lemnacées. **II.** Anal. **1.** *Géol.* Dans une formation sédimentaire ou ignée, masse de terrain d'extension limitée : *Une* ***lentille*** *de charbon.* **2.** *Opt.* ▸ Système optique transparent, limité par deux surfaces courbes ou par une surface plane et une surface courbe. ▸ ***Lentille*** *cornéenne* : verre de contact (☞ *contact*). ▸ ***Lentille*** *électronique* : dispositif modifiant la convergence d'un faisceau d'électrons. Fin XIIe s. ; lat. *lenticula*, « petite lentille » ; [lɑ̃tij].

**LENTISQUE,** subst. m.
*Bot.* Arbuste de la famille des Anacardiacées, qui produit une oléorésine appelée mastic des larmes, employée comme mastic dentaire. XIIIe s. ; prob. anc. prov. *lentiscle*, du lat. *lentiscus* ; [lɑ̃tisk].

**LENTIVIRUS,** subst. m.
*Biol.* Virus responsable de pathologies chroniques à évolution lente : *Le virus du sida est un rétrovirus du sous-groupe des* ***lentivirus***. Fin XXe s. ; formé de *lent* et de *virus* ; [lɑ̃tivirys].

**LENTO,** adv. et subst. m.
*Mus.* ADV. En jouant lentement, entre larghetto et adagio. SUBST. Morceau exécuté dans ce mouvement. 1777 ; mot ital. ; plur. *lento(s)* ; [lɛnto].

**LÉONAIS, AISE,** adj. et subst.
Du pays de Léon, en Bretagne. SUBST. MASC. Dialecte breton parlé dans le pays de Léon. 1732 ; topon. *Léon* ; var. *léonard, arde* ; [leɔnɛ, ɛz].

**LÉONIN (I), INE,** adj.
**1.** Qui appartient au lion : *Un rugissement* ***léonin*** ; qui rappelle le lion : *Chevelure* ***léonine***. **2.** Qualifie un partage, un contrat où l'une des parties s'octroie la meilleure part. Mil. XIIe s. ; lat. *leoninus*, de *leo*, « lion » ; [leɔnɛ̃, in].

**LÉONIN (II), INE,** adj.
*Versif.* Se dit d'un vers dont les deux hémistiches riment ensemble ou d'une rime riche dont l'homophonie porte sur deux ou trois syllabes. Mil. XIIe s. ; anthropon. *Léon*, poète du XIIe s. ; [leɔnɛ̃, in].

**LÉONURE,** subst. m.
*Bot.* Agripaume ou queue-de-lion. 1694 ; lat. sc. *leonurus*, du lat. *leo*, « lion », et du gr. *oura*, « queue » ; [leɔnyʀ].

**LÉOPARD,** subst. m.
**1.** *Zool.* Panthère tachetée d'Afrique ; par méton., fourrure de cet animal : *Un manteau de* ***léopard*** ; en appos. : *Tenue* ***léopard***, tenue de camouflage des militaires. ▸ ***Léopard*** *de mer* : phoque carnivore de l'Antarctique. **2.** *Hérald.* Lion représenté passant et la tête de face. Fin XIe s. ; lat. *leopardus*, de *leo*, « lion », et de *pardus*, « panthère » ; [leɔpaʀ].

**LÉOPARDÉ, ÉE,** adj.
**1.** *Hérald.* *Lion* ***léopardé*** : lion passant, la tête de profil. **2.** Dont la peau est tachetée comme celle du léopard. 1502 ; ☞ *léopard* ; [leɔpaʀde].

**LÉPIDODENDRON,** subst. m.
*Paléont.* Arbre fossile du Carbonifère, de la famille des Lépidodendracées, qui mesurait 15 m de haut. 1828 ; *dendron*, « arbre », + *lépido-* ; [lepidɔdɛ̃dʀɔ̃].

**LÉPIDOLITE,** subst. m.
*Minér.* Mica lithinifère, principal minerai du lithium et du césium, qui se trouve en agrégats dans certaines pegmatites. 1808 ; formé de *lépido-* et de *-lite* ; var. *lépidolithe* ; [lepidɔlit].

**LÉPIDOPTÈRES,** subst. m. plur.
*Zool.* Ordre d'insectes à métamorphoses complètes, dont les adultes sont appelés papillons et dont les chenilles, gén. végétariennes, sont pourvues de « fausses pattes ». AU SING. *Le machaon est un* ***lépidoptère***. 1754 ; lat. sc. *lepidoptera*, du gr. *lepis*, « écaille », et *pteron*, « aile » ; [lepidɔptɛʀ].

MÉTAMORPHOSES D'UN **LÉPIDOPTÈRE**, LE MACHAON

1

2

3

1. *Chenille.*
2. *Chrysalide.*
3. *Papillon.*

**LÉPIDOSIRÈNE,** subst. m.
*Zool.* Poisson qui peut respirer soit par ses branchies soit par ses poumons, et qui vit dans des marécages en Amérique du Sud. 1873 ; ☞ *sirène* + *lépido-* ; [lepidɔsiʀɛn].

**LÉPIDOSTÉE,** subst. m.
*Zool.* Poisson osseux d'Amérique du Nord, proche du brochet. 1875 ; lat. sc. *lepidosteus*, du gr. *lepis*, « écaille », et *osteon*, « os » ; var. *lépisostée* ; [lepidɔste].

**LÉPIOTE,** subst. f.
*Bot.* Champignon à basides de la famille des Agaricacées. L'espèce *Macrolepiota procera*, ou **lépiote** élevée, appelée aussi coulemelle, est comestible. 1816 ; gr. *lepion*, « petite écaille » ; [lepjɔt].

**LÉPISME,** subst. m.
*Zool.* Petit insecte de la famille des Lépismidés, au corps allongé, qui vit dans les endroits chauds et humides, appelé aussi poisson d'argent. 1808 ; lat. sc. *lepisma*, « écorce ou écaille enlevée » ; [lepism].

**LÉPISOSTÉE,** voir **LÉPIDOSTÉE**

**LÈPRE,** subst. f.
**1.** *Pathol.* Maladie infectieuse due à une mycobactérie, le bacille de Hansen. **2.** Anal. Croûtes, taches qui altèrent une surface : *Murs rongés par la lèpre.* **3.** Fig. Mal sournois qui gagne (littér.) : *La lèpre du racisme.* 🕮 Mil. XIIe s. ; lat. *lepra* ; [lɛpʀ].
MÉDECINE – Dans le monde, quinze millions de personnes sont atteintes par la lèpre, dont il existe trois types : la lèpre indéterminée, qui peut guérir ou se transformer en lèpre lépromateuse, grave et mutilante, ou en lèpre tuberculoïde (avec des lésions cutanées et, surtout, nerveuses). Un traitement bien conduit, de plusieurs années, permet la guérison de la forme tuberculoïde et la stabilisation de la forme lépromateuse.

**LÉPREUX, EUSE,** adj. et subst.
ADJ. **1.** *Pathol.* Relatif à la lèpre. **2.** Anal. Dont la surface est altérée par des croûtes, des taches : *Façades lépreuses.* SUBST. Personne atteinte de la lèpre. 🕮 Mil. XIe s. ; lat. chrét. *leprosus* ; [lepʀø, øz].

**LÉPROLOGIE,** subst. f.
*Méd.* Branche de la médecine qui étudie la lèpre. 🕮 V. 1970 ; ☞ *lèpre* + *-logie* ; [lepʀɔlɔʒi].

**LÉPROMATEUX, EUSE,** adj.
*Pathol.* Relatif à un lépromе ; caractérisé par des lépromes. 🕮 ☞ *léprome* ; [lepʀɔmatø, øz].

**LÉPROME,** subst. m.
*Pathol.* Nodule cutané caractéristique de la lèpre lépromateuse. 🕮 Fin XIXe s. ; ☞ *lèpre* + *-ome* ; [lepʀom].

**LÉPROSERIE,** subst. f.
Établissement où l'on isole et où l'on soigne les lépreux. 🕮 1543 ; lat. médiév. *leprosaria* ; [lepʀozʀi].

**LEPTE,** subst. m.
*Zool.* Larve du trombidion (synon. *aoûtat*). 🕮 Déb. XIXe s. ; gr. *leptos*, « mince » ; [lɛpt].

**LEPTOCÉPHALE,** subst. m.
*Zool.* Larve, transparente, de l'anguille et du congre. 🕮 Déb. XIXe s. ; formé de *lepto-* et de *-céphale* ; [lɛptɔsefal].

**LEPTON,** subst. m.
*Phys. part.* Particule élémentaire soumise aux interactions faible et électromagnétique, ce qui la distingue du hadron, soumis à l'interaction forte. Le **lepton** type est l'électron. 🕮 1959 ; gr. *lepton*, « petite pièce de monnaie », de *leptos*, « mince » ; [lɛptɔ̃].

**LEPTOSOME,** adj. et subst.
*Anthropol.* Se dit d'une personne au corps mince et allongé. ADJ. Longiligne. 🕮 1930 ; formé de *lepto-* et de *-some* ; [lɛptɔzom].

**LEPTOSPIRE,** subst. m.
*Bactériol.* Bactérie de la famille des Spirochètes. 🕮 Mil. XXe s. ; ☞ *spire* + *lepto-* ; [lɛptɔspiʀ].

**LEPTOSPIROSE,** subst. f.
*Pathol.* Maladie infectieuse due au leptospire. Très fréquente chez les animaux, elle n'est transmise que de façon accidentelle à l'homme, chez lequel elle peut prendre une forme ictéro-hémorragique, caractérisée par une hépatite, des hémorragies et de la fièvre. 🕮 Mil. XXe s. ; ☞ *leptospire* + *-ose* ; [lɛptɔspiʀoz].

**LEPTURE,** subst. m.
*Zool.* Insecte coléoptère longicorne, floricole. 🕮 1770 ; formé de *lepto-* et de *-ure* ; [lɛptyʀ].

**LEQUEL, LAQUELLE, LESQUELS, LESQUELLES,** pron.
PRON. REL. **1.** En fonction de sujet (littér.) : *J'attends Agnès, **laquelle** ne vient pas.* **2.** En fonction de complément d'objet indirect, de complément de nom ou de complément circonstanciel : *Je ne connais pas l'ouvrage **auquel** vous vous référez ; J'aime cette ville dans les rues de **laquelle** j'ai souvent erré ; La salle dans **laquelle** nous sommes entrés était comble.* ▸ Empl. adj. rel. **Auquel cas.** Dans ces conditions : *Il risque de neiger, **auquel** cas nous partirons.* PRON. INTERR. Sert à interroger en impliquant un choix, une comparaison : ***Laquelle** viendra, Jeanne ou Léa ? ; **Lequel** de ces romans préfères-tu ?* ▸ Qu'est-ce qui ? (littér.) : ***Lequel** vaut mieux selon vous, partir ou rester ?* 🕮 Fin XIe s. ; formé de *le, la, les* et de *quel* ; avec les prép. *à* et *de*, se contracte en *auquel, auxquels, auxquelles, duquel, desquels, desquelles* ; [ləkɛl, lakɛl, lekɛl].

**LÉROT,** subst. m.
*Zool.* Petit rongeur frugivore de la famille des Gliridés. 🕮 1530 ; norm. *lérot*, de *loir* ; [leʀo].

**LES,** voir **LE**

**LÈS,** prép.
Vx. Près de (dans les noms de lieux) : *Joué-lès-Tours.* 🕮 Mil. XIe s. ; bas lat. *latus* ; var. *lez* ; [lɛ].

**LESBIANISME,** subst. m.
Homosexualité féminine (synon. vx *lesbisme*). 🕮 1844 ; ☞ *lesbien* ; [lɛsbjanism].

**LESBIEN, IENNE,** subst. et adj.
De l'île de Lesbos. SUBST. FÉM. Femme homosexuelle. ADJ. Relatif au lesbianisme. 🕮 1867 (1640, mignon) ; topon. *Lesbos*, île de Grèce ; [lɛsbjɛ̃, jɛn] ou [lɛz-].

**LESDITS,** voir **DIT**

**LÈSE-MAJESTÉ,** subst. f.
**1.** *Crime de lèse-majesté* : crime contre le souverain ou contre l'État. **2.** Anal. Atteinte grave portée à qqch. ou à qqn de respectable. 🕮 1344 ; lat. *crimen laesae majestatis* ; plur. *lèse-majesté(s)* ; [lɛzmaʒɛste].

**LÉSER,** verbe trans. [8]
**1.** Atteindre (qqn) dans ses droits ; lui causer du tort. **2.** *Pathol.* Affecter (un organe), blesser. 🕮 1538 ; lat. *laesus*, de *laedere*, « offenser, outrager » ; [leze].

**LÉSINE,** subst. f.
Épargne sordide poussée jusqu'aux moindres détails (vx). 🕮 1604 ; ital. *lesina*, « alêne », par réf. aux avares qui réparaient eux-mêmes leurs souliers ; [lezin].

**LÉSINER,** verbe intrans. [3]
Épargner avec excès : *Il **lésine** sur tout.* 🕮 1604 ; ☞ *lésine* ; [lezine].

**LÉSINERIE,** subst. f.
Vieilli. Acte de lésine ; attitude de celui qui lésine. 🕮 1604 ; ☞ *lésine* ; [lezinʀi].

**LÉSION,** subst. f.
**1.** Dommage, tort. ▸ *Dr.* Préjudice matériel qu'éprouve un partie dans un contrat. **2.** *Pathol.* Anomalie morphologique d'un tissu ou d'un organe. 🕮 Fin XIIe s. ; lat. *laesio* ; [lezjɔ̃].

**LÉSIONNEL, ELLE,** adj.
*Pathol.* Qui concerne ou qui entraîne une lésion : *Syndrome **lésionnel**.* 🕮 1931 ; ☞ *lésion* ; [lezjɔnɛl].

**LESSIVAGE,** subst. m.
**1.** *Pédologie. **Lessivage** d'un sol* : processus d'entraînement par l'eau de substances solubles ou colloïdales, conduisant à la formation d'un horizon appauvri en ces substances, dit horizon éluvial, lessivé ou de **lessivage**. **2.** Action de lessiver ; son résultat. 🕮 1779 ; ☞ *lessiver* ; [lesivaʒ].

**LESSIVE,** subst. f.
**1.** Solution alcaline nettoyante ; poudre ou liquide entrant dans cette solution : *Un paquet de **lessive**.* **2.** Méton. Action de laver le linge : *Faire la **lessive*** ; linge nettoyé ou à nettoyer : *Mettre la **lessive** à sécher.* 🕮 Déb. XIIIe s. ; bas lat. *lixiva* ; [lesiv].

**LESSIVER,** verbe trans. [3]
**1.** Laver (du linge) ; nettoyer avec un produit détersif : ***Lessiver** les plafonds.* ▸ *Chim.* Rincer (une substance) pour en éliminer les composants solubles. **2.** Anal. et Fam. ▸ Dépouiller (qqn) de son argent, en partic. aux jeux. ▸ Empl. adj. *Être **lessivé*** : être épuisé. 🕮 Déb. XIVe s. ; ☞ *lessive* ; [lesive].

**LESSIVEUSE,** subst. f.
Récipient en métal dans lequel on lavait le linge. 🕮 1892 (mil. XIXe s., blanchisseuse) ; [lesivøz].

**LESSIVIEL, ELLE,** adj.
Relatif à la lessive : *Poudre **lessivielle**.* 🕮 1951 ; ☞ *lessive* ; [lesivjɛl].

**LESSIVIER, IÈRE,** subst.
Fabricant ou vendeur de lessive. 🕮 1845 ; ☞ *lessive* ; [lesivje, jɛʀ].

**LEST,** subst. m.
**1.** *Mar.* Poids servant à stabiliser un navire. ▸ *Navire sur **lest*** : navire sans fret. **2.** Sable que les aéronautes jettent de l'aérostat pour prendre de l'altitude ou ralentir la descente ; par ext., poids ajouté. ▸ Fig. *Lâcher du **lest*** : faire des concessions pour rétablir une situation délicate. 🕮 1473 (1208, certaine quantité d'un solide) ; m. néerl. *last* ; [lɛst].

**LESTAGE,** subst. m.
Action de lester ; son résultat. 🕮 1681 (1366, lest) ; ☞ *lester* ; [lɛstaʒ].

**LESTE,** adj.
**1.** Agile, prompt. ▸ Loc. *Avoir la main **leste*** : être prompt à gifler. **2.** Fig. Qui offense la bienséance, grivois : *Propos **lestes**.* 🕮 Fin XVIe s. ; ital. *lesto* ; [lɛst].

**LESTEMENT,** adv.
De manière leste. 🕮 1605 ; ☞ *leste* ; [lɛstəmɑ̃].

**LESTER,** verbe trans. [3]
**1.** Charger de lest (un navire, un ballon). **2.** Fig. Charger ; alourdir. 🕮 1366 ; ☞ *lest* ; [lɛste].

**LET,** adj. inv.
*Sp.* Au tennis, au tennis de table et au volley-ball, qualifie une balle de service qui touche le filet, avant de tomber dans le camp adverse. 🕮 1891 ; angl. *let*, « obstruction, arrêt » ; recomm. off. *filet* ; [lɛt].

**LÉTAL, ALE, AUX,** adj.
Qui provoque la mort. ▸ *Pharm. Dose **létale*** : quantité de produit toxique égale ou supérieure au seuil mortel. ▸ *Pathol.* Qualifie une anomalie génétique qui entraîne la mort de l'embryon ou du fœtus. ▸ *Génét. Allèle **létal*** : allèle non fonctionnel d'un gène contrôlant la synthèse d'une protéine indispensable au bon développement et au fonctionnement des individus d'une espèce. 🕮 XVe s. ; lat. *letalis*, « mortel » ; [letal, o].

**LÉTALITÉ,** subst. f.
Caractère de ce qui est létal ; mortalité : *Taux de **létalité** dû à une maladie.* 🕮 1814 ; ☞ *létal* ; [letalite].

**LETCHI,** voir **LITCHI**

**LÉTHARGIE,** subst. f.
**1.** *Pathol.* Sommeil profond continu, accompagné d'un relâchement musculaire complet. **2.** Fig. Torpeur, apathie. 🕮 XIIIe s. ; bas lat. *lethargia* ; [letaʀʒi].

**LÉTHARGIQUE,** adj.
**1.** Propre à la léthargie. **2.** Fig. Indolent, apathique. 🕮 Déb. XIVe s. ; lat. *lethargicus* ; [letaʀʒik].

**LETTON, ONNE,** adj. et subst.
De Lettonie. SUBST. MASC. Langue balte parlée en Lettonie. 🕮 1872 ; all. *Lette* ; var. du fém. *letone*, var. du subst. masc. *lette, lettique* ; [letɔ̃, ɔn].

**LETTRAGE,** subst. m.
Action de marquer un plan, une carte, etc., avec des lettres ; son résultat. 🕮 1873 ; ☞ *lettre* ; [letʀaʒ].

*Différentes calligraphies de **lettres**.*

**LETTRE,** subst. f.
**I.** PLUR. **1.** Connaissances que procure l'étude des livres (vieilli) : *Les belles-lettres* (☞ *belles-lettres*) ; *Homme de **lettres***, écrivain. **2.** Connaissances et études littéraires : *Professeur de **lettres**.* **II. 1.** Chacun des signes graphiques qui constituent un alphabet. ▸ Loc. *En toutes **lettres*** : sans abréviation ; avec des mots et non avec des chiffres ; au fig., nettement, sans détour. **2.** *Typogr.* Caractère d'imprimerie correspondant à une **lettre** : ***Lettres** italiques* ; ***Lettre** capitale*, majuscule. **III.** SING. **1.** Ensemble de mots qui composent un texte ; ce texte. ▸ Loc. **Lettre morte.** Sans valeur, sans effet : *Cette loi est restée **lettre** morte.* **2.** *Grav.* Légende inscrite au bas d'une estampe pour en indiquer le sujet : *Épreuve avant la **lettre***, tirée avant l'impression de la légende. ▸ Loc. *Avant la **lettre*** : avant l'état achevé. **3.** Sens littéral, strict d'un texte : *La **lettre** et l'esprit.* ▸ Loc. *À la **lettre**, au pied de la **lettre*** : au sens strict du terme et, au fig., scrupuleusement. **IV. 1.** Missive, écrit adressé à qqn : *Recevoir une **lettre*** ; *Papier à **lettres**.* ▸ Loc. *Passer comme une **lettre** à la poste* : très facilement (fam.) ; ***Lettre** ouverte* : texte polémique, rédigé en forme de missive. **2.** Écrit officiel dans les domaines juridique, diplomatique, administratif, commercial ou bancaire : ***Lettre** de change* (☞ *change*). 🕮 Xe s. ; lat. *littera* ; [lɛtʀ].

**LETTRÉ, ÉE,** adj. et subst.
Se dit d'un connaisseur des belles-lettres. 🕮 Mil. XIIe s. ; ☞ *lettre*, d'apr. le lat. *litteratus* ; [letʀe].

**LETTRE-TRANSFERT, subst. f.**
Caractère que l'on imprime sur une surface lisse par pression et frottement. V. 1970 ; comp. de *lettre* et de *transfert* ; plur. *lettres-transferts* ; [lɛtʀətʀɑ̃sfɛʀ].

**LETTRINE, subst. f.**
*Impr.* **I. Plur.** Groupe de lettres majuscules placées en haut de chaque colonne ou de chaque page d'un dictionnaire pour indiquer les initiales des mots qui y figurent. **II.** Grande lettre, ornée ou non, placée au début d'un chapitre ou d'un manuscrit enluminé. 1762 (1625, appel de note) ; ital. *letterina* ; [lɛtʀin].

**LETTRISME, subst. m.**
Mouvement littéraire lancé en 1946 par Isidore Isou, pour lequel la poésie réside principalement dans la sonorité des lettres, d'où la valorisation des onomatopées. 1947 ; ☞ *lettre* ; [lɛtʀism].

**LEU (I), subst. m.**
*À la queue leu leu* : les uns derrière les autres. XIe s. ; anc. fr. *leu*, du lat. *lupus*, « loup » ; [lø].

**LEU (II), subst. m.**
Unité monétaire roumaine. Déb. XXe s. ; roumain *leu*, « lion » ; plur. *lei* ; [lø], plur. [lɛ].

**LEUCANIE, subst. f.**
*Zool.* Papillon de la famille des Noctuidés, dont les chenilles nuisent aux cultures de poacées. 1842 ; lat. sc. *leucania* ; [løkani].

**LEUCÉMIE, subst. f.**
*Pathol.* Terme générique regroupant des maladies du sang, aiguës ou chroniques, qui peuvent survenir après une exposition à certains toxiques (benzène, rayons X...), mais qui sont le plus souvent idiopathiques. Elles sont gén. caractérisées par une hyperleucocytose et la présence de cellules immatures qui envahissent l'organisme. 1855 ; all. *Leukämie*, du gr. *leukos*, « blanc », et *haima*, « sang » ; [løsemi].

**MÉDECINE** – Les leucémies aiguës atteignent surtout l'enfant et se caractérisent par des signes infectieux, hémorragiques et tumoraux (notamment dans le système nerveux central, les organes génitaux, les os). Les leucémies chroniques, telle la leucémie myéloïde, qui affectent surtout l'adulte, se caractérisent cliniquement par une splénomégalie et parfois par une thrombose due à une augmentation considérable de la masse cellulaire. Le traitement (chimiothérapie, radiothérapie, greffe de moelle osseuse) varie selon le type de leucémie et l'âge du sujet.

**LEUCÉMIQUE, adj. et subst.**
Se dit d'une personne atteinte de leucémie. **Adj.** Relatif à la leucémie. 1856 ; ☞ *leucémie* ; [løsemik].

**LEUCINE, subst. f.**
*Biochim.* L'un des aminoacides constitutifs des protéines. 1832 ; gr. *leukos*, « blanc » ; [løsin].

**LEUCITE, subst. f.**
*Minér.* Feldspathoïde de formule $K(Si_2AlO_6)$, minéral caractéristique des roches volcaniques riches en potassium. 1796 ; gr. *leukos*, « blanc » ; [løsit].

**LEUCOCYTAIRE, adj.**
Qui concerne les leucocytes : *Formule* **leucocytaire**, partie de l'hémogramme qui indique les pourcentages des différents types de leucocytes. 1897 ; ☞ *leucocyte* ; [løkɔsitɛʀ].

**LEUCOCYTE, subst. m.**
*Biol.* Globule blanc du sang. Chez l'adulte, la concentration normale des **leucocytes** est comprise entre 4 000 et 10 000 unités par millimètre cube de sang. Les proportions des trois variétés de **leucocytes** se répartissent comme suit : 45 à 70 % de polynucléaires ou granulocytes, qui comportent des formes neutrophiles, éosinophiles et basophiles ; 20 à 40 % de lymphocytes ; et 3 à 10 % de monocytes. 1855 ; gr. *leukos*, « blanc », + *-cyte* ; [løkɔsit].

**LEUCOCYTOSE, subst. f.**
**1.** *Physiol.* Nombre de leucocytes normalement présents dans le sang. **2.** *Pathol.* Augmentation anormale de ce taux qui devient supérieur à 10 000 par mm$^3$ chez l'adulte (empl. abusif pour *hyperleucocytose*). 1863 ; ☞ *leucocyte* + *-ose* ; [løkɔsitoz].

**LEUCO-ENCÉPHALITE, subst. f.**
*Pathol.* Affection inflammatoire de la substance blanche du cerveau, liée aux virus de la rougeole et de l'herpès, qui entraîne des troubles neurologiques et intellectuels graves. ☞ *encéphalite* + *leuco-* ; plur. *leuco-encéphalites* ; [løkoɑ̃sefalit].

**LEUCOME, subst. m.**
*Pathol.* Taie blanche due à une lésion de la cornée. 1701 ; bas lat. *leucoma* ; var. *leucoma* ; [løkom].

**LEUCOPÉNIE, subst. f.**
*Pathol.* Diminution du nombre de leucocytes dans le sang. 1906 ; formé de *leuco-* et de *-pénie* ; [løkɔpeni].

**LEUCOPLASIE, subst. f.**
*Pathol.* Lésion blanchâtre, consistant en une couche cornée recouvrant les muqueuses et pouvant dégénérer en cancer. 1900 ; formé de *leuco-* et de *-plasie* ; [løkɔplazi].

**LEUCOPOÏÈSE, subst. f.**
*Biol.* Processus de formation des leucocytes. 1907 ; gr. *poiêsis*, « création, formation », + *leuco-* ; [løkɔpɔjɛz].

**LEUCORRHÉE, subst. f.**
*Pathol.* Écoulement, par la vulve, de sérosités blanchâtres, parfois purulentes, le plus souvent dues à une infection. 1784 ; gr. *leukorrhein* ; [løkɔʀe].

**LEUCOSE, subst. f.**
*Pathol.* Leucémie. 1855 ; formé de *leuco-* et de *-ose* ; [løkoz].

**LEUCOTOMIE, subst. f.**
*Chir.* Lobotomie partielle. V. 1940 ; formé de *leuco-* et de *-tomie* ; [løkɔtɔmi].

**LEUDE, subst. m.**
*Hist.* Sous les Mérovingiens, homme libre lié par un serment de fidélité à un souverain. 1569 ; bas lat. *leudes*, du frq. °*leudi*, « gens (d'un chef) » ; [lød].

**LEUR (I), pron. pers. inv.**
Pronom personnel des deux genres de la troisième personne du pluriel, complément d'objet indirect. À eux, à elles : *Je* **leur** *ai demandé de rester.* Déb. Xe s. ; lat. *illorum*, de *ille* ; [lœʀ].

**LEUR (II), LEURS, adj. poss. et pron. poss.**
**Adj.** Adjectif possessif des deux genres, marquant qu'il y a plusieurs possesseurs. Qui appartient ou appartiennent à eux, à elles : *Ils ont perdu* **leur** *place* ; *Ils mettent* **leurs** *chaussures.* **Pron. Le leur, la leur, les leurs. 1.** Celui, celle (ou ceux, celles) qui est (ou sont) à eux, à elles : *Nos affaires sont prêtes, les* **leurs** *pas encore.* ▸ **Du leur.** *Ils y ont mis du* **leur** : de la bonne volonté ; *Je ne veux rien du* **leur** : de **leur** bien (vx). **2. Les leurs. Leurs** proches, **leurs** parents, **leurs** amis... : *Ils sont avec les* **leurs** ; *Il n'est plus des* **leurs** ; par ext. : *Lundi soir j'étais des* **leurs**, chez eux, avec eux. **3.** Employé comme attribut (littér.) : *Cette idée est* **leur**, la **leur**. Mil. Xe s. ; lat. *illorum*, de *ille* ; [lœʀ].

**LEURRE, subst. m.**
**1.** Vx. Ce qui attire. **2.** *Fauconn.* Faux oiseau de cuir utilisé pour faire revenir le faucon. **3.** *Pêche.* Amorce artificielle munie d'un hameçon. **4.** *Arm.* Moyen utilisé pour fausser la détection par l'ennemi d'un avion, d'un bateau ou d'un sous-marin ; en partic., objet qui simule une cible. **5.** Fig. Tromperie, illusion : *Cette promesse n'est qu'un* **leurre**. 1202 ; anc. bas frq. °*lôpr*, « appât » ; [lœʀ].

*Leurres utilisés pour la chasse à la palombe.*

**LEURRER, verbe trans.** [3]
**1.** *Fauconn.* Dresser (un rapace) à revenir au leurre. **2.** Fig. Attirer (qqn) par un espoir trompeur. **Pronom.** S'illusionner : *Il se* **leurre** *sur tes intentions.* Fin XIIIe s. (déb. XIIe s., rusé) ; ☞ *leurre* ; [lœʀe].

**LEV, subst. m.**
Unité monétaire de la Bulgarie. 1922 ; mot bulg. ; plur. *leva* ; [lɛv] ou [lɛf], plur. [leva].

**LEVAGE, subst. m.**
**1.** Action de lever, de soulever : *Un engin de* **levage**. **2.** Fait de lever par fermentation ou ébullition : **Levage** *d'une pâte.* 1660 (1289, perception d'un impôt) ; ☞ *lever* (I) ; [ləvaʒ].

**LEVAIN, subst. m.**
**1.** Morceau de pâte fermentée que l'on incorpore à la pâte à pain pour la faire lever. **2.** Substance propre à produire une fermentation : **Levain** *doux*, de bière sèche. **3.** Fig. Ce qui excite, stimule (littér.) : **Levain** *de haine.* XIIe s. ; bas lat. *levamen* ; [ləvɛ̃].

**LEVALLOISIEN, IENNE, adj. et subst. m.**
*Préhist.* Se dit d'un faciès du Moustérien (Paléolithique moyen) caractérisé par une technique de débitage de la pierre permettant d'obtenir l'éclat dit Levallois, mince et ovale, dont la forme est adaptée à un outil donné. 1931 ; topon. *Levallois-Perret* (Hauts-de-Seine) ; [ləvalwazjɛ̃, jɛn].

**LEVANT, ANTE, adj. et subst. m.**
**Adj. 1.** Qualifie le soleil (parfois la lune) qui se lève : *Le pays du Soleil* **levant**, le Japon. **2.** Qui fait lever la pâte : *Poudre* **levante**. **Subst. 1.** Côté de l'horizon où le soleil apparaît ; est. **2.** *Les pays du* **Levant** ou, par ell., *Le* **Levant** : pays, régions de Méditerranée orientale. Fin XIe s. ; p. pr. de *lever* (I) ; [l(ə)vɑ̃, ɑ̃t].

**LEVANTIN, INE, adj. et subst.**
Du Levant (parfois péj.). **Subst. fém.** Étoffe de soie originaire du Levant. 1575 ; ☞ *levant* ; [ləvɑ̃tɛ̃, in].

**LEVÉ, ÉE, adj. et subst.**
**Subst. fém. 1.** Action de recueillir, de rassembler : **Levée** *d'impôt.* ▸ Collecte des lettres par un préposé des postes : *Heure de la dernière* **levée**. ▸ *Jeux.* Ensemble des cartes ramassées par le gagnant à chaque coup joué ; ces cartes (synon. *pli*). ▸ *Milit.* Enrôlement : *La* **levée** *en masse de 1793.* **2.** Action de lever (vx). ▸ Loc. **Levée** *de boucliers* : manifestation d'opposition. **3.** Action d'enlever : **Levée** *des scellés.* ▸ **Levée** *du corps* : enlèvement du corps d'un défunt de la maison mortuaire ; cérémonie qui l'accompagne. **4.** Action de faire cesser : *La* **levée** *d'un siège, d'une séance.* **5.** Remblai de terre et de maçonnerie. ▸ *Géogr.* **Levée** *alluviale* : bourrelet édifié par le dépôt du sédiment en suspension lors des crues, sur les berges d'un cours d'eau. **Subst. masc.** *Topogr.* Action de lever un plan ; ce plan (synon. *lever*). **Adj. 1.** Qui est mis en haut : *Le poing* **levé**. ▸ Loc. *Au pied* **levé** : à l'improviste ; *Dessin à main* **levée** : sans autre instrument qu'un pinceau ou un crayon ; *Vote à main* **levée** : exprimé publiquement en levant la main. **2.** Dressé : *Pierre* **levée**, menhir. **3.** Sorti du lit : *Il est déjà* **levé**. Fin XIIe s. ; ☞ *lever* (I) ; [l(ə)ve].

**LÈVE-GLACE, subst. m.**
*Autom.* Dispositif électromécanique ou mécanique servant à lever et à baisser les glaces d'un véhicule (synon. *lève-vitre*). V. 1980 ; comp. de *lever* (I) et de *glace* ; plur. *lève-glace(s)* ; [lɛvglas].

**LEVER (I), verbe** [10]
**Trans. 1.** Mouvoir de bas en haut : **Lever** *des casiers immergés* ; **Lever** *l'ancre*, prendre la mer ; **Lever** *son verre*, porter un toast. **2.** Relever (qqch.), pour voir ou montrer ce qu'il y a derrière : **Lever** *sa voilette* ; **Lever** *le rideau*, au théâtre ; au fig. : **Lever** *le voile* (☞ *voile*). **3.** Porter plus haut (une partie du corps), diriger vers le haut : **Lever** *les yeux, la main.* ▸ Loc. **Lever** *le coude* : boire (fam.) ; **Lever** *les bras au ciel*, en signe d'imploration ; **Lever** *le pied*, ralentir. **4.** Placer verticalement : **Lever** *une échelle* ; **Lever** *un malade*, le mettre debout. **5.** Prélever : **Lever** *des blancs de pintade.* ▸ Collecter : **Lever** *un impôt.* ▸ *Jeux.* **Lever** *les cartes* : ramasser le pli gagné. ▸ *Milit.* Enrôler, mobiliser : **Lever** *des troupes.* **6.** Mettre un terme à : **Lever** *la séance, une interdiction* ; **Lever** *le camp*, s'en aller. ▸ Faire disparaître : **Lever** *un doute.* **7.** *Chasse.* Faire sortir (un animal) de son gîte. ▸ Loc. **Lever** *un lièvre* : soulever une question, un problème. **8.** *Topogr.* **Lever** *une carte, un plan* : en établir le tracé. **Intrans. 1.** Sortir de terre, pousser : *Le maïs* **lève**. **2.** Gonfler par fermentation : *La pâte* **lève**. **Pronom. 1.** Se mettre debout. ▸ Loc. *Se* **lever** *comme un seul homme* : tous ensemble. **2.** Sortir du lit : *Se* **lever** *tôt.* **3.** Paraître à l'horizon, en parlant d'un astre : *Le soleil se* **lève** *à l'est.* **4.** Commencer à souffler, en parlant du vent. **5.** Devenir forte, en parlant de la mer : *La houle s'est* **levée**. **6.** Se dégager, en parlant du temps. Fin Xe s. ; lat. *levare* ; [l(ə)ve].

**LEVER (II), subst. m.**
**1.** Action de sortir du lit ; moment où l'on se lève. **2.** Apparition d'un astre à l'horizon. **3.** **Lever** *du*

*rideau* : moment où le rideau du théâtre se lève ; par méton. : *Un **lever** de rideau*, petite pièce jouée avant l'œuvre principale. ▸ Loc. *En **lever** de rideau* : comme préliminaire. **4.** *Topogr.* Levé. Fin XII^e s. ; ☞ *lever* (I) ; [l(ə)ve].

**LÈVE-TARD, subst. inv.**
Personne qui a pour habitude de se lever tard. V. 1970 ; comp. de *lever* (I) et de *tard* ; [lɛvtaʀ].

**LÈVE-TÔT, subst. inv.**
Personne matinale. V. 1970 ; comp. de *lever* (I) et de *tôt* ; [lɛvto].

**LEVIER, subst. m.**
**1.** Vx. Bâton. **2.** Barre rigide reposant sur un point d'appui fixe et permettant de soulever une charge grâce à l'action de deux forces parallèles. **3.** Fig. Ce qui sert à vaincre une résistance (littér.) : *Le **levier** de l'ambition.* **4.** *Techn.* Dans une machine, organe de transmission d'une commande utilisant le principe du levier : ***Levier** de changement de vitesse.* ▸ Fig. *Être aux **leviers** de commande* : diriger, contrôler. Déb. XII^e s. ; ☞ *lever* (I) ; [ləvje].

**LÉVIGATION, subst. f.**
*Techn.* Action de léviger une substance. 1741 ; ☞ *léviger* ; [levigasjɔ̃].

**LÉVIGER, verbe trans.** [5]
*Techn.* Pulvériser (une substance) en la délayant, et en laissant décanter la solution : ***Léviger** de la craie.* 1675 ; lat. *levigare*, de *levis*, « lisse » ; [leviʒe].

**LÉVIRAT, subst. m.**
**1.** *Hist.* et *Relig.* Dans la loi mosaïque, obligation pour une veuve sans enfant mâle d'épouser le frère de son défunt mari. **2.** *Anthropol.* Règle obligeant la ou les veuves d'un défunt à épouser le ou les frères de ce dernier. 1672 ; bas lat. *levir*, « beau-frère » ; [leviʀa].

**LÉVITATION, subst. f.**
**1.** Phénomène consistant à quitter le sol sans aucune aide matérielle, que subiraient certains mystiques en extase. **2.** *Phys.* État d'un corps en équilibre au-dessus d'une surface par l'effet de forces compensant la pesanteur. 1864 ; angl. *levitation*, du lat. *levitas*, « légèreté » ; [levitasjɔ̃].

**LÉVITE, subst.**
Masc. *Relig.* Membre de la tribu de Lévi (troisième fils de Jacob), voué au service du Temple sans avoir accès à l'autel. Fém. **1.** Robe longue et austère portée au XVIII^e s. **2.** Longue redingote d'homme (vx). Fin XII^e s. ; lat. eccl. *levita*, de l'hébreu *lêwî* ; [levit].

**LÉVOGYRE, adj.**
*Chim.* Qualifie une substance qui fait tourner vers la gauche (l'observateur étant face à la lumière) la polarisation rectiligne d'une lumière monochromatique qui la traverse (anton. *dextrogyre*). 1847 ; lat. *laevus*, « gauche », + *-gyre* ; [levɔʒiʀ].

**LEVRAUT, subst. m.**
Jeune lièvre. 1306 ; ☞ *lièvre* ; [ləvʀo].

**LÈVRE, subst. f.**
**1.** Chacune des deux parties charnues du contour de la bouche. ▸ Loc. *Du bout des **lèvres*** : sans conviction ; *Avoir le cœur au bord des **lèvres*** : être sur le point de vomir. **2.** *Anat.* Chacun des replis cutanés de l'appareil génital externe de la femme, formant la vulve : *Grandes **lèvres***, externes ; *Petites **lèvres***, internes. **3.** *Bot.* Chaque pétale d'une lamiacée. **4.** Bord saillant d'une ouverture. Plur. *Méd.* ***Lèvres** d'une plaie* : bords de la plaie. X^e s. ; lat. *labra* ; [lɛvʀ].

**LEVRETTE, subst. f.**
**1.** Femelle du lévrier. **2.** Lévrier d'Italie de petite taille (synon. *levron*). **3.** Rabot de tailleur de pierre. Fin XIV^e s. ; haplologie de *levrerette* ; [ləvʀɛt].

**LEVRETTÉ, ÉE, adj.**
Qualifie un animal qui a le ventre creusé comme celui d'un lévrier. 1611 ; ☞ *levrette* ; [ləvʀete].

**LEVRETTER, verbe intrans.** [3]
Mettre bas, en parlant de la hase. 1387 ; ☞ *levraut* ; [ləvʀete].

**LÉVRIER, subst. m.**
*Zool.* Chien de course et de compagnie, à jambes hautes, au corps allongé et au museau effilé. Déb. XII^e s. ; ☞ *lièvre*, car il chasse ce gibier ; [levʀije].

**LEVRON, ONNE, subst.**
**1.** Lévrier ou levrette de moins de six mois. **2.** Lévrier ou levrette de petite taille (dits aussi d'Italie). 1585 ; haplologie de °*levreron*, dimin. de *lévrier* ; [ləvʀɔ̃, ɔn].

**LEVURE, subst. f.**
**1.** *Biol.* Champignon ascomycète qui se comporte comme un organisme unicellulaire et qui est responsable de la fermentation alcoolique. Certaines **levures** se reproduisent de manière végétative par bourgeonnement, d'autres par cloisonnement. **2.** ***Levure** chimique* : produit de synthèse utilisé pour faire lever la pâte à pain. 1419 (fin XII^e s., élévation) ; ☞ *lever* (I) ; [l(ə)vyʀ].

**LEXÈME, subst. m.**
*Ling.* Élément à valeur lexicale (ayant donc une signification), par oppos. au morphème (à valeur grammaticale) : *Dans « chantons », « chant- » est un **lexème** et « -ons » un morphème.* V. 1950 ; ☞ *lexique*, d'apr. *morphème* ; [lɛksɛm].

**LEXICAL, ALE, AUX, adj.**
Relatif au lexique, au vocabulaire d'une langue. 1804 ; ☞ *lexique* ; [lɛksikal, o].

**LEXICALISATION, subst. f.**
Fait de se lexicaliser, en parlant d'une expression composée de plusieurs mots ; résultat de cette action. 1927 ; ☞ *lexicaliser* ; [lɛksikalizasjɔ̃].

**LEXICALISER (SE), verbe pronom.** [3]
*Ling.* Devenir une unité lexicale. ▸ Empl. adj. Se dit d'une suite de mots qui se figent pour devenir un élément du lexique : *« Pomme de terre » est un syntagme **lexicalisé**.* Déb. XX^e s. ; ☞ *lexical* ; [lɛksikalize].

**LEXICOGRAPHE, subst.**
*Ling.* Spécialiste de lexicographie ; auteur d'un dictionnaire de langue. 1578 ; gr. *lexikographos*, de *lexikon*, « lexique » ; [lɛksikɔgʀaf].

**LEXICOGRAPHIE, subst. f.**
Discipline qui consiste à élaborer des dictionnaires de langue. 1757 ; ☞ *lexicographe* ; [lɛksikɔgʀafi].

**LEXICOGRAPHIQUE, adj.**
Relatif, propre à la lexicographie. 1824 ; ☞ *lexicographie* ; [lɛksikɔgʀafik].

**LEXICOLOGIE, subst. f.**
*Ling.* Partie de la linguistique dont l'objet est l'étude du vocabulaire, de son histoire et de son fonctionnement dans un système donné. Mil. XVIII^e s. ; gr. *lexikon*, « lexique », + *-logie* ; [lɛksikɔlɔʒi].

**LEXICOLOGUE, subst.**
Spécialiste de lexicologie. 1840 ; ☞ *lexicologie* ; [lɛksikɔlɔg].

**LEXIE, subst. f.**
*Ling.* Toute unité du lexique, qu'elle soit formée d'un ou de plusieurs mots (par ex. « sac » et « sac à main »). 1962 ; gr. *lexis*, « parole » ; [lɛksi].

**LEXIQUE, subst. m.**
**1.** Vx. Dictionnaire. ▸ Dictionnaire des termes spécifiques d'une science, d'un art, d'une technique ; glossaire que l'on trouve à la fin d'un ouvrage. ▸ Dictionnaire bilingue abrégé. ▸ Ensemble des formes ou locutions propres à un auteur. **2.** *Ling.* Ensemble des mots d'une langue, par oppos. à la grammaire. 1563 ; gr. *lexikon*, de *lexis*, « mot » ; [lɛksik].

**LEXIS, subst. f.**
Énoncé, considéré indépendamment de la vérité de son contenu. 1926 ; gr. *lexis* ; [lɛksis].

**LEZ, voir LÈS**

**LÉZARD, subst. m.**
**1.** *Zool.* Nom usuel de reptiles sauriens à longue queue, au corps allongé couvert d'écailles, de taille en gén. modeste (**lézard** vert, **lézard** des murailles) ou, pour certains, plus imposante (varan, iguane). ▸ Loc. *Faire le **lézard*** : paresser au soleil (fam.). **2.** Peau du **lézard**, utilisée en maroquinerie. **3.** Difficulté, problème (fam.). Fin XI^e s. ; lat. *lacertus* ; [lezaʀ].

**LÉZARDE, subst. f.**
**1.** Fissure étroite et profonde dans une construction ; au fig., ce qui affaiblit ou menace de détruire. **2.** *Techn.* Galon utilisé pour cacher les coutures et les clous des tissus d'ameublement. 1676 ; anc. fr. *laisarde*, « lézard », par anal. de forme ; [lezaʀd].

**LÉZARDER (I), verbe trans.** [3]
Couvrir de lézardes. Pronom. Se fissurer. 1829 ; ☞ *lézarde* ; [lezaʀde].

**LÉZARDER (II), verbe intrans.** [3]
Faire le lézard (fam.). 1872 ; ☞ *lézard* ; [lezaʀde].

**LI, subst. m.**
Mesure itinéraire chinoise, de longueur variable selon les régions (gén. 576 m). 1603 ; mot chinois ; [li].

**Li, voir LITHIUM**

**LIAGE, subst. m.**
Action de lier ; son résultat. 1611 ; ☞ *lier* ; [ljaʒ].

**LIAIS, subst. m.**
*Pétrogr.* Calcaire dur, au grain serré et résistant. Déb. XII^e s. ; prob. de *lie* ; [ljɛ].

**LIAISON, subst. f.**
**I. 1.** Action de lier, d'assembler divers éléments. ▸ *Constr. Disposition en **liaison*** : dans laquelle les pierres ou les briques sont décalées afin que les joints ne portent pas les uns sur les autres. ▸ *Cuis.* Incorporation à une préparation d'un ingrédient qui la rendra plus épaisse et plus onctueuse : ***Liaison** au jaune d'œuf.* ▸ *Chim.* Lien qui unit les atomes d'une molécule ou d'un cristal, soit sous l'effet des attractions électrostatiques (**liaison** ionique), soit par la mise en commun d'électrons (**liaison** de covalence). ▸ *Mar.* Jonction des parties principales d'un bateau : *Pièces de **liaison** entre la coque et le pont.* **2.** Action de lier des éléments successifs d'un ensemble. ▸ *Mus.* Indication, représentée par un petit arc unissant deux notes ou une suite de notes, qui demande que l'on soutienne le son. ▸ *Phon.* Prise en compte, dans la prononciation d'un mot commençant par une voyelle ou un *h* muet, de la consonne finale du mot précédent : *Faute de **liaison**.* **3.** Établissement d'un rapport logique entre des éléments abstraits ; ce rapport : *Une bonne **liaison** des idées dans un raisonnement.* ▸ *Gramm. Particule de **liaison*** : utilisée pour exprimer un enchaînement entre des mots ou des propositions (conjonction de coordination, par ex.). **II.** Action de se lier avec qqn, d'entretenir une relation personnelle ; cette relation : *Une vieille **liaison** de collège.* ▸ Relation amoureuse extraconjugale. **III. 1.** Action de relier des personnes entre elles, de les mettre en communication : *Service assurant la **liaison** entre le siège social et les filiales.* ▸ *Milit. Officier de **liaison*** : chargé de transmettre les ordres de l'état-major, d'établir le lien entre des unités militaires. ▸ Loc. *En **liaison*** : en contact. **2.** Communication assurée entre deux lieux : ***Liaison** ferroviaire* ; ***Liaison** téléphonique* ; ***Liaison** aérienne régulière entre Paris et Rome.* 1260 ; ☞ *lier* ; [ljɛzɔ̃].

**LIAISONNER, verbe trans.** [3]
*Techn.* **1.** Disposer (des pierres) en liaison. **2.** Remplir (des joints) avec du mortier. 1694 (1575, lier) ; ☞ *liaison* ; [ljɛzɔne].

**LIANE, subst. f.**
*Bot.* Plante à très longue tige ligneuse qui se développe en s'appuyant sur un support, par des racines adventives (**liane** grimpante), ou en s'enroulant autour de lui, par des vrilles (**liane** volubile). 1640 ; fr. des Antilles, du verbe dial. *liener*, « lier des gerbes » ; [ljan].

**LIANT, LIANTE, adj. et subst. m.**
Adj. **1.** Vx. *Cuis.* Qui donne de la consistance. **2.** Sociable, qui se lie facilement. Subst. **1.** Élasticité, souplesse (d'un alliage). **2.** Ce qui assure la cohésion entre les éléments d'un ensemble. ▸ *Constr.* Matériau servant à en agglomérer d'autres : *Le ciment, la chaux sont des **liants**.* ▸ *Peint.* Substance servant à homogénéiser les pigments. **3.** Disposition naturelle aux relations sociales (littér.). 1397 ; p. pr. de *lier* ; [ljɑ̃, ljɑ̃t].

**LIARD (I), subst. m.**
Ancienne monnaie de bronze valant le quart d'un sou. 1383 ; orig. obsc. ; [ljaʀ].

**LIARD (II), subst. m.**
*Bot.* Peuplier noir (région.). 1558 ; ☞ *lier*, ses jeunes tiges pouvant servir de liens ; [ljaʀ].

**LIAS, subst. m.**
*Géol.* Première période du Jurassique. 1821 ; angl. *lias*, du fr. *liais*, « pierre calcaire dure » ; [ljɑs].

**LIASSE, subst. f.**
**1.** Vx. Assemblage d'objets de même nature. **2.** Paquet de papiers liés ensemble : *Une **liasse** de billets de banque.* Fin XI^e s. ; ☞ *lier* ; [ljas].

**LIBAGE, subst. m.**
*Constr.* Moellon noyé dans la masse d'une maçonnerie. 1676 ; anc. fr. *libe*, « bloc de pierre » ; [libaʒ].

**LIBANISATION, subst. f.**
Éclatement progressif d'un État, dû aux affrontements qui opposent ses communautés (par anal. avec l'éclatement du Liban dans les années soixante-dix). V. 1980 ; topon. *Liban* ; [libanizasjɔ̃].

**LIBATION, subst. f.**
*Antiq.* Offrande rituelle de lait, d'huile ou de vin à une divinité. PLUR. Consommation abondante de vin, d'alcool : *De joyeuses* **libations**. 1491 ; lat. *libatio* ; [libasjɔ̃].

**LIBECCIO, subst. m.**
Vent violent qui souffle du sud-ouest sur la Corse et la Côte d'Azur. 1859 ; mot ital. ; [libɛtʃjo].

**LIBELLE, subst. m.**
1. Vx. *Dr.* Notification. 2. *Litt.* Écrit bref et virulent, de caractère satirique ou diffamatoire. Fin XIIIᵉ s. ; lat. *libellus*, « petit livre » ; [libɛl].

**LIBELLÉ, subst. m.**
Rédaction d'un acte dans les termes requis ; ces termes. 1832 ; p. p. de *libeller* ; [libɛlle] ou [-bele].

**LIBELLER, verbe trans. [3]**
1. Rédiger (un texte) dans les formes légales ou requises ; *Libeller un chèque*, y porter le montant et la destination. 2. Exposer par écrit. 1451 ; ☞ *libelle* ; [libɛlle] ou [-bele].

**LIBELLULE, subst. f.**
*Zool.* Insecte ailé de l'ordre des Odonates. Les **libellules** constituent le sous-ordre des Anisoptères, qui ont les ailes étalées au repos. Certaines espèces ont des mœurs grégaires et se déplacent en essaims sur des centaines de kilomètres. 1798 ; lat. sc. *libellula*, de *libella*, « niveau » ; [libɛllyl] ou [-belyl].

**LIBER, subst. m.**
*Bot.* Tissu végétal composé de tubes microscopiques conducteurs de la sève élaborée. Il se trouve dans la partie profonde des tiges, des racines et du tronc. 1733 ; lat. *liber*, « partie vivante de l'écorce » ; [libɛʀ].

**LIBÉRABLE, adj.**
Qui peut être libéré ; en partic., qui va être libéré des obligations du service national. 1842 ; ☞ *libérer* ; [libeʀabl].

**LIBÉRAL, ALE, AUX, adj.**
1. Vx. Qui donne avec largesse, généreux. 2. Qui est conforme à la condition d'homme libre (vx) : *Arts* **libéraux** (☞ *art*) ; *Profession* **libérale**, indépendante, seulement régie par une organisation professionnelle. 3. Qui respecte la liberté, les idées d'autrui : *Esprit* **libéral** ; par ext., permissif. 4. *Écon.* et *Pol.* Relatif ou favorable au libéralisme : *Économie* **libérale** ; *Parti* **libéral** ; empl. subst., partisan du libéralisme. Fin XIIᵉ s. ; lat. *liberalis*, de *liber*, « libre » ; [libeʀal, o].

**LIBÉRALEMENT, adv.**
De manière libérale. XIIIᵉ s. ; ☞ *libéral* ; [libeʀalmɑ̃].

**LIBÉRALISATION, subst. f.**
Action de libéraliser ; son résultat. 1842 ; ☞ *libéraliser* ; [libeʀalizasjɔ̃].

**LIBÉRALISER, verbe trans. [3]**
Rendre libéral, plus libéral : **Libéraliser** *l'économie.* 1785 ; ☞ *libéral* ; [libeʀalize].

**LIBÉRALISME, subst. m.**
1. *Pol.* Doctrine des partisans de la liberté de pensée et de la liberté politique et civile (développée à l'origine en réaction contre l'absolutisme royal). ▸ Ext. Courant de pensée prônant la garantie et l'extension des libertés individuelles. 2. *Écon.* Doctrine favorable à la libre entreprise et à la libre concurrence. 3. Attitude de tolérance envers la conduite, les opinions d'autrui. 1818 ; ☞ *libéral* ; [libeʀalism].

ÉCONOMIE – Les fondateurs du libéralisme, aux XVIIIᵉ et XIXᵉ s. (Smith, Malthus, Ricardo, Say), préconisent le respect de la propriété privée, la recherche du profit, la primauté de l'économie de marché, le libre jeu de la concurrence, la liberté d'entreprise. Les idées libérales sont diverses, allant du rejet de toute intervention de l'État à la prise en compte de son rôle dans la correction des excès du marché (Mill et les sociaux-démocrates). L'idéologie libérale connaît un nouvel essor à la fin du XXᵉ s. en France (privatisations, déclin de la planification) et dans les pays de l'Est après la chute du communisme.

**LIBÉRALITÉ, subst. f.**
1. Disposition à la générosité (littér.). 2. Méton. Don, bienfait (gén. au plur.). 3. *Dr.* Acte accordant un avantage sans contrepartie. 1213 ; lat. *liberalitas*, « générosité » ; [libeʀalite].

**LIBÉRATEUR, TRICE, subst. et adj.**
SUBST. Personne qui libère, délivre. ADJ. Qui libère d'une contrainte, qui soulage : *Pleurs* **libérateurs**. 1500 ; lat. *liberator* ; [libeʀatœʀ, tʀis].

**LIBÉRATION, subst. f.**
1. Action de rendre sa liberté à un prisonnier : **Libération** *conditionnelle*, mise en liberté anticipée d'un détenu, sous certaines conditions ; affranchissement : **Libération** *des esclaves*. ▸ Fig. Émancipation : *Mouvement de* **libération** *de la femme.* 2. Action de dégager d'une obligation, d'une dette. ▸ Fig. Fait d'être dégagé d'une contrainte morale, psychologique. ▸ *Milit.* Renvoi d'un soldat dans ses foyers. 3. Action de délivrer un peuple, un territoire d'une tutelle étrangère : *Armée de* **libération**. ▸ *Hist. La* **Libération** : période de la Seconde Guerre mondiale pendant laquelle l'armée allemande fut chassée des pays qu'elle occupait ; la période qui suivit immédiatement cette délivrance. 4. *Chim.* et *Phys.* Dégagement de matière ou d'énergie à partir d'un système matériel : **Libération** *de chaleur lors d'une combustion.* Fin XIVᵉ s. ; lat. *liberatio* ; [libeʀasjɔ̃].

**LIBÉRATOIRE, adj.**
*Dr.* et *Fin.* Qui libère d'une obligation, d'une dette. 1596 ; lat. *liberare*, « libérer » ; [libeʀatwaʀ].

**LIBÉRÉ, ÉE, adj.**
Rendu à la liberté ; dégagé de certaines contraintes : *Jeune homme* **libéré** *des obligations militaires* ; *Femme* **libérée**, émancipée. 1495 ; p. p. de *libérer* ; [libeʀe].

**LIBÉRER, verbe trans. [8]**
I. 1. Rendre à (qqn) sa condition d'homme libre ; affranchir. 2. Mettre en liberté (un prisonnier). 3. Délivrer d'une entrave : **Libérer** *un ours de ses chaînes* ; au fig. : **Libérer** *son cœur.* 4. Dégager (qqn) d'une contrainte, d'une obligation, d'une dette : *À midi, le professeur* **libéra** *les élèves* ; renvoyer (un soldat) dans ses foyers. ▸ Empl. pronom. *Impossible de me* **libérer** *aujourd'hui* ; *Se* **libérer** *d'une créance.* 5. Délivrer (un peuple, un territoire) d'une oppression, d'une occupation étrangère. II. 1. Dégager (qqch.) de ce qui retient, gêne : *Une mode qui* **libère** *la taille* ; dégager (un lieu) de ce qui l'encombre ; empl. pronom. : *Attendre qu'une place se* **libère**. 2. Rendre libre (ce qui est soumis à une restriction) : **Libérer** *les échanges, les prix* ; **Libérer** *des actions*, les rendre disponibles. 3. *Phys.* et *Chim.* Provoquer le dégagement de (qqch.) dans un système. 1495 ; lat. *liberare* ; [libeʀe].

**LIBÉRIEN, IENNE, adj.**
Relatif au liber. 1855 ; ☞ *liber* ; [libeʀjɛ̃, jɛn].

**LIBÉRISTE, subst.**
*Sp.* Personne qui pratique le vol libre. V. 1980 ; lat. *liber*, « libre » ; [libeʀist].

**LIBERO, subst. m.**
*Sp.* Arrière se tenant en couverture, dans une équipe de football. Déb. XXᵉ s. ; ital. *libero*, « libre » ; [libeʀo].

**LIBÉRO-LIGNEUX, EUSE, adj.**
*Bot.* Composé à la fois de liber et de bois. Fin XIXᵉ s. ; comp. de *liber* et de *ligneux* ; plur. *libéro-ligneux, euses* ; [libeʀoliɲø, øz].

**LIBERTAIRE, subst. et adj.**
Se dit d'une personne qui n'admet aucune limitation de la liberté individuelle dans l'organisation de la société. ADJ. Relatif, favorable à cette doctrine, à cet idéal. 1858 ; ☞ *liberté* ; [libɛʀtɛʀ].

**LIBERTÉ, subst. f.**
I. *Philos.* 1. Libre arbitre ; pouvoir d'agir selon sa volonté. 2. État d'une personne qui se détermine en connaissance de cause, selon sa raison. II. 1. État d'une personne qui n'est ni esclave ni prisonnière. ▸ *Dr.* **Liberté** *provisoire* : accordée à une personne en détention préventive ; **Liberté** *sous caution* ; **Liberté** *conditionnelle* ; **Liberté** *surveillée* : situation d'un délinquant qui doit rendre compte régulièrement de ses activités à l'autorité judiciaire. 2. État d'un pays, d'un peuple souverain. 3. État d'un être dont les mouvements, les déplacements ne sont pas empêchés : *Remettre un animal en* **liberté**. 4. Fait de ne pas être tenu par un engagement : *Ce soir, j'ai ma* **liberté**. III. 1. Absence de contrainte sociale ou morale : **Liberté** *sexuelle* ; **Liberté** *d'esprit* ; *Agir en toute* **liberté**, sans y être forcé. 2. Hardiesse, licence (souv. au plur.) : *Prendre des* **libertés** *avec le règlement* ; *Prendre la* **liberté** *de* (+ inf.), se permettre de. IV. 1. Droit d'agir selon sa volonté, dans les limites prévues par la loi, d'être maître de son destin : *Le peuple français vote la* **liberté** *du monde* (Saint-Just) ; *Mourir pour la* **liberté**. 2. Degré d'indépendance que possède un individu à l'égard du groupe social dont il fait partie : *La* **liberté** *consiste à pouvoir faire tout ce qui ne nuit pas à autrui* (Déclaration de 1789, art. IV) ; **Liberté** *d'association* ; **Liberté** *du travail* ; **Liberté** *d'expression, d'opinion.* ▸ **Liberté** *de l'enseignement* : **liberté** de choisir entre un établissement d'enseignement public ou privé ; **liberté** de créer un tel établissement. ▸ **Liberté** *religieuse, de conscience* : **liberté** de choisir sa religion ou de ne pas en avoir, de pratiquer le culte de son choix. ▸ **Liberté** *politique* : droit des citoyens d'élire librement leurs représentants. ▸ Au plur. **Libertés** *individuelles, publiques, fondamentales* : droits reconnus aux individus face au gouvernement. ▸ **Liberté** *de la presse* : droit, pour quiconque, de publier et de diffuser ses opinions. Fin XIIᵉ s. ; lat. *libertas* ; [libɛʀte].

**LIBERTICIDE, adj.**
Littér. Qui attente aux libertés ; empl. subst., personne **liberticide**. 1791 ; ☞ *liberté* ; [libɛʀtisid].

**LIBERTIN, INE, adj. et subst.**
1. Vieilli ou Littér. Se dit d'une personne affranchie de la religion, de ses contraintes (synon. *libre-penseur*). 2. Se dit d'une personne aux mœurs sexuelles très libres. ADJ. Licencieux : *Conte, roman* **libertin**. Déb. XVIᵉ s. (1468, affranchi) ; lat. *libertinus*, « affranchi », de *liberare*, « libérer » ; [libɛʀtɛ̃, in].

**LIBERTINAGE, subst. m.**
1. Vx. Rejet d'une croyance ou d'une pratique religieuse. 2. Conduite dissolue d'une personne libertine. 1603 ; ☞ *libertin* ; [libɛʀtinaʒ].

**LIBERTY, subst. m. inv. et adj. inv.**
Se dit d'une étoffe légère d'origine anglaise, à petits motifs répétés (gén. des fleurs). 1892 ; anthropon. *Liberty*, inventeur de ce tissu ; n. déposé ; [libɛʀti].

**LIBIDINAL, ALE, AUX, adj.**
Qui concerne la libido. ▸ *Stade* **libidinal** : selon Freud, chacune des étapes successives du développement de l'enfant, caractérisée par le primat d'une zone érogène (anale, orale, phallique ou génitale) et un mode spécifique d'organisation de la sexualité. 1948 ; ☞ *libido* ; [libidinal, o].

**LIBIDINEUX, EUSE, adj.**
Qui manifeste une attirance quasi obsessionnelle pour les plaisirs sexuels ; par méton. : *Des regards* **libidineux**. XVᵉ s. ; lat. *libidinosus*, de *libido*, « désir » ; [libidinø, øz].

**LIBIDO, subst. f.**
*Psychanal.* ▸ Selon Freud, énergie psychique spécifiquement sexuelle, susceptible de s'investir aussi bien dans le moi du sujet que sur des objets extérieurs. ▸ Pour Jung, énergie psychique en général. 1914 ; lat. *libido*, « désir » ; [libido].

**LIBITUM, voir AD LIBITUM**

**LIBOURET, subst. m.**
Ligne à plusieurs hameçons utilisée pour la pêche au maquereau. 1643 ; orig. inc. ; [libuʀɛ].

**LIBRAIRE, subst.**
1. Vx. Copiste, auteur ou marchand de manuscrits. 2. Marchand de livres (dont il est parfois l'imprimeur ou l'éditeur) ; personne qui tient une librairie. 1284 ; lat. *librarius* ; [libʀɛʀ].

**LIBRAIRIE, subst. f.**
1. Vx. Bibliothèque. 2. Commerce des livres ; corporation des libraires. 3. Magasin où l'on vend des livres : **Librairie** *d'art, universitaire* ; maison d'édition disposant de ses propres points de vente. Fin XIVᵉ s. ; lat. *libraria* ; [libʀeʀi].

**LIBRATION, subst. f.**
*Astron.* Léger balancement apparent d'un astre (en partic. de la Lune) autour de son axe. 1704 (1547, nivellement) ; lat. *libratio* ; [libʀasjɔ̃].

**LIBRE, adj.**
I. 1. Qui n'est soumis ni à l'esclavage ni à la captivité. 2. Qui dispose de sa liberté de mouvement : *Vous êtes* **libre** *d'aller où bon vous semble.* II. 1. Qui peut agir, décider sans contrainte : *Être* **libre** *de refuser.* 2. Qui est sans engagement, n'est pas retenu : *Je serai* **libre** *toute la journée.* ▸ Qui n'est pas marié ; sans attache amoureuse. III. 1. Qui se fait sans contrainte : *Donner* **libre** *cours à son imagination* ; *Amour* **libre**. 2. Qui se détermine hors des convenances : *Une vie très* **libre** ; *Des paroles un peu* **libres**, licencieuses. 3. Qui exerce pleinement sa liberté de pensée, hors de tout cadre dogmatique : *Esprit* **libre** ; **Libre** *arbitre* (☞ *arbitre*). IV. 1. Qui ne présente pas d'obstacle : *La voie est* **libre** ; *Entrée* **libre**, gratuite ; qui n'est pas occupé : *Chambre* **libre** ; *La ligne (téléphonique) n'est pas* **libre** ; *Temps* **libre**, dont on peut disposer ; *À l'air* **libre**, dehors. 2. Qui n'est pas assujetti à un règlement ou à une forme déterminée : *Figures* **libres** ; *Sujet* **libre**. 3. Qui n'est

pas entravé : *Mains **libres***; *Roue **libre*** (☞ *roue*). **4.** *Spéc.* ▸ *Bot.* Qualifie des pièces ou des organes de la fleur qui ne sont pas liés : *Étamines **libres***, séparées les unes des autres ; *Ovaires **libres***, non soudés au calice. ▸ *Chim. Radical **libre*** : fragment de molécule dont la durée de vie est appréciable mais courte, formé par la rupture d'une liaison à l'intérieur d'une molécule stable sous l'action de la chaleur ou de certains rayonnements, et dont les valences ne sont pas saturées. ▸ *Écon.* Se dit d'un système où règne la loi de l'offre et de la demande, en l'absence de monopoles ou d'intervention de l'État : ***Libre** entreprise*, qui n'est pas liée à l'État et n'a d'autres contraintes que celles de la loi ; *Vente **libre***, au prix du marché et en quantités indéterminées. ▸ *Math. Système (ou famille) **libre** de vecteurs* : famille de vecteurs linéairement indépendants. **V. 1.** Qui n'est pas opprimé ni soumis à l'arbitraire, qui est indépendant, en parlant d'un peuple, d'un pays. ▸ *Hist. Monde **libre*** : les pays non communistes ; *Zone **libre*** (☞ *zone*). **2.** Qui jouit d'une liberté garantie par la loi, la Constitution : *École **libre*** ; *Élections **libres***. ✉ Déb. XIIIe s. ; lat. *liber* ; [libʀ].

**LIBRE-ÉCHANGE, subst. m.**
*Écon.* Système fondé sur la liberté des échanges commerciaux entre les États, sans droits de douane et sans contingentement. ✉ 1846 ; comp. de *libre* et de *échange*, d'apr. l'angl. *free trade* ; plur. (rare) *libres-échanges* ; [libʀeʃɑ̃ʒ].

**LIBRE-ÉCHANGISME, subst. m.**
Doctrine préconisant le libre-échange (anton. *protectionnisme*). ✉ Mil. XIXe s. ; ☞ *libre-échange* ; plur. *libre-échangismes* ; [libʀeʃɑ̃ʒism].

**LIBREMENT, adv.**
**1.** De manière libre, sans entrave : *Voyager **librement***. **2.** En toute liberté de choix, de plein gré. **3.** Avec franchise : *Parler **librement***. **4.** En prenant certaines libertés : *Traduire **librement** un texte.* ✉ 1546 ; ☞ *libre* ; [libʀəmɑ̃].

**LIBRE-PENSÉE, subst. f.**
Position intellectuelle des libres-penseurs ; par méton., les libres-penseurs. ✉ Fin XIXe s. ; comp. de *libre* et de *pensée* (I), d'apr. l'angl. *free-thinking* ; plur. *libre(s)-pensées*, var. *libre pensée* ; [libʀəpɑ̃se].

**LIBRE-PENSEUR, EUSE, subst.**
Personne qui refuse tout dogmatisme religieux ; rationaliste. ✉ 1784 ; comp. de *libre* et de *penseur*, d'apr. l'angl. *free-thinker* ; plur. *libre(s)-penseurs, euses*, var. *libre penseur, euse* ; [libʀəpɑ̃sœʀ, øz].

**LIBRE-SERVICE, subst. m.**
Méthode de vente, prestation de service qui laisse le client, l'utilisateur se servir lui-même ; par méton., établissement qui la pratique. ✉ V. 1960 ; comp. de *libre* et de *service*, d'apr. l'anglo-amér. *self-service*, de *self*, « soi-même » ; plur. *libres-services* ; [libʀəsɛʀvis].

**LIBRETTISTE, subst.**
*Mus.* Auteur du livret d'une œuvre lyrique ou chorégraphique. ✉ 1844 ; ital. *libretto*, « livret » ; [libʀɛtist].

**LICE (I), subst. f.**
**1.** Vx. Palissade, barrière. **2.** *M. Â.* Champ clos où se déroulaient les tournois et les joutes. ▸ Loc. *Entrer en **lice*** : s'engager dans un combat, une compétition, un débat. **3.** Clôture d'un champ de course ; bordure intérieure d'une piste d'athlétisme, de cyclisme. ✉ Mil. XIIe s. ; frq. °*listia* ; [lis].

**LICE (II), subst. f.**
Femelle de chien de chasse. ✉ Fin XIIe s. ; prob. lat. pop. °*licia*, du lat. *Lycisca*, nom de femme puis de chienne, du gr. *lukos*, « loup » ; [lis].

**LICE (III), voir LISSE (II)**

**LICENCE, subst. f.**
**I. 1.** Vx. Liberté, droit de faire qqch. **2.** Vieilli. Autorisation d'enseigner ; grade universitaire conférant ce droit. **3.** Ext. Grade universitaire, diplôme de fin de première année du second cycle : *Passer, obtenir sa **licence** d'histoire.* **4.** Autorisation administrative d'exercer certaines activités commerciales ou industrielles : ***Licence** de débit de boissons* ; ***Licence** d'exploitation, d'exportation.* **5.** Autorisation, attestée par un document, de pratiquer un sport de compétition dans le cadre d'une fédération. **II. 1.** Liberté d'action, de mœurs que l'on s'accorde à soi-même (vieilli) ; dérèglement moral : *Vivre dans la **licence*** ; caractère licencieux de qqch. : *La **licence** d'un propos.* **2.** Liberté que prend un écrivain avec les règles de la grammaire, de la syntaxe, de la versification : ***Licence** poétique.* ✉ Fin XIIe s. ; lat. *licentia* ; [lisɑ̃s].

**LICENCIÉ, ÉE, subst.**
**1.** Titulaire d'une licence universitaire : ***Licencié** ès sciences.* **2.** Titulaire d'une licence sportive ; empl. adj. : *Coureur **licencié**.* ✉ 1349 ; p.-ê. *licence* ou lat. médiév. *licentiatus*, « qui a reçu l'autorisation d'enseigner » ; [lisɑ̃sje].

**LICENCIEMENT, subst. m.**
Action de licencier ; fait de se faire licencier. ✉ Fin XVIe s. ; ☞ *licencier* ; [lisɑ̃simɑ̃].

**LICENCIER, verbe trans. [6]**
Congédier, renvoyer (un salarié) ; empl. adj. : *Cadre **licencié**.* ✉ Fin XIVe s. ; lat. médiév. *licentiare* ; [lisɑ̃sje].

**LICENCIEUX, EUSE, adj.**
**1.** Qui mène une vie déréglée ; débauché. **2.** Qui offense les bonnes mœurs : *Des écrits **licencieux**.* ✉ 1537 ; lat. *licentiosus* ; [lisɑ̃sjø, øz].

**LICHEN, subst. m.**
**1.** *Pathol. **Lichen** plan* : maladie de peau bénigne, caractérisée par une éruption de papules prurigineuses. **2.** *Bot.* Végétal cryptogame complexe formé par l'association symbiotique d'un champignon (ascomycète ou basidiomycète) et d'une algue ou d'une cyanobactérie : *Les **lichens** croissent sur les arbres et les roches et sont très résistants à la sècheresse, au froid et à la chaleur.* ✉ 1363 ; lat. *lichen*, du gr. *leikhên*, « qui lèche » ; [likɛn].

**LICHER, verbe trans. [3]**
Boire (pop. et vx). ✉ Fin XVe s. ; var. de *lécher* ; [liʃe].

**LICHETTE, subst. f.**
**1.** Petite tranche ou petite quantité d'un aliment (fam.). **2.** Belg. Petite boucle cousue à l'intérieur du col d'un vêtement permettant de le suspendre. ✉ 1821 ; p.-ê. *licher* ; [liʃɛt].

**LICIER, voir LISSIER**

**LICITATION, subst. f.**
*Dr.* Vente aux enchères d'un bien indivis au profit des copropriétaires. ✉ 1583 ; lat. *licitatio* ; [lisitasjɔ̃].

**LICITE, adj.**
Permis par la loi. ✉ Déb. XIVe s. ; lat. *licitus* ; [lisit].

**LICITER, verbe trans. [3]**
*Dr.* Vendre par licitation. ✉ 1585 ; lat. *licitari*, « enrichir ; surenchérir » ; [lisite].

**LICOL, voir LICOU**

**LICORNE, subst. f.**
Animal fabuleux représenté sous la forme d'un cheval blanc portant une longue corne torsadée au milieu du front, symbole de la pureté dans les légendes du Moyen Âge. ✉ Mil. XIVe s. ; ital. *alicorno*, du lat. *unicornis*, « qui n'a qu'une corne » ; [likɔʀn].

À mon seul désir *(détail)*,
*l'une des six tapisseries de l'ensemble intitulé*
la Dame à la **licorne** *(entre 1484 et 1500).*
*Musée de Cluny, Paris.*

**LICOU, subst. m.**
Harnais de tête servant à attacher ou à mener une bête de somme, un cheval. ✉ 1333 ; crois. de *lier* et de *cou* ; var. *licol* ; [liku].

**LICTEUR, subst. m.**
*Antiq. rom.* Officier qui précédait les hauts magistrats dans leurs déplacements en portant une hache entourée d'un faisceau de verges. ✉ XIVe s. ; lat. *lictor* ; [liktœʀ].

**LIDO, subst. m.**
*Géogr.* Cordon littoral isolant une lagune. ✉ 1856 ; topon. *Lido*, île qui ferme la lagune de Venise ; [lido].

**LIE, subst. f.**
**1.** Matière qui se dépose au fond des récipients contenant des liquides fermentés. ▸ *Sur **lie*** : se dit d'un vin, gén. blanc, fermenté sur sa **lie** jusqu'à l'embouteillage. ▸ Loc. *Jusqu'à la **lie*** : jusqu'au bout. **2.** Fig. Ce qu'il y a de plus vil dans une communauté. ✉ Déb. XIIe s. ; prob. gaul. °*liga* ; [li].

**LIÉ, LIÉE, adj.**
**1.** Attaché à qqn ou à qqch. ▸ Loc. *Être pieds et poings **liés*** : dans l'incapacité d'agir ; *Avoir la langue **liée*** : devoir garder un secret ; *Avoir partie **liée** avec qqn* : avoir avec lui quelque accord secret. **2.** *Math. Système **lié** de vecteurs* : système de vecteurs non libres. **3.** *Mus.* Qualifie deux notes devant être jouées en passant de l'une à l'autre sans interruption du son. ✉ Xe s. ; p. p. de *lier* ; [lje].

**LIED, subst. m.**
*Mus.* Poème chanté des pays germaniques ; mélodie composée sur ce poème. ✉ 1833 ; all. *Lied*, « chant, chanson » ; plur. *lieds* ou *lieder* ; [lid], plur. [-dœʀ].

**LIE-DE-VIN, adj. inv.**
De couleur rouge violacé. ✉ Mil. XIXe s. ; comp. de *lie* et de *vin* ; [lid(ə)vɛ̃].

**LIÈGE, subst. m.**
**1.** Matériau léger et imperméable fourni par la couche externe de l'écorce de certains arbres, en partic. du chêne-**liège**, et dont on fait divers objets (flotteurs, bouchons, plaques isolantes, etc.). **2.** *Bot.* Tissu formé de cellules mortes remplies d'air et disposées en série, aux membranes riches en subérine, qui revêt les organes souterrains et aériens d'une plante, notamment le tronc des arbres. ✉ Déb. XIIIe s. ; lat. pop. °*levius*, du lat. *levis*, « peu pesant » ; [ljɛʒ].

**LIÉGÉ, ÉE, adj.**
Recouvert de liège. ✉ Fin XVe s. ; ☞ *liège* ; [ljeʒe].

**LIÉGEOIS, OISE, adj. et subst.**
De Liège. Adj. *Café, chocolat **liégeois*** : glace au café ou au chocolat garnie de chantilly. ✉ XIVe s. (1241, monnaie frappée à Liège) ; topon. *Liège* ; [ljeʒwa, waz].

**LIEN, subst. m.**
**1.** Objet flexible qui sert à attacher, à lier ; au fig., ce qui impose une contrainte, une servitude : *Rompre ses **liens**.* **2.** Ce qui lie affectivement ou moralement deux ou plusieurs personnes : *Les **liens** du mariage.* ▸ Loc. ***Liens** du sang* : qui résultent de la parenté ; ***Liens** de droit* : qui résultent des lois ou de conventions. **3.** Relation plus ou moins étroite entre des faits, des idées : ***Lien** de cause à effet.* ✉ XIIe s. ; lat. *ligamen*, de *ligare*, « lier » ; [ljɛ̃].

**LIER, verbe trans. [6]**
**I. 1.** Attacher, réunir, faire tenir à l'aide d'un lien : ***Lier** un fagot* ; ***Lier** les mains à un prisonnier.* **2.** Joindre (plusieurs choses), en assurer la cohésion : ***Lier** une sauce*, l'épaissir ; ***Lier** des mots*, les prononcer en faisant les liaisons. **II.** Fig. **1.** Établir une relation entre (des faits, des idées) ; empl. adj. : *Des affaires étroitement **liées**.* **2.** Unir par des liens affectifs, moraux, juridiques ou économiques : *Une vieille amitié les **lie**.* ▸ Loc. ***Lier** conversation, connaissance avec qqn* : entrer en conversation avec qqn, faire connaissance avec qqn. Pronom. S'attacher, s'unir par un lien physique, affectif, moral ou juridique : *Roméo et Juliette se **lièrent** par un amour éternel.* ✉ Xe s. ; lat. *ligare* ; [lje].

**LIERNE, subst. f.**
**1.** *Techn.* Pièce d'une charpente métallique qui relie les pannes. **2.** *Archit.* Dans une voûte de style gothique flamboyant, chacune des quatre nervures qui relient la clef de voûte aux sommets des tiercerons. ✉ 1561 (1296, pièce de bois reliant les pieux d'une palée) ; prob. *lier* ; [ljɛʀn].

**LIERRE, subst. m.**
*Bot.* Plante de la famille des Araliacées. L'espèce européenne est une plante ligneuse au bois très dur, grimpante et ornementale, aux fleurs en ombelle. ✉ 1372 ; anc. fr. *l'ierre*, du lat. *hedera* ; [ljɛʀ].

**LIESSE, subst. f.**
**1.** Vx. Joie. **2.** Allégresse collective, souvent exubérante (littér.) : *Foule en **liesse**.* ✉ Mil. XIe s. ; lat. *laetitia*, « joie », d'apr. l'anc. fr. *lié*, « joyeux » ; [ljɛs].

**LIEU (I), subst. m.**
**1.** Partie déterminée de l'espace : *Choisir l'heure et le **lieu** d'un rendez-vous* ; *Complément de **lieu*** ; ***Lieu** de naissance* ; ***Lieu** public*, endroit (jardin, café, cinéma...) où le public peut accéder ; ***Lieu** saint*, église, temple, etc. ▸ *Math. **Lieu** géométrique* :

ensemble de points ayant une propriété caractéristique commune (vieilli). **2. Haut lieu.** ▸ *Antiq.* Éminence sur laquelle on célébrait un culte. ▸ Fig. Endroit rendu célèbre par un évènement historique, une manifestation artistique, etc. **3.** Loc. *En haut* ***lieu*** : auprès des dirigeants, des personnes haut placées ; *Sans feu ni* ***lieu*** : sans domicile fixe ; *En temps et* ***lieu*** : au moment et à l'endroit qui conviennent ; *En premier, en second* ***lieu*** : premièrement, deuxièmement. ▸ *Avoir* ***lieu*** : se produire, arriver ; *Avoir* ***lieu*** *de* (+ inf.) : avoir un motif pour ; *Donner* ***lieu*** *à* : fournir le prétexte, l'occasion de ; *Tenir* ***lieu*** *de* : faire fonction de. ▸ Loc. prép. *Au* ***lieu*** *de* : à la place de. ▸ Loc. conj. *Au* ***lieu*** *que* (+ subj.) : plutôt que. **Plur. 1.** Endroit où s'est produit un évènement : *Les* ***lieux*** *du crime.* **2.** Habitation, propriété : *État des* ***lieux***. **3.** ***Lieux*** *d'aisances* : cabinets, toilettes (vieilli). **4.** *Rhét.* ***Lieux*** *communs* : sources où un orateur peut puiser des arguments, des preuves sur tous les sujets. ▸ Loc. ***Lieu*** *commun* : banalité. Fin x^e^ s. ; lat. *locus* ; plur. *lieux* ; [ljø].

**LIEU (II), subst. m.**
*Zool.* Poisson marin (Manche, Atlantique) de la famille des Gadidés, proche du merlan et du colin, et souvent commercialisé sous le nom de ce dernier. 1431 ; anc. nord. *lýrr* ; plur. *lieus* ; [ljø].

**LIEU-DIT, subst. m.**
Lieu qui ne correspond pas à une division administrative particulière et qui porte un nom traditionnel, évoquant une particularité géographique ou un évènement historique local. 1874 ; comp. de *lieu* (I) et du p. p. de *dire* (I) ; plur. *lieux-dits*, var. *lieudit* ; [ljødi].

**LIEUE, subst. f.**
**1.** Mesure itinéraire (env. 4 km) qui avait cours en France avant l'adoption du système métrique. ▸ Loc. *Être à cent, à mille* ***lieues*** *de penser qqch.* : être loin de penser qqch. **2.** ***Lieue*** *marine* : vingtième partie du degré terrestre, valant environ 5 556 m. Fin XI^e^ s. ; lat. *leuca*, prob. d'orig. gaul. ; [ljø].

**LIEUR, LIEUSE, subst. et adj.**
*Agric.* **Subst.** Personne qui lie les gerbes d'épis et les bottes de foin, lors de la moisson. **Subst. fém.** Machine, souvent associée à une moissonneuse, qui effectue ce travail. **Adj.** Qui sert à lier bottes et gerbes : *Une ficelle* ***lieuse***. 1280 ; ☞ *lier* ; [ljœʀ, ljøz].

**LIEUTENANCE, subst. f.**
*Hist.* Charge, grade de lieutenant ; résidence d'un lieutenant, sous l'Ancien Régime. 1364 ; ☞ *lieutenant* ; [ljøtnɑ̃s].

**LIEUTENANT, subst. m.**
**1.** Personne qui tient lieu de chef en l'absence de ce dernier, ou qui l'assiste. **2.** *Hist.* ***Lieutenant*** *général du royaume* : sous l'Ancien Régime, personne chargée de remplacer ou d'assister temporairement le roi dans certaines circonstances exceptionnelles. ▸ Officier de justice : ***Lieutenant*** *criminel.* **3.** *Milit.* Officier subalterne dans les armées de terre ou de l'air, au grade intermédiaire entre ceux de sous-lieutenant et de capitaine. **4.** *Mar.* ***Lieutenant*** *de vaisseau* : grade de la Marine nationale, immédiatement inférieur à celui de capitaine de corvette et correspondant au grade de capitaine dans l'armée de terre ; dans la marine marchande, premier grade des officiers de pont. 1260 ; formé de *lieu* (I) et du p. pr. de *tenir* ; [ljøtnɑ̃].

**LIEUTENANT-COLONEL, subst. m.**
*Milit.* Grade d'officier intermédiaire entre celui de commandant et celui de colonel dans l'armée de terre ou l'armée de l'air. 1669 ; comp. de *lieutenant* et de *colonel* ; plur. *lieutenants-colonels* ; [ljøtnɑ̃kɔlɔnɛl].

**LIÈVRE, subst. m.**
**1.** *Zool.* Mammifère de la famille des Léporidés, plus gros qu'un lapin et qui, grâce à ses longues pattes postérieures, court très rapidement. ▸ Chair de cet animal : *Terrine de* ***lièvre***. **2.** Loc. *Courir deux* ***lièvres*** *à la fois* : viser deux buts différents ; *Lever un* ***lièvre*** (☞ *lever*). **3.** *Sp.* Coureur qui prend la tête d'une course de fond ou de demi-fond pour assurer un train rapide. Fin XI^e^ s. ; lat. *lepus* ; [ljɛvʀ].

**LIFT, subst. m.**
*Sp.* Au tennis, effet donné à une balle que l'on frappe de bas en haut pour donner plus de force à son rebond. 1909 (1885, ascenseur) ; angl. *lift*, « action de soulever » ; [lift].

**LIFTER, verbe trans.** [3]
**1.** *Sp.* Donner un effet de lift à (une balle). **2.** Faire un lifting à (qqn). Déb. XX^e^ s. ; angl. *to lift*, « soulever » ; [lifte].

**LIFTIER, IÈRE, subst.**
Personne qui manœuvre un ascenseur dans un hôtel, un grand magasin, un immeuble (vieilli). 1918 ; angl. *lift boy*, « garçon d'ascenseur » ; [liftje, jɛʀ].

**LIFTING, subst. m.**
Anglic. **1.** *Chir.* Intervention de chirurgie esthétique, visant à rajeunir le visage et à diminuer les rides en corrigeant l'affaissement de la peau et des muscles (recomm. off. *lissage, remodelage*). **2.** Fig. Rénovation. 1955 ; anglo-amér. *face lifting* ; [liftiŋ].

**LIGAMENT, subst. m.**
*Anat.* Faisceau de tissu fibreux résistant qui maintient un organe en place ou qui relie les deux parties d'une articulation : ***Ligament*** *suspenseur du foie* ; *Des* ***ligaments*** *articulaires.* 1520 ; lat. *ligamentum*, « lien » ; [ligamɑ̃].

**LIGAMENTAIRE, adj.**
Relatif aux ligaments : *Une lésion* ***ligamentaire***. 1903 ; ☞ *ligament* ; [ligamɑ̃tɛʀ].

**LIGAMENTEUX, EUSE, adj.**
De même nature que les ligaments : *Tissus* ***ligamenteux***. 1520 ; ☞ *ligament* ; [ligamɑ̃tø, øz].

**LIGAND, subst. m.**
*Chim.* Atome, molécule ou ion lié à un atome métallique qui forme le centre d'une molécule appelée composé de coordination. Les **ligands** se fixent au métal central en apportant dans la liaison une paire d'électrons. 1959 ; anglo-amér. *ligand*, du lat. *ligare*, « lier » ; [ligɑ̃].

**LIGASE, subst. f.**
*Biochim.* Catégorie d'enzymes qui catalysent une réaction d'association entre deux molécules en consommant de l'A. T. P. (synon. *synthétase*). V. 1980 ; anglo-amér. *ligase*, du lat. *ligare*, « lier » ; [ligɑz].

**LIGATURE, subst. f.**
**1.** Opération qui consiste à nouer un lien autour de qqch., spéc. d'un organe, d'un vaisseau ; par ext., le lien lui-même. ▸ *Chir.* ***Ligature*** *des trompes* : intervention, irréversible, pratiquée en vue d'empêcher la rencontre de l'ovule et des spermatozoïdes dans les trompes de Fallope. **2.** *Hortic.* Lien fixant une greffe à un tronc ou une plante à son tuteur. **3.** *Typogr.* Liaison de deux lettres accolées comme *fi* ou *gn*. 1377 ; bas lat. *ligatura*, de *ligare*, « lier » ; [ligatyʀ].

**LIGATURER, verbe trans.** [3]
Serrer, attacher par une ligature : ***Ligaturer*** *un vaisseau.* 1800 ; ☞ *ligature* ; [ligatyʀe].

**LIGE, adj.**
**1.** *M. Â.* *Vassal* ***lige*** : lié à son seigneur par un hommage l'engageant plus étroitement que l'hommage ordinaire ; par ext. : *Hommage* ***lige*** ; par méton. : *Fief* ***lige***. **2.** Fig. *Homme* ***lige*** : inconditionnellement dévoué à qqn, à un groupe. Fin XI^e^ s. ; bas lat. °*laeticus*, d'orig. frq. ; [liʒ].

**LIGÉRIEN, IENNE, adj.**
De la Loire, de son bassin. Fin XIX^e^ s. ; topon. lat. *Liger*, « Loire » ; [liʒeʀjɛ̃, jɛn].

**LIGIE, subst. f.**
*Zool.* Crustacé marin, proche du cloporte. Déb. XIX^e^ s. ; lat. sc. *ligia* ; [liʒi].

**LIGNAGE, subst. m.**
**1.** Vx. Famille, considérée sous l'angle des liens de sang : *Le* ***lignage*** *d'un prince* ; par ext., ascendance, extraction : *Être de haut* ***lignage***. **2.** *Anthropol.* Groupe de filiation unilinéaire, dont les membres se réclament d'un ancêtre commun : ***Lignage*** *matrilinéaire.* **3.** *Typogr.* Nombre de lignes d'un texte composé ou à composer ; estimation de ce nombre. Mil. XI^e^ s. ; ☞ *ligne* ; [liɲaʒ].

**LIGNE, subst. f.**
**I. 1.** Suite de degrés de parenté : ***Ligne*** *ascendante, descendante, collatérale* ; ***Ligne*** *directe.* **II. 1.** *Techn.* Cordeau. **2.** *Pêche.* Fil muni d'un hameçon : *Pêcher à la* ***ligne***. **3.** Réseau de fils ou de câbles servant à transporter l'énergie électrique : ***Ligne*** *à haute tension.* ▸ Circuit servant à la communication : ***Ligne*** *téléphonique* ; *Être en* ***ligne*** *avec qqn*, en communication téléphonique avec qqn. **4.** *Informat.* *En* ***ligne*** : se dit d'un système relié à un réseau ou à un autre système. **III. 1.** Trait fin, allongé et continu. ▸ *Géom.* Courbe. ▸ *Math.* ***Ligne*** *ou vecteur-****ligne*** *d'une matrice* (☞ *matrice*) ; ***Ligne*** *d'un déterminant* : ligne de la matrice associée ; ***Lignes*** *trigonométriques* : fonctions trigonométriques (vieilli). **2.** Trait réel ou imaginaire qui délimite : ***Ligne*** *de départ* ; ***Ligne*** *d'horizon* ; ***Ligne*** *équinoxiale*, l'équateur. **3.** Chacun des sillons qui marquent l[a] paume de la main : *Lire dans les* ***lignes*** *de la main* **4.** Contour, forme d'un tracé : ***Lignes*** *d'un visage* ***Ligne*** *aérodynamique d'une voiture.* ▸ Loc. *Avoir garder la* ***ligne*** : une silhouette svelte. **5.** Fig. Poin[t] essentiel (au plur.) : *Les grandes* ***lignes*** *d'un projet* **IV. 1.** Direction : *Aller en droite* ***ligne*** ; ***Ligne*** *de mire de tir, de visée.* ▸ Fig. *Avoir une* ***ligne*** *de conduite* une règle de vie ; *La* ***ligne*** *d'un parti politique* : sor[t] orientation. **2.** Trajet régulier emprunté par u[n] service de transport : ***Ligne*** *de métro* ; *Avion de* ***ligne*** **V. 1.** Série de choses ou de personnes alignées : *S[e] mettre en* ***ligne***. **2.** *Milit.* Suite d'ouvrages d[e] fortification : *La* ***ligne*** *Maginot.* ▸ Formation d'hommes ou d'unités disposés les uns à côté des autres ***Ligne*** *de bataille* ; *Infanterie de* ***ligne*** ; *Monter en* ***ligne*** donner l'assaut. ▸ Loc. *En première* ***ligne*** : au premie[r] plan ; *Sur toute la* ***ligne*** : complètement. **3.** *Mar.* *Bâtiment, vaisseau de* ***ligne*** : destiné à combattre en escadre. **4.** *Comm.* Ensemble de produits, d'articles qui se complètent : ***Ligne*** *de maquillage.* **5.** *Télév.* Segment décrit sur un écran cathodique lors du balayage d'une image. **VI. 1.** Suite de caractères disposés horizontalement dans une page manuscrite ou imprimée : *Page de cinquante* ***lignes*** ; *Aller à la* ***ligne***. **2.** Ext. Ensemble de mots, contenu d'un texte : *L'auteur de ces* ***lignes***. **3.** Loc. *Entrer en* ***ligne*** *d[e] compte* : être inscrit dans un compte (vx) ou, au fig., avoir de l'importance. **VII. 1.** Ancienne mesure de longueur, douzième partie du pouce. **2.** Québ. Mesure de longueur, huitième partie du pouce (3,175 mm). Fin XI^e^ s. ; lat. *linea*, « fil de lin » ; [liɲ].

**LIGNÉE, subst. f.**
**1.** Ensemble des descendants d'une personne **2.** *Biol.* et *Génét.* ▸ ***Lignée*** *pure* : population animale ou végétale dont tous les membres sont génétiquement semblables et homozygotes pour tous leurs gènes. ▸ ***Lignée*** *cellulaire* : ensemble des cellules issues par mitose d'une cellule ancestrale. ▸ ***Lignée*** *germinale* : ensemble des gonies qui évolueront en gamètes (les autres cellules forment la ou les **lignées** somatiques). **3.** Fig. Filiation spirituelle. Déb. XII^e^ s. ; ☞ *ligne* ; [liɲe].

**LIGNER, verbe trans.** [3]
Tracer des lignes sur : ***Ligner*** *une feuille.* 153[0] (fin XII^e^ s., lancer avec une fronde) ; ☞ *ligne* ; [liɲe].

**LIGNEUL, subst. m.**
Gros fil enduit de poix utilisé par les cordonniers pour coudre les semelles. XIII^e^ s. (fin XI^e^ s., fil de lin) ; lat. pop. °*lineolum*, « ficelle » ; [liɲœl].

**LIGNEUX, EUSE, adj.**
*Bot.* Qui contient de la lignine, qui est de la nature du bois : *Tissu* ***ligneux*** ; *Plantes* ***ligneuses*** (par oppos. à herbacées). ▸ Anal. Qui a la consistance du bois : *Phlegmon* ***ligneux***. 1505 ; lat. *lignosus* ; [liɲø, øz].

**LIGNICOLE, adj.**
*Bot.* et *Zool.* Qui vit dans le bois des arbres : *Insecte* ***lignicole***. 1840 ; lat. *lignum*, « bois », + *-cole* ; [liɲikɔl].

**LIGNIFICATION, subst. f.**
Processus par lequel la membrane de certaines cellules s'imprègne de lignine. Mil. XIX^e^ s. ; ☞ *se lignifier* ; [liɲifikasjɔ̃].

**LIGNIFIER (SE), verbe pronom.** [6]
*Bot.* S'imprégner de lignine ; se transformer en bois. 1669 ; lat. *lignum*, « bois » ; [liɲifje].

**LIGNINE, subst. f.**
*Bot.* Substance organique imperméable, constituant essentiel du bois, produite par les végétaux dits ligneux, qui imprègne et recouvre les parois cellulaires. 1813 ; lat. *lignum*, « bois » ; [liɲin].

**LIGNITE, subst. m.**
*Pétrogr.* Roche sédimentaire contenant de 55 à 75 % de carbone, qui résulte de la transformation incomplète d'anciens végétaux terrestres et qui est utilisée comme combustible, comme matière première en pétrochimie et parfois en bijouterie (jais). 1765 ; lat. *lignum*, « bois » ; [liɲit].

**LIGNOMÈTRE, subst. m.**
*Typogr.* Règle graduée pour compter les lignes de composition. 1906 ; ☞ *ligne* + *-mètre*[1] ; [liɲɔmɛtʀ].

**LIGOT, subst. m.**
Petit fagot de bûchettes enduites de résine à une extrémité, servant d'allume-feu. 1758 (1596, jarretière) ; gascon *ligot*, « lien de gerbe » ; [ligo].

**LIGOTAGE, subst. m.**
Action de ligoter. 1879 ; ☞ *ligoter* ; [ligɔtaʒ].

**LIGOTER,** verbe trans. [3]
1. Attacher (qqn) avec une corde bien serrée : *Ligoter un prisonnier.* **2.** Fig. Empêcher (qqn) d'agir. 1837 (1605, tailler la vigne) ; anc. fr. *ligote*, « courroie intérieure du bouclier » ; [ligɔte].

**LIGRE,** subst. m.
*Zool.* Hybride issu du croisement d'un lion et d'une tigresse. XX^e s. ; crois. de *lion* et de *tigre* ; [ligʀ].

**LIGUE,** subst. f.
**1.** *Hist.* Confédération : *La Sainte **Ligue***, confédération catholique, constituée pendant les guerres de Religion pour lutter contre les protestants. **2.** Association d'États qui ont en commun des intérêts politiques, diplomatiques : ***Ligue** arabe.* **3.** Anal. Association créée en vue d'une action politique, religieuse, humanitaire, etc. : ***Ligue** des droits de l'homme.* Déb. XIV^e s. ; ital. *liga*, « alliance » ; [lig].

**LIGUER,** verbe trans. [3]
Réunir (des personnes, des États, etc.) dans une ligue. **Pronom. 1.** Former une ligue. **2.** Anal. S'associer (contre qqn ou qqch.). 1564 ; ☞ *ligue* ; [lige].

**LIGUEUR, EUSE,** subst.
**1.** *Hist.* Membre de la Sainte Ligue, au temps des guerres de Religion. **2.** Anal. Membre d'une ligue politique (vieilli). 1586 ; ☞ *ligue* ; [ligœʀ, øz].

**LIGULE,** subst. f.
*Bot.* Petite languette qui se rencontre chez les Ptéridophytes, sur la face supérieure des microphylles, et chez les Angiospermes, soit à la jonction de la gaine et du limbe foliaire (Poacées), soit au niveau de la corolle de certaines fleurs (Astéracées). 1562 ; lat. *li(n)gula*, « languette » ; [ligyl].

**LIGULÉ, ÉE,** adj.
Munie d'une ligule. 1783 ; ☞ *ligule* ; [ligyle].

**LIGURE,** adj.
**1.** *Antiq.* Qui concerne les Ligures. **2.** Ligurien (vieilli). 1831 ; lat. *ligur* ; [ligyʀ].

**LIGURIEN, IENNE,** adj. et subst.
De Ligurie. **Subst. masc.** Dialecte italien parlé en Ligurie. 1562 ; topon. *Ligurie* ; [ligyʀjɛ̃, jɛn].

**LILAS,** subst. m. et adj. inv.
**Subst.** *Bot.* Arbrisseau de la famille des Oléacées, aux fleurs odoriférantes mauves ou blanches disposées en grappe. **Adj.** De la couleur mauve des fleurs de lilas. 1605 ; ar. *līlāk*, du persan *lilaj* ; [lila].

**LILIACÉES,** subst. f. plur.
*Bot.* Famille de plantes monocotylédones, à bulbe ou à rhizome, qui compte aussi quelques formes arborescentes. **Au sing.** *L'oignon est une **liliacée**.* 1718 ; bas lat. *liliaceus*, du lat. *lilium*, « lis » ; [liljase].

**LILIAL, ALE, AUX,** adj.
Qui évoque le lis, par sa blancheur ou sa pureté (littér.). Fin XV^e s. ; lat. *lilium*, « lis » ; [liljal, o].

**LILLIPUTIEN, IENNE,** adj. et subst.
Se dit d'un individu minuscule. **Adj.** Qui semble être une réduction de la réalité : *Maison **lilliputienne**.* 1727 ; angl. *lilliputian*, de *Lilliput*, pays des *Voyages de Lemuel Gulliver*, de J. Swift ; [lilipysjɛ̃, jɛn].

**LIMACE,** subst. f.
**1.** *Zool.* Mollusque gastéropode sans coquille, portant, comme l'escargot, deux paires de tentacules dont l'une est surmontée d'yeux. **2.** Fig. Personne nonchalante (fam.). 1538 (fin XII^e s., limaçon à coquille) ; lat. pop. °*limacea*, du lat. *limax* ; [limas].

**LIMAÇON,** subst. m.
**1.** Escargot (vieilli). **2.** *Anat.* Organe enroulé en spirale, constituant une partie de l'oreille interne (synon. *cochlée*). **3.** *Géom.* ***Limaçon** de Pascal* : courbe plane, inverse d'une conique par rapport à un foyer. XII^e s. ; ☞ *limace* ; [limasɔ̃].

**LIMAGE,** subst. m.
Action de limer. Mil. XVI^e s. ; ☞ *limer* ; [limaʒ].

**LIMAILLE,** subst. f.
Parcelles métalliques résultant du limage du métal. XIII^e s. ; ☞ *limer* ; [limaj].

**LIMAN,** subst. m.
*Géogr.* Lagune constituée par l'estuaire d'un fleuve obstrué par un cordon littoral. 1840 ; russe *liman*, « estuaire », du gr. *limên*, « port » ; [limɑ̃].

**LIMANDE,** subst. f.
*Zool.* Poisson marin osseux, de la famille des Pleuronectidés, proche de la sole. ▸ Loc. *Plat comme une **limande*** : très plat. Déb. XIII^e s. ; orig. obsc. ; [limɑ̃d].

**LIMBE,** subst. m.
**1.** Bord gradué d'un instrument servant à mesurer des angles : *Le **limbe** d'un sextant.* **2.** *Anat.* Bordure annulaire de certains éléments : ***Limbe** de la cornée.* **3.** *Astron.* Bord du disque d'un astre recevant la lumière solaire : *Le **limbe** supérieur de la Lune.* **4.** *Bot.* Partie plate et élargie d'une feuille ; par anal., partie étalée d'un pétale, d'un sépale. 1415 ; lat. *limbus*, « bord, marge » ; [lɛ̃b].

**LIMBES,** subst. m. plur.
**1.** *Théol.* ▸ Séjour des âmes des justes qui seront sauvés par la Rédemption. ▸ Séjour des enfants morts non baptisés. **2.** Fig. Lieu ou état imprécis, indéterminé : *Ce plan demeure encore dans les **limbes**.* Fin XIV^e s. ; lat. *limbus*, « bord, marge » ; [lɛ̃b].

**LIMBIQUE,** adj.
*Anat.* et *Physiol.* *Système **limbique*** : ensemble de structures sous-corticales du système nerveux central, commandant l'olfaction, les régulations viscérales et les émotions (vieilli). XX^e s. ; ☞ *limbe* ; [lɛ̃bik].

**LIME (I),** subst. f.
**1.** Outil d'acier dont la surface est garnie d'aspérités régulières et tranchantes, servant à polir ou à ajuster par frottement des pièces de métal, de bois, etc. **2.** *Zool.* Mollusque lamellibranche à valves striées. Mil. XII^e s. ; lat. *lima* ; [lim].

**LIME (II),** subst. m.
Fruit (citron vert) d'une variété de limettier. 1555 ; esp. *lima*, « citron doux », de l'ar. *līm* ; [lim].

**LIMER,** verbe trans. [3]
Travailler (une matière, une pièce) à la lime ; empl. pronom. : *Se **limer** les ongles.* Fin XII^e s. ; lat. *limare* ; [lime].

**LIMES,** subst. m.
*Antiq. rom.* Frontière fortifiée de l'Empire, constituée de fortifications édifiées contre les incursions des Barbares. XX^e s. ; mot lat. ; [limɛs].

**LIMETTE,** subst. f.
Fruit du limettier, ressemblant à un petit citron. 1782 ; ☞ *lime* (II) ; [limɛt].

**LIMETTIER,** subst. m.
*Bot.* Arbre de la famille des Rutacées (*Citrus limetta*). 1813 ; ☞ *limette* ; [limɛtje].

**LIMEUR, EUSE,** subst. et adj.
**Subst.** Ouvrier qui lime. **Subst. fém.** Machine à limer. **Adj.** Qui sert à limer. ▸ *Étau **limeur*** : machine-outil qui sert à usiner des surfaces planes et des rainures. Déb. XIV^e s. ; ☞ *limer* ; [limœʀ, øz].

**LIMICOLE,** adj.
*Zool.* Qui vit dans la vase. 1840 ; bas lat. *limicola*, « qui se tient dans le limon » ; [limikɔl].

**LIMIER,** subst. m.
**1.** *Vèn.* Chien de chasse courant, dressé à ne pas aboyer, utilisé pour quêter le gibier. **2.** Fig. Policier, détective : *Un fin **limier**.* Mil. XII^e s. ; ☞ *lien* ; [limje].

**LIMINAIRE,** adj.
**1.** Qui est placé au début d'un livre, d'un discours : *Texte **liminaire**.* **2.** *Physiol.* Se dit du seuil minimal d'intensité d'un courant susceptible de déclencher une contraction musculaire après stimulation du nerf (synon. *liminal*). 1548 ; lat. *liminaris*, de *limen*, « seuil » ; [liminɛʀ].

**LIMINAL, ALE, AUX,** adj.
*Physiol.* Liminaire. 1949 ; angl. *liminal*, du lat. *limen*, « seuil » ; [liminal, o].

**LIMITATIF, IVE,** adj.
Qui limite ou qui impose une limite. 1545 ; lat. *limitatum*, de *limitare*, « limiter » ; [limitatif, iv].

**LIMITATION,** subst. f.
Action de limiter ; son résultat : ***Limitation** d'un pouvoir, des naissances, de vitesse, de la liberté d'expression.* 1304 ; lat. *limitatio* ; [limitasjɔ̃].

**LIMITE,** subst. f.
**1.** Ligne qui sépare deux terrains, deux territoires. **2.** Ext. Ce qui borne une étendue : *Les **limites** d'un domaine.* **3.** Anal. ▸ Moment qui marque la fin ou le début d'un intervalle de temps : ***Limite** d'âge*, âge au-delà duquel on ne peut exercer certaines fonctions ; en appos. : *Vitesse, date **limite***, que l'on ne peut dépasser. ▸ Quantité, nombre qui ne doit pas être dépassé : *Dans la **limite** des places disponibles.* **4.** Fig. Point que l'on ne peut pas, ou ne doit pas dépasser : *Ma patience a des **limites**.* **5.** Loc. *À la **limite*** : en poussant à l'extrême ; *Il y a une **limite** à tout* : on ne peut pas tout faire (fam.). **6.** *Math.* Soient E et F deux espaces topologiques, *a* un point (non isolé) de E et *f* une fonction de E − {*a*} dans F (ou de E dans F). On dit que *f* a pour **limite** $b \in F$ (ou que $f(x)$ tend vers *b*) quand *x* tend vers *a* si, pour tout voisinage V de *b* dans F, il existe un voisinage U de *a* dans E tel que : $f(U - \{a\}) \subset V$ ; on note $\lim\limits_{x \to a} f(x) = b$. Dans le cas où $E = F = \mathbb{R}$, $\lim\limits_{x \to a} f(x) = b$ signifie que pour chaque nombre réel $\varepsilon > 0$, il existe un réel $\alpha > 0$ tel que $0 < |x - a| < \alpha$ implique $|f(x) - b| < \varepsilon$. ▸ ***Limite** d'une suite réelle* $(u_n)_{n \geqslant 0}$ *convergente* : nombre *l* tel que pour chaque réel $\varepsilon > 0$, il existe un entier $N \geqslant 0$ tel que $n \geqslant N$ implique $|u_n - l| < \varepsilon$. **7.** *Phys.* Valeur que ne peut pas ou ne doit pas dépasser une grandeur physique : *La vitesse de la lumière dans le vide est une vitesse **limite** qu'une particule matérielle ne peut atteindre.* 1372 ; lat. *limes* ; [limit].

**LIMITÉ, ÉE,** adj.
**1.** Contenu dans des limites définies, en général étroites : *Une aire de jeu **limitée**.* **2.** Ext. Restreint, peu abondant : *Durée **limitée**.* **3.** Doté de moyens intellectuels réduits (fam.) : *Une intelligence **limitée**.* 1360 ; p. p. de *limiter* ; [limite].

**LIMITER,** verbe trans. [3]
**1.** Vx. Marquer les limites de (un territoire). **2.** Constituer la limite de : *Les Pyrénées **limitent** la France au sud.* **3.** Fig. Contenir dans des limites : ***Limiter** ses dépenses* ; ***Limiter** les dégâts*, empêcher la situation de s'aggraver (fam.). **Pronom. 1.** Se fixer des limites. **2.** Avoir pour limites. 1310 ; lat. *limitare* ; [limite].

**LIMITEUR,** subst. m.
*Techn.* Dispositif de limitation. 1912 (1606, personne qui limite) ; ☞ *limiter* ; [limitœʀ].

**LIMITROPHE,** adj.
**1.** Qui est situé à la frontière d'un territoire ou dans son voisinage. **2.** Ext. Se dit de deux territoires qui ont une limite commune. 1467 ; lat. *limitrophus*, de *limitrophi fundi*, terres attribuées aux soldats des frontières pour leur subsistance ; [limitʀɔf].

**LIMNÉE,** subst. f.
*Zool.* Mollusque gastéropode herbivore, pulmoné, à coquille mince, porteur d'une paire de tentacules à la base desquels se trouvent les yeux, et vivant dans les eaux stagnantes. 1791 ; lat. sc. *limnaea*, du gr. *limnê*, « étang » ; [limne].

**LIMNOLOGIE,** subst. f.
*Sc.* Étude des caractéristiques physiques et biologiques des lacs et des eaux stagnantes (marais, étangs, etc.). Fin XIX^e s. ; gr. *limnê*, « étang », + *-logie* ; [limnɔlɔʒi].

**LIMOGEAGE,** subst. m.
Action de limoger ; son résultat. 1934 ; ☞ *limoger* ; [limɔʒaʒ].

**LIMOGER,** verbe trans. [5]
**1.** Relever de ses fonctions (un officier général). **2.** Anal. Destituer ou disgracier (un personnage important). 1916 ; topon. *Limoges*, ville où Joffre assigna à résidence des généraux ; [limɔʒe].

**LIMON (I),** subst. m.
*Pétrogr.* **1.** Dépôt détritique meuble, à grain fin, d'origine continentale. Les **limons** de crues (fluviatiles) et éoliens sont constitués d'un mélange de particules de tailles variées, y compris de sables. **2.** Particule dont la taille est comprise entre celle des argiles et celle des sables (synon. *silt*). Fin XI^e s. ; lat. pop. °*limo*, « limon », du lat. *limus*, « boue » ; [limɔ̃].

**LIMON (II),** subst. m.
**1.** Chacun des deux brancards d'un chariot entre lesquels on attelle une bête de trait. **2.** *Techn.* Partie rampante située au centre d'un escalier tournant. Mil. XII^e s. ; orig. obsc. ; [limɔ̃].

**LIMON (III),** subst. m.
Fruit du limonier, ou citronnier de consommation (synon. *citron*). 1314 ; ital. *limone*, de l'ar. *laymūn*, du persan *limu(n)* ; [limɔ̃].

**LIMONADE,** subst. f.
**1.** Vx. Citronnade. **2.** Boisson faite d'eau gazéifiée au gaz carbonique, sucrée et parfumée par du jus de citron. **3.** Méton. Commerce des débits de boisson (fam.). 1640 ; ☞ *limon* (III) ; [limɔnad].

**LIMONADIER, IÈRE,** subst.
**1.** Fabricant ou marchand de limonade. **2.** Ext. Personne qui tient un débit de boissons. 1666 ; ☞ *limonade* ; [limɔnadje, jɛʀ].

**LIMONAGE,** subst. m.
*Agric.* Action de répandre du limon sur une terre, pour la fertiliser. 1868 ; ☞ *limon* (I) ; [limɔnaʒ].

**LIMONAIRE, subst. m.**
*Mus.* Orgue mécanique dérivé de l'orgue de Barbarie. 1905 ; anthropon. *Limonaire*, inventeur ; [limɔnɛʀ].

© A. Saucez-Explorer

*Détail d'un* **limonaire** *allemand du* XVIII*e s.*

**LIMONÈNE, subst. m.**
*Chim.* Terpène de formule $(C_5H_8)_2$, présent dans les essences d'orange et de citron. Déb. XXe s. ; ☞ *limon* (III) ; [limɔnɛn].

**LIMONEUX, EUSE, adj.**
**1.** Qui contient du limon. **2.** Dont la teinte évoque celle du limon. 1320 ; ☞ *limon* (I) ; [limɔnø, øz].

**LIMONIER (I), subst. m.**
Cheval de trait placé entre les limons d'un véhicule hippomobile. Mil. XIIe s. ; ☞ *limon* (II) ; [limɔnje].

**LIMONIER (II), subst. m.**
*Bot.* Arbre de la famille des Rutacées dont le fruit est le limon. 1555 ; ☞ *limon* (III) ; [limɔnje].

**LIMONIÈRE, subst. f.**
**1.** Partie d'une voiture hippomobile, formée par les deux limons. **2.** Méton. Voiture à limons. 1798 ; ☞ *limon* (II) ; [limɔnjɛʀ].

**LIMONITE, subst. f.**
*Minér.* Hydroxyde de fer naturel, qui fut un minerai de fer important (synon. *hématite brune*). 1840 ; ☞ *limon* (I) ; [limɔnit].

**LIMOSELLE, subst. f.**
*Bot.* Plante des sols limoneux de la famille des Scrofulariacées, à petites fleurs blanches. 1778 ; lat. sc. *limosella*, du lat. *limosus*, « bourbeux » ; [limozɛl].

**LIMOUSIN, INE, adj. et subst.**
Du Limousin. **Subst. masc. 1.** Maçon (vx). **2.** Dialecte occitan parlé en Limousin. 1383 ; topon. *Limousin* ; [limuzɛ̃, in].

**LIMOUSINAGE, subst. m.**
Maçonnerie faite avec du mortier et des moellons. 1694 ; ☞ *limousin* ; [limuzinaʒ].

**LIMOUSINE, subst. f.**
**1.** Manteau de poil de chèvre que portaient les bergers du Limousin (vieilli). **2.** Voiture de luxe dont les places avant étaient découvertes. **3.** Automobile de grosse cylindrée, plus longue et spacieuse que la berline. 1836 ; ☞ *limousin* ; [limuzin].

**LIMPIDE, adj.**
**1.** Clair, transparent, en parlant d'un liquide. **2.** Ext. Lumineux, clair, pur : *Regard* ***limpide***. **3.** Fig. Facile à comprendre. 1509 ; lat. *limpidus* ; [lɛ̃pid].

**LIMPIDITÉ, subst. f.**
Qualité de ce qui est limpide. 1690 ; bas lat. *limpiditas* ; [lɛ̃pidite].

**LIMULE, subst. f.**
*Zool.* Arthropode marin du sous-embranchement des Chélicérates, à chair vénéneuse. 1801 ; lat. sc. *limulus* ; [limyl].

**LIN, subst. m.**
**1.** *Bot.* Plante de la famille des Linacées, du genre *Linum*. **2.** Fibre textile très solide, tirée de la tige de cette plante par rouissage et teillage ; étoffe tissée avec cette fibre : *Draps de* ***lin***. **3.** *Huile de* ***lin*** : extraite des graines de **lin**, utilisée en peinture et pour fabriquer le linoléum ; *Farine de* ***lin*** : servant à faire des cataplasmes. 1155 ; lat. *linum* ; [lɛ̃].

**LINAIGRETTE, subst. f.**
*Bot.* Plante herbacée des marais de la famille des Cypéracées, à fleurs disposées en houppe cotonneuse. 1778 ; formé de *lin* et de *aigrette* ; [linɛgʀɛt].

**LINAIRE, subst. f.**
*Bot.* Plante herbacée ornementale de la famille des Scrofulariacées, à fleurs jaunes ou violettes munies d'un éperon. XIIIe s. ; ☞ *lin* ; [linɛʀ].

**LINCEUL, subst. m.**
**1.** Pièce de toile dans laquelle on ensevelit un mort (synon. *suaire*). **2.** Métaph. Ce qui recouvre entièrement qqch. : *La neige recouvre le pré d'un* ***linceul*** *blanc*. XIIIe s. (déb. XIIe s., drap de lit) ; lat. *linteolum*, « petite pièce de toile de lin », de *linum*, « lin » ; [lɛ̃sœl].

**LINÇOIR, subst. m.**
*Techn.* Pièce de charpente fixée parallèlement à un mur pour recevoir l'extrémité des poutres quand celles-ci ne peuvent être soutenues par le mur lui-même. 1676 ; orig. inc. ; var. *linsoir* ; [lɛ̃swaʀ].

**LINÉAIRE, adj. et subst. m.**
**Adj. 1.** Relatif aux lignes, à la ligne : *Dessin* ***linéaire***, qui ne figure que les contours ; *Mesure* ***linéaire***, mesure de longueur. **2.** Fig. Simple comme une ligne, comme une succession de lignes, ou qui semble tel : *Discours, raisonnement* ***linéaire***. **3.** *Math.* ▸ *Algèbre* ***linéaire*** *et multilinéaire* : qui étudie des modules, espaces vectoriels, applications **linéaires** et multilinéaires, des matrices, déterminants, tenseurs, etc. ▸ *Application* ***linéaire*** *d'un espace vectoriel E dans un espace vectoriel F sur le même corps K* : application $f$ de E dans F telle que, pour tout $\vec{u}$ et tout $\vec{v}$ de E, pour tout $\alpha$ de K on ait $f(\vec{u} + \vec{v}) = f(\vec{u}) + f(\vec{v})$ et $f(\alpha\vec{u}) = \alpha f(\vec{u})$. ▸ *Forme* ***linéaire*** *sur un espace vectoriel E de corps K* : application **linéaire** de E dans K considéré comme espace vectoriel sur K. ▸ *Combinaison* ***linéaire*** *des vecteurs* $\vec{v}_1, ..., \vec{v}_p$ *d'un espace vectoriel sur un corps K* : somme $\alpha_1\vec{v}_1 + \alpha_2\vec{v}_2 + ... + \alpha_p\vec{v}_p$ où $\alpha_i \in K$, $i = 1, 2, ..., p$. C'est un vecteur de E. **Subst. 1.** Désigne deux formes d'écriture syllabique, en usage dans la Crète archaïque. ▸ ***Linéaire*** *A* : non encore déchiffré (XVIIIe-XVIe s. av. J.-C.). ▸ ***Linéaire*** *B* : transcrivant le mycénien, déchiffré par M. Ventris (XVe-XIIe s. av. J.-C.). **2.** *Comm.* Longueur de rayonnage utilisée pour une marchandise, dans un magasin. XVe s. ; lat. *linearis*, de *linea*, « ligne » ; [lineɛʀ].

**LINÉAIREMENT, adv.**
**1.** En suivant l'ordonnance des lignes. **2.** *Math.* De façon linéaire. 1495 ; ☞ *linéaire* ; [lineɛʀmɑ̃].

**LINÉAL, ALE, AUX, adj.**
**1.** *Dr.* Relatif à la lignée : *Ascendant* ***linéal***, en ligne directe. **2.** Relatif aux lignes d'un dessin, d'une œuvre d'art : *Perspective* ***linéale***. Fin XVe s. ; bas lat. *linealis*, du lat. *linea*, « ligne » ; [lineal, o].

**LINÉAMENT, subst. m.**
Littér. **1.** Chacune des lignes qui caractérisent qqch., qqn (gén. au plur.) : ***Linéaments*** *d'un objet, d'un visage*. **2.** Fig. Premiers traits perceptibles, organisés, d'un être, d'une œuvre en cours de formation. 1532 ; lat. *lineamentum*, de *linea*, « ligne » ; [lineamɑ̃].

**LINÉARITÉ, subst. f.**
Caractère de ce qui est linéaire. 1910 ; ☞ *linéaire* ; [linearite].

**LINÉATURE, subst. f.**
**1.** Ensemble des linéaments de qqch., de qqn. **2.** *Grav.* et *Impr.* Nombre de lignes d'une trame par unité de mesure. **3.** *Télév.* Nombre de lignes d'une image. 1512 ; lat. *linea*, « ligne » ; [lineatyʀ].

**LINÉIQUE, adj.**
Qualifie une grandeur rapportée à l'unité de longueur. V. 1960 ; lat. *linea*, « ligne » ; [lineik].

**LINER, subst. m.**
Vieilli. **1.** Gros navire de ligne. **2.** Anal. Avion de ligne. 1907 ; mot angl. ; [lajnœʀ].

**LINETTE, subst. f.**
Graine de lin. Mil. XIVe s. ; ☞ *lin* ; [linɛt].

**LINGA, subst. m.**
*Relig.* Symbole phallique, emblème de Shiva, gén. en pierre, figurant l'élan continu de la vie. 1724 ; skr. *liṅga* ; var. *lingam* ; [liŋga].

**LINGALA, subst. m.**
Langue bantoue devenue véhiculaire, parlée au Zaïre et dans la république du Congo. [liŋgala].

**LINGE, subst. m.**
**1.** Vx. Morceau de toile de lin ; par ext., morceau de tissu, servant gén. à essuyer. **2.** Ensemble des pièces de tissu utilisées pour l'habillement ou pour la maison : *Linge de corps*, les sous-vêtements ; *Linge de maison*, les pièces de tissu utilisées dans la maison (draps, nappes, serviettes, etc.). **3.** Helv. Serviette de toilette. **4.** Loc. fam. *Du beau* ***linge*** : des gens importants ; *Blanc comme un* ***linge*** : très pâle ; *Laver son* ***linge*** *sale en famille* (☞ *laver*) ; *Porter qqch., qqn comme un paquet de* ***linge*** *sale* : sans précautions. Déb. XIIe s. ; anc. fr. *linge*, « de lin », du lat. *lineus*, « de lin, de toile » ; [lɛ̃ʒ].

**LINGER, ÈRE, subst.**
Vx. Fabricant ou marchand de linge. **Fém.** Femme chargée de l'entretien du linge dans une communauté. 1292 ; ☞ *linge* ; [lɛ̃ʒe, ɛʀ].

**LINGERIE, subst. f.**
**1.** Vx. Fabrication ou commerce du linge ; par méton., les lieux de confection, de vente du linge. **2.** Pièce, local où se fait l'entretien, le rangement du linge. **3.** Linge de corps, spéc. féminin ; ensemble des tissus servant à sa fabrication. Déb. XIVe s. ☞ *linge* ; [lɛ̃ʒʀi].

**LINGOT, subst. m.**
**1.** Barre courte et épaisse de métal coulé ; spéc. barre de 1 kg d'or fin. **2.** *Typogr.* Bloc de métal servant à combler les blancs d'une forme. 1392 p.-ê. anc. prov. *lingot*, de *lenga*, « langue » ; [lɛ̃go].

**LINGOTIÈRE, subst. f.**
Moule à lingots. 1606 ; ☞ *lingot* ; [lɛ̃gɔtjɛʀ].

**LINGUA FRANCA, subst. f. inv.**
Langue de relation, utilisée par des groupes parlant diverses langues maternelles : *L'anglais est la* ***lingua franca*** *des scientifiques*. Lat. médiév. *lingua franca* « langue franque » ; [lingwa fʀɑ̃ka].

**LINGUAL, ALE, AUX, adj.**
**1.** *Phon.* Qui est articulé avec la langue, en particulier avec la pointe de la langue ; empl. subst. fém. : *Une* ***linguale***, une consonne **linguale**. **2.** *Anat.* Relatif à la langue : *Glande* ***linguale***. 1694 ; lat. *lingua* « langue » ; [lɛ̃gwal, o].

**LINGUATULE, subst. f.**
*Zool.* Crustacé vermiforme au corps aplati, parasite des voies respiratoires ou des viscères de certains vertébrés. 1803 ; lat. *lingua*, « langue » ; [lɛ̃gwatyl].

**LINGUE, subst. f.**
*Zool.* Poisson de la famille des Gadidés dont une espèce, la grande **lingue**, est aussi appelée julienne. 1396 ; prob. néerl. *leng*, de *lang*, « long » ; [lɛ̃g].

**LINGUETTE, subst. f.**
*Pharm.* Comprimé destiné à être administré par voie perlinguale. V. 1970 ; var. de *languette*, d'apr. le lat. *lingua*, « langue » ; [lɛ̃gɛt].

**LINGUISTE, subst.**
Spécialiste de linguistique. 1632 ; lat. *lingua* « langue » ; [lɛ̃gɥist].

**LINGUISTIQUE, subst. f. et adj.**
**Subst.** Discipline ayant pour objet l'étude du langage et des langues : ***Linguistique*** *appliquée*, application de la **linguistique** à la pédagogie des langues, à la traduction, à la communication. **Adj. 1.** Relatif à la **linguistique**. **2.** Relatif à la langue, aux langues, à leur apprentissage : *Communauté* ***linguistique*** ; *Séjours* ***linguistiques***. 1826 ; ☞ *linguiste* ; [lɛ̃gɥistik].

**SCIENCES** – La linguistique a d'abord porté sur la typologie et la généalogie des langues ; les recherches des linguistes allemands du XIXe s. ont notamment permis de découvrir les liens de parenté unissant les langues indo-européennes. Au début du XXe s., principalement sous l'impulsion de Ferdinand de Saussure, naît la linguistique structurale qui envisage les langues comme des systèmes cohérents dont la structure peut être étudiée en faisant abstraction de leur évolution, qui relève de la linguistique historique. La linguistique est dite générale lorsqu'elle étudie le langage dans son ensemble. Elle s'oppose à la grammaire traditionnelle sur deux points : elle n'est pas normative, mais descriptive ; elle privilégie la langue orale. La grammaire constitue la partie de la linguistique qui étudie la morphologie et la syntaxe ; les autres parties de la linguistique sont la phonétique et la phonologie (qui étudient les sons émis dans les diverses langues), la sémantique (qui étudie la signification des unités lexicales), la pragmatique (qui étudie les intentions des locuteurs). Les développements récents les plus importants ont porté sur la syntaxe (avec la grammaire générative ou transformationnelle), la pragmatique et la sociolinguistique (étude des conditions sociales de la communication linguistique).

**LINGUISTIQUEMENT, adv.**
D'un point de vue linguistique. 1877 ; ☞ *linguistique* ; [lɛ̃gɥistikmɑ̃].

**LINIER, IÈRE, subst. et adj.**
**Subst. fém.** Champ de lin. **Subst.** Fabricant ou marchand de toile de lin. **Adj.** Relatif au lin : *Une exploitation* ***linière***. 1228 ; ☞ *lin* ; [linje, jɛʀ].

**LINIMENT,** subst. m.
*Pharm.* Médicament employé sur la peau en onction ou en friction, préparé à l'aide d'une substance lubrifiante (huile, savon). ⌛ XVe s. ; bas lat. *linimentum*, « enduit », du lat. *linire*, « oindre » ; [linimɑ̃].

**LINKAGE,** subst. m.
*Génét.* Liaison génétique de deux gènes sur un même chromosome (anglic.). ⌛ 1921 ; angl. *linkage*, « liaison », de *to link*, « lier » ; [liŋkaʒ].

**LINKS,** subst. m. plur.
Terrain de golf (anglic.). ⌛ 1836 ; angl. *links*, « parcours de golf », de l'écossais *links*, « dunes » ; [liŋks].

**LINNÉEN, ÉENNE,** adj.
Relatif, propre à Linné, à son système. ⌛ 1805 ; anthropon. *Carl von Linné*, naturaliste suédois ; [lineɛ̃, eɛn].

**LINOLÉIQUE,** adj.
*Biochim. Acide* **linoléique** : acide gras non saturé, largement présent dans de nombreuses huiles végétales. ⌛ 1873 ; angl. *linoleic*, du lat. *linum*, « lin », et *oleum*, « huile » ; [linɔleik].

**LINOLÉUM,** subst. m.
Revêtement de sol imperméable fait de toile de jute enduite d'un mélange de poudre de liège, d'huile de lin et de résine ; par méton., tapis de **linoléum** (abrév. : lino). ⌛ 1874 ; angl. *linoleum*, du lat. *linum*, « lin », et *oleum*, « huile » ; [linɔleɔm].

**LINON,** subst. m.
Toile fine et claire de lin ou, par ext., de coton ou d'un autre fil. ⌛ 1566 ; ☞ *lin* ; [linɔ̃].

**LINOTTE,** subst. f.
*Zool.* Passereau siffleur de la famille des Fringillidés, granivore, à plumage brun et rouge. ▸ Loc. *Tête de* **linotte** : personne étourdie (fam.). ⌛ Mil. XIIIe s. ; ☞ *lin*, l'oiseau étant friand des graines de lin ; [linɔt].

**LINOTYPE,** subst. f. inv.
*Typogr.* Composeuse à clavier, qui fond des blocs d'une ligne (abrév. : lino). ⌛ 1889 ; anglo-amér. *linotype*, contraction de *line of types*, « ligne de caractères » ; n. déposé ; [linɔtip].

**LINOTYPIE,** subst. f.
Composition effectuée sur une Linotype (abrév. : lino). ⌛ 1911 ; ☞ *Linotype* ; [linɔtipi].

**LINOTYPISTE,** subst.
Personne qui travaille sur une Linotype (abrév. : lino). ⌛ 1904 ; ☞ *Linotype* ; [linɔtipist].

**LINSANG,** subst. m.
*Zool.* Mammifère de la famille des Viverridés, proche de la genette, qui vit en Indonésie et au Viêt Nam. ⌛ 1846 ; mot d'orig. javanaise ; [lɛ̃sɑ̃g] ou [linsɑ̃ŋ].

**LINSOIR,** voir **LINÇOIR**

**LINTEAU,** subst. m.
*Archit.* Élément de construction horizontal formant la traverse haute d'une ouverture et supportant la maçonnerie supérieure : **Linteau** *de cheminée*, qui supporte la hotte. ⌛ Mil. XIIIe s. (fin XIIe s., seuil) ; anc. fr. *linter*, du bas lat. *limitaris*, « seuil » ; [lɛ̃to].

**LINTER,** subst. m.
Duvet de fibres courtes restant attaché aux graines des cotonniers après l'égrenage, utilisé dans la fabrication de la dynamite. ⌛ 1937 ; anglo-amér. *linter*, de *lint*, « fibre » ; [lintɛʀ] ou [lɛ̃-].

**LION, LIONNE,** subst.
**I.** *Zool.* Masc. **1.** Mammifère carnivore de la famille des Félidés, au pelage ocre et dont le mâle porte une crinière, qui vit en groupes de dix à vingt individus en Afrique et en Inde : *Le rugissement du* **lion**. ▸ Loc. *Se battre comme un* **lion** : avec force et courage ; *Avoir mangé du* **lion** : être agressif ou débordant d'énergie (fam.) ; *Se tailler la part du* **lion** : la plus grosse et la meilleure part ; *Être comme un* **lion** *en cage* : très impatient ; *Être dans la fosse aux* **lions** : entouré d'ennemis déchaînés. **2.** Anal. ▸ **Lion** *de mer* : otarie à crinière. ▸ **Lion** *d'Amérique* : puma, couguar. Fém. Femelle du lion. **II.** Fig. Personne courageuse : *C'est une* **lionne** *!* **III.** Masc. *Spéc.* **1.** *Astron.* Constellation du zodiaque, située entre le Cancer et la Vierge. **2.** *Astrol. Le* **Lion** : cinquième signe du zodiaque (23 juillet-22 août) ; par méton. : *Un* **Lion**, une personne native de ce signe. **3.** *Hérald.* Représentation d'un **lion** : **Lion** *rampant*, debout sur ses pattes arrière ; **Lion** *passant*, marchant, une patte avant levée. ⌛ Fin XIe s. ; lat. *leo* ; [ljɔ̃, ljɔn].

*Lions du Kalahari.*
© Cl. Haagner-Jacana

**LIONCEAU,** subst. m.
*Zool.* Petit du lion et de la lionne. ⌛ Déb. XIIe s. ; ☞ *lion* ; [ljɔ̃so].

**LIPARIS,** subst. m.
**1.** *Zool.* ▸ Petit poisson osseux de la famille des Cycloptéridés, de la mer du Nord et de la Baltique. ▸ Lépidoptère dont la chenille ravage les arbres. **2.** *Bot.* Orchidacée des marais tourbeux. ⌛ 1558 ; lat. sc. *liparis*, du gr. *liparos*, « gras » ; [lipaʀis].

**LIPASE,** subst. f.
*Biochim.* Enzyme qui catalyse l'hydrolyse de certaines liaisons ester entre un acide et l'une des fonctions alcool du glycérol, au sein de molécules lipidiques. ⌛ 1896 ; gr. *lipos*, « graisse » ; [lipaz].

**LIPÉMIE,** voir **LIPIDÉMIE**

**LIPIDE,** subst. m.
*Biochim.* Corps gras, l'une des quatre grandes familles de molécules organiques constituant la matière vivante (avec les glucides, les acides nucléiques et les protides). ⌛ 1923 ; gr. *lipos*, « graisse » ; [lipid].

**LIPIDÉMIE,** subst. f.
*Biol.* Taux de lipides dans le sang. ⌛ V. 1900 ; ☞ *lipide* + *-émie* ; var. *lipémie* ; [lipidemi].

**LIPIDIQUE,** adj.
*Biochim.* Relatif aux lipides. ⌛ 1937 ; ☞ *lipide* ; [lipidik].

**LIPOCHROME,** subst. m.
*Biochim.* Pigment présent dans les lipides intracellulaires, dérivé du carotène, qui colore les graisses en jaune ou en vert. ⌛ V. 1903 ; formé de *lipo-* et de *-chrome* ; [lipokʀom].

**LIPOGRAMME,** subst. m.
*Litt.* Texte que l'on écrit en s'interdisant l'usage d'une ou de plusieurs lettres : *« La Disparition », de Georges Perec, est un immense* **lipogramme** *en « e »*. ⌛ 1620 ; gr. *lipogrammatos*, « à qui il manque une lettre », de *leipein*, « laisser », et de *gramma*, « lettre » ; [lipɔgʀam].

**LIPOÏDE,** adj.
Qui ressemble à de la graisse, ou qui en contient. ⌛ 1865 ; formé de *lipo-* et de *-ide* ; [lipɔid].

**LIPOLYSE,** subst. f.
*Biochim.* Destruction des graisses dans l'organisme. ⌛ 1907 ; formé de *lipo-* et de *-lyse* ; [lipɔliz].

**LIPOME,** subst. m.
*Pathol.* Tumeur bénigne propre au tissu graisseux. ⌛ 1741 ; lat. sc. *lipoma*, du gr. *lipos*, « graisse » ; [lipom].

**LIPOPHILE,** adj.
*Biochim.* Qui retient les graisses. ⌛ V. 1950 ; formé de *lipo-* et de *-phile* ; [lipɔfil].

**LIPOPROTÉINE,** subst. f.
*Biochim.* Molécule formée par l'association d'une protéine et d'un lipide. ⌛ 1959 ; ☞ *protéine* + *lipo-* ; [lipopʀɔtein].

**LIPOSOLUBLE,** adj.
*Biochim.* Soluble dans les corps gras. ⌛ 1929 ; ☞ *soluble* + *lipo-* ; [liposɔlybl].

**LIPOSOME,** subst. m.
*Biol.* Vésicule lipidique artificielle dont la membrane est constituée de deux couches moléculaires. Leur taille (inférieure à 1 $\mu$m) et leur nature permettent de les utiliser pour introduire des molécules diverses dans les cellules. ⌛ V. 1970 ; angl. *liposome*, du gr. *lipos*, « graisse » ; [lipozom].

**LIPOSUCCION,** subst. f.
*Chir.* Intervention visant à réduire certaines zones de tissus graisseux par aspiration sous vide. ⌛ V. 1980 ; ☞ *succion* + *lipo-* ; [liposy(k)sjɔ̃].

**LIPOTHYMIE,** subst. f.
*Pathol.* **1.** Évanouissement, premier stade de la syncope. **2.** Malaise intense, sans véritable perte de connaissance. ⌛ 1515 ; lat. médiév. *lipothomia*, du gr. *lipothumia* ; [lipɔtimi].

**LIPOTROPE,** adj.
**1.** *Pharm.* Qui se fixe sur les graisses. **2.** *Méd. Substance* **lipotrope** : qui empêche l'accumulation des lipides et possède un effet laxatif. ⌛ V. 1920 ; formé de *lipo-* et de *-trope* ; [lipɔtʀɔp].

**LIPPE,** subst. f.
Lèvre inférieure charnue et proéminente. ▸ Loc. *Faire la* **lippe** : avancer la lèvre inférieure en signe de tristesse, de mécontentement ou, au fig., bouder. ⌛ Fin XIIe s. ; m. néerl. *lippe*, « lèvre » ; [lip].

**LIPPÉE,** subst. f.
Vieilli. **1.** Quantité que l'on peut prendre avec les lèvres ; bouchée. **2.** Ext. Repas : *Franche* **lippée**, bon repas qui ne coûte rien. ⌛ XVe s. ; ☞ *lippe* ; [lipe].

**LIPPU, UE,** adj.
Qui a une lippe ou, par ext., de grosses lèvres ; par méton. : *Bouche* **lippue**. ⌛ 1539 ; ☞ *lippe* ; [lipy].

**LIQUATION,** subst. f.
**1.** Vx. Fusion. **2.** *Techn.* Séparation par chauffage des éléments d'un mélange, en partic. d'un alliage, grâce à la différence entre leurs températures de fusion respectives. ⌛ 1576 ; bas lat. *liquatio* ; [likwasjɔ̃].

**LIQUÉFACTEUR,** subst. m.
*Techn.* Appareil servant à liquéfier un gaz. ⌛ 1862 ; ☞ *liquéfaction* ; [likefaktœʀ].

**LIQUÉFACTION,** subst. f.
**1.** Vx. Fusion. **2.** Action de liquéfier ; fait de se liquéfier. **3.** Fig. Désagrégation ; abattement. ⌛ 1314 ; prob. lat. médiév. *liquefactio*, du lat. *liquefacere*, « liquéfier » ; [likefaksjɔ̃].

**LIQUÉFIABLE,** adj.
Susceptible d'être liquéfié. ⌛ 1563 ; ☞ *liquéfier* ; [likefjabl].

**LIQUÉFIANT, ANTE,** adj.
Qui favorise la liquéfaction. ⌛ 1867 ; p. pr. de *liquéfier* ; [likefjɑ̃, ɑ̃t].

**LIQUÉFIER,** verbe trans. [6]
**1.** Rendre (un corps solide) liquide (synon. *fondre*). **2.** Rendre (un gaz) liquide. Pronom. **1.** Devenir liquide. **2.** Fig. Perdre son énergie, son sens moral (fam.). ⌛ XIVe s. ; lat. *liquefacere* ; [likefje].

**LIQUETTE,** subst. f.
Chemise (pop.). ⌛ 1878 ; prob. altér. de l'argot *limace*, « chemise » ; [likɛt].

**LIQUEUR,** subst. f.
**1.** Vx. Liquide ; en partic., liquide organique : *La* **liqueur** *séminale*, le sperme. **2.** Solution chimique ou pharmaceutique : **Liqueur** *de Fehling*. **3.** Boisson alcoolique non fermentée, additionnée de sucre et d'arômes végétaux : *Le curaçao et le raki sont des* **liqueurs** ; par ext., digestif, tel que le marc ou le rhum. ⌛ Mil. XIe s. ; lat. *liquor*, « liquide » ; [likœʀ].

**LIQUIDABLE,** adj.
Qui peut être liquidé. ⌛ 1877 ; ☞ *liquider* ; [likidabl].

**LIQUIDAMBAR,** subst. m.
*Bot.* Arbre de la famille des Hamamélidacées dont une essence fournit le styrax officinal et une autre un bois précieux. ⌛ 1602 ; lat. sc. *liquidambar*, de l'esp. *liquidámbar*, « ambre liquide » ; [likidɑ̃baʀ].

**LIQUIDATEUR, TRICE,** subst.
**1.** *Dr.* Personne qui procède à une liquidation, amiable ou judiciaire ; en appos. : *Commissaire* **liquidateur**. **2.** Fig. Personne qui met un terme à qqch. ⌛ 1777 ; ☞ *liquider* ; [likidatœʀ, tʀis].

**LIQUIDATIF, IVE,** adj.
*Dr.* Qui opère une liquidation. ▸ *Valeur* **liquidative** : que l'on peut escompter obtenir en cas de liquidation. ⌛ 1868 ; ☞ *liquider* ; [likidatif, iv].

**LIQUIDATION,** subst. f.
**I. 1.** *Dr.* Action de fixer le montant d'un compte à régler ; son résultat ; en partic., règlement d'un compte par la réalisation de l'actif, la perception des créances et le paiement des dettes : **Liquidation** *d'une société, d'une succession*. ▸ **Liquidation** *judiciaire d'une société en cessation de paiement* : prononcée par un tribunal lorsque celle-ci est jugée non viable. ▸ **Liquidation** *d'une dépense publique, de l'impôt* : établissement de son montant. **2.** *Fin.* Règlement mensuel des opérations boursières à terme. **3.** *Comm.* Mise en vente à bas prix d'un stock de marchandises, pour s'en débarrasser ; cette vente. **II.** Fig. **1.** Action de régler définitivement une affaire, de mettre fin à une situation ; son résultat : *La* **liquidation** *du chômage*. **2.** Action de se débarrasser de qqn en le tuant ; son résultat (fam.) : *La* **liquidation** *des témoins*. **3.** *Psychanal.* Résorption d'une névrose grâce à la révélation, par l'analyse, de sa cause inconsciente. ⌛ 1416 ; ☞ *liquider* ; [likidasjɔ̃].

**LIQUIDE, adj. et subst. m.**
**Adj. 1.** Qui coule ou qui peut couler : *Le mercure est **liquide** à température et à pression ambiantes* ; *Une sauce trop **liquide**.* ► *Phys.* Qualifie un état de la matière, intermédiaire entre l'état gazeux et l'état solide, dans lequel les corps ne sont ni expansibles ni compressibles, mais déformables (ils prennent la forme du récipient qui les contient). **2.** *Ling.* Qualifie divers sons latéraux ou vibrants (vx) : *[j], [l], [ʀ] sont des consonnes **liquides*** ou, empl. subst. fém., *des **liquides**.* **3.** *Fin.* ► Dont la valeur est déterminée : *Créance **liquide**,* qui n'est grevée d'aucune charge. ► *Argent **liquide*** : immédiatement disponible. **Subst. 1.** *Phys.* Corps à l'état **liquide**. **2.** Boisson ; en partic., boisson alcoolique (pop.) : *Il y va fort sur le **liquide**,* il boit beaucoup d'alcool ; par ext., aliment **liquide**. **3.** *Physiol. Les **liquides** organiques* : le sang, la lymphe, les mucus, etc. (vx). **4.** Argent **liquide** (fam.). Mil. XIIIe s. ; lat. *liquidus* ; [likid].

**LIQUIDER, verbe trans.** [3]
**1.** Procéder à la liquidation de. **2.** Fam. Finir : *Il a **liquidé** les gâteaux* ; tuer. 1520 ; prob. ital. *liquidare*, « rendre fluide » ; [likide].

**LIQUIDIEN, IENNE, adj.**
De nature liquide. 1884 ; ☞ *liquide* ; [likidjɛ̃, jɛn].

**LIQUIDITÉ, subst. f.**
**1.** État d'une substance liquide. **2.** *Fin.* État d'une valeur liquide : ***Liquidité** d'une créance.* ► Méton. Au plur. Ressources, valeurs immédiatement disponibles : ***Liquidités** internationales*, richesses liquides ou rapidement liquidables dont dispose un pays. Déb. XVIe s. ; lat. *liquiditas*, « fluidité (de l'air) » ; [likidite].

**LIQUOREUX, EUSE, adj.**
**1.** Vx. Liquide. **2.** Qui a le caractère alcoolique et sucré d'une liqueur. 1519 ; ☞ *liqueur* ; [likɔʀø, øz].

**LIQUORISTE, subst.**
Personne qui fabrique ou qui vend des liqueurs. 1768 ; ☞ *liqueur* ; [likɔʀist].

**LIRE (I), verbe trans.** [66]
**I. 1.** Reconnaître, gén. par la vue, (les signes graphiques qui transcrivent une langue) et en comprendre le sens : *Elle **lit** l'hébreu* ; empl. abs. : *Apprendre à **lire**.* **2.** Prendre connaissance, par la lecture, du contenu de (un texte) : *Il **lit** un magazine, un poème* ; ***Lire** l'œuvre de Zola* ou, par méton., ***Lire** Zola.* **3.** Prononcer à haute voix (ce qu'on **lit**) : ***Lis**-nous le journal.* **4.** Ext. Reconnaître le sens que portent les signes non linguistiques de : ***Lire** une partition, une carte.* **5.** Interpréter : ***Lire** Bakounine à la lumière des évènements récents.* ► Loc. ***Lire** entre les lignes* : saisir le sens caché d'un écrit. **6.** Discerner, deviner à l'aide de certains signes : *Je **lis** de la joie dans tes yeux* ; *Il **lit** l'avenir dans sa boule de cristal.* **II.** *Spéc.* **1.** *Informat.* Charger dans la mémoire vive (des informations stockées sur un support ou frappées au clavier par l'utilisateur). **2.** *Phys.* et *Techn.* Restituer (le son ou l'image d'un enregistrement). Mil. XIe s. ; lat. *legere* ; [liʀ].

**LIRE (II), subst. f.**
Unité monétaire de l'Italie. 1592 ; ital. *lira* ; [liʀ].

**LIRETTE, subst. f.**
Étoffe tissée artisanalement avec de fines bandes de tissu usagé. 1864 ; orig. inc. ; [liʀɛt].

**LIS, subst. m.**
**I. 1.** *Bot.* Plante herbacée ornementale de la famille des Liliacées, à grandes fleurs claires ; par méton., fleur de **lis**. ► Anal. ***Lis** d'étang, **lis** d'eau* : nénuphar blanc ; ***Lis** de mai* : muguet ; ***Lis** Saint-Jacques* : amaryllis. **2.** *Zool.* Encrine. **II.** Blancheur ; pureté morale (littér.) : *Ce teint de **lis** !* (Balzac). **III.** *Hérald.* *Fleur de **lis*** : figure représentant trois fleurs de **lis** unies, armes des rois de France. ► *Hist. Fleur de **lis*** : marque au fer rouge que l'on faisait à l'épaule de certains condamnés, sous l'Ancien Régime. Mil. XIIe s. ; plur. de *lil*, du lat. *lilium* ; var. *lys* ; [lis].

**LISAGE, subst. m.**
*Text.* **1.** Analyse d'un dessin et perçage des cartons qui seront placés dans le métier. **2.** Méton. Métier utilisé pour lire le dessin. 1776 ; ☞ *lire* (I) ; [lizaʒ].

**LISE, subst. f.**
Sables mouvants des bords de mer. Mil. XIIe s. ; gaul. °*ligisja*, de °*liga*, « limon, vase » ; [liz].

**LISERAGE, subst. m.**
Travail consistant à border d'un fil d'or, d'argent, de soie, etc., les dessins d'une broderie ; son résultat. 1723 ; ☞ *liserer* ; var. *lisérage* ; [lizʀaʒ].

**LISERÉ, subst. m.**
**1.** Ganse ou ruban étroit qui borde un vêtement ; raie de couleur bordant un tissu. **2.** Fig. Ce qui borde qqch. : *Un **liseré** de givre autour de la fenêtre.* 1743 ; ☞ *liserer* ; var. *liséré* ; [lizʀe].

**LISERER, verbe trans.** [10]
**1.** Garnir (un tissu, un vêtement) d'un liserage, d'un liseré. **2.** Fig. Border (qqch.). 1498 ; ☞ *lisière* ; var. *lisérer* [8] ; [lizʀe].

**LISERON, subst. m.**
*Bot.* Plante herbacée grimpante, aux fleurs en entonnoir, de la famille des Convolvulacées, qui s'enroule sur son support. 1538 ; ☞ *lis* ; [lizʀɔ̃].

**LISEUR, EUSE, subst.**
**1.** Personne qui aime lire, qui lit beaucoup (vieilli). **2.** *Text.* Ouvrier qui fait le lisage. **Fém. 1.** Courte veste de femme utilisée pour lire au lit. **2.** Coupe-papier à pince, servant de marque-page. **3.** Petite lampe n'éclairant que le livre. **4.** Couvre-livre amovible, gén. en cuir. Fin XIIe s. ; ☞ *lire* (I) ; [lizœʀ, øz].

**LISIBILITÉ, subst. f.**
Caractère de ce qui est facile à lire ; au fig., compréhensibilité. 1866 ; ☞ *lisible* ; [lizibilite].

**LISIBLE, adj.**
**1.** Qui peut être lu, déchiffré facilement. **2.** Qui mérite d'être lu : *Roman tout juste **lisible**.* **3.** Fig. Intelligible. 1464 ; ☞ *lire* (I) ; [lizibl].

**LISIBLEMENT, adv.**
De manière lisible. 1543 ; ☞ *lisible* ; [lizibləmɑ̃].

**LISIER, subst. m.**
*Agric.* Excréments animaux de consistance fluide, non mêlés de litière, utilisables comme engrais azoté. 1835 ; lat. *lotium*, « urine » ; [lizje].

**LISIÈRE, subst. f.**
**1.** Bord d'un tissu dans le sens de la chaîne. **2.** Anal. Bordure, limite de qqch., en partic. d'une forêt (synon. *orée*) ; par méton., ce qui est en bordure. **3.** Bande de tissu que l'on attachait aux vêtements d'un bébé pour le soutenir dans ses premiers pas. ► Loc. *Tenir qqn en **lisière(s)*** : sous sa tutelle. 1244 ; p.-ê. anc. bas frq. °*lisa*, « ornière » ; [lizjɛʀ].

**LISP, subst. m.**
*Informat.* Langage de programmation symbolique, utilisé en intelligence artificielle. V. 1960 ; acron. angl. de *list processing*, « traitement de listes » ; [lisp].

**LISSAGE (I), subst. m.**
**1.** Action de lisser ; son résultat : ***Lissage** du papier.* **2.** *Chir.* Lifting (recomm. off.). **3.** *Stat.* ***Lissage** de n points dans un plan euclidien* : recherche d'une fonction $f$ (au moins dérivable) telle que la courbe d'équation $y = f(x)$ passe « le plus près possible » des $n$ points, en un sens qui caractérise, avec $f$, le type de **lissage**. 1762 ; ☞ *lisser* (I) ; [lisaʒ].

**LISSAGE (II), subst. m.**
*Text.* Disposition des lisses sur un métier à tisser. 1832 ; ☞ *lisse* (II) ; [lisaʒ].

**LISSAGE (III), subst. m.**
*Mar.* **1.** Disposition des lisses. **2.** Méton. Ensemble des lisses d'un navire. 1832 ; ☞ *lisser* (II) ; [lisaʒ].

**LISSE (I), adj. et subst. f.**
**Adj.** Dont la surface est unie, sans aspérités : *Un crâne **lisse**,* chauve. ► *Sp. Corde **lisse*** : sans nœuds. **Subst.** Outil servant à lisser (le cuir, le papier, l'enduit). Fin XIIe s. ; ☞ *lisser* (I) ; [lis].

**LISSE (II), subst. f.**
*Text.* **1.** Pièce d'un métier à tisser faite d'un fil de métal portant un maillon dans lequel on passe le fil de chaîne. **2.** Méton. Ensemble des **lisses** d'un métier : *Métier de haute **lisse**,* dont la chaîne est verticale ; *Métier de basse **lisse**,* dont la chaîne est horizontale. Fin XIIIe s. ; lat. *licium*, « fil de trame » ; var. *lice* (III) ; [lis].

**LISSE (III), subst. f.**
**1.** *Mar.* Longeron de la coque d'un navire. **2.** Ext. Longeron de la coque d'un avion, d'une voiture. **3.** Anal. Rampe, garde-fou. XVIe s. ; ☞ *lice* (I) ; [lis].

**LISSÉ, subst. m.**
*Cuis.* Degré de cuisson atteint par le sucre qui fait un fil quand on l'étire. 1553 ; ☞ *lisser* (I) ; [lise].

**LISSER (I), verbe trans.** [3]
**1.** Rendre lisse : ***Lisser** des cheveux* ; ***Lisser** des cuirs, du papier,* en polir la surface. **2.** *Stat.* Procéder au lissage de. Fin XIIIe s. (fin XIe s., repasser au fer) ; prob. crois. du lat. *lixare*, « polir », et du lat. *allisus*, « élimé » ; [lise].

**LISSER (II), verbe trans.** [3]
*Mar.* ***Lisser** un navire* : en disposer les lisses. 1681 ; ☞ *lisse* (III) ; [lise].

**LISSEUR, EUSE, subst.**
Personne qui procède au lissage. **Fém.** Machine à lisser. 1445 ; ☞ *lisser* (I) ; [lisœʀ, øz].

**LISSIER, IÈRE, subst. m.**
*Text.* **1.** Tisserand : *Haute(-)**lissier**,* qui travaille sur un métier de hausse lisse ; *Basse(-)**lissier**,* qui travaille sur un métier de basse lisse. **2.** Personne qui monte les lisses. 1534 ; ☞ *lisse* (II) ; var. *licier, ière* ; [lisje, jɛʀ].

**LISSOIR, subst. m.**
Outil servant à lisser (le cuir, le tissu, l'enduit de maçonnerie, etc.). 1614 ; ☞ *lisser* (I) ; [liswaʀ].

**LISTAGE, subst. m.**
**1.** Action de lister ; son résultat. **2.** *Informat.* Document produit en continu par l'imprimante d'un ordinateur (recomm. off. pour *listing*). V. 1960 ; ☞ *lister* ; [listaʒ].

**LISTE (I), subst. f.**
**1.** Vx. Bordure. **2.** Bande blanche située sur le chanfrein d'un cheval. Mil. XIIe s. ; germ. °*lista* ; [list].

**LISTE (II), subst. f.**
**1.** Suite de mots, de nombres, de signes, gén. présentés en colonne : ***Liste** des abonnés, des nombres premiers.* ► Loc. ***Liste** noire* : **liste**, gén. secrète, de personnes à surveiller, à éviter, à éliminer ; ***Liste** électorale* : **liste** des électeurs d'une commune ; ***Liste** rouge* : **liste** des abonnés au téléphone qui refusent de figurer dans l'annuaire ; ***Liste** de mariage* : **liste** des cadeaux que les fiancés souhaitent recevoir à leur mariage, déposée chez un commerçant ; ***Liste** d'attente* : recensant les personnes n'ayant pas pu obtenir une place, un poste, etc., et qui sont à servir en priorité ; *Scrutin de **liste*** : scrutin dans lequel les électeurs votent pour des **listes** de candidats. **2.** Ext. Toute énumération : *La **liste** des revendications.* **3.** Méton. Support matériel sur lequel est dressée une **liste** : *Oublier la **liste** des courses.* **4.** *Hist.* et *Dr.* ***Liste** civile* : somme allouée annuellement au chef de l'État par le Parlement. 1567 ; ital. *lista* ; [list].

**LISTEL, subst. m.**
**1.** *Archit.* Moulure gén. saillante qui sépare deux moulures en creux. **2.** *Menuis.* Baguette servant à l'encadrement. **3.** *Numism.* Rebord saillant d'une pièce, d'une médaille. **4.** *Hérald.* Banderole extérieure à l'écu et portant un cri de ralliement ou une devise. 1546 ; ital. *listello*, de *lista*, « bordure, bande » ; var. *listeau* ; [listɛl].

**LISTER, verbe trans.** [3]
**1.** Mettre en liste (rare). **2.** *Informat.* Sortir sur une imprimante, sous forme de liste ou de texte suivi (les informations traitées par un ordinateur). V. 1960 ; ☞ *liste* (II) ; [liste].

**LISTERIA, subst. f. inv.**
*Bactériol.* Bactérie Gram+ présente dans le sol et les eaux usées, capable de contaminer légumes, œufs et viandes, et vecteur de la listériose. XXe s. ; anthropon. *Joseph Lister*, chirurgien britannique ; [listeʀja].

**LISTÉRIOSE, subst. f.**
*Pathol.* Maladie infectieuse due à une bactérie du genre *Listeria*, très grave chez la femme enceinte et le nouveau-né. 1950 ; ☞ *listeria* + *-ose* ; [listeʀjoz].

**LISTING, subst. m.**
*Informat.* Listage (anglic.). 1953 ; mot angl. ; recomm. off. *listage* ; [listiŋ].

**LISTON, subst. m.**
**1.** *Hérald.* Petit listel. **2.** *Mar.* Ornement mouluré qui s'étend sur les flancs d'un navire à la hauteur de la préceinte. 1721 (1581, bordure d'un habit) ; esp. *listón*, « galon », du germ. °*lista*, « bande » ; [listɔ̃].

**LIT, subst. m.**
**I. 1.** Meuble sur lequel on se couche : ***Lit**-cage*, **lit** pliant métallique ; ***Lit** de camp*, démontable et transportable ; ***Lit**-coffre, clos, breton*, muni de portes, dans lequel on peut s'enfermer ; ***Lit** de repos*, canapé, divan. ► Loc. *Bois de **lit*** : cadre sur lequel on pose le sommier ; *Descente de **lit*** : petit tapis mis près du **lit** ; *Saut-de-**lit*** : vêtement que l'on met en sortant du **lit** ; *Au saut du **lit*** : en se levant ; *Garder le **lit*** ou *Être cloué au **lit*** : y rester parce que l'on est malade ; *Tirer qqn du **lit*** : le réveiller et le forcer à se lever ; *Mourir dans son **lit*** : de mort naturelle ; *La vie n'est pas un **lit** de roses* : n'est pas facile. **2.** Ext.

Place couchée, dans un établissement : *Clinique de trente* **lits**. **3.** Méton. Literie. ► Loc. *Faire le* **lit** : le garnir de literie ou arranger la literie ; *Faire le* **lit** *de qqn, de qqch.* : préparer sa venue, son avènement ; *Comme on fait son* **lit**, *on se couche* : on subit les conséquences de ses actes. **4.** Fig. Symbole de l'acte sexuel et de l'union conjugale : *Enfants d'un premier* **lit**, d'un premier mariage. **II.** Ext. **1.** Tout ce qui sert de couche : *Un* **lit** *de feuilles mortes.* **2.** Anal. Couche horizontale : *Un* **lit** *de cailloux, de braises.* **III.** *Spéc.* **1.** *Constr.* ► **Lit** *de mortier* : couche de mortier destinée à recevoir une assise d'éléments de construction. ► **Lit** *de pose* : chacune des deux faces horizontales d'un moellon. **2.** *Géogr.* Chenal occupé par un cours d'eau : **Lit** *mineur*, occupé à l'étiage ; **Lit** *majeur*, occupé à la crue. **3.** *Géol.* Couche de faible épaisseur : **Lit** *argileux.* **4.** *Hist.* **Lit** *de justice* : lit à dais où le roi prenait place, au parlement ; par méton., séance tenue en présence du roi. **5.** *Mar.* **Lit** *du vent* : direction dans laquelle le vent souffle. Mil. XIe s. ; lat. *lectus* ; [li].

**LITANIE,** subst. f.
**1.** *Cath.* Prière composée d'invocations dites par un officiant auquel répondent les fidèles ou le chœur (gén. au plur.). **2.** Anal. Énumération longue et ennuyeuse, souvent de plaintes ou de reproches. Mil. XIIe s. ; lat. eccl. *litania*, du gr. *litaneia* ; [litani].

**LITAS,** subst. m.
Unité monétaire de la Lituanie. [litas].

**LITCHI,** subst. m.
**1.** *Bot.* Arbre de la famille des Sapindacées, recherché pour son bois et ses fruits. **2.** Fruit de cet arbre. 1588 ; chinois *lizhi* ; var. *letchi*, *lychee* ; [litʃi].

**LITEAU (I),** subst. m.
**1.** Vx. Bordure. **2.** *Constr.* Pièce de bois de section carrée ou rectangulaire (env. 2 cm sur 3 cm), que l'on cloue sur les chevrons pour recevoir les tuiles ou les ardoises. **3.** *Menuis.* Tasseau. **4.** *Text.* Raie de couleur parallèle au bord d'une nappe, d'une serviette, etc. 1262 ; ☞ *liste* (I) ; [lito].

**LITEAU (II),** subst. m.
Lieu où se retire le loup et où la louve élève ses petits. 1655 ; ☞ *lit* ; [lito].

**LITÉE,** subst. f.
**1.** Portée d'une femelle : *Une* **litée** *de lionceaux.* **2.** Ensemble des animaux gîtant ensemble. Mil. XIIIe s. ; ☞ *lit* ; [lite].

**LITER,** verbe trans. [3]
Ranger par couches : **Liter** *des harengs dans une caque.* 1723 (1598, enduire d'un remède) ; ☞ *lit* ; [lite].

**LITERIE,** subst. f.
Ensemble des éléments qui forment un lit complet (châssis, sommier, matelas, etc.) ; en partic., ce qui sert à garnir un lit pour que l'on s'y couche (draps, couvertures, etc.). 1832 ; ☞ *lit* ; [litʀi].

**LITHAM,** subst. m.
Voile couvrant le bas du visage, porté par les femmes musulmanes et par les Touaregs au Sahara. 1831 ; ar. *liṯām* ; var. *litsam* ; [litam].

**LITHARGE,** subst. f.
*Chim.* Oxyde naturel de plomb (PbO), obtenu en grillant la galène (sulfure de plomb qui constitue le minerai naturel de plomb). Mil. XIIIe s. ; gr. *litharguros*, « pierre d'argent » ; [litaʀʒ].

**LITHIASE,** subst. f.
*Pathol.* Présence de calculs dans un organe creux qui fait réservoir ou dans ses voies excrétrices (vessie, urètre, vésicule biliaire, canaux salivaires). 1611 ; gr. *lithiasis* ; [litjɑz].

**LITHINE,** subst. f.
*Chim.* Hydroxyde du lithium, de formule LiOH. C'est un composé basique, comme la soude ou la potasse. 1822 ; ☞ *lithium* ; [litin].

**LITHINIFÈRE,** adj.
Qui contient du lithium, en parlant d'un terrain, d'un minerai. 1907 ; ☞ *lithium* + *-fère* ; [litinifɛʀ].

**LITHIQUE,** adj.
*Préhist.* Qualifie ce qui est fait de pierre : *Outillage* **lithique**. 1787 ; gr. *lithos*, « pierre » ; [litik].

**LITHIUM,** subst. m.
*Chim.* Élément n° 3 de la table de Mendeleïev (symb. : Li) ; masse atomique : 6,941 ; point de fusion : 180 °C ; point d'ébullition : 1 347 °C ; masse volumique : 0,53 g/cm$^3$. C'est un métal alcalin très léger, utilisé dans l'industrie et en pharmacie. 1824 ; lat. sc. *lithion*, du gr. *lithos*, « pierre » ; [litjɔm].

**LITHOBIE,** subst. m. ou f.
*Zool.* Arthropode carnassier de la classe des Myriapodes, au corps constitué de dix-huit segments, dont le premier est porteur d'une paire de crochets venimeux et les suivants d'une paire de pattes. Il vit dans les couches superficielles des sols (synon. *mille-pattes*). 1873 ; formé de *litho-* et de *-bie* ; [litɔbi].

**LITHODOME,** subst. m.
*Zool.* Mollusque lamellibranche lithophage. 1817 ; gr. *lithodomos*, « architecte » ; [litodom].

**LITHOGRAPHE,** subst.
**1.** Vx. Spécialiste des pierres. **2.** Personne, artiste qui imprime par le procédé de la lithographie ; en appos. : *Graveur* **lithographe**. 1752 ; ☞ *lithographie* ; [litɔgʀaf].

**LITHOGRAPHIE,** subst. f.
**1.** Vx. Étude des pierres. **2.** Procédé de reproduction par impression d'un dessin tracé au crayon gras ou à l'encre grasse sur une pierre calcaire au grain très fin. **3.** Méton. Épreuve obtenue par ce procédé. 1649 ; formé de *litho-* et de *-graphie* ; [litɔgʀafi].

**LITHOGRAPHIER,** verbe trans. [6]
Reproduire (un document) par le procédé de la lithographie ; empl. adj. : *Affiche* **lithographiée**. 1818 ; ☞ *lithographie* ; [litɔgʀafje].

**LITHOGRAPHIQUE,** adj.
Relatif à la lithographie : *Pierre, encre, presse* **lithographique**. 1816 ; ☞ *lithographie* ; [litɔgʀafik].

**LITHOPHAGE,** adj.
*Zool.* Qualifie un mollusque bivalve qui creuse la pierre ; empl. subst. : *Le lithodome est un* **lithophage**. 1694 ; formé de *litho-* et de *-phage* ; [litɔfaʒ].

**LITHOPHANIE,** subst. f.
*Techn.* Procédé qui permet d'obtenir des effets de translucidité dans du verre opaque, de la porcelaine, etc., en jouant sur l'épaisseur de la pâte. 1827 ; formé de *litho-* et de *-phanie* ; [litɔfani].

**LITHOSPHÈRE,** subst. f.
*Géol.* Couche externe du globe terrestre théoriquement rigide et dont l'épaisseur varie de 80 km (sous les océans) à 140 km (sous les continents). Elle comprend la croûte et une partie du manteau supérieur. 1897 ; formé de *litho-* et de *-sphère* ; [litɔsfɛʀ].

**LITHOTHAMNIUM,** subst. m.
*Bot.* Algue rouge marine, de la famille des Corallinacées, dont le thalle incrusté de calcaire se développe en croûte sur les rochers. 1922 ; lat. sc. *lithothamnium* ; [litɔtamnjɔm].

**LITHOTRITEUR,** subst. m.
*Chir.* Appareil capable de broyer par ultrasons des calculs rénaux ou biliaires. 1827 ; gr. *tritor*, « broyeur », + *litho-* ; var. *lithotripteur* ; [litɔtʀitœʀ].

**LITHOTRITIE,** subst. f.
Broyage de calculs effectué à l'aide d'un lithotriteur. 1827 ; ☞ *lithotriteur* ; [litɔtʀisi].

**LITHUANIEN,** voir **LITUANIEN**

**LITIÈRE,** subst. f.
**1.** Paille sur laquelle se couche le bétail dans l'étable, l'écurie, etc. et qui, mélangée à leurs déjections, constitue le fumier ; par ext., gravillon destiné à absorber les excréments des chats d'appartement. ► Loc. *Faire* **litière** *de qqch.* : ne pas en tenir compte, le mépriser (littér.). **2.** Lit couvert à brancards, porté à bras d'hommes ou tiré par des bêtes. 1150 (fin XIe s., couche d'objets) ; ☞ *lit* ; [litjɛʀ].

**LITIGE,** subst. m.
**1.** *Dr.* Contestation portée en justice. **2.** Ext. Différend, conflit. 1394 ; lat. *litigium*, « querelle » ; [litiʒ].

**LITIGIEUX, EUSE,** adj.
Qui est en litige, peut donner matière à litige : *Cas* **litigieux**. 1331 ; lat. *litigiosus* ; [litiʒjø, øz].

**LITISPENDANCE,** subst. f.
*Dr.* État d'un litige porté simultanément devant deux tribunaux d'égale compétence. 1450 ; lat. médiév. *litispendentia*, « état d'un procès en instance » ; [litispɑ̃dɑ̃s].

**LITORNE,** subst. f.
*Zool. Grive* **litorne** : oiseau passériforme de la famille des Turdidés, qui vit dans le nord et l'est de l'Europe et hiverne sous nos latitudes. 1555 ; m. néerl. *leuteren*, « tarder » ; [litɔʀn].

Méphistophélès, *lithographie d'Eugène Delacroix (1798-1863) illustrant le* Faust *de Goethe, imprimée par Charles Motte. Bibliothèque des Beaux-Arts, Paris.*

*Affiche pour le cabaret parisien* Divan japonais *(avec Jane Avril au premier plan). Lithographie d'Henri de Toulouse-Lautrec (1864-1901). Coll. part.*

LITHOGRAPHIES

Char II, *lithographie de Georges Braque (1882-1963). Coll. part.*

**LITOTE, subst. f.**
*Rhét.* Figure qui consiste à dire moins que l'on ne pense pour sous-entendre plus (anton. *hyperbole*) : *« Ce n'est pas excellent » est une **litote** pour exprimer « C'est mauvais ».* 1521 ; bas lat. *litotes*, du gr. *litotês*, « simplicité » ; [litɔt].

**LITRE (I), subst. f.**
Bande de tissu noir aux initiales du défunt, que l'on tend autour de l'église lors d'obsèques solennelles. 1474 ; ☞ *liste* (I) ; [litʀ].

**LITRE (II), subst. m.**
**1.** *Métrol.* Unité de capacité du système métrique (symb. : l), utilisée pour les liquides et les grains, équivalant à 1 dm³. **2.** Méton. Récipient d'un **litre** de capacité : *Un **litre** en verre* ; contenu de ce récipient : *Un **litre** de vin.* 1795 ; ☞ *litron* ; [litʀ].

**LITRON, subst. m.**
**1.** *Métrol.* Ancienne mesure de capacité, équivalente au seizième de boisseau, soit environ 0,813 l. **2.** Litre de vin (fam.). 1600 ; lat. médiév. *litra*, « mesure pour les liquides », du gr. *litra* ; [litʀɔ̃].

**LITSAM, voir LITHAM**

**LITTÉRAIRE, adj.**
**I. 1.** Propre ou relatif à la littérature : *Œuvre **littéraire*** ; en partic., qui appartient à la langue écrite : *Tournure **littéraire**.* **2.** Qui concerne le monde de la littérature : *Carrière, prix, directeur **littéraire**.* ▸ *Dr. Propriété **littéraire*** : droit de propriété qu'un auteur exerce sur son œuvre. **3.** Peu authentique, artificiel (péj.) : *Procédé **littéraire**.* **II. 1.** Qui a plus de goût, plus d'aptitudes pour les lettres que pour les sciences ou qui s'y consacre ; empl. subst. : *Une sensibilité de **littéraire**.* **2.** Qui ressortit aux lettres : *Études **littéraires**.* 1527 ; lat. *litterarius*, « relatif à la lecture, à l'écriture » ; [liteʀɛʀ].

**LITTÉRAIREMENT, adv.**
De façon littéraire ; du point de vue littéraire. 1810 ; ☞ *littéraire* ; [liteʀɛʀmɑ̃].

**LITTÉRAL, ALE, AUX, adj.**
**1.** Vx. Relatif aux lettres. **2.** Qui s'effectue lettre à lettre : *Transcription **littérale**.* ▸ Qui suit le sens strict d'un texte : *Traduction **littérale**.* **3.** Qualifie l'arabe classique, écrit (anton. *dialectal*). **4.** Qui utilise les lettres : *Arithmétique **littérale**.* **5.** *Dr. Preuve **littérale*** : écrite. Déb. XIVe s. ; bas lat. *litteralis* ; [liteʀal, o].

**LITTÉRALEMENT, adv.**
**1.** Mot à mot : *Citer **littéralement** un vers.* **2.** Au sens littéral du terme : *Être **littéralement** affamé.* 1465 ; ☞ *littéral* ; [liteʀalmɑ̃].

**LITTÉRALITÉ, subst. f.**
Caractère de ce qui est littéral. 1752 ; ☞ *littéral* ; [liteʀalite].

**LITTÉRATEUR, TRICE, subst.**
Homme, femme de lettres (souv. péj.). Fin XVe s. ; lat. *litterator*, « grammairien » ; [liteʀatœʀ, tʀis].

**LITTÉRATURE, subst. f.**
**1.** Ensemble des œuvres écrites, qui ont en commun le souci de répondre à des exigences esthétiques. ▸ Fig. Ce qui manque de profondeur, d'authenticité (péj.) : ***Littérature** que tout cela !* **2.** Écrits relevant d'une culture, d'une époque, d'un genre, etc., ou concernant un domaine particulier : ***Littérature** médiévale* ; ***Littérature** informatique.* ▸ ***Littérature** orale* : ensemble des récits propres à une langue, transmis oralement aux fins de distraire, d'émouvoir. **3.** Art, métier de l'écrivain. Déb. XIIe s. ; lat. *litteratura*, « écriture » ; [liteʀatyʀ].

**LITTORAL, ALE, AUX, adj. et subst. m.**
ADJ. Qui concerne les rivages marins : *Érosion **littorale**.* SUBST. Zone du territoire qui longe la mer et qui subit son influence. 1752 ; lat. *littoralis*, de *litus*, « rivage » ; [litɔʀal, o].

**LITTORINE, subst. f.**
*Zool.* Mollusque gastéropode à coquille épaisse, commun sur les côtes européennes. L'espèce comestible est le bigorneau. 1819 ; lat. *litus*, « rivage » ; [litɔʀin].

**LITUANIEN, IENNE, adj. et subst.**
De Lituanie. SUBST. MASC. Langue indo-européenne du groupe balte, parlée en Lituanie. 1540 ; topon. *Lituanie* ; var. *lithuanien, ienne* ; [litɥanjɛ̃, jɛn].

**LITURGIE, subst. f.**
**1.** *Relig.* Forme officielle des cérémonies religieuses, règles d'un culte : ***Liturgie** anglicane* ; ***Liturgie** du mariage.* **2.** *Antiq. gr.* Service public ou religieux pris en charge par un riche citoyen. 1580 ; lat. chrét. *liturgia*, du gr. *leitourgia*, « service public » ; [lityʀʒi].

**LITURGIQUE, adj.**
Qui concerne la liturgie : *Vêtement, fête, calendrier **liturgique**.* 1718 ; gr. eccl. *leitourgikos* ; [lityʀʒik].

**LIURE, subst. f.**
**1.** Lien avec lequel on arrime un chargement sur une charrette. **2.** *Mar.* Cordage ou pièce rigide servant à maintenir entre eux des éléments d'un navire. 1433 (fin XIIe s., pansement) ; ☞ *lier* ; [ljyʀ].

**LIVAROT, subst. m.**
Fromage de lait de vache, à pâte molle et à croûte lavée, produit dans la région de Livarot. 1845 ; topon. *Livarot* (Calvados) ; [livaʀo].

**LIVE, adj. inv.**
Anglic. Enregistré en public : *Disque, concert **live*** ; empl. subst. masc. inv. : *Un **live***, un enregistrement en public. V. 1980 ; angl. *live*, « vivant » ; [lajv].

**LIVÈCHE, subst. f.**
*Bot.* Apiacée à graines alimentaires et médicinales. Mil. XIIIe s. ; lat. pop. °*levistica*, du lat. *ligusticum*, « herbe de Ligurie » ; [livɛʃ].

**LIVEDO, subst. m. ou f.**
*Pathol.* Coloration violacée de la peau dessinant des réseaux de mailles au niveau des membres inférieurs, due à des troubles circulatoires. Déb. XXe s. ; lat. *livedo*, « tache bleue » ; var. *livédo* ; [livedo].

**LIVET, subst. m.**
*Mar.* Ligne de jonction de la coque et du pont d'un navire. 1859 ; lat. *libella*, « niveau » ; [livɛ].

**LIVIDE, adj.**
**1.** D'une couleur plombée, bleuâtre (vieilli ou littér.) : *Une tache **livide** cerclait le bras gauche* (Zola). **2.** Blême, terreux : *Un visage **livide**.* 1314 ; lat. *lividus*, « bleuâtre, noirâtre » ; [livid].

**LIVIDITÉ, subst. f.**
État de ce qui est livide. 1314 ; ☞ *livide* ; [lividite].

**LIVING-ROOM, subst. m.**
Salle de séjour (anglic.). Déb. XXe s. ; angl. *living room*, « pièce où l'on vit » ; plur. *living-rooms*, var. *living* ; [liviŋʀum].

**LIVRABLE, adj.**
Se dit d'une marchandise qui peut ou qui doit être livrée. 1792 ; ☞ *livrer* ; [livʀabl].

**LIVRAISON, subst. f.**
**1.** Action de livrer une marchandise : *Service de **livraison*** ; par méton., ce qui est livré : *Recevoir une **livraison**.* **2.** Partie d'un ouvrage publié par volumes ou fascicules. Fin XIIe s. (mil. XIIe s., salaire) ; [livʀɛzɔ̃].

**LIVRE (I), subst. f.**
**I. 1.** Ancienne unité de poids variant de 380 à 552 g suivant les régions. **2.** Auj., demi-kilo : *Un pain de quatre **livres*** ; *Une demi-**livre** de beurre.* **3.** Au Canada, unité de masse, valant 16 oz ou 453,59 g, qui équivaut à la *pound* anglo-saxonne (symb. : lb). **II. 1.** Ancienne unité monétaire française représentant à l'origine un poids d'une **livre** d'argent : ***Livre** parisis.* **2.** Unité monétaire de plusieurs pays : *La **livre** égyptienne, syrienne, turque.* ▸ *La **livre** sterling* ou, empl. abs., *La **livre*** : unité monétaire britannique (symb. : £). Fin Xe s. ; lat. *libra* ; [livʀ].

**LIVRE (II), subst. m.**
**1.** Assemblage de feuilles portant des signes destinés à être lus, volume imprimé : ***Livre** broché, relié* ; ***Livre** de poche* ; empl. coll. : *L'industrie du **livre*** ou, empl. abs., *Le **livre***, l'imprimerie, l'édition. **2.** Volume considéré du point de vue de son contenu : *Lire un **livre*** ; ***Livre** d'histoire, de cuisine.* ▸ *Les **livres*** : la lecture, l'étude, la théorie, par oppos. à la réalité, à l'expérience. ▸ Loc. *À **livre** ouvert* : facilement, couramment ; *Parler comme un **livre*** : savamment. **3.** Division d'un ouvrage. **4.** Registre servant à consigner des faits, des évènements, des chiffres : ***Livre** de comptes.* ▸ ***Livre** d'or* : registre sur lequel des visiteurs sont invités à inscrire leurs commentaires et à signer, par réf. au registre où étaient consignés en lettres d'or les noms des familles nobles. ▸ *Mar. **Livre** de bord* : journal de bord. Fin XIe s. ; lat. *liber*, « partie vivante de l'écorce ; livre » ; [livʀ].

CIVILISATION – Les plus anciens supports de la pensée écrite ont été la pierre, la tablette d'argile (Sumer) ou de bois, le papyrus (Égypte) et le papier végétal (Chine). L'Antiquité gréco-romaine connaîtra le *liber*, papier d'écorce ou de feuilles d'aubier, et le *volumen*, parchemin ou vélin en rouleau. Au début de l'ère chrétienne, le *volumen*, découpé en feuilles quadrangulaires égales, cousues sur un côté, deviendra le *codex*. Principaux véhicules de la pensée religieuse et des actes officiels au Moyen Âge, *codex* et *volumen* seront bientôt enrichis par l'art des enlumineurs. C'est v. 1450, avec l'usage du papier chiffon et l'invention de l'imprimerie par Gutenberg, qu'apparaissent les premiers livres imprimés. À la Renaissance, la pensée humaniste profane trouve en eux un instrument de diffusion. L'expansion du livre, notamment aux XVIIe et XVIIIe s., va de pair avec l'adoption de formats de plus en plus réduits où la gravure sur bois puis sur cuivre remplace l'enluminure médiévale. Au XIXe s., les techniques de l'imprimerie se perfectionnent (papier continu, lithographie, presse mécanique, stéréotypie, invention de la Linotype). L'art du livre se développe dès lors selon deux axes très différenciés : le « beau livre », précieux, de fabrication artisanale, à l'usage du bibliophile, et le livre industriel, à petit prix, destiné au grand public. Au cours des dernières décennies, l'évolution fulgurante des technologies, avec l'apparition de la photocomposition, puis de la P. A. O. (publication assistée par ordinateur), a entraîné une généralisation des ouvrages illustrés à la mise en page complexe. Longtemps unique média du savoir, de la pensée et de la littérature, le livre subit aujourd'hui la concurrence de l'audiovisuel et du C. D.-ROM naissant (le « livre électronique »). Son existence ne semble pourtant pas remise en question.

**LIVRÉE, subst. f.**
**1.** Vêtement aux couleurs de ses armes qu'un roi ou un seigneur faisait porter aux gens de sa suite. **2.** Habit porté autrefois par les domestiques masculins des grandes maisons. **3.** *Zool.* Pelage ou plumage particulier d'un animal : *La **livrée** rayée du marcassin.* Fin XIIIe s. ; p. p. de *livrer* ; [livʀe].

**LIVRER, verbe trans.** [3]
**1.** Remettre (qqn) à une autorité : ***Livrer** un homme à la justice* ; spéc., remettre par trahison : ***Livrer** qqn à l'ennemi* ; ***Livrer** ses complices à la police.* **2.** Abandonner, soumettre (qqn, qqch.) à une action destructrice : *Jeanne d'Arc **fut livrée** au bûcher* ; ***Livrer** une contrée à l'anarchie.* **3.** Confier, dévoiler : ***Livrer** des informations.* **4.** Engager et poursuivre (un combat, une bataille). ▸ ***Livrer** passage à* : laisser passer. **5.** Remettre (une marchandise commandée) : ***Livrer** une armoire à un client* ; par méton. ***Livrer** un client.* PRONOM. **Se livrer à. 1.** Se remettre au pouvoir de : *Se **livrer** à la police.* **2.** Se confier à : *Se **livrer** à un ami* ; empl. abs. : *Il se **livre** facilement.* **3.** S'abandonner, se laisser aller à : *Se **livrer** à la rêverie.* **4.** Se consacrer à : *Se **livrer** à une activité.* Fin Xe s. ; lat. *liberare*, « rendre libre » ; [livʀe].

**LIVRESQUE, adj.**
Qui vient des livres, et non de l'expérience ou de la réflexion personnelle : *Savoir **livresque**.* Fin XVIe s. ; ☞ *livre* (II) ; [livʀɛsk].

**LIVRET, subst. m.**
**1.** Vx. Petit livre. **2.** Petit registre. ▸ ***Livret** d'ouvrier* sur lequel l'employeur inscrivait les dates de début et de fin de période de travail. ▸ ***Livret** militaire individuel* : indiquant la situation militaire. ▸ ***Livret** de famille* : remis à un couple au moment du mariage, et où seront portées les modifications futures de leur état civil. ▸ ***Livret** scolaire* : portant les notes d'un élève et les appréciations de ses professeurs. ▸ ***Livret** de caisse d'épargne* : où sont inscrites les opérations de dépôt et de retrait faites par un épargnant, ainsi que les intérêts rapportés. ▸ *Compte sur **livret*** : compte rémunéré. **3.** Petit catalogue explicatif, recueil d'instructions. **4.** *Mus.* Texte sur lequel est écrite la musique d'une œuvre lyrique. Déb. XIIIe s. ; ☞ *livre* (II) ; [livʀɛ].

**LIVREUR, EUSE, subst.**
Personne qui livre des marchandises à domicile. XIVe s. ; ☞ *livrer* ; [livʀœʀ, øz].

**LIXIVIATION, subst. f.**
*Techn.* Procédé permettant d'extraire les constituants solubles d'une substance solide en y pulvérisant un liquide qui les entraîne. 1699 ; lat. *lixivius* « de lessive » ; [liksivjasjɔ̃].

**LIXIVIER, verbe trans.** [6]
Procéder à la lixiviation de (une substance). XIXe s. ; lat. *lixivius*, « de lessive » ; [liksivje].

**LLANOS, subst. m. plur.**
*Géogr.* Région de plaines herbeuses, en Amérique du Sud : *Les **llanos** du Venezuela.* 1598 ; esp. *llano*, du lat. *planus*, « plaine » ; [ljanos].

**lm, voir LUMEN**

**LOADER,** subst. m.
*rav. publ.* Chargeuse (anglic.). 1948 ; angl. *loader,* e *to load,* « charger » ; [lodœʀ].

**LOB,** subst. m.
*p.* Coup consistant à lancer une balle, ou un allon, par-dessus l'adversaire afin qu'il ne puisse intercepter. 1907 ; mot angl. ; [lɔb].

**LOBAIRE,** adj.
*nat.* Relatif à un lobe : *Artères **lobaires** du rein.* 1814 ; ☞ *lobe* ; [lɔbɛʀ].

**LOBBY,** subst. m.
Groupe de pression (anglic.). 1952 ; angl. *lobby,* couloir » ; plur. *lobbys* ou *lobbies* ; [lɔbi].

**LOBE,** subst. m.
**1.** *Anat.* Partie arrondie d'un organe, possédant gén. a propre vascularisation ou un fonctionnement physiologique individualisé : *Le **lobe** postérieur de l'hypophyse sécrète notamment l'hormone antidiurétique.* ► ***Lobe** de l'oreille* : partie inférieure arrondie t charnue du pavillon de l'oreille. **2.** *Bot.* Division arrondie d'une feuille ou d'un pétale. **3.** *Archit.* Découpure en arc de cercle, fréquente dans l'art gothique ou mauresque. Fin XIVe s. ; gr. *lobos* ; [lɔb].

**LOBÉ, ÉE,** adj.
Qui est divisé en lobes. 1778 ; ☞ *lobe* ; [lɔbe].

**LOBECTOMIE,** subst. f.
*Chir.* Ablation d'un lobe (de la thyroïde, du poumon, etc.). 1941 ; ☞ *lobe* + *-ectomie* ; [lɔbɛktɔmi].

**LOBÉLIE,** subst. f.
*Bot.* Plante exotique herbacée de la famille des Lobéliacées, dont certaines espèces sont ornementales. 1747 ; anthropon. *Lobel,* botaniste flamand ; [lɔbeli].

**LOBER,** verbe [3]
*p.* **Trans.** Tromper (l'adversaire) grâce à un lob. **ntrans.** Faire un lob. 1928 ; ☞ *lob* ; [lɔbe].

**LOBOTOMIE,** subst. f.
*Chir.* Opération, rare de nos jours, consistant à sectionner certains faisceaux blancs qui unissent e cortex cérébral préfrontal aux régions sous-corticales, en cas de douleurs rebelles ou d'affections mentales graves, lorsque les autres thérapies ont échoué. 1950 ; ☞ *lobe* + *-tomie* ; [lɔbɔtɔmi].

**LOBOTOMISER,** verbe trans. [3]
*Chir.* Soumettre (qqn) à une lobotomie. V. 1950 ; ☞ *lobotomie* ; [lɔbɔtɔmize].

**LOBULAIRE,** adj.
**1.** Relatif, propre à un lobule, qui en a la forme. **2.** Formé de lobules (synon. *lobulé, ée*). Déb. XIXe s. ; ☞ *lobule* ; [lɔbylɛʀ].

**LOBULE,** subst. m.
*Anat.* **1.** Petit lobe ; division d'un lobe. **2.** Unité histologique et souvent fonctionnelle d'un organe : ***Lobules** hépatiques.* 1690 ; ☞ *lobe* ; [lɔbyl].

**LOBULEUX, EUSE,** adj.
Qui est composé de lobules. 1805 ; ☞ *lobule* ; [lɔbylø, øz].

**LOCAL, ALE, AUX,** adj. et subst. m.
**Adj. 1.** Particulier à un lieu, à une région : *Impôts **locaux** ; Tradition **locale**.* **2.** Limité dans l'espace : *Averses **locales**.* ► Qui ne concerne qu'une partie du corps : *Anesthésie **locale**.* **3.** *B.-a.* ***Couleur locale*** : couleur propre à un objet, dans un tableau et, par ext., ensemble des caractères particuliers à un lieu, à un temps donné. **Subst.** Bâtiment ou partie de bâtiment à usage spécifique : ***Local** commercial* ; ***Locaux** disciplinaires.* Déb. XIIIe s. ; bas lat. *localis* ; [lɔkal, o].

**LOCALEMENT,** adv.
D'une manière locale : *Ciel **localement** nuageux.* 1611 (déb. XIVe s., spatialement) ; ☞ *local* ; [lɔkalmɑ̃].

**LOCALIER, IÈRE,** subst.
Journaliste chargé des informations locales. V. 1970 ; ☞ *local* ; [lɔkalje, jɛʀ].

**LOCALISABLE,** adj.
Qui peut être localisé : *Une panne, un bruit **localisable**.* 1873 ; ☞ *localiser* ; [lɔkalizabl].

**LOCALISATEUR, TRICE,** adj. et subst. m.
**Adj.** Qui permet de localiser : *Douleur **localisatrice** d'une affection.* **Subst.** *Méd.* Dispositif permettant de circonscrire la zone d'application de rayons X. 1878 ; ☞ *localiser* ; [lɔkalizatœʀ, tʀis].

**LOCALISATION,** subst. f.
**1.** Action de localiser, de situer ; fait d'être localisé en un point précis de l'espace ou, par anal., du temps : ***Localisation** d'un naufrage.* ► *Anat.* et *Pathol.* Ensemble des zones qui correspondent à une fonction déterminée, ou qui sont atteintes par une maladie : *La **localisation** pulmonaire, osseuse ou rénale de la tuberculose.* **2.** Action de circonscrire ; fait d'être limité : ***Localisation** d'un sinistre, d'un conflit armé.* 1803 ; ☞ *localiser* ; [lɔkalizasjɔ̃].

**LOCALISER,** verbe trans. [3]
**1.** Situer (qqch.) dans l'espace ou, par anal., dans le temps : ***Localiser** un avion par radar.* **2.** Limiter l'extension de, circonscrire : ***Localiser** une épidémie.* 1801 (1796, ranger) ; ☞ *local* ; [lɔkalize].

**LOCALITÉ,** subst. f.
Bourg, village : *Il habite dans la **localité** voisine.* 1816 (fin XVIe s., lieu) ; ☞ *local* ; [lɔkalite].

**LOCATAIRE,** subst.
Personne qui prend qqch. en location par contrat pour l'utiliser ou pour l'exploiter : ***Locataire** d'un logement, d'une terre* ; ***Locataire** principal,* qui prend un logement en location et le sous-loue à un tiers. 1510 ; lat. *locare,* « louer » ; [lɔkatɛʀ].

**LOCATIF (I), IVE,** adj.
*Dr.* **1.** Relatif à un bien loué ou destiné à la location : *La valeur **locative** d'un immeuble.* **2.** Qui est à la charge du locataire ou sous sa responsabilité : *Charges, réparations **locatives*** ; *Risques **locatifs**.* 1636 ; lat. *locare,* « louer » ; [lɔkatif, iv].

**LOCATIF (II), IVE,** adj. et subst. m.
*Ling.* **Adj.** Qui marque le lieu : *Prépositions **locatives**.* **Subst.** Dans certaines langues à flexions, cas qui exprime le lieu où se situe l'action. 1840 ; lat. *locus,* « lieu », d'apr. *accusatif, vocatif,* etc. ; [lɔkatif, iv].

**LOCATION,** subst. f.
**1.** Action de donner ou de prendre à loyer un bien immobilier, un appareil, etc. : *Contrat de **location*** ; ***Location**-vente* : contrat à l'issue duquel le locataire peut devenir propriétaire de la chose louée, moyennant le paiement de loyers plus élevés que les loyers normaux. **2.** Réservation d'une place de théâtre, de train ou d'avion ; par méton., bureau de **location**. XIIIe s. ; lat. *locatio,* de *locare,* « louer » ; [lɔkasjɔ̃].

**LOCH (I),** subst. m.
*Mar.* Instrument servant à mesurer la vitesse d'un navire, composé à l'origine d'une planchette lestée et d'une ligne à nœuds se déroulant d'un touret. 1683 ; néerl. *log,* « bûche, poutre » ; [lɔk].

**LOCH (II),** subst. m.
*Géogr.* En Écosse, fjord ou lac de forme allongée : *Le **loch** Ness.* 1708 ; mot écossais ; [lɔk].

**LOCHE,** subst. f.
*Zool.* **1.** Poisson d'eau douce de la famille des Cobitidés, dont il existe trois espèces en Europe : la **loche** franche, la **loche** de rivière et la **loche** d'étang. **2.** ***Loche** de mer* : poisson de la famille des Gadidés. **3.** Région. (Sud-Ouest). Limace grise. Fin XIIe s. ; prob. lat. pop. °*laukka,* sorte de poisson, du gaul. °*leuka,* « blancheur » ; [lɔʃ].

**LOCHER,** verbe trans. [3]
Secouer (un arbre) pour en faire tomber les fruits (région.). Fin XIIe s. ; orig. obsc. ; [lɔʃe].

**LOCHIES,** subst. f. plur.
*Méd.* Sérosités d'origine utérine, qui s'écoulent pendant deux semaines environ après l'accouchement. 1691 ; gr. *lokheia,* « accouchement » ; [lɔʃi].

**LOCK-OUT,** subst. m. inv.
Fermeture temporaire d'une entreprise par la direction en réponse à une grève ou à une menace de grève (anglic.). 1865 ; angl. *lock-out,* de *to lock out,* « enfermer dehors » ; var. *lockout* (inv.) ; [lɔkaut].

**LOCOMOBILE,** adj. et subst. f.
**Adj.** Vx. Qui peut être déplacé. **Subst.** Machine à vapeur, montée sur roues non motrices, qui servait à actionner des engins agricoles ou industriels. 1805 ; formé de *loco-* et de *-mobile* ; [lɔkɔmɔbil].

**LOCOMOTEUR, TRICE,** adj. et subst.
**Adj. 1.** Qui sert à la locomotion : *Muscle **locomoteur**.* **2.** Relatif à la locomotion. **Subst. masc.** Locomotive à vapeur. **Subst. fém.** Locomotive Diesel ou électrique. 1690 ; ☞ *moteur* + *loco-* ; [lɔkɔmɔtœʀ, tʀis].

**LOCOMOTION,** subst. f.
**1.** *Physiol.* Action de se mouvoir ; faculté de certains êtres vivants de se mouvoir : *Organes de **locomotion**.* **2.** Déplacement, transport : ***Locomotion** aérienne, ferroviaire.* 1771 ; lat. *motio,* « action de mouvoir », + *loco-* ; [lɔkɔmɔsjɔ̃].

**LOCOMOTIVE,** subst. f.
**1.** Machine servant à tracter les voitures d'un train sur les voies ferrées : ***Locomotive** à vapeur, Diesel ou électrique.* **2.** Fig. Personne active, énergique, qui en entraîne d'autres ; élément moteur. 1834 ; *locomotif* (rare), « qui opère la locomotion », du lat. sc. *locomotivum,* « faculté de se déplacer » ; [lɔkɔmɔtiv].

**LOCOTRACTEUR,** subst. m.
Petite locomotive de manœuvre. Déb. XXe s. ; ☞ *tracteur* + *loco-* ; [lɔkotʀaktœʀ].

**LOCULAIRE,** adj.
*Bot.* Divisé en loges (synon. *loculé, ée*) : *Un fruit **loculaire**.* 1814 ; *locule,* « loge » (vx), du lat. *loculus,* « compartiment » ; [lɔkylɛʀ].

**LOCUS,** subst. m.
*Génét.* Emplacement habituel d'un gène donné sur un chromosome. 1932 (1865, localisation cérébrale) ; lat. *locus,* « lieu » ; [lɔkys].

**LOCUSTE,** subst. f.
*Zool.* Criquet migrateur. Déb. XIIe s. ; lat. *locusta* ; [lɔkyst].

**LOCUSTELLE,** subst. f.
*Zool.* Oiseau de la famille des Sylviidés, dont le chant ressemble aux stridulations de la sauterelle. 1784 ; ☞ *locuste* ; [lɔkystɛl].

**LOCUTEUR, TRICE,** subst.
*Ling.* Personne qui parle (anton. *auditeur*). ► ***Locuteur** natif* : personne qui maîtrise suffisamment sa langue maternelle pour évaluer la grammaticalité d'énoncés issus de modèles structuraux. Déb. XXe s. ; lat. *locutor* ; [lɔkytœʀ, tʀis].

**LOCUTION,** subst. f.
**1.** Vx. Élocution. **2.** *Ling.* Groupe de mots constituant une unité grammaticale ou sémantique : ***Locution** prépositive, adverbiale, conjonctive, verbale.* 1342 ; lat. *locutio,* de *loqui,* « parler » ; [lɔkysjɔ̃].

**LODEN,** subst. m.
Tissu de laine épais, imperméable, dont on fait des manteaux ; par méton., veste ou manteau fait dans cette matière. 1904 ; all. *Loden* ; [lɔdɛn].

**LODS,** subst. m. plur.
*Dr. féod.* ***Lods** et ventes* : droit de mutation dû à un seigneur à la vente d'un fief ou d'une censive. 1265 ; anc. fr. *los,* du lat. *laus,* « louange » ; [lo].

**LŒSS,** subst. m.
*Géogr.* Limon fin et homogène, très fertile, déposé par le vent, en partic. dans les régions à climat périglaciaire pendant les glaciations du Quaternaire. 1845 ; all. *Löss,* prob. de l'além. *lösch,* « meuble » ; [løs].

**LOF,** subst. m.
*Mar.* Côté d'un navire exposé au vent. ► Loc. *Virer **lof** pour **lof*** : virer de bord vent arrière. 1762 (mil. XIIe s., partie de la voile qui est du côté du vent) ; p.-ê. m. néerl. *loef,* « côté du vent » ; [lɔf].

**LOFER,** verbe intrans. [3]
*Mar.* Remonter au vent (anton. *abattre*). 1771 ; ☞ *lof* ; [lɔfe].

**LOFT,** subst. m.
Ancien local professionnel converti en logement (anglic.). V. 1970 ; mot anglo-amér. ; [lɔft].

**LOGARITHME,** subst. m.
*Math. Fonction **logarithme** de base* $a > 0$, $a \neq 1$ : fonction réciproque de l'exponentielle de base $a$, notée $\log_a$ ; $\log_a x = y$, $x > 0$, signifie $x = a^y$. Le **logarithme** est dit décimal si $a = 10$ (symb. : log) et népérien si $a = e$ (symb. : ln ou Log). On a : $\log_a (xx') = \log_a x + \log_a x'$ pour $x$, $x'$ réels strictement positifs. 1626 ; lat. sc. *logarithmus,* du gr. *logos,* « rapport », et *arithmos,* « nombre » ; [lɔgaʀitm].

**LOGARITHMIQUE,** adj.
*Math. Échelle **logarithmique** sur une demi-droite* $(Ox)$ : association à chaque point M de $(Ox)$ d'un réel $t$ tel que $\log_a t$ soit proportionnel à la distance usuelle OM, pour un $a$ choisi (gén., $a = 10$ ou $a = e$). 1690 ; ☞ *logarithme* ; [lɔgaʀitmik].

*L'une des dernières **locomotives** à vapeur de France, dans le Vivarais.*

© J.-J. Bernier-Gamma

**LOGE,** subst. f.
**1.** Vx. Abri fait de branchages. **2.** Logement de gardien. **3.** *Archit.* Galerie ouverte sur l'extérieur à l'étage d'un édifice (synon. *loggia*). **4.** Compartiment abritant quelques spectateurs, dans un théâtre classique. ▸ Loc. *Être aux premières* ***loges*** : être à la meilleure place pour assister à un évènement. **5.** Petite pièce à l'usage des artistes : *Car-***loge**, caravane servant de **loge**. ▸ *B.-a.* Petit atelier dans lequel est isolé chaque candidat à un concours (en partic. au prix de Rome). **6.** *Biol.* Cavité cloisonnée contenant un ou plusieurs organes. **7.** *Bot.* Cavité de l'ovaire ou de l'anthère contenant les gamètes. **8.** Local de réunion des francs-maçons ; par méton., association de francs-maçons : ***Loge*** *maçonnique* ; *La Grande* ***Loge*** *de France.* Dés. XIIe s. ; anc. bas frq. °*laubja*, « feuillée » ; [lɔʒ].

**LOGEABLE,** adj.
**1.** Où l'on peut loger. **2.** Que l'on peut aisément loger. Fin XVe s. ; ☞ *loger* ; [lɔʒabl].

**LOGEMENT,** subst. m.
**1.** Action de loger, de se loger. ▸ *Milit.* Action de loger des troupes chez l'habitant. **2.** Logis, local d'habitation : ***Logement*** *de fonction.* **3.** *Techn.* Cavité dans laquelle s'insère une pièce mécanique. Fin XIIIe s. ; ☞ *loger* ; [lɔʒmɑ̃].

**LOGER,** verbe [5]
Intrans. **1.** Résider à un endroit : ***Loger*** *à l'hôtel.* ▸ Loc. *Être* ***logé*** *à la même enseigne* (☞ *enseigne*). **2.** Trouver place : *Ces bouteilles* ***logent*** *dans les casiers.* Trans. **1.** Héberger : ***Loger*** *qqn chez soi.* **2.** Faire entrer ; mettre : *Il lui* ***logea*** *une balle dans la jambe.* Fin XIVe s. (mil. XIIe s., établir son camp) ; ☞ *loge* ; [lɔʒe].

**LOGETTE,** subst. f.
*Archit.* Petite loge. XIIe s. ; ☞ *loge* ; [lɔʒɛt].

**LOGEUR, EUSE,** subst.
Personne qui donne en location un logement, une chambre meublée. XVe s. ; ☞ *loger* ; [lɔʒœʀ, øz].

**LOGGIA,** subst. f.
**1.** *Archit.* Loge. **2.** Grand balcon couvert. **3.** Mezzanine. XVIIIe s. ; ital. *loggia*, du fr. *loge* ; [lɔdʒja].

**LOGICIEL, ELLE,** subst. m. et adj.
*Informat.* Subst. Ensemble des programmes, des procédés et des règles nécessaires au fonctionnement et à l'utilisation d'un ordinateur (anton. *matériel*). Adj. Relatif à un ou à des **logiciels**. V. 1970 ; ☞ *logique*, d'apr. *matériel* ; [lɔʒisjɛl].

**LOGICIEN, IENNE,** subst.
**1.** Spécialiste de logique. **2.** Ext. Personne qui fait preuve de rigueur dans le raisonnement. Mil. XIIIe s. ; ☞ *logique*, d'apr. le lat. *logicus* ; [lɔʒisjɛ̃, jɛn].

**LOGICISME,** subst. m.
**1.** Attitude accordant une place prépondérante à la logique dans le traitement des problèmes philosophiques. **2.** Doctrine qui revendique l'indépendance de la logique par rapport à la psychologie (anton. *psychologisme*). **3.** Tendance à réduire les mathématiques à la logique. 1910 ; ☞ *logique* ; [lɔʒisism].

**LOGIQUE,** subst. f. et adj.
Subst. **1.** Science dont l'objet est de départager le vrai du faux, par oppos. à l'éthique et à l'esthétique. **2.** Partie de la philosophie et des mathématiques dont l'objet est de formaliser le raisonnement, d'étudier les opérations intellectuelles qu'il engage et de déterminer leur validité : ***Logique*** *formelle, naturelle, scolastique, symbolique* ; ***Logique*** *des propositions, des prédicats.* **3.** Ext. Art de penser, de raisonner : *Manquer de* ***logique*** ; titre ou dénomination d'ouvrages traitant de cet art : *L'« Organon », ou «* ***Logique*** *d'Aristote ».* **4.** Anal. Principe qui commande une succession d'évènements : ***Logique*** *d'une situation.* Adj. **1.** Qui concerne la **logique**, les faits dont elle traite : *Prédicat* ***logique***. **2.** Conforme aux règles de la **logique** : *Raisonnement* ***logique***. **3.** Qui s'impose à l'esprit, qui se déduit de soi-même : *Conséquence, résultat* ***logique***. Mil. XIIIe s. ; lat. *logica*, du gr. *logikê*, de *logos*, « raison » ; [lɔʒik].

**LOGIQUEMENT,** adv.
**1.** Conformément à la logique. **2.** Selon la logique des choses (souv. en tête de phrase) : ***Logiquement****, cela devrait vite s'arranger.* 1769 ; ☞ *logique* ; [lɔʒikmɑ̃].

**LOGIS,** subst. m.
Logement (littér.). 1348 ; ☞ *loger* ; [lɔʒi].

**LOGISTE,** subst.
Élève des Beaux-Arts admis dans une loge pour participer à un concours. 1867 ; ☞ *loge* ; [lɔʒist].

**LOGISTICIEN, IENNE,** subst.
Spécialiste de la logistique. 1908 ; ☞ *logistique* ; [lɔʒistisjɛ̃, jɛn].

**LOGISTIQUE,** subst. f. et adj.
Subst. **1.** Partie des mathématiques qui traite des quatre opérations fondamentales (vx). **2.** *Milit.* Organisation des opérations ayant pour but le logement, le transport et le ravitaillement d'une armée. ▸ Ext. Ensemble des méthodes d'organisation d'une entreprise, d'un service, etc. : ***Logistique*** *hospitalière.* Adj. **1.** Relatif à la **logistique** militaire. **2.** Relatif à l'organisation des services : *Soutien* ***logistique***. 1611 (1546, raison) ; gr. *logistikos*, « relatif au calcul, au raisonnement » ; [lɔʒistik].

**LOGITHÈQUE,** subst. f.
Organisme de prêt de logiciels. Fin XXe s. ; ☞ *logiciel* + *-thèque* ; [lɔʒitɛk].

**LOGO,** subst. m.
Symbole graphique, dessin, sigle d'une marque, d'une société. V. 1970 ; apocope de *logotype* ; [lɔgo].

*Quelques exemples de* ***logos***.

**LOGOGRAPHE,** subst. m.
**1.** *Antiq.* ▸ Nom donné aux historiens jusqu'à Hérodote. ▸ Rhéteur qui écrivait les plaidoyers ou les discours d'autres personnes. **2.** Sous la Révolution, scripteur qui pratiquait la logographie. 1615 ; gr. *logographos*, « qui écrit en prose » ; [lɔgɔgʀaf].

**LOGOGRAPHIE,** subst. f.
Système de notation rapide du langage parlé, ancêtre de la sténographie, né sous la Révolution française pour recueillir les débats à l'Assemblée. 1790 ; ☞ *logographe* ; [lɔgɔgʀafi].

**LOGOGRIPHE,** subst. m.
Énigme où l'on doit deviner les divers mots que l'on peut former avec les lettres d'un autre mot. 1623 ; gr. *griphos*, « énigme », + *logo-* ; [lɔgɔgʀif].

**LOGOMACHIE,** subst. f.
**1.** Querelle sur des mots auxquels les interlocuteurs n'attribuent pas exactement le même sens. **2.** Discours creux, verbalisme. 1610 ; gr. *logomakhia*, « combat en paroles » ; [lɔgɔmaʃi].

**LOGOPÉDIE,** subst. f.
*Méd.* Traitement des troubles de la prononciation chez l'enfant. V. 1960 ; gr. *pais*, « enfant », + *logo-* ; [lɔgɔpedi].

**LOGORRHÉE,** subst. f.
Flot intarissable de paroles, que l'on rencontre notamment dans certaines affections mentales. 1823 ; formé de *logo-* et de *-rrhée* ; [lɔgɔʀe].

**LOGOS,** subst. m.
**1.** *Philos.* Chez Platon et les stoïciens, divinité en tant qu'elle exprime la raison suprême. **2.** *Théol.* Le Verbe (de Dieu). 1749 ; gr. *logos*, « parole, raison » ; [lɔgɔs].

**LOGOTYPE,** subst. m.
**1.** *Typogr.* Caractère portant plusieurs lettres liées ensemble. **2.** Logo. 1873 ; ☞ *type* + *logo-* ; [lɔgɔtip].

**LOI,** subst. f.
**1.** Règle émanant de l'autorité souveraine d'un État, sanctionnée par la force publique et applicable à tous : *Le Parlement vote les* ***lois*** ; ***Lois*** *civiles, pénales* ; ***Loi(s)*** *fondamentale(s)*, la Constitution d'un État ; ***Loi*** *d'orientation.* ▸ **La loi.** L'ensemble des **lois**, des règles légales, des prescriptions : *Nul n'est censé ignorer la* ***loi*** ; la légalité : *Être hors la* ***loi***. **2.** Règle émanant d'une autorité supérieure à l'homme : *L* ***loi*** *divine*, fondée sur la Révélation ; *La* ***Loi*** *mosaïqu* ou ***Loi*** *ancienne*, contenue dans l'Ancien Testament *La* ***Loi***, la Torah ; *La* ***Loi*** *nouvelle*, ou ***Loi*** *du Christ* contenue dans le Nouveau Testament ; *La l* *islamique.* ▸ ***Loi*** *naturelle* : ensemble des règles mo rales dictées à l'homme par sa conscience, par s nature même. **3.** Pouvoir, domination, autorité : *L* ***loi*** *du plus fort* ; *Imposer sa* ***loi****, faire la* ***loi***, commande **4.** Contrainte imposée par les circonstances, par le choses : ***Loi*** *de la jungle, du destin.* ▸ Loc. proverb *Nécessité fait* ***loi*** : on passe outre la loi, les usages e cas de nécessité absolue. **5.** Règle, principe qui rég les rapports sociaux, un domaine, un art, etc. (gén au plur.) : *Les* ***lois*** *de l'hospitalité* ; *Les* ***lois*** *de l perspective.* **6.** Rapport de nécessité régissant les phé nomènes naturels : *Les* ***lois*** *de la physique* ; *La* ***loi*** *d la gravitation* ; *La* ***loi*** *des grands nombres.* Fin Xe s. lat. *lex* ; [lwa].

**LOI-CADRE,** subst. f.
*Dr. constit.* Loi qui définit les principes directeur d'une réforme et laisse à l'exécutif le soin d'en pré ciser les applications par des décrets. Mil. XXe s. comp. de *loi* et de *cadre* ; plur. *lois-cadres* ; [lwakadʀ

**LOIN,** adv.
**1.** À une grande distance dans l'espace : *Allons- à pied, ce n'est pas* ***loin*** ; au fig. : *Voir* ***loin***, êtr perspicace. ▸ Loc. *Il y a* ***loin*** *de... à...* : il y a un grande différence entre... et... **2.** À une grand distance dans le temps, passé ou futur : *L'été es encore* ***loin***. **3.** Fig. **Aller loin.** Avoir des consé quences importantes : *Cette affaire peut aller* ***loin*** être promis à un bel avenir, en parlant de qqn *Ce garçon ira* ***loin***. ▸ *Aller trop* ***loin*** : exagérer. ▸ *N pas aller* ***loin*** : être sans valeur, sans conséquenc (fam.). **4.** Loc. ▸ **Au loin.** À une grande distance *Je l'aperçois au* ***loin***. ▸ **De loin.** D'une grand distance : *Observer qqch. de* ***loin*** ; au fig., d beaucoup : *Il est de* ***loin*** *le plus brillant* ; vaguement *Il s'y intéresse de* ***loin***. ▸ *De* ***loin*** *en* ***loin*** : de temp en temps. **5.** Loc. prép. **Loin de.** ▸ À une grand distance de, dans l'espace ou dans le temps : *Il habit* ***loin*** *d'ici* ; *Il est* ***loin*** *d'avoir fini* ; *Non* ***loin*** *de*, prè de. ▸ Fig. Indique un éloignement moral : ***Loin*** *de yeux,* ***loin*** *du cœur* ; ***Loin*** *de là*, bien au contraire ▸ **(Être) loin de** (+ inf.). Équivaut à une négatio renforcée : *Il est* ***loin*** *d'être idiot.* **6.** Loc. con ▸ **D'aussi loin que, du plus loin que** (+ ind. o subj.). De la plus grande distance, spatiale o temporelle, que : *Du plus* ***loin*** *qu'il m'en souvienne* ▸ Fig. **Bien loin que** (+ subj.). Au lieu que (littér.) *Bien* ***loin*** *que je lui en veuille, je le remercie.* Mi XIe s. ; lat. *longe* ; [lwɛ̃].

**LOINTAIN, AINE,** adj. et subst. m.
Adj. **1.** Qui est à une grande distance, dans l'espac ou dans le temps : *De* ***lointains*** *rivages* ; *Des origine* ***lointaines***. **2.** Fig. Qui semble ailleurs, détaché : *U regard* ***lointain***. Subst. **1.** Plan éloigné : *Le* ***lointain*** **2.** *Peint.* Arrière-plan d'un paysage représenté dan un tableau. Mil. XIIe s. ; lat. pop. °*longitanus*, du la *longe*, « loin » ; [lwɛ̃tɛ̃, ɛn].

**LOI-PROGRAMME,** subst. f.
Loi qui définit les objectifs et les moyens d'actio de l'État pour un programme à long terme dan un domaine particulier. V. 1960 ; comp. de *loi* e de *programme* ; plur. *lois-programmes* ; [lwapʀɔgʀam]

**LOIR,** subst. m.
*Zool.* Rongeur hibernant de la famille des Gliridés au pelage brun clair et à la longue queue. Les lérot et les muscardins, de la même famille, sont auss appelés des **loirs**. ▸ Loc. *Dormir comme un* ***loir*** profondément. Déb. XIIIe s. ; lat. pop. °*glis* ; [lwaʀ]

*Loir.*

**LOISIBLE,** adj.
**1.** Vx. Licite, permis. **2.** Empl. impers. **Être loisible de** (+ inf.). Être permis, possible de : *Il vous est **loisible** de refuser.* 1295 ; anc. fr. *loisir*, « être permis » ; [lwazibl].

**LOISIR,** subst. m.
**1.** Vx. Possibilité, autorisation de faire qqch. : *Avoir le **loisir** de s'en aller.* ▸ Loc. **À loisir.** Autant que l'on désire et en prenant tout son temps : *Discuter à **loisir**.* **2.** Temps disponible pour faire qqch. : *Je n'ai guère le **loisir** d'étudier ce projet.* **3.** Activité, distraction à laquelle on consacre son temps libre (surtout au plur.) : *Civilisation des **loisirs**.* Fin XI^e s. ; anc. fr. *loisir*, du lat. *licere*, « être permis » ; [lwaziʀ].

**LOKOUM,** voir **LOUKOUM**

**LOLO,** subst. m.
**1.** Lait (lang. enfantin). **2.** Méton. Sein (fam.). 1512 ; onomat. sur la première lettre de *lait* ; [lolo].

**LOMBAGO,** voir **LUMBAGO**

**LOMBAIRE,** adj.
*Anat.* Qui concerne les lombes : *Vertèbre **lombaire*** ou, empl. subst. fém., *Une **lombaire***, chacune des cinq vertèbres situées entre les vertèbres dorsales et le sacrum. 1560 (1488, ceinture cachant les organes génitaux) ; ☞ *lombes* ; [lɔ̃bɛʀ].

**LOMBALGIE,** subst. f.
*Pathol.* Douleur lombaire. 1953 ; ☞ *lombes* + *-algie* ; [lɔ̃balʒi].

**LOMBARD, ARDE,** adj. et subst.
De Lombardie. **Subst. fém.** En Savoie, vent violent soufflant de Lombardie. **Subst. masc. 1.** Dialecte italien parlé en Lombardie. **2.** *M. Â.* Banquier, usurier. 1174 ; ital. *lombardo*, du lat. *Langobardi*, nom d'un peuple de Germanie septentrionale ; [lɔ̃baʀ, aʀd].

**LOMBARTHROSE,** subst. f.
*Pathol.* Arthrose des vertèbres lombaires. 1956 ; formé de *lombes* et de *arthrose* ; [lɔ̃baʀtʀoz].

**LOMBES,** subst. f. plur.
*Anat.* Parties du dos situées de part et d'autre des vertèbres lombaires, entre les dernières côtes et les ailes iliaques du bassin. 1560 (XIII^e s., reins) ; lat. *lumbus*, « reins ; dos, échine » ; [lɔ̃b].

**LOMBO-SACRÉ, ÉE,** adj.
*Anat.* Qui se rapporte à l'articulation située entre la cinquième vertèbre lombaire et le sacrum. Fin XIX^e s. ; ☞ *sacré* (II) + *lombo-* ; plur. *lombo-sacrés, ées* ; [lɔ̃bosakʀe].

**LOMBOSTAT,** subst. m.
Corset à armature de métal, qui permet de soutenir les vertèbres, notamment les lombaires. V. 1960 ; formé de *lombo-* et de *-stat* ; [lɔ̃bɔsta].

**LOMBRIC,** subst. m.
*Zool.* Ver communément appelé ver de terre, de la classe des Oligochètes. La face ventrale du **lombric** présente une série d'anneaux, porteurs de quatre paires de petites soies ; il se nourrit de terre et vit en sol humide qu'il contribue à aérer et à rendre fertile. Fin XII^e s. ; lat. *lumbricus* ; [lɔ̃bʀik].

**LONDRÈS,** subst. m.
Cigare de La Havane, fabriqué à l'origine pour les Anglais. 1849 ; esp. *londres*, « de Londres » ; [lɔ̃dʀɛs].

**LONG, LONGUE,** adj., adv. et subst.
**Adj. 1.** Qui a une durée étendue : ***Long** moment* ; ***Longue** attente.* ▸ Dont le développement est important, voire excessif : *Une **longue** diatribe.* ▸ Qui dure depuis longtemps ou qui durera longtemps : *Une **longue** habitude* ; *À **longue** échéance.* ▸ **Long à.** Lent à : *Il est **long** à réagir.* ▸ *Phon. Syllabe, voyelle **longue*** : dont l'émission dure plus longtemps que celle d'une brève. **2.** Grand, étendu dans le sens de la longueur : *Des cheveux **longs*** ; *Une **longue** perche.* ▸ Qui porte loin : *Une **longue** balle.* ▸ Plus grand que la moyenne : *De **longs** cils* ; au fig. : *Avoir le bras **long***, avoir de l'influence. ▸ **Long de.** D'une longueur de : *Ketch **long** de vingt mètres.* **Adv. 1.** De manière longue : *S'habiller **long**.* **2.** Beaucoup : *En savoir **long*** ; *Un sourire qui en dit **long**.* **Subst. masc.** Longueur : *Une pièce de cinq mètres de **long*** ; *Couché de tout son **long***, de toute sa longueur, complètement étendu. ▸ Loc. *Au **long*** : sans abréger ; *De **long** en large* : dans un sens puis dans l'autre, alternativement. ▸ Loc. prép. **Le long de, au long de.** En suivant les bords de : *Le **long** des quais* ; *Tout au **long** de l'année*, durant toute l'année. **Subst. fém. 1.** Note de musique, voyelle ou syllabe **longue** (anton. *brève*). **2.** *Sp.* Variété de jeu de boules. **3.** Loc. *À la **longue*** : avec le temps. X^e s. ; lat. *longus* ; [lɔ̃, lɔ̃ɡ].

**LONGANE,** subst. m.
Fruit du longanier, voisin du litchi. 1616 ; lat. sc. *longanum*, du chinois *longyan*, « œil de dragon » ; [lɔ̃ɡan].

**LONGANIER,** subst. m.
*Bot.* Arbre de la famille des Sapindacées, originaire d'Asie et d'Océanie. 1789 ; ☞ *longane* ; [lɔ̃ɡanje].

**LONGANIMITÉ,** subst. f.
**1.** Faculté d'endurer avec patience ou indulgence ce que l'on pourrait faire cesser. **2.** Patience avec laquelle on supporte les épreuves morales. Fin XII^e s. ; bas lat. *longanimitas*, de *longus*, « patient », et de *animus*, « âme, esprit » ; [lɔ̃ɡanimite].

**LONG-COURRIER,** subst. m.
Navire qui effectue des traversées au long cours ou, par anal., avion de transport qui couvre de très longues distances ; empl. adj. : *Pétrolier **long-courrier**.* 1867 ; ☞ *cours (long cours)* ; plur. *long-courriers* ; [lɔ̃kuʀje].

**LONGE (I),** subst. f.
Lanière de cuir ou longue corde avec laquelle on attache un cheval pour le conduire ou le faire travailler ; par ext., tout lien servant à mener un animal. Mil. XII^e s. ; ☞ *long* ; [lɔ̃ʒ].

**LONGE (II),** subst. f.
*Bouch.* Partie de l'échine (du veau, du porc, d'un gros gibier) située entre l'épaule et les lombes. Mil. XII^e s. ; lat. pop. *°lumbea*, du lat. *lumbus*, « rein » ; [lɔ̃ʒ].

**LONGER,** verbe trans. [5]
Se déplacer le long de (qqch.) : ***Longer** un torrent de montagne* ; être situé le long de (qqch.) : *Pâturage qui **longe** un étang.* 1655 (fin XII^e s., tisser, tresser) ; ☞ *long* ; [lɔ̃ʒe].

**LONGERON,** subst. m.
Pièce maîtresse longitudinale d'une charpente, d'un châssis, d'un pont, d'une aile d'avion, etc. 1873 (1280, poutre d'un moulin) ; ☞ *long* ; [lɔ̃ʒʀɔ̃].

**LONGÉVITÉ,** subst. f.
**1.** Longue durée de vie : ***Longévité** de la tortue.* **2.** Durée de vie ; espérance de vie : *La **longévité** moyenne de l'homme augmente en Occident.* 1777 ; bas lat. *longaevitas*, du lat. *longaevus*, « d'un grand âge » ; [lɔ̃ʒevite].

**LONGICORNE,** adj. et subst. m.
*Zool.* Se dit d'un insecte coléoptère à longues antennes, dont les larves vivent dans le bois des arbres. Déb. XIX^e s. ; ☞ *corne* + *longi-* ; [lɔ̃ʒikɔʀn].

**LONGILIGNE,** adj.
Dont la taille est élancée et les membres minces et longs (anton. *bréviligne*) : *Jeune fille **longiligne**.* 1888 ; ☞ *ligne* + *longi-* ; [lɔ̃ʒiliɲ].

**LONGITUDE,** subst. f.
**1.** *Géogr.* L'une des deux coordonnées (l'autre étant la latitude) d'un point du globe terrestre, qui représente l'angle formé par le méridien de ce point avec le méridien d'origine, gén. celui de Greenwich, compté de 0° à 180° à l'est ou à l'ouest de ce méridien : *Ville située à 35°40' de latitude sud et 95° de **longitude** ouest.* **2.** *Astron.* ***Longitude** céleste ou écliptique* : l'une des deux coordonnées écliptiques d'un astre lorsqu'on prend comme plan de référence celui de l'écliptique, mesurée de 0° à 360° dans le sens direct (inverse de celui des aiguilles d'une montre). **3.** *Le bureau des **longitudes*** : organisme chargé d'établir la liste des phénomènes astronomiques de l'année à venir. 1525 (1314, longueur) ; lat. *longitudo*, de *longus*, « long » ; [lɔ̃ʒityd].

**LONGITUDINAL, ALE, AUX,** adj.
Qui est dans le sens de la longueur. 1314 ; lat. *longitudo*, « longueur » ; [lɔ̃ʒitydinal, o].

**LONG-JOINTÉ, ÉE,** adj.
Se dit d'un cheval ou d'une jument qui a les paturons trop longs. 1660 ; comp. de *long* et de *joint* (I) ; plur. *long-jointés, ées* ; [lɔ̃ʒwɛ̃te].

**LONG-MÉTRAGE,** subst. m.
*Cin.* Film dont la durée excède une heure. Déb. XX^e s. ; comp. de *long* et de *métrage* ; plur. *longs-métrages*, var. *long métrage* ; [lɔ̃metʀaʒ].

**LONGRINE,** subst. f.
*Techn.* Pièce d'un châssis ou d'une charpente, disposée dans le sens de la longueur pour soutenir des pièces transversales. 1716 ; ☞ *long* ; [lɔ̃ɡʀin].

**LONGTEMPS,** adv.
Pendant un long intervalle de temps : *Attendre **longtemps*** ; empl. subst. masc. : *Depuis **longtemps*** ; *Avant **longtemps***, bientôt. Fin X^e s. ; formé de *long* et de *temps* ; [lɔ̃tɑ̃].

**LONGUEMENT,** adv.
Pendant un long moment : *Décrire **longuement** une bataille*, en détail. Mil. XI^e s. ; ☞ *long* ; [lɔ̃ɡmɑ̃].

**LONGUET, ETTE,** adj. et subst. m.
**Adj.** Qui est un peu trop long (fam.) : *Un discours **longuet**.* **Subst.** Petit pain mince et long, gressin. Mil. XII^e s. ; ☞ *long* ; [lɔ̃ɡɛ, ɛt].

**LONGUEUR,** subst. f.
**I.** Dans le temps. **1.** Durée : *La **longueur** des jours.* ▸ Loc. prép. **À longueur de.** Tout au long de : *À **longueur** de temps*, sans discontinuer. **2.** Longue durée, pouvant paraître excessive : *Traîner en **longueur**.* **3.** Encombrement d'un texte ou temps que dure un discours, un spectacle : ***Longueur** d'une phrase, d'un opéra.* **Plur.** Passages, développements inutilement longs : *Il y a des **longueurs** dans ce film.* **II.** Dans l'espace. **1.** La plus grande des deux dimensions d'une surface (par oppos. à *largeur*) : ***Longueur** d'un champ* ; *Dans le sens de la **longueur**.* **2.** La plus grande dimension d'un objet, de l'une à l'autre de ses extrémités : ***Longueur** du bras.* **3.** Méton. Mesure de cette dimension : *Sur une **longueur** de vingt mètres* ; ***Longueur** d'onde* (☞ *onde*). ▸ *Géom.* ***Longueur** d'un rectangle* : mesure du plus grand côté ; ***Longueur** d'un intervalle borné de* $\mathbb{R}$ : différence entre sa borne supérieure et sa borne inférieure ; ***Longueur** d'un arc de courbe* : borne supérieure des **longueurs** des lignes polygonales inscrites dans cet arc. **4.** Unité correspondant à la **longueur** d'un cheval, d'une voiture de course, etc., dans la compétition : *Le 5 a gagné avec deux **longueurs** d'avance.* **5.** *Sp.* *Saut en **longueur*** ou, empl. abs., *La **longueur*** : discipline consistant à sauter le plus loin possible après une course d'élan. 1119 ; ☞ *long* ; [lɔ̃ɡœʀ].

**LONGUE-VUE,** subst. f.
Lunette d'approche monoculaire. 1825 ; ell. de *lunettes de longue vue* ; plur. *longues-vues* ; [lɔ̃ɡvy].

LONGITUDE
*A : 45° de longitude ouest.*
*A' : 45° de longitude est.*

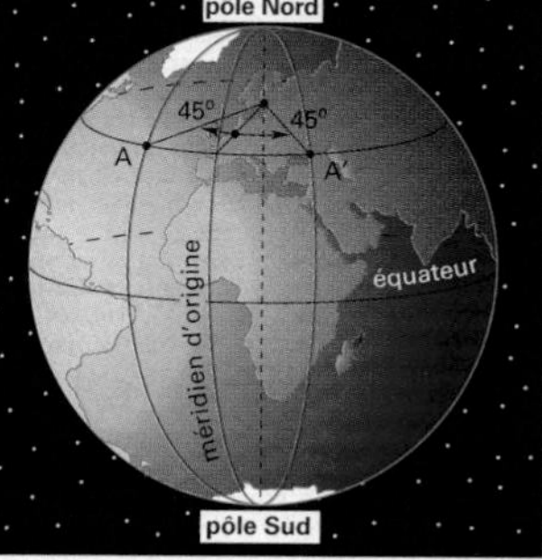

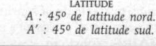

LATITUDE
*A : 45° de latitude nord.*
*A' : 45° de latitude sud.*

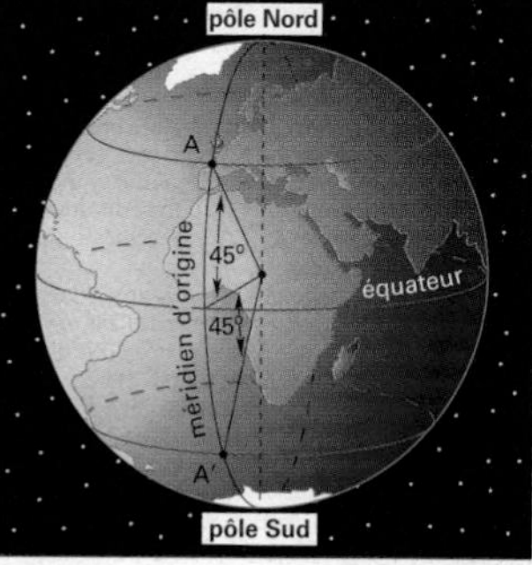

**LOOCH, subst. m.**
*Pharm.* Médicament sirupeux composé d'une émulsion et d'un mucilage. ⌘ 1514 ; ar. *la'ûq*, « électuaire », de *la'iqa*, « lécher » ; [lɔk].

**LOOFA, voir LUFFA**

**LOOK, subst. m.**
Style, aspect de qqn ou de qqch., image (anglic.) : *Changer de* **look** ; *Le* **look** *rajeuni du journal télévisé.* ⌘ V. 1980 ; angl. *look*, de *to look*, « regarder » ; [luk].

**LOOPING, subst. m.**
*Aéron.* Acrobatie consistant à décrire une boucle dans le plan vertical (anglic.). ⌘ Déb. XXe s. ; loc. angl. *looping the loop*, « action de boucler la boucle » ; [lupiŋ].

**LOPE, subst. f.**
Péj. **1.** Homosexuel (argot.). **2.** Ext. Homme lâche, sans caractère (fam.). ⌘ 1889 ; abrév. de l'argot *lopaille*, de *copain* ; dimin. *lopette* ; [lɔp].

**LOPHOPHORE, subst. m.**
*Zool.* **1.** Oiseau de la famille des Phasianidés, à la tête surmontée d'une aigrette, au plumage coloré, commun dans l'Himalaya. **2.** Couronne de tentacules entourant la bouche de certains animaux, tels les Bryozoaires. ⌘ 1813 ; gr. *lophos*, « aigrette », + *-phore* ; [lɔfɔfɔʀ].

**LOPIN, subst. m.**
**1.** Vx. Petit morceau, part de qqch. **2.** ***Lopin de terre*** : champ, terrain de petites dimensions. ⌘ 1314 ; *lope* (vx), « morceau », de *loupe* ; [lɔpɛ̃].

**LOQUACE, adj.**
Qui parle beaucoup. ⌘ 1765 ; lat. *loquax* ; [lɔkas].

**LOQUACITÉ, subst. f.**
Propension à parler d'abondance (littér.). ⌘ 1486 ; lat. *loquacitas* ; [lɔkasite].

**LOQUE, subst. f.**
**1.** Étoffe déchirée (vieilli). ▸ Belg. Chiffon : ***Loque*** *à poussière* ; ***Loque*** *à reloqueter* : serpillière. **2.** Vêtement usé, déchiré (souv. au plur.) : *Être vêtu de* ***loques*** ; *Tomber en* ***loques***, en lambeaux. **3.** Fig. Personne ayant perdu toute énergie, épave. ⌘ Fin XVe s. ; m. néerl. *locke*, « boucle, mèche » ; [lɔk].

**LOQUET, subst. m.**
Fermeture d'une porte, composée d'une barre de métal plate qui se loge dans une pièce fixée au chambranle : *Mettre, enclencher, lever le* ***loquet***. ⌘ Fin XIIe s. ; anglo-norm. *loc* ou m. néerl. *loke* ; [lɔkɛ].

**LOQUETEAU, subst. m.**
Petit loquet à ressort que l'on manœuvre gén. avec un cordon. ⌘ 1676 ; ☞ *loquet* ; [lɔk(ə)to].

**LOQUETEUX, EUSE, adj.**
**1.** Habillé de loques ; empl. subst. : *Des* ***loqueteux***. **2.** Qui tombe en loques. ⌘ Déb. XVIe s. ; *loquette* (vx), « frange », de *loque* ; [lɔktø, øz].

**LORAN, subst. m.**
Système de radionavigation maritime et aérienne permettant de déterminer une position par référence aux émissions de trois stations fixes. ⌘ 1946 ; anglo-amér. *loran*, acron. de *Long Range Aid to Navigation*, « aide à longue distance à la navigation » ; [lɔʀɑ̃].

**LORD, subst. m.**
**1.** Titre de noblesse des pairs britanniques ; membre de la Chambre des **lords**. **2.** Titre attribué à certains ministres ou hauts fonctionnaires britanniques : ***Lord*** *de l'Amirauté*, ministre de la Marine (jusqu'en 1964). ⌘ 1528 ; angl. *lord*, « seigneur » ; [lɔʀ(d)].

**LORD-MAIRE, subst. m.**
Maire de certaines villes britanniques. ⌘ 1680 ; comp. de *lord* et de *maire*, d'apr. l'angl. *lord Mayor* ; plur. *lords-maires* ; [lɔʀ(d)mɛʀ].

**LORDOSE, subst. f.**
*Anat.* Courbure à convexité antérieure présentée par la colonne vertébrale dans ses parties cervicale et lombaire, la partie dorsale formant une cyphose (on utilise parfois ce terme, au lieu d'hyperlordose, dans les cas pathologiques). ⌘ 1765 ; gr. *lordôsis* ; [lɔʀdoz].

**LORETTE, subst. f.**
Jeune femme coquette et facile, au XIXe s. ⌘ 1841 ; topon. *Notre-Dame-de-Lorette*, quartier de Paris où vivaient beaucoup de femmes de mœurs légères ; [lɔʀɛt].

**LORGNER, verbe trans.** [3]
**1.** Regarder de côté, ou avec insistance ou convoitise : ***Lorgner*** *une fille superbe.* **2.** Fig. Convoiter, avoir des vues sur : ***Lorgner*** *un héritage.* ⌘ Déb. XVe s. ; anc. fr. *lorgne*, « qui louche », d'orig. germ. ; [lɔʀɲe].

**LORGNETTE, subst. f.**
Petite lunette grossissante ; jumelle de théâtre. ▸ Loc. *Voir les choses par le petit bout de la* ***lorgnette*** : de façon mesquine, étroite, sous un angle trop particulier. ⌘ 1718 (1694, ouverture faite dans un éventail pour voir sans être vu) ; ☞ *lorgner* ; [lɔʀɲɛt].

**LORGNON, subst. m.**
**1.** Vx. Monocle. **2.** Lunettes que l'on pinçait sur le nez. ⌘ 1812 ; ☞ *lorgner* ; [lɔʀɲɔ̃].

**LORI, subst. m.**
*Zool.* Perroquet d'Océanie aux couleurs très vives. ⌘ Déb. XVIe s. ; néerl. *lory*, du malais *nori* ; [lɔʀi].

**LORICAIRE, subst. m.**
*Zool.* Poisson osseux de la famille des Siluridés, au corps recouvert de plaques dures. ⌘ 1803 ; lat. sc. *loricaria*, du lat. *lorica*, « cuirasse » ; [lɔʀikɛʀ].

**LORIOT, subst. m.**
*Zool.* Oiseau de la famille des Oriolidés, plus petit que le merle, au plumage jaune d'or avec les ailes et la queue noires chez le mâle, et verdâtre chez la femelle. ⌘ Fin XIVe s. ; dial. *loriol*, de l'anc. fr. *l'oriol*, du lat. *aureolus*, « de couleur d'or » ; [lɔʀjo].

**LORIQUET, subst. m.**
Petit perroquet d'Asie. ⌘ Mil. XXe s. ; ☞ *lori* ; [lɔʀikɛ].

**LORIS, subst. m.**
*Zool.* Lémurien de la famille des Lorisidés, au corps grêle, sans queue, qui vit en Inde et au Sri Lanka. ⌘ 1766 ; néerl. *loeris*, « clown » ; [lɔʀi(s)].

**LORRAIN, AINE, adj. et subst.**
De Lorraine : *Sidérurgie* ***lorraine*** ; *Quiche* ***lorraine***. SUBST. MASC. Dialecte parlé en Lorraine. ⌘ Fin XIe s. ; topon. *Lorraine*, du lat. médiév. *Lotharingia* ; [lɔʀɛ̃, ɛn].

**LORRY, subst. m.**
Wagonnet plat utilisé pour l'entretien des voies ferrées. ⌘ 1868 ; mot angl. ; plur. *lorrys* ou *lorries* ; [lɔʀi].

**LORS, adv.**
**1.** Vx. Alors. **2.** Loc. *Depuis* ***lors*** (☞ *depuis*) ; *Dès* ***lors*** (☞ *dès*) ; *Pour* ***lors*** : à ce moment (vieilli et littér.). **3.** Loc. prép. ***Lors de*** : au moment de. **4.** Loc. conj. ***Lors... que*** : lorsque ; *Dès* ***lors que*** (☞ *dès*) ; ***Lors même que*** (+ ind. ou cond.) : même si (littér.). ⌘ Fin XIe s. ; lat. *illa hora*, « à cette heure-là » ; [lɔʀ].

**LORSQUE, conj.**
**1.** Au moment où, quand. **2.** Alors que, tandis que : *Ils l'insultaient,* ***lorsqu'****ils auraient dû l'acclamer.* ⌘ Déb. XIIIe s. ; formé de *lors* et de *que* (I) ; ne s'élide que devant *il(s), elle(s), un(e), on, en* ; [lɔʀsk(ə)].

**LOSANGE, subst. m.**
**1.** *Géom.* Quadrilatère plan dont les quatre côtés ont la même longueur et dont les diagonales sont perpendiculaires. **2.** Méton. Objet en forme de **losange** : *Des* ***losanges*** *de velours.* **3.** *Hérald.* Meuble figurant un fer de lance (parfois au fém.). ⌘ Déb. XIIIe s. ; orig. obsc. ; [lɔzɑ̃ʒ].

**LOSANGÉ, ÉE, adj.**
Qui comporte des divisions en losange. ▸ *Hérald.* Se dit d'un écu couvert de losanges de métal et d'émail alternés. ⌘ Déb. XIIIe s. ; ☞ *losange* ; [lɔzɑ̃ʒe].

**LOSANGIQUE, adj.**
Qui a la forme d'un losange (synon. vx *rhombique*). ⌘ 1805 ; ☞ *losange* ; [lɔzɑ̃ʒik].

**LOSER, subst. m.**
Perdant, raté (anglic. fam.). ⌘ V. 1980 ; angl. *loser*, de *to lose*, « perdre » ; [luzœʀ].

**LOT, subst. m.**
**1.** Partie d'un tout qui a été partagé : *Terrain divisé en* ***lots***. **2.** Objets, marchandises acquises, vendues ou données ensemble : *Un* ***lot*** *de casseroles.* ▸ *Informat. Traitement par* ***lots*** : mode opératoire d'un ordinateur recevant des programmes à exécuter et des données à traiter de différents utilisateurs, suivant lequel il stocke ces éléments à mesure de leur transmission pour les traiter ensuite dans un ordre déterminé. **3.** Groupe de personnes plus ou moins homogène : *Se détacher du* ***lot***. **4.** Ce que gagne qqn à une loterie, à une tombola : *Remporter le gros* ***lot***. ▸ Loc. *Tirer le gros* ***lot*** : réussir soudain une affaire très fructueuse. **5.** Ce que le hasard, le sort réserve à chacun : *Avoir son* ***lot*** *de malheurs.* ⌘ Mil. XIIe s. ; anc. bas frq. °*lot* ; [lo].

**LOTE, voir LOTTE**

**LOTERIE, subst. f.**
**1.** Jeu de hasard dans lequel les gagnants possèdent les billets numérotés tirés au sort. ▸ *La* ***Loterie*** *nationale* : créée en 1933 au bénéfice de l'État, supprimée en 1990. **2.** Fig. Ce qui semble relever du hasard. ⌘ 1538 ; néerl. *loterij* ; [lɔtʀi].

**LOTI, IE, adj.**
*Être bien, mal* ***loti*** : être favorisé, défavorisé par le sort, la vie. ⌘ 1666 ; p. p. de *lotir* ; [lɔti].

**LOTIER, subst. m.**
*Bot.* Plante fourragère de la famille des Fabacées. ⌘ 1582 ; lat. *lotus*, « mélilot » ; [lɔtje].

**LOTION, subst. f.**
**1.** Vx. Action de laver le corps, de le rafraîchir. **2.** Application d'un liquide thérapeutique sur une partie du corps. ▸ Méton. Produit liquide, gén. alcoolisé et parfumé, utilisé pour une telle application : ***Lotion*** *hydratante, capillaire* ; ***Lotion*** *après-rasage.* ⌘ XIVe s. ; lat. *lotio*, de *lavare*, « laver » ; [lɔsjɔ̃].

**LOTIR, verbe trans.** [19]
**1.** *Urban.* Partager (un terrain) en lots affectés à la construction. **2.** Mettre (qqn) en possession d'un lot : ***Lotir*** *les héritiers.* ⌘ Fin XIIe s. ; ☞ *lot* ; [lɔtiʀ].

**LOTISSEMENT, subst. m.**
**1.** Action de lotir un terrain. **2.** Méton. Terrain loti ; ensemble des habitations qui s'y trouvent. ⌘ 1724 (XVe s., tirage au sort) ; ☞ *lotir* ; [lɔtismɑ̃].

**LOTISSEUR, EUSE, subst.**
Personne qui lotit un terrain. ⌘ XXe s. (1292, personne qui divise en lots) ; ☞ *lotir* ; [lɔtisœʀ, øz].

**LOTO, subst. m.**
**1.** Jeu de société où chaque joueur dispose d'un carton portant 15 cases numérotées de nombres situés entre 1 et 90, le gagnant étant le premier à les recouvrir toutes avec les jetons correspondants tirés au sort un à un. **2.** *Le* ***Loto*** *national* : en France, loterie d'État instituée en 1976 ; *Le* ***Loto*** *sportif* : organisé à partir de pronostics sportifs, depuis 1985. ⌘ 1782 ; ital. *lotto*, « lot, sort » ; [lɔto].

**LOTTE, subst. f.**
*Zool.* **1.** Poisson d'eau douce de la famille des Gadidés, au corps cylindrique et à la chair appréciée. **2.** ***Lotte*** *de mer* : baudroie. ⌘ 1553 ; p.-ê. gaul. °*lotta* ; var. *lote* ; [lɔt].

**LOTUS, subst. m.**
**1.** *Myth.* Plante du pays des Lotophages (au nord de l'Afrique), au fruit si délicieux qu'il faisait oublier leur patrie aux étrangers. **2.** *Bot.* Plante aquatique à rhizome, très décorative, de la famille des Nymphéacées. Le **lotus** sacré de l'Inde a de grosses fleurs blanches, ou pompons ; les **lotus** blancs et bleus d'Égypte sont des nénuphars. ▸ *Position du* ***lotus*** : position assise, les jambes croisées et chaque pied reposant sur la cuisse opposée. ⌘ Mil. XVIe s. ; lat. *lotus*, du gr. *lôtos* ; [lɔtys].

*Servante tenant des fleurs de lotus. Nécropole thébaine (Égypte).*

**LOUABLE (I), adj.**
Digne d'éloges : *Efforts* ***louables***. ⌘ Déb. XIIe s. ; ☞ *louer* (I) ; [luabl] ou [lwabl].

**LOUABLE (II), adj.**
Qui peut être l'objet d'une location. ⌘ 1606 ; ☞ *louer* (II) ; [luabl] ou [lwabl].

**LOUAGE, subst. m.**
**1.** Vx. Location ; loyer. **2.** *Dr. Contrat de* ***louage*** : par lequel une partie s'engage à fournir à l'autre, pour une durée donnée et moyennant rémunération, la jouissance d'une chose ou une prestation déterminée (**louage** d'ouvrage, d'industrie). ⌘ Fin XIIe s. ; ☞ *louer* (II) ; [luaʒ] ou [lwaʒ].

**LOUANGE,** subst. f.
Action de louer ; son résultat : *Être digne de louange ; Louange à Dieu.* ▸ Loc. *À la louange de* : en l'honneur de. PLUR. Paroles ou écrits vantant les mérites de qqn, de qqch. : *Un concert de louanges.* Déb. XIIe s. ; ☞ *louer* (I) ; [luɑ̃ʒ] ou [lwɑ̃ʒ].

**LOUANGER,** verbe trans. [5]
Couvrir de louanges (littér. ou iron.). 1475 ; ☞ *louange* ; [luɑ̃ʒe] ou [lwɑ̃-].

**LOUANGEUR, EUSE,** subst. et adj.
SUBST. Celui, celle qui louange volontiers (vx). ADJ. Qui flatte, qui contient des louanges. 1570 ; ☞ *louanger* ; [luɑ̃ʒœʀ, øz] ou [lwɑ̃-].

**LOUBARD,** subst. m.
Jeune homme révolté des grandes cités ou des banlieues, qui commet parfois, seul ou en bande, des actes délictueux (fam.). V. 1970 ; prob. verlan (modifié) de *balourd* ; var. *loubar* ; [lubaʀ].

**LOUCHE (I),** adj.
1. Atteint de strabisme (vx) : *Yeux louches.* 2. Qui manque de transparence, de netteté (vx) : *Un verre louche.* 3. Fig. Équivoque, pas clair ou suspect : *Un bar louche,* mal famé ; empl. subst. masc. : *Il y a du louche dans cette affaire.* Fin XIIIe s. (fin XIIe s., qui voit mal) ; anc. fr. *lois,* du lat. *luscus,* « borgne » ; [luʃ].

**LOUCHE (II),** subst. f.
1. Grande cuiller très creuse utilisée pour servir des mets liquides ; par méton., son contenu. ▸ Loc. *À la louche* : en grande quantité. 2. Main (pop.) : *Se serrer la louche.* Mil. XIIIe s. ; anc. fr. *louce,* du frq. °*lōtja* ; [luʃ].

**LOUCHÉBÈME,** voir **LOUCHERBEM**

**LOUCHER,** verbe [3]
INTRANS. 1. Être atteint de strabisme. 2. Faire converger ses deux yeux vers le nez. TRANS. INDIR. **Loucher sur, vers.** Regarder avec envie ou convoitise : *Loucher vers la sortie.* 1611 (1599, regarder de biais avec dégoût) ; ☞ *louche* (I) ; [luʃe].

**LOUCHERBEM,** subst. m.
1. Boucher (argot.). 2. Jargon des bouchers parisiens du XIXe s., dans lequel on remplace par *l* la consonne initiale du mot rejetée à la fin suivie de *-em* (« boucher » devient « **loucherbem** »). 1876 ; ☞ *boucher* (II) ; var. *louchébème* ; [luʃebɛm].

**LOUCHET,** subst. m.
Bêche à long fer étroit. 1342 ; ☞ *louche* (II) ; [luʃɛ].

**LOUCHEUR, EUSE,** subst.
Personne qui louche. 1823 ; ☞ *loucher* ; var. *un louchon* (fam. et vieilli) ; [luʃœʀ, øz].

**LOUER (I),** verbe trans. [3]
1. Vanter les mérites de (qqn ou qqch.) : *Louer un bienfaiteur ; Louer la beauté d'un site.* 2. *Relig.* Rendre grâce à, glorifier : *Louez le Seigneur.* ▸ Loc. *Dieu soit loué !* : sert à exprimer la joie, le soulagement. 3. **Louer (qqn) de, pour.** Féliciter (qqn) de, pour : *Je le louai d'avoir su dire non.* PRONOM. **Se louer de.** Se féliciter de, être pleinement satisfait de : *N'avoir qu'à se louer de son adjoint.* Fin Xe s. ; lat. *laudare* ; [lwe] ou [lue].

**LOUER (II),** verbe trans. [3]
1. Recourir aux services de (qqn) moyennant une rémunération : *Louer un garde du corps.* 2. Céder ou prendre (un bien) en location : *Studio à louer.* 3. Réserver (une place) : *Louer une loge à l'Opéra.* Fin XIe s. ; lat. *locare* ; [lwe] ou [lue].

**LOUEUR, EUSE,** subst.
Personne qui donne en location : *Loueur de bicyclettes.* 1606 (1283, qui prend à louage) ; ☞ *louer* (II) ; [lwœʀ, øz] ou [lu-].

**LOUFIAT,** subst. m.
Garçon de café (argot.). Fin XIXe s. (1808, idiot) ; prob. *loffe,* « nigaud » ; [lufja].

**LOUFOQUE,** adj.
Qualifie une personne extravagante, une chose drôle ou saugrenue (fam.) : *Idée loufoque.* 1873 ; transformation argot. de *fou* ; [lufɔk].

**LOUFOQUERIE,** subst. f.
Acte, propos loufoque ; caractère d'une personne loufoque (fam.). Fin XIXe s. ; ☞ *loufoque* ; [lufɔkʀi].

**LOUGRE,** subst. m.
*Mar.* Petit trois-mâts de cabotage, à l'avant renflé. 1778 ; angl. *lugger* ; [lugʀ].

**LOUIS,** subst. m.
1. *Hist.* Monnaie d'or frappée à l'effigie du roi de France (de Louis XIII à Louis XVI), qui valait 24 livres. 2. Ext. Pièce d'or de 20 francs (synon. *napoléon*). 1640 ; anthropon. *Louis XIII* ; [lwi].

**LOUISE-BONNE,** subst. f.
Poire d'automne. 1690 ; comp. du prénom *Louise* et de *bonne* ; plur. *louises-bonnes* ; [lwizbɔn].

**LOUKOUM,** subst. m.
Confiserie orientale, faite d'une pâte fondante très sucrée et aromatisée, enrobée de sucre glace. 1853 ; ar. *rāḥat al-ḥulqūm,* « béatitude du gosier » ; var. *lokoum* ; [lukum].

**LOULOU, OUTE,** subst.
MASC. Petit chien d'appartement au poil long et touffu (blanc, marron ou noir), au museau fin. MASC. et FÉM. Fam. Garçon, fille ; au masc., loubard. Fin XVIIIe s. (1678, pou, en langage enfantin) ; ☞ *loup* ; [lulu, ut].

**LOUP,** subst. m.
I. *Zool.* ▸ Mammifère carnivore de la famille des Canidés, vivant dans les forêts et les steppes d'Europe, d'Asie et d'Amérique du Nord. ▸ Loc. *Jeune loup* : jeune homme ambitieux ; *Loup de mer* : marin endurci par l'expérience ; *Connu comme le loup blanc* : très connu ; *Entre chien et loup* : au crépuscule ; *Hurler avec les loups* : rallier le parti dominant ; *Enfermer, introduire le loup dans la bergerie* : placer qqn à un poste où il peut nuire ; *Se jeter dans la gueule du loup* : aller au-devant du danger. II. Anal. 1. Poisson comestible de Méditerranée (synon. *bar*). 2. Masque de velours ou de satin noir couvrant le haut du visage. 3. Malfaçon, défaut, oubli dans la confection d'un ouvrage. Fin XIe s. ; lat. *lupus* ; [lu].

**LOUP-CERVIER,** subst. m.
*Zool.* Lynx. Déb. XIIe s. ; lat. *lupus cervarius,* « loup qui attaque les cerfs » ; plur. *loups-cerviers* ; [lusɛʀvje].

**LOUPE,** subst. f.
1. Pierre fine ou précieuse qui présente un défaut de cristallisation : *Loupe de topaze.* 2. Ext. Masse de fer ou de fonte contenant des scories. 3. *Bot.* Excroissance ligneuse qui se forme sur le tronc ou sur les branches maîtresses de certains arbres ; par méton., le bois de cette **loupe**, très apprécié en ébénisterie : *Un placage en loupe d'orme.* 4. *Pathol.* Kyste épidermique, dû à une rétention de sébum, situé gén. sur le cuir chevelu. 5. *Phys.* Instrument d'optique consistant en une ou plusieurs lentilles convergentes et de courte distance focale, qui donne d'un objet une image virtuelle agrandie. ▸ Loc. *Examiner qqch. à la loupe* : avec une attention qui ne laisse échapper aucun détail. 1328 ; orig. obsc. ; [lup].

**LOUPÉ,** subst. m.
Ratage (fam.). 1919 ; p. p. de *louper* ; [lupe].

**LOUPER,** verbe trans. [3]
Fam. 1. Mal exécuter, ne pas réussir : *Louper une sauce, un examen.* 2. Ext. Rater, laisser échapper : *Louper l'avion, une occasion* ; empl. intrans. : *Ça n'a pas loupé,* ça n'a pas manqué, il fallait s'y attendre. 3. Ne pas réussir à rencontrer ; empl. pronom : *Ils se sont loupés de quelques minutes.* 1856 ; ☞ *loupe* ; [lupe].

**LOUP-GAROU,** subst. m.
1. Homme qui, selon des légendes populaires, se transforme en loup féroce la nuit (☞ *lycanthrope*). 2. Fig. Personne de caractère solitaire, farouche (vieilli). Fin XIIe s. ; comp. de *loup* et de *garou,* du frq. °*wariwulf,* « homme-loup » ; plur. *loups-garous* ; [lugaʀu].

**LOUPIOT, OTE,** subst.
Enfant (fam.). 1875 ; ☞ *loup* ; [lupjo, ɔt].

**LOUPIOTE,** subst. f.
Petite lampe qui éclaire faiblement (fam.). 1918 (1915, chandelle) ; orig. obsc. ; [lupjɔt].

**LOURD, LOURDE,** adj.
I. 1. Qui manque de vivacité intellectuelle ; maladroit, grossier : *Style lourd ; Tournure lourde.* 2. Qui se meut avec lenteur ; gauche, pesant : *Avancer d'un pas lourd.* ▸ Loc. *Avoir la main lourde* : frapper avec force (vieilli) ; verser ou doser en trop grande quantité ; au fig., punir avec sévérité. 3. Empâté, massif : *Traits lourds ; Architecture lourde.* II. 1. Dont le poids est élevé ou plus élevé que la moyenne : *Lourde valise ; Terre lourde d'humidité,* alourdie par l'humidité. ▸ *Chim. Eau lourde* : composée de deutérium et d'oxygène. ▸ *Sp.* et *Autom. Poids lourd* (☞ *poids*). 2. Ressenti comme pesant : *Plat lourd,* difficile à digérer ; *Sommeil lourd,* profond ; *Temps lourd,* d'une chaleur accablante et humide, orageux. 3. Fig. Difficile à exécuter ou à supporter ; pénible, écrasant : *Lourde tâche ; Secret lourd à porter ; Une très lourde hérédité ; Des faits lourds de conséquences,* aux conséquences graves. 4. Qui met en œuvre des moyens importants : *Artillerie lourde ; Industrie lourde.* 5. Empl. adv. ▸ *Peser lourd* : avoir un poids supérieur à la moyenne ou, au fig., avoir beaucoup d'importance, d'influence. ▸ *Ne pas en faire lourd* : ne pas travailler beaucoup (fam.). Fin XIIe s. ; prob. lat. pop. °*lurdus,* du lat. *luridus,* « blême » ; [luʀ, luʀd].

**LOURDAUD, AUDE,** adj. et subst.
Se dit d'une personne lente et maladroite, d'un esprit grossier et lourd. Mil. XVe s. ; anc. fr. *lordel,* « niais » ; [luʀdo, od].

**LOURDE,** subst. f.
Porte (argot.). 1628 ; ☞ *lourd* ; [luʀd].

**LOURDEMENT,** adv.
1. Avec maladresse : *Insister lourdement.* ▸ Sans finesse, grossièrement : *Salon lourdement meublé.* 2. Pesamment : *Être lourdement chargé.* ▸ De tout son poids : *Tomber lourdement.* ▸ Fig. Gravement, beaucoup : *Être lourdement handicapé.* Fin XIIe s. ; ☞ *lourd* ; [luʀdəmɑ̃].

**LOURDER,** verbe trans. [3]
Mettre à la porte, licencier (argot. ou fam.). Déb. XXe s. ; ☞ *lourde* ; [luʀde].

**LOURDEUR,** subst. f.
Caractère de ce qui est lourd : *Lourdeur d'un fardeau, d'un style* ; en partic., sensation de pesanteur : *Lourdeurs d'estomac.* 1769 ; ☞ *lourd* ; [luʀdœʀ].

**LOURE,** subst. f.
*Mus.* 1. Musette champêtre (vx). 2. Danse lente à trois temps accompagnée de cet instrument. 1555 ; p.-ê. bas lat. *lura,* « sacoche » ; [luʀ].

**LOURER,** verbe trans. [3]
*Mus.* Lier et accentuer (les notes) dans l'attaque d'un temps, d'une mesure, à la manière dont est exécutée la loure. Déb. XVIIe s. ; ☞ *loure* ; [luʀe].

**LOUSTIC,** subst. m.
1. Vx. Bouffon des régiments suisses, sous l'Ancien Régime. ▸ Ext. Amuseur attitré d'un groupe. 2. Individu facétieux (vieilli). 3. Type (fam. et péj.) : *Un drôle de loustic.* 1759 ; all. *lustig,* « gai » ; [lustik].

**LOUTRE,** subst. f.
1. *Zool.* Mammifère carnivore de la famille des Mustélidés, aux mœurs mi-terrestres, mi-aquatiques, ou uniquement marines selon les espèces. 2. Méton. La fourrure de cet animal : *Une cape en loutre* ; par ext. : *Loutre de mer, de Sibérie,* fourrure de l'otarie argentée, de la martre. Déb. XIIe s. ; lat. *lutra* ; [lutʀ].

*Loutre d'Europe.*

**LOUVE,** subst. f.
1. *Zool.* Femelle du loup. 2. *Techn.* Instrument de fer servant à soulever et à manipuler des blocs de pierre. Fin XIIe s. ; lat. *lupa* ; [luv].

**LOUVET, ETTE,** adj.
Se dit d'un cheval à la robe noire et jaunâtre, qui rappelle la couleur de la fourrure d'un loup. 1640 (XIIIe s., louveteau) ; ☞ *louve* ; [luvɛ, ɛt].

**LOUVETEAU,** subst. m.
1. Petit du loup. 2. Jeune scout âgé de moins de onze ans. 1331 ; m. fr. *louvet* ; [luvto].

**LOUVETER,** verbe intrans. [14]
Mettre bas, en parlant de la louve. 1559 ; ☞ *louve* ; [luvte].

**LOUVETERIE,** subst. f.
Chasse aux loups et aux bêtes déclarées nuisibles (sangliers, renards, etc.). ▸ *Lieutenant de louveterie* : personne chargée officiellement d'organiser les battues de **louveterie**. 1513 (fin XIVe s., tanière de louve) ; m. fr. *loveteur,* « louvetier » ; [luv(ə)tʀi] ou [-vɛt-].

**LOUVETIER, subst. m.**
Lieutenant de louveterie. 1413 ; m. fr. *loveteur* ; [luv(ə)tje].

**LOUVOIEMENT, subst. m.**
Action de louvoyer ou, au fig., de tergiverser ; son résultat. 1836 ; ☞ *louvoyer* ; [luvwamɑ̃].

**LOUVOYER, verbe intrans.** [17]
**1.** *Mar.* Naviguer contre le vent en tirant des bords successifs. **2.** Fig. User de moyens détournés pour parvenir à ses fins. 1529 ; ☞ *lof* ; [luvwaje].

**LOVELACE, subst. m.**
Séducteur (littér.). 1751 ; *Lovelace*, personnage de *Clarissa Harlowe*, de Samuel Richardson ; [lɔvlas].

**LOVER, verbe trans.** [3]
*Mar.* Enrouler (un cordage) sur lui-même, en boucles superposées. PRONOM. S'enrouler sur soi-même ; empl. adj. : *Un serpent **lové** sous un rocher.* 1678 ; prob. bas all. *lofen*, « tourner » ; [lɔve].

**LOXODROMIE, subst. f.**
**1.** *Géom.* ***Loxodromie** d'une surface de révolution* : courbe de la surface qui coupe les méridiens suivant un angle de mesure constante. **2.** Méton. *Nav.* Route suivie par un navire ou un avion coupant les méridiens sous un même angle (anton. *orthodromie*). 1643 ; gr. *loxos*, « oblique », + *-dromie* ; [lɔksɔdʀɔmi].

**LOYAL, ALE, AUX, adj.**
**1.** Fidèle aux engagements : *Adversaire **loyal*** ; par méton. : *De bons et **loyaux** services.* ► Loc. ***À la loyale*** : sans perfidie. **2.** *Dr.* Conforme à la loi (vx). Fin XIe s. ; lat. *legalis* ; [lwajal, o].

**LOYALEMENT, adv.**
De manière loyale. Mil. XIIe s. ; ☞ *loyal* ; [lwajalmɑ̃].

**LOYALISME, subst. m.**
**1.** Fidélité à un souverain, au régime établi. **2.** Fidélité à une cause. 1834 ; ☞ *loyal* ; [lwajalism].

**LOYALISTE, subst. et adj.**
*Hist.* Se dit des Américains restés fidèles à la Couronne britannique lors de la guerre d'Indépendance ; par ext., se dit de quiconque est dévoué à sa patrie, au régime établi. 1717 ; angl. *loyalist* ; [lwajalist].

**LOYAUTÉ, subst. f.**
Qualité d'une personne ou d'une conduite loyale. Fin XIe s. ; ☞ *loyal* ; [lwajote].

**LOYER, subst. m.**
**1.** Prix fixé pour le louage d'une chose : *Donner à **loyer***, en location ; en partic., somme à verser au propriétaire d'un local pris en location. **2.** *Fin.* ***Loyer** de l'argent* : son taux d'intérêt. Fin XIe s. ; lat. *locarium*, de *locus*, « lieu » ; [lwaje].

**Lr, voir LAWRENCIUM**

**Lu, voir LUTÉCIUM**

**LUBIE, subst. f.**
Caprice bizarre. 1642 (1636, gêne) ; orig. obsc. ; [lybi].

**LUBRICITÉ, subst. f.**
Péj. Caractère d'une personne qui semble vivre sous l'empire de ses besoins sexuels ; caractère des gestes, des paroles d'une telle personne. Mil. XIVe s. ; bas lat. *lubricitas*, « nature glissante » ; [lybʀisite].

**LUBRIFIANT, ANTE, adj. et subst. m.**
Se dit d'une substance, d'un produit qui lubrifie. 1363 ; p. pr. de *lubrifier* ; [lybʀifjɑ̃, ɑ̃t].

**LUBRIFICATION, subst. f.**
Action de lubrifier ; son résultat. 1832 ; ☞ *lubrifier* ; [lybʀifikasjɔ̃].

**LUBRIFIER, verbe trans.** [6]
Enduire (un mécanisme) d'un produit qui atténue les frottements et en facilite le fonctionnement. 1363 ; lat. *lubricus*, « glissant » ; [lybʀifje].

**LUBRIQUE, adj.**
Qui fait preuve de lubricité ; qui la dénote : *Regard **lubrique**.* 1450 ; lat. *lubricus*, « glissant » ; [lybʀik].

**LUCANE, subst. m.**
*Zool.* Insecte de la famille des Lucanidés, appelé usuellement cerf-volant. 1789 ; lat. *lucanus*, sorte de scarabée ; [lykan].

**LUCARNE, subst. f.**
**1.** Petite fenêtre aménagée dans une toiture pour éclairer les combles. **2.** Ext. Petite ouverture pratiquée dans un mur, une paroi. **3.** *Sp.* Chacun des deux angles supérieurs de la cage de but, au football. 1261 ; anc. bas frq. °*lukinna* ; [lykaʀn].

**LUCERNAIRE (I), subst. m.**
*Liturg.* Chez les premiers chrétiens, office célébré le soir du samedi à la lueur des lampes. 1704 ; lat. *lucerna*, « lampe » ; [lysɛʀnɛʀ].

**LUCERNAIRE (II), subst. f.**
*Zool.* Méduse acalèphe qui ne nage pas et se fixe par un pédoncule aux algues, aux roches. 1801 ; lat. sc. *lucernaria*, du lat. *lucerna*, « lampe » ; [lysɛʀnɛʀ].

**LUCIDE, adj.**
**1.** Vx. Lumineux. **2.** Qui a une vision claire des choses, perspicace. **3.** Dont les facultés intellectuelles ne sont pas altérées ; conscient. 1478 ; lat. *lucidus* ; [lysid].

**LUCIDEMENT, adv.**
De manière lucide. Fin XVe s. ; ☞ *lucide* ; [lysidmɑ̃].

**LUCIDITÉ, subst. f.**
**1.** Qualité d'une personne ou d'un esprit lucide. **2.** Activité normale des facultés intellectuelles. 1803 (1478, aspect brillant) ; ☞ *lucide* ; [lysidite].

**LUCIFÉRIEN, IENNE, adj. et subst.**
ADJ. Relatif à Lucifer ou qui l'évoque. SUBST. *Hist.* Membre d'une secte qui vouait un culte au démon. Mil. XVIIIe s. ; *Lucifer*, prince des démons, du lat. *lucifer*, « qui apporte la lumière » ; [lysifeʀjɛ̃, jɛn].

**LUCIFÉRINE, subst. f.**
*Biochim.* Substance azotée, présente chez certains animaux, dont l'oxydation provoque la luminescence. 1887 ; lat. *lucifer*, « qui apporte la lumière » ; [lysifeʀin].

**LUCIFUGE, adj.**
*Zool.* Se dit d'animaux aux mœurs nocturnes et qui fuient la lumière. 1532 ; lat. *lucifugus*, « qui fuit le jour » ; [lysifyʒ].

**LUCILIE, subst. f.**
*Zool.* Mouche verte de la famille des Muscidés, dont les larves vivent sur les organismes en décomposition. 1854 (1839, sorte de plante) ; lat. sc. *lucilia*, du lat. *lux*, « lumière » ; [lysili].

**LUCIMÈTRE, subst. m.**
*Météor.* Appareil mesurant le rayonnement solaire moyen reçu en un lieu et en un temps donnés. 1771 ; lat. *lux*, « lumière », + *-mètre* ; [lysimɛtʀ].

**LUCIOLE, subst. f.**
*Zool.* Insecte de la famille des Lampyridés, de mœurs nocturnes et dont l'abdomen est luminescent. 1704 ; ital. *lucciola*, de *luce*, « lumière » ; [lysjɔl].

**LUCITE, subst. f.**
*Pathol.* Affection de la peau déclenchée par une exposition au soleil et caractérisée par une rougeur. 1922 ; lat. *lux*, « lumière » ; [lysit].

**LUCRATIF, IVE, adj.**
Qui procure un profit, de l'argent : *Association sans but **lucratif**.* 1314 ; lat. *lucrativus* ; [lykʀatif, iv].

**LUCRE, subst. m.**
**1.** Vx. Bénéfice. **2.** Profit, gain recherché avidement (péj.). Mil. XVe s. ; lat. *lucrum* ; [lykʀ].

**LUDDISME, subst. m.**
*Hist.* Mouvement insurrectionnel d'ouvriers qui détruisaient les machines accusées de créer le chômage, dans l'Angleterre du début du XIXe s. XXe s. ; angl. *ludddism*, de l'anthropon. *Ned Ludd*, ouvrier qui aurait détruit des métiers à tisser ; [lydism].

**LUDICIEL, subst. m.**
*Informat.* Logiciel de jeu. V. 1980 ; crois. de *ludique* et de *logiciel* ; [lydisjɛl].

**LUDION, subst. m.**
*Phys.* Figurine suspendue à une boule creuse percée d'un trou et qui, plongée dans l'eau d'un récipient fermé par une membrane, monte ou descend selon les modifications de pression produites en appuyant sur cette membrane. 1787 ; lat. *ludio*, « histrion », de *ludere*, « jouer » ; [lydjɔ̃].

*Lucane.*

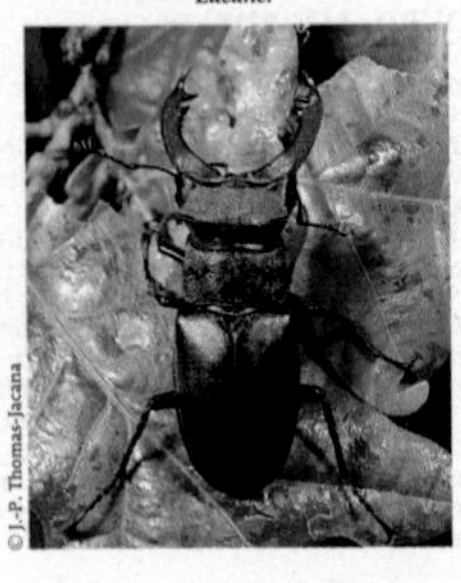


**LUDIQUE, adj.**
Relatif au jeu ; conçu pour le jeu : *Activité **ludique*** ; *Objet **ludique**.* 1910 ; lat. *ludus*, « jeu » ; [lydik].

**LUDISME, subst. m.**
Attitude, comportement ludique. 1940 ; lat. *ludus*, « jeu » ; [lydism].

**LUDOTHÈQUE, subst. f.**
Centre de prêt de jeux et de jouets. V. 1970 ; lat. *ludus*, « jeu », + *-thèque*, d'apr. *bibliothèque* ; [lydɔtɛk].

**LUETTE, subst. f.**
*Anat.* Languette mobile issue du voile du palais, faisant saillie dans le pharynx où elle contribue à la fermeture des voies respiratoires pendant la déglutition. Fin XIIIe s. ; anc. fr. *l'uete*, du lat. pop. °*uvitta*, du lat. *uva*, « grappe de raisin » ; [lɥɛt].

**LUEUR, subst. f.**
**1.** Lumière faible, indécise. **2.** Lumière vive et brève. **3.** Ext. Expression animée, très brève, du regard : ***Lueur** d'envie.* **4.** Fig. Indice léger ; brève manifestation de qqch. : *Une **lueur** d'intelligence.* ► Loc. ***À la lueur de*** : en se référant à. PLUR. Connaissances vagues : *Avoir quelques **lueurs** sur un sujet.* 1119 ; bas lat. *lucor*, « éclat », de *lucere*, « luire » ; [lɥœʀ].

**LUFFA, subst. m.**
*Bot.* Plante de la famille des Cucurbitacées dont certaines espèces grimpantes donnent des fruits fibreux utilisés comme éponges végétales. 1708 ; lat. sc. *luffa*, de l'ar. *lūfa* ; var. *loofa* ; [lufa].

**LUGE, subst. f.**
Petit traîneau utilisé pour descendre des pentes neigeuses ; sport ainsi pratiqué. 1398 ; suisse romand et savoyard *luge*, p.-ê. du gaul. °*slodia* ; [lyʒ].

**LUGER, verbe intrans.** [5]
**1.** Faire de la luge. **2.** Helv. Échouer à un examen, à une élection (fam.). 1901 (1744, empl. pronom.) ; ☞ *luge* ; [lyʒe].

**LUGEUR, EUSE, subst.**
Personne qui pratique la luge. 1905 ; ☞ *luger* ; [lyʒœʀ, øz].

**LUGUBRE, adj.**
**1.** Qui marque le deuil. **2.** Ext. Qui inspire ou exprime une sombre tristesse : *Paysage, expression **lugubre**.* Déb. XIVe s. ; lat. *lugubris* ; [lygybʀ].

**LUGUBREMENT, adv.**
De façon lugubre. 1606 ; ☞ *lugubre* ; [lygybʀəmɑ̃].

**LUI, pron. pers.**
**1.** Pronom personnel des deux genres de la troisième personne du singulier, à fonction de complément d'object indirect, de complément d'attribution, de complément d'adjectif (plur. *leur*) : *Il **lui** a accordé sa confiance* ; *Je **lui** ai demandé de venir* ; *Il **lui** est toujours resté fidèle.* **2.** Pronom personnel masculin (plur. *eux*). ► Sujet : *Elle acceptera, mais **lui** refusera.* ► Attribut : *Je ne le reconnais pas, il n'est plus **lui**.* ► En apposition : *Mon père, **lui**, voulait que je fusse avocat.* ► Complément d'objet direct : *Elle ne veut que **lui**.* ► Avec une préposition : *Qu'attendez-vous de **lui** ?* ; *Elle pense à **lui*** ; *Je compte sur **lui*** ; *Nous allons chez **lui**.* Fin IXe s. ; lat. pop. °*illui* ; [lɥi].

**LUIRE, verbe intrans.** [69]
**1.** Briller, en émettant ou en réfléchissant de la lumière : *Vénus **luit** dans le ciel* ; *Vitre qui **luit** au soleil.* **2.** Fig. Apparaître avec éclat : *La colère **luisait** dans son regard.* Fin XIe s. ; lat. *lucere* ; [lɥiʀ].

**LUISANCE, subst. f.**
Caractère de ce qui luit ; brillance (littér.). Fin XVe s. ; ☞ *luisant* ; [lɥizɑ̃s].

**LUISANT, ANTE, adj. et subst. m.**
ADJ. Qui luit : *Armes **luisantes*** ; *Ver **luisant*** (☞ *ver*). SUBST. État, qualité de ce qui luit : *Le **luisant** d'un cuir lustré.* Fin XIe s. ; p. pr. de *luire* ; [lɥizɑ̃, ɑ̃t].

**LULU, subst. m.**
*Zool.* Nom d'une espèce d'alouette nichant au sol. 1770 ; onomat. ; [lyly].

**LUMACHELLE, subst. f.**
*Pétrogr.* Roche sédimentaire formée essentiellement de coquilles de mollusques. 1765 ; ital. *lumachella*, de *lumaca*, « limaçon » ; [lymaʃɛl] ou [-kɛl].

**LUMBAGO, subst. m.**
*Pathol.* Douleur aiguë survenant dans la région lombaire, gén. après un effort de soulèvement, et pouvant être le signe d'une lésion discale lombo-sacrée. 1756 ; bas lat. *lumbago*, de *lumbus*, « rein » ; var. *lombago* ; [lɔ̃bago] ou [lœ̃-].

**LUMEN,** subst. m.
*Phys.* Unité de flux lumineux (symb. : lm) correspondant au flux lumineux émis dans l'angle solide de 1 stéradian par une source ponctuelle uniforme placée au sommet de l'angle solide et ayant une intensité lumineuse de 1 candela. 1912 ; lat. *lumen*, « lumière » ; [lymɛn].

**LUMIÈRE,** subst. f.
**I. 1.** *Phys.* Radiation ou ensemble de radiations visibles ou non visibles, correspondant à un phénomène vibratoire transversal véhiculé par des particules appelées photons. La **lumière** naturelle, qui provient directement d'une source lumineuse (soleil, feu, ampoule électrique), a la particularité de présenter une symétrie de révolution autour de sa direction de propagation, contrairement à la **lumière** polarisée. **2.** Clarté du jour : *Une pièce où la **lumière** entre à flots.* **3.** Source artificielle d'éclairage : *As-tu éteint la **lumière** ? ; La **lumière** d'une bougie.* **4.** *B.-a.* Représentation plastique des zones éclairées : *Le volume est rendu par des effets de **lumière** et d'ombre.* **5.** *Taurom. Habit de **lumière*** : costume brodé d'or du torero. **6.** *Techn.* ▸ Ouverture percée dans le canon d'une arme à feu, par laquelle on enflammait la charge. ▸ Orifice d'entrée ou d'échappement de vapeur d'une machine. ▸ Trou de visée d'un instrument topographique. **7.** *Anat.* Cavité centrale d'un vaisseau, d'un canal. Plur. Phares et feux de position d'un véhicule. **II.** Fig. **1.** Ce qui apporte des éclaircissements : *À la **lumière** de faits nouveaux* ; *Faire la **lumière** sur*, élucider ; *Mettre en **lumière***, en relief, en évidence. **2.** Sommité, personne à l'esprit éminent : *Ce n'est pas une **lumière***, il est peu intelligent (fam.). Plur. Connaissances acquises par l'intelligence et la raison, selon l'idéal philosophique du XVIIIe s., dit siècle des **Lumières** : *Je recours à vos **lumières**,* à votre science. Fin XIe s. ; lat. *luminaria*, de *luminare*, « astre » ; [lymjɛʀ].

**LUMIGNON,** subst. m.
**1.** Bout de la mèche d'une bougie allumée. **2.** Chandelle presque entièrement consumée. **3.** Ext. Lampe de très faible éclairage. Fin XIIe s. ; lat. pop. °*lucinium*, du lat. *ellychnium*, d'apr. *lumen*, « lumière » ; [lymiɲɔ̃].

**LUMINAIRE,** subst. m.
**1.** *Les **luminaires** du jour et de la nuit* : le soleil et la lune (littér., par réf. à la Bible). **2.** Ensemble des cierges et des lampes constituant l'éclairage et la décoration d'une église. **3.** Appareil ou ensemble d'appareils d'éclairage. Déb. XIIe s. ; lat. chrét. *luminare*, « astre » ; [lyminɛʀ].

**LUMINANCE,** subst. f.
*Phys.* Quotient de l'intensité lumineuse d'une source par sa surface émissive (synon. anc. *brillance*). L'unité de **luminance** dans le système S. I. est la candela par mètre carré (symb. : cd/m²), **luminance** d'une source de 1 m² de surface émissive dont l'intensité lumineuse est de 1 candela. 1948 ; ☞ *lumineux* ; [lyminɑ̃s].

**LUMINESCENCE,** subst. f.
*Phys.* Émission de lumière par certaines substances en l'absence de tout chauffage de ces dernières, après qu'elles ont absorbé de l'énergie (☞ *bioluminescence, chimioluminescence, électroluminescence, photoluminescence, radioluminescence*). On distingue deux sortes de **luminescence** : la fluorescence, qui ne dure que le temps de l'excitation, et la phosphorescence, qui persiste plusieurs secondes après la fin de l'excitation. 1899 ; lat. *lumen*, « lumière », d'apr. *phosphorescence* ; [lyminesɑ̃s] ou [-ne-].

**LUMINESCENT, ENTE,** adj.
Qui émet de la lumière par luminescence : *Tube **luminescent***, lampe tubulaire fluorescente. 1903 ; ☞ *luminescence* ; [lyminesɑ̃, ɑ̃t] ou [-ne-].

**LUMINEUX, EUSE,** adj.
**1.** Qui émet ou qui réfléchit la lumière : *Astre **lumineux**.* **2.** Qui est éclairé par une source de lumière : *Cascade **lumineuse**.* **3.** Fig. Lucide : *Esprit **lumineux*** ; d'une clarté frappante : *Exposé **lumineux**.* Fin XIIIe s. ; lat. *luminosus* ; [lyminø, øz].

**LUMINISME,** subst. m.
*B.-a.* Tendance picturale fondée sur l'opposition des ombres et des lumières. V. 1900 ; lat. *lumen*, « lumière » ; [lyminism].

**LUMINOSITÉ,** subst. f.
**1.** Qualité de ce qui est lumineux ; éclat. **2.** *Astron. **Luminosité** d'un astre* : puissance totale (énergie rayonnante par seconde) rayonnée par un astre. 1486 ; lat. médiév. *luminositas* ; [lyminozite].

**LUMITYPE,** subst. f. inv.
*Impr.* Machine à composer photographique fournissant des films de textes mis en page. Mil. XXe s. ; crois. de *lumière* et de *Linotype* ; n. déposé ; [lymitip].

**LUMP,** subst. m.
*Zool.* Poisson des mers froides dont les œufs comestibles ressemblent à du caviar. 1776 ; angl. *lump*, d'orig. danoise ; [lœp].

**LUMPENPROLÉTARIAT,** subst. m.
Dans la terminologie marxiste, partie du prolétariat dénuée de ressources matérielles et de conscience de classe. V. 1900 ; all. *Lumpenproletariat*, de *Lumpen*, « haillons », et de *Proletariat*, « prolétariat » ; [lumpɛnpʀɔletaʀja].

**LUNAIRE (I),** adj.
**1.** Qui appartient à la Lune : *La clarté **lunaire**.* ▸ *Mois **lunaire*** : lunaison. **2.** Ext. Qui évoque la Lune : *Paysage **lunaire*** ; rond ou pâle comme la Lune : *Un pierrot au masque **lunaire**.* **3.** Fig. Chimérique (littér.). XIIIe s. ; lat. *lunaris* ; [lynɛʀ].

**LUNAIRE (II),** subst. f.
*Bot.* Plante herbacée à fleurs odorantes, de la famille des Brassicacées, dont une espèce ornementale est appelée monnaie-du-pape. 1542 ; lat. sc. *lunaria*, du lat. *luna*, « lune » ; [lynɛʀ].

**LUNAISON,** subst. f.
Temps qui sépare deux nouvelles lunes consécutives (env. 29,5 jours). 1119 ; ☞ *lune* ; [lynɛzɔ̃].

**LUNATIQUE,** adj. et subst.
Se dit de qqn d'humeur changeante, fantasque. Adj. Qui dénote un tel caractère. 1611 (1277, qui a perdu la raison) ; bas lat. *lunaticus* ; [lynatik].

**LUNCH,** subst. m.
Repas de midi qui se prend debout, devant un buffet, et qui se compose en gén. de mets froids (anglic.). 1817 ; angl. *lunch*, « déjeuner » ; plur. *lunch(e)s* ; [lœn(t)ʃ] ou [lœʃ].

**LUNDI,** subst. m.
Premier jour de la semaine. 1119 ; lat. pop. °*lunis dies*, « jour de la lune » ; [lœ̃di].

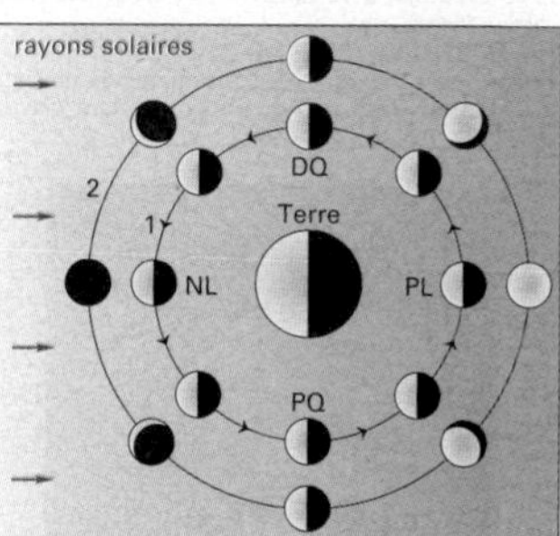


LES PHASES DE LA LUNE
*Cercle 1 : la Lune, telle qu'elle est éclairée par le Soleil durant sa révolution autour de la Terre. Cercle 2 : la Lune, telle qu'on la voit de la Terre. NL : nouvelle lune. PQ : premier quartier. PL : pleine lune. DQ : dernier quartier.*

**LUNE,** subst. f.
**1.** *Astron.* Unique satellite naturel de la Terre, qui accomplit sa révolution autour de cette dernière en 27 jours 7 heures 43 minutes et à une distance moyenne de 384 400 km. Son diamètre équatorial est égal à 3 476 km, sa masse à 0,0123 fois celle de la Terre, son volume à 0,02 fois celui de la Terre, sa masse volumique à 3,344 g/cm³, son accélération de la pesanteur à la surface à 1,62 m/s². La **Lune**, comme l'ensemble des planètes et des satellites, n'émettant pas de lumière par elle-même, réfléchit et diffuse une partie de la lumière reçue du Soleil : c'est ce qui constitue la succession régulière de ses phases, observées pendant la nuit. **2.** Ext. Lunaison (vx). **3.** Anal. Satellite naturel d'une autre planète que la Terre : *Les **lunes** de Jupiter.* **4.** Loc. *Être dans la **lune*** : être distrait ; *Demander, promettre la **lune*** : qqch. d'impossible ; *Face de **lune*** : visage rond et joufflu ; *Lune de miel* : les premiers temps du mariage. **5.** *La **lune*** : les fesses (pop.). Fin XIe s. ; lat. *luna* ; [lyn].

**LUNÉ, ÉE,** adj.
**1.** En forme de disque ou de croissant. **2.** Loc. *Être bien, mal **luné*** : être de bonne, de mauvaise humeur (fam.). 1576 ; ☞ *lune* ; [lyne].

**LUNETIER, IÈRE,** subst.
Personne qui fabrique ou qui vend des lunettes (synon. *opticien*) ; empl. adj. : *L'industrie **lunetière**.* 1467 ; ☞ *lunette* ; [lyn(ə)tje, jɛʀ].

© Th. Mauger-Explorer

*Lunettes en os des Inuits du Groenland.*

**LUNETTE,** subst. f.
**I.** Ouverture, objet plus ou moins circulaire. **1.** Ouverture d'une cuvette d'aisances ; le siège qui s'y adapte. **2.** *Archit.* Cavité centrale d'une voûte, qui reçoit une autre voûte. **3.** *Mar. **Lunette** d'étambot* : orifice pratiqué dans l'étambot pour permettre le passage de l'arbre de l'hélice. **4.** *Peint.* Panneau de polyptyque en forme de demi-lune. **5.** ***Lunette** arrière* : vitre arrière d'un véhicule. **II. 1.** Plaque de métal poli ou de verre d'un miroir circulaire (vx). **2.** *Opt.* Instrument, mis au point par Galilée, permettant de voir des objets lointains avec un certain grossissement ou plus distinctement : ***Lunette** astronomique* ; ***Lunette** d'approche*, **lunette** terrestre à prisme redresseur d'image. Plur. Paire de verres correcteurs ou protecteurs enchâssés dans une monture placée sur le nez, devant les yeux. ▸ *Zool. Serpent à **lunettes*** : naja. Fin XIIe s. ; ☞ *lune* ; [lynɛt].

**LUNETTÉ, ÉE,** adj.
**1.** Vx. *Zool. Animal **lunetté*** : aux yeux entourés d'un cercle. **2.** Se dit d'une personne qui porte des lunettes (fam.). 1867 ; ☞ *lunette* ; [lynete].

**LUNETTERIE,** subst. f.
Fabrication et commerce des lunettes. 1799 ; ☞ *lunette* ; [lynɛtʀi].

**LUNI-SOLAIRE,** adj.
*Astron.* Relatif à la fois à la Lune et au Soleil : *Calendrier **luni-solaire***, fondé sur l'observation des phases de la Lune et du mouvement apparent du Soleil. 1721 ; comp. de *lune* et de *solaire* ; plur. *luni-solaires* ; [lynisɔlɛʀ].

**LUNULE,** subst. f.
**1.** *Géom.* Surface plane, en croissant de lune, délimitée par deux arcs de cercle. **2.** *Anat.* Tache blanche marquant la base d'un ongle. **3.** *Liturg.* Boîte renfermant l'hostie, placée au centre de l'ostensoir. 1694 ; lat. *lunula*, « petite lune » ; [lynyl].

**LUNURE,** subst. f.
*Techn.* Défaut du bois qui présente sur sa tranche des cercles ou des croissants de couleur différente. 1842 ; ☞ *lune* ; [lynyʀ].

**LUPANAR,** subst. m.
Maison de prostitution (littér.). 1532 ; lat. *lupanar*, de *lupa*, « louve ; courtisane » ; [lypanaʀ].

**LUPERCALES,** subst. f. plur.
*Antiq. rom.* Fête annuelle, célébrée en l'honneur de Lupercus, dieu de la prospérité, protecteur des troupeaux. 1605 ; lat. *Lupercalia* ; [lypɛʀkal].

**LUPIN,** subst. m.
*Bot.* Plante herbacée de la famille des Fabacées, fourragère ou ornementale selon les espèces. Mil. XIIIe s. ; lat. *lupinus*, « herbe du loup » ; [lypɛ̃].

**LUPOME,** subst. m.
*Pathol.* Lésion cutanée caractéristique du lupus tuberculeux, en forme de petit grain jaunâtre. 1931 ; ☞ *lupus* + *-ome* ; [lypom].

**LUPULIN, INE, subst.**
Fém. Luzerne sauvage à fleurs jaunes, couramment appelé minette. Masc. ou Fém. Alcaloïde provenant des fleurs femelles du houblon, qui donne à la bière sa saveur amère. 1800 ; lat. sc. *lupulus*, du lat. *lupus*, « loup ; houblon » ; [lypylɛ̃, in].

**LUPUS, subst. m.**
*Pathol.* Terme générique désignant toute éruption siégeant sur les ailes du nez et sur les joues. ▸ ***Lupus** tuberculeux* ou *vulgaire* : forme de tuberculose cutanée, caractérisée par la présence de lupomes. ▸ ***Lupus** érythémateux chronique* : dermatose récidivante, gén. bénigne, siégeant surtout sur le visage sous la forme de placards rouges discoïdes, régressant au prix d'une atrophie cutanée. ▸ ***Lupus** systémique* : maladie dite de système, particulièrement grave, caractérisée, outre les atteintes cutanées, par des lésions viscérales et articulaires. 1363 ; lat. médiév. *lupus* ; [lypys].

**LURETTE, subst. f.**
Loc. fam. *Il y a belle **lurette** (que)* : il y a bien longtemps (que) ; *Depuis belle **lurette*** : depuis bien longtemps. 1807 ; altér. de *l'heurette*, de *heure* ; [lyʀɛt].

**LUREX, subst. m.**
*Text.* Fil gainé de polyester, d'aspect métallique. V. 1960 ; anglo-amér. *Lurex*, de *lure*, « charme, attrait » ; n. déposé ; [lyʀɛks].

**LURON, ONNE, subst.**
**1.** Bon vivant, boute-en-train (fam.) : *Un gai **luron***. **2.** Personne hardie, résolue (vieilli). Fin XVe s. ; p.-ê. rad. onomat. *lur-*, du lat. *lura*, « outre » ; [lyʀɔ̃, ɔn].

**LUSIN, subst. m.**
*Mar.* Petit cordage fait de deux fils de caret entrelacés. 1678 ; néerl. *huising* ; [lyzɛ̃].

**LUSITANIEN, IENNE, adj. et subst.**
**1.** *Antiq.* De Lusitanie. **2.** Du Portugal (littér.). Subst. masc. *Géol.* Étage du Jurassique ; empl. adj., relatif, propre à cet étage. 1732 ; topon. *Lusitanie* ; var. *lusitain, aine* ; [lyzitanjɛ̃, jɛn].

**LUSOPHONE, adj.**
De langue portugaise : *Pays **lusophone*** ; empl. subst., personne **lusophone**. XXe s. ; formé de *luso-*, et de *-phone* ; [lyzɔfɔn].

**LUSTRAGE, subst. m.**
Action de lustrer. 1670 ; ☞ *lustrer* ; [lystʀaʒ].

**LUSTRAL, ALE, AUX, adj.**
**1.** *Relig.* Qui purifie. **2.** *Antiq.* Relatif au lustre. ▸ Ext. D'une périodicité de cinq ans. Mil. XIVe s. ; lat. *lustralis*, de *lustrum*, « lustre » ; [lystʀal, o].

**LUSTRATION, subst. f.**
**1.** *Antiq. rom.* Cérémonie de purification qui incluait des sacrifices. **2.** *Relig.* Aspersion. Mil. XIVe s. ; lat. *lustratio*, de *lustrum*, « lustre » ; [lystʀasjɔ̃].

**LUSTRE (I), subst. m.**
**1.** *Antiq. rom.* Sacrifice expiatoire qui avait lieu tous les cinq ans, à la fin des opérations de recensement, pour purifier le peuple. **2.** Méton. Période de cinq ans ; par ext. : *Je ne l'ai pas vu depuis des **lustres***, depuis longtemps. 1213 ; lat. *lustrum* ; [lystʀ].

**LUSTRE (II), subst. m.**
**I. 1.** Éclat de ce qui est brillant ou poli : ***Lustre** de la porcelaine* ; ***Lustre** d'une fourrure* ; *Donner du **lustre** à*, faire briller. ▸ *Techn.* Apprêt, enduit brillant utilisé sur les étoffes, les fourrures, l'émail, etc. **2.** Fig. Éclat qui met en valeur qqn ou qqch. : *Le **lustre** du siècle de Louis XIV.* **II.** Appareil d'éclairage à plusieurs lampes que l'on suspend au plafond. 1482 ; ital. *lustro*, « renommée ; lumière » ; [lystʀ].

**LUSTRER, verbe trans.** [3]
**1.** Donner du lustre à (qqch.) : ***Lustrer** ses chaussures* ; empl. adj., lisse et brillant : *Un pelage **lustré***. **2.** Rendre brillant par usure, par frottement répété : ***Lustrer** son pantalon sur les bancs de l'école.* **3.** *Techn.* Traiter avec un lustre. Fin XVe s. ; ☞ *lustre* (II) ; [lystʀe].

**LUSTRERIE, subst. f.**
**1.** Fabrication et commerce des appareils d'éclairage intérieur. **2.** Ensemble des éléments constituant un éclairage intérieur. 1868 ; ☞ *lustre* (II) ; [lystʀəʀi].

**LUSTRINE, subst. f.**
Étoffe de coton dont une face est lustrée. 1853 (1730, étoffe de soie) ; ital. *lustrino* ; [lystʀin].

**LUT, subst. m.**
*Techn.* Enduit qui devient très dur en séchant et qui sert à boucher hermétiquement des joints ou à enduire des objets soumis à l'action directe du feu. Fin XVe s. (fin XIIe s., boue) ; lat. *lutum*, « boue » ; [lyt].

**LUTÉAL, ALE, AUX, adj.**
*Physiol.* et *Méd.* Qui concerne la progestérone (synon. *lutéinique*) : *Phase **lutéale** du cycle menstruel*, pendant laquelle se forme le corps jaune. Déb. XXe s. ; lat. *luteus*, « jaune » ; [lyteal, o].

**LUTÉCIEN, IENNE, adj. et subst.**
**1.** De Lutèce. **2.** *Géol.* Lutétien. Mil. XIXe s. ; topon. *Lutèce* ; [lytesjɛ̃, jɛn].

**LUTÉCIUM, subst. m.**
*Chim.* Élément n° 71 de la table de Mendeleïev (symb. : Lu), de masse atomique 174,97. C'est un métal appartenant au groupe des terres rares. 1907 ; topon. *Lutèce* ; [lutesjɔm].

**LUTÉINE, subst. f.**
*Biol.* Progestérone (vieilli). 1890 ; lat. *luteus*, « jaune » ; [lytein].

**LUTER, verbe trans.** [3]
*Techn.* Boucher avec du lut. 1558 (1532, garnir de boue) ; ☞ *lut* ; [lyte].

**LUTÉTIEN, IENNE, subst. m. et adj.**
*Géol.* Subst. Période de l'Éocène qui succède au Bartonien et dont le stratotype se situe dans le Bassin parisien. Adj. Relatif ou propre à cette culture. 1886 ; topon. *Lutèce* ; var. *lutécien, ienne* ; [lytesjɛ̃, jɛn].

**LUTH, subst. m.**
**1.** *Mus.* Instrument à cordes pincées d'origine arabe, très en vogue du XVIe au XVIIIe s. : *Poète, prends ton **luth** et me donne un baiser* (Musset). **2.** *Zool.* **Luth** ou, en appos., *Tortue **luth*** : nom usuel d'une tortue géante des mers chaudes, de la famille des Dermochélyidés. Fin XIIIe s. ; ar. *al-'ūd*, « le luth » ; [lyt].

**LUTHÉRANISME, subst. m.**
Doctrine religieuse de Luther ; protestantisme luthérien. 1562 ; anthropon. *Luther* ; [lyteʀanism].

**LUTHERIE, subst. f.**
Art, profession, commerce du luthier. 1767 ; ☞ *luthier* ; [lytʀi].

**LUTHÉRIEN, IENNE, subst. et adj.**
Subst. Adepte du luthéranisme. Adj. Relatif ou favorable à Luther, à sa doctrine. 1523 ; anthropon. *Luther* ; [lyteʀjɛ̃, jɛn].

**LUTHIER, IÈRE, subst.**
Personne qui fabrique les instruments de musique à cordes, à l'exclusion des instruments à clavier. 1649 ; ☞ *luth* ; [lytje, jɛʀ].

*Luthier polissant la table d'un violon.*

**LUTHISTE, subst.**
Personne qui joue du luth. 1885 ; ☞ *luth* ; [lytist].

**LUTIN, INE, subst. m. et adj.**
Subst. **1.** Petit démon espiègle. **2.** Fig. Enfant malicieux. Adj. Malicieux, espiègle (littér.) : *Air, regard **lutin***. Fin XIVe s. (mil. XIIe s., monstre marin) ; lat. *Neptunus*, « Neptune » ; [lytɛ̃, in].

**LUTINER, verbe trans.** [3]
**1.** Vx. Taquiner. **2.** Se permettre des privautés avec (une femme). 1585 ; ☞ *lutin* ; [lytine].

**LUTRIN, subst. m.**
**1.** *Liturg.* Pupitre d'église, souvent ouvragé, qui reçoit l'antiphonaire ou les livres liturgiques. **2.** Socle oblique, gén. en bois, sur lequel on pose les livres très volumineux que l'on consulte. Déb. XIIe s. ; lat. pop. °*lectrinum*, du lat. *legere*, « lire » ; [lytʀɛ̃].

**LUTTE, subst. f.**
**1.** Combat livré corps à corps. ▸ *Sp.* Sport de combat dans lequel deux adversaires s'opposent à mains nues, chacun tentant de terrasser l'autre : ***Lutte** gréco-romaine* (☞ *gréco-romain*) ; ***Lutte** libre*, où toutes les prises sont permises. **2.** Conflit violent, rivalité opposant deux, ou plus de deux, protagonistes (personnes ou groupes), chacun s'efforçant de dicter à l'autre sa volonté et de faire triompher sa cause : *Armées en **lutte*** ; ***Lutte** pour le pouvoir* ; ***Lutte** d'influence.* ▸ Loc. *Conquérir, gagner qqch. de haute **lutte*** : par un effort tenace et constant. ▸ *Philos.* ***Lutte** des classes* : selon le marxisme, opposition fondamentale d'intérêts entre la classe possédante et le prolétariat, génératrice de conflits qui sont le moteur de l'histoire. **3.** Action, ensemble d'efforts déployés en vue de surmonter un obstacle, un mal, ou d'atteindre un objectif particulier : ***Lutte** contre le chômage, contre le sida.* ▸ *Sc.* et *Biol.* ***Lutte** pour la vie* : concept élaboré par Darwin pour désigner le moteur de l'évolution des espèces, la sélection naturelle (☞ *évolutionnisme*). **4.** Opposition irréconciliable et agissante entre deux entités, deux principes antagonistes : ***Lutte** du mal et du bien.* **5.** Accouplement du bélier avec la brebis. 1155 ; ☞ *lutter* ; [lyt].

**LUTTER, verbe intrans.** [3]
**1.** Combattre à la lutte. **2.** Se battre, combattre : ***Lutter** contre l'ennemi, pour sa liberté* ; au fig. : ***Lutter** contre le sommeil*, tenter d'y résister. **3.** Rivaliser : ***Lutter** d'élégance.* **4.** S'accoupler, en parlant du bélier. Fin XIe s. ; lat. *luctare* ; [lyte].

**LUTTEUR, EUSE, subst.**
**1.** *Sp.* Personne qui pratique la lutte. **2.** Fig. Personne qui lutte, qui sait lutter : *Tempérament de **lutteur***. Fin XIIe s. ; ☞ *lutter* ; [lytœʀ, øz].

**LUX, subst. m.**
*Métrol.* Unité de mesure S. I. d'éclairement (symb. : lx), correspondant à l'éclairement d'une surface qui reçoit d'une manière uniformément répartie un flux lumineux de 1 lumen par mètre carré. 1912 ; lat. *lux*, « lumière » ; [lyks].

**LUXATION, subst. f.**
*Pathol.* Perte de contact, totale ou partielle, entre les surfaces articulaires des os (synon. *dislocation*). 1538 ; bas lat. *luxatio* ; [lyksasjɔ̃].

**LUXE, subst. m.**
**1.** Mode de vie caractérisé par la recherche de biens ou d'agréments superflus, raffinés, coûteux : *Un **luxe** ostentatoire* ; caractère de ce qui est luxueux : *Le **luxe** d'une installation.* ▸ Loc. **De luxe**. D'une grande qualité, d'un grand raffinement, coûteux : *L'hôtellerie de **luxe***. **2.** Méton. Bien, agrément coûteux ou inutile : *Son vélo était son seul **luxe***. **3.** Fig. Quantité excessive, abondance : *Un **luxe** de précautions, de détails.* **4.** Loc. *Ce n'est pas du **luxe*** : c'est indispensable (fam.) ; *S'offrir, se payer le **luxe** de* : se permettre de. 1607 ; lat. *luxus*, « excès, faste » ; [lyks].

**LUXER, verbe trans.** [3]
*Pathol.* Déplacer par luxation ; empl. pronom. : *Se **luxer** la cheville.* 1541 ; lat. *luxare*, « déboîter » ; [lykse].

**LUXMÈTRE, subst. m.**
*Phys.* Appareil qui sert à mesurer l'éclairement. XXe s. ; ☞ *lux* + *-mètre*[1] ; [lyksmɛtʀ].

**LUXUEUSEMENT, adv.**
Avec luxe. 1845 ; ☞ *luxueux* ; [lyksyøzmɑ̃].

**LUXUEUX, EUSE, adj.**
Qui se caractérise par son luxe : *Villa **luxueuse***. 1771 ; ☞ *luxe* ; [lyksyø, øz].

**LUXURE, subst. f.**
Recherche effrénée des plaisirs sexuels, considérée, dans la religion chrétienne, comme un des sept péchés capitaux (littér.) : *S'adonner à la **luxure***. Déb. XIIe s. ; lat. *luxuria*, « excès » ; [lyksyʀ].

**LUXURIANCE, subst. f.**
Caractère de ce qui est luxuriant. 1752 ; ☞ *luxuriant* ; [lyksyʀjɑ̃s].

**LUXURIANT, ANTE, adj.**
**1.** Se dit d'une végétation vigoureuse et abondante. **2.** Anal. Exubérant, fécond : *Une imagination **luxuriante***. 1540 (déb. XIIe s., luxurieux) ; lat. *luxurians*, de *luxuriare*, « surabonder » ; [lyksyʀjɑ̃, ɑ̃t].

**LUXURIEUX, EUSE, adj.**
Littér. **1.** Qui se livre à la luxure, à la débauche. **2.** Qui dénote la luxure, ou qui y incite. Déb. XIIe s. ; lat. *luxuriosus* ; [lyksyʀjø, øz].

**LUZERNE, subst. f.**
*Bot.* Plante herbacée de la famille des Fabacées, qui fait un excellent fourrage. 1566 ; prov. *luzerno*, « ver luisant ; luzerne », du lat. *lucere*, « luire » ; [lyzɛʀn].

**LUZERNIÈRE,** subst. f.
Champ de luzerne. 1600 ; ☞ *luzerne* ; [lyzɛʀnjɛʀ].

**LUZULE,** subst. f.
*Bot.* Plante herbacée à feuilles plates et allongées, de la famille des Joncacées. 1815 ; ital. *luzziola*, de *luce*, « lumière » ; [lyzyl].

**lx,** voir **LUX**

**LYCANTHROPE,** subst.
Personne atteinte de lycanthropie. 1558 ; gr. *lukanthrôpos*, « loup-garou » ; [likɑ̃tʀɔp].

**LYCANTHROPIE,** subst. f.
**1.** Croyance légendaire en la métamorphose de l'homme en loup-garou. **2.** *Psych.* Délire mental dans lequel le sujet se prend pour un loup. 1564 ; gr. *lukanthrôpia* ; [likɑ̃tʀɔpi].

**LYCAON,** subst. m.
*Zool.* Mammifère carnivore d'Afrique, sorte de chien sauvage au pelage noir mêlé de jaune et de blanc. 1552 ; lat. *lycaon*, sorte de loup d'Éthiopie ; [likaɔ̃].

© Cl. Haagner-Jacana

*Lycaons.*

**LYCÉE,** subst. m.
**1.** *Hist.* Lieu où s'assemblaient les gens de lettres. **2.** Établissement public qui dispense l'enseignement moderne, classique ou technique du second cycle du second degré : *Lycée Charlemagne.* ▸ *Lycée professionnel (L. P.)* : établissement préparant aux C. A. P., aux B. E. P. ou aux baccalauréats professionnels. **2.** Belg. Établissement public d'enseignement secondaire pour filles. 1790 (1568, *Lycée*, gymnase où enseignait Aristote) ; lat. *Lyceum*, du gr. *Lukeion* ; [lise].

**LYCÉEN, ÉENNE,** subst.
Élève d'un lycée ; empl. adj. : *Manifestation* ***lycéenne.*** 1816 ; ☞ *lycée* ; [liseɛ̃, eɛn].

**LYCÈNE,** subst. f.
*Zool.* Lépidoptère diurne dont le mâle a des ailes gén. bleues. 1840 ; lat. sc. *lycaena*, du gr. *lukaina*, « louve » ; [lisɛn].

**LYCHEE,** voir **LITCHI**

**LYCHNIS,** subst. m.
*Bot.* Plante herbacée de la famille des Caryophyllacées, dont plusieurs variétés sont ornementales. 1562 ; lat. *lychnis*, du gr. *lukhnos*, « flambeau » ; var. *une lychnide* ; [liknis].

**LYCOPE,** subst. m.
*Bot.* Plante herbacée des sols humides, de la famille des Lamiacées, appelée couramment patte-de-loup. 1762 ; lat. sc. *lycopus*, du gr. *lukos*, « loup », et *pous*, « pied » ; [likɔp].

**LYCOPERDON,** subst. m.
*Bot.* Champignon basidiomycète de la famille des Lycoperdacées, appelé communément vesse-de-loup, qui libère à maturité une poussière dense de spores. 1803 ; lat. sc. *lycoperdon*, du gr. *lukos*, « loup », et *perdesthai*, « péter » ; [likɔpɛʀdɔ̃].

**LYCOPODE,** subst. m.
*Bot.* Fougère de la famille des Lycopodiacées, à petites feuilles, aux tiges grêles et rampantes, ressemblant à de la mousse, appelée couramment pied-de-loup. 1750 ; lat. sc. *lycopodium*, du gr. *lukos*, « loup », et *pous*, « pied » ; [likɔpɔd].

**LYCOSE,** subst. f.
*Zool.* Grande araignée coureuse qui ne tisse pas de toile, telle la tarentule européenne. 1823 ; lat. sc. *lycosa*, du gr. *lukos*, « loup ; araignée-loup » ; [likoz].

**LYCRA,** subst. m. inv.
Fibre élastomère donnant un tissu qui possède une grande élasticité. V. 1960 ; n. déposé ; [likʀa].

**LYDDITE,** subst. f.
*Techn.* Explosif dérivé de l'acide picrique. 1890 ; topon. *Lydd* (Angleterre) ; [lidit].

**LYDIEN, IENNE,** adj. et subst.
De Lydie. Adj. *Mus. Mode, ton* ***lydien*** : mode, ton de *fa* de la musique grecque antique ; cinquième mode grégorien. 1546 ; topon. *Lydie* ; [lidjɛ̃, jɛn].

**LYMPHANGIOME,** subst. m.
*Pathol.* Malformation congénitale due à une prolifération de vaisseaux lymphatiques : ***Lymphangiome*** *kystique.* 1878 ; ☞ *angiome* + *lympho-* ; [lɛ̃fɑ̃ʒjom].

**LYMPHANGITE,** subst. f.
*Pathol.* Inflammation des vaisseaux lymphatiques due à une infection ou à une prolifération de nature tumorale : ***Lymphangite*** *réticulaire.* 1845 ; gr. *aggeion*, « vaisseau », + *lympho-* et *-ite* ; [lɛ̃fɑ̃ʒit].

**LYMPHATIQUE,** adj. et subst.
Adj. *Anat.* Relatif à la lymphe : *Système* ***lymphatique***, ensemble des vaisseaux capillaires, des collecteurs et des ganglions qui drainent la lymphe et en contrôlent la circulation. Adj. et Subst. **1.** *Pathol.* Se dit d'un sujet atteint de lymphatisme (vx). **2.** Se dit d'une personne lente, apathique, nonchalante ; par méton. : *Tempérament* ***lymphatique.*** 1671 (1546, fou) ; lat. *lymphaticus* ; [lɛ̃fatik].

**LYMPHATISME,** subst. m.
**1.** Vx. *Pathol.* État caractérisé par une augmentation de volume des organes lymphoïdes, par un certain empâtement et par la pâleur de la peau, surtout chez les enfants. **2.** Apathie, manque de vigueur (littér.). 1852 ; ☞ *lymphatique* ; [lɛ̃fatism].

**LYMPHE,** subst. f.
*Physiol.* Liquide qui circule dans les vaisseaux lymphatiques. Il transporte des graisses, des protéines, des vitamines, des enzymes et des hormones, ainsi que les lymphocytes qu'il fabrique. Il draine l'excès de liquide interstitiel et joue un rôle dans la défense de l'organisme en cas d'inflammation. 1673 (1442, eau) ; lat. *lympha*, « eau » ; [lɛ̃f].

**LYMPHOBLASTE,** subst. m.
*Biol.* et *Pathol.* Cellule immature, précurseur normal du lymphocyte dans la moelle osseuse, présente dans le sang dans certaines leucémies. 1931 ; formé de *lympho-* et de *-blaste* ; [lɛ̃fɔblast].

**LYMPHOCYTAIRE,** adj.
Relatif aux lymphocytes : *Méningite* ***lymphocytaire.*** 1926 ; ☞ *lymphocyte* ; [lɛ̃fɔsitɛʀ].

**LYMPHOCYTE,** subst. m.
*Biol.* Cellule du groupe des leucocytes jouant un rôle très important dans la réponse immunitaire. On distingue les **lymphocytes** B et les **lymphocytes** T. Ces derniers, en partic. ceux qui sont porteurs de la protéine CD4, sont la cible privilégiée du V. I. H. (virus de l'immunodéficience humaine). 1894 ; formé de *lympho-* et de *-cyte* ; [lɛ̃fɔsit].

**LYMPHOCYTOSE,** subst. f.
**1.** *Biol.* Nombre de lymphocytes normalement présents dans le sang (de 1 500 à 4 000 par mm$^3$). **2.** *Pathol.* Augmentation anormale (ou provoquée dans un but curatif) de ce nombre. 1907 ; ☞ *lymphocyte* + *-ose* ; [lɛ̃fɔsitoz].

**LYMPHOGRANULOMATOSE,** subst. f.
*Pathol.* Nom générique de maladies infectieuses ou cancéreuses atteignant la lymphe. 1913 ; ☞ *granulome* + *lympho-* et *-ose* ; [lɛ̃fɔgʀanylomatoz].

**LYMPHOGRAPHIE,** subst. f.
*Méd.* Technique d'imagerie qui permet de visualiser le réseau lymphatique et les ganglions relais, après injection d'un produit de contraste. 1938 ; formé de *lympho-* et de *-graphie* ; [lɛ̃fɔgʀafi].

**LYMPHOÏDE,** adj.
*Anat.* Relatif, propre au système lymphatique : *Tissu* ***lymphoïde***, qui forme les ganglions, la rate, le thymus, les plaques de Peyer et les amygdales. 1869 ; ☞ *lymphe* + *-oïde* ; [lɛ̃fɔid].

**LYMPHOKINE,** subst. f.
*Biochim.* et *Biol.* Nom donné à certaines glycoprotéines produites par les lymphocytes et impliquées dans le transfert d'information entre cellules du système immunitaire (synon. *interleukine*). V. 1970 ; gr. *kinein*, « mouvoir », + *lympho-* ; [lɛ̃fɔkin].

**LYMPHOME,** subst. m.
*Pathol.* Terme générique désignant les cancers du tissu lymphoïde. ☞ *lymphe* + *-ome* ; [lɛ̃fom].

**LYMPHOPÉNIE,** subst. f.
*Pathol.* Diminution du nombre de lymphocytes du sang. Mil. xxe s. ; ☞ *lymphocyte* + *-pénie* ; [lɛ̃fopeni].

**LYMPHORÉTICULOSE,** subst. f.
*Pathol.* ***Lymphoréticulose*** *bénigne d'inoculation* : infection due à l'inoculation d'une bactérie qui provoque l'apparition de ganglions pouvant suppurer, appelée couramment maladie des griffes du chat. 1950 ; ☞ *réticulose* + *lympho-* ; [lɛ̃fɔʀetikyloz].

**LYMPHOSARCOME,** subst. m.
*Pathol.* Lymphome (vieilli). 1872 ; ☞ *sarcome* + *lympho-* ; [lɛ̃fosaʀkom].

**LYNCHAGE,** subst. m.
Action de lyncher ; son résultat. 1883 ; ☞ *lyncher* ; [lɛ̃ʃaʒ].

**LYNCHER,** verbe trans. [3]
Exécuter (qqn) sans jugement régulier ; par ext., s'attaquer brutalement et en nombre à (qqn). 1861 ; anglo-amér. *to lynch*, de *Lynch law*, « loi de Lynch », juge de Virginie qui aurait établi cet usage ; [lɛ̃ʃe].

**LYNCHEUR, EUSE,** subst.
Personne qui participe à un lynchage. 1871 ; ☞ *lyncher* ; [lɛ̃ʃœʀ, øz].

**LYNX,** subst. m.
*Zool.* Mammifère carnivore de la famille des Félidés, de taille moyenne, au pelage tacheté et aux oreilles ornées d'un pinceau de poils. Grand chasseur qui grimpe aux arbres, il vit partout où des forêts froides lui offrent des refuges, en Eurasie et en Amérique du Nord. Mil. xiie s. ; lat. *lynx*, du gr. *lugx* ; [lɛ̃ks].

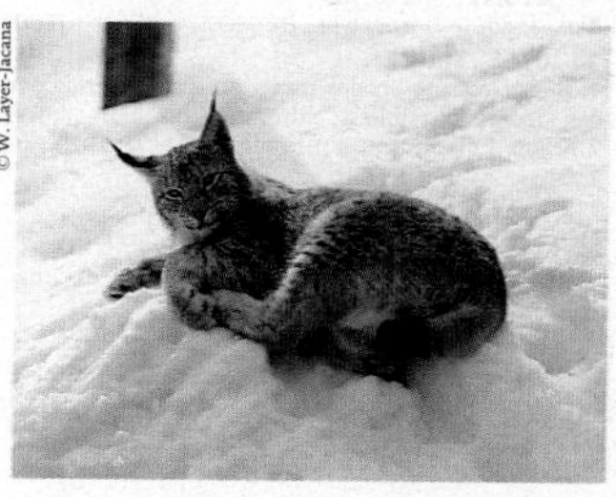
© W. Layer-Jacana

*Lynx.*

**LYOPHILE,** adj.
*Techn.* Qualifie une substance colloïdale qui a perdu ses propriétés biologiques par lyophilisation et qui les recouvre par simple addition d'eau. 1926 ; gr. *luein*, « dissoudre », + *-phile* ; [ljɔfil].

**LYOPHILISATION,** subst. f.
*Techn.* Dessiccation par sublimation : ***Lyophilisation*** *du plasma sanguin.* 1953 ; ☞ *lyophiliser* ; [ljɔfilizasjɔ̃].

**LYOPHILISER,** verbe trans. [3]
Procéder à la lyophilisation de (une substance) : ***Lyophiliser*** *un sérum* ; empl. adj. : *Soupe* ***lyophilisée.*** 1953 ; ☞ *lyophile* ; [ljɔfilize].

**LYRE,** subst. f.
**1.** *Mus.* Instrument de musique à cordes pincées datant de l'Antiquité. **2.** Fig. Symbole de l'art poétique. **3.** *Zool.* ▸ *Oiseau-**lyre*** : ménure. ▸ *Poisson-**lyre*** : trigle. 1155 ; lat. *lyra*, du gr. *lura* ; [liʀ].

*Lyre, mosaïque décorant un temple dédié à Apollon.*

© D. Clement-Explorer

**LYRIQUE, adj.**
**I. 1.** *Antiq. Poésie* **lyrique** ou, empl. subst. fém., *La* **lyrique** : poésie que l'on déclamait en s'accompagnant d'une lyre. ► *Poète* **lyrique** ou, empl. subst. masc., *Un* **lyrique** : auteur d'une telle poésie. **2.** *Litt.* Se dit d'un genre poétique, inspiré de la poésie grecque : *L'ode* **lyrique** ; par ext., se dit d'une œuvre où l'artiste exprime ses émotions avec enthousiasme ; au fig., se dit d'une personne pleine de ferveur, passionnée, exaltée. **3.** *B.-a. L'abstraction* **lyrique** : tendance de l'art abstrait apparue v. 1945 en réaction à l'abstraction géométrique, qui privilégie l'élan spontané de l'artiste. **II.** *Mus.* **1.** *Drame* **lyrique** : conçu pour être chanté, accompagné de musique et joué sur scène. **2.** *Artiste* **lyrique** ou, empl. subst. masc., *Un* **lyrique** : chanteur d'opérettes, d'opéras. 📖 1495 ; lat. *lyricus*, « relatif, propre à la lyre » ; [liʀik].

**LYRIQUEMENT, adv.**
Avec lyrisme. 📖 XXe s. (1555, sur la lyre du poète) ; ☞ *lyrique* ; [liʀikmɑ̃].

**LYRISME, subst. m.**
**1.** Style de la poésie lyrique. **2.** Tendance poétique à exprimer des émotions de façon lyrique : *Le* **lyrisme** *romantique* ; au fig., état d'une personne enthousiaste, passionnée. 📖 1829 ; ☞ *lyrique* ; [liʀism].

**LYS, voir LIS**

**LYSAT, subst. m.**
*Biol.* Produit d'une lyse. 📖 1927 ; ☞ *lyse* ; [liza].

**LYSE, subst. f.**
**1.** *Biol.* Destruction des tissus ou des bactéries par des agents physiques, chimiques ou biologiques. **2.** *Chim.* Dissolution d'une substance. 📖 1926 ; gr. *lusis*, « dissolution » ; [liz].

**LYSER, verbe trans.** [3]
Détruire par lyse. 📖 1931 ; ☞ *lyse* ; [lize].

© G. Laurent-Jacana

*Lysimaques de la variété ponctuée.*

*Une lythracée, la salicaire de la variété firecandle.*

© Y. Szymezak-Jacana

**LYSERGAMIDE, subst. m.**
Autre nom de l'acide lysergique diéthylamide ou L. S. D. 📖 V. 1960 ; crois. de *lysergique* et de *amide* ; var. *lysergide* ; [lizɛʀgamid].

**LYSERGIQUE, adj.**
*Acide* **lysergique** : acide dérivé de l'ergot de seigle, aux propriétés hallucinogènes ; *Acide* **lysergique** *diéthylamide (L. S. D.)* : hallucinogène dérivé de l'acide lysergique. 📖 V. 1960 ; all. *Lysergsäure* ; [lizɛʀʒik].

**LYSIMAQUE, subst. f.**
*Bot.* Plante herbacée vivace de la famille des Primulacées, à fleurs jaunes et en grappe, appelée aussi souci d'eau. 📖 1545 ; lat. *lysimachia* ; [lizimak].

**LYSINE, subst. f.**
*Biochim.* L'un des aminoacides nécessaires à la synthèse des protéines. 📖 1897 ; ☞ *lyse* ; [lizin].

**LYSOSOME, subst. m.**
*Biol.* Vésicule membranaire présente dans le cytoplasme, participant à la phagocytose, à la défense de l'organisme et au renouvellement de la structure cellulaire. 📖 1968 ; formé de *lyso-* et de *-some* ; [lizozom].

**LYSOZYME, subst. m.**
*Biochim.* et *Biol.* Enzyme impliquée dans le processus de la lyse, présente dans les larmes, la salive, le blanc d'œuf, les sécrétions nasales et les lysosomes cellulaires. 📖 1951 ; *enzyme* + *lyso-* ; [lizozim].

**LYTHRACÉES, subst. f. plur.**
*Bot.* Famille de plantes herbacées des régions chaudes et humides, de l'ordre des Myrtales, dont une espèce fournit le henné. **AU SING.** *La salicaire est une* **lythracée.** 📖 1873 ; lat. sc. *lythrum*, du gr. *luthron*, « sang mêlé de poussière » ; [litʀase].

**LYTIQUE, adj.**
*Biochim.* Qui concerne ou qui provoque la lyse. 📖 1931 ; ☞ *lyse* ; [litik].

*Montgolfières.* © Stock Image

**M, subst. m. inv.**
**1.** Treizième lettre et dixième consonne de l'alphabet, qui note une occlusive nasale bilabiale. Devant un *p* ou un *b*, ou en finale, elle nasalise la voyelle qui la précède (par ex. : « humble » [œ̃bl], « camp » [kɑ̃], « nom » [nɔ̃]). **2.** Abrév. et Symb. ► M. : monsieur ; MM. : messieurs. ► M : 1 000 en chiffres romains. ► *Astron.* M ou m : magnitude absolue ou apparente d'un astre. ► *Métrol.* m : mètre ($m^2$ : mètre carré ; $m^3$ : mètre cube). ► *Mus.* M ou m : mode majeur ou mineur, en notation anglo-saxonne. ► *Phys.* M : maxwell. [ɛm].

**MA, voir MON**

**MABOUL, OULE, adj. et subst.**
Fou (fam.). 1860 ; ar. *mahbūl*, « crétin » ; [mabul].

**MACABRE, adj.**
**1.** *M. Â. Danse **macabre*** : montrant des personnages de tous âges et de tous rangs entraînés dans une ronde frénétique par la Mort ; par méton., œuvre inspirée de ce thème. **2.** Relatif à la mort ; lugubre, sinistre : *Découverte **macabre** ; Humour **macabre**.* 1376 ; p.-ê. nom propre *Macabré*, var. de *Macchabée* ; [makɑbʀ].

**MACADAM, subst. m.**
Revêtement de sol fait de pierres concassées et agglomérées avec du sable et du ciment, et tassées au rouleau compresseur ; par méton., chaussée ainsi revêtue. 1826 ; anthropon. *John L. McAdam*, son inventeur ; [makadam].

**MACADAMISER, verbe trans. [3]**
Revêtir (une voie) de macadam ; empl. adj. : *Route **macadamisée**.* 1828 ; ☞ *macadam* ; [makadamize].

**MACAQUE, subst. m.**
**1.** *Zool.* Singe omnivore de la famille des Cercopithécidés, au museau proéminent et à grandes abajoues. **2.** Fig. Personne très laide (fam. et péj.). 1680 ; port. *macaco* ; [makak].

**MACAREUX, subst. m.**
*Zool.* Oiseau marin de la famille des Alcidés, au plumage noir et blanc, au gros bec coloré, vivant en colonies dans l'hémisphère Nord, appelé aussi **macareux** moine ou perroquet des mers. 1760 ; prob. *macreuse* ; [makaʀø].

*Macareux.*

© J.-L. Le Moigne-Jacana

**MACARON, subst. m.**
**1.** Petit gâteau rond, moelleux, à base de pâte d'amandes. **2.** Anal. ► Natte de cheveux enroulée sur l'oreille. ► Insigne, décoration de forme ronde ; en partic., rosette de la Légion d'honneur (fam.). 1552 ; ital. du Sud *macarone*, « macaroni » ; [makaʀɔ̃].

**MACARONI, subst. m.**
Pâte alimentaire de semoule de blé dur, en forme de petit tube. 1505 ; ital. du Sud *macarone*, p.-ê. du gr. *makharia*, « soupe d'orge » ; [makaʀɔni].

**MACARONIQUE, adj.**
*Litt.* Qualifie une poésie burlesque composée de mots latins ou latinisés. 1546 ; ital. *macaronico*, de *macarone*, « macaroni » ; [makaʀɔnik].

**MACASSAR, subst. m.**
**1.** *Huile de **Macassar*** : cosmétique parfumé à l'ilang-ilang, utilisé autrefois. **2.** Ébène brun veiné de noir : *Bureau en **macassar**.* 1817 ; topon. *Macassar*, auj. *Ujungpandang* (Indonésie) ; [makasaʀ].

**MACCARTHYSME, subst. m.**
*Hist.* Politique extrémiste mêlant délation et persécution, menée aux États-Unis par le sénateur Joseph McCarthy, dans les années 1949-1950, contre des personnalités suspectées d'être communisantes (cette « chasse aux sorcières » fut condamnée par le Sénat en 1954). 1953 ; anthropon. *J. McCarthy*, sénateur américain ; var. *maccartisme* ; [makkaʀtism].

**MACCHABÉE, subst. m.**
Cadavre (pop.). 1867 ; p.-ê. allus. aux personnages de la danse macabre ou aux sept frères Macchabées de la Bible ; [makabe].

**MACÉDOINE, subst. f.**
*Cuis.* Mélange de légumes ou de fruits coupés en petits cubes. 1740 ; topon. *Macédoine* ; [masedwan].

**MACÉDONIEN, IENNE, adj. et subst.**
De Macédoine : *Le **Macédonien**,* Alexandre le Grand. **Subst. masc.** Langue slave de Macédoine. XIIIe s. ; lat. *Macedonius* ; [masedɔnjɛ̃, jɛn].

**MACÉRATEUR, subst. m.**
*Techn.* Cuve où l'on fait macérer des grains, des marcs, etc. ; empl. adj. : *Des bacs **macérateurs**.* 1835 ; ☞ *macérer* ; [maseʀatœʀ].

**MACÉRATION, subst. f.**
**1.** *Relig.* Souffrance infligée à la chair, par esprit de pénitence (gén. au plur.). **2.** Opération qui consiste à faire tremper longuement qqch., soit pour en extraire certains principes actifs ou nutritifs, soit pour l'aromatiser ou le conserver. Fin XIIIe s. ; lat. chrét. *maceratio* ; [maseʀasjɔ̃].

**MACÉRER, verbe [8]**
**Trans. 1.** *Relig.* Soumettre (son corps, sa chair) à des macérations. **2.** Faire tremper longuement : *Macérer une viande dans du vin.* **Intrans.** Être soumis à une macération ; empl. adj. : *Des fruits **macérés**.* Mil. XVe s. ; lat. chrét. *macerare* ; [maseʀe].

**MACERON, subst. m.**
*Bot.* Plante aromatique de la famille des Apiacées. 1549 ; ital. *macerone*, altér. du lat. *macedonicum*, « persil de Macédoine » ; [masʀɔ̃].

**MACH, subst. m.**
*Phys. Nombre de **Mach*** : rapport de la vitesse d'écoulement d'un fluide et, par ext., de celle d'un mobile dans l'atmosphère, à la vitesse locale du son ; par ell. : *Atteindre **mach** 4.* 1949 ; anthropon. *Ernst Mach*, physicien autrichien ; [mak].

**MACHAON, subst. m.**
*Zool.* Papillon diurne, migrateur, aux ailes jaunes zébrées de noir et de bleu, dont la chenille vit sur les Apiacées, appelé aussi porte-queue. 1823 ; *Machaon*, héros mythologique ; [makaɔ̃].

**MÂCHE, subst. f.**
*Bot.* Plante herbacée de la famille des Valérianacées, dont l'espèce appelée aussi doucette est consommée en salade. 1611 ; prob. altér. de *pomache*, du lat. pop. *°pomasca*, du lat. *pomum*, « fruit » ; [mɑʃ].

**MÂCHEFER, subst. m.**
*Techn.* Scorie provenant de la fabrication de la fonte ou de la combustion de la houille : *Ballast de **mâchefer**.* Déb. XIIIe s. ; orig. obsc. ; [mɑʃfɛʀ].

**MÂCHER, verbe trans. [3]**
**1.** Broyer avec les dents, avant d'avaler : ***Mâcher** de la viande.* ► Loc. *Ne pas **mâcher** ses mots* : parler sans ménagement ; ***Mâcher** le travail à qqn* : le lui faciliter grandement. **2.** Triturer longuement entre ses dents, sans avaler : ***Mâcher** du chewing-gum ; **Mâcher** du tabac*, chiquer. **3.** *Techn.* Découper en déchirant, sans netteté. Fin XIIe s. ; bas lat. *masticare* ; [mɑʃe].

**MACHETTE, subst. f.**
Grand coutelas à lame épaisse et courbe, à pointe tronquée, servant d'arme ou d'outil dans les pays tropicaux, spéc. pour se frayer un passage à travers la végétation. 1704 ; esp. *machete* ; [maʃɛt].

**MÂCHEUR, EUSE, subst.**
Personne qui a coutume de mâcher qqch. : *Des **mâcheurs** de bétel.* 1562 ; ☞ *mâcher* ; [mɑʃœʀ, øz].

**MACHIAVEL, subst. m.**
Littér. Homme politique qui pratique le machiavélisme ; par ext., personne sans scrupule. 1831 ; anthropon. *Machiavel* ; [makjavɛl].

**MACHIAVÉLIQUE, adj.**
**1.** Qui s'inspire de la doctrine de Machiavel. **2.** Ext. Rusé et perfide : *Plan, sourire **machiavélique**.* 1578 ; anthropon. *Machiavel* ; [makjavelik].

**MACHIAVÉLISME, subst. m.**
**1.** *Pol.* Doctrine de Machiavel ; par anal., politique accordant la primauté à la raison d'État sur la morale et les droits de l'homme. **2.** Ext. Caractère d'une personne, d'une action machiavélique. 1611 ; anthropon. *Machiavel* ; [makjavelism].

**MÂCHICOULIS, subst. m.**
*Fortif.* **1.** Galerie faisant saillie au haut d'une fortification et dont le sol est percé d'ouvertures par lesquelles on pouvait jeter des projectiles sur les assaillants. **2.** Méton. Chacune de ces ouvertures. Déb. XVe s. ; m. fr. *°machecol*, de *mâcher*, « écraser », et de *col*, « cou » ; [mɑʃikuli].

**MACHIN, subst. m.**
Personne ou chose dont on ne connaît pas le nom,

que l'on ne fait pas l'effort de nommer ou dont le nom échappe (fam.) : *Dis à **Machin** de venir* ; *Où as-tu trouvé ce **machin** ?* 1807 ; ☞ *machine* ; le fém. se rencontre pour désigner une personne ; [maʃɛ̃].

**MACHINAL, ALE, AUX,** adj.
Qui se fait par habitude, sans que l'on y pense : *Un geste **machinal**.* 1731 (fin XVIIe s., d'un mécanisme) ; ☞ *machine* ; [maʃinal, o].

**MACHINALEMENT,** adv.
De manière machinale. 1718 ; ☞ *machinal* ; [maʃinalmɑ̃].

**MACHINATION,** subst. f.
Manœuvre, agissements secrets ayant pour but de nuire à qqn : *Dreyfus fut victime d'une **machination**.* Fin XIIIe s. ; lat. *machinatio* ; [maʃinasjɔ̃].

**MACHINE,** subst. f.
**I.** Vx. Organisme humain : *La **machine** corporelle.* **II.** *Techn.* **1.** Ensemble de mécanismes combinés pour transformer une énergie en une autre, afin d'effectuer un travail, de remplir une fonction, sous la conduite ou non d'un opérateur : ***Machine** à vapeur*, qui utilise l'expansion de la vapeur d'eau pour produire la force motrice ; ***Machine** hydraulique*, qui exploite la force de l'eau en mouvement. ▸ *Phys.* ***Machine** simple* : dispositif tel que poulie, treuil, levier, etc., qui transmet la force directement. **2.** Outillage industriel destiné au façonnage en usine des matériaux, des pièces : *Des **machines**-outils* ; ***Machine** à bois*, qui effectue les opérations nécessaires au travail du bois. **3.** Gros équipement employé dans l'agriculture. **4.** Appareil ménager, matériel de bureau facilitant les tâches quotidiennes, le travail : ***Machine** à laver* ; ***Machine** à écrire* ; *Coudre, taper à la **machine**.* **5.** Tout véhicule mû par un mécanisme ou un moteur ; en partic., locomotive : ***Machine** Diesel.* ▸ Loc. *Faire **machine** arrière* : reculer, se rétracter. **6.** *Antiq.* et *M. Â.* ***Machine** de guerre* : engin complexe élaboré avant l'invention de la poudre à canon (telle la catapulte) et, aujourd'hui, tout engin de guerre. **III.** Fig. **1.** Organisation imposante dont le fonctionnement semble échapper au contrôle des individus : *La **machine** judiciaire.* **2.** Personne qui paraît agir automatiquement, sans réflexion personnelle ; personne considérée comme étant destinée à effectuer une tâche unique (péj.) : *Je ne suis pas une **machine** à répéter !* 1377 ; lat. *machina* ; [maʃin].

**MACHINER,** verbe trans. [3]
Organiser en secret, dans un mauvais dessein, ourdir (vieilli). XIIIe s. ; lat. *machinari* ; [maʃine].

**MACHINERIE,** subst. f.
**1.** Ensemble des machines concourant à la réalisation d'une opération : ***Machinerie** de l'Opéra, d'un ascenseur.* **2.** Méton. Lieu où sont regroupées ces machines ; en partic., salle des machines d'un navire. 1866 (1805, construction de machines) ; ☞ *machine* ; [maʃinʀi].

**MACHINISME,** subst. m.
**1.** Vx. *Philos.* Théorie cartésienne des animaux-machines. **2.** Système de production fondé sur l'emploi des machines en remplacement de la main-d'œuvre. 1741 ; ☞ *machine* ; [maʃinism].

**MACHINISTE,** subst.
**1.** Vx. Inventeur de machines. **2.** Conducteur de machine. **3.** Conducteur de transports en commun. **4.** Belg. Conducteur de locomotive. **5.** Personne chargée de la machinerie, au théâtre, au cinéma, à l'opéra. 1643 ; ☞ *machine* ; [maʃinist].

**MACHISME,** subst. m.
Idéologie du macho, qui prône la suprématie du mâle ; caractère machiste d'un comportement. V. 1970 ; ☞ *macho* ; [matʃism].

**MACHISTE,** subst. m.
Adepte du machisme ; empl. adj. : *Militant, attitude **machiste**.* V. 1970 ; ☞ *machisme* ; [matʃist].

**MACHMÈTRE,** subst. m.
*Métrol.* Instrument qui sert à mesurer le nombre de Mach atteint, en aviation. V. 1960 ; ☞ *mach* + *-mètre*[1] ; [makmɛtʀ].

**MACHO,** subst. m.
Fam. Homme qui affiche un sentiment de supériorité sur les femmes ; empl. adj. : *Des étudiants, des plaisanteries **machos**.* V. 1970 ; hisp.-amér. *macho*, de l'esp. *macho*, « mâle » ; [matʃo].

**MÂCHOIRE,** subst. f.
**1.** *Anat.* Chez l'homme et la plupart des Vertébrés, chacune des deux formations osseuses, munies de dents, que constituent les maxillaires. ▸ Loc. *Bâiller à se décrocher la **mâchoire*** : la bouche grande ouverte ; *Jouer, travailler des **mâchoires*** : manger avec avidité (fam.). **2.** *Zool.* Élément de l'appareil masticatoire des Insectes. **3.** *Techn.* Ensemble de deux pièces d'un outil, d'une machine qui peuvent se rapprocher pour saisir, maintenir ou écraser un objet : *Les **mâchoires** d'une pince, d'un étau, de tenailles.* Fin XIIe s. ; ☞ *mâcher* ; [mɑʃwaʀ].

**MÂCHON,** subst. m.
Région. (Lyon). Restaurant où l'on sert un repas léger ; par méton., ce repas. ☞ *mâcher* ; [mɑʃɔ̃].

**MÂCHONNEMENT,** subst. m.
Action de mâchonner. 1832 ; ☞ *mâchonner* ; [mɑʃɔnmɑ̃].

**MÂCHONNER,** verbe trans. [3]
**1.** Mâcher lentement, longuement : ***Mâchonner** un chewing-gum* ; ***Mâchonner** un crayon*, le mordiller machinalement. **2.** Fig. Prononcer indistinctement : ***Mâchonner** des explications.* 1521 ; ☞ *mâcher* ; [mɑʃɔne].

**MÂCHOUILLER,** verbe trans. [3]
Mâchonner (fam.). 1894 ; ☞ *mâcher* ; [mɑʃuje].

**MÂCHURE,** subst. f.
*Text.* Défaut de tissage d'une pièce de velours ou de drap, où le poil est écrasé, et non pas coupé net. 1803 (1472, meurtrissure) ; ☞ *mâcher* ; [mɑʃyʀ].

**MÂCHURER (I),** verbe trans. [3]
**1.** Vx. Barbouiller de noir. **2.** *Impr.* Tirer (une feuille) sans netteté. Fin XIIe s. ; orig. obsc. ; [mɑʃyʀe].

**MÂCHURER (II),** verbe trans. [3]
**1.** Vx. Meurtrir. **2.** *Techn.* Marquer profondément (qqch.) par une pression trop forte. **3.** Déchiqueter. 1496 ; ☞ *mâchure* ; [mɑʃyʀe].

**MACIS,** subst. m.
Arille de la noix muscade, utilisé comme aromate ou condiment. Mil. XIIIe s. ; mot du lat. médiév. ; [masi].

**MACKINTOSH,** subst. m.
Manteau imperméable (vx). 1842 ; anthropon. *Charles Macintosh*, inventeur britannique ; [makintɔʃ].

**MACLE,** subst. f.
**1.** *Hérald.* Meuble de l'écu en forme de losange, percé en son milieu d'un autre losange plus petit. **2.** *Minér.* Groupement de cristaux d'un minéral suivant des lois géométriques précises. 1298 ; p.-ê. anc. bas frq. °*maskila*, « maille » ; [makl].

**MACLÉ, ÉE,** adj.
*Minér.* Disposé en macles. 1795 ; ☞ *macle* ; [makle].

**MACLER,** verbe trans. [3]
*Techn.* Brasser (du verre en fusion) dans un creuset. 1765 ; orig. inc. ; [makle].

**MÂCON,** subst. m.
Vin du Mâconnais. 1785 ; topon. *Mâcon* (Saône-et-Loire) ; [makɔ̃].

**MAÇON, ONNE,** subst.
**1.** Personne qui exécute les travaux de maçonnerie ; en appos. : *Compagnon **maçon*** ; *Maître **maçon***, artisan qui dirige les maçons ; empl. adj. : *Abeille **maçonne***, qui construit son habitation avec de la terre, de la cire ou d'autres matériaux. **2.** Franc-maçon. 1155 ; anc. bas frq. °*makjo* ; [masɔ̃, ɔn].

**MAÇONNAGE,** subst. m.
Action de maçonner ; son résultat. 1240 ; ☞ *maçonner* ; [masɔnaʒ].

**MAÇONNER,** verbe trans. [3]
**1.** Exécuter en maçonnerie : ***Maçonner** un mur.* **2.** Ext. Revêtir (qqch.) de maçonnerie ; boucher (une ouverture) avec de la maçonnerie : ***Maçonner** une lucarne.* Déb. XIIIe s. ; ☞ *maçon* ; [masɔne].

**MAÇONNERIE,** subst. f.
**1.** *Bât.* Partie des travaux du bâtiment qui comprend l'édification et le revêtement des ouvrages constitués de matériaux résistants (briques, moellons, pierres, etc.) : *Grosse **maçonnerie***, qui concerne les fondations, les murs porteurs ; *Petite **maçonnerie***, qui concerne les cloisons, les plâtres, les revêtements, les carrelages, etc. **2.** Franc-maçonnerie. Déb. XIIIe s. ; ☞ *maçon* ; [masɔnʀi].

**MAÇONNIQUE,** adj.
Relatif à la franc-maçonnerie : *Loge **maçonnique*** ; *Rites **maçonniques**.* 1779 ; ☞ *maçon* ; [masɔnik].

**MACQUE,** subst. f.
*Text.* Massue cannelée servant à réduire en filasse les fibres de chanvre ou de lin. 1732 ; *macquer*, « broyer », var. pic. de *mâcher* ; var. *maque* ; [mak].

**MACRAMÉ,** subst. m.
Grosse dentelle d'ameublement, faite de fils ou de cordonnets tressés et noués. 1892 ; ital. *macramè*, de l'ar. *maḥrama*, « serviette, mouchoir » ; [makʀame].

**MACRE,** subst. f.
*Bot.* Plante aquatique à fleurs blanches de la famille des Hydrocaryacées, dont le fruit, comestible, est appelé châtaigne d'eau. 1542 ; orig. inc. ; [makʀ].

**MACREUSE,** subst. f.
**1.** *Zool.* Canard marin de la famille des Anatidés, au plumage noir, qui niche dans les toundras et migre vers le sud le long des côtes, où il se nourrit surtout de mollusques et de petits crustacés. **2.** *Bouch.* Pièce de viande maigre provenant de l'épaule du bœuf, utilisée pour le pot-au-feu. 1642 ; norm. *macrolle*, « foulque noire » ; [makʀøz].

**MACROBIOTIQUE,** subst. f.
Mode d'alimentation qui exclut les viandes et privilégie les céréales, les légumes et les fruits ; empl. adj. : *Régime **macrobiotique**.* 1808 ; all. *Makrobiotik*, du gr. *makrobiotês*, « longévité » ; [makʀɔbjɔtik].

**MACROCÉPHALE,** adj.
**1.** *Pathol.* Atteint de macrocéphalie ; empl. subst., personne atteinte de macrocéphalie. **2.** *Zool.* Qui a une grosse tête. 1556 ; gr. *macrokephalos*, de *makros*, « grand, long », et de *kephalê*, « tête » ; [makʀosefal].

**MACROCÉPHALIE,** subst. f.
*Pathol.* Augmentation anormale du volume de la tête, le plus souvent consécutive à une hydrocéphalie. 1840 ; ☞ *macrocéphale* ; [makʀosefali].

**MACROCHEIRE,** subst. m.
*Zool.* Crabe géant du Pacifique, pouvant atteindre plusieurs mètres d'envergure. Gr. *makrokheir*, de *makros*, « long », et de *kheir*, « main » ; [makʀɔkɛʀ].

**MACROCOSME,** subst. m.
*Philos.* L'univers considéré comme un tout dont les parties, ou microcosmes, sont en correspondance. XIIIe s. ; lat. médiév. *macrocosmus* ; [makʀɔkɔsm].

**MACROCYSTE,** subst. m.
*Bot.* Algue brune de la famille des Laminariacées, qui peut atteindre 200 m de longueur. 1873 ; formé de *macro-* et de *-cyste* ; [makʀosist].

**MACROCYTAIRE,** adj.
Qui appartient ou qui se rapporte aux macrocytes. ☞ *macrocyte* ; [makʀositɛʀ].

**MACROCYTE,** subst. m.
*Biol.* Globule rouge anormalement gros. 1878 ; formé de *macro-* et de *-cyte* ; [makʀosit].

**MACROÉCONOMIE,** subst. f.
*Écon.* Étude des phénomènes économiques dans leur globalité, par la prise en compte des relations entre les agrégats (P. I. B., P. N. B., masse monétaire, etc.). 1948 ; ☞ *économie* + *macro-* ; [makʀoekɔnɔmi].

**MACROGRAPHIE,** subst. f.
*Techn.* Étude à l'œil nu, ou à l'aide d'une loupe, de la structure des métaux. 1922 ; formé de *macro-* et de *-graphie* ; [makʀɔgʀafi].

**MACRO-INSTRUCTION,** subst. f.
*Informat.* Instruction qui entraîne l'exécution d'un ensemble d'opérations, composée à partir des instructions de base d'un ordinateur ou d'un programme (abrév. : macro). V. 1960 ; ☞ *instruction* + *macro-* ; plur. *macro-instructions* ; [makʀoɛ̃stʀyksjɔ̃].

**MACROMOLÉCULAIRE,** adj.
Relatif aux macromolécules. 1949 ; ☞ *macromolécule* ; [makʀomɔlekylɛʀ].

**MACROMOLÉCULE,** subst. f.
*Biochim.* et *Chim.* Très grande molécule. 1948 ; ☞ *molécule* + *macro-* ; [makʀomɔlekyl].

**MACROPHAGE,** subst. m.
*Biol.* Grosse cellule qui participe à la défense de l'organisme par son aptitude à la phagocytose d'éléments étrangers de grande taille. 1887 ; formé de *macro-* et de *-phage* ; [makʀɔfaʒ].

**MACROPHOTOGRAPHIE,** subst. f.
Technique photographique qui permet d'obtenir une image très agrandie d'un très petit objet. 1943 ; ☞ *photographie* + *macro-* ; [makʀofɔtɔgʀafi].

**MACROPODE,** adj. et subst. m.
*Zool.* Adj. Qui présente des appendices locomoteurs très développés (gros pieds, longues nageoires, etc.). Subst. Poisson d'Asie, vivement coloré, aux nageoires très développées. 1808 ; formé de *macro-* et de *-pode* ; [makʀɔpɔd].

**MACROPSIE,** subst. f.
*Pathol.* Trouble oculaire qui consiste à percevoir une image plus grande qu'elle n'est en réalité. 1931 ; formé de *macro-* et de *-opsie* ; [makʀɔpsi].

**MACROSCÉLIDÉS, subst. m. plur.**
*Zool.* Famille de petits mammifères insectivores d'Afrique, au museau en forme de trompe glabre et aux longues pattes arrière. AU SING. *La musaraigne sauteuse est un **macroscélidé**.* 1867 (1845, insecte) ; gr. *skelos*, « jambe », + *macro-* et *-ide* ; [makʀoselide].

**MACROSCOPIQUE, adj.**
Observable à l'œil nu (anton. *microscopique*). 1865 ; formé de *macro-* et de *-scopie* ; [makʀɔskɔpik].

**MACROSÉISME, subst. m.**
*Géophys.* Séisme perceptible directement par l'être humain (anton. *microséisme*). 1907 ; ☞ *séisme* + *macro-* ; [makʀoseism].

**MACROSISMIQUE, adj.**
Qui concerne un macroséisme. 1946 ; ☞ *macroséisme* ; var. *macroséismique* ; [makʀosismik].

**MACROSOCIOLOGIE, subst. f.**
Étude des grandes structures sociales. V. 1960 ; ☞ *sociologie* + *macro-* ; [makʀososjɔlɔʒi].

**MACROSPORANGE, subst. m.**
*Bot.* Sporange des Ptéridophytes qui, après méiose, engendre des macrospores. 1890 ; ☞ *sporange* + *macro-* ; [makʀospɔʀɑ̃ʒ].

**MACROSPORE, subst. f.**
*Bot.* Spore femelle produite par un macrosporange et à l'origine d'un gamétophyte femelle. 1842 ; gr. *spora*, « semence », + *macro-* ; [makʀospɔʀ].

**MACROURES, subst. m. plur.**
*Zool.* Sous-ordre de crustacés décapodes de type marcheur, à l'abdomen bien développé, dont les appendices terminaux constituent une puissante nageoire. AU SING. *Le homard est un **macroure**.* 1802 ; formé de *macro-* et de *-oure* ; [makʀuʀ].

**MACULA, subst. f.**
*Anat.* Dépression ovale de la rétine, située au pôle postérieur du globe oculaire et où l'acuité visuelle est maximale (synon. *tache jaune*). 1868 ; lat. *macula lutea*, « tache jaune » ; [makyla].

**MACULAGE, subst. m.**
**1.** Action de maculer ; son résultat. **2.** *Impr.* Trace d'encre fraîche salissant le papier, au moment de l'impression. 1819 ; ☞ *maculer* ; [makylaʒ].

**MACULATURE, subst. f.**
**1.** *Impr.* ▸ Feuille mal imprimée servant à la mise en route d'un tirage. ▸ Macule. **2.** Papier d'emballage grossier. 1567 ; ☞ *maculer* ; [makylatyʀ].

**MACULE, subst. f.**
**1.** Vx. Tache, souillure. **2.** *Impr.* Feuille intercalaire destinée à éviter le maculage (synon. *maculature*). **3.** *Pathol.* Tache cutanée rouge, bien délimitée. XIIIe s. ; lat. *macula* ; [makyl].

**MACULER, verbe trans. [3]**
**1.** Couvrir de taches (littér.) ; empl. adj. : *Un tablier **maculé**.* **2.** *Impr.* Salir d'encre (une épreuve fraîchement imprimée). XIIe s. ; lat. *maculare* ; [makyle].

**MACUMBA, subst. f.**
Sorte de vaudou pratiqué dans certaines régions du Brésil. [makumba].

**MADAME, subst. f.**
**1.** Vx. Désignation honorifique d'une femme de haute naissance. ▸ *Hist.* (Avec une majuscule.) Titre donné à l'épouse de Monsieur, frère du roi, et, en partic., à Henriette d'Angleterre : ***Madame** se meurt ! **Madame** est morte !* (Bossuet). **2.** Appellation par laquelle on désigne une femme mariée ou ayant été mariée, ou, par ext., en âge d'être mariée (abrév. : Mme, Mmes). **3.** Formule de respect précédant la fonction d'une femme : ***Madame** le Proviseur.* **4.** Maîtresse de maison, pour les domestiques. 1170 ; formé de *ma* et de *dame* (I) ; plur. *mesdames*, empl. fam. ou iron. *madames* ; [madam], plur. [me-].

**MADAPOLAM, subst. m.**
Tissu de coton blanc, lourd et très apprêté. 1823 ; topon. *Madapolam* (Inde) ; [madapɔlam].

**MADE IN, loc. adj.**
Formule anglaise indiquant le lieu de fabrication d'un produit : ***Made in** Japan*, fait au Japon. 1906 ; angl. *made*, « fait », et *in*, « dans » ; [mɛdin].

**MADELEINE (I), subst. f.**
**1.** Loc. ▸ Vx. *Faire la **Madeleine*** : affecter le repentir. ▸ *Pleurer comme une **Madeleine*** : à chaudes larmes, comme pleurait la pécheresse repentante de l'Évangile. **2.** *Agric.* Variété de fruits ou de cépages précoces, qui mûrissent au moment de la Sainte-Madeleine (22 juillet). 1223 ; lat. chrét. *Maria Magdalena*, pécheresse de l'Évangile ; [mad(ə)lɛn].

**MADELEINE (II), subst. f.**
Petit gâteau, en forme de coquille ovale, à pâte molle et sucrée. 1769 ; p.-ê. anthropon. *Madeleine Paulmier*, cuisinière ; [mad(ə)lɛn].

**MADELONNETTE, subst. f.**
Religieuse de l'ordre des Sœurs pénitentes de sainte Marie-Madeleine, fondé au Moyen Âge en vue de recueillir les pécheresses repenties (vx). 1690 ; *Madeleine*, pécheresse de l'Évangile ; [madlɔnɛt].

**MADEMOISELLE, subst. f.**
**1.** Vx. Titre donné à une femme de condition élevée, ou noble mais non titrée, mariée ou célibataire. ▸ *Hist.* Titre porté par la fille aînée de Monsieur, frère du roi. ▸ *La Grande **Mademoiselle*** : cousine de Louis XIV. **2.** Appellation d'une femme célibataire quel que soit son âge et, par ext., auj., d'une femme jeune présumée non mariée (abrév. : Mlle, Mlles). **3.** *Théâtre.* Titre désignant une actrice, même mariée, en partic. une actrice de la Comédie-Française. 1471 ; formé de *ma* et de *demoiselle* ; plur. *mesdemoiselles* ; [madmwazɛl], plur. [me-].

**MADÈRE, subst. m.**
Vin muté et soumis à l'étuvage, produit dans l'île de Madère ; en appos. : *Sauce **madère**.* 1765 ; topon. *Madère* ; [madɛʀ].

**MADÉRISER (SE), verbe pronom. [3]**
Prendre un goût de madère, par oxydation, en parlant d'un vin. 1902 ; ☞ *madère* ; [madeʀize].

**MADONE, subst. f.**
**1.** *B.-a.* Représentation de la Vierge, dans l'art italien : *Les **madones** de Fra Angelico.* **2.** *La **Madone*** : la Sainte Vierge. 1642 ; ital. *Madonna*, « Madame », nom donné à la Vierge Marie ; [madɔn].

**MADRAGUE, subst. f.**
*Pêche.* Dispositif fixe, constitué de filets et de pieux, employé pour la pêche au thon. 1679 ; p.-ê. ar. *maḍraba*, « bouteille à goulot étroit » ; [madʀag].

**MADRAS, subst. m.**
Étoffe à chaîne de soie et trame de coton, aux couleurs vives ; par méton., pièce de **madras** servant de mouchoir, de fichu, etc., ou avec laquelle est faite la coiffure traditionnelle antillaise. 1797 ; topon. *Madras* (Inde) ; [madʀɑs].

**MADRASA, subst. f.**
Dans l'Islam médiéval, établissement d'enseignement de droit musulman et d'autres disciplines, telle la philologie arabe. Mot ar. ; var. *médersa* ; [madʀasa].

**MADRÉ, ÉE, adj.**
**1.** Veiné, tacheté de dessins tortueux, en parlant d'un bois d'ébénisterie. **2.** Fig. Retors sous des dehors bonhommes (littér.) : *Un vieux paysan **madré**.* XVe s. ; *madre* (rare), « bois veiné » ; [mɑdʀe].

**MADRÉPORAIRES, subst. m. plur.**
*Zool.* Ordre de Cnidaires hexacoralliaires, à squelette calcaire (polypier), isolés ou, le plus souvent, coloniaux. AU SING. *La méandrine est un **madréporaire**.* 1870 ; ☞ *madrépore* ; [madʀepɔʀɛʀ].

**MADRÉPORE, subst. m.**
*Zool.* Cnidaire dont les polypes constituent de grandes colonies dans les eaux littorales marines chaudes. Il se nourrit de plancton, et son squelette calcaire est à l'origine des récifs coralliens et des atolls. 1671 ; ital. *madrepora*, de *madre*, « mère », et de *poro*, « pore » ; [madʀepɔʀ].

© G. Soury-Jacana

*Madrépore.*

**MADRÉPORIQUE, adj.**
*Zool.* **1.** Propre ou relatif aux madrépores. **2.** Constitué de madrépores : *Atoll **madréporique**.* 1812 ; ☞ *madrépore* ; [madʀepɔʀik].

**MADRIER, subst. m.**
Pièce de bois épaisse, de section rectangulaire, servant aux travaux de charpente. 1379 ; anc. prov. *madier*, « couvercle de pétrin », du bas lat. *materium*, du lat. *materia*, « bois de construction » ; [madʀije].

**MADRIGAL, subst. m.**
**1.** *Litt.* Petit poème galant ; par ext., compliment amoureux. **2.** *Mus.* Composition vocale polyphonique sur un poème profane, avec ou sans accompagnement, très en vogue au XVIe s. 1542 ; ital. *madrigale* ; plur. *madrigaux* ; [madʀigal], plur. [-go].

**MADRURE, subst. f.**
Aspect d'un bois madré. 1555 ; ☞ *madré* ; [madʀyʀ].

**MAELSTRÖM, subst. m.**
Tourbillon marin formant un gouffre profond, provoqué par des courants ; au fig. : *Un **maelström** de pensées contradictoires.* 1840 (1765, nom d'un tourbillon de la côte norvégienne) ; néerl. *maelstrom*, de *malen*, « broyer », et de *strom*, « courant » ; var. *malstrom* ou *maelstrom* ; [malstʀøm], [-strɔm] ou [maɛl-].

**MAËRL, subst. m.**
*Océanogr.* Sédiment marin formé de débris d'algues calcaires, dont les dépôts servent à amender les terres siliceuses de Bretagne. 1860 ; breton *maërl*, de l'anc. fr. *marle*, var. de *marne* ; var. *merl* ; [maɛʀl].

**MAESTOSO, adv.**
*Mus.* Avec lenteur et majesté. 1834 ; ital. *maestoso*, de *maesta*, « majesté » ; [maɛstozo].

**MAESTRIA, subst. f.**
Virtuosité dans l'exécution d'une œuvre d'art ; par ext., habileté qui en impose, brio. 1842 ; ital. *maestria*, de *maestro*, « maître » ; [maɛstʀija].

**MAESTRO, subst. m.**
Compositeur ou chef d'orchestre de renom ; par ext., tout chef d'orchestre (fam.). 1817 ; ital. *maestro*, « maître » ; [maɛstʀo].

**MAFÉ, subst. m.**
*Cuis.* Plat africain à base de viande ou de poisson, mijoté dans une sauce à l'arachide. [mafe].

**MAFFLU, UE, adj.**
Vieilli ou Littér. Rebondi, en parlant du visage, des joues ; par méton. : *Enfant **mafflu**.* 1668 ; *mafler* (vx), « manger beaucoup », du néerl. *maffelen*, « mâchonner » ; [mafly].

**MAFIA, subst. f.**
**1.** *La **Mafia*** : puissante organisation secrète née en Sicile au début du XIXe s., dirigée par des clans familiaux, qui impose sa loi par le racket, le crime et la corruption des pouvoirs publics. **2.** Ext. Organisation criminelle du même type : *La **mafia** japonaise.* **3.** Anal. Groupe de personnes soudées par des intérêts communs qu'elles défendent par tous les moyens (péj.). 1874 ; ital. *mafia*, du sicilien *mafia*, « hardiesse, vantardise » ; var. *maffia* ; [mafja].

**MAFIEUX, EUSE, adj.**
De la Mafia, d'une mafia : *Organisation **mafieuse**.* V. 1980 ; ☞ *mafia* ; var. *maffieux* ; [mafjø, øz].

**MAFIOSO, subst. m.**
Membre de la Mafia. V. 1930 ; mot ital. ; plur. *mafiosos* ou *mafiosi*, var. *maffioso* ; [mafjozo], plur. [-zi].

**MAGANER, verbe trans. [3]**
Québ. User, abîmer, fatiguer. 1894 ; p.-ê. anc. bas frq. °*maidanjan*, « estropier » ; [magane].

**MAGASIN, subst. m.**
**I. 1.** Lieu destiné à recevoir en dépôt des marchandises ; réserve : ***Magasin** à blé ; Avoir qqch. en **magasin***, en stock. ▸ *Milit.* Entrepôt d'armes, de munitions, de provisions. ▸ *Théâtre.* Local où sont conservés les costumes, les accessoires, les décors. **2.** *Arm.* Partie d'une arme à feu à répétition qui reçoit les cartouches. **3.** *Phot.* et *Cin.* Boîtier d'un appareil de prise de vues, hermétique à la lumière, où est enroulée la pellicule. **II.** Établissement de commerce où l'on vend des marchandises ; boutique : ***Magasin** d'alimentation, de jouets ; Ouvrir, tenir un **magasin** ; Chaîne de **magasins** ; **Magasin** à succursales multiples.* ▸ *Grand **magasin*** : vaste établissement proposant à la vente au détail des produits nombreux et variés regroupés en rayons. 1389 ; ar. *maḫāzin*, « entrepôts », par le prov. ou l'ital. ; [magazɛ̃].

**MAGASINAGE (I), subst. m.**
**1.** Action d'entreposer dans un magasin : *Droits, frais de **magasinage**.* **2.** Durée de séjour en magasin. 1675 ; ☞ *magasin* ; [magazinaʒ].

**MAGASINAGE (II), subst. m.**
Québ. Action de magasiner : *Faire du **magasinage**.* 1909 ; ☞ *magasiner* ; [magazinaʒ].

**MAGASINER, verbe intrans. [3]**
Québ. Courir les magasins en vue d'y faire des achats. 1894 ; ☞ *magasin* ; [magazine].

**MAGASINIER, IÈRE, subst.**
Personne chargée de la garde, de la gestion, de la distribution des marchandises conservées en stock. 1692 ; ☞ *magasin* ; [magazinje, jɛʀ].

**MAGAZINE, subst. m.**
**1.** Publication périodique, gén. illustrée : ***Magazine** hebdomadaire, féminin.* **2.** Émission de radio ou de télévision traitant périodiquement de sujets d'actualité déterminés : ***Magazine** d'information, médical.* 1776 ; angl. *magazine*, du fr. *magasin* ; [magazin].

**MAGDALÉNIEN, IENNE, adj. et subst. m.**
*Préhist.* Subst. Culture marquant la fin du Paléolithique supérieur (de -18000 à -10000 avant notre ère), qui doit son nom au site de la Madeleine, à Tursac, en Dordogne. L'industrie du **Magdalénien** est caractérisée par de petits outils de pierre, des harpons d'os et par l'épanouissement de peintures et gravures pariétales. Adj. Relatif au Magdalénien. 1872 ; topon. *la Madeleine*, du lat. *Magdalena*, « Madeleine » ; [magdalenjɛ̃, jɛn].

**MAGE (I), subst. m.**
**1.** *Relig. Les **Mages** ou, en appos., Les Rois **mages*** : personnages, nommés Gaspar, Melchior et Balthazar, qui, selon l'Évangile, vinrent d'Orient guidés par une étoile pour adorer Jésus à Bethléem et lui offrir l'or, l'encens et la myrrhe. **2.** *Hist.* Membre de la caste sacerdotale, chez les Mèdes et les Perses. **3.** Celui qui pratique les sciences occultes, la magie. 1474 ; lat. *magus*, « prêtre », du gr. *magos* ; [maʒ].

**MAGE (II), adj.**
*Hist. Juge **mage*** : lieutenant du sénéchal. 1475 ; anc. prov. *majer*, « principal » ; var. *maje* ; [maʒ].

**MAGENTA, adj. inv. et subst. m.**
Adj. D'un rose vif violacé. Subst. **1.** L'une des trois couleurs primaires, d'un rose vif violacé, qui est utilisée, avec le jaune et le cyan, en trichromie. **2.** *Chim.* Fuchsine. 1862 ; angl. *magenta*, du topon. *Magenta* (Italie) ; [maʒɛta].

**MAGHRÉBIN, INE, adj. et subst.**
Du Maghreb : *Arabe dialectal **maghrébin**.* 1651 ; ar. *maġribī* ; [magʀebɛ̃, in].

**MAGHZEN, voir MAKHZEN**

**MAGICIEN, IENNE, subst.**
**1.** Personne qui pratique la magie. **2.** Ext. Illusionniste qui fait des tours de magie. **3.** Fig. Personne qui charme, impressionne par ses dons extraordinaires. Fin XIVe s. ; ☞ *magique* ; [maʒisjɛ̃, jɛn].

**MAGIE, subst. f.**
**1.** Vx. Religion des mages. **2.** Ensemble des rites, des pratiques visant à se concilier les forces surnaturelles : *Pratiquer la **magie** ; **Magie** blanche, **magie** noire,* visant à se concilier les forces du bien, du mal. **3.** Manifestation extraordinaire : *C'est de la **magie** ! ; Comme par **magie**,* par enchantement ; *Tours de **magie**,* d'illusion. **4.** Fig. Effet irrationnel produit par la passion, l'émotion esthétique ; charme : ***Magie** d'une présence ; **Magie** des couleurs, du verbe.* 1535 ; lat. *magia*, du gr. *mageia* ; [maʒi].

OCCULTISME – La magie, que l'on peut opposer à la religion, est un ensemble de croyances et de pratiques reposant sur l'idée de l'existence de puissances cachées immanentes à la nature. Alors que la religion rend un culte à des puissances transcendantes et sacrées, la magie rêve d'asservir et de contraindre la nature et les puissances sacrées : elle ne sollicite pas humblement les faveurs de l'autre monde, elle le contraint à la satisfaire.

**MAGIQUE, adj.**
**1.** Relatif, propre à la magie : *Formule **magique** ; Baguette **magique**.* **2.** Ext. Dont les effets sont irrationnels, féeriques. ▸ *Lanterne **magique*** (☞ *lanterne*). **3.** Fig. Extraordinaire, surprenant : *Une voix **magique**.* **4.** *Math. Carré **magique** d'ordre n* : tableau carré de nombres entiers naturels à *n* lignes et *n* colonnes tel que la somme des éléments figurant sur une même ligne, une même colonne ou une même diagonale soit constante. Mil. XIIIe s. ; lat. *magicus*, du gr. *magikos* ; [maʒik].

**MAGIQUEMENT, adv.**
De façon magique, comme par magie. 1521 ; ☞ *magique* ; [maʒikmɑ̃].

**MAGISTÈRE, subst. m.**
**I. 1.** Autorité, pouvoir du maître. **2.** *Cath.* ▸ Autorité doctrinale, dans l'Église : *Le **magistère** du pape, des conciles.* ▸ Dignité de grand maître dans un ordre religieux militaire : *Le **magistère** de l'ordre de Malte.* **3.** *Enseign.* Diplôme de second cycle d'une université. **II.** *Alchim.* Composition à laquelle on attribuait des vertus merveilleuses : *Le souverain **magistère**,* la pierre philosophale. Fin XIIe s. ; lat. *magisterium*, « fonction de maître » ; [maʒistɛʀ].

**MAGISTRAL, ALE, AUX, adj.**
**1.** Du maître, d'un maître : *Autorité **magistrale** ; Cours **magistral**,* dispensé par un professeur sous la forme d'un exposé théorique ; *Médicament **magistral**,* dont la formule est déterminée par le médecin lui-même. **2.** Qui évoque un maître : *Un ton **magistral**.* **3.** Fig. Digne d'un maître ; remarquable : *Œuvre, démonstration **magistrale*** ; par iron. : *Erreur **magistrale**.* Mil. XIIIe s. ; lat. *magistralis* ; [maʒistʀal, o].

**MAGISTRALEMENT, adv.**
De façon magistrale, avec brio. 1404 ; ☞ *magistral* ; [maʒistʀalmɑ̃].

**MAGISTRAT, ATE, subst.**
**1.** Fonctionnaire ou officier civil détenteur d'une autorité administrative, politique ou judiciaire : *Le préfet, le maire sont des **magistrats**.* **2.** Personne chargée de rendre la justice ou de la requérir au nom de l'État : ***Magistrat** militaire* ; membre de la magistrature : ***Magistrat** du siège.* 1538 (mil. XIVe s., fonction publique) ; lat. *magistratus* ; [maʒistʀa, at].

**MAGISTRATURE, subst. f.**
**1.** Charge, fonction de magistrat : ***Magistrature** suprême,* exercée par le président de la République ; durée de cette charge. **2.** Corps des magistrats de l'ordre judiciaire : ***Magistrature** debout, assise* (☞ *debout, assis*) ; *Le Conseil supérieur de la **magistrature**.* 1472 ; ☞ *magistrat* ; [maʒistʀatyʀ].

**MAGMA, subst. m.**
**1.** *Chim.* Résidu épais d'une substance dont on a éliminé les éléments fluides. **2.** Ext. Mélange pâteux. **3.** *Géol.* Mélange fluide de cristaux et de verre en fusion, formé à l'intérieur de la Terre à partir de la croûte et du manteau. **4.** Fig. Ensemble confus de personnes, d'idées, etc. 1694 ; lat. *magma*, du gr. *magma*, « masse pétrie » ; [magma].

**MAGMATIQUE, adj.**
*Géol.* **1.** Relatif au magma. **2.** *Roche **magmatique*** : résultant de la cristallisation d'un magma en profondeur (roche plutonique) ou en surface (roche volcanique). 1931 ; ☞ *magma* ; [magmatik].

**MAGMATISME, subst. m.**
*Pétrogr.* Ensemble des processus magmatiques, de la formation à la mise en place des magmas dans l'écorce terrestre. XXe s. ; ☞ *magma* ; [magmatism].

**MAGNAN, subst. m.**
Région. (Midi). Ver à soie. 1721 ; prov. *magnan* ; [maɲɑ̃].

**MAGNANERIE, subst. f.**
Local destiné à l'élevage des vers à soie ; par ext., sériciculture. 1823 ; ☞ *magnan* ; [maɲanʀi].

**MAGNANIER, IÈRE, subst.**
Celui, celle qui élève des vers à soie. 1816 ; ☞ *magnan* ; [maɲanje, jɛʀ].

**MAGNANIME, adj.**
**1.** Vx. Qui montre de la grandeur d'âme. **2.** Dont la générosité se manifeste par la clémence : *Être **magnanime** envers l'ennemi* ; par méton. : *Un geste **magnanime**.* 1265 ; lat. *magnanimus* ; [maɲanim].

**MAGNANIMITÉ, subst. f.**
**1.** Vx. Grandeur d'âme. **2.** Caractère d'une personne, d'une attitude magnanime. Mil. XIIIe s. ; lat. *magnanimitas* ; [maɲanimite].

**MAGNAT, subst. m.**
**1.** *Hist.* Membre de la haute noblesse polonaise ou hongroise. **2.** Industriel, financier très puissant : *Un **magnat** de la presse, du pétrole.* 1541 ; lat. médiév. *magnates*, « les grands » ; [magna] ou [maɲa].

**MAGNER (SE), verbe pronom.** [3]
Se dépêcher (fam.) : ***Magnez**-vous, on est en retard !* 1907 ; altér. pop. de *se manier* ; [maɲe].

**MAGNÉSIE, subst. f.**
*Chim.* Oxyde de magnésium (MgO), solide blanc réfractaire qui existe à l'état naturel ou s'obtient par la combustion du magnésium. La poudre de **magnésie** a de nombreux usages, pharmaceutiques ou industriels. 1497 ; lat. médiév. *magnesia*, du gr. *Magnes lithos*, « pierre de Magnésie », ville d'Asie Mineure ; [maɲezi].

**MAGNÉSIEN, IENNE, adj.**
Qui contient du magnésium : *Sels **magnésiens**.* 1620 ; ☞ *magnésie* ; [maɲezjɛ̃, jɛn].

**MAGNÉSITE, subst. f.**
*Minér.* Carbonate de formule $MgCO_3$, qui représente un important minerai de magnésium (synon. *giobertite*). 1797 ; ☞ *magnésie* ; [maɲezit].

**MAGNÉSIUM, subst. m.**
*Chim.* Élément no 12 de la table de Mendeleïev (symb. : Mg) ; masse atomique : 24,305 ; point de fusion : 650 °C ; point d'ébullition : 1 090 °C ; masse volumique : 1,74 g/cm$^3$. Métal solide blanc argenté, il existe en quantités considérables, sous forme de carbonate de **magnésium**, dans les roches sédimentaires (comme les dolomites, par ex.) et, à l'état d'ion $Mg^{2+}$, dans l'eau de mer. Le chlorure de **magnésium** en solution aqueuse est utilisé en thérapeutique, comme sédatif neuropsychique et musculaire. 1818 ; ☞ *magnésie* ; [maɲezjɔm].

**MAGNÉTIQUE, adj.**
**1.** Relatif à l'aimantation ; qui possède les propriétés d'un aimant : *Corps **magnétique**.* **2.** Relatif au magnétisme : *Force, champ **magnétique**.* **3.** Fig. Qui exerce une influence inexplicable : *Charme **magnétique**.* 1617 ; bas lat. *magneticus*, « d'aimant » ; [maɲetik].

**MAGNÉTISATION, subst. f.**
Action ou manière de magnétiser ; son résultat. 1784 ; ☞ *magnétiser* ; [maɲetizasjɔ̃].

**MAGNÉTISER, verbe trans.** [3]
**1.** Soumettre (un être vivant) à un fluide magnétique. **2.** Fig. Exercer sur (qqn, un groupe) une puissante attraction : *Sa voix **magnétisait** les foules.* **3.** *Phys.* Communiquer à (une substance, un système) les propriétés d'un aimant (synon. *aimanter*). 1781 ; ☞ *magnétique* ; [maɲetize].

**MAGNÉTISEUR, EUSE, subst.**
Personne qui se propose de guérir des patients par l'utilisation de son fluide, directement ou à distance. 1784 ; ☞ *magnétiser* ; [maɲetizœʀ, øz].

**MAGNÉTISME, subst. m.**
**1.** Vx. Influence occulte. **2.** *Phys.* Étude des propriétés des aimants (naturels ou artificiels) et des champs magnétiques ; par ext., ensemble des phénomènes et des propriétés que présentent les matériaux aimantés : *Le **magnétisme** terrestre correspond au champ magnétique de la Terre.* **3.** ***Magnétisme** animal* ou, par ell., ***Magnétisme*** : propriété qu'aurait le corps animal de réagir aux influences astrales ou aux fluides d'autres corps et d'émettre un fluide magnétique en direction d'autrui. **4.** Fig. Influence qu'exerce une personnalité puissante sur autrui. 1666 ; ☞ *magnétique* ; [maɲetism].

PHYSIQUE – Le magnétisme s'est développé à partir de la théorie de l'électricité, qui regroupe l'ensemble des propriétés relevant de l'aimantation. Ces dernières résultent des propriétés d'attraction et de répulsion des masses magnétiques. Les aimants comprennent, au sein de la classification périodique des éléments, les éléments de transition (comme le fer, le nickel) et les terres rares, qui peuvent être paramagnétiques, ferromagnétiques, antiferromagnétiques ou ferrimagnétiques.

**MAGNÉTITE, subst. f.**
*Minér.* Oxyde de fer commun dans les roches magmatiques et métamorphiques, aux propriétés ferromagnétiques. 1873 ; ☞ *magnétique* ; [maɲetit].

**MAGNÉTO (I), subst. f.**
Machine magnétoélectrique. 1889 ; apocope de *magnétoélectrique* ; [maɲeto].

**MAGNÉTO (II), subst. m.**
Magnétophone (fam.). XXe s. ; apocope de *magnétophone* ; [maɲeto].

**MAGNÉTOCASSETTE, subst. m.**
Magnétophone à cassettes. V. 1970 ; crois. de *magnétophone* et de *cassette* ; [maɲetokasɛt].

**MAGNÉTODYNAMIQUE, adj.**
*Phys.* Se dit d'un instrument dans lequel l'excitation magnétique est produite par un aimant. V. 1960 ; *dynamique* + *magnéto-* ; [maɲetodinamik].

**MAGNÉTOÉLECTRIQUE, adj.**
*Phys.* Qui relève à la fois du magnétisme et de l'électricité. ▸ *Machine **magnétoélectrique*** : générateur de courant continu par induction d'un aimant permanent (abrév. : une magnéto). 1858 ; ☞ *électrique* + *magnéto-* ; [maɲetoelɛktʀik].

**MAGNÉTOHYDRODYNAMIQUE, subst. f.**
*Phys.* Étude de l'hydrodynamique des fluides ionisés

et électriquement neutres sous l'influence d'un champ magnétique. V. 1960 ; crois. de *magnétique* et de *hydrodynamique* ; [maɲetoidʀodinamik].

**MAGNÉTOMÈTRE, subst. m.**
*Phys.* Instrument de mesure servant à comparer l'intensité des champs et des moments magnétiques. 1780 ; ☞ *magnétique* + *-mètre*[1] ; [maɲetɔmɛtʀ].

**MAGNÉTOMOTEUR, TRICE, adj.**
*Phys. Force* ***magnétomotrice*** : dans un circuit magnétique, somme des différences de potentiel magnétique créant le flux d'induction. 1931 ; crois. de *magnétique* et de *moteur* ; [maɲetomɔtœʀ, tʀis].

**MAGNÉTON, subst. m.**
*Phys.* Unité élémentaire de moment magnétique propre aux domaines atomiques et subatomiques. 1911 ; ☞ *magnétique* ; [maɲetɔ̃].

**MAGNÉTOPHONE, subst. m.**
Appareil d'enregistrement et de reproduction des sons par aimantation rémanente d'un ruban d'acier ou d'une bande magnétique (abrév. fam. : un magnéto). 1949 (1890, instrument formé d'un disque de fer percé de trous) ; ☞ *magnétique* + *-phone* ; [maɲetɔfɔn].

**MAGNÉTOSCOPE, subst. m.**
Appareil permettant l'enregistrement et la lecture sur bande magnétique de signaux vidéo représentant des images, gén. animées, et des sons. V. 1960 ; ☞ *magnétique* + *-scope* ; [maɲetɔskɔp].

**MAGNÉTOSPHÈRE, subst. f.**
*Astrophysique.* Zone, au voisinage de l'atmosphère d'une planète, dans laquelle est confiné son champ magnétique. V. 1960 ; ☞ *magnétique* + *-sphère* ; [maɲetɔsfɛʀ].

**MAGNÉTOSTRICTION, subst. f.**
Déformation mécanique légère d'un corps ferromagnétique lorsqu'il est aimanté. 1900 ; crois. de *magnétique* et de *striction* ; [maɲetostʀiksjɔ̃].

**MAGNÉTRON, subst. m.**
*Électron.* Tube du type diode, placé dans un champ magnétique axial et utilisé comme amplificateur dans le domaine des hyperfréquences. 1949 ; crois. de *magnétique* et de *électron* ; [maɲetʀɔ̃].

**MAGNIFICAT, subst. m. inv.**
**1.** *Liturg. Le* ***Magnificat*** : cantique de la Vierge, chanté aux vêpres. **2.** *Mus.* Morceau composé sur ce cantique. Déb. XIVe s. ; lat. *magnificat*, premier mot du cantique de la Vierge ; [maɲifikat] ou [-gni-].

**MAGNIFICENCE, subst. f.**
**1.** Littér. Qualité d'une personne qui dépense sans compter ; disposition à vivre dans le faste. **2.** Éclat, grandeur d'une personne, de son caractère : *Le roi apparut dans toute sa* ***magnificence***. **3.** Caractère magnifique de qqch. Mil. XIIIe s. ; lat. *magnificentia*, « noblesse, grandeur d'âme » ; [maɲifisɑ̃s].

**MAGNIFIER, verbe trans. [6]**
**1.** Exalter, glorifier par des louanges (littér.) : ***Magnifier*** *un poète, un exploit.* **2.** Ext. Rendre plus grand, plus beau : *Le souvenir* ***a magnifié*** *cet instant.* Déb. XIIe s. ; lat. *magnificare* ; [maɲifje].

**MAGNIFIQUE, adj.**
**1.** Vx. Qui fait preuve de noblesse, qui vit avec faste ; empl. subst. : *Soliman le* ***Magnifique***. **2.** Méton. Qui témoigne de grandeur d'âme : *Attitude* ***magnifique***. **3.** Somptueux, grandiose : *Décor* ***magnifique***. **4.** Ext. Très beau : *Temps* ***magnifique***. **5.** Fig. Remarquable en son genre ; excellent : *Interprétation* ***magnifique*** ; *Occasion* ***magnifique***. 1265 ; lat. *magnificus*, « qui fait grand ; noble ; grandiose » ; [maɲifik].

**MAGNIFIQUEMENT, adv.**
**1.** De manière magnifique. **2.** Ext. Très bien. Mil. XIVe s. ; ☞ *magnifique* ; [maɲifikmɑ̃].

**MAGNITUDE, subst. f.**
**1.** *Astron.* Nombre (positif ou négatif) qui caractérise l'éclat apparent ou absolu d'un astre : *Plus un astre est lumineux, plus sa* ***magnitude*** *est faible.* **2.** *Géophysique.* Sur une échelle donnée (par ex. celle de Richter), grandeur, résultant du calcul de l'énergie libérée au foyer, qui caractérise l'importance d'un séisme. 1892 (1372, grandeur, étendue) ; lat. *magnitudo*, « grandeur, étendue » ; [maɲityd].

**MAGNOLIA, subst. m.**
*Bot.* Plante ornementale à grandes fleurs, de la famille des Magnoliacées. 1703 ; lat. sc. *magnolia*, de l'anthropon. *Magnol*, botaniste français ; [maɲɔlja].

**MAGNOLIACÉES, subst. f. plur.**
*Bot.* Famille de plantes arborescentes (arbustes ou arbrisseaux). **Au sing.** *Le tulipier est une* ***magnoliacée***. 1817 ; ☞ *magnolia* ; [maɲɔljase].

**MAGNUM, subst. m.**
Bouteille d'une capacité plus grande (en gén. de 1,5 l) qu'une bouteille ordinaire. 1884 ; lat. *magnus*, « grand » ; [magnɔm].

**MAGOT (I), subst. m.**
Fam. Somme d'argent économisée que l'on garde cachée ; par ext., somme d'argent importante. 1640 (1440, sacs) ; p.-ê. anc. fr. *mugot*, « trésor caché ; provision de vivres » ; [mago].

**MAGOT (II), subst. m.**
**1.** *Zool.* Singe de la famille des Cercopithécidés, à queue atrophiée, vivant à Gibraltar et au Maghreb. **2.** Figurine grotesque, ventrue, d'Extrême-Orient, souvent en porcelaine. 1476 ; p.-ê. hébreu *Māgôg*, personnification du mal, dans la Bible ; [mago].

**MAGOUILLAGE, subst. m.**
Fam. Action de magouiller ; ensemble de magouilles. V. 1970 ; ☞ *magouiller* ; [magujaʒ].

**MAGOUILLE, subst. f.**
Manœuvre déloyale ou douteuse ; intrigue (fam.). V. 1970 ; p.-ê. gaul. °*marga*, « boue » ; [maguj].

**MAGOUILLER, verbe [3]**
**Intrans.** Se livrer à des magouilles (fam.) : *Il* ***a magouillé*** *pour réussir.* **Trans.** Manigancer. V. 1970 ; ☞ *magouille* ; [maguje].

**MAGOUILLEUR, EUSE, adj. et subst.**
Se dit d'une personne qui magouille (fam.). V. 1970 ; ☞ *magouiller* ; [magujœʀ, øz].

**MAGRET, subst. m.**
*Cuis.* Filet de canard ou d'oie. V. 1980 ; gascon *magret*, « maigre » ; [magʀɛ].

**MAGYAR, ARE, adj. et subst.**
Du peuple établi au IXe s. dans le bassin du Danube ; par ext., de Hongrie. **Subst. masc.** Langue finno-ougrienne parlée par les Hongrois. 1840 ; mot hongrois ; [magjaʀ].

**MAHARAJA, subst. m.**
Prince, en Inde. 1758 ; skr. *mahārājā*, « grand roi » ; var. *maharadjah* ; [maaʀadʒa].

**MAHARANI, subst. f.**
Épouse d'un maharaja. 1801 ; skr. *mahārājñī*, « grande reine » ; var. *maharané, maharajni* ; [maaʀani].

**MAHATMA, subst. m.**
Nom donné, en Inde, à des personnalités remarquables par leur sagesse, leur spiritualité : *Le* ***mahatma*** *Gandhi.* 1902 ; skr. *mahātmā*, « magnanime » ; [maatma].

**MAHAYANA, subst. m.**
*Relig. Le* ***Mahayana*** ou, empl. adj., *Le bouddhisme* ***mahayana*** : forme spéculative du bouddhisme, apparue au début de notre ère, auj. pratiquée au Népal, en Chine, au Viêt Nam, en Corée et au Japon. Skr. *Mahāyāna*, « Grand Véhicule » ; [maajana].

**MAHDI, subst. m.**
*Relig.* Dans l'eschatologie musulmane, descendant du Prophète, destiné à apparaître à la fin des temps pour faire triompher l'islam et rétablir la justice sur la terre. 1842 ; ar. *mahdī*, « bien dirigé » ; [madi].

**MAHDISME, subst. m.**
*Hist.* Nom donné à divers mouvements millénaristes musulmans, en partic. à celui fondé par Muhammad ibn Abdallah (1844-1885), qui domina le Soudan de 1881 à 1898. 1927 (1898, insurrection soudanaise de 1881) ; ☞ *mahdi* ; [madism].

**MAH-JONG, subst. m.**
Jeu chinois qui s'apparente aux dominos par la forme de ses pièces et dont les règles rappellent certains jeux de cartes, tel le rami. 1926 ; chinois *majiang* ; var. *ma-jong*, plur. *ma(h)-jongs* ; [maʒɔ̃(g)].

*Fleur de magnolia.*

© G. Laurent-Jacana

**MAHOMÉTAN, ANE, adj. et subst.**
Musulman (vieilli). 1538 ; *Mahomet*, prophète de l'islam ; [maɔmetɑ̃, an].

**MAHONIA, subst. m.**
*Bot.* Arbuste ornemental de la famille des Berbéridacées, à fleurs jaunes et à baies bleues. 1664 ; topon. *Mahón*, port des Baléares ; [maɔnja].

**MAHONNE, subst. f.**
*Mar.* **1.** Vx. Galère turque. **2.** Ext. Chaland de port, en Méditerranée. 1544 ; turc *mavuna* ; [maɔn].

**MAHOUS, OUSSE, adj.**
Très gros (fam.). 1895 ; orig. obsc. ; var. *maous, maousse* ; [maus].

**MAHRATTE, voir MARATHE**

**MAI, subst. m.**
Cinquième mois de l'année : *1er* ***Mai***, fête du Travail ; *8* ***Mai***, anniversaire de la capitulation allemande, signée en 1945. ► *Arbre de* ***mai*** ou, par ell., ***Mai*** : arbre ou mât enrubanné et décoré, planté le 1er **mai** devant la porte d'une personne pour l'honorer. Fin XIe s. ; lat. *Maius mensis*, « mois de la déesse Maia » ; [mɛ].

**MAÏA, subst. m.**
*Zool.* Grand crabe dont la carapace est couverte de verrucosités velues, appelé communément araignée de mer. 1801 ; lat. *maia*, sorte de crabe ; [maja].

**MAIE, subst. f.**
**1.** Coffre sur pieds où l'on pétrissait, et parfois conservait, le pain. **2.** Table de pressoir. Fin XIe s. ; lat. *magis*, « pétrin » ; [mɛ].

**MAÏEUR, subst. m.**
**1.** *M. Â.* Premier magistrat municipal ou chef d'une corporation. **2.** Belg. Bourgmestre. Fin XIIe s. ; anc. fr. *maior*, « plus grand » ; var. *mayeur* ; [majœʀ].

**MAÏEUTIQUE, subst. f.**
**1.** *Philos.* Art d'accoucher les esprits des pensées qu'ils contiennent, tel que le pratiquait Socrate, selon Platon. **2.** Ext. Toute méthode conduisant une personne à découvrir elle-même ce qui est profondément enfoui en elle : *La cure psychanalytique est une* ***maïeutique***. 1867 ; gr. *maieutikê*, « art d'accoucher » ; [majøtik].

**MAIGRE, adj. et subst. m.**
**Adj. 1.** Dont le corps a peu de graisse, peu de chair : *Il est grand et* ***maigre*** ; par ext. : *Bras* ***maigres*** ; empl. subst. : *Une fausse* ***maigre***. **2.** Qui contient peu ou pas de graisse, en parlant d'un aliment : *Bouillon* ***maigre*** ; empl. subst. masc. : *Manger le* ***maigre***. **3.** *Cath. Jours* ***maigres*** : pendant lesquels on ne doit manger ni viande ni aliments gras. ► Loc. *Faire* ***maigre*** : respecter les jours **maigres**. **4.** De faible épaisseur, mince : *Un* ***maigre*** *arbrisseau.* ► *Typogr.* Dont le tracé est fin : *Caractère, filet* ***maigre*** ; empl. subst. masc. : *Texte imprimé en* ***maigre***. **5.** Peu abondant, pauvre : ***Maigre*** *chevelure.* ► Empl. subst. masc. plur. Étiage : *Les* ***maigres*** *d'un fleuve.* **6.** Fig. De peu d'importance, médiocre : *De* ***maigres*** *ressources* ; *Une* ***maigre*** *consolation.* ► Loc. *C'est (un peu)* ***maigre*** : c'est insuffisant (fam.). **7.** *Pétrogr. Charbon* ***maigre*** : charbon peu chargé de matières volatiles. **Subst.** *Zool.* Sciène. Fin XIIe s. ; lat. *macer* ; [mɛgʀ].

**MAIGRELET, ETTE, adj.**
Un peu maigre, d'apparence frêle (fam.) : *Un enfant* ***maigrelet***. 1553 ; ☞ *maigre* ; [mɛgʀəlɛ, ɛt].

**MAIGREMENT, adv.**
Médiocrement, chichement : *Il gagne* ***maigrement*** *sa vie.* 1274 ; ☞ *maigre* ; [mɛgʀəmɑ̃].

**MAIGREUR, subst. f.**
**1.** Fait d'être maigre : *Sa* ***maigreur*** *fait peur.* **2.** Fig. Médiocrité, insuffisance : ***Maigreur*** *des revenus, de l'inspiration.* 1413 ; ☞ *maigre* ; [mɛgʀœʀ].

**MAIGRICHON, ONNE, adj. et subst.**
Se dit d'une personne un peu trop maigre (fam.). 1846 ; ☞ *maigre* ; [mɛgʀiʃɔ̃, ɔn].

**MAIGRIOT, OTTE, adj.**
Maigrelet (fam.). 1828 ; ☞ *maigre* ; [mɛgʀijo, ɔt].

**MAIGRIR, verbe [19]**
**Intrans.** Devenir maigre ; au fig. : *Sa fortune* ***maigrit*** *à vue d'œil.* **Trans.** Faire paraître maigre : *Cette robe te* ***maigrit***. Fin XIIe s. ; ☞ *maigre* ; [mɛgʀiʀ].

**MAIL, subst. m.**
**1.** Vx. Gros marteau. **2.** Maillet de bois à long manche servant à pousser une boule. ► Méton. Jeu où l'on utilise ce maillet. **3.** Ext. Allée où l'on jouait à ce jeu ; par anal., allée bordée d'arbres. Fin XIe s. ; lat. *malleus* ; plur. *mails* ; [maj].

**MAIL-COACH,** subst. m.
Berline attelée à quatre chevaux, avec des banquettes sur le toit. 1802 ; angl. *mail-coach*, « malle-poste » ; plur. *mail-coach(e)s* ; [mɛlkotʃ].

**MAILING,** subst. m.
Publipostage (anglic.). V. 1970 ; angl. *to mail*, « poster » ; [mɛliŋ].

**MAILLAGE,** subst. m.
**1.** *Pêche.* Dimension des mailles d'un filet. **2.** Structure prenant la forme d'un réseau : ***Maillage** ferroviaire.* 1908 ; ☞ *mailler* ; [mɑjaʒ].

**MAILLE (I),** subst. f.
**I.** Tache. **1.** Taie qui se forme sur la prunelle de l'œil. **2.** Moucheture qui apparaît sur le plumage de certains oiseaux lorsqu'ils prennent leur livrée d'adulte. **3.** *Bot.* Tache précédant l'apparition d'un bourgeon, sur certaines plantes. **II.** Boucle. **1.** Chacune des boucles de fil textile dont l'entrelacement forme un tissu : *Monter des **mailles**.* ▸ Au sing. Tissu tricoté : *Une robe en **maille**.* **2.** Ext. Vide laissé entre les fils d'un filet. ▸ Loc. *Passer à travers les **mailles** du filet* : échapper à une contrainte, à un piège. **3.** Anal. Chacun des vides laissés entre les fils métalliques d'un grillage, d'un treillage. **4.** Chacun des anneaux d'une chaîne ; en partic., chacun des petits anneaux métalliques formant le tissu d'une armure : *Cotte de **mailles**.* **5.** *Spéc.* ▸ *Électr.* Ensemble des branches conductrices reliant les nœuds d'un réseau en circuit fermé. ▸ *Phys.* Parallélépipède répété à l'infini et qui engendre un réseau cristallin. Fin XI^e s. ; lat. *macula* ; [mɑj].

**MAILLE (II),** subst. f.
*Numism.* Ancienne monnaie de très faible valeur, en cours sous les Capétiens. ▸ Loc. *Avoir **maille** à partir avec qqn* : avoir un différend avec qqn. Déb. XII^e s. ; lat. médiév. *medalia*, « demi-setier » ; [mɑj].

**MAILLÉ, ÉE,** adj.
**1.** Tacheté : *Perdreau **maillé**.* **2.** Qui a une structure en réseau : *Vitrail **maillé**.* 1376 (1160, formé d'une cotte de mailles) ; p. p. de *mailler* ; [mɑje].

**MAILLECHORT,** subst. m.
Alliage inaltérable de cuivre, de nickel et de zinc, dont l'aspect rappelle l'argent. 1827 ; crois. des anthropon. *Maillot* et *Chorier* ; [majʃɔʀ].

**MAILLER,** verbe [3]
**Trans.** **1.** Faire les mailles de : ***Mailler** une raquette.* **2.** *Mar.* ***Mailler** une chaîne* : l'attacher à une autre par une maille. **3.** Helv. Tordre. **Intrans.** **1.** *Pêche.* *Filet qui **maille*** : dont les mailles retiennent le poisson ; *Poisson qui **maille*** : qui est pris au filet. **2.** Se couvrir de mailles, en parlant d'un oiseau. 1160 ; ☞ *maille* (I) ; [mɑje].

**MAILLET,** subst. m.
**1.** Outil fait d'une masse dure emmanchée en son centre, qui sert à frapper : ***Maillet** de tonnelier.* **2.** Mail : ***Maillet** de polo.* **3.** *M. Â.* ***Maillet** d'armes* : masse de fer ou de plomb portée par les gens de pied. XIII^e s. (fin XII^e s., heurtoir) ; ☞ *mail* ; [majɛ].

**MAILLOCHE,** subst. f.
**1.** Maillet de bois. **2.** *Mus.* Baguette terminée par une boule garnie de peau, pour frapper certains instruments à percussion. 1409 ; ☞ *mail* ; [majɔʃ].

**MAILLON,** subst. m.
**1.** Anneau d'une chaîne ; au fig., élément d'un ensemble structuré : *C'est un **maillon** de l'organisation.* **2.** *Mar.* Portion d'une chaîne d'ancre, longue de 30 m. 1542 ; ☞ *maille* (I) ; [majɔ̃].

**MAILLOT,** subst. m.
**1.** Vx. Lange dont on enveloppait un nouveau-né. **2.** Vêtement ou sous-vêtement souple et moulant, couvrant gén. le buste : ***Maillot** de corps* ; ***Maillot** de danse.* ▸ ***Maillot** de bain* ou, empl. abs., ***Maillot*** : costume de bain de une ou deux pièces. ▸ ***Maillot** jaune* : porté par le cycliste placé en tête au classement du Tour de France ; par méton., ce coureur. 1538 ; ☞ *maille* (I) ; [majo].

**MAILLOTIN,** subst. m.
**1.** *Hist.* Arme semblable au maillet. ▸ Méton. *Les **Maillotins*** : insurgés parisiens qui utilisèrent cette arme en 1382 contre les collecteurs d'impôts. **2.** *Techn.* Pressoir à olives. 1552 ; *maillot* (vx), var. de *maillet* ; [majɔtɛ̃].

**MAILLURE,** subst. f.
**1.** Maille d'un oiseau. **2.** *Menuis.* Ensemble des fissures d'un bois, allant du centre à la périphérie. 1671 ; ☞ *maille* (I) ; [majyʀ].

**MAIN,** subst. f.
**I. 1.** *Anat.* Extrémité de chaque membre supérieur de l'être humain, pourvue de cinq doigts : ***Main** droite, gauche* ; *Doigts, paume, dos de la **main*** ; *Lire dans les lignes de la **main**.* ▸ Loc. *Se salir les **mains*** : se compromettre ; *Se laver les **mains** de qqch.* (☞ *laver*). **2.** Organe permettant de faire des gestes expressifs : *Signe de la **main*** ; *Frapper dans ses **mains*** ; *Joindre les **mains** pour prier* ; *Se frotter les **mains** de contentement* ; *Lever la **main** pour demander la parole, pour jurer* ; *Se tordre les **mains** de désespoir.* ▸ *Haut les **mains** !, Les **mains** en l'air !* : injonction faite à qqn que l'on menace d'une arme. ▸ Loc. *En mettre sa **main** au feu, à couper* : être certain de qqch. **3.** Organe du toucher : *Palper, caresser de la **main**.* ▸ *Sp.* Au football, faute consistant à toucher le ballon avec la **main**. **4.** Organe de la préhension : *Saisir avec la **main**, à deux **mains**, à pleines **mains*** ; *Serrer dans sa **main*** ; *Arracher qqch. des **mains** de qqn* ; *Tenir son chapeau à la **main*** ; *Sac à **main*** ; *Frein à **main*** ; *Tenir, avoir qqch. en **main**, bien en **main**.* ▸ Loc. *Avoir la situation en **main*** : la dominer ; *Clés en **main*** (☞ *clé*) ; *À portée de **main*** : à proximité ; *La **main** dans le sac* : en flagrant délit. **5.** Instrument des relations entre des personnes : *Serrer la **main** à qqn* ; *Tenir, prendre par la **main**.* ▸ Loc. *Se prendre par la **main*** : s'obliger à agir ; *Tendre la **main**, une **main** secourable à qqn* : lui venir en aide ; *Donner un coup de **main*** (☞ *coup*) ; *Demander la **main** d'une jeune fille* : demander une jeune fille en mariage ; ***Main** dans la **main*** : en accord. **6.** Instrument de la force, de la violence : *Porter la **main** sur qqn* ; *Lutter à **mains** nues* ; *En venir aux **mains**,* se battre ; *Coup de **main**,* attaque rapide ; *Homme de **main**,* qui exécute des actes violents, criminels, pour le compte d'un autre ; *Attaque à **main** armée,* faite arme à la **main**. ▸ Loc. fam. *Ne pas y aller de **main** morte* : frapper brutalement ; par ext., exagérer. **7.** Instrument du travail, de l'activité créatrice : *Être habile de ses **mains*** ; *Travailler de ses **mains**,* faire un travail manuel ; *Homme toutes **mains**,* employé à des tâches variées ; *Ouvrage fait (à la) **main*** ; *Dessin à **main** levée,* exécuté d'un seul trait ; *Tour, coup de **main**,* habileté d'exécution ; *Se faire la **main**,* s'exercer ; *Première, deuxième, petite **main**,* qualifications, dans la couture, la mode. ▸ Loc. *Mettre la dernière **main** à un ouvrage* : le terminer ; *Mettre la **main** à la pâte* : participer personnellement à un travail ; *Avoir un poil dans la **main*** : être paresseux (fam.). **8.** Ce qui sert à donner, à recevoir : *Objet qui passe de **mains** en **mains*** ; *De la **main** à la **main**,* directement, sans intermédiaire ; *Tendre la **main**,* mendier ; *Remettre en **main(s)** propre(s),* au destinataire et à lui seul. ▸ Loc. *Avoir le cœur sur la **main*** (☞ *cœur*). **9.** Symbole de la possession, de la propriété : *Être, tomber entre les **mains** de qqn* ; *La ville est aux **mains** de l'ennemi.* ▸ Loc. *Changer de **mains*** : de propriétaire ; *Mettre la **main** sur qqch.* : le trouver, se l'approprier ; *Faire **main** basse sur qqch.* (☞ *bas*) ; *Avoir qqch. sous la **main*** : à sa disposition. **10.** Symbole de l'intervention de qqn, de qqch. : *La **main** de Dieu, du destin.* **II.** *Jeux.* **1.** ***Main** chaude* : superposition des **mains** de plusieurs personnes, où celle du dessous vient se replacer au-dessus. **2.** Levée (aux cartes) : *Avoir la **main**,* être le premier à jouer ; *Passer la **main**,* passer son tour ou, au fig., renoncer. **III. 1.** ***Main** courante* (☞ *courant*). **2.** ***Main** de justice* : **main** à trois doigts levés terminant un sceptre. **3.** *Ameubl.* Poignée de tiroir. **4.** *Impr.* Ensemble de vingt-cinq feuilles de papier ; aspect d'un papier au toucher (rapport entre son épaisseur et son grammage). **5.** *Techn.* ***Main** de ressort* : pièce sur laquelle s'attache un ressort. Fin X^e s. ; lat. *manus* ; [mɛ̃].

**MAINATE,** subst. m.
*Zool.* Passereau frugivore originaire de Malaisie, de la famille des Sturnidés, au plumage noir et au bec orange vif, capable d'imiter la voix humaine. 1775 ; indo-portugais *mainato*, d'orig. malaise ; [mɛnat].

**MAIN-D'ŒUVRE,** subst. f.
Travail de l'ouvrier participant à la réalisation d'un ouvrage ; par méton., ensemble des salariés, des ouvriers : ***Main-d'œuvre** qualifiée.* 1702 ; comp. de *main* et de *œuvre* ; plur. *mains-d'œuvre* ; [mɛ̃dœvʀ].

**MAIN-FORTE,** subst. f. sing.
Aide, assistance : *Prêter **main-forte** à qqn.* XIV^e s. ; comp. de *main* et de *fort* ; [mɛ̃fɔʀt].

**MAINLEVÉE,** subst. f.
*Dr.* Suspension des effets d'une mesure prise contre qqn (hypothèque, opposition, saisie, etc.) ; par méton., document, acte la notifiant. 1468 ; formé de *main* et du p. p. de *lever* (I) ; [mɛ̃l(ə)ve].

**MAINMISE,** subst. f.
**1.** *Féod.* Saisie. **2.** Prise de possession ; domination ; contrôle : ***Mainmise** d'un groupe sur un syndicat.* 1342 ; formé de *main* et du p. p. de *mettre* ; [mɛ̃miz].

**MAINMORTABLE,** adj.
**1.** *Féod.* Assujetti à la mainmorte. **2.** *Dr.* Relatif à des biens de mainmorte. 1372 ; ☞ *mainmorte* ; [mɛ̃mɔʀtabl].

**MAINMORTE,** subst. f.
**1.** *Féod.* *Droit de **mainmorte*** ou, par ell., ***Mainmorte*** : droit du seigneur qui peut disposer des biens d'un serf mort sans héritier ; droit de succession sur ces biens. **2.** *Dr.* *Biens de **mainmorte*** : biens inaliénables d'une personne morale (communauté religieuse, fondation, etc.). 1252 ; formé de *main* et de *mort* (II) ; [mɛ̃mɔʀt].

**MAINT, MAINTE,** adj. et pron.
**Adj. indéf.** Littér. Un grand nombre de ; plus d'un : *En **maint(s)** endroit(s)* ; *À **mainte(s)** reprise(s).* **Pron. indéf.** Beaucoup (vx) : ***Maints** périrent.* Déb. XII^e s. ; prob. germ. °*manigipō*, « grande quantité » ; [mɛ̃, mɛ̃t].

**MAINTENANCE,** subst. f.
**1.** *Milit.* Action de maintenir opérationnelle une troupe, une armée ; par méton., les moyens mis en œuvre à cet effet. **2.** Ensemble des moyens, des opérations nécessaires au maintien en bon état d'un matériel, d'un système. 1474 (fin XII^e s., protection) ; ☞ *maintenir* ; [mɛ̃t(ə)nɑ̃s].

**MAINTENANT,** adv.
**1.** À présent : *C'est **maintenant** ou jamais* ; désormais : *J'ai compris, **maintenant** je me tiendrai tranquille* ; de nos jours : *Les jeunes de **maintenant**.* ▸ Loc. conj. ***Maintenant** que* : à présent que. **2.** Cela dit : *Voilà ce que j'en pense. **Maintenant**, j'ai peut-être tort.* XII^e s. ; ☞ *maintenir* ; [mɛ̃t(ə)nɑ̃].

**MAINTENEUR, EUSE,** subst.
Personne qui maintient une tradition, un usage (rare). ▸ ***Mainteneur** des jeux Floraux* : membre d'une académie littéraire de Toulouse. 1155 ; ☞ *maintenir* ; [mɛ̃t(ə)nœʀ, øz].

**MAINTENIR,** verbe trans. [22]
**1.** Conserver dans le même état : ***Maintenir** un usage* ; ***Maintenir** l'ordre* ; ***Maintenir** qqn en vie.* **2.** Continuer d'affirmer : ***Maintenir** des accusations.* **3.** Faire tenir dans la même position ; soutenir : *Les étais **maintiennent** la construction.* **Pronom.** **1.** Rester (dans la même position) : *Se **maintenir** en équilibre.* **2.** Rester dans le même état : *Le temps se **maintient**.* 1160 (1135, défendre) ; lat. pop. °*manutenere*, « tenir avec la main » ; [mɛ̃t(ə)niʀ].

**MAINTIEN,** subst. m.
**1.** Manière d'être, de se tenir d'une personne ; allure : *Cours de **maintien**.* **2.** Action de maintenir : ***Maintien** d'une candidature.* ▸ ***Maintien** de l'ordre* : ensemble des mesures prises afin d'assurer l'ordre public. XIII^e s. ; ☞ *maintenir* ; [mɛ̃tjɛ̃].

**MAÏOLIQUE,** voir **MAJOLIQUE**

**MAÏORAL, ALE, AUX,** adj.
Belg. Qui concerne le maïorat. Var. *mayoral, ale aux* ; [majɔʀal, o].

**MAÏORAT,** subst. m.
Belg. Dignité, fonction de maïeur, ou bourgmestre. Var. *mayorat* ; [majɔʀa].

**MAIRE,** subst. m.
**1.** *Hist.* ***Maire** du palais* : sous les Mérovingiens premier intendant de la maison du roi. **2.** Premier magistrat d'une commune, élu au sein du conseil municipal pour en exécuter les décisions : *Le maire et ses adjoints.* ▸ Loc. *Passer devant (monsieur) le **maire*** : se marier civilement (fam.). ▸ ***Maire** d'arrondissement* : élu dans un arrondissement de Paris, de Lyon ou de Marseille. Fin XII^e s. ; lat. *major*, « plus grand » ; [mɛʀ].

**MAIRESSE,** subst. f.
**1.** Épouse d'un maire (fam.). **2.** Femme maire (rare). XIII^e s. ; ☞ *maire* ; [mɛʀɛs].

**MAIRIE,** subst. f.
**1.** Charge de maire ; par méton., durée de cette charge. **2.** Administration municipale : *Le secrétaire de **mairie**.* **3.** Bâtiment où se trouvent les services municipaux et le bureau du maire (synon. *hôtel de ville*). XIII^e s. ; ☞ *maire* ; [meʀi].

**MAIS,** adv. et conj.
Adv. **1.** Loc. *N'en pouvoir **mais*** : n'y pouvoir rien (littér.). **2.** Certes, assurément : *Viendrez-vous avec nous ? – **Mais** bien sûr ; C'est beau, **mais** très beau.* Conj. **1.** Marque une opposition, une différence, une restriction : *Il est intelligent, **mais** il est paresseux ; Il est courageux, **mais** il n'est pas téméraire ; Il est grand **mais** maigre.* **2.** Introduit une explication, une correction, une addition, une transition avec ce qui précède : *Il est épuisé, **mais** il a travaillé trente heures d'affilée ; J'ai peut-être tort, **mais** en partie seulement ; Non seulement je vous approuve, **mais** (encore) je vous soutiens ; **Mais** revenons plutôt à notre propos.* **3.** Souligne l'interrogation ou l'approbation : ***Mais** où voulez-vous en venir ? ; **Mais** vous avez bien fait !* **4.** Marque l'hésitation, le doute : *Je ne suis pas contre, **mais**... ; Oui, **mais**...* **5.** Marque l'exclamation (le plus souvent avec une interjection) : *Ah **mais** ! je vais lui apprendre la politesse !* ▸ Loc. *Non **mais** des fois !* (pop.). Fin xe s. ; lat. *magis*, « plus » ; [mɛ].

**MAÏS,** subst. m.
*Bot.* Plante herbacée de la famille des Poacées, céréale à grains comestibles : *Épi de **maïs** grillé.* xvie s. ; esp. *maíz*, d'orig. haïtienne ; [mais].

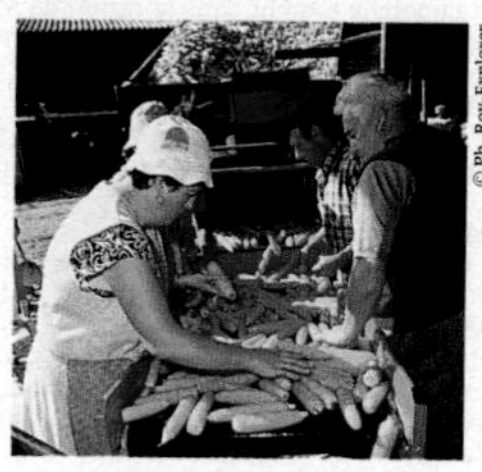

Tri des épis de maïs.

**MAÏSERIE,** subst. f.
Usine où l'on traite le maïs pour en obtenir de la fécule et du glucose. 1931 ; ☞ *maïs* ; [maizʀi].

**MAISON,** subst. f.
**I. 1.** Bâtiment à usage d'habitation conçu pour abriter une famille. **2.** Logement, domicile : *Venez à la **maison*** ; par méton., l'aménagement, l'intérieur du logement : ***Maison** bien tenue* ; par ext., la vie du logis : *Dépenses de **maison**.* **3.** *Astrol.* Chacun des douze fuseaux divisant le ciel et permettant d'en étudier l'aspect au moment de la naissance de qqn. **4.** *Relig. La **maison** de Dieu* : le temple de Jérusalem et, par ext., l'église, le temple. **II. 1.** Bâtiment ou édifice, public ou privé, ayant une fonction particulière : ***Maison** d'arrêt*, prison ; ***Maison** des jeunes et de la culture (M. J. C.)*, établissement proposant des activités culturelles ; ***Maison** de repos*, destinée aux convalescents ; ***Maison** de retraite*, qui accueille les personnes âgées ; ***Maison** close* (☞ *clos*). ▸ *La **Maison**-Blanche* : résidence du président des États-Unis, à Washington. **2.** Entreprise commerciale ou industrielle : ***Maison** d'édition* ; ***Maison** de gros, de détail* ; ***Maison** mère* (☞ *mère*). **III. 1.** Les personnes d'une même famille ou vivant sous un même toit : *Réveiller toute la **maison**.* **2.** Ensemble des personnes attachées au service d'une famille, d'un monarque, d'un chef d'État : *Ce prince avait une nombreuse **maison*** ; ***Maison** civile, militaire.* **3.** Lignée d'une famille noble : *La **maison** de France, de Savoie.* **IV.** En appos. (inv.) **1.** Fait sur place, par la maison (anton. *industriel*) : *Des pâtisseries **maison**.* **2.** Particulièrement soigné, réussi (iron.) : *Une bagarre **maison**.* **3.** Particulier à un établissement, à une entreprise : *Un règlement **maison**.* Fin xe s. ; lat. *mansio*, « séjour, demeure » ; [mɛzɔ̃].

**MAISONNÉE,** subst. f.
Ensemble des personnes qui habitent une même maison ; famille. 1611 ; ☞ *maison* ; [mɛzɔne].

**MAISONNETTE,** subst. f.
Petite maison. Fin xiie s. ; ☞ *maison* ; [mɛzɔnɛt].

**MAISTRANCE,** subst. f.
Ensemble des officiers mariniers de la Marine nationale. 1559 (xive s., fonction de magistrat) ; *maistre*, anc. forme de *maître* ; var. *mestrance* ; [mɛstʀɑ̃s].

**MAÎTRE, MAÎTRESSE,** subst. et adj.
Subst. **1.** Personne qui a autorité sur d'autres pour se faire obéir ou se faire servir. ▸ Loc. *Être **maître** de soi* : se dominer ; *Être son **maître*** : ne dépendre que de soi ; *Se rendre **maître** de qqch.* : s'en emparer, le maîtriser ; *Trouver son **maître*** : trouver plus fort que soi. **2.** Personne qui exerce une autorité absolue. ▸ Loc. *Être seul **maître** à bord* : être seul à prendre les décisions, en parlant du capitaine d'un navire, et, par ext., d'une personne ; *Ni Dieu ni **maître*** : devise des anarchistes. ▸ Fig. Ce qui domine (qqn ou qqch.) : *L'argent, **maître** du monde.* **3.** Le propriétaire d'un bien : *Le **maître** d'une ferme* ; ***Maître** de forges*, propriétaire qui est aussi patron d'exploitation d'un site sidérurgique. **4.** Personne qui exerce une autorité domestique : *Le **maître**, la **maîtresse** de maison.* **5.** Possesseur d'un animal domestique : *Ce chien reconnaît son **maître**.* **6.** Grade civil, militaire ou d'un ordre de chevalerie : *Grand **maître** des Templiers.* ▸ Troisième grade de la franc-maçonnerie. ▸ *Mar.* Grade des officiers mariniers, dans la Marine nationale. **7.** Personne qui a la qualification requise pour enseigner : ***Maître**, **maîtresse** d'école*, instituteur, institutrice ; ***Maître** de conférences* (☞ *conférence*). **8.** ***Maître** chanteur* : membre d'une corporation de musiciens, en Allemagne du xive au xixe s. (au fig., ☞ *chanteur*). Subst. masc. **1.** Personne qui exerce par son talent ou son savoir une influence sur des disciples : *Un **maître** à penser.* ▸ *B.-a.* Peintre reconnu qui a fait école. **2.** Personne qui a la qualification requise pour diriger : ***Maître** de ballet, de cérémonie* ; ***Maître** d'œuvre*, responsable, sur le terrain, de l'exécution d'un ouvrage ; ***Maître** d'hôtel* (☞ *hôtel*). **3.** Artisan d'une corporation qui, après avoir été apprenti puis compagnon, accède à un rang lui permettant d'enseigner : ***Maître** tailleur* ; ***Maître** coq* ou ***Maître** queux.* ▸ Loc. *De main de **maître*** : avec habileté ; *Ne pas avoir son **maître*** : être le plus habile. **4.** Titre de certains officiers ministériels tels que notaires, avocats, etc. (abrév. : Me, Mes). Subst. fém. **1.** Gouvernante, duègne (vx). **2.** Femme aimée de qqn, qui a une grande emprise sur cette personne (littér.). **3.** Femme qui a une relation amoureuse et sexuelle avec un homme qui n'est pas son conjoint. Adj. **1.** Qui a les qualités d'un maître : *Une **maîtresse** femme*, qui s'impose par son autorité et son énergie ; *Passer **maître** en telle activité*, avoir acquis une grande compétence. **2.** Principal, essentiel : *La poutre **maîtresse***, qui supporte l'essentiel des charges dans une construction ; efficace : *Le **maître** mot*, le mot qui est la clé de la situation ; dominant : *Carte **maîtresse**, atout **maître**.* **3.** **Maître couple.** ▸ *Mar.* Couple situé à l'endroit le plus large du navire. ▸ *Phys.* Droite d'un cylindre engendré par un solide en mouvement. xiie s. ; lat. *magister* ; [mɛtʀ, mɛtʀɛs].

**MAÎTRE-À-DANSER,** subst. m.
*Techn.* Compas dont les branches se croisent, qui sert à mesurer le diamètre intérieur d'un tuyau, d'un récipient. 1766 ; comp. de *maître* et de *danser*, par anal. de forme avec un danseur ; plur. *maîtres-à-danser* ; [mɛtʀadɑ̃se].

**MAÎTRE-ASSISTANT, ANTE,** subst.
Titre d'un enseignant d'université, intermédiaire entre ceux d'assistant et de maître de conférences (auj. supprimé). Comp. de *maître* et de *assistant* ; plur. *maîtres-assistants, antes* ; [mɛtʀasistɑ̃, ɑ̃t].

**MAÎTRE-AUTEL,** subst. m.
Autel principal d'une église. 1694 ; comp. de *maître* et de *autel* ; plur. *maîtres-autels* ; [mɛtʀotɛl].

**MAÎTRE-CHIEN,** subst. m.
Personne qui dresse un chien à accomplir des missions (sauvetage, garde, recherche, etc.) et qui en est responsable. V. 1980 ; comp. de *maître* et de *chien* ; plur. *maîtres-chiens* ; [mɛtʀəʃjɛ̃].

**MAÎTRE-CYLINDRE,** subst. m.
*Autom.* Piston, actionné par l'intermédiaire de la pédale de frein, servant à envoyer du liquide sous pression dans le circuit de freinage. xxe s. ; comp. de *maître* et de *cylindre* ; plur. *maîtres-cylindres* ; [mɛtʀəsilɛ̃dʀ].

**MAÎTRISE,** subst. f.
**I. 1.** *Maîtrise de soi* : domination de soi-même, faculté de garder son sang-froid. **2.** Contrôle militaire d'un espace donné : ***Maîtrise** de l'air, de la mer.* **II. 1.** Talent supérieur, perfection dans une technique : *Œuvre d'une grande **maîtrise*** ; connaissance approfondie de qqch. : ***Maîtrise** d'une langue.* **2.** Qualité, situation de maître dans un corps de métier, une corporation ; association de maîtres constitués en corps de métier (vx) ; *Les **maîtrises** et les jurandes du Moyen Âge.* ▸ *Les agents de **maîtrise*** ou, par méton., *La **maîtrise*** : ensemble des chefs d'atelier, des contremaîtres et des chefs d'équipe d'une entreprise. **3.** Grade universitaire sanctionnant le second cycle de l'enseignement supérieur. **4.** *Mus.* École de chant attachée à une église et destinée à former sa chorale ; la chorale elle-même. Fin xiie s. ; ☞ *maître* ; [mɛtʀiz].

**MAÎTRISER,** verbe trans. [3]
**1.** Vx. Soumettre (qqn, un peuple) à son pouvoir, asservir. **2.** Soumettre par la force : ***Maîtriser** un adversaire.* ▸ Se rendre maître de (qqch.) : ***Maîtriser** le feu.* **3.** Dominer (un objet de connaissance) : ***Maîtriser** le piano, l'anglais.* **4.** Dominer (une émotion, un sentiment). Pronom. Être, se rendre maître de soi. Fin xive s. ; ☞ *maîtrise* ; [mɛtʀize].

**MAÏZENA,** subst. f. inv.
*Cuis.* Fécule de maïs. 1853 ; anglo-amér. *Maizena*, de l'esp. *maíz*, « maïs » ; n. déposé ; [maizena].

**MAJE,** voir **MAGE (II)**

**MAJESTÉ,** subst. f.
**1.** Caractère de grandeur qui provoque le respect, la vénération : *La **majesté** de Dieu.* ▸ *B.-a. Christ, Vierge en **majesté*** : représentés dans une attitude hiératique, assis sur un trône. **2.** Dignité, pouvoir royal. **3.** Titre des empereurs et des rois héréditaires : *Votre **Majesté*** (abrév. : V. M.) ; *Sa **Majesté*** (abrév. : S. M.). **4.** Caractère de grandeur, de noblesse dans l'apparence : *Un visage, un monument plein de **majesté**.* Déb. xiie s. ; lat. *majestas* ; [maʒɛste].

**MAJESTUEUSEMENT,** adv.
De manière majestueuse ; avec majesté. 1609 ; ☞ *majestueux* ; [maʒɛstɥøzmɑ̃].

**MAJESTUEUX, EUSE,** adj.
**1.** Qui a de la majesté. **2.** Ext. Dont la beauté est évocatrice de grandeur, de noblesse : *Paysage **majestueux**.* 1605 ; ☞ *majesté* ; [maʒɛstɥø, øz].

**MAJEUR, EURE,** adj. et subst.
Adj. **1.** Plus grand, plus important (anton. *mineur*) : *La **majeure** partie.* ▸ Loc. *En **majeure** partie* : pour la plus grande part. **2.** Ext. Très important : *Problème **majeur**.* ▸ Loc. *Cas de force **majeure*** : évènement qui libère d'une obligation. **3.** Qui a atteint l'âge de la majorité légale. **4.** *Spéc.* ▸ *Jeux. Série **majeure*** : suite de cartes d'une même couleur à partir de l'as. ▸ *Log. Terme **majeur** d'un syllogisme* ou, empl. subst. masc., ***Majeur*** : terme qui sert de prédicat à la conclusion. ▸ *Mus. Gamme **majeure*** : composée de cinq tons et de deux demi-tons placés entre les 3e et 4e degrés et entre les 7e et 8e degrés ; *Mode **majeur*** ou, empl. subst. masc., ***Majeur*** : fondé sur cette gamme. Subst. Le plus long des doigts de la main (synon. *médius*). xive s. ; lat. *major*, « plus grand » ; [maʒœʀ].

**MAJOLIQUE,** subst. f.
Faïence italienne, en partic. de la Renaissance, inspirée, via l'île de Majorque, par la céramique arabe. 1556 ; ital. *maiolica*, du lat. médiév. *majolica*, « de Majorque » ; var. *maïolique* ; [maʒɔlik].

**MA-JONG,** voir **MAH-JONG**

**MAJOR,** subst. m. et adj.
**I.** Subst. *Milit.* **1.** Officier supérieur chargé de l'administration d'un corps de troupes de l'armée de terre, appelé depuis 1975 chef des services administratifs. ▸ ***Major** général* : officier général adjoint au général en chef, en temps de guerre. **2.** *Hist.* Officier d'un grade équivalent à celui de commandant, avant la Révolution. **3.** Ancienne appellation des médecins militaires. **4.** Plus haut grade des sous-officiers des armées françaises. **II.** Subst. **1.** Candidat reçu premier au concours d'une grande école. **2.** Helv. ***Major** de table* : maître de cérémonie, animateur d'un banquet, d'une soirée. Adj. Qui a un rang supérieur : *Infirmière-**major*** ; *Tambour-**major**.* 1592 ; esp. *mayor*, du lat. *major*, « plus grand » ; [maʒɔʀ].

**MAJORAL,** subst. m.
Région. (Provence). **1.** *Litt.* Chacun des cinquante membres du consistoire du félibrige. **2.** Berger en chef d'un grand troupeau. 1879 ; anc. prov. *majoral*, du lat. *major*, « plus grand » ; plur. *majoraux* ; [maʒɔʀal], plur. [-ʀo].

**MAJORANT,** subst. m.
*Math.* ***Majorant** d'un sous-ensemble A d'un ensemble ordonné E* : élément de E supérieur (ou égal) à tout élément de A. V. 1950 ; p. pr. de *majorer* ; [maʒɔʀɑ̃].

**MAJORAT,** subst. m.
*Dr.* Bien inaliénable et indivisible qui était attaché à un titre de noblesse et se transmettait, avec ce titre, au fils aîné du titulaire. 1701 ; esp. *mayorazgo*, du lat. *major*, « plus grand » ; [maʒɔʀa].

**MAJORATION,** subst. f.
Action de majorer ; augmentation. 1867 ; ☞ *majorer* ; [maʒɔʀasjɔ̃].

**MAJORDOME,** subst. m.
Maître d'hôtel de grande maison ; chef des domestiques. XVIe s. ; ital. *maggiordomo*, du lat. médiév. *major domus*, « chef de maison » ; [maʒɔʀdɔm].

**MAJORER,** verbe trans. [3]
**1.** Vx. Évaluer (qqch.) au-dessus de sa valeur. **2.** Augmenter (la valeur, le prix de qqch.). **3.** *Math.* Donner un majorant à (un sous-ensemble, une fonction). 1870 ; lat. *major*, « plus grand » ; [maʒɔʀe].

**MAJORETTE,** subst. f.
Jeune fille qui défile dans certaines fêtes vêtue d'un uniforme de fantaisie, gén. en maniant une canne de tambour-major. V. 1950 ; anglo-amér. *majorette*, ell. de *drum-majorette*, de *drum-major*, « tambour-major » ; [maʒɔʀɛt].

**MAJORITAIRE,** adj.
**1.** *Scrutin **majoritaire*** : scrutin dans lequel la majorité l'emporte, sans que l'on prenne en compte les suffrages exprimés par la minorité. **2.** Ext. Qui appartient à une majorité. **3.** *Écon.* Qui possède la majorité des actions d'une société. 1911 ; ☞ *majorité* ; [maʒɔʀitɛʀ].

**MAJORITAIREMENT,** adv.
De façon majoritaire ; en majorité. Mil. XXe s. ; ☞ *majoritaire* ; [maʒɔʀitɛʀmɑ̃].

**MAJORITÉ,** subst. f.
**I. 1.** *Dr.* Âge légal à partir duquel une personne est capable d'exercer ses droits civils et responsable de ses actes : *En France, la **majorité** civile et la **majorité** pénale sont fixées à dix-huit ans.* **II. 1.** Total des voix qui l'emporte par le nombre lors du vote d'une assemblée : ***Majorité** absolue*, qui requiert au minimum la moitié des suffrages plus un ; ***Majorité** relative* ou *simple*, supérieure à celle des autres candidats mais inférieure à la **majorité** absolue. **2.** *Pol.* Parti ou ensemble de partis qui gouverne après avoir obtenu la **majorité** lors des élections. ▸ ***Majorité** silencieuse* : partie majoritaire d'une nation, mais qui n'exprime pas ses opinions. **3.** Ext. Le plus grand nombre, la plus grande partie : *La **majorité** des magasins est fermée le dimanche.* 1510 (1290, supériorité) ; lat. médiév. *majoritas*, du lat. *major*, « plus grand » ; [maʒɔʀite].

**MAJUSCULE,** adj. et subst. f.
Se dit d'une lettre plus grande que la minuscule, gén. de forme différente (synon. *capitale*). 1529 ; lat. *majusculus*, « un peu plus grand » ; [maʒyskyl].

**MAKÉMONO,** voir **MAKIMONO**

**MAKHZEN,** subst. m.
Gouvernement du sultan du Maroc, sous le protectorat français. 1907 (1849, cavaliers arabes) ; ar. *mahzan*, « administration, État (au Maroc) » ; var. *maghzen* ; [makzɛn].

**MAKI,** subst. m.
*Zool.* Lémurien forestier malgache, au pelage laineux, au museau pointu et à longue queue touffue. 1751 ; malgache *máky* ; [maki].

**MAKILA,** subst. m.
Au Pays basque, canne ferrée dont la poignée mobile contient une pointe acérée. 1847 ; mot basque ; var. *maquila* ; [makila].

**MAKIMONO,** subst. m.
Peinture japonaise exécutée sur un rouleau de papier ou de soie que l'on déroule horizontalement. 1893 ; jap. *makimono*, de *maku*, « rouler », et de *mono*, « chose » ; var. *makémono* ; [makimɔno].

**MAL (I), MALE,** adj.
**1.** Vx. Mauvais, funeste : ***Male** mort*, mort violente. ▸ Loc. *Bon gré, **mal** gré* (☞ *gré*) ; *Bon an, **mal** an* (☞ *an*). **2.** Contraire à un principe moral : *C'est **mal** de faire cela.* 881 ; lat. *malus* ; [mal].

**MAL (II),** subst. m.
**I. 1.** Ce qui est contraire à la morale ou à la vertu : *Le bien et le **mal*** ; *L'Esprit du **mal***, le démon. **2.** Ce qui est mauvais, nuisible pour qqn ou qqch. : *Ne voyez aucun **mal** à cela !* ; *Faire du **mal** à qqn*, lui nuire ; *Dire du **mal** de qqn*, le dénigrer. **II. 1.** Douleur, malaise physique : *Avoir **mal** au cœur* ; ***Maux** de tête, de gorge* ; ***Mal** de l'air, de mer*, malaise éprouvé au cours d'un voyage en avion ou en bateau ; ***Mal** des montagnes*, dû à la raréfaction de l'oxygène en altitude. ▸ Maladie : *Attraper **mal**.* ▸ *Pathol.* ***Mal** de Pott* : tuberculose vertébrale ; *Le haut **mal*** : l'épilepsie (vx) ; ***Mal** blanc* : panaris. **2.** Souffrance morale. ▸ Loc. ***Mal** du pays* : nostalgie du pays natal ; *Le **mal** du siècle* : état mélancolique de la jeunesse romantique et, par anal., tourment propre à une génération ; *Être en **mal** de qqch.* : manquer de qqch. ; *Prendre son **mal** en patience.* **3.** Effort, difficulté : *Se donner du **mal*** ; *Il a du **mal** à faire son travail.* Fin Xe s. ; lat. *malum* ; plur. *maux* ; [mal], plur. [mo].

**MAL (III),** adv.
**1.** De manière fâcheuse : *Les affaires vont **mal*** ; *Cela tombe **mal***, c'est inopportun ; *Aller de **mal** en pis* (☞ *pis*) ; *Se sentir **mal***, avoir un malaise ; *Être au plus **mal***, très malade. **2.** De manière désobligeante, défavorable : *Être **mal** reçu* ; *Ne le prends pas **mal** !*, ne te fâche pas ! **3.** De façon imparfaite, anormale : *Travail **mal** fait* ; *Dormir **mal**.* ▸ D'une manière contraire au goût ou aux convenances : *Être **mal** habillé* ; *Il est **mal** élevé* ; *Se conduire **mal**.* **4.** Loc. fam. *Pas **mal*** : assez bien ; *Pas **mal** de* : beaucoup de. Fin XIe s. ; lat. *male* ; [mal].

**MALABAR,** subst. m.
Homme très fort, robuste (fam.). 1911 ; p.-ê. topon. *Malabar*, côte du sud-ouest de l'Inde ; [malabaʀ].

**MALABSORPTION,** subst. f.
*Pathol.* Diminution du transport des nutriments à travers la muqueuse intestinale. V. 1960 ; formé de *mal* (III) et de *absorption* ; [malapsɔʀpsjɔ̃].

**MALACHITE,** subst. f.
*Minér.* Carbonate naturel de cuivre, pierre fine verte, orbiculaire. Mil. XIIe s. ; lat. *molochitis*, du gr. *molokhitis*, de *malakhê*, « mauve » ; [malakit].

**MALACOLOGIE,** subst. f.
*Zool.* Étude des Mollusques. 1814 ; formé de *malaco-* et de *-logie* ; [malakɔlɔʒi].

**MALACOPTÉRYGIENS,** subst. m. plur.
*Zool.* Ancien ordre de poissons téléostéens à nageoires molles. AU SING. *La carpe, comme la morue, est un **malacoptérygien**.* 1770 ; formé de *malaco-* et de *-ptérygien* ; [malakɔpteʀiʒjɛ̃].

**MALACOSTRACÉS,** subst. m. plur.
*Zool.* Sous-classe de crustacés dont le corps présente un nombre fixe de segments : 6 pour la tête, 8 pour le thorax, 6 (plus le telson) pour l'abdomen. Elle inclut les Amphipodes, les Décapodes, les Isopodes et les Schizopodes. AU SING. *La langouste est un **malacostracé**.* 1802 ; formé de *malaco-* et de *-ostracé* ; [malakɔstʀase].

**MALADE,** subst. et adj.
Se dit d'une personne qui souffre d'une maladie, dont la santé est altérée : *Être gravement **malade*** ; *Un **malade** mental*, un aliéné. ▸ Loc. *Travailler comme un **malade*** : travailler énormément (fam.). ADJ. **1.** Dont le fonctionnement est perturbé ; dont la constitution est altérée : *Cœur, rein **malade**.* **2.** Qui éprouve un malaise général, surtout moral : *Être **malade** d'inquiétude, de chagrin.* **3.** Dérangé intellectuellement, fou (fam.). **4.** Qui est en mauvais état ; qui fonctionne mal : *Entreprise, industrie **malade**.* Fin Xe s. ; lat. *male habitus*, « en mauvais état » ; [malad].

**MALADIE,** subst. f.
**1.** Altération de la santé d'un être vivant, correspondant à des troubles fonctionnels ou à des lésions et considérée dans son évolution : ***Maladie** sexuellement transmissible (M. S. T.)* ; ***Maladie** professionnelle*, contractée dans l'exercice d'une activité rémunérée ; *Assurance **maladie*** ; *Feuille de **maladie***, formulaire administratif relatif aux soins dispensés à un malade et permettant d'obtenir un remboursement partiel ou total des frais par la Sécurité sociale. **2.** Ext. Altération, détérioration : ***Maladie** du vin* ; ***Maladie** de la pierre*, dégradation, due à la pollution, de certains édifices urbains. **3.** Fig. Ce qui perturbe les facultés morales, le comportement ; manie, goût immodéré : *La **maladie** du jeu, de la vitesse.* Déb. XIIe s. ; ☞ *malade* ; [maladi].

**MALADIF, IVE,** adj.
**1.** Qui est de constitution fragile, sujet à être malade. **2.** Anormal, excessif : *Nervosité, sensibilité **maladive**.* **3.** Qui dénote une santé précaire ou qui paraît dû à une maladie : *Attitude, pâleur **maladive**.* Déb. XIIIe s. ; ☞ *malade* ; [maladif, iv].

**MALADRERIE,** subst. f.
Hôpital pour lépreux (vx). Fin XIIe s. ; crois. de *malade* et de *ladrerie* ; [maladʀəʀi].

**MALADRESSE,** subst. f.
**1.** Manque de savoir-vivre, de tact : *Une **maladresse** qui frise l'incorrection.* **2.** Manque d'adresse dans les gestes, dans la réalisation d'un ouvrage, dans l'exécution d'une tâche : *La **maladresse** d'un apprenti* ; *Un mur peint avec **maladresse**.* **3.** Action maladroite : *Des **maladresses** de langage.* 1733 ; ☞ *maladroit*, d'apr. *adresse* (II) ; [maladʀɛs].

**MALADROIT, OITE,** adj. et subst.
**1.** Se dit d'une personne qui n'est pas habile : *Être **maladroit** de ses mains.* **2.** Se dit d'une personne qui manque de tact. ADJ. Qui dénote la maladresse : *Un geste **maladroit*** ; *Une parole **maladroite**.* 1538 ; formé de *mal* (III) et de *adroit* ; [maladʀwa, wat].

**MALADROITEMENT,** adv.
De manière maladroite. 1690 ; ☞ *maladroit* ; [maladʀwatmɑ̃].

**MALAGA,** subst. m.
**1.** Vin liquoreux produit dans la région de Málaga. **2.** Raisin sec de Málaga. 1761 ; topon. *Málaga* (Espagne) ; [malaga].

**MAL-AIMÉ, ÉE,** adj. et subst.
Se dit d'une personne qui n'est pas aimée de son entourage. 1909 ; comp. de *mal* (III) et du p. p. de *aimer* ; plur. *mal-aimés, ées* ; [maleme].

**MALAIRE,** adj.
*Anat.* Qui concerne la joue : *Os **malaire***, qui forme la pommette. 1765 ; lat. *mala*, « joue » ; [malɛʀ].

**MALAIS, AISE,** adj. et subst.
De Malaisie. SUBST. MASC. Langue du groupe indonésien parlée dans la presqu'île de Malacca et sur les côtes des îles indonésiennes, langue officielle en Malaisie et en Indonésie. 1714 ; angl. *malay*, du malais *malāyu* ; [malɛ, ɛz].

**MALAISE,** subst. m.
**1.** Vx. État d'une personne gênée financièrement. **2.** Sensation pénible due à un trouble organique : *Avoir un **malaise**.* **3.** Trouble, gêne vague : ***Malaise** ressenti devant la misère.* ▸ Mécontentement social : *Le **malaise** des infirmières.* Déb. XIIe s. ; formé de *mal* (I) et de *aise* ; [malɛz].

**MALAISÉ, ÉE,** adj.
Qui n'est pas facile à faire : *Travail **malaisé**.* Fin XIIIe s. (déb. XIIIe s., incommode, désagréable) ; formé de *mal* (III) et de *aisé* ; [maleze].

**MALANDRE,** subst. f.
**1.** *Vétér.* Dermatose qui se traduit par des fissures dans le pli du genou des chevaux. **2.** *Techn.* Partie défectueuse d'un bois d'œuvre. Fin XIVe s. ; lat. *malandria*, « espèce de lèpre » ; [malɑ̃dʀ].

**MALANDRIN,** subst. m.
Bandit de grand chemin, brigand (vieilli ou littér.). Fin XIVe s. ; ital. *malandrino*, prob. du lat. médiév. *malandresus*, « mendiant lépreux » ; [malɑ̃dʀɛ̃].

**MALAPPRIS, ISE,** adj. et subst.
Se dit d'une personne mal éduquée. Mil. XIIIe s. ; formé de *mal* (III) et du p. p. de *apprendre* ; [malapʀi, iz].

**MALARD,** subst. m.
*Zool.* Nom donné au colvert, notamment au mâle et, par ext., au canard mâle de surface (qui barbote sans plonger pour rechercher sa nourriture). Fin XIIe s. ; ☞ *mâle* ; var. *malart* ; [malaʀ].

**MALARIA,** subst. f.
*Pathol.* Paludisme (vieilli). 1821 ; ital. *mala*, « mauvais », et *aria*, « air » ; [malaʀja].

**MALART,** voir **MALARD**

**MALAVISÉ, ÉE,** adj.
Qui manque de discernement, d'à-propos (littér.). Fin XIVe s. ; formé de *mal* (III) et de *avisé* ; [malavize].

**MALAXAGE,** subst. m.
Action de malaxer. 1858 ; ☞ *malaxer* ; [malaksaʒ].

**MALAXER,** verbe trans. [3]
**1.** Pétrir (une substance) pour l'amollir, la rendre plus homogène : ***Malaxer** un mortier.* **2.** Masser (une partie du corps) avec les doigts. 1495 ; lat. *malaxare*, du gr. *malassein*, « amollir » ; [malakse].

**MALAXEUR,** subst. m.
Appareil servant à malaxer. 1868 ; ☞ *malaxer* ; [malaksœʀ].

**MALAYALAM,** subst. m.
Langue dravidienne apparentée au tamoul, parlée dans l'État du Kerala, en Inde. 1870 ; mot de cette langue ; [malajalam].

**MALAYO-POLYNÉSIEN, IENNE,** adj.
Se dit d'un groupe de langues agglutinantes incluant de nombreuses langues du Pacifique, notamment des langues malaises et polynésiennes. 1890 ; comp. de *malais* et de *polynésien* ; plur. *malayo-polynésiens, iennes* ; [malajopɔlinezjɛ̃, jɛn].

**MALCHANCE,** subst. f.
**1.** Mauvaise chance, fortune défavorable : *Être poursuivi par la* **malchance** ; *Jouer de* **malchance** (☞ *jouer*). **2.** Manifestation de cette mauvaise chance : *Une série de* **malchances** *m'a fait perdre.* XIII^e s. ; formé de *mal* (I) et de *chance* ; [malʃɑ̃s].

**MALCHANCEUX, EUSE,** adj.
Qui a de la malchance ; empl. subst., personne malchanceuse. 1876 ; ☞ *malchance* ; [malʃɑ̃sø, øz].

**MALCOMMODE,** adj.
Qui n'est pas ou qui est peu commode. 1852 ; formé de *mal* (III) et de *commode* (I) ; [malkɔmɔd].

**MALDONNE,** subst. f.
**1.** *Jeux.* Erreur dans la distribution des cartes. **2.** Fig. Malentendu, erreur (fam. et vieilli) : *Il y a* **maldonne**. 1827 ; formé de *mal* (III) et de *donner* ; [maldɔn].

**MÂLE,** subst. m. et adj.
**Subst. 1.** Individu appartenant au sexe masculin (anton. *femelle*). **2.** *Dr.* Personne du sexe masculin. **3.** Homme considéré du point de vue de sa virilité (fam.). **Adj. 1.** *Biol.* Qualifie les individus d'une espèce animale à sexes séparés qui possèdent des testicules ou ceux d'une espèce végétale à fleurs comportant exclusivement des étamines. **2.** Qui appartient au sexe masculin : *Grenouille* **mâle** ; *Héritier* **mâle**. **3.** Qui dénote la force, l'énergie : *Une* **mâle** *résolution.* **4.** *Techn.* Se dit d'une pièce mécanique qui s'insère dans une autre, dite femelle. Déb. XII^e s. ; lat. *masculus* ; [mɑl].

**MALÉDICTION,** subst. f.
**1.** Invective par laquelle on appelle la colère divine sur qqn : *Prononcer une* **malédiction**. ► *Relig.* Action de maudire. **2.** Ext. Suite de paroles de colère, d'insultes proférées contre qqn. **3.** Infortune, fatalité : *Une* **malédiction** *pèse sur ce village.* Mil. XV^e s. ; lat. chrét. *maledictio* ; [malediksjɔ̃].

**MALÉFICE,** subst. m.
Opération magique, sortilège visant à nuire. 1279 (1213, méfait) ; lat. *maleficium* ; [malefis].

**MALÉFIQUE,** adj.
Occulte et nuisible (anton. *bénéfique*). ► *Astrol. Planète* **maléfique** : dont l'influence est défavorable. 1488 ; lat. *maleficus* ; [malefik].

**MALENCONTREUSEMENT,** adv.
De manière malencontreuse : *Rire* **malencontreusement**. 1618 ; ☞ *malencontreux* ; [malɑ̃kɔ̃trøzmɑ̃].

**MALENCONTREUX, EUSE,** adj.
Qui se produit au mauvais moment, mal à propos : *Initiative* **malencontreuse**. Déb. XV^e s. ; anc. fr. *malencontre*, « mauvaise rencontre » ; [malɑ̃kɔ̃trø, øz].

**MAL-EN-POINT,** adj. inv.
Qui est en mauvaise santé, dans une mauvaise situation. Mil. XVI^e s. ; comp. de *mal* (III) et de *point* (I) ; var. *mal en point* ; [malɑ̃pwɛ̃].

**MALENTENDANT, ANTE,** adj. et subst.
Se dit d'une personne dont l'acuité auditive est déficiente. V. 1960 ; formé de *mal* (III) et de *entendre* ; [malɑ̃tɑ̃dɑ̃, ɑ̃t].

**MALENTENDU,** subst. m.
Mauvaise interprétation d'un propos, d'une action, pouvant entraîner un désaccord ; ce désaccord. 1558 ; formé de *mal* (III) et de *entendu* ; [malɑ̃tɑ̃dy].

**MAL-ÊTRE,** subst. m. inv.
Sentiment de profond malaise. Fin XVI^e s. ; comp. de *mal* (III) et de *être* (I) ; [malɛtʀ].

**MALFAÇON,** subst. f.
Défaut de fabrication, de construction. 1260 ; formé de *mal* (I) et de *façon* ; [malfasɔ̃].

**MALFAISANCE,** subst. f.
**1.** Disposition à faire du mal. **2.** Effet nuisible. 1738 ; ☞ *malfaisant* ; [malfəzɑ̃s].

**MALFAISANT, ANTE,** adj.
**1.** Qui fait, qui aime à faire du mal : *Fée* **malfaisante**. **2.** Qui cause du mal. Fin XII^e s. ; *malfaire* (vx), « faire du mal » ; [malfəzɑ̃, ɑ̃t].

**MALFAITEUR,** subst. m.
Auteur de délits, de crimes. 1155 ; lat. *malefactor*, de *malefacere*, « nuire », d'apr. *faire* (I) ; [malfɛtœʀ].

**MALFAMÉ,** voir **FAMÉ**

**MALFORMATION,** subst. f.
*Pathol.* Anomalie congénitale d'une partie du corps : **Malformation** *de la main.* 1858 ; formé de *mal* (I) et de *formation* ; [malfɔʀmasjɔ̃].

**MALFRAT,** subst. m.
Malfaiteur, voyou (fam.). 1866 ; prob. languedocien *malfaras*, de *maufare*, « mal faire » ; [malfʀa].

**MALGACHE,** adj. et subst.
De Madagascar. **Subst. masc.** Langue officielle de Madagascar, appartenant au groupe malayo-polynésien. 1769 ; orig. indigène ; [malgaʃ].

**MALGRACIEUX, EUSE,** adj.
**1.** Peu aimable, qui manque de civilité : *Un employé* **malgracieux**. **2.** Qui manque de grâce, d'attrait (littér.) : *Une gamine* **malgracieuse**. 1377 ; formé de *mal* (III) et de *gracieux* ; [malgʀasjø, øz].

**MALGRÉ,** prép.
**1.** Contre le gré, l'opposition de qqn : *Il fit du théâtre* **malgré** *ses parents* ; *Il l'a fait* **malgré** *lui.* ► *J'ai vu,* **malgré** *moi, ce qui se passait* : involontairement. **2.** En dépit de : *Il est sorti* **malgré** *la tempête.* ► **Malgré tout.** Quoi qu'il en soit, quoi qu'il puisse advenir, pourtant, quand même : *S'il ne veut pas, j'irai* **malgré** *tout.* **3.** Loc. conj. **Malgré** *que j'en aie, que tu en aies...* : bien que j'aie, que tu aies des réticences... (littér.). Fin XII^e s. ; formé de *mal* (I) et de *gré* ; [malgʀe].

**MALHABILE,** adj.
Qui manque d'habileté, de savoir-faire. 1538 (fin XV^e s., malaisé) ; formé de *mal* (III) et de *habile* ; [malabil].

**MALHEUR,** subst. m.
**1.** Vx. Coup funeste du sort. **2.** Évènement fâcheux, qui cause une vive souffrance : *Il ne lui arrive que des* **malheurs** ; *En cas de* **malheur**, de mort. ► Loc. fam. *Faire un* **malheur** : faire un éclat ou, par antiphr., remporter un vif succès. **3.** Situation pénible, douloureuse : *Connaître le* **malheur**. **4.** Mauvaise fortune. ► Loc. *Jouer de* **malheur** : avoir une malchance persistante ; *Porter* **malheur** : avoir une influence néfaste ; *Par* **malheur** : à cause de la malchance. Fin XII^e s ; formé de *mal* (I) et de *heur* ; [malœʀ].

**MALHEUREUSEMENT,** adv.
Par malheur : *C'est* **malheureusement** *vrai.* 1379 ; ☞ *malheureux* ; [malœʀøzmɑ̃].

**MALHEUREUX, EUSE,** adj. et subst.
**Adj. 1.** Accablé de malheur, dont le sort est triste. ► Méton. Marqué par le malheur ; qui l'exprime : *Une enfance* **malheureuse** ; *Un air* **malheureux**. **2.** À l'issue fâcheuse, tragique : *Un* **malheureux** *accident.* **3.** Qui échoue : *Amour, candidat* **malheureux**. **4.** Malchanceux : **Malheureux** *au jeu.* **5.** Malencontreux, de mauvais goût : *Parole, toilette* **malheureuse**. **6.** Dérisoire : *Une* **malheureuse** *prime.* **Subst. 1.** Personne qui inspire la pitié : *Aidons les* **malheureux**, les indigents, les sinistrés. **2.** Fou, insensé : *Tais-toi,* **malheureux !** Fin XII^e s. ; ☞ *malheur* ; [malœʀø, øz].

**MALHONNÊTE,** adj.
**1.** Qui heurte la pudeur : *Proposition* **malhonnête**. **2.** Qui enfreint les convenances. **3.** Qui manque de probité : *Vendeur* **malhonnête**. Mil. XV^e s. (1406, délabré) ; formé de *mal* (III) et de *honnête* ; [malɔnɛt].

**MALHONNÊTEMENT,** adv.
Avec malhonnêteté ; de manière malhonnête. Mil. XVII^e s. ; ☞ *malhonnête* ; [malɔnɛtmɑ̃].

**MALHONNÊTETÉ,** subst. f.
**1.** Caractère d'une personne qui manque à la probité : **Malhonnêteté** *d'un commerçant* ; par ext. : **Malhonnêteté** *intellectuelle*, mauvaise foi. **2.** Acte malhonnête. 1676 ; ☞ *malhonnête* ; [malɔnɛtte].

**MALI,** subst. m.
Belg. Déficit. Lat. *aliquid mali*, « qqch. de mauvais » ; [mali].

**MALICE,** subst. f.
**1.** Vx. Méchanceté : *Un être sans* **malice**. **2.** Ext. Penchant à taquiner autrui : *Un éclair de* **malice** *dans le regard.* Déb. XII^e s. ; lat. *malitia* ; [malis].

**MALICIEUSEMENT,** adv.
De manière malicieuse ; avec malice. Fin XII^e s. ; ☞ *malicieux* ; [malisjøzmɑ̃].

**MALICIEUX, EUSE,** adj.
**1.** Vx. Méchant. **2.** Ext. Qui taquine volontiers autrui : *Gamin* **malicieux** ; par méton. : *Sourire* **malicieux**. 1155 ; lat. *malitiosus* ; [malisjø, øz].

**MALIGNEMENT,** adv.
Avec malignité. 1527 ; ☞ *malin* ; [maliɲəmɑ̃].

**MALIGNITÉ,** subst. f.
**1.** Disposition mesquine à faire le mal. **2.** Caractère pernicieux et nuisible de qqch. (vieilli) : *La* **malignité** *d'un climat.* ► *Pathol.* Caractère insidieux d'une maladie, d'une tumeur dont l'évolution peut être fatale (anton. *bénignité*). Déb. XII^e s. ; lat. *malignitas* ; [maliɲite].

**MALIN, IGNE,** subst. et adj.
**1.** Vx. Qualifie ou désigne celui, celle qui se plaît à faire le mal. ► *L'Esprit* **malin** ou *Le* **Malin** : Satan. **2.** Se dit d'une personne qui fait preuve d'habileté, d'ingéniosité pour parvenir à ses fins : *Être* **malin** *comme un singe.* ► Loc. *Faire le* **malin** : faire l'intéressant. **Adj. 1.** Méchant, pervers : *Éprouver un* **malin** *plaisir à faire souffrir.* **2.** Nocif, malsain (vieilli). ► *Pathol. Processus* **malin** : cancer. **3.** Qui dénote l'astuce, la finesse, l'intelligence : *Une physionomie, une réponse* **maligne**. ► Par antiphr. *C'est* **malin !** : c'est stupide ! (fam.). Déb. XII^e s. ; lat. *malignus* ; [malɛ̃, iɲ].

**MALINES,** subst. f.
Dentelle de Flandre très fine, exécutée aux fuseaux et dont les motifs sont bordés d'un fil plat. 1752 ; topon. *Malines* (Belgique) ; [malin].

**MALINGRE,** adj.
Qui est d'une constitution fragile, d'une apparence chétive. 1690 (1598, en mauvais état) ; p.-ê. crois. de *mal* (I) et de l'anc. fr. *haingre*, « chétif » ; [malɛ̃gʀ].

**MALINKÉ,** subst. m.
Langue du groupe mandé, de la famille linguistique nigéro-congolaise. 1894 ; mot malinké ; [malɛ̃ke].

**MALINOIS,** subst. m.
Chien de berger à poil court et dur, à robe fauve ou grisâtre, marquée de noir. 1931 ; topon. *Malines* (Belgique) ; [malinwa].

**MALINTENTIONNÉ, ÉE,** adj.
Qui a de mauvaises intentions. 1649 ; formé de *mal* (III) et de *intentionné* ; [malɛ̃tɑ̃sjɔne].

**MALIQUE,** adj.
*Chim. Acide* **malique** : diacide-alcool organique présent notamment dans certains fruits acides. 1787 ; lat. *malum*, « pomme » ; [malik].

**MALLE,** subst. f.
**1.** Grand coffre de voyage : **Malle-cabine**, penderie portative, utilisée lors des longues traversées en bateau. ► Loc. *Se faire la* **malle** : partir sans prévenir, s'enfuir (fam.). **2.** Coffre à bagages d'une automobile. Déb. XII^e s. ; anc. bas frq. °*malha* ; [mal].

**MALLÉABILISATION,** subst. f.
*Techn.* Traitement qui rend un métal, un alliage plus malléable. 1801 ; ☞ *malléable* ; [maleabilizasjɔ̃].

**MALLÉABILITÉ,** subst. f.
**1.** Propriété d'un métal, et, par ext., de tout matériau, malléable. **2.** Fig. Aptitude à se laisser mener, docilité. 1668 ; ☞ *malléable* ; [maleabilite].

**MALLÉABLE,** adj.
**1.** Se dit d'un métal que l'on peut réduire en feuilles par martelage ou laminage ; par ext., se dit d'une matière que l'on peut modeler. **2.** Fig. Influençable. Déb. XVI^e s. ; lat. *malleus*, « marteau » ; [maleabl].

**MALLÉOLAIRE,** adj.
Relatif, propre aux malléoles. 1814 ; ☞ *malléole* ; [maleɔlɛʀ].

**MALLÉOLE,** subst. f.
*Anat.* Chacune des deux saillies, externe et interne, de la cheville, respectivement formées par les extrémités inférieures du péroné et du tibia. 1546 ; lat. *malleolus*, « petit marteau » ; [maleɔl].

**MALLE-POSTE,** subst. f.
Voiture hippomobile qui assurait le service des dépêches et le transport de quelques voyageurs. 1793 ; comp. de *malle* et de *poste* (I) ; plur. *malles-poste* ; [malpɔst].

**MALLETTE,** subst. f.
**1.** Petite valise. **2.** Belg. Cartable d'écolier. 1294 ; ☞ *malle* ; [malɛt].

**MALLOPHAGES,** subst. m. plur.
*Zool.* Ordre d'insectes aptères, parasites, appelés vulgairement poux des oiseaux. **Au sing.** *Un* **mallophage**. Gr. *mallos*, « touffe », + *-phage* ; [mallɔfaʒ].

**MALMENER,** verbe trans. [10]
**1.** Traiter avec brutalité, durement ; par ext., bousculer, détériorier (qqch.). **2.** Mettre à mal, en mauvaise posture (un adversaire). Mil. XII^e s. ; formé de *mal* (III) et de *mener* ; [malməne].

**MALMIGNATTE,** subst. f.
*Zool.* Araignée venimeuse d'Europe méridionale, à l'abdomen noir taché de rouge. 1878 ; ital. *malmignatta*, de *mala*, « mauvaise », et de *mignatta*, « sangsue » ; [malmiɲat].

**MALNUTRITION,** subst. f.
Alimentation insuffisante ou mal équilibrée ; état qui en résulte. 1956 ; mot angl. ; [malnytʀisjɔ̃].

**MALODORANT, ANTE,** adj.
Qui dégage une mauvaise odeur. 1895 ; formé de *mal* (III) et de *odorant* ; [malɔdɔʀɑ̃, ɑ̃t].

**MALOTRU, UE,** subst.
Personne mal élevée, aux manières grossières. XIII^e s. (fin XII^e s., malheureux) ; altér. de °*malastru* (vx), du lat. pop. °*male astrucus*, « né sous une mauvaise étoile » ; [malɔtʀy].

**MALPIGHIE,** subst. f.
*Bot.* Plante de la famille des Malpighiacées, aux fruits comestibles. 1765 ; anthropon. *Malpighi*, anatomiste et botaniste italien ; [malpigi].

**MALPOLI, IE,** adj.
Pop. Impoli ; mal élevé ; empl. subst. : *Quel **malpoli** !* 1636 ; formé de *mal* (III) et de *poli* (II) ; [malpɔli].

**MALPOSITION,** subst. f.
*Pathol.* Position anormale d'un organe, d'une dent. 1951 ; mot angl. ; [malpozisjɔ̃].

**MALPROPRE,** adj. et subst.
ADJ. **1.** Qui manque de propreté. **2.** Malhonnête ; indécent. SUBST. Personne **malpropre**. ▸ Loc. *Se faire traiter, jeter comme un **malpropre*** : sans égards (fam.). Mil. XVI^e s. (XV^e s., inapte) ; formé de *mal* (III) et de *propre* ; [malpʀɔpʀ].

**MALPROPRETÉ,** subst. f.
Caractère d'une personne, d'une chose malpropre. 1663 ; ☞ *malpropre* ; [malpʀɔpʀəte].

**MALSAIN, AINE,** adj.
**1.** Maladif ; au fig., pervers : *Curiosité **malsaine***. **2.** Insalubre : *Un climat **malsain*** ; au fig., immoral : *Des lectures **malsaines***. XIV^e s. ; formé de *mal* (III) et de *sain* ; [malsɛ̃, ɛn].

**MALSÉANT, ANTE,** adj.
Choquant, inconvenant, déplacé. 1165 ; formé de *mal* (III) et de *séant* ; [malseɑ̃, ɑ̃t].

**MALSONNANT, ANTE,** adj.
Malséant, incorrect, grossier. 1417 ; formé de *mal* (III) et de *sonnant* ; [malsɔnɑ̃, ɑ̃t].

**MALSTROM,** voir **MAELSTRÖM**

**MALT,** subst. m.
Céréale (gén. de l'orge) germée artificiellement et séchée, notamment employée dans la fabrication de la bière et du whisky. 1702 ; mot angl. ; [malt].

**MALTAGE,** subst. m.
Action de malter ; son résultat. 1808 ; ☞ *malter* ; [maltaʒ].

**MALTAIS, AISE,** adj. et subst.
De Malte. SUBST. MASC. Dialecte arabe parlé à Malte. SUBST. FÉM. Orange juteuse, au goût sucré. 1606 ; topon. *Malte* ; [maltɛ, ɛz].

**MALTASE,** subst. f.
*Biochim.* Enzyme qui hydrolyse le maltose en deux molécules de glucose. 1902 ; ☞ *malt* ; [maltɑz].

**MALTER,** verbe trans. [3]
*Techn.* Transformer (une céréale) en malt. ▸ Empl. adj. Converti en malt : *Riz **malté*** ; par ext., mêlé de malt : *Farine **maltée***. 1808 ; ☞ *malt* ; [malte].

**MALTERIE,** subst. f.
**1.** Industrie du malt. **2.** Usine de préparation du malt. 1872 ; ☞ *malt* ; [malt(ə)ʀi].

**MALTEUR, EUSE,** subst.
**1.** Personne qui travaille dans une malterie ; en appos. : *Ouvrier **malteur***. **2.** Industriel de la malterie. 1839 ; ☞ *malter* ; [maltœʀ, øz].

**MALTHUSIANISME,** subst. m.
**1.** Doctrine de Malthus, qui prônait la limitation de la natalité par la pratique de la continence conjugale. **2.** Anal. Tout comportement de restriction : ***Malthusianisme** économique*, baisse volontaire de la production visant à maintenir les prix. 1849 ; ☞ *malthusien* ; [maltyzjanism].

**MALTHUSIEN, IENNE,** adj. et subst.
SUBST. Partisan du malthusianisme. ADJ. Relatif ou favorable au malthusianisme. 1841 ; anthropon. *Thomas Malthus*, économiste britannique ; [maltyzjɛ̃, jɛn].

**MALTOSE,** subst. m.
*Biochim.* Sucre de malt constitué à partir de deux molécules de glucose associées, que l'on trouve surtout dans les graines à réserves amylacées en cours de germination. 1860 ; ☞ *malt* ; [maltoz].

**MALTÔTE,** subst. f.
*Hist.* Impôt de guerre levé par Philippe le Bel ; par méton., ensemble des collecteurs d'impôts (péj.). XIII^e s. ; formé de *mal* (I) et de l'anc. fr. *tolte*, « pillage », du lat. *tollere*, « enlever » ; [maltot].

**MALTRAITANCE,** subst. f.
Fait de maltraiter qqn, d'infliger des sévices à plus faible que soi. V. 1990 ; ☞ *maltraiter* ; [maltʀɛtɑ̃s].

**MALTRAITER,** verbe trans. [3]
**1.** Brutaliser (une personne, un animal) ; par anal. : ***Maltraiter** son embrayage*. **2.** Ext. Ne pas épargner ; critiquer sévèrement. Fin XIII^e s. ; formé de *mal* (III) et de *traiter* ; [maltʀete].

**MALUS,** subst. m.
Pénalité ajoutée à une prime d'assurance automobile après un sinistre engageant la responsabilité de l'assuré. V. 1970 ; lat. *malus*, « mauvais » ; [malys].

**MALVACÉES,** subst. f. plur.
*Bot.* Famille de plantes dicotylédones des régions tropicales. AU SING. *Le cotonnier est une **malvacée***. 1747 ; lat. *malvaceus*, « de mauve » ; [malvase].

**MALVEILLANCE,** subst. f.
**1.** Tendance à considérer qqn avec hostilité, à lui vouloir du mal. **2.** Volonté de nuire : *Cet incendie de forêt est un acte de **malveillance***. Fin XII^e s. ; ☞ *malveillant* ; [malvɛjɑ̃s].

**MALVEILLANT, ANTE,** adj.
**1.** Qui est animé par la malveillance. **2.** Qui dénote la malveillance : *Commentaire **malveillant***. Fin XII^e s. ; formé de *mal* (III) et de *veuillant*, anc. p. pr. de *vouloir* (I) ; [malvɛjɑ̃, ɑ̃t].

**MALVENU, UE,** adj.
**1.** Vx. Indésirable. **2.** Qui n'est pas qualifié, qui n'a pas de bonnes raisons pour faire qqch. : *Tu es **malvenu** de, à donner des leçons*. **3.** Ext. Déplacé, inopportun : *Parole **malvenue***. Mil. XII^e s. ; formé de *mal* (III) et de *venu* ; var. *mal venu, ue* ; [malvəny].

**MALVERSATION,** subst. f.
Détournement d'argent dans l'exercice d'une charge, d'une fonction. 1387 ; *malverser* (vx), du lat. *male versari*, « mal tourner » ; [malvɛʀsasjɔ̃].

**MALVOISIE,** subst. m.
**1.** Vin grec liquoreux. **2.** Vin cuit obtenu avec le cépage de Malvoisie. 1393 ; topon. *Malvoisie*, l'actuelle Monemvassie (Grèce) ; [malvwazi].

**MALVOYANT, ANTE,** adj. et subst.
Se dit d'une personne dont la vue est déficiente. V. 1960 ; formé de *mal* (III) et de *voyant* ; [malvwajɑ̃, ɑ̃t].

**MAMAN,** subst. f.
**1.** Appellatif affectueux d'un enfant pour sa mère. **2.** Mère. XIII^e s. ; lat. *mamma* ; [mamɑ̃].

© R. Konig-Jacana

*Mamba.*

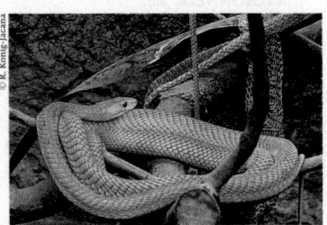

**MAMBA,** subst. m.
*Zool.* Grand serpent élapidé d'Afrique, apparenté au cobra, très venimeux : *Le **mamba** noir est terrestre, le **mamba** vert est arboricole*. [mɑ̃mba].

**MAMBO,** subst. m.
Danse à deux temps d'origine cubaine ; musique qui l'accompagne. 1951 ; mot hisp.-amér. ; [mɑ̃mbo].

**MAMELLE,** subst. f.
Organe contenant la glande mammaire, placé sur la face ventrale du corps des Mammifères, qui se développe chez les femelles et sécrète le lait après la gestation (chez la femme, on parle de *sein*). Déb. XII^e s. ; lat. *mamilla*, dimin. de *mamma*, « mamelle » ; [mamɛl].

**MAMELON,** subst. m.
**1.** *Anat.* Protubérance centrale de la mamelle, du sein, où aboutissent les canaux galactophores. **2.** *Géogr.* Petit relief arrondi. **3.** *Techn.* Saillie de forme circulaire. Fin XIV^e s. ; ☞ *mamelle* ; [mam(ə)lɔ̃].

**MAMELONNÉ, ÉE,** adj.
Qui forme des mamelons : *Relief **mamelonné***. 1753 ; ☞ *mamelon* ; [mam(ə)lɔne].

**MAMELOUK,** subst. m.
*Hist.* **1.** Cavalier d'une milice d'élite constituée d'esclaves, garde personnelle du sultan, qui se rendit maîtresse de l'Égypte. **2. Mamelouk** rallié à Bonaparte lors de la campagne d'Égypte, incorporé à une compagnie de la garde impériale. XIII^e s. ; ar. *mamlūk*, « esclave ; esclave militaire » ; var. *mameluk* ; [mamluk].

**MAMELU, UE,** adj.
Qui a de gros seins, de grosses mamelles (fam. et péj.). 1549 ; ☞ *mamelle* ; [mamly].

**MAMELUK,** voir **MAMELOUK**

**MAMIE (I),** subst. f.
Mon amie (fam. et vieilli). Fin XII^e s. ; formé de *ma* et de *amie* ; var. *m'amie* ; [mami].

**MAMIE (II),** subst. f.
Grand-mère, dans le langage enfantin. V. 1950 ; angl. *mammy*, « maman » ; var. *mammy* ; [mami].

**MAMILLAIRE,** adj. et subst. f.
ADJ. *Anat.* En forme de mamelon. SUBST. *Bot.* Plante de la famille des Cactacées, dont la tige est couverte de petites protubérances épineuses. 1521 ; lat. *mamillaris*, de *mamilla*, « mamelle » ; [mamil(l)ɛʀ].

**MAMMAIRE,** adj.
Qui concerne les mamelles, les seins : *Glande **mammaire***, qui sécrète le lait. 1654 ; lat. *mamma*, « mamelle, sein » ; [mamɛʀ].

**MAMMALIEN, IENNE,** adj.
*Zool.* Relatif aux Mammifères. 1942 ; lat. sc. *mammalia*, « Mammifères » ; [mamaljɛ̃, jɛn].

**MAMMALOGIE,** subst. f.
*Zool.* Étude des Mammifères. 1803 ; formé de *mammo-* et de *-logie* ; var. *mammologie* ; [mamalɔʒi].

**MAMMECTOMIE,** subst. f.
*Chir.* Mastectomie. 1935 ; formé de *mammo-* et de *-ectomie* ; [mamɛktɔmi].

**MAMMIFÈRES,** subst. m. plur.
*Zool.* Classe de l'embranchement des Vertébrés, caractérisée notamment par la présence de poils et de mamelles, et le développement du néocortex. AU SING. *Le chat, comme le dauphin ou l'homme, est un **mammifère***. 1791 ; lat. *mamma*, « mamelle », + *-fère* ; [mamifɛʀ].

ZOOLOGIE – Les Mammifères sont des animaux homéothermes. Leur poil ne constitue pas toujours une fourrure : ainsi, il n'existe qu'au stade du fœtus chez le narval. Très nombreux sont les mammifères terrestres digitigrades ; d'autres sont plantigrades. La forme du corps, la structure et la taille des membres ainsi que le nombre des doigts et des orteils varient selon le mode de locomotion. L'appareil circulatoire comprend un cœur divisé en quatre cavités. L'encéphale montre de forts développements des hémisphères cérébraux et du cervelet. Les caractéristiques des dents et du système digestif varient en fonction du régime alimentaire. La reproduction s'effectue elle aussi de manière variable. Ainsi, les Monotrèmes sont ovipares, les autres sont vivipares, mais les Marsupiaux mettent bas des jeunes insuffisamment développés, qui ont besoin d'un séjour dans un milieu particulier, la poche marsupiale.

**MAMMITE,** subst. f.
*Pathol.* Inflammation de la mamelle (synon. *mastite*). 1836 ; lat. *mamma*, « mamelle », + *-ite* ; [mamit].

**MAMMOGRAPHIE,** subst. f.
*Méd.* Examen radiographique de la glande mammaire : *Dépistage du cancer du sein par **mammographie***. Mil. XX^e s. ; formé de *mammo-* et de *-graphie* [mamɔgʀafi].

**MAMMOLOGIE,** voir **MAMMALOGIE**

**MAMMOPLASTIE,** subst. f.
*Chir.* Intervention, à but esthétique ou thérapeuti

que, pratiquée sur le sein (synon. *plastie mammaire*). 📖 XXe s. ; formé de *mammo-* et de *-plastie* ; [mamɔplasti].

**MAMMOUTH, subst. m.**
*Paléont.* Nom générique donné à de très grands éléphants fossiles du Quaternaire, caractérisés notamment par des défenses recourbées atteignant plusieurs mètres de longueur et par une toison fournie. 📖 1692 ; russe *mamont* ou sibérien *mamut* ; [mamut].

**MAMMY,** voir **MAMIE (II)**

**MAMOURS, subst. m. plur.**
Fam. Marques de tendresse ; au fig., flatteries. 📖 1862 ; *m'amour* (vx), formé de *ma* ou de *mon* et de *amour* ; [mamuʀ].

**MAM'ZELLE, subst. f.**
Mademoiselle (pop.). 📖 Contraction de *mademoiselle* ; var. *mam'selle* ; [mamzɛl].

**MAN, subst. m.**
*Zool.* Larve du hanneton. 📖 1819 ; norm. *man*, de l'anc. bas frq. °*mado*, « ver, larve » ; [mɑ̃].

**MANA, subst. m.**
*Anthropol.* Force surnaturelle et occulte habitant certains êtres ou objets. 📖 1864 ; mot maori ; [mana].

**MANADE, subst. f.**
Région. (Provence). Troupeau de taureaux, de bœufs ou de chevaux menés par un gardian à cheval, en Camargue. 📖 1867 ; prov. *manado*, du lat. *manus*, « poignée » ; [manad].

**MANAGEMENT, subst. m.**
Anglic. **1.** Ensemble des techniques de direction, de gestion et d'organisation des entreprises. **2.** Équipe qui dirige une entreprise. 📖 V. 1950 ; anglo-amér. *management*, de l'angl. *to manage*, « diriger, administrer » ; [manaʒmɑ̃] ou [-dʒmɛnt].

**MANAGER (I), subst. m.**
Anglic. **1.** Personne qui gère la vie matérielle et les intérêts d'un sportif, d'un artiste. **2.** Chef d'entreprise. 📖 1857 (1785, maître de cérémonie) ; angl. *manager*, de *to manage*, « diriger » ; var. *manageur, euse* ; [manadʒɛʀ] ou [-dʒœʀ].

**MANAGER (II), verbe trans.** [3]
Anglic. **1.** Gérer la vie professionnelle de (un artiste) ; entraîner (un sportif). **2.** Diriger (une entreprise). 📖 1880 ; angl. *to manage* ; [manadʒe].

**MANANT, subst. m.**
**1.** *M. Â.* Habitant d'un bourg. **2.** *Féod.* Roturier relevant de la juridiction seigneuriale. **3.** Péj. Homme du peuple, en partic. paysan (vieilli) ; par ext., homme rustre (littér.). 📖 Fin XIIe s. ; anc. fr. *manoir*, « demeurer », du lat. *manere* ; [manɑ̃].

**MANCELLE, subst. f.**
*Techn.* Courroie reliant les attelles aux limons d'un attelage à deux chevaux. 📖 1680 (fin XIVe s., anneau attachant le timonier à la voiture) ; lat. pop. °*manicella*, « petite poignée », du lat. *manus*, « main » ; [mɑ̃sɛl].

**MANCENILLE, subst. f.**
Fruit du mancenillier. 📖 1527 ; esp. *manzanilla*, « petite pomme » ; [mɑ̃snij].

**MANCENILLIER, subst. m.**
*Bot.* Arbre de la famille des Euphorbiacées, dont le latex est vénéneux, appelé aussi arbre-poison ou arbre de mort. 📖 1658 ; ☞ *mancenille* ; [mɑ̃snije].

**MANCHE (I), subst. f.**
**1.** Partie du vêtement recouvrant plus ou moins le bras. ▸ Loc. ***Relever, retrousser ses manches*** : se mettre au travail avec énergie ; ***C'est une autre paire de manches*** : c'est autrement difficile (fam.). **2.** *Spéc.* ▸ *Aéron.* ***Manche à air*** : tube souple fixé en haut d'un mât, indiquant la direction et la force du vent. ▸ *Géogr.* Étroit bras de mer (vx). ▸ *Mar.* ***Manche à air*** : conduit servant à aérer l'intérieur d'un navire. ▸ *Sp.* et *Jeux.* Partie liée à une autre : ***Un match en deux manches.*** ▸ *Techn.* Tuyau de conduite d'un liquide. 📖 Mil. XIIe s. ; lat. *manica*, de *manus*, « main » ; [mɑ̃ʃ].

**MANCHE (II), subst. m.**
**1.** Partie, gén. allongée, d'un outil ou d'un instrument, permettant de le tenir : ***Manche de pioche.*** **2.** *Cuis.* Os par lequel on tient un morceau de viande pour le découper. **3.** *Mus.* Partie sur laquelle sont tendues les cordes d'un instrument. **4.** Loc. fam. ***Être du côté du manche*** : du côté du plus fort ; ***S'y prendre comme un manche*** : être maladroit. 📖 Fin XIIe s. ; bas lat. *manicus*, du lat. *manus*, « main » ; [mɑ̃ʃ].

**MANCHE (III), subst. f.**
Loc. ***Faire la manche*** : quêter (fam.). 📖 1790 (1552, gratification) ; ital. *mancia*, « pourboire, aumône » ; [mɑ̃ʃ].

**MANCHERON (I), subst. m.**
**1.** Manche courte. **2.** Ornement du haut de la manche. 📖 XIIIe s. ; ☞ *manche* (I) ; [mɑ̃ʃʀɔ̃].

**MANCHERON (II), subst. m.**
*Techn.* Chacun des deux manches d'une charrue ou d'un motoculteur. 📖 1265 ; ☞ *manche* (II) ; [mɑ̃ʃʀɔ̃].

**MANCHETTE, subst. f.**
**1.** Dentelle ornant le poignet d'une chemise (vx) ; poignet à revers d'une chemise. **2.** Partie du gant le prolongeant au-dessus du poignet. **3.** Coup asséné avec l'avant-bras. **4.** *Impr.* Note marginale. **5.** *Presse.* Gros titre à la une d'un journal. 📖 1551 (1193, manche d'habit) ; ☞ *manche* (I) ; [mɑ̃ʃɛt].

**MANCHON, subst. m.**
**1.** Fourreau, ouvert à chaque bout, où l'on glisse ses mains pour les protéger du froid. **2.** Anal. *Techn.* Cylindre servant à relier deux tuyaux ou deux arbres de transmission. **3.** *Anat.* Organe cylindrique de protection, en partic. d'une articulation. **4.** *Cuis.* Aile de volaille confite. 📖 Déb. XIIIe s. ; ☞ *manche* (I) ; [mɑ̃ʃɔ̃].

**MANCHOT, OTE, adj. et subst.**
**1.** Se dit d'une personne privée d'une ou des deux mains, d'un ou des deux bras. **2.** Fig. Se dit d'une personne maladroite (fam.). SUBST. MASC. *Zool.* Oiseau sphéniscidé des régions antarctiques et subantarctiques, qui est inapte au vol, ses ailes étant devenues des organes de nage. 📖 1502 ; anc. fr. *manc*, « estropié », du lat. *mancus* ; [mɑ̃ʃo, ɔt].

**MANCIPATION, subst. f.**
*Dr. rom.* Mode de transfert de propriété. 📖 1542 ; lat. jur. *mancipatio* ; [mɑ̃sipasjɔ̃].

**MANDALA, subst. m.**
Dans l'hindouisme et le bouddhisme, cercle à valeur symbolique, magique ou liturgique que l'on trace au sol, sur du papier ou sur du tissu. 📖 1873 ; skr. *maṇḍala*, « cercle » ; [mɑ̃dala].

RELIGION – L'espace privilégié délimité par le mandala est divisé en quatre sections entourant une image ou un symbole central (mantra, bija). Quatre autres images ou symboles marquent les quatre points cardinaux. Les formes en sont très diverses. Ce peut être la représentation de l'Univers, par exemple dans l'architecture sacrée (stupa de Borobudur). Le mandala peut aussi symboliser le microcosme – les cinq points correspondant aux cinq éléments du corps humain, aux cinq couleurs et aux cinq sens – et servir de support à la méditation. Il peut encore être utilisé pour faire apparaître une divinité ou écarter des forces maléfiques. Il est, notamment dans les sectes à tendance tantrique, un élément du rituel visant à parvenir à la libération. Dans la vie quotidienne, il fait office de charme, voire d'œuvre d'art : dessiné au sol ou sur papier ou tissu, à l'occasion de cérémonies diverses, il est alors destiné à assurer bonheur et prospérité.

*Mandala népalais.*

**MANDALE, subst. f.**
Gifle (argot.). 📖 1849 ; p.-ê. argot ital. *mandolino*, « coup de pied » ; [mɑ̃dal].

**MANDANT, ANTE, subst.**
*Dr.* Personne qui donne mandat à une autre. 📖 1789 ; p. pr. de *mander* ; [mɑ̃dɑ̃, ɑ̃t].

**MANDARIN, subst. m.**
**1.** *Hist.* Haut fonctionnaire chinois ou coréen, recruté par concours parmi les lettrés. **2.** Anal. Érudit ; universitaire influent (péj.). **3.** Dans la Chine ancienne, langue parlée par les intellectuels et les **mandarins** ; auj., langue chinoise officielle. **4.** *Zool.* Canard d'Extrême-Orient, au plumage bigarré ; empl. adj. : ***Canard mandarin.*** 📖 1581 ; port. *mandarin*, de *mandar*, « ordonner », et du malais *mantari*, « conseiller, ministre » ; [mɑ̃daʀɛ̃].

**MANDARINAL, ALE, AUX, adj.**
Propre aux mandarins et au mandarinat ; au fig., élitiste. 📖 1776 ; ☞ *mandarin* ; [mɑ̃daʀinal, o].

**MANDARINAT, subst. m.**
**1.** *Hist.* Dignité de mandarin ; ensemble des mandarins. **2.** Fig. Corps social fermé dont les membres, en vertu de leur titre, de leurs diplômes, exercent une autorité excessive ; cette autorité. **3.** Hiérarchie fondée sur les diplômes. 📖 1700 ; ☞ *mandarin* ; [mɑ̃daʀina].

**MANDARINE, subst. f.**
Fruit du mandarinier. 📖 1773 ; esp. *naranja mandarina*, « orange des mandarins » ; [mɑ̃daʀin].

**MANDARINIER, subst. m.**
*Bot.* Arbre de la famille des Rutacées, originaire de Chine. 📖 1867 ; ☞ *mandarine* ; [mɑ̃daʀinje].

**MANDAT, subst. m.**
**I.** *Dr.* **1.** Contrat par lequel une personne donne à une autre le pouvoir d'agir en son nom (synon. *pouvoir, procuration*). ▸ *Pol.* Charge élective, délégation faite par le citoyen de son pouvoir ; exercice de cette charge : ***Mandat législatif, sénatorial.*** **2.** Ordre écrit du juge d'instruction : ***Mandat de comparution*** ; ***Mandat d'amener, d'arrêt, de dépôt.*** **3.** *Hist.* Régime créé par la Société des Nations, qui confiait à un État la tutelle d'un territoire ou d'un autre État : ***Mandat britannique en Iraq, en 1920.*** **II. 1.** ***Mandat de paiement*** : titre par lequel une personne ordonne à une autre d'effectuer un paiement à un tiers. **2.** ***Mandat postal*** : titre au porteur, échangeable à la poste contre des espèces. 📖 1628 (1488, rescrit papal) ; lat. *mandatum*, de *mandare*, « donner en mission » ; [mɑ̃da].

**MANDATAIRE, subst.**
**1.** Personne à qui est confié un mandat. **2.** Personne chargée de défendre les intérêts de qqn. **3.** *Dr.* ***Mandataire-liquidateur*** : représentant des créanciers, qui peut liquider une entreprise. 📖 1537 (1528, terme de droit ecclésiastique) ; bas lat. *mandatarius*, du lat. *mandare*, « donner en mission » ; [mɑ̃datɛʀ].

**MANDATER, verbe trans.** [3]
**1.** ***Mandater une somme*** : la payer par mandat. **2.** Charger (une personne physique ou morale) d'un mandat. 📖 1823 ; ☞ *mandat* ; [mɑ̃date].

**MANDATURE, subst. f.**
*Pol.* Durée d'un mandat. 📖 V. 1980 ; ☞ *mandat* ; [mɑ̃datyʀ].

**MANDCHOU, OUE, adj. et subst.**
De Mandchourie. SUBST. MASC. Langue parlée en Mandchourie. 📖 1724 ; toungouze *mandjou* ; [mɑ̃dʃu].

**MANDÉ,** voir **MANDINGUE**

**MANDEMENT, subst. m.**
**1.** Vx. Ordre écrit. **2.** *Cath.* Instruction pastorale. 📖 Déb. XIIe s. ; ☞ *mander* ; [mɑ̃dmɑ̃].

**MANDER, verbe trans.** [3]
**1.** Vx. Transmettre (une instruction). **2.** Convoquer, faire venir (qqn). 📖 Fin Xe s. ; lat. *mandare* ; [mɑ̃de].

**MANDIBULAIRE, adj.**
Relatif, propre à la mandibule. 📖 1805 ; ☞ *mandibule* ; [mɑ̃dibylɛʀ].

**MANDIBULATES, subst. m. plur.**
*Zool.* Antennates. 📖 ☞ *mandibule* ; [mɑ̃dibylat].

**MANDIBULE, subst. f.**
**1.** *Anat.* Mâchoire inférieure. **2.** *Zool.* Pièce buccale servant à la manducation, chez certains insectes et crustacés. ▸ Chacune des parties cornées du bec de l'oiseau. 📖 1314 ; bas lat. *mandibula*, du lat. *mandere*, « mâcher » ; [mɑ̃dibyl].

**MANDINGUE, adj. et subst.**
Des Mandingues, peuple d'Afrique occidentale. SUBST. MASC. Groupe de langues nigéro-congolaises parlées en Afrique de l'Ouest. 📖 1752 ; *Mandingo*, tribu de la Sierra Leone ; var. *mandé, ée* ; [mɑ̃dɛ̃g].

**MANDOLINE, subst. f.**
*Mus.* Instrument à cordes de la famille du luth. 📖 Mil. XVIIIe s. ; ital. *mandolino*, dimin. de *mandola*, sorte de luth ; [mɑ̃dɔlin].

**MANDOLINISTE, subst.**
Personne qui joue de la mandoline. 📖 1882 ; ☞ *mandoline* ; [mɑ̃dɔlinist].

**MANDORE,** subst. f.
*Mus.* Ancien instrument à cordes, plus grand que la mandoline. 𝍖 1576 ; altér. du lat. *pandura*, du gr. *pandoura*, « luth à trois cordes » ; [mɑ̃dɔʀ].

**MANDORLE,** subst. f.
*B.-a.* Ovale qui entoure certaines représentations du Christ ou de la Vierge en majesté. 𝍖 1930 ; ital. *mandorla*, « amande » ; [mɑ̃dɔʀl].

**MANDRAGORE,** subst. f.
*Bot.* Plante herbacée de la famille des Solanacées, dont la racine charnue, qui évoque un corps humain, contient un alcaloïde toxique aux vertus sédatives et narcotiques. 𝍖 Déb. XIIe s. ; lat. *mandragoras*, du gr. *mandragoras* ; [mɑ̃dʀagɔʀ].

**MANDRILL,** subst. m.
*Zool.* Grand singe d'Afrique, de la famille des Cercopithécidés, à la queue courte. Il se caractérise par un museau allongé, bariolé de bleu et de rouge. 𝍖 1751 ; angl. *mandrill*, de *man*, « homme », et de *drill*, singe d'Afrique occidentale ; [mɑ̃dʀil].

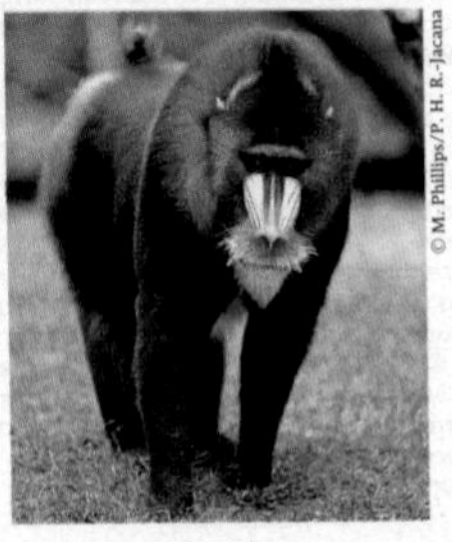
© M. Phillips/P. H. R.-Jacana

*Mandrill.*

**MANDRIN,** subst. m.
*Techn.* **1.** Partie d'un engin rotatif assurant la fixation d'un outil : *Le* **mandrin** *d'une perceuse.* **2.** Outil, pièce, gén. cylindrique ; poinçon. **3.** Tube servant au bobinage du papier. 𝍖 1676 ; occitan *mandrin*, de l'anc. prov. *mandre*, « manivelle » ; [mɑ̃dʀɛ̃].

**MANDUCATION,** subst. f.
Action de manger. ▸ *Physiol.* Ensemble des opérations qui précèdent la digestion (préhension, mastication, etc.). ▸ *Cath.* Communion eucharistique. 𝍖 1495 ; lat. chrét. *manducatio* ; [mɑ̃dykasjɔ̃].

**MANÉCANTERIE,** subst. f.
École qui forme des enfants au chant choral religieux et profane. 𝍖 1819 ; lat. médiév. *manicantaria*, du lat. *mane*, « matin », et *cantare*, « chanter » ; [manekɑ̃tʀi].

**MANÈGE,** subst. m.
**I. 1.** Ensemble des exercices de dressage du cheval. **2.** Lieu de dressage des chevaux ; école d'équitation. **3.** *Techn.* Appareil servant à utiliser la force des chevaux pour mettre une machine en mouvement. **4.** Attraction foraine où des figures d'animaux, des véhicules tournent autour d'un axe vertical. **II.** Fig. **1.** Conduite rusée et hypocrite par laquelle qqn cherche à parvenir à ses fins. **2.** Façon d'agir qui échappe à la compréhension (fam.) : *Que signifie ce* **manège** *?* 𝍖 1611 ; ital. *maneggio*, de *maneggiare*, « dresser » ; [manɛʒ].

**MÂNES,** subst. m. plur.
*Antiq.* Esprits des morts, dans la religion romaine. 𝍖 1488 ; lat. *Manes*, de *manus*, « bon » ; [mɑn].

**MANETON,** subst. m.
*Techn.* Partie d'un vilebrequin ou d'une manivelle sur laquelle s'articule la tête de bielle. 𝍖 1858 ; ☞ *manette* ; [man(ə)tɔ̃].

**MANETTE,** subst. f.
Petit levier que l'on manœuvre à la main pour faire fonctionner un mécanisme. 𝍖 1803 (XIIIe s., petite main) ; lat. *manus*, « main » ; [manɛt].

**MANGA,** subst. m. ou f.
Bande dessinée japonaise ; par ext., dessin animé s'en inspirant. 𝍖 Fin XXe s. ; mot jap. ; [mɑ̃ga].

**MANGANATE,** subst. m.
*Chim.* Nom générique des sels de l'acide manganique. 𝍖 1840 ; ☞ *manganèse* ; [mɑ̃ganat].

**MANGANÈSE,** subst. m.
*Chim.* Élément no 25 de la table de Mendeleïev (symb. : Mn) ; masse atomique : 54,938 ; point de fusion : 1 244 °C ; point d'ébullition : 2 030 °C ; masse volumique : 7,44 g/cm$^3$. C'est un métal qui se trouve dans la nature à l'état de dioxyde de manganèse $MnO_2$ (où il est tétravalent). 𝍖 1787 (1578, magnésie noire) ; ital. *manganese* ; [mɑ̃ganɛz].

**MANGANEUX,** adj. m.
Qualifie les sels du manganèse bivalent. 𝍖 1831 ; ☞ *manganèse* ; [mɑ̃ganø].

**MANGANINE,** subst. f. inv.
Alliage de cuivre, de manganèse et de nickel. 𝍖 1922 ; ☞ *manganèse* ; n. déposé ; [mɑ̃ganin].

**MANGANIQUE,** adj.
Qualifie les composés du manganèse trivalent. 𝍖 1840 ; ☞ *manganèse* ; [mɑ̃ganik].

**MANGANITE,** subst.
MASC. *Chim.* Nom générique des sels dérivant de l'anhydride manganeux $MnO_2$. FÉM. *Minér.* Minerai de manganèse dont la formule est MnO(OH). 𝍖 1872 ; ☞ *manganèse* ; [mɑ̃ganit].

**MANGEABLE,** adj.
**1.** Qui peut être mangé. **2.** Comestible, sans être bon. 𝍖 Déb. XIIIe s. ; ☞ *manger* (I) ; [mɑ̃ʒabl].

**MANGEAILLE,** subst. f.
**1.** Nourriture des animaux domestiques. **2.** Nourriture abondante et de qualité médiocre (péj.). 𝍖 Fin XIIe s. ; ☞ *manger* (I) ; [mɑ̃ʒɑj].

**MANGE-DISQUE(S),** subst. m.
Électrophone portatif automatique pourvu d'une fente dans laquelle on introduisait un disque 45 tours. 𝍖 V. 1970 ; comp. de *manger* (I) et de *disque* ; plur. *mange-disques* ; [mɑ̃ʒdisk].

**MANGE-MIL,** subst. m.
*Zool.* Petit oiseau d'Afrique, qui vit en bandes et dévaste les champs de céréales. 𝍖 Mil. XXe s. ; comp. de *manger* (I) et de *mil* (II) ; plur. *mange-mil(s)* ; [mɑ̃ʒmil].

**MANGEOIRE,** subst. f.
Auge où l'on dépose la nourriture de certains animaux domestiques. 𝍖 Fin XIIe s. ; ☞ *manger* (I) ; [mɑ̃ʒwaʀ].

**MANGER (I),** verbe trans. [5]
**I. 1.** Mâcher et avaler (un aliment) ; empl. abs., prendre un repas : *Manger au restaurant.* ▸ Loc. fam. ***Manger** les pissenlits par la racine* : être mort et enterré ; ***Manger** le morceau* : avouer. **2.** Dévorer (une proie) : *La lionne* **mange** *un gnou.* ▸ Loc. ***Manger** qqn des yeux* : le regarder avec avidité ; ***Manger** qqn de baisers* : le couvrir de baisers. **II. 1.** Altérer, ronger ; empl. adj. : *Couteau* **mangé** *de rouille.* **2.** Faire disparaître (qqn, qqch.) : *Ses cheveux lui* **mangeaient** *le visage.* ▸ Anal. Cacher (qqch., qqn) en partie : *L'échafaudage* **mangeait** *la façade.* **3.** Dépenser, dilapider (de l'argent) : ***Manger** son capital.* ▸ Loc. *Ça ne* **mange** *pas de pain !* : ça ne coûte pas grand-chose (fam.). 𝍖 Fin Xe s. ; lat. *manducare* ; [mɑ̃ʒe].

**MANGER (II),** subst. m.
Nourriture, repas (fam.) : *On peut apporter son* **manger**. ▸ Loc. *En perdre le boire et le* **manger** (☞ *boire*). 𝍖 Fin Xe s. ; ☞ *manger* (I) ; [mɑ̃ʒe].

**MANGE-TOUT,** subst. m. inv.
**1.** Personne dépensière (vx). **2.** Variété de haricots, de petits pois, dont la cosse tendre se mange ; empl. adj. : *Des haricots* **mange-tout**. 𝍖 1872 (1553, qui mange tout) ; comp. de *manger* (I) et de *tout* ; var. *mangetout* ; [mɑ̃ʒtu].

**MANGEUR, EUSE,** subst.
**1.** Personne qui mange : *Un gros* **mangeur**. **2.** Personne qui se nourrit de telle chose : ***Mangeur** de poisson.* **3.** Fig. ▸ Personne dépensière. ▸ ***Mangeuse** d'hommes* : femme qui ruine ses nombreux amants. 𝍖 Déb. XIIIe s. ; ☞ *manger* (I) ; [mɑ̃ʒœʀ, øz].

**MANGLIER,** subst. m.
*Bot.* Arbre de mangrove, de la famille des Rhizophoracées. 𝍖 1716 ; esp. *mangle*, d'orig. haïtienne ; [mɑ̃glije].

**MANGONNEAU,** subst. m.
*M. Â.* Catapulte à bascule. 𝍖 1155 ; bas lat. *manganon*, du gr. *magganon* ; [mɑ̃gɔno].

**MANGOUSTAN,** subst. m.
Fruit du mangoustanier, de la taille d'une orange, comestible et très prisé. 𝍖 1598 ; port. *mangostão*, d'orig. malaise ; [mɑ̃gustɑ̃].

**MANGOUSTANIER,** subst. m.
*Bot.* Arbuste des régions tropicales humides, de la famille des Guttiféracées. 𝍖 ☞ *mangoustan* ; [mɑ̃gustanje].

© Cl. Haagner-Jacana

*Mangouste.*

**MANGOUSTE,** subst. f.
*Zool.* Mammifère carnivore de la famille des Herpestidés, qui se nourrit de petits animaux et parfois de serpents. 𝍖 Fin XVIIe s. ; prob. port. *mangus*, d'une langue de l'Inde ; [mɑ̃gust].

**MANGROVE,** subst. f.
*Géogr.* Formation végétale des rivages tropicaux, constituant une forêt dont les arbres (palétuviers) poussent dans la zone de va-et-vient des marées. 𝍖 1789 ; angl. *mangrove*, « manglier » ; [mɑ̃gʀɔv].

**MANGUE,** subst. f.
Fruit comestible du manguier, à la chair savoureuse. 𝍖 1553 ; port. *manga*, d'orig. tamoule ; [mɑ̃g].

**MANGUIER,** subst. m.
*Bot.* Arbre de la famille des Anacardiacées, dont le fruit est la mangue. 𝍖 1688 ; ☞ *mangue* ; [mɑ̃gje].

**MANIABILITÉ,** subst. f.
Qualité de ce qui est maniable. 𝍖 1876 ; ☞ *maniable* ; [manjabilite].

**MANIABLE,** adj.
**1.** Qui se manie sans difficulté : *Cuir* **maniable**. **2.** Qui se manœuvre avec aisance : *Véhicule* **maniable**. **3.** Fig. Qui se laisse commander ; malléable : *Esprit* **maniable**. 𝍖 Fin XIIIe s. ; ☞ *manier* ; [manjabl].

**MANIACO-DÉPRESSIF, IVE,** adj.
*Psych. Psychose* **maniaco-dépressive** : trouble mental caractérisé par l'alternance, à intervalles irréguliers, d'épisodes maniaques (surexcitation) et dépressifs (mélancolie) ; empl. subst., personne atteinte de ce trouble. 𝍖 1905 ; comp. de *maniaque* et de *dépressif* ; plur. *maniaco-dépressifs, ives* ; [manjakodepʀesif, iv].

**MANIAQUE,** adj.
**1.** Vx. Qui a l'esprit dérangé. **2.** *Psych.* ▸ Qui est atteint de manie ; empl. subst., malade **maniaque**. ▸ Qui a trait à la manie : *Délire* **maniaque** ; *Épisode* **maniaque**, phase d'une psychose maniaco-dépressive dans laquelle l'humeur du sujet est expansive. **3.** Ext. Qui se passionne pour certains objets ; qui a une idée fixe, en partic. l'ordre, la propreté ; empl. subst. : *Un* **maniaque** *du téléphone, du rangement.* **4.** Qui a des façons de faire, des goûts étranges ou ridicules ; empl. subst. : *Un insupportable* **maniaque**. 𝍖 Fin XIIIe s. ; lat. médiév. *maniacus*, du bas lat. *mania*, « folie » ; [manjak].

**MANIAQUERIE,** subst. f.
Caractère ou comportement d'une personne maniaque, pointilleuse. 𝍖 1864 ; ☞ *maniaque* ; [manjakʀi].

**MANICHÉEN, ÉENNE,** adj. et subst.
SUBST. *Relig.* Adepte, partisan du manichéisme. ADJ. Ext. Qui exprime ou dénote une vision du monde réduite à l'opposition du bien et du mal : *Conception* **manichéenne** *des choses* ; *Jugement* **manichéen**, sans nuances. 𝍖 1561 ; anthropon. lat. *Manichaeus*, du gr. *Manikhaios*, « Mani » ; [manikeɛ̃, eɛn].

**MANICHÉISME,** subst. m.
**1.** *Relig.* Doctrine religieuse fondée au IIIe s. par le Perse Mani, reposant sur le dualisme antagoniste d'un principe du bien et d'un principe du mal : *Le* **manichéisme**, *condamné comme hérétique par l'Église, influença les bogomiles et les cathares.* **2.** Ext. Manière de juger simplificatrice, selon des termes manichéens : *Toute guerre est un* **manichéisme** (Sartre). 𝍖 1688 ; ☞ *manichéen* ; [manikeism].

**MANICLE,** voir **MANIQUE**

**MANICORDE,** subst. m.
*Mus.* Instrument à cordes frappées en usage du XVe au XVIIe s. (synon. *clavicorde*). 𝍖 Fin XVe s. (déb. XIIe s., instrument à une corde) ; gr. *monokhordon*, « monocorde », altéré par le lat. *manus*, « main » ; var. *manic(h)ordion* ; [manikɔʀd].

**MANIE,** subst. f.
**1.** Vx. Folie. ► *Psych.* Psychose aiguë, caractérisée par une excitation euphorique, une agitation psychomotrice intense à tendance érotique et une logorrhée ; obsession, idée fixe : ***Manie** de la persécution.* **2.** Ext. Passion exclusive, goût excessif pour qqch. : *Avoir la **manie** du rangement.* **3.** Habitude bizarre, agaçante ou risible : *Les petites **manies** du grand âge.* 🕮 1398 ; bas lat. *mania,* du gr. *mania* ; [mani].

**MANIEMENT,** subst. m.
**1.** Action, façon de manier, d'utiliser (un objet, un outil) : *Instrument d'un **maniement** délicat ; **Maniement** d'un lexique.* ► *Milit.* ***Maniement** des armes* : exercices exécutés par les soldats avec leurs armes. **2.** Fig. Action, manière d'employer : ***Maniement** d'une langue* ; gestion : ***Maniement** des affaires.* **3.** Méton. *Bouch.* Amas graisseux dont la palpation permet d'évaluer l'état d'engraissement d'un animal. 🕮 Fin XIIIe s. ; ☞ *manier* ; [manimɑ̃].

**MANIER,** verbe trans. [6]
**1.** Toucher, palper (vieilli) : ***Manier** un tissu.* **2.** Avoir entre les mains (qqch. que l'on déplace, que l'on remue) : *Il **maniait** le parchemin avec délicatesse.* **3.** Utiliser (un outil, un instrument) avec ses mains : ***Manier** le burin* ; manœuvrer (un véhicule) : ***Manier** une barque.* **4.** *Cuis.* Malaxer ; empl. adj. : *Beurre **manié,*** dans lequel on a incorporé de la farine. **5.** Fig. Employer, en gén. habilement : ***Manier** le chinois, le paradoxe.* **6.** Gérer, s'occuper de : ***Manier** des capitaux.* **7.** Diriger, mener (qqn) : ***Manier** les foules ; Personnage difficile à **manier**.* Pronom. *Se **manier*** (☞ *se magner*). 🕮 Fin XIIe s. ; ☞ *main* ; [manje].

**MANIÈRE,** subst. f.
**1.** Façon d'être particulière et habituelle ; forme particulière que prend une action, un processus : *C'est bien dans sa **manière** ; **Manière** de faire, de penser ; Employer la **manière** forte,* l'autorité ; *L'art et la **manière**,* la bonne façon de procéder. ► Loc. *D'une certaine **manière*** : d'un certain point de vue ; *De toute(s) **manière(s)**, d'une **manière** ou d'une autre* : dans tous les cas ; *En aucune **manière*** : en aucun cas ; *D'une **manière** générale* : généralement. ► Loc. prép. *À la **manière** de* : comme ; *De **manière** à* : afin de. ► Loc. conj. *De **manière** que* (+ subj. ou ind.) : de sorte que. **2.** Style, mode d'expression propre à un créateur : *Un Renoir de la première **manière**.* **3.** Espèce, sorte (littér.) : *Son départ est une **manière** de fuite.* Plur. Ensemble des comportements, des gestes adoptés par qqn en société : *Avoir de l'élégance dans les **manières*** ; savoir-vivre : *Les bonnes **manières** ; En voilà des **manières** !* (fam.). ► Loc. *Faire des **manières*** : minauder, se faire prier ; *Sans (faire de) **manières*** : avec simplicité. 🕮 1119 ; adj. *manier* (vx), du lat. *manuarius,* « que l'on tient en main » ; [manjɛʀ].

**MANIÉRÉ, ÉE,** adj.
Affecté, qui manque de simplicité ; précieux : *Style **maniéré**.* 🕮 1679 ; ☞ *manière* ; [manjeʀe].

**MANIÉRISME,** subst. m.
**1.** Affectation dans les manières (rare). **2.** *B.-a.* Courant artistique né v. 1520 en Italie. **3.** *Psych.* Caractère affecté ou inadéquat des mimiques, des gestes et des paroles, révélateur des attitudes de rupture avec le réel, observé surtout dans la schizophrénie. 🕮 1823 ; ital. *manierismo,* de *maniera,* « manière » ; [manjeʀism].

**BEAUX-ARTS** – Le maniérisme concerne davantage la peinture que les autres arts. Il exprime une volonté de l'artiste de dire sa *maniera,* c.-à-d. son style personnel, en se dégageant de l'idéal d'harmonie introduit par la Renaissance : les corps s'étirent dans des poses langoureuses et complexes (le Parmesan, le Rosso, le Pontormo...), expression d'un profond malaise dû aux problèmes politiques et religieux (la Réforme, le sac de Rome par Charles Quint...). Antinaturaliste et ambigu, cet art préfigure le baroque, qui reprendra, au XVIIe s., son caractère tourmenté (notamment le mouvement ascensionnel de la composition) et l'usage abondant des formes serpentines.

**MANIÉRISTE,** adj. et subst.
**1.** Se dit d'une personne maniérée. **2.** *B.-a.* Se dit d'un peintre qui pratique le maniérisme. Adj. *B.-a.* Relatif, propre au maniérisme. 🕮 1668 ; ☞ *manière* ; [manjeʀist].

**MANIEUR, EUSE,** subst.
Personne habile à manier qqch., qqn : *Un **manieur** d'argent ; Un **manieur** d'idées, de mots.* 🕮 Fin XIVe s. ; ☞ *manier* ; [manjœʀ, øz].

**MANIFESTANT, ANTE,** subst.
Personne qui participe à une manifestation, à un rassemblement. 🕮 1849 ; ☞ *manifeste* (II) ; [manifɛstɑ̃, ɑ̃t].

**MANIFESTATION (I),** subst. f.
**1.** Fait de se révéler, en parlant de Dieu : ***Manifestation** divine.* **2.** Action de manifester : ***Manifestation** de joie, d'affection* ; fait de se manifester : ***Manifestation** de la vérité.* ► *Pathol.* Symptôme. **3.** Présentation publique sous forme de spectacle, de festival, d'exposition, etc. : *Grande **manifestation** sportive.* 🕮 Déb. XIIIe s. ; lat. chrét. *manifestatio* ; [manifɛstasjɔ̃].

**MANIFESTATION (II),** subst. f.
Rassemblement public destiné à exprimer une opinion, à soutenir une revendication (abrév. fam. : manif) : *Appeler à une **manifestation** ; **Manifestation** pacifique.* 🕮 1848 ; ☞ *manifeste* (II) ; [manifɛstasjɔ̃].

**MANIFESTE (I),** adj.
**1.** Vx. Notoirement tel, en parlant d'une personne. **2.** Dont l'évidence s'impose de façon indiscutable : *Mauvaise foi **manifeste** ; Preuve **manifeste** ; Il est **manifeste** que,* il est évident que. **3.** *Psychanal.* *Contenu **manifeste** d'un rêve* : contenu apparent, tel qu'il est relaté par le rêveur (par oppos. au contenu latent). 🕮 Fin XIIe s. ; lat. *manifestus* ; [manifɛst].

**MANIFESTE (II),** subst. m.
**1.** Déclaration écrite par laquelle une instance politique expose publiquement un programme, une position ou une décision : ***Manifeste** du parti communiste.* **2.** Ext. Exposé des théories, des conceptions nouvelles d'un mouvement littéraire ou artistique : *Le **Manifeste** du surréalisme.* **3.** *Dr.* Document obligatoire précisant l'état et la composition de la cargaison d'un navire ou d'un avion, notamment à l'usage des douanes. 🕮 1574 ; ital. *manifesto* ; [manifɛst].

**MANIFESTEMENT,** adv.
De façon manifeste, de toute évidence. 🕮 Déb. XIIIe s. ; ☞ *manifeste* (I) ; [manifɛstəmɑ̃].

**MANIFESTER (I),** verbe trans. [3]
**1.** Faire connaître, exprimer (une opinion, un sentiment) : ***Manifester** ses intentions ; **Manifester** son enthousiasme.* **2.** Faire montre de, laisser paraître : *Il **manifeste** un talent certain ; Ses propos **manifestent** son émotion.* Pronom. **1.** Donner des signes de son existence : *Il ne **s'est** pas **manifesté** depuis six mois.* **2.** Apparaître, surgir : *Maladie qui se **manifeste** par de la fatigue et de la fièvre ; Des tensions se **manifestent** dans le groupe.* 🕮 Déb. XIIe s. ; lat. chrét. *manifestare,* « révéler » ; [manifɛste].

**MANIFESTER (II),** verbe intrans. [3]
Prendre part à une manifestation revendicative. 🕮 1868 ; ☞ *manifeste* (II) ; [manifɛste].

Déposition de Croix *(détail), peinture de style **maniériste** de Iacopo Carucci, dit le Pontormo (1494-1556). Église Santa Felicità, Florence.*

**MANIFOLD,** subst. m.
Anglic. **1.** Carnet de feuilles intercalées avec du papier carbone. **2.** *Techn.* Ensemble de conduits et de vannes servant à acheminer des fluides, en partic. du pétrole. 🕮 1930 (1908, copie de lettres) ; angl. *manifold,* « à plis multiples » ; [manifɔld].

**MANIGANCE,** subst. f.
Petite manœuvre dissimulée, élaborée dans le dessein de tromper (souv. au plur.). 🕮 1543 ; p.-ê. lat. *manus,* « main » ; [manigɑ̃s].

**MANIGANCER,** verbe trans. [4]
Combiner, tramer par des manigances : *Que **manigance**-t-il ?* 🕮 1691 ; ☞ *manigance* ; [manigɑ̃se].

**MANIGUETTE,** subst. f.
*Bot.* Graine d'une plante herbacée de la famille des Zingibéracées, appelée aussi graine de paradis, qui sert de condiment. 🕮 1544 ; altér. de *malaguette* (rare), p.-ê. de l'ital. *meleghetta,* « petit sorgho » ; [manigɛt].

**MANILLE (I),** subst. f.
**1.** Anneau auquel était rivée la chaîne d'un forçat. **2.** *Mar.* Étrier de métal en forme de U, fermé par un axe, servant à attacher des chaînes, des cordages, à fixer des voiles, etc. 🕮 1543 ; anc. prov. *manellie,* du lat. *manicula,* « petite main » ; [manij].

**MANILLE (II),** subst. f.
**1.** Jeu de cartes où le dix et l'as sont des cartes maîtresses. **2.** Le dix de chaque couleur, à ce jeu. 🕮 1893 (1696, carte maîtresse au jeu de l'hombre) ; altér. de *malille* (vx), « neuf de carreau », de l'esp. *malilla,* « petite malicieuse » ; [manij].

**MANILLE (III),** subst. m.
**1.** Cigare provenant des Philippines. **2.** Chapeau de paille fabriqué aux Philippines. 🕮 1846 ; topon. *Manille* (Philippines) ; [manij].

**MANILLON,** subst. m.
L'as, seconde carte maîtresse au jeu de manille. 🕮 1893 ; ☞ *manille* (II) ; [manijɔ̃].

**MANIOC,** subst. m.
*Bot.* Arbrisseau des pays tropicaux, de la famille des Euphorbiacées, dont les tubercules fournissent le tapioca ; par méton., tubercule de cette plante. 🕮 1556 ; tupi-guarani *manioch* ; [manjɔk].

**MANIPULATEUR, TRICE,** subst.
**1.** Personne qui procède à des manipulations : ***Manipulateur** de laboratoire.* **2.** Prestidigitateur. **3.** Fig. Personne experte dans l'art de manipuler autrui. Masc. *Techn.* Contacteur manuel en forme de levier utilisé en télégraphie pour transmettre les messages en alphabet Morse. 🕮 1738 ; ☞ *manipuler* ; [manipylatœʀ, tʀis].

**MANIPULATION,** subst. f.
**1.** *Chim.* et *Phys.* Action de manipuler des substances, des appareils ; son résultat. ► Travaux pratiques de chimie destinés aux élèves (abrév. fam. : manip). **2.** Ext. Action de manipuler un objet, une arme, etc. : ***Manipulation** délicate.* **3.** Mouvement de mains exécuté par un prestidigitateur pour faire apparaître ou disparaître des objets. **4.** Fig. Manœuvre visant à tromper : ***Manipulations** électorales* ; fait d'influencer par des moyens de propagande : ***Manipulation** de l'opinion publique.* **5.** *Spéc.* ► *Génét.* ***Manipulation** génétique* : modification du patrimoine génétique d'un organisme ou d'un ensemble d'organismes. ► *Méd.* Traitement manuel mobilisant un ou plusieurs segments articulaires, notamment de la colonne vertébrale, afin d'en rétablir le jeu physiologique normal. 🕮 1762 (1716, traitement du minerai) ; esp. *manipulación,* du lat. *manipulus,* « poignée » ; [manipylasjɔ̃].

**MANIPULE (I),** subst. m.
*Liturg.* Bande d'étoffe portée sur l'avant-bras gauche par le prêtre qui célèbre la messe. 🕮 1380 ; lat. médiév. *manipulus* ; [manipyl].

**MANIPULE (II),** subst. m.
**1.** Vx. Poignée d'herbe à usage pharmaceutique. **2.** *Antiq. rom.* Unité militaire formée de deux centuries. 🕮 1478 ; lat. *manipulus* ; [manipyl].

**MANIPULER,** verbe trans. [3]
**1.** *Chim.* et *Phys.* Manier avec soin (une substance ou un instrument) en vue d'une expérience : ***Manipuler** des substances toxiques, des fioles.* **2.** Ext. Déplacer, transporter (un objet) ; faire fonctionner (un appareil, une arme) avec ses mains. **3.** Fig. ► Modifier de façon malhonnête, trafiquer : ***Manipuler** des chiffres.* ► Influencer par des moyens occultes ou détournés : *Le démagogue **manipulait** les électeurs.* 🕮 1765 ; ☞ *manipule* (II) ; [manipyle].

**MANIQUE, subst. f.**
**1.** Gantelet de cuir qui protège la main d'un cordonnier, d'un bourrelier, etc. **2.** Gant, pièce de tissu servant à manipuler les récipients, les plats chauds. 1680 (mil. XIIe s., partie de l'armure couvrant l'avant-bras et la main) ; lat. *manicula*, « petite main » ; var. *manicle* ; [manik].

**MANITOU, subst. m.**
**1.** Dieu ou esprit, chez certains Indiens d'Amérique du Nord : *Le Grand **Manitou***, l'Être suprême. **2.** Fig. Personnage influent (fam.). 1627 ; algonquin *manitu*, « grand esprit » ; [manitu].

**MANIVELLE, subst. f.**
**1.** Pièce mécanique, coudée deux fois à angle droit, servant à imprimer un mouvement de rotation à l'arbre au bout duquel elle est placée : ***Manivelle** d'un cric, d'une caméra.* ▸ *Retour de **manivelle*** : mouvement violent d'une **manivelle** qui revient à son point de départ lors de l'allumage soudain du moteur ou, au fig., revirement inattendu d'une situation qui semblait favorable. ▸ *Premiers tours de **manivelle** d'un film* : début du tournage. **2.** *Mécanisme bielle-**manivelle*** (☞ *bielle*). **3.** Partie du pédalier fixée à l'arbre, sur une bicyclette. 1312 (fin XIIe s., poignée du bouclier) ; lat. pop. °*manabella*, du lat. *manibula*, var. de *manicula*, « manche de charrue » ; [manivɛl].

**MANNE (I), subst. f.**
**1.** Dans la Bible, nourriture providentielle envoyée par Dieu aux Hébreux lors de la traversée du désert. **2.** Fig. Ressource abondante et inespérée : *Cet héritage fut pour eux une **manne**.* **3.** ***Manne** des poissons* : éphémère des rivières, dont certains poissons se nourrissent. **4.** *Bot.* Production sucrée de certains végétaux : ***Manne** du frêne.* Déb. XIIe s. ; lat. chrét. *manna*, de l'hébreu *mān* ; [man].

**MANNE (II), subst. f.**
Grand panier d'osier. 1467 ; m. néerl. *manne* ; [man].

**MANNEQUIN (I), subst. m.**
**1.** *B.-a.* Figure articulée, gén. en bois, utilisée par les sculpteurs ou les peintres à la place du modèle vivant pour travailler les attitudes du corps, humain ou animal. **2.** Figure représentant avec plus ou moins de réalisme le corps humain, utilisée pour confectionner, essayer ou présenter des vêtements. **3.** Personne qui présente les créations d'un couturier dans un défilé de mode : ***Mannequin** vedette.* 1671 (mil. XVe s., figurine) ; m. néerl. *mannekijn*, « petit homme » ; [mankɛ̃].

**MANNEQUIN (II), subst. m.**
Nom de différents types de paniers ; en partic., panier à claire-voie des horticulteurs. 1467 ; m. néerl. °*mannekijn*, « petite manne » ; [mankɛ̃].

**MANNOSE, subst. m.**
*Biochim.* Glucide comportant six atomes de carbone et une fonction aldéhyde, de formule $C_6H_{12}O_6$. 1902 ; *mannite*, polyalcool, de *manne* (I) ; [manoz].

**MANODÉTENDEUR, subst. m.**
*Techn.* Appareil permettant d'abaisser la pression d'un fluide comprimé, et de la régler en fonction de son utilisation. 1923 ; ☞ *détendeur* + *mano-* ; [manodetɑ̃dœʀ].

**MANŒUVRABILITÉ, subst. f.**
Aptitude d'un véhicule, d'un navire à être manœuvré. 1934 ; ☞ *manœuvrable* ; [manœvʀabilite].

**MANŒUVRABLE, adj.**
Qui peut être manœuvré, en parlant d'un véhicule, d'un navire (synon. *maniable*). 1853 (1389, assujetti à la corvée) ; ☞ *manœuvrer* ; [manœvʀabl].

**MANŒUVRE (I), subst. f.**
**I. 1.** Ensemble des opérations manuelles nécessaires à la mise en marche et au fonctionnement d'une machine, d'un mécanisme, d'un appareil ; par ext. : ***Manœuvre** automatique, électrique.* **2.** *Mar.* Action exercée sur la voilure, les cordages d'un bateau pour en régler le mouvement ; par méton., cordage appartenant au gréement (gén. au plur.) ; par ext., toute action visant à régler le mouvement d'un navire : ***Manœuvre** à quai.* ▸ Anal. Opérations, mouvements à exécuter pour diriger un véhicule. *Faire une **manœuvre** pour se garer* ; au fig. : *Fausse **manœuvre***, démarche maladroite et inopérante. **3.** *Milit.* Exercice exécuté en temps de paix ; mouvement de troupes exécuté en temps de guerre à des fins tactiques ou stratégiques. **4.** *Chir.* et *Méd.* Manipulation exercée par le médecin sur une partie du corps du patient : ***Manœuvres** obstétricales.* **II.** Fig. Ensemble des moyens mis en œuvre, en gén. habilement, pour atteindre un but : ***Manœuvre** de persuasion* ; ***Manœuvres** d'approche.* 1309 (1248, corvée manuelle) ; lat. tardif *manuopera*, « travail fait avec la main » ; [manœvʀ].

**MANŒUVRE (II), subst. m.**
Ouvrier qui exécute des travaux n'exigeant pas de qualification professionnelle. 1387 ; ☞ *manœuvrer* ; [manœvʀ].

**MANŒUVRER, verbe [3]**
**Trans. 1.** Faire exécuter une manœuvre à, conduire : ***Manœuvrer** un navire.* **2.** Faire fonctionner (un appareil, un dispositif) : ***Manœuvrer** un treuil.* **3.** Fig. Influencer par des moyens de persuasion subtils, manipuler : ***Manœuvrer** une assemblée.* **Intrans. 1.** Effectuer une manœuvre à bord d'un navire ou, par ext., d'un véhicule. **2.** *Milit.* Exécuter un exercice, une manœuvre stratégique. **3.** Fig. Employer certains moyens pour atteindre un but, intriguer : *Talleyrand fut habile à **manœuvrer**.* 1678 (fin XIe s., enchâsser) ; bas lat. *manu operare*, « travailler avec la main » ; [manœvʀe].

**MANŒUVRIER, IÈRE, subst.**
**1.** Personne habile à manœuvrer, à intriguer ; empl. adj. : *L'habileté **manœuvrière** d'un politicien.* **2.** *Mar.* Celui qui dirige ou exécute une manœuvre. **3.** *Milit.* Expert dans l'art de la manœuvre : *Napoléon fut un fin **manœuvrier**.* 1583 ; ☞ *manœuvrer* ; [manœvʀije, jɛʀ].

**MANOIR, subst. m.**
**1.** *M. Â.* Habitation du propriétaire d'un fief, non fortifiée et située hors d'une ville. **2.** Grande demeure de caractère, souvent située à la campagne. 1155 ; anc. fr. *maneir*, du lat. *manere*, « demeurer » ; [manwaʀ].

**MANOMÈTRE, subst. m.**
*Phys.* Instrument servant à mesurer la pression d'un fluide dans un espace clos. 1705 ; formé de *mano-* et de *-mètre*[1] ; [manɔmɛtʀ].

**MANOMÉTRIE, subst. f.**
*Phys.* Mesure de la pression des fluides. 1832 ; ☞ *manomètre* ; [manɔmetʀi].

**MANOQUE, subst. f.**
**1.** Botte de feuilles de tabac séchées. **2.** *Mar.* Pelote de bitord, de cordage. 1679 ; pic. *manoque*, « petite main », du lat. *manus*, « main » ; [manɔk].

**MANOSTAT, subst. m.**
*Phys.* Appareil qui maintient à une valeur constante la pression d'un fluide placé dans une enceinte. 1949 ; formé de *mano-* et de *-stat* ; [manɔsta].

**MANOUCHE, adj. et subst.**
De l'un des trois groupes qui forment le peuple tsigane. **Subst. masc.** Langue parlée par les Manouches. 1898 ; tsigane *manuš*, « homme » ; [manuʃ].

**MANQUANT, ANTE, adj.**
Qui manque : *Remplacer les pièces **manquantes** d'un service* ; *Chaînon **manquant***, élément intermédiaire qui fait défaut dans un ensemble. ▸ Empl. subst. Personne absente ou chose **manquante**. 1572 ; p. pr. de *manquer* ; [mɑ̃kɑ̃, ɑ̃t].

**MANQUE, subst. m.**
**1.** Absence d'une chose nécessaire : ***Manque** d'eau, de temps, de volonté.* ▸ Loc. *Être en **manque** de* : être privé de, avoir besoin de ; *État de **manque*** : état pénible dû, chez un toxicomane, à la privation de sa drogue. **2.** Méton. Ce qui fait défaut ; lacune. ▸ Loc. ***Manque** à gagner* : profit escompté mais non réalisé. **3.** *Jeux.* L'une des chances simples, à la boule ou à la roulette, constituée par les numéros 1 à 18 : *Impair, passe et **manque**.* 1609 (1595, offense) ; ☞ *manquer* ; [mɑ̃k].

**MANQUE (À LA), loc. adj.**
Qui ne vaut pas grand-chose, mauvais (fam.) : *Artiste **à la manque**.* Mil. XIXe s. (1791, infirme) ; prob. ital. *manco*, du lat. *mancus*, « mutilé » ; [alamɑ̃k].

**MANQUÉ, ÉE, adj. et subst. m.**
**Adj. 1.** Qui n'est pas réussi : *Affaire **manquée*** ; qui a des dispositions pour être ce qu'il n'est pas : *Garçon **manqué***, fille aux goûts, aux attitudes de garçon. **2.** Qu'on a laissé échapper : *Occasion **manquée**.* **Subst.** Biscuit nappé de fondant ou de pralin. ▸ *Moule à **manqué*** : moule rond à bords hauts. 1546 ; p. p. de *manquer* ; [mɑ̃ke].

**MANQUEMENT, subst. m.**
**1.** Vx. Manque. **2.** Fait de manquer à un devoir, à une règle, à une loi, à une coutume : ***Manquement** à la parole donnée.* 1573 (déb. XIVe s., diminution) ; ital. *mancamento*, de *mancare*, « manquer » ; [mɑ̃kmɑ̃].

**MANQUER, verbe [3]**
**Intrans. 1.** Faire défaut : *Les vivres **manquent*** ; ne pas être présent : *Ce soldat **manque** à l'appel* ; empl. impers. : *Il **manque** un barreau à cette grille.* **2.** Faillir (littér.) : *Le cœur me **manque**.* **3.** Échouer : *Le premier essai a **manqué**.* **Trans. indir. 1. Manquer à.** ▸ Ne pas respecter (un devoir, une règle, etc.) : ***Manquer** à sa parole* ; ***Manquer** à qqn*, ne pas se conduire envers lui comme il le faudrait (littér.). ▸ Faire défaut à (qqn) par son absence : *Un seul être vous **manque** et tout est dépeuplé* (Lamartine). **2. Manquer de** (+ subst.). Être dépourvu de : ***Manquer** d'énergie.* ▸ **Manquer (de)** (+ inf.). Être sur le point de : *Il a **manqué** (de) se noyer.* ▸ **Ne pas manquer de** (+ inf.). Ne pas oublier de, faire sûrement : *Je ne **manquerai** pas de le lui rappeler.* **Trans. dir. 1.** Ne pas atteindre (un but) : ***Manquer** son coup*, son effet ; ***Manquer** la cible* ; échouer dans (une réalisation) : ***Manquer** sa vie* ; ***Manquer** sa mayonnaise.* **2.** Passer à côté de, laisser échapper : ***Manquer** sa vocation* ; *Occasion à ne pas **manquer**.* ▸ Ne pas réussir à rencontrer (qqn) ; par ext. : ***Manquer** son train*, ne pas réussir à le prendre. **3.** Ne pas assister à : *Cet élève **manque** les cours* ou, empl. abs., ***manque** trop souvent.* 1546 ; ital. *mancare*, du lat. *mancus*, « mutilé » ; [mɑ̃ke].

**MANSARDE, subst. f.**
Chambre aménagée sous un comble brisé ou, par anal., sous des combles en pente. 1676 ; anthropon. *François Mansart*, architecte ; [mɑ̃saʀd].

**MANSARDÉ, ÉE, adj.**
En mansarde. 1844 ; ☞ *mansarde* ; [mɑ̃saʀde].

**MANSE, subst. f. ou m.**
*Féod.* Unité d'exploitation agricole, composée d'une habitation, d'un jardin clos, d'un verger et de terres cultivables : *Un domaine de trente **manses**.* 1732 ; bas lat. *mansus*, du lat. *manere*, « demeurer » ; [mɑ̃s].

**MANSION, subst. f.**
*Théâtre.* Chacune des parties du décor simultané d'une scène médiévale. XIIIe s. (mil. XIIe s., demeure) ; lat. *mansio*, « demeure » ; [mɑ̃sjɔ̃].

**MANSUÉTUDE, subst. f.**
Disposition à la bienveillance, à l'indulgence (littér.). Fin XIIe s. ; lat. *mansuetudo* ; [mɑ̃sɥetyd].

**MANTA, subst. f.**
*Zool.* Grand poisson ovovivipare de la famille des Mobulidés, des mers tropicales et subtropicales ; en appos. : *Raie **manta**.* XXe s. ; lat. sc. *manta*, de l'esp. *manta*, « couverture » ; var. *mante* ; [mɑ̃ta].

**MANTE (I), subst. f.**
*Cost.* Cape, gén. munie d'un capuchon, que portaient autrefois les femmes. ▸ Manteau de religieuse. 1404 ; anc. prov. *manta*, « manteau » ; [mɑ̃t].

**MANTE (II), subst. f.**
**1.** *Zool.* Insecte carnassier de l'ordre des Dictyoptères, à petite tête triangulaire très mobile. La plus connue est la **mante** religieuse, ainsi appelée en raison de sa posture à l'affût, port dressé, pattes avant repliées et jointes. ▸ ***Mante** de mer* : squille-mante (☞ *squille*). **2.** Fig. ***Mante** religieuse* : séductrice cruelle. 1734 ; lat. sc. *mantis*, du gr. *mantis*, « prophétesse ; mante » ; [mɑ̃t].

**MANTEAU, subst. m.**
**1.** Vêtement à manches longues, qui se ferme sur le devant, servant à protéger du froid : ***Manteau** de laine* ; ***Manteau** de pluie*, imperméable ; par métaph. : *Un **manteau** de neige recouvre le village.* ▸ Loc. *Sous le **manteau*** : clandestinement. **2.** Partie de la cheminée qui fait saillie au-dessus du foyer. **3.** *Géol.* Partie du globe terrestre située entre la croûte et le noyau, de 10 à 15 km de la surface et jusqu'à 2 900 km de profondeur. **4.** *Hérald.* Draperie doublée d'hermine, enveloppant l'écu jusqu'au cimier, réservée aux armes des princes et des ducs. **5.** *Théâtre.* ***Manteau** d'Arlequin* : draperie en trompe l'œil qui encadre la scène. **6.** *Zool.* ▸ Membrane sécrétrice de la coquille des Mollusques. ▸ Partie du plumage recouvrant le dos des oiseaux. Fin Xe s. ; lat. *mantellum*, dimin. de *mantum* ; [mɑ̃to].

**MANTELÉ, ÉE, adj.**
*Zool.* Dont le dos est d'une couleur différente de celle du reste du corps : *Une corneille **mantelée**.* 1655 ; *mantel*, anc. forme de *manteau* ; [mɑ̃t(ə)le].

**MANTELET,** subst. m.
**1.** *Cost.* Cape courte de femme, couvrant les épaules et les bras ; pèlerine d'ecclésiastique. **2.** *Mar.* Volet d'un hublot (vieilli). 1743 (mil. XIIe s., petit manteau) ; *mantel*, anc. forme de *manteau* ; [mɑ̃t(ə)lɛ].

**MANTELURE,** subst. f.
*Zool.* Partie du pelage dorsal d'un chien dont la couleur diffère de celle du reste du corps. 1655 ; *mantel*, anc. forme de *manteau* ; [mɑ̃t(ə)lyʀ].

**MANTILLE,** subst. f.
*Cost.* Longue écharpe de dentelle ou de soie, gén. noire, couvrant la tête et les épaules, pièce du costume féminin traditionnel espagnol. Fin XVIIIe s. (1726, fichu à trois pointes) ; esp. *mantilla*, du lat. *mantellum*, « petit manteau » ; [mɑ̃tij].

**MANTIQUE,** subst. f.
Art de la divination. 1578 ; gr. *mantikê* ; [mɑ̃tik].

**MANTISSE,** subst. f.
*Math. Mantisse du logarithme décimal d'un nombre x strictement positif* : différence $m$ entre $\log_{10} x$ et la partie entière de $\log_{10} x$ ($0 \leqslant m < 1$). 1870 ; all. *Mantisse*, du lat. *mantis(s)a*, « surpoids » ; [mɑ̃tis].

**MANTRA,** subst. m.
*Relig.* Formule incantatoire sacrée de l'hindouisme et du bouddhisme. 1836 ; skr. *mantra*, « instrument de pensée » ; [mɑ̃tʀa].

**MANUBRIUM,** subst. m.
**1.** *Anat.* Partie supérieure du sternum, où s'articulent les deux clavicules. **2.** *Zool.* ▸ Partie antérieure médiane du sternum des oiseaux. ▸ Sorte de trompe à l'extrémité de laquelle s'ouvre la bouche des méduses. 1907 ; lat. *manubrium*, « manche, poignée » ; [manybʀijɔm].

**MANUCURE,** subst.
Personne dont le métier est d'entretenir la beauté des mains et des ongles. **Fém.** Ensemble des soins esthétiques des mains et des ongles. 1877 ; lat. *manus*, « main », et *curare*, « soigner » ; [manykyʀ].

**MANUCURER,** verbe trans. [3]
Soigner les mains, les ongles de ; empl. adj. : *Mains **manucurées**.* 1946 ; ☞ *manucure* ; [manykyʀe].

**MANUEL (I), ELLE,** adj.
**1.** Qui fait surtout appel au travail des mains (par oppos. à *intellectuel*) : *Travaux **manuels** ; Habileté **manuelle**.* ▸ Empl. subst. Personne douée pour les activités **manuelles**. **2.** Exécuté à la main (vieilli) : *Reliure **manuelle***, artisanale. **3.** Qui requiert une intervention humaine directe (par oppos. à *automatique*) : *Commande **manuelle**.* Fin XIIe s. ; lat. *manualis*, de *manus*, « main » ; [manɥɛl].

**MANUEL (II),** subst. m.
Ouvrage didactique de format maniable, contenant les éléments fondamentaux d'une discipline, d'une technique ou le programme d'une matière scolaire : ***Manuel** d'histoire de 5e.* Fin XIIIe s. ; lat. *manuale*, « étui de livre », de *manualis*, « manuel » ; [manɥɛl].

**MANUÉLIN, INE,** adj.
Qualifie un style architectural et décoratif portugais (fin XVe s. – déb. XVIe s.) qui associe des ornements d'inspiration romane, mauresque ou orientale à des structures gothiques. 1925 ; port. *manuelino*, de l'anthropon. *Manuel Ier*, roi du Portugal ; [manɥelɛ̃, in].

**MANUELLEMENT,** adv.
**1.** Avec les mains. **2.** Par une opération manuelle. 1334 ; ☞ *manuel* (I) ; [manɥɛlmɑ̃].

**MANUFACTURE,** subst. f.
**1.** Vx. Fabrication. **2.** *Hist.* Établissement industriel faisant appel à une abondante main-d'œuvre, organisée en chaîne de fabrication. **3.** Établissement industriel caractérisé par l'emploi d'une main-d'œuvre hautement qualifiée : ***Manufacture** (de porcelaine) de Sèvres ; **Manufacture** (de tapisseries) des Gobelins.* 1443 ; lat. médiév. *manufactura*, du lat. *manu facere*, « faire à la main » ; [manyfaktyʀ].

**MANUFACTURER,** verbe trans. [3]
**1.** Vx. Fabriquer. **2.** Transformer industriellement (des matières premières) ; empl. adj. : *Objet **manufacturé**.* XVIe s. ; ☞ *manufacture* ; [manyfaktyʀe].

**MANUFACTURIER, IÈRE,** adj. et subst.
**Subst.** Dirigeant de manufacture (vieilli). **Adj.** Relatif à la manufacture, industriel : *Ville **manufacturière**.* 1664 ; ☞ *manufacture* ; [manyfaktyʀje, jɛʀ].

**MANU MILITARI,** loc. adv.
En recourant à l'armée, aux forces de l'ordre ou, par ext., à la force physique. 1890 ; lat. *manu militari*, « par la main militaire » ; [manymilitaʀi].

**MANUMISSION,** subst. f.
*Dr. rom.* et *Féod.* Affranchissement d'un esclave, d'un serf. 1324 ; lat. *manumissio* ; [manymisjɔ̃].

**MANUSCRIT, ITE,** adj. et subst. m.
**Adj.** Écrit à la main : *Lettre **manuscrite**.* **Subst. 1.** Ouvrage écrit ou copié à la main : *Un **manuscrit** de moine copiste.* **2.** Texte original écrit à la main ou dactylographié : *Envoyer un **manuscrit** à un éditeur.* 1594 ; lat. *manu scriptus* ; [manyskʀi, it].

**MANUTENTION,** subst. f.
**1.** Manipulation, manuelle ou mécanique, de marchandises. **2.** Méton. Lieu, local où s'effectue cette manipulation. 1820 (1478, maintien) ; lat. médiév. *manutentio*, « protection, maintenance » ; [manytɑ̃sjɔ̃].

**MANUTENTIONNAIRE,** subst.
Personne préposée aux travaux de manutention. 1907 (1788, administrateur des vivres, dans l'armée) ; ☞ *manutention* ; [manytɑ̃sjɔnɛʀ].

**MANUTENTIONNER,** verbe trans. [3]
Manipuler, stocker, charger (des marchandises). 1789 ; ☞ *manutention* ; [manytɑ̃sjɔne].

**MANUTERGE,** subst. m.
*Liturg.* Linge avec lequel le prêtre s'essuie les mains au moment du Lavabo, à la messe. 1790 ; lat. chrét. *manutergium*, « essuie-mains » ; [manytɛʀʒ].

**MANZANILLA,** subst. m.
Variété de xérès, sec et légèrement amer. 1836 ; mot esp. ; [mɑ̃dzanija].

**MAOÏSME,** subst. m.
**1.** Doctrine marxiste-léniniste enseignée et mise en œuvre en Chine par Mao Zedong, à partir de 1949. **2.** Ext. Mouvement se réclamant de cette doctrine. V. 1970 ; anthropon. *Mao Zedong* ; [maɔism].

**MAOÏSTE,** adj. et subst.
**Adj.** Relatif ou favorable au maoïsme. **Subst.** Adepte du maoïsme. V. 1970 ; anthropon. *Mao Zedong* ; abrév. *mao* ; [maɔist].

**MAORI, IE,** adj. et subst.
Des Maoris, peuple polynésien originaire de Nouvelle-Zélande. **Subst. masc.** Langue polynésienne. 1842 ; mot de cette langue ; [maɔʀi].

**MAOUS,** voir **MAHOUS**

**MAPPEMONDE,** subst. f.
**1.** Carte plane du monde, obtenue par projection sur un plan des hémisphères terrestres. **2.** Ext. Sphère représentant le globe terrestre (empl. abusif). Mil. XIIe s. ; lat. médiév. *mappa mundi* ; [mapmɔ̃d].

**MAQUE,** voir **MACQUE**

**MAQUER,** verbe trans. [3]
Pop. **1.** Faire travailler (une prostituée) pour son compte. **2.** Ext. ***Être maqué** avec qqn* : être en ménage avec qqn ; empl. pronom. : *Se **maquer** avec qqn.* 1889 ; *mac*, abrév. de *maquereau* (II) ; [make].

**MAQUEREAU (I),** subst. m.
*Zool.* Poisson marin téléostéen de la famille des Scombridés, fusiforme, à dos bleuté strié de noir, qui vit en bancs et fait l'objet d'une pêche industrielle. Mil. XIIe s. ; orig. obsc. ; [makʀo].

**MAQUEREAU (II), ELLE,** subst.
Pop. **Masc.** Souteneur, proxénète (abrév. : mac). **Fém.** Tenancière de maison close. Mil. XIIIe s. ; m. néerl. *makelare*, « intermédiaire » ; [makʀo, ɛl].

**MAQUETTE,** subst. f.
**1.** *B.-a.* ▸ Ébauche de taille réduite d'une sculpture. ▸ Esquisse d'ensemble d'un panneau décoratif. **2.** Construction en réduction d'un décor de théâtre, d'un projet architectural. **3.** Modèle réduit d'un bateau, d'un véhicule, etc., vendu en pièces détachées et dont l'assemblage constitue une activité ludique. **4.** Réalisation grandeur nature ou à échelle réduite d'un navire, d'un avion, d'une automobile, etc., servant à l'étude de prototypes. **5.** *Arts graph.* Plan de la mise en page d'un ouvrage destiné à l'impression, d'après lequel le texte et les documents seront montés. 1752 ; ital. *macchietta*, « petite tache ; esquisse » ; [makɛt].

**MAQUETTISTE,** subst.
**1.** *Arts graph.* Personne qui conçoit et exécute la maquette d'un ouvrage. **2.** Spécialiste chargé de réaliser des maquettes de constructions. Mil. XXe s. ; ☞ *maquette* ; [maketist].

**MAQUIGNON,** subst. m.
**1.** Marchand de chevaux et, par ext., marchand de bétail (parfois péj.). **2.** Fig. Négociateur peu scrupuleux. 1280 ; prob. *maquereau* (II) ; le fém., *maquignonne*, est rare ; [makiɲɔ̃].

**MAQUIGNONNAGE,** subst. m.
**1.** Vx. Métier de maquignon ; ruse de maquignon. **2.** Procédé indélicat ou frauduleux. 1507 ; ☞ *maquignon* ; [makiɲɔnaʒ].

**MAQUIGNONNER,** verbe trans. [3]
**1.** Négocier (une affaire) en employant des procédés de maquignon. **2.** Vendre (un cheval, un bovin) en maquillant ses défauts. 1511 ; ☞ *maquignon* ; [makiɲɔne].

**MAQUILA,** voir **MAKILA**

**MAQUILLAGE,** subst. m.
**1.** Action de rendre méconnaissable en falsifiant : ***Maquillage** d'un passeport.* **2.** Action de maquiller qqn, de se maquiller : ***Maquillage** d'un acteur.* ▸ Méton. Résultat obtenu : ***Maquillage** discret* ; ensemble des cosmétiques utilisés : *Acheter du **maquillage**.* 1847 (1628, travail) ; ☞ *maquiller* ; [makijaʒ].

**MAQUILLER,** verbe trans. [3]
**1.** Changer en falsifiant : ***Maquiller** une photo* ; au fig. : ***Maquiller** les faits.* **2.** Grimer, farder le visage de (qqn) pour le transformer ou l'embellir ; par méton. : ***Maquiller** ses lèvres* ; empl. pronom. : ***Se maquiller** les yeux.* Déb. XIXe s. (mil. XVe s., travailler) ; argot pic. *maquier*, du m. néerl. *maken*, « faire » ; [makije].

**MAQUILLEUR, EUSE,** subst.
Spécialiste qui s'occupe du maquillage, au cirque, au théâtre, au cinéma, etc. 1868 (1844, truqueur de cartes à jouer) ; ☞ *maquiller* ; [makijœʀ, øz].

**MAQUIS,** subst. m.
**1.** Végétation d'herbes, d'épineux et d'arbustes, très dense, typique des sols siliceux des régions montagneuses méditerranéennes : ***Maquis** corse.* **2.** Fig. Situation inextricable : *Un **maquis** de formalités.* **3.** *Hist.* Sous l'occupation allemande, région isolée et boisée où se réfugiaient et s'organisaient les résistants ; groupe de ces résistants : *Le **maquis** des Glières.* ▸ Loc. *Prendre le **maquis*** : rejoindre la clandestinité ou entrer en résistance. 1775 ; corse *macchia*, du lat. *macula*, « tache » ; [maki].

**MAQUISARD, ARDE,** subst.
*Hist.* Partisan, résistant faisant partie d'un maquis. 1944 ; ☞ *maquis* ; [makizaʀ, aʀd].

**MARABOUT,** subst. m.
**1.** Dans les pays islamiques, personnage vénéré dès son vivant, à qui l'on rend un culte après sa mort. ▸ En Afrique noire, musulman respecté ; sorcier, devin, guérisseur. **2.** Tombeau d'un **marabout**, surmonté d'un dôme. ▸ Anal. Bouilloire pansue à couvercle bombé. **3.** *Zool.* Échassier d'Afrique et d'Asie, de la famille des Ciconiidés, dont le cou dénudé possède à sa base une poche qui se gonfle quand l'animal s'est gavé. 1560 ; port. *marabuto*, de l'ar. *murābiṭ*, « qui vit dans un *ribāṭ* (sorte de couvent-forteresse) » ; [maʀabu].

© Ferrero/Labat-Jacana

*Marabouts.*

**MARABOUTAGE,** subst. m.
Sorcellerie pratiquée en Afrique. ☞ *marabouter* ; [maʀabutaʒ].

**MARABOUTER,** verbe trans. [3]
En Afrique, envoûter (qqn) en faisant appel aux pratiques du marabout. ☞ *marabout* ; [maʀabute].

**MARACAS,** subst. m. plur.
*Mus.* Instrument à percussion d'Amérique latine, formé d'une paire de calebasses emplies de grains ou de cailloux, que l'on agite en les tenant par le manche. 1578 ; caraïbe ou arawak *maraka* ; [maʀakas].

**MARAÎCHAGE,** subst. m.
Culture maraîchère pratiquée sous abri ou en plein air. 1884 ; ☞ *maraîcher* ; [maʀɛʃaʒ].

**MARAÎCHER, ÈRE,** adj. et subst.
**Subst.** Producteur de légumes, et notamment de primeurs, obtenus par culture intensive. **Adj.** Relatif ou propre à la production, à l'activité du **maraîcher** : *Village* **maraîcher** ; *Laitue* **maraîchère**. 1497 ; ☞ *marais* ; [maʀɛʃe, ɛʀ].

**MARAÎCHIN, INE,** adj. et subst.
Du Marais vendéen ou poitevin. **Subst. masc.** Patois de ces régions. XVIIe s. ; ☞ *marais* ; [maʀɛʃɛ̃, in].

**MARAIS,** subst. m.
**1.** Vaste terrain recouvert en permanence d'une nappe d'eau stagnante peu profonde, à la flore et à la faune spécifiques. **2.** *Marais salant* ou *salin* : bassin situé près du littoral, où le sel est récolté après évaporation de l'eau de mer. **3.** Terrain consacré à la culture maraîchère. **4.** Région marécageuse : *Le* **Marais** *poitevin*. **5.** Fig. Situation où l'on s'enlise. **6.** *Hist. Le* **Marais** : le Tiers Parti, sous la Révolution (☞ *plaine*). Mil. XIIe s. ; anc. bas frq. °*marisk*, du rad. germ. °*mari-*, « mer » ; [maʀɛ].

**MARANTA,** subst. m.
*Bot.* Plante de la famille des Marantacées, dont une espèce fournit une fécule, extraite de son rhizome, l'arrow-root. 1703 ; anthropon. *Maranta*, botaniste italien ; var. *une marante* ; [maʀɑ̃ta].

**MARASME,** subst. m.
**1.** *Pathol.* État de carence nutritionnelle, particulièrement grave chez l'enfant, caractérisé par une maigreur extrême (vieilli). **2.** *Psychol.* État dépressif profond (vx). **3.** Fig. *Marasme économique* : stagnation ou arrêt de l'activité économique. **4.** *Bot.* Champignon de la famille des Agaricacées, dont une espèce est utilisée en condiment. 1538 ; gr. *marasmos*, « consomption » ; [maʀasm].

**MARASQUE,** subst. f.
Variété de cerise des pays méditerranéens, appelée encore griotte de Marasca. 1818 ; ital. *(a)marasca*, de *amaro*, « amer » ; [maʀask].

**MARASQUIN,** subst. m.
Liqueur obtenue en distillant la marasque. 1739 ; ital. *maraschino* ; [maʀaskɛ̃].

**MARATHE,** adj. et subst.
Du Maharashtra, État de l'Inde. **Subst. masc.** Langue indo-aryenne parlée dans cet État. 1765 ; hindi *marāṭhī* ; var. *mahratte* ; [maʀat].

**MARATHON,** subst. m.
**1.** *Sp.* Course à pied de grand fond (42,195 km), discipline olympique. **2.** Fig. Entreprise, négociation particulièrement longue et éprouvante : **Marathon** *diplomatique* ; en appos. : *Séance* **marathon**. 1896 ; topon. *Marathon*, ville grecque d'où partit un coureur portant la nouvelle de la victoire à Athènes ; [maʀatɔ̃].

**MARATHONIEN, IENNE,** subst.
*Sp.* Coureur ou coureuse de marathon. 1925 ; ☞ *marathon* ; [maʀatɔnjɛ̃, jɛn].

**MARÂTRE,** subst. f.
**1.** Vx. Épouse du père par rapport aux enfants issus d'un précédent mariage. **2.** Mère qui maltraite ses enfants. Mil. XIIe s. ; lat. tardif *matrastra* ; [maʀɑtʀ].

**MARAUD, AUDE,** subst.
Vx. Mendiant, filou. ▸ Personne de condition inférieure (péj.). **Fém. 1.** Vol de fruits, de légumes, de volailles commis dans les champs ou dans une ferme (synon. *maraudage*). **2.** Ext. Action de rôder, souv. avec l'intention de commettre un larcin. ▸ Loc. *Taxi en* **maraude** : qui circule à vide à la recherche de clients. Fin XVe s. ; orig. obsc. ; [maʀo, od].

**MARAUDAGE,** subst. m.
Action de marauder (synon. *maraude*). ▸ *Dr.* Vol de produits agricoles ou fruitiers avant leur récolte. 1775 ; ☞ *marauder* ; [maʀodaʒ].

**MARAUDER,** verbe intrans. [3]
**1.** Pratiquer la maraude ; empl. trans. : **Marauder** *des cerises*. **2.** Être en maraude, rôder. 1700 (1549, mendier) ; ☞ *maraud* ; [maʀode].

**MARAUDEUR, EUSE,** subst.
Personne qui pratique la maraude ; empl. adj. : *Pie* **maraudeuse**. 1679 ; ☞ *marauder* ; [maʀodœʀ, øz].

**MARAVÉDIS,** subst. m.
*Numism.* Menue monnaie espagnole, frappée sous la dynastie musulmane des Almoravides (XIIe s.), en usage jusqu'en 1848. XVe s. ; esp. *maravedi*, de l'ar. *murābiṭī*, « des Almoravides » ; [maʀavedi(s)].

**MARBRE,** subst. m.
**1.** *Pétrogr.* Roche résultant du métamorphisme d'un calcaire ou d'une dolomie, souvent veinée de couleurs et pouvant prendre un beau poli. ▸ Loc. *Rester de* **marbre** : impassible. **2.** Méton. Statue de **marbre** : *Un* **marbre** *de Rodin* ; plaque de **marbre** : *Le* **marbre** *d'une cheminée*. **3.** *Faux* **marbre** : stuc coloré ; peinture imitant l'aspect du **marbre**. **4.** *Spéc.* ▸ *Impr.* Table (autrefois de **marbre**) sur laquelle on impose et corrige les pages ; par méton., texte composé tenu en réserve. ▸ *Techn.* Surface parfaitement plane sur laquelle on effectue diverses opérations (contrôle de la planéité d'une pièce, traçage, etc.). Mil. XIe s. ; lat. *marmor* ; [maʀbʀ].

**MARBRÉ, ÉE,** adj.
**1.** Veiné comme le marbre. **2.** Couvert de marbrures. 1326 (1228, de marbre) ; ☞ *marbre* ; [maʀbʀe].

**MARBRER,** verbe trans. [3]
**1.** Décorer (une surface) de taches ou de dessins lui donnant l'aspect du marbre. **2.** Marquer (la peau) de marbrures. 1640 ; ☞ *marbre* ; [maʀbʀe].

**MARBRERIE,** subst. f.
**1.** Industrie du marbre (extraction, polissage, façonnage) et des roches dures. **2.** Atelier du marbrier. 1765 ; ☞ *marbrier* ; [maʀbʀəʀi].

**MARBREUR, EUSE,** subst.
*Techn.* Personne qui réalise des marbrures. 1680 (1536, ouvrier marbrier) ; ☞ *marbrer* ; [maʀbʀœʀ, øz].

**MARBRIER, IÈRE,** subst. et adj.
**Subst. 1.** Personne qui scie, taille et polit le marbre, les roches ayant les mêmes qualités. **2.** Commerçant qui vend des marbres. **Subst. fém.** Carrière de marbre. **Adj.** Relatif à l'industrie et au commerce du marbre. 1311 ; ☞ *marbre* ; [maʀbʀije, jɛʀ].

**MARBRURE,** subst. f.
**1.** Dessin, marque imitant l'aspect veiné du marbre : *Marbrures d'un parquet*. **2.** Ligne bleutée qui marbre la peau, souvent due à un trouble circulatoire. 1680 ; ☞ *marbrer* ; [maʀbʀyʀ].

**MARC (I),** subst. m.
**1.** Ancienne mesure de poids des métaux précieux (8 onces parisiennes, soit 244,75 g). **2.** *Dr. Au* **marc** *le franc* : se dit d'une répartition (d'intérêts, d'une créance) entre plusieurs ayants droit proportionnelle à leur quote-part respective. XIIe s. ; anc. bas frq. °*marka* ; [maʀ].

**MARC (II),** subst. m.
**1.** Résidu qui subsiste après le pressage de certains fruits ; par ext., eau-de-vie obtenue par distillation du **marc** de raisin. **2.** Résidu de la décoction, de l'infusion de certaines substances : **Marc** *de café, de thé*. Mil. XIVe s. ; *marcher* (vx), « fouler » ; [maʀ].

**MARCASSIN,** subst. m.
Petit du sanglier, qui porte une robe caractéristique, à grosses rayures longitudinales lui assurant un bon camouflage. 1496 ; prob. *marque* ; [maʀkasɛ̃].

**MARCASSITE,** subst. f.
*Minér.* Sulfure naturel de fer ($FeS_2$), appelé aussi pyrite blanche. 1478 ; prob. ital. *marcassita*, de l'ar. *marqašītā*, d'orig. araméenne ; [maʀkasit].

**MARCESCENT, ENTE,** adj.
*Bot.* Qualifie un organe végétal qui se fane en demeurant fixé à la plante qui le porte : *Une feuille* **marcescente**. 1798 ; lat. *marcescens*, de *marcescare*, « se flétrir » ; [maʀsesɑ̃, ɑ̃t].

**MARCHAND, ANDE,** subst. et adj.
**Subst. 1.** Personne qui fait profession d'acheter des marchandises et de les revendre plus cher pour en tirer un bénéfice (synon. *commerçant*) : **Marchand** *en gros* (☞ *grossiste*) ; **Marchand** *de biens*, de biens immobiliers ; **Marchand** *de couleurs*, droguiste ; **Marchand** *des quatre-saisons* (☞ *quatre-saisons*). **2.** Loc. ▸ *Le* **marchand** *de sable* : personnage imaginaire qui répand du sable dans les yeux des enfants pour qu'ils s'endorment. ▸ **Marchand** *de canons* : fabricant d'armes de guerre (péj.). ▸ **Marchand** *de tapis* : **marchand** ambulant de tapis ou, au fig., personne qui se livre à un marchandage éhonté. **Adj. 1.** Qui a trait à la transaction commerciale. ▸ *Valeur* **marchande** : valeur commerciale d'une marchandise. ▸ *Qualité* **marchande** : moyenne, ordinaire. ▸ *Prix* **marchand** : pratiqué entre **marchands**. **2.** Qui peut faire l'objet d'une vente : *Denrées* **marchandes**. **3.** Où s'exerce une vive activité commerciale : *Galerie* **marchande** ; *Port* **marchand**. **4.** *Marine* **marchande** : qui est affectée au transport des civils et des marchandises (anton. *marine de guerre*). Fin Xe s. ; lat. pop. °*mercatantem*, de °*mercatare*, « commercer », du lat. *mercatus*, « marché » ; [maʀʃɑ̃, ɑ̃d].

**MARCHANDAGE,** subst. m.
**1.** *Dr.* Engagement par lequel un sous-entrepreneur met à la disposition d'un entrepreneur une main-d'œuvre recrutée et rétribuée par ses soins : *Le* **marchandage** *est interdit en France depuis 1848*. **2.** Action de marchander. **3.** Fig. Tractation dans laquelle les parties concernées défendent âprement leurs intérêts et ne cèdent sur un point que pour gagner sur un autre : **Marchandages** *électoraux*. 1848 ; ☞ *marchander* ; [maʀʃɑ̃daʒ].

**MARCHANDER,** verbe [3]
**Trans. 1.** Discuter le prix de (une marchandise) afin de le faire baisser ; empl. intrans. : *Il* **marchande** *sur tout*. **2.** Fig. Hésiter à accorder ou n'accorder (qqch.) qu'avec l'assurance d'une contrepartie : **Marchander** *son aide* ; empl. abs. : *Ne* **marchandons** *plus, agissons*. **Intrans.** *Dr.* Négocier un contrat de marchandage. Fin XVe s. (XIIIe s., faire du commerce) ; ☞ *marchand* ; [maʀʃɑ̃de].

**MARCHANDEUR, EUSE,** subst.
**1.** Client qui marchande pour acheter. **2.** *Dr.* Sous-entrepreneur qui pratique le marchandage. 1836 (XVIe s., vendeur) ; ☞ *marchander* ; [maʀʃɑ̃dœʀ, øz].

**MARCHANDISAGE,** subst. m.
Ensemble stratégique de techniques de vente (type de conditionnement, de présentation, de publicité, etc.) visant à assurer l'écoulement optimal d'un produit commercial. V. 1970 ; ☞ *marchandise* ; recomm. off. pour l'anglic. *merchandising* ; [maʀʃɑ̃dizaʒ].

**MARCHANDISE,** subst. f.
Tout produit pouvant faire l'objet d'un achat, d'une vente : *Stock de* **marchandises** ; *Train de* **marchandises**, réservé au transport des **marchandises**. ▸ Loc. *Étaler, faire valoir sa* **marchandise** : vanter les mérites de ce que l'on propose. Mil. XIIe s. ; ☞ *marchand* ; [maʀʃɑ̃diz].

**MARCHANDISEUR, EUSE,** subst.
Spécialiste des techniques du marchandisage. V. 1970 ; ☞ *marchandise* ; [maʀʃɑ̃dizœʀ, øz].

**MARCHANT, ANTE,** adj.
Qui marche : *Insectes* **marchants**. ▸ Loc. *L'aile* **marchante** : la fraction la plus dynamique, la plus agissante d'un parti, d'un mouvement. 1830 ; p. pr. de *marcher* ; [maʀʃɑ̃, ɑ̃t].

**MARCHANTIA,** subst. f.
*Bot.* Plante cryptogame qui pousse sur les sols humides. Déb. XIXe s. ; lat. sc. *marchantia*, de l'anthropon. *Nicolas Marchant*, botaniste français ; var. *marchantie* ; [maʀʃɑ̃tja].

**MARCHE (I),** subst. f.
*Hist.* Territoire ou province proche d'une frontière ; en partic., zone frontalière militarisée que gouvernait un margrave ou un marquis : *Les* **marches** *de Bretagne*. Fin XIe s. ; germ. °*marka*, « frontière » ; [maʀʃ].

**MARCHE (II),** subst. f.
**I. 1.** Surface, d'un niveau différent de celui du sol, où l'on pose le pied en montant ou en descendant : **Marches** *d'un autel* ; en partic., chacun des degrés d'un escalier : *Dévaler les* **marches** *deux à deux*. **2.** *Techn.* Pédale du métier à tisser. **3.** Chacune des pédales du clavier de pied d'un orgue. **II. 1.** Action de marcher, mode de déplacement de l'être humain. **2.** Action de marcher, considérée en tant que loisir et exercice physique : *Aimer la* **marche** ; *Souliers de* **marche**. ▸ Québ. *Prendre une* **marche** : se promener. ▸ *Sp.* Compétition consistant en une **marche** accélérée. **3.** Manière d'aller à pied : **Marche** *hésitante, à reculons* ; allure à laquelle on va : **Marche** *traînante*. **4.** Distance que l'on parcourt (souv. par réf. au temps) : **Marche** *interminable* ; *La source est à deux heures de* **marche**. **5.** Déplacement collectif, souvent pour appuyer une revendication ou pour protester : **Marche** *de grévistes*. ▸ *Hist. La* **Marche** *sur Rome* : celle des partisans de Mussolini en 1922. ▸ Loc. *Ouvrir, fermer la* **marche** : être placé en tête, en queue d'un défilé. **6.** *Milit.* Progression d'une troupe allant à pied dans un ordre précis vers un endroit déterminé : **Marche** *forcée*, plus longue et plus rapide qu'une **marche** normale. ▸ *En avant,* **marche** ! : commandement de départ. **7.** *Mus.* Composition à rythme quaternaire destinée à accompagner le pas cadencé d'une troupe ; par anal., morceau de musique classique adoptant ce rythme. **III. 1.** Progression de qqch. dans un sens déterminé : *S'asseoir dans le sens de la* **marche** *du train*. ▸ Loc. *Faire* **marche** *arrière* : revenir sur ses pas ou, au fig.,

se rétracter. **2.** *Astron.* Déplacement orbital d'un astre. **3.** Fonctionnement normal d'un mécanisme. ▸ Loc. *Se mettre en* **marche** : se mettre à fonctionner. **4.** Évolution dans le temps, progrès : *La* **marche** *des évènements.* **5.** Fonctionnement correct d'une entité organisationnelle : *Veiller à la bonne* **marche** *d'un service.* **6.** *Mus.* **Marche** *d'harmonie* ou *harmonique* : répétition par transposition d'une succession d'accords conservant entre eux le même rapport d'intervalle. Mil. XIVe s. ; ☞ *marcher* ; [maʀʃ].

**MARCHÉ, subst. m.**

**I. 1.** Lieu public, couvert ou à ciel ouvert, où l'on propose à une clientèle nombreuse toutes sortes de denrées et de marchandises à acheter : *Les stands d'un* **marché** ; **Marché** *aux puces* (☞ *puce*). ▸ **Marché** *d'intérêt national (M. I. N.)* : **marché** où s'approvisionnent les grossistes, créé par décret d'État, aménagé près d'un grand centre ferroviaire pour faciliter l'acheminement des marchandises et qui est géré par les collectivités locales. **2.** Rassemblement périodique de commerçants qui se tient régulièrement dans un endroit déterminé ; par méton., ensemble des produits, des aliments qu'on y achète : *Faire son* **marché**. ▸ **Marché**, périodique ou non, qui réunit une seule catégorie de commerçants : **Marché** *aux fleurs.* **3.** Ext. Pays, centre urbain spécialisé dans un commerce déterminé : *La Nouvelle-Orléans est l'un des plus grands* **marchés** *mondiaux du coton.* **II. 1.** Activité économique spécifique considérée dans sa productivité et dans ses débouchés : **Marché** *de la micro-informatique, de l'immobilier* ; *Entreprise trustant un* **marché**, qui en détient le monopole. **2.** Ensemble des acheteurs effectifs ou éventuels d'un produit : **Marché** *potentiel, diversifié* ; **Marché** *demandeur.* ▸ *Étude de* **marché** : évaluation des futurs débouchés d'un produit nouveau, préalable à son lancement. **3.** Lieu de rencontre de l'offre et de la demande ; état et évolution de l'offre et de la demande : *La loi du* **marché** ; **Marché** *en baisse, en hausse.* ▸ **Marché** *du travail* : état comparatif des offres et des demandes d'emploi dans un pays, dans une région, souvent en rapport avec un secteur professionnel donné. ▸ **Marché** *noir* : opération de vente clandestine d'un produit rationné, rare ou prohibé. ▸ *Fin.* **Marché** *des capitaux* : **marché** des offres et des demandes des capitaux monétaires négociés en vue du placement à long terme (synon. **marché** *financier*) ; **Marché** *monétaire* : **marché** des placements de capitaux à court terme ; **Marché** *des changes* : sur lequel s'effectuent des transactions quotidiennes faisant varier les parités des monnaies ; **Marché** *officiel* : **marché** des valeurs cotées en Bourse et qui se négocient selon le cours officiel des changes ; **Marché** *boursier* : ensemble des opérations concernant des valeurs mobilières (actions, obligations, etc.) pratiquées sur une place boursière ; **Marché** *à terme international de France (Matif)* : **marché** à caractère spéculatif sur des valeurs mobilières à échéance et valeur déterminées. **4.** *Économie de* **marché** (☞ *libéralisme*). **5.** *Écon.* et *Pol.* Structure d'économie à l'échelle nationale ou internationale : **Marché** *intérieur, extérieur de la France* ; *Interdépendance des* **marchés** *agricoles européens.* ▸ *Le* **Marché** *commun* : la Communauté économique européenne. **III. 1.** Convention, accord intervenant entre deux parties et portant sur les conditions d'une vente (marchandises, prestations de services, etc.) : *Négocier, conclure un* **marché**. ▸ *Fin.* **Marché** *à prime* : transaction dans laquelle l'acheteur ou le vendeur se réserve le droit de renoncer moyennant une pénalité ou une prime ; **Marché** *à terme* : transaction avec règlement différé (remplacé en 1983 par le **marché** à règlement mensuel) ; **Marché** *au comptant* : transaction avec règlement immédiat ; **Marché** *de gré à gré* : transaction dont les modalités financières sont contractuellement et librement fixées par les deux parties et, spéc., transaction dans laquelle l'Administration peut choisir de jure son contractant. ▸ Loc. *Mettre à qqn le* **marché** *en main* : le mettre en demeure de donner son aval à un accord ou bien d'y renoncer. ▸ *Dr. publ.* **Marché** *public* : transaction entre les collectivités publiques et un entrepreneur qui s'engage à leur fournir, à prix déterminé (**marché** à forfait), des prestations de services proposées par adjudication ou sur appel d'offres. **2.** Ext. Tout accord conclu avec qqn, entente tacite : *Notre* **marché** *ne prévoyait pas que vous me feriez faux bond.* ▸ Loc. **Marché** *de dupe* (☞ *dupe*). **3.** Loc. ▸ **Bon marché.** Ce qui est à prix modéré ou à bas prix ; empl. adj. : *Un hôtel bon* **marché**. ▸ *À bon* **marché** : à prix avantageux ou, au fig., à bon compte. ▸ *Par-dessus le* **marché** : en plus, en outre (fam.). Fin Xe s. ; lat. *mercatus*, de *merx*, « marchandise » ; [maʀʃe].

**MARCHÉAGE, subst. m.**

*Comm.* Harmonisation et dosage des différentes actions commerciales d'une entreprise, selon les lois de la mercatique. V. 1970 ; ☞ *marché* ; [maʀʃeaʒ].

**MARCHEPIED, subst. m.**

**1.** Marche ou série de marches, fixes ou escamotables, permettant de monter dans un véhicule ou d'en descendre. **2.** Escabeau à deux ou trois degrés. **3.** Dernière marche de l'estrade d'un trône, d'un autel. **4.** Fig. Moyen de progresser socialement, de parvenir à ses fins : *Servir de* **marchepied** *à qqn.* XIVe s. (1289, filet de pêche) ; formé de *marcher* et de *pied* ; [maʀʃəpje].

**MARCHER, verbe intrans. [3]**

**I. 1.** Avancer en portant successivement un pied devant l'autre ; au fig. : **Marcher** *droit*, être honnête ou obéissant. **2.** Poser son pied (dans, sur qqch.) en se déplaçant : *Ne* **marchez** *pas sur le gazon.* ▸ Loc. *Se laisser* **marcher** *sur les pieds* : tolérer d'être traité sans égards (fam.). **3.** Se diriger à pied (vers un lieu précis) : **Marchons** *vers le village.* ▸ Loc. **Marcher** *sur les pas, les traces de qqn* : suivre son exemple. **4.** *Milit.* Faire mouvement pour attaquer : **Marcher** *sur une ville* ; par ext. : *Il* **marcha** *sur lui et le saisit à la gorge.* **II. 1.** Avancer, rouler, en parlant d'un véhicule : *Camion qui* **marche** *au ralenti.* **2.** Être en bon état, fonctionner : *Cette horloge* **marche** *bien.* **3.** Être en activité, être productif : *Son entreprise* **marche** *mal.* **4.** Se réaliser avec plus ou moins de succès : *Nos affaires* **marchent** *!* **III.** Fam. **1.** Accepter de participer (à qqch.) : *Ce projet me plaît, je* **marche**. **2.** Se laisser abuser par naïveté : *Il* **marche** *à tous les coups !* ; *Faire* **marcher** *qqn.* Déb. XIIe s. (fin XIIe s., fouler) ; anc. bas frq. °*markôn*, « marquer, imprimer le pas » ; [maʀʃe].

**MARCHEUR, EUSE, subst. et adj.**

Subst. Personne qui marche, qui aime marcher ; personne qui marche dans un but déterminé (compétition sportive, protestation). Adj. *Zool. Oiseaux* **marcheurs** : qui se déplacent en marchant plus qu'ils ne volent. 1500 ; ☞ *marcher* ; [maʀʃœʀ, øz].

**MARCONI, adj. inv.**

*Mar.* Se dit d'un gréement qui comporte une grand-voile triangulaire fixée à un mât à pible par son grand côté et à une bôme par son petit côté, et que l'on hisse avec une seule drisse. Fin XIXe s. ; anthropon. *Marconi*, inventeur de la T. S. F., par anal. entre le mât haubané et une antenne de radio ; [maʀkɔni].

**MARCOTTAGE, subst. m.**

Procédé de multiplication asexuée d'un végétal, au moyen de marcottes : **Marcottage** *d'un fraisier.* 1826 ; ☞ *marcotter* ; [maʀkɔtaʒ].

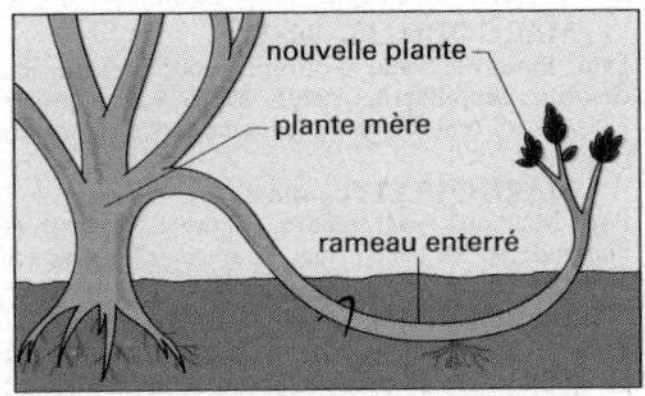


*Marcottage.*

**MARCOTTE, subst. f.**

*Hortic.* Tige d'une plante que l'on courbe et que l'on plante dans le sol pour qu'elle y prenne racine. 1397 ; lat. *marcus*, cep usité en Gaule ; [maʀkɔt].

**MARCOTTER, verbe trans. [3]**

Procéder au marcottage de (une plante). 1551 ; ☞ *marcotte* ; [maʀkɔte].

**MARDI, subst. m.**

Deuxième jour de la semaine. ▸ **Mardi** *gras* : veille du mercredi des Cendres et dernier jour du carnaval, avant le début du carême. 1119 ; lat. *Martis dies*, « jour de Mars » ; [maʀdi].

**MARE, subst. f.**

**1.** Petit plan d'eau stagnante. **2.** Ext. Grande quantité de liquide répandu : **Mare** *de sang.* Fin XIIe s. ; anc. nord. *marr*, « mer, lac » ; [maʀ].

**MARÉCAGE, subst. m.**

**1.** Sol imbibé, inculte, souvent couvert d'une dense végétation herbacée ; marais. **2.** Fig. Situation malsaine où l'on s'enlise. Déb. XIIIe s. ; norm.-pic. *maresc*, « *marais* » ; [maʀekaʒ].

**MARÉCAGEUX, EUSE, adj.**

**1.** Relatif aux marécages : *Une odeur* **marécageuse**. **2.** Qui vit dans les marécages : *La flore* **marécageuse**. 1379 ; ☞ *marécage* ; [maʀekaʒø, øz].

**MARÉCHAL, subst. m.**

**I.** Maréchal-ferrant. **II. 1.** *Hist.* **Maréchal** *de camp* : grade d'officier général, jusqu'à la Révolution. **2.** **Maréchal** *de France* : dignité suprême accordée par l'État à certains officiers généraux victorieux ; *Bâton de* **maréchal**, l'insigne de cette dignité. **3.** **Maréchal** *des logis* : sous-officier de l'ancienne cavalerie et, de nos jours, de l'armée blindée, de la gendarmerie ou de l'artillerie (grade équivalant à celui de sergent). 1086 ; anc. bas frq. °*marhskalk*, « domestique chargé de soigner les chevaux » ; plur. *maréchaux* ; [maʀeʃal], plur. [-ʃo].

**MARÉCHALAT, subst. m.**

Dignité de maréchal. 1830 ; ☞ *maréchal* ; [maʀeʃala].

**MARÉCHALE, subst. f.**

Épouse d'un maréchal de France. 1617 (1292, épouse d'un maréchal-ferrant) ; ☞ *maréchal* ; [maʀeʃal].

**MARÉCHALERIE, subst. f.**

Métier ou atelier du maréchal-ferrant. 1533 ; ☞ *maréchal* ; [maʀeʃalʀi].

**MARÉCHAL-FERRANT, subst. m.**

Artisan qui ferre les chevaux et les animaux de trait. 1611 ; comp. de *maréchal* et du p. pr. de *ferrer* ; plur. *maréchaux-ferrants* ; [maʀeʃalfeʀɑ̃], plur. [-ʃo-].

**MARÉCHAUSSÉE, subst. f.**

**1.** *Hist.* Sous l'Ancien Régime, juridiction des maréchaux de France. ▸ Corps de cavaliers affecté au maintien de l'ordre public (remplacé par la gendarmerie nationale sous la Révolution). **2.** La gendarmerie (fam. et iron.). 1680 (1287, écurie) ; ☞ *maréchal* ; [maʀeʃose].

**MARÉE, subst. f.**

**1.** *Océanogr.* Phénomène de variation périodique du niveau de la mer, dû au balancement des océans que provoque l'attraction de la Lune et du Soleil : **Marée** *basse, haute.* ▸ Loc. *Contre vents et* **marées** : en dépit de tout. **2.** Anal. **Marée** *noire* : pollution de la mer et des côtes par une nappe d'hydrocarbures, à la suite d'un accident ou du dégazage non contrôlé d'un pétrolier. **3.** Méton. Ensemble des produits de la pêche. **4.** Fig. Foule en mouvement : *La* **marée** *humaine* ; phénomène envahissant, auquel on ne peut résister : *La* **marée** *existentialiste après 1945.* Fin XIIIe s. ; ☞ *mer* ; [maʀe].

**OCÉANOGRAPHIE** – L'eau des mers et des océans est soumise à l'attraction de la Lune (l'astre le plus proche de la Terre) et du Soleil (le plus gros de notre système). Cette attraction, en réalité très faible, augmente progressivement, par résonance, le déplacement de l'eau – c'est le principe de la balançoire. Lorsque la Lune et le Soleil sont alignés avec le centre de la Terre, du même côté ou opposés, leurs attractions s'ajoutent. Lorsqu'ils sont à angle droit, elles se contrarient. Lors des pleines et nouvelles lunes, une plus forte attraction induit une marée de vive-eau (la mer monte plus et descend plus) ; les premier et dernier quartiers correspondent aux marées de morte-eau. Cette variation progressive liée au cycle lunaire est encore renforcée aux équinoxes et aux solstices. Les marées hautes et les marées basses se succèdent, selon les points du globe, une ou deux fois en 24 h 50 min. Cette différence de comportement, tout comme la différence d'amplitude de la marée sur un même rivage, dépend de la forme du bassin dans lequel oscille la masse d'eau. L'amplitude de la marée sur une côte donnée est en outre liée à la forme du bord du bassin : dans la baie du Mont-Saint-Michel, par exemple, l'amplitude la plus forte atteint quelque 16 mètres. Enfin, le vent de terre ou de mer peut réduire ou augmenter l'amplitude d'une marée.

**MARÉGRAPHE, subst. m.**
*Techn.* Appareil qui enregistre et mesure la hauteur des marées. Mil. XIXe s. ; ☞ *marée* + *-graphe* ; [maʀegʀaf].

**MARELLE, subst. f.**
Jeu d'enfants qui consiste à sauter à cloche-pied dans les cases d'une figure tracée sur le sol, en poussant un palet. 1677 (fin XIe s., jeton) ; prob. préroman °*marr*, « pierre » ; [maʀɛl].

**MARÉMOTEUR, TRICE, adj.**
Qui utilise l'énergie des marées : *Centrale **marémotrice***, centrale électrique dont les turbines sont mues par le flux et le reflux des eaux. 1923 ; ☞ *marée* + *-moteur* ; [maʀemɔtœʀ, tʀis].

**MARENGO, subst.**
**Masc.** Couleur brun foncé tirant sur le rouge, parsemée de petits points plus clairs ; empl. adj. inv. : *Rideaux **marengo***. **Fém.** *Cuis. Poulet, veau (à la) **marengo*** : découpé en dés, que l'on fait revenir dans l'huile, et accommodé de vin blanc, d'oignons, de champignons et de tomates. 1821 ; topon. *Marengo* (Italie) ; [maʀɛ̃go].

**MARENNES, subst. f.**
Variété d'huître creuse de Marennes. 1902 ; topon. *Marennes* (Charente-Maritime) ; [maʀɛn].

**MAREYAGE, subst. m.**
Commerce en gros des produits de la pêche. 1907 ; ☞ *mareyeur* ; [maʀɛjaʒ].

**MAREYEUR, EUSE, subst.**
Personne spécialisée dans le mareyage. 1612 ; ☞ *marée* ; [maʀɛjœʀ, øz].

**MARFIL, voir MORFIL (I)**

**MARGAILLE, subst. f.**
Belg. Échauffourée ; au fig., désordre. 1927 ; p.-ê. néerl. *marg(h)elen*, « enduire de marne » ; [maʀgaj].

**MARGARINE, subst. f.**
**1.** Vx. *Chim.* Mélange de corps gras. **2.** Émulsion d'huiles, de graisses, gén. végétales, et d'eau, utilisée en cuisine. 1813 ; gr. *margaron*, « perle », par anal. de couleur ; [maʀgaʀin].

**MARGAUDER, voir MARGOTER**

**MARGAUX, subst. m.**
Vin rouge du Médoc produit sur le terroir de Margaux. Topon. *Margaux* (Gironde) ; [maʀgo].

**MARGAY, subst. m.**
*Zool.* Gros chat sauvage, tacheté, qui vit dans les régions forestières, du sud des États-Unis au Brésil. 1575 ; tupi-guarani *maracaja*, « chat-tigre » ; [maʀgɛ].

**MARGE, subst. f.**
**1.** Bordure, lisière. ► Espace blanc laissé autour d'un texte : *Écrire son nom dans la **marge***. **2.** Fig. Intervalle, latitude dont on dispose à l'intérieur de limites : ***Marge** d'erreur* ; ***Marge** de manœuvre* ; ***Marge** de sécurité*. **3.** Loc. **En marge de.** À la frange, à l'écart de : *Vivre **en marge de** la société*. **4.** *Écon. **Marge** bénéficiaire* : différence entre le prix d'achat, ou le prix de revient, d'une marchandise et son prix de vente (synon. *bénéfice*). **5.** *Océanogr. **Marge** continentale* : domaine sous-marin intermédiaire entre le continent et la plaine abyssale. Déb. XIIIe s. ; lat. *margo* ; [maʀʒ].

**MARGELLE, subst. f.**
Rebord en maçonnerie d'un puits ou d'une fontaine. Fin XIIe s. ; lat. pop. °*margella*, du lat. *margo*, « bord, marge » ; [maʀʒɛl].

**MARGER, verbe** [5]
**Trans.** *Impr.* Disposer (une feuille ou un rouleau de papier) sur la forme d'impression. **Intrans.** Placer les margeurs d'une machine à écrire pour déterminer la dimension de la marge. 1680 (1363, au p. p., bordé) ; ☞ *marge* ; [maʀʒe].

**MARGEUR, EUSE, subst.**
*Impr.* Personne chargée de marger le papier à imprimer. **Masc. 1.** *Impr.* Dispositif automatique qui marge les feuilles à imprimer. **2.** Chacun des deux taquets servant à régler la largeur des marges, sur une machine à écrire. 1836 (1730, verrier qui ferme les ouvreaux d'un four) ; ☞ *marger* ; [maʀʒœʀ, øz].

**MARGINAL, ALE, AUX, adj. et subst.**
**Adj. 1.** Qui est inscrit dans la marge d'un texte : *Notes **marginales***. **2.** Qui est situé au bord de qqch. ; par ext., dont l'importance est minime, peu significative : *Secteur économique **marginal***. **3.** Fig. Qui se situe en marge des normes de la société : *Comportement, individu **marginal***. **4.** *Écon.* Qualifie la dernière unité additionnelle ajoutée à un ensemble homogène : *Coût **marginal***, représenté par la dernière unité produite et dont le calcul permet d'apprécier le volume optimal d'une production. **5.** *Psychol. Conscience **marginale*** : état d'une personne à la limite de la conscience. **Subst.** Personne vivant en marge de la société par rejet de ses règles ou par difficulté à s'y intégrer. XVe s. ; lat. *margo*, « bord, marge » ; [maʀʒinal, o].

**MARGINALISATION, subst. f.**
Action de marginaliser ; fait d'être marginalisé. V. 1970 ; ☞ *marginaliser* ; [maʀʒinalizasjɔ̃].

**MARGINALISER, verbe trans.** [3]
Rendre (qqn ou qqch.) marginal : ***Marginaliser** une profession* ; empl. pronom. : *Un syndicat qui se **marginalise***. V. 1960 ; ☞ *marginal* ; [maʀʒinalize].

**MARGINALISME, subst. m.**
*Écon.* Théorie, née dans les années 1870, qui considère comme primordial le fondement psychologique dans l'estimation de la valeur d'un bien, cette valeur étant déterminée par l'utilité de la dernière unité disponible de ce bien (dite unité marginale). 1945 ; ☞ *marginal* ; [maʀʒinalism].

**MARGINALISTE, adj. et subst.**
**Adj.** Qui se rapporte au marginalisme ou qui lui est favorable. **Subst.** Partisan du marginalisme. ☞ *marginalisme* ; [maʀʒinalist].

**MARGINALITÉ, subst. f.**
État de ce qui est marginal ; situation d'une personne marginale : *Vivre dans la **marginalité***. V. 1970 ; ☞ *marginal* ; [maʀʒinalite].

**MARGINER, verbe trans.** [3]
Annoter (un livre, un texte) dans la marge (rare). 1738 ; lat. *margo*, « bord, marge » ; [maʀʒine].

**MARGIS, subst. m.**
Maréchal des logis (argot milit.). Fin XIXe s. ; contraction de *maréchal des logis* ; [maʀʒi].

**MARGOTER, verbe intrans.** [3]
Pousser son cri, en parlant de la caille (synon. *carcailler*). 1660 ; région. *margot*, « pie » ; var. *margotter*, *margauder* ; [maʀgɔte].

**MARGOTIN, subst. m.**
Botte de brindilles servant à allumer le feu. 1803 ; ☞ *marcotte* ; [maʀgɔtɛ̃].

**MARGOTTER, voir MARGOTER**

**MARGOUILLAT, subst. m.**
*Zool.* Nom donné à des lézards de certains pays tropicaux. 1890 ; orig. inc. ; [maʀguja].

*Margouillat.*

**MARGOUILLIS, subst. m.**
Fam. Boue mélangée d'ordures, bourbier ; au fig., désordre repoussant, gâchis. 1630 ; *margouiller* (vx), « salir », prob. du lat. *marga*, « marne », d'orig. gaul. ; [maʀguji].

**MARGOULETTE, subst. f.**
Pop. Mâchoire ; par méton., figure : *Se casser la **margoulette***. 1756 ; crois. de *goule* (vx), « gueule », et de *margouiller*, « manger salement » ; [maʀgulɛt].

**MARGOULIN, subst. m.**
Fam. **1.** Vx. Petit commerçant. **2.** Individu peu scrupuleux en affaires. **3.** Spéculateur médiocre ; mauvais ouvrier. Mil. XIXe s. ; région. *margouliner*, « vendre de bourg en bourg », de *margouline*, « bonnet » ; [maʀgulɛ̃].

**MARGRAVE, subst.**
*Hist.* **Masc.** Titre donné au gouverneur d'une marche du Saint Empire. **Fém.** Femme d'un **margrave**. Fin XVe s. ; all. *Markgraf* ; [maʀgʀav].

**MARGRAVIAT, subst. m.**
**1.** Dignité de margrave. **2.** Juridiction d'un margrave. 1752 ; ☞ *margrave* ; [maʀgʀavja].

**MARGUERITE, subst. f.**
**1.** *Bot.* Plante herbacée de la famille des Astéracées, aux pétales blancs et au cœur jaune : ***Marguerites** des prés*. ► Loc. *Effeuiller la **marguerite*** (☞ *effeuiller*). **2.** Disque portant les caractères, sur certaines machines à écrire. XIIIe s. ; lat. *margarita*, « perle », du gr. *margaritês*, d'orig. orientale ; [maʀgəʀit].

**MARGUILLIER, subst. m.**
**1.** Vx. Membre du conseil de fabrique qui administre les biens d'une paroisse. **2.** Laïc chargé de l'entretien d'une église. Déb. XIIe s. ; bas lat. *matricularius*, de *matricula*, « registre » ; [maʀgije].

**MARI, subst. m.**
Homme uni à une femme par le lien du mariage. Mil. XIIe s. ; lat. *maritus*, de *mas*, « mâle » ; [maʀi].

**MARIABLE, adj.**
Apte au mariage. Fin XIIe s. ; ☞ *marier* ; [maʀjabl].

**MARIAGE, subst. m.**
**1.** *Cath.* Sacrement qui sanctifie l'union d'un homme et d'une femme : *Liens indissolubles du **mariage***. **2.** Union d'un homme et d'une femme, réalisée selon les prescriptions de la loi civile ou religieuse et qui inaugure entre eux une vie conjugale : ***Mariage** blanc*, non consommé ; ***Mariage** mixte*, entre personnes de religion, d'origine culturelle, etc., différente. **3.** Méton. ► Célébration de cette union ; cérémonie, fête qui l'accompagne. ► État découlant de cette union, vie conjugale : ***Mariage** heureux*. **4.** Fig. Association harmonieuse ; fusion : ***Mariage** de couleurs* ; ***Mariage** de deux entreprises*. XIIe s. ; ☞ *marier* ; [maʀjaʒ].

**DROIT** – Dans le droit français, seul le mariage civil a valeur juridique. Il doit précéder, si elle a lieu, la cérémonie religieuse. Le mariage n'est autorisé qu'entre deux personnes de sexe différent, âgées de dix-huit ans pour l'homme et de quinze ans pour la femme (sauf dispense légale) ; il doit être précédé par une publication de bans à la mairie où il sera célébré, et les deux époux doivent avoir subi un examen médical prénuptial. Les biens des époux, présents et à venir, sont répartis par un contrat de mariage, établi par un notaire ou par la loi (communauté légale). Le mariage est dissous par la mort d'un des conjoints ou par le divorce.

**MARIAL, ALE, ALS ou AUX, adj.**
Qui concerne la Vierge Marie : *Culte **marial***. 1921 (déb. XVIIe s., livre de prières à Marie) ; *Marie*, mère du Christ ; [maʀjal, o].

**MARIANISTE, subst. m.**
*Cath.* Membre (laïc ou non) de la Société de Marie, fondée à Bordeaux en 1817 par l'abbé Joseph Chaminade, à vocation éducative et missionnaire. 1892 ; *Société de Marie* ; [maʀjanist].

**MARIÉ, ÉE, adj. et subst.**
**Adj.** Qui a contracté mariage. **Subst.** Personne qui se marie ou vient de se marier : *Jeunes **mariés** en voyage de noces*. ► Loc. *Se plaindre que la **mariée** est trop belle* : trouver à redire à qqch. de satisfaisant. Mil. XIIe s. ; p. p. de *marier* ; [maʀje].

**MARIE-JEANNE, subst. f. inv.**
Marijuana, haschisch (fam.). V. 1970 ; hisp.-amér. *marijuana* ; [maʀiʒan].

**MARIE-LOUISE, subst. f.**
Bordure intérieure d'un cadre. V. 1960 ; prénom *Marie-Louise* ; plur. *maries-louises* ; [maʀilwiz].

**MARIER, verbe trans.** [6]
**1.** Unir par le mariage. **2.** Donner un conjoint à (une personne célibataire) : *Il est temps qu'on la **marie***. **3.** Fig. Réunir, assortir (des choses) : ***Marier** divers tons de bleu*. ► Loc. *Vouloir **marier** l'eau et le feu* : vouloir associer deux choses incompatibles. **Pronom. 1.** S'unir par le mariage : *Ils vont se **marier*** ; contracter mariage : *Il s'est **marié** jeune*. **2.** S'assortir : *Ces saveurs se **marient** bien*. Mil. XIIe s. ; lat. *maritare*, de *maritus*, « mari » ; [maʀje].

**MARIE-SALOPE, subst. f.**
*Mar.* Bateau à fond plat et mobile servant à transporter en haute mer les produits d'un dragage. 1777 ; comp. du prénom *Marie* et de *salope* ; plur. *maries-salopes* ; [maʀisalɔp].

**MARIEUR, EUSE, subst.**
Personne qui s'entremet pour arranger des mariages. 1585 ; ☞ *marier* ; [maʀjœʀ, øz].

**MARIGOT, subst. m.**
Bras mort d'un cours d'eau ou point d'eau alimenté par les pluies, dans les pays tropicaux. XVIIe s. ; p.-ê. crois. de *mare* avec un mot caraïbe ; [maʀigo].

**MARIJUANA, subst. f.**
Drogue euphorisante à base de feuilles et de tiges

fleuries de chanvre indien, qui se fume pure ou mélangée à du tabac. 1933 ; mot hisp.-amér. ; var. *marihuana* ; [maʀiʒɥana] ou [-ʀwa-].

**MARIMBA, subst. m.**
*Mus.* Sorte de xylophone africain dont les lames, que l'on frappe avec des baguettes, sont munies de résonateurs en bambou, en bois ou en calebasse. 1777 ; prob. mot bantou ; [maʀimba].

**MARIN, INE, adj. et subst. m.**
ADJ. **1.** Qui concerne la mer ; qui y vit ou en est issu : *Houle* ***marine*** ; *Algues* ***marines*** ; *Sel* ***marin***. **2.** Relatif à la navigation en mer : *Carte* ***marine***. ▸ Loc. *Avoir le pied* ***marin*** : garder son équilibre à bord d'un bateau et, par ext., ne pas avoir le mal de mer. SUBST. **1.** Officier de marine (vx). **2.** Navigateur expérimenté : *Un peuple de* ***marins***. **3.** Homme dont la profession s'exerce sur un navire de mer : ***Marin*** *pêcheur*. ▸ Homme d'équipage, dans la Marine nationale ; en appos. : *Fusilier* ***marin*** (☞ *fusilier*) ; *Col* ***marin***, rappelant celui de l'uniforme des **marins**. **4.** Loc. ***Marin*** *d'eau douce* : piètre navigateur. **5.** *Météor.* Vent de sud-est, humide et tiède, qui souffle sur le Languedoc. Mil. XIIe s. ; lat. *marinus*, de *mare*, « mer » ; [maʀɛ̃, in].

**MARINA, subst. f.**
Ensemble touristique établi en bord de mer, associant des logements à des installations destinées à la navigation de plaisance. V. 1960 ; prob. anglo-amér. *marina*, de l'ital. *marina*, « plage » ; [maʀina].

**MARINADE, subst. f.**
*Cuis.* Liquide agrémenté de condiments dans lequel on fait macérer des poissons ou des viandes pour les aromatiser ou les conserver ; par méton., le plat ainsi préparé. 1651 ; ☞ *mariner* ; [maʀinad].

**MARINE (I), subst. f.**
**I. 1.** Vx. Mer, bord de mer. **2.** *B.-a.* Peinture ou gravure représentant la mer, des bateaux, des ports ; format de châssis de tableaux, plus large que haut, souvent utilisé pour les **marines**. **II. 1.** Ce qui a trait à l'art et aux techniques de la navigation sur mer : *Le musée de la* ***Marine***. **2.** Ensemble des navires d'un même pays, d'une même catégorie ou affectés à une même activité : *La* ***marine*** *grecque* ; ***Marine*** *marchande, de plaisance*. ▸ *Milit.* Ensemble des forces navales d'un État : *Servir dans la* ***marine*** ; *Un officier de* ***marine*** ; *La* ***Marine*** *nationale*, la **marine** de guerre de la République française ; empl. adj. inv. : *Bleu* ***marine*** ou, par ell., ***Marine***, bleu très foncé, tel celui des uniformes de la **marine**. **3.** Méton. Ensemble des services qui administrent l'activité maritime. Mil. XIIe s. ; ☞ *marin* ; [maʀin].

**MARINE (II), subst. m.**
Soldat américain ou britannique de l'infanterie de marine. XIXe s. ; mot angl. ; [maʀin], plur. [-ins].

**MARINER, verbe [3]**
TRANS. *Cuis.* Tremper (des aliments) dans une marinade pour en enrichir le goût, les attendrir ou les conserver : ***Mariner*** *un lièvre*. INTRANS. **1.** Macérer dans une marinade : *Les maquereaux* ***marinent*** *depuis longtemps*. **2.** Fig. Attendre longtemps, dans une situation inconfortable (fam.) : *Laisser* ***mariner*** *qqn avant de le recevoir*. 1552 ; prob. ital. *marinare*, du lat. *aqua marina*, « saumure » ; [maʀine].

**MARINGOUIN, subst. m.**
*Zool.* Insecte diptère piqueur qui se déplace en groupes autour des animaux à sang chaud, dont il suce le sang. 1566 ; tupi-guarani *mbarigui* ; [maʀɛ̃gwɛ̃].

**MARINIER, IÈRE, subst. m. et adj.**
SUBST. **1.** Vx. Marin. ▸ *Milit.* En appos. *Officier* ***marinier*** : sous-officier de la Marine nationale. **2.** Personne qui travaille dans la navigation fluviale ; en partic., membre de l'équipage d'une péniche (synon. vieilli *batelier*). ADJ. Qui concerne la mer et la marine (vx). ▸ *Trav. publ. Arche* ***marinière*** : la plus grande arche d'un pont, sous laquelle peuvent passer les bateaux. Mil. XIIe s. ; ☞ *marin* ; [maʀinje, jɛʀ].

**MARINIÈRE, subst. f.**
**1.** *Cuis. Moules (à la)* ***marinière*** : cuites dans leur jus additionné de vin blanc, d'oignons ou d'échalotes et de fines herbes. **2.** *Cost.* Blouse ample descendant sous la taille, sans ouverture sur le devant. 1836 ; ☞ *marine* (I) ; [maʀinjɛʀ].

**MARINISME, subst. m.**
*Litt.* Préciosité de style rappelant celle du poète Marino. 1840 ; anthropon. *G. Marino*, écrivain italien ; [maʀinism].

**MARIOLLE, adj. et subst.**
Fam. Se dit d'un individu malin, rusé. ▸ Loc. *Faire le* ***mariolle*** : faire le fanfaron. XVIe s. ; ital. *mariolo*, de *fare le Marie*, « feindre la dévotion », de *Maria*, la Vierge Marie ; var. *mariol, mariole* ; [maʀjɔl].

**MARIOLOGIE, subst. f.**
Partie de la théologie catholique relative à la Vierge Marie. *Marie* + *-logie* ; [maʀjɔlɔʒi].

**MARIONNETTE, subst. f.**
**1.** Petit personnage articulé en bois, en tissu, etc., qu'une personne cachée anime au moyen de fils ou en y enfilant la main (**marionnette** à gaine). **2.** Fig. Personne aisément manipulable. 1556 (1479, sorte de rebec) ; *Marie*, par un dimin. ayant signifié « petite image de Marie » ; [maʀjɔnɛt].

© N. Le Corre-Gamma

*Marionnettes à fils.*

**MARIONNETTISTE, subst.**
Personne qui manipule des marionnettes. 1852 ; ☞ *marionnette* ; [maʀjɔnetist].

**MARISQUE, subst. f.**
*Pathol.* Tuméfaction fibreuse, indolore, du pourtour de l'anus, due à la cicatrisation d'une hémorroïde. Mil. XVIIIe s. (1551, grosse figue) ; lat. *marisca ficus*, espèce de figue ; [maʀisk].

**MARISTE, subst.**
*Cath.* Membre de la Société de Marie, congrégation missionnaire fondée à Lyon en 1822. MASC. Religieux non prêtre de l'institut des Petits Frères de Marie, voué à l'enseignement ; en appos. : *Frère* ***mariste***. 1843 ; *Société de Marie* ; [maʀist].

**MARITAL, ALE, AUX, adj.**
**1.** Qui concerne la vie conjugale : *Entente* ***maritale***. **2.** *Dr.* Qui concerne le mari, ses prérogatives : *Autorité* ***maritale***. 1531 ; lat. *maritalis* ; [maʀital, o].

**MARITALEMENT, adv.**
**1.** Conjugalement. **2.** En concubinage : *Vivre* ***maritalement***. 1832 (1694, en mari) ; ☞ *marital* ; [maʀitalmɑ̃].

**MARITIME, adj.**
**1.** Qui est ou qui vit au bord de la mer : *Cité* ***maritime*** ; relatif au littoral : *Climat* ***maritime***. ▸ *Bot. Plante* ***maritime*** : qui pousse au bord de la mer. **2.** Qui se fait sur mer ou par mer : *Guerre, commerce* ***maritime*** ; qui concerne la navigation : *Droit* ***maritime***. 1336 ; lat. *maritimus* ; [maʀitim].

**MARIVAUDAGE, subst. m.**
**1.** *Litt.* Manière précieuse et raffinée d'analyser et d'exprimer les sentiments amoureux. **2.** Ext. Badinage galant et spirituel. 1760 ; ☞ *marivauder* ; [maʀivodaʒ].

**MARIVAUDER, verbe intrans. [3]**
Échanger des propos galants et raffinés, badiner. 1760 ; anthropon. *Marivaux* ; [maʀivode].

**MARJOLAINE, subst. f.**
*Bot.* Plante herbacée de la famille des Lamiacées, aromatique et médicinale. Fin XIVe s. ; anc. fr. *majorane*, du lat. médiév. *maiorana* ; [maʀʒɔlɛn].

**MARK, subst. m.**
Unité monétaire principale de l'Allemagne (synon. *deutsche* **Mark**). 1723 ; all. *Mark*, du frq. °*marka*, « marc » ; [maʀk].

**MARKETING, subst. m.**
Mercatique (anglic.). 1944 ; mot angl. ; [maʀketiŋ].

**MARKKA, subst. m.**
Principale unité monétaire de la Finlande (synon. *mark finlandais*). Plur. *markkaa* ; [maʀka].

**MARLI, subst. m.**
Rebord interne, gén. décoré, d'un plat, d'une assiette. 1698 ; p.-ê. topon. *Marly-le-Roi* (Yvelines) ; [maʀli].

**MARLIN, subst. m.**
*Zool.* Gros poisson à rostre des mers chaudes, proche de l'espadon. 1933 ; mot angl. ; [maʀlɛ̃].

**MARLOU, subst. m.**
Proxénète (pop.). Déb. XIXe s. ; p.-ê. crois. d'une var. dial. de *merle* et de *filou* ; [maʀlu].

**MARMAILLE, subst. f.**
Groupe d'enfants bruyants et remuants (fam. et péj.). 1611 (1560, petit garçon) ; ☞ *marmot* ; [maʀmaj].

**MARMELADE, subst. f.**
*Confis.* Mélange de fruits cuits avec du sucre jusqu'à obtention d'une bouillie. ▸ Loc. **En marmelade.** Trop cuit, en bouillie ; au fig., écrasé, meurtri : *Avoir les pieds en* ***marmelade***. 1573 ; port. *marmelada*, « confiture de coings », du lat. *melimelum*, « pomme douce » ; [maʀməlad].

**MARMENTEAU, adj. m. et subst. m.**
Se dit d'un bois de haute futaie, réservé à l'ornement d'un domaine, que les usufruitiers ne peuvent faire abattre. 1508 ; anc. fr. *merrement*, du lat. pop. °*materiamentum*, « bois de construction » ; [maʀmɑ̃to].

**MARMITE, subst. f.**
**1.** Récipient profond à fond plat, gén. muni de deux anses et d'un couvercle, servant à faire cuire des aliments ; son contenu. ▸ Loc. *Faire bouillir la* ***marmite*** : assurer la subsistance d'un ménage (fam.). **2.** Obus de gros calibre (dans l'argot de la guerre de 1914-1918). **3.** *Géogr.* ***Marmite*** *de géants* : cavité creusée par le mouvement tourbillonnaire des galets et du sable dans le lit rocheux d'un cours d'eau torrentiel. **4.** *Phys.* ***Marmite*** *de Papin* : récipient fermé par un couvercle étanche muni d'une soupape de sécurité, dans lequel on peut porter l'eau liquide à plus de 100 °C sous la pression de la vapeur. 1388 ; anc. fr. *marmite*, « hypocrite », ce récipient dissimulant son contenu ; [maʀmit].

**MARMITON, subst. m.**
Jeune apprenti travaillant dans les cuisines. 1523 ; ☞ *marmite* ; [maʀmitɔ̃].

**MARMONNEMENT, subst. m.**
Murmure confus, indistinct de qqn qui marmonne. 1585 ; ☞ *marmonner* ; [maʀmɔnmɑ̃].

**MARMONNER, verbe trans. [3]**
Dire (qqch.) tout bas, en articulant mal, de manière confuse et parfois hostile : ***Marmonner*** *une prière* ; ***Marmonner*** *des injures* ; empl. abs. : ***Marmonner*** *dans sa barbe*. 1534 ; orig. onomat. ; [maʀmɔne].

**MARMORÉEN, ÉENNE, adj.**
**1.** De la nature du marbre : *Roche* ***marmoréenne***. **2.** Qui évoque le marbre par sa pâleur, sa froideur, sa dureté (littér.) : *Visage* ***marmoréen***. 1840 ; lat. *marmoreus* ; [maʀmɔʀeɛ̃, eɛn].

**MARMOT, subst. m.**
**1.** Figurine grotesque qui servait d'ornement architectural ou de heurtoir. **2.** Enfant (fam.). Fin XVIe s. (1480, singe) ; prob. *marmotter* ; [maʀmo].

**MARMOTTE, subst. f.**
*Zool.* **1.** Mammifère rongeur de la famille des Sciuridés, trapu et bas sur pattes, à petites oreilles et à courte queue touffue, qui forme des colonies en haute montagne et hiberne. ▸ Loc. *Dormir comme une* ***marmotte*** : longtemps et profondément. **2.** Fichu de femme qui se noue sur la tête (vx). **3.** Boîte à échantillons de représentant. **4.** Variété de bigarreau. Fin XIIe s. ; prob. *marmotter* ; [maʀmɔt].

**MARMOTTEMENT, subst. m.**
Murmure indistinct et confus d'une personne qui marmotte. 1585 ; ☞ *marmotter* ; [maʀmɔtmɑ̃].

**MARMOTTER, verbe trans. [3]**
Murmurer (qqch.) indistinctement, à voix basse, parfois avec hostilité ; empl. abs. : *Il partit en* ***marmottant***. Fin XVe s. ; orig. onomat. ; [maʀmɔte].

**MARMOUSET, subst. m.**
**1.** Vx. Figurine grotesque ; par méton., chenet bas orné d'une telle figurine. **2.** Garçonnet ; par ext., freluquet, homme insignifiant (fam.). **3.** *Hist.* Surnom donné par dérision aux conseillers du roi Charles V rappelés par Charles VI. 1292 ; var. de *marmot*, d'apr. l'anc. fr. *marmuser*, « marmotter » ; [maʀmuzɛ].

**MARNAGE (I), subst. m.**
*Agric.* Action d'amender un sol avec de la marne. 1641 ; ☞ *marner* (I) ; [maʀnaʒ].

**MARNAGE (II), subst. m.**
*Océanogr.* Amplitude maximale des marées en un lieu donné. 1826 ; ☞ *marner* (II) ; [maʀnaʒ].

**MARNE, subst. f.**
*Pétrogr.* Roche sédimentaire tendre, formée à partir d'une boue, mélange d'argile et de calcaire en proportions variables, et utilisée pour l'amendement des sols acides et la fabrication du ciment. ⌧ 1266 ; altér. de l'anc. fr. *marle*, du gaul. °*margila* ; [maʀn].

**MARNER (I), verbe [3]**
**Trans.** *Agric.* Amender (un sol trop acide) en y ajoutant de la marne. **Intrans.** Travailler dur (pop.). ⌧ Déb. XIIIe s. ; ☞ *marne* ; [maʀne].

**MARNER (II), verbe intrans. [3]**
*Océanogr. La marée* **marne** : monte au-dessus de son niveau moyen. ⌧ 1716 ; prob. °*marne*, var. de *marge* ; [maʀne].

**MARNEUR, EUSE, subst.**
*Agric.* Personne qui procède au marnage des terres. ⌧ Déb. XVIe s. ; ☞ *marner* (I) ; [maʀnœʀ, øz].

**MARNEUX, EUSE, adj.**
Riche en marne. ⌧ 1567 ; ☞ *marne* ; [maʀnø, øz].

**MARNIÈRE, subst. f.**
Carrière de marne. ⌧ XIIIe s. ; ☞ *marne* ; [maʀnjɛʀ].

**MAROILLES, subst. m.**
Fromage au lait de vache, à pâte molle affinée et à croûte lavée rougeâtre, fabriqué en Thiérache. ⌧ 1723 ; topon. *Maroilles* (Nord) ; [maʀwal].

**MAROLLIEN, subst. m.**
Argot franco-flamand des faubourgs bruxellois. ⌧ Topon. *Marolles*, anc. quartier de Bruxelles ; [maʀɔljɛ̃].

**MARONITE, subst. et adj.**
**Subst.** Catholique uniate, fidèle de l'Église dite **maronite**. **Adj.** Qui concerne les **maronites** et leur Église. ⌧ 1489 ; anthropon. *Maro(u)n* ; [maʀɔnit].

**RELIGION** – Le monastère Saint-Maron, taillé dans le roc sur l'Oronte, près d'Apamée, en Syrie, fondé au IVe s. par l'anachorète saint Maron, fut le premier foyer spirituel de l'Église de rite syriaque dite maronite. Dès le Ve s., les moines de Saint-Maron soutinrent avec ardeur la politique impériale (concile de Chalcédoine en 451) contre l'hérésie monophysite. Au VIIe s., après les invasions arabes, les maronites, soupçonnés de monothélisme, se réfugièrent au Liban, où leur Église se constitua en patriarcat (VIIIe s.). Ayant abjuré le monothélisme, ils rétablirent la pleine communion catholique avec Rome au XIIe s. Le patriarche maronite porte la titulature *ad honorem* « d'Antioche » et siège au Liban – qui reste aujourd'hui le principal foyer des maronites –, où il joue un rôle important de modérateur politique.

**MARONNER, verbe intrans. [3]**
Bougonner, protester sourdement, en marmonnant (fam.). ⌧ 1743 ; dial. *maronner*, « miauler » ; [maʀɔne].

**MAROQUIN, subst. m.**
**1.** Cuir de bouc ou de chèvre, tanné au sumac et teint, utilisé pour sa souplesse et pour son grain en reliure et en maroquinerie. **2.** Méton. Poste de ministre (fam.). ⌧ 1479 ; topon. *Maroc*, prob. par l'esp. *marroquín*, « cuir » ; [maʀɔkɛ̃].

**MAROQUINAGE, subst. m.**
Action de maroquiner ; son résultat. ⌧ 1840 ; ☞ *maroquiner* ; [maʀɔkinaʒ].

**MAROQUINER, verbe trans. [3]**
*Techn.* Apprêter (une peau) pour la transformer en maroquin. ⌧ 1704 ; ☞ *maroquin* ; [maʀɔkine].

**MAROQUINERIE, subst. f.**
**1.** Atelier, établissement où l'on prépare le maroquin. **2.** Commerce et fabrication d'articles en maroquin ou en cuir fin. **3.** Magasin où l'on vend des articles en cuir fin ; par méton., ces articles eux-mêmes. ⌧ 1636 ; ☞ *maroquin* ; [maʀɔkinʀi].

**MAROQUINIER, IÈRE, subst.**
**1.** Artisan qui prépare le maroquin. **2.** Fabricant d'articles de maroquinerie. **3.** Commerçant en maroquinerie. ⌧ 1562 ; ☞ *maroquin* ; [maʀɔkinje, jɛʀ].

**MAROTTE, subst. f.**
**1.** Sceptre surmonté d'une tête grotesque coiffée d'un capuchon à grelots, attribut des bouffons de cour. **2.** Anal. Tête de matière plastique, de bois, etc., qui sert de mannequin aux coiffeurs, aux modistes. **3.** Fig. Manie (fam.). ⌧ Fin XVe s. (1468, image de la Vierge) ; *Marie*, mère du Christ ; [maʀɔt].

**MAROUETTE, subst. f.**
*Zool.* Petit oiseau des marécages, de la famille des Rallidés, dont les pattes aux longs doigts lui permettent de se déplacer sur les plantes flottantes. ⌧ 1767 ; prov. *maruetto*, « marionnette » ; [maʀwɛt].

**MAROUFLAGE, subst. m.**
Action de maroufler ; son résultat. ⌧ 1787 ; ☞ *maroufler* ; [maʀuflaʒ].

**MAROUFLER, verbe trans. [3]**
**1.** *Peint.* Coller (une toile peinte) sur un mur, un support rigide. **2.** *Techn.* **Maroufler** *un panneau* : le consolider par l'encollage d'une toile sur son envers. ⌧ 1746 ; *maroufle* (vx), « colle forte » ; [maʀufle].

**MAROUTE, subst. f.**
*Bot.* Plante de la famille des Astéracées, à l'odeur fétide, dite camomille puante. ⌧ 1564 ; anc. fr. *amerote*, du bas lat. *amalusta* ; [maʀut].

**MARQUAGE, subst. m.**
**1.** Action d'apposer une marque : **Marquage** *du bétail, des arbres.* **2.** *Biol.* Technique permettant de suivre le devenir de groupements cellulaires au sein de l'embryon, d'organites ou de molécules à l'intérieur de cellules, à l'aide de substances colorées, fluorescentes, ou d'isotopes radioactifs ou non. **3.** *Sp.* Action de marquer un joueur. ⌧ 1873 (1613, terme du jeu de paume) ; ☞ *marquer* ; [maʀkaʒ].

**MARQUANT, ANTE, adj.**
**1.** Qui fait forte impression, mémorable ; important, décisif. **2.** Remarquable à des titres divers, en parlant de qqn. ⌧ 1721 ; p. pr. de *marquer* ; [maʀkɑ̃, ɑ̃t].

**MARQUE, subst. f.**
**I. 1.** Signe reconnaissable apposé sur une chose pour la distinguer parmi d'autres : **Marque** *sur un arbre.* **2.** Empreinte infamante faite au fer rouge sur l'épaule d'un forçat (pratique abolie sous Louis-Philippe). **3.** Signe de contrôle appliqué sur qqch. (marchandises, par ex.), cachet : **Marque** *de la douane.* **4.** Signe personnel appliqué par un artisan sur l'ouvrage qu'il a créé : *Bague qui porte la* **marque** *de l'orfèvre.* **5.** *Comm.* Signe (label, étiquette, logo, vignette, etc.) que porte un produit et qui désigne son fabricant, le lieu de sa fabrication : **Marque** *de fabrique, de commerce.* ▸ *Dr. comm.* **Marque** *déposée* : **marque** de fabrique ayant fait l'objet d'un dépôt légal à l'Institut national de la propriété industrielle et bénéficiant ainsi d'une protection juridique, notamment contre les imitations. **6.** Firme qui fabrique une gamme de produits déterminés : *Les grandes* **marques** *du prêt-à-porter* ; par méton., le produit fabriqué : *J'achète de préférence cette* **marque** ; *Produit de* **marque**, fabriqué par une grande **marque**, de prestige, de haute qualité. **7.** *Sp.* Ligne tracée sur le sol, à partir de laquelle doit s'effectuer la performance d'un athlète (saut, course, etc.) ; au plur., dispositif dans lequel l'athlète cale ses pieds : *À vos* **marques** *! Prêts ? Partez !* **II. 1.** Empreinte naturelle laissée sur un corps, résultant de son contact avec un autre corps : **Marques** *de pas sur le sable.* **2.** Trace visible sur la peau (contusion, brûlure, cicatrice...). **III. 1.** Objet qui sert à reconnaître, à retrouver qqch. : *Insérer des* **marques** *dans un livre, pour y retrouver certains passages.* **2.** Insigne matériel distinctif d'une dignité : *Le bâton étoilé d'or est la* **marque** *du maréchalat.* ▸ Loc. *Personnage, hôte de* **marque** : illustre, éminent. ▸ *Mar.* Pavillon hissé au plus haut du bâtiment à bord duquel se trouve le commandant en chef d'une flotte ou, le cas échéant, le chef de l'État. **3.** *Jeux.* Fiche, jeton, servant à quantifier les points ou l'argent acquis par un joueur. **4.** *Sp.* Décompte des buts, des points gagnés dans une compétition (synon. *score*). **IV. 1.** Signe distinctif, caractéristique de qqch. : *La* **marque** *du génie.* **2.** Témoignage, preuve qui sont le gage de qqch. : **Marque** *de déférence, d'affection.* **3.** *Gramm.* Caractère distinctif : *Dans le mot « tables », l'« s » est la* **marque** *du pluriel.* **4.** *Ling.* Valeur marquée d'une opposition. ⌧ 1456 ; ☞ *marquer* ; [maʀk].

**MARQUÉ, ÉE, adj.**
**1.** Qui porte une marque : *Chemise* **marquée** *de deux initiales* ; au fig. : *Une œuvre* **marquée** *par le génie.* ▸ *Un visage* **marqué** : qui porte les marques de l'âge, de la fatigue, des soucis, etc. **2.** Dont les opinions, les engagements sont notoirement connus : *Il est très* **marqué** *à droite.* **3.** Très manifeste, prononcé : *Contraste* **marqué** ; accentué : *Tango au rythme très* **marqué**. **4.** *Ling.* Se dit de celle des valeurs d'un trait pertinent qui ajoute un élément signifiant à une unité phonologique, syntaxique, etc. (la valeur non **marquée** étant caractérisée par l'absence de cet élément), ou dont l'usage est le plus restreint ou le moins naturel (la valeur non **marquée** étant utilisée dans des contextes plus variés). ⌧ 1640 p. p. de *marquer* ; [maʀke].

**MARQUE-PAGE, subst. m.**
Signet. ⌧ XXe s. ; comp. de *marquer* et de *page* (I) ; plur *marque-pages* ; [maʀk(ə)paʒ].

**MARQUER, verbe [3]**
**Trans. 1.** Mettre une marque sur (qqch. ou qqn) afin de l'identifier, de le distinguer, de le repérer : **Marquer** *des fiches d'une croix au crayon* ; **Marquer** *un condamné au fer rouge.* **2.** Noter, inscrire (fam.) : **Marquer** *une adresse sur son calepin.* ▸ Loc. **Marquer** *(une date, un évènement) d'une pierre blanche* : les inscrire dans sa mémoire, les tenir pour remarquables. **3.** Laisser une empreinte visible sur : *Une balafre* **marque** *son visage* ; au fig. : *Ce deuil l'a beaucoup* **marqué**. **4.** Indiquer, signaler par une marque : *Ce cercle sur la carte* **marque** *l'endroit où nous nous trouvons* ; au fig. : *Le coucher du soleil* **marque** *la fin du jour.* **5.** Indiquer, en parlant d'un instrument de mesure : *Le thermomètre* **marque** *37,2 °C.* **6.** Rendre plus manifeste, ponctuer ; souligner : **Marquer** *le rythme en battant des mains* ; *Une ceinture lui* **marquait** *la taille.* ▸ Loc. *Milit.* **Marquer** *le pas* : faire le mouvement de la marche en demeurant sur place et, au fig., cesser de progresser, piétiner. **7.** Manifester, exprimer ouvertement : **Marquer** *son mécontentement, son estime à qqn* ; dénoter : *Attitude qui* **marque** *le mépris.* **8.** *Sp.* et *Jeux.* Enregistrer, noter (les gains, les points acquis). ▸ **Marquer** *un but, un panier, un essai* : obtenir un avantage en plaçant la balle dans le but, dans le panier, derrière la ligne adverse. ▸ Loc. **Marquer le coup**. Paraître éprouvé par le coup reçu, en boxe et, au fig., se montrer atteint par ce qui a été dit ou fait contre soi ; se comporter de manière à bien souligner l'importance de ce qui arrive. ▸ **Marquer** *un joueur* : le suivre de près pour surveiller ses mouvements et parer ses attaques. **Intrans. 1.** Causer une impression profonde dont le souvenir persiste : *Peu d'hommes ont* **marqué** *comme lui.* ▸ Loc. **Marquer** *bien, mal* : causer une bonne, une mauvaise impression (fam.). **2.** Faire une marque visible : *Ce poinçon est érodé, il* **marque** *mal.* ⌧ 1456 ; var. de l'anc. norm.-pic. *merchier*, de *merc*, « limite », prob. d'apr. *marcher*, « fouler aux pieds » ; [maʀke].

**MARQUETER, verbe trans. [14]**
Orner de marqueterie ; empl. adj. : *Commode* **marquetée**. ⌧ 1380 ; ☞ *marquer* ; [maʀkəte].

**MARQUETERIE, subst. f.**
**1.** *Ében.* Assemblage de pièces de bois d'essences et de teintes différentes ou de pièces d'ivoire, de métaux, de nacre, etc., dont on orne, par placage ou incrustation, un ouvrage ; par méton., meuble ainsi décoré : *Une* **marqueterie** *florentine.* **2.** Art de réaliser des ouvrages de **marqueterie**. **3.** Fig. Ensemble constitué d'éléments disparates (synon. *mosaïque*). ⌧ 1416 ; ☞ *marqueter* ; [maʀkɛtʀi].

**MARQUETEUR, EUSE, subst.**
Ébéniste spécialisé dans la marqueterie. ⌧ 1502 ; ☞ *marqueter* ; [maʀkətœʀ, øz].

*Bureau de dame* **marqueté** *d'époque Louis XV. Musée Cognacq-Jay, Paris.*

**MARQUEUR, EUSE,** subst.
**1.** Personne qui appose des marques : ***Marqueur** de bêtes* ; ***Marqueuse** de linge.* **2.** *Jeux* et *Sp.* ▸ Personne qui compte et inscrit les points. ▸ Joueur, joueuse qui marque un but, un essai, un panier, etc. **Masc. 1.** Crayon feutre à pointe épaisse. **2.** *Biol.* Isotope radioactif ou stable introduit dans une molécule, une cellule ou une substance composée, ou encore dans un système, afin d'en suivre l'évolution (synon. *indicateur isotopique*). **Fém.** Machine utilisée pour marquer, apposer des marques. 🕮 XVe s. ; ☞ *marquer* ; [maʀkœʀ, øz].

**MARQUIS,** subst. m.
**1.** *Hist.* ▸ À l'époque franque, gouverneur militaire d'une marche. ▸ Sous l'Ancien Régime, titre d'un seigneur dont la terre est érigée en marquisat ; ce seigneur lui-même. **2.** Titre nobiliaire intermédiaire entre ceux de duc et de comte. 🕮 Déb. XIIIe s. ; ☞ *marche* (I) ; [maʀki].

**MARQUISAT,** subst. m.
**1.** *Hist.* Fief d'un marquis. **2.** Dignité de marquis ou de marquise. 🕮 1474 ; ☞ *marquis* ; [maʀkiza].

**MARQUISE,** subst. f.
**I.** Épouse d'un marquis. **II. 1.** *Ameubl.* Fauteuil large et profond, à dossier droit peu élevé. **2.** Toile tendue à l'horizontale devant l'entrée d'une tente. ▸ *Archit.* Auvent vitré à structure métallique, coiffant l'entrée d'un édifice, un quai de gare, etc. **3.** *Joaill.* Bague à chaton ovale très allongé. 🕮 Fin XIVe s. ; ☞ *marquis* ; [maʀkiz].

**MARQUOIR,** subst. m.
Instrument qu'utilisent tailleurs et couturières pour marquer les tissus. 🕮 1771 ; ☞ *marquer* ; [maʀkwaʀ].

**MARRAINE,** subst. f.
**1.** *Relig.* Femme qui tient un enfant sur les fonts baptismaux, et qui s'engage à assister les parents dans leur tâche d'éducation religieuse. **2.** Anal. Présidente d'honneur au baptême d'une cloche d'église, d'un navire, etc. **3.** Fig. Protectrice influente qui introduit qqn dans une société fermée. **4.** *Milit.* ***Marraine** de guerre* : jeune fille ou femme qui soutient moralement et matériellement un soldat au front. 🕮 Fin XIe s. ; lat. pop. °*matrina*, du lat. *mater*, « mère » ; [maʀɛn].

**MARRANE,** subst.
*Hist.* Juif espagnol ou portugais converti au catholicisme sous la pression de l'Inquisition et qui continuait à pratiquer clandestinement sa religion d'origine. 🕮 XVe s. ; esp. *marrano*, « porc (injure) », p.-ê. de l'ar. *muḥarram*, « qui est défendu » ; [maʀan].

**MARRANT, ANTE,** adj.
Fam. **1.** Qui fait rire, amusant. **2.** Étrange, étonnant. 🕮 1901 ; p. pr. de *se marrer* ; [maʀɑ̃, ɑ̃t].

**MARRE,** adv.
**1.** *En avoir **marre*** : en avoir assez, être excédé (fam.). **2.** *C'est **marre**, y en a **marre** !* : cela suffit ! (pop.). 🕮 Fin XIXe s. ; prob. *se marrer* ; [maʀ].

**MARRER (SE),** verbe pronom. [3]
**1.** Vx. S'ennuyer. **2.** S'amuser beaucoup, rire (fam.). 🕮 1883 ; prob. esp. *mareo*, « ennui » ; [maʀe].

**MARRI, IE,** adj.
Affligé, désolé (vieilli ou littér.) : *Excusez mon retard, j'en suis fort **marri** !* 🕮 Déb. XIIe s. ; anc. fr. *soi marrir*, « s'affliger », de l'anc. bas frq. °*marrjan*, « fâcher » ; [maʀi].

**MARRON (I),** subst. m. et adj. inv.
**Subst. 1.** Graine comestible du châtaignier cultivé : ***Marrons** glacés.* ▸ Loc. *Tirer les **marrons** du feu* : prendre des risques au bénéfice d'autrui. **2.** ***Marron** d'Inde* : graine, arrondie et brune, du marronnier d'Inde, non comestible mais utilisée en thérapeutique. **3.** Coup de poing (fam.). **Adj.** D'une couleur brun-roux : *Des yeux **marron*** ; empl. subst. masc., cette couleur. 🕮 1526 ; ital. *marrone*, prob. du rad. préroman °*marr-*, « pierre » ; [maʀɔ̃].

**MARRON (II), ONNE,** adj.
**1.** *Esclave **marron*** : qui a pris la fuite. **2.** Qui exerce une profession de manière illicite : *Médecin, notaire **marron**.* **3.** Empl. masc. inv. Dupé, refait (pop.). 🕮 Mil. XVIIe s. ; créole antillais *mar(r)on*, de l'esp. *cimarrón* ; [maʀɔ̃, ɔn].

**MARRONNIER,** subst. m.
*Bot.* **1.** Châtaignier cultivé. **2.** ***Marronnier** d'Inde* ou, empl. abs., ***Marronnier*** : arbre de la famille des Hippocastanacées, souv. planté dans les lieux publics. 🕮 1560 ; ☞ *marron* (I) ; [maʀɔnje].

**MARRUBE,** subst. m.
*Bot.* Plante de la famille des Lamiacées. Le **marrube** blanc est une plante médicinale. ▸ ***Marrube** noir* : ballote. 🕮 Fin XIe s. ; lat. *marrubium* ; [maʀyb].

**MARS,** subst. m.
**1.** Troisième mois de l'année : *Giboulées de **mars**.* **2.** *Zool.* Papillon diurne brun à taches blanches, avec des reflets bleus ou violets. 🕮 1119 ; lat. *martius*, « de Mars (dieu de la Guerre) » ; [maʀs].

**MARSALA,** subst. m.
Vin doux produit dans la région de Marsala, en Sicile. 🕮 1892 ; topon. *Marsala* (Sicile) ; [maʀsala].

**MARSAULT,** subst. m.
*Bot.* Espèce de saule qui pousse dans les milieux humides et dont l'écorce est riche en tanin. 🕮 1309 ; lat. *marem salicem*, « saule mâle » ; var. *marseau* ; [maʀso].

**MARSEILLAIS, AISE,** adj. et subst.
De Marseille. **Subst. fém.** *La **Marseillaise*** : chant composé en 1792 pour l'armée du Rhin par Rouget de Lisle, qui fut entonné par les fédérés **marseillais** le 10 août, lors de l'assaut contre les Tuileries, et devint l'hymne national français. 🕮 1605 ; topon. *Marseille* (Bouches-du-Rhône) ; [maʀsɛjɛ, ɛz].

**MARSHMALLOW,** subst. m.
Pâte de guimauve très molle et légèrement colorée. 🕮 Mil. XXe s. ; mot angl. ; [maʀʃmalo].

**MARSOUIN,** subst. m.
**1.** *Zool.* Cétacé odontocète de la famille des Delphinidés, présent dans les eaux côtières de l'hémisphère Nord. **2.** Militaire de l'infanterie de marine (argot.). 🕮 1385 ; prob. scand. *marsvin*, « cochon de mer » ; [maʀswɛ̃].

**MARSUPIAL, ALE, AUX,** adj. et subst. m. plur.
*Zool.* **Adj.** Propre aux **Marsupiaux** : *Poche **marsupiale**.* **Subst.** Ordre unique de la sous-classe des Métathériens, mammifères absents de l'Ancien Monde caractérisés par l'absence de placenta, une parturition précoce et la présence d'une poche ventrale dans laquelle les jeunes terminent leur développement accrochés aux mamelles ; au sing. : *La sarigue est un **marsupial**.* 🕮 1736 ; lat. *marsupium*, « bourse » ; [maʀsypjal, o].

**MARTAGON,** subst. m.
*Bot.* Plante herbacée de la famille des Liliacées, appelée aussi lis **martagon**, à fleurs roses tachetées de brun et de pourpre. 🕮 Fin XIVe s. ; prob. turc *martagān*, « sorte de turban » ; [maʀtagɔ̃].

**MARTE,** voir **MARTRE**

**MARTEAU,** subst. m. et adj.
**Subst. 1.** Outil composé d'une masse en acier fixée à un manche, servant à enfoncer des clous, à battre des métaux, etc. : ***Marteau** de forgeron, de menuisier, de tapissier* ; *La faucille et le **marteau*** (☞ *faucille*). ▸ Loc. *Être entre le **marteau** et l'enclume* (☞ *enclume*). **2.** Anal. Instrument servant à frapper : ***Marteau** de porte*, heurtoir ; ***Marteau** d'un commissaire-priseur* ; ***Marteau** d'horloge*, qui sonne les heures sur un timbre. ▸ *Méd.* ***Marteau** à réflexes* : avec lequel on vérifie les réflexes rotuliens et plantaires. ▸ *Mus.* Petite masse de bois recouverte de feutre, qui frappe les cordes du piano. ▸ *Trav. publ.* et *Mines.* ***Marteau** pneumatique* : appareil de percussion à air comprimé ; ***Marteau** perforateur* : **marteau** pneumatique hydraulique ou électrique servant à forer. **3.** *Anat.* Osselet de l'oreille moyenne, qui transmet à l'enclume les vibrations de ce dernier. **4.** *Sp.* Boule de fonte ou de cuivre de 7,257 kg, reliée à une poignée par un câble et que l'athlète lance après un mouvement de rotation sur lui-même ; la discipline du lancer du **marteau**. **5.** *Zool.* Requin des mers chaudes dont les yeux sont situés à l'extrémité des lobes latéraux de la tête aplatie, l'ensemble évoquant la tête d'un **marteau** (synon. *requin-**marteau***). **Adj.** *Être **marteau*** : être fou (fam.). 🕮 Mil. XIIe s. ; lat. *martellus* ; [maʀto].

**MARTEAU-PILON,** subst. m.
*Techn.* Machine-outil à percussion, formée d'un lourd cylindre d'acier soulevé par un système à vapeur ou à air comprimé et qui retombe sur une pièce métallique à déformer, posée sur une enclume. 🕮 1850 ; comp. de *marteau* et de *pilon* ; plur. *marteaux-pilons* ; [maʀtopilɔ̃].

**MARTEAU-PIOLET,** subst. m.
Piolet d'alpiniste permettant d'entailler la glace ou d'enfoncer des pitons. 🕮 1941 ; comp. de *marteau* et de *piolet* ; plur. *marteaux-piolets* ; [maʀtopjɔlɛ].

**MARTEAU-PIQUEUR,** subst. m.
*Techn.* Outil de forage mû par un moteur pneumatique transmettant à la tête (fleuret ou burin) de violentes impulsions à intervalles très rapprochés. 🕮 Mil. XXe s. ; comp. de *marteau* et de *piqueur* ; plur. *marteaux-piqueurs* ; [maʀtopikœʀ].

**MARTEL,** subst. m.
Souci (vx). ▸ Loc. *Se mettre **martel** en tête* : s'inquiéter. 🕮 1558 ; ital. *martello*, « marteau » ; [maʀtɛl].

**MARTELAGE,** subst. m.
**1.** *Techn.* Action de marteler, de travailler un métal au marteau : ***Martelage** et façonnage à chaud.* **2.** *Sylvic.* Marquage au marteau des arbres à couper ou à conserver. 🕮 1530 ; ☞ *marteler* ; [maʀtəlaʒ].

**MARTÈLEMENT,** subst. m.
Action de marteler : ***Martèlement** d'une barre de fer* ; bruit qui en résulte ; par anal. : ***Martèlement** du pas cadencé.* 🕮 Déb. XIVe s. (1268, choc des armes) ; ☞ *marteler* ; [maʀtɛlmɑ̃].

**MARTELER,** verbe trans. [13]
**1.** Battre, travailler au moyen d'un marteau ; empl. adj. : *Cuivre **martelé**.* **2.** Anal. Frapper à coups répétés et violents : ***Marteler** un visage de coups de poing.* **3.** Fig. Articuler avec force (des mots). 🕮 Fin XIIe s. ; *martel*, anc. forme de *marteau* ; [maʀtəle].

**MARTELEUR, EUSE,** subst.
Personne qui fait le martelage ; spéc., personne qui actionne un marteau de forge. 🕮 1377 ; ☞ *marteler* ; [maʀtəlœʀ, øz].

**MARTENSITE,** subst. f.
*Métall.* Carbone en solution entrant dans la composition de l'acier trempé. 🕮 1903 ; anthropon. *Adolf Martens*, ingénieur allemand ; [maʀtɛ̃sit].

**MARTIAL (I), ALE, AUX,** adj.
**1.** *Milit.* Qui a trait à la guerre, à l'art militaire : *Préparatifs **martiaux**.* ▸ *Cour **martiale*** : tribunal militaire d'exception. ▸ *Loi **martiale*** : confiant à l'armée le maintien de l'ordre dans certaines situations exceptionnelles. **2.** Qui encourage à la guerre, au combat : *Discours, chant **martial**.* ▸ Ext. Décidé, énergique : *Une allure **martiale**.* **3.** *Arts **martiaux*** : arts chevaleresques extrême-orientaux, centrés sur les techniques de combat (aïkido, judo, kung-fu, etc.), mais incluant également la calligraphie, l'ikébana (art de la composition florale), etc. 🕮 1355 ; lat. *martialis*, « de Mars (dieu de la Guerre) » ; [maʀsjal, o].

**MARTIAL (II), ALE, AUX,** adj.
**1.** Qui contient du fer (vieilli). **2.** *Physiol.* Relatif au rôle du fer dans l'organisme : *Fonction **martiale** du foie* ; *Carence **martiale**.* 🕮 1694 (1611, martien) ; ☞ *martial* (I) ou lat. *martialis*, d'apr. *Mars*, planète (symbole du fer en alchimie) ; [maʀsjal, o].

**MARTIEN, IENNE,** adj. et subst.
**Adj.** Qui concerne la planète Mars. **Subst.** Habitant imaginaire de cette planète. 🕮 1839 (1514, guerrier) ; topon. *Mars* ; [maʀsjɛ̃, jɛn].

**MARTIN-CHASSEUR,** subst. m.
*Zool.* Oiseau coraciadiforme d'Afrique et d'Asie, de la famille des Alcédinidés, voisin du martin-pêcheur, qui se nourrit d'insectes et de petits reptiles. 🕮 1750 ; comp. de *martin* (vx), « passereau », et de *chasseur* ; plur. *martins-chasseurs* ; [maʀtɛ̃ʃasœʀ].

**MARTINET,** subst. m.
**1.** *Zool.* Oiseau de la famille des Apodidés, au plumage brun ou noir, qui ne se pose que pour nicher. **2.** Petit fouet à plusieurs lanières, fixées à un manche, dont on se servait jadis pour des punitions corporelles auj. prohibées par la loi. **3.** Marteau-pilon à cadence mécanique continue. 🕮 1546 (1315, forge) ; prob. prénom *Martin* ; [maʀtinɛ].

**MARTINGALE,** subst. f.
**1.** *Équit.* Pièce du harnachement formant courroie et reliant la sangle ventrale aux rênes ou à la muserolle. **2.** *Jeux.* Stratégie fondée sur l'observation des fréquences de sortie de certains numéros, censée assurer des gains. **3.** *Cost.* Bande de tissu horizontale ornant le dos d'une veste ou d'un manteau, à hauteur de la taille. 🕮 1611 (1491, chausses dont l'arrière est muni d'un pont) ; prob. prov. *martegalo*, « de Martigues » ; [maʀtɛ̃gal].

**MARTIN-PÊCHEUR,** subst. m.
*Zool.* Oiseau coraciadiforme de la famille des Alcédinidés, au plumage bleu, vert et roux, qui vit au bord des cours d'eau et se nourrit de petits poissons et d'autres petits animaux aquatiques. 🕮 1573 ; comp. de *martin* (vx), « passereau », et de *pêcheur* ; plur. *martins-pêcheurs* ; [maʀtɛ̃pɛʃœʀ].

Martre.

**MARTRE, subst. f.**
*Zool.* Mammifère carnivore de la famille des Mustélidés, au museau allongé, aux petites oreilles arrondies, de mœurs arboricoles et dont la fourrure est très estimée. ▫ Fin XIe s. ; anc. bas frq. °*martar* ; var. *marte* ; [maʀtʀ].

**MARTYR, YRE, subst.**
**1.** *Relig.* Personne torturée et mise à mort pour avoir Saint Étienne, premier ***martyr** connu.* **2.** Ext. Personne qui souffre ou meurt pour une cause : *Jean Moulin, **martyr** de la Résistance.* ▸ Empl. adj. Persécuté, victime de cruelles épreuves : *Enfants **martyrs** ; Nation **martyre**.* ▫ Mil. XIe s. ; lat. eccl. *martyr*, du gr. *martur*, « témoin » ; [maʀtiʀ].

**MARTYRE, subst. m.**
**1.** *Relig.* Supplice et mort endurés par un martyr : *Marcher sereinement au **martyre**.* **2.** Ext. Grande douleur, physique ou morale : *Le **martyre** de la Pologne sous l'occupation nazie* ; par hyperb. : *Cette soirée, quel **martyre** !* ▫ Fin XIe s. ; lat. eccl. *martyrium*, du gr. *marturion*, « témoignage, preuve » ; [maʀtiʀ].

**MARTYRISER, verbe trans.** [3]
**1.** Livrer au martyre, mettre à mort. **2.** Faire souffrir cruellement : ***Martyriser** un animal.* ▫ Mil. XIIe s. ; lat. médiév. *martyrizare* ; [maʀtiʀize].

**MARTYRIUM, subst. m.**
**1.** Crypte ou chapelle qui abrite la tombe d'un martyr. **2.** Église dédiée à un saint martyr. ▫ 1803 ; mot lat. eccl. ; [maʀtiʀjɔm].

**MARTYROLOGE, subst. m.**
**1.** *Relig.* Liste des martyrs et, par ext., des saints que l'Église commémore. **2.** Liste de ceux qui ont souffert pour une cause, de victimes : *Le **martyrologe** juif.* ▫ Mil. XIVe s. ; lat. médiév. *martyrologium*, de *martyr*, d'apr. *eulogium*, « éloge » ; [maʀtiʀɔlɔʒ].

**MARXISANT, ANTE, adj.**
Qui présente des affinités avec le marxisme : *Penseur **marxisant** ; Une analyse **marxisante**.* ▫ V. 1970 ; ☞ *marxiste* ; [maʀksizɑ̃, ɑ̃t].

**MARXISME, subst. m.**
Doctrine philosophico-politique élaborée par Karl Marx et Friedrich Engels. ▫ 1882 ; anthropon. *Karl Marx* ; [maʀksism].

SCIENCES HUMAINES – Au sens large du terme, le marxisme rassemble trois doctrines : une philosophie (le matérialisme dialectique), une théorie de l'histoire (le matérialisme historique) et une théorie économique. Tout l'édifice du marxisme, cependant, repose sur une critique du capitalisme et des rapports socio-économiques que les hommes nouent à ce stade de la production industrielle. Dans la société capitaliste, ces rapports prennent la forme d'un antagonisme de classes entre ceux qui détiennent le capital et les moyens de production, et ceux qui ne possèdent que leur force de travail. Ces classes ne s'opposent pas en vertu d'un conflit de valeurs, mais du fait de leur place respective dans le processus de production. Pour se maintenir, la classe des possédants doit dégager toujours plus de profit du secteur productif, ce qu'elle ne peut obtenir qu'en diminuant le coût du travail, seule monnaie d'échange dont disposent les travailleurs. Fondé sur le principe d'une exploitation et d'une aliénation de la force de travail, le rapport de production capitaliste suscite directement la lutte des travailleurs contre les conditions qui leur sont imposées – une lutte que la baisse tendancielle du taux de profit ne peut qu'aggraver et généraliser jusqu'au moment où, passant de la volonté de survivre à celle de s'émanciper, la classe ouvrière sera en mesure de s'emparer du pouvoir et d'abolir tout rapport de classes.

**MARXISME-LÉNINISME, subst. m.**
Doctrine qui intègre les apports de Lénine au marxisme, notamment en matière de praxis révolutionnaire. ▫ 1933 ; comp. de *marxisme* et de *léninisme* ; plur. *marxismes-léninismes* ; [maʀksismleninism].

**MARXISTE, adj. et subst.**
ADJ. Relatif ou favorable au marxisme. SUBST. Partisan du marxisme. ▫ 1872 ; anthropon. *Karl Marx* ; [maʀksist].

**MARXISTE-LÉNINISTE, adj. et subst.**
ADJ. Relatif ou favorable au marxisme-léninisme. SUBST. Partisan du marxisme-léninisme. ▫ 1932 ; comp. de *marxiste* et de *léniniste* ; plur. *marxistes-léninistes* ; [maʀksistleninist].

**MARYLAND, subst. m.**
Tabac blond provenant du Maryland. ▫ 1762 ; topon. *Maryland*, État des États-Unis ; [maʀilɑ̃d].

**MAS, subst. m.**
Ferme, maison rurale, en Provence. ▫ 1552 ; prov. *mas*, du lat. *mansum* ; [mɑ(s)].

**MASCARA, subst. m.**
Rimmel (anglic.). ▫ 1903 ; angl. *mascara*, de l'esp. *mascara*, « masque » ; [maskaʀa].

**MASCARADE, subst. f.**
**1.** Vx. Divertissement dont les participants sont travestis et masqués. **2.** Ext. Défilé de personnes déguisées. **3.** Méton. Accoutrement étrange. **4.** Fig. Mise en scène hypocrite ; parodie, simulacre : *Ce sommet international fut une **mascarade**.* ▫ 1554 ; ital. *mascherata*, de *maschera*, « masque » ; [maskaʀad].

**MASCARET, subst. m.**
Longue vague qui déferle vers l'amont dans certains estuaires, provoquée par la rencontre du courant du fleuve et du flot de la marée. ▫ 1552 ; gascon *mascaret*, « bœuf tacheté », de *mascara*, « tacher de noir », par métaph. ; [maskaʀɛ].

**MASCARON, subst. m.**
*Archit.* Figure grotesque, grimaçante, ornant une fontaine, un chapiteau, etc. ▫ 1633 ; ital. *mascherone*, « grand masque grotesque » ; [maskaʀɔ̃].

**MASCOTTE, subst. f.**
Objet, animal ou personne que l'on considère comme porte-bonheur. ▫ 1867 ; prov. *mascoto*, « sortilège », de *masco*, « sorcière » ; [maskɔt].

**MASCULIN, INE, adj.**
**1.** Propre au mâle, à l'homme (anton. *féminin*) : *Sexe **masculin** ; Psychologie **masculine**.* **2.** Composé d'hommes : *Clientèle **masculine*** ; réservé aux hommes : *Club **masculin**.* **3.** Qui tient de l'homme : *Femme à la voix **masculine**.* **4.** *Spéc.* ▸ *Gramm. Genre **masculin*** ou, empl. subst. masc., *Le **masculin*** : genre grammatical qui caractérise en principe les noms d'êtres vivants mâles, mais aussi de très nombreux noms de choses (anton. *féminin*). ▸ *Versif. Rime **masculine*** : sans *e* muet final. ▫ Mil. XIIIe s. ; lat. *masculinus*, de *masculus*, « mâle » ; [maskylɛ̃, in].

**MASCULINISER, verbe trans.** [3]
**1.** Rendre masculin, donner un aspect masculin à ; empl. pronom. : *Une profession qui se **masculinise**.* **2.** *Biol.* Faire apparaître des caractères sexuels masculins chez. ▫ Déb. XVIe s. ; ☞ *masculin* ; [maskylinize].

**MASCULINITÉ, subst. f.**
Ensemble des caractères physiologiques et psychologiques propres au sexe masculin (synon. *virilité*). ▫ Mil. XIIIe s. ; ☞ *masculin* ; [maskylinite].

**MASER, subst. m.**
*Phys.* Effet d'amplification des ondes dans le domaine micrométrique, résultant d'une émission stimulée du rayonnement électromagnétique ; dispositif utilisant cet effet, notamment en radioastronomie où il sert à amplifier les signaux extrêmement faibles en provenance de radiosources. ▫ 1956 ; anglo-amér. *maser*, acron. de *microwave amplification by stimulated emission of radiation*, « amplification de micro-ondes par émission stimulée de rayonnement » ; [mazɛʀ].

**MASKINONGÉ, subst. m.**
Québ. Poisson d'eau douce, sorte de gros brochet. ▫ 1709 ; mot d'orig. algonquine ; [maskinɔ̃ʒe].

**MASOCHISME, subst. m.**
**1.** *Psych.* et *Psychanal.* Perversion sexuelle, définie par le psychiatre Krafft-Ebing, dans laquelle le sujet ne parvient à la jouissance qu'en éprouvant une souffrance physique. **2.** Ext. Comportement d'une personne qui recherche la souffrance, l'échec, l'humiliation, ou qui s'y complaît. ▫ 1896 ; anthropon. *Sacher-Masoch*, romancier autrichien ; [mazɔʃism].

**MASOCHISTE, adj. et subst.**
Se dit d'une personne atteinte de masochisme ou qui a une tendance au masochisme (abrév. fam. : maso). ADJ. Qui relève du masochisme : *Fantasmes **masochistes**.* ▫ 1896 ; ☞ *masochisme* ; [mazɔʃist].

**MASQUAGE, subst. m.**
**1.** Action de masquer, de dissimuler qqch. **2.** *Impr.* et *Phot.* Procédé qui consiste à superposer un film ou un phototype à son négatif pour obtenir certains effets. ▫ 1945 ; ☞ *masquer* ; [maskaʒ].

**MASQUE, subst. m.**
**I. 1.** Objet représentant un faux visage, que l'on porte pour se dissimuler ou se déguiser : ***Masque** de carnaval ; **Masques** comiques et tragiques du théâtre antique* ; cet objet revêtant un caractère symbolique ou rituel dans de nombreuses sociétés : ***Masques** africains, aztèques, océaniens.* **2.** Pièce souple ou rigide qui ne dissimule que le haut du visage (synon. *loup*). **3.** Personne masquée (vieilli). **4.** Fig. Apparence, attitude derrière laquelle on cache ses sentiments, ses intentions véritables. ▸ Loc. *Jeter, lever, tomber le **masque*** : dévoiler sa vraie nature. **II. 1.** Moulage réalisé à partir de l'empreinte du visage d'une personne vivante ou morte : ***Masque** de Pascal.* **2.** Modelé, traits du visage ; son expression : *Un **masque** serein ; Un **masque** de souffrance.* ▸ *Physiol. **Masque** de (la) grossesse* : chloasma. **III. 1.** Objet servant à protéger le visage : ***Masque** d'escrime, de dentiste, de plongée.* **2.** Dispositif qu'on applique sur la bouche et le nez : ***Masque** à gaz*, empêchant l'inhalation de gaz toxiques. ▸ *Chir.* et *Méd. **Masque** à oxygène* : servant à ventiler le système respiratoire ; ***Masque** anesthésique* : servant à administrer un anesthésique gazeux. **3.** Produit cosmétique (gel, crème, etc.) dont on recouvre le visage : ***Masque** antirides à l'argile.* **IV. 1.** *Fortif.* Abri naturel ou artificiel destiné à se cacher et à se protéger de l'ennemi. **2.** *Trav. publ. **Masque** de barrage* : revêtement visant à rendre étanche le côté amont d'un barrage. **V.** *Zool.* Lèvre inférieure extensible de la larve de libellule, qui se transforme en organe de capture. ▫ 1511 ; ital. *maschera*, p.-ê. d'un rad. préroman °*maska-*, « noir » ; [mask].

*Masque funéraire en or, d'époque mycénienne (mil. XVIe s. av. J.-C.), dit à tort **masque** d'Agamemnon. Musée national, Athènes.*

**MASQUÉ, ÉE, adj.**
**1.** Qui porte un masque sur le visage : *Des bandits **masqués*** ; par méton. : *Bal **masqué***, dont les participants doivent porter un masque, un déguisement. **2.** Fig. Dissimulé, dérobé à la vue : *Coffre-fort **masqué** par une tenture.* ▫ 1528 ; p. p. de *masquer* ; [maske].

**MASQUER, verbe trans.** [3]
**1.** Recouvrir d'un masque : *Un loup lui **masquait** le visage.* **2.** Ext. Cacher à la vue : *Ce mur nous **masque** la rivière.* **3.** Fig. Dissimuler sous des dehors trompeurs : ***Masquer** sa vraie personnalité.* **4.** *Mar. **Masquer** une voile* : lui faire prendre le vent à contre, gén. dans une manœuvre destinée à faire culer le navire. ▫ 1528 ; ☞ *masque* ; [maske].

**MASSACRANT, ANTE, adj.**
*D'une humeur **massacrante*** : d'une humeur détestable. ▫ 1777 ; p. pr. de *massacrer* ; [masakʀɑ̃, ɑ̃t].

**MASSACRE, subst. m.**
**1.** Action de massacrer, de tuer en grand nombre : *Le **massacre** des Innocents ; Le **massacre** de la Saint-Barthélemy.* **2.** Travail très mal fait ; en partic.,

exécution très maladroite d'une œuvre musicale. **3.** Action de mettre à mal qqn, de détruire qqch. : *Le* **massacre** *d'un vieux quartier* ; au fig., attaque ou critique très violente. **4.** *Jeu de* **massacre** : jeu forain consistant à renverser des poupées à l'aide de balles. **5.** *Vén.* Curée (vx) : *Sonner le* **massacre**. ▸ Trophée de chasse constitué des bois d'un cervidé ou des cornes d'un buffle, d'une antilope, etc. réunis par l'os frontal. 📖 Mil. XII^e s. (fin XI^e s., boucherie) ; ☞ *massacrer* ; [masakʀ].

**MASSACRER, verbe trans. [3]**

**1.** Tuer sauvagement et en grand nombre (des êtres sans moyens de défense) : **Massacrer** *des femmes et des enfants.* ▸ Empl. pronom. S'exterminer les uns les autres avec sauvagerie : *Clans rivaux qui se* **massacrent**. **2.** Ext. Tuer (qqn, un animal) de manière brutale, odieuse : *L'assassin* **a massacré** *sa victime* ; par hyperb. : **Massacrer** *un adversaire,* le mettre à mal. **3.** Détruire, saccager (qqch.), souv. de manière systématique : **Massacrer** *des vitrines* ; *Un urbanisme qui* **massacre** *le littoral* ; au fig., critiquer très durement. **4.** Gâcher, abîmer involontairement ; exécuter avec maladresse : **Massacrer** *le français, une symphonie.* 📖 Mil. XII^e s. ; lat. pop. °*matteuculare*, de °*matteuca*, « massue » ; [masakʀe].

**MASSACREUR, EUSE, subst.**

**1.** Personne qui commet ou qui ordonne un massacre. **2.** Fig. Personne qui accomplit très mal qqch. 📖 1574 ; ☞ *massacrer* ; [masakʀœʀ, øz].

**MASSAGE, subst. m.**

Action de masser. ▸ *Méd.* **Massage** *cardiaque* : acte médical effectué pour rétablir très rapidement la circulation sanguine en cas d'arrêt cardiaque. 📖 1808 ; ☞ *masser* (II) ; [masaʒ].

**MASSE (I), subst. f.**

**1.** *M. Â.* **Masse** *d'armes* : arme formée d'une boule de fer hérissée de pointes, reliée à un manche par une chaîne. **2.** Bâton à tête dorée ou argentée, porté par l'huissier précédant un haut personnage dans certaines cérémonies. **3.** Gros maillet à tête de bois ou de fer : **Masse** *de carrier, de forgeron.* **4.** Gros bout d'une queue de billard. 📖 Déb. XII^e s. ; lat. pop. °*mattea*, prob. du lat. *mateola*, « bâton » ; [mas].

**MASSE (II), subst. f.**

**I. 1.** Quantité plus ou moins grande de substance, sans forme définie : **Masse** *de graisse.* **2.** Volume important d'une matière fluide : **Masse** *d'eau.* ▸ *Météor.* **Masse** *d'air* : partie de l'air de la troposphère qui, en stagnant ou en se déplaçant très lentement sur une région géographique, en acquiert certaines caractéristiques (température, humidité, par ex.). **3.** Bloc compact formé par un objet d'un volume important : *La* **masse** *d'un rocher, d'une basilique.* ▸ Loc. *Tomber comme une* **masse** : de tout son poids, comme une chose inerte. **4.** Amas d'éléments de même nature : *Une* **masse** *de scories.* **5.** Ensemble ayant une unité : *La* **masse** *orchestrale* ; au plur. : *L'équilibre des* **masses** *dans une œuvre architecturale.* **6.** Fam. Grande quantité de choses formant un tout : *Une* **masse** *de preuves accablantes* ; grande quantité de choses quelconques : *Une* **masse** *de détritus.* **7.** Somme totale de biens, de valeurs : **Masse** *monétaire*, ensemble des moyens monétaires d'un pays à un moment donné. **8.** Cagnotte, caisse commune d'un groupe. **II. 1.** Grand nombre de personnes formant un ensemble : *La* **masse** *des salariés.* ▸ Loc. *En* **masse** : en foule. **2.** Abs. ▸ **La masse.** La majorité, le grand public, par oppos. à l'élite, à l'individu : *Culture de* **masse**. ▸ **Les masses.** Les couches populaires, le peuple. **III. 1.** *Électr.* *Mettre à la* **masse** *un élément de circuit* : le relier à un ensemble métallique jouant le rôle de terre. **2.** *Phys.* Quantité de matière d'un corps compact. ▸ **Masse** *inerte* : quotient de l'intensité d'une force constante par l'accélération du mouvement qu'elle produit quand on l'applique au corps considéré. ▸ **Masse** *pesante* : grandeur qui caractérise un corps relativement à l'attraction qu'il subit de la part d'un autre corps (l'unité principale de **masse** est le kilogramme). ▸ **Masse** *critique* : **masse** minimale de combustible fissile devant être réunie pour que le taux des réactions nucléaires en chaîne croisse exponentiellement et conduise à une explosion. ▸ *Nombre de* **masse** : nombre total de protons et de neutrons présents dans le noyau d'un atome, qui peut varier selon les isotopes. Par ex., l'oxygène, de numéro atomique Z = 8, existe sous forme de 3 isotopes ayant les nombres de **masse** 16, 17 et 18, c.-à-d. dont le noyau comporte, outre les 8 protons, 8, 9 ou 10 neutrons. ▸ **Masse** *molaire* ou *moléculaire* : **masse** de $6{,}023 \cdot 10^{23}$ (nombre d'Avogadro) molécules, somme des **masses** atomiques des atomes formant une molécule (l'eau, par ex., a une **masse** molaire de 18 g). 📖 Fin XII^e s. ; lat. *massa*, « tas », du gr. *maza*, « pâte » ; [mas].

**MASSÉ, subst. m.**

Au billard, coup où l'on masse la bille. 📖 1867 ; p. p. de *masser* (III) ; [mase].

**MASSELOTTE, subst. f.**

**1.** *Techn.* Masse de métal en excédent qui adhère à une pièce moulée. **2.** *Mécan.* Petite masse métallique qui agit sur un mécanisme par son poids ou son inertie. 📖 1704 (fin XIII^e s., petite boule) ; ☞ *masse* (II) ; [maslɔt].

**MASSEPAIN, subst. m.**

Pâtisserie à base d'amandes pilées, de sucre et de blancs d'œufs. 📖 1544 ; ital. *marzapane* ; [maspɛ̃].

**MASSER (I), verbe trans. [3]**

Rassembler (des personnes) en grand nombre : **Masser** *des troupes sur le front* ; réunir en une masse. PRONOM. S'assembler, se grouper : *Des nuages noirs se* **massaient** *à l'horizon.* 📖 Fin XII^e s. ; ☞ *masse* (II) ; [mase].

**MASSER (II), verbe trans. [3]**

Frotter, presser avec les mains (des parties du corps), à des fins thérapeutiques ou de relaxation : **Masser** *le dos* ; empl. pronom. : *Il se* **massait** *la nuque.* 📖 1779 ; ar. *massa*, « toucher, contact » ; [mase].

**MASSER (III), verbe [3]**

TRANS. Au billard, frapper (la bille) perpendiculairement au tapis, pour lui imprimer un mouvement de rotation. INTRANS. Faire un massé. 📖 1867 (1844, travailler) ; ☞ *masse* (I) ; [mase].

**MASSÉTER, subst. m.**

*Anat.* Muscle court, épais et puissant de la joue, qui élève la mâchoire inférieure. 📖 1555 ; gr. *masêtêr*, « masticateur » ; [masetɛʀ].

**MASSETTE, subst. f.**

**1.** Petite masse qui peut être maniée d'une seule main : *La* **massette** *d'un sculpteur.* **2.** *Bot.* Plante herbacée de la famille des Typhacées, sorte de roseau aquatique fournissant une fibre végétale. 📖 1266 ; ☞ *masse* (I) ; [masɛt].

**MASSEUR, EUSE, subst.**

Personne dont la profession est de faire des massages. 📖 1779 ; ☞ *masser* (II) ; [masœʀ, øz].

**MASSICOT (I), subst. m.**

**1.** *Chim.* Oxyde naturel de plomb, dont la couleur va du jaune au rouge. **2.** *Minér.* Oxyde jaune, provenant de l'oxydation de la galène. 📖 1480 ; ital. *marzacotto*, sorte de vernis ; [masiko].

**MASSICOT (II), subst. m.**

*Impr.* Appareil servant à couper des feuilles de papier empilées, ou à rogner la tranche des livres. 📖 1877 ; anthropon. *G. Massiquot*, son inventeur ; [masiko].

**MASSICOTER, verbe trans. [3]**

*Impr.* Couper ou rogner au massicot. 📖 1877 ; ☞ *massicot* (II) ; [masikɔte].

**MASSIF, IVE, adj. et subst. m.**

ADJ. **1.** Qui est fait dans la masse d'une matière, sans parties creuses ni pièces rapportées : *Une assiette en argent* **massif**. **2.** Qui forme une masse ; lourd, imposant : *Un palais* **massif**. **3.** Ext. En quantité importante, en masse : *Une dose* **massive** *de somnifère* ; *Des licenciements* **massifs** ; *Un oui franc et* **massif** (de Gaulle). SUBST. **1.** *Archit.* Ouvrage de maçonnerie servant de soubassement ou de contrefort à une construction. **2.** Ensemble d'arbres, d'arbustes, de fleurs dans un parc, un parterre : *Un* **massif** *de roses.* **3.** *Géogr.* Ensemble de reliefs élevés séparé des reliefs environnants : *Le* **massif** *de la Vanoise.* **4.** *Géol.* **Massif** *ancien* : ensemble de reliefs constitué par une ancienne chaîne de montagnes usée par l'érosion (le **Massif** armoricain, par ex.). 📖 1480 ; anc. fr. *massis*, prob. du lat. pop. °*massicius* ; [masif, iv].

**MASSIFICATION, subst. f.**

Action de massifier ; son résultat. 📖 1954 ; ☞ *massifier* ; [masifikasjɔ̃].

**MASSIFIER, verbe trans. [6]**

Adapter (qqch.) à la masse : **Massifier** *l'enseignement,* l'étendre au plus grand nombre. 📖 V. 1960 (1801, uniformiser le peuple) ; ☞ *masse* (II) ; [masifje].

**MASSIQUE, adj.**

*Phys.* Qualifie une grandeur rapportée à l'unité de masse : *Volume* **massique** *d'une substance.* 📖 1911 ; ☞ *masse* (II) ; [masik].

**MASSIVEMENT, adv.**

**1.** De manière lourde, pesante. **2.** En grande quantité, en masse : *Ils votèrent* **massivement**. 📖 1584 ; ☞ *massif* ; [masivmɑ̃].

**MASS MEDIA, subst. m. plur.**

Ensemble des médias. 📖 1953 ; anglo-amér. *mass media*, de *mass*, « masse », et du lat. *media*, « moyens » ; [masmedja].

**MASSORE, subst. f.**

*Relig.* Ensemble des annotations introduites par les docteurs juifs pour fixer le texte hébreu de la Bible ; par méton., ce texte. 📖 1678 ; hébreu *māsōrāh*, de *māsar*, « transmettre » ; var. *massorah* ; [masɔʀ].

**MASSORÈTE, subst. m.**

Docteur juif, auteur de massores. 📖 1532 ; hébreu *māsōret*, « tradition » ; [masɔʀɛt].

**MASSUE, subst. f.**

**1.** Bâton à grosse tête noueuse ; par ext., arme contondante. **2.** Fig. ▸ *Coup de* **massue** : se dit d'un évènement imprévu qui abat, consterne ou, fam., d'un prix excessif. ▸ En appos. *Argument* **massue** : argument qui laisse sans réponse. **3.** *Sc. nat.* Partie aérienne de certains champignons ; renflement de certains organes. **4.** *Sp.* Instrument de musculation. 📖 Fin XI^e s. ; lat. pop. °*matteuca* ; [masy].

**MASTABA, subst. m.**

*Archéol.* Monument funéraire trapézoïdal de l'ancienne Égypte, réservé aux notables. 📖 1869 (1664, banc) ; ar. *maṣṭaba*, « banc en maçonnerie » ; [mastaba].

**MASTECTOMIE, subst. f.**

*Chir.* Ablation du sein (synon. *mammectomie*). 📖 V. 1970 ; gr. *mastos*, « sein », + *-ectomie* ; [mastɛktɔmi].

**MASTÈRE, subst. m.**

Diplôme professionnel délivré par certaines grandes écoles pour sanctionner une année de formation spécialisée. 📖 V. 1980 ; angl. *master* ; [mastɛʀ].

**MASTIC, subst. m. et adj. inv.**

SUBST. **1.** Résine du lentisque. **2.** *Techn.* Mélange pâteux et adhésif durcissant à l'air, utilisé pour boucher des trous, des joints : **Mastic** *de vitrier,* qui sert à fixer hermétiquement les vitres aux fenêtres. **3.** *Typogr.* Erreur de composition par inversion de caractères, de mots ou de lignes. ADJ. Beige clair : *Des gants* **mastic**. 📖 Mil. XIII^e s. ; bas lat. *masticum*, du gr. *mastikhê* ; [mastik].

**MASTICAGE, subst. m.**

*Techn.* Action de mastiquer ; son résultat. 📖 1830 ; ☞ *mastiquer* (II) ; [mastikaʒ].

**MASTICATEUR, TRICE, adj. et subst. m.**

ADJ. *Anat.* Qui sert à la mastication : *Le masséter est un muscle* **masticateur**. SUBST. Ustensile servant à broyer des aliments. 📖 1817 (1805, qui mastique) ; ☞ *mastiquer* (I) ; [mastikatœʀ, tʀis].

**MASTICATION, subst. f.**

Action de mastiquer, de mâcher ; son résultat. 📖 XIII^e s. ; lat. méd. *masticatio* ; [mastikasjɔ̃].

**MASTICATOIRE, adj. et subst. m.**

ADJ. Relatif à la mastication. SUBST. Produit que l'on mâche, pour exciter la sécrétion salivaire ou par plaisir : *Le chewing-gum est un* **masticatoire**. 📖 1541 ; ☞ *mastiquer* (I) ; [mastikatwaʀ].

**MASTIFF, subst. m.**

Chien de garde voisin du dogue de Bordeaux, à corps trapu et à fort poitrail. 📖 1614 ; angl. *mastiff*, de l'anc. fr. *mastin*, « mâtin » ; [mastif].

**MASTIQUER (I), verbe trans. [3]**

Broyer (des aliments) avec les dents avant de les avaler. 📖 Fin XIV^e s. ; lat. méd. *masticare* ; [mastike].

**MASTIQUER (II), verbe trans. [3]**

*Techn.* Fixer, boucher avec du mastic : **Mastiquer** *une vitre.* 📖 1561 ; ☞ *mastic* ; [mastike].

**MASTITE, subst. f.**

*Pathol.* Inflammation de la glande mammaire (synon. *mammite*). 📖 1814 ; gr. *mastos*, « sein », + *-ite* ; [mastit].

**MASTOC, adj. inv.**

Massif, lourd (fam.) : *Bâtiment aux formes* **mastoc**. 📖 1835 ; p.-ê. all. *Mastochs*, « bœuf engraissé », ou *massif* ; [mastɔk].

**MASTODONTE, subst. m.**

**1.** *Paléont.* Très grand mammifère proboscidien fossile du Tertiaire supérieur (Miocène) et du début du Quaternaire, appartenant à un groupe proche de celui de l'éléphant. **2.** Anal. Personne, animal ou chose de très grande taille, énorme. 📖 1812 ; gr. *mastos*, « sein », + *-odonte* ; [mastɔdɔ̃t].

**MASTOÏDE,** subst. f.
*Anat.* Excroissance postéro-inférieure de l'os temporal située derrière le conduit auditif externe ; empl. adj. : *Apophyse **mastoïde**.* 1560 ; gr. *mastoeidês*, « en forme de sein » ; [mastɔid].

**MASTOÏDIEN, IENNE,** adj.
Qui concerne la mastoïde : *Antre **mastoïdien***, une des cavités creusées dans la mastoïde. 1654 ; ☞ *mastoïde* ; [mastɔidjɛ̃, jɛn].

**MASTOÏDITE,** subst. f.
*Pathol.* Inflammation des cellules mastoïdiennes, gén. à la suite d'une otite. 1855 ; ☞ *mastoïde* + *-ite* ; [mastɔidit].

**MASTOLOGIE,** subst. f.
Étude médicale du sein. V. 1970 ; gr. *mastos*, « sein », + *-logie* ; [mastɔlɔʒi].

**MASTROQUET,** subst. m.
Pop. et Vieilli. **1.** Détaillant en vin ; tenancier d'un débit de boissons. **2.** Débit de boissons, café (abrév. : troquet). 1849 ; orig. obsc. ; [mastʀɔkɛ].

**MASTURBATION,** subst. f.
Pratique consistant à déclencher le plaisir sexuel par l'excitation manuelle des parties génitales. 1580 ; lat. *masturbatio*, de *manus*, « main », et de *stupratio*, « pollution » ; [mastyʀbasjɔ̃].

**MASTURBER,** verbe trans. [3]
Procurer à (qqn) du plaisir par la masturbation ; empl. pronom. : *Se **masturber**.* Fin XVIIIe s. ; lat. *masturbari* ; [mastyʀbe].

**M'AS-TU-VU,** subst. inv.
Personne vaniteuse. XIXe s. ; p.-ê. allus. aux acteurs se racontant leurs succès ; [matyvy].

**MASURE,** subst. f.
**1.** Vx. Demeure. **2.** Maison en ruine ; habitation délabrée et misérable. Fin XIIe s. ; lat. pop. °*mansura*, « demeure », du lat. *manere*, « rester » ; [mazyʀ].

**MAT (I), MATE,** adj.
**1.** Terne, sans luminosité ; par ext., qui n'est pas poli ou qui a été dépoli : *Or **mat**.* **2.** Qui n'est pas brillant : *Papier **mat**.* **3.** Qui n'a pas de transparence : *Un verre **mat**.* **4.** *Teint **mat*** : teint légèrement bistre. **5.** Sourd, sans résonance : *Son **mat**.* 1424 (fin XIe s., vaincu, affligé) ; p.-ê. bas lat. *mattus*, du lat. *madere*, « être mouillé » ; [mat].

**MAT (II),** adj. inv. et subst. m.
Adj. Aux échecs, qualifie le roi mis en échec sans qu'il soit possible d'y parer de quelque manière que ce soit ; par ext., qualifie le joueur dont le roi est mat. Subst. Situation dans laquelle le roi est mat, qui met fin à la partie. Mil. XIIe s. ; ell. de l'ar. *šāh māt*, « le roi est mort » ; [mat].

**MÂT,** subst. m.
**1.** *Mar.* Longue pièce verticale, de bois ou de métal, maintenue par des étais et des haubans, qui porte les voiles d'un navire : *Gréer un **mât*** ; *Le grand **mât**.* ▸ ***Mât** de charge* : dispositif de levage utilisé pour les opérations de chargement d'un navire. **2.** Anal. Long poteau au sommet duquel on hisse un drapeau, un signal, etc. ▸ ***Mât** de cocagne* (☞ *cocagne*). ▸ *Ch. de fer.* Support d'un signal optique. **3.** *Sp.* Perche lisse sur laquelle les gymnastes s'exercent à grimper. Fin XIe s. ; anc. bas frq. °*mast* ; [mɑ].

**MATABICHE,** subst. m.
En Afrique centrale, pourboire. 1927 ; port. *matabicho*, de *matar*, « tuer », et de *o bicho*, « la bête » ; [matabiʃ].

**MATADOR,** subst. m.
**1.** Vx. Carte maîtresse au jeu de l'hombre. **2.** Torero chargé de la mise à mort du taureau. 1660 ; esp. *matador*, de *matar*, « tuer » ; [matadɔʀ].

**MATAF,** subst. m.
Matelot (argot des marins). 1908 ; p.-ê. ital. *matafione*, « garcette » ; [mataf].

**MATAGE,** subst. m.
*Techn.* Action de mater ; son résultat : ***Matage** d'une dorure.* 1852 ; ☞ *mater* (II) ; [mataʒ].

**MATAMORE,** subst. m.
Fanfaron. Déb. XVIIe s. ; esp. *Matamoros*, « tueur de Maures », désignant un personnage de comédie, de *matar*, « tuer », et de *Moro*, « Maure » ; [matamɔʀ].

**MATCH,** subst. m.
**1.** *Sp.* Rencontre sportive entre deux concurrents ou deux équipes : *Un **match** de boxe, de rugby.* **2.** Ext. Compétition économique, politique, etc. : *Un **match** industriel entre la France et le Japon.* Mil. XIXe s. (1827, turf) ; mot angl. ; plur. *match(e)s* ; [matʃ].

**MATCHICHE,** subst. f.
Musique et danse d'origine brésilienne, à deux temps, à la mode au début du XXe s. 1905 ; port. *maxixe* ; [matʃiʃ].

**MATCH-PLAY,** subst. m.
*Sp.* Épreuve de golf jouée trou par trou. V. 1960 ; angl. *match play* ; plur. *match-plays* ; [matʃplɛ].

**MATÉ,** subst. m.
*Bot.* Arbuste de la famille des Aquifoliacées, dont les feuilles séchées contiennent de la caféine et sont utilisées en infusion ; par ext., cette infusion. 1716 (1633, sorte de calebasse) ; esp. *mate*, « calebasse », du quechua *mati* ; [mate].

**MATEFAIM,** subst. m.
Crêpe très épaisse. 1540 ; formé de *mater* (I) et de *faim* ; [matfɛ̃].

**MATELAS,** subst. m.
**1.** Pièce de literie rembourrée, gén. capitonnée, posée sur le sommier. ▸ ***Matelas** pneumatique* : enveloppe gonflable, en toile ou en plastique, utilisée pour le camping, la plage, etc. **2.** Litière ou toute espèce de couche servant à amortir les chocs : ***Matelas** de foin.* ▸ ***Matelas** d'air* : couche d'air isolante ménagée entre deux parois. 1306 ; ital. *materasso*, de l'ar. *maṭraḥ*, « lit, matelas » ; [matla].

**MATELASSÉ, ÉE,** adj.
**1.** Rembourré. **2.** Garni d'une couche ouatée, en parlant d'un tissu ; empl. subst. masc. : *Du **matelassé**.* 1678 ; p. p. de *matelasser* ; [matlase].

**MATELASSER,** verbe trans. [3]
**1.** Garnir d'un matelas de protection. **2.** Rembourrer. 1678 ; ☞ *matelas* ; [matlase].

**MATELASSIER, IÈRE,** subst.
Fabricant ou réparateur de matelas. 1615 ; ☞ *matelas* ; [matlasje, jɛʀ].

**MATELASSURE,** subst. f.
Matériau servant à matelasser. 1867 ; ☞ *matelasser* ; [matlasyʀ].

**MATELOT,** subst. m.
*Mar.* **1.** Homme d'équipage ; en partic., simple soldat, dans la marine de guerre. **2.** Navire de guerre considéré par rapport à celui qu'il précède ou qu'il suit. 1357 ; m. néerl. *mattenoot*, « compagnon de hamac » ; [matlo].

**MATELOTAGE,** subst. m.
*Mar.* **1.** Solde de matelot (vx). **2.** Ensemble des techniques ayant trait à la manœuvre et au service du gabier. 1690 (1575, art de la navigation) ; ☞ *matelot* ; [matlɔtaʒ].

**MATELOTE,** subst. f.
*Cuis.* Mets composé de poissons accommodés au vin et aux oignons : ***Matelote** d'anguilles* ; empl. adj. : *Sauce **matelote**.* 1674 ; ☞ *matelot* ; [matlɔt].

**MATER (I),** verbe trans. [3]
**1.** Soumettre (un être, un groupe) par une autorité sévère : ***Mater** un élève* ; réprimer : ***Mater** une révolte.* **2.** Aux échecs, mettre (le roi, l'adversaire) en position de mat. XIIe s. ; ☞ *mat* (II) ; [mate].

**MATER (II),** verbe trans. [3]
*Techn.* **1.** Rendre mat (un métal, une peinture) (synon. *matir*). **2.** Comprimer, refouler (un métal). 1752 ; ☞ *mat* (I) ; [mate].

**MATER (III),** verbe trans. [3]
Fam. **1.** Regarder, épier. **2.** Regarder avec concupiscence : ***Mater** une fille.* 1897 ; p.-ê. esp. *mata*, « buisson (d'où l'on guette) » ; [mate].

**MÂTER,** verbe trans. [3]
*Mar.* **1.** Munir (un bateau) de son ou de ses mâts. **2.** ***Mâter** les avirons d'un canot* : les dresser verticalement. Fin XIIe s. ; ☞ *mât* ; [mɑte].

**MÂTEREAU,** subst. m.
*Mar.* Petit mât. 1529 ; ☞ *mât* ; [mɑtʀo].

**MATÉRIALISATION,** subst. f.
Action de matérialiser, fait de se matérialiser ; son résultat : *La **matérialisation** d'un rêve.* ▸ *Phys.* Transformation d'énergie rayonnante (photons) en particules de masse non nulle (électrons, positons). 1832 ; ☞ *matérialiser* ; [mateʀjalizasjɔ̃].

**MATÉRIALISER,** verbe trans. [3]
**1.** Considérer comme étant de nature matérielle (littér.) : *Vouloir **matérialiser** l'âme.* **2.** Donner une forme matérielle, concrète à (qqch. d'abstrait) ; réaliser : *Cette ligne **matérialise** la frontière* ; empl. pronom. : *Son objectif s'est **matérialisé*** ; empl. adj. : *Stationnement **matérialisé***, délimité par un marquage. 1748 ; ☞ *matériel* ; [mateʀjalize].

**MATÉRIALISME,** subst. m.
**1.** *Philos.* Doctrine qui voit dans la matière le principe de tout phénomène, qu'il soit d'ordre physique ou psychique. **2.** Ext. Attitude, doctrine de ceux qui considèrent les agréments matériels (la bonne santé, le plaisir et le bien-être, les richesses) comme les valeurs fondamentales de la vie humaine (anton. *idéalisme*). 1702 ; ☞ *matériel* ; [mateʀjalism].

**PHILOSOPHIE** – Sorte d'épistémologie militante au service de la science, le matérialisme tient plus de l'attitude de pensée que de la philosophie. C'est pourquoi on en trouve trace dans l'atomisme antique, dans le mécanisme professé par les savants du XVIIe s. et dans la philosophie de la nature développée par ceux du XVIIIe s. Seul le marxisme a fait du matérialisme l'objet d'une systématisation, sous la double espèce du matérialisme historique et du matérialisme dialectique. Le matérialisme historique est une explication de l'histoire rapportée à une théorie des modes de production de la vie matérielle, étant entendu que ces derniers déterminent, à chaque époque, le processus entier de la vie sociale, politique et intellectuelle. Le matérialisme dialectique représente, quant à lui, la philosophie du marxisme : il soutient d'une part que le monde est matériel, qu'il est la seule réalité et que cette réalité est indépendante de la conscience, et d'autre part que la pensée n'existe jamais à l'état pur et n'a de sens que dans son rapport aux processus matériels dont elle est le reflet.

**MATÉRIALISTE,** adj. et subst.
Subst. **1.** *Philos.* Partisan du matérialisme. **2.** Ext. Personne qui recherche les jouissances et les biens matériels. Adj. **1.** *Philos.* Relatif, favorable au matérialisme. **2.** Ext. Attaché aux biens matériels : *La civilisation moderne est **matérialiste**.* 1698 ; ☞ *matériel* ; [mateʀjalist].

**MATÉRIALITÉ,** subst. f.
**1.** Caractère de ce qui est matériel ; caractère objectif, incontestable d'un évènement : *La **matérialité** d'un fait.* **2.** Attachement aux valeurs matérielles. 1470 ; ☞ *matériel* ; [mateʀjalite].

**MATÉRIAU,** subst. m. sing.
**1.** *Techn.* Matière entrant dans la construction d'un objet fabriqué. **2.** Fig. Élément entrant dans la composition de qqch. 1867 ; ☞ *matériaux* ; [mateʀjo].

**MATÉRIAUX,** subst. m. plur.
**1.** Matières utilisées dans la construction d'un objet fabriqué : ***Matériaux** de construction* ; *Résistance des **matériaux**.* **2.** Fig. Éléments entrant dans la composition de qqch. ; en partic., éléments de base d'un ouvrage : *Les **matériaux** d'un roman.* 1510 ; plur. de *matérial*, anc. forme de *matériel* ; [mateʀjo].

**MATÉRIEL, ELLE,** adj. et subst. m.
Adj. **1.** Qui participe de la matière, qui en est constitué (anton. *spirituel*) : *Un être **matériel**.* ▸ *Mécan. Point **matériel*** : élément dont la masse est réduite à un point. **2.** Qui s'exprime, se manifeste dans, par la matière : *Obstacle **matériel*** ; *Travail **matériel**.* **3.** Qui concerne l'aspect extérieur, concret, des choses ou des êtres : *Preuves **matérielles**.* **4.** Qui est constitué par des biens tangibles, ou qui est lié à leur possession : *Avantages, biens **matériels**.* ▸ Qui est relatif aux nécessités de la vie quotidienne, aux moyens d'existence : *Difficultés **matérielles**.* **5.** Qui est trop attaché aux plaisirs, à l'argent (péj.). Subst. **1.** *Philos.* Ce qui est perçu par les sens ; apparences concrètes. **2.** Ensemble des objets et de l'équipement nécessaires à une activité : ***Matériel** roulant de la S. N. C. F.* ; ***Matériel** de pêche.* ▸ *Informat.* Ensemble des équipements physiques constitutifs d'un système (anton. *logiciel*). **3.** Ensemble d'éléments susceptibles d'être analysés, exploités, traités. ▸ *Génét. **Matériel** génétique* : patrimoine héréditaire, ensemble des gènes contenus dans l'A. D. N., en partic. dans les chromosomes. Déb. XIVe s. (1270, qui n'est pas formel) ; bas lat. *materialis* ; [mateʀjɛl].

**MATÉRIELLEMENT,** adv.
**1.** D'une manière matérielle. **2.** Sur le plan matériel, financier. **3.** Effectivement, réellement. 1314 ; ☞ *matériel* ; [mateʀjɛlmɑ̃].

**MATERNAGE,** subst. m.
**1.** *Psychol.* Traitement thérapeutique des psychoses fondé sur l'établissement, entre le soignant et le patient, d'une relation analogue à celle qui existe entre une mère et son enfant. **2.** Ensemble des

relations psychoaffectives privilégiées entre une mère et son enfant. **3.** Action de materner. 1956 ; ☞ *materner* ; [matɛʀnaʒ].

**MATERNEL, ELLE, adj.**
**1.** *Langue **maternelle*** : première langue apprise par l'enfant dans son milieu familial. **2.** Qui appartient, qui est propre à la mère : *Le lait **maternel*** ; *L'amour **maternel***, de la mère pour son enfant. **3.** Qui évoque la mère, qui en joue le rôle : *Des gestes **maternels**.* ▸ *L'école **maternelle*** ou, empl. subst. fém., *La **maternelle*** : école mixte accueillant les enfants de deux à six ans. **4.** Qui a rapport à la mère du point de vue de la filiation : *Grands-parents **maternels**.* **5.** Qui est destiné aux mères : *Maison **maternelle**.* Fin XIVe s. ; lat. *maternus*, de *mater*, « mère » ; [matɛʀnɛl].

**MATERNELLEMENT, adv.**
À la manière d'une mère. 1368 ; ☞ *maternel* ; [matɛʀnɛlmɑ̃].

**MATERNER, verbe trans.** [3]
**1.** *Psychol.* Soigner par le maternage. **2.** Se comporter maternellement vis-à-vis de (qqn). 1956 ; ☞ *maternel*, d'apr. l'angl. *to mother* ; [matɛʀne].

**MATERNISÉ, adj. m.**
*Lait **maternisé*** : lait d'origine animale, dont on a modifié la composition pour le rapprocher du lait maternel. 1901 ; lat. *maternus*, « maternel » ; [matɛʀnize].

**MATERNITÉ, subst. f.**
**I. 1.** État, qualité de mère. **2.** *Dr.* Lien entre la mère et l'enfant. **3.** Fait de porter et de mettre au monde un enfant : *Les joies de la **maternité**.* **II. 1.** Établissement ou service hospitalier accueillant les femmes en couches. **2.** Œuvre d'art représentant une mère portant son enfant. 1475 ; lat. médiév. *maternitas*, du lat. *mater*, « mère » ; [matɛʀnite].

**Maternité**, *ronde-bosse d'Auguste Renoir (1841-1919). Musée Renoir, Cagnes-sur-Mer.* © Lauros-Giraudon

**MATHÉMATICIEN, IENNE, subst.**
Chercheur spécialiste des mathématiques. Fin XIVe s. ; ☞ *mathématique* ; [matematisjɛ̃, jɛn].

**MATHÉMATIQUE, adj. et subst. f.**
ADJ. **1.** Relatif à la **mathématique** (ou aux **mathématiques**). **2.** Ext. Qui a, ou semble avoir, le caractère rigoureux des **mathématiques** : *Une précision **mathématique**.* ▸ Loc. *C'est **mathématique*** : c'est inéluctable. SUBST. **1.** Au plur. Science qui étudie, au moyen du raisonnement hypothético-déductif, certaines entités abstraites (nombres, objets géométriques, fonctions, ensembles...) en dégageant leurs structures et les relations qu'elles peuvent avoir entre elles. ▸ Méton. ***Mathématiques** supérieures et spéciales* : première et seconde année des classes préparatoires aux concours des grandes écoles scientifiques (synon. argot. *hypotaupe* et *taupe*) ; ***Mathématiques** élémentaires* : classe scientifique qui préparait au baccalauréat. **2.** Au sing. Ensemble des disciplines **mathématiques** considérées comme constituant un tout organisé. Fin XIIIe s. ; lat. *mathematicus*, du gr. *mathêmatikos*, de *mathêma*, « science » ; [matematik].

**MATHÉMATIQUEMENT, adv.**
**1.** De façon mathématique. **2.** Ext. Rigoureusement ; inévitablement. 1552 ; ☞ *mathématique* ; [matematikmɑ̃].

**MATHÉMATISATION, subst. f.**
Application de méthodes et de théories propres aux mathématiques à un domaine scientifique donné. 1893 ; ☞ *mathématiser* ; [matematizasjɔ̃].

**MATHÉMATISER, verbe trans.** [3]
Procéder à la mathématisation de : ***Mathématiser** les sciences de la nature.* 1934 (XVIe s., pratiquer l'astrologie) ; ☞ *mathématique* ; [matematize].

**MATHEUX, EUSE, subst.**
Étudiant en mathématiques ou élève brillant en cette matière (fam.). 1929 ; ☞ *maths* ; [matø, øz].

**MATHS, subst. f. plur.**
Mathématiques (fam.). 1856 ; apocope de *mathématiques* ; var. *math* ; [mat].

**MATHURIN, subst. m.**
**1.** *Relig.* Religieux de l'ordre des Trinitaires, qui se consacrait au rachat des chrétiens prisonniers des États barbaresques. **2.** Matelot (argot. et vx). Fin XIVe s. ; anthropon. *saint Mathurin* ; [matyʀɛ̃].

**MATHUSALEM, subst. m.**
Grande bouteille de champagne, d'une capacité de 8 bouteilles (6 l). Fin XIIIe s. ; *Mathusalem*, nom d'un patriarche biblique ; [matyzalɛm].

**MATIÈRE, subst. f.**
**I. 1.** Substance dont est faite un corps, une chose et qui possède des propriétés physiques : *Des **matières** fibreuses ; **Matière** grasse*, substance alimentaire (beurre, huile, etc.) riche en lipides. ▸ Substance sécrétée par le corps : *Les **matières** fécales*, les excréments ; ***Matière** grise*, substance grise du cerveau et, au fig., intelligence, réflexion. **2. Matière première.** Produit naturel destiné à être transformé par l'artisanat ou l'industrie : *Le blé, la houille sont des **matières** premières* ; au fig. : *Cette histoire sera la **matière** première de mon film.* **3.** *B.-a.* Substance façonnée par l'artiste pour créer une œuvre. **II. 1.** Objet, point de départ ou d'application de la pensée : *Donner **matière** à réflexion.* ▸ Loc. *En **matière** de* : en ce qui concerne, dans le domaine de. **2.** Chacun des sujets traités par un ouvrage : *Table des **matières**.* **3.** Domaine d'étude : *Étudier les **matières** scientifiques.* ▸ *Dr. **Matière** d'un délit* : fait brut qui le constitue, indépendamment de l'intention de son auteur. **III. 1.** *Philos.* Substance formant les corps, perçue par les sens (anton. *esprit*). **2.** *Phys.* Ensemble des particules dotées d'une masse. La physique classique distingue la **matière**, massive, du rayonnement, immatériel. Déb. XIIe s. ; lat. *materia* ; [matjɛʀ].

**MATIÉRISME, subst. m.**
*B.-a.* Tendance artistique caractérisée par l'importance qu'elle accorde à la matière picturale. V. 1960 ; ☞ *matière* ; [matjeʀism].

**MATIN, subst. m. et adv.**
SUBST. **1.** Début de la journée, annoncé par le lever du soleil : *Se lever de bon **matin***, tôt. **2.** Partie du jour comprise entre minuit et midi : *Il est 10 heures du **matin**.* ▸ Jour indéterminé : *Un de ces quatre **matins**.* **3.** Fig. Commencement : *Il est au **matin** de sa vie.* ADV. **1.** De bonne heure (littér.) : *Se lever **matin**.* **2.** Dans la matinée : *Lundi **matin**.* Fin Xe s. ; lat. *matutinum tempus*, « temps du matin » ; [matɛ̃].

**MÂTIN, INE, subst. et interj.**
SUBST. MASC. **1.** Grand chien de garde (vieilli). **2.** Homme grossier et déplaisant (péj.). SUBST. Personne rusée et hardie. INTERJ. Exprime l'étonnement, l'admiration. 1119 ; lat. pop. °*masetinus*, du lat. *mansuetus*, « apprivoisé » ; [matɛ̃, in].

**MATINAL, ALE, AUX, adj.**
**1.** Propre au matin : *Brume **matinale**.* **2.** Qui a lieu le matin. **3.** Qui se lève tôt ; empl. subst., personne **matinale**. Déb. XIIe s. ; ☞ *matin* ; [matinal, o].

**MÂTINÉ, ÉE, adj.**
**1.** De sang mêlé, en parlant d'un chien. **2.** Fig. et Péj. Mélangé (de) : *Du français **mâtiné** d'anglais.* XVIIe s. ; p. p. de *mâtiner* ; [matine].

**MATINÉE, subst. f.**
**1.** Partie de la journée allant de l'aube à midi. ▸ Loc. *Faire la grasse **matinée*** (☞ *gras*). **2.** Après-midi (par oppos. à *soirée*). ▸ Méton. Réunion, spectacle qui a lieu l'après-midi. **3.** *Cost.* Déshabillé porté le matin (vieilli). 1119 ; ☞ *matin* ; [matine].

**MÂTINER, verbe trans.** [3]
**1.** Couvrir (une femelle de race), en parlant d'un chien bâtard ou d'une autre race. **2.** Fig. Abâtardir. Fin XIIe s. ; ☞ *mâtin* ; [matine].

**MATINES, subst. f. plur.**
*Liturg.* Première partie de l'office divin, célébrée entre minuit et l'aube. Fin XIe s. ; lat. eccl. *matutinae vigiliae*, « veilles du matin », du lat. *matutinus*, « matinal » ; [matin].

**MATIR, verbe trans.** [19]
*Techn.* Mater (un métal, une peinture). 1676 (fin XIe s., dompter) ; ☞ *mat* (I) ; [matiʀ].

**MATITÉ, subst. f.**
**1.** *Méd.* Timbre sourd et sans résonance du son, entendu lors de la percussion d'un organe. **2.** Caractère de ce qui est mat : *La **matité** d'une peau, d'un son.* 1832 ; ☞ *mat* (I) ; [matite].

**MATOIR, subst. m.**
Outil servant à matir une pièce métallique. 1676 ; ☞ *matir* ; [matwaʀ].

**MATOIS, OISE, adj.**
Qui est rusé malgré une bonhomie apparente ; empl. subst., personne **matoise**. Fin XVIe s. ; argot *mate*, « rendez-vous des voleurs » ; [matwa, waz].

**MATON, ONNE, subst.**
Gardien de prison (argot.). 1946 (1926, mouchard de police) ; ☞ *mater* (III) ; [matɔ̃, ɔn].

**MATOS, subst. m.**
Matériel (pop.). V. 1980 ; ☞ *matériel* ; [matos].

**MATOU, subst. m.**
Chat mâle entier. XIVe s. ; p.-ê. orig. onomat. ; [matu].

**MATRAQUAGE, subst. m.**
Action de matraquer ; son résultat : ***Matraquage** publicitaire.* 1947 ; ☞ *matraquer* ; [matʀakaʒ].

**MATRAQUE, subst. f.**
**1.** Arme contondante formée d'un bâton en bois ou en caoutchouc dur, souv. lesté à une extrémité. **2.** Fig. *Coup de **matraque*** : facture trop élevée (fam.). 1863 ; ar. *miṭraq*, « gourdin » ; [matʀak].

**MATRAQUER, verbe trans.** [3]
**1.** Frapper à coups de matraque. **2.** Fig. ▸ Traiter durement (qqn). ▸ Présenter à (un client) une facture trop élevée (fam.). ▸ Méton. Diffuser avec insistance (un message) : ***Matraquer** une chanson à la radio.* 1927 ; ☞ *matraque* ; [matʀake].

**MATRAQUEUR, EUSE, subst.**
Personne qui matraque. ▸ Empl. adj. : *Policier **matraqueur*** ; au fig. : *Publicité **matraqueuse**.* 1932 ; ☞ *matraquer* ; [matʀakœʀ, øz].

**MATRAS (I), subst. m.**
*Arm.* Carreau d'arbalète à tête contondante. Fin XIe s. ; lat. *mataris*, « javelot », d'orig. gaul. ; [matʀɑ].

**MATRAS (II), subst. m.**
Vase à long col utilisé par les chimistes. Déb. XVIe s. ; ar. *maṭṭāriyya*, « pot en terre » ; [matʀɑ].

**MATRIARCAL, ALE, AUX, adj.**
Relatif au matriarcat : *Régime **matriarcal**.* 1894 ; ☞ *matriarcat* ; [matʀijaʀkal, o].

**MATRIARCAT, subst. m.**
Organisation sociale dans laquelle la femme, en partic. la mère de famille, détient l'autorité (par oppos. à *patriarcat*). 1894 ; lat. *mater*, « mère », d'apr. *patriarcat* ; [matʀijaʀka].

**MATRIÇAGE, subst. m.**
*Techn.* Opération consistant à mettre en forme une pièce en la frappant ou en la pressant dans une matrice. 1902 ; ☞ *matrice* ; [matʀisaʒ].

**MATRICAIRE, subst. f.**
*Bot.* Plante herbacée de la famille des Astéracées, dont une espèce, appelée aussi camomille allemande, est utilisée en pharmacologie. 1539 ; lat. médiév. *matricaria*, du lat. *matrix*, « matrice » ; [matʀikɛʀ].

**MATRICE, subst. f.**
**1.** *Anat.* Utérus (vieilli). **2.** Fig. Milieu dans lequel un objet se forme et commence son développement. **3.** *Admin.* ▸ ***Matrice** du rôle des contributions* : liste des contribuables et des bases de leur imposition. ▸ ***Matrice** cadastrale* : liste des propriétaires des parcelles d'une commune. **4.** *Math. **Matrice** à n lignes et p colonnes à coefficients dans un corps commutatif K* : tableau rectangulaire M de $n \cdot p$ éléments $\alpha_{ij}$ de K disposés suivant $n$ lignes et $p$ colonnes, $i$ étant l'indice de ligne et $j$ l'indice de colonne ; on note $M = (\alpha_{ij})_{\left\{\begin{smallmatrix} 1 \leqslant i \leqslant n \\ 1 \leqslant j \leqslant p \end{smallmatrix}\right.}$. Pour

$$n = p = 2,\ M = (\alpha_{ij}) = \begin{pmatrix} \alpha_{11} & \alpha_{12} \\ \alpha_{21} & \alpha_{22} \end{pmatrix}$$ (M est carrée si $n = p$). **5.** *Techn.* Moule creux utilisé pour donner une forme déterminée à un objet. ▸ *Typogr.* Bloc de cuivre où se trouve frappée en creux l'empreinte d'un caractère. ▸ *Grav.* Coin original d'une monnaie ou d'une médaille gravé avec le poinçon. Fin XIIIe s. ; lat. *matrix* ; [matʀis].

**MATRICER,** verbe trans. [4]
*Techn.* Forger (une pièce) avec une matrice. 1927 ; ☞ *matrice* ; [matʀise].

**MATRICIDE (I),** subst. m.
Crime d'une personne qui a tué sa mère. 1521 ; lat. *matricidium* ; [matʀisid].

**MATRICIDE (II),** subst.
Personne qui a tué sa mère (rare) : *Néron le* ***matricide.*** 1565 ; lat. *matricida* ; [matʀisid].

**MATRICIEL, ELLE,** adj.
Relatif aux matrices : *Calcul* ***matriciel.*** 1853 ; ☞ *matrice* ; [matʀisjɛl].

**MATRICLAN,** subst. m.
*Anthropol.* Clan matrilinéaire ou dont les membres ont une résidence matrilocale. V. 1970 ; formé du lat. *mater*, « mère », et de *clan* ; [matʀiklɑ̃].

**MATRICULE,** subst.
Fém. **1.** Rôle, registre où sont inscrits, avec un numéro d'ordre, les noms des personnes qui entrent dans une collectivité, une société, etc. **2.** Méton. ▸ Inscription sur ce registre. ▸ Extrait du registre délivré à la personne inscrite. Masc. **1.** Numéro d'inscription sur une **matricule** : *Le* ***matricule*** *d'un soldat* ; empl. argot. : *Ça va barder pour ton* ***matricule,*** pour toi. **2.** Ext. Numéro d'identification des véhicules et matériels militaires. 1460 ; bas lat. *matricula* ; [matʀikyl].

**MATRILINÉAIRE,** adj.
*Anthropol.* **1.** Qualifie une filiation qui rattache un enfant à sa mère et au groupe de cette dernière. **2.** Ext. Déterminé par cette règle de filiation : *Clan* ***matrilinéaire.*** 1936 ; angl. *matrilinear*, du lat. *mater*, « mère », et *linea*, « ligne » ; [matʀilineɛʀ].

**MATRILOCAL, ALE, AUX,** adj.
*Anthropol.* Qualifie le mode de résidence d'un couple marié qui vit chez la mère de l'épouse ou à proximité d'elle. 1936 ; angl. *matrilocal*, du lat. *mater*, « mère », et *localis*, « du lieu » ; [matʀilɔkal, o].

**MATRIMONIAL, ALE, AUX,** adj.
Relatif au mariage : *Agence* ***matrimoniale,*** qui met en rapport des personnes qui cherchent à se marier ; *Régime* ***matrimonial,*** régime juridique sous lequel les époux sont mariés. XIVe s. ; bas lat. *matrimonialis*, du lat. *matrimonium*, « mariage » ; [matʀimɔnjal, o].

**MATRONE,** subst. f.
**1.** *Antiq. rom.* Femme mariée. **2.** Ext. Femme d'âge mûr et d'allure respectable, gén. mère de famille (vieilli). ▸ Femme corpulente et d'allure vulgaire (péj.). **3.** Sage-femme ; par ext., avorteuse (vieilli). Déb. XIIIe s. ; lat. *matrona* ; [matʀɔn].

**MATRONYME,** subst. m.
Nom de famille transmis par la mère. 1946 ; lat. *mater*, « mère », d'apr. *patronyme* ; [matʀɔnim].

**MATTE,** subst. f.
**1.** Vx. Lait caillé. **2.** *Techn.* Premier état sulfureux d'un métal séparé de son minerai et non épuré. Fin XVe s. ; p.-ê. *mat*, « compact » ; [mat].

**MATTHIOLE,** subst. f.
*Bot.* Plante herbacée de la famille des Brassicacées, aux fleurs odorantes, dont une espèce est communément appelée giroflée de jardin ou violier. 1765 ; anthropon. *Mattioli*, botaniste italien ; [matjɔl].

**MATURATION,** subst. f.
**1.** Ensemble des transformations rendant un organe apte à assurer sa fonction. ▸ *Biol.* Ensemble des évènements qui parachèvent le processus de différenciation de types cellulaires particuliers. ▸ *Bot.* Mûrissement. ▸ *Pathol.* Évolution d'un abcès vers la maturité. **2.** Fig. Temps et processus mental requis dans l'élaboration d'un projet, d'une pensée, d'une faculté. **3.** *Techn.* Transformation que subit un produit pour devenir consommable : *La* ***maturation*** *du tabac* ; *Cave de* ***maturation*** *des fromages.* XIVe s. ; lat. *maturatio*, de *maturus*, « mûr » ; [matyʀasjɔ̃].

**MATURE,** adj.
Arrivé à maturité. ▸ *Psychol.* Qualifie une personne au développement physique et mental achevé. ▸ *Zool. Poisson* ***mature*** : prêt à frayer. 1495 (mil. XIIIe s., sensé) ; lat. *maturus*, « mûr » ; [matyʀ].

**MÂTURE,** subst. f.
*Mar.* Ensemble des mâts d'un navire. 1638 ; ☞ *mât* ; [mɑtyʀ].

**MATURITÉ,** subst. f.
**1.** État d'un fruit mûr. **2.** État physique et psychique d'un être vivant ayant atteint son plein développement. ▸ Époque de la vie caractérisée par cet épanouissement. **3.** Summum du développement atteint par les facultés et les capacités humaines. **4.** Helv. Examen équivalant au baccalauréat (abrév. fam. : matu). Fin XVe s. ; lat. *maturitas* ; [matyʀite].

**MATUTINAL, ALE, AUX,** adj.
Du matin (littér.). Fin XIIe s. ; bas lat. *matutinalis*, du lat. *matutinum*, « matin » ; [matytinal, o].

**MAUBÈCHE,** subst. f.
*Zool.* Gros bécasseau nichant dans le nord de l'Europe et hivernant sur les côtes françaises. 1780 ; orig. obsc. ; [mobɛʃ].

**MAUDIRE,** verbe trans. [19]
**1.** Vouer (qqn) à la malédiction divine (littér.). **2.** Vouer à la damnation éternelle, en parlant de Dieu. **3.** Vouer (qqn) au malheur en l'injuriant ; exprimer sa vive contrariété contre (qqch.) : ***Maudire*** *un ennemi, le destin.* Fin XIe s. ; lat. chrét. *maledicere*, du lat. *male*, « mal », et *dicere*, « dire » ; [modiʀ].

**MAUDIT, ITE,** adj.
**1.** Qui est ou semble frappé de la malédiction divine ; empl. subst. masc. : *Le* ***Maudit,*** Satan. **2.** Condamné, rejeté par la société : *Écrivain* ***maudit*** ; mauvais, insupportable : ***Maudite*** *vie.* **3.** Québ. Coquin, rusé. ▸ Loc. *En* ***maudit*** : très. Fin XIe s. ; p. p. de *maudire* ; [modi, it].

**MAUGRÉER,** verbe [7]
Trans. **1.** Vx. Maudire, blasphémer contre (qqn). **2.** Murmurer (qqch.) avec mauvaise humeur. Intrans. Exprimer à mi-voix sa mauvaise humeur, son mécontentement. 1279 ; anc. fr. *maugré*, « chagrin, mécontentement » ; [mogʀee].

**MAUL,** subst. m.
*Sp.* Au rugby, mêlée ouverte dans laquelle le ballon ne doit pas toucher terre. Mil. XXe s. ; angl. *maul*, de *to maul*, « malmener » ; [mol].

**MAURANDIE,** subst. f.
*Bot.* Plante herbacée de la famille des Scrofulariacées, dont une espèce ornementale sert à garnir les tonnelles. 1803 ; lat. sc. *maurandia*, de l'anthropon. *Maurandy*, botaniste espagnol ; [moʀɑ̃di].

**MAURE,** subst. et adj.
**1.** *Antiq. rom.* De Maurétanie. **2.** *M. Â.* D'un peuple berbère islamisé qui conquit l'Espagne en 711 : *« Othello ou le* ***Maure*** *de Venise », tragédie de Shakespeare.* **3.** Du Sahara occidental actuel. **4.** *Hérald. Tête de* ***Maure*** : représentation d'une tête de Noir. Fin XIIe s. ; lat. *Maurus* ; var. *more* (vx) ; [mɔʀ].

**MAURELLE,** subst. f.
*Bot.* Plante de la famille des Euphorbiacées dont une variété, appelée tournesol des teinturiers, fournit un colorant brun. 1712 ; ☞ *maure* ; [mɔʀɛl].

**MAURESQUE,** adj. et subst. f.
Adj. Propre aux Maures d'Espagne ou du Maghreb : *L'art* ***mauresque.*** Subst. **1.** Femme maure. **2.** Mélange de pastis et de sirop d'orgeat. 1349 ; esp. *morisco*, « maure » ; var. *moresque* (vx) ; [mɔʀɛsk].

**MAURISTE,** subst. m.
Membre de l'ordre bénédictin de la congrégation de Saint-Maur. Anthropon. *saint Maur* ; [mɔʀist].

**MAUSER,** subst. m.
*Arm.* **1.** Fusil de guerre utilisé par l'armée allemande de 1871 à 1945. **2.** Pistolet automatique. 1894 ; anthropon. *P. von Mauser*, inventeur ; [mozɛʀ].

**MAUSOLÉE,** subst. m.
Somptueux monument funéraire de grandes dimensions : *Le* ***Mausolée*** *d'Halicarnasse, l'une des Sept Merveilles du monde.* 1544 ; lat. *mausoleum*, du gr. *mausoleion*, « tombeau du roi Mausole » ; [mozɔle].

**MAUSSADE,** adj.
**1.** Vx. Grossier. **2.** Qui laisse paraître de la mauvaise volonté, de la mauvaise humeur : *Un enfant* ***maussade.*** **3.** Qui inspire ennui et mauvaise humeur : *Un temps, un paysage* ***maussade.*** Fin XIVe s. ; formé de *mal* (III) et de l'anc. fr. *sade*, du lat. *sapidus*, « savoureux » ; [mosad].

**MAUSSADERIE,** subst. f.
Caractère maussade de qqn ou de qqch. 1740 ; ☞ *maussade* ; [mosadʀi].

**MAUVAIS, AISE,** adj.
**I. 1.** Qui présente une imperfection, un défaut ; défectueux, de médiocre qualité : *Être en* ***mauvais*** *état* ; *Un* ***mauvais*** *outil.* **2.** Qui ne remplit pas correctement sa fonction, son rôle : ***Mauvais*** *élève* ; ***Mauvais*** *père.* **3.** Qui produit une impression désagréable : *Faire* ***mauvais*** *effet* ; ***Mauvaise*** *haleine* ; empl. adv. : *Sentir* ***mauvais.*** **4.** Faux ; inapproprié : ***Mauvais*** *jugement* ; ***Mauvais*** *moyen.* **II. 1.** Infortuné, malencontreux ; funeste : *Être en* ***mauvaise*** *posture* ; ***Mauvais*** *présage.* **2.** Nuisible, dangereux : *Faire une* ***mauvaise*** *rencontre.* ▸ Contraire à la morale ou à la loi : *Une femme de* ***mauvaise*** *vie.* ▸ ***Mauvais*** *temps* : temps vilain, détestable ; empl. adv. : *Il fait* ***mauvais.*** ▸ *La mer est* ***mauvaise*** : très agitée. **3.** Enclin à faire le mal : ***Mauvais*** *garçon.* **4.** Qui manque de talent : *Mauvais* ***comédien.*** Mil. XIe s. ; lat. *malifatius*, « affecté d'un mauvais sort » ; [mɔvɛ, ɛz].

**MAUVE,** subst. et adj.
Subst. fém. *Bot.* Plante officinale de la famille des Malvacées, à fleurs blanches, roses ou violacées. Subst. masc. Couleur violet pâle. Adj. De cette couleur : *Robes* ***mauves.*** Mil. XIIIe s. ; lat. *malva* ; [mov].

**MAUVÉINE,** subst. f.
*Chim.* Matière colorante violette dérivée de l'aniline. 1878 ; ☞ *mauve* ; [movein].

**MAUVIETTE,** subst. f.
**1.** Nom de l'alouette devenue grasse, avant qu'elle n'entame sa migration. **2.** Fig. Personne chétive et lâche (fam.). 1651 ; ☞ *mauvis* ; [movjɛt].

**MAUVIS,** subst. m.
*Zool.* Grive de petite taille, de la famille des Turdidés, à la poitrine rayée et aux flancs roux. Mil. XIIe s. ; p.-ê. anglo-norm. *mauve*, « foulque », du vieil angl. *maew*, « mouette » ; [movi].

**MAXI,** subst. m. inv., adj. inv. et adv.
Fam. Subst. **1.** Maximum. **2.** Manteau très long. **3.** Mode des vêtements longs. Adj. **1.** Maximal : *Prix* ***maxi.*** **2.** Qui est très long : *Jupe* ***maxi.*** Adv. Au maximum. 1908 ; apocope de *maximum* ; [maksi].

**MAXILLAIRE,** adj. et subst. m.
*Anat.* Adj. Relatif aux mâchoires : *Angle* ***maxillaire.*** Subst. ▸ ***Maxillaire*** *supérieur* : chacun des deux os symétriques soudés entre eux et aux os du crâne, qui forment la mâchoire supérieure. ▸ ***Maxillaire*** *inférieur* : os mobile, en forme de U, qui constitue la mâchoire inférieure (synon. *mandibule*). Fin XIVe s. ; lat. *maxillaris* ; [maksilɛʀ].

**MAXILLE,** subst. f.
*Zool.* Chacune des deux pièces buccales des Arthropodes, situées en arrière des mandibules. 1314 ; lat. *maxilla*, « mâchoire » ; [maksil].

**MAXIMA (A),** loc. adj.
*Dr. Appel a* ***maxima*** : appel du ministère public pour faire diminuer une peine. 1936 ; lat. *a maxima poena*, « de la plus grande peine » ; [amaksima].

**MAXIMAL, ALE, AUX,** adj.
**1.** Qui atteint sa plus grande valeur, son maximum : *Les températures* ***maximales.*** **2.** *Math. Élément* ***maximal*** *d'un ensemble ordonné E* : élément tel qu'il n'existe aucun élément de E qui lui soit strictement supérieur. 1877 ; ☞ *maximum* ; [maksimal, o].

© C. Boisvieux-Explorer

*Le Taj Mahal, à Agra (Inde),* ***mausolée*** *élevé au XVIIe s. par le chah Jahan pour son épouse.*

**MAXIMALISER,** verbe trans. [3]
Porter (qqch.) à son maximum. V. 1950 ; ☞ *maximal* ; [maksimalize].

**MAXIMALISME,** subst. m.
Tendance, gén. politique, qui consiste à préconiser des solutions extrêmes. 1957 (1919, bolchevisme) ; ☞ *maximal* ; [maksimalism].

**MAXIMALISTE,** adj. et subst.
Se dit d'une personne favorable au maximalisme. Adj. Propre au maximalisme. 1957 (1910, bolchevik) ; ☞ *maximal* ; [maksimalist].

**MAXIME,** subst. f.
**1.** Précepte, règle de conduite, de morale. **2.** For-

mule lapidaire énonçant une règle de conduite, une vérité morale : *Les « **Maximes** » de La Rochefoucauld.* Déb. XIV^e s. ; lat. médiév. *maxima sententia*, « sentence la plus grande » ; [maksim].

**MAXIMISER,** verbe trans. [3]
**1.** Porter (qqch.) à son plus haut degré. **2.** *Math.* ***Maximiser** une expression* : trouver les valeurs des variables qui la rendent maximale. 1828 ; angl. *to maximize* ; [maksimize].

**MAXIMUM,** subst. m. et adj.
**Subst. 1.** Valeur la plus haute possible d'une quantité variable ; limite supérieure. ▸ Loc. *Au (grand)* ***maximum*** : tout au plus. **2.** *Math.* ▸ ***Maximum** d'un ensemble ordonné E* : le plus grand élément (s'il existe) de E. ▸ ***Maximum** (absolu) d'une fonction numérique définie sur un ensemble X* : pour $f$ de X vers ℝ, nombre M tel qu'il existe au moins un élément $a$ de X pour lequel $f(a) = M$ et $f(x) \leqslant M$ pour tout $x$ élément de X (un tel M n'existe pas toujours). **Adj.** Maximal (empl. critiqué) : *Une valeur **maximum**.* 1706 ; lat. *maximum*, de *magnus*, « grand » ; plur. *maximums* ou *maxima*, l'adj. est inv. en genre ; [maksimɔm], plur. [-mɔm] ou [-ma].

**MAXWELL,** subst. m.
*Métrol.* Unité C. G. S. de flux magnétique (symb. : M) équivalente au flux produit par une induction magnétique de 1 gauss traversant une surface de 1 cm$^2$ perpendiculaire au champ. 1900 ; anthropon. *J. C. Maxwell*, physicien britannique ; [makswɛl].

**MAYA,** adj. et subst.
Des Mayas. **Subst. masc.** Langue parlée actuellement dans le Yucatán, qui dérive de l'ancienne langue des Mayas. 1811 ; mot maya ; inv. en genre ; [maja].

**MAYE,** subst. f.
*Techn.* Pierre creusée où l'on recueille l'huile d'olive qui coule du pressoir. 1767 (fin XI^e s., fond d'un pressoir recevant le marc) ; lat. *magis*, du gr. *magis*, « grand plat » ; [mɛ].

**MAYEN,** subst. m.
Helv. Pâturage d'altitude moyenne, pourvu d'un bâtiment, où les troupeaux séjournent au printemps et en automne. 1812 (1304, bâtiment rudimentaire) ; lat. *maius*, « mai » ; [majɛ̃].

**MAYEUR,** voir **MAÏEUR**

**MAYONNAISE,** subst. f.
*Cuis.* Sauce émulsionnée froide, à base d'huile et de jaune d'œuf. ▸ Loc. *La **mayonnaise** prend* : se solidifie ou, au fig., la situation évolue favorablement, de façon décisive. 1806 ; p.-ê. altér. de *mahonnaise*, du topon. *Port-Mahon* (Minorque) ; [majɔnɛz].

**MAYORAL,** voir **MAÏORAL**

**MAYORAT,** voir **MAÏORAT**

**MAZAGRAN,** subst. m.
**1.** Café chaud ou froid, parfois additionné de sucre et d'eau-de-vie (vieilli). **2.** Méton. Verre à pied profond, souv. en faïence, utilisé pour boire du café. 1866 ; topon. *Mazagran* (Algérie) ; [mazagʀɑ̃].

**MAZARINADE,** subst. f.
Petit poème ou petite chanson satirique contre Mazarin. 1651 ; anthropon. *Mazarin* ; [mazaʀinad].

**MAZDÉEN, ÉENNE,** adj. et subst.
*Relig.* Se dit d'un adepte du mazdéisme. **Adj.** Relatif, propre au mazdéisme. Mil. XIX^e s. ; anc. perse *Ahurā Mazdā*, « Seigneur sage » ; [mazdeɛ̃, eɛn].

**MAZDÉISME,** subst. m.
Système religieux de l'Iran jusqu'à la conquête islamique. 1845 ; anc. perse *Ahurā Mazdā*, « Seigneur sage » ; [mazdeism].

**RELIGION** – Le mazdéisme est fondé sur l'opposition dualiste d'Ahura-Mazda (ou Ormuzd), dieu du bien, et de son jumeau Angra-Mainyu (ou Ahriman), dieu du mal, qui se combattent à propos du sort de l'humanité durant neuf mille ans, au terme desquels la victoire doit définitivement revenir à Ormuzd. Le mazdéisme primitif des Achéménides (546-330 av. J.-C.) fut réformé et codifié par Ardéchir, premier roi sassanide (à partir de 226 av. J.-C.), selon l'enseignement de Zoroastre (☞ *zoroastrisme*). L'Avesta est le livre sacré du mazdéisme qui survit encore dans les communautés parsies, notamment en Inde.

**MAZÉAGE,** subst. m.
Action de mazer ; résultat de cette action. 1839 ; ☞ *mazer* ; [mazeaʒ].

**MAZER,** verbe trans. [3]
*Métall.* Donner à (la fonte) un premier affinage. 1824 ; orig. obsc. ; [maze].

**MAZETTE,** subst. f. et interj.
**Subst. 1.** Vx. Mauvais petit cheval. **2.** Anal. ▸ Personne qui manque d'adresse, d'ardeur ou d'habileté au jeu. ▸ Personne sans vigueur, chétive (péj.). **Interj.** Exprime l'admiration, la surprise. 1622 ; p.-ê. norm. *mesette*, « mésange » ; [mazɛt].

**MAZOT,** subst. m.
Helv. Petit mas rustique, dans le Valais. 1614 ; lat. *mansus*, de *manere*, « rester » ; [mazo].

**MAZOUT,** subst. m.
*Techn.* Produit pétrolier, peu volatil, de couleur noirâtre, servant de combustible (synon. *fioul*). Fin XIX^e s. ; russe *mazut* ; [mazut].

**MAZOUTER,** verbe [3]
**Intrans.** *Mar.* Faire le plein de mazout. **Trans.** Souiller avec du mazout ; empl. adj. : *Plages **mazoutées**.* 1936 ; ☞ *mazout* ; [mazute].

**MAZURKA,** subst. f.
**1.** Danse d'origine polonaise à trois temps, assez vive ; par méton., air sur lequel on la danse. **2.** *Mus.* Composition qui s'en inspire. 1829 ; polonais *mazurka*, de *mazurek*, « danse de Mazurie » ; [mazyʀka].

**Md,** voir **MENDÉLÉVIUM**

**ME,** pron. pers.
Pronom personnel des deux genres de la première personne du singulier. **1.** Employé comme complément. ▸ Complément d'objet direct : *Tu **m**'ennuies.* ▸ Complément d'objet indirect : *Elle **m**'a téléphoné hier soir.* ▸ Complément d'attribution : *Il **m**'a accordé une augmentation.* **2.** Remplaçant un possessif : *La jambe droite **me** fait mal.* **3.** Employé comme sujet d'un verbe régi par « faire », « laisser », « falloir » ou par un verbe de perception : *Il **me** laissera partir* ; *Elle **m**'a entendu venir.* **4.** Employé dans les constructions pronominales : *Je **me** moque bien de ce qu'il pense.* **5.** Employé devant un présentatif : *Me voici.* **6.** Employé comme explétif pour renforcer un ordre (fam.) : *Allez-vous enfin **me** finir ce travail !* 842 ; lat. *me*, « me, moi », accusatif de *ego*, « je » ; s'élide en *m'* devant une voyelle ou un *h* muet ; [mə].

**MEA CULPA,** subst. m. inv.
Aveu d'une faute que l'on a commise. ▸ Loc. *Faire son **mea culpa*** : reconnaître ses torts. 1560 ; lat. *mea culpa*, « par ma faute », tiré du *Confiteor* ; var. *mea-culpa* (inv.) ; [meakylpa].

**MÉANDRE,** subst. m.
**1.** *Géogr.* Sinuosité marquée d'un cours d'eau : *Les **méandres** de la Seine* ; par anal. : *Les **méandres** d'un chemin.* **2.** Fig. Cheminement complexe de la pensée, du raisonnement, d'un processus. **3.** *B.-a.* Ornement de dessin composé de lignes brisées ou entrecroisées. 1552 ; topon. lat. *Maeander*, du gr. *Maiandros*, « Méandre », fleuve sinueux d'Asie Mineure ; [meɑ̃dʀ].

**MÉANDRINE,** subst. f.
*Zool.* Polypier de forme sinueuse, qui participe à la formation des récifs de coraux. 1801 ; ☞ *méandre*, par anal. de forme ; [meɑ̃dʀin].

**MÉAT,** subst. m.
**1.** *Anat.* ▸ ***Méat** urétral* ou *urinaire* : orifice externe de l'urètre. ▸ Espace délimité par la paroi des fosses nasales et chacun des cornets. **2.** *Bot.* Espace intercellulaire de certains tissus végétaux. 1575 ; lat. *meatus*, « passage » ; [mea].

**MEC,** subst. m.
**1.** Homme viril (argot.). **2.** Fam. Homme quelconque (souv. péj.). ▸ Amant ou mari : *C'est son **mec**.* 1848 (1821, chef) ; orig. obsc. ; [mɛk].

**MÉCANICIEN, IENNE,** subst. et adj.
**Subst. 1.** Vx. Savant spécialisé dans la mécanique rationnelle. **2.** Personne qui invente, fait fonctionner et répare des machines : *Le **mécanicien** d'un garage.* **Subst. masc.** *Ch. de fer.* Conducteur de locomotive. **Subst. fém.** *Cout.* Ouvrière qui travaille à la machine à coudre. **Adj.** Relatif au développement du machinisme (vieilli) : *La civilisation **mécanicienne**.* 1696 ; ☞ *mécanique* ; [mekanisjɛ̃, jɛn].

**MÉCANIQUE,** subst. f. et adj.
**Adj. 1.** Qui se rapporte à la mécanique : *Lois **mécaniques**.* **2.** Qui est produit par un mouvement : *Énergie **mécanique**.* **3.** Qui est produit par une machine : *Tuile **mécanique*** ; actionné par un mécanisme : *Piano **mécanique**.* **4.** Relatif au fonctionnement d'une machine, en partic. d'un moteur : *Ennui **mécanique**.* **5.** Qui se fait sans réfléchir : *Geste, sourire **mécanique**.* **Subst. 1.** *Phys.* Science qui a pour objet l'étude de l'équilibre des corps, des forces ou des mouvements qui leur sont appliqués : ***Mécanique** céleste*, étude des mouvements des corps célestes ; ***Mécanique** ondulatoire* (☞ *ondulatoire*) ; ***Mécanique** quantique* (☞ *quantique*). **2.** Étude des machines, de leur construction et de leur fonctionnement. **3.** Ensemble des éléments et des dispositifs d'une machine : *La **mécanique** d'une pendule* ; par méton., cette machine elle-même : *Le T.G.V. est une belle **mécanique**.* **4.** Anal. et Fam. Le corps humain et ses organes. ▸ Loc. *Rouler des **mécaniques*** : rouler les épaules, faire le fier-à-bras. Fin XIII^e s. ; lat. *mechanicus*, du gr. *mêkhanikos* ; [mekanik].

**MÉCANIQUEMENT,** adv.
**1.** Du point de vue de la mécanique. **2.** De façon mécanique. 1679 (XVI^e s., comme un artisan) ; ☞ *mécanique* ; [mekanikmɑ̃].

**MÉCANISATION,** subst. f.
Action de mécaniser un travail ; son résultat. 1949 (1870, fait de rendre semblable à une machine) ; ☞ *mécaniser* ; [mekanizasjɔ̃].

**MÉCANISER,** verbe trans. [3]
**1.** Rendre mécanique (un travail manuel). **2.** Doter de machines : ***Mécaniser** l'agriculture* ; empl. adj. : *Bataillon **mécanisé***, doté de véhicules, de blindés légers. 1846 (1571, exercer un métier manuel) ; ☞ *mécanique* ; [mekanize].

**MÉCANISME,** subst. m.
**1.** Assemblage de pièces, d'organes agencés en vue de produire un mouvement. **2.** Anal. Ensemble d'éléments ou de phases contribuant à la réalisation d'un processus ou ce processus lui-même : *Le **mécanisme** de l'effet photoélectrique.* **3.** Fig. Fonctionnement d'un phénomène humain, de qqch. que l'on compare à une machine. **4.** *Philos.* Théorie de l'Univers (XVII^e-XVIII^e s.) selon laquelle tous les faits qui s'y produisent peuvent s'expliquer par une combinaison de déterminations mécaniques. 1701 ; ☞ *mécanique* ; [mekanism].

**MÉCANISTE,** adj. et subst. m.
*Philos.* Se dit d'un partisan du mécanisme. **Adj.** Relatif, propre à cette doctrine. 1875 ; ☞ *mécanisme* ; [mekanist].

**MÉCANO,** subst. m.
Mécanicien (fam.). 1907 ; abrév. de *mécanicien* ; [mekano].

**MÉCANOGRAPHE,** subst.
Personne chargée de travaux de mécanographie. V. 1960 (1832, mécanisme permettant d'écrire sans plume) ; formé de *mécano-* et de *-graphe* ; [mekanɔgʀaf].

**MÉCANOGRAPHIE,** subst. f.
Technique d'enregistrement et de dépouillement de données à l'aide de machines traitant des bandes ou des cartes perforées. 1947 (1832, art d'écrire sans l'avoir appris et sans plume) ; formé de *mécano-* et de *-graphie* ; [mekanɔgʀafi].

**MÉCANORÉCEPTEUR,** subst. m.
*Physiol.* Récepteur sensoriel répondant de manière spécifique aux stimulations mécaniques. XX^e s. ; ☞ *récepteur* + *mécano-* ; [mekanoʀesɛptœʀ].

**MÉCANOTHÉRAPIE,** subst. f.
*Méd.* Procédé de rééducation fonctionnelle utilisant des appareils mécaniques. V. 1900 ; formé de *mécano-* et de *-thérapie* ; [mekanoteʀapi].

**MECCANO,** subst. m. inv.
Jeu de construction utilisant des petites pièces métalliques. 1936 ; angl. *Meccano*, de *mechanics*, « la mécanique » ; n. déposé ; [mekano].

**MÉCÉNAT,** subst. m.
Fait de soutenir financièrement, sans considération de rentabilité, des activités artistiques, littéraires, scientifiques, humanitaires, etc. 1864 ; ☞ *mécène* ; [mesena].

**MÉCÈNE,** subst. m.
Personne ou, par ext., entreprise ou institution pratiquant le mécénat. 1526 ; anthropon. lat. *Maecenas*, « Mécène », ministre d'Auguste, protecteur des arts et des lettres ; [mesɛn].

**MÉCHAGE,** subst. m.
**1.** *Vinic.* Action de mécher un tonneau pour le désinfecter. **2.** *Chir.* Mise en place d'une mèche. 1873 ; ☞ *mécher* ; [meʃaʒ].

**MÉCHAMMENT,** adv.
**1.** Vx. De manière médiocre : *Un livre **méchamment** écrit.* **2.** De manière méchante. **3.** Très (fam.). Fin XIII^e s. ; ☞ *méchant* ; [meʃamɑ̃].

**MÉCHANCETÉ,** subst. f.
**1.** Caractère d'une personne méchante. **2.** Méton. Parole, action méchante (souv. au plur.). Déb. XV^e s. ; anc. fr. *mescheance*, « malheur » ; [meʃɑ̃ste].

**MÉCHANT, ANTE, adj.**
**1.** Sans valeur, mauvais (littér.) : *Un **méchant** ouvrage* ; *Être de **méchante** humeur* ; par ext., insignifiant. **2.** Qui fait le mal, qui est dur envers autrui : *Un voisin **méchant*** ; empl. subst. : *C'est un **méchant***. ► Loc. ***Méchante** langue* : personne médisante. **3.** Mauvais, dangereux, ou qui peut l'être : ***Méchante** grippe* ; *Chien **méchant***. ► Loc. *Ce n'est pas **méchant*** : c'est sans gravité, sans grande importance. XIIe s. ; *mescheoir* (vx), « arriver malheur » ; [meʃɑ̃, ɑ̃t].

**MÈCHE (I), subst. f.**
**1.** Cordon, assemblage de fils tressés, imprégné d'une substance combustible et utilisé pour produire une flamme durable ; par ext., cordon servant à mettre à feu une charge explosive. ► Loc. *Éventer la **mèche*** : ôter la mèche d'une charge explosive ou, au fig., déjouer une machination ; *Vendre la **mèche*** : dénoncer un projet secret, un complot. **2.** Touffe de cheveux. **3.** Cordon effiloché fixé à l'extrémité d'un fouet. **4.** *Chir.* Petite bande de gaze ou de toile que l'on introduit dans une plaie pour faciliter le drainage, ou pour stopper une hémorragie. **5.** *Mar.* Axe d'un gouvernail. **6.** *Techn.* Tige d'acier affûtée à une extrémité, adaptable à un outil pour percer par rotation. **7.** *Text.* Ruban de filasse qui alimente un métier à filer. **8.** *Vinic.* Bande de toile soufrée servant à mécher un tonneau. Mil. XIIe s. ; p.-ê. lat. pop. °*micca*, « mèche », du lat. *myxa*, « lumignon » ; [mɛʃ].

**MÈCHE (II), subst. inv.**
Loc. **1.** *Être de **mèche** avec qqn* : être de connivence avec lui (fam.). **2.** *Il n'y a pas **mèche*** : c'est impossible (pop.). 1793 ; orig. obsc. ; [mɛʃ].

**MÉCHER, verbe trans. [8]**
**1.** *Vinic.* ***Mécher** un tonneau* : y faire brûler une mèche soufrée pour l'assainir avant de le remplir de vin. **2.** *Chir.* Placer une mèche dans (une plaie). 1743 ; ☞ *mèche* (I) ; [meʃe].

**MÉCHEUX, EUSE, adj.**
Se dit d'une laine brute qui forme des mèches. Mil. XIXe s. ; ☞ *mèche* (I) ; [meʃø, øz].

**MÉCHOUI, subst. m.**
Agneau ou mouton entier rôti à la broche ; par méton., repas durant lequel on le mange. 1912 ; ar. *mašwī*, « viande grillée » ; [meʃwi].

**MECHTA, subst. f.**
Hameau d'Algérie ou de Tunisie. 1955 ; ar. *maštā*, « lieu d'hivernage » ; [mɛʃta].

**MÉCOMPTE, subst. m.**
**1.** Vx. Erreur de calcul. **2.** Espoir déçu. Déb. XIIIe s. ; *se mécompter* (vx), « se tromper » ; [mekɔ̃t].

**MÉCONDUIRE (SE), verbe pronom. [69]**
Belg. Mal se conduire. 1840 (déb. XVIe s., éconduire) ; ☞ *conduire* + *mé-* ; [mekɔ̃dɥiʀ].

**MÉCONDUITE, subst. f.**
Belg. Mauvaise conduite. 1959 ; ☞ *conduite* + *mé-* ; [mekɔ̃dɥit].

**MÉCONIUM, subst. m.**
*Physiol.* Matière présente dans l'intestin du fœtus et qui constitue les premières selles du nouveau-né. 1677 (1549, suc de pavot) ; lat. *meconium*, du gr. *mêkônion* ; [mekɔnjɔm].

**MÉCONNAISSABLE, adj.**
Que l'on a peine à reconnaître. Fin XVIe s. (déb. XIVe s., inconnu) ; ☞ *méconnaître* ; [mekɔnɛsabl].

**MÉCONNAISSANCE, subst. f.**
**1.** Ignorance (littér.) : *Échouer par **méconnaissance** du sujet.* **2.** Action de méconnaître ; son résultat. Fin XIIe s. ; ☞ *connaissance* + *mé-* ; [mekɔnɛsɑ̃s].

**MÉCONNAÎTRE, verbe trans. [73]**
**1.** Littér. Ignorer (qqch.). **2.** Ne pas reconnaître (qqch.) pour ce qu'il est : ***Méconnaître** la valeur d'une action.* **3.** Refuser d'admettre, de tenir compte de (qqch.) : ***Méconnaître** les lois.* **4.** Ne pas apprécier (qqn ou qqch.) à sa juste valeur. Déb. XIIe s. ; ☞ *connaître* + *mé-* ; [mekɔnɛtʀ].

**MÉCONNU, UE, adj.**
**1.** Qui est ignoré, ou très mal connu (littér.). **2.** Qui n'est pas estimé à sa juste valeur. XVIe s. ; p. p. de *méconnaître* ; [mekɔny].

**MÉCONTENT, ENTE, adj.**
**1.** Qui n'est pas content, qui n'est pas satisfait ; empl. subst. : *Les **mécontents**,* ceux qui ne sont pas satisfaits d'un gouvernement ou d'une politique, et qui l'expriment. **2.** Ext. Qui dénote l'insatisfaction : *Visage **mécontent**.* 1501 ; ☞ *content* + *mé-* ; [mekɔ̃tɑ̃, ɑ̃t].

**MÉCONTENTEMENT, subst. m.**
État d'esprit de qqn, d'un groupe social qui est mécontent : *Des mesures d'austérité suscitant un **mécontentement** général.* 1528 ; ☞ *mécontent* ; [mekɔ̃tɑ̃tmɑ̃].

**MÉCONTENTER, verbe trans. [3]**
Rendre (qqn, un groupe) mécontent. 1560 (fin XIVe s., être mécontent) ; ☞ *contenter* + *mé-* ; [mekɔ̃tɑ̃te].

**MÉCRÉANT, ANTE, adj. et subst.**
**1.** Se dit d'une personne qui ne professe pas la religion tenue pour vraie (vieilli). **2.** Ext. Se dit d'une personne qui n'a aucune foi religieuse. 1119 ; p. pr. de *mécroire* (vx), « refuser de croire » ; [mekʀeɑ̃, ɑ̃t].

**MÉDAILLE, subst. f.**
**1.** Vx. Monnaie d'or ancienne. ► Ext. Monnaie de l'Antiquité, en tant que document historique : *Le cabinet des **Médailles** de la Bibliothèque nationale.* **2.** Pièce métallique, gén. circulaire, portant, gravée en relief, une effigie ou une devise célébrant qqn ou commémorant qqch. ► Loc. *Le revers de la **médaille*** : les inconvénients qui accompagnent un évènement heureux. ► *Relig.* Pièce de métal frappée d'une effigie ou d'un symbole religieux, que l'on porte par dévotion. **3.** Pièce de métal précieux sanctionnant les mérites militaires, sociaux ou sportifs de qqn. **4.** Plaque d'identité portée dans certaines professions ou accrochée au collier des animaux domestiques. 1496 ; ital. *medaglia* ; [medaj].

**MÉDAILLÉ, ÉE, adj. et subst.**
Se dit d'une personne qui a reçu une médaille. 1846 (1611, orné de médailles) ; ☞ *médaille* ; [medaje].

**MÉDAILLER, verbe trans. [3]**
Décerner une médaille à (qqn). 1867 ; ☞ *médaille* ; [medaje].

**MÉDAILLIER, subst. m.**
**1.** Meuble à tiroirs où l'on range des médailles. **2.** Collection de médailles. 1671 ; ☞ *médaille* ; [medaje].

**MÉDAILLON, subst. m.**
**1.** Très grande médaille. **2.** Décoration, bas-relief, peinture contenue dans un cadre circulaire ou ovale. **3.** Bijou de forme circulaire ou ovale dans lequel on conserve un souvenir précieux. **4.** *Cuis.* Tranche circulaire et mince de viande, de poisson. 1554 ; ital. *medaglione* ; [medajɔ̃].

**MÉDECIN, subst. m.**
**1.** Personne qui exerce la médecine après obtention d'un diplôme de docteur en médecine. **2.** Fig. ***Médecin** des âmes* : directeur de conscience. Mil. XIVe s. ; prob. *médeciner* (vx), « traiter » ; [medsɛ̃].

**MÉDECIN-CONSEIL, subst. m.**
Médecin attaché à une caisse d'assurance maladie ou à une compagnie d'assurances. XXe s. ; comp. de *médecin* et de *conseil* ; plur. *médecins-conseils* ; [medsɛ̃kɔ̃sɛj].

**MÉDECINE, subst. f.**
**1.** Médicament (vieilli). **2.** Science, ensemble de pratiques dont l'objet est la conservation ou le rétablissement de la santé humaine : ***Médecine** préventive ou curative, homéopathique ou allopathique, etc.* ► ***Médecine** légale* : qui a pour fonction d'éclairer la justice. ► ***Médecine** sociale* : qui met en pratique les lois sociales d'hygiène et de prévention. ► ***Médecine** du travail* : qui vise à prévenir et à dépister les maladies d'origine professionnelle. **3.** Méton. ► Cycle d'études supérieures conduisant à l'exercice de la profession de médecin. ► Profession de médecin. Déb. XIIe s. ; lat. *medicina* ; [medsin].

SCIENCES – Des origines jusqu'au Ve s. av. J.-C., la médecine a été placée sous le signe de la magie et des dieux guérisseurs (Imhotep, Sérapis en Égypte, Esculape en Grèce, etc.). Hippocrate de Cos (460-380 av. J.-C.) amorce sa désacralisation en lui donnant pour base l'observation clinique et en définissant les règles éthiques de son exercice (serment d'Hippocrate). Chez les Romains, au IIe s. de notre ère, Galien fait progresser l'anatomie descriptive (dissections) et établit le système galénique, dans lequel stagnera la médecine occidentale jusqu'à l'aube des temps modernes. Parallèlement, Avicenne (XIe s.), en Iran, Averroès et Maimonide (XIIe s.), dans l'Espagne occupée par les Arabes, enrichissent la pharmacopée naturelle et font progresser la chirurgie. À partir de la Renaissance, Paracelse, qui s'élève contre le dogme galénique, préconise une pharmacopée chimique ; la science anatomique se précise ; Ambroise Paré donne ses lettres de noblesse à la chirurgie. Harvey, découvrant la circulation sanguine, ouvre la voie à la physiologie moderne, qui prend son essor aux XVIIe et XVIIIe s. La médecine s'appuie dorénavant sur le progrès général des sciences positives (chimie, physique) pour établir l'étiologie des maladies. Histologie et anatomie pathologique se développent au XIXe s. Claude Bernard jette les bases de la méthode expérimentale et de la biochimie, tandis que les immenses découvertes de Louis Pasteur fondent la microbiologie moderne. Le XXe s. verra la diversification de la médecine par branches spécialisées et l'essor continu des hautes technologies médicales et chirurgicales.

**MÉDECINE-BALL,**
**voir MEDICINE-BALL**

**MÉDERSA, voir MADRASA**

**MÉDIA, subst. m.**
Tout support (presse, radio, télévision, cinéma, ordinateur, livre...) permettant de diffuser une information (souv. au plur.). V. 1960 ; ☞ *mass media* ; [medja].

**MÉDIAL, ALE, AUX, adj. et subst. f.**
**Adj. 1.** *Ling. Syllabe, lettre **médiale*** : placée à l'intérieur d'un mot. **2.** *Mus. Ton **médial*** : situé entre le grave et l'aigu. **3.** *Phon. Consonne **médiale*** ou, empl. subst. fém., *Une **médiale*** : consonne insérée entre deux voyelles (synon. *intervocalique*). **Subst.** *Stat.* ***Médiale** d'un caractère prenant les valeurs $x_1$, $x_2$ ..., $x_p$ avec les effectifs $n_1$, $n_2$ ..., $n_p$* : valeur $x_m$ telle que $x_1n_1 + x_2n_2 + ... + x_mn_m = x_mn_m + x_{m+1}n_{m+1} + ... + x_pn_p$. 1806 ; lat. *medius*, « qui est au milieu » ; [medjal, o].

**MÉDIAN, ANE, adj. et subst. f.**
**Adj. 1.** Qui est placé au milieu de qqch. **2.** *Anat. Nerf **médian*** ou, empl. subst. masc., *Le **médian*** : nerf qui traverse le bras, le pli du coude, l'avant-bras et la main, dont il assure la flexion. **3.** *Math. Plan **médian** d'un tétraèdre* : plan passant par une arête et le milieu de l'arête opposée. **4.** *Phon.* Qualifie une voyelle qui s'articule avec le milieu du canal buccal (par oppos. à une voyelle antérieure ou postérieure). **Subst. 1.** *Math. **Médiane** d'un tétraèdre* : droite passant par un sommet et le centre de gravité de la face opposée ; ***Médiane** d'un triangle* : droite passant par un sommet et par le milieu du côté opposé ou segment dont les extrémités sont ces deux points. **2.** *Stat. **Médiane** d'un caractère d'effectif total N, dont les valeurs sont rangées en ordre croissant* : nombre correspondant à N/2. 1607 (1425, veine de l'avant-bras) ; lat. *medianus*, « du milieu » ; [medjɑ̃, an].

**MÉDIANOCHE, subst. m.**
**1.** Vx. Repas gras (avec viande) pris à minuit, le premier jour gras suivant une période de jours maigres. **2.** Ext. Repas fin, servi tard dans la nuit. 1671 ; esp. *medianoche*, « minuit » ; [medjanɔʃ].

**MÉDIANTE, subst. f.**
*Mus.* Dans la gamme, troisième note après la tonique, qui forme avec elle un intervalle de tierce (majeure ou mineure) : *En « do » majeur, la **médiante** est « mi ».* 1718 (1556, adj., intermédiaire) ; lat. *medians*, de *mediare*, « partager entre deux » ; [medjɑ̃t].

**MÉDIASTIN, subst. m.**
*Anat.* Région comprise entre le sternum et la colonne vertébrale, délimitée par les plèvres, contenant dans sa partie antérieure le cœur et le thymus, et dans sa partie postérieure l'artère aorte, les vaisseaux lymphatiques et l'œsophage. Fin XIVe s. ; bas lat. *mediastinus*, « qui est au milieu » ; [medjastɛ̃].

**MÉDIAT, ATE, adj.**
**1.** *Féod. Seigneur, prince **médiat*** : vassal indirect du roi, de l'empereur. **2.** Qui ne peut être mis en rapport avec autre chose que par un intermédiaire : *Auscultation **médiate** du cœur*, au moyen d'un stéthoscope. **3.** *Log.* Se dit d'une proposition qui ne peut être déduite d'une autre que par l'intermédiaire d'une troisième : *Dans « A est B, B est C, donc A est C », « B est C » est une proposition **médiate**.* 1478 ; aphérèse de *immédiat* ; [medja, at].

**MÉDIATEUR, TRICE, adj. et subst.**
**Adj. 1.** Qui sert d'intermédiaire entre deux personnes, entre deux groupes, entre deux processus.

, *Cath. Vierge Marie* ***médiatrice*** : qui intercède uprès de Dieu pour le salut des âmes. **3.** *Géom.* *'an* ***médiateur*** *d'un segment dans l'espace* : plan erpendiculaire à ce segment en son milieu. **UBST. MASC. 1.** Personne ou institution qui se harge d'une médiation. ▶ ***Médiateur*** *de la République* : en France, autorité indépendante chargée e régler les différends entre les pouvoirs publics : les citoyens. **2.** *Biochim.* et *Biol.* Substance synhétisée par des cellules spécialisées (comme les eurones) permettant d'activer le fonctionnement autres cellules dotées de récepteurs pour le **édiateur** en question. **SUBST. FÉM.** *Géom.* ▶ ***Médiatrice*** *d'un segment dans le plan* : droite perpenculaire à ce segment en son milieu. ▶ ***Médiatrice*** *d'un triangle* : **médiatrice** d'un de ses côtés. Déb. XIVe s. ; bas lat. *mediator* ; [medjatœʀ, tʀis].

**MÉDIATHÈQUE, subst. f.**
. Organisme public qui collecte, conserve et met à la sposition des utilisateurs des documents sur des édias divers (papier, bandes magnétiques, disettes, films, etc.). **2.** Méton. Collection de ces douments. V. 1970 ; ☞ *média* + *-thèque* ; [medjatɛk].

**MÉDIATION, subst. f.**
. Intervention visant à régler un différend, un conflit tre plusieurs parties ; par ext., procédure de conciation internationale ou administrative. **2.** *Philos.* ction de passer d'un terme à un autre, dans le cadre 'un raisonnement dialectique. 1541 (XIIIe s., divion par deux) ; lat. *mediatio* ; [medjasjɔ̃].

**MÉDIATIQUE, adj.**
. Relatif aux médias. **2.** Qui a la faveur des médias : *gure* ***médiatique***. V. 1980 ; ☞ *média* ; [medjatik].

**MÉDIATISATION, subst. f.**
ction de médiatiser ; son résultat. 1842 ; ☞ *médiatiser* ; [medjatizasjɔ̃].

**MÉDIATISER (I), verbe trans. [3]**
. *Hist.* ***Médiatiser*** *un fief, un État* : dans l'Empire ermanique, faire passer un fief, un État de la épendance directe de l'empereur à celle d'un de s vassaux. **2.** Rendre médiat (qqch.) en plaçant n intermédiaire dans sa relation avec autre chose. . *Philos.* Servir d'intermédiaire pour faire appaaître ou connaître (qqch.). 1819 ; ☞ *médiat* ; nedjatize].

**MÉDIATISER (II), verbe trans. [3]**
aire connaître par l'intermédiaire des médias. V. 1980 ; ☞ *média* ; [medjatize].

**MÉDIATOR, subst. m.**
*lus.* Petite lame avec laquelle on pince ou on frotte s cordes de certains instruments (synon. *plectre*). 1907 ; lat. *mediator*, « médiateur » ; [medjatɔʀ].

**MÉDICAL, ALE, AUX, adj.**
. Relatif à la médecine ou à ceux qui la pratiquent : *e corps* ***médical***, les médecins ; en partic. (par ppos. à *chirurgical*), se dit d'un acte qui ne fait as appel à la chirurgie : *Un traitement* ***médical***. . *Délégué, visiteur* ***médical*** : représentant d'un boratoire pharmaceutique auprès des médecins. 1752 (1534, *doigt médical*, annulaire) ; lat. méd. *medicalis*, du lat. *medicinalis*, « guérissable » ; [medikal, o].

**MÉDICALEMENT, adv.**
)u point de vue médical : *Un régime* ***médicalement*** *rogrammé*. 1606 ; ☞ *médical* ; [medikalmɑ̃].

**MÉDICALISATION, subst. f.**
ction de médicaliser ; son résultat. V. 1960 ; ☞ *médical* ; [medikalizasjɔ̃].

**MÉDICALISER, verbe trans. [3]**
. Donner un caractère médical à (qqch.). **2.** Pourvoir de services médicaux (une région, un établissenent) ; empl. adj. : *Maison de retraite* ***médicalisée***. V. 1970 ; ☞ *médical* ; [medikalize].

**MÉDICAMENT, subst. m.**
ubstance ou composition naturelle ou chimique ui est utilisée pour prévenir ou pour traiter une ffection, une maladie. 1314 ; lat. *medicamentum* ; nedikamɑ̃].

**MÉDICAMENTEUX, EUSE, adj.**
. Qui a les propriétés d'un médicament ; qui ontient des médicaments. **2.** Qui est provoqué par effet nocif de certains médicaments : *Faire une llergie* ***médicamenteuse***. 1541 ; ☞ *médicament* ; nedikamɑ̃tø, øz].

**MÉDICASTRE, subst. m.**
*Aauvais médecin, ignorant et prétentieux (vx et éj.). 1560 ; ital. *medicastro* ; [medikastʀ].

**MÉDICATION, subst. f.**
*Méd.* Utilisation de médicaments selon une indication précise. 1314 ; lat. *medicatio* ; [medikasjɔ̃].

**MÉDICINAL, ALE, AUX, adj.**
Qui a des propriétés thérapeutiques : *Plantes* ***médicinales***. Fin XIIe s. ; lat. *medicinalis* ; [medisinal, o].

**MEDICINE-BALL, subst. m.**
Ballon lesté utilisé pour la musculation ou la rééducation (anglic.). 1910 ; angl. *medicine ball* ; plur. *medicine-balls*, var. *médecine-ball* (plur. *médecine-balls*) ; [mɛdisinbol].

**MÉDICINIER, subst. m.**
*Bot.* Plante de la famille des Euphorbiacées, dont une espèce fournit des graines purgatives à faible dose et vénéneuses à haute dose. 1765 ; lat. *medicina*, « médecine » ; [medisinje].

**MÉDICO-LÉGAL, ALE, AUX, adj.**
Qui se rapporte à la médecine légale : *Institut* ***médico-légal***. 1767 ; ☞ *légal* + *médico-* ; var. *médicolégal, ale, aux* ; [medikolegal, o].

**MÉDICO-PÉDAGOGIQUE, adj.**
Qualifie un établissement pédagogique dans lequel est assuré un contrôle médical. Fin XIXe s. ; ☞ *pédagogique* + *médico-* ; plur. *médico-pédagogiques*, var. *médicopédagogique* ; [medikopedagɔʒik].

**MÉDICO-SOCIAL, ALE, AUX, adj.**
De la médecine sociale. V. 1960 ; ☞ *social* + *médico-* ; var. *médicosocial, ale, aux* ; [medikososjal, o].

**MÉDICO-SPORTIF, IVE, adj.**
Qui a trait à la médecine sportive. ☞ *sportif* + *médico-* ; plur. *médico-sportifs, ives*, var. *médicosportif, ive* ; [medikospɔʀtif, iv].

**MÉDIÉVAL, ALE, AUX, adj.**
Relatif, propre au Moyen Âge. 1874 ; lat. *medium aevum*, « moyen âge » ; [medjeval, o].

**MÉDIÉVISME, subst. m.**
**1.** Goût pour le Moyen Âge. **2.** Étude de l'histoire, de la civilisation du Moyen Âge. Fin XIXe s. ; lat. *medium aevum*, « moyen âge » ; [medjevism].

**MÉDIÉVISTE, subst.**
Spécialiste de l'étude du Moyen Âge. 1868 ; lat. *medium aevum*, « moyen âge » ; [medjevist].

**MÉDINA, subst. f.**
Partie indigène d'une ville d'Afrique du Nord, par oppos. à la ville moderne, européenne. Déb. XVIIIe s. ; ar. *madīna*, « ville » ; [medina].

**MÉDIOCRATIE, subst. f.**
Autorité exercée par les médiocres. 1869 (1844, gouvernement de la classe moyenne) ; ☞ *médiocre* + *-cratie* ; [medjɔkʀasi].

**MÉDIOCRE, adj. et subst.**
**ADJ. 1.** Vx. Moyen. **2.** Qui est au-dessous de la moyenne quantitativement : *Un salaire* ***médiocre***. **3.** Qui n'a pas grande valeur, en parlant de qqn ou d'une œuvre : *Élève* ***médiocre*** ; *Livre* ***médiocre***. **SUBST.** Personne sans talent particulier, qui manque d'esprit. 1495 ; lat. *mediocris* ; [medjɔkʀ].

**MÉDIOCREMENT, adv.**
De manière médiocre. 1542 ; ☞ *médiocre* ; [medjɔkʀəmɑ̃].

**MÉDIOCRITÉ, subst. f.**
Caractère médiocre de qqn, de qqch. 1314 ; lat. *mediocritas* ; [medjɔkʀite].

**MÉDIQUE, adj.**
Relatif aux Mèdes et, par ext., aux Perses. 1745 ; lat. *Medicus*, du gr. *Mēdikos* ; [medik].

**MÉDIRE, verbe trans. indir. [65]**
**Médire de.** Dire du mal de (qqn). Mil. XIIe s. ; ☞ *dire* (I) + *mé-* ; 2e pers. du plur. de l'ind. prés. et de l'impér. *médisez* ; [mediʀ].

**MÉDISANCE, subst. f.**
**1.** Action de médire. **2.** Méton. Propos par lequel on médit. 1559 ; ☞ *médisant* ; [medizɑ̃s].

**MÉDISANT, ANTE, adj. et subst.**
Se dit d'une personne encline à médire d'autrui. **ADJ.** Qui contient de la médisance : *Paroles* ***médisantes***. Fin XIIe s. ; p. pr. de *médire* ; [medizɑ̃, ɑ̃t].

**MÉDITATIF, IVE, adj. et subst.**
Se dit d'une personne encline à la méditation. **ADJ.** Qui dénote un tel état : *Un visage* ***méditatif***. Déb. XIVe s. ; lat. médiév. *meditativus* ; [meditatif, iv].

**MÉDITATION, subst. f.**
**1.** *Relig.* Oraison mentale préparant à la contemplation. **2.** Action de méditer, application concentrée et suivie de l'esprit à un sujet. XIIe s. ; lat. *meditatio*, « préparation, réflexion » ; [meditasjɔ̃].

**MÉDITER, verbe [3]**
**TRANS. DIR. 1.** Soumettre à une profonde réflexion : ***Méditer*** *une question*. **2.** Envisager la réalisation de (qqch.), en y réfléchissant longuement ; par ext., comploter : ***Méditer*** *un attentat*. ▶ ***Méditer*** *de* (+ inf.) : projeter de. **TRANS. INDIR. Méditer sur.** Se concentrer longuement et profondément sur (qqch.). **INTRANS.** Se livrer à la méditation. 1495 ; lat. *meditari*, « préparer, s'exercer » ; [medite].

**MÉDITERRANÉ, ÉE, adj. et subst. f.**
**ADJ.** Vx. Qui est situé au milieu des terres. **SUBST.** *Géogr.* Mer intérieure : *La mer d'Aral est une* ***méditerranée*** ; en partic. : *La* ***Méditerranée***, la mer bordée par l'Europe, l'Afrique et l'Asie. 1512 ; lat. *mediterraneus* ; [mediteʀane].

**MÉDITERRANÉEN, ÉENNE, adj. et subst.**
De la Méditerranée et des régions qui la bordent : *Climat* ***méditerranéen***, aux étés chauds et secs, et aux hivers doux. 1840 (1569, méditerrané) ; ☞ *méditerrané* ; [mediteʀaneɛ̃, eɛn].

**MÉDIUM (I), subst. m.**
**1.** Ce qui occupe une position moyenne. ▶ *Mus.* Registre intermédiaire entre le grave et l'aigu. **2.** *Peint.* Liant. Fin XVIe s. ; lat. *medium* ; [medjɔm].

**MÉDIUM (II), subst.**
Personne qui aurait la capacité de communiquer avec les esprits. 1854 ; angl. *medium*, du lat. *medium*, « intermédiaire » ; [medjɔm].

**MÉDIUMNIQUE, adj.**
Relatif au médium : *Faculté* ***médiumnique***. Déb. XXe s. ; ☞ *médium* (II) ; [medjɔmnik].

**MÉDIUMNITÉ, subst. f.**
Faculté de communiquer avec les esprits. Mil. XIXe s. ; ☞ *médium* (II) ; [medjɔmnite].

**MÉDIUS, subst. m.**
*Anat.* Doigt du milieu de la main (synon. *majeur*). 1520 ; lat. *medius digitus* ; [medjys].

**MÉDOC, subst. m.**
Vin rouge produit dans la région de Médoc. 1789 ; topon. *Médoc* (Gironde) ; [medɔk].

**MÉDULLAIRE, adj.**
**1.** *Anat.* Qui concerne la moelle épinière ou la moelle osseuse : *Lésion* ***médullaire***. ▶ Anal. Relatif à la partie interne d'un organe : *Substance* ***médullaire*** *de la surrénale*. **2.** *Bot.* Qui concerne la moelle des plantes. Déb. XVIe s. ; lat. *medullaris*, « qui pénètre jusqu'à la moelle des os » ; [medylɛʀ].

**MÉDULLEUX, EUSE, adj.**
*Bot.* Qualifie une tige végétale dont la moelle est abondante. 1840 (déb. XVIe s., de la nature de la moelle) ; lat. *medullosus* ; [medylø, øz].

**MÉDULLOSURRÉNALE, subst. f.**
*Anat.* Partie interne des glandes surrénales, siège de la sécrétion de diverses hormones ; empl. adj. : *L'adrénaline est une hormone* ***médullosurrénale***. V. 1920 ; formé du lat. *medulla*, « moelle », et de *surrénal* ; [medylosyʀenal].

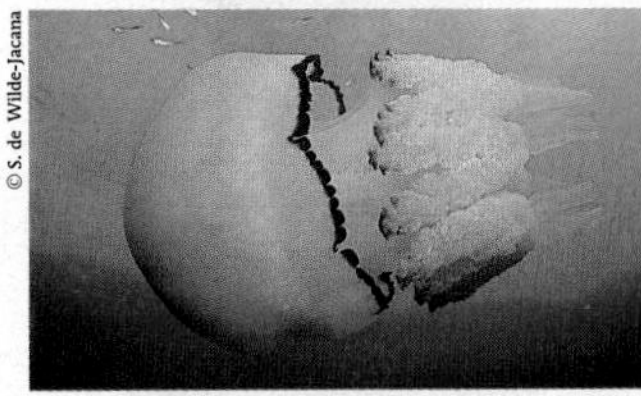


*Méduse.*

**MÉDUSE, subst. f.**
*Zool.* Cnidaire libre ou fixé en colonie sous la forme d'un polype, qui ressemble à une cloche dont le corps serait l'ombrelle et le battant le manubrium. L'ombrelle est bordée de tentacules pouvant porter de longs filaments pourvus de nématocystes, dont le venin peut, chez certaines espèces, provoquer des accidents mortels pour l'homme. 1754 ; *Méduse*, une des trois Gorgones, dont la tête était hérissée de serpents ; [medyz].

**MÉDUSER, verbe trans. [3]**
Stupéfier. 1607 ; *Méduse*, une des trois Gorgones, dont le regard pétrifiait ceux qui la regardaient ; [medyze].

**MEETING, subst. m.**
1. Vx. Assemblée des fidèles d'une secte religieuse. 2. Réunion publique où l'on délibère sur une question politique ou sociale. 3. Réunion, démonstration sportive : *Meeting aérien.* 1733 ; angl. *meeting*, de *to meet*, « rencontrer » ; [mitiŋ].

**MÉFAIT, subst. m.**
1. Mauvaise action ; délit : *Avouer son **méfait**.* 2. Conséquence nocive : *Les **méfaits** de l'alcool.* Mil. XIIe s. ; *méfaire* (vx), « mal faire » ; [mefɛ].

**MÉFIANCE, subst. f.**
État d'esprit d'une personne qui se méfie : *Attitude qui éveille la **méfiance**.* XVe s. ; *se méfier* ; [mefjɑ̃s].

**MÉFIANT, ANTE, adj.**
1. Qui se méfie. 2. Qui dénote la méfiance : *Air **méfiant**.* 1642 ; p. pr. de *se méfier* ; [mefjɑ̃, ɑ̃t].

**MÉFIER (SE), verbe pronom.** [6]
1. Se méfier de. Ne pas se fier à (qqn, qqch.). 2. Abs. Faire attention : ***Méfie-toi !** c'est chaud !* Mil. XVe s. ; *se fier* + *mé-* ; [mefje].

**MÉFORME, subst. f.**
*Sp.* Mauvaise forme physique. 1933 ; *forme* + *mé-* ; [mefɔʀm].

**MÉGACÉROS, subst. m.**
*Paléont.* Cervidé du Quaternaire, dont la ramure pouvait atteindre 3,5 m d'envergure. 1890 ; gr. *keras*, « corne », + *méga-* ; [megaseʀɔs].

**MÉGACÔLON, subst. m.**
*Pathol.* Malformation ou affection acquise du gros intestin, qui se dilate sur la totalité ou sur une partie de son trajet, entraînant une constipation chronique. 1923 ; *côlon* + *méga-* ; [megakolõ].

**MÉGACYCLE, subst. m.**
*Phys. Mégacycle par seconde* : mégahertz (vx). V. 1930 ; *cycle* (I) + *méga-* ; [megasikl].

**MÉGAÉLECTRONVOLT, subst. m.**
*Phys. nucl.* Unité d'énergie valant 1 million d'électronvolts (symb. : MeV). XXe s. ; *électronvolt* + *méga-* ; [megaelɛktʀɔ̃vɔlt].

**MÉGAHERTZ, subst. m.**
*Métrol.* Unité de fréquence valant 1 million de hertz (symb. : MHz). V. 1960 ; *hertz* + *méga-* ; [megaɛʀts].

**MÉGALÉRYTHÈME, subst. m.**
*Pathol.* Infection virale éruptive bénigne de l'enfant, localisée au visage et aux membres (synon. *cinquième maladie éruptive*). *érythème* + *mégalo-* ; [megaleʀitɛm].

**MÉGALITHE, subst. m.**
*Archéol.* Monument de grande taille, constitué d'un ou de plusieurs blocs de pierre bruts. 1865 ; formé de *méga-* et de *-lithe* ; [megalit].

© J. Brun-Explorer

*Mégalithe du site de Filitosa (1200-700 av. J.-C.), dans la vallée du Taravo, en Corse.*

ARCHÉOLOGIE – On s'interroge encore sur l'origine et sur la fonction des « pierres levées » que l'on trouve par exemple à Carnac. Elles atteignent leur densité la plus forte (50 000 au total) dans un arc de cercle qui s'étend de la Scandinavie à l'Italie en passant par les îles Britanniques (site de Stonehenge), mais on en a aussi découvert au Japon et en Inde. Les mégalithes affectent l'aspect d'alignements ou de cercles. On en distingue deux sortes : les menhirs (verticaux) et les dolmens (horizontaux), les seconds servant souvent de linteaux aux premiers, jusqu'à former des couloirs cyclopéens. On a supposé que ces dolmens auraient servi de tombeaux ou d'observatoires astronomiques. Mais que penser du grand menhir brisé de Locmariaquer (Morbihan), qui pèse 340 tonnes ? On sait aujourd'hui que ces monuments datent du Ve mill. av. J.-C. et qu'ils furent érigés par les populations néolithiques et utilisés jusqu'à l'âge du bronze ; ils signaleraient un culte au Soleil ou à une divinité féminine.

**MÉGALITHIQUE, adj.**
Fait de mégalithes ; caractérisé par des mégalithes. XIXe s. ; *mégalithe* ; [megalitik].

**MÉGALITHISME, subst. m.**
*Archéol.* Caractère d'une civilisation, d'une culture qui édifie des mégalithes ou qui en fait usage. *mégalithe* ; [megalitism].

**MÉGALOMANE, adj. et subst.**
Se dit d'une personne atteinte de mégalomanie. ADJ. Qui dénote la mégalomanie (synon. *mégalomaniaque*). 1896 ; formé de *mégalo-* et de *-mane*[2] ; abrév. fam. *mégalo* ; [megalɔman].

**MÉGALOMANIE, subst. f.**
1. *Psych.* Délire des grandeurs. 2. Ext. Orgueil exagéré, vanité ; goût des grandeurs (péj.). 1865 ; formé de *mégalo-* et de *-manie* ; [megalɔmani].

**MÉGALOPOLE, subst. f.**
Très grande agglomération urbaine. Mil. XXe s. ; formé de *mégalo-* et de *-pole*, d'apr. l'anglo-amér. *megalopolis* ; var. *mégalopolis*, *mégapole* ; [megalɔpɔl].

**MÉGALOPTÈRES, subst. m. plur.**
*Zool.* Ordre d'insectes holométaboles qui ont été souvent inclus dans les Névroptères. Au repos, leurs ailes sont disposées en toit sur le dos. Les larves sont aquatiques et possèdent des branchies sur l'abdomen. AU SING. *Le sialis est un **mégaloptère**.* Formé de *mégalo-* et de *-ptère* ; [megalɔptɛʀ].

**MÉGA-OCTET, subst. m.**
*Informat. Un **méga-octet*** (symb. : Mo) : $2^{20}$ octets, soit 1 048 576 octets. Mil. XXe s. ; *octet* + *méga-* ; plur. *méga-octets* ; [megaɔktɛ].

**MÉGAPHONE, subst. m.**
Appareil portatif servant à amplifier la voix. 1886 ; anglo-amér. *megaphone*, du gr. *megas*, « grand », et *phônê*, « son » ; [megafɔn].

**MÉGAPODE, subst. m.**
*Zool.* Oiseau galliforme d'Australie et de Nouvelle-Guinée, dont les œufs sont incubés par la chaleur dégagée par les substances organiques en décomposition au milieu desquelles il les pond. Formé de *méga-* et de *-pode* ; [megapɔd].

**MÉGAPOLE, voir MÉGALOPOLE**

**MÉGAPTÈRE, subst. m.**
*Zool.* Cétacé mysticète, appelé aussi jubarte ou baleine à bosse, pesant jusqu'à 48 t pour une longueur de 16 m. Fin XIXe s. ; formé de *méga-* et de *-ptère* ; [megaptɛʀ].

**MÉGARDE, subst. f.**
Vx. Faute d'attention. ▶ Loc. *Par **mégarde*** : par manque d'attention, par inadvertance. Mil. XIIe s. ; anc. fr. *mesgarder*, « mal garder » ; [megaʀd].

**MÉGARON, subst. m.**
*Antiq.* Grande pièce à foyer central, dans les habitations archaïques de Troie, de Mycènes, de Crète. 1885 ; gr. *megaron* ; plur. *mégarons* ou *mégara* ; [megaʀɔ̃], plur. [-ʀɔ̃] ou [-ʀa].

**MÉGATHÉRIUM, subst. m.**
*Paléont.* Mammifère fossile de l'ordre des Édentés, dépassant 4 m de long et ayant vécu à la fin du Tertiaire et au début du Quaternaire en Amérique du Sud. 1796 ; formé de *méga-* et de *-thérium* ; [megateʀjɔm].

**MÉGATONNE, subst. f.**
*Phys. nucl.* Unité servant à évaluer la puissance d'un explosif nucléaire, équivalant à l'énergie produite par l'explosion de 1 million de tonnes de trinitrotoluène (T. N. T.). 1957 ; *tonne* + *méga-* ; [megatɔn].

**MÉGÈRE, subst. f.**
Femme méchante et agressive. 1637 ; lat. *Megaera*, du gr. *Megaira*, nom de l'une des Érinyes ; [meʒɛʀ].

**MÉGIR, verbe trans.** [19]
Tanner (une peau) à l'alun. 1430 ; *mégis* ; var. *mégisser* [3] ; [meʒiʀ].

**MÉGIS, subst. m. et adj. m.**
SUBST. 1. Vx. Peau mégie, cuir fin. 2. Bain à base d'alun et de cendre qui servait à tanner les peaux. ADJ. Tanné au mégis. XIIIe s. ; anc. fr. *megier*, du lat. *medicare*, « soigner » ; [meʒi].

**MÉGISSER, voir MÉGIR**

**MÉGISSERIE, subst. f.**
1. Art de préparer les peaux destinées à la ganterie et à la pelleterie. 2. Industrie, commerce des peaux mégies et, par ext., des petites peaux en cuir, quel que soit le mode de tannage ; par méton., lieu d'exercice de cette activité. Fin XIIIe s. ; *még[...]* ; [meʒisʀi].

**MÉGISSIER, IÈRE, subst.**
Personne qui mégit les peaux et, par ext., qui tanne les petites peaux. Déb. XIIIe s. ; *még[...]* ; [meʒisje, jɛʀ].

**MÉGOHM, subst. m.**
*Phys.* Un million d'ohms (symb. : MΩ). 187[...] ; *ohm* + *méga-*, d'apr. l'angl. *megohm* ; [megom].

**MÉGOT, subst. m.**
Reste de cigare, de cigarette que l'on a fini de fum[er] (fam.). 1876 ; p.-ê. dial. *mégauder*, « têter » ; [mego].

**MÉGOTAGE, subst. m.**
Fam. Action de mégoter ; son résultat. V. 196[...] ; *mégoter* ; [megɔtaʒ].

**MÉGOTER, verbe intrans.** [3]
Fam. Lésiner ; refuser qqch. en faisant preuve [de] mesquinerie : ***Mégoter** sur les salaires.* 1932 (19[...] parier un cigare) ; *mégot* ; [megɔte].

**MÉHARÉE, subst. f.**
Voyage, randonnée à dos de méhari. Mil. XXe s. ; *méhari* ; [meaʀe].

**MÉHARI, subst. m.**
En Afrique du Nord, dromadaire de selle rapi[de]. 1637 ; ar. *mahrī*, « de Mahra (région du Yémen) » ; plur. *méharis* ou *méhara* ; [meaʀi], plur. [-ʀi] ou [-ʀa].

**MÉHARISTE, subst.**
Personne qui monte à méhari. MASC. Militaire d[es] troupes montées servant, à l'époque coloniale, [au] Sahara ou au Levant. 1899 ; *méhari* ; [meaʀis[t]].

**MEILLEUR, EURE, adj., adv. et subst.**
ADJ. 1. Comparatif de supériorité de « bon ». Q[ui] est supérieur dans l'ordre de ce qui est bon ; d'u[ne] plus grande qualité : *Cet homme est **meilleur** q[u'il] ne paraît ; Ce vin sera **meilleur** dans quelques année[s] ; Tu es de **meilleure** humeur, ce matin.* ▶ *De **meille[ure]** heure* : plus tôt. 2. **Le meilleur, la meilleu[re]** : Superlatif de « bon ». Qui atteint le plus haut deg[ré] dans l'ordre de ce qui est bon : *Ils leur ont se[rvi] les **meilleurs** plats ; C'est son **meilleur** roman ; Il [a] eu la **meilleure** part.* ADV. *Il fait **meilleur** qu'hier* : [le] temps est plus beau, la température est pl[us] agréable. SUBST. Personne qui l'emporte sur [les] autres par ses qualités : *Que le **meilleur** gagn[e]*. SUBST. MASC. 1. Ce qu'il y a de mieux en qqn ou da[ns] qqch. : *Il a donné le **meilleur** de lui-même ; Être u[n]… pour le **meilleur** et pour le pire.* 2. *Sp. Prendre [le] **meilleur** sur un concurrent* : prendre l'avantage s[ur] lui. Xe s. ; lat. *melior*, comparatif de *bonus*, « bon » ; [mɛjœʀ].

**MÉIOSE, subst. f.**
*Biol.* Division cellulaire qui intervient chez les êtr[es] à reproduction sexuée et conduit à la formati[on] des gamètes par réduction chromatique : la cellu[le] mère à *2n* chromosomes donne quatre cellul[es] filles (ou gamètes) à *n* chromosomes. 19[...] (1840, déclin) ; gr. *meiôsis*, « décroissance, diminution » ; [mejoz].

**MEISTRE, voir MESTRE**

**MÉJANAGE, subst. m.**
*Techn.* Classement des peaux selon les caractèr[es] de la laine. V. 1960 ; prov. *mejan*, « moyen » ; [meʒanaʒ].

**MÉJUGER, verbe trans.** [5]
TRANS. INDIR. Méjuger de. Se tromper en jugea[nt] (qqn, qqch.), sous-estimer (littér.). TRANS. DIR. Jug[er] défavorablement (qqn, qqch.). PRONOM. Se sou[s-]estimer. Déb. XIIIe s. ; *juger* (I) + *mé-* ; [meʒyʒ[e]].

**MELÆNA, subst. m.**
*Pathol.* Émission par l'anus de sang noir, à l'ode[ur] nauséabonde, due à une hémorragie digestiv[e]. 1803 ; bas lat. *melaena cholera*, « bile noire », du [gr.] *melaina*, « noire » ; var. *méléna* ; [melena].

**MÉLAMPYRE, subst. m.**
*Bot.* Plante herbacée de la famille des Scrofulari[a]cées, dont certaines espèces sont parasites [des] poacées. 1795 ; gr. *melampuron*, « blé noir » ; [melɑ̃piʀ].

**MÉLANCOLIE, subst. f.**
. État de tristesse, d'abattement, de dépression. Loc. *Ne pas engendrer la **mélancolie*** : être très gai. . Caractère de ce qui dénote ou de ce qui inspire t état : *La **mélancolie** d'un regard, d'un paysage.* . *Psych.* État de dépression très intense, ac-mpagné d'une inhibition psychomotrice impor-nte et d'idées délirantes, pouvant constituer une es phases de la psychose maniaco-dépressive. Fin XIIe s. ; lat. *melancholia*, du gr. *melagkholia*, « bile ire », une des quatre humeurs, selon la médecine ıcienne, supposée engendrer la tristesse ; [melɑ̃kɔli].

**MÉLANCOLIQUE, adj. et subst.**
Se dit d'une personne qui est en proie ou qui ıt encline à la mélancolie, à la tristesse. 2. *Psych.* dit d'une personne atteinte de mélancolie. OJ. Qui dénote ou qui inspire la mélancolie. 1306 (XIIIe s., relatif à la bile noire) ; lat. *melancholicus*, gr. *melagkholikos* ; [melɑ̃kɔlik].

**MÉLANÉSIEN, IENNE, adj. et subst.**
e Mélanésie. SUBST. MASC. Groupe de langues par-es en Mélanésie. 1876 ; topon. *Mélanésie*, du gr. *elas*, « noir », et *nêsos*, « île » ; [melanezjɛ̃, jɛn].

**MÉLANGE, subst. m.**
. Ensemble obtenu en mélangeant des éléments ıfférents : *Un **mélange** de farine, de beurre et d'œufs* ; ı fig. : *Le **mélange** des genres.* 2. Action de mélanger. Abs. *Faire des **mélanges*** : absorber plusieurs sortes boissons alcoolisées dans un temps assez court. Loc. **Sans mélange.** Pur ; au fig., que rien ne vient oubler : *Un bonheur sans **mélange**.* 3. *Spéc.* ▸ *Chim.* orps composé de différents constituants simples ı proportion variable, et dont les molécules ne ont pas liées : *L'air est un **mélange** de molécules 'oxygène, d'azote, de dioxyde de carbone et de gaz ıres.* ▸ *Techn.* **Mélange** d'essence et d'huile utilisé omme carburant dans un moteur à deux temps. LUR. *Litt.* Recueil de textes sur des sujets divers. Ouvrage réunissant divers articles et offert en ommage à un maître, à un professeur. 1380 ; *mêler* ; [melɑ̃ʒ].

**MÉLANGÉ, ÉE, adj.**
. Qui n'est ni pur ni naturel : *Vin **mélangé*** ; *Tissu élangé*, composé de plusieurs sortes de fibres. . Qui est composé d'éléments hétérogènes : *Foule élangée.* XVIe s. ; p. p. de *mélanger* ; [melɑ̃ʒe].

**MÉLANGER, verbe trans.** [5]
. Mettre ensemble pour obtenir un tout : ***Mélanger** es couleurs.* 2. Mettre en désordre : ***Mélanger** ses ffaires.* 3. Confondre : *Elle **mélange** les évènements.* 1549 ; *mélange* ; [melɑ̃ʒe].

**MÉLANGEUR, subst. m.**
echn. Appareil servant à mélanger des substances : *Mélangeur à chocolat, à fonte.* ▸ Robinet à deux têtes ervant à mélanger l'eau froide et l'eau chaude. 1867 (1611, personne qui mélange) ; *mélanger* ; nelɑ̃ʒœʀ].

**MÉLANINE, subst. f.**
iochim. Pigment brun foncé ou noir, élaboré par es mélanocytes de la peau et également présent ans les poils et les cheveux. La **mélanine** contribue protéger l'organisme des radiations solaires. 1855 ; gr. *melas*, « noir » ; [melanin].

**MÉLANIQUE, adj.**
iol. et *Méd.* Relatif à la mélanine ; caractérisé par ı présence de mélanine. 1840 ; gr. *melas*, « noir » ; nelanik].

**MÉLANISME, subst. m.**
iol. État de certains individus d'une espèce, carac-érisés par une aptitude à surproduire du pigment ıélanique, aptitude qui peut être stimulée par environnement ou de nature génétique. 1840 ; . *melas*, « noir » ; [melanism].

**MÉLANOBLASTE, subst. m.**
iol. Cellule souche des mélanocytes. V. 1960 ; ormé de *mélano-* et de *-blaste* ; [melanɔblast].

**MÉLANOCYTE, subst. m.**
iol. Cellule présente notamment dans la peau, la étine, les méninges, et qui synthétise la mélanine. Déb. XXe s. ; formé de *mélano-* et de *-cyte* ; [melanɔsit].

**MÉLANODERME, adj.**
Qui a la peau noire. V. 1960 ; formé de *mélano-* de *-derme* ; [melanɔdɛʀm].

**MÉLANODERMIE, subst. f.**
athol. Coloration anormalement foncée de la peau, ocalisée ou généralisée, due à un excès de mélanine. 1867 ; formé de *mélano-* et de *-dermie* ; [melanɔdɛʀmi].

**MÉLANOME, subst. m.**
*Pathol.* Tumeur cutanée bénigne ou maligne, développée aux dépens des mélanocytes. Le **mélanome** malin survient soit sur une peau saine, soit par dégénérescence d'un nævus préexistant, l'exposition au soleil constituant un facteur aggravant. 1858 ; formé de *mélano-* et de *-ome* ; [melanom].

**MÉLANOSE, subst. f.**
*Pathol.* Accumulation anormale de pigment mélanique dans les tissus. 1814 ; gr. *melanôsis*, « action de noircir » ; [melanoz].

**MÉLASSE, subst. f.**
1. Résidu sirupeux de la cristallisation du sucre. 2. Anal. et Fam. Brouillard dense ; boue. 3. Fig. Situation pénible, misère (fam.). 1441 ; lat. médiév. °*mellacea*, du bas lat. *mellacium*, « vin cuit et réduit de moitié », du lat. *mel*, « miel » ; [melas].

**MÉLATONINE, subst. f.**
*Biol.* Hormone que produit l'épiphyse à partir de la sérotonine, et qui jouerait un rôle dans les rythmes biologiques. V. 1960 ; angl. *melanotonia*, du gr. *melas*, « noir », et *tonos*, « tension » ; [melatɔnin].

**MELBA, adj. inv.**
Se dit d'un fruit frais ou poché dans un sirop, dressé sur de la glace à la vanille et nappé de gelée de groseille et de chantilly : *Pêches **Melba**.* 1903 ; anthropon. *N. Melba*, cantatrice ; [mɛlba].

**MELCHITE, voir MELKITE**

**MÊLÉ, ÉE, adj.**
Formé d'éléments différents ; composite : *Langage **mêlé*** ; *Public **mêlé**.* XIIe s. ; p. p. de *mêler* ; [mele].

**MÉLÉAGRINE, subst. f.**
*Zool.* Huître perlière (synon. *pintadine*). 1845 ; lat. sc. *meleagrina*, du gr. *meleagris*, « oiseau de Méléagre, pintade » ; [meleagʀin].

**MÊLÉ-CASSE, subst. m.**
Mélange d'eau-de-vie et de cassis (vieilli et pop.). ▸ *Voix de **mêlé-casse*** : éraillée comme celle d'un ivrogne (fam.). 1876 ; *mêlé-cassis* (vx), comp. du p. p. de *mêler* et de *cassis* (II) ; plur. *mêlé-casse(s)*, var. *mêlé-cass* (inv.) ; [melekas].

**MÊLÉE, subst. f.**
1. Bataille confuse où les combattants luttent corps à corps ; par ext., rixe. 2. Fig. Vive querelle : ***Mêlée** parlementaire.* ▸ Loc. *Rester au-dessus de la **mêlée*** : en dehors d'un conflit, en position d'arbitre. 3. *Sp.* Au rugby, phase de jeu où, à la suite d'une faute, les avants de chaque équipe s'arc-boutent épaule contre épaule et tentent de récupérer le ballon lancé entre eux par le demi de **mêlée**. Fin XIe s. ; p. p. de *mêler* ; [mele].

**MÉLÉNA, voir MELÆNA**

**MÊLER, verbe trans.** [3]
1. Mettre ensemble, confondre : ***Mêler** des odeurs* ; *L'Oise **mêle** ses eaux à (avec) celles de la Seine.* 2. Réunir en soi (des qualités, des sentiments différents) : ***Mêler** la gravité à l'insouciance.* 3. Mettre en désordre : ***Mêler** des dossiers.* 4. Faire participer (qqn) à qqch. : *Je ne veux pas le **mêler** à cette affaire.* PRONOM. 1. Se fondre, se combiner : *Parfums qui se **mêlent**.* 2. **Se mêler à.** Se joindre à, participer à : *Se **mêler** à la foule* ; *Se **mêler** à la conversation.* 3. **Se mêler de.** S'occuper de : ***Mêle-toi** de tes affaires* ; *Ne vous en **mêlez** pas*, n'intervenez pas. Fin Xe s. ; lat. pop. *misculare*, du lat. *miscere* ; [mele].

**MÊLE-TOUT, subst. inv.**
Belg. Touche-à-tout ; personne indiscrète. XIXe s. ; comp. de *mêler* et de *tout* ; [mɛltu].

**MÉLÈZE, subst. m.**
*Bot.* Conifère de la famille des Abiétacées, à feuilles caduques. 1552 ; anc. dauphinois *melese*, du préroman °*melix*, crois. du rad. gaul. *mel-* et du lat. *larix*, désignant tous deux cet arbre ; [melɛz].

**MÉLIA, subst. m.**
*Bot.* Arbre ou arbuste ornemental de la famille des Méliacées. Fin XVIIIe s. ; lat. sc. *melia*, du gr. *melia*, « frêne » ; var. *melia* ; [melja].

**MÉLIACÉES, subst. f. plur.**
*Bot.* Famille d'arbres ou d'arbustes équatoriaux de l'ordre des Sapindales. AU SING. *L'acajou est une **méliacée**.* Fin XVIIIe s. ; lat. sc. *melia* ; [meljase].

**MÉLILOT, subst. m.**
*Bot.* Plante herbacée de la famille des Fabacées, dont certaines espèces sont officinales. Déb. XIVe s. ; lat. *melilotum*, du gr. *melilôtos*, de *meli*, « miel », et de *lôtos*, « lotus » ; [melilo].

**MÉLI-MÉLO, subst. m.**
Mélange confus de choses diverses (fam.). 1851 ; altér. de *pêle-mêle* ; plur. *mélis-mélos* ; [melimelo].

**MÉLINITE, subst. f.**
1. Vx. *Pétrogr.* Argile ocreuse jaune. 2. *Techn.* Puissant explosif à base d'acide picrique. 1878 ; lat. *melinus*, du gr. *mêlinos*, « couleur de coing » ; [melinit].

**MÉLIORATIF, IVE, adj. et subst. m.**
*Ling.* Se dit d'un terme qui présente son signifié sous un jour favorable (anton. *péjoratif*). 1897 (1486, qui sert à améliorer) ; lat. *meliorare* ; [meljɔʀatif, iv].

**MÉLIQUE, adj.**
*Litt.* Qui concerne la poésie lyrique grecque, en partic. la poésie chorale. 1903 ; lat. *melicus*, « musical », du gr. *melikos*, « relatif au chant » ; [melik].

**MÉLISSE, subst. f.**
*Bot.* Plante herbacée, de la famille des Lamiacées, aux essences citronnées (synon. *citronnelle*). ▸ *Eau de **mélisse*** : alcoolat de **mélisse**, employé comme calmant. Mil. XIIIe s. ; lat. *melissa*, du gr. *melissophullon*, « feuille à abeilles » ; [melis].

**MÉLITOCOCCIE, subst. f.**
*Pathol.* Brucellose. 1911 ; lat. sc. *melitensis micrococcus*, « microbe de la fièvre de Malte » ; [melitɔkɔksi].

**MÉLITTE, subst. f.**
*Bot.* Plante de la famille des Lamiacées, voisine de la mélisse, dite aussi mélisse puante ou mélisse des bois. 1803 ; gr. *melitta*, « abeille » ; [melit].

**MELKITE, subst.**
*Relig.* Catholique uniate des patriarcats d'Antioche, d'Alexandrie ou de Jérusalem, de rite byzantin ; empl. adj. : *Patriarcats **melkites**.* 1679 ; syriaque *malkâyê*, « du parti du roi (l'empereur byzantin) » ; var. *melchite* ; [mɛlkit].

**MELLAH, subst. m.**
Au Maroc, quartier juif. 1860 ; ar. *mallāḥa*, « lieu où l'on vend du sel », les Juifs du Maroc étant autrefois soumis à la corvée de saler les têtes des criminels décapités avant qu'elles ne soient exposées ; [mɛl(l)a].

**MELLIFÈRE, adj.**
1. *Zool.* Qui produit du miel (synon. *mellifique*). 2. *Bot.* Dont le nectar est recherché par les abeilles pour faire le miel. 1523 ; lat. *mellifer* ; [melifɛʀ].

**MELLIFICATION, subst. f.**
Fabrication du miel par les abeilles. 1610 ; lat. *mellificare*, « fabriquer du miel » ; [melifikasjɔ̃].

**MELLIFIQUE, adj.**
*Zool.* Qui fabrique du miel (synon. *mellifère*) : *Abeille **mellifique**.* 1527 ; lat. *mellificus* ; [melifik].

**MELLIFLU, UE, adj.**
Littér. Qui a la suavité du miel ; doucereux (péj.) : *Une voix **melliflue**.* XVe s. ; bas lat. *mellifluus* ; var. du masc. *melliflue* ; [melifly].

**MELLITE, subst. m.**
*Pharm.* Médicament préparé avec du miel. 1820 ; lat. *mellitus*, « de miel » ; [melit].

**MÉLODIE, subst. f.**
1. *Mus.* Succession de sons ordonnés et modulés, formant un air. ▸ Composition faite sur le texte d'un poème, gén. pour voix seule accompagnée d'un instrument. 2. Anal. Suite de mots, de phrases agréables à entendre : ***Mélodie** d'un poème.* XIIe s. ; bas lat. *melodia*, du gr. *melôdia*, « chant » ; [melɔdi].

**MÉLODIEUSEMENT, adv.**
De manière mélodieuse. Fin XIIIe s. ; *mélodieux* ; [melɔdjøzmɑ̃].

*Mélèzes.*

**MÉLODIEUX, EUSE,** adj.
Agréable à entendre : *Chanson, style **mélodieux**.* 1280 ; ☞ *mélodie* ; [melɔdjø, øz].

**MÉLODIQUE,** adj.
Relatif à la mélodie. 1600 ; ☞ *mélodie* ; [melɔdik].

**MÉLODISTE,** subst.
*Mus.* Compositeur de mélodies. 1811 ; ☞ *mélodie* ; [melɔdist].

**MÉLODRAMATIQUE,** adj.
**1.** Relatif au mélodrame. **2.** Qui tient du mélodrame par son emphase (abrév. fam. : mélo) : *Des accents **mélodramatiques**.* 1829 (1814, auteur de mélodrame) ; ☞ *mélodrame* ; [melɔdʀamatik].

**MÉLODRAME,** subst. m.
**1.** Vx. Drame accompagné de musique. **2.** Drame populaire, né à la fin du XVIIIe s. et caractérisé par l'invraisemblance et le pathétique des situations. **3.** Fig. Œuvre, situation qui rappelle le **mélodrame** par ses outrances et son pathétique (abrév. fam. : mélo). 1768 ; ☞ *drame* + *mélo-* ; [melɔdʀam].

**MÉLOÉ,** subst. m.
*Zool.* Insecte coléoptère vésicant de la famille des Méloïdés, noir ou bleu-vert. Fin XVIIIe s. ; lat. sc. *meloe*, p.-ê. du gr. *melas*, « noir » ; [melɔe].

**MÉLOMANE,** subst. et adj.
Se dit d'un amateur fervent de musique classique. 1781 ; formé de *mélo-* et de *-mane*2 ; [melɔman].

**MELON,** subst. m.
**1.** *Bot.* Plante potagère de la famille des Cucurbitacées, dont il existe plusieurs variétés (cantaloup, sucrin, etc.) ; par méton., son fruit. ▸ *Melon d'eau* : pastèque. **2.** *Chapeau **melon*** ou, par ell., ***Melon*** : chapeau d'homme, rond et bombé, en feutre rigide. Mil. XIIIe s. ; bas lat. *melo*, du lat. *melopepo*, du gr. *mêlopepôn*, « pomme mûrie au soleil » ; [m(ə)lɔ̃].

**MELONNIÈRE,** subst. f.
Terrain où l'on cultive le melon. 1534 ; ☞ *melon* ; [m(ə)lɔnjɛʀ].

**MÉLOPÉE,** subst. f.
**1.** *Antiq.* Chant mesuré qui accompagne la déclamation. **2.** Chant triste et monocorde. 1578 ; bas lat. *melopoeia*, du gr. *melopoia*, « mélodie » ; [melɔpe].

**MÉLOPHAGE,** subst. m.
*Zool.* Insecte diptère brachycère de la famille des Hippoboscidés, parasite du mouton. 1802 ; gr. *mêlon*, « mouton », + *-phage* ; [melɔfaʒ].

**MELTING-POT,** subst. m.
Anglic. **1.** *Hist.* Brassage et assimilation des diverses populations, lors du peuplement des États-Unis. **2.** Anal. Brassage d'éléments humains très différents. **3.** Lieu où se mélangent des personnes, des idées différentes. 1927 ; angl. *melting pot*, de *to melt*, « fondre », et de *pot*, « marmite » ; plur. *melting-pots* ; [mɛltiŋpɔt].

**MÉLUSINE,** subst. f.
Feutre à poils souples et longs : *Toque en **mélusine**.* 1923 ; *Mélusine*, nom d'une fée ; [melyzin].

**MEMBRANAIRE,** adj.
*Biol.* Qui concerne la membrane des cellules. V. 1970 ; ☞ *membrane* ; [mɑ̃bʀanɛʀ].

**MEMBRANE,** subst. f.
**I. 1.** *Anat.* Tissu organique mince, gén. souple, qui enveloppe un organe, forme une cloison ou tapisse une cavité. **2.** *Biol.* et *Biochim.* ***Membrane** plasmique* : structure complexe dans laquelle sont insérées des molécules protéiques intervenant lors des échanges cellulaires. **3.** *Embryol.* ***Membranes** fœtales* : enveloppes de l'œuf humain (amnios et chorion). **4.** *Pathol.* *Fausse **membrane*** : enduit blanchâtre qui se forme sur les muqueuses à la suite de certaines inflammations. **II. 1.** *Phys.* Lame mince servant de cloison : ***Membrane** semi-perméable*, qui permet le passage de certaines substances et en arrête d'autres, dans l'osmose. **2.** *Techn.* ***Membrane** vibrante* : dans un haut-parleur, un microphone, etc., mince paroi qui transforme en ondes sonores les vibrations mécaniques provoquées par un dispositif électromagnétique ou électrostatique. Fin XIVe s. ; lat. *membrana*, « peau qui recouvre les membres » ; [mɑ̃bʀan].

**MEMBRANEUX, EUSE,** adj.
**1.** Qui est de la nature des membranes. **2.** Qui est constitué d'une membrane. 1538 ; ☞ *membrane* ; [mɑ̃bʀanø, øz].

**MEMBRE,** subst. m.
**1.** *Anat.* Chacun des quatre appendices articulés disposés par paires symétriques sur le tronc de l'homme et des vertébrés tétrapodes : ***Membres** antérieurs, postérieurs* ; ***Membres** supérieurs, inférieurs.* ▸ ***Membre** fantôme* (☞ *fantôme*). ▸ ***Membre** (viril)* : pénis. **2.** Fig. Personne, groupe qui fait partie d'un ensemble : ***Membre** d'une assemblée, d'une équipe* ; *Les **membres** d'une famille* ; en appos. : *Les États **membres** de l'O. N. U.* **3.** *Spéc.* ▸ *Archit.* Partie d'un édifice ; moulure. ▸ *Ling.* Fragment d'énoncé : *Un **membre** de phrase.* ▸ *Math.* Dans une égalité ou une inégalité, chacune des expressions figurant de part et d'autre du signe : ***Membre** de gauche, de droite.* Fin XIe s. ; lat. *membrum* ; [mɑ̃bʀ].

**MEMBRÉ, ÉE,** adj.
*Bien, mal **membré*** : pourvu de membres vigoureux, faibles (rare). Déb. XIIe s. ; ☞ *membre* ; [mɑ̃bʀe].

**MEMBRON,** subst. m.
*Constr.* Baguette servant d'ourlet, dans la couverture d'une mansarde. 1572 ; ☞ *membre* ; [mɑ̃bʀɔ̃].

**MEMBRU, UE,** adj.
Qui a les membres gros et vigoureux (littér.). Déb. XIIe s. ; ☞ *membre* ; [mɑ̃bʀy].

**MEMBRURE,** subst. f.
**1.** Ensemble des membres d'un individu. **2.** *Constr.* Pièce de bois servant de point d'appui à un assemblage de pièces ajustées. **3.** *Mar.* Chacun des éléments de charpente, perpendiculaires à la quille, sur lesquels est appliqué le bordé. Fin XIIe s. ; ☞ *membre* ; [mɑ̃bʀyʀ].

**MÊME,** adj. indéf., pron. indéf. et adv.
ADJ. **1.** Exprime l'identité, la ressemblance : *Les **mêmes** causes produisent les **mêmes** effets.* **2.** Indique que l'on désigne exactement la personne ou la chose dont on parle, ou que l'on considère une qualité portée à son plus haut degré : *Ce sont les livres **mêmes** que je cherchais* ; *Elle est la grâce **même**.* ▸ Lié à un pronom personnel : *Les professeurs eux-**mêmes** se sont trompés* ; *J'irai moi-**même**.* PRON. **1.** Marque l'identité, la ressemblance, la permanence (précédé d'un article défini) : *On prend les **mêmes** et on recommence* ; *Depuis son échec, elle n'est plus la **même**.* **2. Le même.** La **même** chose : *Cela revient au **même*** ; *C'est du pareil au **même*** (fam.). ADV. **1.** Aussi, de plus, y compris, jusqu'à : *Il a des qualités que **même** ses ennemis saluent* ; *On massacra les hommes, les femmes, les enfants **même**.* **2.** Loc. ▸ *De **même*** : pareillement ; *Tout de **même*** : cependant, néanmoins ; *Quand **même**, quand bien **même*** : **même** si, malgré tout ; *Là **même**, ici **même*** : exactement à cet endroit. ▸ **À même.** Directement en contact avec : *Coucher à **même** le sol.* **3.** Loc. prép. **À même de.** Capable de, en mesure de : *Il n'est pas à **même** de répondre.* **4.** Loc. conj. *De **même** que* : comme, à l'instar de. ▸ Fam. ***Même** que* : au point que, et d'ailleurs. Mil. XIe s. ; lat. pop. °*metipsimus*, superl. de °*metipse*, du lat. *egomet ipse*, « moi-même en personne » ; [mɛm].

**MÉMÉ,** subst. f.
Fam. **1.** Grand-mère, dans le langage enfantin. **2.** Femme d'un certain âge, gén. peu séduisante (péj.). 1884 ; var. dial. de *mémère* ; [meme].

**MÊMEMENT,** adv.
De même (vieilli). Déb. XIIe s. ; ☞ *même* ; [mɛmmɑ̃].

**MÉMENTO,** subst. m.
**1.** *Liturg.* Prière du canon de la messe, à l'intention des défunts, commençant par ce mot. **2.** Aide-mémoire ; agenda. **3.** Ouvrage résumant les notions essentielles d'une discipline : ***Mémento** de chimie.* 1377 ; lat. *memento*, « souviens-toi » ; [memɛ̃to].

**MÉMÈRE,** subst. f.
Fam. **1.** Grand-mère, dans le langage enfantin (vieilli). **2.** Femme d'âge mûr, corpulente et gén. commune. 1834 ; ☞ *mère* (I) ; [memɛʀ].

**MÉMOIRE (I),** subst. f.
**I. 1.** Faculté de conserver et de restituer des informations acquises antérieurement ou le souvenir d'états, d'évènements passés ; siège des fonctions biologiques et psychiques liées à l'exercice de cette faculté : *Bonne, mauvaise **mémoire*** ; *Garder en **mémoire***, se rappeler ; *Avoir la **mémoire** des dates.* ▸ *Mémoire collective* : réactualisation continuelle des croyances, des connaissances, du savoir-faire et des normes, par laquelle une société assure la permanence de ses représentations. ▸ Loc. *Avoir la **mémoire** courte* : oublier rapidement ; *De **mémoire*** : avec la seule aide de la **mémoire**. **2.** *Informat.* Organe de l'ordinateur qui permet d'enregistrer, de stocker et de restituer des données : ***Mémoire** de masse*, mémoire de grande capacité, utilisant gén. un support magnétique (bande, disque externe.. ***Mémoire** morte (R. O. M.)*, qui ne permet que lecture ; ***Mémoire** vive (R. A. M.)*, capable d'enreg trer et d'être lue. **II. 1.** Souvenir que l'on a qqn, de qqch. : *Garder la **mémoire** d'un fait.* ▸ L *De **mémoire** d'homme* : d'aussi loin que l'on pui s'en souvenir ; *Pour **mémoire*** : à titre de rapp d'indication. **2.** Souvenir que la postérité garde qqn, de qqch. : *Un règne de sinistre **mémoire**.* ▸ L *En **mémoire** de, à la **mémoire** de* : pour glorifi célébrer. Mil. XIe s. ; lat. *memoria* ; [memwaʀ].

**MÉMOIRE (II),** subst. m.
**1.** *Dr.* Écrit où sont exposés les arguments et prétentions d'un plaideur. **2.** Bref exposé visan informer, à présenter une requête. **3.** Relevé c sommes dues à un fournisseur, à un huissier, e (vieilli) : *Régler un **mémoire**.* **4.** Dissertation rédig en vue d'un examen ou à l'intention d'une soci savante : ***Mémoire** de maîtrise*, rédigé par un étudia en vue d'accéder à ce grade. PLUR. Relation écı qu'une personne fait des évènements auxquels e a été associée : *Écrire ses **mémoires*** ; *Les « **Mémoire** de Saint-Simon, du cardinal de Retz.* Fin XIIe ☞ *mémoire* (I) ; [memwaʀ].

**MÉMORABLE,** adv.
Digne d'être gardé dans la mémoire. Fin XVe lat. *memorabilis* ; [memɔʀabl].

**MÉMORANDUM,** subst. m.
**1.** Note écrite par un diplomate pour exposer gouvernement auprès duquel il est accrédité le po de vue de son gouvernement sur une questic **2.** Note que l'on prend pour se souvenir de qqcl par méton., carnet où sont consignées de tel notes. 1777 ; prob. angl. *memorandum*, du *memorandus*, « qui doit être rappelé » ; [memɔʀɑ̃dɔr

**MÉMORIAL,** subst. m.
**1.** Monument commémoratif. **2.** Écrit relatant c faits mémorables ; mémoires : *Le « **Mémorial** Sainte-Hélène », de Las Cases.* Fin XVe s. (1279, tén gnage concret) ; bas lat. *memoriale* ; plur. *memoriau* [memɔʀjal], plur. [-ʀjo].

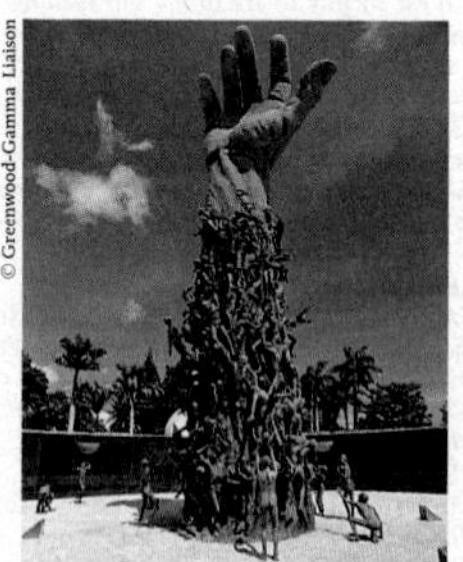



***Mémorial** de l'Holocauste à Miami.*

**MÉMORIALISTE,** subst.
Auteur de mémoires historiques. 1726 ; ☞ *mér rial* ; [memɔʀjalist].

**MÉMORIEL, ELLE,** adj.
**1.** Relatif à la mémoire. **2.** *Informat.* Relatif a mémoires d'ordinateur. 1921 ; ☞ *mémoire* ( [memɔʀjɛl].

**MÉMORISATION,** subst. f.
**1.** Action de mémoriser. **2.** *Informat.* Action mettre des données en mémoire. 1847 ; ☞ *mér riser* ; [memɔʀizasjɔ̃].

**MÉMORISER,** verbe trans. [3]
**1.** Fixer dans sa mémoire. **2.** *Informat.* Conserv (des données) en mémoire. 1907 (1488, rappe à la mémoire) ; ☞ *mémoire* (I) ; [memɔʀize].

**MENAÇANT, ANTE,** adj.
**1.** Qui exprime une menace : *Ton **menaçant**.* **2.** Ç représente une menace imminente : *Ciel **menaçaı*** 1380 ; p. pr. de *menacer* ; [mənasɑ̃, ɑ̃t].

**MENACE,** subst. f.
**1.** Propos, geste par lequel une personne signifie une autre qu'il lui faut craindre le mal qu'elle veut ou qu'elle lui prépare. **2.** Signe précurseur d'

danger : *Menace de guerre.* Fin IXe s. ; lat. pop. °*minacia*, du lat. *minae*, « menaces » ; [mənas].

**MENACER, verbe trans.** [4]
**1.** Tenter d'intimider par des menaces ; tenir sous la menace : *Menacer qqn de mort* ; *Menacer de se venger.* **2.** Constituer une menace pour : *Une guerre nous menace* ; empl. abs. : *L'orage menace*, semble imminent. ▸ Empl. adj. En danger : *Espèces menacées*, en voie de disparition. **3.** Présenter le risque de : *Cet arbre menace de tomber.* ▸ Loc. *Menacer ruine* : être sur le point de s'écrouler ou, au fig., être dans un état qui présage le pire. XIIe s. ; lat. pop. °*minaciare*, de °*minacia*, « menace » ; [mənase].

**MÉNADE, subst. f.**
*Antiq.* Bacchante. 1546 ; lat. *maenas*, du gr. *mainas*, « agité de transports furieux » ; [menad].

**MÉNAGE, subst. m.**
**I. 1.** Vx. Demeure, logis. **2.** Ensemble des choses nécessaires à la vie domestique : *Articles de ménage* ; *Monter son ménage.* **3.** Ensemble des travaux relatifs à l'entretien d'un intérieur. ▸ *Faire le ménage* : procéder au nettoyage, au rangement ou, au fig., se débarrasser des choses inutiles, réorganiser. ▸ *Faire des ménages* : faire le ménage ailleurs que chez soi, moyennant salaire. **II. 1.** Vie en couple sous un même toit : *Être heureux en ménage* ; *Se mettre en ménage*, se marier ou commencer à vivre maritalement ; *Scène de ménage*, altercation entre conjoints. ▸ Loc. *Faire bon, mauvais ménage* : s'entendre bien, mal, en parlant d'époux ou, par ext., d'autres personnes, d'animaux ou, au fig., s'accorder bien ou mal, en parlant de choses. **2.** Couple vivant en commun : *Un ménage uni.* **3.** Foyer, famille. ▸ *Stat.* Unité élémentaire de population (personne seule, famille), considérée comme un agent économique. Mil. XIIe s. ; anc. fr. *manoir*, « demeurer », du lat. pop. °*mansionata*, du lat. *mansio*, « maison » ; [menaʒ].

**MÉNAGEMENT, subst. m.**
**1.** Vx. Bonne gestion de la maison, du ménage. **2.** Précaution, égards dont on use envers qqn (souv. au plur.) : *Agir avec ménagement* ; *Répondre sans ménagements.* 1551 ; ☞ *ménager* (I) ; [menaʒmɑ̃].

**MÉNAGER (I), verbe trans.** [5]
**I. 1.** Préparer avec soin : *Ménager une rencontre, une surprise.* ▸ Empl. pronom. Se préparer, se réserver (qqch.) : *Se ménager une porte de sortie.* **2.** Réserver une place à, installer : *Ménager une niche dans un mur.* **II. 1.** Utiliser avec mesure ; économiser, épargner : *Ménager ses forces* ; *Ne pas ménager ses paroles*, parler brutalement. **2.** Traiter avec des égards, par respect ou intérêt : *Ménager les puissants* ; *Ménager la susceptibilité de qqn.* **3.** Traiter avec modération, pour ne pas fatiguer : *Ménager sa monture.* ▸ Empl. pronom. Prendre soin de sa santé ; économiser ses forces. XVe s. (1309, habiter) ; ☞ *ménage* ; [menaʒe].

**MÉNAGER (II), ÈRE, subst. f. et adj.**
**Subst. 1.** Femme qui s'occupe du ménage, de l'administration de la maison. **2.** Service de couverts de table présentés dans un coffret. **Adj. 1.** Relatif aux soins du ménage : *Tâches ménagères.* **2.** Qui est produit par un ménage : *Ordures ménagères.* Déb. XVe s. (1281, journalier) ; ☞ *ménage* ; [menaʒe, ɛʀ].

**MÉNAGERIE, subst. f.**
Lieu où sont réunis des animaux à des fins d'étude ou de présentation au public ; ces animaux. 1664 (1530, gestion d'une ferme) ; ☞ *ménage* ; [menaʒʀi].

**MÉNAGISTE, subst.**
Fabricant ou vendeur d'appareils électroménagers. 1950 ; ☞ *ménager* (II) ; [menaʒist].

**MENCHEVIK, subst.**
*Hist.* Membre de la faction minoritaire du parti ouvrier social-démocrate russe, opposée aux bolcheviks au Congrès de 1903, et éliminée en 1917 ; empl. adj., relatif aux **mencheviks.** 1912 ; russe *men'ševik*, de *men'šinstvo*, « minorité » ; [mɛnʃevik].

**MENDÉLÉVIUM, subst. m.**
*Chim.* Élément transuranien n° 101 de la table de Mendeleïev (symb. : Md), de masse atomique : 256. 1955 ; anthropon. *Dmitri Ivanovitch Mendeleïev*, chimiste russe ; [mɛ̃delevjɔm].

**MENDÉLIEN, IENNE, adj.**
Relatif au mendélisme. 1907 ; anthropon. *G. Mendel*, botaniste autrichien ; [mɛ̃deljɛ̃, jɛn].

**MENDÉLISME, subst. m.**
*Génét.* Théorie fondée sur les lois de Mendel, relative à l'hérédité. 1923 ; anthropon. *G. Mendel*, botaniste autrichien ; [mɛ̃delism].

**MENDIANT, ANTE, subst. et adj.**
**Subst.** Personne qui mendie. **Subst. masc.** *Les quatre mendiants* ou, par ell., *Mendiant(s)* : dessert composé de quatre fruits secs (amandes, figues, noisettes et raisins). **Adj.** *Relig. Ordres mendiants* : apparus au début du XIIIe s. et vivant dans la pauvreté volontaire (tels les Carmes, les Franciscains, les Dominicains et les Augustins). Fin XIIe s. ; p. pr. de *mendier* ; [mɑ̃djɑ̃, ɑ̃t].

**MENDICITÉ, subst. f.**
**1.** État d'une personne qui mendie : *Être réduit à la mendicité.* **2.** Action de mendier : *Mendicité interdite.* 1265 ; lat. *mendicitas* ; [mɑ̃disite].

**MENDIER, verbe** [6]
**Intrans.** Demander l'aumône. **Trans.** Demander (qqch.) en aumône : *Mendier du pain* ; au fig., solliciter avec humilité ou insistance : *Mendier des suffrages.* Fin XIe s. ; lat. *mendicare* ; [mɑ̃dje].

**MENDIGOT, OTE, subst.**
Mendiant (fam. et vx). 1875 ; ☞ *mendiant* ; [mɑ̃digo, ɔt].

**MENDOLE, subst. f.**
*Zool.* Poisson téléostéen, au dos argenté rayé de brun, qui fréquente les côtes de la Méditerranée. 1547 ; anc. prov. *amendolla*, du lat. pop. °*mendula* ; [mɑ̃dɔl].

**MENEAU, subst. m.**
*Archit.* Montant ou traverse, souv. de pierre, qui divise une baie : *Fenêtre à meneaux.* 1398 ; anc. fr. °*meieneau*, de *meien*, « moyen » ; [məno].

**MENÉE, subst. f.**
**1.** *Vèn.* Voie d'un cerf en fuite. **2.** Helv. Congère. **Plur.** Moyens secrets mis en œuvre pour faire aboutir un projet ; intrigues. Fin XIIe s. (fin XIe s., sonnerie de charge) ; p. p. de *mener* ; [məne].

**MENER, verbe trans.** [10]
**1.** Faire aller (qqn, un animal) quelque part en l'accompagnant, en le conduisant : *Mener un enfant au zoo* ; *Mener une vache à l'abattoir* ; *Mener une troupe au combat.* ▸ Transporter : *L'autobus nous mènera au musée.* ▸ Conduire, permettre à (qqn) de rallier un lieu ; empl. abs. : *Cette route ne mène nulle part.* ▸ Guider : *Cet indice m'a mené jusqu'à vous.* ▸ Loc. *Mener loin* : avoir des conséquences graves (pour qqn). **2.** Commander, diriger ; gouverner : *Mener un orchestre* ; *L'argent mène le monde.* ▸ Être en tête de, en partic. en sport : *Cycliste qui mène le peloton* ; empl. abs., dominer : *Mener pendant toute la course* ; *Être mené*, être devancé. **3.** Assurer le déroulement, l'exécution de (qqch.) : *Mener une enquête* ; *Mener une brillante carrière* ; *Mener deux affaires de front.* ▸ Loc. *Mener une vie de...* : avoir telle vie ; *Mener la vie dure à qqn* : lui rendre la vie pénible ; *Mener à bien, à bonne fin* : terminer heureusement ; *Ne pas en mener large* : être mal à l'aise, peu rassuré (fam.). **4.** *Géom.* Tracer : *Mener la perpendiculaire à (D) passant par A.* Fin Xe s. ; lat. pop. *minare*, « mener les bêtes avec des menaces » ; [məne].

**MÉNESTREL, subst. m.**
*M. Â.* Musicien ambulant qui chantait ou accompagnait un chanteur. 1170 (mil. XIe s., serviteur) ; bas lat. *ministerialis*, « chargé d'un service » ; [menɛstʀɛl].

© M. Evans-Explorer

*Ménestrels.*

**MÉNÉTRIER, subst. m.**
Musicien, le plus souvent violoniste, qui faisait danser les gens des villages, en partic. lors des mariages. Mil. XIIIe s. ; ☞ *ménestrel* ; [menetʀije].

**MENEUR, EUSE, subst.**
**1.** Personne qui conduit les animaux (vieilli). **2.** *Meneur de jeu* : animateur d'un spectacle, d'un jeu, d'une équipe ; *Meneuse de revue* : artiste féminine qui a la vedette dans une revue de music-hall. **3.** Personne qui, par son ascendant et son autorité, est à la tête d'un mouvement, en partic. d'un mouvement populaire : *Meneur syndical, politique.* ▸ Loc. *Meneur d'hommes* : personne habile à mener, à entraîner les autres à sa suite. Mil. XIIe s. ; ☞ *mener* ; [mənœʀ, øz].

**MENHIR, subst. m.**
*Archéol.* Grande pierre érigée verticalement au cours de la période qui va du Néolithique à l'âge du bronze, disposée le plus souvent en alignement et formant parfois une enceinte circulaire appelée cromlech. 1807 ; breton *menhir*, de *men*, « pierre », et de *hir*, « long » ; [meniʀ].

**MÉNIN, INE, subst.**
*Hist.* En Espagne, jeune homme, jeune fille noble, au service des enfants royaux. **Masc.** En France, gentilhomme au service du dauphin. 1606 ; esp. *menino*, du port. *menino*, « enfant » ; var. *menin, ine* ; [menɛ̃, in].

**MÉNINGE, subst. f.**
*Anat.* Chacune des trois enveloppes (la dure-mère, l'arachnoïde et la pie-mère) qui entourent l'encéphale et la moelle épinière. **Plur.** Cerveau, esprit (fam.) : *Ne pas se fatiguer les méninges.* Fin XIVe s. ; lat. méd. *meninga*, du gr. *mênigx* ; [menɛ̃ʒ].

**MÉNINGÉ, ÉE, adj.**
*Anat.* **1.** Relatif aux méninges. **2.** *Pathol. Syndrome méningé* : ensemble des signes cliniques (céphalées, vomissements, raideur de la nuque) et des modifications affectant le liquide céphalo-rachidien qui témoignent d'une atteinte des méninges. 1803 ; ☞ *méninge* ; [menɛ̃ʒe].

**MÉNINGIOME, subst. m.**
*Pathol.* Tumeur nerveuse bénigne constituée de cellules arachnoïdiennes, observée surtout chez la femme. 1929 ; ☞ *méninge* + *-ome* ; [menɛ̃ʒjom].

**MÉNINGITE, subst. f.**
*Pathol.* Infection des méninges, d'origine microbienne ou virale, se manifestant par un syndrome méningé. 1835 ; ☞ *méninge* + *-ite* ; [menɛ̃ʒit].

**MÉNINGOCOQUE, subst. m.**
*Bactériol.* Diplocoque responsable de méningites cérébro-spinales. 1900 ; formé de *méningo-* et de *-coque* ; [menɛ̃gokɔk].

**MÉNINGO-ENCÉPHALITE, subst. f.**
*Pathol.* Infection virale ou bactérienne de l'encéphale et des méninges. ☞ *encéphalite* + *méningo-* ; plur. *méningo-encéphalites* ; [menɛ̃goɑ̃sefalit].

**MÉNISCAL, ALE, AUX, adj.**
*Anat.* Qui concerne les ménisques interarticulaires. 1949 ; ☞ *ménisque* ; [meniskal, o].

**MÉNISCOGRAPHIE, subst. f.**
*Méd.* Radiographie d'un ménisque, notamment de celui du genou, après injection de produit opaque dans l'articulation. XXe s. ; ☞ *ménisque* + *-graphie* ; [meniskɔgʀafi].

**MÉNISQUE, subst. m.**
**1.** *Opt.* ▸ Lentille dont une surface est concave et l'autre convexe, qui peut être convergente ou divergente. **2.** *Phys.* Courbe (convexe ou concave) de la surface d'un liquide contenu dans un tube. **3.** *Anat.* Élément constitué de cartilage fibreux, dont la forme améliore la coaptation des extrémités articulaires qui le reçoivent : *Ménisque temporo-maxillaire.* **4.** Bijou en forme de croissant. 1671 ; gr. *mêniskos*, « croissant » ; [menisk].

**MENNONITE, adj. et subst.**
*Relig.* Se dit d'un membre d'une secte anabaptiste modérée (XVIe s.) qui est à l'origine de la plupart des Églises baptistes, notamment aux États-Unis. **Adj.** Relatif à cette secte. 1673 ; anthropon. *Menno Simonis*, curé frison qui fonda la secte ; [menɔnit].

**MÉNOLOGE, subst. m.**
*Liturg.* Dans les Églises byzantines, recueil de vies de saints, suivant l'ordre du calendrier ecclésiastique. 1633 ; gr. eccl. *mênologion* ; [menɔlɔʒ].

**MÉNOPAUSE, subst. f.**
*Physiol.* Arrêt de l'activité ovarienne et de la menstruation chez la femme ; par méton., période de la vie d'une femme où elle se produit, gén. autour de la cinquantaine. 1823 ; gr. *mên*, « mois », et *pausis*, « cessation » ; [menɔpoz].

**MÉNOPAUSÉE, adj. f.**
*Physiol.* Qualifie une femme dont la ménopause a eu lieu. V. 1950 ; ☞ *ménopause* ; [menɔpoze].

**MENORA, subst. f.**
Chandelier à sept branches du culte hébraïque. Hébreu *mᵉnôrāh*, « candélabre » ; [menɔʀa].

**MÉNORRAGIE, subst. f.**
*Pathol.* Règles anormalement longues et abondantes. 1771 ; gr. *mên*, « mois », + *-rragie* ; [menɔʀaʒi].

**MÉNOTAXIE, subst. f.**
*Zool.* Forme de tropisme dans laquelle un animal est attiré par une source lumineuse mais ne se dirige pas vers elle en ligne droite. Gr. *menô*, « rester ; attendre », + *-taxie* ; [menotaksi].

**MENOTTE, subst. f.**
**Plur.** Bracelets métalliques reliés par une chaîne, utilisés pour entraver les poignets d'un prisonnier. **Sing.** et **Plur.** Petite main ; main d'enfant. 1474 ; dimin. de *main* ; [mənɔt].

**MENSE, subst. f.**
*Relig.* Revenu qui était affecté à la table d'un prélat, d'une communauté religieuse ; par ext., revenu attribué à un abbé, à un chanoine, à un évêque, etc. 1603 (1558, table) ; lat. *mensa*, « table » ; [mɑ̃s].

**MENSONGE, subst. m.**
**1.** Affirmation contraire à la vérité, faite avec l'intention de tromper. ▸ *Pieux* ***mensonge*** : fait par humanité, par pitié. **2.** Action, fait de mentir : *Vivre dans le* ***mensonge.*** **3.** Illusion, tromperie : *Alors l'homme et la femme en leur agilité/ Jouissaient sans* ***mensonge*** *et sans anxiété* (Baudelaire). Fin XIᵉ s. ; lat. pop. °*mentionica*, du bas lat. *mentio* ; [mɑ̃sɔ̃ʒ].

**MENSONGER, ÈRE, adj.**
**1.** Qui est fondé sur un mensonge : *Affirmation* ***mensongère.*** **2.** Qui est faux, qui trompe : *Programme* ***mensonger.*** Fin XIIᵉ s. (déb. XIIᵉ s., menteur) ; ☞ *mensonge* ; [mɑ̃sɔ̃ʒe, ɛʀ].

**MENSTRUATION, subst. f.**
*Physiol.* Phénomène mensuel se produisant chez la femme non fécondée, entre la puberté et la ménopause, caractérisé par un écoulement d'un mélange de sang et de sérosités provenant de la muqueuse utérine. 1761 ; ☞ *menstrues* ; [mɑ̃stʀyasjɔ̃].

**MENSTRUEL, ELLE, adj.**
*Physiol.* Relatif à la menstruation : *Cycle* ***menstruel.*** Fin XIIIᵉ s. ; lat. *menstrualis*, « mensuel » ; [mɑ̃stʀyɛl].

**MENSTRUES, subst. f. plur.**
*Physiol.* Règles (vieilli). 1314 ; lat. *menstrua*, de *menstruus*, « mensuel » ; [mɑ̃stʀy].

**MENSUALISATION, subst. f.**
Action de mensualiser ; son résultat. V. 1970 ; ☞ *mensuel* ; [mɑ̃sɥalizasjɔ̃].

**MENSUALISER, verbe trans.** [3]
**1.** Rendre mensuel (un paiement, en partic. un salaire horaire). **2.** Payer (qqn) au mois. V. 1970 ; ☞ *mensuel* ; [mɑ̃sɥalize].

**MENSUALITÉ, subst. f.**
**1.** Somme payée chaque mois : *Prêt remboursé par* ***mensualités.*** **2.** Rétribution, somme perçue chaque mois. 1874 ; ☞ *mensuel* ; [mɑ̃sɥalite].

**MENSUEL, ELLE, adj.**
**1.** Qui a lieu, qui paraît chaque mois : *Publication* ***mensuelle*** ou, empl. subst. masc., *Un* ***mensuel.*** **2.** Qui est payé chaque mois : *Salaire* ***mensuel.*** 1795 ; lat. *mensualis*, de *mensis*, « mois » ; [mɑ̃sɥɛl].

**MENSURATION, subst. f.**
Action de mesurer les dimensions caractéristiques du corps humain ; les mesures obtenues. 1579 ; bas lat. *mensuratio*, « arpentage » ; [mɑ̃syʀasjɔ̃].

**MENTAL, ALE, AUX, adj.**
**1.** Qui se fait uniquement dans l'esprit, sans être dit ou écrit : *Calcul* ***mental.*** **2.** Qui se rapporte aux facultés intellectuelles : *Malade* ***mental*** ; empl. subst. masc., moral, volonté : *Ce sportif a un* ***mental*** *d'acier.* 1374 ; bas lat. *mentalis*, du lat. *mens*, « esprit » ; [mɑ̃tal, o].

**MENTALEMENT, adv.**
**1.** Du point de vue mental : *Être* ***mentalement*** *déficient.* **2.** Par la pensée seule, sans recours à la parole ou à l'écriture. 1457 ; ☞ *mental* ; [mɑ̃talmɑ̃].

**MENTALISATION, subst. f.**
*Psychol.* Mécanisme par lequel le moi se dégage de ses conflits en les objectivant mentalement. 1842 ; *mentaliser* (rare) ; [mɑ̃talizasjɔ̃].

**MENTALISME, subst. m.**
**1.** *Psychol.* Doctrine qui fonde la connaissance de soi sur l'introspection. **2.** *Ling.* Conception selon laquelle le sens est l'élément structurant essentiel de la langue. 1842 ; ☞ *mental* ; [mɑ̃talism].

**MENTALITÉ, subst. f.**
**1.** *Sociol.* Ensemble des habitudes intellectuelles, des croyances caractéristiques de la pensée d'une collectivité et qui sont communes à chacun de ses membres. **2.** État d'esprit de qqn ; manière d'agir, de penser : *Une* ***mentalité*** *de fonctionnaire* ; par antiphr. : *Belle, jolie* ***mentalité*** *!*, quel mauvais esprit ! (fam.). 1842 ; angl. *mentality*, du fr. *mental* ; [mɑ̃talite].

**MENTERIE, subst. f.**
Mensonge (vieilli ou région.). 1326 ; ☞ *mentir* ; [mɑ̃tʀi].

**MENTEUR, EUSE, subst. et adj.**
Se dit d'une personne qui ment, qui a l'habitude de mentir. **Adj.** Mensonger. 1155 (déb. XIIᵉ s., femme parjure) ; ☞ *mentir* ; [mɑ̃tœʀ, øz].

**MENTHE, subst. f.**
**1.** *Bot.* Plante herbacée de la famille des Lamiacées, productrice d'essences à menthol, à terpènes, etc. **2.** Méton. Arôme, essence de cette plante : *Bonbon à la* ***menthe*** ; infusion, sirop de cette plante : *Menthe à l'eau.* Déb. XIIIᵉ s. ; lat. *ment(h)a* ; [mɑ̃t].

**MENTHOL, subst. m.**
*Chim.* Alcool-phénol extrait de l'essence de menthe poivrée. 1874 ; ☞ *menthe* ; [mɑ̃tɔl].

**MENTHOLÉ, ÉE, adj.**
Qui contient du menthol. 1929 ; ☞ *menthol* ; [mɑ̃tɔle].

**MENTION, subst. f.**
**1.** Action de citer, de faire remarquer ; fait d'être signalé, rapporté : *Cet article fait* ***mention*** *de vous.* **2.** Courte indication, précision : *Lettre portant la* ***mention*** *« urgent ».* **3.** Appréciation favorable d'un jury, lors d'un examen, d'un concours : *Être reçu avec* ***mention.*** Fin XIIᵉ s. ; lat. *mentio* ; [mɑ̃sjɔ̃].

**MENTIONNER, verbe trans.** [3]
Faire mention de. 1432 ; ☞ *mention* ; [mɑ̃sjɔne].

**MENTIR, verbe intrans.** [23]
**1.** Présenter comme vrai ce qu'on sait être faux ; nier ce qu'on sait être vrai. ▸ Loc. *Sans* ***mentir*** : en vérité ; *Faire* ***mentir*** *qqch.* : montrer que qqch. est faux. **2.** Tromper en donnant une idée fausse de la réalité : *Des apparences qui* ***mentent.*** Déb. XIIᵉ s. ; bas lat. *mentire* ; [mɑ̃tiʀ].

**MENTISME, subst. m.**
*Psych.* Trouble pathologique durant lequel le sujet se sent envahi par un flot de représentations mentales. 1824 ; lat. *mens*, « esprit » ; [mɑ̃tism].

**MENTON, subst. m.**
*Anat.* Partie saillante du maxillaire inférieur. Fin Xᵉ s. ; lat. pop. °*mentonem* ; [mɑ̃tɔ̃].

**MENTONNET, subst. m.**
**1.** *Ch. de fer.* Boudin. **2.** *Techn.* Sorte de tenon ou de saillie servant d'arrêt : ***Mentonnet*** *d'un révolver, d'une serrure.* Fin XIVᵉ s. ; ☞ *menton* ; [mɑ̃tɔnɛ].

**MENTONNIER, IÈRE, subst. f. et adj.**
**Subst. 1.** *Arm.* Pièce d'un casque, servant à protéger le menton et les joues. **2.** Bande passant sous le menton et maintenant une coiffure. **3.** *Chir.* Appareil de contention emboîtant le menton. **4.** *Mus.* Accessoire concave fixé sur un violon, sur lequel on pose le menton. **Adj.** *Anat.* Relatif au menton : *Trou, nerf* ***mentonnier.*** 1562 (1373, partie de vêtement recouvrant le menton) ; ☞ *menton* ; [mɑ̃tɔnje, jɛʀ].

**MENTOR, subst. m.**
Conseiller, guide plein de sagesse et d'expérience. 1749 ; *Mentor*, ami d'Ulysse, dans l'*Odyssée* ; [mɛ̃tɔʀ].

**MENU (I), UE, adj. et adv.**
**Adj. 1.** Qui a peu de valeur, d'importance : *Le* ***menu*** *peuple* ; ***Menue*** *monnaie.* **2.** Qui a peu de volume : ***Menus*** *objets* ; frêle : *Fillette* ***menue.*** ▸ Empl. subst. masc. *Par le* ***menu*** : en détail. **Adv.** En petits morceaux : *Hacher* ***menu*** *un aliment.* Déb. XIIᵉ s. ; lat. *minutus*, « petit », de *minuere*, « diminuer » ; [məny].

**MENU (II), subst. m.**
**1.** Liste détaillée des plats constituant un repas. **2.** Repas à prix fixe, dans un restaurant ; par méton., la carte sur laquelle il est présenté. **3.** Fig. Programme (fam.). **4.** *Informat.* Liste d'opérations proposée à l'utilisateur sur un écran d'ordinateur. 1718 ; ☞ *menu* (I) ; [məny].

**MENUET, subst. m.**
**1.** Danse de cour à trois temps en vogue aux XVIIᵉ et XVIIIᵉ s. **2.** *Mus.* Mouvement d'une symphonie, d'une suite ou d'une sonate, notamment au XVIIIᵉ s. 1671 ; anc. fr. *menuet*, « mince, délicat » ; [mənɥɛ].

**MENUISE, subst. f.**
**1.** Petit poisson bon pour la friture (jeune hareng ou sprat). **2.** *Sylvic.* Bois à brûler de petite dimension. 1197 ; bas lat. *minutia*, « parcelle » ; [mənɥiz].

**MENUISER, verbe trans.** [3]
Amincir (du bois) ; empl. abs., faire des travaux de menuiserie. 1483 ; lat. pop. °*minutiare*, « rendre menu » ; [mənɥize].

**MENUISERIE, subst. f.**
**1.** Vx. Fabrication de petits objets en métal ou en bois. **2.** Travail du bois destiné à l'équipement des bâtiments, des habitations ; par méton., les ouvrages fabriqués. **3.** Atelier ou usine de menuiserie 1411 ; ☞ *menuisier* ; [mənɥiziʀi].

**MENUISIER, IÈRE, subst.**
**1.** Vx. Personne qui fabrique de petits objets. **2.** Personne qui travaille à des ouvrages de menuiserie. Déb. XIIIᵉ s. ; ☞ *menuise* ; [mənɥizje, jɛʀ].

**MÉNURE, subst. m.**
*Zool.* Oiseau passériforme type de la famille des Ménuridés, ressemblant au faisan et vivant en Australie. Le mâle doit son nom d'oiseau-lyre à la forme de sa queue. 1808 ; lat. sc. *menura*, du gr *mênê*, « lune », et *oura*, « queue » ; [menyʀ].

**MENU-VAIR, subst. m.**
Fourrure de l'écureuil gris (vx). 1306 ; comp. de *menu* (I) et de *vair* ; plur. *menus-vairs* ; [mənyvɛʀ].

**MÉNYANTHE, subst. m.**
*Bot.* Plante herbacée de la famille des Ményantha-cées, vivant dans les milieux humides, appelée auss trèfle d'eau. 1615 ; lat. sc. *menyanthes*, du gr *minuanthês*, « qui fleurit peu de temps » ; [menjɑ̃t].

**MÉPHISTOPHÉLIQUE, adj.**
Digne de Méphistophélès ; diabolique. 1833 *Méphistophélès*, nom du diable ; [mefistɔfelik].

**MÉPHITIQUE, adj.**
Dont les exhalaisons sont nauséabondes ou toxi-ques. 1564 ; bas lat. *mephiticus*, de *mephitis*, « exha-laison sulfureuse d'origine volcanique » ; [mefitik].

**MÉPHITISME, subst. m.**
Caractère de ce qui est méphitique. 1782 ☞ *méphitique* ; [mefitism].

**MÉPLAT, ATE, adj. et subst. m.**
**Adj.** Plus large qu'épais. ▸ *B.-a.* Qui présente u faible relief, sans déformation des volumes repré-sentés : *Bas-relief* ***méplat.*** **Subst.** Partie plane d'un surface irrégulière à trois dimensions, en partic. d visage. 1676 ; ☞ *plat* + *mé-* ; [mepla, at].

**MÉPRENDRE (SE), verbe pronom.** [52]
Se tromper (sur qqn ou sur qqch.). ▸ Loc. *À s* ***méprendre*** : à s'y tromper. Déb. XIIIᵉ s. (fin Xᵉ s commettre une faute) ; ☞ *prendre* + *mé-* ; [mepʀɑ̃dʀ

**MÉPRIS, subst. m.**
**1.** Sentiment que l'on éprouve envers qqn ou enve son comportement, lorsqu'on le juge indigr d'estime. **2.** Indifférence à l'égard de choses hab tuellement considérées comme importantes, d dain : *Avoir du* ***mépris*** *pour les honneurs* ; *Le mépr du danger.* ▸ Loc. *Au* ***mépris*** *de* : sans tenir comp de. 1339 ; ☞ *mépriser* ; [mepʀi].

**MÉPRISABLE, adj.**
Qui inspire le mépris : *Une attitude* ***méprisab*** 1504 ; ☞ *mépriser* ; [mepʀizabl].

**MÉPRISANT, ANTE, adj.**
Qui a du mépris ; qui exprime le mépris. Dé XIIIᵉ s. ; p. pr. de *mépriser* ; [mepʀizɑ̃, ɑ̃t].

**MÉPRISE, subst. f.**
Erreur, confusion. 1465 (1174, mauvaise actior p. p. de *méprendre* ; [mepʀiz].

**MÉPRISER, verbe trans.** [3]
**1.** Éprouver du mépris pour (qqn, qqch.). **2.** Ne p rechercher : ***Mépriser*** *la gloire.* Fin XIIᵉ s. ; ☞ *p ser* (I) + *mé-* ; [mepʀize].

**MÉPROBAMATE, subst. m.**
*Pharm.* Substance utilisée comme anxiolytiqu hypnotique ou relaxant musculaire, et pouva entraîner une dépendance. [mepʀɔbamat].

**MER, subst. f.**
**I. 1.** *Géogr.* Vaste étendue d'eau salée délimitée p des continents ou des îles et couvrant plus de 70 de la surface du globe (synon. *océan*) : *Haute m* partie éloignée du rivage ; *Pleine* ***mer***, marée haut *Basse* ***mer***, marée basse ; *Fruits de* ***mer*** (☞ *frui*

Loc. *Prendre la* **mer** : s'embarquer ; *Mer d'huile* : ılme ; *Loup de* **mer** (☞ *loup*) ; *C'est une goutte d'eau ns la* **mer** : c'est insignifiant ; *Ce n'est pas la* **mer** *boire* (☞ *boire*). **2.** Partie de **mer** portant un ɔm : *La* **mer** *Rouge.* **3.** Étendue d'eau isolée ou ant un accès à l'océan par un détroit : *La* **mer** *'éditerranée* ; **Mer** *intérieure.* **4.** *Dr.* **Mer** *territoriale* : ne maritime proche des côtes et dépendant d'un at. **5.** Région située le long des côtes : *Passer ses cances à la* **mer**. **II.** Anal. **1.** *Astron.* Vaste étendue naire : *La* **mer** *des Pluies.* **2.** Grande étendue non quide : **Mer** *de glace* ; **Mer** *de sable* ; au fig. : *Une er de mots.* Mil. XIe s. ; lat. *mare* ; [mɛʀ].

© L. Jahan-Explorer

*La* **mer** *de Glace, dans le massif du Mont-Blanc.*

**MERCANTI, subst. m.**
. Vx. Marchand d'Afrique ou d'Orient. **2.** Marıand qui suivait une armée. **3.** Commerçant ıalhonnête, âpre au gain (péj.). 1859 ; ital. *ercante*, du lat. *mercans*, « marchand » ; [mɛʀkɑ̃ti].

**MERCANTILE, adj.**
Vx. Qui pratique le commerce. **2.** Guidé par la cherche du profit, cupide (péj.). 1551 ; ital. *ercantile*, « relatif au commerce » ; [mɛʀkɑ̃til].

**MERCANTILISME, subst. m.**
*Hist.* Doctrine économique liée à la colonisation l'Amérique au XVe s., développée aux XVIe et XVIIe s., ɔnnant la priorité au commerce et à l'enrichisment monétaire (réserves d'or et d'argent) sur s activités de production, en préconisant une ɔlitique protectionniste. **2.** Fig. État d'esprit merıntile (péj.). 1811 ; ☞ *mercantile* ; [mɛʀkɑ̃tilism].

**MERCANTILISTE, adj. et subst.**
dit d'un partisan du mercantilisme. **Adj.** Qui lève du mercantilisme. 1846 ; ☞ *mercantile* ; ıɛʀkɑ̃tilist].

**MERCAPTAN, subst. m.**
*him.* Composé organique porteur de la fonction SH liée à un radical R– (synon. *thioalcool, thiol*). 1840 ; all. *Mercaptan*, du lat. *mercurium captans*, « qui ıpte le mercure » ; [mɛʀkaptɑ̃].

**MERCATICIEN, IENNE, subst.**
ɔécialiste de la mercatique. V. 1970 ; ☞ *mercatiue* ; [mɛʀkatisjɛ̃, jɛn].

**MERCATIQUE, subst. f.**
*con.* Ensemble des actions économiques et comerciales qui ont pour but d'étudier les besoins des ɔnsommateurs concernant une catégorie détermiée de biens ou de services et de réaliser en ɔnséquence l'adaptation de l'appareil productif et ɔmmercial d'une entreprise au marché ainsi cerné ecomm. off. pour *marketing*). V. 1970 ; lat. *ercatus*, « marché » ; [mɛʀkatik].

**MERCENAIRE, adj. et subst. m.**
**Dj. 1.** Vx. Vénal, corrompu. **2.** Vieilli. Qualifie une ersonne qui travaille pour un salaire ; par méton. : *'ne mentalité* **mercenaire** ; qualifie une personne qui 'agit que pour faire du profit (péj.). **Subst. 1.** Salaé (vx). **2.** Soldat de métier louant ses services à n gouvernement étranger ou à un particulier qui ve sa propre armée. Déb. XIIIe s. ; lat. *mercenarius*, e *merces*, « salaire » ; [mɛʀsənɛʀ].

**MERCERIE, subst. f.**
. Ensemble des articles servant pour la couture, les avaux d'aiguille. **2.** Méton. Boutique, commerce ù l'on vend de la **mercerie**. Déb. XIIIe s. (1187, archandise) ; ☞ *mercier* ; [mɛʀsəʀi].

**MERCERISAGE, subst. m.**
ction de merceriser des fils, des tissus. 1900 ; ☞ *merceriser* ; [mɛʀsəʀizaʒ].

**MERCERISER, verbe trans.** [3]
*Text.* Donner à (des fils ou des tissus de coton) un aspect brillant et soyeux en les traitant par une solution de soude caustique. 1878 ; angl. *to mercerize*, de l'anthropon. *John Mercer* ; [mɛʀsəʀize].

**MERCHANDISING, subst. m.**
Marchandisage (anglic.). V. 1960 ; mot angloamér. ; [mɛʀʃɑ̃dajziŋ].

**MERCI, subst. et interj.**
**Subst. fém. 1.** Vx. Grâce, miséricorde. ► Loc. *Sans* **merci** : sans pitié. **2.** Dépendance : *Être à la* **merci** *de qqn.* **Subst. masc.** Remerciement : *Un grand* **merci** *pour tout.* **Interj.** S'emploie pour exprimer sa reconnaissance, pour remercier. 881 ; lat. *merces*, « salaire, récompense » ; [mɛʀsi].

**MERCIER, IÈRE, subst.**
Personne qui vend de la mercerie. Déb. XIIIe s. (fin XIe s., importateur d'étoffes d'Orient) ; anc. fr. *merz*, « marchandise », du lat. *merx* ; [mɛʀsje, jɛʀ].

**MERCREDI, subst. m.**
Troisième jour de la semaine. ► *Relig. Le* **mercredi** *des Cendres* : premier jour du carême, qui succède au mardi gras. 1119 ; lat. pop. °*Mercuris dies*, du lat. *Mercuri dies*, « jour de Mercure » ; [mɛʀkʀədi].

**MERCURE, subst. m.**
*Chim.* Élément no 80 de la table de Mendeleïev (symb. : Hg) ; masse atomique : 200,59 ; point de fusion : – 39 °C ; point d'ébullition : 357 °C ; masse volumique : 13,6 g/cm$^3$. C'est un métal liquide et toxique, du même groupe que le zinc et le cadmium, bivalent et faiblement électropositif. XVe s. ; lat. *Mercurius*, messager des dieux, dont la mobilité rappelait celle du métal, ou *Mercure*, planète à laquelle les alchimistes l'associaient ; [mɛʀkyʀ].

**MERCUREUX, adj. m.**
*Chim.* Qualifie les dérivés du mercure monovalent : *Oxyde* **mercureux**. 1840 ; ☞ *mercure* ; [mɛʀkyʀø].

**MERCURIALE (I), subst. f.**
*Bot.* Plante de la famille des Euphorbiacées, mauvaise herbe qui pousse dans les champs cultivés et qui était utilisée comme laxatif. XIIIe s. ; lat. *mercurialis herba*, « herbe de Mercure » ; [mɛʀkyʀjal].

**MERCURIALE (II), subst. f.**
**1.** *Hist.* Sous l'Ancien Régime, assemblée générale d'un parlement, convoquée à l'origine deux mercredis par mois ; par méton., discours prononcé par le président à cette occasion. **2.** Discours inaugural prononcé par un magistrat du parquet lors de la rentrée judiciaire. **3.** Fig. Longue et sévère remontrance. 1535 ; lat. *mercurialis*, de *Mercuri dies*, « jour de Mercure ; mercredi » ; [mɛʀkyʀjal].

**MERCURIALE (III), subst. f.**
*Dr. comm.* Bulletin donnant régulièrement les prix courants de denrées vendues sur un marché public ; par méton., les cours officiels. 1793 ; lat. *mercurialis*, « membre du collège des marchands », Mercure étant le dieu du commerce ; [mɛʀkyʀjal].

**MERCURIEL, ELLE, adj.**
Qui contient du mercure. 1413 ; ☞ *mercure* ; [mɛʀkyʀjɛl].

**MERCURIQUE, adj.**
*Chim.* Qualifie les dérivés du mercure bivalent : *Oxyde, chlorure* **mercurique**, de formules respectives HgO et $HgCl_2$. 1787 ; ☞ *mercure* ; [mɛʀkyʀik].

**MERCUROCHROME, subst. m. inv.**
*Pharm.* Dérivé d'une fluorescéine mercurielle, utilisé comme antiseptique à usage externe, en solution aqueuse ou alcoolique. 1931 ; ☞ *mercure + chrome* ; n. déposé ; [mɛʀkyʀokʀom].

**MERDE, subst. f. et interj.**
**Subst.** Vulg. **1.** Excrément des êtres humains et de certains animaux. **2.** Fig. Personne ou chose sans valeur, méprisable : *Ne pas se prendre pour une* **merde**, se croire important ; *Être dans la* **merde**, dans une situation inextricable. **Interj.** Exprime la colère, l'indignation, la déception, l'impatience, le refus, l'admiration (fam.). 1179 ; lat. *merda* ; [mɛʀd].

**MERDER, verbe intrans.** [3]
Fam. **1.** Être en difficulté. **2.** Échouer. 1909 ; ☞ *merde* ; [mɛʀde].

**MERDEUX, EUSE, adj. et subst.**
**Adj.** Vulg. **1.** Souillé d'excréments. **2.** Qui n'est pas satisfaisant : *Une situation* **merdeuse** ; honteux : *Se sentir* **merdeux**. **Subst.** Fam. Personne que l'on méprise ; gamin, gamine : *Une petite* **merdeuse**. 1180 ; ☞ *merde* ; [mɛʀdø, øz].

**MERDIER, subst. m.**
Fam. **1.** Endroit sale. **2.** Fig. Situation dont on ne sait comment sortir : *La guerre... un beau* **merdier** *!* XIVe s. (déb. XIIIe s., excrément) ; ☞ *merde* ; [mɛʀdje].

**MERDIQUE, adj.**
Insignifiant, mauvais (fam.). XXe s. ; ☞ *merde* ; [mɛʀdik].

**MERDOYER, verbe intrans.** [17]
Ne pas réussir, ne pas savoir se débrouiller (fam.). 1884 ; ☞ *merde* ; [mɛʀdwaje].

**MÈRE (I), subst. f.**
**1.** Femme qui a mis au monde un ou plusieurs enfants : **Mère** *de famille* ; **Mère** *au foyer* ; *La fête des* **Mères**. ► **Mère** *adoptive* : qui élève un enfant comme une **mère**. **2.** Anal. Femelle qui a des petits. **3.** Supérieure d'un couvent : **Mère** *abbesse.* **4.** Appellation (fam.) : *La* **mère** *Michel.* **5.** Celle ou ce qui est à l'origine de tout, de tous : *Ève,* **mère** *du genre humain* ; *La nature,* **mère** *universelle.* ► Fig. Lieu d'origine, berceau : **Mère** *patrie.* **6.** Source : *La haine est la* **mère** *de la guerre* (Hugo). ► En appos. *Idée* **mère** : dont découlent d'autres idées ; *Société* **mère**, *maison* **mère** : dont dépendent des filiales. **7.** Membrane qui se forme à la surface du vinaigre et qui est à l'origine d'une nouvelle production. Mil. Xe s. ; lat. *mater* ; [mɛʀ].

**MÈRE (II), adj. f.**
*Techn.* Pur, fin : **Mère** *goutte*, jus coulant dans le pressoir, avant que le raisin n'ait été pressé ; **Mère** *laine*, laine très fine. 1369 ; lat. *merus* ; [mɛʀ].

**MÈRE-GRAND, subst. f.**
Grand-mère (vieilli). 1435 ; comp. de *mère* (I) et de *grand* ; plur. *mères-grand* ; [mɛʀgʀɑ̃].

**MÉRENS, subst. m.**
Poney ariégeois. [meʀɛ̃s].

**MERGUEZ, subst. f.**
*Cuis.* Saucisse d'Afrique du Nord à base de chair de mouton ou de bœuf, agrémentée de condiments et d'épices, que l'on consomme grillée. 1953 ; ar. maghrébin *mərgəz* ; [mɛʀgɛz].

**MERGULE, subst. m.**
*Zool.* Oiseau palmipède marin de la famille des Alcidés. Le **mergule** nain est noir dessus, blanc argenté dessous, et niche dans l'Arctique. 1818 ; lat. sc. *mergulus*, de *mergus*, « plongeon » ; [mɛʀgyl].

**MÉRIDIEN, IENNE, adj. et subst.**
**Adj. 1.** Qui se rapporte au midi, à l'heure de midi (littér.) : *Exposition* **méridienne**. **2.** *Astron. Plan* **méridien** : plan qui passe par l'axe de rotation de la Terre et la verticale d'un lieu donné. ► Relatif à ce plan : *Lunette* **méridienne**, lunette dont l'axe optique ne peut tourner que dans le plan **méridien**. **3.** *Géom.* Qualifie un plan passant par l'axe d'une surface de révolution. **Subst. masc.** *Astron.* et *Géogr.* Cercle du globe terrestre comme de la sphère céleste, passant par les deux pôles. Il est repéré par sa longitude, allant de 0° à 360°, et sert à mesurer les fuseaux horaires. **Subst. fém.** *Géom.* Courbe d'intersection d'une surface de révolution avec un plan passant par l'axe de cette surface. Déb. XIIe s. ; lat. *meridianus*, de *meridies*, « midi » ; [meʀidjɛ̃, jɛn].

**MÉRIDIENNE, subst. f.**
**1.** Sieste que l'on fait vers le milieu du jour. **2.** Lit de repos à deux chevets de hauteur inégale. 1213 ; bas lat. *meridiana hora*, « heure de midi » ; [meʀidjɛn].

**MÉRIDIONAL, ALE, AUX, adj.**
**1.** Qui est situé ou exposé au sud (anton. *septentrional*) : *Région* **méridionale**. **2.** Qui est du Midi, propre au Midi, en partic. au midi de la France : *Une recette* **méridionale** ; empl. subst., habitant du Midi. 1314 ; bas lat. *meridionalis* ; [meʀidjɔnal, o].

**MERINGUE, subst. f.**
*Cuis.* Pâtisserie légère, faite avec des blancs d'œufs battus et sucrés, passés au four à feu doux. 1691 ; p.-ê. polonais *marzynka* ; [məʀɛ̃g].

**MÉRINOS, subst. m.**
**1.** *Zool.* Race de mouton d'Afrique du Nord et d'Espagne donnant une laine fine très appréciée ; en appos. : *Des béliers* **mérinos**. **2.** Méton. Laine de ce mouton ; étoffe faite avec cette laine : *Une chemise en* **mérinos**. Fin XVIIIe s. ; esp. *merinos*, de l'ar. *marīnī*, « relatif à la dynastie mérinide » ; [meʀinos].

**MERISE, subst. f.**
Cerise sauvage, fruit du merisier. Fin XIIIe s. ; aphérèse de °*amerise*, de *amer*, d'apr. *cerise* ; [məʀiz].

**MERISIER,** subst. m.
*Bot.* Arbre de la famille des Amygdalacées, appelé aussi cerisier des oiseaux ; par méton., le bois de cet arbre, très prisé. 1388 ; ☞ *merise* ; [məʀizje].

**MÉRISME,** subst. m.
*Ling.* En phonologie, trait distinctif d'un phonème. 1840 ; gr. *merisma,* « délimitation » ; [meʀism].

**MÉRISTÈME,** subst. m.
*Bot.* Tissu végétal constitué de cellules à caractère embryonnaire (non spécialisées) qui se divisent rapidement : ***Méristèmes** terminaux, apicaux,* au sommet de la tige, de la racine, etc., où se fait la croissance en longueur des végétaux. 1874 ; all. *Meristem,* du gr. *meristos,* « partagé » ; [meʀistɛm].

**MÉRITANT, ANTE,** adj.
Qui a du mérite : *Des travailleurs **méritants**.* 1787 ; p. pr. de *mériter* ; [meʀitɑ̃, ɑ̃t].

**MÉRITE,** subst. m.
**1.** Ce qui justifie, dans la conduite d'une personne, une approbation, une récompense : *Il eut le **mérite** de pardonner cette indélicatesse.* **2.** Valeur morale remarquable : *Vanter les **mérites** de qqn* ; talent, qualité : *Il a le **mérite** d'être ponctuel.* **3.** Nom d'ordres honorifiques : *Le **Mérite** agricole* ; *Le **Mérite** national.* Fin XIIe s. (déb. XIIe s., récompense) ; lat. *meritum,* de *merere,* « mériter » ; [meʀit].

**MÉRITER,** verbe trans. [3]
TRANS. DIR. **1.** Être digne de : ***Mériter** les honneurs* ; ***Mériter** de réussir.* **2.** Être passible de : ***Mériter** une punition.* **3.** Donner lieu à. ▸ Loc. proverb. *Toute peine **mérite** salaire* : tout effort doit entraîner une récompense. TRANS. INDIR. **Mériter de.** Avoir droit à la reconnaissance de (vieilli) : ***Mériter** de la patrie.* 1495 (déb. XIVe s., récompenser) ; ☞ *mérite* ; [meʀite].

**MÉRITOCRATIE,** subst. f.
Système dans lequel la hiérarchie est fondée sur le mérite. V. 1970 ; ☞ *mérite* + *-cratie* ; [meʀitɔkʀasi].

**MÉRITOIRE,** adj.
Digne d'éloge, de récompense : *Une constance **méritoire**.* Déb. XIVe s. ; lat. *meritorius,* « qui procure ou rapporte un gain » ; [meʀitwaʀ].

**MERL,** voir **MAËRL**

**MERLAN,** subst. m.
**1.** *Zool.* Poisson téléostéen marin de la famille des Gadidés, de 20 à 40 cm de longueur, possédant trois nageoires dorsales et deux anales. **2.** Coiffeur (vx et pop.). XIIe s. ; *merle* (rare), sorte de poisson ; [mɛʀlɑ̃].

**MERLE,** subst. m.
**1.** *Zool.* Oiseau passereau de la famille des Turdidés, au bec jaune et au plumage gén. noir chez le mâle et brun-gris foncé chez la femelle. ▸ Loc. *Siffler comme un **merle*** : très bien siffler. **2.** Fig. ***Merle** blanc* : chose ou personne introuvable. Fin XIIe s. ; bas lat. *merulus,* du lat. *merula* ; [mɛʀl].

**MERLETTE,** subst. f.
Femelle du merle. 1840 ; ☞ *merle* ; [mɛʀlɛt].

**MERLIN (I),** subst. m.
**1.** Hache à deux tranchants, servant à couper le bois. **2.** Masse qui servait à abattre les bovins. 1624 ; lat. *marculus,* « marteau » ; [mɛʀlɛ̃].

**MERLIN (II),** subst. m.
*Mar.* Cordage à trois fils torsadés. 1636 ; néerl. *meerlijn,* de *marren,* « lier » ; [mɛʀlɛ̃].

**MERLON,** subst. m.
*Archit.* Partie pleine (maçonnée) entre deux créneaux d'un parapet. 1642 ; ital. *merlone,* p.-ê. empl. fig. du bas lat. *merulus,* « merle » ; [mɛʀlɔ̃].

**MERLOT,** subst. m.
**1.** Jeune merle. **2.** *Vitic.* Cépage rouge du Bordelais. 1842 ; ☞ *merle* ; [mɛʀlo].

**MERLU,** subst. m.
*Zool.* Poisson téléostéen de la famille des Gadidés, à dos gris, présentant deux nageoires dorsales et une nageoire anale allongée. Il est souvent appelé à tort merlan ou colin. 1333 ; prob. crois. de *merlan* et de l'anc. fr. *lus,* « brochet » ; [mɛʀly].

**MERLUCHE,** subst. f.
**1.** *Zool.* Autre nom du merlu. **2.** Désigne la morue et d'autres poissons gadidés vendus séchés. 1603 ; ☞ *merlu* ; [mɛʀlyʃ].

**MÉROSTOMES,** subst. m. plur.
*Zool.* Classe d'Arthropodes chélicérates aquatiques, respirant par des branchies et dont le corps comporte une carapace dorsale en bouclier. AU SING. *La limule est un **mérostome**.* 1890 ; gr. *mêros* « cuisse », + *-stome* ; [meʀɔstɔm].

© S. de Wilde-Jacana

*Mérou.*

**MÉROU,** subst. m.
*Zool.* Poisson téléostéen perciforme des mers chaudes, de la famille des Serranidés, pouvant atteindre 2 m et 100 kg. 1752 ; esp. *mero* ; [meʀu].

**MÉROVINGIEN, IENNE,** adj. et subst.
De la dynastie issue de Mérovée. ADJ. Relatif à cette dynastie. Déb. XVIIe s. ; lat. médiév. *Merovingi,* du germ. *Merowig,* « Mérovée » ; [meʀɔvɛ̃ʒjɛ̃, jɛn].

**MERRAIN,** subst. m.
**1.** Bois de chêne fendu, servant à la fabrication des tonneaux. **2.** *Vén.* Tige principale des andouillers du cerf. Fin XIVe s. ; lat. pop. °*materiamen,* du lat. *materia,* « bois de construction » ; [mɛʀɛ̃].

**MERVEILLE,** subst. f.
**1.** Ce qui frappe d'étonnement, qui est digne d'admiration : *Les Sept **Merveilles** du monde,* les sept œuvres d'art considérées, dans la Grèce antique, comme les plus belles du monde ; au fig. : *La huitième **merveille** du monde,* se dit d'une personne ou d'une chose dont on célèbre exagérément les mérites ou la beauté. **2.** Anal. Se dit de qqn ou de qqch. dont on est très satisfait, qui est excellent dans son genre : *Quelle **merveille**, ce coucher de soleil !* **3.** Loc. *Promettre monts et **merveilles*** : faire des promesses que l'on ne peut pas tenir ; *Faire **merveille*** : exceller, obtenir un résultat remarquable ; *À **merveille*** : très bien, parfaitement. **4.** *Cuis.* Pâte frite, saupoudrée de sucre. Mil. XIe s. ; lat. pop. °*mirabilia,* du lat. *mirabilis,* « admirable, merveilleux » ; [mɛʀvɛj].

ANTIQUITÉ – Des Sept Merveilles du monde que dénombrait Philon de Byzance seules nous sont conservées les pyramides d'Égypte. Il ne reste plus rien des jardins suspendus de Babylone (Iraq), aménagés par Sémiramis. Le colosse de Rhodes (Grèce), statue de bronze haute de 35 m, dédié à Hélios, fut endommagé en 224 av. J.-C. par un tremblement de terre et détruit en 672. À la mort de Mausole (353 av. J.-C.), sa sœur et épouse Artémise II lui édifia un somptueux tombeau à Halicarnasse (Turquie), aujourd'hui en ruine. Le temple d'Artémis, à Éphèse, fut incendié en 356 av. J.-C. par Érostrate. À Olympie se dressait une colossale statue chryséléphantine de Zeus, due au génie de Phidias. Enfin, le Pharos, voisin d'Alexandrie, tour de marbre blanc haute de 180 mètres construite par Sostrate de Cnide, fut abattu par un tremblement de terre en 1302 (on a récemment commencé à en extraire les vestiges du fond de la mer).

**MERVEILLEUSEMENT,** adv.
De manière merveilleuse. Déb. XIIe s. ; ☞ *merveilleux* ; [mɛʀvɛjøzmɑ̃].

**MERVEILLEUX, EUSE,** adj. et subst.
ADJ. **1.** Enchanteur, surnaturel : *Un récit **merveilleux**.* **2.** Qui étonne par son caractère inhabituel, sa beauté : *Une **merveilleuse** journée.* SUBST. MASC. **1.** Ce qui est extraordinaire : *Croire au **merveilleux**.* **2.** *Litt.* Ce qui tient du fantasme, de la féerie : *Le **merveilleux** des légendes.* SUBST. FÉM. *Hist.* Femme élégante et excentrique, sous le Directoire et au début du XIXe s. Déb. XIIe s. ; ☞ *merveille* ; [mɛʀvɛjø, øz].

**MÉRYCISME,** subst. m.
*Pathol.* Phénomène de rumination, observé notamment chez le jeune garçon, qui se caractérise par la mastication incessante d'aliments régurgités. 1812 ; gr. *mêrukismos,* « rumination » ; [meʀisism].

**MERZLOTA,** subst. f.
*Géol.* Partie du sol qui dégèle au printemps, dans les régions soumises au permafrost. 1940 ; russe *merzlota,* de *moroz,* « gel » ; [mɛʀzlɔta].

**MES,** voir **MON**

**MESA,** subst. f.
*Géogr.* Plateau isolé constitué par une coulée volcanique mise en relief par l'érosion. 1923 ; esp. *mesa,* du lat. *mensa,* « table » ; [meza].

**MÉSALLIANCE,** subst. f.
Mariage de deux personnes dont l'une est de con tion inférieure. 1666 ; ☞ *mésallier* ; [mezaljɑ̃s].

**MÉSALLIER (SE),** verbe pronom. [6]
Se marier avec une personne de condition in rieure. 1510 ; ☞ *allier* + *mé-* ; [mezalje].

**MÉSANGE,** subst. f.
*Zool.* Passereau insectivore de la famille des Pari (la **mésange** à longue queue est rangée dans famille des Ægithalidés), dont le type le p commun est la **mésange** charbonnière, au dos v à la tête noire, aux joues blanches et au ventre jau et noir. Fin XIIe s. ; anc. bas frq. °*meisinga* ; [mezɑ̃

© M. Danegger-Jacana

*Mésange.*

**MÉSANGETTE,** subst. f.
Cage à trébuchet servant à prendre des pe oiseaux. 1788 ; ☞ *mésange* ; [mezɑ̃ʒɛt].

**MÉSAVENTURE,** subst. f.
Aventure malheureuse, péripétie désagréable. M XIIe s. ; ☞ *aventure* + *mé-* ; [mezavɑ̃tyʀ].

**MESCAL,** subst. m.
Alcool mexicain tiré de l'agave. 1873 ; aztè *mexcalli,* « peyotl » ; plur. *mescals,* var. *mezcal* (pl *mezcals*) ; [mɛskal].

**MESCALINE,** subst. f.
*Biochim.* Alcaloïde hallucinogène extrait du pey 1934 ; ☞ *mescal* ; [mɛskalin].

**MESCLUN,** subst. m.
Mélange de différentes jeunes salades et, parf de plantes aromatiques. V. 1970 ; prov. *mescl* du bas lat. *misculare,* « mélanger » ; [mɛsklœ̃].

**MESDAMES,** voir **MADAME**

**MESDEMOISELLES,** voir **MADEMOISELLE**

**MÉSENCÉPHALE,** subst. m.
*Anat.* Région de l'encéphale servant de relais a voies de la douleur, composée des pédoncules cé braux et des tubercules quadrijumeaux. 187 ☞ *encéphale* + *méso-* ; [mezɑ̃sefal].

**MÉSENCHYME,** subst. m.
*Embryol.* Tissu embryonnaire formé de cellu associées de façon très lâche. 1893 ; gr. *enkhum* « injection », + *méso-*, d'apr. *parenchyme* ; [mezɑ̃ʃim].

**MÉSENTENTE,** subst. f.
Mauvaise entente ; désaccord, dissension. 18 (XVIe s., malentendu) ; ☞ *entente* + *mé-* ; [mezɑ̃tɑ̃t].

**MÉSENTÈRE,** subst. m.
*Anat.* Repli vascularisé du péritoine, reliant l'int tin grêle à la paroi de l'abdomen. Fin XIVe s. ; *mesenterion* ; [mezɑ̃tɛʀ].

**MÉSESTIME,** subst. f.
Fait de mésestimer qqn, qqch. (vieilli). 175 ☞ *mésestimer* ; [mezɛstim].

**MÉSESTIMER,** verbe trans. [3]
Avoir peu d'estime pour (qqn ou qqch.), mépris méconnaître, sous-estimer (littér.). 1555 ; ☞ *timer* + *mé-* ; [mezɛstime].

**MÉSINTELLIGENCE,** subst. f.
Manque d'entente entre des individus ; discor (littér.). 1490 ; ☞ *intelligence* + *mé-* ; [mezɛ̃teliʒɑ̃

**MESMÉRISME,** subst. m.
Doctrine de Mesmer sur le magnétisme anim 1783 ; anthropon. *Franz Mesmer* ; [mɛsmeʀism].

**MÉSO-AMÉRICAIN, AINE,** adj.
Relatif à la Méso-Amérique (Amérique central berceau des civilisations précolombiennes. XXe ☞ *américain* + *-méso* ; plur. *méso-américains, aine* [mezoameʀikɛ̃, ɛn].

**MÉSOBLASTE,** subst. m.
*Embryol.* Feuillet embryonnaire compris entre l' toderme et l'endoderme (synon. *mésoderm* 1853 ; formé de *méso-* et de *-blaste* ; [mezɔblas

**MÉSOCARPE, subst. m.**
. Partie charnue d'un fruit (baie ou drupe), iée entre la peau (épicarpe) et le noyau docarpe). 1842 ; formé de *méso-* et de *-carpe*[1] ; ezokaʀp].

**MÉSODERME, subst. m.**
*bryol.* Mésoblaste. 1850 ; formé de *méso-* et de *rme* ; [mezodɛʀm].

**MÉSOLITHIQUE, adj. et subst. m.**
*hist.* Se dit de l'époque située entre le Paléolithi- e et le Néolithique (de 10000 à 5000 av. J.-C.), actérisée par l'évolution de l'homme vers le stade ductif. ADJ. Relatif, propre à cette période. 1909 ; formé de *méso-* et de *-lithique* ; [mezolitik].

**MÉSOMORPHE, adj.**
*ys.* Qualifie un état de la matière intermédiaire re l'état amorphe et l'état cristallin. 1931 ; mé de *méso-* et de *-morphe* ; [mezomoʀf].

**MÉSON, subst. m.**
*s. part.* Particule subatomique soumise aux eractions fortes, ayant une masse comprise entre e de l'électron et celle du proton (muons, kaons, ns). V. 1930 ; gr. *meson*, « milieu » ; [mezɔ̃].

**MÉSOPAUSE, subst. f.**
*ron.* Surface de séparation entre la mésosphère a thermosphère. ☞ *pause* + *méso-* ; [mezopoz].

**MÉSOPOTAMIEN, IENNE, adj. et subst.**
Mésopotamie. 1868 ; topon. *Mésopotamie* ; ezopotamjɛ̃, jɛn].

**MÉSOSPHÈRE, subst. f.**
*Astron.* Partie de l'atmosphère qui s'étend entre stratosphère et la thermosphère, c.-à-d. entre km et 85 km au-dessus de la surface de la Terre. *Géol.* Partie du manteau située sous l'asthénos- ère, entre 700 km et 2 900 km de profondeur. V. 1960 ; ☞ *sphère* + *méso-* ; [mezosfɛʀ].

**MÉSOTHÉRAPIE, subst. f.**
*d.* Méthode de traitement consistant à injecter s de la zone malade ou douloureuse des quantités mes de substances médicamenteuses à l'aide guilles très fines. V. 1960 ; formé de *méso-* et *-thérapie* ; [mezoteʀapi].

**MÉSOTHORAX, subst. m.**
*l.* Deuxième segment du thorax des Insectes, ié entre le prothorax et le métathorax (synon. sson). 1824 ; ☞ *thorax* + *méso-* ; [mezotoʀaks].

**MÉSOZOÏQUE, adj.**
*l. L'ère **mésozoïque*** ou, empl. subst. masc., *Le sozoïque* : l'ère secondaire. 1867 ; formé de *so-* et de *-zoïque* ; [mezozoik].

**MESQUIN, INE, adj.**
i est médiocre, attaché à ce qui est petit ; qui nque de générosité, avare. 1604 ; ital. *meschino*, l'ar. *miskīn*, « pauvre, misérable » ; [mɛskɛ̃, in].

**MESQUINERIE, subst. f.**
Caractère d'une personne mesquine ; parcimo- excessive. **2.** Méton. Acte, propos mesquin. 1624 ; ☞ *mesquin* ; [mɛskinʀi].

**MESS, subst. m.**
al où sont servis les repas des officiers et des is-officiers d'une unité. 1831 ; angl. *mess*, de c. fr. *mes*, « mets » ; [mɛs].

**MESSAGE, subst. m.**
Contenu d'une communication transmise à n ; forme sous laquelle elle est transmise : *ssage écrit, oral.* ▸ ***Message publicitaire*** : ensemble nformations diffusées auprès du public afin de e vendre un produit. **2.** Fait, mission de commu- uer qqch. d'important : *Se charger d'un **message**.* Pensée, leçon essentielle (religieuse, morale, ellectuelle, etc.) transmise aux hommes : *Le **mes**- e d'un grand philosophe* ; par ext. : *Chanson, film **essage***, à thèse. **4.** *Pol.* Communication officielle anant des instances de l'État : *Un **message** du sident de la République.* **5.** *Ling.* Séquence de nes ou de signaux transmis d'un émetteur vers récepteur par un canal déterminé. Mil. XIe s. ; . fr. *mes*, « messager », du lat. *mittere*, « envoyer » ; esaʒ].

**MESSAGER, ÈRE, subst.**
Personne qui porte un message à qqn. : *Le ssager des dieux*, Hermès (chez les Grecs) ou rcure (chez les Romains). **2.** Fig. Ce qui annonce ch. (littér.) : *L'hirondelle, **messagère** du printemps.* *Biochim.* et *Génét.* *A. R. N. **messager*** : molécule A. R. N. responsable du transport du code généti- e transcrit à partir de l'A. D. N. vers les ribo- mes. Fin XIe s. ; ☞ *message* ; [mesaʒe, ɛʀ].

**MESSAGERIE, subst. f.**
**1.** Service qui assurait le transport régulier des voyageurs, des lettres et des colis (gén. au plur.). **2.** Entreprise qui se charge du transport rapide des marchandises (par avion, bateau, chemin de fer, etc.) : ***Messageries** de presse*, qui assurent la distribution des quotidiens et des périodiques dans les points de vente. **3.** Ensemble de moyens de communication faisant appel à un réseau électronique ou télématique. 1651 (mil. XIIIe s., mission, ambassade) ; ☞ *message* ; [mesaʒʀi].

**MESSE, subst. f.**
**1.** *Liturg.* Célébration présidée par le prêtre, au cours de laquelle s'accomplit le sacrifice du corps et du sang de Jésus-Christ sous les espèces du pain et du vin (eucharistie) : *Célébrer la **messe**.* ▸ ***Messe** basse* : **messe** lue mais dépourvue de parties chantées ; par ext., conversation à voix basse en présence de tiers. ▸ ***Grand-messe*** : **messe** chantée. **2.** Méton. Musique composée pour les textes liturgiques de la messe : *La « **Messe** de Gran », de Liszt.* **3.** ***Messe** noire* : pratique de sorcellerie parodiant la **messe**. Fin Xe s. ; lat. chrét. *missa*, du lat. *mittere*, « envoyer », d'apr. *Ite missa est*, « Allez, [la réunion] est renvoyée » ; [mɛs].

**MESSIANIQUE, adj.**
Relatif au Messie, au messianisme. 1839 ; ☞ *messie* ; [mesjanik].

**MESSIANISME, subst. m.**
**1.** *Relig.* Foi biblique en l'avènement du Messie. **2.** Ext. Attente collective de l'arrivée d'un sauveur qui doit apporter le salut et le bonheur à l'humanité ; au fig., attente d'un évènement exceptionnel qui doit apporter le bonheur à un peuple : *Le **messianisme** révolutionnaire.* 1831 ; ☞ *messie* ; [mesjanism].

**MESSIDOR, subst. m.**
Dixième mois du calendrier révolutionnaire (du 19 ou 20 juin au 19 ou 20 juillet). 1793 ; formé du lat. *messis*, « moisson », et du gr. *dôron*, « présent » ; [mesidoʀ].

**MESSIE, subst. m.**
*Relig. Le **Messie*** : dans l'Ancien Testament, libérateur promis par Dieu au peuple juif ; Jésus-Christ, pour les chrétiens. ▸ Loc. *Attendre qqn comme le **messie*** : avec impatience et espoir (fam.). Déb. XIIIe s. ; lat. eccl. *Messias*, de l'hébreu *māšīaḥ*, « oint (du Seigneur) » ; [mesi].

**MESSIEURS, voir MONSIEUR**

**MESSIRE, subst. m.**
**1.** *M. Â.* Titre porté par les seigneurs de haute noblesse. **2.** Ext. Titre donné, à partir du XIVe s., aux médecins, aux avocats et à certains prêtres. Fin XIIe s. ; formé de *mes*, anc. cas sujet de *mon*, et de *sire* ; [mesiʀ] ou [me-].

**MESTRANCE, voir MAISTRANCE**

**MESTRE, subst. m.**
*Hist.* ***Mestre** de camp* : commandant d'un régiment de cavalerie ou d'infanterie, sous l'Ancien Régime. 1546 ; prob. ital. *maestro* ; var. *meistre* ; [mɛstʀ].

**MESURABLE, adj.**
Qui peut être mesuré. XIIe s. ; ☞ *mesurer* ; [məzyʀabl].

**MESURAGE, subst. m.**
Action de mesurer une surface, une longueur, un volume. XIIIe s. ; ☞ *mesurer* ; [məzyʀaʒ].

**MESURE, subst. f.**
**I. 1.** Évaluation d'une grandeur par comparaison avec une unité de référence : ***Mesure** du temps, de l'espace, du poids.* **2.** Méton. Résultat de cette opération, dimension : *Les **mesures** d'une pièce* ; en partic., dimensions caractéristiques du corps (gén. au plur.). ▸ Loc. **Sur mesure**. Confectionné d'après les **mesures** prises sur le client, en parlant d'un vêtement ; au fig., particulièrement bien adapté à une situation, à une personne : *Un rôle sur **mesure**.* **3.** Quantité servant d'unité pour déterminer les grandeurs de même espèce : *Le mètre est une **mesure** de longueur* ; *Le système des poids et **mesures**.* ▸ Loc. *Faire deux poids, deux **mesures*** : juger des choses équivalentes de manière différente, avec partialité ; *Il n'y a pas de commune **mesure*** : il n'est pas possible d'établir une comparaison. **4.** Récipient servant à l'évaluation d'un volume ; contenu de ce récipient : *Une **mesure** de blé.* ▸ Loc. *Faire bonne **mesure*** : faire preuve de générosité. **5.** Fig. Élément de référence, critère d'appréciation : *À chacun sa **mesure** du bonheur.* **6.** Capacité, valeur : *Cet élève ne donne pas toute sa **mesure**.* **7.** ▸ Loc. *À la **mesure** de* : qui correspond à, proportionné à. ▸ Loc. conj. *À **mesure** que* : dans le même temps que, à proportion que ; *Dans la **mesure** où* : pour autant que, compte tenu de ce que. **II. 1.** Limite de ce qui est considéré comme normal, convenable ; modération : *Dépasser la **mesure*** ; *Sans **mesure***, avec excès. **2.** Moyen pris pour atteindre un but, disposition : ***Mesures** disciplinaires, sociales* ; *Prendre ses **mesures***, prendre ses précautions ; *Être en **mesure** de*, être capable, à même de. **3.** *Spéc.* ▸ *Escr.* Distance requise pour porter ou parer un coup. ▸ *Mus.* Division de la durée musicale en unités égales (**mesures** à 2, 3, 4 temps) servant de points d'appui à la régularité du rythme : *Barres de **mesure***, barres verticales indiquant sur la portée les limites d'une **mesure** ; *Battre la **mesure***, donner gestuellement un repère de vitesse. ▸ *Versif.* Nombre de syllabes requis dans chaque type de vers (☞ *mètre*). 1080 ; lat. *mensura*, de *metiri*, « mesurer » ; [məzyʀ].

**MESURÉ, ÉE, adj.**
**1.** Régulier, calculé : *Vitesse **mesurée**.* **2.** Modéré : *Des reproches **mesurés**.* XVIe s. ; p. p. de *mesurer* ; [məzyʀe].

**MESURER, verbe [3]**
TRANS. **1.** Déterminer précisément la mesure de : ***Mesurer** une distance, un angle* ; ***Mesurer** un terrain.* **2.** Évaluer : ***Mesurer** l'ampleur des dégâts* ; au fig. : *Je **mesure** l'honneur que vous me faites*, je l'apprécie à sa juste valeur. ▸ Proportionner : ***Mesurez** la récompense à l'effort consenti.* **3.** Dispenser avec parcimonie : *L'État **mesure** les subventions* ; exprimer, faire avec modération : ***Mesurez** vos paroles !* INTRANS. Avoir telle mesure, telle taille : *Combien **mesures**-tu ?* PRONOM. **1.** Être mesurable. **2.** **Se mesurer à, avec.** Se comparer à ; affronter : *David osa se **mesurer** à Goliath.* **3.** Se jauger l'un l'autre. 1080 ; bas lat. *mensurare*, du lat. *mensura*, « mesure » ; [məzyʀe].

**MESUREUR, EUSE, subst.**
Personne qui mesure qqch. MASC. Appareil de mesure. Fin XIIe s. ; ☞ *mesurer* ; [məzyʀœʀ, øz].

**MÉSUSER, verbe trans. indir. [3]**
**Mésuser de.** Faire un mauvais usage de (littér.). 1283 (1280, faillir) ; ☞ *user* + *mé-* ; [mezyze].

**MÉTA, subst. m. inv.**
Tablette combustible de métaldéhyde. 1924 ; apocope de *métaldéhyde* ; n. déposé ; [meta].

**MÉTABOLE, adj. et subst. m.**
*Zool.* Se dit d'un insecte dont le développement postembryonnaire passe par une série de métamorphoses, par oppos. aux insectes amétaboles, dont la croissance des jeunes se fait par de simples mues. 1834 ; gr. *metabolos*, « changeant » ; [metabol].

**MÉTABOLIQUE, adj.**
*Physiol.* Qui relève du métabolisme. 1855 ; gr. *metabolê*, « changement » ; [metabolik].

**MÉTABOLISER, verbe trans. [3]**
*Physiol.* Modifier chimiquement (une substance) au cours du processus métabolique : *Le foie **métabolise** les glucides.* ☞ *métabolisme* ; [metabolize].

**MÉTABOLISME, subst. m.**
*Physiol.* Ensemble des modifications effectuées en permanence dans un organisme vivant par les cellules qui synthétisent ou dégradent des molécules endogènes ou exogènes, produisant ou consommant ainsi de l'énergie, afin d'assurer l'équilibre de l'organisme. ▸ ***Métabolisme** basal* (☞ *basal*). 1858 ; gr. *metabolê*, « changement » ; [metabolism].

**MÉTABOLITE, subst. m.**
*Physiol.* Toute substance formée au cours d'une étape quelconque du métabolisme. 1904 ; ☞ *métabolisme* ; [metabolit].

**MÉTACARPE, subst. m.**
*Anat.* Ensemble des cinq os longs, s'articulant au carpe et aux phalanges, qui constituent le squelette de la paume. 1546 ; gr. *metakarpion* ; [metakaʀp].

**MÉTACARPIEN, IENNE, adj. et subst. m.**
ADJ. Relatif au métacarpe. SUBST. Chaque os du métacarpe. 1752 ; ☞ *métacarpe* ; [metakaʀpjɛ̃, jɛn].

**MÉTACENTRE, subst. m.**
*Phys.* Point d'intersection de la droite passant par le centre de gravité et le centre de poussée d'un corps flottant avec la verticale du nouveau centre de poussée quand ce corps est incliné : *L'équilibre est stable quand le **métacentre** est au-dessus du centre de gravité.* 1746 ; ☞ *centre* + *méta-* ; [metasɑ̃tʀ].

**MÉTACENTRIQUE, adj.**
*Phys.* Relatif au métacentre : *Courbe **métacentrique**,* qui joint les métacentres donnés par toutes les inclinaisons possibles d'un navire. 1859 ; ☞ *métacentre* ; [metasɑ̃tʀik].

**MÉTAGALAXIE, subst. f.**
*Astron.* Partie de l'Univers observable à l'aide des télescopes ou des radiotélescopes terrestres ou spatiaux. ☞ *galaxie + méta-* ; [metagalaksi].

**MÉTAIRIE, subst. f.**
**1.** Domaine agricole exploité par un métayer. **2.** Méton. L'ensemble des bâtiments d'un tel domaine. Déb. XIIIe s. ; ☞ *métayer* ; [meteʀi].

**MÉTAL, subst. m.**
**1.** *Chim.* Chacun des éléments formant la classe la plus importante de la table de Mendeleïev. Cette classe comprend les **métaux** principaux, les **métaux** de transition, les lanthanides et les actinides (les autres éléments étant des non-**métaux**). Les **métaux** sont des corps simples qui donnent des ions positifs (cations) par perte d'électrons. Conducteurs de la chaleur et de l'électricité, gén. solides dans des conditions normales de température, ils deviennent malléables et ductiles à des températures élevées. Certains d'entre eux sont présents dans l'organisme sous forme élémentaire (sodium, potassium, etc.). **2.** Matériau constitué de l'un de ces éléments chimiques ou de l'alliage de plusieurs d'entre eux : *Une boîte de **métal** ; L'industrie des **métaux**,* la métallurgie ; ***Métal** blanc,* alliage de divers **métaux**, imitant l'argent ; ***Métal** jaune,* l'or ; ***Métaux** précieux,* l'or, l'argent, le platine. **3.** *Écon. Le **métal*** : la monnaie. Déb. XIIe s. ; lat. *metallum,* du gr. *metallon,* « mine » ; plur. *métaux* ; [metal], plur. [-to].

**MÉTALANGAGE, subst. m.**
Langage que l'on utilise pour décrire une langue naturelle ou un langage formel, tel celui de l'informatique (synon. *métalangue*). V. 1960 ; ☞ *langage + méta-* ; [metalɑ̃gaʒ].

**MÉTALDÉHYDE, subst. m.**
*Chim.* Corps solide blanc de formule $(CH_3{-}CHO)_4$, employé comme combustible. 1855 ; ☞ *aldéhyde + méta-* ; [metaldeid].

**MÉTALINGUISTIQUE, adj.**
Relatif à un métalangage. V. 1960 ; ☞ *linguistique + méta-* ; [metalɛ̃gɥistik].

**MÉTALLERIE, subst. f.**
*Techn.* Construction et pose d'éléments métalliques pour le bâtiment. V. 1970 ; ☞ *métal* ; [metalʀi].

**MÉTALLIFÈRE, adj.**
Qui contient un métal : *Un gisement **métallifère**.* 1824 ; lat. *metallifer,* « riche en métaux » ; [metalifɛʀ].

**MÉTALLIQUE, adj.**
**1.** Qui est fait de métal : *Monnaie **métallique*** (par oppos. à la monnaie de papier). **2.** Propre au métal. **3.** Qui évoque le métal : *Bruit **métallique**.* Déb. XVIe s. ; lat. *metallicus,* du gr. *metallikos* ; [metalik].

**MÉTALLISATION, subst. f.**
*Techn.* Opération qui consiste à métalliser. 1753 ; ☞ *métalliser* ; [metalizasjɔ̃].

**MÉTALLISER, verbe trans. [3]**
*Techn.* **1.** Recouvrir (une surface) d'une couche de métal. **2.** Donner un aspect métallique à. 1868 (1580, transformer en métal) ; ☞ *métal* ; [metalize].

**MÉTALLISEUR, adj. m. et subst. m.**
**Adj.** Qui sert à métalliser. **Subst.** Ouvrier chargé de la métallisation ; appareil servant à métalliser. XXe s. ; ☞ *métalliser* ; [metalizœʀ].

**MÉTALLOCHROMIE, subst. f.**
Technique de coloration de la surface des métaux. Fin XIXe s. ; formé de *métallo-* et de *-chromie* ; [metalɔkʀɔmi].

**MÉTALLOGRAPHIE, subst. f.**
Étude de la structure et des propriétés des métaux. 1548 ; formé de *métallo-* et de *-graphie* ; [metalɔgʀafi].

**MÉTALLOÏDE, subst. m.**
*Chim.* Non-métal (vx). 1824 ; formé de *métallo-* et de *-oïde* ; [metalɔid].

**MÉTALLOPROTÉINE, subst. f.**
*Biochim.* Protéine comprenant un élément métallique. V. 1970 ; ☞ *protéine + métallo-* ; [metalɔpʀɔtein].

**MÉTALLURGIE, subst. f.**
Ensemble des techniques et des industries liées à l'extraction, au formage, à la mise en œuvre et au traitement des métaux. 1666 ; ☞ *métal + -urgie* ; [metalyʀʒi].

**MÉTALLURGIQUE, adj.**
Qui concerne la métallurgie : *Four **métallurgique**.* 1752 ; ☞ *métallurgie* ; [metalyʀʒik].

**MÉTALLURGISTE, subst. et adj.**
Se dit de qqn qui travaille dans la métallurgie : *Industriel **métallurgiste** ; Ouvrier **métallurgiste*** (abrév. fam : métallo). 1718 ; ☞ *métallurgie* ; [metalyʀʒist].

**MÉTALOGIQUE, adj. et subst. f.**
**Adj.** Relatif aux principes de base, aux fondements de la logique. **Subst.** Étude descriptive d'une logique formalisée et de son fonctionnement. 1882 ; ☞ *logique + méta-* ; [metalɔʒik].

**MÉTAMATHÉMATIQUE, subst. f. et adj.**
**Subst.** Théorie de la démonstration dans les théories mathématiques formalisées. **Adj.** Relatif, propre à la **métamathématique**. 1934 ; ☞ *mathématique + méta-* ; [metamatematik].

**MÉTAMÈRE, adj. et subst. m.**
*Chim.* Se dit de composés dont les molécules possèdent les mêmes atomes, mais diversement disposés, tout en possédant la même fonction chimique. **Subst. 1.** *Embryol.* Segment issu de la division du mésoderme embryonnaire. **2.** *Zool.* Segment ou anneau articulé composant le corps des Arthropodes et portant, en gén., une paire d'appendices ; division du soma des Annélides. Fin XIXe s. ; formé de *méta-* et de *-mère*[1] ; [metamɛʀ].

**MÉTAMÉRIE, subst. f.**
**1.** *Chim.* Relation entre composés métamères. **2.** *Zool.* Caractère des animaux au corps segmenté en métamères. 1865 ; ☞ *métamère* ; [metameʀi].

**MÉTAMORPHIQUE, adj.**
*Pétrogr.* Relatif au métamorphisme : *Roche **métamorphique**,* qui a subi un ou plusieurs métamorphismes. 1823 ; ☞ *métamorphisme* ; [metamɔʀfik].

**MÉTAMORPHISER, verbe trans. [3]**
Transformer (une roche) par métamorphisme. 1894 ; ☞ *métamorphisme* ; [metamɔʀfize].

**MÉTAMORPHISME, subst. m.**
*Géol.* Transformation à l'état solide de roches préexistantes sous l'effet de la température ou de la pression. On distingue le **métamorphisme** de contact, d'extension limitée, se développant autour d'une intrusion magmatique, le **métamorphisme** général ou régional, qui affecte l'ensemble des roches sur des épaisseurs et des surfaces importantes, et le **métamorphisme** d'impact ou de choc, lié à l'impact de météorites. 1823 ; formé de *méta-* et de *-morphisme* ; [metamɔʀfism].

**MÉTAMORPHOSE, subst. f.**
**1.** *Myth.* Changement de forme, de nature, de structure, complet et surnaturel d'un être ou d'une chose : *Les **métamorphoses** de Protée.* **2.** Ext. Transformation radicale de l'aspect de qqch., de l'apparence, du caractère ou des sentiments de qqn. **3.** *Biol.* Ensemble des phases de transformations morphologiques de certains animaux (amphibiens, insectes), qui les conduit vers le stade adulte. 1365 ; gr. *metamorphôsis* ; [metamɔʀfoz].

**MÉTAMORPHOSER, verbe trans. [3]**
**1.** Soumettre (un être, une chose) à une métamorphose. **2.** Ext. Modifier considérablement, profondément (qqn, qqch.) : *L'amour l'a **métamorphosé**.* **Pronom. 1.** Se transformer. **2.** *Biol.* Subir une métamorphose : *La larve se **métamorphose** en mouche.* 1571 ; ☞ *métamorphose* ; [metamɔʀfoze].

**MÉTAPHASE, subst. f.**
*Biol.* Deuxième phase de la division cellulaire par mitose. 1887 ; ☞ *phase + méta-* ; [metafɑz].

**MÉTAPHORE, subst. f.**
*Rhét.* Figure de style consistant à transférer le sens d'un mot sur un autre par une analogie implicite (par ex. : « au soir de sa vie » pour « à la fin de sa vie »). Fin XIIIe s. ; lat. *metaphora,* du gr. *metaphora,* « transfert (de sens) » ; [metafɔʀ].

**MÉTAPHORIQUE, adj.**
**1.** Qui relève de la métaphore. **2.** Riche en métaphores. XIVe s. ; gr. *metaphorikos* ; [metafɔʀik].

**MÉTAPHOSPHORIQUE, adj.**
*Chim.* Qualifie un acide polymérisé dérivé du phosphore, de formule $(HPO_3)_n$. 1845 ; ☞ *phosphorique + méta-* ; [metafɔsfɔʀik].

**MÉTAPHYSE, subst. f.**
*Anat.* Partie d'un os long comprise entre l'épiphyse et la diaphyse. V. 1960 ; formé de *méta-* et de *-physe,* d'apr. *épiphyse* ; [metafiz].

**MÉTAPHYSICIEN, IENNE, subst.**
Philosophe spécialisé en métaphysique. Fin XIVe s. ; ☞ *métaphysique* ; [metafizisjɛ̃, jɛn].

**MÉTAPHYSIQUE (I), subst. f.**
**1.** *Philos.* Science des vérités premières, de la connaissance de l'être et des principes premiers. **2.** Abus de la réflexion abstraite qui n'aboutit à aucune solution concrète (péj.) : *Tout cela n'est que de la **métaphysique**.* Fin XIIIe s. ; lat. scol. *metaphysica,* du gr. *meta ta phusika,* « après les choses de la nature » ; [metafizik].

PHILOSOPHIE – La métaphysique doit son nom au livre d'Aristote faisant suite à la *Physique,* qui pose le problème de l'être en tant qu'être. Ce terme sera adapté par saint Thomas d'Aquin à la doctrine chrétienne, pour définir la connaissance rationnelle du divin. Chez les modernes, la métaphysique est devenue une recherche de l'absolu, une connaissance des choses en elles-mêmes, par opposition à leur apparence. Kant la définit comme constitutive de la connaissance ou du jugement moral a priori, et non dérivée de l'expérience. Au projet néopositiviste de traiter toute métaphysique comme un non-sens peut être opposé, au XXe s. le souci heideggérien de repenser toute la métaphysique antérieure.

**MÉTAPHYSIQUE (II), adj.**
**1.** *Philos.* Relatif à la métaphysique ; qui relève de la connaissance fondamentale. ▸ Qui appartient au domaine de la transcendance, de l'absolu : *Des interrogations **métaphysiques**.* **2.** Ext. Excessivement abstrait (péj.) : *Ergotage **métaphysique**.* 1546 ; lat. scol. *metaphysicus* ; [metafizik].

**MÉTAPLASIE, subst. f.**
*Pathol.* Processus selon lequel certains éléments d'un tissu en produisent d'autres, de caractère physique et chimique distinct. 1869 ; formé de *méta-* et de *-plasie* ; [metaplazi].

**MÉTAPSYCHIQUE, adj. et subst. f.**
**Adj.** Qui relève de phénomènes psychiques scientifiquement inexpliqués. **Subst.** Parapsychologie (vieilli). 1905 ; ☞ *psychique + méta-* ; [metapsiʃik].

**MÉTAPSYCHOLOGIE, subst. f.**
*Psychanal.* Théorie freudienne visant à interpréter les processus psychiques dans leurs relations internes. 1914 ; all. *Metapsychologie* ; [metapsikɔlɔʒi].

**MÉTASTABLE, adj.**
*Chim.* et *Phys.* Qualifie un système qui paraît stable en raison d'une vitesse de réaction négligeable, mais qui ne l'est pas en théorie. 1903 ; ☞ *stable + méta-* ; [metastabl].

**MÉTASTASE, subst. f.**
*Pathol.* **1.** Déplacement dans l'organisme, gén. par voie sanguine ou lymphatique, d'un élément qui produit à distance une lésion, en partic. une tumeur, identique à une autre préexistante. **2.** La lésion secondaire elle-même : *Des **métastases** cancéreuses.* 1586 ; gr. *metastasis,* « déplacement » ; [metastɑz].

**MÉTASTATIQUE, adj.**
*Pathol.* Relatif aux métastases : *Lésion **métastatique**.* 1764 ; p.-ê. gr. *metastatikos* ; [metastatik].

**MÉTATARSE, subst. m.**
*Anat.* Ensemble des cinq os longs qui relient le tarse aux orteils et constituent le squelette du pied. 1586 ; ☞ *tarse + méta-* ; [metataʀs].

**MÉTATARSIEN, IENNE, adj. et subst. m.**
*Anat.* **Adj.** Qui concerne le métatarse : *Ligaments **métatarsiens**.* **Subst.** Chacun des cinq os du métatarse. 1747 ; ☞ *métatarse* ; [metataʀsjɛ̃, jɛn].

**MÉTATHÈSE, subst. f.**
*Ling.* Inversion de lettres à l'intérieur d'un mot au cours de son histoire : *Le mot « berbis » de l'ancien français est devenu « brebis » par **métathèse**.* 158[illegible] ; gr. *metathesis,* « transposition » ; [metatɛz].

**MÉTATHORAX, subst. m.**
*Zool.* Troisième segment du thorax d'un insecte. 1844 ; ☞ *thorax + méta-* ; [metatɔʀaks].

**MÉTAYAGE, subst. m.**
Bail agricole par lequel le propriétaire d'un domaine le donne en exploitation à un métayer, moyennant une partie des récoltes. 1838 ; ☞ *métayer* ; [metɛjaʒ].

**MÉTAYER, ÈRE, subst.**
Exploitant d'un domaine lié par un contrat de métayage à son propriétaire. XIIe s. ; anc. fr. *mei[illegible]*, « moitié » ; [meteje, ɛʀ].

**MÉTAZOAIRES, subst. m. plur.**
·l. Sous-règne animal, comprenant des animaux ricellulaires qui se reproduisent par des gamètes ır oppos. à *protozoaires*). AU SING. *L'éponge est un tazoaire.* 1877 ; formé de *méta-* et de *-zoaire* ; ɛtazɔɛʀ].

**MÉTEIL, subst. m.**
lange de froment et de seigle, semés et mois-nés ensemble. XIIIe s. ; lat. pop. °*mistilium*, du lat. *tus*, « mélange » ; [metɛj].

**MÉTEMPSYCOSE, subst. f.**
ig. et *Philos.* Transmigration, après la mort, l'âme humaine dans un corps humain, ani-l ou végétal. 1562 ; gr. *metempsychôsis* ; ɛtɑ̃psikoz].

**MÉTENCÉPHALE, subst. m.**
l. Partie de l'encéphale embryonnaire à partir de uelle se développent les éléments du cerveau rvelet, bulbe rachidien, protubérance annulaire). 1924 ; ☞ *encéphale* + *méta-* ; [metɑ̃sefal].

**MÉTÉORE, subst. m.**
Vx. Tout phénomène qui se produit dans mosphère (vent, halo, éclair, etc.). **2.** *Astron.* énomène lumineux résultant de la traversée l'atmosphère terrestre par un corps solide agment d'astéroïde ou de comète, par ex.) ant de l'espace (synon. *étoile filante*). **3.** Fig. Ce a une existence brillante mais brève : *Un téore de la politique.* Fin XIIIe s. ; lat. médiév. *eora*, du gr. *meteôros*, « suspendu dans les airs » ; ɛteɔʀ].

**MÉTÉORIQUE, adj.**
pre, relatif à un météore. 1537 ; ☞ *météore* ; ɛteɔʀik].

**MÉTÉORISATION (I), subst. f.**
d. et *Vétér.* Apparition d'un météorisme. 1811 ; ☞ *météoriser* ; [meteɔʀizasjɔ̃].

**MÉTÉORISATION (II), subst. f.**
*omorph.* Ensemble des transformations que su-sent les roches sous l'action des agents atmo-ériques. V. 1900 ; ☞ *météore* ; [meteɔʀizasjɔ̃].

**MÉTÉORISER, verbe trans.** [3]
*d.* et *Vétér.* Provoquer le gonflement de l'abdo-n de (qqn, un animal) par production de gaz intestinaux. 1755 ; gr. *meteôrizein*, « se gonfler » ; [meteɔʀize].

**MÉTÉORISME, subst. m.**
*Méd.* et *Vétér.* Ballonnement de l'abdomen, provoqué par la formation de gaz intestinaux. XVIe s. ; gr. *meteôrismos*, « gonflement » ; [meteɔʀism].

**MÉTÉORITE, subst. f.**
*Astron.* Fragment d'astéroïde se déplaçant dans le système solaire, gén. observé après sa chute sur la Terre. 1822 ; ☞ *météore* ; [meteɔʀit].

**MÉTÉORITIQUE, adj.**
Lié à une météorite. ▸ *Géol. Cratère **météoritique*** : créé par l'impact d'une météorite (synon. *astroblème*). 1872 ; ☞ *météorite* ; [meteɔʀitik].

**MÉTÉOROLOGIE, subst. f.**
**1.** Science qui a pour objet l'étude de l'atmosphère terrestre dans ses aspects théoriques (chimie de l'atmosphère) et pratiques (prévision du temps, en partic.). **2.** Méton. Service chargé de la **météorologie** (abrév. fam. : météo) : *Bulletin de la **Météorologie** nationale.* 1547 ; gr. *meteôrologia*, « recherche sur les phénomènes célestes » ; [meteɔʀɔlɔʒi].

**MÉTÉOROLOGIQUE, adj.**
Relatif à la météorologie (abrév. fam. et inv. : météo). 1547 ; gr. *meteôrologikos*, « qui concerne l'étude des phénomènes célestes » ; [meteɔʀɔlɔʒik].

**MÉTÉOROLOGISTE, subst.**
Spécialiste de météorologie (synon. *météorologue*). Fin XVIIIe s. ; ☞ *météorologie* ; [meteɔʀɔlɔʒist].

**MÉTÈQUE, subst. m.**
**1.** *Hist.* Étranger domicilié dans la Grèce antique et qui n'accédait pas au rang de citoyen. **2.** Ext. Étranger vivant en France et qui inspire la méfiance (péj.). 1743 ; gr. *metoikos* ; [metɛk].

**MÉTHADONE, subst. f.**
*Pharm.* Analgésique morphinique de synthèse, employé comme succédané de l'héroïne ou de la morphine lors de certaines cures de désintoxication. V. 1970 ; anglo-amér. *methadone* ; [metadɔn].

**MÉTHANAL, subst. m.**
*Chim.* Molécule d'aldéhyde de formule HCHO, gaz incolore produit par oxydation catalytique du méthanol par l'air (synon. *formaldéhyde*). 1931 ; ☞ *méthane* ; plur. *méthanals* ; [metanal].

**MÉTHANE, subst. m.**
*Chim.* Alcane de formule $CH_4$. C'est un gaz incolore et inodore, constituant majoritaire (à 99 %) du gaz naturel, produit par la putréfaction de matières organiques. 1882 ; ☞ *méthyle* ; [metan].

**MÉTHANIER, subst. m.**
*Techn.* Navire transporteur de méthane liquéfié. V. 1970 ; ☞ *méthane*, d'apr. *pétrolier* ; [metanje].

**MÉTHANOL, subst. m.**
*Chim.* Alcool méthylique, de formule $CH_3OH$. 1929 ; ☞ *méthane* ; [metanɔl].

**MÉTHÉMOGLOBINE, subst. f.**
*Biol.* Hémoglobine rendue inapte au transport de l'oxygène à la suite de la transformation du fer ferreux qu'elle contient en fer ferrique. 1902 ; ☞ *hémoglobine* + *méta-* ; [metemɔglɔbin].

**MÉTHÉMOGLOBINÉMIE, subst. f.**
*Pathol.* Accumulation anormale de méthémoglobine, provoquant une cyanose. XXe s. ; ☞ *méthémoglobine* + *-émie* ; [metemɔglɔbinemi].

**MÉTHIONINE, subst. f.**
*Biochim.* Acide aminé soufré nécessaire à la synthèse des protéines. 1949 ; crois. de *méthyle* et du gr. *theion*, « soufre » ; [metjɔnin].

**MÉTHODE, subst. f.**
**1.** Activité et démarche rationnelles de l'esprit qui cherche à atteindre un objectif. ▸ *Enseign.* Ensemble de moyens coordonnés en vue d'un apprentissage : ***Méthode** globale de lecture* ; par méton., ouvrage servant de support à l'enseignement des principes d'une science ou d'un art : *Une **méthode** de latin, de chant.* ▸ *Techn.* Procédé, technique : ***Méthode** de fabrication.* ▸ ***Méthode** Coué* : **méthode** de guérison par autosuggestion. **2.** Démarche ordonnée mise en œuvre pour aboutir à un résultat : *Indiquer la **méthode** à suivre* ; par ext., manière d'agir : *Des **méthodes** policières expéditives.* **3.** Ordre qui préside à une action : *Agir avec **méthode**.* **4.** *Philos.* et *Sc.* Ensemble des démarches intellectuelles et expérimentales visant à la recherche et à l'expression de la vérité : *Le « Discours de la **méthode** », de Descartes* ; ***Méthode** analytique.* 1546 (1537, manière particulière d'appliquer une médication) ; bas lat. *methodus*, du gr. *methodos*, « poursuite, recherche » ; [metɔd].

QUELQUES-UNS DES MOYENS UTILISÉS EN **MÉTÉOROLOGIE**

© Lafeuille-Explorer

© S. Frances-Explorer

2

© X. Rossi-Gamma

3

1. *Station météorologique automatique de type nivose (mesurant l'épaisseur de la couche de neige), dans le massif du Mont-Blanc.*

2. *L'observatoire météorologique de Gibraltar.*

3. *Capteur Météorage, conçu pour évaluer les risques de foudre.*

© P. Gleizes-Explorer

*ni-station d'enregistrement des conditions météorologiques tallée en rase campagne.*

© A. Fatras-Gamma

*Lancement d'un ballon-sonde à partir du navire météorologique* France I.

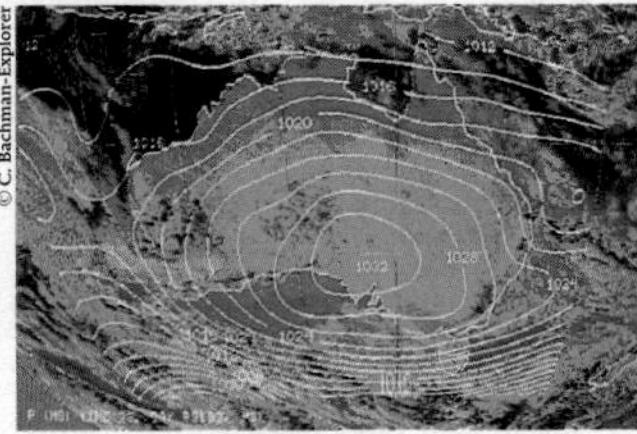

© C. Bachman-Explorer

*Traitement informatisé des observations effectuées par satellite (chaleur, humidité, pression atmosphérique...).*

**MÉTHODIQUE, adj.**
**1.** Conduit avec méthode, fait selon une méthode : *Démonstration, classification* ***méthodique*** *; Destruction* ***méthodique***, systématique. **2.** Qui agit avec méthode, rigoureux : *Intelligence* ***méthodique.*** 1488 ; bas lat. *methodicus*, du gr. *methodikos* ; [metɔdik].

**MÉTHODIQUEMENT, adv.**
De manière méthodique. 1550 ; ☞ *méthodique* ; [metɔdikmɑ̃].

**MÉTHODISME, subst. m.**
*Relig.* Mouvement protestant fondé en 1729 par le Britannique John Wesley, qui se démarquait de l'Église anglicane, selon lui trop ritualiste. 1760 ; angl. *methodism* ; [metɔdism].

**MÉTHODISTE, adj. et subst.**
*Relig.* Se dit d'un adepte du méthodisme. **Adj.** Qui a trait au méthodisme. 1760 ; angl. *methodist*, de *method*, « méthode » ; [metɔdist].

**MÉTHODOLOGIE, subst. f.**
**1.** *Philos.* Partie de la logique dont l'objet est la description et l'appréciation des méthodes particulières à chaque science. **2.** Méthode (empl. critiqué). 1829 ; ☞ *méthode* + *-logie* ; [metɔdɔlɔʒi].

**MÉTHODOLOGIQUE, adj.**
Relatif à la méthodologie : *Réflexion* ***méthodologique.*** 1877 ; ☞ *méthodologie* ; [metɔdɔlɔʒik].

**MÉTHYLE, subst. m.**
*Chim.* Groupement monovalent ($CH_3$–) dérivé du méthane, intervenant dans des molécules telles que le méthanol. 1839 ; ☞ *méthylène* ; [metil].

**MÉTHYLÈNE, subst. m.**
*Chim.* Groupement bivalent (–$CH_2$–) intervenant dans des molécules comme le chlorure de méthylène ($CH_2Cl_2$). 1834 ; gr. *methu*, « boisson fermentée », et *hulê*, « bois » ; [metilɛn].

**MÉTHYLIQUE, adj.**
*Chim.* Qualifie les molécules comprenant le groupement méthyle, comme le méthanol. 1835 ; ☞ *méthyle* ; [metilik].

**METICAL, subst. m.**
Unité monétaire du Mozambique. Plur. *meticals* ; [metikal].

**MÉTICULEUSEMENT, adv.**
De manière méticuleuse. 1831 ; ☞ *méticuleux* ; [metikyløzmɑ̃].

**MÉTICULEUX, EUSE, adj.**
**1.** Soigneux : *Artisan* ***méticuleux.*** **2.** Qui est fait avec minutie : *Travail* ***méticuleux.*** 1813 (1547, craintif) ; lat. *meticulosus*, « craintif » ; [metikylø, øz].

**MÉTICULOSITÉ, subst. f.**
Qualité d'une personne, d'une action méticuleuse. 1828 ; ☞ *méticuleux* ; [metikylozite].

**MÉTIER, subst. m.**
**I. 1.** Profession, considérée dans ses techniques propres, son secteur d'activité : *Le* ***métier*** *de serrurier ; Le* ***métier*** *des armes*, la carrière militaire ; *Apprendre un* ***métier.*** ► *Les corps de* ***métiers*** : les corporations avant la Révolution ; auj., les professions du bâtiment. **2.** Exercice régulier d'une profession rémunérée : *Avoir un* ***métier*** *lucratif.* ► Loc. *Le plus vieux* ***métier*** *du monde* : la prostitution. **3.** Anal. Occupation permanente ressemblant à un **métier** : *Le* ***métier*** *de courtisan.* **4.** Savoir-faire acquis par l'expérience professionnelle : *Avoir du* ***métier.*** **II. 1.** *Techn.* Machine servant à travailler le textile : ***Métier*** *à filer, à tisser.* ► Loc. *Avoir qqch. sur le* ***métier*** : avoir qqch. en cours, en chantier. **2.** Support d'un ouvrage de broderie ou de tapisserie. XII^e^ s. (881, service de Dieu) ; lat. pop. °*misterium*, du lat. *ministerium*, « service, fonction », et du lat. chrét. *mysterium*, « célébration » ; [metje].

**MÉTIS, ISSE, adj.**
**1.** Vx. Fait de deux choses différentes. ► *Text. Tissu* ***métis*** ou, empl. subst. masc., *Un* ***métis*** : dont la chaîne est en coton et la trame en lin. **2.** *Zool.* Hybride. **3.** Issu de parents de races différentes ; empl. subst. : *Une* ***métisse*** *née d'un Noir et d'une Blanche.* XIII^e^ s. ; bas lat. *mixticius*, du lat. *mixtus*, « mélangé » ; [metis].

**MÉTISSAGE, subst. m.**
**1.** Croisement de personnes de races différentes ; au fig. : ***Métissage*** *culturel*, interpénétration de cultures différentes. **2.** *Bot.* et *Zool.* Hybridation. 1834 ; ☞ *métis* ; [metisaʒ].

**MÉTISSER, verbe trans.** [3]
Procéder au métissage de. 1854 ; ☞ *métis* ; [metise].

**MÉTONYMIE, subst. f.**
*Rhét.* Figure de style qui consiste, gén. par ellipse, à substituer à un terme un autre terme qui lui est logiquement ou symboliquement associé (par ex. : « boire un verre » pour « boire le contenu d'un verre »). 1521 ; bas lat. *metonymia*, du gr. *metônumia*, « changement de nom » ; [metɔnimi].

**MÉTONYMIQUE, adj.**
*Rhét.* Qui relève d'une métonymie. 1843 ; ☞ *métonymie* ; [metɔnimik].

**MÉTOPE, subst. f.**
*Archit.* Espace, souv. sculpté, situé entre deux triglyphes d'une frise dorique. Déb. XVI^e^ s. ; lat. *metopa*, du gr. *metopê* ; [metɔp].

**MÉTRAGE, subst. m.**
**1.** Action de métrer. **2.** Longueur en mètres d'un objet : ***Métrage*** *d'un tissu.* **3.** *Cin.* Longueur de la pellicule d'un film et, par ext., sa durée de projection. 1823 ; ☞ *métrer* ; [metʀaʒ].

**MÈTRE (I), subst. m.**
*Versif.* **1.** Disposition spécifique des pieds formant le vers, dans la prosodie grecque et latine (rare) ; groupe de deux pieds, dans la prosodie grecque. **2.** Type de vers caractérisé par le nombre de syllabes et la coupe (par ex. alexandrin, décasyllabe, etc.). Fin XII^e^ s. ; lat. *metrum*, du gr. *metron*, « mesure » ; [mɛtʀ].

**MÈTRE (II), subst. m.**
**1.** *Métrol.* Unité S. I. de longueur (symb. : m), base du système métrique, correspondant à la longueur du trajet parcouru dans le vide par la lumière en 1/299 792 458 de seconde. ► ***Mètre*** *carré* : unité de surface, aire d'un carré de 1 **mètre** de côté (symb. : $m^2$) ; ***Mètre*** *cube* : unité de volume, cube de 1 **mètre** d'arête (symb. : $m^3$) ; ***Mètre*** *par seconde* : unité de vitesse, vitesse uniforme d'un mobile parcourant 1 **mètre** en 1 seconde (symb. : m/s). **2.** Méton. Objet mesurant 1 **mètre** de longueur, gradué gén. en centimètres et en millimètres : ***Mètre*** *étalon ;* ***Mètre*** *pliant ;* ***Mètre*** *de couturière.* 1791 ; gr. *metron*, « mesure » ; [mɛtʀ].

**MÉTROLOGIE** – La définition actuelle du mètre, relative à la vitesse de la lumière, succède à la définition en termes de longueur d'onde d'un rayon de krypton 86 (1962) et à la définition par référence à une règle étalon (☞ *étalon*). Initialement (18 germinal an III, 1795), le mètre fut défini comme la dix-millionième partie de l'arc de méridien entre le pôle et l'équateur. La définition actuelle permet des réalisations du mètre à $10^{-11}$ près (soit un dixième de la taille d'un atome).

**MÉTRÉ, subst. m.**
*Bât.* **1.** Mesure d'un terrain, d'une construction. **2.** Devis de travaux établi à partir de cette mesure. 1840 ; p. p. de *métrer* ; [metʀe].

**MÉTRER, verbe trans.** [8]
Mesurer en mètres. 1832 ; ☞ *mètre* (II) ; [metʀe].

**MÉTREUR, EUSE, subst.**
*Archit.* et *Bât.* Personne chargée d'établir des métrés. Mil. XIX^e^ s. ; ☞ *métrer* ; [metʀœʀ, øz].

**MÉTRICIEN, IENNE, subst.**
Spécialiste de la métrique. 1832 ; ☞ *métrique* (I) ; [metʀisjɛ̃, jɛn].

**MÉTRIQUE (I), adj. et subst. f.**
*Versif.* **Adj.** Relatif à la mesure, au mètre : *Vers* ***métrique***, composé sur un mètre déterminé. **Subst. 1.** Étude de la versification, des mètres. **2.** Type de versification. 1529 (1495, écrit en vers) ; lat. *metricus*, du gr. *metrikos* ; [metʀik].

**MÉTRIQUE (II), adj.**
**1.** Relatif au mètre : *Système* ***métrique***, ensemble des unités de mesure ayant pour base le mètre. **2.** Relatif à la mesure, aux distances. ► *Math. Espace* ***métrique*** : ensemble muni d'une distance ; *Géométrie* ***métrique*** : étude des ensembles invariants par des isométries (dans un espace affine euclidien) ; *Propriété* ***métrique*** : liée à la distance dans un espace **métrique** ; *Relations* ***métriques*** : entre les longueurs des segments d'une figure. 1795 ; ☞ *mètre* (II) ; [metʀik].

**MÉTRITE, subst. f.**
*Pathol.* Affection inflammatoire qui touche l'utérus. 1807 ; gr. *mêtra*, « matrice », + *-ite* ; [metʀit].

**MÉTRO, subst. m.**
**1.** Réseau de chemin de fer électrique desservant les quartiers d'une métropole : *Le* ***métro*** *de Paris, de Moscou ;* ***Métro*** *souterrain, aérien.* **2.** Méton. ► Rame ou station de ce réseau : *Le dernier* ***métro*** *;* ***Métro*** *Odéon.* ► Société gérant ce réseau et ses employés : *Grève du* ***métro.*** ► Loc. *Avoir un* ***métro*** *de reta*[…] ignorer les dernières nouvelles (fam.). 18[…] apocope de *métropolitain* (II) ; [metʀo].

© Ph. Roy-Explorer

*Métro automatique : le Docklands Light Railway, à Lon*[…]

**MÉTROLOGIE, subst. f.**
Science des mesures ; par méton., traité sur les p[…] et mesures. 1780 ; formé de *métro-* et de *-lo*[…] [metʀɔlɔʒi].

**MÉTRONOME, subst. m.**
**1.** *Antiq. gr.* Magistrat chargé du contrôle des p[…] et mesures, à Athènes. **2.** *Mus.* Appareil sono[…] vitesses graduées, qui sert à marquer le tem[…] 1765 ; gr. *metronomos* ; [metʀɔnɔm].

**MÉTROPOLE, subst. f.**
**1.** *Relig.* Capitale d'une province ecclésiasti[…] **2.** *Antiq.* ► En Grèce, cité fondatrice d'une colo[…] ► Capitale d'une province de l'Empire rom[…] **3.** Grande ville jouant un rôle de capitale : *Mé*[…] *pole artistique, économique ;* ***Métropole*** *d'équil*[…] capitale régionale. **4.** État, territoire d'un État, [...] rapport à ses territoires extérieurs : *Regagne*[…] ***métropole.*** Fin XIII^e^ s. ; bas lat. *metropolis*, du[…] *metropolis*, « ville mère » ; [metʀɔpɔl].

**MÉTROPOLITAIN (I), AINE, adj.**
**1.** *Relig. Archevêque* ***métropolitain*** ou, empl. su[…] masc., *Un* ***métropolitain*** : archevêque placé à la[…] d'une province ecclésiastique. **2.** Relatif à[…] métropole : *Chemin de fer* ***métropolitain.*** **3.** D[…] métropole : *Troupes* ***métropolitaines*** ; empl. su[…] personne originaire de la métropole. Fin XIII[…] bas lat. *metropolitanus* ; [metʀɔpɔlitɛ̃, ɛn].

**MÉTROPOLITAIN (II), subst. m.**
Métro (vieilli). 1874 ; angl. *metropolitan*, « c[…] grande ville » ; [metʀɔpɔlitɛ̃].

**MÉTROPOLITE, subst. m.**
*Relig.* Archevêque dont la juridiction est immédi[…] ment inférieure à celle du patriarche, dans[…] Églises orthodoxes et uniates. 1679 ; bas[…] *metropolita* ; [metʀɔpɔlit].

**MÉTRORRAGIE, subst. f.**
*Pathol.* Hémorragie d'origine utérine qui survien[…] dehors des périodes menstruelles. 1810 ; gr. *m*[…] « matrice », + *-rragie* ; var. *métrorrhagie* ; [metʀɔʀaʒi].

**METS, subst. m.**
Toute préparation culinaire (synon. *plat*) : *Des* [...] *raffinés.* Mil. XII^e^ s. ; lat. tardif *missum*, « ce qu[…] mis sur la table » ; [mɛ].

**METTABLE, adj.**
Que l'on peut porter, en parlant d'un vêtem[…] 1718 (mil. XII^e^ s., apte, doué) ; ☞ *mettre* ; [mɛt[…]

**METTEUR, EUSE, subst.**
**1.** ***Metteur*** *en œuvre* : personne qui réalise un pr[…] une œuvre. ► *Joaill.* Ouvrier qui monte les pie[…] les perles. **2.** ***Metteur*** *en pages* : typographe ch[…] de la mise en pages d'un ouvrage. **3.** ***Metteu***[…] *scène* : personne qui agence les éléments scénic[…] et règle le jeu des acteurs, au théâtre ; réalisa[…] de films. **4.** ***Metteur*** *en ondes* : réalisateur d'ér[…] sions radiophoniques. **5.** ***Metteur*** *au point* : ouv[…] qui dégrossit une sculpture ; technicien qui r[…] ou parachève une réalisation. 1305 ; ☞ *me*[…] le fém. est rare ; [mɛtœʀ, øz].

**METTRE, verbe trans.** [60]
**I. 1.** Placer (qqch., qqn) quelque part : ***Mettre*** *fleurs dans un vase ;* ***Mettre*** *un tableau au mur* [...] accrocher ; ***Mettre*** *qqn en bout de table ;* ***Mett***[…] *couvert*, préparer la table pour un repas ; par e[…] ***Mettre*** *la table.* ► Fig. Placer à un certain ran[…] un certain niveau : ***Mettre*** *l'amour au-dessus de t*[…] **2.** Conduire, accompagner, rendre présent (q[…] quelque part : ***Mettre*** *qqn au train ;* ***Mettre*** *son en*[…] *dans une crèche* ; au fig. : ***Mettre*** *qqn sur la v*[…] ► ***Mettre*** *au monde* : donner naissance à. ► ***Me***[…] *bas* (☞*bas*). **3.** Ajouter (qqch.) à : ***Mettre*** *une pl*[…]

à son chapeau ; *Mettre du sucre dans un yaourt.* 4. Disposer, appliquer sur soi (un vêtement, un produit) : *Mettre une cravate* ; *Mettre du vernis à ongles.* 5. Placer, investir (un sentiment, une aptitude) dans une action : *Mettre de l'énergie dans un travail.* ▸ Loc. *Y mettre du sien* : s'appliquer, faire preuve de bonne volonté ; *En mettre un coup* : déployer une grande énergie (fam.). 6. Employer (du temps), engager (de l'argent) à, dans qqch. : *Mettre deux jours pour faire le trajet* ; *Mettre une grosse somme dans une affaire.* 7. Produire, provoquer : *Mettre le feu* ; *Mettre du désordre.* 8. Donner (fam.) : *Mettre une amende, une gifle à qqn.* 9. Écrire, faire figurer dans un texte : *Mettre une formule de politesse dans une lettre.* 10. Loc. **Mettons que.** Admettons, supposons que (fam.) : *Mettons que je n'ai rien vu.* **II.** 1. Placer (qqn, qqch.) dans telle nouvelle position ou situation : *Mettre qqch. à l'endroit* ; *Mettre ses bras en croix* ; *Mettre qqn en danger.* 2. Faire passer (qqch., qqn) dans tel nouvel état : *Mettre qqch. en désordre* ; *Mettre qqn en colère* ; *Mettre un verbe au futur* ; *Mettre en marche* ; *Mettre une pièce en scène.* 3. Placer, disposer (qqch.) de manière à le faire fonctionner : *Mettre le frein à main* ; *Mettre la télévision*, la **mettre** en marche. 4. Mettre à (+ inf.). Soumettre (qqch.) à : *Mettre des œufs à cuire.* PRONOM. 1. Se placer (dans telle position, dans tel endroit, dans telle situation) : *Se mettre à genoux* ; *Se mettre dans un coin* ; *Se mettre dans une sale histoire.* ▸ Loc. *Ne plus savoir où se mettre* : être gêné ; *Se mettre avec qqn* : vivre en concubinage avec lui (fam.). 2. Commencer d'être, devenir : *Se mettre en colère* ; *Se mettre d'accord avec qqn.* 3. Commencer (qqch., de faire qqch.) : *Se mettre à rire* ; *Mettez-vous à l'ouvrage.* 4. **Mettre** sur soi (un vêtement, un produit) : *Se mettre du parfum* ; s'habiller de telle façon : *Se mettre en pantalon.* ▸ Loc. fam. *Se mettre qqn à dos* : s'en faire un ennemi ; *S'en mettre jusque-là* : manger beaucoup. Déb. Xe s. ; lat. *mittere*, « envoyer » ; [mɛtʀ].

**MEUBLANT, ANTE,** adj.
1. *Dr. Meubles meublants* : meubles indispensables pour que l'on puisse vivre dans un local. 2. Propre à meubler. 1273 ; p. pr. de *meubler* ; [mœblɑ̃, ɑ̃t].

**MEUBLE,** adj. et subst. m.
ADJ. 1. *Dr.* Qui peut être déplacé, par nature (par oppos. à *immeuble*) ou au regard de la loi (créances, actions...) : *Des biens meubles.* 2. Qui se travaille facilement : *Sol meuble.* ▸ *Géol.* Qualifie un dépôt sédimentaire composé d'éléments non consolidés (sables, cendres volcaniques, limons, vases, etc.). SUBST. 1. *Dr.* Bien meuble : *Meubles corporels ou incorporels.* 2. Objet mobile utilisé pour aménager un local, une habitation : *Meubles de bureau.* 3. Loc. *Se mettre, être dans ses meubles* : emménager, être chez soi. ▸ Fam. *Faire partie des meubles* : fréquenter de longue date un lieu, un groupe ; *Sauver les meubles* : l'essentiel. 4. *Hérald.* Pièce secondaire qui figure sur l'écu. Mil. XIIe s. ; lat. *mobilis* ; [mœbl].

**MEUBLÉ, ÉE,** adj. et subst. m.
Se dit d'un logement loué avec des meubles : *Chambre meublée* ; *Habiter un meublé.* 1898 (XIIIe s., riche, doté, fourni) ; ☞ *meuble* ; [mœble].

**MEUBLER,** verbe trans. [3]
1. Garnir de meubles. 2. Fig. Occuper, remplir : *Meubler la conversation* ; *Meubler ses loisirs.* 1549 (mil. XIVe s., s'enrichir) ; ☞ *meuble* ; [mœble].

**MEUGLEMENT,** subst. m.
Cri des bovins (synon. *beuglement*). 1539 ; ☞ *meugler* ; [møgləmɑ̃].

**MEUGLER,** verbe intrans. [3]
Produire un meuglement (synon. *beugler*). 1549 ; lat. *mugilare* ; [møgle].

**MEULAGE,** subst. m.
Action de meuler. 1903 ; ☞ *meuler* ; [mølaʒ].

**MEULE,** subst. f.
I. 1. Cylindre plat, gén. en pierre, utilisé pour broyer, moudre : *Meule de moulin.* 2. Disque de matière abrasive servant à polir, à aiguiser. ▸ *Dent.* Instrument servant à polir une dent. 3. Anal. Épais disque de fromage. **II.** 1. Gros tas, souv. lié, de foin, de gerbes de céréales. 2. Anal. ▸ Amas de bois couvert de terre et d'herbe, que l'on carbonise. ▸ Couche à champignons. Fin XIIe s. ; lat. *mola* ; [møl].

**MEULER,** verbe trans. [3]
Passer (un objet) à la meule. ▸ *Dent. Meuler une dent* : la polir. 1903 ; ☞ *meule* ; [møle].

**MEULIER, IÈRE,** adj. et subst. f.
ADJ. 1. Dont on fait des meules : *Silex meulier.* 2. *Pétrogr. Pierre meulière* : roche sédimentaire dont les aspérités sont dues à une silicification incomplète, utilisée comme matériau de construction. SUBST. 1. Pierre **meulière.** 2. Carrière d'où l'on extrait cette pierre. 1499 ; ☞ *meule* ; [mølje, jɛʀ].

**MEULON,** subst. m.
1. Petite meule de foin ou de gerbes. 2. Anal. Petit amas de sel extrait d'un marais salant. 1530 ; ☞ *meule* ; [mølɔ̃].

**MEUNERIE,** subst. f.
1. Profession de meunier. 2. Industrie, commerce de la farine (synon. *minoterie*). 3. Ensemble des meuniers. 4. Usine de farine. 1767 ; ☞ *meunier* ; [mønʀi].

**MEUNIER, IÈRE,** subst. et adj.
I. SUBST. Personne qui exploite un moulin à céréales ou une minoterie. ▸ *Cuis. Poisson (à la) meunière* : fariné puis frit au beurre. ADJ. Relatif à la meunerie. II. SUBST. MASC. 1. Chevesne. 2. *Vitic.* Cépage noir à gros grains. SUBST. FÉM. Mésange bleue. 1174 ; bas lat. *molinarius*, de *molinum*, « moulin » ; [mønje, jɛʀ].

**MEURETTE,** subst. f.
*Cuis.* Sauce au vin rouge, aux lardons et aux petits oignons : *Poisson, œufs en meurette.* Déb. XVe s. ; anc. fr. *muire*, « eau de source saline » ; [mœʀɛt].

**MEURSAULT,** subst. m.
Vin de Bourgogne réputé, rouge ou blanc. 1821 ; topon. *Meursault* (Côte-d'Or) ; [mœʀso].

**MEURTRE,** subst. m.
Action de tuer volontairement un être humain. Déb. XIIe s. ; ☞ *meurtrir* ; [mœʀtʀ].

**MEURTRIER, IÈRE,** subst. et adj.
I. SUBST. Auteur d'un ou de plusieurs meurtres. ADJ. 1. Qui cause la mort : *Coup meurtrier.* 2. Qui fait mourir nombre de gens : *Crue meurtrière.* II. SUBST. FÉM. Fente pratiquée dans le mur d'un ouvrage fortifié pour tirer sur les assaillants, leur lancer des projectiles. Mil. XIIe s. ; ☞ *meurtre* ; [mœʀtʀije, jɛʀ].

**MEURTRIR,** verbe trans. [19]
1. Vx. Tuer. 2. Frapper, contusionner (qqn, une partie de son corps). 3. Rendre douloureux ; empl. adj. : *Avoir les reins meurtris par l'effort.* 4. Endommager (un fruit, un légume). 5. Fig. Blesser affectivement : *Ce départ l'a meurtri.* Déb. XIIe s. ; anc. bas frq. °*murthrjan* ; [mœʀtʀiʀ].

**MEURTRISSURE,** subst. f.
1. Action de meurtrir qqn ; marque qui en résulte. 2. Dommage causé par un choc sur un fruit, un végétal. 3. Fig. Blessure affective (littér.). XVe s. ; ☞ *meurtrir* ; [mœʀtʀisyʀ].

**MEUTE,** subst. f.
1. *Vén.* Troupe de chiens courants. 2. Anal. Troupe de gens acharnés contre qqn (littér.). Mil. XIIe s. ; lat. *movita*, de *movere*, « mouvoir » ; [møt].

**MeV,** voir **MÉGAÉLECTRONVOLT**

**MÉVENTE,** subst. f.
*Comm.* 1. Vx. Vente à perte. 2. Chute des ventes d'un produit. 1243 ; *mévendre* (rare), « vendre désavantageusement », d'apr. *vente* ; [mevɑ̃t].

**MEZCAL,** voir **MESCAL**

**MEZZANINE,** subst. f.
1. Vx. Entresol. 2. Petit étage, galerie intermédiaire : *Mezzanine d'un théâtre*, entre le parterre et le balcon. 3. Plate-forme aménagée en hauteur, sous le plafond élevé d'une pièce. 1676 ; ital. *mezzanino*, de *mezzano*, « moyen » ; [mɛdzanin].

*Meule servant à extraire l'huile de noix.*

© J. Damase-Explorer

**MEZZA VOCE,** loc. adv.
*Mus.* À mi-voix. 1768 ; loc. ital. ; [mɛdzavɔtʃe].

**MEZZO-SOPRANO,** subst.
MASC. Voix de femme intermédiaire entre le contralto et le soprano. FÉM. Cantatrice ayant cette voix. 1823 ; ital. *mezzosoprano*, « soprano moyen » ; plur. *mezzo-sopranos*, abrév. *mezzo* ; [mɛdzosopʀano].

**MEZZOTINTO,** subst. m. inv.
*Grav.* Procédé qui permet d'obtenir le noir pur, le blanc, et toute les nuances de gris par grenage de la plaque gravée (synon. *manière noire*). 1752 ; ital. *mezzatinta*, « demi-teinte » ; var. *mezzo-tinto* (inv.) ; [mɛdzotinto].

**mg,** voir **MILLIGRAMME**

**Mg,** voir **MAGNÉSIUM**

**MHz,** voir **MÉGAHERTZ**

**MI,** subst. m. inv.
*Mus.* Troisième des sept notes de la gamme d'*ut.* Déb. XIIIe s. ; 1re syllabe de *Mira gestorum*, au 3e vers de l'hymne de saint Jean-Baptiste choisi par Gui d'Arezzo pour solfier les notes de musique ; [mi].

**MIAM-MIAM,** interj.
Exprime l'envie ou le plaisir de manger (fam.). 1914 ; onomat. enfantine ; [mjam(m)jam].

**MIASME,** subst. m.
Émanation malsaine provenant de substances organiques en décomposition (gén. au plur.). 1800 (1695, effluves de maladies) ; gr. *miasma*, « souillure due à un meurtre » ; [mjasm].

**MIAULEMENT,** subst. m.
Cri du chat et d'autres carnassiers ; par anal., son plaintif, désagréable : *Le miaulement d'un violon.* 1564 ; ☞ *miauler* ; [mjolmɑ̃].

**MIAULER,** verbe intrans. [3]
Pousser son cri, en parlant du chat et de certains carnassiers. 1288 ; orig. onomat. ; [mjole].

**MIAULEUR, EUSE,** adj.
Qui miaule. XVIe s. ; ☞ *miauler* ; [mjolœʀ, øz].

**MI-BAS,** subst. m. inv.
Chaussette haute qui s'arrête sous le genou. 1951 ; ☞ *bas* (II) + *mi-* ; [miba].

**MICA,** subst. m.
*Minér.* Minéral à structure en feuillets, formé de silicates aluminopotassiques cristallisés dans les roches magmatiques et métamorphiques sous la forme de paillettes brillantes. 1735 ; lat. *mica*, « parcelle » ; [mika].

**MICACÉ, ÉE,** adj.
*Minér.* De la nature du mica ; qui en contient : *Grès micacé.* 1755 ; ☞ *mica* ; [mikase].

**MI-CARÊME,** subst. f.
Jeudi de la troisième semaine du carême, qui donne lieu à des réjouissances. Mil. XIIIe s. ; ☞ *carême* + *mi-* ; plur. *mi-carêmes* ; [mikaʀɛm].

**MICASCHISTE,** subst. m.
*Pétrogr.* Roche métamorphique clivable constituée essentiellement de micas et de quartz. 1807 ; formé de *mica* et de *schiste* ; [mikaʃist].

**MICELLAIRE,** adj.
Relatif aux micelles ; de la nature des micelles ou qui en contient : *Solution micellaire.* 1924 ; ☞ *micelle* ; [miselɛʀ] ou [-sɛllɛʀ].

**MICELLE,** subst. f.
*Chim.* et *Phys.* Agrégat de molécules formant un système colloïdal. 1903 ; lat. *mica*, « parcelle » ; [misɛl].

**MICHE,** subst. f.
Gros pain rond. PLUR. Fesses (pop.). 1835 (fin XIIe s., petit pain blanc) ; lat. pop. °*micca*, du lat. *mica*, « parcelle, miette » ; [miʃ].

**MICHELINE,** subst. f.
Autorail monté sur pneumatiques, en service de 1931 à 1953 ; par ext., tout autorail. 1931 ; *Michelin*, firme constructrice de cet autorail ; [miʃlin].

**MI-CHEMIN (À),** loc. adv.
Au milieu d'un trajet, d'un projet. ▸ Loc. prép. *À mi-chemin de, entre* : à égale distance de (deux lieux) ou, au fig., à égale distance de (deux états, deux situations). 1507 ; ☞ *chemin* + *mi-* ; [amiʃ(ə)mɛ̃].

**MI-CLOS, -CLOSE,** adj.
À demi fermé. 1835 ; ☞ *clos* (I) + *mi-* ; plur. *mi-clos, closes* ; [miklo, -kloz].

**MICMAC,** subst. m.
Fam. 1. Vx. Intrigue, machination. 2. Situation embrouillée. Déb. XVIe s. ; m. fr. *mutemacque*, « rébellion », du m. néerl. *muyte maken*, « faire une émeute » ; [mikmak].

**MICOCOULIER, subst. m.**
*Bot.* Arbre ornemental de la famille des Ulmacées, à fruits comestibles. 1547 ; prov. *micocoulier*, du gr. mod. *mikrokoukouli* ; [mikɔkulje].

**MI-CORPS (À), loc. adv.**
Jusqu'à la taille. 1643 ; ☞ *corps* + *mi-* ; [amikɔʀ].

**MI-CÔTE (À), loc. adv.**
Au milieu d'une côte. 1688 ; ☞ *côte* + *mi-* ; [amikot].

**MI-COURSE (À), loc. adv.**
Au milieu d'une course, d'un parcours. 1583 ; ☞ *course* + *mi-* ; [amikuʀs].

**MICRO, subst. m.**
Appareil qui transforme les vibrations sonores en impulsions électriques : *Parler dans le* **micro**. 1915 ; apocope de *microphone* ; [mikʀo].

**MICROANALYSE, subst. f.**
*Chim.* Analyse portant sur des masses de substance comprises entre 0,1 et 0,5 mg. 1953 ; ☞ *analyse* + *micro-* ; [mikʀoanaliz].

**MICROBALANCE, subst. f.**
*Phys.* Balance utilisée pour peser de très petites masses et dont la précision est de l'ordre du millionième de gramme. 1920 ; ☞ *balance* (I) + *micro-* ; [mikʀobalɑ̃s].

**MICROBE, subst. m.**
**1.** Micro-organisme (vieilli). **2.** Micro-organisme pathogène. **3.** Individu petit et malingre (fam.). 1878 ; gr. *mikros*, « petit », et *bios*, « vie » ; [mikʀɔb].

**MICROBIEN, IENNE, adj.**
**1.** Relatif aux microbes. **2.** Causé par des microbes. 1888 ; ☞ *microbe* ; [mikʀɔbjɛ̃, jɛn].

**MICROBIOLOGIE, subst. f.**
Partie de la biologie traitant des micro-organismes. 1883 ; ☞ *microbe* + *-logie* ; [mikʀobjɔlɔʒi].

**MICROBIOLOGISTE, subst.**
Personne spécialiste de microbiologie. 1890 ; ☞ *microbiologie* ; [mikʀobjɔlɔʒist].

**MICROCALORIMÉTRIE, subst. f.**
*Phys.* Technique permettant de mesurer de très faibles quantités de chaleur. 1944 ; ☞ *calorimétrie* + *micro-* ; [mikʀokalɔʀimetʀi].

**MICROCASSETTE, subst. f.**
Cassette magnétique de très petit format. Fin XXe s. ; ☞ *cassette* + *micro-* ; [mikʀokasɛt].

**MICROCÉPHALE, adj. et subst.**
Se dit d'une personne atteinte de microcéphalie. 1795 ; gr. *mikrokephalos* ; [mikʀosefal].

**MICROCÉPHALIE, subst. f.**
*Pathol.* Hypotrophie du crâne due à son ossification prématurée ou à l'arrêt du développement de l'encéphale. 1855 ; ☞ *microcéphale* ; [mikʀosefali].

**MICROCHIMIE, subst. f.**
Chimie portant sur des masses de substances inférieures au milligramme. 1867 ; ☞ *chimie* + *micro-* ; [mikʀoʃimi].

**MICROCHIRURGIE, subst. f.**
Chirurgie pratiquée sous microscope, sur de petites structures (osselets de l'oreille, nerfs, vaisseaux sanguins), en partic. lors de greffes. 1931 ; ☞ *chirurgie* + *micro-* ; [mikʀoʃiʀyʀʒi].

*Microchirurgie.*

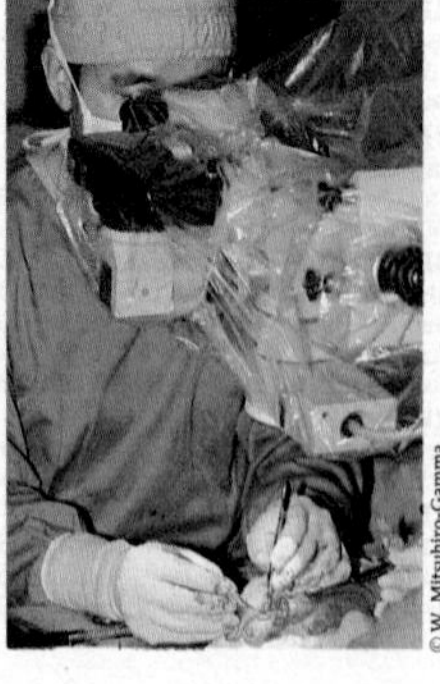

© W. Mitsuhiro-Gamma

**MICROCIRCUIT, subst. m.**
*Phys.* Circuit électronique ou électrique miniaturisé, dont tous les composants sont dans un boîtier étanche. V. 1960 ; ☞ *circuit* + *micro-* ; [mikʀosiʀkɥi].

**MICROCLIMAT, subst. m.**
*Géogr.* Climat propre à un territoire restreint, situé dans une région au climat différent. 1932 ; ☞ *climat* + *micro-* ; [mikʀoklima].

**MICROCLINE, subst. m.**
*Minér.* Feldspath potassique présent dans certaines roches plutoniques et métamorphiques. 1897 ; gr. *klinein*, « incliner », + *micro-* ; [mikʀoklin].

**MICROCOQUE, subst. m.**
*Bactériol.* Bactérie sphérique. 1878 ; lat. sc. *micrococcus*, du gr. *kokkos*, « graine » ; [mikʀɔkɔk].

**MICROCOSME, subst. m.**
**1.** *Philos.* Chez les néoplatoniciens, les stoïciens et les philosophes qui s'en réclament (notamment les occultistes), le corps humain considéré comme une réduction de l'Univers, ou macrocosme, auquel il correspond dans ses diverses parties. **2.** Ext. Tout ensemble qui constitue un milieu autarcique : *Microcosmes des sectes.* **3.** *Zool.* Ascidie également appelée violet ou figue de mer. 1314 ; lat. médiév. *microcosmus* ; [mikʀɔkɔsm].

**MICRO-CRAVATE, subst. m.**
Petit microphone que l'on fixe sur un vêtement, non loin de la bouche. V. 1960 ; comp. de *micro* et de *cravate* ; plur. *micros-cravate(s)* ; [mikʀokʀavat].

**MICRODISSECTION, subst. f.**
Dissection de cellules ou d'organismes vivants de très petite taille réalisée sous microscope, à l'aide d'instruments spécialisés. 1922 ; ☞ *dissection* + *micro-* ; [mikʀodisɛksjɔ̃].

**MICROÉCONOMIE, subst. f.**
Étude de l'activité et des comportements économiques individuels. 1956 ; ☞ *économie* + *micro-* ; [mikʀoekɔnɔmi].

**MICROÉDITION, subst. f.**
Publication assistée par ordinateur (P. A. O.). V. 1970 ; ☞ *édition* + *micro-* ; [mikʀoedisjɔ̃].

**MICROÉLECTRONIQUE, subst. f.**
Partie de l'électronique qui s'occupe de la conception et de la fabrication de circuits intégrés. V. 1960 ; ☞ *électronique* + *micro-* ; [mikʀoelɛktʀɔnik].

**MICROFIBRE, subst. f.**
*Text.* Fibre synthétique extrêmement fine, dont on fait un tissu très doux : *Une parka en* **microfibre**. V. 1980 ; ☞ *fibre* + *micro-* ; [mikʀofibʀ].

**MICROFICHE, subst. f.**
Film rectangulaire (105 × 148 mm) reproduisant, en réduction, un ou plusieurs documents à archiver. V. 1960 ; ☞ *fiche* (I) + *micro-* ; [mikʀofiʃ].

**MICROFILM, subst. m.**
Pellicule photographique servant de support à une série de reproductions très réduites de documents. 1931 ; ☞ *film* + *micro-* ; [mikʀofilm].

**MICROFILMER, verbe trans.** [3]
Photographier (des documents) sur un microfilm. 1945 ; ☞ *microfilm* ; [mikʀofilme].

**MICROFLORE, subst. f.**
*Biol.* Ensemble des bactéries, algues et champignons microscopiques peuplant certains milieux tels que sols, vases et sables aquatiques, cavité buccale ou intestin d'animaux, etc. V. 1970 ; ☞ *flore* + *micro-* ; [mikʀoflɔʀ].

**MICROFORME, subst. f.**
Désigne tout support de documents microfilmés. V. 1980 ; ☞ *forme* + *micro-* ; [mikʀofɔʀm].

**MICROGRAPHIE, subst. f.**
**1.** Observation d'éléments infimes réalisée à l'aide d'un microscope ; par méton., ensemble des techniques utilisées à cet effet. **2.** *Métall.* Étude microscopique de la structure cristallographique d'un métal ou d'un alliage. **3.** Technique de reproduction sur une microforme. 1665 ; formé de *micro-* et de *-graphie* ; [mikʀɔgʀafi].

**MICROGRAVITÉ, subst. f.**
*Phys.* État proche de l'apesanteur. V. 1970 ; ☞ *gravité* + *micro-* ; [mikʀogʀavite].

**MICROGRENU, UE, adj.**
*Pétrogr.* Qualifie une roche dont la structure résulte d'un assemblage de cristaux invisibles à l'œil nu. 1931 ; ☞ *grenu* + *micro-* ; [mikʀogʀəny].

**MICRO-INFORMATIQUE, subst. f.**
*Informat.* Domaine d'activité concernant la fabrication et l'utilisation des micro-ordinateurs (abrév. fam. : micro) ; empl. adj. : *Composants* **micro-informatiques**. V. 1970 ; ☞ *informatique* + *micro-* ; plur. *micro-informatiques* ; [mikʀoɛ̃fɔʀmatik].

**MICROLITHE, subst. m.**
**1.** *Minér.* Cristal invisible à l'œil nu, en forme de prisme allongé, spécifique de certaines roches volcaniques. **2.** *Préhist.* Éclat de silex de moins de 3 cm intégré, à partir du Paléolithique supérieur et surtout au Mésolithique et au Néolithique, à un outil ou à une arme composite (flèche, couteau, faucille). 1879 ; formé de *micro-* et de *-lithe* ; var. *microlite* ; [mikʀɔlit].

**MICROLITHIQUE, adj.**
**1.** *Minér.* Qualifie une roche volcanique qui contient d'abondants microlithes inclus dans une matière vitreuse. **2.** *Préhist.* Qui concerne la fabrication et l'utilisation de microlithes. 1879 ; ☞ *microlithe* ; var. *microlite* ; [mikʀɔlitik].

**MICROMÈTRE (I), subst. m.**
*Phys.* Instrument permettant de mesurer avec précision des longueurs et des angles très petits. 1858 (1667, appareil d'astronomie à fort grossissement) ; formé de *micro-* et de *-mètre*[1] ; [mikʀɔmɛtʀ].

**MICROMÈTRE (II), subst. m.**
*Métrol.* Unité de longueur valant un millionième de mètre (symb. : $\mu$m). 1959 ; ☞ *mètre* (I) + *micro-* ; [mikʀɔmɛtʀ].

**MICROMODULE, subst. m.**
Circuit miniaturisé d'un calculateur électronique. XXe s. ; ☞ *module* + *micro-* ; [mikʀomɔdyl].

**MICRON, subst. m.**
*Métrol.* Micromètre (vx). 1880 ; gr. *mikron*, « petit » ; [mikʀɔ̃].

**MICRONISATION, subst. f.**
*Phys.* Opération visant à réduire un corps solide en particules microscopiques. V. 1970 ; ☞ *micron* ; [mikʀɔnizasjɔ̃].

**MICRO-ONDE, subst. f.**
**1.** *Phys.* Onde électromagnétique de longueur comprise entre 1 mm et 1 $\mu$m. **2.** *Four à* **micro-ondes** ou, empl. subst. masc. inv., *Un* **micro-ondes** : four à cuisson rapide des aliments exposés à des **micro-ondes**. 1888 ; ☞ *onde* + *micro-* ; plur. *micro-ondes* ; [mikʀoɔ̃d].

**MICRO-ORDINATEUR, subst. m.**
*Informat.* Ordinateur dont l'unité de calcul est composée d'un ou de plusieurs microprocesseurs. ▸ Ordinateur personnel, par oppos. au calculateur utilisé par un centre de recherche, un service de facturation, etc. (abrév. fam. : micro). V. 1970 ; ☞ *ordinateur* + *micro-* ; plur. *micro-ordinateurs*, var. *microordinateur* ; [mikʀoɔʀdinatœʀ].

**MICRO-ORGANISME, subst. m.**
*Biol.* Organisme de très petite taille (bactérie, virus, protozoaire, algue, etc.), observable uniquement au microscope. 1876 ; ☞ *organisme* + *micro-* ; plur. *micro-organismes*, var. *microorganisme*, *microrganisme* ; [mikʀoɔʀganism].

**MICROPHAGE, subst. m.**
*Biol.* Leucocyte polynucléaire dont la fonction de phagocytose se porte sur des antigènes très petits. 1903 ; formé de *micro-* et de *-phage* ; [mikʀɔfaʒ].

**MICROPHONE, subst. m.**
Micro (vieilli). 1721 ; formé de *micro-* et de *-phone* ; [mikʀɔfɔn].

**MICROPHOTOGRAPHIE, subst. f.**
**1.** Photographie d'un document à un format très réduit ; par méton., le cliché obtenu. **2.** Photographie d'objets microscopiques (synon. *photomicrographie*). 1890 ; ☞ *photographie* + *micro-* ; [mikʀofɔtɔgʀafi].

**MICROPHYSIQUE, subst. f.**
Partie de la physique qui traite de la matière à l'échelle microscopique (atomes, noyaux et particules élémentaires). 1910 ; ☞ *physique* (I) + *micro-* ; [mikʀofizik].

**MICROPILULE, subst. f.**
*Pharm.* Contraceptif oral ne renfermant que des progestatifs. V. 1980 ; ☞ *pilule* + *micro-* ; [mikʀopilyl].

**MICROPROCESSEUR, subst. m.**
*Informat.* Circuit intégré miniaturisé qui assure les fonctions de calcul d'un micro-ordinateur ou d'un périphérique micro-informatique. V. 1970 ; anglo-amér. *microprocessor*, de *to process*, « procéder », + *micro-* ; [mikʀopʀɔsɛsœʀ].

**MICROPROGRAMMATION, subst. f.**
*Informat.* Mode de programmation d'un ordinateur fondé sur l'utilisation des instructions élémentaires régissant le fonctionnement de son ou de ses processeurs. V. 1970 ; ☞ *programmation* + *micro-* ; [mikʀopʀɔgʀamasjɔ̃].

**MICROPSIE, subst. f.**
Illusion visuelle par laquelle les objets sont perçus plus petits qu'ils ne le sont. 1868 ; formé de *micro-* et de *-opsie* ; [mikʀɔpsi].

**MICROPYLE, subst. m.**
*Bot.* Orifice supérieur dans les téguments enveloppant l'ovule des végétaux phanérogames, par où pénètre le tube pollinique. 1821 ; formé de *micro-* et de *-pyle* ; [mikʀɔpil].

**MICROSCOPE, subst. m.**
*Opt.* Instrument composé d'un jeu de lentilles, servant à observer les objets très petits. Le **microscope** électronique permet d'obtenir des grossissements cent fois plus élevés que le **microscope** optique, les rayons lumineux y étant remplacés par un faisceau d'électrons. 1656 ; formé de *micro-* et de *-scope*, d'apr. *télescope* ; [mikʀɔskɔp].

© Dinh-Phu-Explorer

*Microscope électronique.*

**MICROSCOPIE, subst. f.**
Examen au microscope. 1832 ; ☞ *microscope* ; [mikʀɔskɔpi].

**MICROSCOPIQUE, adj.**
**1.** Qui se fait à l'aide d'un microscope. **2.** Qui n'est visible qu'au microscope ; par ext., très petit, minuscule. XVIIIe s. ; ☞ *microscope* ; [mikʀɔskɔpik].

**MICROSÉISME, subst. m.**
*Géol.* Séisme d'intensité si faible qu'il n'est pas perçu par l'homme, mais dont la magnitude peut être considérable lorsque son épicentre est situé à plus de 500 km de profondeur. 1903 ; ☞ *séisme* + *micro-* ; [mikʀoseism].

**MICROSILLON, subst. m.**
**1.** Sillon très fin gravé sur un disque, permettant la restitution d'un enregistrement sonore. **2.** Méton. Disque ainsi gravé. 1951 ; ☞ *sillon* + *micro-* ; [mikʀosijɔ̃].

**MICROSOCIOLOGIE, subst. f.**
Branche de la sociologie qui a pour objet l'étude des relations sociales élémentaires au sein de groupes peu structurés ou de petits groupes. 1939 ; ☞ *sociologie* + *micro-* ; [mikʀosɔsjɔlɔʒi].

**MICROSONDE, subst. f.**
*Phys.* Appareil permettant de doser des quantités de matière infimes, par l'impact d'un faisceau d'électrons. V. 1970 ; ☞ *sonde* + *micro-* ; [mikʀosɔ̃d].

**MICROSPORANGE, subst. m.**
*Bot.* Sporange dont sont issues les microspores. 1888 ; ☞ *sporange* + *micro-* ; [mikʀospɔʀɑ̃ʒ].

**MICROSPORE, subst. f.**
*Bot.* Spore émise par certains cryptogames qui, en germant, donne un prothalle mâle. 1855 (1845, aux très petites spores) ; ☞ *spore* + *micro-* ; [mikʀospɔʀ].

**MICROSTRUCTURE, subst. f.**
**1.** *Sc.* Structure microscopique. **2.** Structure appartenant à une structure plus vaste. ▸ *Ling.* Structure relativement autonome placée à l'intérieur d'un système plus large. 1898 ; ☞ *structure* + *micro-* ; [mikʀostʀyktyʀ].

**MICROTECHNIQUE, subst. f.**
Ensemble des techniques s'appliquant aux appareils et aux machines de petites dimensions. ☞ *technique* + *micro-* ; [mikʀotɛknik].

**MICROTOME, subst. m.**
Appareil servant à découper des lames très fines dans des tissus animaux ou végétaux, afin de les rendre observables au microscope. 1891 ; formé de *micro-* et de *-tome* ; [mikʀotɔm].

**MICROTUBULE, subst. m.**
*Biol.* Élément plus ou moins permanent du cytosquelette. Le fuseau achromatique est formé de **microtubules** qui se constituent au moment de la mitose alors que les **microtubules** interphasiques se désagrègent. Seuls les **microtubules** flagellaires, regroupés par trois, sont de nature permanente. V. 1970 ; ☞ *tubule* + *micro-* ; [mikʀotybyl].

**MICTION, subst. f.**
*Physiol.* Action d'uriner ; émission d'urine. 1618 ; bas lat. *mictio*, du lat. *mingere*, « uriner » ; [miksjɔ̃].

**MIDI, subst. m.**
**I. 1.** Le milieu du jour ; par anal., le milieu de la vie : *Le démon de* **midi** (☞ *démon*). ▸ Loc. *Chacun voit* **midi** *à sa porte* : chacun voit son intérêt avant celui des autres. **2.** La douzième heure du jour. ▸ Loc. *Chercher midi à quatorze heures* (☞ *heure*). **II. 1.** Sud : *Façade exposée au* **midi**. **2.** Région d'un pays située au sud : *Le* **midi** *de la France* ou, empl. abs., *Le* **Midi**. Fin Xe s. ; formé de l'anc. fr. *mi*, « qui est au milieu », et *di*, « jour » ; [midi].

**MIDINETTE, subst. f.**
**1.** Vx. Jeune ouvrière ou vendeuse des ateliers et magasins de mode parisiens. **2.** Ext. Jeune fille naïvement sentimentale et frivole. 1890 ; crois. de *midi* et de *dînette* ; [midinɛt].

**MI-DISTANCE (À), loc. adv.**
À la moitié de la distance. 1924 ; ☞ *distance* + *mi-* ; [amidistɑ̃s].

**MIDSHIP, subst. m.**
*Milit.* Dans la marine de guerre française, aspirant ou enseigne de vaisseau de deuxième classe. 1858 ; angl. *midshipman*, « homme du milieu du vaisseau » ; [midʃip].

**MIE (I), subst. f.**
Partie du pain enveloppée par la croûte. ▸ *Pain de* **mie** : à croûte molle, cuit dans un moule. Fin Xe s. ; lat. *mica*, « miette » ; [mi].

**MIE (II), subst. f.**
Amie, femme très chère (vx ou littér.) : *Ma* **mie**. 1567 ; *m'amie* (vx), « mon amie » ; [mi].

**MIEL, subst. m.**
**1.** Substance sucrée, de couleur jaune ou brune, que les abeilles produisent à partir du nectar des fleurs qu'elles butinent, puis déversent dans les alvéoles d'une ruche : **Miel** *vierge* ; cette substance consommable par l'homme : *Pot de* **miel** ; **Miel** *d'acacia*. **2.** Fig. Douceur, agrément. ▸ Loc. *Être tout sucre, tout* **miel** : d'une amabilité hypocrite ; *Lune de* **miel** (☞ *lune*). Fin Xe s. ; lat. *mel* ; [mjɛl].

**MIELLAT, subst. m.**
Substance sucrée élaborée par certains insectes parasites des végétaux à partir de la sève déposée à la surface des feuilles : **Miellat** *d'érable, de tilleul* ; *Miel de* **miellat**, élaboré par les abeilles qui butinent du **miellat**. 1671 ; ☞ *miel* ; [mjela].

**MIELLÉ, ÉE, adj. et subst. f.**
**Adj. 1.** Sucré au miel. **2.** Qui évoque la saveur, l'odeur, la couleur du miel. **3.** Fig. Doucereux, mielleux. **Subst. 1.** Miellat (vx). **2.** Nectar rapporté à la ruche par les abeilles. **3.** Méton. Saison où le nectar est produit en abondance, et où s'élabore le miel. Fin XIIe s. ; ☞ *miel* ; [mjele].

**MIELLEUX, EUSE, adj.**
D'une douceur fausse, affectée : *Ton* **mielleux**. Fin XVIe s. (fin XIIIe s., relatif au miel) ; ☞ *miel* ; [mjelø, øz].

**MIEN, MIENNE, adj. poss., pron. poss. et subst. m.**
**Adj.** À moi (littér. et vieilli) : *Un* **mien** *parent* ; *Je fais* **mien** *votre avis*. **Pron.** Précédé de « le », « la », « les ». Celui, celle, ceux qui est ou sont à moi : *Ces livres sont les* **miens**. **Subst. 1.** **Le mien.** Ce qui m'appartient (vieilli) : *Le* **mien** *et le tien*. **2.** **Du mien.** De ma personne : *J'y mets du* **mien**, je fais des efforts, des concessions. **Subst. plur.** **Les miens.** Ma famille, mes amis, ma communauté : *Les* **miens** *étaient présents*. 842 ; lat. *meum* ; [mjɛ̃, mjɛn].

**MIETTE, subst. f.**
**1.** Petite parcelle qui se détache du pain, d'un gâteau. **2.** Ext. Parcelle d'aliment. **3.** Anal. Très petite partie de qqch. : *Les* **miettes** *du pouvoir*. ▸ Loc. *Réduire en* **miettes** : détruire totalement ; *Tomber en* **miettes** : se désagréger ; *Ne pas perdre une* **miette** *de la conversation* : y prêter une très grande attention. XIIe s. ; ☞ *mie* (I) ; [mjɛt].

**MIEUX, adj., adv. et subst. m.**
**Adv. 1.** Comparatif de supériorité de « bien ». D'une manière plus satisfaisante, plus accomplie : *Mets ce tailleur, il te va* **mieux** ; *Je sais* **mieux** *que toi ce que je dois faire*. ▸ Loc. *Aimer* **mieux** : préférer ; *Aller* **mieux** : être en meilleure santé, dans une meilleure situation ; *Valoir* **mieux** : être préférable ; *Faire* **mieux** : agir plus raisonnablement ; *À qui* **mieux** **mieux** : à qui surpassera les autres ; *De* **mieux** *en* **mieux** : en s'améliorant progressivement. ▸ Loc. proverb. **Mieux** *vaut tard que jamais* : il convient d'agir, même au dernier moment, plutôt que de ne pas agir du tout. **2.** Superlatif de « bien ». D'une manière supérieure à toute autre : *C'est la maison la* **mieux** *située*. ▸ Loc. *Au* **mieux**, *pour le* **mieux** : de la meilleure façon possible. **Adj. 1.** Meilleur, plus satisfaisant : *Allez à la mer, ce sera* **mieux** *pour les enfants* ; *N'avez-vous rien de* **mieux** *à me proposer ?* **2.** En meilleure santé : *Je la trouve* **mieux** *en ce moment* ; supérieur en beauté, en qualités : *Elle est* **mieux** *avec les cheveux courts*. **Subst.** Une chose meilleure, plus avantageuse : *Je ne demande pas* **mieux**, cela me satisfait pleinement ; *En attendant* **mieux**, en attendant une meilleure occasion ; *Faute de* **mieux**, en l'absence d'une solution plus avantageuse ; *Il a changé en* **mieux**, en s'améliorant ; *Il y a du* **mieux**, du progrès ; *Il a fait de son* **mieux**, de la meilleure façon qu'il pouvait. Fin IXe s. ; lat. *melius*, de *melior*, « meilleur » ; [mjø].

**MIEUX-ÊTRE, subst. m. inv.**
Amélioration de l'état physique, moral ou matériel de qqn. 1787 ; comp. de *mieux* et de *être* (I) ; [mjøzɛtʀ].

**MIÈVRE, adj.**
**1.** Vx. Léger, volage ; espiègle. **2.** D'une grâce puérile et fade, sans vigueur : *Tableau, style* **mièvre**. Mil. XIIIe s. ; prob. anc. scand. *snaefr*, « rapide, leste » ; [mjɛvʀ].

**MIÈVRERIE, subst. f.**
**1.** Vx. Bagatelle ; espièglerie. **2.** Caractère de ce qui est mièvre ou affecté ; par méton., ce qui est mièvre. 1480 ; ☞ *mièvre* ; [mjɛvʀəʀi].

**MIGMATITE, subst. f.**
*Pétrogr.* Roche résultant de la fusion partielle d'une formation métamorphique et caractérisée par la coexistence de niveaux clairs, à composition gén. granitique, et sombres, ayant résisté à la fusion. 1931 ; gr. *migma*, « mélange » ; [migmatit].

**MIGNARD, ARDE, adj.**
**1.** Gracieux, délicat (vieilli ou littér.) : *Une jeune fille* **mignarde**. **2.** D'une grâce affectée, mièvre : *Une pose* **mignarde**. 1524 ; ☞ *mignon* ; [miɲaʀ, aʀd].

**MIGNARDISE, subst. f.**
Caractère de ce qui est mignard. **2.** *Bot.* Œillet vivace à petites fleurs. 1539 ; ☞ *mignard* ; [miɲaʀdiz].

**MIGNON, ONNE, adj. et subst.**
**Subst. masc.** Favori (vx). ▸ *Hist.* Favori très efféminé d'Henri III. **Subst.** Personne jeune, enfant gracieux, gentil. **Adj. 1.** Qui plaît par sa délicatesse, sa petitesse : *Des mains* **mignonnes**. ▸ *Péché* **mignon** : penchant sans gravité auquel on se laisse aller. **2.** Gentil, prévenant. **3.** *Bouch.* *Filet* **mignon** : coupé dans la pointe du filet. XVe s. (fin XIIe s., homme qui se prête à la lubricité d'un autre) ; rad. *mign-*, exprimant la grâce ; [miɲɔ̃, ɔn].

**MIGNONNET, ETTE, adj. et subst. f.**
**Adj.** Petit et mignon ; empl. subst., personne **mignonnette**. **Subst. 1.** *Hortic.* Nom donné à des petites fleurs (œillet mignardise, réséda, saxifrage, etc.). **2.** Poivre concassé. **3.** Gravillon. **4.** Petit flacon ; en partic., échantillon d'alcool. 1480 ; ☞ *mignon* ; [miɲɔnɛ, ɛt].

**MIGNOTER, verbe trans.** [3]
Cajoler (vieilli et fam.). 1530 (1400, prendre un air languissant) ; *mignot* (vx), « mignon » ; [miɲɔte].

**MIGRAINE, subst. f.**
*Pathol.* Douleur céphalique, violente et unilatérale, souv. accompagnée de troubles oculaires, d'une rougeur de la face, de nausées et d'asthénie. Fin XIVe s. (XIIe s., dépit) ; lat. méd. *hemicrania*, « moitié du crâne » ; [migʀɛn].

**MIGRAINEUX, EUSE, adj. et subst.**
Se dit d'une personne sujette à la migraine. **Adj.** Relatif à la migraine. 1889 ; ☞ *migraine* ; [migʀenø, øz].

**MIGRANT, ANTE,** adj. et subst.
Se dit d'une personne qui effectue une migration, en partic. de qqn qui s'expatrie pour trouver du travail. 1951 ; p. pr. de *migrer* ; [migʀɑ̃, ɑ̃t].

**MIGRATEUR, TRICE,** adj.
Qui migre : *Un oiseau* ***migrateur*** ou, empl. subst. masc., *Un* ***migrateur.*** 1801 ; ☞ *migration* ; [migʀatœʀ, tʀis].

**MIGRATION,** subst. f.
**1.** Déplacement de populations qui quittent un lieu, gén. leur pays, pour s'établir dans un autre. ▸ *Fin.* ***Migration*** *de capitaux* : transfert de capitaux d'un secteur, d'un pays à un autre. **2.** *Zool.* Déplacement, gén. saisonnier, qu'effectuent en groupe certains animaux pour atteindre des sites de reproduction ou pour trouver de la nourriture, de l'eau. **3.** *Biol.* Déplacement d'éléments à l'intérieur d'un organisme : ***Migration*** *de l'ovule, des cellules cancéreuses.* **4.** *Géol.* Déplacement de substances à l'intérieur d'un sol ou d'une roche : ***Migration*** *du pétrole.* 1531 ; lat. *migratio* ; [migʀasjɔ̃].

*Migration des gnous, au Kenya.*

**MIGRATOIRE,** adj.
Qui a rapport aux migrations. 1838 ; ☞ *migration* ; [migʀatwaʀ].

**MIGRER,** verbe intrans. [3]
Effectuer une migration. 1876 (1546, se déplacer, en parlant d'un fluide) ; lat. *migrare* ; [migʀe].

**MIHRAB,** subst. m.
Niche creusée dans le mur d'une mosquée, servant en partic. à indiquer la direction de La Mecque. 1765 ; ar. *miḥrāb* ; [miʀab].

**MI-JAMBE (À),** loc. adv.
Jusqu'au milieu de la jambe. XIIIe s. ; ☞ *jambe* + *mi-* ; var. *à mi-jambes* ; [amiʒɑ̃b].

**MIJAURÉE,** subst. f.
Femme ou jeune fille hautaine se comportant de façon maniérée et ridicule. 1640 ; prob. dial. °*mijolée*, de *migeoler*, « cajoler » ; [miʒoʀe].

**MIJOTER,** verbe [3]
**TRANS. 1.** Faire cuire longuement, à feu doux : ***Mijoter*** *un ragoût* ; par ext., préparer avec soin : *Elle nous* ***mijota*** *un bon dîner.* **2.** Fig. Préparer secrètement, manigancer, mûrir (fam.) : ***Mijoter*** *un mauvais coup.* **INTRANS. 1.** Cuire à petit feu, longuement : *Ce pot-au-feu a* ***mijoté*** *plusieurs heures.* **2.** Attendre avec une certaine inquiétude (fam.) : *Laisser* ***mijoter*** *un candidat.* 1742 ; var. de *migeotter* (région.), « faire mûrir » ; [miʒɔte].

**MIKADO,** subst. m.
**1.** Empereur du Japon. **2.** Jeu d'adresse dans lequel on utilise de fines baguettes aux couleurs variées. 1803 ; mot jap. ; [mikado].

**MIL (I),** voir **MILLE (I)**

**MIL (II),** subst. m.
Céréale à petits grains (millet, sorgho), répandue en Afrique. Fin XIe s. ; lat. *milium* ; [mil].

**MILAN,** subst. m.
*Zool.* Rapace charognard diurne de la famille des Accipitridés, au plumage sombre et à la queue échancrée. 1500 ; prov. *milan*, du lat. *miluus* ; [milɑ̃].

**MILANAIS, AISE,** adj. et subst.
De Milan. **ADJ.** *Cuis. Escalope (à la)* ***milanaise*** : escalope de veau panée puis dorée au beurre à la poêle. 1586 ; topon. *Milan* (Italie) ; [milanɛ, ɛz].

**MILDIOU,** subst. m.
*Bot.* Maladie cryptogamique de certaines plantes, due à des champignons de la famille des Péronosporacées. 1874 ; angl. *mildew* ; [mildju].

**MILE,** subst. m.
Mesure de distance anglo-saxonne, utilisée en Grande-Bretagne et en Amérique du Nord, valant env. 1 609 m. 1866 ; mot angl. ; [majl].

**MILIAIRE,** adj. et subst. f.
*Pathol.* **ADJ.** Qui a l'aspect d'un grain de millet : *Abcès* ***miliaire*** ; par méton. : *Tuberculose* ***miliaire.*** **SUBST.** Éruption cutanée due à l'obstruction des pores sudoripares (synon. *bourbouille*). 1560 ; lat. *miliarius*, « relatif au mil » ; [miljɛʀ].

**MILICE,** subst. f.
**1.** *Hist.* Petite armée formée par les habitants d'une commune, du Moyen Âge à 1789 (les **milices** furent remplacées par la garde nationale). **2.** Belg. Armée ; service militaire. **3.** Organisation paramilitaire qui renforce une armée régulière, ou s'y substitue. ▸ *Hist. La* ***Milice*** : organisation constituée par le gouvernement de Vichy en 1943, notamment pour lutter contre la Résistance. **4.** Formation paramilitaire illégale chargée par une organisation politique, une entreprise, etc., d'assurer sa protection ou de défendre ses intérêts. Fin XVIe s. (1371, art militaire) ; lat. *militia*, « service militaire » ; [milis].

**MILICIEN, IENNE,** subst.
**MASC. 1.** *Hist.* Soldat d'une milice. **2.** Belg. Homme qui fait son service militaire. **MASC.** et **FÉM.** Membre d'une milice. 1725 ; ☞ *milice* ; [milisjɛ̃, jɛn].

**MILIEU,** subst. m.
**I. 1.** Partie, point de qqch. qui est à égale distance de son pourtour ou de ses extrémités : *Le mât se brisa en son* ***milieu.*** ▸ Abs. *L'empire du* ***Milieu*** : la Chine (vieilli et littér.). **2.** Ext. Instant également éloigné du commencement et de la fin d'une période donnée : *Le* ***milieu*** *du siècle.* **3.** Fig. Ce qui est loin des extrêmes ; position modérée, état intermédiaire : *Le juste* ***milieu*** *entre richesse et pauvreté.* **4.** Loc. prép. **Au milieu de.** ▸ Au centre de, à l'intérieur de : *Au* ***milieu*** *de la place* ; *Au* ***milieu*** *de la forêt.* ▸ Ext. Au sein de, parmi : *Au* ***milieu*** *d'amis* ; à la période centrale de, pendant : *Au* ***milieu*** *de l'année* ; *Au* ***milieu*** *d'un repas.* ▸ Fig. Dans, accompagné de : *Travailler* ***au milieu*** *du bruit.* ▸ *Au beau* ***milieu*** *de, en plein* ***milieu*** *de* : tout au **milieu** de. **5.** *Spéc.* ▸ *Log. Principe du* ***milieu*** *(ou du tiers) exclu* : selon lequel, de deux propositions contradictoires, il est nécessaire que l'une soit vraie et l'autre fausse, sans qu'une tierce proposition en découle. ▸ *Math.* ***Milieu*** *d'un segment* : point équidistant des extrémités. ▸ *Sp.* ***Milieu*** *de terrain* : joueur placé entre les attaquants et les défenseurs, au football. **II. 1.** Ce qui entoure un être vivant ou un corps, ce dans quoi il est placé : ***Milieu*** *stérile, liquide.* **2.** Ensemble des facteurs entourant un être vivant et influant sur lui de manière permanente ou durable ; environnement. ▸ *Biol.* ***Milieu*** *intérieur* : ensemble des liquides physiologiques d'un organisme, chez les animaux supérieurs. ▸ *Bactériol.* ***Milieu*** *de culture* : solution aqueuse de sels minéraux et de substances organiques utilisée pour obtenir la multiplication de micro-organismes en laboratoire. ▸ *Écol.* Biotope. **3.** Entourage social habituel de qqn : ***Milieu*** *familial, scolaire* ; ***Milieu*** *aisé.* **4.** Abs. *Le* ***milieu*** : ensemble de personnes vivant du produit d'activités illicites. Déb. XIIe s. ; ☞ *lieu* (I) + *mi-* ; [miljø].

**MILITAIRE,** adj. et subst.
**ADJ. 1.** Relatif à l'armée, à ses activités : *Convoi, musique* ***militaire.*** **2.** Considéré comme propre au métier des armes : *Discipline* ***militaire.*** **SUBST.** Personne qui fait partie de l'armée. 1355 ; lat. *militaris*, de *miles*, « soldat » ; [militɛʀ].

**MILITAIREMENT,** adv.
De façon militaire ; par la force armée. 1552 ; ☞ *militaire* ; [militɛʀmɑ̃].

**MILITANT, ANTE,** adj. et subst.
**ADJ.** Qui lutte, combat pour une cause, une opinion. **SUBST.** Membre actif d'une organisation politique, syndicale, ou d'une association. 1370 ; p. pr. de *militer* ; [militɑ̃, ɑ̃t].

**MILITANTISME,** subst. m.
Attitude des personnes qui militent. V. 1960 ; ☞ *militant* ; [militɑ̃tism].

**MILITARISATION,** subst. f.
Action de militariser ; son résultat. 1845 ; ☞ *militariser* ; [militaʀizasjɔ̃].

**MILITARISER,** verbe trans. [3]
Organiser d'une manière militaire ; pourvoir de forces militaires. 1843 ; ☞ *militaire* ; [militaʀize].

**MILITARISME,** subst. m.
**1.** Tendance à promouvoir, à exalter le rôle de l'armée et les valeurs militaires. **2.** Système politique s'appuyant sur l'armée. 1815 ; ☞ *militaire* ; [militaʀism].

**MILITARISTE,** adj. et subst.
Péj. Se dit d'un partisan du militarisme. **ADJ.** Relatif ou favorable au militarisme. 1870 ; ☞ *militarisme* ; [militaʀist].

**MILITER,** verbe intrans. [3]
**1.** Vx. Faire la guerre. **2.** Constituer un argument, plaider (pour, contre, en faveur de qqch. ou de qqn) : *Son passé* ***milite*** *contre lui.* **2.** Œuvrer activement pour défendre ou combattre une cause, une idée, en partic. au sein d'un parti, d'un syndicat. Fin XVe s. ; lat. *militare*, « être soldat » ; [milite].

**MILK-BAR,** subst. m.
Bar où l'on ne consomme que des boissons sans alcool, à base de lait (anglic. et vieilli). 1946 ; comp. de l'angl. *milk*, « lait », et de *bar* (II) ; plur. *milk-bars* ; [milkbaʀ].

**MILK-SHAKE,** subst. m.
Boisson à base de lait, glacée et aromatisée. 1946 ; angl. *milk shake*, de *milk*, « lait », et de *to shake*, « secouer » ; plur. *milk-shakes* ; [milkʃɛk].

**MILLAGE,** subst. m.
Au Canada, distance exprimée en milles. V. 1970 ; ☞ *mille* (II), d'apr. *kilométrage* et l'angl. *mileage* ; [milaʒ].

**MILLAS,** subst. m.
Région. Bouillie de farine de maïs ; nom de diverses pâtisseries à base de cette farine. 1796 (1448, céréale) ; lat. médiév. *miliaccium*, « pain de millet » ; var. *une millasse, une milliasse* ; [mijas].

**MILLE (I),** adj. num. inv. et subst. m. inv.
**ADJ. CARD.** Dix fois cent : *Deux* ***mille*** *litres* ; ***Mille*** *neuf cent dix francs.* **ADJ. ORD.** Millième : *Page* ***mille*** ; *L'an* ***mil*** *(ou* ***mille****) neuf cent* ; *Numéro* ***1 000.*** **SUBST. 1.** Le nombre **mille** : ***Mille*** *plus cent égale onze cents.* ▸ Loc. *Mettre, taper dans le* ***mille*** : atteindre le milieu de la cible ou, au fig., deviner juste. **2.** Méton. **Mille** unités : *Épingles à 100 francs le* ***mille.*** **3.** Nombre très grand, mais imprécis : *Un exemple entre* ***mille.*** ▸ Loc. fam. *Des* ***mille*** *et des cents* (☞ *cent*). Mil. XIe s. ; lat. *milia* ; var., dans les dates, *mil* ; [mil].

**MILLE (II),** subst. m.
**1.** Ancienne mesure de distance, d'une valeur variable selon les pays : ***Mille*** *romain*, équivalant à **mille** pas (1 481,5 m). **2.** ***Mille*** *marin* ou *nautique* : unité itinéraire internationale, utilisée en navigation maritime ou aérienne, correspondant à 1/60 de degré de latitude et valant, par convention 1 852 m, sauf dans les pays du Commonwealth, où elle vaut 1 853,182 m. **3.** Au Canada, équivalent du mile. 1213 ; ☞ *mille* (I) ; [mil].

**MILLE-FEUILLE (I),** subst. f.
*Bot.* Espèce d'achillée. 1539 ; lat. *millefolium* ; plur. *mille-feuilles*, var. *millefeuille* ; [milfœj].

**MILLE-FEUILLE (II),** subst. m.
Gâteau rectangulaire formé de pâte feuilletée et de crème pâtissière. 1907 ; formé de *mille* (I) et de *feuille* ; plur. *mille-feuilles*, var. *millefeuille* ; [milfœj].

**MILLÉNAIRE,** subst. m. et adj.
**SUBST. 1.** Période de mille ans. **2.** Ext. Millième anniversaire. **ADJ.** Qui a au moins mille ans. 1584 ; lat. *millenarius* ; [mil(l)enɛʀ].

**MILLÉNARISME,** subst. m.
*Relig.* Croyance de certaines sectes selon laquelle le Christ reviendra régner mille ans sur la Terre, entre la parousie et le Jugement dernier. 1840 ; ☞ *millénaire* ; [mil(l)enaʀism].

**MILLÉNARISTE,** subst. et adj.
*Relig.* Se dit d'un partisan du millénarisme. **ADJ.** Relatif, propre ou favorable au millénarisme. 1877 ; ☞ *millénarisme* ; [mil(l)enaʀist].

**MILLÉNIUM,** subst. m.
**1.** *Relig.* Règne du Christ attendu par les millénaristes. **2.** Ext. Le futur âge d'or. 1765 ; lat *millenium*, de *mille*, « mille », et de *annus*, « an » ; var. *millenium* ; [mil(l)enjɔm].

**MILLE-PATTES,** subst. m. inv.
*Zool.* Nom vulgaire des arthropodes terrestres, invertébrés, de la classe des Myriapodes, qui ont pour caractéristique d'avoir un grand nombre de pattes. 1853 ; comp. de *mille* (I) et de *patte* (I) ; [milpat].

**MILLEPERTUIS,** subst. m. inv.
*t.* Plante herbacée vivace, à fleurs jaunes, de la nille des Hypéricacées. 1539 ; formé de *mille* (I) de *pertuis* ; [milpɛʀtɥi].

**MILLÉPORE,** subst. m.
*ol.* Cnidaire, de la classe des Hydrozoaires, dont polypiers calcaires coloniaux contribuent à la rmation des massifs coralliens. 1742 ; formé de *le* (I) et de *pore* ; [mil(l)epɔʀ].

**MILLE-RAIES,** subst. m. inv.
*ct.* Tissu à fines rayures ou à côtes très étroites serrées ; en appos. : *Velours **mille-raies**.* 1803 ; np. de *mille* (I) et de *raie* (I) ; var. *milleraies* ; [milʀɛ].

**MILLERANDAGE,** subst. m.
*ic.* Avortement des grains de raisin, dû à une auvaise fécondation des fleurs. 1903 ; *millerand* ), adj. qualifiant le raisin à grains très petits et sans pins, du lat. *millium,* « millet » ; [milʀɑ̃daʒ].

**MILLERANDÉ, ÉE,** adj.
*ic.* Atteint par le millerandage. Déb. XXᵉ s. ; ☞ *millerandage* ; [milʀɑ̃de].

**MILLÉSIME,** subst. m.
Chiffre indiquant le nombre mille, dans une date. Ensemble de chiffres indiquant l'année de la appe d'une monnaie, de la production d'un vin, . 1515 ; lat. *millesimus,* « millième » ; [milezim].

**MILLÉSIMÉ, ÉE,** adj.
arqué d'un millésime : *Un médoc **millésimé**.* 1846 ; ☞ *millésime* ; [milezime].

**MILLET,** subst. m.
*t.* Terme désignant des plantes appartenant aux nres *Milium, Panicum* et *Setaria,* de la famille des acées. 1256 ; ☞ *mil* (II) ; [mijɛ].

**MILLIAIRE,** adj. et subst. m.
*tiq. rom.* Se dit des bornes, des colonnes, des erres etc., qui marquaient les milles le long des ies. 1414 ; lat. *milliarium,* « millier » ; [miljɛʀ].

**MILLIAMPÈRE,** subst. m.
*ctr.* Millième d'ampère (symb. : mA). 1881 ; ☞ *ampère* + *milli-* ; [miljɑ̃pɛʀ].

**MILLIARD,** subst. m.
Mille millions : *Un **milliard** de francs.* **2.** Ext. Des lliards. Un nombre extrêmement élevé : *Des lliards de galaxies.* 1538 ; ☞ *million* ; [miljaʀ].

**MILLIARDAIRE,** adj. et subst.
dit d'une personne qui possède au moins un lliard d'une unité monétaire donnée. 1866 ; ☞ *milliard* ; [miljaʀdɛʀ].

**MILLIARDIÈME,** adj.
J. NUM. ORD. Qui se situe au rang marqué par un lliard. ADJ. Qui constitue une fraction d'un tout visé en un milliard de parties égales ; empl. subst. asc. : *Un **milliardième** de gramme.* 1922 ; ☞ *milliard* ; [miljaʀdjɛm].

**MILLIASSE,** voir **MILLAS**

**MILLIBAR,** subst. m.
*étéor.* Ancienne unité de pression atmosphérique, lant un millième de bar, remplacée par l'hecto-scal. 1917 ; ☞ *bar* (III) + *milli-* ; [milibaʀ].

**MILLIÈME,** adj. et subst. m.
J. NUM. ORD. **1.** Qui se situe au rang marqué par nombre mille. ADJ. Qui constitue une fraction un tout divisé en mille parties égales. SUBST. Une des mille parties égales d'un tout. **2.** *Topogr.* nité d'angle, égale à l'angle sous lequel on voit objet de 1 m à 1 000 m. 1213 ; ☞ *mille* (I) ; iljɛm].

**MILLIER,** subst. m.
Ensemble précis ou approximatif de mille unités. Ext. Des milliers. Un grand nombre : *Des **milliers** victimes.* Fin XIᵉ s. ; ☞ *mille* (I) ; [milje].

**MILLIGRAMME,** subst. m.
*étrol.* Millième partie du gramme (symb. : mg). 1795 ; ☞ *gramme* + *milli-* ; [miligʀam].

**MILLILITRE,** subst. m.
*étrol.* Millième partie du litre (symb. : ml). 1795 ; ☞ *litre* (II) + *milli-* ; [mililitʀ].

**MILLIMÈTRE,** subst. m.
*étrol.* Millième partie du mètre (symb. : mm). 1792 ; ☞ *mètre* (II) + *milli-* ; [milimɛtʀ].

**MILLIMÉTRÉ, ÉE,** adj.
radué, quadrillé en millimètres : *Papier **millimétré**.* Déb. XXᵉ s. ; ☞ *millimètre* ; [milimetʀe].

**MILLIMÉTRIQUE,** adj.
Qui a une longueur de l'ordre du millimètre. Millimétré. 1836 ; ☞ *millimètre* ; [milimetʀik].

**MILLION,** subst. m.
**1.** Mille fois mille. **2.** Ext. Des **millions**. Un très grand nombre. 1266 ; ital. *milione* ; [miljɔ̃].

**MILLIONIÈME,** adj.
ADJ. NUM. ORD. Qui se situe au rang marqué par un million. ADJ. Qui constitue une fraction d'un tout divisé en un million de parties égales ; empl. subst. masc. : *Un **millionième** de millimètre.* 1550 ; ☞ *million* ; [miljɔnjɛm].

**MILLIONNAIRE,** adj. et subst.
Se dit d'une personne dont la fortune se compose d'un million au moins d'une unité monétaire donnée. 1721 ☞ *million* ; [miljɔnɛʀ].

**MILLIVOLT,** subst. m.
*Métrol.* Millième de volt (symb. : mV). 1923 ; ☞ *volt* + *milli-* ; [milivɔlt].

**MILONGA,** subst. f.
Danse argentine qui ressemble au tango, mais au rythme plus rapide. Mot hisp.-amér. ; [milɔ̃ga].

**MILORD,** subst. m.
En France, titre donné aux lords anglais et, par ext., à tout Anglo-Saxon fortuné ou distingué (vx). XIVᵉ s. ; angl. *my lord,* « mon seigneur » ; [milɔʀ].

**MILOUIN,** subst. m.
*Zool.* Canard plongeur au plumage gris clair et à la tête rousse. 1760 ; lat. *miluus,* « milan » ; [milwɛ̃].

**MI-LOURD,** adj. m. et subst. m.
*Sp.* Se dit d'un sportif (boxeur, haltérophile, etc.) qui appartient à la catégorie de poids intermédiaire entre celle des lourds et celle des moyens ; par ext., se dit de cette catégorie. 1931 ; ☞ *lourd* + *mi-* ; plur. *mi-lourds* ; [miluʀ].

**MIME,** subst. m.
**1.** *Antiq.* Farce, courte comédie où l'improvisation gestuelle s'ajoutait au texte et au chant ; acteur y jouant. **2.** Genre théâtral fondé sur la seule expression gestuelle ; artiste jouant dans un **mime** : *Le **mime** Marceau.* **3.** Ext. Personne douée pour imiter les autres. 1520 ; lat. *mimus,* du gr. *mimos* ; [mim].

© D. Simon-Gamma

*Le **mime** Marcel Marceau.*

**MIMER,** verbe trans. [3]
**1.** Représenter (un sentiment, une action) par des gestes, des jeux de physionomie : *Mimer la surprise ; Mimer une scène.* **2.** Imiter (qqn, ses manières). 1838 ; ☞ *mime* ; [mime].

**MIMÉTIQUE,** adj.
Qui relève du mimétisme. 1912 ; ☞ *mimétisme* ; [mimetik].

**MIMÉTISME,** subst. m.
**1.** Fait, pour certaines espèces animales ou, plus rarement, végétales, de ressembler à un élément du milieu ambiant ou à une autre espèce, ou de pouvoir en prendre l'aspect, pour se protéger ou pour surprendre une proie. **2.** Imitation, souv. inconsciente, des attitudes, des comportements d'autrui : *Enfant qui agit par **mimétisme**.* 1874 ; gr. *mimeisthai,* « imiter » ; [mimetism].

**MIMI,** subst. m. et adj. inv.
Fam. SUBST. **1.** Chat, en langage enfantin. **2.** Baiser. ADJ. Mignon. 1823 ; ☞ *minet* ; [mimi].

**MIMIQUE,** adj. et subst. f.
ADJ. Relatif au mime (rare). SUBST. **1.** Art du mime ; action de mimer. **2.** Ensemble d'expressions de la physionomie qui accompagnent ou remplacent la parole. 1585 ; lat. *mimicus,* du gr. *mimikos* ; [mimik].

**MIMODRAME,** subst. m.
Pièce dramatique présentée en pantomime, avec accompagnement musical. 1819 ; formé de *mime* et de *drame* ; [mimɔdʀam].

**MIMOLETTE,** subst. f.
Fromage de Hollande au lait de vache à pâte pressée, colorée en orange et qui se présente en forme de boule. V. 1960 ; ☞ *mollet* + *mi-* ; [mimɔlɛt].

**MIMOSA,** subst. m.
*Bot.* Plante à feuilles découpées, appartenant au genre *Mimosa,* dont les fleurs, gén. jaunes, forment des petites boules, telle la sensitive. Le **mimosa** des fleuristes, odoriférant, appartient au genre *Acacia.* ▸ *Cuis.* En appos. : *Œuf **mimosa**,* œuf dur coupé en deux, farci de mayonnaise et de son jaune pilé. 1602 ; lat. sc. *mimosa,* du lat. *mimus,* « mime », par allus. à la contractilité de certaines espèces ; [mimoza].

**MIMOSACÉES,** subst. f. plur.
*Bot.* Famille de plantes de l'ordre des Fabales, comprenant, entre autres, le mimosa et l'acacia. AU SING. *La sensitive est une **mimosacée**.* Mil. XIXᵉ s. ; ☞ *mimosa* ; [mimozase].

**MI-MOYEN,** adj. m. et subst. m.
*Sp.* Se dit d'un sportif (boxeur, judoka, haltérophile, etc.) qui appartient à la catégorie de poids intermédiaire entre celle des moyens et celle des légers ; par ext., se dit de cette catégorie. 1927 ; ☞ *moyen* (I) + *mi-* ; plur. *mi-moyens* ; [mimwajɛ̃].

**min,** voir **MINUTE**

**MINABLE,** adj.
**1.** Qui est miné par la misère, la maladie, ou dont l'apparence révèle la pauvreté : *Logis **minable**.* **2.** Ext. Très médiocre (fam. et péj.) : *Vie **minable*** ; empl. subst., personne **minable**. 1807 (1411, qui peut être détruit par une mine) ; ☞ *miner* ; [minabl].

**MINAGE,** subst. m.
Action de miner un terrain, de garnir de mines explosives (rare). 1832 ; ☞ *miner* ; [minaʒ].

**MINAHOUET,** subst. m.
*Mar.* Petit outil servant à fourrer un cordage mince. 1809 ; breton *min,* « pointe » ; [minawɛ].

**MINARET,** subst. m.
Tour d'une mosquée. 1606 ; turc. *minare,* de l'ar. *manāra* ; [minaʀɛ].

**MINAUDER,** verbe intrans. [3]
Faire des mines, prendre des manières affectées pour séduire. Fin XVIIᵉ s. ; ☞ *mine* (III) ; [minode].

**MINAUDERIE,** subst. f.
**1.** Action de minauder. **2.** Attitude d'une personne qui minaude. 1580 ; ☞ *minauder* ; [minodʀi].

**MINAUDIER, IÈRE,** adj.
Qui minaude. 1691 ; ☞ *minauder* ; [minodje, jɛʀ].

**MINBAR,** subst. m.
Chaire d'une mosquée. 1787 ; mot ar. ; [minbaʀ].

**MINCE,** adj. et interj.
ADJ. **1.** Qui a très peu d'épaisseur : *Mince tranche.* **2.** Peu large : *Bande **mince**.* **3.** Fin, élancé, sans embonpoint : *Une femme **mince**.* **4.** Fig. De faible importance, insignifiant : *Argument **mince**.* INTERJ. Exprime l'étonnement, l'admiration, la contrariété (fam.). Déb. XIVᵉ s. (1306, petite monnaie) ; *mincer* (vx), « mettre en petits morceaux » ; [mɛ̃s].

**MINCEUR,** subst. f.
Caractère d'une personne ou d'une chose mince. 1782 ; ☞ *mince* ; [mɛ̃sœʀ].

**MINCIR,** verbe intrans. [19]
Devenir plus mince. 1877 ; ☞ *mince* ; [mɛ̃siʀ].

**MINDEL,** subst. m.
*Géol.* Deuxième glaciation alpine du Quaternaire. Déb. XXᵉ s. ; topon. *Mindel,* affluent du Danube ; [mɛ̃dɛl].

*Mimétisme du phasme-feuille.*

© L. Tangre-Jacana

**MINE (I),** subst. f.
Ancienne mesure de capacité, utilisée pour les grains, le sel, etc., valant 78,73 l. Fin XII^e s. ; bas lat. *mina*, du lat. *hemina* ; [min].

**MINE (II),** subst. f.
**I. 1.** Gisement, souterrain ou de surface, de minerais, de métaux : *Mine de fer, de charbon, d'or* ; au fig., source importante : *Une mine de renseignements.* **2.** Excavation pratiquée dans le sous-sol pour en extraire ces matériaux : *Galerie, puits de mine* ; par méton., ensemble des installations (souterrains, bâtiments, etc.) nécessaires à l'extraction du minerai : *Travailler à la mine.* PLUR. *Les Mines* : administration chargée des études géologiques et de l'exploitation du sous-sol. **II. 1.** Minerai (vx). ▸ *Mine de plomb* : graphite. **2.** Bâtonnet de graphite ou de toute autre matière constituant la partie centrale d'un crayon et qui peut laisser une trace sur du papier. **III.** Cavité pratiquée à la base d'un ouvrage pour le faire sauter à l'aide d'une charge explosive ; par méton., cette charge. ▸ *Milit.* Engin explosif, immergé, déposé sur le sol ou enterré, qui se déclenche par contact ou à distance : *Mine flottante, antichar, magnétique, antipersonnel* ; *Un champ de mines.* Déb. XIII^e s. ; gaul. °*meina*, « métal brut » ; [min].

© A. Wolf-Explorer

*Mine de nickel en Nouvelle-Calédonie.*

**MINE (III),** subst. f.
**1.** Aspect extérieur, apparence de qqn : *Juger qqn sur sa mine* ; par anal. : *Ces radis ont bonne mine*, ils sont frais, appétissants. ▸ Loc. *Avoir bonne mine* : l'air ridicule (iron. et fam.) ; *Faire mine de* : faire semblant de ; *Ne pas payer de mine* : ne pas avoir très belle apparence ; *Mine de rien* : sans en avoir l'air (fam.). **2.** Aspect du visage qui traduit un état de santé, d'humeur : *Avoir une mine resplendissante, une petite mine* ; *Mine réjouie, sévère.* ▸ Loc. *Faire grise mine* : avoir l'air dépité ou désagréable. PLUR. Expressions de la physionomie, gestes : *Les mines d'un clown.* ▸ Loc. *Faire des mines* : s'employer à séduire par des manières affectées. XIV^e s. ; p.-ê. breton *min*, « bec, museau » ; [min].

**MINE (IV),** subst. f.
*Antiq. gr.* Unité de poids valant 432 g. 1564 ; lat. *mina*, du gr. *mna* ; [min].

**MINER,** verbe trans. [3]
**1.** Vx. Creuser sous (un ouvrage) pour provoquer son effondrement. **2.** Anal. Creuser lentement à la base ou à l'intérieur de ; au fig., affaiblir, user peu à peu : *Les soucis le minent.* **3.** Garnir d'une charge explosive, ou de mines, pour détruire. Déb. XIII^e s. ; ☞ *mine* (II) ; [mine].

**MINERAI,** subst. m.
*Minér.* Roche ou sédiment contenant une plus ou moins forte proportion de minéraux utiles, extraits en vue d'une exploitation industrielle : *Traitement du minerai de cuivre.* 1314 ; ☞ *mine* (II) ; [minʀɛ].

**MINÉRAL, ALE, AUX,** subst. m. et adj.
*Minér.* SUBST. **1.** Substance inorganique naturelle caractérisée par des propriétés physiques et chimiques déterminées, qui peut être soit cristallisée soit amorphe. **2.** Élément constitutif des roches. ADJ. **1.** Relatif aux minéraux. **2.** Composé de minéraux. 1516 ; lat. médiév. *mineralis* ; [mineʀal, o].

**MINÉRALIER,** subst. m.
Navire dont les cales sont conçues pour le transport en vrac des minerais. V. 1960 (1565, ouvrier en métaux) ; ☞ *minéral* ; [mineʀalje].

**MINÉRALISATEUR, TRICE,** adj. et subst. m.
Se dit d'une substance qui transforme un métal en minerai. 1776 ; ☞ *minéraliser* ; [mineʀalizatœʀ, tʀis].

**MINÉRALISATION,** subst. f.
**1.** *Chim.* Transformation d'un métal en minerai. **2.** *Biochim.* Formation d'une substance minérale à partir d'une substance organique. **3.** État d'une eau contenant des substances minérales solubles. 1751 ; ☞ *minéraliser* ; [mineʀalizasjɔ̃].

**MINÉRALISER,** verbe trans. [3]
Transformer (un métal) en minerai ; empl. adj. : *Eau minéralisée*, qui contient des matières minérales. 1751 ; ☞ *minéral* ; [mineʀalize].

**MINÉRALOGIE,** subst. f.
Partie de la géologie qui a pour objet l'étude des minéraux. 1753 (1649, science des sels minéraux) ; ☞ *minéral* + *-logie* ; [mineʀalɔʒi].

SCIENCES – La minéralogie est une des branches les plus anciennes des sciences de la Terre. Depuis le XVII^e s., elle étudie les minéraux cristallisés, inorganiques. Plus récemment, elle s'est intéressée aux minéraux complexes ou organiques. La morphologie des cristaux (cristallographie) et la relation entre la composition chimique et l'arrangement des atomes qui décident de la forme et des propriétés des minéraux (cristallochimie) s'appliquent d'abord à des solides naturels, dont la minéralogie définit les caractéristiques et les conditions de formation à partir d'atomes et d'ions ; les méthodes physiques qu'elle utilise sont, entre autres, la fluorescence, la radioactivité, le magnétisme, l'optique cristalline, l'analyse thermique. La minéralogie étudie aussi les conditions de croissance des cristaux isolés (automorphes), associés (agrégats) ou mélangés en roches ; elle dresse un inventaire des minéraux et étudie les propriétés et les relations des constituants de la roche. Elle s'intéresse aujourd'hui aux minéraux produits par l'industrie et aux méthodes de synthèse.

**MINÉRALOGIQUE,** adj.
**1.** Relatif à la minéralogie. **2.** Relatif au service des Mines. ▸ *Numéro minéralogique* : numéro d'immatriculation d'un véhicule, autrefois délivré par ce service. 1751 ; ☞ *minéralogie* ; [mineʀalɔʒik].

**MINÉRALOGISTE,** subst.
Spécialiste de minéralogie. 1753 ; ☞ *minéralogie* ; [mineʀalɔʒist].

**MINERVAL,** subst. m.
Belg. Frais de scolarité, dans certaines écoles. 1771 ; lat. *minerval*, « cadeau fait en retour de l'instruction donnée » ; plur. *minervals* ; [minɛʀval].

**MINERVE,** subst. f.
*Méd.* Appareil orthopédique destiné à maintenir le cou droit et en extension. 1840 (1564, intelligence, explication) ; lat. *Minerva*, déesse de la Sagesse ; [minɛʀv].

**MINERVOIS,** subst. m.
Vin rouge du Languedoc, produit dans le Minervois. 1903 ; topon. *Minervois* ; [minɛʀvwa].

**MINESTRONE,** subst. m.
*Cuis.* Soupe italienne épaisse, faite de légumes variés et de pâtes ou de riz. 1930 ; mot ital. ; [minɛstʀɔn].

**MINET, ETTE,** subst.
**1.** Chat, chatte (fam.). **2.** Terme d'affection désignant une personne chère. **3.** Jeune se souciant de son apparence (fam., souv. péj.). 1573 ; gallo-roman *mine*, nom fam. du chat ; [minɛ, ɛt].

**MINETTE (I),** subst. f.
Nom courant du minerai de fer lorrain. 1836 (1325, petite mine) ; ☞ *mine* (II) ; [minɛt].

**MINETTE (II),** subst. f.
*Bot.* Nom usuel de la luzerne lupuline. 1786 ; norm. *minette*, du rad. onomat. *min-* ; [minɛt].

**MINEUR (I),** subst. m.
**1.** Ouvrier qui travaille dans une mine. **2.** *Milit.* Soldat chargé de poser des mines explosives. Déb. XIII^e s. ; ☞ *mine* (II) ; [minœʀ].

**MINEUR (II), EURE,** adj. et subst.
ADJ. **1.** Plus petit, inférieur (vx ou empl. spéc.) : *L'Asie Mineure.* ▸ *Cath. Frère mineur* : franciscain ; *Ordres mineurs* : les quatre ordres inférieurs de la hiérarchie (acolyte, exorciste, lecteur, portier), supprimés en 1972 et devenus *ministères institués.* ▸ *Log. Proposition mineure* ou, empl. subst. fém., *La mineure* : La seconde prémisse d'un syllogisme, contenant le terme, dit **mineur**, ayant la plus petite extension. ▸ *Mus. Intervalle mineur* : inférieur d'un demi-ton à l'intervalle dit majeur ; *Mode mineur* (☞ mo **2.** D'un intérêt, d'une importance secondair *Question mineure* ; *Art mineur.* ADJ. et SUBST. *Dr.* dit d'une personne n'ayant pas atteint l'âge le de la majorité (dix-huit ans, en France). 1! (1342, le plus petit) ; lat. *minor* ; [minœʀ].

**MINI,** adj. inv.
*Jupe mini* : très courte ; empl. subst. masc. : *La m du mini.* V. 1970 (1893, note inférieure à moyenne) ; élément suff. *mini-* ; [mini].

**MINIATURE,** subst. f.
**1.** Petite illustration peinte sur les manuscrits, missels. **2.** Peinture de petites dimensions, couleurs fines ; le genre pictural correspondar *Miniature byzantine.* **3.** *M. Â.* Lettre ornement à l'origine tracée en rouge (au minium), comm çant un chapitre d'un manuscrit. **4.** Loc. *En mi ture* : en réduction. ▸ Empl. adj. Très petit : *( miniature.* 1645 ; ital. *miniatura*, du lat. *mini* « peindre en rouge », de *minium*, « cinabre » ; [minjat

**MINIATURÉ, ÉE,** adj.
Orné de miniatures : *Un parchemin miniat* 1840 ; ☞ *miniature* ; [minjatyʀe].

**MINIATURISATION,** subst. f.
*Techn.* Action de miniaturiser ; son résultat : *miniaturisation des circuits intégrés a permis développement des cartes à puce.* 1950 ; ☞ *mini riser* ; [minjatyʀizasjɔ̃].

**MINIATURISER,** verbe trans. [3]
*Techn.* Donner les dimensions le plus rédui possible à (un objet, un dispositif). 19 ☞ *miniature* ; [minjatyʀize].

**MINIATURISTE,** subst.
Peintre de miniatures. 1748 ; ☞ *miniatu* [minjatyʀist].

**MINIBAR,** subst. m.
**1.** Chariot contenant les boissons, les sandwi vendus dans les trains. **2.** Petit réfrigérateur co nant des boissons, dans une chambre d'hô V. 1970 ; ☞ *bar* (II) + *mini-* ; [minibaʀ].

**MINIBUS,** subst. m.
Petit autobus. V. 1960 ; ☞ *bus* (I) + *mi* [minibys].

**MINICASSETTE,** subst. f. inv.
Cassette magnétique de petit format. V. 19 ☞ *cassette* + *mini-* ; n. déposé ; [minikasɛt].

**MINICHAÎNE,** subst. f.
Chaîne haute-fidélité de petites dimensio V. 1980 ; ☞ *chaîne* + *mini-* ; [miniʃɛn].

**MINIER, IÈRE,** subst. f. et adj.
SUBST. *Dr.* Exploitation à ciel ouvert, ou à fai profondeur, de certains gisements (vieilli). ADJ. ( se rapporte aux mines ; où se trouvent des mir 1210 ; ☞ *mine* (II) ; [minje, jɛʀ].

**MINIGOLF,** subst. m.
Golf miniature. V. 1970 ; ☞ *golf* + *mini-* ; [minig

**MINIJUPE,** subst. f.
Jupe très courte. V. 1970 ; ☞ *jupe* + *mi* [miniʒyp].

**MINIMA,** voir **MINIMUM**

**MINIMA (A),** voir **A MINIMA**

**MINIMAL, ALE, AUX,** adj.
**1.** Qui a atteint sa plus petite valeur, qui consti un minimum. **2.** *B.-a. Art minimal* : tendance ar tique, apparue aux États-Unis, visant à un dépo lement de l'expression plastique. **3.** *Math. Élém minimal d'un ensemble ordonné E* : élément tel q n'existe aucun élément de E qui lui soit strictem inférieur. 1877 ; ☞ *minimum* ; [minimal, o].

ARTS – La formule *minimal art*, en français « minimal », fut employée pour la première fois 1965 par R. Wollheim. Cette expression artistiq le plus souvent tridimensionnelle, se caractérise la réduction de l'œuvre à une structure primaire cube, la droite, la sphère...) et par l'importa accordée à la conception, que l'artiste explic verbalement, jouant ainsi un rôle de « critiqu Rejetant toute empreinte personnelle dans la f ture, ses principaux représentants (Donald Ju Carl André, Dan Flavin, Robert Smithson, Rob Morris, Sol LeWitt...) ont recours à des matéria fabriqués (comme le néon, pour Dan Flavin) atteignent à une certaine monumentalité (To Smith, Robert Morris), laissant parfois la réalisati de l'œuvre à des techniciens pour limiter leur r à la conception, d'où leur parenté avec les tena de l'art conceptuel.

**MINIMALISER,** verbe trans. [3]
Réduire (qqch.) à son expression minimale. ☞ *minimal* ; [minimalize].

**MINIMALISME,** subst. m.
**1.** *B.-a.* Art minimal. **2.** Attitude consistant à mettre en œuvre le minimum d'efforts, de moyens. V. 1970 ; ☞ *minimal* ; [minimalism].

**MINIMALISTE,** adj. et subst.
**1.** Se dit d'une personne qui se contente du minimum. **2.** *B.-a.* Qualifie ou désigne un, une adepte du minimalisme. **Adj.** Qui relève du minimalisme. V. 1970 ; ☞ *minimal* ; [minimalist].

**MINIME,** adj. et subst.
**Adj.** Très petit ; de très peu d'importance. **Subst. masc.** *Cath.* Religieux de l'ordre fondé par saint François de Paule. **Subst.** Sportif appartenant à la catégorie comprise entre celle des benjamins et celle des cadets. 1361 ; lat. *minimus*, « le plus petit » ; [minim].

**MINIMISATION,** subst. f.
Action de minimiser ; son résultat. 1845 ; ☞ *minimiser* ; [minimizasjɔ̃].

**MINIMISER,** verbe trans. [3]
Réduire l'importance de : *Minimiser la responsabilité de qqn.* 1842 ; angl. *to minimize* ; [minimize].

**MINIMUM,** subst. m. et adj.
**Subst. 1.** *Math.* ▸ Valeur d'une fonction inférieure à celles qui la précèdent ou la suivent immédiatement. ▸ ***Minimum** d'un ensemble ordonné E* : le plus petit élément, s'il existe, de E ; ***Minimum** (absolu) d'une fonction numérique définie sur un ensemble X* : pour $f$ de X dans ℝ, nombre $m$ tel qu'il existe au moins un élément $a$ de E pour lequel $f(a) = m$ et $m \leqslant f(x)$, pour tout $x$ élément de X. **2.** Valeur la plus faible d'une quantité variable : ***Minimum** de points pour réussir à un examen* ; par ext., la plus petite quantité possible ou nécessaire : *Faire qqch. dans un **minimum** de temps* ; *Faire un **minimum** d'efforts.* ▸ ***Minimum** vital* : montant de ressources au-dessous duquel il est estimé impossible de vivre dans une société donnée ; quantité de nourriture qui n'assure que la simple survie d'un organisme. ▸ *Dr.* Peine la plus faible prévue pour un cas donné : *Être condamné au **minimum**.* **3.** Loc. *Au **minimum*** : au moins. **Adj.** Minimal (empl. critiqué) : *Salaire **minimum*** ; *Prix **minimums**.* 1705 ; mot lat. ; plur. *minimums* ou *minima* ; [minimɔm], plur. [-ma].

**MINI-ORDINATEUR,** subst. m.
Ordinateur dont la taille, la puissance sont intermédiaires entre celles d'un ordinateur et celles d'un micro-ordinateur. V. 1970 ; ☞ *ordinateur* + *mini-* ; plur. *mini-ordinateurs* ; [miniɔʀdinatœʀ].

**MINISTÈRE,** subst. m.
**1.** Vx. Charge, fonction : ***Ministère** du notaire.* ▸ *Relig.* ***Ministère** du prêtre* : sacerdoce. **2.** *Dr.* ***Ministère** public* : corps de magistrats chargés de requérir l'application de la loi au nom de la société près des cours et des tribunaux ; parquet. **3.** Ensemble des ministres formant le gouvernement. **4.** Charge, fonction de ministre ; durée de son exercice. **5.** Département de l'administration centrale dirigé par un ministre : *Le **ministère** des Finances* ; par méton., bâtiment qui abrite les services d'un **ministère**. Déb. XIIIe s. ; lat. *ministerium* ; [ministɛʀ].

**MINISTÉRIEL, ELLE,** adj.
**1.** Vx. Qui relève d'une charge, d'un office. **2.** Qui émane d'un ministre, d'un ministère ; relatif aux ministres. 1593 ; bas lat. *ministerialis* ; [ministeʀjɛl].

**MINISTRABLE,** adj. et subst.
Se dit d'une personne qui est susceptible de devenir ministre. 1885 ; ☞ *ministre* ; [ministʀabl].

**MINISTRE,** subst. m.
**1.** Vx. Homme qui est en charge d'une fonction, d'un office. **2.** *Relig.* Prêtre, pasteur : ***Ministre** du culte.* **3.** *Hist.* Personnalité choisie par le roi pour administrer l'État : *Richelieu fut un grand **ministre**.* **4.** Membre du gouvernement chargé d'un ministère : *Le **ministre** de l'Intérieur* ; *Le Premier **ministre**,* le chef du gouvernement. ▸ ***Ministre** d'État* : avant 1958, **ministre** sans attribution déterminée ; sous la Ve République, distinction décernée à un **ministre** doté d'un portefeuille. **5.** *Dr. internat.* Diplomate de rang inférieur à celui d'ambassadeur. Déb. XIIe s. ; lat. *minister*, « serviteur » ; [ministʀ].

**MINITEL,** subst. m. inv.
*Télécomm.* Terminal télématique à la norme vidéotex distribué par France Télécom. V. 1980 ; crois. de *téléphone* et de *terminal* (II), d'apr. *mini-* ; n. déposé ; [minitɛl].

1

© C. Lenars-Explorer

© D. Clément-Explorer

3

© C. Lenars-Explorer

2

© A. Nadeau-Explorer

4

VESTIGES **MINOENS**

1. *Les propylées sud du palais de Cnossos (1700-1400 av. J.-C.).*

2. *Fresque du corridor des Processions (détail), dans le palais de Cnossos.*

3. *Le site de Malia, à l'est de Cnossos.*

4. *Le Singe bleu, fresque du palais de Cnossos.*

**MINIUM,** subst. m.
**1.** Pigment vermillon constitué d'oxyde de plomb. **2.** Peinture antirouille contenant cette substance. 1547 (XIVe s., cinabre) ; mot lat. ; [minjɔm].

**MINOEN, ENNE,** adj. et subst. m.
*Antiq.* Se dit de la période archaïque de l'histoire de la Crète, qui s'étend du IIIe mill. à 1300 av. J.-C. env., et du crétois ancien que l'on parlait en ces temps. **Adj.** Du **minoen**. 1913 ; angl. *Minoan*, de *Minos*, roi légendaire de la Crète antique ; [minɔɛ̃, ɛn].

**MINOIS,** subst. m.
Joli visage. Déb. XVe s. ; ☞ *mine* (III) ; [minwa].

**MINORANT,** subst. m.
*Math.* ***Minorant** d'un sous-ensemble A d'un ensemble ordonné E* : élément de E inférieur (ou égal) à tout élément de A. V. 1950 ; p. pr. de *minorer* ; [minɔʀɑ̃].

**MINORATION,** subst. f.
Action de minorer ; son résultat. 1903 (XIVe s., action de purger) ; lat. *minoratio* ; [minɔʀasjɔ̃].

**MINORER,** verbe trans. [3]
**1.** Diminuer l'importance de ; amener à un chiffre inférieur : ***Minorer** un prix.* **2.** *Math.* Donner un minorant à. ▸ Empl. adj. *Fonction **minorée** (à valeurs dans un ensemble ordonné)* : fonction dont l'image admet un minorant. 1489 ; bas lat. *minorare* ; [minɔʀe].

**MINORITAIRE,** adj.
**1.** Qui appartient à une minorité ou la constitue ; empl. subst. : *Les **minoritaires** seront consultés.* **2.** Relatif ou propre à une minorité. Fin XIXe s. ; ☞ *minorité* (II) ; [minɔʀitɛʀ].

**MINORITÉ (I),** subst. f.
**1.** État de qqn qui n'a pas encore l'âge de la majorité légale ; par ext., période pendant laquelle qqn est mineur. **2.** *Hist.* ***Minorité** d'un souverain* : période pendant laquelle il règne sans gouverner lui-même, en raison de son jeune âge. 1376 ; lat. médiév. *minoritas*, de *minor*, « moindre » ; [minɔʀite].

**MINORITÉ (II),** subst. f.
**1.** Très petit nombre de personnes, de choses compris dans un ensemble : *Une **minorité** de gens voyagent.* **2.** Groupe qui obtient le plus petit nombre de suffrages : *Appartenir à la **minorité**.* **3.** Groupe qui fait partie d'une collectivité mais s'en différencie par certaines particularités : ***Minorité** ethnique, linguistique.* 1727 ; angl. *minority* ; [minɔʀite].

**MINOT,** subst. m.
**1.** Ancienne mesure valant une demi-mine. **2.** Farine de blé dur, servant à la fabrication des pâtes ou à l'alimentation du bétail. 1260 ; ☞ *mine* (I) ; [mino].

**MINOTERIE,** subst. f.
**1.** Établissement industriel où l'on transforme des céréales en farine. **2.** Industrie, commerce de la mouture des grains. 1834 ; ☞ *minotier* ; [minɔtʀi].

**MINOTIER, IÈRE,** subst.
**1.** Vx. Marchand de farines. **2.** Industriel dirigeant une minoterie. 1791 ; ☞ *minot* ; [minɔtje, jɛʀ].

**MINUIT,** subst. m.
**1.** Milieu de la nuit. **2.** La vingt-quatrième heure révolue du jour (marquée 24 heures ou 0 heure). 1155 ; ☞ *nuit* + *mi-* ; [minɥi].

**MINUS,** subst.
Personne peu intelligente ou qui manque d'envergure (fam.). 1836 ; loc. lat. *minus habens*, « ayant moins » ; [minys].

**MINUSCULE,** adj.
**1.** Qualifie une lettre, un caractère d'imprimerie de petite taille et d'un dessin particulier (anton. *majuscule*) ; empl. subst. fém. : *Une **minuscule**.* **2.** Ext. Très petit. 1634 ; lat. *minusculus*, « un peu plus petit » ; [minyskyl].

**MINUTAGE,** subst. m.
Action de minuter : *Le **minutage** des tâches* ; son résultat. 1930 ; ☞ *minuter* ; [minytaʒ].

**MINUTAIRE,** adj.
*Dr.* Qui a le caractère d'une minute : *Testament **minutaire**.* 1867 ; ☞ *minute* ; [minytɛʀ].

**MINUTE,** subst. f.
**I. 1.** Unité de temps égale à la soixantième partie de l'heure, à 60 s (symb. : min). **2.** Très courte durée : *J'en ai pour une **minute** !* ; en appos., vite fait : *Clé **minute*** ; *Cocotte-**minute*** (☞ *cocotte*) ; empl. interj. : ***Minute** !,* attendez un peu ! ▸ Loc. *À la **minute*** : immédiatement ; *D'une **minute** à l'autre* : incessamment. **3.** *Métrol.* Unité de mesure d'angle valant 1/60 de degré (symb. : ').

**II.** *Dr.* Original d'un acte ou d'un jugement, conservé par le notaire ou le greffe d'un tribunal et dont on ne délivre que des copies. Fin XIII^e s. ; lat. médiév. *minuta*, de *minutus*, « petit, menu » ; [minyt].

**MINUTER,** verbe trans. [3]
**1.** *Dr.* Établir la minute de. **2.** Déterminer la durée, le déroulement précis de : ***Minuter*** *une cérémonie* ; empl. adj. : *Un discours* ***minuté.*** 1552 (1382, rédiger un brouillon) ; ☞ *minute* ; [minyte].

**MINUTERIE,** subst. f.
*Horlog.* **1.** Mécanisme qui commande le mouvement des aiguilles. **2.** Dispositif servant à établir un contact électrique pendant un nombre de minutes donné. 1786 ; ☞ *minute* ; [minytʀi].

**MINUTEUR,** subst. m.
Dispositif servant à programmer une durée, à l'issue de laquelle se déclenche une sonnerie. V. 1960 ; ☞ *minuter* ; [minytœʀ].

**MINUTIE,** subst. f.
**1.** Vx. Vétille. **2.** Soin apporté aux moindres détails. 1627 ; lat. *minutia*, « poussière » ; [minysi].

**MINUTIER,** subst. m.
**1.** Registre contenant les minutes des actes notariés. **2.** Local où sont déposées les archives notariales datant de plus de cent vingt-cinq ans. 1893 ; ☞ *minute* ; [minytje].

**MINUTIEUSEMENT,** adv.
De manière minutieuse. 1798 ; ☞ *minutieux* ; [minysjøzmɑ̃].

**MINUTIEUX, EUSE,** adj.
**1.** Qui agit avec minutie, s'attache aux détails. **2.** Qui dénote ou suppose de la minutie : *Travail* ***minutieux.*** 1742 ; ☞ *minutie* ; [minysjø, øz].

**MIOCÈNE,** subst. m. et adj.
*Géol.* **Subst.** Période géologique de l'ère tertiaire, située entre l'Oligocène et le Pliocène, qui s'est terminée il y a cinq millions d'années. **Adj.** Relatif, propre à cette période. 1834 ; angl. *miocene*, du gr. *meion*, « moins », et *kainos*, « récent » ; [mjɔsɛn].

**MIOCHE,** subst.
Enfant (fam. et péj.) : *Une ribambelle de* ***mioches.*** 1808 (1567, mie) ; ☞ *mie* (I) ; [mjɔʃ].

**MI-PARTI, IE,** adj.
Composé de deux moitiés égales, mais dissemblables. ▸ *Hist. Chambres* ***mi-parties*** : créées par l'édit de Nantes et composées à parts égales de juges catholiques et de juges protestants. XII^e s. ; p. p. de *mipartir* (vx), « partager en deux moitiés » ; plur. *mi-partis, ies* ; [mipaʀti].

**MIR,** subst. m.
*Hist.* En Russie, assemblée chargée, avant la révolution de 1917, de la gestion d'une propriété rurale collective ; cette propriété. 1859 ; russe *mir*, « la terre ; la paix » ; [miʀ].

**MIRABELLE,** subst. f.
**1.** Petite prune douce, jaune doré. **2.** Méton. Eau-de-vie obtenue à partir de ce fruit. 1628 ; prob. topon. prov. *Mirabel* ; [miʀabɛl].

**MIRABELLIER,** subst. m.
*Bot.* Prunier produisant des mirabelles. 1857 ; ☞ *mirabelle* ; [miʀabelje].

**MIRABILIS,** subst. m.
*Bot.* Plante herbacée ornementale de la famille des Nyctaginacées (synon. *belle-de-nuit*). 1814 ; lat. sc. *mirabilis*, du lat. *mirabilis*, « admirable » ; [miʀabilis].

**MIRACLE,** subst. m.
**1.** *Relig.* Fait extraordinaire, que des causes naturelles ne peuvent expliquer, attribué à une intervention divine. ▸ Loc. *Tenir du* ***miracle*** : être prodigieux, merveilleux, en parlant d'une chose. **2.** *Litt.* Au Moyen Âge, drame religieux mettant en scène les **miracles** d'un saint ou de la Vierge. **3.** Ext. Évènement extraordinaire, incroyable et heureux ; réussite exceptionnelle : *Le* ***miracle*** *japonais*, l'essor économique remarquable du Japon, après sa défaite de 1945 ; par hyperb. : *Ce vendeur fait des* ***miracles***, est d'une rare efficacité ; empl. adj. (souv. iron.) : *Un remède, une solution* ***miracle.*** ▸ Loc. *Par* ***miracle*** : de manière inopinée et heureuse. **4.** Ce qui suscite l'admiration : *Ce viaduc est un* ***miracle*** *de grâce et d'équilibre.* Mil. XI^e s. ; lat. *miraculum*, de *mirari*, « s'étonner » ; [miʀakl].

**MIRACULÉ, ÉE,** adj. et subst.
**1.** Se dit d'une personne qui a été l'objet d'un miracle. **2.** Ext. Se dit de qqn qui a échappé à la mort, par chance rare. 1755 ; p. p. de *miraculer* (rare), « guérir par un miracle » ; [miʀakyle].

**MIRACULEUSEMENT,** adv.
De manière miraculeuse, inouïe. Fin XIV^e s. ; ☞ *miraculeux* ; [miʀakyløzmɑ̃].

**MIRACULEUX, EUSE,** adj.
**1.** *Relig.* Qui relève du miracle : *Apparition* ***miraculeuse.*** **2.** Anal. Très étonnant, extraordinaire. 1314 ; ☞ *miracle* ; [miʀakylø, øz].

**MIRADOR,** subst. m.
**1.** *Archit.* Belvédère situé au sommet d'une maison. **2.** Tour de surveillance : *Les* ***miradors*** *d'une prison.* 1787 ; mot catalan ; [miʀadɔʀ].

**MIRAGE,** subst. m.
**1.** Phénomène optique provoqué par la diffraction des rayons lumineux dans des couches d'air de températures différentes et qui peut donner l'impression de voir au loin une étendue d'eau, sur laquelle apparaîtrait l'image inversée des objets situés à l'horizon. **2.** Fig. Apparence trompeuse. **3.** Action de mirer un œuf. 1753 ; ☞ *mirer* ; [miʀaʒ].

**MIRAUD, voir MIRO**

**MIRBANE,** subst. f.
*Essence de* ***mirbane*** : nom donné au nitrobenzène, en parfumerie. 1854 ; orig. obsc. ; [miʀban].

**MIRE,** subst. f.
**1.** *Arm.* Visée (vieilli). ▸ *Ligne de* ***mire*** : ligne imaginaire allant de l'œil du tireur à l'extrémité de son arme. ▸ *Cran de* ***mire*** : fente pratiquée dans la hausse d'une arme à feu, servant à viser. ▸ *Point de* ***mire*** : point visé par le tireur. ▸ Fig. *Être le point de* ***mire*** : le centre d'attention. **2.** *Phot.* Ensemble de traits différemment écartés et orientés, dont le nombre permet de mesurer la capacité d'un objectif ou d'un film à donner des images nettes. **3.** *Télév.* Image à motifs conventionnels diffusée en vue du réglage des récepteurs. 1552 (1325, modèle) ; ☞ *mirer* ; [miʀ].

**MIRE-ŒUF(S),** subst. m.
Appareil servant à mirer les œufs. 1910 ; comp. de *mirer* et de *œuf* ; plur. *mire-œufs* ; [miʀœf], plur. [-ø].

**MIREPOIX,** subst. f.
*Cuis.* Préparation à base de légumes et d'aromates, qui accompagne une viande ou un poisson ; empl. adj. : *Sauce* ***mirepoix.*** 1833 ; anthropon. *duc de Mirepoix* ; [miʀpwa].

**MIRER,** verbe trans. [3]
**1.** Vx. Observer attentivement. **2.** Refléter (littér.) : *Le château* ***mire*** *ses tours dans l'étang.* **3.** Examiner (un œuf) par transparence pour vérifier sa qualité. **Pronom.** **1.** Se regarder complaisamment (vieilli ou littér.). **2.** Se refléter (littér.). XII^e s. ; lat. pop. °*mirare*, du lat. *mirari*, « s'étonner » ; [miʀe].

**MIRETTES,** subst. f. plur.
Yeux (fam.). 1836 ; ☞ *mirer* ; [miʀɛt].

**MIRIFIQUE,** adj.
Merveilleux, fabuleux (iron.). Fin XV^e s. (mil. XV^e s., merveille) ; lat. *mirificus*, de *mirus*, « étonnant », et de *facere*, « faire » ; [miʀifik].

**MIRLIFLORE,** subst. m.
Jeune homme fat qui fait l'élégant (vieilli et iron.). 1765 ; p.-ê. altér. de *mille-fleurs* (vx), « homme qui se parfume », d'apr. *mirifique* ; [miʀliflɔʀ].

**MIRLITON,** subst. m.
Instrument populaire formé d'un tube aux extrémités fermées par une membrane et percé de deux ouvertures latérales, sur l'une desquelles on applique la bouche pour émettre des sons nasillards. ▸ *Vers, musique de* ***mirliton*** : de mauvaise qualité. 1745 (1738, monnaie) ; orig. obsc. ; [miʀlitɔ̃].

**MIRMIDON, voir MYRMIDON**

**MIRMILLON,** subst. m.
*Antiq. rom.* Gladiateur armé d'une épée, d'un casque et d'un bouclier, qui avait pour adversaire le rétiaire. 1704 ; lat. *mirmillo* ; [miʀmijɔ̃].

**MIRO,** adj.
Fam. Qui n'a pas une bonne vue ; myope. 1928 ; ☞ *mirer* ; var. *miraud, aude* ; [miʀo].

**MIROBOLANT, ANTE,** adj.
Qui étonne, émerveille au point de n'être pas toujours crédible (fam.) : *Des projets* ***mirobolants.*** 1838 ; *Mirobolan*, médecin d'une comédie du XVII^e s., de *myrobolan*, fruit utilisé en pharmacie ; [miʀɔbɔlɑ̃, ɑ̃t].

**MIROIR,** subst. m.
**1.** Objet constitué par une surface (métal poli, verre étamé) qui réfléchit la lumière, l'image de qqn, de qqch. ▸ ***Miroir*** *aux alouettes* : appareil formé d'une barrette garnie de petits **miroirs** que l'on fait tourner au soleil pour attirer les oiseaux ou, au fig., ce qui est fascinant et trompeur. ▸ *Opt.* ***Miroir*** *ardent* : concave et qui peut faire brûler des objets éloignés. **2.** Anal. Surface lisse où se réfléchissent les objets, la lumière : *Le* ***miroir*** *argenté de la banquise.* **3.** Fig. Représentation, image fidèle de qqch., de qqn (littér.) : *Le visage est le* ***miroir*** *de l'âme* (Cicéron). XII^e s. ; ☞ *mirer* ; [miʀwaʀ].

**MIROITANT, ANTE,** adj.
Qui miroite. 1824 ; p. pr. de *miroiter* ; [miʀwatɑ̃, ɑ̃t].

**MIROITÉ, ÉE,** adj.
*Hippol. Cheval* ***miroité*** : cheval bai dont la croupe présente des taches plus claires ou plus brillantes que le fond de la robe. 1595 ; p. p. de *miroiter* ; [miʀwate].

**MIROITEMENT,** subst. m.
Reflet changeant produit par une surface qui miroite. 1622 ; ☞ *miroiter* ; [miʀwatmɑ̃].

**MIROITER,** verbe intrans. [3]
**1.** Scintiller, réfléchir la lumière en renvoyant des reflets changeants. **2.** Fig. *Faire* ***miroiter*** *qqch. à qqn* : lui présenter quelque perspective brillante pour le séduire. XVI^e s. ; ☞ *miroir* ; [miʀwate].

**MIROITERIE,** subst. f.
**1.** Industrie ou commerce des miroirs. **2.** Usine, atelier de miroitier. 1701 ; ☞ *miroitier* ; [miʀwatʀi].

**MIROITIER, IÈRE,** subst.
Personne qui fabrique ou vend des miroirs, des glaces. 1564 ; ☞ *miroir* ; [miʀwatje, jɛʀ].

**MIROTON,** subst. m.
*Cuis.* Bœuf coupé en tranches et bouilli, accommodé avec des oignons et du vin blanc. 1691 ; orig. obsc. ; var. fautive *mironton* ; [miʀɔtɔ̃].

**MISAINE,** subst. f.
*Mar.* Voile basse que porte le mât situé entre le beaupré et le grand mât. 1463 ; altér. de l'anc. fr. *migenne*, d'apr. l'ital. *mezzana*, du catalan *mitjana*, du lat. *medianus*, « au milieu » ; [mizɛn].

**MISANDRE,** adj. et subst.
Se dit d'une personne qui déteste ou méprise les hommes (par oppos. à *misogyne*). V. 1970 ; formé de *miso-* et de *-andre*, d'apr. *misogyne* ; [mizɑ̃dʀ].

**MISANDRIE,** subst. f.
Caractère, attitude d'une personne misandre. V. 1970 ; ☞ *misandre* ; [mizɑ̃dʀi].

**MISANTHROPE,** adj. et subst.
Se dit d'une personne qui déteste le genre humain et sa fréquentation ; par ext., se dit d'une personne insociable. 1548 ; gr. *misanthrôpos* ; [mizɑ̃tʀɔp].

**MISANTHROPIE,** subst. f.
Aversion pour le genre humain. XVI^e s. ; gr. *misanthrôpia* ; [mizɑ̃tʀɔpi].

**MISCELLANÉES,** subst. f. plur.
*Litt.* Recueil d'écrits variés. 1578 ; lat. *miscellanea*, « choses mêlées » ; [miselane] ou [-sɛlla-].

**MISCIBLE,** adj.
*Sc.* Qui peut former un mélange homogène avec un autre corps. 1757 ; lat. *miscere*, « mélanger » ; [misibl].

**MISE,** subst. f.
**I. 1.** Argent risqué dans une affaire ou au jeu : *Doubler sa* ***mise.*** **2.** ***Mise*** *à prix* : détermination du prix de départ d'une enchère. ▸ Loc. *Être de* ***mise*** : avoir cours ou, au fig., convenir ; *Sauver la* ***mise*** *à qqn* : le tirer d'un mauvais pas. **II. 1.** Action de mettre, de placer qqch. ou qqn quelque part : ***Mise*** *en cage d'un animal.* **2.** Action de placer dans une situation nouvelle, de faire passer dans un état nouveau : ***Mise*** *à la retraite* ; ***Mise*** *en marche d'un moteur.* ▸ ***Mise*** *bas* : accouchement, en parlant de certains animaux femelles. ▸ ***Mise*** *au point* : réglage précis d'un mécanisme, d'un instrument d'optique ou, au fig., explication visant à éclaircir une situation, une question. ▸ ***Mise*** *en scène* : organisation matérielle de la représentation d'une œuvre dramatique ou lyrique, et, par ext., cinématographique. ▸ *Dr.* ***Mise*** *en accusation* : fait d'accuser. ▸ *Typogr.* ***Mise*** *en page(s)* : assemblage, en vue de l'impression, des différents éléments d'une page de livre, de journal, pour la mettre en conformité avec la maquette. **3.** Manière d'être vêtu : *Soigner sa* ***mise.*** Déb. XIII^e s. (mil. XII^e s., dépense) ; p. p. de *mettre* ; [miz].

**MISER,** verbe trans. [3]
**Trans. dir.** **1.** Engager (une somme d'argent) dans une affaire ou au jeu. **2.** Helv. Acheter ou vendre (qqch.) dans une vente aux enchères. **Trans. indir.** **Miser sur.** **1.** *Jeux.* Mettre un enjeu sur : *Miser*

*sur le 17, à la roulette.* ▸ Loc. *Miser sur les deux tableaux* : se ménager un intérêt dans deux partis opposés pour ne rien perdre. **2.** Fig. Escompter la réalisation de ; mettre ses espoirs dans : *Miser sur la fatigue de l'adversaire.* Mil. XIX^e s. (1669, surenchérir) ; ☞ *mise* ; [mize].

**MISÉRABILISME,** subst. m.
En art et en littérature, goût prononcé, voire excessif, pour la représentation de la misère humaine. 1937 ; ☞ *misérable* ; [mizeʀabilism].

**MISÉRABILISTE,** adj.
Relatif, propre au misérabilisme ; empl. subst., personne portée au misérabilisme. Mil. XX^e s. ; ☞ *misérable* ; [mizeʀabilist].

**MISÉRABLE,** adj. et subst.
ADJ. **1.** Qui est malheureux ; qui suscite la pitié : *Vie **misérable**.* **2.** Qui est d'une grande pauvreté : *Logis **misérable**.* **3.** Sans valeur : *De **misérables** vers.* **4.** Qui suscite l'indignation : ***Misérable** voyou !* SUBST. **1.** Personne malheureuse ; indigent. **2.** Personne méprisable. 1336 (fin XII^e s., qui cause une blessure) ; lat. *miserabilis,* « touchant, triste », de *miserari,* « avoir pitié de » ; [mizeʀabl].

**MISÉRABLEMENT,** adv.
De manière misérable. Fin XIV^e s. ; ☞ *misérable* ; [mizeʀabləmɑ̃].

**MISÈRE,** subst. f.
**1.** Infortune, malheur (vieilli ou littér.). **2.** État de grande pauvreté, d'indigence. **3.** Chose insignifiante : *Dix francs, une **misère** !* **4.** *Bot.* Nom usuel du tradescantia. PLUR. Ce qui rend les conditions de vie dignes de pitié : *Les **misères** de l'âge* ; par exagér., tracasseries : *Faire des **misères** à qqn.* XII^e s. ; lat. *miseria,* de *miser,* « misérable » ; [mizɛʀ].

**MISERERE,** subst. m. inv.
*Liturg.* Psaume qui, dans la Vulgate, commence par ce mot. ▸ *Mus.* Œuvre vocale composée sur les paroles du **miserere**. Déb. XII^e s. ; lat. *miserere,* « aie pitié », de *misereri,* « avoir compassion » ; var. *miséréré* (plur. *miséréré*s) ; [mizeʀeʀe].

**MISÉREUX, EUSE,** adj. et subst.
ADJ. Qui connaît la misère ; qui dénote la misère. SUBST. Personne vivant dans la misère. 1894 ; ☞ *misère* ; [mizeʀø, øz].

**MISÉRICORDE,** subst. f.
**1.** *Relig.* Bonté de Dieu envers les hommes. ▸ Empl. interj. ***Miséricorde !*** : exprime la détresse, l'inquiétude. **2.** Sentiment de compassion pour le malheur d'autrui (vieilli). ▸ Ext. Générosité qui porte à l'indulgence, au pardon envers un vaincu, un coupable : *Obtenir **miséricorde**.* **3.** ▸ *Ameubl.* Console de bois fixée en saillie sous l'abattant d'une stalle d'église et permettant de s'appuyer en ayant l'air d'être debout. ▸ *Mar. Ancre de **miséricorde*** : ancre maîtresse d'un navire, jetée en cas d'extrême danger. XII^e s. ; lat. *misericordia,* de *misericors,* « qui a le cœur sensible à la détresse » ; [mizeʀikɔʀd].

© Bridgeman-Giraudon

Les Œuvres de **miséricorde** *(détail), peinture de Brueghel le Jeune (v. 1564-1638). Coll. part., Bruxelles.*

**MISÉRICORDIEUX, EUSE,** adj.
Qui est enclin à pardonner. XII^e s. ; lat. médiév. *misericordiosus* ; [mizeʀikɔʀdjø, øz].

**MISOGYNE,** adj. et subst.
ADJ. Qui est méprisant ou hostile envers les personnes du sexe féminin. SUBST. Personne misogyne. 1559 ; gr. *misogunês,* de *misein,* « haïr », et de *gunê,* « femme » ; [mizɔʒin].

**MISOGYNIE,** subst. f.
Hostilité ou mépris vis-à-vis des femmes. 1812 ; gr. *misogunia* ; [mizɔʒini].

**MISS,** subst. f.
**1.** Mademoiselle, dans les pays de langue anglaise : *Miss Marple.* **2.** Lauréate d'un concours de beauté : *Elle a été élue Miss Monde.* 1713 ; mot angl. ; plur. du sens 1 *miss(es)* ; [mis], plur. [mis(iz)].

**MISSEL,** subst. m.
*Cath.* Recueil des textes et des actes liturgiques propres au déroulement de la messe. Fin XII^e s. ; lat. eccl. *missalis liber,* « livre de messe » ; [misɛl].

**MISSI DOMINICI,** subst. m. plur.
*M. Â.* Inspecteurs royaux qui, notamment sous Charlemagne, parcouraient le pays deux par deux, un clerc et un laïc, pour contrôler les autorités locales. 1765 ; lat. *missi dominici,* « envoyés du maître » ; [misidɔminisi].

**MISSILE,** subst. m.
*Arm.* **1.** Vx. Arme de jet. **2.** Projectile militaire autopropulsé, à charge classique ou nucléaire, dont la trajectoire est en partie ou en totalité téléguidée ou autoguidée : ***Missile** air-air, air-mer, sol-air...* 1636 ; angl. *missile,* du lat. *missile* ; [misil].

© Liaison-Gamma

*Lancement d'un **missile**.*

**MISSION,** subst. f.
**I. 1.** Tâche dont est chargé qqn : *Une **mission** de confiance.* **2.** Délégation officielle donnant mandat à qqn de mener à bien une entreprise : *Un chargé de **mission*** ; ***Mission** diplomatique, scientifique* ; par méton., les membres de cette délégation. **3.** Anal. But élevé que l'on s'impose à soi-même ; raison d'être d'une activité : *La **mission** de l'enseignement public.* **II.** *Relig.* **1.** Ensemble d'actes à vocation évangélisatrice. **2.** Méton. ▸ Territoire où travaillent les missionnaires ; bâtiment où ils logent. ▸ Suite de prédications visant à instruire les fidèles. 1656 (mil. XIV^e s., délégation divine de Jésus-Christ) ; lat. *missio,* « action d'envoyer » ; [misjɔ̃].

**MISSIONNAIRE,** adj. et subst.
*Relig.* SUBST. Religieux, prêtre membre d'une mission ; par ext., personne qui propage un mouvement, une doctrine. ADJ. **1.** Qui propage la foi. **2.** Relatif, propre aux missions. 1631 ; ☞ *mission* ; [misjɔnɛʀ].

**MISSIVE,** subst. f. et adj. f.
ADJ. *Dr. Lettre **missive*** : tout écrit adressé à un correspondant officiel. SUBST. Lettre (littér.). 1454 ; lat. *missus,* de *mitere,* « envoyer » ; [misiv].

**MISTELLE,** subst. f.
Moût de raisin muté. 1903 ; esp. *mistela,* prob. de l'ital. *mistella,* de *misto,* « mélangé » ; [mistɛl].

**MISTIGRI,** subst. m.
**1.** Chat (fam.). **2.** *Jeux.* Valet de trèfle, dans certains jeux de cartes. 1822 ; prob. formé de l'anc. fr. *miste,* var. de *mite* (pop.), « chat », et de *gris* ; [mistigʀi].

**MISTON, ONNE,** subst.
Gamin, gamine (vx ou région.). 1790 ; prob. *miste* (vx), « doux » ; [mistɔ̃, ɔn].

**MISTOUFLE,** subst. f.
Fam. Misère. PLUR. Méchancetés : *Faire des **mistoufles** à qqn.* 1866 ; orig. obsc. ; [mistufl].

**MISTRAL,** subst. m.
Vent violent, froid et sec, qui souffle du nord ou du nord-ouest dans la vallée du Rhône et sur le littoral méditerranéen. 1519 ; anc. prov. *maestral,* « magistral », du bas lat. *magistralis,* « de maître » ; plur. *mistrals* ; [mistʀal].

**MITAINE,** subst. f.
**1.** Québ. et Helv. Moufle. **2.** Gant qui laisse les doigts à demi découverts. Fin XII^e s. ; anc. fr. *mite,* prob. de *mite* (pop.), « chat » ; [mitɛn].

**MITAN,** subst. m.
Milieu (vx ou région.). XII^e s. ; orig. obsc. ; [mitɑ̃].

**MITARD,** subst. m.
Cachot (argot.). 1884 ; argot *mite* ; [mitaʀ].

**MITE,** subst. f.
*Zool.* **1.** Petit papillon de la famille des Tinéidés, dont les larves s'attaquent à la laine des vêtements. **2.** Papillon pyralidé dont la chenille se développe dans la farine. **3.** Acarien qui se nourrit de fruits secs ou de fromage. Fin XIII^e s. ; m. néerl. *mite,* du rad. germ. *mit-,* « couper en morceaux » ; [mit].

**MI-TEMPS,** subst. f. inv.
**1.** *Sp.* Chacune des deux moitiés d'un match de certains jeux de ballon, tels le football, le rugby ; pause entre ces deux périodes. **2.** Loc. **À mi-temps.** Pendant la moitié de la durée normale d'un travail : *Un emploi à **mi-temps*** ou, empl. subst. masc., *Un **mi-temps**.* 1896 ; ☞ *temps* + *mi-* ; [mitɑ̃].

**MITER (SE),** verbe pronom. [3]
Être rongé par les mites ; empl. adj. : *Un tricot **mité**.* 1743 ; ☞ *mite* ; [mite].

**MITEUX, EUSE,** adj. et subst.
ADJ. En piteux état. SUBST. Personne misérable, pauvre. 1873 (1808, chassieux) ; ☞ *mite* ; [mitø, øz].

**MITHRAÏSME,** subst. m.
*Relig.* Culte de Mithra. 1840 ; lat. *mithriacus,* « mithriaque » ; var. *mithriacisme, mithracisme* ; [mitʀaism].

**MITHRIAQUE,** adj.
Relatif à Mithra et à son culte. 1765 (1721, fête romaine) ; lat. *mithriacus* ; [mitʀijak].

**MITHRIDATISER,** verbe trans. [3]
Immuniser contre un poison par accoutumance progressive. 1878 ; anthropon. *Mithridate VI,* roi du Pont ; [mitʀidatize].

**MITHRIDATISME,** subst. m.
Immunité contre un poison acquise par l'absorption échelonnée de doses croissantes de ce poison (synon. *la mithridatisation*). 1878 ; anthropon. *Mithridate VI,* roi du Pont ; [mitʀidatism].

**MITIGATION,** subst. f.
**1.** Action de mitiger ; son résultat. **2.** *Dr.* Adoucissement d'une peine eu égard à la faiblesse physique du condamné. 1495 ; lat. *mitigatio* ; [mitigasjɔ̃].

**MITIGÉ, ÉE,** adj.
**1.** Vx. Atténué. **2.** Nuancé, modéré : *Opinion **mitigée**.* **3.** Relâché, moins vif : *Ardeur **mitigée**.* ▸ ***Mitigé de*** : mélangé de (empl. critique). **4.** *Relig. Ordre **mitigé*** : dont la règle a été rendue moins austère. 1596 ; p. p. de *mitiger* ; [mitiʒe].

**MITIGER,** verbe trans. [5]
Adoucir, tempérer (vieilli). 1355 ; lat. *mitigare,* de *mitis,* « doux » ; [mitiʒe].

**MITIGEUR,** subst. m.
*Techn.* Robinet mélangeur qui permet de régler d'un seul geste le débit et la température de l'eau. V. 1970 ; ☞ *mitiger* ; [mitiʒœʀ].

**MITOCHONDRIE,** subst. f.
*Biol.* Organite propre aux cellules eucaryotiques exerçant plusieurs types de fonctions dont la plus connue est la respiration cellulaire. 1901 ; gr. *mitos,* « filament », et *khondrion,* « petit grain » ; [mitɔkɔ̃dʀi].

**MITON,** subst. m.
Gantelet de mailles à doigts non séparés, hormis le pouce, en usage aux XV^e et XVI^e s. 1471 ; anc. fr. *mite,* « gant » ; [mitɔ̃].

**MITONNER,** verbe [3]
TRANS. **1.** Laisser cuire longtemps à feu doux. **2.** Fig. Préparer (qqch.) sans bruit, discrètement : ***Mitonner** une bonne farce.* INTRANS. Cuire à petit feu. 1546 ; norm. *miton,* « mie de pain » ; [mitɔne].

**MITOSE,** subst. f.
*Biol.* Division d'une cellule en deux cellules filles, génétiquement identiques à cette cellule mère (synon. *caryocinèse*) : *Les quatre phases de la **mitose** sont la prophase, la métaphase, l'anaphase et la télophase.* Fin XIX^e s. ; gr. *mitos,* « filament » ; [mitoz].

**MITOTIQUE,** adj.
Relatif à la mitose. 1897 ; ☞ *mitose* ; [mitotik].

**MITOYEN, ENNE,** adj.
Qui est commun à deux éléments contigus, ou à deux propriétés, et les délimite : *Mur* **mitoyen** ; par ext. : *Maisons* **mitoyennes**, qui se touchent. Mil. XIVe s. ; anc. fr. *moitoien*, « de moitié », d'apr. *milieu* ; [mitwajɛ̃, ɛn].

**MITOYENNETÉ,** subst. f.
État de ce qui est mitoyen et, par ext., contigu. 1804 ; ☞ *mitoyen* ; [mitwajɛnte].

**MITRAILLADE,** subst. f.
Décharge simultanée de mitrailleuses, d'armes automatiques. 1794 ; ☞ *mitrailler* ; [mitʀajad].

**MITRAILLAGE,** subst. m.
Action de mitrailler : *Avion équipé pour le* **mitraillage** *au sol.* XXe s. ; ☞ *mitrailler* ; [mitʀajaʒ].

**MITRAILLE,** subst. f.
1. Vx. Ferraille dont on chargeait les canons : *Tirer à* **mitraille** ; *Obus à* **mitraille** (☞ *obus*). 2. Tir nourri de projectiles : *Partir à l'assaut sous la* **mitraille**. 3. Menue monnaie (fam.). 4. Débris de métaux destinés à la fonte. 1375 ; anc. fr. *mitaille*, de *mite*, « monnaie de cuivre de Flandre », du rad. germ. *mit-*, « couper en morceaux » ; [mitʀaj].

**MITRAILLER,** verbe trans. [3]
1. Vx. Tirer à mitraille sur. 2. Tirer par rafales sur. 3. Anal. Photographier sous tous les angles, rapidement ; au fig. : **Mitrailler** *qqn de questions.* 1794 ; ☞ *mitraille* ; [mitʀaje].

**MITRAILLETTE,** subst. f.
Arme automatique individuelle et portative, qui tire par rafales (synon. *pistolet-mitrailleur*). 1935 ; ☞ *mitrailleur* ; [mitʀajɛt].

**MITRAILLEUR, EUSE,** subst.
MASC. 1. Vx. Celui qui fait tirer à mitraille sur la foule. 2. Servant d'une **mitrailleuse**. FÉM. Arme automatique à tir rapide, d'un calibre inférieur à 20 mm, montée sur affût, utilisée au sol ou sur véhicule. 1795 ; ☞ *mitrailler* ; [mitʀajœʀ, øz].

**MITRAL, ALE, AUX,** adj.
*Anat.* Relatif à l'orifice auriculo-ventriculaire du cœur et à sa valve, en forme de mitre : *Valvule* **mitrale**, située entre l'oreillette et le ventricule gauches. 1673 ; ☞ *mitre* ; [mitʀal, o].

**MITRE,** subst. f.
1. Coiffure liturgique à pointe haute portée par les évêques au cours des cérémonies. 2. *Antiq.* Coiffure pyramidale en usage chez certains peuples du Moyen-Orient. 3. Anal. ▸ *Techn.* Pièce métallique coiffant l'extrémité d'un conduit de cheminée et le protégeant de la pluie et du vent. ▸ *Zool.* Gastéropode des mers chaudes à coquille en forme de fuseau. Fin XIIe s. ; lat. *mitra*, du gr. *mitra*, « turban » ; [mitʀ].

**MITRÉ, ÉE,** adj.
*Relig.* Qui est autorisé à porter la mitre : *Abbé crossé et* **mitré**. Déb. XIIIe s. ; ☞ *mitre* ; [mitʀe].

**MITRON,** subst. m.
1. Garçon boulanger ou pâtissier. 2. *Constr.* Poterie cylindrique couronnant un conduit de cheminée. 1610 ; ☞ *mitre* ; [mitʀɔ̃].

**MI-VOIX (À),** loc. adv.
En baissant la voix. 1832 ; ☞ *voix* + *mi-* ; [amivwa].

**MIXAGE,** subst. m.
Action de mixer des sons pour un film, un disque. 1934 ; ☞ *mixer* ; [miksaʒ].

**MIXER,** verbe trans. [3]
1. Réunir, combiner (des sons préalablement enregistrés) sur une même bande sonore. 2. Passer (des aliments) au mixeur. 1934 ; angl. *to mix*, « mélanger » ; [mikse].

**MIXEUR, EUSE,** subst.
Technicien spécialisé dans le mixage des sons. MASC. Appareil électroménager servant à broyer ou à mélanger certains aliments. 1952 (1934, dispositif de superposition de bandes sonores sur une seule) ; angl. *mixer*, de *to mix*, « mélanger » ; [miksœʀ, øz].

**MIXITÉ,** subst. f.
Caractère de ce qui est mixte : **Mixité** *scolaire.* 1842 ; ☞ *mixte*, d'apr. *fixité* ; [miksite].

**MIXTE,** adj.
1. Qui comprend plusieurs éléments (souv. deux) de nature différente : *Salade* **mixte** ; *Roche* **mixte**. 2. Qualifie un groupe, une collectivité de personnes d'origines ou de catégories différentes : *Commission, tribunal* **mixte** ; *Mariage* **mixte**. 3. Qualifie un groupe comprenant des personnes des deux sexes : *École* **mixte**. 4. *Math. Produit* **mixte** *de n vecteurs d'un espace vectoriel euclidien de dimension n* : déterminant de ces *n* vecteurs relativement à une base orthonormée directe. Pour $n = 3$, le produit **mixte** de $\vec{u}$, $\vec{v}$, $\vec{w}$ est $\vec{u} \cdot (\vec{v} \wedge \vec{w})$, où $\cdot$ est le produit scalaire et $\wedge$ le produit vectoriel. Mil. XIIe s. ; lat. *mixtus*, « mélangé » ; [mikst].

**MIXTION,** subst. f.
Action de mélanger plusieurs substances, en partic. pharmaceutiques ; son résultat. Fin XIIIe s. ; lat. *mixtio* ; [miks(t)jɔ̃].

**MIXTURE,** subst. f.
1. *Chim.* et *Pharm.* Mélange liquide obtenu par mixtion. 2. Anal. Boisson ou nourriture plus ou moins douteuse, ou dont la composition est inconnue (fam.). Fin XIIe s. ; lat. *mixtura* ; [mikstyʀ].

**ml,** voir **MILLILITRE**

**mm,** voir **MILLIMÈTRE**

**Mn,** voir **MANGANÈSE**

**MNÉMONIQUE,** adj.
Relatif à la mémoire ; qui aide la mémoire. 1834 (1806, subst. f., mnémotechnie) ; gr. *mnêmonikos*, « qui a une bonne mémoire » ; [mnemɔnik].

**MNÉMOTECHNIE,** subst. f.
Technique d'entraînement et d'éducation de la mémoire (synon. *mnémotechnique*). 1823 ; formé de *mnémo-* et de *-technie* ; [mnemotɛkni].

**MNÉMOTECHNIQUE,** adj.
Relatif à la mnémotechnie : *Procédés* **mnémotechniques** ; empl. subst. fém., mnémotechnie. 1825 ; ☞ *mnémotechnie* ; [mnemotɛknik].

**MNÉSIQUE,** adj.
Qui concerne la mémoire. Mil. XXe s. ; gr. *-mnêsis* « -mnèse », de *mimnêskein*, « se souvenir » ; [mnezik].

**Mo,** voir **MOLYBDÈNE**

**MOABITE,** subst. et adj.
Du pays de Moab. SUBST. MASC. Langue sémitique, proche de l'hébreu biblique. Déb. XIIIe s. ; lat. *Moabita*, du topon. gr. *Moab*, de l'hébreu *Mô'ābī*, « habitant du pays de Moab » ; [mɔabit].

**MOBILE,** adj. et subst. m.
ADJ. 1. Qui peut se mouvoir ou être mû : *Pont* **mobile**. ▸ Fig. *Fête* **mobile** : dont la date n'est pas fixe dans le calendrier ; *Échelle* **mobile** *des salaires* : indexation des salaires sur l'indice des prix. 2. Qualifie une personne ou un groupe qui se déplace souvent ou facilement (anton. *sédentaire*) : *Population, main-d'œuvre* **mobile**. ▸ *Hist. Garde nationale* **mobile** : corps de troupe de la Garde nationale sous le second Empire. 3. Qui change de forme ou d'aspect constamment : *Un visage* **mobile**. SUBST. 1. *Phys.* Corps en mouvement, qui se meut ou qui est mû : *Calculer la vitesse d'un* **mobile**. ▸ *Astron. Premier* **mobile** : au Moyen Âge, la première des « sphères célestes », qui était supposée envelopper et faire mouvoir les sphères inférieures (toutes ces sphères étant centrées sur la Terre). 2. Impulsion affective ou rationnelle se trouvant à l'origine d'un acte, d'un comportement. ▸ *Dr.* Ce qui pousse qqn à commettre une infraction : *L'argent était le vrai* **mobile** *de ce crime.* 3. *B.-a.* Ensemble articulé d'éléments, généralement suspendu, que font se mouvoir les vibrations du sol, le mouvement de l'air ou un moteur. 1377 (1301, bien meuble) ; lat. *mobilis* ; [mɔbil].

**MOBILE HOME,** subst. m.
Grande roulotte aménagée pour l'habitation (anglic.). V. 1970 ; anglo-amér. *mobile home*, « maison mobile » ; plur. *mobile homes*, recomm. off. *résidence mobile* ; [mɔbilɔm].

**MOBILIER, IÈRE,** adj. et subst. m.
ADJ. *Dr.* Qui est considéré comme bien meuble par la loi ; relatif aux biens meubles : *Saisie* **mobilière**. SUBST. 1. *Dr.* Ensemble des biens meubles d'un patrimoine. 2. Ensemble des meubles qui garnissent une habitation, un local ; par ext., ensemble des équipements destinés à aménager un lieu particulier : **Mobilier** *de jardin* ; **Mobilier** *urbain.* ▸ **Mobilier** *national* : ensemble des meubles meublants appartenant à l'État et équipant les bâtiments nationaux ; par méton., les entrepôts où ils sont conservés. 1509 ; ☞ *mobile* ; [mɔbilje, jɛʀ].

**MOBILISABLE,** adj.
1. Qui peut être mobilisé : *Des capitaux* **mobilisables**. 2. *Milit.* Apte à être mobilisé. 1842 ; ☞ *mobiliser* ; [mɔbilizabl].

**MOBILISATEUR, TRICE,** adj.
1. *Milit.* Qui assure la mobilisation : *Centre* **mobilisateur**. 2. Fig. Susceptible de mobiliser, de sensibiliser : *Programme politique* **mobilisateur**. 1924 ; ☞ *mobiliser* ; [mɔbilizatœʀ, tʀis].

**MOBILISATION,** subst. f.
Action de mobiliser ; son résultat. 1771 ; ☞ *mobiliser* ; [mɔbilizasjɔ̃].

**MOBILISER,** verbe trans. [3]
1. *Dr.* Rendre meuble par une convention (un bien considéré comme immeuble). 2. *Fin.* Mettre en circulation (des capitaux). 3. *Milit.* Mettre (les forces armées) sur le pied de guerre ; mettre (qqch.) au service des autorités militaires : **Mobiliser** *les métaux*. 4. Anal. Recourir à : **Mobiliser** *les partenaires sociaux* ; au fig. : **Mobiliser** *l'opinion*, la sensibiliser ; empl. pronom. : *Toute la ville se* **mobilisa** *pour aider les réfugiés.* 5. *Méd.* Faire bouger (une articulation), gén. pour la rééduquer. 1765 ; ☞ *mobile* ; [mɔbilize].

**MOBILISME,** subst. m.
1. *Géol.* Théorie faisant intervenir la mobilité horizontale de la croûte terrestre pour expliquer des déformations, telles les nappes de charriage ou la tectonique des plaques. 2. *Philos.* Doctrine selon laquelle tout est mobile, et qui rejette la notion de substance. 1896 ; ☞ *mobile* ; [mɔbilism].

**MOBILITÉ,** subst. f.
1. Caractère de ce qui manque de stabilité, de ce qui se modifie rapidement : **Mobilité** *d'humeur*. 2. Qualité de ce qui peut être mis en mouvement, se déplacer : **Mobilité** *d'un mécanisme* ; **Mobilité** *de la main-d'œuvre.* 3. *Fin.* Caractère de ce qui est mobilisable. Déb. XIIIe s. ; lat. *mobilitas* ; [mɔbilite].

**MOBYLETTE,** subst. f. inv.
Cyclomoteur. 1949 ; crois. de *mobile* et de *bicyclette* ; n. déposé ; [mɔbilɛt].

**MOCASSIN,** subst. m.
1. Chaussure souple, en peau non tannée, des Indiens d'Amérique du Nord. 2. Anal. Chaussure basse et souple, cousue sur le dessus. 3. *Zool.* Serpent d'Amérique très venimeux, dont une espèce est aquatique. 1615 ; algonquin *mockasin* ; [mɔkasɛ̃].

© J. Lepore/P. H. R.-Jacana

*Mocassin à tête cuivrée.*

**MOCHE,** adj.
Fam. 1. Laid. 2. Fig. Pénible ; vil. 1878 ; ☞ *amocher*, p.-ê. de *moche* (vx), « écheveau », du frq. °*mokka* « masse informe » ; [mɔʃ].

**MODAL, ALE, AUX,** adj.
1. *Log.* Qui relève de la modalité : *Logique* **modale**, tout système logique utilisant des fonctions correspondant aux modalités. ▸ *Philos.* Relatif aux modes ou attributs, de la substance. 2. *Gramm.* Relatif aux modes des verbes : *Attraction* **modale** ; *Nuance* **modale**. 3. *Mus.* Qui se rapporte aux modes : *Notes* **modales**, la tierce et la sixte, caractérisant le mode majeur ou mineur. 1546 ; ☞ *mode* ; [mɔdal, o].

**MODALITÉ,** subst. f.
1. *Log.* et *Philos.* Fonction d'un jugement, qui permet d'exprimer l'attitude prise à l'égard de son contenu, lequel peut être affirmé, nié, déclaré nécessaire ou contingent. 2. Manière dont une chose se présente ; dispositions particulières qui lui sont associées (gén. au plur.) : *Les* **modalités** *d'application d'une loi.* 3. *Mus.* Mode (majeur ou mineur) dans lequel doit être exécutée une pièce musicale. 1546 ; ☞ *modal* ; [mɔdalite].

**MODE,** subst.
FÉM. 1. Vx. Façon de vivre, d'agir, de penser propre à une époque, à une région. ▸ Loc. **À la mode de** : Selon la tradition de : *Tripes à la* **mode** *de Caen*. 2. Attitude, comportement, opinion qu'adopte une

société donnée à une époque donnée. ▸ Loc. *Il est de* **mode** *de* : il est de bon ton de ; *À la* **mode** : au goût du jour ; *Passer de mode* : se démoder. **3.** Façon collective et passagère de se vêtir : *Suivre la dernière* **mode**. **4.** Ext. Commerce, industrie de l'habillement : *Une ouvrière de* **mode**. MASC. **1.** *Gramm.* Forme du verbe qui exprime la manière (éventualité, réalité, etc.) selon laquelle l'action ou l'état sont envisagés : *Le français compte quatre* **modes** *personnels qui sont l'indicatif, le subjonctif, le conditionnel et l'impératif.* **2.** *Mus.* Ordonnance de la gamme, caractérisée par la disposition des intervalles : **Mode** *majeur, mineur* ; par anal., manière de s'exprimer (littér.) : **Mode** *tragique.* **3.** *Log.* Chacune des formes que peut revêtir le raisonnement syllogistique, selon que ses propositions constitutives varient en qualité ou en quantité. **4.** *Philos.* Ce qui, dans la substance, la détermine à être d'une certaine façon. **5.** *Stat.* Valeur correspondant au plus grand effectif, pour un caractère quantitatif discret ; centre d'une classe correspondant au plus grand effectif, pour un caractère continu dont les valeurs sont regroupées en classes de même amplitude. **6.** Forme que revêt une action, un phénomène : *Un* **mode** *de vie misérable* ; manière d'accomplir une action : **Mode** *d'emploi* ; **Mode** *de production.* Fin XIVe s. ; lat. *modus,* « mesure » ; [mɔd].

MUSIQUE – Le mot « mode » revêt plusieurs acceptions qui prêtent parfois à confusion. Le système musical des Grecs de l'Antiquité adoptait des échelles-bases, tardivement appelées modes, organisées autour d'une certaine hauteur de note dite médiante. Le chant grégorien (plain-chant), à l'instar de la musique byzantine, adoptera les noms grecs et connaîtra huit formules modales, toutes constituées autour d'un pentacorde (échelle de cinq notes) suivi d'un tétracorde (échelle de quatre notes) à l'aigu, donnant ainsi les quatre modes dits authentes de *ré* (dorien), de *mi* (phrygien), de *fa* (lydien) et de *sol* (mixolydien), ou précédé d'un tétracorde dans le grave, donnant les quatre modes dits plagaux de *la* (hypodorien), de *si* (hypophrygien), de *do* (hypolydien) et de *ré* (hypomixolydien). Les modes grégoriens, entièrement diatoniques (ils correspondent aux touches blanches du clavier avec usage du seul *si* bémol), sont caractérisés par la note initiale de leur pentacorde, appelée finale. Née du développement de la polyphonie, l'harmonie classique ne retiendra que deux modes, échelles de tons et de demi-tons : le majeur, construit en montant du *do* selon la structure 1, 1, 1/2, 1, 1, 1, 1/2 ; le mineur, échelle construite en montant du *la* selon la structure 1, 1/2, 1, 1, 1/2, 1, 1. Ils constituent les gammes majeure et mineure, toutes les deux transposables, donc susceptibles de modulation, dans l'ensemble des tonalités (☞ *gamme*). Ces deux modes forment la base de l'harmonie tonale.

**MODELAGE, subst. m.**
Action de modeler ; le résultat de cette action. 1830 ; ☞ *modeler* ; [mɔdlaʒ].

**MODELÉ, subst. m.**
**1.** *B.-a.* Restitution des formes, du relief, dans une œuvre plastique ; par anal. : *Le* **modelé** *d'un visage.* **2.** *Géol.* Aspect donné au relief par l'érosion. 1822 ; p. p. de *modeler* ; [mɔd(ə)le].

**MODÈLE, subst. m.**
**1.** *B.-a.* Objet, personne dont l'image, la forme est reproduite par l'artiste. **2.** Personne dont le métier est de poser pour un artiste. ▸ Ext. *Cout.* Mannequin. **3.** Ce qui sert de référence à une catégorie donnée, pour sa représentativité ou son exemplarité : *Le* **modèle** *du notable de province* ; *Un* **modèle** *de fidélité* ; empl. adj. : *Un employé* **modèle**, irréprochable, exemplaire. ▸ Loc. *Prendre* **modèle** *sur qqch. ou qqn* : chercher à imiter qqch. ou qqn que l'on considère comme idéal. **4.** Exemple type donné pour faciliter un apprentissage, une réalisation : **Modèle** *de conjugaison* ; **Modèle** *de lettre.* **5.** *Techn.* Prototype à partir duquel sont reproduits en série des objets : *Un* **modèle** *breveté.* ▸ **Modèle réduit**. Représentation d'un objet à petite échelle, maquette : **Modèle** *réduit de navire.* **6.** Représentation d'une démarche, d'un processus de fonctionnement. ▸ **Modèle** *mathématique* : représentation d'un phénomène physique, économique, sociologique, etc., pour une étude formelle, prédictive de ce dernier. 1542 ; ital. *modello,* du lat. tardif °*modellus,* du lat. *modulus* ; [mɔdɛl].

**MODELER, verbe trans.** [11]
**1.** Donner forme à (un objet) à partir d'une substance molle : **Modeler** *un vase dans l'argile* ; par ext., pétrir : **Modeler** *la glaise, la cire.* ▸ *Sculpt.* Façonner dans l'argile, le plâtre, etc., le modèle de (un objet destiné à être reproduit dans une matière dure). **2.** Ext. Agir sur la forme de (qqch.) : *L'érosion* **modèle** *la roche* ; mettre en valeur, faire ressortir : *Robe qui* **modèle** *la forme du corps.* **3.** Fig. Déterminer (un comportement) selon un modèle : **Modeler** *sa conduite sur celle de ses voisins* ; empl. pronom. : *Se* **modeler** *sur qqn.* 1583 ; ☞ *modèle* ; [mɔd(ə)le].

**MODELEUR, EUSE, subst.**
**1.** Sculpteur qui réalise des modèles. **2.** *Techn.* Ouvrier qui fabrique des modèles de pièces, de machines, en vue du moulage de pièces coulées. 1598 ; ☞ *modeler* ; [mɔd(ə)lœʀ, -øz].

**MODÉLISATION, subst. f.**
*Écon.* et *Informat.* Opération par laquelle on construit le modèle d'un système complexe, afin d'étudier le rôle de chacun de ses éléments. V. 1970 ; ☞ *modéliser* ; [mɔdelizasjɔ̃].

**MODÉLISER, verbe trans.** [3]
Procéder à la modélisation de. V. 1970 ; ☞ *modèle* ; [mɔdelize].

**MODÉLISME, subst. m.**
Activité consistant à construire des modèles réduits. Mil. XXe s. ; ☞ *modèle* ; [mɔdelism].

**MODÉLISTE, subst.**
**1.** Personne qui dessine des modèles de vêtements. **2.** Personne qui pratique le modélisme. 1832 ; ☞ *modèle* ; [mɔdelist].

**MODEM, subst. m.**
*Télécomm.* Appareil électronique qui sert à moduler les signaux émis et à démoduler les signaux reçus. V. 1960 ; acron. de *modulateur démodulateur* ; [mɔdɛm].

**MODÉNATURE, subst. f.**
*Archit.* Configuration de certains éléments présentant des reliefs et des creux, spéc. des moulures. 1673 ; ital. *modanatura,* de *modanare,* « orner de moulures » ; [mɔdenatyʀ].

**MODÉRANTISME, subst. m.**
*Hist.* Doctrine, attitude des modérés, spéc. sous la Terreur. 1792 ; ☞ *modéré* ; [mɔdeʀɑ̃tism].

**MODÉRATEUR, TRICE, adj. et subst.**
Se dit d'une personne qui tempère, adoucit ce qui est excessif. ADJ. **1.** Qui modère. ▸ *Ticket* **modérateur** (☞ *ticket*). **2.** *Physiol.* Se dit d'un nerf ou d'une substance qui ralentit l'activité d'un organe. SUBST. MASC. **1.** *Mécan.* Mécanisme qui régularise un fonctionnement : **Modérateur** *de tension.* **2.** *Phys. nucl.* Corps qui, tels l'eau lourde, le graphite ou le béryllium, règle une réaction en chaîne dans une pile atomique en diminuant la vitesse des neutrons résultant d'une fission nucléaire. 1623 (1416, celui qui gouverne) ; lat. *moderator,* de *moderari,* « modérer » ; [mɔdeʀatœʀ, -tʀis].

**MODÉRATION, subst. f.**
**1.** Action de modérer, d'atténuer qqch. ; résultat de cette action : **Modération** *des prix.* ▸ *Dr.* Action d'adoucir la rigueur d'une loi, d'une peine : **Modération** *de droit,* dégrèvement partiel d'impôt. **2.** Qualité d'une personne qui se tient éloignée de tout excès ; par ext. : **Modération** *du jugement,* circonspection. 1327 ; lat. *moderatio* ; [mɔdeʀasjɔ̃].

**MODÉRATO, adv. et subst. m.**
*Mus.* ADV. D'un mouvement modéré, entre l'andante et l'allégro. SUBST. Morceau de musique écrit pour être joué **modérato**. 1842 ; ital. *moderato* ; var. *moderato* (plur. *moderato[s]*) ; [mɔdeʀato].

**MODÉRÉ, ÉE, adj.**
**1.** Qui n'est pas excessif ; sage, pondéré : *Être* **modéré** *dans ses jugements.* **2.** *Pol.* Qui est éloigné des opinions extrémistes ; en partic., qui est conservateur ; empl. subst., partisan d'une telle politique. **3.** Ext. Faible, sans excès : *Un vent* **modéré**. Mil. XIVe s. ; p. p. de *modérer* ; [mɔdeʀe].

**MODÉRÉMENT, adv.**
Sans excès. 1370 ; ☞ *modéré* ; [mɔdeʀemɑ̃].

**MODÉRER, verbe trans.** [8]
Réduire l'intensité de (qqch.) : **Modérer** *les cadences de travail,* les rendre moins rapides ; **Modérer** *ses paroles,* en mesurer la violence ; empl. pronom., se contenir, se contrôler. Mil. XIVe s. ; lat. *moderare,* de *modus,* « mesure » ; [mɔdeʀe].

**MODERN DANCE, subst. f.**
Forme de danse, née aux États-Unis au cours des années trente, qui se distingue de la danse académique tant par la liberté des mouvements que par l'importance qu'elle accorde à l'expressivité (☞ *danse*). XXe s. ; anglo-amér. *modern dance,* « danse moderne » ; plur. *modern dances* ; [mɔdɛʀndɑ̃s].

**MODERNE, adj.**
**I. 1.** Qui appartient à l'époque actuelle, contemporain : *La vie* **moderne**. **2.** Qui bénéficie des progrès et des perfectionnements les plus récents : *L'agriculture* **moderne** ; *Une maison* **moderne**. **3.** Qui est différent des réalisations antérieures, qui est nouveau, en partic. dans le domaine culturel (anton. *classique*) : *Peinture, musique* **moderne** ; *Écrivain* **moderne** ; *Style* **moderne** ou, empl. subst. masc., *Le* **moderne**. **4.** Qui est ou qui se veut de son temps : *Une éducation* **moderne**. **II. 1.** Qui est d'une époque postérieure à l'Antiquité gréco-romaine : *Littérature ancienne et* **moderne** ; empl. subst. : *La querelle des Anciens et des* **Modernes** (☞ *querelle*). **2.** *Hist.* *Époque* **moderne** ou *Temps* **modernes** : période qui s'étend de la fin du Moyen Âge à la Révolution française. **3.** Ext. *Enseignement* **moderne** : qui privilégie l'étude des langues vivantes et des sciences, au détriment du grec ancien et du latin. **4.** *Sc.* Qualifie une discipline que certaines découvertes ont renouvelée en profondeur : *Astronomie* **moderne**, inaugurée par Copernic, Galilée et Newton ; *Chimie* **moderne**, fondée par Lavoisier. 1361 ; bas lat. *modernus,* de *modo,* « récemment » ; [mɔdɛʀn].

**MODERNISATEUR, TRICE, adj. et subst.**
SUBST. Personne qui modernise. ADJ. Qui modernise. Mil. XXe s. ; ☞ *moderniser* ; [mɔdɛʀnizatœʀ, -tʀis].

**MODERNISATION, subst. f.**
Action de moderniser ; son résultat. 1876 ; ☞ *moderniser* ; [mɔdɛʀnizasjɔ̃].

**MODERNISER, verbe trans.** [3]
Adapter à l'époque actuelle ; rénover : **Moderniser** *une entreprise* ; empl. pronom. : *Les mœurs se* **modernisent**. 1754 ; ☞ *moderne* ; [mɔdɛʀnize].

L'Atelier du peintre. Allégorie réelle *(détail), peinture de Gustave Courbet (1819-1877). Musée d'Orsay, Paris. Tous les types de* **modèles** *sont réunis dans ce tableau, évoquant les différents genres picturaux : peinture religieuse, nature morte, nu, peinture de genre.*

© P. Broquet-Explorer

© F. Jalain-Explorer

© G. Thouvenin-Explorer

1 2 3

MODERN STYLE
(ou ART NOUVEAU)

1. *Façade d'immeuble d'Émile André (1871-1933), à Nancy.*
2. *Salle à manger d'Eugène Vallin (1856-1922). Musée de l'École de Nancy.*
3. *Entrée de la station de métro Porte-Dauphine, à Paris, conçue v. 1900 par Hector Guimard (1867-1942).*

**MODERNISME,** subst. m.
**1.** Goût pour tout ce qui est moderne. **2.** Caractère moderne d'une réalisation, d'une œuvre : *Le **modernisme** des villes japonaises.* **3.** *Relig.* Tendance, apparue à la fin du XIXe s. dans l'Église romaine, qui cherche à adapter l'enseignement de la foi aux exigences du monde moderne. 1879 ; ☞ *moderne* ; [mɔdɛʀnism].

**MODERNISTE,** adj. et subst.
**1.** Se dit d'une personne qui privilégie tout ce qui est moderne ou qui s'y conforme. **2.** *Relig.* Se dit d'un partisan du modernisme. ADJ. Relatif, propre au modernisme : *Un discours **moderniste**.* 1769 ; ☞ *modernisme* ; [mɔdɛʀnist].

**MODERNITÉ,** subst. f.
Caractère de ce qui est moderne. 1848 ; ☞ *moderne* ; [mɔdɛʀnite].

**MODERN STYLE,** subst. m. inv.
Expression utilisée en France, notamment par les journalistes, dans les années 1900, pour désigner l'Art nouveau. 1896 ; angl. *modern style,* « style moderne » ; [mɔdɛʀnstil].

**MODESTE,** adj.
**1.** Vx. Modéré. **2.** Qui est simple, sans excès : *Un **modeste** bouquet* ; modique, médiocre : *De **modestes** espérances* ; *Un salaire **modeste**.* **3.** Qui est humble, sans orgueil ; empl. subst. : *Faire le **modeste**.* Mil. XIVe s. ; lat. *modestus,* de *modus,* « mesure » ; [mɔdɛst].

**MODESTEMENT,** adv.
De manière modeste. Mil. XIVe s. ; ☞ *modeste* ; [mɔdɛstəmɑ̃].

**MODESTIE,** subst. f.
**1.** Vx. Modération. **2.** Retenue, simplicité ; pudeur. ▸ Loc. *En toute **modestie*** : sans se vanter. Mil. XIVe s. ; lat. *modestia* ; [mɔdɛsti].

**MODICITÉ,** subst. f.
Caractère de ce qui est modique. 1584 ; lat. *modicitas* ; [mɔdisite].

**MODIFIABLE,** adj.
Qui peut être modifié. 1611 ; ☞ *modifier* ; [mɔdifjabl].

**MODIFICATEUR, TRICE,** adj.
Qui a la propriété de modifier ; empl. subst., ce qui modifie. Déb. XIXe s. (1797, réformateur) ; ☞ *modifier* ; [mɔdifikatœʀ, tʀis].

**MODIFICATIF, IVE,** adj.
Qui introduit une modification. ▸ *Ling.* Qui modifie le sens : *Propositions **modificatives*** ; *Adverbes **modificatifs**.* Mil. XVIe s. ; ☞ *modifier* ; [mɔdifikatif, iv].

**MODIFICATION,** subst. f.
**1.** Action de modifier ; son résultat. **2.** *Philos.* Fait, pour la substance, d'être déterminée par un mode. 1376 ; lat. *modificatio* ; [mɔdifikasjɔ̃].

**MODIFIER,** verbe trans. [6]
Changer (qqch.) sans en transformer la nature profonde : *Ne rien **modifier** dans ses habitudes* ; empl. pronom., subir un changement. 1355 ; lat. *modificare,* « régler ; se modérer » ; [mɔdifje].

**MODILLON,** subst. m.
*Archit.* Ornement en forme de console renversée, placé sous le larmier d'une corniche, comme pour la soutenir. 1545 ; ital. *modiglione,* du lat. pop. °*mutulio,* du lat. *mutulus,* « corbeau (en archit.) » ; [mɔdijɔ̃].

**MODIQUE,** adj.
De peu de valeur pécuniaire ; par ext., de peu d'importance. Mil. XVe s. ; lat. *modicus,* de *modus,* « mesure » ; [mɔdik].

**MODISTE,** subst.
Personne qui fabrique ou vend des chapeaux féminins. 1794 (1636, personne qui aime suivre la mode) ; ☞ *mode* ; [mɔdist].

**MODULABLE,** adj.
Susceptible d'être modulé. V. 1980 ; ☞ *moduler* ; [mɔdylabl].

**MODULAIRE,** adj.
*Archit.* **1.** Qui dérive de l'emploi du module. **2.** Qui est constitué de modules susceptibles d'être assemblés : *Une maison préfabriquée **modulaire**.* Mil. XIXe s. ; ☞ *module* ; [mɔdylɛʀ].

**MODULANT, ANTE,** adj.
*Mus.* Qui produit ou constitue une modulation. 1875 ; p. pr. de *moduler* ; [mɔdylɑ̃, ɑ̃t].

**MODULATEUR, TRICE,** adj. et subst. m.
*Phys.* SUBST. Dispositif permettant d'effectuer une modulation. ADJ. Qui produit une modulation. 1840 ; ☞ *modulation* ; [mɔdylatœʀ, tʀis].

**MODULATION,** subst. f.
**1.** Chacune des variations d'intensité, de hauteur, de timbre dans l'émission d'un son ; par ext., suite de sons variés et harmonieux. **2.** *Spéc.* ▸ *Mus.* Passage progressif ou subit d'un ton ou d'un mode à un autre, conformément aux lois de l'harmonie. ▸ *Peint.* Rapprochement de tons chauds et de tons froids. ▸ *Phys.* Procédé technique permettant, en partic., l'existence simultanée de plusieurs émetteurs en radiodiffusion. Il consiste, à l'aide d'un montage électronique approprié, à incorporer un signal dans une onde entretenue transmise par un émetteur, sous la forme d'une variation, en fonction du temps, de l'amplitude ou de la fréquence de cette onde. **3.** Fig. Adaptation, changement intervenant en fonction de certains critères : *Les **modulations** des primes d'assurance.* 1365 ; lat. *modulatio* ; [mɔdylasjɔ̃].

**MODULE,** subst. m.
**1.** *Archit.* Unité de mesure conventionnelle à partir de laquelle sont établies les proportions d'un édifice. **2.** *Spéc.* Unité de mesure, étalon, gabarit. ▸ *Hydrol.* ***Module** d'un fleuve* : son débit moyen annuel. ▸ *Math.* ***Module** d'un nombre complexe $z = a + ib$* : nombre réel positif, noté $|z|$, défini par $|z|^2 = a^2 + b^2$ ; ***Module** d'un vecteur d'un espace vectoriel normé* : norme de ce vecteur. ▸ *Phys.* Rapport entre la pression qui s'exerce sur un corps et l'abaissement du volume unitaire qui en résulte. ▸ *Techn.* ***Module** d'un engrenage* : quotient de son diamètre par le nombre de dents. **3.** Unité constitutive d'un ensemble. ▸ Unité d'enseignement universitaire, que l'on peut combiner avec d'autres. ▸ *Archit.* ***Module** d'habitation* : groupe de maisons préfabriquées. ▸ *Astronaut.* Élément d'un train spatial. ▸ *Électron.* Élément répétitif entrant dans la construction d'un dispositif électronique. 1547 ; lat. *modulus,* de *modus,* « mesure » ; [mɔdyl].

**MODULER,** verbe [3]
TRANS. **1.** Émettre (un ou des sons) en faisant de modulations. **2.** Fig. Faire varier (qqch.) pou l'adapter, l'ajuster aux circonstances : ***Module** l'amortissement d'une dette* ; ***Moduler** sa conduite* **3.** *Phys.* Effectuer la modulation de. INTRANS. *Mus* Opérer une modulation harmonique : ***Module** subitement d'« ut » majeur en « ut » mineur* 1458 ; lat. *modulari* ; [mɔdyle].

**MODULO,** prép.
*Math.* Dans un ensemble E muni d'une relatio d'équivalence ℛ, « *x* et *y* sont équivalents **modul** ℛ » signifie que *x* et *y* sont équivalents suivant ℛ (☞ *congruence*). XXe s. ; lat. *modulo,* de *modus* « mesure » ; [mɔdylo].

**MODULOR,** subst. m.
*Archit.* Système de mesure, inventé par Le Corbusie fondé sur le nombre d'or et permettant d déterminer les proportions d'un ouvrage. 1942 crois. de *module* et de *nombre d'or* ; [mɔdylɔʀ].

**MODUS VIVENDI,** subst. m. inv.
Compromis entre deux parties en litige. 1866 lat. *modus vivendi,* « manière de vivre » ; [mɔdysvivɛ̃d

**MOELLE,** subst. f.
**1.** *Histol.* ***Moelle** osseuse* : matière riche en lipide et en vaisseaux sanguins située dans l'os spongieu Rouge dans la plupart des os plats, les côtes, sternum et l'os iliaque, elle y a une fonctio hématopoïétique essentielle et assure l'épuration la filtration du sang ; jaune dans les os longs d membres et dans certains os plats, elle constitu un tissu adipeux. **2.** *Anat.* ***Moelle** épinière* : ti cylindrique blanchâtre prolongeant le cerveau appartenant au système nerveux central. El présente deux renflements (cervical et lombaire qui donnent naissance aux nerfs rachidiens destin aux membres. Elle contient les voies de transmi sion des informations vers le cerveau et assure relais de certains réflexes. Son intégrité est capita pour la conservation de la sensibilité et de motricité. **3.** *Cuis.* *Os à **moelle*** : os de bœuf rem d'une **moelle** très appréciée. **4.** Fig. La partie la pl profonde et la plus précieuse : *La substantifiq **moelle**,* la quintessence. ▸ Loc. *Jusqu'à la **moell*** jusqu'au tréfonds. Déb. XIIe s. ; lat. *medulla* ; [mwa

**MOELLEUX, EUSE,** adj.
**1.** Vx. Qui contient de la moelle. **2.** Qui est do et tendre au toucher. ▸ Anal. Qui est agréable l'œil, à l'oreille, au goût : *Le son **moelleux** hautbois* ; empl. subst. masc. : *Le **moelleux** d'un v* Fin XVe s. ; ☞ *moelle* ; [mwalø, øz].

**MOELLON,** subst. m.
*Bât.* Pierre de construction que l'on recouvre g de plâtre ou de mortier. Déb. XIIIe s. ; anc. fr. *moill* « gros morceau de pain », du lat. pop. °*mutulio,* du *mutulus,* « corbeau (en archit.) » ; [mwalɔ̃].

**MOERE,** subst. f.
*Géogr.* Lagune côtière, sur les côtes des Flandr asséchée et cultivée. 1604 ; mot néerl. ; var. *mo moëre* ; [mwɛʀ].

**MŒURS,** subst. f. plur.
**1.** Habitudes de vie envisagées du point de vue d morale : *Être de **mœurs** légères* ; *Les bonnes **mœurs**,*

respect de la vertu, de la morale. ► *Brigade des mœurs* : service de police spécialisé dans la règlementation de la prostitution. **2.** Habitudes de vie propres à une société, à un peuple, à une catégorie sociale ; usages : *Les **mœurs** antiques.* **3.** Manière ordinaire de se comporter d'un individu : *Avoir des **mœurs** douces.* **4.** Habitudes, manière de vivre d'une espèce animale : *Les **mœurs** des termites.* Déb. XIIe s. ; lat. *mores* ; [mœʀ(s)].

**MOFETTE, subst. f.**
**1.** *Géol.* Émanation de gaz, essentiellement carbonique, due à l'activité volcanique. **2.** *Zool.* Moufette. 1741 ; ital. *mofeta,* prob. de *muffa,* « moisissure » ; [mɔfɛt].

**MOHAIR, subst. m.**
Poil de chèvre angora, long, fin et soyeux ; par méton., laine, étoffe faite avec ce poil. 1868 ; angl. *mohair,* de l'ar. *muḫayyar,* « étoffe de poil de chèvre » ; [mɔɛʀ].

**MOHICAN, ANE, adj. et subst.**
D'un peuple amérindien aujourd'hui disparu, qui était établi dans la vallée de l'Hudson. **Subst. masc.** Langue du groupe algonquin parlée par ce peuple. 1830 ; anglo-amér. *Mohican,* de l'algonquin *maingan,* « loup » ; [mɔikɑ̃, an].

**MOI, pron. pers. et subst. m. inv.**
**Pron.** Pronom de la première personne du singulier des deux genres. **1.** Complément d'objet : *Écoutez-**moi** ; Passez-**moi** ce dossier ; Je crois qu'elle m'en veut ; Laissez-m'y revenir.* **2.** Sujet, renforçant « je », ou employé dans les phrases elliptiques : ***Moi**, je n'irai pas ; **Moi**, vous mentir ! ; Vous partez ? Alors, **moi** aussi.* **3.** Avec une préposition, complément d'objet indirect, complément d'agent, complément circonstanciel, complément de nom ou d'adjectif : *C'est à **moi** ; Ce travail ne peut être fait que par **moi** ; Viens-tu avec **moi** ? ; Selon **moi**, nous y arriverons ; Gardez ce bijou en souvenir de **moi** ; Je suis content de **moi**.* **4.** Attribut : *Qui est là ? – C'est **moi**.* **5.** Empl. explétif (fam.) : *Range-**moi** cette chambre !* **6.** Loc. *À **moi** !* : au secours ! ; *Quant à **moi*** : en ce qui me concerne ; *Chez **moi*** : dans ma maison ; *Pour **moi*** : à mon avis ; *À part **moi*** : intimement, dans mon for intérieur. **Subst. 1.** La conscience individuelle, sujet à la fois psychologique et moral de nos pensées, de nos dispositions affectives, de nos actions. **2.** *Philos.* Sujet pensant, en tant que conscience réfléchissante et unité d'aperception (synon. *ego*). **3.** *Psychanal.* Personnalité de l'individu, définie comme image de la personne pour elle-même et instance chargée d'en défendre l'intégrité. Fin XIe s. ; lat. *me* ; le pronom s'élide en *m'* devant *en* et *y* quand il est compl. d'objet ; [mwa].

**MOIE, voir MOYE**

**MOIGNON, subst. m.**
**1.** Ce qui reste d'un membre après son amputation. **2.** Anal. Ce qui reste d'une branche cassée ou coupée. **3.** Membre atrophié, malformé. Déb. XIIIe s. ; anc. fr. *moing,* « mutilé, estropié » ; [mwaɲɔ̃].

**MOINDRE, adj.**
**1.** Plus petit, plus faible : *Un **moindre** mal.* **2.** Précédé de l'article défini. Le plus petit, le moins important. ► Loc. *C'est la **moindre** des choses* : c'est tout naturel. **3.** *Stat. Méthode des **moindres** carrés* : méthode particulière de lissage. Déb. XIIe s. ; lat. *minor* ; [mwɛ̃dʀ].

**MOINE, subst. m.**
**1.** *Relig.* Membre d'une communauté religieuse d'hommes vivant séparés du monde, selon les règles de leur ordre et qui ont prononcé les vœux de pauvreté, de chasteté et d'obéissance (☞ *monachisme*). ► Loc. *L'habit ne fait pas le moine* (☞ *habit*). **2.** Anal. ► *Zool.* Nom usuel de divers animaux, en partic. de mammifères marins (phoques) ou d'oiseaux (**moine** de mer ou macareux, mouettes, goélands, etc.). ► Appareil formé d'un cadre placé en biais, destiné à recevoir un récipient rempli de braises qui servait à réchauffer les lits. Fin XIe s. ; bas lat. *monachus,* du gr. *monakhos,* « solitaire », de *monos,* « seul » ; [mwan].

**MOINEAU, subst. m.**
*Zool.* Oiseau au plumage brun, de la famille des Passéridés, dont l'espèce la plus répandue et la plus connue est le **moineau** domestique. ► Loc. *Manger comme un **moineau*** : très peu ; *S'abattre comme une volée de **moineaux*** : se précipiter en nombre, goulûment. Déb. XIIIe s. ; ☞ *moine,* par anal. entre le vêtement du moine et le plumage de l'oiseau ; [mwano].

**MOINILLON, subst. m.**
Jeune moine, novice. 1667 ; ☞ *moine* ; [mwanijɔ̃].

**MOINS, adv., prép. et subst. m.**
**Adv. 1.** Comparatif d'infériorité de « peu ». Qui est inférieur en qualité, en quantité : *C'est **moins** bon ; J'ai **moins** de chance que toi.* ► Loc. ***Moins** que jamais* : **moins** qu'en toute autre circonstance ; *Rien **moins** que* : nullement ; *Rien de **moins** que* : tout à fait ; *Non **moins** que* : également, comme ; ***Moins** que rien* : très peu ; *À **moins*** : pour qqch. de moindre importance ; *Plus ou **moins*** : à peu près ; *Ni plus ni **moins*** : exactement ; *D'autant **moins*** : en proportion inverse ; *De **moins** en **moins*** : en diminuant graduellement. **2. Le moins, la moins.** Superlatif de « peu » : *C'est la **moins** bonne place ; Il vient le **moins** souvent possible ; Pas le **moins** du monde,* aucunement. ► Loc. *Au **moins*** : avant tout, seulement ; *Du **moins**, tout au **moins**, pour le **moins**, à tout le **moins*** : néanmoins, pourtant, en tout cas, plutôt ; *Des **moins*** : parmi les moins, très peu. **Prép.** Dans la soustraction : *10 **moins** 3 égale 7.* ► Loc. *Il était **moins** une* : il s'en est fallu de peu (fam.). ► Loc. prép. **À moins de.** Au-dessous de ; à un prix moindre que : *Vous ne trouverez pas ce livre à **moins** de 1 000 francs* ; excepté si : *Nul ne peut passer à **moins** d'être insouciant.* ► Loc. conj. **À moins que** (+ subj.). Sauf si : *Nous serons en retard, à **moins** que nous partions tout de suite.* **Subst. 1.** La plus petite chose, le minimum : *C'est bien le **moins** que l'on puisse faire.* **2.** Signe de soustraction. Mil. XIIe s. ; lat. *minus* ; [mwɛ̃].

**MOINS-PERÇU, subst. m.**
*Dr.* Partie non perçue d'une dette. Mil. XIXe s. ; comp. de *moins* et du p. p. de *percevoir* ; plur. *moins-perçus* ; [mwɛ̃pɛʀsy].

**MOINS-VALUE, subst. f.**
**1.** *Écon.* Diminution de la valeur d'un bien sur un laps de temps (anton. *plus-value*). **2.** *Fisc.* Différence entre le produit escompté et le produit réel. 1765 ; comp. de *moins* et de l'anc. fr. *value,* « valeur » ; plur. *moins-values* ; [mwɛ̃valy].

**MOIRAGE, subst. m.**
Action de moirer ; son résultat. 1763 ; ☞ *moirer* ; [mwaʀaʒ].

**MOIRE, subst. f.**
**1.** Apprêt conférant à une étoffe des reflets changeants, par écrasement de son grain ; par méton., cette étoffe elle-même. **2.** Anal. Chatoiement d'une surface. Mil. XVIIe s. ; angl. *mohair,* de l'ar. *muḫayyar,* « étoffe de poil de chèvre » ; [mwaʀ].

**MOIRÉ, ÉE, adj. et subst. m.**
Se dit de ce qui a l'aspect de la moire. 1740 ; ☞ *moire* ; [mwaʀe].

**MOIRER, verbe trans.** [3]
Donner l'aspect de la moire à (une matière). 1765 ; ☞ *moire* ; [mwaʀe].

**MOIRURE, subst. f.**
Reflet lumineux semblable à celui d'un tissu moiré (gén. au plur.). 1888 ; ☞ *moirer* ; [mwaʀyʀ].

**MOIS, subst. m.**
**1.** Chacune des douze divisions de l'année civile, pouvant compter de 28 à 31 jours. **2.** *Mois lunaire* : lunaison. **3.** Ext. Intervalle de temps correspondant à environ 30 jours ; par méton., salaire correspondant à un **mois** de travail. Fin XIe s. ; lat. *mensis* ; [mwa].

**MOISE, subst. f.**
*Bât.* Assemblage de deux pièces de bois jumelles, servant à étayer une charpente. 1328 ; lat. *mensa,* « table, étal » ; [mwaz].

**MOÏSE, subst. m.**
Berceau d'osier (vieilli). 1889 ; *Moïse,* qui, selon la Bible, fut à sa naissance déposé sur le Nil dans une corbeille ; [mɔiz].

**MOISI, IE, adj. et subst. m.**
**Adj.** Qui est gâté par la moisissure. **Subst.** Partie moisie de qqch. Fin XIIe s. ; p. p. de *moisir* ; [mwazi].

**MOISIR, verbe intrans.** [19]
**1.** Se couvrir de moisissures ; empl. trans. : *L'humidité a **moisi** le mur.* **2.** Fig. et Fam. Rester improductif : *Argent qui **moisit*** ; demeurer, attendre longtemps au même endroit, gén. en s'ennuyant. Fin XIIe s. ; lat. *mucere,* « être moisi » ; [mwaziʀ].

**MOISISSURE, subst. f.**
**1.** *Bot.* Nom générique de champignons microscopiques qui décomposent le substrat sur lequel ils se développent. **2.** Méton. Altération due à ces champignons ; partie moisie. Mil. XIVe s. ; ☞ *moisir* ; [mwazisyʀ].

**MOISSINE, subst. f.**
*Vitic.* Bout de sarment cueilli avec la grappe afin qu'elle se conserve fraîche. XIIIe s. ; orig. obsc. ; [mwasin].

**MOISSON, subst. f.**
**1.** *Agric.* Récolte des céréales. **2.** Méton. Époque de la **moisson**. **3.** Fig. Action d'amasser en grande quantité ; les choses amassées : *Il a fait une **moisson** d'images.* Fin XIIe s. ; lat. pop. °*messio,* du lat. *messis* ; [mwasɔ̃].

**MOISSONNAGE, subst. m.**
*Agric.* Action, manière de moissonner. 1458 ; ☞ *moissonner* ; [mwasɔnaʒ].

**MOISSONNER, verbe trans.** [3]
**1.** *Agric.* Couper et récolter (des céréales) ; empl. abs. : *Ce paysan **moissonne** en juillet.* **2.** Fig. Amasser (qqch.) en grande quantité. Déb. XIIIe s. ; ☞ *moisson* ; [mwasɔne].

**MOISSONNEUR, EUSE, subst.**
*Agric.* Personne qui participe à la moisson. **Fém.** Machine servant à moissonner. Déb. XIIIe s. ; ☞ *moissonner* ; [mwasɔnœʀ, øz].

**MOISSONNEUSE-BATTEUSE, subst. f.**
*Agric.* Machine utilisée pour moissonner et battre le grain en un seul passage. 1931 ; comp. de *moissonneuse* et de *batteuse* ; plur. *moissonneuses-batteuses* ; [mwasɔnøzbatøz].

**MOISSONNEUSE-LIEUSE, subst. f.**
*Agric.* Machine servant à couper les céréales et à les lier en gerbes. 1887 ; comp. de *moissonneuse* et de *lieuse* ; plur. *moissonneuses-lieuses* ; [mwasɔnøzljøz].

**MOITE, adj.**
Légèrement humide. Fin XIIe s. ; lat. pop. °*mucidus,* « moisi », du lat. *musteus,* « juteux » ; [mwat].

**MOITEUR, subst. f.**
État de ce qui est moite. Mil. XIIIe s. ; ☞ *moite* ; [mwatœʀ].

**MOITIÉ, subst. f.**
**1.** Chacune des deux parties égales d'un tout. **2.** L'une des deux parties presque égales d'un tout : *Il est absent la **moitié** de l'année.* **3.** Méton. Milieu : *À la **moitié** du chemin,* à mi-chemin. **4.** Loc. *De **moitié**,* en deux parts égales ; *À **moitié*** : à demi ; *Partager **moitié-moitié*** : en deux parts égales ; *Le paléothérium, **moitié** cheval, **moitié** tapir* (Flaubert) ; *Faire les choses à **moitié**,* les bâcler. **5.** Épouse (fam.). Fin XIe s. ; lat. *medietas,* « milieu, centre », de *medius,* « moyen » ; [mwatje].

**MOKA, subst. m.**
**1.** Variété de café très parfumé ; par méton., boisson obtenue à partir de ce café. **2.** Gâteau fait d'une génoise fourrée avec une crème parfumée au café. 1720 ; topon. *Moka,* port du Yémen ; [mɔka].

**mol, voir MOLE**

**MOL, voir MOU**

**MOLAIRE (I), subst. f.**
Chez les mammifères, chacune des dents situées sur les parties latérales des maxillaires et servant à broyer les aliments. 1478 ; lat. *dens molaris,* « dent en forme de meule » ; [mɔlɛʀ].

**MOLAIRE (II), adj.**
Relatif à la mole. Déb. XXe s. ; ☞ *mole* ; [mɔlɛʀ].

**MOLALITÉ, subst. f.**
*Chim.* Concentration molaire massique d'une substance dissoute. V. 1970 ; angl. *molality,* de *molal,* « molaire » ; [mɔlalite].

**MOLARITÉ, subst. f.**
*Chim.* Concentration molaire volumique d'une substance dissoute. 1954 ; ☞ *molaire* (II) ; [mɔlaʀite].

**MOLASSE, subst. f.**
*Pétrogr.* Formation sédimentaire détritique, issue de l'érosion de reliefs jeunes ; par ext., grès tendre utilisé en construction. 1669 ; p.-ê. *mollasse* (I) ou franco-prov. *mole,* « meule » ; var. *mollasse* (II) ; [mɔlas].

**MOLDAVE, adj. et subst.**
De Moldavie. **Subst. masc.** Forme dialectale du roumain. 1823 ; topon. *Moldavie* ; [mɔldav].

**MOLE, subst. f.**
*Chim.* et *Phys.* Unité de mesure S. I., correspondant à la quantité de matière d'un système contenant autant d'entités élémentaires qu'il y a d'atomes dans 0,012 kg de carbone 12 (symb. : mol). 1903 ; abrév. de *gramme-molécule,* anc. forme de *molécule-gramme* ; [mɔl].

**MÔLE (I), subst. f.**
*Pathol.* Dégénérescence des villosités du placenta. 1372 ; lat. méd. *mola*, « faux germe » ; [mol].

**MÔLE (II), subst. m.**
Brise-lames ; quai d'accostage. 1546 ; ital. *molo*, du bas gr. *môlos* ; [mol].

**MÔLE (III), subst. f.**
*Zool.* Gros poisson des mers chaudes (synon. *poisson-lune* ou *lune*). 1554 ; lat. *mola*, « meule », en raison de sa forme aplatie ; [mol].

**MOLÉCULAIRE, adj.**
*Chim.* et *Phys.* Relatif aux molécules. 1797 ; ☞ *molécule* ; [mɔlekylɛʀ].

**MOLÉCULE, subst. f.**
*Chim.* Unité de base d'un composé chimique, formée d'un ensemble d'atomes arrangés entre eux de façon spécifique. Déb. XIXe s. (1674, partie très petite d'un corps) ; lat. *moles*, « masse », d'apr. *corpuscule* ; [mɔlekyl].

**MOLÉCULE-GRAMME, subst. f.**
*Chim.* et *Phys.* Mole. V. 1930 ; comp. de *molécule* et de *gramme* ; plur. *molécules-grammes* ; [mɔlekylgʀam].

**MOLÈNE, subst. f.**
*Bot.* Plante herbacée de la famille des Scrofulariacées, connue aussi sous le nom de bouillon-blanc. Mil. XIIIe s. ; prob. *mol*, « mou » ; [mɔlɛn].

**MOLESKINE, subst. f.**
**1.** Vx. Tissu de coton lustré dont on double certains vêtements. **2.** Toile de coton recouverte d'un enduit imitant le cuir. Mil. XIXe s. ; angl. *moleskin*, de *mole*, « taupe », et de *skin*, « peau » ; [mɔlɛskin].

**MOLESTER, verbe trans.** [3]
Maltraiter (qqn) physiquement. Déb. XIIIe s. ; bas lat. *molestare*, « ennuyer » ; [mɔlɛste].

**MOLET, subst. m.**
Pincette dont se servent les orfèvres. Déb. XIVe s. ; *mol* (vx), « flexible » ; [mɔlɛ].

**MOLETER, verbe trans.** [14]
*Techn.* Orner, strier, polir avec une molette. 1840 (1582, lisser le parchemin) ; ☞ *molette* ; [mɔlte].

**MOLETTE, subst. f.**
**1.** Rondelle étoilée de l'éperon. **2.** Outil constitué d'une roulette dentée montée sur un manche, servant à graver, à couper, à marquer, à décorer. **3.** Disque strié servant à actionner un mécanisme mobile : *Clé à* ***molette***. Fin XIVe s. (1285, ornement en forme d'étoile) ; ☞ *meule* ; [mɔlɛt].

**MOLIÉRESQUE, adj.**
Relatif, propre à Molière ; qui rappelle son comique. 1867 ; anthropon. *Molière* ; [mɔljeʀɛsk].

**MOLINISME, subst. m.**
*Théol.* Doctrine du jésuite Luis Molina (1535-1601), qui tenta d'accorder le libre arbitre de l'homme avec la grâce que Dieu lui consent et qui, soupçonné de minimiser l'efficience de la grâce, fut taxé, notamment par les Dominicains, de pélagianisme. 1656 ; anthropon. *Luis Molina*, jésuite espagnol ; [mɔlinism].

**MOLINISTE, subst. et adj.**
Se dit d'un partisan du molinisme. Adj. Relatif, propre ou favorable au molinisme. 1656 ; anthropon. *Luis Molina*, jésuite espagnol ; [mɔlinist].

**MOLINOSISME, subst. m.**
*Théol.* Doctrine de Miguel de Molinos (1628-1696), qui est à l'origine du quiétisme. 1694 ; anthropon. *Miguel de Molinos*, théologien espagnol ; [mɔlinozism].

**MOLLAH, subst. m.**
Dans certains pays musulmans, et notamment dans le chiisme iranien, docteur en droit coranique ayant des charges juridiques et pédagogiques. 1605 ; persan *mollâ*, « clerc » ; var. *mulla(h)* ; [mɔl(l)a].

**MOLLARD, subst. m.**
Crachat (vulg.). 1865 ; ☞ *mou* ; [mɔlaʀ].

**MOLLASSE (I), adj.**
**1.** Qui est flasque, trop mou. **2.** Fig. Qui manque d'énergie, d'entrain (fam.). 1551 ; ☞ *mou* ; [mɔlas].

**MOLLASSE (II), voir MOLASSE**

**MOLLASSON, ONNE, adj. et subst.**
Se dit d'une personne mollasse (fam.). 1880 ; ☞ *mollasse* (I) ; [mɔlasɔ̃, ɔn].

**MOLLE, voir MOU**

**MOLLÉ, subst. m.**
*Bot.* Arbre de la famille des Anacardiacées, dont une espèce, le faux-poivrier, est utilisée en ornement. 1702 ; esp. *molle*, du quechua ; [mɔle].

**MOLLEMENT, adv.**
De manière molle. Fin XIIe s. ; ☞ *mou* ; [mɔlmɑ̃].

**MOLLESSE, subst. f.**
Caractère d'une personne, d'une chose molle. Déb. XIIIe s. ; ☞ *mou* ; [mɔlɛs].

**MOLLET, ETTE, adj. et subst. m.**
Adj. **1.** Mou et doux au toucher. **2.** *Cuis.* ▸ *Œuf* ***mollet*** : intermédiaire entre l'œuf à la coque et l'œuf dur. ▸ *Pain* ***mollet*** : pain au lait. Subst. *Anat.* Partie saillante formée par les muscles postérieurs de la jambe, entre le genou et la cheville. Déb. XIIIe s. ; ☞ *mou* ; [mɔlɛ, ɛt].

**MOLLETIÈRE, subst. f.**
*Cost.* Bande de drap ou de cuir enroulée autour du mollet. 1863 ; ☞ *mollet* ; [mɔltjɛʀ].

**MOLLETON, subst. m.**
Tissu de laine ou de coton, gratté sur une ou deux faces, chaud et doux. 1664 ; ☞ *mollet* ; [mɔltɔ̃].

**MOLLETONNER, verbe trans.** [3]
Garnir ou doubler (un tissu) de molleton. 1845 ; ☞ *molleton* ; [mɔltɔne].

**MOLLIR, verbe** [19]
Trans. **1.** Vx. Rendre mou. **2.** *Mar.* ***Mollir*** *un cordage* : lui donner du mou. ▸ ***Mollir*** *la barre* : la placer au plus près sous le vent, pour atténuer le choc des vagues. Intrans. **1.** Devenir mou. **2.** Anal. Faiblir : *Le vent* ***mollit***. **3.** Fig. Céder, manquer de fermeté. **4.** Flancher (pop). Fin XIIIe s. ; ☞ *mou* ; [mɔliʀ].

**MOLLO, adv.**
Doucement, avec précaution (fam.) : *Vas-y* ***mollo*** *!* 1933 ; ☞ *mou* ; [mɔlo].

**MOLLUSCUM, subst. m.**
*Pathol.* Petite tumeur fibreuse et bénigne de la peau atteignant surtout les enfants. 1820 ; lat. sc. *molluscus*, du lat. *mollis*, « mou » ; [mɔlyskɔm].

**MOLLUSQUE, subst. m.**
Plur. *Zool.* Embranchement de métazoaires triploblastiques, cœlomates, protostomiens, à symétrie bilatérale, à corps mou et non segmenté. Cet embranchement regroupe principalement les Amphineures, les Gastéropodes, les Bivalves et les Céphalopodes. Sing. et Plur. **1.** *Zool.* Membre de cet embranchement : *La moule est un* ***mollusque***. **2.** Fig. Personne molle, sans énergie. 1763 ; lat. sc. *molluscus*, du lat. *mollis*, « mou » ; [mɔlysk].

**MOLOCH, subst. m.**
*Zool.* Gros lézard au corps très massif hérissé d'écailles épineuses, ressemblant à un crapaud. 1874 ; gr. eccl. *Molokh*, de l'hébreu *ha-Molek*, dieu des Ammonites, de *malak*, « être roi » ; [mɔlɔk].

**MOLOSSE, subst. m.**
Gros chien de garde et de combat. 1555 ; lat. *molossus canis*, « chien du pays des Molosses » ; [mɔlɔs].

**MOLTO, adv.**
*Mus.* Très (anton. *poco*) : ***Molto*** *allegro* ou *Allegro* ***molto***. 1837 ; ital. *molto*, « beaucoup » ; [mɔlto].

**MOLYBDÈNE, subst. m.**
*Chim.* Élément n° 42 de la table de Mendeleïev (symb. : Mo) ; masse atomique : 95,94 ; point de fusion : 2 617 °C ; point d'ébullition : 4 612 °C ; masse volumique 10,2 g/cm³. Le **molybdène** est un métal de transition présent à l'état naturel dans le minerai de molybdénite. 1782 (1606, argent mêlé de plomb) ; gr. *molubdis*, « plomb » ; [mɔlibdɛn].

**MÔME, subst.**
Enfant (fam.). Fém. Jeune fille ou jeune femme (pop.) : *La* ***môme*** *Piaf*. 1821 ; orig. obsc. ; [mom].

**MOMENT, subst. m.**
**1.** Très petit intervalle de temps : *Elle ne reste qu'un* ***moment***. **2.** Intervalle de temps d'une durée indéterminée : *Ça l'occupera un bon* ***moment***. **3.** Instant propice, occasion favorable : *C'est le* ***moment*** *d'agir*. **4.** Portion de temps, période définie par le contexte : *Les derniers* ***moments*** *de qqn*, le temps qui précède sa mort. **5.** Temps présent : *La coqueluche du* ***moment***. **6.** Loc. *En ce* ***moment*** : maintenant ; *À tout* ***moment*** : constamment ; *À certains* ***moments*** : parfois ; *Pour le* ***moment*** : présentement ; *Sur le* ***moment*** : à l'instant même ; *D'un* ***moment*** *à l'autre* : bientôt ; *À ce* ***moment-là*** : alors ; *Au* ***moment*** *où* : précisément lorsque ; *Du* ***moment*** *que* : puisque ; *Un* ***moment*** *!* : attendez un instant ! **7.** *Géom.* ***Moment*** *d'un bipoint (A, B) par rapport à un point P de l'espace* : vecteur $\overrightarrow{M}$ produit vectoriel de $\overrightarrow{PA}$ et $\overrightarrow{AB}$ ($\overrightarrow{M} = \overrightarrow{PA} \wedge \overrightarrow{AB}$). **8.** *Phys.* ***Moment*** *d'un vecteur à un point* : grandeur invariante qui équivaut au produit de l'intensité de ce vecteur par la distance du point au vecteur. ▸ ***Moment*** *d'un couple* : produit de la distance de deux forces par leur intensi commune. Il est représenté par un vecteur lib perpendiculaire au plan du couple. **9.** *Stat.* ***Momen*** *d'ordre p* $\geqslant$ *1 d'un caractère quantitatif discret prenar les valeurs* $x_1, x_2, ..., x_n$ *avec les fréquences* $f_1, f_2, \cdot$ $f_n$ : nombre $x_1^p f_1 + x_2^p f_2 + ... + x_n^p f_n$. 1119 ; la *momentum*, de *movimentum*, « mouvement » ; [mɔmɑ̃].

**MOMENTANÉ, ÉE, adj.**
Qui ne dure qu'un moment, provisoire. 1376 bas lat. *momentaneus* ; [mɔmɑ̃tane].

**MOMENTANÉMENT, adv.**
De manière momentanée. 1517 ; ☞ *momentané* [mɔmɑ̃tanemɑ̃].

**MOMERIE, subst. f.**
**1.** Vx. Mascarade, divertissement dansé. **2.** Manifes tation hypocrite de sentiments. Mil. XVe s. ; an fr. *momer*, « se déguiser » ; [mɔmʀi].

**MOMIE, subst. f.**
**1.** Vx. Substance bitumineuse utilisée pour l'embau mement des cadavres. **2.** Méton. Cadavre conserv par embaumement : ***Momie*** *égyptienne*. **3.** Fi Personne très maigre. XIIIe s. ; lat. médiév. *mumi* prob. de l'ar. *mūmiyā*, « bitume » ; [mɔmi].

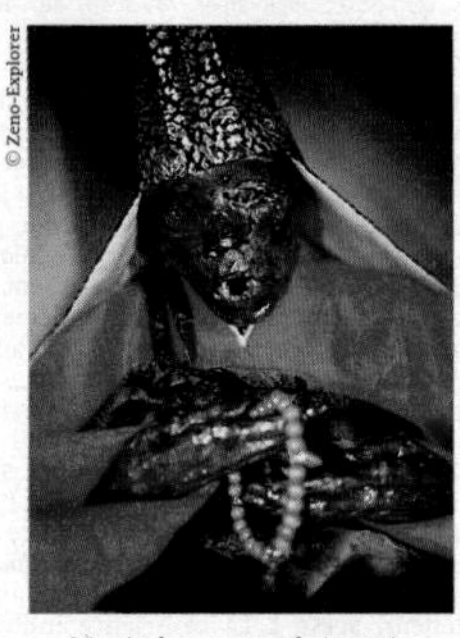

*Momie dans un temple japonais.*

**MOMIFICATION, subst. f.**
**1.** Action de momifier un cadavre ; son résulta **2.** *Pathol.* Dessication des tissus d'une partie d corps. 1789 ; ☞ *momifier* ; [mɔmifikasjɔ̃].

**MOMIFIER, verbe trans.** [6]
**1.** Transformer (un cadavre) en momie. **2.** Ex Dessécher naturellement (un corps). **3.** Fig. Rend inerte, scléroser. 1789 ; ☞ *momie* ; [mɔmifje].

**MON, MA, MES, adj. poss.**
**1.** Qui est à moi : ***Mon*** *livre* ; ***Mon*** *avis*. ▸ Dont suis l'agent : ***Ma*** *thèse sur Rousseau* ; *C'est* ***ma*** *faut* ▸ Qui m'est habituel, qui m'agrée : ***Ma*** *promena dominicale* ; *Elle n'est vraiment pas* ***mon*** *type*. ▸ quoi j'appartiens : *Les gens de* ***ma*** *génération,* ***mon*** *quartier*. **2.** Marque diverses relations d'ord affectif, social, de parenté, de déférence : ***M*** *ami* ; ***Ma*** *patronne* ; ***Mon*** *voisin* ; *À vos ordres,* ***m*** *général !* ; *Par ici,* ***mon*** *gaillard !* (fam.). Fin Xe s lat. *meum, meam, meos, meas* ; *mon* remplace *ma* deva un subst. fém. commençant par une voyelle ou un *h* mue [mɔ̃, ma, me].

**MONACAL, ALE, AUX, adj.**
**1.** Propre aux moines, aux moniales. **2.** Anal. Q évoque la vie monastique ; austère. Déb. XVIe s bas lat. *monachalis* ; [mɔnakal, o].

**MONACHISME, subst. m.**
*Relig.* **1.** Mode de vie du moine, de la moniale. **2.** E semble des communautés monastiques. 155 lat. médiév. *monachismus*, du lat. *monachus*, « moine [mɔnaʃism] ou [-kism].

RELIGION – Déjà pratiquée dans quelques ancienn religions orientales, c'est dans le christianisme q la vie monastique connaîtra son plein essor. Dès Ier s., des fidèles qui veulent vivre l'idéal éva gélique recourent à l'ascèse, sans s'isoler po autant de la société. Le monachisme en tant q tel naîtra v. 270, avec la retraite de saint Antoi le Grand dans le désert égyptien. Son rayonneme attirera de nombreux disciples, qui mèneront u vie érémitique (anachorètes) ou en petites con munautés (cénobites) que saint Pacôme régu ı Haute-Égypte. Sa règle, codifiée au IVe s. par ıint Basile de Césarée, influencera tout le monaıisme futur. Dès le IVe s., il se développe en ·ccident sous l'impulsion de saint Ambroise (Itaɛ), de saint Martin (Gaule) ou de saint Colomın (Irlande), sur le modèle égyptien. Mais c'est règle de saint Benoît de Nursie, équilibrant vie ›irituelle (prière, ascèse, chasteté, pauvreté) et traıil manuel et intellectuel, qui servira de référence, ı VIe s., au monachisme occidental.

**MONADE,** subst. f.
*ilos.* Substance simple, en nombre infini, autoıme, impénétrable, déterminée mais sans cesse ıangeante, exprimant à chaque instant tout nivers et constituant, selon Leibniz, l'élément rnier et le plus simple des êtres et des choses. 1547 ; bas lat. *monas,* du gr. *monas,* « unité » ; ɔnad].

**MONADOLOGIE,** subst. f.
*ilos.* Conception métaphysique de l'Univers, veloppée par Leibniz, d'après laquelle chaque ɔnade, selon une harmonie préétablie par Dieu, un miroir de la totalité du monde. ⌘ 1783 ; *monade* + *-logie* ; [mɔnadɔlɔʒi].

**MONANDRE,** adj.
*t.* Se dit d'une fleur dont l'androcée est réduit ıne seule étamine. ⌘ 1787 ; gr. *monandros,* « qui qu'un mari » ; [mɔnɑ̃dʀ].

**MONARCHIE,** subst. f.
**1.** Régime dans lequel le pouvoir est exercé par e seule personne. **2.** Régime dans lequel le chef l'État est un roi, un empereur, un grand-duc, ., héréditaire ou élu à vie : *La papauté est monarchie élective* ; *Monarchie absolue.* **3.** Mé-ı. État sur lequel règne un monarque. **4.** *Hist. monarchie de Juillet* : le règne de Louis-Philippe 830-1848). ⌘ Fin XIIIe s. ; bas lat. *monarchia,* du gr. *narkhia,* « gouvernement d'un seul » ; [mɔnaʀʃi].

**MONARCHIEN,** adj. m. et subst. m.
*t.* Se disait, sous la Révolution, d'un député de Constituante partisan d'une monarchie à l'anise. ⌘ 1790 ; ☞ *monarchie* ; [mɔnaʀʃjɛ̃].

**MONARCHIQUE,** adj.
atif ou propre à la monarchie : *Régime monarque.* ⌘ Fin XIVe s. ; ☞ *monarchie* ; [mɔnaʀʃik].

**MONARCHISME,** subst. m.
ctrine politique des partisans du régime monarque. ⌘ 1738 ; ☞ *monarchie* ; [mɔnaʀʃism].

**MONARCHISTE,** adj. et subst.
dit d'un partisan de la monarchie. **Adj.** Favorable la monarchie : *Opinion, pamphlet monarchiste.* Mil. XVIe s. ; ☞ *monarchie* ; [mɔnaʀʃist].

**MONARQUE,** subst. m.
rsonne qui exerce le pouvoir suprême dans une ɔnarchie. ⌘ 1361 ; bas lat. *monarchus,* du gr. *narkhos,* « qui commande seul » ; [mɔnaʀk].

© J.-C. Cochet-Explorer

*L'un des Météores de Thessalie, monastères érigés au sommet de pitons rocheux.*

**MONASTÈRE,** subst. m.
*ig.* Établissement dans lequel vivent en commuıté, sous une même règle, des religieux chrétiens , par ext., d'une autre confession, gén. isolés du ɔnde : *Monastère cistercien, bouddhiste.* ⌘ 1279 ; lat. *monasterium,* du gr. *monastêrion,* « résidence taire » ; [mɔnastɛʀ].

**MONASTIQUE,** adj.
atif aux moines, aux moniales. ⌘ Fin XIVe s. ; bas *monasticus,* du gr. *monastikos* ; [mɔnastik].

**MONAZITE,** subst. f.
*Minér.* Phosphate qui est le principal minerai du thorium et des lanthanides. ⌘ 1874 ; all. *Monazit,* du gr. *monazein,* « être seul, rare » ; [mɔnazit].

**MONCEAU,** subst. m.
**1.** Amoncellement d'objets, formant un monticule, un tas. **2.** Fig. Grande quantité de qqch. ⌘ Déb. XIIe s. ; bas lat. *monticellus,* « monticule » ; [mɔ̃so].

**MONDAIN, AINE,** adj.
**1.** Vx. Qui concerne la vie séculière, profane. **2.** Relatif à la vie de la société élégante et fortunée : *Carnet mondain.* **3.** Qui fréquente le monde élégant, qui aime les mondanités ; empl. subst. : *Une vie de mondain.* **4.** *Police mondaine* ou, empl. subst. fém., *La mondaine* : ancienne désignation d'une brigade chargée des affaires de mœurs et de drogues. **5.** *Philos.* Chez Husserl et les philosophes existentiels, qualifie la conscience en tant qu'elle est mouvement intentionnel vers le monde. ⌘ Déb. XIIe s. ; lat. eccl. *mundanus,* « de ce monde » ; [mɔ̃dɛ̃, ɛn].

**MONDANITÉ,** subst. f.
**1.** *Relig.* État de ce qui appartient au monde. **2.** Méton. Goût pour la vie mondaine et ses plaisirs. **Plur. 1.** Évènements de la vie mondaine. **2.** Politesses de convention : *Faire des mondanités à qqn.* ⌘ Fin XIVe s. ; ☞ *mondain* ; [mɔ̃danite].

**MONDE,** subst. m.
**I. 1.** La Terre et les astres en tant que système ordonné, l'Univers : *Le monde planétaire.* ▸ Loc. *Se faire un monde de qqch.* : s'en exagérer l'importance. **2.** Le globe terrestre sur lequel vit l'homme, sa surface ; par méton. : *Le Nouveau Monde,* le continent américain ; *L'Ancien Monde,* l'Europe, l'Asie et l'Afrique. **3.** La Terre, considérée comme le lieu de notre séjour ici-bas : *Le monde sublunaire* (vieilli) ; *Venir au monde,* naître ; *N'être plus de ce monde,* être décédé. **4.** *Philos.* L'ensemble de tout ce qui existe ; l'Univers. ▸ *Le monde sensible* : l'ensemble de ce qui est objet de perception ; *Le monde intelligible* : celui des essences, des idées. **II. 1.** La communauté des hommes : *Refaire le monde* ; *Vivre à l'écart du monde,* en solitaire. **2.** La haute société, caractérisée par ses solennités, ses divertissements, son faste : *Une femme du monde.* **3.** *Relig.* La vie civile, profane : *Quitter le monde,* se consacrer à la vie religieuse. ▸ Loc. *En ce (bas) monde* : ici-bas, avant la mort ; *L'autre monde* : l'au-delà. **4.** Nombre plus ou moins important de personnes : *Il y a bien du monde ici* ; *Tout le monde,* la totalité des gens, ou chacun ; *Nourrir son monde,* sa famille. ▸ Loc. *Monsieur Tout-le-monde* : un individu ordinaire. **5.** Groupe social, ensemble d'individus ayant une appartenance, une particularité commune : *Le monde des lettres.* ⌘ Déb. XIIe s. ; lat. *mundus* ; [mɔ̃d].

**MONDER,** verbe trans. [3]
Nettoyer (un fruit), le peler, lui enlever ses noyaux ou ses pépins, ses impuretés ; empl. adj. : *Orge mondé* (☞ *orge*). ⌘ 1155 ; lat. *mundare,* « nettoyer, purifier » ; [mɔ̃de].

**MONDIAL, ALE, AUX,** adj.
Qui concerne le monde entier. ⌘ Fin XIXe s. (déb. XVIe s., mondain) ; ☞ *monde* ; [mɔ̃djal, o].

**MONDIALEMENT,** adv.
Dans le monde entier : *Mondialement connu.* ⌘ Mil. XXe s. ; ☞ *mondial* ; [mɔ̃djalmɑ̃].

**MONDIALISATION,** subst. f.
Action de mondialiser, fait de se mondialiser ; son résultat. ⌘ 1953 ; ☞ *mondialiser* ; [mɔ̃djalizasjɔ̃].

**MONDIALISER,** verbe trans. [3]
Répandre dans le monde entier, rendre mondial, universel. ⌘ 1928 ; ☞ *mondial* ; [mɔ̃djalize].

**MONDIALISME,** subst. m.
*Pol.* **1.** Doctrine qui vise à l'unification politique du monde. **2.** Mise en perspective mondiale des questions politiques. ⌘ V. 1950 ; ☞ *mondial* ; [mɔ̃djalism].

**MONDOVISION,** subst. f.
*Télév.* Transmission simultanée de programmes dans le monde entier, grâce à des satellites de télécommunication. ⌘ V. 1960 ; crois. de *monde* et de *télévision* ; [mɔ̃dovizjɔ̃].

**MONEL,** subst. m. inv.
Alliage de nickel (67 %), de cuivre (30 %) et de fer (3 %), très résistant à la corrosion. ⌘ 1930 ; anthropon. *Monell,* inventeur ; n. déposé ; [mɔnɛl].

**MONÈME,** subst. m.
*Ling.* Unité minimale de signification, c.-à-d. qui comprend une forme vocale (le signifiant) et un sens (le signifié) : *Dans « relisez », « re- », « -lis- » et « -ez » sont des monèmes.* ⌘ 1941 ; ☞ *morphème* + *mono-* ; [mɔnɛm].

**MONERGOL,** subst. m.
*Astronaut.* Propergol contenant un seul ergol : *L'eau oxygénée est un monergol.* ⌘ 1959 ; ☞ *propergol* + *mono-* ; [mɔnɛʀgɔl].

**MONÉTAIRE,** adj.
Qui se rapporte à la monnaie : *Système monétaire,* ensemble des instruments d'échange adopté dans un pays ou entre pays ; *Masse monétaire,* ensemble de la monnaie circulant dans un pays à un moment donné ; *Fonds monétaire international* (☞ *fonds*). ⌘ 1596 ; bas lat. *monetarius* ; [mɔnetɛʀ].

**MONÉTARISME,** subst. m.
*Écon.* Doctrine qui accorde une place prépondérante à la masse monétaire dans l'évolution et la régulation de la croissance. ⌘ V. 1960 ; ☞ *monétaire* ; [mɔnetaʀism].

**MONÉTARISTE,** adj. et subst.
Se dit d'un partisan du monétarisme. **Adj.** Relatif, propre ou favorable au monétarisme. ⌘ V. 1960 ; ☞ *monétaire* ; [mɔnetaʀist].

**MONÉTIQUE,** subst. f.
Ensemble des dispositifs informatiques utilisés dans les transactions bancaires. ⌘ V. 1980 ; crois. de *monétaire* et de *informatique* ; [mɔnetik].

**MONÉTISATION,** subst. f.
*Écon.* Introduction de nouveaux instruments monétaires, comme les métaux précieux, les monnaies fiduciaire et scripturale, dans les échanges. ⌘ 1823 ; ☞ *monétiser* ; [mɔnetizasjɔ̃].

**MONÉTISER,** verbe trans. [3]
*Écon.* Transformer (un métal) en monnaie. ⌘ 1823 ; lat. *moneta,* « monnaie » ; [mɔnetize].

**MONGOL, OLE,** adj. et subst.
De Mongolie. **Subst. masc.** Groupe de langues ouralo-altaïques parlées en Mongolie. ⌘ 1540 ; mot mongol ; [mɔ̃gɔl].

**MONGOLIEN, IENNE,** adj. et subst.
**1.** Vx. Mongol. **2.** *Pathol.* Se dit d'une personne atteinte de mongolisme (synon. *trisomique*). **Adj.** Relatif ou propre au mongolisme. ⌘ 1767 ; topon. *Mongolie* ; [mɔ̃gɔljɛ̃, jɛn].

**MONGOLIQUE,** adj.
**1.** Relatif ou propre aux Mongols, à la Mongolie. **2.** *Méd. Tache mongolique* : pigmentation cutanée provisoire, de couleur bleue, siégeant au niveau du sacrum, observée chez les nouveau-nés asiatiques ou, parfois, européens. ⌘ 1834 ; topon. *Mongolie* ; [mɔ̃gɔlik].

**MONGOLISME,** subst. m.
*Pathol.* Trisomie 21. ⌘ 1923 ; angl. *mongolism* ; [mɔ̃gɔlism].

**MONGOLOÏDE,** adj. et subst.
Se dit d'une personne dont certains traits physiques peuvent évoquer la trisomie 21. **Adj.** Qui rappelle les caractères de la race mongole : *Des pommettes mongoloïdes.* ⌘ 1938 ; ☞ *mongol* + *-oïde* ; [mɔ̃gɔlɔid].

**MONIAL, ALE, AUX,** adj.
Monacal (vx). ⌘ XIIe s. ; ☞ *moine* ; [mɔnjal, o].

**MONIALE,** subst. f.
Religieuse ayant prononcé ses vœux et vivant gén. cloîtrée (synon. *religieuse contemplative*). ⌘ 1530 ; bas lat. *sancti monialis,* « religieuse » ; [mɔnjal].

**MONILIA,** subst. m.
*Bot.* Champignon de la classe des Ascomycètes, qui se développe en automne sur divers fruits en les pourrissant. ⌘ 1823 ; lat. *monile,* « collier » ; [mɔnilja].

**MONISME,** subst. m.
*Philos.* Tout système où, d'un point de vue logique, métaphysique ou moral, l'ensemble des choses du monde est tenu pour réductible à l'unité (anton. *dualisme* ou *pluralisme*). ⌘ 1875 ; all. *Monismus,* du gr. *monos,* « seul » ; [mɔnism].

**MONITEUR, TRICE,** subst.
**1.** Vx. Personne qui prodigue des conseils. **2.** Personne qui enseigne un sport, une activité : *Un moniteur d'auto-école.* **3.** Personne chargée d'animer des activités de loisir ou d'éducation (abrév. fam. : mono) : *Un moniteur de colonie de vacances.* **Masc. 1.** Journal officiel d'un État (vx). **2.** *Méd.* Appareil électronique assurant la surveillance continue d'un malade, de ses fonctions physiologiques. **3.** *Informat.* Écran vidéo servant de périphérique de sortie à un ordinateur (synon. *écran de contrôle*). ⌘ Mil. XVe s. ; lat. *monitor,* « celui qui avertit » ; [mɔnitœʀ, tʀis].

**MONITION,** subst. f.
**1.** *Dr. canon.* Avertissement adressé par une autorité ecclésiastique avant de prononcer une décision de censure (excommunication, interdit). **2.** *Cath.* Publication d'un monitoire. 1275 ; lat. *monitio*, « avertissement » ; [mɔnisjɔ̃].

**MONITOIRE,** subst. m.
*Cath.* Lettre adressée par une autorité ecclésiastique aux fidèles, leur demandant de révéler les faits criminels dont ils peuvent avoir connaissance. 1414 ; lat. *monitorius*, « qui avertit » ; [mɔnitwaʀ].

**MONITOR,** subst. m.
*Mar.* Navire de guerre cuirassé de moyen tonnage, en usage dans la marine américaine de 1861 à 1915. 1862 ; anglo-amér. *monitor*, du lat. sc. *monitor*, espèce de varan, du lat. *monitor*, « celui qui avertit » ; [mɔnitɔʀ].

**MONITORAGE,** subst. m.
Ensemble des techniques de surveillance, en partic. médicale, utilisant un moniteur. V. 1970 ; angl. *monitoring*, « contrôle, commande » ; [mɔnitɔʀaʒ].

**MONITORAT,** subst. m.
Fonction, charge de moniteur ; formation permettant d'y accéder. V. 1950 ; ☞ *moniteur* ; [mɔnitɔʀa].

**MONNAIE,** subst. f.
**1.** Pièce métallique, de poids et de forme déterminés, émise par un État, servant aux échanges commerciaux, aux paiements et à l'épargne. **2.** Instrument d'échange, métallique ou non, qui permet l'évaluation et la comparaison de la valeur d'échange des biens, ainsi que l'épargne : ***Monnaie** métallique*, composée de pièces ; ***Monnaie** fiduciaire*, billets de banque dotés du pouvoir libératoire illimité, quoique leur valeur intrinsèque soit sans rapport avec leur valeur faciale ; ***Monnaie** scripturale*, chèques, effets de commerce, virements, etc., qui permettent de faire des échanges monétaires par un simple jeu d'écritures. **3.** Unité monétaire d'un pays : *La **monnaie** de la France est le franc français* ; *Cours d'une **monnaie***, sa valeur par rapport à une autre ou par référence à un étalon ; *La **monnaie** de l'Union européenne sera l'Euro.* ▸ *Xéno-**monnaies*** : ensemble des devises détenues dans un pays. **4.** Ensemble de billets et de pièces de faible valeur unitaire que l'on a sur soi : *Portefeuille plein de **monnaie*** ; écart entre la somme versée et le prix à payer : *Gardez la **monnaie**.* **5.** Loc. *C'est **monnaie** courante* : c'est chose habituelle ; *Payer en **monnaie** de singe* : bluffer par de fausses promesses pour ne pas payer son dû ; *Rendre à qqn la **monnaie** de sa pièce* : se venger de lui. Fin XIIe s. ; lat. *Juno moneta*, « Junon qui avertit », dont le temple à Rome faisait office d'hôtel des monnaies ; [mɔnɛ].

**MONNAIE-DU-PAPE,** subst. f.
*Bot.* Autre nom de la lunaire, plante ornementale de la famille des Brassicacées. 1845 ; comp. de *monnaie* et de *pape* ; plur. *monnaies-du-pape* ; [mɔnɛdypap].

**MONNAYABLE,** adj.
Qui peut être monnayé. 1879 ; ☞ *monnayer* ; [mɔnɛjabl].

**MONNAYAGE,** subst. m.
Fabrication de la monnaie. 1296 ; ☞ *monnayer* ; [mɔnɛjaʒ].

**MONNAYER,** verbe trans. [15]
**1.** Convertir (un métal) en monnaie. **2.** Convertir (un bien) en argent liquide. **3.** Chercher à tirer un profit financier de (qqch.) : ***Monnayer** ses services.* Mil. XIIe s. ; ☞ *monnaie* ; [mɔneje].

**MONNAYEUR,** subst. m.
Ouvrier qui travaille à la frappe de la monnaie métallique. 1332 ; ☞ *monnayer* ; [mɔnɛjœʀ].

**MONOACIDE,** adj. et subst. m.
*Chim.* Se dit d'un acide qui ne libère qu'un seul ion $H^+$ par molécule. 1904 ; ☞ *acide* + *mono-* ; [mɔnoasid].

**MONOAMINE,** subst. f.
*Chim.* Composé organique dont la molécule ne contient qu'une seule fonction amine ($NH_2$). 1883 ; ☞ *amine* + *mono-* ; [mɔnoamin].

**MONOAMINE-OXYDASE,** subst. f.
*Biochim.* Enzyme intervenant dans l'inactivation des neurotransmetteurs du type des catécholamines. V. 1960 ; comp. de *monoamine* et de *oxydase* ; plur. *monoamines-oxydases* ; [mɔnoaminɔksidaz].

**MONOATOMIQUE,** adj.
*Chim.* Qualifie un corps constitué d'un seul atome. 1867 ; ☞ *atomique* + *mono-* ; [mɔnoatɔmik].

**MONOBASE,** subst. f.
*Chim.* Base qui ne libère qu'un seul ion $OH^-$ par molécule. ☞ *base* + *mono-* ; [mɔnobɑz].

**MONOBASIQUE,** adj.
*Chim. Solution **monobasique*** : monobase. 1866 ; ☞ *basique* + *mono-* ; [mɔnobazik].

**MONOBLOC,** adj. et subst. m.
Se dit d'une pièce, d'un ensemble constitué d'un seul bloc. 1906 ; ☞ *bloc* + *mono-* ; [mɔnoblɔk].

**MONOCAMÉRISME,** subst. m.
Régime parlementaire qui ne comporte qu'une seule assemblée. 1931 ; lat. *camera*, « chambre », + *mono-* ; var. *monocaméralisme* ; [mɔnokameʀism].

**MONOCELLULAIRE,** adj.
Unicellulaire. 1874 ; ☞ *cellulaire* + *mono-* ; [mɔnoselylɛʀ].

**MONOCHROMATIQUE,** adj.
*Phys.* Se dit d'une onde ou d'une radiation sinusoïdale possédant une fréquence bien définie. 1840 ; ☞ *chromatique* + *mono-* ; [mɔnokʀɔmatik].

**MONOCHROME,** adj.
Qui n'a qu'une seule couleur. 1765 ; gr. *monokhrômos* ; [mɔnokʀom].

**MONOCHROMIE,** subst. f.
Qualité de ce qui est monochrome. 1857 ; ☞ *monochrome* ; [mɔnokʀomi].

**MONOCLE,** subst. m.
Verre optique, muni ou non d'une monture, qui se place sous l'arcade sourcilière. 1746 (déb. XIIIe s., qui n'a qu'un œil) ; bas lat. *monoculus*, « qui n'a qu'un œil » ; [mɔnɔkl].

**MONOCLINAL, ALE, AUX,** adj.
*Géol.* Se dit d'un relief qui dérive d'une structure simple, inclinée dans un seul sens. 1890 ; gr. *klinein*, « incliner », + *mono-*, d'apr. *synclinal* ; [mɔnoklinal, o].

**MONOCLINIQUE,** adj.
*Minér.* Qualifie un système cristallin caractérisé par un réseau croissant selon trois axes dont deux se coupent à angle droit et dont le troisième est oblique (synon. *clinorhombique*). 1867 ; gr. *klinein*, « pencher », + *mono-* ; [mɔnoklinik].

**MONOCLONAL, ALE, AUX,** adj.
*Biol.* Qualifie un anticorps spécifique produit par un même clone de cellules. V. 1960 ; ☞ *clone* + *mono-* ; [mɔnoklonal, o].

**MONOCOLORE,** adj.
**1.** Unicolore. **2.** *Pol. Gouvernement **monocolore*** : dont les membres sont issus d'un seul des partis représentés au Parlement. V. 1970 ; ital. *monocolore*, de *colore*, « couleur » ; [mɔnokɔlɔʀ].

**MONOCOQUE,** subst. m. et adj.
*Mar.* Se dit d'un bateau à une seule coque. **Adj.** *Autom.* Se dit d'une carrosserie à structure rigide, montée sans châssis ; empl. subst. fém., voiture à carrosserie **monocoque**. 1923 ; ☞ *coque* + *mono-* ; [mɔnokɔk].

**MONOCORDE,** subst. m. et adj.
*Mus.* Se dit d'un instrument à une seule corde. **Adj.** Émis sur une seule note, monotone : *Voix **monocorde**.* Mil. XIIe s. ; lat. *monochordon*, du gr. *monokhordon* ; [mɔnokɔʀd].

**MONOCOTYLÉDONES,** subst. f. plur.
*Bot.* Classe de plantes angiospermes, caractérisées par des feuilles à nervures parallèles, des fleurs à symétrie axiale d'ordre 3 et à plantules pourvues d'un seul cotylédon ; empl. adj. : *Les Poacées sont des plantes **monocotylédones**.* **Au sing.** *Le crocus est une **monocotylédone**.* 1763 ; ☞ *cotylédon* + *mono-* ; [mɔnɔkɔtiledɔn].

**MONOCRATIE,** subst. f.
*Pol.* Forme de gouvernement où le pouvoir exécutif est détenu par le seul chef de l'État. V. 1960 ; formé de *mono-* et de *-cratie* ; [mɔnɔkʀasi].

**MONOCRISTAL,** subst. m.
*Phys.* Ensemble cristallin présentant une périodicité parfaite. Un agrégat de **monocristaux** forme un cristal. Mil. XXe s. ; ☞ *cristal* + *mono-* ; plur. *monocristaux* ; [mɔnokʀistal], plur. [-to].

**MONOCULAIRE,** adj.
**1.** Qui concerne un seul œil : *Vision, strabisme **monoculaire**.* **2.** *Opt.* Qui ne possède qu'un oculaire : *Microscope **monoculaire**.* 1800 ; ☞ *oculaire* + *mono-* ; [mɔnɔkylɛʀ].

**MONOCULTURE,** subst. f.
*Agric.* Culture d'une seule espèce végétale : ***Monoculture** du blé.* 1840 ; ☞ *culture* + *mono-* ; [mɔnokyltyʀ].

**MONOCYCLE,** subst. m.
Vélo à une seule roue, en usage dans les cirqu 1869 ; formé de *mono-* et de *-cycle* ; [mɔnosikl].

**MONOCYCLIQUE,** adj.
**1.** *Biol.* Qualifie une espèce vivante qui ne prése qu'un cycle sexuel par an. **2.** *Chim.* Qualifie composé comportant une chaîne fermée. 19 ☞ *cyclique* + *mono-* ; [mɔnosiklik].

**MONOCYLINDRE,** adj. et subst. m.
*Mécan.* Se dit d'un moteur qui ne possède qu seul cylindre (synon. de l'adj. *monocylindriq* 1936 ; ☞ *cylindre* + *mono-* ; [mɔnosilɛ̃dʀ].

**MONOCYLINDRIQUE,** adj.
*Mécan.* Monocylindre. 1907 ; ☞ *cylindri* + *mono-* ; [mɔnosilɛ̃dʀik].

**MONOCYTE,** subst. m.
*Biol.* Leucocyte à cytoplasme non granulaire se différencie en cellules phagocytaires. 19 formé de *mono-* et de *-cyte* ; [mɔnɔsit].

**MONODIE,** subst. f.
*Mus.* Chant à une voix, sans accompagnem 1576 ; bas lat. *monodia*, du gr. *monôdia* ; [mɔn

**MONŒCIE,** subst. f.
*Bot.* Caractère d'une plante monoïque. 1749 ; sc. *monoecia*, du gr. *monos*, « seul », et *oikia*, « maiso [mɔnesi].

**MONOGAME,** adj.
Qui pratique la monogamie : *Peuple, espèce anim **monogame**.* 1495 ; lat. eccl. *monogamus*, du *monos*, « seul », et *gamos*, « mariage » ; [mɔnɔgam].

**MONOGAMIE,** subst. f.
**1.** Système dans lequel un homme ou une femme peut avoir légalement qu'un seul conjoint à la (anton. *polygamie*). **2.** *Zool.* Mode de reproduct d'une espèce, dans lequel une femelle et un m s'accouplent exclusivement ensemble. 1526 ; eccl. *monogamia*, du gr. *monogamia* ; [mɔnɔgami].

**MONOGAMIQUE,** adj.
Relatif à la monogamie ; qui pratique la mo gamie. 1823 ; ☞ *monogamie* ; [mɔnɔgamik].

**MONOGATARI,** subst. m.
*Litt.* Genre littéraire japonais qui comprend longues œuvres romanesques et des contes br Fin XXe s. ; mot jap. ; [mɔnɔgataʀi].

**MONOGÉNISME,** subst. m.
*Anthropol.* Théorie selon laquelle toutes les ra humaines dériveraient d'un même type prim 1865 ; formé de *mono-* et de *-génie* ; [mɔnɔʒeni

**MONOGRAMME,** subst. m.
**1.** Chiffre formé, en gén., de l'entrelacement lettres initiales d'un nom. **2.** Signature abré marque personnelle : ***Monogramme** d'un art* 1557 ; bas lat. *monogramma*, du gr. *monos*, « se et *gramma*, « lettre » ; [mɔnɔgʀam].

**MONOGRAPHIE,** subst. f.
Étude complète et détaillée portant sur un sujet pr et restreint : ***Monographie** du palais du Lou* 1793 ; formé de *mono-* et de *-graphie* ; [mɔnɔg

**MONOGRAPHIQUE,** adj.
Qui relève du genre de la monographie. 18 ☞ *monographie* ; [mɔnɔgʀafik].

**MONOÏ,** subst. m. inv.
Huile parfumée de noix de coco dans laquelle macéré des fleurs de tiaré. Fin XXe s. ; polynésien ; [mɔnɔj].

**MONOÏQUE,** adj.
*Bot.* Qualifie une plante à fleurs unisexuées, d chaque pied porte des fleurs mâles et feme Fin XVIIIe s. ; gr. *oikos*, « demeure », + *mono-* ; [mɔn

**MONOKINI,** subst. m.
Maillot de bain féminin constitué seulement d slip. 1946 ; topon. *Bikini* + *mono-* ; [mɔnɔkini].

**MONOLINGUE,** adj. et subst.
Se dit d'une personne, d'une nation, etc., qui parle qu'une seule langue. **Adj.** Écrit en une se langue : *Dictionnaire **monolingue**.* 1955 ; *lingua*, « langue », + *mono-*, d'apr. *bilingue* ; [mɔno

**MONOLINGUISME,** subst. m.
État d'une personne, d'un pays, etc., monolin V. 1970 ; ☞ *monolingue* ; [mɔnɔlɛ̃gɥism].

**MONOLITHE,** adj. et subst. m.
*Archit.* Se dit d'un ouvrage important constitué d seul bloc de pierre. **Subst.** Mégalithe. 1532 ; lat. *monolithus*, du gr. *monolithos* ; [mɔnɔlit].

**MONOLITHIQUE,** adj.
**1.** Constitué d'un seul bloc de pierre (synon. m

ɪe). **2.** Fig. Qui forme un bloc rigide et inébran-
ɔle : *Parti **monolithique**.* 1868 ; ☞ *monolithe* ; ɔnolitik].

**MONOLITHISME, subst. m.**
*Archit.* Technique de construction en gros blocs pierre. **2.** Fig. Caractère de ce qui est mono-
hique. 1864 ; ☞ *monolithe* ; [mɔnɔlitism].

**MONOLOGUE, subst. m.**
*Théâtre.* Discours qu'un personnage, seul sur la ène, se tient à lui-même : *Le **monologue** de Hamlet.* Ext. Pièce humoristique jouée par un seul per-
nnage : *Le **monologue** d'un chansonnier.* **3.** Anal. scours d'une personne qui ne laisse pas parler autres, ou qui parle seule. Déb. XVI^e s. ; formé *mono-* et de *-logue* ; [mɔnɔlɔg].

**MONOLOGUER, verbe intrans.** [3]
rler seul ou sans céder la parole aux autres. 1842 ; ☞ *monologue* ; [mɔnɔlɔge].

**MONOMANE, adj.**
eilli. Monomaniaque ; empl. subst. : « *Monomane l'envie* », *peinture de Géricault.* 1829 ; ☞ *mono-
ɪnie* ; [mɔnɔman].

**MONOMANIAQUE, adj.**
ɪi fait montre de monomanie (synon. *mono-
ɪne*) ; empl. subst., personne **monomaniaque**. 1834 ; ☞ *maniaque* + *mono-* ; [mɔnɔmanjak].

**MONOMANIE, subst. f.**
ée fixe, obsession, manie (vieilli). 1814 ; formé *mono-* et de *-manie* ; [mɔnɔmani].

**MONÔME, subst. m.**
*Math.* ▸ ***Monôme aux indéterminées** $X_1, X_2, ..., X_p$ coefficients dans un anneau A* : terme de la forme $aX_1^{n_1} \cdot X_2^{n_2} \cdot ... \cdot X_p^{n_p}$, où $a$ est élément de A, $n_1, ...,$ sont des entiers naturels et $n = n_1 + ... + n_p$ le gré total du monôme si $a \neq 0$. ▸ ***Fonction monôme** variables réelles* $x_1, x_2, ..., x_p$ : fonction qui à $(x_1, ..., x_p)$ associe $ax_1^{n_1} \cdot x_2^{n_2} \cdot ... \cdot x_p^{n_p}$, où $a$ est un ɪl fixé. **2.** Cortège d'étudiants se tenant par les aules (argot de Polytechnique, vieilli) : *Le **monôme** bac.* 1691 ; lat. *nomen*, « nom, terme », + *mono-*, pr. *binôme* ; [mɔnom].

**MONOMÈRE, adj. et subst. m.**
ɪim. Se dit d'une molécule simple dont l'enchaî-
ment avec une molécule identique se répète ɪe ou plusieurs fois en formant un dimère, un mère, un polymère. 1817 ; formé de *mono-* et *-mère*[1] ; [mɔnɔmɛʀ].

**MONOMÉTALLISME, subst. m.**
on. Système monétaire dans lequel il n'y a qu'un étal étalon, l'or ou l'argent (par oppos. à *bimétal-
me*). 1875 ; ☞ *métal* + *mono-* ; [mɔnometalism].

**MONOMÉTALLISTE, adj. et subst.**
on. Se dit d'un partisan du monométallisme. ɔj. Où le monométallisme est le système en vi-
eur. 1876 ; ☞ *monométallisme* ; [mɔnometalist].

**MONOMOTEUR, adj. m. et subst. m.**
ron. Se dit d'un avion à un seul moteur. 1931 ; *moteur* + *mono-* ; [mɔnɔmɔtœʀ].

**MONONUCLÉAIRE, adj. et subst. m.**
ol. Se dit d'un leucocyte dont le noyau constitue ɪe seule masse (par oppos. à *polynucléaire*). 1888 ; ☞ *nucléaire* + *mono-* ; [mɔnɔnykleɛʀ].

**MONONUCLÉOSE, subst. f.**
thol. Leucocytose caractérisée par l'augmenta-
ɔn des mononucléaires : ***Mononucléose** infectieuse*, aladie virale bénigne contagieuse des enfants et s adolescents, due au virus d'Epstein-Barr, carac-
risée par une angine et une adénopathie, associées une asthénie et à un état fébrile. 1901 ; *mononucléaire* + *-ose* ; [mɔnɔnykleoz].

**MONOPARENTAL, ALE, AUX, adj.**
étenu par un seul parent : *Autorité **monoparentale*** ; mportant un seul parent : *Famille **monoparentale**.* V. 1980 ; ☞ *parental* + *mono-* ; [mɔnɔpaʀɑ̃tal, o].

**MONOPARTISME, subst. m.**
ɪl. Système dans lequel un seul parti est autorisé. ☞ *parti* + *mono-* ; [mɔnɔpaʀtism].

**MONOPHASÉ, ÉE, adj.**
ectr. Se dit d'un courant alternatif simple, à une ule phase. 1894 ; ☞ *phase* + *mono-* ; [mɔnɔfaze].

**MONOPHONIE, subst. f.**
océdé d'enregistrement et de reproduction des ns n'utilisant qu'un seul canal (anton. *stéréopho-
e*). 1952 ; formé de *mono-* et de *-phonie* ; [mɔnɔfɔni].

**MONOPHYSISME, subst. m.**
éol. Hérésie donnant la primauté à la nature divine du Christ au détriment de sa nature humaine et confondant ces deux natures en la seule divine (condamnée en 451 par le concile de Chalcédoine, elle survit en Orient chez les jacobites et les coptes). 1752 ; ☞ *monophysite* ; [mɔnɔfizism].

**MONOPHYSITE, adj. et subst.**
Se dit d'un adepte du monophysisme. **Adj.** Relatif, propre au monophysisme. 1694 ; gr. *phusis*, « nature », + *mono-* ; [mɔnɔfizit].

**MONOPLACE, adj. et subst.**
Se dit d'un véhicule qui n'a qu'une place. 1920 ; ☞ *place* + *mono-* ; [mɔnɔplas].

**MONOPLAN, adj. m. et subst. m.**
*Aéron.* Se dit d'un avion possédant un seul plan de sustentation. 1908 ; ☞ *plan* (I) + *mono-* ; [mɔnɔplɑ̃].

**MONOPLÉGIE, subst. f.**
*Pathol.* Paralysie d'un seul membre. 1877 ; formé de *mono-* et de *-plégie* ; [mɔnɔpleʒi].

**MONOPOLE, subst. m.**
**1.** *Écon.* Situation d'un marché où l'offre est réa-
lisée par un vendeur unique, et où ne peut jouer la libre concurrence : *En France, l'État détient le **monopole** du tabac.* **2.** Fig. Privilège exclusif : *Avoir le **monopole** de la vertu.* Mil. XIV^e s. ; lat. *mono-
polium*, du gr. *monos*, « seul », et *pôlein*, « vendre » ; [mɔnɔpɔl].

**MONOPOLEUR, EUSE, subst. et adj.**
Monopoliste. 1552 ; ☞ *monopole* ; [mɔnɔpɔlœʀ, øz].

**MONOPOLISATEUR, TRICE, subst.**
Personne qui monopolise qqch. 1845 ; ☞ *monopoliser* ; [mɔnɔpɔlizatœʀ, tʀis].

**MONOPOLISATION, subst. f.**
Action de monopoliser ; son résultat. 1846 ; ☞ *monopoliser* ; [mɔnɔpɔlizasjɔ̃].

**MONOPOLISER, verbe trans.** [3]
**1.** Assujettir au régime du monopole, exercer un monopole sur : ***Monopoliser** une production, un service.* **2.** Fig. Réserver pour son seul usage ou profit, accaparer : ***Monopoliser** l'attention.* 1770 (1599, conspirer) ; ☞ *monopole* ; [mɔnɔpɔlize].

**MONOPOLISTE, subst. et adj.**
*Écon.* Se dit d'une personne, d'une entreprise, etc., qui exerce, détient un monopole (synon. *monopoleur*). Déb. XIX^e s. ; ☞ *monopole* ; [mɔnɔpɔlist].

**MONOPOLISTIQUE, adj.**
Qui a les caractéristiques d'un monopole. 1949 ; ☞ *monopoliste* ; [mɔnɔpɔlistik].

**MONOPROCESSEUR, adj. m. et subst. m.**
*Informat.* Se dit d'un système qui ne possède qu'une seule unité de traitement. V. 1970 ; ☞ *processeur* + *mono-* ; [mɔnɔpʀɔsesœʀ].

**MONOPTÈRE, adj. et subst. m.**
*Archit.* Se dit d'un temple antique circulaire dont la coupole est supportée par un cercle de colonnes. 1547 ; lat. *monopteros*, du gr. *monopteros*, de *monos*, « seul », et de *pteron*, « colonnade » ; [mɔnɔptɛʀ].

**MONORAIL, adj. et subst. m.**
**1.** Se dit d'une voie ferrée ou de roulement à rail unique. **2.** Se dit d'un engin se déplaçant sur un seul rail. 1884 ; ☞ *rail* + *mono-* ; plur. *monorails* ; [mɔnɔʀaj].

© J.-P. Porcher-Explorer

*Monorail d'Orlando (États-Unis).*

**MONORIME, adj.**
*Litt.* Dont les vers sont à rimes identiques : *Un chant **monorime** ; Une strophe **monorime*** ; empl. subst. masc., poème **monorime**. 1690 ; ☞ *rime* + *mono-* ; [mɔnɔʀim].

**MONOSACCHARIDE, subst. m.**
*Biochim.* Ose. Mil. XX^e s. ; ☞ *saccharide* + *mono-* ; [mɔnɔsakaʀid].

**MONOSÉMIE, subst. f.**
*Ling.* Caractère d'un mot, d'un morphème qui n'a qu'un sens (par oppos. à *polysémie*). V. 1960 ; formé de *mono-* et de *-sémie* ; [mɔnɔsemi].

**MONOSÉPALE, adj.**
*Bot.* Qualifie une fleur dont le calice est d'une seule pièce. 1790 ; ☞ *sépale* + *mono-* ; [mɔnɔsepal].

**MONOSKI, subst. m.**
Ski unique sur lequel on place les deux pieds pour glisser sur la neige, sur l'eau, etc. ; par méton., sport pratiqué au moyen d'un tel ski : *Faire du **monoski**.* V. 1960 ; ☞ *ski* + *mono-* ; [mɔnɔski].

**MONOSPERME, adj.**
*Bot.* Se dit d'un fruit à une seule graine. 1761 ; formé de *mono-* et de *-sperme* ; [mɔnɔspɛʀm].

**MONOSTYLE, adj. et subst. m.**
*Archit.* Se dit d'une colonne à fût simple, ou d'un temple à colonne unique. 1863 (1808, sens bot.) ; gr. *stulos*, « colonne », + *mono-* ; [mɔnɔstil].

**MONOSYLLABE, adj. et subst. m.**
Se dit d'un mot formé d'une seule syllabe. 1521 ; lat. *monosyllabus*, du gr. *monosullabos* ; [mɔnɔsil(l)ab].

**MONOSYLLABIQUE, adj.**
**1.** Monosyllabe. **2.** Formé de monosyllabes : *Vers, langue **monosyllabique**.* 1748 ; ☞ *monosyllabe* ; [mɔnɔsil(l)abik].

**MONOTHÉISME, subst. m.**
*Relig.* Foi en un Dieu unique. 1804 ; formé de *mono-* et de *-théisme* ; [mɔnɔteism].

**MONOTHÉISTE, subst. et adj.**
Se dit d'un adepte d'une religion professant le monothéisme : *Les juifs, les chrétiens et les musul-
mans sont **monothéistes**.* **Adj.** Relatif ou propre au monothéisme : *Doctrine **monothéiste**.* 1738 ; formé de *mono-* et de *-théiste* ; [mɔnɔteist].

**MONOTHÉLISME, subst. m.**
*Théol.* Hérésie du VII^e s., condamnée par le concile de Constantinople de 681, qui ne reconnaissait dans le Christ que la volonté divine, tout en admettant sa double nature. 1771 ; *monothélite*, « partisan du monothélisme », du gr. *monos*, « seul », et *thelêtês*, « qui veut » ; [mɔnɔtelism].

**MONOTONE, adj.**
**1.** Qui est toujours répété sur le même ton : *Chant **monotone*** ; par ext. : *Un rythme **monotone**,* régulier. **2.** Fig. Qui lasse par son manque de variété. **3.** *Math. Fonction **monotone** d'un ensemble ordonné dans un autre* : fonction croissante, ou décroissante, sur tout son ensemble de définition. 1710 ; bas lat. *monotonus*, du gr. *monotonos* ; [mɔnɔtɔn].

**MONOTONIE, subst. f.**
**1.** Uniformité de ton. **2.** Fig. Absence de variété qui devient lassante. **3.** *Math.* Caractère monotone d'une fonction. 1671 ; gr. *monotonia* ; [mɔnɔtɔni].

**MONOTRÈMES, subst. m. plur.**
*Zool.* Sous-classe de Mammifères vivant en Austra-
lie, en Tasmanie et en Nouvelle-Guinée, dont la femelle pond des œufs mais allaite ses petits (synon. *Protothériens*). **Au sing.** *L'ornithorynque est un **mono-
trème**.* 1803 ; gr. *trêma*, « orifice », + *mono-*, ces animaux étant pourvus d'un seul orifice pour l'anus et le méat urinaire et génital ; [mɔnɔtʀɛm].

**MONOTROPE, subst. m.**
*Bot.* Plante herbacée vivace dépourvue de chloro-
phylle, qui parasite les racines de nombreux arbres des forêts des régions tempérées. Formé de *mono-* et de *-trope* ; [mɔnɔtʀɔp].

**MONOTYPE, subst.**
**Masc. 1.** *B.-a.* Procédé d'impression sur papier d'un motif peint sur une plaque ; épreuve unique ainsi obtenue. **2.** *Mar.* Voilier aux caractéristiques homo-
loguées par les fédérations de yachting. **Fém.** *Impr.* Composeuse qui fond les caractères un à un sur des lignes justifiées (n. déposé). 1800 ; formé de *mono-* et de *-type* ; [mɔnɔtip].

**MONOVALENT, ENTE, adj.**
*Chim.* Qualifie un atome ou un groupement d'atomes dont la valence est égale à 1. 1879 ; formé de *mono-* et de *-valent* ; [mɔnovalɑ̃, ɑ̃t].

**MONOXYDE, subst. m.**
*Chim.* Composé chimique qui ne contient qu'un seul atome d'oxygène dans sa molécule. Mil. XX^e s. ; ☞ *oxyde* + *mono-* ; [mɔnɔksid].

**MONOXYLE, adj.**
Fait d'une seule pièce de bois : *Pirogue **monoxyle**.* 1759 ; lat. *monoxylus*, du gr. *monoxulos* ; [mɔnɔksil].

**MONOZYGOTE,** adj.
*Biol.* *Jumeaux* ***monozygotes*** ou, empl. subst., *Des* ***monozygotes*** : jumeaux issus de la division d'un seul œuf en deux embryons génétiquement identiques (anton. *dizygote*). Mil. XX^e^ s. ; ☞ *zygote* + *mono-* ; [mɔnozigɔt].

**MONSEIGNEUR,** subst. m.
**1.** *Hist.* Sous l'Ancien Régime, titre donné à certains personnages éminents, notamment au dauphin de France, et en partic. au fils de Louis XIV, le Grand Dauphin. **2.** Titre donné aux prélats et aux princes d'une famille souveraine (abrév. : Mgr). Fin XII^e^ s. ; formé de *mon* et de *seigneur* ; plur. *messeigneurs* (*nosseigneurs* pour les seuls prélats) ; [mɔ̃sɛɲœʀ], plur. [me-] ou [no-].

**MONSIEUR,** subst. m.
**1.** Vx. Titre donné par déférence à un noble ou à un bourgeois. ► *Hist.* Depuis le XVI^e^ s., titre porté par l'aîné des frères du roi de France : *À* ***Monsieur****, frère unique du Roi* (Molière). **2.** Titre ordinaire donné à tout homme (abrév. : M., MM.) : *Mesdames et* ***Messieurs*** *...* ; *M. Untel* ; *Je vais vous présenter à ces* ***messieurs****.* **3.** Formule de politesse précédant la fonction d'un homme : ***Monsieur*** *le Ministre.* **4.** Maître de maison, pour les domestiques : ***Monsieur*** *est sorti.* **5.** Homme dont on ignore le nom : *Un* ***monsieur*** *vous demande.* **6.** Homme qui se distingue par son éducation, sa situation, ses qualités : *Un grand* ***monsieur*** ; homme quelconque (fam.) : *Dis bonjour au* ***monsieur****.* 1297 ; formé de *mon* et de *sieur* ; plur. *messieurs* ; [məsjø], plur. [me-].

**MONSTERA,** subst. m.
*Bot.* Plante vivace ornementale de la famille des Aracées, aux grandes feuilles à échancrures profondes. Lat. sc. *monstera*, prob. du lat. *monstrum*, « monstre » ; [mɔ̃stɛʀa].

**MONSTRE,** subst. m. et adj.
Subst. **1.** Créature fabuleuse et terrifiante, appartenant à la mythologie, aux légendes ; par anal., animal réel, effrayant par sa taille ou son aspect : ***Monstres*** *marins.* **2.** Être vivant atteint d'une malformation grave. **3.** Personne dont la laideur repousse. **4.** Personne particulièrement cruelle et perverse ; par ext. : *Un* ***monstre*** *d'indifférence.* **5.** ***Monstre*** *sacré* : vedette jouissant d'une très grande et très durable célébrité. Adj. Colossal, phénoménal (fam.) : *Une cohue* ***monstre****.* Déb. XII^e^ s. ; lat. *monstrum*, « prodige, avertissement des dieux » ; [mɔ̃stʀ].

**MONSTRUEUSEMENT,** adv.
**1.** À la manière d'un monstre. **2.** Énormément. 1333 ; ☞ *monstrueux* ; [mɔ̃stʀyøzmɑ̃].

**MONSTRUEUX, EUSE,** adj.
**1.** Propre à un monstre de légende. **2.** Atteint d'une malformation grave : *Fœtus* ***monstrueux****.* **3.** D'une laideur repoussante. **4.** Énorme, démesuré : *Un travail* ***monstrueux****.* **5.** Qui dépasse en horreur ce que l'on peut imaginer, supporter : *Un acte* ***monstrueux****.* Déb. XIV^e^ s. ; lat. *monstruosus* ; [mɔ̃stʀyø, øz].

**MONSTRUOSITÉ,** subst. f.
**1.** Difformité congénitale grave et apparente. **2.** Caractère monstrueux de qqn, de qqch. **3.** Ce qui est monstrueux. 1488 ; ☞ *monstrueux* ; [mɔ̃stʀyozite].

**MONT,** subst. m.
**1.** *Géomorph.* Élévation locale importante du sol au-dessus du relief environnant, formée par l'érosion qui dégage une couche résistante soulevée en pli anticlinal : ***Mont*** *dérivé*, localisé plus bas, dans l'axe d'une combe ; *Le* ***mont*** *Blanc.* ► Loc. *Il est toujours par* ***monts*** *et par vaux* : en voyage ; *Promettre* ***monts*** *et merveilles* : faire des promesses mirobolantes. **2.** Anal. ► *Chiromancie.* Chacun des cinq coussinets charnus de la paume, à la base des doigts : ***Mont*** *de Mars, de Saturne.* ► *Anat.* ***Mont*** *de Vénus* : pénil. Fin X^e^ s. ; lat. *mons* ; [mɔ̃].

**MONTAGE,** subst. m.
**1.** Action de porter plus haut : *Le* ***montage*** *des matériaux.* **2.** Action d'assembler des éléments, des pièces, pour obtenir un objet, un appareil, un mécanisme, etc., apte à servir, à fonctionner : ***Montage*** *d'un véhicule* ; *Atelier de* ***montage****.* ► *Phys.* Ensemble d'organes et de circuits associés physiquement : ***Montage*** *symétrique*, circuit amplificateur dans lequel on utilise deux tubes ou deux transistors, l'un amplifiant les alternances positives, l'autre les alternances négatives du signal à basse fréquence. ► *Impr.* Mise en place du texte et des documents d'une page, selon la maquette. ► *Cin.* et *Télév.* Choix, agencement de photos, de plans d'un film, de bandes sonores. **3.** *Fin.* Organisation d'une opération financière. 1604 ; ☞ *monter* ; [mɔ̃taʒ].

**MONTAGNARD, ARDE,** adj. et subst.
De la montagne. Subst. masc. *Hist.* Député de la Montagne. Déb. XVI^e^ s. ; ☞ *montagne* ; [mɔ̃taɲaʀ, aʀd].

**MONTAGNE,** subst. f.
**1.** *Géomorph.* Élévation du sol marquée par une forte dénivellation entre le sommet et la base, allant de plusieurs centaines à quelques milliers de mètres : *Une chaîne de* ***montagnes****.* ► Loc. *Soulever les* ***montagnes*** : se jouer des difficultés ; *Faire une* ***montagne*** *de qqch.* : en exagérer l'importance. **2.** Région d'altitude : *Habiter en* ***montagne****.* **3.** Anal. Tas : *Une* ***montagne*** *de linge* ; au fig. : *Une* ***montagne*** *de problèmes.* **4.** ***Montagnes*** *russes* : attraction foraine faite d'un circuit à montées et à descentes vertigineuses, parcouru à toute allure par un minitrain. **5.** *Hist.* *La* ***Montagne*** : les bancs élevés de la Convention nationale, où siégeaient les députés les plus révolutionnaires. Fin XI^e^ s. ; bas lat. *montanea*, du lat. *montanus* ; [mɔ̃taɲ].

© E. Sander/Liaison-Gamma

*Les* ***montagnes*** *russes, une attraction foraine réservée aux amateurs de sensations fortes.*

**MONTAGNEUX, EUSE,** adj.
**1.** Formé de montagnes. **2.** Où les montagnes sont nombreuses. 1284 ; ☞ *montagne* ; [mɔ̃taɲø, øz].

**MONTAISON,** subst. f.
*Zool.* Migration annuelle de certains poissons qui remontent une rivière pour frayer en eau douce : *La* ***montaison*** *des saumons* ; saison où s'accomplit cette migration. 1546 ; ☞ *monter* ; [mɔ̃tɛzɔ̃].

**MONTANISME,** subst. m.
*Relig.* Doctrine du prêtre phrygien Montanus (II^e^ s.), désapprouvée par l'Église, selon laquelle le Saint-Esprit détermine en permanence toutes choses (synon. *hérésie phrygienne*). 1846 ; anthropon. *Montanus* ; [mɔ̃tanism].

**MONTANT, ANTE,** adj. et subst. m.
Adj. Qui monte : *Marée* ***montante*** ; *Col* ***montant*** ; *Valeur* ***montante****.* ► *Milit.* *La garde* ***montante*** : qui prend la relève. Subst. **1.** Élément vertical d'un bâti (anton. *traverse*) : ***Montant*** *de charpente* ; ***Montant*** *de lit.* **2.** Somme à laquelle s'élève un compte : ***Montant*** *d'une facture.* ► *Écon.* ***Montants*** *compensatoires monétaires (M. C. M.)* : taxe ou subvention portant sur l'exportation ou l'importation des denrées agricoles, visant à compenser les différentes parités monétaires existant dans l'Union européenne. Mil. XII^e^ s. ; p. pr. de *monter* ; [mɔ̃tɑ̃, ɑ̃t].

**MONTBÉLIARDE,** adj. f. et subst. f.
*Zool.* Se dit d'une race de vaches laitières à robe pie rouge, originaire du Jura. Topon. *Montbéliard* (Doubs) ; [mɔ̃beljaʀd].

**MONT-BLANC,** subst. m.
Crème de marrons nappée de chantilly. 1863 ; topon. *mont Blanc* ; plur. *monts-blancs* ; [mɔ̃blɑ̃].

**MONT-DE-PIÉTÉ,** subst. m.
Crédit municipal, établissement public de prêt sur gages. 1576 ; ital. *monte di pietà*, « crédit de pitié » ; plur. *monts-de-piété* ; [mɔ̃dpjete].

**MONTE,** subst. f.
**1.** Saillie, chez les Équidés et les Bovidés ; saison où elle a lieu. **2.** Action et manière de monter à cheval : *Une* ***monte*** *élégante.* 1584 (déb. XII^e^ s., montant, valeur) ; ☞ *monter* ; [mɔ̃t].

**MONTÉ, ÉE,** adj. et subst. f.
Adj. **1.** Pourvu d'une monture : *Troupes* ***montées****,* corps d'arme à cheval. **2.** Équipé : *Être bien* ***monté*** *en vaisselle.* **3.** Assemblé, organisé. ► Loc. *Coup* ***monté*** : prémédité. Subst. **1.** Côte, pente, escalier : *Gravir une* ***montée****.* **2.** Action de gravir une pen[te] : *Faire une halte pendant la* ***montée****.* **3.** Fait de s'éle[ver] en l'air : *La* ***montée*** *d'un avion.* **4.** Fait d'attein[dre] un niveau supérieur : *La* ***montée*** *des eaux*, la c[rue] d'un cours d'eau. ► Afflux : ***Montée*** *de sève* ; ***Mon[tée]*** *de lait*, déclenchement de la sécrétion lactée, ap[rès] l'accouchement. **5.** Augmentation d'un phé[no]mène : *La* ***montée*** *des prix.* ► Loc. ***Montée*** *en pu[is]sance de qqn, de qqch.* : sa progression spectacula[ire]. **6.** Action de monter un objet : *Le concierge est cha[rgé] de la* ***montée*** *du courrier.* **7.** *Archit.* ***Montée*** *d'[une] voûte* : sa hauteur, mesurée entre la naissance [et] la clef. Fin XII^e^ s. ; p. p. de *monter* ; [mɔ̃te].

**MONTE-CHARGE,** subst. m.
Appareil de levage permettant de faire circuler [des] objets lourds entre les étages. 1862 ; comp. *monter* et de *charge* ; plur. *monte-charge(s)* ; [mɔ̃tʃaʀ[ʒ]].

**MONTE-EN-L'AIR,** subst. m. inv.
Cambrioleur (fam. et vieilli). 1885 ; comp. *monter* et de *air* (l) ; [mɔ̃tɑ̃lɛʀ].

**MONTE-PLAT(S),** subst. m.
Petit monte-charge qui sert à faire circuler les pl[ats] entre une cuisine et une salle à manger situé[e] [à] des étages différents. 1876 ; comp. de *monter* de *plat* ; plur. *monte-plats* ; [mɔ̃tpla].

**MONTER,** verbe [3]
Intrans. **1.** Aller dans un lieu plus élevé : ***Mon[ter]*** *au grenier.* **2.** Se placer sur le dos d'un animal, [ou] ou dans un moyen de transport : ***Monter*** *à che[val]* *en voiture.* ► Loc. ***Monter*** *sur ses grands chevau[x]* : s'indigner exagérément. **3.** Ext. et Fam. Aller [vers le] nord en venant du sud. ► ***Monter*** *à Paris* : alle[r à] Paris en venant de province. **4.** Fig. ***Monter*** *en gra[de]* : avoir une promotion. **5.** Se déplacer vers le h[aut] ou selon une trajectoire ascendante : *L'ascens[eur]* ***monte*** ; *Le soleil* ***monte*** *à l'horizon* ; par an[al.] provenir d'en bas, en parlant d'un son, d'u[ne] odeur ; affluer, sous l'effet d'une émotion : *Av[oir] les larmes qui* ***montent*** *aux yeux* ; au fig. : *Vin [qui]* ***monte*** *à la tête*, qui enivre. ► Loc. *Le ton* ***mon[te]*** : la discussion tourne à la dispute. **6.** S'élever [en] suivant une pente : *La route* ***monte*** *au cimeti[ère].* **7.** Gagner, croître en hauteur : *Le maïs* ***monte*** ; [par] anal. : *Ces bottes* ***montent*** *jusqu'aux cuisses.* **8.** P[ro]gresser vers un niveau supérieur : *La mer* ***mon[te]*** ; par méton. : *Le thermomètre* ***monte***, le niveau de [son] mercure s'élève. ► *Mus.* Passer du grave à l'aig[u] : *Cette soprano* ***monte*** *jusqu'au contre-ut.* ► Attein[dre] une valeur plus élevée, un degré supérieur ; augm[en]ter : *Les prix* ***montent****.* ► Atteindre telle somme : *combien* ***monteront*** *les réparations ?* Trans. **1.** P[ar]courir vers le haut, gravir : ***Monter*** *une côte, [des] marches.* **2.** Prendre place sur le dos de (un anima[l]), être porté par lui : ***Monter*** *un mulet.* **3.** Saillir (u[ne] femelle), en parlant du cheval ou d'un au[tre] quadrupède. **4.** Porter (un objet) dans un endr[oit] situé plus haut : ***Monter*** *ses valises* ; ***Monter*** *[le] courrier.* **5.** Porter la valeur, la force, l'intensité [de] (qqch.) à un niveau plus élevé : *Restaurant [qui]* ***monte*** *ses prix* ; ***Monter*** *un moteur en régime.* ► C[uis.] Rendre consistant en fouettant : ***Monter*** *des bla[ncs] en neige, une mayonnaise.* **6.** Assembler les dif[fé]rentes parties de (qqch.) pour le mettre en usag[e] : ***Monter*** *un meuble en kit* ; ***Monter*** *une chaîne hi[-fi].* ► *Cin.* et *Télév.* Procéder au montage de (un film, u[ne] bande vidéo ou sonore). **7.** Enchâsser : ***Monter*** *[un] rubis sur un bracelet.* **8.** Organiser, mettre en plac[e] : ***Monter*** *une entreprise* ; ***Monter*** *un complot.* ► ***Mon[ter]*** *une pièce de théâtre* : en préparer la mise en scène [et la] représentation. **9.** Loc. ***Monter*** *la tête à qqn* : l'excit[er,] le braquer (contre qqn) ; ***Monter*** *le coup à qq[n]* : l'abuser, lui faire croire qqch. de faux (fam.). P[ro]nom. **1.** S'élever (à une certaine somme) : *La fact[ure] se* ***monte*** *à 1 000 francs.* **2.** S'équiper : *Se* ***monter*** *[en] meubles.* **3.** Fig. *Se* ***monter*** *la tête* ou, empl. abs., *[se]* ***monter*** : s'exciter, s'échauffer. Fin X^e^ s. ; lat. p[op.] °*montare*, du lat. *mons*, « mont » ; [mɔ̃te].

**MONTEUR, EUSE,** subst.
**1.** Personne qui monte les différents éléments d'[un] assemblage : ***Monteur*** *à la chaîne.* **2.** *Cin.* et *Té[lév.]* Spécialiste chargé du montage de films, de ban[des] vidéo ou sonores. 1765 (XII^e^ s., cavalier) ; ☞ *mon[ter]* ; [mɔ̃tœʀ, øz].

**MONTGOLFIÈRE,** subst. f.
Aérostat dont la propulsion utilise l'air cha[ud] produit par un foyer fixé à l'ouverture du ball[on]. 1782 ; anthropon. *Montgolfier* ; [mɔ̃gɔlfjɛʀ].

**MONTICOLE,** adj. et subst. m.
Adj. Qui vit ou qui croît dans les montagnes. Subst. *Zool.* Passereau de la famille des Turdidés, à corps trapu et à queue relativement courte, appelé aussi **monticole** solitaire ou merle bleu. Déb. XVe s. ; lat. *monticola*, de *mons*, « mont, montagne », et de *colere*, « habiter » ; [mɔ̃tikɔl].

**MONTICULE,** subst. m.
**1.** Élévation naturelle de terrain, de faible hauteur. **2.** Ext. Petit tas : *Monticule de sable.* 1488 ; bas lat. *monticulus*, du lat. *mons*, « mont » ; [mɔ̃tikyl].

**MONTJOIE,** subst. f.
Monticule de pierres servant à marquer les chemins, ou élevé pour commémorer un évènement important. Déb. XIIIe s. (fin XIe s., cri de guerre de la chevalerie) ; p.-ê. lat. eccl. *mons gaudii*, « montagne de joie ; paradis » ; var. *mont-joie* (plur. *monts-joie*) ; [mɔ̃ʒwa].

**MONTMORENCY,** subst. f.
Variété de cerise acide, à queue courte et à chair claire. 1858 ; topon. *Montmorency* (Val-d'Oise) ; [mɔ̃mɔʀɑ̃si].

**MONTOIR,** subst. m.
Grosse pierre ou billot servant à monter plus aisément sur un cheval : *Le côté du **montoir**,* le côté gauche du cheval. 1160 ; ☞ *monter* ; [mɔ̃twaʀ].

**MONTRABLE,** adj.
Qui peut se montrer, être montré. Fin XIIe s. ; ☞ *montrer* ; [mɔ̃tʀabl].

**MONTRACHET,** subst. m.
Vin blanc sec de Bourgogne, grand cru de la côte de Beaune, issu du cépage chardonnay. 1845 ; *Montrachet*, vignoble de la Côte-d'Or ; [mɔ̃ʀaʃɛ].

**MONTRE (I),** subst. f.
**1.** Action de montrer de façon ostentatoire (vx ou littér.). ▸ Loc. *Faire **montre** de* : faire preuve de. **2.** *Comm.* Étalage (vx) : *Être en **montre**,* en vitrine. Déb. XIIe s. ; ☞ *montrer* ; [mɔ̃tʀ].

**MONTRE (II),** subst. f.
**1.** Petit boîtier muni d'un cadran indiquant l'heure, que l'on porte sur soi : ***Montre** mécanique*, actionnée par un ressort ; ***Montre** à quartz* : dont le mouvement est un oscillateur à quartz, à pile, et à affichage analogique (aiguilles) ou numérique (cristaux liquides). **2.** Loc. ▸ ***Montre** en main* : en mesurant le temps avec précision. ▸ *Sens des aiguilles d'une **montre*** : sens de rotation ouest-nord-est-sud. ▸ *Course contre la **montre*** : épreuve chronométrée dans laquelle chaque cycliste prend le départ séparément ; au fig., tâche à accomplir d'urgence. 1537 (1474, cadran) ; ☞ *montre* (I) ; [mɔ̃tʀ].

**MONTRE-BRACELET,** subst. f.
Bracelet-montre. 1922 ; comp. de *montre* (II) et de *bracelet* ; plur. *montres-bracelets* ; [mɔ̃tʀəbʀaslɛ].

**MONTRER,** verbe trans. [3]
**I. 1.** Faire voir, exposer à la vue : ***Montrer** ses achats, son jardin.* **2.** Désigner par un geste, un signe : ***Montrer** la sortie* ; ***Montrer** une personne du doigt.* **II.** Fig. **1.** Faire connaître à l'esprit : *Cet ouvrage **montre** bien la vie au XIXe s.* **2.** Démontrer, établir, enseigner : ***Montrer** ses torts à qqn* ; *L'expérience **montre** qu'il faut agir ainsi.* **3.** Exprimer, manifester : ***Montrer** de la joie.* **4.** Faire preuve de : ***Montrer** sa bonne volonté.* Pronom. **1.** Se faire voir, apparaître : *Se **montrer** nu.* **2.** S'avérer, se révéler être : *Se **montrer** inflexible.* Xe s. ; lat. *monstrare* ; [mɔ̃tʀe].

**MONTREUR, EUSE,** subst.
Personne dont le métier est de montrer une attraction au public : ***Montreur** d'ours.* 1328 (fin XIIe s., celui qui explique) ; ☞ *montrer* ; [mɔ̃tʀœʀ, øz].

**MONTUEUX, EUSE,** adj.
Dont le relief est inégal, entrecoupé de monts, de collines (vieilli ou littér.). Mil. XIVe s. (XIIIe s., situé dans les montagnes) ; lat. *montuosus*, de *mons*, « mont, montagne » ; [mɔ̃tɥø, øz].

**MONTURE,** subst. f.
**1.** Animal sur lequel on monte pour se faire transporter. ▸ Loc. proverb. *Qui veut voyager loin ménage sa **monture*** : pour réussir qqch., il faut ménager ses forces. **2.** Partie d'un objet qui sert à maintenir, à assembler l'élément principal : ***Monture** de lunettes.* 1348 ; ☞ *monter* ; [mɔ̃tyʀ].

**MONUMENT,** subst. m.
**1.** Ouvrage d'architecture ou de sculpture édifié pour perpétuer le souvenir d'une personne, d'un évènement : ***Monument** funéraire*, édifié sur une sépulture ; ***Monument** aux morts*, érigé à la mémoire des membres d'une communauté victimes d'une guerre, d'une catastrophe. **2.** Édifice remarquable par sa beauté, pour son intérêt historique, religieux : ***Monuments** antiques.* ▸ ***Monument** historique* : **monument**, vestiges, objet mobilier ayant une grande valeur artistique, historique comme patrimoine national ou mondial. **3.** Fig. Œuvre très importante, par sa taille, ses qualités : *La « Phèdre » de Racine est un **monument** littéraire.* ▸ Loc. **Un monument de.** Personne ou chose révélant un extrême degré de (fam. ou iron.) : *Cet homme est un **monument** d'orgueil.* 980 ; lat. *monumentum* ; [mɔnymɑ̃].

**MONUMENTAL, ALE, AUX,** adj.
**1.** Relatif aux monuments : *Histoire **monumentale** d'une ville.* **2.** Anal. Qui possède le caractère grandiose d'un monument ; qui est remarquable par ses dimensions imposantes : *Œuvre **monumentale**.* **3.** Fig. Énorme, immense (fam.) : *Une erreur **monumentale**.* 1802 ; ☞ *monument* ; [mɔnymɑ̃tal, o].

**MONUMENTALITÉ,** subst. f.
Caractère majestueux d'une œuvre d'art, dû à ses proportions et à son style. 1845 ; ☞ *monumental* ; [mɔnymɑ̃talite].

**MOQUE (I),** subst. f.
*Mar.* Bloc de bois percé d'un trou par où passe un filin, et dont le pourtour est muni d'une gorge destinée à recevoir une estrope. 1678 ; néerl. *mok*, « bloc de bois » ; [mɔk].

**MOQUE (II),** subst. f.
Récipient servant à boire ou à mesurer (région.). 1776 ; néerl. *mokke*, « aiguière » ; [mɔk].

**MOQUER,** verbe trans. [3]
Tourner en dérision, railler (vieilli ou littér.) : *Il est **moqué** de tous.* Pronom. **1. Se moquer de.** ▸ Tourner en ridicule (qqn, qqch.). ▸ Ne faire aucun cas de, braver (qqn, qqch.) : *Se **moquer** des ragots* ; *S'en **moquer**,* être indifférent à. ▸ Duper : *Le vendeur s'est bien **moqué** de nous.* **2.** Abs. Ne pas parler sérieusement (littér.) : *Vous vous **moquez** !* Fin XIIe s. ; orig. obsc. ; [mɔke].

**MOQUERIE,** subst. f.
**1.** Action, habitude de se moquer, de railler : *La **moquerie** n'est pas dans ses habitudes.* **2.** Action, parole moqueuse. 1272 ; ☞ *moquer* ; [mɔkʀi].

**MOQUETTE,** subst. f.
Revêtement de sol, en fibres naturelles ou synthétiques. Déb. XVIIe s. ; orig. obsc. ; [mɔkɛt].

**MOQUETTER,** verbe trans. [3]
Recouvrir de moquette : ***Moquetter** son salon à neuf.* V. 1970 ; ☞ *moquette* ; [mɔkete].

**MOQUEUR, EUSE,** adj. et subst. m.
Adj. **1.** Qui est enclin à se moquer, qui a l'habitude de se moquer ; empl. subst. : *Un **moqueur**.* **2.** Qui a le caractère de la moquerie, qui en est inspiré : *Prendre un air **moqueur**.* Subst. *Zool.* **1.** Oiseau américain de la famille des merles, qui imite les cris des autres oiseaux. **2.** Oiseau d'Afrique, voisin de la huppe. Fin XIIe s. ; ☞ *moquer* ; [mɔkœʀ, øz].

**MORACÉES,** subst. f. plur.
*Bot.* Famille de l'ordre des Urticales comprenant en majorité des arbres tropicaux, dont certains fournissent des fruits comestibles. Au sing. *Le mûrier est une **moracée**.* 1936 ; lat. sc. *moraceae*, du lat. *morus*, « mûrier » ; [mɔʀase].

**MORAILLES,** subst. f. plur.
**1.** Tenailles servant à pincer les naseaux d'un cheval que l'on veut maîtriser pour le soigner, le ferrer (synon. *tord-nez*). **2.** Tenailles de verrier. 1285 ; prov. *moralha*, de l'anc. prov. *mor*, « museau » ; [mɔʀɑj].

**MORAILLON,** subst. m.
*Techn.* Plaque métallique à charnière, munie d'un demi-anneau qui reçoit le pêne de la serrure : ***Moraillon** d'une malle.* 1360 ; ☞ *moraille* ; [mɔʀajɔ̃].

**MORAINE,** subst. f.
*Géol.* Amas de sédiments déposés par un glacier. 1779 ; savoyard *morena* ; [mɔʀɛn].

**MORAINIQUE,** adj.
*Géol.* Formé de moraines ; relatif aux moraines. 1875 ; ☞ *moraine* ; [mɔʀenik].

**MORAL, ALE, AUX,** subst. m. et adj.
Subst. **1.** Ensemble des facultés psychiques, spirituelles (vieilli). ▸ Loc. *Au **moral*** : sur le plan psychologique, spirituel. **2.** État d'esprit d'une personne, considéré sous l'angle de ses aptitudes à affronter les difficultés. ▸ *Avoir le **moral** à zéro* : être complètement découragé (fam.) ; empl. abs. : *Avoir le **moral**,* être optimiste. Adj. **1.** Relatif aux comportements, aux règles de conduite d'une société : *Code, jugement **moraux*** ; *Valeurs **morales**.* ▸ Qui est à la recherche d'un bien idéal : *Conscience **morale**.* **2.** Qui est en conformité avec ces règles : *Comportement **moral*** ; *Trahir n'est pas **moral**.* **3.** Qui relève de l'esprit, du psychisme (anton. *physique*) : *Misère, résistance **morale*** ; *Abattement, courage **moral**.* **4.** *Philos.* et *Théol.* Qui relève de la réflexion sur le bien et le mal : *La théologie **morale**.* 1212 ; lat. *moralis*, « relatif aux mœurs », de *mores*, « mœurs » ; [mɔʀal, o].

**MORALE,** subst. f.
**1.** Étude traitant des mœurs et des comportements, aboutissant à la définition de valeurs et de règles de vie générales et normatives par référence au bien et au mal : ***Morale** théorique, pratique* ; *Traité de **morale**.* ▸ *Philos.* Théorie de l'action humaine en tant qu'elle s'applique à définir ce qu'est le bien ; éthique : *La **morale** socratique, kantienne.* **2.** Ensemble de règles de conduite et de valeurs normatives applicables à un domaine particulier : ***Morale** politique.* ▸ Loc. *Faire la **morale** à qqn* : lui reprocher sa conduite, le morigéner. **3.** Conclusion, leçon profitable que l'on tire de qqch. (synon. *moralité*) : *La **morale** d'une fable de La Fontaine.* 1637 ; ☞ *moral* ; [mɔʀal].

**MORALEMENT,** adv.
**1.** Conformément aux règles de conduite : *Vivre **moralement**.* **2.** En vertu d'une certitude morale : *Être **moralement** convaincu de qqch.* **3.** Sur le plan psychologique, affectif : *Elle souffre **moralement**.* 1361 ; ☞ *moral* ; [mɔʀalmɑ̃].

**MORALISANT, ANTE,** adj.
Qui est moralisateur. 1778 ; p. pr. de *moraliser* ; [mɔʀalizɑ̃, ɑ̃t].

**MORALISATEUR, TRICE,** adj. et subst.
Adj. Qui moralise, qui est sentencieux : *Un ton **moralisateur*** ; *Une remarque **moralisatrice**.* Subst. Personne qui aime à moraliser (souv. péj.). 1839 ; ☞ *moraliser* ; [mɔʀalizatœʀ, tʀis].

**MORALISATION,** subst. f.
Action de moraliser, de rendre plus moral ; son résultat. 1823 ; ☞ *moraliser* ; [mɔʀalizasjɔ̃].

**MORALISER,** verbe [3]
Trans. **1.** Mettre en conformité avec la morale : ***Moraliser** la publicité.* **2.** Engager (qqn) à se conformer aux exigences de la morale, souvent par des réprimandes. Intrans. Donner des leçons de morale (souv. péj.). 1375 ; ☞ *moral* ; [mɔʀalize].

**MORALISME,** subst. m.
**1.** *Philos.* Attitude qui place les valeurs morales au-dessus de toutes les autres. **2.** Respect formaliste et étroit des règles, d'une morale (péj.). 1830 (1771, moralité) ; ☞ *morale* ; [mɔʀalism].

**MORALISTE,** subst.
**1.** Écrivain qui disserte sur les mœurs, la nature humaine : *Montaigne fut un fin **moraliste**.* **2.** Moralisateur (souv. péj.) ; empl. adj., empreint de moralisme. 1690 ; ☞ *morale* ; [mɔʀalist].

**MORALITÉ,** subst. f.
**1.** Valeur, caractère moral intrinsèque : ***Moralité** d'un acte.* **2.** Attitude, valeur morale : *Personne d'une grande **moralité*** ; sens moral : *Individu sans **moralité**.* **3.** Méton. Maxime, leçon morale que l'on tire d'une expérience. ▸ *Litt.* Au Moyen Âge, court ouvrage dramatique à caractère allégorique et édifiant. Fin XIIe s. ; bas lat. *moralitas*, du lat. *moralis*, « relatif aux mœurs » ; [mɔʀalite].

**MORASSE,** subst. f.
*Impr.* Dernière épreuve, tirée après la mise en page d'un journal pour une ultime révision. 1845 ; ital. *moraccio*, « noiraud », de *moro*, « noir » ; [mɔʀas].

**MORATOIRE,** adj. et subst. m.
Adj. *Dr.* **1.** Qui accorde un délai. **2.** *Intérêts **moratoires*** : qui résultent du retard de paiement d'une créance. Subst. **1.** *Dr.* Disposition légale suspendant, sur le plan national ou international, l'exigibilité de certaines créances. **2.** Ext. Suspension d'une action, d'une activité donnée : ***Moratoire** portant sur les essais nucléaires.* 1765 ; lat. jur. *moratorius*, du lat. *morari*, « retarder » ; [mɔʀatwaʀ].

**MORAVE,** adj. et subst.
De Moravie. ▸ *Relig. Frères **moraves*** : membres d'un mouvement chrétien né au XVe s. en Bohême, chez les hussites. Persécutés pendant la guerre de Trente Ans, ils se réfugièrent en Pologne, avant d'essaimer vers la Hollande, l'Angleterre et l'Amérique, où ils animent toujours des communautés de quakers. XIXe s. ; topon. *Moravie* (Tchéquie) ; [mɔʀav].

**MORBIDE,** adj.
**1.** *Méd.* Relatif à la maladie : *Symptôme* ***morbide.*** **2.** Ext. Qui est le signe d'un trouble mental : *Penchant* ***morbide*** ; malsain : *Lecture* ***morbide.*** 📖 1486 ; lat. *morbidus*, de *morbus*, « maladie » ; [mɔʀbid].

**MORBIDESSE,** subst. f.
**1.** Grâce languide (littér.). **2.** *Peint.* Moelleux et délicatesse dans le modelé des chairs. 📖 1580 ; ital. *morbidezza*, « mollesse » ; [mɔʀbidɛs].

**MORBIDITÉ,** subst. f.
**1.** *Méd.* Caractère, état morbide. **2.** *Démogr.* Pourcentage de malades dans une population, à un moment donné. **3.** Ext. Caractère de ce qui est malsain. 📖 1849 ; ☞ *morbide* ; [mɔʀbidite].

**MORBILLEUX, EUSE,** adj.
*Méd.* Relatif à la rougeole. 📖 1812 ; lat. sc. *morbillosus*, du lat. *morbus*, « maladie » ; [mɔʀbijø, øz].

**MORBLEU,** interj.
Juron exprimant l'impatience, la colère (vx). 📖 1612 ; ☞ *mordieu* (par euphém.) ; [mɔʀblø].

**MORCEAU,** subst. m.
**1.** Portion d'un mets, d'un aliment solide ; bouchée, tranche : *Morceau de gâteau, de fromage.* ► *Bouch.* Partie séparée d'un animal : ***Morceau*** *de bœuf, de veau.* ► Loc. fam. *Manger un* ***morceau*** : faire un repas léger et rapide ; *Emporter le* ***morceau*** : obtenir ce que l'on voulait ; *Ne pas lâcher le* ***morceau*** : résister ; *Lâcher, cracher le* ***morceau*** : avouer. **2.** Élément détaché, brisé, déchiré d'un corps, d'une matière solide : ***Morceau*** *de tissu, de verre.* ► Loc. *Réduire en* ***morceaux*** : casser ; *En mille* ***morceaux*** : en de nombreux fragments ; *Recoller les* ***morceaux*** : réparer ; se réconcilier (fam.). **3.** Partie distincte de qqch. ; parcelle : ***Morceau*** *de terre, de ciel* ; au fig. : *Un* ***morceau*** *de réalité.* **4.** *Litt.* et *Mus.* Partie d'une œuvre : ***Morceaux*** *choisis* ; ***Morceaux*** *d'une symphonie.* ► Loc. *Un* ***morceau*** *d'anthologie* : qqch. d'admirable. **5.** *Mus.* Œuvre considérée comme un tout : *Un splendide* ***morceau*** *de Chopin.* 📖 XIIe s. ; anc. fr. *mors*, du lat. *morsum*, « ce que l'on mord » ; [mɔʀso].

**MORCELABLE,** adj.
Qui peut être morcelé. 📖 1907 ; ☞ *morceler* ; [mɔʀsəlabl].

**MORCELER,** verbe trans. [12]
**1.** Diviser (un corps, une matière solide) en morceaux. **2.** Diviser (un territoire, un terrain) en plusieurs parties. **3.** Fig. Disperser : ***Morceler*** *la pensée.* 📖 1573 ; ☞ *morceau* ; [mɔʀsəle].

**MORCELLEMENT,** subst. m.
Action de morceler ; son résultat : ***Morcellement*** *d'un pays* ; *Le* ***morcellement*** *de l'information.* 📖 1789 ; ☞ *morceler* ; [mɔʀsɛlmɑ̃].

**MORDACHE,** subst. f.
*Techn.* Morceau de bois ou de métal mou dont on garnit un étau pour protéger la pièce à serrer. 📖 1765 (1560, morailles) ; lat. médiév. *mordacium*, « agrafe », du lat. *mordax*, « mordant » ; [mɔʀdaʃ].

**MORDACITÉ,** subst. f.
**1.** Vx. Propriété d'une substance corrosive. **2.** Fig. Caractère de ce qui est caustique (littér.). 📖 1478 ; lat. *mordacitas* ; [mɔʀdasite].

**MORDANÇAGE,** subst. m.
Action de mordancer. 📖 1841 ; ☞ *mordancer* ; [mɔʀdɑ̃saʒ].

**MORDANCER,** verbe trans. [4]
*Techn.* Appliquer un mordant sur. 📖 1841 ; ☞ *mordant* ; [mɔʀdɑ̃se].

**MORDANT, ANTE,** adj. et subst. m.
**Adj. 1.** Qui mord, en parlant d'un animal. **2.** Anal. Qui procure une sensation de morsure : *Froid* ***mordant.*** **3.** Fig. Qui est vif ; incisif, acéré : *Un esprit* ***mordant.*** **Subst. 1.** Caractère de ce qui entaille, entame : ***Mordant*** *d'un couteau* ; au fig. : *Le* ***mordant*** *d'une riposte.* **2.** *Mus.* L'un des quatre principaux ornements en musique classique, notamment baroque (avec l'appoggiature, le trille et le gruppetto), consistant en un battement entre une note et celle qui lui est immédiatement supérieure ou inférieure. **3.** *Techn.* ► Substance utilisée pour corroder des surfaces métalliques. ► Fixateur dont on imprègne une étoffe que l'on veut teindre. 📖 Fin XIIe s. ; p. pr. de *mordre* ; [mɔʀdɑ̃, ɑ̃t].

**MORDICUS,** adv.
Avec entêtement et opiniâtreté (fam.) : *Soutenir qqch.* ***mordicus.*** 📖 1690 ; lat. *mordicus*, « en mordant » ; [mɔʀdikys].

**MORDIEU,** interj.
Juron qui exprime la surprise, la colère (vx ou littér.). 📖 1672 ; loc. *par la mort de Dieu !* ; [mɔʀdjø].

**MORDILLEMENT,** subst. m.
Action de mordiller (synon. *mordillage*). 📖 1867 ; ☞ *mordiller* ; [mɔʀdijmɑ̃].

**MORDILLER,** verbe trans. [3]
Mordre légèrement et à plusieurs reprises. 📖 XVIe s. ; ☞ *mordre* ; [mɔʀdije].

**MORDORÉ, ÉE,** adj.
D'une teinte brune et chaude à reflets dorés. 📖 1669 ; formé de *more* et de *doré* ; [mɔʀdɔʀe].

**MORDORER,** verbe trans. [3]
Donner une teinte mordorée à (rare). 📖 1843 ; ☞ *mordoré* ; [mɔʀdɔʀe].

**MORDORURE,** subst. f.
Teinte mordorée (littér.). 📖 1829 ; ☞ *mordoré* ; [mɔʀdɔʀyʀ].

**MORDRE,** verbe trans. [51]
**Trans. dir. 1.** Prendre et serrer avec les dents de manière à entamer, à blesser, à couper : *Un chien l'a* ***mordu*** *au mollet* ; par ext. : ***Mordre*** *son stylo*, le mordiller, le prendre entre ses dents ; empl. abs. : *Attention, ce chien* ***mord*** ; empl. pronom. : *Belette et serpent qui se* ***mordent.*** ► Loc. ***Mordre*** *la poussière* : être jeté à terre et défait au cours d'une lutte ou, au fig., subir un échec ; *Se* ***mordre*** *les doigts (de qqch.)* : le regretter amèrement. **2.** Anal. ► Entailler, entamer : *Scie qui* ***mord*** *bien le bois.* ► Se fixer solidement dans : *Piolets qui* ***mordent*** *la glace.* ► *Techn.* Soumettre (une pièce métallique, une étoffe) à l'action d'un mordant. **3.** Fig. et Littér. Faire souffrir, tourmenter : *La jalousie lui* ***mord*** *le cœur.* **Trans. indir. 1. Mordre à.** ***Mordre*** *à l'hameçon, à l'appât* : s'y faire prendre, en parlant d'un poisson ou, au fig., se laisser piéger. ► Abs. *Ça* ***mord*** : le stratagème réussit (fam.). ► ***Mordre*** *aux études* : y prendre goût (vx). **2. Mordre dans.** Entamer fortement avec les dents : ***Mordre*** *dans un sandwich.* ► *Techn.* S'enfoncer dans : *Vis qui* ***mord*** *dans une planche.* **3. Mordre sur.** Empiéter sur : *Un coureur a* ***mordu*** *sur le couloir voisin* ; *Travail qui* ***mord*** *sur le week-end.* 📖 1080 ; lat. *mordere* ; [mɔʀdʀ].

**MORDU, UE,** adj. et subst.
Fam. **Adj.** Très amoureux. **Adj.** et **Subst.** Se dit d'une personne qui a une passion pour qqch. : *Un* ***mordu*** *de football.* 📖 XVIe s. ; p. p. de *mordre* ; [mɔʀdy].

**MORE,** voir **MAURE**

**MOREAU, ELLE,** adj. et subst.
Se dit d'un cheval ou d'une jument dont la robe est d'un noir luisant. 📖 Fin XIIe s. ; lat. pop. °*maurellus*, « brun comme un Maure » ; [mɔʀo, ɛl].

**MORELLE,** subst. f.
*Bot.* Nom générique de divers végétaux de la famille des Solanacées, qui peuvent être cultivés et comestibles (aubergine, tomate), ou sauvages. 📖 XIIIe s. ; lat. médiév. *maurella*, du lat. *maurus*, « brun foncé » ; [mɔʀɛl].

**MORESQUE,** voir **MAURESQUE**

**MORFAL, ALE, ALS,** adj. et subst.
Se dit d'une personne qui mange goulûment (fam.). 📖 1935 ; argot *morfaler*, « manger » ; [mɔʀfal].

**MORFIL (I),** subst. m.
Vx. Dent d'éléphant non travaillée ; ivoire brut. 📖 1545 ; esp. *marfil*, « ivoire » ; var. *marfil* ; [mɔʀfil].

**MORFIL (II),** subst. m.
*Techn.* Ensemble de particules métalliques qui subsistent sur une lame que l'on vient d'aiguiser. 📖 1611 ; formé de *mort* (II) et de *fil* ; [mɔʀfil].

**MORFLER,** verbe trans. [3]
Argot. Encaisser (un coup, une condamnation) ; empl. abs. : *C'est toujours lui qui* ***morfle*** *!* 📖 1926 ; argot *morfiler*, « manger », d'apr. *mornifle* ; [mɔʀfle].

**MORFONDRE (SE),** verbe pronom. [51]
Attendre longtemps dans l'ennui, l'inquiétude. 📖 1574 (fin XIVe s., devenir catarrheux) ; formé de l'anc. prov. *mor*, « museau, groin », et de *fondre* ; [mɔʀfɔ̃dʀ].

**MORGANATIQUE,** adj.
Se dit du mariage d'un prince avec une femme de rang inférieur, ou de cette femme elle-même, qui ne peut jouir des droits attachés au rang de son époux. ► *Enfants* ***morganatiques*** : issus d'un tel mariage. 📖 1609 ; lat. médiév. *morganaticus*, du bas lat. *morganegiba*, « don du matin (des noces) », du frq. *morgan*, « matin », et *geba*, « don » ; [mɔʀganatik].

**MORGANITE,** subst. f.
*Joaill.* Pierre fine rose, variété de béryl. 📖 [mɔʀganit].

**MORGELINE,** subst. f.
*Bot.* Mouron des oiseaux. 📖 XVe s. ; prob. lat. médiév. *morsus gallinae*, « morsure de poule », les poules étant friandes de cette plante ; [mɔʀʒəlin].

**MORGON,** subst. m.
Cru du Beaujolais, donnant un vin rouge réputé. 📖 Topon. *Morgon* (Rhône) ; [mɔʀgɔ̃].

**MORGUE,** subst. f.
**I.** Attitude de mépris hautain, arrogance infatuée : *Plastronner avec* ***morgue.*** **II. 1.** Guichet où l'on examine les prisonniers avant de les écrouer (vx). **2.** Endroit où l'on dépose les cadavres non identifiés et ceux qui doivent faire l'objet d'une expertise médico-légale. **3.** Local, en milieu hospitalier, où l'on garde les malades décédés. 📖 Mil. XVe s. ; *morguer* (vx), « dévisager », du lat. pop. °*murricare*, « faire la moue » ; [mɔʀg].

**MORIBOND, ONDE,** adj. et subst.
**Adj.** Qui est à l'article de la mort ; au fig. : *Une dictature* ***moribonde.*** **Subst.** Personne qui agonise. 📖 Fin XVe s. ; lat. *moribundus* ; [mɔʀibɔ̃, ɔ̃d].

**MORICAUD, AUDE,** subst. et adj.
Se dit d'une personne au teint très brun. **Subst.** Personne de couleur (raciste et vulg.). 📖 1563 ; ☞ *more* ; [mɔʀiko, od].

**MORIGÉNER,** verbe trans. [8]
**1.** Vx. Élever (qqn) ; empl. adj. : *Être bien* ***morigéné.*** **2.** Réprimander, sermonner (qqn). 📖 XIIIe s. ; lat. médiév. *morigenatus*, « bien élevé », du lat. *morigeratus*, « complaisant, docile » ; [mɔʀiʒene].

**MORILLE,** subst. f.
*Bot.* Champignon ascomycète au chapeau alvéolé, recherché pour son goût parfumé. 📖 Déb. XVIe s. ; lat. pop. °*mauricula*, du lat. *maurus*, « brun foncé » ; [mɔʀij].

© M. Colas-Jacana

*Morille.*

**MORILLON,** subst. m.
**1.** *Vitic.* Cépage produisant du raisin à grains noirs. **2.** *Zool.* Canard plongeur dont le mâle noir à flancs blancs possède une petite huppe. 📖 Fin XIIIe s. ; anc. fr. *morel*, du lat. *maurus*, « brun foncé » ; [mɔʀijɔ̃].

**MORIO,** subst. m.
*Zool.* Papillon de la famille des Nymphalidés, aux ailes brunes bordées de jaune. 📖 1762 ; lat. sc. *morio*, p.-ê. du lat. *maurus*, « brun foncé » ; [mɔʀjo].

**MORION,** subst. m.
*Hist.* Casque à bords relevés (XVIe-XVIIe s.). 📖 1542 ; esp. *morrión*, de *morra*, « sommet du crâne » ; [mɔʀjɔ̃].

**MORMON, ONE,** subst. et adj.
Se dit d'un adepte d'un mouvement religieux américain à caractère millénariste (également appelé Église de Jésus-Christ et des saints des derniers jours) dissident du méthodisme, fondé en 1830 par Joseph Smith et qui prône un mode de vie digne et sévère (valeurs de la famille, abstention à l'égard du tabac, de l'alcool, etc.) : *Les* ***mormons*** *ont fondé Salt Lake City en 1847.* **Adj.** Relatif aux **mormons.** 📖 1832 ; anglo-amér. *mormon*, de *Mormon*, pseudo-prophète invoqué par Joseph Smith ; [mɔʀmɔ̃, ɔn].

**MORNE (I),** adj.
**1.** Triste et atone, en parlant de qqn et, par ext., de qqch. **2.** Ennuyeux, sans éclat : *Vie* ***morne.*** 📖 Mil. XIIe s. ; p.-ê. anc. bas frq. °*mornôn*, « être inquiet » ; [mɔʀn].

**MORNE (II),** subst. f.
*M. Â.* Anneau qui garnissait la pointe d'une lance de tournoi, pour la rendre moins meurtrière. 📖 1478 ; ☞ *morné* ; [mɔʀn].

**MORNE (III),** subst. m.
*Géogr.* Relief isolé (synon. antillais de *inselberg*). 📖 1640 ; créole des Antilles *morne*, de l'esp. *morro*, « monticule, rocher » ; [mɔʀn].

**MORNÉ, ÉE,** adj.
**1.** *M. Â.* Se dit d'une arme garnie d'une morne. **2.** *Hérald.* Se dit d'un animal représenté sans dents, sans langue, sans bec, sans griffes, ou sans queue. XVI<sup></sup>e s. (XIIIe s., émoussé, en parlant d'un sentiment) ; p.-ê. anc. bas frq. °*mornôn*, « être inquiet » ; [mɔʀne].

**MORNIFLE,** subst. f.
Gifle (fam. et vieilli). 1609 (1530, terme de jeu) ; crois. de l'anc. prov. *mor*, « museau, groin », et de l'anc. fr. *nifler*, « frapper sur le nez » ; [mɔʀnifl].

**MOROSE (I),** adj.
**1.** Triste, maussade : *Se lever d'une humeur* ***morose.*** **2.** Marqué par la morosité. 1615 ; lat. *morosus*, de *mos*, « caprice, humeur » ; [mɔʀoz].

**MOROSE (II),** adj.
*Théol. Délectation* ***morose*** : acte de la volonté libre qui consiste à se complaire dans la pensée d'une chose blâmable sans intention de l'accomplir (il en résulte le péché par pensée). 1863 ; lat. chrét. *morosa delectatio*, du lat. *morosus*, « lent », de *mora*, « retard » ; [mɔʀoz].

**MOROSITÉ,** subst. f.
Caractère morose de qqn, de qqch. 1486 ; lat. *morositas* ; [mɔʀozite].

**MORPHÈME,** subst. m.
*Ling.* Élément à valeur grammaticale, par oppos. au lexème, élément de signification : *Dans « courons », « cour- » est un lexème, et « -ons » est un* ***morphème.*** 1905 ; ☞ *phonème* + *morpho-* ; [mɔʀfɛm].

**MORPHINE,** subst. f.
*Biochim.* et *Biol.* Alcaloïde principal de l'opium, analgésique puissant et stupéfiant. 1817 ; gr. *Morpheus*, « Morphée », dieu du Sommeil ; [mɔʀfin].

**MORPHINIQUE,** adj.
Qui a trait à la morphine : *Dérivés* ***morphiniques.*** 1891 ; ☞ *morphine* ; [mɔʀfinik].

**MORPHINISME,** subst. m.
Intoxication chronique par la morphine. 1877 ; ☞ *morphine* ; [mɔʀfinism].

**MORPHINOMANE,** adj. et subst.
Se dit d'une personne qui se drogue à la morphine. 1883 ; ☞ *morphine* + *-mane*[2] ; [mɔʀfinɔman].

**MORPHINOMANIE,** subst. f.
Toxicomanie du morphinomane. 1876 ; ☞ *morphine* + *-manie* ; [mɔʀfinɔmani].

**MORPHISME,** subst. m.
*Math.* Homomorphisme. Mil. XXe s. ; gr. *morphê*, « forme » ; [mɔʀfism].

**MORPHOGÈNE,** adj.
*Embryol.* Qui détermine la forme des organes et la structure des tissus d'un être vivant. 1900 ; formé de *morpho-* et de *-gène* ; [mɔʀfoʒɛn].

**MORPHOGENÈSE,** subst. f.
**1.** *Embryol.* Développement embryonnaire d'un organe ou d'un organisme ; étude de ce développement. **2.** *Géomorph.* Ensemble des conditions de la formation du relief terrestre. 1893 ; formé de *morpho-* et de *-genèse* ; [mɔʀfoʒənɛz].

**MORPHOLOGIE,** subst. f.
**1.** *Biol.* Étude des formes et des structures des êtres vivants et de leurs organes. ▸ *Géol.* Géomorphologie. **2.** Apparence extérieure du corps humain : *Une frêle* ***morphologie.*** **3.** *Ling.* Étude de la formation des mots, de leur évolution et de leurs changements de forme quand ils sont en relation avec d'autres mots. 1822 ; formé de *morpho-* et de *-logie* ; [mɔʀfɔlɔʒi].

**MORPHOLOGIQUE,** adj.
Relatif à la morphologie. 1836 ; ☞ *morphologie* ; [mɔʀfɔlɔʒik].

**MORPHOPSYCHOLOGIE,** subst. f.
Étude des relations entre les types morphologiques et la psychologie, chez l'homme. V. 1950 ; ☞ *psychologie* + *morpho-* ; [mɔʀfopsikɔlɔʒi].

**MORPION,** subst. m.
**1.** Pou du pubis (fam.). **2.** Enfant (fam. et péj.). **3.** Jeu à deux joueurs dont chacun doit chercher à aligner le premier cinq marques (croix, ronds...) sur une feuille carroyée. 1532 ; crois. de *mordre* et de *pion* (vx), « fantassin » ; [mɔʀpjɔ̃].

**MORS,** subst. m.
**1.** Pièce métallique fixée à la bride, qui passe dans la bouche du cheval et permet de le diriger. ▸ Loc. *Prendre le* ***mors*** *aux dents* : s'emballer, en parlant d'un cheval ou, au fig., s'emporter ou faire subitement preuve d'une grande énergie. **2.** *Techn.* Chacune des mâchoires d'une pince, d'un étau, etc. *Reliure.* Saillie faisant charnière entre le dos et la couverture d'un livre. 1370 (déb. XIIe s., morsure) ; lat. *morsus*, « morsure » ; [mɔʀ].

**MORSE (I),** subst. m.
*Zool.* Grand mammifère marin de l'ordre des Pinnipèdes, amphibie, au corps épais, dont le mâle arbore des canines supérieures développées en longues défenses dirigées vers le bas : *Un ivoire de* ***morse.*** 1540 ; lapon *morssa* ; [mɔʀs].

© S. Cordier-Jacana

*Morses.*

**MORSE (II),** subst. m.
Code télégraphique combinant des signaux longs et brefs, figurés par des traits et des points ; empl. adj. : *Alphabet* ***Morse.*** 1856 ; anthropon. *S. F. B. Morse*, physicien américain ; [mɔʀs].

**MORSURE,** subst. f.
**1.** Action de mordre ; la blessure qui en résulte ; par anal. : *La* ***morsure*** *du froid sur la peau, d'une hache dans le bois.* **2.** *Grav.* Action d'attaquer un métal à l'acide. 1213 ; ☞ *mors* ; [mɔʀsyʀ].

**MORT (I),** subst. f.
**I. 1.** Cessation définitive de la vie biologique d'un être humain, d'un animal et, par ext., de tout organisme vivant : ***Mort*** *naturelle, accidentelle* ; *Danger de* ***mort.*** ▸ Loc. *Être à l'article de la* ***mort*** : à l'agonie ; *Trouver la* ***mort*** : mourir accidentellement ; *Se donner la* ***mort*** : se suicider ; *Une question de vie ou de* ***mort*** : une affaire qui met une vie en danger ; *Silence de* ***mort*** : absolu ; *Camp de la* ***mort*** : camp d'extermination ; *Ce n'est pas la* ***mort*** : ce n'est pas très grave. ▸ **À mort.** *Frapper qqn à* ***mort*** : au point de le tuer ; *En vouloir à* ***mort*** *à qqn* : lui en vouloir beaucoup, au point de souhaiter sa **mort** ; *Accélérer à* ***mort*** : à l'extrême (fam.). ▸ **De mort, de la mort.** Qui peut tuer : *Le saut de la* ***mort***, saut extrêmement périlleux d'un acrobate ; *Engin de* ***mort***, véhicule ou appareil très dangereux. **2.** *Dr. Peine de* ***mort*** : condamnation à **mort** (abolie en France en 1981). **3.** *Méd.* ▸ ***Mort*** *apparente du nouveau-né* : défaillance extrême des principales fonctions végétatives qui, en l'absence de réanimation, rend la **mort** inéluctable. ▸ ***Mort*** *clinique* : arrêt des fonctions cardiaques et respiratoires que seuls des examens complémentaires, associés à une réanimation, pourront déclarer transitoire ou définitif. ▸ ***Mort*** *cérébrale* : état de **mort** clinique accompagné d'un électro-encéphalogramme plat. **II. 1.** Mise à l'écart (vx). ▸ *Dr.* ***Mort*** *civile* : peine de privation définitive des droits civils, abolie en 1854. ▸ *Relig.* ***Mort*** *de l'âme* : damnation éternelle. **2.** Douleur extrême : *Souffrir mille* ***morts.*** ▸ Loc. *Avoir la* ***mort*** *dans l'âme* : être désespéré ; *Faire qqch. la* ***mort*** *dans l'âme* : à regret. **3.** Fin, destruction : *La* ***mort*** *de la démocratie.* 881 ; lat. *mors* ; le *t* final ne se lie jamais ; [mɔʀ].

© Lauros-Giraudon

*Le Cheval livide et la* **Mort** *(détail), tenture de Nicolas Bataille (fin* XIVe *s.). Musée des Tapisseries, Angers.*

**MORT (II), MORTE,** adj. et subst.
**Adj. 1.** Qui a cessé de vivre : *Il est* ***mort*** *et enterré* ; *Branche* ***morte*** ; *Peau* ***morte***, nécrosée ; *Dent* ***morte***, dévitalisée. **2.** Qui semble privé de vie : *Regard* ***mort***, vide ; *Un feu* ***mort***, éteint ; *Eau* ***morte***, stagnante ; *Quartier* ***mort*** *d'une ville*, sans animation ; *Les amours* ***mortes***, finies. ▸ Ext. Hors d'usage : *Ces piles sont* ***mortes.*** **3.** Loc. *C'est un homme* ***mort*** : on s'apprête à le tuer ; *Être plus* ***mort*** *que vif* : être effrayé à l'extrême. ▸ **Être mort de.** Ressentir intensément : *Être* ***mort*** *de froid, de peur* ; *Être* ***mort*** *de fatigue*, épuisé. **4.** *Spéc.* ▸ *Langue* ***morte*** : qui n'est plus parlée. ▸ *Angle* ***mort*** : partie du champ visuel masquée par un obstacle. ▸ *Mar. Œuvres* ***mortes*** (☞ *œuvre*). ▸ *Mécan. Point* ***mort*** (☞ *point*). ▸ *Techn. Poids* ***mort*** (☞ *poids*). ▸ *Sp. Temps* ***mort*** : au basket-ball et au volley-ball, interruption du jeu, durant une minute, demandée par une équipe ou, au fig., moment d'inactivité. **Subst. 1.** Cadavre humain : *Veiller, incinérer un* ***mort.*** ▸ *Tête de* ***mort*** : crâne humain stylisé. **2.** Personne défunte : *Cet accident a fait deux* ***morts*** *et trois blessés* ; *Monument aux* ***morts*** ; *Messe des* ***morts***, requiem. ▸ *Myth. Séjour des* ***morts*** : les Enfers. **3.** Loc. *Faire le* ***mort*** : rester sans bouger, ne pas intervenir ; *La place du* ***mort*** : située à côté de celle du conducteur, dans une voiture (fam.) ; *Bruit, alcool à réveiller les* ***morts*** : très fort (fam.). **Subst. masc.** *Jeux.* Au bridge et au whist, joueur qui cesse de participer au jeu après les annonces et dont les cartes sont étalées ; ces cartes : *La main est au* ***mort.*** Fin Xe s. ; lat. *mortuus* ; au masc., le *t* ne se lie jamais ; [mɔʀ, mɔʀt].

**MORTADELLE,** subst. f.
*Alim.* Gros saucisson cuit, d'origine italienne. 1505 ; ital. *mortadella*, du lat. *murtatum*, « farce aux baies de myrte » ; [mɔʀtadɛl].

**MORTAISAGE,** subst. m.
*Techn.* Action de mortaiser ; son résultat. 1846 ; ☞ *mortaiser* ; [mɔʀtɛzaʒ].

**MORTAISE,** subst. f.
*Techn.* Entaille pratiquée dans une pièce de bois ou de métal, dans laquelle s'insère le tenon d'une autre pièce. Fin XIIIe s. ; orig. obsc. ; [mɔʀtɛz].

**MORTAISER,** verbe trans. [3]
*Techn.* Pratiquer une mortaise dans (une pièce de bois ou de métal). 1302 ; ☞ *mortaise* ; [mɔʀteze].

**MORTAISEUSE,** subst. f.
*Techn.* Machine-outil employée pour le mortaisage. 1868 ; ☞ *mortaiser* ; [mɔʀtɛzøz].

**MORTALITÉ,** subst. f.
**1.** Condition de tout être mortel (anton. *immortalité*). **2.** Mort d'un certain nombre d'êtres humains ou d'animaux, en un lieu et en une période donnés ou due à une même cause : ***Mortalité*** *due au choléra.* ▸ *Démogr. (Taux de)* ***mortalité*** : rapport entre le nombre de décès et l'effectif d'une population ; *(Taux de)* ***mortalité*** *infantile* : nombre d'enfants décédés avant l'âge de un an, calculé pour mille naissances. Fin XIIe s. (mil. XIIe s., épidémie) ; lat. *mortalitas* ; [mɔʀtalite].

**MORT-AUX-RATS,** subst. f.
Produit toxique utilisé pour éliminer les rongeurs. 1594 ; comp. de *mort* (I) et de *rat* ; le plur., *morts-aux-rats*, est rare ; [mɔʀɔʀa].

**MORT-BOIS,** subst. m.
Bois provenant d'arbrisseaux, de broussailles, sans valeur ni usage. 1263 ; comp. de *mort* (II) et de *bois*, d'apr. le lat. *mortuum lignum* ; plur. *morts-bois* ; [mɔʀbwa].

**MORTE-EAU,** subst. f.
Marée de faible amplitude, qui se produit lorsque la Lune et le Soleil sont en quadrature (anton. *vive-eau*) ; période où a lieu cette marée. 1484 ; comp. de *mort* (II) et de *eau*, d'apr. le lat. médiév. *aqua mortua* ; plur. *mortes-eaux* ; [mɔʀto], plur. [-t(ə)zo].

**MORTEL, ELLE,** adj. et subst.
**Adj. 1.** Sujet à la mort (anton. *immortel*) : *Tous les hommes sont* ***mortels*** ; *Dépouille* ***mortelle***, cadavre (littér.) ; par ext., voué à disparaître : *Civilisation* ***mortelle.*** **2.** Qui entraîne la mort : *Dose* ***mortelle.*** ▸ *Théol. Péché* ***mortel*** : qui entraîne une rupture totale avec Dieu et empêche le salut éternel. **3.** Fig. Très pénible (fam.) : *Un silence, un ennui* ***mortel.*** **Subst.** Être humain, par oppos. aux dieux (littér.) : *Le commun des* ***mortels.*** Fin Xe s. ; lat. *mortalis* ; [mɔʀtɛl].

**MORTELLEMENT,** adv.
**1.** D'une manière qui entraîne la mort : *Se blesser **mortellement**.* **2.** Fig. Extrêmement : *Être **mortellement** fatigué.* 1155 ; ☞ *mortel* ; [mɔʀtɛlmɑ̃].

**MORTE-SAISON,** subst. f.
Période de l'année où l'activité commerciale, économique est très réduite. Fin XIVᵉ s. ; comp. de *mort* (II) et de *saison* ; plur. *mortes-saisons* ; [mɔʀt(ə)sɛzɔ̃].

**MORTIER,** subst. m.
**1.** *Bât.* Liant ou enduit composé de sable et de chaux (ou de ciment) délayés dans l'eau. **2.** Récipient utilisé pour broyer ou malaxer diverses substances à l'aide d'un pilon : *Écraser de l'ail dans un **mortier**.* **3.** Anal. Coiffe des magistrats de la Cour des comptes et de la Cour de cassation. **4.** *Arm.* Pièce d'artillerie à tir courbe. Mil. XIIᵉ s. ; lat. *mortarium* ; [mɔʀtje].

**MORTIFÈRE,** adj.
Qui provoque la mort (littér.) ; au fig. : *Un ennui **mortifère**.* 1491 ; lat. *mortifer* ; [mɔʀtifɛʀ].

**MORTIFIANT, ANTE,** adj.
Qui mortifie ; humiliant. 1694 (1598, qui fait mourir) ; p. pr. de *mortifier* ; [mɔʀtifjɑ̃, ɑ̃t].

**MORTIFICATION,** subst. f.
**1.** Action de mortifier sa chair, son esprit. **2.** Humiliation. 1200 ; lat. chrét. *mortificatio* ; [mɔʀtifikasjɔ̃].

**MORTIFIER,** verbe trans. [6]
**1.** Infliger par ascèse, par expiation une souffrance à (son corps, son esprit). **2.** Humilier, vexer. **3.** *Cuis.* Faisander. **4.** *Pathol.* Nécroser (un tissu). Fin XIIᵉ s. (déb. XIIᵉ s., tuer) ; lat. chrét. *mortificare* ; [mɔʀtifje].

**MORTINATALITÉ,** subst. f.
*Démogr.* Nombre d'enfants mort-nés dans une population sur une période donnée. ► *(Taux de) **mortinatalité*** : nombre d'enfants morts-nés pour mille naissances en une année. Fin XIXᵉ s. ; formé du lat. *mors*, « mort », et de *natalité* ; [mɔʀtinatalite].

**MORT-NÉ, -NÉE,** adj.
**1.** Mort à la naissance ; empl. subst., enfant **mort-né**. **2.** Fig. Qui échoue dès son commencement : *Ouvrage **mort-né**.* 1283 ; comp. de *mort* (II) et de *né* ; plur. *mort-nés, -nées* ; [mɔʀne].

**MORTUAIRE,** adj.
Qui concerne les morts, les rites et formalités funéraires : *Masque **mortuaire***, moulage du visage d'un mort ; *Chambre **mortuaire***, où repose un défunt avant ses funérailles. ► *Dr. Registre, acte **mortuaire*** : registre, certificat de décès. Déb. XVᵉ (déb. XIIIᵉ s., mortalité) ; bas lat. *mortuarius*, « funèbre » ; [mɔʀtɥɛʀ].

**MORUE,** subst. f.
**1.** *Zool.* Poisson des mers froides, de la famille des Gadidés, qui peut atteindre 1,80 m de long et dépasser 40 kg. **2.** Chair de ce poisson, aussi appelé cabillaud ou merluche selon son mode de préparation culinaire. **3.** Anal. *Queue de **morue*** : frac à pans longs et étroits. **4.** Vulg. Prostituée (péj.) ; terme injurieux désignant une femme. 1260 ; p.-ê. °*mo(r)lus*, crois. du gaul. *mor*, « mer », et de l'anc. fr. *lus*, « brochet » ; [mɔʀy].

**MORULA,** subst. f.
*Embryol.* Premier stade de l'embryogenèse, où l'embryon a l'aspect d'une mûre formée d'un amas de cellules appelées blastomères. 1877 ; lat. sc. *morula*, du lat. médiév. *morula*, « petite mûre » ; [mɔʀyla].

**MORUTIER, IÈRE,** adj. et subst. m.
Adj. Relatif à la pêche à la morue : *Port **morutier**.* Subst. **1.** Pêcheur de morue. **2.** Bateau de pêche à la morue. 1874 ; ☞ *morue* ; [mɔʀytje, jɛʀ].

**MORVE,** subst. f.
**1.** Humeur visqueuse sécrétée par les muqueuses nasales. **2.** *Vétér.* Grave maladie contagieuse des Équidés, provoquant des écoulements nasaux purulents, et transmissible à l'homme. Fin XIVᵉ s. ; p.-ê. altér. de *vorm*, forme méridionale de *gourme* ; [mɔʀv].

**MORVEUX, EUSE,** adj. et subst.
Adj. **1.** Qui a la morve au nez : *Gamin **morveux** ; Se sentir **morveux***, honteux. **2.** *Vétér.* Atteint de la morve. Subst. Fam. Enfant ; jeune personne prétentieuse (péj.). Déb. XIIIᵉ s. ; ☞ *morve* ; [mɔʀvø, øz].

**MOSAÏQUE (I),** subst. f.
**1.** Assemblage ornemental de fragments de matériaux divers (pierre, métal, verre, etc.) aux couleurs variées, joints par un ciment : ***Mosaïque** murale* ; en appos. : *Pavage, parquet **mosaïque***, qui a l'aspect de la **mosaïque**. **2.** Fig. Ensemble formé d'éléments disparates : *Une **mosaïque** de peuples.* **3.** *Biol.* Organisme dont les cellules sont génétiquement différentes. 1498 ; ital. *mosaico*, du lat. *musivum*, « qui se rapporte aux Muses » ; [mɔzaik].

**MOSAÏQUE (II),** adj.
*Relig.* Relatif à Moïse : *La loi **mosaïque**.* 1507 ; *Moïse* ; [mɔzaik].

**MOSAÏSME,** subst. m.
*Relig.* Ensemble des institutions et des doctrines religieuses que les Hébreux reçurent de Moïse. 1840 ; ☞ *mosaïque* (II) ; [mɔzaism].

**MOSAÏSTE,** subst.
Personne qui crée ou qui réalise des mosaïques. 1812 ; ☞ *mosaïque* (I) ; [mɔzaist].

**MOSAN, ANE,** adj.
De la Meuse. ► *Art **mosan*** : art roman développé dans la vallée de la Meuse du XIᵉ au XIIIᵉ s., remarquable pour ses gravures et ses sculptures sur ivoire et sur métal. 1888 ; topon. lat. *Mosa*, « Meuse » ; [mɔzɑ̃, an].

**MOSETTE, voir MOZETTE**

**MOSQUÉE,** subst. f.
*Relig.* Édifice, lieu de culte musulman. 1351 ; ital. *moscheta*, de l'ar. *masgid*, « oratoire » ; [mɔske].

**MOT,** subst. m.
**I.** Vx. Murmure, son de la voix. ► Loc. *Ne souffler **mot*** : ne rien dire. **II. 1.** Parole, phrase, énoncé particulier qui exprime une pensée : *Dire un **mot** à qqn ; Un **mot** d'amour, de remerciement.* ► Loc. *Avoir le dernier **mot*** : l'emporter dans une discussion ; *Avoir des **mots** avec qqn* : se quereller avec lui ; *Ne pas avoir dit son dernier **mot*** : ne pas avoir épuisé tous ses arguments ; *Avoir son **mot** à dire* : être autorisé à donner son avis ; *En un **mot*** : en résumé ; *Au bas **mot*** : au moins ; *Toucher un **mot** de qqch. à qqn* : lui en parler brièvement ; *Avoir deux **mots** à dire à qqn* : des remontrances à lui faire ; *Le **mot** de la fin* : expression concise qui résume une situation ; *Le fin **mot** de l'histoire* : sa cause réelle, cachée ; *Prendre qqn au **mot*** : le mettre au défi d'exécuter ce qu'il vient de proposer à la légère ; ***Mot** d'ordre* : consigne passée pour une action précise ; ***Mot** de passe* (☞ *passe*). **2.** Billet, lettre brève : *Écrire un **mot** à qqn.* **3.** Phrase ou sentence remarquable : ***Mot** historique* ; ***Mot** d'esprit* ou *Bon **mot***. **III. 1.** Unité autonome du langage à laquelle est associé un sens, formée d'un ou de plusieurs sons et figurée graphiquement par une suite de signes (parfois par un seul signe), comprise entre deux espaces : ***Mot** monosyllabique* ; ***Mot** vieux* ; *Orthographe d'un **mot*** ; *Sens d'un **mot**.* ► Loc. *Grand **mot*** : terme emphatique ; *Gros **mot*** : terme grossier, inconvenant ; *Le **mot** de Cambronne* : « merde » ; *Jouer sur les **mots*** : user de termes, d'expressions équivoques ; *Répéter **mot** pour **mot*** : exactement ; *Traduire **mot** à **mot*** : littéralement ; *Ne pas avoir peur des **mots*** : dire les choses nettement, avec franchise ; *Parler à demi-**mots**, à **mots** couverts* : se faire comprendre sans tout exprimer. **2.** *Informat.* Groupe de signes stocké ou traité d'un seul bloc par un ordinateur : ***Mot** de seize, de trente-deux bits.* Plur. ***Mots** croisés* : **mots** disposés horizontalement et verticalement sur une grille, de sorte que les lettres des uns entrent dans la composition des autres ; jeu consistant à trouver ces **mots** à partir des définitions qui en sont données. Fin Xᵉ s. ; bas lat. *muttum*, du lat. *muttire*, « produire le son *mu*, grommeler » ; [mo].

*Mosaïque représentant un paysan portant des poules et un panier d'œufs (Vᵉ-VIᵉ s.). Musée des Mosaïques byzantines, Istanbul.*

© Giraudon

**MOTARD, ARDE,** subst.
Motocycliste, en partic. de la police ou de gendarmerie. 1937 ; ☞ *moto* ; [mɔtaʀ, aʀd].

**MOTEL,** subst. m.
Hôtel situé en bordure d'une route très fréquente aménagé pour accueillir les automobilistes de passage. 1946 ; anglo-amér. *motel*, de *motor* c[…] « automobile », et de *hotel*, « hôtel » ; [mɔtɛl].

**MOTET,** subst. m.
*Mus.* Pièce vocale polyphonique apparue dès Moyen Âge, d'inspiration gén. religieuse : *Les mote[…] de Couperin, de Bach.* Fin XIIIᵉ s. ; ☞ *mot* ; [mɔt[…]

**MOTEUR, TRICE,** subst. et adj.
Subst. masc. **1.** Force initiale qui détermine ce q[…] existe : *Le profit, **moteur** du capitalisme.* **2.** Person[…] qui impulse une action : *Elle est le **moteur** de ce proj[…]* **3.** *Techn.* Appareil conçu pour convertir une énerg[…] quelconque en énergie mécanique : ***Moteur** él[…]trique, à réaction.* ► *Autom.* ***Moteur** à explosion* fonctionnant à l'essence ; ***Moteur** Diesel* (☞ d[…]sel) ; ***Moteur** (à) quatre temps, (à) deux temps* ; *[…] cylindres d'un **moteur**.* Subst. fém. Voiture aut[…] motrice entraînant un convoi ferroviaire. Adj. Q[…] imprime un mouvement, qui le transmet ou maintient : *Force **motrice*** ; *L'instinct de conservati[…] principe **moteur** de la vie animale.* ► *Physiol. Ner[…] muscles **moteurs*** : qui assurent l'activité motri[…] d'un système, d'un organe ; *Troubles **moteurs*** : q[…] affectent la motricité ; *Handicapé **moteur**.* 137[…] lat. *motor*, de *movere*, « mouvoir » ; [mɔtœʀ, tʀis].

**MOTEUR-FUSÉE,** subst. m.
*Astronaut.* Moteur à réaction pouvant fonction[…] hors de l'atmosphère grâce au comburant empo[…] par l'appareil qu'il propulse. XXᵉ s. ; comp. *moteur* et de *fusée* ; plur. *moteurs-fusées* ; [mɔtœʀfyz[…]

**MOTIF,** subst. m.
**I. 1.** Ce qui pousse à faire qqch., raison d'agir : *[…] **motifs** nobles, vils* ; cause, raison : *Le **motif** d'u[…] absence* ; *N'avoir aucun **motif** de se plaindre.* **2.** *[…] **Motifs** d'un jugement, d'un arrêt* : ensemble d[…] arguments justifiant la décision d'un magistr[…] énoncés sous forme d'attendus ou de considéran[…] ► *Exposé des **motifs** d'un décret* : ensemble des raiso[…] les justifiant. **II. 1.** *Mus.* Phrase musicale, repr[…] ou transposée en différents passages d'un morce[…] (synon. *thème*). **2.** *B.-a.* Sujet central d'une œuv[…] modèle : *Travailler sur le **motif***, directement deva[…] le sujet. **3.** Ext. Ornement ou dessin, gén. répét[…] ***Motifs** d'une frise.* Fin XIVᵉ s. ; *motif* (vx), « qui don[…] le mouvement », du bas lat. *motivus*, du lat. *move[…]* « mouvoir » ; [mɔtif].

**MOTILITÉ,** subst. f.
*Physiol.* Faculté qu'a le corps, un organe, d'effect[…] des mouvements. 1801 ; lat. °*motilis*, de *move[…]* « mouvoir » ; [mɔtilite].

**MOTION,** subst. f.
**1.** Vx. Mouvement. **2.** Proposition soumise à u[…] assemblée délibérante par un de ses membres *Voter, rejeter une **motion*** ; ***Motion** de censure* (☞ *ce[…]sure*). Déb. XIIIᵉ s. ; lat. *motio* ; [mɔsjɔ̃].

**MOTIVANT, ANTE,** adj.
Qui stimule, fournit une motivation : *Sala[…] **motivant**.* Mil. XXᵉ s. ; p. pr. de *motiver* ; [mɔtivɑ̃, […]

**MOTIVATION,** subst. f.
**1.** Ensemble des motifs d'un acte ; relation en[…] ceux-là et celui-ci. **2.** *Ling.* Relation entre le sig[…] et la réalité qu'il désigne, entre sa forme et s[…] sens : ***Motivation** onomatopéique du nom d'oise[…] « coucou ».* **3.** *Psychol.* Facteur qui détermine […] comportement. **4.** *Écon.* *Étude de **motivation*** : visa[…] à expliquer le comportement des consommateu[…] 1845 ; ☞ *motiver* ; [mɔtivasjɔ̃].

**MOTIVÉ, ÉE,** adj.
*Ling.* Se dit d'un signe où l'on identifie u[…] motivation. P. p. de *motiver* ; [mɔtive].

**MOTIVER,** verbe trans. [3]
**1.** Justifier (un acte) par des motifs : ***Motiver** […] décision.* **2.** Constituer le motif de, expliquer : *[…] prix trop élevé a **motivé** mon refus.* **3.** Donner d[…] motivations à (qqn, un groupe) : ***Motiver** […] équipe* ; inciter : ***Motiver** qqn à travailler* ; empl. ad[…] *Un étudiant **motivé**.* 1721 ; ☞ *motif* ; [mɔtive].

**MOTO,** subst. f.
**1.** Motocyclette. **2.** Motocyclisme : *Faire de la **mot**[…]* en appos. : *Passer le permis **moto**.* 1898 ; apoc[…] de *motocyclette* ; [mɔto].

**MOTOCISTE, subst.**
Vendeur et réparateur de motos. ⚮ V. 1970 ; ☞ *moto* ; [mɔtosist].

**MOTOCROSS, subst. m.**
*Sp.* Course de motos sur un parcours très accidenté. ⚮ 1949 ; formé de *moto* et de *cross* ; [mɔtokʀɔs].

**MOTOCULTEUR, subst. m.**
*Agric.* Machine autotractée utilisée pour travailler les cultures délicates ou inaccessibles aux tracteurs. ⚮ 1920 ; ☞ *motoculture* ; [mɔtokyltœʀ].

**MOTOCULTURE, subst. f.**
*Agric.* Utilisation d'engins motorisés dans l'agriculture. ⚮ Déb. XXe s. ; formé de *moto-* et de *-culture* ; [mɔtokyltyʀ].

**MOTOCYCLE, subst. m.**
**1.** Vx. Motocyclette. **2.** *Admin.* Véhicule à deux roues muni d'un moteur. ⚮ 1891 ; ☞ *cycle* (II) + *moto-* ; [mɔtosikl].

**MOTOCYCLETTE, subst. f.**
**1.** Vx. Motocycle. **2.** *Admin.* ou Vieilli. Véhicule à deux roues mû par un moteur dont la cylindrée dépasse 80 cm³ (abrév. : moto). ⚮ 1898 ; ☞ *motocycle*, d'apr. *bicyclette* ; [mɔtosiklɛt].

**MOTOCYCLISME, subst. m.**
Pratique de la moto. ▸ *Sp.* Ensemble des épreuves disputées sur motocycles et side-cars. ⚮ 1898 ; ☞ *motocycle*, d'apr. *cyclisme* ; [mɔtosiklism].

**MOTOCYCLISTE, subst.**
Personne qui conduit une motocyclette (synon. *motard*) ; empl. adj., relatif à la moto. ⚮ 1896 ; ☞ *motocycle*, d'apr. *cycliste* ; [mɔtosiklist].

**MOTONAUTIQUE, adj.**
Relatif au motonautisme. ⚮ Mil. XXe s. ; ☞ *motonautisme* ; [mɔtonotik].

**MOTONAUTISME, subst. m.**
*Sp.* Navigation sur bateaux rapides à moteur. ⚮ Mil. XXe s. ; ☞ *nautisme* + *moto-* ; [mɔtonotism].

**MOTONEIGE, subst. f.**
Petit véhicule monté sur chenilles et muni de skis à l'avant (synon. *motoski*). ⚮ V. 1960 ; formé de *moto* et de *neige* ; [mɔtonɛʒ].

© Gamma-Sport

*Course de* **motoneiges**.

**MOTOPOMPE, subst. f.**
Pompe actionnée par un moteur thermique ou électrique. ⚮ 1923 ; ☞ *pompe* (II) + *moto-* ; [mɔtopɔ̃p].

**MOTOPROPULSEUR, adj. m.**
*Mécan.* Qui produit et transmet le mouvement : *Organes* **motopropulseurs** *d'un véhicule.* ⚮ 1925 ; ☞ *propulseur* + *moto-* ; [mɔtopʀɔpylsœʀ].

**MOTOR-HOME, subst. m.**
Véhicule automobile aménagé en logement (anglic.). ⚮ V. 1970 ; angl. *motor home*, de *motor*, « moteur », et de *home* « maison » ; plur. *motor-homes*, recomm. off. *autocaravane* ; [mɔtɔʀom].

**MOTORISATION, subst. f.**
Action de motoriser ; son résultat : **Motorisation** *d'une troupe.* ⚮ 1931 ; ☞ *motoriser* ; [mɔtɔʀizasjɔ̃].

**MOTORISER, verbe trans. [3]**
**1.** Munir d'un moteur. **2.** Doter de véhicules ou d'engins à moteur : **Motoriser** *une exploitation agricole.* ▸ **Être motorisé** : disposer d'un véhicule personnel (fam.). ⚮ 1923 ; ☞ *moteur* ; [mɔtɔʀize].

**MOTORISTE, subst.**
**1.** Spécialiste de la réparation des moteurs. **2.** Fabricant de moteurs. ⚮ 1933 ; ☞ *moteur* ; [mɔtɔʀist].

**MOTORSHIP, subst. m.**
*Mar.* Navire de commerce équipé d'un moteur Diesel (abrév. : M/S). ⚮ 1926 ; angl. *motorship*, « bateau à moteur » ; [mɔtɔʀʃip].

**MOTOSKI, subst. f.**
Motoneige. ⚮ XXe s. ; formé de *moto* et de *ski* ; [mɔtoski].

**MOT-OUTIL, subst. m.**
*Ling.* Mot servant à exprimer une liaison, une relation (préposition, conjonction, article, possessif, etc.). ⚮ XXe s. ; comp. de *mot* et de *outil* ; plur. *mots-outils* ; [mouti].

**MOT-PHRASE, subst. m.**
*Ling.* Mot pouvant former une phrase à lui tout seul (par ex. : « bonjour »). ⚮ XXe s. ; comp. de *mot* et de *phrase* ; plur. *mots-phrases* ; [mofʀaz].

**MOTRICE, voir MOTEUR**

**MOTRICITÉ, subst. f.**
*Physiol.* Faculté motrice de l'être humain et des animaux ; ensemble des fonctions biologiques qui l'assurent. ⚮ 1855 ; ☞ *moteur* ; [mɔtʀisite].

**MOTTE, subst. f.**
**1.** Vx. Tertre ; château édifié sur une butte. **2.** Petit bloc de terre compacte : *Briser les* **mottes** *à la herse après le labour.* **3.** **Motte** *de beurre* : masse de beurre vendu à la coupe. ⚮ Mil. XIIe s. ; prob. rad. prélatin °*mutt(a)* ; [mɔt].

**MOTTER (SE), verbe pronom. [3]**
*Chasse.* Se cacher derrière des mottes de terre, en parlant du petit gibier. ⚮ 1555 ; ☞ *motte* ; [mɔte].

**MOTTEUX, subst. m.**
*Zool.* Traquet, de la famille des Turdidés, aussi appelé cul-blanc, qui a coutume de se percher sur les mottes. ⚮ 1759 ; ☞ *motte* ; [mɔtø].

**MOTU PROPRIO, subst. m. inv.**
*Dr. canon.* Lettre dans laquelle le pape expose une décision prise en vertu de son autorité souveraine, sans requête préalable. ▸ Loc. De sa propre initiative. ⚮ 1558 ; loc. lat. *motu proprio*, « de son propre mouvement » ; [mɔtypʀɔpʀijo].

**MOTUS, interj.**
Invitation faite à qqn de se taire, de ne pas répéter qqch. : **Motus** *et bouche cousue !* ⚮ 1560 ; latinisation plaisante de *mot* ; [mɔtys].

**MOT-VALISE, subst. m.**
*Ling.* Mot formé d'éléments pris dans deux mots distincts (par ex. : « ludiciel », de « ludique » et de « logiciel »). ⚮ V. 1950 ; comp. de *mot* et de *valise*, d'apr. l'angl. *portmanteau word*, créé par Lewis Carroll ; plur. *mots-valises* ; [movaliz].

**MOU, MOL, MOLLE, adj. et subst.**
**Adj. 1.** Qui cède ou s'enfonce facilement à la pression (anton. *dur*) : *Une vase* **molle** ; *Des caramels* **mous**. **2.** Souple, flexible : *Chapeau* **mou**. **3.** Qui manque de force, de vigueur ; qui manque de fermeté morale, de détermination : *Gestes* **mous** ; *De* **molles** *protestations* ; empl. adv. : *Cesse de parler* **mou** ! ▸ *Mar. Un voilier* **mou** : qui a tendance à abattre (anton. *ardent*). **Subst. masc. 1.** Ce qui est **mou**. ▸ Loc. *Donner du* **mou** *à un cordage* : en diminuer la tension. **2.** *Bouch.* Poumon d'un animal. **3.** Les parties **molles** du corps, par oppos. aux os. ▸ Loc. *Rentrer dans le* **mou** *de qqn* : l'agresser (pop.). **Subst.** Personne indolente ou faible, indécise. ⚮ Mil. XIIe s. ; lat. *mollis* ; au masc., l'adj. devient *mol* devant une voyelle ou un *h* muet ; [mu, mɔl].

**MOUCHARABIEH, subst. m.**
**1.** Treillis de bois ouvragé ornant les ouvertures des maisons orientales, permettant de voir sans être vu. **2.** Balcon ou fenêtre en saillie, dont la balustrade est percée d'ouvertures. ⚮ 1840 ; ar. *mašrabiyya* ; [muʃaʀabje].

**MOUCHARD, ARDE, subst.**
**1.** Espion, indicateur de police (péj.). **2.** Délateur (fam.). **Masc. 1.** Judas d'une porte. **2.** Dispositif de contrôle. ▸ *Milit.* Avion de surveillance. ⚮ 1567 ; ☞ *mouche* ; [muʃaʀ, aʀd].

**MOUCHARDER, verbe trans. [3]**
Dénoncer (fam.). ⚮ 1596 ; ☞ *mouchard* ; [muʃaʀde].

**MOUCHE, subst. f.**
**I. 1.** *Zool.* ▸ Insecte ptérygote de l'ordre des Diptères, à antennes courtes composées de trois articles dont le dernier porte une forte soie. Les **mouches** vraies aux yeux très rapprochés, appartiennent à la famille des Muscidés. ▸ Nom de certains insectes volants : *Mouche à miel*, abeille. **2.** Loc. *Pattes de* **mouche** : petite écriture peu lisible ; *Fine* **mouche** : personne fine, astucieuse ; *Quelle* **mouche** *te pique ?* : pourquoi te fâches-tu ? (fam.) ; *Prendre la* **mouche** : se vexer sans raison ; *Il ne ferait pas de mal à une* **mouche** : à qui que ce soit (fam.) ; *Tomber comme des* **mouches** : en grand nombre (fam.). **II.** Anal. **1.** Rondelle de taffetas noir que les femmes portaient sur le visage ou sur la poitrine pour rehausser leur pâleur. **2.** *Pêche.* Appât factice. **3.** Point noir marquant le centre d'une cible. ▸ Loc. *Faire* **mouche** : toucher son but. **4.** Petite touffe de poils sous la lèvre inférieure. **5.** *Escr.* Bouton fixé à la pointe du fleuret pour le rendre inoffensif. **6.** *Boxe.* En appos. *Poids* **mouche** : catégorie regroupant les boxeurs les plus légers et, par méton., boxeur de cette catégorie. ⚮ Déb. XIIe s. ; lat. *musca* ; [muʃ].

**MOUCHER, verbe trans. [3]**
**1.** Dégager (le nez) de ses mucosités en pressant les narines et en soufflant fort ; par méton. : **Moucher** *un bébé* ; empl. pronom., **moucher** son nez. **2.** Anal. **Moucher** *une chandelle* : en raccourcir la mèche consumée. **3.** Fig. **Moucher** *qqn* : le remettre à sa place, le réprimander (fam.). ⚮ Fin XIe s. ; lat. pop. °*muccare*, du lat. *muccus*, « morve » ; [muʃe].

**MOUCHERON, subst. m.**
Nom donné aux petits insectes volants, aux petites mouches. ⚮ Déb. XIVe s. ; ☞ *mouche* ; [muʃʀɔ̃].

**MOUCHERONNER, verbe intrans. [3]**
Sauter hors de l'eau pour gober des insectes, en parlant des poissons. ⚮ 1903 ; ☞ *moucheron* ; [muʃʀɔne].

**MOUCHETÉ, ÉE, adj.**
**1.** Tacheté : *Cheval à robe* **mouchetée**. **2.** *Agric. Blé* **moucheté** : atteint de moucheture. ⚮ 1340 ; p. p. de *moucheter* ; [muʃte].

**MOUCHETER, verbe trans. [14]**
**1.** Parsemer de petites taches. **2.** *Escr.* Garnir d'une mouche. ⚮ 1340 ; ☞ *mouche* ; [muʃte].

**MOUCHETIS, subst. m.**
*Bât.* Crépi d'aspect granuleux projeté sur la surface d'un mur. ⚮ 1903 ; ☞ *moucheter* ; [muʃti].

**MOUCHETTE, subst. f.**
**I. Plur.** Ciseaux qui servaient à moucher les chandelles (vx). **II. 1.** *Menuis.* Rabot servant à former des moulures simples. **2.** *Archit.* ▸ Rebord saillant du larmier d'une corniche. ▸ Dans le style gothique flamboyant, remplage de fenêtre en forme de flamme. ⚮ 1399 ; ☞ *moucher* ; [muʃɛt].

**MOUCHETURE, subst. f.**
**1.** Petite tache ornant une étoffe ; salissure. **2.** Ensemble de taches naturelles, sur la livrée de certains animaux. **3.** *Agric.* Maladie du blé qui noircit le grain. ⚮ 1539 ; ☞ *moucheter* ; [muʃtyʀ].

**MOUCHOIR, subst. m.**
**1.** Carré d'étoffe ou de papier absorbant que l'on utilise pour se moucher ou s'essuyer le visage. **2.** Ext. **Mouchoir** *de tête, de cou* : foulard (vieilli). **3.** Loc. *Tenir dans un* **mouchoir** : être peu volumineux ; *Faire un nœud à son* **mouchoir** (☞ *nœud*). ▸ *Sp. Arriver dans un* **mouchoir** : arriver en peloton serré ou, par anal., avoir des résultats très proches, à un examen, à un concours. ⚮ Mil. XVe s. ; ☞ *moucher* ; [muʃwaʀ].

**MOUCLADE, subst. f.**
*Cuis.* Plat de moules à la crème. ⚮ 1932 ; dial. de l'Aunis *moucle*, « moule » ; [muklad].

**MOUDJAHID, subst. m.**
Combattant intégriste d'un mouvement de libération nationale islamique. ⚮ Déb. XXe s. ; ar. *muǧāhid*, « combattant de la guerre sainte » ; plur. *moudjahidin(e)* ; [mudʒaid], plur. [-din].

**MOUDRE, verbe trans. [78]**
Réduire (des grains) en poudre : **Moudre** *du café, du poivre.* ⚮ XIIe s. ; lat. *molere* ; [mudʀ].

**MOUE, subst. f.**
Grimace de mécontentement, de dédain, de bouderie faite en avançant et en serrant les lèvres. ⚮ 1176 ; anc. bas frq. °*mauwa* ; [mu].

**MOUETTE, subst. f.**
*Zool.* Oiseau palmipède de la famille des Laridés, qui vit sur les côtes, mais dont certaines espèces nichent dans les marais d'eau douce. ⚮ Fin XIIIe s. ; anglo-norm. *mave*, du vieil angl. *maew* ; [mwɛt].

**MOUFETER, voir MOUFTER**

**MOUFETTE, subst. f.**
*Zool.* Mammifère carnivore de la famille des Mustélidés, au pelage noir rayé de deux larges bandes blanches sur le dos et sur la queue, qui projette la sécrétion nauséabonde de ses glandes anales pour se défendre. ⚮ 1765 ; ☞ *mofette* ; var. *mouffette* ; [mufɛt].

**MOUFLE, subst.**
FÉM. **1.** Gant épais dans lequel seul le pouce est séparé des autres doigts. **2.** *Techn.* Assemblage de poulies juxtaposées dans une même chape, permettant le levage de lourds fardeaux (parfois au masc.). MASC. *Techn.* Récipient ou partie d'un four en terre réfractaire, dans lequel on chauffe la matière à l'abri du contact direct avec la flamme et de l'oxydation par l'air. Déb. XIIIe s. ; bas lat. *muffula* ; [mufl].

**MOUFLET, ETTE, subst.**
Enfant (fam.). 1866 ; orig. onomat. ; [muflɛ, ɛt].

**MOUFLON, subst. m.**
*Zool.* Mammifère ongulé de la famille des Bovidés, proche du mouton, à fourrure épaisse, qui habite les escarpements rocheux (Europe, Amérique du Nord) et dont le mâle porte de grosses cornes enroulées en volutes : ***Mouflon** de Corse, de Sardaigne.* 1557 ; sarde *muvrone*, du lat. *mufro* ; [muflɔ̃].

© E. Dragesco-Jacana

*Mouflon.*

**MOUFTER, verbe intrans. [3]**
Protester, réagir (pop.) : *Se laisser faire sans **moufter**.* 1896 ; p.-ê. *mouveter* (vx), « remuer » ; empl. surtout en tournure négative, var. *moufeter* ; [mufte].

**MOUILLAGE, subst. m.**
**I.** *Mar.* **1.** Emplacement favorable à la mise à l'eau de l'ancre d'un navire : *Un **mouillage** sûr.* **2.** Action de mettre à l'eau : ***Mouillage** de l'ancre, de mines* ; son résultat : *Navires au **mouillage**,* à l'ancre. **II. 1.** Action de mouiller qqch. **2.** Coupage frauduleux du lait, du vin, par ajout d'eau. 1654 ; ☞ *mouiller* ; [mujaʒ].

**MOUILLANT, ANTE, adj.**
*Phys.* Qualifie un liquide qui peut mouiller un solide. ▸ *Produit **mouillant*** ou, empl. subst. masc., *Un **mouillant*** : qui réduit la tension superficielle d'un liquide et le rend plus **mouillant**. Mil. XXe s. ; p. pr. de *mouiller* ; [mujɑ̃, ɑ̃t].

**MOUILLE, subst. f.**
**1.** *Hydrol.* Creux formé dans le fond du lit d'un cours d'eau (synon. *trou d'eau*). **2.** *Mar.* Avarie d'une cargaison due à l'humidité ou à une inondation. Mil. XIXe s. ; ☞ *mouiller* ; [muj].

**MOUILLÉ, ÉE, adj.**
**1.** Rendu humide. **2.** *Phon. Consonne **mouillée*** : palatalisée, prononcée avec le son [j]. Mil. XIIe s. ; p. p. de *mouiller* ; [muje].

**MOUILLEMENT, subst. m.**
**1.** *Cuis.* Action d'arroser un mets en cours de cuisson. **2.** *Phon.* Mouillure. 1553 ; ☞ *mouiller* ; [mujmɑ̃].

**MOUILLER, verbe trans. [3]**
**1.** Imbiber d'eau, de liquide, humidifier : *Pluie qui **mouille** le sol* ; empl. pronom. : *Ses yeux se **mouillent** de larmes.* ▸ Loc. ***Mouiller** sa chemise* : suer et, par méton., travailler durement ; ***Mouiller** sa culotte* : uriner dans ses vêtements et, par méton., avoir peur (fam.). **2.** *Mar.* Mettre à l'eau : ***Mouiller** des mines, des lignes de fond* ; ***Mouiller** une ancre* ; empl. abs., jeter l'ancre et, par ext., être à l'ancre. **3.** *Cuis. **Mouiller** un mets* : l'arroser d'un liquide pendant la cuisson. **4.** Étendre d'eau : ***Mouiller** le vin.* **5.** Fig. et Fam. ***Mouiller** qqn* : le compromettre ; empl. pronom. : *Se **mouiller**,* prendre des risques. **6.** *Phys.* En parlant d'un liquide, s'étendre sur (la surface d'un solide avec lequel il est mis en contact). Mil. XIe s. ; lat. pop. °*molliare*, « attendrir (le pain en le trempant) », du lat. *mollis*, « mou, tendre » ; [muje].

**MOUILLÈRE, subst. f.**
Terrain marécageux (région.). Mil. XIXe s. ; altér. du m. fr. *molière*, d'apr. *mouiller* ; [mujɛʀ].

**MOUILLETTE, subst. f.**
Morceau de pain long et mince que l'on trempe dans un œuf à la coque. 1653 ; ☞ *mouiller* ; [mujɛt].

**MOUILLEUR, subst. m.**
**1.** *Mar.* Appareil servant au mouillage des ancres, des mines. ▸ ***Mouilleur** de mines* : navire équipé pour mouiller des mines. **2.** *Techn.* Instrument utilisé pour humidifier. 1831 (1576, celui qui mouille) ; ☞ *mouiller* ; [mujœʀ].

**MOUILLOIR, subst. m.**
*Techn.* Mouilleur utilisé pour humecter du linge à repasser. V. 1960 (mil. XVe s., récipient où les fileuses trempaient leurs doigts) ; ☞ *mouiller* ; [mujwaʀ].

**MOUILLURE, subst. f.**
**1.** Action de mouiller ; son résultat. **2.** Tache d'humidité. **3.** *Phon.* Prononciation palatalisée d'une consonne. XIIIe s. ; ☞ *mouiller* ; [mujyʀ].

**MOUISE, subst. f.**
Pauvreté, misère (pop.). 1888 (1821, soupe économique) ; all. dial. du Sud *Mues*, « bouillie » ; [mwiz].

**MOUJIK, subst. m.**
Paysan russe, du temps des tsars. 1727 ; russe *mužik*, dimin. de *muž*, « homme » ; [muʒik].

**MOULAGE (I), subst. m.**
**1.** Action de moudre (rare). **2.** *Féod.* Redevance due au seigneur par les vassaux pour l'emploi du moulin banal. 1325 ; ☞ *moudre* ; [mulaʒ].

**MOULAGE (II), subst. m.**
**1.** Action de mettre en forme dans un moule : ***Moulage** d'une cloche* ; ***Moulage** d'une motte de beurre.* **2.** Action de prendre l'empreinte en creux de qqch., afin d'en fabriquer un moule : ***Moulage** d'une main.* **3.** Méton. Objet obtenu à l'aide d'un moule : *Un **moulage** en plâtre.* 1680 (1415, droit des mouleurs de bois) ; ☞ *mouler* ; [mulaʒ].

**MOULE (I), subst. m.**
**1.** Objet solide creux dans lequel on coule une matière qui prendra sa forme en se solidifiant : ***Moule** en terre* ; ***Moule** à gâteaux.* ▸ Loc. *Sortir du même **moule*** : se ressembler. **2.** Fig. Idéologie dominante qui tend à standardiser les comportements. Fin XIe s. ; lat. *modulus*, « mesure » ; [mul].

**MOULE (II), subst. f.**
**1.** *Zool.* Mollusque lamellibranche du groupe des Filibranches, qui se fixe par son byssus à un support immergé. La **moule** commune, comestible, a le corps protégé par deux valves renflées noir bleuâtre et dépourvues de charnière. **2.** Personne molle, niaise (pop.). 1240 ; lat. *musculus* ; [mul].

**MOULÉ, ÉE, adj.**
**1.** Obtenu par moulage. ▸ *Pain **moulé*** : cuit dans un moule. **2.** *Écriture **moulée*** : bien formée, régulière. **3.** *Archit.* Mouluré. Fin XIe s. ; p. p. de *mouler* ; [mule].

**MOULER, verbe trans. [3]**
**1.** Fabriquer, reproduire (qqch.) à l'aide d'un moule. **2.** Prendre l'empreinte de (qqch.) : ***Mouler** un visage.* **3.** Anal. Épouser les formes de : *Robe qui **moule** les hanches.* Fin XIIe s. ; ☞ *moule* (I) ; [mule].

**MOULEUR, EUSE, subst.**
Personne qui exécute des moulages. 1260 ; ☞ *mouler* ; [mulœʀ, øz].

**MOULIÈRE, subst. f.**
Parc à moules. 1681 ; ☞ *moule* (II) ; [muljɛʀ].

**MOULIN, subst. m.**
**1.** Grand dispositif équipé d'une meule, qui sert à broyer les grains de céréales ; bâtiment qui l'abrite : ***Moulin** à eau,* actionné par la force d'un cours d'eau ; ***Moulin** à vent,* utilisant l'énergie éolienne. ▸ Loc. *Apporter de l'eau au **moulin** de qqn* : lui fournir des éléments à l'appui de la thèse qu'il défend ; *Se battre contre des **moulins** à vent* : contre des chimères ; *Entrer quelque part comme dans un **moulin*** : facilement, sans contrôle ; *Être au four et au **moulin*** : s'occuper de deux choses à la fois. **2.** Ext. Appareil servant à broyer, à moudre : ***Moulin** à poivre, à café, à légumes* ; ***Moulin** à huile,* pressoir. **3.** *Relig. **Moulin** à prières* : cylindre que les bouddhistes font tourner pour disperser au vent les formules sacrées inscrites sur les bandes de papier qu'il contient. **4.** Fig. ***Moulin** à paroles* : personne très bavarde (fam.). **5.** Moteur d'avion, d'automobile (fam.). Mil. XIIe s. ; bas lat. *molinum* ; [mulɛ̃].

**MOULIN-À-VENT, subst. m. inv.**
Cru du Beaujolais, donnant un vin rouge réputé. 1878 ; *Moulin-à-Vent*, nom d'un vignoble ; [mulɛ̃avɑ̃].

**MOULINER, verbe trans. [3]**
**1.** Vx. Ronger (le bois), en parlant des insecte **2.** *Text.* Réunir par torsion (des fils) pour l consolider. **3.** Ext. Broyer dans un moulin (du caf des légumes...). XIIIe s. ; ☞ *moulin* ; [muline].

**MOULINET, subst. m.**
**1.** Vx. Petit moulin. **2.** Nom de certains apparei rotatifs : ***Moulinet** d'une canne à pêche,* bobine d fil que l'on actionne à l'aide d'une manivell **3.** Mouvement circulaire fait avec les bras, u bâton, une épée. XIIIe s. ; ☞ *moulin* ; [mulinɛ].

**MOULINETTE, subst. f. inv.**
Petit broyeur ménager : *Passer du persil à la **Moul**nette.* 1957 ; ☞ *moulinet* ; n. déposé ; [mulinɛt].

**MOULT, adv.**
Beaucoup de (vx ou iron.) : *Vivre **moult** aventure* Fin Xe s. ; lat. *multum* ; [mult].

**MOULU, UE, adj.**
**1.** Broyé : *Café **moulu*** ; *Or **moulu**,* or en poud utilisé autrefois pour la dorure. **2.** Fig. Très fatigu courbatu (fam.). XIIe s. ; p. p. de *moudre* ; [muly

**MOULURATION, subst. f.**
Ensemble des moulures d'un meuble, d'un bât ment. 1907 ; ☞ *moulurer* ; [mulyʀasjɔ̃].

**MOULURE, subst. f.**
**1.** Ornement, en creux ou en relief, dont le pro est constant sur sa longueur : ***Moulures** d'un plafon d'un meuble.* **2.** Ext. Latte de bois ou de plastiqu creusée de rainures parallèles servant à dissimul des fils électriques. 1423 ; ☞ *mouler* ; [mulyʀ

**MOULURER, verbe trans. [3]**
**1.** Orner de moulures ; empl. adj. : *Une boiser **moulurée**.* **2.** *Techn.* Exécuter, faire une moulu sur. 1872 ; ☞ *moulure* ; [mulyʀe].

**MOUMOUTE, subst. f.**
Fam. **1.** Perruque. **2.** Veste en fourrure ou en peau d mouton. 1865 ; *moutonne* (rare), du breton *mao tenn*, « perruque de peau de mouton » ; [mumut].

**MOURANT, ANTE, adj. et subst.**
Se dit d'une personne qui est en train de mouri *Un malade **mourant*** ; *L'accompagnement des **mou** **rants**.* ADJ. Qui va en s'affaiblissant : *Brise **mourant*** 1260 ; p. pr. de *mourir* ; [muʀɑ̃, ɑ̃t].

**MOURIR, verbe intrans. [26]**
**1.** Cesser de vivre, trépasser : ***Mourir** de maladi **Mourir** de sa belle mort,* naturellement ; ***Mourir** po ses idées* ; *Le petit chat **est mort*** (Molière). **2.** Cess progressivement d'exister, en parlant d'une chos d'un phénomène : *Laisser **mourir** le feu* ; *Un bru qui **meurt** au loin* ; *Des traditions qui **meurent**.* **3.** Fi ***Mourir de.*** Éprouver fortement une sensation, u sentiment de : ***Mourir** de froid, de faim, de peur, sommeil* ; ***Mourir** d'amour, de plaisir* ; ***Mourir** d'env (de faire qqch.)* ; *C'est à **mourir** de rire,* c'est tr drôle. PRONOM. Être en train de **mourir**, de disp raître (littér.) : *Le soleil se **meurt** à l'horizon.* 88 bas lat. *morire*, du lat. *mori* ; [muʀiʀ].

**MOUROIR, subst. m.**
**1.** Vx. Lit de mort ; par méton., agonie. **2.** Instit tion, local qui accueille les mourants. **3.** Maiso service où les vieillards sont abandonnés à le détresse physique et morale (péj.). 1812 ☞ *mourir* ; [muʀwaʀ].

*Moulins à vent dans la Manche (Espagne).*

© A. Tovy-Explorer

**MOURON, subst. m.**
**1.** *Bot.* Plante herbacée : *Le* **mouron** *des champs* (famille des Primulacées) ; *Le* **mouron** *des oiseaux* (famille des Caryophyllacées). **2.** Cheveux (argot. et vx). ▸ Loc. *Se faire du* **mouron** : du souci (pop.). 🕮 XII^e^ s. ; m. néerl. *muer* ; [muʀɔ̃].

**MOUSCAILLE, subst. f.**
Misère, ennuis (pop.) : *Être dans la* **mouscaille**. 🕮 1880 (1836, matière fécale) ; argot *mousse*, « excrément », prob. du breton *mous*, « ordures » ; [muskaj].

**MOUSMÉ, subst. f.**
**1.** Jeune fille ou jeune femme japonaise (vieilli). **2.** Toute fille ou toute femme (pop.). 🕮 1887 ; jap. *musume* ; [musme].

**MOUSQUET, subst. m.**
Arme à feu portative en usage aux XVI^e^ et XVII^e^ s., qui remplaça l'arquebuse. 🕮 1568 ; ital. *moschetto*, de *mosca*, « mouche » ; [muskɛ].

**MOUSQUETAIRE, subst. m.**
**1.** Vx. Fantassin armé d'un mousquet. **2.** Gentilhomme membre de la garde à cheval du roi créée par Louis XIII : *« Les Trois* **Mousquetaires** *», roman d'Alexandre Dumas père.* ▸ Loc. **(À la) mousquetaire.** À la manière du costume des **mousquetaires** : *Poignets* **mousquetaire(s)**, manchettes ; *Bottes à la* **mousquetaire**, à revers. 🕮 Fin XVI^e^ s. ; ☞ *mousquet* ; [muskətɛʀ].

© Coll. ES-Explorer

*Mousquetaire armé de son mousquet.*

**MOUSQUETERIE, subst. f.**
Décharge simultanée de plusieurs mousquets et, par ext., de fusils (vieilli). 🕮 1679 (déb. XVI^e^ s., ensemble des mousquets d'une troupe) ; ☞ *mousquet* ; [muskɛtʀi].

**MOUSQUETON (I), subst. m.**
**1.** Vx. Mousquet court. **2.** Anal. Fusil à canon court en usage jusqu'à la Seconde Guerre mondiale. 🕮 1578 ; ☞ *mousquet* ; [muskətɔ̃].

**MOUSQUETON (II), subst. m.**
Anneau qui se ferme à l'aide d'un ressort, servant de système d'attache rapide : **Mousqueton** *d'alpinisme.* 🕮 1872 ; ell. de *porte-mousqueton* ; [muskətɔ̃].

**MOUSSAILLON, subst. m.**
*Mar.* Jeune mousse (fam.). 🕮 1845 ; ☞ *mousse* (III) ; [musajɔ̃].

**MOUSSAKA, subst. f.**
*Cuis.* Plat grec ou turc, composé d'aubergines, de tomates et d'un hachis de viande, que l'on cuit au four. 🕮 1934 ; turc *musaka* ; [musaka].

**MOUSSANT, ANTE, adj.**
Qui produit de la mousse : *Gel, bain* **moussant**. 🕮 1713 ; p. pr. de *mousser* ; [musɑ̃, ɑ̃t].

**MOUSSE (I), subst. f.**
**I.** Plur. *Bot.* Classe de plantes de l'embranchement des Bryophytes, qui possèdent un appareil végétatif mais n'ont ni fleurs ni racines (synon. *Muscinées*). Elles forment un tapis moelleux composé de courtes tiges à petites feuilles serrées, qui poussent sur les sols humides, les arbres, les murs, etc. Au sing. *Un lit de* **mousse**. ▸ Loc. proverb. *Pierre qui roule n'amasse pas* **mousse** : on ne s'enrichit pas en se déplaçant sans cesse. **II. 1.** Concentration, à la surface de certains liquides, de petites bulles de gaz ; écume : **Mousse** *d'eau savonneuse, du champagne, de la bière* ; par méton. : *Une* **mousse**, une bière (fam.). **2.** *Cuis.* ▸ Préparation sucrée, à base de crème ou de blancs d'œufs fouettés : **Mousse** *de framboise.* ▸ Pâté mousseux : **Mousse** *de foie gras.* **3.** *Techn.* Produit moussant : **Mousse** *carbonique.* **4.** *Text.* ▸ **Mousse** *de Nylon* : maille de Nylon très extensible. ▸ *Point* **mousse** : point de tricot qui n'est fait que de mailles à l'endroit. 🕮 Fin XI^e^ s. ; anc. bas frq. °*mosa*, du lat. *mulsa*, « hydromel » ; [mus].

**MOUSSE (II), adj.**
Qui n'est pas tranchant, pas aigu ; émoussé (vieilli) : *Pointe* **mousse** *d'un couteau.* 🕮 Mil. XV^e^ s. ; lat. pop. °*muttius*, « tronqué » ; [mus].

**MOUSSE (III), subst. m.**
Jeune marin qui fait son apprentissage. 🕮 1515 ; catalan *mosso*, de l'esp. *mozo*, « garçonnet » ; [mus].

**MOUSSELINE, subst. f.**
**1.** Toile de coton fine et légère ; par ext., fin tissu de soie ou de laine. **2.** En appos. ▸ *Cuis. Sauce* **mousseline** : sauce hollandaise mêlée de crème fouettée ; *Pommes* **mousseline** : purée légère de pommes de terre. ▸ *Techn. Verre* **mousseline** : très fin. 🕮 1656 ; ital. *mussolina*, de l'ar. *mauṣili*, « de Mossoul (ville d'Iraq) » ; [muslin].

**MOUSSER, verbe intrans. [3]**
**1.** Produire de la mousse : *Savon, bière qui* **mousse**. **2.** Fig. *Faire* **mousser** : faire exagérément valoir, vanter (fam.). 🕮 1680 ; ☞ *mousse* (I) ; [muse].

**MOUSSERON, subst. m.**
*Bot.* Champignon comestible de la famille des Agaricacées. 🕮 Déb. XIII^e^ s. ; bas lat. *mussirio* ; [musʀɔ̃].

**MOUSSEUX, EUSE, adj. et subst. m.**
Adj. **1.** Vx. Moussu. ▸ *Rose* **mousseuse** : dont la tige et le calice sont très velus. **2.** Qui produit de la mousse : *Eau de lessive* **mousseuse** ; *Vin* **mousseux**, qui a subi une seconde fermentation. **3.** D'aspect léger, vaporeux. Subst. Tout vin **mousseux** autre que le champagne. 🕮 1550 ; ☞ *mousse* (I) ; [musø, øz].

**MOUSSOIR, subst. m.**
Ustensile de cuisine servant à délayer et à faire mousser (vx). 🕮 1743 ; ☞ *mousser* ; [muswaʀ].

**MOUSSON, subst. f.**
*Météor.* Vent qui souffle, spéc. en Inde et en Asie du Sud-Est, pendant plusieurs mois, de la mer vers la terre (**mousson** humide d'été) puis de la terre vers la mer (**mousson** sèche d'hiver), provoquant des perturbations climatiques. ▸ Méton. Saison caractérisée par les effets de la **mousson**. 🕮 1598 ; port. *monção*, de l'ar. *mawsim*, « saison » ; [musɔ̃].

**MOUSSU, UE, adj.**
Couvert de mousse : *Tronc, rocher, mur* **moussu**. 🕮 Mil. XII^e^ s. ; ☞ *mousse* (I) ; [musy].

**MOUSTACHE, subst. f.**
Partie du système pileux située au-dessus de la lèvre supérieure : **Moustache** *à la gauloise*, tombante ; **Moustache** *en croc*, recourbée vers le nez. Plur. Longs poils tactiles situés sur le museau de certains mammifères (synon. *vibrisses*) : **Moustaches** *du chat, du phoque.* 🕮 1511 ; ital. *mostaccio*, du gr. *mustax*, « lèvre supérieure » ; [mustaʃ].

**MOUSTACHU, UE, adj.**
Qui porte la moustache ; qui a de la moustache. ▸ Empl. subst. masc., homme **moustachu**. 🕮 1842 ; ☞ *moustache* ; [mustaʃy].

**MOUSTÉRIEN, IENNE, subst. m. et adj.**
*Préhist.* Se dit d'une culture du Paléolithique (100000-35000 av. J.-C., époque de l'homme de Neandertal) dont la principale industrie lithique était celle des racloirs. Adj. Relatif ou propre à cette culture. 🕮 1872 ; topon. *Le Moustier* (Dordogne) ; [musteʀjɛ̃, jɛn].

**MOUSTIER, voir MOUTIER**

**MOUSTIQUAIRE, subst. f.**
**1.** Rideau de gaze, de tulle, de mousseline qui, tendu autour d'un lit, préserve des moustiques. **2.** Fin treillis métallique fixé sur une fenêtre pour empêcher les insectes d'entrer. 🕮 1768 ; ☞ *moustique* ; subst. masc. en Belgique et au Canada ; [mustikɛʀ].

**MOUSTIQUE, subst. m.**
**1.** *Zool.* Insecte piqueur aptérygote de l'ordre des Diptères, aux longues antennes articulées, dont certaines espèces transmettent des micro-organismes pathogènes (protozoaires responsables du paludisme, virus, etc.). **2.** Fig. ▸ Personne menue, de petite taille (péj.). ▸ Enfant (fam.). 🕮 Déb. XVII^e^ s. ; esp. *mosquito*, de *mosca*, « mouche » ; [mustik].

**MOÛT, subst. m.**
**1.** Jus de raisin pressé ou écrasé, qui n'a pas encore fermenté. **2.** Anal. Jus de certains fruits (pomme, poire) ou de végétaux (betterave, malt) avant fermentation. 🕮 Mil. XIII^e^ s. ; lat. *mustum* ; [mu].

**MOUTARD, subst. m.**
Fam. Petit garçon. Plur. Enfants. 🕮 1827 ; orig. obsc. ; [mutaʀ].

**MOUTARDE, subst. f. et adj. inv.**
Subst. **1.** *Bot.* Plante herbacée de la famille des Brassicacées, appartenant soit au genre *Brassica*, comme la **moutarde** noire, dont les grains donnent la farine de **moutarde** condimentaire, soit au genre *Sinapis*, comme la **moutarde** des champs, ou sénevé, et la **moutarde** blanche (plante fourragère). **2.** Méton. Condiment préparé avec des graines de **moutarde** écrasées, du vinaigre, du verjus ou du moût, du sel, des épices, etc. : **Moutarde** *de Dijon, de Meaux.* ▸ Loc. *La* **moutarde** *me monte au nez* : la colère me gagne (fam.) ; *Gaz* **moutarde** : ypérite. Adj. D'une couleur jaune verdâtre : *Des uniformes* **moutarde**. 🕮 Déb. XIII^e^ s. ; ☞ *moût* ; [mutaʀd].

**MOUTARDIER, IÈRE, subst.**
Personne qui fabrique ou vend de la moutarde. Masc. Petit pot à moutarde dont on se sert à table. 🕮 1292 ; ☞ *moutarde* ; [mutaʀdje, jɛʀ].

**MOUTIER, subst. m.**
Monastère (vx). 🕮 Fin X^e^ s. ; lat. *monasterium*, du gr. *monastêrion* ; var. *moustier* ; [mutje].

**MOUTON, subst. m.**
**I. 1.** *Zool.* Mammifère ongulé artiodactyle de la famille des Bovidés : *Laine des* **moutons** ; *Garder les* **moutons**. **2.** **Mouton** mâle châtré, élevé pour sa viande (par oppos. à *brebis, bélier, agneau*) : *Gigot, épaule de* **mouton** ; *Le* **mouton** *n'a pas de cornes.* **3.** Méton. Viande ou peau de cet animal : *Manger du* **mouton** ; *Veste en* **mouton** *retourné.* **4.** Loc. *Revenons à nos* **moutons** : à notre sujet. **II.** Fig. **1.** Personne qui se laisse facilement mener, qui fait preuve de docilité, voire d'aveuglement : **Mouton** *de Panurge* ; *Un peuple de* **moutons**. **2.** Compagnon de cellule d'un détenu, chargé par la police de lui soutirer des confidences (argot.). **3.** Loc. **Mouton** *noir* : individu indésirable, qui perturbe son entourage ; **Mouton** *enragé* : personne gén. docile qui se révolte soudain ; **Mouton** *à cinq pattes* : personne unique en son genre ou chose très rare. **III.** Anal. **1.** Petite vague écumante, sur la mer. **2.** Petit nuage floconneux. **3.** Petit amas de poussière à l'aspect laineux. **4.** *Techn.* Lourde masse métallique qui permet d'enfoncer des pieux, de réaliser des essais de choc sur des matériaux. **5.** Pièce de bois qui passe dans les anses d'une cloche, pour la soutenir. 🕮 Déb. XII^e^ s. ; p.-ê. gaul. °*multo*, « mâle châtré » ; [mutɔ̃].

© P. Gleizes-Explorer

*Élevage intensif de moutons en Nouvelle-Zélande.*

**MOUTONNÉ, ÉE, adj.**
**1.** *Géomorph.* Se dit de roches qui ont été arrondies en une alternance de creux et de bosses par le frottement d'un glacier. **2.** *Météor.* Se dit d'un ciel composé de cirrocumulus. 🕮 1694 ; p. p. de *moutonner* ; [mutɔne].

**MOUTONNEMENT, subst. m.**
Fait de moutonner ; aspect de ce qui moutonne. 🕮 1856 ; ☞ *moutonner* ; [mutɔnmɑ̃].

**MOUTONNER, verbe intrans. [3]**
**1.** Évoquer la toison du mouton par son aspect, son mouvement : *Mer, champ de blé, collines qui* **moutonnent**. **2.** Se couvrir de moutons, en parlant du ciel. 🕮 1560 ; ☞ *mouton* ; [mutɔne].

**MOUTONNERIE, subst. f.**
Caractère moutonnier d'une personne ; tendance à imiter les autres. 🕮 1750 ; ☞ *mouton* ; [mutɔnʀi].

**MOUTONNEUX, EUSE, adj.**
Qui moutonne, qui se couvre de moutons : *Mer* ***moutonneuse***. 🕮 1783 ; ☞ *mouton* ; [mutɔnø, øz].

**MOUTONNIER, IÈRE, adj.**
**1.** Relatif au mouton (vieilli). **2.** Fig. Qui se laisse docilement conduire (péj.) : *Tempérament, public* ***moutonnier***. 🕮 1552 ; ☞ *mouton* ; [mutɔnje, jɛʀ].

**MOUTURE, subst. f.**
**1.** Action, manière de moudre les grains de céréales et, par ext., de café ; produit qui en résulte. **2.** Fig. Version nouvelle d'un sujet déjà traité : *La deuxième* ***mouture*** *de sa pièce est meilleure.* ▸ *Première* ***mouture*** : premier état (d'une œuvre). 🕮 Mil. XIIIe s. ; lat. pop. °*molitura*, « céréales amenées au moulin » ; [mutyʀ].

**MOUVANCE, subst. f.**
**1.** *Féod.* État de dépendance d'un fief par rapport à un autre ; par méton., fief dont d'autres dépendaient (mouvance active) ou qui dépendait d'un autre (mouvance passive). **2.** Domaine d'influence : *Être dans la* ***mouvance*** *d'un parti.* **3.** Caractère de ce qui est mouvant, de ce qui est instable. 🕮 1516 ; ☞ *mouvoir* ; [muvɑ̃s].

**MOUVANT, ANTE, adj.**
**1.** Qui est mobile, alerte. **2.** Qui bouge, qui est en mouvement : *Dune, foule* ***mouvante***. **3.** Qui manque d'assise, instable : *Sables* ***mouvants***, où l'on risque de s'enliser ; au fig. : *Terrain* ***mouvant***, domaine que l'on maîtrise mal. **4.** Qui change constamment d'aspect ; changeant : *Couleurs, convictions* ***mouvantes***. **5.** *Féod.* Qui est dans la mouvance d'une autorité. 🕮 XIIe s. ; p. pr. de *mouvoir* ; [muvɑ̃, ɑ̃t].

**MOUVEMENT, subst. m.**
**I. 1.** Déplacement d'un corps par rapport à un point de l'espace à un moment donné. **2.** *Astron.* ***Mouvement*** *diurne* : **mouvement** apparent de rotation des astres dans le ciel qui s'effectue en 24 heures. **3.** *Phys.* Changement de position dans l'espace en fonction du temps par rapport à un système de référence (par ex., le **mouvement** hélicoïdal d'un solide représente son déplacement simultané autour d'un axe et le long de ce même axe). ▸ *Quantité de* ***mouvement*** : produit de la masse d'un corps par sa vitesse. **4.** *Topogr.* ***Mouvement*** *de terrain* : vallonnement ou éminence par rapport au terrain environnant. **5.** *Techn.* Mécanisme produisant un mouvement régulier : *Un* ***mouvement*** *d'horlogerie.* **II. 1.** Déplacement d'un organisme vivant ou de l'une de ses parties : *Avoir des* ***mouvements*** *brusques* ; *Les* ***mouvements*** *de la danse* ; *Un faux* ***mouvement***, **mouvement** involontaire entraînant maladresse ou douleur. **2.** Ce qui, en art, évoque la vie, la dynamique de l'exécution : *Le* ***mouvement*** *d'un drapé* ; *Le* ***mouvement*** *d'une phrase* ; *Le* ***mouvement*** *d'une pièce de théâtre*, l'évolution de son action. **3.** Passage d'un état affectif à un autre : *Un* ***mouvement*** *d'humeur.* ▸ Loc. *Un bon* ***mouvement*** : un acte généreux. **III. 1.** Évolution, déplacement d'un groupe de personnes : *Des* ***mouvements*** *de foule.* ▸ *Milit. Faire* ***mouvement*** : changer de position stratégique. **2.** Animation, activité, passage : *Le* ***mouvement*** *de la rue* ; *Le* ***mouvement*** *d'un aéroport*, son activité, son trafic. **3.** Série de mutations dans un corps professionnel, gén. dans la fonction publique : *Un* ***mouvement*** *préfectoral.* **4.** *Fin.* Déplacement de capitaux : *Les* ***mouvements*** *de la Bourse* ; évolution affectant leur circulation : *Le* ***mouvement*** *des prix.* **IV. 1.** Évolution sociale, changement : *Le* ***mouvement*** *des idées et des mœurs au XXe s.* ▸ Loc. *Être dans le* ***mouvement*** : suivre la mode. **2.** Réaction collective violente : ***Mouvement*** *insurrectionnel.* **3.** Groupe de personnes qui s'est formé pour accomplir une action déterminée : *Un* ***mouvement*** *politique.* **V.** *Mus.* **1.** Degré de vitesse à observer dans l'exécution d'une partition ; tempo (largo, lento, adagio, andante, allégro, presto, etc.). ▸ Loc. *En deux temps trois* ***mouvements*** : très rapidement. **2.** Chacune des parties d'une composition musicale, en partic. dans la symphonie, la sonate, le concerto. 🕮 Fin XIIe s. ; ☞ *mouvoir* ; [muvmɑ̃].

**MOUVEMENTÉ, ÉE, adj.**
**1.** Qui est plein de mouvement, agité : *Une vie* ***mouvementée*** ; par ext., plein de péripéties, émaillé d'incidents : *Journée, réunion* ***mouvementée*** ; *Récit* ***mouvementé***, où il y a de l'action. **2.** Qui présente un relief accidenté : *Terrain* ***mouvementé***. 🕮 1844 ; ☞ *mouvement* ; [muvmɑ̃te].

**MOUVOIR, verbe trans.** [49]
**1.** Mettre en mouvement ; actionner : *Mécanisme mû par un ressort.* **2.** Fig. Faire agir ; motiver : *Être mû par la passion.* PRONOM. Se déplacer : *Se* ***mouvoir*** *avec peine.* 🕮 Fin XIe s. ; lat. *movere* ; [muvwaʀ].

**MOXA, subst. m.**
*Méd.* **1.** Bâtonnet d'armoise que l'on fait brûler lentement sur la peau, en des points déterminés. **2.** Méthode thérapeutique extrême-orientale utilisant ces **moxas**. 🕮 1694 ; jap. *mogusa* ; [mɔksa].

**MOYE, subst. f.**
*Techn.* Partie tendre d'une pierre dure. 🕮 1694 ; bas lat. *mediare*, « partager en deux » ; var. *moie* ; [mwa].

**MOYÉ, ÉE, adj.**
*Pierre* ***moyée*** : altérée par une moye ; sciée pour éliminer une moye. 🕮 XVIIe s. ; ☞ *moye* ; [mwaje].

**MOYEN (I), ENNE, adj.**
**1.** Qui est situé au milieu d'un tout : *La partie* ***moyenne*** *d'un édifice* ; *Le* ***Moyen*** *Empire égyptien* ; ***Moyenne*** *atmosphère* ; intermédiaire : *Les classes* ***moyennes*** ; ***Moyen*** *français*, qui fait le lien entre l'ancien français et le français moderne (du XIVe au XVIe s.). ▸ *Enseign. Cours* ***moyen*** *première, deuxième année* : classes situées entre le cours élémentaire et la sixième. **2.** Qui est entre deux extrêmes : *Ville de* ***moyenne*** *importance* ; *Petites et* ***moyennes*** *entreprises.* ▸ ***Moyen*** *terme* : compromis, juste milieu. ▸ *Sp. Poids* ***moyen*** : dans certains sports (boxe, haltérophilie, judo), catégorie intermédiaire entre les catégories poids léger et poids lourd. **3.** Qui n'est ni bon ni mauvais ; par euphém. : *Résultats très* ***moyens***, insuffisants. **4.** Qui correspond à un type répandu, ordinaire : *Lecteur, spectateur* ***moyen*** ; *Français* ***moyen***, Français type. **5.** *Math.* et *Stat.* Qui résulte d'une moyenne : *Vitesse* ***moyenne*** ; *Âge* ***moyen*** *d'un groupe* ; *Salaire* ***moyen*** *d'une entreprise.* 🕮 Déb. XIIe s. ; lat. *medianus*, « du milieu » ; [mwajɛ̃, ɛn].

**MOYEN (II), subst. m.**
**1.** Ce qui permet de faire qqch., de parvenir à un résultat : *Chercher le bon, le meilleur* ***moyen***. ▸ Loc. *Au* ***moyen*** *de* : en ayant recours à ; *Trouver (le)* ***moyen*** *de* : parvenir à ; ***Moyens*** *de fortune, du bord* : expédients ; *Employer les grands* ***moyens*** : mettre en œuvre toutes ses ressources ; ***Moyen*** *détourné* : subterfuge ; *Il y a, il n'y a pas* ***moyen*** *de* : il est possible, impossible de. ▸ *Gramm. Complément de* ***moyen*** : introduit par une préposition (« à », « avec », « de », « par »...) ou par une locution prépositive (par ex. : « à l'aide de »). **2.** Instrument, procédé, technique : ***Moyen*** *de transport, de communication* ; ***Moyens*** *de pression, de contrôle* ; ***Moyens*** *de production.* PLUR. **1.** Facultés physiques ou intellectuelles d'une personne : *Être en pleine possession de ses* ***moyens*** ; *Perdre (tous) ses* ***moyens***, se troubler ; *Par ses propres* ***moyens***, sans aide extérieure. **2.** Ressources financières : *Avoir les* ***moyens*** ; ***Moyens*** *d'existence* ; *Vivre au-dessus de ses* ***moyens***. **3.** *Math.* ***Moyens*** *d'une proportion* (anton. *extrêmes*) : termes $b$ et $c$ dans l'égalité $\frac{a}{b} = \frac{c}{d}$. 🕮 1370 ; ☞ *moyen* (I) ; [mwajɛ̃].

**MOYEN ÂGE, subst. m. sing.**
Période de l'histoire comprise entre la chute de l'Empire romain d'Occident (476) et la prise de Constantinople (1453), ou, pour certains, la découverte de l'Amérique (1492). ▸ *Le haut* ***Moyen Âge*** : allant jusque vers l'an 1000 ; *Le bas* ***Moyen Âge*** : recouvrant essentiellement les XIVe et XVe s. 🕮 1640 ; comp. de *moyen* (I) et de *âge* ; [mwajɛnɑʒ].

HISTOIRE – Le monde connu au Moyen Âge, qui se résume à l'Europe, au bassin méditerranéen et à une partie de l'Orient, va être le berceau de trois grandes civilisations. À l'est naît l'Empire byzantin, bâti sur les restes de l'Empire romain d'Orient, qui connaît son apogée artistique et économique autour de l'an 1000, et qui se sépare de l'Église de Rome (schisme d'Orient) en 1054. En Arabie, Mahomet fonde la religion musulmane en 622, point de départ de la domination progressive des Arabes, de l'Espagne jusqu'en Asie. Enfin, en Occident, l'Église latine affermit son emprise et sert de socle à la tentative de reconstituer un empire chrétien pour faire face aux menaces musulmanes et byzantines. Mais la dislocation de l'Empire carolingien, en 843, va entraîner le morcellement de l'Europe occidentale. Organisée selon un système féodal, cette dernière voit émerger au début du XIVe s. la conception d'un État fort et centralisé, dirigé par l'autorité royale, précurseur des États modernes.

**MOYENÂGEUX, EUSE, adj.**
**1.** Médiéval (vieilli). **2.** Qui évoque les caractères, le style du Moyen Âge : *Une bâtisse* ***moyenâgeuse***. **3.** Fig. Archaïque (péj.) : *Des pratiques* ***moyenâgeuses***. 🕮 1865 ; ☞ *Moyen Âge* ; [mwajɛnɑʒø, øz].

**MOYEN-COURRIER, subst. m.**
Avion de transport qui effectue des liaisons sur des distances moyennes couvrant jusqu'à 2 000 km. 🕮 V. 1960 ; comp. de *moyen* (I) et de *courrier* ; plur. *moyen-courriers* ; [mwajɛ̃kuʀje].

**MOYENNANT, prép.**
**1.** Loc. conj. ***Moyennant*** *que* : pourvu que, à condition que (littér.). **2.** Au moyen de, au prix de : *Vous y parviendrez,* ***moyennant*** *de gros efforts* ; ***Moyennant*** *finances*, en payant. ▸ Loc. ***Moyennant*** *quoi* : grâce à quoi (fam.). 🕮 1219 ; p. pr. de *moyenner* ; [mwajɛnɑ̃].

**MOYENNE, subst. f.**
**1.** Valeur obtenue en additionnant des quantités données et en divisant cette somme par le nombre de ces quantités : ***Moyenne*** *d'âge d'une population donnée.* ▸ Vitesse horaire moyenne (d'un véhicule) : *Rouler à, faire du 80 km/h de* ***moyenne***. ▸ Abs. Note égale à la moitié de la note maximale : *Avoir la* ***moyenne*** *à un examen.* ▸ **En moyenne**. En faisant une **moyenne** (plus ou moins exacte) : *L'alligator vit en* ***moyenne*** *quatre-vingt-dix ans.* **2.** *Math.* Étant donné $n$ nombres réels $a_1, a_2, ..., a_n$, on définit les **moyennes** suivantes : ***Moyenne*** *arithmétique* $m = \frac{1}{n}(a_1 + a_2 + ... + a_n)$ ; ***Moyenne*** *quadratique* $m_q = \sqrt{\frac{1}{n}(a_1^2 + a_2^2 + ... + a_n^2)}$ ; ***Moyenne*** *géométrique* $m_g = \sqrt[n]{a_1\,a_2\,...\,a_n}$, si tous les $a_i$ sont positifs ; ***Moyenne*** *harmonique*, nombre $h$ tel que $\frac{1}{h} = \frac{1}{n}\left(\frac{1}{a_1} + \frac{1}{a_2} + ... + \frac{1}{a_n}\right)$, si tous les $a_i$ sont non nuls. **3.** Fig. Ce qui se situe à un degré intermédiaire entre deux extrêmes ; niveau moyen : *Taille, intelligence au-dessus de la* ***moyenne*** ; *Il est plus éveillé que la* ***moyenne*** *des enfants de son âge.* 🕮 Mil. XIIIe s. ; ☞ *moyen* (I) ; [mwajɛn].

**MOYENNEMENT, adv.**
De façon moyenne, modérément ou, par euphém., pas tellement ou très peu : *Être* ***moyennement*** *satisfait.* 🕮 Déb. XIIIe s. ; ☞ *moyen* (I) ; [mwajɛnmɑ̃].

**MOYENNER, verbe trans.** [3]
Arranger (vx). ▸ Loc. *Il n'y a pas moyen de* ***moyenner*** : il est impossible d'obtenir un résultat satisfaisant (fam.). 🕮 Déb. XIIIe s. (fin XIIe s., atteindre le milieu de) ; ☞ *moyen* (I) ; [mwajene].

**MOYETTE, subst. f.**
*Agric.* Meule dressée dans un champ jusqu'au séchage du grain. 🕮 Déb. XIXe s. ; dimin. de *moie* (vx), « meule », du lat. *meta*, « cône » ; [mwajɛt].

**MOYEU, subst. m.**
*Mécan.* **1.** Partie centrale d'une roue traversée par un essieu. **2.** Ext. Partie centrale d'un objet qui tourne autour d'un axe : ***Moyeu*** *d'hélice, de volant.* 🕮 Mil. XIIe s. ; lat. *modiolus*, « petit vase » ; [mwajø].

**MOZARABE, subst. et adj.**
*Hist.* Se dit des chrétiens d'Espagne qui, sous la domination des Arabes, avaient conservé le libre exercice de leur culte. ADJ. **1.** *B.-a. Art* ***mozarabe*** : art chrétien espagnol influencé par l'art musulman.

*L'Adoration du veau d'or (détail), miniature extraite d'une bible* ***mozarabe*** *(960). Bibliothèque de l'église San Isidoro el Real, León (Espagne).*

2. *Relig.* *Rite* ***mozarabe*** : rite wisigothique pratiqué par les **mozarabes**, encore en vigueur, canoniquement réservé à la seule ville de Tolède. 1602 ; esp. *mozarabe*, de l'ar. *musta'rib*, « arabisé » ; [mɔzaʀab].

**MOZETTE, subst. f.**
Camail porté par certains dignitaires catholiques. 1653 ; ital. *mozzetta* ; var. *mosette* ; [mɔzɛt].

**MOZZARELLA, subst. f.**
Fromage frais italien moulé en boule, fait de lait de bufflonne ou de vache. V. 1960 ; mot ital. ; [mɔdzaʀɛlla].

**MU, subst. m. inv.**
Douzième lettre de l'alphabet grec ($\mu$, M), correspondant au *m* français. 1765 ; mot gr. ; [my].

**MUANCE, subst. f.**
Mue de la voix d'un enfant (vieilli). 1846 (mil. XII^e s., changement) ; ☞ *muer* ; [mɥɑ̃s].

**MUCILAGE, subst. m.**
*Bot.* Substance glucidique végétale, gén. de nature pectique, qui gonfle au contact de l'eau, en formant une gelée. 1314 ; bas lat. *mucilago*, « substance visqueuse » ; [mysilaʒ].

**MUCILAGINEUX, EUSE, adj.**
Qui contient du mucilage ; qui en a l'aspect. 1495 ; bas lat. *mucilaginosus* ; [mysilaʒinø, øz].

**MUCINE, subst. f.**
*Biochim.* Glycoprotéine filamenteuse et hydrophile qui confère à une sécrétion (la salive, par ex.) des propriétés lubrifiantes. 1871 ; ☞ *mucus* ; [mysin].

**MUCOR, subst. m.**
*Bot.* Champignon de la famille des Mucoracées présent sur des débris organiques (synon. *moisissure blanche*). 1775 ; lat. *mucor*, « moisissure » ; [mykɔʀ].

**MUCOSITÉ, subst. f.**
*Physiol.* Sécrétion des muqueuses contenant, outre le mucus, des cellules nécrosées et des sels inorganiques (gén. au plur.). XIV^e s. ; lat. médiév. *mucositas*, du lat. *mucosus*, « muqueux » ; [mykozite].

**MUCOVISCIDOSE, subst. f.**
*Pathol.* Maladie familiale congénitale caractérisée par un épaississement des sécrétions des glandes exocrines, notamment du pancréas, pouvant entraîner dès la naissance une occlusion intestinale, et qui se manifeste par des troubles digestifs et respiratoires chroniques (synon. *fibrose kystique du pancréas*). V. 1960 ; angl. *mucoviscidosis* ; [mykovisidoz].

**MUCRON, subst. m.**
*Bot.* Terminaison en pointe de la nervure médiane de certains végétaux. 1831 ; lat. *mucro*, « pointe » ; [mykʀɔ̃].

**MUCUS, subst. m.**
*Physiol.* Produit sécrété par les glandes muqueuses, contenant surtout de la mucine et offrant une protection mécanique et chimique aux muqueuses contre des agressions d'origine interne (acide gastrique) ou externe (poivre, par ex.). 1750 ; lat. *mucus*, « morve » ; [mykys].

**MUDÉJAR, subst. et adj.**
*Hist.* Se dit des musulmans autorisés à rester dans l'Espagne reconquise par les chrétiens en conservant leur religion. ADJ. *B.-a.* *Art* ***mudéjar*** : art, style influencé par l'art musulman qui s'est répandu dans l'Espagne reconquise du XII^e au XVI^e s. 1667 ; esp. *mudejar*, de l'ar. *mudağğan*, « autorisé à résider moyennant tribut » ; [mydeʒaʀ].

**MUE, subst. f.**
1. *Zool.* Renouvellement ou changement, saisonnier ou à certains stades du développement, des téguments, des phanères ou des cornes de certains animaux. ▸ Méton. Dépouille de l'animal qui a mué ; saison à laquelle se produit ce phénomène. 2. Anal. Changement du timbre et de la hauteur de la voix chez un adolescent, au moment de la puberté. 3. Fig. Transformation (littér.). 4. Grande cage circulaire sans fond recevant la poule et ses poussins, ou une volaille à engraisser. Fin XII^e s. ; ☞ *muer* ; [my].

**MUER, verbe** [3]
TRANS. Transformer (littér.) : *La pluie avait* ***mué*** *Venise en une immense moisissure* (Mauriac) ; empl. pronom. : *Son inquiétude se* ***muait*** *progressivement en angoisse.* INTRANS. 1. Effectuer sa mue, en parlant d'un animal. 2. Changer de timbre, en parlant de la voix d'un adolescent ou, par méton., de l'adolescent lui-même. Mil. XI^e s. ; lat. *mutare*, « changer » ; [mɥe].

**MUESLI, subst. m.**
Mélange de flocons de céréales et de fruits secs sur lequel on verse du lait froid, consommé gén. au petit déjeuner. Fin XIX^e s. ; suisse além. *Müesli* ; [mysli].

**MUET, MUETTE, adj.**
I. 1. Qui n'a pas l'usage de la parole : *Être sourd et* ***muet*** ; empl. subst., personne **muette**. ▸ Loc. fig. *La grande* ***muette*** : l'armée. 2. Qui ne peut parler, sous l'effet d'une émotion : ***Muet*** *de joie, de surprise.* 3. Qui s'abstient de s'exprimer, de répondre : *Rester* ***muet*** *sur un sujet* ; ***Muet*** *comme une carpe, une tombe.* 4. Méton. Qui s'exprime sans manifestation verbale, en parlant d'un sentiment : *Douleur, joie* ***muette***. 5. *Théâtre.* Sans paroles : *Personnage, rôle* ***muet*** ; *Scène* ***muette***. II. Anal. 1. Qui ne produit aucun son : *Horloge* ***muette***. ▸ *Cin.* *Cinéma* ***muet*** ou, empl. subst. masc., *Le* ***muet*** : cinéma sans restitution des sons, des paroles. ▸ *Ling.* Se dit d'une voyelle ou d'une consonne écrite mais non prononcée : *Un « e », un « h »* ***muet*** ; *Dans « plomb », le « b » est* ***muet***. 2. Qui ne peut fournir d'explication sur un point particulier : *Code* ***muet*** *sur un sujet* ; *Carte* ***muette***, carte géographique ne portant pas d'indication écrite ou carte de restaurant ne mentionnant pas les prix. 1174 ; anc. fr. *mu*, du lat. *mutus* ; [mɥɛ, mɥɛt].

**MUETTE, subst. f.**
Vieilli. *Vèn.* 1. Pavillon réservé aux chiens d'une meute. 2. Rendez-vous de chasse. Mil. XVI^e s. (fin XIV^e s., gîte du lièvre) ; anc. forme de *meute* ; [mɥɛt].

**MUEZZIN, subst. m.**
Fonctionnaire religieux musulman qui, cinq fois par jour, lance l'appel à la prière du haut du minaret. 1568 ; turc *müezzin*, de l'ar. *mu'aḏḏin* ; [mɥɛdzin].

**MUFFIN, subst. m.**
Petit pain rond servi grillé avec le thé, en Grande-Bretagne. 1793 ; mot angl. ; [mœfin].

**MUFLE, subst. m.**
1. Extrémité, gén. sans poils, du museau de certains mammifères. 2. Fig. Personnage grossier, indélicat : *Se conduire comme un* ***mufle*** ; empl. adj. : *Il est vraiment trop* ***mufle*** *!* 1540 ; crois. de *moufle* (vx), « visage rebondi », et de *museau* ; [myfl].

**MUFLERIE, subst. f.**
1. Caractère, comportement d'un mufle. 2. Méton. Acte, propos de mufle. 1843 ; ☞ *mufle* ; [myflәʀi].

**MUFLIER, subst. m.**
*Bot.* Plante herbacée ornementale de la famille des Scrofulariacées, appelée aussi gueule-de-loup, dont les fleurs, jaunes ou rouges, ressemblent à un mufle d'animal. 1778 ; ☞ *mufle* ; [myflije].

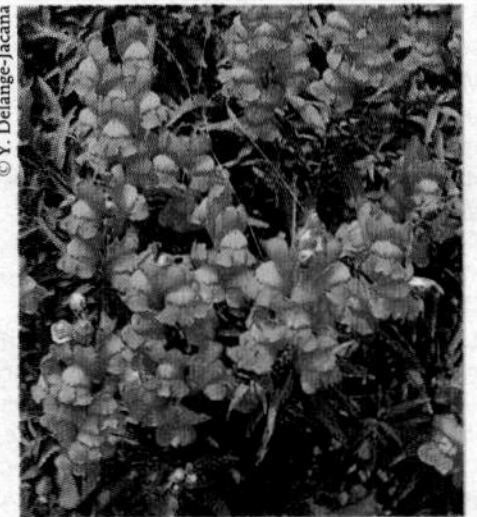
© Y. Delange-Jacana

*Mufliers de la variété majestic.*

**MUFTI, subst. m.**
Jurisconsulte, théologien musulman, gén. attaché à une mosquée. 1546 ; ar. *muftī* ; var. *muphti* ; [myfti].

**MUGE, subst. m.**
*Zool.* Mulet (poisson). 1396 ; prov. *muge*, du lat. *mugil* ; [myʒ].

**MUGIR, verbe intrans.** [19]
1. Crier, en parlant des bovins : *Vache qui* ***mugit***. 2. Anal. Émettre un bruit semblable à un mugissement : *Vent, sirène qui* ***mugit***. 3. Fig. Parler, crier, chanter avec force. Fin XIII^e s. ; lat. *mugire* ; [myʒiʀ].

**MUGISSEMENT, subst. m.**
1. Cri sourd et prolongé des bovins. 2. Anal. Cri, bruit comparable : ***Mugissement*** *de la tempête.* 1487 ; ☞ *mugir* ; [myʒismɑ̃].

**MUGUET, subst. m.**
1. *Bot.* Plante herbacée de la famille des Liliacées, aux fleurs en clochettes blanches, très parfumées, qui fleurit en mai : *Brin de* ***muguet*** ; *Le* ***muguet*** *du 1^er^ Mai.* 2. *Pathol.* Mycose buccale, due à la *Candida albicans* et qui se manifeste par des plaques blanches à l'intérieur de la bouche. Déb. XIII^e s. ; anc. fr. *mugue*, « musc » ; [mygɛ].

© Gerhard Hofer-Jacana

*Brins de muguet.*

**MUID, subst. m.**
1. Ancienne mesure de capacité pour les liquides, les grains, etc., dont la valeur variait selon les régions et les produits : *Un* ***muid*** *de vin.* 2. Méton. Tonneau de la capacité d'un **muid** de vin ou d'un autre liquide. Mil. XII^e s. ; lat. *modius* ; [mɥi].

**MULARD, ARDE, subst. et adj.**
*Aviculture.* Se dit des hybrides inféconds de canard musqué et de colvert. 1840 ; anc. fr. *mul*, « mulet » ; [mylaʀ, aʀd].

**MULASSIER, IÈRE, adj.**
1. Relatif à la production de mulets : *Région* ***mulassière*** ; *Jument* ***mulassière*** ou, empl. subst. fém., *Une* ***mulassière*** : jument vouée à cette production. 2. Composé de mulets : *Cheptel* ***mulassier***. 1855 ; *mulasse* (rare), « jeune mulet » ; [mylasje, jɛʀ].

**MULÂTRE, ESSE, subst. et adj.**
Qualifie ou désigne une personne dont les parents sont l'un noir et l'autre blanc. 1544 ; port. *mulato*, « métis », de l'esp. *mulo*, « mulet » ; l'adj. est inv. en genre ; [mylɑtʀ, ɛs].

**MULE (I), subst. f.**
Hybride femelle, gén. stérile, d'un âne et d'une jument. ▸ Loc. *Tête de* ***mule*** : personne têtue ; *Têtu comme une* ***mule*** : très entêté. Fin XI^e s. ; lat. *mula* ; [myl].

**MULE (II), subst. f.**
Pantoufle laissant l'arrière du pied découvert : *Des* ***mules*** *brodées.* ▸ ***Mule*** *du pape* : pantoufle blanche ornée d'une croix dorée, que les papes chaussaient jadis. 1556 (1314, engelures aux talons) ; lat. *mulleus calceus*, « brodequin rouge » ; [myl].

**MULE-JENNY, subst. f.**
*Text.* Métier inventé au XVIII^e s. en Angleterre pour la filature du coton et de la laine. 1801 ; angl. *mule-jenny*, de *mule*, « hybride », et de *jenny*, anc. machine à filer le coton, du prénom *Jenny* ; plur. *mule-jennys* ; [mylʒɛni].

**MULET (I), subst. m.**
1. Hybride mâle, stérile, d'un âne et d'une jument. ▸ Loc. *Chargé comme un* ***mulet*** : lourdement (fam.). 2. *Sp.* Voiture de remplacement, dans une course automobile. Fin XI^e s. ; lat. *mulus* ; [mylɛ].

**MULET (II), subst. m.**
*Zool.* Nom générique donné à des poissons perciformes de la famille des Mugilidés (synon. *muge*). Fin XII^e s. ; lat. *mullus*, « rouget » ; [mylɛ].

**MULETA, subst. f.**
*Taurom.* Pièce d'étoffe rouge tendue sur un bâton avec laquelle le matador exécute des passes avant l'estocade. 1831 ; mot esp. ; [muleta] ou [myl-].

**MULETIER, IÈRE, subst. et adj.**
SUBST. Personne qui conduit les mules, les mulets. ADJ. *Chemin, sentier* ***muletier*** : étroit, escarpé, que seuls des mulets ou des mules peuvent, en principe, emprunter. Fin XIV^e s. ; ☞ *mulet* (I) ; [myltje, jɛʀ].

**MULETTE, subst. f.**
*Zool.* Moule d'eau douce susceptible de produire de petites perles. 1800 ; var. de *moulette*, « petite moule » ; [mylɛt].

**MULLA(H), voir MOLLAH**

**MULON,** subst. m.
Petit tas de sel, dans un marais salant. 1636 (1155, tas de foin) ; anc. fr. *mule*, « tas de foin » ; [mylɔ̃].

**MULOT,** subst. m.
*Zool.* Petit rongeur des champs, de la famille des Muridés, qui ressemble à une souris. XIIIe s. ; anc. fr. *mul*, du bas lat. *mullus*, « taupe » ; [mylo].

© J.-L. Le Moigne-Jacana

*Mulot.*

**MULSION,** subst. f.
*Élev.* Traite. 1855 ; lat. médiév. *mulsio* ; [mylsjɔ̃].

**MULTICÂBLE,** adj. et subst. m.
Adj. Qui comporte plusieurs câbles. Subst. *Mines.* Installation d'extraction dotée de cages suspendues à des câbles. V. 1960 ; ☞ *câble* + *multi-* ; [myltikɑbl].

**MULTICARTE,** adj.
Se dit d'un voyageur de commerce qui représente plusieurs entreprises. V. 1970 ; ☞ *carte* + *multi-* ; [myltikaʀt].

**MULTICELLULAIRE,** adj.
*Biol.* Composé de nombreuses cellules. 1865 ; ☞ *cellulaire* + *multi-* ; [myltiselylɛʀ].

**MULTICOLORE,** adj.
Qui est de plusieurs couleurs. 1512 ; lat. *multicolor* ; [myltikɔlɔʀ].

**MULTICOQUE,** adj. et subst. m.
*Mar.* Se dit d'un bateau pourvu de plus d'une coque : *Le prao est un **multicoque**.* Adj. *Bot.* Qui a plusieurs coques. V. 1970 ; ☞ *coque* + *multi-* ; [myltikɔk].

**MULTICOUCHE,** adj.
Formé de plusieurs couches. V. 1960 ; ☞ *couche* + *multi-* ; [myltikuʃ].

**MULTICULTUREL, ELLE,** adj.
Qui participe de plusieurs cultures. V. 1980 ; ☞ *culturel* + *multi-* ; [myltikyltyʀɛl].

**MULTIDIMENSIONNEL, ELLE,** adj.
**1.** Qui a plusieurs dimensions. **2.** Fig. Qui relève de différents domaines, de plusieurs aspects ou niveaux d'un domaine : *Une analyse **multidimensionnelle**.* 1937 ; ☞ *dimensionnel* + *multi-* ; [myltidimɑ̃sjɔnɛl].

**MULTIDISCIPLINAIRE,** adj.
Qui relève de plusieurs disciplines ou spécialités. V. 1960 ; ☞ *disciplinaire* + *multi-* ; [myltidisiplinɛʀ].

**MULTIETHNIQUE,** adj.
Qui comprend plusieurs ethnies. V. 1980 ; ☞ *ethnique* + *multi-* ; [myltiɛtnik].

**MULTIFILAIRE,** adj.
Formé de plusieurs fils, de plusieurs brins : *Câble **multifilaire**.* V. 1960 ; ☞ *fil* + *multi-* ; [myltifilɛʀ].

**MULTIFORME,** adj.
Qui se présente sous des formes différentes, des aspects variés. 1440 ; lat. *multiformis* ; [myltifɔʀm].

**MULTIGRADE,** adj.
*Techn.* Dont les propriétés s'étendent à plusieurs spécifications : *Huile **multigrade**,* qui peut servir en toute saison, en raison de sa viscosité variable. V. 1960 ; angl. *grade*, « niveau », + *multi-* ; [myltigʀad].

**MULTILATÉRAL, ALE, AUX,** adj.
*Écon.* et *Pol.* Qui engage ou concerne plusieurs États ou, par ext., plusieurs parties contractantes. 1928 ; ☞ *latéral* + *multi-* ; [myltilateʀal, o].

**MULTILINÉAIRE,** adj.
*Math.* Qualifie une application $f$ de plusieurs variables vectorielles à valeurs dans un espace vectoriel qui est linéaire par rapport à chaque variable, c.-à-d. telle que chaque application partielle $f_k$ qui à $\vec{u}$ associe $f(\vec{u}_1, \vec{u}_2, ..., \vec{u}_{k-1}, \vec{u}, \vec{u}_{k+1}, ... \vec{u}_n)$ est linéaire, avec $k$ entier variant de 1 à $n$. V. 1960 ; ☞ *linéaire* + *multi-* ; [myltilineɛʀ].

**MULTILINGUE,** adj.
**1.** Rédigé en plusieurs langues : *Dictionnaire multilingue.* **2.** Polyglotte. 1664 ; du lat. *lingua*, « langue », + *multi-* ; [myltilɛ̃g].

**MULTILINGUISME,** subst. m.
Coexistence de plusieurs langues dans un même pays. 1956 ; ☞ *multilingue* ; [myltilɛ̃gɥism].

**MULTILOBÉ, ÉE,** adj.
*Biol.* Qui est divisé en de nombreux lobes. 1808 ; ☞ *lobé* + *multi-* ; [myltilɔbe].

**MULTILOCULAIRE,** adj.
*Bot.* Qualifie l'ovaire divisé en plusieurs cavités d'une plante angiosperme (synon. *pluriloculaire*). 1808 ; ☞ *loculaire* + *multi* ; [myltilɔkylɛʀ].

**MULTIMÉDIA,** adj. et subst. m.
Adj. **1.** *Communication.* Qui a trait à plusieurs médias. **2.** *Informat.* Qui associe des éléments hétérogènes (sons, textes, images, séquences vidéo...) convertis en données numériques, ou qui est capable de les exploiter : *C. D.-ROM **multimédia** ; Ordinateurs **multimédias**.* Subst. *Informat.* Domaine qui se rapporte à la création, à la fabrication et à l'utilisation des produits multimédias. V. 1980 ; ☞ *média* + *multi-* ; [myltimedja].

**MULTIMÈTRE,** subst. m.
*Phys.* Appareil de mesure groupant gén. un ampèremètre, un voltmètre, un ohmmètre et un capacimètre. V. 1960 ; formé de *multi-* et de *-mètre*[1] ; [myltimɛtʀ].

**MULTIMILLIARDAIRE,** adj. et subst.
Se dit d'une personne plusieurs fois milliardaire ou, par hyperb., extrêmement riche. 1944 ; ☞ *milliardaire* + *multi-* ; [myltimiljaʀdɛʀ].

**MULTIMILLIONNAIRE,** adj. et subst.
Se dit d'une personne plusieurs fois millionnaire ou, par hyperb., très riche. 1906 ; ☞ *millionnaire* + *multi-* ; [myltimiljɔnɛʀ].

**MULTINATIONAL, ALE, AUX,** adj.
**1.** *Pol.* ▸ Qui est composé de plusieurs nations. ▸ Qui concerne plusieurs nations : *Force **multinationale**.* **2.** *Écon. Société **multinationale*** ou, empl. subst. fém., *Une **multinationale*** : entreprise qui a des activités dans plusieurs pays. 1928 ; ☞ *national* + *multi-* ; [myltinasjɔnal, o].

**MULTINORME,** adj.
*Télécomm.* Qualifie un téléviseur qui peut recevoir des émissions de standards différents. Mil. XXe s. ; ☞ *norme* + *multi-* ; [myltinɔʀm].

**MULTIPARE,** adj. et subst. f.
**1.** *Zool.* Se dit d'une femelle de mammifère qui donne naissance à plusieurs petits par portée (anton. *unipare*). **2.** *Physiol.* Se dit d'une femme qui a enfanté plusieurs fois (anton. *primipare*). 1803 ; formé de *multi-* et de *-pare* ; [myltipaʀ].

**MULTIPARITÉ,** subst. f.
**1.** *Zool.* Caractère d'une femelle, d'une espèce multipare. **2.** *Physiol.* Fait, pour une femme, d'être multipare. 1832 ; ☞ *multipare* ; [myltipaʀite].

**MULTIPARTISME,** subst. m.
*Pol.* Système dans lequel existent plusieurs partis politiques. 1952 ; ☞ *parti* + *multi-* ; [myltipaʀtism].

**MULTIPLE,** adj. et subst. m.
Adj. **1.** Composé de plusieurs éléments différents (littér.) ; qui se présente ou peut se présenter sous des aspects divers : *Son génie était **multiple**.* **2.** Composé de plusieurs éléments identiques ou de même nature : *Prise **multiple** ; Câble à brins **multiples**.* Adj. plur. Nombreux ; qui se produisent plusieurs fois : *J'ai fourni de **multiples** explications en de **multiples** occasions.* Subst. **1.** *Arithm. **Multiple** d'un entier n* : tout entier produit de $n$ par un autre entier non nul. ▸ *Plus petit commun **multiple** (P. P. C. M.) de plusieurs entiers* : entier le plus petit qui soit **multiple** de chacun des entiers donnés. **2.** *B.-a.* Œuvre produite en plusieurs exemplaires. 1572 ; lat. *multiplex* ; [myltipl].

**MULTIPLET,** subst. m.
**1.** *Informat.* Groupe de plusieurs bits représentant gén. un caractère. **2.** *Math. **Multiplet** d'ordre n* ou *n-uplet* ($n \geqslant 3$) : couple $(m_{n-1}, a_n)$ tel que $m_{n-1}$ soit un **multiplet** d'ordre $n - 1$ (ou le couple $(a_1, a_2)$ si $n = 3$), donc défini par récurrence. On le note $(a_1, a_2, ..., a_n)$, et on dit de préférence triplet si $n = 3$, quadruplet si $n = 4$. **3.** *Phys.* Ensemble de raies spectrales émises ou absorbées par un atome déterminé et qui présentent des caractères communs. **4.** *Phys. part. **Multiplet** de charge* : famille de particules ayant même nombre baryonique, même étrangeté, sensiblement même masse, mais des charges électriques différentes. 1932 ; ☞ *multiple* ; [myltiplɛ].

**MULTIPLEX,** adj. et subst. m.
**1.** *Télécomm.* Se dit d'un système qui réalise ou utilise un procédé de transmission simultanée de plusieurs messages de sources ou de destinations différentes, par une seule voie. **2.** *Audiov.* Se dit d'une liaison qui fait intervenir des participants situés en des lieux distincts. 1890 ; lat. *multiplex*, « multiple » ; [myltiplɛks].

**MULTIPLEXAGE,** subst. m.
*Télécomm.* et *Informat.* Procédé de liaison multiplex. V. 1960 ; ☞ *multiplex* ; [myltiplɛksaʒ].

**MULTIPLIABLE,** adj.
Qui peut être multiplié. Déb. XIIe s. ; ☞ *multiplier* ; [myltiplijabl].

**MULTIPLICANDE,** subst. m.
*Arithm.* Dans une multiplication, terme qui doit être multiplié par un autre, appelé multiplicateur. 1549 ; lat. *multiplicandus* ; [myltiplikɑ̃d].

**MULTIPLICATEUR, TRICE,** adj. et subst. m.
Adj. Qui multiplie. Subst. **1.** *Arithm.* Nombre par lequel on multiplie. **2.** Dispositif qui réalise une multiplication : ***Multiplicateur** d'électrons, de pression.* 1515 ; bas lat. *multiplicator* ; [myltiplikatœʀ, tʀis].

**MULTIPLICATIF, IVE,** adj.
**1.** Qui multiplie ; qui sert à multiplier. **2.** *Ling.* Qui indique la multiplication, la répétition ; empl. subst. masc. : *L'adverbe « ter » et le préfixe « tétra- » sont des **multiplicatifs**.* **3.** *Math. Notation **multiplicative** d'une loi de composition* : écriture $a \cdot b$ ou $ab$ pour le composé des éléments $a$ et $b$. 1550 ; bas lat. *multiplicativus* ; [myltiplikatif, iv].

**MULTIPLICATION,** subst. f.
**1.** Action de multiplier, de se multiplier ; résultat de cette action : *Le miracle de la **multiplication** des pains par le Christ.* **2.** *Biol.* Reproduction, qu'elle soit végétative ou sexuée. **3.** *Bot.* Reproduction des plantes cultivées : ***Multiplication** végétative, par semis.* **4.** *Math.* Dans $\mathbb{N}$, opération définie par $0 \cdot n = 0$, $1 \cdot n = n$ et $p \cdot n = n + n + ... + n$, somme de $p$ termes égaux à $n$. Dans $\mathbb{Z}$, $\mathbb{Q}$, $\mathbb{R}$ et $\mathbb{D}$, la **multiplication** est définie de façon à prolonger celle sur $\mathbb{N}$. ▸ *Table de **multiplication*** : tableau des produits des dix premiers entiers naturels deux à deux. **5.** *Mécan.* Rapport d'une caractéristique d'un élément menant à celle d'un élément mené ; rapport des vitesses angulaires d'un arbre mené et de l'arbre menant (synon. *démultiplication*). XIIIe s. ; lat. *multiplicatio* ; [myltiplikasjɔ̃].

**MULTIPLICITÉ,** subst. f.
Caractère de ce qui est multiple, varié, de ce qui n'est pas simple : *La **multiplicité** des langues amérindiennes ; La **multiplicité** de l'univers.* Fin XIIe s. ; lat. *multiplicitas* ; [myltiplisite].

**MULTIPLIER,** verbe [6]
Intrans. Vieilli. Croître, devenir plus nombreux ; en partic., se reproduire, en parlant d'une espèce, d'une race, etc. Trans. **1.** Faire croître, augmenter (qqch.), quantitativement ou qualitativement ; répéter (qqch.) : ***Multiplier** les difficultés, les interventions.* **2.** Reproduire (des organismes vivants) : ***Multiplier** des bégonias par bouturage.* **3.** *Arithm.* Effectuer la multiplication de. Pronom. **1.** S'accroître. **2.** Se reproduire, par voie de génération. **3.** Fig. Être très actif, au point de sembler être partout à la fois. Déb. XIIe s. ; lat. *multiplicare* ; [myltiplije].

**MULTIPOLAIRE,** adj.
**1.** Qui a plus de deux pôles. **2.** *Biol.* Se dit d'un neurone à partir duquel on observe le développement de plusieurs dendrites. 1855 ; ☞ *polaire* + *multi-* ; [myltipɔlɛʀ].

**MULTIPOSTE,** adj.
*Informat.* Qualifie un système d'exploitation qui peut gérer plusieurs postes en même temps. V. 1980 ; ☞ *poste* (II) + *multi-* ; [myltipɔst].

**MULTIPRISE,** subst. f.
Prise de courant permettant de brancher plusieurs appareils. V. 1970 ; ☞ *prise* + *multi-* ; [myltipʀiz].

**MULTIPROCESSEUR,** adj. et subst. m.
*Informat.* Se dit d'une configuration possédant plusieurs unités de traitement fonctionnant avec une mémoire et des unités périphériques communes. V. 1960 ; angl. *multiprocessor* ; [myltipʀɔsɛsœʀ].

**MULTIPROGRAMMATION,** subst. f.
*Informat.* Configuration logique permettant le travail multitâche. V. 1960 ; ☞ *programmation* + *multi-* ; [myltipʀɔgʀamasjɔ̃].

**MULTIPROPRIÉTÉ,** subst. f.
Copropriété d'une résidence de vacances dans laquelle chaque propriétaire peut séjourner à tour de rôle pendant une période déterminée de l'année. V. 1960 ; ☞ *propriété* + *multi-* ; [myltipʀɔpʀijete].

**MULTIRACIAL, ALE, AUX,** adj.
Où coexistent plusieurs races. 1959 ; ☞ *racial* + *multi-* ; [myltiʀasjal, o].

**MULTIRISQUE,** adj.
Qualifie une assurance qui couvre simultanément plusieurs risques. V. 1970 ; ☞ *risque* + *multi-* ; [myltiʀisk].

**MULTISALLE,** adj.
*Cin.* Qui comporte plusieurs salles de projection. V. 1970 ; ☞ *salle* + *multi-* ; var. *multisalles* ; [myltisal].

**MULTISÉCULAIRE,** adj.
**1.** Vieux de plusieurs siècles. **2.** Qui dure depuis des siècles. 1839 ; ☞ *séculaire* + *multi-* ; [myltisekylɛʀ].

**MULTITÂCHE,** adj.
*Informat.* Qualifie un système d'exploitation qui peut gérer plusieurs tâches en même temps. V. 1980 ; ☞ *tâche* + *multi-* ; [myltitɑʃ].

**MULTITRAITEMENT,** subst. m.
*Informat.* Mode de fonctionnement d'un ordinateur dont les processeurs exécutent simultanément plusieurs opérations. V. 1970 ; ☞ *traitement* + *multi-* ; [myltitʀɛtmɑ̃].

**MULTITUBE,** adj. et subst. m.
*Arm.* Se dit d'un lance-missiles, d'un canon à plusieurs tubes. 1948 ; ☞ *tube* + *multi-* ; [myltityb].

**MULTITUBULAIRE,** adj.
*Techn.* Dont la surface de chauffe est constituée de nombreux tubes, en parlant d'une chaudière. 1890 ; ☞ *tubulaire* + *multi-* ; [myltitybylɛʀ].

**MULTITUDE,** subst. f.
**1.** Grande quantité : *Une* **multitude** *de guêpes.* **2.** Abs. Le peuple, le commun des hommes (littér. ou péj.) : *S'élever au-dessus de la* **multitude** *; Flatter la* **multitude**. XIIe s. ; lat. *multitudo* ; [myltityd].

**MULTIVALENT, ENTE,** adj.
**1.** Polyvalent. **2.** *Phys.* et *Chim.* À plusieurs valences. XXe s. ; formé de *multi-* et de *-valent* ; [myltivalɑ̃, ɑ̃t].

**MUNICHOIS, OISE,** adj. et subst.
De Munich. Subst. **1.** *Hist.* Partisan des accords de Munich, signés en 1938 avec Hitler ; empl. adj. : *La presse* **munichoise**. **2.** Ext. Personne qui se soumet à la loi du plus fort (péj.). Mil. XIXe s. ; topon. *Munich* (Allemagne) ; [mynikwa, waz].

**MUNICIPAL, ALE, AUX,** adj.
**1.** *Antiq. rom.* Relatif à un municipe. **2.** Relatif à une commune, à son administration : *Piscine* **municipale**. ▸ *Officier* **municipal** : élu ou fonctionnaire membre de l'administration communale. ▸ *Élections* **municipales** ou, empl. subst. fém., *Les* **municipales** : élections des conseils **municipaux**. **3.** *Hist. La garde* **municipale** : corps de police parisien de l'époque napoléonienne, composé de gardes **municipaux**. XIVe s. ; lat. *municipalis* ; [mynisipal, o].

**MUNICIPALISER,** verbe trans. [3]
**1.** Soumettre au régime municipal. **2.** *Dr.* Transférer (un bien privé) à une commune, à une municipalité. 1789 ; ☞ *municipal* ; [mynisipalize].

**MUNICIPALITÉ,** subst. f.
**1.** Ensemble des personnes qui administrent une commune. ▸ *Dr. admin.* Réunion du maire et de ses adjoints. **2.** Ext. Commune ; territoire communal. **3.** Méton. Mairie (vx). 1758 ; ☞ *municipal* ; [mynisipalite].

**MUNICIPE,** subst. m.
*Antiq. rom.* Cité italienne, annexée par Rome, qui s'administrait elle-même et dont les habitants jouissaient des droits civils romains sans disposer de droits politiques autres que locaux. 1548 ; lat. *municipium* ; [mynisip].

**MUNIFICENCE,** subst. f.
Littér. **1.** Générosité empreinte de grandeur, d'éclat. **2.** Méton. Don fait avec **munificence**. Mil. XIVe s. ; lat. *munificentia*, de *munificus*, « généreux » ; [mynifisɑ̃s].

**MUNIFICENT, ENTE,** adj.
Qui fait preuve de munificence (littér.). 1840 ; ☞ *munificence* ; [mynifisɑ̃, ɑ̃t].

**MUNIR,** verbe trans. [19]
**1.** Vx. Fortifier. **2.** *Milit.* Approvisionner (une armée, une ville assiégée) en armes, en vivres. **3.** Pourvoir (qqn), garnir (qqch.) de ce qui lui est nécessaire : *Il faudra le* **munir** *d'argent* ; empl. adj. : *Un seau* **muni** *d'une anse.* Pronom. **Se munir de.** Prendre, se procurer. ▸ Loc. *Se* **munir** *de patience, de courage* : se préparer à supporter qqch. de pénible. Déb. XIVe s. ; lat. *munire* ; [myniʀ].

**MUNITION,** subst. f.
*Milit.* Vieilli. **1.** Action de pourvoir une armée, une place de moyens de subsistance et de défense. **2.** Méton. Ensemble de ces moyens. Plur. Explosifs, projectiles destinés aux armes à feu. 1532 (XIVe s., place fortifiée) ; lat. *munitio* ; [mynisjɔ̃].

**MUNITIONNAIRE,** subst. m.
*Milit.* **1.** Sous l'Ancien Régime, fournisseur des troupes en vivres et en fourrage. **2.** Pourvoyeur de munitions. 1572 ; ☞ *munition* ; [mynisjɔnɛʀ].

**MUNSTER,** subst. m.
Fromage de lait de vache, à pâte molle et à croûte lavée, fabriqué dans la vallée vosgienne de Munster. 1881 ; topon. *Munster* (Haut-Rhin) ; [mœ̃stɛʀ].

**MUNTJAC,** subst. m.
*Zool.* Cervidé artiodactyle d'Asie, aux canines supérieures développées et saillantes. 1818 ; angl. *muntjack*, d'un dial. javanais *minchek* ; [mœ̃tʒak].

**MUON,** subst. m.
*Phys. part.* Particule instable dont la masse vaut environ 206 fois celle de l'électron, qui se désintègre en un électron et des neutrinos. Le **muon** est un lepton résultant de la désintégration du méson pi. 1958 ; crois. de *mu* et de *électron* ; [myɔ̃].

**MUPHTI,** voir **MUFTI**

**MUQUEUSE,** subst. f.
*Physiol.* Membrane tapissant la plupart des cavités du corps, formée de cellules qui sécrètent du mucus. 1801 ; ☞ *muqueux* ; [mykøz].

**MUQUEUX, EUSE,** adj.
**1.** Qui concerne les mucosités : *Sécrétion* **muqueuse**. **2.** *Glande* **muqueuse** : qui sécrète, produit du mucus. 1520 ; lat. *mucosus*, de *mucus*, « morve » ; [mykø, øz].

**MUR,** subst. m.
**1.** Ouvrage de maçonnerie, vertical ou oblique, élevé pour enclore, protéger ou diviser un espace ou pour soutenir les étages d'une construction : **Mur** *de pierres, de briques* ; **Mur** *porteur*, qui soutient le plancher haut ; **Mur** *de soutènement* (☞ *soutènement*). ▸ *Hist. Le* **mur** *d'Hadrien* : édifié par cet empereur romain au nord de la Bretagne (auj., l'Angleterre) pour se protéger des Pictes, établis dans l'Écosse actuelle ; *Le* **mur** *de Berlin* : double **mur** fortifié qui séparait les zones d'occupation soviétique et occidentale (1961-1989) ; *Le* **mur** *des Lamentations* (☞ *lamentation*) ; *Le* **mur** *des Fédérés* (☞ *fédéré*). **2.** Ext. Ouvrage d'une autre facture que la maçonnerie, ayant les mêmes fonctions. ▸ *Hist. Le* **mur** *de l'Atlantique* : ensemble de fortifications bâti par les Allemands pendant la Seconde Guerre mondiale pour empêcher un débarquement allié. **3.** Anal. Paroi naturelle ; obstacle naturel : *Un* **mur** *de granite* ; *Un* **mur** *de brouillard.* **4.** Fig. Obstacle infranchissable (synon. *fossé*) : *Il y a un* **mur** *entre nous.* **5.** Loc. *Coller qqn au* **mur** : le fusiller ; *Entre quatre* **murs** : seul ou en prison ; *Être le dos au* **mur** : acculé ; *Mettre qqn au pied du* **mur** : l'obliger à agir, à prendre parti ; *Faire le* **mur** : sortir clandestinement d'une caserne ou, par ext., d'un internat ; *Se taper la tête contre les* **murs** : désespérer de trouver une solution ; *Les* **murs** *ont des oreilles* : méfiez-vous des espions ! **6.** *Géol.* Surface inférieure ou terrain sous-jacent d'une formation ou d'une structure (anton. *toit*) : **Mur** *d'une faille, d'un filon.* **7.** *Phys.* **Mur** *du son* : ensemble de phénomènes aérodynamiques qui se produisent lorsqu'un mobile se déplace dans l'atmosphère en s'approchant de la vitesse du son. Plur. Enceinte d'un domaine, d'une ville, d'un château ; par méton., l'espace circonscrit : *L'ennemi est dans nos* **murs**. ▸ *Antiq. gr. Les Longs* **Murs** : qui protégeaient Athènes, Le Pirée et la route qui les reliait. 980 ; lat. *murus* ; [myʀ].

**MÛR, MÛRE,** adj.
**1.** Qui est développé au point de pouvoir germer, en parlant d'une graine, ou de pouvoir être récolté, en parlant d'un fruit : *Une poire* **mûre** *et juteuse.* ▸ Loc. *En voir des vertes et des pas* **mûres** : voir ou subir une série de choses choquantes ou désagréables (fam.). **2.** Qui a achevé son développement, en parlant d'une personne : *Homme* **mûr** ; par méton. : *Âge* **mûr**, âge de la maturité. **3.** Anal. ▸ Près de percer, en parlant d'un abcès, d'un bouton. ▸ Usé, en parlant d'un tissu, d'un vêtement. **4.** Fig. Qui a atteint le stade de la réalisation : *Le projet est* **mûr**. ▸ Loc. *Après* **mûre** *réflexion* : après avoir longuement et soigneusement réfléchi ; *Il est* **mûr** *pour l'asile* : il est fou (péj.) ; *Les temps sont* **mûrs** *pour* : toutes les conditions sont réunies pour. **5.** Soûl (pop.). Fin XIIe s. ; lat. *maturus* ; [myʀ].

**MÛRAIE,** subst. f.
Plantation de mûriers. XVe s. ; ☞ *mûre* ; var. *mûreraie* ; [myʀɛ].

**MURAGE,** subst. m.
Action de murer. XIIIe s. ; ☞ *murer* ; [myʀaʒ].

**MURAILLE,** subst. f.
**1.** Mur épais et résistant, souvent haut et long : *La grande* **muraille** *de Chine* ; au plur., murs de fortification. ▸ Loc. *Couleur de* **muraille** : gris, qui se confond avec les murs ou, au fig., discret. **2.** Anal. Obstacle naturel, élevé : *Une* **muraille** *de végétation.* **3.** *Mar.* Partie de la coque située au-dessus de la ligne de flottaison. **4.** *Hippol.* Partie externe du sabot. Déb. XIIIe s. ; ☞ *mur* ; [myʀaj].

© A. Tovy-Explorer

*La grande* **muraille** *de Chine et les collines Badaling, à 50 km de Pékin.*

**MURAL, ALE, AUX,** adj.
**1.** *Antiq. Couronne* **murale** : décernée au premier qui escaladait les murs d'une ville assiégée. **2.** Relatif à un mur. **3.** *Bot.* Qui croît, qui se développe sur les murs. **4.** Que l'on applique, que l'on fixe à un mur : *Tenture, pendule* **murale**. ▸ *B.-a. Arts* **muraux** : la peinture **murale**, la fresque, la mosaïque, etc. Mil. XIVe s. ; lat. *muralis* ; [myʀal, o].

**MÛRE,** subst. f.
**1.** Fruit composé du mûrier et de quelques genres voisins, formé d'une multitude de petites drupes juteuses. **2.** Fruit de la ronce, constitué de petites drupes violet-noir (synon. régional *mûron*). Mil. XIIe s. ; lat. *mora* ; [myʀ].

**MÛREMENT,** adv.
Avec une longue et minutieuse réflexion. Déb. XIIIe s. ; ☞ *mûr* ; [myʀmɑ̃].

© D. Brandelet-Jacana

*Murène.*

**MURÈNE,** subst. f.
*Zool.* Murénidé nocturne et vorace, dont la morsure est douloureuse. La **murène** commune vit en Méditerranée et dans la zone tempérée de l'Atlantique. Mil. XIIIe s. ; lat. *muraena* ; [myʀɛn].

**MURÉNIDÉS, subst. m. plur.**
*Zool.* Famille de poissons osseux des eaux chaudes, dépourvus d'écailles, sans nageoires pelviennes ni pectorales, à ouverture branchiale étroite et dont la tête allongée est pourvue de puissantes mâchoires. AU SING. *Le congre est un **murénidé**.* V. 1900 ; ☞ *murène* ; [myʀenide].

**MURER, verbe trans.** [3]
**1.** Condamner (une ouverture) en y montant un mur : *Murer une fenêtre.* **2.** Entourer d'un mur : *Murer une ville.* **3.** Anal. Enfermer, emprisonner (qqn) : *L'avalanche **a muré** les automobilistes dans le tunnel.* PRONOM. **1.** S'enfermer (dans un lieu). **2.** Fig. S'isoler moralement : *Elle **se mura** dans son silence.* Fin XII^e s. ; ☞ *mur* ; [myʀe].

**MÛRERAIE, voir MÛRAIE**

**MURET, subst. m.**
Petit mur bas, en partic. de pierres sèches, servant de clôture. Déb. XIII^e s. ; ☞ *mur* ; var. *une murette* ; [myʀɛ].

**MUREX, subst. m.**
*Zool.* Gastéropode marin, rampant sur les fonds littoraux, à coquille épaisse et fortement épineuse, dont on tirait la pourpre. 1505 ; mot lat. ; [myʀɛks].

**MURIDÉS, subst. m. plur.**
*Zool.* Famille de petits rongeurs à queue longue couverte de poils ras. AU SING. *Le mulot est un **muridé**.* 1834 ; lat. *mus*, « souris » ; [myʀide].

**MÛRIER, subst. m.**
*Bot.* Plante arborescente de la famille des Moracées, originaire d'Orient, dont le fruit est la mûre ; le **mûrier** noir est cultivé pour ses fruits, et le **mûrier** blanc pour ses feuilles, dont se nourrit le ver à soie. ▸ *Mûrier des haies* : ronce dont le fruit est la mûre, ou mûron (empl. abusif). Fin XI^e s. ; ☞ *mûre* ; [myʀje].

**MÛRIR, verbe** [19]
INTRANS. Devenir mûr : *Faire **mûrir** des fruits artificiellement* ; *Elles **ont mûri** avec l'âge* ; *Leur projet **mûrit*** ; *L'abcès **mûrit**.* TRANS. Rendre mûr (littér.) : *Il **mûrit** sa vengeance.* Mil. XIII^e s. ; anc. fr. *meürer*, du lat. *maturare* ; [myʀiʀ].

**MÛRISSANT, ANTE, adj.**
**1.** Qui est en train de mûrir (littér.). **2.** Fig. Qui commence à vieillir, en parlant d'une personne (péj.). 1669 ; p. pr. de *mûrir* ; [myʀisɑ̃, ɑ̃t].

**MÛRISSEMENT, subst. m.**
**1.** Fait de mûrir (synon. *maturation*). **2.** Action de faire mûrir. 1587 ; ☞ *mûrir* ; [myʀismɑ̃].

**MÛRISSERIE, subst. f.**
Lieu aménagé pour le mûrissement de certains fruits. 1959 ; ☞ *mûrir* ; [myʀisʀi].

**MURMURE, subst. m.**
**1.** Son de voix faible, continu et indistinct ; expression à mi-voix : *Un **murmure** d'approbation.* **2.** Bruit faible, doux, continu : *Le **murmure** de la brise.* PLUR. Critiques que l'on n'ose pas formuler clairement : ***Murmures** dans la salle.* Fin XII^e s. ; ☞ *murmurer* ; [myʀmyʀ].

**MURMURER, verbe** [3]
INTRANS. Faire entendre un murmure : *Le mur murant Paris rend Paris **murmurant*** (calembour anonyme de 1785). TRANS. Dire à voix basse : ***Murmurer** un secret au creux de l'oreille* ; au fig., suggérer, insinuer : *On **murmure** qu'il a tout perdu.* Déb. XII^e s. ; lat. *murmurare* ; [myʀmyʀe].

**MÛRON, subst. m.**
Mûre (région.). XIV^e s. ; ☞ *mûre* ; [myʀɔ̃].

**MURRHIN, INE, adj.**
*Antiq.* Fait d'une matière irisée, la murrhe, qui pourrait être de la fluorine : *Vase **murrhin**.* 1541 ; lat. *murrhinus* ; [myʀɛ̃, in].

**MUSACÉES, subst. f. plur.**
*Bot.* Famille de plantes monocotylédones des régions chaudes, de l'ordre des Zingibérales. AU SING. *Le bananier est une **musacée**.* 1816 ; lat. sc. *musa*, nom donné par Linné au bananier ; [myzase].

**MUSAGÈTE, adj. m.**
*Antiq. gr. Apollon **musagète*** : conducteur des Muses. 1552 ; lat. *Musagetes*, du gr. *Mousêgetês* ; [myzaʒɛt].

**MUSARAIGNE, subst. f.**
*Zool.* Petit mammifère insectivore de la famille des Soricidés, à museau allongé en trompe, le plus souvent terrestre, mais dont certaines espèces vivent en milieu aquatique. La plus petite **musaraigne** est le pachyure étrusque, qui ne pèse que 2 grammes. XV^e s. ; lat. *musaraneus*, de *mus*, « souris », et de *aranea*, « araignée », sa morsure étant réputée venimeuse ; [myzaʀɛɲ].

**MUSARD, ARDE, subst. et adj.**
Vieilli. Se dit de qqn qui musarde ; par méton. : *Avoir l'âme **musarde**.* 1530 (mil. XII^e s., niais) ; ☞ *muser* ; [myzaʀ, aʀd].

**MUSARDER, verbe intrans.** [3]
S'attarder, flâner (synon. vieilli *muser*). XIII^e s. ; ☞ *musard* ; [myzaʀde].

**MUSC, subst. m.**
**1.** Substance brunâtre à l'odeur pénétrante, sécrétée par les glandes abdominales de certains mammifères. **2.** Méton. Parfum à base de **musc** ou d'une substance de synthèse imitant son odeur. Mil. XIII^e s. ; bas lat. *muscus*, du persan *mošk* ou *mešk* ; [mysk].

**MUSCADE, adj. f. et subst. f.**
*Noix (de) **muscade*** : graine du fruit du muscadier, utilisée comme condiment. ADJ. *Bot. Rose **muscade*** : variété de rose rouge à l'odeur épicée. SUBST. **1.** Fruit du muscadier. **2.** *Cuis.* Noix de **muscade**. **3.** Anal. Petite boule de liège utilisée par les prestidigitateurs. ▸ Loc. *Passez, **muscade** !* : ni vu ni connu. Mil. XII^e s. ; anc. prov. *muscada*, de *musc* ; [myskad].

**MUSCADET, subst. m.**
**1.** Vx. Vin muscat. **2.** *Vitic.* Cépage blanc ; par méton., vin blanc sec de la région nantaise. 1415 ; prov. *muscadel* ; [myskadɛ].

**MUSCADIER, subst. m.**
*Bot.* Arbre tropical de la famille des Myristicacées, aux feuilles vernies, qui produit la muscade. 1604 ; ☞ *muscade* ; [myskadje].

**MUSCADIN, subst. m.**
Péj. **1.** Jeune élégant prétentieux (vieilli). **2.** *Hist.* Après Thermidor, jeune royaliste à la mise excentrique, à la diction et aux manières affectées. 1747 (1578, bonbon au musc) ; ital. *moscardino*, de *moscado*, « musc » ; [myskadɛ̃].

**MUSCADINE, subst. f.**
**1.** *Vitic.* Cépage noir cultivé au Canada ; par méton., vin que l'on en tire. **2.** Chocolat fourré imitant une noix de muscade. 1802 ; ☞ *muscat* ; [myskadin].

**MUSCARDIN, subst. m.**
*Zool.* Rongeur de la famille du loir, de la taille d'une souris, au pelage roux et blanc et à larges oreilles rondes, qui vit la nuit dans les fourrés riches en baies. Mil. XVIII^e s. ; ital. *moscardino*, de *moscado*, « musc » ; [myskaʀdɛ̃].

**MUSCARDINE, subst. f.**
Maladie causée par un champignon parasite, qui décimait jadis les élevages de vers à soie. 1763 ; prov. *moscardino*, de l'ital. *moscado*, « musc » ; [myskaʀdin].

**MUSCARI, subst. m.**
*Bot.* Plante ornementale à bulbe de la famille des Liliacées, à fleurs bleues, voisine de la jacinthe. 1694 ; bas lat. *muscus*, « musc » ; [myskaʀi].

**MUSCARINE, subst. f.**
*Biochim.* Alcaloïde toxique présent dans certains champignons vénéneux, tels que l'amanite tue-mouches. 1877 ; all. *Muskarin*, du lat. sc. *amanita muscaria*, « amanite tue-mouches » ; [myskaʀin].

**MUSCAT, subst. m. et adj. m.**
**1.** Se dit d'un cépage blanc ou noir produisant du raisin dont le goût, l'odeur évoquent le musc ; ce raisin. **2.** Se dit d'un vin doux fait avec des raisins **muscats** blancs. 1371 ; mot prov. ; le fém. de l'adj., *muscate*, est rare ; [myska, at].

**MUSCIDÉS, subst. m. plur.**
*Zool.* Famille d'insectes de l'ordre des Diptères, composée de mouches aux yeux rapprochés, au corps trapu et aux antennes courtes. AU SING. *La drosophile est un **muscidé**.* 1818 ; lat. *musca*, « mouche », + *ide* ; [myside].

**MUSCINÉES, subst. f. plur.**
*Bot.* Mousses. 1855 ; lat. *muscus*, « mousse » ; [mysine].

**MUSCLE, subst. m.**
**1.** *Anat.* Organe simple ou composé, constitué de fibres contractiles capables d'assurer la production d'un travail mécanique. **2.** Méton. Force physique. ▸ Loc. *Avoir du **muscle*** : être fort ; au fig. : *Un style qui a du **muscle***, à l'expression puissante ; *Être tout en **muscles*** : sans graisse ; *Avoir des **muscles** d'acier* : une grande robustesse. 1314 ; lat. *musculus*, « petite souris ; muscle » ; [myskl].

ANATOMIE – Il existe deux types de muscles : les muscles striés et les muscles lisses. Les muscles striés du squelette, dont l'activité contractile volontaire permet la vie de relation, comportent une partie charnue centrale, rouge, parfois double ou triple (biceps, triceps) et des extrémités tendineuses résistantes qui s'insèrent généralement sur l'os. Des aponévroses les engainent et les séparent des organes voisins. Le muscle cardiaque, ou myocarde, est un muscle strié dont la contraction se fait spontanément et rythmiquement, assurant l'automatisme fonctionnel du cœur. Les muscles lisses, blancs, sont présents au niveau des organes de la vie végétative (parois artérielles, viscères, bronches...), dont ils commandent les mouvements par leur activité purement réflexe.

**MUSCLÉ, ÉE, adj.**
**1.** Qui a les muscles développés, puissants. **2.** Fig. Vigoureux, énergique : *Un discours **musclé*** ; autoritaire, qui recourt à la force : *Un régime politique **musclé*** ; *Intervention policière **musclée**.* 1553 ; ☞ *muscle* ; [myskle].

**MUSCLER, verbe trans.** [3]
**1.** Développer les muscles de : *Ces exercices vont le **muscler*** ; *Elle veut **muscler** ses jambes.* **2.** Fig. Donner de la vigueur à. 1771 ; ☞ *muscle* ; [myskle].

**MUSCULAIRE, adj.**
Relatif, propre aux muscles. 1698 ; lat. *musculus*, « petite souris ; muscle » ; [myskylɛʀ].

**MUSCULATION, subst. f.**
Entraînement physique destiné à développer la musculature. 1922 (1865, fonctionnement des muscles) ; ☞ *muscler* ; [myskylasjɔ̃].

**MUSCULATURE, subst. f.**
Ensemble des muscles du corps ou d'une partie du corps. 1798 ; lat. *musculus*, « petite souris ; muscle » ; [myskylatyʀ].

**MUSCULEUX, EUSE, adj. et subst. f.**
ADJ. **1.** Qui est de la nature du muscle. **2.** Qui a une musculature bien développée. SUBST. *Physiol.* Couche de fibres musculaires assurant la mobilité d'un organe. 1314 ; ☞ *muscle* ; [myskylø, øz].

**MUSCULO-MEMBRANEUX, EUSE, adj.**
*Anat.* Qualifie un organe comportant une partie membraneuse et une partie musculaire. 1903 ; comp. de *musculaire* et de *membraneux* ; plur. *musculo-membraneux, euses* ; [myskylomɑ̃bʀanø, øz].

**MUSE, subst. f.**
**1.** *Myth.* **Les Muses.** Les neuf déesses grecques qui présidaient aux arts libéraux : *Clio, **muse** de l'Histoire* ; *Euterpe, **muse** de la Musique* ; *Thalie, **muse** de la Comédie* ; *Melpomène, **muse** de la Tragédie* ; *Terpsichore, **muse** de la Danse* ; *Érato, **muse** de l'Élégie* ; *Polymnie, **muse** de la Poésie lyrique* ; *Uranie, **muse** de l'Astronomie* ; *Calliope, **muse** de l'Éloquence.* **2.** Méton. *La **Muse**, les **Muses*** : la poésie. **3.** *La **muse** d'un artiste* : la femme qui l'inspire. XIII^e s. ; lat. *Musa*, du gr. *Mousa* ; [myz].

**MUSEAU, subst. m.**
**1.** Partie antérieure saillante de la face de certains animaux, portant le nez et la bouche ; par méton., charcuterie faite avec du **museau** de porc ou de bœuf. **2.** Fig. Face humaine (fam.) : *Un joli **museau**.* 1210 ; anc. fr. °*mus*, du bas lat. *musus* ; [myzo].

**MUSÉE, subst. m.**
**1.** Vx. Institut des beaux-arts, des sciences et des lettres. **2.** Lieu où sont réunis des œuvres d'art ou des objets présentant un intérêt artistique, scientifique, technique ou historique, en vue de leur conservation ou de leur exposition au public : *Le **Musée** postal* ; *Le **musée** de la Faïence* ; *Un **musée** privé.* ▸ ***Musée** des horreurs* : qui renferme des représentations de personnages, de scènes terrifiantes. ▸ Loc. *Pièce de **musée*** : objet très vieux (parfois péj.), très rare ou très intéressant. XIII^e s. ; lat. *museum*, du gr. *mouseion*, « lieu consacré aux Muses » ; [myze].

**MUSELER, verbe trans.** [12]
**1.** Mettre une muselière à (un animal). **2.** Fig. Empêcher de s'exprimer : ***Museler** l'opposition.* Fin XIV^e s. ; *musel*, anc. forme de *museau* ; [myz(ə)le].

**MUSELET, subst. m.**
Fil de fer qui maintient le bouchon d'une bouteille de champagne, de cidre, etc. 1903 ; *musel*, anc. forme de *museau* ; [myz(ə)lɛ].

**MUSELIÈRE, subst. f.**
Réseau de lanières, gén. en cuir, dont on entoure le museau de certains animaux pour les empêcher de mordre ou de manger. XIII^e s. ; *musel*, anc. forme de *museau* ; [myzəljɛʀ].

**MUSELLEMENT,** subst. m.
Action de museler. ▭ 1848 ; ☞ *museler* ; [myzɛlmɑ̃].

**MUSÉOGRAPHIE,** subst. f.
**1.** Étude des musées, de leurs collections. **2.** Muséologie. ▭ 1824 ☞ *musée* + *-graphie* ; [myzeogʀafi].

**MUSÉOLOGIE,** subst. f.
Science et technique de la conservation, du classement et de la présentation des collections, ainsi que de l'organisation administrative et culturelle des musées. ▭ 1931 ; ☞ *musée* + *-logie* ; [myzeolɔʒi].

**MUSER,** verbe intrans. [3]
**1.** Musarder (vieilli ou littér.). **2.** *Vén.* Entrer en rut, en parlant d'un cerf. ▭ Fin XIIe s. ; anc. fr. °*mus*, « museau » ; [myze].

**MUSEROLLE,** subst. f.
Partie du harnais qui entoure les naseaux du cheval et l'empêche d'ouvrir la bouche. ▭ 1593 ; ital. *museruola* ; [myzʀɔl].

**MUSETTE (I),** subst.
**Fém. 1.** *Mus.* Ancien instrument à vent proche de la cornemuse. **2.** Méton. Au XVIIIe s., danse pastorale et composition instrumentale ressemblant à la gavotte. ▸ En appos. *Bal* ***musette*** : genre de bal populaire parisien né au XIXe s., animé à ses débuts par un joueur de **musette** auvergnat, puis par un accordéoniste. **3.** Anal. Sac en toile porté en bandoulière. **Masc. 1.** Bal **musette**. **2.** Musique jouée dans les bals **musettes**. ▭ Mil. XIIIe s. ; anc. fr. *muse*, de *muser*, « jouer de la musette » ; [myzɛt].

**MUSETTE (II),** subst. f.
Musaraigne (région.). ▭ 1529 ; anc. fr. *muset* ; [myzɛt].

**MUSÉUM,** subst. m.
Musée consacré aux sciences naturelles. ▭ 1746 (1566, académie, collège) ; lat. *museum*, du gr. *mouseion*, « lieu consacré aux Muses » ; [myzeɔm].

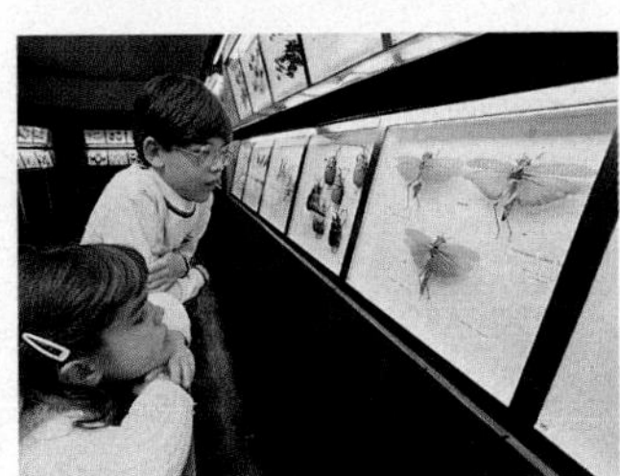
© Le Toquin-Explorer

*Exposition des « plus beaux insectes du monde » au Muséum national d'Histoire naturelle, à Paris.*

**MUSICAL (I), ALE, AUX,** adj.
**1.** Propre à la musique ; qui en a les caractères : *Œuvre* ***musicale*** ; *Voix* ***musicale***, mélodieuse. ▸ Loc. *Avoir l'oreille* ***musicale*** : savoir reconnaître les notes. **2.** Qui comporte de la musique : *Comédie* ***musicale***. ▭ XVe s. ; ☞ *musique* ; [myzikal, o].

**MUSICAL (II),** subst. m.
Comédie musicale, en partic. nord-américaine. ▭ V. 1970 ; mot. anglo-amér. ; plur. *musicals* ; [myzikal].

**MUSICALEMENT,** adv.
Du point de vue de la musique ; harmonieusement. ▭ 1837 (XVe s., conformément aux règles musicales) ; ☞ *musical* (I) ; [myzikalmɑ̃].

**MUSICALITÉ,** subst. f.
Caractère de ce qui est musical. ▭ 1835 ; ☞ *musical* (I) ; [myzikalite].

**MUSIC-HALL,** subst. m.
Lieu où l'on donne des spectacles de variétés ; par méton., le genre de spectacle présenté dans un tel établissement : *Le french cancan, c'est du* ***music-hall*** *!* ▭ 1861 ; angl. *music hall*, « salle de musique » ; plur. *music-halls* ; [myzikol].

**MUSICIEN, IENNE,** subst. et adj.
**Subst.** Personne qui compose ou qui exécute de la musique. **Subst.** et **Adj.** Se dit d'une personne qui aime la musique, qui a des dispositions pour la musique. ▭ Mil. XIVe s. ; ☞ *musique* ; [myzisjɛ̃, jɛn].

**MUSICOGRAPHE,** subst.
Personne qui écrit sur la musique, sur les musiciens. ▭ 1850 (1845, instrument servant à écrire la musique) ; formé de *musico-* et de *-graphe* ; [myzikogʀaf].

**MUSICOGRAPHIE,** subst. f.
Spécialité du musicographe. ▭ 1901 ; formé de *musico-* et de *-graphie* ; [myzikogʀafi].

**MUSICOLOGIE,** subst. f.
Discipline qui étudie la théorie, l'histoire, l'esthétique, la création musicales. ▭ 1898 ; formé de *musico-* et de *-logie* ; [myzikolɔʒi].

**MUSICOLOGUE,** subst.
Spécialiste de musicologie. ▭ 1852 ; formé de *musico-* et de *-logue* ; [myzikolɔg].

**MUSICOTHÉRAPIE,** subst. f.
Traitement des affections nerveuses ou psychiques par la musique. ▭ 1907 ; formé de *musico-* et de *-thérapie* ; [myzikoteʀapi].

**MUSIQUE,** subst. f.
**1.** Art de combiner les sons selon des règles d'harmonie variables suivant les pays, les époques ; genre de composition musicale : *La* ***musique*** *vocale, instrumentale.* ▸ ***Musique*** *de chambre* : composée pour de petits ensembles (duo, trio, quatuor, etc.) et destinée à être jouée dans un espace restreint. **2.** Production, interprétation, notation d'œuvres musicales : *Déchiffrer de la* ***musique***, lire une partition. ▸ Loc. fam. *Réglé comme du papier à* ***musique*** : se dit d'une personne aux habitudes très régulières, ou de ce qui est parfaitement organisé ou qui se produira certainement ; *Connaître la* ***musique*** : savoir s'y prendre. **3.** Métaph. Ensemble de sons harmonieux évoquant la musique : *La* ***musique*** *du vent* ; *La* ***musique*** *d'une phrase.* ▭ Mil. XIIe s. ; lat. *musica*, du gr. *mousikê*, « art des Muses » ; [myzik].

**MUSIQUER,** verbe [3]
**Intrans.** Vx. Jouer de la musique (fam. ou région.). **Trans.** Mettre en musique (vx ou littér.). ▭ 1392 ; ☞ *musique* ; [myzike].

**MUSIQUETTE,** subst. f.
Petite musique sans prétention (fam.). ▭ 1873 ; ☞ *musique* ; [myzikɛt].

**MUSOIR,** subst. m.
Extrémité arrondie d'une digue, d'une jetée. ▭ 1757 ; p.-ê. anc. fr. °*mus*, « museau » ; [myzwaʀ].

**MUSQUÉ, ÉE,** adj.
**1.** Parfumé avec du musc. **2.** Dont l'odeur, la saveur rappelle celle du musc : *Des poires* ***musquées***. ▸ *Zool. Rat* ***musqué*** : ondatra ; *Bœuf* ***musqué*** : ovibos. ▭ XIVe s. ; ☞ *musc* ; [myske].

**MUSSIF, IVE,** adj.
*Techn. Or* ***mussif*** : sulfure d'étain, de couleur or, qui sert à bronzer les statues de plâtre. ▭ Déb. XIXe s. ; bas lat. *aurum musivum*, « or de mosaïque » ; [mysif, iv].

**MUSSITATION,** subst. f.
*Pathol.* Mouvement des lèvres sans émission de son, associé à certains troubles cérébraux. ▭ 1812 (1531, murmure) ; bas lat. *mussitatio*, « murmures » ; [mysitasjɔ̃].

**MUST,** subst. m.
Ce qu'il faut faire ou savoir pour être à la mode (anglic. fam.). ▭ V. 1970 ; mot angl. ; [mœst].

**MUSTANG,** subst. m.
*Zool.* Cheval sauvage ou semi-sauvage des grandes prairies américaines. ▭ 1840 ; anglo-amér. *mustang*, de l'esp. *mestengo*, « errant, sans maître » ; [mystɑ̃g].

**MUSTÉLIDÉS,** subst. m. plur.
*Zool.* Famille de mammifères carnivores, aux pattes courtes, regroupant la belette, la fouine, l'hermine, etc. **Au sing.** *Le furet est un* ***mustélidé***. ▭ 1835 ; lat. *mustela*, « belette » ; [mystelide].

*Un mustélidé : le glouton.*

© S. Krasemann-Jacana

**MUSULMAN, ANE,** subst. et adj.
Se dit d'une personne adepte de l'islam. **Adj.** Relatif, propre à la religion islamique. ▭ Mil. XVIe s. ; persan *musulmān*, de l'ar. *muslim* ; [myzylmɑ̃, an].

**MUTABLE,** adj.
*Génét.* Qui peut subir des mutations. ▭ 1576 ; lat. *mutabilis*, « sujet au changement » ; [mytabl].

**MUTAGE,** subst. m.
*Techn.* Action de muter un moût. ▭ 1832 ; ☞ *muter* (II) ; [mytaʒ].

**MUTAGÈNE,** adj.
*Génét.* Qualifie un agent susceptible d'entraîner des mutations. ▭ 1955 ; ☞ *mutation* + *-gène* ; [mytaʒɛn].

**MUTAGENÈSE,** subst. f.
*Génét.* Mécanisme à l'origine des mutations au niveau des séquences d'A. D. N. qui constituent les gènes. ▭ V. 1960 ; ☞ *mutation* + *-genèse* ; [mytaʒənɛz].

**MUTANT, ANTE,** adj. et subst.
*Génét.* Se dit d'un individu qui a subi une mutation, c.-à-d. qui est porteur d'une forme allélique mutée d'un gène particulier. **Subst.** *Litt.* et *Cin.* Personnage de science-fiction, en partic. être humain, qui a subi une mutation. ▭ 1909 ; angl. *mutant*, du lat. *mutans*, « changeant » ; [mytɑ̃, ɑ̃t].

**MUTATEUR,** subst. m.
*Phys.* Redresseur qui convertit l'énergie issue d'une source électrique en modifiant la forme du courant. ▭ ☞ *muter* (I) ; [mytatœʀ].

**MUTATION,** subst. f.
**1.** Changement, transformation : *Mutation de la personnalité.* **2.** Affectation d'un employé, d'un fonctionnaire à un autre poste, dans un autre lieu. **3.** *Dr.* Transmission d'un droit de propriété, sur laquelle l'État perçoit une taxe : *Droits de* ***mutation***. **4.** *Mus. Jeux de* ***mutation*** : jeux d'orgue donnant, pour une même note, les harmoniques du ton fondamental. **5.** *Génét.* Modification héréditaire du patrimoine génétique de l'individu, qui peut être génique (formation d'un nouvel allèle) ou chromosomique (accident chromosomique). ▭ Fin XIIIe s. ; lat. *mutatio* ; [mytasjɔ̃].

**MUTATIONNISME,** subst. m.
*Sc.* Théorie de l'évolution, énoncée par De Vries, fondée sur les mutations biologiques. ▭ 1931 ; ☞ *mutation* ; [mytasjɔnism].

**MUTATIS MUTANDIS,** loc. adv.
En changeant ce qui doit être changé : *Cette ancienne loi peut encore être appliquée* ***mutatis mutandis***. ▭ 1633 ; loc. lat. ; [mytatismytɑ̃dis].

**MUTER (I),** verbe [3]
**Intrans.** *Biol.* Subir une mutation. **Trans.** Changer l'affectation de : *Muter un professeur.* ▭ 1498 (1481, vendre) ; lat. *mutare*, « changer » ; [myte].

**MUTER (II),** verbe trans. [3]
*Techn.* Arrêter la fermentation alcoolique d'un moût par addition d'alcool ou d'hydride sulfureux : *Muter un vin.* ▭ 1765 ; *(vin) muet* (vx), « fait avec du moût non fermenté » ; [myte].

**MUTILATION,** subst. f.
Action de mutiler ; son résultat. ▭ 1340 ; lat. *mutilatio* ; [mytilasjɔ̃].

**MUTILÉ, ÉE,** adj. et subst.
**Adj.** Qui a subi une mutilation : *Bras* ***mutilé*** ; au fig. : *Texte* ***mutilé***. **Subst.** Personne **mutilée** : *Un* ***mutilé*** *de guerre.* ▭ Fin XIVe s. ; p. p. de *mutiler* ; [mytile].

**MUTILER,** verbe trans. [3]
**1.** Amputer par la violence (une partie du corps, un être vivant) d'un membre, d'un organe. **2.** Anal. Endommager, dégrader ; réduire (qqch.) : *Mutiler une statue, une pensée.* ▭ 1334 ; lat. *mutilare* ; [mytile].

**MUTIN, INE,** adj. et subst.
**Adj. 1.** Vx. Insoumis : *Peuple* ***mutin***. **2.** Malicieux, taquin : *Enfant, ton* ***mutin***. **Subst.** Personne qui se révolte contre l'autorité établie (synon. *mutiné*). ▭ XIVe s. ; *meute* (vx), « émeute » ; [mytɛ̃, in].

**MUTINÉ, ÉE,** adj. et subst.
Se dit de qqn qui participe à une mutinerie. ▭ 1577 ; p. p. de *se mutiner* ; [mytine].

**MUTINER (SE),** verbe pronom. [3]
Se révolter, se soulever contre l'autorité établie, en partic. en parlant de soldats, de marins, de prisonniers, etc. ▭ Fin XIVe s. ; ☞ *mutin* ; [mytine].

**MUTINERIE,** subst. f.
Action de se mutiner ; son résultat. ▭ 1332 ; ☞ *mutin* ; [mytinʀi].

**MUTIQUE, adj.**
*Pathol.* Atteint de mutisme. V. 1970 ; lat. *mutus*, « muet » ; [mytik].

**MUTISME, subst. m.**
**1.** *Psych.* Maintien du silence, symptomatique de troubles psychiques sans lésions organiques, chez une personne qui refuse de communiquer par la parole. **2.** Ext. Attitude d'une personne qui se refuse à parler ; caractère des choses muettes : *Le **mutisme** de la nature.* 1741 ; lat. *mutus*, « muet » ; [mytism].

**MUTITÉ, subst. f.**
*Pathol.* Impossibilité de parler, à la suite de lésions des organes de la phonation ou des centres nerveux. 1803 ; bas lat. *mutitas* ; [mytite].

**MUTUALISER, verbe trans.** [3]
**1.** Vx. Rendre la pareille. **2.** Soumettre (une entreprise) à un régime mutualiste. **3.** Faire supporter (des risques, des frais) par une collectivité. Fin XVIe s. ; ☞ *mutuel* ; [mytɥalize].

**MUTUALISME, subst. m.**
**1.** Doctrine fondée sur la mutualité. **2.** *Biol.* Situation dans laquelle deux organismes d'espèces différentes s'associent afin d'en retirer un avantage (synon. *symbiose*). 1840 ; ☞ *mutualiste* ; [mytɥalism].

**MUTUALISTE, adj. et subst.**
**Adj.** Qui relève du mutualisme ; relatif à une mutualité. **Subst.** Adepte du mutualisme ; adhérent d'une mutuelle. 1824 ; ☞ *mutuel* ; [mytɥalist].

**MUTUALITÉ, subst. f.**
**1.** Caractère réciproque d'un acte, d'un sentiment (rare). **2.** *Dr.* Principe d'une association à but non lucratif d'entraide sociale, au moyen de prestations (retraite, maladie, etc.) et moyennant une cotisation ; par méton., les sociétés mutualistes. Fin XVIe s. ; ☞ *mutuel* ; [mytɥalite].

**MUTUEL, ELLE, adj. et subst. f.**
**Adj. 1.** Qui implique ou manifeste un échange, une réciprocité entre personnes : *Une sympathie **mutuelle**.* **2.** Fondé sur les principes de la mutualité : *Société **mutuelle**.* **Subst.** *Dr. Une **mutuelle*** : société de mutualité. 1329 ; lat. *mutuus* ; [mytɥɛl].

**MUTUELLEMENT, adv.**
De manière mutuelle, réciproque. 1495 ; ☞ *mutuel* ; [mytɥɛlmɑ̃].

**MUTULE, subst. f.**
*Archit.* Dans un entablement dorique, modillon rectangulaire et aplati situé sous le larmier. 1546 ; lat. *mutulus*, « corbeau (en archit.) » ; [mytyl].

**MYALGIE, subst. f.**
*Pathol.* Douleur musculaire. 1866 ; formé de *myo-* et de *-algie* ; [mjalʒi].

**MYASTHÉNIE, subst. f.**
*Pathol.* Affection neurologique caractérisée par un épuisement musculaire pouvant entraîner une paralysie, notamment respiratoire. 1878 ; ☞ *asthénie* + *myo-* ; [mjasteni].

**MYATONIE, subst. f.**
*Pathol.* Atonie musculaire congénitale ou consécutive à une affection neurologique. 1931 ; ☞ *atonie* + *myo-* ; [mjatɔni].

**MYCÉLIEN, IENNE, adj.**
*Bot.* Relatif au mycélium. 1866 ; ☞ *mycélium* ; [miseljɛ̃, jɛn].

**MYCÉLIUM, subst. m.**
*Bot.* Appareil végétatif de nombreux champignons et lichens, constitué par un ensemble de petits filaments ramifiés. 1840 ; lat. sc. *mycelium*, du gr. *mukês*, « champignon » ; [miseljɔm].

**MYCÉNIEN, IENNE, adj. et subst.**
De Mycènes. **Subst. masc.** *Ling.* Forme archaïque du grec. 1840 ; topon. *Mycènes* ; [misenjɛ̃, jɛn].

**MYCOBACTÉRIE, subst. f.**
*Bactériol.* Bactérie, souvent pathogène, à ramifications évoquant les filaments mycéliens : *Le bacille de Koch, agent de la tuberculose, est une **mycobactérie**.* XXe s. ; ☞ *bactérie* + *myco-* ; [mikobakteʀi].

**MYCODERME, subst. m.**
*Bot.* Levure se développant à la surface des moûts et des boissons fermentées : *Le **mycoderme** acétique transforme le vin en vinaigre.* 1846 ; formé de *myco-* et de *-derme* ; [mikodɛʀm].

**MYCOLOGIE, subst. f.**
Branche de la botanique qui étudie les champignons. 1831 ; formé de *myco-* et de *-logie* ; [mikɔlɔʒi].

**MYCOLOGIQUE, adj.**
Qui concerne la mycologie. 1840 ; ☞ *mycologie* ; [mikɔlɔʒik].

**MYCOLOGUE, subst.**
Spécialiste de mycologie. 1840 ; formé de *myco-* et de *-logue* ; [mikɔlɔg].

**MYCOPLASME, subst. m.**
*Bactériol.* Bactérie parasite, sans paroi, presque aussi petite que les plus gros virus. Comme eux, les **mycoplasmes** passent par les pores des filtres utilisés pour stériliser les milieux de culture destinés aux cellules animales qu'ils contaminent souvent. V. 1970 ; formé de *myco-* et de *-plasme* ; [mikoplasm].

**MYCORHIZE, subst. f.**
*Bot.* Association symbiotique du mycélium d'un champignon et des racines d'une plante phanérogame. 1899 ; gr. *rhiza*, « racine », + *myco-* ; [mikoʀiz].

**MYCOSE, subst. f.**
*Pathol.* Nom générique des affections dues à des champignons, souvent liées à des troubles de l'état général. 1832 ; formé de *myco-* et de *-ose* ; [mikoz].

**MYCOSIQUE, adj.**
Relatif à une mycose. 1896 ; ☞ *mycose* ; [mikozik].

**MYCOSIS, subst. m.**
*Pathol. Mycosis fongoïde* : affection cutanée maligne provoquée par un lymphome T, comportant une phase prurigineuse préalable à la formation de tumeurs. Gr. *mukês*, « champignon » ; [mikɔzis].

**MYDRIASE, subst. f.**
*Méd.* Dilatation de la pupille, spontanée dans la pénombre (**mydriase** physiologique), ou provoquée soit par un collyre approprié, soit par une maladie. 1539 ; lat. *mydriasis*, du gr. *mudriasis* ; [midʀijaz].

**MYDRIATIQUE, adj. et subst. m.**
Se dit d'une substance qui provoque une mydriase. 1861 ; ☞ *mydriase* ; [midʀijatik].

**MYÉLENCÉPHALE, subst. m.**
*Anat.* Partie du cerveau qui contient le bulbe rachidien et qui dérive de la structure cérébrale postérieure de l'embryon. 1868 ; ☞ *encéphale* + *myélo-* ; [mjelɑ̃sefal].

**MYÉLINE, subst. f.**
*Histol.* Substance lipido-protidique formant une gaine autour de certains axones du système nerveux, et qui accroît la vitesse de conduction de l'influx nerveux. 1865 ; gr. *muelos*, « moelle » ; [mjelin].

**MYÉLITE, subst. f.**
*Pathol.* Inflammation de la moelle épinière. 1831 ; formé de *myélo-* et de *-ite* ; [mjelit].

**MYÉLOBLASTE, subst. m.**
*Biol.* Cellule souche des leucocytes granuleux, qui se multiplie dans la moelle osseuse et dont dérivent les granulocytes, ou globules blancs polynucléaires. 1931 ; formé de *myélo-* et de *-blaste* ; [mjelɔblast].

**MYÉLOCYTE, subst. m.**
*Biol.* Cellule de la moelle osseuse. 1855 ; formé de *myélo-* et de *-cyte* ; [mjelɔsit].

**MYÉLOGRAMME, subst. m.**
*Méd.* Résultat de l'examen d'un prélèvement de moelle osseuse, exprimé qualitativement (aspect des cellules) et quantitativement (pourcentage de chacune des catégories de cellules). XXe s. ; formé de *myélo-* et de *-gramme* ; [mjelɔgʀam].

*Symbole de la civilisation **mycénienne**, la porte des Lions percée dans l'enceinte cyclopéenne de l'acropole de Mycènes (XIVe s. av. J.-C.).*

© Ly. Loirat-Explorer

**MYÉLOGRAPHIE, subst. f.**
*Méd.* Radiographie, après injection d'un produit opaque, permettant de visualiser les différents espaces de la moelle épinière et du canal rachidien. 1938 ; formé de *myélo-* et de *-graphie* ; [mjelɔgʀafi].

**MYÉLOÏDE, adj.**
*Méd.* Qui concerne la moelle osseuse. 1866 ; formé de *myélo-* et de *-oïde* ; [mjelɔid].

**MYÉLOME, subst. m.**
*Pathol.* Tumeur de la moelle osseuse : ***Myélome** multiple*, cancer dû à la présence, dans le sérum, d'une immunoglobuline anormale. 1868 ; formé de *myélo-* et de *-ome* ; [mjelom].

**MYGALE, subst. f.**
*Zool.* Arthropode des régions chaudes, de l'ordre des Aranéides, vivant dans un terrier et dont certaines espèces (les tarentules) peuvent atteindre 20 cm. Sa morsure, très douloureuse, peut être mortelle. 1802 ; lat. *mygale*, « musaraigne », du gr. *mus*, « rat », et *galê*, « belette » ; [migal].

© M. Luquet-Jacana

*Mygale.*

**MYIASE, subst. f.**
*Pathol.* Parasitose, due à des larves d'insectes, qui se rencontre chez l'animal ou chez l'homme. Déb. XXe s. ; gr. *muia*, « mouche » ; [mijɑz].

**MYLONITE, subst. f.**
*Pétrogr.* **1.** Roche broyée par la tectonique. **2.** Roche magmatique ou métamorphique très finement broyée. Gr. *mulôn*, « moulin », de *mulê*, « meule, dent molaire » ; [milɔnit].

**MYOCARDE, subst. m.**
*Anat.* Muscle rouge, strié, constituant la partie contractile de la paroi du cœur (☞ *muscle*). 1877 ; formé de *myo-* et de *-carde* ; [mjɔkaʀd].

**MYOCARDITE, subst. f.**
*Pathol.* Inflammation aiguë ou chronique du myocarde. 1855 ; ☞ *myocarde* + *-ite* ; [mjɔkaʀdit].

**MYOCASTOR, subst. m.**
*Zool.* Autre nom du ragondin (synon. *myopotame*). Lat. sc. *myocastor*, du gr. *mus*, « rat », et *kastôr*, « castor » ; [mjɔkastɔʀ].

**MYOGRAPHIE, subst. f.**
*Physiol.* Électromyographie (vieilli). 1835 (1750, description des muscles d'un corps animal) ; formé de *myo-* et de *-graphie* ; [mjɔgʀafi].

**MYOLOGIE, subst. f.**
Science de l'anatomie, de la physiologie et de la pathologie des muscles. 1628 ; formé de *myo-* et de *-logie* ; [mjɔlɔʒi].

**MYOME, subst. m.**
*Pathol.* Tumeur musculaire bénigne, souvent utérine. 1878 ; formé de *myo-* et de *-ome* ; [mjom].

**MYOMECTOMIE, subst. f.**
*Chir.* Ablation d'un ou de plusieurs myomes utérins. ☞ *myome* + *-ectomie* ; [mjomɛktɔmi].

**MYOPATHE, subst. et adj.**
Se dit d'un sujet atteint de myopathie. XXe s. ; ☞ *myopathie* ; [mjɔpat].

**MYOPATHIE, subst. f.**
*Pathol.* Nom générique des maladies musculaires, gén. dégénératives et handicapantes. 1884 ; formé de *myo-* et de *-pathie* ; [mjɔpati].

**MYOPE, adj. et subst.**
**1.** Se dit d'une personne atteinte de myopie. **2.** Fig. Se dit d'une personne qui manque de discernement. 1578 ; lat. *myops*, du gr. *muôps*, « qui cligne des yeux » ; [mjɔp].

**MYOPIE, subst. f.**
**1.** *Pathol.* Anomalie oculaire qui fait percevoir flous les objets lointains, leur image se formant en avant

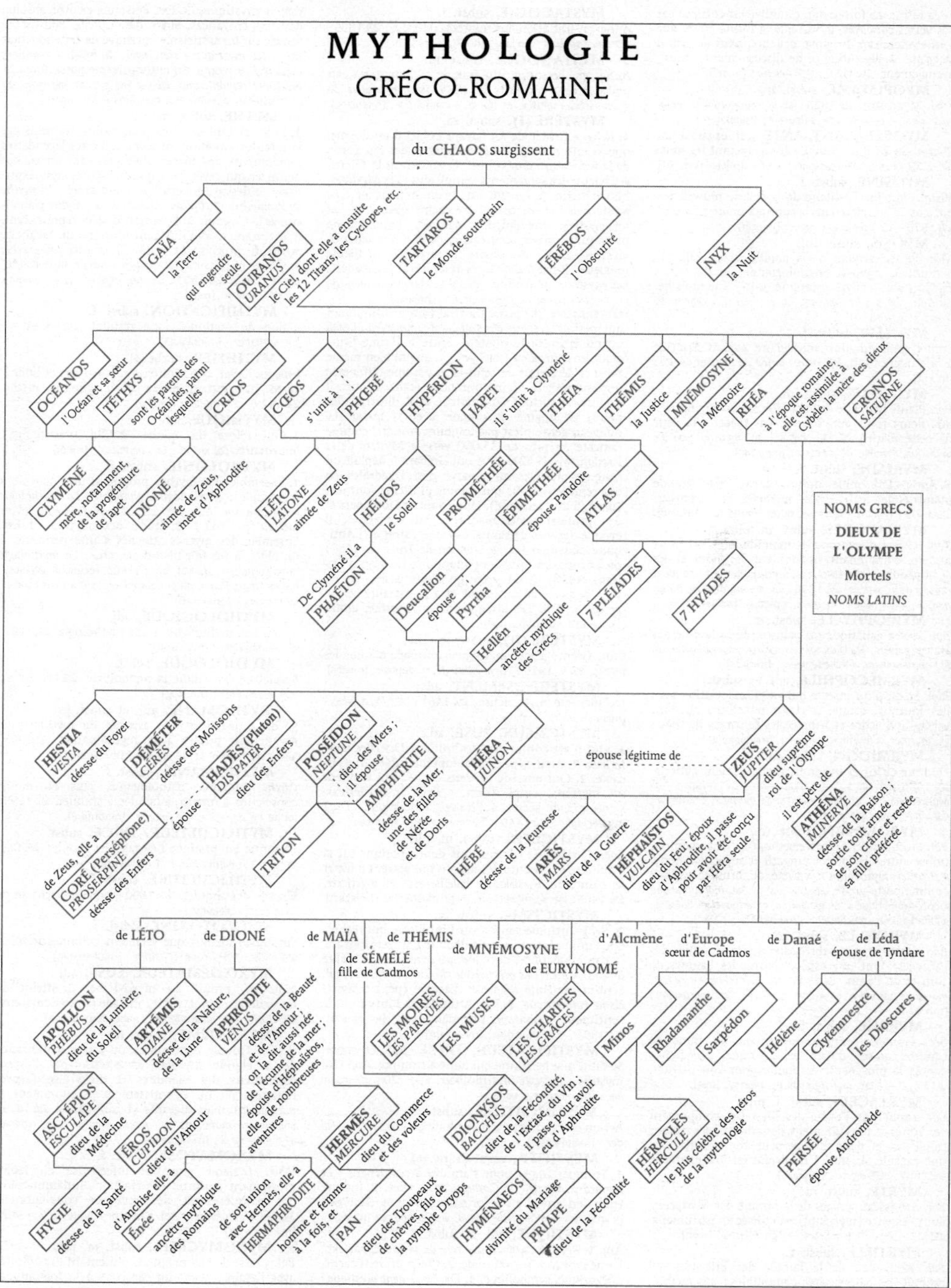

MYTHOLOGIE
GRÉCO-ROMAINE
du CHAOS surgissent
GAÏA la Terre
qui engendre seule
OURANOS URANUS
le Ciel, dont elle a ensuite les 12 Titans, les Cyclopes, etc.
TARTAROS le Monde souterrain
ÉRÈBOS l'Obscurité
NYX la Nuit
OCÉANOS
l'Océan et sa sœur
TÉTHYS
sont les parents des Océanides, parmi lesquelles
CRIOS
CŒOS
s'unit à
PHŒBÉ
HYPÉRION
JAPET
il s'unit à Clymène
THÉIA
THÉMIS la Justice
MNÉMOSYNE la Mémoire
RHÉA
à l'époque romaine, elle est assimilée à Cybèle, la mère des dieux
CRONOS SATURNE
CLYMÉNÉ
mère, notamment, de la progéniture de Japet
DIONÉ
aimée de Zeus, mère d'Aphrodite
LÉTO LATONE
aimée de Zeus
HÉLIOS le Soleil
PROMÉTHÉE
ÉPIMÉTHÉE
épouse Pandore
ATLAS
De Clymène il a
PHAÉTON
Deucalion
épouse
Pyrrha
Hellên
ancêtre mythique des Grecs
7 PLÉIADES
7 HYADES
NOMS GRECS
DIEUX DE L'OLYMPE
Mortels
NOMS LATINS
HESTIA VESTA
déesse du Foyer
DÉMÉTER CÉRÈS
déesse des Moissons
HADÈS (Pluton) DIS PATER
dieu des Enfers
épouse
de Zeus, elle a
CORÉ (Perséphone) PROSERPINE
déesse des Enfers
POSÉIDON NEPTUNE
dieu des Mers ; il épouse
AMPHITRITE
déesse de la Mer, une des filles de Nérée et de Doris
TRITON
HÉRA JUNON
épouse légitime de
ZEUS JUPITER
dieu suprême roi de l'Olympe
il est père de
ATHÉNA MINERVE
déesse de la Raison ; sortie tout armée de son crâne et restée sa fille préférée
HÉBÉ
déesse de la Jeunesse
ARÈS MARS
dieu de la Guerre
HÉPHAÏSTOS VULCAIN
dieu du Feu ; époux d'Aphrodite, il passe pour avoir été conçu par Héra seule
de LÉTO
de DIONÉ
de MAÏA
de THÉMIS
de SÉMÉLÉ fille de Cadmos
de MNÉMOSYNE
de EURYNOMÉ
d'Alcmène
d'Europe sœur de Cadmos
de Danaé
de Léda épouse de Tyndare
APOLLON PHÉBUS
dieu de la Lumière, du Soleil
ARTÉMIS DIANE
déesse de la Nature, de la Lune
APHRODITE VÉNUS
déesse de la Beauté et de l'Amour ; on la dit aussi née de l'écume de la mer ; épouse d'Héphaïstos, elle a de nombreuses aventures
LES MOIRES LES PARQUES
LES MUSES
LES CHARITES LES GRÂCES
Minos
Rhadamanthe
Sarpédon
Hélène
Clytemnestre
les Dioscures
ASCLÉPIOS ESCULAPE
dieu de la Médecine
ÉROS CUPIDON
dieu de l'Amour
HERMÈS MERCURE
dieu du Commerce et des voleurs
DIONYSOS BACCHUS
dieu de la Fécondité, de l'Extase, du Vin ; il passe pour avoir eu d'Aphrodite
HÉRACLÈS HERCULE
le plus célèbre des héros de la mythologie
PERSÉE
épouse Andromède
HYGIE
déesse de la Santé
d'Anchise elle a
Énée
ancêtre mythique des Romains
de son union avec Hermès, elle a
HERMAPHRODITE
homme et femme à la fois, et
PAN
dieu des Troupeaux de chèvres, fils de la nymphe Dryops
HYMÉNAEOS
divinité du Mariage
PRIAPE
dieu de la Fécondité

de la rétine. La forme non évolutive est corrigée par des verres concaves, tandis que la forme grave, due à une altération du globe oculaire, peut aboutir à la cécité. **2.** Fig. Absence de discernement ; quasi-aveuglement. 1650 ; ☞ *myope* ; [mjɔpi].

**MYOPOTAME, subst. m.**
*Zool.* Myocastor. 1823 ; lat. sc. *myopotamus*, du gr. *mus*, « rat », et *potamos*, « fleuve » ; [mjɔpɔtam].

**MYORELAXANT, ANTE, adj. et subst. m.**
*Pharm.* Se dit d'un produit décontractant les muscles. XX^e^ s. ; ☞ *relaxant* + *myo-* ; [mjɔʀəlaksɑ̃, ɑ̃t].

**MYOSINE, subst. f.**
*Histol.* Protéine fibrillaire de la cellule musculaire, qui a un rôle capital dans la contraction des muscles. 1878 ; ☞ *protéine* + *myo-* ; [mjɔzin].

**MYOSIS, subst. m.**
*Méd.* Rétrécissement de la pupille, sous l'effet de la lumière (**myosis** physiologique), ou dû soit à l'action d'un collyre approprié, soit à une maladie. Déb. XIX^e^ s. ; lat. *myosis*, du gr. *muein*, « cligner de l'œil » ; [mjɔzis].

**MYOSITE, subst. f.**
*Pathol.* Inflammation musculaire parfois associée à une ossification. 1836 ; formé de *myo-* et de *-ite* ; [mjɔzit].

**MYOSOTIS, subst. m.**
*Bot.* Plante herbacée de la famille des Borraginacées, aux fleurs roses puis bleues ; par méton., la fleur de cette plante. Mil. XVI^e^ s. ; lat. *myosotis*, du gr. *muosôtis*, « oreille de souris » ; [mjɔzɔtis].

**MYRIADE, subst. f.**
**1.** *Antiq.* Dix mille unités. **2.** Ext. Très grande quantité de qqch. : *Des **myriades** de sauterelles.* 1525 ; bas lat. *myriades*, du gr. *muriades* ; [miʀjad].

**MYRIAPODES, subst. m. plur.**
*Zool.* Classe d'arthropodes mandibulates, au tronc annelé, comprenant notamment les iules et les scolopendres. **Au sing.** *Le **myriapode** est souvent appelé mille-pattes.* 1806 ; lat. sc. *myriapoda*, du gr. *murias*, « dix mille », et *pous*, « pied » ; [miʀjapɔd].

**MYRIOPHYLLE, subst. m.**
*Bot.* Herbe aquatique ou palustre de la famille des Haloragacées. Déb. XIX^e^ s. ; lat. sc. *myriophyllus*, du gr. *muriophullon*, « mille-feuille » ; [miʀjɔfil].

**MYRMÉCOPHILE, adj. et subst.**
*Biol.* Se dit d'un insecte qui vit en association avec des fourmis, comme certains pucerons, ou d'un végétal qui attire et héberge les fourmis. 1840 ; gr. *murmêx*, « fourmi », + *-phile* ; [miʀmekɔfil].

**MYRMIDON, subst. m.**
Homme chétif et insignifiant, sans talent (littér.). 1586 (fin XII^e^ s., nom d'un peuple de Thrace) ; lat. *Myrmidones*, du gr. *Murmidones*, de *murmêx*, « fourmi » ; var. *mirmidon* ; [miʀmidɔ̃].

**MYROBOLAN, subst. m.**
*Bot.* Fruit desséché de diverses espèces de badamiers, utilisé autrefois comme purgatif et auj. en tannerie. ▸ *Prunier **myrobolan*** : variété de prunier utilisée comme porte-greffe. Mil. XIII^e^ s. ; lat. *myrobalanum*, « noix aromatique », du gr. *muron*, « parfum », et *balanos*, « gland » ; var. *myrobalan* ; [miʀɔbɔlɑ̃].

**MYROXYLE, subst. m.**
*Bot.* Arbuste ou arbrisseau de la famille des Fabacées, dont une espèce fournit les baumes de Tolu et du Pérou. 1803 ; lat. sc. *myroxylon*, du gr. *muron*, « parfum », et *xulon*, « bois » ; var. *myroxylon* ; [miʀɔksil].

**MYRRHE, subst. f.**
*Bot.* Gomme résineuse provenant du tronc de certains arbres d'Asie et d'Afrique, recherchée depuis la plus haute Antiquité pour son parfum. Fin X^e^ s. ; lat. *myrr(h)a*, du gr. *murra* ; [miʀ].

**MYRTACÉES, subst. f. plur.**
*Bot.* Famille de l'ordre des Myrtales, comprenant des arbres et, plus rarement, des arbustes des régions tropicales, et dont le fruit peut être une baie ou une capsule. **Au sing.** *L'eucalyptus est une **myrtacée**.* 1832 ; ☞ *myrte* ; [miʀtase].

**MYRTE, subst. m.**
*Bot.* Arbrisseau à baies de la famille des Myrtacées, dont l'essence (myrténol) est utilisée en parfumerie. Mil. XIII^e^ s. ; lat. *myrtus*, du gr. *murtos* ; [miʀt].

**MYRTILLE, subst. f.**
*Bot.* Arbrisseau de la famille des Éricacées qui produit des baies noires comestibles ; par méton., ces baies. Mil. XIII^e^ s. ; lat. médiév. *myrtillus*, du lat. *myrtus*, « myrte » ; [miʀtij].

**MYSTAGOGIE, subst. f.**
*Antiq. gr.* Initiation aux mystères religieux. 1660 ; ☞ *mystagogue* ; [mistagɔʒi].

**MYSTAGOGUE, subst. m.**
*Antiq. gr.* Personne qui initiait aux mystères, en partic. à ceux d'Éleusis. 1564 ; lat. *mystagogus*, du gr. *mustês*, « initié », et *agein*, « conduire » ; [mistagɔg].

**MYSTÈRE (I), subst. m.**
**1.** *Relig.* ▸ Article de foi faisant l'objet d'un dogme, que la raison ne peut appéhender et qui fait partie de la Révélation chrétienne : *Le **mystère** de la Trinité.* ▸ Chacun des sacrements ; empl. abs. : *Les **Mystères**,* l'Eucharistie. **2.** Ce qui est incompréhensible : *Le **mystère** de la vie* ; ce qui est caché, obscur : *C'est un **mystère**,* une énigme ; par ext., ensemble de précautions prises pour cacher qqch. : *S'entourer de **mystère**.* **3.** *M. Â.* Genre dramatique à thème religieux. **Plur.** *Antiq.* Rites réservés à des initiés : *Les **mystères** de Mithra.* XII^e^ s. ; lat. *mysterium*, du gr. *mustêrion*, de *mustês*, « initié » ; [mistɛʀ].

**LITTÉRATURE** – Le genre théâtral (drame liturgique) qui mettait en scène des sujets religieux existait déjà quand émergea le mystère. Entre le drame liturgique et le mystère (XIII^e^-XVI^e^ s.), quand bien même celui-ci dériverait de celui-là, il y a une différence importante : le drame liturgique était en latin, il s'adressait surtout aux moines et il illustrait des points de dogme en rapport avec la messe. Le nouveau genre n'est pas toujours profane, comme l'atteste en près de 35 000 vers le *Mystère de la Passion* (av. 1252), d'Arnoul Gréban. Il déploie du reste ses prestiges sur le parvis des cathédrales, en des représentations qui durent plusieurs journées (jusqu'à une semaine). Employant des jongleurs et des professionnels regroupés en confréries, il évoque des vies de saints, des sujets tirés de l'Antiquité classique (*la Destruction de Troie*, v. 1450) ou encore des faits contemporains (*le Siège d'Orléans*, 1438). C'est parce qu'il donna de plus en plus de place au burlesque et à la trivialité que le genre dépérit. Les attaques de la Réforme, enfin, signèrent sa disparition.

**MYSTÈRE (II), subst. m. inv.**
*Cuis.* Crème glacée meringuée, enrobée d'amandes pilées. V. 1970 ; ☞ *mystère* (I) ; n. déposé ; [mistɛʀ].

**MYSTÉRIEUSEMENT, adv.**
De manière mystérieuse. 1461 ; ☞ *mystérieux* ; [misteʀjøzmɑ̃].

**MYSTÉRIEUX, EUSE, adj.**
**1.** Qui n'est connu que des initiés : *Des rites **mystérieux**.* **2.** Anal. Qui est incompréhensible ; inexplicable. **3.** Qui possède un sens caché ; qui contient un mystère ; empl. subst. : *Faire le **mystérieux**,* s'entourer de secret. **4.** Étrange, fantastique : *Forêt **mystérieuse**.* 1440 ; ☞ *mystère* (I) ; [misteʀjø, øz].

**MYSTICÈTES, subst. m. plur.**
*Zool.* Groupe de cétacés sans dents, portant sur la mâchoire supérieure des fanons qui servent à filtrer le plancton. **Au sing.** *La baleine est un **mysticète**.* 1903 ; lat. sc. *mysticetus*, du gr. *mustikêtos* ; [mistisɛt].

**MYSTICISME, subst. m.**
**1.** *Relig.* Attitude fondée sur l'intuition, qui recherche l'union intime avec la divinité à travers l'extase, la contemplation ; doctrine qui reconnaît la réalité de cette union : *Le **mysticisme** chrétien, soufi.* **2.** Anal. Sentimentalisme religieux exacerbé (péj.) : ***Mysticisme** romantique.* **3.** Ext. Attitude où l'intuition, le sentiment religieux prévalent sur la raison. 1804 ; ☞ *mystique* ; [mistisism].

**MYSTIFICATEUR, TRICE, adj. et subst.**
Se dit d'une personne qui aime à tromper. **Adj.** Qui mystifie : *Prétexte **mystificateur**.* 1770 ; ☞ *mystifier* ; [mistifikatœʀ, tʀis].

**MYSTIFICATION, subst. f.**
Action de mystifier ; son résultat. 1768 ; ☞ *mystifier* ; [mistifikasjɔ̃].

**MYSTIFIER, verbe trans.** [6]
**1.** Tromper (qqn) pour s'amuser à ses dépens : *Le Renard a **mystifié** le Corbeau de la fable.* **2.** Induire (qqn) en erreur en déformant la réalité. 1764 ; gr. *mustês*, « initié », de *muein*, « se fermer » ; [mistifje].

**MYSTIQUE, adj. et subst.**
**Adj. 1.** *Relig.* Relatif au mystère de la foi et, par ext., à une croyance surnaturelle. **2.** Qui a un sens caché, allégorique, symbolique. **3.** *Dr. Testament **mystique*** : remis clos et scellé à un notaire. **Subst. 1.** Personne de nature **mystique**. **2.** Personne qui a des expériences **mystiques**. **3.** Ext. Personne exaltée, absolue dans ses croyances. **Subst. fém. 1.** *Relig.* Spiritualité fondée sur le mysticisme ; pratique de cette spiritualité : *La **mystique** cistercienne.* **2.** Anal. Croyance, idéal qui provoque un enthousiasme passionné : *La **mystique** républicaine.* Fin XIV^e^ s. ; lat. *mysticus*, du gr. *mustikos*, « relatif aux mystères » ; [mistik].

**MYTHE, subst. m.**
**1.** Récit relatant des faits imaginaires, transmis par la tradition, mettant en scène des êtres légendaires représentant des forces physiques, des dieux, des héros, et qui revêt un caractère symbolique exprimant le destin universel de l'humanité : *Le **mythe** de Prométhée.* **2.** *Philos.* Allégorie : *Le **mythe** platonicien de la Caverne.* **3.** Ensemble d'idées représentant, d'une manière simplifiée ou illusoire, un idéal : *Le **mythe** du progrès ; Le **mythe** de la paix universelle.* **4.** Chose impossible, conception jugée sans fondement (péj.). 1803 ; bas lat. *mythus*, du gr. *muthos*, « récit, fable » ; [mit].

**MYTHIFICATION, subst. f.**
Action de mythifier ; son résultat. Fin XX^e^ s. ; ☞ *mythifier* ; [mitifikasjɔ̃].

**MYTHIFIER, verbe** [6]
**Intrans.** Créer, construire un mythe (rare et littér.). **Trans.** Transformer, ériger (qqch., qqn) en mythe. 1929 ; ☞ *mythe* ; [mitifje].

**MYTHIQUE, adj.**
**1.** Qui relève du mythe. **2.** Qui n'existe pas, imaginaire. XIV^e^ s. ; lat. *mythicus* ; [mitik].

**MYTHOLOGIE, subst. f.**
**1.** Ensemble des mythes propres à une culture, à un peuple : ***Mythologie** égyptienne ; La **mythologie** gréco-romaine* ou, par ell., *La **mythologie**. (Voir tableau p. 743.)* **2.** Étude des mythes. **3.** Ext. Ensemble des mythes attachés à une personne, à un objet, à un fait historique, etc. : *La **mythologie** napoléonienne.* Mil. XIX^e^ s. (1403, recueil de mythes) ; bas lat. *mythologia*, du gr. *muthologia*, « étude des choses fabuleuses » ; [mitɔlɔʒi].

**MYTHOLOGIQUE, adj.**
Relatif à la mythologie, à une mythologie. 1481 ; ☞ *mythologie* ; [mitɔlɔʒik].

**MYTHOLOGUE, subst.**
Spécialiste qui étudie la mythologie. Mil. XVI^e^ s. ; ☞ *mythologie* ; [mitɔlɔg].

**MYTHOMANE, adj. et subst.**
Se dit d'une personne atteinte de mythomanie. **Adj.** Relatif, propre à la mythomanie. 1905 ; formé de *mytho-* et de *-mane*[2] ; [mitɔman].

**MYTHOMANIE, subst. f.**
*Psych.* Tendance pathologique, plus ou moins consciente, à mentir, à fabuler, à simuler. 1905 ; formé de *mytho-* et de *-manie* ; [mitɔmani].

**MYTILICULTEUR, TRICE, subst.**
Personne qui pratique l'élevage des moules. Déb. XX^e^ s. ; ☞ *mytiliculture* ; [mitilikyltœʀ, tʀis].

**MYTILICULTURE, subst. f.**
Élevage des moules. 1890 ; formé de *mytili-* et de *-culture* ; [mitilikyltyʀ].

**MYTILOTOXINE, subst. f.**
Substance toxique que sécrètent certaines moules. 1889 ; ☞ *toxine* + *mytilo-* ; [mitilɔtɔksin].

**MYXŒDÉMATEUX, EUSE, adj.**
**1.** Relatif, propre au myxœdème. **2.** Atteint de myxœdème ; empl. subst., malade **myxœdémateux**. 1880 ; ☞ *myxœdème* ; [miksedematø, øz].

**MYXŒDÈME, subst. m.**
*Pathol.* Trouble endocrinien dû à une insuffisance de la glande thyroïde, caractérisé par l'aspect œdémateux des membres et du visage (aspect lunaire), par un ralentissement psychomoteur et par des troubles digestifs et cardiaques. 1879 ; angl. *myxoedema*, du gr. *muxa*, « morve », et *oidêma*, « gonflement » ; [miksedɛm].

**MYXOMATOSE, subst. f.**
*Vétér.* Maladie grave et infectieuse du lapin, provoquant de fortes tuméfactions inflammatoires des paupières et des œdèmes sous-cutanés. 1952 ; *myxome* (rare), « tumeur muqueuse », + *-ose* ; [miksɔmatoz].

**MYXOMYCÈTES, subst. m. plur.**
*Bot.* Classe de champignons présentant des affinités avec l'amibe, ayant un caractère à la fois animal et végétal. 1873 ; all. *Myxomyceten*, du gr. *muxa*, « morve », et *mukês*, « champignon » ; [miksɔmisɛt].

Nuages. © Stock Image

**N, subst. m. inv.**
**1.** Quatorzième lettre et onzième consonne de l'alphabet. Dans une syllabe, elle nasalise les voyelles ou groupes de voyelles placés devant elle : *en, an, aon, aen* [ɑ̃], *in, yn, ain, en, ein,* [ɛ̃], *on* [ɔ̃], *un* [œ̃] ou [ɔ̃]. Après *g*, elle forme le plus souvent le son [ɲ] ; avant *g*, en fin de mot, le son [ŋ]. **2.** Abrév. et Symb. ▸ *Chim.* N : nombre d'Avogadro ; N : azote. ▸ *Géogr.* N. : nord. ▸ *Math.* ℕ : ensemble des entiers naturels ; ℕ* : ensemble ℕ privé du zéro ; *n* : *n*-ième, nombre indéterminé. ▸ *Métrol.* n : nano-. ▸ *Phys.* N : newton. 🕮 [ɛn].

**Na, voir SODIUM**

**NA, interj.**
Exclamation renforçant une volonté ou un refus (lang. enfantin ou fam.) : *J'irai quand même, na !* 🕮 1826 ; onomat. ; [na].

**NABAB, subst. m.**
**1.** *Hist.* Gouverneur ou haut fonctionnaire, dans l'Inde musulmane. **2.** Anal. Européen enrichi aux Indes (vx) ; par ext., personne très riche. 🕮 1653 ; port. *nababo*, du hindi *navāb* ; [nabab].

**NABI, subst. m.**
**1.** *Relig.* Chez les Hébreux, prophète biblique, homme inspiré par Dieu. **2.** *B.-a. Les **nabis*** : groupe de peintres, créé en 1888, qui s'inspira des théories symbolistes de Maurice Denis ainsi que du synthétisme formel de Paul Gauguin, et qui s'opposa à l'impressionnisme par le recours à des lignes simples et aux couleurs pures, pour créer un art qui s'exprime dans les vitraux, les fresques, les décors de théâtre, etc. ▸ Méton. Membre de ce groupe : *Sérusier, Bernard, Bonnard, Vuillard furent des **nabis**.* 🕮 1853 ; hébreu *nābi'* ; [nabi].

**NABLE, subst. m.**
*Mar.* Bouchon qui obture le trou de vidange situé dans le fond d'un canot ; par méton., le trou lui-même. 🕮 XVII^e s. ; néerl. *nagel*, « cheville » ; [nabl].

**NABOT, OTE, subst.**
Personne de très petite taille (péj.). 🕮 1549 ; prob. altér. de *nain-bot*, comp. de *nain* et de *bot* ; [nabo, ɔt].

**NABUCHODONOSOR, subst. m.**
Bouteille de champagne d'une contenance de vingt bouteilles ordinaires. 🕮 1907 ; *Nabuchodonosor*, roi biblique de Babylone ; [nabykɔdonozɔʀ].

**NACARAT, subst. m.**
Couleur rouge clair avec des reflets nacrés ; empl. adj. inv. : *Des tentures **nacarat**.* 🕮 1626 ; esp. *nacarado*, de *nácar*, « nacre » ; [nakaʀa].

**NACELLE, subst. f.**
**1.** Petit canot (vieilli ou littér.). **2.** Panier suspendu sous un aéronef qui porte le lest et où prennent place les passagers et l'équipage. ▸ Plate-forme suspendue : ***Nacelle** d'un laveur de carreaux* ; ***Nacelle** d'un landau, d'une poussette* : où l'on place l'enfant. **3.** *Chim.* Petit récipient allongé, de verre, de porcelaine ou de métal, servant de tube à essais. 🕮 Mil. XI^e s. ; bas lat. *navicella*, « petit bateau » ; [nasɛl].

**NACRE, subst. f.**
**1.** Substance organique irisée, constituée en grande partie d'aragonite, qui est sécrétée par certains mollusques (huître, burgau, etc.), dont on se sert en bijouterie, en marqueterie, en lutherie, etc. : *Cadre incrusté de **nacre**.* **2.** Méton. Ouvrage, bibelot en **nacre**. **3.** Métaph. Couleur, reflet évoquant l'aspect de la **nacre** : *La **nacre** d'un lac sous un ciel d'orage.* 🕮 1389 ; ital. *nacc(h)aro*, p.-ê. de l'ar. *naqqāra*, « petit tambour » ; [nakʀ].

**NACRÉ, ÉE, adj.**
Qui est recouvert de nacre ou qui en a l'aspect : *Une lumière **nacrée**.* 🕮 1667 ; ☞ *nacre* ; [nakʀe].

**NACRER, verbe trans.** [3]
Donner l'aspect de la nacre à ; iriser. 🕮 1845 ; ☞ *nacre* ; [nakʀe].

**NADIR, subst. m.**
*Astron.* Point opposé au zénith, dans la sphère céleste. 🕮 1361 ; ar. *nazīr* ; [nadiʀ].

**NÆVOCARCINOME, subst. m.**
*Pathol.* Mélanome malin. 🕮 XX^e s. ; formé de *nævus* et de *carcinome* ; [nevɔkaʀsinɔm].

**NÆVUS, subst. m.**
*Pathol.* Malformation cutanée, plane ou saillante, pigmentée, parfois surmontée de poils, le plus souvent bénigne, mais pouvant évoluer vers un nævocarcinome (synon. *grain de beauté*). 🕮 1611 ; lat. *naevus* ; plur. *nævus* ou *nævi* ; [nevys], plur. [-vi].

**NAFÉ, subst. m.**
Fruit de la ketmie, utilisé pour faire des sirops ou des pâtes pectorales. 🕮 1844 ; prob. ar. *nāfi'* ; [nafe].

**NAGAÏKA, subst. f.**
Fouet de cuir large et court utilisé à l'origine par les Cosaques, les Kalmouks, les Tatars, etc. 🕮 1845 ; russe *nagajka* ; var. *nahaïka* ; [nagaika].

**NAGARI, voir DEVANAGARI**

**NAGE, subst. f.**
**1.** *Mar.* Action, manière de naviguer, de ramer ; par méton., ensemble des rameurs. **2.** Action, manière de nager : *Traverser le lac à la **nage**.* ▸ Loc. *Être en **nage*** : en sueur. **3.** *Cuis. Poisson à la **nage*** : cuit et servi au court-bouillon. 🕮 1155 ; ☞ *nager* ; [naʒ].

**NAGEOIRE, subst. f.**
*Zool.* Appendice constitué d'une membrane tendue par des rayons, permettant aux poissons et aux mammifères marins de se mouvoir dans l'eau. 🕮 1555 (1458, piscine) ; ☞ *nager* ; [naʒwaʀ].

**NAGER, verbe** [5]
INTRANS. **1.** *Mar.* Ramer. **2.** Se déplacer dans l'eau ou à sa surface par des mouvements appropriés. ▸ Loc. ***Nager** comme un poisson* : très bien ; ***Nager** en eau trouble* : tirer profit d'une situation confuse. **3.** Anal. Baigner dans un excès de liquide : *Cette côtelette **nage** dans la sauce.* ▸ ***Nager** dans un vêtement* : y être trop au large (fam.). **4.** Fig. Vivre intensément un sentiment, un état : ***Nager** dans le bonheur, dans le luxe.* ▸ Ne pas maîtriser une situation (fam.) : *Il **nage** en calcul* ; empl. abs., se sentir dépassé. TRANS. **1.** Pratiquer (une nage) : ***Nager** le dos crawlé, la brasse.* **2.** Parcourir (une distance) à la nage : ***Nager** le cent mètres papillon.* 🕮 Fin XI^e s. ; lat. *navigare*, « naviguer » ; [naʒe].

**NAGEUR, EUSE, subst. et adj.**
SUBST. **1.** *Mar.* Rameur. **2.** Individu qui nage ou qui sait nager. ▸ En appos. *Maître **nageur*** : personne qui enseigne la natation. **3.** *Milit.* Plongeur : *Un **nageur** de combat.* ADJ. Qualifie un animal qui nage : *Insectes, oiseaux **nageurs**.* 🕮 Fin XII^e s. ; ☞ *nager* ; [naʒœʀ, øz].

**NAGUÈRE, adv.**
**1.** Il y a peu de temps. **2.** Autrefois (empl. abusif). 🕮 Fin XII^e s. ; contraction de *il n'y a guère* ; [nagɛʀ].

**NAHAÏKA, voir NAGAÏKA**

**NAHUATL, subst. m.**
Langue aztèque classique, qui est encore en usage en Amérique centrale. 🕮 1874 ; mot par lequel les Aztèques se désignaient eux-mêmes ; [nawatl].

**NAÏADE, subst. f.**
**1.** *Myth. gr.* Nymphe des ruisseaux et des fontaines. **2.** Ext. Baigneuse charmante. **3.** *Bot.* Plante d'eau douce, monocotylédone, de la famille des Naïadacées, dont la pollinisation se fait par l'eau. 🕮 1491 ; lat. *naias*, du gr. *naias* ; [najad].

**NAÏF, NAÏVE, adj.**
**1.** Vx. Natif ; originel. **2.** Simple, spontané, sans apprêt : *Chanson, grâce **naïve**.* ▸ Ext. Crédule, niais ; empl. subst., personne **naïve**. **3.** *B.-a. Art **naïf*** : expression picturale, pratiquée à l'origine par des autodidactes, qui ne tient pas compte des lois de la perspective linéaire, qui emploie des couleurs vives et à laquelle l'extrême finesse des détails représentés donne un aspect ingénu ; empl. subst., peintre pratiquant cet art. 🕮 Déb. XII^e s. ; lat. *nativus*, « reçu en naissant, naturel » ; [naif, naiv].

© Lauros-Giraudon – A. D. A. G. P., Paris, 1996

L'Arbre du paradis,
*peinture naïve de Séraphine Louis, dite Séraphine de Senlis (1864-1942). Musée national d'Art moderne, Paris.*

BEAUX-ARTS – C'est à partir du succès posthume du Douanier Rousseau – dont les fameuses jungles, qu'il n'a jamais vues dans la réalité, ont intéressé les peintres surréalistes – que l'on a commencé à parler d'art naïf, surtout après l'exposition parisienne de 1937 intitulée « Maîtres populaires de la réalité ». Si les premiers naïfs restent anonymes, certains ont fait école (Bauchant, Bombois, Rimbert, etc.). L'apogée de leur succès date des années soixante et a permis de découvrir des œuvres traditionnelles religieuses tels les ex-voto des chapelles rurales des pays latins, ou encore des courants très vivaces en Yougoslavie, en Afrique occidentale et à Haïti, où les sujets s'inspirent surtout de la vie quotidienne locale.

**NAIN, NAINE,** subst. et adj.
SUBST. Personne atteinte de nanisme ; en partic., créature légendaire de petite taille (gnome, lutin, etc.). ► *Jeux. Nain jaune* (☞ *jaune*). ADJ. De taille nettement inférieure à la moyenne : *Poule **naine**.* ► *Astron. Étoile **naine*** : de petit diamètre et de faible luminosité. Fin XIIe s. ; lat. *nanus* ; [nɛ̃, nɛn].

**NAIRA,** subst. m.
Unité monétaire principale du Nigeria. [naiʀa].

**NAISSAIN,** subst. m.
*Zool.* Ensemble d'embryons ou de larves des moules et des huîtres d'élevage. 1867 ; ☞ *naître* ; [nɛsɛ̃].

**NAISSANCE,** subst. f.
**I. 1.** Passage de la vie fœtale à la vie extra-utérine, venue au monde : *Donner **naissance** à une fille* ; *Date de **naissance**.* ► Loc. *De **naissance*** : qui apparaît dès la **naissance**. ► *Dr. Acte de **naissance*** : par lequel l'enfant est déclaré civilement. **2.** Fait d'être mis au monde : ***Naissance** avant terme.* **3.** Origine, condition sociale : *Être de bonne **naissance**.* **II. 1.** Moment où apparaît qqch. ; début, origine : *La **naissance** du soleil, d'une idée.* ► Loc. *Donner **naissance** à* : créer. **2.** Point où commence qqch. : ***Naissance** du cou, d'un fleuve.* ► Loc. *Prendre **naissance** à, dans, en* : commencer, se manifester à, dans, en. Déb. XIIe s. ; lat. *nascentia* ; [nɛsɑ̃s].

**NAISSANT, ANTE,** adj.
Qui commence à exister, à se développer, à devenir visible. 1581 ; p. pr. de *naître* ; [nɛsɑ̃, ɑ̃t].

**NAÎTRE,** verbe intrans. [74]
**1.** Venir au monde. ► Loc. ***Naître** à* : s'ouvrir à. **2.** Commencer à exister : *L'amour **naît** d'un simple regard* ; apparaître, surgir : *Le jour va **naître*** ; *Faire **naître** un conflit.* Fin XIe s. ; lat. *nascere* ; [nɛtʀ].

**NAÏVEMENT,** adv.
Avec naïveté. Fin XIIe s. ; ☞ *naïf* ; [naivmɑ̃].

**NAÏVETÉ,** subst. f.
**1.** Simplicité, naturel : *La **naïveté** charmante de l'enfance.* **2.** Crédulité excessive : *Des remarques d'une incroyable **naïveté*** ; par méton. : *Que de **naïvetés** dans ce roman !* 1265 ; ☞ *naïf* ; [naivte].

**NAJA,** subst. m.
*Zool.* Serpent venimeux connu pour sa posture d'intimidation dans laquelle il déploie son capuchon orné d'ocelles en forme de lorgnons (synon. *cobra, serpent à lunettes*). 1734 ; lat. sc. *naia*, du cinghalais *noya*, du skr. *nāga*, « serpent » ; [naʒa].

**NANA,** subst. f.
Pop. Maîtresse, petite amie ; par ext., jeune fille ou femme. 1949 ; dimin. de *Anne, Anna* ; [nana].

**NANAN,** subst. m.
Fam. **1.** Vx. Friandise. **2.** Fig. Régal : *C'est du **nanan**,* c'est très bon, ou très facile. 1640 ; orig. onomat. (lang. enfantin) ; [nanɑ̃].

**NANAR,** subst. m.
Fam. Vieillerie sans valeur ; mauvais film. 1900 ; argot *panard*, « vieillard », de *panet*, « loque » ; [nanaʀ].

**NANDOU,** subst. m.
*Zool.* Oiseau ratite, inapte au vol, proche de l'autruche, vivant en Amérique du Sud. 1817 ; hisp.-amér. *nandú*, du tupi-guarani *nandú* ; [nɑ̃du].

**NANIFIER,** verbe trans. [6]
*Hortic.* Empêcher (une plante) de grandir (synon. *naniser*). 1939 ; ☞ *nain* ; [nanifje].

**NANISME,** subst. m.
*Pathol.* Anomalie, gén. d'origine génétique ou endocrinienne, caractérisant un sujet de taille très inférieure à la moyenne. 1838 ; ☞ *nain* ; [nanism].

**NANKIN,** subst. m.
Toile de coton serrée et solide ; empl. adj. inv., de couleur jaune abricot. 1760 ; topon. *Nankin* ; [nɑ̃kɛ̃].

**NANORÉSEAU,** subst. m. inv.
*Informat.* Type de réseau local adopté par l'Éducation nationale pour équiper les salles d'informatique des écoles vers 1985. V. 1980 ; ☞ *réseau* + *nano-* ; n. déposé ; [nanoʀezo].

**NANSOUK,** subst. m.
Tissu de coton léger et soyeux, utilisé en lingerie. 1771 ; hindi *nainsuk* ; var. *nanzouk* ; [nɑ̃suk].

**NANTI, IE,** adj.
**1.** Muni, pourvu : ***Nanti** d'un billet.* **2.** Ext. Riche : *Les pays **nantis*** ; empl. subst., personne de condition aisée. XVIe s. ; p. p. de *nantir* ; [nɑ̃ti].

**NANTIR,** verbe trans. [19]
**1.** *Dr.* Donner en gage. **2.** Mettre (qqn) en possession de qqch., munir ; empl. pronom. : *Il se **nantit** des places restantes.* 1255 ; anc. fr. *nant*, « gage », de l'anc. scand. *nam*, « prise de possession » ; [nɑ̃tiʀ].

**NANTISSEMENT,** subst. m.
*Dr.* Contrat par lequel un débiteur remet un bien à un créancier en garantie d'une dette ; par méton., ce bien. 1283 ; ☞ *nantir* ; [nɑ̃tismɑ̃].

**NANZOUK,** voir **NANSOUK**

**NAOS,** subst. m.
**1.** *Antiq.* Partie d'un temple grec ou égyptien où était située la statue du dieu. **2.** Partie centrale d'une église byzantine, où se tiennent les fidèles. 1567 ; gr. *naos*, « habitation d'un dieu » ; [naɔs].

**NAPALM,** subst. m.
Essence gélifiée au palmitate de sodium ou d'aluminium, dont la combustion dégage une chaleur carbonisant tout à son contact : *Bombes au **napalm**.* 1942 ; angl. *napalm*, crois. de *naphtenate* et de *palmitate* ; [napalm].

**NAPÉE,** subst. f.
*Myth.* Petite divinité des prairies et des forêts. Déb. XVe s. ; lat. *napaea*, du gr. *napaios*, « qui réside dans les vallées » ; [nape].

**NAPEL,** subst. m.
*Bot.* Espèce commune d'aconit. 1559 ; bas lat. *napellus*, du lat. *napus*, « navet » ; [napɛl].

**NAPHTA,** subst. m.
*Chim.* Distillat de pétrole, intermédiaire entre le kérosène et l'essence. Lat. *naphta*, « naphte » ; [nafta].

**NAPHTALÈNE,** subst. m.
*Chim.* Hydrocarbure aromatique de formule $C_{10}H_8$, extrait du goudron de houille, principal constituant de la naphtaline, utilisé dans l'industrie des colorants et des parfums. 1836 ; ☞ *naphtaline* ; [naftalɛn].

**NAPHTALINE,** subst. f.
Produit antimite composé principalement de naphtalène. 1821 ; ☞ *naphte*, par l'angl. ; [naftalin].

**NAPHTE,** subst. m.
**1.** Vx. Pétrole brut. **2.** Mélange d'hydrocarbures provenant de la décomposition de matières organiques, et servant de combustible ou de dissolvant. 1213 ; lat. *naphta*, du gr. *naphtha* ; [naft].

**NAPHTOL,** subst. m.
*Chim.* Phénol isomère dérivé du naphtalène, utilisé comme antiseptique et dans l'industrie des colorants et des parfums. 1843 ; angl. *naphthol*, d'apr. *naphtaline* ; [naftɔl].

**NAPOLÉON,** subst. m.
Pièce d'or frappée à l'effigie de Napoléon Ier ou de Napoléon III et d'une valeur faciale de vingt francs. 1807 ; anthropon. *Napoléon* ; [napɔleɔ̃].

**NAPOLÉONIEN, IENNE,** adj.
Relatif à Napoléon Ier, à sa dynastie, à son système politique et, par ext., à Napoléon III. 1809 ; anthropon. *Napoléon* ; [napɔleɔnjɛ̃, jɛn].

*Nandous.*

© P. Wild-Jacana

**NAPOLITAIN, AINE,** adj. et subst.
De Naples. ADJ. *Cuis. Tranche **napolitaine*** : tranche de glace, formée de couches aux parfums différents. Mil. XVIe s. ; topon. *Naples* (Italie) ; [napɔlitɛ̃, ɛn].

**NAPPAGE,** subst. m.
**1.** Linge de table (rare). **2.** *Cuis.* Action de napper ; son résultat. 1807 ; ☞ *nappe* ; [napaʒ].

**NAPPE,** subst. f.
**1.** Linge dont on couvre une table pour les repas. ► *Liturg.* Linge qui recouvre l'autel. **2.** Anal. Vaste étendue plane d'un fluide, située sur ou sous terre : ***Nappe** de gaz, de pétrole.* ► *Géol. **Nappe** phréatique* (☞ *phréatique*) ; ***Nappe** de charriage* (☞ *charriage*) ; *Écoulement en **nappe*** : écoulement en largeur sur une plaine ou un versant. **3.** *Géom.* Partie d'un seul tenant d'une surface courbe (le sommet d'un cône délimite sa surface en deux **nappes**). **4.** *Text.* Ensemble de fibres textiles disposées en bande continue à la sortie de la machine. Mil. XIIe s. ; lat. *mappa*, « serviette de table » ; [nap].

**NAPPER,** verbe trans. [3]
**1.** Couvrir d'une nappe (vieilli). **2.** *Cuis.* Couvrir (un mets) de sauce ou de crème : ***Napper** un gâteau de chocolat.* 1845 ; ☞ *nappe* ; [nape].

**NAPPERON,** subst. m.
**1.** Vx. Petite nappe. **2.** Petite pièce de toile ouvragée que l'on pose sur un meuble pour le protéger et le décorer. 1391 ; ☞ *nappe* ; [napʀɔ̃].

**NARCÉINE,** subst. f.
*Chim.* Alcaloïde extrait de l'opium, aux vertus sédatives et soporifiques. 1832 ; gr. *narkê*, « engourdissement » ; [naʀsein].

**NARCISSE,** subst. m.
**1.** *Bot.* Plante bulbeuse de la famille des Amaryllidacées, à fleurs odoriférantes, blanches ou jaunes. **2.** Homme épris de son apparence ou, par ext., qui s'intéresse immodérément à sa personne. 1538 ; *Narcisse*, héros de la mythologie grecque ; [naʀsis].

**NARCISSIQUE,** adj.
Qui relève du narcissisme ; atteint de narcissisme ; empl. subst., personne **narcissique**. 1922 ; ☞ *narcisse* ; [naʀsisik].

**NARCISSISME,** subst. m.
**1.** *Psychol.* Amour exclusif de sa propre personne ; égocentrisme. **2.** *Psychanal.* Concept freudien désignant un état psychique où la libido tend à investir totalement le moi aux dépens de son ouverture au monde et à autrui. 1894 ; ☞ *narcisse* ; [naʀsisism].

**NARCOANALYSE,** subst. f.
*Psych.* Technique d'exploration de l'inconscient qui consiste à faire diminuer la vigilance du sujet en lui injectant un barbiturique afin de provoquer l'extériorisation du refoulé. 1948 ; ☞ *analyse* + *narco-* ; [naʀkoanaliz].

**NARCODOLLAR,** subst. m.
Argent provenant du trafic de la drogue (gén. au plur.). V. 1980 ; ☞ *dollar* + *narco-* ; [naʀkodɔlaʀ].

**NARCOLEPSIE,** subst. f.
*Pathol.* Besoin irrésistible de sommeil survenant par accès. 1880 ; gr. *lepsis*, « attaque », + *narco-* ; [naʀkolɛpsi].

**NARCOSE,** subst. f.
*Méd.* État de sommeil provoqué par l'administration d'hypnotiques. 1876 (1823, état de torpeur) ; gr. *narkôsis*, « engourdissement » ; [naʀkoz].

**NARCOTINE,** subst. f.
*Chim.* Alcaloïde de l'opium, employé comme antitussif. 1814 ; ☞ *narcotique* ; [naʀkɔtin].

**NARCOTIQUE,** adj. et subst. m.
*Pharm.* ADJ. Qui entraîne une narcose ; qui endort. SUBST. Substance du groupe des stupéfiants qui, outre son action antalgique, a des propriétés euphorisantes et sédatives susceptibles d'entraîner une toxicomanie ; au fig. : *Ce précieux **narcotique**, l'oubli* (Green). 1314 ; lat. médiév. *narcoticus*, du gr. *narkôtikos* ; [naʀkɔtik].

**NARCOTRAFIQUANT, ANTE,** subst.
Trafiquant de drogue. V. 1980 ; ☞ *trafiquant* + *narco-* ; [naʀkotʀafikɑ̃, ɑ̃t].

**NARD,** subst. m.
*Bot.* **1.** Plante herbacée de la famille des Valérianacées, très prisée dans l'Antiquité, dont l'huile, extraite des rhizomes, était utilisée en médecine et en parfumerie ; par méton., le parfum extrait de cette plante. **2.** Plante de la famille des Poacées, aux feuilles raides et piquantes, qui pousse sur des sols

pauvres. 1213 ; lat. *nardus*, du gr. *nardos*, du skr. *nalada* ; [naʀ].

**NARGHILÉ, voir NARGUILÉ**

**NARGHILEH, voir NARGUILÉ**

**NARGUER, verbe trans.** [3]
Se moquer de, railler (qqn) ; braver, défier avec insolence : ***Narguer*** *l'ennemi, le péril.* 1452 ; prob. lat. pop. °*naricare*, du lat. *naris*, « narine » ; [naʀge].

© P. Lissac-Explorer

*Fumeur de* ***narguilé.***

**NARGUILÉ, subst. m.**
Longue pipe orientale munie d'un réservoir d'eau parfumée et d'un tuyau souple. Fin XVIIIe s. ; persan de l'Inde *nārgila*, de *nārgil*, « noix de coco », prob. du skr. *nārikela*, « cocotier » ; var. *narghilé, narghileh* ; [naʀgile].

**NARINE, subst. f.**
*Anat.* Chacun des deux orifices externes du nez. Fin XIIe s. ; lat. pop. °*narina*, du lat. *naris* ; [naʀin].

**NARQUOIS, OISE, adj.**
Qui exprime l'ironie, la malice. 1842 (fin XVIe s., soldat vagabondant) ; orig. obsc. ; [naʀkwa, waz].

**NARRATEUR, TRICE, subst.**
Personne qui relate une histoire. 1490 ; lat. *narrator* ; [naʀatœʀ, tʀis].

**NARRATIF, IVE, adj.**
Qui relève du récit ; propre à la narration : *Poésie* ***narrative.*** 1452 ; bas lat. *narrativus* ; [naʀatif, iv].

**NARRATION, subst. f.**
**1.** Récit détaillé ; en partic., exercice scolaire consistant à développer par écrit un sujet donné (synon. *rédaction*). **2.** *Rhét.* Partie du discours où les faits sont développés. 1190 ; lat. *narratio* ; [naʀasjɔ̃].

**NARRER, verbe trans.** [3]
Raconter, relater. 1388 ; lat. *narrare* ; [naʀe].

**NARTHEX, subst. m.**
*Archit.* Portique précédant la nef dans les anciennes basiliques ; porche fermé de certaines églises. 1680 ; gr. *narthêx*, « férule ; étui » ; [naʀtɛks].

**NARVAL, subst. m.**
*Zool.* Cétacé odontocète des eaux arctiques, dont le mâle a une canine supérieure gauche développée en défense spiralée pouvant atteindre 2,50 m de long. 1598 ; danois *narhval* ; plur. *narvals* ; [naʀval].

**NASAL, ALE, AUX, adj.**
**1.** *Anat.* Qui concerne le nez : *Fosses* ***nasales***, les deux cavités du nez, séparées par une mince cloison sagittale. **2.** *Phon. Voyelle, consonne* ***nasale*** ou, empl. subst. fém., *Une* ***nasale*** : dont l'émission s'accompagne d'une vibration dans la cavité buccale, qui est mise en communication avec l'arrière-bouche (par ex. : *an* [ɑ̃], *on* [ɔ̃] ; *m* [m], *gn* [ɲ]). 1538 (fin XIe s., partie du heaume protégeant le nez) ; lat. *nasus*, « nez de l'homme » ; [nazal, o].

**NASALISATION, subst. f.**
Action de nasaliser ; état d'un son, d'un timbre, etc. nasalisé. 1868 ; ☞ *nasaliser* ; [nazalizasjɔ̃].

**NASALISER, verbe trans.** [3]
*Phon.* Rendre nasal (un son, un timbre, une prononciation). 1868 ; ☞ *nasal* ; [nazalize].

**NASALITÉ, subst. f.**
*Phon.* Caractère d'un phonème nasal. 1765 ; ☞ *nasal* ; [nazalite].

**NASARD, subst. m.**
Un des jeux de mutation de l'orgue. 1588 (1519, instrument à vent au son discordant) ; ☞ *nez* ; [nazaʀ].

**NASARDE, subst. f.**
Vieilli. **1.** Chiquenaude sur le nez. **2.** Fig. Affront. 1542 ; lat. *nasus*, « nez » ; var. *nazarde* ; [nazaʀd].

**NASE (I), subst. m.**
Nez (pop.). 1835 ; ital. *naso* ; var. *naze* ; [naz].

**NASE (II), adj.**
Pop. **1.** Abîmé, hors d'usage : *Ma tondeuse est* ***nase.*** **2.** Très fatigué. 1957 (1928, syphilis) ; *nazi* (vx), « maladie vénérienne » ; var. *naze* ; [naz].

**NASEAU, subst. m.**
Chacune des narines de certains animaux (bœuf, cheval). **Plur.** Nez de l'homme (fam.). 1520 ; lat. *nasus*, « nez » ; [nazo].

**NASILLARD, ARDE, adj.**
Qui nasille. 1654 ; ☞ *nasiller* ; [nazijaʀ, aʀd].

**NASILLEMENT, subst. m.**
**1.** Phonation atypique caractérisée par une résonance nasale permanente. **2.** Anal. Cri du canard. 1741 ; ☞ *nasiller* ; [nazijmɑ̃].

**NASILLER, verbe** [3]
**Intrans. 1.** Parler du nez. **2.** Pousser son cri, en parlant du canard. **Trans.** Prononcer en parlant du nez. 1680 (XVe s., renifler) ; m. fr. *nazille*, « narine » ; [nazije].

**NASIQUE, subst. m.**
*Zool.* **1.** Grande couleuvre arboricole d'Asie du Sud, à museau pointu. **2.** Singe roux de Bornéo, au nez long, bulbeux et pendant chez le mâle. 1789 ; lat. *nasica*, « qui a le nez mince et pointu » ; [nazik].

**NASITORT, subst. m.**
Cresson alénois. XIIIe s. ; lat. *nasturtium* ; [nazitɔʀ].

**NASONNEMENT, subst. m.**
*Pathol.* Altération de la voix due à une perméabilité excessive de la cavité nasale sous l'effet d'une lésion de la voûte ou du voile du palais et qui entraîne une nasalisation excessive des phonèmes. 1834 ; *nasonner* (vx), « parler du nez » ; [nazɔnmɑ̃].

**NASSE, subst. f.**
**1.** *Pêche.* Panier oblong dans lequel le poisson, une fois entré, reste piégé ; par anal., filet servant à capturer des oiseaux ; au fig., traquenard. **2.** *Zool.* Mollusque gastéropode marin à coquille hélicoïdale, carnassier. Fin XIIe s. ; lat. *nassa* ; [nɑs].

**NATAL, ALE, ALS, adj.**
Relatif à la naissance ; où l'on est né : *Maison* ***natale*** ; *Village* ***natal.*** ▸ *Langue* ***natale*** : maternelle. Déb. XVIe s. ; lat. *natalis* ; [natal].

**NATALISTE, adj.**
**1.** Qui cherche à favoriser la natalité : *Mesure* ***nataliste.*** **2.** Qui est partisan de l'accroissement des naissances. 1929 ; ☞ *natalité* ; [natalist].

**NATALITÉ, subst. f.**
*Démogr.* Rapport entre le nombre des naissances et la population d'une région dans un temps déterminé : *Taux, courbe de* ***natalité.*** 1868 ; ☞ *natal* ; [natalite].

**NATATION, subst. f.**
Action de nager ; le sport que constitue cet exercice : *Club de* ***natation*** ; ***Natation*** *synchronisée*, chorégraphie aquatique. 1550 ; lat. *natatio* ; [natasjɔ̃].

**NATATOIRE, adj.**
Qui sert à nager : *Vessie* ***natatoire***, poche abdominale de certains poissons, qui s'emplit de gaz et sert à régler leurs déplacements verticaux. 1567 ; lat. *natatorius* ; [natatwaʀ].

**NATIF, IVE, adj. et subst.**
**Adj. 1.** ***Natif*** *de* : né à, originaire de. **2.** Inné : *Bonté* ***native.*** **3.** *Minér.* Se dit d'un métal présent dans la nature à l'état pur : *Or* ***natif.*** **Subst.** Indigène, autochtone. Déb. XIIe s. ; lat. *nativus* ; [natif, iv].

**NATION, subst. f.**
**1.** Vx. Groupe humain de même origine, organisé sur un territoire. **2.** Vaste groupe humain dont la cohésion est assurée par une communauté historique, linguistique, culturelle, et par la volonté de l'établir ou de la maintenir ; ce groupe, installé sur un territoire, formant une entité politique : *Organisation des* ***Nations*** *unies.* **3.** *Dr.* Personne juridique titulaire de la souveraineté, constituée par l'ensemble des individus formant l'État mais distincte de ces derniers. **4.** Ensemble des individus qui composent une **nation** ; peuple : *Les élus de la* ***nation.*** Fin XIIe s. ; lat. *natio* ; [nasjɔ̃].

**NATIONAL, ALE, AUX, adj. et subst.**
**Adj. 1.** Qui est propre à une nation (par oppos. à *international, étranger*) : *Hymne* ***national.*** **2.** Qui concerne la nation entière (par oppos. à *régional, local*) : *Fédération* ***nationale*** ; qui relève de l'État : *Musées* ***nationaux*** ; *Route* ***nationale*** ou, empl. subst. fém., *Une* ***nationale***, construite et entretenue par l'État. **3.** *Pol.* Nationaliste. **Subst.** Personne de telle nationalité ; ressortissant. 1534 ; ☞ *nation* ; [nasjɔnal, o].

**NATIONALISATION, subst. f.**
Action de nationaliser : ***Nationalisation*** *des banques.* 1796 ; ☞ *nationaliser* ; [nasjɔnalizasjɔ̃].

**ÉCONOMIE** – Les nationalisations opérées en France l'ont été pour garantir l'indépendance financière de l'État par l'éviction de puissances privées, pour moderniser des secteurs de base de l'économie par des investissements massifs et pour développer des stratégies industrielles. Les sociétés nationalisées n'ont pas pour objectif prioritaire la recherche du profit et se doivent d'être des laboratoires de la politique sociale. Les nationalisations ont été réalisées, pour la plupart, par le Front populaire, en 1936, le Conseil national de la Résistance, de 1944 à 1948, et sous la présidence de François Mitterrand, en 1981-1982. Principales nationalisations : 1933, Air France ; 1936, aéronautique et armement (création de six sociétés d'économie mixte) ; 1937, chemins de fer (création de la S. N. C. F.) ; 1944-1946, houillères (création des Charbonnages de France) ; 1945, Renault, Banque de France, B. N. C. I., C. N. E. P., Crédit lyonnais, Société générale ; 1946, assurances, gaz et électricité (création d'E. D. F.-G. D. F.), A. F. P., Compagnie générale transatlantique ; 1981-1982, C. G. E., P. U. K., Rhône-Poulenc, Saint-Gobain, Thomson, trente-neuf banques de dépôts, Paribas et Suez.

**NATIONALISER, verbe trans.** [3]
Transférer à la nation la propriété de (une entreprise privée), au moyen des finances de l'État et par le biais de lois ou d'ordonnances. 1792 ; ☞ *national* ; [nasjɔnalize].

**NATIONALISME, subst. m.**
**1.** Mouvement politique qui revendique pour une communauté le droit de former une nation autonome. **2.** Exaltation du sentiment national ; doctrine qui en découle, souvent empreinte de xénophobie, de racisme et d'une volonté d'isolement politique et économique. **3.** Doctrine qui subordonne tous les problèmes politiques intérieurs à la suprématie de la nation à l'extérieur. 1798 ; ☞ *national* ; [nasjɔnalism].

**NATIONALISTE, adj. et subst.**
**Subst.** Partisan du nationalisme ; militant d'une organisation **nationaliste**. **Adj.** Qui est propre, relatif ou favorable au nationalisme. 1830 ; ☞ *nationalisme* ; [nasjɔnalist].

**NATIONALITÉ, subst. f.**
**1.** Sentiment national ; volonté d'un groupe humain, uni par des liens ethniques, linguistiques, etc., de se constituer en nation ; ce groupe lui-même. ▸ *Dr. internat. Principe des* ***nationalités*** : selon lequel toute nation a le droit de se constituer en État indépendant. **2.** Appartenance d'une personne à une nation déterminée : *Il est de* ***nationalité*** *suisse.* ▸ *Dr.* Lien juridique et politique rattachant une personne à un État. Fin XVIIIe s. ; ☞ *national* ; [nasjɔnalite].

**NATIONAL-SOCIALISME, subst. m. sing.**
*Hist.* Doctrine du parti ouvrier allemand national-socialiste (N. S. D. A. P.), fondé en 1920, érigée par Adolf Hitler en système (synon. *nazisme*) : *La croix gammée, emblème du* ***national-socialisme.*** 1932 ; all. *Nationalsozialismus* ; [nasjɔnalsɔsjalism].

**NATIONAL-SOCIALISTE, adj. et subst.**
**Adj.** Propre, relatif ou favorable au national-socialisme, au nazisme. **Subst.** Membre du parti **national-socialiste**. 1923 ; all. *Nationalsozialist* ; plur. *nationaux-socialistes*, le fém. *nationale-socialiste* est rare ; [nasjɔnalsɔsjalist], plur. [-no-].

**NATIVISME, subst. m.**
*Philos.* et *Psychol.* Théorie affirmant que la perception de l'espace est directement liée aux impressions rétiniennes, indépendamment de toute expérience. 1876 ; ☞ *natif* ; [nativism].

**NATIVISTE, adj. et subst.**
*Philos.* et *Psychol.* **Adj.** Qui est relatif, favorable ou propre au nativisme. **Subst.** Partisan du nativisme. 1888 ; ☞ *natif* ; [nativist].

**NATIVITÉ, subst. f.**
**1.** Vx. Naissance. **2.** *Relig.* Naissance du Christ, de la Vierge Marie ou de saint Jean-Baptiste ; empl. abs. : *La* ***Nativité***, celle du Christ ; par méton., le jour de Noël. XII^e^ s. ; bas lat. *nativitas* ; [nativite].

**NATRON, subst. m.**
*Minér.* Carbonate de sodium naturel hydraté, utilisé par les Égyptiens pour la momification. 1653 ; esp. *natrón*, de l'ar. *naṭrūn* ; var. *natrum* ; [natʀɔ̃].

**NATTAGE, subst. m.**
Action de natter ; son résultat. 1835 ; ☞ *natter* ; [nataʒ].

**NATTE, subst. f.**
**1.** Tissu de paille ou de fibres végétales tressées. **2.** Tresse plate réalisée avec un matériau propre au tissage. **3.** Tresse de cheveux. XI^e^ s. ; lat. médiév. *natta*, du bas lat. *matta*, d'orig. sémitique ; [nat].

**NATTÉ, subst. m.**
Tissage ayant l'aspect d'un damier. 1894 ; p. p. de *natter* ; [nate].

**NATTER, verbe trans. [3]**
**1.** Vx. Garnir de nattes (un plancher, un mur). **2.** Tresser en natte. 1344 ; ☞ *natte* ; [nate].

**NATTIER, IÈRE, subst.**
Personne qui fabrique et vend des nattes, des tapis tressés. 1292 ; ☞ *natte* ; [natje, jɛʀ].

**NATURALISATION, subst. f.**
**1.** Action de naturaliser ; fait d'être naturalisé. **2.** Opération permettant de conserver à un animal mort ou à une plante coupée l'apparence qu'ils avaient quand ils étaient vivants. 1566 ; ☞ *naturaliser* ; [natyʀalizasjɔ̃].

**NATURALISÉ, ÉE, adj. et subst.**
Se dit d'une personne qui a obtenu sa naturalisation. 1552 ; p. p. de *naturaliser* ; [natyʀalize].

**NATURALISER, verbe trans. [3]**
**1.** Conférer à (un étranger) une nationalité déterminée. **2.** Acclimater dans un milieu nouveau (une espèce animale ou végétale) ; au fig., assimiler (un élément culturel étranger) : ***Naturaliser*** *un mot.* **3.** Conserver (un animal, une plante) par naturalisation. 1471 ; lat. *naturalis*, « naturel » ; [natyʀalize].

**NATURALISME, subst. m.**
**1.** *Philos.* Conception du monde selon laquelle rien n'existe qui ne procède de la nature et de ses lois. **2.** *Litt.* et *B.-a.* Mouvement esthétique du XIX^e^ s., réuni autour d'Émile Zola, de Gustave Flaubert et des frères Goncourt, dont le mot d'ordre était de peindre les êtres et les choses tels qu'ils sont, avec l'objectivité et la précision des savants naturalistes. 1746 (1719, interprétation mythologique des faits de la nature) ; lat. *naturalis*, « naturel » ; [natyʀalism].

LITTÉRATURE – *Le Roman expérimental* (1879), de Zola, et les *Soirées de Médan* (1880), recueil collectif auquel Maupassant, Huysmans, Alexis, Hennique et Céard, groupés autour de Zola, contribuent chacun par un récit, sont les deux manifestes de l'école naturaliste. Maupassant et Huysmans s'en démarqueront bientôt par leur génie propre. Réagissant contre le romantisme, se réclamant du réalisme flaubertien, épousant la démarche scientiste de Comte et les principes de la méthode expérimentale appliquée à la médecine par Claude Bernard, le naturalisme se propose de montrer la nature humaine dans sa réalité brute, insistant sur l'analyse de ses tares, sans rien occulter de leur laideur, voire de leur vulgarité. Le romancier naturaliste sera avant tout un « expérimentateur » (Zola) qui procède à l'étude objective de la psychologie humaine, déterminée par les lois physiologiques et les conditionnements du milieu social, souvent aliénants (vices, misère, exploitation, etc.). Moins radicalement que chez Zola, le naturalisme marquera le théâtre de Becque et influencera la littérature européenne (le jeune Verhaeren, Tchekhov, Ibsen, Strindberg, etc.). En peinture, Courbet en est le principal représentant. Au naturalisme succéderont, dès avant la fin du siècle, les raffinements de la réaction symboliste.

**NATURALISTE, adj. et subst.**
SUBST. **1.** Personne qui étudie la nature (botaniste, zoologiste, géologue, etc.). **2.** Personne qui naturalise des plantes ou des animaux. **3.** Adepte du naturalisme. ADJ. Relatif au naturalisme. 1527 ; lat. *naturalis*, « naturel » ; [natyʀalist].

**NATURE, subst. f. et adj. inv.**
**I.** SUBST. **1.** Ensemble des êtres et des choses qui composent l'univers ; principe actif, le plus souvent personnifié, de cet ensemble : *Les lois de la* ***nature*** ; *La* ***nature*** *a horreur du vide*, postulat de la philosophie d'Aristote, repris par Descartes. **2.** Ensemble des êtres et des choses qui forment l'environnement naturel de l'homme : *Les beautés de la* ***nature*** ; *Vivre en pleine* ***nature*** ; *La protection de la* ***nature***. **3.** *B.-a. Peindre d'après* ***nature*** : d'après un modèle réel. ► ***Nature*** *morte* : genre pictural qui s'affirme au XVII^e^ s., notamment aux Pays-Bas, et qui s'attache à la représentation des objets, des fruits, des légumes, etc., rassemblés sur une table. La **nature** morte évolue au XIX^e^ s. grâce à des peintres comme Cézanne, Gauguin, Van Gogh, et l'on peut même considérer les *Tableaux-pièges* (pendant les années 1960), de Spoerri, comme des **natures** mortes contemporaines. **4.** Loc. ► **En nature**. Sous forme de produits consommables, d'objets utilitaires, de services : *Avantage, cadeau, paiement en* ***nature***. ► *Contre* ***nature*** : qui est contraire aux usages naturels, en parlant de mœurs, de pratiques sexuelles (vieilli). **II.** SUBST. **1.** Ce qui caractérise de manière essentielle, constitutive, un être, une chose, un principe ; essence d'un genre : *La* ***nature*** *d'un gouvernement est ce qui le fait être tel* (Montesquieu) ; *La* ***nature*** *humaine.* ► Loc. *De* ***nature*** *à* : propre à. **2.** Personnalité, tempérament d'un individu : *Une* ***nature*** *violente, indolente, corrompue* ; *Se montrer sous sa vraie* ***nature***. ADJ. **1.** *Cuis.* Qui ne fait pas l'objet d'une préparation ou d'un assaisonnement : *Manger des légumes* ***nature***. **2.** Qui est naturel, spontané, sans artifices (fam.) : *Une jeune femme très* ***nature***. 1119 ; lat. *natura* ; [natyʀ].

© Giraudon

**Nature** morte de fleurs, fruits, coquillages *(détail), peinture de Balthazar Van der Ast (1590-1656). Musée de la Chartreuse, Douai.*

**NATUREL, ELLE, adj. et subst. m.**
ADJ. **1.** Qui est le fait de la nature : *Phénomène* ***naturel***. **2.** Ext. Qui se rapporte au monde vivant : *Sciences* ***naturelles*** ; *Sélection* ***naturelle***. **3.** Qui provient directement de la nature : *Gaz* ***naturel*** ; *Eau minérale* ***naturelle*** ; qui est dans son état d'origine, qui n'a subi aucune altération : *Jus de fruits* ***naturel*** ; *Couleur* ***naturelle*** *des cheveux.* ► *Mus. Note* ***naturelle*** : qui n'est pas altérée par un dièse ou un bémol. **4.** Qui s'accomplit selon l'ordre normal des choses : *Mort* ***naturelle***. ► Loc. *C'est (tout)* ***naturel*** : c'est normal. **5.** *Dr. Enfant* ***naturel*** : né hors mariage (anton. *légitime*). **6.** *Math. Entier* ***naturel*** : chacun des nombres entiers positifs, de la suite 0, 1, 2, 3, 4... ; *Logarithmes* ***naturels*** : népériens. **7.** *Philos. Religion* ***naturelle*** : ensemble des croyances religieuses et des préceptes moraux qui, chez l'homme de foi, sont le fait d'une révélation consciente. SUBST. **1.** Tempérament d'un individu : *Être d'un* ***naturel*** *impulsif.* **2.** Absence d'affectation ; authenticité : *Manquer de* ***naturel***. **3.** Personne originaire d'un pays et qui y réside (synon. *autochtone*). **4.** Loc. *Au* ***naturel*** : sans assaisonnement ni préparation, en parlant de denrées comestibles mises en conserve. 1119 ; lat. *naturalis* ; [natyʀɛl].

**NATURELLEMENT, adv.**
**1.** Selon les lois de la nature. **2.** D'une manière spontanée, simple. **3.** D'une manière évidente, logique. Déb. XII^e^ s. ; ☞ *naturel* ; [natyʀɛlmɑ̃].

**NATURISME, subst. m.**
**1.** *Philos.* Doctrine voyant l'origine des religions dans le culte rendu aux forces de la nature. **2.** Doctrine hippocratique de la médication naturelle. **3.** Style de vie proche de la nature (alimentation naturelle, vie en plein air, nudisme). 1778 ; ☞ *nature* ; [natyʀism].

**NATURISTE, subst. et adj.**
SUBST. Adepte du naturisme ; nudiste. ADJ. Relatif au naturisme. 1821 ; ☞ *naturisme* ; [natyʀist].

**NATUROPATHIE, subst. f.**
Méthode thérapeutique n'utilisant que des moyens naturels (diététique, exercice physique, hydrothérapie, massage, etc.). XX^e^ s. ; ☞ *nature* + *-pathie* ; [natyʀɔpati].

**NAUCORE, subst. f.**
*Zool.* Insecte carnivore des eaux stagnantes, aussi appelé punaise d'eau. 1800 ; gr. *naus*, « navire », et *koris*, « punaise » ; [nokɔʀ].

**NAUFRAGE, subst. m.**
**1.** Perte totale ou partielle d'un navire en mer. ► *Faire* ***naufrage*** : sombrer. **2.** Fig. Désastre, ruine ; banqueroute. 1414 ; lat. *naufragium* ; [nofʀaʒ].

**NAUFRAGÉ, ÉE, adj.**
Qui a fait naufrage ; empl. subst., personne **naufragée**. Déb. XIV^e^ s. ; ☞ *naufrage* ; [nofʀaʒe].

**NAUFRAGEUR, EUSE, subst.**
**1.** Personne qui provoquait des naufrages par de faux signaux ; empl. adj. : *Bateau* ***naufrageur***, qui provoque un naufrage par une collision. **2.** Fig. Personne qui provoque la ruine de qqn, de qqch. 1874 ; ☞ *naufrage* ; [nofʀaʒœʀ, øz].

**NAUMACHIE, subst. f.**
*Antiq. rom.* Combat naval représenté dans un cirque aménagé en bassin ; par méton., ce bassin. 1520 ; lat. *naumachia*, du gr. *naumakhia*, de *naus*, « navire », et de *makhê*, « combat » ; [nomaʃi].

**NAUPATHIE, subst. f.**
*Pathol.* Mal de mer. 1858 ; gr. *naus*, « navire », + *-pathie* ; [nopati].

**NAUPLIUS, subst. m.**
*Zool.* Larve aquatique des Crustacés. 1890 (1846, genre de crustacé) ; mot lat. ; [nopliјys].

**NAUSÉABOND, ONDE, adj.**
**1.** Qui provoque des nausées ; qui dégage de mauvaises odeurs. **2.** Fig. Écœurant. 1762 ; lat. *nauseabundus*, « qui a le mal de mer » ; [nozeabɔ̃, ɔ̃d].

**NAUSÉE, subst. f.**
**1.** Envie de vomir, haut-le-cœur. **2.** Fig. Profond dégoût : *Donner la* ***nausée***, inspirer un vif écœurement. 1495 ; lat. *nausea*, « mal de mer » ; [noze].

**NAUSÉEUX, EUSE, adj.**
**1.** Qui provoque des nausées ; qui a des nausées ; qui est caractérisé par des nausées. **2.** Fig. Qui provoque le dégoût. 1793 ; ☞ *nausée* ; [nozeø, øz].

**NAUTILE, subst. m.**
*Zool.* Mollusque céphalopode des mers chaudes, prédateur et nécrophage, à coquille spiralée divisée en loges occupées successivement par l'animal. 1562 ; lat. *nautilus* ; [notil].

© Faulkner D/P. H. R.-Jacana

*Nautile.*

**NAUTIQUE, adj.**
**1.** Relatif à la navigation : *Mille* ***nautique***. **2.** Relatif à la navigation de plaisance, aux sports de l'eau : *Ski* ***nautique***. Déb. XVI^e^ s. ; lat. *nauticus* ; [notik].

**NAUTISME, subst. m.**
Sports nautiques ; en partic., navigation de plaisance. V. 1970 ; ☞ *nautique* ; [notism].

**NAUTONIER, IÈRE, subst.**
**1.** Vx. Personne qui conduit une embarcation. **2.** *Myth. Le* ***nautonier*** *des Enfers* : Charon. 1119 ; anc. prov. *nautanier*, du lat. *nauta* ; [notɔnje, jɛʀ].

**NAVAJA, subst. f.**
Long couteau espagnol à lame recourbée. 1843 ; esp. *navaja*, du lat. *novacula*, « rasoir » ; [navaʀa] ou [-xa].

**NAVAL, ALE, ALS,** adj.
. Relatif à la navigation, aux navires : *Chantier aval.* **2.** Relatif à la marine militaire : *Combat aval ; École* ***navale***, école des officiers de la Marine ationale. Déb. XIVe s. ; lat. *navalis* ; [naval].

**NAVALISATION,** subst. f.
*Milit.* Adaptation à un bateau d'un appareil, d'une rme. V. 1960 ; ☞ *naval* ; [navalizasjɔ̃].

**NAVARIN,** subst. m.
*Cuis.* Ragoût de mouton cuit avec des navets, des ommes de terre, des carottes et des oignons. 1866 (1847, navet) ; ☞ *navet*, d'apr. le topon. *Navarin* (Grèce) ; [navaʀɛ̃].

**NAVARQUE,** subst. m.
*Antiq. gr.* Commandant d'un navire, d'une flotte de uerre. 1610 ; lat. *nauarchus*, du gr. *nauarkhos* ; navaʀk].

**NAVEL,** subst. f.
Variété d'orange qui contient un fruit secondaire l'état embryonnaire ; en appos. : *Orange* ***navel***. 1912 ; angl. *navel*, « nombril » ; [navɛl].

**NAVET,** subst. m.
**1.** *Bot.* Plante de la famille des Brassicacées, cultivée our ses racines comestibles ; par méton., cette acine. **2.** Fig. Œuvre d'art ou spectacle sans valeur ; n partic., film nul. Fin XIIe s. ; anc. fr. *nef*, du lat. *apus* ; [navɛ].

*La navette Atlantis sur son pas de tir au centre spatial J.-F. Kennedy, de cap Canaveral (Floride).*

**NAVETTE (I),** subst. f.
**I. 1.** *Tiss.* Pièce de bois allongée d'un métier à tisser, qui contient une bobine et glisse le fil de trame entre les fils de chaîne. **2.** Anal. Pièce de machine à coudre qui contient la canette. **3.** *Liturg.* Récipient à encens. **II. 1.** Loc. *Faire la* ***navette*** : faire des allées et venues d'un lieu à un autre. **2.** *Transports.* Liaison courte et régulière d'un point à un autre ; véhicule assurant cette liaison. **3.** *Astronaut.* ***Navette*** *spatiale* : vaisseau récupérable effectuant la liaison entre la Terre et une orbite. **4.** Fig. Va-et-vient d'une proposition ou d'un projet de loi entre l'Assemblée nationale et le Sénat. XIIIe s. ; ☞ *nef*, d'apr. le lat. *navis*, « navire » ; [navɛt].

**NAVETTE (II),** subst. f.
*Agric.* Plante fourragère et oléagineuse de la famille des Brassicacées, proche du colza. 1600 (1323, graine de navette) ; anc. fr. *nef*, « navet » ; [navɛt].

**NAVETTEUR, EUSE,** subst.
Belg. Personne qui fait régulièrement la navette en transports en commun entre son domicile et son lieu de travail. XXe s. ; ☞ *navette* (I) ; [navɛtœʀ, øz].

**NAVICERT,** subst. m.
*Mar.* Sauf-conduit délivré à un navire de commerce pour naviguer en temps de guerre. 1941 ; angl. *navicert*, crois. de *navigation*, « navigation », et de *certificate*, « certificat » ; [navisɛʀ(t)].

**NAVICULAIRE,** adj.
*Anat.* Qui rappelle la forme d'une nacelle. 1478 ; lat. *navicula*, « petit bateau » ; [navikylɛʀ].

**NAVICULE,** subst. f.
*Bot.* Algue microscopique qui provoque le verdissement des huîtres. 1824 (1476, petite barque) ; lat. *navicula*, « petit bateau » ; [navikyl].

**NAVIGABILITÉ,** subst. f.
**1.** État d'une voie d'eau navigable. **2.** Bon état de fonctionnement d'un navire ou d'un avion : *Certificat de* ***navigabilité***. 1823 ; ☞ *navigable* ; [navigabilite].

**NAVIGABLE,** adj.
Où l'on peut naviguer : *Fleuve* ***navigable***. 1448 ; ☞ *naviguer*, d'apr. le lat. *navigabilis* ; [navigabl].

**NAVIGANT, ANTE,** adj.
Qui navigue : *Personnel* ***navigant***, embarqué sur un navire, à bord d'un avion, par oppos. à *personnel au sol* ; empl. subst. : *Grève des* ***navigants***. 1812 (1473, navigateur) ; ☞ *naviguer* ; [navigɑ̃, ɑ̃t].

**NAVIGATEUR, TRICE,** subst.
**1.** Personne qui navigue, qui fait des voyages en mer : ***Navigateur*** *solitaire*. **2.** Membre de l'équipage d'un navire ou d'un avion, chargé d'en déterminer la route ; par anal., copilote dans un rallye automobile. 1529 ; ☞ *naviguer* ; [navigatœʀ, tʀis].

**NAVIGATION,** subst. f.
**1.** Fait de naviguer : ***Navigation*** *côtière* ; ***Navigation*** *de plaisance* ; technique de pilotage d'un navire ; trafic maritime ou fluvial. **2.** Anal. Fait de se déplacer dans les airs ou dans l'espace : ***Navigation*** *aérienne* ; technique de pilotage des aéronefs, des engins spatiaux. 1284 ; lat. *navigatio* ; [navigasjɔ̃].

**NAVIGUER,** verbe intrans. [3]
**1.** Voyager sur l'eau, en parlant d'un navire, de ses passagers : ***Naviguer*** *à l'estime*. **2.** Voyager sur un navire, en parlant d'un marin. **3.** Pratiquer la navigation aérienne. **4.** Fig. Manœuvrer habilement. **5.** Faire de fréquents voyages (fam.). Fin XIVe s. ; lat. *navigare* ; [navige].

**NAVIPLANE,** subst. m. inv.
Aéroglisseur utilisé pour le transport maritime. V. 1960 ; ☞ *navigation*, d'apr. *aquaplane* ; n. déposé ; [naviplan].

**NAVIRE,** subst. m.
Bateau de fort tonnage, destiné à la navigation maritime : *Pont, coque d'un* ***navire*** ; ***Navire*** *marchand, de guerre*. ► ***Navire****-citerne* : conçu pour le transport de liquides ; ***Navire****-hôpital* : aménagé pour le transport des blessés ou des malades, en temps de guerre ; ***Navire****-école* : équipé pour l'apprentissage du métier de marin. Mil. XIIe s. ; *navirie*, « nef », de *navilie*, « flotte », du lat. pop. °*navilium* ; [naviʀ].

**NAVISPHÈRE,** subst. f.
*Mar.* Instrument représentant la voûte céleste et permettant au navigateur d'identifier un astre observé au sextant. 1952 ; ☞ *navigation* + *-sphère*, d'apr. *planisphère* ; [navisfɛʀ].

**NAVRANT, ANTE,** adj.
**1.** Qui navre, désole, attriste : *Un accident* ***navrant***. **2.** Ext. Fâcheux, contrariant : *Une décision* ***navrante***. 1787 ; p. pr. de *navrer* ; [navʀɑ̃, ɑ̃t].

**NAVREMENT,** subst. m.
État de profonde tristesse (littér.). 1773 ; ☞ *navrer* ; [navʀəmɑ̃].

**NAVRER,** verbe trans. [3]
**1.** Vx. Blesser. **2.** Affliger, causer une douleur morale intense à ; par exagér., contrarier : *Sa conduite me* ***navre***. ► *Être* ***navré*** *de* : être désolé de ; par ell. : ***Navré !***, désolé ! Fin XIe s. ; *nafrer* (vx), « blesser en coupant » ; [navʀe].

**NAZARDE,** voir **NASARDE**

**NAZARÉEN, ÉENNE,** subst. et adj.
Adj. De Nazareth. Subst. **1.** *Le* ***Nazaréen*** : nom donné par les Juifs à Jésus. **2.** *Les* ***Nazaréens*** : les premiers chrétiens. Fin XIIe s. ; topon. *Nazareth*, ville de Galilée où Jésus passa son enfance ; [nazaʀeɛ̃, eɛn].

**NAZE,** voir **NASE**

**NAZI, IE,** adj. et subst.
*Hist.* Subst. Membre du parti national-socialiste allemand, adepte de son idéologie. Adj. Relatif à ce parti, à sa politique. 1932 ; contraction de l'all. *Nationalsozialist*, « national-socialiste » ; [nazi].

**NAZISME,** subst. m.
*Hist.* National-socialisme. 1933 ; ☞ *nazi* ; [nazism].

**Nb,** voir **NIOBIUM**

**Nd,** voir **NÉODYME**

**Ne,** voir **NÉON**

**NE,** adv.
**I.** Marque la négation. **1.** S'emploie sans corrélatif. ► Dans certaines expressions : *N'y voir goutte* ; *N'importe* ; *Qu'à cela* ***ne*** *tienne*. ► Avec certains verbes : *Je* ***n'****ose vous l'avouer* ; *Je* ***ne*** *cesse d'y penser*. ► Avec « si » marquant une hypothèse : *Si je* ***ne*** *me trompe*. **2.** S'emploie avec les indéfinis « rien », « personne », etc., lorsqu'ils ont un sens négatif, et avec « ni » répété : *Je* ***n'****ai rien su* ; *Je* ***n'****ai vu personne* ; *Ni François ni Léa* ***ne*** *veut conduire*. **3.** S'emploie en corrélation avec « pas », « point », « plus »... : *Je* ***ne*** *veux pas partir*. ► Avec « que », marque une restriction : *Je* ***ne*** *fais que passer*. **II.** Sans idée de négation (empl. explétif). **1.** Après un verbe exprimant la crainte, le doute, la précaution, etc. : *Je crains qu'il* ***ne*** *sorte* ; *Prenez garde qu'on* ***ne*** *vous voie*. **2.** S'emploie dans les propositions comparatives, gén. pour marquer un rapport d'inégalité : *C'est plus que je* ***n'****avais espéré*. **3.** Après certaines locutions conjonctives : *Va le voir avant qu'il* ***ne*** *parte* ; *Il se taira, à moins qu'il* ***n'****ait peur*. **4.** Après les locutions « il s'en faut que », « peu s'en faut que » et expressions semblables : *Peu s'en fallut qu'il* ***n'****eût un accident*. Xe s. ; lat. *non* ; s'élide devant une voyelle ou un *h* muet ; [nə].

**NÉ, NÉE,** adj.
**1.** Venu au monde : *Nouveau-****nés*** ; *Premières-****nées***. ► *Bien* ***né*** : de famille noble ou honorable ou, au fig., doué d'un bon naturel. **2.** De naissance : *Ce sont des artistes-****nés***. Fin Xe s. ; lat. *natus*, de *nasci*, « naître » ; [ne].

**NÉANDERTALIEN, IENNE,** adj. et subst.
*Paléont.* Se dit d'un hominien de l'espèce fossile de Neandertal, qui vivait en Europe et au Moyen-Orient entre – 80000 et – 35000. 1908 ; topon. *Neandertal*, vallée de la Rhénanie ; [neɑ̃dɛʀtaljɛ̃, jɛn].

**NÉANMOINS,** adv.
Malgré ce qui vient d'être dit ; pourtant. Mil. XIIe s. ; anc. fr. *niènt meins*, « pas moins » ; [neɑ̃mwɛ̃].

**NÉANT,** subst. m. et pron. indéf.
Pron. Vx. Rien : *Gens de* ***néant*** ; *Tenir qqch. pour* ***néant***. ► Loc. *Réduire à* ***néant*** : anéantir. ► *Admin.* Nul, aucun : *Signes particuliers,* ***néant***. Subst. **1.** *Philos.* Le non-être. ► Chez Sartre et Heidegger, la conscience, en tant qu'elle ne relève pas de l'en-soi des choses (☞ *pour-soi*). **2.** Ce qui n'existe pas encore ou qui n'existe plus : *Tirer qqch. du* ***néant***, le créer à partir de rien ; *Retourner au* ***néant***, mourir. Fin Xe s. ; prob. lat. pop °*ne gens*, « personne » ; [neɑ̃].

**NÉANTHROPIEN, IENNE,** adj. et subst.
*Paléont.* Se dit d'un hominidé proche de l'être humain actuel (vx). [neɑ̃tʀɔpjɛ̃, jɛn].

**NÉANTISATION,** subst. f.
Action de néantiser, de se néantiser ; son résultat. 1943 ; ☞ *néantiser* ; [neɑ̃tizasjɔ̃].

**NÉANTISER,** verbe trans. [3]
**1.** *Philos.* Chez Sartre, transcender en abolissant ; empl. pronom. : *Le néant ne se* ***néantise*** *pas, il est* ***néantisé*** *par l'être* (Sartre). **2.** Fig. Réduire à néant. 1936 ; ☞ *néant* ; [neɑ̃tize].

**NEBKA,** subst. f.
*Géomorph.* Petite dune que le vent forme derrière une touffe de végétation. 1931 ; ar. *nabka* ; [nɛpka].

**NÉBULEUSE,** subst. f.
**1.** *Astron.* Nuage immense et plus dense que le milieu interstellaire formé de gaz, de poussières interstellaires : ***Nébuleuse*** *d'Orion* ; ***Nébuleuse*** *planétaire* : en forme de disque constituant une masse en expansion faite de matière éjectée par l'étoile centrale. **2.** Fig. Ensemble diffus : *Une* ***nébuleuse*** *d'associations caritatives*. 1642 ; ☞ *nébuleux* ; [nebyløz].

*La nébuleuse NGC 6514.*

**NÉBULEUX, EUSE,** adj.
**1.** Obscurci par des nuages ou de la brume : *Ciel* ***nébuleux***. **2.** Anal. Qui présente des contours flous : *Silhouette* ***nébuleuse*** ; qui n'est pas parfaitement transparent : *Cristal* ***nébuleux***. **3.** Fig. Imprécis, confus : *Raisonnement* ***nébuleux***. Fin XIIIe s. ; lat. *nebulosus* ; [nebylø, øz].

**NÉBULISATION, subst. f.**
Action de nébuliser. V. 1960 ; angl. *nebulization*, de *to nebulize*, « nébuliser » ; [nebylizasjɔ̃].

**NÉBULISER, verbe trans. [3]**
Projeter (un liquide) en fines gouttelettes (synon. *vaporiser*). V. 1970 ; angl. *to nebulize*, du lat. *nebula*, « nuage » ; [nebylize].

**NÉBULISEUR, subst. m.**
Appareil permettant de nébuliser un liquide, une lotion, une substance médicamenteuse. V. 1960 ; lat. *nebula*, « nuage » ; [nebylizœʀ].

**NÉBULOSITÉ, subst. f.**
**1.** Nuage léger ou brume. **2.** *Météor.* Quantité de nuages déterminée à partir du nombre de huitièmes de ciel couvert, à une heure et sur une station données. **3.** Fig. Caractère de ce qui est obscur, flou (littér.). 1488 ; bas lat. *nebulositas* ; [nebylozite].

**NÉCESSAIRE, adj. et subst. m.**
Adj. **1.** Dont on ne peut se passer, essentiel : *L'oxygène est **nécessaire** à la plupart des êtres vivants.* **2.** Qui est absolument requis pour aboutir à un résultat : *Formalités **nécessaires** ; Condition **nécessaire** et suffisante.* **3.** Qui ne peut manquer de se produire, inéluctable : *La mort, mal **nécessaire**.* **4.** *Log.* et *Math.* Si la proposition P $\Longrightarrow$ Q (P entraîne Q) est vraie, Q est dite condition **nécessaire** pour que P soit vraie. **5.** *Philos.* Se dit d'une conséquence inévitable, une fois le principe posé. ► Qualifie l'être dont l'existence ne dépend d'aucune cause ou condition (par oppos. à *contingent*) : *Le Dieu de Descartes et la Substance de Spinoza sont **nécessaires**.* ► *Vérités **nécessaires*** : qui s'imposent à l'esprit de telle façon qu'on ne puisse en douter de bonne foi. Subst. **1.** Ce qui est essentiel pour vivre : *Avoir le **nécessaire** ; Faire le **nécessaire***, ce qu'il faut. **2.** Trousse qui contient les objets indispensables à une activité : ***Nécessaire** de toilette, de (à) couture.* 1119 ; lat. *necessarius* ; [nesesɛʀ].

**NÉCESSAIREMENT, adv.**
**1.** Obligatoirement, absolument : *Demander **nécessairement** un visa.* **2.** En vertu d'une logique naturelle. 1435 (1150, selon les besoins) ; ☞ *nécessaire* ; [nesesɛʀmɑ̃].

**NÉCESSITÉ, subst. f.**
**1.** Vx. Misère, pauvreté. **2.** Caractère de ce qui est nécessaire, impératif : ***Nécessité** de se loger* ; par méton. : *Les **nécessités** de la vie.* ► Loc. *De première **nécessité*** : essentiel, dont on ne peut se passer. **3.** Besoin naturel : ***Nécessité** de dormir.* **4.** Fatalité : ***Nécessité** de la mort.* **5.** État de contrainte : *Être dans la **nécessité** de vendre ses biens.* **6.** *Philos.* Qualité de ce qui ne peut pas ne pas être (par oppos. à *contingence*). ► Déterminisme découlant de l'enchaînement des causes et des effets (anton. *hasard*). **7.** *Dr.* *État de **nécessité*** : état d'une personne qui enfreint la loi pour sauvegarder un droit, mais qui, compte tenu des circonstances, bénéficie légalement de l'impunité. Mil. XIIe s. ; lat. *necessitas* ; [nesesite].

**NÉCESSITER, verbe trans. [3]**
**1.** Vx. Contraindre (qqn) à. **2.** Rendre nécessaire, exiger : *Ce travail **nécessite** des efforts.* XIVe s. ; lat. médiév. *necessitare* ; [nesesite].

**NÉCESSITEUX, EUSE, adj. et subst.**
Se dit d'une personne qui est dans le besoin, à qui manque l'indispensable (vieilli) : *Aider les **nécessiteux**.* Déb. XIVe s. ; ☞ *nécessité* ; [nesesitø, øz].

**NECK, subst. m.**
*Géol.* Colonne de lave pétrifiée, due à l'érosion d'une cheminée volcanique. 1911 ; angl. *neck*, « cou » ; [nɛk].

**NEC PLUS ULTRA, subst. m. inv.**
Ce qu'il y a de mieux. 1728 ; loc. lat. *nec plus ultra*, « rien au-delà », gravée sur les Colonnes d'Hercule, bornes du monde connu ; [nɛkplysyltʀa].

**NÉCROBIE, subst. f.**
*Zool.* Insecte coléoptère ptérygote, souvent d'un bleu luisant, qui se nourrit de matières en putréfaction. 1795 ; formé de *nécro-* et de *-bie* ; [nekʀɔbi].

**NÉCROLOGE, subst. m.**
**1.** *Cath.* Registre des défunts d'une communauté, d'une paroisse. **2.** Ext. Liste des victimes d'une catastrophe. 1646 ; lat. de la Renaissance *necrologium* ; [nekʀɔlɔʒ].

**NÉCROLOGIE, subst. f.**
**1.** Notice biographique consacrée à une personne morte récemment. **2.** *Journ.* Rubrique regroupant les avis de décès : *La page de la **nécrologie**.* 1797 (1704, livre des morts bienfaiteurs d'une église) ; formé de *nécro-* et de *-logie* ; [nekʀɔlɔʒi].

**NÉCROLOGIQUE, adj.**
Relatif à la nécrologie : *Rubrique, avis **nécrologique**.* 1784 ; ☞ *nécrologie* ; [nekʀɔlɔʒik].

**NÉCROLOGUE, subst.**
Auteur de nécrologies. 1828 (1721, registre des morts) ; ☞ *nécrologie* ; [nekʀɔlɔg].

**NÉCROMANCIE, subst. f.**
Science occulte qui, par l'évocation des morts, prétend révéler l'avenir. Déb. XIIe s. ; lat. *necromantia*, du gr. *nekromanteia* ; [nekʀɔmɑ̃si].

**NÉCROMANCIEN, IENNE, subst.**
Personne qui pratique la nécromancie (synon. *nécromant*). 1247 ; ☞ *nécromancie* ; [nekʀɔmɑ̃sjɛ̃, jɛn].

**NÉCROPHAGE, adj.**
*Zool.* Qui se nourrit de cadavres : *Insecte **nécrophage**.* 1802 ; gr. *nekrophagos* ; [nekʀɔfaʒ].

**NÉCROPHILE, adj. et subst.**
Se dit d'un sujet atteint de nécrophilie. 1884 ; formé de *nécro-* et de *-phile* ; [nekʀɔfil].

**NÉCROPHILIE, subst. f.**
*Psych.* Perversion sexuelle se manifestant par la recherche du plaisir avec un cadavre. 1861 ; formé de *nécro-* et de *-philie* ; [nekʀɔfili].

**NÉCROPHORE, subst. m.**
*Zool.* Insecte coléoptère ptérygote, aux élytres courts, qui pond ses œufs sur les cadavres de petits vertébrés qu'il a préalablement enfouis et dont se nourriront ses larves. 1790 ; lat. sc. *nicrophorus*, du gr. *nekrophoros*, « porteur de morts » ; [nekʀɔfɔʀ].

**NÉCROPOLE, subst. f.**
**1.** *Antiq.* Vaste ensemble de sépultures, souterrain ou à ciel ouvert. **2.** Ext. Grand cimetière urbain. 1828 ; gr. *nekropolis*, « ville des morts » ; [nekʀɔpɔl].

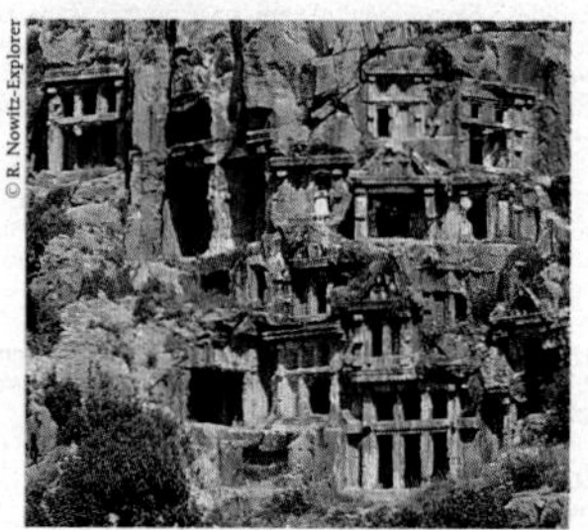



*Nécropole, dans la vallée de Xanthos, en Asie Mineure (VIe-IV[e] s. av. J.-C.).*

**NÉCROSE, subst. f.**
*Histol.* Altération morphologique des tissus d'un organisme vivant, causée par la mort des cellules. 1695 ; gr. *nekrôsis* ; [nekʀoz].

**NÉCROSER, verbe trans. [3]**
*Pathol.* Entraîner la nécrose de (une cellule, un tissu) ; empl. pronom. : *La peau s'est **nécrosée**.* 1780 ; ☞ *nécrose* ; [nekʀoze].

**NÉCROTIQUE, adj.**
Relatif à la nécrose : *L'aspect **nécrotique** d'une plaie.* 1853 ; ☞ *nécrose* ; var. *nécrosique* ; [nekʀɔtik].

**NECTAIRE, subst. m.**
*Bot.* Tissu, glande sécrétant le nectar. 1769 ; lat. sc. *nectarium*, du lat. *nectar*, « breuvage des dieux » ; [nɛktɛʀ].

**NECTAR, subst. m.**
**1.** *Myth.* Boisson des dieux grecs, à base de miel, qui conférait l'éternité aux humains qui en buvaient. **2.** Ext. Boisson exquise (littér.). **3.** Jus de fruits additionné d'eau et de sucre : ***Nectar** d'abricot.* **4.** *Bot.* Suc mielleux sécrété par les nectaires des plantes et butiné par les insectes. Déb. XVIe s. ; lat. *nectar*, du gr. *nektar* ; [nɛktaʀ].

**NECTARIFÈRE, adj.**
*Bot.* Qui sécrète le nectar. 1827 (1821, qui porte des nectaires) ; ☞ *nectar* ; [nɛktaʀifɛʀ].

**NECTARINE, subst. f.**
Variété de pêche à peau lisse. 1870 ; mot angl. ; [nɛktaʀin].

**NECTON, subst. m.**
*Zool.* Partie de la faune marine qui nage et se déplace activement, par oppos. au plancton, que l'e[…] entraîne. 1898 ; gr. *nêktos*, « qui nage » ; [nɛkt[…]

**NÉERLANDAIS, AISE, adj. et subst.**
Des Pays-Bas. Subst. masc. Langue germanique, of[…]cielle aux Pays-Bas, parlée également en Belgiq[…] et au Surinam. 1826 ; *Néerlande*, forme francis[…] du topon. néerl. *Nederland*, « Pays-Bas » ; [neɛʀlɑ̃dɛ, ɛ[…]

**NEF, subst. f.**
**1.** Navire (vx ou littér.) ; en partic., grand navi[…] à voiles, au Moyen Âge. **2.** Anal. *Archit.* Partie d'u[…] église, comprise entre le portail et le transept ; p[…] ext., chacun des vaisseaux qui la composent : *N[…] centrale, latérale.* Mil. XIe s. ; lat. *navis* ; [nɛf].

**NÉFASTE, adj.**
**1.** *Antiq. rom.* Se disait d'un jour où la religi[…] interdisait de vaquer aux affaires publiques. **2.** Ma[…]qué par des évènements malheureux (littér.) : *Jo[…] **néfaste**.* **3.** Qui produit des effets pernicieux, nu[…]sibles : *Une influence, une décision **néfaste**.* M[…] XIVe s. ; lat. *nefastus* ; [nefast].

**NÈFLE, subst. f.**
Fruit du néflier, jaune orangé, qui se consomm[…] blet. Plur. Fam. Chose sans valeur. ► Loc. *D[…] **nèfles** !* : pas question ! ; rien du tout ! Fin XIe s[…] lat. *mespila*, du gr. *mespilê*, « épine blanche » ; [nɛfl].

**NÉFLIER, subst. m.**
*Bot.* Arbre fruitier de la famille des Malacée[…] poussant dans des régions tempérées et cultivé po[…] ses fruits. Fin XIIe s. ; ☞ *nèfle* ; [neflije].

**NÉGATEUR, TRICE, adj. et subst.**
Littér. Adj. Enclin à nier. Subst. Personne qui n[…] volontiers. 1835 (1752, celui qui reniait le Christ[…] lat. *negator*, « apostat » ; [negatœʀ, tʀis].

**NÉGATIF, IVE, adj.**
**1.** Qui exprime la négation, le refus : *Propositio[…] assertion **négative*** ; empl. subst. fém. : *Répond[…] par la **négative**.* **2.** Dépourvu de qualités positive[…] constructives : *Comportement **négatif*** ; par ex[…] mauvais, nuisible (empl. déconseillé) : *Effet **négat[…]** d'un remède.* **3.** Qui ne se définit que par défau[…] par l'absence de son contraire : *Preuves **négatives*** en partic., qui ne met pas en évidence le phénomèn[…] recherché : *Analyse, tests **négatifs**.* **4.** *Math. Nomb[…] réel **négatif*** : nombre inférieur ou égal à zér[…] **5.** *Phot.* *Image **négative*** : sur laquelle, après insol[…]tion, les zones claires et sombres sont inversées p[…] rapport à la réalité ; empl. subst. masc., film q[…] porte cette image. **6.** *Phys.* Qui porte un o[…] plusieurs électrons libres (anton. *positif*). XIIe s[…] lat. *negativus* ; [negatif, iv].

**NÉGATION, subst. f.**
**1.** Action de nier qqch., d'en rejeter l'existence o[…] la valeur : *La **négation** du divin.* **2.** Ce qui entre e[…] contradiction avec qqch. : *Le vice est la **négation** [… la vertu.* **3.** *Ling.* Mot ou groupe de mots qui se[…] à nier (par ex. : « Il *ne* veut *pas* ») ; *Double **négatio[…]*** procédé qui renforce l'affirmation (par ex. : « Vo[…] n'êtes *pas sans* savoir », pour « Vous savez sûr[…]ment »). **4.** *Log.* Connecteur noté $\neg$ (lu « non »[…] la proposition $\neg$A étant vraie si et seulement si […] est fausse ; $\neg$A est la **négation** de A. ► *Principe [… la double **négation*** : principe selon lequel $\neg\neg$A e[…] vraie si et seulement si A est vraie. 1174 ; la[…] *negatio* ; [negasjɔ̃].

**NÉGATIONNISME, subst. m.**
Position idéologique niant l'existence des chambr[…] à gaz dans les camps nazis (synon. *révisionnisme*[…] Fin XXe s. ; ☞ *négation* ; [negasjɔnism].

**NÉGATIVEMENT, adv.**
D'une manière négative (anton. *positivement*[…] XVe s. ; ☞ *négatif* ; [negativmɑ̃].

**NÉGATIVISME, subst. m.**
**1.** Attitude systématique d'opposition, de refu[…] **2.** *Psych.* Attitude pathologique caractérisée p[…] une résistance à toute sollicitation (refus d[…] s'alimenter, rétention d'urine, etc.). 1900 ☞ *négatif* ; [negativism].

**NÉGATIVITÉ, subst. f.**
Caractère de ce qui est négatif. ► *Électr.* État d'u[…] corps chargé négativement. ► *Philos.* Chez Heg[…] caractère de l'antithèse, en tant qu'elle résulte d[…] retournement dialectique d'une affirmatio[…] 1842 ; ☞ *négatif* ; [negativite].

**NÉGATOSCOPE, subst. m.**
*Méd.* Boîte lumineuse à écran translucide permet[…]tant d'examiner des radiographies par transparenc[…] 1957 ; ☞ *négatif* + *-scope* ; [negatɔskɔp].

**NÉGLIGÉ, ÉE, adj. et subst. m.**
ADJ. 1. Vêtu avec négligence. 2. Dont on ne prend pas un soin suffisant : *Une chambre négligée.* 3. Qui est délaissé, envers qui l'on manque d'égards : *Femme négligée par son mari.* SUBST. 1. Manque de soin présenté par qqn ou qqch. : *Le négligé d'un intérieur.* 2. Déshabillé féminin (vieilli) : *Un négligé de soie.* 1640 ; p. p. de *négliger* ; [negliʒe].

**NÉGLIGEABLE, adj.**
Que l'on peut négliger, insignifiant : *Incident négligeable.* ► *Traiter qqn comme quantité négligeable* : ne faire aucun cas de lui. 1843 ; ☞ *négliger* ; [negliʒabl].

**NÉGLIGEMMENT, adv.**
Avec négligence ; sans soin. Fin XIIe s. ; ☞ *négligent* ; [negliʒamɑ̃].

**NÉGLIGENCE, subst. f.**
1. Fait de négliger qqch. ; manque d'application, d'attention, de soin ou de rigueur : *La négligence de ses devoirs.* 2. Faute commise par omission ou par insouciance. Déb. XIIe s. ; lat. *negligentia* ; [negliʒɑ̃s].

**NÉGLIGENT, ENTE, adj.**
Qui témoigne de négligence ; empl. subst., personne **négligente**. Fin XIIe s. ; lat. *negligens* ; [negliʒɑ̃, ɑ̃t].

**NÉGLIGER, verbe trans.** [5]
1. Ne pas prendre soin, ne pas s'occuper de : *Négliger ses affaires, sa tenue* ; empl. pronom., ne plus prendre soin de soi, de sa mise. 2. Omettre, ne pas juger nécessaire (de faire qqch.) : *Il négligea de vérifier la facture.* 3. Délaisser (qqn). 4. Ne pas faire cas de, ne pas mettre à profit : *Négliger des conseils de prudence.* Fin XIIe s. ; lat. *negligere* ; [negliʒe].

**NÉGOCE, subst. m.**
1. Vx. Affaire, occupation (au plur.). 2. Activité commerciale (vieilli). ► Commerce de gros, réalisé notamment sur le marché international. Fin XIIe s. ; lat. *negotium* ; [negɔs].

**NÉGOCIABILITÉ, subst. f.**
*Comm.* Qualité attachée à un titre représentant un droit ou une créance, qui permet sa cession à un tiers. 1771 ; ☞ *négociable* ; [negɔsjabilite].

**NÉGOCIABLE, adj.**
Qui peut être négocié. 1678 ; ☞ *négocier* ; [negɔsjabl].

**NÉGOCIANT, ANTE, subst.**
Personne qui pratique le commerce de gros ou de demi-gros. 1550 ; p. pr. de *négocier* ; [negɔsjɑ̃, ɑ̃t].

**NÉGOCIATEUR, TRICE, subst.**
1. Vx. Commerçant. 2. Personne qui négocie une affaire, un contrat. 3. Personne mandatée par un gouvernement ou par un groupe pour mener une négociation politique, sociale ou économique. 1370 ; lat. *negotiator* ; [negɔsjatœʀ, tʀis].

**NÉGOCIATION, subst. f.**
1. Vx. Action de commercer. ► Cession ou achat de valeurs mobilières. 2. Série d'entretiens, de pourparlers visant à aboutir à un accord : *Négociation salariale.* 1323 ; lat. *negotiatio*, « commerce » ; [negɔsjasjɔ̃].

**NÉGOCIER, verbe** [6]
INTRANS. 1. Vx. Faire du commerce. 2. Mener des pourparlers en vue de régler une affaire, d'aboutir à un accord : *Négocier avec l'ennemi.* TRANS. 1. Discuter de (une affaire, un projet, les termes d'un contrat) en vue d'établir un accord : *Négocier une promesse de vente, un traité de paix.* 2. Transmettre ou réaliser (un effet de commerce, une valeur mobilière). 3. *Autom. Négocier un virage* : prendre un virage en manœuvrant au mieux son véhicule. 1370 ; lat. *negotiari* ; [negɔsje].

**NÉGONDO, subst. m.**
*Bot.* Érable ornemental d'Amérique du Nord, à feuilles panachées de blanc. 1602 ; port. *negundo*, du malais *negund* ; var. *negundo* ; [negɔ̃do].

**NÈGRE, NÉGRESSE, subst. et adj.**
SUBST. Vieilli ou Péj. Personne de race noire ; en partic., esclave noir : *La traite des nègres.* ► Loc. *Travailler comme un nègre* : durement, sans relâche. SUBST. MASC. 1. Personne qui prépare ou rédige un ouvrage signé par un auteur célèbre. 2. *Cuis. Nègre en chemise* : entremets au chocolat recouvert de crème. ADJ. Nègre. 1. Qui appartient à la race noire : *Tribu nègre.* 2. Propre à une culture noire : *Art nègre* ; *Revue nègre.* 3. Loc. inv. *Nègre(-)blanc* : dont le caractère ambigu ménage les parties en présence. 1529 ; esp. *negro*, du lat. *niger* ; [nɛgʀ, negʀɛs].

**NÉGRIER, IÈRE, adj. et subst. m.**
ADJ. Qui se rapporte à la traite des esclaves noirs : *Trafic négrier* ; *Vaisseau négrier* ou, empl. subst. masc., *Un négrier*, qui transportait ces esclaves. SUBST. 1. Personne qui se livrait à la traite des Noirs. 2. Anal. Personne dure, voire inhumaine avec ses subordonnés. 1685 ; ☞ *nègre* ; [negʀije, jɛʀ].

**NÉGRILLON, ONNE, subst.**
Vieilli ou Péj. 1. Enfant de race noire. 2. Enfant au teint très mat. 1714 ; ☞ *nègre* ; [negʀijɔ̃, ɔn].

**NÉGRITUDE, subst. f.**
Ensemble des caractères historiques, culturels, spirituels propres à la race noire ; appartenance à cette race. V. 1930 ; ☞ *nègre* ; [negʀityd].

**NÉGRO-AFRICAIN, AINE, adj.**
Relatif à l'Afrique noire ou à ses habitants ; empl. subst., Noir d'Afrique. 1924 ; comp. de *nègre* et de *africain* ; plur. *négro-africains, aines* ; [negʀoafʀikɛ̃, ɛn].

**NÉGROÏDE, adj.**
Qui présente certaines caractéristiques morphologiques des Noirs. 1874 ; ☞ *nègre* + *-oïde* ; [negʀɔid].

**NEGRO SPIRITUAL, subst. m.**
Chant religieux chrétien des Noirs des États-Unis. 1926 ; anglo-amér. *negro spiritual*, de *negro*, « noir », et de *spiritual*, « relatif à la religion » ; var. *negro-spiritual*, plur. *negro(-)spirituals* ; [negʀospiʀitɥɔl].

**NEGUNDO, voir NÉGONDO**

**NÉGUS, subst. m.**
Titre des souverains éthiopiens. 1556 ; amharique *nĕgūsh*, « roi » ; [negys].

**NEIGE, subst. f.**
1. Précipitation de cristaux de glace ramifiés ou étoilés, le plus souvent agglomérés en flocons : *Une tempête de neige* ; *Neiges éternelles*, **neiges** des hauts sommets, qui ne fondent pas en été. ► Loc. *De neige* : qui a la blancheur de la **neige** ; *Blanc comme neige* : innocent, sans reproche. 2. **La neige.** Lieu où la **neige** est abondante et où sont concentrées des activités de sports et de loisirs d'hiver : *Des vacances à la neige.* 3. Cocaïne en poudre (argot.). 4. *Chim. Neige carbonique* : anhydride carbonique solide (☞ *carbonique*). 5. *Cuis.* ► *Battre des œufs en neige* : fouetter des blancs d'œufs pour en faire une mousse compacte. ► *Œufs à la neige* : entremets fait de blancs d'œufs battus, pochés et servis avec une crème anglaise. 1329 ; ☞ *neiger* ; [nɛʒ].

**NEIGER, verbe impers.** [5]
Tomber du ciel, en parlant de la neige. Mil. XIIe s. ; lat. pop. *°nivicare* ; [neʒe].

**NEIGEUX, EUSE, adj.**
1. Couvert de neige. ► *Temps neigeux* : qui laisse prévoir des chutes de neige. 2. Qui évoque la blancheur et la consistance de la neige. 1552 ; ☞ *neige* ; [nɛʒø, øz].

**NÉLOMBO, subst. m.**
*Bot.* Plante aquatique de la famille des Nymphéacées, dont une espèce est le lotus sacré des hindous. 1765 ; lat. sc. *nelumbo*, du cinghalais *nelumbo* ; var. *nelumbo* ; [nelɔ̃bo].

**NEM, subst. m.**
*Cuis.* Crêpe de riz farcie, roulée et frite, spécialité vietnamienne. V. 1980 ; mot vietnamien ; [nɛm].

**NÉMATHELMINTHES, subst. m. plur.**
*Zool.* Embranchement de métazoaires (vers cylindriques ou filiformes) non annelés, recouverts d'une épaisse cuticule. AU SING. *Le gordien est un némathelminthe.* 1890 ; ☞ *helminthe* + *némato-* ; [nematɛlmɛ̃t].

**NÉMATIQUE, adj.**
*Chim.* et *Phys.* Se dit d'un état mésomorphe de la matière dans lequel les molécules, très allongées, sont disposées parallèlement à une même direction. V. 1960 ; gr. *nēma*, « fil » ; [nematik].

**NÉMATOCÈRES, subst. m. plur.**
*Zool.* Sous-ordre d'insectes diptères ptérygotes, aux longues antennes fines et articulées. AU SING. *Le moustique est un nématocère.* 1839 ; formé de *némato-* et de *-cère* ; [nematɔsɛʀ].

**NÉMATOCYSTE, subst. m.**
*Zool.* Vésicule urticante des Cnidaires. 1864 ; formé de *némato-* et de *-cyste* ; [nematɔsist].

**NÉMATODES, subst. m. plur.**
*Zool.* Classe de vers de l'embranchement des Némathelminthes, dont beaucoup sont parasites de l'être humain (ascarides, filaires, etc.), d'animaux ou de végétaux. AU SING. *L'oxyure est un nématode.* 1846 ; gr. *nēmatōdes*, « en filaments » ; [nematɔd].

**NÉMÉEN, ÉENNE, adj.**
*Antiq.* De Némée. ► *Les jeux Néméens* : jeux célébrés à Némée, tous les deux ans, en l'honneur de Zeus ou d'Héraclès. 1762 ; topon. *Némée* ; [nemeɛ̃, eɛn].

**NÉNÉ, subst. m.**
Sein (pop.). 1842 ; lang. enfantin ; [nene].

**NÉNETTE (I), subst. f.**
Fam. 1. Jeune fille ou jeune femme. 2. Petite amie : *Il vit avec sa nénette.* 1917 ; orig. obsc. ; [nenɛt].

**NÉNETTE (II), subst. f.**
Tête (fam. et vieilli). ► Loc. *Se casser la nénette* : faire des efforts. 1944 ; orig. obsc. ; [nenɛt].

**NÉNIES, subst. f. plur.**
*Antiq.* Chants funèbres des Grecs et des Romains, exécutés par des pleureuses. 1520 ; lat. *nenia* ; [neni].

**NENNI, adv.**
Non (vx ou iron.). Mil. XIIe s. ; formé de l'anc. fr. *nen*, forme atone de *non*, et de *il* ; [nɛni].

**NÉNUPHAR, subst. m.**
*Bot.* Plante aquatique ornementale de la famille des Nymphéacées, à grandes feuilles rondes flottantes et à fleurs rouges, blanches ou jaunes, s'ouvrant la nuit. XIIIe s. ; lat. médiév. *nenuphar*, du persan *nilufar*, du skr. *nīlotpala*, « lotus bleu » ; var. *nénufar* ; [nenyfaʀ].

**NÉOBLASTE, subst. m.**
*Biol.* Cellule qui, chez certains animaux (planaires, Annélides), permet la régénération de tissus amputés. 1907 ; formé de *néo-* et de *-blaste* ; [neɔblast].

**NÉOCAPITALISME, subst. m.**
*Écon.* et *Pol.* Forme moderne de capitalisme, qui admet une certaine intervention de l'État, notamment dans l'activité économique des grandes entreprises et dans le secteur public. 1931 ; ☞ *capitalisme* + *néo-* ; [neokapitalism].

**NÉOCAPITALISTE, adj. et subst.**
ADJ. Qui a trait au néocapitalisme : *Économie néocapitaliste.* SUBST. Partisan du néocapitalisme. V. 1960 ; ☞ *capitaliste* + *néo-* ; [neokapitalist].

**NÉOCLASSICISME, subst. m.**
1. *B.-a.* Mouvement artistique de la seconde moitié du XVIIIe s., qui prône un retour à l'idéal de beauté grec, par réaction contre le rococo et ses ornements innombrables. 2. *Litt.* Mouvement né à la fin du XIXe s., qui s'inspirait de l'idéal classique de l'Antiquité pour renouveler les formes poétiques modernes. 1905 ; ☞ *classicisme* + *néo-* ; [neoklasisism].

Ariane et Thésée, *peinture de Jean-Baptiste Regnault (1754-1829), représentative du **néoclassicisme**. Musée des Beaux-Arts, Rouen.*

BEAUX-ARTS – L'admiration pour l'Antiquité et le développement de l'archéologie qui, au XVIIIe s., influencent les arts dans le sens d'un retour à la simplicité, à la clarté et à l'équilibre se traduisent en peinture par des compositions stables, à l'opposé de la dynamique baroque. Idéal esthétique et symbole de la pureté de la Révolution et de l'Empire, le néoclassicisme est inspiré des sujets historiques (*le Sacre de Napoléon Ier*, 1807, *Marat assassiné*, 1793, de David) et mythologiques (*le Serment des Horaces*, 1785, de David, *Jupiter et Thétis*, 1811, d'Ingres). Essaimant dans le reste de l'Europe à la suite des conquêtes napoléoniennes, ce mouvement marquera également profondément l'architecture et la sculpture.

**NÉOCLASSIQUE, adj. et subst.**
**Adj.** Qui appartient au néoclassicisme : *Style néoclassique.* **Subst.** Représentant du néoclassicisme. 1861 ; ☞ *classique* + *néo-* ; [neoklasik].

**NÉOCOLONIALISME, subst. m.**
Forme nouvelle du colonialisme consistant à maintenir une domination économique ou culturelle sur un pays indépendant autrefois colonisé. V. 1960 ; ☞ *colonialisme* + *néo-* ; [neokɔlɔnjalism].

**NÉOCOLONIALISTE, adj.**
Propre, relatif ou favorable au néocolonialisme ; empl. subst., partisan du néocolonialisme. V. 1960 ; ☞ *colonialiste* + *néo-* ; [neokɔlɔnjalist].

**NÉOCOMIEN, IENNE, subst. m. et adj.**
*Géol.* **Subst.** Groupe de trois étages qui constitue la première moitié du Crétacé inférieur. **Adj.** Relatif, propre au **Néocomien.** 1836 ; topon. *Neocomum*, nom lat. de Neuchâtel (Suisse) ; [neokɔmjɛ̃, jɛn].

**NÉODARWINISME, subst. m.**
Forme révisée du darwinisme, qui rejette l'idée de transmission des caractères acquis et considère les mutations comme la seule source de variation héréditaire. V. 1900 ; ☞ *darwinisme* + *néo-* ; [neodaʀwinism].

**NÉODYME, subst. m.**
*Chim.* Élément n° 60 de la table de Mendeleïev (symb. : Nd) ; masse atomique : 144,24 ; point de fusion : 1 016 °C ; point d'ébullition : 3 068 °C ; masse volumique : 7 g/cm$^3$. Ce métal appartient au groupe des terres rares. 1898 ; formé de *néo-* et de *-dyme* ; [neɔdim].

**NÉOFORMATION, subst. f.**
*Biol.* Formation, in vivo, d'un tissu nouveau. 1869 ; ☞ *formation* + *néo-* ; [neofɔʀmasjɔ̃].

**NÉOFORMÉ, ÉE, adj.**
Se dit d'un tissu ou d'une tumeur qui sont issus d'une néoformation. 1892 ; ☞ *néoformation* ; [neofɔʀme].

**NÉOGÈNE, subst. m. et adj.**
*Géol.* **Subst.** Ultime partie de l'ère tertiaire, comprenant le Miocène et le Pliocène. **Adj.** Du Néogène. 1886 ; gr. *neogenês*, « né depuis peu » ; [neoʒɛn].

**NÉOGOTHIQUE, subst. m. et adj.**
*Archit.* Se dit d'un style architectural apparu au XIX$^e$ s., s'inspirant du gothique. **Adj.** Qui relève de ce style : *Bâtiments néogothiques.* 1929 ; ☞ *gothique* + *néo-* ; [neogɔtik].

**NÉOGREC, GRECQUE, adj.**
**1.** Relatif au grec moderne : *Littérature néogrecque.* **2.** *B.-a.* Qui s'inspire du style grec classique de l'Antiquité. Mil. XIX$^e$ s. ; ☞ *grec* + *néo-* ; [neogʀɛk].

**NÉO-IMPRESSIONNISME, subst. m.**
*B.-a.* Mouvement pictural de la fin du XIX$^e$ s., qui succéda à l'impressionnisme (synon. *divisionnisme, pointillisme*). 1886 ; ☞ *impressionnisme* + *néo-* ; plur. *néo-impressionnismes* ; [neoɛ̃pʀesjɔnism].

**NÉOKANTISME, subst. m.**
*Philos.* Doctrine née en Allemagne v. 1860, qui prône un retour au rationalisme critique, en réaction contre les idéalismes allemands, en partic. celui de Hegel. 1899 ; ☞ *kantisme* + *néo-* ; [neokɑ̃tism].

**NÉOLIBÉRALISME, subst. m.**
*Écon.* et *Pol.* Forme moderne du libéralisme qui reconnaît à l'État une fonction de régulation du jeu économique. 1843 ; ☞ *libéralisme* + *néo-* ; [neolibeʀalism].

**NÉOLITHIQUE, subst. m. et adj.**
*Préhist.* **Subst.** *Le Néolithique* : période qui succède au Paléolithique. **Adj.** Relatif, propre au **Néolithique** : *Civilisation néolithique.* 1866 ; angl. *neolithic*, du gr. *neos*, « nouveau », et *lithos*, « pierre » ; [neɔlitik].

**PRÉHISTOIRE** – Commencé il y a 11 000 ans dans le « croissant fertile » du Levant (Palestine, moyen Euphrate) mais il y a seulement 5 000 à 7 000 ans en Europe occidentale, le Néolithique est caractérisé par l'apparition et le développement de l'élevage et de l'agriculture. Même si le polissage de la pierre et la cuisson de la céramique constituent les critères le plus communément retenus pour le définir (on parle d'âge de la pierre polie), c'est la production de réserves alimentaires, qualifiée de « révolution néolithique », qui a permis les autres progrès techniques. La diffusion de cette culture vers l'ouest et vers l'est a été rapprochée de l'extension des langues indo-européennes à partir du foyer hittite d'Anatolie, vers l'Inde et à travers l'Europe. Cependant, des cultures néolithiques ont vu le jour indépendamment en Chine il y a plus de 7 000 ans et en Amérique centrale et du Sud il y a 6 000 à 7 000 ans, ainsi qu'en Nouvelle-Guinée et en Afrique équatoriale à des dates postérieures. L'apparition progressive de ce type de culture n'est donc pas toujours due à des migrations ou à des conquêtes : une diffusion des pratiques, de peuplade à peuplade, et une invention simultanée, sans influence, ont nécessairement coexisté.

**NÉOLOCAL, ALE, AUX, adj.**
*Anthropol.* Qualifie le mode de résidence d'un couple marié qui vit dans un lieu autre que ceux où les époux habitaient avant leur mariage et que ceux où vivent des membres de leur famille. V. 1960 ; ☞ *local* + *néo-* ; [neolɔkal, o].

**NÉOLOGIE, subst. f.**
**1.** Création et introduction de termes nouveaux dans une langue. **2.** *Ling.* Processus de formation de mots nouveaux : *La néologie modifie et fait constamment évoluer le lexique.* 1759 ; formé de *néo-* et de *-logie* ; [neɔlɔʒi].

**NÉOLOGISME, subst. m.**
**1.** Vx. Usage de mots nouveaux. **2.** Mot nouveau ou acception nouvelle d'un mot déjà existant. 1734 ; formé de *néo-* et de *-logisme* ; [neɔlɔʒism].

**NÉOMÉNIE, subst. f.**
*Antiq.* Jour de la nouvelle lune, chez les Grecs, les Romains et les Hébreux ; fête célébrée à cette occasion. 1495 ; lat. *neomenia*, du gr. *neomênia* ; [neɔmeni].

**NÉOMORTALITÉ, subst. f.**
Mortalité des nouveau-nés. XX$^e$ s. ; ☞ *mortalité* + *néo-* ; [neomɔʀtalite].

**NÉOMYCINE, subst. f.**
*Pharm.* Antibiotique à large spectre, de la famille des aminosides, administré par voie orale ou en applications. 1953 ; formé de *néo-* et de *-myce* ; [neɔmisin].

**NÉON, subst. m.**
*Chim.* **1.** Élément n° 10 de la table de Mendeleïev (symb. : Ne) ; masse atomique : 20,179 ; point de fusion : – 248,7 °C ; point d'ébullition : – 246 °C ; masse volumique : 1,21 g/cm$^3$. C'est un gaz rare. **2.** Éclairage par tube luminescent au **néon** ou par tout autre tube luminescent. ▶ Méton. Ce tube lui-même et, par ext., enseigne lumineuse utilisant ce procédé. 1898 ; gr. *neos*, « nouveau » ; [neɔ̃].

**NÉONATAL, ALE, ALS, adj.**
*Méd.* Relatif à la naissance et au nouveau-né : *Tests néonatals.* 1954 ; ☞ *natal* + *néo-* ; [neonatal].

**NÉONATALOGIE, subst. f.**
*Méd.* Branche de la pédiatrie qui s'occupe des nouveau-nés. V. 1970 ; ☞ *néonatal* + *-logie* ; var. *néonatologie* ; [neonatalɔʒi].

**NÉONAZI, IE, adj. et subst.**
**Adj.** Qui se rapporte au néonazisme. **Subst.** Partisan du néonazisme. V. 1950 ; ☞ *nazi* + *néo-* ; [neonazi].

**NÉONAZISME, subst. m.**
Mouvement politique d'extrême droite qui s'inspire du nazisme. 1951 ; ☞ *néonazi* ; [neonazism].

**NÉOPHYTE, subst.**
**1.** *Relig.* Dans l'Église primitive, païen nouvellement converti. **2.** *Anal.* Adepte récemment acquis à une doctrine, à un parti, à un art, etc. ; empl. adj. : *Enthousiasme néophyte.* 1495 ; lat. eccl. *neophytus*, du gr. *neophutos*, « nouvellement planté » ; [neɔfit].

**NÉOPLASIE, subst. f.**
**1.** *Biol.* Néoformation. **2.** *Pathol.* Production d'une tumeur ; cette tumeur (synon. *néoplasme*). 1863 ; formé de *néo-* et de *-plasie* ; [neɔplazi].

**NÉOPLASIQUE, adj.**
*Pathol.* Qui concerne une néoplasie ou un néoplasme. 1866 ; ☞ *néoplasie* ; [neɔplazik].

**NÉOPLASME, subst. m.**
*Pathol.* Tissu résultant de la néoplasie. 1855 ; formé de *néo-* et de *-plasme* ; [neɔplasm].

**NÉOPLATONICIEN, IENNE, subst. et adj.**
**Subst.** Adepte du néoplatonisme. **Adj.** Qui est propre, relatif ou favorable au néoplatonisme. 1827 ; ☞ *platonicien* + *néo-* ; [neoplatɔnisjɛ̃, jɛn].

**NÉOPLATONISME, subst. m.**
*Philos.* Doctrine de Plotin et de ses continuateurs. 1832 ; ☞ *platonisme* + *néo-* ; [neoplatɔnism].

**PHILOSOPHIE** – Diffusé par Porphyre et développ[é] par Plotin et par Jamblique, le néoplatonism[e] procède d'une interprétation du *Parménide* d[e] Platon, influencée par les stoïciens mais aussi p[ar] la gnose et le manichéisme. L'intuition fondamen[n]tale de Plotin est l'élection, au sein de l'Unive[rs] comme être vivant dont les parties sont e[n] sympathie, du principe absolument ineffable d[e] l'Être, l'Un, antérieur à toute réalité et q[ui] constitue la première hypostase divine, la second[e] étant l'Intellect, ou l'être de la pensée, et l[a] troisième l'Âme, dont le dernier reflet est la ma[tière] absolument indéterminée. À chaque nivea[u] correspond une manière de vivre, mais la plu[s] haute compréhension, au-dessus de l'intuitio[n] intellectuelle, est l'union avec l'Un, où « l'âme retrouvé son destin originaire et bienheureux ».

**NÉOPOSITIVISME, subst. m.**
*Philos.* Mouvement de pensée constitué autour d[u] cercle de Vienne, dont l'ambition était de re[construire] l'édifice de la philosophie sur le modèl[e] d'une logique du langage scientifique, en rejetan[t] comme « vides de sens » les propositions de l[a] métaphysique (synon. *positivisme logique*). 1908 ☞ *positivisme* + *néo-* ; [neopozitivism].

**NÉOPOSITIVISTE, adj. et subst.**
**Adj.** Propre, relatif ou favorable au néopositivism[e]. **Subst.** Adepte du néopositivisme. 1908 ; ☞ *pos[i]tiviste* + *néo-* ; [neopozitivist].

**NÉOPRÈNE, subst. m. inv.**
Caoutchouc de synthèse thermoplastique. 1961 ☞ *propylène* + *néo-*, d'apr. l'anglo-amér. *neoprene* ; [nom] déposé ; [neɔpʀɛn].

**NÉORÉALISME, subst. m.**
**1.** Mouvement artistique et littéraire du XX$^e$ s[.] marquant un retour au réalisme sous des forme[s] nouvelles. **2.** *Cin.* Tendance du cinéma italie[n] d'après guerre, qui s'attacha à la représentatio[n] réaliste des situations, des décors et des problème[s] sociaux. 1891 ; ☞ *réalisme* + *néo-* ; [neoʀealism].

**CINÉMA** – Le néoréalisme a renouvelé en profon[deur] les procédés et l'esthétique cinématogra[phiques] de l'après-guerre. Le mot s'officialise e[n] 1942 avec *Ossessione*, de Visconti, mais c'est *Rom[a] ville ouverte* (1944), de Rossellini, qui inaugur[e] la grande époque néoréaliste. En rupture avec l[e] décorum du cinéma officiel comme avec to[ut] formalisme élitaire, l'orientation populaire, voir[e] populiste, de ce mouvement vise à restituer, ave[c] des accents souvent tragiques, le quotidie[n] socio-économique d'un pays traumatisé par l[e] fascisme et par la guerre. Optant pour un regar[d] documentaire, des tournages hors studios avec de[s] acteurs non professionnels, De Sica et Zavattin[i] (*le Voleur de bicyclette*), Visconti (*La terre tremble*) Rossellini peignent une Italie misérable, margi[nalisée] par le chômage. Accueillie avec enthou[siasme], la production néoréaliste s'épanoui[t] au-delà des années de reconstruction, les thème[s] se diversifiant avec Lattuada, Germi, De Santis. Le mouvement s'essouffle v. 1955, l'art italie[n] renouant avec le goût du faste. Fellini, Ris[i], Antonioni, Olmi ont été formés à cette école, don[t] l'influence sera également marquante sur le[s] cinémas français (avec la Nouvelle Vague) québécois et brésilien.

**NÉORÉALISTE, adj. et subst.**
**Adj.** Relatif au néoréalisme. **Subst.** Adepte du néo[réalisme]. 1891 ; ☞ *réaliste* + *néo-* ; [neoʀealist].

**NÉOTÉNIE, subst. f.**
*Biol.* Fait, pour un animal, d'atteindre la maturit[é] sexuelle tout en conservant une forme larvaire. 1903 ; all. *Neotänie*, du gr. *neos*, « nouveau », e[t] *teinein*, « prolonger » ; [neɔteni].

**NÉOTHOMISME, subst. m.**
*Théol.* Orientation donnée, en 1879, par le pap[e] Léon XIII à la théologie officielle de l'Église, prônan[t] une approche moderne des problèmes de l'époqu[e] contemporaine, à la lumière du thomisme classique. V. 1900 ; ☞ *thomisme* + *néo-* ; [neotɔmism].

**NÉOTTIE, subst. f.**
*Bot.* Orchidée dépourvue de chlorophylle, qu[i] pousse dans les forêts de hêtres. 1823 ; lat. sc[ient.] *neottia*, du gr. *neotteia*, « nid d'oiseau » ; [neɔti].

**NÉPALAIS, AISE, adj. et subst.**
Du Népal. **Subst. masc.** Langue indo-européenn[e] parlée au Népal (synon. *népali*). 1874 ; topon. *Népal* ; [nepalɛ, ɛz].

**NÈPE,** subst. f.
*Zool.* Insecte hémiptère et carnivore des eaux dormantes, au corps plat terminé par un long tube abdominal qui lui sert à respirer en surface. ⌛ 1762 ; lat. *nepa,* « scorpion » ; [nɛp].

**NÉPENTHÈS,** subst. m.
**1.** *Antiq. gr.* Breuvage qui avait la propriété de dissiper le chagrin et d'apporter l'oubli. **2.** *Bot.* Plante carnivore originaire des régions chaudes, dont les feuilles en vrille se terminent par une sorte d'urne à couvercle où les insectes se font piéger. ⌛ 1552 ; gr. *nêpenthês,* « qui dissipe la douleur » ; [nepɛ̃tɛs].

**NÉPÉRIEN, IENNE,** adj.
*Math. Logarithme **népérien*** : logarithme de base e. ⌛ Mil. XIXe s. ; anthropon. *John Neper* ; [nepeʀjɛ̃, jɛn].

**NÉPÈTE,** subst. f.
*Bot.* Plante herbacée de la famille des Lamiacées, dont une espèce est appelée menthe des chats. ⌛ 1694 ; lat. *nepeta* ; var. *népéta* ; [nepɛt].

**NÉPHÉLÉMÉTRIE,** voir **NÉPHÉLOMÉTRIE**

**NÉPHÉLINE,** subst. f.
*Minér.* Feldspathoïde caractéristique des roches plutoniques et volcaniques riches en sodium et pauvres en silice. ⌛ 1801 ; gr. *nephelê,* « nuage » ; [nefelin].

**NÉPHÉLION,** subst. m.
*Pathol.* Tache légèrement opaque de la cornée. ⌛ 1765 ; gr. *nephelion,* « petit nuage » ; [nefeljɔ̃].

**NÉPHÉLOMÉTRIE,** subst. f.
*Chim.* Mesure de la concentration d'une émulsion par comparaison de sa transparence avec celle d'une préparation étalon. ⌛ 1933 ; gr. *nephelê,* « nuage », + *-métrie* ; var. *néphélémétrie* ; [nefelɔmetʀi].

**NÉPHRECTOMIE,** subst. f.
*Chir.* Ablation totale ou partielle d'un rein. ⌛ 1890 ; formé de *néphro-* et de *-ectomie* ; [nefʀɛktɔmi].

**NÉPHRÉTIQUE,** adj.
Qui concerne le rein : *Colique **néphrétique**.* ⌛ XVe s. ; bas lat. *nephriticus,* du gr. *nephritikos* ; [nefʀetik].

**NÉPHRIDIE,** subst. f.
*Zool.* Organe excréteur de certains invertébrés. ⌛ 1893 ; lat. sc. *nephridium,* du gr. *nephridios,* « qui concerne le rein » ; [nefʀidi].

**NÉPHRITE,** subst. f.
**1.** *Pathol.* Inflammation du rein. **2.** *Minér.* Variété de jade, du genre amphibole. ⌛ 1798 ; gr. *nephritis,* « des reins » ; [nefʀit].

**NÉPHROLOGIE,** subst. f.
*Méd.* Branche de la médecine qui étudie le fonctionnement du rein et ses maladies. ⌛ 1803 ; formé de *néphro-* et de *-logie* ; [nefʀɔlɔʒi].

**NÉPHROLOGUE,** subst.
Médecin spécialisé en néphrologie. ⌛ 1874 ; formé de *néphro-* et de *-logue* ; [nefʀɔlɔg].

**NÉPHRON,** subst. m.
*Physiol.* Unité morphologique et fonctionnelle du rein, composée de plusieurs segments ayant chacun leur rôle dans l'élaboration de l'urine. ⌛ 1954 ; gr. *nephros,* « rein » ; [nefʀɔ̃].

**NÉPHROPATHIE,** subst. f.
*Pathol.* Nom générique des maladies du rein. ⌛ 1895 ; formé de *néphro-* et de *-pathie* ; [nefʀɔpati].

**NÉPHROSE,** subst. f.
Syndrome néphrotique. ⌛ 1931 ; formé de *néphro-* et de *-ose* ; [nefʀoz].

**NÉPHROTIQUE,** adj.
*Pathol. Syndrome **néphrotique*** : ensemble de symptômes (protéinurie importante, œdèmes, hyperlipidémie) observés dans des affections rénales diverses. ⌛ V. 1960 ; ☞ *néphrose* ; [nefʀotik].

**NÉPOTISME,** subst. m.
**1.** *Hist.* Favoritisme de certains papes envers les membres de leurs familles (jusqu'au XVIIIe s.). **2.** Ext. Attitude de qqn qui use des privilèges liés à sa fonction pour favoriser ses proches. ⌛ 1653 ; ital. *nepotismo,* de *nepote,* « neveu » ; [nepɔtism].

**NEPTUNISME,** subst. m.
*Géol.* Théorie qui soutenait l'origine marine de toutes les roches (anton. *plutonisme*). ⌛ 1831 ; *Neptune,* dieu de la Mer ; [nɛptynism].

**NEPTUNIUM,** subst. m.
*Chim.* Élément n° 93 de la table de Mendeleïev (symb. : Np) ; masse atomique : 237 ; point de fusion : 640 °C ; point d'ébullition : 3 902 °C ; masse volumique : 20,2 g/cm$^3$. C'est un métal transuranien radioactif, obtenu artificiellement à partir de l'uranium. ⌛ 1940 ; *Neptune,* planète du système solaire ; [nɛptynjɔm].

**NÉRÉIDE,** subst. f.
**1.** *Myth. Une **Néréide*** : en Grèce, nymphe de la mer, fille de Nérée. **2.** *Zool.* Ver marin de l'embranchement des Annélides, qui vit sur la vase ou sur le sable. ⌛ 1488 ; lat. *nereis,* du gr. *Nereus,* « Nérée », fils de Poséidon ; var. au sens 2 *un néréis* ; [neʀeid].

**NERF,** subst. m.
**I. 1.** Vx. Tendon, ligament. ▸ *Nerf de bœuf* : sorte de matraque faite d'une verge de taureau étirée et durcie par dessication. **2.** Fig. Force physique ou morale : *Avoir du **nerf** ; Manquer de **nerf**.* ▸ Ext. Ce qui fournit l'essentiel d'un potentiel : *Le **nerf** de la guerre* (☞ *guerre*). **3.** *Reliure.* Cordelette qui sert à relier les fils assemblant les cahiers d'un livre. **II.** *Anat.* Filament blanchâtre composé de faisceaux et de fibres mettant en relation sensitive ou motrice les différentes parties du corps avec la moelle épinière et l'encéphale. **Plur.** Ensemble du système nerveux, considéré comme siège du comportement, de l'équilibre mental ou émotionnel d'une personne. ▸ Loc. *Crise de **nerfs*** : explosion de cris, de pleurs et de gesticulations se manifestant sous le coup de la colère ou d'une forte émotion ; *Avoir des **nerfs** d'acier* : rester calme, impassible en toutes circonstances ; *Avoir les **nerfs** à fleur de peau* : être facilement irritable ; *Avoir les **nerfs** en pelote, en boule* : être dans un état de grand agacement (fam.) ; *Porter, taper sur les **nerfs*** : causer un vif agacement (fam.) ; *Vivre sur les **nerfs*** : dans un état de tension constante ; *Guerre des **nerfs*** : procédé d'intimidation (fausses informations, propagande, etc.) utilisé au cours d'un conflit pour démoraliser l'adversaire. ⌛ Fin XIe s. ; lat. *nervus,* « ligament » ; [nɛʀ].

**NÉRITIQUE,** adj.
*Géol.* Se dit des dépôts marins situés entre la zone littorale et la plate-forme continentale. ⌛ 1899 ; gr. *nêritês,* « coquillage » ; [neʀitik].

**NÉROLI,** subst. m.
Huile essentielle obtenue par distillation de la fleur du bigaradier. ⌛ 1672 ; anthropon. *Anne-Marie, princesse de Nerole,* qui aurait inventé ce parfum ; [neʀɔli].

**NÉRONIEN, IENNE,** adj.
Relatif à Néron ; digne de la cruauté de Néron. ⌛ 1721 ; anthropon. *Néron* ; [neʀɔnjɛ̃, jɛn].

**NERPRUN,** subst. m.
*Bot.* Arbre ou arbrisseau de la famille des Rhamnacées, à petits fruits noirs. ⌛ Déb. XIIIe s. ; lat. pop. °*niger prunus,* « prunier noir » ; [nɛʀpʀœ̃].

**NERVATION,** subst. f.
*Bot.* et *Zool.* Disposition des nervures d'une feuille, d'une aile d'insecte. ⌛ 1800 ; ☞ *nerf* ; [nɛʀvasjɔ̃].

**NERVEUSEMENT,** adv.
**1.** Avec vigueur. **2.** De manière nerveuse : *Elle rit **nerveusement**.* ⌛ 1583 ; ☞ *nerveux* ; [nɛʀvøzmɑ̃].

**NERVEUX, EUSE,** adj. et subst.
**I. Adj. 1.** Relatif aux tendons, aux ligaments : *Des mains **nerveuses**,* aux tendons apparents ; *Viande **nerveuse**,* tendineuse. **2.** Fig. Vif, énergique : *Un cheval **nerveux*** ; par anal. : *Une voiture **nerveuse**,* qui a de bonnes reprises ; au fig. : *Un style **nerveux**.* **II. Adj. 1.** Relatif aux nerfs : *Centre **nerveux*** (☞ *centre*) ; *Système **nerveux**,* ensemble des centres nerveux et des nerfs d'un organisme humain ou animal. **2.** Relatif au système nerveux, siège de l'équilibre mental ou émotionnel : *Rire **nerveux*** ; *Grossesse **nerveuse*** (☞ *grossesse*). **3.** Agité et émotif. **Subst.** Personne qui a des réactions impulsives, qui s'énerve facilement : *C'est un grand **nerveux**.* ⌛ Mil. XIIIe s. ; lat. *nervosus,* « tendineux » ; [nɛʀvø, øz].

**NERVI,** subst. m.
**1.** Vx. Portefaix (argot.). **2.** Voyou (vx). **3.** Homme de main, tueur à gages. ⌛ 1804 ; prov. *nervi,* « nerf », du lat. *nervium,* « nerf ; muscle » ; [nɛʀvi].

**NERVOSITÉ,** subst. f.
**1.** Vigueur, vivacité. **2.** État d'excitation nerveuse momentanée. ⌛ 1553 ; ☞ *nerveux* ; [nɛʀvozite].

**NERVURE,** subst. f.
**1.** Vx. Nerf de bœuf renforçant un bouclier. **2.** Ligne apparaissant sur une surface et rappelant un nerf : *Nervures d'un livre.* ▸ *Archit.* Partie saillante de la moulure servant d'ossature à une voûte. ▸ *Bot.* Filet ligneux, souvent ramifié, situé au niveau du limbe foliaire et qui conduit la sève. ▸ *Cout.* Petit pli droit, cousu sur toute sa longueur et formant un relief. ▸ *Techn.* Filet en saillie renforçant la résistance d'une pièce métallique. ▸ *Zool.* Réseau solide des ailes transparentes d'un insecte ailé. ⌛ Fin XIVe s. ; ☞ *nerf* ; [nɛʀvyʀ].

**NERVURÉ, ÉE,** adj.
*Bot.* et *Zool.* Qui présente des nervures : *Feuille, aile **nervurée**.* ⌛ 1875 ; ☞ *nervure* ; [nɛʀvyʀe].

**NERVURER,** verbe trans. [3]
Garnir de nervures. ⌛ 1913 ; ☞ *nervure* ; [nɛʀvyʀe].

**N'EST-CE PAS,** loc. adv.
**1.** Formule interrogative appelant l'approbation de celui à qui l'on s'adresse. **2.** Simple incise confirmative dans la phrase : *J'ajoute du sel, **n'est-ce pas**, et de l'eau, et je mélange.* ⌛ 1722 ; comp. de *ne,* de *être* (I), de *ce* (II) et de *pas* (II) ; [nɛspa].

**NESTORIANISME,** subst. m.
*Relig.* Doctrine de Nestorius, déclarée hérétique en 431 au concile d'Éphèse, selon laquelle les deux natures (humaine et divine) du Christ sont séparées dans leur individualité propre, et niant ainsi que la Vierge puisse être appelée « Mère de Dieu ». ⌛ 1698 ; ☞ *nestorien* ; [nɛstɔʀjanism].

**NESTORIEN, IENNE,** adj. et subst.
Se dit d'un partisan du nestorianisme. **Adj.** Relatif au nestorianisme : *Hérésie **nestorienne*** ; *Patriarcat **nestorien** de Babylone-Ctésiphon.* ⌛ XIIIe s. ; bas lat. *nestorianus,* de l'anthropon. *Nestorius,* patriarche hérésiarque de Constantinople ; [nɛstɔʀjɛ̃, jɛn].

**NET (I), NETTE,** adj. et adv.
**Adj. 1.** Propre, sans tache : *Du linge **net**.* ▸ Loc. *Avoir les mains **nettes*** : n'avoir rien à se reprocher ; empl. subst. masc. : *Mettre au **net**, au propre.* **2.** Clair, distinct : *Une voix **nette*** ; *Une différence très **nette**,* prononcée. **3.** Précis : *Un contour **net*** ; par anal. : *Un souvenir très **net*** ; *Des idées **nettes**.* **4.** Fig. Sans ambiguïté : *Une réponse **nette**.* ▸ Loc. *En avoir le cœur **net*** : savoir la vérité (sur qqch.). **5.** *Faire place **nette*** : ôter d'un endroit tout ce qui l'encombre. **6.** Dont on a déduit les éléments étrangers (anton. *brut*) : *Prix, poids **net**.* **Adv. 1.** Brutalement : *S'arrêter **net**.* **2.** Catégoriquement, franchement : *Refuser tout **net**.* ⌛ Déb. XIIe s. ; lat. *nitidus,* « brillant » ; [nɛt].

**NET (II),** adj. inv.
*Sp.* Let, au volley-ball, au tennis et au ping-pong. ⌛ 1891 ; angl. *net,* « filet » ; recomm. off. *filet* ; [nɛt].

**NETTEMENT,** adv.
**1.** Proprement (rare). **2.** Clairement, distinctement. **3.** Fig. Sans équivoque. ⌛ 1306 (fin XIIe s., selon la morale) ; ☞ *net* (I) ; [nɛtmɑ̃].

**NETTETÉ,** subst. f.
**1.** Vx. Propreté. **2.** Qualité de ce qui est net, précis. ⌛ 1216 ; ☞ *net* (I) ; [nɛtte].

**NETTOIEMENT,** subst. m.
Ensemble des opérations de nettoyage. ⌛ Fin XIIe s. ; ☞ *nettoyer* ; [nɛtwamɑ̃].

**NETTOYAGE,** subst. m.
Action de nettoyer ; son résultat. ▸ Loc. ***Nettoyage** par le vide* : élimination de ce qui est jugé inutile. ⌛ 1344 ; ☞ *nettoyer* ; [nɛtwajaʒ].

**NETTOYANT, ANTE,** adj. et subst. m.
Se dit d'un produit utilisé pour nettoyer : ***Nettoyant** liquide.* ⌛ 1926 ; p. pr. de *nettoyer* ; [nɛtwajɑ̃, ɑ̃t].

**NETTOYER,** verbe trans. [17]
**1.** Rendre propre en ôtant ce qui salit ou encombre : ***Nettoyer** un vêtement, une blessure.* **2.** Débarrasser (un lieu) d'éléments indésirables ou dangereux en les expulsant ou en les éliminant : ***Nettoyer** une ville conquise.* **3.** Vider complètement (fam.) : *Les cambrioleurs **ont nettoyé** la maison.* **4.** Éliminer, tuer (pop.). ⌛ Fin XIIe s. ; ☞ *net* (I) ; [nɛtwaje].

**NETTOYEUR, EUSE,** subst.
Personne qui nettoie. **Masc.** Machine servant à nettoyer. ⌛ XVe s. ; ☞ *nettoyer* ; [nɛtwajœʀ, øz].

**NEUF (I), NEUVE,** adj. et subst. m.
**Adj. 1.** Qui n'a pas ou a peu servi ; qui vient d'être fait : *Des souliers **neufs*** ; *Une maison **neuve**.* **2.** Récent (anton. *vieux*) : *Ville **neuve**.* **3.** Original, nouveau : *Idée **neuve*** ; *Regard **neuf**,* dégagé de tout préjugé. **4.** Novice. **Subst.** Ce qui est **neuf**. ▸ Loc. *De **neuf*** : avec qqch. de **neuf** ; *À **neuf*** : de façon à donner l'aspect du **neuf** ; *Quoi de **neuf** ?* : quelles nouvelles ? (fam.). ⌛ Fin Xe s. ; lat. *novus* ; [nœf, nœv].

**NEUF (II),** adj. num. inv. et subst. m. inv.
**Adj. card.** Huit plus un : *Les **neuf** mois de la grossesse* ; *Les **neuf** Muses.* **Adj. ord. 1.** Neuvième : *Louis IX fut canonisé en 1297.* **2.** Qui porte le numéro **neuf** : *La page **neuf*** ou, empl. subst., *La **neuf**.* **Subst. 1.** Le chiffre **neuf** : ***Neuf** est divisible*

par trois ; *Preuve par **neuf***, permettant de vérifier l'exactitude d'un calcul. **2.** Le numéro **neuf** : *Miser sur le **neuf***. **3.** Représentation graphique de ce chiffre. **4.** *Jeux.* Carte à jouer marquée de **neuf** points : *Le **neuf** de carreau.* 1119 ; lat. *novem* ; [nœf] et, devant *ans, heures, hommes* et *autres,* [nœv].

**NEUFCHÂTEL, subst. m.**
Fromage au lait de vache, à pâte molle. 1798 ; topon. *Neufchâtel-en-Bray* (Seine-Maritime) ; [nøʃɑtɛl].

**NEUME, subst.**
*Mus.* Fém. Suite de notes émises d'un seul souffle, dans un chant liturgique ou, par ext., dans une mélodie. Masc. Signe de notation musicale utilisé, au Moyen Âge, dans le plain-chant : *Le **neume** est à l'origine de la notation musicale occidentale.* Fin XIVe s. ; lat. médiév. *neuma*, « phrase musicale », du gr. *pneuma*, « souffle » ; [nøm].

**NEURAL, ALE, AUX, adj.**
*Biol.* Relatif au système nerveux. 1855 ; gr. *neuron*, « nerf » ; [nøʀal, o].

**NEURASTHÉNIE, subst. f.**
**1.** *Psych.* Affection sans cause organique, caractérisée par une profonde asthénie et un désintérêt général, accompagnés de céphalées et de troubles divers. **2.** État d'abattement et de tristesse. 1880 ; ☞ *asthénie + neuro-* ; [nøʀasteni].

**NEURASTHÉNIQUE, adj.**
**1.** Relatif à la neurasthénie. **2.** Atteint de neurasthénie ; empl. subst., personne **neurasthénique**. 1880 ; ☞ *neurasthénie* ; [nøʀastenik].

**NEURINOME, subst. m.**
*Pathol.* Néoformation nerveuse développée aux dépens de la gaine de Schwann, qui entoure l'axone d'un neurone, notamment sur le nerf acoustique (synon. *schwannome*). 1931 ; lat. sc. *neurinoma*, du gr. *neurinos*, « nerveux » ; [nøʀinom].

**NEUROBIOLOGIE, subst. f.**
Science qui a pour objet l'étude du fonctionnement du système nerveux. V. 1970 ; ☞ *biologie + neuro-* ; [nøʀobjɔlɔʒi].

**NEUROBLASTE, subst. m.**
*Biol.* Neurone embryonnaire. 1897 ; formé de *neuro-* et de *-blaste* ; [nøʀoblast].

**NEUROCHIMIE, subst. f.**
Science qui a pour objet l'étude des phénomènes biochimiques du système nerveux. V. 1970 ; ☞ *chimie + neuro-* ; [nøʀoʃimi].

**NEUROCHIMIQUE, adj.**
Relatif à la neurochimie. V. 1970 ; ☞ *neurochimie* ; [nøʀoʃimik].

**NEUROCHIRURGICAL, ALE, AUX, adj.**
Qui concerne la chirurgie du système nerveux. 1946 ; ☞ *chirurgical + neuro-* ; [nøʀoʃiʀyʀʒikal, o].

**NEUROCHIRURGIE, subst. f.**
Branche de la chirurgie spécialisée dans les opérations concernant le système nerveux. 1938 ; ☞ *chirurgie + neuro-* ; [nøʀoʃiʀyʀʒi].

**NEUROCHIRURGIEN, IENNE, subst.**
Spécialiste en neurochirurgie. 1953 ; ☞ *chirurgien + neuro-* ; le fém. est rare ; [nøʀoʃiʀyʀʒjɛ̃, jɛn].

**NEURODÉPRESSEUR, subst. m.**
*Pharm.* Substance qui entraîne une dépression de l'activité du système nerveux central. V. 1970 ; ☞ *dépresseur + neuro-* ; [nøʀodepʀesœʀ].

**NEUROENDOCRINIEN, IENNE, adj.**
Qui concerne à la fois les glandes endocrines et le système nerveux. 1952 ; ☞ *endocrinien + neuro-* ; [nøʀoɑ̃dɔkʀinjɛ̃, jɛn].

**NEUROENDOCRINOLOGIE, subst. f.**
Science qui étudie les relations entre les glandes endocrines et le système nerveux. 1946 ; ☞ *endocrinologie + neuro-* ; [nøʀoɑ̃dɔkʀinɔlɔʒi].

**NEUROFIBROMATOSE, subst. f.**
*Pathol.* Maladie familiale apparaissant gén. dès l'enfance, caractérisée par des pigmentations (taches café au lait) et des tumeurs cutanées associées à des neurinomes et susceptibles de dégénérer (synon. *maladie de Recklinghausen*). Mil. XXe s. ; ☞ *fibromatose + neuro-* ; [nøʀofibʀomatoz].

**NEUROLEPTIQUE, adj. et subst. m.**
*Pharm.* Se dit d'une substance psychotrope employée dans le traitement des psychoses. 1955 ; formé de *neuro-* et de *-leptique* ; [nøʀolɛptik].

**NEUROLINGUISTIQUE, subst. f.**
Étude des corrélations qui existent entre le système cérébral et l'expression linguistique. V. 1960 ; ☞ *linguistique + neuro-* ; [nøʀolɛ̃gɥistik].

**NEUROLOGIE, subst. f.**
*Méd.* Discipline qui étudie la physiologie et les maladies du système nerveux. 1691 ; formé de *neuro-* et de *-logie* ; [nøʀɔlɔʒi].

**NEUROMÉDIATEUR, subst. m.**
*Biochim.* Neurotransmetteur. V. 1970 ; ☞ *médiateur + neuro-* ; [nøʀomedjatœʀ].

**NEURONAL, ALE, AUX, adj.**
Relatif au neurone (synon. *neuronique*). 1955 ; ☞ *neurone* ; [nøʀɔnal, o].

**NEURONE, subst. m.**
*Physiol.* et *Histol.* Cellule du tissu nerveux dont le prolongement cytoplasmique, comprenant l'axone et les dendrites, permet la conduction de l'influx nerveux par l'intermédiaire de médiateurs chimiques. 1896 ; gr. *neuron*, « nerf » ; [nøʀon].

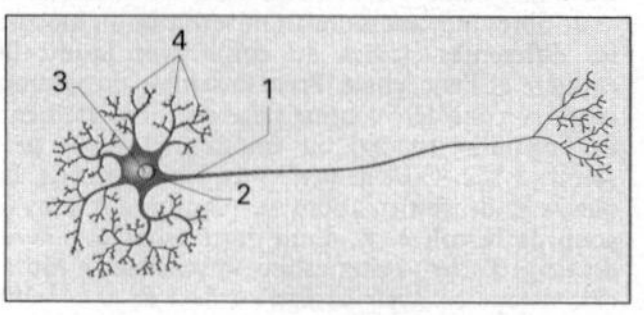


NEURONE
*1. Axone (substance grise). 2. Corps cellulaire. 3. Noyau. 4. Dendrites.*

**NEUROPATHIE, subst. f.**
*Pathol.* Affection du système nerveux. 1922 ; formé de *neuro-* et de *-pathie* ; [nøʀopati].

**NEUROPHYSIOLOGIE, subst. f.**
Discipline ayant pour objet l'étude du métabolisme et du fonctionnement du système nerveux. 1952 ; ☞ *physiologie + neuro-* ; [nøʀofizjɔlɔʒi].

**NEUROPSYCHIATRIE, subst. f.**
Discipline qui réunit la neurologie et la psychiatrie. 1938 ; ☞ *psychiatrie + neuro-* ; [nøʀopsikjatʀi].

**NEUROPSYCHOLOGIE, subst. f.**
Discipline qui étudie les relations entre la structure du cerveau et les phénomènes psychiques. 1957 ; ☞ *psychologie + neuro-* ; [nøʀopsikɔlɔʒi].

**NEURORADIOLOGIE, subst. f.**
Radiologie appliquée au système nerveux. 1959 ; ☞ *radiologie + neuro-* ; [nøʀoʀadjɔlɔʒi].

**NEUROSÉCRÉTION, subst. f.**
*Physiol.* Activité sécrétrice des cellules nerveuses. Mil. XXe s. ; ☞ *sécrétion + neuro-* ; [nøʀosekʀesjɔ̃].

**NEUROTRANSMETTEUR, subst. m.**
*Biochim.* Substance chimique synthétisée par l'organisme et qui participe à la transmission de l'influx nerveux au niveau d'une synapse (synon. *neuromédiateur*). V. 1960 ; ☞ *transmetteur + neuro-* ; [nøʀotʀɑ̃smetœʀ].

**NEUROTROPE, adj.**
Se dit d'une substance chimique, d'un microbe ou d'un virus ayant une affinité particulière pour les nerfs. 1923 ; formé de *neuro-* et de *-trope* ; [nøʀotʀɔp].

**NEUROVÉGÉTATIF, IVE, adj.**
*Anat.* et *Physiol.* Qui concerne le système nerveux autonome, régulateur des fonctions végétatives. 1925 ; ☞ *végétatif + neuro-* ; [nøʀoveʒetatif, iv].

**NEURULA, subst. f.**
*Embryol.* Stade du développement des vertébrés où s'ébauche le système nerveux central, faisant suite à la gastrula. 1942 ; gr. *neuron*, « nerf » ; [nøʀyla].

**NEUTRALISANT, ANTE, adj. et subst. m.**
Adj. Qui neutralise. Subst. *Chim.* Substance qui neutralise. 1800 ; p. pr. de *neutraliser* ; [nøtʀalizɑ̃, ɑ̃t].

**NEUTRALISATION, subst. f.**
**1.** *Chim.* Traitement d'un acide par une base ou inversement jusqu'à obtention d'un sel neutre. **2.** Action de neutraliser, de se neutraliser ; son résultat. 1783 ; ☞ *neutraliser* ; [nøtʀalizasjɔ̃].

**NEUTRALISER, verbe trans.** [3]
**1.** *Dr. internat.* Déclarer neutre (une ville, un territoire, un État). **2.** *Chim.* Effectuer la neutralisation de (un acide, une base). **3.** Atténuer (une couleur). **4.** Rendre (une action, qqn ou qqch.) inopérant par une action contraire : ***Neutraliser** un ennemi, un virus* ; ***Neutraliser** la circulation*, l'arrêter momentanément. Pronom. Se compenser. 1564 ; lat. *neutralis*, « neutre » ; [nøtʀalize].

**NEUTRALISME, subst. m.**
Doctrine, politique caractérisée par le refus d'adhérer à une alliance militaire, ou de s'inclure dans l'un des grands blocs idéologiques ou politiques mondiaux. 1915 ; lat. *neutralis*, « neutre » ; [nøtʀalism].

**NEUTRALISTE, adj.**
**1.** Relatif au neutralisme. **2.** Qui prône ou pratique le neutralisme ; empl. subst., personne **neutraliste**. 1915 ; lat. *neutralis*, « neutre » ; [nøtʀalist].

**NEUTRALITÉ, subst. f.**
**1.** Attitude qui consiste à s'abstenir de prendre parti : *Observer une stricte **neutralité**.* ► *Psychanal.* Attitude du psychanalyste, qui ne doit pas influencer le déroulement de la cure de son patient. **2.** Situation d'un État qui se maintient hors d'un conflit international : *La **neutralité** de la Suisse pendant la Seconde Guerre mondiale.* **3.** *Chim.* et *Phys.* État d'une solution ou d'un système électrique neutre. Fin XIVe s. ; lat. *neutralis*, « neutre » ; [nøtʀalite].

**NEUTRE, adj.**
**1.** *Dr. internat.* Qui reste en dehors d'un conflit guerrier ; empl. subst. masc., pays non-belligérant. **2.** Qui s'abstient de prendre parti dans un différend ; objectif, impartial. **3.** Sans éclat, terne : *Une couleur **neutre**.* **4.** Sans expressivité : *Une voix **neutre**.* **5.** *Spéc.* ► *Chim.* Qui n'est ni acide ni basique, dont le pH est égal à 7. ► *Électr.* Qualifie un fil conducteur sans charge électrique, s'opposant à une phase dans un réseau monophasé ou triphasé ; empl. subst. masc., ce fil. ► *Gramm.* Se dit du troisième genre qui, dans certaines langues, se différencie du masculin et du féminin ; empl. subst. masc., le genre **neutre**. La langue française n'a pas de genre **neutre** formellement marqué mais ressent comme sémantiquement **neutres** certains pronoms tels que « rien », « quelque chose », « tout ». ► *Math. Élément **neutre** à droite (resp. à gauche) pour une loi de composition interne $*$ sur l'ensemble* E : élément $e$ de E tel que $x * e = x$ (resp. $e * x = x$) pour tout $x$ de E ; $e$ est dit **neutre** s'il l'est à gauche et à droite (pour $x * y = x^y$ dans ℕ, 1 est **neutre** à droite, pas à gauche ; 0 est **neutre** pour l'addition des nombres). ► *Phys.* Qualifie un système ne présentant pas de charge électrique. Fin XIVe s. ; lat. *neuter*, « ni l'un ni l'autre » ; [nøtʀ].

**NEUTRINO, subst. m.**
*Phys.* Particule issue de certains processus radioactifs ou de la désintégration d'autres particules. Les **neutrinos**, qui sont produits par ex. lors de l'explosion d'une supernova, se déplacent à une vitesse voisine de celle de la lumière car leur masse est quasi nulle. Ils ont, en outre, la propriété de traverser la matière très facilement. 1935 ; ital. *neutrino*, de *neutro*, « neutre » ; [nøtʀino].

**NEUTRON, subst. m.**
*Phys.* Particule représentant, avec le proton, l'un des deux constituants du noyau atomique. Sa masse est légèrement supérieure à celle du proton, mais sa charge électrique est nulle, ce qui lui confère un grand pouvoir de pénétration dans la matière. 1912 ; angl. *neutron*, de *neutral*, « neutre », d'apr. *electron*, « électron » ; [nøtʀɔ̃].

PHYSIQUE - Découvert en 1930 par Chadwick alors qu'il bombardait des atomes de béryllium avec des particules alpha, le neutron tire son nom du fait qu'il a une charge électrique neutre. Il possède les mêmes caractéristiques que le proton (spin, nombre baryonique, etc.). Cette particule très utilisée dans les mécanismes de fission nucléaire se désintègre beaucoup plus facilement que le proton du fait de sa moins grande stabilité.

**NEUTRONIQUE, adj.**
*Phys.* Qui se rapporte au neutron ou aux effets de celui-ci. 1934 ; ☞ *neutron* ; [nøtʀɔnik].

**NEUTROPHILE, adj. et subst. m.**
Adj. *Biochim. Élément **neutrophile*** : qui ne se colore pas franchement en présence d'un réactif spécifique. Subst. *Biol.* Polynucléaire à granulations **neutrophiles** qui phagocyte les corps étrangers et les bactéries. V. 1900 ; ☞ *neutre + -phile* ; [nøtʀofil].

**NEUVAIN, subst. m.**
Strophe, poème de neuf vers. 1548 ; ☞ *neuf* (II) ; [nœvɛ̃].

**NEUVAINE, subst. f.**
**1.** Vx. Les neuf Muses. **2.** *Cath.* Cycle de dévotions de neuf jours, visant à obtenir une grâce particulière. Fin XIIIe s. ; ☞ *neuf* (II) ; [nœvɛn].

**NEUVIÈME, adj. et subst. f.**
Adj. num. ord. Qui occupe le rang marqué par le

umére neuf ; empl. subst. : *Le, la* ***neuvième.*** *Enseign. La* ***neuvième*** *classe* ou, empl. subst. fém., *a* ***neuvième*** : cours élémentaire deuxième année. **oj.** Qui constitue une fraction d'un tout divisé également en neuf : *La* ***neuvième*** *partie* ou, empl. ubst. masc., *Le* ***neuvième.*** **Subst.** *Mus.* Intervalle ntre neuf degrés. Mil. XII^e s. ; ☞ *neuf* (II) ; [nœvjɛm].

**NE VARIETUR, loc. adv. et loc. adj.**
)ans sa forme définitive : *Signer un contrat* ***ne*** ***varietur*** ; *Une édition* ***ne varietur.*** 1579 ; lat. *ne varietur,* « qu'il ne soit pas changé » ; [nevaʀjetyʀ].

**NÉVÉ, subst. m.**
. Zone de neige compacte située en amont d'un lacier. **2.** Plaque de neige persistante. Mil. XIX^e s. ; rob. savoyard *névi,* du lat. *nix,* « neige » ; [neve].

**NEVEU, subst. m.**
. Petit-fils, descendant (vieilli ou littér.). **2.** Fils du ère ou de la sœur, du beau-frère ou de la belle-œur. **3.** ***Neveu*** *à la mode de Bretagne* : fils d'un ousin germain ou d'une cousine germaine. Fin ^e s. ; lat. *nepos,* « petit-fils » ; [n(ə)vø].

*Frontispice du* Neveu de Rameau, *de Diderot (édition de 1821), gravure sur bois. Bibliothèque nationale, Paris.*

**NÉVRALGIE, subst. f.**
*athol.* Vive douleur siégeant sur le trajet d'un nerf. 1801 ; formé de *névro-* et de *-algie* ; [nevʀalʒi].

**NÉVRALGIQUE, adj.**
**1.** Relatif à la névralgie. **2.** Fig. *Point* ***névralgique*** : oint sensible du fait de l'importance qu'il revêt our une personne, un groupe, un pays. 1801 ; ☞ *névralgie* ; [nevʀalʒik].

**NÉVRAXE, subst. m.**
*Anat.* Système nerveux central. 1867 ; ☞ *axe* + *névro-* ; [nevʀaks].

**NÉVRITE, subst. f.**
*Pathol.* Inflammation d'un nerf. 1821 ; gr. *neuron,* « nerf », + *-ite* ; [nevʀit].

**NÉVROGLIE, subst. f.**
*Anat.* Glie. 1869 ; gr. *gloios,* « glu », + *névro-* ; nevʀɔgli].

**NÉVROPATHE, subst. et adj.**
*Pathol.* Se dit d'une personne névrosée (vieilli). 1872 ; formé de *névro-* et de *-pathe* ; [nevʀɔpat].

**NÉVROPATHIE, subst. f.**
*Pathol.* Névrose (vieilli). 1845 ; formé de *névro-* et de *-pathie* ; [nevʀɔpati].

**NÉVROPTÈRES, subst. m. plur.**
*Zool.* Ordre d'insectes ptérygotes à métamorphoses, dont la larve terrestre, ou parfois aquatique, a un appareil buccal adapté à la succion. **Au sing.** *Le fourmilion est un* ***névroptère.*** 1754 ; formé de *névro-* et de *-ptère* ; [nevʀɔptɛʀ].

**NÉVROSE, subst. f.**
*Psychanal.* Trouble psychique dominé par l'angoisse, dont le sujet est conscient et qui constitue l'expression symbolique d'un conflit non résolu remontant à l'enfance : ***Névrose*** *phobique, obsessionnelle.* 1785 ; gr. *neuron,* « nerf », + *-ose* ; [nevʀoz].

**NÉVROSÉ, ÉE, adj.**
Qui est atteint de névrose ; empl. subst., personne **névrosée.** 1857 ; ☞ *névrose* ; [nevʀoze].

**NEWTON, subst. m.**
*Phys.* Unité de mesure S. I. d'une force (symb. : N), égale à la force communiquant une accélération de 1 $m/s^2$ à un corps ayant une masse de 1 kg. 1948 ; anthropon. *Isaac Newton* ; [njutɔn].

**NEWTON-MÈTRE, subst. m.**
*Phys.* Unité de mesure S. I. du moment d'une force (symb. : N.m), égale au moment d'une force de valeur 1 N agissant à 1 m du point par rapport auquel on considère le moment. Mil. XX^e s. ; comp. de *newton* et de *mètre* (II) ; plur. *newtons-mètres* ; [njutɔnmɛtʀ].

**NEZ, subst. m.**
**I. 1.** Saillie médiane du visage, située entre la bouche et le front, qui, par ses orifices, les narines, ouvrant sur les fosses nasales, participe à la fonction respiratoire et à la phonation, et assure la fonction olfactive. ▸ Loc. *Un pied de* ***nez*** : geste moqueur fait en appuyant le pouce sur le **nez** et en ouvrant la main, doigts écartés ; *À vue de* ***nez*** : approximativement (fam.) ; *Avoir un verre dans le* ***nez*** : être ivre (pop.) ; *Mener qqn par le bout du* ***nez*** : lui faire faire tout ce que l'on veut (fam.) ; *Cela te pend au* ***nez*** : cela va t'arriver (fam.). **2.** Anal. Museau de certains animaux. **3.** Odorat ; par méton., personne qui repère les odeurs subtiles : *Embaucher un* ***nez,*** un créateur de parfums ou un expert en vins. ▸ Loc. *Avoir du* ***nez,*** *le* ***nez*** *creux, fin* : avoir du flair et, au fig., être perspicace. **4.** Méton. Visage, figure. ▸ Belg. *Faire de son* ***nez*** : être prétentieux, faire du genre. ▸ Loc. *Montrer son* ***nez*** : se montrer ; *Se trouver* ***nez*** *à* ***nez*** *avec qqn* : face à face ; *Mettre le* ***nez*** *dehors* : sortir ; *Baisser le* ***nez*** : baisser la tête, souvent en signe de honte ; *Se promener le* ***nez*** *en l'air* : flâner ; *Rire au* ***nez*** *de qqn* : se moquer de lui ; *Faire un de ces* ***nez*** : avoir l'air déçu ; *Mettre son* ***nez*** *partout* : se mêler de tout ; *C'est sous ton* ***nez*** : devant toi ; *Se casser le* ***nez*** : trouver porte close ou, par ext., échouer (fam.). **II.** Anal. **1.** Proue d'un navire. **2.** Avant du fuselage d'un avion. **3.** *Constr.* ***Nez*** *de marche* : partie en saillie au-dessus de la contremarche. **4.** *Géogr.* Cap, promontoire : *Le* ***nez*** *de Jobourg.* **5.** *Œnol. Le* ***nez*** *d'un vin* : son arôme, son bouquet. Fin XI^e s. ; lat. *nasus* ; [ne].

**Ni,** voir **NICKEL**

**NI, conj.**
Coordonne, avec la valeur de « et » ou de « ou », des propositions négatives ou des éléments de même nature dans une proposition négative. **1.** S'emploie avec une négation complète : *Elle ne voit jamais son frère* ***ni*** *sa sœur* ; *Il n'y a rien* ***ni*** *personne qui puisse l'aider* ; *Il ne lui parlait plus* ***ni*** *ne la regardait.* **2.** S'emploie, gén. répété, dans une phrase dont la forme négative est marquée par « ne » seul : *Il ne sait* ***ni*** *lire* ***ni*** *écrire* ; *Je ne connais* ***ni*** *son nom* ***ni*** *son adresse.* ▸ Loc. *Ne faire* ***ni*** *une* ***ni*** *deux* : ne pas hésiter (fam.). **3.** S'emploie en corrélation avec « sans » : *Elle le quitta sans remords* ***ni*** *regret.* ▸ Loc. *Sans tambour* ***ni*** *trompette* ; *Sans foi* ***ni*** *loi* ; *Sans rime* ***ni*** *raison* ; *Sans feu* ***ni*** *lieu.* **4.** S'emploie seul dans les phrases elliptiques ou dans celles qui contiennent une négation atténuée implicite : *Quand pars-tu ? –* ***Ni*** *ce matin* ***ni*** *cet après-midi* ; *Patience et longueur de temps font plus que force* ***ni*** *que rage* (La Fontaine). 842 ; lat. *nec* ; [ni].

**NIABLE, adj.**
Que l'on peut nier (rare en tournure positive) : *Cela n'est pas* ***niable.*** 1662 ; ☞ *nier* ; [njabl].

**NIAIS, NIAISE, adj. et subst.**
**1.** *Fauconn.* Se dit d'un faucon qui a été pris au nid. **2.** Anal. Qualifie ou désigne une personne dont la naïveté va jusqu'à la stupidité ; par méton. : *Remarque, expression* ***niaise.*** Déb. XIII^e s. ; lat. *nidax,* de *nidus,* « nid » ; [njɛ, njɛz].

**NIAISER, verbe intrans.** [3]
Québ. **1.** Gaspiller son temps à des riens. **2.** Dire ou faire des niaiseries. 1549 ; ☞ *niais* ; [njeze].

**NIAISERIE, subst. f.**
**1.** Caractère niais de qqn, de qqch. **2.** Méton. Acte, propos niais. 1542 ; ☞ *niais* ; [njɛzʀi].

**NIAISEUX, EUSE, adj. et subst.**
Québ. Niais, idiot. ☞ *niais* ; [njɛzø, øz].

**NIAOULI, subst. m.**
*Bot.* Arbre de Nouvelle-Calédonie de la famille des Myrtacées, dont les feuilles donnent une huile essentielle. 1875 ; mot canaque ; [njauli].

**NICHE (I), subst. f.**
Farce. 1295 ; p.-ê. *niger* (vx), « faire le niais » ; [niʃ].

**NICHE (II), subst. f.**
**1.** Renfoncement pratiqué dans l'épaisseur d'un mur pour y placer un objet, un meuble. **2.** Abri destiné à un chien. **3.** *Écol.* ***Niche*** *écologique* : ensemble des conditions de vie propres à une espèce vivante et définissant son habitat. **4.** *Écon.* ***Niche*** *technologique* : secteur très pointu dans lequel une entreprise s'est mise à l'abri de la concurrence par sa compétitivité. 1395 ; ☞ *nicher* ; [niʃ].

**NICHÉE, subst. f.**
**1.** Couvée d'oisillons encore au nid ; par anal. : ***Nichée*** *de souris.* **2.** Fratrie d'une famille nombreuse (fam.). Fin XIV^e s. ; ☞ *nicher* ; [niʃe].

**NICHER, verbe** [3]
**Intrans. 1.** Faire son nid. **2.** Habiter, loger (fam.). **Trans.** Installer douillettement : ***Nicher*** *sa tête au creux de l'oreiller.* **Pronom. 1.** Faire son nid. **2.** Se blottir ; au fig., se placer : *Où l'amour-propre va-t-il se* ***nicher*** *?* 1155 ; lat. pop. °*nidicare,* du lat. *nidus,* « nid » ; [niʃe].

**NICHET, subst. m.**
Œuf factice placé dans un nid pour inciter les poules à y pondre. 1752 ; ☞ *nicher* ; [niʃɛ].

**NICHOIR, subst. m.**
**1.** Cage où l'on fait couver les oiseaux. **2.** Caisse ou panier à claire-voie utilisé pour faire couver les volailles. 1680 ; ☞ *nicher* ; [niʃwaʀ].

**NICHON, subst. m.**
Sein (pop.). 1858 ; ☞ *nicher* ; [niʃɔ̃].

**NICKEL, subst. m.**
*Chim.* Élément n° 28 de la table de Mendeleïev (symb. : Ni) ; masse atomique : 58,71 ; point de fusion : 1 453 °C ; point d'ébullition : 2 732 °C ; masse volumique : 8,9 $g/cm^3$. Métal blanc grisâtre, brillant, à cassure fibreuse, inaltérable et très résistant à température ordinaire, il s'allie facilement à la plupart des métaux et résiste aux agents chimiques. ▸ Empl. adj. inv. Impeccable (fam.). 1765 ; suédois *nickel,* de l'all. *Kupfernickel,* de *Kupfer,* « cuivre », et de *Nickel,* « lutin » ; [nikɛl].

**NICKELAGE, subst. m.**
*Chim.* Action de nickeler ; son résultat. 1844 ; ☞ *nickeler* ; [niklaʒ].

**NICKELER, verbe trans.** [12]
*Techn.* Recouvrir (un métal oxydable) d'une couche de nickel pour le préserver de l'oxydation. 1845 ; ☞ *nickel* ; [nikle].

**NIÇOIS, OISE, adj. et subst.**
De Nice. **Adj.** *Cuis. Salade* ***niçoise*** : composée de pommes de terre, de tomates, d'olives, d'anchois et d'œufs durs assaisonnés à l'huile d'olive. 1878 ; topon. *Nice* (Alpes-Maritimes) ; [niswa, waz].

**NICOL, subst. m.**
*Phys.* Prisme à base de calcite permettant d'obtenir une lumière polarisée. 1867 ; anthropon. *William Nicol,* physicien anglais ; [nikɔl].

**NICOTINE, subst. f.**
*Chim.* Alcaloïde du tabac, poison violent pouvant amener une intoxication grave, le nicotinisme. 1818 ; *nicotiane* (vx), « tabac », de l'anthropon. *Jean Nicot,* diplomate et érudit français ; [nikɔtin].

**NICOTINIQUE, adj.**
Qui se rapporte à la nicotine. ▸ *Amide* ***nicotinique*** : vitamine PP. 1878 ; ☞ *nicotine* ; [nikɔtinik].

**NICTATION, subst. f.**
**1.** *Zool.* Clignotement des paupières, chez les oiseaux. **2.** Tic d'une personne qui cligne des yeux. 1814 ; lat. *nictatio,* « clignement d'yeux » ; var. *nictitation* ; [niktasjɔ̃].

*Fleur de niaouli.*

**NICTITANT, ANTE,** adj.
Qui clignote. ▸ *Zool. Paupière **nictitante*** : troisième paupière des oiseaux. 1846 ; lat. sc. *nictitans*, du lat. *nictare*, « cligner des yeux » ; [niktitɑ̃, ɑ̃t].

**NICTITATION,** voir **NICTATION**

**NID,** subst. m.
**1.** Abri construit par les oiseaux pour y pondre leurs œufs, les couver et élever leurs petits ; par ext., construction faite par certains animaux à des fins analogues : *Nid de hamsters, de serpents.* **2.** Abri ou construction où certains animaux vivent en sociétés : *Nid de guêpes, de bourdons.* **3.** Anal. Habitation confortable, sécurisante : *Quitter le **nid** familial.* **4.** Fig. ▸ ***Nid d'aigle*** : construction située sur une hauteur, d'accès difficile. ▸ Repaire : *Nid d'espions.* ▸ ***Nid à poussière*** : recoin où la poussière s'accumule. 1155 ; lat. *nidus* ; [ni].

© F. Pölking-Jacana

*Nid de balbuzard pêcheur.*

**NIDATION,** subst. f.
*Biol.* Implantation de l'œuf fécondé dans la muqueuse utérine, chez les Mammifères. 1877 ; lat. *nidus*, « nid d'oiseau » ; [nidasjɔ̃].

**NID-D'ABEILLES,** subst. m.
**1.** *Cout.* Broderie maintenant un plissé de manière à former un motif géométrique rappelant les alvéoles d'une ruche. **2.** Matériau dont la structure reproduit le dessin de ces alvéoles. 1694 ; comp. de *nid* et de *abeille* ; plur. *nids-d'abeilles* ; [nidabɛj].

**NID-DE-PIE,** subst. m.
*Mar.* Poste d'observation situé au sommet du mât avant d'un navire, où se tient la vigie. 1851 ; comp. de *nid* et de *pie* (I) ; plur. *nids-de-pie* ; [nidpi].

**NID-DE-POULE,** subst. m.
Trou déformant une chaussée. V. 1900 ; comp. de *nid* et de *poule* (I) ; plur. *nids-de-poule* ; [nidpul].

**NIDIFICATION,** subst. f.
Action de nidifier. 1778 ; ☞ *nidifier* ; [nidifikasjɔ̃].

**NIDIFIER,** verbe intrans. [6]
Construire son nid. 1174 ; lat. *nidificare* ; [nidifje].

**NIÈCE,** subst. f.
**1.** Fille d'un frère ou d'une sœur, d'un beau-frère ou d'une belle-sœur. **2.** ***Nièce à la mode de Bretagne*** : fille d'un cousin, d'une cousine germaine. 1155 ; bas lat. *neptia*, du lat. *neptis*, « petite-fille » ; [njɛs].

**NIELLE (I),** subst. f.
**1.** *Bot.* Plante herbacée de la famille des Renonculacées, qui pousse au milieu des champs cultivés. **2.** *Agric.* Maladie des céréales due à un parasite, qui réduit leurs épis en poudre noire. Fin XIe s. ; lat. *nigellus*, « noirâtre », de *niger*, « noir » ; [njɛl].

**NIELLE (II),** subst. m.
*Orfèvr.* Incrustation d'un émail noir dans les creux d'une plaque métallique, gén. en argent. 1826 ; ☞ *nieller* (II) ; [njɛl].

**NIELLER (I),** verbe trans. [3]
*Agric.* Gâter (une céréale) par la nielle. Déb. XVIe s. ; ☞ *nielle* (I) ; [njele].

**NIELLER (II),** verbe trans. [3]
Orner de nielles. Fin XIe s. ; anc. fr. *neel*, « émail noir », du lat. *nigellus*, « noirâtre » ; [njele].

**NIELLURE,** subst. f.
Art, action de nieller ; son résultat. Mil. XIIe s. ; ☞ *nieller* (II) ; [njelyʀ].

**NIÈME,** voir **ÉNIÈME**

**NIER,** verbe trans. [6]
**1.** Contester la réalité de (un fait), la vérité de (une assertion) : ***Nier** l'existence du diable.* **2.** Refuser de reconnaître (qqch.) : ***Nier** sa signature, sa promesse* ; ***Nier** être coupable* ; empl. abs. : *L'accusé persiste à **nier**,* à refuser d'avouer. Mil. XIIe s. (fin. Xe s., renier) ; lat. *negare*, « dire non » ; [nje].

**NIETZSCHÉEN, ÉENNE,** adj. et subst.
**Adj.** Relatif, propre à Nietzsche et à sa pensée. **Subst.** Partisan de la philosophie **nietzschéenne**. Fin XIXe s. ; anthropon. *Friedrich Nietzsche* ; [nitʃeɛ̃, eɛn].

**NIFE,** subst. m.
*Géol.* Noyau de la Terre (vieilli). 1918 ; all. *Nife*, de *Ni* et de *Fe*, symb. chim. du nickel et du fer ; var. *nifé* ; [nif].

**NIGAUD, AUDE,** adj. et subst.
Se dit d'une personne niaise et gauche ; par méton. : *Allure, réponse **nigaude**.* 1564 ; p.-ê. *Nicodème*, membre du Sanhédrin, qui posa au Christ des questions d'apparence naïve ; [nigo, od].

**NIGAUDERIE,** subst. f.
Action de nigaud ; caractère d'une personne, d'une chose nigaude. 1548 ; ☞ *nigaud* ; [nigodʀi].

**NIGELLE,** subst. f.
*Bot.* Plante annuelle de la famille des Renonculacées, cultivée pour ses graines parfumées utilisées comme condiment. 1538 ; lat. sc. *nigella*, du lat. *nigellus*, « noirâtre » ; [niʒɛl].

**NIGÉRIAN, ANE,** adj. et subst.
Du Nigeria. Mil. XXe s. ; topon. *Nigeria* ; [niʒeʀjɑ̃, an].

**NIGÉRIEN, IENNE,** adj. et subst.
Du Niger. Mil. XXe s. ; topon. *Niger* ; [niʒeʀjɛ̃, jɛn].

**NIGÉRO-CONGOLAIS, AISE,** adj.
Se dit d'un groupe de langues de l'Afrique occidentale et australe incluant notamment le wolof, le peul, les langues bantoues. Comp. de *nigérien* et de *congolais* ; plur. *nigéro-congolais, aises* ; [niʒeʀokɔ̃gɔlɛ, ɛz].

**NIGHT-CLUB,** subst. m.
Boîte de nuit, discothèque (vieilli). 1930 ; angl. *nightclub*, « club de nuit » ; plur. *night-clubs* ; [najtklœb].

**NIGUEDOUILLE,** voir **NIQUEDOUILLE**

**NIHILISME,** subst. m.
**1.** *Philos.* Position intellectuelle athée niant l'existence de tout absolu, de tout idéal et de toutes les valeurs éthiques communément admises. **2.** *Hist.* Mouvance révolutionnaire russe du XIXe s. qui s'est attaquée au système tsariste et à ses valeurs sociales par le terrorisme. 1787 ; lat. *nihil*, « rien » ; [niilism].

**PHILOSOPHIE** – Négation de toute autorité, sentiment d'absurdité universelle, poussée de violence et de désespoir qui aboutit à théoriser la destruction de ce monde pour qu'advienne un monde meilleur, le nihilisme moderne est la conséquence de la négation de Dieu. Nietzsche en voit l'origine dans la découverte de l'illusion du fondement métaphysique, qui frappe de nullité toutes nos valeurs. Il en décrit le mouvement, qui va du nihilisme passif (pessimisme et renoncement) au nihilisme actif, qui se consume en un anéantissement universel, nécessaire pour laisser place au surhumain. Reprenant cette analyse, les marxistes tiennent le nihilisme pour un symptôme de déliquescence des idéaux bourgeois qui confirme la nécessité de la révolution prolétarienne. La réponse de Heidegger au nihilisme comme critique de la métaphysique tient dans la radicalisation de cette analyse en un questionnement inlassable de l'être.

**NIHILISTE,** adj. et subst.
**Adj.** Relatif, propre au nihilisme. **Subst.** Adepte du nihilisme. 1761 ; lat. *nihil*, « rien » ; [niilist].

**NILGAUT,** subst. m.
*Zool.* Grande antilope de l'Inde. 1670 ; hindi *nīlgāy*, du persan *nila-gāv*, « bœuf bleu » ; [nilgo].

*Nilgaut.*

© S. Cordier-Jacana

**NILLE,** subst. f.
*Techn.* Manchon mobile entourant le manche d'u manivelle. 1803 (1335, renfort de meule) ; *anille* (v. « crochet », du lat. *analicula*, « petit canard » ; [nij].

**NILOTIQUE,** adj.
Relatif au Nil et aux régions qu'il traverse. 160 lat. *niloticus*, du gr. *neilôtês*, de *Neilos*, « Nil » ; [nilɔtik

**NIMBE,** subst. m.
**1.** *Numism.* Cercle entourant la tête des divinit et de certains empereurs, sur les médailles antiqu **2.** Cercle lumineux ceignant la tête du Chr (**nimbe** crucifère) et des saints, dans l'iconograph chrétienne. **3.** Ext. Halo, lumière diffuse. 169 lat. *nimbus*, « nuage de pluie » ; [nɛ̃b].

**NIMBER,** verbe trans. [3]
**1.** Orner (la représentation d'un visage) d'u nimbe. **2.** Entourer d'une lumière diffuse ; em pronom. (littér.) : *Le ciel se **nimbe** de rose.* **3.** F Auréoler : *Son action le **nimba** de gloire.* 185 ☞ *nimbe* ; [nɛ̃be].

**NIMBOSTRATUS,** subst. m. inv.
*Météor.* Couche nuageuse grise, de grande extensi verticale, qui donne lieu à de la pluie, à de la nei ou à de la grêle. 1932 ; formé de *nimbus* et *stratus* ; var. *nimbo-stratus* (inv.) ; [nɛ̃bostʀatys].

**NIMBUS,** subst. m.
*Météor.* Cumulonimbus ou nimbostratus (vieilli 1804 ; lat. *nimbus*, « nuage de pluie » ; [nɛ̃bys].

**N'IMPORTE,** voir **IMPORTER (II)**

**NINAS,** subst. m. inv.
Petit cigare fabriqué avec des débris de tabac. F XIXe s. ; esp. *niña*, « petite fille » ; [ninas].

**NIOBIUM,** subst. m.
*Chim.* Métal gris acier, assez rare, élément n° 4 de la table de Mendeleïev (symb. : Nb) ; masse at mique : 92,90 ; point de fusion : 2 468 °C ; poi d'ébullition : 2 742 °C ; masse volumique : 8,4 g/cm Il est souvent associé au tantale dans ses minera 1854 ; *Niobé*, fille de Tantale ; [njɔbjɔm].

**NIOLO,** subst. m.
Fromage corse, à base de lait de brebis ou de chèvr Topon. *Niolo*, région de Corse ; [njɔlo].

**NIPPE,** subst. f.
Guenille (péj.). **Plur.** Ext. Vêtements (fam.). Dé XVIIe s. ; prob. aphérèse de *guenipe* (vx), « guenille » ; [nip

**NIPPER,** verbe trans. [3]
Vêtir, habiller (fam.). 1718 ; ☞ *nippe* ; [nipe

**NIPPON, ONE,** adj. et subst.
Du Japon. 1888 ; jap. *nippon*, de *ni*, « jour », et *pon*, « origine » ; var. du fém. *nipponne* ; [nipɔ̃, on].

**NIQUE,** subst. f.
Loc. *Faire la **nique** à* : défier, railler (qqn), se moqu de (qqch.). Fin XIIIe s. ; rad. gallo-roman. *nik-*, q marque le dédain, la moquerie ; [nik].

**NIQUEDOUILLE,** subst. et adj.
Se dit d'une personne niaise, nigaude (vieilli fam.). 1654 ; prob. altér. de *Nicodème*, qui posa Christ des questions naïves ; var. *niguedouille* ; [nikdu

**NIQUER,** verbe trans. [3]
Argot. et Vulg. **1.** Posséder sexuellement. **2.** Dupe 1890 ; ar. *i-nik*, « il fait l'amour » ; [nike].

**NIRVANA,** subst. m.
**1.** Dans les philosophies religieuses de l'Ind libération définitive du cycle des réincarnation qui, avec des valeurs différentes selon les religion correspond à un état de pureté absolue. **2.** Ext. Ét de bonheur parfait. 1826 ; skr. *nirvāṇa* ; [niʀvana

**NITRATATION,** subst. f.
**1.** Action de nitrater ; son résultat. **2.** *Chim.* Tran formation, dans un sol, d'ions nitrites en io nitrates sous l'influence de bactéries aérobie 1840 ; ☞ *nitrate* ; [nitʀatasjɔ̃].

**NITRATE,** subst. m.
*Chim.* Sel de l'acide nitrique, utilisé notamme comme engrais (**nitrate** de potassium, de s dium...), comme désherbant (**nitrate** de cuivre comme antiseptique et cicatrisant (**nitrate** d'a gent). 1787 ; ☞ *nitre* ; [nitʀat].

**NITRATER,** verbe trans. [3]
Ajouter du nitrate à, traiter au nitrate. Fin XIXe s ☞ *nitrate* ; [nitʀate].

**NITRATION,** subst. f.
*Chim.* **1.** Traitement par l'acide nitrique. **2.** Réactio de substitution qui introduit dans une molécule org nique le radical $-NO_2$. 1840 ; ☞ *nitre* ; [nitʀasjɔ̃

**NITRE,** subst. m.
'him. Nitrate de potassium, salpêtre (vx). 🕮 Fin
s. ; lat. *nitrum*, du gr. *nitron*, « soude » ; [nitʀ].

**NITRÉ, ÉE,** adj.
Vx. Qui contient du nitre. **2.** *Dérivés* ***nitrés*** :
btenus par nitration. 🕮 1601 ; ☞ *nitre* ; [nitʀe].

**NITRER,** verbe trans. [3]
Traiter à l'acide nitrique. **2.** Transformer en
érivé nitré. 🕮 1800 ; ☞ *nitre* ; [nitʀe].

**NITREUX, EUSE,** adj.
*Chim. Acide* ***nitreux*** : acide $HNO_2$. **2.** *Biol.* et
actériol. Se dit des bactéries qui réalisent la nitro-
tion. 🕮 Mil. XIII^e^ s. ; lat. *nitrosus*, « contenant du
re » ; [nitʀø, øz].

**NITRIFICATION,** subst. f.
ormation de nitrates à partir de matières organi-
ues, qui a lieu en deux phases, la nitrosation et
nitratation. 🕮 1797 ; ☞ *nitrifier* ; [nitʀifikasjɔ̃].

**NITRIFIER,** verbe trans. [6]
him. Transformer (un composé azoté) en nitrate.
RONOM. **1.** Se couvrir de salpêtre (vx). **2.** Se trans-
rmer en nitrates. 🕮 1797 ; ☞ *nitre* ; [nitʀifje].

**NITRILE,** subst. m.
omposé organique dont la formule contient le
dical —CN. 🕮 1848 ; ☞ *nitre* ; [nitʀil].

**NITRIQUE,** adj.
*Chim.* ▸ Vx. Relatif au nitre. ▸ *Acide* ***nitrique*** :
cide fort et oxydant, composé oxygéné de l'azote.
*Biol.* et *Bactériol.* Se dit des bactéries qui réalisent
nitratation. 🕮 1787 ; ☞ *nitre* ; [nitʀik].

**NITRITE,** subst. m.
him. Sel de l'acide nitreux. 🕮 1787 ; ☞ *nitre* ;
itʀit].

**NITROBACTÉRIE,** subst. f.
actériol. Bactérie nitrique. 🕮 1891 ; ☞ *bactérie*
*nitro-* ; var. *un nitrobacter* ; [nitʀobakteʀi].

**NITROBENZÈNE,** subst. m.
him. Dérivé nitré du benzène, connu en parfume-
e sous le nom d'essence de mirbane, et qui est
ilisé dans la fabrication d'explosifs. 🕮 1838 ;
*benzène + nitro-* ; [nitʀobɛ̃zɛn].

**NITROCELLULOSE,** subst. f.
him. Ester nitrique de la cellulose. 🕮 1907 ;
*cellulose + nitro-* ; [nitʀoselyloz].

**NITROGLYCÉRINE,** subst. f.
him. Ester nitrique de la glycérine, huile jaunâtre
ui est le constituant essentiel de la dynamite.
1847 ; ☞ *glycérine + nitro-* ; [nitʀogliseʀin].

**NITROPHILE,** adj.
ot. Se dit de végétaux dont le développement
écessite un terrain riche en nitrates. 🕮 Mil. XX^e^ s. ;
rmé de *nitro-* et de *-phile* ; [nitʀɔfil].

**NITROSATION,** subst. f.
Transformation de l'azote ammoniacal en acide
itreux ou en nitrites, qui se fait dans le sol par
action de bactéries. **2.** Introduction du radical
NO dans une molécule organique. 🕮 Déb. XX^e^ s. ;
*nitrosé* ; [nitʀozasjɔ̃].

**NITROSÉ, ÉE,** adj.
him. Se dit de composés organiques renfermant
radical —NO. 🕮 1903 ; lat. *nitrosus*, « qui contient
u nitre » ; [nitʀoze].

**NITRURATION,** subst. f.
étall. Durcissement superficiel d'un alliage ferreux
ar un traitement thermochimique à l'azote.
1932 ; ☞ *nitrurer* ; [nitʀyʀasjɔ̃].

**NITRURE,** subst. m.
him. Composé d'azote et d'un métal : ***Nitrure*** *de
ore.* 🕮 1832 ; ☞ *nitre* ; [nitʀyʀ].

**NITRURER,** verbe trans. [3]
étall. Traiter (un alliage ferreux) par nitruration.
1932 ; ☞ *nitrure* ; [nitʀyʀe].

**NIVAL, ALE, AUX,** adj.
éogr. Formé de neige ; relatif à la neige. ▸ *Régime*
***ival*** : régime d'un cours d'eau alimenté par la fonte
es neiges. 🕮 1532 ; lat. *nivalis* ; [nival, o].

**NIVÉAL, ALE, AUX,** adj.
ot. Se dit d'une plante qui fleurit dans la neige,
u en hiver. 🕮 1831 ; lat. *nix*, « neige » ; [niveal, o].

**NIVEAU,** subst. m.
. *Techn.* Instrument servant à déterminer ou à
érifier l'horizontalité, ou à mesurer les variations
'altitude entre les différents points d'un terrain :
***Niveau*** *de maçon* ; ***Niveau*** *à bulle*, tube de verre
ontenant un liquide et une bulle d'air qui se
éplace ; ***Niveau*** *d'eau*, composé d'un système de vases communicants. **2.** Hauteur d'un plan horizontal par rapport à un plan de référence : ***Niveau*** *d'un sol, d'un liquide.* ▸ **De niveau.** Sur le même plan ; par ext. : *Mettre de* ***niveau*** *un terrain*, l'aplanir. ▸ **Au niveau de.** À la même hauteur que ; au fig. : *Se mettre au* ***niveau*** *de qqn*, à sa portée ; par ext., en ce qui concerne (empl. fautif). **3.** Méton. Étage, plancher d'un bâtiment : *Maison bâtie sur trois* ***niveaux.*** **4.** Fig. Degré, valeur comparative de qqn, de qqch. : *Compétition de haut* ***niveau*** ; ***Niveau*** *culturel, scolaire.* ▸ Échelon dans une hiérarchie : *Une décision prise au plus haut* ***niveau*** *de l'État.* ▸ Degré atteint par une grandeur : ***Niveau*** *d'intensité sonore* ; ***Niveau*** *de pollution.* **5.** *Spéc.* ▸ *Arm. Angle de* ***niveau*** : de la ligne de tir avec l'horizontale. ▸ *Cartogr.* ***Niveau*** *de la mer* : **niveau** de référence utilisé pour le calcul des cotes de profondeur des mers ou d'altitude du relief ; *Courbe de* ***niveau*** : reliant des points de même altitude (synon. *courbe isohypse*). ▸ *Écon.* **Niveau de vie.** Conditions réelles d'existence d'un individu, d'un groupe social ; ensemble des biens et des services dont il dispose : *Indicateurs de* ***niveau*** *de vie.* ▸ *Géol.* Horizon. ▸ *Hydrol.* ***Niveau*** *de base* : étiage à partir duquel s'élabore le profil d'équilibre d'un cours d'eau. ▸ *Ling.* ***Niveau*** *de langue* : chacun des registres (littéraire, populaire, familier, etc.) d'une langue, auxquels on fait appel en fonction des situations de communication. 🕮 1339 ; altér. de *livel, liveau* (vx), du lat. pop. °*libellus*, du lat. *libella* ; [nivo].

**NIVELAGE,** subst. m.
Action de niveler ; son résultat. 🕮 1636 ; ☞ *niveler* ; [nivlaʒ].

**NIVELER,** verbe trans. [12]
**1.** Aplanir, égaliser (une surface) ; au fig. : ***Niveler*** *les salaires.* **2.** *Techn.* Mesurer avec un niveau. 🕮 Mil. XIV^e^ s. (déb. XIII^e^ s., mesurer, estimer) ; *nivel*, anc. forme de *niveau* ; [nivle].

**NIVELEUR, EUSE,** subst.
**1.** Personne qui nivelle. **2.** Fig. Partisan d'un égalitarisme économique et social radical (péj.) ; empl. adj., égalitaire. MASC. *Agric.* Petite herse dépourvue de pointes. FÉM. *Trav. publ.* Engin de terrassement. 🕮 1546 ; ☞ *niveler* ; [nivlœʀ, øz].

**NIVELLE,** subst. f.
*Techn.* Niveau à bulle. 🕮 1932 ; ☞ *niveau* ; [nivɛl].

**NIVELLEMENT,** subst. m.
**1.** Action de niveler ; son résultat : *Travaux de* ***nivellement*** ; au fig. : ***Nivellement*** *culturel par le bas.* **2.** *Géomorph.* Aplanissement du relief, dû à l'érosion. 🕮 1538 ; ☞ *niveler* ; [nivɛlmɑ̃].

**NIVÉOLE,** subst. f.
*Bot.* Amaryllidacée des prés et des bois. 🕮 1796 ; lat. *niveus*, « neigeux » ; [niveɔl].

**NIVÔSE,** subst. m.
Quatrième mois du calendrier républicain (du 21, 22 ou 23 décembre au 19, 20 ou 21 janvier). 🕮 1793 ; lat. *nivosus*, « couvert de neige » ; [nivoz].

**NIXE,** subst. f.
*Myth.* Nymphe des eaux, dans les légendes germaniques. 🕮 1832 ; all. *Nixe* ; [niks].

**NIZERÉ,** subst. m.
Essence de roses blanches. 🕮 1826 ; prob. persan *nasrin*, « jonquille », ou *nastaran*, « églantier » ; [nizʀe].

**No,** voir **NOBÉLIUM**

**NÔ,** subst. m.
Art dramatique traditionnel du Japon, d'origine religieuse, mêlant au théâtre le chant et la danse. 🕮 1874 ; jap. *nō* ; [no].

*Masque de nô.*

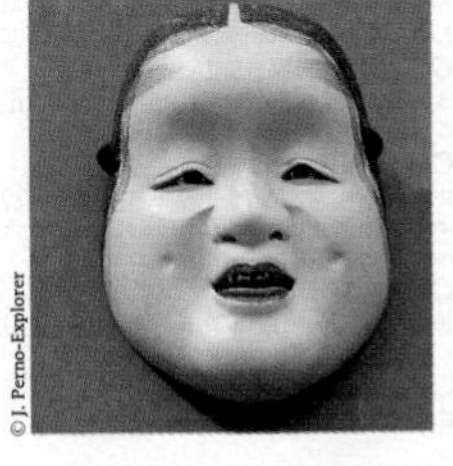

© J. Perno-Explorer

**NOBÉLIUM,** subst. m.
*Chim.* Élément transuranien n° 102 de la table de Mendeleïev (symb. : No) ; masse atomique : 254. 🕮 1959 ; anthropon. *Nobel*, chimiste suédois ; [nɔbeljɔm].

**NOBILIAIRE,** subst. m. et adj.
SUBST. Registre des familles nobles d'un pays. ADJ. Qui est propre ou relatif à la noblesse : *Titres* ***nobiliaires.*** 🕮 1673 ; lat. *nobilis*, « noble » ; [nɔbiljɛʀ].

**NOBLAILLON, ONNE,** subst.
Noble appartenant aux couches inférieures de la noblesse (péj.). 🕮 1874 ; ☞ *noble* ; [nɔblajɔ̃, ɔn].

**NOBLE,** adj. et subst.
**I.** ADJ. **1.** Remarquable par ses qualités morales : ***Noble*** *caractère* ; par ext., qui requiert de grandes qualités morales : *Tâche* ***noble.*** **2.** Dont l'allure, le comportement en impose par sa distinction, sa majesté : ***Noble*** *maintien* ; *Visage aux traits* ***nobles.*** **3.** *B.-a.* et *Litt.* D'une beauté majestueuse, empreinte de gravité : *Style* ***noble.*** **4.** Qui est considéré comme supérieur ; prestigieux : *Métaux* ***nobles*** ; *Morceaux* ***nobles*** *d'un animal de boucherie* ; *Vin* ***noble.*** **II.** ADJ. et SUBST. Se dit d'une personne qui appartient, par naissance ou par anoblissement, à une classe sociale jouissant de privilèges héréditaires créés et garantis par un souverain. ADJ. Qui appartient aux **nobles**, qui est propre à la noblesse : *Être de naissance* ***noble.*** 🕮 Mil. XI^e^ s. ; lat. *nobilis*, de *noscere*, « connaître » ; [nɔbl].

**NOBLEMENT,** adv.
**1.** *Féod. Tenir* ***noblement*** *une terre* : la tenir en fief ; *Vivre* ***noblement*** : sans exercer d'autre métier que celui des armes. **2.** Ext. De manière noble : *Agir* ***noblement.*** 🕮 Mil. XII^e^ s. ; ☞ *noble* ; [nɔbləmɑ̃].

**NOBLESSE,** subst. f.
**I.** Caractère d'une personne ou d'une chose noble, digne, prestigieuse : ***Noblesse*** *de cœur* ; ***Noblesse*** *d'un geste* ; par ext., distinction : ***Noblesse*** *de l'expression, des propos.* **II. 1.** Qualité, condition d'une personne noble : *Titres de* ***noblesse.*** **2.** Classe sociale constituée par les nobles ; aristocratie : ***Noblesse*** *et bourgeoisie* ; *Ancienne, vieille* ***noblesse***, datant d'avant la Révolution française ; ***Noblesse*** *d'Empire*, créée par Napoléon I^er^ ; ***Noblesse*** *d'épée, de robe* (☞ *épée, robe*). ▸ Loc. ***Noblesse*** *oblige* : il faut faire honneur à son rang, à son nom. 🕮 1155 (mil. XII^e^ s., fête, réjouissance) ; ☞ *noble* ; [nɔblɛs].

**NOBLIAU,** subst. m.
Personne de petite noblesse, ou dont la noblesse est douteuse (péj.). 🕮 1841 ; ☞ *noble* ; [nɔblijo].

© Bridgeman-Giraudon

**Noce** *villageoise (détail), peinture de Pieter Bruegel l'Ancien (v. 1525-1569). Musée Kunsthistorisches, Vienne (Autriche).*

**NOCE,** subst. f.
**I.** PLUR. Mariage : *Célébrer ses* ***noces*** ; *Voyage de* ***noces*** ; *Nuit de* ***noces.*** ▸ **Noces** *d'argent, d'or...* : 25^e^, 50^e^... anniversaire de mariage. **II. 1.** Fête donnée à l'occasion d'un mariage : *Être invité à une* ***noce*** ; par méton., ensemble des personnes qui y participent : *La* ***noce*** *s'égailla dans le jardin.* ▸ Loc. *Ne pas être à la* ***noce*** : se trouver dans une situation désagréable. **2.** Fam. *Faire la* ***noce*** : mener une vie de débauche (vieilli) ou faire la fête. 🕮 Mil. XII^e^ s. ; lat. pop. °*noptiae*, du lat. *nuptiae* ; [nɔs].

**NOCEUR, EUSE,** subst.
Fam. Personne qui fait souvent la noce (synon. vieilli *viveur*). 🕮 1834 ; ☞ *noce* ; [nɔsœʀ, øz].

**NOCIF, IVE,** adj.
1. Nuisible à la santé : *La nicotine est une substance* ***nocive.*** 2. Fig. Qui fait du tort, du mal : *Idées* ***nocives.*** Déb. XVIe s. ; lat. *nocivus* ; [nɔsif, iv].

**NOCIVITÉ,** subst. f.
Caractère de ce qui est nocif : ***Nocivité*** *de l'amiante, de l'oisiveté.* 1876 ; ☞ *nocif* ; [nɔsivite].

**NOCTAMBULE,** subst. et adj.
1. Vx. Somnambule. 2. Ext. Se dit de qqn qui aime sortir, se divertir la nuit. 1701 ; lat. *nocte*, « de nuit », et *ambulare*, « marcher » ; [nɔktɑ̃byl].

**NOCTAMBULISME,** subst. m.
Comportement, mode de vie d'une personne noctambule. 1765 ; ☞ *noctambule* ; [nɔktɑ̃bylism].

**NOCTILUQUE,** adj. et subst. f.
*Zool.* ADJ. Qui est luminescent. SUBST. Protozoaire marin qui émet de la lumière grâce à la luciférine qu'il contient. 1722 ; bas lat. *noctilucus*, « qui luit pendant la nuit » ; [nɔktilyk].

**NOCTUELLE,** subst. f.
*Zool.* Papillon nocturne de coloration terne, de la famille des Noctuidés. 1792 ; lat. *noctua*, « chouette » ; [nɔktɥɛl].

**NOCTUIDÉS,** subst. m. plur.
*Zool.* Famille de papillons nocturnes aux antennes plumeuses, à la coloration générale brunâtre (les ailes postérieures peuvent être colorées). AU SING. *La noctuelle est un* ***noctuidé.*** Fin XIXe s. ; lat. *noctua*, « chouette » ; [nɔktɥide].

**NOCTULE,** subst. f.
*Zool.* Chauve-souris à oreilles très larges mais courtes, qui loge en colonies dans les vieux arbres et chasse les gros insectes volants. 1760 ; lat. sc. *noctula*, du lat. *noctua*, « chouette » ; [nɔktyl].

**NOCTURNE,** adj. et subst.
ADJ. De nuit ; qui a lieu la nuit : *Équipée* ***nocturne*** ; qui vit la nuit : *Oiseaux, rapaces* ***nocturnes.*** SUBST. MASC. 1. *Liturg.* Chacune des trois parties formant les matines. 2. *Mus.* Sérénade, romance (aux XVIIIe et XIXe s.) ; morceau de piano de forme lied, souvent mélancolique : *Les* ***nocturnes*** *de Chopin.* 3. *Zool.* Oiseau **nocturne.** SUBST. FÉM. Manifestation, en partic. sportive, qui a lieu en soirée. ▶ *Comm.* Ouverture d'un magasin, d'un musée, etc., en soirée. 1355 ; lat. *nocturnus* ; [nɔktyʀn].

**NODAL, ALE, AUX,** adj.
1. *Histol.* et *Physiol.* *Tissu* ***nodal*** : ensemble de fibres musculaires présentes dans le myocarde et qui assurent la régulation du rythme cardiaque. 2. *Phys.* Relatif aux nœuds d'une corde ou d'une surface vibrante. 3. Fig. Qui est au centre d'un problème. 1515 ; lat. *nodus*, « nœud » ; [nɔdal, o].

**NODOSITÉ,** subst. f.
1. *Pathol.* Formation sous-cutanée, circonscrite et dure, parfois douloureuse. 2. *Bot.* Formation globuleuse bactérienne qui se développe sur les racines de certaines plantes et qui fixe l'azote nécessaire à leur nutrition ; par ext., nœud. XIVe s. ; bas lat. *nodositas* ; [nɔdozite].

**NODULE,** subst. m.
1. *Anat.* Petit renflement. 2. *Pathol.* Petite nodosité. 3. *Pétrogr.* Masse minérale enclavée dans une roche de composition ou de structure différente. ▶ ***Nodules*** *polymétalliques* : concrétions d'oxydes et de sulfures métalliques (Mn, Cu, Ni, Fe, etc.), que l'on trouve en grande quantité sur le fond des océans. 1498 ; lat. *nodulus*, « petit nœud » ; [nɔdyl].

**NOËL,** subst. m.
I. Fête chrétienne, célébrée le 25 décembre, commémorant la naissance du Christ à Bethléem : *Sapin de* ***Noël*** ; *La fête de* ***Noël*** ou, empl. subst. fém., *La* ***Noël.*** ▶ Ext. Le jour où est célébrée cette fête ; la période qui l'entoure. ▶ *Le Père* ***Noël*** : personnage légendaire censé distribuer des cadeaux aux enfants la nuit de **Noël.** ▶ Loc. *Croire au Père* ***Noël*** : faire preuve d'un optimisme naïf. II. Un **noël.** 1. Cantique, œuvre musicale célébrant la fête de **Noël.** 2. Cadeau offert à l'occasion de **Noël** (fam.). Déb. XIIe s. ; lat. *natalis*, « jour de naissance » ; [nɔɛl].

**NŒUD,** subst. m.
I. 1. Enlacement d'un objet long et flexible (corde, fil, etc.), ou entrelacement de plusieurs de ces objets, tel qu'on peut le serrer en tirant sur les extrémités : *Corde à* ***nœuds*** ; ***Nœud*** *de cravate.* ▶ Loc. *Faire un* ***nœud*** *à son mouchoir* : veiller à ne pas oublier qqch. 2. Ext. Ornement en forme de **nœud** : ***Nœud*** *papillon.* 3. Anal. ▶ ***Nœud*** *de vipères* : amas de vipères entremêlées. ▶ Entrecroisement : ***Nœud*** *ferroviaire, routier*, point où se croisent plusieurs voies. ▶ *Astron.* ***Nœud*** *ascendant, descendant* : chacun des deux points, sur l'orbite d'un astre, où cet astre traverse un plan de référence dans un sens déterminé, puis dans le sens inverse. ▶ *Phys.* Lieu d'amplitude nulle pour un système d'ondes stationnaires ; point de convergence de deux branches ou plus d'un réseau électrique ; élément de base d'une maille d'un réseau cristallin. 4. Fig. Point central : *Le* ***nœud*** *de l'affaire.* ▶ Loc. *Un sac de* ***nœuds*** : une affaire complexe (fam.). ▶ *Litt.* Moment où se nouent les fils de l'intrigue, dans une œuvre dramatique ou romanesque. II. Unité de mesure de la vitesse d'un bateau ou d'un avion (1 mille marin par heure) : *Le « Tréguier » file 20* ***nœuds.*** III. 1. *Bot.* ▶ Protubérance apparaissant sur le tronc d'un arbre. ▶ Point d'insertion d'une feuille sur une tige, d'une branche sur un tronc. 2. *Anat.* ***Nœud*** *vital* : centre des mouvements respiratoires, situé dans le bulbe rachidien. 3. *Techn.* Partie saillante. 4. Vulg. Gland du pénis. ▶ Loc. *Tête de* ***nœud*** *!* : idiot ! 1119 ; lat. *nodus* ; [nø].

**NOIR, NOIRE,** adj. et subst.
I. ADJ. 1. Se dit de l'aspect d'un corps qui, absorbant tout le rayonnement lumineux, n'a aucune couleur, ou, par ext., dont la couleur est très foncée ou sombre : *Un chat* ***noir*** ; *Blé* ***noir***, sarrasin ; *Café* ***noir***, sans lait. ▶ *Phys. Corps* ***noir*** : système qui absorbe tout le rayonnement qu'il reçoit. 2. Qui est obscurci, privé de lumière : *Cabinet* ***noir*** ; *Nuit* ***noire***, nuit sans lune ni étoiles ; *Il fait* ***noir***, il fait nuit. 3. Qui est sale, taché : *Avoir les ongles* ***noirs.*** SUBST. MASC. 1. Teinte **noire** ou très foncée : *Un* ***noir*** *d'ébène, de jais* ; *Film, photo en* ***noir*** *et blanc*, qui n'est pas en couleurs. 2. Colorant de couleur **noire** : ***Noir*** *de fumée* ; ***Noir*** *animal* ; ***Noir*** *d'aniline.* 3. Objet, partie d'objet de couleur **noire** : *Être habillé en* ***noir***, avec des vêtements **noirs**, spéc. en signe de deuil ; *(Petit)* ***noir***, café **noir.** ▶ Partie ombrée d'un tableau, d'une peinture. 4. Nuit, obscurité : *Avoir peur du* ***noir.*** 5. Loc. *Mettre, coucher qqch.* ***noir*** *sur blanc* : l'écrire ; *Écrit* ***noir*** *sur blanc* : sans ambiguïté ; *Être dans le* ***noir*** : ne rien comprendre ; *Voir tout en* ***noir*** : être pessimiste à l'excès. SUBST. FÉM. *Mus.* Note à corps **noir** et queue simple, qui vaut le quart d'une ronde. II. ADJ. 1. Qui a la peau très foncée, en parlant en partic. des Africains : *Femme, population* ***noire*** ; par méton. : *Afrique* ***noire.*** 2. Relatif ou propre à ces personnes : *Race, musique* ***noire.*** SUBST. Personne de race **noire** : *Les* ***Noirs*** *américains.* III. Fig. ADJ. 1. Funeste ; marqué par le mal ou la tristesse : *Jours* ***noirs*** ; *Idées* ***noires*** ; *Humour* ***noir*** (☞ *humour*) ; *Roman, film* ***noir***, dont le thème central est le crime ; *Colère* ***noire***, terrible ; *Magie, messe* ***noire***, démoniaques. 2. Clandestin, illégal : *Marché* ***noir*** ; *Caisse* ***noire.*** ▶ Empl. subst. masc. *Travailler au* ***noir*** : sans être déclaré. 3. Ivre (fam.). Fin XIe s. ; lat. *niger* ; [nwaʀ].

**NOIRÂTRE,** adj.
Dont la couleur tire sur le noir : *Nuages* ***noirâtres.*** 1395 ; ☞ *noir* ; [nwaʀɑtʀ].

**NOIRAUD, AUDE,** adj. et subst.
Se dit de qqn qui a les cheveux noirs ou la peau foncée. 1538 ; ☞ *noir* ; [nwaʀo, od].

**NOIRCEUR,** subst. f.
1. Qualité de ce qui est noir. 2. Fig. Perfidie, méchanceté (littér.) : ***Noirceur*** *d'une âme.* Fin XIIe s. ; ☞ *noir* ; [nwaʀsœʀ].

**NOIRCIR,** verbe [19]
TRANS. 1. Colorer de noir. 2. Fig. Dépeindre (qqch.) sous un jour sombre : ***Noircir*** *la situation* ; dénigrer (qqn). 3. Loc. ***Noircir*** *du papier* : écrire beaucoup. INTRANS. Devenir noir. PRONOM. 1. Devenir noir. 2. Fig. Se dénigrer. 3. S'enivrer (fam.). Mil. XIIe s. ; lat. pop. °*nigricire*, du lat. *nigrescere* ; [nwaʀsiʀ].

**NOIRCISSURE,** subst. f.
1. Tache noire. 2. Altération d'un vin qui devient noir. 1538 ; ☞ *noircir* ; [nwaʀsisyʀ].

**NOISE,** subst. f.
Dispute (vx). ▶ Loc. *Chercher (des)* ***noise(s)*** *à qqn* : lui chercher querelle. Fin XIe s. (mil. XIe s., bruit) ; lat. *nausea*, « mal de mer » ; [nwaz].

**NOISERAIE,** subst. f.
Lieu planté de noyers ou de noisetiers. 1812 ; ☞ *noix* ; [nwazʀɛ].

**NOISETIER,** subst. m.
*Bot.* Arbrisseau de la famille des Bétulacées, dont le fruit est la noisette. 1530 ; ☞ *noiset*[...] [nwaz(ə)tje].

**NOISETTE,** subst. f.
SUBST. 1. Fruit du noisetier, constitué d'une coq[...] contenant une amande comestible ; cette aman[...] ▶ Empl. adj. inv. Qui a la couleur de la **noisett**[...] *Yeux* ***noisette.*** 2. Ext. Petite quantité : *Une* ***noise***[...] *de beurre.* 3. *Cuis.* ▶ Partie charnue d'une côtele[...] ▶ *Pommes* ***noisettes*** : boulettes de pomme de te[...] rissolées. Déb. XIIIe s. ; ☞ *noix* ; [nwazɛt].

**NOIX,** subst. f.
1. Fruit du noyer, constitué d'une coque ligne[...] entourée d'une écorce, le brou, et contenant u[...] amande oléagineuse et comestible ; cette amand[...] *Huile de* ***noix.*** ▶ Anal. Fruit à coque ligneuse : *N*[...] *d'arec, de coco, muscade.* 2. Ext. Quantité égale[...] la grosseur d'une **noix** : *Une* ***noix*** *de saindo*[...] 3. *Bouch.* ***Noix*** *de côtelette* : la partie charnue ; *N*[...] *de veau* : partie postérieure du cuisseau. 4. *Tec*[...] ▶ Écrou. ▶ Roue d'un moulin broyeur. 5. Fa[...] Imbécile : *Quelle* ***noix*** *!* ▶ Loc. *À la* ***noix.*** Sa[...] intérêt : *Une idée à la* ***noix.*** 1155 ; lat. *nux* ; [nw[...]

© V. Corrèze-Gamma

*Lors de la récolte, les* ***noix*** *gaulées sont recueillies dans des filets déployés entre les arbres.*

**NOLI-ME-TANGERE,** subst. m. inv.
*Bot.* Balsamine qui pousse dans les bois humid[...] 1704 (fin XIIe s., lésion cutanée de la face) ; lat. *n*[...] *me tangere*, « ne me touche pas » ; [nɔlimetɑ̃ʒeʀe].

**NOLISEMENT,** subst. m.
*Mar.* Affrètement (vieilli). 1589 ; ☞ *noliser* ; v[...] *nolis* (vx), *nolissement* ; [nɔlizmɑ̃].

**NOLISER,** verbe trans. [3]
Affréter, louer (un bateau ou un avion). 152[...] lat. médiév. *naulizare*, du lat. *launum*, « fret » ; [nɔliz[...]

**NOM,** subst. m.
1. Mot servant à désigner une chose, un être [...] permettant de le distinguer des choses ou des êt[...] de la même catégorie : *Je ne me souviens pas du n*[...] *de cette rivière* ; *Veuillez me rappeler votre* ***nom*** [...] *famille.* ▶ ***Nom*** *de baptême* : prénom ; ***Nom*** *de guer*[...] *d'emprunt* : pseudonyme ; *Un grand* ***nom*** *du jaz*[...] une célébrité du jazz ; *Se faire un* ***nom*** : acquérir u[...] certaine réputation ; ***Nom*** *commercial* : rais[...] sociale. ▶ Loc. fam. ***Nom*** *de Dieu !* ; ***Nom*** *d'u*[...] *pipe !* ; ***Nom*** *d'un chien !* ; ***Nom*** *de* ***nom*** *!* 2. M[...] servant à désigner des êtres ou des choses appar[...] nant à une même catégorie : ***Noms*** *d'insectes,* *plantes.* ▶ *Donner un* ***nom*** à : dénommer ; *U*[...] *horreur sans* ***nom*** : si terrible qu'on ne pe[...] l'exprimer ; *La liberté n'est qu'un* ***nom*** : le mot [...] désigne qu'une apparence. ▶ Loc. *Traiter qqn de to*[...] *les* ***noms*** : l'injurier copieusement ; *Appeler les cho*[...] *par leur* ***nom*** : parler clairement et sans éviter [...] mots qui peuvent choquer ; *Au* ***nom*** *de* : en ver[...] de, en considération de. 3. *Gramm.* Classe regro[...] pant les mots servant à désigner les êtres, les cho[...] (synon. *substantif*). ▶ ***Noms*** *communs* : utilisés po[...] nommer les différentes catégories d'êtres, de chos[...] ou un de leurs représentants. ▶ ***Noms*** *propres* utilisés pour caractériser un être ou une cho[...] unique (ils s'écrivent avec une majuscul[...] V. 880 ; lat. *nomen* ; [nɔ̃].

**NOMADE,** subst. et adj.
1. Se dit d'une personne dont l'habitat n'est p[...] fixe : *Les* ***nomades*** *du désert.* 2. Se dit de qqn q[...] se déplace continuellement. ADJ. 1. Itinérant : *V*[...] ***nomade.*** 2. *Zool.* Migrateur. 1540 ; lat. *nomad*[...] du gr. *nemein*, « faire paître » ; [nɔmad].

*Sous la tente des* ***nomades*** *bédouins d'Arabie Saoudite.*

**NOMADISER,** verbe intrans. [3]
ivre en nomade. 1845 ; ☞ *nomade* ; [nɔmadize].

**NOMADISME,** subst. m.
Genre de vie des nomades. **2.** Ext. Tendance à ıanger souvent, à ne pas se fixer : ***Nomadisme*** *tellectuel.* 1845 ; ☞ *nomade* ; [nɔmadism].

**NO MAN'S LAND,** subst. m.
*Milit.* Zone séparant deux armées ennemies. Anal. Zone comprise entre deux frontières. Ext. Zone déserte. **4.** Fig. Terrain neutre ; limite déterminée. 1916 ; angl. *no man's land,* « terre aucun homme » ; plur. *no man's land(s)* ; [nɔmanslɑ̃d].

**NOMARQUE,** subst. m.
*Antiq.* Gouverneur d'un nome. **2.** Préfet, en rèce. XIXe s. ; gr. *nomarchês* ; [nɔmaʀk].

**NOMBRABLE,** adj.
ue l'on peut compter. Déb. XIIe s. ; *nombrer* (vx), compter, dénombrer » ; [nɔ̃bʀabl].

**NOMBRE,** subst. m.
**1.** *Math.* Concept essentiel qui donne une expreson des notions de quantité, de classification, de esure ou de repérage : ***Nombre*** *pair, impair, entier, actionnaire...* ▸ Représentation, symbole de ce oncept : *Le* ***nombre*** *22 ; Un* ***nombre*** *de trois chiffres* ☞ *chiffre*). **2.** *Stat. Loi des grands* ***nombres*** : loi lative à la fréquence de réalisation *f* d'un évèement de probabilité *p* dans la répétition d'une preuve, et selon laquelle la probabilité pour que écart entre *f* et *p* soit supérieur à un quelconque ombre fixé est aussi petite que l'on veut, pourvu ue le **nombre** d'épreuves soit assez grand. **3.** *Archit.* ***Jombre*** *d'or* (☞ *or*). **II. 1.** Quantité, ensemble de hoses, de personnes : *Le* ***nombre*** *d'élèves d'une classe.* . Ext. Quantité importante : *Un* ***nombre*** *de touristes croyable.* **3.** Loc. *Au* ***nombre*** *de* : parmi ; *Être du* ***ombre*** *de* : faire partie de ; *En* ***nombre*** : en masse ; *aire* ***nombre*** : constituer un groupe important ; *Bon)* ***nombre*** *de* : beaucoup de ; *Sans* ***nombre*** : nnombrable ; *Le plus grand* ***nombre*** : la majorité. **II. 1.** *Gramm.* Catégorie morphologique fondée sur compte et la distinction entre unité et pluralité : *Aot invariable en genre et en* ***nombre.*** **2.** Agencement armonieux des rythmes et des sonorités, en poésie t en prose, et, par ext., en musique. Déb. XIIe s. ; at. *numerus* ; [nɔ̃bʀ].

**NOMBREUX, EUSE,** adj.
Qui comporte un grand nombre d'éléments : *amille* ***nombreuse,*** qui compte au moins trois enants. **2.** Qui est en grand nombre : *Il a de* ***nombreuses*** *idées.* Mil. XIVe s. ; ☞ *nombre* ; [nɔ̃bʀø, øz].

**NOMBRIL,** subst. m.
*Anat.* Cicatrice, ronde et cupulaire, laissée sur abdomen par la résection du cordon ombilical synon. *ombilic*). **2.** Loc. fam. *Se prendre pour le* ***ombril*** *du monde* : exagérer sa propre importance ; *e regarder le* ***nombril*** : ne s'intéresser qu'à soi. Mil. IIe s. ; lat. pop. °*umbiliculus,* du lat. *umbilicus* ; [nɔ̃bʀi(l)].

**NOMBRILISME,** subst. m.
Comportement égocentrique (fam.). 1950 ; ☞ *nombril* ; [nɔ̃bʀilism].

**NOME,** subst. m.
*Antiq.* Division de l'Égypte. **2.** Division de la Grèce moderne. 1731 ; gr. *nomos* ; [nom].

**NOMENCLATEUR, TRICE,** subst.
*Antiq. rom.* Esclave attaché à un candidat nagistrat et chargé de lui désigner les personnes qui pourraient voter pour lui. **2.** Personne qui établit une nomenclature. Mil. XVIe s. ; lat. *nomenclator,* « celui qui nomme » ; [nɔmɑ̃klatœʀ, tʀis].

**NOMENCLATURE,** subst. f.
**1.** Ensemble méthodiquement classé des termes propres à un domaine : ***Nomenclature*** *des espèces.* **2.** Ensemble des entrées d'un dictionnaire. **3.** Liste systématique : *La* ***nomenclature*** *des actes médicaux.* 1559 ; lat. *nomenclatura,* de *nomen,* « nom », et de *calare,* « appeler » ; [nɔmɑ̃klatyʀ].

**NOMENKLATURA,** subst. f.
**1.** *Hist.* En U. R. S. S., liste qui répertoriait les personnes jouissant de prérogatives particulières ; par méton., ensemble de ces personnes. **2.** Ext. Ensemble de personnes jouissant de privilèges, de passe-droits. V. 1980 ; mot russe ; [nɔmɑ̃klatuʀa].

**NOMINAL, ALE, AUX,** adj.
**1.** Relatif au nom d'une personne : *Appel* ***nominal.*** **2.** Qui n'existe que de nom, qui n'a pas de réalité effective : *Pouvoir de décision purement* ***nominal.*** ▸ *Écon. Valeur* ***nominale*** : valeur théorique d'une monnaie, d'une action, qui peut être différente de sa valeur réelle. **3.** *Ling.* Relatif au nom : *Forme, phrase* ***nominale*** ; *Syntagme* ***nominal,*** sans verbe. 1503 ; lat. *nominalis* ; [nɔminal, o].

**NOMINALEMENT,** adv.
De manière nominale : *Appeler qqn* ***nominalement,*** par son nom. 1789 ; ☞ *nominal* ; [nɔminalmɑ̃].

**NOMINALISATION,** subst. f.
Action de nominaliser ; son résultat. V. 1970 ; ☞ *nominaliser* ; [nɔminalizasjɔ̃].

**NOMINALISER,** verbe trans. [3]
*Ling.* Transformer (une phrase verbale) en syntagme nominal (par ex., « La grenouille coasse » devient « Le coassement de la grenouille »). 1585 ; ☞ *nominal* ; [nɔminalize].

**NOMINALISME,** subst. m.
*Philos.* **1.** Doctrine selon laquelle les idées générales ont pour seule réalité celle de signe. **2.** ***Nominalisme*** *scientifique* : doctrine affirmant que les lois et théories scientifiques sont des constructions mentales, et ne peuvent donc faire accéder à la connaissance du réel. Déb. XVIIIe s. ; ☞ *nominal* ; [nɔminalism].
**PHILOSOPHIE** – C'est dans le cadre de la querelle des universaux que le nominalisme médiéval, s'opposant au réalisme, trouve son grand théoricien en la personne de Guillaume d'Occam : refusant d'extraire les catégories du singulier, qui est seul susceptible de nous être intuitivement donné, il tenait les universaux pour des signes extérieurs aux choses en tant qu'êtres possibles. On retrouve, chez les empiristes modernes, une telle approche, qui insiste sur les conventions et développe une théorie de la science, que Condillac concevait comme « une langue bien faite ». Vu sous l'aspect d'un formalisme tenant le concept pour un simple signe opératoire, le néopositivisme poursuit sur la voie du nominalisme médiéval.

**NOMINATIF (I),** subst. m.
*Gramm.* Cas exprimant la fonction de sujet ou d'attribut du sujet, dans les langues flexionnelles. Fin XIIe s. ; lat. *nominativus* ; [nɔminatif].

**NOMINATIF (II), IVE,** adj.
Qui contient un ou plusieurs noms : *Liste* ***nominative.*** ▸ *Fin. Titre* ***nominatif*** : qui porte le nom de son propriétaire (par oppos. à *titre au porteur*). 1789 ; lat. *nominare,* « nommer » ; [nɔminatif, iv].

**NOMINATION,** subst. f.
Désignation à un poste, à une fonction, à une dignité. 1305 ; lat. *nominatio* ; [nɔminasjɔ̃].

**NOMINATIVEMENT,** adv.
De manière nominative : *Être attaqué* ***nominativement.*** 1547 ; ☞ *nominatif* (II) ; [nɔminativmɑ̃].

**NOMINER,** verbe trans. [3]
Sélectionner (qqn, une œuvre) pour un prix, une récompense (anglic.). V. 1970 ; angl. *to nominate,* « proposer » ; recomm. off. *sélectionner* ; [nɔmine].

**NOMMÉ, ÉE,** adj.
**1.** Qui a pour nom ; empl. subst. : *Le* ***nommé*** *Untel ; Un* ***nommé*** *Jules.* **2.** Loc. *À point* ***nommé*** : opportunément. 1580 ; p. p. de *nommer* ; [nɔme].

**NOMMÉMENT,** adv.
**1.** Nominativement. **2.** Notamment (vieilli) : *Les antibiotiques, et* ***nommément*** *la pénicilline, ont sauvé bien des vies.* Fin XIIe s. ; ☞ *nommé* ; [nɔmemɑ̃].

**NOMMER,** verbe trans. [3]
**1.** Donner un nom, tel nom à : *Il le* ***nomma*** *Vendredi* ; *Comment* ***nommer*** *un pareil acte ?,* comment le qualifier ? **2.** Désigner par son nom : *Ceux que j'ai* ***nommés*** *peuvent rester.* **3.** Désigner à un poste, à une fonction : *Elle* ***a été nommée*** *professeur.* **Pronom. 1.** Avoir pour nom : *Je me* ***nomme*** *Camille.* **2.** Indiquer son nom : *Chacun se* ***nomma*** *à tour de rôle.* Fin Xe s. ; lat. *nominare* ; [nɔme].

**NOMOGRAMME,** subst. m.
*Techn.* Table graphique donnant les résultats d'un calcul par simple lecture. Déb. XXe s. ; formé de *nomo-* et de *-gramme* ; [nɔmɔgʀam].

**NOMOGRAPHIE,** subst. f.
Méthode de calcul utilisant un nomogramme. 1819 ; formé de *nomo-* et de *-graphie* ; [nɔmɔgʀafi].

**NOMOTHÈTE,** subst. m.
*Antiq. gr.* À Athènes, membre d'une commission législative. Déb. XVIIe s. ; gr. *nomothetês* ; [nɔmɔtɛt].

**NON,** adv.
**1.** Indique, par oppos. à *oui,* une réponse négative, un refus (tient souvent lieu de proposition) : *Partez-vous ? –* ***Non*** ; *Viendrez-vous ? –* ***Non,*** *rien à faire* ; *Je lui ai demandé si elle m'accompagnerait, elle m'a répondu que* ***non.*** ▸ *Il ne sait pas dire* ***non*** : il ne sait pas refuser ; *Je ne dis pas* ***non*** : j'accepte (fam.). ▸ Empl. subst. masc. inv. : *Il se fâche pour un oui ou pour un* ***non.*** **2.** En début de phrase, renforce la négation : ***Non,*** *je n'irai pas.* **3.** Interrogatif, marque l'étonnement : *Ils divorcent. –* ***Non,*** *pas possible ?* **4.** Exclamatif, marque l'indignation, la protestation (fam.) : *Ah ! ça* ***non*** *!* ; ***Non*** *mais !* ; ***Non*** *mais des fois !* ; ***Non*** *mais sans blague !* **5.** Représente un syntagme (souv. verbal) précédemment énoncé de façon contraire ou différente, ou marque une alternative : *Ils étaient rivaux, mais (ou et)* ***non*** *ennemis* ; *Nous sortirons, que tu le veuilles ou* ***non*** ; *Êtes-vous prêt ou* ***non*** *?* ; *Vous devez répondre par oui ou par* ***non.*** **6.** Loc. ▸ **Non plus.** Remplace « aussi » dans une phrase négative : *Elle n'aimait pas ce film, lui* ***non plus.*** ▸ **Non sans.** Équivaut à une affirmation : *Il y est arrivé* ***non sans*** *mal.* ▸ **Non seulement... mais.** Marque la surenchère : ***Non*** *seulement ce jeu est stupide, mais il est dangereux.* ▸ **Non (pas) que.** Ce n'est pas que : *Nous devons rentrer,* ***non*** *que nous nous ennuyions, mais il est tard.* **7.** Se place devant un adjectif ou un substantif pour lui donner un sens négatif : *Maladie* ***non*** *contagieuse* ; *La* ***non****-violence.* Mil. Xe s. ; lat. *non* ; [nɔ̃].

**NON-ACCOMPLI, IE,** adj. et subst. m.
*Gramm.* Se dit d'une forme verbale présentant l'action dans son déroulement. XXe s. ; comp. de *non* et de *accompli* ; plur. *non-accomplis, ies* ; [nɔnakɔ̃pli].

**NON-ACTIVITÉ,** subst. f.
État d'un fonctionnaire dont l'activité est suspendue. XXe s. ; comp. de *non* et de *activité* ; plur. *non-activités* ; [nɔnaktivite].

**NONAGÉNAIRE,** adj. et subst.
Qualifie ou désigne une personne âgée de quatre-vingt-dix à quatre-vingt-dix-neuf ans. 1660 ; lat. *nonagenarius* ; [nɔnaʒenɛʀ].

**NON-AGRESSION,** subst. f.
*Pacte de* ***non-agression*** : engagement pris par des États de ne pas s'attaquer mutuellement. Déb. XXe s. ; comp. de *non* et de *agression* ; plur. *non-agressions* ; [nɔnagʀesjɔ̃].

**NON-ALIGNÉ, ÉE,** adj.
Qui refuse de s'aligner sur une politique commune ; spéc., qualifie un État dont la politique n'était soumise à aucun des deux blocs, occidental et soviétique, avant l'effondrement de ce dernier : *Les pays* ***non-alignés*** ou, empl. subst., *Les* ***non-alignés.*** Mil. XXe s. ; comp. de *non* et du p. p. de *aligner* ; plur. *non-alignés, ées* ; [nɔnaliɲe].

**NON-ALIGNEMENT,** subst. m.
Politique d'un pays non-aligné. Mil. XXe s. ; comp. de *non* et de *alignement* ; plur. *non-alignements* ; [nɔnaliɲmɑ̃].

**NONANTAINE,** subst. f.
Belg. et Helv. Nombre d'environ quatre-vingt-dix ; âge d'environ quatre-vingt-dix ans. XIIe s. ; ☞ *nonante* ; [nɔnɑ̃tɛn].

**NONANTE,** adj. num. card. inv.
Belg. et Helv. Quatre-vingt-dix. Déb. XIIe s. ; lat. *nonaginta* ; [nɔnɑ̃t].

**NONANTIÈME,** adj. num. ord.
Belg. et Helv. Quatre-vingt-dixième. Fin XIIe s. ; ☞ *nonante* ; [nɔnɑ̃tjɛm].

**NON-ASSISTANCE,** subst. f.
*Dr.* Délit consistant à s'abstenir délibérément de secourir autrui. Mil. XXe s. ; comp. de *non* et de *assistance* ; plur. *non-assistances* ; [nɔnasistɑ̃s].

**NON-BELLIGÉRANCE, subst. f.**
Situation d'un pays non-belligérant. 1939 ; comp. de *non* et de *belligérance* ; plur. *non-belligérances* ; [nɔ̃bɛl(l)iʒeʀɑ̃s] ou [-beli-].

**NON-BELLIGÉRANT, ANTE, adj. et subst.**
Qualifie ou désigne un État qui, sans être neutre, ne s'engage pas militairement dans un conflit. 1939 ; comp. de *non* et de *belligérant* ; plur. *non-belligérants, antes* ; [nɔ̃bɛl(l)iʒeʀɑ̃, ɑ̃t] ou [-beli-].

**NONCE, subst. m.**
Légat ayant le statut d'ambassadeur, représentant le pape auprès d'un gouvernement étranger. Déb. XVIe s. ; ital. *nunzio*, du lat. *nuntius*, « messager » ; [nɔ̃s].

**NONCHALAMMENT, adv.**
De manière nonchalante. 1429 ; ☞ *nonchalant* ; [nɔ̃ʃalamɑ̃].

**NONCHALANCE, subst. f.**
Absence d'entrain, de zèle, naturelle ou affectée : *Travailler avec* ***nonchalance*** ; *Démarche pleine de* ***nonchalance.*** Mil. XIIIe s. ; ☞ *nonchalant* ; [nɔ̃ʃalɑ̃s].

**NONCHALANT, ANTE, adj.**
Qui fait preuve de nonchalance : *Employé* ***nonchalant*** ; par méton. : *Voix* ***nonchalante*** ; empl. subst., personne **nonchalante.** Fin XIIIe s. ; anc. fr. *nonchaloir*, « négliger, mépriser » ; [nɔ̃ʃalɑ̃, ɑ̃t].

**NONCIATURE, subst. f.**
**1.** Fonction d'un nonce apostolique ; par méton., exercice de cette fonction. **2.** Résidence du nonce. Déb. XVIIe s. ; ital. *nunziatura* ; [nɔ̃sjatyʀ].

**NON-COMBATTANT, ANTE, adj. et subst.**
*Milit.* **Adj.** Qui ne prend pas directement part à la guerre, au combat. **Subst.** Personne **non-combattante.** 1804 ; comp. de *non* et de *combattant* ; plur. *non-combattants, antes* ; [nɔ̃kɔ̃batɑ̃, ɑ̃t].

**NON-COMPARANT, ANTE, adj. et subst.**
*Dr.* Se dit de qqn qui, étant cité, ne comparaît pas en justice. 1467 ; comp. de *non* et de *comparant* ; plur. *non-comparants, antes* ; [nɔ̃kɔ̃paʀɑ̃, ɑ̃t].

**NON-COMPARUTION, subst. f.**
*Dr.* Défaut de comparution. 1467 ; comp. de *non* et de *comparution* ; plur. *non-comparutions* ; [nɔ̃kɔ̃paʀysjɔ̃].

**NON-CONCILIATION, subst. f.**
*Dr.* Échec d'une conciliation. Mil. XIXe s. ; comp. de *non* et de *conciliation* ; plur. *non-conciliations* ; [nɔ̃kɔ̃siljasjɔ̃].

**NON-CONCURRENCE, subst. f.**
*Dr. Clause de* ***non-concurrence*** : clause d'un contrat de travail par laquelle un salarié s'engage à ne pas exercer, pendant une durée déterminée, d'activités professionnelles susceptibles de nuire à son ancien employeur. XIXe s. ; comp. de *non* et de *concurrence* ; plur. *non-concurrences* ; [nɔ̃kɔ̃kyʀɑ̃s].

**NON-CONFORMISME, subst. m.**
Indépendance d'esprit. Déb. XXe s. ; comp. de *non* et de *conformisme* ; plur. *non-conformismes* ; [nɔ̃kɔ̃fɔʀmism].

**NON-CONFORMISTE, adj. et subst.**
**1.** *Relig.* Se dit d'un protestant d'Angleterre qui n'est pas anglican. **2.** Ext. Se dit d'une personne qui ne se conforme pas aux normes sociales. **Adj.** Qui dénote le non-conformisme. 1672 ; angl. *non-conformist* ; plur. *non-conformistes* ; [nɔ̃kɔ̃fɔʀmist].

**NON-CONFORMITÉ, subst. f.**
Défaut de conformité. Fin XVIIe s. ; comp. de *non* et de *conformité* ; plur. *non-conformités* ; [nɔ̃kɔ̃fɔʀmite].

**NON-CONTRADICTION, subst. f.**
*Log. Principe de* ***non-contradiction*** : selon lequel une même proposition ne peut être à la fois vraie et fausse. 1829 ; comp. de *non* et de *contradiction* ; plur. *non-contradictions* ; [nɔ̃kɔ̃tʀadiksjɔ̃].

**NON-CROYANT, ANTE, adj. et subst.**
Se dit d'une personne athée ou agnostique. Déb. XIVe s. ; comp. de *non* et de *croyant* ; plur. *non-croyants, antes* ; [nɔ̃kʀwajɑ̃, ɑ̃t].

**NON-CUMUL, subst. m.**
*Dr.* Fait de ne pas cumuler des peines, des fonctions électives. Déb. XVIIIe s. ; comp. de *non* et de *cumul* ; plur. *non-cumuls* ; [nɔ̃kymyl].

**NON-DIRECTIF, IVE, adj.**
Qui n'est pas directif ; qui évite d'orienter un interlocuteur : *Entretien* ***non-directif.*** Mil. XXe s. ; comp. de *non* et de *directif* ; plur. *non-directifs, ives* ; [nɔ̃diʀɛktif, iv].

**NON-DIRECTIVISME, subst. m.**
*Psychol.* Théorie préconisant la non-directivité, notamment en pédagogie et en psychothérapie (rare). Mil. XXe s. ; comp. de *non* et de *directivisme* ; plur. *non-directivismes* ; [nɔ̃diʀɛktivism].

**NON-DIRECTIVITÉ, subst. f.**
Méthode, attitude non-directive. Mil. XXe s. ; comp. de *non* et de *directivité* ; plur. *non-directivités* ; [nɔ̃diʀɛktivite].

**NON-DISCRIMINATION, subst. f.**
Attitude qui consiste à ne pas traiter différemment les gens selon leur origine ethnique, sociale, etc. 1958 ; comp. de *non* et de *discrimination* ; plur. *non-discriminations* ; [nɔ̃diskʀiminasjɔ̃].

**NON-DISSÉMINATION, subst. f.**
Non-prolifération. Mil. XXe s. ; comp. de *non* et de *dissémination* ; plur. *non-disséminations* ; [nɔ̃diseminasjɔ̃].

**NON-DIT, subst. m.**
**1.** *Psychol.* Contenu implicite mais non formulé d'un énoncé. **2.** Ext. Chose que l'on sait mais que l'on passe sous silence, délibérément ou non. Mil. XXe s. ; comp. de *non* et de *dit* ; plur. *non-dits* ; [nɔ̃di].

**NON-DROIT, subst. m.**
Absence d'application du droit : *Zone de* ***non-droit,*** territoire dépourvu d'autorité légale ou dans lequel cette dernière est impuissante à se faire respecter. XVIIe s. ; comp. de *non* et de *droit* (I) ; plur. *non-droits* ; [nɔ̃dʀwa].

**NONE, subst. f.**
**1.** *Antiq. rom.* Neuvième heure du jour (vers 15 heures) ; quatrième partie du jour, commençant à la fin de la neuvième heure. **2.** *Liturg.* Heure canoniale catholique, qui se récite après sexte, à la neuvième heure du jour. Xe s. ; lat. eccl. *nona*, « office de la neuvième heure » ; [nɔn].

**NONES, subst. f. plur.**
*Antiq. rom.* Neuvième jour avant les ides. Déb. XIIe s. ; lat. *nonae* ; [nɔn].

**NON-ÊTRE, subst. m. inv.**
*Philos.* Ce qui n'est pas ; négativité en acte dans le réel. ▸ Pouvoir de négation de l'esprit. Fin XIIIe s. ; comp. de *non* et de *être* (II) ; [nɔnɛtʀ].

**NON-EXÉCUTION, subst. f.**
*Dr.* Défaut d'exécution. 1792 ; comp. de *non* et de *exécution* ; plur. *non-exécutions* ; [nɔnɛgzekysjɔ̃].

**NON-FIGURATIF, IVE, adj.**
*B.-a.* Qui ne représente pas le monde sensible (synon. *abstrait*) ; empl. subst., artiste **non-figuratif.** Mil. XXe s. ; comp. de *non* et de *figuratif* ; plur. *non-figuratifs, ives* ; [nɔ̃figyʀatif, iv].

**NON-FIGURATION, subst. f.**
*B.-a.* Art non-figuratif. Mil. XXe s. ; comp. de *non* et de *figuration* ; plur. *non-figurations* ; [nɔ̃figyʀasjɔ̃].

**NON-FUMEUR, EUSE, subst.**
Personne qui ne fume pas ; en appos. : *Salle* ***non-fumeurs,*** où il est interdit de fumer. Mil. XXe s. ; comp. de *non* et de *fumeur* ; plur. *non-fumeurs, euses* ; [nɔ̃fymœʀ, øz].

**NONIDI, subst. m.**
Neuvième jour de la décade, dans le calendrier républicain. 1793 ; formé du lat. *nonus*, « neuvième », et *dies*, « jour » ; [nɔnidi].

**NON-INGÉRENCE, subst. f.**
Attitude consistant à ne pas s'ingérer dans les affaires intérieures d'un État. Mil. XXe s. ; comp. de *non* et de *ingérence* ; plur. *non-ingérences* ; [nɔnɛ̃ʒeʀɑ̃s].

**NON-INITIÉ, ÉE, subst.**
Personne qui n'est pas initiée dans un domaine déterminé ; profane. 1674 ; comp. de *non* et de *initié* ; plur. *non-initiés, ées* ; [nɔninisje].

**NON-INSCRIT, ITE, adj. et subst.**
Se dit d'un député ou d'un sénateur qui n'est pas inscrit à un groupe parlementaire. Mil. XXe s. ; comp. de *non* et de *inscrit* ; plur. *non-inscrits, ites* ; [nɔnɛ̃skʀi, it].

**NON-INTERVENTION, subst. f.**
Attitude d'un État qui n'intervient pas dans les affaires d'un autre État. 1830 ; comp. de *non* et de *intervention* ; plur. *non-interventions* ; [nɔnɛ̃tɛʀvɑ̃sjɔ̃].

**NON-INTERVENTIONNISTE, adj. et subst.**
**Adj.** Qui est relatif, favorable à la non-intervention. **Subst.** Partisan de la non-intervention. 1838 ; ☞ *non-intervention* ; plur. *non-interventionnistes* ; [nɔnɛ̃tɛʀvɑ̃sjɔnist].

**NON-JOUISSANCE, subst. f.**
*Dr.* Privation de la jouissance d'un bien, d'un droit. 1595 ; comp. de *non* et de *jouissance* ; plur. *non-jouissances* ; [nɔ̃ʒwisɑ̃s].

**NON-LIEU, subst. m.**
*Dr.* Décision de justice selon laquelle il n'y a lieu de poursuivre une personne mise en exam *Bénéficier d'un* ***non-lieu.*** 1836 ; comp. de *non* et *lieu* (I) ; plur. *non-lieux* ; [nɔ̃ljø].

**NON-MÉTAL, subst. m.**
*Chim.* Corps simple non métallique. Les **n métaux** sont mauvais conducteurs de la chaleu de l'électricité. Ce sont : l'hydrogène, le fluor, chlore, le brome, l'iode, l'oxygène, le soufre, sélénium, le tellure, l'azote, le phosphore, l'arse le carbone, le silicium, le bore. XXe s. ; comp. *non* et de *métal* ; plur. *non-métaux* ; [nɔ̃metal], plur. [-

**NONNE, subst. f.**
Religieuse vivant dans un couvent (vieilli). XIIe s. ; lat. eccl. *nonna* ; [nɔn].

**NONNETTE, subst. f.**
**1.** Jeune religieuse (fam.). **2.** Anal. *Zool.* Mésa à tête noire. **3.** Petit pain d'épice fabriqué, l'origine, dans les couvents. 1263 ; ☞ *non* [nɔnɛt].

**NONOBSTANT, prép. et adv.**
**Prép.** Malgré. **Adv.** Cependant, néanmoins. XIVe s. ; formé de *non* et de l'anc. fr. *obstant*, du *obstans*, de *obstare*, « faire obstacle » ; [nɔnɔpstɑ̃].

**NON-PAIEMENT, subst. m.**
*Dr.* Défaut de paiement. 1745 ; comp. de *non* de *paiement* ; plur. *non-paiements* ; [nɔ̃pɛmɑ̃].

**NON-PROLIFÉRATION, subst. f.**
Politique visant à limiter la propagation de l'a nucléaire. V. 1970 ; comp. de *non* et de *proliférati* plur. *non-proliférations* ; [nɔ̃pʀɔlifeʀasjɔ̃].

**NON-RECEVOIR (FIN DE), voir FIN**

**NON-REPRÉSENTATION, subst. f.**
*Dr.* ***Non-représentation*** *d'enfant* : refus d'obéi une décision de justice ordonnant la restitution d' enfant à qui de droit. 1936 ; comp. de *non* et de *présentation* ; plur. *non-représentations* ; [nɔ̃ʀəpʀezɑ̃tas

**NON-RÉSIDENT, ENTE, subst.**
Personne physique ou morale qui n'est pas co dérée comme résidente. XVIIe s. ; comp. de *non* de *résident* ; plur. *non-résidents, entes* ; [nɔ̃ʀezidɑ̃,

**NON-RESPECT, subst. m.**
Fait de ne pas respecter une loi, un règleme 1843 ; comp. de *non* et de *respect* ; plur. *non-respec* [nɔ̃ʀɛspɛ].

**NON-RETOUR, subst. m.**
*Point de* ***non-retour*** : au-delà duquel un aéronef peut plus regagner sa base, faute de carburant au fig., stade au-delà duquel il est impossible revenir sur une décision, une action. V. 196 comp. de *non* et de *retour*, d'apr. l'angl. *no return* ; p *non-retours* ; [nɔ̃ʀətuʀ].

**NON-SALARIÉ, ÉE, subst.**
Travailleur qui n'est pas salarié. XXe s. ; comp. *non* et de *salarié* ; plur. *non-salariés, ées* ; [nɔ̃salaʀ

**NON-SENS, subst. m. inv.**
**1.** *Ling.* Absence de sens. **2.** Absurdité. Fin XVIIIe comp. de *non* et de *sens* (I), d'apr. l'angl. *nonsense* ; [nɔ̃s

**NON-SPÉCIALISTE, subst.**
Personne qui n'est pas spécialiste d'une discipli XXe s. ; comp. de *non* et de *spécialiste* ; plur. *n spécialistes* ; [nɔ̃spesjalist].

**NON-STOP, adj. inv.**
Sans escale ; sans arrêt : *Un vol* ***non-stop.*** 190 mot angl. ; [nɔnstɔp].

**NON-TISSÉ, subst. m.**
*Techn.* Matériau obtenu par agglomération de fib textiles disposées en nappes. V. 1970 ; comp. *non* et du p. p. de *tisser* ; plur. *non-tissés* ; [nɔ̃tise].

**NON-VALEUR, subst. f.**
**1.** *Dr.* État d'un bien qui ne produit aucun reve **2.** *Fin.* Créance irrécouvrable. **3.** Fig. Personne chose inutile. Fin XIIIe s. ; comp. de *non* et de *vale* plur. *non-valeurs* ; [nɔ̃valœʀ].

**NON-VIABLE, adj.**
Se dit d'un fœtus ou d'un nouveau-né inapte la vie. V. 1970 ; comp. de *non* et de *viable* (I) ; p *non-viables* ; [nɔ̃vjabl].

**NON-VIOLENCE, subst. f.**
Doctrine et mode d'action qui refuse l'emploi la violence, en partic. dans le règlement de confl sociaux ou politiques. 1924 ; comp. de *non* et *violence* ; plur. *non-violences* ; [nɔ̃vjɔlɑ̃s].

**NON-VIOLENT, ENTE, adj. et subst.**
Se dit d'un partisan de la non-violence. **Adj.** Empreint de non-violence, favorable à la non-violence : *Manifestation* ***non-violente.*** 1924 ; comp. de *non* et de *violent* ; plur. *non-violents, entes* ; [nɔ̃vjɔlɑ̃, ɑ̃t].

**NON-VOYANT, ANTE, subst.**
Aveugle. V. 1970 ; comp. de *non* et de *voyant* ; plur. *non-voyants, antes* ; [nɔ̃vwajɑ̃, ɑ̃t].

**NOPAL, subst. m.**
*Bot.* Variété d'oponce, cactacée du Mexique et d'Amérique du Sud, à fruits comestibles et aux rameaux aplatis en raquettes. 1584 ; esp. *nopal*, de l'aztèque *nopalli* ; plur. *nopals* ; [nɔpal].

**NORADRÉNALINE, subst. f.**
*Biochim.* Neuromédiateur, du groupe des catécholamines, très proche de l'hormone adrénaline. 1954 ; formé de *nor*, acron. de l'all. *N ohne Radical*, « azote sans radical », et de *adrénaline* ; [nɔʀadʀenalin].

**NORD, subst. m. sing. et adj. inv.**
**Subst. 1.** Point cardinal opposé au sud selon l'axe de rotation de la Terre, indiquant la direction du pôle de l'hémisphère comprenant l'Europe et une grande partie de l'Asie ; direction correspondante : *Fenêtre orientée au* ***nord*** ; *Vent du* ***nord.*** ▸ Loc. *Perdre le* ***nord*** : perdre ses repères et, au fig., perdre la tête. **2.** Partie d'une région, d'un pays, d'un continent la plus rapprochée de ce point : *Le* ***nord*** *de la Chine* ; *Les Américains du* ***Nord*** ; par méton. : *Dialogue Nord-Sud*, entre les pays industrialisés et ceux en voie de développement. **Adj.** Qui est situé au **nord** : *La face* ***nord*** *de l'Everest.* Mil. XIIe s. ; angl. *north* ; [nɔʀ].

**NORDÉ, subst. m.**
*Mar.* Vent du nord-est de la France. Altér. de nord-est ; var. *nordet* ; [nɔʀde].

**NORD-EST, subst. m. sing. et adj. inv.**
**Subst. 1.** Point de l'horizon situé à égale distance entre le nord et l'est ; la direction correspondante. **2.** Partie d'une région, d'un pays, d'un continent située au **nord-est** : *Habiter dans le* ***Nord-Est.*** **Adj.** Situé au **nord-est.** Mil. XIIIe s. ; comp. de *nord* et de *est* ; [nɔʀɛst].

**NORDET, voir NORDÉ**

**NORDIQUE, adj. et subst. m.**
**Adj.** De la zone la plus au nord par rapport à un point donné ; spéc., du nord de l'Europe : *Pays, langues* ***nordiques*** ; empl. subst., personne **nordique.** **Subst.** Langue dont sont issus le danois, l'islandais, le norvégien, le suédois. 1873 ; ☞ *nord* ; [nɔʀdik].

**NORDIR, verbe intrans.** [19]
*Mar.* En parlant du vent, tourner au nord. 1868 ; ☞ *nord* ; [nɔʀdiʀ].

**NORDISTE, adj. et subst.**
**1.** *Hist.* Se dit d'un partisan du gouvernement fédéral pendant la guerre de Sécession (anton. *sudiste*). **2.** Du département du Nord, ou de la Région Nord-Pas-de-Calais, en France. 1865 ; ☞ *nord* ; [nɔʀdist].

**NORD-OUEST, subst. m. sing. et adj. inv.**
**Subst. 1.** Point de l'horizon situé à égale distance entre le nord et l'ouest ; la direction correspondante. **2.** Partie d'une région, d'un pays, d'un continent située au **nord-ouest** : *Le* ***Nord-Ouest*** *canadien.* **Adj.** Situé au **nord-ouest.** XIIe s. ; comp. de *nord* et de *ouest* ; [nɔʀwɛst].

**NORIA, subst. f.**
**1.** Dispositif d'irrigation constitué de récipients attachés à une chaîne sans fin, ou chapelet, qui puisent l'eau et la déversent en amont ; par anal., appareil élévateur à godets. **2.** Succession de choses formant une chaîne continue : *Une* ***noria*** *de taxis.* 1792 ; esp. *noria*, de l'ar. *na'ūra* ; [nɔʀja].

**NORMAL, ALE, AUX, adj. et subst. f.**
**Adj. 1.** Qui est dans la norme, correct : *Un poids* ***normal*** ; *Un prix* ***normal.*** ▸ Ordinaire, habituel : *C'est* ***normal,*** *à son âge.* ▸ Loc. *En temps* ***normal*** : d'habitude. **2.** Qui sert de référence : *Le niveau* ***normal*** *est au milieu du réservoir.* **3.** Qui n'est pas affecté pathologiquement : *Aspect* ***normal*** ; *Son état est redevenu* ***normal.*** **4.** *Spéc.* ▸ *Enseign. École* ***normale*** *supérieure* : dans laquelle on forme des professeurs de l'enseignement secondaire et de certaines facultés (abrév. : Normale sup) ; *École* ***normale*** *primaire* : dans laquelle étaient formés, jusqu'en 1986, les instituteurs. ▸ *Math. Plan* ***normal*** *en un point M d'une courbe de l'espace* : plan perpendiculaire en M à la tangente en M à cette courbe ; *Nombres* ***normaux,*** *de la série de Renard* : utilisés pour des calculs rapides, ils permettent d'éviter de se servir des logarithmes. ▸ *Phys.* et *Chim. Conditions* ***normales*** *de température et de pression* : conditions de référence pour l'état gazeux ; *Solution* ***normale*** : qui contient une mole d'éléments actifs par litre. **Subst. 1.** *Géom.* ***Normale*** *à une courbe en un de ses points* : droite perpendiculaire à la tangente à la courbe en ce point ; ***Normale*** *à une surface en un de ses points* : droite perpendiculaire au plan tangent à la surface en ce point. **2.** Ce qui est **normal** : *Avoir une force supérieure à la* ***normale.*** Mil. XVe s. ; lat. *normalis*, « fait à l'équerre », de *norma*, « équerre, règle » ; [nɔʀmal, o].

**NORMALEMENT, adv.**
D'une manière normale. 1826 ; ☞ *normal* ; [nɔʀmalmɑ̃].

**NORMALIEN, IENNE, subst.**
Élève ou ancien élève de l'École normale supérieure. Mil. XIXe s. ; ☞ *normal* ; [nɔʀmaljɛ̃, jɛn].

**NORMALISATEUR, TRICE, adj. et subst.**
**Adj.** Qui normalise. **Subst.** Celui qui procède à une normalisation. ☞ *normaliser* ; [nɔʀmalizatœʀ, tʀis].

**NORMALISATION, subst. f.**
**1.** Standardisation : *Association française de* ***normalisation*** *(Afnor)*, chargée de l'élaboration des normes. **2.** Action de ramener à la norme ; régularisation : *La* ***normalisation*** *des rapports entre deux pays.* 1873 ; ☞ *normaliser* ; [nɔʀmalizasjɔ̃].

**NORMALISER, verbe trans.** [3]
**1.** Rationaliser, standardiser : ***Normaliser*** *des méthodes de travail.* **2.** Ramener à la normale ; empl. pronom., devenir ou redevenir normal : *La situation se* ***normalise.*** 1922 ; ☞ *normal* ; [nɔʀmalize].

**NORMALITÉ, subst. f.**
Caractère ou état de ce qui est normal. 1834 ; ☞ *normal* ; [nɔʀmalite].

**NORMAND, ANDE, adj. et subst.**
De Normandie : *Race* ***normande,*** race bovine, bonne laitière. ▸ *Faire le trou* ***normand*** : boire un verre de calvados au milieu du repas afin de faciliter la digestion. ▸ *Réponse de* ***Normand*** : ambiguë. **Subst. masc.** Dialecte parlé en Normandie. 1100 ; lat. médiév. *nortmannus*, de l'anc. bas frq. *°nortman*, « homme du Nord » ; [nɔʀmɑ̃, ɑ̃d].

**NORMATIF, IVE, adj.**
Qui constitue une norme ; qui formule des règles. 1868 ; ☞ *norme* ; [nɔʀmatif, iv].

**NORME, subst. f.**
**1.** Règle qu'il convient de suivre ; modèle ou critère auquel il convient de se référer. ▸ *Dr.* Règle juridique. ▸ *Ling.* Ce qui, grammaticalement, relève du bon usage. **2.** État habituel, correspondant au cas le plus courant : *Se trouver dans la* ***norme,*** dans la moyenne. ▸ *Écon.* ***Norme*** *de productivité* : production moyenne d'un ouvrier, d'une industrie. **3.** *Techn.* Spécification à laquelle un produit doit être conforme pour être admis sur le marché : ***Norme*** *française (N. F.).* **4.** *Math.* ***Norme*** *sur un espace vectoriel réel (ou complexe) E* : application de E dans l'ensemble des nombres réels positifs qui à $\vec{u}$ associe $\|\vec{u}\|$ ($\|\vec{u}\|$ se lit « **norme** de $\vec{u}$ ») telle que $\|\vec{u}\| = 0$ si et seulement si $\vec{u} = \vec{0}$, et pour tout $\vec{u}$ et tout $\vec{v}$ de E, pour tout $k$ nombre réel (ou complexe), $\|\vec{u} + \vec{v}\| \leqslant \|\vec{u}\| + \|\vec{v}\|$ et $\|k\,\vec{u}\| = |k| \cdot \|\vec{u}\|$. Cette notion généralise celle de longueur. Mil. XIIe s. ; lat. *norma*, « équerre ; règle, loi » ; [nɔʀm].

*Norias sur l'Oronte, à Hama (Syrie).*

**NORMÉ, ÉE, adj.**
*Math. Espace* ***normé*** : espace vectoriel muni d'une norme ; *Vecteur* ***normé*** : vecteur dont la norme est égale à 1. V. 1960 ; ☞ *norme* ; [nɔʀme].

**NOROÎT, subst. m.**
*Mar.* Vent du nord-ouest de la France. 1823 ; altér. dial. de *nord-ouest* ; var. *norois* ; [nɔʀwa].

**NORROIS, subst. m.**
Ancienne langue germanique des peuples du Nord. Mil. XIIe s. ; ☞ *nord* ; var. *norois* ; [nɔʀwa].

**NORVÉGIEN, IENNE, adj. et subst.**
De la Norvège. **Subst. masc.** Langue du groupe nordique parlée en Norvège. **Subst. fém.** *Mar.* Barque utilisée pour la chasse à la baleine. 1671 (XVe s., nordique) ; topon. *Norvège* ; [nɔʀveʒjɛ̃, jɛn].

**NOS, voir NOTRE**

**NOSÉMOSE, subst. f.**
Maladie due à un protozoaire infectieux, pouvant décimer les ruches d'abeilles ou les élevages de vers à soie. XXe s. ; formé de *noso-*, de *hémo-* et de *-ose* ; [nozemoz].

**NOSOCOMIAL, ALE, AUX, adj.**
*Pathol.* Qualifie une affection qu'un malade contracte à l'hôpital alors qu'il y est soigné pour une autre maladie. 1845 ; bas lat. *nosocomium*, du gr. *nosokomeîon*, « hôpital » ; [nozɔkɔmjal, o].

**NOSOGRAPHIE, subst. f.**
*Méd.* Description et classification des maladies. 1798 ; formé de *noso-* et de *-graphie* ; [nozɔgʀafi].

**NOSOLOGIE, subst. f.**
*Méd.* Étude des caractères distinctifs des maladies. 1747 ; formé de *noso-* et de *-logie* ; [nozɔlɔʒi].

**NOSTALGIE, subst. f.**
**1.** Tristesse due à l'éloignement du pays natal (synon. *mal du pays*). **2.** Regret mélancolique d'une chose passée ou d'une aspiration insatisfaite : *La* ***nostalgie*** *de l'enfance.* 1769 ; lat. méd. *nostalgia*, du gr. *nostos*, « retour », et *algos*, « douleur » ; [nɔstalʒi].

**NOSTALGIQUE, adj.**
**1.** Qui éprouve de la nostalgie ; empl. subst. : *Les* ***nostalgiques*** *de l'Union soviétique.* **2.** Empreint de nostalgie ; qui inspire la nostalgie : *Une cantilène* ***nostalgique.*** 1800 ; ☞ *nostalgie* ; [nɔstalʒik].

**NOSTOC, subst. m.**
*Bot.* Cyanobactérie colonisant le sol, appelée aussi crachat de lune. 1762 ; mot créé par Paracelse, d'orig. obsc. ; [nɔstɔk].

**NOTA BENE, loc. lat.**
Formule employée pour attirer l'attention du lecteur (abrév. : N. B.) ; empl. subst. masc. inv., note, remarque introduite par cette formule. 1755 ; lat. *nota bene*, « notez bien » ; [nɔtabene].

**NOTABILITÉ, subst. f.**
**1.** Qualité d'une chose, d'une personne notable. **2.** Méton. Personne en vue, influente. Mil. XIIIe s. ; ☞ *notable* ; [nɔtabilite].

**NOTABLE, adj. et subst. m.**
**Adj. 1.** Digne d'être noté, remarqué, retenu : *Des faits* ***notables.*** **2.** Qui occupe une situation, un rang important. **Subst.** Personne socialement influente, dans une ville, une région. ▸ *Hist. Assemblée des* ***notables*** : sous l'Ancien Régime, réunion par le roi de représentants influents des trois ordres. Mil. XIIIe s. ; lat. *notabilis* ; [nɔtabl].

**NOTABLEMENT, adv.**
De manière notable ; beaucoup. 1250 ; ☞ *notable* ; [nɔtabləmɑ̃].

**NOTAIRE, subst. m.**
*Dr.* Officier ministériel habilité à authentifier, à la demande, actes et contrats. XIIIe s. (fin XIIe s., scribe) ; lat. *notarius*, « secrétaire » ; [nɔtɛʀ].

**NOTAMMENT, adv.**
En particulier, plus spécialement (introduit un ou des éléments qu'il convient de distinguer dans un ensemble). 1485 ; ☞ *noter* ; [nɔtamɑ̃].

**NOTARIAL, ALE, AUX, adj.**
Relatif aux notaires, à leur charge. 1571 ; ☞ *notaire* ; [nɔtaʀjal, o].

**NOTARIAT, subst. m.**
**1.** Profession de notaire. **2.** Méton. Ensemble des notaires. 1482 ; lat. médiév. *notariatus* ; [nɔtaʀja].

**NOTARIÉ, ÉE, adj.**
Établi par un notaire. 1450 ; ☞ *notaire* ; [nɔtaʀje].

**NOTATION, subst. f.**
**1.** Action de représenter par un système de signes

conventionnels ; ce système : ***Notation** musicale, algébrique*... **2.** Note brève, observation : ***Notations** de voyage.* **3.** Action d'attribuer une note : ***Notation** d'un devoir, d'un fonctionnaire.* 🕮 1750 (1531, décision) ; lat. *notatio* ; [nɔtasjɔ̃].

**NOTE, subst. f.**

**I.** *Mus.* **1.** Signe graphique indiquant la hauteur et la durée proportionnelle d'un son, par sa position sur la portée et par sa forme : *Les figures de **notes**,* leurs différentes formes (ronde, blanche, noire, croche, double, triple, quadruple croche). **2.** Méton. Son correspondant à ce signe : ***Note** aiguë, grave ; Les **notes** de la gamme : do* (ou *ut*), *ré, mi, fa, sol, la, si.* ► Loc. *Donner la **note*** : faire entendre la première note d'un morceau ou, au fig., indiquer l'exemple à suivre ; *Forcer la **note*** : exagérer ; *Fausse **note*** : détail qui choque, qui rompt l'harmonie d'un ensemble. **3.** Touche d'un clavier. **4.** Ext. Détail, nuance : *Une **note** de couleur, d'humour.* **II. 1.** Remarque expliquant ou éclairant un mot, un texte : ***Note** en marge.* **2.** Courte rédaction, résumé d'une idée, d'une observation : *Jeter des **notes** sur un carnet ; Prendre des **notes**.* ► Loc. *Prendre (bonne) **note** de qqch.* : le retenir. **3.** Brève communication écrite : ***Note** de service ; **Note** diplomatique,* correspondance entre diplomates. **4.** Fiche indiquant le compte, gén. détaillé, d'un montant à régler : *Une **note** d'hôtel ; Une **note** de frais.* **III.** Appréciation, gén. chiffrée, d'un travail, d'un comportement. 🕮 Mil. XIIe s. ; lat. *nota,* « signe, marque » ; [nɔt].

**NOTER, verbe trans.** [3]

**1.** Vx. Être le signe de ; dénoter. **2.** Remarquer, constater ; prêter attention à : ***Noter** un changement.* **3.** Inscrire (qqch.), prendre en note : ***Noter** une adresse.* **4.** Marquer d'un signe (ce que l'on veut retenir) : ***Noter** un paragraphe.* **5.** Porter une appréciation sur ; attribuer une note à : ***Noter** un employé.* **6.** *Mus.* Écrire au moyen des signes musicaux (un air, un morceau). 🕮 Déb. XIIe s. ; lat. *notare* ; [nɔte].

**NOTICE, subst. f.**

**1.** Écrit bref, compte rendu succinct, résumé : ***Notice** nécrologique.* ► ***Notice** d'utilisation* : mode d'emploi. **2.** Préface d'un ouvrage présentant l'auteur, l'œuvre. 🕮 1680 (1369, connaissance) ; lat. *notitia* ; [nɔtis].

**NOTIFICATIF, IVE, adj.**

*Dr.* Qui sert à notifier : *Préavis **notificatif**.* 🕮 1860 ; ☞ *notifier* ; [nɔtifikatif, iv].

**NOTIFICATION, subst. f.**

Action de notifier ; par méton., acte, document par lequel on notifie qqch. 🕮 1468 (1314, connaissance) ; ☞ *notifier* ; [nɔtifikasjɔ̃].

**NOTIFIER, verbe trans.** [6]

**1.** Faire connaître expressément : ***Notifier** un licenciement.* **2.** *Dr.* Faire savoir dans les formes légales. 🕮 1314 ; lat. jur. *notificare* ; [nɔtifje].

**NOTION, subst. f.**

**1.** Connaissance intuitive de qqch. : *Avoir la **notion** du temps.* **2.** Connaissance élémentaire de qqch. (surtout au plur.) : *Avoir des **notions** d'anglais.* **3.** Concept : *La **notion** du bien et du mal.* 🕮 1570 ; lat. *notio* ; [nosjɔ̃].

**NOTIONNEL, ELLE, adj.**

Relatif à une notion. 🕮 1578 ; ☞ *notion* ; [nosjɔnɛl].

**NOTOIRE, adj.**

**1.** Connu publiquement : *Fait **notoire**.* ► *Dr.* Rigoureusement constaté : *Concubinage **notoire**.* **2.** Célèbre, reconnu comme tel : *Un séducteur **notoire**.* 🕮 1226 ; lat. jur. *notorius,* « qui notifie » ; [nɔtwaʀ].

**NOTOIREMENT, adv.**

De façon notoire : *Il est **notoirement** malhonnête.* 🕮 1283 ; ☞ *notoire* ; [nɔtwaʀmɑ̃].

**NOTONECTE, subst. f.**

*Zool.* Punaise aquatique au corps ovale, qui utilise ses pattes postérieures comme des rames, et qui nage sur le dos. 🕮 1800 ; lat. sc. *notonectum,* du gr. *nôtos,* « dos », et *nêktos,* « qui nage » ; [nɔtɔnɛkt].

**NOTORIÉTÉ, subst. f.**

**1.** Caractère de ce qui est notoire. ► Loc. *Il est de **notoriété** publique que* : chacun sait que. ► *Dr. Acte de **notoriété*** : attestant un fait notoire. **2.** Fait d'être connu, renommé en bonne part : *La **notoriété** d'un musicien.* 🕮 1404 ; ☞ *notoire* ; [nɔtɔʀjete].

**NOTRE, NOS, adj. poss.**

**1.** Qui est à nous : ***Notre** maison.* ► Qui nous est habituel, qui nous concerne : ***Nos** traditions.* **2.** Marque divers liens d'ordre affectif, social : ***Nos** amis ; **Nos** collaborateurs ; À **notre** époque.* **3.** S'emploie s'agissant d'une personne pour marquer la modestie ou, au contraire, la souveraineté : *Tel est **notre** bon plaisir.* **4.** Marque un intérêt partagé pour qqn, qqch. : ***Notre** héros revient de loin.* 🕮 842 ; lat. *noster* ; [nɔtʀ, no].

**NÔTRE, adj. poss., pron. poss. et subst.**

Adj. Adjectif possessif des deux genres, toujours attribut. Qui est à nous, de nous (littér.) : *Ces terres sont **nôtres**.* Pron. Précédé de « le », « la », « les ». Ce qui nous appartient, nous concerne : *Ton avis n'est pas le **nôtre**.* Subst. sing. *Nous y avons mis du **nôtre*** : de la bonne volonté. Subst. plur. Nos parents, nos amis, nos proches : *Soyez des **nôtres**, ce soir* : joignez-vous à nous. 🕮 XIe s. ; lat. *nostrum,* de *noster* ; [notʀ].

**NOTRE-DAME, subst. f. inv.**

*Cath.* **1.** Titre donné à la Vierge Marie. **2.** Nom d'une église consacrée à la Vierge. 🕮 Mil. XIIe s. ; comp. de *notre* et de *dame* (I) ; [nɔtʀədam].

**NOTULE, subst. f.**

Courte annotation portée dans un texte. 🕮 1495 ; bas lat. *notula* ; [nɔtyl].

**NOUAGE, subst. m.**

*Text.* Action de nouer les fils d'une chaîne achevée à ceux de la chaîne suivante. 🕮 1874 (1603, *nouage d'aiguillette,* impuissance) ; ☞ *nouer* ; [nwaʒ].

**NOUAISON, subst. f.**

*Arboric.* Transformation de la fleur en fruit (synon. *nouure*). 🕮 1948 ; ☞ *nouer* ; [nwɛzɔ̃].

**NOUBA, subst. f.**

**1.** Vx. Musique des anciens régiments de tirailleurs d'Afrique du Nord. **2.** Fête (fam.). 🕮 1897 ; ar. *nawba,* « orchestre, fanfare » ; [nuba].

**NOUE (I), subst. f.**

*Constr.* **1.** Bande de plomb, de zinc, rangée de tuiles creuses servant, à l'intersection de deux pans de couverture, à l'écoulement des eaux de pluie. **2.** Angle rentrant formé par l'intersection de deux combles ; pièce de charpente supportant cette jonction. 🕮 1223 ; lat. pop. °*nauca,* du lat. *navis,* « bateau » ; [nu].

**NOUE (II), subst. f.**

Terrain gras et marécageux, utilisé comme pâturage. 🕮 1294 ; lat. médiév. °*nauda,* d'orig. gaul. ; [nu].

**NOUER, verbe trans.** [3]

**1.** Faire un nœud à (un lien) ; unir (deux liens) par un nœud : ***Nouer** un foulard, ses lacets.* **2.** Assembler, envelopper avec un lien : ***Nouer** ses cheveux, un fagot.* ► Fig. Serrer, contracter ; empl. adj. : *Avoir la gorge **nouée** par l'émotion.* **3.** Fig. Établir (un lien) avec une personne, un groupe : ***Nouer** une relation durable.* **4.** Organiser, échafauder, ourdir (littér.) : ***Nouer** un complot.* ► *Litt.* Agencer les éléments de (l'action, l'intrigue) ; empl. pronom. : *Le drame se **noue**.* 🕮 Mil. XIIe s. ; lat. *nodare* ; [nwe].

**NOUEUX, EUSE, adj.**

**1.** Qui présente de nombreux nœuds : *Bois **noueux**.* **2.** Qui présente des nodosités : *Mains **noueuses**.* 🕮 Déb. XIIIe s. ; lat. *nodosus* ; [nuø, øz] ou [nwø, øz].

**NOUGAT, subst. m.**

Confiserie à base de sucre, de blancs d'œufs et de miel, garnie d'amandes, de noisettes ou de pistaches grillées : ***Nougat** de Montélimar.* ► Loc. *C'est du **nougat** !* : c'est facile (fam. et vieilli). 🕮 1595 ; prov. *nougo,* « noix », du lat. pop. °*nuca* ; [nuga].

**NOUGATINE, subst. f.**

Nougat de couleur brune, fait de caramel dur et d'amandes broyées. 🕮 1908 ; ☞ *nougat* ; [nugatin].

**NOUILLE, subst. f.**

**1.** Pâte alimentaire coupée en lanières plates (gén. au plur.). **2.** Anal. Personne molle, sotte (fam. et péj.). **3.** *Arts déc.* En appos. : *Style **nouille**,* style décoratif des années 1900. 🕮 1765 ; all. *Nudel* ; [nuj].

**NOULET, subst. m.**

*Constr.* Assemblage de noues, à la jonction de toits de hauteur différente. 🕮 1314 ; ☞ *noue* (I) ; [nulɛ].

**NOUMÈNE, subst. m.**

*Philos.* La chose en soi, définie par Kant comme un pur objet de l'entendement tel que pourrait le saisir une intuition intellectuelle (anton. *phénomène*). 🕮 1801 ; all. *Noumenon,* du gr. *nooumena,* « ce qui est pensé » ; [numɛn].

**NOUNOU, subst. f.**

Nourrice, dans le langage enfantin. 🕮 1857 ; ☞ *nourrice* ; [nunu].

**NOURRAIN, subst. m.**

**1.** Alevin destiné au peuplement d'un étang. **2.** Jeune porc qui vient d'être sevré. 🕮 1310 ; lat. pop. °*nutrimen,* « nourriture » ; var. *nourrin* ; [nuʀɛ̃].

**NOURRICE, subst. f.**

**I. 1.** Femme qui allaite un enfant. **2.** Ext. Femme q[ui] garde un enfant chez elle, moyennant rémunérati[on] (synon. *assistante maternelle*). **3.** *Zool.* Femelle q[ui] allaite. ► Insecte qui élève des larves. **II. 1.** *Tech[n.]* Réservoir ou raccord de tuyauterie. **2.** Bido[n]. 🕮 1138 ; bas lat. *nutricia,* du lat. *nutrix* ; [nuʀis].

**NOURRICERIE, subst. f.**

**1.** Lieu d'élevage des vers à soie. **2.** Lieu où l'[on] engraisse le bétail. 🕮 1823 (1334, pièce réservée a[ux] enfants) ; ☞ *nourrice* ; [nuʀisʀi].

**NOURRICIER, IÈRE, adj. et subst.**

Subst. Vx. Personne qui élève un enfant ; au mas[c.] mari de la nourrice. Adj. **1.** *Père **nourricier*** : adopt[if]. **2.** Qui procure la nourriture : *Terre **nourricièr**[e]*. **3.** Nutritif. 🕮 1190 ; ☞ *nourrice* ; [nuʀisje, jɛʀ].

**NOURRIN, voir NOURRAIN**

**NOURRIR, verbe trans.** [19]

**1.** Vx. Élever (un enfant). ► Allaiter : *Une m[ère] **nourrit** son bébé.* **2.** Fournir les aliments nécessair[es] de la nourriture à : ***Nourrir** le bétail.* **3.** Subver[nir] aux besoins, à l'entretien de : *Une famille à **nourr**[ir].* **4.** S'employer à faire durer, alimenter (qqch.) ***Nourrir** une guerre, un feu.* ► Empl. adj. Entreten[u,] dense, riche : *Un tir **nourri** ; Une réflexion **nourr**[ie].* **5.** Former (qqn), l'éduquer dans un domai[ne] (littér.) : *J'ai été **nourri** aux lettres dès mon enfan[ce]* (Descartes). **6.** Entretenir, développer (un sen[ti]ment, une pensée) : ***Nourrir** un espoir, une hai[ne] féroce.* Pronom. Manger, s'alimenter ; au fig. : ***nourrir** d'illusions.* 🕮 Xe s. ; lat. *nutrire* ; [nuʀiʀ].

**NOURRISSAGE, subst. m.**

*Agric.* Élevage et engraissement des animaux dome[s]tiques. 🕮 1482 ; ☞ *nourrir* ; [nuʀisaʒ].

**NOURRISSANT, ANTE, adj.**

Qui nourrit beaucoup ; qui est nutritif : *Un plat t[rès] **nourrissant**.* 🕮 1314 ; p. pr. de *nourrir* ; [nuʀisɑ̃, ɑ̃[t]].

**NOURRISSEUR, EUSE, subst.**

*Agric.* Éleveur qui engraisse du bétail (vieill[i]). Masc. Mangeoire à fonctionnement automatiq[ue]. 🕮 Fin XIIe s. ; ☞ *nourrir* ; [nuʀisœʀ, øz].

**NOURRISSON, subst. m.**

**1.** Enfant nourri au sein. **2.** Ext. Bébé, jeune enfa[nt] âgé de moins de deux ans. 🕮 1538 (mil. XIIe [s.,] éducation) ; bas lat. *nutritio,* « nourriture » ; [nuʀisɔ̃].

**NOURRITURE, subst. f.**

**1.** Vx. Action d'élever un enfant. **2.** Action [de] nourrir (vieilli) : *Subvenir à la **nourriture** de [sa] famille.* **3.** Ce qui entretient la vie d'un organism[e] *Chercher sa **nourriture*** ; ensemble des aliments ***Nourriture** riche, légère.* **4.** Fig. Ce qui enrichit [le] cœur, l'esprit : ***Nourriture** spirituelle.* 🕮 Déb. XIIe s[.] bas lat. *nutritura* ; [nuʀityʀ].

**NOUS, pron. pers.**

**1.** Pronom personnel de la première personne d[u] pluriel des deux genres, qui s'emploie comme suj[et,] complément d'objet direct et indirect, prono[m] réfléchi ou réciproque. Désigne la personne q[ui] parle, associée à une autre personne ou à u[n] groupe : ***Nous** partons ; Il **nous** a entendus ; **No**[us] *ne **nous** sommes jamais revus.* ► *Chez **nous*** : da[ns] notre maison, notre pays ; ***Nous** autres* : **nous,** ma[is] non les autres. **2.** S'emploie à la place de « je » po[ur] marquer la majesté ou, au contraire, la modesti[e] : ***Nous**, roi de France, sommes décidé à abdiquer ; Q[ue] le lecteur **nous** pardonne cette licence.* **3.** S'emplo[ie] pour un pronom de la deuxième ou de la troisièm[e] personne (fam.) : *Eh bien ! serions-**nous** fâché[s]* 🕮 Fin IXe s. ; lat. *nos* ; [nu].

**NOUURE, subst. f.**

**1.** État de ce qui est noué. ► *Pathol.* Déformatio[n] du corps, en partic. des parties osseuses, caractéri[s]tique du rachitisme. **2.** *Arboric.* Nouaison. 🕮 17[..] (1611, action de nouer) ; ☞ *nouer* ; [nuyʀ].

**NOUVEAU, EL, ELLE, adj. et subst.**

Adj. **1.** Qui vient d'apparaître ; qui existe ou e[st] connu depuis peu de temps : *Un **nouveau** bourgeo[is] La **nouvelle** mariée ; De **nouveaux** rivages.* ► De [la] première récolte de l'année : *Pommes de terre **no**[u]**velles*** ; par ext. : *Vin **nouveau**.* ► Qui inaugure u[n] cycle : *La **nouvelle** lune.* ► *B.-a. L'Art **nouveau*** : sty[le] artistique qui s'est répandu dans toute l'Euro[pe] dans les années 1900, touchant de nombreu[x] domaines allant de l'architecture à la danse (Lo[ïe] Fuller) en passant par les arts décoratifs (mobili[er,] papier peint, tissu, etc.) et privilégiant les lign[es] courbes « en coup de fouet » et les décors pol[...]

omes. **2.** Qui remplace qqch. ou qui s'y ajoute : *nouvel emploi* ; *De* ***nouveaux*** *succès*. ▸ Qui succède qqn dans une fonction : *Le* ***nouveau*** *pape*. Original, inédit ; qui diffère de ce que l'on naissait : ***Nouveau*** *carburant* ; ***Nouvelle*** *cuisine*. Qui semble être la réplique de qqch., de qqn : ***nouveau*** *Néron*. **5.** Qui est tel depuis peu : *uveau riche*. **6.** Loc. *De* ***nouveau*** : encore une ; *À* ***nouveau*** : de manière différente, en recommençant sur de **nouvelles** bases et, par ext., ore une fois. **Subst.** Personne qui vient d'arriver s un groupe, dans une collectivité : *La* ***nouvelle*** *bitue mal*. **Subst. masc. sing.** Ce qui est neuf, ginal ; fait récent : *Il y a du* ***nouveau***. ⚭ Déb. XIIe s. ; *novellus*, de *novus* ; masc. *nouvel* devant un mot mençant par une voyelle ou un *h* muet ; [nuvo, ɛl].
TS – L'Art nouveau entraîna un nouvel essor des étiers d'art en rompant avec le passé et en opposant un langage neuf, que les techniques de nstruction modernes permirent de mettre en uvre. Ainsi, les structures métalliques, le béton le verre ont participé à cette esthétique nouvelle, s recherchée, qu'illustrent V. Horta, avec l'hôtel ssel, à Bruxelles (1893), H. Guimard, avec les trées des stations du métro parisien, et J. M. Olch, avec le pavillon de la Sécession, à Vienne 898). En France, l'école de Nancy, animée par Gallé et L. Majorelle, reprendra à son compte tte tendance en créant des vases en pâte de verre des meubles aux lignes souples évoquant la force ganique des végétaux. *(Voir planche p. 722.)*

**NOUVEAU-NÉ, -NÉE,** adj. et subst.
. Qui vient de naître. **Subst.** Enfant âgé de elques jours (rare au fém.). ⚭ Déb. XIIe s. ; comp. *nouveau* et de *né* ; plur. *nouveau-nés, -nées* ; [nuvone].

**NOUVEAUTÉ,** subst. f.
Caractère de ce qui est nouveau, original : *La* ***nouveauté*** *d'une idée* ; empl. abs. : *Aimer la* ***nouveauté***. **2.** Méton. Chose nouvelle ou inattendue. Œuvre nouvellement parue : *Les* ***nouveautés*** *de la rentrée littéraire*. ▸ Produit nouveau (gén. au plur.) : ***nouveautés*** *des grands couturiers*. ⚭ Fin XIIIe s. (mil. s., nouvelle situation) ; ☞ *nouveau* ; [nuvote].

**NOUVEL,** voir **NOUVEAU**

**NOUVELLE (I),** subst. f.
mière annonce d'un évènement récent ; cet nement lui-même : *Connaissez-vous la* ***nouvelle*** *?* *a bonne* ***nouvelle*** : l'Évangile. **Plur. 1.** Renseignements sur l'état, la situation de qqn : *J'attends de* ***nouvelles***. ▸ *Il va avoir de mes* ***nouvelles*** : je vais manifester mon désaccord, régler mes comptes c lui (fam.). **2.** Informations données par les dias : *L'heure des* ***nouvelles***. ⚭ XIe s. ; lat. pop. *vella*, du lat. *novellus* ; [nuvɛl].

**NOUVELLE (II),** subst. f.
. Œuvre de fiction caractérisée par la brièveté récit, le petit nombre de personnages, l'unicité l'intrigue. ⚭ 1414 ; ital. *novella* ; [nuvɛl].

**NOUVELLEMENT,** adv.
puis peu de temps ; récemment : *Livre* ***nouvellement*** *paru*. ⚭ 1155 ; ☞ *nouveau* ; [nuvɛlmɑ̃].

**NOUVELLISTE,** subst.
. Auteur de nouvelles. ⚭ 1640 ; ☞ *nouvelle* (II) ; vɛlist].

**NOVA,** subst. f.
*tron*. Étoile qui devient brusquement très brillante, avant de s'éteindre lentement. La **nova** est e étoile naine blanche qui fait partie d'un système uble : elle reçoit de la matière qui est éjectée par seconde composante du système, dans une ération d'énergie qui fait exploser ses couches ernes. ⚭ Fin XIXe s. ; lat. *nova*, de *novus*, « nouveau » ; r. *novae, novæ* ; [nɔva], plur. [-ve].

**NOVATEUR, TRICE,** subst. et adj.
**bst.** Personne qui innove. **Adj.** Qui innove : *Idées* ***novatrices***. ⚭ 1578 ; lat. *novator* ; [nɔvatœʀ, tʀis].

**NOVATION,** subst. f.
*Dr*. Substitution d'une obligation nouvelle à une cienne. **2.** Innovation, nouveauté (littér.) : *L'es-t de* ***novation***. ⚭ 1307 ; bas lat. *novatio*, « renouvellement » ; [nɔvasjɔ̃].

**NOVATOIRE,** adj.
. Relatif à une novation. ⚭ 1874 ; ☞ *novation* ; vatwaʀ].

**NOVELETTE,** subst. f.
*s*. Petite pièce pour piano. ⚭ Fin XIXe s. ; *Novelettes*, e d'une œuvre de Schumann, de l'ital. *novella*, « récit », de l'anthropon. *Clara Novello*, cantatrice ; [nɔvlɛt].

**NOVÉLISATION,** subst. f.
Transformation d'un film, d'un scénario en un roman. ⚭ V. 1980 ; angl. *novelization*, de *novel*, « roman » ; var. *novellisation* ; [nɔvelizasjɔ̃].

**NOVEMBRE,** subst. m.
Onzième mois de l'année. ⚭ 1119 ; lat. *november*, de *novem*, « neuf », ce mois étant le neuvième de l'année romaine ; [nɔvɑ̃bʀ].

**NOVER,** verbe trans. [3]
*Dr*. Renouveler (une obligation) ; empl. abs., effectuer une novation. ⚭ 1868 ; lat. *novare* ; [nɔve].

**NOVICE,** adj. et subst.
**Adj.** Inexpérimenté : *Être* ***novice*** *dans le métier*. **Subst.** Personne qui débute dans un domaine, une activité. ▸ *Relig*. Personne qui accomplit son noviciat. ▸ *Mar*. Apprenti matelot. ⚭ 1175 ; lat. *novicius*, « nouveau, récent » ; [nɔvis].

**NOVICIAT,** subst. m.
*Relig*. **1.** Temps de préparation et de formation à la vie conventuelle, pendant lequel les novices éprouvent leur foi avant de prononcer des vœux définitifs. **2.** Institution ou partie d'un couvent réservée aux novices. ⚭ 1535 ; ☞ *novice* ; [nɔvisja].

**NOYADE,** subst. f.
Action de noyer un être vivant ; fait de se noyer. ⚭ 1794 ; ☞ *noyer* (I) ; [nwajad].

**NOYAU,** subst. m.
**I.** Partie centrale et dure d'un fruit : ***Noyau*** *de cerise* ; *Liqueur de* ***noyaux***. ▸ *Bot*. Endocarpe épaissi et ligneux de certains fruits charnus (drupes), qui renferme la ou les amandes. **II.** Partie, élément central. **1.** *Techn*. ▸ *Archit*. ***Noyau*** *d'escalier* : colonne centrale d'où rayonnent les marches. ▸ *Électr*. Dans un moteur ou un alternateur, pièce magnétique entourée d'un bobinage. ▸ *Métall*. Pièce de matière réfractaire introduite dans un moule pour obtenir les parties creuses de la forme coulée. **2.** *Sc*. ▸ *Anat*. Groupement de neurones dans le système nerveux central. ▸ *Astron*. Partie centrale d'un corps céleste, gén. en phase solide : ***Noyau*** *cométaire, planétaire*. ▸ *Biol*. Compartiment cellulaire délimité par un système de double membrane qui contient les chromosomes, donc la majorité du patrimoine héréditaire de l'organisme (les mitochondries en détiennent une petite part). ▸ *Géol*. Partie centrale du globe terrestre, composée d'une zone interne dense (la graine) et d'une zone externe en contact avec le manteau. ▸ *Math*. ***Noyau*** *d'une application linéaire d'un espace vectoriel E dans un espace vectoriel F* : sous-espace vectoriel de E constitué des vecteurs dont l'image par cette application est le vecteur nul de F. ▸ *Météor*. ***Noyaux*** *de condensation* : fines particules qui peuvent servir de support aux gouttelettes dans l'atmosphère et qui jouent un rôle fondamental dans la formation des nuages et des précipitations. ▸ *Phys*. Élément constitutif de l'atome, formé de nucléons liés par interaction forte et autour duquel gravitent les électrons. **III.** Fig. Petit groupe d'individus à partir duquel se forme un ensemble plus vaste ; élément cohérent et minoritaire au sein d'une communauté neutre ou hostile. ▸ ***Noyau*** *de résistance* : petit groupe isolé menant des actions de harcèlement contre l'ennemi. ▸ Loc. ***Noyau*** *dur* : partie irréductible et très déterminée d'un groupe et, en partic., petit groupe d'actionnaires détenant le pouvoir de décision dans une société industrielle ou commerciale. ⚭ Déb. XIIIe s. ; bas lat. *nucalis*, « semblable à une noix », ou lat. pop. °*nodellus*, du lat. *nodus*, « nœud » ; [nwajo].

**NOYAUTAGE,** subst. m.
**1.** *Pol*. Tactique consistant à introduire dans une collectivité (parti, syndicat, armée, etc.) des militants isolés chargés de la déstabiliser, de l'affaiblir ou d'en prendre le contrôle. **2.** *Métall*. Fabrication des noyaux de moules de fonderie. ⚭ 1920 ; ☞ *noyauter* ; [nwajotaʒ].

**NOYAUTER,** verbe [3]
**Trans.** Procéder au noyautage de (une collectivité). **Intrans.** *Métall*. Fabriquer un noyau de moule de fonderie. ⚭ 1920 ; ☞ *noyau* ; [nwajote].

**NOYÉ, ÉE,** adj. et subst.
Se dit d'une personne morte par noyade, ou en train de se noyer. **Adj. 1.** Inondé : *Yeux* ***noyés*** *de larmes*. **2.** Perdu dans un ensemble : ***Noyé*** *dans la foule*. ⚭ Fin XIIe s. ; p. p. de *noyer* (I) ; [nwaje].

**NOYER (I),** verbe trans. [17]
**1.** Faire mourir par asphyxie, en immergeant dans un liquide. **2.** Recouvrir d'eau, inonder : *Le fleuve en crue a* ***noyé*** *la vallée*. ▸ ***Noyer*** *le carburateur* : en empêcher le fonctionnement en faisant affluer trop d'essence. ▸ Fig. ***Noyer*** *une révolte dans le sang* : la réprimer de façon meurtrière ; ***Noyer*** *son chagrin dans l'alcool* : s'enivrer pour oublier ; ***Noyer*** *son propos dans des digressions* : le délayer, le rendre confus. **3.** Faire disparaître dans une masse : ***Noyer*** *des conduits dans du ciment*. **4.** Diluer fortement, gén. avec de l'eau : ***Noyer*** *son vin*. **5.** Loc. ***Noyer*** *le poisson* : le fatiguer, après l'avoir ferré, pour l'amener à la surface ou, au fig., rendre son discours confus pour éluder une question. **Pronom. 1.** Mourir asphyxié par immersion. **2.** Disparaître, se fondre (dans un ensemble plus vaste). ▸ Fig. Se perdre, s'anéantir : *Se* ***noyer*** *dans le désespoir, dans les plaisirs*. ▸ Loc. *Se* ***noyer*** *dans un verre d'eau* : ne pas réussir à surmonter un obstacle mineur. ⚭ Déb. XIIe s. ; lat. *necare*, « tuer » ; [nwaje].

**NOYER (II),** subst. m.
**1.** *Bot*. Grand arbre de la famille des Juglandacées, dont le fruit est la noix. **2.** Bois de cet arbre. ⚭ Mil. XIIe s. ; lat. pop. °*nucarius*, du lat. *nux*, « noix » ; [nwaje].

**Np,** voir **NEPTUNIUM**

**NU (I), NUE,** adj. et subst. m.
**Adj. 1.** Qui n'est couvert d'aucun vêtement : *Se mettre tout* ***nu*** ; *Torse* ***nu*** ; *Être* ***nu-pieds, nu-tête***. **2.** Qui est dépourvu des éléments qui l'accompagnent, qui l'équipent habituellement : *Un arbre* ***nu*** ; *Un appartement* ***nu***. ▸ Loc. *Combattre à mains* ***nues*** : sans armes ; *À l'œil* ***nu*** : sans instrument d'optique. ▸ Dr. *Titre* ***nu*** : charge reprise sans la clientèle. **3.** Fig. Dépourvu d'ornement, d'artifice : *Un style* ***nu*** ; *La vérité toute* ***nue***. **Subst. 1.** *B.-a*. Genre consistant à représenter le corps humain dénudé et, par méton., une œuvre de ce genre : *Un* ***nu*** *de Renoir*. **2.** *Bât*. ***Nu*** *de mur* : partie droite et lisse. **3.** Loc. **À nu**. Sans vêtements (vx) ; à découvert : *Un os à* ***nu***, débarrassé de la chair qui l'entoure. ▸ Fig. *Mettre son cœur à* ***nu***, *se mettre à* ***nu*** : dévoiler ses sentiments. ⚭ 1080 ; lat. *nudus* ; [ny].

*Étude de nu pour* Sardanapale,
*pastel d'Eugène Delacroix (1798-1863).*
*Musée du Louvre, Paris.*

**NU (II),** subst. m. inv.
Treizième lettre de l'alphabet grec ($\nu$, N), qui correspond au *n* français. ⚭ Mot gr. ; [ny].

**NUAGE,** subst. m.
**1.** *Météor*. Ensemble visible de fines particules d'eau ou de glace, en suspension dans l'atmosphère. ▸ Loc. *Être, vivre dans les* ***nuages*** : être distrait ; *Descendre de son* ***nuage*** : quitter le rêve et revenir à la réalité. **2.** Anal. Ce qui évoque un **nuage** : *Un* ***nuage*** *de poussière* ; *Un* ***nuage*** *de lait*, lait ajouté en petite quantité au thé ou au café. **3.** Fig. Ce qui trouble la sérénité ; ce qui menace : *Futur chargé de* ***nuages***. ⚭ 1564 ; ☞ *nue* ; [nɥaʒ].
**MÉTÉOROLOGIE** – Les nuages se forment par condensation de l'air humide chaud au contact de l'air froid d'une perturbation : à l'avant (front chaud), on observe, de bas en haut, des nimbostratus, pluvieux, des cumulus et des strato-

cumulus, des altostratus, des cirrostratus et, vers 7 000 m, des cirrus ; à l'arrière (front froid), ce sont les cumulonimbus, responsables des grains, puis les cumulus du ciel de traîne. Dans les orages, les cumulus congestus, cumulonimbus et altocumulus castellanus ont un très grand développement vertical qui crée, entre la base et le sommet du système nuageux, de notables différences de température (grêle) et de potentiel électrique (foudre, éclair). Les nuages produisent aussi des précipitations en se refroidissant sur le relief (pluie, neige de montagne).

**NUAGEUX, EUSE,** adj.
**1.** *Météor.* Couvert de nuages. ▶ *Système* ***nuageux*** : masse de nuages associée à une perturbation. **2.** Anal. ▶ Comparable à un nuage : *Un tissu* ***nuageux***, vaporeux. ▶ D'un gris clair non uniforme. **3.** Fig. Confus, imprécis : *Esprit, raisonnement* ***nuageux***. 1549 ; ☞ *nuage* ; [nɥaʒø, øz].

**NUANCE,** subst. f.
**1.** Chacun des degrés, des tons que peut prendre une même couleur : ***Nuance*** *claire, foncée* ; *Des* ***nuances*** *de bleu* ; par anal. : *Les* ***nuances*** *d'un parfum*. ▶ *Mus.* Degré d'intensité d'un son. **2.** Différence subtile entre des choses de même nature : ***Nuances*** *du langage, d'une pensée*. ▶ Loc. *Être tout en* ***nuances*** : en subtilités ; *Être sans* ***nuances*** : intransigeant, sans finesse. **3.** Trace presque indiscernable ; soupçon : *Une* ***nuance*** *de regret*. 1380 ; ☞ *nué* ; [nɥɑ̃s].

**NUANCER,** verbe trans. [4]
**1.** Varier légèrement l'intensité, la valeur de (une couleur) selon la gamme de ses nuances ; empl. adj. : *Teinte* ***nuancée***. **2.** Introduire des nuances dans : ***Nuancer*** *une pensée*. ▶ Atténuer, tempérer : ***Nuancer*** *sa joie*. ▶ Empl. adj. Qui dénote une certaine prudence, qui n'est pas tranché : *Opinion* ***nuancée***. Déb. XVIIe s. ; ☞ *nuance* ; [nɥɑ̃se].

**NUANCIER,** subst. m.
Catalogue, palette déclinant les divers coloris d'un produit, les différentes nuances d'une couleur. 1953 ; ☞ *nuance* ; [nɥɑ̃sje].

**NUBILE,** adj.
En âge d'être marié ; par ext., pubère (gén. employé pour les filles). 1509 ; lat. *nubilis* ; [nybil].

**NUBILITÉ,** subst. f.
État d'un adolescent nubile ; par ext., puberté (gén. pour les filles). 1750 ; ☞ *nubile* ; [nybilite].

**NUBUCK,** subst. m.
Cuir de bovin traité, ressemblant au daim. 1951 ; prob. angl. *new*, « nouveau », et *buck*, « daim » ; [nybyk].

**NUCAL, ALE, AUX,** adj.
*Anat.* De la nuque. 1837 ; ☞ *nuque* ; [nykal, o].

**NUCELLE,** subst. m.
*Bot.* Massif cellulaire diploïde remplissant chaque ovule jeune. 1838 ; lat. *nucella*, « petite noix » ; [nysɛl].

**NUCLÉAIRE,** adj.
**1.** *Biol.* Relatif au noyau de la cellule : *Membrane* ***nucléaire***. **2.** *Phys.* Relatif au noyau de l'atome et à ses particules : *Réaction* ***nucléaire***, transformation spontanée ou provoquée des noyaux atomiques ; *Réacteur* ***nucléaire***, système permettant de réaliser des réactions de fission contrôlées. **3.** *Techn.* Qui produit ou utilise, à des fins civiles ou militaires, l'énergie dégagée par des réactions de fission ou de fusion des noyaux atomiques, en partic. de ceux d'éléments radioactifs : *Centrale* ***nucléaire*** ; *Armes* ***nucléaires*** ; *Les puissances* ***nucléaires***, les pays qui possèdent des armes **nucléaires** ; empl. subst. masc., l'énergie, l'industrie **nucléaire**. **4.** *Anthropol. Famille* ***nucléaire*** : réduite au père, à la mère et aux enfants. 1857 (1840, relatif au noyau du fruit) ; lat. *nucleus*, « noyau » ; [nykleɛʀ].

**NUCLÉARISATION,** subst. f.
Action de nucléariser ; son résultat. 1959 ; ☞ *nucléaire* ; [nykleaʀizasjɔ̃].

**NUCLÉARISER,** verbe trans. [3]
Doter (un pays) de l'énergie nucléaire, d'armes nucléaires ; empl. adj. : *Pays* ***nucléarisés***. V. 1980 ; ☞ *nucléaire* ; [nykleaʀize].

**NUCLÉASE,** subst. f.
*Biochim.* Enzyme qui catalyse la scission des acides nucléiques. 1907 ; lat. *nucleus*, « noyau » ; [nykleɑz].

**NUCLÉÉ, ÉE,** adj.
*Biol.* Qui contient un ou plusieurs noyaux. 1855 ; lat. *nucleus*, « noyau » ; [nyklee].

**NUCLÉIDE,** subst. m.
*Phys. nucl.* Noyau atomique caractérisé par ses nombres de protons et de neutrons. V. 1970 ; lat. *nucleus*, « noyau », + *-ide* ; var. *nuclide* ; [nykleid].

**NUCLÉIQUE,** adj.
*Biochim.* Qualifie deux types de polynucléotides de très haute masse moléculaire, les A. D. N. et les A. R. N. Les A. D. N. sont les molécules biologiques les plus longues, ils renferment les gènes au niveau des chromosomes ; les A. R. N., beaucoup plus petits, sont exportés dans le cytoplasme où ils dirigent la synthèse des protéines. 1897 ; lat. *nucleus*, « noyau » ; [nykleik].

**NUCLÉOLE,** subst. m.
*Biol.* Organite nucléaire présent à l'interphase où se déroule la synthèse d'A. R. N. ribosomique et où les ribosomes s'élaborent. 1844 ; bas lat. *nucleolus*, « petit noyau » ; [nykleɔl].

**NUCLÉON,** subst. m.
*Phys. part.* Particule constitutive du noyau atomique : *Le proton et le neutron sont des* ***nucléons***. 1923 ; lat. *nucleus*, « noyau » ; [nykleɔ̃].

**NUCLÉONIQUE,** adj. et subst. f.
ADJ. Relatif au nucléon. SUBST. Branche de la physique qui étudie le noyau des atomes. 1950 ; ☞ *nucléon* ; [nykleɔnik].

**NUCLÉOPHILE,** adj. et subst. m.
*Chim.* Se dit d'un ion ou d'une molécule pouvant fournir des électrons. Les composés **nucléophiles** sont souvent des agents oxydants. V. 1960 ; formé de *nucléo-* et de *-phile* ; [nykleɔfil].

**NUCLÉOPROTÉINE,** subst. f.
*Biochim.* Association plus ou moins stable d'une molécule d'acide nucléique et de molécules protéiques généralement basiques. 1922 ; ☞ *protéine* + *nucléo-* ; [nykleɔpʀɔtein].

**NUCLÉOSIDE,** subst. m.
*Biochim.* Association covalente d'un pentose (ribose ou désoxyribose) avec une base purique (adénine ou guanine) ou pyrimidique (cytosine et thymine pour l'A. D. N. ou uracile pour l'A. R. N.). 1907 ; ☞ *oside* + *nucléo-* ; [nykleɔzid].

**NUCLÉOTIDE,** subst. m.
*Biochim.* Association covalente d'un nucléoside et d'une ou de plusieurs molécules d'acide phosphorique. Les nucléotides triphosphates sont les monomères utilisés pour la synthèse des acides nucléiques. L'ordre selon lequel se succèdent les nucléotides d'un acide nucléique constitue l'information génétique. V. 1960 ; formé de *nucléo-* et de *-ide* ; [nykleɔtid].

**NUCLÉUS,** subst. m.
**1.** *Préhist.* Bloc de pierre dans lequel ont été débités, par percussion, des éclats, des lames. **2.** *Anat.* ***Nucléus*** *pulposus* : partie gélatineuse du disque intervertébral. 1867 (1855, noyau de cellule) ; lat. *nucleus*, « noyau » ; var. *nucleus* ; [nykleys].

**NUCLIDE,** voir **NUCLÉIDE**

**NUDIBRANCHES,** subst. m. plur.
*Zool.* Sous-ordre de mollusques gastéropodes opisthobranches, aquatiques, aux couleurs vives, gén. marins, sans coquille et aux branchies nues, appelés aussi limaces de mer. AU SING. *La doris est un* ***nudibranche***. 1817 ; lat. *nudus*, « nu », et *branchia*, « branchie » ; [nydibʀɑ̃ʃ].

**NUDISME,** subst. m.
Doctrine préconisant la vie au grand air dans un état de nudité complète ; fait de vivre nu. 1932 ; lat. *nudus*, « nu » ; [nydism].

**NUDISTE,** subst. et adj.
Se dit d'une personne qui pratique le nudisme. ADJ. Relatif au nudisme. 1932 (1929, peintre de nus) ; lat. *nudus*, « nu » ; [nydist].

**NUDITÉ,** subst. f.
**1.** État d'une personne nue ; par ext., état d'une partie du corps dénudée : *La* ***nudité*** *des épaules*. **2.** État de ce qui est dépouillé, dégarni de tout ornement : ***Nudité*** *d'un paysage, d'une pièce*. **3.** Fig. ▶ Sobriété dans le style, dans l'expression. ▶ État de ce qui se montre dans sa vérité : *La* ***nudité*** *de l'âme*. **4.** *B.-a.* Représentation d'un nu. Mil. XIVe s. ; bas lat. *nuditas* ; [nydite].

**NUE,** subst. f.
Vieilli ou Littér. Nuage ; ensemble de nuages ; par ext., le ciel, l'espace. PLUR. Loc. ▶ *Élever, porter aux* ***nues*** *qqch., qqn* : louer, vanter ses mérites de façon excessive. ▶ *Tomber des* ***nues*** : être très étonné par un évènement que l'on n'attendait pas. Déb. XIIe s. pop. °*nuba*, du lat. *nubes*, « nuage » ; [ny].

**NUÉ, ÉE,** adj.
**1.** Vx. De couleurs nuancées : *Opale* ***nuée***. **2.** *Tec Or* ***nué*** : fil d'or nuancé qui forme le fond d ouvrage brodé de soie. Fin XIIe s. ; ☞ *nue* ; [n

**NUÉE,** subst. f.
**1.** Littér. Nuage étendu, épais : ***Nuée*** *orage* **2.** Anal. Vapeur ressemblant à un nuage. **3.** G ***Nuée*** *ardente* : projection de fragments soli accompagnée de gaz en combustion à très ha température, caractéristique d'une éruption de t péléen. **4.** Grand nombre ; amas dense et compa ***Nuée*** *de guêpes*. Fin XIIe s. ; ☞ *nue* ; [nɥe] ou [n

**NUE-PROPRIÉTAIRE,**
voir **NU-PROPRIÉTAIRE**

**NUE-PROPRIÉTÉ,** subst. f.
*Dr.* Bien dont on a la propriété mais non jouissance. 1765 ; comp. de *nu* (I) et de *proprié* plur. *nues-propriétés* ; [nypʀɔpʀijete].

**NUIRE,** verbe trans. indir. [69]
Nuire à. **1.** Causer du tort, faire du mal à (qqr ***Nuire*** *à un rival* ; empl. abs. : *Agir avec l'intent de* ***nuire*** ; *Mettre hors d'état de* ***nuire*** ; *Abondance biens ne* ***nuit*** *pas* (proverbe) ; empl. pronom. : *se sont* ***nui***. **2.** Faire obstacle à (qqch.) ; constit une entrave, un danger pour (qqch.) : *Fumer* *à la santé*. Déb. XIIe s. ; lat. *nocere* ; [nɥiʀ].

**NUISANCE,** subst. f.
**1.** Vx. Caractère de ce qui nuit ; par méto dommage. **2.** Facteur qui a une incidence néga sur la santé, l'environnement ou la qualité de (souv. au plur.). Déb. XIIe s. ; ☞ *nuire* ; [nɥiz

**NUISETTE,** subst. f.
Courte chemise de nuit. V. 1960 ; crois. de et de *chemisette* ; [nɥizɛt].

**NUISIBLE,** adj.
**1.** Qui nuit, qui est de nature dangereuse ; qui p causer des dégâts : *Habitude, substance* ***nuisi*** **2.** *Zool.* Se dit d'un animal qui cause des dégâ empl. subst. masc., un tel animal. Fin XIVe s. ; *nocibilis* ; [nɥizibl].

**NUIT,** subst. f.
**1.** Temps qui s'écoule du coucher au lever du sol *Les longues* ***nuits*** *d'hiver*. **2.** Ce temps, consacré sommeil ou à une autre activité : *Une* ***nuit*** *blanc* sans dormir. ▶ Loc. *La* ***nuit*** *porte conseil* (☞ *conse* **3.** Obscurité qui règne pendant ce temps : *La t bée de la* ***nuit*** ; par ext. : *Il fait* ***nuit***, il fait somb ▶ *Bleu (de)* ***nuit*** : bleu très foncé. **4.** Prix d'une n passée à l'hôtel. **5. De nuit.** ▶ Qui est nocturn *Vol de* ***nuit*** ; *Travail de* ***nuit*** ; *Papillon de* ***nuit***. ▶ est utile la **nuit** : *Table de* ***nuit***. **6.** Loc. ***Nuit*** *jour* : continuellement ; *C'est le jour et la* ***nuit*** : différence est énorme ; *La* ***nuit*** *des temps* : le pa le plus reculé. Fin Xe s. ; lat. *nox* ; [nɥi].

**NUITAMMENT,** adv.
De nuit ; à la faveur de la nuit. 1328 ; bas *noctanter* ; [nɥitamɑ̃].

**NUITÉE,** subst. f.
**1.** Vx. Durée d'une nuit. **2.** Séjour d'une nuit da un lieu d'hébergement payant, en partic. dans hôtel. Fin. XIIe s. ; ☞ *nuit* ; [nɥite].

**NUL, NULLE,** adj. et pron.
ADJ. INDÉF. Pas un, aucun (en gén. accompag d'une négation) : ***Nul*** *homme n'est immortel* ; *autre que lui ne pouvait mieux faire* ; *N'ayez n crainte* ; ***Nulle*** *part*, en aucun lieu ; *Sans* ***nul*** *dou* assurément. PRON. INDÉF. Pas une personne : *l'impossible,* ***nul*** *n'est tenu*. ADJ. **1.** Qui n'existe pa qui est sans effet ; qui se réduit à rien : *Un ris* ***nul***. ▶ *Sp. Match* ***nul*** : au terme duquel les adv saires sont à égalité. **2.** Qui n'a aucune valeu *Un livre* ***nul***. ▶ Qui est ignare ou incapable : *Un é* ***nul*** ; *Être* ***nul*** *dans un domaine* ; empl. subst. : Q ***nul*** *!* **3.** *Spéc.* ▶ *Dr.* Qui est entaché de null absolue ou relative, et, à ce titre, privé d'effe *Bulletins blancs ou* ***nuls***. ▶ *Math.* Dont la valeur, la mesure, est zéro : *Fonction (numérique)* ***nulle*** *un ensemble E*, qui, à tout élément de E, associe nombre zéro ; *Polynôme* ***nul***, dont tous les coe cients sont **nuls**. 842 ; lat. *nullus* ; [nyl].

**NULLARD, ARDE,** adj. et subst.
Se dit d'une personne tout à fait incompéten nulle (fam. et péj.). 1953 ; ☞ *nul* ; [nylaʀ, aʀ

**NULLEMENT,** adv.
ıcunement. Fin XIII^e s. ; ☞ *nul* ; [nylmã].

**NULLIPARE,** adj. et subst. f.
*léd.* Se dit d'une femme qui n'a jamais accouché. *Zool.* Se dit d'une femelle qui n'a pas encore porté. 1865 ; lat. *nullus*, « nul », + *-pare* ; [nyllipaʀ].

**NULLITÉ,** subst. f.
*Dr.* Caractère d'un acte juridique qui n'a pas de aleur légale par suite d'un vice de forme ou de ınd : *Cas de **nullité** d'un mariage.* **2.** Caractère d'une ıose nulle ou d'une personne incapable : *La **nullité** un argument, d'un arbitre* ; par méton., personne ulle, incapable (fam.) : *Quelle **nullité**, cet acteur !* 1405 ; lat. médiév. *nullitas* ; [nyllite].

**NUMÉRAIRE,** adj. et subst. m.
**DJ.** Qui sert à compter (vx). ▸ *Valeur **numéraire*** : aleur légale des espèces monnayées. **SUBST.** Enmble des espèces monnayées, pièces et billets, ır oppos. à la monnaie scripturale : *Paiement en **uméraire**.* 1561 ; bas lat. *numerarius*, « relatif au ımbre ; calculateur » ; [nymeʀɛʀ].

**NUMÉRAL, ALE, AUX,** adj.
Qui désigne, représente un nombre : *Système **uméral*** ; *Lettres **numérales**,* qui désignent des ombres dans les numérations antiques. **2.** *Gramm.* ui, dans une série, indique un nombre (adjectif **uméral** cardinal) ou un rang (adjectif **numéral** rdinal) ; empl. subst. masc., adjectif **numéral**. 1475 ; bas lat. *numeralis* ; [nymeʀal, o].

**NUMÉRATEUR,** subst. m.
*lath.* Dans l'écriture fractionnaire *a/b*, terme *a* de fraction. 1484 ; bas lat. *numerator*, « celui qui ımpte » ; [nymeʀatœʀ].

**NUMÉRATION,** subst. f.
Action de compter ; son résultat. **2.** *Arithm.* ıçon de nommer et d'écrire les nombres : *Système **numération**,* ensemble de règles conventionnelles ermettant d'exprimer la quantité à l'aide de ımboles ; *Base de **numération**,* nombre de chiffres ui servent à former les autres nombres ; ***Numéraon décimale***, à base 10 (0 à 9) ; ***Numération binaire***, base 2 (0 et 1). **3.** *Biol.* ***Numération** globulaire* : énombrement des globules rouges et blancs dans mm³ de sang. 1435 ; lat. *numeratio*, « action de ımpter de l'argent » ; [nymeʀasjɔ̃].

**NUMÉRIQUE,** adj.
*Math.* Qui se rapporte aux nombres : *Calcul **umérique***, par oppos. au calcul algébrique, qui tilise des lettres. ▸ *Fonction **numérique*** : fonction valeurs dans l'ensemble ℝ des nombres réels. *Analyse **numérique*** : qui concerne la résolution **umérique** approchée de problèmes divers, s'exrimant notamment par des équations différenelles, intégrales ou matricielles. **2.** *Techn.* Se dit des ıstèmes qui utilisent des lettres, des chiffres en partic. 0 et 1) ou des valeurs discrètes de ertains signaux (en partic. la tension d'un couınt électrique) pour la représentation d'informaons (par oppos. à *analogique*) ; qui représente des randeurs physiques au moyen de chiffres (synon. éconseillé *digital*). **3.** Qui se traduit par un ombre ; évalué en nombre : *Infériorité **numérique**.* 1616 ; lat. *numerus*, « nombre » ; [nymeʀik].

**NUMÉRIQUEMENT,** adv.
elativement au nombre ; en nombre. 1762 697, par le moyen de l'arithmétique) ; ☞ *numérique* ; ıymeʀikmã].

**NUMÉRO,** subst. m.
. Chiffre ou nombre attribué à une chose, permetınt de la distinguer ou indiquant sa place dans ne série (abrév. : n°) : *Un **numéro** de page, de léphone.* ▸ *Chim. **Numéro** atomique* (☞ *atomique*). Loc. **Numéro un.** Personne la plus importante ans une hiérarchie : *Le **numéro** un du parti* ; en ppos. : *L'ennemi public **numéro** un*, principal. . Nombre utilisé dans les tirages au sort, les jeux e loterie : *Le **numéro** gagnant.* ▸ Loc. *Tirer le bon **uméro*** : être favorisé par la chance. **3.** Chacune es livraisons d'une publication périodique : *Vente **u numéro**.* ▸ Loc. *Suite au prochain **numéro*** : la suite iendra plus tard (fam.). **4.** Élément d'un proramme de spectacle de cirque ou de variétés. ▸ Loc. *aire son **numéro*** : se donner en spectacle (fam.). . Personne originale (fam.) : *C'est un sacré **nuéro** !* 1589 ; ital. *numero*, du lat. *numerus* ; [nymeʀo].

**NUMÉROLOGIE,** subst. f.
tude divinatoire fondée sur l'analyse numérique e caractéristiques individuelles (nom, prénom, date de naissance, etc.). V. 1950 ; ☞ *numéro* + *-logie* ; [nymeʀɔlɔʒi].

**NUMÉROTAGE,** subst. m.
Action de doter un élément d'un numéro de classement ; résultat de cette action. 1791 ; ☞ *numéroter* ; [nymeʀɔtaʒ].

**NUMÉROTATION,** subst. f.
Numérotage ; ordre des éléments numérotés. 1834 ; ☞ *numéroter* ; [nymeʀɔtasjɔ̃].

**NUMÉROTER,** verbe trans. [3]
Marquer, doter d'un numéro d'ordre : ***Numéroter** des dossiers.* 1680 ; ☞ *numéro* ; [nymeʀɔte].

**NUMÉROTEUR,** subst. m.
*Techn.* Appareil servant à imprimer des numéros. 1791 ; ☞ *numéroter* ; [nymeʀɔtœʀ].

**NUMERUS CLAUSUS,** subst. m.
Nombre qui limite les admissions à certains grades, fonctions ou professions : *Le **numerus clausus** des chauffeurs de taxis parisiens.* 1908 ; lat. *numerus clausus*, « nombre fermé » ; [nymeʀysklozys].

**NUMIDE,** adj. et subst.
De la Numidie. 1580 ; topon. *Numidie*, ancien nom d'une région du nord de l'Afrique ; [nymid].

**NUMISMATE,** subst.
Collectionneur ou spécialiste des monnaies et des médailles. 1812 ; ☞ *numismatique* ; [nymismat].

**NUMISMATIQUE,** adj. et subst. f.
**ADJ.** Vx. Relatif aux monnaies, aux médailles et à leur connaissance. **SUBST. 1.** Étude des monnaies et des médailles. **2.** Frappe des monnaies, des médailles. 1579 ; lat. *numisma*, du gr. *nomisma*, « monnaie » ; [nymismatik].

**NUMMULAIRE,** subst. f. et adj.
**SUBST.** *Bot.* Lysimaque. **ADJ.** En forme de pièce de monnaie. 1550 ; lat. sc. *nummularius* ; [nymylɛʀ].

**NUMMULITE,** subst. f.
*Paléont.* Foraminifère fossile à coquille calcaire ronde et spiralée. Les coquilles des **nummulites** se sont déposées au Tertiaire, formant d'épaisses couches de sédiments : *Les **nummulites** du Bassin parisien mesuraient de cinq à six centimètres.* 1801 ; lat. *nummulus*, « petit écu » ; [nymylit].

**NUMMULITIQUE,** adj. et subst. m.
*Géol.* **ADJ.** Qui contient des nummulites. **SUBST.** Paléogène. 1853 ; ☞ *nummulite* ; [nymylitik].

**NUNATAK,** subst. m.
*Géogr.* Piton rocheux qui pointe à travers un inlandsis. 1906 ; mot esquimau ; [nynatak].

**NUNCHAKU,** subst. m.
Arme formée de deux bâtons reliés par une chaîne. V. 1970 ; mot jap. ; [nunʃaku].

**NUOC-MÂM,** subst. m. inv.
Sauce vietnamienne à base de poissons macérés dans une saumure. 1803 ; vietnamien *nuoc-mâm*, « eau de poisson » ; var. *nuoc-mam* ; [nɥɔkmam].

**NU-PIED,** subst. m.
Sandale d'été laissant le pied découvert. 1951 ; comp. de *nu* (I) et de *pied* ; plur. *nu-pieds* ; [nypje].

**NU-, NUE-PROPRIÉTAIRE,** subst. et adj.
*Dr.* Se dit d'une personne titulaire de la nue-propriété d'un bien. 1840 ; ☞ *nue-propriété* ; plur. *nus-, nues-propriétaires* ; [nypʀɔpʀijetɛʀ].

**NUPTIAL, ALE, AUX,** adj.
**1.** Qui concerne la cérémonie du mariage : *Cortège **nuptial*** ; *La « Marche **nuptiale** », de Wagner.* **2.** Relatif à l'union des époux : *Chambre **nuptiale**.* **3.** *Zool.* Qui concerne l'accouplement, la reproduction : *Le vol **nuptial** des abeilles* ; *Livrée **nuptiale**,* robe colorée dont se parent les mâles de certaines espèces à la saison des amours. Déb. XIII^e s. ; lat. *nuptialis* ; [nypsjal, o].

**NUPTIALITÉ,** subst. f.
*Démogr.* Rapport du nombre de mariages et de divorces comptabilisés pendant un an pour une population donnée : *Taux de **nuptialité**,* nombre relatif des mariages. 1879 ; ☞ *nuptial* ; [nypsjalite].

**NUQUE,** subst. f.
*Anat.* Partie postérieure du cou, au-dessous de l'occiput. XVI^e s. (1314, moelle épinière) ; lat. médiév. *nucha* ; [nyk].

**NURAGHE,** subst. m.
*Archéol.* Tour de forme conique, de l'âge du bronze, que l'on trouve en Sardaigne. 1840 ; mot sarde ; plur. *nuraghes* ou *nuraghi* ; [nuʀag(e)], plur. [-g(e)] ou [-gi].

**NURSE,** subst. f.
**1.** Domestique, gén. anglaise, ayant la charge exclusive des enfants. **2.** Québ. Infirmière, garde-malade. 1855 ; angl. *nurse*, du fr. *nourrice* ; [nœʀs].

**NURSERY,** subst. f.
**1.** Pièce réservée aux enfants. **2.** Parc d'élevage d'alevins. 1763 ; angl. *nursery*, de *nurse*, « nurse » ; plur. *nurserys* ou *nurseries* ; [nœʀsəʀi].

**NUTATION,** subst. f.
**1.** *Astron.* Terme appliqué habituellement au mouvement de la Terre : *La période de **nutation** de la Terre est de 18 ans 2/3.* **2.** *Mécan.* Mouvement périodique d'oscillation, de faible amplitude, effectué par l'axe de rotation d'un corps solide autour de sa position moyenne. **3.** *Bot.* Héliotropisme ; mouvement hélicoïdal de l'extrémité d'un végétal (tige, feuille, racine) au cours de sa croissance. **4.** *Pathol.* Oscillation continuelle de la tête. 1749 ; lat. *nutatio*, « balancement, oscillation » ; [nytasjɔ̃].

**NUTRIMENT,** subst. m.
**1.** Vx. Nourriture. **2.** *Biol.* Substance alimentaire assimilable directement et complètement. XIV^e s. ; lat. *nutrimentum* ; [nytʀimã].

**NUTRITIF, IVE,** adj.
**1.** Relatif à la nutrition. **2.** Qui nourrit : *Fournir à une plante des éléments **nutritifs**.* **3.** Qui contient des éléments nourrissants : *Un repas équilibré et **nutritif**.* 1314 ; lat. *nutritivus* ; [nytʀitif, iv].

**NUTRITION,** subst. f.
Ensemble des fonctions d'assimilation et de désassimilation par lesquelles les organismes vivants peuvent se maintenir en vie et assurer leur développement. Fin XIV^e s. ; bas lat. *nutritio*, « action de nourrir » ; [nytʀisjɔ̃].

**NUTRITIONNEL, ELLE,** adj.
Qui se rapporte à la nutrition, à la façon de s'alimenter. 1955 ; ☞ *nutrition* ; [nytʀisjɔnɛl].

**NUTRITIONNISTE,** subst.
*Méd.* Spécialiste de la nutrition et de ses pathologies. 1951 ; ☞ *nutrition* ; [nytʀisjɔnist].

**NYCTAGINACÉES,** subst. f. plur.
*Bot.* Famille de plantes herbacées ou arbustives dont deux genres sont très connus pour leurs espèces ornementales : les bougainvillées et les mirabilis (ou belles-de-nuit). **AU SING.** *La bougainvillée est une **nyctaginacée**.* 1932 ; *nyctage* (rare), « belle-de-nuit », du gr. *nux*, « nuit » ; [niktaʒinase].

**NYCTALOPE,** subst.
Personne ou animal doué de nyctalopie ; empl. adj. : *Le chat est **nyctalope**.* 1765 (1562, qui a une mauvaise vision nocturne) ; lat. *nyctalops*, du gr. *nux*, « nuit », et *ops*, « vue » ; [niktalɔp].

**NYCTALOPIE,** subst. f.
Faculté de voir pendant la nuit ou dans l'obscurité, normale chez certains animaux et pathologique chez l'homme. 1865 (1666, incapacité de voir la nuit) ; ☞ *nyctalope* ; [niktalɔpi].

**NYCTHÉMÈRE,** subst. m.
Durée de vingt-quatre heures, comportant un jour et une nuit et correspondant à un cycle biologique. 1813 ; gr. *hêmera*, « jour », + *nycto-* ; [niktemɛʀ].

**NYCTURIE,** subst. f.
*Pathol.* Élimination urinaire plus abondante ou plus fréquente la nuit que le jour. 1903 ; formé de *nycto-* et de *-urie* ; [niktyʀi].

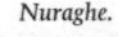

*Nuraghe.*

**NYLON,** **subst. m. inv.**
Matière synthétique de la famille des polyamides ; par méton., tissu fabriqué dans cette matière : *Un chemisier en **Nylon**.* 1942 ; n. déposé ; [nilɔ̃].

**NYMPHALIDÉS,** **subst. m. plur.**
*Zool.* Famille de papillons présentant gén. une face supérieure très colorée, et dont les pattes antérieures, atrophiées, sont pourvues de tarses poilus et sans griffes. AU SING. *La vanesse est un **nymphalidé**.* ☞ *nymphe* ; [nɛ̃falide].

© Giraudon

**Nymphe** couchée. Le Repos, *peinture de Camille Corot (1796-1875). Musée d'Art et d'Histoire, Genève.*

**NYMPHE,** **subst. f.**
**1.** *Myth.* En Grèce et à Rome, divinité inférieure représentée sous la forme d'une jeune fille personnifiant les forces vives de la nature. **2.** Ext. Jeune fille gracieuse (littér.). **3.** *Anat.* Chacune des petites lèvres de la vulve (surtout au plur.). **4.** *Zool.* État d'évolution, entre la larve et l'imago, chez les insectes à métamorphoses. Fin XII^e^ s. ; lat. *nympha* ; [nɛ̃f].

**NYMPHÉA,** **subst. m.**
*Bot.* Plante de la famille des Nymphéacées, aux feuilles flottantes, dont les fleurs s'ouvrent la nuit. 1704 ; lat. *nymphea* ; [nɛ̃fea].

**NYMPHÉACÉES,** **subst. f. plur.**
*Bot.* Famille de plantes herbacées, aquatiques, dicotylédones. AU SING. *Le lotus bleu du Nil est une **nymphéacée**.* 1816 ; ☞ *nymphéa* ; [nɛ̃fease].

**NYMPHÉE,** **subst. m.**
*Antiq.* À Rome et en Grèce, sanctuaire dédié aux nymphes, gén. constitué d'une grotte où coule une source. 1732 ; lat. *nympheum* ; [nɛ̃fe].

**NYMPHETTE,** **subst. f.**
Très jeune fille séduisante au comportement aguicheur. 1959 (1525, petite nymphe) ; ☞ *nymphe* ; [nɛ̃fɛt].

**NYMPHOMANE,** **adj. et subst. f.**
Se dit d'une femme ou, par anal., d'une femelle atteinte de nymphomanie. 1819 ; ☞ *nymphomanie* ; [nɛ̃fɔman].

**NYMPHOMANIE,** **subst. f.**
Exacerbation pathologique des besoins sexuels chez la femme, et du rut chez la femelle. 1721 ; ☞ *nymphe* + *-manie* ; [nɛ̃fɔmani].

**NYMPHOSE,** **subst. f.**
*Zool.* Phase du développement d'un insecte durant laquelle la larve, en état de nymphe libre ou da une chrysalide ou une pupe, est presque totaleme inactive. 1872 ; ☞ *nymphe* ; [nɛ̃foz].

**NYSTAGMUS,** **subst. m.**
*Méd.* Mouvement des globes oculaires caractéri par des secousses rythmiques involontaires, p thologiques ou non. 1814 ; gr. *nustagmos*, « somı lence » ; [nistagmys].

**Nymphéas** *(détail), peinture de Claude Monet (1840-1926). Musée Marmottan, Paris.*

© P. Willi-Explorer

*Une salle d'ordinateurs.* © Stock Image

**O,** subst. m. inv.
. Quinzième lettre et quatrième voyelle de l'alpha-
:t. Elle se prononce [ɔ], comme dans « mort »,
cote » (o ouvert), et [o], comme dans « pot »,
côte » (o fermé) ; elle entre dans les digrammes
, *œ, on, ou,* prononcés [wa], [ø] ou [e], [ɔ̃], [u],
: dans les trigrammes *œu, oin,* prononcés [ø], [wɛ̃].
Abrév. et Symb. ▸ *Chim.* O : oxygène. ▸ *Géogr.*
. : ouest. 1721 [o].

**Ô,** interj.
. Sert à apostropher, à invoquer emphatiquement :
*Seigneur !* **2.** Sert à exprimer un vif sentiment
nphatiquement : *Ô rage, ô désespoir, ô vieillesse
nemie !* (Corneille). Fin Xe s. ; lat. *o,* onomat. ; [o].

**OARISTYS,** subst. f.
lylle (littér.). 1721 ; gr. *oaristus* ; [ɔaʀistis].

**OASIEN, IENNE,** adj. et subst.
es oasis. 1865 ; ☞ *oasis* ; [ɔazjɛ̃, jɛn].

**OASIS,** subst. f.
Dans un désert, zone qu'un point d'eau rend
rtile : *Les* ***oasis*** *du Sahara.* **2.** Fig. Lieu, moment
gréable, reposant : *Une* ***oasis*** *de paix.* 1766 (1561,
pon.) ; bas lat. *oasis,* d'orig. égyptienne ; [ɔazis].

© St-Servan-Explorer

*Oasis du Sahara algérien.*

**OBÉDIENCE,** subst. f.
. *Relig.* Obéissance, soumission à un supérieur
u à une règle monastique. ▸ *Hist. Lettre d'obé-
ience* : brevet jadis délivré par un supérieur à
n religieux habilitant ce dernier à enseigner.
. Anal. Adhésion, fidélité à une doctrine ou
une autorité spirituelle, politique, etc. : *Les
ays d'****obédience*** *communiste.* **3.** Groupement de
ges maçonniques. Mil. XIIe s. ; lat. *oboedientia* ;
bedjɑ̃s].

**OBÉIR,** verbe trans. indir. [19]
)béir à. **1.** Se soumettre aux ordres de (qqn), se
onformer à (une règle, un usage) : ***Obéir*** *à ses
upérieurs* ; ***Obéir*** *aux consignes* ; empl. abs. : *Il refuse
'obéir.* **2.** Céder à (un instinct, un sentiment).
. Réagir, répondre à (une commande, une impul-
on) ; empl. abs. : *L'avion n'****obéit*** *plus.* **4.** Être
oumis à (une loi naturelle, un principe) : *Les
ourmis* ***obéissent*** *à l'instinct grégaire.* Déb. XIIe s. ;
t. *oboedire* ; [ɔbeiʀ].

**OBÉISSANCE,** subst. f.
**1.** Action d'obéir : *Refus d'****obéissance.*** **2.** Disposition à obéir : *Être d'une* ***obéissance*** *servile.* 1316 (1270, juridiction) ; ☞ *obéir* ; [ɔbeisɑ̃s].

**OBÉISSANT, ANTE,** adj.
Qui obéit volontiers, docile : *Un enfant* ***obéissant.*** Fin XIIe s. ; p. pr. de *obéir* ; [ɔbeisɑ̃, ɑ̃t].

**OBEL,** subst. m.
Trait en forme de broche notant un passage interpolé ou ajouté sur un manuscrit ancien. 1689 ; lat. *obelus,* du gr. *obelos,* « broche » ; var. *obèle* ; [ɔbɛl].

**OBÉLISQUE,** subst. m.
*Antiq.* Monument égyptien, gén. monolithique, en forme de colonne quadrangulaire, s'amincissant vers le sommet. 1520 ; lat. *obeliscus,* du gr. *obeliskos,* « broche à rôtir » ; [ɔbelisk].

**OBÉRER,** verbe trans. [8]
Littér. **1.** Accabler de dettes : *Les guerres* ***obéraient*** *le pays* ; empl. adj. : *Budget* ***obéré.*** **2.** Anal. Compromettre : *Cette politique* ***obère*** *l'avenir de la région.* 1573 ; lat. *obaeratus,* « endetté » ; [ɔbeʀe].

**OBÈSE,** adj. et subst.
Se dit d'une personne atteinte d'obésité. 1825 ; lat. *obesus* ; [ɔbɛz].

**OBÉSITÉ,** subst. f.
*Pathol.* Excès de poids (d'au moins 20 % du poids idéal) dû à une hypertrophie du tissu adipeux, consécutif à la suralimentation ou à des déséquilibres hormonaux. 1550 ; lat. *obesitas* ; [ɔbezite].

**OBI,** subst. f.
*Cost.* Au Japon, longue et large ceinture de soie portée sur le kimono et nouée dans le dos en une grande boucle. 1881 ; mot jap. ; [ɔbi].

**OBIER,** subst. m.
*Bot.* Espèce de viorne, arbrisseau à fleurs blanches de la famille des Caprifoliacées, dont une variété est appelée boule-de-neige. 1535 ; var. de *aubier,* par anal. de couleur ; [ɔbje].

**OBIT,** subst. m.
*Cath.* Messe anniversaire, en partic. de fondation perpétuelle, de la mort d'un défunt. 1238 (mil. XIIe s., trépas) ; lat. *obitus,* « mort » ; [ɔbit].

**OBITUAIRE,** adj.
*Cath. Registre* ***obituaire*** ou, empl. subst. masc., *Un* ***obituaire*** : liste des défunts pour lesquels sera célébré un obit. 1671 ; lat. médiév. *obituarium* ; [ɔbitɥɛʀ].

**OBJECTAL, ALE, AUX,** adj.
*Psychanal.* Qui concerne l'objet : *Relation* ***objectale.*** 1946 ; lat. médiév. *objectum,* « objet » ; [ɔbʒɛktal, o].

**OBJECTER,** verbe trans. [3]
**1.** Opposer (un argument) pour réfuter une opinion, une affirmation : *Il n'y a rien à* ***objecter*** *à ce raisonnement.* **2.** Opposer (une raison) pour repousser une demande, une offre : *On lui* ***objecta*** *son âge trop avancé.* 1288 ; lat. *objectare* ; [ɔbʒɛkte].

**OBJECTEUR,** subst. m.
***Objecteur*** *de conscience* : personne qui objecte des raisons de conscience pour refuser de porter les armes (☞ *conscience*). V. 1920 (1777, celui qui fait des objections) ; ☞ *objecter* ; [ɔbʒɛktœʀ].

**OBJECTIF, IVE,** adj. et subst. m.
ADJ. **1.** Vx. *Philos.* De nature strictement conceptuelle (chez Descartes). **2.** Qui est en soi, en-dehors de toute représentation individuelle, contingente ou passagère : *Données* ***objectives*** ; *Méthode* ***objective,*** fondée sur un protocole expérimental. ▸ *Allié* ***objectif*** : personne ou groupe dont les positions se trouvent de fait servir certains intérêts. ▸ *Méd. Symptômes* ***objectifs*** : que le médecin peut de lui-même constater chez le malade. **3.** Exempt de partialité ; conforme à la réalité : *Sois* ***objectif !*** ; *Jugement* ***objectif.*** SUBST. **1.** *Techn.* ▸ *Opt.* Dispositif optique d'une lunette, d'un microscope, etc., dirigé vers l'objet à observer (par oppos. à *oculaire*). ▸ *Phot.* Dispositif optique d'un appareil de prise de vues ou de projection qui forme l'image sur une surface sensible ou sur un écran : ***Objectif*** *à focale variable,* zoom ; par méton., l'appareil luimême : *Poser devant l'****objectif.*** **2.** *Milit.* Point contre lequel est dirigée une opération militaire : *Attaquer, bombarder un* ***objectif.*** ▸ Fig. But que l'on se propose d'atteindre : *Se fixer un* ***objectif*** *précis.* 1642 ; lat. médiév. *objectivus* ; [ɔbʒɛktif, iv].

**OBJECTION,** subst. f.
Ce que l'on oppose à une affirmation : *Émettre une* ***objection.*** ▸ ***Objection*** *de conscience* (☞ *conscience*). Fin XIIe s. ; bas lat. *objectio* ; [ɔbʒɛksjɔ̃].

**OBJECTIVATION,** subst. f.
Action d'objectiver, de rendre objectif. 1845 ; ☞ *objectiver* ; [ɔbʒɛktivasjɔ̃].

**OBJECTIVEMENT,** adv.
**1.** *Philos.* En tant qu'objet, indépendamment des représentations du sujet individuel. **2.** D'une manière impartiale. 1455 ; ☞ *objectif* ; [ɔbʒɛktivmɑ̃].

**OBJECTIVER,** verbe trans. [3]
**1.** Faire passer à l'état de réalité objective : ***Objectiver*** *un état de conscience.* **2.** Extérioriser : ***Objectiver*** *sa pensée par l'écrit.* 1817 ; ☞ *objectif* ; [ɔbʒɛktive].

**OBJECTIVISME,** subst. m.
**1.** Attitude consistant à s'en tenir aux seules données objectives. **2.** *Philos.* Doctrine selon laquelle il existe une réalité objective, indépendante du sujet individuel. 1851 ; ☞ *objectif* ; [ɔbʒɛktivism].

**OBJECTIVISTE,** adj. et subst.
*Philos.* Se dit d'un partisan de l'objectivisme. ADJ. Qui relève de l'objectivisme. 1914 ; ☞ *objectivisme* ; [ɔbʒɛktivist].

**OBJECTIVITÉ,** subst. f.
**1.** *Philos.* Caractère de ce qui existe indépendamment des représentations du sujet individuel. **2.** Caractère de ce qui est conforme à la réalité : ***Objectivité*** *d'un récit.* **3.** Qualité d'une personne objective ; impartialité. 1801 ; ☞ *objectif* ; [ɔbʒɛktivite].

**OBJET,** subst. m.
**I. 1.** Tout ce qui est perceptible par les sens, en partic. par la vue : ***Objet*** *animé, inanimé.* ▸ *Astron.* Corps céleste dont on n'a pas encore déterminé toutes les caractéristiques : ***Objet*** *volant non identifié* (☞ *ovni*). **2.** Chose solide, gén. maniable et fabriquée par l'homme, d'un usage particulier : *Un*

*guéridon encombré d'***objets** ; *Le bureau des* **objets** *trouvés* ; **Objet** *d'art*, ayant une valeur artistique. **II. 1.** Ce sur quoi porte une pensée, une activité, un sentiment, une attitude : **Objet** *de connaissance, d'étude* ; *Faire l'***objet** *d'une plaisanterie* ; *Rome, l'unique* **objet** *de mon ressentiment !* (Corneille). **2.** Finalité, but d'une action : *L'***objet** *d'une démarche* ; *Sans* **objet**, sans fondement. **3.** *Spéc.* ▸ *Dr.* Ce sur quoi porte un droit, une obligation, une procédure : *L'***objet** *d'un litige.* ▸ *Gramm. Complément d'***objet** *(direct, indirect)* : qui désigne la personne ou la chose sur laquelle porte l'action exprimée par le verbe (☞ *complément*). ▸ *Philos.* Ce qui est pensé ou perçu, par oppos. au sujet, qui pense ou qui perçoit ; chez Kant, phénomène. ▸ *Psychanal.* Ce vers quoi tend la pulsion : *Choix d'***objet** ; *Relation d'***objet**, relation du sujet à ses **objets**. Fin XIV^e s. ; lat. scol. *objectum*, « ce qui est placé devant » ; [ɔbʒɛ].

**OBJURGATION, subst. f.**
**1.** *Rhét.* Violent reproche adressé par un orateur à son auditoire. **2.** Parole, prière pressante visant à dissuader qqn d'agir comme il en a l'intention (souv. au plur.) : *Céder aux* **objurgations** *de qqn.* XIII^e s. ; lat. *objurgatio* ; [ɔbʒyʀgasjɔ̃].

**OBLAT, ATE, subst.**
*Cath.* **1.** Laïc agrégé à un monastère auquel il a fait don de ses biens. **2.** Membre de certains ordres religieux. **Masc. plur.** *Liturg.* Le pain et le vin de l'Eucharistie, avant consécration ; par ext., toute offrande faite lors d'une messe. 1549 ; lat. *oblatus*, « offert » ; [ɔbla, at].

**OBLATIF, IVE, adj.**
*Psychol.* Qui fait passer les besoins des autres avant les siens propres : *Amour* **oblatif**. 1946 ; lat. *oblativus*, « qui s'offre de soi-même » ; [ɔblatif, iv].

**OBLATION, subst. f.**
*Relig.* Action d'offrir (qqch.) à Dieu. ▸ *Liturg.* Acte par lequel le prêtre offre à Dieu le pain et le vin à consacrer. Déb. XII^e s. ; lat. *oblatio* ; [ɔblasjɔ̃].

**OBLIGATAIRE, subst. et adj.**
*Fin.* **Subst.** Porteur d'obligations. **Adj.** Relatif aux obligations ; constitué d'obligations : *Emprunt* **obligataire**. 1867 ; ☞ *obligation* ; [ɔbligatɛʀ].

**OBLIGATION, subst. f.**
**1.** *Dr.* Lien par lequel une personne est tenue de faire ou de ne pas faire qqch. : **Obligation** *alimentaire* ; **Obligation** *de réserve*, devoir de discrétion des fonctionnaires de l'État. **2.** Ext. Contrainte imposée par la morale, les conventions sociales, les circonstances : **Obligations** *familiales, professionnelles.* ▸ *Être dans l'***obligation** *de* (+ inf.) : dans la nécessité de. **3.** *Fin.* Titre négociable émis par une société ou une collectivité publique et représentant une fraction d'un prêt à long terme qui lui est consenti. 1283 (déb. XII^e s., action d'engager un bien) ; lat. *obligatio* ; [ɔbligasjɔ̃].

**OBLIGATOIRE, adj.**
**1.** Qui a un caractère d'obligation ou de contrainte (anton. *facultatif*) : *Passage* **obligatoire**. **2.** Inévitable (fam.). 1319 ; lat. jur. *obligatorius* ; [ɔbligatwaʀ].

**OBLIGATOIREMENT, adv.**
**1.** De façon obligatoire. **2.** Inévitablement, forcément (fam.) : *Il va* **obligatoirement** *passer par là.* 1846 ; ☞ *obligatoire* ; [ɔbligatwaʀmɑ̃].

**OBLIGÉ, ÉE, adj. et subst.**
**Adj. 1.** Lié par une obligation juridique ou morale ; redevable, reconnaissant : *Je vous suis* **obligé** *de m'avoir prévenu.* **2.** Qui s'impose ; que l'on ne peut éviter : *La chute* **obligée** *du mur de Berlin.* ▸ *C'était* **obligé** : c'était fatal (fam.). **Subst.** Personne à qui l'on a rendu service : *N'être l'***obligé** *de personne.* 1459 ; p. p. de *obliger* ; [ɔbliʒe].

**OBLIGEAMMENT, adv.**
D'une manière obligeante. Mil. XVII^e s. ; ☞ *obligeant* ; [ɔbliʒamɑ̃].

**OBLIGEANCE, subst. f.**
Disposition à rendre service, à obliger autrui. 1785 (mil. XIII^e s., obligation) ; ☞ *obligeant* ; [ɔbliʒɑ̃s].

**OBLIGEANT, ANTE, adj.**
Qui aime à rendre service, à faire plaisir ; qui dénote l'obligeance : *Des paroles* **obligeantes**. 1601 (fin XIV^e s., reconnaissant) ; p. pr. de *obliger* ; [ɔbliʒɑ̃, ɑ̃t].

**OBLIGER, verbe trans.** [5]
**1.** Lier par une obligation juridique, morale : *Le traité* **obligeait** *les deux parties.* **2.** Contraindre : *Rien ne vous* **oblige** *à me croire* ; *Je fus* **obligé** *de partir.* **3.** Rendre service à, faire plaisir à (littér.) : **Obliger** *un client.* Mil. XIII^e s. (1243, engager) ; lat. *obligare*, de *ligare*, « lier » ; [ɔbliʒe].

**OBLIQUE, adj.**
**1.** Qui n'est ni perpendiculaire ni parallèle à un plan horizontal ou vertical : *Les rayons* **obliques** *du soleil* ; *Un regard* **oblique**, dirigé de côté et, par ext., peu franc. ▸ Loc. *En* **oblique** : en biais. **2.** Fig. Qui ne va pas droit au but. **3.** *Anat. Muscle* **oblique** ou, empl. subst. masc., *Un* **oblique** : dont les fibres ne sont pas parallèles au plan de symétrie du corps. **4.** *Dr. Action* **oblique** : par laquelle un créancier exerce les droits que son débiteur néglige. **5.** *Géom. Droite* **oblique** ou, empl. subst. fém., *Une* **oblique** : droite qui coupe une autre droite, ou un plan, sans lui être perpendiculaire. **6.** *Gramm.* Qualifie l'ensemble des cas exprimant les fonctions grammaticales autres que celles de sujet et de complément d'objet direct : *Le génitif, le datif, l'ablatif sont des cas* **obliques**. XIII^e s. ; lat. *obliquus* ; [ɔblik].

**OBLIQUEMENT, adv.**
De manière oblique. 1314 ; ☞ *oblique* ; [ɔblikmɑ̃].

**OBLIQUER, verbe intrans.** [3]
Prendre une direction oblique : *La voiture* **obliqua** *vers la droite.* XIII^e s. ; ☞ *oblique* ; [ɔblike].

**OBLIQUITÉ, subst. f.**
**1.** État de ce qui est oblique, inclinaison : *L'***obliquité** *d'un toit.* **2.** *Astron.* **Obliquité** *de l'écliptique* : angle formé par l'écliptique avec le plan de l'équateur céleste. XIII^e s. ; lat. *obliquitas* ; [ɔblikɥite].

**OBLITÉRATEUR, TRICE, adj. et subst. m.**
**Adj.** Qui oblitère ; qui sert à oblitérer. **Subst.** Instrument servant à oblitérer les timbres. 1857 ; ☞ *oblitérer* ; [ɔbliteʀatœʀ, tʀis].

**OBLITÉRATION, subst. f.**
**1.** *Pathol.* Obstruction d'un conduit, d'une cavité. **2.** Action d'oblitérer un timbre ; l'empreinte qui en résulte. 1777 ; ☞ *oblitérer* ; [ɔbliteʀasjɔ̃].

**OBLITÉRER, verbe trans.** [8]
**1.** Effacer, faire disparaître peu à peu (littér.) : *Les années ont* **oblitéré** *sa rancœur.* **2.** *Pathol.* Obstruer (un canal, une cavité). **3.** Apposer un cachet sur (un timbre) pour qu'il ne puisse pas être réutilisé ; empl. adj. : *Courrier* **oblitéré**. 1512 ; lat. *oblitterare*, « effacer les lettres » ; [ɔbliteʀe].

**OBLONG, ONGUE, adj.**
Plus long que large : *Visage* **oblong**. ▸ *Impr. Format* **oblong** : à l'italienne. 1520 ; lat. *oblongus* ; [ɔblɔ̃, ɔ̃g].

**OBNUBILATION, subst. f.**
*Psych.* Trouble caractérisé par un obscurcissement de la conscience et un ralentissement des fonctions mentales. 1486 ; lat. *obnubilatio* ; [ɔbnybilasjɔ̃].

**OBNUBILER, verbe trans.** [3]
Obscurcir (la conscience, les facultés mentales) ; par ext., obséder (qqn) : *La haine l'***obnubile**. Déb. XIV^e s. ; lat. *obnubilare*, « couvrir d'un nuage » ; [ɔbnybile].

**OBOLE, subst. f.**
**1.** *M. Â.* Ancienne monnaie valant la moitié d'un denier. **2.** *Antiq. gr.* Ancienne monnaie valant un sixième de la drachme. **3.** Ext. Modeste contribution financière : *Verser son* **obole** *à une œuvre.* 1262 ; lat. *obolus*, du gr. *obolos* ; [ɔbɔl].

**OBSCÈNE, adj.**
Qui heurte la pudeur par des représentations d'ordre sexuel : *Photographie* **obscène** ; *Gestes, regards* **obscènes**, indécents. 1534 ; lat. *obscenus*, « de mauvais augure » ; [ɔpsɛn].

**OBSCÉNITÉ, subst. f.**
**1.** Parole, acte, image obscène (gén. au plur.) : *Proférer des* **obscénités**. **2.** Caractère de ce qui est obscène. 1511 ; lat. *obscenitas* ; [ɔpsenite].

**OBSCUR, URE, adj.**
**1.** Privé de lumière, sombre : *Nuit* **obscure**. ▸ *Les salles* **obscures** : les salles de cinéma. **2.** Fig. Difficile à comprendre, à expliquer : *Des raisons* **obscures**. **3.** Qui n'est pas illustre ; modeste, effacé : *Un* **obscur** *écrivain.* Déb. XII^e s. ; lat. *obscurus* ; [ɔpskyʀ].

**OBSCURANTISME, subst. m.**
Opposition systématique au progrès, à l'instruction, à la raison : **Obscurantisme** *religieux.* 1819 ; *obscurant* (rare), « qui obscurcit » ; [ɔpskyʀɑ̃tism].

**OBSCURANTISTE, adj. et subst.**
Se dit d'une personne qui fait preuve d'obscurantisme. **Adj.** Relatif, propre à l'obscurantisme. 1832 ; ☞ *obscurantisme* ; [ɔpskyʀɑ̃tist].

**OBSCURCIR, verbe trans.** [19]
**1.** Rendre sombre, obscur ; empl. pronom. : *Le ciel s'***obscurcit**. ▸ Anal. Voiler (la vue). **2.** Fig. Rend peu intelligible ; affaiblir, troubler (une facu mentale). Mil. XII^e s. ; ☞ *obscur* ; [ɔpskyʀsiʀ].

**OBSCURCISSEMENT, subst. m.**
Action d'obscurcir ; fait de s'obscurcir. XIII^e ☞ *obscurcir* ; [ɔpskyʀsismɑ̃].

**OBSCURÉMENT, adv.**
**1.** De manière incompréhensible : *Parler* **obsc** **rément**. **2.** Confusément, de manière vague : *Sen* **obscurément** *qqch.* **3.** Dans l'anonymat : *Vi* **obscurément**. XII^e s. ; ☞ *obscur* ; [ɔpskyʀemɑ̃].

**OBSCURITÉ, subst. f.**
**1.** Manque de lumière : *La pièce était plongée da l'***obscurité**. **2.** Fig. Défaut d'intelligibilité : *L'***ob** **curité** *d'un texte.* **3.** Absence de notoriété ; conditi modeste. 1119 ; lat. *obscuritas* ; [ɔpskyʀite].

**OBSÉCRATION, subst. f.**
Supplication adressée à Dieu ou à qqn au nom Dieu. Déb. XIII^e s. ; lat. *obsecratio* ; [ɔpsekʀasjɔ̃].

**OBSÉDANT, ANTE, adj.**
Qui obsède : *Un souvenir* **obsédant** ; *Un vacar* **obsédant**. 1845 ; p. pr. de *obséder* ; [ɔpsedɑ̃, ɑ̃

**OBSÉDÉ, ÉE, adj. et subst.**
Se dit d'une personne en proie à une obsession en partic., à une obsession sexuelle. 1632 ; p. de *obséder* ; [ɔpsede].

**OBSÉDER, verbe trans.** [8]
**1.** S'imposer sans relâche à l'esprit de, hanter : *terrible souvenir l'***obsède**. **2.** Importuner par d demandes incessantes, des assiduités (vieilli littér.). 1613 ; lat. *obsidere*, « assiéger » ; [ɔpsed

**OBSÈQUES, subst. f. plur.**
Cérémonie et convoi funèbres : **Obsèques** *civil religieuses.* Mil. XII^e s. ; bas lat. *obsequiae* ; [ɔpsɛ

**OBSÉQUIEUSEMENT, adv.**
De manière obséquieuse : *Il salua* **obséquieuseme** *le ministre.* 1819 ; ☞ *obséquieux* ; [ɔpsekjøzm

**OBSÉQUIEUX, EUSE, adj.**
D'une politesse excessive et servile. 1798 (150 respectueux) ; lat. *obsequiosus* ; [ɔpsekjø, øz].

**OBSÉQUIOSITÉ, subst. f.**
Caractère, comportement d'une personne obs quieuse. 1823 (déb. XVI^e s., dévouement) ; ☞ *obs quieux* ; [ɔpsekjozite].

**OBSERVABLE, adj.**
Qui peut être observé. 1587 (déb. XVI^e s., qui d être observé) ; ☞ *observer* ; [ɔpsɛʀvabl].

**OBSERVANCE, subst. f.**
**I.** *Relig.* **1.** Action d'observer une règle : **Observan** *du carême, du sabbat* ; par méton., la règle ell même : *Les* **observances** *légales du judaïsme.* **2.** M ton. Ordre considéré du point de vue de sa règl *L'***observance** *de Saint-François.* ▸ *Stricte* **observanc** fidélité à la règle primitive d'un ordre. **II.** E Respect d'une loi, d'un principe, d'une coutum d'une règle de conduite, etc. (littér.). Mil. XIII^e s lat. *observantia* ; [ɔpsɛʀvɑ̃s].

**OBSERVANT, ANTE, subst. et adj.**
Se dit d'un religieux de stricte observance. 150 p. pr. de *observer* ; var. *observantin, ine* ; [ɔpsɛʀvɑ̃, ɑ

**OBSERVATEUR, TRICE, subst. et adj.**
**Subst. 1.** Vx. Personne qui observe une règle, u loi. **2.** Personne qui prend intérêt à observer, q est douée pour l'observation : *Balzac fut un o* **servateur** *perspicace de son temps.* ▸ Scientifique q se livre à l'observation des phénomènes nature **3.** Individu qui assiste à un évènement en spect teur. ▸ *Sc.* Individu fictif par rapport auquel s'établ une observation, une expérience, etc. : *Un* **observ** **teur** *placé sur la ligne d'horizon.* **4.** Personne n participante chargée d'assister au déroulement certains évènements afin d'en rendre compte : *L* **observateurs** *de l'O. N. U.* ▸ Militaire chargé d'u mission d'observation. **Adj.** Qui se plaît à observ attentif. 1491 ; lat. *observator* ; [ɔpsɛʀvatœʀ, tʀis

**OBSERVATION, subst. f.**
**I. 1.** Vx. Loi que l'on observe. **2.** Action d'observ une loi, une règle : *L'***observation** *scrupuleuse règlement.* **II. 1.** Action d'examiner avec attentic des choses, des êtres, des faits, des phénomèn pour les étudier : *Avoir le sens de l'***observatio** **2.** *Méd.* Surveillance d'un malade pendant u période transitoire afin de confirmer ou d'infirm un diagnostic : *Mettre qqn en* **observation**. **3.** *Mil* Surveillance systématique des activités de l'ennem *Avion d'***observation**. **III. 1.** Remarque, écrit renda

compte de ce qui a été observé (souv. au plur.). 2. Réprimande légère : *Faire une **observation** aux retardataires.* 1200 ; lat. *observatio* ; [ɔpsɛʀvasjɔ̃].

**OBSERVATOIRE, subst. m.**
1. Établissement scientifique destiné aux observations astronomiques, météorologiques ou volcanologiques : *L'**Observatoire** de Paris fut fondé par Louis XIV.* 2. Ext. Organisme chargé de recueillir les données économiques, sociales, etc. : ***Observatoire** du français contemporain.* 3. Poste d'observation. 1667 ; ☞ *observer* ; [ɔpsɛʀvatwaʀ].

**OBSERVER, verbe trans.** [3]
I. 1. Se conformer à (une règle, une loi, une coutume) : ***Observer** les consignes.* 2. Anal. Adopter (une attitude) : *Il **observa** un silence gêné.* II. 1. Examiner avec attention pour étudier, pour connaître : ***Observer** le vol des oiseaux ; J'**observai** son visage.* 2. Surveiller, épier : *Attention, on nous **observe** !* 3. Remarquer, constater : *J'**observe** que vous êtes souvent absent.* PRONOM. 1. Surveiller son comportement. 2. Se surveiller mutuellement. Xe s. ; lat. *observare* ; [ɔpsɛʀve].

**OBSESSION, subst. f.**
1. État d'une personne tourmentée par un démon (vx). 2. Méton. Ce qui obsède : *L'**obsession** de la mort.* 3. Psych. Idée qui s'impose de façon incoercible et angoissante à la conscience, bien que la personne en reconnaisse le caractère pathologique. 1590 (XVe s., « siège) ; lat. *obsessio*, « action d'assiéger » ; [ɔpsesjɔ̃].

**OBSESSIONNEL, ELLE, adj.**
Psych. 1. Qui relève de l'obsession : *Images **obsessionnelles**.* ▸ *Névrose **obsessionnelle*** : caractérisée par des idées obsédantes et par des actes compulsifs. 2. Qui est atteint de névrose **obsessionnelle** ; empl. abst., personne **obsessionnelle**. 1922 ; ☞ *obsession* ; [ɔpsɛsjɔnɛl].

**OBSIDIENNE, subst. f.**
Pétrogr. Roche volcanique de couleur sombre, vitreuse. 1566 ; lat. *obsidianus*, pour *obsianus lapis*, « pierre d'Obsius » ; [ɔpsidjɛn].

**OBSIDIONAL, ALE, AUX, adj.**
Qui se rapporte au siège d'une ville. ▸ *Psych. Fièvre **obsidionale*** : psychose qui frappe la population d'une cité assiégée ; *Délire **obsidional*** : folie d'un sujet qui se croit assiégé, persécuté. XVIe s. ; lat. *obsidionalis*, de *obsidere*, « assiéger » ; [ɔpsidjɔnal, o].

**OBSOLESCENCE, subst. f.**
Fait d'être périmé. ▸ *Écon.* Dépréciation d'un bien d'équipement due au progrès technique, à l'évolution de la demande, et non à son usure matérielle. 1955 ; angl. *obsolescence*, du lat. *obsolescere*, « tomber en désuétude » ; [ɔpsɔlesɑ̃s].

**OBSOLESCENT, ENTE, adj.**
Qui tend à devenir obsolète. V. 1960 ; lat. *obsolescens* ; [ɔpsɔlesɑ̃, ɑ̃t].

**OBSOLÈTE, adj.**
Périmé, dépassé : *Méthode **obsolète** ; Mot **obsolète**,* sorti de l'usage. 1596 ; lat. *obsoletus* ; [ɔpsɔlɛt].

**OBSTACLE, subst. m.**
1. Ce qui s'oppose au passage : *Franchir, contourner un **obstacle**.* ▸ *Équit.* Chacune des difficultés (haies, rivières, murs, palanques, talus, etc.) placées sur un parcours : *Course d'**obstacles**.* 2. Fig. Ce qui s'oppose à la réalisation de qqch. : *Surmonter un **obstacle**.* ▸ Loc. *Faire **obstacle** à* : s'opposer à, gêner, empêcher. Déb. XIIIe s. ; lat. *obstaculum*, de *obstare*, « se tenir devant » ; [ɔpstakl].

**OBSTÉTRICAL, ALE, AUX, adj.**
Relatif à l'accouchement, à l'obstétrique. 1818 ; ☞ *obstétrique* ; [ɔpstetʀikal, o].

**OBSTÉTRICIEN, IENNE, subst.**
Médecin spécialisé en obstétrique. V. 1930 ; ☞ *obstétrique*, d'apr. l'angl. *obstetrician* ; [ɔpstetʀisjɛ̃, jɛn].

**OBSTÉTRIQUE, subst. f.**
Méd. Discipline qui traite de la grossesse, de l'accouchement et de ses suites. 1834 (1803, relatif à la technique de l'accouchement) ; lat. *obstetrix*, « sage-femme » ; [ɔpstetʀik].

**OBSTINATION, subst. f.**
Attachement opiniâtre à une idée, à une résolution ; entêtement excessif. Fin XIIe s. ; lat. *obstinatio* ; [ɔpstinasjɔ̃].

**OBSTINÉ, ÉE, adj. et subst.**
Se dit d'une personne qui fait preuve d'obstination. ADJ. Qui dénote l'obstination : *Un refus **obstiné**.* Déb. XIVe s. ; lat. *obstinatus* ; [ɔpstine].

**OBSTINÉMENT, adv.**
Avec obstination. XIVe s. ; ☞ *obstiné* ; [ɔpstinemɑ̃].

**OBSTINER (S'), verbe pronom.** [3]
Persévérer, persister (dans une conduite, une opinion) : ***S'obstiner** dans le mutisme ; **S'obstiner** à espérer.* 1531 ; lat. *obstinare* ; [ɔpstine].

**OBSTRUCTION, subst. f.**
1. *Pathol.* Engorgement d'un conduit : ***Obstruction** artérielle, bronchique.* 2. Fig. Action de faire obstacle au bon déroulement d'une action. ▸ *Pol.* Manœuvre visant à entraver un débat parlementaire. ▸ *Sp.* Faute consistant à barrer le passage à un adversaire. 1538 ; lat. *obstructio* ; [ɔpstʀyksjɔ̃].

**OBSTRUCTIONNISME, subst. m.**
*Pol.* Pratique de l'obstruction systématique, dans une assemblée. 1892 ; ☞ *obstruction* ; [ɔpstʀyksjɔnism].

**OBSTRUER, verbe trans.** [3]
1. *Pathol.* Engorger (un conduit, un vaisseau). 2. Encombrer, boucher (une voie). 1540 ; lat. *obstruere* ; [ɔpstʀye].

**OBTEMPÉRER, verbe trans. indir.** [8]
Obtempérer à. Se soumettre à, obéir à : ***Obtempérer** à un ordre* ; empl. abs. : *Refus d'**obtempérer**.* 1377 ; lat. *obtemperare* ; [ɔptɑ̃peʀe].

**OBTENIR, verbe trans.** [22]
1. Réussir à se faire accorder (ce que l'on désire) : ***Obtenir** une prime.* 2. Réussir à produire, à atteindre (un résultat). 1283 ; lat. *obtinere*, « tenir fermement ; posséder », d'apr. *tenir* ; [ɔptəniʀ].

**OBTENTION, subst. f.**
Fait d'obtenir. 1360 ; lat. *obtentus*, de *obtinere*, « tenir fermement ; posséder » ; [ɔptɑ̃sjɔ̃].

**OBTURATEUR, TRICE, adj. et subst. m.**
ADJ. Qui sert à obturer : *Bouchon **obturateur**.* ▸ *Anat. Membrane **obturatrice*** : qui obture le trou souspubien de l'os iliaque. SUBST. Objet utilisé pour obturer. ▸ Appareil servant à arrêter la circulation ou à régler le débit d'un fluide dans un conduit. ▸ *Phot.* Dispositif d'un appareil de prise de vues dont la vitesse règle la durée d'exposition. 1550 ; ☞ *obturer* ; [ɔptyʀatœʀ, tʀis].

**OBTURATION, subst. f.**
Action d'obturer ; son résultat : ***Obturation** dentaire.* 1507 ; bas lat. *obturatio* ; [ɔptyʀasjɔ̃].

**OBTURER, verbe trans.** [3]
Boucher de manière hermétique : ***Obturer** une fente.* 1538 ; lat. *obturare* ; [ɔptyʀe].

**OBTUS, USE, adj.**
1. Émoussé, à l'extrémité arrondie (rare). 2. *Géom. Angle **obtus*** : dont le cosinus est strictement négatif et la mesure strictement comprise entre 90° et 180°. 3. Fig. Qui manque de perspicacité, borné : *Un esprit **obtus**.* Fin XIVe s. ; lat. *obtusus* ; [ɔpty, yz].

**OBTUSANGLE, adj.**
*Géom.* Qualifie un triangle dont l'un des angles est obtus. 1671 ; formé de *obtus* et de *angle* ; [ɔptyzɑ̃gl].

**OBTUSION, subst. f.**
*Psych.* Difficulté à comprendre, à percevoir et à s'orienter. 1868 (1605, état de ce qui est émoussé) ; bas lat. *obtusio* ; [ɔptyzjɔ̃].

**OBUS, subst. m.**
Projectile d'artillerie, de forme gén. cylindro-ogivale, le plus souvent creux et rempli d'explosif : ***Obus** de mortier.* 1797 (1697, obusier) ; all. *Haubitze*, du tchèque *houfnice*, « catapulte » ; [ɔby].

**OBUSIER, subst. m.**
Canon court, à tir courbe ou vertical ; mortier. 1762 ; ☞ *obus* ; [ɔbyzje].

**OBVENIR, verbe intrans.** [22]
*Dr.* Échoir, notamment par succession. 1369 ; lat. *obvenire* ; [ɔbvəniʀ].

**OBVIE, adj.**
*Philos.* et *Théol.* Qui va de soi ou semble évident : *Cause **obvie**.* 1889 ; lat. *obvius*, « qui va au-devant » ; [ɔbvi].

**OBVIER, verbe trans. indir.** [6]
Obvier à. Parer à (qqch. de fâcheux), faire en sorte d'éviter (littér.) : ***Obvier** à une difficulté.* 1316 ; lat. *obviare* ; [ɔbvje].

**OC, adv.**
*Langue d'oc* : ensemble des dialectes romans du sud de la France, où « oui » se disait **oc** (par oppos. à *langue d'oïl*). 1298 ; anc. prov. *oc*, du lat. *hoc*, « ceci » ; [ɔk].

**OCARINA, subst. m.**
*Mus.* Petit instrument à vent, de forme ovoïde, et percé de trous. 1877 ; mot ital. ; [ɔkaʀina].

**OCCASE, subst. f.**
Occasion (fam.) : *C'est une **occase**.* 1841 ; abrév. de *occasion* ; [ɔkɑz].

**OCCASION, subst. f.**
1. Circonstance favorable, qui vient à propos : *Saisir, laisser passer une **occasion** ; Il a profité de l'**occasion** pour partir.* ▸ Loc. *À l'**occasion*** : le cas échéant ; *À la première **occasion*** : dès que possible. 2. Circonstance qui suscite ou conditionne un évènement : *Sa visite fut l'**occasion** d'un accord ; Les grandes **occasions**,* les évènements importants de la vie. ▸ Loc. prép. *À l'**occasion** de* : lors de, en raison de. 3. Bonne affaire : *À mille francs, c'est une **occasion** !* ▸ *D'**occasion*** : vendu ou acheté de seconde main. Fin XIVe s. (1174, motif) ; lat. *occasio* ; [ɔkazjɔ̃].

**OCCASIONNALISME, subst. m.**
*Philos.* Théorie de Malebranche selon laquelle Dieu est la seule cause véritable, les causes naturelles n'étant que des causes occasionnelles. 1845 ; ☞ *occasionnel* ; [ɔkazjonalism].

**OCCASIONNEL, ELLE, adj.**
1. *Philos. Cause **occasionnelle*** : circonstance qui, sans être la cause directe d'un fait, constitue l'antécédent nécessaire pour que ce fait se produise. 2. Qui survient du fait des circonstances, par hasard : *Une rencontre **occasionnelle**.* 3. Qui est tel par occasion : *Main-d'œuvre **occasionnelle**.* Fin XVIIe s. ; ☞ *occasion* ; [ɔkazjɔnɛl].

**OCCASIONNELLEMENT, adv.**
De manière occasionnelle, non habituelle. 1306 ; ☞ *occasionnel* ; [ɔkazjɔnɛlmɑ̃].

**OCCASIONNER, verbe trans.** [3]
Être l'occasion de, causer, provoquer : *Le vent **occasionna** des dégâts.* 1596 ; ☞ *occasion* ; [ɔkazjɔne].

**OCCIDENT, subst. m.**
1. Littér. Zone de l'horizon où le soleil se couche (synon. *ouest, couchant, ponant*). 2. *Hist.* Partie de l'ancien monde située à l'ouest (anton. *Orient*) : *L'Empire romain d'**Occident**.* ▸ *L'Église d'**Occident*** : de rite latin. ▸ *Le patriarche de l'**Occident*** : le pape. 3. *Pol. L'**Occident*** : l'ensemble des pays de l'Europe de l'Ouest et de l'Amérique du Nord ; en partic., ensemble des États membres de l'Otan. 1119 ; lat. *occidens*, de *occidere*, « tomber » ; [ɔksidɑ̃].

**OCCIDENTAL, ALE, AUX, adj. et subst.**
1. D'Occident. 2. De l'ensemble constitué par les États-Unis et l'Europe de l'Ouest. ADJ. Situé à l'ouest : *Les Indes **occidentales**,* ancienne appellation de l'Amérique. 1314 ; lat. *occidentalis* ; [ɔksidɑ̃tal, o].

**OCCIDENTALISATION, subst. f.**
Action d'occidentaliser ; fait de s'occidentaliser. 1948 ; ☞ *occidentaliser* ; [ɔksidɑ̃talizasjɔ̃].

**OCCIDENTALISER, verbe trans.** [3]
Transformer (un peuple, un mode de vie) selon le modèle occidental ; empl. pronom. : *Le Japon s'**occidentalisa** dès la fin du XIXe s.* 1808 ; ☞ *occidental* ; [ɔksidɑ̃talize].

**OCCIPITAL, ALE, AUX, adj.**
Relatif à l'occiput. Fin XIVe s. ; lat. médiév. *occipitalis* ; [ɔksipital, o].

**OCCIPUT, subst. m.**
*Anat.* Partie inférieure et postérieure de la tête. 1372 ; lat. *occiput*, de *caput*, « tête » ; [ɔksipyt].

**OCCIRE, verbe trans.**
Tuer (vx ou littér.). Xe s. ; lat. pop. °*aucidere*, du lat. *occidere* ; empl. uniquement à l'inf., au p. p. (*occis, ise*) et aux temps composés ; [ɔksiʀ].

**OCCITAN, ANE, adj. et subst.**
D'Occitanie. SUBST. MASC. Langue d'oc. 1886 ; lat. *occitanus* ; [ɔksitɑ̃, an].

LINGUISTIQUE – À diverses époques, entre le IXe et le XIVe s., l'occitan a été la langue administrative, juridique et culturelle de toute la moitié méridionale de la France, du nord-ouest de l'Italie et du nord de la Catalogne et de l'Aragon – il fut notamment la langue des troubadours. L'occitan est actuellement parlé ou compris par environ dix millions de personnes, mais il ne cesse de reculer devant le français. Les grands dialectes de l'occitan sont d'une part l'auvergnat et le limousin, dont le caractère phonétique le plus remarquable est (comme en français) la palatalisation du *ka* et du *ga* latins (*vacha*, « vache », *jalina*, « poule »), et d'autre part le provençal et le languedocien, ce dernier ayant le phonétisme le plus archaïque, et, finalement, le gascon, remarquable par la transformation du *f* initial latin en *h* et la suppression du *n* intervocalique latin (*haria*, « farine »). Les locuteurs des différents dialectes occitans peuvent se comprendre, ainsi que ceux qui parlent le languedocien et le catalan, et, à un degré moindre, le provençal et le catalan. Certains linguistes considèrent d'ailleurs le catalan comme un dialecte occitan. En dehors de la France, l'occitan est parlé ou compris en Espagne (Aran), à Monaco et en Italie (Piémont, Ligurie, Calabre).

**OCCLURE, verbe trans.** [79]
*Chir.* Pratiquer l'occlusion de. 1858 (1440, investir ; entourer) ; lat. *occludere*, « fermer » ; [ɔklyʀ].

**OCCLUSIF, IVE, adj.**
**1.** *Méd.* Qui produit une occlusion. **2.** *Phon.* *Consonne* ***occlusive*** ou, empl. subst. fém., *Une* ***occlusive*** : consonne dont l'articulation comporte une occlusion ([p], [b], [t], [d], [k], [g]). 1876 ; lat. *occlusus*, de *occludere*, « fermer » ; [ɔklyzif, iv].

**OCCLUSION (I), subst. f.**
**1.** *Chir.* Opération consistant à rapprocher les bords d'une ouverture naturelle : ***Occlusion*** *des lèvres.* **2.** Fermeture complète ; en partic., contact total des mâchoires lorsqu'on serre les dents. ▸ *Phon.* Fermeture complète et momentanée du canal vocal dans la prononciation de certaines consonnes, dites occlusives. **3.** *Pathol.* Obstruction d'un conduit, d'un canal : ***Occlusion*** *intestinale.* **4.** *Météor.* Mécanisme de rejet en altitude d'une zone d'air chaud ; perturbation qui en résulte. 1808 ; bas lat. *occlusio* ; [ɔklyzjɔ̃].

**OCCLUSION (II), subst. f.**
*Chim.* Absorption d'un gaz par un solide telle que les atomes ou les molécules de gaz occupent des positions interstitielles dans la matrice solide. 1868 ; mot angl. ; [ɔklyzjɔ̃].

**OCCULTATION, subst. f.**
**1.** *Astron.* Disparition momentanée d'un astre derrière un autre, du point de vue d'un observateur terrestre. **2.** Action d'occulter une source lumineuse ; son résultat ; au fig. : *L'****occultation*** *d'un problème.* ▸ *Mar.* *Feu à* ***occultation(s)*** : dont les périodes de lumière sont plus longues que celles d'obscurité (par oppos. à *feu à éclats*). 1488 ; lat. *occultatio* ; [ɔkyltasjɔ̃].

**OCCULTE, adj.**
**1.** Caché, mystérieux : *Rôle* ***occulte*** ; *Comptabilité* ***occulte***. **2.** *Sciences* ***occultes*** : ensemble des théories et des pratiques qui se réfèrent à une vision du monde non rationnelle et qui requièrent le plus souvent une initiation telles l'alchimie, l'astrologie. Déb. XIIe s. ; lat. *occultus* ; [ɔkylt].

**OCCULTER, verbe trans.** [3]
**1.** *Astron.* En parlant d'un astre, cacher à la vue (un autre astre). **2.** Ext. Masquer (une source lumineuse) ; assombrir : *Les nuages* ***occultent*** *le soleil.* ▸ Munir (un signal lumineux) d'un dispositif qui en canalise les rayons. **3.** Fig. Dissimuler à l'esprit, cacher : ***Occulter*** *un triste souvenir* ; ***Occulter*** *la vérité.* Déb. XIVe s. ; lat. *occultare* ; [ɔkylte].

**OCCULTISME, subst. m.**
Ensemble des sciences et des pratiques occultes : *Séance d'****occultisme***. 1884 (1842, système occulte) ; ☞ *occulte* ; [ɔkyltism].

SOCIÉTÉ – L'adjectif « occulte » apparaît, sous sa forme latine, dans le titre d'un ouvrage d'Agrippa von Nettesheim (*De occulta philosophia*, 1529), mais le terme d'occultisme ne fut inventé qu'au milieu du XIXe s., par Éliphas Lévi. L'occultisme entend réagir contre le rationalisme des Lumières et, plus encore, contre le scientisme ambiant. Il se présente comme une philosophie au sens plein du terme, englobant un ensemble de doctrines et de pratiques qui postulent l'unité de l'Univers, perçu comme un tout (macrocosme), chacune de ses parties étant sa mise en abyme (microcosme). L'occultisme ne voit pas, entre deux éléments qui se ressemblent, de relation de cause à effet, mais un rapport de coïncidence finalisée (de « synchronicité », disait C. G. Jung). Ainsi formulé, l'occultisme est un aggiornamento de l'ésotérisme. De fait, il en reprend les thèmes et les pratiques : arts divinatoires (au premier rang desquels l'astrologie), alchimie (plus spéculative qu'opératoire) ou magie.

**OCCULTISTE, subst. et adj.**
SUBST. Adepte de l'occultisme. ADJ. Propre, relatif à l'occultisme. 1891 ; ☞ *occulte* ; [ɔkyltist].

**OCCUPANT, ANTE, subst. et adj.**
SUBST. Personne qui occupe un lieu, en partic., un logement ; par ext. : *Les* ***occupants*** *d'un véhicule.* ▸ *Dr.* ***Occupant*** *de bonne foi* : personne qui habite un logement dont elle paie régulièrement le loyer, sans avoir de titre de location. ADJ. Qui occupe militairement un pays : *La puissance* ***occupante*** ; empl. subst. masc. : *Résister à l'****occupant****, aux* ***occupants***. 1480 ; p. pr. de *occuper* ; [ɔkypɑ̃, ɑ̃t].

**OCCUPATION, subst. f.**
**1.** Ce à quoi on s'occupe ; activité ; travail : *Avoir de nombreuses* ***occupations***. ▸ Québ. ou Vieilli. Préoccupation. **2.** Action ou fait d'occuper un lieu, légalement ou non ; son résultat : *Grève avec* ***occupation*** *d'usine.* ▸ *Dr.* Mode d'acquisition de la propriété par la prise de possession d'un bien vacant. **3.** Action de conquérir et d'occuper militairement un territoire ; son résultat. ▸ *Hist.* *L'****Occupation*** : période de la Seconde Guerre mondiale pendant laquelle la France fut occupée par les Allemands. Fin XIIe s. ; lat. *occupatio* ; [ɔkypasjɔ̃].

**OCCUPÉ, ÉE, adj.**
**1.** Absorbé par un travail, une activité ; qui dispose de peu de temps libre : *C'est une personne très* ***occupée***. **2.** Qui est pris, utilisé par qqn : *Chambre, ligne* ***occupée***. **3.** Soumis à une occupation militaire : *Ville* ***occupée***. Fin XIIe s. ; p. p. de *occuper* ; [ɔkype].

**OCCUPER, verbe trans.** [3]
**I. 1.** Prendre possession de (un lieu) ; y demeurer illégalement ou par la force : ***Occuper*** *une usine* ; ***Occuper*** *un pays*, s'en emparer militairement. **2.** Réserver pour son usage personnel (un lieu) : ***Occuper*** *la salle de bains* ; *Ils* ***occupent*** *tout l'étage.* **3.** Remplir (un espace, une durée) : *Ce piano* ***occupe*** *trop de place* ; ***Occuper*** *son temps.* **4.** Fig. Remplir, exercer (un emploi, une fonction) : ***Occuper*** *un poste important.* **II. 1.** Absorber (qqn), remplir (son temps, sa pensée) : *Ses affaires l'****occupent*** *beaucoup.* **2.** Fournir une activité, un travail à (qqn) : *La moisson* ***a occupé*** *dix ouvriers.* PRONOM. **1.** Avoir une activité : *Il trouve toujours à* ***s'occuper***. **2. S'occuper de.** Consacrer son temps, ses soins à, se charger de : ***S'occuper*** *de politique* ; *Ne t'****occupe*** *pas de ça*, ne t'en mêle pas. XIVe s. ; lat. *occupare* ; [ɔkype].

**OCCURRENCE (I), subst. f.**
**1.** Circonstance, cas (littér.) : *L'****occurrence*** *n'est guère favorable.* ▸ Loc. *En l'****occurrence*** : dans ce cas précis. **2.** *Liturg.* Coïncidence de deux fêtes occurrentes. Mil. XVe s. ; ☞ *occurrent* ; [ɔkyʀɑ̃s].

**OCCURRENCE (II), subst. f.**
*Ling.* Apparition d'une unité linguistique dans le discours ; cette unité : *Compter les* ***occurrences*** *d'un mot dans un poème.* V. 1960 ; mot angl. ; [ɔkyʀɑ̃s].

**OCCURRENT, ENTE, adj.**
*Liturg.* *Fêtes* ***occurrentes*** : qui tombent le même jour. 1690 (1475, fortuit) ; lat. *occurrens*, de *occurrere*, « se rencontrer » ; [ɔkyʀɑ̃, ɑ̃t].

**OCÉAN, subst. m.**
**1.** Grande étendue d'eau salée qui couvre près des trois quarts de la surface terrestre. **2.** Chacune des grandes parties de cette étendue : *Les* ***océans*** *Atlantique, Pacifique...* ; empl. abs. : *L'****Océan***, l'océan Atlantique (en France). **3.** Fig. Immensité : *Un* ***océan*** *de dunes* ; profusion : *Un* ***océan*** *de larmes, de bonheur.* 1120 ; lat. *oceanus* ; [ɔseɑ̃].

**OCÉANE, adj. f.**
De l'océan Atlantique (littér.) : *La houle* ***océane***. 1694 ; lat. *mare Oceanus*, « l'Océan » ; [ɔsean].

**OCÉANIDE, subst. f.**
*Myth.* Nymphe de la mer : *Les* ***Océanides*** *étaient les filles d'Okeanos et de Téthys.* 1721 ; lat. *Oceanis*, du gr. *Ôkeanis* ; [ɔseanid].

**OCÉANIEN, IENNE, adj. et subst.**
D'Océanie : *Les langues* ***océaniennes***. 1841 (1716, océanique) ; topon. *Océanie* ; [ɔseanjɛ̃, jɛn].

**OCÉANIQUE, adj.**
Qui se rapporte à l'océan ; qui lui appartient : *Faune* ***océanique***. ▸ *Climat* ***océanique*** : climat de la façade occidentale des continents, dans les zones tempérées, caractérisé par de faibles variations thermiques. 1548 ; lat. *oceanicus* ; [ɔseanik].

**OCÉANOGRAPHE, subst.**
Spécialiste de l'océanographie. 1896 ; ☞ *océanographie* ; [ɔseanɔgʀaf].

**OCÉANOGRAPHIE, subst. f.**
Science qui a pour objet l'étude du milieu marin. ▸ ***Océanographie*** *physique* : qui étudie les eaux marines – constitution, marées, courants (synon. *hydrologie marine*) –, les matériaux du fond des océans et des mers, la morphologie et la bathymétrie des profondeurs. ▸ ***Océanographie*** *biologique* : qui inventorie les peuplements et étudie les causes de leur répartition. 1584 ; ☞ *océan* + *-graphie* ; [ɔseanɔgʀafi].

**OCÉANOGRAPHIQUE, adj.**
Relatif à l'océanographie : *Navire* ***océanographique***. 1894 ; ☞ *océanographie* ; [ɔseanɔgʀafik].

**OCÉANOLOGIE, subst. f.**
Ensemble des sciences et des techniques relatives à la prospection, à l'exploitation et à la protection des océans. V. 1970 ; ☞ *océan* + *-logie* ; [ɔseanɔlɔʒi].

**OCÉANOLOGUE, subst.**
Spécialiste d'océanologie. V. 1970 ; ☞ *océanologie* ; [ɔseanɔlɔg].

**OCELLE, subst. m.**
*Zool.* **1.** Œil simple de nombreux arthropodes (par oppos. à œil composé). **2.** Tache arrondie et de deux couleurs ornant les ailes des papillons, le plumage de certains oiseaux, etc. 1825 ; lat. *ocellus*, « petit œil » ; [ɔsɛl].

**OCELLÉ, ÉE, adj.**
Qui porte des ocelles, des taches en forme d'ocelles : *Paon* ***ocellé***. Déb. XIXe s. ; lat. *ocellatus* ; [ɔsele].

**OCELOT, subst. m.**
**1.** *Zool.* Carnassier d'Amérique centrale et méridionale, de la famille des Félidés, au pelage tacheté. **2.** Méton. Fourrure de ce carnassier. 1765 aztèque *ocelotl* ; [ɔslo].

© T. Walker-Jacana

*Ocelot.*

**OCRE, subst.**
FÉM. **1.** Pigment minéral naturel jaune ou rouge constitué par de l'argile et des oxydes de fer, employé comme colorant. **2.** Méton. Peinture préparée avec ce pigment. MASC. Couleur claire brun-rouge ou brun-jaune ; empl. adj. inv. : *Des murs* ***ocre***. Déb. XIVe s. ; lat. *ochra*, du gr. *ôkhros*, « jaune » ; [ɔkʀ].

**OCRÉ, ÉE, adj.**
Qui a la teinte de l'ocre. 1588 ; ☞ *ocre* ; [ɔkʀe].

**OCRER, verbe trans.** [3]
Colorer en ocre. 1935 ; ☞ *ocre* ; [ɔkʀe].

**OCREUX, EUSE, adj.**
**1.** Qui contient de l'ocre : *Terre* ***ocreuse***. **2.** De couleur ocre (vieilli). 1762 ; ☞ *ocre* ; [ɔkʀø, øz

**OCTAÈDRE, subst. m. et adj.**
*Géom.* SUBST. Polyèdre ayant huit faces : ***Octaèdre*** *régulier*, dont les faces sont des triangles équilatéraux égaux. ADJ. Qui a huit faces. 1377 ; lat. *octahedrum* ; [ɔktaɛdʀ].

**OCTAÉDRIQUE, adj.**
*Géom.* Qui a la forme d'un octaèdre. 1799 ☞ *octaèdre* ; [ɔktaedʀik].

**OCTAL, ALE, AUX, adj.**
Qui a pour base le nombre huit : *Système* ***octa***[l] V. 1960 ; lat. *octo*, « huit » ; [ɔktal, o].

**OCTANE, subst. m.**
**1.** *Chim.* Alcane de formule $C_8H_{18}$ présent dans l'essence. **2.** *Indice d'****octane*** : indice mesurant le pouvoir antidétonant d'un carburant. 1884 ; lat. *octo*, « huit » ; [ɔktan].

**OCTANT, subst. m.**
**1.** Arc de 45°, huitième de cercle. **2.** *Mar.* Sorte de sextant, mais dont le limbe n'est que de 45° (vx). 1619 ; lat. *octans*, « huitième partie » ; [ɔktɑ̃].

**OCTANTE, adj. num. card. inv.**
Belg. et Helv. Quatre-vingt(s). Fin XIIIe s. ; anc. *huitante*, du lat. *octoginta* ; [ɔktɑ̃t].

**OCTAVE,** subst. f.
. *Liturg.* Huitaine qui suit la célébration d'une te ; dernier jour de cette période : *L'octave de Noël.* *Mus.* Intervalle consonant de huit degrés de échelle diatonique : *Jouer, chanter à l'**octave***, une ctave plus haut ou plus bas que ce qui est noté. Note qui redouble la tonique dans le grave ou aigu. **3.** *Sp.* En escrime, huitième parade (pointe ers le bas, poignet en supination). Déb. XIII^e s. ; :. *octavus*, « huitième » ; [ɔktav].

**OCTAVIER,** verbe [6]
*us.* **Intrans.** Faire entendre accidentellement l'octave haute d'un son, pour les instruments à vent. **rans.** Jouer (un morceau) à l'octave. 1737 ; ☞ *octave* ; [ɔktavje].

**OCTAVIN,** subst. m.
*us.* Piccolo (rare). 1803 ; ☞ *octave* ; [ɔktavɛ̃].

**OCTET,** subst. m.
*format.* Ensemble de huit bits. 1960 ; lat. *octo*, huit » ; [ɔktɛ].

**OCTIDI,** subst. m.
uitième jour de la décade, dans le calendrier publicain. 1793 ; lat. *octo*, « huit », et *dies*, our » ; [ɔktidi].

**OCTOBRE,** subst. m.
Dixième mois de l'année. **2.** *Hist. Révolution **octobre*** : révolution des 6 et 7 novembre 1917 24 et 25 octobre du calendrier julien) qui porta s bolcheviks au pouvoir en Russie. 1213 ; lat. *tober*, de *octo*, « huit », ce mois étant le huitième de nnée romaine ; [ɔktɔbʀ].

**OCTOCORALLIAIRES,** subst. m. plur.
*ol.* Ordre de cœlentérés chez qui l'orifice supéeur des polypes est entouré de huit tentacules. **u sing.** *Le corail est un **octocoralliaire**.* 1907 ; *ralliaire* (vx), anthozoaire, + *-octo* ; [ɔktokɔʀaljɛʀ].

**OCTOGÉNAIRE,** adj. et subst.
**dj.** Dont l'âge est compris entre quatre-vingts et uatre-vingt-neuf ans. **Subst.** Personne **octogénaire.** 1567 ; lat. *octogenarius* ; [ɔktɔʒenɛʀ].

**OCTOGONAL, ALE, AUX,** adj.
. En forme d'octogone. **2.** Dont la base ou la ction est un octogone : *Pyramide, salle **octogonale**.* 1520 ; ☞ *octogone* ; [ɔktɔgɔnal, o].

**OCTOGONE,** subst. m. et adj.
**ubst.** *Géom.* Polygone à huit côtés. **Adj.** Octogonal vieilli). 1484 ; lat. *octogonos* ; [ɔktogon].

**OCTOPODE,** subst. m. et adj.
**ubst.** Vx. Bannière à huit flammes. **Subst. plur.** *Zool.* ous-ordre de la classe des Céphalopodes, qui omprend des mollusques marins à huit tentacules ; u sing. : *La pieuvre est un **octopode**.* **Adj.** Qui a huit eds ou huit tentacules. 1721 ; lat. médiév. *topodion*, du gr. *oktôpous* ; [ɔktɔpɔd].

© S. de Wilde-Jacana

*Le poulpe à cercles bleus appartient au sous-ordre des Octopodes.*

**OCTOSTYLE,** adj.
*rchit.* Qui a huit colonnes de front : *Temple **tostyle**.* 1580 ; gr. *oktastulos* ; [ɔktɔstil].

**OCTOSYLLABE,** adj. et subst. m.
**dj.** Octosyllabique. **Subst.** Vers de huit syllabes. 1611 ; lat. *octosyllabus* ; [ɔktɔsil(l)ab].

**OCTOSYLLABIQUE,** adj.
ui a huit syllabes. 1907 ; ☞ *octosyllabe* ; ktɔsil(l)abik].

**OCTROI,** subst. m.
. Action d'octroyer : *L'**octroi** d'une faveur.* **2.** Taxe unicipale perçue sur certaines denrées à leur ntrée dans la ville : *L'**octroi** fut supprimé en 1948* ; ar méton., administration chargée d'établir et de ercevoir cette taxe. XIV^e s. ; ☞ *octroyer* ; [ɔktʀwa].

**OCTROYER,** verbe trans. [17]
ccorder comme une faveur, consentir : ***Octroyer** n délai de grâce* ; empl. pronom. : *S'**octroyer** la meilleure part.* 1372 ; anc. fr. *otreier*, du lat. *auctorare*, « louer, garantir » ; [ɔktʀwaje].

**OCTUOR,** subst. m.
*Mus.* **1.** Composition instrumentale ou vocale à huit parties. **2.** Ensemble de huit musiciens. 1878 ; lat. *octo*, « huit », d'apr. *quatuor* ; [ɔktɥɔʀ].

**OCTUPLE,** adj. et subst. m.
Se dit de ce qui vaut huit fois une quantité donnée. 1377 ; lat. *octuplus* ; [ɔktypl].

**OCULAIRE,** adj. et subst. m.
**Adj. 1.** *Anat.* Qui concerne l'œil. **2.** *Témoin **oculaire*** : qui a vu de ses propres yeux. **Subst.** *Opt.* Dispositif d'une lunette, d'un microscope, etc., situé du côté de l'observateur. 1478 ; lat. *ocularius* ; [ɔkylɛʀ].

**OCULARISTE,** subst.
Spécialiste qui fabrique des prothèses oculaires. 1858 ; ☞ *oculaire* ; [ɔkylaʀist].

**OCULISTE,** subst.
Médecin spécialiste des maladies de l'œil (synon. *ophtalmologiste*). 1520 ; lat. *oculus*, « œil » ; [ɔkylist].

**OCULOMOTEUR, TRICE,** adj.
*Anat.* Qui concerne la motricité de l'œil. 1903 ; ☞ *moteur* + *oculo-* ; [ɔkylomɔtœʀ, tʀis].

**OCULUS,** subst. m.
*Archit.* Œil-de-bœuf. 1852 ; lat. *oculus*, « œil » ; plur. *oculus* ou *oculi* ; [ɔkylys], plur. [-li].

**OCYTOCINE,** subst. f.
*Biochim.* et *Biol.* Hormone sécrétée par le lobe postérieur de l'hypophyse, et qui provoque les contractions utérines lors de l'accouchement. 1942 ; gr. *ôkutokos*, « qui favorise l'accouchement » ; [ɔsitɔsin].

**ODALISQUE,** subst. f.
**1.** Esclave attachée au service du harem du sultan ottoman. **2.** Ext. Femme du harem (littér.). 1624 ; turc *odaliq* ; [ɔdalisk].

**ODE,** subst. f.
*Antiq.* **1.** Poème chanté ou accompagné de musique : *Les odes de Pindare.* **2.** Poème lyrique divisé en strophes symétriques d'inspiration élevée (**ode** héroïque) ou intime (**ode** anacréontique). 1488 ; bas lat. *oda*, du gr. *ôdê*, « chant » ; [ɔd].

**ODELETTE,** subst. f.
Petite ode. 1554 ; ☞ *ode* ; [ɔdlɛt].

**ODÉON,** subst. m.
*Antiq.* Édifice consacré à la musique et au chant. 1547 ; lat. *odeum*, « petit théâtre », du gr. *ôdeion* ; [ɔdeɔ̃].

**ODEUR,** subst. f.
**1.** Émanation volatile produite par certains corps et perçue par l'odorat : *Une **odeur** de moisi.* ▸ Loc. *L'argent n'a pas d'**odeur*** : d'où qu'il vienne, il est toujours bon à prendre. **2.** ***Odeur** de sainteté* : qui serait exhalée par certains saints après leur mort. ▸ Loc. *Vivre, mourir en **odeur** de sainteté* : comme un saint ; par ext. : *Ne pas être en **odeur** de sainteté* : être mal considéré (fam.). Déb. XII^e s. ; lat. *odor* ; [ɔdœʀ].

**ODIEUSEMENT,** adv.
De façon odieuse. 1539 ; ☞ *odieux* ; [ɔdjøzmɑ̃].

**ODIEUX, EUSE,** adj.
**1.** Qui suscite la haine, l'indignation ; abject : *Un attentat **odieux**.* **2.** Ext. Très déplaisant, détestable : *Un voisin **odieux**.* 1376 ; lat. *odiosus* ; [ɔdjø, øz].

**ODOMÈTRE,** subst. m.
*Techn.* Instrument servant à mesurer une distance parcourue par une voiture ou par un piéton. 1678 ; formé de *odo-* et de *-mètre*¹ ; [ɔdɔmɛtʀ].

**ODONATES,** subst. m. plur.
*Zool.* Ordre d'insectes aquatiques carnivores comprenant notamment les Anisoptères (libellules), qui gardent les ailes déployées au repos, et les Zygoptères (demoiselles), qui les replient. **Au sing.** *La grande libellule est un **odonate**.* 1805 ; lat. sc. *odonata*, du gr. *odous*, « dent » ; [ɔdɔnat].

**ODONTALGIE,** subst. f.
Mal de dents. 1694 ; gr. *odontalgia* ; [ɔdɔ̃talʒi].

**ODONTOCÈTES,** subst. m. plur.
*Zool.* Sous-ordre de cétacés caractérisés par la présence de dents, et non de fanons (cachalot, dauphin, etc.). **Au sing.** *Le narval est un **odontocète**.* Mil. XX^e s. ; formé de *odonto-* et de *-cète* ; [ɔdɔ̃tɔsɛt].

**ODONTOÏDE,** adj.
*Anat.* En forme de dent : *Apophyse **odontoïde** de l'axis.* 1541 ; formé de *odonto-* et de *-oïde* ; [ɔdɔ̃tɔid].

**ODONTOLOGIE,** subst. f.
*Méd.* Étude et traitement des dents. 1771 ; formé de *odonto-* et de *-logie* ; [ɔdɔ̃tɔlɔʒi].

**ODONTOLOGISTE,** subst.
Praticien spécialisé en odontologie. 1829 ; ☞ *odontologie* ; [ɔdɔ̃tɔlɔʒist].

**ODONTOMÈTRE,** subst. m.
Règle graduée qui mesure le nombre et l'écartement des dentelures des timbres-poste. 1866 ; formé de *odonto-* et de *-mètre*¹ ; [ɔdɔ̃tɔmɛtʀ].

**ODONTOSTOMATOLOGIE,** subst. f.
*Méd.* Discipline regroupant l'odontologie et la stomatologie ; chirurgie dentaire. 1955 ; ☞ *stomatologie* + *odonto-* ; [ɔdɔ̃tɔstɔmatɔlɔʒi].

**ODORANT, ANTE,** adj.
Qui exhale une odeur, gén. agréable : *Parfum **odorant**.* 1225 ; *odorer* (vx), « sentir, exhaler » ; [ɔdɔʀɑ̃, ɑ̃t].

**ODORAT,** subst. m.
Sens par lequel sont perçues les odeurs, chez l'être humain et chez l'animal : *Avoir l'**odorat** fin.* 1575 ; lat. *odoratus*, « action de flairer » ; [ɔdɔʀa].

**ODORIFÉRANT, ANTE,** adj.
Qui possède un principe odorant ; qui sent bon : *La lavande est **odoriférante**.* Fin XIV^e s. ; lat. médiév. *odoriferens*, du lat. *odorifer*, de *odor*, « odeur », et de *ferre*, « porter » ; [ɔdɔʀifeʀɑ̃, ɑ̃t].

**ODYSSÉE,** subst. f.
**1.** Récit d'un voyage aventureux. **2.** Voyage ou vie riche en péripéties. 1798 ; gr. *Odusseia*, poème d'Homère consacré aux aventures d'Ulysse ; [ɔdise].

**ŒCUMÉNIQUE,** adj.
**1.** *Relig.* Universel. ▸ *Concile **œcuménique*** : convoqué par le pape et réunissant tous les évêques catholiques. **2.** Anal. Qui réunit des personnalités ou des opinions différentes : *Un gouvernement **œcuménique**.* 1547 ; lat. eccl. *œcumenicus*, du gr. *oikoumenê gê*, « la Terre habitée » ; [ekymenik] ou [ø-].

**ŒCUMÉNISME,** subst. m.
**1.** *Relig.* Mouvement visant au rassemblement de tous les chrétiens en une seule Église. **2.** Anal. Ouverture, recherche du dialogue ; pluralisme : ***Œcuménisme** culturel.* 1927 ; ☞ *œcuménique* ; [ekymenism] ou [ø-].

**RELIGION** – Le mouvement œcuménique contemporain naît en 1910 avec la conférence protestante d'Édimbourg, qui s'emploie à définir un message évangélisateur unifié dans les pays de mission d'Afrique et d'Asie ; elle sera suivie, de 1921 à 1928, par les Conversations de Malines, à l'initiative du cardinal Mercier, entre théologiens anglicans et catholiques. En 1948, le Conseil œcuménique des Églises est institué à Genève, rassemblant les Églises non catholiques (protestantes et orthodoxes). Longtemps réservée à l'égard du mouvement, l'Église catholique, sans être membre du Conseil œcuménique, y participe activement depuis le concile Vatican II (1962-1965) et instaure des contacts suivis avec les différentes Églises comme avec les religions non chrétiennes (rassemblement des représentants de toutes les religions, le 27 octobre 1986 à Assise, autour de Jean-Paul II).

**ŒDÉMATEUX, EUSE,** adj.
De la nature de l'œdème ; atteint d'œdème : *Paupières, jambes **œdémateuses**.* 1549 ; ☞ *œdème* ; [edematø, øz] ou [ø-].

**ŒDÈME,** subst. m.
*Pathol.* Infiltration séreuse d'un tissu (en partic. sous-cutané), se traduisant par un gonflement diffus. 1478 ; gr. *oidêma* ; [edɛm] ou [ø-].

**ŒDICNÈME,** subst. m.
*Zool.* Genre d'oiseaux charadriiformes de la famille des Burhinidés, dont le plus connu est l'**œdicnème** criard, haut sur pattes et au bec court, qui vit en Europe, en Afrique du Nord et au Moyen-Orient. 1817 ; lat. sc. *œdicnemus*, du gr. *oidein*, « s'enfler », et *knêmê*, « jambe » ; [ediknɛm] ou [ø-].

**ŒDIPE,** subst. m.
*Psychanal. Complexe d'**Œdipe*** ou, empl. abs., ***Œdipe*** : conflit inconscient (attachement au parent de sexe opposé et haine à l'égard du parent de même sexe) auquel est confronté l'enfant, entre trois et cinq ans, et qui trouve normalement sa résolution dans l'identification au parent du même sexe. 1914 (1721, homme qui résout facilement une énigme) ; *Œdipe*, personnage de la mythologie grecque ; [edip] ou [ø-].

**ŒDIPIEN, IENNE,** adj.
*Psychanal.* Relatif au complexe d'Œdipe. 1916 ; ☞ *œdipe* ; [edipjɛ̃, jɛn] ou [ø-].

**ŒIL, subst. m.**
**I. 1.** Organe de la vue : *Examen du fond de l'**œil*** ; *Avoir de bons **yeux***, une bonne vision ; par méton. : *Fermer les **yeux***, les paupières. **2.** Partie externe, visible de cet organe : *Avoir les **yeux** bleus, marron* ; *Des **yeux** bridés.* ► Loc. *À l'**œil** nu* : sans l'aide d'aucun instrument d'optique. **3.** Regard : *Parcourir des **yeux** un menu* ; *Jeter les **yeux** sur qqn.* ► Loc. *Coup d'**œil*** : regard furtif ; *Avoir le mauvais **œil*** : la faculté de porter malheur ; *À vue d'**œil*** : au jugé ; *Faire de l'**œil** à qqn* : lui lancer une œillade amoureuse ; *N'avoir d'**yeux** que pour qqn* : ne voir que cette personne ; *Fermer les **yeux** sur qqch.* : faire semblant de ne pas voir, pardonner. **4.** Fig. Cet organe, symbole de la faculté d'attention ou de jugement : *Avoir l'**œil** à tout* ; *Avoir qqn, qqch. à l'**œil***, le surveiller ; *Regarder qqch., qqn d'un **œil** favorable, d'un bon **œil***, avec bienveillance ; *L'**œil** du maître*, la surveillance et la compétence du connaisseur. ► Méton. Celui à qui rien n'échappe, qui sait tout (Dieu, la conscience) : *L'**œil** était dans la tombe et regardait Caïn* (Hugo). ► Loc. *Ne pas avoir froid aux **yeux*** : avoir du courage ; *Avoir le coup d'**œil*** : apercevoir, déceler vite et bien ; *Ne pas avoir les **yeux** dans sa poche* : être très observateur ; *Ouvrir les **yeux*** : voir la réalité en face ; *Se mettre le doigt dans l'**œil*** (☞ doigt) ; *À mes **yeux*** : selon moi ; *Coûter les **yeux** de la tête* : très cher ; *À l'**œil*** : gratuitement (fam.). **II.** Anal. **1.** Ouverture, trou ; ornement rond. ► *Alim. Les **yeux** du gruyère, du pain* : les trous qui apparaissent dans la pâte ; ***Yeux** de graisse à la surface d'un bouillon* : ronds de graisse. ► ***Œil** d'une aiguille* : chas ; ***Œil** de porte* : judas ; ***Œil** d'un outil* : trou où s'emboîte le manche. **2.** *Arboric.* Bourgeon naissant. **3.** *Impr.* Partie du caractère constituant, en relief, le dessin de la lettre qui sera reproduit à l'impression sur le papier. **4.** *Météor.* ***Œil** du cyclone* : son centre, caractérisé par une pression extrêmement basse, un vent pratiquement nul et la présence de rares nuages. **5.** *Techn.* Boucle formée à l'extrémité d'un filin. **6.** *Zool.* Miroir ou ocelle que présente le plumage d'un oiseau. Fin Xe s. ; lat. *oculus* ; plur. *yeux* (*yeux* ou *œils* aux sens II.1, 3 et 5) ; [œj], plur. [jø].

**ŒIL-DE-BŒUF, subst. m.**
*Archit.* Lucarne circulaire ou ovale pratiquée dans un mur, un édifice (synon. *oculus*). 1530 (XIIe s., reliquaire de forme ovale) ; comp. de *œil* et de *bœuf* ; plur. *œils-de-bœuf* ; [œjdəbœf].

**ŒIL-DE-CHAT, subst. m.**
*Joaill.* Variété de chrysobéryl aux reflets chatoyants ; par ext. : *Quartz **œil-de-chat***. 1416 ; comp. de *œil* et de *chat* ; plur. *œils-de-chat* ; [œjdəʃa].

**ŒIL-DE-PERDRIX, subst. m.**
Cor situé entre les orteils. 1839 (1605, couleur rubis) ; comp. de *œil* et de *perdrix* ; plur. *œils-de-perdrix* ; [œjdəpɛʀdʀi].

**ŒIL-DE-PIE, subst. m.**
*Mar.* Œillet pratiqué dans une voile. 1678 ; comp. de *œil* et de *pie* (I) ; plur. *œils-de-pie* ; [œjdəpi].

**ŒIL-DE-TIGRE, subst. m.**
*Joaill.* Quartz à reflets jaune d'or. Comp. de *œil* et de *tigre* ; plur. *œils-de-tigre* ; [œjdətigʀ].

**ŒILLADE, subst. f.**
Clin d'œil lancé à qqn pour l'aguicher ou en signe de connivence. 1480 ; ☞ *œil* ; [œjad].

**ŒILLÈRE, subst. f.**
**1.** Plaque de cuir attachée à la bride d'un cheval pour l'empêcher de voir sur les côtés (gén. au plur.). ► Loc. *Avoir des **œillères*** : manquer d'ouverture d'esprit, être borné. **2.** Petit godet ovale utilisé pour les bains d'yeux. 1611 (fin XIIe s., ouverture pratiquée dans le heaume pour les yeux) ; ☞ *œil* ; [œjɛʀ].

**ŒILLET, subst. m.**
**I. 1.** Petit trou rond, gén. cerclé, servant à passer un fil, un lacet, un cordage, etc. : ***Œillet** d'une chaussure, d'une ceinture, d'une voile.* **2.** *Papet.* Anneau autocollant qui renforce la perforation d'une feuille de classeur. **3.** *Techn.* Bassin d'un marais salant où l'on recueille le sel. **II.** *Bot.* Plante herbacée dicotylédone de la famille des Caryophyllacées, à fleurs odorantes : ***Œillet** de Chine* ; ***Œillet** de poète* ; par méton., la fleur elle-même. ► Anal. ***Œillet** d'Inde* : tagète. Mil. XIIIe s. ; ☞ *œil* ; [œjɛ].

**ŒILLETON, subst. m.**
**1.** *Arboric.* Bourgeon produit par certaines plantes et utilisé pour leur multiplication. **2.** *Opt.* Dispositif adapté à l'oculaire d'un appareil et qui détermine la position optimale de l'œil de l'observateur. **3.** *Arm.* Petit viseur circulaire : *L'**œilleton** d'un fusil.* 1554 ; ☞ *œillet* ; [œjtɔ̃].

**ŒILLETONNER, verbe trans.** [3]
*Arboric.* **1.** Débarrasser (un arbre) de ses œilletons. **2.** Multiplier (une plante) par séparation et repiquage de ses œilletons. 1652 ; ☞ *œilleton* ; [œjtɔne].

**ŒILLETTE, subst. f.**
*Bot.* Variété de pavot dont les graines fournissent une huile comestible et à usage industriel ; cette huile, utilisée en peinture. Déb. XIVe s. ; anc. fr. *olie*, « huile » ; [œjɛt].

**ŒKOUMÈNE, voir ÉCOUMÈNE**

**ŒNANTHE, subst. f.**
*Bot.* Plante vénéneuse de la famille des Apiacées croissant dans les endroits humides. 1545 ; lat. *œnanthe*, du gr. *oinanthê* ; [enɑ̃t] ou [ø-].

**ŒNANTHIQUE, adj.**
Relatif au bouquet des vins. 1836 ; bas lat. *œnanthium*, « essence de raisins » ; [enɑ̃tik] ou [ø-].

**ŒNILISME, subst. m.**
Alcoolisme dû à l'abus du vin. V. 1960 ; gr. *oinos*, « vin », d'apr. *alcoolisme* ; var. *œnolisme* ; [enilism] ou [ø-].

**ŒNOLIQUE, adj.**
*Acides **œnoliques*** : matières colorantes présentes dans les vins rouges. 1840 ; *œnol* (vx), « vin servant d'excipient » ; [enɔlik] ou [ø-].

**ŒNOLISME, voir ŒNILISME**

**ŒNOLOGIE, subst. f.**
Étude de la fabrication et de la conservation du vin. 1636 ; formé de *œno-* et de *-logie* ; [enɔlɔʒi] ou [ø-].

**ŒNOLOGUE, subst.**
Spécialiste d'œnologie. 1810 ; ☞ *œnologie* ; [enɔlɔg] ou [ø-].

**ŒNOTHÉRACÉES, subst. f. plur.**
*Bot.* Famille de dicotylédones d'Amérique, comportant des herbes, des buissons et quelques arbustes (synon. *Onagracées*). AU SING. *Le fuchsia est une **œnothéracée**.* 1850 ; ☞ *œnothère* ; [enɔteʀase] ou [ø-].

**ŒNOTHÈRE, subst. m.**
*Bot.* Onagre. 1777 ; lat. sc. *œnothera*, du gr. *oinothêras*, « plante à racine vineuse » ; [enɔtɛʀ] ou [ø-].

**ŒRSTED, subst. m.**
*Phys.* Unité C. G. S. d'intensité de champ magnétique, valant $10^3$ ampères par mètre. 1923 ; anthropon. *Christian Œrsted*, physicien danois ; [œʀstɛd].

**ŒRSTITE, subst. f.**
*Métall.* Acier au cobalt et au titane, à forte aimantation rémanente, servant à la fabrication des aimants permanents. 1953 ; ☞ *œrsted* ; [œʀstit].

**ŒSOPHAGE, subst. m.**
*Anat.* Segment du tube digestif qui va du pharynx à l'estomac et par lequel passent les aliments après la déglutition. 1314 ; gr. *oisophagos*, « qui porte ce que l'on mange » ; [ezɔfaʒ] ou [ø-].

**ŒSOPHAGITE, subst. f.**
*Pathol.* Inflammation de l'œsophage. 1822 ; ☞ *œsophage* + *-ite* ; [ezɔfaʒit] ou [ø-].

**ŒSOPHAGOSCOPE, subst. m.**
*Méd.* Instrument servant à l'examen endoscopique de l'œsophage. 1932 ; ☞ *œsophage* + *-scope* ; [ezɔfagɔskɔp] ou [ø-].

**ŒSTRADIOL, subst. m.**
*Biol.* et *Biochim.* Œstrogène puissant intervenant dans la formation des caractères sexuels secondaires et dans le contrôle du cycle menstruel chez la femme. Mil. XXe s. ; ☞ *œstrus* ; [ɛstʀadjɔl] ou [œ-].

**ŒSTRAL, ALE, AUX, adj.**
*Physiol.* Relatif à l'œstrus. 1945 ; ☞ *œstrus* ; [ɛstʀal, o] ou [œ-].

*Œillets de Chine.*

© Rouxaime-Jacana

**ŒSTRE, subst. m.**
*Zool.* Mouche parasite de nombreux quadrupèdes *Œstre du mouton*, dont les larves se développe dans les cavités des sinus. 1519 ; lat. *œstrus*, gr. *oistros*, « taon » ; [ɛstʀ] ou [œ-].

**ŒSTROGÈNE, adj. et subst. m.**
*Biol.* et *Biochim.* Se dit des hormones stéroïd notamment de celles sécrétées par l'ovaire, q provoquent l'œstrus. 1951 ; ☞ *œstrus* + *-gèn* [ɛstʀɔʒɛn] ou [œ-].

**ŒSTRUS, subst. m.**
*Physiol.* Phase du cycle ovarien qui compre l'ovulation et la période où la fécondation possible chez la femme et chez les femelles d mammifères. 1931 ; lat. *œstrus*, du gr. *oistr* « taon ; folie » ; [ɛstʀys] ou [œ-].

**ŒUF, subst. m.**
**1.** *Zool.* Corps composé de matière organiqu pondu par la femelle des oiseaux ou, par ext., d autres animaux dits ovipares (nombreux insect arthropodes, amphibiens, reptiles, poissons), q renferme le germe embryonnaire et les nutrimen nécessaires, en cas de fécondation, à son développ ment jusqu'à terme (l'éclosion) : *Œuf de cane, reptile, de pou.* **2.** Œuf de certains animaux, utili comme aliment : ***Œufs** de caille, de lump* ; empl. ab **œuf** de la poule : ***Œufs** brouillés, à la coque, au pl* (ou *sur le plat*), *pochés* ; ***Œuf** de Pâques*, œuf d décoré ou confiserie, chocolat en forme d'œu **3.** *Biol.* Chez les animaux et les végétaux, cellu reproductrice issue de la fusion d'un gamète feme et d'un gamète mâle. ► Loc. *L'**œuf** de Christop Colomb* : une trouvaille simple (par allus. à Colom cassant le bout d'un **œuf** pour le faire te debout) ; *Étouffer dans l'**œuf** (un processus)* : l'arrêt dans sa phase initiale ; *Être plein comme un **œu*** ivre ou repu (fam.) ; *Marcher sur des **œufs*** : march avec précaution ou, au fig., agir, s'exprimer t prudemment ; *Mettre tous ses **œufs** dans le mê panier* : engager toutes ses ressources dans u même entreprise, au risque de tout perdre ; *Va faire cuire un **œuf** !* : va au diable, débrouille-to (fam.). ► Belg. *Avoir un **œuf** à peler avec qqn* : av un compte à régler avec lui. ► Loc. proverb. *Qui v un **œuf** vole un bœuf* (☞ voler) ; *On ne fait p d'omelette sans casser des **œufs*** : qui veut réalis qqch. doit y mettre les moyens nécessaires. **4.** An ► *Cout.* Morceau de bois ou de plastique ovoïde q l'on introduit dans une chaussette à repriser. ► S *Position de l'**œuf*** : position très ramassée du skieu qui lui permet d'accroître sa vitesse. XIIe s. ; l *ovum* ; [œf], plur. [ø].

**ŒUFRIER, subst. m.**
**1.** Ustensile dans lequel on peut faire cuire plusieu œufs à la coque. **2.** Casier où l'on range les œu 1838 ; ☞ *œuf* ; [œfʀije].

**ŒUVÉ, ÉE, adj.**
*Zool.* Qui porte des œufs, en parlant d'un poiss femelle. 1575 (déb. XIIIe s., enflé) ; ☞ *œuf* ; [œv

**ŒUVRE, subst.**
FÉM. **1.** Activité, travail ; ensemble des efforts a complis en vue d'un résultat : *L'**œuvre** civilisatr de Rome.* ► Loc. *Être, se mettre à l'**œuvre*** : au trava *Faire **œuvre** utile* : travailler utilement ; *Faire s **œuvre*** : agir, opérer, en parlant d'une faculté, d' phénomène naturel, matériel ou psychologiqu *Mettre en **œuvre** qqch.* : employer (un matériau) po une opération déterminée ou, au fig., mettre pratique, appliquer (des moyens, une idée). **2.** A tion humaine, considérée dans sa conformité à morale, à la religion (souv. au plur.) : *Les bonn **œuvres***, les actions charitables. ► Méton. Organis tion religieuse ou laïque, à but charitable, phila thropique, etc. **3.** Produit, résultat de une activit d'une action : *Pasteur, sa vie et son **œuvre*** ; *Êt l'**œuvre** de*, être dû à l'action, au travail de. **4.** Pr duit d'une création littéraire ou artistique : *U **œuvre** de jeunesse* ; ensemble de la production d' artiste, d'un écrivain, etc. : *L'**œuvre** de Muss* FÉM. PLUR. *Mar. **Œuvres** mortes* : partie émergée d' navire ; ***Œuvres** vives* : partie immergée de la coq (synon. *carène*). MASC. SING. **1.** *Archit. Le gros **œuvr*** les fondations, les murs et la toiture d'un bâtimen ► *Le second **œuvre*** : les ouvrages d'achèvement d'u construction. ► Loc. *Être à pied d'**œuvre*** : être s le lieu où les travaux sont entrepris ou, au fig., êt prêt à agir. **2.** Ensemble des œuvres d'un artis

partic. d'un peintre, d'un graveur, d'un musi-
:n : *L'œuvre gravé de Picasso* ; *Tout l'œuvre de rlioz*. **3.** *Alchim. Le grand œuvre* : la transmutation s métaux en or ; la recherche de la pierre ilosophale. Mil. XIIe s. ; lat. *opera* ; [œvʀ].

**ŒUVRER, verbe intrans.** [3]
Vx. Travailler. **2.** Agir activement en vue d'attein- e un objectif : **Œuvrer** *pour la paix.* 1176 ; anc. *ovrer*, du bas lat. *operare*, d'apr. *œuvre* ; [œvʀe].

**OFFENSANT, ANTE, adj.**
ui offense. 1672 ; p. pr. de *offenser* ; [ɔfɑ̃sɑ̃, ɑ̃t].

**OFFENSE, subst. f.**
Action, propos qui blesse qqn dans son honneur, n amour-propre, ou qui porte atteinte à une chose spectée : *Subir une* **offense** ; *Faire* **offense** *à l'amitié.* Dr. Outrage fait à un chef d'État. **3.** *Relig.* Péché nanquement envers Dieu). Déb. XIIIe s. ; lat. *ensa*, de *offendere*, « heurter » ; [ɔfɑ̃s].

**OFFENSER, verbe trans.** [3]
Porter atteinte à l'honneur, à la dignité de (qqn) : *tre refus l'***offense** *beaucoup* ; empl. pronom. : **ffenser** *de*, être froissé par. **2.** Faire outrage à (une ose respectée) : **Offenser** *la mémoire d'un défunt* ; r ext., enfreindre : **Offenser** *la grammaire.* **3.** *Relig.* **ffenser** *Dieu* : pécher contre ses commandements. Blesser (qqn) physiquement (vx) ; gêner, heurter ttér. ou vieilli) : *Ce vacarme* **offense** *les oreilles !* Mil. XVe s. ; ☞ *offense* ; [ɔfɑ̃se].

**OFFENSEUR, subst. m.**
rsonne qui offense. XVe s. ; ☞ *offenser* ; [ɔfɑ̃sœʀ].

**OFFENSIF, IVE, adj. et subst f.**
**J. 1.** *Milit.* Qui attaque, qui est conçu pour taquer : *Alliance* **offensive** ; par anal. : *Retour fensif d'un virus.* **2.** Ext. Combatif, agressif : *Sportif fensif.* **Subst. 1.** *Milit.* Action stratégique ou tacti- e, consistant à prendre l'initiative de l'attaque : *sser à l'***offensive**. **2.** Fig. Attaque, campagne contre n ou contre qqch. que l'on veut réduire : **Offensive** *ntre le chômage.* 1538 (1417, offensant) ; lat. *endere*, « heurter », d'apr. *défensif* ; [ɔfɑ̃sif, iv].

**OFFERTOIRE, subst. m.**
*urg.* Rituel de présentation à Dieu par le prêtre pain et du vin qui vont être consacrés. ▶ Méton. partie de la messe au cours de laquelle a lieu rituel ; pièce de musique qui l'accompagne. Fin [e] s. (1250, linge sacré couvrant le calice) ; lat. médiév. *ertorium*, « offrande » ; [ɔfɛʀtwaʀ].

**OFFICE, subst. m.**
*Liturg.* **1.** *Cath.* Ensemble des prières et des lec- res prévues pour une fête, un jour, une heure noniale : **Office** *des morts* ; **Office** *du soir.* ▶ Céré- onie du culte ; en partic., la messe. **2.** Anal. érémonie d'un culte autre que catholique : **Office** *otestant.* **II. 1.** Tâche, fonction que l'on doit ac- mplir, remplir (vieilli) : *S'acquitter de son* **office**. Anal. Emploi ou destination d'une chose. ▶ Loc. **ire office de.** Jouer le rôle de, tenir lieu de : *Faire fice de garde-malade* ; *Coin faisant* **office** *de cuisine.* Dr. Charge publique attribuée par l'État, dont on t titulaire à vie : **Office** *d'avoué.* ▶ Service public : **ffice** *national des forêts.* ▶ *Hist.* Charge que l'on uvait acheter, vendre ou laisser en succession, us l'Ancien Régime : *Acheter un* **office** *de juge* ; *nalité des* **offices**. ▶ Loc. *D'***office** : d'autorité, en rtu d'une disposition légale. **3.** Méton. Agence, ıreau où a lieu une activité spécifique : *L'***office** *du urisme.* **4.** Livraison d'ouvrages, nouvellement im- imés, que font les éditeurs aux libraires. **Plur.** *Bons* **fices** : ensemble de services assurés par qqn pour ettre en rapport des personnes entre elles ou ncilier des intérêts divergents. **III.** Pièce attenante la cuisine, où l'on prépare le service de la table. Fin XIIe s. ; lat. *officium* ; var., au sens III, *une office* (vx recomm. off.) ; [ɔfis].

**OFFICIAL, subst. m.**
r. *canon.* Juge ecclésiastique diocésain. Déb. I[e] s. ; lat. eccl. *officialis*, du lat. *officinum*, « fonction ; rvice » ; plur. *officiaux* ; [ɔfisjal], plur. [-sjo].

**OFFICIALISATION, subst. f.**
:tion d'officialiser ; son résultat. 1933 ; ☞ *offi- ıliser* ; [ɔfisjalizasjɔ̃].

**OFFICIALISER, verbe trans.** [3]
endre officiel. Fin XIXe s. ; ☞ *officiel* ; [ɔfisjalize].

**OFFICIALITÉ, subst. f.**
*Hist.* Tribunal ecclésiastique (avant 1790). **2.** *Dr. non.* Instance ecclésiastique diocésaine dépendant l'évêque. 1285 ; ☞ *official* ; [ɔfisjalite].

**OFFICIANT, ANTE, subst. et adj.**
*Relig.* **Masc.** Se dit du prêtre qui célèbre l'office. **Fém.** Se dit d'une sœur qui est de semaine au chœur. 1671 ; p. pr. de *officier* (I) ; [ɔfisjɑ̃, ɑ̃t].

**OFFICIEL, ELLE, adj. et subst. m.**
**Adj. 1.** Qui émane d'une autorité constituée, en partic. de l'État et de ses administrations : *Le « Journal* **officiel** *»*, qui publie les débats, actes, décrets et lois des corps constitués. ▶ Qui est présenté comme vrai par les autorités compétentes (souv. péj.) : *La version* **officielle** *d'un fait.* **2.** Qui est organisé par les autorités : *Dîner* **officiel**. **3.** Qui est rendu public, selon les règles en vigueur : *Fiançailles* **officielles**. ▶ Anal. Notoire (fam.) : *Brouille* **officielle** ; conventionnel (souv. péj.) : *L'art* **officiel**. **Subst.** Personnalité chargée d'une fonction publique ou représentative. ▶ *Sp.* Organisateur, arbitre. 1778 ; angl. *official*, de l'anc. fr. *official*, du bas lat. *officialis*, « relatif à une charge » ; [ɔfisjɛl].

**OFFICIELLEMENT, adv.**
De manière officielle. 1777 ; *officiel* ; [ɔfisjɛlmɑ̃].

**OFFICIER (I), verbe intrans.** [6]
**1.** Célébrer un office religieux. **2.** Travailler, procé- der de façon solennelle (iron.) : *Trois sommeliers* **officiaient** *à la table d'honneur.* 1558 (fin XIIIe s., remplir un office) ; lat. médiév. *officiare* ; [ɔfisje].

**OFFICIER (II), subst. m.**
**1.** *Dr.* Titulaire d'un office : **Officier** *public, ministériel*, titulaire d'une charge publique (notaire, huissier, etc.), jouissant du droit d'authentifier des actes ; **Officier** *d'état civil*, qui tient et conserve les registres de l'état civil et en délivre des copies légales ; **Officier** *de police*, inspecteur, policier en civil dépendant d'un commissariat ou de la préfecture de police ; **Officier** *de police judiciaire*, chargé de constater les délits et les crimes, et de déférer les coupables à la justice. ▶ *Hist.* Titulaire d'un office, sous l'Ancien Régime ; en partic., haut dignitaire de la maison du roi. **2.** *Milit.* Soldat, marin possé- dant au moins le grade de sous-lieutenant (armée de terre, aviation) ou d'enseigne de deuxième classe (marine) : *Élève* **officier**, aspirant ; **Officier** *général*, général ou amiral. **3.** Titulaire d'un grade dans un ordre honorifique, gén. intermédiaire entre celui de chevalier et celui de commandeur : **Officier** *de la Légion d'honneur* ; *Grand* **officier**, du grade immé- diatement inférieur à celui de grand-croix. 1327 ; lat. médiév. *officiarius*, du lat. *officium*, « office » ; [ɔfisje].

**OFFICIEUSEMENT, adv.**
De manière officieuse. 1555 ; ☞ *officieux* ; [ɔfisjøzmɑ̃].

**OFFICIEUX, EUSE, adj.**
**1.** Vx. Serviable. **2.** Qui est de source sûre, mais qui n'est pas encore ou ne doit pas être rendu public (par oppos. à *officiel*) : *Accord* **officieux**. 1544 ; lat. *officiosus* ; [ɔfisjø, øz].

**OFFICINAL, ALE, AUX, adj.**
*Pharm.* **1.** Se dit d'un remède préparé dans l'officine et prêt à être délivré (par oppos. à *magistral*). **2.** Uti- lisé en pharmacie : *Plante* **officinale**. 1762 (déb. XVIe s., relatif à une boutique) ; ☞ *officine* ; [ɔfisinal, o].

**OFFICINE, subst. f.**
**1.** Boutique, atelier (vx). **2.** Anal. Endroit où s'éla- bore, où se trame qqch. (péj.) : **Officine** *de conspira- teurs.* **3.** Lieu où les médicaments sont préparés, entreposés et vendus (synon. *pharmacie*). 1532 (fin XIIe s., dépendance d'un couvent) ; lat. *officina*, de *opus*, « ouvrage », et de *facere*, « faire » ; [ɔfisin].

**OFFRANDE, subst. f.**
**1.** Don votif ou propitiatoire fait à une divinité. **2.** *Li- turg.* Oblats présentés lors de l'offertoire. **3.** Anal. Cadeau, présent. Fin XIe s. ; lat. médiév. *offerenda*, du lat. *offerendus*, « qui doit être offert » ; [ɔfʀɑ̃d].

**OFFRANT, subst. m.**
*Le plus* **offrant** : celui qui fait la meilleure offre ; *Adjuger au plus* **offrant** : au dernier enchérisseur. 1365 (déb. XIVe s., généreux) ; p. pr. de *offrir* ; [ɔfʀɑ̃].

**OFFRE, subst. f.**
**1.** Action d'offrir, de proposer ; ce que l'on offre, propose : *Une* **offre** *équitable, alléchante* ; *Décliner une* **offre** ; **Offre** *de service, d'emploi.* **2.** *Dr.* Fait de proposer à qqn de conclure un contrat ; l'objet de ce contrat. ▶ **Offre** *réelle* : fait, pour un débiteur, d'obliger son créancier à recevoir le paiement d'une dette. ▶ *Admin. Appel d'***offres** (☞ *appel*). ▶ *Bourse.* **Offre** *publique d'achat (O. P. A.)* : proposition de rachat, à un prix supérieur au cours, d'un certain nombre de titres d'une société, adressée publique- ment à ses actionnaires par une autre société, dite initiatrice. **3.** *Écon.* Quantité de biens ou de services disponibles sur le marché : *Loi, équilibre de l'***offre** *et de la demande.* Mil. XIIe s. ; ☞ *offrir* ; [ɔfʀ].

**OFFREUR, EUSE, subst.**
Personne qui offre qqch. : **Offreur** *de service.* 1347 ; ☞ *offrir* ; [ɔfʀœʀ, øz].

**OFFRIR, verbe trans.** [27]
**1.** Mettre (qqch.) à la disposition de qqn, proposer : **Offrir** *le thé* ; **Offrir** *à boire* ; **Offrir** *de secourir qqn* ; **Offrir** *son bras à qqn*, le lui présenter pour qu'il s'y appuie, pour le conduire. **2.** Donner en cadeau : **Offrir** *une bague.* **3.** Donner, vouer (qqch., qqn) à Dieu ; par ext. : **Offrir** *sa vie pour une cause.* **4.** Procurer : **Offrir** *une chance à qqn* ; présenter : *Les perspectives qu'***offre** *cette thèse.* **Pronom. 1.** S'acheter, s'accorder (qqch.) : *S'***offrir** *une croisière.* **2.** Proposer ses services : *Il s'est* **offert** *pour lui faire visiter Paris.* **3.** Se présenter : *Une occasion s'***offre** *à vous.* Déb. XIIe s. ; bas lat. *offerire*, du lat. *offerre* ; [ɔfʀiʀ].

**OFFSET, subst. m. inv.**
*Impr.* Système de report du texte et des images de la forme imprimante (une plaque encrée) sur le papier par double décalque, au moyen d'un cylindre en caoutchouc (blanchet) ; empl. adj. inv. : *Rota- tives* **offset** ; *Papier* **offset**, adapté à ce procédé. 1932 ; angl. *to offset*, « reporter » ; [ɔfsɛt].

**OFFSHORE, adj. inv. et subst. m. inv.**
**Adj. 1.** *Fin.* Extraterritorial. **2.** *Géol.* Relatif aux gisements pétrolifères sous-marins, à leur prospec- tion, à leur exploitation ; empl. subst. masc., plate-forme de forage installée en mer (recomm. off. *en mer*). **Subst.** Sport pratiqué sur des bateaux de grande puissance ; le bateau lui-même. 1950 ; angl. *offshore*, « loin du rivage » ; var. *off shore* ; [ɔfʃɔʀ].

**OFFUSQUER, verbe trans.** [3]
**1.** Vx. Dissimuler à la vue ; obscurcir. **2.** Heurter la sensibilité de, choquer ; empl. pronom. : *S'***offusquer** *de qqch.*, s'en formaliser. Déb. XVe s. (fin XIVe s., arrêter dans son cours régulier) ; bas lat. *offuscare*, du lat. *fuscus*, « sombre » ; [ɔfyske].

**OFLAG, subst. m.**
*Hist.* Camp allemand où étaient détenus les officiers alliés faits prisonniers, pendant la Seconde Guerre mondiale. 1941 ; contraction de l'all. *Offizier(s)lager*, « camp pour officiers » ; [ɔflag].

**OGHAMIQUE, adj.**
Se dit de l'écriture celtique d'Irlande et du pays de Galles attestée par des inscriptions des Ve-VII[e] s. 1801 ; *Ogham*, nom de l'inventeur mythique de cette écriture ; [ɔgamik].

**OGIVAL, ALE, AUX, adj.**
*Archit.* Caractérisé par l'utilisation de l'ogive. ▶ En ogive : *De forme* **ogivale**. ▶ *Art* **ogival** : gothique (vx). 1823 ; ☞ *ogive* ; [ɔʒival, o].

© J.-L. Bohin-Explorer

*La voûte sur croisée d'ogives de l'église Saint-Leu d'Esserent (XIIe s.), dans l'Oise.*

**OGIVE, subst. f.**
**1.** *Archit.* Arc diagonal dont l'extrémité supérieure rencontre la clef d'une voûte : *Voûte sur croisée d'***ogives**, formée de quartiers définis par des arcs d'**ogive**. ▶ Ext. Toute arcade en arc brisé : *Lucarne,*

*fenêtre en **ogive**.* **2.** *Arm.* Partie antérieure des projectiles de forme oblongue : ***Ogive** de balle, de missile* ; ***Ogive** nucléaire*, tête nucléaire. 1260 ; p.-ê. anglo-norm. °*ogé*, du lat. *obviatum*, de *obviare*, « s'opposer » ; [ɔʒiv].

**OGRE, OGRESSE,** subst.
**1.** Géant monstrueux des contes de fées qui dévore les petits enfants. ▸ Loc. *Un appétit d'**ogre*** : un gros appétit. **2.** Anal. Personne cruelle, effrayante. Déb. XIV^e s. (fin XII^e s., païen féroce) ; prob. lat. *Orcus*, divinité infernale ; [ɔgʀ, ɔgʀɛs].

**OH,** interj.
Marque l'étonnement, l'admiration ou la douleur : ***Oh !** le monstre !* 1659 ; mot lat. ; [o].

**OHÉ,** interj.
Sert à appeler qqn : ***Ohé !** venez, je suis là !* ; ***Ohé !** du bateau !* Déb. XIII^e s. ; lat. *ohe* ; [oe].

**OHM,** subst. m.
*Phys.* Unité de mesure de résistance électrique (symb. : $\Omega$). 1867 ; anthropon. *G. S. Ohm* ; [om].

**OHMIQUE,** adj.
Relatif à l'ohm ; par ext., relatif à une résistance électrique. 1903 ; ☞ *ohm* ; [omik].

**OHMMÈTRE,** subst. m.
*Phys.* Appareil servant à mesurer une résistance électrique. 1883 ; ☞ *ohm* + *-mètre*[1] ; var. *ohm-mètre* (plur. *ohms-mètres*) ; [ommɛtʀ].

**OÏDIE,** subst. f.
*Bot.* Forme liée à la multiplication de certains champignons, qui revêt parfois l'aspect d'un compartiment susceptible d'enfler et de se désarticuler ensuite. 1897 ; gr. *ôon*, « œuf » ; [ɔidi].

**OÏDIUM,** subst. m.
*Bot.* Maladie due à des ascomycètes, caractérisée par l'apparition de taches blanches et une odeur de moisi : ***Oïdium** de la vigne.* 1825 ; lat. sc. *oidium*, du gr. *ôoeidês*, « ovoïde » ; [ɔidjɔm].

**OIE,** subst. f.
**1.** *Zool.* Grand oiseau palmipède et migrateur de la famille des Anatidés, au plumage blanc ou gris, au long cou, et dont une espèce est domestiquée depuis l'Antiquité : *L'**oie**, le jars et les oisons cacardent, criaillent, sifflent* ; *Foie gras de l'**oie** gavée et engraissée* ; *Plume d'**oie***, taillée, qui servait autrefois à l'écriture. ▸ *Hist. Les **oies** du Capitole* : **oies** sacrées dont les cris sauvèrent les Romains en les avertissant d'une attaque nocturne des Gaulois (390 av. J.-C.). **2.** *Jeu de l'**oie*** : jeu de dés où l'on avance des pions sur un tableau de soixante-trois cases dont certaines, représentant une **oie**, permettent de doubler ses points. **3.** Anal. ▸ *Pas de l'**oie*** : pas de parade dans lequel on lève très haut la jambe tendue, en usage dans certaines armées. ▸ *Caca d'**oie*** (☞ *caca*). **4.** Fig. Personne niaise (fam.) : ***Oie** blanche*, jeune fille candide et un peu sotte. Fin XII^e s. ; bas lat. *auca*, du lat. *avis*, « oiseau », d'apr. *oiseau* ; [wa].

© J.-B. Laffitte-Explorer

*Élevage d'oies dans le Périgord.*

**OIGNON,** subst. m.
**I.** *Bot.* **1.** Plante potagère bisannuelle de la famille des Liliacées, dont le bulbe, à l'odeur et à la saveur fortes, est constitué de multiples tuniques superposées ; par méton., ce bulbe, utilisé en cuisine : *Soupe à l'**oignon**.* ▸ Loc. *En rang d'**oignons*** : à la file ; *Occupe-toi de tes **oignons** !* : de ce qui te regarde (fam.) ; *Aux petits **oignons*** : préparé, exécuté avec grand soin (fam.). **2.** Ext. Bulbe de certaines plantes : ***Oignon** de tulipe.* **II.** Anal. **1.** *Horlog.* Montre de poche ancienne, bombée. **2.** Callosité qui se développe à la naissance du gros orteil. Fin XII^e s. ; lat. *unio* ; [ɔɲɔ̃].

**OIGNONIÈRE,** subst. f.
*Agric.* Terrain où l'on cultive des oignons. 1546 ; ☞ *oignon* ; [ɔɲɔnjɛʀ].

**OÏL,** adv.
*Langue d'**oïl*** : ensemble des dialectes romans parlés dans la moitié nord de la France, où « oui » se disait *oïl* (par oppos. à *langue d'oc*). Fin XI^e s. ; formé de l'anc. fr. *o*, du lat. *hoc*, « cela », et de *il* ; [ɔjl].

**OINDRE,** verbe trans. [55]
**1.** Enduire d'huile ou d'une matière grasse ; empl. pronom. : *Les athlètes s'**oignaient** le corps.* **2.** *Liturg.* Appliquer les saintes huiles ou le saint chrême sur (qqn, une partie de son corps), pour administrer un sacrement, ou pour sacrer. Déb. XII^e s. ; lat. *unguere* ; [wɛ̃dʀ].

**OING,** subst. m.
Graisse utilisée pour oindre qqch. (vx). ▸ *Vieil **oing*** : graisse de porc fondue servant à graisser les essieux. 1260 ; lat. *unctum*, « onguent » ; var. *oint* ; [wɛ̃].

**OINT, OINTE,** adj. et subst. m.
**Adj. 1.** Qui est enduit de substance grasse (rare). **2.** *Liturg.* Consacré par onction. **Subst.** *L'**Oint** du Seigneur* : le Christ. XV^e s. ; p. p. de *oindre* ; [wɛ̃, wɛ̃t].

**OÏRAT,** subst. m.
*Ling.* Kalmouk. Nom d'un peuple mongol ; [ɔiʀa].

**OISEAU,** subst. m.
**1.** *Zool.* Animal vertébré ovipare, caractérisé par des plumes et un bec corné, en général apte au vol. ▸ Loc. *Avoir un appétit d'**oiseau*** : un tout petit appétit ; *Cervelle d'**oiseau*** : esprit étourdi ; *Donner à qqn des noms d'**oiseaux*** : l'insulter (fam.) ; *À vol d'**oiseau*** : en ligne droite. ▸ *Myth.* ***Oiseau** de Junon, de Jupiter, de Minerve, de Vénus* : le paon, l'aigle, la chouette, la colombe. **2.** Anal. Individu (fam. et péj.) : *Un drôle d'**oiseau*** ; ***Oiseau** de malheur*, personne dont la présence annonce ou provoque qqch. de fâcheux ; ***Oiseau** rare*, personne étonnante par ses qualités (souv. iron.). Fin XI^e s. ; bas lat. *aucellus*, du lat. *avis* ; [wazo].

ZOOLOGIE – Les oiseaux tirent leur origine d'un groupe de petits dinosaures, les Théropodes. Le plus ancien fossile connu est l'*Archéopteryx*, qui date du Jurassique. Les oiseaux sont des amniotes homéothermes, bipèdes et recouverts de plumes ; leurs mâchoires sont enveloppées dans un étui corné constituant le bec ; leur pubis est basculé vers l'arrière ; leurs membres antérieurs, transformés en ailes, ont subi une rotation qui permet leur fermeture le long du corps. Ils sont ovipares mais, à l'éclosion, certains sont nidicoles (jeunes terminant leur développement dans le nid), d'autres nidifuges (les poussins circulant avec leurs parents). Leur vue, comme leur ouïe, est très développée ; certains oiseaux utilisent l'olfaction pour rechercher leur nourriture ou pour s'orienter. Beaucoup d'oiseaux effectuent des migrations, au cours desquelles ils témoignent de remarquables facultés de navigation dont on ne connaît pas bien encore les mécanismes. On estime que le nombre d'espèces actuelles varie entre neuf et dix mille, dont la moitié appartiennent à l'ordre des Passereaux. Leur classification demeure incertaine en raison des divergences de vues, souvent très vives, opposant les systématiciens sur le choix de critères morphologiques ou moléculaires.

**OISEAU-LYRE,** subst. m.
*Zool.* Ménure. 1859 ; comp. de *oiseau* et de *lyre* ; plur. *oiseaux-lyres* ; [wazoliʀ].

**OISEAU-MOUCHE,** subst. m.
*Zool.* Colibri. 1632 ; comp. de *oiseau* et de *mouche* ; plur. *oiseaux-mouches* ; [wazomuʃ].

**OISELER,** verbe [12]
**Intrans.** *Vén.* Tendre des pièges pour prendre les oiseaux. **Trans.** *Fauconn.* Dresser (un oiseau) pour la chasse au vol. 1202 (XII^e s., réussir une entreprise) ; *oisel*, anc. forme de *oiseau* ; [wazle].

**OISELET,** subst. m.
Vieilli ou Littér. Petit oiseau (synon. *oisillon*). Déb. XII^e s. ; *oisel*, anc. forme de *oiseau* ; [wazlɛ].

**OISELEUR,** subst. m.
Personne qui prend des oiseaux. ▸ En appos. *Serpent **oiseleur*** : qui capture des oiseaux pour s'en nourrir. Déb. XII^e s. ; *oisel*, anc. forme de *oiseau* ; [wazlœʀ].

**OISELIER, IÈRE,** subst.
Personne qui achète, élève et vend des oiseaux. XV^e s. ; *oisel*, anc. forme de *oiseau* ; [wazəlje, jɛʀ].

**OISELLE,** subst. f.
**1.** Femelle de l'oiseau (littér.). **2.** Fig. Jeune fille naïve (fam.). Déb. XIII^e s. ; *oisel*, anc. forme de *oiseau* ; [wazɛl].

**OISELLERIE,** subst. f.
**1.** Lieu où l'on élève ou vend des oiseaux. **2.** Méti[er] d'oiselier. 1336 (fin XIII^e s., chasse aux oiseaux) ; *ois[el]* anc. forme de *oiseau* ; [wazɛlʀi].

**OISEUX, EUSE,** adj.
Qui est vain, n'aboutit à rien : *Débat **oiseux**.* [...] XII^e s. ; lat. *otiosus*, de *otium*, « inaction » ; [wazø, ø[z]].

**OISIF, IVE,** adj. et subst.
**Adj.** Qui est dépourvu d'occupation : *Un vacanc[ier] **oisif*** ; par méton. : *Une vie **oisive**.* **Subst. 1.** Person[ne] qui jouit de nombreux loisirs. **2.** Personne qui n'e[st] pas obligée de travailler : *Les actifs et les **oisifs**.* [...] XIV^e s. (1271, improductif) ; anc. fr. *oisdif*, d'apr. *oiseu[x]* ; [wazif, iv].

**OISILLON,** subst. m.
*Zool.* Petit de l'oiseau ; oiseau de petite taille (sync[n]. littér. *oiselet*). Fin XII^e s. ; dimin. de *oiseau* ; [wazij[ɔ̃]].

**OISIVETÉ,** subst. f.
État d'une personne oisive. Mil. XIII^e s. ; ☞ *ois[if]* ; [wazivte].

**OISON,** subst. m.
*Zool.* Petit de l'oie. Mil. XIII^e s. ; anc. fr. *osson*, bas lat. °*aucio*, du lat. *auca*, « oie », d'apr. *oiseau* ; [waz[ɔ̃]].

**O. K.,** adv.
Fam. D'accord, entendu ; empl. adj. inv. : *Tout [est] **O. K.***, tout va bien. 1869 ; anglo-amér. *O. K.*, abr[év.] de *oll korrect*, altér. de *all correct* ; [ɔke].

**OKAPI,** subst. m.
*Zool.* Ruminant de la famille des Giraffidés, do[nt] le pelage brun est rayé de blanc sur les cuisses, qui vit dans les forêts d'Afrique centrale. 190[...] angl. *okapi*, du bantou ; [ɔkapi].

© Varin/Visage-Jacana

*Okapi.*

**OKOUMÉ,** subst. m.
*Bot.* Arbre d'Afrique équatoriale, de la famille d[es] Burséracées, dont le bois rose et tendre [est] notamment utilisé pour la fabrication du cont[re-]plaqué. 1914 ; mot d'une langue gabonaise ; [ɔkum[e]].

**OLA,** subst. f.
Lors d'une rencontre sportive, ovation qui produit [un] mouvement de vague, chaque spectateur se levan[t à] tour de rôle. XX^e s. ; esp. *ola*, « vague » ; [ɔla].

**OLÉ,** interj. et adj. inv.
Exclamation d'encouragement au torero, dans [les] corridas ; empl. subst. masc. : *Un **olé** monte de foule.* **Adj.** ***Olé olé*** : leste, osé (fam.). 1919 ; e[sp.] *ole*, « bravo » ; var. de l'interj. *ollé* ; [ɔle].

**OLÉACÉES,** subst. f. plur.
*Bot.* Famille de plantes dicotylédones, dont l'o[li]vier est le type, cultivées pour leur parfum, leur int[é]rêt alimentaire ou leur caractère ornement[al]. **Au sing.** *Le jasmin est une **oléacée**.* 1843 ; lat. *ol[ea]*, « olivier » ; [ɔlease].

**OLÉAGINEUX, EUSE,** adj. et subst. m.
**Adj. 1.** Qui contient, dont on peut extraire [de] l'huile : *Le soja est une plante **oléagineuse**.* **2.** Q[ui] a l'aspect, la consistance de l'huile : *Liqu[ide] **oléagineux**.* **Subst.** Substance huileuse ; plante q[ui] fournit cette substance. 1314 ; lat. *oleagin[us]*, « relatif à l'olivier » ; [ɔleaʒinø, øz].

**OLÉANDRE,** subst. m.
*Bot.* Arbuste ornemental, toxique, de la famille d[es] Apocynacées, aux fleurs roses ou blanches (sync[n]. *laurier-rose*). 1314 ; lat. médiév. *oleander* ; [ɔleɑ̃d[ʀ]].

**OLÉATE,** subst. m.
*Chim.* Sel ou ester de l'acide oléique. 1816 ; l[at.] *oleum*, « huile » ; [ɔleat].

**OLÉCRANE, subst. m.**
*Anat.* Apophyse du cubitus, formant la saillie du coude. 1560 ; gr. *ôlekranon*, de *ôlenê*, « bras », et de *kranion*, « tête » ; [ɔlekʀan].

**OLÉFIANT, voir OLÉIFIANT**

**OLÉFINE, subst. f.**
*Chim.* Alcène contenant au moins une double liaison C=C. Déb. XXe s. ; angl. *olefine*, de *olefiant*, du fr. *oléfiant* ; [ɔlefin].

**OLÉICULTEUR, TRICE, subst.**
Personne qui s'occupe d'oléiculture. 1904 ; formé de *oléi-* et de *-culteur* ; [ɔleikyltœʀ, tʀis].

**OLÉICULTURE, subst. f.**
Culture de l'olivier et, par ext., d'autres oléagineux. 1907 ; formé de *oléi-* et de *-culture* ; [ɔleikyltyʀ].

**OLÉIFÈRE, adj.**
Qui contient de l'huile : *Plantes **oléifères***. 1812 ; formé de *oléi-* et de *-fère* ; [ɔleifɛʀ].

**OLÉIFIANT, ANTE, adj.**
*Chim.* Qui produit de l'huile : *Gaz **oléifiant***, éthylène (vx). 1819 ; lat. *oleum*, « huile » ; var. *oléfiant* ; [ɔleifjɑ̃, ɑ̃t].

**OLÉIFORME, adj.**
Qui a la consistance de l'huile. 1907 ; formé de *oléi-* et de *-forme* ; [ɔleifɔʀm].

**OLÉINE, subst. f.**
*Chim.* Ester triglycérique de l'acide oléique, présent dans nombre d'huiles végétales et dans le beurre. 1824 ; lat. *oleum*, « huile », d'apr. *glycérine* ; [ɔlein].

**OLÉIQUE, adj.**
*Chim.* Qualifie un acide gras insaturé, le plus répandu dans les huiles et les graisses végétales ou animales. 1816 ; lat. *oleum*, « huile » ; [ɔleik].

**OLÉODUC, subst. m.**
Conduite servant à acheminer le pétrole brut. 1894 ; crois. de *oléo-* et de *aqueduc* ; recomm. off. pour *pipeline* ; [ɔleɔdyk].

**OLÉOMÈTRE, subst. m.**
Appareil servant à mesurer la densité des huiles. 1845 ; formé de *oléo-* et de *-mètre*[1] ; [ɔleɔmɛtʀ].

**OLÉOPNEUMATIQUE, adj.**
*Mécan.* Qui utilise de l'huile et un gaz comprimé. Mil. XXe s. ; ☞ *pneumatique* + *oléo-* ; [ɔleopnømatik].

**OLÉORÉSINE, subst. f.**
*Chim.* Résine, telle la térébenthine, naturellement dissoute dans une huile et exsudée par certaines plantes. 1868 ; ☞ *résine* + *oléo-* ; [ɔleoʀezin].

**OLÉUM, subst. m.**
*Chim.* Liquide huileux résultant de la dissolution de trioxyde de soufre dans de l'acide sulfurique concentré. 1919 ; lat. *oleum*, « huile » ; [ɔleɔm].

**OLFACTIF, IVE, adj.**
Qui concerne l'odorat, la perception des odeurs. Déb. XVIe s. ; lat. *olfactus*, « odorat », de *olfacere*, « flairer » ; [ɔlfaktif, iv].

**OLFACTION, subst. f.**
Fonction permettant la perception des odeurs ; odorat. 1530 (1507, odeur) ; ☞ *olfactif* ; [ɔlfaksjɔ̃].

**OLIBRIUS, subst. m.**
1. Vx. Fanfaron. 2. Personnage bizarre qui se fait remarquer par sa conduite ridicule (fam. et péj.). Mil. XVIe s. ; anthropon. lat. *Olybrius* ; [ɔlibʀijys].

**OLIFANT, subst. m.**
*M. Â.* Petit cor d'ivoire utilisé par les chevaliers à la guerre ou à la chasse : *Sonner l'**olifant***. Fin XIe s. ; anc. fr. *olifant*, « éléphant » ; var. *oliphant* ; [ɔlifɑ̃].

**OLIGARCHIE, subst. f.**
1. Régime politique où le pouvoir est détenu par un groupe restreint de personnes privilégiées ; par méton., ce groupe. 2. Anal. Élite puissante : *Une **oligarchie** bancaire*. 1361 ; gr. *oligarkhia*, « commandement de quelques-uns » ; [ɔligaʀʃi].

**OLIGARCHIQUE, adj.**
Relatif ou propre à l'oligarchie. 1361 ; gr. *oligarkhikos*, de *oligarkhês*, « oligarque » ; [ɔligaʀʃik].

**OLIGISTE, subst. m. et adj.**
*Minér. Fer **oligiste*** ou ***Oligiste*** : oxyde de fer (synon. *hématite*). 1801 ; gr. *oligistos*, « très peu » ; [ɔliʒist].

**OLIGOCÈNE, subst. m. et adj.**
*Géol.* Subst. Période de l'ère tertiaire s'étendant sur plus de dix millions d'années, entre l'Éocène et le Miocène. Adj. De cette période : *Terrain **oligocène***. 1881 ; formé de *oligo-* et de *-cène* ; [ɔligɔsɛn].

**OLIGOCHÈTES, subst. m. plur.**
*Zool.* Classe d'invertébrés de l'embranchement des Annélides, comprenant environ 2 500 espèces de vers dont la longueur va de quelques millimètres à plus de 3 m. Au sing. *Le lombric est un **oligochète***. V. 1900 ; gr. *khaitê*, « chevelure », + *oligo-* ; [ɔligɔkɛt].

**OLIGOÉLÉMENT, subst. m.**
*Biol.* Élément chimique nutritif indispensable au métabolisme, utilisé en très petites quantités par les organismes vivants : *Le fer, l'iode, le fluor, le magnésium, etc., sont des **oligoéléments***. 1937 ; ☞ *élément* + *oligo-* ; [ɔligoelemɑ̃].

**OLIGOPHRÉNIE, subst. f.**
*Pathol.* Arriération mentale : ***Oligophrénie** phénylpyruvique*, phénylcétonurie. 1947 ; formé de *oligo-* et de *-phrénie* ; [ɔligɔfʀeni].

**OLIGOPOLE, subst. m.**
*Écon.* Marché où seuls quelques vendeurs se partagent l'offre. 1944 ; gr. *pôlein*, « vendre », + *oligo-*, d'apr. *monopole* ; [ɔligɔpɔl].

**OLIGOPOLISTIQUE, adj.**
Propre ou relatif à l'oligopole. 1959 ; ☞ *oligopole*, d'apr. *monopolistique* ; [ɔligɔpɔlistik].

**OLIGOPSONE, subst. m.**
*Écon.* Marché caractérisé par la faiblesse du nombre d'acheteurs face à la multitude des vendeurs. V. 1970 ; gr. *opsônein*, « s'approvisionner », + *oligo-* ; [ɔligɔpsɔn].

**OLIGOTHÉRAPIE, subst. f.**
*Méd.* Traitement utilisant les oligoéléments. XXe s. ; formé de *oligo-* et de *-thérapie* ; [ɔligoteʀapi].

**OLIGURIE, subst. f.**
*Pathol.* Diminution de l'excrétion urinaire d'un sujet. 1877 ; formé de *oligo-* et de *-urie* ; [ɔligyʀi].

**OLIPHANT, voir OLIFANT**

**OLIVACÉ, ÉE, adj.**
De la couleur de l'olive. 1838 ; ☞ *olive* ; [ɔlivase].

**OLIVAIE, subst. f.**
Oliveraie. 1630 ; anc. prov. *oliveda*, du lat. *oliveta* ; [ɔlivɛ].

**OLIVAISON, subst. f.**
Cueillette des olives ; saison où elle a lieu. 1636 ; ☞ *olive* ; [ɔlivɛzɔ̃].

**OLIVÂTRE, adj.**
Qui tire sur le vert olive ; en partic. : *Teint **olivâtre***, bistre. 1525 ; ital. *olivastro* ; [ɔlivɑtʀ].

**OLIVE, subst. f. et adj. inv.**
Subst. 1. Drupe oblongue, fruit de l'olivier, de couleur verte, puis noire à maturité, dont on extrait une huile de table ; ce fruit, gén. conservé dans la saumure, utilisé en cuisine : ***Olives** farcies* ; *Canard aux **olives***. 2. Anal. Objet, pièce ou ornement ayant la forme d'une **olive**. ▸ *Électr.* Petit interrupteur ovale placé sur un fil. 3. *Anat. **Olive** bulbaire* : chacun des renflements latéraux du bulbe rachidien. 4. *Zool.* Mollusque marin gastéropode carnivore, à coquille allongée, lisse et à spire courte. Adj. De la couleur vert-jaune de l'olive ; empl. subst. masc., cette couleur. Déb. XIIIe s. (fin XIe s., olivier) ; lat. *oliva*, « olivier, olive » ; [ɔliv].

**OLIVERAIE, subst. f.**
Plantation d'oliviers (synon. *olivaie*, *olivette*). Fin XIIe s. ; ☞ *olivier* ; [ɔlivʀɛ].

**OLIVET, subst. m.**
Fromage au lait de vache fabriqué dans la région d'Orléans. 1873 ; topon. *Olivet* (Loiret) ; [ɔlivɛ].

**OLIVÉTAIN, subst. m.**
*Relig.* Moine de l'ordre bénédictin du Mont-Olivet, fondé à Sienne en 1313. 1803 ; *ordre du Mont-Olivet*, du topon. ital. *Monteoliveto*, « mont planté d'oliviers » ; [ɔlivetɛ̃].

**OLIVETTE, subst. f.**
1. Plantation d'oliviers. 2. Petite olive (vieilli). 3. Anal. ▸ Raisin de table à grains allongés. ▸ Petite tomate oblongue. 1600 (1228, petit olivier) ; ☞ *olive* ; [ɔlivɛt].

**OLIVIER, subst. m.**
1. *Bot.* Arbre de la famille des Oléacées, à feuilles persistantes, au tronc noueux, et dont le fruit est l'olive : *Des **oliviers** millénaires*. 2. Bois de cet arbre, très dur et veiné. 3. *Antiq.* ▸ En Grèce, symbole de la sagesse. ▸ *Rameau d'**olivier*** : dans la Bible, symbole de la paix. 980 ; ☞ *olive* ; [ɔlivje].

**OLIVINE, subst. f.**
1. *Minér.* Péridot, composant principal des péridotites et composant important de certains basaltes et gabbros. 2. *Joaill.* Variété vert-jaune, aussi appelée chrysolithe. 1798 ; ☞ *olive* ; [ɔlivin].

**OLLAIRE, adj.**
*Pétrogr. Pierre **ollaire*** : roche tendre, formée de talc, qui est utilisée pour faire des pots, des vases. 1732 ; lat. *ollarius*, de *olla*, « pot, marmite » ; [ɔlɛʀ].

**OLLÉ, voir OLÉ**

**OLOGRAPHE, adj.**
*Dr. Testament **olographe*** : testament écrit, daté, signé de la main du testateur, sans l'intervention d'un notaire. 1603 ; bas lat. *holographus*, du gr. *holographos*, « écrit en entier » ; var. *holographe* ; [ɔlɔgʀaf].

**OLYMPIADE, subst. f.**
Période de quatre ans s'écoulant entre deux jeux Olympiques. Plur. Jeux Olympiques (empl. critiqué). 1370 ; lat. *olympias*, du gr. *olumpias*, du topon. *Olumpia*, « Olympie » ; [ɔlɛ̃pjad].

**OLYMPIEN, IENNE, adj.**
1. *Myth.* Qui concerne l'Olympe et ses dieux, en partic. Zeus et Héra : *Statue de Zeus **olympien***. 2. Fig. Majestueux, serein : *Geste **olympien***. 3. *Pathol. Crâne, front **olympien*** : anormalement développé. 1552 ; topon. *mont Olympe* ; [ɔlɛ̃pjɛ̃, jɛn].

**OLYMPIQUE, adj.**
1. *Antiq.* Relatif à Olympie et aux jeux qui s'y déroulèrent tous les quatre ans, de 776 av. J.-C. à 394 apr. J.-C. : *Palme **olympique***. 2. *Jeux **Olympiques** (J. O.)* : championnats sportifs internationaux qui, depuis 1896 (à l'initiative du baron Pierre de Coubertin), sont organisés tous les quatre ans dans une capitale différente ; *Jeux **Olympiques** d'hiver*, inaugurés en 1924 ; par ext. : *Flamme **olympique*** ; *Stade, piscine **olympique***, conforme aux normes des jeux **Olympiques**. 1504; lat. *olympicus*, du gr. *olumpikos* ; [ɔlɛ̃pik].

**OLYMPISME, subst. m.**
Institution et organisation des jeux Olympiques. 1894 ; ☞ *olympique* ; [ɔlɛ̃pism].

**OMBELLE, subst. f.**
*Bot. **Ombelle** simple* : inflorescence dans laquelle les pédicelles, presque d'égale longueur et disposés en rayons, portent chacun une fleur, dont l'ensemble forme une surface sensiblement plane ; ***Ombelle** composée* : formée d'ombellules. 1558 ; lat. *umbella*, « ombrelle » ; [ɔ̃bɛl].

**OMBELLÉ, ÉE, adj.**
*Bot.* Disposé en ombelle : *La fleur de la ciguë est **ombellée***. 1797 ; ☞ *ombelle* ; [ɔ̃bɛle].

**OMBELLIFÈRE, adj. et subst. f. plur.**
*Bot.* Adj. Qui porte des ombelles : *Plante **ombellifère***. Subst. Famille de plantes dicotylédones, aux fleurs ombellées, auj. appelée Apiacées. Ce sont des plantes herbacées, souvent aromatiques, tels le persil, l'aneth, le cumin, etc., ou des arbustes, largement utilisés en alimentation, en pharmacie et en parfumerie ; au sing. : *La carotte est une **ombellifère***. 1698 ; ☞ *ombelle* + *-fère* ; [ɔ̃bɛllifɛʀ] ou [-beli-].

**OMBELLULE, subst. f.**
*Bot.* Petite ombelle secondaire, due à la ramification d'un pédicelle, qui porte ainsi plusieurs fleurs. 1778 ; ☞ *ombelle* ; [ɔ̃bɛlyl].

**OMBILIC, subst. m.**
I. *Anat.* 1. Nombril. 2. Point d'attache, sur l'embryon, du cordon qui le relie au placenta. II. Anal. 1. *Bot.* ▸ ***Ombilic-de-Vénus*** : plante tubéreuse, à fleurs pendantes. ▸ Dépression située à la base ou au sommet de certains fruits, telle la pomme. 2. *Géom.* Point d'une surface où toutes les sections normales en ce point ont le même rayon de courbure. 3. Renflement central d'un bouclier, d'un plat. 4. *Géol.* Surcreusement d'une vallée glaciaire. XIVe s. ; lat. *umbilicus*, « nombril », de *umbo*, « bosse » ; [ɔ̃bilik].

*Oliviers.*

© G. Thouvenin-Explorer

**OMBILICAL, ALE, AUX,** adj.
*Anat.* Qui concerne l'ombilic, le nombril : *Cordon* ***ombilical.*** 1490 ; ☞ *ombilic* ; [ɔ̃bilikal, o].

**OMBILIQUÉ, ÉE,** adj.
**1.** Pourvu d'un ombilic. **2.** Qui forme une saillie évoquant un ombilic. 1765 ; ☞ *ombilic* ; [ɔ̃bilike].

**OMBLE,** subst. m.
*Zool.* Poisson d'eau douce de la famille des Salmonidés, voisin de la truite et du saumon, dont la chair est très appréciée : *L'**omble**-chevalier des hauts lacs d'Europe* ; *L'**omble** de fontaine*, d'origine nord-américaine. 1553 ; anc. prov. *amble*, du bas lat. *amulus* ; [ɔ̃bl].

**OMBRAGE,** subst. m.
**1.** Feuillage qui fournit de l'ombre ; cette ombre. **2.** Fig. Sentiment de défiance, de susceptibilité jalouse. ▸ Loc. *Prendre **ombrage** de qqch.* : s'en offusquer ; *Porter **ombrage** à qqn* : lui faire craindre d'être éclipsé. 1165 ; ☞ *ombre* (I) ; [ɔ̃bʀaʒ].

**OMBRAGÉ, ÉE,** adj.
Protégé du soleil par un ombrage : *Une allée **ombragée.*** 1350 ; p. p. de *ombrager* ; [ɔ̃bʀaʒe].

**OMBRAGER,** verbe trans. [5]
**1.** Couvrir, protéger de son ombrage : *Le cèdre **ombrage** la pelouse.* **2.** Anal. Dissimuler : *Ce chapeau **ombrage** son regard.* 1540 ; ☞ *ombrage* ; [ɔ̃bʀaʒe].

**OMBRAGEUX, EUSE,** adj.
**1.** Qui s'effraie devant un obstacle inattendu, en parlant d'un animal de trait. **2.** Ext. Qui prend ombrage. Déb. XIIIe s. ; ☞ *ombrage* ; [ɔ̃bʀaʒø, øz].

**OMBRE (I),** subst. f.
**I. 1.** Affaiblissement de la clarté dû à un écran qui filtre ou arrête la lumière ; zone sombre, obscure : *L'**ombre** d'un parasol.* ▸ Loc. *À l'**ombre*** : à l'abri du soleil ; *Mettre qqn à l'**ombre*** : en prison (fam.) ; *Sortir de l'**ombre*** : de l'anonymat ; *Agir dans l'**ombre*** : secrètement ; *Faire de l'**ombre** à qqn* : l'empêcher de paraître à son avantage, l'éclipser. **2.** *B.-a.* Partie peu ou non éclairée d'un tableau, d'un dessin (gén. au plur.). ▸ Loc. *Une **ombre** au tableau* : un problème, un inconvénient. **3.** Anal. Teinte plus foncée sur une surface claire. ▸ ***Ombre** à paupières* : fard. **II. 1.** Forme, contour indécis d'un corps qui arrête la lumière. ▸ Loc. *Avoir peur de son **ombre*** : être très craintif ; *Vivre dans l'**ombre** de qqn* : à ses côtés, dans l'effacement. **2.** Reflet ; au fig., chose vaine : *Lâcher la proie pour l'**ombre*** (☞ *proie*). ▸ Loc. *Pas l'**ombre** de* : pas la moindre trace, le moindre soupçon de. **3.** Esprit, fantôme : *Le royaume des **ombres**.* **Plur.** *Théâtre.* ***Ombres** chinoises* : silhouettes projetées sur un écran par des marionnettes ou des jeux de mains éclairés par-derrière. Mil. Xe s. ; lat. *umbra* ; [ɔ̃bʀ].

*Théâtre d'ombres, à Java.*

**OMBRE (II),** subst. m.
*Zool.* Poisson de la famille des Thymallidés, répandu en Europe, qui vit dans les eaux claires à courant fort, sur les sables et les graviers. Fin XIVe s. ; lat. *umbra*, « ombre », à cause de sa couleur sombre ; [ɔ̃bʀ].

**OMBRE (III),** subst. f.
Ocre brune, servant notamment à ombrer. 1762 ; ell. de *terre d'ombre* ; [ɔ̃bʀ].

**OMBRÉE,** subst. f.
*Géogr.* Ubac. P. p. de *ombrer* ; [ɔ̃bʀe].

**OMBRELLE,** subst. f.
**1.** Petit parasol portatif pour dame. **2.** *Zool.* Partie supérieure et convexe du corps des méduses, dont le bord porte une frange de petits tentacules urticants. Fin XIIIe s. ; ital. *ombrella*, du lat. *umbrella* ; [ɔ̃bʀɛl].

**OMBRER,** verbe trans. [3]
**1.** Ombrager. **2.** Souligner par une teinte plus sombre : ***Ombrer** les paupières* ; ***Ombrer** un bois*, le brunir à la chaleur, à l'acide, etc. **3.** *B.-a.* Représenter les ombres sur. Fin XIIe s. ; ☞ *ombre* (I) ; [ɔ̃bʀe].

**OMBRETTE,** subst. f.
*Zool.* Échassier d'Afrique de la famille des Scopidés, proche du héron, qui construit de vastes nids sphériques dans les arbres. 1776 ; ☞ *ombre* (I) ; [ɔ̃bʀɛt].

**OMBREUX, EUSE,** adj.
Ombragé, ombré (littér.) : *Sentier **ombreux.*** XIIIe s. ; lat. *umbrosus*, de *umbra*, « ombre » ; [ɔ̃bʀø, øz].

**OMBRIEN, IENNE,** adj. et subst.
D'Ombrie. **Subst. masc.** Ancienne langue italique. 1732 ; topon. *Ombrie*, région d'Italie ; [ɔ̃bʀijɛ̃, jɛn].

**OMBRINE,** subst. f.
*Zool.* Grand poisson marin comestible de la famille des Sciénidés, à la mâchoire inférieure pourvue d'un fort barbillon. 1611 ; ☞ *ombre* (II) ; [ɔ̃bʀin].

**OMBUDSMAN,** subst. m.
Médiateur indépendant chargé de défendre les droits des citoyens face à l'administration, dans les pays scandinaves. V. 1960 ; mot suédois ; plur. *ombudsmans* ou *ombudsmen* ; [ɔmbydsman], plur. [-mɛn].

**OMÉGA,** subst. m. inv.
**1.** Vingt-quatrième et dernière lettre de l'alphabet grec (ω, Ω). **2.** Loc. *L'alpha et l'**oméga*** : le commencement et la fin. **3.** *Phys.* Symbole de l'ohm (Ω). XIIe s. ; gr. *ô mega*, « o grand » ; [ɔmega].

**OMELETTE,** subst. f.
*Cuis.* Mets à base d'œufs battus cuits dans une poêle et agrémentés de multiples façons : ***Omelette** aux cèpes.* ▸ ***Omelette** norvégienne* : glace meringuée dressée sur un fond de génoise, passée rapidement à feu vif ou flambée. 1548 ; *amelette* (vx), altér. de *alemette*, p.-ê. de *lamelle*, par anal. de forme ; [ɔmlɛt].

**OMERTA,** subst. f.
Loi du silence, dans les milieux mafieux. 1952 ; ital. *omertà*, forme dial. de *umiltà*, « humilité » ; [ɔmɛʀta].

**OMETTRE,** verbe trans. [60]
Négliger, oublier (qqch. ou de dire, de faire qqch.) : ***Omettre** un détail* ; *J'ai **omis** de vous avertir.* ▸ Ne pas inclure dans une liste, une énumération. 1337 ; lat. *omittere*, d'apr. *mettre* ; [ɔmɛtʀ].

**OMICRON,** subst. m. inv.
Quinzième lettre de l'alphabet grec (ο, Ο). 1832 ; gr. *o micron*, « o petit » ; [ɔmikʀɔn].

**OMIS, OMISE,** adj. et subst. m.
**Adj.** Qui a été oublié, non mentionné. **Subst.** *Milit.* Celui dont le nom ne figure pas sur les listes de recensement. 1690 ; p. p. de *omettre* ; [ɔmi, ɔmiz].

**OMISSION,** subst. f.
**1.** Action d'omettre ; son résultat : *L'**omission** d'un mot, d'un détail.* ▸ *Théol. Pécher par **omission*** : ne pas faire le bien quand on peut et quand on doit le faire. **2.** *Fisc.* Soustraction, intentionnelle ou non, de tout ou partie d'un bien à l'assiette d'un impôt direct. **3.** *Dr. pénal.* ***Omission** d'assistance* : délit de non-assistance à personne en danger. 1350 ; bas lat. *omissio* ; [ɔmisjɔ̃].

**OMMATIDIE,** subst. f.
*Zool.* Facette ou œil simple constituant, avec d'autres, l'œil composé d'un insecte. 1932 ; gr. *ommation*, « petit œil » ; [ɔmatidi].

**OMNIBUS,** subst. m. et adj. inv.
**Subst. 1.** Véhicule de transport public, à l'origine hippomobile puis automobile. **2.** *Ch. de fer.* Train desservant toutes les stations d'une ligne ; en appos. : *Train **omnibus**.* **Adj.** *Électr. Barre **omnibus*** : barre de grande section reliée aux générateurs et aux circuits de distribution. 1825 ; lat. *omnibus*, « pour tous », de *omnis*, « tout » ; [ɔmnibys].

**OMNICOLORE,** adj.
De toutes les couleurs (rare). 1833 ; lat. *omnicolor* ; [ɔmnikɔlɔʀ].

**OMNIDIRECTIONNEL, ELLE,** adj.
*Techn.* Qui fonctionne, reçoit ou émet dans toutes les directions : *Antenne **omnidirectionnelle.*** 1948 ; ☞ *directionnel* + *omni-* ; [ɔmnidiʀɛksjɔnɛl].

**OMNIPOTENCE,** subst. f.
**1.** *Relig.* Toute-puissance (de Dieu). **2.** Ext. Puissance absolue, sans limites : ***Omnipotence** d'un dictateur* ; par anal. : ***Omnipotence** de l'argent.* 1387 ; lat. chrét. *omnipotentia*, du lat. *omnis*, « tout », et *potentia*, « puissance » ; [ɔmnipɔtɑ̃s].

**OMNIPOTENT, ENTE,** adj.
**1.** *Relig.* Tout-puissant. **2.** Ext. Qui détient un pouvoir absolu. Déb. XIIe s. ; lat. *omnipotens*, de *omnis*, « tout », et de *potens*, « puissant » ; [ɔmnipɔtɑ̃, ɑ̃t].

**OMNIPRÉSENCE,** subst. f.
**1.** *Relig.* Pouvoir attribué à Dieu d'être sans cesse présent en tous lieux. **2.** Ext. Présence constante : *L'**omniprésence** d'un surveillant.* 1818 ; lat. scol. *omnipresentia* ; [ɔmnipʀezɑ̃s].

**OMNIPRÉSENT, ENTE,** adj.
**1.** *Relig.* Présent en tous lieux, en parlant de Dieu. **2.** Ext. Constamment présent : *Une idée **omniprésente.*** 1838 ; lat. scol. *omnipresens* ; [ɔmnipʀezɑ̃, ɑ̃t].

**OMNISCIENCE,** subst. f.
**1.** *Relig.* Science de toutes choses, qui est un attribut de Dieu. **2.** Ext. Connaissance universelle. 1734 ; lat. médiév. *omniscientia*, du lat. *omnis*, « tout », et *scientia*, « connaissance » ; [ɔmnisjɑ̃s].

**OMNISCIENT, ENTE,** adj.
**1.** *Relig.* Qui connaît tout, en parlant de Dieu. **2.** Ext. Qui semble ou prétend tout savoir. 1700 ; lat. médiév. *omnisciens* ; [ɔmnisjɑ̃, ɑ̃t].

**OMNISPORTS,** adj. inv.
Où l'on peut pratiquer beaucoup de sports : *Salle **omnisports**.* 1934 ; ☞ *sport* + *omni-* ; [ɔmnispɔʀ].

**OMNIUM,** subst. m.
**1.** *Comm.* et *Fin.* Société gérant toutes les branches d'un secteur économique. **2.** *Sp.* Compétition cycliste, sur piste, associant diverses épreuves. **3.** *Équit.* Handicap auquel peut participer tout cheval ayant plus de deux ans. 1872 (1776, terme appliqué à un emprunt britannique) ; lat. *omnium*, « de tous » ; [ɔmnjɔm].

**OMNIVORE,** adj.
**1.** Qui se nourrit aussi bien de substances carnées que végétales ; empl. subst. masc. : *Le chien est un **omnivore**.* **2.** Qui concerne l'absorption de ces deux types de substances : *Régime **omnivore**.* 1749 ; formé de *omni-* et de *-vore* ; [ɔmnivɔʀ].

**OMOPLATE,** subst. f.
*Anat.* Os plat, large, mince et triangulaire formant la partie postérieure de l'épaule et constituant, avec la clavicule, la ceinture scapulaire. Fin XIVe s. ; gr. *ômoplatê*, de *ômos*, « épaule », et de *platê*, « surface plate » ; [ɔmɔplat].

**ON,** pron. indéf.
Pronom indéfini de la troisième personne du singulier, s'employant toujours comme sujet. **I.** Désigne, sous un aspect indéterminé, une ou plusieurs personnes. **1.** Les hommes en général : ***On** ne vi qu'une fois.* **2.** Un groupe, plus ou moins importan de personnes : ***On** a voté plutôt à droite aux mu nicipales.* **3.** Les gens, représentant l'opinion : ***O** dit que...* **4.** Quelqu'un : ***On** sonne* ; ***On** vous demand à l'accueil.* **II.** Désigne, sous un aspect déterminé une ou plusieurs personnes. **1.** Je, moi (fam. ou pa modestie) : *Oui, **on** finit, il me reste une ligne à écrire Allez, **on** tâchera de vous satisfaire* **2.** Tu, toi, vous *Eh bien ! **on** se repose ?* **3.** Il, elle : *Je ne la vois plus **on** se dit souffrante !* **4.** Nous (fam.) : ***On** part dan dix minutes.* 842 ; lat. *homo*, « homme » ; le p. p. o l'adj. en rapport avec « on » s'accorde en gén. avec la o les personnes évoquées (« On s'est quittés bons amis » et « l'on » remplace parfois « on » pour éviter l'hiatu (« Dire ce que l'on pense ») ; [ɔ̃].

**ONAGRACÉES,** subst. f. plur.
*Bot.* Œnothéracées. XIXe s. ; ☞ *onagre* (II) ; va *Onagrariacées* ; [ɔnagʀase].

**ONAGRE (I),** subst. m.
**1.** *Zool.* Périssodactyle de la famille des Équidés aussi appelé âne sauvage. **2.** *Arm.* Ancienne ma chine de guerre utilisée par les Romains, catapulte Déb. XIIe s. ; lat. *onager*, du gr. *onagros* ; [ɔnagʀ].

**ONAGRE (II),** subst. f.
*Bot.* Plante herbacée de la famille des Œnothéracée (synon. *herbe aux ânes*). 1615 ; gr. *onegra* ; [ɔnagʀ

**ONANISME,** subst. m.
Masturbation. 1760 ; *Onan*, personnage biblique [ɔnanism].

**ONC,** adv.
Jamais (vx). 880 ; lat. *unquam*, « un jour, quelqu fois » ; var. *oncques*, *onques* ; [ɔ̃k].

**ONCE (I),** subst. f.
**1.** *Antiq.* Ancienne unité de poids valant à Ror un douzième de la livre (soit 27,28 g) et, so l'Ancien Régime, un seizième de la livre de Pa (soit 30,59 g). **2.** Mesure de poids anglo-saxon valant 28,35 g (symb. : oz). **3.** Fig. Très peti quantité, parcelle : *Pas une **once** d'humilité.* 113 lat. *uncia*, « douzième partie » ; [ɔ̃s].

**ONCE (II),** subst. f.
*Zool.* Grand félin originaire des hautes montagnes d'Asie centrale, à la robe grise tachetée de noir, appelé aussi panthère des neiges. 1284 ; prob. aphérèse de *lonce* (vx), « lynx », du gr. *lugx* ; [ɔ̃s].

**ONCHOCERCOSE,** subst. f.
*Pathol.* Parasitose tropicale, due à une filaire transmise par une mouche et responsable de cécités (synon. *cécité des rivières*). 1932 ; *onchocerque* (rare), « ver parasite », + *-ose* ; [ɔ̃kosɛʀkoz].

**ONCIAL, ALE, AUX,** adj. et subst. f.
Se dit d'une écriture romaine composée de grandes capitales de forme ronde : *Lettre **onciale*** ; *Une **onciale** en lettrine.* 1587 ; lat. *uncialis*, « d'un douzième de pied » ; [ɔ̃sjal, o].

**ONCLE,** subst. m.
Frère du père ou de la mère ; par ext., mari de la tante. 1080 ; lat. *avunculus*, « oncle maternel » ; [ɔ̃kl].

**ONCOGÈNE,** adj. et subst. m.
*Pathol.* Adj. Qui est susceptible d'entraîner un cancer. Subst. Gène susceptible de participer à une étape quelconque de la cancérogenèse. 1951 ; gr. *onkos*, « grosseur », + *-gène* ; [ɔ̃kɔʒɛn].

**ONCOLOGIE,** subst. f.
*Méd.* Cancérologie. 1934 ; gr. *onkos*, « grosseur », + *-logie* ; [ɔ̃kɔlɔʒi].

**ONCOLOGUE,** subst.
Médecin spécialisé en oncologie. V. 1970 ; ☞ *oncologie* ; var. *oncologiste* ; [ɔ̃kɔlɔg].

**ONCOTIQUE,** adj.
*Biol.* Qualifie la pression osmotique des protéines en solution. 1878 ; gr. *onkos*, « grosseur » ; [ɔ̃kɔtik].

**ONCQUES, voir ONC**

**ONCTION,** subst. f.
**1.** *Liturg.* Application rituelle des saintes huiles ou du saint chrême sur une personne, pour lui conférer une grâce ou lui administrer un sacrement : *L'**onction** de l'ordination.* **2.** Action d'oindre la peau d'un corps gras (vieilli). **3.** Fig. et Littér. Pieuse douceur des gestes, du ton ; modestie ou dévotion affectée (péj.). 1190 ; lat. *unctio* ; [ɔ̃ksjɔ̃].

**ONCTUEUX, EUSE,** adj.
**1.** Qui convient pour oindre : *Baume **onctueux*** ; qui, au toucher, évoque un corps gras. **2.** Anal. Doux au palais, velouté : *Potage **onctueux**.* **3.** Fig. Empreint d'onction (souv. péj.) : *Des manières **onctueuses**.* Fin XIIIe s. ; lat. médiév. *unctuosus*, du lat. *unctum*, de *ungere*, « oindre » ; [ɔ̃ktɥø, øz].

**ONCTUOSITÉ,** subst. f.
Qualité de ce qui est onctueux : *L'**onctuosité** d'une sauce.* 1314 ; lat. médiév. *unctuositas* ; [ɔ̃ktɥozite].

**ONDATRA,** subst. m.
*Zool.* Rongeur aquatique d'Amérique, de la famille des Cricétidés, introduit en Europe (synon. *rat musqué*). 1632 ; mot huron ; [ɔ̃datʀa].

**ONDE,** subst. f.
**I. 1.** Mouvement de l'eau agitée qui se soulève et s'abaisse alternativement. **2.** Méton. Eau de la mer, d'un lac, d'une rivière (littér.). ► *Myth. L'**onde** noire* : le Styx. **3.** Anal. ► Au plur. Rides concentriques qu'un choc produit à la surface d'un liquide. ► Ligne ou forme sinueuse évoquant l'**onde**. **II.** *Phys.* Perturbation physique de nature variée, qui a la particularité de se propager de proche en proche dans un milieu suivant une, deux ou trois dimensions. Elle peut être caractérisée par son amplitude, par sa fréquence : *Ondes sonores, électromagnétiques, gravitationnelles, sismiques.* **III.** Fig. Sentiment, sensation qui parcourt qqn, ou se transmet à autrui : *Une **onde** de tendresse.* Déb. XIIe s. ; lat. *unda*, « eau agitée » ; [ɔ̃d].

**ONDÉ, ÉE,** subst. f. et adj.
Subst. Littér. Forte pluie soudaine et peu durable (synon. *averse*). Adj. **1.** *Hérald.* Dont les bords forment des ondes : *Croix **ondée**.* **2.** Sinueux, ondulé (littér.) : *Ligne, chevelure **ondée**.* **3.** Dont l'aspect est changeant : *Taffetas **ondé***, moiré ; *Bois **ondé***, veiné. Déb. XIIe s. ; ☞ *onde* ; [ɔ̃de].

**ONDEMÈTRE,** subst. m.
*Phys.* Appareil servant à mesurer la longueur des ondes hertziennes ou la fréquence d'une oscillation électrique. 1904 ; ☞ *onde* + *-mètre*[1] ; [ɔ̃dmɛtʀ].

**ONDIN, INE,** subst.
Génie des eaux des mythologies nordique et germanique. 1569 ; ☞ *onde* ; rare au masc. ; [ɔ̃dɛ̃, in].

**ON-DIT,** subst. m. inv.
Rumeur. Fin XIIe s. ; comp. de *on* et de *dire* (I) ; [ɔ̃di].

**ONDOIEMENT,** subst. m.
**1.** Vx. Agitation intense des flots. **2.** Mouvement de ce qui ondoie : *L'**ondoiement** des herbes.* **3.** *Relig.* Baptême limité à l'ablution, administré en cas d'urgence (danger de mort, par ex.), même par un laïc. 1165 ; ☞ *ondoyer* ; [ɔ̃dwamɑ̃].

**ONDOYANT, ANTE,** adj.
Littér. **1.** Qui ondoie, qui est animé d'un mouvement évoquant l'onde : *Blés **ondoyants*** ; par anal. : *Démarche **ondoyante**.* **2.** Fig. Inconstant : *L'homme, cet être **ondoyant** et divers* (Montaigne). Fin XIIe s. ; p. pr. de *ondoyer* ; [ɔ̃dwajɑ̃, ɑ̃t].

**ONDOYER,** verbe [17]
Intrans. Littér. **1.** Être agité d'un mouvement souple alternativement montant et descendant ; onduler : *Cheveux qui **ondoient** au vent.* **2.** Suivre un tracé sinueux. Trans. *Relig.* Baptiser par ondoiement. Fin XIIe s. ; ☞ *onde* ; [ɔ̃dwaje].

**ONDULANT, ANTE,** adj.
**1.** Qui ondule. **2.** *Pathol. Fièvre **ondulante*** : brucellose. 1761 ; p. pr. de *onduler* ; [ɔ̃dylɑ̃, ɑ̃t].

**ONDULATION,** subst. f.
**1.** *Phys.* Composante du courant alternatif. **2.** Agitation régulière d'un fluide qui ondoie : *L'**ondulation** des flots* ; par anal. : *L'**ondulation** des blés mûrs* ; *L'**ondulation** des hanches.* **3.** Forme, tracé sinueux ; alternance douce de dépressions et de saillies : *L'**ondulation** des collines à l'horizon.* **4.** Forme des cheveux qui frisent légèrement. 1680 ; bas lat. *undula*, « petite onde », du lat. *unda*, « onde » ; [ɔ̃dylasjɔ̃].

**ONDULATOIRE,** adj.
*Phys.* Qui a les caractères d'une onde ; qui se rapporte aux ondes : *Mécanique **ondulatoire***, théorie selon laquelle toute particule en mouvement est associée à une onde périodique. 1765 ; ☞ *onduler* ; [ɔ̃dylatwaʀ].

**ONDULÉ, ÉE,** adj.
**1.** Qui forme des ondulations : *Chevelure **ondulée**.* **2.** *Techn. Tôle **ondulée*** : tôle façonnée en une suite de plis arrondis alternés, servant de toit rudimentaire. 1767 ; p. p. de *onduler* ; [ɔ̃dyle].

**ONDULER,** verbe [3]
Intrans. **1.** Être animé d'ondulations : *Les algues **ondulent**.* **2.** Former ou présenter des ondulations : *Ses cheveux **ondulent**.* Trans. Rendre ondulé : *Fer à **onduler** les cheveux.* 1746 ; ☞ *ondulation* ; [ɔ̃dyle].

**ONDULEUR,** subst. m.
*Électr.* Appareil électronique permettant de convertir un courant unidirectionnel en un courant alternatif. 1948 ; ☞ *onduler* ; [ɔ̃dylœʀ].

**ONDULEUX, EUSE,** adj.
**1.** Qui présente des ondulations : *Relief **onduleux**.* **2.** Qui ondule. 1735 ; ☞ *onduler* ; [ɔ̃dylø, øz].

**ONE-MAN-SHOW,** subst. m. inv.
Numéro de variétés où l'artiste se produit seul sur scène (recomm. off. *spectacle solo*). 1955 ; loc. angl. *one-man show*, de *one-man*, « un seul homme », et de *show*, « spectacle » ; var. *one man show* ; [wanmanʃo].

**ONÉREUX, EUSE,** adj.
**1.** Vx. Qui est à charge, qui pèse. **2.** Qui entraîne des frais importants (synon. *coûteux*) : *Transaction **onéreuse**.* ► Loc. *À titre **onéreux*** : en payant. 1370 ; lat. *onerosus*, de *onus*, « fardeau » ; [ɔneʀø, øz].

**ONGLE,** subst. m.
**1.** Vx. Griffe des carnassiers, des rapaces ; par méton., serre. ► Loc. *Se défendre bec et **ongles*** (☞ *bec*). **2.** Phanère dorsal des doigts et des orteils : *Vernis à **ongles*** ; *Se ronger les **ongles**.* ► Loc. *Jusqu'au bout des **ongles*** : totalement ; *Sur le bout des **ongles*** : par cœur. Déb. XIIe s. ; lat. *ungula* ; [ɔ̃gl].

**ONGLÉ, ÉE,** adj. et subst. f.
Adj. **1.** *Hérald.* Dont les ongles, les serres ou les sabots sont d'un émail différent. **2.** *Fauconn.* Oiseau ***onglé*** : doté de serres. **3.** Pourvu d'ongles (littér.). Subst. Engourdissement douloureux de l'extrémité des doigts, dû au froid. XIVe s. ; ☞ *ongle* ; [ɔ̃gle].

**ONGLET,** subst. m.
**1.** *Géom.* Portion d'un corps rond, cylindrique ou conique délimitée par deux plans perpendiculaires à l'axe central. **2.** *Menuis.* Extrémité d'une pièce de bois coupée selon un angle de 45° : *Coupe en **onglet*** ; *Boîte à **onglets***, guide servant à pratiquer des **onglets** sur des baguettes ou des moulures. **3.** *Impr.* Bandelette de papier ou de toile reliée aux cahiers d'un livre et destinée à insérer un hors-texte ou un feuillet isolé. **4.** *Bouch.* Pièce de bœuf découpée dans les muscles piliers du diaphragme : ***Onglet** à l'échalote.* **5.** *Bot.* Partie inférieure du pétale, qui se loge dans le calice. **6.** Entaille pratiquée sur un objet afin de donner prise à l'ongle : ***Onglet** d'une lame de canif, d'un répertoire.* 1658 (1304, crochet en forme d'ongle) ; ☞ *ongle* ; [ɔ̃glɛ].

**ONGLETTE,** subst. f.
Burin de graveur à pointe biseautée. 1615 (1572, petit ongle) ; ☞ *ongle* ; [ɔ̃glɛt].

**ONGLIER,** subst. m.
**1.** Nécessaire à ongles. **2.** Pince ou ciseaux à ongles, à lames cintrées. 1872 ; ☞ *ongle* ; [ɔ̃glije].

**ONGLON,** subst. m.
*Zool.* Étui corné entourant un doigt et formant une partie du sabot chez les Ruminants et les Suidés. 1846 (fin XIIIe s., grand ongle) ; ☞ *ongle* ; [ɔ̃glɔ̃].

**ONGUENT,** subst. m.
**1.** Médicament à usage externe, enfermant un principe actif dans un corps gras ou résineux. **2.** Baume parfumé pour le corps (vieilli). 1478 ; lat. *unguentum*, « huile parfumée » ; [ɔ̃gɑ̃].

**ONGUICULE,** subst. m.
*Zool.* Petit ongle. 1845 ; lat. *unguiculus* ; [ɔ̃g(ɥ)ikyl].

**ONGUICULÉ, ÉE,** adj. et subst.
*Zool.* Se dit des mammifères pourvus d'ongles, d'onguicules ou de griffes à chaque doigt. 1756 ; lat. *unguiculus* ; [ɔ̃g(ɥ)ikyle].

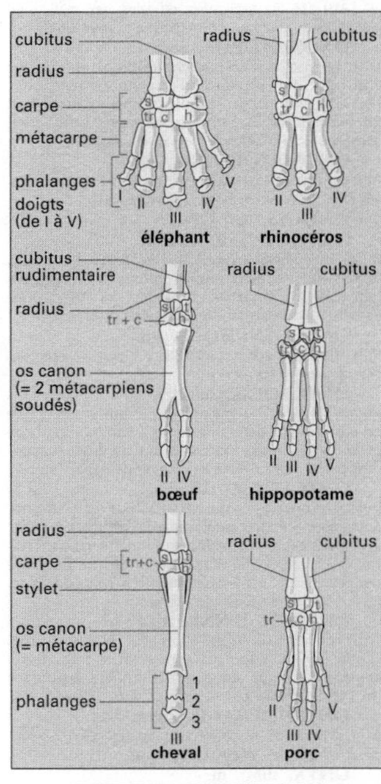


Squelette du pied de mammifères ongulés
*s : scaphoïde. l : lunaire. t : triquetum.*
*tr : trapézoïde. c : capitatum. h : hamatum.*
*En chiffres romains, les numéros des doigts.*

**ONGULÉ, ÉE,** adj. et subst. m. plur.
Adj. Qualifie les mammifères dont les doigts sont recouverts d'un sabot. Subst. Mammifères à sabots. Le terme regroupe auj. deux ordres, les Périssodactyles, ou **ongulés** à doigts impairs, et les Artiodactyles, ou **ongulés** à doigts pairs ; au sing. : *Le zèbre est un **ongulé**.* 1754 ; lat. *ungula*, « ongle » ; [ɔ̃gyle].

**ONGULIGRADE,** adj. et subst. m.
*Zool.* Se dit des animaux qui sont dotés de sabots : *L'âne est un **onguligrade**.* 1816 ; lat. *ungula*, « ongle », + *-grade* ; [ɔ̃gyligʀad].

**ONIRIQUE, adj.**
**1.** *Psych.* Qui relève de l'onirisme : *Délire **onirique**.* **2.** Qui se rapporte au rêve, l'évoque ou l'inspire : *Vision **onirique**.* 1895 ; gr. *oneiros,* « songe, rêve » ; [ɔniʀik].

**ONIRISME, subst. m.**
**1.** Activité mentale, phénomène du rêve. **2.** *Psych.* Expérience délirante et hallucinatoire, vécue par un sujet atteint de confusion mentale. **3.** Caractère de ce qui est onirique : *L'**onirisme** d'un tableau.* 1919 ; gr. *oneiros,* « songe, rêve » ; [ɔniʀism].

**ONIROLOGIE, subst. f.**
*Psychol.* Étude des rêves. 1816 ; formé de *oniro-* et de *-logie* ; [ɔniʀɔlɔʒi].

**ONIROMANCIE, subst. f.**
Divination fondée sur l'interprétation des rêves. 1622 ; formé de *oniro-* et de *-mancie* ; [ɔniʀɔmɑ̃si].

**ONIROTHÉRAPIE, subst. f.**
Psychothérapie utilisant le rêve éveillé. XXe s. ; formé de *oniro-* et de *-thérapie* ; [ɔniʀoteʀapi].

**ONOMASIOLOGIE, subst. f.**
*Ling.* Partie de la sémantique qui étudie les différentes façons d'exprimer un concept. 1904 ; all. *Onomasiologie,* du gr. *onomasia,* « appellation », et *logia,* « théorie » ; [ɔnɔmazjɔlɔʒi].

**ONOMASTIQUE, adj. et subst. f.**
**Adj.** Relatif aux noms propres : *Index **onomastique**.* **Subst.** *Ling.* Étude de l'origine des noms propres. 1819 (1578, explication du sens des mots) ; gr. *onomastikos,* « propre à dénommer » ; [ɔnɔmastik].

**ONOMATOPÉE, subst. f.**
*Ling.* Formation d'un mot par imitation phonétique d'un bruit, d'un son ou d'un cri censé évoquer ce que l'on veut nommer ; mot ainsi formé : *« Boum ! » est une **onomatopée**.* 1585 ; bas lat. *onomatopoeia,* du gr. *onomatopoiia,* « création de mots » ; [ɔnɔmatɔpe].

**ONOMATOPÉIQUE, adj.**
Qui concerne l'onomatopée ; qui en a les caractères. 1785 ; ☞ *onomatopée* ; [ɔnɔmatɔpeik].

**ONQUES, voir ONC**

**ONTOGENÈSE, subst. f.**
*Biol.* et *Embryol.* Développement de l'individu, depuis sa première forme embryonnaire jusqu'à l'apparition complète des organes. 1874 ; formé de *onto-* et de *-genèse* ; var. *ontogénie* ; [ɔ̃tɔʒənɛz].

**ONTOGÉNÉTIQUE, adj.**
Relatif à l'ontogenèse. 1897 ; ☞ *ontogenèse* ; var. *ontogénique* ; [ɔ̃tɔʒenetik].

**ONTOLOGIE, subst. f.**
*Philos.* Partie de la métaphysique qui étudie l'Être en tant qu'être, dépouillé de ses attributs singuliers, et les choses en soi, indépendamment de leurs apparences. 1692 ; formé de *onto-* et de *-logie* ; [ɔ̃tɔlɔʒi].

**ONTOLOGIQUE, adj.**
Relatif à l'ontologie ; qui a trait à l'être ou à l'essence des choses. ► *Preuve **ontologique** de l'existence de Dieu* : argument exposé par saint Anselme, repris par Descartes et réfuté par Kant, selon lequel l'idée de perfection mène nécessairement à celle de Dieu. 1765 ; ☞ *ontologie* ; [ɔ̃tɔlɔʒik].

**ONUSIEN, IENNE, adj.**
Qui concerne l'Organisation des Nations unies (O. N. U.) ou relève de son autorité : *Les forces **onusiennes*** ; empl. subst., fonctionnaire dépendant de l'O. N. U. 1948 ; sigle *O. N. U.* ; [ɔnyzjɛ̃, jɛn].

**ONYCHOPHAGIE, subst. f.**
*Méd.* Manie de se ronger les ongles. 1893 ; gr. *onux,* « ongle », + *-phagie* ; [ɔnikɔfaʒi].

**ONYX, subst. m.**
Variété d'agate, de diverses nuances, utilisée notamment dans la fabrication des camées. XIIe s. ; lat. *onyx,* du gr. *onux,* « ongle », par anal. de couleur ; [ɔniks].

**ONYXIS, subst. m.**
*Pathol.* Inflammation ou lésion du derme unguéal : ***Onyxis** latéral,* ongle incarné. 1832 ; gr. *onux,* « ongle » ; [ɔniksis].

**ONZAIN, subst. m.**
*Versif.* Strophe de onze vers. XVIIe s. (1473, monnaie de onze deniers) ; ☞ *onze* ; [ɔ̃zɛ̃].

**ONZE, adj. num. inv. et subst. m. inv.**
**Adj. card.** Dix plus un : *Une fillette de **onze** ans.* **Adj. ord. 1.** Onzième : *Chapitre **onze**.* **2.** Qui porte le numéro onze : *La chambre **onze*** ou, empl. subst., *La **onze**.* **Subst. 1.** Le nombre onze : *Dix plus un égale **onze**.* **2.** Le numéro onze : *Jouer le **onze**.* **3.** Représentation graphique de ce numéro. **4.** *Sp.* Équipe de football : *Le **onze** de France.* 1080 ; lat. *undecim,* de *unus,* « un », et de *decem,* « dix » ; [ɔ̃z].

**ONZIÈME, adj.**
**Adj. num. ord.** Qui occupe le rang marqué par le nombre onze : *Elle entrait dans sa **onzième** année* ; empl. subst. : *C'est le, la **onzième** de la classe.* **Adj.** Qui constitue une portion d'un tout divisé en onze parts égales : *La **onzième** partie* ou, empl. subst. masc., *Le **onzième**.* 1119 ; ☞ *onze* ; [ɔ̃zjɛm].

**ONZIÈMEMENT, adv.**
En onzième lieu. 1552 ; ☞ *onzième* ; [ɔ̃zjɛmmɑ̃].

**OOCYTE, voir OVOCYTE**

**OOGENÈSE, voir OVOGENÈSE**

**OOGONE, subst. f.**
*Bot.* Organe dans lequel se forment les oosphères, chez les algues, les champignons, etc. 1854 ; formé de *oo-* et de *-gone*[2] ; [ɔɔgɔn].

**OOLITHE, subst.**
*Pétrogr.* **Fém.** Grain sphérique calcaire, constitué de couches concentriques de carbonate, caractéristique des formations jurassiques. **Masc.** Calcaire oolithique. 1752 ; formé de *oo-* et de *-lit(h)e* ; var. *oolite* ; [ɔɔlit].

**OOLITHIQUE, adj.**
Formé d'oolithes : *Calcaire **oolithique*** ; relatif à l'oolithe. 1818 ; ☞ *oolithe* ; [ɔɔlitik].

**OOSPHÈRE, subst. f.**
*Bot.* Gamète femelle des végétaux. 1854 ; formé de *oo-* et de *-sphère* ; [ɔɔsfɛʀ].

**OOSPORE, subst. f.**
*Bot.* Zygote, entouré d'une paroi épaisse, et destiné à être disséminé. 1874 ; ☞ *spore* + *oo-* ; [ɔɔspɔʀ].

**OOTHÈQUE, subst. f.**
*Zool.* Capsule contenant les œufs pondus par certains insectes, telles les blattes et les mantes. 1868 ; formé de *oo-* et de *-thèque* ; [ɔɔtɛk].

**OPACIFICATION, subst. f.**
**1.** *Pathol.* ***Opacification** de la cornée, du cristallin* : diminution de leur transparence. **2.** *Méd.* Injection d'un produit opaque aux rayons X, en vue de préparer un examen radiologique. 1810 ; ☞ *opacifier* ; [ɔpasifikasjɔ̃].

**OPACIFIER, verbe trans.** [6]
Rendre (qqch.) opaque ; empl. pronom., devenir opaque. 1868 ; ☞ *opaque* ; [ɔpasifje].

**OPACIMÉTRIE, subst. f.**
*Techn.* Mesure de l'opacité de certains liquides et gaz. 1932 ; ☞ *opacité* + *-métrie* ; [ɔpasimetʀi].

**OPACITÉ, subst. f.**
**1.** Ombre épaisse, obscurité : *L'**opacité** de la nuit* ; au fig., caractère de ce qui est obscur, impénétrable : *L'**opacité** d'une idée.* **2.** Propriété qu'ont certains corps de s'opposer au passage des rayons lumineux. 1512 ; lat. *opacitas* ; [ɔpasite].

**OPALE, subst. f.**
*Minér.* Pierre semi-précieuse constituée de silice hydratée ou gélatineuse : ***Opale** noble, miellée.* ► Empl. adj. inv. De la couleur laiteuse, aux reflets irisés, de l'**opale** : *Ampoule **opale**,* garnie d'un revêtement interne, à base de silice. Déb. XIIe s. ; lat. *opalus,* du gr. *opallios* ; [ɔpal].

**OPALESCENCE, subst. f.**
Littér. Reflet opalin, irisation ; teinte opaline. 1862 ; ☞ *opalescent* ; [ɔpalɛsɑ̃s].

**OPALESCENT, ENTE, adj.**
Qui prend, qui présente les reflets irisés de l'opale. 1788 ; ☞ *opale* ; [ɔpalɛsɑ̃, ɑ̃t].

**OPALIN, INE, adj. et subst. f.**
**Adj.** Qui a la couleur laiteuse, les nuances bleuâtres de l'opale. **Subst.** Matière vitreuse opalescente, dont on fait des objets d'ornement ; par méton., objet d'**opaline**. 1785 ; ☞ *opale* ; [ɔpalɛ̃, in].

**OPALISER, verbe trans.** [3]
Rendre opalin. Mil. XIXe s. ; ☞ *opale* ; [ɔpalize].

**OPAQUE, adj.**
**1.** Noir, sombre : *Ombres **opaques**.* **2.** Qui ne laisse pas passer la lumière : *Vitre **opaque*** ; par ext., qui empêche le passage de certains rayons : *Substance **opaque** aux rayons X.* **3.** Fig. Obscur, difficile à saisir : *Discours **opaque**.* Fin XVe s. ; lat. *opacus* ; [ɔpak].

**OPE, subst. f. ou m.**
*Archit.* Ouverture pratiquée dans une maçonnerie, afin d'y loger une poutre. 1547 ; gr. *opê* ; [ɔp].

**OPÉABLE, adj.**
*Bourse.* Qui peut faire l'objet d'une O. P. A., offre publique d'achat (☞ *offre*) : *Société **opéable**.* V. 1970 ; sigle *O. P. A.* ; [ɔpeabl].

**OPEN, adj. inv.**
**1.** *Sp.* Qualifie une compétition ouverte aux amateurs comme aux professionnels ; empl. subst. masc. *Un **open** de tennis.* **2.** *Billet **open*** : titre de transport non daté. 1929 ; angl. *open,* « ouvert » ; [ɔpɛn].

**OPENFIELD, subst. m.**
Paysage agraire de champs ouverts (par oppos. à *bocage*). 1833 ; angl. *open field,* « champ ouvert » ; [ɔpɛnfild].

**OPÉRA, subst. m.**
**1.** Vx. Chose admirable, chef-d'œuvre. **2.** Œuvre associant, à la scène, sous diverses formes, dramaturgie et musique. **3.** Genre lyrique dans son ensemble. ► *Opéra sérieux* ou *seria* : **opéra** italien des XVIIe et XVIIIe s. à sujet noble (mythologique ou antique), par oppos. à ***opéra** bouffe,* ayant ses sources dans la commedia dell'arte. ► *Grand **opéra*** : opéra français du XIXe s., à grand spectacle et à sujet historique, de style gén. académique. **4.** Méton. Théâtre où l'on joue des **opéras** : *L'**Opéra** de Marseille.* 1659 ; ital. *opera,* « œuvre » ; [ɔpeʀa].

© David R. Austen/Australia-Gamma

*L'Opéra de Sydney,*
*œuvre de l'architecte danois Jørn Utzon.*

**ARTS** – Né dans les cénacles des lettrés florentins en 1600, l'opéra occidental, fondé sur la monodie expressive, réagissait contre l'excessive complexité d'une polyphonie aux textes devenus inaudibles. Dès 1607, Monteverdi, avec son *Orfeo,* sut intégrer le drame à l'architecture musicale en établissant la division en numéros (solos, duos, ensembles) et en utilisant les récitatifs pour faire avancer l'action. Les grandes règles du genre sont posées mais l'opéra ne cessera de se diversifier, chaque compositeur tentant de parvenir, selon sa sensibilité propre, à l'idéale fusion entre musique et théâtre. Au maniérisme d'un opéra italien, séduisant d'abord par la virtuosité du chant, répondront la mélodieuse pureté de la déclamation caractérisant la tragédie lyrique de Lully et de Quinault puis la « réforme » de Gluck, rendant au drame et au texte leur primauté et donnant au chœur un rôle majeur. Le génie de Mozart transcende ces oppositions en apportant à l'opéra toute la richesse de la musique concertante et en approfondissant par la musique la psychologie des personnages et des situations. Couleur orchestrale, densité et unité dramatique, remarquables chez Verdi (qui abandonne progressivement la division en numéros) seront les conquêtes majeures d'un XIXe s. dominé par l'émergence des écoles nationales. Art « total » associant, avec Wagner, musique, poésie, drame et arts plastiques, l'opéra s'ouvrira avec Debussy et Berg aux grandes révolutions musicales du XXe s. avant de revenir à un éclectisme plus intemporel chez Prokofiev ou Britten.

**OPÉRABLE, adj.**
*Méd.* Qui peut être opéré : *Malade **opérable**.* 1845 (1450, qui pousse à agir) ; ☞ *opérer* ; [ɔpeʀabl].

**OPÉRA-COMIQUE, subst. m.**
*Théâtre* et *Mus.* Œuvre lyrique où les airs chantés alternent avec des dialogues parlés ; genre dont relève une telle œuvre. 1715 ; comp. de *opéra* et de *comique* ; plur. *opéras-comiques* ; [ɔpeʀakɔmik].

**OPÉRANDE, subst. m.**
**1.** *Math.* Donnée entrant dans une opération. **2.** *Informat.* Donnée entrant dans une instruction. V. 1960 ; crois. de *opérer* et de *multiplicande* ; [ɔpeʀɑ̃d].

**OPÉRANT, ANTE,** adj.
Qui agit ; efficace. ⊠ 1560 ; p. pr. de *opérer* ; [ɔperɑ̃, ɑ̃t].

**OPÉRATEUR, TRICE,** subst.
. Personne qui accomplit une action, qui fait une nanipulation. ▸ Chirurgien (vx). **2.** Technicien, gent qui exécute des opérations précises, qui fait onctionner un appareil. ▸ *Cin.* et *Audiov.* Personne hargée de l'enregistrement des images ou du son. *Opérateur radio* : chargé de transmettre et de ecevoir les messages radio. ▸ *Télécomm.* Standariste. **Masc. 1.** *Écon.* Personne physique ou morale ui mène ou met en place une opération commeriale, industrielle ou financière. **2.** *Math.* et *Log.* ymbole d'une action sur certains objets (souv. ynon. de *application*). **3.** *Techn.* Organe d'une nachine-outil qui effectue le travail utile (par ppos. à *récepteur*). ⊠ 1542 (XIVe s., artisan) ; bas lat. *perator*, « travailleur » ; [ɔperatœr, tris].

**OPÉRATION,** subst. f.
. *Théol.* Action de la puissance divine : *L'**Opération** u Saint-Esprit*, par laquelle la Vierge Marie devint a mère du Christ. ▸ Loc. *Par l'**opération** du aint-Esprit* : par un moyen mystérieux (fam. et on.). **2.** Activité d'un pouvoir, d'une faculté qui roduit un effet : *Les **opérations** de la nature.* Processus physiologique, activité psychique propre une fonction : *Les **opérations** de la digestion ; Les pérations de l'intelligence, de la mémoire.* **3.** Action u suite ordonnée d'actions organisées en vue 'obtenir un résultat précis : *Le pressurage est l'une es **opérations** de la vinification.* ▸ *Chir.* Intervention nécanique pratiquée sur un corps vivant à des fins hérapeutiques ou diagnostiques. ▸ *Milit.* Ensemble e mouvements stratégiques et tactiques destinés atteindre un objectif : *Commander les **opérations** ; **Opération** « Overlord »*, le débarquement allié en Normandie ; par anal. : *Une **opération** de police.* . *Math.* Loi de composition sur un ensemble de ombres : *Les quatre **opérations** arithmétiques sont addition, la soustraction, la multiplication et la ivision.* **5.** *Comm.* et *Fin.* Affaire, spéculation. Action ponctuelle : ***Opération** boursière*, achat ou ente de valeurs cotées en Bourse. ⊠ Fin XIIIe s. ; lat. *peratio*, « travail, ouvrage » ; [ɔperasjɔ̃].

**OPÉRATIONNEL, ELLE,** adj.
. Qui est en état d'effectuer correctement une pération : *Système **opérationnel** ; Équipe **opérationelle**.* ▸ *Écon. Recherche **opérationnelle*** : visant à méliorer la prise de décisions et le rendement des pérations. **2.** *Milit.* Relatif aux opérations militaires : *Commandement **opérationnel**.* ⊠ 1930 ; ☞ *opération*, d'apr. l'angl. *operational* ; [ɔperasjɔnɛl].

**OPÉRATOIRE,** adj.
. *Méd.* Qui a trait aux opérations chirurgicales. . Qui permet d'opérer méthodiquement, de façon ogique : *Procédé, schème **opératoire**.* ⊠ 1784 ; bas at. *operatorius*, « qui opère ; efficace » ; [ɔperatwar].

**OPERCULAIRE,** adj.
elatif à un opercule, qui fait fonction d'opercule : *'alve **operculaire**.* ⊠ 1803 ; ☞ *opercule* ; [ɔpɛrkylɛr].

**OPERCULE,** subst. m.
. *Techn.* Pièce faisant office de couvercle. **2.** *Zool.* Membrane de cire qui clôt les alvéoles faites par les beilles. ▸ Petit couvercle corné ou calcaire attaché au ied des Gastéropodes et qui ferme la coquille. Structure protégeant les branchies chez certains oissons. **3.** *Bot.* Organe en forme de couvercle qui e trouve à l'apex des capsules des Mousses ou de asque des champignons ascomycètes. ⊠ 1736 ; lat. *perculum*, « couvercle » ; [ɔpɛrkyl].

**OPERCULÉ, ÉE,** adj.
quipé d'un opercule : *Coquillage **operculé** ; Bouteille e lait **operculée**.* ⊠ 1767 ; ☞ *opercule* ; [ɔpɛrkyle].

**OPÉRÉ, ÉE,** adj. et subst.
*hir.* Se dit d'une personne qui a subi une opération : *Réanimer un **opéré**.* **Subst. masc.** *Fin. Avis 'opéré* : avis confirmant l'exécution d'une opéraion de change. ⊠ 1738 ; p. p. de *opérer* ; [ɔpere].

**OPÉRER,** verbe [8]
**rans. 1.** Effectuer par une série ordonnée d'actes : ***Opérer** un choix ; **Opérer** une soustraction.* **2.** *Chir.* ratiquer une intervention sur (qqn, un organe) ; mpl. abs. : *Il faut **opérer** d'urgence.* **Intrans.** Produire on effet : *Son charme **a opéré*** ; agir : *Les malfaiteurs nt **opéré** pendant la nuit.* **Pronom.** Se produire : *Des hangements **s'opèrent** en lui.* ⊠ Fin XIVe s. ; lat. *operari*, travailler, exercer » ; [ɔpere].

**OPÉRETTE,** subst. f.
**1.** Variété d'opéra-comique au ton léger. **2. D'opérette.** Que l'on ne peut prendre au sérieux : *Un aventurier **d'opérette**.* ⊠ 1821 ; ital. *operetta*, « petite œuvre » ; [ɔperɛt].

**OPÉRON,** subst. m.
*Génét.* Unité génétique fonctionnelle bactérienne regroupant un nombre variable de gènes selon les cas. ⊠ V. 1960 ; ☞ *opérer* ; [ɔperɔ̃].

**OPHICLÉIDE,** subst. m.
*Mus.* Instrument à vent de la famille des cuivres, muni d'une embouchure et de clés, auj. tombé en désuétude. ⊠ 1811 ; gr. *kleis*, « clé », + *ophi-* ; [ɔfikleid].

**OPHIDIEN, IENNE,** adj. et subst. m. plur.
**Adj.** De la nature du serpent ou qui en évoque l'aspect. **Subst.** Vieilli. *Zool.* Sous-ordre de reptiles (synon. *serpents*). ⊠ 1800 ; gr. *ophis*, « serpent » ; [ɔfidjɛ̃, jɛn].

**OPHIOGLOSSE,** subst. m.
*Bot.* Petite fougère des lieux humides, appelée communément langue-de-serpent. ⊠ 1762 ; formé de *ophio-* et de *-glosse* ; [ɔfjɔglɔs].

**OPHIOLÂTRIE,** subst. f.
*Occult.* Culte des serpents. ⊠ 1721 ; formé de *ophio-* et de *-lâtrie* ; [ɔfjɔlatri].

**OPHIOLITE,** subst. f.
*Pétrogr.* Séquence de roches témoin d'un océan disparu, soulevée et éjectée dans un édifice orogénique. ⊠ 1868 ; formé de *ophio-* et de *-lit(h)e* ; [ɔfjɔlit].

**OPHIOLOGIE,** subst. f.
*Sc.* Étude des serpents (synon. *ophiographie*). ⊠ 1823 ; formé de *ophio-* et de *-logie* ; [ɔfjɔlɔʒi].

**OPHITE (I),** subst. m.
*Pétrogr.* Gabbro à grands cristaux de feldspaths et de pyroxènes, de couleur verte. ⊠ 1495 ; gr. *ophis*, « serpent » ; [ɔfit].

**OPHITE (II),** subst.
*Relig.* Membre d'une secte gnostique égyptienne du IIe s. apr. J.-C., qui faisait du serpent le symbole du Messie. ⊠ 1704 ; lat. chrét. *ophitae* ; [ɔfit].

**OPHIURE,** subst. f.
*Zool.* Invertébré marin qui ressemble à une étoile de mer, mais dont les bras sont plus minces et plus souples. ⊠ 1801 ; formé de *ophi-* et de *-ure* ; [ɔfjyr].

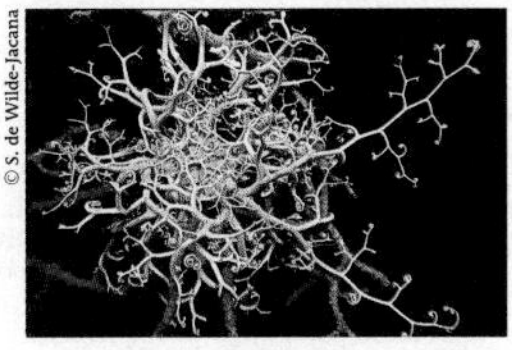
© S. de Wilde-Jacana

*Ophiures.*

**OPHRYS,** subst. m. ou f.
*Bot.* Orchidée dont la fleur a un labelle imitant un insecte ou un arachnide : ***Ophrys** abeille ; **Ophrys** araignée.* ⊠ 1549 ; lat. *ophrys*, p.-ê. du gr. *ophrus*, « sourcil » ; [ɔfris].

**OPHTALMIE,** subst. f.
*Pathol.* Affection inflammatoire de l'œil. ⊠ 1361 ; lat. *ophtalmia*, du gr. *ophthalmos*, « œil » ; [ɔftalmi].

**OPHTALMIQUE,** adj.
**1.** *Anat.* Qui est en rapport avec l'œil : *Nerf **ophtalmique**.* **2.** Qui a trait à l'ophtalmie : *Pommade **ophtalmique**.* ⊠ 1478 ; ☞ *ophtalmie* ; [ɔftalmik].

**OPHTALMOLOGIE,** subst. f.
*Méd.* Discipline qui a pour objet l'étude des affections de l'œil et des troubles de la fonction visuelle. ⊠ 1753 ; formé de *ophtalmo-* et de *-logie* ; [ɔftalmɔlɔʒi].

**OPHTALMOLOGIQUE,** adj.
Relatif à l'ophtalmologie : *Clinique **ophtalmologique**.* ⊠ 1808 ; ☞ *ophtalmologie* ; [ɔftalmɔlɔʒik].

**OPHTALMOLOGISTE,** subst.
*Méd.* Spécialiste en ophtalmologie (synon. *oculiste*). ⊠ 1840 ; ☞ *ophtalmologie* ; var. *ophtalmologue* ; [ɔftalmɔlɔʒist].

**OPHTALMOMÈTRE,** subst. m.
*Méd.* Instrument servant à mesurer l'angle de courbure de la cornée et permettant ainsi de diagnostiquer l'astigmatisme. ⊠ 1747 ; formé de *ophtalmo-* et de *-mètre*[1] ; [ɔftalmɔmɛtr].

**OPHTALMOSCOPE,** subst. m.
*Méd.* Instrument utilisé pour examiner le fond de l'œil. ⊠ 1854 ; formé de *ophtalmo-* et de *-scope* ; [ɔftalmɔskɔp].

**OPHTALMOSCOPIE,** subst. f.
*Méd.* Examen du fond de l'œil. ⊠ 1840 (XVIIe s., connaissance du caractère par l'examen des yeux) ; formé de *ophtalmo-* et de *-scopie* ; [ɔftalmɔskɔpi].

**OPIACÉ, ÉE,** adj. et subst. m.
**Adj.** Qui est à base d'opium ou en contient : *Tabac **opiacé**.* **Subst.** Médicament **opiacé** : *Prescrire un **opiacé**.* ⊠ 1812 ; ☞ *opium* ; [ɔpjase].

**OPILIONS,** subst. m. plur.
*Zool.* Ordre d'araignées coureuses, c.-à-d. qui ne tissent pas de toile, de la classe des Arachnides. **Au sing.** *Le faucheux est un **opilion**.* ⊠ 1874 ; lat. sc. *opilio* ; [ɔpiljɔ̃].

**OPINER,** verbe intrans. [3]
**1.** Vx. Donner son avis. **2. Opiner à.** Donner son agrément à : *J'**opinai** à la solution proposée* ; empl. abs. : *Ils **opinaient** en silence.* ▸ Loc. ***Opiner** du chef, du bonnet* : acquiescer par un signe de tête. ⊠ Déb. XVe s. ; lat. *opinari* ; [ɔpine].

**OPINIÂTRE,** adj.
**1.** Résolument attaché à ses opinions ; persévérant, obstiné : *Adversaire **opiniâtre*** ; empl. subst. : *Quel **opiniâtre** vous faites !* ▸ Fig. *Travail **opiniâtre*** : acharné. **2.** Qui est tenace, irréductible : *Douleur **opiniâtre**.* ⊠ 1431 ; lat. *opinio*, « opinion » ; [ɔpinjɑtr].

**OPINIÂTREMENT,** adv.
D'une manière opiniâtre. ⊠ 1431 ; ☞ *opiniâtre* ; [ɔpinjɑtrəmɑ̃].

**OPINIÂTRETÉ,** subst. f.
Persévérance tenace ; acharnement : *Lutter avec **opiniâtreté**.* ⊠ 1528 ; ☞ *opiniâtre* ; [ɔpinjɑtrəte].

**OPINION,** subst. f.
**1.** Avis, appréciation d'une personne sur un sujet donné. **2.** Manière de penser, de juger touchant à un domaine particulier : ***Opinions** religieuses, politiques ; **Opinion** libérale.* ▸ *Presse d'**opinion*** : qui défend une idéologie. **3.** Appréciation d'ensemble portée sur qqn, sur qqch. : *Avoir une haute **opinion** de soi.* ▸ ***Opinion** publique* : manière de penser propre à une collectivité. **4.** *Dr. Partage d'**opinion*** : indécision résultant d'une égale répartition des suffrages lors d'un délibéré. ⊠ Fin XIIe s. ; lat. *opinio* ; [ɔpinjɔ̃].

**OPIOMANE,** subst.
Personne intoxiquée à l'opium ; empl. adj. : *Un drogué **opiomane**.* ⊠ 1897 ; ☞ *opium* + *-mane*[2] ; [ɔpjɔman].

**OPIOMANIE,** subst. f.
Toxicomanie liée à la consommation d'opium. ⊠ 1909 ; ☞ *opiomane* ; [ɔpjɔmani].

**OPISTHOBRANCHES,** subst. m. plur.
*Zool.* Sous-classe de mollusques gastéropodes marins dont les branchies sont situées sur la partie postérieure du corps. **Au sing.** *L'aphysie, ou lièvre de mer, est un **opisthobranche**.* ⊠ 1848 ; gr. *opisthen*, « derrière », et *bragkhia*, « branchies » ; [ɔpistɔbrɑ̃ʃ].

**OPISTHODOME,** subst. m.
*Antiq.* Partie postérieure d'un temple grec, renfermant son trésor, dont l'accès était restreint aux seuls prêtres. ⊠ 1752 ; gr. *opisthodomos*, de *opisthen*, « derrière », et de *domos*, « maison » ; [ɔpistɔdɔm].

**OPIUM,** subst. m.
**1.** Latex provenant de l'incision avant maturité des capsules de pavot blanc, qui, par sa teneur en alcaloïdes, se range parmi les stupéfiants : *Fumer de l'**opium**.* **2.** Fig. Ce qui produit un état d'assoupissement comparable à celui dû à l'**opium** : *La religion est l'**opium** du peuple* (Marx). ⊠ XIIIe s. ; lat. *opium*, du gr. *opion*, de *opos*, « suc de plantes » ; [ɔpjɔm].

*Fumeurs d'**opium** en Chine, au début du siècle.*

© Coll. Soazig-Explorer

**OPONCE,** subst. m.
*Bot.* Cactacée d'Amérique, introduite dans de nombreuses régions arides, caractérisée par ses feuilles en raquettes. L'espèce la plus connue est le nopal. 1561 ; lat. sc. *opuntia*, du lat. *opuntius*, « d'Oponte (ancienne ville grecque) » ; var. *opuntia* ; [ɔpɔ̃s].

**OPOPANAX,** subst. m.
*Bot.* Apiacée des régions chaudes, fournissant une gomme-résine utilisée en pharmacie et en parfumerie. XIIIe s. ; lat. *opopanax*, du gr. *opos*, « suc », et *panax*, « panax » ; var. *opoponax* ; [ɔpɔpanaks].

**OPOSSUM,** subst. m.
**1.** *Zool.* Petit marsupial d'Amérique, gén. dépourvu de poche marsupiale, à la fourrure brune parsemée de taches blanches et brillantes. **2.** Méton. Fourrure de cet animal. 1640 ; anglo-amér. *opossum*, de l'algonquin *oposon* ; [ɔpɔsɔm].

**OPOTHÉRAPIE,** subst. f.
*Pharm.* Médication à base d'extraits bruts ou purifiés de divers organes, et spéc. de glandes endocrines d'origine animale. 1898 ; gr. *opos*, « suc », + *-thérapie* ; [ɔpoteʀapi].

**OPPIDUM,** subst. m.
*Antiq. rom.* Fortification, ville fortifiée établie sur une hauteur : *L'**oppidum** d'Alésia.* 1765 ; mot lat. ; plur. *oppidums* ou *oppida* ; [ɔpidɔm], plur. [-dɔm] ou [-da].

**OPPORTUN, UNE,** adj.
Qui arrive à propos ; qui convient à la situation présente : *Moment, choix **opportun**.* ▸ Loc. *Il est **opportun** de* (+ inf.) : il convient de. Mil. XIVe s. ; lat. *opportunus*, « qui pousse vers le port » ; [ɔpɔʀtœ̃, yn].

**OPPORTUNÉMENT,** adv.
De manière opportune. 1428 ; ☞ *opportun* ; [ɔpɔʀtynemɑ̃].

**OPPORTUNISME,** subst. m.
**1.** *Pol.* Ligne de conduite consistant à profiter des circonstances, en transigeant, si nécessaire, avec les principes. **2.** Ext. Attitude adoptée par une personne qui recherche avant tout son intérêt immédiat. 1876 ; ☞ *opportun* ; [ɔpɔʀtynism].

**OPPORTUNISTE,** subst. et adj.
Se dit d'une personne qui fait preuve d'opportunisme. **Adj. 1.** Qui dénote l'opportunisme : *Politique **opportuniste**.* **2.** *Pathol.* *Virus **opportuniste*** : infectant un organisme aux défenses immunitaires affaiblies. 1876 ; ☞ *opportun* ; [ɔpɔʀtynist].

**OPPORTUNITÉ,** subst. f.
**1.** Caractère de ce qui est opportun : *L'**opportunité** d'une réforme.* **2.** Méton. Occasion, circonstance favorable (anglic. critiqué) : *Saisir l'**opportunité**.* Déb. XIIIe s. ; lat. *opportunitas* ; [ɔpɔʀtynite].

**OPPOSABILITÉ,** subst. f.
Caractère de ce qui est opposable. ▸ *Dr.* Qualité d'un argument juridique, d'un droit opposable à un tiers. 1865 ; ☞ *opposable* ; [ɔpozabilite].

**OPPOSABLE,** adj.
**1.** Que l'on peut placer en vis-à-vis : *Chez l'homme, le pouce est **opposable** aux autres doigts.* **2.** Qui peut être opposé à qqch. ▸ *Dr. Argument, requête, droit **opposable*** : que l'on peut faire valoir contre un tiers. 1805 ; ☞ *opposer* ; [ɔpozabl].

**OPPOSANT, ANTE,** adj. et subst.
**Adj.** *Dr. La partie **opposante*** : adverse. **Subst.** Personne qui s'oppose à une décision d'autorité. ▸ *Pol.* Membre de l'opposition. 1336 ; p. pr. de *opposer* ; [ɔpozɑ̃, ɑ̃t].

**OPPOSÉ, ÉE,** adj. et subst. m.
**Adj. 1. Opposé à.** Qui est hostile à, qui se dresse contre : *Un homme **opposé** au progrès.* **2.** Contraire, incompatible : *Des caractères, des avis **opposés**.* **3.** Situé en face, en vis-à-vis : *La berge **opposée**.* ▸ *Bot. Feuilles **opposées*** : disposées par paires, face à face sur la tige. **4.** Dont le sens est inverse : *La direction **opposée** à celle du vent.* **5.** *Math.* ▸ *Demi-droites **opposées*** : portées par une même droite et n'ayant que leur origine en commun. ▸ *Secteurs angulaires (angles) **opposés** par le sommet* : de même sommet et dont les côtés sont des demi-droites **opposées** deux à deux. ▸ *Dans un groupe additif, éléments **opposés*** : éléments $a$ et $b$ tels que $a + b = 0$ (dans ℝ, cela signifie que $a$ et $b$ ont même valeur absolue et des signes contraires). **Subst. 1.** Le contraire, l'inverse : *C'est l'**opposé** de son frère.* ▸ Loc. *À l'**opposé** (de)* : à l'inverse (de), du côté **opposé** (à). **2.** *Math. L'**opposé** d'un élément* : son symétrique, dans un groupe additif. 1549 ; p. p. de *opposer* ; [ɔpoze].

**OPPOSER,** verbe trans. [3]
**1.** Présenter comme objection : ***Opposer** un argument à qqn.* **2.** Mettre face à face ; faire s'affronter : ***Opposer** deux équipes.* **3.** Dresser (qqch. qui sert d'obstacle) contre : ***Opposer** un barrage à la foule.* **4.** Mettre en contraste : ***Opposer** deux couleurs.* **Pronom. S'opposer à. 1.** Faire obstacle à. **2.** Être le contraire de : *Le beau s'**oppose** au laid.* **3.** Contraster avec ; empl. abs. : *Tons qui s'**opposent**.* 1176 ; lat. *opponere* ; [ɔpoze].

**OPPOSITE (À L'),** loc. adv.
En face, en vis-à-vis ; au contraire, à l'inverse. 1314 ; lat. *oppositus*, « placé devant » ; [alɔpozit].

**OPPOSITION,** subst. f.
**1.** Action d'opposer ; fait de s'opposer ; antagonisme. **2.** Contraste : ***Opposition** de la lumière et des ténèbres.* **3.** *Astron.* Position de deux astres alignés de part et d'autre d'un astre central. Une planète est en **opposition** quand sa longitude diffère de 180° de celle du Soleil. **4.** *Dr. **Opposition** à mariage* : contestation d'un mariage en vertu d'un empêchement légal ; ***Opposition** à paiement, à un chèque* : procédure empêchant le paiement d'un titre, d'un chèque. **5.** *Pol.* Ensemble des forces politiques qui s'opposent au gouvernement en place : *L'**opposition** parlementaire.* 1176 ; lat. *oppositio* ; [ɔpozisjɔ̃].

**OPPRESSANT, ANTE,** adj.
Qui oppresse. 1860 (fin XVe s., qui assiège) ; p. pr. de *oppresser* ; [ɔpʀesɑ̃, ɑ̃t] ou [-pʀe-].

**OPPRESSER,** verbe trans. [3]
**1.** Peser sur la poitrine de ; étouffer : *La chaleur nous **oppressait*** ; empl. adj. : *Se sentir **oppressé**.* **2.** Fig. Accabler, tourmenter : *L'angoisse m'**oppresse**.* Mil. XIVe s. ; ☞ *oppression* ; [ɔpʀese] ou [-pʀe-].

**OPPRESSEUR,** subst. m.
Personne qui opprime ; tyran. Mil. XIVe s. ; lat. *oppressor*, « destructeur » ; [ɔpʀesœʀ] ou [-pʀe-].

**OPPRESSIF, IVE,** adj.
Qui opprime ou est source d'oppression : *Une réglementation **oppressive**.* 1365 ; ☞ *oppresser* ; [ɔpʀesif, iv] ou [-pʀe-].

**OPPRESSION,** subst. f.
**1.** Action d'opprimer ; fait d'être opprimé : *Subir l'**oppression** d'un envahisseur.* **2.** Gêne respiratoire ; au fig., malaise psychique accompagné d'une telle gêne. Fin XIIe s. ; lat. *oppressio*, « action de presser, d'étouffer » ; [ɔpʀesjɔ̃] ou [-pʀe-].

**OPPRIMÉ, ÉE,** adj.
Qu'une autorité opprime : *Peuple **opprimé*** ; empl. subst., personne **opprimée** : *Lutter du côté des **opprimés**.* Fin XIVe s. ; p. p. de *opprimer* ; [ɔpʀime].

**OPPRIMER,** verbe trans. [3]
**1.** Exercer un pouvoir tyrannique et violent sur : ***Opprimer** un peuple.* **2.** Empêcher (qqn, qqch.) de s'exprimer : ***Opprimer** les consciences.* Mil. XIVe s. ; lat. *opprimere*, de *ob premere*, « presser sur » ; [ɔpʀime].

**OPPROBRE,** subst. m.
Littér. **1.** Déshonneur infligé publiquement : *Jeter l'**opprobre** sur qqn ; Être l'**opprobre** de*, la honte de. **2.** État d'avilissement, de déchéance extrême : *Vivre dans l'**opprobre**.* Déb. XIIe s. ; lat. *opprobrium*, de *probrum*, « infamie » ; [ɔpʀɔbʀ].

**OPSONINE,** subst. f.
*Biochim.* et *Biol.* Molécule protéique qui est attirée par la structure de l'enveloppe ou de la paroi des bactéries et qui facilite leur phagocytose. 1904 ; gr. *opson*, « aliment » ; [ɔpsɔnin].

**OPTATIF, IVE,** adj.
*Ling.* Qui exprime ou sert à exprimer un souhait. ▸ *Mode **optatif*** ou, empl. subst. masc., *L'**optatif*** : mode verbal propre à l'expression des souhaits, dans certaines langues (le subjonctif, pour le français). 1374 ; bas lat. *optativus* ; [ɔptatif, iv].

**OPTER,** verbe intrans. [3]
Se déterminer, prendre parti (entre plusieurs choses dont une seule peut être retenue) : ***Opter** pour un candidat.* 1411 ; lat. *optare* ; [ɔpte].

**OPTICIEN, IENNE,** subst.
Personne qui fabrique, répare et vend des instruments d'optique, en partic. des verres correcteurs. 1640 ; ☞ *optique* ; [ɔptisjɛ̃, jɛn].

**OPTIMAL, ALE, AUX,** adj.
Qui constitue un optimum : *Croissance **optimale**.* 1906 ; ☞ *optimum* ; [ɔptimal, o].

**OPTIMISATION,** subst. f.
Action d'optimiser ; son résultat. V. 1960 ; ☞ *optimiser* ; var. *optimalisation* ; [ɔptimizasjɔ̃].

**OPTIMISER,** verbe trans. [3]
**1.** Rendre optimal : ***Optimiser** un rendement.* **2.** *Math.* Chercher les valeurs de (un ou plusieurs paramètres d'une fonction) qui correspondent à son maximum. 1906 ; ☞ *optimal*, d'apr. l'angl. *to optimize* ; var. *optimaliser* ; [ɔptimize].

**OPTIMISME,** subst. m.
**1.** *Philos.* Doctrine selon laquelle tout ce qui existe manifeste le plus grand bien possible. **2.** Tendance à garder foi en l'avenir quoi qu'il arrive (anton. *pessimisme*). 1737 ; lat. *optimus*, « le meilleur » ; [ɔptimism].

**OPTIMISTE,** adj. et subst.
Se dit d'une personne qui fait preuve d'optimisme. **Adj.** Qui est chargé d'espoir : *Des propos **optimistes**.* 1752 ; ☞ *optimisme* ; [ɔptimist].

**OPTIMUM,** subst. m. et adj.
**Subst.** État le plus favorable, le plus avantageux d'une chose, d'un processus : *L'**optimum** de la production céréalière.* **Adj.** Optimal (empl. critiqué) : *Une solution **optimum**.* 1771 ; mot lat. ; plur. *optimums* ou *optima* ; [ɔptimɔm], plur. [-mɔm] ou [-ma].

**OPTION,** subst. f.
**1.** Faculté, action d'opter ; solution, décision qui en résulte. **2.** *Enseign. Matière à **option*** ou, par ell., *Une **option*** : matière facultative complétant un enseignement obligatoire. **3.** *Comm.* ▸ Accessoire facultatif s'ajoutant au produit de base. ▸ Promesse de vente ou d'achat : *Prendre une **option**.* **4.** *Dr.* Possibilité de choisir entre plusieurs situations juridiques. Mil. XIVe s. (fin XIIe s., sous-officier) ; lat. *optio* ; [ɔpsjɔ̃].

**OPTIONNEL, ELLE,** adj.
**1.** Qui invite à un choix. **2.** Qui est en option (synon. *facultatif*). V. 1960 ; ☞ *option* ; [ɔpsjɔnɛl].

**OPTIQUE,** adj. et subst. f.
**Adj. 1.** Relatif à la vision et aux organes visuels : *Nerf **optique**.* **2.** Relatif aux phénomènes visuels et lumineux : *Spectre **optique*** (☞ *spectre*) ; *Lentilles **optiques*** ; *Fibre **optique*** (☞ *fibre*). **Subst. 1.** Branche de la physique qui étudie les phénomènes lumineux en rapport avec les propriétés de la vision. **2.** Fabrication, commerce des appareils et des instruments qui corrigent ou précisent la vision (microscopes, loupes, miroirs, etc.). **3.** Jeu de miroirs et de lentilles que comporte un instrument d'**optique** ; par méton., objectif. **4.** Fig. Point de vue, manière d'envisager les choses : *Changer d'**optique** après réflexion.* 1314 ; gr. *optikos* ; [ɔptik].

**OPTOMÈTRE,** subst. m.
Appareil servant à évaluer l'acuité visuelle. 1855 ; formé de *opto-* et de *-mètre*[1] ; [ɔptɔmɛtʀ].

**OPTOMÉTRIE,** subst. f.
Mesure de l'acuité visuelle ; ensemble des techniques et des procédés qui s'y rapportent. 1874 ; ☞ *optomètre* ; [ɔptɔmetʀi].

**OPTOMÉTRISTE,** subst.
Spécialiste de l'optométrie. 1955 ; ☞ *optométrie* ; [ɔptɔmetʀist].

**OPULENCE,** subst. f.
**1.** Abondance de richesses matérielles : *Vivre dans l'**opulence**.* **2.** Caractère de ce qui est opulent ; au fig., corpulence. 1464 ; lat. *opulentia* ; [ɔpylɑ̃s].

**OPULENT, ENTE,** adj.
**1.** Qui vit dans l'opulence. **2.** Dont les formes sont amples, généreuses : *Femme à la poitrine **opulente**.* 1355 ; lat. *opulentus* ; [ɔpylɑ̃, ɑ̃t].

**OPUNTIA, voir OPONCE**

**OPUS,** subst. m.
*Mus.* Indication, suivie d'un numéro, permettant de situer une œuvre dans le répertoire d'un compositeur (abrév. : op.) : *Beethoven, symphonie « Héroïque », **opus** 55.* 1832 ; lat. *opus*, « œuvre » ; [ɔpys].

**OPUSCULE,** subst. m.
Petit ouvrage, brochure. 1488 ; lat. *opusculum*, « petite œuvre » ; [ɔpyskyl].

**OPUS INCERTUM,** subst. m. inv.
*Constr.* Maçonnerie faite de blocs irréguliers mais s'emboîtant parfaitement. 1870 ; lat. *opus incertum*, « ouvrage irrégulier » ; [ɔpysɛ̃sɛʀtɔm].

**OR (I),** subst. m.
**1.** *Chim.* Élément n° 79 de la table de Mendeleïev (symb. : Au) ; masse atomique : 196,7 ; point de fusion : 1 064 °C ; point d'ébullition : 2 807 °C ; masse volumique : 19,3 g/cm³. C'est un métal précieux inaltérable, de couleur jaune et d'aspect brillant : *Mine d'**or** ; Lingot d'**or**.* **2.** Ext. Alliage de ce métal et d'autres métaux : ***Or** rouge*, alliage d'or et de cuivre ; ***Or** gris*, alliage d'or, de zinc et de

nickel ; **Or** *jaune*, alliage d'or, de cuivre et d'argent. **3.** Symbole de richesse. ▸ Loc. *Affaire en* **or** : très bonne affaire ; *Rouler sur l'***or** : vivre dans l'opulence, dans l'extrême richesse ; *Faire un pont d'***or** *à qqn* : lui offrir une forte somme pour qu'il accepte d'occuper un poste ; *C'est de l'***or** *en barre* : fructueux, d'un rapport assuré ; *Valoir son pesant d'***or** : être très précieux ; *Âge d'***or** : période faste d'une civilisation. ▸ **Or** *noir* : pétrole. **4.** Symbole d'excellence, de bonté : *Cœur d'***or** ; *Parler d'***or**. **5.** Anal. Couleur jaune évoquant celle de l'**or** : *Cheveux d'***or** ; *Jaune d'***or** ; *L'***or** *des blés*. **6.** *Archit. Nombre d'***or** : dans tout pentagone régulier convexe, rapport des longueurs d'une diagonale et d'un côté (ce nombre, égal à $(1 + \sqrt{5})/2$ correspond à une proportion considérée comme très esthétique) ; *Rectangle d'***or** : dont les côtés sont dans le rapport du nombre d'**or** (le Parthénon s'inscrit dans un tel rectangle). **7.** *Fin. Étalon or, valeur or* : équivalent en **or** fin de la valeur d'une monnaie. **8.** *Hérald.* L'un des deux métaux faisant partie des émaux, de couleur jaune. ⚮ Fin IXe s. ; lat. *aurum* ; [ɔʀ].

CIVILISATION – Dès le Néolithique moyen, le métal jaune a fasciné les hommes. Extrait des mines de Nubie, du Caucase, des Indes et d'Ophir (Yémen), on l'utilise dans tout l'Est méditerranéen pour la fabrication des bijoux et des décorations funéraires (Égypte prédynastique du Ve millénaire, tombeaux de Mycènes, trésor de Troie, etc.). Parce qu'il est inaltérable, il sert, dès le VIIe s. av. J.-C., au monnayage. Les premières monnaies or apparaissent en Inde. En Lydie, le roi Crésus crée le bimétallisme or/argent. Il ne cessera plus, dès lors, d'être un pivot des systèmes monétaires nationaux et internationaux, servant d'étalon à la circulation fiduciaire et de valeur refuge. Sa rareté, dans l'Occident médiéval, pousse les alchimistes à vouloir l'obtenir, en vain, par la transmutation des métaux vils. Parallèlement, les Incas en constituent des réserves qui déchaînent la convoitise des conquistadors bientôt lancés dans la « quête d'Eldorado », mythique pays où tout serait fait d'or. Modeste jusqu'au XVIIIe s., le développement économique aidant, la production de l'or connaît au XIXe s. une vigoureuse relance. C'est la ruée des orpailleurs, à partir de 1850, vers les mines d'Amérique du Nord (Californie, Colorado, Klondike), d'Afrique du Sud (Transvaal) et d'Australie, pays qui restent actuellement les grands producteurs d'or, rejoints au XXe s. par la Russie (Oural, Sibérie), le Ghana, le Zaïre et l'Extrême-Orient (Chine, Philippines, Japon).

**OR (II)**, conj. de coordination
Sert à introduire un propos, à y intégrer un fait nouveau, à assurer la transition d'une idée à une autre, à marquer une opposition ou à introduire la proposition mineure d'un syllogisme : *Tous les hommes sont mortels,* **or** *Socrate est un homme, donc Socrate est mortel.* ⚮ Fin XIIe s. ; lat. pop. *ha hora*, du lat. *hac hora*, « à cette heure » ; [ɔʀ].

**ORACLE**, subst. m.
**1.** Parole de Dieu, transmise par ses prophètes et ses apôtres (vx). **2.** *Antiq.* Réponse d'une divinité à qui la consultait ; par méton., divinité consultée : *Interroger un* **oracle**. ▸ Lieu sacré de cette consultation : *L'***oracle** *de Delphes*. **3.** Littér. Parole, propos jouissant d'un grand crédit ; personne qui fait autorité. ⚮ Mil. XIIe s. ; lat. *oraculum*, de *orare*, « prier » ; [ɔʀakl].

**ORAGE**, subst. m.
**1.** Vx. Vent favorable. **2.** *Météor.* Violente perturbation atmosphérique générant divers phénomènes électriques (éclairs, foudre, tonnerre), et gén. de fortes précipitations : *Ciel d'***orage** ; *Saison des* **orages**. ▸ **Orage** *magnétique* : perturbation du champ magnétique terrestre due à une éruption solaire. **3.** Fig. Trouble, agitation qui vient entamer la sérénité de qqn ou sa vie relationnelle (littér.) : *Les* **orages** *du cœur*. ▸ Loc. *Il y a de l'***orage** *dans l'air* : des signes d'une querelle imminente. ⚮ Déb. XIIe s. ; anc. fr. *ore*, du lat. *aura*, « vent » ; [ɔʀaʒ].

**ORAGEUX, EUSE**, adj.
**1.** *Météor.* Qui annonce l'orage : *Temps* **orageux**. ▸ Qui en a les caractères : *Pluie* **orageuse**. **2.** Fig. Agité, tumultueux : *Réunion* **orageuse**. ⚮ Fin XIIe s. ; ☞ *orage* ; [ɔʀaʒø, øz].

**ORAISON**, subst. f.
**1.** Prière : *Réciter une* **oraison**. **2.** Discours prononcé en public (vx). ▸ **Oraison** *funèbre* : discours célébrant les mérites d'une personnalité défunte. ⚮ Mil. XIe s. ; lat. *oratio*, de *orare*, « prier » ; [ɔʀɛzɔ̃].

**ORAL, ALE, AUX**, adj.
**1.** Qui se transmet par la voix, la parole (par oppos. à *écrit*) : *Littérature* **orale** ; *Tradition* **orale**. ▸ Loc. *Par* **oral** : oralement. ▸ *Enseign. Épreuve* **orale** ou, empl. subst. masc., *Un* **oral** : épreuve passée oralement devant un examinateur ou un jury. **2.** Qui est relatif à la bouche : *Administrer un remède par voie* **orale**. **3.** *Phon. Voyelle* **orale** : dont la phonation met exclusivement en résonance la cavité buccale. **4.** *Psychanal. Stade* **oral** : premier stade du développement de la sexualité infantile, dans lequel la bouche est la zone érogène principale. ⚮ 1610 ; lat. *os*, « bouche » ; [ɔʀal, o].

**ORALEMENT**, adv.
De manière orale. ⚮ 1829 ; ☞ *oral* ; [ɔʀalmɑ̃].

**ORALITÉ**, subst. f.
**1.** Caractère oral d'un mode d'expression, d'une culture. **2.** *Psychanal.* Caractère spécifique du stade oral. ⚮ 1845 ; ☞ *oral* ; [ɔʀalite].

**ORANGE**, subst. et adj. inv.
SUBST. FÉM. Agrume, fruit de l'oranger, dont l'écorce recouvre une pulpe juteuse divisée en quartiers. ▸ **Orange** *amère* : bigarade. SUBST. MASC. Couleur semblable à celle de ce fruit, mélange de rouge et de jaune. ADJ. De la couleur de l'**orange** : *Des rideaux* **orange**. ⚮ Fin XIIe s. ; anc. fr. *pome d'orenge*, de l'anc. ital. *melarancio*, du persan *nārenj* ; [ɔʀɑ̃ʒ].

**ORANGÉ, ÉE**, adj. et subst. m.
ADJ. Qui approche de la couleur orange ; mêlé d'orange : *Teint* **orangé**. SUBST. La deuxième des sept couleurs du spectre solaire, comprise entre le jaune et le rouge. ⚮ 1534 ; ☞ *orange* ; [ɔʀɑ̃ʒe].

**ORANGEADE**, subst. f.
Boisson à base de jus d'orange, de sucre et d'eau. ⚮ 1680 (1642, confiture d'oranges) ; ☞ *orange* ; [ɔʀɑ̃ʒad].

**ORANGEAT**, subst. m.
Préparation à base de lamelles d'écorce d'orange confites macérées dans de l'eau-de-vie. ⚮ 1369 ; ☞ *orange* ; [ɔʀɑ̃ʒa].

**ORANGER (I)**, subst. m.
*Bot.* Arbre fruitier de la famille des Rutacées, dont les fleurs sont très parfumées et dont les fruits sont les oranges. ▸ *Eau de fleur d'***oranger** : distillat de fleurs d'**oranger**, utilisé en pâtisserie. ⚮ 1388 ; ☞ *orange* ; [ɔʀɑ̃ʒe].

**ORANGER (II)**, verbe trans. [5]
Teinter en orange. ⚮ 1839 ; ☞ *orange* ; [ɔʀɑ̃ʒe].

**ORANGERAIE**, subst. f.
Plantation d'orangers. ⚮ 1937 ; ☞ *oranger* (I) ; [ɔʀɑ̃ʒʀɛ].

© Fr. Chazot-Explorer

*L'orangerie du jardin du Luxembourg, à Paris.*

**ORANGERIE**, subst. f.
Lieu clos où les orangers, plantés en caisses, sont entreposés à l'abri du froid. ▸ Partie d'un jardin où ces orangers sont placés à la belle saison. ⚮ 1603 ; ☞ *oranger* (I) ; [ɔʀɑ̃ʒʀi].

**ORANGETTE**, subst. f.
Variété d'orange de petite taille que l'on cueille avant sa maturité. ⚮ 1821 ; ☞ *orange* ; [ɔʀɑ̃ʒɛt].

**ORANG-OUTAN**, subst. m.
*Zool.* Grand singe anthropoïde de la famille des Hominidés, originaire d'Asie et dont les derniers représentants vivent dans les forêts de Sumatra et de Bornéo. ⚮ 1758 ; malais *orang hūtan*, « homme des bois » ; var. *orang-outang*, plur. *orangs-outan(g)s* ; [ɔʀɑ̃utɑ̃].

**ORANT, ORANTE**, subst.
*B.-a.* Personnage représenté en attitude de prière ; en partic., au Moyen Âge, statue funéraire représentant le défunt en prière. ⚮ 1848 ; p. pr. de *orer* (vx), du lat. *orare*, « prier » ; [ɔʀɑ̃, ɔʀɑ̃t].

**ORATEUR, TRICE**, subst.
**1.** Personne qui prononce régulièrement des discours (rare au fém.) : *Cicéron, grand* **orateur** *latin* ; **Orateur** *sacré*, prédicateur. **2.** Personne douée d'éloquence : *Un brillant* **orateur**. ⚮ Mil. XIVe s. ; lat. *orator*, de *orare*, « parler ; prier » ; [ɔʀatœʀ, tʀis].

**ORATOIRE (I)**, subst. m.
**1.** Lieu consacré à la prière ; petite chapelle : *Un* **oratoire** *privé, public*. **2.** *Cath.* Congrégation religieuse ; par méton., église, maison propre à cette congrégation. ▸ *L'***Oratoire** *d'Italie* : ordre fondé au XVIe s. par saint Philippe Neri, sans vœux, et voué en partic. à la prédication et à l'enseignement. ▸ *L'***Oratoire** *de France* ou *L'***Oratoire** *de Jésus et de Marie Immaculée* : congrégation de moines prédicateurs fondée par le cardinal de Bérulle, en 1611. ⚮ Fin XIIe s. ; lat. chrét. *oratorium*, de *orare*, « prier » ; [ɔʀatwaʀ].

**ORATOIRE (II)**, adj.
Relatif à l'art de l'orateur : *Joute* **oratoire** ; *Ton* **oratoire**, propre au discours. ▸ *Précautions* **oratoires** : précisions que l'on formule en vue de prévenir certaines critiques. ⚮ Déb. XVIe s. ; lat. *oratorius*, de *orator*, « orateur » ; [ɔʀatwaʀ].

**ORATORIEN**, subst. m.
*Cath.* Membre de l'Oratoire (d'Italie ou de France). ⚮ 1721 ; ☞ *oratoire* (I) ; [ɔʀatɔʀjɛ̃].

**ORATORIO**, subst. m.
*Mus.* Œuvre lyrique à thème souv. religieux, apparenté à la cantate et à l'opéra par sa facture. ⚮ 1739 ; ital. *oratorio*, « oratoire », ce genre étant né dans les églises de l'Oratoire d'Italie ; [ɔʀatɔʀjo].

**ORBE (I)**, adj.
*Archit. Mur* **orbe** : dépourvu d'ouvertures. ⚮ Mil. XIe s. ; lat. *orbus*, « aveugle » ; [ɔʀb].

**ORBE (II)**, subst. m.
**1.** *Astron.* Espace délimité par l'orbite d'un corps céleste (vieilli). **2.** Cercle, disque (littér.) : *Les* **orbes** *que forme l'eau troublée par la chute d'un corps* (Nerval). ⚮ Mil. XIIIe s. ; lat. *orbis*, « cercle, disque » ; [ɔʀb].

**ORBICULAIRE**, adj.
**1.** Qui a la forme d'un cercle : *Trajet* **orbiculaire**. **2.** *Anat. Muscle* **orbiculaire** ou, empl. subst. masc., *Un* **orbiculaire** : muscle annulaire dont la contraction permet l'occlusion d'un orifice. ⚮ Fin XIVe s. ; bas lat. *orbicularis*, du lat. *orbis*, « cercle » ; [ɔʀbikylɛʀ].

**ORBITAIRE**, adj.
*Anat.* Relatif à l'orbite de l'œil : *Fosse* **orbitaire** ; *Artère* **orbitaire**. ⚮ 1562 ; ☞ *orbite* ; [ɔʀbitɛʀ].

**ORBITAL, ALE, AUX**, adj. et subst. f.
ADJ. *Astron.* Qui se rapporte à l'orbite d'une planète ou de tout corps satellisé. SUBST. *Phys. part.* Distribution spatiale d'un ou de plusieurs électrons dans un atome ou une molécule : **Orbitale** *atomique, moléculaire*. ⚮ 1875 ; ☞ *orbite* ; [ɔʀbital, o].

**ORBITE**, subst. f.
**1.** *Anat.* Cavité osseuse qui contient le globe oculaire et ses annexes. **2.** *Astron.* Trajectoire décrite dans l'espace par un corps gravitant autour d'un astre. Les **orbites** peuvent être elliptiques (cas des planètes du système solaire), circulaires ou quasi paraboliques (étoiles doubles, comètes). ▸ Fig. Sphère d'influence d'une personne, d'un groupe : *Graviter dans l'***orbite** *d'une célébrité*. ⚮ 1314 ; lat. *orbita*, « trace d'une roue » ; [ɔʀbit].

**ORBITÈLE**, adj. et subst. f.
*Zool.* Se dit d'une araignée dont la toile en spirale est coupée par des rayons. ⚮ 1805 ; lat. *orbis*, « cercle », et *tela*, « toile d'araignée » ; [ɔʀbitɛl].

*Orang-outan.*

© T. MC Hugh/P. H. R.-Jacana

**ORCANETTE,** subst. f.
*Bot.* Plante vivace de la famille des Borraginacées, cultivée en région méditerranéenne, et dont la racine fournit un colorant rouge. Fin XIVe s. ; lat. médiév. *alchanna*, d'orig. ar. ; var. *orcanète* ; [ɔʀkanɛt].

**ORCHESTRAL, ALE, AUX,** adj.
Qui est propre à l'orchestre symphonique : *Effet* ***orchestral***. 1845 ; ☞ *orchestre* ; [ɔʀkɛstʀal, o].

**ORCHESTRATEUR, TRICE,** subst.
Personne qui orchestre une composition musicale. Fin XIXe s. ; ☞ *orchestrer* ; [ɔʀkɛstʀatœʀ, tʀis].

**ORCHESTRATION,** subst. f.
Action d'orchestrer ; son résultat : ***L'orchestration** d'une symphonie* ; au fig. : ***Orchestration** d'une campagne électorale.* 1836 ; ☞ *orchestrer* ; [ɔʀkɛstʀasjɔ̃].

**ORCHESTRE,** subst. m.
**I. 1.** *Antiq.* Espace d'un théâtre compris entre la scène et le public, où prenait place le chœur. **2.** Ext. ▸ Partie d'une salle de spectacle située en contrebas de la scène et réservée aux musiciens : *Fosse d'**orchestre**.* ▸ Ensemble des places du rez-de-chaussée d'une salle de spectacle. **II.** *Mus.* Ensemble polyphonique constitué par des musiciens et leurs instruments : ***Orchestre** philharmonique* ; *Des chefs d'**orchestre**.* 1500 ; lat. *orchestra*, du gr. *orkhêstra* ; [ɔʀkɛstʀ].

**ORCHESTRER,** verbe trans. [3]
**1.** *Mus.* Distribuer entre les divers instruments d'un orchestre les différentes voix de (une composition musicale). **2.** Fig. Diriger, organiser (une action, une opération) en cherchant à lui donner de l'ampleur : ***Orchestrer** une campagne de publicité.* 1840 ; ☞ *orchestre* ; [ɔʀkɛstʀe].

**ORCHIDACÉES,** subst. f. plur.
*Bot.* Famille de plantes vivaces monocotylédones, à racine fibreuse, souv. tubéreuse, très importante en floriculture. **Au sing.** *Le vanillier est une **orchidacée**.* Mil. XIXe s. ; ☞ *orchidée* ; [ɔʀkidase].

**ORCHIDÉE,** subst. f.
*Bot.* Plante herbacée de la famille des Orchidacées, souv. épiphyte, et dont la fleur possède un pétale supérieur, ou labelle. 1766 ; gr. *orkhidion*, « petit testicule », par réf. à la forme des racines ; [ɔʀkide].

**ORCHIS,** subst. m.
*Bot.* Orchidée à racine tubéreuse. 1546 ; lat. *orchis*, du gr. *orkhis*, « testicule » ; [ɔʀkis].

**ORCHITE,** subst. f.
*Pathol.* Inflammation testiculaire. ▸ ***Orchite** ourlienne* : complication des oreillons. 1823 (1551, olive) ; gr. *orkhis*, « testicule », + *-ite* ; [ɔʀkit].

**ORDALIE,** subst. f.
*M. Â.* Épreuve judiciaire (par le feu, l'eau, le combat singulier, etc.) qui faisait appel au jugement de Dieu pour établir la culpabilité ou l'innocence d'un accusé. 1693 ; lat. médiév. *ordalium*, de l'anglo-saxon *ordal*, « jugement » ; [ɔʀdali].

**ORDINAIRE,** adj. et subst. m.
**Subst. 1.** *Dr. canon.* ***L'Ordinaire*** : l'évêque, comme suprême autorité diocésaine. **2.** *Liturg.* ***L'ordinaire** de la messe* : l'ensemble des prières qui ne varient pas au long de l'année (par oppos. à *propre*). **3.** État habituel, normal d'un ordre de choses : ***L'ordinaire** de la vie* ; *Sortir de l'**ordinaire**.* ▸ Loc. *D'**ordinaire*** : habituellement ; *À l'**ordinaire*** : à l'accoutumée. **4.** Ce qui constitue habituellement un repas : *Se contenter de l'**ordinaire**.* ▸ *Caporal d'**ordinaire*** : sous-officier chargé d'assurer la nourriture de la troupe. **Adj. 1.** Qui est dans l'ordre normal des choses ; sans originalité : *La manière **ordinaire** de procéder.* **2.** Qui est en fonction : *Médecin **ordinaire**.* **3.** Dont la valeur, la qualité ne dépassent pas le niveau moyen : *Un vin **ordinaire**.* 1260 ; lat. *ordinarius* ; [ɔʀdinɛʀ].

**ORDINAIREMENT,** adv.
De manière habituelle, ordinaire. 1381 (déb. XIIIe s., en ordre) ; ☞ *ordinaire* ; [ɔʀdinɛʀmɑ̃].

**ORDINAL, ALE, AUX,** adj.
**1.** Qui marque ou exprime le rang d'une chose à l'intérieur d'une série ordonnée : *Nombre **ordinal*** ; *Adjectif numéral **ordinal**.* **2.** Relatif à un ordre professionnel : *Discipline **ordinale**.* 1550 (mil. XVe s., *un ordinal*, service ordinaire) ; lat. médiév. *ordinalis* ; [ɔʀdinal, o].

**ORDINAND,** subst. m.
*Liturg.* Aspirant à la prêtrise, au moment de l'ordination. 1642 ; lat. médiév. *ordinandus*, du lat. *ordinare*, « ordonner » ; [ɔʀdinɑ̃].

**ORDINANT,** subst. m.
*Liturg.* Évêque conférant une ordination. 1690 ; lat. *ordinans*, de *ordinare*, « ordonner » ; [ɔʀdinɑ̃].

**ORDINATEUR,** subst. m.
*Informat.* Machine électronique programmable capable d'exécuter à grande vitesse et automatiquement des opérations arithmétiques et logiques complexes. Elle comprend une partie logicielle (software) pilotant une partie matérielle (hardware). Cette partie matérielle est constituée d'un ou de plusieurs microprocesseurs exécutant les opérations, d'une horloge cadençant le rythme d'exécution, d'un réseau de conducteurs (bus) assurant la circulation des données, d'une mémoire centrale à semi-conducteurs accueillant temporairement les résultats, et d'une mémoire auxiliaire permettant de conserver durablement les résultats finaux et les logiciels. 1956 (1491, celui qui institue qqch.) ; lat. *ordinator*, « celui qui met en ordre » ; [ɔʀdinatœʀ].

**ORDINATION,** subst. f.
*Liturg.* Acte sacramentel par lequel un évêque confère les ordres majeurs et un abbé les ordres mineurs : *Rite de l'**ordination** presbytérale.* ▸ ***Ordination** épiscopale*, sacre d'un évêque. Fin XIIe s. ; lat. *ordinatio*, de *ordinare*, « ordonner » ; [ɔʀdinasjɔ̃].

**ORDO,** subst. m. inv.
*Cath.* Calendrier liturgique qui indique, pour chaque jour, l'ordonnance de la messe et des offices. 1752 ; lat. *ordo*, « ordre » ; [ɔʀdo].

**ORDONNANCE,** subst. f.
**1.** Prescription émanant d'une autorité compétente. ▸ *Dr.* Décision prise par un magistrat : ***Ordonnance** de non-lieu, de référé, d'acquittement* ; ***Ordonnance** pénale.* ▸ *Hist.* Texte de loi émanant du roi. ▸ *Méd.* Acte par lequel un médecin prescrit des soins ; document sur lequel figure cette prescription. ▸ *Milit.* **D'ordonnance.** Conforme au règlement : *Revolver d'**ordonnance*** ; *Officier d'**ordonnance**,* aide de camp d'un officier supérieur. ▸ *Pol.* Texte législatif émanant du pouvoir exécutif en vertu d'une délégation expresse du pouvoir législatif, dans les limites que prévoit la Constitution de 1958. **2.** Action de disposer des éléments selon un certain ordre : *L'**ordonnance** d'une cérémonie.* ▸ Disposition qui en résulte : *Un jardin d'une belle **ordonnance**.* **3.** *Milit.* Soldat attaché comme domestique au service d'un officier (vieilli). 1260 ; ☞ *ordonner* ; parfois au masc., au sens 3 ; [ɔʀdɔnɑ̃s].

**ORDONNANCEMENT,** subst. m.
**1.** *Fin.* et *Admin.* Acte par lequel un administrateur public donne ordre à un comptable d'effectuer un paiement. **2.** Disposition harmonieuse d'un ensemble d'éléments (littér.) : *L'**ordonnancement** rigoureux d'un porche gothique.* **3.** *Techn.* Ensemble des procédés mis en œuvre pour harmoniser la gestion des commandes d'un produit et le rendement d'une chaîne de production. 1832 (1493, disposition testamentaire) ; ☞ *ordonnancer* ; [ɔʀdɔnɑ̃smɑ̃].

**ORDONNANCER,** verbe trans. [4]
**1.** Ordonner le paiement de (une dépense publique). **2.** Organiser selon certains critères : ***Ordonnancer** une procession.* 1571 ; ☞ *ordonnance* ; [ɔʀdɔnɑ̃se].

**ORDONNANCIER,** subst. m.
**1.** Registre officiel sur lequel un pharmacien inscrit les préparations magistrales et les médicaments délivrés sur ordonnance. **2.** Bloc de papier à en-tête sur lequel un médecin rédige ses ordonnances. 1951 ; ☞ *ordonnance* ; [ɔʀdɔnɑ̃sje].

**ORDONNATEUR, TRICE,** subst.
**1.** Personne qui organise selon les règles : ***Ordonnateur** des pompes funèbres.* **2.** *Fin* et *Admin.* Personne habilitée à ordonnancer des dépenses publiques. 1504 ; ☞ *ordonner* ; [ɔʀdɔnatœʀ, tʀis].

**ORDONNÉ, ÉE,** adj. et subst. f.
**Adj. 1.** En ordre, rangé : *Un intérieur **ordonné**.* ▸ *Math. Ensemble **ordonné*** : ensemble muni d'une relation d'ordre. **2.** Qui a de l'ordre, de la méthode : *Un esprit **ordonné**.* **Subst.** *Math.* Deuxième coordonnée d'un point dans un repère cartésien : *L'abscisse et l'**ordonnée**.* XIIIe s. ; p. p. de *ordonner* ; [ɔʀdɔne].

**ORDONNER,** verbe trans. [3]
**1.** Mettre en ordre : ***Ordonner** son intérieur* ; classer : ***Ordonner** ses papiers.* ▸ *Math.* ***Ordonner** un polynôme suivant les puissances décroissantes (resp. croissantes)* : l'écrire avec ses monômes dans l'ordre décroissant (resp. croissant) de leur degré (total, dans le cas de plusieurs indéterminées). **2.** *Liturg.* Administrer le sacrement de l'ordre à (qqn) : ***Ordonner** un prêtre.* **3.** Donner l'ordre de : *Je vous **ordonne** de parler* ; *Il **ordonna** la fermeture du magasin.* ▸ *Méd.* Prescrire. 1119 ; lat. *ordinare* ; [ɔʀdɔne].

**ORDOVICIEN, IENNE,** subst. m. et adj.
*Géol.* **Subst.** Période de l'ère primaire comprise entre le Cambrien et le Silurien. **Adj.** Relatif, propre à cette période. 1886 ; lat. *Ordovices*, peuple de la Bretagne ; [ɔʀdɔvisjɛ̃, jɛn].

**ORDRE,** subst. m.
**I. 1.** Catégorie d'êtres, de choses, de faits, classés selon leur spécificité : ***Ordre** de la connaissance, de la morale* ; *Des réalités d'**ordre** différent.* ▸ Loc. *De premier (second) **ordre*** : de qualité supérieure (médiocre). **2.** *Spéc.* ▸ *Antiq.* ***Ordre** équestre* : la classe des chevaliers, à Rome. ▸ *Archit.* Chacun des styles des constructions antiques, caractérisé par la forme, la disposition et l'ornementation des parties saillantes de l'édifice : ***Ordres** grecs*, dorique, ionique, corinthien ; ***Ordres** romains*, toscan, composite. ▸ *Relig.* Sacrement des Églises catholique et orthodoxe, qui confère le sacerdoce ; degré, grade dans la hiérarchie ecclésiastique : ***Ordres** majeurs*, évêque, prêtre, diacre ; ***Ordres** mineurs* (☞ *mineur*). ▸ *Hist.* Chacune des trois classes composant la société française sous l'Ancien Régime (clergé, noblesse, tiers état). ▸ *Bot.* et *Zool.* Division intermédiaire entre la classe et la famille. **3.** Groupe de personnes soumises à des règles professionnelles et morales : ***Ordre** des médecins, des avocats* ; ***Ordre** de Malte.* **4.** Association de personnes liées par des vœux solennels de religion : ***Ordre** des Bénédictins, des Franciscains.* ▸ Loc. *Entrer dans les **ordres*** : devenir membre du clergé. **5.** Association honorifique instituée en vue de récompenser les plus méritants : ***Ordre** de la Toison d'or, de la Légion d'honneur* ; ***Ordre** national du Mérite.* **II. 1.** Rapport de succession entre des choses ; principe de cette succession : ***Ordre** alphabétique, chronologique* ; ***Ordre** d'arrivée* ; ***Ordre** hiérarchique.* **2.** *Spéc.* ▸ *Admin.* ***Ordre** du jour* : liste des questions qu'une assemblée doit aborder successivement au cours d'une séance ; au fig. : *Être à l'**ordre** du jour*, être la préoccupation du moment. ▸ *Math. Relation d'**ordre*** : relation réflexive, antisymétrique et transitive ; ***Ordre** d'une courbe ou d'une surface algébrique* : degré du polynôme qui la définit ; ***Ordre** d'une matrice carrée* : nombre de ses lignes (ou de ses colonnes) ; ***Ordre** de multiplicité d'une racine a d'un polynôme P(X)* : le plus grand entier $m$ tel que $(X - a)^m$ soit en facteur dans P(X), c'est aussi l'entier $m$ tel que $P(a) = P'(a) = P''(a) = ... = P^{(m-1)}(a) = 0$ et $P^{(m)}(a) \neq 0$. ▸ *Milit.* ***Ordre** de marche, de manœuvre, de bataille* : disposition d'une troupe en mouvement. **3.** Disposition des choses qui satisfait l'esprit ou qui obéit à des exigences rationnelles : *Mettre de l'**ordre** dans ses affaires* ; *Procéder avec **ordre** et méthode.* ▸ Loc. *Mettre bon **ordre** à qqch.* : remédier à son désordre. **4.** Qualité d'une personne qui apprécie le rangement : *Manquer d'**ordre*** ; *Un homme d'**ordre**.* **5.** Principe, loi d'organisation : *L'**ordre** de l'Univers* ; *L'**ordre** de l'esprit.* ▸ Loc. *C'est dans l'**ordre** des choses* : c'est normal. **6.** Organisation d'une société : *L'**ordre** social, moral, économique* ; *L'**ordre** établi.* ▸ Principes légaux qui en assurent la stabilité : *L'**ordre** public* ; *Les forces de l'**ordre**.* ▸ Conformité à ces principes : *Être rappelé à l'**ordre**.* **III. 1.** Commandement, disposition impérative : *Donner, recevoir un **ordre*** ; *Exécuter un **ordre** à la lettre.* ▸ Loc. *Mot d'**ordre*** : consigne donnée à un groupe ; *Jusqu'à nouvel **ordre*** : jusqu'à ce qu'une instruction vienne modifier la situation présente et, par ext., jusqu'à ce que la situation change. **2.** Acte écrit ordonnant une opération commerciale : ***Ordre** de vente.* ▸ ***Ordre** de Bourse* : mandat d'achat ou de vente d'une valeur boursière. Fin XIe s. ; lat. *ordo* ; [ɔʀdʀ].

**ARCHITECTURE** – C'est à la Renaissance qu'apparaît la notion d'ordre : Vignole, dans son *Traité des cinq ordres* (1562), érige en système ce que l'architecte romain Vitruve avait désigné par le mot *genus* (« espèce », « genre ») pour différencier les trois styles de colonnes grecques. En fait, seul l'ordre dorique, le plus ancien et le plus simple, obéit à un système strictement réglementé. Il combine une colonne sans base, au fût fuselé, ornée de vingt cannelures, un chapiteau à échine nue, un entablement à frise où alternent métopes et triglyphes. Moins codifié, l'ordre ionique, originaire d'Asie Mineure, se caractérise par une colonne cannelée élancée posée sur une base composée de moulures, un fût cannelé, un chapiteau présentant une double volute, au centre de laquelle apparaît généralement une moulure ornée d'oves. Culminant

ORDRES ARCHITECTURAUX

*Chapiteau dorique (Acropole, Athènes).* *Chapiteaux ioniques (Acropole, Athènes).* *Chapiteau corinthien (thermes du forum, Ostie).*

au v^e s. av. J.-C., ces deux ordres ont souvent cohabité (comme dans le Parthénon et l'Érechthéion, sur l'Acropole). Plus tardif, empruntant sa base et son fût à la colonne ionique, l'ordre corinthien est caractérisé par son chapiteau à corbeille orné de rangées de feuilles d'acanthe et par son entablement richement décoré. L'ordre toscan, aux colonnes dépourvues de cannelures, et l'ordre composite, qui combine les ordres ionique et corinthien, sont d'essence romaine.

**ORDURE, subst. f.**
**1.** Vx. Chose malsaine, sale ; par ext., excrément. **2.** Déchet domestique, détritus (gén. au plur.) : *Boîte à **ordures** ; Jeter qqch. aux **ordures**,* s'en débarrasser. **3.** Abjection morale : *Vivre dans l'**ordure**.* **4.** Méton. Propos, acte obscène. **5.** Individu ignoble, vil (fam. et péj.) : *Quelle **ordure** !* Déb. XII^e s. ; anc. fr. *ord*, « sale », du lat. *horridus*, « terrible » ; [ɔʀdyʀ].

**ORDURIER, IÈRE, adj.**
**1.** Qui profère des obscénités : *Personne **ordurière**.* **2.** Qui en contient : *Propos **orduriers**.* 1688 ; ☞ *ordure* ; [ɔʀdyʀje, jɛʀ].

**ORÉADE, subst. f.**
*Myth. gr.* Nymphe des montagnes. Fin XV^e s. ; lat. *oreas*, du gr. *oreias*, de *oros*, « montagne » ; [ɔʀead].

**ORÉE, subst. f.**
Bordure, lisière (littér.) : *L'**orée** d'un bois.* 1306 ; anc. fr. *ore*, du lat. *ora*, « bord » ; [ɔʀe].

**OREILLARD, ARDE, adj. et subst. m.**
Adj. Qui a de très longues oreilles. Subst. *Zool.* Chauve-souris à grandes oreilles de la famille des Vespertilionidés. 1560 ; ☞ *oreille* ; [ɔʀɛjaʀ, aʀd].

**OREILLE, subst. f.**
**1.** Organe pair de l'audition et de l'équilibration : ***Oreille** interne, moyenne* ; partie externe de cet organe, qui fait saillie de chaque côté de la tête : ***Oreille** gauche, droite.* ► Loc. *Avoir les **oreilles** qui sifflent* : faire parler de soi en son absence ; *Ne pas en croire ses **oreilles*** : être frappé d'étonnement par ce que l'on entend ; *Prêter l'**oreille*** : être attentif ; *De bouche à **oreille*** : confidentiellement ; *N'écouter que d'une **oreille*** : distraitement ; *Casser les **oreilles** de qqn* : l'assommer de bruit, de paroles et, par ext., l'importuner ; *Se faire tirer l'**oreille*** : se faire prier ; *Se faire tirer les **oreilles*** : se faire réprimander ; *Frotter les **oreilles** de qqn* : lui infliger une correction ; *Montrer le bout de l'**oreille*** : se trahir. **2.** Ext. Capacité à percevoir les sons, ouïe : *Avoir l'**oreille** fine ; Être dur d'**oreille**,* entendre très mal. **3.** Anal. ► Appendice saillant d'un objet, servant à le saisir : ***Oreilles** d'une marmite ; Écrou à **oreilles**.* ► *Zool.* ***Oreille-de-mer*** : haliotide. Fin XI^e s. ; lat. pop. *auricula* ; [ɔʀɛj].

**OREILLER, subst. m.**
Coussin, gén. carré, qui sert à soutenir la tête d'une personne allongée. 1140 ; ☞ *oreille* ; [ɔʀeje].

**OREILLETTE, subst. f.**
**1.** Vx. Petite oreille. **2.** *Anat.* Cavité du cœur qui reçoit le sang et l'envoie dans le ventricule : ***Oreillette** gauche, droite.* **3.** *Cost.* Pièce d'une coiffe qui couvre les oreilles. **4.** *Cuis.* Fin beignet sucré, appelé aussi merveille. **5.** *Techn.* Écouteur miniaturisé qui s'adapte à l'oreille. Fin XII^e s. ; ☞ *oreille* ; [ɔʀɛjɛt].

**OREILLON, subst. m.**
**I.** Plur. *Pathol.* Maladie virale, contagieuse, provoquant une inflammation des glandes parotides accompagnée de douleurs d'oreilles. **II.** Moitié d'abricot ou de pêche en conserve. 1549 (1230, coup sur l'oreille) ; ☞ *oreille* ; [ɔʀɛjɔ̃].

**ORÉMUS, subst. m.**
*Liturg.* Mot prononcé par le prêtre, au cours de la messe en latin, pour inviter les fidèles à prier. 1560 ; lat. *oremus*, « prions » ; [ɔʀemys].

**ORES, adv.**
Vx. Maintenant. ► Loc. *D'**ores** et déjà* : dès à présent. Mil. X^e s. ; bas lat. *ha hora*, du lat. *hac hora*, « à cette heure » ; [ɔʀ].

**ORFÈVRE, subst.**
Artisan qui fabrique et vend des objets d'ornement, de la vaisselle et des parures en métal précieux. ► Loc. *Être **orfèvre** en la matière* : être très compétent dans un domaine. Déb. XIII^e s. ; formé de *or* (I) et de l'anc. fr. *fèvre*, « ouvrier » ; [ɔʀfɛvʀ].

**ORFÈVRERIE, subst. f.**
Art, profession, boutique de l'orfèvre. ► Méton. Ensemble des objets que fabrique un orfèvre. Fin XII^e s. ; ☞ *orfèvre* ; [ɔʀfɛvʀəʀi].

**ORFRAIE, subst. f.**
**1.** *Zool.* Nom usuel du pygargue à queue blanche. **2.** Loc. *Pousser des cris d'**orfraie*** (par confusion avec l'effraie) : pousser des cris aigus. 1377 ; prob. lat. *ossifraga*, « qui rompt les os » ; [ɔʀfʀɛ].

**ORFROI, subst. m.**
Broderie, exécutée en fil d'or ou, par ext., d'argent, bordant certains vêtements liturgiques. Mil. XII^e s. ; lat. °*aurum phrygium*, « or phrygien » ; [ɔʀfʀwa].

**ORGANDI, subst. m.**
Mousseline de coton claire, légère et très apprêtée : *Une robe d'**organdi**.* 1723 ; p.-ê. prononciation indienne du topon. *Ourgandj* (Turkestan) ; [ɔʀgɑ̃di].

**ORGANE, subst. m.**
**I. 1.** Élément fonctionnel et différencié d'un organisme vivant : ***Organe** vital.* **2.** Anal. Partie d'une machine, d'un mécanisme, ayant une fonction déterminée : ***Organe** de transmission* ; au fig. : *Les **organes** de l'administration.* **II. 1.** La voix, considérée comme l'instrument du chant : *Le puissant **organe** d'une diva.* **2.** Anal. Publication chargée d'exprimer les opinions d'un parti politique, d'un groupe d'intérêts. 1404 (déb. XII^e s., instrument de musique) ; lat. *organum*, du gr. *organon*, « instrument » ; [ɔʀgan].

**ORGANEAU, subst. m.**
*Mar.* Anneau d'attache de l'ancre. 1382 ; ☞ *organe* ; [ɔʀgano].

**ORGANICIEN, IENNE, adj. et subst.**
Se dit d'un spécialiste de chimie organique. 1858 ; ☞ *organique* ; [ɔʀganisjɛ̃, jɛn].

**ORGANICISME, subst. m.**
**1.** *Philos.* Doctrine selon laquelle les fonctions organiques constituent la cause organisatrice de l'être vivant. **2.** *Méd.* Doctrine d'après laquelle toute maladie provient d'une lésion organique (vx). **3.** *Sociol.* Doctrine qui assimile la société à un organisme vivant (vx) : *L'**organicisme** de Spencer.* 1846 ; ☞ *organe* ; [ɔʀganisism].

**ORGANICISTE, adj. et subst.**
Adj. Qui relève de l'organicisme. Subst. Adepte de l'organicisme. 1858 ; ☞ *organicisme* ; [ɔʀganisist].

**ORGANIGRAMME, subst. m.**
**1.** Schéma d'une organisation, représentant chacune de ses parties et les relations qui les unissent. **2.** *Informat.* Graphe d'un algorithme. 1945 ; ☞ *organiser* + *-gramme* ; [ɔʀganigʀam].

**ORGANIQUE, adj.**
**1.** *Méd.* Qui se rapporte ou qui est propre aux organes, à leur fonction : *Trouble **organique**,* dû à une lésion ou à une anomalie d'un ou de plusieurs organes (par oppos. à *trouble fonctionnel*). **2.** *Biochim.* Se dit des composés du carbone constitutifs de la matière vivante : *Molécules **organiques** ; Chimie **organique**,* qui étudie leurs propriétés chimiques (par oppos. à *chimie minérale*). **3.** Fig. Qui concerne la constitution d'un être, d'une chose, en partic. la manière dont ses composants sont organisés : *Liens **organiques**.* ► *Pol. Lois **organiques*** : lois qui concernent la structure d'un État, la manière dont sont constitués ses principaux organes. ► *Sociol. Solidarité **organique*** : mode de solidarité sociale où les individus dépendent étroitement les uns des autres du fait d'une forte différenciation des rôles (par oppos. à *solidarité mécanique*). 1314 ; ☞ *organe* ; [ɔʀganik].

**ORGANIQUEMENT, adv.**
De manière organique. 1547 ; ☞ *organique* ; [ɔʀganikmɑ̃].

**ORGANISABLE, adj.**
Que l'on peut organiser. 1835 ; ☞ *organiser* ; [ɔʀganizabl].

**ORGANISATEUR, TRICE, subst.**
Personne qui organise, qui a le sens de l'organisation : ***Organisateur** de voyages* ; empl. adj. : *Une intelligence **organisatrice**.* Masc. *Embryol.* Partie de l'embryon responsable de la différenciation des tissus. 1793 ; ☞ *organiser* ; [ɔʀganizatœʀ, tʀis].

**ORGANISATION, subst. f.**
**1.** Manière dont un corps, un organisme ou un ensemble complexe est organisé, structuré : ***Organisation** nerveuse ; L'**organisation** du règne animal ; **Organisation** sociale.* **2.** Action d'organiser ; son résultat : *L'**organisation** des transports ; **Organisation** d'un congrès.* **3.** Méton. Ensemble de personnes, de services, d'institutions, d'États, organisé en fonction d'un but déterminé : ***Organisation** syndicale ; **Organisation** des Nations unies (O. N. U.) ; **Organisation** non gouvernementale (O. N. G.),* association à but humanitaire financée essentiellement par des dons privés. 1488 ; ☞ *organiser* ; [ɔʀganizasjɔ̃].

**ORGANISATIONNEL, ELLE, adj.**
Relatif à l'organisation d'une chose : *Coût **organisationnel**.* 1935 ; ☞ *organisation* ; [ɔʀganizasjɔnɛl].

**ORGANISÉ, ÉE, adj.**
**1.** *Biol.* Se dit d'un être vivant au fonctionnement régi par des organes. **2.** Ext. Qui fait l'objet d'une organisation : *Voyage **organisé*** ; qui fait preuve d'organisation : *Un homme **organisé*** ; qui appartient à une organisation : *Victimes **organisées** en association.* 1606 ; p. p. de *organiser* ; [ɔʀganize].

**ORGANISER, verbe trans. [3]**
**1.** Vx. Doter d'organes. **2.** Structurer, planifier : ***Organiser** son temps.* **3.** Préparer (qqch.) en fonction d'un but précis : ***Organiser** ses vacances* ; constituer, donner forme à : ***Organiser** une armée ; **Organiser** des élections* ; coordonner : ***Organiser** le travail.* Pronom. **1.** Prendre forme, s'agencer correctement. **2.** Faire preuve d'organisation. Fin XIV^e s. ; ☞ *organe* ; [ɔʀganize].

**ORGANISME, subst. m.**
**1.** *Biol.* Être vivant organisé, unicellulaire ou pluricellulaire ; par méton., l'ensemble des organes qui le constituent, spéc. le corps humain. **2.** Anal. Ensemble organisé de services affectés à une tâche : ***Organisme** public, privé, international.* 1729 ; ☞ *organe* ; [ɔʀganism].

**ORGANISTE, subst.**
Personne qui joue de l'orgue. Déb. XIII^e s. ; lat. médiév. *organista* ; [ɔʀganist].

**ORGANITE, subst. m.**
*Biol.* Microstructure cellulaire contenue dans le noyau ou dans le cytoplasme, ayant une fonction particulière : *Le ribosome est un **organite** assurant la synthèse des protéines.* 1842 ; ☞ *organe* ; [ɔʀganit].

**ORGANOGENÈSE, subst. f.**
*Biol.* et *Embryol.* Formation et évolution des organes d'un être vivant au fur et à mesure de son développement. 1904 ; ☞ *organe* + *-genèse* ; [ɔʀganoʒənɛz].

**ORGANOLEPTIQUE, adj. et subst. m.**
*Biol.* Se dit des substances capables de stimuler les récepteurs sensoriels. 1829 ; ☞ *organe* + *-leptique* ; [ɔʀganɔlɛptik].

**ORGANSIN, subst. m.**
*Text.* Fil de soie composé de deux brins torses, utilisé comme fil de chaîne. Mil. XII^e s. ; ital. *organzino*, prob. du topon. *Ourgandj* (Turkestan) ; [ɔʀgɑ̃sɛ̃].

**ORGANSINER,** verbe trans. [3]
Tordre ensemble (des fils de soie) pour obtenir de l'organsin. 1712 ; organsin ; [ɔʀgɑ̃sine].

**ORGASME,** subst. m.
Summum du plaisir sexuel : *Atteindre l'**orgasme*** ; *Avoir un **orgasme**.* 1623 (1611, accès de colère) ; gr. *orgasmos*, de *organ*, « déborder de désir » ; [ɔʀgasm].

**ORGASTIQUE,** adj.
Qui tient de l'orgasme ou s'y rapporte. 1873 ; orgasme ; var. *orgasmique* ; [ɔʀgastik].

**ORGE,** subst.
Fém. **1.** *Bot.* Poacée alimentaire utilisée depuis la plus haute Antiquité comme céréale, comme fourrage ou pour la fabrication de la bière. **2.** Méton. Grain de cette plante, utilisé dans diverses préparations : *Pain d'**orge*** ; *Eau d'**orge**.* ▸ *Sucre d'**orge*** : confiserie en forme de bâtonnet, préparée, à l'origine, dans une décoction d'**orge**. Masc. ***Orge** mondé* : grain d'orge dépouillé de sa première enveloppe ; ***Orge** perlé* : dépouillé de ses deux enveloppes. Déb. XIIe s. ; lat. *hordeum* ; [ɔʀʒ].

**ORGEAT,** subst. m.
Sirop préparé autrefois à partir d'une décoction d'orge, auj. à partir d'extraits d'amandes ; par méton., boisson rafraîchissante à base de ce sirop. Fin XIVe s. ; orge ; [ɔʀʒa].

**ORGELET,** subst. m.
*Pathol.* Petit furoncle se développant en forme de grain d'orge sur le bord de la paupière. 1570 ; m. fr. *orgeoul*, du bas lat. *hordeolus*, « grain d'orge » ; [ɔʀʒəlɛ].

**ORGIAQUE,** adj.
**1.** *Antiq.* Relatif aux orgies : *Poème **orgiaque**.* **2.** Qui tient de l'orgie, qui s'y rapporte : *Fête **orgiaque**.* 1797 ; gr. *orgiakos* ; [ɔʀʒjak].

**ORGIE,** subst. f.
**I.** Plur. *Antiq.* Fêtes rituelles en l'honneur de Dionysos chez les Grecs, et de Bacchus chez les Romains. **II. 1.** Anal. Fête où l'on se livre à la débauche et à toute sorte de débordements. **2.** Fig. Consommation excessive : *Faire une **orgie** de crêpes* ; profusion, abondance : *Une **orgie** de paroles, de couleurs.* 1469 ; lat. *orgia*, du gr. *orgia* ; [ɔʀʒi].

© H. Veiller-Explorer

*Orgues monumentales de l'église Notre-Dame de Mouzon (Ardennes), œuvre de Christophe Moucherel (1686-apr. 1761).*

**ORGUE,** subst.
Masc. *Mus.* Instrument à vent constitué de tuyaux réunis en différents jeux et reliés à un ou à plusieurs claviers qui commandent l'arrivée d'air en provenance d'une soufflerie : *Jeux d'**orgues*** ; *Facteur d'**orgues*** ; *Un **orgue** d'église.* ▸ ***Orgue** de Barbarie* : **orgue** portatif dont le mécanisme d'admission d'air dans les tuyaux est régi par une bande perforée déroulée au moyen d'une manivelle. ▸ ***Orgue** électronique* : instrument à clavier dont les sons synthétiques imitent ceux de l'**orgue**. ▸ *Point d'**orgue*** : prolongation libre d'une note ou d'un silence et, au fig., apothéose. Fém. plur. Grand **orgue** d'église (tournure emphatique) : *Les grandes **orgues** de Notre-Dame.* Masc. plur. Anal. **1.** *Géol.* ***Orgues** basaltiques* : colonnes minérales formées par le refroidissement brutal d'une coulée basaltique. **2.** ***Orgues** de Staline* : engin d'artillerie multitube permettant le lancement de roquettes, que les Soviétiques mirent en service contre la Wehrmacht pendant la Seconde Guerre mondiale. Mil. XIIe s. ; lat. eccl. *organum*, du lat. *organum*, du gr. *organon*, « instrument » ; [ɔʀg].

**ORGUEIL,** subst. m.
**1.** Estime excessive de soi (péj.) : *Être bouffi d'**orgueil**.* ▸ *Théol. Péché d'**orgueil*** : le premier des sept péchés capitaux. **2.** Sentiment légitime de fierté, de dignité : ***Orgueil** maternel.* ▸ Loc. *Être l'**orgueil** de* : être une source de fierté, de satisfaction pour. Fin Xe s. ; anc. bas frq. *°urgôli*, « fierté » ; [ɔʀgœj].

**ORGUEILLEUSEMENT,** adv.
De manière orgueilleuse ; avec orgueil. Fin XIe s. ; orgueilleux ; [ɔʀgœjøzmɑ̃].

**ORGUEILLEUX, EUSE,** adj.
**1.** Qui fait montre d'orgueil ; prétentieux. **2.** Qui tire orgueil de : ***Orgueilleuse** de ses succès.* Fin XIe s. ; orgueil ; [ɔʀgœjø, øz].

**ORICHALQUE,** subst. m.
*Antiq.* Métal fabuleux mentionné par divers auteurs grecs, auquel a ensuite correspondu le bronze. 1547 ; lat. *aurichalcum*, « cuivre jaune » ; [ɔʀikalk].

**ORIEL,** subst. m.
*Archit.* Fenêtre en encorbellement, ornant une façade. 1879 ; anc. fr. *oriol*, « porche » ; [ɔʀjɛl].

**ORIENT,** subst. m.
**1.** Littér. Côté de l'horizon où le soleil se lève (synon. *est*, *levant*). ▸ Région est d'un lieu donné : *L'**orient** d'une île.* ▸ Anal. Éclat nacré des perles, rappelant celui du soleil levant. **2. L'Orient.** Ensemble des pays situés à l'est de l'Europe, auquel on ajoute parfois certains pays du Bassin méditerranéen : *Marseille, porte de l'**Orient**.* **3.** *Grand **Orient*** : l'une des deux principales loges maçonniques françaises (l'autre étant la Grande Loge de France). Fin XIe s. ; lat. *oriens*, de *oriri*, « se lever » ; [ɔʀjɑ̃].

**ORIENTABLE,** adj.
Que l'on peut orienter : *Un projecteur **orientable**.* 1918 ; orienter ; [ɔʀjɑ̃tabl].

**ORIENTAL, ALE, AUX,** adj. et subst.
De l'Orient. Adj. **1.** Qualifie la partie est d'un lieu : *Bretagne **orientale**.* **2.** Relatif ou propre à l'Orient : *Cuisine **orientale**.* ▸ *Langues **orientales*** : langues anciennes ou modernes parlées en Orient, comme l'arabe, le chinois, le sanskrit, l'hébreu, etc. 1160 ; lat. *orientalis* ; [ɔʀjɑ̃tal, o].

**ORIENTALISME,** subst. m.
**1.** Discipline qui étudie les langues et les civilisations orientales. **2.** Goût pour l'Orient, ses mœurs, ses cultures. ▸ *B.-a.* et *Litt.* Tendance, très manifeste au sein du romantisme, à s'inspirer de thèmes orientaux. 1840 ; oriental ; [ɔʀjɑ̃talism].

BEAUX-ARTS – Delacroix, Fromentin, Chassériau, Géricault, attirés principalement par le Maghreb, témoignent dans leurs œuvres de ce goût pour un univers aux mœurs différentes, aux vêtements bigarrés et aux rites alors peu connus. D'un voyage diplomatique au Maroc Delacroix ramena de nombreuses études qui donnèrent lieu à de grandes peintures, comme *Noce juive au Maroc* (1839). Fromentin s'intéressa davantage aux paysages algériens peuplés de quelques chevaux et relata également ses différents voyages dans son livre *Une année au Sahel*.

**ORIENTALISTE,** subst.
**1.** Spécialiste des langues et des civilisations orientales. **2.** Artiste, écrivain qui traite de sujets orientaux ; empl adj. : *Un poète **orientaliste**.* 1799 ; oriental ; [ɔʀjɑ̃talist].

**ORIENTATION,** subst. f.
**1.** Action de déterminer la direction des points cardinaux et, par ext., la position d'un lieu : *Avoir le sens de l'**orientation**.* ▸ *Math. **Orientation** d'un espace vectoriel réel de dimension finie* : deux bases $\mathcal{B}$ et $\mathcal{B}'$ de E sont dites de même **orientation**, ou de même sens, si le déterminant de la matrice ayant pour colonnes les coordonnées des vecteurs de $\mathcal{B}'$ dans $\mathcal{B}$ est positif. Cette relation d'équivalence sur les bases de E répartit celles-ci en deux classes ; orienter E, c'est choisir une des deux classes. ▸ *Physiol.* Aptitude à s'orienter dans l'espace : *Troubles de l'**orientation**.* ▸ *Sp. Course d'**orientation*** : pratiquée dans un espace balisé, en s'aidant d'une carte et d'une boussole. **2.** Fait d'être orienté dans une certaine direction : ***Orientation** d'une pièce.* **3.** Fig. Action de donner une direction particulière à une activité, à une idée, etc. ; son résultat : *L'**orientation** d'une recherche* ; ***Orientation** professionnelle, scolaire* ; ***Orientation** politique*, tendance. 1834 ; orienter ; [ɔʀjɑ̃tasjɔ̃].

**ORIENTÉ, ÉE,** adj.
**1.** Qui est disposé selon une certaine direction : *Façade **orientée** au sud.* **2.** *Math.* Qualifie un espace vectoriel réel dans lequel on a choisi une orientation. **3.** Fig. Qui révèle une certaine position idéologique (anton. *neutre*) : *Commentaire **orienté**.* Fin XVe s. ; orient ; [ɔʀjɑ̃te].

**ORIENTER,** verbe trans. [3]
**1.** Vx. Disposer, édifier (qqch.) face à l'orient. **2.** Porter les repères cardinaux sur (une carte, un plan). **3.** Disposer (qqch.) selon une direction donnée, en fonction d'un repère particulier : ***Orienter** une maison à l'ouest.* ▸ *Mar. **Orienter** les voiles* : les disposer en fonction du vent. **4.** Renseigner (qqn) sur le chemin à prendre ; au fig., guider, aider (qqn) à choisir une voie : ***Orienter** un élève vers l'enseignement technique.* Pronom. **1.** Se repérer dans l'espace. **2.** Fig. Se diriger (vers une activité) : *S'**orienter** vers des études artistiques.* 1690 ; orient ; [ɔʀjɑ̃te].

**ORIENTEUR, EUSE,** subst.
Subst. masc. *Techn.* Appareil servant à préciser l'orientation d'un lieu. Subst. Personne chargée de l'orientation scolaire et professionnelle ; empl. adj. : *Un officier **orienteur**, qui dirige les mouvements d'une troupe.* 1832 ; orienter ; [ɔʀjɑ̃tœʀ, øz].

**ORIFICE,** subst. m.
**1.** *Anat.* Ouverture qui fait communiquer un organe ou un conduit avec l'extérieur ou avec un autre organe ou un autre conduit. **2.** Ouverture naturelle ou artificielle : ***Orifice** d'une grotte, d'une serrure.* 1304 ; lat. *orificium*, « ouverture » ; [ɔʀifis].

**ORIFLAMME,** subst. f.
**1.** *Hist.* Bannière, étendard des rois de France du XIIe au XVe s. **2.** Ext. Bannière d'apparat déployée lors de fêtes ou de cérémonies. Déb. XIIe s. ; p.-ê. altér. de l'anc. fr. *orie flambe*, « petite flamme dorée » ; [ɔʀiflɑm].

**ORIGAMI,** subst. m.
Art traditionnel japonais du papier plié. V. 1970 ; mot jap. ; [ɔʀigami].

**ORIGAN,** subst. m.
*Bot.* Plante aromatique dont une espèce est la marjolaine. XIIIe s. ; lat. *origanum*, du gr. *origanon* ; [ɔʀigɑ̃].

**ORIGINAIRE,** adj.
**1.** Originel : *Sens **originaire** d'un mot.* **2.** Qui vient, qui tire son origine d'un lieu : *Bois **originaire** d'Asie.* 1524 ; bas lat. *originarius*, « indigène » ; [ɔʀiʒinɛʀ].

**ORIGINAIREMENT,** adv.
Primitivement. 1532 ; originaire ; [ɔʀiʒinɛʀmɑ̃].

**ORIGINAL, ALE, AUX,** adj. et subst. m.
Adj. **1.** Qui est d'origine ; qui provient de l'auteur, qui est la première source, en parlant d'un ouvrage reproduit ou susceptible de l'être : *Édition **originale***, la première d'un ouvrage inédit. ▸ *Film en version **originale*** (abrév. : V. O.) : présenté dans la langue d'origine. **2.** Qui ne procède pas d'un modèle connu, qui innove ; qui a sa marque propre : *Style, esprit **original**.* **3.** Qui fait preuve de bizarrerie, d'excentricité ; empl. subst., personne **originale**. Subst. **1.** Manuscrit primitif ; document d'origine (anton. *copie*, *reproduction*) : *Un **original** de Braque.* **2.** Modèle : *Ce portrait trahit l'**original**.* 1330 (1240, originel) ; lat. *originalis*, de *origo*, « source » ; [ɔʀiʒinal, o].

**ORIGINALITÉ,** subst. f.
**1.** Qualité de ce qui est original ; caractère d'une personne originale. **2.** Méton. Chose originale ; particularité. 1699 (fin XIVe s., lignage) ; original ; [ɔʀiʒinalite].

**ORIGINE,** subst. f.
**1.** Point de départ généalogique d'un individu, d'un groupe ; ascendance : *Rechercher ses **origines*** ; ***Origine** noble d'une famille* ; *Peuple d'**origine** celte.* **2.** Provenance, spatiale ou temporelle, d'une chose : *L'**origine** grecque d'un mot.* ▸ Loc. **D'origine.** Dont la provenance est attestée : *Vin d'**origine** contrôlée.* ▸ *Math.* Référence, point à partir duquel sont mesurées les coordonnées : ***Origine** d'un segment de droite.* **3.** Première apparition ou manifestation de qqch. ; naissance, commencement : *L'**origine** de l'Univers* ; stade initial d'une évolution : *« **Origines** de la France contemporaine », ouvrage de Taine.* ▸ Loc. *À l'**origine*** : au début. **4.** Ce qui détermine ou explique un processus, un fait ; cause : *L'**origine** d'une guerre* ; *Chercher l'**origine** d'une panne* ; *Maladie d'**origine** psychosomatique.* 1470 ; lat. *originem*, de *origo*, « source » ; [ɔʀiʒin].

**ORIGINEL, ELLE,** adj.
Qui remonte à l'origine ; qui est premier, initial : *Langue* ***originelle*** ; *Péché* ***originel*** (☞ *péché*). Fin XIIIe s. ; lat. *originalis* ; [ɔʀiʒinɛl].

**ORIGINELLEMENT,** adv.
À l'origine. 1369 ; ☞ *originel* ; [ɔʀiʒinɛlmɑ̃].

**ORIGNAL,** subst. m.
*Zool.* Québ. Élan d'Amérique. 1664 ; basque *oregna*, « cerf » ; plur. *orignaux* ; [ɔʀiɲal], plur. [-ɲo].

**ORILLON,** subst. m.
*Fortif.* Élément arrondi saillant à l'angle d'épaule d'un bastion. 1691 ; ☞ *oreille* ; [ɔʀijɔ̃].

**ORIN,** subst. m.
*Mar.* Cordage qui relie une bouée à un objet immergé. ▸ Câble reliant une mine immergée à son corps-mort. 1542 ; orig. obsc. ; [ɔʀɛ̃].

**ORIPEAU,** subst. m.
*Techn.* Vx. Lame de laiton ou de cuivre offrant l'aspect de l'or. ▸ Étoffe brodée de faux or, de faux argent. PLUR. Vêtements défraîchis gardant un reste de splendeur ; au fig. : *Les* ***oripeaux*** *de la gloire.* Déb. XIIIe s. ; formé de *orie* (vx), « doré », et de *pel* (vx), « peau » ; [ɔʀipo].

**ORLE,** subst. m.
1. Vx. Ourlet. 2. *Hérald.* Bande qui longe, sans les toucher, les bords de l'écu. Déb. XIIe s. ; anc. fr. *orler*, « ourler » ; [ɔʀl].

**ORLÉANISTE,** subst.
Défenseur des prétentions au trône de France des princes d'Orléans ; empl. adj. : *Parti* ***orléaniste.*** 1794 ; *Orléans*, nom de la branche cadette des Bourbons ; [ɔʀleanist].

**ORLON,** subst. m. inv.
*Text.* Fibre synthétique acrylique. 1950 ; angloamér. *orlon*, d'apr. *nylon* ; n. déposé ; [ɔʀlɔ̃].

**ORMAIE,** subst. f.
Plantation d'ormes. 1301 ; ☞ *orme* ; var. *ormoie* ; [ɔʀmɛ].

**ORME,** subst. m.
*Bot.* Arbre ornemental de haute taille, commun dans les régions tempérées, de la famille des Ulmacées ; par méton., son bois, utilisé en ébénisterie et dans la construction navale. Fin XIIe s. ; prob. altér. de l'anc. fr. *olme*, du lat. *ulmus* ; [ɔʀm].

**ORMEAU (I),** subst. m.
*Bot.* Jeune orme. Déb. XIIIe s. ; ☞ *orme* ; [ɔʀmo].

**ORMEAU (II),** subst. m.
*Zool.* Mollusque gastéropode de la famille des Haliotidés, à la coquille nacrée et vivant sur les rochers immergés de la côte atlantique (synon. ***oreille-de-mer, haliotide***). 1563 ; lat. *auris maris*, « oreille de mer » ; var. *ormet, ormier* ; [ɔʀmo].

**ORMILLE,** subst. f.
Plant, haie d'ormeaux. 1750 ; ☞ *orme* ; [ɔʀmij].

**ORMOIE,** voir **ORMAIE**

**ORNE,** subst. m.
*Bot.* Espèce de frêne aux fleurs blanches et odorantes. 1529 ; lat. *ornus* ; [ɔʀn].

**ORNEMANISTE,** subst.
Artiste spécialisé dans l'ornementation et la décoration d'ouvrages. 1800 ; ☞ *ornement* ; [ɔʀnəmanist].

**ORNEMENT,** subst. m.
1. Action d'orner ; son résultat. ▸ Loc. **D'ornement.** À fonction décorative : *Plante* ***d'ornement.*** 2. Méton. Objet, accessoire, élément propre à parer, à embellir : *Que ces vains* ***ornements,*** *que ces voiles me pèsent !* (Racine). ▸ *Liturg.* ***Ornements*** *sacerdotaux* : vêtements et insignes servant à l'exercice du culte. ▸ *Mus.* Tout élément ajouté à une phrase mélodique, qui l'agrémente sans en modifier la structure. Mil. XIe s. ; lat. *ornamentum* ; [ɔʀnəmɑ̃].

**ORNEMENTAL, ALE, AUX,** adj.
Qui sert à décorer ; qui utilise l'ornement : *Motif* ***ornemental*** ; *Style* ***ornemental.*** 1840 ; ☞ *ornement* ; [ɔʀnəmɑ̃tal, o].

**ORNEMENTATION,** subst. f.
Action d'ornementer ; par méton., ensemble d'ornements. 1840 ; ☞ *ornementer* ; [ɔʀnəmɑ̃tasjɔ̃].

**ORNEMENTER,** verbe trans. [3]
Garnir d'ornements : ***Ornementer*** *une façade.* 1532 ; ☞ *ornement* ; [ɔʀnəmɑ̃te].

**ORNER,** verbe trans. [3]
1. Embellir, décorer (qqch.) : ***Orner*** *un sapin de guirlandes* ; au fig. : ***Orner*** *un discours de métaphores.* 2. Servir d'ornement à : *Une fleur* ***ornait*** *ses cheveux.* XIIIe s. ; lat. *ornare* ; [ɔʀne].

**ORNIÈRE,** subst. f.
1. Marque profonde laissée par les roues d'un véhicule sur un chemin. 2. Fig. Voie toute tracée ; routine. ▸ Loc. *Sortir de* ***l'ornière*** : de la routine ou d'une situation pénible. Fin XIIIe s. ; prob. anc. fr. *ordiere*, du lat. pop. °*orbitaria*, d'apr. *orne*, « sillon » ; [ɔʀnjɛʀ].

**ORNITHOGALE,** subst. m.
*Bot.* Plante à bulbe de la famille des Liliacées, aussi appelée dame-d'onze-heures. 1680 ; lat. *ornithogale*, du gr. *ornithogalon*, « lait d'oiseau » ; [ɔʀnitɔgal].

**ORNITHOLOGIE,** subst. f.
Branche de la zoologie qui étudie les oiseaux. 1649 ; formé de *ornitho-* et de *-logie* ; [ɔʀnitɔlɔʒi].

**ORNITHOLOGIQUE,** adj.
Relatif aux oiseaux, à l'ornithologie. 1771 ; ☞ *ornithologie* ; [ɔʀnitɔlɔʒik].

**ORNITHOLOGUE,** subst.
Spécialiste d'ornithologie. 1721 ; ☞ *ornithologie* ; var. *ornithologiste* ; [ɔʀnitɔlɔg].

**ORNITHOMANCIE,** subst. f.
*Antiq.* Pratique divinatoire fondée sur l'interprétation du chant ou du vol des oiseaux. 1717 ; formé de *ornitho-* et de *-mancie* ; [ɔʀnitɔmɑ̃si].

**ORNITHORYNQUE,** subst. m.
*Zool.* Mammifère ovipare de l'ordre des Monotrèmes, vivant en Australie et en Tasmanie, qui est adapté au milieu aquatique (bec de canard, absence d'oreille externe, fourrure serrée, pattes palmées, queue aplatie). 1803 ; lat. sc. *ornithorhync(h)us*, du gr. *ornis*, « oiseau », et *runkhos*, « bec » ; [ɔʀnitɔʀɛ̃k].

**ORNITHOSE,** subst. f.
*Pathol.* Maladie des oiseaux transmissible à l'homme par la bactérie *Chlamydia psittaci.* Mil. XXe s. ; formé de *ornitho-* et de *-ose* ; [ɔʀnitoz].

**OROBANCHE,** subst. f.
*Bot.* Plante herbacée de la famille des Orobanchacées dont une espèce parasite les vesces et les lentilles et une autre le tabac. 1546 ; lat. *orobanche*, du gr. *orobagkhê*, « qui étouffe les vesces » ; [ɔʀɔbɑ̃ʃ].

**OROBE,** subst. m.
*Bot.* Plante vivace de la famille des Fabacées dont les racines portent des tubercules. XIVe s. ; bas lat. *orobus*, espèce de lentille, du gr. *orobos* ; [ɔʀɔb].

**OROGENÈSE,** subst. f.
*Géol.* Genèse des reliefs montagneux. 1910 ; formé de *oro-*[2] et de *-genèse* ; var. *orogénie* ; [ɔʀɔʒənɛz].

**OROGÉNIQUE,** adj.
*Géol.* *Cycle* ***orogénique*** : intervalle de temps pendant lequel se prépare, se développe et s'érode une chaîne de montagnes. 1868 ; formé de *oro-*[2] et de *-génique* ; [ɔʀɔʒenik].

**OROGRAPHIE,** subst. f.
*Géogr.* Étude descriptive des reliefs montagneux ; par ext., leur disposition : *L'****orographie*** *de la Corse.* 1823 ; formé de *oro-*[2] et de *-graphie* ; [ɔʀɔgʀafi].

**ORONGE,** subst. f.
*Bot.* Amanite comestible, à chapeau orangé et à lamelles jaunes (synon. ***oronge vraie, amanite des Césars***). ▸ ***Fausse oronge*** : amanite tue-mouches, à chapeau rouge piqué de blanc, toxique. 1753 ; prov. *ouorounjo*, « orange » ; [ɔʀɔ̃ʒ].

© C. Nardin-Jacana

*Oronges vraies.*

**OROPHARYNX,** subst. m.
*Anat.* Partie moyenne du pharynx, communiquant avec la cavité buccale. 1931 ; ☞ *pharynx* + *oro-*[1] ; [ɔʀɔfaʀɛ̃ks].

**ORPAILLAGE,** subst. m.
Travail de l'orpailleur. 1863 ; ☞ *orpailleur* ; [ɔʀpajaʒ].

**ORPAILLEUR, EUSE,** subst.
Personne qui extrait, par lavage, les paillettes d'or dans les alluvions aurifères d'une rivière ou d'un fleuve ; par ext., chercheur d'or. 1762 ; prob. crois. du m. fr. *harpailler*, « saisir », et de *or* (I) ; [ɔʀpajœʀ, øz].

**ORPHELIN, INE,** subst.
Enfant qui a perdu l'un de ses parents ou les deux : ***Orphelin*** *de père, de mère* ; empl. adj. : *Une enfant* ***orpheline.*** Déb. XIIe s. ; lat. eccl. *orphanus*, du gr. *orphanos* ; [ɔʀfəlɛ̃, in].

**ORPHELINAT,** subst. m.
Institution où l'on recueille et élève les orphelins. 1861 ; ☞ *orphelin* ; [ɔʀfəlina].

**ORPHÉON,** subst. m.
1. Vx. Instrument de musique à cordes et à clavier. 2. Chorale populaire ; fanfare. 1767 ; *Orphée*, personnage de la mythologie grecque ; [ɔʀfeɔ̃].

**ORPHÉONISTE,** subst.
Membre d'un orphéon. 1839 ; ☞ *orphéon* ; [ɔʀfeɔnist].

**ORPHIE,** subst. f.
*Zool.* Poisson téléostéen aux mâchoires allongées en forme de bec, aussi appelé aiguille de mer, aiguillette de mer ou bécassine de mer, et qui peut atteindre 1 m de longueur. Fin XIVe s. ; néerl. *hoornvisch*, « poisson à corne » ; [ɔʀfi].

**ORPHIQUE,** adj.
1. Relatif à Orphée ou à son culte. 2. *B.-a.* Propre à l'orphisme. 1545 ; lat. *orphicus*, du gr. *orphikos* ; [ɔʀfik].

**ORPHISME,** subst. m.
1. *Antiq. gr.* Doctrine religieuse et philosophique, inspirée du mythe d'Orphée. 2. *B.-a.* Mouvement pictural issu du cubisme, fondé par Robert Delaunay et caractérisé par la prédominance des couleurs, qui engendrent et les formes et le mouvement, dans une tentative de dépassement du réel. 1863 ; *Orphée*, personnage de la mythologie grecque ; [ɔʀfism].

ANTIQUITÉ – L'orphisme, apparu au VIe s. av. J.-C., constitue une réaction mystique contre les carences et le rationalisme du système religieux officiel organisé autour des dieux olympiens. La croyance orphique affirmait la transcendance de l'âme et sa vocation à la vie éternelle. Mais, prisonnière d'un corps d'essence titanique (formé des cendres des Titans foudroyés par Zeus), l'âme souffre de cette tare originelle (le châtiment des Titans) et est condamnée à se réincarner sans cesse. Elle peut être libérée de ce cycle infernal, pour se fondre dans le divin, si elle est initiée à la « vie orphique » par des rites expiatoires pratiqués au sein de confréries secrètes (vie morale ascétique, refus de l'alimentation carnée, jeûne, etc.). À partir du IIIe s. av. J.-C. et durant la période hellénistique, l'orphisme se muera en un courant philosophico-religieux (☞ *pythagorisme*) et inspirera une vaste production poétique marquée par l'hermétisme.

**ORPIMENT,** subst. m.
Sulfure naturel d'arsenic, de couleur jaune vif, utilisé en peinture et dans diverses industries. Fin XIIe s. ; lat. *auripigmentum*, « couleur d'or » ; [ɔʀpimɑ̃].

**ORPIN,** subst. m.
*Bot.* Plante rampante, adaptée aux milieux arides, de la famille des Crassulacées. La variété **orpin** brûlant forme des touffes semblables à des coussins, sur des rochers, des murs ou des sols sablonneux. Fin XIIe s. ; prob. de *orpiment* ; [ɔʀpɛ̃].

**ORQUE,** subst. f.
*Zool.* Épaulard. 1550 ; lat. *orca* ; [ɔʀk].

**ORSEILLE,** subst. f.
*Bot.* Lichen abondant sur les côtes méditerranéennes, dont on extrait une matière colorante pourpre utilisée dans l'industrie alimentaire ; cette matière colorante. Déb. XVe s. ; catalan *orxella*, du mozarabe *'urĝāl(l)a* ; [ɔʀsɛj].

**ORTEIL,** subst. m.
Chacun des doigts du pied : *Le gros* ***orteil,*** le pouce du pied. Fin XIIe s. ; anc. fr. *arteil*, du lat. *articulus*, « articulation, jointure » ; [ɔʀtɛj].

**ORTHÈSE,** subst. f.
*Méd.* Appareillage permettant d'assister et de corriger une déficience du système locomoteur. V. 1970 ; gr. *orthos*, « droit », d'apr. prothèse ; [ɔʀtɛz].

**ORTHOCENTRE,** subst. m.
*Géom.* Point d'intersection des trois hauteurs d'un triangle. 1903 ; ☞ *centre* + *ortho-* ; [ɔʀtɔsɑ̃tʀ].

**ORTHOCHROMATIQUE, adj.**
*Phot.* Qualifie un film sensible à toutes les couleurs sauf au rouge. 1900 ; ☞ *chromatique* + *ortho-* ; [ɔʀtɔkʀɔmatik].

**ORTHODONTIE, subst. f.**
Branche de l'art dentaire qui prévient et corrige les anomalies de position des dents. 1948 ; formé de *ortho-* et de *-odontie* ; [ɔʀtɔdɔ̃ti] ou [-si].

**ORTHODONTISTE, subst.**
Spécialiste de l'orthodontie. 1951 ; ☞ *orthodontie* ; [ɔʀtɔdɔ̃tist].

**ORTHODOXE, adj. et subst.**
ADJ. **1.** *Relig.* ▸ Conforme à la doctrine officiellement enseignée (anton. *hétérodoxe*) ; qui respecte cette doctrine : *Un juif **orthodoxe*** ; empl. subst. : *Les **orthodoxes** et les hérétiques.* ▸ Se dit des Églises chrétiennes d'Orient, séparées de Rome en 1054 ; qui appartient à ces Églises : *Les Grecs et les Russes **orthodoxes**.* **2.** Anal. Conforme à une pensée établie ou considérée comme la seule vraie : *Un marxisme **orthodoxe**.* ▸ *Un procédé guère **orthodoxe*** : qui rompt avec les usages, les règles admises. SUBST. *Relig.* Fidèle des Églises **orthodoxes** : *Le dialogue entre catholiques et **orthodoxes**.* 1431 ; lat. eccl. *orthodoxus*, « qui a la vraie foi », du gr. *orthodoxos*, de *orthos*, « juste », et de *doxa*, « opinion » ; [ɔʀtɔdɔks].

**ORTHODOXIE, subst. f.**
**1.** *Relig.* ▸ Doctrine officiellement enseignée. ▸ Doctrine des Églises orthodoxes d'Orient. **2.** Anal. Conformité aux principes d'une doctrine, à la norme. 1580 ; ☞ *orthodoxe* ; [ɔʀtɔdɔksi].

RELIGION – Face à l'unicité de l'Église catholique, l'orthodoxie se présente comme une communion de nombreuses Églises de tradition byzantine regroupant environ 170 millions de fidèles (Grèce, Balkans, Russie, Proche-Orient). Les Églises orthodoxes sont toutes issues du schisme d'Orient (1054) qui marque la rupture avec Rome ; malgré cette rupture, elles reconnaîtront toujours au pape une primauté d'honneur dans l'Église universelle. De tradition liturgique et disciplinaire commune, elles s'administrent chacune de manière autonome, constituées en patriarcats (Constantinople, Alexandrie et Antioche des orthodoxes, Moscou) ou en autocéphalies (Grèce, Chypre, Roumanie, Serbie, Bulgarie), et reconnaissent, entre elles, à l'échelle patriarcale, une primauté d'honneur au patriarche de Constantinople. L'orthodoxie partage avec le catholicisme les mêmes dogmes définis au cours des sept grands conciles œcuméniques du Ier millénaire, notamment la doctrine chalcédonienne, hormis quelques points qui ont été âprement disputés (question du *Filioque*, vision béatifique, primauté juridictionnelle du pape, etc.) mais qui tendent à s'apaiser dans le climat œcuménique qui prévaut aujourd'hui.

**ORTHODROMIE, subst. f.**
Route la plus courte entre deux points du globe terrestre que peut suivre un navire, un avion, naviguant sur un arc de grand cercle. 1691 ; gr. *orthodromos*, « qui court en ligne droite » ; [ɔʀtɔdʀɔmi].

**ORTHOGENÈSE, subst. f.**
*Biol.* Évolution irréversible, progressive ou régressive, d'une forme vivante, aboutissant, après une succession de variations, à l'apparition d'une structure zoologique typique. 1893 ; formé de *ortho-* et de *-genèse* ; [ɔʀtɔʒenɛz].

**ORTHOGÉNIE, subst. f.**
Ensemble des mesures de régulation des naissances. V. 1960 ; formé de *ortho-* et de *-génie* ; [ɔʀtɔʒeni].

**ORTHOGÉNISME, subst. m.**
Science traitant de l'orthogénie. V. 1970 ; ☞ *orthogénie* ; [ɔʀtɔʒenism].

**ORTHOGONAL, ALE, AUX, adj.**
**1.** *Géom.* Perpendiculaire. **2.** *Math.* ▸ Dans un espace vectoriel euclidien : *Vecteurs **orthogonaux** deux à deux*, dont le produit scalaire est nul ; *Base **orthogonale***, dont les vecteurs sont deux à deux **orthogonaux** ; *Sous-espaces **orthogonaux** deux à deux*, tels que tout vecteur de l'un soit **orthogonal** à tout vecteur de l'autre. ▸ Dans un espace affine euclidien : *Projection **orthogonale** sur un sous-espace*, projection parallèlement au supplémentaire **orthogonal** de ce sous-espace ; *Symétrie **orthogonale***, isométrie. 1520 ; gr. *orthogônios*, « à angle droit » ; [ɔʀtɔgɔnal, o].

**ORTHOGRAPHE, subst. f.**
**1.** Manière correcte d'écrire un mot : *Vérifier l'**orthographe** d'un nom.* **2.** Ensemble des règles régissant l'écriture des mots d'une langue : *L'**orthographe** d'usage, d'accord* ; connaissance de ces règles : *Avoir une bonne **orthographe**.* **3.** Manière particulière d'écrire les mots : ***Orthographe** phonétique.* **4.** Système propre à une époque, à un auteur : *L'**orthographe** de l'ancien français.* 1529 ; lat. *orthographia*, du gr. *orthographia* ; [ɔʀtɔgʀaf].

**ORTHOGRAPHIER, verbe trans.** [6]
Écrire (un mot) en suivant les règles de l'orthographe. 1426 ; ☞ *orthographe* ; [ɔʀtɔgʀafje].

**ORTHOGRAPHIQUE, adj.**
Relatif à l'orthographe : *Règles **orthographiques**.* 1691 ; ☞ *orthographe* ; [ɔʀtɔgʀafik].

**ORTHONORMÉ, ÉE, adj.**
*Math. Base **orthonormée*** : base orthogonale dont les vecteurs ont tous une norme égale à 1 ; *Repère **orthonormé*** : dont la base est **orthonormée**. Mil. XXe s. ; ☞ *normé* + *ortho-* ; [ɔʀtɔnɔʀme].

**ORTHOPÉDIE, subst. f.**
Branche de la médecine et de la chirurgie spécialisée dans la prévention et le traitement des malformations des os, des muscles et des articulations de l'appareil locomoteur. 1741 ; gr. *paideia*, « éducation des enfants », + *ortho-* ; [ɔʀtɔpedi].

**ORTHOPÉDIQUE, adj.**
Relatif à l'orthopédie : *Chaussures **orthopédiques**.* 1771 ; ☞ *orthopédie* ; [ɔʀtɔpedik].

**ORTHOPÉDISTE, subst. et adj.**
Se dit d'un chirurgien spécialisé en orthopédie. 1771 ; ☞ *orthopédie* ; [ɔʀtɔpedist].

**ORTHOPHONIE, subst. f.**
*Méd.* Correction des troubles de l'élocution et du langage parlé ou écrit. 1855 ; formé de *ortho-* et de *-phonie* ; [ɔʀtɔfɔni].

**ORTHOPHONIQUE, adj.**
Relatif à l'orthophonie. ☞ *orthophonie* ; [ɔʀtɔfɔnik].

**ORTHOPHONISTE, subst.**
Spécialiste de l'orthophonie. 1957 ; ☞ *orthophonie* ; [ɔʀtɔfɔnist].

**ORTHOPNÉE, subst. f.**
*Pathol.* Dyspnée provoquée par la position couchée, qui oblige le malade à s'asseoir ou à se lever pour respirer plus librement. 1611 ; lat. *orthopnaea*, du gr. *orthopnoia* ; [ɔʀtɔpne].

**ORTHOPTÈRES, subst. m. plur.**
*Zool.* Ordre d'insectes à longues pattes postérieures adaptées au saut, et à deux paires d'ailes. AU SING. *Le criquet, ainsi que la sauterelle, est un **orthoptère**.* 1789 ; formé de *ortho-* et de *-ptère* ; [ɔʀtɔptɛʀ].

**ORTHOPTIE, subst. f.**
Discipline paramédicale qui a pour objet d'étudier et de corriger les troubles dus à un défaut de la vision binoculaire. V. 1960 ; gr. *opsis*, « vision », + *ortho-* ; var. *orthoptique* ; [ɔʀtɔpsi].

**ORTHOPTIQUE, adj. et subst. f.**
ADJ. Relatif à l'orthoptie. SUBST. Orthoptie. 1932 (1901, terme de géom.) ; ☞ *optique* + *ortho-* ; [ɔʀtɔptik].

**ORTHORHOMBIQUE, adj.**
*Minér.* Qualifie un système cristallin caractérisé par trois axes inégaux qui se recoupent à angle droit. 1843 ; ☞ *rhombe* + *ortho-* ; [ɔʀtɔʀɔ̃bik].

**ORTHOSCOPIQUE, adj.**
*Opt.* Qualifie un objectif photographique qui permet d'éviter toute déformation de l'image. 1878 ; formé de *ortho-* et de *-scopique* ; [ɔʀtɔskɔpik].

**ORTHOSE, subst. m. ou f.**
*Minér.* Feldspath potassique, abondant dans de nombreuses roches plutoniques acides. 1801 ; gr. *orthos*, « droit » ; [ɔʀtoz].

**ORTHOSTATIQUE, adj.**
*Pathol. Hypotension **orthostatique*** : se produisant lors du passage à la position debout. 1901 ; gr. *statos*, « qui est debout », + *ortho-* ; [ɔʀtɔstatik].

**ORTHOSYMPATHIQUE, adj.**
Qui concerne le système nerveux sympathique. 1930 ; ☞ *sympathique* + *ortho-* ; [ɔʀtosɛ̃patik].

**ORTHOTROPE, adj.**
*Bot.* **1.** Qualifie un ovule d'angiosperme, symétrique par rapport à un axe que prolongerait le funicule. **2.** Qualifie une tige qui croît verticalement. 1808 ; formé de *ortho-* et de *-trope* ; [ɔʀtɔtʀɔp].

**ORTIE, subst. f.**
**1.** *Bot.* Plante herbacée rudérale de la famille des Urticacées, aux feuilles couvertes de poils urticants sécrétant de l'acide formique. **2.** *Zool.* ***Ortie** de mer* : actinie. Déb. XIIe s. ; lat. *urtica* ; [ɔʀti].

**ORTOLAN, subst. m.**
*Zool.* Petit oiseau migrateur de la famille des Embérizidés, nidifiant en mai, très apprécié des gastronomes. 1552 ; ital. *ortolano*, du bas lat. *hortulanus*, « de jardin » ; [ɔʀtɔlɑ̃].

**ORVALE, subst. f.**
*Bot.* Espèce de sauge à fleurs roses, appelée aussi toute-bonne, qui pousse sur des coteaux et dans des sols calcaires. Fin XIIe s. ; orig. obsc. ; [ɔʀval].

© M. Danegger

*Orvet.*

**ORVET, subst. m.**
*Zool.* Reptile squamate de la famille des Anguidés, atteignant env. 50 cm de long. Confondu à tort avec les serpents, car il ne possède pas de pattes (c'est un lézard), il est également appelé serpent de verre. Fin XIVe s. ; prob. anc. fr. *orb*, « aveugle » ; [ɔʀvɛ].

**ORVIÉTAN, subst. m.**
Électuaire, fabriqué par un habitant d'Orvieto, en vogue au XVIIe s. 1625 ; ital. *orvietano*, « d'Orvieto » ; [ɔʀvjetɑ̃].

**ORYCTÉROPE, subst. m.**
*Zool.* Mammifère d'Afrique de la famille des Oryctéropidés, aux longues oreilles et à la queue épaisse, qui capture les fourmis et les termites avec sa langue gluante (synon. *cochon de terre*). 1796 ; lat. sc. *orycteropus*, du gr. *oruktêr*, « fouisseur », et *ops*, « vue » ; [ɔʀikteʀɔp].

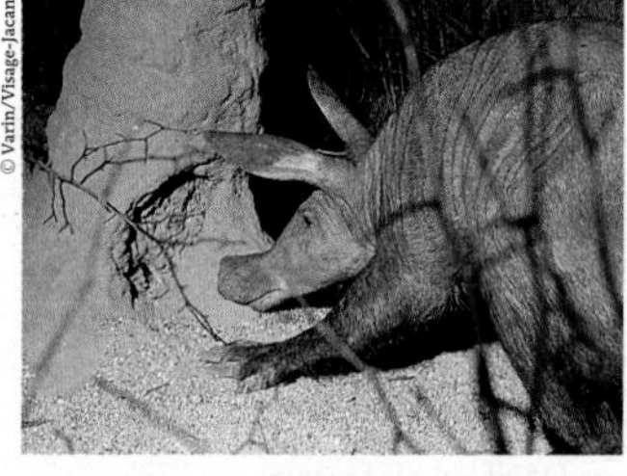
© Varin/Visage-Jacana

*Oryctérope.*

**ORYX, subst. m.**
*Zool.* Antilope du désert (Afrique et Moyen-Orient), de la famille des Bovidés, aux longues cornes pointues et au pelage très clair. 1530 ; mot lat., d'orig. gr. ; [ɔʀiks].

**Os, voir OSMIUM**

**OS, subst. m.**
**1.** *Anat.* Chacun des organes rigides formant le squelette de la plupart des Vertébrés. On en dénombre 208 chez l'homme, qui se répartissent en **os** plats, longs et courts. Ils sont constitués d'un tissu spongieux, dont la moelle constitue un centre hématopoïétique très actif, qui est engainé par un tissu compact, lui-même recouvert par une membrane, le périoste. **2.** Méton. Matière constituée d'**os**, utilisée pour fabriquer certains objets. **3.** Anal. *Os de seiche* : coquille interne, calcaire, de la seiche. **4.** Loc. *Un sac d'**os*** : personne très maigre (fam.) ; *N'avoir que la peau sur les **os*** : être squelettique ; *En chair et en **os*** : en personne ; *Il ne fera pas de vieux **os*** : il n'a plus longtemps à vivre ; *Trempé jusqu'aux **os**, usé jusqu'à l'**os*** : complètement (fam.) ; *Tomber sur un **os*** : sur une difficulté (fam.) ; *Donner un **os** à ronger à qqn* : lui accorder une maigre faveur pour se débarrasser de lui. Fin XIe s. ; lat. *ossum*, de *os* ; [ɔs], plur. [o].

**OSCABRION,** subst. m.
*Zool.* Gastéropode marin à coquille composée (synon. *chiton*). ☞ 1765 ; orig. obsc. ; [ɔskabʀijɔ̃].

**OSCAR,** subst. m.
*Cin.* Récompense, symbolisée par une statuette, décernée chaque année aux États-Unis par l'Académie des arts et des sciences du cinéma à des acteurs, réalisateurs, techniciens, etc. : *L'**oscar** du meilleur film étranger* ; par ext. : ***Oscar** de la chanson, de la publicité.* 1949 ; prénom anglo-amér. *Oscar* ; [ɔskaʀ].

**OSCILLANT, ANTE,** adj.
Qui oscille : *Un mouvement **oscillant**.* Déb. XVIIIe s. ; p. pr. de *osciller* ; [ɔsilɑ̃, ɑ̃t].

**OSCILLATEUR,** subst. m.
*Phys.* Système produisant un phénomène périodique : ***Oscillateur** électrique, mécanique.* 1898 ; ☞ *osciller* ; [ɔsilatœʀ].

**OSCILLATION,** subst. f.
**1.** Mouvement de va-et-vient. **2.** *Phys.* Phénomène cyclique, éventuellement périodique : ***Oscillations** électriques.* **3.** Fig. Fluctuation, passage alternatif et irrégulier d'un état à un autre : *L'**oscillation** des cours boursiers.* 1605 ; bas lat. *oscillatio* ; [ɔsilasjɔ̃].

**OSCILLATOIRE,** adj.
De la nature de l'oscillation : *Période **oscillatoire**.* 1741 ; lat. sc. *oscillatorius* ; [ɔsilatwaʀ].

**OSCILLER,** verbe intrans. [3]
**1.** Être animé d'un mouvement régulier de va-et-vient : *Un pendule qui **oscille*** ; se balancer, vaciller : *Le vase **oscilla** puis tomba.* **2.** Varier entre deux valeurs : *La température **oscille** entre zéro et dix degrés.* **3.** Fig. Passer d'un état à un autre : *Il **oscillait** entre la colère et l'admiration.* 1751 ; bas lat. *oscillari*, « se balancer », du lat. *oscillum*, « balançoire » ; [ɔsile].

**OSCILLINE,** subst. f.
*Biochim.* Protéine présente dans la tête des spermatozoïdes humains qui, dès la fusion de l'ovule et du spermatozoïde, provoque dans l'œuf des oscillations de la concentration en ions calcium, qui jouent un rôle fondamental dans l'activation des divisions cellulaires. Fin XXe s. ; ☞ *osciller* ; [ɔsilin].

**OSCILLOGRAMME,** subst. m.
*Phys.* Tracé fourni par un oscillographe. 1920 ; ☞ *osciller* + *-gramme* ; [ɔsilɔgʀam].

**OSCILLOGRAPHE,** subst. m.
**1.** *Mar.* Appareil servant à enregistrer le roulis. **2.** *Phys.* Appareil permettant de visualiser la dépendance en temps d'un phénomène électrique rapidement variable. 1876 ; ☞ *osciller* + *-graphe* ; [ɔsilɔgʀaf].

**OSCILLOSCOPE,** subst. m.
*Phys.* Oscillographe. 1931 ; ☞ *osciller* + *-scope* ; [ɔsilɔskɔp].

**OSCULATEUR, TRICE,** adj.
*Géom. Cercle **osculateur** (ou cercle de courbure) en un point d'une courbe plane* : cercle tangent à la courbe en ce point et ayant pour rayon le rayon de courbure de la courbe en ce point ; *Plan **osculateur** en un point d'une courbe gauche* : plan défini par la tangente et la perpendiculaire principale en ce point. 1752 ; lat. *osculari*, « embrasser » ; [ɔskylatœʀ, tʀis].

**OSCULE,** subst. m.
*Zool.* Orifice d'évacuation de l'eau absorbée par une éponge. 1873 (1828, suçoir qui garnit le corps des ténias) ; lat. *osculum*, « petite bouche » ; [ɔskyl].

**OSE,** subst. m.
*Chim.* Nom donné à tout glucide dont les molécules sont formées d'une seule chaîne carbonée. 1927 ; aphérèse de *glucose* ; [oz].

**OSÉ, OSÉE,** adj.
**1.** Qui montre de l'audace : *Une démarche, une œuvre **osée**.* **2.** Contraire à la bienséance : *Une tenue, une scène **osée**.* Fin XIIe s. ; p. p. de *oser* ; [oze].

**OSEILLE,** subst. f.
**1.** *Bot.* Herbe comestible de la famille des Polygonacées, qui pousse dans les prés humides et dont la tige et les feuilles contiennent de l'acide oxalique. **2.** Argent (argot.). Fin XIe s. ; lat. pop. *acidula*, « herbe acidulée », d'apr. le lat. *oxalis*, « oseille » ; [ozɛj].

**OSER,** verbe trans. [3]
**1.** Oser (+ inf.). Avoir l'audace, le courage de : *Elle **osa** le faire* ; avoir l'impudence de : *Il **a osé** revenir après ce qu'il avait fait !* ► Pour introduire un souhait, pour atténuer une expression : *J'**ose** espérer...* **2.** Tenter avec audace (qqch.) : *Elle **osa** cet acte hardi* ; empl. abs., être audacieux : *Lui, au moins, il **ose**.* Fin Xe s. ; bas lat. °*ausare*, du lat. *audere* ; [oze].

**OSERAIE,** subst. f.
Plantation d'osiers. Fin XIe s. ; ☞ *osier* ; [ozʀɛ].

**OSIDE,** subst. m.
*Biochim.* Nom donné à tout glucide, holoside ou hétéroside, fournissant des oses par hydrolyse. 1927 ; ☞ *ose* ; [ozid].

**OSIER,** subst. m.
*Bot.* Saule à rameaux flexibles, dont il existe plusieurs espèces de différentes couleurs (brun, rouge, blanc) : *Le saule rampant, dit saule-**osier**, est utilisé en vannerie.* Fin XIIe s. ; anc. fr. *osiere*, du bas lat. *auseria*, « bosquet », de l'anc. bas frq. °*alisa*, « aune » ; [ozje].

**OSMIQUE,** adj.
*Chim.* Qualifie l'anhydride $OsO_4$ et l'acide correspondant utilisé comme colorant en histologie. 1838 ; ☞ *osmium* ; [ɔsmik].

**OSMIUM,** subst. m.
*Chim.* Élément métallique n° 76 de la table de Mendeleïev (symb. : Os) ; masse atomique : 190,2 ; point d'ébullition : 5 027 °C ; point de fusion : 3 045 °C ; masse volumique : 22,6 g/cm$^3$. *L'**osmium** est associé au platine dans la nature et est utilisé pour fabriquer certains alliages.* 1804 ; lat. sc. *osmium*, du gr. *osmê*, « odeur » ; [ɔsmjɔm].

**OSMIURE,** subst. m.
*Chim.* Type d'alliage à base d'osmium. 1824 ; ☞ *osmium* ; [ɔsmjyʀ].

**OSMOMÈTRE,** subst. m.
*Phys.* Appareil qui mesure la pression osmotique. 1868 ; ☞ *osmose* + *-mètre*[1] ; [ɔsmɔmɛtʀ].

**OSMONDE,** subst. f.
*Bot.* Fougère très robuste de la famille des Osmondacées, qui pousse dans les endroits humides et ombragés. Déb. XIIIe s. ; orig. obsc. ; [ɔsmɔ̃d].

**OSMOSE,** subst. f.
**1.** *Biol.* Passage d'un solvant à travers une paroi semi-perméable (telle qu'une membrane cellulaire) séparant deux solutions de concentration différente. **2.** Fig. Diffusion d'une influence ; fusion de deux éléments : *Vivre en **osmose**.* 1865 ; angl. *osmose*, du gr. *ôsmos*, « poussée » ; [ɔsmoz].

**OSMOTIQUE,** adj.
*Biochim.* Relatif à l'osmose : *Pression **osmotique**.* 1855 ; angl. *osmotic* ; [ɔsmɔtik].

**OSSATURE,** subst. f.
**1.** Ensemble des os, squelette. **2.** Ext. Assemblage qui soutient une construction ; charpente. **3.** Fig. Structure, organisation d'un discours, d'un texte, etc. 1801 ; ☞ *os* ; [ɔsatyʀ].

**OSSELET,** subst. m.
Petit os. ► ***Osselet** de l'oreille* : chacun des trois os de l'oreille moyenne (l'enclume, l'étrier, le marteau) transmettant les vibrations du tympan à l'oreille interne. PLUR. Petits os de mouton, ou pièces de forme semblable, utilisés dans un jeu d'adresse ; par méton., ce jeu. 1174 ; ☞ *os* ; [ɔslɛ].

**OSSEMENTS,** subst. m. plur.
Os décharnés d'hommes ou d'animaux morts. XIIIe s. (1170, squelette) ; lat. eccl. *ossamentum* ; [ɔsmɑ̃].

**OSSEUX, EUSE,** adj.
**1.** Relatif aux os : *Tissu **osseux*** ; spéc., qui a des os : *Poisson **osseux**.* **2.** Dont les os sont saillants : *Visage **osseux**.* 1314 ; ☞ *os* ; [ɔsø, øz].

**OSSIANIQUE,** adj.
Relatif à Ossian, à ses poèmes : *Inspiration **ossianique**.* 1800 ; *Ossian*, barde gaélique légendaire du IIIe s. ; [ɔsjanik].

**OSSIFICATION,** subst. f.
**1.** *Physiol.* Ostéogenèse. **2.** *Pathol.* Production anormale de matière osseuse, comme l'ostéophyte. 1697 ; ☞ *s'ossifier* ; [ɔsifikasjɔ̃].

**OSSIFIER (S'),** verbe pronom. [6]
Se transformer en os. 1697 ; ☞ *os* ; [ɔsifje].

**OSSO BUCO,** subst. m. inv.
*Cuis.* Plat italien composé d'un jarret de veau avec son os à moelle, cuit avec des tomates. 1954 ; ital. *osso buco*, « os à trou » ; [ɔsobuko].

**OSSU, UE,** adj.
Qui a de gros os. Mil. XIIe s. ; ☞ *os* ; [ɔsy].

**OSSUAIRE,** subst. m.
Lieu où sont conservés des ossements humains. 1775 ; bas lat. *ossuarium*, « urne sépulcrale » ; [ɔsɥɛʀ].

**OST,** subst. m.
*M. Â.* Armée ; par méton., service militaire. Mil. XIe s. ; lat. *hostis*, « ennemi public » ; var. *host* ; [ɔst].

**OSTÉALGIE,** subst. f.
*Pathol.* Douleur osseuse. 1823 ; formé de *ostéo-* et de *-algie* ; [ɔstealʒi].

**OSTÉITE,** subst. f.
*Pathol.* Inflammation osseuse due à un germe. 1833 ; formé de *ostéo-* et de *-ite* ; [ɔsteit].

**OSTENSIBLE,** adj.
**1.** Vx. Qui peut être montré. **2.** Fait dans l'intention d'être remarqué (littér.). 1739 ; lat. *ostensum*, de *ostendere*, « montrer » ; [ɔstɑ̃sibl].

**OSTENSIBLEMENT,** adv.
De manière ostensible. 1789 ; ☞ *ostensible* ; [ɔstɑ̃sibləmɑ̃].

**OSTENSOIR,** subst. m.
*Liturg.* Pièce d'orfèvrerie, comportant une paroi circulaire vitrée, destinée à exposer l'hostie consacrée à l'adoration des fidèles. 1771 (1551, cadran solaire) ; lat. *ostensum*, de *ostendere*, « montrer » ; [ɔstɑ̃swaʀ].

**OSTENTATION,** subst. f.
**1.** Vx. Action de montrer. **2.** Attitude de qqn qui met en avant ses avantages : *Afficher sa culture avec **ostentation**.* 1346 ; lat. *ostentatio* ; [ɔstɑ̃tasjɔ̃].

**OSTENTATOIRE,** adj.
Qui manifeste de l'ostentation. 1527 ; lat. *ostentatum*, « montré avec affectation » ; [ɔstɑ̃tatwaʀ].

**OSTÉOBLASTE,** subst. m.
*Biol.* Cellule jeune, située en bordure du tissu osseux, qui élabore la trame osseuse. 1871 ; formé de *ostéo-* et de *-blaste* ; [ɔsteɔblast].

**OSTÉOCHONDROSE,** subst. f.
*Pathol.* Inflammation des cartilages osseux, avec ou sans nécrose, survenant gén. lors de la croissance. V. 1970 ; gr. *khondros*, « cartilage », + *ostéo-* et *-ose* ; [ɔsteokɔ̃dʀoz].

**OSTÉOCLASIE,** subst. f.
**1.** Résorption du tissu osseux par les ostéoclastes. **2.** *Chir.* Fracture volontaire de certains os à des fins thérapeutiques. 1890 ; formé de *ostéo-* et de *-clasie* ; [ɔsteɔklazi].

**OSTÉOCLASTE,** subst. m.
*Biol.* Grande cellule à noyaux multiples, qui siège à la surface du tissu osseux et qui provoque la résorption de ce dernier. 1878 ; formé de *ostéo-* et de *-claste* ; [ɔsteɔklast].

**OSTÉOCYTE,** subst. m.
*Biol.* Cellule adulte du tissu osseux. V. 1960 ; formé de *ostéo-* et de *-cyte* ; [ɔsteosit].

**OSTÉOGÈNE,** adj.
*Biol.* Qui contribue à la formation du tissu osseux. Formé de *ostéo-* et de *-gène* ; [ɔsteɔʒɛn].

**OSTÉOGENÈSE,** subst. f.
*Physiol.* Processus de formation et de développement des os et du tissu osseux (synon. *ostéogénie*). 1874 ; formé de *ostéo-* et de *-genèse* ; [ɔsteɔʒənɛz].

**OSTÉOLOGIE,** subst. f.
Partie de l'anatomie qui étudie les os. 1594 ; gr. *osteologia* ; [ɔsteɔlɔʒi].

**OSTÉOLYSE,** subst. f.
*Pathol.* Zone de destruction du tissu osseux que l'on peut visualiser sur une image radiologique. Formé de *ostéo-* et de *-lyse* ; [ɔsteoliz].

**OSTÉOMALACIE,** subst. f.
*Pathol.* Ostéopathie de l'adulte, caractérisée par un ramollissement et une déformation des os. 1808 ; gr. *malakia*, « mollesse », + *ostéo-* ; [ɔsteɔmalasi].

**OSTÉOMYÉLITE,** subst. f.
*Pathol.* Ostéite due au staphylocoque doré et frappant essentiellement l'enfant et l'adolescent. 1849 ; ☞ *myélite* + *ostéo-* ; [ɔsteomjelit].

**OSTÉOPATHE,** subst.
Personne qui pratique l'ostéopathie. 1954 ; angl. *osteopath* ; [ɔsteɔpat].

**OSTÉOPATHIE,** subst. f.
**1.** *Pathol.* Affection osseuse. **2.** *Méd.* Méthode qui vise à détecter et à corriger les déficiences de l'organisme par la manipulation de certains os. 1860 ; formé de *ostéo-* et de *-pathie* ; [ɔsteɔpati].

**OSTÉOPHYTE,** subst. m.
*Pathol.* Production osseuse anormale observée autour d'une articulation, notamment dans l'arthrose : *Un bec-de-perroquet est un **ostéophyte** vertébral.* 1833 ; formé de *ostéo-* et de *-phyte* ; [ɔsteofit].

**OSTÉOPLASTIE,** subst. f.
*Chir.* Réparation d'un os à l'aide de greffons osseux ou de prothèses. 1855 ; formé de *ostéo-* et de *-plastie* ; [ɔsteɔplasti].

**OSTÉOPOROSE,** subst. f.
*Pathol.* Fragilité des os due à une perte de tissu osseux, notamment chez la femme ménopausée. 1832 ; ☞ *pore* + *ostéo-* et *-ose* ; [ɔsteɔpɔʀoz].

**OSTÉOSYNTHÈSE,** subst. f.
*Chir.* Réduction et contention des fragments d'une fracture à l'aide de plaques, de cerclages, de vis, etc. 1909 ; ☞ *synthèse* + *ostéo-* ; [ɔsteosɛ̃tɛz].

**OSTÉOTOMIE,** subst. f.
*Chir.* Résection d'un os effectuée pour corriger une malformation. 1753 ; formé de *ostéo-* et de *-tomie* ; [ɔsteɔtɔmi].

**OSTIOLE,** subst. m.
*Bot.* Petit orifice, dans divers organes végétaux, par lequel se font les échanges gazeux. 1817 ; lat. *ostiolum*, de *ostium*, « porte » ; [ɔstjɔl].

**OSTRACÉ, ÉE,** adj. et subst. m. plur.
*Zool.* ADJ. De la nature de l'huître. SUBST. Sous-ordre de mollusques bivalves comprenant la famille des Ostréidés ; au sing. : *L'huître est un* ***ostracé***. 1727 ; gr. *ostrakon*, « coquille » ; [ɔstʀase].

**OSTRACISME,** subst. m.
**1.** *Antiq. gr.* Bannissement pour dix ans prononcé par les citoyens à Athènes et dans d'autres cités. **2.** Décision d'exclure ou d'écarter du pouvoir une personne, un parti politique ; par ext., manifestation d'exclusion, d'hostilité. 1535 ; gr. *ostrakismos*, de *ostrakon*, « coquille », le nom de la personne dont on souhaitait le bannissement étant inscrit sur des tessons évoquant des coquilles ; [ɔstʀasism].

**OSTRÉICOLE,** adj.
Relatif à l'ostréiculture. 1872 ; formé de *ostréi-* et de *-cole* ; [ɔstʀeikɔl].

**OSTRÉICULTEUR, TRICE,** subst.
Personne qui pratique l'ostréiculture. 1875 ; formé de *ostréi-* et de *-culteur* ; [ɔstʀeikyltœʀ, tʀis].

**OSTRÉICULTURE,** subst. f.
Élevage des huîtres. 1867 ; formé de *ostréi-* et de *-culture* ; [ɔstʀeikyltyʀ].

**OSTRÉIDÉS,** subst. m. plur.
*Zool.* Famille de mollusques bivalves comprenant les huîtres comestibles. La coquille est de forme irrégulière ; la valve inférieure se soude au rocher. AU SING. *L'huître perlière n'est pas un* ***ostréidé*** *mais un ptériidé.* 1868 ; lat. *ostrea*, « huître » ; [ɔstʀeide].

**OSTROGOTH, OTHE,** adj. et subst.
*Hist.* Du peuple des Goths de l'Est. SUBST. MASC. Anal. Homme grossier, bourru ; par ext., personne extravagante. 1534 ; bas lat. *Austrogoti*, de *Gothi*, « Goths », et du germ. *ost*, « est » ; [ɔstʀɔgo, ɔt].

**OTAGE,** subst. m.
**1.** Personne livrée ou reçue en garantie de l'exécution d'une promesse, d'un traité. **2.** Ext. Personne retenue prisonnière pour être utilisée comme moyen de pression, de chantage : *Attaque à main armée avec prise d'****otages***. Fin XIe s. ; ☞ *hôte* (II) ; [ɔtaʒ].

**OTALGIE,** subst. f.
*Pathol.* Douleur de l'oreille. 1578 ; gr. *ôtalgia* ; [ɔtalʒi].

© S. Cordier-Jacana

*Deux* ***otaries*** *en cours de dressage.*

**OTARIE,** subst. f.
*Zool.* Mammifère marin, piscivore, de l'ordre des Pinnipèdes, qui se distingue du morse et du phoque par la présence d'oreilles externes et par la possibilité de se déplacer sur les quatre membres. 1810 ; gr. *ôtarion*, « petite oreille » ; [ɔtaʀi].

**ÔTER,** verbe trans. [3]
**1.** Retrancher (qqch.) à un ensemble : ***Ôter*** *les parties défectueuses.* ► Soustraire : ***Ôter*** *deux de trois.* **2.** Enlever (qqch.) de l'endroit où il se trouve (vieilli) : ***Ôter*** *les couverts* ; enlever (qqch. qui gêne, salit) : ***Ôter*** *une tache* ; enlever (qqch. que l'on porte sur soi) : ***Ôtez*** *votre veste.* **3.** Retirer, priver de (qqch.) : *Vous nous* ***ôtez*** *tout espoir.* PRONOM. Se retirer de la place que l'on occupe : ***Ôtez****-vous de mon chemin.* 1119 ; lat. *obstare*, « faire obstacle » ; [ote].

**OTIQUE,** adj.
*Anat.* Relatif à l'oreille. 1812 ; gr. *otikos* ; [ɔtik].

**OTITE,** subst. f.
*Pathol.* Inflammation de l'oreille. 1810 ; gr. *ous*, « oreille », + *-ite* ; [ɔtit].

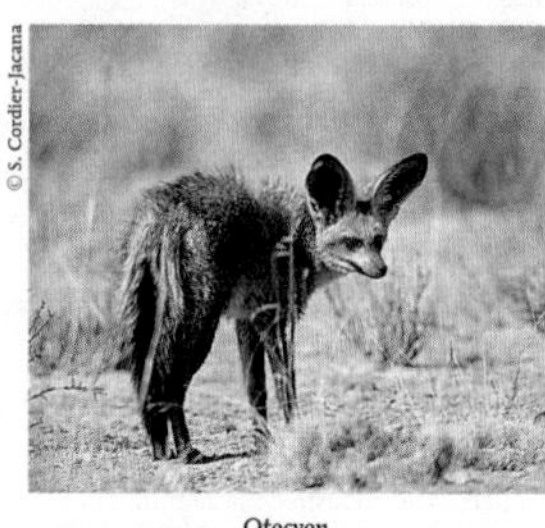
© S. Cordier-Jacana

*Otocyon.*

**OTOCYON,** subst. m.
*Zool.* Canidé d'Afrique, aussi appelé chien oreillard en raison de ses grandes oreilles. Ses molaires sont plus nombreuses que chez les autres Canidés, et il se nourrit principalement d'insectes. 1847 ; gr. *kuôn*, « chien », + *oto-* ; [ɔtɔsjɔ̃].

**OTOCYSTE,** subst. m.
*Zool.* Chez certains crustacés et mollusques aquatiques, organe d'équilibrage consistant en une cavité contenant un liquide et des concrétions minérales. Déb. XXe s. ; formé de *oto-* et de *-cyste* ; [ɔtɔsist].

**OTOLITHE,** subst. m.
*Anat.* Agrégat de cristaux microscopiques, essentiellement calcaires, présent dans le vestibule de l'oreille interne et qui joue un rôle dans l'équilibration. 1827 ; formé de *oto-* et de *-lithe* ; [ɔtɔlit].

**OTOLOGIE,** subst. f.
*Méd.* Étude de l'oreille humaine et de ses maladies. 1793 ; formé de *oto-* et de *-logie* ; [ɔtɔlɔʒi].

**OTO-RHINO-LARYNGOLOGIE,** subst. f.
*Méd.* Spécialité qui traite des maladies de l'oreille, du nez et de la gorge (abrév. : O. R. L.). 1884 ; ☞ *laryngologie* + *oto-* et *rhino-* ; plur. *oto-rhino-laryngologies* ; [ɔtɔʀinolaʀɛ̃gɔlɔʒi].

**OTO-RHINO-LARYNGOLOGISTE,** subst.
*Méd.* Médecin spécialisé en oto-rhino-laryngologie (abrév. : oto-rhino). 1913 ; ☞ *oto-rhino-laryngologie* ; plur. *oto-rhino-laryngologistes* ; [ɔtɔʀinolaʀɛ̃gɔlɔʒist].

**OTORRAGIE,** subst. f.
*Pathol.* Écoulement de sang par l'oreille. 1863 ; formé de *oto-* et de *-rragie* ; [ɔtɔʀaʒi].

**OTORRHÉE,** subst. f.
*Pathol.* Écoulement de liquide clair ou purulent par l'oreille, notamment en cas d'otite. 1803 ; formé de *oto-* et de *-rrhée* ; var. *otorrée* ; [ɔtɔʀe].

**OTOSCOPE,** subst. m.
*Méd.* Instrument muni d'une source lumineuse servant à l'examen du conduit auditif. 1855 ; formé de *oto-* et de *-scope* ; [ɔtɔskɔp].

**OTOSPONGIOSE,** subst. f.
*Pathol.* Affection de l'oreille entraînant une surdité progressive par ankylose de l'étrier. Lat. *spongia*, « éponge », + *oto-* et *-ose* ; [ɔtɔspɔ̃ʒjoz].

**OTTOMAN, ANE,** adj. et subst.
*Hist.* De l'Empire turc fondé par Osman Ier. SUBST. FÉM. Canapé arrondi en corbeille du XVIIIe s. SUBST. MASC. Étoffe de soie à trame de coton côtelée. 1543 ; anthropon. *'Uṯmān*, « Osman Ier » ; [ɔtɔmɑ̃, an].

**OU,** conj. de coordination
**1.** Sert à exprimer une disjonction exclusive : *Ce sera lui* ***ou*** *moi.* **2.** Sert à proposer un choix entre deux possibilités : *Veux-tu t'installer ici* ***ou*** *ailleurs ?* **3.** Sert à exprimer une approximation d'ordre quantitatif : *Je finirai dans deux* ***ou*** *trois mois.* **4.** Sert à exprimer une équivalence : *Le nom,* ***ou*** *substantif.* Déb. Xe s. ; lat. *aut* ; [u].

**OÙ,** pron. rel. et adv.
PRON. Évoque un rapport de lieu, de temps, une situation (équivaut le plus souvent à un relatif composé construit avec une préposition) : *Le bureau* ***où*** *je travaille* ; *C'est l'année* ***où*** *il l'a épousée* ; *L'état* ***où*** *elle se trouve est inquiétant* ; *Je connais le chemin par* ***où*** *vous êtes passé* ; *La maison d'****où*** *il sort est à vendre.* ADV. Marque le lieu : *J'irai* ***où*** *bon me semble* ; *D'****où*** *je suis, on ne voit pas grand-chose.* ► Indique le sujet qui va être traité : ***Où*** *l'on montrera que...* ► **Où que.** En quelque endroit que : ***Où*** *que vous alliez, j'irai.* ► **D'où.** Marque la conséquence : *D'****où*** *il s'ensuit que...* ADV. INTERR. En quel lieu ? : *Savez-vous* ***où*** *il habite ?* ; *Je me demande* ***où*** *il se cache* ; *D'****où*** *viens-tu ?* ► Loc. *N'importe* ***où*** : dans n'importe quel lieu ; *Dieu sait* ***où*** : en un lieu totalement inconnu. Fin Xe s. ; lat. *ubi* ; [u].

**OUAILLE,** subst. f.
**1.** Vx. Brebis. **2.** Anal. Fidèle, par rapport à son pasteur (souv. au plur.) : *Les* ***ouailles*** *de la paroisse.* Mil. XIIe s. ; anc. fr. *oeille*, du bas lat. *ovicula*, « petite brebis » ; [waj].

**OUAIS,** interj.
Fam. Oui (iron. ou dubitatif) : ***Ouais****, admettons !* 1464 ; p.-ê. *oyez*, de *ouïr*, ou altér. de *oui* ; ['wɛ].

**OUANANICHE,** subst. f.
Québ. Saumon d'eau douce. 1897 ; amérindien *ouananiche*, « le petit égaré » ; [wananiʃ].

**OUAOUARON,** subst. m.
Québ. Grenouille géante (20 cm de long), dont le croassement évoque un meuglement. 1632 ; huron *ouaraon* ; [wawaʀɔ̃].

**OUATE,** subst. f.
**1.** Laine, coton, soie, etc. préparés pour doubler vêtements et literies, ou rembourrer des sièges : *De la* ***ouate*** *ou de l'****ouate***. **2.** Coton traité pour servir à des pansements, à des soins d'hygiène : ***Ouate*** *hydrophile.* 1493 ; orig. inc. ; ['wat] ou [wat].

**OUATÉ, ÉE,** adj.
**1.** Garni d'ouate. **2.** Fig. *Bruit* ***ouaté*** : feutré ; *Atmosphère* ***ouatée*** : douillette. 1680 ; ☞ *ouate* ; ['wate] ou [wate].

**OUATER,** verbe trans. [3]
Garnir, doubler d'ouate : ***Ouater*** *un manteau.* 1680 ; ☞ *ouate* ; ['wate] ou [wate].

**OUATINE,** subst. f.
Étoffe molletonnée servant à doubler certains vêtements. 1903 ; ☞ *ouate* ; ['watin] ou [watin].

**OUATINER,** verbe trans. [3]
Doubler de ouatine ; empl. adj. : *Une veste* ***ouatinée***. 1903 ; ☞ *ouatine* ; ['watine] ou [watine].

**OUBLI,** subst. m.
**1.** Fait d'oublier, de ne plus se souvenir : *L'****oubli*** *des dates.* ► Loc. *Tomber dans l'****oubli*** : disparaître de la mémoire collective. **2.** Négligence ; étourderie : *Un* ***oubli*** *pardonnable.* **3.** Détachement, désintéressement : *L'****oubli*** *de soi.* **4.** Pardon : *L'****oubli*** *des offenses.* Fin XIe s. ; ☞ *oublier* ; [ubli].

**OUBLIABLE,** adj.
Qui peut être oublié (souv. iron.) : *Une œuvre tout à fait* ***oubliable***. 1398 ; ☞ *oublier* ; [ublijabl].

**OUBLIE,** subst. f.
Vieilli. Petite gaufre roulée en cornet (synon. *plaisir*). Fin XIVe s. ; anc. fr. *oblee*, « hostie », du lat. eccl. *oblata*, « offrande » ; [ubli].

**OUBLIER,** verbe trans. [6]
**1.** Ne plus se souvenir de : *J'ai* ***oublié*** *votre nom, quel jour il vient, ce qu'il faut dire* ; empl. adj. : *Un chanteur* ***oublié***, qui n'est plus connu. ► Loc. *Se faire* ***oublier*** : éviter de se faire remarquer. **2.** Avoir perdu la pratique de : *On n'****oublie*** *pas sa langue maternelle* ; empl. abs. : *J'apprends vite, mais j'****oublie*** *aussitôt.* **3.** Laisser, omettre (qqch.) par inadvertance : ***Oublier*** *son sac* ; ***Oublier*** *l'heure*, laisser passer l'heure, se mettre en retard. **4.** Écarter (qqch.) de ses pensées : ***Oublier*** *ses soucis* ; empl. abs. : *Partir pour* ***oublier***. **5.** Négliger : ***Oublier*** *son devoir* ; ***Oublier*** *ses amis*, les délaisser. **6.** Pardonner : ***Oublier*** *un affront.* PRONOM. **1.** Manquer de respect, aux

autres ou à soi-même (vieilli) : *Monsieur, vous vous oubliez.* **2.** Perdre la conscience de soi. ▸ Privilégier l'intérêt d'autrui par rapport au sien. **3.** Faire ses besoins où il ne faut pas (fam.) : *L'enfant s'oublia dans son lit.* Fin XIe s. ; lat. pop. °*oblitare*, du lat. *oblitus*, de *oblivisci* ; [ublije].

**OUBLIETTE, subst. f.**
Souv. au plur. **1.** *M. Â.* ▸ Cachot où étaient enfermés les condamnés à perpétuité. ▸ Fosse s'ouvrant par une trappe où l'on faisait tomber ceux dont on voulait se débarrasser. **2.** Loc. Fig. *Mettre, laisser, jeter qqn, qqch. aux* ***oubliettes*** : l'exclure, l'abandonner. 1372 ; ☞ *oublier* ; [ublijɛt].

**OUBLIEUX, EUSE, adj.**
Qui oublie ; négligent : ***Oublieux*** *de ses devoirs* ; *Un amant* ***oublieux.*** Fin XIIe s. ; ☞ *oublier* ; [ublijø, øz].

**OUED, subst. m.**
**1.** Rivière, au Maghreb. **2.** Cours d'eau intermittent, dans les régions arides. Mil. XIXe s. ; ar. *wādī*, « vallée ; lit d'un cours d'eau » ; [wɛd].

**OUEST, subst. m. sing. et adj. inv.**
**Subst. 1.** Point cardinal qui indique la direction où le soleil se couche ; cette direction : *À l'****ouest*** *de*, à la gauche d'un lieu donné quand on regarde vers le nord. **2.** Partie d'un ensemble géographique située vers ce point : *L'****ouest*** *de la France* ; empl. abs. : *La conquête de l'****Ouest***, de l'**ouest** des États-Unis ; *L'autoroute de l'****Ouest***, de l'**ouest** de la France. ▸ *L'****Ouest*** : l'ensemble des États de l'Alliance atlantique (synon. *Occident*). **Adj.** Qui est situé à l'**ouest**. Mil. XIIe s. ; anc. angl. *west* ; [wɛst].

**OUF, interj.**
**1.** Vx. Exprime l'étouffement consécutif à un effort, à une douleur soudaine. ▸ Loc. *Ne pas avoir le temps de dire* ***ouf*** : de réagir. **2.** Exprime le soulagement : ***Ouf*** *! ce travail est fini* ; empl. subst. masc. : *Un* ***ouf*** *de soulagement.* 1579 ; onomat. ; ['uf].

**OUGRIEN, IENNE, adj. et subst. m.**
Se dit d'un groupe de langues de la famille ouralienne comprenant l'ostiak et le vogoule (langues sibériennes) et le hongrois. 1872 ; turc *ogur*, « flèche » ; [ugʀijɛ̃, jɛn].

**OUI, adv. et subst. m. inv.**
**Adv.** En réponse à une interrogation, marque une acceptation : *Acceptez-vous ? –* ***Oui*** *!* ▸ Affirmation renforcée : ***Oui****, certes* ; ***Oui****, bien* ; *Mais* ***oui*** ; *Ça* ***oui*** ; *Que* ***oui*** *!* ▸ Avec une valeur interrogative : *Viendra-t-il,* ***oui*** *?* **Subst.** Réponse positive : *Le* ***oui*** *l'a emporté.* ▸ Loc. *Un* ***oui*** *mais* : un accord assorti de réserves ; *Pour un* ***oui*** *ou pour un non* : pour les motifs les plus légers. Fin XIVe s. ; anc. fr. *oïl* ; [wi].

**OUÏ-DIRE, subst. m. inv.**
Ce que l'on ne connaît que par la rumeur publique. ▸ Loc. *Par* ***ouï-dire*** : pour l'avoir entendu dire. Déb. XIe s. ; comp. de *ouïr* et de *dire* (I) ; [widiʀ].

**OUÏE, subst. f.**
**1.** Le sens par lequel sont perçus les sons : *Il a l'****ouïe*** *fine.* ▸ Loc. *Être tout* ***ouïe*** : écouter attentivement (fam.). **2.** *Zool.* Chez les Poissons, chacun des orifices pairs latéraux mettant les branchies en communication avec le milieu extérieur. **3.** Anal. ▸ *Archit.* Abat-son à lames obliques d'un clocher. ▸ *Mus.* Chacune des ouvertures latérales de la table de certains instruments à cordes. Fin XIe s. ; ☞ *ouïr* ; [wi].

**OUÏGOUR, subst. m.**
Langue turque d'Asie centrale ; empl. adj. : *Dialectes* ***ouïgours.*** 1820 ; mot turc ; var. *ouïghour* ; [uiguʀ].

**OUILLE, interj.**
Mot exprimant la douleur, la surprise, le désagrément. 1914 ; onomat. ; ['uj].

**OUILLER, verbe trans. [3]**
*Vinic.* Remplir (un tonneau) avec du vin de même provenance que celui qu'il contient pour compenser l'évaporation et ainsi éviter son altération. 1750 ; anc. fr. *aouiller*, « remplir jusqu'à l'œil » ; [uje].

**OUILLÈRE, subst. f.**
*Agric.* Espace réservé entre les rangées de ceps d'un vignoble, gén. planté d'autres cultures. 1840 ; prov. *ouliero* ; var. *ouillière, oullière* ; [ujɛʀ].

**OUÏR, verbe trans. [35]**
**1.** Entendre, écouter (vx ou iron.) : *J'ai* ***ouï*** *dire que...* **2.** *Dr.* Recevoir la déposition de : ***Ouïr*** *des témoins.* Xe s. ; lat. *audire* ; [wiʀ].

**OUISTITI, subst. m.**
**1.** *Zool.* Singe arboricole de la famille des Callitrichidés, ne dépassant pas 20 cm de hauteur, mais dont la queue non préhensile peut mesurer 30 cm. **2.** Fig. *Un drôle de* ***ouistiti*** : un personnage étrange (fam.). 1767 ; orig. onomat. ; ['wistiti] ou [wistiti].

**OUKASE, subst. m.**
**1.** *Hist.* Édit promulgué par le tsar, en Russie. **2.** Fig. Décision arbitraire. 1774 ; russe *ukaz*, de *ukazat'*, « commander » ; var. *ukase* ; [ukaz].

**OULÉMA, voir ULÉMA**

**OULLIÈRE, voir OUILLÈRE**

**OUOLOF, voir WOLOF**

**OURAGAN, subst. m.**
**1.** Forte tempête caractérisée par des vents dépassant 120 km à l'heure. **2.** Fig. Mouvement violent, irrésistible : *Un* ***ouragan*** *d'applaudissements.* ▸ Loc. *Arriver, entrer comme un* ***ouragan*** : impétueusement. Mil. XVIe s. ; esp. *huracán*, d'orig. caraïbe ; [uʀagɑ̃].

**OURALIEN, IENNE, subst. et adj.**
De l'Oural. ▸ *Langues* ***ouraliennes*** ou, empl. subst. masc., *L'****ouralien*** : famille de langues constituée par le finno-ougrien et le samoyède. 1826 ; topon. *Oural* ; [uʀaljɛ̃, jɛn].

**OURALO-ALTAÏQUE, adj.**
Se dit d'un groupe de langues formé par les langues ouraliennes et altaïques. 1874 ; comp. des topon. *Oural* et *Altaï* ; plur. *ouralo-altaïques* ; [uʀaloaltaik].

**OURDIR, verbe trans. [19]**
**1.** *Tiss.* Disposer (les fils de la chaîne) sur l'ourdissoir, avant de les monter sur le métier à tisser. **2.** Fig. Préparer, gén. discrètement (une entreprise souv. nuisible) ; tramer (littér.) : ***Ourdir*** *un complot.* Mil. XIIe s. ; lat. pop. *ordire* ; [uʀdiʀ].

**OURDISSAGE, subst. m.**
*Tiss.* Action d'ourdir. 1753 ; ☞ *ourdir* ; [uʀdisaʒ].

**OURDISSEUR, EUSE, subst.**
*Tiss.* Personne qui ourdit. 1410 ; ☞ *ourdir* ; [uʀdisœʀ, øz].

**OURDISSOIR, subst. m.**
*Tiss.* Appareil servant à disposer et à tendre les fils de la chaîne. 1410 ; ☞ *ourdir* ; [uʀdiswaʀ].

**OURDOU, OUE, subst. m. et adj.**
**Subst.** Langue des musulmans du sous-continent indien, langue officielle du Pakistan (avec l'anglais), proche du hindi mais écrite avec l'alphabet arabe. **Adj.** Relatif, propre à l'**ourdou** : *Textes* ***ourdous.*** 1826 ; persan *zabān-e ordu*, « langue du camp » ; var. *urdu* ; [uʀdu].

**OURLER, verbe trans. [3]**
Garnir d'un ourlet. Mil. XIIe s. ; lat. pop. °*orulare*, « border », du lat. *ora*, « bord » ; [uʀle].

**OURLET, subst. m.**
**1.** Repli arrondi bordant certains objets métalliques : ***Ourlet*** *d'une gouttière.* **2.** *Cout.* Repli cousu sur les bords d'un tissu : *Faux* ***ourlet***, fait d'une bande de tissu rapporté. **3.** *Anat.* ***Ourlet*** *de l'oreille* : bord replié du pavillon. 1304 ; ☞ *ourler* ; [uʀlɛ].

**OURLIEN, IENNE, adj.**
*Pathol.* Qui se rapporte aux oreillons : *Fièvre* ***ourlienne.*** 1885 ; dial. *ourles*, « oreillons » ; [uʀljɛ̃, jɛn].

**OURS, OURSE, subst.**
**Masc. 1.** *Zool.* Mammifère plantigrade de l'ordre des Carnivores, à la fourrure épaisse. L'**ours** blanc ou polaire se nourrit de phoques et de poissons ; c'est le plus grand carnivore terrestre (jusqu'à 3 m). L'**ours** brun et l'**ours** noir sont semi-arboricoles et omnivores. ▸ Anal. ***Ours*** *marin* : sorte d'otarie. **2.** Anal. Homme peu engageant, qui évite les relations avec autrui : *Quel vieil* ***ours*** *!* ; empl. adj. inv. : *Elle est un peu* ***ours.*** **3.** Jouet d'enfant, gén. en peluche, ressemblant à un ourson. **4.** Liste des principaux collaborateurs d'un journal, d'une revue, figurant sur chaque exemplaire. **5.** *Cin.* Premier montage (bout à bout) d'un film. **Fém. 1.** ***Ours*** femelle. **2.** *Astron.* *La Grande, la Petite* ***Ourse*** : constellations boréales proches du pôle arctique. Fin XIe s. ; lat. *ursus* ; [uʀs].

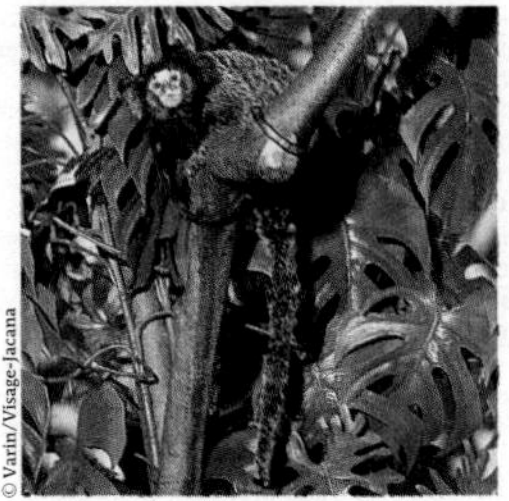
*Ouistiti.*
© Varin/Visage-Jacana

**OURSIN, subst. m.**
*Zool.* Invertébré marin de l'embranchement des Échinodermes, vivant sur le sable ou dans les rochers, qui porte une coquille calcaire, sphérique ou ovoïde, à symétrie radiale, appelée test. L'**oursin** commun est recouvert d'épines violacées et ses organes reproducteurs sont comestibles. 1552 ; prov. *orsin de mar*, « ours de mer » ; [uʀsɛ̃].

**OURSON, ONNE, subst.**
Jeune ours, jeune ourse. **Masc.** *Hist.* Bonnet à poils des grenadiers. 1540 ; ☞ *ours* ; [uʀsɔ̃, ɔn].

**OUST, interj.**
Employé pour chasser qqn ou le faire se hâter : *Allez,* ***oust*** *! dehors !* 1714 ; onomat. ; var. *ouste* ; ['ust].

**OUT, adv. et adj. inv.**
Anglic. **Adv.** *Sp.* ▸ Au tennis, se dit pour indiquer que la balle est hors jeu. ▸ En boxe, se dit pour annoncer qu'un adversaire est hors de combat. **Adj. 1.** *Sp.* Qui est hors du jeu, de la course. **2.** Désuet, dépassé (fam.) : *Ce chanteur est* ***out.*** 1891 ; angl. *out*, « dehors » ; ['aut].

**OUTARDE, subst. f.**
*Zool.* Oiseau échassier de l'ordre des Gruiformes, au vol lourd, mesurant entre 50 cm (**outarde** d'Europe) et 1 m de long (**outarde** d'Asie occidentale). Déb. XIVe s. ; lat. *avis tarda*, « oiseau lent » ; [utaʀd].

© J.-F. Hellio/Van Inden N.-Jacana
*Grande* ***outarde*** *en parade nuptiale.*

**OUTIL, subst. m.**
**1.** Objet fabriqué, utilisé manuellement ou monté sur une machine, servant à accomplir un travail. **2.** Fig. Élément qui permet d'accomplir une tâche ; moyen : *Son téléphone est son* ***outil*** *de travail* ; *Un journal est un* ***outil*** *de communication efficace.* XIIe s. ; bas lat. °*usitilium*, du lat. *utensilia*, « ustensiles » ; [uti].

**OUTILLAGE, subst. m.**
**1.** Ensemble des outils nécessaires à l'exercice d'une profession, d'une activité manuelle, au fonctionnement d'une entreprise. **2.** Méton. Service de fabrication et de maintenance des outils et des machines-outils, dans une usine. 1829 ; ☞ *outiller* ; [utijaʒ].

**OUTILLER, verbe trans. [3]**
**1.** Doter des outils nécessaires à un travail, à une production ; empl. adj. : *Être bien* ***outillé***, avoir les outils nécessaires. **2.** Équiper (une usine) en machines. Fin XIIe s. ; ☞ *outil* ; [utije].

**OUTILLEUR, subst. m.**
Ouvrier spécialisé dans la fabrication et la mise au point des calibres, moules, outillages et montages de fabrication. 1845 ; ☞ *outil* ; [utijœʀ].

**OUTLAW, subst. m.**
Hors-la-loi (anglic.). 1783 ; mot angl. ; [autlo].

**OUTPUT, subst. m.**
**1.** *Écon.* Production. **2.** *Informat.* Sortie de données (recomm. off. *produit de sortie*). 1951 ; angl. *output*, « action de sortir » ; [autput].

**OUTRAGE, subst. m.**
**1.** Parole injurieuse, acte très offensant : *Subir, venger un* ***outrage.*** ▸ Fig. *Les* ***outrages*** *du temps* : la décrépitude physique. ▸ Loc. *Faire subir les derniers* ***outrages*** *à une femme* : la violer (littér.). **2.** Ext. Manquement grave à un principe, à une règle : ***Outrage*** *à la raison.* **3.** *Dr.* ▸ Délit consistant à mettre en cause l'honneur d'un représentant de l'autorité publique : ***Outrage*** *à magistrat, à agent.*

► *Outrage aux bonnes mœurs* : atteinte à la moralité publique. ► *Outrage public à la pudeur* : acte heurtant la pudeur des témoins. Mil. XIIe s. (fin XIe s., parole contraire à l'honneur d'un chevalier) ; ☞ *outre* (I), d'où « excès » ; [utʀaʒ].

**OUTRAGÉ, ÉE, adj.**
Qui a subi un outrage ; par méton. : *Un air outragé.* Fin XVe s. ; p. p. de *outrager* ; [utʀaʒe].

**OUTRAGEANT, ANTE, adj.**
Qui outrage. 1579 ; p. pr. de *outrager* ; [utʀaʒɑ̃, ɑ̃t].

**OUTRAGER, verbe trans.** [5]
**1.** Offenser gravement (qqn). **2.** Déroger gravement à (qqch. jugé respectable) : ***Outrager** la morale.* 1485 (XIVe s., blesser physiquement) ; ☞ *outrage* ; [utʀaʒe].

**OUTRAGEUSEMENT, adv.**
**1.** D'une manière outrageante (vieilli). **2.** Excessivement. 1538 (mil. XIIIe s., avec outrecuidance) ; ☞ *outrageux* ; [utʀaʒøzmɑ̃].

**OUTRAGEUX, EUSE, adj.**
Outrageant (vieilli) ; excessif (littér.). 1165 ; ☞ *outrage* ; [utʀaʒø, øz].

**OUTRANCE, subst. f.**
**1.** Caractère de ce qui est outré : *L'**outrance** de ses propos nous a scandalisés.* ► Loc. **À outrance.** Avec excès : *Être sévère à **outrance**.* **2.** Action ou propos outré (souv. au plur.) : *Des **outrances** de langage.* 1220 ; ☞ *outre* (I) ; [utʀɑ̃s].

**OUTRANCIER, IÈRE, adj.**
Qui pousse les choses à l'excès, à l'extrême : *Caractère **outrancier**.* 1874 ; ☞ *outrance* ; [utʀɑ̃sje, jɛʀ].

**OUTRE (I), adv. et prép.**
**Adv.** Plus loin, au-delà : *Passer **outre***, aller plus avant. ► *Passer **outre** à* : poursuivre ce qui est en cours (vx), ne pas tenir compte de. ► Loc. adv. ***Outre** mesure* : de façon excessive ; *En **outre*** : de plus ; *D'**outre** en **outre*** : de part en part (vx). ► Loc. conj. ***Outre** que* : en plus du fait que. **Prép.** En plus de : ***Outre** ses trois voitures, il a deux motos.* ► Au-delà de (dans les composés avec trait d'union) : *Outre-Rhin* ; *Outre-Atlantique* ; *Outre-mer* ; *Les « Mémoires d'outre-tombe », de Chateaubriand.* Fin XIe s. ; lat. *ultra* ; [utʀ].

**OUTRE (II), subst. f.**
**1.** Peau de bouc cousue en forme de sac et servant au transport des liquides ; par méton., son contenu : *Une **outre** de vin.* **2.** Loc. *Être gonflé, plein comme une **outre*** : avoir mangé ou bu de manière excessive (fam.). 1389 ; lat. *uter*, « ventre » ; [utʀ].

**OUTRÉ, ÉE, adj.**
**1.** Poussé à l'excès : *Une insolence **outrée**.* **2.** Vivement irrité, scandalisé : *Je suis **outré** de lire de telles inepties.* XIIIe s. ; p. p. de *outrer* ; [utʀe].

**OUTRECUIDANCE, subst. f.**
Littér. **1.** Confiance excessive en soi-même, fatuité, arrogance. **2.** Méton. Action ou propos insolent. 1223 ; anc. fr. *outrecuider*, « être présomptueux » ; [utʀəkɥidɑ̃s].

**OUTRECUIDANT, ANTE, adj.**
Qui manifeste de l'outrecuidance (littér.). Fin XIIe s. ; p. pr. de l'anc. fr. *outrecuider*, « être présomptueux » ; [utʀəkɥidɑ̃, ɑ̃t].

**OUTREMER, subst. m.**
**1.** *Minér.* Lapis-lazuli. **2.** Couleur d'un bleu intense ; empl. adj. inv. : *Un bleu **outremer**.* XIIe s. ; ☞ *outre-mer* ; [utʀəmɛʀ].

**OUTRE-MER, adv.**
Au-delà des mers, par rapport à un pays donné : *Départements et territoires d'**outre-mer** (D. O. M.-T. O. M.).* Fin XIe s. ; comp. de *outre* (I) et de *mer* ; [utʀəmɛʀ].

**OUTREPASSER, verbe trans.** [3]
Aller au-delà de (ce qui est permis) : ***Outrepasser** ses droits.* 1155 ; formé de *outre* (I) et de *passer* ; [utʀəpase].

**OUTRER, verbe trans.** [3]
**1.** Faire (qqch.) avec exagération, outrance, charger, forcer : *Cet acteur **outre** son jeu.* **2.** Indigner (qqn) violemment : *Son attitude m'a **outré** !* Déb. XVIIe s. (fin XIIe s., dépasser) ; ☞ *outre* (I) ; [utʀe].

**OUTRE-TOMBE (D'), loc. adj. inv.**
Qui est censé avoir été dit ou fait après la mort. 1832 ; comp. de *outre* (I) et de *tombe* ; [dutʀətɔ̃b].

**OUTSIDER, subst. m.**
**1.** *Turf.* Cheval qui ne figure pas parmi les favoris d'une course, mais qui peut la gagner. **2.** *Sp.* Ext. Concurrent d'une compétition, qui a des chances faibles mais réelles de gagner. 1859 ; angl. *outsider*, « qui est à l'écart » ; [autsajdœʀ].

**OUVERT, ERTE, adj. et subst. m.**
**Adj. 1.** Qui n'est pas fermé, qui laisse un passage : *Fenêtre **ouverte*** ; *Robinet **ouvert***, duquel un fluide sort. **2.** Que l'on peut utiliser, accessible, en partic. au public : *Route **ouverte*** ; *Parc **ouvert** jusqu'à 20 heures* ; par méton. : *Épicier **ouvert** le lundi.* ► *Lettre **ouverte** à qqn* (☞ *lettre*) ; *Question **ouverte*** : susceptible d'être discutée. **3.** Auquel tout individu ou seulement une catégorie de personnes peut participer : *Concours **ouvert** aux bacheliers.* **4.** Sans obstacle : *Des champs largement **ouverts*** ; *Rade **ouverte***, qui n'est pas abritée des vents. ► *Ville **ouverte*** : non fortifiée, ou non défendue en temps de guerre. **5.** Commencé : *L'enquête est **ouverte*** ; *Les paris sont **ouverts*** ; *La chasse est **ouverte***, la période où il est permis de chasser a commencé. **6.** Qui communique facilement avec autrui : *Une personne très **ouverte**.* **7.** Qui exprime la franchise, la sincérité, qui est accueillant : *Un visage **ouvert**.* **8.** Qui manifeste une curiosité intellectuelle, qui est sans préjugés : *Un esprit **ouvert**.* **9.** Qui se présente de manière claire aux yeux de tous : *Guerre **ouverte**.* **10.** Loc. *À bras **ouverts*** (☞ *bras*) ; *À cœur **ouvert*** : avec franchise, effusion ; *À livre **ouvert*** (☞ *livre*) ; *Lire comme dans un livre **ouvert** (dans qqn, qqch.)* : percevoir aisément ce qui est caché, secret ; *Rouler à tombeau **ouvert*** : si vite que l'on risque un accident mortel ; *Tenir table **ouverte*** : accueillir et nourrir les hôtes qui se présentent. **11.** *Spéc.* ► *Dr. Succession **ouverte*** : dont les ayants droit peuvent bénéficier. ► *Math. Intervalle **ouvert** dans un ensemble ordonné* : intervalle ne contenant pas ses extrémités. ► *Méd. Fracture **ouverte*** (☞ *fracture*) ; *Opération à cœur **ouvert*** : intervention chirurgicale à l'intérieur du muscle cardiaque. ► *Phon. Syllabe **ouverte*** : terminée par une voyelle ; *Voyelle **ouverte*** : prononcée avec une large aperture. ► *Sp. Compétition **ouverte*** : où plusieurs concurrents peuvent prétendre l'emporter. **Subst.** *Math.* ***Ouvert** d'un espace topologique E* : élément de la topologie de E ; *Axiomes des **ouverts*** (☞ *topologie*). 1210 ; p. p. de *ouvrir* ; [uvɛʀ, ɛʀt].

**OUVERTEMENT, adv.**
D'une manière ouverte, franche : *Soutenir **ouvertement** qqn.* Fin XIIe s. ; ☞ *ouvert* ; [uvɛʀtəmɑ̃].

**OUVERTURE, subst. f.**
**I.** Ce qui est ouvert. **1.** Espace, vide, trou, moyen de passage dans une construction, une paroi : ***Ouverture** pratiquée dans un mur* ; *Une petite fenêtre, seule **ouverture** sur le jardin.* **2.** Fig. Ce qui permet la communication avec l'extérieur : ***Ouverture** d'un pays sur le monde* ; *Politique d'**ouverture***, qui prône le dialogue, la recherche de compromis ; ***Ouverture** d'esprit*, qualité d'un esprit ouvert. **II.** État ou mesure de ce qui est ouvert : ***Ouverture** d'un compas, d'un angle.* ► *Phot.* ***Ouverture** relative d'un objectif* : rapport du diamètre du diaphragme à la distance focale. **III. 1.** Action d'ouvrir : *L'**ouverture** d'une porte, d'une boîte.* **2.** Fait d'ouvrir à la circulation : *L'**ouverture** d'une voie navigable.* **3.** Fait d'être créé, en parlant d'un établissement : *L'**ouverture** d'une librairie.* **4.** Fait d'être commencé, inauguré : *L'**ouverture** de la pêche.* **5.** Moment où un lieu est ouvert au public : *Jours d'**ouverture**.* **6.** *Spéc.* ► *Dr.* ***Ouverture** d'une succession* : moment où les héritiers peuvent entrer en possession des biens du défunt. ► *Fin.* ***Ouverture** de crédit* : contrat par lequel un établissement financier s'engage à fournir à un client une somme déterminée. ► *Jeux.* Action de commencer les enchères, les annonces ou le jeu, dans certains jeux de cartes. ► *Milit.* ***Ouverture** du feu* : début du tir. ► *Mus.* Prologue orchestral de certains ouvrages lyriques ; pièce orchestrale, gén. de vaste envergure, illustrant un sujet dramatique particulier. ► *Sp. Demi d'**ouverture*** : joueur de rugby qui amorce les offensives. Déb. XIIe s. (fin XIe s., linteau) ; lat. pop. °*opertura*, du lat. *apertura* ; [uvɛʀtyʀ].

**OUVRABLE, adj.**
**1.** Se dit d'un jour non férié, normalement consacré au travail. **2.** Qui peut être ouvré, en parlant d'un matériau. Fin XIIe s. ; ☞ *ouvrer* ; [uvʀabl].

**OUVRAGE, subst. m.**
**1.** Travail, mise en œuvre de qqch. : *Se mettre à l'**ouvrage*** ; spéc., travail rémunéré : *Procurer de l'**ouvrage** à qqn.* ► Loc. *Avoir du cœur à l'**ouvrage*** (☞ *cœur*). **2.** Objet produit par le travail d'un ouvrier, d'un artisan, d'un artiste : ***Ouvrage** de ferronnerie, d'orfèvrerie* ; ***Ouvrage** de dames*, travail de broderie, de couture ou exécuté aux aiguilles, au crochet (vieilli). ► Empl. subst. fém. : *De la belle **ouvrage***, du travail exécuté avec soin, compétence (fam.). **3.** *Spéc.* ► *Bât. Gros **ouvrage*** : le gros œuvre. ► *Fortif.* Élément défensif d'un ensemble fortifié, d'une position militaire. ► *Techn.* Partie contenant la ceinture de tuyères, dans un haut fourneau. ► *Trav. publ.* ***Ouvrage** d'art* : construction (pont, tunnel, viaduc, etc.) nécessitée par l'établissement d'une voie de communication. **4.** Effet, conséquence (littér.) : *L'**ouvrage** du temps.* **5.** Écrit littéraire, scientifique ; livre : ***Ouvrage** d'histoire.* XIIIe s. ; d'une forme anc. de *œuvre* ; [uvʀaʒ].

**OUVRAGÉ, ÉE, adj.**
Délicatement travaillé, orné avec minutie. XVe s. ; ☞ *ouvrage* ; [uvʀaʒe].

**OUVRAGER, verbe trans.** [5]
Travailler (qqch.) avec délicatesse et grande minutie (rare). Mil. XVIe s. ; ☞ *ouvrage* ; [uvʀaʒe].

**OUVRANT, ANTE, subst. m. et adj.**
**Subst.** *Bât.* Vantail qui peut s'ouvrir (par oppos. à *dormant*). **Adj.** Qui peut être ouvert : *Voiture à toit **ouvrant**.* XVIe s. ; p. pr. de *ouvrir* ; [uvʀɑ̃, ɑ̃t].

**OUVRÉ, ÉE, adj.**
**1.** Façonné. **2.** Orné, ornementé. **3.** *Jours **ouvrés*** : où l'on travaille. Déb. XIIe s. ; p. p. de *ouvrer* ; [uvʀe].

**OUVREAU, subst. m.**
*Techn.* Ouverture ménagée dans un four pour recevoir un brûleur, attirer l'air, surveiller la matière en fusion ou en prélever des échantillons. 1723 ; ☞ *ouvrir* ; [uvʀo].

**OUVRE-BOÎTE(S), subst. m.**
Ustensile servant à ouvrir les boîtes de conserves. 1929 ; comp. de *ouvrir* et de *boîte* ; plur. *ouvre-boîtes* ; [uvʀəbwat].

**OUVRE-BOUTEILLE(S), subst. m.**
Décapsuleur. 1935 ; comp. de *ouvrir* et de *bouteille* ; plur. *ouvre-bouteilles* ; [uvʀəbutɛj].

**OUVRER, verbe** [3]
**Intrans.** Œuvrer, travailler (vieilli ou région.). **Trans. 1.** Façonner (un matériau, un objet) pour le rendre utilisable. **2.** Orner de broderies : ***Ouvrer** du linge.* Fin Xe s. ; bas lat. *operare*, du lat. *operari* ; [uvʀe].

**OUVREUR (I), EUSE, subst.**
*Techn.* En papeterie, personne chargée de prendre la pâte dans la cuve et de l'étaler sur la forme. 1765 (déb. XIIIe s., ouvrier) ; ☞ *ouvrer* ; [uvʀœʀ, øz].

**OUVREUR (II), EUSE, subst.**
**1.** Personne dont la fonction est de placer les spectateurs, au théâtre ou au cinéma. **2.** *Jeux.* Personne qui fait l'ouverture, dans certains jeux de cartes. **3.** *Sp.* ► Skieur qui ouvre une piste. ► Pilote chargé de vérifier l'état du circuit avant une course automobile. 1680 (1611, celui qui ouvre) ; ☞ *ouvrir* ; [uvʀœʀ, øz].

**OUVRIER, IÈRE, subst. et adj.**
**Subst. 1.** Agent, auteur (vx ou littér.) : *Être l'**ouvrier** de sa ruine.* **2.** Salarié qui exécute un travail de production manuel : *Une **ouvrière** du textile* ; ***Ouvrier** spécialisé (O. S.)*, qui effectue un travail ne demandant pas de qualification professionnelle ; ***Ouvrier** qualifié*, ou *professionnel (O. Q.*, ou *O. P.)*, titulaire d'au moins un certificat d'aptitude professionnelle. ► ***Ouvrier** à façon* : à qui l'on fournit la matière du travail à réaliser et que l'on paye au forfait. ► ***Ouvrier** aux pièces* : payé en fonction du travail réalisé (vieilli). **Subst. fém.** *Zool.* Chez les insectes sociaux (fourmis, termites, abeilles), individu stérile mais socialement actif, assurant les tâches d'approvisionnement, de construction, de soins aux œufs et aux larves, et de défense. **Adj. 1.** Relatif aux **ouvriers**, au prolétariat : *Classe **ouvrière*** ; *Mouvement **ouvrier*** ; destiné aux **ouvriers** : *Cité **ouvrière**.* **2.** *Cheville **ouvrière*** (☞ *cheville*). Déb. XIIe s. ; lat. *operarius* ; [uvʀije, jɛʀ].

**OUVRIÉRISME, subst. m.**
*Pol.* **1.** Tendance à considérer le mouvement ouvrier comme prépondérant dans la révolution socialiste. **2.** Forme de démagogie consistant à flatter la classe ouvrière (péj.). 1878 ; ☞ *ouvrier* ; [uvʀijeʀism].

**OUVRIR, verbe** [27]
**Trans. 1.** Déplacer (une chose mobile) pour permettre une communication entre l'intérieur et l'extérieur : ***Ouvrir** un portail, une fenêtre.* ► Abs. **Ouvrir** une porte : *Va **ouvrir** !* **2.** Faire communiquer (un espace clos) avec l'extérieur en ôtant ou

en déplaçant qqch. de mobile : **Ouvrir** *une boîte, une valise.* **3.** Permettre l'accès à (un local, un lieu) : ***Ouvrir*** *un magasin le dimanche* ; ***Ouvrir*** *un port.* ► Fig. Rendre envisageable (qqch.) : *Son diplôme lui* ***ouvre*** *une belle carrière.* **4.** Créer, rendre utilisable (une voie) : ***Ouvrir*** *une rue à la circulation.* ► ***Ouvrir*** *la route, la piste* : la parcourir en premier pour vérifier son état. **5.** Écarter, déployer (ce qui est joint, replié) : ***Ouvrir*** *la bouche, les bras* ; ***Ouvrir*** *un livre* ; ***Ouvrir*** *des huîtres* ; ***Ouvrir*** *un parapluie.* **6.** Pratiquer (une ouverture) en creusant : ***Ouvrir*** *une brèche* ; fendre, percer (qqch.) : ***Ouvrir*** *un melon* ; ***Ouvrir*** *un abcès.* **7.** Mettre en marche, allumer : ***Ouvrir*** *la radio, la lumière.* **8.** Commencer, mettre en train : ***Ouvrir*** *la pêche* ; ***Ouvrir*** *une enquête.* ► *Comm.* ***Ouvrir*** *un compte à qqn* : porter sur ses livres le nom de qqn avec qui on entre en relations commerciales. ► *Fin.* ***Ouvrir*** *un compte bancaire* : le faire mettre à son nom et y déposer une somme. ► *Jeux.* ***Ouvrir*** *le score* : marquer le premier point. ► *Milit.* ***Ouvrir*** *le feu* : commencer à tirer. **9.** Créer, fonder (un établissement destiné au public) : ***Ouvrir*** *un restaurant, un musée.* **10.** Fig. ► ***Ouvrir*** *l'œil* : être attentif, aux aguets. ► ***Ouvrir*** *les yeux de qqn* : lui faire prendre conscience de la réalité. ► ***Ouvrir*** *son cœur à qqn* : lui confier ses sentiments, ses pensées. ► ***Ouvrir*** *l'esprit de qqn* : l'éveiller, le rendre plus apte à comprendre. ► ***Ouvrir*** *l'appétit* : donner faim. ► ***Ouvrir*** *des horizons, des perspectives* : laisser entrevoir de nouvelles possibilités. **Intrans. 1.** Être ouvert : *Boutique qui* ***ouvre*** *le lundi.* **2. Ouvrir sur.** Donner accès à, donner vue sur : *La porte* ***ouvre*** *sur la rue, et la fenêtre* ***ouvre*** *sur le parc.* **3.** *Jeux.* Jouer les premiers coups, commencer les enchères, la mise. **Pronom. 1.** Devenir ouvert : *Cette porte* ***s'ouvre*** *mal.* **2.** S'écarter, se déployer : *La foule* ***s'ouvrait*** *sur son passage* ; *Son parachute ne* ***s'est*** *pas* ***ouvert*** ; *Les fleurs* ***s'ouvrent***, s'épanouissent. **3.** Commencer, débuter : *La session parlementaire* ***s'ouvrit*** *par, sur un discours.* **4.** Fig. **S'ouvrir à.** ► Se laisser pénétrer par : *Ce pays* ***s'ouvre*** *au tourisme.* ► ***S'ouvrir*** *à qqn* : se confier (vieilli). Fin x^e s. ; lat. pop. °*operire*, du lat. *aperire* ; [uvʀiʀ].

**OUVROIR,** subst. m.
**1.** Lieu où les religieuses se rassemblent pour travailler, dans un couvent (vieilli). **2.** Atelier de charité. 1694 (fin xii^e s., atelier) ; ☞ *ouvrer* ; [uvʀwaʀ].

**OUZBEK,** subst. et adj.
D'une ethnie turque d'Asie centrale ; spéc., d'Ouzbékistan. **Subst. masc.** Langue du groupe turc parlée en Ouzbékistan. 1676 ; mot turc ; var. *uzbek* ; [uzbɛk].

**OUZO,** subst. m.
Liqueur anisée grecque. 1937 ; mot grec ; [uzo].

**OVAIRE,** subst. m.
**1.** *Anat.* Double glande génitale femelle porteuse du follicule où mûrit l'ovule avant d'être expulsé dans la trompe. *L'***ovaire** intervient dans la régulation du cycle menstruel par la sécrétion des œstrogènes et de la progestérone. **2.** *Bot.* Partie basale du gynécée des végétaux supérieurs. *L'***ovaire**, qui contient les ovules, se transforme en fruit après la fécondation, les ovules évoluant en graines. 1672 ; lat. sc. *ovarium*, du lat. *ovum*, « œuf » ; [ɔvɛʀ].

**OVALBUMINE,** subst. f.
*Biochim.* Albumine du blanc d'œuf. 1900 ; formé du lat. *ovum*, « œuf », et de *albumine* ; [ɔvalbymin].

**OVALE,** adj. et subst. m.
**Adj. 1.** Qui a la forme d'une courbe fermée et allongée, rappelant celle d'un œuf. **2.** *Géom.* Se dit d'une courbe fermée, convexe, allongée et symétrique et d'un plan délimité par une telle courbe. **Subst. 1.** Figure ou forme ovale : *L'***ovale** *du visage.* **2.** *Géom.* Désigne certaines courbes planes ayant deux axes de symétrie orthogonaux (qui ne sont pas nécessairement de forme **ovale**). 1377 ; lat. *ovum*, « œuf » ; [ɔval].

**OVALISATION,** subst. f.
*Techn.* Usure inégale d'une pièce ou d'une cavité cylindrique, qui tend à la rendre ovale. 1861 ; *ovaliser* (rare), « rendre ovale » ; [ɔvalizasjɔ̃].

**OVARIECTOMIE,** subst. f.
*Chir.* Ablation d'un ou des deux ovaires. 1901 ; lat. *ovarium*, « ovaire », + *-ectomie* ; [ɔvaʀjɛktɔmi].

**OVARIEN, IENNE,** adj.
Relatif à l'ovaire. 1820 ; ☞ *ovaire* ; [ɔvaʀjɛ̃, jɛn].

**OVATION,** subst. f.
**1.** *Antiq. rom.* Honneur, moins important que le triomphe, rendu à un général victorieux. **2.** Acclamation, manifestation par laquelle un public rend honneur à qqn. 1520 ; lat. *ovatio* ; [ɔvasjɔ̃].

**OVATIONNER,** verbe trans. [3]
Acclamer, faire une ovation à (qqn). 1894 ; ☞ *ovation* ; [ɔvasjɔne].

**OVE,** subst. m.
*Archit.* Élément d'ornement en relief, en forme d'œuf. 1622 ; lat. *ovum*, « œuf » ; [ɔv].

**OVERDOSE,** subst. f.
Anglic. Dose excessive de drogue ; au fig., trop-plein. V. 1970 ; angl. *overdose*, de *over*, « excessif », et de *dose*, « dose » ; recomm. off. *surdose* ; [ɔvœʀdoz] ou [ɔvɛʀ-].

**OVERDRIVE,** subst. m.
*Autom.* Système permettant de surmultiplier les rapports d'une boîte de vitesses (anglic.). 1956 ; angl. *overdrive*, de *over*, « par-dessus », et de *drive*, « conduite » ; [ɔvœʀdʀajv] ou [ɔvɛʀ-].

**OVIBOS,** subst. m.
*Zool.* Mammifère ruminant du Grand Nord, poilu et massif, appelé aussi bœuf musqué. 1816 ; lat. *ovis*, « brebis », et *bos*, « bœuf » ; [ɔvibɔs].

**OVIDÉS,** subst. m. plur.
*Zool.* Famille regroupant les moutons, les mouflons et les chèvres, rattachée aujourd'hui à la famille des Bovidés. **Au sing.** *L'ibex des Pyrénées est un* ***ovidé.*** 1891 ; lat. *ovis*, « brebis » ; [ɔvide].

**OVIDUCTE,** subst. m.
*Zool.* Chez les oiseaux, conduit par lequel l'œuf est expulsé. 1771 ; lat. *ovum*, « œuf », et *ductus*, « conduit » ; [ɔvidykt].

**OVIN, INE,** adj. et subst. m.
**Adj.** Relatif aux moutons. **Subst.** *Élev.* Animal appartenant au cheptel **ovin** : *La brebis est un* ***ovin.*** 1278 ; lat. *ovis*, « brebis » ; [ɔvɛ̃, in].

**OVINÉS,** subst. m. plur.
*Zool.* Sous-famille de Bovidés, comprenant toutes les espèces de chèvres, de mouflons et de moutons. **Au sing.** *Le cabri est un* ***oviné.*** 1923 ; lat. *ovis*, « brebis » ; [ɔvine].

**OVIPARE,** adj. et subst.
*Zool.* Se dit d'un animal dont la femelle pond des œufs. 1518 ; lat. *oviparus* ; [ɔvipaʀ].

**OVIPARITÉ,** subst. f.
Mode de reproduction des animaux ovipares. 1840 ; ☞ *ovipare* ; [ɔvipaʀite].

**OVIPOSITEUR,** subst. m.
*Zool.* Organe de ponte tubulaire permettant à certains insectes et poissons d'enfouir leurs œufs (synon. *tarière, oviscapte*). 1877 ; lat. *ovum*, « œuf », et *positor*, « qui place » ; [ɔvipozitœʀ].

**OVNI,** subst. m.
Objet aperçu dans le ciel, gén. considéré comme un engin extraterrestre. V. 1970 ; acron. de *objet volant non identifié* ; [ɔvni].

**OVOCYTE,** subst. m.
*Biol.* Stade d'évolution des gamètes femelles correspondant au déroulement de la méiose. Chez les Vertébrés et beaucoup d'invertébrés, la fécondation a lieu au stade ovocytaire. 1899 ; lat. *ovum*, « œuf », + *-cyte* ; var. *oocyte* ; [ɔvosit].

**OVOGENÈSE,** subst. f.
*Biol.* Étape de formation de l'ovule par un processus de différenciation cellulaire. 1899 ; lat. *ovum*, « œuf », + *-genèse* ; var. *oogenèse* ; [ovoʒənɛz].

**OVOÏDE,** adj.
Qui a la forme d'un œuf ; empl. subst. masc. : *Un* ***ovoïde.*** 1758 ; lat. *ovum*, « œuf », + *-oïde* ; [ɔvɔid].

**OVOTIDE,** subst. m.
*Biol.* Stade d'évolution que les gamètes femelles des animaux peuvent atteindre après la méiose. Lat. *ovum*, « œuf » ; [ɔvɔtid].

**OVOVIVIPARE,** adj. et subst.
*Zool.* Se dit des animaux dont les œufs éclosent à l'intérieur du corps de la mère. 1805 ; formé du lat. *ovum*, « œuf », et de *vivipare* ; [ɔvɔvivipaʀ].

**OVOVIVIPARITÉ,** subst. f.
Mode de reproduction des animaux ovovivipares. 1893 ; ☞ *ovovivipare* ; [ɔvɔvivipaʀite].

**OVULAIRE,** adj.
*Biol.* Relatif à l'ovule. 1820 ; ☞ *ovule* ; [ɔvylɛʀ].

**OVULATION,** subst. f.
*Biol.* Libération d'un ovule produit par l'ovaire chez les Mammifères, stimulée par la progestérone. 1844 ; ☞ *ovule* ; [ɔvylasjɔ̃].

**OVULE,** subst. m.
**1.** *Bot.* Un des organes de reproduction femelle chez les Phanérogames, qui renferme le gamète femelle (ou oosphère) et se transforme en graine après fécondation. **2.** *Biol.* Stade final, faisant suite au stade ovotide, qu'atteignent très rarement les gamètes femelles des animaux. **3.** *Pharm.* Petit corps ovoïde, administré par voie vaginale, renfermant une substance médicamenteuse dans un excipient gras. 1798 ; lat. *ovum*, « œuf » ; [ɔvyl].

**OVULER,** verbe intrans. [3]
Avoir une ovulation. V. 1970 ; ☞ *ovule* ; [ɔvyle].

**OXACIDE,** subst. m.
*Chim.* Composé acide dans lequel le ou les atomes d'hydrogène sont liés à des atomes d'oxygène. 1823 ; crois. de *oxygène* et de *acide* ; [ɔksasid].

**OXALATE,** subst. m.
*Chim.* Sel ou ester de l'acide oxalique. 1787 ; lat. *oxalis*, du gr. *oxalis*, « oseille » ; [ɔksalat].

**OXALIDE,** subst. f.
*Bot.* Plante herbacée type de la famille des Oxalidacées, à saveur acidulée. 1559 ; lat. *oxalis*, du gr. *oxalis*, « oseille » ; var. *un oxalis* ; [ɔksalid].

**OXALIQUE,** adj.
*Chim.* Qualifie un acide, de formule HOOC—COOH, présent dans certains végétaux. 1787 ; lat. *oxalis*, du gr. *oxalis*, « oseille » ; [ɔksalik].

**OXER,** subst. m.
*Équit.* Obstacle formé de deux barres parallèles soutenues par des croisillons. 1924 ; angl. *oxer*, de *ox-fence*, « barrière de pâture » ; [ɔksɛʀ].

**OXFORD,** subst. m.
Tissu de coton à grain accentué, dont la trame et la chaîne ne sont pas de la même teinte. 1873 ; topon. *Oxford* (Grande-Bretagne) ; [ɔksfɔʀd].

**OXHYDRIQUE,** adj.
*Chim. Mélange* ***oxhydrique*** : mélange gazeux d'oxygène et d'hydrogène dont la combustion dégage une forte chaleur. 1867 ; ☞ *oxygène* + *-hydrique* ; [ɔksidʀik].

**OXIME,** subst. f.
*Chim.* Composé résultant de l'interaction entre un aldéhyde ou une cétone et un hydroxylamine, comprenant le groupement C=NOH. 1890 ; crois. de *oxygène* et de *imide*, un dérivé de l'ammoniac, par l'all. ; [ɔksim].

**OXONIUM,** subst. m.
*Chim.* Ion $R_3O^+$, dans lequel R indique l'hydrogène ou un groupement organique. 1903 ; ☞ *oxygène*, d'apr. *ammonium* ; [ɔksɔnjɔm].

**OXYACÉTYLÉNIQUE,** adj.
*Techn.* Relatif au mélange d'oxygène et d'acétylène : *Chalumeau* ***oxyacétylénique***, qui utilise un tel mélange. 1903 ; crois. de *oxygène* et de *acétylénique* ; [ɔksiasetilenik].

**OXYCARBONÉ, ÉE,** adj.
*Chim.* Se dit d'un corps qui a fixé de l'oxyde de carbone. 1879 ; crois. de *oxygène* et de *carboné* ; [ɔksikaʀbɔne].

**OXYCHLORURE,** subst. m.
*Chim.* Composé contenant des atomes d'oxygène et de chlore, combinés à un autre élément. 1845 ; crois. de *oxygène* et de *chlorure* ; [ɔksiklɔʀyʀ].

**OXYCOUPAGE,** subst. m.
*Techn.* Découpage au chalumeau. 1941 ; crois. de *oxygène* et de *découpage* ; [ɔksikupaʒ].

**OXYCRAT,** subst. m.
*Antiq. gr.* Boisson composée d'eau et de vinaigre. Fin xiv^e s. ; gr. *oxukraton* ; [ɔksikʀa].

**OXYDABLE,** adj.
Qui peut être oxydé. 1789 ; ☞ *oxyder* ; [ɔksidabl].

**OXYDANT, ANTE,** adj. et subst. m.
*Chim.* Se dit d'un corps qui peut oxyder. 1791 ; p. pr. de *oxyder* ; [ɔksidɑ̃, ɑ̃t].

**OXYDASE,** subst. f.
*Biochim.* Enzyme catalysant une réaction où l'oxygène ($O_2$) intervient comme accepteur d'électron. 1896 ; ☞ *oxyde* ; [ɔksidaz].

**OXYDATION,** subst. f.
*Chim.* Réaction chimique dans laquelle le composé considéré (atome ou molécule) perd des électrons. 1788 ; ☞ *oxyder* ; [ɔksidasjɔ̃].

**OXYDE,** subst. m.
*Chim.* Corps composé d'un (monoxyde), de deux

(dioxyde) ou de plusieurs (trioxyde, par ex.) atomes d'oxygène combinés à un autre élément. 1787 ; gr. *oxus*, « pointu », d'apr. *acide* ; [ɔksid].

**OXYDER,** verbe trans. [3]
*Chim.* Faire subir la réaction d'oxydation à (un composé, un élément). 1787 ; ☞ *oxyde* ; [ɔkside].

**OXYDORÉDUCTION,** subst. f.
*Chim.* Réaction faisant intervenir un transfert d'électrons d'un composé à un autre. Déb. XXe s. ; crois. de *oxydation* et de *réduction* ; [ɔksidoʀedyksjɔ̃].

**OXYGÉNATION,** subst. f.
Action d'oxygéner ou de s'oxygéner ; son résultat. 1824 (1789, oxydation) ; ☞ *oxygéner* ; [ɔksiʒenasjɔ̃].

**OXYGÈNE,** subst. m.
**1.** *Chim.* Élément n° 8 de la table de Mendeleïev (symb. : O) ; masse atomique : 16 ; point de fusion : - 218,4 °C ; point d'ébullition : - 183 °C ; masse volumique : 1,14 g/cm$^3$. C'est l'élément le plus abondant du globe terrestre ; il représente 28 % du volume des gaz de l'atmosphère terrestre et est nécessaire aux organismes à respiration aérobie. **2.** Corps pur, gaz incolore de formule $O_2$ (dioxygène). **3.** Air pur : *Faire une cure d'**oxygène** à la montagne* ; au fig., ce qui stimule, dynamise : *Une baisse des impôts donnerait une bouffée d'**oxygène** aux entreprises.* 1783 ; gr. *oxus*, « aigu ; acide », + *-gène* ; [ɔksiʒɛn].

**OXYGÉNÉ, ÉE,** adj.
**1.** *Chim.* Qui contient de l'oxygène. ► *Eau **oxygénée*** (☞ *eau*). **2.** Décoloré à l'eau **oxygénée** : *Cheveux **oxygénés**.* 1787 ; p. p. de *oxygéner* ; [ɔksiʒene].

**OXYGÉNER,** verbe trans. [3]
**1.** Enrichir en oxygène. **2.** Décolorer (les cheveux) à l'eau oxygénée. PRONOM. Fixer de l'oxygène ; par méton., respirer de l'air pur (fam.) : *Elle partit s'**oxygéner** à la mer.* 1787 ; ☞ *oxygène* ; [ɔksiʒene].

**OXYGÉNOTHÉRAPIE,** subst. f.
*Méd.* Méthode thérapeutique de traitement par l'oxygène ($O_2$), administré par inhalations, et, dans certains cas, par sonde. 1917 ; formé de *oxygène* et de *thérapie* ; [ɔksiʒenoteʀapi].

**OXYHÉMOGLOBINE,** subst. f.
*Biol.* Produit de la combinaison chimique de l'oxygène respiré et de l'hémoglobine, se dissociant au niveau des tissus pour libérer l'oxygène en direction des cellules. 1874 ; crois. de *oxygène* et de *hémoglobine* ; [ɔksiemɔglɔbin].

**OXYMEL,** subst. m.
*Pharm.* Ancienne préparation, à base d'eau, de vinaigre et de miel. Mil. XIIIe s. ; gr. *oxumeli*, de *oxus*, « aigu ; aigre », et de *meli*, « miel » ; [ɔksimɛl].

**OXYMORE,** subst. m.
*Rhét.* Figure consistant à associer deux mots apparemment contradictoires (par ex. : « Une obscure clarté »). 1765 ; gr. *oxumôron*, de *oxus*, « aigu », et de *môros*, « sot » ; var. *oxymoron* ; [ɔksimɔʀ].

**OXYSULFURE,** subst. m.
*Chim.* Corps dont la molécule comporte des atomes d'oxygène, de soufre et d'un autre élément. 1836 ; crois. de *oxyde* et de *sulfure* ; [ɔksisylfyʀ].

**OXYTON,** subst. m.
*Ling.* Mot ayant un accent tonique sur sa dernière syllabe. 1570 ; gr. *oxutonos*, « ton aigu » ; [ɔksitɔ̃].

**OXYURE,** subst. m.
*Zool.* Petit ver blanc filiforme, parasite intestinal de l'homme, en partic. de l'enfant, qui provoque de vives démangeaisons de l'anus. 1809 ; gr. *oxus*, « aigu ; pointu », et *oura*, « queue » ; [ɔksjyʀ].

**OYAT,** subst. m.
*Bot.* Plante de la famille des Poacées, utilisée pour fixer les dunes. Déb. XVe s. ; mot pic. ; [ɔja].

© P. Thomas-Explorer

*Dune plantée d'oyats.*

**oz,** voir **ONCE (I)**

**OZALID,** subst. m. inv.
*Impr.* Épreuve positive tirée sur un papier dont l'émulsion est faite de composés diazoïques. V. 1960 ; anagramme de *diazol* ; n. déposé ; [ozalid].

**OZÈNE,** subst. m.
*Pathol.* Rhinite chronique caractérisée par la formation de croûtes nauséabondes, liée à une atrophie des muqueuses. 1478 ; lat. *ozaeua*, « polype à odeur fétide », du gr. *ozein*, « exhaler une odeur » ; [ozɛn].

**OZOCÉRITE,** subst. f.
*Minér.* Hydrocarbure naturel qui ressemble à de la cire. 1840 ; gr. *ozo*, « odeur », et *keros*, « cire » ; var. *ozokérite* ; [ozoseʀit].

**OZONATEUR,** voir **OZONISEUR**

**OZONATION,** voir **OZONISATION**

**OZONE,** subst. m.
*Chim.* Gaz incolore (bleu sous une certaine épaisseur) de formule $O_3$ (trioxygène), soluble dans l'eau froide. Dangereux à respirer mais puissant oxydant et bactéricide, il est utilisé pour stériliser les eaux et en ozonothérapie. ► ***Ozone** atmosphérique* : formé par la photodissociation (action des rayonnements de haute énergie) des molécules d'$O_2$ dans l'homosphère, il empêche les rayons ultraviolets courts d'atteindre le sol. ► *Trou d'**ozone*** : dans l'ozonosphère, zone de raréfaction de l'ozone, située au niveau des pôles (ce phénomène, qui a lieu au printemps, a tendance à s'accentuer chaque année, probablement du fait des rejets de composés halogènes dans l'atmosphère). 1845 ; all. *Ozon*, du gr. *ozein*, « exhaler une odeur » ; [ozon].

**OZONER,** voir **OZONISER**

**OZONEUR,** voir **OZONISEUR**

**OZONISATION,** subst. f.
*Techn.* Action d'ozoniser ; son résultat. 1857 ; ☞ *ozoniser* ; var. *ozonation* ; [ozonizasjɔ̃].

**OZONISER,** verbe trans. [3]
**1.** *Chim.* Transformer (de l'oxygène) en ozone. **2.** *Techn.* Traiter (un corps) par l'ozone pour le purifier ou le transformer. 1845 ; ☞ *ozone* ; var. *ozoner* ; [ozonize].

**OZONISEUR,** subst. m.
*Techn.* Appareil permettant de transformer une partie de l'oxygène ($O_2$) en ozone, utilisé en partic. en ozonothérapie. 1874 ; ☞ *ozoniser* ; var. *ozoneur*, *ozonateur* ; [ozonizœʀ].

**OZONOSPHÈRE,** subst. f.
*Météor.* Couche de l'atmosphère, située à une altitude comprise entre 15 et 40 km, qui renferme la majeure partie de l'ozone atmosphérique. V. 1950 ; crois. de *ozone* et de *atmosphère* ; [ozonɔsfɛʀ].

**OZONOTHÉRAPIE,** subst. f.
*Méd.* Traitement par un mélange d'oxygène et d'ozone, sous forme de bains, de douches (anales, cutanées, nasales, otiques, urétrales, vaginales) ou d'injections, en partic. sous-cutanées. XXe s. ; formé de *ozone* et de *thérapie* ; [ozonoteʀapi].

*Plage ombragée de palmiers.* © Stock Image

**P, subst. m. inv.**
**1.** Seizième lettre et douzième consonne de l'alphabet. Elle est muette à la fin des mots (par ex. dans « drap », « coup », « sirop ») et à l'intérieur de certains mots (par ex. dans « baptême », « compte », « sculpture ») ; elle entre dans le digramme *ph*, prononcé [f] (par ex. dans « philosophie »). **2.** Abrév. et Symb. ▸ p., pp. : page, pages. ▸ *Chim.* P : phosphore. ▸ *Mus. p.* : piano ; *pp.* : pianissimo. [pe].

**Pa, voir PASCAL (II)**

**Pa, voir PROTACTINIUM**

**PACAGE, subst. m.**
**1.** Action de faire paître le bétail. ▸ *Droit de pacage* : droit de faire paître le bétail. **2.** Lieu de pâture. 1588 (mil. XIVe s., repas) ; bas lat. °*pascuatium*, du lat. *pascuum*, « pâturage » ; [pakaʒ].

**PACAGER, verbe [5]**
**Intrans.** Paître. **Trans.** Faire paître (le bétail). 1596 ; ☞ *pacage* ; [pakaʒe].

**PACANE, subst. f.**
*Pacane* ou *Noix (de) pacane* : noix du pacanier, dont l'amande est comestible (synon. *pécan*). 1721 ; orig. algonquine ; [pakan].

**PACANIER, subst. m.**
*Bot.* Grand arbre fruitier d'Amérique, de la famille des Juglandacées. 1721 ; ☞ *pacane* ; [pakanje].

**PACEMAKER, subst. m.**
**1.** *Physiol.* Région du cœur qui assure le rythme cardiaque. **2.** *Méd.* Stimulateur cardiaque (anglic.). 1949 (1891, personne qui entraîne un cycliste) ; angl. *pacemaker*, de *pace*, « pas, allure », et de *maker*, « celui qui fait » ; [pɛsmɛkœʀ].

**PACHA, subst. m.**
**1.** *Hist.* Gouverneur d'une province, dans l'ancien Empire ottoman. **2.** Ext. Titre (postposé ou non) honorant une haute fonction dans l'Empire ottoman et dans certains pays musulmans. ▸ Loc. *Vie de pacha* : vie fastueuse (fam.). **3.** *Mar.* Commandant d'un navire (argot milit.). Fin XIVe s. ; turc *paşa* ; [paʃa].

**PACHTO, subst. m.**
Langue indo-européenne du groupe iranien parlée en Afghanistan et écrite avec l'alphabet arabe (synon. *afghan*). Mot indo-iranien ; var. *pachtou*, *pashto* ; [paʃto].

**PACHYDERME, adj. et subst. m. plur.**
*Zool.* **Adj.** Vx. Qui a une peau épaisse. **Subst.** Ancien ordre de mammifères à peau épaisse, auj. divisé en Proboscidiens, Périssodactyles et Artiodactyles ; au sing. : *L'éléphant, comme l'hippopotame et le rhinocéros, est un* ***pachyderme****.* 1616 ; gr. *pakhudermos* ; [paʃidɛʀm].

**PACHYDERMIE, subst. f.**
*Pathol.* Épaississement de la peau. 1878 ; gr. *pakhudermiē* ; [paʃidɛʀmi].

**PACIFICATEUR, TRICE, subst. et adj.**
**Subst.** Personne qui restaure la paix. **Adj.** Qui vise à rétablir la paix ; qui apaise les cœurs ou les esprits. Déb. XVIe s. ; lat. *pacificator* ; [pasifikatœʀ, tʀis].

**PACIFICATION, subst. f.**
Action de pacifier : *La* ***pacification*** *de la Vendée.* Déb. XIVe s. ; lat. *pacificatio* ; [pasifikasjɔ̃].

**PACIFIER, verbe trans. [6]**
**1.** Restaurer la paix publique dans (un pays), chez (un peuple). **2.** Fig. Faire recouvrer la sérénité à, apaiser : ***Pacifier*** *les esprits.* 1487 (1250, faire la paix) ; lat. *pacificare* ; [pasifje].

**PACIFIQUE, adj.**
**1.** Qui aspire à la paix ; qui répugne à la violence. **2.** Qui s'attache à maintenir ou à restaurer la paix : *La mission* ***pacifique*** *de l'O. N. U.* **3.** Qui se passe sans violence, paisible : *Manifestation* ***pacifique****.* ▸ *L'océan* ***Pacifique*** : ainsi nommé car Magellan n'y aurait affronté aucune tempête. Mil. XVe s. ; lat. *pacificus*, « qui établit la paix » ; [pasifik].

**PACIFIQUEMENT, adv.**
De manière pacifique, sans recours à la violence. Déb. XIVe s. ; ☞ *pacifique* ; [pasifikmɑ̃].

**PACIFISME, subst. m.**
Doctrine ou attitude qui privilégie la recherche et le maintien de la paix entre les peuples (en partic. en prônant le désarmement). 1845 ; ☞ *pacifique* ; [pasifism].

**PACIFISTE, subst. et adj.**
Se dit d'une personne partisane de la paix, du pacifisme. **Adj.** Favorable ou relatif à la paix, au pacifisme. 1906 ; ☞ *pacifique* ; [pasifist].

**PACK, subst. m.**
**1.** *Mar.* Agglomérat de glace à la dérive, détaché de la banquise. **2.** *Sp.* Au rugby, le groupe des huit avants. **3.** Emballage contenant un lot de produits identiques (anglic.) : *Acheter trois* ***packs*** *de bière.* 1817 ; angl. *pack*, « paquet » ; [pak].

**PACKAGE, subst. m.**
Anglic. **1.** Ensemble regroupant des programmes micro-informatiques pouvant répondre à divers besoins. **2.** Ensemble de prestations ou de services proposés à un prix forfaitaire (recomm. off. *achat groupé*). V. 1970 ; angl. *package*, « emballage » ; [paka(d)ʒ] ou [-kɛdʒ].

**PACKAGEUR, subst. m.**
*Édition.* Professionnel qui réalise des ouvrages pour le compte d'un éditeur. V. 1970 ; ☞ *package* ; var. *packager* ; [paka(d)ʒœʀ] ou [-kɛdʒœʀ].

**PACKAGING, subst. m.**
Technique d'emballage et de mise en valeur d'un produit (anglic.). V. 1980 ; mot angl. ; recomm. off. *conditionnement* ; [paka(d)ʒiŋ] ou [-kɛdʒiŋ].

**PACOTILLE, subst. f.**
**1.** Vx. *Mar.* Petite quantité de marchandises que chaque passager ou membre d'équipage d'un navire pouvait embarquer afin d'en faire commerce. **2.** Ext. Ensemble de marchandises destinées à l'échange ou au commerce dans les contrées lointaines. **3.** Marchandise de piètre qualité (péj.). ▸ Loc. *De* ***pacotille*** : sans valeur ou, au fig., dérisoire. 1711 ; prob. esp. *pacotilla* ; [pakɔtij].

**PACQUAGE, subst. m.**
Action de pacquer. 1583 ; ☞ *pacquer* ; [pakaʒ].

**PACQUER, verbe trans. [3]**
Conditionner (du poisson salé) en baril. 1423 ; m. fr. *pacque*, du néerl. *pak*, « paquet » ; [pake].

**PACSON, subst. m.**
Paquet (argot.). 1899 ; ☞ *paquet* ; var. *paqson*, *paxon* ; [paksɔ̃].

**PACTE, subst. m.**
Accord, convention solennelle liant des États ou des particuliers : ***Pacte*** *de non-agression* ; ***Pacte*** *atlantique.* Déb. XIVe s. ; lat. *pactum* ; [pakt].

**PACTISER, verbe intrans. [3]**
**1.** Conclure un pacte. **2.** Ext. Composer (avec qqn ou qqch.). Mil. XIVe s. ; ☞ *pacte* ; [paktize].

**PACTOLE, subst. m.**
**1.** Source de richesse (littér.). **2.** Ext. Grosse somme d'argent (fam.). 1800 ; *Pactole*, rivière légendaire de Lydie, qui roulait du sable d'or ; [paktɔl].

**PADDOCK, subst. m.**
**1.** Enclos réservé aux juments et à leurs poulains. ▸ *Hippisme.* Enceinte où les chevaux sont promenés en main, avant la course. **2.** Anal. Espace réservé aux écuries de courses, sur un circuit automobile. **3.** Lit (pop.). 1828 ; mot angl. ; [padɔk].

**PADDY, subst. m.**
Riz encore enveloppé dans sa balle. 1785 ; angl. *paddy*, du malais *pādī* ; [padi].

**PADICHAH, subst. m.**
*Hist.* Titre porté par l'empereur des Turcs. 1697 ; persan *pādešāh*, « souverain », de *pād*, « maître », et de *šāh*, « roi » ; var. *padicha*, *padischah* ; [padiʃa].

**PADOU, subst. m.**
Ruban de soie et de fil mêlés. 1642 ; topon. *Padoue* (Italie) ; var. *padoue* ; [padu].

**PÆAN, voir PÉAN**

**PAELLA, subst. f.**
*Cuis.* Plat espagnol, à base de riz au safran, de fruits de mer, de chorizo et de viandes. 1926 ; esp. *paella*, « poêle » ; var. *paëlla* ; [paɛla] ou [-elja].

**PAF (I), interj.**
Sert à suggérer une action soudaine, le bruit d'un coup, d'une chute. 1751 ; onomat. ; [paf].

**PAF (II), adj. inv.**
Ivre, soûl (pop.). 1806 ; *paffé*, de *se paffer* (rare), « se gaver » ; [paf].

**PAGAIE, subst. f.**
Rame courte, à une ou deux pelles, que l'on manie à deux mains pour faire avancer une embarcation légère. 1686 ; malais *pengāyuh* ; [pagɛ].

**PAGAILLE, subst. f.**
Fam. Désordre ; confusion. ▸ Loc. *En* ***pagaille*** : en désordre et, par ext., à profusion. 1773 ; p.-ê. *pagaie* ; var. *pagaïe* ; [pagaj].

**PAGANISER, verbe trans. [3]**
Rendre païen. 1836 (1445, agir en païen) ; lat. chrét. *paganizare*, « participer à des rites païens » ; [paganize].

**PAGANISME, subst. m.**
Nom donné par les premiers chrétiens aux cultes polythéistes, en partic. gréco-romains, de l'Antiquité. 1546 ; lat. chrét. *paganismus* ; [paganism].

**PAGAYER, verbe intrans.** [15]
Ramer à l'aide d'une pagaie. 1686 ; ☞ *pagaie* ; [pagɛje] ou [-ge-].

**PAGAYEUR, EUSE, subst.**
Personne qui rame avec une pagaie. 1691 ; ☞ *pagayer* ; [pagɛjœʀ, øz].

**PAGE (I), subst. f.**
**1.** Chacune des deux faces d'une feuille de papier : *Les **pages** d'un cahier.* ▸ Loc. *Être à la **page*** : à la mode. ▸ *Impr. Belle **page*** : celle de droite ; *Fausse **page*** : celle de gauche ; *Mise en **page(s)*** (☞ *mise*). **2.** Ext. Feuille : *Arracher une **page**.* ▸ Loc. *Tourner la **page*** : passer à autre chose. **3.** Méton. Contenu d'une page : *Finir sa **page*** ; *La **page** sportive d'un quotidien* ; passage d'une œuvre littéraire ou musicale. ▸ Fig. Moment de la vie ; période : *Une des plus belles **pages** de l'histoire de France.* **4.** *Informat.* ▸ Unité de référence du contenu d'une mémoire : *Des **pages** de 4 096 octets.* ▸ *Page-écran* : ensemble des informations pouvant s'afficher sur toute la surface de l'écran d'un ordinateur. 1155 ; lat. *pagina* ; [paʒ].

**PAGE (II), subst. m.**
Jeune garçon noble qui était attaché au service d'un prince, d'un seigneur ou d'une grande dame. XIVe s. (déb. XIIIe s., valet) ; orig. obsc. ; [paʒ].

**PAGEL, subst. m.**
*Zool.* Poisson de la famille des Sparidés, de couleur gris argenté ou rosâtre, des mers chaudes et tempérées. 1552 ; anc. prov. *pagel*, du lat. *pager*, « pagre » ; var. *pageot, une pagelle* ; [paʒɛl].

**PAGEOT, subst. m.**
Lit (pop.). 1895 ; *paillot* (vx), « petite paillasse » ; var. *pajot* ; [paʒo].

**PAGINATION, subst. f.**
Action de numéroter les pages d'un livre ou d'un manuscrit ; son résultat. 1801 ; ☞ *page* (I) ; synon. *foliotage* ; [paʒinasjɔ̃].

**PAGINER, verbe trans.** [3]
Procéder à la pagination de, folioter. 1811 ; ☞ *page* (I) ; [paʒine].

**PAGNE, subst. m.**
Morceau d'étoffe ou de matière végétale tressée, qui couvre le bas du corps à partir de la taille. 1637 ; esp. *paño*, du lat. *pannus* ; [paɲ].

**PAGNON, subst. m.**
Drap noir très fin, spécialité de Sedan. 1750 ; anthropon. *Pagnon*, drapier du XVIIe s. ; [paɲɔ̃].

© Giraudon

***Pagode** dorée de Shwedagon (XVe s., remaniée au XVIIIe s.), à Rangoon (Birmanie).*

**PAGODE, subst. f.**
**1.** Temple des pays d'Extrême-Orient, doté d'un toit pyramidal ou de plusieurs toits superposés à bords relevés. ▸ Anal. *Manche **pagode*** : qui s'évase à partir du coude. **2.** Figurine chinoise de porcelaine, à tête mobile (synon. *magot*). **3.** *Numism.* Monnaie en usage en Inde du XVIIe au XIXe s. 1545 ; port. *pagode*, « idole ; temple consacré aux idoles », du skr. *bhagavat*, « saint, divin » ; [pagɔd].

**PAGRE, subst. m.**
*Zool.* Poisson marin gris argenté, de la famille des Sparidés, à la chair estimée, que l'on pêche en Méditerranée et dans les mers chaudes. 1505 ; lat. *pager*, du gr. *phagros* ; [pagʀ].

**PAGURE, subst. m.**
*Zool.* Bernard-l'ermite. 1552 ; lat. *pagurus*, du gr. *pagouros*, de *pagos*, « qui est fiché », et de *oura*, « queue » ; [pagyʀ].

**PAGUS, subst. m.**
*Hist.* Division territoriale rurale des Gallo-Romains, puis des Carolingiens. 1765 ; lat. *pagus*, « borne ; district » ; plur. *pagus* ou *pagi* ; [pagys], plur. [-gi].

**PAHLAVI, subst. m.**
Langue iranienne parlée en Perse sous les Sassanides. 1763 ; persan *pahlav(ān)i* ; var. *pehlvi* ; [palavi].

**PAIE, subst. f.**
**1.** Action de payer les salaires ou les soldes : *La **paie** a lieu demain.* ▸ Loc. *Ça fait une **paie** !* : ça fait longtemps (fam.). **2.** Méton. Somme versée en rémunération d'un travail ; solde. Fin XIIe s. ; ☞ *payer* ; var. *paye* ; [pɛ].

**PAIEMENT, subst. m.**
**1.** Action de régler une somme due. **2.** Méton. Somme versée à cette occasion. Mil. XIIe s. ; ☞ *payer* ; var. *payement* ; [pɛmɑ̃].

**PAÏEN, ENNE, subst. et adj.**
**1.** *Antiq.* Se dit d'une personne qui pratique une religion polythéiste, en partic. dans le monde gréco-romain. **2.** Ext. Se dit d'une personne qui se veut libre de toute religion et dont la conduite ou l'œuvre s'inspire du paganisme. **3.** Se dit d'une personne athée, impie (péj.). Adj. **1.** Relatif à une religion polythéiste. **2.** Dénué de sens religieux. Fin IXe s. ; lat. *paganus*, « de la campagne ; civil ; profane » ; [pajɛ̃, ɛn].

**PAIERIE, subst. f.**
Bureau du trésorier-payeur. 1932 ; ☞ *payer* ; [pɛʀi].

**PAILLAGE, subst. m.**
*Agric.* Action de pailler (le sol, des arbres fruitiers, etc.). 1835 ; ☞ *pailler* (II) ; [pajaʒ].

**PAILLARD, ARDE, subst. et adj.**
Se dit d'une personne sans raffinement qui aime les plaisirs de la chair, de la table. Adj. Grivois. Déb. XVe s. (déb. XIIIe s., vaurien) ; ☞ *paille* ; [pajaʀ, aʀd].

**PAILLARDISE, subst. f.**
Comportement d'une personne paillarde ; par méton., acte, propos paillard. 1530 (1489, débauche) ; ☞ *paillard* ; [pajaʀdiz].

**PAILLASSE (I), subst. f.**
**1.** Matelas fait d'un sac de toile bourré de paille ou de feuilles sèches. **2.** *Techn.* Plan de travail carrelé, à hauteur d'appui, dans un laboratoire, un atelier. ▸ Partie plate d'un évier, à côté de la cuve. Mil. XIIIe s. ; ☞ *paille* ; [pajas].

**PAILLASSE (II), subst. m.**
**1.** Vx. Bateleur de foire. **2.** Clown. 1782 ; prob. ital. *Pagliaccio*, personnage de théâtre portant un costume en toile à paillasse ; [pajas].

**PAILLASSON, subst. m.**
**1.** *Hortic.* Claie de paille installée pour protéger semis, espaliers, etc. des intempéries. **2.** Tapis-brosse de fibres dures, sur lequel on s'essuie les pieds, au seuil d'un logement. ▸ Loc. *Mettre la clé sous le **paillasson*** : s'en aller sans prévenir, disparaître. **3.** Fig. Individu sans amour-propre, servile (fam.). **4.** *Techn.* Tresse de paille utilisée pour faire des chapeaux. 1652 (fin XIVe s., petite paillasse) ; ☞ *paillasse* (I) ; [pajasɔ̃].

**PAILLASSONNER, verbe trans.** [3]
*Hortic.* Couvrir (des semis) de paillassons. 1874 ; ☞ *paillasson* ; [pajasɔne].

**PAILLE, subst. f. et adj. inv.**
Subst. **1.** Empl. coll. Tiges de céréales coupées et dépouillées de leurs grains : *Botte de **paille**.* ▸ *Vin de **paille*** : vin blanc liquoreux fait avec du raisin séché sur de la paille. ▸ Loc. *Être sur la **paille*** : dans la misère ; *Mettre qqn sur la **paille*** : le ruiner. **2.** Tige de céréale filée et tressée, utilisée en vannerie : *Chapeau de **paille**.* ▸ Morceau d'une tige de céréale : *Tirer à la courte **paille***, tirer au sort parmi des brins de paille de longueur inégale. **3.** Petit tuyau, de **paille** à l'origine, puis de plastique, servant à aspirer une boisson. **4.** Anal. ▸ ***Paille** de fer* : frottoir fait de fibres métalliques, servant à décaper les parquets. ▸ *Joaill.* et *Techn.* Défaut interne, cavité, tache de forme fine et allongée, dans une pierre précieuse, une pièce de verre ou de métal. **5.** Fig. *Une **paille** !* : chose insignifiante ou, par antiphr., chose importante (fam.). ▸ Loc. *Homme de **paille*** : prête-nom ; *Feu de **paille*** (☞ *feu*). Adj. De couleur jaune pâle. XIIe s. ; lat. *palea* ; [pɑj].

**PAILLÉ, ÉE, adj.**
**1.** Qui est couleur paille. **2.** Qui est garni de paille : *Chaise **paillée**.* **3.** *Techn.* Qui présente une ou plusieurs pailles. 1555 ; ☞ *paille* ; [pɑje].

**PAILLE-EN-QUEUE, subst. m.**
*Zool.* Phaéton. 1708 ; comp. de *paille* et de *queue* ; plur. *pailles-en-queue* ; [pɑjɑ̃kø].

**PAILLER (I), subst. m.**
*Agric.* **1.** Lieu où l'on garde la paille et le fourrage. **2.** Meule de paille. 1202 ; lat. *palearium* ; [pɑje].

**PAILLER (II), verbe trans.** [3]
**1.** Garnir (un siège) d'un tressage de paille. **2.** Protéger (qqch.) avec de la paille. ▸ *Agric.* Couvrir (un semis, un sol) de paille ou, par ext., d'un film de plastique. 1364 ; ☞ *paille* ; [pɑje].

**PAILLET (I), subst. m.**
*Mar.* Tresse large de filin servant de protection contre les frottements : *Le **paillet** d'une ancre.* 1773 (déb. XIIe s., balle de blé) ; prob. altér. de *paillé*, p. p. de *pailler* (II) ; [pɑjɛ].

**PAILLET (II), adj. et subst. m.**
Se dit d'un vin clairet. 1552 (fin XIIIe s., gris, en parlant de la lumière du jour) ; ☞ *paille* ; [pɑjɛ].

**PAILLETAGE, subst. m.**
Action de pailleter ; son résultat. 1909 ; ☞ *pailleter* ; [pɑjtaʒ].

**PAILLETER, verbe trans.** [14]
Orner de paillettes. 1606 ; ☞ *paillette* ; [pɑjte].

**PAILLETEUR, EUSE, subst.**
Orpailleur. 1606 ; ☞ *paillette* ; [pɑjtœʀ, øz].

**PAILLETTE, subst. f.**
**1.** Mince lamelle de matière brillante (métal, nacre, etc.) dont on orne certains habits. **2.** Anal. Mince lamelle d'une matière quelconque : ***Paillette** de quartz* ; *Savon en **paillettes*** ; ***Paillettes** d'or*, parcelles d'or trouvées dans les sables aurifères. **3.** *Joaill.* Petite paille dans une pierre précieuse. 1387 (déb. XIIe s., balle de céréale) ; ☞ *paille* ; [pɑjɛt].

**PAILLEUX, EUSE, adj.**
**1.** *Agric. Fumier **pailleux*** : dont la paille n'est pas encore décomposée. **2.** *Techn.* Qui présente une ou plusieurs pailles. Déb. XIIIe s. ; ☞ *paille* ; [pɑjø, øz].

**PAILLIS, subst. m.**
*Agric.* Couche de paille dont on recouvre un sol pour en préserver l'humidité, pour protéger certains fruits du contact direct de la terre. Fin XIIIe s. (fin XIIe s., paille) ; ☞ *paille* ; [pɑji].

**PAILLON, subst. m.**
**1.** *Orfèvr.* Petit morceau de métal utilisé pour souder ; petite feuille de métal que l'on place sous une pierre ou un émail translucide pour en rehausser l'éclat. **2.** Petite corbeille de paille : ***Paillon** de boulanger.* **3.** Emballage de paille protégeant une bouteille. 1542 (1534, petite paillasse) ; ☞ *paille* ; [pɑjɔ̃].

**PAILLOTE, subst. f.**
Hutte, case de paille des régions équatoriales et tropicales. 1617 ; prob. port. *palhota* ; [pajɔt].

**PAIN, subst. m.**
**1.** Pâte alimentaire à base de farine, d'eau, de sel et de levain, que l'on fait fermenter puis cuire au four après l'avoir pétrie ; par méton., masse de cette pâte cuite et façonnée : *Du **pain** en couronne* ; *Une boule de **pain*** ; ***Pain** de seigle* ; ***Pain** de mie* (☞ *mie*) ; ***Pain** viennois* (☞ *viennois*) ; ***Pain** complet*, fait avec de la farine brute et du petit son. ▸ Loc. *Avoir du **pain** sur la planche* (☞ *planche*) ; *Manger son **pain** blanc (le premier)* : commencer par le meilleur ; *Ôter le **pain** de la bouche à qqn* (☞ *bouche*) ; *Pour une bouchée de **pain*** (☞ *bouchée*) ; *Ne pas manger de ce **pain**-là* : se refuser à certaines pratiques. **2.** Symbole de la nourriture : *Assurer son **pain** quotidien*, gagner de quoi vivre. ▸ Fig. Ce qui nourrit l'esprit, le cœur : *Le **pain** de l'amitié* ; *Le **pain** de vie*, le Christ, la parole de Dieu, l'hostie consacrée. **3.** Anal. Produit dont la forme ou le goût évoque la forme ou le goût d'un **pain** : ***Pain** de sucre, de savon.* ▸ *Bot. Arbre à **pain*** : nom commun de l'artocarpe, ainsi désigné parce que ses fruits, consommés cuits, ont la saveur du **pain**. ▸ *Cuis.* ***Pain** de poisson, de viande* : aliment préparé en forme de **pain**. **4.** Désigne certaines pâtisseries : ***Pain** d'épice* (☞ *épice*) ; ***Pain** au lait, au chocolat* ; ***Pain** perdu*, dessert fait de **pain** rassis trempé dans un mélange sucré de lait et d'œuf puis frit. **5.** *Géomorph.* Piton granitique au sommet

© M. Tracy-Jacana

*Branche chargée de fruits d'un arbre à* ***pain.***

arrondi. **6.** Coup de poing (pop.). ⚮ Fin xe s. ; lat. *panis* ; [pɛ̃].

**PAIR, PAIRE, adj. et subst. m.**

**Subst. 1.** Vx. Ce qui est égal, pareil. ▸ Loc. *Hors (de)* ***pair*** : sans égal, exceptionnel ; *Aller de* ***pair*** : aller ensemble. **2.** Compagnon, personne ayant la même fonction, le même rang qu'une autre personne : *Être jugé par ses* ***pairs.*** **3.** *Féod.* Chacun des vassaux d'un suzerain. ▸ *Hist.* Sous la Restauration et la monarchie de Juillet, membre de la Chambre haute. ▸ Membre de la Chambre des lords, en Grande-Bretagne. **4.** *Écon.* ***Pair*** *d'un titre boursier* : valeur nominale de ce titre, fixée lors de son émission ; *Change au* ***pair*** : change entre monnaies étrangères dont les rapports à leur parité-or respective sont égaux. **5.** Loc. **Au pair.** Se dit d'un travail effectué en échange de la nourriture et du logement : *Travailler, être au* ***pair*** ; par ell. : *Jeune fille au* ***pair.*** **Adj. 1.** Qui peut être divisé par deux (anton. *impair*) : *Huit est un nombre* ***pair*** ; qui est marqué par un nombre **pair** : *Les pages* ***paires*** *d'un livre* ; par méton. : *Le côté* ***pair*** *de l'avenue.* **2.** *Math. Fonction* ***paire*** *définie sur un groupe additif G* : qui prend la même valeur en $x$ et en $-x$, pour tout $x$ de G ; *Entier* ***pair*** : multiple de deux. **3.** *Anat.* Qualifie un organe double, le plus souvent symétrique : *Les reins sont des organes* ***pairs.*** ⚮ Fin xe s. ; lat. *par* ; [pɛʀ].

**PAIRAGE, subst. m.**

*Télév.* Défaut d'entrelacement des lignes qui se traduit par un léger trouble de l'image dans le sens vertical. ⚮ V. 1960 ; ☞ *pair* ; [pɛʀaʒ].

**PAIRE, subst. f.**

**1.** Groupe de deux éléments analogues et symétriques faits pour être utilisés ensemble ou constituant un objet : *Une* ***paire*** *de bottes* ; *Une* ***paire*** *de lunettes.* **2.** Réunion de deux animaux de même espèce : *Une* ***paire*** *de bœufs.* **3.** Association habituelle de deux personnes ayant des affinités ou de deux choses allant naturellement ensemble : *Une* ***paire*** *d'amis* ; *Une* ***paire*** *d'yeux.* ▸ Loc. *Faire la* ***paire*** : aller bien ensemble (iron.) ; *C'est une autre* ***paire*** *de manches* (☞ *manche*). **4.** *Math.* Ensemble constitué de deux éléments. ⚮ Mil. xiie s. ; lat. pop. *paria* ; [pɛʀ].

**PAIRESSE, subst. f.**

**1.** Femme d'un pair. **2.** En Grande-Bretagne, femme titulaire d'une pairie. ⚮ 1698 ; angl. *peeress*, de *peer*, « pair » ; [pɛʀɛs].

**PAIRIE, subst. f.**

**1.** Dignité, titre de pair ; par méton., ensemble des pairs d'un royaume. **2.** *Hist.* ▸ Domaine d'un pair, notamment au Moyen Âge. ▸ Dignité d'un membre de la Chambre des pairs, de 1814 à 1848. ⚮ 1291 (1259, sorte de tenure) ; ☞ *pair* ; [peʀi].

**PAIRLE, subst. m.**

*Hérald.* Pièce en forme d'Y centré dans la pointe de l'écu et dont les branches aboutissent aux deux angles du chef. ⚮ 1658 ; orig. inc. ; [pɛʀl].

**PAISIBLE, adj.**

**1.** Qui est en paix ; qui exprime la paix : *Des gens* ***paisibles*** ; *Un regard* ***paisible.*** **2.** Que rien ne trouble : *Une eau* ***paisible.*** **3.** *Dr. Possesseur* ***paisible*** : qui n'est pas troublé dans la possession de son bien. ⚮ Déb. xiie s. ; *pais*, anc. forme de *paix* ; [pezibl].

**PAISIBLEMENT, adv.**

D'une manière paisible, tranquillement. ⚮ xiie s. ; ☞ *paisible* ; [peziblәmɑ̃].

**PAISSEAU, subst. m.**

*Vitic.* Échalas de vigne (vx). ⚮ Fin xie s. ; lat. pop. °*paxellus*, du lat. *paxillus* ; [pɛso].

**PAÎTRE, verbe [75]**

**Trans.** Vx. Nourrir (un animal) ; mener (le bétail) à la pâture : *Le berger* ***paissait*** *son troupeau.* **Intrans.** Brouter, manger l'herbe sur pied. ▸ Loc. *Envoyer* ***paître*** *qqn* : le rejeter, le repousser avec humeur (fam.). ⚮ Mil. xiie s. (mil. xie s., nourrir une personne) ; lat. *pascere* ; verbe défectif ; [pɛtʀ].

**PAIX, subst. f.**

**1.** État de concorde entre les gens, au sein d'un groupe : *La* ***paix*** *du ménage* ; *La* ***paix*** *sociale.* **2.** Calme, silence d'un lieu, d'un moment ; sérénité de l'esprit, de l'âme : *La* ***paix*** *éternelle*, le repos que procure la mort. ▸ Loc. *Ficher la* ***paix*** *à qqn* : le laisser tranquille (fam.). **3.** Situation d'un pays, d'un peuple qui n'est pas en guerre ; état de non-belligérance entre les nations. **4.** Acte, politique ou privé, mettant fin à des hostilités : *Signer la* ***paix*** ; *Faire la* ***paix***, se réconcilier ; ***Paix*** *des braves*, **paix** honorable accordée aux vaincus valeureux. ⚮ xe s. ; lat. *pax* ; [pɛ].

**PAJOT, voir PAGEOT**

**PAL, subst. m.**

**1.** Pieu aiguisé à l'une de ses extrémités. ▸ *Supplice du* ***pal*** : supplice qui consistait à embrocher un condamné sur un **pal.** **2.** *Hérald.* Pièce honorable de l'écu, constituée par un pieu disposé verticalement en son milieu. **3.** *Agric.* ▸ Plantoir dont se servent les vignerons. ▸ ***Pal*** *injecteur* : outil qui sert à injecter dans le sol des engrais liquides ou des insecticides. ⚮ Fin xie s. ; lat. *palus* ; plur. *pals* ; [pal].

**PALABRE, subst. f. ou m.**

**1.** En Afrique noire, assemblée coutumière au cours de laquelle les affaires importantes pour la communauté sont discutées. **2.** Anal. Longue discussion menée en vue d'un résultat précis ; discussion oiseuse et interminable (gén. au plur.). ⚮ Déb. xviiie s. (1604, parole grandiloquente) ; esp. *palabra*, « parole » ; [palabʀ].

**PALABRER, verbe intrans. [3]**

**1.** En Afrique noire, tenir une palabre. **2.** Anal. Converser sans fin. ⚮ 1842 ; ☞ *palabre* ; [palabʀe].

**PALACE, subst. m.**

Grand hôtel de luxe. ⚮ 1905 ; angl. *palace*, de l'anc. fr. *paleis*, « palais » ; [palas].

**PALADIN, subst. m.**

*M. Â.* **1.** Chevalier errant en quête d'aventures glorieuses. **2.** Dans la tradition des chansons de geste, compagnon et pair de Charlemagne. ⚮ 1552 ; ital. *paladino*, du fr. *palatin* (I) ; [paladɛ̃].

**PALAFITTE, subst. m.**

*Archéol.* Construction de bois sur pilotis, typique du Néolithique récent, bâtie en bordure de lac ; empl. adj. : *Un site* ***palafitte.*** ⚮ 1865 ; ital. *palafitta*, du lat. *pala ficta*, « pieux façonnés » ; [palafit].

**PALAIS (I), subst. m.**

**1.** Vaste et riche demeure où réside un personnage important (souverain, chef d'État) ou un riche particulier : *Le* ***palais*** *de l'Élysée.* **2.** Résidence historique d'un grand, devenue lieu public : *Le* ***Palais-Bourbon.*** **3.** *Le* ***palais*** *de justice* ou, par ell., *Le* ***Palais*** : le bâtiment où siègent les tribunaux. ▸ Méton. *Le* ***Palais*** : l'ensemble des juges et des avocats. **4.** Vaste bâtiment public : *Le* ***palais*** *des Sports.* ⚮ Mil. xie s. ; topon. lat. *Palatium*, « mont Palatin », où Auguste fit construire sa demeure impériale ; [palɛ].

© C. Boisvieux-Explorer

*Le* ***palais*** *des Doges, construit au xive-xve s. et restauré au xvie s., fut le siège du gouvernement et la résidence des ducs de Venise jusqu'en 1797.*

**PALAIS (II), subst. m.**

*Anat.* **1.** Partie supérieure de la cavité buccale, qui va de la face interne de la gencive supérieure jusqu'à l'entrée des fosses nasales : *Voûte du* ***palais*** ou ***Palais*** *dur*, partie osseuse, à l'avant du **palais** ; *Voile du* ***palais***, partie membraneuse, à l'arrière du **palais.** **2.** Méton. Sens du goût. ▸ Loc. *Un fin* ***palais*** : un gourmet. ⚮ xiie s. ; lat. pop. °*palatium*, du lat. *palatum* ; [palɛ].

**PALAN, subst. m.**

*Techn.* Appareil de levage, muni d'un dispositif démultiplicateur qui lui permet de soulever de lourdes charges avec une moindre force motrice. ⚮ 1553 ; ital. *palanco*, du lat. *palanga*, « levier, perche » ; [palɑ̃].

**PALANCHE, subst. f.**

*Techn.* Tige en bois, légèrement incurvée, utilisée pour porter sur l'épaule deux seaux ou deux fardeaux suspendus à ses extrémités. ⚮ 1752 ; lat. pop. °*palanca*, du lat. *palanga*, « levier, perche » ; [palɑ̃ʃ].

**PALANÇON, subst. m.**

*Constr.* Chacun des éléments en bois qui retiennent un torchis. ⚮ 1755 ; ☞ *palanche* ; [palɑ̃sɔ̃].

**PALANGRE, subst. f.**

*Pêche.* Ligne de fond, constituée d'une grosse corde à laquelle sont attachées des lignes munies d'hameçons. ⚮ 1765 ; prov. *palangre*, du lat. °*panagrum*, du gr. *panagron*, « grand filet » ; [palɑ̃gʀ].

**PALANGROTTE, subst. f.**

*Pêche.* Petite ligne à main, munie d'hameçons répartis sur sa longueur. ⚮ 1868 ; prov. *palangrotto*, de *palangre* ; [palɑ̃gʀɔt].

**PALANQUE, subst. f.**

*Fortif.* Mur de retranchement, de défense, fait de troncs d'arbres ou de pieux plantés verticalement. **Plur.** *Équit.* Obstacle de concours hippique, fait de troncs superposés. ⚮ 1624 ; ital. *palanca*, « pieu », du lat. *palanga*, « levier, perche » ; [palɑ̃k].

**PALANQUÉE, subst. f.**

*Mar.* Ensemble de marchandises soulevées en une fois par un palan ; au fig., grande quantité (fam.) : *Une* ***palanquée*** *de touristes.* ⚮ 1948 ; p. p. de *palanquer* ; [palɑ̃ke].

**PALANQUER, verbe [3]**

**Trans. 1.** Transporter (qqch.) à l'aide d'un palan. **2.** *Milit.* Munir (un lieu) d'une palanque. **Intrans.** Manœuvrer un palan. ⚮ 1618 ; *palanc*, anc. forme de *palan* ; [palɑ̃ke].

**PALANQUIN, subst. m.**

Siège ou litière portés à bras d'homme ou à dos de chameau ou d'éléphant, en Orient. ⚮ 1610 ; port. *palanquim*, du skr. *paryaṅka*, « sofa » ; [palɑ̃kɛ̃].

**PALASTRE, subst. m.**

*Serr.* Boîte métallique renfermant le mécanisme d'une serrure. ⚮ 1452 (fin xie s., pièce servant au raccommodage) ; ☞ *pale* (I) ; var. *palâtre* ; [palastʀ].

**PALATAL, ALE, AUX, adj.**

**1.** *Phon.* Dont le point d'articulation se situe au niveau du palais dur : *Voyelle, consonne* ***palatale*** ou, empl. subst. fém., *Une* ***palatale.*** **2.** *Anat.* Relatif au palais. ⚮ 1723 ; lat. *palatum*, « palais » ; [palatal, o].

**PALATALISATION, subst. f.**

*Phon.* Transformation que subit un phonème quand son mode d'articulation devient palatal. ⚮ 1890 ; ☞ *palataliser* ; [palatalizasjɔ̃].

**PALATALISER, verbe trans. [3]**

Transformer (un phonème) par palatalisation. ⚮ 1890 ; ☞ *palatal* ; [palatalize].

**PALATIAL, ALE, AUX, adj.**

Propre à un palais. ⚮ 1879 (1687, qui appartient au palais de justice) ; ☞ *palais* (I) ; [palasjal, o].

**PALATIN (I), INE, adj. et subst. m.**

**Adj.** *Hist.* **1.** Qui est pourvu d'une charge dans le palais d'un souverain, en partic. dans le Saint Empire. ▸ *Comte* ***palatin*** ou, empl. subst. masc., *Un* ***palatin*** : personnage qui dirige un palatinat. **2.** *L'Électeur* ***palatin*** : l'un des sept princes électeurs, qui gouverne le Palatinat. ▸ Relatif, propre à l'Électeur **palatin** : *La princesse, la maison* ***palatine.*** **3.** Qui appartient à un palais : *Chapelle* ***palatine.*** **Subst. 1.** Vice-roi de Hongrie. **2.** Gouverneur de province, en Pologne. ⚮ Mil. xiiie s. ; lat. médiév. *palatinus comes*, « comte palatin » ; [palatɛ̃, in].

**PALATIN (II), INE, adj.**

*Anat.* Qui se rapporte au palais : *Voûte* ***palatine.*** ⚮ 1611 ; lat. *palatum*, « palais » ; [palatɛ̃, in].

**PALATINAT, subst. m.**

*Hist.* Dignité de comte palatin. ▸ Ext. Territoire gouverné par un palatin ; empl. abs. : *Le* ***Palatinat***, celui du Rhin. ⚮ 1567 ; ☞ *palatin* (I) ; [palatina].

**PALÂTRE, voir PALASTRE**

**PALE (I), subst. f.**

**1.** Vanne d'une écluse. **2.** Extrémité large et plate d'un aviron. **3.** Aube de la roue d'un bateau à vapeur, d'un moulin à eau. **4.** Aile d'une hélice ou ailette d'un ventilateur. ▫ XV^e s. (XIV^e s., rame de bateau) ; lat. *pala*, « pelle » ; [pal].

**PALE (II), subst. f.**
*Liturg.* Linge sacré, carré et rigide, que le prêtre place sur le calice pendant la messe. ▫ 1680 ; lat. chrét. *palla* ; var. *palle* ; [pal].

**PÂLE, adj.**
**1.** Qui est blême ou très peu coloré, en parlant du visage ou de la peau : *Un teint **pâle**.* ▸ Loc. *Se faire porter **pâle*** : se déclarer malade (argot milit.). **2.** Dont l'éclat est peu soutenu ; dont l'intensité est faible : *Une couleur, une voix **pâle*** ; au fig. : *Une existence **pâle**,* insignifiante. ▫ Fin XI^e s. ; lat. *pallidus* ; [pɑl].

**PALE-ALE, subst. f.**
Bière blonde anglaise. ▫ 1856 ; mot angl. ; plur. *pale-ales* ; [pɛlɛl].

**PALÉE, subst. f.**
*Techn.* Rang de pieux enfoncés dans le sol, servant à soutenir un ouvrage en bois, en terre, en maçonnerie. ▫ 1296 ; ☞ *pal* ; [pale].

**PALEFRENIER, IÈRE, subst.**
Personne chargée du soin des chevaux. ▫ 1350 ; prob. anc. prov. *palafrenier*, du bas lat. *paraveredus*, « cheval de poste » ; [palfʀənje, jɛʀ].

**PALEFROI, subst. m.**
*M. Â.* Cheval de parade (anton. *destrier*). ▫ Fin XI^e s. ; bas lat. *paraveredus*, « cheval de poste » ; [palfʀwa].

**PALÉMON, subst. m.**
*Zool.* Crevette rose des eaux saumâtres. ▫ 1801 ; gr. *Palaimôn*, « le Lutteur », surnom de Mélicerte, personnage mythologique changé en dieu marin ; [palemɔ̃].

**PALÉOBOTANIQUE, subst. f. et adj.**
**SUBST.** Science qui a pour objet l'étude des végétaux fossiles. **ADJ.** Qui a trait à cette science. ▫ 1900 ; ☞ *botanique + paléo-* ; [paleobɔtanik].

**PALÉOCÈNE, subst. m. et adj.**
*Géol.* Se dit de la première période du Paléogène, qui a duré env. 12 millions d'années. **ADJ.** De cette période. ▫ Formé de *paléo-* et de *-cène* ; [paleosɛn].

**PALÉOCHRÉTIEN, IENNE, adj.**
Se dit de l'art des premiers chrétiens. ▫ V. 1950 ; ☞ *chrétien + paléo-* ; [paleokʀetjɛ̃, jɛn].

**PALÉOCLIMAT, subst. m.**
Climat local d'une ancienne époque géologique. ▫ V. 1960 ; ☞ *climat + paléo-* ; [paleoklima].

**PALÉOÉCOLOGIE, subst. f.**
Science qui a pour objet l'étude des milieux de vie des végétaux et des animaux fossiles. ▫ 1953 ; ☞ *écologie + paléo-* ; [paleoekɔlɔʒi].

**PALÉOGÈNE, subst. m. et adj.**
*Géol.* Se dit de la première partie de l'ère tertiaire, qui, commencée il y a 65 millions d'années, a duré environ 42 millions d'années et qui regroupe le Paléocène, l'Éocène et l'Oligocène (synon. *Nummulitique*). **ADJ.** Relatif à cette période. ▫ Déb. XX^e s. ; formé de *paléo-* et de *-gène* ; [paleɔʒɛn].

**PALÉOGÉOGRAPHIE, subst. f.**
Science qui a pour objet l'étude de la géographie de la Terre aux temps géologiques. ▫ 1872 ; ☞ *géographie + paléo-* ; [paleoʒeɔgʀafi].

**PALÉOGRAPHE, subst.**
Spécialiste de la paléographie. ▫ 1760 ; formé de *paléo-* et de *-graphe* ; [paleɔgʀaf].

**PALÉOGRAPHIE, subst. f.**
Science qui a pour objet l'étude des écritures anciennes. ▫ 1708 ; lat. sc. *palaeographia*, du gr. *palaios*, « ancien », et *graphein*, « écrire » ; [paleɔgʀafi].

**PALÉOHISTOLOGIE, subst. f.**
Étude des tissus des animaux et des végétaux fossiles. ▫ XX^e s. ; ☞ *histologie + paléo-* ; [paleoistɔlɔʒi].

**PALÉOLITHIQUE, adj. et subst. m.**
*Préhist.* Se dit de la première période de l'histoire de l'humanité, nommée initialement âge de la pierre taillée. **ADJ.** Relatif, propre à cette période : *Site **paléolithique**.* ▫ 1866 ; angl. *paleolithic*, du gr. *palaios*, « ancien », et *lithos*, « pierre » ; [paleɔlitik].

**PRÉHISTOIRE** – Le Paléolithique débute avant la fin du Tertiaire et fait place au Néolithique, âge de la pierre polie, à partir de – 9 000 ans. Il est divisé en trois grandes parties : le Paléolithique inférieur, qui dure jusque v. – 250 000 ans et qui correspond au développement des industries de galets aménagés acheuléens d'*Homo erectus* ; le Paléolithique moyen, jusque v. – 25 000 ans, période pendant laquelle *Homo neanderthalensis* pratique les industries moustériennes ; et enfin le Paléolithique supérieur, pendant lequel *Homo sapiens* se livre au débitage lamellaire des silex et au travail de l'os, et pendant lequel se manifestent les premières préoccupations religieuses et artistiques.

**PALÉOMAGNÉTISME, subst. m.**
*Géophysique.* Étude de l'aimantation rémanente des roches, qui, appliquée aux roches volcaniques du fond des mers, joua un rôle important dans la réhabilitation de la théorie de la dérive des continents. ▫ Mil. XX^e s. ; ☞ *magnétisme + paléo-* ; [paleomaɲetism].

**PALÉONTOLOGIE, subst. f.**
Partie de la géologie qui étudie les fossiles animaux, vertébrés et invertébrés, et végétaux. ▫ 1830 ; formé de *paléo-*, de *onto-* et de *-logie* ; [paleɔ̃tɔlɔʒi].

**SCIENCES** – L'évolution des organismes, depuis plus de 600 millions d'années, fossilisée dans les strates sédimentaires, a été utilisée depuis les débuts de la géologie, au XIX^e s., pour établir un calendrier de l'histoire de la Terre (sa stratigraphie). Mais la paléontologie s'est également développée en science autonome : elle a montré que les fossiles étaient les restes d'anciens êtres vivants (Bernard Palissy, au XVI^e s., en France). Pour certains scientifiques, les espèces disparues constituaient les ancêtres du peuplement actuel ; pour d'autres, il s'agit de lignées éteintes, mais dont les ancêtres sont communs avec ceux des lignées qui ont mieux réussi. La théorie darwinienne de l'évolution est surtout fondée sur la zoologie, mais la paléontologie a fourni ultérieurement des arguments et proposé des scénarios : une transformation progressive d'une espèce en une autre ou une série d'équilibres ponctués de brusques innovations. Une synthèse est en cours d'élaboration. La paléoécologie s'intéresse aujourd'hui aux relations des fossiles avec leur milieu de vie et aux conditions de leur fossilisation. La constitution des squelettes

1 — © J.-L. Charmet-Explorer

2 — © C. Lenars-Explorer

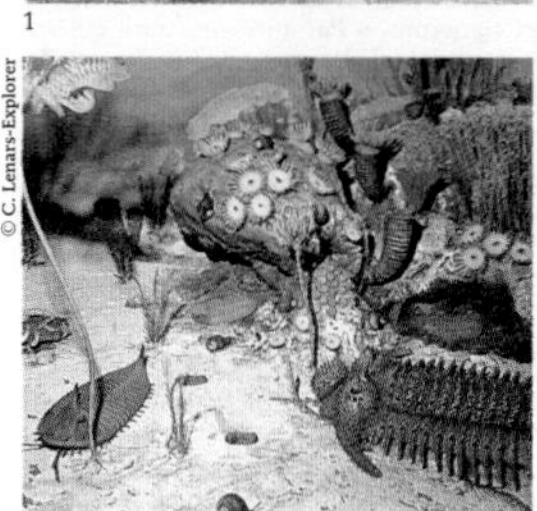
3 — © C. Lenars-Explorer

4 — © C. Lenars-Explorer

5

6 — © G. Bouquillon-Gamma

PALÉONTOLOGIE : FOSSILES ET RECONSTITUTIONS

1. *Ptérodactyle, reptile volant ptérosaurien du Jurassique supérieur européen (env. – 140 millions d'années). Reconstitution.*

2. *Diplodocus, reptile dinosaurien sauropode herbivore de très grande taille (jusqu'à 28 m) du Jurassique supérieur américain (env. – 145 millions d'années). Reconstitution.*

3. *Reconstitution du peuplement d'un fond marin du Dévonien (env. – 410 à – 360 millions d'années).*

4. *Dinosaures carnivores du groupe des Théropodes, qui peuplaient la savane du Jurassique supérieur au Crétacé supérieur (env. – 155 à – 65 millions d'années). Reconstitution.*

5. *Crâne d'homme de Neandertal, généralement considéré comme une sous-espèce d'*Homo sapiens *ayant vécu dans l'Ancien Monde de – 130 000 à – 30 000 ans.* © J.-M. Labat-Explorer

6. *Empreinte laissée dans une roche sédimentaire par un petit reptile marin du Jurassique inférieur (env. – 200 millions d'années).*

et des coquilles, la nature de la matière organique conservée sont étudiées par comparaison avec celles des organismes actuels. L'étude de l'apparition de la vie, avec des micro-organismes identifiables vieux de plusieurs milliards d'années ou la découverte des premiers métazoaires en empreintes (pas encore de squelette minéralisé), qui révèlent l'apparition des principaux embranchements il y a plus de 650 millions d'années, est aussi le fruit des recherches en paléontologie.

**PALÉONTOLOGUE, subst.**
Spécialiste de la paléontologie. 1832 ; ☞ *paléontologie* ; var. *paléontologiste* ; [paleɔ̃tɔlɔg].

**PALÉOTHÉRIUM, subst. m.**
*Paléont.* Mammifère ongulé fossile de l'Éocène. 1804 ; gr. *thêrion*, « bête sauvage », + *paléo-* ; [paleɔteʀjɔm].

**PALÉOZOÏQUE, adj. et subst. m.**
*Géol. L'ère **paléozoïque** ou, par ell., Le **Paléozoïque*** : l'ère primaire. **Adj.** De cette période. 1845 ; formé de *paléo-* et de *-zoïque* ; [paleɔzɔik].

**PALÉOZOOLOGIE, subst. f.**
Science qui a pour objet l'étude des animaux fossiles. 1842 ; ☞ *zoologie + paléo-* ; [paleozɔɔlɔʒi].

**PALERON, subst. m.**
*Bouch.* Partie plate et charnue située près de l'épaule de certains animaux (bœuf, porc, cheval). 1690 (1394, omoplate) ; ☞ *pale* (I) ; [palʀɔ̃].

**PALESTRE, subst. f.**
*Antiq.* Lieu public où l'on pratiquait des exercices physiques. 1547 (mil. XIIe s., lutte, exercice physique) ; lat. *palaestra*, du gr. *palaistra* ; [palɛstʀ].

**PALET, subst. m.**
Dans certains jeux, petit disque de matière dure avec lequel on vise un but. 1306 ; ☞ *pale* (I) ; [palɛ].

**PALETOT, subst. m.**
**1.** Vêtement de dessus à poches plaquées, pouvant arriver à mi-cuisse. ► Loc. *Tomber sur le **paletot** de qqn* : le rudoyer (fam.). **2.** Ext. Gilet de laine (fam.). 1370 ; m. angl. *paltok* ; [palto].

**PALETTE, subst. f.**
**1.** Objet ou partie d'un objet de forme plate et allongée : ***Palette** d'un aviron*. ► *Arm. **Palette** de marqueur* : instrument servant à indiquer au tireur les points d'impact dans une cible. **2.** *Bouch.* Morceau du porc ou du mouton composé de l'omoplate et de la viande qui l'entoure. **3.** Plaque percée d'un trou pour le pouce, sur laquelle le peintre étale et mélange les couleurs ; par méton., ensemble des couleurs apparaissant le plus souvent dans l'œuvre d'un peintre. ► Fig. Gamme, éventail : *Une **palette** de possibilités*. **4.** Support plat permettant de déplacer des marchandises au moyen de chariots élévateurs. XIVe s. ; ☞ *pale* (I) ; [palɛt].

**PALETTISER, verbe trans.** [3]
**1.** Poser (une marchandise) sur une palette. **2.** Équiper de palettes. XXe s. ; ☞ *palette* ; [palɛtize].

**PALETTISEUR, subst. m.**
Machine servant à palettiser des marchandises. XXe s. ; ☞ *palettiser* ; [palɛtizœʀ].

**PALÉTUVIER, subst. m.**
*Bot.* Grand arbre de la famille des Rhizophoracées, aux racines aériennes, typique des mangroves. 1643 ; tupi *aparahiwa*, « arbre courbé » ; [paletyvje].

**PÂLEUR, subst. f.**
Caractère, aspect de qui est pâle. XIIe s. ; ☞ *pâle*, d'apr. le lat. *pallor* ; [pɑlœʀ].

**PALI, IE, subst. m. et adj.**
Se dit de l'ancienne langue sacrée du bouddhisme, langue indo-européenne proche du sanskrit. **Adj.** De cette langue. 1815 ; hindi *pāli*, « limite ; tracé ; texte sacré » ; [pali].

**PALICARE, voir PALLIKARE**

**PÂLICHON, ONNE, adj.**
Qui est un peu pâle (fam.). 1903 (1867, double blanc, au jeu de dominos) ; ☞ *pâle* ; [pɑliʃɔ̃, ɔn].

**PALIER, IÈRE, subst. m. et adj. f.**
**Subst. 1.** *Techn.* Pièce fixe qui supporte l'arbre de transmission d'une machine. **2.** Plate-forme intermédiaire entre deux volées d'escalier. ► Loc. *Par **paliers*** : par étapes. **3.** Portion horizontale d'une route, d'une voie ferrée. **4.** Fig. Période de stabilité dans une évolution. **Adj. 1.** *Marche **palière*** ou, empl. subst. fém., *Une **palière*** : marche qui se situe au même niveau que le palier. **2.** *Porte **palière*** : qui ouvre sur le palier. 1287 ; anc. fr. *paele*, « poêle » ; [palje, jɛʀ].

**PALIKARE, voir PALLIKARE**

**PALILALIE, subst. f.**
*Pathol.* Trouble de la parole qui amène à répéter involontairement un ou plusieurs mots. V. 1930 ; gr. *palin*, « de nouveau », + *-lalie* ; [palilali].

**PALIMPSESTE, subst. m.**
Parchemin manuscrit dont les copistes du Moyen Âge ont effacé le texte primitif pour le remplacer par un autre texte. 1542 ; lat. *palimpsestus*, du gr. *palimpsêstos* ; [palɛ̃psɛst].

**PALINDROME, subst. m. et adj.**
*Rhét.* Se dit d'un mot ou d'un groupe de mots qui peut être lu de gauche à droite ou de droite à gauche (par ex. : « Noël a trop par rapport à Léon »). 1765 ; gr. *palindromos* ; [palɛ̃dʀom].

**PALINGÉNÉSIE, subst. f.**
**1.** Action de revenir à la vie ; renaissance, régénération. **2.** *Philos.* Doctrine qui voit dans l'histoire un retour sans fin de phases cycliques. 1546 ; lat. *palingenesia*, du gr. *paliggenesia*, de *palin*, « de nouveau », et de *genesis*, « création, naissance » ; [palɛ̃ʒenezi].

**PALINODIE, subst. f.**
**1.** *Antiq.* Poème dans lequel un auteur rétracte des propos tenus dans un écrit précédent. **2.** Rétractation ; revirement d'opinion politique (souv. au plur.). 1512 ; bas lat. *palinodia*, du gr. *palinôdia*, de *palin*, « en sens inverse », et de *ôdê*, « chant » ; [palinɔdi].

**PÂLIR, verbe** [19]
**Intrans. 1.** Devenir pâle. ► Loc. *Faire **pâlir** qqn d'envie* : faire naître en qqn un fort sentiment d'envie. **2.** Perdre de sa clarté, de son intensité ; au fig., perdre de sa valeur, de sa force : *Son étoile **pâlit***, sa renommée, son crédit diminue. **Trans.** Rendre pâle (littér.). Mil. XIIe s. ; ☞ *pâle* ; [pɑliʀ].

**PALIS, subst. m.**
Chacun des pieux fichés en terre qui forment une palissade. ► Méton. Cette palissade ; l'enclos délimité. Mil. XIIe s. ; anc. fr. *pel*, « pieu » ; [pali].

**PALISSADE, subst. f.**
**1.** Haie de verdure taillée de manière à former une clôture. **2.** *Fortif.* Alignement de palis à usage défensif. **3.** Clôture constituée d'un alignement de pieux, de planches, etc. 1600 ; ☞ *palis* ; [palisad].

**PALISSADER, verbe trans.** [3]
**1.** Enclore d'une palissade. **2.** *Hortic.* Tailler en palissade. 1585 ; ☞ *palissade* ; [palisade].

**PALISSADIQUE, adj.**
*Bot. Parenchyme **palissadique*** : qui présente des cellules étroites et serrées, semblables aux lattes d'une palissade. 1903 ; ☞ *palissade* ; [palisadik].

**PALISSAGE, subst. m.**
Action de palisser. 1690 ; ☞ *palisser* ; [palisaʒ].

**PALISSANDRE, subst. m.**
Bois dur fourni par diverses espèces d'arbres exotiques, d'un brun violacé, recherché en ébénisterie. 1681 ; néerl. *palissander*, prob. d'un dial. guyanais ; [palisɑ̃dʀ].

**PÂLISSANT, ANTE, adj.**
Qui pâlit. Déb. XVIe s. ; p. pr. de *pâlir* ; [pɑlisɑ̃, ɑ̃t].

**PALISSER, verbe trans.** [3]
*Hortic.* Étendre et fixer les branches de (un arbre) contre un mur, un tuteur, un treillage, de manière à les maintenir dans une direction donnée. 1676 (1417, garnir de pieux) ; ☞ *palis* ; [palise].

**PALISSON, subst. m.**
*Techn.* Instrument métallique plat sur lequel le chamoiseur assouplit et lisse les peaux. 1611 (fin XIIIe s., pieu, latte) ; ☞ *palis* ; [palisɔ̃].

**PALISSONNER, verbe trans.** [3]
Assouplir (une peau) au palisson. 1840 (1382, disposer des lattes) ; ☞ *palisson* ; [palisɔne].

**PALIURE, subst. m.**
*Bot.* Arbrisseau de la famille des Rhamnacées, présentant des rameaux épineux implantés en zigzag, qui passe pour avoir servi à tresser la couronne d'épines du Christ. Mil. XIIIe s. ; lat. *paliurus*, du gr. *paliouros* ; [paljyʀ].

**PALLADIUM (I), subst. m.**
**1.** *Antiq.* Statue de Pallas dont on pensait qu'elle assurait la sauvegarde de la ville qui la possédait. **2.** Fig. Ce qui protège, garantit une valeur, une institution (littér.) : *La liberté de la presse, **palladium** de la démocratie*. Mil. XIIe s. ; lat. *palladium*, du gr. *Palladion*, « statue de Pallas » ; [paladjɔm].

**PALLADIUM (II), subst. m.**
*Chim.* Élément n° 46 de la table de Mendeleïev (symb. : Pd) ; masse atomique : 106,4 ; point de fusion : 1 552 °C ; point d'ébullition : 3 140 °C ; masse volumique : 129 g/cm$^3$. On le trouve à l'état naturel dans les minerais de platine. 1803 ; angl. *palladium*, de *Pallas*, nom d'un astéroïde ; [paladjɔm].

**PALLE, voir PALE (II)**

**PALLÉAL, ALE, AUX, adj.**
*Zool.* Relatif, propre au manteau des Mollusques. 1829 ; lat. *palla*, « manteau » ; [paleal, o].

**PALLIATIF, IVE, adj. et subst. m.**
**Adj.** *Méd.* Dont le but est d'atténuer les symptômes d'une maladie sans en combattre la cause ; empl. subst. masc., traitement, médicament **palliatif**. **Subst.** Mesure provisoire et insuffisante, expédient. 1314 ; lat. médiév. *palliativus* ; [paljatif, iv].

**PALLIDUM, subst. m.**
*Anat.* Partie du corps strié siégeant dans le cerveau, dont la fonction est de contrôler le tonus et les mouvements automatiques élémentaires. 1946 ; lat. *pallidus*, « pâle » ; [palidɔm].

**PALLIER, verbe trans.** [6]
**1.** Cacher sous une fausse apparence (littér.) : ***Pallier** une insuffisance*. **2.** *Méd.* Atténuer (les effets d'une maladie) sans la traiter en profondeur. **3.** Fig. Adoucir ; par ext., remédier à. Déb. XIVe s. ; bas lat. *palliare*, « couvrir d'un manteau, cacher » ; [palje].

**PALLIKARE, subst. m.**
*Hist.* Pendant la guerre de l'Indépendance grecque (1821-1828), soldat grec ou albanais qui combattait contre les Turcs. 1829 ; gr. *pallikari*, « vaillant » ; var. *palicare*, *palikare* ; [palikaʀ].

**PALLIUM, subst. m.**
**1.** *Relig.* Bande de laine blanche brodée de six croix noires, portée en sautoir par le pape et les archevêques lorsqu'ils officient. **2.** *Antiq.* Manteau romain d'origine grecque, formé d'un grand carré de laine. Mil. XIIe s. ; lat. *pallium*, « manteau » ; [paljɔm].

**PALMAIRE, adj.**
*Anat.* Relatif à la paume de la main : *Muscle **palmaire*** ou, empl. subst. masc., *Le **palmaire***. 1562 ; lat. *palma*, « paume » ; [palmɛʀ].

**PALMARÈS, subst. m.**
**1.** Liste de lauréats, de vainqueurs ; par méton., liste des victoires, des succès remportés par qqn. **2.** Liste de livres, de films, etc., classés selon leur popularité ou l'importance de leurs ventes. 1856 ; lat. *palmaris*, « qui mérite la palme » ; [palmaʀɛs].

**PALMARIUM, subst. m.**
Serre où l'on cultive des palmiers. 1903 ; lat. *palma*, « palmier », d'apr. *aquarium* ; [palmaʀjɔm].

**PALMATIFIDE, adj.**
*Bot.* Qualifie une feuille à nervures palmées dont les divisions s'étendent jusqu'au milieu du limbe. 1874 ; lat. *findere*, « fendre, diviser », + *palmi-* ; var. *palmifide* ; [palmatifid].

**PALMATURE, subst. f.**
*Pathol.* Palmure. 1851 ; lat. *palmatus*, « en forme de palme » ; [palmatyʀ].

**PALME (I), subst. m.**
*Antiq.* Unité de mesure correspondant à la largeur de la paume de la main. Fin XIe s. ; lat. *palmus*, « paume » ; [palm].

**PALME (II), subst. f.**
**1.** Feuille de palmier. **2.** Palmier (vx) : *Vin, huile de **palme***. **3.** Symbole de triomphe, de victoire : *Décerner la **palme***. ► Méton. Récompense : *La **Palme** d'or du festival de Cannes* ; insigne représentant une palme : ***Palmes** académiques*, décoration qui récompense des services rendus dans le cadre de l'Éducation nationale. **4.** *Sp.* Nageoire en caoutchouc que le nageur met à ses pieds pour se déplacer plus vite dans l'eau. Mil. XIIe s. ; lat. *palma*, « paume ; palme » ; [palm].

**PALMÉ, ÉE, adj.**
**1.** Dont la forme rappelle celle d'une palme. ► *Bot. Feuille **palmée*** : dont les folioles rayonnent à partir de l'extrémité du pétiole. ► *Zool.* Dont les doigts sont reliés par une palmure. **2.** *Pathol.* Qui présente une palmure. 1754 ; lat. *palmatus* ; [palme].

**PALMER (I), verbe trans.** [3]
*Techn. **Palmer** une aiguille* : aplatir sa tête afin d'y percer le chas. 1723 (1611, polir avec la paume) ; lat. *palma*, « paume ; palme » ; [palme].

**PALMER (II), subst. m.**
Instrument de précision utilisé pour la mesure des épaisseurs et des diamètres extérieurs d'objets. 1877 ; anthropon. *J. L. Palmer*, son inventeur ; [palmɛʀ].

**PALMERAIE,** subst. f.
Espace planté de palmiers. 1607 ; ☞ *palmier* ; [palmɛʀɛ].

**PALMETTE,** subst. f.
**1.** *Archit.* Petit ornement en forme de palme. **2.** *Arboric.* Taille d'un arbre fruitier en espalier (synon. *candélabre*). 1694 ; ☞ *palme* (II) ; [palmɛt].

**PALMIER,** subst. m.
*Bot.* Arbre des régions chaudes de la famille des Arécacées, caractérisé par son stipe et par ses feuilles groupées en bouquet à son sommet. Les **palmiers** ont un intérêt alimentaire (dattes, noix de coco, huile de palme, etc.), industriel (rotin, raphia) et ornemental. Déb. XIIe s. ; ☞ *palme* (II) ; [palmje].

**PALMIFIDE, voir PALMATIFIDE**

**PALMIPÈDE,** adj. et subst. m.
*Zool.* Se dit d'un oiseau aquatique dont les pieds sont palmés. SUBST. PLUR. Ancien ordre regroupant les Ansériformes et d'autres oiseaux **palmipèdes** ; au sing. : *Le canard est un* ***palmipède.*** 1760 ; formé de *palmi-* et de *-pède* ; [palmipɛd].

**PALMISTE,** subst. m. et adj.
*Bot.* SUBST. Nom de plusieurs espèces de palmiers, dont le bourgeon terminal est comestible. ADJ. *Chou* ***palmiste*** : bourgeon terminal de ce palmier (synon. *cœur de palmier*). 1601 ; créole *palmiste*, de l'esp. *palmito*, « petit palmier », du lat. *palma*, « palme » ; [palmist].

**PALMITE,** subst. m.
Moelle comestible du palmier. 1590 ; port. *palmito*, « petit palmier » ; [palmit].

**PALMITINE,** subst. f.
*Chim.* Ester du glycérol et de l'acide palmitique, substance solide et grasse présente dans l'huile de palme. 1855 ; ☞ *palmite* ; [palmitin].

**PALMURE,** subst. f.
**1.** *Zool.* Membrane reliant les doigts des animaux palmipèdes. **2.** *Pathol.* Bride cutanée due à une malformation ou à une brûlure grave. 1846 ; ☞ *palme* (II) ; [palmyʀ].

**PALOMBE,** subst. f.
Région. (Sud-Ouest). Ramier. 1532 ; anc. gascon *paloma*, du lat. pop. °*palumba* ; [palɔ̃b].

**PALONNIER,** subst. m.
**1.** Barre transversale placée à l'avant d'un véhicule à traction animale, aux extrémités de laquelle on fixe les traits. **2.** *Mécan.* Dispositif permettant la répartition uniforme d'une force exercée entre deux points. **3.** *Aéron.* Barre de commande du gouvernail de direction d'un avion. **4.** *Sp.* En ski nautique, poignée tenue par le skieur. 1383 ; anc. fr. *pal*, du lat. *palus*, « pieu » ; [palɔnje].

**PALOT,** subst. m.
*Pêche.* Bêche utilisée pour extraire les coquillages, les vers, etc., du sable ou de la vase. 1415 ; ☞ *pale* (I) ; [palo].

**PÂLOT, OTTE,** adj.
Un peu pâle. 1597 ; ☞ *pâle* ; [palo, ɔt].

**PALOURDE,** subst. f.
*Zool.* Nom donné, sur le littoral atlantique, à un mollusque bivalve comestible appelé clovisse en Méditerranée. XIIIe s. ; lat. pop. °*pelorida*, du gr. *pelôris*, « grosse huître » ; [paluʀd].

**PALPABLE,** adj.
**1.** Qui peut être palpé ; réel. **2.** Fig. Que l'esprit est capable d'appréhender ; évident. 1372 ; bas lat. *palpabilis*, du lat. *palpare*, « palper » ; [palpabl].

**PALPATION,** subst. f.
*Méd.* Examen médical consistant à palper certaines parties du corps. 1833 ; ☞ *palper* ; [palpasjɔ̃].

**PALPE,** subst. m.
*Zool.* **1.** Appendice maxillaire ou labial situé de part et d'autre de l'orifice buccal des Arthropodes, ayant une fonction d'exploration et de préhension. **2.** Barbillon, chez les poissons. 1802 ; ☞ *palper* ; [palp].

**PALPÉBRAL, ALE, AUX,** adj.
*Anat.* Qui a trait aux paupières. 1748 ; bas lat. *palpebralis*, du lat. *palpebra*, « paupière » ; [palpebʀal, o].

**PALPER,** verbe trans. [3]
**1.** Toucher (qqch. ou qqn) avec la main pour examiner, évaluer. **2.** Fam. Toucher, percevoir (de l'argent). 1488 ; lat. *palpare* ; [palpe].

**PALPEUR, EUSE,** adj. et subst. m.
ADJ. *Zool.* Pourvu de longs palpes. SUBST. *Techn.* Instrument servant à évaluer les mesures d'un objet, un état physique. 1842 ; ☞ *palper* ; [palpœʀ, øz].

**PALPITANT, ANTE,** adj.
**1.** Qui palpite ; empl. subst. masc. : *Le* ***palpitant***, le cœur (fam.). **2.** Fig. Qui est émouvant, passionnant : *Récit* ***palpitant.*** 1519 ; p. pr. de *palpiter* ; [palpitɑ̃, ɑ̃t].

**PALPITATION,** subst. f.
**1.** Mouvement de ce qui palpite. **2.** *Pathol.* Battement précipité du cœur (gén. au plur.). 1538 ; lat. *palpitatio* ; [palpitasjɔ̃].

**PALPITER,** verbe intrans. [3]
**1.** Avoir des mouvements frémissants, convulsifs : *Oiseau blessé qui* ***palpite.*** **2.** Battre précipitamment, en parlant du cœur. **3.** Anal. S'agiter, frémir : *Les lumières* ***palpitent*** *et s'éteignent.* 1488 ; lat. *palpitare*, de *palpare*, « palper, toucher » ; [palpite].

**PALPLANCHE,** subst. f.
**1.** *Mines.* Dosse utilisée pour le boisage des galeries, des puits. **2.** *Constr.* Ensemble de poutrelles utilisées pour former une cloison étanche. 1729 ; formé de *pal* et de *planche* ; [palplɑ̃ʃ].

**PALSAMBLEU,** interj.
Ancien juron. 1691 ; altér., par euphém., de *par le sang de Dieu !* ; [palsɑ̃blø].

**PALTOQUET,** subst. m.
**1.** Individu grossier (fam. et vieilli). **2.** Individu sot et vaniteux. 1704 (1546, vêtu d'un paletot) ; *paltoke*, anc. forme de *paletot* ; [paltɔkɛ].

**PALUCHE,** subst. f.
Main (pop.). 1940 ; ☞ *pale* (I) ; [palyʃ].

**PALUD,** subst. m.
**1.** Vx. Marais. **2.** Plaine alluvionnaire située au fond d'une vallée ou d'un ancien marais. Déb. XIIe s. ; lat. *palus* ; var. *palude*, *palus* ; [paly].

**PALUDÉEN, ÉENNE,** adj.
**1.** Vx. Relatif aux marais. **2.** Relatif au paludisme. **3.** Qui est atteint de paludisme ; empl. subst., personne atteinte du paludisme. 1837 ; lat. *palus*, « marais » ; [palydeɛ̃, eɛn].

**PALUDIER, IÈRE,** subst.
Personne qui travaille dans les marais salants. 1731 ; lat. *palus*, « marais » ; [palydje, jɛʀ].

**PALUDINE,** subst. f.
*Zool.* Gastéropode vivipare d'eau douce non stagnante. 1825 ; lat. *palus*, « marais » ; [palydin].

**PALUDISME,** subst. m.
*Pathol.* Parasitose due à un protozoaire du genre *Plasmodium* et qui peut être transmise par la piqûre de la femelle hématophage d'un moustique, l'anophèle (synon. vieilli *malaria*). 1869 ; lat. *palus*, « marais » ; [palydism].

**PALUS, voir PALUD**

**PALUSTRE,** adj.
**1.** Propre aux marais. **2.** Relatif au paludisme (rare). 1505 ; lat. *paluster*, « marécageux » ; [palystʀ].

**PALYNOLOGIE,** subst. f.
Science qui a pour objet l'étude des spores, des pollens et des microfossiles. 1958 ; angl. *palynology*, du gr. *palunein*, « saupoudrer » ; [palinɔlɔʒi].

**PÂMER (SE),** verbe pronom. [3]
**1.** S'évanouir (vieilli). **2.** Être comme près de s'évanouir sous l'effet d'une forte émotion : ***Se pâmer*** *de bonheur.* Mil. XIe s. ; lat. pop. °*pasmare*, du lat. *spasmus*, « spasme » ; [pɑme].

**PÂMOISON,** subst. f.
**1.** Évanouissement (littér.). **2.** Anal. État de torpeur, d'abandon du corps à un bien-être intense. Mil. XIe s. ; ☞ *se pâmer* ; [pɑmwazɔ̃].

**PAMPA,** subst. f.
Vaste plaine herbeuse d'Amérique du Sud. 1716 ; hisp.-amér. *pampa*, du quechua *pampa*, « plaine » ; [pɑ̃pa].

*Paysage de* ***pampa*** *en Argentine.*

**PAMPERO,** subst. m.
Vent froid des pampas. 1771 ; mot esp. ; [pɑ̃peʀo].

**PAMPHLET,** subst. m.
Courte et violente satire attaquant qqn, une opinion, etc. 1698 (1653, écrit sans valeur) ; angl. *pamphlet*, de l'anc. fr. *Pamphilet*, nom d'une comédie du Moyen Âge ; [pɑ̃flɛ].

**PAMPHLÉTAIRE,** subst.
Auteur de pamphlets ; empl. adj., qui a les traits du pamphlet. 1790 ; ☞ *pamphlet* ; [pɑ̃fletɛʀ].

**PAMPILLE,** subst. f.
Frange de passementerie comportant des pendeloques ; par méton., pendeloque. Fin XIXe s. ; orig. obsc. ; [pɑ̃pij].

**PAMPLEMOUSSE,** subst. m.
Fruit comestible du pamplemoussier, agrume à la chair juteuse, au goût acidulé et un peu amer. 1666 ; néerl. *pompelmoes*, de *pompel*, « gros », et de *limoes*, « citron » ; [pɑ̃pləmus].

**PAMPLEMOUSSIER,** subst. m.
*Bot.* Arbre fruitier de la famille des Rutacées, qui produit les pamplemousses. 1870 ; ☞ *pamplemousse* ; [pɑ̃pləmusje].

**PAMPRE,** subst. m.
**1.** *Bot.* Rameau de vigne garni de ses feuilles et de ses grappes. **2.** Méton. Tonnelle ombragée. **3.** *Archit.* Feston ornant certaines colonnes torses, représentant un rameau de vigne avec son feuillage et ses grappes. 1534 ; lat. *pampinus* ; [pɑ̃pʀ].

**PAN (I),** subst. m.
**1.** Grand lé de tissu ; partie tombante d'un vêtement. **2.** *Constr.* Une des façades d'une construction : ***Pan*** *d'une maison* ; ***Pan*** *de mur.* ▸ ***Pan*** *coupé* : surface qui comble ou coupe obliquement l'angle de deux murs et s'élève obliquement par rapport à eux ; ***Pan*** *de bois, de fer* : dans l'élévation des murs, assemblage de pièces de bois ou de fer rempli par des matériaux. **3.** Face d'un objet polyédrique. Fin XIe s. ; lat. *pannus*, « morceau d'étoffe » ; [pɑ̃].

**PAN (II),** interj.
Imite un bruit sec, un coup, une détonation. 1731 ; onomat. ; [pɑ̃].

**PANACE, voir PANAX**

**PANACÉE,** subst. f.
Remède capable de guérir tous les maux ; au fig., solution miracle à tous les problèmes. 1549 (1213, herbe contre les serpents) ; lat. *panacea*, du gr. *panakeia*, de *pan*, « tout », et de *akos*, « remèdes » ; [panase].

**PANACHAGE,** subst. m.
**1.** Action de panacher. **2.** *Pol.* Possibilité, pour l'électeur, de barrer des noms de candidats pour les remplacer par d'autres figurant sur des listes concurrentes, lors de certains scrutins. Fin XIXe s. ; ☞ *panacher* ; [panaʃaʒ].

**PANACHE,** subst. m.
**1.** Ornement constitué d'un bouquet de plumes ; par anal., objet qui en a la forme : *Un jet d'eau en* ***panache.*** **2.** Fig. Talent, brio ; bravoure pleine d'élégance : *Quelle allure, quel* ***panache !*** **3.** *Archit.* ▸ Décoration en forme de plumes. ▸ Partie triangulaire du pendentif d'une coupole. Déb. XVIe s. ; ital. *pennacchio*, « bouquet de plumes », du lat. *pinna*, « plume » ; [panaʃ].

**PANACHÉ, ÉE,** adj.
**1.** Orné d'un panache (rare). **2.** Constitué de couleurs, de matières ou d'éléments variés : *Une tulipe, une glace* ***panachée.*** ▸ *Demi* ***panaché*** ou, empl. subst. masc., ***Panaché*** : demi de bière coupée de limonade. **3.** *Pol. Liste* ***panachée*** : résultant d'un panachage. Fin XIVe s. ; ☞ *panache* ; [panaʃe].

**PANACHER,** verbe trans. [3]
**1.** Orner, décorer d'un panache (rare). **2.** Composer de divers éléments. ▸ *Pol.* ***Panacher*** *une liste électorale* : en modifier la composition par panachage. 1667 ; ☞ *panache* ; [panaʃe].

**PANACHURE,** subst. f.
Ensemble de taches tranchant avec la couleur d'un fond. 1758 ; ☞ *panache* ; [panaʃyʀ].

**PANADE,** subst. f.
*Cuis.* Soupe à base de pain bouilli dans de l'eau. ▸ Loc. ***Être dans la panade*** : être dans une situation difficile (fam.). 1548 ; prov. *panado* ; [panad].

**PANAFRICAIN, AINE,** adj.
Qui concerne l'ensemble de l'Afrique. V. 1960 ; ☞ *africain* + *pan-* ; [panafʀikɛ̃, ɛn].

**PANAFRICANISME,** subst. m.
*Pol.* Mouvement pour le développement de l'unité africaine. 1959 ; ☞ *panafricain* ; [panafʀikanism].

**PANAIS,** subst. m.
*Bot.* Plante de la famille des Apiacées, dont une espèce est cultivée pour sa racine comestible. Fin XII^e s. ; lat. *pastinaca* ; [panɛ].

**PANAMA,** subst. m.
Chapeau d'homme tressé avec des feuilles de latanier ; par ext., tout chapeau ayant la même forme. 1842 ; topon. *Panamá* ; [panama].

**PANAMÉRICAIN, AINE,** adj.
Qui a trait à l'ensemble du continent américain. 1894 ; ☞ *américain* + *pan-* ; [panameʀikɛ̃, ɛn].

**PANAMÉRICANISME,** subst. m.
*Pol.* Mouvement visant à développer les liens entre les pays américains, sous l'égide des États-Unis. 1899 ; ☞ *panaméricain* ; [panameʀikanism].

**PANARABISME,** subst. m.
*Pol.* Mouvement préconisant l'union des pays de langue et de civilisation arabes. 1923 ; ☞ *arabisme* + *pan-* ; [panaʀabism].

**PANARD, ARDE,** adj. et subst. m.
**Adj.** Qui a les pieds de devant tournés en dehors, en parlant d'un cheval. **Subst.** Pied (pop.). 1750 ; prov. *panard*, « boiteux » ; [panaʀ, aʀd].

**PANARIS,** subst. m.
*Pathol.* Inflammation aiguë du doigt ou de l'orteil. Fin XIV^e s. ; lat. *panaricium* ; [panaʀi].

**PANATHÉNÉES,** subst. f. plur.
*Antiq. gr.* Fêtes célébrées à Athènes en l'honneur d'Athéna. 1732 ; gr. *panathênaia* ; [panatene].

**PANAX,** subst. m.
*Bot.* Plante herbacée de la famille des Araliacées, dont une espèce est le ginseng. 1538 ; lat. *panax*, du gr. *panax* ; var. *panace* ; [panaks].

**PAN-BAGNAT,** subst. m.
Pain rond garni de tomates, de thon, d'œufs durs, d'anchois, de salade, et assaisonné d'huile d'olive. Mot prov. ; plur. *pans-bagnats* ; [pɑ̃baɲa].

**PANCA,** voir **PANKA**

**PANCARTE,** subst. f.
Petit écriteau informatif. ▸ Écriteau brandi durant une manifestation. Déb. XVII^e s. (1440, carte marine) ; lat. médiév. *pancharta*, « charte » ; [pɑ̃kaʀt].

**PANCHEN-LAMA,** subst. m.
Deuxième personnage de la hiérarchie du bouddhisme tibétain. Skr. *paṇḍita*, « érudit », et tibétain *bla-ma* ; plur. *panchen-lamas* ; [panʃɛnlama].

**PANCHROMATIQUE,** adj.
*Phot.* Sensible à toutes les couleurs du spectre. 1898 ; ☞ *chromatique* + *pan-* ; [pɑ̃kʀɔmatik].

**PANCLASTITE,** subst. f.
*Chim.* Explosif liquide composé de peroxyde d'azote et d'une substance combustible. Mil. XIX^e s. ; gr. *klastos*, « brisé », + *pan-* ; [pɑ̃klastit].

**PANCRACE,** subst. m.
*Antiq. gr.* Chez les athlètes, combat mêlant lutte et pugilat. 1578 ; lat. *pancratium*, du gr. *pankration*, de *pan*, « tout », et de *kratos*, « force » ; [pɑ̃kʀas].

**PANCRÉAS,** subst. m.
*Anat.* Glande allongée, annexée au tube digestif et communiquant avec le duodénum, qui produit une sécrétion endocrine (insuline, glucagon) et exocrine (enzymes digestives). 1541 ; gr. *pankreas*, de *pan*, « tout », et de *kreas*, « chair » ; [pɑ̃kʀeas].

**PANCRÉATECTOMIE,** subst. f.
*Chir.* Ablation totale ou partielle du pancréas. XX^e s. ; ☞ *pancréas* + *-ectomie* ; [pɑ̃kʀeatɛktɔmi].

**PANCRÉATIQUE,** adj.
Du pancréas. 1665 ; ☞ *pancréas* ; [pɑ̃kʀeatik].

**PANCRÉATITE,** subst. f.
*Pathol.* Inflammation du pancréas. 1810 ; ☞ *pancréas* + *-ite* ; [pɑ̃kʀeatit].

**PANDA,** subst. m.
*Zool.* Mammifère de Chine méridionale appartenant à l'ordre des Carnivores, mais qui se nourrit de bambous. Le petit **panda** mesure environ 60 cm de long ; le grand **panda**, ou **panda** géant, noir et blanc, 1,50 m. 1824 ; mot du Népal ; [pɑ̃da].

**PANDANUS,** subst. m.
*Bot.* Arbre ou arbuste d'origine tropicale, de la famille des Pandanacées, dont une espèce fournit des feuilles utilisées pour faire des nattes et des toits. 1803 ; malais *pandang* ; [pɑ̃danys].

**PANDECTES,** subst. f. plur.
*Dr. rom.* Recueil rassemblant les décisions des jurisconsultes romains. 1537 ; lat. jur. *pandectae*, du gr. *pan*, « tout », et *dekhesthai*, « accueillir » ; [pɑ̃dɛkt].

**PANDÉMIE,** subst. f.
Épidémie touchant un grand nombre de personnes, dans une très vaste zone géographique. 1752 ; gr. *dêmos*, « peuple », + *pan-* ; [pɑ̃demi].

**PANDÉMONIUM,** subst. m.
Capitale imaginaire des Enfers ; par anal., lieu bruyant et désordonné, évoquant l'enfer. 1714 ; angl. *pandemonium*, du gr. *pan*, « tout », et *daimôn*, « démon » ; [pɑ̃demɔnjɔm].

**PANDICULATION,** subst. f.
Étirement du corps accompagné de bâillements. 1560 ; lat. *pandiculari*, « s'étendre » ; [pɑ̃dikylasjɔ̃].

**PANDIT,** subst. m.
Titre honorifique décerné en Inde, en partic. aux brahmanes érudits. 1614 ; skr. *paṇḍita* ; [pɑ̃di(t)].

**PANDORE (I),** subst. f.
*Mus.* Instrument à cordes pincées, de la famille des luths. 1519 ; lat. *pandura*, du gr. *pandoura* ; [pɑ̃dɔʀ].

**PANDORE (II),** subst. m.
Gendarme (fam. et vieilli). Mil. XX^e s. ; *Pandore*, nom d'un gendarme dans une chanson ; [pɑ̃dɔʀ].

**PANÉGYRIE,** subst. f.
*Antiq. gr.* Rassemblement du peuple à l'occasion d'une fête religieuse ; lieu de ce rassemblement. 1765 ; gr. *panêguris* ; [paneʒiʀi].

**PANÉGYRIQUE,** subst. m.
**1.** *Antiq.* Éloge d'une personne. **2.** Anal. Discours vantant les mérites de qqn ou de qqch. ; éloge exagéré (péj.). 1512 ; lat. *panegyricus*, du gr. *panêgurikos* ; [paneʒiʀik].

**PANÉGYRISTE,** subst.
Auteur d'un panégyrique. Fin XVI^e s. ; bas lat. *panegyrista*, du gr. *panêguristês* ; [paneʒiʀist].

**PANEL,** subst. m.
Anglic. **1.** Échantillon de personnes régulièrement sondées : *Un* **panel** *de consommateurs.* **2.** Réunion de spécialistes animant un débat. 1953 ; angl. *panel*, de l'anc. fr. *panel*, « morceau de parchemin ; liste » ; [panɛl].

**PANER,** verbe trans. [3]
*Cuis.* Recouvrir (un mets) de chapelure avant de le faire cuire ; empl. adj. : *Poisson* **pané.** 1752 (mil. XVI^e s., *eau panée*, eau dans laquelle on a fait bouillir du pain) ; ☞ *pain* ; [pane].

**PANETERIE,** subst. f.
Lieu où l'on garde et distribue le pain, dans les grands établissements (couvents, hôpitaux, etc.). 1292 ; ☞ *pain* ; [pan(ə)tʀi] ou [-nɛ-].

**PANETIER, IÈRE,** subst.
**Masc.** Officier de bouche qui était autrefois chargé du pain, à la cour d'un souverain. **Fém.** Corbeille ou petit meuble où l'on range le pain. Mil. XII^e s. ; ☞ *pain* ; [pan(ə)tje, jɛʀ].

**PANETON,** subst. m.
Corbeille tapissée de toile où la pâte à pain prend forme avant de cuire. 1812 ; ☞ *panier* ; [pan(ə)tɔ̃].

**PANGERMANISME,** subst. m.
*Pol.* Doctrine prônant l'union de tous les peuples d'origine germanique. 1845 ; ☞ *germanisme* + *pan-* ; [pɑ̃ʒɛʀmanism].

© C. N. R. S.-Jacana

*Pangolin.*

**PANGOLIN,** subst. m.
*Zool.* Mammifère insectivore d'Asie et d'Afrique, au corps recouvert d'écailles. Mil. XVIII^e s. ; malais *pang-goling*, « celui qui s'enroule » ; [pɑ̃gɔlɛ̃].

**PANHELLÉNIQUE,** adj.
*Antiq.* Qui concerne toutes les cités grecques. 1868 ; ☞ *hellénique* + *pan-* ; [panɛl(l)enik] ou [-ele-].

**PANHELLÉNISME,** subst. m.
*Pol.* Doctrine visant au regroupement des Grecs du pourtour méditerranéen en une seule nation. 1868 ; ☞ *panhellénique* ; [panɛl(l)enism] ou [-ele-].

**PANIC,** subst. m.
*Bot.* Herbe annuelle appartenant à la famille des Poacées, dont une espèce est le millet, autrefois utilisé pour fabriquer des bouillies. 1282 ; lat. *panicum*, de *panus*, « fil tisserand » ; var. *panis* ; [panik].

**PANICAUT,** subst. m.
*Bot.* Plante herbacée vivace de la famille des Apiacées, à feuilles épineuses, appelée aussi chardon bleu. Fin XIV^e s. ; prov. *panicau*, du lat. *panis*, « pain », et *cardum*, « chardon » ; [paniko].

**PANICULE,** subst. f.
*Bot.* Inflorescence en grappe qui se termine par un bourgeon. 1545 ; lat. *panicula*, de *panus*, « épi » ; [panikyl].

**PANIER, IÈRE,** subst.
**Masc. 1.** Objet, souvent fait d'osier, servant à transporter, à contenir diverses choses : ***Panier** à provisions* ; ***Panier** à salade*, récipient grillagé servant à égoutter la salade ou, par anal. (fam.), car de police. ▸ Loc. *Mettre dans le même* **panier** : assimiler négativement à ; *Mettre tous ses œufs dans le même* **panier** (☞ *œuf*) ; ***Panier** percé* : personne prodigue ; *Mettre, jeter qqch. au* **panier** : s'en débarrasser. **2.** Contenu d'un **panier** : *Un plein* **panier** *de pommes.* ▸ Loc. *Le dessus du* **panier** : l'élite ; *Le fond du* **panier** : le déchet ; *Le* **panier** *de la ménagère* : la part du budget réservée aux dépenses domestiques, qui sert d'indicateur du coût de la vie ; ***Panier**-repas* : repas froid destiné à un voyageur. **3.** *Spéc.* ▸ *Cost.* Armature baleinée servant à élargir et à faire bouffer une robe, en vogue au XVIII^e s. ▸ *Sp.* Filet de basket-ball ; par méton., point marqué. **Fém. 1.** Large panier à anses ; son contenu. **2.** Huche à pain. Fin XII^e s. ; lat. *panarium*, « corbeille à pain » ; [panje, jɛʀ].

**PANIFICATION,** subst. f.
Processus de fabrication du pain. 1782 ; ☞ *panifier* ; [panifikasjɔ̃].

**PANIFIER,** verbe trans. [6]
Transformer (de la farine) en pain. 1600 ; lat. *panis*, « pain » ; [panifje].

**PANIQUE,** adj. et subst. f.
**Adj.** *Peur* **panique** : mêlée d'affolement. **Subst.** Effroi subit et violent, de nature irraisonnée, souvent collectif. 1534 ; lat. *panicus*, du gr. *panikos*, de *Pan*, dieu qui passait pour effrayer les esprits ; [panik].

**PANIQUER,** verbe [3]
**Trans.** Terrifier, affoler (fam.). **Intrans.** Éprouver une peur panique. Déb. XIX^e s. ; ☞ *panique* ; [panike].

**PANIS,** voir **PANIC**

**PANISLAMISME,** subst. m.
*Pol.* Mouvement visant à unir tous les peuples musulmans en une seule nation. 1905 ; ☞ *islamisme* + *pan-* ; [panislamism].

**PANKA,** subst. m.
Écran de toile suspendu au plafond, actionné par une corde et servant de ventilateur dans les pays chauds. 1830 ; angl. *punka*, du hindi *paṃkhā*, « éventail » ; var. *panca* ; [pɑ̃ka].

**PANMIXIE,** subst. f.
*Génét.* Mode de formation aléatoire des couples parentaux au sein d'une population d'individus d'une espèce particulière. 1903 ; gr. *pan*, « tout », et *mixis*, « mélange » ; [pɑ̃miksi].

**PANNE (I),** subst. f.
**I. 1.** Étoffe ressemblant au velours, mais dont le poil est plus long. **2.** Graisse située sous la peau du porc. **II. 1.** *Mar. Mettre, se tenir en* **panne** : orienter les voiles de façon à immobiliser le navire. **2.** Interruption accidentelle et brutale du fonctionnement d'un mécanisme : ***Panne** de moteur.* ▸ Loc. *Être en* **panne** : être incapable de poursuivre (fam.) ; *Être en* **panne** *de qqch.* : en manquer ; *Laisser qqch. en* **panne** : le laisser inachevé. **III.** *Techn.* **1.** Partie étroite de la tête d'un marteau. **2.** Partie plate d'un piolet. Mil. XIII^e s. (fin XI^e s., peau recouvrant un bouclier) ; lat. *penna*, « plume ; partie latérale » ; [pan].

**PANNE (II),** subst. f.
*Techn.* Poutre horizontale supportant les chevrons d'un toit. Mil. XII^e s. ; bas lat. *patena*, du gr. *patnê*, « crèche » ; [pan].

**PANNE (III),** subst. f.
Bande nuageuse visible au-dessus de l'horizon. 1866 ; lat. *pannus*, « morceau d'étoffe » ; [pan].

**PANNEAU, subst. m.**
**1.** *Cout.* Pièce de tissu cousue sur un vêtement pour l'étoffer, l'orner ; élément assemblé d'un vêtement : *Jupe à quatre* ***panneaux***. **2.** *Vèn.* Filet utilisé pour capturer le gibier : *Chasser au* ***panneau***. ► Loc. *Tomber dans le* ***panneau*** : se faire piéger. ► *B.-a.* Support en bois d'une peinture ; partie d'un retable. **3.** Plaque où sont inscrites des informations : *Des* ***panneaux*** *publicitaires.* **4.** *Spéc.* ► *Constr.* Partie plane d'une construction, dont la surface est délimitée : *Le* ***panneau*** *de la porte* ; plaque préfabriquée utilisée pour le remplissage ou le revêtement : ***Panneaux*** *de particules.* ► *Mar.* Plaque servant à fermer une écoutille. 1213 ; lat. pop. °*pannellus*, de *pannus*, « morceau d'étoffe » ; [pano].

**PANNERESSE, subst. f.**
*Bât.* Brique ou pierre placée en largeur dans l'épaisseur d'un mur. ☞ *panneau* ; [panʀɛs].

**PANNETON, subst. m.**
Partie de la clé qui pénètre dans la serrure et qui actionne le pêne. 1581 ; *penneton* (vx), de l'anc. fr. *pennon*, « petit étendard » ; [pan(ə)tɔ̃].

**PANNICULE, subst. m.**
*Anat.* ***Pannicule*** *adipeux* : couche plus ou moins épaisse de graisse siégeant dans l'hypoderme. 1398 ; lat. *panniculus*, « lambeau d'étoffe » ; [panikyl].

**PANONCEAU, subst. m.**
**1.** *M. Â.* Écu d'armoirie. **2.** Écusson, plaque fixée à la porte de certains officiers ministériels (notaires, huissiers, etc.). **3.** Petit panneau. Mil. XII^e s. ; anc. fr. *pennon*, « étendard » ; [panɔ̃so].

**PANOPHTALMIE, subst. f.**
*Pathol.* Infection diffuse du globe oculaire, survenant au cours d'une septicémie ou consécutive à un traumatisme, à une intervention chirurgicale. 1932 ; ☞ *ophtalmie* + *pan-* ; [panɔftalmi].

**PANOPLIE, subst. f.**
**1.** *M. Â.* Armure complète d'un chevalier ; par ext., collection d'armes exposée sur un panneau ; par anal., collection de trophées. **2.** Ensemble d'objets employés dans l'exercice d'une fonction ; par anal., jouet constitué d'un déguisement et d'accessoires : *Une* ***panoplie*** *de magicien.* **3.** Fig. Ensemble de procédés, d'arguments dont dispose qqn pour parvenir à ses fins. 1551 ; gr. *panoplia*, « armure complète de l'hoplite » ; [panɔpli].

**PANOPTIQUE, adj.**
*Bât.* Se dit d'un édifice construit de telle sorte que d'un poste d'observation on puisse en voir tout l'intérieur : *Prison* ***panoptique***. 1802 ; ☞ *optique* + *pan-* ; [panɔptik].

**PANORAMA, subst. m.**
**1.** *B.-a.* Vaste tableau circulaire peint en trompe l'œil, que l'on regarde du centre. **2.** Vaste paysage contemplé de tous côtés d'une hauteur. **3.** Fig. Vue d'ensemble d'un sujet : *Le* ***panorama*** *de la chanson française.* 1799 ; angl. *panorama*, du gr. *pan*, « tout », et *orama*, « ce que l'on voit » ; [panɔʀama].

**PANORAMIQUE, adj. et subst. m.**
**Adj.** Qui offre les caractères d'un panorama ; qui permet d'embrasser un vaste paysage : *Observatoire* ***panoramique***. ► *Phot. Vue* ***panoramique*** : photographiée avec un objectif grand angle. **Subst.** *Cin.* Mouvement rotatif de la caméra autour d'un axe ; plan ainsi obtenu. 1816 ; ☞ *panorama* ; [panɔʀamik].

**PANORPE, subst. f.**
*Zool.* Insecte des bois et des prés, de l'ordre des Névroptères, au long rostre et aux ailes nervurées, mouchetées de brun. Il est appelé aussi mouche-scorpion, à cause de l'appendice caudal en pince du mâle. 1764 ; lat. sc. *panorpa*, du gr. *pan*, « tout », et *orpex*, « aiguillon » ; [panɔʀp].

**PANOSSE, subst. f.**
Helv. Serpillière. 1411 ; prob. bas lat. *panuccia*, « guenille » ; [panɔs].

**PANOUFLE, subst. f.**
Fourrure de mouton utilisée pour couvrir le dessus des sabots. Fin XVIII^e s. ; anc. fr. *panufle*, « haillon », de *pane*, « chiffon » ; [panufl].

**PANSAGE, subst. m.**
Action de panser, de soigner un cheval. 1798 ; ☞ *panser* ; [pɑ̃saʒ].

**PANSE, subst. f.**
**1.** Gros ventre, bedaine (fam.) : *S'en mettre plein la* ***panse***, manger avec excès. **2.** Anal. Partie ventrue d'un objet : *Panse d'une cloche*, là où frappe le battant. ► Partie arrondie d'une lettre : *La* ***panse*** *d'un « q ».* **3.** *Zool.* Première poche de l'estomac des Ruminants, où s'accumule l'herbe avant régurgitation. 1155 ; lat. *pantex*, « intestins » ; [pɑ̃s].

**PANSEMENT, subst. m.**
Action de panser ; par méton., ce qui est utilisé pour soigner une plaie (compresse, bandage, etc.). ► *Pharm.* ***Pansement*** *gastrique* : médicament qui, en tapissant la muqueuse gastrique, en neutralise l'hyperacidité. 1531 ; ☞ *panser* ; [pɑ̃smɑ̃].

**PANSER, verbe trans. [3]**
**1.** Donner les soins de propreté à (un cheval). **2.** Soigner au moyen de pansements. **3.** Fig. Soulager (une douleur morale) : *Il* ***pansait*** *les plaies secrètes de son cœur.* 1165 ; ☞ *penser*, d'apr. *penser de* (vx), « prendre soin de » ; [pɑ̃se].

**PANSLAVISME, subst. m.**
*Pol.* Doctrine fondée sur la volonté d'unir les Slaves. 1845 ; *slavisme* (rare) + *pan-* ; [pɑ̃slavism].

**PANSU, UE, adj.**
Qui a du ventre (fam.) ; par anal., renflé : *Une carafe* ***pansue***. Déb. XIV^e s. ; ☞ *panse* ; [pɑ̃sy].

**PANTAGRUÉLIQUE, adj.**
Qui évoque Pantagruel : *Un appétit* ***pantagruélique***. 1534 ; *Pantagruel*, héros de Rabelais ; [pɑ̃tagʀyelik].

**PANTALON, subst. m.**
**1.** Longue culotte descendant jusqu'aux pieds. **2.** *Théâtre.* Élément de décor placé en retrait d'une ouverture. 1550 ; *Pantalone*, personnage bouffon de la commedia dell'arte ; [pɑ̃talɔ̃].

**PANTALONNADE, subst. f.**
**1.** Farce, bouffonnerie. **2.** Attitude, discours hypocrite ou ridicule. 1613 ; ☞ *pantalon* ; [pɑ̃talɔnad].

**PANTELANT, ANTE, adj.**
**1.** Vx. Haletant ; au fig., qui suffoque d'émotion. **2.** Qui palpite encore, en parlant d'une partie du corps d'un être qui vient d'être tué : *Chair* ***pantelante***. Fin XVI^e s. ; p. pr. de *panteler* ; [pɑ̃t(ə)lɑ̃, ɑ̃t].

**PANTELER, verbe intrans. [12]**
**1.** Vx. Suffoquer, haleter. **2.** Être pantelant, frémir (rare et littér.). 1561 ; anc. fr. *pantoiser*, du lat. pop. °*pantasiare*, « avoir des visions » ; [pɑ̃t(ə)le].

**PANTHÉISME, subst. m.**
*Philos.* Doctrine selon laquelle Dieu et l'univers sont immanents l'un à l'autre ; par ext., divinisation de la nature. 1712 ; ☞ *panthéiste* ; [pɑ̃teism].

**PANTHÉISTE, subst. et adj.**
Se dit d'un adepte du panthéisme. **Adj.** Relatif au panthéisme. 1712 ; angl. *pantheist*, du gr. *pantheos*, « qui concerne tous les dieux » ; [pɑ̃teist].

**PANTHÉON, subst. m.**
**1.** *Antiq.* Temple dédié à l'ensemble des dieux d'une religion polythéiste ; par méton., ensemble des dieux d'une religion. **2.** Anal. Monument où reposent les restes des grands hommes. **3.** Fig. Ensemble de personnages illustres. 1488 ; lat. *Pantheum*, du gr. *Pantheion*, « tous les dieux » ; [pɑ̃teɔ̃].

**PANTHÈRE, subst. f.**
*Zool.* Mammifère carnassier de la famille des Félidés, dont le pelage varie du gris et du fauve mouchetés au noir uni. La **panthère** vit en Asie et en Afrique, où elle est souvent appelée léopard. Déb. XII^e s. ; lat. *panthera*, du gr. *panthêra* ; [pɑ̃tɛʀ].

**PANTIN, subst. m.**
**1.** Jouet, figurine dont on actionne les membres en tirant sur un fil. **2.** Fig. Personne qui gesticule sans raison ; par ext., personne ridicule ou influençable. 1747 ; *pantine* (vx), « écheveau de soie » ; [pɑ̃tɛ̃].

**PANTOGRAPHE, subst. m.**
**1.** Instrument doté de bras articulés et permettant de reproduire un dessin à différentes échelles. **2.** *Ch. de fer.* Dispositif situé sur le toit d'une locomotive, servant à capter le courant de la caténaire. 1743 ; formé de *panto-* et de *-graphe* ; [pɑ̃tɔgʀaf].

**PANTOIRE, subst. f.**
*Mar.* Câble fixé à un mât, qui se termine par un croc ou un œillet. 1771 ; ☞ *pente* ; [pɑ̃twaʀ].

**PANTOIS, OISE, adj.**
Saisi d'émotion, stupéfait. 1546 ; anc. fr. *pantoisier*, « frémir », du lat. pop. °*pantasiare*, « avoir des visions » ; [pɑ̃twa, waz].

**PANTOMÈTRE, subst. m.**
*Techn.* Outil d'arpenteur utilisé pour la mesure des angles et le tracé de perpendiculaires. 1675 ; formé de *panto-* et de *-mètre*[1] ; [pɑ̃tɔmɛtʀ].

**PANTOMIME, subst.**
**Masc.** Vx. Acteur jouant un rôle muet. **Fém. 1.** Art du mime, de l'expression gestuelle ; par méton pièce mimée. **2.** Attitude outrée (péj.) : *Que signifi cette grotesque* ***pantomime*** *?* 1469 ; lat. *pantomimus* du gr. *pantomimos*, « celui qui mime tout » ; [pɑ̃tɔmim]

*Pantomime dans le film* Les Enfants du paradis *(1945), de Marcel Carné : de gauche à droite, Pierre Brasseur, Arletty et Jean-Louis Barrault.*

**PANTOTHÉNIQUE, adj.**
*Biochim.* Qualifie un acide aminé complexe (synon *vitamine* $B_5$) présent en partic. dans le poller et la levure de bière, et jouant un rôle importan dans le métabolisme cellulaire. V. 1900 ; ang *pantothenic*, du gr. *pantothen*, « de toutes parts » [pɑ̃tɔtenik].

**PANTOUFLARD, ARDE, subst. et adj**
Se dit de qqn qui aime le confort et la tranquillité qui est casanier (fam.). 1883 (1878, surnom donn aux Parisiens âgés qui formèrent une garde urbain pendant le siège de 1870) ; ☞ *pantoufle* ; [pɑ̃uflaʀ, aʀd]

**PANTOUFLE, subst. f.**
**1.** Chaussure d'intérieur sans tige, confortable e souple. **2.** Dédit dû à l'État par un élève d'un grande école qui choisit de pantoufler (argot scol.) 1465 ; orig. obsc. ; [pɑ̃tufl].

**PANTOUFLER, verbe intrans. [3]**
Quitter le service de l'État pour une entrepris privée (fam.). 1878 (1676, converser à bâton rompus) ; ☞ *pantoufle* ; [pɑ̃tufle].

**PANTOUM, subst. m.**
*Litt.* Poème à forme fixe, d'origine malaise, composé de quatrains à rimes croisées dans lesquels l deuxième et le quatrième vers sont repris dans l premier et le troisième de la strophe suivante 1829 ; mot d'orig. malaise ; [pɑ̃tum].

**PANURE, subst. f.**
Chapelure. 1874 ; ☞ *pain* ; [panyʀ].

**PANZER, subst. m.**
Char allemand de la Seconde Guerre mondiale 1941 ; all. *Panzer*, « blindé » ; [pɑ̃(d)zɛʀ] ou [pantsɛʀ]

*Paon mâle.*

**PAON, PAONNE, subst.**
*Zool.* **Masc. 1.** Oiseau de l'ordre des Galliformes dont le mâle se signale par ses couleurs et par sa queue ocellée, qu'il déploie en faisant la roue. ► Loc. *Se parer des plumes du* ***paon*** : se vanter de mérites usurpés ; *Faire le* ***paon*** : se pavaner. **2.** Anal Papillon aux ailes ornées d'ocelles : ***Paon-de-nuit*** saturnie ; ***Paon-de-jour***, vanesse. **Fém.** Femelle du **paon.** Déb. XII^e s. ; lat. *pavo* ; [pɑ̃, pan].

**PAPA, subst. m.**
Terme affectueux utilisé pour s'adresser à son père ou pour l'évoquer. ► Loc. *Fils à* ***papa*** : fils gâté qui profite de la situation sociale de son père (péj.) ; *À la* ***papa*** : tranquillement, sans effort (iron.). Mil. XIII^e s. ; lat. *pappus*, « aïeul » ; [papa].

**PAPAÏNE,** subst. f.
*Biochim.* Enzyme extraite du latex du papayer, utilisée dans l'industrie alimentaire et en médecine. 1880 ; ☞ *papaye* ; [papaɛ̃].

**PAPAL, ALE, AUX,** adj.
Qui concerne le pape, ses actes. Fin XIIIe s. ; lat. médiév. *papalis*, de *papa*, « pape » ; [papal, o].

**PAPAS,** subst. m.
*Relig.* Prêtre, dans l'Église d'Orient. Déb. XIIIe s. ; gr. byzantin *papas*, « prêtre » ; [papas].

**PAPAUTÉ,** subst. f.
**1.** Dignité, fonction de pape (synon. *pontificat*). **2.** Méton. Durée de cette fonction. **3.** Gouvernement du pape, institution papale. Fin XIVe s. ; ☞ *pape* ; [papote].

**PAPAVÉRACÉES,** subst. f. plur.
*Bot.* Famille de plantes à suc laiteux que leur odeur, leur saveur et leurs soies protègent des insectes. **Au sing.** *Le pavot est une* ***papavéracée.*** 1789 ; lat. *papaver*, « pavot » ; [papaveʀase].

**PAPAVÉRINE,** subst. f.
*Pharm.* Alcaloïde de l'opium utilisé en médecine pour ses propriétés anti-ischémiques et antispasmodiques. 1842 ; lat. *papaver*, « pavot » ; [papaveʀin].

**PAPAYE,** subst. f.
Fruit comestible du papayer, jaune orangé et oblong. 1579 ; esp. *papaya*, d'orig. caraïbe ; [papaj].

**PAPAYER,** subst. m.
*Bot.* Arbre fruitier tropical de la famille des Caricacées, dont on extrait du latex et dont le fruit est la papaye. 1654 ; ☞ *papaye* ; [papaje].

**PAPE,** subst. m.
**1.** Chef de l'Église catholique romaine. ▸ Loc. *Sérieux comme un* ***pape*** : très digne. **2.** Personne à l'autorité incontestée : *Godard, le* ***pape*** *de la Nouvelle Vague.* Mil. XIe s. ; lat. eccl. *papa*, « père » ; [pap].

**PAPELARD (I), ARDE,** adj.
D'une hypocrisie doucereuse (littér.). Fin XIIe s. ; orig. obsc. ; [paplaʀ, aʀd].

**PAPELARD (II),** subst. m.
Fam. **1.** Papier. **2.** Article écrit pour un journal. Déb. XIXe s. ; ☞ *papier* ; [paplaʀ].

**PAPELARDISE,** subst. f.
Hypocrisie (littér.). XIIIe s. ; ☞ *papelard* (I) ; [paplaʀdiz].

**PAPERASSE,** subst. f.
Ensemble de papiers, d'écrits jugés sans intérêt ou encombrants (péj.). 1534 ; ☞ *papier* ; [papʀas].

**PAPERASSERIE,** subst. f.
**1.** Amoncellement de paperasses. **2.** Tendance à multiplier exagérément les documents administratifs (péj.). 1845 (1807, action de compulser des papiers) ; ☞ *paperasse* ; [papʀasʀi].

**PAPERASSIER, IÈRE,** adj.
Péj. Qui se complaît à multiplier la paperasse ; empl. subst., personne **paperassière.** 1798 ; ☞ *paperasse* ; [papʀasje, jɛʀ].

**PAPESSE,** subst. f.
Femme pape, selon une fable, au Moyen Âge : *La* ***papesse*** *Jeanne.* Mil. XVe s. ; ☞ *pape* ; [papɛs].

**PAPETERIE,** subst. f.
**1.** Fabrication du papier ; usine où il est fabriqué. **2.** Magasin où l'on vend du papier, des fournitures scolaires et de bureau ; par méton., l'ensemble de ces fournitures. 1423 ; ☞ *papetier* ; [papɛtʀi] ou [-pɛ-].

**PAPETIER, IÈRE,** subst.
Fabricant de papier ; commerçant en papeterie ; empl. adj. : *L'industrie* ***papetière.*** 1414 ; ☞ *papier* ; [papətje, jɛʀ].

**PAPI,** voir **PAPY**

**PAPIER,** subst. m.
**I. 1.** Matière composée de fibres végétales réduites en pâte, étalée en fine couche et séchée pour obtenir une feuille sur laquelle on écrit, imprime, ou servant à emballer, recouvrir, etc. : ***Papier*** *bible* (☞ *bible*) ; ***Papier*** *cristal*, rigide et transparent ; ***Papier*** *hygiénique*, absorbant (☞ *hygiénique*) ; ***Papier*** *journal*, de qualité médiocre, réservé à l'impression des journaux, en partic. des quotidiens ; ***Papier*** *kraft* (☞ *kraft*) ; ***Papier*** *à cigarettes*, très fin, dans lequel on roule le tabac ; ***Papier*** *à lettres*, sur lequel on écrit sa correspondance ; ***Papier*** *peint*, décoré ou teinté, utilisé pour tapisser les murs d'une pièce ; ***Papier*** *sensible*, au gélatinobromure d'argent, utilisé en photographie ; ***Papier*** *d'Arménie*, qui brûle lentement et parfume l'air ambiant ; ***Papier*** *d'émeri* (☞ *émeri*) ; ***Papier*** *de verre* (☞ *verre*). ▸ ***Papier*** *mâché* : pâte faite de vieux **papiers** mélangés à de la colle et de l'eau, employée en modelage ; par anal. : *Une mine de* ***papier*** *mâché*, une très mauvaise mine. **2.** Anal. Feuille de métal très mince : ***Papier*** *d'aluminium.* **3.** Le **papier** comme support ou symbole de l'écrit : *Gratter, noircir du* ***papier***, écrire (fam.) ; *Publier un* ***papier***, un article. ▸ Loc. *Sur le* ***papier*** : en théorie. **II. 1.** Feuille, morceau de cette matière : *Un bloc de* ***papier*** ; ***Papiers*** *gras*, ayant enveloppé des aliments. ▸ *B.-a.* ***Papiers*** *collés* : tableaux constitués de divers collages en **papier** découpé. **2.** Écrit auquel on attache plus ou moins de valeur : *Classer ses* ***papiers.*** ▸ Loc. *Être dans les petits* ***papiers*** *de qqn* : jouir de sa faveur (fam.). **3.** Document administratif : *Remplir, signer des* ***papiers*** ; ***Papiers*** *de bord*, documents de bord d'un navire ou d'un avion ; ***Papiers*** *d'identité* ou, empl. abs., ***Papiers***, pièces justifiant de l'identité de qqn ; ***Papier*** *timbré*, muni d'un timbre officiel, par oppos. à ***papier*** *libre* ; ***Papiers*** *de commerce*, effets de commerce. XIIIe s. ; lat. *papyrus*, du gr. *papuros*, « roseau d'Égypte » ; [papje].

**PAPIER-CALQUE,** subst. m.
Papier transparent servant à calquer. 1900 ; comp. de *papier* et de *calque* ; plur. *papiers-calque* ; [papjekalk].

**PAPIER-MONNAIE,** subst. m.
Monnaie fiduciaire non convertible en or. 1720 ; comp. de *papier* et de *monnaie*, d'apr. l'angl. *paper-money* ; plur. *papiers-monnaie(s)* ; [papjemɔnɛ].

**PAPILIONACÉES,** subst. f. plur.
*Bot.* Famille d'herbes ou de plantes arbustives dont le fruit est une gousse et dont la corolle a cinq pétales inégaux (synon. *Fabacées*). **Au sing.** *Le haricot est une* ***papilionacée*** ; empl. adj. : *Une fleur* ***papilionacée.*** 1747 (1730, mouche) ; lat. sc. *papilionaceus*, du lat. *papilio*, « papillon » ; [papiljɔnase].

**PAPILLAIRE,** adj.
**1.** Qui a des papilles. **2.** Relatif aux papilles. 1665 ; ☞ *papille* ; [papilɛʀ].

**PAPILLE,** subst. f.
*Anat.* Petite saillie conique correspondant à une terminaison vasculaire ou nerveuse, qui siège sur certaines muqueuses : *Les* ***papilles*** *linguales, gustatives.* ▸ ***Papille*** *optique* : petit disque rosé situé au centre de la rétine. 1690 (XVe s., mamelon) ; lat. *papilla*, « mamelon » ; [papij].

**PAPILLOMAVIRUS,** subst. m.
*Pathol.* Virus résistant, responsable de tumeurs de la peau et des muqueuses, et qui peut être oncogène. Crois. de *papillome* et de *virus* ; [papilomaviʀys] ou [-pijo-].

**PAPILLOME,** subst. m.
*Pathol.* Tumeur de la peau ou des muqueuses, gén. bénigne. 1858 ; all. *Papillome* ; [papilom] ou [-pijom].

© H. Berthoule-Jacana

*Planche de* ***papillons.***

**PAPILLON,** subst. m.
**I.** *Zool.* Forme adulte d'un insecte lépidoptère, dont les quatre ailes sont couvertes de fines écailles colorées et poudreuses : ***Papillon*** *de jour, de nuit.* ▸ Loc. *Minute,* ***papillon !*** : sert à interrompre son interlocuteur ou à le faire patienter (fam.). **II.** Anal. **1.** Morceau de papier ; feuillet inséré dans une publication ; en partic., avis de contravention (fam.). **2.** *Cost. Nœud* ***papillon*** : nœud plat porté en guise de cravate. **3.** *Sp. Brasse* ***papillon*** ou, par ell., ***Papillon*** : nage dans laquelle on lance simultanément les bras hors de l'eau. **4.** *Techn.* ▸ Écrou à ailettes. ▸ ***Papillon*** *des gaz* : clapet commandant l'admission du mélange air-essence dans les cylindres d'un moteur. **5.** *Zool.* ***Papillon*** *de mer* : raie bouclée, gonelle. Fin XIIe s. ; lat. *papilio* ; [papijɔ̃].

**PAPILLONNER,** verbe intrans. [3]
**1.** Bouger d'un mouvement vif et léger comme des ailes de papillon. **2.** Aller d'une personne, d'une chose à une autre. 1349 ; ☞ *papillon* ; [papijɔne].

**PAPILLOTAGE,** subst. m.
**1.** Éblouissement produit par le scintillement de couleurs ou de vives lumières. **2.** Clignement répété des yeux, des paupières. **3.** *Typogr.* Effet de dédoublement des caractères imprimés. 1668 (1611, éclat de paillettes d'or) ; ☞ *papilloter* ; [papijɔtaʒ].

**PAPILLOTE,** subst. f.
**1.** Vx. Paillette d'or ou d'argent. **2.** Bigoudi en papier. **3.** Petit emballage fantaisie utilisé en confiserie ; par méton., la confiserie ainsi emballée. **4.** Papier d'aluminium dont on enveloppe un aliment avant de le cuire au four, à la vapeur : *Saumon en* ***papillote.*** 1408 ; ☞ *papillon* ; [papijɔt].

**PAPILLOTEMENT,** subst. m.
Scintillement qui fatigue les yeux. 1851 (1609, éclaboussure) ; ☞ *papilloter* ; [papijɔtmɑ̃].

**PAPILLOTER,** verbe [3]
**Trans. 1.** Vx. Orner de paillettes. **2.** Garnir de papillotes. **Intrans. 1.** Être animé d'un mouvement involontaire qui empêche de fixer le regard, en parlant des yeux, des paupières. **2.** Scintiller comme des paillettes. Fin XVe s. ; ☞ *papillote* ; [papijɔte].

**PAPION,** subst. m.
*Zool.* Genre de singe cynocéphale dont le babouin est une espèce. 1752 ; lat. médiév. *papio* ; [papjɔ̃].

**PAPISME,** subst. m.
Péj. **1.** Doctrine prônant l'autorité absolue du pape. **2.** Nom que donnaient les protestants au catholicisme romain (vieilli). 1553 ; ☞ *pape* ; [papism].

**PAPISTE,** subst.
Péj. **1.** Partisan de l'autorité absolue du pape ; empl. adj. : *Attitude* ***papiste.*** **2.** Catholique romain (vieilli). 1526 ; ☞ *pape* ; [papist].

**PAPOTAGE,** subst. m.
Bavardage (fam.). 1837 ; ☞ *papoter* ; [papɔtaʒ].

**PAPOTER,** verbe intrans. [3]
Bavarder sur des sujets frivoles (fam.). 1737 (1611, chipoter) ; orig. onomat. ; [papɔte].

**PAPOU, OUE,** adj. et subst.
Des Papous. **Subst. masc.** Ensemble des langues non mélanésiennes parlées en Nouvelle-Guinée et dans les îles voisines ; empl. adj. : *Les langues* ***papoues.*** 1721 ; malais *papuwah*, « crépu » ; [papu].

**PAPOUILLE,** subst. f.
Chatouille, caresse (fam.). : *Faire des* ***papouilles*** *à qqn.* 1923 ; p.-ê. dial. *palpouille*, de *palper* ; [papuj].

**PAPRIKA,** subst. m.
Piment doux réduit en poudre, d'origine hongroise. 1922 (1832, soupe au poivre) ; mot hongrois ; [papʀika].

**PAPULE,** subst. f.
*Pathol.* Lésion cutanée caractérisée par une éminence dure, sans contenu liquide, et disparaissant spontanément sans laisser de traces. Déb. XVIe s. ; lat. *papula*, « pustule » ; [papyl].

**PAPY,** subst. m.
Grand-père, dans le langage enfantin. Mil. XXe s. ; var. de *papa*, p.-ê. d'apr. *mamie* ; var. *papi* ; [papi].

**PAPYROLOGIE,** subst. f.
Discipline qui étudie les manuscrits exécutés sur papyrus. 1907 ; ☞ *papyrus* + *-logie* ; [papiʀɔlɔʒi].

**PAPYROLOGUE,** subst.
Spécialiste de papyrologie. 1907 ; ☞ *papyrus* + *-logue* ; [papiʀɔlɔg].

**PAPYRUS,** subst. m.
**1.** *Bot.* Plante à racine fibreuse de la famille des Cypéracées, qui croît au bord du Nil. **2.** *Antiq.* Papier fabriqué par les Égyptiens à partir de la moelle de cette plante ; par méton., écrit réalisé sur **papyrus.** 1562 ; lat. *papyrus*, du gr. *papuros* ; [papiʀys].

**PAQSON,** voir **PACSON**

**PÂQUE,** subst.
**I. La pâque. Fém. sing. 1.** Fête juive annuelle commémorant l'exode d'Égypte du peuple hébreu : *Fêter la* ***pâque.*** **2.** Méton. L'agneau pascal : *Manger la* ***pâque.*** **3.** Fête chrétienne de Pâques (vx) : *La* ***pâque*** *russe.* **II. Pâques. Masc. sing. 1.** Fête chrétienne annuelle commémorant la résurrection de Jésus-Christ : *Célébrer* ***Pâques.*** **2.** Méton. Dimanche où l'on célèbre cette fête : ***Pâques*** *se situe entre le 22 mars et le 25 avril* ; *Semaine de* ***Pâques***, semaine

qui suit ce dimanche. ► Loc. *À Pâques ou à la Trinité* : très tard, peut-être jamais. FÉM. PLUR. Fête de **Pâques** (empl. avec un adj.) : *Joyeuses* **Pâques** ; **Pâques** *fleuries* (☞ *fleuri*). ► Loc. (sans majuscule). *Faire ses* **pâques** : recevoir la communion pendant le temps pascal. Fin Xe s. ; lat. chrét. *Pascha*, du gr. *paskha*, de l'hébreu *pesaḥ*, de *pâsaḥ*, « passer au-dessus de » ; [pɑk].

**PAQUEBOT, subst. m.**
*Mar.* **1.** Vx. Bateau de moyen tonnage effectuant le transport du courrier et des passagers. **2.** Grand navire transportant essentiellement des passagers. 1647 ; angl. *packet-boat*, de *packet*, « paquet (de courrier) », et de *boat*, « bateau » ; [pakbo].

**PÂQUERETTE, subst. f.**
*Bot.* Plante de la famille des Astéracées, dont les petites fleurs, blanches ou rosées à disque jaune, fleurissent vers Pâques. ► Loc. *Au ras des* **pâquerettes** : prosaïque (fam.) ; *Aller aux* **pâquerettes** : sortir de la route. 1553 ; ☞ *pâque* ; [pɑkʀɛt].

**PAQUET, subst. m.**
**1.** Assemblage d'objets liés ou emballés ensemble : **Paquet** *de chiffons.* **2.** Objet enveloppé en vue d'être transporté aisément ; colis : **Paquet** *postal.* ► Loc. *Faire ses* **paquets** : préparer ses bagages. **3.** Marchandise conditionnée, prête à la vente : **Paquet** *de café* ; par méton., ce mode de conditionnement. **4.** Loc. ► **Un paquet de.** Beaucoup de : *Un* **paquet** *d'argent* ; **Paquet** *de mer*, grosse vague qui submerge le pont d'un navire. ► *Mettre le* **paquet** : mettre en œuvre tous les moyens possibles au service d'un objectif (fam.). **5.** *Typogr.* Réunion de lignes de composition, liées avant leur remise au metteur en pages. 1368 ; m. fr. *pacque*, du néerl. *pak* ; [pakɛ].

**PAQUETAGE, subst. m.**
**1.** *Milit.* Manière règlementaire de plier ses effets ; par méton., ces effets. **2.** Anal. Action de mettre en paquets ; son résultat. 1836 ; *paqueter* (rare), « empaqueter » ; [paktaʒ].

**PAQUETÉ, ÉE, adj.**
**1.** Vx. Mis en paquets. **2.** Québ. Trop plein : *Train* **paqueté** ; au fig., ivre. 1453 ; ☞ *paquet* ; [pakte].

**PAR (I), prép.**
Marque divers rapports. **1.** Lieu (évoquant une idée de passage, une situation) : *Passer* **par** *Lyon* ; *Dormir* **par** *terre.* ► Loc. **Par**-*delà* ; **Par**-*derrière* ; **Par**-*ci* **par**-*là* ; **Par** *monts et* **par** *vaux.* **2.** Temps (chronologique ou atmosphérique) : **Par** *le passé* ; *Tu ne sortiras pas* **par** *ce froid.* **3.** Moyen : *Nous viendrons* **par** *le train* ; *Il s'est imposé* **par** *la force.* **4.** Manière : *Il sait sa leçon* **par** *cœur.* **5.** Cause : *Il renonça,* **par** *manque de confiance en lui.* **6.** Distributivité : *C'est 200 francs* **par** *personne.* **7.** Sert à introduire le complément d'agent : *Il a été trahi* **par** *ses amis.* **8.** Loc. prép. *De* **par** : au nom de. **9.** Loc. adv. **Par** *trop* : vraiment trop ; **Par** *conséquent* (☞ *conséquent*) ; **Par** *contre* : en revanche ; **Par** *ailleurs* : en outre ; **Par** *bonheur.* 842 ; lat. *per* ; [paʀ].

**PAR (II), subst. m.**
*Sp.* Nombre de coups nécessaires pour réussir un trou ou tous les trous d'un parcours de golf. 1929 ; angl. *par*, « égalité », du lat. *par*, « égal » ; [paʀ].

**PARABASE, subst. f.**
*Litt.* Intermède d'une comédie grecque, où l'auteur, par la voix du coryphée, livrait au public ses commentaires. 1819 ; gr. *parabasis*, « action de s'avancer » ; [paʀabɑz].

**PARABELLUM, subst. m. inv.**
Pistolet automatique de gros calibre. 1928 ; all. *Parabellum*, du proverbe lat. *si vis pacem, para bellum*, « si tu veux la paix, prépare la guerre » ; [paʀabelɔm].

**PARABIOSE, subst. f.**
*Biol.* Mise en commun, par voie chirurgicale, des circulations sanguines de deux animaux de la même espèce, réalisée à titre expérimental, en partic. pour les études d'endocrinologie. 1893 ; gr. *bios*, « vie », + *para-*1 ; [paʀabjoz].

**PARABOLE (I), subst. f.**
**1.** Récit bref et imagé des livres saints, par lequel un enseignement est délivré. **2.** Ext. Tout récit allégorique. ► Loc. *Parler par* **paraboles** : s'exprimer par des détours (vieilli). Fin XIIe s. ; lat. eccl. *parabola*, du gr. *parabolê*, « comparaison » ; [paʀabɔl].

**PARABOLE (II), subst. f.**
**1.** *Géom.* Courbe plane, conique particulière. C'est l'ensemble des points M équidistants d'un point fixe F (foyer) et d'une droite fixe (D) (directrice). La perpendiculaire à (D) passant par F, l'axe de la

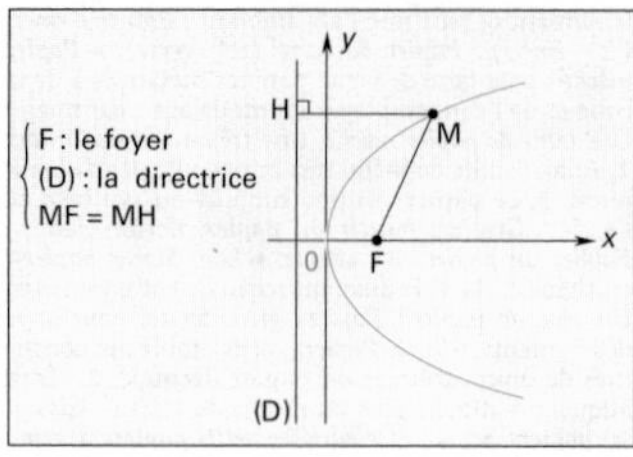


*Parabole.*

**parabole**, coupe la **parabole** en un point O, son sommet. Dans un repère orthonormé d'origine O, porté par son axe et la parallèle à (D) passant par O, la **parabole** a une équation : $y^2 = 2\,px$ où $p = 2OF$. **2.** Antenne parabolique. 1555 ; gr. *parabolê*, « comparaison ; rencontre » ; [paʀabɔl].

**PARABOLIQUE (I), adj.**
Relatif à la parabole : *Récit* **parabolique**. Déb. XVIe s. ; bas lat. *parabolicus* ; [paʀabɔlik].

**PARABOLIQUE (II), adj.**
**1.** *Géom.* Relatif à une parabole : *Cylindre* **parabolique**, dont les sections par des plans non parallèles aux génératrices sont des paraboles. **2.** Qui a la forme d'une parabole : *Antenne* **parabolique**, antenne de télévision qui capte les programmes émis par satellite. 1571 ; ☞ *parabole* (II) ; [paʀabɔlik].

**PARABOLOÏDE, subst. m.**
*Géom.* Surface d'ordre 2 dont les sections planes sont des paraboles ou des ellipses (**paraboloïde** elliptique), ou bien des paraboles ou des hyperboles (**paraboloïde** hyperbolique). 1660 ; ☞ *parabole* (II) + *-oïde* ; [paʀabɔlɔid].

**PARACENTÈSE, subst. f.**
*Méd.* Opération consistant à évacuer un liquide pathologique d'une cavité naturelle en la ponctionnant ou en incisant sa paroi. 1575 ; lat. *paracentesis*, du gr. *parakentêsis*, « ponction » ; [paʀasɛ̃tɛz].

**PARACÉTAMOL, subst. m.**
*Pharm.* Médicament aux propriétés antalgiques et antipyrétiques. V. 1970 ; angl. *paracetamol*, acron. de *para-acetylaminophenol* ; [paʀasetamɔl].

**PARACHEVER, verbe trans.** [10]
Mener à terme, parfaire (qqch.). 1213 ; formé de *par* (I) et de *achever* ; [paʀaʃəve].

**PARACHRONISME, subst. m.**
Erreur de chronologie consistant à situer un évènement à une date trop tardive. 1691 ; ☞ *anachronisme* + *para-*1 ; [paʀakʀɔnism].

**PARACHUTAGE, subst. m.**
**1.** Action de parachuter d'un avion (qqn ou qqch.). **2.** Fig. Nomination inattendue d'une personne à une fonction (fam.). 1944 ; ☞ *parachuter* ; [paʀaʃytaʒ].

**PARACHUTE, subst. m.**
**1.** Équipement comportant une voilure qui, lorsqu'elle se déploie, ralentit la chute d'une personne qui s'est lancée, ou d'un objet qu'on a lancé, d'un avion. ► Équipement similaire contribuant à freiner un avion qui atterrit. **2.** Anal. Dispositif de sécurité installé pour arrêter la chute accidentelle d'un ascenseur ou d'un monte-charge. 1784 ; ☞ *chute* + *para-*2 ; [paʀaʃyt].

**PARACHUTER, verbe trans.** [3]
**1.** Lâcher d'un avion (une personne, un objet) avec un parachute. **2.** Désigner (qqn) à l'improviste (fam.) : **Parachuter** *un candidat aux législatives.* 1945 ; ☞ *parachute* ; [paʀaʃyte].

**PARACHUTISME, subst. m.**
Sport, technique du saut en parachute. 1959 ; ☞ *parachutiste* ; [paʀaʃytism].

**PARACHUTISTE, subst.**
**1.** Sportif pratiquant le saut en parachute. **2.** *Milit.* Soldat spécialement entraîné pour être parachuté en zone ennemie (abrév. fam. : para) ; empl. adj. : *Unité* **parachutiste**. 1903 ; ☞ *parachute* ; [paʀaʃytist].

**PARACLET, subst. m.**
*Théol.* Le Saint-Esprit. 1248 ; lat. chrét. *paracletus*, du gr. *paraklêtos*, « intercesseur » ; [paʀaklɛ].

**PARADE (I), subst. f.**
**1.** Étalage que l'on fait de qqch. pour se mettre en avant : *Faire* **parade** *de sa culture.* ► Loc. **De parade.** D'apparat : *Habit, cheval de* **parade** ; au fig. : *Cordialité de* **parade**, de façade. **2.** *Milit.* Défilé, revue de troupes. **3.** Exhibition foraine visant à attirer le public au spectacle ; défilé, spectacle de rue. **4.** *Zool.* **Parade** *nuptiale* : chez certains animaux, comportement rituel précédant l'accouplement. Mil. XVe s. ; ☞ *parer* (I) ; [paʀad].

**PARADE (II), subst. f.**
*Équit.* Arrêt brusque imposé à un cheval que l'on manie (vieilli). 1575 ; ☞ *parer* (III) ; [paʀad].

**PARADE (III), subst. f.**
**1.** *Sp.* Action de parer un coup, notamment à l'escrime et dans les sports de combat. **2.** Fig. Réplique, riposte : *Trouver la* **parade** *à une accusation.* 1628 ; ☞ *parer* (II) ; [paʀad].

**PARADER, verbe intrans.** [3]
**1.** S'afficher avec ostentation : **Parader** *dans une soirée.* **2.** Participer à une parade militaire. **3.** *Zool.* Faire la parade. 1576 ; ☞ *parade* (I) ; [paʀade].

**PARADIGMATIQUE, adj.**
**1.** *Ling.* Qui concerne les paradigmes. **2.** *Philos.* Qui sert de modèle. 1935 ; ☞ *paradigme* ; [paʀadigmatik].

**PARADIGME, subst. m.**
**1.** *Gramm.* Mot dont l'ensemble des formes sert de modèle pour une conjugaison, une déclinaison : *« Finir » est le* **paradigme** *de la conjugaison des verbes du deuxième groupe.* **2.** *Ling.* Ensemble des unités pouvant figurer dans un même contexte. **3.** *Philos.* Cadre théorique général dans lequel se formulent les problèmes et les solutions d'une science à un moment donné de son évolution : **Paradigme** *newtonien.* 1584 ; lat. *paradigma*, du gr. *paradeigma*, « modèle » ; [paʀadigm].

**PARADIS, subst. m.**
**1.** Lieu où les âmes des justes connaissent la béatitude. ► Loc. *Tu ne l'emporteras pas en* (ou *au*) **paradis** : tu seras puni de cette mauvaise action. **2.** *Le* **paradis** *terrestre* : jardin merveilleux où, selon la Genèse, vivaient Adam et Ève. **3.** Fig. État ou lieu de bonheur total. ► **Paradis** *fiscal* : pays dont la fiscalité avantageuse attire des capitaux étrangers. ► **Paradis** *artificiels* : les plaisirs procurés par les stupéfiants. **4.** *Arboric.* Espèce de pommier nain. **5.** *Zool. Oiseau de* **paradis** : paradisier. **6.** *Mar.* Anse d'un port où les navires sont en sécurité. **7.** Poulailler d'un théâtre. Fin Xe s. ; lat. chrét. *paradisus*, du gr. *paradeisos*, de l'anc. persan *pairi-daeza*, « jardin clos » ; [paʀadi].

**PARADISIAQUE, adj.**
**1.** Du paradis. **2.** Qui évoque le paradis : *Île* **paradisiaque**. 1553 ; lat. chrét. *paradisiacus* ; [paʀadizjak].

**PARADISIER, subst. m.**
*Zool.* Passereau de Nouvelle-Guinée, au plumage particulièrement coloré chez le mâle (synon. *oiseau de paradis*). 1806 ; ☞ *paradis* ; [paʀadizje].

**PARADOXAL, ALE, AUX, adj.**
**1.** Qui renferme, qui exprime un paradoxe : *Formulation* **paradoxale** ; par ext., surprenant, singulier : *Réponse* **paradoxale**. **2.** Qui a le goût du paradoxe : *Esprit* **paradoxal**. **3.** *Sommeil* **paradoxal** : phase des rêves, caractérisée par le relâchement musculaire accompagné de mouvements oculaires rapides. 1588 ; ☞ *paradoxe* ; [paʀadɔksal, o].

**PARADOXALEMENT, adv.**
De façon paradoxale. 1588 ; ☞ *paradoxal* ; [paʀadɔksalmɑ̃].

**PARADOXE, subst. m.**
**1.** Idée allant à l'encontre de l'opinion communément admise ; par ext., ce qui heurte le bon sens : *Soutenir un* **paradoxe** ; *Un* **paradoxe** *de la nature.* **2.** *Log.* Raisonnement, gén. dû à un logicien, où l'on ne parvient pas à déceler quelque faute de logique, bien qu'il aboutisse à justifier deux conclusions contradictoires entre elles (synon. *antinomie*). Fin XVe s. ; lat. *paradoxon*, du gr. *paradoxos*, « contraire à l'opinion commune » ; [paʀadɔks].

**PARAFE, voir PARAPHE**

**PARAFER, voir PARAPHER**

**PARAFEUR, voir PARAPHEUR**

**PARAFFINE, subst. f.**
*Chim.* Polymère de molécules d'alcane, présent dans la nature sous forme d'ozocérite ou extrait du pétrole par distillation, et utilisé notamment dans la fabrication des bougies. 1832 ; all. *Paraffin*, du lat. *parum affinis*, « qui a peu d'affinité » ; [paʀafin].

**PARAFFINER,** verbe trans. [3]
Enduire, recouvrir (qqch.) de paraffine ; empl. adj. : *Papier paraffiné.* 1877 ; ☞ *paraffine* ; [paʀafine].

**PARAFISCAL, ALE, AUX,** adj.
Relatif à la parafiscalité : *Retenues parafiscales.* V. 1960 ; ☞ *fiscal* + *para-*[1] ; [paʀafiskal, o].

**PARAFISCALITÉ,** subst. f.
*Admin.* Ensemble des taxes et des prélèvements obligatoires, affectés à des organismes distincts de l'État ou des collectivités locales. 1949 ; ☞ *fiscalité* + *para-*[1] ; [paʀafiskalite].

**PARAFOUDRE,** subst. m.
Dispositif servant à préserver les appareils et les lignes électriques de la foudre. 1842 (1783, paratonnerre) ; ☞ *foudre* (I) + *para-*[2] ; [paʀafudʀ].

**PARAGE,** subst. m.
**1.** *Vitic.* Labour des vignes, à l'automne. **2.** *Bouch.* Action de parer une viande avant de la détailler. 1732 (1494, foulage) ; ☞ *parer* (I) ; [paʀaʒ].

**PARAGES,** subst. m. plur.
**1.** *Mar.* Espace déterminé de la mer au voisinage d'une côte, d'une île, d'un cap : *Naviguer dans les parages de l'île d'Elbe.* **2.** Ext. Environs, voisinage d'un lieu : *J'habite dans les parages.* 1544 ; anc. prov. *parage* ; [paʀaʒ].

**PARAGRAPHE,** subst. m.
**1.** Subdivision cohérente d'un texte en prose. **2.** *Impr.* Signe typographique (§) indiquant le début d'une subdivision ou son numéro d'ordre. 1225 ; bas lat. *paragraphus*, du gr. *paragraphê*, « ce qui est écrit à côté » ; [paʀagʀaf].

**PARAGRÊLE,** subst. m.
Appareil servant à transformer la grêle en pluie afin de protéger les cultures ; empl. adj. : *Canon paragrêle.* 1810 ; ☞ *grêle* (II) + *para-*[2] ; [paʀagʀɛl].

**PARAÎTRE (I),** verbe intrans. [73]
**I. 1.** Apparaître, s'offrir à la vue : *Les étoiles parurent.* **2.** Fig. Se manifester, surgir : *La vérité parut au grand jour.* **3.** Être publié : *Votre livre est-il paru ? – Il a paru l'an dernier* ; être diffusé : *Film à paraître.* **II. 1.** Se montrer en public : *Le pape parut au balcon.* ▸ Comparaître : *Paraître à la barre, en justice.* ▸ Abs. Être en vue, briller : *Aimer paraître.* **2.** *Faire, laisser paraître qqch.* : manifester, laisser voir qqch. **III.** Sembler, avoir l'air (+ attribut du sujet ou + inf.) : *Il paraît à son aise* ; *Elle paraît jeune* ; *Il paraît comprendre.* ▸ Passer pour : *Il veut paraître ce qu'il n'est pas.* **Impers. 1.** *Il me paraît que* : il me semble que (littér.). **2.** Il (me, te...) paraît (+ adj. attribut). Il (me, te...) semble : *Il me paraît impensable d'accepter son offre* ; *Il paraît inutile d'insister.* **3.** Il paraît, il paraîtrait que. On prétend que : *Il paraît que la grève continue (continuerait) demain.* Fin Xe s. ; lat. tardif *parescere*, de *parere*, « apparaître » ; [paʀɛtʀ].

**PARAÎTRE (II),** subst. m.
*Philos. Le paraître* : l'apparence. Fin Xe s. ; lat. tardif *parescere*, du lat. *parere*, « apparaître » ; [paʀɛtʀ].

**PARALANGAGE,** subst. m.
*Ling.* Moyen de communication naturel qui supplée ou s'ajoute à la parole en la renforçant : geste, mimique, regard, sifflement, etc. V. 1960 ; ☞ *langage* + *para-*[1] ; [paʀalɑ̃gaʒ].

**PARALITTÉRAIRE,** adj.
Qui a trait, qui appartient à la paralittérature. 1935 ; ☞ *littéraire* + *para-*[1] ; [paʀaliteʀɛʀ].

**PARALITTÉRATURE,** subst. f.
Ensemble des écrits non reconnus par certains comme appartenant à la littérature (bande dessinée, roman-photo, roman-feuilleton, etc.). Mil. XXe s. ; ☞ *littérature* + *para-*[1] ; [paʀaliteʀatyʀ].

**PARALLACTIQUE,** adj.
Qui a trait à la parallaxe. 1691 ; gr. *parallaktos* ; [paʀalaktik].

**PARALLAXE,** subst. f.
**1.** *Astron.* Déplacement de la position apparente d'un corps céleste, dû à un changement de position de l'observateur ; angle formé par les deux droites joignant l'objet observé à deux points d'observation. **2.** *Opt.* Angle formé par les axes optiques de deux instruments visant le même objet. **3.** *Erreur de parallaxe* : erreur de lecture due à une vision oblique sur un appareil de mesure gradué. 1557 ; gr. *parallaxis*, « mouvement alternatif » ; [paʀalaks].

**PARALLÈLE,** adj. et subst.
**Adj. 1.** *Géom.* Qualifie des droites coplanaires ou des plans non sécants et confondus : *Droite parallèle à un plan*, parallèle à une droite de ce plan ; *Courbes planes parallèles*, telles que toute droite perpendiculaire à l'une soit perpendiculaire à l'autre et que la distance entre les points d'intersection d'une perpendiculaire commune soit constante. ▸ Anal. *Un canal parallèle à la route* : qui suit la route sans jamais la croiser. ▸ *Sp. Barres parallèles* (☞ *barre*). **2.** Fig. Qui se déroule de manière comparable dans un contexte similaire : *Destins parallèles.* **3.** Qui coexiste avec une structure officielle, sous une forme occulte : *Police parallèle.* **4.** *Mus.* Se dit d'un mouvement d'ensemble où les différentes voix jouent une même mélodie dans des tonalités différentes. **Subst. fém. 1.** Droite parallèle à une autre ou à un plan. **2.** *Milit.* Tranchée parallèle aux lignes ennemies (vieilli). **3.** *Électr. En parallèle* : en dérivation. **Subst. masc. 1.** Cercle fictif parallèle à l'équateur et servant de repère pour mesurer la latitude. **2.** *Math.* Section d'une surface de révolution par un plan perpendiculaire à son axe. **3.** Comparaison point par point : *Faire un parallèle entre deux hommes, deux idées, deux évènements* ; *Mettre en parallèle.* 1549 ; lat. *parallelus*, du gr. *parallêlos*, « placé en regard » ; [paʀalɛl].

**PARALLÈLEMENT,** adv.
**1.** De façon parallèle. **2.** En même temps ; simultanément. 1584 ; ☞ *parallèle* ; [paʀalɛlmɑ̃].

**PARALLÉLÉPIPÈDE,** subst. m.
*Géom.* Hexaèdre aux faces parallèles deux à deux : *Parallélépipède rectangle*, dont les faces sont des rectangles. 1570 ; lat. *parallelepipedum*, du gr. *parallêlepipedon* ; [paʀalelepipɛd].

**PARALLÉLÉPIPÉDIQUE,** adj.
Qui a la forme d'un parallélépipède. 1846 ; ☞ *parallélépipède* ; [paʀalelepipedik].

**PARALLÉLISME,** subst. m.
**1.** Fait d'être parallèle : *Parallélisme des roues d'une voiture.* **2.** Évolution comparable : *Parallélisme de deux vies.* 1651 ; ☞ *parallèle* ; [paʀalelism].

**PARALLÉLOGRAMME,** subst. m.
*Géom.* Quadrilatère dont les côtés sont parallèles deux à deux : *Un losange est un parallélogramme.* 1547 ; lat. *parallelogrammum* ; [paʀalelɔgʀam].

**PARALOGISME,** subst. m.
Raisonnement erroné mais de bonne foi (par oppos. à *sophisme*). 1380 ; gr. *paralogismos* ; [paʀalɔʒism].

**PARALYSANT, ANTE,** adj.
**1.** Qui paralyse. **2.** Fig. Qui empêche d'agir ou de penser. 1845 ; p. pr. de *paralyser* ; [paʀalizɑ̃, ɑ̃t].

**PARALYSÉ, ÉE,** adj. et subst.
**Adj.** Atteint de paralysie : *Avoir un membre paralysé.* **Subst.** Personne paralysée. Fin XVIe s. ; p. p. de *paralyser* ; [paʀalize].

**PARALYSER,** verbe trans. [3]
**1.** Frapper de paralysie : *Être paralysé des deux jambes.* **2.** Ext. Engourdir, immobiliser : *Être paralysé de froid.* **3.** Fig. Rendre (qqn) incapable d'agir : *Son échec le paralyse.* **4.** Empêcher (qqch.) de fonctionner : *Les grèves paralysent le pays.* 1575 ; ☞ *paralysie* ; [paʀalize].

**PARALYSIE,** subst. f.
**1.** *Pathol.* Perte ou forte diminution des capacités motrices d'une partie du corps, gén. due à une lésion du système nerveux (☞ *hémiplégie, paraplégie, tétraplégie*). **2.** Fig. Incapacité d'agir. **3.** Impossibilité de fonctionner. Fin XIIIe s. ; lat. *paralysis*, du gr. *paralusis*, « relâchement » ; [paʀalizi].

**PARALYTIQUE,** subst. et adj.
Se dit d'un sujet atteint de paralysie. Mil. XIIIe s. ; lat. *paralyticus*, du gr. *paralutikos* ; [paʀalitik].

**PARAMAGNÉTIQUE,** adj. et subst. m.
*Phys.* Se dit d'une substance qui s'aimante dans le même sens que le fer, mais beaucoup plus faiblement. 1852 ; ☞ *magnétique* + *para-*[1] ; [paʀamaɲetik].

**PARAMAGNÉTISME,** subst. f.
Propriété, état d'une substance paramagnétique. 1866 ; ☞ *magnétisme* + *para-*[1] ; [paʀamaɲetism].

**PARAMÉCIE,** subst. f.
*Zool.* Protozoaire cilié oblong qui prolifère dans les eaux dormantes. 1803 ; lat. sc. *paramecium*, du gr. *paramêkês*, « allongé » ; [paʀamesi].

**PARAMÉDICAL, ALE, AUX,** adj.
*Méd.* Relatif aux professionnels du milieu médical autres que les médecins, ou à leurs activités : *Secteur paramédical.* Mil. XXe s. ; ☞ *médical* + *para-*[1] ; [paʀamedikal, o].

**PARAMÈTRE,** subst. m.
**1.** *Math.* Coefficient ou terme de l'expression d'un problème (équation, énoncé logique...) autre que les inconnues, en fonction duquel on veut exprimer les solutions ou les conclusions logiques de ce problème. ▸ *Paramètre d'une conique* : demi-longueur *p* d'une corde perpendiculaire en un de ses foyers à son axe focal ou distance entre le foyer et la directrice d'une parabole. **2.** *Stat.* Grandeur permettant de résumer une caractéristique (de position, de forme, de dispersion) d'une série. **3.** *Informat.* Variable utilisée par une fonction d'un programme et dont la valeur initiale n'est fixée qu'au cours de l'exécution de ce programme. **4.** Ext. Élément dont la prise en compte permet de comprendre un fait, d'évaluer une situation. 1636 ; formé de *para-*[1] et de *-mètre*[1] ; [paʀamɛtʀ].

**PARAMÉTRER,** verbe trans. [8]
*Informat.* Définir les paramètres de (un programme, une fonction) : *Paramétrer son traitement de texte.* V. 1970 ; ☞ *paramètre* ; [paʀametʀe].

**PARAMÉTRIQUE,** adj.
*Math.* Qui contient un ou plusieurs paramètres : *Représentation paramétrique d'une courbe C du plan (ou de l'espace)*, application continue $f$ de I vers $\mathbb{R}^2$ (ou $\mathbb{R}^3$), où I est un intervalle (ou une réunion d'intervalles), telle que son image soit égale à C. 1832 ; ☞ *paramètre* ; [paʀametʀik].

**PARAMILITAIRE,** adj.
Qui prend modèle sur l'organisation, l'entraînement militaire. 1934 ; ☞ *militaire* + *para-*[1] ; [paʀamilitɛʀ].

**PARAMNÉSIE,** subst. f.
*Psych.* Trouble de la mémoire dû à une confusion entre le réel et l'imaginaire, pouvant se traduire par des erreurs de localisation des souvenirs, des fabulations ou une impression de déjà-vu. 1843 ; formé de *para-*[1] et de *-mnésie* ; [paʀamnezi].

**PARANGON,** subst. m.
**1.** Modèle (littér.) : *Un parangon de vertu.* **2.** Pierre précieuse ou perle sans défaut. **3.** Marbre noir : *Parangon grec.* XVe s. (XIIIe s., pierre de touche) ; esp. *parangón*, de l'ital. *paragone* ; [paʀɑ̃gɔ̃].

**PARANGONNER,** verbe trans. [3]
*Typogr.* Aligner (des caractères de corps différents) sur la même ligne. 1567 (1539, comparer) ; ☞ *parangon* ; [paʀɑ̃gɔne].

**PARANOÏA,** subst. f.
**1.** *Psych.* Psychose caractérisée par des troubles de l'interprétation des comportements d'autrui et une rigidité mentale qui amène le sujet à éprouver un vif sentiment de persécution. **2.** Ext. Méfiance, susceptibilité exagérée. 1822 ; gr. *paranoia*, « folie » ; [paʀanɔja].

**PARANOÏAQUE,** adj. et subst.
Se dit d'un sujet atteint de paranoïa ou, par ext., qui fait preuve d'une méfiance, d'une susceptibilité exagérée (abrév. fam. : parano). **Adj.** Relatif à la paranoïa. 1896 ; ☞ *paranoïa* ; [paʀanɔjak].

**PARANOÏDE,** adj.
*Psych.* Qualifie un symptôme qui rappelle la paranoïa. 1900 ; ☞ *paranoïa* ; [paʀanɔid].

*Schéma d'une* ***paramécie.***

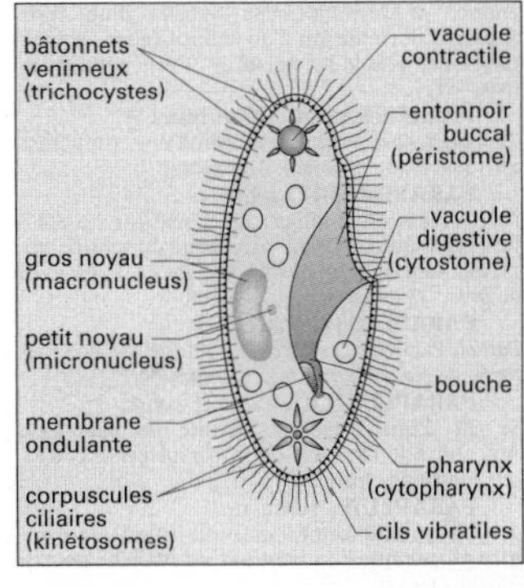

**PARANORMAL, ALE, AUX,** adj.
Qualifie des phénomènes, réels ou imaginaires, inexplicables de façon rationnelle ou scientifique ; empl. subst. masc. : *Le **paranormal** est souvent imputé à des forces psychiques encore inconnues.* 1920 ; ☞ *normal* + *para-*[1] ; [paʀanɔʀmal, o].

**PARAPENTE,** subst. m.
Parachute rectangulaire, avec lequel on peut s'élancer d'une hauteur ; sport pratiqué avec ce parachute. V. 1980 ; crois. de *parachute* et de *pente* ; [paʀapɑ̃t].

© Ph. Poulet-Gamma sport

*Parapente.*

**PARAPENTISTE,** subst.
Personne qui pratique le parapente. V. 1980 ; ☞ *parapente* ; [paʀapɑ̃tist].

**PARAPET,** subst. m.
**1.** *Fortif.* Talus, mur derrière lequel se protègent les défenseurs d'un ouvrage fortifié. **2.** Petit mur à hauteur d'appui, servant de garde-fou : ***Parapet** d'un pont.* 1546 ; ital. *parapetto*, « qui protège la poitrine » ; [paʀapɛ].

**PARAPHARMACIE,** subst. f.
Ensemble des produits cosmétiques et de toilette vendus en pharmacie ; commerce de ces produits. 1952 ; ☞ *pharmacie* + *para-*[1] ; [paʀafaʀmasi].

**PARAPHASIE,** subst. f.
Trouble du langage, dans lequel le locuteur altère des syllabes et des mots par substitution. 1864 ; formé de *para-*[1] et de *-phasie* ; [paʀafazi].

**PARAPHE,** subst. m.
**1.** Trait ajouté à la signature (vieilli). **2.** Signature abrégée, souv. réduite aux initiales. 1394 (1390, paragraphe) ; lat. médiév. *paraphus* ; var. *parafe* ; [paʀaf].

**PARAPHER,** verbe trans. [3]
Apposer un paraphe sur (un document). 1497 ; ☞ *paraphe* ; var. *parafer* ; [paʀafe].

**PARAPHEUR,** subst. m.
Classeur contenant des documents que l'on présente à la signature. V. 1960 ; ☞ *parapher* ; var. *parafeur* ; [paʀafœʀ].

**PARAPHIMOSIS,** subst. m.
*Pathol.* Étranglement du gland par le prépuce. 1701 ; ☞ *phimosis* + *para-*[1] ; [paʀafimozis].

**PARAPHRASE,** subst. f.
**1.** Commentaire, explication d'un texte ou d'un énoncé. **2.** Développement verbeux d'un texte. **3.** *Ling.* Reformulation d'un énoncé, le sens demeurant à peu près le même. 1525 ; lat. *paraphrasis* ; [paʀafʀɑz].

**PARAPHRASER,** verbe trans. [3]
Expliquer, commenter au moyen d'une paraphrase. 1534 ; ☞ *paraphrase* ; [paʀafʀɑze].

**PARAPHRÉNIE,** subst. f.
*Psych.* Trouble chronique caractérisé par un délire fantasmatique très riche, sans perte du sens du réel ni des capacités intellectuelles. V. 1910 ; formé de *para-*[1] et de *-phrénie* ; [paʀafʀeni].

**PARAPLÉGIE,** subst. f.
*Pathol.* Paralysie des membres inférieurs. 1575 ; formé de *para-*[1] et de *-plégie* ; [paʀapleʒi].

**PARAPLÉGIQUE,** adj. et subst.
Se dit d'une personne atteinte de paraplégie. Adj. Qui a le caractère de la paraplégie. 1822 ; ☞ *paraplégie* ; [paʀapleʒik].

**PARAPLUIE,** subst. m.
**1.** Objet portatif formé d'une toile fixée à une armature pliante que l'on tient par un manche pour se protéger de la pluie. **2.** Fig. Protection : ***Parapluie** nucléaire*, inviolabilité militaire garantie à un territoire par la dissuasion atomique nationale ou par celle d'un allié. ▸ Loc. *Ouvrir le **parapluie*** : dégager sa responsabilité (fam.). 1622 ; ☞ *pluie* + *para-*[2] ; [paʀaplɥi].

**PARAPSYCHIQUE,** adj.
Qualifie des phénomènes psychiques inexpliqués, tels que la télépathie, la clairvoyance, la télékinésie, etc. (synon. *métapsychique*). 1893 ; ☞ *psychique* + *para-*[1] ; [paʀapsiʃik].

**PARAPSYCHOLOGIE,** subst. f.
Étude des phénomènes parapsychiques. 1908 ; ☞ *psychologie* + *para-*[1] ; [paʀapsikɔlɔʒi].

**PARASCÈVE,** subst. f.
*Relig.* Veille du sabbat, dans le judaïsme. Fin XIIIe s. ; lat. chrét. *parasceve*, du gr. *paraskeuê*, « préparation » ; [paʀasɛv].

**PARASCOLAIRE,** adj.
Qui est hors de l'enseignement scolaire et est susceptible de le compléter : *Activités, livres **parascolaires**.* V. 1970 ; ☞ *scolaire* + *para-*[1] ; [paʀaskɔlɛʀ].

**PARASEXUALITÉ,** subst. f.
**1.** Ensemble des phénomènes psychophysiologiques liés à la sexualité. **2.** *Biol.* Désigne les mécanismes primitifs de reproduction non méiotiques des bactéries. V. 1970 ; ☞ *sexualité* + *para-*[1] ; [paʀasɛksɥalite].

**PARASISMIQUE,** adj.
Capable de résister aux effets des séismes. V. 1980 ; ☞ *sismique* + *para-*[2] ; [paʀasismik].

**PARASITAIRE,** adj.
**1.** *Biol.* Relatif à un parasite ; provoqué par un parasite. **2.** Fig. Qui vit en parasite ; propre au parasite. 1836 ; ☞ *parasite* ; [paʀazitɛʀ].

**PARASITE,** subst. m. et adj.
Subst. **1.** *Antiq.* Personne qui mangeait à la table des riches grâce à ses talents d'amuseur ou de flatteur. **2.** Personne qui vit aux dépens d'autrui (péj.). **3.** *Biol.* Organisme dépendant d'un autre, appelé hôte, dont il tire, en lui causant plus ou moins de dommages, les substances nutritives nécessaires à sa survie. Subst. plur. *Télécomm.* Perturbations brouillant les signaux radioélectriques. Adj. **1.** *Biol.* Qui vit en **parasite** : *Organisme, plante **parasite**.* **2.** Fig. Gênant : *Mot, phrase **parasite** dans un texte.* Déb. XVIe s. ; lat. *parasitus*, du gr. *parasitos*, « convive » ; [paʀazit].

**PARASITER,** verbe trans. [3]
**1.** Vivre, se développer aux dépens de (qqn, un groupe, un organisme). **2.** Brouiller (une émission radioélectrique). 1599 (1567, manger à la table commune) ; ☞ *parasite* ; [paʀazite].

**PARASITICIDE,** adj. et subst. m.
Se dit d'une substance qui tue les parasites. 1655 ; ☞ *parasite* + *-cide* ; [paʀazitisid].

**PARASITISME,** subst. m.
**1.** Comportement d'une personne vivant en parasite ; fait de vivre en parasite. **2.** *Biol.* Mode de vie des parasites. 1719 ; ☞ *parasite* ; [paʀazitism].

**PARASITOLOGIE,** subst. f.
*Biol.* Étude des parasites et des maladies qu'ils provoquent. 1886 ; ☞ *parasite* + *-logie* ; [paʀazitɔlɔʒi].

**PARASITOSE,** subst. f.
*Pathol.* Affection due à un parasite. 1932 ; ☞ *parasite* + *-ose* ; [paʀazitoz].

**PARASOL,** subst. m.
**1.** Abri portatif, gén. en toile et muni d'un long manche fixé sur un support, utilisé pour se protéger du soleil. **2.** *Bot. Pin **parasol*** : dont la forme rappelle celle d'un **parasol**. 1540 ; ital. *parasole*, de *parare*, « protéger », et de *sole*, « soleil » ; [paʀasɔl].

**PARASYMPATHIQUE,** adj.
*Anat.* et *Physiol. Système **parasympathique*** : l'un des deux systèmes nerveux végétatifs, constitué de fibres venant du tronc cérébral et de la moelle sacrée, et dont le médiateur chimique est l'acétylcholine. 1905 ; ☞ *sympathique* + *para-*[1] ; [paʀasɛ̃patik].

**PARASYNTHÉTIQUE,** adj. et subst. m.
*Ling.* Se dit d'un mot formé par l'adjonction simultanée de deux affixes à un radical sans qu'existent les dérivés intermédiaires (par ex., « rechaper », de « chape », alors que ni « chaper » ni « rechape » ne sont en usage). 1875 ; gr. *parasunthetos*, « composé à l'aide d'un dérivé » ; [paʀasɛ̃tetik].

**PARATAXE,** subst. f.
*Ling.* Juxtaposition de deux propositions qui sont dans un rapport de subordination non marqué par un mot de liaison : *« Il a réussi, il est heureux » est une **parataxe**.* 1903 ; gr. *parataxis*, « action de mettre en rang » ; [paʀataks].

**PARATHORMONE,** subst. f.
*Biol.* Hormone sécrétée par les parathyroïdes qui commande le métabolisme du calcium et des phosphates. 1941 ; crois. de *parathyroïde* et de *hormone* ; [paʀatɔʀmɔn].

**PARATHYROÏDE,** adj. et subst. f.
*Anat.* Se dit de chacune des quatre glandes situées à l'arrière de la thyroïde, qui sécrètent la parathormone. Fin XIXe s. ; ☞ *thyroïde* + *para-*[1] ; [paʀatiʀɔid].

**PARATONNERRE,** subst. m.
Dispositif fixé au toit et relié à la terre, destiné à préserver un bâtiment des effets de la foudre. 1773 ; ☞ *tonnerre* + *para-*[2] ; [paʀatɔnɛʀ].

**PARÂTRE,** subst. m.
**1.** Vx. Pour les enfants issus d'un premier mariage, deuxième mari de la mère. **2.** Ext. Père qui maltraite ses enfants. Fin Xe s. ; bas lat. *patraster* ; [paʀɑtʀ].

**PARATYPHIQUE,** adj. et subst.
Se dit d'un malade atteint de paratyphoïde. Adj. Relatif à la paratyphoïde. 1897 ; ☞ *paratyphoïde* ; [paʀatifik].

**PARATYPHOÏDE,** adj. et subst. f.
*Pathol.* Fièvre ***paratyphoïde*** ou, par ell., ***Paratyphoïde*** : infection transmise par des salmonelles due à l'ingestion d'aliments contaminés par des excréments animaux ou humains et accompagnée de troubles digestifs. 1907 ; ☞ *typhoïde* + *para-*[1] ; [paʀatifɔid].

**PARAVALANCHE,** subst. m.
Ouvrage servant à protéger un lieu des avalanches. 1866 ; ☞ *avalanche* + *para-*[2] ; var. *pare-avalanche(s)* (plur. *pare-avalanches*) ; [paʀavalɑ̃ʃ].

**PARAVENT,** subst. m.
**1.** Élément de mobilier constitué de panneaux verticaux articulés qui permet d'isoler des regards ou des courants d'air une partie d'une pièce. **2.** Fig. Personne, activité qui en protège ou en dissimule une autre. 1599 ; ital. *paravento* ; [paʀavɑ̃].

**PARBLEU,** interj.
Exclamation marquant l'assentiment, la certitude (vieilli). 1577 ; altér. de *par Dieu* ; [paʀblø].

© Lescourret-Explorer

*Le parc Monceau, à Paris.*

**PARC,** subst. m.
**I. 1.** Grande réserve de chasse. ▸ Vaste zone à l'intérieur de laquelle la faune et la flore sont protégées : ***Parc** naturel régional.* ▸ ***Parc** zoologique* : zoo. **2.** Grand terrain clos, d'agrément, dépendant d'une demeure importante : *Le **parc** d'un château, d'une propriété.* **3.** Espace en plein air, aménagé pour le public : ***Parc** de loisirs.* **II. 1.** Clôture légère servant à enfermer le bétail pendant la nuit ; par méton., l'espace délimité. **2.** Lieu aménagé pour l'élevage de coquillages : ***Parc** à huîtres.* **3.** Petit enclos où le jeune enfant peut jouer sans danger. **4.** Emplacement aménagé pour le stationnement des véhicules (recomm. off. pour *parking*). **III. 1.** *Milit.* Lieu où est entreposé le matériel, ensemble du matériel, des vivres, etc. **2.** Ext. Ensemble des machines, des installations, des véhicules, etc., d'une collectivité, d'un pays : ***Parc** automobile ; **Parc** immobilier.* Fin XIIe s. ; lat. médiév. *parricus*, du prélatin °*parra*, « perche » ; [paʀk].

**PARCAGE,** subst. m.
**1.** Action de parquer des animaux ; son résultat. ▸ Méton. Fertilisation d'une terre par les déjec

tions d'animaux parqués sur place. **2.** Action de parquer un véhicule ; son résultat. XVe s. (fin XIVe s., enceinte) ; ☞ *parquer* ; [paʀkaʒ].

**PARCELLAIRE, adj.**
**1.** Constitué de parcelles de terrain ; relatif aux parcelles. **2.** Fig. *Travail* ***parcellaire*** : qui porte sur une infime partie d'un travail collectif. 1791 ; ☞ *parcelle* ; [paʀsɛlɛʀ].

**PARCELLE, subst. f.**
**1.** Petite partie d'un tout. **2.** Partie de terrain formant une unité cadastrale, par sa propriété juridique ou son utilisation : *Vendre un lot en* ***parcelles*** ; *Une* ***parcelle*** *de vigne.* Fin XIIe s. ; lat. pop. °*particella*, du lat. *particula*, « petite partie » ; [paʀsɛl].

**PARCELLISATION, subst. f.**
Action de parcelliser ; son résultat. 1958 ; ☞ *parcelle* ; [paʀsɛlizasjɔ̃].

**PARCELLISER, verbe trans.** [3]
Diviser en parcelles, fractionner en petites unités : ***Parcelliser*** *un champ* ; au fig. : ***Parcelliser*** *le travail.* V. 1960 ; ☞ *parcelle* ; [paʀsɛlize].

**PARCE QUE, loc. conj.**
**1.** Exprime la cause : *Je tremble* ***parce que*** *j'ai peur.* **2.** Explique ce que l'on vient de dire (fam.) : *Vous y allez ? — Non. —* ***Parce qu'on*** *aurait pu partir ensemble.* **3.** Abs. Exprime le refus de donner une explication : *Pourquoi le laisser faire ? —* ***Parce que.*** Déb. XIIIe s. ; formé de *par* (I), de *ce* (II) et de *que* (I) ; ne s'élide que devant *il(s), elle(s), on, à, un(e)* ; [paʀskə].

**PARCHEMIN, subst. m.**
**1.** Cuir traité pour servir de support à l'écriture. **2.** Méton. ▸ Texte écrit sur cette peau. ▸ Titre de noblesse authentifié par un **parchemin** (vx). **3.** Diplôme (fam. et vieilli). Mil. XIe s. ; bas lat. *pergamena*, du gr. *pergamênê*, « peau apprêtée à Pergame » ; [paʀʃəmɛ̃].

**PARCHEMINÉ, ÉE, adj.**
Qui a la consistance ou l'aspect du parchemin : *Peau* ***parcheminée.*** 1837 ; ☞ *parchemin* ; [paʀʃəmine].

**PARCIMONIE, subst. f.**
Épargne extrême et vétilleuse. ▸ Loc. *Avec* ***parcimonie*** : en mesurant chichement. 1507 ; lat. *parcimonia*, de *parsus*, « épargne » ; [paʀsimɔni].

**PARCIMONIEUX, EUSE, adj.**
**1.** Qui fait preuve de parcimonie (vieilli). **2.** Qui est accordé avec parcimonie : *Compliments* ***parcimonieux.*** 1755 ; ☞ *parcimonie* ; [paʀsimɔnjø, øz].

**PARCMÈTRE, subst. m.**
Appareil qui comptabilise le temps de stationnement payant des automobiles. 1957 ; ☞ *parc* + *-mètre*¹ ; var. *parcomètre* ; [paʀkmɛtʀ].

**PARCOTRAIN, subst. m.**
Parc de stationnement réservé aux usagers des chemins de fer. Fin XXe s. ; formé de *parc* et de *train* ; [paʀkɔtʀɛ̃].

**PARCOURIR, verbe trans.** [25]
**1.** Se déplacer dans toutes les parties de (un espace) : ***Parcourir*** *les champs.* **2.** Effectuer (un trajet), couvrir (une distance). **3.** Fig. Examiner rapidement : ***Parcourir*** *le ciel du regard* ; ***Parcourir*** *un menu.* XIIIe s. ; lat. *percurrere*, d'apr. *courir* ; [paʀkuʀiʀ].

**PARCOURS, subst. m.**
**1.** *Féod.* Accord conclu entre deux seigneuries permettant à leurs habitants de résider dans l'une ou dans l'autre sans perdre leur franchise. ▸ *Droit de* ***parcours*** : donnant libre accès à la vaine pâture de la commune voisine. **2.** Trajet, itinéraire d'un point à un autre : *Le* ***parcours*** *des manifestants.* ▸ *Milit.* ***Parcours*** *du combattant* : parcours d'entraînement sur un terrain comportant divers obstacles et, par méton., ce terrain. ▸ *Sp.* Itinéraire à parcourir lors d'une épreuve : ***Parcours*** *de golf.* **3.** Fig. Ensemble des activités et des choix caractérisant la vie d'une personne : *Ils ont suivi le même* ***parcours.*** **4.** Loc. *Incident de* ***parcours*** : qui gêne ou retarde une entreprise sans en empêcher la réalisation. 1268 ; bas lat. *percursus*, d'apr. *cours* ; [paʀkuʀ].

**PAR-DELÀ, voir DELÀ**

**PAR-DERRIÈRE, voir DERRIÈRE**

**PAR-DESSOUS, voir DESSOUS**

**PARDESSUS, subst. m.**
**1.** Manteau masculin. **2.** Québ. Chaussure imperméable portée par-dessus les chaussures de ville. 1820 ; ☞ *par-dessus* ; [paʀdəsy].

**PAR-DESSUS, voir DESSUS**

**PAR-DEVANT, voir DEVANT**

**PAR-DEVERS, voir DEVERS**

**PARDI, interj.**
Souligne avec force une affirmation : *Tu lui as dit ça ? —* ***Pardi !*** 1608 ; altér. de *par Dieu* ; [paʀdi].

**PARDON, subst. m.**
**1.** Action de pardonner : *Demander* ***pardon*** ; *Accorder son* ***pardon.*** **2.** *Relig.* ▸ *Grand* ***Pardon*** : fête juive de l'expiation (Yom Kippour), célébrée le dixième jour de l'année. ▸ *Cath.* Pèlerinage, en Bretagne. **3.** Formule de politesse par laquelle on demande à qqn de vous excuser ou de répéter ses propos : ***Pardon,*** *je voudrais descendre* ; ***Pardon*** *? Vous disiez ?* **4.** Exclamation qui reprend une affirmation en la renforçant (fam.) : *Il est avare, mais toi,* ***pardon !*** Déb. XIIe s. ; ☞ *pardonner* ; [paʀdɔ̃].

© Giraudon

Le Retour du **pardon** de la Sainte-Anne, à Fouesnant, *peinture d'Alfred Guillou (1844-1926). Musée des Beaux-Arts, Quimper.*

**PARDONNABLE, adj.**
Qui peut facilement être pardonné. Fin XIIe s. (déb. XIIe s., miséricordieux) ; ☞ *pardonner* ; [paʀdɔnabl].

**PARDONNER, verbe trans.** [3]
**Trans. dir. 1.** Ne pas, ne plus tenir rigueur à qqn de (une faute, une offense) ; par ext., accorder son pardon à (rare) : ***Pardonner*** *son frère.* **2.** Considérer (une faute) comme non avenue, sans importance : ***Pardonnez*** *mon insistance.* **3.** Excuser (dans une formule de politesse) : ***Pardonnez-moi*** *d'insister.* **Trans. indir. Pardonner à. 1.** Être indulgent pour : *Qui* ***pardonne*** *au crime en devient le complice* (Voltaire). **2.** Épargner (en empl. négatif) : *La mort ne* ***pardonne*** *à personne.* ▸ Abs. *Un poison qui ne* ***pardonne*** *pas* : mortel ; *Une faute qui ne* ***pardonne*** *pas* : aux conséquences irréparables. Fin Xe s. ; lat. tardif *perdonare* ; [paʀdɔne].

**PARÉAGE, voir PARIAGE**

**PARE-AVALANCHE(S), voir PARAVALANCHE**

**PARE-BALLES, subst. m. inv.**
Dispositif qui protège des balles ; empl. adj. : *Un gilet* ***pare-balles.*** 1860 ; comp. de *parer* (II) et de *balle* (III) ; [paʀbal].

**PARE-BRISE, subst. m. inv.**
Vitre avant d'un véhicule, destinée à protéger ses occupants du vent, des intempéries. 1908 ; comp. de *parer* (II) et de *brise* ; [paʀbʀiz].

**PARE-CHOC(S), subst. m.**
Chacune des barres de métal ou de plastique situées à l'avant et à l'arrière d'un véhicule servant à amortir les chocs éventuels. 1925 ; comp. de *parer* (II) et de *choc* ; plur. *pare-chocs*, var. *parechoc* ; [paʀʃɔk].

**PARE-ÉTINCELLES, subst. m. inv.**
Garde-feu. 1880 ; comp. de *parer* (II) et de *étincelle* ; [paʀetɛ̃sɛl].

**PARE-FEU, subst. m. inv.**
**1.** Dispositif qui protège du feu, des incendies ; bande déboisée à cet effet dans une forêt. **2.** Garde-feu. 1873 ; comp. de *parer* (II) et de *feu* (I) ; [paʀfø].

**PARÉGORIQUE, adj.**
Antalgique (vx). ▸ *Élixir* ***parégorique*** : teinture anisée d'opium, employée contre certaines diarrhées et pouvant entraîner une toxicomanie. 1549 ; lat. *paregoricus*, du gr. *parêgorikos* ; [paʀegɔʀik].

**PAREIL, EILLE, adj. et subst.**
**Adj. 1.** Identique dans son aspect ou sa nature : *Toutes ses journées sont* ***pareilles.*** ▸ Loc. **Pareil à.** Comparable à, semblable à : *Il est resté* ***pareil*** *à lui-même.* **2.** De telle nature : *En* ***pareil*** *cas, abstenez-vous* ; *Je n'ai jamais entendu une ineptie* ***pareille !*** **Subst.** Chose ou personne semblable ou analogue à une autre : *Il a trouvé son* ***pareil.*** ▸ Loc. *Sans* ***pareil*** : inégalé ; *Ne pas avoir son* ***pareil****, sa* ***pareille*** : être incomparable ; *C'est du* ***pareil*** *au même* : c'est la même chose (fam.) ; *Rendre la* ***pareille*** *à qqn* : lui réserver le même traitement que celui que l'on a reçu de lui. Mil. XIIe s. ; lat. pop. °*pariculus*, du lat. *par*, « égal » ; l'empl. adv. de *pareil* et la loc. *pareil que* sont incorrects ; [paʀɛj].

**PAREILLEMENT, adv.**
**1.** D'une manière semblable. **2.** Aussi, de même. 1228 ; ☞ *pareil* ; [paʀɛjmɑ̃].

**PARÉLIE, voir PARHÉLIE**

**PAREMENT, subst. m.**
**1.** Vx. Parure, ornement. ▸ ***Parement*** *d'autel* : étoffe ou décor ornant un autel ; par ext., revers d'étoffe qui orne un vêtement. **2.** *Archit.* Face externe d'une paroi, d'une pierre d'un ouvrage de maçonnerie. Fin IXe s. ; ☞ *parer* (I) ; [paʀmɑ̃].

**PAREMENTURE, subst. f.**
**1.** Revers d'encolure, qui peut atteindre le bas du vêtement. **2.** Tissu servant à doubler les revers. 1832 ; ☞ *parement* ; var. *parmenture* ; [paʀmɑ̃tyʀ].

**PARENCHYMATEUX, EUSE, adj.**
*Anat.* et *Bot.* Qui concerne le parenchyme. 1764 ; ☞ *parenchyme* ; [paʀɑ̃ʃimatø, øz].

**PARENCHYME, subst. m.**
**1.** *Histol.* Ensemble des tissus d'un organe qui jouent un rôle physiologique, contrairement aux tissus de soutien : *Le* ***parenchyme*** *hépatique.* **2.** *Bot.* Tissu végétal aux fonctions diverses, constitué de cellules peu spécialisées aux parois squelettiques minces, contenant de la pectine et de la cellulose. 1546 ; gr. *parenkhuma* ; [paʀɑ̃ʃim].

**PARENT, ENTE, subst. et adj.**
**Subst. masc. plur.** Le père et la mère ; ancêtres (littér.). **Subst.** et **Adj.** Se dit des membres d'une même famille : *Un proche* ***parent*** ; *Ils sont* ***parents*** *par alliance.* ▸ Loc. *Traiter qqn ou qqch. en* ***parent*** *pauvre* : ne pas lui accorder la place qu'il mérite. **Adj.** Qui a la même origine : *Langues* ***parentes*** ; qui a des traits communs : *Leurs points de vue sont* ***parents.*** Fin Xe s. ; lat. *parens* ; [paʀɑ̃, ɑ̃t].

**PARENTAL, ALE, AUX, adj.**
Relatif aux parents : *Congé* ***parental***, accordé à l'un des deux parents à la naissance d'un enfant. 1536 ; ☞ *parent* ; [paʀɑ̃tal, o].

**PARENTÉ, subst. f.**
**1.** Lien de consanguinité qui unit des individus : ***Parenté*** *directe, collatérale.* **2.** Lien familial établi juridiquement ou socialement : *Système de* ***parenté*** *d'une société* ; ***Parenté*** *naturelle, par alliance, adoptive.* **3.** Méton. Ensemble des parents. **4.** Fig. Relation qui unit deux choses de même origine ou analogues : *La* ***parenté*** *du fascisme et du nazisme.* Mil. XIe s. ; lat. pop. °*parentatus*, du lat. *parens*, « parent » ; [paʀɑ̃te].

**PARENTÈLE, subst. f.**
Ensemble des parents, lignage (littér. ou vieilli). Fin XIVe s. ; lat. jur. *parentelia* ; [paʀɑ̃tɛl].

**PARENTÉRAL, ALE, AUX, adj.**
*Méd.* Qui se produit en dehors de l'intestin. ▸ *Voie* ***parentérale*** : toute voie autre que la voie digestive. 1909 ; gr. *enteron*, « intestin », + *para-*¹ ; [paʀɑ̃teʀal, o].

**PARENTHÈSE, subst. f.**
**1.** Énoncé autonome inséré dans une phrase, servant à expliquer, à commenter, etc., le discours ; par méton., développement accessoire plus ou moins long : *Faire des* ***parenthèses*** ; au fig. : *C'est une* ***parenthèse*** *dans sa vie*, un épisode sans rapport avec sa vie habituelle. **2.** *Typogr.* Chacun des signes, notés ( ), entre lesquels on place un énoncé ; l'ensemble de ces deux signes, leur contenu. **3.** *Math.* Ces signes, isolant une expression algébrique et indiquant que l'opération notée avant la **parenthèse** ouvrante s'applique à toute l'expression. **4.** Loc. *Entre* ***parenthèses****, par* ***parenthèse*** : incidemment ; *Mettre qqch. entre* ***parenthèses*** : le mettre provisoirement de côté. Fin XVe s. ; lat. *parenthesis*, du gr. *parenthesis*, « intercalation » ; [paʀɑ̃tɛz].

**PARÉO, subst. m.**
*Cost.* **1.** Pagne tahitien. **2.** Anal. Vêtement constitué d'une pièce d'étoffe nouée à la taille ou sur la poitrine. 1882 ; orig. polynésienne ; [paʀeo].

**PARER (I), verbe trans.** [3]
**1.** Orner : *Des dentelles* ***paraient*** *sa robe* ; revêtir d'une parure (littér.) : *On l'****a parée*** *pour la cérémonie.* **2.** Fig. Attribuer, conférer une qualité à (qqn, qqch.) : *On le* ***pare*** *de toutes les vertus.* **3.** Préparer, apprêter : ***Parer*** *de la viande, des fruits*, en ôter les parties non comestibles. ▸ *Techn.* Donner le dernier apprêt à : ***Parer*** *un drap* ; ***Parer*** *un cuir*, l'amincir. **4.** *Mar.* Mettre, tenir (qqch.) en état d'être utilisé. ▸ ***Parer*** *une manœuvre* : la préparer ; par ell. : ***Parez*** *à virer !* **Pronom. 1.** Être orné, agrémenté (littér.). **2.** Se vêtir avec élégance : *Se* ***parer*** *de ses plus beaux atours.* **3.** Fig. S'attribuer : *Se* ***parer*** *de qualités.* 980 ; lat. *parare*, « apprêter » ; [paʀe].

**PARER (II), verbe trans.** [3]
**Trans. dir. 1.** Vx. Protéger (qqn). **2.** Esquiver (un coup). ▸ *Mar.* ***Parer*** *un récif* : l'éviter. **Trans. indir. Parer à.** Prendre ses dispositions pour faire face à : ***Parer*** *à toute éventualité* ; empl. adj. : *Te voilà* ***paré***, prémuni, à l'abri. ▸ Loc. ***Parer*** *au plus pressé* : s'attaquer d'abord aux problèmes les plus urgents. XVe s. ; ital. *parare*, « se protéger » ; [paʀe].

**PARER (III), verbe** [3]
*Équit.* **Trans.** Arrêter net (un cheval). **Intrans.** S'arrêter, prendre appui, en parlant d'un cheval. 1575 ; esp. *parar*, « arrêter » ; [paʀe].

**PARÈRE, subst. m.**
*Dr.* Certificat délivré par un organisme professionnel afin d'établir l'existence d'un usage déterminé. 1688 ; ital. *parere*, « sembler » ; [paʀɛʀ].

**PARÉSIE, subst. f.**
*Pathol.* Paralysie partielle caractérisée par une diminution de la force musculaire. 1694 ; gr. *paresis*, « relâchement, affaiblissement » ; [paʀezi].

**PARE-SOLEIL, subst. m. inv.**
Dispositif qui protège des rayons du soleil ; en partic., écran orientable, dans une automobile. 1914 ; comp. de *parer* (II) et de *soleil* ; [paʀsɔlɛj].

**PARESSE, subst. f.**
**1.** Caractère d'une personne que rebutent le travail et l'effort ; goût pour l'oisiveté : ***Paresse*** *intellectuelle.* ▸ *Théol.* L'un des sept péchés capitaux. **2.** *Pathol.* Lenteur anormale de fonctionnement d'un organe : *Souffrir de* ***paresse*** *intestinale.* XIIe s. ; lat. *pigritia* ; [paʀɛs].

**PARESSER, verbe intrans.** [3]
Céder à la paresse. 1175 ; ☞ *paresse* ; [paʀese].

**PARESSEUSEMENT, adv.**
Avec paresse ; avec lenteur, indolence. 1195 ; ☞ *paresseux* ; [paʀɛsøzmɑ̃].

© N. Wu-Jacana
*Paresseux.*

**PARESSEUX, EUSE, adj. et subst.**
**Adj.** Enclin à la paresse : *Il est doué mais* ***paresseux*** ; qui dénote la paresse : *Un rythme doux, et* ***paresseux***, *et lent* (Baudelaire). **Subst.** Personne encline à la paresse. **Subst. masc.** *Zool.* Mammifère édenté, arboricole et herbivore, aux mouvements très lents, vivant dans la forêt tropicale américaine. 1119 ; ☞ *paresse* ; [paʀesø, øz].

**PARESTHÉSIE, subst. f.**
*Pathol.* Trouble de la sensibilité caractérisé par des perceptions anormales (fourmillements, picotements, etc.). 1878 ; gr. *aisthêsis*, « sensibilité », + *para*-1 ; [paʀɛstezi].

**PAREUR, EUSE, subst.**
*Techn.* Personne chargée de parer un ouvrage, de le finir. **Subst. fém.** Machine à parer des cuirs, des draps. 1250 ; ☞ *parer* (I) ; [paʀœʀ, øz].

**PARFAIRE, verbe trans.** [57]
Parachever, améliorer en tendant à la perfection : ***Parfaire*** *un ouvrage, sa culture.* Mil. XIIe s. (1119, compléter) ; lat. *perficere* ; verbe défectif ; [paʀfɛʀ].

**PARFAIT (I), AITE, adj. et subst. m.**
**Adj. 1.** Achevé, total ; idéal : *Le* ***parfait*** *amour* ; *Un exemple* ***parfait*** ; *Dieu est* ***parfait***, doté par essence de tous les attributs concevables ; *Forme* ***parfaite*** *d'un insecte*, stade final de son développement. ▸ Qui est accompli en son genre : *Un* ***parfait*** *génie* ; *Un* ***parfait*** *escroc.* **2.** Sans défaut, irréprochable : *Nul n'est* ***parfait***. ▸ Loc. *Crime* ***parfait*** : conçu pour rendre impossible la découverte du coupable ; *C'est* ***parfait*** : c'est très bien. **3.** *Math. Carré (resp. cube)* ***parfait*** : entier égal au carré (resp. au cube) d'un autre entier ; *Nombre* ***parfait*** : nombre entier égal à la somme de ses diviseurs sauf lui-même. **4.** *Mus. Accord* ***parfait*** (☞ *accord*). **Subst. 1.** *Hist.* Cathare qui, ayant reçu le *consolamentum* (sacrement conférant l'Esprit-Saint), pouvait à son tour l'administrer. **2.** Crème glacée aromatisée, gén. au café, de forme pyramidale. Xe s. ; p. p. de *parfaire*, d'apr. le lat. *perfectus* ; [paʀfɛ, ɛt].

**PARFAIT (II), subst. m.**
*Gramm.* Forme verbale indiquant le résultat présent d'une action antérieure. XIVe s. ; lat. *perfectum* ; [paʀfɛ].

**PARFAITEMENT, adv.**
**1.** De façon parfaite. **2.** Entièrement : *Je comprends* ***parfaitement*** *vos scrupules.* **3.** Assurément : *Tu l'as mis à la porte ? –* ***Parfaitement !*** 1050 ; ☞ *parfait* (I) ; [paʀfɛtmɑ̃].

**PARFILER, verbe trans.** [3]
**1.** Tisser (une étoffe) avec des fils d'or et d'argent, ou, par ext., en entremêlant des fils différents (vieilli). **2.** Défaire fil à fil (une étoffe ainsi tissée). 1751 ; ☞ *filer* + *par-* ; [paʀfile].

**PARFOIS, adv.**
Quelquefois : *Il venait* ***parfois***. ▸ Parfois... parfois... Tantôt... tantôt... : ***Parfois*** *l'une,* ***parfois*** *l'autre.* Fin XIIIe s. ; formé de *par* (I) et de *fois* ; [paʀfwa].

**PARFONDRE, verbe trans.** [51]
*Techn.* Faire fondre (de l'émail, du verre mêlés de couleurs ou d'oxydes colorants). 1389 ; ☞ *fondre* + *par-* ; [paʀfɔ̃dʀ].

**PARFUM, subst. m.**
**1.** Odeur agréable : *Fleur au* ***parfum*** *capiteux* ; au fig., ce qui émane de qqn ou de qqch. : *Un* ***parfum*** *de mystère.* **2.** Essence, substance odorante : *Un flacon de* ***parfum***. **3.** Arôme d'un aliment : *Sorbets aux* ***parfums*** *variés.* **4.** Loc. *Être, mettre au* ***parfum*** : être informé, mis au courant (fam.). 1528 ; ☞ *parfumer* ; [paʀfœ̃].

**PARFUMER, verbe trans.** [3]
**1.** Imprégner (qqn, qqch.) d'une odeur agréable : *Les roses* ***parfument*** *le jardin.* **2.** Imprégner de parfum : ***Parfumer*** *ses mouchoirs à la violette* ; empl. pronom. : *Elle ne se* ***parfume*** *jamais.* **3.** Aromatiser (un mets). Fin XIVe s. ; prob. anc. ital. *perfumare*, du lat. *fumare*, « répandre de la fumée » ; [paʀfyme].

**PARFUMERIE, subst. f.**
**1.** Fabrication et commerce des parfums, et, par ext., de cosmétiques ; par méton., ces produits. **2.** Entreprise où l'on fabrique des parfums ; magasin où l'on vend des parfums. 1802 ; ☞ *parfum* ; [paʀfymʀi].

**PARFUMEUR, EUSE, subst.**
**1.** Fabricant de parfums : *Les* ***parfumeurs*** *de Grasse.* **2.** Commerçant qui vend des parfums et certains cosmétiques. 1528 ; ☞ *parfumer* ; [paʀfymœʀ, øz].

**PARHÉLIE, subst. f.**
*Météor.* Image du soleil, tache lumineuse formée par réfraction des rayons solaires sur un nuage de cristaux de glace. 1547 ; lat. *parhelion*, du gr. *parêlios*, « près du soleil » ; var. *parélie* ; [paʀeli].

**PARI, subst. m.**
**1.** Engagement de deux ou plusieurs personnes à payer ou à donner qqch. à celle d'entre elles dont les dires ou les pronostics seront confirmés : ***Pari*** *tenu !* **2.** Jeu d'argent lié au résultat d'une compétition sportive. ▸ ***Pari*** *mutuel urbain (P. M. U.)* : entreprise qui organise les jeux d'argent relatifs aux courses de chevaux. **3.** Défi que l'on se lance de réussir qqch. : *Un* ***pari*** *sur l'avenir.* **4.** *Philos.* ***Pari*** *de Pascal* : argument selon lequel les incroyants ont tout à perdre en pariant sur l'inexistence de Dieu. **5.** Affirmation, sans enjeu, qu'un évènement hypothétique se produira : *Je fais le* ***pari*** *qu'il ne viendra pas.* 1642 ; ☞ *parier* ; [paʀi].

**PARIA, subst. m.**
**1.** En Inde, intouchable, personne ne faisant partie d'aucune caste et avec qui, malgré l'abolition des castes en 1947, toute relation est encore considérée par certains comme impure. **2.** Anal. Personne rejetée de la société des hommes. 1575 ; port. *paria*, du tamoul *parayan*, « joueur de tambour » ; [paʀja].

**PARIADE, subst. f.**
**1.** Saison à laquelle les oiseaux s'accouplent ; par méton., cet accouplement. **2.** Ext. Couple d'oiseaux. 1611 ; *parier* (vx), « apparier » ; [paʀjad].

**PARIAGE, subst. m.**
*Féod.* Contrat accordant la possession commune d'une terre à deux seigneurs gén. d'inégale puissance ; par méton., cette terre. 1290 ; lat. *pariare* « aller de pair » ; var. *paréage* ; [paʀjaʒ].

**PARIAN, subst. m.**
*Techn.* Porcelaine fine évoquant le marbre de Paros. 1868 ; angl. *parian*, « de Paros » ; [paʀjɑ̃].

**PARIDÉS, subst. m. plur.**
*Zool.* Famille de passereaux (mésanges) comprenant cinquante-neuf espèces. **Au sing.** *La mésange bleue est un* ***paridé***. 1874 ; lat. sc. *parus*, du lat. *parra* « mésange » ; [paʀide].

**PARIDIGITIDÉ, ÉE, adj. et subst. m.**
*Zool.* Se dit d'un mammifère ongulé qui a un nombre de doigts pair à chaque pied. V. 1960 lat. *par*, « égal », et *digitus*, « doigt » ; [paʀidiʒitide].

**PARIER, verbe trans.** [6]
**1.** Vx. Apparier. **2.** Affirmer ; par ext., penser : *Je* ***parie*** *qu'il va neiger.* **3.** Engager (qqch., de l'argent) dans un pari ; empl. abs., faire un pari : *Je* ***parie*** *sur le favori.* Mil. XVIe s. ; lat. *pariare* ; [paʀje].

**PARIÉTAIRE, subst. f.**
*Bot.* Plante cosmopolite et non urticante de la famille des Urticacées, dont deux espèces sont médicinales (synon. *perce-muraille*). Fin XIIIe s. lat. *parietaria*, de *paries*, « mur » ; [paʀjetɛʀ].

© F. Lieutier-Jacana
*Peintures* ***pariétales****, fresque du Tassili (Algérie).*

**PARIÉTAL, ALE, AUX, adj. et subst. f. plur.**
**Adj. 1.** *Anat. Os* ***pariétal*** ou, empl. subst. masc., *Le* ***pariétal*** : chacun des deux os de la voûte crânienne siégeant entre le frontal à l'avant, l'occipital à l'arrière, et les temporaux sur les côtés ; *Lobe* ***pariétal*** : lobe de l'hémisphère cérébral, siège de la sensibilité générale, de la pensée symbolique et de l'intégration du schéma corporel. **2.** *Bot. Placentation* ***pariétale*** : dans laquelle les ovules sont logés sur les parois du pistil. **3.** *Préhist. Peintures* ***pariétales*** : ornant les parois de certaines grottes (synon. *rupestre*). **Subst.** *Bot.* Ordre de plantes dicotylédones très variées, cosmopolites, ornementales ou comestibles ; au sing. : *Une* ***pariétale***. 1493 ; lat. *paries* « mur, paroi » ; [paʀjetal, o].

**PARIEUR, EUSE,** subst.
:rsonne qui aime parier, en partic. aux courses.
1640 ; ☞ *parier* ; [paʀjœʀ, øz].

**PARIGOT, OTE,** adj. et subst.
ırisien (pop.). 1886 ; topon. *Paris* ; [paʀigo, ɔt].

**PARIPENNÉ, ÉE,** adj.
ɔt. Qualifie des feuilles dont les nervures sont
sposées comme les barbes d'une plume, et qui se
rminent par deux folioles opposées. 1838 ;
☞ *penné* + *pari-* ; [paʀipene].

**PARIS-BREST,** subst. m. inv.
ouronne en pâte à choux fourrée de crème
:alinée et garnie d'amandes effilées. 1938 ;
mp. des topon. *Paris* et *Brest* ; [paʀibʀɛst].

**PARISETTE,** subst. f.
ɔt. Plante vivace de la famille des Liliacées, dont
fleur en étoile donne des baies bleuâtres.
1778 ; topon. *Paris* ; [paʀizɛt].

**PARISIANISME,** subst. m.
Fait de langue propre au français parlé à Paris.
Manière d'être, usage propre aux Parisiens.
1583 ; ☞ *parisien* ; [paʀizjanism].

**PARISIEN, IENNE,** adj. et subst.
e Paris. 1312 ; topon. *Paris* ; [paʀizjɛ̃, jɛn].

**PARISIS,** adj.
'umism. *Denier, livre, sol* (ou *sou*) **parisis** :
onnaies frappées à Paris (par oppos. aux mon-
ıies frappées à Tours, dites *tournois*). Mil. XIIe s. ;
ıs lat. *parisiensis*, « de Paris » ; [paʀizi].

**PARISYLLABIQUE,** adj. et subst. m.
ramm. Se dit d'un mot qui, dans une déclinaison,
résente au nominatif et au génitif singulier le
ême nombre de syllabes (anton. *imparisyllabique*).
1789 ; ☞ *syllabique* + *pari-* ; [paʀisil(l)abik].

**PARITAIRE,** adj.
ui réunit en effectif égal les différents groupes
'une assemblée ou d'une collectivité : *Commission*
**ıritaire.** 1920 ; ☞ *parité* ; [paʀitɛʀ].

**PARITÉ,** subst. f.
Égalité entre des êtres ou des choses ; similitude :
*arité de salaires, d'idées.* **2.** *Écon.* Égalité de la valeur
échange de deux monnaies dans leurs pays
spectifs : ***Parité** de change.* **3.** *Math.* Caractère de
qui est divisible par deux. 1345 ; bas lat. *paritas*,
ı lat. *par*, « égal » ; [paʀite].

**PARJURE,** subst. et adj.
dit d'une personne qui fait un faux serment, qui
ole son serment. SUBST. MASC. Faux serment ; en
ırtic., faux témoignage devant les tribunaux :
*ommettre un **parjure**.* Mil. XIIe s. ; lat. *perjurium* ;
aʀʒyʀ].

**PARJURER (SE),** verbe pronom. [3]
ommettre un parjure ; trahir sa promesse. Fin
s. ; lat. *perjurare* ; [paʀʒyʀe].

**PARKA,** subst. f. ou m.
ɔngue veste imperméable à capuche. 1761 ;
ıglo-amér. *parka*, d'orig. aléoute ; [paʀka].

**PARKÉRISATION,** subst. f.
*létall.* Procédé de protection d'une pièce métalli-
ıe contre la corrosion, utilisant les phosphates.
1927 ; anglo-amér. *Parkerizing*, de l'anthropon. *Par-
:r* ; n. déposé ; [paʀkeʀizasjɔ̃].

**PARKING,** subst. m.
arc de stationnement automobile (anglic.).
1926 ; mot anglo-amér. ; recomm. off. *parc (de
ationnement)* ; [paʀkiŋ].

**PARKINSONIEN, IENNE,** adj.
ıthol. **1.** Relatif à la maladie de Parkinson, mala-
e dégénérative du système nerveux central carac-
:risée par un tremblement au repos, une rigidité
ıusculaire et une perte des mouvements spon-
ınés. **2.** Atteint de cette maladie ; empl. subst.,
:rsonne atteinte de cette maladie. 1896 ; anthro-
ɔn. *Parkinson*, médecin britannique ; [paʀkinsɔnjɛ̃, jɛn].

**PARLANT, ANTE,** adj.
Doué de parole ; qui aime parler (fam.).
Expressif ; convaincant, probant : *Un regard*
***ırlant** ; Indices **parlants**.* ▸ *Hérald.* *Armes **parlantes*** :
rmoiries dont les pièces évoquent le nom de celui
ıi les porte. **3.** Qui reproduit les paroles, la voix
ıumaine : *Horloge **parlante*** ; *Cinéma **parlant*** ou,
mpl. subst. masc., *Le **parlant**.* 1210 ; p. pr. de
ırler (I) ; [paʀlɑ̃, ɑ̃t].

**PARLÉ, ÉE,** adj.
ui est exprimé par la parole : *Langue **parlée**.*
1798 ; p. p. de *parler* (I) ; [paʀle].

**PARLEMENT,** subst. m.
**I.** Vx. Discours ; conversation. **II. 1.** Assemblée délibérante. ▸ *Hist.* En France, jusqu'à la fin du XIIIe s., assemblée de notables convoquée par le roi ; à partir du XIIIe s. et jusqu'à la Révolution, cour souveraine de justice : *Le **parlement** de Bretagne.* **2.** Dans les pays à régime représentatif, ensemble des chambres qui exercent le pouvoir législatif : *En France, le Sénat et l'Assemblée nationale constituent le **Parlement*** ; par méton., bâtiment dans lequel siège cette assemblée. Fin XIe s. ; ☞ *parler* (I) ; [paʀləmɑ̃].

**PARLEMENTAIRE,** subst. et adj.
SUBST. **1.** Membre du Parlement. **2.** Personne chargée de parlementer avec l'ennemi. ADJ. Relatif au Parlement : *Régime **parlementaire**.* 1644 ; ☞ *parlement* ; [paʀləmɑ̃tɛʀ].

**PARLEMENTARISME,** subst. m.
Régime parlementaire. 1845 ; ☞ *parlementaire* ; [paʀləmɑ̃taʀism].

**PARLEMENTER,** verbe intrans. [3]
**1.** Engager des pourparlers avec un ennemi ; par ext., traiter avec un adversaire. **2.** Discuter longuement avant de décider. Fin XIVe s. (déb. XIVe s., avoir un entretien) ; ☞ *parlement* ; [paʀləmɑ̃te].

**PARLER (I),** verbe [3]
INTRANS. **1.** Émettre les sons articulés du langage humain : *Il ne **parle** plus depuis son accident.* **2.** Se servir du langage articulé pour exprimer sa pensée : ***Parler** peu, beaucoup* ; ***Parler** en anglais* ; ***Parler** en public.* ▸ Loc. ***Parler** d'or* : sagement ; ***Parler** en l'air* : sans réfléchir. **3.** Anal. S'exprimer autrement que par la parole : ***Parler** par gestes.* **4.** Révéler un secret : *Le suspect n'a pas **parlé**.* **5.** *Jeux.* Aux cartes, faire une annonce. **6.** Fig. Être éloquent : *Les faits **parlent** d'eux-mêmes.* TRANS. INDIR. **1. Parler de.** ▸ Tenir des propos sur : ***Parler** de la pluie et du beau temps.* ▸ Manifester l'intention de (+ inf.) : ***Parler** de faire qqch.* **2. Parler à, avec.** S'adresser à, s'entretenir avec : ***Parler** à un inconnu.* ▸ Loc. *Trouver à qui **parler*** : avoir affaire à un interlocuteur très coriace ; ***Parler** à un mur* : à qqn qui n'écoute pas ; ***Parler** au cœur* : toucher, émouvoir. TRANS. DIR. **1.** ***Parler** littérature, politique* : s'en entretenir. **2.** Faire usage de (telle langue) pour s'exprimer : ***Parler** français*, s'exprimer en français et, au fig., de façon claire et intelligible. ▸ Loc. *Ne pas **parler** la même langue* : ne pas se comprendre. PRONOM. **1.** Être parlé : *Cette langue se **parle** en Afrique.* **2.** S'adresser mutuellement la parole : *Ils ne se **parlent** plus*, ils sont fâchés. Xe s. ; lat. chrét. *parabolare*, de *parabola*, « parabole ; parole » ; [paʀle].

**PARLER (II),** subst. m.
**1.** Manière de s'exprimer propre à un individu : *Un **parler** rude.* **2.** Langage propre à une région, patois : *Le **parler** cauchois.* Fin XIIe s. ; ☞ *parler* (I) ; [paʀle].

**PARLEUR, EUSE,** subst. m. et adj.
SUBST. *Beau **parleur*** : celui qui manie la parole avec art ou, péj., celui qui parle avec affectation. ADJ. *Oiseau **parleur*** : capable de reproduire des sons de la voix humaine. 1170 ; ☞ *parler* (I) ; [paʀlœʀ, øz].

**PARLOIR,** subst. m.
Salle d'un établissement scolaire, religieux, hospitalier, pénitentiaire, etc., destinée à recevoir les visiteurs. Mil. XIIe s. ; ☞ *parler* (I) ; [paʀlwaʀ].

**PARLOTE,** subst. f.
Conversation oiseuse, superficielle (fam.). 1879 (1829, réunion où l'on s'exerce à l'art de parler) ; ☞ *parler* (I) ; var. *parlotte* ; [paʀlɔt].

**PARME,** adj. inv.
D'un mauve rosé ; empl. subst. masc., cette couleur. 1897 ; ell. de *violette de Parme* ; [paʀm].

**PARMÉLIE,** subst. f.
*Bot.* Lichen des régions froides poussant en plaques jaunes. 1821 ; lat. sc. *parmelia*, du lat. *parma*, « petit bouclier rond » ; [paʀmeli].

**PARMENTURE,** voir **PAREMENTURE**

**PARMESAN, ANE,** adj. et subst.
De Parme. SUBST. MASC. Fromage italien au lait de vache, à pâte très dure : ***Parmesan** râpé.* 1414 ; ital. *parmigiano* ; [paʀməzɑ̃, an].

**PARMI,** prép.
**1.** Vx. Dans : *Au réveil, Gargantua se prélassait **parmi** le lit* (Rabelais). **2.** Au milieu de. **3.** Au nombre de : *Être **parmi** les reçus.* Fin XIe s. ; formé de *par* (I) et de *mi* (vx), « milieu » ; [paʀmi].

**PARNASSIEN, IENNE,** subst. m. et adj.
SUBST. **1.** Vx. Poète. **2.** Membre d'un groupe de poètes français du XIXe s. qui s'attachèrent à la recherche de la perfection formelle. **3.** *Zool.* Papillon diurne des régions montagneuses, de la famille des Papilionidés, aux formes variables mais souvent ocellé de rouge (synon. *apollon*). ADJ. **1.** *Antiq.* Relatif au Parnasse, lieu de séjour symbolique des poètes. **2.** Propre aux **parnassiens** : *École **parnassienne**.* 1516 ; topon. *Parnasse* ; [paʀnasjɛ̃, jɛn].

**PARODIE,** subst. f.
**1.** Imitation burlesque d'une œuvre littéraire sérieuse. **2.** Anal. Caricature grossière : *Une **parodie** de justice.* 1614 ; gr. *parôdia* ; [paʀɔdi].

**PARODIER,** verbe trans. [6]
**1.** Faire une imitation burlesque de (une œuvre). **2.** Anal. Caricaturer (qqn) en le ridiculisant. 1580 ; ☞ *parodie* ; [paʀɔdje].

**PARODIQUE,** adj.
Qui relève de la parodie, qui en possède les caractères. 1800 ; ☞ *parodie* ; [paʀɔdik].

**PARODONTE,** subst. m.
*Anat.* Ensemble des tissus de soutien de la dent, formé par la gencive, les ligaments alvéolodentaires, l'os alvéolaire et le cément. V. 1960 ; formé de *para-*[1] et de *-odonte* ; [paʀɔdɔ̃t].

**PARODONTITE,** subst. f.
*Pathol.* Inflammation du parodonte. 1842 ; ☞ *parodonte* + *-ite* ; [paʀɔdɔ̃tit].

**PARODONTOLOGIE,** subst. f.
*Dent.* Branche de l'ondotologie qui étudie le parodonte. XXe s. ; ☞ *parodonte* + *-logie* ; [paʀɔdɔ̃tɔlɔʒi].

**PAROI,** subst. f.
**1.** Mur ; en partic., cloison d'une pièce d'habitation. ▸ Méton. Face intérieure d'un mur. **2.** Surface latérale d'une excavation : ***Paroi** d'une grotte.* **3.** Ext. Élément qui constitue la limite d'un récipient, d'un conduit. **4.** Anal. Versant abrupt. **5.** *Anat.* Enveloppe d'un micro-organisme ou d'un organe creux. **6.** *Bot.* ***Paroi** squelettique* : système d'enveloppes pectocellulosiques, qui isole les cellules les unes des autres. Fin XIe s. ; lat. pop. °*pares*, du lat. *paries* ; [paʀwa].

**PAROIR,** subst. m.
*Techn.* Outil ; instrument tranchant servant à parer : ***Paroir** de tonnelier.* 1611 ; ☞ *parer* (I) ; [paʀwaʀ].

**PAROISSE,** subst. f.
*Relig.* Circonscription ecclésiastique dans laquelle s'exerce le ministère d'un curé, d'un pasteur. ▸ Méton. Église de la **paroisse** ; ensemble des paroissiens. 1090 ; lat. eccl. *parochia*, du gr. *paroikia*, « séjour à l'étranger ; voisinage » ; [paʀwas].

**PAROISSIAL, ALE, AUX,** adj.
De la paroisse ; propre à la paroisse. Fin XIIe s. ; lat. eccl. *parochialis* ; [paʀwasjal, o].

**PAROISSIEN, IENNE,** subst.
Fidèle d'une paroisse ; au fig., individu (fam.) : *Un drôle de **paroissien**.* MASC. Missel. Déb. XIIIe s. ; lat. eccl. *parochianus* ; [paʀwasjɛ̃, jɛn].

**PAROLE,** subst. f.
**I.** Expression de la pensée au moyen de sons articulés. **1.** Faculté de parler : *La **parole** distingue l'homme des animaux* ; *Perdre, recouvrer la **parole**.* **2.** Usage de cette faculté : *Prendre, demander la **parole*** ; *Adresser, couper la **parole** à qqn.* **3.** *Ling.* Utilisation qu'un sujet parlant fait de la langue dans une situation concrète. **II.** Élément du langage parlé. **1.** Mot, suite de mots : *Des **paroles** de réconfort* ; *Une **parole** aimable* ; *Quelles furent ses dernières **paroles** ?* ▸ Fig. *De belles **paroles*** : des promesses qui ne seront pas tenues ; *Un moulin à **paroles*** : qqn qui ne cesse de parler ; *Une **parole** en l'air* : un propos à ne pas prendre au sérieux. **2.** Engagement, promesse : *Donner sa **parole***, s'engager formellement ; *Être de **parole***, respecter ses engagements ; *N'avoir qu'une **parole***, s'en tenir strictement à ce qu'on a promis ; *Manquer à sa **parole***, ne pas tenir ses promesses ; *Sur **parole***, sur la foi de ce que l'on a dit. ▸ Empl. interj. *(Ma) **parole** !* : renforce une affirmation, un propos. **3.** *Jeux.* ***Parole*** : signifie que l'on passe. **4.** *Relig.* *La **Parole** de Dieu* : l'Écriture sainte ; *La liturgie de la **Parole*** : la messe. PLUR. Texte d'une chanson (par oppos. à la musique). Fin XIe s. ; lat. pop. °*paraula*, du lat. chrét. *parabola*, « parabole, parole » ; [paʀɔl].

**PAROLIER, IÈRE,** subst.
Auteur de textes de chansons ; librettiste. 1842 (1584, qui parle) ; ☞ *parole* ; [paʀɔlje, jɛʀ].

**PARONOMASE,** subst. f.
*Rhét.* Figure consistant à rapprocher des paronymes (par ex. : « Je t'adjure d'abjurer »). 1546 ; gr. *paronomasia*, de *onoma*, « nom » ; [paʀɔnɔmaz].

**PARONYME,** subst. m.
*Ling.* Mot qui présente avec un autre, de sens différent, une ressemblance de forme et de prononciation : *« Prescrire » et « proscrire » sont des* ***paronymes.*** 1789 ; gr. *parônumos* ; [paʀɔnim].

**PARONYMIE,** subst. f.
Caractère des mots paronymes. 1846 ; gr. *parônumia* ; [paʀɔnimi].

**PAROTIDE,** subst. f.
*Anat.* Glande salivaire double située entre le conduit auditif externe et la branche montante du maxillaire inférieur ; empl. adj. : *Glande* ***parotide.*** Fin XIVe s. ; lat. *parotis,* du gr. *parôtis,* de *ous,* « oreille » ; [paʀɔtid].

**PAROTIDITE,** subst. f.
*Pathol.* Inflammation de la parotide. 1830 ; ☞ *parotide* + *-ite* ; [paʀɔtidit].

**PAROUSIE,** subst. f.
*Théol.* Retour glorieux du Christ sur la Terre, à la fin des temps. 1903 ; gr. *parousia,* « présence ; arrivée » ; [paʀuzi].

**PAROXYSME,** subst. m.
**1.** *Pathol.* Phase d'une maladie dans laquelle les symptômes se manifestent avec un maximum d'acuité. **2.** Fig. Degré extrême d'un sentiment, d'une sensation : *Le* ***paroxysme*** *de la colère, du désir.* 1314 ; gr. *paroxusmos,* de *paroxumein,* « exciter, exacerber » ; [paʀɔksism].

**PAROXYSMIQUE,** adj.
*Pathol.* Relatif à un paroxysme (synon. *paroxysmal, ale, aux*). 1611 ; ☞ *paroxysme* ; [paʀɔksismik].

**PAROXYSTIQUE,** adj.
**1.** *Pathol.* Qui présente un ou des paroxysmes : *Tachycardie* ***paroxystique.*** **2.** Fig. Poussé au paroxysme (littér.). 1822 ; ☞ *paroxysme* ; [paʀɔksistik].

**PAROXYTON,** adj. m. et subst. m.
*Ling.* Se dit d'un mot accentué sur la pénultième syllabe. 1570 ; gr. *paroxutonos* ; [paʀɔksitɔ̃].

**PARPAILLOT, OTE,** subst.
Protestant (vieilli et fam.). 1621 ; occitan *parpalhòl,* « papillon », par allus. aux vêtements blancs des protestants, ou à l'inconstance de leur foi ; [paʀpajo, ɔt].

**PARPAING,** subst. m.
*Bât.* **1.** Pierre de taille formant toute l'épaisseur d'un mur. **2.** Anal. Parallélépipède de mortier de ciment. 1268 ; bas lat. °*perpetaneus,* du lat. *perpes,* « ininterrompu » ; [paʀpɛ̃].

**PARQUER,** verbe [3]
**Trans. 1.** Mettre (du bétail) dans un enclos. **2.** Enfermer (qqn) dans un espace étroit (péj.) : ***Parquer*** *des immigrés dans des cités de transit.* **3.** Garer (un véhicule) dans un parc de stationnement. **Intrans.** Être dans un parc, en parlant d'animaux. 1380 ; ☞ *parc* ; [paʀke].

**PARQUET,** subst. m.
**I. 1.** Vx. *Dr.* Endroit d'un tribunal où siègent les juges. ▶ Local où se tiennent les magistrats en dehors des audiences ; empl. abs. : *Le* ***parquet,*** ensemble des magistrats du ministère public (synon. *magistrature debout*). **2.** *Élev.* Enclos de taille réduite pour l'élevage des volailles ou du petit bétail. **II. 1.** Assemblage de lames de bois garnissant le sol d'une habitation. **2.** *B.-a.* Armature de bois sur laquelle est appliquée une glace, ou qui consolide l'envers d'un tableau. **3.** *Mar.* ***Parquet*** *de chauffe d'un navire* : plate-forme métallique permettant de circuler dans la salle des machines. 1339 ; ☞ *parc* ; [paʀkɛ].

**PARQUETER,** verbe trans. [14]
**1.** Garnir d'un parquet. **2.** *B.-a.* ***Parqueter*** *un tableau* : en consolider le châssis. 1680 (1376, prendre un lièvre dans un clos) ; ☞ *parquet* ; [paʀkəte].

**PARQUETEUR, EUSE,** subst.
*Bât.* Personne qui pose ou restaure les parquets. 1691 ; ☞ *parquet* ; [paʀkətœʀ, øz].

**PARQUEUR, EUSE,** subst.
**1.** Personne qui travaille dans un parc ostréicole. **2.** Personne qui garde et soigne le bétail dans un parc. 1868 ; ☞ *parquer* ; [paʀkœʀ, øz].

**PARRAIN,** subst. m.
**1.** *Relig.* Celui qui porte un enfant sur les fonts baptismaux et qui prend soin de son éducation religieuse. **2.** Anal. Celui qui préside au baptême d'un navire, d'une cloche. **3.** Ext. Celui qui présente un novice lors de son admission dans un groupe. ▶ Celui qui se porte garant de qqch., qui lui laisse son nom : *Le* ***parrain*** *d'une fondation, d'une thèse.* **4.** Chef d'un clan de la Mafia. Déb. XIIe s. ; lat. pop. °*patrinus,* du lat. *patruus,* « oncle paternel » ; [paʀɛ̃].

**PARRAINAGE,** subst. m.
**1.** Qualité de parrain ou de marraine. **2.** Caution, appui accordé à une personne qui sollicite son admission dans une société. **3.** Soutien moral ou matériel accordé à une œuvre, à une activité. ▶ *Comm.* Soutien financier d'une marque à une activité culturelle ou sportive en vue d'un bénéfice publicitaire (recomm. off. pour *sponsoring*). Déb. XIIIe s. ; ☞ *parrain* ; [paʀɛnaʒ].

**PARRAINER,** verbe trans. [3]
**1.** Être le parrain ou la marraine de (qqn). **2.** Accorder son parrainage à (qqn, qqch.). ▶ Soutenir financièrement (une organisation, une activité sportive) dans un but publicitaire (recomm. off. pour *sponsoriser*). 1929 ; ☞ *parrain* ; [paʀene].

**PARRAINEUR, EUSE,** subst.
Personne, société qui soutient financièrement qqch. V. 1990 ; ☞ *parrainer* ; [paʀɛnœʀ, øz].

**PARRICIDE (I),** subst. et adj.
*Dr.* **1.** Se dit d'une personne qui a tué un parent proche, en partic. son père ou sa mère. **2.** Se dit d'une personne qui attente à la vie de son souverain (vx). 1190 ; lat. *parricida* ; [paʀisid].

**PARRICIDE (II),** subst. m.
Crime commis par un parricide. Fin XIIe s. ; lat. *parricidium* ; [paʀisid].

**PARSEC,** subst. m.
*Astron.* Unité (symb. : pc) correspondant à la distance de la Terre à une étoile dont la parallaxe annuelle serait égale à une seconde d'arc. Un **parsec** vaut env. 3,261 633 années de lumière, soit env. 30 856,78 milliards de kilomètres. 1923 ; angl. *parsec,* de *parallax* et de *second* ; [paʀsɛk].

**PARSEMER,** verbe trans. [10]
**1.** Répandre çà et là (des choses) sur une surface. **2.** Fig. Introduire çà et là ; émailler : ***Parsemer*** *un texte de citations.* **3.** Être éparpillé sur (qqch.) : *Des fleurs* ***parsèment*** *le gazon.* Fin XVe s. ; formé de *par* (I) et de *semer* ; [paʀsəme].

**PARSI, IE,** subst. et adj.
Du peuple de l'Inde descendant des Perses zoroastriens ayant fui les persécutions musulmanes. 1653 ; persan *pārsī,* « persan » ; [paʀsi].

**PART (I),** subst. f.
**I. 1.** Côté, endroit, direction. ▶ Loc. *Nulle* ***part*** : en aucun lieu ; *D'une* ***part*** : d'un côté ; *D'autre* ***part*** : d'un autre côté, par ailleurs ; *De* ***part*** *et d'autre* : des deux côtés ; *De toute(s)* ***part(s)*** : de partout ; *De* ***part*** *en* ***part*** : en traversant, d'un côté à l'autre ; *Quelque* ***part*** : en un certain endroit ou, par euphém. fam., aux fesses ; *Prendre en bonne, en mauvaise* ***part*** : interpréter en bien, en mal ; *De la* ***part*** *de* : au nom de, en provenance de ; *De bonne* ***part*** : de source certaine ; *Pour ma* ***part*** : de mon point de vue. **2. À part.** À l'écart : *Faire bande à* ***part*** ; *Une place à* ***part*** ; différent, spécial : *Un monde à* ***part*** ; séparément : *Servir la sauce à* ***part.*** ▶ Loc. prép. Excepté : *À* ***part*** *cela, il va bien* ; *À* ***part*** *lui* : en lui-même (vieilli). **II. 1.** Portion d'un tout quelconque ; en partic., partie d'un tout que l'on a divisé : *Une* ***part*** *du butin* ; *Chacun a sa* ***part*** *d'ennuis* ; *Payer sa* ***part.*** ▶ Loc. *Pour une* ***part*** : dans une certaine mesure ; *À* ***part*** *entière* : totalement ; *Faire la* ***part*** *de qqch.* : en tenir compte ; *Faire la* ***part*** *des choses* : prendre en compte des réalités diverses, ne pas être catégorique ; *Faire la* ***part*** *belle à qqn, à qqch.* : lui accorder un avantage, de l'importance. **2.** Ce qui revient à qqn ; participation : *Avoir une grande* ***part*** *dans un projet.* ▶ Loc. *Avoir* ***part*** *à qqch., prendre* ***part*** *à qqch.* : y jouer un rôle actif, y être mêlé ; *Faire* ***part*** *de qqch. à qqn* : l'en informer. **3.** *Dr.* ▶ Fraction de patrimoine revenant à chacun des héritiers (synon. *quote-part*). ▶ ***Part*** *sociale* : droit possédé par un associé dans une société en nom collectif. **4.** *Fisc.* Unité de calcul de l'impôt sur le revenu. 842 ; lat. *pars* ; [paʀ].

**PART (II),** subst. m.
**1.** Vx. Parturition d'un animal. **2.** *Dr.* Enfant nouveau-né. 1170 ; lat. *partus* ; [paʀ].

**PARTAGE,** subst. m.
**1.** Action de diviser en parts en vue d'une distribution : *Le* ***partage*** *des terres* ; *Les* ***partages*** *de la Pologne.* ▶ *Dr.* Opération qui met fin à une indivision ou qui règle une succession. **2.** Fait de partager qqch. avec qqn ou d'avoir part à qqch. : *Le* ***partage*** *d'un repas, d'un succès* ; *Le* ***partage*** *du pouvoir.* ▶ Loc. **Sans partage.** Totalement : *S'adonner sans* ***partage*** *à une activité* ; exclusif : *Un amour sans* ***partage.*** **3.** Action de séparer ; état de ce qui est divisé : *Le* ***partage*** *d'une classe en deux groupes de travail.* ▶ *Dr. civil. Le* ***parta***[…] *des voix* : résultat d'un vote où aucun avis n'obtie[…] la majorité. ▶ *Géogr. Ligne de* ***partage*** *des eaux* : lig[…] de crête qui marque la limite entre deux bassi[…] hydrographiques. ▶ *Math.* Division en parties pl[…] petites : ***Partage*** *proportionnel,* selon des coefficien[…] donnés. **4.** Littér. Ce qui échoit à chacun ; so[…] destin : *Recevoir la beauté en* ***partage.*** 128[…] ☞ *partir* (I) ; [paʀtaʒ].

**PARTAGEABLE,** adj.
Que l'on peut partager. 1505 ; ☞ *partage*[…] [paʀtaʒabl].

**PARTAGER,** verbe trans. [5]
**1.** Diviser en parts : ***Partager*** *une orange* ; au fig[…] ***Partager*** *sa journée entre l'étude et le sport.* **2.** Av[…] part à (qqch.) en même temps ou au même tit[…] que qqn : ***Partager*** *un appartement* ; ***Partager*** […] *responsabilités* ; empl. adj. : *Des torts* ***partagé***[…] **3.** Éprouver avec qqn (un même sentiment) : ***Part***[…] ***ger*** *la peine d'un ami* ; ***Partager*** *les opinions de qq*[…] avoir les mêmes que lui. **4.** Donner une part de ([…] que l'on a) : ***Partager*** *ses gains.* **5.** Constituer u[…] limite entre deux parties de (un ensemble) ; sépare[…] *L'équateur* ***partage*** *le globe en deux hémisphère*[…] **6.** Fig. Diviser en partis opposés, voire hostiles : *U*[…] *discussion qui* ***partage*** *l'opinion* ; ***Être partagé*** *entr*[…] *deux sentiments.* 1553 ; ☞ *partage* ; [paʀtaʒe].

**PARTAGEUR, EUSE,** subst. et adj.
**1.** Se dit d'une personne qui partage volontie[…] **2.** Se dit d'un partisan du partage social d[…] richesses (synon. vieilli et iron. *partageux, euse*[…] Mil. XIXe s. (1544, celui qui donne en héritage[…] ☞ *partager* ; [paʀtaʒœʀ, øz].

**PARTANCE,** subst. f.
Vx. Départ. ▶ Loc. *En* ***partance*** : sur le point […] partir. 1395 ; ☞ *partir* (II) ; [paʀtɑ̃s].

**PARTANT (I),** conj.
Par suite, donc (littér.). Mil. XIIe s. ; formé de *par* et de *tant* ; [paʀtɑ̃].

**PARTANT (II), ANTE,** adj. et subst.
**Adj. 1.** Qui part. **2.** Loc. *Être* ***partant*** *pour* : êt[…] disposé à (fam.). **Subst.** Personne qui part ou q[…] s'apprête à le faire. ▶ *Sp.* Concurrent qui se trou[…] sur la ligne de départ : *Les dix-huit* ***partants*** *du tier*[…] 1748 ; p. pr. de *partir* (II) ; [paʀtɑ̃, ɑ̃t].

**PARTENAIRE,** subst.
**1.** Personne qui partage qqch. avec une ou plusieu[…] autres personnes. ▶ *Comm.* et *Écon.* Associé, grou[…] avec qui l'on a des intérêts communs : ***Partenair***[…] *financiers* ; ***Partenaires*** *sociaux,* représentants […] patronat et des salariés. **2.** Personne avec laque[…] on danse. ▶ Personne avec laquelle un acteur […] en représentation. **3.** *Jeux* et *Sp.* Personne avec q[…] l'on est associé contre d'autres joueurs ; coéquipi[…] **4.** Celui, celle avec qui l'on a une relation sexuel[…] 1767 ; angl. *partner* ; [paʀtənɛʀ].

**PARTENARIAT,** subst. m.
*Comm.* et *Écon.* Association de partenaire[…] V. 1980 ; ☞ *partenaire* ; [paʀtənaʀja].

**PARTERRE,** subst. m.
**1.** Sol, plancher (vx ou pop.). **2.** *Hortic.* Partie d'[…] parc, d'un jardin où fleurs et gazon sont combin[…] pour former une composition décorative. **3.** *Théât*[…] Partie du rez-de-chaussée d'une salle, où l[…] spectateurs se tenaient debout (vx) ; partie de […] salle située derrière les fauteuils d'orchestre. ▶ M[…] ton. Le public du **parterre.** **4.** Anal. Public, aud[…] toire : *Amuser le* ***parterre.*** 1542 ; formé de *par* et de *terre* ; [paʀtɛʀ].

**PARTHÉNOGENÈSE,** subst. f.
*Biol.* Reproduction, dérivant de la reproducti[…] sexuée, qui ne fait pas intervenir le matériel gén[…] tique d'un individu mâle. Cette situation se re[…] contre à la fois dans le monde végétal et dans […] monde animal. 1860 ; gr. *parthenos,* « vierge » + *-genèse* ; [paʀtenoʒənɛz].

**BIOLOGIE** – Le phénomène de parthénogenè[…] touche d'assez nombreuses familles de végétaux […] fleurs, ou angiospermes, tel le pissenlit, et bea[…] coup de classes d'invertébrés (vers plats […] platodes, vers ronds, ou nématodes, annélide[…] mollusques, insectes, crustacés et arachnides) […] quelques espèces vertébrées (parmi les salama[…] dres, les lézards et les poissons). Dans la parthén[…] genèse arrhénotoque (qui ne produit que d[…] mâles), présente chez tous les Hyménoptères, l[…]

femelles peuvent pondre des ovocytes non fécondés, qui produisent des mâles, tandis que leurs ovocytes fécondés donnent des femelles. Chez beaucoup d'espèces parthénogénétiques, il n'existe que des femelles et la parthénogenèse est dite thélytoque, c.-à-d. productrice de femelles. Il existe aussi une parthénogenèse cyclique, chez de nombreux pucerons et quelques espèces de petits crustacés d'eau douce comme les daphnies : pendant la saison froide, l'espèce n'existe que sous forme d'œufs, dits de durée, d'où éclosent des femelles n'engendrant elles-mêmes que des femelles pendant la saison chaude (parthénogenèse thélytoque) ; les dernières femelles avant l'hiver produisent à la fois des mâles et des femelles (parthénogenèse deutérotoque), qui s'accouplent et produisent des œufs de durée.

**PARTHÉNOGÉNÉTIQUE, adj.**
Relatif à la parthénogenèse : *Reproduction* ***parthénogénétique*** ; issu de la parthénogenèse : *Embryon* ***parthénogénétique.*** 1893 ; ☞ *parthénogenèse,* d'apr. *génétique* ; [partenoʒenetik].

**PARTI, IE, subst. m. et adj.**
**I. Adj.** *Hérald.* Qui est partagé verticalement en deux parties égales. **Subst. 1.** Part de bénéfice, salaire (vx) ; état, situation. ▸ Loc. *Tirer* ***parti*** *de qqch., de qqn* : s'en servir avec profit, l'exploiter au mieux ; *Faire un mauvais* ***parti*** *à qqn* : lui réserver un traitement brutal. **2.** Personne à marier, considérée du point de vue de sa fortune, de son milieu social : *Épouser un riche* ***parti.*** **II. Subst. 1.** Décision que l'on doit prendre, solution adoptée : *Il hésite entre deux* ***partis*** ; *S'en tenir à un sage* ***parti.*** **2.** Loc. *Prendre* ***parti*** : se décider résolument ; *Prendre son* ***parti*** *de qqch.* : s'y résigner ; *Un* ***parti*** *pris* : un préjugé. **III. Subst. 1.** Petit groupe de gens en armes (vieilli). **2.** Ensemble de personnes qui partagent et défendent la même opinion : *Le* ***parti*** *de la Cour.* ▸ Loc. *Prendre le* ***parti*** *de* : se ranger du côté de. ▸ *Pol.* Organisation hiérarchisée qui a pour but de promouvoir une doctrine et une action déterminées : *Les* ***partis*** *de gauche et de droite* ; *Les militants d'un* ***parti*** ; *Le* ***parti*** *unique d'un régime totalitaire* ; *Esprit de* ***parti,*** attachement, dévouement au **parti** auquel on appartient. Déb. xiiie s. (1200, monnaie valant une demi-maille) ; p. p. de *partir* (I) ; [parti].

**PARTIAIRE, adj.**
*Dr. Colon* ***partiaire*** : fermier qui partage les récoltes avec le propriétaire de la terre. 1514 ; lat. jur. *partiarius,* « qui participe à » ; [parsjɛr].

**PARTIAL, ALE, AUX, adj.**
Qui agit avec parti pris ; qui n'est pas équitable. 1522 (1370, attaché à un parti) ; lat. médiév. *partialis,* « factieux » » ; [parsjal, o].

**PARTIALEMENT, adv.**
Avec partialité. 1660 ; ☞ *partial* ; [parsjalmɑ̃].

**PARTIALITÉ, subst. f.**
Attitude partiale ; manque d'objectivité. 1611 (fin xve s., faction) ; lat. médiév. *partialitas* ; [parsjalite].

**PARTICIPANT, ANTE, subst. et adj.**
Se dit d'une personne qui prend part à qqch. : *Les* ***participants*** *à une compétition, à un débat.* 1321 ; p. pr. de *participer* ; [partisipɑ̃, ɑ̃t].

**PARTICIPATIF, IVE, adj.**
*Fin.* ▸ *Prêt* ***participatif*** : prêt à faible taux consenti à une entreprise moyennant une participation du prêteur au chiffre d'affaires. ▸ *Titre* ***participatif*** : titre à valeur d'action et d'obligation, rémunéré d'un tantième fixe et d'un tantième variable indexé sur le chiffre d'affaires de l'entreprise nationale émettrice. 1868 ; ☞ *participation* ; [partisipatif, iv].

**PARTICIPATION, subst. f.**
**1.** Action de participer, fait de prendre part à qqch. : ***Participation*** *à un projet, à un attentat.* ▸ *Pol.* Fait de voter : *Taux de* ***participation*** *et d'abstention.* **2.** *Écon.* Fait d'avoir part à un gain : ***Participation*** *aux bénéfices,* prime versée au personnel d'une entreprise à titre d'intéressement et au prorata des bénéfices réalisés. **3.** *Fin.* Fait de posséder une part du capital d'une société. ▸ *Société en* ***participation*** : société dont seul l'administrateur connaît les différents associés, ces derniers restant anonymes les uns à l'égard des autres. Fin xiie s. ; lat. *participatio* ; [partisipasjɔ̃].

**PARTICIPE, subst. m.**
*Gramm.* Forme impersonnelle du verbe, participant de la nature du verbe et de celle de l'adjectif. ▸ ***Participe*** *présent* : comme verbe, il exprime une action en cours ou un état passager et est invariable (par ex. : « Je la surpris rêvant », en train de rêver) ; employé comme adjectif, il varie (par ex. : « Des amis amusants »). ▸ ***Participe*** *passé* : est utilisé dans les temps composés et à la forme passive ; il s'accorde quand le complément d'objet direct est placé avant (par ex. : « Il a écrit ces mots ; ces mots qu'il a écrits »). Fin xiiie s. ; lat. *participium* ; [partisip].

**PARTICIPER, verbe trans. indir.** [3]
**I. Participer à. 1.** Prendre part à : ***Participer*** *à un débat.* **2.** Verser sa part de : ***Participer*** *aux frais.* **3.** Avoir sa part de : ***Participer*** *à la recette.* **II. Participer de.** Tenir de, être de la nature de (littér.) : *Le pathétique* ***participe*** *du sublime* (Boileau). Fin xiiie s. ; lat. *participare,* de *particeps,* « qui prend part » ; [partisipe].

**PARTICIPIAL, ALE, AUX, adj.**
*Gramm.* Qui a trait au participe. ▸ *Proposition* ***participiale*** ou, empl. subst. fém., *Une* ***participiale*** : proposition à valeur circonstancielle dont le verbe, au participe présent ou passé, a un sujet propre (par ex. : « Le chat parti, les souris dansent »). 1380 ; lat. *participialis* ; [partisipjal, o].

**PARTICULARISATION, subst. f.**
Action de particulariser ; son résultat. 1575 ; ☞ *particulariser* ; [partikylarizasjɔ̃].

**PARTICULARISER, verbe trans.** [3]
**1.** Présenter (qqch.) d'une manière détaillée (vieilli). **2.** Différencier (qqch.) par des traits qui lui sont propres ; empl. pronom., se singulariser. 1412 ; lat. *particularis,* « particulier » ; [partikylarize].

**PARTICULARISME, subst. m.**
**1.** *Théol.* Théorie selon laquelle Jésus-Christ ne serait mort que pour les seuls élus. **2.** Tendance d'une population ou d'un groupe à conserver ses particularités, les singularités liées à son histoire et à ses traditions ; ces particularités elles-mêmes. 1689 ; lat. *particularis,* « particulier » ; [partikylarism].

**PARTICULARITÉ, subst. f.**
Singularité, caractéristique, qualité qui distingue qqch. ou qqn : *La* ***particularité*** *de ce livre est sa brièveté.* 1269 ; bas lat. *particularitas* ; [partikylarite].

**PARTICULE, subst. f.**
**1.** Partie infime d'un corps, d'une matière : ***Particules*** *en suspension dans l'air.* ▸ *Phys.* ***Particule*** *élémentaire* : corpuscule appartenant au domaine subnucléaire, par le fait qu'elle est élémentaire, c.-à-d. qu'elle n'est formée, en principe, par l'association d'aucune autre particule. On classe à l'heure actuelle les **particules** élémentaires en deux groupes : les six leptons (et leurs antiparticules) et les six quarks (et leurs antiparticules). ▸ *Accélérateur de* ***particules*** (☞ *accélérateur*). **2.** Se dit de la préposition « de » précédant certains noms de famille et qui est gén. signe d'appartenance à la noblesse. **3.** *Ling.* Petit mot invariable qui transforme le sens d'autres mots ou qui indique des liens grammaticaux : *Les suffixes, les préfixes, les prépositions, les conjonctions, etc., sont des* ***particules.*** 1478 ; lat. *particula,* de *pars,* « partie » ; [partikyl].

**PARTICULIER, IÈRE, adj. et subst. m.**
**Adj. 1.** Qui n'est pas d'ordre général ; empl. subst. masc. : *Conclure du général au* ***particulier.*** **2.** Qui est typique de qqn, de qqch. : *Traditions* ***particulières*** *à un peuple* ; *La saveur* ***particulière*** *du sel.* ▸ Distinctif : *Signe* ***particulier.*** **3.** Qui est réservé à une seule personne ou à un groupe restreint : *Leçon* ***particulière*** ; *Hôtel* ***particulier.*** **4.** Qui est hors du commun ; singulier : *Un charme* ***particulier.*** **5.** Loc. **En particulier.** ▸ Seul à seul, à part : *Nous en discuterons en* ***particulier.*** ▸ Spécialement ; surtout. **Subst.** Personne privée, par oppos. à une personne publique ou à un groupe social, professionnel, etc. Mil. xiiie s. ; lat. *particularis* ; [partikylje, jɛr].

**PARTICULIÈREMENT, adv.**
De manière particulière ; très : *Il était* ***particulièrement*** *énervé.* 1314 ; ☞ *particulier* ; [partikyljɛrmɑ̃].

**PARTIE, subst. f.**
**I. 1.** Élément d'un ensemble, d'un tout : *Les différentes* ***parties*** *d'un ordinateur* ; *Une* ***partie*** *des élèves a ou ont échoué* ; *Une* ***partie*** *du territoire* ; *Les* ***parties*** *du corps humain.* ▸ Abs. *Les* ***parties*** : les organes sexuels masculins (pop.). ▸ Loc. *En* ***partie*** : pas totalement ; *Faire* ***partie*** *de* : être du nombre de. **2.** Chacune des phases d'un tout organisé : *La* ***partie*** *centrale d'un discours.* ▸ *Mus.* Ce que chacun doit exécuter dans une composition d'ensemble : ***Partie*** *de basse, de hautbois.* **3.** Spécialité, domaine (fam.) : *Il est calé dans sa* ***partie !*** **4.** *Math.* ***Partie*** *d'un ensemble* : un des sous-ensembles de cet ensemble ; *Ensemble des* ***parties*** *d'un ensemble E* : ensemble dont les éléments sont les sous-ensembles de E, y compris E et la **partie** vide Ø. **II. 1.** *Dr.* ▸ Chacune des personnes qui participent à un acte juridique : *Accord entre les* ***parties.*** ▸ Chacune des personnes engagées dans un procès : *La* ***partie*** *plaignante.* **2.** Loc. *Être juge et* ***partie*** : avoir à décider dans une affaire où l'on est soi-même impliqué ; *Prendre qqn à* ***partie*** : lui intenter un procès ou, au fig., lui chercher querelle. **III. 1.** Projet en commun. ▸ Loc. *Avoir* ***partie*** *liée avec qqn* : être de connivence avec lui ; *Ce n'est que* ***partie*** *remise* : c'est simplement ajourné. **2.** *Sp.* et *Jeux.* Compétition, jeu opposant deux joueurs ou plus ; durée ou ensemble de coups au terme desquels sont désignés un vainqueur et un perdant : ***Partie*** *d'escrime, d'échecs* ; ***Partie*** *nulle,* que personne n'a gagnée ; par anal., lutte, concurrence : *Abandonner la* ***partie.*** **3.** Divertissement qui réunit plusieurs personnes : ***Partie*** *de campagne, de plaisir.* 1119 ; p. p. de *partir* (I) ; [parti].

**PARTIEL, ELLE, adj.**
**1.** Qui n'est que la partie d'un tout : *Travailler à temps* ***partiel.*** ▸ *Enseign. Examen* ***partiel*** ou, empl. subst. masc., *Un* ***partiel*** : qui a lieu à échéances régulières au cours de l'année, et dont la note est comptabilisée dans le bilan annuel. **2.** Qui ne se réalise qu'en partie, incomplet : *Éclipse solaire* ***partielle.*** ▸ *Pol. Élection* ***partielle,*** ou empl. subst. fém., *Une* ***partielle*** : qui se déroule en dehors des élections générales, consécutivement au décès, à la démission ou à l'invalidation d'un élu. **3.** *Math.* ▸ *Dérivée* ***partielle*** *d'une application f en un point* $a = (a_1, a_2, ..., a_n)$ *d'un ouvert de* $\mathbb{R}^n$ *(à valeurs dans* $\mathbb{R}$ *ou dans un espace normé) par rapport à la i-ième variable* : dérivée en $a_i$ de l'application **partielle** $x_i \to f(a_1, a_2, ..., a_{i-1}, x_i, a_{i+1}, ..., a_n)$ ; elle est notée $\partial f/\partial x_i\ (a)$ ou $D_i f(a)$ ou encore $f'x_i(a)$. ▸ *Équation aux dérivées* ***partielles*** : où l'inconnue est une fonction de plusieurs variables faisant intervenir des dérivées **partielles** (d'ordre quelconque) de cette fonction. 1370 ; lat. *partialis* ; [parsjɛl].

**PARTIELLEMENT, adv.**
D'une manière partielle, incomplète : *Être* ***partiellement*** *satisfait.* Fin xive s. ; ☞ *partiel* ; [parsjɛlmɑ̃].

**PARTIR (I), verbe trans.** [23]
Vx. Partager en plusieurs parties. ▸ Loc. *Avoir maille à* ***partir*** *avec qqn* : avoir une maille (demi-denier) à partager avec lui et, par ext., se disputer qqch., avoir un différend avec qqn. 980 ; lat. *partire* ; [partir].

**PARTIR (II), verbe intrans.** [23]
**1.** S'en aller d'un lieu, prendre la route : ***Partir*** *de bonne heure* ; *Je* ***pars*** *pour Londres* ; empl. abs., s'enfuir, s'éloigner : *Il essaie de* ***partir*** ; par euphém., mourir. **2.** Se mettre à fonctionner, démarrer : *Faire* ***partir*** *un moteur.* ▸ Être projeté, propulsé : *La fusée est* ***partie.*** ▸ Fig. S'engager, débuter : *La négociation est mal* ***partie.*** **3. Partir de.** Provenir de : *L'aorte* ***part*** *du cœur* ; au fig., avoir telle origine, tel début : ***Être parti*** *de zéro* (☞ *zéro*). ▸ Loc. ***À partir de*** : à dater de, dès. **4.** S'enlever, disparaître : *Cette tache ne* ***partira*** *pas.* Mil. xiie s. ; ☞ *partir* (I) ; [partir].

**PARTISAN, ANE, subst. et adj.**
**Subst.** Personne attachée à qqn, à un groupe, à un parti et, par ext., qui défend une doctrine (rare au fém.). ▸ Empl. adj. ***Partisan*** *de* : d'avis de (+ inf.), favorable à. **Subst. masc. 1.** Celui qui levait un impôt (vx). **2.** Soldat d'une unité légère (vx) ; par ext., combattant n'appartenant pas à une armée régulière : *Francs-tireurs et* ***partisans.*** **Adj.** Qui témoigne d'esprit de parti. 1477 ; ital. *partigiano,* de *parte,* « partie » ; [partizɑ̃, an].

**PARTITA, subst. f.**
*Mus.* Œuvre instrumentale, comportant plusieurs mouvements de danse, apparentée à la suite. 1897 ; mot ital. ; plur. *partitas* ou *partite* ; [partita], plur. [-ta] ou [-te].

**PARTITIF, IVE, adj.**
*Gramm.* Qui traduit l'idée d'une partie, d'une certaine quantité par rapport à un tout donné : *Dans « Je repris de cet excellent vin », « de » a un sens* ***partitif.*** Fin xive s. ; lat. médiév. *partitivus,* du lat. *partire,* « partager, répartir » ; [partitif, iv].

**PARTITION, subst. f.**
**1.** Partage, répartition (littér.). ▸ *Hérald.* Toute partie de l'écu délimitée par des lignes droites.

▸ *Math. Partition d'un ensemble* : famille de parties (non vides) de cet ensemble, deux à deux disjointes, et dont la réunion est égale à cet ensemble. ▸ *Pol.* Division d'un territoire : *La **partition** de l'Irlande.* **2.** *Mus.* Notation réunissant toutes les parties d'une composition musicale sur des portées superposées, de manière à en permettre une lecture verticale (harmonique) et horizontale (contrapuntique) ; par ext., cahier manuscrit ou imprimé la contenant ; par méton., l'œuvre elle-même. 🕮 1360 (1175, participation) ; lat. *partitio* ; [paʀtisjɔ̃].

**PARTON, subst. m.**
*Phys. part.* Sous-structure hypothétique du nucléon. 🕮 V. 1970 ; angl. *parton*, d'apr. *particule* ; [paʀtɔ̃].

**PARTOUSE, voir PARTOUZE**

**PARTOUT, adv.**
**1.** En tous lieux ; par ext., en de nombreux lieux. **2.** *Sp.* Marque l'égalité de points : *Un set **partout**.* 🕮 Fin xᵉ s. ; formé de *par* (I) et de *tout* ; [paʀtu].

**PARTOUZE, subst. f.**
Partie de débauche sexuelle à plusieurs personnes (fam.). 🕮 1924 (1907, partie de cartes) ; ☞ *partie* ; var. *partouse* ; [paʀtuz].

**PARTURIENTE, subst. f. et adj. f.**
**1.** Se dit d'une femme qui accouche. **2.** *Zool.* Se dit d'une femelle qui met bas. 🕮 xviᵉ s. ; lat. *parturiens*, de *parturire*, « accoucher » ; [paʀtyʀjɑ̃t].

**PARTURITION, subst. f.**
**1.** Accouchement naturel. **2.** *Zool.* Fait de mettre bas. 🕮 1787 ; bas lat. *parturitio* ; [paʀtyʀisjɔ̃].

**PARULIE, subst. f.**
*Pathol.* Abcès gingival compliquant une parodontite. 🕮 1690 ; gr. *paroulis*, de *para*, « à côté de », et de *oulon*, « gencive » ; [paʀyli].

**PARURE, subst. f.**
**1.** Action de parer qqn ou de se parer ; son résultat : *La **parure** de la mariée.* **2.** Ensemble d'ornements assortis, que l'on porte pour s'embellir ; ensemble de pièces de lingerie assorties. **3.** *Bouch.* Ce qu'on enlève d'une pièce de viande en la parant. **4.** *Zool.* Pelage ou plumage temporaire : ***Parure** nuptiale.* 🕮 Déb. xiiiᵉ s. (xiiᵉ s., pelure) ; ☞ *parer* (I) ; [paʀyʀ].

**PARUTION, subst. f.**
Fait de paraître, en parlant d'un texte : *Date de **parution*** ; par méton., le texte paru. 🕮 1907 (1770, action de monter sur scène) ; ☞ *paraître* (I) ; [paʀysjɔ̃].

**PARVENIR, verbe trans. indir.** [22]
Parvenir à. **1.** Arriver à, toucher (un point) au terme d'un déplacement : ***Parvenir** au sommet.* ▸ Fig. Atteindre (un certain état, un résultat) : ***Parvenir** à un accord.* **2.** Arriver jusqu'à (un destinataire) : *Le chèque vous est-il **parvenu** ?* **3.** Fig. Réussir à : *Il **parvint** à me convaincre.* ▸ Abs. Réussir socialement (vieilli). 🕮 Fin xᵉ s. ; lat. *pervenire* ; [paʀvəniʀ].

**PARVENU, UE, adj. et subst.**
Se dit d'une personne dont la situation sociale élevée est récente et qui n'a pas acquis les manières de son nouveau milieu (péj.). 🕮 1718 ; p. p. de *parvenir* ; [paʀvəny].

**PARVIS, subst. m.**
**1.** Espace, autrefois souv. clos, situé devant la façade d'une église. **2.** Ext. Esplanade. 🕮 1200 (fin xiᵉ s., paradis) ; lat. chrét. *paradisus*, « enclos » ; [paʀvi].

*Le parvis du centre Georges-Pompidou (dit aussi piazza), à Paris.*

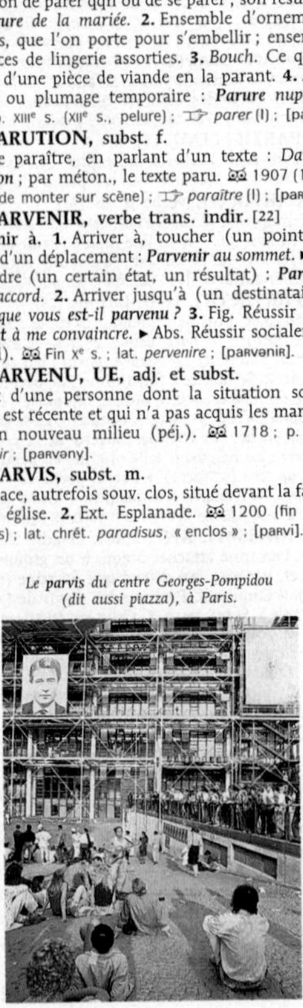

© Borredon-Explorer

**PAS (I), subst. m.**
**I. 1.** Action de se déplacer en posant alternativement un pied devant l'autre : *Enfant qui fait ses premiers **pas** ; Marcher à grands **pas**.* ▸ Méton. Bruit que l'on fait en marchant : *Entendre des **pas**.* ▸ Fig. Étape d'un cheminement : *Un **pas** vers la solution.* ▸ Loc. *Faire les cent **pas*** : aller et venir en patientant ; *Faire un faux **pas*** : trébucher ou, au fig., commettre une faute, un impair ; *Faire le premier **pas*** : prendre l'initiative ; *Ne **pas** reculer d'un **pas*** : ne rien concéder. **2.** Manière de marcher, d'avancer, démarche : *Un **pas** rapide, nonchalant.* ▸ Loc. ***Pas** à **pas*** : lentement, prudemment ; *Marcher d'un bon **pas*** : rapidement ; *À **pas** de loup* : sans aucun bruit ; *Y aller de ce **pas*** : immédiatement ; *Au **pas** de charge* : promptement. ▸ *Milit. **Pas** de l'oie* : manière de défiler en projetant haut la jambe sans plier le genou. **3.** Longueur d'une enjambée : *La mer est à quelques **pas** d'ici* ; au fig. : *Il n'y a souvent qu'un **pas** entre la pauvreté et la misère.* ▸ Loc. *À deux **pas*** : très près. **4.** La plus lente des allures d'un quadrupède, notamment du cheval (anton. *galop, trot*) : *Aller au **pas**.* ▸ Loc. *Mettre qqn au **pas*** : l'obliger à obéir. ▸ *Autom. Rouler au **pas*** : lentement. **5.** Trace laissée sur le sol par une personne qui marche : *Des **pas** dans la neige.* ▸ Loc. *Marcher sur les **pas** de qqn* : suivre son exemple. **6.** *Chorégr.* Chacun des mouvements exécutés avec les pieds. ▸ ***Pas** de deux, de trois, de quatre* : numéro de ballet réglé pour deux, trois ou quatre danseurs. **II. 1.** *Géogr.* Passage étroit : *Le **pas** de Suse ; Le **pas** de Calais.* ▸ Fig. *Sauter, franchir le **pas*** : prendre la décision d'affronter une situation difficile ; *Se tirer d'un mauvais **pas*** : se dégager d'une situation délicate. **2.** Droit de précéder qqn ; préséance protocolaire : *Avoir le **pas** sur qqn* ; *Céder le **pas** à qqn*, le laisser passer devant. ▸ Fig. *Prendre le **pas** sur qqn, qqch.* : l'emporter, prévaloir sur qqn, qqch. **3.** *Le **pas** d'une porte* : son seuil. **4.** ***Pas** de tir* : emplacement affecté aux tireurs, face à la cible, et, par ext., périmètre de lancement d'engins propulsés (missiles, fusées). **5.** *Géom. **Pas** d'une hélice circulaire* : distance entre deux points d'intersection consécutifs de cette hélice avec une génératrice. **6.** *Informat. **Pas** à **pas*** : mode d'exécution d'un programme dans lequel la machine s'arrête après chaque instruction. **7.** *Techn.* Espace compris entre deux tours consécutifs du filet d'une vis, entre deux dents consécutives d'une roue d'engrenage. 🕮 Fin xᵉ s. ; lat. *passus*, de *pandere*, « déployer » ; [pɑ].

**PAS (II), adv.**
**1.** Particule négative, utilisée avec « ne » : *Je ne vous comprends **pas*** ; par ell. (fam.) : *Te fâche **pas** !* **2.** Sans « ne » : *Allons, **pas** de folies ! ; Avez-vous soif ? – **Pas** tant que ça.* ▸ Non : *Pourquoi **pas** ? ; Ça vous fait rire ? Moi, **pas**.* 🕮 Fin xiᵉ s. ; ☞ *pas* (I) ; [pɑ].

**PASCAL (I), ALE, ALS ou AUX, adj.**
**1.** Relatif à la pâque juive : *Agneau **pascal**.* **2.** Relatif à la fête chrétienne de Pâques : *Veillée **pascale**.* 🕮 Déb. xiiᵉ s. ; lat. eccl. *paschalis* ; [paskal, o].

**PASCAL (II), subst. m.**
**1.** *Phys.* Unité de mesure de pression (symb. : Pa) équivalant à la pression uniforme qui, agissant sur une surface plane de 1 mètre carré, exerce perpendiculairement à cette surface une force totale de 1 newton. **2.** *Informat.* Langage de programmation déclaratif et procédural adapté au traitement des problèmes de sciences appliquées. 🕮 1935 ; anthropon. *Blaise Pascal* ; plur. *pascals* ; [paskal].

**PASCALIEN, IENNE, adj.**
Relatif, propre à Pascal, à ses idées. 🕮 1909 ; anthropon. *Blaise Pascal* ; [paskaljɛ̃, jɛn].

**PAS-D'ÂNE, subst. m. inv.**
**1.** *Vétér.* Instrument permettant de garder ouverte la bouche d'un cheval. **2.** *Bot.* Plante à fleurs jaunes de la famille des Astéracées, aussi nommée tussilage. **3.** *Arm.* Pièce de la garde d'une épée servant à protéger l'index ou la main. 🕮 1497 ; comp. de *pas* (I) et de *âne* ; [pɑdɑn].

**PAS-DE-PORTE, subst. m. inv.**
*Comm.* Somme versée à l'ancien occupant d'un local afin d'obtenir la jouissance de ce dernier. 🕮 1893 ; comp. de *pas* (I) et de *porte* (I) ; [pɑdpɔʀt].

**PASHTO, voir PACHTO**

**PASO DOBLE, subst. m. inv.**
Danse rapide, à deux temps, d'origine espagnole ; par méton., la musique qui l'accompagne. 🕮 1920 ; esp. *paso doble*, « pas redoublé » ; [pasodɔbl].

**PASQUIN, subst. m.**
Vx. **1.** Bref écrit satirique. **2.** Bouffon. 🕮 1558 ; ital. *Pasquino*, nom d'une statue romaine sur laquelle les étudiants placardaient des écrits railleurs ; [paskɛ̃].

**PASSABLE, adj.**
Qui est acceptable, de qualité moyenne. 🕮 1396 (1288, périssable) ; ☞ *passer* ; [pasabl].

**PASSABLEMENT, adv.**
**1.** De manière passable : *Un dîner **passablement** réussi.* **2.** Plutôt, assez : *Être **passablement** aviné.* 🕮 1495 ; ☞ *passable* ; [pasabləmɑ̃].

**PASSACAILLE, subst. f.**
**1.** Danse de cour ou de théâtre à trois temps, proche de la chaconne, en vogue en France aux xviiᵉ et xviiiᵉ s. **2.** *Mus.* Pièce d'une suite instrumentale apparentée à la chaconne. 🕮 1632 ; esp. *pasacalle*, de *pasar*, « passer », et de *calle*, « rue » ; [pasakaj].

**PASSADE, subst. f.**
**1.** Goût, fantaisie éphémère. **2.** Liaison amoureuse fugitive. 🕮 1735 (1454, partie de jeu) ; ☞ *passer* ; [pasad].

© Tetefolle-Explorer

*Passage à niveau automatique.*

**PASSAGE, subst. m.**
**I. 1.** Vx. Défilé dans une montagne. **2.** Endroit par où l'on peut passer : *Dégagez le **passage** !* ▸ Ruelle reliant deux rues. ▸ Galerie commerçante et piétonnière, gén. couverte ou traversant un carré d'immeubles, communiquant avec les rues adjacentes. ▸ ***Passage** pour piétons* : zone signalée par des bandes sur laquelle les piétons peuvent traverser la chaussée ; ***Passage** souterrain* : voie de circulation passant sous une voie routière ou ferroviaire ; ***Passage** protégé* : intersection où la priorité est donnée à la voie principale. ▸ *Ch. de fer. **Passage** à niveau* : croisement sur un même niveau d'une voie routière et d'une voie ferroviaire. **II. 1.** Action de passer ; circulation des personnes et des choses : ***Passage** continuel des flâneurs ; **Passage** d'un hélicoptère, d'un cyclone.* ▸ *Dr. Droit de **passage*** : droit de passer à travers un terrain privé, garanti au propriétaire d'une enclave. **2.** Action de faire passer : ***Passage** d'un mot d'ordre.* ▸ *Sp. **Passage** du témoin* : transmission du témoin entre les coureurs d'un relais. **3.** Action de franchir : ***Passage** d'une frontière ; **Passage** des Alpes.* ▸ Spéc. Traversée fluviale ou maritime ; par méton., somme payée pour effectuer cette traversée : *Payer son **passage**.* **4.** Moment où qqn, qqch. est en train de passer : *On l'a applaudi à son **passage**.* ▸ Loc. *Au **passage*** : en passant ; *De **passage*** : qui n'est là que pour peu de temps ; ***Passage** à vide* : brève période de fatigue, d'abattement, d'inefficacité. ▸ *Astron.* Instant où un astre passe devant un autre astre, ou traverse un méridien. **5.** Action de soumettre qqch. à un traitement spécifique : ***Passage** d'un métal au laminoir.* ▸ Loc. ***Passage** à tabac* (☞ *tabac*). **6.** Fig. Fait d'avancer dans le temps ; fait de passer à un autre degré, à un autre état : *Le **passage** en terminale ; **Passage** à l'âge adulte.* ▸ *Anthropol. Rites de **passage*** : qui marquent l'entrée d'un individu dans une nouvelle étape de sa vie, en rupture avec la précédente. ▸ *Psych. **Passage** à l'acte* : réalisation impulsive d'une intention violente (meurtre, viol, etc.). **III.** Fragment d'une œuvre : *Chanter un **passage** de « la Marseillaise ».* 🕮 Fin xiᵉ s. ; ☞ *passer* ; [pasaʒ].

**PASSAGER, ÈRE, adj. et subst.**
**Adj. 1.** Qui passe, qui transite entre deux lieux : *Oiseaux **passagers**.* **2.** Qui ne dure pas, éphémère

·ouille *passagère*. **3.** Fréquenté, passant (empl. ·utif) : *Une rue* ***passagère***. **Subst.** Personne que ·n mène d'un lieu à un autre dans un véhicule : *conducteur et les* ***passagers***. 1547 (fin XIVe s., ·sseur) ; ☞ *passage* ; [pasaʒe, ɛʀ].

**PASSAGÈREMENT, adv.**
·e façon passagère ; temporairement. 1609 ; ☞ *passager* ; [pasaʒɛʀmɑ̃].

**PASSANT, ANTE, subst. et adj.**
·**bst.** Personne qui passe en marchant : *Son forfait ·rpétré, il se mêla aux* ***passants***. **Subst. masc. 1.** An·eau aplati destiné à maintenir l'extrémité d'une ·urroie. **2.** Bande étroite de tissu cousue à la taille ·un vêtement, par où passe la ceinture. **Adj. 1.** Fré·uenté : *Rue* ***passante***. **2.** *Hérald.* Qui semble mar·her, en parlant de l'animal représenté (anton. ·mpant). Mil. XIIIe s. (XIIe s., passage) ; p. pr. de ·sser ; [pasɑ̃, ɑ̃t].

**PASSATION, subst. f.**
*Dr.* Action de mettre un écrit sous sa forme ·gale. ▸ *Comptab.* ***Passation*** *d'écriture* : inscription ·r un livre comptable. **2.** *Pol.* et *Admin.* ***Passation*** *(s) pouvoirs* : transmission des pouvoirs d'un titu·ire d'une charge à son successeur. 1521 (1428, ·cision) ; ☞ *passer* ; [pasasjɔ̃].

**PASSAVANT, subst. m.**
*Dr.* Titre autorisant la circulation en franchise ·e certains produits soumis habituellement au ·aiement de droits. **2.** *Mar.* Pont latéral permettant ·e passer d'un gaillard à l'autre (vx) ; partie du pont ·périeur située à l'avant du grand mât. 1680 ·203, bannière) ; formé de *passer* et de *avant* ; [pasavɑ̃].

**PASSE (I), subst. f.**
·**1.** Passage ; en partic., endroit par où la boule ·oit passer, dans certains jeux (vx). ▸ Loc. *Être en* ***·sse*** *de* : être en position favorable pour, être sur ·e point de ; *Être dans une bonne, une mauvaise* ***passe*** : ·ans une bonne, une mauvaise période. **2.** Anal. ·ar. Passage resserré mais propre à la navigation : ·*es* ***passes*** *dangereuses*. **II. 1.** Action de passer, de ·ire passer. ▸ Loc. *Mot de* ***passe*** : formule convenue ·ue l'on doit répéter à un interlocuteur pour ·ouvoir passer librement. ▸ *Escr.* Mouvement répété ·un seul pied : ***Passe*** *d'armes*, succession d'attaques ·de ripostes. ▸ *Sp.* Action de passer le ballon dans ·s jeux d'équipe. ▸ *Techn.* Passage d'un outil sur ·ne pièce à usiner. **2.** Rapport sexuel entre une ·rostituée et son client : *Maison de* ***passe***, de ·rostitution. **3.** Mouvement des mains du magnéti·ur. **4.** *Taurom.* Mouvement du torero qui esquive ·charge du taureau. **III.** Ce qui dépasse. **1.** *Jeux.* Numéros 19 à 36, à la roulette (anton. *manque*). Mise, dans certains jeux. **2.** *Impr.* Papier ajouté ·la rame à tirer pour compenser les pertes éven·elles et la mise en train. 1368 ; ☞ *passer* ; [pas].

**PASSE (II), subst. m.**
·asse-partout (fam.). 1894 ; abrév. de *passe-·rtout* ; [pas].

**PASSÉ, ÉE, adj., subst. et prép.**
·**dj. 1.** Qui appartient à un temps révolu : *Nos folies ·assées*. ▸ ***Passé*** *de mode* : démodé. **2.** Qui a perdu ·fraîcheur : *Une couleur* ***passée***. **Subst. fém.** *Chasse.* ·Endroit ou moment habituel de passage du gibier, ·n partic. du gibier d'eau : *Chasse à la* ***passée***, à ·affût. **2.** Empreinte du gibier. **Subst. masc. 1.** Temps ·éjà accompli ; temps qui n'est plus (par oppos. à ·*ésent, futur*) : *Regret du* ***passé***. ▸ Loc. *Par le* ***passé*** : ·utrefois. **2.** Ce qu'une personne a vécu et accompli ·squ'au moment présent : *Un* ***passé*** *irréprochable*. ·*Gramm.* Temps qui situe l'action exprimée par le ·erbe dans une période révolue par rapport au ·oment où l'on parle ou à un moment pris comme ·père : ***Passé*** *simple*, temps du récit par excellence, ·xprimant un fait accompli sans lien avec le présent ·par ex. : « César conquit les Gaules ») ; ***Passé*** ·*mposé*, exprimant une action accomplie dans un ·assé tout récent (par ex. : « J'ai fini d'écrire ») ; ***·assé*** *antérieur*, exprimant une action qui a eu lieu ·ntérieurement à une autre action **passée** (par ex. : Dès qu'il eut dîné, il sortit »). **Prép.** Après, au-delà ·e : ***Passé*** *cette date, tout devient possible.* Fin XIIe s. : p. de *passer* ; [pase].

**PASSE-BANDE, adj. inv.**
·*ectron.* Se dit d'un système de filtrage qui ne laisse ·asser que la bande de fréquence sélectionnée. 1948 ; comp. de *passer* et de *bande* (I) ; [pasbɑ̃d].

**PASSE-BAS, adj. inv.**
·*ectron. Filtre* ***passe-bas*** : qui ne laisse passer que les fréquences inférieures à une fréquence donnée. 1948 ; comp. de *passer* et de *bas* (I) ; [pasba].

**PASSE-BOULE, subst. m.**
Jeu d'adresse consistant à lancer des boules dans un trou figurant la bouche largement ouverte d'un personnage grotesque. 1903 ; comp. de *passer* et de *boule* ; plur. *passe-boules* ; [pasbul].

**PASSE-CRASSANE, subst. f.**
Variété de poire à chair fondante, venant à maturité en hiver. 1874 ; comp. de *passer* et de *crassane*, p.-ê. d'orig. toponymique ; plur. *passe-crassanes* ; [paskʀasan].

**PASSE-DROIT, subst. m.**
Faveur accordée en dérogation à la loi, au règlement. 1546 ; comp. de *passer* et de *droit* (I) ; plur. *passe-droits* ; [pasdʀwɑ].

**PASSE-HAUT, adj. inv.**
*Électron. Filtre* ***passe-haut*** : qui ne laisse passer que les fréquences supérieures à une fréquence donnée. 1948 ; comp. de *passer* et de *haut* ; [paso].

**PASSÉISME, subst. m.**
Inclination excessive pour le passé (péj.). 1930 ; ☞ *passé* ; [paseism].

**PASSÉISTE, adj. et subst.**
Se dit de qqn qui est nostalgique du passé, qui prône un retour au passé. 1913 ; ☞ *passé* ; [paseist].

**PASSE-LACET, subst. m.**
Grosse aiguille à chas allongé et à pointe arrondie, qui permet de faire passer un lacet, un élastique dans un œillet, un ourlet, etc. 1827 ; comp. de *passer* et de *lacet* ; plur. *passe-lacets* ; [paslasɛ].

**PASSEMENT, subst. m.**
Tissu de fils d'or, d'argent ou de soie servant d'ornement ; par ext., bande, galon de **passement**. 1538 (fin XIIe s., passage) ; ☞ *passer* ; [pasmɑ̃].

**PASSEMENTER, verbe trans. [3]**
Agrémenter de passements : ***Passementer*** *des rideaux*. 1540 ; ☞ *passement* ; [pasmɑ̃te].

**PASSEMENTERIE, subst. f.**
**1.** Ensemble des ouvrages de fils tressés ou tissés servant d'ornement dans l'habillement et l'ameublement, tels les galons, les franges, etc. **2.** Fabrication, commerce de ces ouvrages. 1539 ; ☞ *passement* ; [pasmɑ̃tʀi].

**PASSEMENTIER, IÈRE, subst. et adj.**
**Subst.** Personne qui confectionne ou vend de la passementerie. **Adj.** Qui a trait à la passementerie. 1552 ; ☞ *passement* ; [pasmɑ̃tje, jɛʀ].

**PASSE-MONTAGNE, subst. m.**
Bonnet en laine enveloppant la tête et le cou, ne dégageant que le visage ou les yeux seuls. 1859 ; comp. de *passer* et de *montagne* ; plur. *passe-montagnes* ; [pasmɔ̃taɲ].

**PASSE-PARTOUT, subst. m. inv. et adj. inv.**
**Subst. 1.** Clé ouvrant différentes serrures (abrév. fam. : passe). **2.** Scie à deux poignées et à large lame. **3.** Carton évidé servant à encadrer. ▸ Cadre à fond ouvrant : *Gravure montée en* ***passe-partout***. **4.** Brosse avec laquelle le boulanger ôte la farine du pain. **Adj.** Qui convient dans n'importe quel contexte : *Costume, réponse* ***passe-partout***. 1567 ; comp. de *passer* et de *partout* ; [paspaʀtu].

**PASSE-PASSE, subst. m. inv.**
*Tour de* ***passe-passe*** : tour d'adresse exécuté par les prestidigitateurs et, au fig., tromperie habile, illusion. 1420 ; ☞ *passer* ; [paspas].

**PASSE-PIED, subst. m.**
Ancienne danse française, à trois temps, proche du menuet ; morceau instrumental accompagnant cette danse. 1532 ; comp. de *passer* et de *pied* ; plur. *passe-pieds* ; [paspje].

**PASSE-PLAT(S), subst. m.**
Guichet par lequel on passe les plats entre une cuisine et une salle à manger. 1936 ; comp. de *passer* et de *plat* ; plur. *passe-plats* ; [paspla].

**PASSEPOIL, subst. m.**
Biais entourant une ganse et maintenu dans une couture de manière à former un liseré en relief la bordant. 1603 ; formé de *passer* et de *poil* ; [paspwal].

**PASSEPORT, subst. m.**
Pièce d'identité délivrée par l'État à ses ressortissants, autorisant son titulaire à franchir les frontières. 1464 (1420, certificat permettant la libre circulation des marchandises) ; formé de *passer* et de *port* (vx), « passage » ; [paspɔʀ].

**PASSER, verbe [3]**
**Intrans. 1.** Se déplacer d'un mouvement continu d'un point à un autre ; parcourir, traverser un lieu : *Regarder* ***passer*** *les gens* ; *Un avion* ***passe*** *dans le ciel* ; ***Passer*** *sous, sur un pont* ; ***Passer*** *devant qqn*, le dépasser ; ***Passer*** *par Paris*. ▸ Loc. ***Passer*** *par la tête* : venir à l'esprit, en parlant d'une idée ; ***Passer*** *à travers une corvée, un contrôle* : en être dispensé, y échapper ; ***Passer*** *sur qqch.* : ne pas s'y arrêter ; ***Passer*** *outre* (☞ *outre*) ; ***Passons !*** : n'insistons pas ! ; *En* ***passant*** : au passage, incidemment. **2.** Aller au-delà (de qqch. à franchir) : *Le col est fermé, on ne* ***passe*** *pas* ; ***Passer*** *par la fenêtre*. ▸ S'écouler au travers d'un filtre : *Le café* ***passe***. ▸ Être digéré : *Le dîner ne* ***passe*** *pas*. ▸ Fig. Avoir recours (à un intermédiaire) : ***Passer*** *par une agence* ; être accepté, adopté, admis : *La loi* ***est passée*** ; ***Passer*** *en sixième*. **3.** Se placer, venir dans telle position : *Pour lui, le travail* ***passe*** *avant tout*. **4.** Aller d'un lieu, d'un état (à un autre) : ***Passer*** *au salon, à table* ; ***Passer*** *en Suisse* ; ***Passer*** *de vie à trépas*, mourir ; ***Passer*** *à l'action, aux aveux*, se décider à agir, à avouer. ▸ Se rallier : ***Passer*** *à la Résistance*. ▸ Être transmis : *L'héritage* ***passe*** *aux descendants*. ▸ Devenir, accéder (à tel rang) : *Il* ***est passé*** *cadre*. **5.** Aller, être quelque part pour un court moment : ***Passer*** *au bureau* ; ***Passer*** *voir qqn* ; ***Passer*** *au contrôle, à la visite*, s'y soumettre ; ***Passer*** *en justice*, comparaître. ▸ Fig. Se trouver (dans tel état), subir (telle épreuve) : ***Passer*** *par une phase difficile*. ▸ *Y* ***passer*** : subir qqch. de pénible, en partic. mourir (fam.). **6.** Être projeté, représenté, diffusé, en parlant d'un film, d'une émission : *Ce film* ***passe*** *à la télévision* ; *Chanteur qui* ***passe*** *à l'Olympia*, qui s'y produit. **7.** S'écouler : *Le temps* ***est*** ou ***a passé*** *trop vite*. ▸ Cesser d'être, disparaître : *Sa timidité* ***passera*** *avec l'âge*. ▸ S'effacer, perdre son éclat : *Le violet* ***passe*** *au soleil*. **8.** Être considéré (comme) : *Il* ***passe*** *pour un gentleman*. ▸ ***Passer*** *inaperçu* : ne pas être remarqué. **Trans. 1.** Franchir, traverser : ***Passer*** *une rivière*. ▸ Fig. Subir ; se soumettre à : ***Passer*** *un examen, un entretien d'embauche*. **2.** Faire traverser, déplacer d'un lieu à un autre : ***Passer*** *un piano par la fenêtre* ; ***Passer*** *des marchandises en fraude*. ▸ Filtrer, tamiser : ***Passer*** *une crème*. ▸ Soumettre à l'action de : ***Passer*** *du linge à la machine*. **3.** Dépasser, laisser derrière soi : ***Passez*** *le feu et tournez à droite* ; *J'ai* ***passé*** *l'âge d'attendre* ; au fig. : *Cela* ***passe*** *l'entendement*. **4.** Omettre, ne pas tenir compte de : ***Passer*** *un chapitre* ; ***Passer*** *qqch. sous silence*, le taire ; empl. abs., sauter son tour, à certains jeux de cartes. **5.** Excuser, pardonner : ***Passer*** *sa maladresse à un enfant*. **6.** Remettre, transmettre, donner : ***Passe****-moi le pain* ; ***Passer*** *la balle* ; mettre en communication téléphonique avec : *Je vous le* ***passe***. **7.** Faire glisser : ***Passer*** *la main dans les cheveux*. ▸ Appliquer sur une surface : ***Passer*** *une couche de peinture*. ▸ Mettre sur soi, enfiler rapidement : ***Passer*** *une robe*. ▸ Enclencher : ***Passer*** *les vitesses*. **8.** Projeter (un film), diffuser (une émission), publier (un texte) : ***Passer*** *un article en une*. **9.** Employer (du temps) : ***Passer*** *les vacances à la mer*. **10.** Établir (un acte, un accord) : ***Passer*** *un contrat*. **Pronom. 1.** S'écouler : *Deux ans déjà se* ***sont passés***. **2.** Avoir lieu, se dérouler : *Le film se* ***passe*** *à Venise* ; *Les choses se* ***sont bien passées*** ; empl. impers. : *Que se* ***passe****-t-il ?* **3. Se passer de.** S'accommoder du manque, de l'absence de : *Ils se* ***passeront*** *de moi* ; ne pas avoir besoin de : *Sa conduite se* ***passe*** *de commentaires*. Mil. XIe s. ; lat. pop. °*passare*, du lat. *passus*, « pas » ; la forme intrans. s'emploie avec l'auxiliaire *être*, plus rarement avec *avoir* ; [pase].

**PASSERAGE, subst. f.**
*Bot.* Plante qui avait la réputation de guérir la rage. 1549 ; formé de *passer* et de *rage* ; [pasʀaʒ].

**PASSEREAUX, subst. m. plur.**
*Zool.* Ordre d'oiseaux comprenant plus de la moitié des espèces connues, dont les pattes ont trois doigts antérieurs non palmés et un pouce (synon. *Passériformes*). **Au sing.** *La mésange est un* ***passereau***. 1265 ; lat. *passer*, « moineau » ; [pasʀo].

**PASSERELLE, subst. f.**
**1.** Pont étroit réservé aux piétons. ▸ Dispositif mobile donnant accès à un avion, à un bateau. **2.** Fig. Ce qui permet de relier deux domaines : *Jeter des* ***passerelles*** *entre les sciences*. **3.** *Mar.* Plate-forme érigée au-dessus du pont supérieur d'un navire. **4.** *Audiov.* et *Théâtre.* Balcon étroit d'où les machinistes manœuvrent les décors ; construction qui supporte les projecteurs. 1835 ; ☞ *passer* ; [pasʀɛl].

**PASSÉRIFORMES,** subst. m. plur.
Passereaux. AU SING. *La fauvette est un **passériforme*** ; empl. adj., qui appartient à cet ordre. 1930 ; lat. *passer,* « moineau », + *-forme* ; [paseʀifɔʀm].

**PASSERINE,** subst. f.
*Zool.* Petit passereau américain de la famille des Embérizidés, souv. élevé en volière pour ses couleurs vives (synon. *pape*). 1775 ; lat. *passer,* « moineau » ; [pasʀin].

**PASSEROSE,** subst. f.
*Bot.* Rose trémière. 1234 ; formé de *passer,* « surpasser », et de *rose* ; var. *passe-rose* (plur. *passe-roses*) ; [pasʀoz].

**PASSE-TEMPS,** subst. m. inv.
Activité à laquelle on se livre pour passer le temps agréablement. Déb. XVe s. ; comp. de *passer* et de *temps* ; [pastɑ̃].

**PASSEUR, EUSE,** subst.
**1.** Personne qui fait traverser un cours d'eau dans une embarcation. **2.** Personne qui fait franchir une frontière de façon clandestine ou frauduleuse, à qqn ou à qqch. : ***Passeur** d'armes*. **3.** *Sp.* Joueur qui effectue des passes. 1260 ; ☞ *passer* ; [pasœʀ, øz].

**PASSE-VELOURS,** subst. m. inv.
*Bot.* Amarante. 1509 ; comp. de *passer* et de *velours* ; [pasvəluʀ].

**PASSIBLE,** adj.
**1.** *Théol.* Capable d'éprouver de la souffrance ou de la joie (anton. *impassible*). **2.** *Dr.* **Passible de.** Qui encourt ou qui peut entraîner (une sanction, une condamnation) : *Délinquant **passible** de prison* ; *Délit **passible** d'une amende.* Mil. XIIe s. ; bas lat. *passibilis,* du lat. *passus,* « qui a souffert » ; [pasibl].

**PASSIF, IVE,** adj. et subst. m.
ADJ. **1.** Qui subit sans agir, sans réagir ; qui manque d'énergie, d'initiative : *Nation **passive** sous le joug de la dictature* ; *Un élève **passif**.* ▸ *Défense **passive*** (☞ *défense*). **2.** *Chim.* Qualifie un élément à l'état solide (gén. un métal) qui, en réagissant avec une autre substance, forme une couche protectrice qui résiste à la corrosion. **3.** *Électr.* Dépourvu de source d'énergie : *Une électrode **passive*** ; *Un circuit **passif**.* **4.** *Gramm.* Se dit des formes verbales (construites avec l'auxiliaire *être* suivi du participe passé) qui présentent le sujet comme celui qui subit l'action (anton. *actif*) ; empl. subst. masc. : *Conjuguer un verbe au **passif**,* à la voix **passive**. **5.** *Hist. Citoyen **passif*** : qui ne jouissait pas du droit de vote, selon le système électoral censitaire (anton. *actif*).
SUBST. **1.** *Comptab.* Dans un bilan, totalité des ressources financières d'une entreprise (capitaux propres, dettes, provisions, réserves, etc.) ; par ext., ensemble des dettes et des engagements d'une société. **2.** Fig. Histoire personnelle, expérience vécue que l'on impute en mauvaise part à qqn. Déb. XIIIe s. ; lat. eccl. *passivus,* du lat. *passus,* « qui a souffert » ; [pasif, iv].

**PASSIFLORACÉES,** subst. f. plur.
*Bot.* Famille de plantes herbacées ou ligneuses, des régions tropicales ou subtropicales, dont les plus connues sont celles produisant les grenadilles et les fruits de la Passion. AU SING. *La passiflore est une **passifloracée**.* ☞ *passiflore* ; [pasiflɔʀase].

© P. Pilloud-Jacana

*Fleur de **passiflore**.*

**PASSIFLORE,** subst. f.
*Bot.* Plante herbacée d'origine tropicale, à grandes fleurs étoilées, de la famille des Passifloracées, dont le fruit est comestible. 1735 ; lat. sc. *passiflora,* du lat. *passio,* « passion », et *flos,* « fleur », en réf. aux organes de la fleur évoquant les instruments de la passion du Christ ; [pasiflɔʀ].

**PASSIM,** adv.
Çà et là, en divers endroits d'un livre, d'un chapitre ou d'un article : *Cette métaphore apparaît p. 25 et **passim**.* 1868 ; mot lat. ; [pasim].

**PASSING-SHOT,** subst. m.
*Sp.* Au tennis, coup rapide joué de façon à déborder l'adversaire monté au filet (anglic.). 1928 ; angl. *passing shot,* de *passing,* « passant », et de *shot,* « tir » ; plur. *passing-shots,* recomm. off. *tir passant* ; [pasiŋʃɔt].

**PASSION,** subst. f.
**I. 1.** *Relig.* Supplice du Christ ; par méton., récit de ce supplice : *La **Passion** selon saint Jean.* ▸ *Mus.* Oratorio composé sur ce thème. **2.** *Fruit de la **Passion*** : fruit de la passiflore. **II. 1.** État affectif et intellectuel dont la puissance s'impose durablement à la volonté, gén. jusqu'à nuire au jugement (surtout au plur.) : *Dominer ses **passions*** ; en partic., amour impérieux et exclusif : *Vivre une **passion*** ; par ext., très vive inclination : *La **passion** du jeu.* ▸ Méton. Objet d'une **passion** : *Héloïse fut l'unique **passion** d'Abélard* ; *L'art est sa **passion**.* **2.** Ardeur imprimée aux actes, à l'expression : *Plaider avec **passion**.* **3.** *Philos.* Tout phénomène passif de l'âme au sens où, chez les cartésiens, ces modifications sont causées par le plaisir ou la douleur (gén. au plur.). 980 ; lat. *passio,* « souffrance » ; [pasjɔ̃].

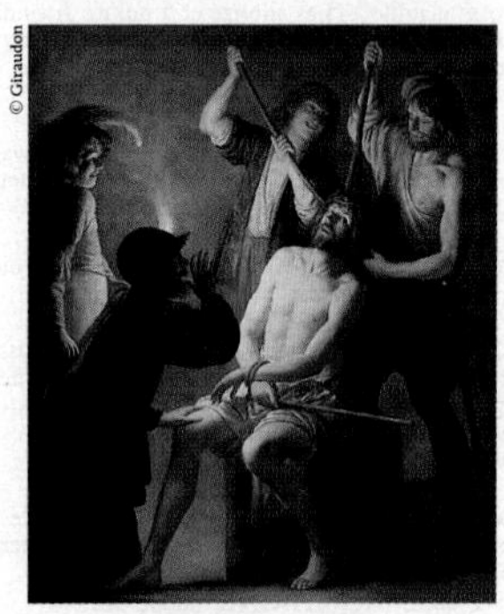
© Giraudon

Le Couronnement d'épines,
*peinture de Jan Janssens (v. 1590-apr. 1646) : un moment crucial de la **passion** du Christ. Musée des Augustins, Toulouse.*

**PASSIONISTE,** subst. m.
*Relig.* Membre d'une congrégation contemplative, fondée en 1720 par saint Paul de la Croix, vouée à la célébration de la passion du Christ. 1834 ; ☞ *passion* ; var. *passionniste* ; [pasjɔnist].

**PASSIONNANT, ANTE,** adj.
Qui passionne : *Un livre, un métier **passionnant**.* 1867 ; p. pr. de *passionner* ; [pasjɔnɑ̃, ɑ̃t].

**PASSIONNÉ, ÉE,** adj.
Inspiré par la passion : *Une lettre **passionnée*** ; empl. subst. : *Un **passionné** d'opéra.* Fin XVe s. (déb. XIIIe s., qui souffre) ; p. p. de *passionner* ; [pasjɔne].

**PASSIONNEL, ELLE,** adj.
**1.** Relatif aux passions : *Une haine **passionnelle**.* **2.** Qui résulte de la passion amoureuse : *Crime **passionnel**.* 1285 ; bas lat. *passionalis* ; [pasjɔnɛl].

**PASSIONNÉMENT,** adv.
Avec passion. 1578 ; ☞ *passionné* ; [pasjɔnemɑ̃].

**PASSIONNER,** verbe trans. [3]
**1.** Susciter de la passion, un vif attrait chez (qqn) : *Ce récit m'a **passionné**.* **2.** Empreindre de passion : ***Passionner** son discours.* PRONOM. S'intéresser vivement (à qqch.) : *Se **passionner** pour la philatélie.* 1580 (fin XIIe s., faire souffrir) ; ☞ *passion* ; [pasjɔne].

**PASSIONNISTE,** voir **PASSIONISTE**

**PASSIVATION,** subst. f.
*Chim.* Traitement consistant à rendre passif un métal oxydable. 1930 ; mot angl. ; [pasivasjɔ̃].

**PASSIVEMENT,** adv.
Avec passivité. Fin XIVe s. ; ☞ *passif* ; [pasivmɑ̃].

**PASSIVITÉ,** subst. f.
**1.** État ou caractère passif de qqn, de qqch. **2.** *Chim.* Propriété d'un métal passif. 1697 ; ☞ *pass*[if] ; [pasivite].

**PASSOIRE,** subst. f.
Ustensile percé de petits trous, servant à égout[ter] les aliments ou à filtrer les liquides ; au fig. : [Sa] *mémoire est une **passoire**,* il ne retient rien. 126[?] ; ☞ *passer* ; [paswaʀ].

**PASTEL (I),** subst. m.
*Bot.* Plante de la famille des Brassicacées, dont [on] tirait autrefois un colorant bleu clair. XIVe s. ; pr[ov.] *pastel,* du bas lat. *pasta,* « pâte » ; [pastɛl].

**PASTEL (II),** subst. m.
**1.** Type de crayon fait d'une poudre de coul[eur] agglomérée et façonnée en bâtonnet. **2.** Méto[n.] Dessin au **pastel**. **3.** *Tons de **pastel*** : clairs et dou[x] ; empl. adj. inv. : *Tons **pastel**.* 1676 ; ital. *pastello,* bas lat. *°pastellus,* du lat. *pastellus,* « gâteau » ; [pastɛl].

**PASTELLISTE,** subst.
Peintre spécialiste du pastel : *La **pastelliste** italien[ne] Rosalba Carriera.* 1836 ; ☞ *pastel* (II) ; [pastelis[t]].

**PASTENAGUE,** subst. f.
*Zool.* Poisson plat cartilagineux d'Europe, apparen[té] à la raie, mais de forme plus circulaire. 155[?] ; anc. prov. *pastenago,* du lat. *pastinaca* ; [pastənag].

**PASTÈQUE,** subst. f.
*Bot.* Cucurbitacée dont le gros fruit rond à pu[lpe] rose, très juteux, est comestible ; par méton., ce fr[uit] (synon. *melon d'eau*). Déb. XVIe s. ; ar. *baṭṭīḫ* ; [pastɛk].

**PASTEUR,** subst. m.
**1.** Berger, gardien de troupeau (littér.). **2.** Prêtre [ou] évêque, en tant que responsable des fidèles. ▸ *Le B[on] **Pasteur*** : le Christ. **3.** Ministre d'un culte prot[es]tant. Déb. XIIe s. ; lat. *pastor* ; [pastœʀ].

**PASTEURIEN, IENNE,** adj. et subst.
ADJ. Relatif aux théories de Pasteur. SUBST. Che[r]cheur de l'Institut Pasteur. 1888 ; anthropon. *Lo[uis] Pasteur* ; var. *pastorien, ienne* ; [pastœʀjɛ̃, jɛn].

**PASTEURISATION,** subst. f.
*Bactériol.* Procédé employé pour stériliser des su[b]stances (souv. de nature alimentaire) dégradab[les] par les fortes températures, en faisant alterner d[es] incubations à 37 °C avec des chauffages à 60 [ou] 70 °C. 1887 ; ☞ *pasteuriser* ; [pastœʀizasjɔ̃].

**PASTEURISER,** verbe trans. [3]
Soumettre à la pasteurisation ; empl. adj. : *Lait **pa[s]teurisé**.* 1872 ; anthropon. *Louis Pasteur* ; [pastœʀiz[e]].

**PASTICHE,** subst. m.
Œuvre artistique ou littéraire imitant la mani[ère] d'un auteur, par exercice de style ou pour [le] parodier. 1719 ; ital. *pasticcio,* « imbroglio » ; [past[iʃ]].

**PASTICHER,** verbe trans. [3]
Imiter le style de (un artiste, un écrivain) : ***Pastich[er]** Baudelaire.* 1845 ; ☞ *pastiche* ; [pastiʃe].

**PASTILLA,** subst. f.
*Cuis.* Tourte en pâte feuilletée, garnie de viande [de] pigeon, de fruits et d'amandes, propre à la cuisi[ne] marocaine. 1932 ; mot esp. ; [pastija].

**PASTILLAGE,** subst. m.
**1.** Fabrication des pastilles. **2.** Confiserie en pâte [de] sucre imitant un objet. **3.** Procédé de décoration [de] la céramique consistant à y rapporter des ornemen[ts] modelés à part. 1803 ; ☞ *pastille* ; [pastijaʒ].

**PASTILLE,** subst. f.
**1.** Petit morceau de pâte à sucer, gén. en for[me] de disque, préparé en confiserie ou en pharmac[ie]. **2.** Anal. Motif, élément en forme de disque : *Robe [à] **pastilles*** ; ***Pastille** fusible.* 1538 ; esp. *pastilla,* « pâ[te] odorante », du lat. *pastillum,* « petit pain » ; [pastij].

**PASTILLEUR, EUSE,** subst.
Personne qui met une pâte en pastilles. FÉM. M[a]chine servant à fabriquer des pastilles. 18[?] (1808, ouvrier reproduisant des objets en pâte sucrée) ; ☞ *pastille* ; [pastijœʀ, øz].

**PASTIS,** subst. m.
**1.** Situation compliquée, embrouillée (fam.) : *U[n] fameux **pastis** !* **2.** Boisson alcoolisée à l'anis, qui [se] boit allongée d'eau. 1916 ; anc. prov. *past[is],* « pâté », du lat. *pasta,* « pâte » ; [pastis].

**PASTORAL, ALE, AUX,** adj. et subst.
ADJ. **1.** *Relig.* ▸ Relatif aux ministres du culte cath[o]lique, en partic. aux évêques : *Conférence **pastora[le]*** ▸ Relatif aux pasteurs protestants. **2.** Propre a[ux] pasteurs, aux bergers. ▸ Fondé sur l'élevage extensi[f] : *Une économie **pastorale**.* **3.** Qui dépeint le cadre [de] la vie champêtre, souv. de façon idéalisée : *Un rom[an] **pastoral**.* SUBST. **1.** *B.-a., Litt.* et *Mus.* Œuvre metta[nt]

en scène des bergers et des bergères dans un décor champêtre. **2.** *Relig.* Partie de la théologie qui étudie la pratique sacerdotale, en partic. l'œuvre d'évangélisation. 🕮 Déb. XIIIe s. ; lat. *pastoralis*, de *pastor*, « berger » ; [pastɔʀal, o].

**PASTORIEN,** voir **PASTEURIEN**

**PASTOUREAU, ELLE,** subst.
Jeune berger, jeune bergère (vieilli ou littér.). **Fém. 1.** *Litt.* Chanson médiévale composée d'un dialogue entre un chevalier et une bergère. **2.** Quatrième figure du quadrille ; air sur lequel on la dansait. 🕮 1119 ; ☞ *pasteur* ; [pastuʀo, ɛl].

**PAT,** adj. inv. et subst. m.
**Adj.** Aux échecs, qualifie le roi du joueur dont c'est le tour de jouer, dans le cas où ce roi n'est pas en échec et où ce joueur ne peut faire aucun coup permis, c.-à-d. conforme aux règles de déplacement des pièces et ne mettant pas son roi en échec ; par ext., qualifie le joueur dont le roi est **pat**. **Subst.** Situation dans laquelle un roi est **pat** : *Le* **pat** *rend la partie nulle.* 🕮 1689 ; prob. ital. *patta*, « fait de n'être ni vainqueur ni vaincu », d'apr. *mat* (II) ; [pat].

**PATACHE,** subst. f.
**1.** Vx. Petit bateau de surveillance. **2.** Diligence inconfortable ; mauvaise voiture (fam.). 🕮 1566 ; esp. *pataje*, « bateau de guerre léger », prob. de l'ar. *baṭāš*, « grand navire à deux mâts » ; [pataʃ].

**PATACHON,** subst. m.
**1.** Vx. Conducteur de patache. **2.** Loc. *Mener une vie de* **patachon** : avoir une vie déréglée, joyeusement dissipée (fam.). 🕮 1832 ; ☞ *patache* ; [pataʃɔ̃].

**PATAGIUM,** subst. m.
*Zool.* Membrane cutanée tendue entre le tronc et les membres chez les mammifères planeurs, et entre les doigts chez les Chiroptères. 🕮 Lat. *patagium*, « bande, frange » ; [pataʒjɔm].

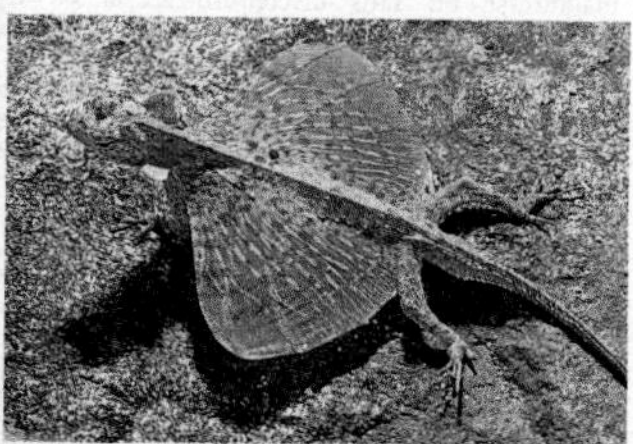
© T. MC Hugh/P. H. R.-Jacana

*Dragon volant ayant déployé son patagium.*

**PATAPHYSIQUE,** subst. f. et adj.
**Subst.** « Science des solutions imaginaires », créée par Alfred Jarry. **Adj.** Qui relève de la **pataphysique** ; farfelu. 🕮 Déb. XXe s. ; mot créé par Alfred Jarry, crois. de *métaphysique* et de *épi-* ; [patafizik].

**PATAPOUF,** subst. m. et interj.
**Subst.** Personne, enfant lourd, maladroit et qui a de l'embonpoint (fam.). **Interj.** Imite le bruit d'une chute lourde. 🕮 1785 ; onomat. ; [patapuf].

**PATAQUÈS,** subst. m.
**1.** Faute de liaison consistant à prononcer une consonne qui n'existe pas à la fin d'un mot : *« Parle-moi-z-en ! » constitue un* **pataquès**. ▸ Ext. Faute de langage grave ; discours confus. **2.** Situation compliquée ; gaffe. 🕮 1784 ; *je ne sais pas-t-à qui est-ce*, par imitation de la faute de liaison ; [patakɛs].

**PATARAS,** subst. m.
*Mar.* Étai arrière partant du sommet du mât. 🕮 1551 ; orig. prov., prob. de *patte* (I) ; [pataʀa].

**PATARIN,** subst. m.
*Hist.* **1.** Membre de la Pataria, mouvement fondé vers 1055 à Milan, pour réformer le clergé. **2.** Ext. Cathare d'Italie (XIIe et XIIIe s.). **3.** Anal. Hérétique (en Italie). 🕮 Fin XIIIe s. ; p.-ê. ital. *Pattaria*, nom d'un quartier pauvre de Milan, du dial. *patee*, « fripier » ; [pataʀɛ̃].

**PATATE,** subst. f.
**1.** *Bot.* Plante des régions chaudes, de la famille des Convolvulacées, cultivée pour ses tubercules comestibles à saveur douce ; ce tubercule, appelé aussi **patate** douce. **2.** Pomme de terre (fam.). **3.** Fig. Personne niaise (fam.). **4.** Loc. *En avoir gros sur la* **patate** : être très triste ou dépité. 🕮 1582 ; esp. *patata*, de l'arawak d'Haïti *batata* ; [patat].

**PATATI, PATATA,** interj.
Évoque un discours interminable (fam.) : *Et* **patati**, *et* **patata** ! 🕮 1650 (1524, bruit de galop) ; onomat. ; [patatipatata].

**PATATRAS,** interj.
Exprime le bruit d'un corps tombant avec fracas. 🕮 1651 ; onomat. ; [patatʀa].

**PATAUD, AUDE,** subst. et adj.
**Subst. 1.** Jeune chien à grosses pattes. **2.** Fig. Personne lourde et maladroite (fam.). **Adj.** Qui est lourd et maladroit. 🕮 Fin XVe s. ; *Patault*, nom propre d'un chien, de *patte* (I) ; [pato, od].

**PATAUGAS,** subst. m.
Chaussure de marche en toile épaisse. 🕮 1959 ; ☞ *patauger* ; n. déposé ; [patogas].

**PATAUGEOIRE,** subst. f.
Piscine peu profonde destinée aux jeunes enfants. 🕮 V. 1960 ; ☞ *patauger* ; [patoʒwaʀ].

**PATAUGER,** verbe intrans. [5]
**1.** Marcher dans une eau bourbeuse ; par ext., barboter. **2.** Fig. et Fam. S'empêtrer dans une situation difficile : **Patauger** *dans des explications confuses* ; empl. abs. : *Tu* **patauges** *complètement !* 🕮 Mil. XVIIe s. ; ☞ *patte* (I) ; [patoʒe].

**PATCH,** subst. m.
*Méd.* Timbre autocollant dispensant une substance par voie percutanée (anglic.). 🕮 V. 1970 ; mot angl. ; recomm. off. *timbre* ; [patʃ].

**PATCHOULI,** subst. m.
**1.** *Bot.* Plante tropicale de la famille des Lamiacées, fournissant une essence utilisée en parfumerie. **2.** Parfum extrait de cette plante. 🕮 1826 ; tamoul *patch*, « vert », et *ilai*, « feuille » ; [patʃuli].

**PATCHWORK,** subst. m.
**1.** *Cout.* Assemblage de morceaux de tissu de natures et de couleurs diverses. **2.** Fig. Rassemblement d'éléments disparates : *Un* **patchwork** *littéraire.* 🕮 1822 ; angl. *patchwork*, de *patch*, « pièce, morceau », et de *work*, « travail, ouvrage » ; [patʃwœʀk].

**PÂTE,** subst. f.
**I.** Préparation à base de farine délayée, souv. pétrie avec d'autres éléments (beurre, œufs, par ex.), et consommée après cuisson : **Pâte** *brisée, feuilletée, sablée* ; **Pâte** *à crêpes, à pain.* ▸ Loc. *Mettre la main à la* **pâte** : aider ; *Être comme un coq en* **pâte** : être dorloté. **Plur.** **Pâtes** *alimentaires* : petits morceaux de **pâte** de semoule de blé dur de formes diverses et prêts à être cuisinés, tels les nouilles, les spaghettis, etc. **II. 1.** Préparation, substance plus ou moins molle : **Pâte** *de fruits* ; *Fromage à* **pâte** *cuite*, dont le caillé a été cuit ; **Pâte** *dentifrice* ; **Pâte** *à modeler.* **2.** Loc. *Une bonne* **pâte** : une personne accommodante ; *Une* **pâte** *molle* : une personne influençable. **3.** *Spéc.* ▸ *Impr.* **Pâte** *à papier* : matière première d'origine végétale (bois, tissu, etc.), utilisée pour fabriquer le papier. ▸ *Peint.* Matière formée par les couleurs travaillées sur la palette ou à même le tableau. ▸ *Pétrogr.* Substance homogène à l'œil, constituée de verre ou de microcristaux, que l'on trouve dans une roche magmatique. 🕮 Fin XIIe s. ; lat. *pasta*, « pâte », du gr. *tapasta*, « mets constitué d'un mélange de céréale et de fromage » ; [pɑt].

**PÂTÉ,** subst. m.
**I.** *Cuis.* **1.** Vx. Pâtisserie salée enrobant une viande, un poisson. **2.** Hachis de viande ou de poisson enrobé d'une pâte : **Pâté** *en croûte* ; **Pâté** *impérial*, crêpe de riz frite fourrée de viande, de soja, etc. (spécialité chinoise). **3.** Hachis de viande ou de poisson cuit dans une terrine et consommé froid : **Pâté** *de foie* ; **Pâté** *de campagne.* **4.** Belg. Petit gâteau à la crème. **II.** Anal. **1.** Tache d'encre sur une feuille de papier. **2.** Bloc de maisons délimité par des rues. **3.** *Jeux.* Sable humide tassé et moulé. 🕮 Fin XIIe s. ; ☞ *pâte* ; [pɑte].

**PÂTÉE,** subst. f.
**1.** Bouillie d'aliments que l'on donne à manger à certains animaux. **2.** Anal. Nourriture grossière ; soupe épaisse. **3.** Fig. et Fam. Volée de coups ; défaite cuisante. 🕮 1680 ; ☞ *pâte* ; [pɑte].

**PATELIN (I), INE,** subst. m. et adj.
**Subst.** Vx. Homme qui dupe autrui par ses manières doucereuses. **Adj.** D'une amabilité feinte et insinuante : *Ton, air* **patelin**. 🕮 1538 (1460, langage) ; *Pathelin*, personnage d'une farce du XVe s. ; [patlɛ̃, in].

**PATELIN (II),** subst. m.
**1.** Vx. Pays. **2.** Petit village (fam. et souv. péj.). 🕮 1628 ; anc. fr. *pastis*, « pacage » ; [patlɛ̃].

**PATELLE,** subst. f.
**1.** *Zool.* Mollusque gastéropode comestible à coquille conique, qui vit fixé aux rochers (synon. *bernique*). **2.** *Antiq.* Petit vase destiné aux libations. 🕮 1555 ; lat. *patella*, « petit plat » ; [patɛl].

**PATÈNE,** subst. f.
*Liturg.* Pièce faisant partie des vases sacrés, en forme de petit plateau rond, destinée à couvrir le calice et à recevoir l'hostie. 🕮 XIIIe s. ; lat. *patena*, « plat creux » ; [patɛn].

**PATENÔTRE,** subst. f.
**1.** Vx. Prière du Notre-Père. **2.** Ext. Toute prière machinale. **Plur.** Discours inintelligible (vieilli). 🕮 Fin XIIe s. ; lat. *Pater noster*, « notre Père » ; [patnotʀ].

**PATENT, ENTE,** adj.
**1.** *Hist.* *Lettres* **patentes** : décisions royales sous forme de lettres ouvertes, scellées du grand sceau, qui accordaient gén. un privilège à leur destinataire. **2.** Évident, incontestable : *Une injustice* **patente**. 🕮 1307 ; lat. *patens*, de *patere*, « être ouvert, visible » ; [patɑ̃, ɑ̃t].

**PATENTAGE,** subst. m.
*Techn.* Trempe des fils d'acier en bain de plomb ou de sel. 🕮 V. 1950 ; angl. *patent*, « brevet » ; [patɑ̃taʒ].

**PATENTE,** subst. f.
**1.** *Hist.* Brevet par lequel le souverain ou un corps constitué accordait un droit ou un privilège. **2.** *Mar.* Document qui constate l'état sanitaire d'un navire en partance. **3.** Impôt direct acquitté par les industriels, les commerçants et certaines professions libérales, remplacé en 1976 par la taxe professionnelle. **4.** Québ. ▸ Brevet d'invention. ▸ Objet quelconque. 🕮 1559 ; ell. de *lettre patente* ; [patɑ̃t].

**PATENTÉ, ÉE,** adj.
**1.** *Dr. comm.* Qui était soumis à la patente. **2.** Fig. Certifié, attitré (souv. iron. ou péj.) : *Un défenseur* **patenté** *de la morale publique.* 🕮 1783 ; p. p. de *patenter* ; [patɑ̃te].

**PATENTER,** verbe trans. [3]
**1.** Soumettre à la patente. **2.** Délivrer une patente à. **3.** Québ. Breveter ; par ext., inventer, bricoler. 🕮 1750 ; ☞ *patente* ; [patɑ̃te].

**PATER,** subst. m. inv.
Prière chrétienne en latin débutant par les mots *Pater noster* (« Notre Père ») : *Dire des* **Pater**. 🕮 Fin XVIe s. ; mot lat. ; [patɛʀ].

**PATÈRE,** subst. f.
**1.** *Antiq.* Coupe sacrée destinée aux libations. **2.** *Archit.* Ornement en forme de rosace. **3.** Support mural qui sert à suspendre des vêtements, des draperies, des rideaux. 🕮 1509 ; lat. *patera* ; [patɛʀ].

**PATERFAMILIAS,** subst. m.
**1.** *Dr. rom.* Chef de famille. **2.** Père autoritaire (fam. ou littér.). 🕮 1831 ; lat. *pater*, « père », et *familias*, « famille » ; [patɛʀfamiljas].

**PATERNALISME,** subst. m.
**1.** Attitude d'un patron qui exerce son autorité de manière paternelle. **2.** *Pol.* Contrôle, domination absolue qui s'exerce sous des dehors protecteurs. 🕮 1894 ; angl. *paternalism* ; [patɛʀnalism].

**PATERNALISTE,** adj. et subst.
Se dit d'une personne qui pratique le paternalisme. **Adj.** Relatif au paternalisme. 🕮 1936 ; ☞ *paternalisme* ; [patɛʀnalist].

**PATERNE,** adj.
Qui manifeste ou feint une bienveillance protectrice (vieilli) : *Un maître* **paterne**. 🕮 1755 (fin XIe s., Dieu le Père) ; lat. *paternus*, « paternel » ; [patɛʀn].

**PATERNEL, ELLE,** adj. et subst. m.
**Adj. 1.** Qui concerne le père : *La maison, l'autorité* **paternelle**. **2.** Ext. Qui semble émaner d'un père : *Des gestes* **paternels**. **3.** Qui vient du côté du père : *Tante* **paternelle**. **Subst.** Père (pop.). 🕮 Fin XIIe s. ; lat. *paternus* ; [patɛʀnɛl].

**PATERNELLEMENT,** adv.
Comme un père. 🕮 1492 (1422, avec le sentiment que l'on a envers un père) ; ☞ *paternel* ; [patɛʀnɛlmɑ̃].

**PATERNITÉ,** subst. f.
**1.** Qualité, fait d'être père ; sentiment paternel. ▸ *Dr.* Lien qui unit le père à son enfant : **Paternité** *légitime, naturelle, adoptive.* **2.** Anal. Qualité d'auteur, de créateur de qqch. : *Céline revendiqua la* **paternité** *du mot « blabla ».* 🕮 Fin XIIe s. ; lat. chrét. *paternitas* ; [patɛʀnite].

**PÂTEUX, EUSE,** adj.
**1.** De consistance molle, telle la pâte avant cuisson : *Gâteau* ***pâteux.*** ► Loc. *Avoir la bouche* ***pâteuse*** : chargée d'un dépôt, comme après un excès d'alcool ; *Avoir la voix* ***pâteuse*** : une élocution embarrassée. ► *Techn. Fusion* ***pâteuse*** : durant laquelle la matière, en partic. le verre, présente un aspect **pâteux** avant de se liquéfier. **2.** Fig. Lourd et inélégant : *Style* ***pâteux.*** XIIIe s. ; ☞ *pâte* ; [patø, øz].

**PATHÉTIQUE,** adj. et subst. m.
**Adj. 1.** Qui émeut profondément par son intensité dramatique ou douloureuse : *Un récit* ***pathétique.*** **2.** *Anat. Nerf* ***pathétique*** : nerf moteur du muscle grand oblique de l'œil. **Subst. 1.** Caractère **pathétique** : *Le* ***pathétique*** *d'un adieu.* **2.** *Litt.* et *B.-a.* Genre propre à susciter une vive émotion. 1584 ; lat. *patheticus*, du gr. *pathêtikos* ; [patetik].

**PATHOGÈNE,** adj.
*Pathol.* Qui entraîne une maladie physique ou mentale : *Germe, agent, facteur* ***pathogène.*** 1878 ; formé de *patho-* et de *-gène* ; [patɔʒɛn].

**PATHOGÉNIE,** subst. f.
*Méd.* Étude du processus de déclenchement et d'évolution des maladies ; par méton., le processus lui-même (synon. *pathogenèse*). 1819 ; formé de *patho-* et de *-génie* ; [patɔʒeni].

**PATHOGNOMONIQUE,** adj.
*Méd. Symptôme* ***pathognomonique*** : qui est caractéristique d'une maladie et qui permet de la diagnostiquer avec certitude. 1579 ; gr. *pathognômonikos*, « qui fait connaître une maladie » ; [patɔgnɔmɔnik].

**PATHOLOGIE,** subst. f.
**1.** Partie de la médecine qui étudie les maladies. **2.** Étude des maladies d'un organe, d'un élément anatomique, d'un groupe humain, etc. 1550 ; gr. *pathologia* ; [patɔlɔʒi].

**PATHOLOGIQUE,** adj.
**1.** Qui relève de la pathologie. ► *Anatomie* ***pathologique*** : qui étudie les lésions des organes et des tissus provoquées par les maladies. **2.** Qui relève de la maladie ; qui dénote la maladie. ► Ext. Anormal (fam.). 1552 ; gr. *pathologikos* ; [patɔlɔʒik].

**PATHOLOGISTE,** adj. et subst.
Se dit d'un spécialiste en pathologie, en partic. en anatomie pathologique. 1765 ; ☞ *pathologie* ; [patɔlɔʒist].

**PATHOS,** subst. m.
**1.** Vx. Partie de la rhétorique traitant des méthodes propres à émouvoir l'auditeur. **2.** Pathétique affecté, exagéré ; emphase déplacée. 1672 ; gr. *pathos*, « ce que l'on éprouve, subit » ; [patos].

**PATIBULAIRE,** adj.
**1.** Qui appartient au gibet (vx) : *Les fourches* ***patibulaires.*** **2.** Méton. Qui a un aspect louche, digne du gibet : *Mine* ***patibulaire*** ; *Individu* ***patibulaire.*** 1395 ; lat. *patibulum*, « gibet » ; [patibylɛʀ].

**PATIEMMENT,** adv.
Avec patience. Fin XIIe s. ; ☞ *patient* ; [pasjamɑ̃].

**PATIENCE (I),** subst. f.
**I. 1.** Vertu consistant à supporter avec calme et courage les difficultés de la vie : *Endurer une épreuve avec* ***patience.*** **2.** Disposition à persévérer dans un projet long et difficile ; constance : *Il poursuit sa tâche avec une* ***patience*** *infatigable.* **3.** Qualité d'une personne qui attend ce qui tarde sans irritation. ► Loc. *Perdre* ***patience*** : ne plus supporter d'attendre ; ***Patience !*** : interjection de menace ou servant à inciter au calme. **II.** *Jeux.* Réussite, aux cartes. XIIe s. ; lat. *patientia*, « action de supporter » ; [pasjɑ̃s].

**PATIENCE (II),** subst. f.
*Bot.* Plante de la famille des Polygonacées, proche de l'oseille. 1544 ; lat. *lapatium*, du gr. *lapathon* ; [pasjɑ̃s].

**PATIENT, ENTE,** adj. et subst.
**Adj. 1.** Qui fait preuve de patience : *Un homme* ***patient.*** **2.** Qui requiert de la patience : *Un* ***patient*** *cheminement vers la guérison.* **Subst.** *Méd.* Malade en tant qu'il est soumis à un examen médical ou à une opération chirurgicale. **Adj.** et **Subst.** *Philos.* Se dit d'une personne qui subit l'action (anton. *agent*). XIIe s. ; lat. *patiens*, « qui supporte » ; [pasjɑ̃, ɑ̃t].

**PATIENTER,** verbe intrans. [3]
Attendre avec patience : *Il a* ***patienté*** *une heure avant de pouvoir entrer.* 1557 ; ☞ *patient* ; [pasjɑ̃te].

**PATIN,** subst. m.
**I. 1.** Vx. Soulier à semelle épaisse. **2.** Anal. Demi-semelle supplémentaire posée sous une chaussure pour protéger la semelle d'origine. ► Morceau de tissu sur lequel on pose le pied pour se déplacer en glissant sur un parquet sans le salir ni le rayer. **3.** *Sp.* ► ***Patin*** *à glace* : lame fixée dans le sens de la longueur sous une chaussure pour glisser sur la glace ; par méton., l'ensemble ainsi constitué. ► ***Patin*** *à roulettes* : semelle métallique dotée de roulettes, attachée sous la chaussure par des courroies ; par méton., chaussure spéciale à roulettes ; ***Patin*** *en ligne* : dont les quatre roulettes sont alignées. **II.** *Spéc.* **1.** *Ch. de fer.* Base plate du rail, qui repose sur les traverses. **2.** *Mécan.* Organe mobile frottant sur une surface en mouvement afin de la guider ou de la freiner. **3.** *Techn.* Chacun des éléments rigides articulés dont l'ensemble constitue la chenille d'un véhicule. 1260 ; ☞ *patte* (I) ; [patɛ̃].

**PATINAGE (I),** subst. m.
**1.** Pratique du patin à glace, à roulettes. ► ***Patinage*** *artistique* : exhibition sur glace associant mouvements acrobatiques et chorégraphie. **2.** Fait de patiner, de glisser : ***Patinage*** *des roues arrière.* 1829 ; ☞ *patiner* (I) ; [patinaʒ].

**PATINAGE (II),** subst. m.
Action de donner une patine artificielle ; fait de se patiner. 1930 ; ☞ *patiner* (II) ; [patinaʒ].

**PATINE,** subst. f.
**1.** Oxydation naturelle due au temps, qui se produit sur un objet en cuivre ou en bronze : ***Patine*** *d'une sculpture.* **2.** Ext. Aspect, coloration que prennent certains objets avec le temps. **3.** Coloration artificielle que l'on donne à certains objets à l'aide d'un produit ; ce produit lui-même. 1765 ; ital. *patina*, du lat. *patina*, sorte de pâte ; [patin].

**PATINER (I),** verbe intrans. [3]
**1.** Glisser, évoluer avec des patins à glace, à roulettes. **2.** Ext. Tourner sans avancer, par perte d'adhérence, en parlant d'une roue et, par méton., d'un véhicule ; déraper. 1732 ; ☞ *patin* ; [patine].

**PATINER (II),** verbe trans. [3]
Recouvrir d'une patine ; empl. pronom. : *Ce cuir s'est* ***patiné.*** 1867 ; ☞ *patine* ; [patine].

**PATINETTE,** subst. f.
Trottinette. Fin XIXe s. ; ☞ *patiner* (I) ; [patinɛt].

**PATINEUR, EUSE,** subst.
Personne qui pratique le patin à glace ou à roulettes. 1728 ; ☞ *patiner* (I) ; [patinœʀ, øz].

**PATINOIRE,** subst. f.
**1.** Piste aménagée pour le patinage sur glace. **2.** Fig. Surface extrêmement glissante. 1891 ; ☞ *patiner* (I) ; [patinwaʀ].

**PATIO,** subst. m.
Cour intérieure découverte, dans une maison de style espagnol, souvent entourée d'une galerie d'arcades. 1843 ; mot esp. ; [patjo] ou [-sjo].

© Giraudon

Le **Patio**, *peinture d'Henri Zo (1873-1933). Musée des Beaux-Arts, Pau.*

**PÂTIR,** verbe intrans. [19]
**1.** Vx. Souffrir. **2. Pâtir de.** Souffrir à cause de ; subir les conséquences néfastes de : ***Pâtir*** *des inégalités* ; *La vigne a* ***pâti*** *du froid.* 1546 ; lat. *pati* ; [pɑtiʀ].

**PÂTIS,** subst. m.
Lande ou friche où paît le bétail (région.). 1119 ; lat. pop. °*pasticium*, du lat. *pascere*, « paître » ; [pɑti].

**PÂTISSER,** verbe intrans. [3]
Travailler la pâte ; faire de la pâtisserie. XIVe s. ; anc. fr. °*pastitz*, du lat. pop. °*pasticium*, « pâté » ; [pɑtise].

**PÂTISSERIE,** subst. f.
**1.** Préparation salée (vieilli) ou sucrée de pâte pétrie, garnie et cuite au four ; gâteau. **2.** Art c[…] confectionner ces mets, ces gâteaux. **3.** Industri[…] commerce des gâteaux ; magasin du pâtissi[…] **4.** Anal. *Archit.* Ornementation en staff, en stu[…] 1328 ; ☞ *pâtisser* ; [pɑtisʀi].

**PÂTISSIER, IÈRE,** subst. et adj.
**Subst.** Personne qui fabrique ou vend de la pâti[…]serie ; en appos. : *Garçon* ***pâtissier.*** **Adj.** *Crèm[…]* ***pâtissière*** : crème à base de lait et d'œufs, sucr[…] et aromatisée, utilisée comme garniture de gâteau[…] (tartes, choux, éclairs, etc.). 1278 ; anc. fr. °*pasti[…]* du lat. pop. °*pasticium*, « pâté » ; [pɑtisje, jɛʀ].

**PÂTISSOIRE,** subst. f.
Table à pâtisser. 1798 ; ☞ *pâtisser* ; [pɑtiswaʀ]

**PÂTISSON,** subst. m.
*Bot.* Variété de courge dont le fruit a une save[…] proche de celle de l'artichaut. 1775 ; pro[…] *pastissou*, de l'anc. prov. *pastis*, « pâté » ; [pɑtisɔ̃].

**PATOCHE,** subst. f.
**1.** Vx. Coup de férule. **2.** Grosse main (fam. 1803 ; ☞ *patte* (I) ; [patɔʃ].

**PATOIS,** subst. m.
*Ling.* Parler rural, local, d'un usage princ. ora[…] pratiqué par une population assez peu nombreus[…] Déb. XIVe s. (1285, langue incompréhensible) ; p.[…] anc. fr. *patoier*, « gesticuler » ; [patwa].

**PATOISANT, ANTE,** adj. et subst.
Se dit d'une personne qui s'exprime en patoi[…] **Adj.** Qui relève du patois. 1864 ; *patoiser* (v[…] « parler patois » ; [patwazɑ̃, ɑ̃t].

**PÂTON,** subst. m.
**1.** Morceau de pâte à pain façonné et prêt [..] cuire. **2.** *Élev.* Pâtée utilisée pour engraisser l[…] volailles. 1483 ; ☞ *pâte* ; [pɑtɔ̃].

**PATOUILLER,** verbe [3]
Fam. **Intrans.** Patauger. **Trans.** Manier, tripoter av[…] maladresse ou sans discrétion. Fin XIIe s[…] ☞ *patte* (I) ; [patuje].

**PATRAQUE,** subst. f. et adj.
Fam. **Subst. 1.** Vx. Machine vétuste ou détraqué[…] **2.** Personne maladive. **Adj.** Qui est faible, mal e[…] point : *Il se sent tout* ***patraque.*** 1743 ; prob. it[…] °*patracca*, « monnaie de peu de valeur » ; [patʀak].

**PÂTRE,** subst. m.
Personne qui garde, qui fait paître les troupeau[…] (littér.). XIIe s. ; lat. *pastor*, « berger » ; [pɑtʀ].

**PATRIARCAL, ALE, AUX,** adj.
**1.** *Relig.* Qui relève d'un patriarche, d'un patriarca[…] **2.** *Antiq.* Qui concerne les patriarches de l'Ancie[…] Testament ; par ext., qui les rappelle : *Âge, a[…]* ***patriarcal.*** **3.** *Sociol.* Dont l'organisation repose s[…] les principes du patriarcat : *Société* ***patriarcal[…]*** XVe s. ; lat. eccl. *patriarchalis* ; [patʀijaʀkal, o].

**PATRIARCAT,** subst. m.
**1.** *Relig.* ► Circonscription territoriale placée so[…] la juridiction d'un patriarche. ► Fonction, digni[…] d'un patriarche. **2.** *Sociol.* Organisation socia[…] dans laquelle l'homme, et en partic. le père de f[…]mille, détient l'autorité (par oppos. à *matriarcat* 1275 ; lat. médiév. *patriarchatus* ; [patʀijaʀka].

**PATRIARCHE,** subst. m.
**I.** *Relig.* Titre du chef suprême de chacune d[…] Églises d'Orient, catholiques ou orthodoxes, qui [..] primauté d'honneur et de juridiction sur les évêqu[…] de son Église : ***Le patriarche*** *d'Antioche, d'Alexandri[…]* ► ***Patriarche*** *de l'Occident* : l'un des titres juridictior[…]nels du pape. ► Dans l'Église romaine, titre honor[…]fique traditionnellement accordé par le pape [..] quelques archevêques latins : ***Le patriarche*** *de Venis[…] de Lisbonne.* **II. 1.** *Antiq.* Dans la Bible, chacun d[…] grands ancêtres du peuple d'Israël et, par ext., d[…] l'humanité. **2.** Ext. Aïeul respectable entouré d'un[…] descendance nombreuse. Fin XIe s. ; lat. chré[…] *patriarcha*, du gr. *patriarkhês*, « chef de race » ; [patʀijaʀ[…]

**PATRICE,** subst. m.
*Hist.* Dignitaire romain, à partir de l'empereu[…] Constantin ; titre conféré aux rois barbares. 157[…] (déb. XIIIe s., patricien romain) ; lat. *patricius* ; [patʀis]

**PATRICIAT,** subst. m.
**1.** *Antiq. rom.* Dignité du patricien ; classe d[…] patriciens. **2.** *Hist.* Dignité de patrice. **3.** Anal. Élit[…] 1610 ; lat. *patriciatus* ; [patʀisja].

**PATRICIEN, IENNE,** subst. et adj.
*Antiq. rom.* Dans les premiers siècles de la Répu[…]blique, se dit d'un citoyen romain appartenant [..] la classe sociale la plus élevée (par oppos. à *plébéien*

ADJ. Ext. Noble (littér.) : *Une attitude **patricienne**.* 1355 ; ☞ *patrice* ; [patʀisjɛ̃, jɛn].

**PATRICLAN,** subst. m.
*nthropol.* Clan patrilinéaire ou dont les membres nt une résidence patrilocale. V. 1970 ; formé du at. *pater*, « père », et de *clan* ; [patʀiklɑ̃].

**PATRIE,** subst. f.
. Communauté politique, pays auquel on apparient par la naissance ou auquel on a le sentiment 'appartenir, et pour lequel on ressent gén. un ttachement particulier. **2.** Méton. Région, province, ville de naissance. **3.** Anal. Milieu propice ; erre de prédilection : *La **patrie** de la poésie, de la iberté.* 1516 ; lat. *patria*, « pays du père » ; [patʀi].

**PATRILINÉAIRE,** adj.
*nthropol.* Qualifie un mode de filiation ou, par ext., n groupe de parenté qui rattache toute personne son père et au groupe auquel ce dernier appartient. 1936 ; formé du lat. *pater*, « père », et de *linéaire* ; patʀilineɛʀ].

**PATRILOCAL, ALE, AUX,** adj.
*Anthropol.* Qualifie le mode de résidence d'un ouple marié qui vit chez le père de l'époux ou à roximité de lui. 1936 ; formé du lat. *pater*, « père », t de *local* ; [patʀilɔkal, o].

**PATRIMOINE,** subst. m.
. Ensemble de biens que l'on tient de ses ascendants par héritage. ▸ *Dr.* Ensemble des biens et des réances d'une personne physique ou morale, iminués de ses dettes ou de ses engagements. **2.** Ext. Héritage commun d'une collectivité : ***Patrimoine** mondial, artistique.* **3.** *Génét.* ***Patrimoine** génétique* (☞ *gène, génotype*). Mil. XII^e^ s. ; lat. *patrimonium*, de *pater*, « père » ; [patʀimwan].

**PATRIMONIAL, ALE, AUX,** adj.
Relatif, propre à un patrimoine. Fin XIV^e^ s. ; lat. ır. *patrimonialis* ; [patʀimɔnjal, o].

**PATRIOTE,** subst. et adj.
. Vx. Compatriote. **2.** Se dit d'une personne ttachée à sa patrie et qui la sert avec dévouement. SUBST. *Hist.* Partisan de la Révolution, en 1789. XV^e^ s. ; bas lat. *patriota* ; [patʀijɔt].

**PATRIOTIQUE,** adj.
Qui relève du patriotisme : *Chant **patriotique**.* 1750 (1532, paternel) ; ☞ *patriote* ; [patʀijɔtik].

**PATRIOTISME,** subst. m.
Attachement, dévouement à la patrie. 1749 ; ☞ *patriote* ; [patʀijɔtism].

**PATRISTIQUE,** subst. f. et adj.
SUBST. Étude, connaissance de la vie et des doctrines des Pères de l'Église. ADJ. Relatif, propre aux Pères de l'Église : *Enseignement **patristique**.* 1813 ; lat. eccl. *patristica*, du lat. *pater*, « père » ; [patʀistik].

**PATROLOGIE,** subst. f.
**1.** Collection des œuvres des Pères de l'Église. **2.** Patristique. 1706 ; lat. eccl. *patrologia* ; [patʀɔlɔʒi].

**PATRON, ONNE,** subst.
**1.** *Relig.* Saint protecteur d'une personne qui porte son nom, ou d'une communauté, d'un pays, d'une confrérie, d'une corporation de métier, etc. : *Saint Yves, **patron** des avocats.* **2.** *Antiq.* Patricien romain protecteur de personnes libres mais de condition inférieure, qui constituaient sa clientèle. **3.** Personne qui dirige un atelier, une entreprise, un commerce, dont elle est gén. propriétaire, et qui emploie des salariés. ▸ Ext. Tout employeur, par rapport à ses employés. **4.** Titulaire placé à la direction d'un organisme, d'un service, notamment hospitalier ; directeur de thèse. **5.** *Mar.* Commandant d'un équipage, d'une embarcation : ***Patron** de pêche.* MASC. **1.** Modèle à partir duquel certains artisans travaillent pour confectionner des objets : ***Patrons** de vitrail.* **2.** *Cout.* Modèle en papier, en tissu utilisé pour reproduire les pièces d'un vêtement : *Le **patron** d'une robe.* **3.** *Techn.* Pochoir servant à dessiner, à colorier. Mil. XIII^e^ s. ; lat. *patronus*, « protecteur », de *pater*, « père » ; [patʀɔ̃, ɔn].

**PATRONAGE,** subst. m.
**1.** *Relig.* Protection d'un saint. **2.** Protection, soutien qu'une personne influente ou un organisme accorde. **3.** Organisation proposant des activités aux enfants pendant leurs périodes de congés ; par méton., local d'une telle organisation. Fin XIII^e^ s. ; ☞ *patron* ; [patʀɔnaʒ].

**PATRONAL, ALE, AUX,** adj.
**1.** *Relig.* Qui se rapporte à un saint patron : *Fête **patronale**.* **2.** Relatif au patronat, aux patrons. 1611 ; ☞ *patron* ; [patʀɔnal, o].

**PATRONAT,** subst. m.
**1.** Vx. Protection. **2.** Ensemble des chefs d'entreprise, des employeurs, des patrons (par oppos. à *salariat*). 1578 ; ☞ *patron* ; [patʀɔna].

**PATRONNER,** verbe trans. [3]
Accorder son soutien, sa protection à (qqn, qqch.) ; parrainer. 1501 ; ☞ *patron* ; [patʀɔne].

**PATRONNESSE,** adj. f.
*Dame **patronnesse*** : qui se consacre à des œuvres de charité (vieilli). 1842 (1575, femme qui protège) ; ☞ *patron* ; [patʀɔnɛs].

**PATRONYME,** subst. m.
Nom de famille, par oppos. au prénom. Déb. XIX^e^ s. ; ☞ *patronymique* ; [patʀɔnim].

**PATRONYMIQUE,** adj.
**1.** *Hist.* Qui est dérivé du nom d'un ancêtre célèbre, réel ou mythique : *La dynastie des Lagides tient son nom **patronymique** de Lagos, père de Ptolémée I^er^.* **2.** Ext. *Nom **patronymique*** : nom de famille, ou patronyme. 1245 ; bas lat. *patronymicus*, du gr. *patrônumikos*, « qui porte le nom du père » ; [patʀɔnimik].

**PATROUILLE,** subst. f.
**1.** Ronde, déplacement qu'effectuent en petite formation des policiers, des militaires, des avions légers, des navires rapides, en mission de surveillance, de maintien de l'ordre, de renseignements, de liaison, etc. ; par méton., une telle formation. **2.** Anal. Petite formation de scouts. 1559 (1538, action de patauger) ; ☞ *patrouiller* ; [patʀuj].

**PATROUILLER,** verbe intrans. [3]
Aller en patrouille ; effectuer une patrouille. 1553 ; var. de *patouiller* ; [patʀuje].

**PATROUILLEUR,** subst. m.
**1.** Soldat appartenant à une patrouille. **2.** Navire de petit tonnage, avion chargé d'effectuer des patrouilles. 1918 ; ☞ *patrouiller* ; [patʀujœʀ].

**PATTE (I),** subst. f.
**I. 1.** Membre ou appendice supportant le corps, organe de locomotion, éventuellement de préhension, propre aux animaux. **2.** Anal. Main ou jambe de l'homme (fam.) : *Un travail trop délicat pour ses grosses **pattes**.* ▸ Loc. fam. *Traîner la **patte*** : marcher difficilement. **3.** Fig. Manière, style personnel de qqn : *La **patte** d'un artiste.* **4.** Loc. *Bas les **pattes** !* : défense de toucher ! ; *Graisser la **patte** à qqn* (☞ *graisser*) ; *Montrer **patte** blanche* : exhiber les signes de reconnaissance exigés pour être admis ; *Retomber sur ses **pattes*** : se rattraper habilement ; *Tirer dans les **pattes** de qqn* : chercher à lui faire du tort ; ***Pattes** (de lapin)* : favoris courts ; *Pantalon à **pattes** d'éléphant* (☞ *éléphant*) ; ***Pattes** de mouche* (☞ *mouche*) ; *Faire **patte** de velours* : afficher une douceur hypocrite. **II. 1.** Pièce de métal à extrémité aplatie et percée servant à fixer, à suspendre : ***Patte** à scellement.* **2.** Bande de tissu utilisée en parement : *Boutonnage sous **patte*** ; ***Patte** d'épaule*, épaulette. ▸ Languette de carton, de cuir, de tissu glissant dans une boucle ou un passant. **3.** *Mar.* Triangle d'extrémité d'un bras d'ancre. Fin XII^e^ s. ; orig. onomat. ; [pat].

**PATTE (II),** subst. f.
Helv. Chiffon, linge, torchon. 1550 ; langue germanique des Lombards °*paita*, « vêtement » ; [pat].

**PATTÉ, ÉE,** adj.
*Hérald.* Dont les branches s'élargissent et s'incurvent à leurs extrémités : *Croix **pattée**.* 1306 (déb. XIII^e^ s., qui a de grosses pattes) ; ☞ *patte* (I) ; [pate].

**PATTE-D'OIE,** subst. f.
**1.** Carrefour où une voie principale se divise en plusieurs branches. **2.** Groupe de rides en éventail à l'angle externe de chaque œil, chez l'être humain. 1624 (1573, difformité de nouveau-né) ; comp. de *patte* (I) et de *oie* ; plur. *pattes-d'oie* ; [patdwa].

**PATTEMOUILLE,** subst. f.
Linge humide que l'on place entre le fer et le tissu pour faciliter le repassage des vêtements. 1931 ; formé de *patte* (II) et de *mouiller* ; [patmuj].

**PATTERN,** subst. m.
Schéma représentatif d'un modèle de comportement psychologique, sociologique, linguistique (anglic.). 1922 ; angl. *pattern*, « modèle » ; [patɛʀn].

**PATTINSONAGE,** subst. m.
*Métall.* Traitement des plombs argentifères, par lequel on sépare l'argent du plomb. 1864 ; anthropon. *Pattinson*, chimiste anglais ; [patɛ̃sɔnaʒ] ou [-tin-].

**PATTU, UE,** adj.
**1.** Qui a de grosses pattes. **2.** Se dit d'un oiseau dont les pattes portent une touffe de plumes : *Coq **pattu**.* 1457 ; ☞ *patte* (I) ; [paty].

**PÂTURAGE,** subst. m.
**1.** Action, droit de faire paître le bétail sur une terre. **2.** Terrain, prairie où paît le bétail. Déb. XIII^e^ s. ; ☞ *pâturer* ; [pɑtyʀaʒ].

**PÂTURE,** subst. f.
**1.** Terrain où paît le bétail. ▸ ***Vaine pâture*** ou *Droit de (vaine) **pâture*** : droit de faire paître les troupeaux sur des terres cultivées, après les récoltes. **2.** Ce qui constitue la nourriture des animaux. **3.** Fig. Ce qui sert d'aliment intellectuel, moral, spirituel. ▸ Loc. *Donner, jeter, livrer en **pâture*** : abandonner à l'action de qqn, de qqch. XII^e^ s. ; bas lat. *pastura*, du lat. *pascere*, « paître » ; [pɑtyʀ].

**PÂTURER,** verbe [3]
Paître. Mil. XII^e^ s. ; ☞ *pâture* ; [pɑtyʀe].

**PÂTURIN,** subst. m.
*Bot.* Plante de la famille des Poacées, très répandue dans les prairies et au bord des chemins, servant de fourrage. 1752 ; ☞ *pâture* ; [pɑtyʀɛ̃].

**PATURON,** subst. m.
*Hippol.* Partie de la jambe du cheval située entre le boulet et la couronne, correspondant à la première phalange. Déb. XIV^e^ s. ; anc. fr. *pasture*, « lien servant à attacher le cheval », du lat. *chorda pastoria*, « corde de berger » ; var. *pâturon* ; [patyʀɔ̃].

**PAUCHOUSE, voir POCHOUSE**

**PAULETTE,** subst. f.
*Hist.* Impôt annuel acquitté de 1604 à 1789 par les officiers de justice et des finances afin de garantir la propriété et la transmissibilité de leur charge. 1615 ; anthropon. *Charles Paulet*, créateur et premier fermier de cet impôt ; [polɛt].

**PAULIEN, IENNE,** adj.
*Dr. Action **paulienne*** : action judiciaire par laquelle un créancier demande la révocation d'actes frauduleux de son débiteur lui portant préjudice. 1878 ; lat. *Paulianus*, « de Paul », de *Paulus*, surnom du prêteur qui institua cette action ; [poljɛ̃, jɛn].

**PAULINIEN, IENNE,** adj.
*Relig.* Relatif à saint Paul : *Les épîtres **pauliniennes**.* 1868 ; anthropon. *saint Paul* ; [polinjɛ̃, jɛn].

**PAULINISME,** subst. m.
*Relig.* Doctrine de saint Paul, définissant l'Église, dans une perspective historique et eschatologique, comme le « Corps mystique du Christ » en accomplissement progressif jusqu'à la parousie, et insistant sur l'universalité du message chrétien. 1874 ; anthropon. *saint Paul* ; [polinism].

**PAULISTE,** subst. m.
*Cath.* Prêtre missionnaire membre d'une congrégation fondée en 1858 à New York et consacrée à saint Paul. Fin XIX^e^ s. ; angl. *paulist* ; [polist].

**PAULOWNIA,** subst. m.
*Bot.* Arbre ornemental de la famille des Scrofulariacées, à fleurs bleuâtres et odorantes, d'origine japonaise. 1864 ; anthropon. *Anna Pavlovna*, fille du tsar Paul I^er^, à qui cet arbre fut dédié ; [polɔnja].

**PAUME,** subst. f.
**1.** L'intérieur de la main, compris entre le poignet et la racine des doigts. **2.** Jeu, sport où l'on se renvoyait une balle avec une raquette ou une batte par-dessus un filet. **3.** *Techn.* Coupe à mi-bois, droite ou oblique, permettant l'assemblage de deux pièces perpendiculaires. Mil. XI^e^ s. ; lat. *palma* ; [pom].

**PAUMÉ, ÉE,** adj. et subst.
Fam. Se dit d'une personne déboussolée, souffrant d'une détresse matérielle ou morale. ADJ. Perdu, isolé : *Un coin **paumé**.* XX^e^ s. (1394, en forme de paume) ; p. p. de *paumer* ; [pome].

**PAUMELLE (I),** subst. f.
*Techn.* **1.** Ferrure double articulée sur un gond, permettant l'ouverture en pivot d'une porte, d'une fenêtre, d'un volet. **2.** Bande de cuir renforcée d'une plaque métallique servant à protéger la paume des ouvriers (voiliers, selliers) qui poussent l'aiguille. **3.** Planche en bois utilisée pour assouplir les peaux. 1321 (1294, paume de la main) ; ☞ *paume* ; [pomɛl].

**PAUMELLE (II),** subst. f.
*Agric.* Poacée alimentaire très cultivée, également appelée orge à deux rangs. 1564 ; anc. prov. *palmola*, du lat. *palmula*, « petite palme » ; [pomɛl].

**PAUMER,** verbe trans. [3]
Fam. **1.** Perdre. **2.** Attraper (vieilli). **3.** Belg. Mettre à prix. PRONOM. S'égarer. 1489 (fin XIII^e^ s., toucher de la main) ; ☞ *paume* ; [pome].

**PAUMOYER,** verbe trans. [17]
1. *Mar.* Haler à la main (un cordage) ; plier (une voile). 2. *Techn.* ▸ Coudre avec une paumelle. ▸ Assouplir (un cuir) à la paumelle. 1732 (fin XI<sup></sup>e s., tenir à pleine main) ; ☞ *paume* ; [pomwaje].

**PAUMURE,** subst. f.
*Vèn.* Partie aplatie au sommet des bois des Cervidés. Fin XIVe s. ; ☞ *paume* ; [pomyʀ].

**PAUPÉRISATION,** subst. f.
*Écon.* Appauvrissement progressif et continu d'une classe sociale, d'une population. 1842 ; angl. *pauperization*, du lat. *pauper*, « pauvre » ; [popeʀizasjɔ̃].

**PAUPÉRISER,** verbe trans. [3]
*Écon.* Appauvrir (une classe sociale, une population). V. 1960 ; ☞ *paupérisation* ; [popeʀize].

**PAUPÉRISME,** subst. m.
*Écon.* Pauvreté chronique d'une classe sociale, d'une population. 1822 ; angl. *pauperism* ; [popeʀism].

**PAUPIÈRE,** subst. f.
Chacune des deux membranes musculo-cutanées mobiles bordées de cils qui protègent la partie antérieure de l'œil. XIIe s. ; bas lat. *palpetra*, du lat. *palpebra* ; [popjɛʀ].

**PAUPIETTE,** subst. f.
*Cuis.* Tranche de viande roulée, farcie, entourée de lard, ficelée et braisée. 1691 ; prob. ital. *polpetta*, du lat. *pulpa*, « chair, viande » ; [popjɛt].

**PAUSE,** subst. f.
1. Interruption momentanée, temps d'arrêt ou de repos dans le déroulement d'une activité, d'un processus : *Faire la **pause** de midi.* 2. Bref temps de silence au milieu d'un discours, d'une conversation : *Marquer une **pause**.* 3. *Mus.* Silence dont la valeur correspond à une ronde ; signe servant à le noter : *Une **pause** vaut quatre noires, ou quatre soupirs.* 1360 ; lat. *pausa* ; [poz].

**PAUSE-CAFÉ,** subst. f.
Pause que l'on fait pour boire un café. V. 1970 ; comp. de *pause* et de *café* ; plur. *pauses-café* ; [pozkafe].

**PAUSER,** verbe intrans. [3]
1. *Mus.* Marquer une pause. 2. *Faire **pauser** qqn* : le faire attendre (fam.). 1636 ; ☞ *pause* ; [poze].

**PAUVRE,** adj. et subst.
Adj. 1. Qui manque d'argent, de ressources pour pouvoir vivre décemment. 2. Qui dénote l'indigence matérielle : *Un **pauvre** logis.* 3. Qui est peu productif : *Sol **pauvre**, peu fertile.* ▸ **Pauvre en.** Qui contient, fournit une quantité très faible de : *Laitages **pauvres** en matières grasses.* 4. Qui est faible, médiocre : *Des arguments bien **pauvres**.* ▸ **Pauvre de.** Qui manque de (littér.) : ***Pauvre** de tendresse.* 5. Qui inspire la compassion, la pitié ou, péj., le mépris (placé devant le subst.) : *Ce **pauvre** enfant est abandonné ; **Pauvre** type, va !* ▸ Loc. ***Pauvre** de moi !* 6. *B.-a. Art **pauvre*** : mouvement artistique contemporain né en 1967 en Italie, qui refuse d'assimiler l'œuvre d'art à un produit de consommation et propose des installations éphémères recourant à des matériaux naturels comme le bois, la terre, la glace ou le feu. 7. *Versif. Rime **pauvre*** : qui ne porte que sur la dernière voyelle. Subst. 1. Personne démunie. 2. *Un, une **pauvre** d'esprit* : personne aux facultés intellectuelles limitées. 3. Loc. **Du pauvre.** Se dit d'une chose susceptible de remplacer un produit plus luxueux à moindre coût : *Le piano du **pauvre**,* l'accordéon ; *L'asperge du **pauvre**,* le poireau. Mil. XIe s. ; lat. *pauper* ; fém. du subst. *pauvre* ou, vieilli, *pauvresse* ; [povʀ].

BEAUX-ARTS – La dénomination *arte povera* (« art pauvre ») est due au critique G. Celant, à l'occasion d'une exposition qui s'est tenue à Gênes. Rome et Turin sont les deux centres principaux de ce mouvement qui n'est pas sans relation avec le *land art*, Fluxus et l'art minimal. Avec I. Kounellis, différents matériaux apparaissent, comme les pigments colorés ou le feu (*Kounellis écrit avec le feu*, 1971), alors que M. Merz s'intéresse au thème de l'igloo (*Igloo de Giap*, 1968). G. Penone, pour sa part, développe sa recherche autour de la notion d'empreinte, digitale ou végétale, et réalise de grands dessins à partir de projections de photographies révélant les nervures de la peau.

**PAUVREMENT,** adv.
1. Dans la pauvreté : *Vivre **pauvrement**.* 2. D'une manière insuffisante, maladroite : *Une scène **pauvrement** rendue.* XIIe s. ; ☞ *pauvre* ; [povʀəmɑ̃].

**PAUVRESSE,** voir **PAUVRE**

**PAUVRET, ETTE,** adj. et subst.
Adj. Qui est bien pauvre : *Mise en scène **pauvrette**.* Subst. *Oh, le **pauvret** !* : oh, le pauvre petit (vieilli, fam. et affectueux). 1267 ; ☞ *pauvre* ; [povʀɛ, ɛt].

**PAUVRETÉ,** subst. f.
1. État, condition d'une personne pauvre. 2. Apparence, aspect misérable. 3. Insuffisance, manque d'abondance : ***Pauvreté** d'un sol,* stérilité de la terre. ▸ Fig. Caractère, état de ce qui est insuffisant, médiocre ; banalité : ***Pauvreté** intellectuelle ; **Pauvreté** d'un style.* Mil. XIIe s. ; lat. *paupertas* ; [povʀəte].

**PAVAGE,** subst. m.
1. Action de paver ; par méton., revêtement pavé : *Le **pavage** d'une allée.* 2. *Géol.* Surface caillouteuse ou rocheuse résultant de l'érosion de matériaux fins. 1354 ; ☞ *paver* ; [pavaʒ].

**PAVANE,** subst. f.
1. Danse de cour lente et majestueuse, à la mode en Europe aux XVIe et XVIIe s. 2. *Mus.* Composition qui s'inspire de cette danse. 1529 ; dial. ital. *pavana*, de *Pava* (ital. *Padova*), « Padoue » ; [pavan].

**PAVANER (SE),** verbe pronom. [3]
Marcher ou se camper avec suffisance, en se donnant un air avantageux. 1611 ; ☞ *pavane* ; [pavane].

**PAVÉ,** subst. m.
1. Revêtement d'un sol, d'une voie constitué d'un assemblage de blocs de pierre, de bois, etc., juxtaposés et mis à niveau : *Le **pavé** d'une cour, d'un temple.* 2. Méton. Surface revêtue de ces blocs ; par ext., la rue, la voie publique. ▸ Loc. *Être sur le **pavé*** : être sans domicile ou sans travail ; *Battre le **pavé*** : errer dans les rues ; *Tenir le haut du **pavé*** : occuper le premier rang, une position en vue. 3. Bloc cubique de pierre, de bois, de béton, etc., utilisé pour paver un sol, une voie. ▸ Loc. *Jeter un **pavé** dans la mare* : créer la surprise ou faire une révélation qui sème le trouble. ▸ Anal. Livre, texte très long, ennuyeux ou indigeste (fam.). 4. *Spéc.* ▸ *Cuis.* Aliment en forme de bloc : *Un **pavé** de rumsteak.* ▸ *Typogr. Composition en **pavé*** : mode de présentation d'un texte où toutes les lignes sont d'égale longueur ; ce texte. ▸ *Informat. **Pavé** numérique* : bloc carré des touches d'un clavier qui portent les chiffres et les symboles opératoires. ▸ *Math. **Pavé** de $\mathbb{R}^n$* : partie produit de $n$ intervalles bornés de $\mathbb{R}$ (les coordonnées de ses points varient chacune dans un intervalle). Un rectangle de $\mathbb{R}^2$, un parallélépipède rectangle de $\mathbb{R}^3$ sont des **pavés**. 1312 ; ☞ *paver* ; [pave].

**PAVEMENT,** subst. m.
1. Surface pavée ou recouverte de dalles, de carreaux, de mosaïque. 2. Méton. Action de paver (vieilli). XIIe s. ; ☞ *paver* ; [pavmɑ̃].

**PAVER,** verbe trans. [3]
Couvrir (un sol, une voie) de pavés ; empl. subst. fém. (belg.) : *Une **pavée**,* une route **pavée**. ▸ Loc. proverb. *L'enfer **est pavé** de bonnes intentions* (☞ *intention*). XIIe s. ; lat. pop. °*pavare*, du lat. *pavire*, « aplanir » ; [pave].

**PAVEUR, EUSE,** subst.
Personne qui réalise les travaux de pavage. 1292 ; ☞ *paver* ; [pavœʀ, øz].

**PAVIE,** subst. f.
Variété de pêche dont la chair est ferme et adhère au noyau. 1572 ; prob. topon. *Pavie*, ville du Gers ; [pavi].

**PAVILLON,** subst. m.
I. 1. Vx. Tente militaire. 2. *Liturg.* Étoffe ornée qui couvre le ciboire. 3. *Hérald.* Draperie ornant l'écu d'un souverain. 4. Petit édifice d'agrément élevé dans un espace vert : ***Pavillon** de musique.* 5. Petite propriété privée : ***Pavillon** de banlieue.* 6. Bâtiment indépendant, souv. affecté à une activité spécifique : ***Pavillons** d'un hôpital.* ▸ *Archit.* Corps de bâtiment faisant saillie par rapport à la construction principale : ***Pavillon** d'angle ; Le **pavillon** de Marsan, au Louvre.* II. 1. Extrémité évasée de la plupart des instruments à vent : ***Pavillon** d'un trombone.* ▸ *Techn.* Large cône de certains appareils acoustiques (porte-voix, phonographe, etc.), amplifiant le son. 2. *Anat.* Partie extérieure cartilagineuse de l'oreille de l'homme et des Mammifères. III. *Mar.* Drapeau : ***Pavillon** national.* ▸ Loc. *Battre **pavillon** français, italien* : être de nationalité française, italienne ; ***Pavillon** de complaisance* (☞ *complaisance*) ; *Baisser **pavillon** devant qqn* : céder devant qqn. Déb. XIIe s. ; lat. *papilio*, « tente » ; [pavijɔ̃].

**PAVILLONNAIRE,** adj.
Qui est constitué de pavillons d'habitation : *Banlieue, quartier **pavillonnaire**.* V. 1970 ; ☞ *pavillon* ; [pavijɔnɛʀ].

**PAVILLONNERIE,** subst. f.
*Mar.* 1. Atelier où l'on fabrique des pavillons d[e] navigation. 2. Magasin d'un navire où on l[es] remise. 1859 ; ☞ *pavillon* ; [pavijɔnʀi].

**PAVIMENTEUX, EUSE,** adj.
1. Qui est utilisé pour le pavage. 2. *Histol. Épithélium **pavimenteux*** : constitué de plusieurs couche[s] cellulaires disposées comme un pavage. 1842 ; lat. *pavimentum*, « pavement » ; [pavimɑ̃tø, øz].

**PAVLOVIEN, IENNE,** adj.
Relatif au physiologiste Pavlov ou à ses théorie[s]. ▸ *Réflexe **pavlovien*** : réflexe conditionné. 1939 ; anthropon. *Ivan Pavlov*, médecin russe ; [pavlɔvjɛ̃, jɛn].

**PAVOIS,** subst. m.
1. Grand bouclier des Francs. ▸ Loc. *Élever sur [le] **pavois*** : porter aux nues, glorifier. 2. *Mar.* ▸ Au plu[r.] Boucliers ornant la coque d'un navire (vx). ▸ Part[ie] de la coque d'un navire qui s'élève au-dessus d[u] pont. ▸ Ensemble des pavillons d'un navire : *Gra[nd] **pavois**,* ensemble des pavillons arborés par un navi[re] en signe de fête ; *Petit **pavois**,* ensemble des pavillon[s] nationaux hissés au sommet des mâts. XIVe s. ; ital. *pavese*, du lat. *pavensis*, « de Pavie » ; [pavwa].

**PAVOISER,** verbe trans. [3]
1. *Mar.* Orner (un navire) de son pavois ; emp[l.] intrans., hisser le pavois. 2. Anal. Orner de drapeau[x] (une rue, un édifice public, etc.), pour une fête, un[e] cérémonie ; empl. intrans., manifester une grand[e] joie ou fierté. Fin XIVe s. ; ☞ *pavois* ; [pavwaze].

**PAVOT,** subst. m.
*Bot.* Plante de la famille des Papavéracées. Le lat[ex] des capsules vertes du **pavot** somnifère fourn[it] l'opium, et ses graines, l'huile d'œillette. M[il.] XIIIe s. ; anc. fr. *pavo*, du lat. *papaver* ; [pavo].

*Culture du pavot, dans le Triangle d'Or.*

**PAXON,** voir **PACSON**

**PAYABLE,** adj.
Qui doit ou qui peut être payé selon certaine[s] modalités : *Achat **payable** par échéances.* 148[?] (1255, de bonne qualité) ; ☞ *payer* ; [pɛjabl].

**PAYANT, ANTE,** adj.
1. Que l'on paie (anton. *gratuit*) : *Entrée **payant[e]***. 2. Qui paie : *Visiteurs **payants**.* 3. Qui rapporte d[e] l'argent ; au fig., profitable (fam.) : *Des effor[ts] **payants**.* 1260 ; p. pr. de *payer* ; [pɛjɑ̃, ɑ̃t].

**PAYE,** voir **PAIE**

**PAYEMENT,** voir **PAIEMENT**

**PAYER,** verbe trans. [15]
1. Effectuer un versement pour s'acquitter de (u[n] dû) : ***Payer** une facture, son loyer* ; empl. abs., vers[er] de l'argent : *Il faut toujours **payer** plus !* 2. Donne[r] à (qqn) la somme qui lui est due : ***Payer** le plombie[r].* ▸ Loc. *Être bien **payé** pour savoir qqch.* : avoir appr[is] qqch. à ses dépens. 3. Effectuer un versement e[n] échange de (qqch.) : ***Payer** ses emplettes.* 4. Offr[ir] (fam.) : ***Payer** la tournée.* 5. Fig. Dédommage[r,] gratifier : *Elle est mal **payée** de son dévouement.* ▸ Lo[c.] ***Payer** qqn de retour* : lui rendre la pareille, un servic[e] semblable. ▸ Abs. Rapporter de l'argent : *Cett[e] profession **paie** bien* ; au fig. : *Le crime ne **paie** pa[s].* 6. Expier, se racheter de (tel acte, tel fait) : ***Pay[er]** ses négligences.* ▸ Loc. *Vous me le **paierez** !* : je m[e] vengerai ! (fam.). 7. **Payer de. Payer avec.** ▸ Lo[c.] ***Payer** de sa poche* : avec son propre argent ; ***Pay[er]** de sa personne* : s'investir personnellement, s[e] donner de la peine ; ***Payer** d'audace* : en manifester

*Ne pas* **payer** *de mine* (☞ mine). **Pronom. 1.** Prendre soi-même son dû : *Voici mon porte-monnaie,* **payez-vous.** ▸ Loc. *Se* **payer** *de mots* : se satisfaire de mots creux. **2.** S'offrir : *Se* **payer** *un beau voyage* ; par antiphr. (fam.), subir (qqch. de pénible) : *Se* **payer** *un zéro.* ▸ Loc. *Se* **payer** *la tête de qqn* : se moquer de qqn ; *Se* **payer** *le luxe de* (☞ luxe). 1170 (xe s., se réconcilier avec) ; lat. *pacare,* « faire la paix » ; [peje].

**PAYEUR, EUSE, subst.**
**1.** Personne qui paie une somme due : *Bon* **payeur.** **2.** Personne chargée de payer dépenses, rentes, etc. : *Trésorier-***payeur** *général* ; empl. adj. : *Organisme* **payeur.** Mil. xiiie s. ; ☞ *payer* ; [pɛjœʀ, øz].

**PAYS (I), subst. m.**
**1.** Territoire qui présente une unité géographique et humaine, sur lequel vit une collectivité ; nation, État, région, province, canton : *Les* **pays** *de l'Europe* ; *Le* **pays** *d'Auge* ; *Le* **Pays** *basque.* **2.** Région, contrée considérée d'un point de vue spécifique : *Les* **pays** *chauds, industriels* ; au fig. : *Un* **pays** *de cocagne* (☞ cocagne). ▸ Loc. *Voir du* **pays** : faire de nombreux voyages. **3.** Nation, région, province ou localité dont on est originaire : *Servir son* **pays** ; *Produits du* **pays** ; *Avoir le mal du* **pays,** la nostalgie de sa terre natale. **4.** Méton. Ensemble des habitants d'une nation ; peuple : *Le* **pays** *gronde.* **5.** Localité, village : *C'est la fête au* **pays.** xe s. ; bas lat. *pagensis,* « habitant d'un canton » ; [pei].

**PAYS (II), PAYSE, subst.**
Personne originaire du même village ou pays qu'une autre (région.). 1605 ; ☞ *pays* (I) ; [pei, peiz].

**PAYSAGE, subst. m.**
**1.** Étendue de pays dont la nature offre une vue d'ensemble ; par ext., cette étendue caractérisée par son aspect : **Paysage** *d'hiver* ; **Paysage** *urbain.* ▸ Point de vue offert au regard : *Un* **paysage** *de cheminées et d'antennes.* **2.** Fig. Aspect général d'une situation : **Paysage** *politique.* **3.** *B.-a.* Représentation artistique d'un site naturel ou urbain : **Paysage** *marin du Lorrain.* 1549 ; ☞ *pays* (I) ; [peizaʒ].

**PAYSAGER, ÈRE, adj.**
Qui évoque un paysage naturel : *Un jardin* **paysager.** 1845 ; ☞ *paysage* ; var. *paysagé, ée* ; [peizaʒe, ɛʀ].

**PAYSAGISTE, subst.**
**1.** Artiste spécialisé dans la représentation de paysages. **2.** Architecte, dessinateur, jardinier qui conçoit les plans d'ensemble de parcs, de jardins d'agrément ; en appos. : *Un architecte* **paysagiste.** 1651 ; ☞ *paysage* ; [peizaʒist].

**PAYSAN, ANNE, subst. et adj.**
**Subst. 1.** Personne de la campagne qui vit du travail de la terre et de l'élevage. **2.** Personne ignorante des usages de la vie citadine, rustre (péj.). **Adj.** Propre, relatif aux **paysans,** à leurs préoccupations, à leurs traditions : *Maison* **paysanne** ; *Politique* **paysanne.** Mil. xiie s. ; ☞ *pays* (I) ; [peizɑ̃, an].

**PAYSANNERIE, subst. f.**
**1.** Vx. Condition de paysan. **2.** Classe, ensemble des paysans. 1547 ; ☞ *paysan* ; [peizanʀi].

**Pb, voir PLOMB**

**pc, voir PARSEC**

**Pd, voir PALLADIUM (II)**

**PÉAGE, subst. m.**
**1.** Taxe que l'on paie pour emprunter certaines voies publiques ou certains ouvrages importants : **Péage** *d'un pont.* **2.** Méton. Lieu où cette taxe est versée. **3.** *Télév. Chaîne à* **péage** : dont les programmes sont réservés aux seuls abonnés. Mil. xiie s. ; lat. pop. °*pedaticum,* « droit de mettre le pied » ; [peaʒ].

**PÉAGISTE, subst.**
Personne employée au péage d'une autoroute. V. 1970 ; ☞ *péage* ; [peaʒist].

**PÉAN, subst. m.**
**1.** *Antiq.* Hymne composé en l'honneur d'Apollon. **2.** Anal. Chant de victoire. 1673 ; lat. *Paean,* du gr. *Paian,* l'un des noms d'Apollon ; var. *pœan* ; [peɑ̃].

**PEAU, subst. f.**
**1.** *Anat.* Organe recouvrant en totalité la surface du corps, constitué de l'épiderme, du derme, de l'hypoderme et des annexes : *La* **peau** *est l'organe du toucher* ; en partic., épiderme de l'être humain : *Une* **peau** *bronzée.* ▸ Loc. *Se mettre dans la* **peau** *de qqn* : s'identifier à lui, s'imaginer à sa place ; *Vieille* **peau** : personne âgée (péj. et fam.) ; **Peau** *de vache* : individu méchant, voire sadique (fam.) ; *Faire* **peau** *neuve* : se moderniser, en parlant d'un organisme, d'une institution, ou être restauré, en parlant d'un bâtiment ; *Risquer sa* **peau,** *y laisser sa* **peau** : sa vie (fam.) ; *Faire la* **peau** *à qqn* : le tuer (fam.) ; *Avoir qqn dans la* **peau** : être possédé par une passion pour qqn ; *Être bien, mal dans sa* **peau** : être à l'aise, mal à l'aise. **2.** Dépouille d'un animal traitée en cuir, en fourrure : **Peau** *de tigre.* **3.** *Bot.* Couche cellulaire enveloppant un fruit charnu : *La* **peau** *d'une pêche.* ▸ Anal. **Peau** *d'orange* : cellulite. **4.** Pellicule qui se forme à la surface de certains liquides : **Peau** *du lait.* Fin xie s. ; lat. *pellis,* « peau d'animal » ; [po].

**PEAUCIER, adj. m.**
*Anat. Muscle* **peaucier** ou, empl. subst. masc., *Le* **peaucier** : qui est attaché à l'hypoderme et fait plisser la peau lorsqu'il se contracte. 1562 ; ☞ *peau* ; le fém., *peaucière,* est rare ; [posje].

**PEAUFINER, verbe trans. [3]**
**1.** Exécuter, achever avec minutie (fam.). **2.** Lustrer à la peau de chamois. 1883 (1866, faire toilette) ; argot scol. *peau-fine,* « camarade imberbe » ; [pofine].

**PEAU-ROUGE, adj.**
Relatif ou propre aux Indiens Peaux-Rouges (vieilli). 1842 ; comp. de *peau* et de *rouge* ; plur. *peaux-rouges* ; [poʀuʒ].

**PEAUSSERIE, subst. f.**
**1.** Travail, commerce des peaux. **2.** Méton. Manufacture où s'effectue ce travail ; article de peau. 1723 ; ☞ *peaussier* ; [posʀi].

**PEAUSSIER, IÈRE, subst. et adj.**
**Subst. 1.** Artisan, ouvrier qui travaille les peaux. **2.** Négociant en peaux. **Adj.** Relatif aux peaux : *Industrie* **peaussière.** Fin xiiie s. ; ☞ *peau* ; [posje, jɛʀ].

**PÉCAÏRE, voir PEUCHÈRE**

**PÉCAN, subst. m.**
*Noix de* **pécan** ou **Pécan** : pacane (anglic.). 1930 ; anglo-amér. *pecan,* de l'algonquin *pakan,* « noix » ; [pekɑ̃].

**PÉCARI, subst. m.**
**1.** *Zool.* Cochon sauvage d'Amérique, de la famille des Tayassuidés. **2.** Cuir de cet animal. 1688 ; orig. caraïbe ; [pekaʀi].

**PECCABLE, adj.**
*Théol.* Enclin à pécher. Mil. xie s. ; lat. médiév. *peccabilis,* du lat. *peccare,* « pécher » ; [pekabl].

**PECCADILLE, subst. f.**
Petit péché, faute légère. 1559 ; esp. *pecadillo,* dimin. de *pecado,* du lat. *peccatum,* « péché » ; [pekadij].

**PECHBLENDE, subst. f.**
*Minér.* Mélange de minéraux contenant des oxydes d'uranium, de radium et de polonium, qui constitue le plus important des minerais d'uranium. 1790 ; all. *Pechblende,* de *Pech,* « poix », et de *Blende,* « minerai » ; [pɛʃblɛ̃d].

**PÊCHE (I), subst. f.**
**Subst. 1.** Fruit du pêcher, à chair blanche, jaune ou pourprée : **Pêche** *abricot, de vigne* ; par anal. : *Teint de* **pêche,** velouté et rose. ▸ Empl. adj. inv. D'un rose pâle et doré : *Des gants* **pêche.** **2.** Fam. Tête. ▸ Loc. *Se fendre la* **pêche** : rire aux éclats. **3.** Gifle, coup (fam.) : *Recevoir une* **pêche.** **4.** Loc. *Avoir la* **pêche** : se sentir en forme (fam.). Fin xie s. ; bas lat. *persica,* du lat. *malum persicum,* « fruit de Perse » ; [pɛʃ].

**PÊCHE (II), subst. f.**
**1.** Vx. Droit de pêcher. **2.** Action de pêcher. **3.** Produit pêché : *Vendre sa* **pêche** *à la criée.* **4.** Endroit où l'on peut pêcher. 1261 ; ☞ *pêcher* ; [pɛʃ].

**PÉCHÉ, subst. m.**
**1.** *Relig.* Transgression consciente et délibérée de la loi divine : *Le* **péché** *originel,* commis par Adam et Ève ; empl. abs., état de l'homme pécheur : *Vivre dans le* **péché.** **2.** Ext. Faute quelconque : **Péché** *de jeunesse,* dû à l'inexpérience ; **Péché** *mignon,* petit travers. Fin xe s. ; lat. *peccatum* ; [peʃe].

**PÉCHER, verbe intrans. [8]**
**1.** *Relig.* Commettre un péché. **2.** Ext. Commettre une faute, une erreur : **Pécher** *par étourderie.* **3.** Comporter une insuffisance, être défectueux : *Ce récit* **pèche** *par son style.* Mil. xie s. ; lat. *peccare* ; [peʃe].

**PÊCHER (I), subst. m.**
*Bot.* Arbre à fleurs roses de la famille des Amygdalacées, cultivé pour ses fruits, les pêches. Mil. xiie s. ; ☞ *pêche* (I) ; [peʃe].

**PÊCHER (II), verbe trans. [3]**
**1.** Prendre ou essayer de prendre dans l'eau (du poisson ou tout animal aquatique). ▸ Loc. **Pêcher** *en eau trouble* : profiter d'une situation confuse pour agir dans son propre intérêt. **2.** Fig. Trouver, dénicher (fam.) : *Quelle idée es-tu encore allé* **pêcher** *?* Mil. xiie s. ; lat. pop. °*piscare,* du lat. *piscari* ; [peʃe].

**PECHÈRE, voir PEUCHÈRE**

**PÊCHERIE, subst. f.**
**1.** Endroit aménagé pour la pêche : *Les* **pêcheries** *de Terre-Neuve.* **2.** Lieu de traitement du poisson pêché. Mil. xiie s. ; ☞ *pêcher* (II) ; [pɛʃʀi].

**PÊCHETTE, subst. f.**
Petit filet à écrevisses et à crevettes (région.). 1773 ; ☞ *pêcher* (II) ; [pɛʃɛt].

**PÉCHEUR, ERESSE, subst.**
*Relig.* Personne qui a commis des péchés ou qui vit dans le péché. Fin xe s. ; lat. chrét. *peccator,* du lat. *peccare,* « pécher » ; [peʃœʀ, ʀɛs].

**PÊCHEUR, EUSE, subst.**
**1.** Personne qui pratique la pêche, en professionnel ou en amateur ; en appos. : *Marin* **pêcheur.** **2.** Fig. **Pêcheur** *d'hommes* : apôtre, missionnaire. Mil. xiie s. ; lat. *piscator,* de *piscari,* « pêcher » ; [pɛʃœʀ, øz].

**PÉCORE, subst.**
**Masc.** Vx. Tête de bétail. **Fém.** Femme prétentieuse (fam. et péj.). **Masc.** et **Fém.** Paysan, paysanne (pop. et péj.). 1512 ; ital. *pecora,* « brebis », du lat. *pecus,* « troupeau » ; [pekɔʀ].

**PECTEN, subst. m.**
*Zool.* Mollusque bivalve à coquille en éventail, appelé aussi peigne : *La coquille Saint-Jacques est un* **pecten.** 1752 ; mot lat. ; [pɛktɛn].

**PECTINE, subst. f.**
*Biochim.* Substance polysaccharidique élaborée par les plantes, utilisée pour ses propriétés gélifiantes dans les industries alimentaire et pharmaceutique. Mil. xixe s. ; gr. *pêktos,* « coagulé » ; [pɛktin].

**PECTINÉ, ÉE, adj.**
**1.** *Anat. Muscle* **pectiné** ou, empl. subst. masc., *Le* **pectiné** : muscle adducteur de la cuisse. **2.** *Sc. nat.* En forme de peigne. Fin xive s. ; lat. *pectinatus,* « en forme de peigne » ; [pɛktine].

**PECTIQUE, adj.**
Relatif à la pectine ; qui la compose. Mil. xixe s. ; ☞ *pectine* ; [pɛktik].

© Lauros-Giraudon

*Pectoral de Ramsès II (xiiie s. av. J.-C.). Musée du Louvre, Paris.*

**PECTORAL, ALE, AUX, subst. m. et adj.**
**Subst. 1.** Vx. Ornement appliqué sur l'aube d'un prêtre, à la hauteur de la poitrine. **2.** *Antiq.* ▸ Chez les Romains, partie de l'armure protégeant le haut du buste. ▸ Parure précieuse que les pharaons, les grands prêtres des Hébreux portaient sur la poitrine. **Adj. 1.** Qui se porte sur la poitrine : *Croix* **pectorale** *des évêques.* **2.** *Anat.* Qui appartient à la poitrine : *Muscles* **pectoraux** ou, empl. subst. masc. plur., *Les* **pectoraux.** ▸ *Zool.* De la face ventrale : *Nageoires* **pectorales,** antérieures. **3.** *Pharm.* Qui soigne les affections broncho-pulmonaires, en partic. la toux : *Sirop* **pectoral.** 1355 ; lat. *pectoralis,* « de la poitrine » ; [pɛktɔʀal, o].

**PÉCULE, subst. m.**
**1.** *Antiq.* À Rome, ensemble des économies d'un esclave, qui lui permettait de racheter sa liberté. **2.** Anal. Petite somme d'argent amassée avec le temps. **3.** *Dr.* ▸ Partie du salaire d'un détenu qui

lui est remise à sa sortie. ► Réserve pécuniaire constituée par un adulte au profit d'un mineur sous tutelle. **4.** *Milit.* Somme versée aux militaires quittant le service avant d'avoir acquis leur droit à la retraite. XIIIe s. ; lat. *peculium* ; [pekyl].

**PÉCUNIAIRE, adj.**
**1.** Relatif à l'argent : *Embarras **pécuniaires**.* **2.** Payé en argent : *Aide **pécuniaire**.* 1308 (XIIIe s., un avoir en argent) ; lat. *pecuniarius* ; [pekynjɛʀ].

**PÉDAGOGIE, subst. f.**
**1.** Science de l'éducation des enfants et des jeunes ; par ext., science de la formation des adultes. **2.** Ext. Méthode d'enseignement : ***Pédagogie** active.* **3.** Qualité nécessaire à l'enseignant : *Manquer de **pédagogie**.* 1495 ; gr. *paidagôgia* ; [pedagɔʒi].

**PÉDAGOGIQUE, adj.**
**1.** Relatif à la pédagogie : *Techniques **pédagogiques**.* **2.** Propre à un bon pédagogue : *Sens **pédagogique**.* 1610 ; gr. *paidagôgikos* ; [pedagɔʒik].

**PÉDAGOGUE, subst.**
**Masc.** Vx. Enseignant, précepteur, éducateur. **Masc.** et **Fém.** **1.** Spécialiste de pédagogie. **2.** Personne qui a l'art d'enseigner, d'expliquer ; empl. adj. : *Être très **pédagogue**.* Fin XIVe s. ; lat. *paedogogus*, du gr. *paidagôgos*, « qui conduit les enfants » ; [pedagɔg].

**PÉDALE (I), subst. f.**
**1.** *Mus.* Touche de certains instruments actionnée par le pied : ***Pédales** de harpe, de piano ; Note de **pédale*** ou, par ell., *Une **pédale*** : note tenue et prolongée. ► Loc. *Mettre la **pédale** douce* : se montrer conciliant. **2.** Pièce d'un mécanisme, que l'on actionne avec le pied pour commander ou transmettre un mouvement : ***Pédale** de frein, d'accélérateur ; **Pédale** de bicyclette.* ► Loc. fam. *Perdre les **pédales*** : s'affoler, perdre la tête ; *S'emmêler les **pédales*** : s'empêtrer dans des explications. 1560 ; ital. *pedale*, du lat. *pedalis*, « relatif au pied » ; [pedal].

**PÉDALE (II), subst. f.**
Homosexuel (vulg. et péj.). 1929 ; altér. de *pédéraste* ; [pedal].

**PÉDALER, verbe intrans.** [3]
**1.** Actionner une ou des pédales, en partic. celles d'une bicyclette ; faire de la bicyclette. **2.** Fig. et Fam. Courir ; par ext., se dépêcher. **3.** Loc. ***Pédaler** dans la choucroute, la semoule, le yaourt* : faire de vains efforts (fam.). 1892 ; ☞ *pédale* (I) ; [pedale].

**PÉDALIER, subst. m.**
**1.** *Mus.* Ensemble des pédales d'un instrument à clavier. **2.** Mécanisme de bicyclette formé de l'axe entraîné par les manivelles, des pédales et du plateau. 1877 (1868, sorte de piano) ; ☞ *pédale* (I) ; [pedalje].

**PÉDALO, subst. m. inv.**
Embarcation légère à flotteurs actionnée par des pédales. 1936 ; ☞ *pédale* (I) ; n. déposé ; [pedalo].

**PÉDANT, ANTE, subst. et adj.**
**Subst. masc.** Vx. Maître d'école, précepteur (souv. péj.). **Subst.** Personne prétentieuse qui fait étalage de son savoir. **Adj.** Qui a le comportement d'un **pédant** : *Se montrer **pédant*** ; par méton. : *Ton, discours **pédant**.* 1560 ; ital. *pedante*, p.-ê. du gr. *paideuein*, « éduquer » ; [pedɑ̃, ɑ̃t].

**PÉDANTERIE, subst. f.**
Littér. **1.** Caractère, attitude d'un pédant. **2.** Méton. Propos, acte pédant. 1560 ; ☞ *pédant* ; [pedɑ̃tʀi].

**PÉDANTESQUE, adj.**
Propre au pédant (littér.). 1552 ; ital. *pedantesco*, de *pedante*, « pédant » ; [pedɑ̃tɛsk].

**PÉDANTISME, subst. m.**
**1.** Pédanterie (vieilli). **2.** Caractère de ce qui est pédant. Mil. XVIIe s. (1580, art d'enseigner) ; ☞ *pédant* ; [pedɑ̃tism].

**PÉDÉRASTE, subst. m.**
Homme s'adonnant à la pédérastie (abrév. fam. : pédé). 1584 ; gr. *paiderastês*, de *paidos*, « jeune garçon », et de *erastês*, « qui aime passionnément » ; [pedeʀast].

**PÉDÉRASTIE, subst. f.**
**1.** Attirance d'un homme pour les adolescents ; conduite sexuelle qui en résulte. **2.** Ext. Homosexualité masculine. 1580 ; gr. *paiderastia* ; [pedeʀasti].

**PÉDESTRE, adj.**
**1.** *B.-a.* Qui représente un personnage à pied (par oppos. à *équestre*) : *Statue **pédestre**.* **2.** Que l'on fait à pied : *Promenade **pédestre*** ; par méton. : *Voie **pédestre**.* 1721 ; lat. *pedester*, « qui est à pied » ; [pedɛstʀ].

**PÉDIATRE, subst.**
Médecin spécialisé en pédiatrie. 1882 ; gr. *pais*, « enfant », + *-iatre* ; [pedjatʀ].

**PÉDIATRIE, subst. f.**
Partie de la médecine qui traite des maladies infantiles. 1872 ; gr. *pais*, « enfant », + *-iatrie* ; [pedjatʀi].

**PÉDIATRIQUE, adj.**
De la pédiatrie. XXe s. ; ☞ *pédiatrie* ; [pedjatʀik].

**PEDIBUS, adv.**
À pied (fam.). V. 1900 ; mot lat. ; [pedibys].

**PÉDICELLAIRE, subst. m.**
*Zool.* Minuscule organe en forme de pince, parsemant la surface de l'astérie et de l'oursin, dont le rôle est d'assurer la propreté des vésicules respiratoires. 1809 ; ☞ *pédicelle* ; [pediselɛʀ].

**PÉDICELLE, subst. m.**
**1.** *Bot.* Ramification d'un pédoncule, qui se termine par une fleur. **2.** *Zool.* Pédicule. 1799 ; lat. sc. *pedicellus* ; [pedisɛl].

**PÉDICULAIRE, subst. f. et adj.**
**Subst.** *Bot.* Plante de la famille des Scrofulariacées, dont une variété, la **pédiculaire** des marais (ou herbe aux poux), passait pour donner des poux aux bestiaux. **Adj.** Relatif aux poux ; causé par eux. XVe s. ; lat. *pedicularius*, « des poux » ; [pedikylɛʀ].

**PÉDICULE, subst. m.**
**1.** *Archit.* Petit pilier portant un bénitier ou des fonts baptismaux. **2.** *Anat.* Faisceau nerveux et vasculaire rattachant un organe au reste de l'organisme : ***Pédicule** rénal.* **3.** *Zool.* Tout organe rétréci, en forme de tige ou de pédoncule, soutenant un autre organe : ***Pédicule** abdominal de l'abeille.* 1520 ; lat. *pediculus*, « petit pied » ; [pedikyl].

**PÉDICULOSE, subst. f.**
*Pathol.* Affection cutanée due aux piqûres de poux. 1909 ; lat. *pediculus*, « pou », + *-ose* ; [pedikyloz].

**PÉDICURE, subst.**
Auxiliaire médical spécialisé dans les soins de la peau et des ongles du pied. 1781 ; lat. *curare*, « soigner », + *pédi-* ; [pedikyʀ].

**PÉDIEUX, EUSE, adj.**
*Anat.* Relatif, propre au pied. Mil. XVIe s. ; lat. *pes*, « pied » ; [pedjø, øz].

**PEDIGREE, subst. m.**
Généalogie d'un animal de pure race ; document où elle est consignée. 1828 ; angl. *pedigree*, du m. fr. *pié de grue*, « marque faite de trois traits » ; [pedigʀe].

**PÉDILUVE, subst. m.**
**1.** *Méd.* Bain de pieds. **2.** Bassin que l'on traverse pour se rincer les pieds à l'entrée d'une piscine. 1748 ; lat. médiév. *pediluvium* ; [pedilyv].

**PÉDIMANE, subst. m.**
*Zool.* Mammifère dont les pieds, comme les mains, ont un pouce opposable. 1798 ; formé de *pédi-* et de *-mane*[1] ; [pediman].

**PÉDIMENT, subst. m.**
*Géol.* Surface faiblement inclinée qui s'est constituée par érosion d'une roche dure au pied d'un relief dans les zones arides. 1937 ; angl. *pediment*, « fronton » ; [pedimɑ̃].

**PÉDIPALPE, subst. m.**
*Zool.* Chez les Arthropodes, sorte de palpe, de forme pédonculaire. 1868 ; ☞ *palpe* + *pédi-* ; [pedipalp].

**PÉDODONTIE, subst. f.**
Chirurgie dentaire appliquée aux enfants. V. 1970 ; formé de *pédo-*[1] et de *-odontie* ; [pedɔdɔ̃si].

**PÉDOGENÈSE, subst. f.**
*Géol.* Ensemble des processus qui président à la formation et à l'évolution d'un sol. V. 1960 ; formé de *pédo-*[2] et de *-genèse* ; [pedoʒənɛz].

**PÉDOLOGIE (I), subst. f.**
*Géol.* Étude de la genèse et de l'évolution des sols. 1899 ; formé de *pédo-*[2] et de *-logie* ; [pedɔlɔʒi].

**PÉDOLOGIE (II), subst. f.**
Étude physique et psychologique de l'enfant. V. 1900 ; formé de *pédo-*[1] et de *-logie* ; [pedɔlɔʒi].

**PÉDOLOGUE, subst.**
Scientifique qui étudie les sols. 1955 ; ☞ *pédologie* (I) ; [pedɔlɔg].

**PÉDONCULE, subst. m.**
**1.** *Anat.* Structure allongée propre à l'encéphale : ***Pédoncules** cérébelleux et cérébraux.* **2.** *Bot.* Axe né à l'aisselle d'une bractée, portant la fleur puis le fruit. 1735 ; bas lat. *pedunculus* ; [pedɔ̃kyl].

**PÉDOPHILE, adj. et subst.**
Se dit d'une personne qui manifeste de la pédophilie. **Adj.** Propre à la pédophilie : *Réseau **pédophile**.* Fin XIXe s. ; formé de *pédo-*[1] et de *-phile* ; [pedɔfil].

**PÉDOPHILIE, subst. f.**
*Psych.* Attraction sexuelle pathologique d'un adulte pour les enfants ; conduite sexuelle déviante qui en résulte. V. 1970 ; ☞ *pédophile* ; [pedɔfili].

**PÉDOPSYCHIATRIE, subst. f.**
Psychiatrie de l'enfance. V. 1970 ; ☞ *psychiatr*[ie] + *pédo-*[1] ; [pedopsikjatʀi].

**PEELING, subst. m.**
Soin de beauté consistant à faire desquam[er] l'épiderme du visage pour en atténuer les défau[ts] (anglic.). 1935 ; angl. *peeling*, de *to peel*, « peler » ; [piliŋ].

**PÉGASE, subst. m.**
*Zool.* Petit poisson osseux, vivant dans les cora[ux] des océans Pacifique et Indien, caractérisé par so[n] long museau et ses nageoires pectorales en form[e] d'ailes. Fin XVIIIe s. ; lat. *Pegasus*, du gr. *Pêgaso[s]*, cheval ailé de la mythologie grecque ; [pegaz].

**PEGMATITE, subst. f.**
*Pétrogr.* Roche magmatique filonienne à cristau[x] d'une taille exceptionnelle, gén. associée aux gra[]nites et riche en minéraux comme la tourmalin[e,] la topaze, le béryl. 1811 ; gr. *pêgma*, « chos[e] coagulée » ; [pɛgmatit].

**PÈGRE, subst. f.**
Milieu des malfaiteurs. 1797 ; p.-ê. argot marse[il]lais *pego*, « voleur » ; [pɛgʀ].

**PEHLVI, voir PAHLAVI**

**PEIGNAGE, subst. m.**
*Text.* Opération consistant à peigner certaines fibre[s] avant la filature. 1765 ; ☞ *peigner* ; [pɛɲaʒ].

**PEIGNE, subst. m.**
**1.** Instrument à dents serrées servant à démêler, arranger les cheveux : *Se donner un dernier coup d[e] **peigne**.* ► Loc. *Passer au **peigne** fin* : fouiller dans le[s] moindres détails ; *Sale comme un **peigne*** : très sal[e]. **2.** Petit **peigne** incurvé servant à maintenir ou orner une chevelure. **3.** *Techn.* Outil muni de dents : ***Peigne** à myrtilles.* **4.** *Text.* ► Outil utilisé po[ur] peigner les fibres d'un tissu. ► Pièce d'un métier [à] tisser qui sert à serrer les fils de trame. **5.** *Zoo[l.]* Pecten. Fin XIIe s. ; lat. *pecten* ; [pɛɲ].

**PEIGNÉ, subst. m.**
Tissu de laine peignée. 1842 ; ☞ *peigner* ; [pɛɲe].

**PEIGNÉE, subst. f.**
Volée de coups (fam.). 1797 ; ☞ *peigner* ; [pɛɲe].

**PEIGNER, verbe trans.** [3]
**1.** Démêler, coiffer avec un peigne. **2.** Anal. Entrete[]nir avec soin (vx). **3.** *Text.* Démêler (les fibres d'u[n] tissu). Fin XIIe s. ; lat. *pectinare* ; [pɛɲe].

**PEIGNEUR, EUSE, subst.**
*Text.* Personne qui peigne les fibres textile[s]. **Fém.** Machine conçue pour cet usage. 1243 ; ☞ *peigner* ; [pɛɲœʀ, øz].

**PEIGNOIR, subst. m.**
**1.** Vêtement léger que l'on passe pour protéger se[s] vêtements chez le coiffeur. **2.** Vêtement ample, en éponge, utilisé à la sortie du bain ou porté pa[r] certains sportifs avant et après un match. **3.** Vête[]ment léger d'intérieur porté par les femmes. XVe (1416, nécessaire à coiffer) ; ☞ *peigner* ; [pɛɲwaʀ].

**PEILLE, subst. f.**
*Techn.* Chiffon utilisé pour faire du papier. 163[] (1174, guenille) ; p.-ê. lat. *pilleus*, « feutre » ; [pɛj].

**PEINARD, ARDE, adj.**
Fam. Qui aime la tranquillité ; à l'écart des souci[s]. 1881 (1549, vieillard) ; ☞ *peine* ; [pɛnaʀ, aʀd].

**PEINDRE, verbe trans.** [53]
**1.** *B.-a.* Représenter (qqch. ou qqn) par l'art de [la] peinture : ***Peindre** une nature morte* ; par méton. ***Peindre** un tableau* ; empl. abs., s'adonner à [la] peinture. **2.** Ext. Couvrir d'une ou de plusieu[rs] couches de peinture. **3.** Fig. Décrire. **Pronom.** S[e] manifester, s'inscrire : *L'anxiété se **peint** sur ses trait[s].* Fin XIe s. ; lat. *pingere* ; [pɛ̃dʀ].

**PEINE, subst. f.**
**I. 1.** Vx. Au plur. Souffrances physiques infligées [à] qqn. **2.** Souffrance consentie ; mal, fatigue que l'o[n] se donne dans l'accomplissement d'une tâche *Travaillez, prenez de la **peine*** (La Fontaine) ; *Récom[]penser qqn de sa **peine*** ; *Pour la **peine**,* en récompens[e,] en dédommagement (fam.). **3.** Difficulté : *March[er] avec **peine**.* **4.** Loc. *Ne pas être au bout de ses **peines*** avoir encore beaucoup à faire ou à subir ; *Avoir d[e] la **peine** à* : avoir du mal à ; *Prendre la **peine** de* vouloir bien (empl. dans des formules de politesse) *Ce n'est pas la **peine** de* : il est inutile, vain d[e] ► **À peine.** Péniblement (vx) ; tout juste, pas mêm[e]

tout au plus : *Il est à **peine** huit heures* ; très peu : *J'entends à **peine** ta voix* ; aussitôt que, dès que : *À **peine** arrivé, il fit un esclandre.* **II. 1.** Souffrance morale ; chagrin, tristesse : *Dire sa **peine** à qqn* ; *Être plongé dans la **peine*** ; *Des **peines** de cœur.* **2.** Loc. *Faire de la **peine** à qqn* : le faire souffrir moralement ; *Faire **peine** à voir* : faire pitié ; *Se mettre en **peine*** : s'affairer, se tourmenter ; *Être en **peine** de* : ressentir le manque de. **III. 1.** Châtiment infligé à qqn qui s'est rendu coupable d'un acte répréhensible : *Mériter une juste **peine**.* ▸ *Théol. Les **peines** éternelles* : les souffrances de l'enfer ; au fig. : *Comme une âme en **peine**,* dans le désarroi. **2.** *Dr.* Sanction pénale infligée à une personne coupable d'un acte délictueux : *Encourir une **peine*** ; *Juge d'application des **peines*** ; ***Peine** capitale* (☞ *capital*). ▸ *Sous **peine** de* : au risque d'être passible de. Fin Xe s. ; lat. *poena* ; [pɛn].

**PEINER,** verbe [3]
**INTRANS.** Travailler durement, se donner du mal ; par ext., se fatiguer : *Le voilier **peinait** contre le courant.* **TRANS.** Causer de la peine à, affliger : *Votre départ me **peine**.* Fin Xe s. ; ☞ *peine* ; [pene].

**PEINTRE,** subst. m.
**1.** Artiste qui pratique l'art de la peinture : ***Peintre** impressionniste* ; par anal. : *Racine, **peintre** des passions humaines.* **2.** Ouvrier, artisan chargé de couvrir de peinture des murs, des objets : ***Peintre** en bâtiment.* Mil. XIIe s. ; lat. pop. °*pinctor* ; [pɛ̃tʀ].

© Bridgeman-Giraudon

*Dans* Un artiste au travail, *de Paul Cézanne (1839-1906), le **peintre** se met lui-même en scène. Christie's, Londres.*

**PEINTURE,** subst. f.
**I.** Description vivante et imagée faite avec des mots : *Une **peinture** sociale.* **II.** *B.-a.* **1.** Art de représenter sur une surface, au moyen de formes et de couleurs, l'aspect des êtres et des choses, ou des choses abstraites : *Cours de **peinture**.* ▸ Loc. *Ne pas pouvoir voir qqn en **peinture*** : ne pas supporter sa présence (fam.). **2.** Ext. Ensemble de productions picturales : *La **peinture** italienne de la Renaissance* ; *La **peinture** de Goya.* **3.** Méton. Œuvre d'un peintre, tableau, fresque, etc. **III. 1.** Produit coloré à l'aide de pigment, utilisé pour peindre. **2.** Action de peindre une surface ; son résultat : *La **peinture** de la portière est rayée.* Déb. XIIe s. ; lat. pop. °*pinctura* ; [pɛ̃tyʀ].

**PEINTURLURER,** verbe trans. [3]
Barbouiller de couleurs criardes (fam.). 1743 ; *peinturer* (vx), « enduire de couleurs » ; [pɛ̃tyʀlyʀe].

**PÉJORATIF, IVE,** adj.
Qui comporte une connotation défavorable, dépréciative : *Terme **péjoratif*** ; *Suffixes **péjoratifs*** (par ex. : « -âtre », « -asse »). 1784 ; bas lat. *pejorare*, « rendre pire » ; [peʒɔʀatif, iv].

**PÉKAN,** subst. m.
Martre du Canada, à la fourrure très prisée ; la fourrure elle-même. 1703 ; mot algonquin ; [pekɑ̃].

**PÉKIN (I),** subst. m.
Étoffe de soie (vx). 1564 ; topon. *Pékin* ; [pekɛ̃].

**PÉKIN (II),** subst. m.
**1.** Péj. Civil (argot milit.). **2.** Homme quelconque. 1799 ; prob. prov. *pequin*, « chétif » ; var. *péquin* ; [pekɛ̃].

**PÉKINÉ, ÉE,** adj. et subst. m.
*Text.* Se dit d'un tissu à rayures contrastées, mates et brillantes ou de couleurs différentes. 1844 ; ☞ *pékin* (I) ; [pekine].

**PÉKINOIS, OISE,** adj. et subst.
De Pékin. **SUBST. MASC. 1.** Dialecte du nord de la Chine, devenu langue officielle du pays. **2.** *Zool.* Épagneul nain à face aplatie, originaire de Chine. 1874 ; topon. *Pékin* ; [pekinwa, waz].

**PELADE,** subst. f.
*Pathol.* **1.** Plaque devenue glabre sur le cuir chevelu. **2.** Maladie de la peau qui provoque la chute des poils et des cheveux. 1545 ; ☞ *peler* ; [pəlad].

**PELAGE (I),** subst. m.
Action d'ôter la peau d'un animal ou d'un végétal. 1291 ; ☞ *peler* ; [pəlaʒ].

**PELAGE (II),** subst. m.
Ensemble des poils d'un animal, considéré du point de vue de son aspect. 1469 ; ☞ *poil* ; [pəlaʒ].

**PÉLAGIANISME,** subst. m.
*Relig.* Hérésie du moine Pélage (condamnée au concile d'Éphèse, en 431), soutenant que l'homme peut assurer son salut sans intervention de la grâce divine. 1703 ; ☞ *pélagien* ; [pelaʒjanism].

**PÉLAGIEN, IENNE,** subst. et adj.
Se dit d'un adepte du pélagianisme. **ADJ.** Relatif, propre au pélagianisme. Déb. XVe s. ; anthropon. *Pélage*, moine du Ve s. ; [pelaʒjɛ̃, jɛn].

**PÉLAGIQUE,** adj.
Relatif à la haute mer : *Faune **pélagique**.* ▸ *Géol. Dépôts **pélagiques*** : des fonds marins profonds. Déb. XIXe s. ; lat. *pelagicus*, du gr. *pelagikos* ; [pelaʒik].

**PELAGOS,** subst. m.
Ensemble des organismes vivant en haute mer. V. 1960 ; gr. *pelagos*, « haute mer » ; [pelagɔs].

**PÉLAMIDE,** subst. f.
*Zool.* **1.** Bonite. **2.** Serpent venimeux de l'océan Indien, de la famille des Colubridés, aux mœurs pélagiques. 1552 ; lat. *pelamis*, du gr. *pêlamus*, « thon âgé de moins de un an » ; var. *pélamyde* ; [pelamid].

**PELARD,** adj. m. et subst. m.
*Techn.* Se dit d'un tronc que l'on a écorcé pour obtenir du tan. 1611 ; ☞ *peler* ; [pəlaʀ].

**PÉLARGONIUM,** subst. m.
*Bot.* Plante de la famille des Géraniacées, souv. appelée géranium par les horticulteurs. 1850 ; lat. sc. *pelargonium*, du gr. *pelargos*, « cigogne » ; [pelaʀgɔnjɔm].

**PÉLASGIEN, IENNE,** adj.
Des Pélasges (synon. *pélasgique*). 1831 ; gr. *Pelasgoi*, anciens habitants de la Grèce ; [pelaʒjɛ̃, jɛn].

**PELÉ, ÉE,** adj.
**1.** Quasi dépourvu de cheveux, de poils. ▸ Empl. subst. *Trois **pelés** et un tondu* : quelques personnes isolées (fam.). **2.** Dont la végétation est rare ou absente : *La montagne **Pelée**.* Fin XIIe s. ; p. p. de *peler* ; [pəle].

**PÉLÉCANIFORMES,** subst. m. plur.
*Zool.* Ordre d'oiseaux aquatiques, à quatre doigts palmés. **AU SING.** *La frégate, comme le cormoran, est un **pélécaniforme**.* V. 1960 ; lat. *pelecanus*, « pélican », + *-forme* ; [pelekanifɔʀm].

**PÉLÉEN, ÉENNE,** adj.
*Géol.* Qui est caractéristique de la montagne Pelée. ▸ *Éruption **péléenne*** : dont les laves très visqueuses se solidifient en aiguille ou en cône et dont les explosions violentes provoquent des nuées ardentes. 1906 ; topon. *montagne Pelée*, volcan de la Martinique ; var. *peléen, éenne* ; [peleɛ̃, eɛn].

© P. Bastin-Explorer

*La montagne Pelée, dans l'île de la Martinique, a donné son nom au type d'éruption volcanique dit **péléen**.*

**PÊLE-MÊLE,** adv. et subst. m. inv.
**ADV.** En vrac, en désordre : *Tous les jouets s'étalaient **pêle-mêle** sur la moquette.* **SUBST.** Cadre conçu pour recevoir plusieurs photographies. Fin XIIe s. ; p.-ê. *mesle mesle* (vx), de *mesler*, anc. forme de *mêler* ; [pɛlmɛl].

**PELER,** verbe [11]
**TRANS.** Enlever la peau de (un fruit, un légume), l'écorce de (un arbre), le poil de (une peau) : ***Peler** une banane.* **INTRANS. 1.** Perdre son épiderme par fines couches, gén. à la suite d'un coup de soleil. **2.** ***Peler** de froid*, ou, empl. abs., ***Peler*** : avoir très froid (fam.). Fin XIe s. ; bas lat. *pilare*, d'apr. l'anc. fr. *pel*, « peau » ; [pəle].

**PÈLERIN,** subst. m.
**1.** Personne qui accomplit un pèlerinage : *Les **pèlerins** de Lourdes* ; par ext., voyageur. **2.** Individu quelconque (fam.) : *Drôle de **pèlerin** !* **MASC.** *Zool.* ▸ Criquet migrant de l'Afrique du Nord à l'Inde, dont les nuées ravagent les cultures ; en appos. : *Criquet **pèlerin**.* ▸ Requin inoffensif atteignant 15 m de long ; en appos. : *Requin **pèlerin**.* ▸ Faucon très apprécié en fauconnerie ; en appos. : *Faucon **pèlerin**.* Fin XIe s. (déb. XIe s., étranger) ; bas lat. *pelegrinus*, du lat. *peregrinus*, « qui voyage à l'étranger » ; le fém., *pèlerine*, est rare ; [pɛlʀɛ̃].

© M. Deville-R. Gaillarde-Gamma

*Pèlerin de Saint-Jacques-de-Compostelle, portant la croix et la coquille.*

**PÈLERINAGE,** subst. m.
**1.** Voyage accompli avec piété pour se rendre dans un lieu saint. ▸ Méton. Ce lieu saint ; l'ensemble des pèlerins. **2.** Voyage que l'on fait en un lieu chargé de souvenirs, de significations. Déb. XIIe s. ; ☞ *pèlerin* ; [pɛlʀinaʒ].

**PÈLERINE,** subst. f.
*Cost.* Manteau ample, sans manches, à capuche ; cape. 1846 (1765, fichu) ; ☞ *pèlerin* ; [pɛlʀin].

**PÉLIADE,** subst. f.
*Zool.* Vipère d'Europe et d'Asie, au museau arrondi, résistante au froid, répandue de l'Angleterre à l'île de Sakhaline. 1868 ; gr. *pelios*, « sombre » ; [peljad].

**PÉLICAN,** subst. m.
*Zool.* Oiseau des grands lacs, de l'ordre des Pélécaniformes, qui a, sous le bec, une poche extensible où il stocke les poissons dont il nourrit ses petits. Déb. XIIe s. ; lat. *pelicanus*, du gr. *pelekan* ; [pelikɑ̃].

**PELISSE,** subst. f.
Manteau doublé de fourrure. Déb. XIIe s. ; bas lat. *pellicia*, du lat. *pellicius*, « fait de peaux » ; [pəlis].

**PELLAGRE,** subst. f.
*Pathol.* Maladie entraînant des lésions de la peau et des muqueuses, des troubles digestifs et nerveux, provoquée par une carence en vitamine PP, qui peut être due à des interactions entre cette vitamine et l'alcool ou certains médicaments, ou à une diminution des apports en viande. 1808 ; ital. *pellagra* ; [pelagʀ].

**PELLE,** subst. f.
**1.** Outil constitué d'une palette en métal ou en plastique ajustée à un long manche en bois, utilisé pour creuser la terre. ▸ Anal. ***Pelle** à ordures* : qui reçoit les balayures ; ***Pelle** à tarte, à poisson, etc.* : avec laquelle on sert les mets fragiles. **2.** Loc. fam. *À la **pelle*** : en grande quantité ; *Ramasser, se prendre une **pelle*** : tomber, échouer ; *Rouler une **pelle*** : embrasser à pleine bouche. **3.** *Sp.* Extrémité aplatie de l'aviron. **4.** *Trav. publ. **Pelle** mécanique* : engin de terrassement, dont le bras articulé est muni d'un godet (synon. *pelleteuse*). XIe s. ; lat. *pala* ; [pɛl].

**PELLE-PIOCHE,** subst. f.
Outil dont le fer se termine en houe d'un côté et en pioche de l'autre. 1932 ; comp. de *pelle* et de *pioche* ; plur. *pelles-pioches* ; [pɛlpjɔʃ].

**PELLET, subst. m.**
1. *Pharm.* Comprimé implanté sous la peau, à résorption lente. 2. *Métall.* Boulette de minerai de fer pulvérisé et humecté, destinée à enrichir le minerai traité en haut fourneau et à faciliter sa réduction. 1953 ; mot angl. ; [pɛlɛ].

**PELLETÉE, subst. f.**
1. Contenu d'une pelle : *Déplacer de la terre par* **pelletées**. 2. Fig. Quantité importante (fam.) : *Une* **pelletée** *de factures.* 1408 ; ☞ *pelle* ; [pɛlte].

**PELLETER, verbe trans.** [14]
Ramasser, remuer ou déplacer à l'aide d'une pelle : **Pelleter** *du sable.* 1776 ; ☞ *pelle* ; [pɛlte].

**PELLETERIE, subst. f.**
1. Travail du pelletier ; commerce des fourrures. 2. Peau ; fourrure. Fin XIIe s. ; ☞ *pelletier* ; [pɛltʀi].

**PELLETEUR, EUSE, subst.**
Personne qui travaille avec une pelle. FÉM. Pelle mécanique. 1836 ; ☞ *pelleter* ; [pɛltœʀ, øz].

**PELLETIER, IÈRE, subst.**
Personne qui travaille ou qui vend des fourrures. Fin XIe s. ; anc. fr. *pel*, « peau » ; [pɛltje, jɛʀ].

**PELLICULAGE, subst. m.**
1. *Phot.* Opération qui consiste à séparer de son support la couche sensible d'une pellicule. 2. *Techn.* Application d'un film transparent sur un support imprimé. 1903 ; ☞ *pellicule* ; [pelikylaʒ].

**PELLICULAIRE, adj.**
Qui forme une ou des pellicules : *Enveloppe, desquamation* **pelliculaire**. 1826 ; ☞ *pellicule* ; [pelikylɛʀ].

**PELLICULE, subst. f.**
1. Peau, enveloppe organique : **Pellicule** *du grain de raisin* ; **Pellicule** *d'une feuille.* 2. Mince couche formée à la surface d'un liquide, sur un solide ; fine épaisseur : **Pellicule** *de glace, de vernis.* 3. Squame du cuir chevelu (gén. au plur.). 4. *Cin.* et *Phot.* Feuille de matière souple, recouverte d'une émulsion sensible : *Rouleau de* **pellicule**. 1505 ; lat. *pellicula*, de *pellis*, « peau » ; [pelikyl].

**PELLICULER, verbe trans.** [3]
Procéder au pelliculage de ; empl. adj. : *Dépliant* **pelliculé**. 1903 ; ☞ *pellicule* ; [pelikyle].

**PELLUCIDE, adj.**
Translucide (rare). 1575 ; lat. *pellucidus* ; [pelysid].

**PÉLOBATE, subst. m.**
*Zool.* Petit crapaud fouisseur, dont les pieds sont munis d'une lame cornée, vivant en Europe, en Afrique du Nord et au Proche-Orient (synon. *crapaud à couteaux*). 1847 ; gr. *pêlobatês*, « qui va dans la vase » ; [pelɔbat].

**PÉLODYTE, subst. m.**
*Zool.* Amphibien anoure, comptant deux espèces de petits crapauds terrestres et fouisseurs, l'une au Caucase, l'autre en Europe. 1847 ; gr. *dutês*, « plongeur », + *pélo-* ; [pelɔdit].

**PELOTAGE, subst. m.**
1. Mise en pelote (rare) : **Pelotage** *d'un écheveau.* 2. Action de peloter qqn (fam.). 1832 (déb. XVIIIe s., activité futile) ; ☞ *peloter* ; [p(ə)lɔtaʒ].

**PELOTARI, subst. m.**
Joueur de pelote. 1893 ; mot basque ; [p(ə)lɔtaʀi].

**PELOTE, subst. f.**
1. Vx. Objet sphérique. 2. Boule formée par l'enroulement d'un fil sur lui-même : **Pelote** *de laine.* ▸ Loc. fam. *Avoir les nerfs en* **pelote** (☞ *nerf*) ; *Faire sa* **pelote** : amasser un petit pécule. 3. Coussinet sur lequel on pique des épingles, des aiguilles. 4. Balle avec laquelle on joue (vx) ; en partic. balle du jeu de paume, de la **pelote** basque. ▸ Méton. *Sp.* **Pelote** *(basque)* : jeu d'équipe traditionnel du Pays basque, consistant à lancer, à main nue ou avec une chistera, une balle, la **pelote**, contre un fronton. 5. *Zool.* **Pelote** *de régurgitation* : boule d'aliments indigestes régurgitée par les oiseaux de proie. Déb. XIIe s. ; lat. pop. °*pilotta*, du lat. *pila*, « balle » ; [p(ə)lɔt].

**PELOTER, verbe** [3]
INTRANS. Vx. Se renvoyer la balle, en partic. au jeu de paume. TRANS. Palper (le corps de qqn) avec une insistance intempestive et sensuelle (fam.). XIVe s. (1280, rouler en pelote) ; ☞ *pelote* ; [p(ə)lɔte].

**PELOTEUR, EUSE, subst.**
Fam. Personne qui aime à peloter ; empl. adj. : *Main baladeuse et* **peloteuse**. FÉM. Machine qui met les fils en pelote. 1841 (1803, celui qui joue à la balle) ; ☞ *peloter* ; [p(ə)lɔtœʀ, øz].

© Photo News-Gamma

*Peloton serré à l'arrivée d'une course cycliste.*

**PELOTON, subst. m.**
1. Petite pelote. 2. *Milit.* Petite unité de gendarmerie, de cavalerie, de blindés : **Peloton** *d'instruction*, groupe de militaires formés pour devenir gradés ; **Peloton** *d'exécution*, groupe de soldats chargés d'exécuter un condamné. 3. *Sp.* Groupe compact de concurrents participant à une course : *Le* **peloton** *de tête.* 1417 ; ☞ *pelote* ; [p(ə)lɔtɔ̃].

**PELOTONNEMENT, subst. m.**
Action de pelotonner, de se pelotonner. 1845 ; ☞ *pelotonner* ; [p(ə)lɔtɔnmɑ̃].

**PELOTONNER, verbe trans.** [3]
Mettre en pelote, en peloton : **Pelotonner** *du fil.* PRONOM. Se rouler en boule, bras et jambes repliés. 1616 ; ☞ *peloton* ; [p(ə)lɔtɔne].

**PELOUSE, subst. f.**
1. Terrain couvert de gazon ; par méton., herbe courte et épaisse. 2. *Spéc.* ▸ *Hippisme.* Enceinte gazonnée d'un champ de courses située à l'intérieur des pistes. ▸ Enceinte gazonnée d'un stade. Fin XVIe s. ; prob. prov. *pelouso*, de l'anc. fr. *peleus*, « velu » ; [p(ə)luz].

**PELTA, subst. f.**
*Antiq. gr.* Petit bouclier en forme de croissant. 1732 ; lat. *pelta*, du gr. *peltê* ; var. *pelte* ; [pɛlta].

**PELTASTE, subst. m.**
*Antiq. gr.* Fantassin armé d'une pelta. 1778 ; gr. *peltastês*, de *peltê*, « pelta » ; [pɛltast].

**PELTE, voir PELTA**

**PELTÉ, ÉE, adj.**
*Bot.* Qualifie une feuille orbiculaire dont le pétiole est fixé au centre du limbe, telle celle de la capucine. 1812 ; ☞ *pelta*, par anal. de forme ; [pɛlte].

**PELUCHE, subst. f.**
1. Étoffe au toucher doux, moins rase que le velours : *Ours en* **peluche**. 2. Méton. ▸ Animal en **peluche**. ▸ Poil détaché d'une étoffe. ▸ Petite boule de fibres qu'un tissu, un tricot usagé forme à sa surface (gén. au plur.). 1591 ; anc. fr. *peluchier*, « éplucher » ; [p(ə)lyʃ].

**PELUCHER, verbe intrans.** [3]
Se couvrir de peluches sous l'effet de l'usure, en parlant d'un tissu, d'un tricot. 1798 ; ☞ *peluche* ; var. *plucher* ; [p(ə)lyʃe].

*Joueur de pelote basque avec sa chistera.*

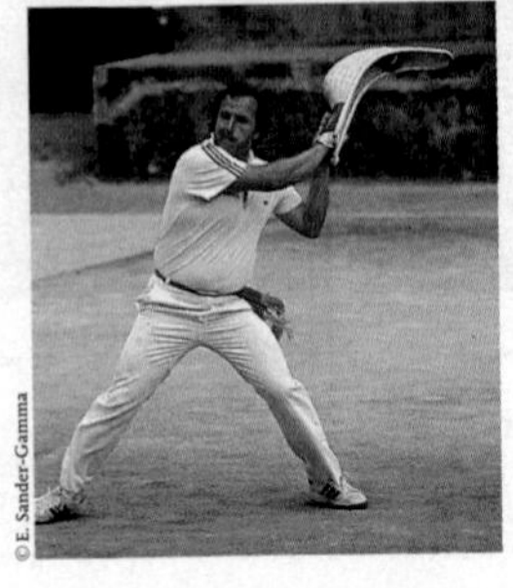
© E. Sander-Gamma

**PELUCHEUX, EUSE, adj.**
1. Qui peluche. 2. Anal. Couvert de poils soyeux : *Feuille, plante* **pelucheuse**. 1822 ; ☞ *peluche* ; var. *plucheux, euse* ; [p(ə)lyʃø, øz].

**PELURE, subst. f.**
1. Épluchure de certains fruits ou légumes : **Pelure** *de pomme de terre.* 2. **Pelure** *d'oignon* : fine pellicule séparant les couches du bulbe. 3. Vêtement, en partic. manteau (fam.). 4. *Papier* **pelure** : très fin et légèrement translucide. Mil. XIIIe s. (mil. XIIe s., lambeau ; part d'un butin) ; ☞ *peler* ; [p(ə)lyʀ].

**PELVIEN, IENNE, adj.**
1. *Anat.* Qui concerne le pelvis : *Ceinture* **pelvienne**, bassin osseux formé des deux os iliaques et du sacrum. 2. *Zool. Nageoires* **pelviennes** ou, empl. subst. fém., **Pelviennes** : nageoires paires abdominales des poissons. 1805 ; ☞ *pelvis* ; [pɛlvjɛ̃, jɛn].

**PELVIGRAPHIE, subst. f.**
*Méd.* Radiographie du bassin. 1959 ; ☞ *pelvis* + *-graphie* ; [pɛlvigʀafi].

**PELVIS, subst. m.**
*Anat.* Bassin. 1666 ; lat. *pelvis*, « bassin de métal, chaudron » ; [pɛlvis].

**PEMBINA, voir PIMBINA**

**PEMMICAN, subst. m.**
Viande (en partic. de bison) séchée, broyée et pressée. 1832 ; angl. *pemmican*, de l'algonquin *pimikkân*, de *pimû*, « graisse » ; [pemikɑ̃].

**PEMPHIGUS, subst. m.**
*Pathol.* Dermatose bulleuse, d'origine infectieuse ou immunitaire, siégeant sur la peau et les muqueuses, et pouvant atteindre les yeux. 1810 ; lat. *pemphigus*, du gr. *pemphix*, « pustule » ; [pɛ̃figys].

**PÉNAL, ALE, AUX, adj.**
*Dr.* Relatif aux infractions et aux peines qui les sanctionnent (par oppos. à *civil*) : *Droit* **pénal** (☞ *droit*) ; *Code* **pénal**, ensemble des textes définissant les infractions et les sanctions qui leur sont applicables ; *Clause* **pénale**, qui fixe le montant des dommages et intérêts à payer en cas de rupture d'un contrat. ▸ Empl. subst. masc. *Le* **pénal** : la voie **pénale**, la juridiction **pénale**. Déb. XIIIe s. ; lat. *poenalis*, de *poena*, « peine » ; [penal, o].

**PÉNALEMENT, adv.**
*Dr.* En droit pénal ; d'un point de vue pénal. 1570 ; ☞ *pénal* ; [penalmɑ̃].

**PÉNALISATION, subst. f.**
1. *Sp.* Désavantage infligé à un concurrent qui a contrevenu au règlement. 2. Ext. Désavantage subi par un individu, un groupe social. 1910 ; angl. *penalization*, de *to penalize*, « pénaliser » ; [penalizasjɔ̃].

**PÉNALISER, verbe trans.** [3]
1. *Sp.* Infliger une pénalisation à. 2. Ext. Sanctionner (en partic. pénalement) : **Pénaliser** *un conducteur ivre au volant.* 3. Désavantager, défavoriser : *Mesures fiscales* **pénalisant** *les artisans.* 1902 ; angl. *to penalize* ; [penalize].

**PÉNALISTE, subst.**
Spécialiste du droit pénal. V. 1970 ; ☞ *pénal* ; [penalist].

**PÉNALITÉ, subst. f.**
1. *Dr.* Peine ; en partic., sanction pécuniaire frappant un délit fiscal. 2. *Sp.* Pénalisation. 1803 (1319, peine, malheur) ; ☞ *pénal* ; [penalite].

**PENALTY, subst. m.**
*Sp.* Au football, sanction prise contre une équipe qui a commis une faute grave dans sa surface de réparation, et qui consiste à accorder à l'équipe adverse un tir au but défendu par le seul gardien ; par méton., ce tir. 1898 ; mot angl. ; plur. *penalty* ou *penalties*, recomm. off. *tir de réparation* ; [penalti].

**PÉNATES, subst. m. plur.**
1. *Antiq.* Divinités protectrices du foyer, chez les Étrusques et les Romains ; effigies de ces divinités. 2. Ext. Foyer (fam.). 1491 ; lat. *penates* ; [penat].

**PENAUD, AUDE, adj.**
Honteux, confus d'avoir commis une maladresse ou d'avoir subi une déconvenue ; par méton. : *Un air* **penaud**. 1544 ; ☞ *peine* ; [pəno, od].

**PENCE, voir PENNY**

**PENCHANT, subst. m.**
1. Vx. Pente. 2. Tendance naturelle, propension : **Penchant** *pour la boisson.* 3. Ext. Attirance, sentiment de sympathie : *Il nourrit pour elle un secret* **penchant**. 1538 ; p. pr. de *pencher* ; [pɑ̃ʃɑ̃].

**PENCHER,** verbe [3]
NTRANS. **1.** Être incliné sur le côté ou vers le bas, n gén. de façon anormale : *Tour qui **penche**.* ▸ Loc. *a balance **penche** en sa faveur* : tout laisse à croire u'il va l'emporter. **2.** Fig. **Pencher pour, vers.** Être nclin à préférer, être porté à choisir : *Je **penche** lutôt pour la première hypothèse.* **TRANS.** Incliner : *'encher le buste en avant.* **PRONOM. 1.** S'incliner ; se aisser : *Se **pencher** à la fenêtre.* **2.** Fig. *Se **pencher** ur* : examiner avec attention. 1265 ; lat. pop. *pendicare*, du lat. *pendere*, « pendre » ; [pɑ̃ʃe].

**PENDABLE,** adj.
'x. Passible de pendaison. ▸ Loc. *Jouer un tour **endable** à qqn* : lui jouer un mauvais tour. 1283 ; ☞ *pendre* ; [pɑ̃dabl].

**PENDAGE,** subst. m.
*iéol.* Angle formé par le plan horizontal et la surface 'une structure géologique (strate, filon, etc.). 1776 (1548, pendaison) ; ☞ *pendre* ; [pɑ̃daʒ].

**PENDAISON,** subst. f.
. Action de pendre qqn, de se pendre : ***Pendaison** 'un criminel* ; *Suicide par **pendaison**.* **2.** Action de endre qqch. : ***Pendaison** de crémaillère* (☞ *crémail-ère*). 1644 ; ☞ *pendre* ; [pɑ̃dɛzɔ̃].

**PENDANT (I), ANTE,** subst. m. et adj.
UBST. **1.** Vx. Cordon servant à attacher un manteau. *Arm.* Système d'attache de l'épée, sur un ceintu-on, un baudrier. **2.** ***Pendants** d'oreilles* : boucles 'oreilles à pendeloque. **3.** Chacun des deux élé-ients décoratifs ou artistiques (bibelots, chenets, ieubles, tableaux, etc.) formant une paire que l'on lace en symétrie : ***Pendants** de cheminée.* ▸ Anal. ersonne ou chose comparable, similaire à une utre. ▸ Loc. *Faire **pendant** à* : correspondre à, former contrepartie de. **ADJ. 1.** Qui pend : *Chien aux reilles **pendantes**.* ▸ *Archit. Clef **pendante*** : ornement e croisée d'ogives constitué d'un voussoir orienté ers le bas. **2.** *Dr.* Non encore jugé, en instance : *ffaire **pendante**, procès **pendant**.* Fin XI<sup></sup>e s. ; p. pr. e *pendre* ; [pɑ̃dɑ̃, ɑ̃t].

**PENDANT (II),** prép.
. Durant : *Je t'ai cherché **pendant** une heure* ; *Tra-ailler **pendant** les vacances.* **2.** Loc. conj. **Pendant ue.** Dans le même temps que : *Il arriva **pendant** u'ils dînaient.* ▸ Avec une nuance d'opposition : ***'endant** que je me démène, eux, ils bavardent.* ▸ Du ioment que, puisque (fam. ou iron.) : *Tiens, passe-ioi le sel **pendant** que tu y es.* Fin XIII<sup></sup>e s. ; ☞ *pendant*, en instance », calque du lat. jur. *pendens* ; [pɑ̃dɑ̃].

**PENDARD, ARDE,** subst.
célérat, gredin (vx). Fin XV<sup></sup>e s. (fin XIV<sup></sup>e s., bourreau) ; ☞ *pendre* ; [pɑ̃daʀ, aʀd].

**PENDELOQUE,** subst. f.
. Pendentif ; bijou suspendu à une boucle d'oreille gén. au plur.). **2.** Chacune des pièces de verre ou e cristal taillé accrochées à un lustre. 1632 XIII<sup></sup>e s., membre viril) ; altér. de *pendeloche*, de l'anc. fr. *endeler*, « pendiller » ; [pɑ̃d(ə)lɔk].

**PENDENTIF,** subst. m.
. *Archit.* Chacun des triangles sphériques concaves ui permettent d'ériger une coupole sur un édifice e plan carré : *Coupole à, (ou sur) **pendentifs**,* aractéristique de l'architecture byzantine. **2.** Bijou uspendu au cou par une chaînette, un collier, etc. 1529 ; lat. *pendens*, de *pendere*, « pendre » ; [pɑ̃dɑ̃tif].

**PENDERIE,** subst. f.
'ièce, meuble aménagé pour y suspendre des vête-ients. 1893 (1525, pendaison) ; ☞ *pendre* ; [pɑ̃dʀi].

**PENDILLER,** verbe intrans. [3]
tre suspendu, et soumis à un léger balancement. Déb. XIII<sup></sup>e s. ; ☞ *pendre* ; [pɑ̃dije].

**PENDILLON,** subst. m.
*lorlog.* Tige qui communique au pendule d'une orloge son mouvement (synon. *fourchette*). 1676 (1578, ce qui pendille) ; ☞ *pendiller* ; [pɑ̃dijɔ̃].

**PENDOIR,** subst. m.
*Bouch.* Corde ou crochet servant à suspendre les iandes. 1419 (1272, lieu où l'on pend les draps) ; ☞ *pendre* ; [pɑ̃dwaʀ].

**PENDOUILLER,** verbe intrans. [3]
'endre mollement (fam.) : *Jupe qui **pendouille**.* Fin XIII<sup></sup>e s. ; ☞ *pendre* ; [pɑ̃duje].

**PENDRE,** verbe [51]
NTRANS. **1.** Être suspendu : *Pardessus qui **pend** à une atère* ; *Laisser **pendre** ses bras*, les laisser retomber ouplement. ▸ Loc. *Ça lui **pend** au nez* : ça risque ort de lui arriver (fam.). **2.** Descendre trop bas : *Vêtement qui **pend** par-derrière.* **TRANS. 1.** Accrocher par un bout : ***Pendre** un jambon au plafond.* **2.** Exécuter (qqn) par pendaison. ▸ Loc. *Dire pis que **pendre** de qqn* : en dire le plus grand mal. **PRONOM. 1.** Se suicider par pendaison. **2.** Se suspen-dre, s'accrocher : *Se **pendre** au cou de qqn.* Fin X<sup></sup>e s. ; lat. pop. °*pendere* ; [pɑ̃dʀ].

**PENDU, UE,** adj. et subst.
**ADJ.** Suspendu, accroché : *Un jambon **pendu** dans l'âtre* ; au fig. : *Il reste des heures **pendu** au téléphone.* ▸ Loc. *Être **pendu** aux lèvres de qqn* : l'écouter avec avidité ; *Avoir la langue bien **pendue*** : la parole facile et la repartie prompte. **SUBST.** Personne morte par pendaison. **SUBST. MASC.** Jeu consistant à deviner un mot lettre par lettre, chaque erreur étant pénalisée par le tracé d'un élément d'une potence. Déb. XIII<sup></sup>e s. ; p. p. de *pendre* ; [pɑ̃dy].

**PENDULAIRE,** adj.
**1.** *Phys.* Relatif au pendule : *Mouvement **pendulaire**,* oscillatoire et sinusoïdal. ▸ *Ch. de fer. Train, rame **pendulaire*** : dont les voitures sont dotées d'un système qui les fait s'incliner dans les courbes, pour compenser l'insuffisance de dévers. **2.** Qui rappelle le mouvement du pendule. ▸ *Sociol. Migration **pendulaire*** : déplacement quotidien entre le domicile et le lieu de travail. 1867 ; ☞ *pendule* ; [pɑ̃dylɛʀ].

**PENDULE,** subst.
**MASC. 1.** *Phys.* ***Pendule** de gravité* ou, empl. abs., ***Pendule*** : corps solide oscillant autour d'un axe fixe, sous l'action de son seul poids ; ***Pendule** de torsion* : tige horizontale pendue à un fil, effectuant des oscillations sous l'action du couple de rappel dû à la torsion du fil de suspension. **2.** Instrument de détection, de mesure ou de régulation utilisant le principe du **pendule** de gravité : ***Pendule** de sourcier, de radiesthésiste* ; ***Pendule** d'horloge*, balancier. **3.** *Alp.* Mouvement pendulaire imprimé à la corde de rappel pour franchir un passage difficile. **FÉM.** Petite horloge à balancier, dotée d'un mécanisme de sonnerie, que l'on pose sur un support ou qui se fixe au mur : ***Pendule** à poids, à ressort* ; par anal. : ***Pendule** à quartz, électronique.* ▸ Loc. *Remettre les **pendules** à l'heure* : mettre les choses au point (fam.). 1646 ; lat. *funependulies*, de *funis*, « corde », et de *pendulus*, « qui pend » ; [pɑ̃dyl].

**PENDULETTE,** subst. f.
Petite pendule portative. 1893 ; ☞ *pendule* ; [pɑ̃dylɛt].

**PÊNE,** subst. m.
Pièce mobile d'une serrure ou d'un verrou, qui s'engage dans la gâche pour maintenir fermée une porte : ***Pêne** dormant*, qui ne peut être actionné que par une clé. 1288 ; altér. de l'anc. fr. *pesle*, du lat. *pessulus*, prob. du gr. *passalos*, « clou, cheville » ; [pɛn].

**PÉNÉPLAINE,** subst. f.
*Géogr.* Étendue presque plane résultant de l'érosion des reliefs par les eaux courantes. 1903 ; angl. *peneplain*, du lat. *paene*, « presque », et de l'anc. fr. *plain*, « plaine » ; [penеplɛn].

**PÉNÉTRABLE,** adj.
**1.** Qui se laisse pénétrer. **2.** Fig. Qui peut être compris. Fin XIV<sup></sup>e s. ; lat. *penetrabilis* ; [penetʀabl].

**PÉNÉTRANT, ANTE,** adj. et subst. f.
**ADJ. 1.** Qui pénètre : *Lame acérée et **pénétrante*** ; par ext., qui s'insinue, qui se fait sentir avec acuité : *Humidité, froid **pénétrant**.* **2.** Anal. Qui procure une impression, une sensation forte : *Parfum **pénétrant**.* **3.** Fig. Qui saisit rapidement et avec perspicacité le sens des choses : *Un esprit **pénétrant**.* **SUBST.** Grande voie de circulation allant de la périphérie vers le centre d'une agglomération importante (par oppos. à *radiale*). 1314 ; p. pr. de *pénétrer* ; [penetʀɑ̃, ɑ̃t].

**PÉNÉTRATION,** subst. f.
**1.** Action de pénétrer ; son résultat. ▸ *Comm. Politique de **pénétration*** : visant à conquérir un marché pour un produit donné. **2.** Fig. Aptitude de l'esprit à comprendre les choses subtiles ou diffi-ciles. 1374 ; lat. *penetratio* ; [penetʀasjɔ̃].

**PÉNÉTRÉ, ÉE,** adj.
**1.** Pénétré de. Rempli, imprégné de ; convaincu de : *Être **pénétré** d'un idéal* ; imbu de (péj.) : *Être tout **pénétré** de soi.* **2.** *Ton, air **pénétré*** : qui affecte la gravité. 1674 ; p. p. de *pénétrer* ; [penetʀe].

**PÉNÉTRER,** verbe [8]
**INTRANS. 1.** Entrer plus ou moins profondément (dans qqch.). **2.** Se répandre ; s'infiltrer : *Soleil qui **pénètre** par les volets.* **3.** S'introduire (dans un en-droit) : ***Pénétrer** dans une grotte.* **TRANS. 1.** S'enfoncer dans ; traverser : *La balle lui a **pénétré** l'épaule* ; *L'eau ne **pénètre** pas ce vêtement.* ▸ Posséder sexuellement. **2.** Envahir, submerger : *Un froid qui vous **pénètre** jusqu'aux os.* **3.** Fig. Comprendre la nature, le sens caché de (qqch.) : ***Pénétrer** un caractère.* **PRONOM. Se pénétrer de.** Se convaincre de ; faire sien : ***Pénétrez**-vous de ce bon conseil.* 1314 ; lat. *penetrare* ; [penetʀe].

**PÉNÉTROMÈTRE,** subst. m.
*Techn.* Appareil servant à mesurer, par l'essai de péné-tration, la dureté d'un corps, en partic. du bitume. 1932 ; ☞ *pénétrer* + *-mètre*[1] ; [penetʀɔmɛtʀ].

**PÉNIBILITÉ,** subst. f.
Caractère pénible d'un travail, d'une activité. 1952 ; ☞ *pénible* ; [penibilite].

**PÉNIBLE,** adj.
**1.** Qui se fait au prix d'un dur labeur ou de beau-coup d'efforts : *Un métier **pénible**.* **2.** Qui afflige, qui est cause de souffrance morale : *Une épreuve **pénible**.* **3.** Ext. Qui cause du désagrément : *Bruit **pénible*** ; *Ce que tu peux être **pénible** !*, insupportable, difficile à vivre (fam.). Déb. XII<sup></sup>e s. ; ☞ *peine* ; [penibl].

**PÉNIBLEMENT,** adv.
**1.** Avec peine. **2.** Tout juste, à peine : *Atteindre **péniblement** la moyenne.* 1520 ; ☞ *pénible* ; [peniblәmɑ̃].

**PÉNICHE,** subst. f.
**1.** Vx. Embarcation légère pontée, à voile et à rame. **2.** Longue embarcation fluviale, à fond plat, servant à acheminer des marchandises : *Train de **péniches**.* 1803 ; angl. *pinnace*, du m. fr. *pinace* ; [peniʃ].

**PÉNICILLÉ, ÉE,** adj.
*Anat.* et *Bot.* Qui a la forme d'un pinceau. 1798 ; lat. *penicillum*, « pinceau » ; [penisil(l)e].

**PÉNICILLINE,** subst. f.
*Bactériol.* Antibiotique produit par la moisissure *Penicillium notatum* et dont le mode d'action correspond au blocage de la synthèse de l'un des constituants très importants de la paroi bacté-rienne, présent à la fois chez les bactéries Gram+ et Gram–. 1943 ; angl. *penicillin* ; [penisilin].

**PÉNICILLIUM,** subst. m.
*Bot.* Champignon de la classe des Ascomycètes, se développant comme une moisissure, et dont cer-taines espèces sont utilisées dans la fabrication de fromages et de la pénicilline. 1817 ; lat. *penicillium*, de *penicillum*, « pinceau » ; [penisiljɔm].

**PÉNIEN, IENNE,** adj.
*Anat.* Du pénis : *Artère **pénienne**.* ▸ *Anthropol. Étui **pénien*** : fourreau parant ou protégeant le pénis, chez certains peuples. 1814 ; ☞ *pénis* ; [penjɛ̃, jɛn].

**PÉNIL,** subst. m.
*Anat.* Éminence arrondie, située à l'avant du pubis chez la femme, qui se couvre de poils à la puberté (synon. *mont de Vénus*). Déb. XIII<sup></sup>e s. ; lat. pop. °*pectiniculum*, du lat. *pecten*, « peigne » ; [penil].

**PÉNINSULAIRE,** adj.
Relatif à une péninsule ou à ses habitants : *Peuple **péninsulaire*** ; empl. subst., habitant d'une pénin-sule. 1556 ; ☞ *péninsule* ; [penɛ̃sylɛʀ].

**PÉNINSULE,** subst. f.
Presqu'île d'une vaste superficie : *La **péninsule** ibérique* ou, empl. abs., *La **Péninsule**,* l'Espagne et le Portugal. 1519 ; lat. *paeninsula*, de *paene*, « presque », et de *insula*, « île » ; [penɛ̃syl].

**PÉNIS,** subst. m.
*Anat.* Organe de la copulation et de la miction, chez l'homme et chez la plupart des animaux mâles à fécondation interne (synon. *verge*). 1618 ; lat. *penis* ; [penis].

**PÉNITENCE,** subst. f.
**1.** *Relig.* Regret profond de ses péchés, accompagné de la ferme résolution de ne plus y retomber : *Faire **pénitence**,* se repentir. ▸ Ext. Mortification expiatoire que l'on s'impose. ▸ *Cath.* Un des sept sacrements, dit aujourd'hui « de réconciliation », par lequel le pénitent confesse ses péchés et reçoit l'absolution du prêtre (synon. *confession*) ; peine expiatoire prescrite au pénitent par son confesseur. **2.** Anal. Punition, sanction. Mil. XI<sup></sup>e s. ; lat. *paenitentia*, de *paenitere*, « se repentir » ; [penitɑ̃s].

**PÉNITENCERIE,** subst. f.
*Cath.* **1.** *La (Sacrée) **Pénitencerie*** : tribunal de Rome jugeant des péchés les plus graves (dits « cas réservés »), dont l'absolution relève exclusivement du pape. **2.** Dignité, charge de pénitencier. 1578 ; ☞ *pénitence* ; [penitɑ̃sʀi].

**PÉNITENCIER (I), subst. m.**
**1.** *Cath.* Prêtre spécialement investi par l'évêque du pouvoir d'absoudre certains pécheurs ayant commis des fautes très graves. **2.** *Grand **pénitencier*** : cardinal nommé par le pape pour présider la Sacrée Pénitencerie. XIIIe s. ; ☞ *pénitence*, d'apr. le lat. médiév. *paenitentiarius* ; [penitɑ̃sje].

**PÉNITENCIER (II), subst. m.**
Établissement carcéral où était subie la peine des travaux forcés (synon. *bagne*). 1842 (1528, où l'on fait pénitence) ; ☞ *pénitence* ; [penitɑ̃sje].

**PÉNITENT, ENTE, subst.**
**Masc.** *Relig.* Membre d'une confrérie de laïcs pratiquant la pénitence et les œuvres de bienfaisance : *Une procession de **pénitents** en cagoule.* **Masc.** et **Fém.** *Cath.* Personne qui reçoit d'un prêtre le sacrement de la pénitence ; empl. adj. : *Pécheur **pénitent**,* qui fait pénitence (vieilli). 1598 (déb. XIIIe s., châtiment) ; lat. *paenitens*, « qui se repent » ; [penitɑ̃, ɑ̃t].

© Giraudon

La Procession des **pénitents** blancs au Puy-en-Velay, le soir du vendredi saint, *peinture d'Aimé Olivier. Musée Crozatier, Le Puy-en-Velay.*

**PÉNITENTIAIRE, adj.**
Relatif aux prisons, aux détenus : *Système, administration, personnel **pénitentiaire**.* 1828 (1806, établissement de détention) ; ☞ *pénitence* ; [penitɑ̃sjɛʀ].

**PÉNITENTIAL, ALE, AUX, adj.**
**1.** Vx. Qui constitue une pénitence. **2.** *Relig. Psaumes **pénitentiaux*** : recueil de sept psaumes ayant pour thème la pénitence. Fin XIVe s. ; lat. médiév. *paenitentialis* ; [penitɑ̃sjal, o].

**PÉNITENTIEL, ELLE, adj. et subst. m.**
*Relig.* **Adj.** Relatif à la pénitence : *Cérémonie **pénitentielle**.* **Subst.** *Cath.* Livre anciennement à l'usage des confesseurs (jusqu'au XVIIIe s.), registre où étaient consignées les pénitences à appliquer selon la gravité du péché. 1594 ; lat. médiév. *paenitentialis* ; [penitɑ̃sjɛl].

**PENNAGE, subst. m.**
*Fauconn.* Plumage des oiseaux de proie, qui se renouvelle régulièrement, par des mues. Déb. XVIe s. ; ☞ *penne* ; [pɛn(n)aʒ] ou [penaʒ].

**PENNE, subst. f.**
**1.** *Zool.* Grande plume de la rémige (aile) ou de la rectrice (queue) des oiseaux. **2.** Barbe, empennage d'une flèche. **3.** *Mar.* Extrémité supérieure d'une antenne. Déb. XIIe s. (mil. XIe s., plume servant à écrire) ; lat. *penna* ; [pɛn].

**PENNÉ, ÉE, adj.**
*Bot. Feuille **pennée*** : dont les nervures et le pétiole sont disposés comme les barbes et la tige d'une plume. 1805 (fin XIIe s., emplumé) ; lat. *pennatus* ; [pɛn(n)e] ou [pene].

**PENNIFORME, adj.**
*Bot.* Qui a la forme d'une plume. 1770 ; ☞ *penne* + *-forme* ; [pɛn(n)ifɔʀm] ou [peni-].

**PENNON, subst. m.**
**1.** Vx. Penne d'une flèche. **2.** *M. Â.* Flamme portée par un chevalier se mettant avec tous ses hommes d'armes au service d'un seigneur banneret. **3.** *Hérald. **Pennon** (généalogique)* : blason dont les divisions figurent les alliances et la généalogie de la famille qui le porte. **4.** *Mar.* Ruban ou fil garni de plumes qui indique la direction du vent. Mil. XIIe s. ; ☞ *penne* ; var., aux sens 3 et 4, *penon* ; [pɛn(n)ɔ̃] ou [penɔ̃].

**PENNY, subst. m.**
**1.** Monnaie britannique qui valait la douzième partie du shilling jusqu'à l'adoption du système décimal en 1971 et qui vaut, depuis, la centième partie de la livre britannique. **2.** Pièce de monnaie de cette valeur. Mil. XVe s. ; mot angl. ; plur. *pence* (sens 1), *pennies* (sens 2) ; [pɛni], plur. [pɛns], [pɛni(z)].

**PÉNOMBRE, subst. f.**
**1.** Lumière faible, tamisée ; clair-obscur : *Pénombre d'une pièce aux volets clos* ; au fig. : *Demeurer dans la **pénombre**,* dans une situation obscure. **2.** *Phys.* Zone d'ombre partielle produite par un corps opaque interceptant une partie des rayons d'une source lumineuse non ponctuelle. 1651 ; lat. sc. *penumbra*, du lat. *paene*, « presque », et *umbra*, « ombre » ; [penɔ̃bʀ].

**PENON, voir PENNON**

**PENSABLE, adj.**
Concevable, imaginable (surtout à la forme négative). 1604 (XIIIe s., pensif) ; ☞ *penser* ; [pɑ̃sabl].

**PENSANT, ANTE, adj.**
Qui pense, qui a la faculté de penser : *L'homme est un roseau **pensant*** (Pascal). Mil. XVIIe s. (déb. XIIIe s., pensif) ; p. pr. de *penser* ; [pɑ̃sɑ̃, ɑ̃t].

**PENSE-BÊTE, subst. m.**
Signe, note, objet quelconque que l'on garde à sa portée pour se rappeler ce que l'on a à faire dans la vie quotidienne. 1900 ; comp. de *penser* et de *bête* ; plur. *pense-bêtes* ; [pɑ̃sbɛt].

**PENSÉE (I), subst. f.**
**1.** Fait de se représenter mentalement qqch. ; image consciente qui en résulte, idée : *La **pensée** lui vint de démissionner* ; *Chasser une mauvaise **pensée**.* ▸ Loc. *En **pensée**, par la **pensée*** : en esprit, par l'imagination. **2.** Faculté de penser en tant qu'opération intellectuelle : *L'excès de doutes tue la **pensée*** (H. Poincaré). ▸ Manière de penser : ***Pensée** claire, vive.* **3.** Conception particulière des choses ; opinion personnelle : *Expliquer sa **pensée**.* ▸ Corps structuré d'idées : *La **pensée** de Kant* ; *La **pensée** humaniste.* ▸ *Litt.* Recueil de réflexions, d'aphorismes : *Les « **Pensées** » de Marc Aurèle.* Mil. XIIe s. ; p. p. de *penser* ; [pɑ̃se].

**PENSÉE (II), subst. f.**
*Bot.* Plante ornementale de la famille des Violacées, aux fleurs veloutées. Mil. XVe s. ; ☞ *pensée* (I), cette fleur passant pour être l'emblème du souvenir ; [pɑ̃se].

**PENSER, verbe [3]**
**Intrans.** **1.** Concevoir, élaborer et combiner des idées, des jugements : *L'homme est né pour **penser*** (Pascal). **2.** Réfléchir, concentrer son esprit sur qqch. : *Être trop fatigué pour **penser*** ; *Faire qqch. sans y **penser**,* machinalement. **3.** Avoir une certaine opinion : *Je **pense** différemment.* **Trans. indir.** Penser à. **1.** Porter sa pensée, sa réflexion sur : ***Penser** à la mort* ; *Sans **penser** à mal,* sans mauvaises intentions. ▸ **Faire penser à** (qqn, qqch.). Évoquer, rappeler : *Il me fait **penser** à mon père.* **2.** Prendre en considération, se préoccuper de : ***Penser** à l'avenir* ; *Il ne **pense** qu'à s'amuser.* **3.** Garder à l'esprit, ne pas oublier de : ***Penser** à poster son courrier.* **Trans. dir.** **1.** Concevoir : ***Penser** l'Europe en tant qu'entité économique* ; empl. adj. : *Un projet bien **pensé**.* **2.** Avoir pour opinion, pour avis : *Que **penses**-tu de cela ?* ; ***Penser** du bien, du mal de qqn* ; *Je **pense** qu'il a raison.* **3.** Avoir dans l'idée, dans l'esprit : *Elle ne **pense** pas un mot de ce qu'elle dit.* ▸ ***Penser*** (+ inf.) : avoir l'intention de. Fin Xe s. ; lat. *pensare*, « peser, apprécier, évaluer » ; [pɑ̃se].

**PENSEUR, EUSE, adj. et subst.**
**Adj.** Vx. Pensif. **Subst.** **1.** Personne qui pense, qui réfléchit profondément : *« Le **Penseur** », statue de Rodin.* **2.** Personne qui exprime des pensées profondes, fortes, originales, sur des problèmes généraux. Fin XIIe s. ; ☞ *penser* ; [pɑ̃sœʀ, øz].

**PENSIF, IVE, adj.**
Qui a l'air préoccupé ; qui est plongé dans ses réflexions ; par méton. : *Front, regard **pensif**.* Mil. XIe s. ; ☞ *penser* ; [pɑ̃sif, iv].

**PENSION, subst. f.**
**1.** Allocation versée périodiquement à une personne par un État, un particulier, un organisme social, afin d'assurer son quotidien, de récompenser ses services passés, ou de l'indemniser : ***Pension** de veuve, d'invalidité, de guerre.* ▸ *Dr. **Pension** alimentaire* (☞ *alimentaire*). **2.** *Prendre **pension**, être en **pension** chez qqn* : être nourri et logé chez qq[n]. **3.** Somme que l'on paie pour être nourri et logé. ***Pension** complète,* tarif hôtelier comprenant l'hébe[r]gement et tous les repas ; *Demi-**pension**,* n'inclua[nt] pas l'un des deux principaux repas. **4.** Établisseme[nt] où l'on prend **pension** : *Tenir une **pension*** ; *Pensio[n] de famille,* petit hôtel convivial où les locatair[es] prennent leurs repas en commun. **5.** Pensionna[t]. XVe s. (1216, paiement) ; lat. *pensio*, de *pender[e]* « peser ; peser le métal pour payer » ; [pɑ̃sjɔ̃].

**PENSIONNAIRE, subst.**
**1.** Vx. Bénéficiaire d'une pension (synon. *pe[n]sionné*). **2.** Élève qui loge et prend ses repas da[ns] son établissement scolaire (synon. *interne*). **3.** Pe[r]sonne qui prend pension chez qqn ou dans u[ne] pension de famille ; par ext. : ***Pensionnaire** d'u[ne] maison de retraite.* **4.** Artiste de théâtre qui perç[oit] un traitement fixe ; en appos. : *Comédien **pensio[n]naire** de la Comédie-Française.* ▸ Jeune artiste (e[n] partic. lauréat d'un prix de Rome) hébergé [ou] étudiant dans une fondation d'État : *Berlioz a é[té] **pensionnaire** de la villa Médicis, à Rome.* **5.** *His[t.]* Magistrat civil principal de l'une des Province[s-] Unies (XVIIe-XVIIIe s.) : *Le grand **pensionnaire**,* cel[ui] de la province de Hollande. 1323 ; ☞ *pensio[n]* [pɑ̃sjɔnɛʀ].

**PENSIONNAT, subst. m.**
Établissement d'enseignement privé assurant [la] scolarité, la nourriture et l'hébergement des élèves ; par méton., ensemble des élèves d'un tel établiss[e]ment. 1788 ; ☞ *pension* ; [pɑ̃sjɔna].

**PENSIONNÉ, ÉE, subst. et adj.**
Se dit d'une personne qui bénéficie d'une pension : *Une invalide **pensionnée*** ; *Des **pensionnés** de guerr[e].* 1611 ; p. p. de *pensionner* ; [pɑ̃sjɔne].

**PENSIONNER, verbe trans. [3]**
Attribuer une pension à (qqn). Mil. XIVe s[.] ☞ *pension* ; [pɑ̃sjɔne].

**PENSUM, subst. m.**
**1.** Travail supplémentaire imposé à un élève pu[ni] (vieilli) : *Un lourd **pensum**.* **2.** Ext. Tâche fastidieus[e,] en partic. d'ordre intellectuel. 1740 ; lat. *pensu[m]* « tâche, devoir » ; [pɛ̃sɔm].

**PENTACLE, subst. m.**
Étoile à cinq branches, utilisée en occultism[e]. Mil. XVIe s. ; lat. médiév. *pentaculum* ; [pɛ̃takl].

**PENTACORDE, subst. m.**
*Mus.* **1.** Échelle de cinq notes conjointes const[i]tuant une quinte juste. **2.** Lyre à cinq cordes de [la] Grèce ancienne. 1705 ; gr. *pentakhordon* ; [pɛ̃takɔʀd]

**PENTACRINE, subst. m.**
*Zool.* Échinoderme de la classe des Crinoïdes, aus[si] appelé encrine ou lis de mer. 1842 (1765, so[rte] de pierre) ; lat. sc. *pentacrinus*, du gr. *pente*, « cinq », *krinon*, « lis » ; [pɛ̃takʀin].

**PENTADÉCAGONE, subst. m.**
*Géom.* Polygone à quinze sommets, donc à quin[ze] côtés. 1765 ; formé de *penta-*, de *déca-* et de *-gone* [pɛ̃tadekagon].

**PENTAÈDRE, subst. m.**
*Géom.* Polyèdre à cinq faces. 1803 ; formé de *pent[a-]* et de *-èdre* ; [pɛ̃taɛdʀ].

**PENTAGONE, subst. m.**
**1.** *Géom.* Polygone à cinq sommets et à cinq côté[s]. **2.** *Le **Pentagone*** : à Washington, bâtiment en form[e] de **pentagone** de l'état-major des armées et d[u] secrétariat à la Défense américain. XIIIe s. ; la[t.] *pentagonum* ; [pɛ̃tagɔn].

**PENTAMÈRE, adj. et subst. m.**
**1.** *Biol.* Se dit d'un organisme vivant (fleur, étoi[le] de mer) à symétrie radiale de base cinq. **2.** *Zool.* S[e] dit d'un insecte dont chaque tarse comprend cin[q] articles. 1806 ; gr. *pentamerês* ; [pɛ̃tamɛʀ].

**PENTAMÈTRE, adj.**
*Versif. Vers **pentamètre*** ou, empl. subst. masc., *L[e] **pentamètre*** : vers de cinq pieds, dans la poés[ie] gréco-romaine. Mil. XVe s. ; lat. *pentameter*, du g[r.] *pentametros* ; [pɛ̃tamɛtʀ].

**PENTANE, subst. m.**
*Chim.* Alcane à chaîne linéaire de formule $C_5H$[...] (distillat de pétrole). 1874 ; gr. *pente*, « cinq » [...] [pɛ̃tan].

**PENTARCHIE, subst. f.**
**1.** *Antiq.* À Carthage, les cinq magistrats q[ui] désignaient le tribunal des Cent-Quatre. **2.** *His[t.]* Gouvernement de cinq chefs : *La **pentarchie** d[u] Directoire.* **3.** *Relig.* Ensemble des cinq patriarca[ts] apostoliques de l'Église (Rome, Constantinopl[e,]

Alexandrie, Antioche et Jérusalem), fixés en 451 par le concile de Chalcédoine. Mil. XIVe s. ; gr. *pentarkhiai* ; [pɛ̃taʀʃi].

**PENTATHLON, subst. m.**
**1.** *Antiq.* Ensemble des épreuves sportives (saut, course, disque, javelot, lutte) disputées par les athlètes grecs et romains. **2.** *Sp.* ***Pentathlon*** *(moderne)* : ensemble de cinq épreuves (cross, natation, équitation, tir au révolver ou au pistolet, escrime à l'épée) constituant une discipline olympique. XVIe s. ; lat. *pentathlum*, du gr. *pentathlon*, de *pente*, « cinq », et de *athlon*, « combat » ; [pɛ̃tatlɔ̃].

**PENTATOME, subst. m. ou f.**
*Zool.* Punaise des prés au corps verdâtre et en forme de pentagone, aux mandibules en stylet, qui répand une forte odeur lorsqu'on la touche. 1789 ; formé de *penta-* et de *-tome* ; [pɛ̃tatom].

**PENTATONIQUE, adj.**
*Mus.* Composé de cinq sons : *Échelle* ***pentatonique***. Fin XIXe s. ; gr. *tonos*, « ton », + *penta-* ; [pɛ̃tatɔnik].

**PENTE, subst. f.**
**1.** État d'inclinaison par rapport à l'horizontale ; obliquité : ***Pente*** *raide*. ▸ *Rupture de* ***pente*** : dénivellation brusque dans sa déclivité. ▸ *Géomorph.* ***Pente*** *limite* : valeur maximale d'une **pente**, qui permet d'assurer la stabilité d'un dépôt. **2.** *Math.* ▸ ***Pente*** *d'une droite par rapport à un repère cartésien* $(O, \vec{i}, \vec{j})$ : nombre $m$ de l'équation $y = mx + p$ de cette droite (non parallèle à $\vec{j}$), c'est aussi la tangente de l'angle $(\widehat{\vec{i}, \vec{u}})$, $\vec{u}$ vecteur directeur de la droite. ▸ *Ligne de plus grande* ***pente*** ou *Ligne de* ***pente*** *d'une surface* : courbe de la surface coupant les lignes de niveau suivant un angle droit. **3.** Terrain incliné par rapport à l'horizontale : *Colline aux* ***pentes*** *cultivées* ; chemin en déclivité (synon. *montée* ou *descente*) : *Cette* ***pente*** *mène au hameau*. **4.** Fig. Inclination, penchant : *Sa* ***pente*** *le porte à l'optimisme* ; ce qui incline, pousse qqn vers la facilité, un état de fait regrettable : *Glisser sur la* ***pente*** *de la drogue* ; *Suivre sa* ***pente***. ▸ Loc. *Remonter la* ***pente*** : rétablir une situation difficile ; *Être sur une mauvaise* ***pente****, sur une* ***pente*** *savonneuse* : se laisser entraîner, aller vers les pires ennuis. 1335 ; lat. pop. °*pendita*, de *pendere* ; [pɑ̃t].

**PENTECÔTE, subst. f.**
*Relig.* **La Pentecôte. 1.** Fête chrétienne qui, le septième dimanche après Pâques, commémore la descente du Saint-Esprit sur les apôtres (la **Pentecôte** marque la naissance historique de l'Église). **2.** Fête juive, dite fête des Semaines, célébrée sept semaines après le second jour de la Pâque et qui commémore la remise du Décalogue par Dieu à Moïse. Fin Xe s. ; lat. eccl. *pentecoste*, du gr. *pentêkostê*, « cinquantième (jour après Pâques) » ; [pɑ̃tkot].

**PENTECÔTISME, subst. m.**
*Relig.* Mouvement protestant qui prêche le retour à la force primitive d'une foi fondée sur les manifestations tangibles du Saint-Esprit. V. 1960 ; ☞ *Pentecôte* ; [pɑ̃tkotism].

**PENTECÔTISTE, adj. et subst.**
**Adj.** Relatif au pentecôtisme. **Subst.** Adepte du pentecôtisme. ☞ *Pentecôte* ; [pɑ̃tkotist].

**PENTHIOBARBITAL, subst. m.**
*Pharm.* Barbiturique hypnotique administré par voie intraveineuse dans l'anesthésie générale et la narcoanalyse. Mil. XXe s. ; ☞ *barbital* + *penta-* et *thio-* ; plur. *penthiobarbitals* ; [pɛ̃tjobaʀbital].

**PENTODE, subst. f.**
Tube électronique à cinq électrodes. 1949 ; formé de *penta-* et de *-ode* ; var. *penthode* ; [pɛ̃tɔd].

**PENTOSE, subst. m.**
*Chim.* Ose de formule $C_5H_{10}O_5$. 1890 ; ☞ *ose* + *penta-* ; [pɛ̃toz].

**PENTU, UE, adj.**
En pente : *Toit* ***pentu***. 1941 ; ☞ *pente* ; [pɑ̃ty].

**PENTURE, subst. f.**
*Serr.* Bande de ferronnerie fixée au battant d'une porte, d'un volet, pour le soutenir sur le gond. 1294 ; lat. pop. °*penditura*, de °*penditum*, « pendu » ; [pɑ̃tyʀ].

**PÉNULTIÈME, adj. et subst. f.**
**Adj.** Avant-dernier. **Subst.** Avant-dernière syllabe d'un mot, d'un vers : ***Pénultième*** *accentuée*. Fin XIIIe s. ; lat. *paenultimus* ; [penyltjɛm].

**PÉNURIE, subst. f.**
Manque d'une chose nécessaire : ***Pénurie*** *d'eau*. 1798 (1468, pauvreté) ; lat. *penuria* ; [penyʀi].

**PÉON, subst. m.**
Paysan pauvre d'Amérique du Sud. 1836 ; esp. *peón*, du bas lat. *pedo*, « piéton » ; [peɔ̃].

**PÉOTTE, subst. f.**
Grande gondole de l'Adriatique. 1687 ; vénitien *peota*, « barque, pilote » ; [peɔt].

**PÉPÉ, subst. m.**
Fam. **1.** Grand-père, dans le langage enfantin. **2.** Homme âgé. 1855 (1796, papa) ; redoublement de la 1re syllabe de *père* ; [pepe].

**PÉPÉE, subst. f.**
Jolie jeune fille (pop.). 1877 (1866, poupée) ; redoublement de la 2e syllabe de *poupée* ; [pepe].

**PÉPÈRE, subst. m. et adj.**
Fam. **Subst. 1.** Grand-père, dans le langage enfantin. **2.** Homme ou garçon corpulent et tranquille. **Adj.** Calme, tranquille : *Boulot* ***pépère***. 1909 (1834, père) ; redoublement enfantin de *père* ; [pepɛʀ].

**PÉPERIN, subst. m.**
*Géol.* Tuf volcanique que les Romains de l'Antiquité utilisaient comme pierre à bâtir. 1694 ; ital. *peperino*, du lat. *piper*, « poivre » ; [pepʀɛ̃].

**PÉPÈTES, subst. f. plur.**
Argent (pop. et vieilli) : *Gagner des* ***pépètes***. 1866 ; orig. obsc. ; var. *pépettes* ; [pepɛt].

**PÉPIE, subst. f.**
**1.** *Zool.* Maladie des oiseaux, se manifestant par une pellicule blanchâtre sur la langue, qui entrave l'alimentation. **2.** Loc. *Avoir la* ***pépie*** : avoir très soif. Déb. XIIIe s. ; lat. pop. °*pippita*, du lat. *pituita* ; [pepi].

**PÉPIEMENT, subst. m.**
Action de pépier ; petit cri des moineaux ou des oisillons. 1611 ; ☞ *pépier* ; [pepimɑ̃].

**PÉPIER, verbe intrans.** [6]
Crier, en parlant des jeunes oiseaux. Mil. XVIe s. ; lat. pop. °*pippare* ; [pepje].

**PÉPIN (I), subst. m.**
**1.** Graine de certaines baies ou de certains fruits (agrumes, péponides) : ***Pépins*** *de poire*. **2.** Fig. Difficulté, ennui imprévu (fam.). Fin XIIe s. ; prob. rad. exprimant la petitesse ; [pepɛ̃].

**PÉPIN (II), subst. m.**
Parapluie (fam.). 1847 ; p.-ê. *Pépin*, nom d'un personnage de vaudeville ; [pepɛ̃].

**PÉPINIÈRE, subst. f.**
**1.** Lieu où l'on fait pousser de jeunes végétaux destinés à être replantés ; par méton., ensemble de ces plants. **2.** Fig. Établissement, lieu qui fournit de nombreuses personnes aptes à exercer une profession, une activité : *Cette école est une* ***pépinière*** *de savants*. 1333 (fin XIIIe s., tégument d'un pépin) ; ☞ *pépin* (I) ; [pepinjɛʀ].

**PÉPINIÉRISTE, subst.**
Personne qui cultive et gère une pépinière. 1610 ; ☞ *pépinière* ; [pepinjeʀist].

**PÉPITE, subst. f.**
*Minér.* Petite masse de métal natif, sans gangue, en partic. d'or ; par anal., fragment : ***Pépites*** *de chocolat*. 1648 ; esp. *pepita*, « pépin » ; [pepit].

**PÉPLUM, subst. m.**
**1.** *Antiq.* Manteau de femme, sans manches, maintenu par des agrafes sur les épaules. **2.** *Cin.* Film qui a pour sujet un épisode spectaculaire de l'histoire ou de la mythologie antiques. 1550 ; lat. *peplum*, du gr. *peplos*, « vêtement » ; [peplɔm].

**PÉPONIDE, subst. m. ou f.**
*Bot.* Fruit d'une cucurbitacée. 1869 (1490, melon) ; lat. *pepo*, « pastèque », du gr. *pepôn*, « mûr » ; var. vieillie *un pépon* ; [pepɔnid].

**PEPPERMINT, subst. m.**
Anglic. **1.** Menthe au goût poivré. **2.** Liqueur fabriquée à partir de cette menthe. 1888 ; mot angl. ; var. du sens 2 *Pippermint* (n. déposé) ; [pepɛʀmɛ̃t] ou [-pœʀmint].

**PEPSINE, subst. f.**
*Biochim.* Enzyme protéolytique sécrétée par les cellules glandulaires de la paroi stomacale. 1839 ; all. *Pepsin*, du gr. *pepsis*, « digestion » ; [pɛpsin].

**PEPTIDE, subst. m.**
*Biochim.* Groupe d'au moins deux acides aminés liés par des liaisons dites peptidiques : *L'enchaînement des* ***peptides*** *forme les protéines*. 1907 ; ☞ *peptone* ; [pɛptid].

**PEPTIQUE, adj.**
**1.** *Biochim.* Relatif à la pepsine. **2.** *Méd.* Qui a trait à la digestion. 1752 (1694, subst.) ; lat. *pepticus*, du gr. *pepticos*, « qui aide à digérer » ; [pɛptik].

**PEPTONE, subst. f.**
*Biochim.* Mélange de peptides obtenu après incubation d'un extrait protéique de viande avec diverses enzymes protéolytiques. 1865 ; all. *Pepton*, du gr. *peptein*, « digérer » ; [pɛptɔn].

**PÉQUENOT, subst. m.**
Paysan (fam. et péj.). 1905 ; p.-ê. *pékin* (II) ; var. *péquenaud, aude* ; [pɛkno].

**PÉQUIN, voir PÉKIN (II)**

**PÉRAMÈLE, subst. m.**
*Zool.* Marsupial insectivore australien de la taille d'un lapin et au museau allongé. 1805 ; lat. sc. *perameles*, du gr. *pêra*, « poche », et du lat. *meles*, « martre » ; [peʀamɛl].

**PERBORATE, subst. m.**
*Chim.* Sel de l'acide borique, contenant plus d'oxygène que le borate, utilisé comme détergent. 1880 ; ☞ *borate* + *per-* ; [pɛʀbɔʀat].

**PERÇAGE, subst. m.**
Action de percer ; son résultat. 1828 ; ☞ *percer* ; [pɛʀsaʒ].

**PERCALE, subst. f.**
*Text.* Tissu de coton ras et serré. 1666 ; persan *pargâla* ou *pargâra*, « étoffe de soie fine » ; [pɛʀkal].

**PERCALINE, subst. f.**
*Text.* Toile de coton fine et lustrée que l'on utilise pour les doublures. 1823 ; ☞ *percale* ; [pɛʀkalin].

**PERÇANT, ANTE, adj.**
**1.** D'une grande acuité, pénétrant : *Regard* ***perçant***. **2.** Vif, mordant : *Bise* ***perçante***. **3.** Aigu, strident : *Cri* ***perçant***. 1342 ; p. pr. de *percer* ; [pɛʀsɑ̃, ɑ̃t].

**PERCE, subst. f.**
**1.** Outil servant à percer. ▸ Loc. *Mettre en* ***perce*** : forer (un tonneau) pour en tirer le vin. **2.** *Mus.* Canal d'un instrument à vent. 1589 (1493, *mettre a perce*, éventrer une ville) ; ☞ *percer* ; [pɛʀs].

**PERCÉE, subst. f.**
**1.** Ouverture, dégagement qui ménage un chemin ou crée un point de vue : *La* ***percée*** *d'une allée dans un bois*. **2.** *Milit.* et *Sp.* Action de rompre la ligne de défense adverse. **3.** Fig. Réussite, avancée spectaculaire : ***Percée*** *économique, commerciale*. 1798 (1750, ouverture du fourneau) ; p. p. de *percer* ; [pɛʀse].

**PERCEMENT, subst. m.**
Action de percer, de ménager un passage, une ouverture. 1500 ; ☞ *percer* ; [pɛʀsəmɑ̃].

**PERCE-MURAILLE, subst. f.**
*Bot.* Pariétaire. 1768 ; comp. de *percer* et de *muraille* ; plur. *perce-murailles* ; [pɛʀs(ə)myʀaj].

**PERCE-NEIGE, subst. inv. f. ou m.**
*Bot.* Plante de la famille des Amaryllidacées, qui fleurit à la fin de l'hiver. 1660 ; comp. de *percer* et de *neige* ; [pɛʀsənɛʒ].

© R. Konig-Jacana

*Perce-neige.*

**PERCE-OREILLE, subst. m.**
*Zool.* Forficule. 1530 ; comp. de *percer* et de *oreille* ; plur. *perce-oreilles* ; [pɛʀsɔʀɛj].

**PERCE-PIERRE, subst. f.**
*Bot.* Nom courant de certaines plantes de la famille des Saxifragacées, qui poussent sur les murs, les rochers. 1550 ; comp. de *percer* et de *pierre* ; plur. *perce-pierres* ; [pɛʀsəpjɛʀ].

**PERCEPTEUR, TRICE, subst. et adj.**
**Subst.** Fonctionnaire du Trésor public qui perçoit les impôts directs. **Adj.** Qui perçoit, qui est apte à percevoir : *Organes* ***percepteurs***. 1432 ; lat. *perceptus*, de *percipere*, « recueillir, percevoir » ; [pɛʀsɛptœʀ, tʀis].

**PERCEPTIBLE,** adj.
1. Qui peut être perçu, discerné par les sens : *Bruit **perceptible**.* 2. Qui peut être compris : *Un humour à peine **perceptible**.* 1486 ; bas lat. *perceptibilis*, du lat. *percipere*, « percevoir » ; [pɛʀsɛptibl].

**PERCEPTIF, IVE,** adj.
*Psychol.* Relatif à la perception. 1754 (fin XVe s., qui comprend) ; lat. *perceptum*, « perçu » ; [pɛʀsɛptif, iv].

**PERCEPTION,** subst. f.
**I.** 1. Recouvrement d'un revenu, d'une taxe ; recouvrement des impôts directs. 2. Méton. Emploi, bureau du percepteur. **II.** 1. *Psychol.* Acte par lequel l'esprit prend conscience des objets à partir des sensations. 2. Faculté de percevoir ; prise de conscience. 1370 ; lat. *perceptio* ; [pɛʀsɛpsjɔ̃].

**PERCER,** verbe [4]
**Trans.** 1. Trouer (qqch.) ; transpercer : *Percer une cloison.* 2. Ménager (une ouverture, un passage) : *Percer un tunnel.* 3. Blesser, tuer (qqn) avec une arme aiguë (vieilli) ; au fig. : *Percer le cœur de qqn*, l'affliger vivement. 4. Passer au travers de (qqch.) : *Une lueur **perça** la nuit* ; *Ces cris **percent** le tympan*, font mal aux oreilles tant ils sont stridents ; *Percer les lignes ennemies*, les traverser. 5. Fig. Pénétrer, saisir : *Percer une énigme.* ▸ Loc. *Percer à jour* : découvrir (ce qui est caché, secret). **Intrans.** 1. Apparaître, se frayer un passage : *Les fleurs **percent*** ; *Soleil qui **perce** dans un ciel nuageux.* 2. Se manifester : *La colère **perçait** dans son regard* ; *Déjà Napoléon **perçait** sous Bonaparte* (Hugo). 3. Fig. Devenir célèbre, réussir : *De jeunes talents qui **percent**.* Fin XIe s. ; lat. pop. °*pertusiare*, du lat. *pertundere* ; [pɛʀse].

**PERCERETTE,** subst. f.
*Techn.* Petit foret. 1671 ; ☞ *percer* ; [pɛʀsəʀɛt].

**PERCEUR, EUSE,** subst.
Personne qui perce des trous au moyen d'un outil. **Fém.** Machine-outil servant à faire des trous. Mil. XVe s. ; ☞ *percer* ; [pɛʀsœʀ, øz].

**PERCEVABLE,** adj.
1. Perceptible (vieilli). 2. *Fin.* Qui peut être perçu, recouvré. 1413 ; ☞ *percevoir* ; [pɛʀsəvabl].

**PERCEVOIR,** verbe trans. [38]
1. Saisir, discerner par les sens ou par l'esprit : *Percevoir un bruit, la trace d'un regret.* 2. Encaisser, toucher (une somme, un revenu) : ***Percevoir** un pourcentage.* Mil. XIIe s. ; lat. *percipere* ; [pɛʀsəvwaʀ].

**PERCHAGE,** subst. m.
1. *Métall.* Phase d'affinage du cuivre, de l'étain ou du zinc qui consiste à introduire des perches de bois dans le métal en fusion. 2. Position de l'oiseau perché. 1923 ; ☞ *percher* ; [pɛʀʃaʒ].

*Saut à la perche.*

**PERCHE (I),** subst. f.
**I.** 1. Gaule, longue et mince pièce de bois ou de métal de section ronde. ▸ Loc. *Tendre la perche à qqn* : lui offrir l'occasion de se tirer d'embarras. 2. Anal. *Une grande **perche*** : individu grand et maigre (fam.). 3. *Sp.* Longue tige souple utilisée pour franchir une barre horizontale : *Le saut à la **perche*** ou, par ell., *La **perche**.* 4. Tige d'un remonte-pente que le skieur saisit pour être tiré. 5. *Audiov.* Longue tige qui supporte le micro et permet de le placer hors du champ de la caméra. 6. Tige de transmission du courant électrique, fixée sur le toit d'un trolleybus ou d'un tramway. 7. *Vèn.* Merrain de cervidé, qui se ramifie en plusieurs andouillers. **II.** *Métrol.* 1. Ancienne mesure de longueur. 2. Ancienne mesure agraire qui équivalait à la centième partie de l'arpent. Déb. XIIe s. ; lat. *pertica* ; [pɛʀʃ].

**PERCHE (II),** subst. f.
*Zool.* Poisson osseux d'eau douce (courante ou stagnante), de l'ordre des Perciformes. La **perche** fluviatile, à la chair appréciée, mesure 40 cm de long ; elle est commune de l'Europe à la Sibérie : ***Perche** goujonnière*, fréquentant les fonds de gravier (synon. *grémille*) ; ***Perche** arc-en-ciel*, à moirures irisées. 1170 ; lat. *perca*, du gr. *perkê* ; [pɛʀʃ].

**PERCHÉE,** subst. f.
1. Assemblée d'oiseaux perchés. 2. *Vitic.* Petite tranchée creusée pour planter les jeunes ceps de vigne. 1564 ; p. p. de *percher* ; [pɛʀʃe].

**PERCHER,** verbe [3]
**Intrans.** 1. Se tenir sur un support élevé, pour un oiseau. 2. Habiter (fam.) : ***Percher** sous les toits.* **Trans.** Mettre à un endroit élevé : ***Percher** des valises sur l'armoire, un enfant sur ses épaules.* **Pronom.** Se poser sur un endroit élevé, pour un oiseau ; par anal., grimper, se jucher (sur qqch.) : *Se **percher** sur un tabouret.* 1376 ; ☞ *perche* (I) ; [pɛʀʃe].

**PERCHERON, ONNE,** adj. et subst.
Du Perche. ▸ Se dit d'un vigoureux cheval de trait originaire de cette région. 1606 ; topon. *Perche* ; [pɛʀʃəʀɔ̃, ɔn].

*Attelage de percherons.*

**PERCHEUR, EUSE,** adj.
Qualifie un oiseau qui a coutume de percher. 1821 (1817, nom de l'alouette des prés) ; ☞ *percher* ; [pɛʀʃœʀ, øz].

**PERCHIS,** subst. m.
1. Clôture faite de perches. 2. *Sylvic.* Jeune plantation dont les arbres ont de 10 à 30 cm de diamètre. 1701 ; ☞ *perche* (I) ; [pɛʀʃi].

**PERCHISTE,** subst.
1. *Sp.* Athlète pratiquant le saut à la perche. 2. *Audiov.* Technicien maniant la perche. 3. Préposé aux perches d'un remonte-pente. 1943 (fin XIXe s., équilibriste de cirque) ; ☞ *perche* (I) ; [pɛʀʃist].

**PERCHLORATE,** subst. m.
*Chim.* Sel de l'acide perchlorique. 1845 ; ☞ *chlorate* + *per-* ; [pɛʀklɔʀat].

**PERCHLORIQUE,** adj.
*Chim.* Se dit de l'acide de formule $HClO_4$ ou de l'anhydride $Cl_2O_7$. 1845 ; *chlorique* (rare), « du chlore », + *per-* ; [pɛʀklɔʀik].

**PERCHOIR,** subst. m.
1. Support, bâton sur lequel les oiseaux, en partic. les volailles, perchent. 2. Fam. Endroit, siège élevé. ▸ La tribune du président de l'Assemblée nationale ; par méton., la présidence elle-même. 1584 ; ☞ *percher* ; [pɛʀʃwaʀ].

**PERCIFORMES,** subst. m. plur.
*Zool.* Ordre de poissons osseux regroupant 6 500 espèces et plus de 150 familles, tant marines que d'eau douce. **Au sing.** *Le maquereau est un **perciforme**.* Lat. *perca*, « perche », + *-forme* ; [pɛʀsifɔʀm].

**PERCLUS, USE,** adj.
Qui est privé partiellement ou totalement de la faculté de se mouvoir : *Être **perclus** d'arthrose* ; au fig. : ***Perclus** de terreur.* Mil. XIIIe s. ; lat. médiév. *perclusus*, de *percludere*, « fermer entièrement » ; [pɛʀkly, yz].

**PERCNOPTÈRE,** subst. m.
*Zool.* Oiseau rapace diurne de la famille des Falconidés, présent en Afrique septentrionale et méridionale : *Pour se nourrir, le **percnoptère** casse les œufs d'autruche avec une pierre.* 1770 ; gr. *perknopteros*, « aux ailes noirâtres » ; [pɛʀknɔptɛʀ].

**PERÇOIR,** subst. m.
*Techn.* Outil utilisé pour percer. 1229 ; ☞ *percer* ; [pɛʀswaʀ].

**PERCOLATEUR,** subst. m.
Appareil à vapeur fournissant du café chaud e[n] grande quantité. 1856 ; lat. *percolare*, « filtrer » ; [pɛʀkɔlatœʀ].

**PERCOLATION,** subst. f.
*Géol.* Cheminement lent des eaux d'infiltratio[n] dans le sol et le sous-sol. 1923 ; lat. *percolati[o]*, « filtration » ; [pɛʀkɔlasjɔ̃].

**PERCOMORPHES,** subst. m. plur.
*Zool.* Perciformes (vieilli). Lat. *perca*, « perche » + *-morphe* ; [pɛʀkɔmɔʀf].

**PERÇU, UE,** adj. et subst. m.
**Adj.** 1. *Psychol.* Saisi par les sens ou par l'esprit. 2. *Fin.* Encaissé, recouvré. **Subst.** *Philos.* *Le **perçu*** : le réel, en tant qu'il est saisi par la perception. XIIIe s. ; p. p. de *percevoir* ; [pɛʀsy].

**PERCUSSION,** subst. f.
1. Littér. Action de choquer un corps contre u[n] autre ; son résultat. 2. *Arm.* *Arme à **percussion*** : o[ù] la mise à feu est produite par le choc du percuteu[r] contre une amorce. 3. *Méd.* Moyen d'auscultatio[n] clinique consistant à percuter avec les doigts le[s] régions abdominale et thoracique, et à juger de l'éta[t] des organes sous-jacents grâce aux bruits ains[i] rendus. 4. *Mus.* *Instruments à* (ou *de*) ***percussion*** : instruments (timbales, cymbales, triangle, gross[e] caisse, tambour, xylophone, gong, etc.) dont o[n] joue en les entrechoquant ou en les frappant ave[c] la main, une mailloche, des baguettes. 1314 (fi[n] XIIe s., malheur) ; lat. *percussio* ; [pɛʀkysjɔ̃].

**PERCUSSIONNISTE,** subst.
*Mus.* Musicien qui joue d'instruments à percussion. Mil. XXe s. ; ☞ *percussion* ; [pɛʀkysjɔnist].

**PERCUTANÉ, ÉE,** adj.
*Méd.* Qui se fait par absorption à travers la peau. 1953 ; ☞ *cutané* + *per-* ; [pɛʀkytane].

**PERCUTANT, ANTE,** adj.
1. Qui produit un choc, qui agit par percussion. ▸ *Arm.* *Projectile **percutant*** : qui explose au contac[t] de l'objectif. 2. Fig. Qui frappe par sa force, s[a] pertinence : *Discours **percutant**.* 1872 ; p. pr. d[e] *percuter* ; [pɛʀkytɑ̃, ɑ̃t].

**PERCUTER,** verbe [3]
**Trans.** 1. Frapper ; heurter violemment : ***Percute[r]** un piéton.* 2. *Méd.* Ausculter par percussion. **In[trans.]** 1. Éclater par impact : *La bombe a **percuté** à [terre ?] sol.* 2. Cogner avec violence (contre qqch.) ***Percuter** contre un arbre.* 1813 (fin Xe s., frapper détruire) ; lat. *percutere*, « frapper fortement » ; [pɛʀkyte].

**PERCUTEUR,** subst. m.
1. *Arm.* Pointe métallique qui vient frapper l'amorc[e] et la fait détoner. 2. *Préhist.* Outil servant à frappe[r] la pierre pour en détacher des éclats. 1859 ☞ *percuter* ; [pɛʀkytœʀ].

**PERDANT, ANTE,** adj. et subst.
**Adj.** Qui perd : *Numéro **perdant**.* ▸ Loc. *Parti[r] **perdant*** : s'engager dans une entreprise sans espoi[r] de réussite. **Subst.** Personne qui perd : *Mauvai[s] **perdant**.* 1288 ; p. pr. de *perdre* ; [pɛʀdɑ̃, ɑ̃t].

**PERDITION,** subst. f.
1. *Relig.* État de qqn qui s'éloigne du salut en vivan[t] dans le péché. ▸ Loc. *Lieu de **perdition*** : de débauche. 2. **En perdition.** Qui va à la ruine : *Entreprise e[n] **perdition*** ; en danger de faire naufrage : *Bateau e[n] **perdition**.* Fin XIe s. ; lat. eccl. *perditio* ; [pɛʀdisjɔ̃].

**PERDRE,** verbe [51]
**Trans.** 1. Cesser d'avoir (une partie de soi, de se[s] facultés physiques ou morales, une qualité) : ***Perdr[e]** ses cheveux, la vue* ; ***Perdre** sa gaieté* ; ***Perdre** l'habitud[e] de boire.* ▸ Loc. ***Perdre** la tête* : devenir fou. 2. Êtr[e] privé de la disposition, de la possession de (un bien, un avantage) : ***Perdre** de l'argent, sa place.* ▸ Égarer ***Perdre** son briquet.* ▸ Laisser s'échapper : ***Perdre** so[n] sang.* 3. Être quitté par (qqn) : ***Perdre** un ami* ; êtr[e] privé de (qqn) par la mort : ***Perdre** son pèr[e].* 4. Cesser de percevoir, d'appréhender : ***Perdre** le f[il] d'un discours.* ▸ Loc. ***Perdre** de vue* : ne plus voir 5. Ne plus suivre, ne plus contrôler : *Il a **perd[u]** son chemin.* ▸ Loc. *Y **perdre** son latin* : ne plu[s] comprendre ; ***Perdre** pied* (☞ *pied*). 6. Avoir l[e] dessous dans (une compétition, une lutte) : ***Perdr[e]** la partie, un procès.* 7. Porter un préjudice matéri[el] ou moral à : *Chercher à **perdre** qqn* ; corrompr[e] (vieilli) : *Ses mauvaises fréquentations le **perdront***

**8.** Mal employer (qqch.) : *Perdre son temps* ; *Perdre une occasion*, la laisser échapper. **Intrans. 1.** Être vaincu : *Ils* ***ont perdu*** *au bridge.* **2.** Subir une perte pécuniaire : *Perdre gros.* **Pronom. 1.** S'égarer : *Se perdre dans la forêt* ; au fig. : *Se perdre dans les détails.* **2.** Être absorbé jusqu'à s'oublier : *Se perdre dans ses rêves.* **3.** Devenir obsolète : *Tradition qui se perd.* **4.** Disparaître : *Se perdre à l'horizon.* **5.** S'abîmer : *Les poires se perdent.* **6.** Sortir du droit chemin, se corrompre : *Elle se perd avec un voyou.* 🕮 Fin IXᵉ s. ; lat. *perdere*, « ruiner, corrompre » ; [pɛʀdʀ].

**PERDREAU, subst. m.**
**1.** *Zool.* Jeune perdrix de moins de un an. **2.** Policier (argot.). 🕮 1376 ; ☞ *perdrix* ; [pɛʀdʀo].

**PERDRIX, subst. f.**
*Zool.* Oiseau galliforme, vivant sur les terres cultivées. L'espèce la plus commune est la **perdrix** grise ; plus rare, la **perdrix** rouge est un gibier très recherché. 🕮 Fin XIIᵉ s. ; lat. *perdix* ; [pɛʀdʀi].

© S. Cordier-Jacana

*Perdrix rouge.*

**PERDU, UE, adj.**
**1.** Se dit d'une personne dont la vie, le salut ou l'honneur sont atteints de façon irrémédiable : *Il faut opérer, sinon il est* ***perdu*** ; *Perdu de réputation* ; empl. subst., aliéné : *Crier comme un* ***perdu***. ▸ Loc. *Fille* ***perdue*** : prostituée. **2.** Qui n'est plus utilisable ; employé en vain : *Temps* ***perdu*** ; *Salle des pas* ***perdus*** (☞ *salle*). ▸ Loc. *À mes moments* ***perdus*** : à mes moments de loisir. ▸ *Cuis. Pain* ***perdu*** (☞ *pain*). ▸ *Fin. À fonds* ***perdu(s)*** : sans espoir de récupérer son capital. **3.** Dont on ne jouit plus : *Paradis* ***perdu***. **4.** Qui s'est égaré : *Chien* ***perdu***. **5.** Éloigné, à l'écart : *Un coin* ***perdu***. **6.** Qui échappe à tout contrôle : *Être atteint par une balle* ***perdue***. ▸ Loc. *À corps* ***perdu*** (☞ *corps*). **7.** Dans lequel on a eu le dessous : *Guerre* ***perdue***. ▸ Loc. *Cause* ***perdue*** : vouée à l'échec. **8.** Qui se fond dans la masse : ***Perdue*** *parmi la foule.* ▸ *B.-a. Contours* ***perdus*** : qui se confondent avec le fond. **9.** Profondément absorbé : ***Perdu*** *dans sa rêverie.* 🕮 XIVᵉ s. ; p. p. de *perdre* ; [pɛʀdy].

**PERDURER, verbe intrans.** [3]
**1.** Vx. Durer éternellement. **2.** Subsister, se perpétuer (littér.). 🕮 Déb. XIIᵉ s. ; lat. *perdurare* ; [pɛʀdyʀe].

**PÈRE, subst. m.**
**I. 1.** *Relig. Dieu le* ***Père*** : le Créateur, la première Personne de la sainte Trinité. ▸ *Le Notre-Père* : la prière adressée par les chrétiens à Dieu le Père. **2.** Personne ou chose qui est à l'origine. ▸ Fondateur, initiateur : *Sartre est le* ***père*** *de l'existentialisme.* ▸ Créateur : *Hergé est le* ***père*** *de Tintin.* **II.** Celui qui a engendré. **1.** Homme ayant des enfants : ***Père*** *de famille.* ▸ *Nos* ***pères*** : nos aïeux (littér.). ▸ Loc. *Placement de* ***père*** *de famille* : d'un rapport plus sûr qu'avantageux ; *Jouir d'un bien en bon* ***père*** *de famille* : dans le respect des règlements ; *De* ***père*** *en fils* : d'une génération à l'autre ; *Il tuerait* ***père*** *et mère* : il est capable des pires méfaits. **2.** Parent mâle d'un animal. **3.** Anal. Celui qui se conduit comme un **père** ; guide, protecteur : *Tu es un* ***père*** *pour moi.* **III. 1.** *Relig.* Titre donné à un prêtre catholique : *Un* ***père*** *jésuite.* ▸ *Le* ***père*** *abbé* : le supérieur d'un couvent, d'une communauté. ▸ *Le Saint-Père* : le pape. ▸ *Les Pères de l'Église* : les docteurs de l'Église (Iᵉʳ-VIᵉ s.) dont l'enseignement est universellement reçu par l'Église. **2.** Avant un nom propre, désigne un homme d'un certain âge (parfois avec condescendance) : *Le* ***père*** *Martin.* ▸ *Le* ***père*** *Noël* (☞ *noël*). ▸ Loc. *Gros* ***père*** : homme gros et placide ; ***Père*** *tranquille* : homme qui aime la vie paisible. **3.** ***Père*** *noble* : rôle de vieillard digne et respectable, au théâtre. **4.** *Antiq.* ***Pères*** *conscrits* : sénateurs romains. 🕮 Fin Xᵉ s. ; lat. *pater* ; [pɛʀ].

**PÉRÉGRIN, INE, subst.**
**1.** Littér. Étranger, voyageur ; en partic., pèlerin. **2.** *Dr. rom.* Se dit de l'étranger libre, qui ne jouissait ni de la citoyenneté romaine ni du droit latin. 🕮 Déb. XIIᵉ s. ; lat. *peregrinus* ; [peʀegʀɛ̃].

**PÉRÉGRINATION, subst. f.**
**1.** Vx. Pèlerinage. **2.** Long voyage dans un pays lointain (vieilli). **Plur.** Déplacements nombreux dans divers endroits : ***Pérégrinations*** *d'un chemineau.* 🕮 Mil. XIIᵉ s. ; lat. *peregrinatio* ; [peʀegʀinasjɔ̃].

**PÉREMPTION, subst. f.**
**1.** *Dr.* Anéantissement d'un acte de procédure lorsqu'un certain délai s'est écoulé sans qu'aucun nouvel acte soit intervenu. **2.** *Date de* ***péremption*** : au-delà de laquelle un produit n'est plus consommable. 🕮 1546 ; bas lat. *peremptio*, « destruction » ; [peʀɑ̃psjɔ̃].

**PÉREMPTOIRE, adj.**
**1.** *Dr.* Relatif à la péremption. **2.** Ext. Qui ne laisse aucune latitude à l'objection : *Un ton* ***péremptoire***. 🕮 1279 ; bas lat. *peremptorius* ; [peʀɑ̃ptwaʀ].

**PÉRENNANT, ANTE, adj.**
*Bot.* Qui vit, subsiste plusieurs années. 🕮 1903 ; ☞ *pérenne* ; [peʀenɑ̃, ɑ̃t].

**PÉRENNE, adj.**
**1.** Qui existe depuis longtemps, qui dure. **2.** *Spéc.* ▸ *Bot.* Qui est présent toute l'année : *Feuillage* ***pérenne***. ▸ *Géogr.* Dont l'écoulement ne cesse pas : *Source* ***pérenne*** (synon. *permanent*). 🕮 1588 ; lat. *perennis*, « qui dure toute l'année » ; [peʀɛn].

**PÉRENNISER, verbe trans.** [3]
**1.** Rendre durable. **2.** Titulariser (un fonctionnaire). 🕮 1553 ; lat. *perennis*, « qui dure toute l'année » ; [peʀenize].

**PÉRENNITÉ, subst. f.**
État, caractère de ce qui dure toujours ou très longtemps. 🕮 Fin XIIᵉ s. ; lat. *perennitas* ; [peʀenite].

**PÉRÉQUATION, subst. f.**
**1.** *Dr. admin.* ▸ Ajustement des impôts et des charges pesant sur les agents économiques, pour assurer une plus grande équité entre eux. ▸ Ajustement des traitements, des pensions, en fonction de coefficients et de paramètres précis (par ex. l'inflation). **2.** *Écon.* ***Péréquation*** *douanière* : taxation des produits importés visant à privilégier la consommation des produits nationaux similaires (pratique protectionniste interdite par l'O. M. C.). 🕮 1442 ; lat. jur. *peraequatio*, « répartition égale » ; [peʀekwasjɔ̃].

**PERESTROÏKA, subst. f.**
*Hist.* Réorganisation socio-économique, mise en œuvre, en U. R. S. S., par Mikhail S. Gorbatchev à partir de 1985 (☞ *glasnost*). 🕮 1986 ; russe *perestrojka*, « reconstruction » ; [peʀɛstʀɔika].

**PERFECTIBILITÉ, subst. f.**
Caractère de ce qui est perfectible (littér.). 🕮 1750 ; ☞ *perfectible* ; [pɛʀfɛktibilite].

**PERFECTIBLE, adj.**
Qui peut être perfectionné ou qui peut se perfectionner. 🕮 1756 ; lat. *perfectus*, « parfait » ; [pɛʀfɛktibl].

**PERFECTIF, IVE, adj.**
*Ling.* Qui exprime l'accomplissement (par oppos. à *imperfectif*) : « *Entrer* » *est un verbe* ***perfectif***. 🕮 1875 (fin XVᵉ s., parfait) ; lat. *perfectus*, « parfait » ; [pɛʀfɛktif, iv].

**PERFECTION, subst. f.**
**1.** Qualité, état de ce qui est parfait, accompli. ▸ Loc. *À la* ***perfection*** : d'une manière parfaite. **2.** Personne ou chose réunissant des qualités remarquables. 🕮 Mil. XIIᵉ s. ; lat. *perfectio* ; [pɛʀfɛksjɔ̃].

**PERFECTIONNEMENT, subst. m.**
Action de (se) perfectionner ; son résultat. 🕮 1713 ; ☞ *perfectionner* ; [pɛʀfɛksjɔnmɑ̃].

**PERFECTIONNER, verbe trans.** [3]
Améliorer les qualités de (qqn, qqch.). **Pronom. 1.** Devenir meilleur. **2.** Progresser, approfondir ses connaissances. 🕮 1610 (1454, qui est très habile pour) ; ☞ *perfection* ; [pɛʀfɛksjɔne].

**PERFECTIONNISME, subst. m.**
Attitude consistant à rechercher, souvent de manière excessive, la perfection en toute chose. 🕮 1955 ; ☞ *perfection* ; [pɛʀfɛksjɔnism].

**PERFECTIONNISTE, adj. et subst.**
Se dit d'une personne qui fait preuve de perfectionnisme. **Adj.** Qui dénote le perfectionnisme. 🕮 1845 ; ☞ *perfection* ; [pɛʀfɛksjɔnist].

**PERFIDE, adj. et subst.**
Littér. Se dit d'une personne qui manque à sa parole, qui fait preuve de méchanceté sournoise ; par méton. : *Insinuation* ***perfide***. **Adj.** Trompeur ; dangereux : *La Loire est un fleuve* ***perfide***. 🕮 Fin Xᵉ s. ; lat. *perfidus*, « qui viole sa foi » ; [pɛʀfid].

**PERFIDEMENT, adv.**
De façon perfide. 🕮 1613 ; ☞ *perfide* ; [pɛʀfidmɑ̃].

**PERFIDIE, subst. f.**
Littér. **1.** Propos, action perfide. **2.** Caractère d'une personne ou d'une chose perfide. 🕮 Déb. XVIᵉ s. ; lat. *perfidia*, « manque de foi » ; [pɛʀfidi].

**PERFOLIÉ, ÉE, adj.**
*Bot.* Qualifie une feuille sessile dont la base du limbe se prolonge de telle façon que ce dernier enserre totalement la tige et se ressoude à l'arrière, donnant l'impression que la feuille est traversée par la tige. 🕮 1755 ; lat. sc. *perfoliatus*, « à feuille traversée » ; [pɛʀfɔlje].

**PERFORANT, ANTE, adj.**
**1.** Qui perfore : *Un outil* ***perforant***. **2.** *Anat. Veine* ***perforante*** *des membres inférieurs* : reliant une veine superficielle et une veine profonde à travers une aponévrose. 🕮 1878 ; p. pr. de *perforer* ; [pɛʀfɔʀɑ̃, ɑ̃t].

**PERFORATEUR, TRICE, adj. et subst.**
**Adj.** Qui perfore. **Subst.** Personne chargée d'exécuter des opérations de perforation en mécanographie. **Subst. fém. 1.** Machine à clavier servant à établir des cartes, des bandes perforées. **2.** Machine-outil servant à creuser des trous dans les roches. 🕮 1552 ; ☞ *perforer* ; [pɛʀfɔʀatœʀ, tʀis].

**PERFORATION, subst. f.**
**1.** *Pathol.* Orifice créé dans la paroi d'un organe creux, accidentellement ou au cours d'une maladie. **2.** Action de perforer ; son résultat : *Les* ***perforations*** *des bandes d'un orgue de Barbarie.* 🕮 Fin XIVᵉ s. ; bas lat. *perforatio* ; [pɛʀfɔʀasjɔ̃].

**PERFORER, verbe trans.** [3]
Percer d'un ou de plusieurs trous ; empl. adj. : *Feuilles* ***perforées***. 🕮 Déb. XIIIᵉ s. ; lat. *perforare* ; [pɛʀfɔʀe].

**PERFORMANCE, subst. f.**
**1.** *Sp.* Résultat obtenu par un cheval de course (gén. au plur.). ▸ Résultat chiffré obtenu par un sportif ou une équipe : *Homologuer une* ***performance***. **2.** Anal. Ensemble chiffré des potentialités techniques d'un appareil : *Les* ***performances*** *d'un avion.* **3.** Fig. Résultat remarquable, exploit. **4.** *Psychol. Test de* ***performance*** : test non verbal d'évaluation de l'intelligence pratique. **5.** *Ling.* Mise en œuvre de la compétence (☞ *compétence*). 🕮 1839 ; angl. *performance*, p.-ê. du m. fr. *parformance*, de l'anc. fr. *parformer*, « accomplir, exécuter » ; [pɛʀfɔʀmɑ̃s].

**PERFORMANT, ANTE, adj.**
Capable de (brillantes) performances ; compétitif. 🕮 V. 1970 ; ☞ *performance* ; [pɛʀfɔʀmɑ̃, ɑ̃t].

**PERFORMATIF, IVE, adj. et subst. m.**
*Ling.* Se dit d'un énoncé dont la formulation réalise ou fait se réaliser en même temps l'action exprimée (par ex. : « La séance est levée »). 🕮 V. 1960 ; angl. *performative*, de *to perform*, « accomplir » ; [pɛʀfɔʀmatif, iv].

**PERFUSER, verbe trans.** [3]
Pratiquer une perfusion sur. 🕮 XXᵉ s. ; prob. angl. *to perfuse* ; [pɛʀfyze].

**PERFUSION, subst. f.**
*Méd.* Injection lente et continue, gén. par voie intraveineuse, d'un soluté contenant des médicaments ou des nutriments. 🕮 1912 (fin XIVᵉ s., action d'asperger) ; lat. *perfusio*, « action de mouiller » ; [pɛʀfyzjɔ̃].

**PERGÉLISOL, subst. m.**
*Géol.* Permafrost. 🕮 1956 ; angl. *pergelisol*, crois. de l'angl. *permanent* et du lat. *gelare*, « geler », et *solum*, « sol » ; [pɛʀʒelisɔl].

**PERGOLA, subst. f.**
Construction de jardin faite de légers piliers sur lesquels reposent des poutrelles servant de support à des plantes grimpantes. 🕮 1839 ; ital. *pergola*, du lat. *pergula*, « tonnelle » ; [pɛʀgɔla].

**PÉRI, subst. f.**
*Myth.* Fée, génie féminin des contes persans. 🕮 1697 ; persan *pari* ; [peʀi].

**PÉRIANTHE, subst. m.**
*Bot.* Ensemble des enveloppes (calice et corolle) situées autour des organes reproducteurs de la fleur. 🕮 1749 ; lat. sc. *perianthum*, du gr. *peri*, « autour », et *anthos*, « fleur » ; [peʀjɑ̃t].

**PÉRIARTHRITE, subst. f.**
*Pathol.* Inflammation douloureuse des tissus qui entourent une articulation. 1871 ; ☞ *arthrite + péri-* ; [peʀiaʀtʀit].

**PÉRIASTRE, subst. m.**
*Astron.* Point de l'orbite d'un corps céleste le plus proche de l'astre autour duquel il gravite (anton. *apoastre*). V. 1960 ; ☞ *astre + péri-* ; [peʀiastʀ].

**PÉRICARDE, subst. m.**
*Anat.* Double feuillet membraneux constituant l'enveloppe du cœur. Fin XIVe s. ; gr. *perikardion*, « autour du cœur » ; [peʀikaʀd].

**PÉRICARDITE, subst. f.**
*Pathol.* Inflammation du péricarde, le plus souvent aiguë. 1806 ; ☞ *péricarde + -ite* ; [peʀikaʀdit].

**PÉRICARPE, subst. m.**
*Bot.* Ensemble des parties du fruit qui protègent la graine, constituant avant fécondation la paroi de l'ovaire. 1556 ; gr. *perikarpion* ; [peʀikaʀp].

**PÉRICHONDRE, subst. m.**
*Anat.* Membrane conjonctive entourant un cartilage non articulaire. 1765 ; formé de *péri-* et de *-chondre* ; [peʀikɔ̃dʀ].

**PÉRICLITER, verbe intrans.** [3]
Aller à la faillite, décliner régulièrement : *Entreprise qui **périclite**.* 1649 (déb. XIVe s., périr en mer) ; lat. *periclitari*, « faire l'essai de ; être en péril » ; [peʀiklite].

**PÉRICYCLE, subst. m.**
*Bot.* Assise cellulaire la plus externe du cylindre central de la racine et de la tige d'un végétal. 1882 ; formé de *péri-* et de *-cycle* ; [peʀisikl].

**PÉRIDOT, subst. m.**
*Minér.* Minéral, gén. silicate de magnésium et de fer, dont le principal représentant est l'olivine. Mil. XIIIe s. ; orig. inc. ; [peʀido].

**PÉRIDOTITE, subst. f.**
*Pétrogr.* Roche magmatique ultrabasique constituée surtout d'olivine. 1869 ; ☞ *péridot* ; [peʀidɔtit].

**PÉRIDURAL, ALE, AUX, adj.**
**1.** *Anat.* Qui siège autour de la dure-mère. **2.** *Méd.* *Anesthésie **péridurale*** ou, empl. subst. fém., *Une **péridurale*** : anesthésie régionale obtenue en injectant un anesthésique dans l'espace compris entre la dure-mère et la paroi du canal rachidien, utilisée notamment en obstétrique. V. 1970 ; ☞ *dural + péri-* ; [peʀidyʀal, o].

**PÉRIGÉE, subst. m.**
*Astron.* Point de l'orbite d'un astre (ou d'un satellite artificiel) le plus proche de la Terre (anton. *apogée*). 1557 ; gr. *perigeion* ; [peʀiʒe].

**PÉRIGLACIAIRE, adj.**
**1.** *Géogr.* Qui est proche des glaciers. **2.** *Géomorph.* Relatif aux régions **périglaciaires**, dont le relief a subi l'influence de l'alternance de périodes de gel et de dégel. 1953 ; ☞ *glaciaire + péri-* ; [peʀiglasjɛʀ].

**PÉRIGORDIEN, IENNE, subst. m. et adj.**
*Préhist.* SUBST. Faciès industriel du début du Paléolithique supérieur. ADJ. Relatif, propre à ce faciès. Topon. *Périgord* ; [peʀigɔʀdjɛ̃, jɛn].

**PÉRIGOURDIN, INE, adj. et subst.**
Du Périgord ; de Périgueux. ▸ *Cuis.* *Sauce (à la) **périgourdine*** : agrémentée de truffes et de foie gras. 1580 ; topon. *Périgord* ; [peʀiguʀdɛ̃, in].

**PÉRIGUEUX, subst. m.**
*Techn.* Pierre noire très dure servant à polir l'émail et le verre. 1676 ; topon. *Périgueux* ; [peʀigø].

**PÉRIHÉLIE, subst. m.**
*Astron.* Point de l'orbite d'une planète ou d'une comète le plus proche du Soleil (anton. *aphélie*). 1690 ; formé de *péri-* et de *-hélie* ; [peʀieli].

**PÉRI-INFORMATIQUE, subst. f. et adj.**
SUBST. Ensemble des activités qui, dans un système informatique, font intervenir des périphériques ; ensemble de périphériques. ADJ. Relatif, propre à la **péri-informatique**. V. 1970 ; ☞ *informatique + péri-* ; plur. *péri-informatiques* ; [peʀiɛ̃fɔʀmatik].

**PÉRIL, subst. m.**
**1.** État, situation où un danger est à craindre : *Être en **péril** de mort.* ▸ Loc. *Il y a **péril** en la demeure* (☞ *demeure*) ; *À ses risques et **périls*** : en acceptant les conséquences qu'implique une entreprise. **2.** Danger : *Le **péril** nucléaire.* Fin Xe s. ; lat. *periculum*, « épreuve, danger » ; [peʀil].

**PÉRILLEUX, EUSE, adj.**
**1.** Où il y a un danger, un risque. **2.** *Sp.* *Saut **périlleux*** : saut où le corps fait un tour sur lui-même. 1155 ; lat. *periculosus*, « dangereux » ; [peʀijø, øz].

**PÉRIMÉ, ÉE, adj.**
**1.** Dont le délai d'utilisation, de validité est dépassé. **2.** Démodé, vieilli. 1804 ; p. p. de *se périmer* ; [peʀime].

**PÉRIMER (SE), verbe pronom.** [3]
**1.** *Dr.* S'annuler par péremption, en parlant d'une instance. **2.** Ext. Perdre sa validité. ▸ Avec ell. de « se » : *Laisser **périmer** son passeport.* Mil. XVe s. ; lat. *perimere*, « détruire » ; [peʀime].

**PÉRIMÈTRE, subst. m.**
**1.** *Géom.* Longueur d'une courbe plane fermée. **2.** Contour d'une étendue quelconque. **3.** Étendue, surface : ***Périmètre** de sécurité.* 1538 ; gr. *perimetros* ; [peʀimɛtʀ].

**PÉRINATAL, ALE, ALS ou AUX, adj.**
Relatif, propre à la période, aux évènements immédiatement antérieurs ou postérieurs à l'accouchement. 1952 ; ☞ *natal + péri-* ; [peʀinatal, o].

**PÉRINATALITÉ, subst. f.**
*Méd.* Période périnatale. V. 1970 ; ☞ *natalité + péri-* ; [peʀinatalite].

**PÉRINÉE, subst. m.**
*Anat.* Ensemble des tissus formant le plancher du petit bassin, entre les parties génitales et l'anus. 1534 ; gr. *perineos* ; [peʀine].

**PÉRIODE, subst.**
FÉM. **1.** Espace de temps : *Une longue, une courte **période**.* **2.** Espace de temps marqué par des caractéristiques précises, un évènement, une activité, un processus, un courant de pensée, un style : *Une **période** de sècheresse* ; *Traverser une **période** de découragement* ; ***Période** d'incubation d'une maladie* ; *La **période** fauve de Derain.* ▸ *Géol.* Subdivision majeure d'une ère : *La **période** du Jurassique.* ▸ *Milit.* Temps pendant lequel un réserviste est convoqué pour recevoir un complément d'instruction. **3.** Durée déterminée caractérisée par un phénomène, parfois cyclique. ▸ *Astron.* Temps mis par un astre pour accomplir sa révolution. ▸ *Math.* ***Période** d'une fonction f de $\mathbb{R}$ dans $\mathbb{R}$* : tout nombre T non nul tel que $f(x + T) = f(x)$ pour tout réel $x$ ; ***Période** du développement décimal d'un rationnel* : tranche de chiffre(s) se répétant indéfiniment à partir d'un certain rang (notée surlignée) : $22/9 = 2{,}444... = 2{,}\overline{4}$ et $27/110 = 0{,}245\,454\,5... = 0{,}2\overline{45}$. ▸ *Phys.* Intervalle entre deux passages par le même état d'un système vibratoire ou oscillatoire : ***Période** d'un pendule* ; ***Période** d'un radioélément*, temps au bout duquel la moitié de sa masse est désintégrée. **4.** *Dr. comm.* ***Période** suspecte* : temps qui précède le jugement déclaratif de faillite. **5.** *Mus.* ***Période** musicale* ou, empl. abs., ***Période*** : composante homogène d'une phrase musicale, d'une mélodie. **6.** *Rhét.* Groupe de propositions articulées de manière à constituer une unité harmonieuse et logique. MASC. *Au plus haut, au dernier **période*** (vx ou littér.) : au plus haut point, au plus haut degré. XIVe s. ; gr. *periodos*, de *peri*, « autour », et de *odos*, « chemin » ; [peʀjɔd].

**PÉRIODICITÉ, subst. f.**
Caractère de ce qui est périodique. 1665 ; ☞ *périodique* ; [peʀjɔdisite].

**PÉRIODIQUE, adj. et subst. m.**
ADJ. **1.** Qui se reproduit à des moments déterminés, à intervalles réguliers : *Fête **périodique*** ; *Presse **périodique**.* ▸ Méton. *Serviettes, tampons **périodiques*** : que les femmes utilisent pendant les règles. **2.** *Math.* ▸ *Fonction (de $\mathbb{R}$ dans $\mathbb{R}$) **périodique*** : qui possède une période (si cette fonction est continue non constante, elle admet une plus petite période strictement positive, dite fondamentale). ▸ *Développement décimal **périodique*** : pour qu'un nombre réel soit rationnel, il faut et il suffit que son développement décimal présente une période. **3.** *Chim.* *Classification **périodique** des éléments* : table de Mendeleïev. SUBST. Publication paraissant à intervalles réguliers. XVe s. ; gr. *periodikos* ; [peʀjɔdik].

**PÉRIODIQUEMENT, adv.**
D'une manière périodique. 1611 ; ☞ *périodique* ; [peʀjɔdikmɑ̃].

**PÉRIOSTE, subst. m.**
*Anat.* Membrane fibreuse qui entoure les os et en assure la nutrition et la croissance en épaisseur. 1538 ; gr. *periosteon* ; [peʀjɔst].

**PÉRIOSTITE, subst. f.**
*Pathol.* Inflammation du périoste. 1823 ; ☞ *périoste + -ite* ; [peʀjɔstit].

**PÉRIPATE, subst. m.**
*Zool.* Arthropode vermiforme des régions tropicales, possédant de courtes pattes et des antennes. Gr. *peripatein*, « se promener » ; [peʀipat].

**PÉRIPATÉTICIEN, IENNE, subst. et adj.**
SUBST. Partisan de la doctrine d'Aristote. ADJ. Qui se rapporte à l'aristotélisme. SUBST. FÉM. Prostituée qui racole dans la rue (littér. ou iron.). 1370 ; lat. *peripateticus*, du gr. *peripatein*, « se promener », car Aristote enseignait en se promenant ; [peʀipatetisjɛ̃, jɛn].

**PÉRIPÉTIE, subst. f.**
**1.** Changement subit de situation dans un récit romanesque, une pièce de théâtre, un film. **2.** Anal. Fait nouveau modifiant le cours d'une affaire, d'une action : *Les **péripéties** d'une négociation.* 1605 ; gr. *peripeteia*, « évènement imprévu » ; [peʀipesi].

**PÉRIPHÉRIE, subst. f.**
**1.** Contour d'une figure curviligne ; surface extérieure d'un volume, d'un corps. **2.** Zone limitrophe d'une ville, faubourg : *La **périphérie** de Lyon.* Fin XIIIe s. ; bas lat. *peripheria*, du gr. *peripheria* ; [peʀifeʀi].

**PÉRIPHÉRIQUE, adj. et subst. m.**
ADJ. **1.** Situé à la périphérie de qqch. ▸ *Boulevard **périphérique*** ou, empl. subst. masc., *Le **périphérique*** : voie routière rapide ceinturant une grande ville (abrév. fam. : périph, périf). **2.** *Anat.* Qui est localisé dans les régions externes du corps, ou d'un organe. **3.** *Audiov.* Se dit d'une station, d'une radio, dont les émetteurs sont situés hors du territoire national, dans les pays limitrophes. SUBST. *Informat.* Sous-ensemble relié à l'unité centrale d'un ordinateur (mémoire auxiliaire, modem, imprimante, etc.). 1838 ; ☞ *périphérie* ; [peʀifeʀik].

© F. Chazot-Explorer

*Le boulevard **périphérique** parisien.*

**PÉRIPHLÉBITE, subst. f.**
*Pathol.* Inflammation du tissu qui entoure une veine. 1873 ; ☞ *phlébite + péri-* ; [peʀiflebit].

**PÉRIPHRASE, subst. f.**
**1.** *Rhét.* Figure consistant à remplacer un terme unique par une phrase, souv. métaphorique (par ex. : « l'astre au front d'argent » (Lamartine), pour désigner la lune) ; par ext. : *S'exprimer par **périphrases***, de manière allusive. **2.** *Ling.* Ensemble de morphèmes équivalant à un seul signifié. 1529 ; lat. *periphrasis*, du gr. *periphrasein*, « parler par circonlocutions » ; [peʀifʀɑz].

**PÉRIPHRASTIQUE, adj.**
Qui constitue une périphrase. Mil. XVIe s. ; ☞ *périphrase* ; [peʀifʀastik].

**PÉRIPLE, subst. m.**
**1.** Voyage maritime d'exploration suivant les contours d'un continent, d'une mer ; récit de ce voyage. **2.** Ext. Voyage comprenant de multiples étapes et aventures. 1629 ; lat. *periplus*, du gr. *periplous*, de *periplein*, « naviguer autour » ; [peʀipl].

**PÉRIPTÈRE, subst. m. et adj.**
*Archit.* Se dit d'un édifice entouré d'une colonnade. 1547 ; formé de *péri-* et de *-ptère* ; [peʀiptɛʀ].

**PÉRIR, verbe intrans.** [19]
Littér. **1.** Mourir de mort violente : ***Périr** en mer* ; au fig. : ***Périr** d'ennui*, s'ennuyer énormément. **2.** Disparaître, s'effacer : *Espoir qui **périt**.* Mil. XIe s. ; lat. *perire* ; [peʀiʀ].

**PÉRISCOLAIRE, adj.**
Qui est complémentaire de l'enseignement scolaire. 1957 ; ☞ *scolaire + péri-* ; [peʀiskɔlɛʀ].

**PÉRISCOPE, subst. m.**
*Opt.* Instrument composé de prismes et de lentilles,

permettant de voir par-dessus un obstacle : *Périscope de sous-marin.* 1899 ; angl. *periscope*, du gr. *periskopein*, « regarder autour » ; [peʀiskɔp].

**PÉRISCOPIQUE, adj.**
1. *Opt.* À grand champ visuel : *Verres périscopiques.* 2. Relatif au périscope d'un sous-marin. 1814 ; gr. *periskopein*, « regarder autour » ; [peʀiskɔpik].

**PÉRISPERME, subst. m.**
*Bot.* Tissu de réserve entourant certaines graines. 1789 ; formé de *péri-* et de *-sperme* ; [peʀispɛʀm].

**PÉRISSABLE, adj.**
1. Exposé à périr, précaire (littér.) : *Gloire périssable.* 2. Qui s'altère vite : *Denrées périssables.* Fin XIVe s. ; ☞ *périr* ; [peʀisabl].

**PÉRISSODACTYLES, subst. m. plur.**
*Zool.* Ordre de mammifères ongulés présentant un nombre impair de doigts. AU SING. *Le tapir est un périssodactyle.* 1848 ; gr. *perissodaktulos*, « aux doigts de longueur inégale » ; [peʀisodaktil].

**PÉRISSOIRE, subst. f.**
*Mar.* Étroite embarcation instable manœuvrée à la pagaie double. 1867 ; ☞ *périr* ; [peʀiswaʀ].

**PÉRISSOLOGIE, subst. f.**
Redondance produite par insistance ou pléonasme (par ex. : « Il est monté en haut »). 1710 ; gr. *perissologia*, de *perissos*, « superflu » ; [peʀisɔlɔʒi].

**PÉRISTALTIQUE, adj.**
*Physiol.* Se dit de contractions qui se propagent le long d'un organe tubulaire, provoquant ainsi le déplacement de son contenu. 1618 ; gr. *peristaltikos*, de *peristellein*, « envelopper » ; [peʀistaltik].

**PÉRISTALTISME, subst. m.**
Mouvement péristaltique : *Péristaltisme intestinal.* 1877 ; ☞ *péristaltique* ; [peʀistaltism].

**PÉRISTOME, subst. m.**
1. *Bot.* Formation spéciale entourant l'orifice de la capsule de certaines bryophytes, garnie de dents et servant à la dissémination des spores. 2. *Zool.* ► Chez les mollusques gastéropodes, bord renflé de l'ouverture de la coquille. ► Chez certains protozoaires ciliés, fente au fond de laquelle s'ouvre la bouche. 1803 ; lat. sc. *peristomium*, du gr. *peristomos*, « qui entoure la bouche » ; [peʀistɔm].

**PÉRISTYLE, subst. m.**
*Archit.* 1. Galerie à colonnes disposée autour d'une cour intérieure ou autour d'un édifice. 2. Ext. Colonnade bordant le portique d'un monument, le narthex d'une église. 1546 ; lat. *peristylum*, du gr. *peristulon* ; [peʀistil].

**PÉRITEL, adj. inv.**
*Prise péritel* : prise normalisée permettant de relier un appareil (magnétoscope, par ex.) à un téléviseur. V. 1980 ; ☞ *télévision* + *péri-* ; [peʀitɛl].

**PÉRITOINE, subst. m.**
*Anat.* Double membrane séreuse tapissant la paroi abdominale et enveloppant les organes de la cavité abdominale. 1520 ; bas lat. *peritonaeum*, du gr. *peritonaion*, « qui est tendu autour » ; [peʀitwan].

**PÉRITONÉAL, ALE, AUX, adj.**
*Anat.* Relatif au péritoine. 1805 ; bas lat. *peritonaeum*, « péritoine » ; [peʀitɔneal, o].

**PÉRITONITE, subst. f.**
*Pathol.* Inflammation du péritoine, gén. consécutive à une appendicite non traitée. 1802 ; lat. méd. *peritonitis* ; [peʀitɔnit].

**PERLE, subst. f.**
1. Petite concrétion formée de couches concentriques de nacre, plus ou moins sphérique, produite par certains mollusques, en partic. les huîtres (méléagrine, pintadine), en réaction à la pénétration d'un corps étranger dans leur manteau (grain de sable, par ex.). ► Empl. adj. inv. *Gris perle* : gris nacré. 2. Ext. Petite boule percée destinée à être enfilée avec d'autres : *Collier de perles.* ► Loc. *Enfiler des perles* (☞ *enfiler*). 3. Anal. Petite goutte : *Perles de rosée, de sueur.* ► *Archit.* Relief formé de demi-grains, sur des moulures : *Ligne de perles.* 4. Personne, chose remarquable dans son domaine : *Cette couturière est une perle* ; par antiphr., erreur cocasse et ridicule. 5. *Zool.* Plécoptère dont la larve est aquatique. Mil. XIIe s. ; altér. du lat. *perna*, « cuisse ; coquillage » ; [pɛʀl].

BIJOUTERIE – Très appréciée dès l'Antiquité pour sa rareté et sa beauté, la perle fine est traditionnellement pêchée par des plongeurs descendant en apnée jusqu'à 25 m de profondeur, à la recherche des bancs d'huîtres (golfe Persique, Sri Lanka, côtes du Pacifique, etc.). Blanche, grise, rose ou noire, la perle est ronde, piriforme ou irrégulière. Elle est estimée en fonction de sa forme, de son poids et de son « eau » (lustre et orient). La perle de culture, de création japonaise (1912), résulte de l'insertion d'un minuscule noyau artificiel dans les tissus de l'huître, déclenchant le processus sécrétoire (qui dure env. six ans). Cette production, d'une qualité parfaite, permet de répondre à la forte demande du marché mondial de la bijouterie.

**PERLÉ, ÉE, adj.**
1. Orné de perles : *Robe perlée.* 2. Qui a la forme ou le reflet des perles : *Orge perlé* ; *Coton perlé*, mercerisé. 3. Exécuté avec soin (littér.). ► *Jeu perlé d'un pianiste* : qui détache avec grâce chaque note ; par anal. : *Rire perlé.* 4. *Soc. Grève perlée* : qui atteint successivement différentes phases de production. Mil. XIVe s. ; ☞ *perle* ; [pɛʀle].

**PERLÈCHE, subst. f.**
*Pathol.* Inflammation, fissure à la commissure des lèvres. 1855 ; dial. *se perlécher*, « se pourlécher » ; var. *pourlèche* ; [pɛʀlɛʃ].

**PERLER, verbe [3]**
TRANS. 1. Orner de perles. 2. Exécuter avec soin (littér.). ► *Mus.* Jouer (un morceau) en détachant avec grâce chaque note. INTRANS. Se former en fines gouttelettes. 1554 ; ☞ *perle* ; [pɛʀle].

**PERLIER, IÈRE, adj.**
Lié à la production des perles : *Huîtres perlières* ; *Industrie perlière.* Fin XVIIe s. ; ☞ *perle* ; [pɛʀlje, jɛʀ].

**PERLIMPINPIN, subst. m.**
*Poudre de perlimpinpin* : poudre censée avoir des effets magiques, vendue par les charlatans et, par ext., remède inopérant. 1640 ; orig. obsc. ; [pɛʀlɛ̃pɛ̃pɛ̃].

**PERLINGUAL, ALE, AUX, adj.**
*Méd.* Qui se fait par absorption à travers les muqueuses sublinguales. V. 1970 ; ☞ *lingual* + *per-* ; [pɛʀlɛ̃gwal, o] ou [-gɥal].

**PERLON (I), subst. m.**
*Zool.* 1. Requin de la Méditerranée et de l'Atlantique, pouvant atteindre 3 m de long. 2. *Grondin perlon* : poisson d'environ 70 cm, vivant dans l'Atlantique, la Méditerranée et la mer Noire, aussi appelé trigle hirondelle. 1554 ; ☞ *perle* ; [pɛʀlɔ̃].

**PERLON (II), subst. m. inv.**
Fibre textile de polyamide. 1949 ; all. *Perlon*, crois. de *Perle*, « perle » et de *Nylon* ; n. déposé ; [pɛʀlɔ̃].

**PERLOT, subst. m.**
Petite huître que l'on trouve sur les côtes de la Manche. 1877 ; ☞ *perle* ; [pɛʀlo].

**PERLUÈTE, voir ESPERLUETTE**

**PERMAFROST, subst. m.**
*Géol.* Sol gelé en permanence et en profondeur des régions froides (la couche superficielle peut dégeler à la saison chaude). 1956 ; anglo-amér. *permafrost*, de *permanent frost*, « gel permanent » ; recomm. off. *permagel*, *pergélisol* ; [pɛʀmafʀɔst].

**PERMANENCE, subst. f.**
1. Caractère de ce qui est continu, durable : *Permanence d'une tradition.* ► Loc. *En permanence* : sans interruption, constamment. 2. Service assurant le fonctionnement ininterrompu d'un organisme : *Permanence téléphonique* ; *Être de permanence.* 3. Méton. Local où est assuré ce service. ► *Enseign.* Salle d'études où une surveillance est assurée. Fin XIVe s. ; lat. médiév. *permanentia* ; [pɛʀmanɑ̃s].

**PERMANENT, ENTE, adj. et subst.**
ADJ. 1. Qui se maintient invariablement pendant une durée indéfinie : *Débit permanent d'un cours d'eau.* 2. Qui ne cesse pas : *Va-et-vient permanent* ; *Cinéma permanent*, dont les séances se suivent sans interruption. 3. Qui exerce son activité de manière continue : *Correspondant permanent*, envoyé d'un organe de presse en résidence à l'étranger. SUBST. Membre d'un parti politique, d'un syndicat, rémunéré, chargé de tâches administratives. SUBST. FÉM. Traitement appliqué à une chevelure afin de la friser durablement (synon. vieilli *indéfrisable*). Fin XIVe s. ; lat. *permanens* ; [pɛʀmanɑ̃, ɑ̃t].

**PERMANGANATE, subst. m.**
*Chim.* Sel de l'acide permanganique. 1845 ; ☞ *manganate* + *per-* ; [pɛʀmɑ̃ganat].

**PERMANGANIQUE, adj.**
*Chim.* Qualifie un acide de formule $HMnO_4$. 1848 ; ☞ *manganique* + *per-* ; [pɛʀmɑ̃ganik].

**PERMÉABILITÉ, subst. f.**
1. Propriété d'une substance, d'un corps perméable. ► *Phys. Perméabilité magnétique* : aptitude d'un corps à se laisser traverser par un flux magnétique. 2. Fig. Caractère de qqn, de qqch. qui peut subir une influence extérieure. 1755 (1620, qualité de ce qui coule facilement) ; ☞ *perméable* ; [pɛʀmeabilite].

**PERMÉABLE, adj.**
1. *Phys.* Se dit d'un corps, d'une matière, d'une substance qui se laisse traverser par un fluide. 2. Anal. *Frontière perméable* : qui se franchit aisément. 3. Fig. Qui est ouvert, sensible aux influences extérieures. 1556 ; lat. *permeabilis* ; [pɛʀmeabl].

**PERMETTRE, verbe trans. [60]**
1. En parlant de qqn, ne pas empêcher (qqch.) ; autoriser, tolérer, admettre (qqch.) : *Je vous permets d'intervenir* ; *Je ne permets pas qu'il fume.* 2. En parlant de qqch., donner le loisir, la possibilité de : *Si ma santé me le permet, je voyagerai.* PRONOM. 1. S'accorder (qqch.) : *On ne peut se permettre ces dépenses.* 2. Se permettre de (+ inf.). Se donner la liberté de : *Je me permets d'utiliser votre stylo.* Fin Xe s. ; lat. *permittere* ; [pɛʀmɛtʀ].

**PERMIEN, IENNE, subst. m. et adj.**
*Géol.* SUBST. Dernière période de l'ère primaire. ADJ. Relatif, propre à cette période. 1869 (1762, peuple de l'Oural) ; topon. *Perm* (Oural) ; [pɛʀmjɛ̃, jɛn].

**PERMIS, subst. m.**
Autorisation écrite officielle requise dans certaines situations ou pour exercer certaines activités : *Permis de séjour* ; *Permis de conduire.* 1721 ; p. p. de *permettre* ; [pɛʀmi].

**PERMISSIF, IVE, adj.**
Qui fait preuve d'une grande tolérance ; qui répugne à interdire : *Société permissive.* 1378 ; ☞ *permettre*, par l'angl. ; [pɛʀmisif, iv].

**PERMISSION, subst. f.**
1. Action de permettre qqch. ; son résultat : *J'ai la permission de sortir.* 2. Congé accordé à un militaire ; sa durée. 1292 ; lat. *permissio* ; [pɛʀmisjɔ̃].

**PERMISSIONNAIRE, subst. m. et adj.**
Se dit d'un militaire jouissant d'une permission. 1842 (1680, dans une acception religieuse) ; ☞ *permission* ; [pɛʀmisjɔnɛʀ].

**PERMISSIVITÉ, subst. f.**
Fait d'être permissif. V. 1970 ; ☞ *permissif*, par l'angl. ; [pɛʀmisivite].

**PERMITTIVITÉ, subst. f.**
*Phys.* Rapport de l'induction électrique au champ électrique, caractéristique d'un diélectrique : *Permittivité relative*, rapportée à celle du vide. 1955 ; angl. *permittivity*, de *to permit*, « permettre » ; [pɛʀmitivite].

**PERMUTABLE, adj.**
Que l'on peut permuter. 1520 ; ☞ *permuter* ; [pɛʀmytabl].

**PERMUTANT, ANTE, subst.**
*Admin.* Personne qui échange son emploi avec une autre. 1516 ; p. pr. de *permuter* ; [pɛʀmytɑ̃, ɑ̃t].

**PERMUTATION, subst. f.**
1. Action, fait de permuter ; en partic., échange de postes entre deux fonctionnaires de même rang. 2. *Math.* Bijection d'un ensemble sur lui-même ; si cet ensemble a $n$ éléments, le nombre de ses permutations est $n$ ! (factorielle $n$). Mil. XIVe s. (1261, troc) ; lat. *permutatio*, « changement » ; [pɛʀmytasjɔ̃].

**PERMUTER, verbe [3]**
TRANS. Déplacer (deux éléments d'un ensemble), chacun allant occuper la place de l'autre ; mettre (une chose) à la place d'une autre et réciproquement. INTRANS. Procéder à un échange ; en partic., échanger des emplois. 1679 (1342, vendre) ; lat. *permutare*, « changer » ; [pɛʀmyte].

**PERNICIEUX, EUSE, adj.**
1. Nuisible à la santé. ► *Pathol.* Se dit de certaines affections évolutives très graves (vieilli). 2. Moralement malfaisant (littér.) : *Des idées pernicieuses.* 1314 ; lat. *perniciosus*, « funeste » ; [pɛʀnisjø, øz].

**PÉRONÉ, subst. m.**
*Anat.* Os long et grêle de la jambe, extérieur et parallèle au tibia. 1522 ; gr. *peronê*, « toute pointe qui traverse un objet » ; [peʀɔne].

**PÉRONIER, IÈRE, subst. m. et adj.**
SUBST. Chacun des muscles du péroné. ADJ. Relatif au péroné. 1687 ; ☞ *péroné* ; [peʀɔnje, jɛʀ].

**PÉRONNELLE, subst. f.**
Femme ou jeune fille impertinente, stupide et bavarde (vieilli ou fam.). 1651 ; *Perronnelle*, héroïne d'une chanson du XVe s. ; [peʀɔnɛl].

**PÉRORAISON,** subst. f.
1. *Rhét.* Conclusion d'un discours, avec reprise des points jugés importants. **2.** Discours verbeux et pédant (péj.). 1671 ; lat. *peroratio*, « long discours », d'apr. *oraison* ; [peʀɔʀɛzɔ̃].

**PÉRORER,** verbe intrans. [3]
Discourir avec emphase et prétention (péj.). Fin XIVe s. ; lat. *perorare*, « exposer jusqu'au bout » ; [peʀɔʀe].

**PÉROT,** subst. m.
*Sylvic.* Arbre qui a deux fois l'âge de la coupe à laquelle il appartient. 1546 ; ☞ *père* ; [peʀo].

**PEROXYDASE,** subst. f.
*Biochim.* Enzyme catalysant une réaction d'oxydation par un peroxyde. 1903 ; ☞ *peroxyde* ; [pɛʀɔksidaz].

**PEROXYDE,** subst. m.
*Chim.* Le plus oxygéné des oxydes d'un même corps. 1809 ; ☞ *oxyde* + *per-* ; [pɛʀɔksid].

**PERPENDICULAIRE,** adj. et subst. f.
ADJ. **1.** Vx. D'aplomb, vertical. **2.** Qui forme avec une figure un angle droit. ▸ *Géom. Droites* **perpendiculaires** : droites sécantes telles qu'un vecteur directeur de l'une est orthogonal à un vecteur directeur de l'autre ; *Droite* **perpendiculaire** *à un plan* : droite **perpendiculaire** à toute droite de ce plan qu'elle rencontre ; *Plans* **perpendiculaires** : tels qu'une droite de l'un est **perpendiculaire** à l'autre. **3.** *Archit. Gothique* **perpendiculaire** : style de la dernière période du gothique anglais (XIVe-XVIe s.), caractérisé par la prééminence des lignes **perpendiculaires**. SUBST. Droite **perpendiculaire**. Fin XIVe s. ; lat. *perpendicularis*, de *perpendiculum*, « fil à plomb » ; [pɛʀpɑ̃dikylɛʀ].

**PERPENDICULAIREMENT,** adv.
**1.** Vx. Verticalement. **2.** En formant un angle droit. 1509 ; ☞ *perpendiculaire* ; [pɛʀpɑ̃dikylɛʀmɑ̃].

**PERPÈTE (À),** loc. adv.
Fam. **1.** À perpétuité, pour toujours. **2.** Très loin dans l'espace : *Déménager* **à perpète**. 1836 ; abrév. de *à perpétuité* ; var. *à perpette* ; [apɛʀpɛt].

**PERPÉTRATION,** subst. f.
*Dr.* ou Littér. Action de perpétrer. 1380 ; lat. *perpetratio* ; [pɛʀpetʀasjɔ̃].

**PERPÉTRER,** verbe trans. [8]
*Dr.* ou Littér. Commettre, accomplir (un crime, un délit). 1232 ; lat. *perpetrare*, « accomplir » ; [pɛʀpetʀe].

**PERPÉTUATION,** subst. f.
Littér. Fait de perpétuer, de se perpétuer ; son résultat. 1422 ; ☞ *perpétuer* ; [pɛʀpetɥasjɔ̃].

**PERPÉTUEL, ELLE,** adj.
**1.** Permanent, qui n'a pas de fin envisagée : *Alliance* **perpétuelle**. **2.** Qui dure toute une vie : *Rente* **perpétuelle**. **3.** Qui ne s'interrompt jamais : *Bruit* **perpétuel**. **4.** Qui se répète, se renouvelle souvent (gén. au plur.) : *Plaintes* **perpétuelles**. 1236 ; lat. *perpetualis* ; [pɛʀpetɥɛl].

**PERPÉTUELLEMENT,** adv.
Éternellement ; sans arrêt ; souvent. Mil. XIIe s. ; ☞ *perpétuel* ; [pɛʀpetɥɛlmɑ̃].

**PERPÉTUER,** verbe trans. [3]
Littér. Faire durer indéfiniment ou très longtemps : **Perpétuer** *une tradition.* PRONOM. Se maintenir, perdurer. Fin XIVe s. ; lat. *perpetuare* ; [pɛʀpetɥe].

**PERPÉTUITÉ,** subst. f.
Caractère de ce qui est perpétuel ; pérennité (littér.). ▸ Loc. **À perpétuité**. Pour toujours : *Concession* **à perpétuité** ; *Condamner* **à perpétuité**, à la réclusion à vie. 1236 ; lat. *perpetuitas* ; [pɛʀpetɥite].

**PERPLEXE,** adj.
Qui est embarrassé, hésitant sur un choix à faire, une conduite à tenir dans une situation difficile ; par méton. : *Un air* **perplexe**. 1403 (mil. XIVe s., compliqué) ; lat. *perplexus*, « embrouillé » ; [pɛʀplɛks].

**PERPLEXITÉ,** subst. f.
État dans lequel se trouve une personne perplexe ; embarras, irrésolution. Déb. XIVe s. ; bas lat. *perplexitas*, « enchevêtrement » ; [pɛʀplɛksite].

**PERQUISITION,** subst. f.
*Dr.* Fouille effectuée dans un lieu clos, gén. un domicile, par un juge d'instruction ou un officier de police afin d'y rechercher les preuves d'une infraction. 1690 (1473, recherche minutieuse) ; bas lat. *perquisitio* ; [pɛʀkizisjɔ̃].

**PERQUISITIONNER,** verbe intrans. [3]
Effectuer une perquisition ; empl. trans. (critiqué) : **Perquisitionner** *un domicile, des bureaux.* 1836 ; ☞ *perquisition* ; [pɛʀkizisjɔne].

**PERRÉ,** subst. m.
*Techn.* Ouvrage de pierres sèches ou de maçonnerie, qui renforce un remblai, la rive d'un cours d'eau, etc. 1767 (1301, gué pavé) ; ☞ *pierre* ; [peʀe].

**PERRIÈRE,** subst. f.
*M. Â.* Machine de guerre servant à catapulter des projectiles. 1155 ; ☞ *pierre* ; [pɛʀjɛʀ].

**PERRON,** subst. m.
Construction comportant plusieurs marches et une plate-forme, donnant accès à une porte d'entrée. Déb. XIIe s. ; ☞ *pierre* ; [pɛʀɔ̃].

**PERROQUET,** subst. m.
**1.** *Zool.* Oiseau grimpeur au bec crochu des régions tropicales, de la famille des Psittacidés, plus grand que la perruche, qui se distingue du cacatoès par l'absence de huppe. Certaines espèces peuvent imiter la voix humaine. **2.** *Fig.* Personne qui répète sans comprendre ce qu'elle entend ou ce qu'elle a appris. **3.** *Mar.* Voile carrée surmontant le hunier, établie sous le cacatois ; son gréement. **4.** Cocktail de pastis et de sirop de menthe. 1395 ; dimin. de *Perrot*, lui-même dimin. de *Pierre* ; [peʀɔkɛ].

© M. Deville-Gamma

*Perroquets.*

**PERRUCHE,** subst. f.
**1.** Petit perroquet siffleur, n'ayant gén. pas la faculté d'imiter la parole ; femelle du perroquet (vx). **2.** *Mar.* Voile carrée gréée au mât d'artimon, au-dessus du perroquet de fougue. 1698 ; *perrique* (vx), « perroquet de petite taille », de l'esp. *Perico*, dimin. de *Pero*, altér. de *Pedro*, « Pierre » ; [peʀyʃ].

**PERRUQUE,** subst. f.
**1.** Chevelure postiche. **2.** Travail personnel effectué en fraude par un ouvrier avec les outils et les matériaux de son employeur et pendant son temps de travail (fam.). Fin XVe s. (mil. XVe s., longue chevelure) ; orig. obsc. ; [peʀyk].

**PERRUQUIER, IÈRE,** subst.
**1.** Barbier, coiffeur (vieilli). **2.** Fabricant de perruques. 1564 ; ☞ *perruque* ; [peʀykje, jɛʀ].

**PERS, PERSE,** adj.
D'une couleur à dominante bleue : *Athéna aux yeux* **pers**. Fin XIIe s. (déb. XIIe s., livide) ; bas lat. *persus*, « de couleur jacinthe », p.-ê. du topon. *Persia*, « Perse » ; [pɛʀ, pɛʀs].

**PERSAN, ANE,** adj. et subst.
De Perse (depuis la conquête arabe, au VIIe s.). ADJ. *Chat* **persan** ou, empl. subst. masc., *Un* **persan** : chat à la fourrure abondante et soyeuse. SUBST. MASC. Langue officielle de l'Iran, qui s'écrit avec l'alphabet arabe. Mil. XIIe s. ; topon. *Perse* ; [pɛʀsɑ̃, an].

*Persan bleu.*

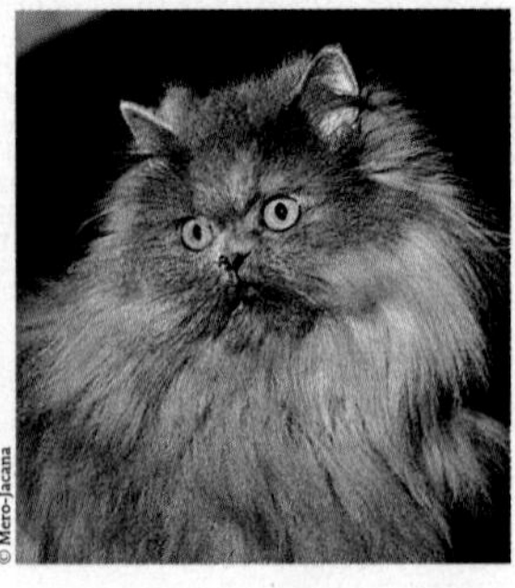
© Mero-Jacana

**PERSE,** adj. et subst.
De l'ancienne Perse (avant le VIIe s.). SUBST. MASC. Langue indo-européenne, ancêtre du persan. 1560 ; lat. *persus* ; [pɛʀs].

**PERSÉCUTÉ, ÉE,** adj. et subst.
Se dit d'une personne qui est victime d'une persécution. 1694 ; p. p. de *persécuter* ; [pɛʀsekyte].

**PERSÉCUTER,** verbe trans. [3]
Tourmenter, opprimer sans relâche, par des traitements tyranniques et cruels ; par exagér., importuner sans cesse, harceler. Déb. XIVe s. ; ☞ *persécuteur* ; [pɛʀsekyte].

**PERSÉCUTEUR, TRICE,** subst.
**1.** Personne qui persécute. **2.** *Psych.* Personne qui, se sentant persécutée, réagit en persécutant. Fin XIIe s. ; lat. chrét. *persecutor*, « persécuteur des chrétiens », de *persequor*, « poursuivre » ; [pɛʀsekytœʀ, tʀis].

**PERSÉCUTION,** subst. f.
**1.** Action de persécuter ; en partic., mesure répressive et discrétionnaire prise à l'encontre d'une communauté (souv. au plur.). **2.** *Psych. Délire de* **persécution** : dans lequel le malade se sent persécuté. Déb. XIIe s. ; lat. chrét. *persecutio*, « persécution contre les chrétiens » ; [pɛʀsekysjɔ̃].

**PERSÉIDES,** subst. f. plur.
*Astron.* Essaim météorique (étoiles filantes) provenant de la constellation de Persée, visible dans la nuit du 11 août. 1875 ; *Persée*, nom d'une constellation ; [pɛʀseid].

**PERSÉVÉRANCE,** subst. f.
Action de persévérer ; qualité d'une personne qui persévère. Déb. XIIIe s. (fin XIIe s., continuité d'un état de choses) ; lat. *perseverantia* ; [pɛʀseveʀɑ̃s].

**PERSÉVÉRANT, ANTE,** adj.
Qui persévère, qui fait preuve d'opiniâtreté. Fin XIIe s. ; p. pr. de *persévérer* ; [pɛʀseveʀɑ̃, ɑ̃t].

**PERSÉVÉRATION,** subst. f.
*Psych.* Répétition pathologique d'un geste, d'un thème ou d'un mot, malgré la disparition des circonstances qui les ont motivés, observée dans les états démentiels. 1914 (fin XIIe s., obstination) ; lat. *perseveratio*, « action de persévérer » ; [pɛʀseveʀasjɔ̃].

**PERSÉVÉRER,** verbe intrans. [8]
**1.** Vx. Continuer, durer. **2.** Poursuivre son action avec constance, persister dans sa résolution. Déb. XIIe s. ; lat. *perseverare* ; [pɛʀseveʀe].

**PERSICAIRE,** subst. f.
*Bot.* Sorte de renouée à fleurs ornementales, des lieux humides. XIIIe s. ; lat. médiév. *persicaria*, du lat *persicus*, « pêcher » ; [pɛʀsikɛʀ].

**PERSICOT,** subst. m.
Liqueur faite d'eau-de-vie, de noyaux de pêches écrasés, de sucre et d'aromates. 1694 ; lat. *persicus*, « pêcher » ; [pɛʀsiko].

**PERSIENNE,** subst. f.
Vantail extérieur d'une fenêtre, dont le panneau à claire-voie, constitué de lamelles fixes ou mobiles, protège de la lumière tout en permettant l'aération. 1752 ; topon. *Perse* ; [pɛʀsjɛn].

**PERSIFLAGE,** subst. m.
Action de persifler ; moquerie, ironie mordante. 1735 ; ☞ *persifler* ; [pɛʀsiflaʒ].

**PERSIFLER,** verbe trans. [3]
Railler (qqn) en usant de compliments ironiques ; empl. abs., tenir des propos narquois et blessants. 1735 ; ☞ *siffler* + *per-* ; [pɛʀsifle].

**PERSIFLEUR, EUSE,** subst. et adj.
Se dit d'une personne qui persifle. ADJ. Qui exprime le persiflage. 1744 ; ☞ *persifler* ; [pɛʀsiflœʀ, øz].

**PERSIL,** subst. m.
*Bot.* Plante potagère aromatique de la famille des Apiacées, qui présente des ombelles presque égales, très utilisée en cuisine. XIIe s. ; lat. *petrosinu*, du gr. *petroselinon* ; [pɛʀsi].

**PERSILLADE,** subst. f.
*Cuis.* Assaisonnement à base de persil haché et d'ail, ajouté à certains plats en fin de cuisson ; par méton., plat de tranches de bœuf froid ainsi assaisonnées. 1690 ; ☞ *persil* ; [pɛʀsijad].

**PERSILLÉ, ÉE,** adj.
**1.** Assaisonné de persil haché. **2.** Qui présente des moisissures internes verdâtres : *Fromage bleu* **persillé** ; par anal. : *Viande* **persillée**, semée de filaments de graisse. 1694 ; ☞ *persil* ; [pɛʀsije].

**PERSILLÈRE**, subst. f.
Pot de terre percé de trous, dans lequel on fait pousser du persil en toutes saisons. 1868 ; persil ; [pɛʀsijɛʀ].

**PERSISTANCE**, subst. f.
1. Action de persister ; constance, opiniâtreté. 2. Fait de durer ; caractère de ce qui dure. Fin XV^e s. ; persister ; [pɛʀsistɑ̃s].

**PERSISTANT, ANTE**, adj.
1. Qui persiste, qui dure. 2. *Bot.* Qualifie un feuillage qui se renouvelle toute l'année (anton. *caduc*). 1321 ; p. pr. de *persister* ; [pɛʀsistɑ̃, ɑ̃t].

**PERSISTER**, verbe intrans. [3]
1. Demeurer ferme, déterminé. ▸ Loc. ***Persister** et signer* : maintenir ses déclarations. 2. Continuer, durer : *Un doute **persiste**.* 1321 ; lat. *persistere* ; [pɛʀsiste].

**PERSONA GRATA**, subst. f. inv. et adj. inv.
1. *Diplom.* Se dit d'un diplomate agréé par le gouvernement du pays auprès duquel il est accrédité. 2. Ext. Se dit d'une personne qui est en faveur, qui a ses entrées dans un milieu fermé. 1890 ; loc. lat. *persona grata*, « personne bienvenue » ; anton. *persona non grata* ; [pɛʀsɔnagʀata].

**PERSONNAGE**, subst. m.
1. Chacune des personnes imaginaires qui figurent dans une œuvre de fiction ; rôle interprété par un comédien. 2. Personne considérée dans son apparence, dans sa manière d'agir : *Un **personnage** haut en couleur* ; empl. péj. : *Méfiez-vous de ce **personnage** !* 3. Figure peinte ou sculptée : *Les **personnages** d'un tableau, d'un bas-relief.* 4. Personne de haut rang, au rôle social éminent. 1384 (déb. XIII^e s., situation religieuse importante) ; personne ; [pɛʀsɔnaʒ].

**PERSONNALISATION**, subst. f.
Action de personnaliser. 1845 ; personnaliser ; [pɛʀsɔnalizasjɔ̃].

**PERSONNALISER**, verbe trans. [3]
1. Vx. Personnifier (qqch. d'abstrait). 2. Donner un caractère unique, personnel à (qqch.) : ***Personnaliser** un appartement.* 3. Adapter (qqch.) en tenant compte de la situation, de la personnalité de chacun. 1704 ; personnel ; [pɛʀsɔnalize].

**PERSONNALISME**, subst. m.
*Philos.* Toute doctrine fondée sur la valeur spécifique, absolue de la personne humaine. 1903 (1737, égocentrisme) ; personnel ; [pɛʀsɔnalism].

**PERSONNALITÉ**, subst. f.
1. Ce qui constitue l'individualité morale d'une personne : *Faire preuve de **personnalité**.* ▸ *Psychol.* Individualité consciente. 2. Ensemble des traits de caractère et des comportements habituels qui confèrent à une personne son originalité et qui la distinguent des autres : *Une forte **personnalité**.* 3. *Dr.* ▸ ***Personnalité** morale* : aptitude d'un groupe ou d'un établissement à jouir d'une existence juridique propre. ▸ ***Personnalité** juridique* : aptitude d'une personne physique ou morale à jouir de tous ses droits civils. ▸ Caractère de ce qui est personnel : ***Personnalité** de l'impôt.* 4. Personne en vue, qui se distingue par sa situation sociale, son activité : *Un parterre de **personnalités**.* 1495 (1481, caractère personnel d'une action judiciaire) ; lat. *personalitas* ; [pɛʀsɔnalite].

**PERSONNE**, subst. f. et pron. indéf.
SUBST. 1. Être humain, individu appartenant à l'espèce humaine : *Le respect de la **personne**.* 2. Être humain considéré dans son individualité, son moi, ou dans son aspect extérieur : *Être bien fait de sa **personne**.* ▸ Loc. *Être imbu de sa **personne*** : être content de soi ; *Payer de sa **personne*** : se donner beaucoup de mal ; *En **personne*** : soi-même. 3. Individu en général : *Une assemblée de quelques **personnes*** ; *Une aimable **personne**.* ▸ *Une grande **personne*** : un adulte. 4. *Dr.* ▸ ***Personne** physique* : individu qui est sujet de droits et de devoirs. ▸ ***Personne** morale* : société, groupement jouissant de la personnalité juridique. 5. *Gramm.* Catégorie servant à distinguer, selon le cas, la **personne** qui parle, celle à qui l'on parle, celle de qui l'on parle : *Un roman écrit à la première **personne**,* dont l'auteur utilise le « je ». 6. *Relig. Les trois **Personnes** de la sainte Trinité* : le Père, le Fils et le Saint-Esprit (synon. *hypostase*). PRON. (Commande l'accord au masc.) 1. Nul, pas un (avec une négation) : ***Personne** n'est venu.* 2. Quelqu'un : *Je doute que **personne** soit déjà arrivé à cette heure.* Fin XII^e s. ; lat. *persona*, « masque de théâtre » ; [pɛʀsɔn].

**PERSONNEL, ELLE**, adj. et subst. m.
ADJ. 1. *Gramm.* ▸ *Formes **personnelles** du verbe* : qui caractérisent une personne réelle (« Il rit » est une forme **personnelle**, « il pleut », une forme impersonnelle). ▸ *Modes **personnels*** : modes du verbe où sa terminaison varie en fonction de la personne (indicatif, subjonctif, etc.) par oppos. au participe et à l'infinitif, dits modes impersonnels. ▸ *Pronom **personnel*** : qui indique la personne grammaticale (« je », « tu », « il », « moi », « eux », etc.). 2. Qui a trait à la personne, à l'individu. 3. Qui est propre à une personne. 4. Qui se préoccupe trop de lui-même. SUBST. Ensemble des employés d'une entreprise, d'un service public, d'une maison ; par ext., ensemble des membres d'une même profession : ***Personnel** hospitalier.* 1174 ; bas lat. *personalis*, « relatif à la personne » ; [pɛʀsɔnɛl].

**PERSONNELLEMENT**, adv.
1. En personne : *L'avez-vous connu **personnellement** ?* 2. Pour sa part (en parlant de soi), quant à soi : ***Personnellement**, je pense que tu as tort.* 1216 ; personnel ; [pɛʀsɔnɛlmɑ̃].

**PERSONNIFICATION**, subst. f.
Action de personnifier ; par méton., personne qui représente qqch. d'abstrait : *La **personnification** du mal.* Fin XVIII^e s. ; personnifier ; [pɛʀsɔnifikasjɔ̃].

**PERSONNIFIER**, verbe trans. [6]
1. Donner à (qqch. d'abstrait, d'inanimé) une figure humaine. 2. Incarner, représenter (qqch. d'abstrait). 1674 ; personne ; [pɛʀsɔnifje].

**PERSPECTIF, IVE**, adj.
Qui représente un objet selon les lois de la perspective. 1545 (fin XIII^e s., relatif à l'optique) ; lat. médiév. *perspectivus*, « de l'optique » ; [pɛʀspɛktif, iv].

© Lauros-Giraudon

Perspective avec portique,
*peinture de Giovanni Antonio Canal,*
*dit il Canaletto (1697-1768).*
*Galerie de l'Académie, Venise.*

**PERSPECTIVE**, subst. f.
I. 1. Art de la représentation d'objets sur une surface plane, tels qu'un observateur les verrait dans la réalité. ▸ ***Perspective** cavalière* : où les lignes restent parallèles, le point de vue étant par convention situé à l'infini. ▸ *Peint.* ***Perspective** aérienne* : qui rend l'éloignement sensible, grâce à un dégradé des couleurs. 2. Vue d'ensemble qu'offre un paysage, une composition architecturale, etc., observés d'une certaine distance. ▸ Voie urbaine, large et rectiligne, souv. agrémentée d'ensembles architecturaux : *La célèbre **perspective** des Champs-Élysées.* II. 1. Évènement dont la venue est donnée pour certaine ou probable. ▸ Loc. *En **perspective*** : en projet ; en vue. 2. Manière d'envisager qqch. ; point de vue. 1547 (1369, réfraction) ; lat. médiév. *perspectiva* ; [pɛʀspɛktiv].

**PERSPICACE**, adj.
Qui a l'esprit pénétrant ; qui fait preuve de clairvoyance, de subtilité : *Un gestionnaire **perspicace**.* Fin XV^e s. ; lat. *perspicax* ; [pɛʀspikas].

**PERSPICACITÉ**, subst. f.
Qualité d'une personne perspicace. 1444 ; bas lat. *perspicacitas* ; [pɛʀspikasite].

**PERSPIRATION**, subst. f.
*Physiol.* Ensemble des échanges respiratoires qui s'effectuent à travers les téguments (ils ne constituent qu'une fonction négligeable chez l'homme). 1539 ; lat. *perspiratio*, de *perspirare*, « respirer partout » ; [pɛʀspiʀasjɔ̃].

**PERSUADER**, verbe trans. [3]
Amener (qqn) à être convaincu de qqch., à y adhérer de lui-même : *Il **persuada** les jurés de son innocence.* PRONOM. Se rendre certain ; se figurer : *Elle s'était **persuadé(e)** qu'on l'avait trahie.* Fin XIV^e s. ; lat. *persuadere* ; [pɛʀsɥade].

**PERSUASIF, IVE**, adj.
Qui possède le pouvoir de persuader, de convaincre. Fin XIV^e s. ; bas lat. *persuasivus* ; [pɛʀsɥazif, iv].

**PERSUASION**, subst. f.
1. Action de persuader : *Le don de la **persuasion**.* 2. Fait d'être certain de qqch. ; ferme conviction. 1315 ; lat. *persuasio* ; [pɛʀsɥazjɔ̃].

**PERTE**, subst. f.
I. Fait, pour qqn, de perdre qqn, qqch. 1. Fait d'être privé d'une personne par la mort, l'éloignement : *La **perte** d'un ami.* ▸ Au plur. Effectifs perdus par une armée. ▸ Loc. *Avec **perte(s)** et fracas* : brutalement. 2. Fait d'être privé d'un bien matériel, d'une faculté physique ou morale, d'un avantage : ***Perte** d'un droit* ; ***Perte** de l'appétit* ; *Des **pertes** de mémoire.* 3. Fait de perdre de l'argent ; somme perdue : *Accumuler les **pertes**.* ▸ *Comm.* Déficit : *Compte de **pertes** et profits* ; *Vendre à **perte***, à un prix inférieur au prix de revient ou au prix d'achat ; ***Perte** sèche*, sans compensation. 4. Fait d'égarer qqch., de ne plus le retrouver : ***Perte** d'un chapeau.* 5. Fait de gaspiller : ***Perte** de temps.* ▸ Loc. *En pure **perte*** : inutilement. 6. Fait de ne pas gagner, de subir un échec : *La **perte** d'un procès.* 7. Loc. **À perte de vue.** Aussi loin que l'on puisse voir ; au fig., interminablement : *Discuter à **perte** de vue.* II. Fait, pour qqn, de se perdre, de subir un dommage matériel ou moral ; ruine, anéantissement : *Courir à sa **perte*** ; *Il a juré notre **perte**.* III. Fait, pour qqch., de se dissiper, de s'affaiblir. 1. Partie d'un produit traité qui disparaît ; déchet, chute. 2. Fuite, déperdition : ***Perte** d'huile* ; ***Perte** de chaleur.* ▸ Loc. **En perte de vitesse.** Se dit d'un avion dont la vitesse devient inférieure à la vitesse de sustentation ; au fig., en déclin : *Équipe en **perte** de vitesse.* 3. *Géogr.* En région karstique, engouffrement partiel ou total d'un cours d'eau sous terre. PLUR. *Pathol.* ▸ ***Pertes** blanches* : leucorrhée. ▸ ***Pertes** rouges* : métrorragie. Mil. XI^e s. ; lat. pop. °*perdita*, « perdue » ; [pɛʀt].

**PERTINEMMENT**, adv.
1. De manière pertinente. 2. Loc. *Savoir **pertinemment** qqch.* : le savoir de façon certaine. 1499 ; pertinent ; [pɛʀtinamɑ̃].

**PERTINENCE**, subst. f.
Qualité de ce qui est pertinent. 1580 (déb. XIV^e s., présomption) ; pertinent ; [pɛʀtinɑ̃s].

**PERTINENT, ENTE**, adj.
1. Qui convient exactement à ce dont il s'agit ; approprié. 2. Judicieux : *Question **pertinente**.* 3. *Ling.* Qui a une fonction distinctive permettant l'élaboration d'un message. 1300 ; lat. *pertinens*, « relatif à » ; [pɛʀtinɑ̃, ɑ̃t].

**PERTUIS**, subst. m.
1. Vx. Trou, ouverture, passage étroit. 2. *Géogr.* Détroit séparant une île et la terre ferme, ou deux îles : *Le **pertuis** d'Antioche.* Mil. XII^e s. ; anc. fr. *pertuisier*, du lat. pop. °*pertusiare*, « percer » ; [pɛʀtɥi].

**PERTUISANE**, subst. f.
Arme proche de la hallebarde, à long fer triangulaire, en usage du XV^e au XVII^e s. 1466 ; ital. *partigiana*, « arme de partisan » ; [pɛʀtɥizan].

**PERTURBATEUR, TRICE**, subst. et adj.
SUBST. Personne qui trouble l'ordre. ADJ. Qui crée un désordre ; qui cause une perturbation. 1418 ; lat. *perturbator* ; [pɛʀtyʀbatœʀ, tʀis].

**PERTURBATION**, subst. f.
1. Trouble, désordre affectant la vie de qqn, d'un groupe. 2. Dysfonctionnement d'un mécanisme ou

d'un processus. ▸ *Météor.* **Perturbation** *(atmosphérique)* : ondulation du front polaire qui pénètre dans l'air chaud de plus basse latitude et modifie les paramètres atmosphériques (pression, humidité, etc.), entraînant des précipitations et des vents plus ou moins violents. ▸ *Astron.* Action exercée par la présence d'un ou de plusieurs corps célestes supplémentaires sur un système à deux corps, qui s'ajoute à l'action de la force principale. 1285 ; lat. *perturbatio* ; [pɛʀtyʀbasjɔ̃].

**PERTURBER,** verbe trans. [3]
Troubler, déranger (qqn ou qqch.) ; dérégler, empêcher le fonctionnement de (qqch.). Déb. XIIIe s. ; lat. *perturbare*, de *turba*, « cohue » ; [pɛʀtyʀbe].

**PERVENCHE,** subst. f.
**1.** *Bot.* Plante de la famille des Apocynacées, aux fleurs bleues ou mauves, poussant dans les bois ou dans les haies. ▸ Empl. adj. inv. D'un bleu clair tirant sur le mauve : *Des yeux* ***pervenche.*** **2.** Contractuelle de la police parisienne dont l'uniforme était de couleur **pervenche** (fam.). Déb. XIIIe s. ; lat. *pervinca* ; [pɛʀvɑ̃ʃ].

**PERVERS, ERSE,** adj. et subst.
**1.** Se dit d'une personne qui est portée à faire le mal. **2.** *Psych.* Se dit d'une personne dépourvue de tout sens moral ou d'une personne atteinte de perversion sexuelle. **Adj.** Qui dénote la perversité ou la perversion. ▸ Loc. *Effet* ***pervers*** : conséquence pernicieuse, qui n'a été ni recherchée ni prévue. Déb. XIIe s. ; lat. *perversus* ; [pɛʀvɛʀ, ɛʀs].

**PERVERSION,** subst. f.
**1.** Action de pervertir ; son résultat : *La* ***perversion*** *des mœurs.* **2.** *Psych.* Déviation des instincts ou du jugement, qui entraîne des troubles du comportement. ▸ ***Perversion*** *sexuelle* : recherche de la satisfaction sexuelle par des pratiques (pédophilie, zoophilie, exhibitionnisme, par ex.) qui diffèrent de ce qui est généralement considéré comme la norme. 1444 ; bas lat. *perversio* ; [pɛʀvɛʀsjɔ̃].

**PERVERSITÉ,** subst. f.
**1.** Caractère d'une personne portée à faire le mal, qui éprouve du plaisir à nuire. **2.** Méton. Acte pervers (rare). Fin XIIe s. ; lat. *perversitas* ; [pɛʀvɛʀsite].

**PERVERTIR,** verbe trans. [19]
**1.** Faire changer en mal, corrompre ; dévoyer : ***Pervertir*** *une âme innocente.* **2.** Dénaturer, altérer : ***Pervertir*** *un principe.* **Pronom.** Devenir corrompu, dénaturé. Déb. XIIe s. ; lat. *pervertere*, « renverser, retourner » ; [pɛʀvɛʀtiʀ].

**PERVIBRATEUR,** subst. m.
*Trav. publ.* Appareil servant à faire vibrer le béton frais pour en faciliter l'utilisation. 1932 ; ☞ *vibrateur* + *per-* ; var. *pervibreur* ; [pɛʀvibʀatœʀ].

**PESADE,** subst. f.
*Équit.* Position du cheval dressé sur ses postérieurs. 1579 ; ital. *posata*, de *posare*, « poser » ; [pəzad].

**PESAGE,** subst. m.
**1.** Action de peser : *Instrument de* ***pesage.*** **2.** *Sp.* Action de peser les jockeys avant une course. ▸ Méton. Salle réservée au **pesage** ; par ext., enceinte publique entourant ce lieu. 1321 (1236, redevance sur les marchandises pesées) ; ☞ *peser* ; [pəzaʒ].

**PESAMMENT,** adv.
De manière pesante. Déb. XIIIe s. ; ☞ *pesant* ; [pəzamɑ̃].

**PESANT, ANTE,** adj. et subst. m.
**Adj. 1.** Qui pèse ; qui est lourd. ▸ *Phys.* Soumis à l'action de la pesanteur : *Corps* ***pesant.*** **2.** Qui est lourd, embarrassé, lent. **3.** Fig. Difficile à supporter ; pénible : *Silence* ***pesant.*** ▸ Qui manque d'aisance, de finesse : *Humour* ***pesant.*** **Subst.** Poids. ▸ Loc. *Valoir son* ***pesant*** *d'or* : être d'une grande valeur ou, par ext., être particulièrement cocasse, surprenant (iron.). Fin XIe s. ; p. pr. de *peser* ; [pəzɑ̃, ɑ̃t].

**PESANTEUR,** subst. f.
**1.** Caractère de ce qui est pesant. ▸ *Phys.* Action exercée sur les corps matériels par la force de gravité. Le champ de **pesanteur** terrestre est le champ attractif agissant sur les corps matériels à la surface de la Terre et dans son voisinage. **2.** Sensation pénible de poids : ***Pesanteur*** *des membres inférieurs.* **3.** Fig. Lourdeur, manque d'agilité : ***Pesanteur*** *d'esprit.* ▸ Lenteur, dysfonctionnement dû à des structures trop lourdes, à un refus du changement (souv. au plur.) : ***Pesanteurs*** *bureaucratiques.* Fin XIIe s. ; ☞ *pesant* ; [pəzɑ̃tœʀ].

**PÈSE-BÉBÉ,** subst. m.
Balance équipée d'un plateau incurvé, servant à peser les bébés. 1875 ; comp. de *peser* et de *bébé* ; plur. *pèse-bébé(s)* ; [pɛzbebe].

**PESÉE,** subst. f.
**1.** Quantité pesée en une fois. **2.** Action de peser ; son résultat : *La* ***pesée*** *des boxeurs.* **3.** Pression, poussée exercée sur qqch. 1331 ; p. p. de *peser* ; [pəze].

© Alinari-Giraudon

Ange procédant à la **pesée** d'une âme, *peinture de Ridolfo Guariento (1338-1365). Musée civil, Padoue.*

**PÈSE-LETTRE,** subst. m.
Balance, peson servant à peser les lettres. 1870 ; comp. de *peser* et de *lettre* ; plur. *pèse-lettre(s)* ; [pɛzlɛtʀ].

**PÈSE-PERSONNE,** subst. m.
Bascule plate à cadran gradué servant à se peser. 1937 ; comp. de *peser* et de *personne* ; plur. *pèse-personne(s)* ; [pɛzpɛʀsɔn].

**PESER,** verbe [10]
**Intrans. 1.** Peser à. Être pénible à, oppressant pour (qqn) : *Ce secret lui* ***pèse.*** **2.** Avoir un poids déterminé : ***Peser*** *cent kilos.* **3.** Peser sur. Être lourd, causer une sensation de poids, de gêne sur : *Repas qui* ***pèse*** *sur l'estomac.* ▸ Appuyer de tout son poids, exercer une pression sur ; au fig. : *Le prix a* ***pesé*** *sur mon choix ; Des soupçons* ***pèsent*** *sur lui,* l'accablent. **Trans. 1.** Calculer le poids de (qqch.), par rapport à un poids connu choisi comme unité. **2.** Fig. Considérer avec soin ; évaluer. ▸ Loc. ***Peser*** *le pour et le contre* : examiner tous les aspects d'une situation ; ***Peser*** *ses mots* : parler avec prudence ; *Tout bien* ***pesé*** : après avoir longuement réfléchi. Mil. XIe s. ; lat. pop. °*pesare*, du lat. *pendere* ; [pəze].

**PÈSE-SEL,** subst. m.
Appareil mesurant la densité et la concentration de solutions salines. 1838 ; comp. de *peser* et de *sel* ; plur. *pèse-sel(s)* ; [pɛzsɛl].

**PESETA,** subst. f.
Unité monétaire de l'Espagne. 1787 ; mot esp. ; [pezeta] ou [-se-].

**PESETTE,** subst. f.
Petite balance de précision avec laquelle on pèse les bijoux, les monnaies. 1846 ; ☞ *peser* ; [pəzɛt].

**PESEUR, EUSE,** subst.
Personne chargée d'effectuer et de vérifier des pesées. Mil. XIIIe s. ; ☞ *peser* ; [pəzœʀ, øz].

**PÈSE-VIN,** subst. m. inv.
Appareil mesurant la densité des vins et leur teneur en alcool. 1828 ; comp. de *peser* et de *vin* ; [pɛzvɛ̃].

**PESO,** subst. m.
Unité monétaire de plusieurs États d'Amérique latine. 1598 ; esp. *peso*, de *peso*, « poids » ; [pezo] ou [-so].

**PESON,** subst. m.
**1.** *Text.* Poids fixé au bout d'un fuseau pour en faciliter la rotation (vx). **2.** Instrument de pesage constitué d'un repère qui se déplace devant un cadran gradué. 1260 (1244, petit poids) ; ☞ *peser* ; [pəzɔ̃].

**PESSAIRE,** subst. m.
**1.** *Méd.* Instrument qui, introduit dans le vagin, empêche un prolapsus des organes génitaux. **2.** Diaphragme anticonceptionnel. Fin 1743 (XIIIe s., remède contre les maladies utérines) ; lat. méd. *pessarium*, du gr. *pessos*, « tampon de charpie » ; [pesɛʀ].

**PESSE,** subst. f.
*Bot.* Plante de la famille des Hippuridacées, à rhizomes rampants et à tige creuse, poussant dans les eaux peu profondes. 1561 ; franco-prov. *pesse*, du lat. *picea*, « épicéa commun » ; [pɛs].

**PESSIMISME,** subst. m.
**1.** Disposition d'esprit qui porte à ne voir que le mauvais côté des choses, à n'envisager que le dénouement défavorable d'une situation (anton. *optimisme*). **2.** *Philos.* Doctrine d'après laquelle le mal l'emporte sur le bien, la douleur sur le plaisir : *Le* ***pessimisme*** *de Schopenhauer.* 1759 ; lat. *pessimus*, « le pire », d'apr. *optimisme* ; [pesimism].

**PESSIMISTE,** subst. et adj.
Se dit d'une personne encline au pessimisme. **Adj. 1.** Qui dénote le pessimisme. **2.** *Philos.* Qui se rapporte au pessimisme. 1789 ; lat. *pessimus*, « le pire », d'apr. *optimiste* ; [pesimist].

**PESTE,** subst. f.
**1.** Vx. Toute maladie épidémique causant une forte mortalité. **2.** *Pathol.* Maladie épidémique infectieuse et très contagieuse, due au bacille de Yersin, transmise à l'homme par l'intermédiaire de la puce des rongeurs. La **peste** décima jadis des populations entières ; elle a pratiquement disparu en Occident mais sévit encore de manière endémique dans certains pays. ▸ Méton. L'épidémie elle-même. ▸ Loc. *Fuir, craindre (qqn, qqch.) comme la* ***peste*** : à tout prix, au plus haut point ; *La* ***peste*** *soit de* : maudit soit (littér.). ▸ Empl. interj. Exprime la surprise (vieilli) : ***Peste*** *! vous n'avez peur de rien !* **3.** Ext. Fléau. ▸ Fig. Mal se répandant par contagion : *La* ***peste*** *brune*, le nazisme ; chose ou personne nuisible : *Petite* ***peste***, jeune fille ou enfant trop espiègle, insupportable. **4.** *Vétér.* Nom donné à différentes maladies infectieuses et contagieuses du bétail ou des volailles : ***Peste*** *porcine.* Mil. XVe s. ; lat. *pestis*, « maladie contagieuse » ; [pɛst].

**PESTER,** verbe intrans. [3]
Manifester son irritation, sa mauvaise humeur par des paroles violentes : ***Pester*** *contre son chef.* 1639 (1617, traiter qqn de peste) ; ☞ *peste* ; [pɛste].

**PESTEUX, EUSE,** adj.
**1.** De la peste. **2.** Atteint de la peste ; empl. subst. : *Des* ***pesteux.*** 1553 ; ☞ *peste* ; [pɛstø, øz].

**PESTICIDE,** subst. m. et adj.
Se dit de tout produit chimique servant à protéger les cultures des parasites animaux et végétaux. 1959 ; mot angl. ; [pɛstisid].

© Giraudon

*Les ravages de la* **peste**, *illustrés par Michel Serre (1658-1733) dans son tableau* Vue de l'hôtel de ville pendant la **peste** de 1720 *(détail). Musée des Beaux-Arts, Marseille.*

**PESTIFÉRÉ, ÉE, adj. et subst.**
**1.** Se dit de qqn, d'un animal qui est atteint de la peste. **2.** Anal. Se dit d'une personne que l'on fuit, avec qui on évite toute relation. 1534 ; *pestifère* (rare), « qui communique la peste », du lat. *pestifer*, « désastreux » ; [pɛstifeʀe].

**PESTILENCE, subst. f.**
**1.** Peste (vx). **2.** Odeur infecte, putride. Fin XIIe s. (déb. XIIe s., doctrine pernicieuse) ; lat. *pestilentia*, « peste » ; [pɛstilɑ̃s].

**PESTILENTIEL, ELLE, adj.**
Qui répand une odeur infecte, méphitique. XVe s. (fin XIVe s., funeste) ; ☞ *pestilence* ; [pɛstilɑ̃sjɛl].

**PET, subst. m.**
Fam. Gaz intestinal qui s'échappe par l'anus avec bruit. ► Loc. *Ne pas valoir un pet (de lapin)* : n'avoir aucune valeur. Fin XIIe s. ; lat. *peditum* ; [pɛ].

**PÉTALE, subst. m.**
*Bot.* Chacune des pièces, gén. colorées, de la corolle d'une fleur. 1718 ; lat. sc. *petalum*, du gr. *petalon*, « feuille de plante » ; [petal].

**PÉTALOÏDE, adj.**
*Bot.* Qui rappelle un pétale par sa forme ou par sa couleur. Mil. XVIIIe s. ; ☞ *pétale* ; [petalɔid].

**PÉTANQUE, subst. f.**
Variété de jeu de boules originaire du midi de la France, qui consiste à lancer successivement des boules en métal le plus près possible du cochonnet. 1932 ; prov. *pétanco*, « pied fixé au sol » ; [petɑ̃k].

**PÉTANT, ANTE, adj.**
Exact, en parlant de l'heure (fam.) : *Arriver à six heures **pétantes**.* XXe s. ; p. pr. de *péter* ; [petɑ̃, ɑ̃t].

**PÉTARADE, subst. f.**
**1.** Suite de pets que font certains animaux en ruant. **2.** Anal. Série de brèves explosions serrées : ***Pétarade** d'un moteur.* 1649 (1542, suite de pets émis par une personne) ; prov. *petarrada* ; [petaʀad].

**PÉTARADER, verbe intrans. [3]**
Faire entendre une pétarade. 1560 ; ☞ *pétarade* ; [petaʀade].

**PÉTARD, subst. m.**
**1.** Charge d'explosif renfermée dans une gaine légère, utilisée pour détruire ou pour creuser : ***Pétard** de dynamite.* **2.** Pièce d'artifice composée d'un petit cylindre de papier ou de carton contenant de la poudre. ► *Ch. de fer.* Signal acoustique posé sur un rail. **3.** Fig. Nouvelle sensationnelle (fam.) : ***Pétard** mouillé*, action, révélation qui manque son effet. **4.** Fam. Tapage, grand bruit, scandale. ► *Être en **pétard*** : être en colère. **5.** Cigarette de haschisch (fam.). **6.** Pistolet (argot.). **7.** Postérieur, fessier (pop.). 1495 ; ☞ *pet* ; [petaʀ].

**PÉTASE, subst. m.**
*Antiq.* Chapeau à larges bords arrondis, en usage chez les Grecs et les Romains. 1579 ; lat. *petasus*, du gr. *petasos* ; [petaz].

**PÉTAUDIÈRE, subst. f.**
Assemblée, lieu, groupe où, par manque d'autorité et de discipline, règnent le désordre et l'anarchie (fam.). 1694 ; loc. *la cour du roi Pétaud*, personnage légendaire ; [petodjɛʀ].

**PÉTAURISTE, subst. m.**
**1.** *Antiq. gr.* Danseur de corde. **2.** *Zool.* Mammifère marsupial d'Australie de la famille des Pétauridés, capable de planer grâce à une membrane reliant ses pattes antérieures à ses chevilles. 1624 ; lat. *petauristes*, du gr. *petauristêr* ; [petoʀist].

**PET-DE-NONNE, subst. m.**
*Cuis.* Beignet soufflé, préparé avec de la pâte à choux. 1743 ; comp. de *pet* et de *nonne* ; plur. *pets-de-nonne* ; [pɛdnɔn].

**PÉTÉCHIAL, ALE, AUX, adj.**
*Pathol.* Relatif aux pétéchies. 1704 ; ☞ *pétéchie* ; [peteʃjal, o].

**PÉTÉCHIE, subst. f.**
*Pathol.* Petit hématome cutané spontané, caractéristique du purpura. 1573 ; ital. *petecchia* ; [peteʃi].

**PÉTER, verbe [8]**
Fam. **Intrans. 1.** Faire un pet. **2.** Anal. Émettre un bruit sec, violent. **3.** Se rompre : *Son élastique a **pété**.* **4. Péter de.** Resplendir de : ***Péter** de joie.* **Trans. 1.** Casser net (qqch.) : ***Péter** un verre* ; empl. pronom. : ***Se péter** la figure*, faire une chute. **2.** Loc. ***Péter** le (ou du) feu* : déborder de vitalité ; ***Être pété*** : être ivre. 1380 ; ☞ *pet* ; [pete].

**PÈTE-SEC, subst. inv. et adj. inv.**
Fam. Se dit d'une personne autoritaire qui s'exprime sur un ton sec et cassant. **Adj.** Propre à une telle personne : *Un air **pète-sec**.* 1866 ; comp. de *péter* et de *sec* ; [pɛtsɛk].

**PÉTEUX, EUSE, subst. et adj.**
Fam. **Subst. 1.** Poltron. **2.** Personne hautaine et pédante. **Adj.** Honteux ; qui se sent fautif. 1790 (1613, indésirable) ; ☞ *péter* ; [petø, øz].

**PÉTILLANT, ANTE, adj.**
Qui pétille. Mil. XVe s. ; p. pr. de *pétiller* ; [petijɑ̃, ɑ̃t].

**PÉTILLEMENT, subst. m.**
**1.** Fait de pétiller ; léger bruit produit par ce qui pétille. **2.** Effet produit par qqch. qui brille. 1701 (XVe s., chatouillement) ; ☞ *pétiller* ; [petijmɑ̃].

**PÉTILLER, verbe intrans. [3]**
**1.** Éclater en produisant une suite de bruits secs et légers : *Les bûches **pétillent** dans l'âtre.* **2.** Dégager de petites bulles qui éclatent en bruissant : *Vin qui **pétille**.* **3.** Anal. Briller d'un éclat vif ; chatoyer, scintiller. **4.** Fig. **Pétiller de.** Manifester avec vivacité : ***Pétiller** d'esprit, d'intelligence*, être plein d'esprit, être brillant. Mil. XVe s. ; ☞ *pet* ; [petije].

**PÉTIOLE, subst. m.**
*Bot.* Partie étroite de certaines feuilles, servant d'intermédiaire entre le limbe et la tige. 1749 ; lat. *petiolus*, « petit pied » ; [pesjɔl].

**PETIOT, OTE, adj. et subst.**
Fam. **Adj.** Très jeune, tout petit. **Subst.** Très jeune enfant. 1379 ; ☞ *petit* ; [pətjo, ɔt].

**PETIT, ITE, adj., subst. et adv.**
**Adj. 1.** Dont les dimensions, en partic. la hauteur, sont inférieures à la moyenne : *Un **petit** nuage* ; *Un **petit** mur.* **2.** Qui n'a pas achevé sa croissance : ***Petit** chat* ; qui apparaît comme un modèle réduit de qqch. : *Un **petit** Versailles.* **3.** Peu important par la durée, la quantité ou la valeur : *Écrire un **petit** mot* ; ***Petite** monnaie.* **4.** Délicat, faible : *Une **petite** santé.* **5.** Modeste par l'extraction, l'activité, le pouvoir : *De **petites** gens* ; *Un **petit** pays.* **6.** Mesquin, bas : *Cette vengeance est d'un **petit** esprit.* **7.** Sert à exprimer. ► L'affection : *Sa **petite** amie.* ► La délectation : *Mitonner des **petits** plats.* ► Le mépris : *Mon **petit** monsieur !* **8.** Loc. ***Petite** main* : employée d'une maison de couture et, par ext., personne à qui l'on confie de menues tâches ; *Au **petit** matin* : à l'aube ; *La **petite** reine* : la bicyclette. **Subst. 1.** Jeune enfant. **2.** Individu de petite taille. **Subst. masc. 1.** Animal nouveau-né. ► Loc. *Faire des **petits*** : mettre bas ou, au fig., se multiplier. **2.** Personne de condition modeste : *Les **petits** se font toujours exploiter.* **3.** Ce qui est **petit** : *L'infiniment **petit**.* **4.** *Jeux.* *Le **petit*** : au tarot, l'atout no 1. **Adv.** *En **petit*** : en miniature ; ***Petit** à **petit*** : peu à peu ; *Voir **petit*** : manquer d'ambition. Fin Xe s. ; gallo-roman °*pettitus*, du bas lat. *pitinnus* ; [p(ə)ti, it].

**PETIT-BEURRE, subst. m.**
Petit biscuit sec au beurre. 1909 ; comp. de *petit* et de *beurre* ; plur. *petits-beurre* ; [p(ə)tibœʀ].

**PETIT-BOIS, subst. m.**
*Techn.* Chacun des éléments servant à diviser et à maintenir les vitres d'une fenêtre. 1765 ; comp. de *petit* et de *bois* ; plur. *petits-bois* ; [p(ə)tibwa].

**PETIT-BOURGEOIS, PETITE-BOURGEOISE, subst. et adj.**
Qualifie ou désigne une personne qui appartient aux couches les moins aisées de la bourgeoisie. **Adj.** Qui manifeste les défauts considérés comme propres à la petite bourgeoisie (péj.). 1790 ; comp. de *petit* et de *bourgeois* ; plur. *petits-bourgeois*, *petites-bourgeoises* ; [p(ə)tibuʀʒwa, p(ə)titbuʀʒwaz].

**PETIT DÉJEUNER, subst. m.**
Premier repas de la journée. 1862 ; comp. de *petit* et de *déjeuner* (II) ; plur. *petits déjeuners*, var. *petit-déjeuner* (plur. *petits-déjeuners*) ; [p(ə)tideʒœne].

**PETITEMENT, adv.**
Avec petitesse. Fin XIIIe s. (mil. XIIIe s., peu de temps) ; ☞ *petit* ; [p(ə)titmɑ̃].

**PETITESSE, subst. f.**
**1.** Caractère de ce qui est petit par les dimensions ; pauvreté des moyens : ***Petitesse** d'un budget.* **2.** Bassesse morale ; par méton., action, pensée mesquine. Fin XIIe s. ; ☞ *petit* ; [p(ə)titɛs].

**PETIT-FILS, PETITE-FILLE, subst.**
Fils, fille d'un fils ou d'une fille (par rapport à un grand-père ou à une grand-mère). 1563 ; comp. de *petit* et de *fils* ou de *fille* ; plur. *petits-fils*, *petites-filles* ; [p(ə)tifis, p(ə)titfij].

**PETIT-FOUR, subst. m.**
Pâtisserie de la taille d'une bouchée. XXe s. ; comp. de *petit* et de *four* ; plur. *petits-fours*, var. *petit four* (plur. *petits fours*) ; [p(ə)tifuʀ].

**PETIT-GRIS, subst. m.**
*Zool.* **1.** Écureuil gris d'Europe du Nord ; sa fourrure. **2.** Escargot grisâtre comestible. 1621 ; comp. de *petit* et de *gris* ; plur. *petits-gris* ; [p(ə)tigʀi].

**PÉTITION, subst. f.**
**1.** Lettre par laquelle les signataires transmettent à une autorité un vœu ou une plainte. **2.** *Dr.* ***Pétition** d'hérédité* : action intentée par un héritier afin de faire valoir ses droits. **3.** *Log.* ***Pétition** de principe* : raisonnement vicieux consistant à admettre comme point de départ ce que l'on veut démontrer. Mil. XIIIe s. ; lat. *petitio*, « requête » ; [petisjɔ̃].

**PÉTITIONNAIRE, subst.**
Personne qui rédige, qui signe une pétition. 1784 (1603, représentant du roi) ; ☞ *pétition* ; [petisjɔnɛʀ].

**PETIT-LAIT, subst. m.**
**1.** Liquide exsudé lors de la coagulation du lait, du barattage du beurre (synon. *lactosérum*). **2.** Loc. fam. *Cela se boit comme du **petit-lait*** : facilement, en grande quantité tant c'est bon ; au fig. : *Boire du **petit-lait***, se délecter. 1552 ; comp. de *petit* et de *lait* ; plur. *petits-laits* ; [p(ə)tilɛ].

**PETIT-NEVEU, PETITE-NIÈCE, subst.**
Fils, fille d'un neveu ou d'une nièce. 1579 ; comp. de *petit* et de *neveu* ou de *nièce* ; plur. *petits-neveux*, *petites-nièces* ; [p(ə)tinəvø, p(ə)titnjɛs].

**PÉTITOIRE, adj. et subst. m.**
*Dr.* Se dit d'une action visant à la reconnaissance d'un droit sur un bien immobilier. Fin XIVe s. ; lat. *petitorius*, de *petere*, « demander » ; [petitwaʀ].

**PETITS-ENFANTS, subst. m. plur.**
Ensemble des petits-fils et des petites-filles (par rapport à un grand-père ou à une grand-mère). 1635 ; comp. de *petit* et de *enfant* ; [p(ə)tizɑ̃fɑ̃].

**PETIT-SUISSE, subst. m.**
Petit fromage frais cylindrique. 1902 ; comp. de *petit* et de *suisse* ; plur. *petits-suisses* ; [p(ə)tisɥis].

**PÉTOCHE, subst. f.**
Peur (fam.). 1918 (1869, chandelle de résine) ; ☞ *péter* ; [petɔʃ].

**PÉTOIRE, subst. f.**
**1.** Sarbacane en sureau. **2.** Arme à feu ; mauvais fusil. 1743 ; ☞ *péter* ; [petwaʀ].

**PETON, subst. m.**
Petit pied (fam.). 1532 ; ☞ *pied* ; [pətɔ̃].

**PÉTONCLE, subst. m.**
*Zool.* Mollusque comestible à coquille bivalve vivant près des côtes atlantiques de l'Europe. 1415 ; lat. *pectunculus*, de *pecten*, « peigne » ; [petɔ̃kl].

**PÉTRARQUISME, subst. m.**
*Litt.* Imitation de la poétique de Pétrarque. 1842 ; anthropon. *Pétrarque*, poète italien ; [petʀaʀkism].

**PÉTREL, subst. m.**
*Zool.* Oiseau palmipède des mers froides. 1699 ; angl. *petrel*, de *pitteral* ; [petʀɛl].

**PÉTREUX, EUSE, adj.**
*Anat.* Relatif au rocher de l'os temporal. 1314 (XIIIe s., pierreux) ; lat. *petrosus*, « rocheux » ; [petʀø, øz].

**PÉTRIFIANT, ANTE, adj.**
**1.** *Géol.* Qualifie une eau qui pétrifie, entartre. **2.** Fig. Qui pétrifie, frappe de stupeur. 1580 ; p. pr. de *pétrifier* ; [petʀifjɑ̃, ɑ̃t].

**PÉTRIFICATION, subst. f.**
*Pétrogr.* **1.** Fossilisation de substances organiques. **2.** Formation d'une couche pierreuse sur un corps plongé dans certaines eaux ; ce corps. 1515 ; ☞ *pétrifier* ; [petʀifikasjɔ̃].

**PÉTRIFIER, verbe trans. [6]**
**1.** Transformer en pierre ; en partic., fossiliser. **2.** *Géol.* Recouvrir d'une couche calcaire. **3.** Fig. Paralyser par une émotion foudroyante. 1515 ; lat. *petra*, « pierre » ; [petʀifje].

**PÉTRIN, subst. m.**
**1.** Huche ou appareil dans lequel on pétrit la pâte à pain. **2.** Fig. Situation désagréable, compliquée, dont on ne voit pas l'issue (fam.) : *Sortir qqn du **pétrin**.* 1170 ; lat. *pistrinum*, « moulin à blé » ; [petʀɛ̃].

**PÉTRIR, verbe trans. [19]**
**1.** Brasser, triturer, malaxer (une pâte). **2.** Anal. Presser, travailler avec les doigts (un matériau mou). **3.** Fig. Façonner ; imprimer sa marque à (qqn, qqch.). ► Empl. adj. **Pétri de.** Empli de, imprégné de : *Un homme **pétri** d'orgueil.* Fin XIIe s. ; bas lat. *pistrire*, du lat. *pistrix*, « celle qui pétrit » ; [petʀiʀ].

**PÉTRISSAGE, subst. m.**
Action de pétrir. 1767 ; ☞ *pétrir* ; [petʀisaʒ].

**PÉTROCHIMIE, subst. f.**
Branche de l'industrie chimique qui concerne les dérivés du pétrole. V. 1960 ; crois. de *pétrole* et de *chimie* ; [petʀoʃimi].

**PÉTRODOLLAR, subst. m.**
Dollar provenant de la vente de produits pétroliers. V. 1970 ; crois. de *pétrole* et de *dollar* ; [petʀodɔlaʀ].

**PÉTROGALE, subst. m.**
*Zool.* Wallaby des rochers, de la famille des Macropodidés. 1847 ; lat. sc. *petrogale*, du gr. *petros*, « roche », et *galê*, « belette » ; [petʀogal].

**PÉTROGENÈSE, subst. f.**
*Pétrogr.* Ensemble des processus de formation des roches. 1932 ; formé de *pétro-* et de *-genèse* ; [petʀoʒənɛz].

**PÉTROGRAPHIE, subst. f.**
Partie de la géologie qui a pour objet l'analyse, la description et la classification des roches. 1842 ; formé de *pétro-* et de *-graphie* ; [petʀogʀafi].

**PÉTROLE, subst. m.**
*Pétrogr.* Hydrocarbure liquide naturel, produit de la transformation d'une matière organique soumise à des pressions et à des températures élevées pendant son enfouissement dans l'écorce terrestre. Mil. XIIIe s. ; lat. médiév. *petroleum*, du lat. *petra*, « pierre », et *oleum*, « huile » ; [petʀɔl].
GÉOLOGIE – La matière organique végétale et animale qui se dépose lentement au fond de la mer ou des lacs fermente à l'abri de l'oxygène et donne une matière appauvrie en oxygène, le kérogène. À partir de 0,5 % de kérogène, on dit qu'un sédiment est une roche mère du pétrole. Pendant son enfouissement sous de nouveaux dépôts sédimentaires, le kérogène se transforme par cracking, au-delà de 2 000 m de profondeur (à plus de 65 °C), en molécules de plus en plus légères : huiles lourdes, essence, kérosène, puis gaz (à partir de 4 000 m). Les produits plus légers que l'eau tendent à migrer vers la surface par infiltration et se font piéger dans des roches poreuses recouvertes de roches imperméables, qui constituent alors un réservoir pétrolier. L'homme n'a su localiser ces réservoirs et faire des forages pour en pomper les fluides qu'à partir de la seconde moitié du XIXe s. La prospection de nouveaux gisements fluctue en fonction du prix du baril de pétrole, mais on considère que les découvertes équilibrent actuellement la consommation. Cependant, le pétrole est une énergie fossile, qui ne se renouvelle pas, et qui s'épuisera donc un jour.

**PÉTROLIER, IÈRE, adj. et subst. m.**
ADJ. Qui se rapporte au pétrole. SUBST. **1.** Navire spécialement équipé pour le transport du pétrole. **2.** Magnat ou technicien de l'industrie du pétrole. 1903 (1898, conducteur de voiture à pétrole) ; ☞ *pétrole* ; [petʀɔlje, jɛʀ].

**PÉTROLIFÈRE, adj.**
Qui contient du pétrole. 1867 ; ☞ *pétrole* + *-fère* ; [petʀɔlifɛʀ].

**PÉTROLOGIE, subst. f.**
*Géol.* Étude de la formation des roches. V. 1960 ; formé de *pétro-* et de *-logie* ; [petʀɔlɔʒi].

**PÉTULANCE, subst. f.**
Fougue joyeuse, exubérance. 1677 (1527, insolence) ; lat. *petulantia*, « insolence » ; [petylɑ̃s].

**PÉTULANT, ANTE, adj.**
Plein de pétulance. 1694 (mil. XIVe s., impudent) ; lat. *petulans*, « effronté » ; [petylɑ̃, ɑ̃t].

**PÉTUNER, verbe intrans.** [3]
Fumer ou priser du tabac (vx). 1603 ; *pétun* (vx), « tabac » ; [petyne].

**PÉTUNIA, subst. m.**
*Bot.* Plante ornementale de la famille des Solanacées, aux fleurs violettes, roses ou blanches. 1816 ; *pétun* (vx), « tabac » ; [petynja].

**PEU, adv.**
**I.** En petite quantité, faiblement : *Elle dort **peu** ; Un accueil **peu** chaleureux.* ► **Un peu.** *Je dois m'absenter un **peu*** : un petit moment ; *Je me sens un **peu** fatigué* : légèrement ; *Il est un **peu** jeune pour se marier* : trop jeune ; par iron. : *Il en fait un **peu** beaucoup*, il exagère. **II.** Fonction nominale. **1. Un peu de.** Une petite quantité de : *Reprenez un **peu** de café.* **2. Peu de.** Une très faible ou trop faible quantité de : *Il y eut **peu** de victimes.* ► Par ell. Un petit nombre (des choses ou des personnes dont on parle) : ***Peu** s'en souviennent.* ► Abs. Pas grand chose : *Il se contente de **peu**.* **3. Le peu de.** La faible quantité (suffisante ou insuffisante) de : *Je savoure le **peu** de temps qu'il me reste.* **III.** Loc. *De **peu*** : de justesse ; *Un petit **peu**, quelque **peu**, un tant soit **peu*** : légèrement mais assez tout de même ; *Pour un **peu*** : il suffirait (aurait suffi) de pas grand-chose ; ***Peu** à **peu*** : progressivement ; *Sous **peu**, avant **peu*** : bientôt ; ***Peu** ou prou* (☞ *prou*) ; *À **peu** près, à **peu** de chose près* : approximativement. ► Loc. conj. *Pour **peu** que* : pourvu que, dans la mesure où. Mil. XIe s. ; lat. pop. *paucum*, du lat. *paucus*, « peu nombreux » ; [pø].

**PEUCÉDAN, subst. m.**
*Bot.* Plante de la famille des Apiacées, dont plusieurs espèces ont une odeur résineuse. 1213 ; lat. *peucedanum*, du gr. *peukedanos*, de *peukê*, « pin » ; [pøsedɑ̃].

**PEUCHÈRE, interj.**
Région. (Provence). Exclamation marquant l'attendrissement, la pitié ou l'ironie. 1855 ; prov. *pecaire*, « pécheur » ; var. *pechère*, *pécaïre* ; [pøʃɛʀ].

**PEUH, interj.**
Marque le mépris narquois, le peu de considération, le scepticisme. 1831 ; onomat. ; [pø].

**PEUPLADE, subst. f.**
Peuple, en gén. d'effectif réduit. 1613 (1564, ensemble de personnes s'installant dans un territoire) ; ☞ *peupler*, d'apr. l'esp. *poblado*, « village » ; [pœplad].

**PEUPLE, subst. m.**
**1.** Communauté humaine vivant sur un même territoire et régie par les mêmes institutions : *Les **peuples** européens* ; l'ensemble des citoyens d'une nation, y compris les non-résidents. **2.** Communauté humaine fondée sur l'appartenance ethnique, linguistique ou culturelle, dont les liens perdurent, qu'elle ait ou non un État et un territoire propre : *Les **peuples** juif, kurde, palestinien.* **3. Le peuple.** Le corps social, à l'exclusion des classes dirigeantes : *Le **peuple** de Paris* ; empl. adj. : *Faire **peuple**,* se donner, avoir une allure populaire. **4.** Loc. fam. *Se moquer du **peuple*** : des gens ; *Il y a du **peuple*** : beaucoup de monde. 842 ; lat. *populus* ; [pœpl].

**PEUPLÉ, ÉE, adj.**
**1.** Occupé par une population. **2.** Fig. Empli : *Des nuits **peuplées** de cauchemars.* Fin XIVe s. ; p. p. de *peupler* ; [pœple].

**PEUPLEMENT, subst. m.**
**1.** Action de peupler un territoire. **2.** État d'un territoire peuplé. 1260 ; ☞ *peupler* ; [pœpləmɑ̃].

**PEUPLER, verbe trans.** [3]
**1.** Pourvoir (un territoire, un site) d'une population humaine, animale ou végétale. **2.** Occuper (un lieu) : *Les Wendes **peuplaient** les rives de l'Elbe.* **3.** Emplir (littér.) : *Il a **peuplé** sa chambre de bibelots* ; au fig. : *Ses souvenirs **peuplent** ce roman.* PRONOM. Se remplir de monde. Mil. XIIe s. ; ☞ *peuple* ; [pœple].

**PEUPLERAIE, subst. f.**
Lieu planté de peupliers. 1600 ; ☞ *peuplier* ; [pøpləʀɛ].

**PEUPLIER, subst. m.**
*Bot.* Arbre des régions tempérées, de la famille des Salicacées, poussant dans les bois humides ou près des cours d'eau. Fin XIIIe s. ; anc. fr. *pople* ; [pøplije].

**PEUR, subst. f.**
**1.** Émotion provoquée par la perception d'un danger réel ou imaginaire : *Avoir **peur*** ; *Trembler de **peur**.* **2.** Crainte ; par ext., inquiétude, répugnance suscitée par qqn ou qqch. : ***Peur** des araignées* ; *La **peur** du ridicule.* **3.** Loc. *Ne pas avoir **peur** des mots* : s'exprimer clairement, voire crûment ; ***Peur** bleue* : terreur extrême ; *Avoir **peur** de son ombre* : s'effrayer d'un rien ; *Être blême, vert, transi de **peur*** : avoir très **peur** ; *Faire **peur*** : inspirer de la **peur**, effrayer. ► Loc. conj. *De **peur** que* (+ subj.) : pour éviter que. ► Loc. prép. *De **peur** de* : par crainte de. **4.** *Hist.* **La Grande Peur.** Durant l'été de 1789, ensemble de phénomènes de panique collective suscités par l'éventualité d'une réaction nobiliaire après la prise de la Bastille. ► Anal. Tout phénomène de panique collective : *Les grandes **peurs** en Occident à la veille de l'an mille.* Fin Xe s. ; lat. *pavor* ; [pœʀ].

**PEUREUSEMENT, adv.**
D'une manière qui dénote la peur ou la lâcheté. Déb. XIIIe s. ; ☞ *peureux* ; [pøʀøzmɑ̃].

**PEUREUX, EUSE, adj.**
**1.** Qui a peur ; qui s'effraie facilement ; empl. subst. : *Quel **peureux** !* **2.** Qui dénote de la peur : *Un regard **peureux**.* Mil. XIIe s. ; ☞ *peur* ; [pøʀø, øz].

**PEUT-ÊTRE, adv.**
**1.** Exprime la possibilité, le doute : *Il est **peut-être** malade* ; ***Peut-être** arrivera-t-il demain* ; par ell. : *Pensez-vous qu'il gagnera ? – **Peut-être**.* ► Empl. subst. masc. inv. (littér.) : *Je ne peux vous répondre que par un grand **peut-être**.* **2. Peut-être que.** Il est probable, il se peut que : ***Peut-être** qu'il fait bien, après tout.* Mil. XIIe s. ; comp. de *pouvoir* (I) et de *être* (I) ; [pøtɛtʀ].

© R. Konig-Jacana
*Peyotl.*

**PEYOTL, subst. m.**
*Bot.* Cactacée du Mexique, dont on extrait la mescaline. 1880 ; mot nahuatl ; [pɛjɔtl].

**PÉZIZE, subst. f.**
*Bot.* Champignon ascomycète comestible, en forme de coupe. 1803 ; gr. *pezis* ; var. *pezize* ; [peziz].

**PFENNIG, subst. m.**
Monnaie divisionnaire allemande, valant un centième de mark. 1812 ; all. *Pfennig* ; [pfenig].

**PFUT, interj.**
**1.** Exprime l'irritation ou le mépris. **2.** Exprime un départ soudain. 1832 ; onomat. ; var. *pff*, *pfft* ; [pfyt].

**pH, subst. m. inv.**
*Chim.* Coefficient utilisé pour définir l'acidité ou la basicité d'une solution, celle-ci étant acide si son **pH** est inférieur à 7, neutre s'il est égal à 7, basique s'il est supérieur à 7. 1909 ; formé de l'initiale de *potentiel* et de *H*, symb. de l'hydrogène ; [peaʃ].

**PHACOCHÈRE, subst. m.**
*Zool.* Mammifère ongulé de la famille des Suidés. Ce porcin africain possède de grandes défenses recourbées et des protubérances verruqueuses sous les yeux. 1817 ; lat. sc. *phacochoerus*, du gr. *khoiros*, « petit cochon », + *phaco-* ; [fakɔʃɛʀ].

© J. Robert-Jacana
*Phacochères.*

**PHAÉTON, subst. m.**
**1.** Vx. Cocher (iron.). **2.** Ext. Petite calèche découverte. **3.** *Zool.* Oiseau marin palmipède de l'ordre des Pélécaniformes, vivant dans les mers tropicales, au plumage blanc et noir, avec deux longues plumes caudales. 1636 ; *Phaéton*, fils d'Hélios dans la mythologie grecque, le Soleil, qui faillit embraser le monde en conduisant le char de son père ; [faetɔ̃].

**PHAGE, subst. m.**
*Biol.* et *Bactériol.* Bactériophage. 1955 ; aphérèse de *bactériophage* ; [faʒ].

**PHAGÉDÉNISME, subst. m.**
*Pathol.* Expansion rapide d'un ulcère rebelle. 1858 ; *phagédénique* (rare), du lat. *phagedaenicus*, du gr. *phagedainikos*, « qui ronge les tissus » ; [faʒedenism].

**PHAGOCYTAIRE,** adj.
Qui concerne les phagocytes, la phagocytose. 1887 ; ☞ *phagocyte* ; [fagɔsitɛʀ].

**PHAGOCYTE,** subst. m.
*Biol.* Cellule spécialisée dans la phagocytose, comme les macrophages et les polynucléaires neutrophiles. 1887 ; formé de *phago-* et de *-cyte* ; [fagɔsit].

**PHAGOCYTER,** verbe trans. [3]
**1.** *Biol.* Détruire par phagocytose. **2.** Fig. Absorber et détruire. 1897 ; ☞ *phagocyte* ; [fagɔsite].

**PHAGOCYTOSE,** subst. f.
*Biol.* Processus selon lequel une cellule absorbe et digère une autre cellule, vivante ou morte. C'est le mode de nutrition normal de beaucoup de protozoaires. 1887 ; ☞ *phagocyte* ; [fagɔsitoz].

**PHALANGE (I),** subst. f.
**1.** *Antiq. gr.* Corps de fantassins avançant en rangs compacts. ▸ ***Phalange** macédonienne* : constituée d'hoplites armés de sarisses. **2.** Ext. Formation militaire, en gén. d'infanterie. **3.** Organisation politique paramilitaire, souv. fascisante. **4.** Anal. Groupe de personnes unies par une étroite affinité (littér.) : *Une **phalange** de poètes.* ▸ *Les **phalanges** célestes* : les anges. 1213 ; lat. *phalanx*, du gr. *phalagx*, « gros bâton » ; [falɑ̃ʒ].

**PHALANGE (II),** subst. f.
**1.** *Anat.* Chacun des os constituant le squelette des doigts et des orteils ; en partic., le premier de ces os, articulé au métacarpe. **2.** Méton. Chacune des sections articulées qui forment les doigts et les orteils (deux pour le pouce et le gros orteil, trois pour les autres doigts et orteils). 1603 ; gr. *phalagx*, « gros bâton » ; [falɑ̃ʒ].

© P. Wild-Jacana

*Phalanger de l'espèce couscous.*

**PHALANGER,** subst. m.
*Zool.* Terme désignant plusieurs mammifères marsupiaux, dont les pétauristes. 1776 ; ☞ *phalange* (II) ; [falɑ̃ʒe].

**PHALANGETTE,** subst. f.
*Anat.* La dernière phalange d'un doigt ou d'un orteil, qui porte l'ongle. 1810 ; ☞ *phalange* (II) ; [falɑ̃ʒɛt].

**PHALANGIEN, IENNE,** adj.
*Anat.* Relatif aux phalanges. 1814 ; ☞ *phalange* (II) ; [falɑ̃ʒjɛ̃, jɛn].

**PHALANGINE,** subst. f.
*Anat.* Deuxième phalange des doigts, à l'exception du pouce. 1810 ; ☞ *phalange* (II) ; [falɑ̃ʒin].

**PHALANGISTE,** subst. et adj.
Se dit d'un membre de la Phalange espagnole ou d'un groupe analogue. Adj. Relatif, propre à une phalange politique. 1752 ; ☞ *phalange* (I) ; [falɑ̃ʒist].

**PHALANSTÈRE,** subst. m.
**1.** *Hist.* Dans le système fouriériste, communauté de production et de consommation ; par méton., le domaine où vit cette communauté. **2.** Anal. Groupe de personnes vivant ou œuvrant en communauté (littér.). 1822 ; crois. de *phalange* (I) et de *monastère* ; [falɑ̃stɛʀ].

**PHALANSTÉRIEN, IENNE,** adj. et subst.
Subst. Membre d'un phalanstère ; adepte du fouriérisme. Adj. Relatif à la doctrine fouriériste. 1832 ; ☞ *phalanstère* ; [falɑ̃steʀjɛ̃, jɛn].

**PHALÈNE,** subst. f.
*Zool.* Papillon de nuit de la famille des Géométridés, dont le stade larvaire est une chenille arpenteuse. 1568 ; gr. *phalaina* ; [falɛn].

**PHALÈRE,** subst. f.
*Zool.* Papillon de nuit de la famille des Nodontidés, de couleur grisâtre ou tacheté de blanc. 1903 ; lat. sc. *phalera*, du gr. *phalêros*, « taché de blanc » ; [falɛʀ].

**PHALLIQUE,** adj.
**1.** Qui se rapporte au phallus. **2.** *Psychanal.* *Stade **phallique*** : selon Freud, phase du développement de la libido infantile, organisée, pour les deux sexes, autour de la primauté du phallus et de la question de la castration. 1819 (1721, fête en l'honneur de Bacchus) ; bas lat. *phallicus*, du gr. *phallikos*, de *phallos*, « pénis » ; [falik].

**PHALLOCENTRIQUE,** adj.
Qui relève du phallocentrisme. V. 1960 ; ☞ *centre* + *phallo-*, d'apr. *égocentrique* ; [fal(l)ɔsɑ̃tʀik].

**PHALLOCENTRISME,** subst. m.
Mode de pensée qui assigne une place centrale au phallus et à sa symbolique. V. 1960 ; ☞ *phallocentrique* ; [fal(l)ɔsɑ̃tʀism].

**PHALLOCRATE,** adj. et subst.
Se dit d'un tenant de la phallocratie (abrév. fam. : phallo). Adj. Qui relève de la phallocratie. V. 1960 ; formé de *phallo-* et de *-crate* ; [fal(l)ɔkʀat].

**PHALLOCRATIE,** subst. f.
Domination des hommes et de la symbolique virile sur les femmes ; idéologie visant à la justifier. V. 1960 ; formé de *phallo-* et de *-cratie* ; [fal(l)ɔkʀasi].

**PHALLOÏDE,** adj.
**1.** Dont la forme évoque un phallus. **2.** *Bot.* *Amanite **phalloïde*** : champignon vénéneux. 1823 ; formé de *phallo-* et de *-oïde* ; [falɔid].

**PHALLOÏDIEN, IENNE,** adj.
Relatif à l'amanite phalloïde : *Intoxication **phalloïdienne***, due à l'ingestion d'amanite phalloïde, dangereuse et souv. mortelle. Mil. XXᵉ s ; ☞ *phalloïde* ; [falɔidjɛ̃, jɛn].

**PHALLUS,** subst. m.
**1.** Pénis en érection. **2.** Ext. Représentation d'un pénis en érection, emblème de la fécondité et de la fertilité de la nature. **3.** *Psychanal.* Représentation symbolique de l'organe sexuel masculin, en partic., dans la théorie freudienne, en tant qu'objet de désir. 1570 ; lat. *phallus*, du gr. *phallos* ; [falys].

**PHANÈRE,** subst. m.
*Anat.* Nom générique de toutes les productions kératinisées de l'épiderme (cheveux, ongles, poils, plumes, sabots, dents, etc.) des Vertébrés. 1822 ; gr. *phaneros*, « apparent » ; [fanɛʀ].

**PHANÉROGAMES,** subst. f. plur.
*Bot.* Embranchement comprenant les plantes à fleurs et à graines. Au sing. *Le pommier est une **phanérogame*** ; empl. adj. : *Une plante **phanérogame**.* 1791 ; formé de *phanéro-* et de *-game* ; [faneʀɔgam].

**PHANTASME,** voir **FANTASME**

**PHARAMINEUX,** voir **FARAMINEUX**

**PHARAON,** subst. m.
**1.** *Antiq.* Titre de souverain dans l'Égypte ancienne. **2.** *Jeux.* Sorte de baccara (vx). Fin XIIᵉ s. ; lat. chrét. *Pharao*, de l'égyptien *perâa* ; [faʀaɔ̃].

**PHARAONIQUE,** adj.
**1.** *Hist.* Relatif aux pharaons, à leur règne. **2.** Fig. Qui évoque l'architecture de l'Égypte antique par son gigantisme. 1535 ; ☞ *pharaon* ; [faʀaɔnik].

**PHARE,** subst. m.
**1.** Tour au sommet de laquelle est installé un foyer lumineux puissant qui permet de guider la circulation maritime nocturne ; par méton., la lumière ainsi émise : ***Phare** à occultation circulaire*, dont la lumière clignote. **2.** Ext. ▸ Dispositif lumineux puissant destiné à éclairer un terrain : *Les **phares** d'une piste d'atterrissage.* ▸ Projecteur fixé à l'avant d'un véhicule : ***Phares** antibrouillard* ; *Se mettre en **phares***, les régler sur la position donnant la plus forte luminosité (par oppos. à *en feux de croisement*). **3.** Fig. Personne, valeur ou idée qui guide ; empl. adj. : *La valeur **phare** d'un portefeuille d'actions.* **4.** *Mar.* Mât d'un navire, avec son gréement (vx). 1546 ; lat. *pharus*, du gr. *Pharos*, île de la baie, d'Alexandrie, célèbre pour son phare, l'une des Sept Merveilles du monde antique ; [faʀ].

**PHARILLON,** subst. m.
*Mar.* Petit réchaud installé à l'avant d'un bateau de pêche, dont le feu attire les poissons. 1750 ; ☞ *phare* ; [faʀijɔ̃].

**PHARISAÏQUE,** adj.
Qui est propre au pharisaïsme, aux pharisiens. 1541 ; lat. chrét. *pharisaicus* ; [faʀizaik].

**PHARISAÏSME,** subst. m.
**1.** Comportement, caractère propre aux pharisiens. **2.** Ext. Formalisme dans la pratique religieuse ; piété ostentatoire et hypocrite (littér.). 1541 ; ☞ *pharisaïque* ; [faʀizaism].

**PHARISIEN, IENNE,** subst.
**1.** *Antiq.* et *Relig.* Adepte d'un courant du judaïsme né au IIᵉ s. av. J.-C., qui prônait la stricte observance de la Loi, et qui est accusé de formalisme et d'hypocrisie dans les Évangiles ; empl. adj. : *Chef **pharisien**.* **2.** Ext. Personne à la piété ostentatoire (vieilli) ; empl. adj. : *Piété **pharisienne**.* ▸ Personne dogmatique et vétilleuse, qui assimile la perfection à son propre formalisme et qui juge et blâme autrui sous prétexte de rendre service. Fin XIIᵉ s. ; lat. chrét. *Pharisaeus*, du gr. *Pharisaios*, de l'hébreu *pᵉrûšîm*, « ceux qui se mettent à part » ; [faʀizjɛ̃, jɛn].

**PHARMACEUTIQUE,** subst. f. et adj.
Subst. Vx. Pharmacologie. Adj. Qui a trait à la pharmacie : *Produits **pharmaceutiques**.* 1547 ; bas lat. *pharmaceuticus*, du gr. *pharmakeutikos* ; [faʀmasøtik].

**PHARMACIE,** subst. f.
**1.** Vx. Remède. **2.** Ext. Ensemble des savoirs et des techniques liés à la production et à l'emploi des médicaments ; par méton., les études préparant au diplôme de pharmacien. **3.** Local où sont préparés et commercialisés des produits à usage thérapeutique ou destinés aux soins du corps. **4.** Assortiment de produits pharmaceutiques ; par méton., la trousse, le meuble où on les range. 1314 ; bas lat. *pharmacia*, du gr. *pharmakon* ; [faʀmasi].

**PHARMACIEN, IENNE,** subst.
Titulaire d'un diplôme en pharmacie, autorisé à préparer et à commercialiser des produits pharmaceutiques. 1620 ; ☞ *pharmacie* ; [faʀmasjɛ̃, jɛn].

**PHARMACOCINÉTIQUE,** subst. f.
Étude de la transformation, de l'action, de l'élimination des médicaments dans l'organisme. V. 1970 ; ☞ *cinétique* + *pharmaco-* ; [faʀmakɔsinetik].

**PHARMACODÉPENDANCE,** subst. f.
*Pathol.* Dépendance à un, à des médicaments. V. 1950 ; ☞ *dépendance* + *pharmaco-* ; [faʀmakɔdepɑ̃dɑ̃s].

**PHARMACODYNAMIE,** subst. f.
Branche de la pharmacologie qui étudie l'action des médicaments sur l'organisme. 1850 ; formé de *pharmaco-* et de *-dynamie* ; [faʀmakɔdinami].

**PHARMACODYNAMIQUE,** adj.
Relatif à l'action des médicaments sur l'organisme. 1855 ; ☞ *pharmacodynamie* ; [faʀmakɔdinamik].

**PHARMACOLOGIE,** subst. f.
Étude des médicaments, de leur action et de leurs propriétés thérapeutiques. 1738 ; formé de *pharmaco-* et de *-logie* ; [faʀmakɔlɔʒi].

**PHARMACOLOGUE,** subst.
Spécialiste de pharmacologie. 1836 ; formé de *pharmaco-* et de *-logue* ; var. *pharmacologiste* ; [faʀmakɔlɔg].

**PHARMACOMANIE,** subst. f.
*Pathol.* Toxicomanie médicamenteuse. 1953 ; formé de *pharmaco-* et de *-manie* ; [faʀmakɔmani].

**PHARMACOPÉE,** subst. f.
**1.** Recueil officiel, national ou international, recensant les médicaments existants, leur formule et leurs propriétés. **2.** Méton. Ensemble de médicaments. 1680 (1571, art de fabriquer des remèdes) ; gr. *pharmakopoiia* ; [faʀmakɔpe].

*Ravitaillement d'un phare.*

© N. Jallot-Gamma

**PHARMACOVIGILANCE**, subst. f.
Évaluation et notification des effets nocifs ou inattendus des médicaments, afin de les contrôler. V. 1970 ; ☞ *vigilance* + *pharmaco-* ; [faʀmakɔviʒilɑ̃s].

**PHARYNGAL, ALE, AUX**, adj.
*Phon.* Qui est articulé en rapprochant la racine de la langue et la paroi postérieure du pharynx : *Consonne* ***pharyngale*** ou, empl. subst. fém., *Une* ***pharyngale.*** 1930 ; ☞ *pharynx* ; [faʀɛ̃gal, o].

**PHARYNGÉ, ÉE**, adj.
Qui a trait au pharynx (synon. *pharyngien, ienne*). 1745 ; ☞ *pharynx* ; [faʀɛ̃ʒe].

**PHARYNGITE**, subst. f.
*Pathol.* Inflammation du pharynx : ***Pharyngite*** *aiguë.* 1823 ; ☞ *pharynx* + *-ite* ; [faʀɛ̃ʒit].

**PHARYNX**, subst. m.
*Anat.* Vestibule musculo-membraneux par lequel la cavité buccale communique avec l'œsophage, et les fosses nasales, avec le larynx. 1478 ; gr. *pharugx*, « gorge » ; [faʀɛ̃ks].

**PHASCOLOME**, subst. m.
*Zool.* Wombat. 1802 ; gr. *phaskôlos*, « sac, poche », et *mus*, « rat » ; [faskɔlom].

**PHASE**, subst. f.
**1.** *Astron.* Chacune des formes visibles de la Terre sous lesquelles apparaissent la Lune et les planètes, selon la lumière qu'elles reçoivent du Soleil. **2.** Fig. Chacun des stades successifs qui marquent le déroulement d'un processus : *Les* ***phases*** *d'une maladie.* **3.** *Phys.* Pour un phénomène dépendant sinusoïdalement du temps, valeur de l'instant origine. Un tel phénomène s'écrit $a \sin(\omega t + \varphi)$, où $a$ représente l'amplitude, $\omega$ la pulsation et $\varphi$ la **phase.** ▸ Loc. fig. *Être, se sentir en* ***phase*** *avec qqn ou qqch.* : être, se sentir en accord avec qqn ou qqch. **4.** *Chim.* Partie homogène d'un système chimique hétérogène qui est séparée des autres parties par un niveau défini : *Un mélange d'eau et de glace est un système à deux* ***phases*** ; *Une solution de sel dans l'eau est un système à simple* ***phase.*** 1661 ; gr. *phasis*, « apparition d'une étoile » ; [fɑz].

**PHASEMÈTRE**, subst. m.
Appareil de mesure de la différence de phase, en partic. de deux courants électriques alternatifs de même fréquence. 1907 ; ☞ *phase* + *-mètre*[1] ; [fazmɛtʀ].

**PHASIANIDÉS**, subst. m. plur.
*Zool.* Famille d'oiseaux de l'ordre des Galliformes. Au sing. *La perdrix est un* ***phasianidé.*** 1842 ; lat. sc. *phasianidae*, du lat. *phasianus*, « faisan » ; [fazjanide].

© C. & M. Moiton-Jacana

*Phasme-brindille.*

**PHASME**, subst. m.
*Zool.* Insecte de l'ordre des Phasmides, vivant dans les régions tropicales, mais aussi dans le Midi, où il est appelé bâtonnet car il ressemble à une brindille. 1801 ; gr. *phasma*, « fantôme » ; [fasm].

**PHASMIDES**, subst. m. plur.
*Zool.* Ordre d'insectes ptérygotes comprenant les phasmes et les phyllies. Au sing. *Le bâton-du-diable est un* ***phasmide.*** 1896 ; ☞ *phasme* ; [fasmid].

**PHATIQUE**, adj.
*Ling. Fonction* ***phatique*** *du langage* : qui instaure ou entretient le contact entre interlocuteurs, sans véhiculer d'information (par ex., « euh... », « allô ? » ont une fonction **phatique**). V. 1960 ; angl. *phatic*, du gr. *phatis*, « parole, langage » ; [fatik].

**PHELLODERME**, subst. m.
*Bot.* Parenchyme secondaire né de l'activité du phellogène, constituant un dépôt centrifuge gén. peu important. 1890 ; formé de *phello-* et de *-derme* ; [fɛllɔdɛʀm] ou [felɔ-].

**PHELLOGÈNE**, subst. m.
*Bot.* Assise génératrice externe, située à la périphérie des tiges et des racines, à l'origine du suber (liège) et du phelloderme ; empl. adj. : *Tissu* ***phellogène.*** 1890 ; formé de *phello-* et de *-gène* ; [fɛllɔʒɛn] ou [felɔ-].

**PHÉNAKISTISCOPE**, subst. m.
Appareil constitué d'un tambour rotatif percé de fentes verticales (pour la vision) ouvrant sur le pourtour intérieur, décoré d'images légèrement différenciées dont le défilement rapide crée l'illusion du mouvement. 1834 ; gr. *phenakizein*, « tromper », + *-scope* ; var. *phénakisticope* ; [fenakistiskɔp].

**PHÉNANTHRÈNE**, subst. m.
*Chim.* Hydrocarbure cyclique isomère de l'anthracène, présent dans le goudron de houille. 1890 ; formé de *phénol* et du gr. *anthrax*, « charbon » ; [fenɑ̃tʀɛn].

**PHÉNATE**, voir **PHÉNOLATE**

**PHÉNICIEN, IENNE**, subst. et adj.
De la Phénicie. Subst. masc. Langue sémitique ancienne du groupe cananéen. 1690 ; topon. *Phénicie* ; [fenisjɛ̃, jɛn].

**PHÉNIX**, subst. m.
**1.** *Myth.* Oiseau légendaire qui vivait plusieurs siècles et renaissait de ses cendres après s'être brûlé lui-même. **2.** Fig. Personne dont les aptitudes sont extraordinaires, qui est unique en son genre (littér.). **3.** *Bot.* Phœnix. **4.** *Zool.* Coq à la queue dotée de longues plumes, originaire du Japon. 1121 ; lat. *phoenix*, du gr. *phoinix* ; [feniks].

**PHÉNOBARBITAL**, subst. m.
*Pharm.* Barbiturique d'action lente, utilisé surtout dans le traitement de certaines crises d'épilepsie. Mil. XX^e s. ; ☞ *barbiturique* + *phéno-* ; plur. *phénobarbitals* ; [fenɔbaʀbital].

**PHÉNOCRISTAL**, subst. m.
*Minér.* Cristal de grande taille, dans une roche magmatique. ☞ *cristal* + *phéno-* ; plur. *phénocristaux* ; [fenɔkʀistal], plur. [-to].

**PHÉNOL**, subst. m.
*Chim.* **1.** Solide blanc cristallin dérivé du benzène. **2.** Nom générique des composés organiques contenant le groupement hydroxyle OH lié directement à un atome de carbone dans un cycle benzénique. 1843 ; gr. *phainein*, « briller » ; [fenɔl].

**PHÉNOLATE**, subst. m.
*Chim.* Sel du phénol. 1903 ; ☞ *phénol* ; var. *phénate* ; [fenɔlat].

**PHÉNOLOGIE**, subst. f.
Étude de l'influence des climats sur les phénomènes périodiques de la vie animale (hibernation, migration, etc.) et végétale (germination, floraison, etc.). 1907 ; formé de *phéno-* et de *-logie* ; [fenɔlɔʒi].

**PHÉNOMÉNAL, ALE, AUX**, adj.
**1.** *Philos.* Qui relève du phénomène ou qui s'y rapporte. **2.** Ext. Qui est extraordinaire, prodigieux. 1803 ; ☞ *phénomène* ; [fenɔmenal, o].

**PHÉNOMÉNALEMENT**, adv.
De manière phénoménale. 1823 ; ☞ *phénoménal* ; [fenɔmenalmɑ̃].

**PHÉNOMÈNE**, subst. m.
**1.** Ce qui se produit et que l'on peut observer : ***Phénomène*** *astronomique, social.* **2.** *Philos.* Ce qui est perçu, qui apparaît à la conscience ; en partic., pour Kant, objet d'une expérience possible (anton. *noumène*). **3.** *Sc.* Ce qui est observable, ou constaté par l'expérience. **4.** Ce qui est extraordinaire, prodigieux : *Un* ***phénomène*** *de foire* ; par ext., personne excentrique (fam.). 1557 ; gr. *phainomena*, « phénomènes célestes » ; [fenɔmɛn].

**PHÉNOMÉNISME**, subst. m.
*Philos.* Doctrine qui ne reconnaît de réalité qu'aux phénomènes. 1844 ; ☞ *phénomène* ; [fenɔmenism].

**PHÉNOMÉNOLOGIE**, subst. f.
*Philos.* ▸ Science des essences, ou science eidétique, telle qu'elle est, pour Husserl, une description purement psychologique de l'acte de pensée par lequel nous saisissons les objets en eux-mêmes. ▸ ***Phénoménologie*** *de l'Esprit* : l'histoire, selon Hegel, des étapes de l'Esprit s'élevant de la sensation individuelle à la Raison universelle. 1840 (1819, description des phénomènes) ; ☞ *phénomène* + *-logie* ; [fenɔmenɔlɔʒi].

**PHÉNOPLASTE**, subst. m.
*Techn.* Résine artificielle à base de phénol. 1953 ; formé de *phéno-* et de *-plaste* ; [fenɔplast].

**PHÉNOTYPE**, subst. m.
*Génét.* Caractère extérieur observable, le **phénotype** d'un être vivant découle à la fois de son génotype et des conditions du milieu dans lequel il s'est développé. 1911 ; crois. de *phénomène* et de *type*, d'apr. *génotype* ; [fenɔtip].

**PHÉNYLALANINE**, subst. f.
*Biochim.* L'un des aminoacides constitutifs des protéines. 1897 ; ☞ *alanine* + *phényl-* ; [fenilalanin].

**PHÉNYLCÉTONURIE**, subst. f.
*Pathol.* Encéphalopathie due à un déficit enzymatique. Son pronostic est désormais excellent grâce à un dépistage et à un traitement systématiques dès la naissance. V. 1970 ; ☞ *cétone* + *phényl-* et *-urie* ; [fenilsetɔnyʀi].

**PHÉNYLE**, subst. m.
*Chim.* Groupement organique $C_6H_5$, présent dans le benzène. 1837 ; formé de *phéno-* et de *-yle* ; [fenil].

**PHÉOPHYCÉES**, subst. f. plur.
*Bot.* Classe d'algues brunes. Au sing. *Le fucus est une* ***phéophycée.*** V. 1900 ; gr. *phaios*, « brun », et *phukos*, « algue » ; [feɔfise].

**PHÉROMONE**, subst. f.
*Biol.* Substance émise dans l'environnement par les individus de certaines espèces. Les **phéromones** (ainsi nommées à cause des analogies qui existent entre elles et les hormones) permettent d'informer d'autres individus de la même espèce de certaines situations (danger, présence de nourriture, de partenaire sexuel, etc.). V. 1970 ; crois. du gr. *pherein*, « porter », et de *hormone* ; var. *phérormone*, *phérohormone* ; [feʀɔmɔn].

**PHI**, subst. m. inv.
Vingt et unième lettre de l'alphabet grec ($\varphi$, $\Phi$), transcrite *ph* en français. 1805 ; mot gr. ; [fi].

**PHILANTHE**, subst. m.
*Zool.* Insecte hyménoptère carnivore. Cette guêpe solitaire, noire et jaune, longue de 1,5 cm, s'attaque aux abeilles, qu'elle paralyse avec son venin et dont elle nourrit ses larves. 1802 ; lat. sc. *philantus*, du gr. *philanthos*, « qui aime les fleurs » ; [filɑ̃t].

**PHILANTHROPE**, subst.
**1.** Personne qui aime le genre humain et s'efforce d'améliorer son sort (vieilli). **2.** Ext. Personne généreuse, désintéressée. 1370 ; gr. *philanthrôpos*, de *philos*, « ami », et de *anthrôpos*, « homme » ; [filɑ̃tʀɔp].

**PHILANTHROPIE**, subst. f.
**1.** Amour du genre humain (vieilli). **2.** Générosité, désintéressement. 1551 ; gr. *philanthrôpia* ; [filɑ̃tʀɔpi].

**PHILANTHROPIQUE**, adj.
Relatif à la philanthropie ; inspiré par la philanthropie. 1780 ; ☞ *philanthropie* ; [filɑ̃tʀɔpik].

**PHILATÉLIE**, subst. f.
Étude et collection des timbres-poste. 1864 ; gr. *ateleia*, « exemption d'impôts », + *philo-* ; [filateli].

*Une passion très répandue, la philatélie.*

© J.-M. Trois-Explorer

**PHILATÉLISTE, subst.**
Personne qui collectionne les timbres-poste. 1864 ; ☞ *philatélie* ; [filatelist].

**PHILHARMONIE, subst. f.**
**1.** Vx. Amour de la musique. **2.** Ext. Association locale de musiciens amateurs ; orchestre philharmonique. 1845 ; ☞ *philharmonique* ; [filaʀmɔni].

**PHILHARMONIQUE, adj.**
**1.** Vx. Qui aime la musique. **2.** Ext. Se dit d'une association de musiciens amateurs ou de certains grands orchestres. 1797 ; ital. *filarmonico*, du gr. *philos*, « ami », et *harmonia*, « harmonie » ; [filaʀmɔnik].

**PHILIPPINE, subst. f. et adj.**
**Subst.** Jeu dans lequel deux personnes se partagent deux amandes jumelles et décident que, au-delà d'un certain délai, la première qui saluera l'autre d'un « Bonjour, Philippine ! » aura gagné : *Faire **philippine**.* **Adj.** *Amandes **philippines*** : amandes jumelles. 1869 ; all. *Vielliebchen*, « bien-aimée », d'apr. le prénom *Philippe* ; [filipin].

**PHILIPPIQUE, subst. f.**
Discours ou écrit attaquant violemment qqn. 1557 (1528, discours de Cicéron contre Marc Antoine) ; gr. *Philippikoi*, discours de Démosthène contre Philippe de Macédoine ; [filipik].

**PHILISTIN, INE, subst. m. et adj.**
**Subst.** Personne inculte et vulgaire fermée aux arts, aux nouveautés. **Adj.** Propre au philistin. 1852 ; all. *Philister*, « bourgeois borné » (argot scol.), de *Philistins*, peuple de la Bible ; [filistɛ̃, in].

**PHILO, subst. f.**
Philosophie (fam.). 1880 ; apocope de *philosophie* ; [filo].

**PHILODENDRON, subst. m.**
*Bot.* Arbuste de l'Amérique tropicale, de la famille des Aracées, à rhizome rampant. Certaines espèces sont ornementales. 1866 ; gr. *philodendros*, de *philos*, « ami », et de *dendron*, « arbre » ; [filodɛ̃dʀɔ̃].

**PHILOLOGIE, subst. f.**
**1.** Vx. Goût des belles-lettres. **2.** Étude d'une langue par l'analyse des textes. ▸ Étude critique des textes anciens et de leur transmission. 1486 ; lat. *philologia*, du gr. *philologia* ; [filɔlɔʒi].

**PHILOLOGUE, subst.**
Spécialiste de philologie. 1534 ; lat. *philologus*, du gr. *philologos*, « ami des discours » ; [filɔlɔg].

**PHILOSOPHALE, adj. f.**
**Pierre philosophale.** Substance qui, selon les alchimistes, avait la propriété de transmuter les métaux en or ; au fig., ce qui est impossible à trouver. 1580 ; ☞ *philosophe* ; [filɔzɔfal].

ALCHIMIE – L'alchimiste (ou adepte) entendait se servir de la pierre philosophale, sous le nom de poudre de projection, pour transformer les métaux vils en or. Le processus de transmutation nécessite trois étapes : dans l'œuvre au noir, l'adepte débarrasse la matière de ses impuretés ; l'œuvre au blanc lui permet de fabriquer la pierre blanche, qui transmute les métaux vils en argent ; l'œuvre au rouge produit la pierre rouge, qui transmute le mercure en or. Chacune des trois phases constitue pour l'alchimiste, symboliquement, un « état » : la mort dans l'œuvre au noir, la purification de l'âme dans l'œuvre au blanc, la vie spirituelle éternelle dans l'œuvre au rouge.

**PHILOSOPHE, subst.**
**1.** Personne ayant contribué ou contribuant au développement de la pensée philosophique. ▸ Partisan des idées des Lumières, au XVIIIᵉ s. **2.** Personne qui étudie ou enseigne la philosophie. **3.** Ext. Personne qui accepte avec sérénité les aléas de l'existence ; empl. adj. : *Démuni, il sut toutefois se montrer **philosophe**.* Mil. XIIᵉ s. ; lat. *philosophus*, du gr. *philosophos*, « ami de la sagesse » ; [filɔzɔf].

**PHILOSOPHER, verbe intrans. [3]**
**1.** Pratiquer une réflexion philosophique : ***Philosopher**, c'est travailler sur des concepts.* **2.** Argumenter, souvent de manière pédante ou compliquée. Fin XIVᵉ s. ; lat. *philosophari* ; [filɔzɔfe].

**PHILOSOPHIE, subst. f.**
**1.** Pratique d'une réflexion appliquée à l'étude de la nature des choses, des fondements de la connaissance et des modalités de notre présence en ce monde. ▸ *La **philosophie** première* : la métaphysique et, en partic., selon Bacon, recueil de règles formelles communes à toutes les sciences. ▸ *La **philosophie** naturelle* : la physique (vx). ▸ ***Philosophie** analytique* : type de questionnement se fondant sur l'analyse du langage, en partic. du langage ordinaire, qui compte à ses débuts des penseurs comme Frege, Russell et Wittgenstein, et, plus récemment, Quine, Searle et Putnam. **2.** Système de pensée philosophique propre à un individu, à un pays, à une école, à une culture : *La **philosophie** de Spinoza* ; ***Philosophie** arabe, médiévale.* **3.** Réflexion appliquée à un domaine du savoir ou de l'activité humaine ; ***Philosophie** morale, politique* ; ***Philosophie** des sciences.* **4.** Étude de la pensée philosophique et de son histoire ; par méton., ancien nom de la classe de terminale littéraire de l'enseignement secondaire. **5.** Ext. Ensemble des préceptes fondant la conduite d'un individu : *Vivre libre et respecter autrui, voilà ma **philosophie*** ; en partic., attitude sereine face aux évènements : *Réagir avec **philosophie**.* Mil. XIIᵉ s. ; lat. *philosophia*, du gr. *philosophia*, « amour de la sagesse » ; [filɔzɔfi].

SCIENCES HUMAINES – Née six siècles avant notre ère, à Milet, en Asie Mineure, rassemblant à son apogée grec (avec Platon, Aristote et les stoïciens) tout le savoir rationnel (de la cosmologie à la politique, des mathématiques à la morale), confondue avec la science elle-même, la philosophie s'en différenciera en s'appliquant plus aux fondements de la connaissance qu'à son progrès. Transmise par des penseurs juifs et arabes (Maimonide, Averroès) à l'Occident chrétien (saint Thomas d'Aquin, Guillaume d'Occam), elle se distinguera du religieux pour se fonder sur l'expérience et la raison. À sa renaissance moderne (Descartes, Spinoza, Leibniz) font suite la refondation kantienne – répondant au scepticisme de Hume –, puis les derniers grands systèmes idéalistes (Hegel, Fichte, Schelling), que Marx ramènera vers une « activité humaine concrète » et auxquels Nietzsche s'attaquera violemment. Le XXᵉ s. voit la philosophie, sous l'hégémonie scientifique, évoluer en épistémologie, ce qui n'exclut pas le développement d'une « science des essences » (Husserl), ni un questionnement sur l'être (Heidegger), auxquels fait pendant le projet d'une « clarification logique de la pensée » (Wittgenstein).

Justus Lipsius et ses élèves ou les Quatre **Philosophes**, *autoportrait de Pierre Paul Rubens (1577-1640) avec son frère Filip, Justus Lipsius et Jan Van den Wouwer. Palais Pitti, Florence. En fait, seul Justus Lipsius faisait œuvre de philosophe.*

**PHILOSOPHIQUE, adj.**
**1.** Relatif à la philosophie. **2.** Empreint de sagesse, de sérénité. Fin XIVᵉ s. ; lat. *philosophicus*, du gr. *philosophikos* ; [filɔzɔfik].

**PHILTRE, subst. m.**
Préparation magique destinée à inspirer l'amour ; par métaph. : *L'oubli est un **philtre** bienfaisant.* 1381 ; lat. *philtrum*, du gr. *philtron* ; [filtʀ].

**PHIMOSIS, subst. m.**
*Pathol.* Étroitesse du prépuce empêchant le décalottage du gland. 1560 ; gr. *phimôsis* ; [fimozis].

**PHLÉBITE, subst. f.**
*Pathol.* Thrombose veineuse due à une lésion de la paroi vasculaire. 1818 ; gr. *phleps*, « veine », + *-ite* ; [flebit].

**PHLÉBOGRAPHIE, subst. f.**
*Méd.* Radiographie des veines après injection d'un produit radio-opaque. 1952 (1808, description des veines) ; formé de *phlébo-* et de *-graphie* ; [flebɔgʀafi].

**PHLÉBOLOGIE, subst. f.**
Partie de la médecine qui étudie les veines et leurs affections. 1795 ; formé de *phlébo-* et de *-logie* ; [flebɔlɔʒi].

**PHLÉBORRAGIE, subst. f.**
*Pathol.* Hémorragie consécutive à la rupture d'une veine. 1822 ; formé de *phlébo-* et de *-rragie* ; [flebɔʀaʒi].

**PHLÉBOTOME, subst. m.**
**1.** *Chir.* Instrument avec lequel on pratiquait la saignée (vieilli). **2.** *Zool.* Insecte diptère apparenté au moustique, dont la piqûre provoque certaines maladies chez l'homme, notamment les leishmanioses. 1533 ; bas lat. *phlebotomus*, du gr. *phlebotomos* ; [flebɔtɔm].

**PHLÉBOTOMIE, subst. f.**
*Chir.* Incision d'une veine. 1314 ; bas lat. *phlebotomia*, du gr. *phlebotomia* ; [flebɔtɔmi].

**PHLEGMON, subst. m.**
*Pathol.* Inflammation aiguë sous-cutanée, plus ou moins profonde, circonscrite ou diffuse, entraînant la nécrose des tissus atteints ; par méton., abcès. 1314 ; lat. méd. *phlegmone*, du gr. *phlegein*, « brûler » ; var. *flegmon* ; [flɛgmɔ̃].

**PHLÉOLE, voir FLÉOLE**

**PHLOGISTIQUE, subst. m.**
*Sc.* Fluide qui, selon les anciens chimistes, entrait dans la composition d'un corps et en expliquait la combustion (vx). 1747 ; lat. sc. *phlogisticum*, du gr. *phlogistos*, « inflammable » ; [flɔʒistik].

**PHLOX, subst. m.**
*Bot.* Plante cultivée de la famille des Polémoniacées, à fleurs de couleurs vives (gén. rouges). 1794 ; gr. *phlox*, « flamme » ; [flɔks].

**PHLYCTÈNE, subst. f.**
*Pathol.* Lésion bulleuse cutanée, observée notamment en cas de brûlure. 1586 ; gr. *phluktaina*, de *phluzein*, « couler abondamment » ; [fliktɛn].

**pH-MÈTRE, subst. m.**
*Chim.* Appareil qui sert à la mesure du pH. V. 1960 ; ☞ *pH* + *-mètre*[1] ; plur. *pH-mètres* ; [peaʃmɛtʀ].

**PHOBIE, subst. f.**
**1.** *Psych.* Angoisse violente et irrépressible déclenchée sans raison apparente par certains espaces, objets, animaux. **2.** Ext. Aversion spontanée, crainte irréfléchie. 1880 ; gr. *phobos* ; [fɔbi].

**PHOBIQUE, adj.**
*Psych.* Qui a trait à la phobie ; empl. subst., personne atteinte de phobie. 1903 ; ☞ *phobie* ; [fɔbik].

**PHOCÉEN, ÉENNE, adj. et subst.**
**1.** *Antiq. gr.* De Phocée. **2.** Ext. De Marseille. 1732 ; topon. *Phocée*, anc. cité grecque d'Ionie (Asie Mineure) d'où partit la colonie qui fonda Massalia (Marseille) ; [fɔseɛ̃, eɛn].

**PHOCOMÈLE, adj. et subst.**
*Pathol.* Se dit d'un sujet atteint de phocomélie. 1836 ; comp. de *phoco-* et de *-mèle* ; [fɔkɔmɛl].

**PHOCOMÉLIE, subst. f.**
*Pathol.* Malformation congénitale consistant en une atrophie des segments moyens des membres, les mains ou les pieds s'attachant directement au tronc. 1846 ; ☞ *phocomèle* ; [fɔkɔmeli].

**PHŒNIX, subst. m.**
*Bot.* Nom générique de diverses espèces de palmiers, parmi lesquelles le dattier. 1690 ; gr. *phoinix* ; var. *phénix* ; [feniks].

**PHOLADE, subst. f.**
*Zool.* Mollusque bivalve étroit et allongé, vivant dans le sable et les rochers, capable de percer le bois et la pierre tendre. 1555 ; gr. *phôlas*, « qui vit dans des trous » ; [fɔlad].

**PHOLIOTE, subst. f.**
*Bot.* Champignon de la famille des Agaricacées, qui pousse en touffes au pied des arbres. 1903 ; lat. sc. *pholiota*, du gr. *pholis*, « écaille de reptile » ; [fɔljɔt].

**PHONATEUR, TRICE, adj.**
Qui a trait à la phonation (synon. *phonatoire*). 1836 ; ☞ *phonation* ; [fɔnatœʀ, tʀis].

**PHONATION, subst. f.**
*Physiol.* Ensemble des processus permettant la production de la voix et de la parole. 1824 ; gr. *phônê*, « voix » ; [fɔnasjɔ̃].

**PHONE, subst. m.**
*Phys.* Unité de mesure de la puissance sonore. 1949 (1857, phonème) ; gr. *phônê*, « voix » ; [fɔn].

**PHONÉMATIQUE, adj. et subst. f.**
Adj. Relatif aux phonèmes. Subst. Partie de la phonologie ayant pour objet l'étude des phonèmes. V. 1970 ; ☞ *phonème* ; var. *phonémique* ; [fonematik].

**PHONÈME, subst. m.**
*Ling.* Son minimal d'une langue, possédant des traits caractéristiques qui permettent de distinguer les mots les uns des autres : *Dans « brin », il y a trois* ***phonèmes****, que l'on note [b], [ʀ] et [ɛ̃].* 1873 ; gr. *phônêma*, « son de voix » ; [fɔnɛm].

**PHONÉMIQUE, voir PHONÉMATIQUE**

**PHONÉTICIEN, IENNE, subst.**
Personne spécialisée en phonétique. 1894 ; ☞ *phonétique* ; [fɔnetisjɛ̃, jɛn].

**PHONÉTIQUE, adj. et subst. f.**
Adj. Relatif aux sons du langage : *Évolution* ***phonétique*** ; *Écriture, transcription* ***phonétique***, qui figure graphiquement chaque son du langage. Subst. Branche de la linguistique qui a pour objet l'étude de la production des sons du langage : ***Phonétique*** *historique*, étude des variations et de l'évolution des sons d'une langue dans le temps. 1822 ; gr. *phônêtikos*, « relatif au son, à la parole » ; [fɔnetik].

**PHONIATRE, subst.**
Spécialiste de phoniatrie. V. 1940 ; formé de *phono-* et de *-iatre* ; [fɔnjatʀ].

**PHONIATRIE, subst. f.**
*Méd.* Discipline qui traite les troubles de la parole. V. 1940 ; formé de *phono-* et de *-iatrie* ; [fɔnjatʀi].

**PHONIE, subst. f.**
Transmission de messages parlés. 1949 ; apocope de *téléphonie* ; [fɔni].

**PHONIQUE, adj.**
Qui se rapporte aux sons ou à la voix : *Isolation* ***phonique***. 1751 ; gr. *phônê*, « voix » ; [fɔnik].

**PHONO, subst. m.**
Phonographe (vieilli). V. 1900 ; apocope de *phonographe* ; [fɔno].

**PHONOCAPTEUR, TRICE, adj. et subst. m.**
Se dit d'un appareil qui peut lire la gravure d'un disque phonographique. Mil. XXe s. ; ☞ *capteur* + *phono-* ; [fɔnokaptœʀ, tʀis].

**PHONOGÉNIE, subst. f.**
Capacité d'une voix ou d'un instrument à donner de bons enregistrements. 1929 ; formé de *phono-* et de *-génie* ; [fɔnɔʒeni].

**PHONOGRAPHE, subst. m.**
**1.** Appareil qui enregistre et reproduit des sons par des moyens mécaniques (vieilli). **2.** Méton. Appareil restituant les sons gravés sur un disque (abrév. : phono). 1877 ; formé de *phono-* et de *-graphe* ; [fɔnɔgʀaf].

**PHONOGRAPHIQUE, adj.**
Qui a rapport à l'enregistrement et à la reproduction des sons. 1935 ; ☞ *phonographe* ; [fɔnɔgʀafik].

**PHONOLITE, subst. f.**
*Pétrogr.* Roche volcanique sombre, caractérisée par un débitage en plaques, sonores sous le choc, d'où son nom. 1807 ; formé de *phono-* et de *-lite* ; var. *phonolithe* ; [fɔnɔlit].

**PHONOLOGIE, subst. f.**
Branche de la linguistique qui étudie les sons du langage non du point de vue de leur production, mais du point de vue de leur fonction dans la langue. 1929 (1846, traité des sons) ; formé de *phono-* et de *-logie* ; [fɔnɔlɔʒi].

**PHONOLOGIQUE, adj.**
*Ling.* Qui a trait à la phonologie. 1929 (1846, relatif aux sons) ; ☞ *phonologie* ; [fɔnɔlɔʒik].

**PHONOMÉTRIE, subst. f.**
*Phys.* Mesure de l'intensité des sons. 1842 ; formé de *phono-* et de *-métrie* ; [fɔnɔmetʀi].

**PHONON, subst. m.**
*Phys.* Quantum d'énergie acoustique. V. 1960 ; gr. *phônê*, « son », d'apr. *photon* ; [fɔnɔ̃].

**PHONOTHÈQUE, subst. f.**
Établissement où sont conservés des enregistrements sonores d'archives (disques, bandes magnétiques, etc.). 1929 ; formé de *phono-* et de *-thèque* ; [fɔnɔtɛk].

**PHOQUE, subst. m.**
**1.** *Zool.* Mammifère pinnipède carnivore, au pelage ras, vivant gén. près des pôles. Il se distingue de l'otarie par l'absence d'oreille externe. **2.** Méton. Fourrure de **phoque**. 1532 ; lat. *phoca*, du gr. *phôkê* ; [fɔk].

© Y. Gladu-Jacana

*Phoques gris.*

**PHORMIUM, subst. m.**
*Bot.* Plante de la famille des Liliacées, encore appelée chanvre ou lin de Nouvelle-Zélande, fournissant des fibres textiles. 1804 ; lat. *phormium*, du gr. *phormion*, « petite natte » ; var. *phormion* ; [fɔʀmjɔm].

**PHOSGÈNE, subst. m.**
*Chim.* Gaz incolore et très toxique, appelé aussi chlorure de carbonyle, utilisé comme agent de chloruration (et autrefois comme gaz de combat). 1823 ; gr. *phôs*, « lumière », + *-gène* ; [fɔsʒɛn].

**PHOSPHATAGE, subst. m.**
*Agric.* Action de phosphater. Fin XIXe s. ; ☞ *phosphate* ; [fɔsfataʒ].

**PHOSPHATATION, subst. f.**
*Métall.* Traitement de surface des métaux faisant appel à l'acide phosphorique et au phosphate, très dilués dans l'eau : *La bondérisation est une* ***phosphatation*** *légère*. 1959 ; ☞ *phosphater* ; [fɔsfatasjɔ̃].

**PHOSPHATE, subst. m.**
**1.** *Chim.* Sel ou ester de l'acide phosphorique. **2.** *Minér. Les* ***phosphates*** : groupe de minéraux, représenté en partic. par l'apatite. **3.** *Pétrogr.* Roche sédimentaire d'origine minérale ou organique (os, guano) constituée en majeure partie d'une variété d'apatite et exploitée dans la fabrication des engrais. 1782 ; ☞ *phosphore* ; [fɔsfat].

**PHOSPHATÉ, ÉE, adj.**
Qui renferme un ou des phosphates. 1796 ; ☞ *phosphate* ; [fɔsfate].

**PHOSPHATER, verbe trans. [3]**
**1.** *Agric.* Fertiliser (une terre) avec de l'engrais phosphaté. **2.** Procéder à la phosphatation de (un alliage ferreux). 1905 ; ☞ *phosphate* ; [fɔsfate].

**PHOSPHÈNE, subst. m.**
*Pathol.* Sensation lumineuse provoquée par une excitation électrique de la rétine ou par une pression exercée sur le globe oculaire. 1838 ; gr. *phôs*, « lumière », et *phainein*, « briller » ; [fɔsfɛn].

**PHOSPHINE, subst. f.**
*Chim.* Gaz incolore, légèrement soluble dans l'eau et très toxique. 1874 ; ☞ *phosphore* ; [fɔsfin].

**PHOSPHITE, subst. m.**
*Chim.* Sel ou ester de l'acide phosphoreux. 1787 ; ☞ *phosphore* ; [fɔsfit].

**PHOSPHOLIPIDE, subst. m.**
*Biochim.* Lipide membranaire caractérisé par la présence d'un groupement phosphoryle entre un glycérol et un alcool. 1928 ; ☞ *lipide* + *phospho-* ; [fɔsfolipid].

**PHOSPHOPROTÉINE, subst. f.**
*Biochim.* Protéine dont certains acides aminés sont porteurs d'un groupement phosphoryle. 1949 ; ☞ *protéine* + *phospho-* ; [fɔsfopʀotein].

**PHOSPHORE, subst. m.**
*Chim.* Élément non métallique n° 15 de la table de Mendeleïev (symb. : P) ; masse atomique : 30,9 ; point de fusion : 44 °C ; point d'ébullition : 280 °C ; masse volumique : 1,82 g/cm³. Il est luminescent et constitue un des éléments essentiels des êtres vivants. 1677 ; gr. *phôsphoros*, de *phôs*, « lumière », et de *phoros*, « qui apporte » ; [fɔsfɔʀ].

**PHOSPHORÉ, ÉE, adj.**
Qui contient du phosphore. 1789 ; ☞ *phosphore* ; [fɔsfɔʀe].

**PHOSPHORER, verbe intrans. [3]**
Faire travailler intensément son intelligence (fam.). 1944 (1891, briller avec éclat) ; ☞ *phosphore*, cet élément étant censé stimuler l'activité intellectuelle ; [fɔsfɔʀe].

**PHOSPHORESCENCE, subst. f.**
**1.** *Chim.* Propriété qu'ont certains corps (notamment le phosphore) d'émettre de la lumière de façon persistante après que l'excitation provoquant cette luminescence a été supprimée. **2.** Luminescence de certains végétaux ou animaux. **3.** Méton. Lumière provenant ou semblant provenir d'un corps phosphorescent. **4.** Fig. Caractère rayonnant de qqch. ou de qqn (rare et littér.). 1784 ; ☞ *phosphore* ; [fɔsfɔʀesɑ̃s] ou [-ʀe-].

**PHOSPHORESCENT, ENTE, adj.**
**1.** *Chim.* Doué de phosphorescence. **2.** Méton. Qui émane ou semble émaner d'un corps doué de phosphorescence. **3.** Fig. Plein de brio, d'éclat (littér.). 1789 ; ☞ *phosphorescence* ; [fɔsfɔʀesɑ̃, ɑ̃t] ou [-ʀe-].

**PHOSPHOREUX, EUSE, adj.**
*Chim.* **1.** Qualifie l'anhydride de formule $P_2O_3$. **2.** Se dit d'un composé contenant du phosphore. 1787 ; ☞ *phosphore* ; [fɔsfɔʀø, øz].

**PHOSPHORIQUE, adj.**
*Chim.* Qualifie l'anhydride de formule $P_2O_5$. 1782 ; ☞ *phosphore* ; [fɔsfɔʀik].

**PHOSPHORISME, subst. m.**
*Pathol.* Intoxication par le phosphore. 1869 (1788, phosphorescence) ; ☞ *phosphore* ; [fɔsfɔʀism].

**PHOSPHORITE, subst. f.**
*Géol.* Roche sédimentaire que l'on trouve sous forme de concrétions phosphatées dans les karsts ; par ext., l'ancien remplissage des grottes présentant ces concrétions : *Les* ***phosphorites*** *du Quercy sont riches en fossiles de mammifères du Tertiaire.* 1842 ; ☞ *phosphore* ; [fɔsfɔʀit].

**PHOSPHORYLATION, subst. f.**
*Biochim.* Réaction conduisant à la fixation d'un groupement phosphoryle (provenant souv. d'une molécule d'A. T. P.) sur une molécule organique. 1958 ; ☞ *phosphoryle* ; [fɔsfɔʀilasjɔ̃].

**PHOSPHORYLE, subst. m.**
*Chim.* Groupement trivalent formé d'un atome de phosphore et d'un atome d'oxygène. 1861 ; ☞ *phosphore* ; [fɔsfɔʀil].

**PHOSPHURE, subst. m.**
*Chim.* Composé formé d'un élément lié à du phosphate. 1787 ; ☞ *phosphore* ; [fɔsfyʀ].

**PHOT, subst. m.**
*Phys.* Ancienne unité d'éclairement qui équivaut à 10 000 lux, soit 1 lumen/cm² (symb. : ph). 1903 ; gr. *phôs*, « lumière » ; [fɔt].

**PHOTO, subst. f.**
Photographie. 1864 ; apocope de *photographie* ; [foto].

**PHOTOBIOLOGIE, subst. f.**
*Biol.* Étude de l'action de la lumière sur les êtres vivants (synon. *photologie*). V. 1960 ; ☞ *biologie* + *photo-*[1] ; [fotobjɔlɔʒi].

**PHOTOCATHODE, subst. f.**
Cathode d'une cellule photoélectrique, produisant un courant électrique sous l'influence d'un éclairement. 1948 ; ☞ *cathode* + *photo-*[1] ; [fotokatɔd].

**PHOTOCHIMIE, subst. f.**
*Chim.* Étude des incidences de la lumière sur les réactions chimiques. 1865 ; ☞ *chimie* + *photo-*[1] ; [fotoʃimi].

**PHOTOCOMPOSEUSE, subst. f.**
*Impr.* Appareil de photocomposition. V. 1960 ; ☞ *photocomposition* ; [fotokɔ̃pozøz].

**PHOTOCOMPOSITION, subst. f.**
*Impr.* Technique de composition qui permet d'obtenir directement à partir de la saisie les films qui serviront à l'impression. V. 1960 ; ☞ *composition* + *photo-*[2] ; [fotokɔ̃pozisjɔ̃].

**PHOTOCONDUCTEUR, TRICE, adj.**
*Phys.* Se dit d'une substance dont la conductibilité

électrique varie sous l'action d'un rayonnement lumineux. 1953 ; ☞ *conducteur + photo-*[1] ; [fɔtokɔ̃dyktœʀ, tʀis].

**PHOTOCOPIE, subst. f.**
Procédé permettant de dupliquer un document par photographie ; par méton., reproduction obtenue grâce à ce procédé. 1939 (1894, tirage positif) ; ☞ *copie + photo-*[1] ; [fɔtɔkɔpi].

**PHOTOCOPIER, verbe trans.** [6]
Dupliquer (un texte, une image) par photocopie. V. 1960 (1910, faire un tirage photographique) ; ☞ *photocopie* ; [fɔtɔkɔpje].

**PHOTOCOPIEUR, subst. m.**
Machine à photocopier. V. 1960 ; ☞ *photocopier* ; var. *une photocopieuse* ; [fɔtɔkɔpjœʀ].

**PHOTODIODE, subst. f.**
*Électron.* Diode semi-conductrice dans laquelle un rayonnement lumineux incident crée un courant électrique. Mil. XXe s. ; ☞ *diode + photo-*[1] ; [fɔtodjɔd].

**PHOTODISSOCIATION, subst. f.**
*Chim.* Réaction provoquant la dissociation de molécules par l'action de photons. V. 1960 ; ☞ *dissociation + photo-*[1] ; [fɔtodisɔsjasjɔ̃].

**PHOTOÉLASTICIMÉTRIE, subst. f.**
*Phys.* Étude optique des contraintes ou des déformations subies par des solides. 1949 ; ☞ *élasticité + photo-*[1] et *-métrie* ; [fɔtoelastisimetʀi].

**PHOTOÉLECTRICITÉ, subst. f.**
*Phys.* Émission d'électrons sous l'effet d'un rayonnement lumineux. 1953 ; ☞ *électricité + photo-*[1] ; [fɔtoelɛktʀisite].

**PHOTOÉLECTRIQUE, adj.**
Relatif à la photoélectricité. ▸ *Effet **photoélectrique*** : propriété qu'ont certains corps d'émettre des électrons sous l'effet d'un rayonnement lumineux ; *Cellule **photoélectrique*** : dispositif mesurant l'intensité lumineuse qu'il reçoit. 1846 ; ☞ *électrique + photo-*[1] ; [fɔtoelɛktʀik].

**PHOTOÉMETTEUR, TRICE, adj.**
*Phys.* Qui émet des électrons sous l'effet de radiations lumineuses. Mil. XXe s. ; ☞ *émetteur + photo-*[1] ; [fɔtoemetœʀ, tʀis].

**PHOTO-FINISH, subst. f.**
Anglic. Appareil permettant de photographier l'arrivée d'une course ; photographie ainsi obtenue. Mil. XXe s. ; angl. *finish*, « arrivée », + *photo-*[2] ; plur. *photos-finish* ; recomm. off. *photo d'arrivée* ; [fɔtofiniʃ].

**PHOTOGENÈSE, subst. f.**
*Biol.* Émission de lumière produite par les organes spécifiques de certains organismes vivants (les lucioles, certaines bactéries, certains champignons et poissons). 1903 ; formé de *photo-*[1] et de *-genèse* ; [fɔtoʒənɛz].

**PHOTOGÉNIQUE, adj.**
**1.** *Phys.* Qui se rapporte aux réactions chimiques provoquées par la lumière ; qui produit de telles réactions. **2.** *Phot.* Qui impressionne la pellicule de manière nette et contrastée. ▸ Ext. Qualifie une personne ou un visage dont la beauté ressort avec éclat et expressivité sur une photographie ou au cinéma. 1839 ; angl. *photogenic*, du gr. *phôs*, « lumière », et *gennan*, « engendrer » ; [fɔtoʒenik].

**PHOTOGÉOLOGIE, subst. f.**
Élaboration de cartes géologiques à partir de l'interprétation de photos aériennes. ☞ *géologie + photo-*[2] ; [fɔtoʒeɔlɔʒi].

**PHOTOGRAMMÉTRIE, subst. f.**
Technique de calcul et d'évaluation des proportions et des volumes des objets d'après leurs perspectives visibles sur photographie. 1876 ; formé de *photo-*[2], de *-gramme* et de *-métrie* ; [fɔtogʀam(m)etʀi].

**PHOTOGRAPHE, subst.**
**1.** Personne qui prend des photographies. **2.** Professionnel qui réalise des portraits, développe et tire des clichés, et vend du matériel photographique. 1842 ; ☞ *photographie* ; [fɔtogʀaf].

**PHOTOGRAPHIE, subst. f.**
**1.** Procédé par lequel la lumière, impressionnant une surface recouverte d'une couche sensible, y fixe l'image d'un objet. ▸ Art du photographe et ensemble des techniques auxquelles il recourt. **2.** Méton. Image obtenue par ces procédés (abrév. : photo). **3.** *Cin. Directeur de la **photographie*** : responsable de l'éclairage et de la prise de vues sur un tournage (synon. *chef opérateur*). **4.** Fig. Représentation fidèle et précise d'une situation, d'un phénomène : *Une bonne **photographie** du monde du travail.* 1834 ; formé de *photo-*[1] et de *-graphie*, d'apr. l'angl. *photograph* ; [fɔtogʀafi].

ARTS et TECHNIQUES – En 1839, Daguerre fixe une épreuve positive directe ; en 1841, Fox Talbot invente le négatif, qui permet la multiplication des tirages positifs. Ces deux découvertes constituent l'aboutissement de recherches optiques commencées à la Renaissance italienne (*camera obscura*, ou « chambre noire ») et d'études chimiques sur la sensibilité à la lumière des sels d'argent. Un appareil photographique est constitué d'une chambre noire et d'un objectif dont le fonctionnement est inspiré de celui de l'œil humain : le diaphragme se règle en fonction de l'éclairage extérieur. Une pellicule photosensible est introduite dans l'appareil, à partir de laquelle le photographe obtient les négatifs (les valeurs sont inversées par rapport à la réalité) qui seront tirés ensuite sur papier, en couleurs ou en noir et blanc. La photographie est utilisée dans de multiples domaines, de la science aux médias et également en art. De nombreux photographes ont marqué l'histoire, de Nadar à Doisneau, en passant par les grands reporters tels que Capa et Cartier-Bresson, et tous ceux dont les clichés constituent une mémoire sociale : Brassaï, Boubat... Après 1930, la photographie, devenue un art à part entière, explore ses propres spécificités, avec notamment les œuvres de Strand, Weston, Moholy-Nagy, Man Ray, Rodchenko.

© J.-L. Charmet-Explorer

*Dès la fin du XIXe s., la **photographie** donne lieu à des expositions. Affiche de 1892. Bibliothèque Forney, Paris.*

**PHOTOGRAPHIER, verbe trans.** [6]
**1.** Obtenir par la photographie l'image de (qqn, qqch.). **2.** Fig. ▸ Regarder (qqn, qqch.) avec attention, afin de graver chaque détail dans sa mémoire. ▸ Décrire ou représenter avec exactitude et minutie. 1834 ; ☞ *photographie* ; [fɔtogʀafje].

**PHOTOGRAPHIQUE, adj.**
**1.** Qui a trait à la photographie. **2.** Qui reproduit aussi précisément que la photographie. 1839 ; ☞ *photographie* ; [fɔtogʀafik].

**PHOTOGRAVURE, subst. f.**
**1.** *Impr.* Technique de fabrication de matrices d'impression (clichés, plaques, films) par gravure photochimique. **2.** Plaque gravée, cliché métallique obtenu grâce à cette technique. 1867 ; ☞ *gravure + photo-*[2] ; [fɔtogʀavyʀ].

**PHOTO-INTERPRÉTATION, subst. f.**
*Techn.* Utilisation de la photographie aérienne afin d'établir les éléments de base d'une carte. V. 1960 ; ☞ *interprétation + photo-*[2] ; plur. *photos-interprétations* ; [fɔtoɛ̃tɛʀpʀetasjɔ̃].

**PHOTOLITHOGRAPHIE, subst. f.**
*Impr.* Technique de gravure photochimique obtenue par décalque sur une pierre lithographique. 1858 ; ☞ *lithographie + photo-*[1] ; [fɔtolitɔgʀafi].

**PHOTOLUMINESCENCE, subst. f.**
*Phys.* Luminescence propre à certains corps qui, soumis à une radiation, en émettent une autre, de longueur d'onde différente. 1907 ; ☞ *luminescence + photo-*[1] ; [fɔtolyminɛsɑ̃s].

**PHOTOLYSE, subst. f.**
*Chim.* Réaction produite par l'exposition de molécules à la lumière ou au rayonnement ultraviolet. Mil. XXe s. ; formé de *photo-*[1] et de *-lyse* ; [fɔtoliz].

**PHOTOMATON, subst. m. inv.**
Appareil qui prend et développe rapidement des photographies d'identité. V. 1930 ; ☞ *automatique + photo-*[2] ; n. déposé ; [fɔtomatɔ̃].

**PHOTOMÉCANIQUE, adj.**
*Techn.* Qui a trait à tout procédé de reproduction employant des clichés photographiques. 1878 ; ☞ *mécanique + photo-*[2] ; [fɔtomekanik].

**PHOTOMÈTRE, subst. m.**
*Phys.* Appareil de mesure des flux lumineux, utilisé en optique. 1792 ; formé de *photo-*[1] et de *-mètre*[1] ; [fɔtɔmɛtʀ].

**PHOTOMÉTRIE, subst. f.**
*Phys.* Science qui traite de la mesure des grandeurs relatives au rayonnement lumineux (rayonnement électromagnétique auquel l'œil est sensible). 1758 ; formé de *photo-*[1] et de *-métrie* ; [fɔtɔmetʀi].

**PHOTOMONTAGE, subst. m.**
Montage effectué avec des photographies. 1935 ; ☞ *montage + photo-*[2] ; [fɔtomɔ̃taʒ].

**PHOTOMULTIPLICATEUR, TRICE, adj.**
*Phys. Cellule **photomultiplicatrice*** ou, empl. subst. masc., *Un **photomultiplicateur*** : appareil utilisé pour l'étude des flux lumineux très faibles, par ex. pour mesurer le flux de particules émises par un radioélément. 1957 ; ☞ *multiplicateur + photo-*[1] ; [fɔtomyltiplikatœʀ, tʀis].

**PHOTON, subst. m.**
*Phys. part.* Quantum d'énergie lumineuse représentant l'association d'une onde lumineuse avec une particule porteuse d'énergie. Le **photon** transporte une énergie liée à la fréquence caractérisant l'onde qui lui est associée. V. 1920 ; angl. *photon*, du gr. *phôs*, « lumière » ; [fɔtɔ̃].

**PHOTOPÉRIODE, subst. f.**
*Biol.* Répartition, durant la journée, des phases diurnes et obscures ; leurs effets biologiques. Mil. XXe s. ; ☞ *période + photo-*[1] ; [fɔtopeʀjɔd].

**PHOTOPHOBIE, subst. f.**
**1.** Crainte maladive de la lumière directe. **2.** *Pathol.* Sensibilité excessive à la lumière, due à certaines maladies oculaires ou aux méningites. 1812 ; formé de *photo-*[1] et de *-phobie* ; [fɔtɔfɔbi].

**PHOTOPHORE, subst. m.**
**1.** *Zool.* Organe glandulaire lumineux présent chez certains animaux ; empl. adj. : *Organes **photophores** du ver luisant.* **2.** Support de bougie muni d'un protège-flamme en verre. **3.** *Techn.* Lampe à réflecteur ou à manchon incandescent, qui se fixe gén. sur un casque de travail. 1803 ; formé de *photo-*[1] et de *-phore* ; [fɔtɔfɔʀ].

**PHOTOPILE, subst. f.**
*Techn.* Dispositif qui convertit la lumière en énergie électrique. Mil. XXe s. ; ☞ *pile* (I) *+ photo-*[1] ; [fɔtopil].

**PHOTORÉCEPTEUR, subst. m.**
*Biol.* Cellule réceptive visuelle de la rétine (☞ *cône*). V. 1960 ; ☞ *récepteur + photo-*[1] ; [fɔtoʀesɛptœʀ].

**PHOTOREPORTAGE, subst. m.**
*Journ.* Reportage composé surtout de photographies. ☞ *reportage + photo-*[2] ; [fɔtoʀəpɔʀtaʒ].

**PHOTOSENSIBILISATION, subst. f.**
*Pathol.* Allergie de la peau à la lumière solaire. 1953 ; ☞ *sensibilisation + photo-*[1] ; [fɔtosɑ̃sibilizasjɔ̃].

**PHOTOSENSIBLE, adj.**
*Techn.* Sensible à la lumière. V. 1930 ; ☞ *sensible + photo-*[1] ; [fɔtosɑ̃sibl].

**PHOTOSPHÈRE, subst. f.**
*Astron.* Couche externe du Soleil (et des étoiles en général) constituant la source du rayonnement lumineux et de la chaleur parvenant jusqu'à la Terre. 1842 ; ☞ *sphère + photo-*[1] ; [fɔtɔsfɛʀ].

**PHOTOSTYLE, subst. m.**
*Informat.* Périphérique d'entrée en forme de crayon, muni d'un élément photosensible qui, pointé sur une zone de l'écran, permet une utilisation interactive de l'ordinateur (synon. *crayon optique*). V. 1970 ; ☞ *style* (poinçon pour écrire) *+ photo-*[1] ; [fɔtɔstil].

**PHOTOSYNTHÈSE, subst. f.**
*Biol.* et *Biochim.* Mécanisme par lequel les plantes et les bactéries chlorophylliennes utilisent l'énergie de la lumière pour dégrader les molécules d'eau

et produire de l'A. T. P. Il en résulte un dégagement d'oxygène et la production de glucose à partir du dioxyde de carbone grâce à l'A. T. P. présent. La **photosynthèse** conditionne le maintien de la vie sur terre. 1902 ; ☞ *synthèse* + *photo-*[1] ; [fɔtosɛ̃tɛz].

**PHOTOTAXIE, subst. f.**
*Biol.* Réaction d'orientation qu'adopte un animal mis en présence d'une source lumineuse. 1907 ; formé de *photo-*[1] et de *-taxie* ; [fɔtɔtaksi].

**PHOTOTHÈQUE, subst. f.**
**1.** Ensemble de documents photographiques archivés. **2.** Méton. Local abritant un tel fonds d'archives. 1939 ; formé de *photo-*[2] et de *-thèque* ; [fɔtɔtɛk].

**PHOTOTHÉRAPIE, subst. f.**
*Méd.* Utilisation de la lumière pour traiter des affections dermatologiques (le psoriasis, par ex.). 1899 ; formé de *photo-*[1] et de *-thérapie* ; [fɔtoteʀapi].

**PHOTOTRANSISTOR, subst. m.**
*Électron.* Transistor utilisant l'effet photoélectrique. V. 1960 ; ☞ *transistor* + *photo-*[1] ; [fɔtotʀɑ̃zistɔʀ].

© A. Giannoni-Jacana

*Leur **phototropisme** oriente les pousses de lentilles vers la lumière solaire.*

**PHOTOTROPISME, subst. m.**
Réaction d'orientation d'un organisme, notamment végétal, par rapport à la lumière. 1903 ; ☞ *tropisme* + *photo-*[1] ; [fɔtotʀɔpism].

**PHOTOTYPE, subst. m.**
*Phot.* Cliché photographique direct obtenu après exposition d'une pellicule photosensible. 1895 ; formé de *photo-*[2] et de *-type* ; [fɔtɔtip].

**PHOTOTYPIE, subst. f.**
*Impr.* Technique de reproduction de clichés photographiques qui consiste à reporter un phototype négatif sur une plaque de verre sensible. 1843 ; formé de *photo-*[2] et de *-typie* ; [fɔtɔtipi].

**PHOTOVOLTAÏQUE, adj.**
*Phys.* *Cellule **photovoltaïque*** : photopile. 1937 ; ☞ *voltaïque* (I) + *photo-*[1] ; [fɔtovɔltaik].

**PHRAGMITE, subst. m.**
**1.** *Bot.* Plante herbacée à fines et grandes tiges, commune dans les marais, dont l'une des espèces les plus répandues est le roseau. **2.** *Zool.* ***Phragmite** des joncs* : petit oiseau passériforme de la famille des Muscicapidés, voisin de la fauvette, dont il partage l'habitat semi-aquatique. 1818 ; gr. *phragmitês*, « qui forme haie » ; [fʀagmit].

**PHRASE, subst. f.**
**1.** Vx. Tout assemblage de mots, tour, locution. **2.** *Gramm.* Unité linguistique formée de mots ou de groupes de mots (propositions), syntaxiquement autonome et constituant un énoncé complet du point de vue du sens. ► Loc. *Tour de **phrase*** : manière de dire ; ***Phrase** toute faite* : cliché ; *Faire des **phrases*** : s'exprimer avec emphase et sans sincérité ; *Ce sont des **phrases*** : des mots creux ; *Petite **phrase*** : propos d'une personnalité, gén. politique, repris par les médias qui en amplifient l'importance ou l'effet sur l'opinion. **3.** *Mus.* Partie d'un thème ou d'une ligne mélodique dont l'unité expressive s'impose par l'articulation et la cadence. 1546 ; lat. *phrasis*, du gr. *phrasis*, « diction, élocution » ; [fʀɑz].

**PHRASÉ, subst. m.**
*Mus.* Façon d'interpréter un discours musical (vocal ou instrumental) en mettant en relief ses respirations ou ses articulations : *Un **phrasé** délicat, erroné.* 1778 ; ☞ *phrase* ; [fʀɑze].

**PHRASÉOLOGIE, subst. f.**
*Ling.* **1.** Vx. Syntaxe. **2.** Ensemble des expressions, des tournures propres à une langue, à une profession, à un groupe social, à une époque : *La **phraséologie** marxiste, médicale.* **3.** Succession de phrases et de mots creux, pompeux. 1678 ; angl. *phraseology*, du gr. *phrasis*, « élocution, langage » ; [fʀazeɔlɔʒi].

**PHRASER, verbe trans.** [3]
**1.** *Mus.* Marquer les différentes phrases de (un discours musical). **2.** Vieilli. Déclamer (un discours, un propos) en articulant les membres de phrase ; empl. intrans., produire des effets rhétoriques en déclamant. 1755 ; ☞ *phrase* ; [fʀɑze].

**PHRASTIQUE, adj.**
*Ling.* Relatif à la phrase. 1933 ; gr. *phrastikos*, « qui concerne la parole » ; [fʀastik].

**PHRATRIE, subst. f.**
**1.** *Antiq. gr.* À Athènes, subdivision de la tribu. **2.** *Anthropol.* Groupe formé de plusieurs clans, gén. exogames. 1831 ; gr. *phratria* ; [fʀatʀi].

**PHRÉATIQUE, adj.**
*Géol.* *Nappe **phréatique*** : nappe d'eau souterraine qui imprègne les roches perméables superficielles. 1887 ; gr. *phrear*, « puits » ; [fʀeatik].

**PHRÉNIQUE, adj.**
*Anat.* Relatif au diaphragme : *Nerf **phrénique***, l'un des deux nerfs qui innervent le diaphragme. 1654 ; gr. *phrên*, « diaphragme » ; [fʀenik].

**PHRÉNOLOGIE, subst. f.**
Étude du caractère et des facultés intellectuelles de l'homme, autrefois pratiquée d'après la configuration du crâne. 1810 ; formé de *phréno-* et de *-logie* ; [fʀenɔlɔʒi].

**PHRYGANE, subst. f.**
*Zool.* Insecte névroptère dont la larve, aquatique, nommée porte-bois, se construit un fourreau de brindilles, de débris coquilliers ou de gravier. 1532 ; gr. *phruganon*, « petit fagot » ; [fʀigan].

**PHRYGIEN, IENNE, adj. et subst.**
De Phrygie. Adj. **1.** *Bonnet **phrygien*** : coiffure rouge, originaire d'Asie Mineure, adoptée comme symbole républicain sous la Révolution. **2.** *Mus.* *Mode **phrygien*** : ancien mode grec, qui constituait au Moyen Âge le troisième mode ecclésiastique. 1546 ; lat. *Phrygius*, du gr. *Phrugios* ; [fʀiʒjɛ̃, jɛn].

**PHTALÉINE, subst. f.**
*Chim.* Réactif coloré provenant d'un mélange d'anhydride phtalique et de phénol. 1874 ; ☞ *naphtalène* ; [ftalein].

**PHTALIQUE, adj.**
*Chim.* Qualifie certains dérivés du naphtalène : *Acide **phtalique***, utilisé pour fabriquer des colorants. 1869 ; ☞ *naphtalène* ; [ftalik].

**PHTIRIASE, subst. f.**
*Pathol.* Pédiculose du pubis. 1546 ; lat. *phthiriasis*, du gr. *phthiriasis*, de *phtheir*, « pou » ; [ftiʀjɑz].

**PHTISIE, subst. f.**
*Pathol.* **1.** Vx. Dépérissement progressif. **2.** Tuberculose pulmonaire (vieilli) : ***Phtisie** galopante.* 1545 ; lat. *phthisis*, du gr. *phthisis* ; [ftizi].

**PHTISIOLOGIE, subst. f.**
*Méd.* Spécialité consacrée à l'étude et au traitement de la tuberculose, en partic. de la tuberculose pulmonaire. 1715 ; ☞ *phtisie* + *-logie* ; [ftizjɔlɔʒi].

**PHTISIOLOGUE, subst.**
Spécialiste de phtisiologie (synon. *pneumologue*). 1924 ; ☞ *phtisie* + *-logue* ; [ftizjɔlɔg].

**PHTISIQUE, adj. et subst.**
Se dit d'une personne atteinte de phtisie (vieilli). Fin XIVe s. ; lat. *phthisicus*, du gr. *phthisikos* ; [ftizik].

**PHYCOMYCÈTES, subst. m. plur.**
*Bot.* Classe de champignons dont le mycélium n'est pas cloisonné. Au sing. *Le phytophthora est un **phycomycète**.* 1828 ; formé de *phyco-* et de *-mycète* ; [fikɔmisɛt].

**PHYLACTÈRE, subst. m.**
**1.** *Relig.* ► Châsse renfermant les reliques d'un saint, chez les anciens chrétiens. ► Chacun des deux petits étuis cubiques contenant des versets de la Torah que les juifs pieux se fixent par des lanières au front et au bras gauche lors de certains rites (synon., au plur., *tephillim*). **2.** *Antiq.* Talisman. **3.** *B.-a.* Petite banderole où les artistes du Moyen Âge et de la Renaissance notaient les paroles d'un personnage ou une légende explicative. ► Bulle d'une bande dessinée. Fin XIIe s. ; lat. eccl. *phylacterium*, du gr. *phulaktêrion*, « ce qui sert à garder », d'orig. hébr. ; [filaktɛʀ].

**PHYLARQUE, subst. m.**
*Antiq. gr.* Chacun des magistrats présidant les dix tribus athéniennes ; commandant de cavalerie. 1732 ; lat. *phylarchus*, du gr. *phularkhos* ; [filaʀk].

**PHYLÉTIQUE, adj.**
*Biol.* Qui se rapporte au phylum. 1874 ; all. *phyletisch* ; [filetik].

**PHYLLADE, subst. m.**
*Pétrogr.* Schiste très dur, d'aspect soyeux. 1823 ; gr. *phullas*, « feuillage » ; [filad].

**PHYLLIE, subst. f.**
*Zool.* Insecte du Sud-Est asiatique et d'Éthiopie, de l'ordre des Phasmides, dont la forme et la couleur miment les feuilles de l'arbre qui l'abrite. 1812 ; lat. sc. *phyllium*, du gr. *phullon*, « feuille » ; [fili].

**PHYLLOXÉRA, subst. m.**
**1.** *Zool.* Insecte hémiptère, piqueur et suceur, apparenté aux pucerons et parasite destructeur de la vigne. **2.** Méton. Maladie de la vigne causée par cet insecte : *Le **phylloxéra** ravagea le vignoble français à la fin du XIXe s.* 1870 ; lat. sc. *phylloxera*, du gr. *phullon*, « feuille », et *xeros*, « sec » ; var. *phylloxera* ; [filɔkseʀa].

**PHYLLOXÉRIEN, IENNE, adj.**
Relatif, propre au phylloxéra (synon. *phylloxérique*). 1871 ; ☞ *phylloxéra* ; [filɔkseʀjɛ̃, jɛn].

**PHYLOGENÈSE, subst. f.**
*Biol.* Histoire de l'évolution d'un groupe d'organismes mettant en évidence leurs relations de descendance, par oppos. à *ontogenèse* (synon. *phylogénie*). 1874 ; gr. *phulon*, « race », + *-genèse* ; [filɔʒənɛz].

**PHYLOGÉNÉTIQUE, adj.**
Relatif à la phylogenèse (synon. *phylogénique*). 1874 ; ☞ *phylogenèse* ; [filɔʒenetik].

**PHYLUM, subst. m.**
*Biol.* Unité systématique regroupant des êtres vivants liés par ascendance ou descendance dans les classifications animale et végétale. 1874 ; lat. sc. *phylum*, du gr. *phulon*, « race » ; plur. *phylums* ou *phyla* ; [filɔm], plur. [-la].

**PHYSALIE, subst. f.**
*Zool.* Hydrozoaire des mers chaudes et tempérées. Cette grande méduse est constituée d'un flotteur qui soutient les organes digestifs et reproducteurs et des filaments pêcheurs très urticants, longs de plusieurs mètres. 1803 ; lat. sc. *physalia*, du gr. *phusalis*, « bulle d'eau » ; [fizali].

**PHYSALIS, subst. m.**
*Bot.* Plante de la famille des Solanacées, dont une espèce est l'alkékenge et dont le calice devient vésiculaire quand le fruit qu'il contient mûrit. 1823 ; lat. sc. *physalis*, du gr. *phusalis* ; [fizalis].

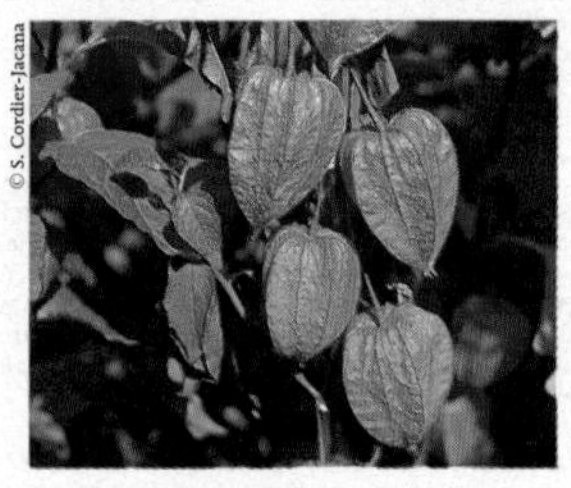
© S. Cordier-Jacana

*Physalis.*

**PHYSE, subst. f.**
*Zool.* Mollusque gastéropode d'eau douce, de l'ordre des Pulmonés, dont la coquille, sénestre, mesure environ 1 cm. 1824 ; lat. sc. *physa*, du gr. *phusa*, « bulle d'air » ; [fiz].

**PHYSICALISME, subst. m.**
*Philos.* Théorie néopositiviste développée dans les années trente au sein du cercle de Vienne et prônant l'extension du langage de la physique aux sciences humaines. 1934 ; all. *Physikalismus*, de *physikalisch*, « de la physique » ; [fizikalism].

**PHYSICIEN, IENNE, subst.**
**1.** Personne qui étudie la nature (vx). **2.** Spécialiste de physique. 1532 (fin XIIe s., médecin) ; ☞ *physique* (I) ; [fizisjɛ̃, jɛn].

**PHYSICO-CHIMIE, subst. f.**
Science qui étudie les propriétés physiques et chimiques de la matière. 1845 ; ☞ *chimie* + *physico-* ; plur. *physico-chimies*, var. *physicochimie* ; [fizikoʃimi].

**PHYSIOCRATE, subst. m.**
*Hist.* Économiste théoricien ou adepte de la physiocratie. 1758 ; ☞ *physiocratie* ; [fizjɔkʀat].

**PHYSIOCRATIE, subst. f.**
*Hist.* Théorie économique développée au XVIIIe s. par François Quesnay, selon laquelle l'agriculture constitue la richesse essentielle d'un État. 1758 ; formé de *physio-* et de *-cratie* ; [fizjɔkʀasi].

**PHYSIOGNOMONIE, subst. f.**
*Psychol.* Étude du caractère d'une personne à partir de sa physionomie (vieilli). 1565 ; gr. *phusiognômonia* ; [fizjɔgnɔmɔni].

**PHYSIOLOGIE, subst. f.**
**1.** *Biol.* Science qui étudie les propriétés et les fonctions des organes et des tissus des êtres vivants : ***Physiologie** animale* ; ***Physiologie** générale*, étude des manifestations générales de la vie. ► Ext. Étude d'un organe ou, en partic., d'un système organique : ***Physiologie** cardiaque.* **2.** Anal. *Litt.* Ouvrage, en vogue au XIXe s., décrivant de façon « objective » une réalité humaine : *« **Physiologie** du mariage »*, œuvre *de Balzac.* 1611 (1547, étude des choses naturelles) ; lat. sc. *physiologia*, du gr. *phusiologia* ; [fizjɔlɔʒi].

**PHYSIOLOGIQUE, adj.**
**1.** Qui se rapporte à la physiologie. **2.** Qui concerne les besoins physiques du corps humain (par oppos. à *psychique, psychologique*). 1547 ; ☞ *physiologie* ; [fizjɔlɔʒik].

**PHYSIOLOGISTE, subst. et adj.**
Qualifie ou désigne un spécialiste en physiologie. 1757 ; ☞ *physiologie* ; [fizjɔlɔʒist].

**PHYSIONOMIE, subst. f.**
**1.** Aspect général du visage, considéré en partic. du point de vue de son expression : ***Physionomie** avenante.* **2.** Anal. Ensemble des caractères qui singularisent une chose, un lieu : ***Physionomie** d'un pays.* Mil. XIVe s. (1256, physiognomonie) ; bas lat. *physiognomia*, du lat. *physiognomonia*, du gr. *phusiognômonia* ; [fizjɔnɔmi].

**PHYSIONOMISTE, adj. et subst.**
Se dit de qqn qui garde la mémoire des physionomies et identifie aisément les personnes déjà rencontrées. 1537 ; ☞ *physionomie* ; [fizjɔnɔmist].

**PHYSIOPATHOLOGIE, subst. f.**
Science qui étudie les effets d'une maladie sur la physiologie d'un organisme. 1898 ; ☞ *pathologie + physio-* ; [fizjopatɔlɔʒi].

**PHYSIOTHÉRAPIE, subst. f.**
*Méd.* Thérapeutique utilisant des agents physiques tels que l'eau, la lumière, la chaleur. 1903 ; formé de *physio-* et de *-thérapie* ; [fizjoteʀapi].

**PHYSIQUE (I), subst. f.**
**1.** Vx. Médecine. **2.** Connaissance des choses de la nature (vx). **3.** Science dont l'objet est l'étude de la matière et de l'espace-temps, et de leurs propriétés fondamentales : ***Physique** atomique*, étudiant la structure et le comportement des atomes ; ***Physique** nucléaire*, étudiant les transformations subies par le noyau de l'atome ; ***Physique** quantique*, reposant sur la théorie des quanta ; ***Physique** des particules*, étudiant les constituants fondamentaux de la matière, non décomposables en d'autres éléments. Mil. XIIe s. ; lat. *physica*, du gr. *phusikê* ; [fizik].

**PHYSIQUE (II), adj. et subst. m.**
Adj. **1.** Vx. Naturel. **2.** Relatif à la matière, à la nature : *Géographie **physique**.* **3.** Qui se rapporte au corps humain : *Force, culture **physique**.* **4.** Qui est de l'ordre de l'instinct, de la sensualité, en partic. de la sexualité : *Antipathie **physique** ; Plaisir **physique**.* **5.** Qui se rapporte à la physique en tant que science : *Loi **physique**.* ► *Sciences **physiques*** : la physique et la chimie. Subst. **1.** Santé du corps, constitution : *Influence du **physique** sur le moral.* **2.** Aspect général d'un être humain : *Un **physique** ingrat.* ► Loc. *Avoir le **physique** de l'emploi* : correspondant au rôle à interpréter, à l'activité exercée. 1487 ; lat. *physicus*, du gr. *phusikos* ; [fizik].

**PHYSIQUEMENT, adv.**
**1.** Du point de vue de la physique ou de la réalité matérielle : *C'est **physiquement** impossible.* **2.** En ce qui concerne l'état ou l'apparence du corps : *Être **physiquement** bien portant, séduisant.* **3.** Sexuellement, charnellement : *S'unir **physiquement**.* 1488 ; ☞ *physique* (II) ; [fizikmɑ̃].

**PHYSOSTIGMA, subst. m.**
*Bot.* Plante tropicale d'Afrique occidentale, de la famille des Fabacées. La graine d'une espèce, très toxique, est appelée fève de Calabar. 1873 ; gr. *phusa*, « vésicule », et *stigma*, « stigmate » ; [fizɔstigma].

**PHYSOSTOME, subst. m.**
*Zool.* Poisson dont l'œsophage et la vessie natatoire communiquent. Plur. Dans une ancienne classification, ordre de poissons téléostéens. 1890 ; gr. *phusa*, « vésicule », et *stoma*, « bouche » ; [fizɔstom].

**PHYTÉLÉPHAS, subst. m.**
*Bot.* Palmier de la famille des Arécidées. La graine d'une espèce, à albumen très dur, fournit l'ivoire végétal, ou corozo. 1846 ; gr. *elephas*, « éléphant, ivoire », + *phyto-* ; [fitelefas].

**PHYTOBIOLOGIE, subst. f.**
Biologie des plantes. 1830 ; ☞ *biologie + phyto-* ; [fitɔbjɔlɔʒi].

**PHYTOGÉOGRAPHIE, subst. f.**
Branche de la géographie qui a pour objet l'étude de la répartition des plantes sur la Terre. 1842 ; ☞ *géographie + phyto-* ; [fitoʒeɔgʀafi].

**PHYTOHORMONE, subst. f.**
*Biol.* Hormone végétale. 1953 ; ☞ *hormone + phyto-* ; [fitoɔʀmɔn].

**PHYTOPATHOLOGIE, subst. f.**
*Bot.* Science qui étudie les maladies des végétaux. 1858 ; ☞ *pathologie + phyto-* ; [fitopatɔlɔʒi].

**PHYTOPHAGE, adj. et subst. m.**
*Zool.* Se dit d'un animal, en partic. d'un insecte, qui se nourrit de matière végétale. 1808 ; formé de *phyto-* et de *-phage* ; [fitɔfaʒ].

**PHYTOPHARMACIE, subst. f.**
Étude et élaboration des produits destinés à prévenir et à combattre les maladies des plantes. 1949 ; ☞ *pharmacie + phyto-* ; [fitofaʀmasi].

**PHYTOPHTHORA, subst. m.**
*Bot.* Champignon de la famille des Péronosporacées, parasite des végétaux, dont une espèce cause le mildiou de la pomme de terre. V. 1900 ; gr. *phthorios*, « destructeur », + *phyto-* ; [fitɔftɔʀa].

**PHYTOPLANCTON, subst. m.**
*Bot.* Plancton végétal. 1905 ; ☞ *plancton + phyto-* ; [fitoplɑ̃ktɔ̃].

**PHYTOSANITAIRE, adj.**
Qui se rapporte aux soins à donner aux végétaux. V. 1950 ; ☞ *sanitaire + phyto-* ; [fitosanitɛʀ].

**PHYTOSOCIOLOGIE, subst. f.**
Étude des associations végétales. 1936 ; ☞ *sociologie + phyto-* ; [fitosɔsjɔlɔʒi].

**PHYTOTHÉRAPIE, subst. f.**
*Méd.* Traitement des maladies par les plantes. 1944 ; formé de *phyto-* et de *-thérapie* ; [fitoteʀapi].

**PHYTOTRON, subst. m.**
*Bot.* Laboratoire permettant d'étudier l'action de l'environnement sur le métabolisme végétal. 1950 ; angl. *phytotron*, du gr. *phuton*, « plante », d'apr. *cyclotron* ; [fitɔtʀɔ̃].

**PHYTOZOAIRE, subst. m.**
*Zool.* **1.** Être vivant, intermédiaire entre l'animal et le végétal. **2.** Animal métazoaire à symétrie axiale (synon. *zoophyte*). 1828 ; formé de *phyto-* et de *-zoaire* ; [fitozɔɛʀ].

**PI, subst. m. inv.**
**1.** Seizième lettre de l'alphabet grec ($\pi$, Π), correspondant au *p* français. **2.** *Géom.* Symbole représentant le rapport (constant) de la circonférence d'un cercle à la longueur de son diamètre, soit $\pi \simeq 3{,}14159265...$ 1832 ; mot gr. ; [pi].

**PIAF, subst. m.**
Pop. Moineau ; par ext., petit oiseau. 1896 ; orig. obsc. ; [pjaf].

**PIAFFEMENT, subst. m.**
Action de piaffer. 1842 ; ☞ *piaffer* ; [pjafmɑ̃].

**PIAFFER, verbe intrans. [3]**
**1.** Taper sur le sol en levant et en abaissant alternativement les pieds de devant, en parlant d'un cheval. **2.** Anal. Trépigner, en parlant de qqn : ***Piaffer** d'impatience.* 1677 (1578, faire des embarras) ; orig. onomat. ; [pjafe].

**PIAILLARD, ARDE, subst. et adj.**
Fam. Se dit d'une personne, d'un oiseau qui piaille (synon. *piailleur*). 1746 ; ☞ *piailler* ; [pjajaʀ, aʀd].

**PIAILLEMENT, subst. m.**
Action de piailler ; petit cri aigu émis par qqn ou par un oiseau. 1782 ; ☞ *piailler* ; [pjajmɑ̃].

**PIAILLER, verbe intrans. [3]**
**1.** Pousser des petits cris perçants, en parlant d'un oiseau. **2.** Criailler, en parlant d'une personne (fam.). 1607 ; orig. onomat. ; [pjaje].

**PIAILLERIE, subst. f.**
Fam. Action de piailler ; petits cris aigus et désagréables. 1642 ; ☞ *piailler* ; [pjajʀi].

**PIAILLEUR, EUSE, subst. et adj.**
Piaillard. 1611 ; ☞ *piailler* ; [pjajœʀ, øz].

**PIAN, subst. m.**
*Pathol.* Parasitose contagieuse des pays tropicaux, caractérisée par l'apparition de tuméfactions sur la peau. 1558 ; mot d'orig. tupi ; [pjɑ̃].

**PIANISSIMO, adv.**
**1.** *Mus.* Avec une très faible intensité sonore ; empl. subst. masc., passage joué **pianissimo**. **2.** Anal. Très lentement (fam.). 1775 ; mot ital. ; [pjanisimo].

**PIANISTE, subst.**
Musicien, musicienne dont l'instrument est le piano ; personne qui sait jouer du piano. 1807 ; ☞ *piano* (II) ; [pjanist].

**PIANISTIQUE, adj.**
*Mus.* Qui se rapporte au piano ; qui est composé pour le piano. 1895 ; ☞ *piano* (II) ; [pjanistik].

**PIANO (I), adv.**
**1.** *Mus.* Avec une faible intensité sonore ; empl. subst. masc., passage à exécuter **piano**. **2.** Anal. Sans hâte, avec douceur (fam.) : *Allez-y **piano** !* 1740 (1578, tout doucement) ; mot ital. ; [pjano].

**PIANO (II), subst. m.**
**1.** *Mus.* Instrument dont les cordes sont frappées par des marteaux actionnés au moyen d'un clavier : ***Piano** droit*, dont les cordes sont tendues verticalement ; ***Piano** à queue*, dont les cordes sont tendues horizontalement ; ***Piano** préparé*, entre les cordes duquel on a inséré divers objets (en métal, en bois, en liège, etc.) servant à modifier la sonorité. ► Anal. ***Piano** à bretelles* : accordéon (fam.). ► Méton. Art du **piano** ; musique jouée au **piano**. **2.** Fourneau des cuisiniers professionnels (argot.). 1774 ; apocope de *pianoforte* ; [pjano].

Autour du piano, *peinture d'Henri Fantin-Latour (1836-1904). On reconnaît, au clavier, Emmanuel Chabrier. Musée d'Orsay, Paris.*

**PIANO-BAR, subst. m.**
Bar dans lequel un pianiste joue pour créer une ambiance musicale. V. 1980 ; comp. de *piano* (II) et de *bar* (II) ; plur. *pianos-bars* ; [pjanobaʀ].

**PIANOFORTE, subst. m. inv.**
*Mus.* Ancêtre du piano, inventé au XVIIIe s. et utilisé jusqu'au début du XIXe s. 1766 ; ital. *pianoforte*, de *piano*, « doucement », et de *forte*, « fort » ; var. *piano-forte* (plur. *pianos-forte*) ; [pjanofɔʀte].

**PIANOTER, verbe intrans. [3]**
**1.** Jouer maladroitement du piano. **2.** Anal. Tapoter sur qqch. avec le bout des doigts, en partic. sur un clavier d'ordinateur. 1837 ; ☞ *piano* (II) ; [pjanote].

**PIASSAVA, subst. m.**
**1.** *Bot.* Palmier à tronc fibreux, répandu en Amérique du Sud. **2.** Méton. Fibre issue de cet arbre. 1869 ; port. *piaçaba*, du tupi-guarani ; [pjasava].

**PIASTRE, subst. f.**
**1.** Monnaie principale ou divisionnaire, actuelle ou ancienne, de divers pays. **2.** Québ. et Fam. Dollar ; par ext., l'argent. 1595 ; ital. *piastra*, du lat. *emplastrum*, « emplâtre » ; [pjastʀ].

**PIAULE, subst. f.**
Pop. Chambre ; par ext., logement. 1836 (1634, cabaret) ; p.-ê. anc. fr. *pier*, « boire » ; [pjol].

**PIAULEMENT, subst. m.**
Cri plaintif et aigu. 1570 ; ☞ *piauler* ; [pjolmɑ̃].

**PIAULER, verbe intrans.** [3]
**1.** Piailler (fam.). **2.** Anal. Émettre un grincement aigu. 1552 ; orig. onomat. ; [pjole].

**PIAZZA, subst. f.**
Étendue piétonnière dégagée, ménagée dans certains ensembles urbains. 1750 ; mot ital. ; [pjadza].

**PIBALE, subst. f.**
Civelle (région.). 1554 ; orig. obsc. ; [pibal].

**PIBLE (À), loc. adj.**
*Mar. Mât à **pible*** : composé d'une seule pièce, ou d'éléments formant un tout continu. 1842 ; anc. fr. *pible*, « peuplier », du lat. *populus* ; [apibl].

**PIC (I), subst. m.**
Outil constitué d'un manche et d'un fer pointu, servant à creuser, à casser des pierres, etc. : *Pic de mineur.* Mil. XIIe s. ; p.-ê. *piquer* ; [pik].

**PIC (II), subst. m.**
**1.** Montagne dont le sommet est en pointe ; par méton., le sommet lui-même : *Le pic d'Aneto.* **2.** Anal. Partie la plus haute d'une courbe, d'un diagramme, qui correspond à un maximum. Mil. XIVe s. ; prériman °*pikk*, du lat. pop. °*pikkare*, « piquer » ; [pik].

© F. Gohier-Explorer

*Le pic du Midi d'Ossau (2 884 m), dans les Pyrénées-Atlantiques.*

**PIC (III), subst. m.**
*Zool.* Oiseau grimpeur de la famille des Picidés, qui frappe l'écorce des arbres pour dénicher les larves. Fin XIVe s. ; lat. pop. °*piccus* ; [pik].

**PIC (À), loc. adv.**
**1.** Selon une pente très abrupte ; verticalement : *Un rocher s'élevait **à pic** au-dessus du lac* ; *Navire qui coule **à pic***, qui va directement au fond de l'eau ; empl. adj. inv. : *Paroi **à pic***, très raide ; empl. subst. masc. : *Un **à-pic***, une pente très escarpée. **2.** Fig. À propos, au bon moment (fam.) : *Il est arrivé **à pic**.* 1611 ; ☞ *pic* (II) ; [apik].

**PICA (I), subst. m.**
*Pathol.* Perversion du comportement alimentaire, qui se manifeste par un appétit pour les substances non comestibles. 1575 ; lat. *pica*, « pie » ; [pika].

**PICA (II), subst. m.**
*Typogr.* Unité de mesure divisée en douze points valant chacun 0,352 mm. 1909 ; mot angl. ; [pika].

**PICADOR, subst. m.**
*Taurom.* Cavalier chargé de fatiguer le taureau avec une pique. 1776 ; mot esp. ; [pikadɔʀ].

*Picador en action dans les arènes de Nîmes.*

© Giraudou-Explorer

**PICAGE, subst. m.**
*Vétér.* Trouble qui pousse un gallinacé à arracher les plumes de ses compagnons de basse-cour. 1895 ; lat. *pica*, « pie » ; [pikaʒ].

**PICAILLON, subst. m.**
Pop. Argent (gén. au plur.). 1750 (1635, monnaie savoyarde) ; anc. prov. *piquar*, « convoquer à son de cloche », du lat. pop. °*pikkare*, « piquer » ; [pikajɔ̃].

**PICARD, ARDE, adj. et subst.**
De Picardie. SUBST. MASC. Dialecte d'oïl parlé en Picardie. Fin XIIIe s. ; topon. *Picardie* ; [pikaʀ, aʀd].

**PICARDAN, subst. m.**
*Vitic.* Cépage du bas Languedoc qui fournit un vin blanc liquoreux ; par méton., ce vin. 1544 ; crois. de *piquer* et de *ardent* ; var. *picardant* ; [pikaʀdɑ̃].

**PICAREL, subst. m.**
*Zool.* Poisson de la famille des Centrarchidés, qui vit en bancs dans les mers tempérées et porte une seule nageoire dorsale. 1558 ; prov. *picarel*, de l'anc. prov. *picar*, « piquer » ; [pikaʀɛl].

**PICARESQUE, adj.**
**1.** Relatif aux picaros, aventuriers et héros populaires de la littérature espagnole, du XVIe s. au XVIIIe s. **2.** *Litt.* Qualifie une œuvre mettant en scène un picaro ou un personnage qui en a les caractéristiques : *Roman **picaresque**.* 1836 ; esp. *picaresco*, de *picaro*, « individu vil » ; [pikaʀɛsk].

**PICCOLO, subst. m.**
**1.** *Mus.* Petite flûte, sonnant à l'octave supérieure de la flûte traversière. **2.** Petit vin aigrelet (pop.). 1828 ; mot ital. ; var. *picolo* ; [pikɔlo].

**PICHENETTE, subst. f.**
Chiquenaude. 1820 ; orig. obsc. ; [piʃnɛt].

**PICHET, subst. m.**
Petit récipient muni d'une anse et d'un bec, utilisé pour servir des boissons ; par méton., son contenu : *Pichet de vin.* 1732 (1288, mesure de terre) ; anc. fr. *pichier*, du bas lat. *picarium*, du gr. *bikos* ; [piʃɛ].

**PICHOLINE, subst. f.**
Petite olive verte à bout pointu, qui se consomme marinée. 1723 ; prov. *pichoulino*, de *pichouno*, « petit » ; [pikɔlin].

**PICKLES, subst. m. plur.**
Petits légumes, fruits et graines macérés dans du vinaigre aromatisé et utilisés comme condiment. 1823 ; mot angl. ; [pikœls].

**PICKPOCKET, subst. m.**
Voleur à la tire. 1726 ; angl. *pickpocket*, de *to pick*, « cueillir », et de *pocket*, « poche » ; [pikpɔkɛt].

**PICK-UP, subst. m. inv.**
**1.** Vieilli. Dispositif servant à lire les informations gravées sur le sillon des disques et à les transformer en oscillations électriques ; par méton., électrophone. **2.** *Agric.* Dispositif d'une machine agricole conçu pour ramasser le fourrage. **3.** *Autom.* Camionnette à plateau non bâché. 1928 ; angl. *pickup*, de *to pick up*, « recueillir, extraire » ; [pikœp].

**PICOLER, verbe trans.** [3]
Pop. Boire (de l'alcool, du vin) ; empl. abs., en boire beaucoup. 1901 ; ☞ *piccolo* ; [pikɔle].

**PICOLO, voir PICCOLO**

**PICORER, verbe** [3]
TRANS. Attraper çà et là avec le bec : *Pigeon qui picore des graines.* INTRANS. Être à la recherche de nourriture, en parlant d'un oiseau ; par anal., manger de petites quantités, en parlant de qqn. 1648 (1573, marauder) ; ☞ *piquer* ; [pikɔʀe].

**PICOT, subst. m.**
**1.** *Mar.* Filet utilisé pour la pêche au poisson plat. **2.** Petite pointe restant sur du bois qui n'a pas été coupé net (vx). **3.** Petite dent qui garnit le bord d'une dentelle. **4.** *Techn.* Marteau pointu du carrier. 1681 (fin XIIe s., pioche) ; ☞ *pic* (I) ; [piko].

**PICOTEMENT, subst. m.**
Sensation de petites piqûres sur la peau ou sur une muqueuse. 1552 ; ☞ *picoter* ; [pikɔtmɑ̃].

**PICOTER, verbe trans.** [3]
**1.** Piquer (qqch.) légèrement et à plusieurs reprises. ▸ Picorer, en parlant d'un oiseau. **2.** Irriter comme le feraient de petites piqûres : *Poussière qui **picote** le nez.* 1414 (fin XIVe s., donner des coups de pic) ; ☞ *piquer* ; [pikɔte].

**PICOTIN, subst. m.**
*Métrol.* Mesure correspondant à la ration d'avoine d'un cheval ; cette ration. XIIIe s. ; p.-ê. lat. médiév. *picotus*, « mesure pour les liquides » ; [pikɔtɛ̃].

**PICPOUL, subst. m.**
*Vitic.* Cépage du Languedoc et du Roussillon ; par méton., vin blanc issu de ce cépage. 1600 ; anc. occitan *piquapol*, p.-ê. de *piquar*, « piquer » ; [pikpul].

**PICRATE, subst. m.**
**1.** *Chim.* Sel ou ester de l'acide picrique. **2.** Mauvais vin (pop.). 1836 ; gr. *pikros*, « piquant, amer » ; [pikʀat].

**PICRIQUE, adj. m.**
*Chim. Acide **picrique*** : acide de couleur jaune, obtenu par l'action de l'acide nitrique sur un phénol. 1836 ; gr. *pikros*, « piquant, amer » ; [pikʀik].

**PICRIS, subst. m.**
*Bot.* Chicoracée (salade au goût amer) de la famille des Astéracées. 1842 ; gr. *pikris* ; [pikʀis].

**PICTOGRAMME, subst. m.**
**1.** *Ling.* Représentation figurative stylisée ayant une fonction de communication, sans référence à l'oral, utilisée dans la préécriture. **2.** Ext. Dessin schématique à valeur de signal servant à communiquer une information. 1924 ; ☞ *pictographie*, p.-ê. d'apr. l'angl. *pictogram* ; [piktɔgʀam].

**PICTOGRAPHIE, subst. f.**
Système de communication graphique fondé sur l'utilisation de pictogrammes. 1860 ; lat. *pictus*, « peint », + *-graphie* ; [piktɔgʀafi].

**PICTOGRAPHIQUE, adj.**
Relatif à la pictographie ; qui utilise la pictographie. 1860 ; ☞ *pictographie* ; [piktɔgʀafik].

**PICTORIALISME, subst. m.**
*B.-a.* Courant artistique du début du XXe s., qui considérait l'épreuve photographique comme une œuvre unique, au même titre qu'un tableau. Lat. *pictor*, « peintre » ; [piktɔʀjalism].

**PICTURAL, ALE, AUX, adj.**
Relatif à la peinture : *Œuvre, culture **picturale**.* 1845 ; lat. *pictura*, « peinture » ; [piktyʀal, o].

**PIC-VERT, voir PIVERT**

**PIDGIN, subst. m.**
*Ling.* Anglais commercial très simplifié, courant en Extrême-Orient, qui emprunte de nombreux éléments aux langues locales. 1875 ; altér. de l'angl. *business*, « affaire », prononcé par les Chinois ; [pidʒin].

**PIE (I), subst. f. et adj. inv.**
SUBST. **1.** *Zool.* Oiseau de la famille des Corvidés. La pie commune, au plumage noir et blanc, à longue queue, omnivore, est répandue en Europe ; elle construit son nid à la cime des arbres, où elle accumule provisions et objets brillants : *La **pie** jacasse, jase.* **2.** Anal. ▸ Personne bavarde (fam.). ▸ *Fromage à la **pie*** : fromage blanc aux fines herbes. **3.** Loc. *Trouver la **pie** au nid* : trouver qqch. de rare. ADJ. Anal. **1.** *Cheval, vache **pie*** : dont la robe est formée de grandes taches de deux couleurs (dont le blanc). **2.** *Voiture **pie*** : voiture de police à carrosserie blanc et noir. Fin XIIe s. ; lat. *pica* ; [pi].

© W. Layer-Jacana

*Pie bavarde.*

**PIE (II), adj.**
Pieux (vx). ▸ *Œuvre **pie*** : guidée par la charité. Fin XIIe s. ; lat. *pia*, « pieuse » ; [pi].

**PIÈCE, subst. f.**
**I. 1.** Morceau d'un tout brisé ou déchiré : *Les **pièces** du vase s'éparpillent sur le sol.* **2.** Loc. **Mettre en pièces.** Casser, déchirer (qqch.) en de nombreux fragments ; déchiqueter, tuer (qqn) ; au fig., éreinter (qqn ou une œuvre). **II. 1. 1.** Partie d'un tout, considérée comme une unité autonome : *Une **pièce** de tissu, de viande, de bois* ; *La **pièce** de résistance d'un repas*, le plat principal ; *Une **pièce** de gibier*, une prise

de chasse ; *Une* **pièce** *de bétail*, une tête de bétail. **2.** *Pièce de monnaie* ou, empl. abs., *Pièce* : petit disque plat de métal portant une empreinte distinctive et servant de valeur d'échange. **3.** Étendue délimitée : *Pièce de terre*, parcelle ; *Pièce d'eau*, petit étang ou bassin agrémentant un parc. **4.** Chacun des espaces habitables d'une demeure, délimités par des murs ou des cloisons : *Un appartement de cinq* **pièces** ou, par ell., *Un cinq-pièces*. **5.** Loc. *Acheter, vendre à la pièce* : au détail ; *Être payé à la* **pièce** : être rémunéré au nombre d'articles exécutés ; *On n'est pas aux* **pièces** *!* : rien ne presse (fam.). **6.** *Artill.* Bouche à feu munie d'un affût ; subdivision d'une batterie d'infanterie. **7.** *Cuis. Pièce montée* : grande pâtisserie formée de petits choux montés en pyramide. **8.** *Litt.* et *Mus.* Petite composition : *Une* **pièce** *de vers* ; *Une* **pièce** *pour violon et piano*. **9.** *Théâtre.* Ouvrage dramatique : *Une* **pièce** *en cinq actes* ; par méton., la représentation d'une **pièce** : *La* **pièce** *est annulée*. Loc. fig. *Faire* **pièce** *à qqn, à qqch.* : le contrecarrer, s'y opposer. **10.** *Vitic. Pièce de vin* : quantité de vin contenue dans un tonneau ; par méton., ce tonneau. **III. 1.** Chacune des parties d'un tout : *Les* **pièces** *d'un jeu d'échecs* ; **Pièces** *détachées d'un moteur* ; *Une* **pièce** *de collection*, un objet d'art. ► *Cost.* Élément vestimentaire assorti à un autre : *Un maillot deux* **pièces**, ou, par ell., *Un deux-pièces*. ► *Hérald.* Figure géométrique obtenue en divisant l'écu. **2.** Élément servant à réparer qqch. : *Coudre une* **pièce** *sur un pantalon*. **3.** *Dr.* Élément d'un dossier, qui établit un droit, une preuve : **Pièces** *justificatives* ; **Pièce** *d'identité* (☞ *identité*) ; **Pièce** *à conviction*, élément de preuve utilisé lors d'un procès. ► Loc. *Juger sur* **pièces** : d'après les faits. **4.** Loc. *Créer de toutes* **pièces** : inventer ; *Être tout d'une* **pièce** : avoir un caractère entier ; *Être fait de* **pièces** *et de morceaux* : être disparate, sans homogénéité. 1080 ; lat. médiév. *petia*, du gaul. °*pettia* ; [pjɛs].

**PIÉCETTE, subst. f.**
Petite pièce de monnaie. PLUR. *Archit.* Ornement composé d'un chapelet de disques. 1710 (déb. XIIe s., éclat de diamant) ; ☞ *pièce* ; [pjesɛt].

**PIED, subst. m.**
**I. 1.** *Anat.* Chez l'être humain, partie terminale du membre inférieur, qui permet la station debout et la marche (le squelette du **pied** comporte trois groupes osseux, qui sont le tarse, le métatarse et les phalanges) : **Pied** *plat*, dont la voûte plantaire est affaissée. ► Loc. *À* **pied** : en marchant ; *Au* **pied** *levé* : en improvisant ; *Avoir les doigts de* **pied** *en éventail* (☞ *éventail*) ; *Casser les* **pieds** (☞ *casser*) ; *Faire des* **pieds** *et des mains* : employer tous les moyens possibles ; *Faire du* **pied** *à qqn* : lui adresser une invite, un appel galant par de légères pressions du **pied** ; *Lever le* **pied** : ralentir (en voiture) ; *Mettre les* **pieds** *dans le plat* (☞ *plat*) ; *En* **pied** : en titre ; *Mettre à* **pied** *un employé* : le suspendre de ses fonctions ; *Mettre les* **pieds** *quelque part* : y aller (fam.) ; *Mettre sur* **pied** *qqch.* : le préparer, l'organiser ; *Remettre qqn sur* **pied** : le guérir ; *Tirer une épine du* **pied** *à qqn* (☞ *épine*) ; *Couper l'herbe sous le* **pied** *de qqn* (☞ *herbe*) ; *Ça lui fera les* **pieds** *!* : ça lui servira de leçon (fam.). **2.** Élément d'assise, de contact avec le sol, de stabilité. ► Loc. *Avoir* **pied** : pouvoir toucher le fond avec les **pieds**, quand on est dans l'eau ; *Avoir le* **pied** *marin* (☞ *marin*) ; *Perdre* **pied** : ne plus comprendre, perdre ses repères ; *Prendre* **pied** : s'établir solidement ; *Retomber sur ses* **pieds** : se sortir adroitement d'une situation fâcheuse (fam.). **3.** Façon d'agir, de marcher : *D'arrache-***pied**, comme un forcené ; *De* **pied** *ferme*, sans reculer, sans intention de céder ; **Pied** *à* **pied**, pas à pas. **4.** *Le* **pied** *d'un lit* : l'endroit où l'on a les **pieds** quand on dort, par oppos. au chevet. **II.** Extrémité inférieure de la jambe ou de la patte de nombreux mammifères et de certains oiseaux ; organe de certains mollusques, qui leur permet de se déplacer. ► Loc. *Faire le* **pied** *de grue* (☞ *grue*). **III. 1.** Partie d'une élévation de terrain, d'un édifice ou de qqch. d'élevé, qui est au contact du sol : *Le* **pied** *d'une montagne*. ► Loc. *Être au* **pied** *du mur* : ne plus pouvoir se dérober. **2.** Partie d'un objet servant de support : *Le* **pied** *d'une lampe, d'un guéridon*. **3.** Partie par laquelle un végétal est au contact du sol : *Acheter, vendre sur* **pied**, avant que la récolte soit faite ; par ext., végétal considéré comme une unité : *Un* **pied** *de vigne, de salade*. **4.** *Géom.* **Pied** *d'une perpendiculaire* : point d'intersection de cette droite avec la droite ou le plan sur lequel elle est abaissée. **IV. 1.** *Métrol.* Ancienne unité de longueur valant 12 pouces, c.-à-d. 32,48 cm. ► Unité de longueur anglo-saxonne (symb. : ft) valant 30,48 cm, utilisée en aéronautique dans le monde entier : *Voler à 7 000* **pieds**. **2.** Fig. Grandeur approximative servant à mesurer. ► **Au petit pied.** En petit, en réduction (péj.) : *Dictateur au petit* **pied**. ► **Sur (le, un) pied.** *Être sur le* **pied** *de guerre* : prêt à l'action ; *Traiter des personnes sur un* **pied** *d'égalité* : de la même manière ; *Vivre sur un grand* **pied** : avoir un grand train de vie. **3.** Part du butin (vx et argot.) ; par ext., plaisir (fam.). ► Loc. fam. *C'est le* **pied** *!* : c'est formidable, c'est très agréable ; *Prendre son* **pied** : jouir sexuellement, ou être très content. **4.** *Techn.* **Pied** *à coulisse* : instrument de précision servant à mesurer les épaisseurs et les diamètres. **5.** *Versif.* ► Unité rythmique formée par un groupe de syllabes de valeur donnée, utilisée dans la métrique grecque et romaine. ► Syllabe, dans un vers français (empl. critiqué). Fin Xe s. ; lat. *pedem* ; [pje].

**PIED-À-TERRE, subst. m. inv.**
Logement, souvent petit, que l'on n'occupe qu'à l'occasion d'un passage. 1732 (1636, sonnerie de trompette) ; comp. de *pied* et de *terre* ; [pjetatɛʀ].

**PIED-BOT, subst. m.**
Personne affligée d'un pied bot. 1552 ; comp. de *pied* et de *bot* ; plur. *pieds-bots* ; [pjebo].

**PIED-D'ALOUETTE, subst. m.**
*Bot.* Delphinium. 1550 ; comp. de *pied* et de *alouette* ; plur. *pieds-d'alouette* ; [pjedalwɛt].

**PIED-DE-BICHE, subst. m.**
**1.** Pied de meuble galbé et fendu comme celui d'un cervidé, caractéristique du style Louis XV. **2.** *Techn.* Levier à tête fendue, servant à arracher des clous. **3.** *Cout.* Pièce d'une machine à coudre, entre les branches de laquelle passe l'aiguille et qui maintient le tissu. 1720 (1574, type de serrure) ; comp. de *pied* et de *biche* ; plur. *pieds-de-biche* ; [pjed(ə)biʃ].

**PIED-DE-CHEVAL, subst. m.**
Huître commune de grande taille. 1824 (1690, tussilage) ; comp. de *pied* et de *cheval* ; plur. *pieds-de-cheval* ; [pjed(ə)ʃəval].

**PIED-DE-LOUP, subst. m.**
*Bot.* Lycopode. 1611 ; comp. de *pied* et de *loup* ; plur. *pieds-de-loup* ; [pjed(ə)lu].

**PIED-DE-MOUTON, subst. m.**
*Bot.* Nom vernaculaire de l'*Hydnum repandum* (☞ *hydne*). Fin XIXe s. ; comp. de *pied* et de *mouton* ; plur. *pieds-de-mouton* ; [pjed(ə)mutɔ̃].

**PIED-DE-POULE, subst. m.**
Tissu bicolore aux fils de chaîne et de trame formant une sorte de damier qui rappelle l'empreinte d'une patte de poule ; empl. adj. : *Tailleur* **pied-de-poule**. 1909 (1765, nom d'une plante) ; comp. de *pied* et de *poule* (I) ; plur. *pieds-de-poule* ; [pjed(ə)pul].

**PIED-DE-ROI, subst. m.**
Québ. Règle pliante graduée, mesurant gén. 2 pieds. 1894 (XVe s., mesure de 12 pouces) ; comp. de *pied* et de *roi* ; plur. *pieds-de-roi* ; [pjed(ə)ʀwa].

**PIED-DE-VEAU, subst. m.**
*Bot.* Nom commun de l'arum. XVe s. ; comp. de *pied* et de *veau* ; plur. *pieds-de-veau* ; [pjed(ə)vo].

**PIED-D'OISEAU, subst. m.**
*Bot.* Plante fourragère de la famille des Fabacées. 1615 ; comp. de *pied* et de *oiseau* ; plur. *pieds-d'oiseau* ; [pjedwazo].

**PIED-DROIT, voir PIÉDROIT**

**PIÉDESTAL, subst. m.**
Support d'une statue, d'une colonne, d'un objet décoratif, comportant une assise, un dé et une corniche. ► Loc. *Mettre qqn sur un* **piédestal** : lui vouer une grande admiration ; *Tomber de son* **piédestal** : perdre tout son prestige. Déb. XVIe s. ; ital. *piedestallo*, de *piede*, « pied », et de *stallo*, « séjour » ; plur. *piédestaux* ; [pjedɛstal], plur. [-to].

**PIED-FORT, voir PIÉFORT**

**PIEDMONT, voir PIÉMONT**

**PIED-NOIR, subst.**
Fam. Français vivant en Algérie avant l'indépendance de ce pays ; empl. adj. : *Une famille* **pied-noir** ; *L'accent* **pied-noir**. 1955 (1901, chauffeur sur un bateau algérien) ; comp. de *pied* et de *noir* ; plur. *pieds-noirs* ; [pjenwaʀ].

**PIÉDOUCHE, subst. m.**
*Archit.* Petit piédestal de section circulaire ou carrée. 1676 ; ital. *peduccio*, « petit pied » ; [pjeduʃ].

**PIÉDROIT, subst. m.**
*Archit.* ► Partie du trumeau ou du jambage d'une baie. ► Soutènement d'une voussure. 1408 ; formé de *pied* et de *droit* (I) ; var. *pied-droit* (plur. *pieds-droits*) ; [pjedʀwa].

**PIÉFORT, subst. m.**
Pièce de monnaie épaisse, frappée pour servir de modèle. 1690 (1671, arc-boutant) ; formé de *pied* et de *fort* ; var. *pied-fort* (plur. *pieds-forts*) ; [pjefɔʀ].

**PIÈGE, subst. m.**
**1.** Dispositif servant à attirer, à capturer les animaux. **2.** Fig. Artifice auquel on recourt pour tromper qqn ou le mettre dans une situation sans issue ; danger caché : *Flairer un* **piège**. ► Difficulté, embûche : *Les* **pièges** *de la grammaire*. Mil. XIIe s. ; lat. *pedica*, « lien aux pieds », de *pedis*, « pied » ; [pjɛʒ].

**PIÉGER, verbe trans.** [9]
**1.** Chasser, capturer (un animal) au moyen d'un piège. **2.** Fig. Mettre (qqn) dans une situation sans issue. **3.** *Milit.* **Piéger** *une mine* : la munir d'un dispositif qui la fait exploser quand on la désamorce ; par ext. : **Piéger** *un colis*, y dissimuler un engin qui explose quand on l'ouvre ; empl. adj. : *Attentat à la voiture* **piégée**. Déb. XIIIe s. ; ☞ *piège* ; [pjeʒe].

**PIÉGEUR, EUSE, subst.**
Personne qui chasse les animaux au moyen de pièges. 1908 ; ☞ *piéger* ; [pjeʒœʀ, -øz].

**PIE-GRIÈCHE, subst. f.**
*Zool.* Passereau à bec crochu, qui tue sa proie (insecte, rongeur) en l'empalant sur une épine. 1553 ; comp. de *pie* (I) et de *grièche* (rare), de l'anc. fr. *griois*, « grec » ; plur. *pies-grièches* ; [pigʀijɛʃ].

**PIE-MÈRE, subst. f.**
*Anat.* Fine membrane vascularisée entourant immédiatement le système nerveux central. XIIIe s. ; lat. médiév. *mater pia*, « pieuse mère », de l'ar. *'umm al-ra's*, « mère de la tête » ; plur. *pies-mères* ; [pimɛʀ].

**PIÉMONT, subst. m.**
*Géomorph.* Glacis incliné formé entre une plaine alluviale et le pied d'un massif montagneux. 1908 ; formé de *pied* et de *mont* ; var. *piedmont* ; [pjemɔ̃].

**PIÉMONTAIS, AISE, adj. et subst.**
Du Piémont. SUBST. MASC. Dialecte parlé dans cette région. Mil. XVIe s. ; topon. *Piémont*, de l'ital. *Piemonte*, « pays au pied des monts » ; [pjemɔ̃tɛ, -ɛz].

**PIÉRIDE, subst. f.**
*Zool.* Papillon, gén. jaune ou blanc, dont les chenilles mangent les feuilles des Brassicacées : *La* **piéride** *du chou*. 1823 ; lat. *Pierides*, « Muses », du topon. gr. *Pieria*, contrée habitée par les Muses ; [pjeʀid].

**PIERRAILLE, subst. f.**
Amas, étendue de petites pierres. Fin XIVe s. ; ☞ *pierre* ; [pjeʀaj].

**PIERRE, subst. f.**
**I. 1.** Fragment de roche dure, surtout utilisé dans la construction : *Mur de* **pierre** ; **Pierre** *de taille*, à parements taillés et apparents. ► Méton. *Aimer les vieilles* **pierres** : les vieilles constructions ; *Investir dans la* **pierre** : dans l'immobilier. **2.** Fragment de roche dure utilisé comme arme, comme instrument : *Lance-***pierre** ; **Pierre** *à feu, à fusil*, silex qui produit des étincelles lorsqu'il est frappé ; **Pierre** *à aiguiser* ; **Pierre** *ponce* ; **Pierre** *à plâtre*, gypse. ► Loc. *Faire d'une* **pierre** *deux coups* : arriver à un double résultat ; *Jeter la* **pierre** *à qqn* : l'accuser, le critiquer. **3.** Bloc de roche constituant un monument ; stèle : **Pierre** *tombale* ; **Pierre** *levée*, menhir. **4.** *Préhist. L'âge de la* **pierre** : époque au cours de laquelle l'homme a utilisé la **pierre** ; *L'âge de la* **pierre** *taillée* (☞ *Paléolithique*) ; *L'âge de la* **pierre** *polie* (☞ *Néolithique*). **II. 1.** Matière minérale, solide et compacte, répandue à la surface ou dans les profondeurs du sol. ► Loc. *Geler à* **pierre** *fendre* : faire extrêmement froid ; *Un cœur de* **pierre** : personne insensible. **2.** Variété de cette matière. ► Minéral cristallisé répondant à des critères précis de dureté, de transparence et d'éclat : **Pierres** *précieuses*, diamant, rubis, saphir et émeraude ; **Pierres** *fines*, gemmes transparentes, tels les topazes, les tourmalines, les grenats. **III.** Substance ressemblant à de la **pierre**. **1.** Concrétion qui se forme dans la pulpe de certains fruits, en partic., les poires. **2.** *Pathol.* Calcul (vieilli). **3.** **Pierre** *philosophale* (☞ *philosophale*). Fin Xe s. ; lat. *petra*, du gr. *petra* ; [pjɛʀ].

**PIERRÉE, subst. f.**
*Techn.* Conduit en pierres sèches servant à l'écoulement des eaux. 1669 ; ☞ *pierre* ; [pjeʀe].

**PIERRERIES, subst. f. plur.**
Pierres fines et précieuses travaillées, destinées à servir d'ornement. Mil. XIIIe s. ; ☞ *pierre* ; [pjɛʀʀi].

**PIERREUX, EUSE, adj.**
**1.** Rempli ou couvert de pierres : *Sentier **pierreux**.* **2.** Qui est de la nature de la pierre, qui évoque la pierre : *Matière **pierreuse**.* Fin XIIe s. ; anc. fr. *pereus*, du lat. *petrosus* ; [pjeʀø, øz].

**PIERRIER, subst. m.**
**1.** *Artill.* ▸ Canon qui lançait des boulets de pierre. ▸ Petit mortier utilisé autrefois dans la marine. **2.** Éboulis, amas de pierres. Déb. XIIIe s. (mil. XIIe s., chemin caillouteux) ; bas lat. *petrarium*, « carrière » ; [pjeʀje].

**PIERROT, subst. m.**
**1.** Homme travesti en Pierrot, personnage de pantomime, vêtu de blanc et à la figure enfarinée. **2.** Moineau. 1691 ; dimin. du prénom *Pierre* ; [pjeʀo].

**PIETÀ, subst. f. inv.**
*B.-a.* Tableau, sculpture représentant la Vierge tenant le corps du Christ détaché de la croix. XVIIe s. ; ital. *pietà*, « pitié » ; [pjeta].

© S. Fiore-Explorer

Pietà, *sculpture de Michel-Ange (1475-1564). Cathédrale Santa Maria del Fiore, Florence.*

**PIÉTAILLE, subst. f.**
**1.** Vx. Infanterie. **2.** Ext. Empl. coll. Les piétons ; par anal., les subalternes (péj.). Déb. XIIe s. ; lat. pop. °*peditalia*, du lat. *peditare*, « aller à pied » ; [pjetaj].

**PIÉTÉ, subst. f.**
**1.** *Relig.* Dévotion à Dieu ; vif attachement aux pratiques religieuses. **2.** Respect et affection : ***Piété** filiale.* 1541 (fin Xe s., pitié) ; lat. *pietas* ; [pjete].

**PIÈTEMENT, subst. m.**
*Techn.* Ensemble des pieds et des traverses d'un meuble. 1888 (1600, piédestal) ; ☞ *pied* ; [pjɛtmɑ̃].

**PIÉTER, verbe intrans. [8]**
*Chasse.* Courir sans s'envoler, en parlant d'un gibier à plume. 1775 (XIVe s., marcher) ; lat. *peditare*, « marcher », de *pes*, « pied » ; [pjete].

**PIÉTIN, subst. m.**
**1.** *Vétér.* Nécrose du pied du mouton. **2.** *Agric.* Maladie des céréales due à des champignons. 1770 (1570, bâton ferré fourchu) ; ☞ *pied* ; [pjetɛ̃].

**PIÉTINEMENT, subst. m.**
**1.** Action de piétiner. **2.** Méton. Bruit provoqué par un groupe qui piétine. **3.** Fig. État de ce qui ne progresse pas. 1770 ; ☞ *piétiner* ; [pjetinmɑ̃].

**PIÉTINER, verbe [3]**
**Intrans. 1.** Remuer vivement les pieds en martelant le sol, trépigner : ***Piétiner** d'énervement.* **2.** Ext. Marquer le pas ou n'avancer qu'à petits pas : ***Piétiner** dans la cohue.* **3.** Fig. Ne pas progresser : *Le travail **piétinait**.* **Trans. 1.** Frapper, écraser avec les pieds : *De rage, il **piétina** son violon.* **2.** Fig. Fouler aux pieds, mépriser : ***Piétiner** un mort*, insulter sa mémoire ; ***Piétiner** la loi*, la violer sans scrupule. 1621 ; ☞ *piéter* ; [pjetine].

**PIÉTISME, subst. m.**
*Relig.* Mouvement de l'Église luthérienne allemande du XVIIe s., qui mit l'accent sur la vie spirituelle et sur l'expérience religieuse personnelle, considérées comme plus importantes que l'adhésion à une doctrine. 1732 ; ☞ *piétiste* ; [pjetism].

**PIÉTISTE, adj. et subst.**
*Relig.* **Adj.** Relatif au piétisme. **Subst.** Partisan du piétisme. 1699 ; all. *Pietist*, du lat. *pietas*, « piété » ; [pjetist].

**PIÉTON, ONNE, subst. et adj.**
**Subst. 1.** Vx. Fantassin. **2.** Facteur qui faisait sa tournée à pied (vieilli). **3.** Personne qui circule à pied (rare au fém.). **Adj.** Qui est réservé aux piétons : *Rue **piétonne*** (synon. *piétonnier*). Mil. XIVe s. ; ☞ *piéter* ; [pjetɔ̃, ɔn].

**PIÉTONNIER, IÈRE, adj.**
Piéton. V. 1960 ; ☞ *piéton* ; [pjetɔnje, jɛʀ].

**PIÈTRE, adj.**
Littér. Médiocre, pitoyable, en parlant de qqn ou de qqch. : *Un **piètre** acteur* ; *Être dans un **piètre** état* ; *Faire **piètre** figure*, ne pas se montrer à son avantage. 1223 (fin XIIe s., mauvais, infidèle) ; lat. *pedester* (péj.), « qui va à pied » ; toujours antéposé ; [pjɛtʀ].

**PIEU (I), subst. m.**
Longue pièce de bois pointue à une extrémité et que l'on fiche en terre. Déb. XIIe s. ; lat. *palus* ; [pjø].

**PIEU (II), subst. m.**
Lit (pop.). Fin XVIIIe s. ; pic. *piau* ; [pjø].

**PIEUSEMENT, adv.**
Avec piété : *Prier **pieusement*** ; *Conserver **pieusement** un souvenir.* Fin XVIe s. ; ☞ *pieux* ; [pjøzmɑ̃].

**PIEUTER, verbe intrans. [3]**
Pop. Aller au lit. **Pronom.** Se coucher. 1888 ; ☞ *pieu* (II) ; [pjøte].

**PIEUVRE, subst. f.**
**1.** *Zool.* Mollusque marin de la classe des Céphalopodes, à huit tentacules, possédant des yeux et un système nerveux évolué, qui vit dans les mers tempérées à chaudes peu profondes. La **pieuvre** peut mesurer un mètre et se nourrit surtout de crabes. **2.** Anal. Personne importune et cupide. 1866 ; lat. *polypus*, « poulpe » ; [pjœvʀ].

**PIEUX, PIEUSE, adj.**
**1.** Qui fait preuve de piété. **2.** Qui a le caractère de la piété ; qui incite à la piété : *Image **pieuse**.* **3.** Plein de respect : *Un attachement **pieux**.* 1656 (fin Xe s., bon, en parlant de Dieu) ; lat. *pius* ; [pjø, pjøz].

**PIÉZOÉLECTRICITÉ, subst. f.**
*Phys.* Apparition de charges électriques sur des cristaux soumis à des contraintes mécaniques ; propriété des corps où ce phénomène se produit. Fin XIXe s. ; ☞ *électricité* + *piézo-* ; var. *piézo-électricité* (plur. *piézo-électricités*) ; [pjezoelektʀisite].

**PIÉZOMÈTRE, subst. m.**
*Phys.* Instrument servant à mesurer la compressibilité des liquides. 1821 ; formé de *piézo-* et de *-mètre*[1] ; [pjezɔmɛtʀ].

**PIF (I), interj.**
Indique un bruit sec. 1718 ; onomat. ; souv. suivi de *paf* ; [pif].

**PIF (II), subst. m.**
Fam. Nez. ▸ Loc. *Au **pif*** : au jugé ; *Avoir du **pif*** : du flair. 1821 ; rad. expressif *piff-*, évoquant la grosseur ; [pif].

**PIFER, verbe trans. [3]**
Fam. Supporter (empl. négatif) : *Je ne peux pas le **pifer** !* 1846 ; ☞ *pif* (II) ; var. *piffer* ; [pife].

**PIFOMÈTRE, subst. m.**
Fam. Flair, intuition. ▸ Loc. *Au **pifomètre*** : approximativement. 1928 ; ☞ *pif* (II) + *-mètre*[1] ; [pifɔmɛtʀ].

**PIGE (I), subst. f.**
**1.** Année (argot.) : *Il a vingt **piges**.* **2.** *Techn.* Longueur prise arbitrairement comme mesure. **3.** *Impr.* Tâche accomplie dans un temps donné. **4.** *Journ.* Rémunération proportionnelle au nombre de lignes rédigées : *Être payé à la **pige**.* ▸ Ext. Travail ainsi rémunéré : *Faire des **piges**.* 1836 ; ☞ *piger* (I) ; [piʒ].

**PIGE (II), subst. f.**
*Faire la **pige** à qqn* : se montrer supérieur à qqn (fam.). 1867 ; ☞ *piger* (II) ; [piʒ].

**PIGEON, subst. m.**
**I. 1.** *Zool.* Oiseau granivore de la famille des Colombidés. Le **pigeon** ramier et le **pigeon** colombin sont forestiers ; le **pigeon** biset, ou de roche, qui niche dans les falaises (et les monuments des villes), est l'ancêtre des races domestiques, tel le **pigeon** élevé pour sa chair. Le **pigeon** voyageur, doué d'un remarquable sens de l'orientation, est utilisé pour transmettre des messages. **2.** Méton. Chair comestible du **pigeon** d'élevage. **3.** Fig. Personne crédule, facile à duper (fam.). **II.** Anal. **1.** *Constr.* Poignée de plâtre pétri. **2.** *Chorégr. Aile de **pigeon*** : mouvement des jambes imitant un battement d'ailes, effectué lors d'un saut. **3.** *Pêche.* Demi-maille par laquelle on commence un filet. **4.** *Sp. **Pigeon** d'argile* : disque utilisé pour le tir, au ball-trap. **5.** ***Pigeon** vole* : jeu de gages qui consiste à confirmer rapidement si tel ou tel objet vole effectivement. Déb. XIIIe s. ; bas lat. *pipionem* ; [piʒɔ̃].

**PIGEONNANT, ANTE, adj.**
Qualifie une poitrine haute et rebondie, évoquant la gorge d'un pigeon ; par méton. : *Un soutien-gorge **pigeonnant***, qui rehausse la poitrine. V. 1950 ; ☞ *pigeon* ; [piʒɔnɑ̃, ɑ̃t].

**PIGEONNEAU, subst. m.**
Jeune pigeon. 1544 ; ☞ *pigeon* ; [piʒɔno].

**PIGEONNER, verbe trans. [3]**
Fam. Duper (qqn). 1565 ; ☞ *pigeon* ; [piʒɔne].

**PIGEONNIER, subst. m.**
Petite construction où l'on élève des pigeons. 1479 ; ☞ *pigeon* ; [piʒɔnje].

**PIGER (I), verbe trans. [5]**
Mesurer (qqch.) en se servant d'une pige. 1807 (1555, fouler) ; lat. pop. °*pinsiare*, « piétiner » ; [piʒe].

**PIGER (II), verbe trans. [5]**
Fam. **1.** Vx. Attraper, surprendre. **2.** Fig. Comprendre : *Il n'y **pige** rien.* **3.** Québ. *Jeux.* Piocher, tirer (une carte, un numéro). 1844 (1835, connaître) ; lat. pop. °*pedicus*, « qui prend au piège » ; [piʒe].

**PIGISTE, subst.**
Personne qui est rémunérée à la pige. 1952 ; ☞ *pige* (I) ; [piʒist].

**PIGMENT, subst. m.**
**1.** *Biol.* et *Biochim.* Substance colorée produite par des organismes vivants, végétaux (caroténoïdes, flavonoïdes jaunes, anthoryonines bleues, rouges, violettes) ou animaux (hémoglobine). **2.** *Chim.* Substance insoluble, d'origine minérale, végétale ou animale, qui, pulvérisée et mêlée à une matière, la colore. 1813 (XIIIe s., épice) ; lat. *pigmentum* ; [pigmɑ̃].

**PIGMENTAIRE, adj.**
Relatif aux pigments ; qui en renferme. 1832 (déb. XVIe s., aromatique) ; ☞ *pigment* ; [pigmɑ̃tɛʀ].

**PIGMENTATION, subst. f.**
**1.** *Biol.* Sécrétion et accumulation, normale ou pathologique, de pigments dans les tissus organiques. **2.** Coloration par un pigment. 1865 ; ☞ *pigment* ; [pigmɑ̃tasjɔ̃].

**PIGMENTER, verbe trans. [3]**
Colorer avec un pigment ; empl. adj. : *Peau **pigmentée**.* 1871 ; ☞ *pigment* ; [pigmɑ̃te].

**PIGNADE, subst. f.**
Région. (Sud-Ouest). Pinède. 1679 ; gascon *pignada* ; var. *pignada* ; [piɲad].

**PIGNE, subst. f.**
Région. **1.** Pomme de pin. **2.** Pignon. 1528 ; prov. *pinha*, du lat. *nux pinea*, « pomme de pin » ; [piɲ].

**PIGNOCHER, verbe intrans. [3]**
Manger sans appétit, en picorant (fam.). 1630 ; m. fr. *espinocher*, « s'occuper de bagatelles » ; [piɲɔʃe].

**PIGNON (I), subst. m.**
*Archit.* Partie supérieure, gén. triangulaire, d'une façade, dont les rampants ou côtés suivent les lignes de pente d'un toit à deux versants. ▸ Loc. *Avoir **pignon** sur rue* : avoir une situation bien en vue, jouir d'une certaine notoriété. Fin XIIe s. ; lat. pop. °*pinnio*, du lat. *pinna*, « merlon » ; [piɲɔ̃].

**PIGNON (II), subst. m.**
*Mécan.* Roue dentée s'engrenant dans une roue plus grande. ▸ ***Pignon** de bicyclette* : roue fixée sur le moyeu arrière, s'engrenant avec la chaîne. ▸ ***Pignon** de renvoi* : **pignon** qui transmet le mouvement entre deux parties éloignées d'un mécanisme. 1328 ; ☞ *peigne* ; [piɲɔ̃].

**PIGNON (III), subst. m.**
Région. **1.** Graine comestible du pin parasol (synon. *pigne*). **2.** Ce pin lui-même. Mil. XIVe s. ; anc. prov. *pinhon* ; [piɲɔ̃].

**PIGNORATIF, IVE, adj.**
*Dr.* Qui se rapporte au contrat de gage. 1567 ; anc. fr. *pignorer*, « saisir comme gage », du lat. *pignorare*, « donner en gage » ; [piɲɔʀatif, iv] ou [-gnɔ-].

**PIGNOUF, subst. m.**
Individu grossier, rustre (fam.). 1857 ; prob. dial. *pigner*, « geindre » ; [piɲuf].

**PILAF, subst. m.**
*Cuis.* Riz revenu dans une matière grasse avant d'être cuit à l'eau et épicé ; en appos. : *Riz **pilaf*** ; par ext., plat à base de ce riz. 1654 ; turc *pilâv*, du persan *polow* ou *palāv* ; [pilaf].

**PILAGE, subst. m.**
Action de piler. 1310 ; ☞ *piler* (I) ; [pilaʒ].

**PILAIRE, adj.**
*Anat.* Relatif aux poils, aux cheveux : *Bulbe **pilaire***. 1835 ; lat. *pilus*, « poil » ; [pilɛʀ].

**PILASTRE, subst. m.**
**1.** *Archit.* Pilier, gén. muni d'une base et d'un chapiteau, formant saillie sur un mur. **2.** Premier montant, souvent sculpté, au bas d'une rampe d'escalier. **3.** *Menuis.* Montant d'un lambris. 1545 ; ital. *pilastro*, p.-ê. du lat. *pila*, « pilier » ; [pilastʀ].

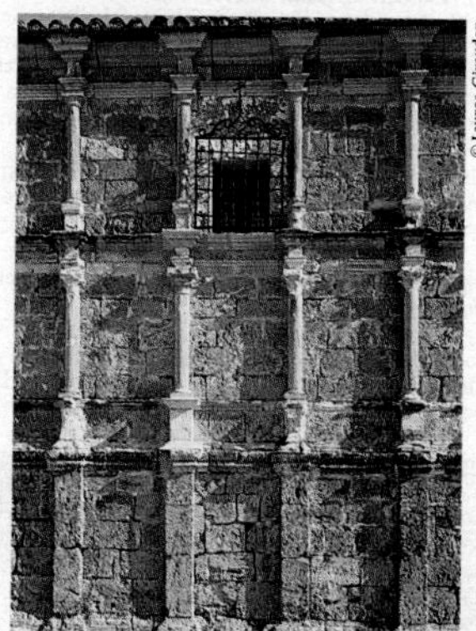


*Pilastres de la façade ouest du monastère cistercien (déb. XIIe s.) de Piedra, Espagne.*

**PILCHARD, subst. m.**
*Zool.* Grande sardine de la Manche. 1707 ; mot angl. ; [pilʃaʀ].

**PILE (I), subst. f.**
**1.** Ensemble d'objets de même nature entassés les uns sur les autres : *Pile d'assiettes*. **2.** *Archit.* Massif de maçonnerie soutenant les arches d'un pont. **3.** *Techn.* ▸ *Pile électrique* ou, empl. abs., ***Pile*** : dispositif qui transforme en électricité l'énergie fournie par une réaction chimique. ▸ ***Pile** sèche* : dont l'électrolyte se présente sous la forme d'une gelée, et qui est utilisée notamment dans les lampes de poche. ▸ ***Pile** atomique* : réacteur nucléaire (vieilli). ▸ ***Pile** solaire* (☞ *photopile*). Déb. XIIIe s. (mil. XIIe s., sorte de monument) ; lat. *pila*, « colonne » ; [pil].

**PILE (II), subst. f. et adv.**
**Subst. 1.** Envers d'une pièce de monnaie ou d'une médaille, indiquant sa valeur, par oppos. à l'avers (face), sur lequel est représentée l'effigie. ▸ Loc. *Jouer (qqch.) à **pile** ou face* : parier (qqch.) sur le côté qu'une pièce jetée en l'air montrera une fois retombée ; au fig. : *Décider qqch. à **pile** ou face*, au hasard. **2.** *Hérald.* Pièce honorable de l'écu, triangulaire et pointée vers le bas. **Adv.** Exactement (fam.) : *Il est midi **pile*** ; *Arriver **pile***, à point nommé. ▸ *Freiner **pile*** : sec. Déb. XIIIe s. ; orig. obsc. ; [pil].

**PILE (III), subst. f.**
*Techn.* Bac servant au raffinage de la pâte à papier. 1723 (XIIIe s., mortier) ; lat. *pila*, « mortier » ; [pil].

**PILE (IV), subst. f.**
Fam. **1.** Raclée : *Administrer une **pile** à qqn*. **2.** Anal. Lourde défaite. 1821 ; ☞ *piler* (I) ; [pil].

**PILER (I), verbe trans. [3]**
**1.** Réduire en poudre à l'aide d'un pilon, broyer. **2.** Anal. Tasser à coups de pieds. **3.** Fam. Administrer une sévère correction à ; infliger une défaite à. Fin XIIe s. ; bas lat. *pilare*, « enfoncer » ; [pile].

**PILER (II), verbe intrans. [3]**
Freiner net (fam.). Mil. XXe s. ; ☞ *pile* (II) ; [pile].

**PILET, subst. m.**
*Zool.* Canard sauvage à queue pointue, qui migre entre le nord de l'Europe et le pourtour de la Méditerranée ; en appos. : *Canard **pilet***. 1752 ; pic. *pilet*, prob. de l'anc. fr. *pilet*, « javelot », par anal. avec les plumes de sa queue ; [pilɛ].

**PILEUX, EUSE, adj.**
Relatif aux poils : *Système **pileux***, ensemble des poils recouvrant le corps ; garni de poils : *Un naevus **pileux***. 1495 ; lat. *pilosus*, « poilu » ; [pilø, øz].

**PILIER, subst. m.**
**1.** Élément vertical isolé servant de support. **2.** Fig. ▸ Fondement sur lequel repose une doctrine, une idée, une valeur : *« Les Sept **Piliers** de la sagesse », ouvrage de Lawrence d'Arabie* ; élément fondamental : *Être un des **piliers** d'une affaire*. ▸ Personne fréquente continuellement un même lieu péj.) : *C'est un **pilier** de bistrot*. **3.** Anal. ▸ Dans une mine, masse rocheuse laissée de place en place pour soutenir le toit d'une galerie en exploitation. ▸ *Anat. **Pilier** du diaphragme* : chacun des deux faisceaux musculaires qui se fixent aux vertèbres lombaires. ▸ *Sp.* Au rugby, chacun des deux joueurs de première ligne qui encadrent le talonneur. Déb. XIIe s. ; lat. pop. *°pilare*, du lat. *pila*, « colonne » ; [pilje].

**PILIFÈRE, adj.**
*Bot.* et *Zool.* Garni de poils. 1821 (1743, qui donne naissance à des poils) ; formé de *pili-* et de *-fère* ; [pilifɛʀ].

**PILI-PILI, subst. m. inv.**
Piment rouge d'Afrique à la saveur très forte ; par méton., condiment réalisé à partir de ce piment. 1957 ; mot africain ; [pilipili].

**PILLAGE, subst. m.**
Action de piller ; l'état qui en résulte. Mil. XIVe s. (déb. XIVe s., butin) ; ☞ *piller* ; [pijaʒ].

**PILLARD, ARDE, subst. et adj.**
**Subst.** Personne qui s'adonne au pillage ; au fig., plagiaire. **Adj.** Qui pille : *Oiseaux **pillards***. 1360 ; ☞ *piller* ; [pijaʀ, aʀd].

**PILLER, verbe trans. [3]**
**1.** S'emparer avec une violence destructrice des biens et des richesses de (un lieu). **2.** Ext. Voler ; détourner frauduleusement : ***Piller** les deniers publics*. **3.** Fig. Plagier : ***Piller** un auteur*. Fin XIIIe s. ; lat. *pilleum*, « chiffon » ; [pije].

**PILLEUR, EUSE, subst.**
Personne qui pille : ***Pilleur** de troncs*, celui qui pille les troncs d'église. 1345 ; ☞ *piller* ; [pijœʀ, øz].

**PILOCARPE, subst. m.**
*Bot.* Arbrisseau d'Amérique tropicale, de la famille des Rutacées, dont plusieurs espèces contiennent de la pilocarpine. 1803 ; lat. sc. *pilocarpus*, du gr. *pilos*, « feutre », et *karpos*, « fruit » ; [pilɔkaʀp].

**PILOCARPINE, subst. f.**
*Biochim.* et *Pharm.* Alcaloïde tiré des feuilles de certains pilocarpes, qui provoque un myosis et augmente la sudation et la salivation. 1875 ; ☞ *pilocarpe* ; [pilɔkaʀpin].

**PILON, subst. m.**
**1.** Instrument cylindrique à base arrondie, avec lequel on pile ou on écrase qqch. dans un mortier. **2.** Anal. ▸ Sorte de marteau percuteur, mû mécaniquement, qui sert à écraser ou à tasser diverses matières : *Mettre des livres au **pilon***, les détruire. ▸ Jambe de bois (fam.). ▸ Partie inférieure d'une cuisse de volaille. Déb. XIIe s. ; ☞ *piler* (I) ; [pilɔ̃].

**PILONNAGE, subst. m.**
**1.** Action d'écraser, de broyer au moyen d'un pilon : ***Pilonnage** du maïs*. **2.** *Milit.* Bombardement intensif. 1803 ; ☞ *pilonner* ; [pilɔnaʒ].

**PILONNER, verbe trans. [3]**
**1.** Écraser, broyer, tasser au pilon. **2.** Mettre au pilon, détruire. **3.** *Milit.* Soumettre (l'ennemi) à un pilonnage. 1700 ; ☞ *pilon* ; [pilɔne].

**PILORI, subst. m.**
*Hist.* Poteau ou dispositif pivotant auquel un condamné était attaché, le cou emprisonné dans un carcan, pour être livré à la réprobation publique ; peine infamante ainsi infligée. ▸ Loc. *Clouer, mettre qqn au **pilori*** : le vouer au mépris général (littér.). Mil. XIIe s. ; prob. lat. médiév. *pillorium*, du lat. *pila*, « colonne » ; [pilɔʀi].

**PILO-SÉBACÉ, ÉE, adj.**
*Anat.* Qui a rapport au poil et à sa glande sébacée. 1878 ; ☞ *sébacé* + *pilo-* ; plur. *pilo-sébacés, ées*, var. *pilosébacé, ée* ; [pilosebase].

**PILOSELLE, subst. f.**
*Bot.* Plante de la famille des Astéracées, dont une espèce, l'oreille-de-souris, présente une tige sans feuilles, avec un seul capitule et une souche émettant des stolons. Mil. XIIIe s. ; lat. médiév. *pilosella*, du lat. *pilosus*, « pileux » ; [pilozɛl].

**PILOSITÉ, subst. f.**
*Anat.* Présence de poils sur le corps ; par méton., ensemble des poils recouvrant une partie du corps : ***Pilosité** thoracique*. XVe s. ; lat. *pilositas* ; [pilozite].

**PILOT, subst. m.**
Pieu de bois massif à pointe ferrée, servant à élever un pilotis. Mil. XIVe s. ; ☞ *pile* (I) ; [pilo].

**PILOTAGE, subst. m.**
Action, art de piloter ; technique mise en œuvre pour piloter un avion : ***Pilotage** automatique*. 1484 ; ☞ *piloter* (II) ; [pilɔtaʒ].

**PILOTE, subst. m.**
**1.** Personne qui guide un navire (vieilli). ▸ *Zool.* Poisson de mer de la famille des Carangidés, qui vit en bancs accompagnant souvent les bateaux ; en appos. : *Poisson-**pilote***. **2.** *Mar.* Marin expérimenté attaché à un port où il a pour fonction de guider les navires qui y entrent ou qui en sortent. ▸ Anal. Personne ayant en charge la direction d'un groupe. **3.** *Spéc.* ▸ *Aéron.* Professionnel qui conduit un aéronef : ***Pilote** d'essai*, qui teste en vol les prototypes d'avions. ▸ *Informat.* Logiciel gérant un périphérique. ▸ *Sp.* Personne habilitée à conduire un véhicule automobile ; spécialiste de la conduite des voitures de course. ▸ *Techn. **Pilote** automatique* : dispositif permettant à un avion, à un navire de maintenir sa ligne de vol, son cap sans intervention de l'équipage. **4.** Fig. En appos. Expérimental, qui peut servir de modèle, qui innove : *Ferme(-)**pilote*** ; *Classe(-)**pilote***. **5.** Numéro zéro d'un magazine ou d'un journal ; ébauche d'une émission. 1339 ; ital. *piloto*, du gr. *pêdon*, « gouvernail » ; [pilɔt].

**PILOTER (I), verbe trans. [3]**
Garnir (un terrain) de pilots (rare). 1321 ; ☞ *pilot* ; [pilɔte].

**PILOTER (II), verbe trans. [3]**
**1.** Guider (un navire). **2.** Conduire (un véhicule automobile, en partic. une voiture de course). **3.** Être aux commandes de (un avion). **4.** Anal. Servir de guide à, diriger : ***Piloter** un groupe, un pays*. 1484 ; ☞ *pilote* ; [pilɔte].

**PILOTIN, subst. m.**
*Mar.* **1.** Apprenti pilote (vx). **2.** Élève officier dans la marine marchande. 1771 ; ☞ *pilote* ; [pilɔtɛ̃].

**PILOTIS, subst. m.**
Ensemble de pilots enfoncés dans un sol meuble ou inondable, sur lesquels repose une construction ; par méton., chacun des pilots. 1365 ; ☞ *pilot* ; [piloti].

**PILOU, subst. m.**
Tissu de coton duveteux. 1895 ; p.-ê. lat. *pilosus*, « poilu » ; [pilu].

**PILULAIRE, subst. et adj.**
**Subst. fém.** *Bot.* Fougère aquatique, aux frondes grêles. **Subst. masc.** Instrument utilisé pour administrer des pilules aux animaux. **Adj.** Relatif aux pilules. ▸ *Masse **pilulaire*** : pâte utilisée pour confectionner les pilules. 1739 ; ☞ *pilule* ; [pilylɛʀ].

**PILULE, subst. f.**
**1.** Médicament façonné en petite boule ou en petite pastille, à avaler ; empl. abs., contraceptif oral. **2.** Loc. *En **pilule*** : sous forme concentrée ; *Avaler la **pilule*** : croire à un mensonge ou subir un désagrément (fam.) ; *Dorer la **pilule*** (☞ *dorer*) ; *Se dorer la **pilule*** : bronzer (fam.). 1314 ; lat. *pilula*, « pelote » ; [pilyl].

**PILULIER, subst. m.**
**1.** Appareil servant à confectionner des pilules. **2.** Petite boîte dans laquelle on met des pilules. 1694 ; ☞ *pilule* ; [pilylje].

**PILUM, subst. m.**
*Antiq. rom.* Javelot lourd des légionnaires. 1765 ; mot lat. ; [pilɔm].

**PIMBÊCHE, subst. f.**
Jeune fille ou femme prétentieuse et hautaine, à l'air pincé. 1545 ; orig. obsc. ; [pɛ̃bɛʃ].

**PIMBINA, subst. m.**
*Québ.* Viorne à fruits rouges. Mil. XVIIIe s. ; algonquin *nipimina*, « fruits amers » ; var. *pembina* ; [pɛ̃bina].

**PIMENT,** subst. m.
**1.** *Bot.* Plante de la famille des Solanacées, dont le fruit, riche en capsicine, un principe piquant, est utilisé comme condiment ; par méton., son fruit. ▸ *Piment doux* : poivron. **2.** Fig. Ce qui donne du piquant. Fin Xe s. ; lat. *pigmentum*, « matière colorante » ; [pimɑ̃].

*Assortiment de piments.*

**PIMENTER,** verbe trans. [3]
**1.** Assaisonner de piment. **2.** Fig. Rendre piquant, excitant. 1825 ; ☞ *piment* ; [pimɑ̃te].

**PIMPANT, ANTE,** adj.
**1.** Vif et gracieux, vêtu avec élégance et fraîcheur, en parlant d'une personne. **2.** Anal. D'un aspect coquet, gai : *Appartement pimpant.* Déb. XVIe s. ; rad. *pimp-*, de l'anc. prov. *pimpan*, « parer » ; [pɛ̃pɑ̃, ɑ̃t].

**PIMPRENELLE,** subst. f.
*Bot.* Plante vivace de la famille des Rosacées, aux fleurs pourpres, dont une espèce, la sanguisorbe, contient du tanin dans sa racine. XIIIe s. ; lat. médiév. *pipinella*, p.-ê. du lat. *piper*, « poivre » ; [pɛ̃pʀənɛl].

**PIN,** subst. m.
*Bot.* Arbre résineux dont les feuilles, persistantes, sont en aiguilles. Fin XIe s. ; lat. *pinus* ; [pɛ̃].

*Pin parasol.*

**PINACÉES,** subst. f. plur.
*Bot.* Famille d'arbres résineux de l'ordre des Pinales, comportant les pins, les épicéas, les sapins, les mélèzes et les cèdres (synon. *Abiétacées*). AU SING. *Le pin est une* ***pinacée.*** Lat. *pinus*, « pin » ; [pinase].

**PINACLE,** subst. m.
*Archit.* Faîte d'un édifice, notamment de l'antique temple de Jérusalem ; construction conique ou pyramidale qui surmonte les contreforts dans l'architecture gothique. ▸ Loc. *Être au* ***pinacle*** : au sommet de la réussite, d'une carrière ; *Porter qqn au* ***pinacle*** : en faire les plus grands éloges. XIIIe s. ; lat. chrét. *pinnaculum*, du lat. *pinna*, « merlon » ; [pinakl].

**PINACOTHÈQUE,** subst. f.
Musée ou secteur d'un musée consacré à la peinture, en partic. en Italie et en Allemagne : *La* ***pinacothèque*** *du Vatican.* 1547 ; lat. *pinacotheca*, du gr. *pinaks*, « tableau », et *thêkê*, « boîte » ; [pinakɔtɛk].

**PINAILLER,** verbe intrans. [3]
Fam. Être exagérément minutieux, scrupuleux ; chicaner à tout propos. 1934 ; orig. obsc. ; [pinaje].

**PINARD,** subst. m.
Vin (fam.). 1616 ; ☞ *pineau* ; [pinaʀ].

**PINASSE,** subst. f.
Région. (Sud-Ouest). Bâteau de pêche à fond plat. 1341 ; esp. *pinaza*, du lat. *pinus*, « pin » ; [pinas].

**PINÇAGE,** subst. m.
*Hortic.* Pincement. 1845 ; ☞ *pincer* ; [pɛ̃saʒ].

**PINÇARD, ARDE,** adj. et subst.
*Hippol.* Se dit d'un cheval, d'une jument qui prend appui sur ses pinces. 1772 ; ☞ *pince* ; [pɛ̃saʀ, aʀd].

**PINCE,** subst. f.
**1.** *Zool.* ▸ Extrémité articulée des pattes antérieures de crustacés tels les homards, les langoustines ; par anal., pièce buccale à deux mors chez certains insectes. ▸ Extrémité antérieure du sabot des ongulés ; par ext., partie correspondante du fer à cheval. ▸ Incisive médiane du cheval. **2.** Instrument fait de deux branches articulées, qui sert à saisir des objets, à les maintenir : *Pince à linge* ; *Pince coupante*, dont les mors sont tranchants ; par méton., mors de cet instrument : *Les pinces d'une tenaille.* **3.** Tige métallique fendue à l'une de ses extrémités, utilisée comme levier. **4.** *Cout.* Pli en pointe cousu à l'envers d'un vêtement pour en diminuer l'ampleur. **5.** Main (pop.) : *Serrer la pince à qqn.* PLUR. Fam. Paire de menottes ; jambes : *Revenir à* ***pinces***, à pied. 1375 ; ☞ *pincer* ; [pɛ̃s].

**PINCÉ, ÉE,** adj. et subst.
ADJ. **1.** Vx. Bien reproduit. **2.** Contraint, raide ; qui exprime de la froideur, du dédain ou de la déception : *Prendre, avoir un (petit) air pincé.* SUBST. Petite quantité d'une substance pulvérulente ou granuleuse que l'on peut saisir entre deux doigts : *Une pincée de sucre.* XVIe s. ; p. p. de *pincer* ; [pɛ̃se].

**PINCEAU,** subst. m.
**1.** Touffe de poils ou de fibres, fixée à l'extrémité d'un manche et dont on se sert pour peindre ou pour étaler une substance sur un support. **2.** Anal. *Phys.* Faisceau de rayons issus d'une source d'énergie et traversant une fine ouverture : ***Pinceau*** *d'électrons* ; faisceau lumineux : ***Pinceau*** *d'un projecteur.* **3.** Méton. La peinture, considérée comme un des beaux-arts ; le peintre ; l'art du peintre. **4.** PLUR. Jambes, pieds (argot.). ▸ Loc. *S'emmêler les* ***pinceaux*** : s'embrouiller (fam.). XVe s. ; lat pop. °*penicellus*, du lat. *peniculus*, « brosse » ; [pɛ̃so].

**PINCE-FESSES,** subst. m. inv.
Pop. **1.** Action de pincer les fesses d'une femme (vx). **2.** Réunion dansante où l'on se tient de façon inconvenante ; par ext., toute réunion dansante. 1931 ; comp. de *pincer* et de *fesse* ; [pɛ̃fɛs].

**PINCELIER,** subst. m.
Récipient à deux godets, dont l'un sert pour délayer la peinture et l'autre pour nettoyer les pinceaux. 1621 ; ☞ *pinceau* ; [pɛ̃səlje].

**PINCEMENT,** subst. m.
**1.** Action de pincer ; état qui en résulte. ▸ ***Pincement*** *au cœur* : sensation pénible causée par un évènement défavorable, par un spectacle affligeant. **2.** *Hortic.* Étêtage d'un jeune rameau visant à assurer une meilleure floraison de la plante (synon. *pinçage*). **3.** *Autom.* Légère convergence, dans le sens de la marche, des roues avant non motrices d'une voiture, qui deviennent parallèles lorsque le véhicule roule. 1554 ; ☞ *pincer* ; [pɛ̃smɑ̃].

**PINCE-MONSEIGNEUR,** subst. f.
Barre métallique, courte et rigide, aux extrémités aplaties, qui sert de levier pour forcer les portes. 1828 ; comp. de *pince* et de *monseigneur* ; plur. *pinces-monseigneur* ; [pɛ̃smɔ̃sɛɲœʀ].

**PINCE-NEZ,** subst. m. inv.
Lorgnon qui tient sur le nez au moyen d'un ressort. 1841 ; comp. de *pincer* et de *nez* ; [pɛ̃sne].

**PINCE-OREILLE,** subst. m.
*Zool.* Forficule (synon. *perce-oreille*). 1808 ; comp. de *pincer* et de *oreille* ; plur. *pince-oreilles* ; [pɛ̃sɔʀɛj].

**PINCER,** verbe trans. [4]
**1.** Serrer (un objet) entre les branches d'une pince. **2.** Saisir (qqch., en partic. la peau) en serrant avec l'extrémité des doigts : ***Pincer*** *qqn jusqu'au sang* ; par ext., causer une sensation désagréable de pincement à : *La bise me* ***pinçait*** *le visage.* ▸ Loc. *Ça* ***pince*** ! : il fait très froid (fam.). ▸ *Mus.* ***Pincer*** *les cordes d'une guitare, d'une harpe* : les faire vibrer en les pinçant ou en les grattant ; empl. adj. : *Instrument à cordes* ***pincées.*** **3.** Serrer (qqch.) en rapprochant ses bords, ses parties : ***Pincer*** *les lèvres.* **4.** *Cout.* Faire des pinces à (un vêtement). **5.** Arrêter (qqn), le prendre sur le fait (fam.) : ***Pincer*** *un voleur.* **6.** Loc. *En* ***pincer*** *pour qqn* : en être amoureux (fam.). Fin XIIe s. ; rad. expressif °*pints-*, p.-ê. du roman °*pinctiare* ; [pɛ̃se].

**PINCE-SANS-RIRE,** subst. inv.
Personne qui raille ou plaisante en gardant son sérieux ; empl. adj. : *Un humour* ***pince-sans-rire.*** 1774 ; *je te pince sans rire*, ancien jeu ; [pɛ̃ssɑ̃ʀiʀ].

**PINCETTE,** subst. f.
**1.** Fine pince qui sert à manipuler de petits objets. **2.** Helv. Pince à linge. PLUR. Longue pince servant à saisir bûches et braises. ▸ Loc. *C'est à prendre avec des* ***pincettes*** : à considérer avec prudence ; *Ne pas être à prendre avec des* ***pincettes*** : être de mauvaise humeur. 1321 ; dimin. de *pince* ; [pɛ̃sɛt].

**PINCHARD, ARDE,** adj. et subst.
Se dit d'un cheval à la robe gris de fer (région.). 1856 ; normand *pêchard* ; [pɛ̃ʃaʀ, aʀd].

**PINÇON,** subst. m.
**1.** Marque qui demeure sur la peau après qu'elle a été pincée. **2.** Fig. Petit pincement au cœur. 1640 (fin XVe s., onglée) ; ☞ *pincer* ; [pɛ̃sɔ̃].

**PINDARIQUE,** adj.
Qui évoque le style, les odes de Pindare. 1556 ; anthropon. *Pindare* ; [pɛ̃daʀik].

**PINÉAL, ALE, AUX,** adj.
**1.** *Anat.* ▸ *Glande* ***pinéale*** : épiphyse (vieilli). ▸ Relatif à l'épiphyse. **2.** *Zool.* *Œil* ***pinéal*** : organe sensoriel placé au sommet du crâne, chez certains vertébrés fossiles. 1534 ; lat. *pinea*, « pomme de pin » ; [pineal, o].

**PINEAU,** subst. m.
Vin de liqueur des Charentes obtenu par addition de cognac au moût de raisin. 1828 (1406, sorte de raisin) ; ☞ *pin* ; [pino].

**PINÈDE,** subst. f.
Espace planté de pins ; bois de pins. 1842 ; prov. *pinedo* ; var. *pineraie* ; [pinɛd].

**PINGOUIN,** subst. m.
*Zool.* Oiseau palmipède piscivore de la famille des Alcidés, voisin du macareux, vivant dans l'Atlantique nord. 1598 ; néerl. *pinguin* ; [pɛ̃gwɛ̃].

*Pingouins.*

**PING-PONG,** subst. m.
Tennis de table. 1901 ; angl. *Ping-Pong* (n. déposé) ; plur. *ping-pongs* ; [piŋpɔ̃g].

**PINGRE,** subst. et adj.
Se dit d'une personne chiche, avare. ADJ. Qui dénote l'avarice. 1808 (1406, nom propre) ; p.-ê. anc. fr. *pinglière*, « fabricante ou vendeuse d'épingles » ; [pɛ̃gʀ].

**PINGRERIE,** subst. f.
Avarice mesquine. 1808 ; ☞ *pingre* ; [pɛ̃gʀəʀi].

**PINNE,** subst. f.
*Zool.* Mollusque bivalve de la famille des Pinnidés, dont la coquille est triangulaire. 1558 ; lat. *pin(n)a*, du gr. *pinna*, « nageoire » ; [pin].

**PINNIPÈDES,** subst. m. plur.
*Zool.* Groupe de mammifères carnivores (otaries, morses, phoques), presque tous marins, munis de membres en forme de nageoires qui permettent une locomotion rudimentaire sur la terre ferme. AU SING. *Le phoque gris est un* ***pinnipède.*** 1823 ; lat. *pinna*, « nageoire », + *-pède* ; [pinipɛd].

**PINNOTHÈRE,** subst. m.
*Zool.* Minuscule crabe rose qui vit dans la coquille d'un mollusque bivalve dont il est le commensal. 1579 ; lat. *pinoteres*, du gr. *pinnotêrês*, « qui garde la pinne marine » ; [pinɔtɛʀ].

**PINNULE,** subst. f.
**1.** Plaque de métal dressée perpendiculairement à chaque extrémité d'une alidade et percée d'un trou, servant aux relevés topographiques. **2.** *Bot.* Chez les Fougères, subdivision ultime des folioles d'une feuille. 1528 ; lat. *pinnula*, « petite aile » ; [pinyl].

**PINOCYTOSE,** subst. f.
*Biol.* Processus par lequel une cellule ingère une

solution moléculaire. 1931 ; gr. *pinein*, « boire », + *-cyte* et *-ose*, d'apr. *phagocytose* ; [pinɔsitoz].

**PINOT,** subst. m.
*Vitic.* Cépage réputé, cultivé surtout en Bourgogne, en Champagne et en Alsace ; par méton., vin issu de ce cépage. 1870 (fin XIV^e s., sorte de raisin) ; ☞ *pin* ; [pino].

**PIN'S,** subst. m. inv.
Insigne, badge, gén. métallique, que l'on épingle sur un vêtement (faux anglic.). V. 1990 ; angl. *pins*, « épingles » ; recomm. off. *épinglette* ; [pins].

**PINSCHER,** subst. m.
Petit chien de compagnie, au pelage ras, noir, roux ou beige. 1932 ; all. *Pinscher* ; [pinʃɛʀ].

**PINSON,** subst. m.
*Zool.* Oiseau passériforme de la famille des Fringillidés, au plumage vivement coloré, bon chanteur, commun en Europe. ▸ Loc. *Gai comme un* ***pinson*** : très gai. Fin XII^e s. ; lat. pop. °*pincio* ; [pɛ̃sɔ̃].

**PINTADE,** subst. f.
*Zool.* Oiseau de l'ordre des Galliformes au plumage gris-bleu tacheté de blanc, originaire d'Afrique, élevé pour sa chair. 1637 ; port. *pintada*, « (oiseau) peint », du lat. pop. °*pinctare*, « peindre » ; [pɛ̃tad].

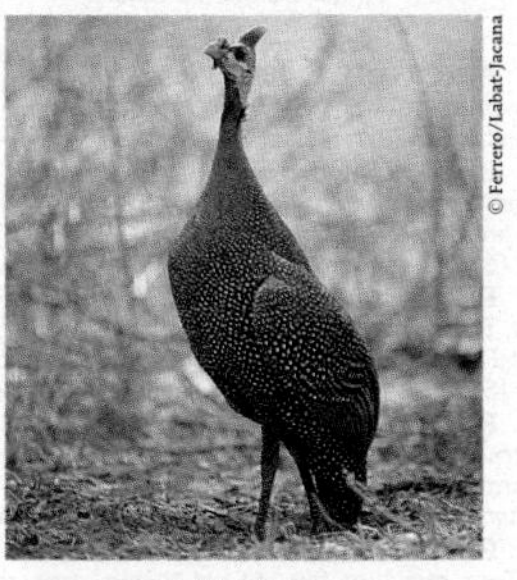

*Pintade.*

**PINTADEAU,** subst. m.
Petit de la pintade. 1772 ; ☞ *pintade* ; [pɛ̃tado].

**PINTADINE,** subst. f.
*Zool.* Mollusque bivalve de la famille des Ptériidés, huître perlière des mers peu profondes de la région entre océan Indien et océan Pacifique (synon. *méléagrine*). 1819 ; ☞ *pintade* ; [pɛ̃tadin].

**PINTE,** subst. f.
**1.** Ancienne mesure française de capacité pour les liquides, variable suivant les régions. ▸ Méton. Récipient contenant une **pinte** ; son contenu. ▸ Loc. *Se payer une* ***pinte*** *de bon sang* : s'amuser beaucoup (fam.). **2.** Mesure de capacité anglo-saxonne valant 0,568 l en Grande-Bretagne, 0,473 l aux États-Unis et 1,136 l au Canada. **3.** Helv. Débit de boissons. 1294 (déb. XIII^e s., contenu de la mesure) ; bas lat. *pincta*, « (mesure) graduée » ; [pɛ̃t].

**PINTER (SE),** verbe pronom. [3]
S'enivrer (pop.). Fin XIII^e s. ; ☞ *pinte* ; [pɛ̃te].

**PIN-UP,** subst. f. inv.
Photo ou dessin d'une jolie fille peu vêtue ; par ext., jeune femme aguichante. 1944 ; anglo-amér. *pin-up girl*, de *to pin up*, « afficher », et de *girl*, « fille » ; [pinœp].

**PINYIN,** subst. m.
*Ling.* Système servant à transcrire les caractères chinois en caractères latins, adopté par la République populaire de Chine en 1958. Il utilise les lettres de l'alphabet latin (sauf *v*, plus *ü*) et cinq signes diacritiques indiquant les quatre tons (¯, ´, ˇ, ` ) et l'atonie (˚). V. 1970 ; chinois *pinyin*, de *pin*, « assembler, combiner », et de *yin*, « son » ; [pinjin].

**PIOCHAGE,** subst. m.
Action de piocher. 1752 ; ☞ *piocher* ; [pjɔʃaʒ].

**PIOCHE,** subst. f.
**1.** Outil composé d'un fer recourbé fixé sur un manche, qui sert à creuser la terre. ▸ Loc. *Tête de* ***pioche*** : personne têtue (fam.). **2.** *Jeux.* Tas de cartes ou de dominos non distribués dans lequel les joueurs piochent. Déb. XV^e s. (fin XIII^e s., en zool., pic) ; ☞ *pic* (I) ; [pjɔʃ].

**PIOCHER,** verbe trans. [3]
**1.** Creuser ou défoncer (la terre) avec une pioche. **2.** Fig. et Fam. Étudier, travailler (une question, une matière) avec ardeur : ***Piocher*** *son latin.* **3.** Puiser, prendre au hasard dans un tas : ***Piocher*** *une carte* ou, empl. abs., ***Piocher.*** 1429 ; ☞ *pioche* ; [pjɔʃe].

**PIOCHEUR, EUSE,** subst.
**1.** Personne qui utilise une pioche. **2.** Fig. Personne très assidue au travail (fam. et vieilli). 1534 ; ☞ *piocher* ; [pjɔʃœʀ, øz].

**PIOLET,** subst. m.
Bâton d'alpiniste, ferré à une extrémité et muni d'un petit fer de pioche à l'autre. 1868 ; mot du Val d'Aoste, du piémontais *piola*, « petite hache » ; [pjɔlɛ].

**PION (I), PIONNE,** subst.
Masc. *Jeux.* Chaque pièce d'un jeu d'échecs qui n'est pas une figure ; chaque pièce d'un jeu de dames ; par ext. : ***Pions*** *du loto, du Monopoly.* ▸ Loc. *N'être qu'un* ***pion*** *sur l'échiquier* : être manipulé. Masc. et Fém. Surveillant, dans un établissement scolaire (argot scol.). 1833 (fin XII^e s., fantassin) ; bas lat. *pedonis*, « qui a de grands pieds » ; [pjɔ̃, pjɔn].

**PION (II),** subst. m.
*Phys. part.* Particule fondamentale, notée π (pi), jouant un rôle essentiel dans les interactions fortes. 1957 ; crois. de *pi* et de *ion* ; [pjɔ̃].

**PIONCER,** verbe intrans. [4]
Dormir (fam.). 1827 ; p.-ê. argot *piausser*, de *piau*, « lit » ; [pjɔ̃se].

**PIONNIER, IÈRE,** subst.
Subst. masc. *Milit.* Soldat attaché aux travaux de terrassement. Subst. **1.** Personne qui s'installe dans des contrées inhabitées pour les défricher : *Les* ***pionniers*** *de l'Ouest américain.* **2.** Anal. Personne qui ouvre la voie aux autres dans un domaine inexploré : *Les* ***pionniers*** *de la médecine* ; empl. adj. : *Entreprise* ***pionnière.*** **3.** Adolescent qui était membre d'une association éducative d'État dans les pays socialistes, en partic. en U. R. S. S. Déb. XIII^e s. (mil. XII^e s., fantassin) ; *pion* (vx), « fantassin » ; [pjɔnje, jɛʀ].

**PIOUPIOU,** subst. m.
Jeune soldat (vieilli et fam.). 1838 (1611, cri des poussins) ; orig. onomat. ; [pjupju].

**PIPA,** subst. m.
*Zool.* Amphibien anoure de la famille des Pipidés, vivant en Amérique tropicale. Le plus étonnant des **pipas** est le crapaud du Surinam, qui se caractérise par ses mœurs aquatiques, son corps très plat, et par le fait que ses œufs incubent dans de petites loges situées dans le dos de la femelle. 1734 ; mot d'une langue de la Guyane néerl. ; [pipa].

**PIPE,** subst. f.
**1.** Grande futaille : *Une* ***pipe*** *de vin.* **2.** Pop. Gosier (vx). ▸ Loc. *Casser sa* ***pipe*** : mourir ; *Se fendre la* ***pipe*** : rire. **3.** Petit ustensile servant à fumer, formé d'un tuyau et d'un fourneau que l'on bourre, gén. de tabac : ***Pipe*** *en racine de bruyère, en écume* ; son contenu. ▸ Loc. *Par tête de* ***pipe*** : par personne ; *Nom d'une* ***pipe*** *!* : juron de surprise ou d'indignation. **4.** *Techn.* Élément d'une tuyauterie. **5.** Fellation (vulg.). 1306 ; ☞ *piper* ; [pip].

**PIPEAU,** subst. m.
**1.** *Mus.* Flûte champêtre ; flûte à bec, rudimentaire, à six trous. **2.** *Chasse.* Appeau. ▸ Loc. *C'est du* ***pipeau*** : ce n'est pas vrai, pas sérieux (fam.). Plur. Gluaux. 1559 ; ☞ *pipe* ; [pipo].

**PIPÉE,** subst. f.
Chasse aux oiseaux avec des pipeaux et des gluaux. 1376 (fin XIII^e s., groupe d'oiseaux) ; ☞ *piper* ; [pipe].

**PIPELET, ETTE,** subst.
Fam. **1.** Concierge. **2.** Personne bavarde. 1854 ; *Pipelet*, nom d'un concierge dans *les Mystères de Paris*, d'Eugène Sue ; [piplɛ, ɛt].

**PIPELINE,** subst. m.
Canalisation servant au transport à grande distance de carburants liquides ou de gaz. 1885 ; mot angl. ; var. *pipe-line* (plur. *pipe-lines*) ; [piplin] ou [pajplajn].

**PIPER,** verbe trans. [3]
**1.** Chasser (des oiseaux) au pipeau. **2.** Truquer : ***Piper*** *des dés, des cartes.* **3.** Loc. *Ne pas* ***piper*** *(mot)* : ne rien dire (fam.). Fin XII^e s. ; lat. pop. °*pippare*, du lat. *pipare*, « glousser » ; [pipe].

**PIPÉRACÉES,** subst. f. plur.
*Bot.* Famille de plantes dicotylédones tropicales. Au sing. *Le poivrier est une* ***pipéracée.*** 1816 ; lat. *piper*, « poivre » ; [pipeʀase].

**PIPERADE,** subst. f.
*Cuis.* Plat basque à base de tomates et de poivrons cuits avec des œufs battus en omelette. 1926 ; béarnais *piper*, « piment » ; var. *pipérade* ; [pipəʀad].

**PIPER-CUB,** subst. m.
Avion d'observation léger. V. 1940 ; anglo-amér. *Piper-cub*, de *Piper Aircraft Corporation* et de *cub*, « petit d'un animal » ; plur. *piper-cubs* ; [pipœʀkœb].

**PIPERIE,** subst. f.
Tromperie (littér.). 1455 ; ☞ *piper* ; [pipʀi].

**PIPÉRINE,** subst. f.
*Biochim.* Substance synthétisée par le poivre noir, responsable de son goût piquant. 1821 ; lat. *piper*, « poivre » ; var. *le piperin* ; [pipeʀin].

**PIPÉRONAL,** subst. m.
*Chim.* Héliotropine. 1874 ; all. *Piperonal* ; plur. *pipéronals* ; [pipeʀɔnal].

**PIPETTE,** subst. f.
Petit tube de verre, gén. gradué, servant à prélever un liquide. 1830 (1688, petite pipe) ; ☞ *pipe* ; [pipɛt].

**PIPI,** subst. m.
Fam. **1.** Urine dans le langage enfantin : *Faire* ***pipi***, uriner. **2.** Fig. ***Pipi*** *de chat* : boisson sans saveur ou, par ext., chose négligeable. 1692 ; ☞ *pisser* ; [pipi].

**PIPIER, IÈRE,** subst. et adj.
Subst. Personne employée au façonnage des pipes. Adj. Relatif à la fabrication des pipes : *Industrie* ***pipière.*** 1703 ; ☞ *pipe* ; [pipje, jɛʀ].

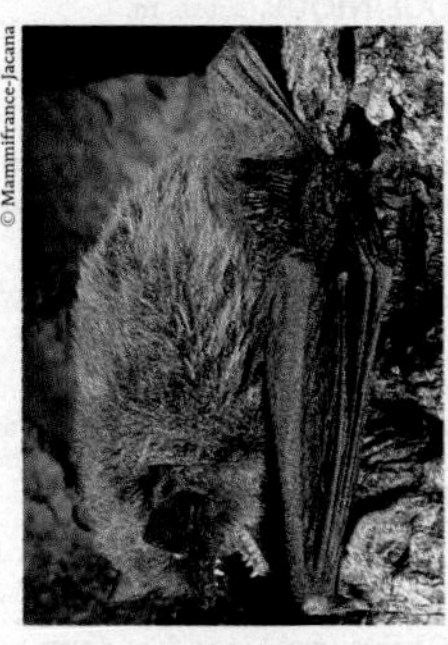

*Pipistrelle.*

**PIPISTRELLE,** subst. f.
*Zool.* Petite chauve-souris commune en Europe et en Asie. 1760 ; ital. *pipistrello* ; [pipistʀɛl].

**PIPIT,** subst. m.
*Zool.* Oiseau passériforme des bocages (**pipit** des arbres) ou des prés (farlouse), apparenté à la bergeronnette. 1764 ; orig. onomat. ; var. *pitpit* ; [pipit].

**PIPO,** subst.
Élève de l'École polytechnique (argot scol.). 1860 ; p.-ê. *Polytechnique* ; [pipo].

**PIQUAGE,** subst. m.
*Techn.* Action de piquer, de transpercer. 1803 ; ☞ *piquer* ; [pikaʒ].

**PIQUANT, ANTE,** adj. et subst. m.
Adj. **1.** Qui pique. ▸ *Cuis. Sauce* ***piquante*** : roux additionné de câpres, de cornichons et de vinaigre. **2.** Qui provoque une sensation de piqûre : *Froid* ***piquant.*** **3.** Fig. Qui suscite l'intérêt, pique la curiosité : *Anecdote* ***piquante.*** Subst. **1.** Chacune des excroissances acérées de certains végétaux ou de la carapace de certains animaux : *Les* ***piquants*** *du hérisson.* **2.** Fig. Ce qui plaît par son caractère bizarre, paradoxal : *Le* ***piquant*** *de l'affaire.* 1398 (1372, projectile quelconque) ; p. pr. de *piquer* ; [pikɑ̃, ɑ̃t].

**PIQUE (I),** subst.
Fém. Arme blanche composée d'une hampe emmanchée d'un fer plat et pointu. Masc. Une des deux couleurs noires d'un jeu de cartes, représentée par un fer de pique stylisé. Fin XIV^e s. ; néerl. *pike* ; [pik].

**PIQUE (II),** subst. f.
Propos blessant. Déb. XVI^e s. ; ☞ *piquer* ; [pik].

**PIQUÉ, ÉE,** adj. et subst. m.
Adj. **1.** Parsemé, marqué de petits trous, de taches, de points : *Miroir* ***piqué.*** **2.** Aigre au goût : *Vin*

*piqué.* **3.** *Cout.* Qui est formé de deux épaisseurs et assemblé par des points : *Un col **piqué**.* **4.** Fig. ▸ Vexé : *Il a pris un air **piqué**.* ▸ Qui n'a pas toute sa raison (fam.). **5.** *Mus. Note piquée* : note qu'il faut jouer d'une manière vive, détachée et accentuée. **Subst. 1.** Tissu, gén. en coton, dont le tissage forme des dessins géométriques en relief. **2.** Descente quasi à la verticale d'un avion de combat qui se dirige droit sur sa cible et se redresse au dernier moment. **3.** Mouvement de danse qui consiste à faire une pointe ou une demi-pointe avec un pied, l'autre restant à plat. **4.** *Le **piqué** d'une photo* : contraste qui restitue tous les détails d'une image avec finesse et netteté. 1690 ; ☞ *piquer* ; [pike].

**PIQUE-ASSIETTE, subst.**
Personne qui a l'habitude de se faire inviter, de se nourrir chez les autres (fam.). 1807 ; comp. de *piquer* et de *assiette* ; plur. *pique-assiette(s)* ; [pikasjɛt].

**PIQUE-BŒUF, subst. m.**
*Zool.* Garde-bœuf. 1775 (1558, celui qui mène les bœufs) ; comp. de *piquer* et de *bœuf* ; plur. *pique-bœufs* ; [pikbœf], plur. [-bø].

**PIQUE-FEU, subst. m.**
Tisonnier. 1878 ; comp. de *piquer* et de *feu* (I) ; plur. *pique-feu(x)* ; [pikfø].

**PIQUE-FLEUR(S), subst. m.**
Support que l'on place dans un vase pour y piquer les tiges des fleurs et les maintenir. 1957 ; comp. de *piquer* et de *fleur* ; plur. *pique-fleurs* ; [pikflœʀ].

**PIQUE-NIQUE, subst. m.**
**1.** Vx. Repas où chacun apporte ou paie sa part. **2.** Repas pris en plein air. 1694 ; comp. de *piquer* et de l'anc. fr. *nique*, « chose sans valeur » ; plur. *pique-niques*, var. *piquenique* ; [piknik].

**PIQUE-NIQUER, verbe intrans.** [3]
Faire un pique-nique. 1874 ; ☞ *pique-nique* ; var. *piqueniquer* ; [piknike].

**PIQUE-NIQUEUR, EUSE, subst.**
Personne qui participe à un pique-nique. 1874 ; ☞ *pique-nique* ; plur. *pique-niqueurs, euses*, var. *piqueniqueur, euse* ; [piknikœʀ, øz].

**PIQUER, verbe** [3]
**Trans. 1.** Percer ou blesser avec une pointe : *Une épine lui a **piqué** le doigt.* **2.** Fig. Donner une sensation de piqûre à : *La fumée **pique** la gorge.* **3.** Percer (qqch.) pour le saisir : ***Piquer** un anchois avec sa fourchette.* **4.** Percer de petits trous : *Les vers ont **piqué** ce lit.* ▸ Loc. *N'être pas **piqué des vers** ou des hannetons* : être remarquable, étonnant (fam.). **5.** Fig. Dérober (fam.). ▸ ***Se faire piquer*** : se faire attraper, arrêter (fam.). **6.** Faire avancer (un animal) en le touchant avec une pique ou des éperons : ***Piquer** un bœuf*, l'aiguillonner ; ***Piquer** un cheval*, l'éperonner. **7.** Enfoncer son dard, son aiguillon dans la chair de : *Une guêpe l'a **piqué**.* **8.** Enfoncer par la pointe : ***Piquer** des punaises sur un mur.* ▸ Planter en terre : ***Piquer** des poireaux.* **9.** Loc. ***Piquer** (qqn) au vif* : l'atteindre dans son amour-propre ; ***Piquer** la curiosité de qqn* : la susciter, l'éveiller. ▸ Fam. ***Piquer** une colère* : se mettre en colère ; ***Piquer** un fard* : rougir de honte, de timidité ; ***Piquer** une tête* : plonger, se jeter à l'eau ; ***Piquer** un sprint* : se mettre à courir très vite. **10.** *Spéc.* ▸ *Cout.* Coudre en effectuant des piqûres à la main ou à la machine : ***Piquer** une doublure.* ▸ *Cuis.* Entailler pour larder, garnir : ***Piquer** d'ail un rôti.* ▸ *Méd.* et *Vétér.* Faire une injection, une piqûre à : ***Piquer** un animal*, lui faire une piqûre pour le tuer sans le faire souffrir. ▸ *Mus. **Piquer** une note* : la jouer en la détachant. **Intrans. 1.** Loc. ***Piquer** des deux* : s'élancer au galop en éperonnant son cheval. **2.** Descendre brusquement à la verticale en parlant d'un oiseau ou d'un avion. ▸ Loc. ***Piquer** du nez* : incliner sa tête en avant, gén. sous l'effet du sommeil. **Pronom. 1.** Se blesser avec qqch. de pointu : *Se **piquer** avec une aiguille.* **2.** Se faire une piqûre ; en partic., s'injecter une drogue : *Se **piquer** à la morphine.* **3.** Fig. Se vexer (littér.) ; affirmer, avec un certain orgueil, une qualité que l'on pense avoir : *Se **piquer** d'avoir du style.* ▸ ***Se piquer** au jeu* : manifester un intérêt soudain pour qqch. Déb. XIVe s. (fin XIIIe s., démolir à coups de pic) ; lat. pop. °*pikkare* ; [pike].

**PIQUET, subst. m.**
**1.** Petit pieu fiché en terre, servant à attacher un animal, à délimiter un terrain, à fixer une tente, etc. ; par anal. : *Mettre un enfant au **piquet**, au coin.* **2.** Ancien jeu pratiqué avec trente-deux cartes et, à l'origine, deux joueurs. **3.** Groupe de cavaliers prêts au départ. ▸ ***Piquet** d'incendie* : dans une caserne, équipe de permanence chargée d'intervenir en cas d'incendie. ▸ ***Piquet** de grève* : groupe de grévistes postés devant leur entreprise pour s'assurer du respect des consignes de grève. 1380 ; ☞ *piquer* ; [pikɛ].

**PIQUETER, verbe trans.** [14]
**1.** Délimiter le tracé de (un terrain, une route...) avec des piquets. **2.** Parsemer de points, de taches. Fin XVIe s. (fin XIVe s., attaquer à coups de pic) ; ☞ *piquet* ; [pikte].

**PIQUETTE, subst. f.**
**1.** Boisson peu alcoolisée faite à partir de marc de raisin (ou d'autres fruits) auquel on ajoute de l'eau avant la fermentation. **2.** Vin aigrelet, de qualité médiocre. **3.** Échec cuisant (fam.). 1583 ; ☞ *piquer* ; [pikɛt].

**PIQUEUR, EUSE, subst. et adj.**
**Subst. 1.** *Vén.* Valet à cheval qui conduit la meute (synon. *piqueux*). **2.** Personne chargée de surveiller les écuries dans un élevage. **3.** *Techn.* Personne qui pique à la machine (des étoffes, des cuirs). **4.** *Trav. publ.* et *Mines.* Ouvrier, mineur qui utilise un pic ou un marteau pneumatique. ▸ Agent qui seconde le conducteur de travaux. **Adj.** *Insecte **piqueur*** : muni d'un organe qui pique. 1555 (1387, terrassier qui travaille avec un pic) ; ☞ *piquer* ; [pikœʀ, øz].

**PIQÛRE, subst. f.**
**1.** Petite blessure provoquée par une pointe, une épine, le dard d'un animal ; au fig. : *Une **piqûre** d'amour-propre.* **2.** *Cout.* Suite de points réguliers destinés à assembler ou à orner une étoffe, une pièce de cuir. **3.** *Méd.* Injection ou ponction, pratiquée dans une partie du corps à l'aide d'une aiguille creuse. **4.** Trou creusé dans le bois par certains insectes. **5.** Petite tache due à l'humidité. Fin XIe s. ; ☞ *piquer* ; [pikyʀ].

**PIRANHA, subst. m.**
*Zool.* Poisson téléostéen carnassier des eaux douces du bassin amazonien, de la famille des Characidés. 1795 ; port. *piranha*, d'orig. tupi-guarani ; var. *piraya* ; [piʀaɲa] ou [-na].

© Varin/Visage-Jacana

*Piranha.*

**PIRATAGE, subst. m.**
Reproduction frauduleuse de qqch. V. 1980 ; ☞ *pirater* ; [piʀataʒ].

**PIRATE, subst. m. et adj.**
**Subst. 1.** Aventurier qui courait les mers pour piller les bateaux ; par ext. : ***Pirate** de l'air*, personne qui détourne un avion en vol, en utilisant la menace. **2.** Ext. Individu qui s'enrichit aux dépens d'autrui. **Adj.** Clandestin, illégal : *Radio **pirate**.* 1213 ; lat. *pirata*, du gr. *peiratês*, « brigand » ; [piʀat].

**PIRATER, verbe** [3]
**Intrans.** S'adonner à la piraterie en mer. **Trans.** Reproduire frauduleusement : ***Pirater** un logiciel, un enregistrement.* Déb. XVIIe s. ; ☞ *pirate* ; [piʀate].

**PIRATERIE, subst. f.**
**1.** Acte de brigandage commis en mer par des pirates ; par ext. : ***Piraterie** aérienne*, détournement d'avion. **2.** Fig. Escroquerie. ▸ ***Piraterie** commerciale* : imitation frauduleuse de produits existant déjà sur le marché. 1505 ; ☞ *pirate* ; [piʀatʀi].

**PIRAYA, voir PIRANHA**

**PIRE, adj. et subst. m.**
**Adj. 1. Le pire, la pire.** Le plus mauvais (superlatif de *mauvais*) : *La **pire** des choses.* **2.** Plus mauvais, plus nocif, plus pénible, etc. (comparatif de *mauvais*) : *Sa situation est **pire** que la vôtre.* ▸ Pis : *C'est encore **pire**.* **Subst.** Ce qu'il y a de **pire** : *S'attendre au **pire**.* ▸ *La politique du **pire*** : où l'on provoque le **pire** pour en tirer parti. 1119 ; lat. *pejor*, comparatif de *malus*, « mauvais » ; [piʀ].

**PIRIFORME, adj.**
En forme de poire. 1687 ; lat. *pirum*, « poire », + *-forme* ; [piʀifɔʀm].

**PIROGUE, subst. f.**
Barque longue et étroite, gén. faite d'un seul tronc d'arbre, traditionnellement mue à la voile ou à la pagaie. 1638 ; esp. *piragua*, d'orig. caraïbe ; [piʀɔg].

© M. Moisnard-Explorer

*Pirogue indienne en Guyane.*

**PIROGUIER, IÈRE, subst.**
Personne qui conduit une pirogue. 1845 ; ☞ *pirogue* ; [piʀɔgje, jɛʀ].

**PIROJKI, subst. m.**
Dans la cuisine russe, petit pâté farci à la viande, au poisson ou au chou, servi chaud (gén. au plur.). 1839 ; russe *pirožki*, plur. de *pirožok* ; [piʀɔʃki].

**PIROLE, subst. f.**
*Bot.* Plante herbacée des lieux humides de la famille des Pirolacées, à fleur unique, grande et odorante. 1567 ; lat. *pirola*, de *pirus*, « poirier » ; [piʀɔl].

**PIROPLASMOSE, subst. f.**
*Vétér.* Parasitose transmise par les tiques à certains mammifères, dont le chien. 1903 ; formé du lat. *pirum*, « poire », de *plasma* et de *-ose* ; [piʀoplasmoz].

**PIROUETTE, subst. f.**
**1.** Tour que l'on fait sur soi-même, sans changer de place, en pivotant sur un seul pied. ▸ *Chorégr.* Tour complet exécuté par un danseur sur la pointe d'un pied. **2.** Fig. Brusque changement d'opinion ou de comportement : *Les **pirouettes** des politiciens.* ▸ Loc. *S'en tirer par une **pirouette*** : éluder une question délicate en y répondant par une plaisanterie. 1611 (1451, sorte de toupie) ; anc. fr. *pirouelle*, « toton », de *rouelle*, « petite roue », et du rad. °*pir-*, « cheville », p.-ê. d'apr. *girouette* ; [piʀwɛt].

**PIROUETTER, verbe intrans.** [3]
Exécuter une ou des pirouettes. 1546 (1530, faire tourner une toupie) ; ☞ *pirouette* ; [piʀwete].

**PIS (I), adj. et adv.**
**Adj.** Plus mauvais, pire (littér.) : *C'est **pis** que tout ; Qui **pis** est*, ce qui est plus grave (en incise). **Adv.** Plus mal : *De mal en **pis***, de plus en plus mal ; empl. subst. : *Dire **pis** que pendre de qqn*, en dire le plus grand mal. ▸ Loc. *Tant **pis** !* : cela ne fait rien ; *Tant **pis** pour* : c'est dommage pour ; *Au **pis** aller* : dans l'hypothèse la moins favorable. Fin Xe s. ; lat. *pejus* ; [pi].

**PIS (II), subst. m.**
Mamelle d'une bête laitière. Fin XIIe s. (fin Xe s., poitrine) ; lat. *pectus*, « poitrine, cœur » ; [pi].

**PIS-ALLER, subst. m. inv.**
Solution que l'on adopte faute de mieux. 1643 ; comp. de *pis* (I) et de *aller* (I) ; [pizale].

**PISCICOLE, adj.**
Qui se rapporte à la pisciculture. 1876 (1828, petite sangsue) ; formé de *pisci-* et de *-cole* ; [pisikɔl].

**PISCICULTEUR, TRICE, subst.**
Personne qui s'occupe de pisciculture. 1857 ; formé de *pisci-* et de *-culteur* ; [pisikyltœʀ, tʀis].

**PISCICULTURE, subst. f.**
Ensemble des techniques de production et d'élevage des poissons, en partic. des poissons d'eau douce : *Truite de **pisciculture**.* 1850 ; formé de *pisci-* et de *-culture* ; [pisikyltyʀ].

**PISCIFORME, adj.**
Qui est en forme de poisson. 1776 ; formé de *pisci-* et de *-forme* ; [pisifɔʀm].

**PISCINE, subst. f.**
**1.** Bassin de natation artificiel. **2.** *Techn. Piscine de*

*désactivation* : bassin rempli d'eau où l'on immerge des combustibles nucléaires en attendant que leur taux de radioactivité ait décru. 🕮 Fin XII^e s. ; lat. *piscina*, de *piscis*, « poisson » ; [pisin].

**PISCIVORE,** adj. et subst.
Se dit d'un animal qui se nourrit de poissons. 🕮 1772 ; formé de *pisci-* et de *-vore* ; [pisivɔʀ].

**PISÉ,** subst. m.
Terre argileuse mêlée d'eau et de paille, utilisée comme matériau de construction. 🕮 1562 ; dial. lyonnais *pisé*, p. p. de *piser*, « piler, broyer » ; [pize].

**PISIFORME,** adj. et subst. m.
*Anat.* Se dit du quatrième os de la première rangée du carpe. 🕮 1765 ; lat. *pisum*, « pois », + *-forme* ; [pizifɔʀm].

**PISOLITE,** subst. f.
*Pétrogr.* Concrétion à structure concentrique de taille supérieure à 2 mm. 🕮 1765 ; lat. *pisum*, « pois », + *-lite* ; var. *pisolithe* ; [pizɔlit].

**PISSALADIÈRE,** subst. f.
*Cuis.* Tarte à l'oignon garnie d'olives noires et de filets d'anchois. 🕮 1938 ; dial. niçois *pissaladiero*, de l'anc. prov. *peis*, « poisson », et *salat*, « salé » ; [pisaladjɛʀ].

**PISSAT,** subst. m.
Urine de certains animaux : ***Pissat** d'âne.* 🕮 Déb. XIV^e s. (fin XII^e s., urine d'homme) ; ☞ *pisser* ; [pisa].

**PISSE,** subst. f.
Urine (vulg.). ▸ Loc. ***Pisse** d'âne* : boisson insipide (fam.). 🕮 Déb. XIX^e s. (XIII^e s., *chaude pisse*, affection des voies urinaires d'un animal) ; ☞ *pisser* ; [pis].

**PISSE-FROID,** subst. m. inv.
Personne morose et guindée, sans humour (fam.). 🕮 1609 ; comp. de *pisser* et de *froid* ; [pisfʀwa].

**PISSENLIT,** subst. m.
*Bot.* Plante herbacée comestible à fleurs jaunes, de la famille des Astéracées. ▸ Loc. *Manger les **pissenlits** par la racine* (☞ *manger*). 🕮 Mil. XV^e s. ; formé de *pisser* et de *lit*, par allus. aux vertus diurétiques de cette plante ; [pisɑ̃li].

**PISSER,** verbe [3]
Fam. INTRANS. Uriner. ▸ Loc. ***Pisser** dans un violon* : agir en vain. TRANS. **1.** Évacuer en même temps que l'urine : ***Pisser** du sang* ; laisser s'échapper à flots : *Blessure qui **pisse** le sang.* **2.** Fig. ***Pisser** de la copie* : écrire abondamment, en négligeant le style. 🕮 Fin XII^e s. ; lat. pop. °*pissiare*, d'orig. onomat. ; [pise].

**PISSETTE,** subst. f.
Appareil de laboratoire qui sert à projeter du liquide en jet. 🕮 1838 ; ☞ *pisser* ; [pisɛt].

**PISSEUX, EUSE,** adj.
Fam. **1.** Imprégné d'urine. **2.** Jauni, passé, terne : *Un blanc **pisseux**.* 🕮 1562 ; ☞ *pisse* ; [pisø, øz].

**PISSE-VINAIGRE,** subst. m. inv.
Personne aigrie, grincheuse (fam.). 🕮 1628 ; comp. de *pisser* et de *vinaigre* ; [pisvinɛgʀ].

**PISSOTIÈRE,** subst. f.
Urinoir public réservé aux hommes (fam.). 🕮 1611 (1542, membre viril) ; m. fr. *pissot*, de *pisser* ; [pisɔtjɛʀ].

**PISTACHE,** subst. f.
**1.** Fruit du pistachier. **2.** Amande comestible de ce fruit ; empl. adj. inv. : *Vert **pistache**,* vert pâle. 🕮 1546 ; ital. *pistacio* ; [pistaʃ].

**PISTACHIER,** subst. m.
*Bot.* Arbre résineux à feuilles luisantes des régions chaudes, de la famille des Anacardiacées, dont le fruit est la pistache. 🕮 1611 ; ☞ *pistache* ; [pistaʃje].

**PISTAGE,** subst. m.
Action de pister. 🕮 1900 ; ☞ *pister* ; [pistaʒ].

**PISTARD, ARDE,** subst.
*Sp.* Cycliste spécialiste des courses sur piste. 🕮 1907 ; ☞ *piste* ; [pistaʀ, aʀd].

**PISTE,** subst. f.
**I. 1.** Trace laissée sur le sol par le passage d'un être vivant ; au fig. : *Suivre la **piste** des anciens.* **2.** Anal. Suite d'indices permettant d'orienter une recherche ; la direction ainsi indiquée : *Être sur la bonne **piste**.* **II. 1.** Ligne tracée par les chevaux dans un manège ; par ext., chemin aménagé pour des courses hippiques. **2.** Voie sans revêtement, sommairement tracée : ***Piste** de brousse.* **3.** Parcours aménagé pour une activité particulière, pour un sport : ***Piste** cyclable* ; ***Piste** de ski.* **4.** Surface, gén. circulaire, prévue pour un spectacle, une activité de détente : ***Piste** d'un cirque* ; ***Piste** de danse.* **5.** Bande de terrain balisée sur l'aire d'un aéroport, pour l'atterrissage et le décollage des avions. **III.** Section linéaire d'un support d'information magnétique. ▸ ***Piste** sonore* : partie d'une pellicule cinématographique réservée à l'enregistrement du son. 🕮 1559 ; ital. *pista*, de *pistare*, « fouler aux pieds ; broyer » ; [pist].

**PISTER,** verbe trans. [3]
Suivre à la trace, épier (qqn) ; suivre la piste de (un gibier). 🕮 1859 ; ☞ *piste* ; [piste].

**PISTEUR, EUSE,** subst.
Personne chargée de l'entretien et de la surveillance de pistes de ski. 🕮 V. 1970 (1867, celui qui recherche des clients pour un hôtel) ; ☞ *piste* ; [pistœʀ, øz].

**PISTIL,** subst. m.
*Bot.* Appareil reproducteur femelle des végétaux supérieurs comprenant l'ovaire, le style et le stigmate. 🕮 1685 ; lat. *pistillus*, « pilon », par anal. de forme ; [pistil].

**PISTOLE,** subst. f.
*Numism.* **1.** Monnaie d'or battue en Espagne et en Italie aux XVI^e et XVII^e s. **2.** Ext. Ancienne monnaie de compte française, valant 10 livres. 🕮 1619 (1544, petite arquebuse) ; all. *Pistole*, du tchèque *píšťala*, « sifflet ; flûte ; arme portative » ; [pistɔl].

**PISTOLET,** subst. m.
**1.** Arme à feu individuelle à canon court. ▸ Appareil servant à pulvériser certains fluides : *Peindre au **pistolet**.* **2.** Fig. Personne bizarre (fam.) : *Quel drôle de **pistolet** !* **3.** Planchette permettant de tracer des courbes. **4.** Belg. Petit pain de forme ronde. **5.** Urinal. 🕮 1546 ; ☞ *pistole* ; [pistɔlɛ].

**PISTOLET-MITRAILLEUR,** subst. m.
Arme automatique individuelle (synon. *mitraillette*). 🕮 1938 ; comp. de *pistolet* et de *mitrailleur* ; plur. *pistolets-mitrailleurs* ; [pistɔlɛmitʀajœʀ].

**PISTOLEUR, EUSE,** subst.
Personne qui peint au pistolet. 🕮 V. 1960 ; ☞ *pistolet* ; [pistɔlœʀ, øz].

**PISTON,** subst. m.
**I. 1.** *Techn.* Pièce cylindrique opérant un mouvement de va-et-vient à l'intérieur d'un corps de pompe, d'un cylindre d'une machine à vapeur ou d'un moteur à combustion interne. **2.** *Mus.* Pièce mobile de certains instruments à vent qui permet, en réglant le passage de l'air, d'obtenir tous les sons de l'échelle chromatique : *Trombone à **pistons**.* ▸ Méton. Musicien qui joue du cornet à **pistons**. **II. 1.** Fig. Recommandation dont une personne profite pour obtenir un avantage, un emploi (fam.) : *Il a eu ce poste par **piston**.* **2.** Argot scol. Candidat ou élève à l'École centrale ; par méton., l'École centrale. 🕮 1662 (1534, pilon) ; ital. *pistone*, « pilon de mortier », de *pistare*, « broyer » ; [pistɔ̃].

**PISTONNER,** verbe trans. [3]
Favoriser (qqn) en usant de son influence (fam.). 🕮 1857 ; ☞ *piston* ; [pistɔne].

**PISTOU,** subst. m.
*Cuis.* Condiment à base de basilic et d'ail pilés avec de l'huile d'olive : *Soupe au **pistou**.* 🕮 1938 ; anc. prov. *pistar*, du bas lat. *pistare*, « piler » ; [pistu].

**PITANCE,** subst. f.
Ration de nourriture (vieilli ou littér.). 🕮 1178 (déb. XII^e s., pitié) ; lat. médiév. *pietantia*, de *pietas*, « piété » ; [pitɑ̃s].

**PITCHOUN, OUNE,** subst.
Région. (Provence). Petit enfant (fam.). 🕮 1848 ; prov. *pitchoun*, « petit » ; [pitʃun].

**PITCHPIN,** subst. m.
Bois brun-rouge produit par diverses espèces de pins d'Amérique du Nord et utilisé en menuiserie. 🕮 1875 ; angl. *pitch-pine*, « pin à résine » ; [pitʃpɛ̃].

**PITE,** subst. f.
**1.** *Bot.* Agave du Mexique. **2.** Matière textile tirée de ses fibres. 🕮 Déb. XVII^e s. ; esp. *pita* ; [pit].

**PITEUSEMENT,** adv.
De manière piteuse, lamentable. 🕮 Fin XII^e s. ; ☞ *piteux* ; [pitøzmɑ̃].

**PITEUX, EUSE,** adj.
**1.** Qui suscite une pitié mêlée de mépris ; pitoyable, minable : *En **piteux** état.* **2.** Honteux, confus : *Se sentir **piteux**.* 🕮 Fin XII^e s. (déb. XII^e s., compatissant, miséricordieux) ; bas lat. *pietosus*, « plein de compassion » ; [pitø, øz].

**PITHÉCANTHROPE,** subst. m.
*Anthropol.* Nom donné à l'hominidé fossile de Java, considéré lors de sa découverte en 1891 comme le chaînon manquant entre singes et hommes, mais qui est un véritable homme. 🕮 1896 ; lat. sc. *pithecanthropus*, du gr. *pithêkos*, « singe », et *anthropos*, « homme » ; [pitekɑ̃tʀɔp].

**PITHIATISME,** subst. m.
*Psych.* Trouble hystériforme curable par la suggestion. 🕮 1901 ; gr. *peithein*, « persuader », et *iatos*, « guérissable » ; [pitjatism].

**PITHIVIERS,** subst. m.
Pâtisserie feuilletée fourrée d'une frangipane. 🕮 Fin XIX^e s. ; topon. *Pithiviers* ; [pitivje].

**PITIÉ,** subst. f.
**1.** Sentiment de compassion éprouvé à l'égard de la souffrance d'autrui, mêlé du désir de la soulager : *Avoir **pitié*** ; *Prendre en **pitié*** ; *Être sans **pitié*** ; *Faire **pitié**,* inspirer ce sentiment ; *Par **pitié** !,* de grâce ! **2.** Compassion condescendante : *Gardez votre **pitié** !* 🕮 Mil. XI^e s. ; lat. *pietas*, « piété » ; [pitje].

**PITON,** subst. m.
**1.** Clou ou vis dont la tête a la forme d'un anneau ou d'un crochet. **2.** Pic d'une montagne. 🕮 1382 ; prov. *pitar*, « picorer, picoter » ; [pitɔ̃].

**PITONNER,** verbe intrans. [3]
**1.** *Alp.* Planter des pitons. **2.** Québ. Appuyer sur les touches d'un appareil. 🕮 1936 ; ☞ *piton* ; [pitɔne].

**PITOYABLE,** adj.
**1.** Qui suscite la pitié : *Détresse **pitoyable**.* **2.** Qui provoque le mépris ; lamentable : *Mensonge **pitoyable**.* 🕮 XIII^e s. (XII^e s., miséricordieux) ; ☞ *pitié* ; [pitwajabl].

**PITOYABLEMENT,** adv.
De manière pitoyable. 🕮 1262 ; ☞ *pitoyable* ; [pitwajabləmɑ̃].

**PITPIT,** voir **PIPIT**

**PITRE,** subst. m.
Personne qui fait rire par ses plaisanteries, ses farces. 🕮 1866 (1790, bouffon qui attire le public à un spectacle de foire) ; prob. var. dial. de *piètre* ; [pitʀ].

**PITRERIE,** subst. f.
Facétie, farce de pitre. 🕮 1876 ; ☞ *pitre* ; [pitʀəʀi].

**PITTORESQUE,** adj.
**1.** Qui plaît par son originalité, par sa beauté ; qui vaut d'être peint. **2.** Qui décrit ou exprime de manière expressive, originale : *Des détails **pittoresques*** ; empl. subst. masc. : *Le **pittoresque** d'un quartier.* 🕮 1738 (1658, *à la pittoresque*, à la manière des peintres) ; ital. *pittoresco*, de *pittore*, « peintre » ; [pitɔʀɛsk].

**PITTOSPORUM,** subst. m.
*Bot.* Arbuste des régions tropicales, à fleurs odoriférantes. 🕮 1803 ; lat. sc. *pittosporum*, du gr. *pitta*, « poix », et *spora*, « spore » ; [pitɔspɔʀɔm].

**PITUITAIRE,** adj.
**1.** Relatif à l'hypophyse. **2.** Qui concerne la muqueuse des fosses nasales. **3.** Relatif à la pituite. 🕮 1575 ; ☞ *pituite* ; [pitɥitɛʀ].

**PITUITE,** subst. f.
*Pathol.* **1.** Flegme (vieilli). **2.** Liquide filant et aqueux rejeté à jeun par un malade souffrant de gastrite. 🕮 1541 ; lat. *pituita*, « mucus, humeur, pépie » ; [pitɥit].

**PITYRIASIS,** subst. m.
*Pathol.* Dermatose caractérisée par un érythème et une fine desquamation. 🕮 1843 ; gr. *pituriasis*, de *pituron*, « son, partie grossière du blé moulu » ; [pitiʀjazis].

**PIU,** adv.
*Mus.* Plus (sur une partition, pour accentuer un mouvement) : *Piu forte.* 🕮 Mil. XIX^e s. ; ital. *più* ; [pju].

**PIVE,** subst. f.
Helv. Fruit des conifères (synon. *pomme de pin*). 🕮 1611 ; lat. *pipa*, « sifflet, flûte » ; [piv].

**PIVERT,** subst. m.
*Zool.* Grand pic au plumage jaune et vert. 🕮 1488 ; crois. de *pic* (III) et de *vert* ; var. *pic-vert* (plur. *pics-verts*) ; [pivɛʀ].

**PIVOINE,** subst. f.
*Bot.* Plante à bulbe de la famille des Péoniacées à grosses fleurs rouges, roses ou blanches ; par méton., la fleur. ▸ Loc. *Être rouge comme une **pivoine*** : rouge d'émotion. 🕮 Fin XIV^e s. ; lat. *paeonia*, du gr. *paiônia*, de *Paiôn*, dieu guérisseur ; [pivwan].

**PIVOT,** subst. m.
**1.** Extrémité d'un axe vertical, sur laquelle repose la partie tournante d'un objet, d'un mécanisme. **2.** Point essentiel autour duquel tout s'organise : *La libre concurrence est le **pivot** du capitalisme.* **3.** *Spéc.* ▸ *Bot.* Racine principale. ▸ *Dent.* Petite tige de métal qui sert à fixer une dent artificielle dans la racine. ▸ *Milit.* Point autour duquel une troupe effectue une conversion. ▸ *Sp.* Basketteur placé près du panier et qui pivote pour passer ou tirer. 🕮 Fin XII^e s. ; orig. obsc. ; [pivo].

**PIVOTANT, ANTE,** adj.
1. Qui pivote. 2. *Bot.* *Plante* ***pivotante*** : pourvue d'un pivot s'enfonçant à la verticale. Mil. XVIe s. ; p. pr. de *pivoter* ; [pivɔtɑ̃, ɑ̃t].

**PIVOTEMENT,** subst. m.
Mouvement de ce qui pivote. 1873 ; ☞ *pivoter* ; [pivɔtmɑ̃].

**PIVOTER,** verbe intrans. [3]
1. Tourner sur ou comme sur un pivot. 2. Fig. S'organiser autour d'un élément essentiel. 3. *Spéc.* ▸ *Bot.* S'enfoncer verticalement en terre, en parlant d'une racine. ▸ *Milit.* Exécuter un changement de direction. 1812 ; ☞ *pivot* ; [pivɔte].

**PIXEL,** subst. m.
*Techn.* Plus petit élément homogène d'une image numérique, auquel peuvent être attribuées des caractéristiques de luminosité, de couleur, de clignotement. V. 1980 ; anglo-amér. *pixel*, crois. de *picture*, « image », et de *element*, « élément » ; [piksɛl].

**PIZZA,** subst. f.
*Cuis.* Spécialité italienne parfumée à l'origan, faite d'une galette de pâte à pain garnie de tomates et de mozzarella, cuite au four et pouvant s'enrichir de divers ingrédients. 1888 ; mot sicilien ; [pidza].

**PIZZERIA,** subst. f.
Restaurant italien où l'on sert des pizzas. 1954 ; ital. *pizzeria*, de *pizza* ; [pidzeʀja].

**PIZZICATO,** subst. m.
*Mus.* Manière de jouer en pinçant les cordes avec les doigts, sur les instruments à archet. 1767 ; ital. *pizzicato*, de *pizzicare*, « pincer » ; plur. *pizzicatos* ou *pizzicati* ; [pidzikato], plur. [-ti].

**PLACAGE,** subst. m.
1. Application sur un support ordinaire d'une feuille de matière résistante ou noble ; en partic., technique employée en ébénisterie ; par méton., cette feuille. 2. Fig. Morceau rapporté, ajout qui ne s'intègre pas harmonieusement à une œuvre. 3. *Sp.* Plaquage. 1676 (1392, plâtrage de torchis) ; ☞ *plaquer* ; [plakaʒ].

**PLACARD,** subst. m.
I. 1. Avis affiché dans un lieu public. 2. ***Placard publicitaire*** : annonce publicitaire, d'un format important, dans une publication. 3. *Impr.* Épreuve d'un texte destinée à la correction, sans pagination et comportant de larges marges. 4. Anal. Couche épaisse (fam.). II. 1. Espace de rangement fermé par une porte ; par ext., armoire. ▸ Loc. *Mettre au* ***placard*** : à l'écart. 2. Prison (argot.). 1444 (1364, lettre dont le parchemin n'est pas plié) ; ☞ *plaquer* ; [plakaʀ].

**PLACARDER,** verbe trans. [3]
Afficher (qqch.) ; couvrir (une surface) de placards. 1611 ; ☞ *placard* ; [plakaʀde].

**PLACE,** subst. f.
I. 1. Espace, endroit occupé par une chose, une personne. ▸ Loc. *De* ***place*** *en* ***place*** : par endroits ; *Sur* ***place*** : sans se déplacer ; *Ne pas tenir en* ***place*** : s'agiter. 2. Espace réservé à un usage précis : *Ranger chaque chose à sa* ***place***. ▸ Siège réservé dans un lieu public : ***Place*** *assise* ; ***Place*** *de cinéma, de théâtre* ; par méton., billet correspondant au prix d'une **place** louée. 3. Espace libre : *Trouver de la* ***place*** ; *Gain de* ***place*** ; *Prendre* ***place***, s'installer. 4. Belg. Pièce d'habitation : *Un appartement de trois* ***places***. II. 1. Espace public, plus ou moins vaste, entouré de constructions, dans une ville, un village : ***Place*** *du marché, de l'église*. ▸ Loc. *Sur la* ***place*** *publique* : aux yeux de tous. 2. *Comm.* et *Fin.* Ville où ont lieu des échanges boursiers, bancaires ou commerciaux : ***Place*** *financière* ; *Avoir du crédit sur la* ***place***. ▸ Ensemble des commerçants, des banquiers d'une ville. 3. *Milit.* ▸ ***Place*** *d'armes* : lieu où se regroupaient les défenseurs d'une ville ; étendue dégagée réservée aux troupes pour les défilés. ▸ ***Place*** *forte* : ville fortifiée ou ville de garnison. III. 1. Situation, rôle qu'occupe une personne ou une chose dans un ensemble : *La* ***place*** *de l'homme dans l'Univers* ; *La* ***place*** *des mots dans une phrase*. ▸ Situation, condition dans laquelle se trouve qqn : *Pour rien au monde il ne donnerait sa* ***place*** ; *À votre* ***place***, *je réfléchirais !* 2. Position, rang au sein d'une hiérarchie, dans une compétition : *La* ***place*** *d'honneur* ; *Première* ***place*** *au classement général* ; *Être en* ***place***, être socialement bien établi. ▸ Emploi, gén. subalterne : *Perdre sa* ***place***, être licencié. Fin XIe s. ; lat. pop. °*plattea*, du lat. *platea*, « rue large, place » ; [plas].

**PLACEBO,** subst. m.
*Méd.* Produit inactif substitué à un médicament à l'insu du patient pour apprécier les effets psychologiques liés à un traitement. 1954 ; lat. *placebo*, « je plairai », de *placere*, « plaire » ; [plasebo].

**PLACEMENT,** subst. m.
1. Action de placer, d'assigner une place à qqn ou à qqch. ; manière d'être placé. ▸ *Sp.* Manière pour un joueur de se placer par rapport à un adversaire ou au ballon ; position d'une partie du corps. 2. Action de placer de l'argent pour en toucher des intérêts ou d'acheter un bien pour en tirer un revenu ; le capital ainsi placé. 3. Action de confier qqn à la garde d'une personne, d'une institution : ***Placement*** *d'un enfant en nourrice* ; internement psychiatrique : ***Placement*** *d'office, volontaire*. 4. Action de procurer un emploi, une place à qqn : *Bureau de* ***placement***. 1616 ; ☞ *placer* (I) ; [plasmɑ̃].

**PLACENTA,** subst. m.
1. *Anat.* Organe provisoire présent dans l'utérus gravide, qui assure les échanges nutritifs entre la mère et le fœtus grâce au cordon ombilical : *Le* ***placenta*** *est expulsé après l'accouchement*. 2. *Bot.* Partie d'un carpelle où sont fixés les ovules. 1642 ; lat. *placenta*, « galette, gâteau », par anal. de forme ; [plasɛ̃ta].

**PLACENTAIRE,** adj. et subst. m. plur.
Adj. 1. *Anat.* Relatif au placenta. 2. *Zool.* Se dit des mammifères qui développent un placenta complet. Subst. *Zool.* Sous-classe regroupant les mammifères **placentaires** ; au sing. : *Le koala n'est pas un* ***placentaire***. 1855 (1817, partie du fruit formée par la réunion de plusieurs placentas) ; ☞ *placenta* ; [plasɛ̃tɛʀ].

**PLACENTATION,** subst. f.
1. *Anat.* Formation du placenta. 2. *Bot.* Disposition des ovules dans l'ovaire. 1817 ; ☞ *placenta* ; [plasɛ̃tasjɔ̃].

**PLACER (I),** verbe trans. [4]
1. Assigner à (qqn) un endroit déterminé : *L'ouvreuse* ***place*** *les spectateurs* ; empl. pronom. : *Se* ***placer*** *au premier rang*. 2. Mettre (qqch.) à une certaine place, d'une certaine façon : ***Placer*** *sa chaise au soleil* ; ***Placer*** *un satellite sur orbite* ; *Être bien, mal* ***placé*** *pour* (+ inf.) : être, ne pas être en situation de ; empl. pronom. : *Le vase se* ***place*** *sur la cheminée*, est habituellement **placé** sur. ▸ *Mus.* ***Placer*** *sa voix* : trouver le registre qui lui convient le mieux. ▸ *Sp.* ***Placer*** *sa balle* : l'envoyer à l'endroit voulu, au tennis et à la pelote basque ; ***Placer*** *un coup* : porter un coup, en boxe et en escrime. 3. Mettre (qqn) dans une situation déterminée : ***Placer*** *qqn devant le fait accompli*. 4. Confier à la garde d'une personne, d'une institution : ***Placer*** *un bébé en nourrice*. ▸ Faire entrer dans un emploi : ***Placer*** *son fils en apprentissage*. 5. Assigner un rang, une valeur à : ***Placer*** *l'amour au-dessus de tout* ; empl. adj. : *Personne haut* ***placée***, qui a une position hiérarchique élevée ; empl. pronom. : *Se* ***placer*** *parmi les meilleurs*. 6. Investir, faire valoir (un capital). 7. Citer à propos : ***Placer*** *une anecdote*. ▸ Loc. *Ne pas pouvoir en* ***placer*** *une* : être réduit au silence par la prolixité d'un interlocuteur (fam.). 8. Situer dans le temps ou dans l'espace : *L'élève* ***plaçait*** *Bordeaux sur la Méditerranée* ; *L'auteur a* ***placé*** *l'action de son roman au Moyen Âge*. 9. Trouver preneur pour (une marchandise) : ***Placer*** *une encyclopédie*. 1564 ; ☞ *place* ; [plase].

**PLACER (II),** subst. m.
*Géol.* Gisement détritique (alluvions, sables marins) de minéraux denses (or, platine, diamants, etc.). 1846 ; esp. *placer*, « banc de sable » ; [plasɛʀ].

**PLACET,** subst. m.
1. Écrit sollicitant une faveur auprès d'une personne ayant autorité pour l'accorder (vx). 2. *Dr.* Copie de l'assignation adressée par le demandeur au greffe d'un tribunal pour sa mise au rôle. 1479 (1365, assignation à comparaître) ; lat. *placet*, « il plaît » ; [plasɛ].

**PLACETTE,** subst. f.
Petite place publique. 1356 ; ☞ *place* ; [plasɛt].

**PLACEUR, EUSE,** subst.
1. *Techn.* Ouvrier qui met en place (des pièces, des objets). 2. Personne qui dirige un bureau de placement. 3. Personne qui place les gens dans une salle de spectacle ou lors d'une réception (synon. du fém. *ouvreuse*). 1765 ; ☞ *placer* (I) ; [plasœʀ, øz].

**PLACIDE,** adj.
Calme, paisible. 1495 ; lat. *placidus* ; [plasid].

**PLACIDITÉ,** subst. f.
Caractère placide. XVIe s. ; lat. *placiditas* ; [plasidite].

**PLACIER, IÈRE,** subst.
1. Personne chargée de louer les places de marché aux commerçants. 2. Représentant de commerce proposant, pour le compte d'une société, des articles à des particuliers. 1690 ; ☞ *place* ; [plasje, jɛʀ].

**PLACODERMES,** subst. m. plur.
*Zool.* Classe de poissons fossiles du Dévonien, aussi appelés poissons cuirassés. Au sing. *Le* ***placoderme*** *« Dunkleosteus » mesurait dix mètres de long*. Fin XIXe s. ; formé de *placo-* et de *-derme* ; [plakɔdɛʀm].

**PLACOPLÂTRE,** subst. m. inv.
*Bât.* Matériau de construction constitué d'un panneau de plâtre coulé entre deux feuilles de carton. V. 1970 ; ☞ *plâtre* + *placo-* ; n. déposé ; [plakɔplɑtʀ].

**PLAFOND,** subst. m.
I. 1. *Archit.* Surface horizontale qui limite dans sa hauteur l'intérieur d'un lieu couvert, d'un véhicule. ▸ ***Faux plafond*** : surface qui double un **plafond** d'origine en ménageant un vide. ▸ Loc. fam. *Sauter au* ***plafond*** : exprimer une vive indignation, une vive surprise ; *Avoir une araignée au* ***plafond*** : être fou. 2. Méton. *B.-a.* Peinture exécutée sur un **plafond**. 3. *Météor.* ***Plafond*** *nuageux* : base d'une couche de nuages visible du sol. II. Fig. 1. *Aéron.* Altitude maximale que peut atteindre un avion. 2. *Fin.* et *Admin.* Montant maximal fixé par la loi ; en appos. : *Prix* ***plafond***. ▸ ***Plafond*** *de ressources* : revenu au-delà duquel on ne peut plus prétendre à certains avantages. ▸ ***Plafond*** *d'émission* : seuil maximal légal d'émission de billets de banque. ▸ Loc. *Crever le* ***plafond*** : dépasser la limite supérieure (fam.). 1546 ; formé de *plat* et de *fond* ; [plafɔ̃].

**PLAFONNEMENT,** subst. m.
Action de fixer une limite supérieure à (qqch.) ; son résultat : ***Plafonnement*** *des salaires, des prix*. 1922 (1874, terme de b.-a.) ; ☞ *plafonner* ; [plafɔnmɑ̃].

**PLAFONNER,** verbe [3]
Trans. 1. Garnir (une pièce) d'un plafond. 2. Fig. Fixer une limite supérieure à (qqch.) : ***Plafonner*** *les salaires*. Intrans. 1. Atteindre une altitude ou une vitesse maximale. 2. Fig. Cesser de progresser : *La production* ***plafonne***. 1690 ; ☞ *plafond* ; [plafɔne].

**PLAFONNEUR, EUSE,** subst.
Plâtrier spécialisé dans l'exécution des plafonds. 1797 ; ☞ *plafonner* ; [plafɔnœʀ, øz].

**PLAFONNIER,** subst. m.
Dispositif d'éclairage électrique appliqué au plafond. 1906 ; ☞ *plafond* ; [plafɔnje].

**PLAGAL, ALE, AUX,** adj.
*Mus.* *Mode* ***plagal*** : mode du plain-chant grégorien dont la finale est à la quarte supérieure de la note initiale du mode (☞ *mode*) ; c'est le cas de *ré* par rapport à *la*, dans l'hypodorien. ▸ *Cadence* ***plagale*** : cadence de la sous-dominante à la tonique. 1598 ; lat. médiév. *plagalis*, du gr. *plagios*, « oblique » ; [plagal, o].

**PLAGE,** subst. f.
1. Étendue en légère pente, plate et dégagée, de sable ou de galets, qui borde la mer, les lacs et les rivières ; en partic., endroit du littoral fréquenté par les baigneurs. 2. Méton. Station balnéaire. 3. Anal. Surface circonscrite d'un lieu, d'une chose. ▸ Pont avant ou arrière de certains navires de guerre. ▸ ***Plage*** *arrière d'un véhicule* : tablette située sous la lunette arrière. ▸ ***Plage*** *d'un microsillon* : gravure qui correspond à un morceau musical. 4. Durée délimitée : *Une* ***plage*** *de temps*. Fin XIIIe s. ; ital. *piaggia*, du gr. *plagios*, « oblique » ; [plaʒ].

**PLAGIAIRE,** subst.
Auteur qui plagie les œuvres d'autrui. XVIe s. ; lat. *plagiarius*, « celui qui débauche les esclaves d'autrui », du gr. *plagios*, « oblique » ; [plaʒjɛʀ].

**PLAGIAT,** subst. m.
Acte du plagiaire ; par méton., œuvre composée d'emprunts. 1697 ; ☞ *plagiaire* ; [plaʒja].

**PLAGIER,** verbe trans. [6]
1. Imiter (un auteur) en s'attribuant abusivement des fragments de son œuvre. 2. Ext. Imiter (les manières d'une personne). 1801 ; ☞ *plagiat* ; [plaʒje].

**PLAGIOCLASE,** subst. m.
*Minér.* Feldspath contenant du calcium et du sodium en proportions variables. 1899 ; gr. *plagios*, « oblique », + *-clase* ; [plaʒjɔklɑz].

**PLAGISTE, subst.**
Personne qui, sur une plage, loue des cabines de bain, des emplacements, des parasols. V. 1960 ; ☞ *plage* ; [plaʒist].

**PLAID (I), subst. m.**
**1.** *Hist.* Assemblée judiciaire réunie autour du roi des Francs ; jugement rendu lors de cette audience. **2.** *Dr.* Plaidoyer ou procès (vx). Fin XIe s. (842, accord, convention) ; lat. *placitum*, de *placere*, « plaire » ; [plɛ].

**PLAID (II), subst. m.**
**1.** Étoffe de laine à carreaux que les montagnards écossais portaient en guise de manteau. **2.** Anal. Couverture de voyage en lainage écossais. 1708 (1664, serge d'Écosse) ; angl. *plaid*, du gaélique ; [plɛd].

**PLAIDER, verbe** [3]
**Intrans. 1.** Contester qqch. en justice. **2.** Défendre une partie devant un tribunal. **3.** Anal. Développer des arguments au bénéfice d'une cause, d'une personne ; jouer en faveur de qqn, de qqch. : *Son passé ne **plaidera** pas pour lui.* **Trans. 1.** Défendre (une cause) devant les juges : *Qui va **plaider** ton affaire ?* **2.** Faire valoir (le fondement d'une plaidoirie) : ***Plaider** la légitime défense* ; par ell. : ***Plaider** coupable, non coupable.* ▸ Loc. ***Plaider** le faux pour savoir le vrai* : travestir sa pensée pour amener son interlocuteur à dévoiler la sienne. Fin XIe s. ; ☞ *plaid* (I) ; [plede].

**PLAIDEUR, EUSE, subst.**
Personne qui plaide en justice ; par ext., personne procédurière (péj.). Déb. XIIIe s. ; ☞ *plaider* ; [plɛdœʀ, øz].

**PLAIDOIRIE, subst. f.**
*Dr.* Exposé oral des arguments que fait valoir une partie devant un tribunal. 1318 ; *plaidoyer* (vx), « adresser ses supplications » ; [plɛdwaʀi].

**PLAIDOYER, subst. m.**
**1.** *Dr.* Plaidoirie (vieilli). **2.** Défense publique passionnée d'une cause ou d'une personne. Fin XIVe s. ; *plaidoyer* (vx), « adresser ses supplications », de *plaid* (I) ; [plɛdwaje].

**PLAIE, subst. f.**
**1.** Entaille dans les chairs due à un traumatisme ou faite lors d'une intervention chirurgicale. **2.** Anal. Entaille dans l'écorce d'un arbre. **3.** Fig. Source de souffrance morale ; par exagér., situation ou personne qui agace. ▸ Loc. *Remuer le couteau dans la **plaie*** : évoquer avec insistance un sujet douloureux. Fin XIe s. ; lat. *plaga*, « coup, blessure » ; [plɛ].

**PLAIGNANT, ANTE, adj. et subst.**
*Dr.* **Adj.** Qui porte plainte, qui se plaint en justice : *La partie **plaignante**.* **Subst.** Personne qui porte plainte. 1259 (fin XIIe s., qui se plaint) ; p. pr. de *plaindre* ; [plɛɲɑ̃, ɑ̃t].

**PLAIN, PLAINE, adj. et subst. m.**
**Adj. 1.** Plat, uni (vieilli). **2.** *Hérald.* D'un seul émail, en parlant d'un écu. **Subst.** *Mar.* Marée haute ; partie du rivage où s'arrête la pleine mer : *Aller au **plain**,* s'échouer. Mil. XIIe s. ; lat. *planus* ; [plɛ̃, plɛn].

**PLAIN-CHANT, subst. m.**
*Mus.* Chant liturgique grégorien, de l'Église catholique, à une voix, non mesuré mais rythmé, composé sur des textes latins. Fin XVe s. ; comp. de *plain* et de *chant* (I) ; plur. *plains-chants* ; [plɛ̃ʃɑ̃].

**PLAINDRE, verbe trans.** [54]
**1.** Éprouver de la compassion pour (qqn). ▸ Loc. *Ne pas être à **plaindre*** : être dans une situation enviable. **2.** Accorder avec parcimonie (rare) : *Ne pas **plaindre** son argent.* **Pronom. 1.** Exprimer sa souffrance. **2.** Exprimer son mécontentement, des griefs (à l'égard de qqch., de qqn) : *Se **plaindre** du froid ; Se **plaindre** auprès de la direction.* XIe s. ; lat. *plangere*, « se frapper la poitrine, se lamenter » ; [plɛ̃dʀ].

**PLAINE, subst. f.**
**1.** Vaste étendue géographique, de relief plat, dont l'altitude est voisine du niveau de la mer. **2.** *Hist. La Plaine* : sous la Convention, groupe de députés aux positions modérées (synon. *le Marais*). Mil. XIIe s. ; lat. pop. °*planea* ; [plɛn].

**PLAIN-PIED (DE), loc. adv.**
**1.** Au même niveau : *La chambre est **de plain-pied** avec le jardin ; Maison **de plain-pied**,* en rez-de-chaussée. **2.** Fig. À l'aise (vieilli) ; sur un pied d'égalité. 1611 ; comp. de *plain* et de *pied* ; [dəplɛ̃pje].

**PLAINTE, subst. f.**
**1.** Extériorisation vocale de la souffrance d'un être humain, d'un animal ; par anal. : *La **plainte** du vent dans les arbres.* **2.** Expression d'une insatisfaction. **3.** *Dr.* Dénonciation en justice, par une personne physique ou morale, d'une infraction dont elle s'estime victime : *Porter **plainte**.* Fin XIe s. ; ☞ *plaindre* ; [plɛ̃t].

**PLAINTIF, IVE, adj.**
Qui a l'intonation d'une plainte : *Une mélodie **plaintive**.* Fin XIIe s. ; ☞ *plainte* ; [plɛ̃tif, iv].

**PLAIRE, verbe trans. indir.** [59]
**Plaire à. 1.** Être agréable, convenir (à qqn), en parlant d'une chose : *Ce film m'a **plu*** ; empl. abs. : *Un modèle qui **plaît**.* **2.** Éveiller de l'intérêt, de la sympathie, un désir amoureux chez (autrui), en parlant d'une personne, de ses qualités : *Son frère me **plaît** beaucoup.* **Impers.** *S'il te **plaît**, s'il vous **plaît*** : formule de politesse qui précède ou suit une demande ; ***Plaît**-il ?* : vous dites ? (littér.) ; *Comme il vous **plaira*** : selon vos désirs ; ***Plût**, **plaise** au ciel que* : expression du regret ou du souhait. **Pronom. 1.** Prendre plaisir à : *Elle se **plaisait** à regarder la mer.* **2.** S'apprécier, s'aimer mutuellement. **3.** Se sentir bien dans un lieu, avec qqn : *Je me **plais** à Paris, en sa compagnie.* ▸ Trouver un milieu favorable : *La vipère se **plaît** dans la pierraille.* Mil. XIe s. ; p.-ê. anc. verbe *plaisir*, du lat. *placere* ; [plɛʀ].

**PLAISAMMENT, adv.**
De façon plaisante : *Une anecdote **plaisamment** racontée.* Déb. XIIIe s. ; ☞ *plaisant* ; [plɛzamɑ̃].

**PLAISANCE, subst. f.**
**1.** Vx. Plaisir. **2.** Loc. **De plaisance.** Dont le but est l'agrément : *Voyage, bateau de **plaisance**.* ▸ *La **plaisance*** : la navigation de **plaisance**. Fin XIIIe s. ; ☞ *plaisant* ; [plɛzɑ̃s].

© J.-P. Nacivet-Explorer

*Navigation de plaisance : une péniche aménagée, sur le canal de Bourgogne.*

**PLAISANCIER, IÈRE, subst.**
Personne qui pratique la plaisance. 1950 (1893, bateau de plaisance) ; ☞ *plaisance* ; [plɛzɑ̃sje, jɛʀ].

**PLAISANT, ANTE, adj. et subst. m.**
**Adj. 1.** Qui plaît. **2.** Drôle. **Subst. 1.** Ce qui divertit : ***Le plaisant** de l'affaire.* **2.** *Un mauvais **plaisant*** : personne qui fait des plaisanteries d'un goût douteux. Fin XIIe s. ; p. pr. de *plaire* ; [plɛzɑ̃, ɑ̃t].

**PLAISANTER, verbe** [3]
**Intrans. 1.** Faire, dire des plaisanteries. **2.** Ne pas parler sérieusement : *Vous **plaisantez**, j'espère !* ; prendre à la légère : *On ne **plaisante** pas avec ça.* **Trans.** Railler (qqn) sans méchanceté. 1531 ; ☞ *plaisant* ; [plɛzɑ̃te].

**PLAISANTERIE, subst. f.**
**1.** Ce qui est dit ou fait pour amuser. **2.** Ce qui manque de sérieux : *Trêve de **plaisanterie** !* **3.** Bagatelle : *Pour lui, c'est une **plaisanterie** de grimper là-haut !* 1279 ; ☞ *plaisant* ; [plɛzɑ̃tʀi].

**PLAISANTIN, subst. m.**
**1.** Personne qui aime à plaisanter. **2.** Personne peu sérieuse (péj.). 1530 ; ☞ *plaisant* ; [plɛzɑ̃tɛ̃].

**PLAISIR, subst. m.**
**I.** Ce qu'il plaît de faire, ce que l'on veut : *Agir selon son bon **plaisir**.* ▸ *Car tel est notre (bon) **plaisir*** : formule de fin des décrets royaux, sous l'Ancien Régime. ▸ **À plaisir.** Autant qu'on le veut : *Compliquer les choses à **plaisir**.* **II. 1.** Émotion ou sensation agréable résultant de la satisfaction d'un désir, d'un besoin. ▸ *Faire durer le **plaisir*** : prolonger ce qui est agréable ou, par iron., ce qui est pénible. ▸ *Souhaiter bien du **plaisir** à qqn* : compatir par avance à ses difficultés (iron.). ▸ *Prendre un malin **plaisir** à* (+ inf.) : se réjouir de (commettre une malveillance). ▸ *Faire **plaisir** à qqn* : lui être agréable, l'obliger ; *Faites-moi le **plaisir** de* (+ inf.) : employé pour formuler un ordre. **2.** *Le **plaisir*** : la jouissance sexuelle. **3.** Satisfaction : *Le **plaisir** du travail bien fait* ; agrément : *J'ai grand **plaisir** à vous rencontrer ; Au **plaisir** !,* formule d'adieu ; *Avec **plaisir**,* formule d'acceptation. ▸ Loc. *Par **plaisir**, pour le **plaisir*** : pour rien, sans motif. **4.** *Psychanal. Principe de **plaisir*** : qui vise à la satisfaction immédiate des pulsions, par oppos. au principe de réalité. **III.** Ce qui est l'occasion de réjouissances (souv. au plur.) : *Les **plaisirs** de la table.* Fin XIe s. ; anc. verbe *plaisir*, du lat. *placere*, « plaire » ; [pleziʀ].

**PLAN (I), PLANE, adj. et subst. m.**
**Adj. 1.** Se dit d'une surface unie, sans courbure ni variation de niveau. **2.** *Géom. Figure plane* : figure dont tous les points sont dans un même **plan**. **Subst. 1.** Surface **plane**. ▸ ***Plan** de travail* : dans une cuisine, surface **plane** sur laquelle on effectue divers travaux culinaires. ▸ ***Plan** d'eau* : étendue d'eau destinée aux loisirs. **2.** *Géom.* Ensemble dans lequel est distinguée une famille de parties, les droites, soumises à certains axiomes (usuellement, il s'agit des axiomes de la géométrie euclidienne : par deux points distincts passe une droite et une seule ; par un point extérieur à une droite D passe une unique droite n'ayant pas de point commun avec D). ▸ ***Plan** vectoriel* : espace vectoriel de dimension 2. **3.** Éloignement relatif des objets par rapport à un observateur : *Premier **plan** ; **Plan** éloigné.* ▸ *Théâtre.* Chacune des divisions de la scène en profondeur. ▸ Fig. Importance, valeur relative de qqch., de qqn : *Un personnage de premier, de second **plan**,* d'importance capitale, secondaire ; *Sur le même **plan**,* au même niveau. ▸ Loc. *Sur le **plan** de* (+ subst.), *sur le **plan*** (+ adj.) : du point de vue (de). **4.** *Phot.* et *Cin.* Image ou succession d'images définie par l'éloignement entre l'objectif et le sujet, par le cadrage : ***Plan** général, moyen, rapproché ; **Plan** américain,* où les personnages sont coupés à mi-cuisse ; *Gros **plan**.* ▸ Ext. *Cin.* Suite d'images enregistrées en une seule prise : ***Plan** fixe,* sans mouvement de caméra ; ***Plan**-séquence,* long **plan** constituant une séquence. 1520 ; lat. *planus* ; [plɑ̃, plan].

**PLAN (II), subst. m.**
**1.** Dessin en projection horizontale, schématique ou détaillé, représentant la disposition, l'agencement d'un ensemble (terrain, construction, appareil, etc.) ou de ses parties : ***Plan** d'une maison ; Lever un **plan*** (☞ *lever*) ; par ext., carte à grande échelle d'une ville, d'un réseau de transport, etc. **2.** Organisation générale d'un ouvrage, d'un texte. **3.** Fig. Ensemble des opérations élaborées en vue d'atteindre un objectif, de réaliser un projet : *Échafauder un **plan**.* ▸ Ext. Méthode, recette (fam.) : *Il a un **plan** pour entrer sans payer.* ▸ Belg. *Tirer son **plan*** : se tirer d'embarras (fam.). **4.** Loc. fam. *Laisser qqn, qqch. en **plan*** : l'abandonner ; *Rester en **plan*** : en suspens. **5.** *Spéc.* ▸ *Aéron.* ***Plan** de vol* : descriptif complet du vol que va effectuer le pilote. ▸ *Arm.*

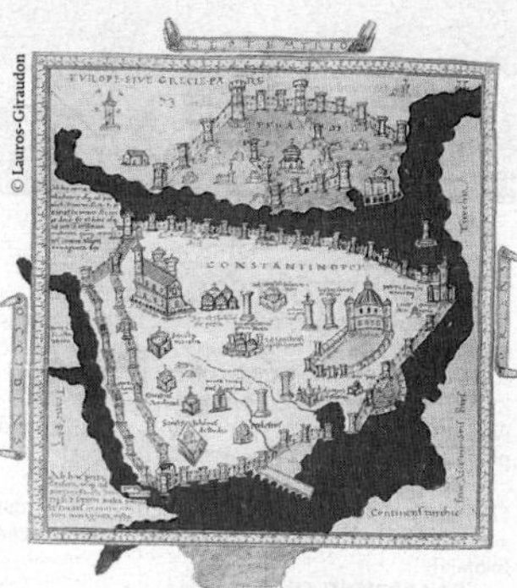
© Lauros-Giraudon

*Plan de Constantinople au XVIe s. Musée Condé, Chantilly.*

*Plan de feux* : document établissant le déroulement des tirs prévus dans une mission. ▸ *Écon.* et *Pol.* Programme définissant des objectifs et les moyens de les atteindre : ***Plan** orsec*, plan d'organisation des secours mis en application par le préfet en cas de catastrophe. ▸ *Fin.* ***Plan** d'épargne* : engagement de versements réguliers sur une durée déterminée à l'expiration de laquelle le capital ainsi constitué ouvre droit à un prêt. ▸ *Hist. Le **plan** Marshall* : programme d'aide pour la reconstruction matérielle et le redressement financier de l'Europe, adopté par les États-Unis du 1er avril 1940 au 30 juin 1952. Déb. XVIe s. ; ☞ *planter*, d'apr. *plan* (I) ; [plɑ̃].

**PLANAIRE, subst. f.**
*Zool.* Invertébré carnivore d'eau douce, de l'embranchement des Plathelminthes (vers plats), doté d'une grande faculté de régénération. 1803 ; lat. sc. *planarius*, de *planus*, « plan » ; [planɛʀ].

**PLANCHE, subst. f.**
**I. 1.** Longue pièce de bois plane, rectangulaire et peu épaisse. ▸ ***Planche** à repasser* : planche arrondie à un bout, sur laquelle on repasse le linge. ▸ ***Planche** à pâtisserie, à pain* : sur laquelle on pétrit la pâte, on tranche le pain. ▸ ***Planche** de bord* : tableau de bord. ▸ ***Planche** à dessin* : plateau parfaitement plan sur lequel les dessinateurs fixent leur papier. ▸ *Mar.* Passerelle reliant le navire au quai : *Jours de **planche***, délai accordé pour charger ou décharger. ▸ Loc. *Avoir du pain sur la **planche*** : avoir beaucoup de travail ; *Être (cloué) entre quatre **planches*** : être dans son cercueil (fam.). **2.** Fig. ***Planche** à pain* : femme maigre à la poitrine plate (péj.) ; ***Planche** de salut* : ultime solution à une situation désespérée, par allus. au naufragé qu'une **planche** sauve de la noyade ; ***Planche** pourrie* : personne non fiable (péj.). **3.** *Sp.* ▸ ***Planche** à roulettes* : avec laquelle on exécute des figures ; ce sport d'équilibre. ▸ ***Planche** à voile* : flotteur équipé d'une dérive et d'un mât central à voile unique, que l'on manœuvre debout ; par méton., sport ainsi pratiqué. ▸ *Faire la **planche*** : rester sur le dos, sans bouger, à la surface de l'eau. Plur. *Les **planches*** : la scène d'un théâtre. ▸ *Monter sur les **planches*** : faire du théâtre ; *Brûler les **planches*** : jouer avec passion et succès. **II.** *Grav.* **1.** Plaque de bois, de pierre, de métal que l'on grave pour la reproduction par impression. ▸ Loc. *Faire marcher la **planche** à billets* : émettre trop de papier-monnaie, jusqu'à l'inflation. **2.** Méton. Estampe tirée sur une **planche** gravée ; par ext., illustration en pleine page : ***Planches** d'une bande dessinée.* **III.** Bande de terre cultivée dans un jardin : *Une **planche** de radis.* ▸ *Labour en **planches*** : labour en bandes larges et planes, dans lequel la charrue verse la terre toujours du même côté. Mil. XIIe s. ; bas lat. *planca* ; [plɑ̃ʃ].

© Explorer

*Planches à voile.*

**PLANCHE-CONTACT, subst. f.**
*Phot.* Épreuve positive, sur une seule feuille, des vues non agrandies d'un film. XXe s. ; comp. de *planche* et de *contact* ; plur. *planches-contact* ; [plɑ̃ʃkɔ̃takt].

**PLANCHÉIAGE, subst. m.**
Action de planchéier ; par méton., garniture de planches. 1846 ; ☞ *planchéier* ; [plɑ̃ʃejaʒ].

**PLANCHÉIER, verbe trans.** [6]
Garnir de planches, d'un plancher. 1335 (déb. XIIIe s., marcher sur une passerelle) ; ☞ *planche* ; [plɑ̃ʃeje].

**PLANCHER (I), subst. m.**
**1.** Ouvrage formant une plate-forme horizontale au rez-de-chaussée ou une séparation entre deux étages d'une construction ; par méton., face supérieure de cette plate-forme, formant le sol d'une pièce : ***Plancher** en béton* ; en partic., limite interne de tout espace où l'on pose le pied : *Le **plancher** des vaches*, la terre ferme (fam.) ; ***Plancher** d'un véhicule.* ▸ Loc. *Avoir le pied au **plancher*** : appuyer à fond sur l'accélérateur (fam.) ; *Débarrasser le **plancher*** : partir (fam.). **2.** Fig. Valeur minimale : *Le **plancher** des cotisations* ; en appos. : *Prix **plancher**.* Mil. XIIe s. ; ☞ *planche* ; [plɑ̃ʃe].

**PLANCHER (II), verbe intrans.** [3]
Argot scol. Subir un examen, une interrogation, présenter un exposé ; empl. trans. indir. : ***Plancher** sur une explication de texte*, y travailler (fam.). 1905 ; *planche* (vx), « tableau noir » ; [plɑ̃ʃe].

**PLANCHETTE, subst. f.**
**1.** Petite planche étroite. **2.** *Topogr.* Planche à dessin pour lever les plans. 1250 ; ☞ *planche* ; [plɑ̃ʃɛt].

**PLANCHISTE, subst.**
*Sp.* Véliplanchiste. V. 1980 ; ☞ *planche* ; [plɑ̃ʃist].

**PLANÇON, subst. m.**
*Sylvic.* Branche de feuillu à bois tendre (osier, saule) utilisée comme bouture (synon. *plantard*). Déb. XIIe s. ; lat. pop. °*plantio* ; [plɑ̃sɔ̃].

**PLAN-CONCAVE, adj.**
*Opt.* Qui a une face plane et une face concave. 1765 ; comp. de *plan* (I) et de *concave* ; plur. *plan-concaves* ; [plɑ̃kɔ̃kav].

**PLAN-CONVEXE, adj.**
*Opt.* Qui a une face plane et une face convexe. 1691 ; comp. de *plan* (I) et de *convexe* ; plur. *plan-convexes* ; [plɑ̃kɔ̃vɛks].

**PLANCTON, subst. m.**
Ensemble indifférencié d'êtres vivants microscopiques, qui flottent dans l'eau douce ou salée : ***Plancton** végétal*, phytoplancton ; ***Plancton** animal*, zooplancton. Fin XIXe s. ; all. *Plankton*, du gr. *plagktos*, « errant » ; [plɑ̃ktɔ̃].

**PLANCTONIQUE, adj.**
Relatif, propre au plancton. 1892 ; ☞ *plancton* ; [plɑ̃ktɔnik].

**PLANCTONIVORE, adj.**
Qui se nourrit de plancton (synon. *planctophage*). ☞ *plancton* + *-vore* ; [plɑ̃ktɔnivɔʀ].

**PLANE, subst. f.**
*Techn.* Outil tranchant à deux poignées, servant à dégrossir le bois. Fin XIVe s. ; ☞ *planer* (I) ; [plan].

**PLANER (I), verbe trans.** [3]
**1.** *Techn.* Rendre plan, unir, polir (du bois, du métal). **2.** *Peauss.* Enlever les poils de (une peau). Mil. XIIe s. ; lat. *planare* ; [plane].

**PLANER (II), verbe intrans.** [3]
**1.** Se soutenir en vol, ailes déployées, sans mouvement apparent, en parlant d'un oiseau. ▸ Voler en jouant des seules forces aérodynamiques, en parlant d'un avion. ▸ Loc. *Vol **plané*** : vol de l'oiseau, de l'avion qui **planent** ; par ext., chute d'une personne par-dessus qqch. **2.** Flotter dans l'air : *Un nuage **plane*** ; au fig., peser comme une menace : *Un doute **plane**.* **3.** Fig. ▸ Dominer par la pensée : ***Planer** au-dessus des dissensions.* ▸ Ext. Perdre le contact avec la réalité ; se sentir bien, en partic. sous l'effet d'une drogue (fam.). 1377 (fin XIIIe s., se baisser sur l'encolure du cheval) ; lat. *planus*, « plan » ; [plane].

**PLANÉTAIRE, adj. et subst. m.**
Adj. **1.** *Astron.* Qui se rapporte aux planètes ; par ext., qui a l'aspect des planètes gravitant autour du Soleil : *Nébuleuse **planétaire**.* **2.** Anal. *Phys.* *Électron **planétaire*** : qui tourne autour du noyau de l'atome. **3.** Qui s'étend à la Terre entière : *Un désastre **planétaire**.* Subst. **1.** *Astron.* Maquette animée du système solaire. **2.** *Mécan.* Dans un différentiel, pignon solidaire de l'arbre à commander. 1553 ; ☞ *planète* ; [planetɛʀ].

**PLANÉTARIUM, subst. m.**
Coupole figurant la voûte céleste, sur laquelle on représente les astres, gén. par des projections lumineuses. 1932 ; ☞ *planétaire* ; [planetaʀjɔm].

**PLANÈTE, subst. f.**
**1.** Vx. Astre mobile, par oppos. aux étoiles fixes. **2.** *Astron.* Astre sans source de rayonnement interne, moins massif qu'une étoile, formé en même temps qu'une étoile centrale par effondrement d'une nébuleuse présolaire. Les **planètes** sont liées par la gravité à l'astre central, autour duquel elles décrivent des orbites. Mercure, Vénus, la Terre, Mars, les « petites **planètes** » ou astéroïdes (Vesta, Junon, Cérès, Pallas, etc.), Jupiter, Saturne, Uranus, Neptune et Pluton sont les **planètes** du système solaire. ▸ Anal. Corps céleste qui tourne autour d'une étoile. **3.** *Astrol.* Astre dont on pense qu'il exerce une influence sur la destinée humaine. **4.** *La **planète*** : la Terre. 1119 ; lat. *planeta*, du gr. *planêtês*, « errant » ; [planɛt].

**PLANÉTOÏDE, subst. m.**
*Astron.* Embryon de planète (synon. *protoplanète*). 1877 ; ☞ *planète* + *-oïde* ; [planetɔid].

**PLANÉTOLOGIE, subst. f.**
Partie de l'astronomie qui a pour objet l'étude des planètes. V. 1970 ; ☞ *planète* + *-logie* ; [planetɔlɔʒi].

**PLANEUR, EUSE, adj. et subst. m.**
Adj. Qui plane. Subst. Aéronef sans moteur, conçu pour planer. 1863 ; ☞ *planer* (II) ; [planœʀ, øz].

© L. Salou-Explorer

*Planeur Breguet.*

**PLANEUSE, subst. f.**
*Techn.* Machine destinée à planer des tôles. 1904 ; ☞ *planer* (I) ; [planøz].

**PLANÈZE, subst. f.**
*Géol.* Coulée de lave ancienne mise en relief par le creusement de vallées qui l'isolent en plateau incliné dans le sens de l'écoulement. 1834 ; lat. *planitia*, « surface plane » ; [planɛz].

**PLANIFICATEUR, TRICE, adj. et subst.**
Se dit d'une personne qui s'occupe de planification. 1949 ; ☞ *planifier* ; [planifikatœʀ, tʀis].

**PLANIFICATION, subst. f.**
**1.** Action de planifier. **2.** *Écon.* Prévision des besoins d'une nation et des moyens d'y satisfaire dans des délais précis. V. 1930 ; ☞ *planifier* ; [planifikasjɔ̃].

ÉCONOMIE – Dès 1921, la planification a eu pour fonction, dans les économies socialistes, d'organiser de manière impérative la totalité de la production, en fixant les besoins et les objectifs, et en contrôlant les résultats. En économie libérale, le rôle de la planification est d'infléchir l'économie spontanée du marché et d'orienter le choix des branches à développer. L'État intervient à titre prévisionnel pour guider les entreprises de façon indicative (fixant objectifs et résultats à atteindre) et incitative (intervenant sur les initiatives du secteur privé). Le Ier Plan français, élaboré en 1942, sous Vichy, sera suivi par la création (encouragée par de Gaulle, qui considère le plan comme une « ardente obligation ») du Commissariat au Plan, dirigé par J. Monnet, en 1946. De nombreux plans se succéderont à partir de 1947 (plans de reconstruction d'après guerre, plans de développement économique et social, etc.) en vue d'assurer, par la concertation entre partenaires sociaux, l'équilibre de la croissance, puis, à partir du VIIe Plan (1976-1981), de veiller aux besoins qualitatifs du pays (écologie, protection de l'environnement).

**PLANIFIER, verbe trans.** [6]
Organiser selon un plan déterminé : ***Planifier** la mécanisation de l'agriculture* ; empl. adj. : *Économie **planifiée**.* V. 1930 ; ☞ *plan* (II) ; [planifje].

**PLANIMÈTRE, subst. m.**
*Métrol.* Appareil pour mesurer l'aire d'une surface plane. 1812 ; ☞ *planimétrie* ; [planimɛtʀ].

**PLANIMÉTRIE, subst. f.**
**1.** Géométrie appliquée à la mesure des surfaces planes. **2.** *Topogr.* Technique de représentation d'un terrain par projection orthogonale de chacun de ses points sur un plan horizontal. 1484 ; formé de *plani-* et de *-métrie* ; [planimetʀi].

**PLANISME,** subst. m.
*Écon.* Courant éclectique apparu après la crise de 1929 et prônant une intervention étatique pour lutter contre les dysfonctionnements économiques et les inégalités sociales par l'intermédiaire d'un plan. 1935 ; ☞ *plan* (II) ; [planism].

**PLANISPHÈRE,** subst. m.
*Géogr.* Carte représentant les deux hémisphères terrestres ou célestes en projection plane. 1555 ; formé de *plani-* et de *-sphère* ; [planisfɛʀ].

**PLANNING,** subst. m.
Anglic. **1.** Programme des opérations à réaliser dans un temps donné : ***Planning** de production.* **2.** Méton. Représentation graphique de ces prévisions : *Mettre son **planning** à jour.* **3.** ***Planning** familial* : régulation des naissances ; organisme informant les personnes et les aidant à réaliser cette régulation. 1927 ; angl. *planning*, de *to plan*, « prévoir » ; [planiŋ].

**PLANOIR,** subst. m.
*Techn.* Ciseau à bout aplati. 1765 ; ☞ *planer* (I) ; [planwaʀ].

**PLANORBE,** subst. m. ou f.
*Zool.* Mollusque gastéropode d'eau douce, à la coquille en spirale aplatie. 1765 ; lat. *planus*, « plan », et *orbis*, « cercle, disque » ; [planɔʀb].

**PLAN-PLAN,** adv.
Fam. Tout doucement, sans se presser ; empl. adj. : *Une démarche **plan-plan**.* 1893 ; anc. prov. *plan*, « doucement », du lat. *planus* ; [plɑ̃plɑ̃].

**PLANQUE,** subst. f.
Fam. **1.** Cachette, lieu où l'on se cache. ▸ *Être en **planque*** : se cacher pour surveiller (argot policier). **2.** Lieu, situation où l'on est à l'abri de tout danger, en partic. en temps de guerre. **3.** Ext. Emploi, poste où le travail est facile. 1829 ; ☞ *planquer* ; [plɑ̃k].

**PLANQUÉ, ÉE,** adj. et subst.
Se dit d'une personne qui a trouvé une planque (fam.). 1922 ; p. p. de *planquer* ; [plɑ̃ke].

**PLANQUER,** verbe trans. [3]
Fam. Cacher. PRONOM. Se cacher. 1790 ; altér. de l'argot *planter*, « cacher » ; [plɑ̃ke].

**PLAN-RELIEF,** subst. m.
Maquette d'une ville, d'une place forte. Comp. de *plan* (II) et de *relief* ; plur. *plans-reliefs* ; [plɑ̃ʀəljɛf].

**PLANSICHTER,** subst. m.
*Techn.* Blutoir mécanique formé de plusieurs tamis superposés. 1903 ; all. *Plan*, « plan », et *Sichter*, « blutoir » ; [plɑ̃siʃtɛʀ].

**PLANT,** subst. m.
**1.** Jeune végétal récemment mis en pleine terre ou qui doit être repiqué : *Des **plants** de scarole.* **2.** Ensemble de végétaux d'une même espèce plantés dans un même terrain ; ce terrain : ***Plant** de chênes.* **3.** *Vitic.* Cépage. 1407 ; ☞ *planter* ; [plɑ̃].

**PLANTAIN (I),** subst. m.
*Bot.* **1.** Plante de la famille des Plantaginacées, très commune, dont les graines servent à nourrir les oiseaux. **2.** ***Plantain** d'eau* : plante herbacée des étangs, de la famille des Alismacées. Déb. XIIIe s. ; lat. *plantago*, de *planta*, « plante du pied » ; [plɑ̃tɛ̃].

**PLANTAIN (II),** subst. m.
*Bot.* Variété de bananier tropical dont les fruits sont les bananes **plantains**. 1803 (1617, figuier du Brésil) ; esp. *platano* ; [plɑ̃tɛ̃].

**PLANTAIRE,** adj.
Relatif à la plante du pied. Mil. XVIe s. ; lat. méd. *plantaris*, du lat. *planta*, « plante du pied » ; [plɑ̃tɛʀ].

**PLANTATION,** subst. f.
**1.** Vx. Végétal qui a été planté. **2.** Action, manière de planter. **3.** Méton. Ensemble des végétaux plantés ; terrain planté. **4.** Vaste exploitation agricole des pays tropicaux : ***Plantation** de coton.* Fin XIIe s. ; lat. *plantatio* ; [plɑ̃tasjɔ̃].

**PLANTE (I),** subst. f.
*Anat.* Face inférieure du pied, chez l'homme et chez les animaux. Mil. XIIe s. ; lat. *planta* ; [plɑ̃t].

**PLANTE (II),** subst. f.
**1.** *Bot.* Être vivant appartenant au règne végétal. ▸ Végétal non ligneux, de petite taille, pourvu d'une racine, d'une tige et de feuilles. **2.** Métaph. Ce qui se développe comme une plante : *L'amitié est une **plante** délicate.* ▸ *Une belle **plante*** : une belle femme épanouie (fam.). 1532 (1273, plantation) ; lat. *planta*, « plant » ; [plɑ̃t].

**PLANTER,** verbe trans. [3]
**1.** Mettre (un plant, une graine, un bulbe) en terre pour qu'il croisse ; par ext., peupler (un lieu) d'arbres, de végétaux. **2.** Anal. Enfoncer (qqch.) en terre ou en tout autre endroit : ***Planter** un pieu* ; ***Planter** un clou dans le mur.* **3.** Disposer, placer à la verticale, installer : ***Planter** une tente, un drapeau* ; ***Planter** un décor* ; au fig. : ***Planter** un personnage*, le camper. **4.** Appliquer fortement : ***Planter** un baiser sur une joue* ; ***Planter** son regard sur qqn*, regarder qqn avec insistance. **5.** Quitter (qqn) ou mettre fin à (qqch.) brusquement (fam.). PRONOM. **1.** Se placer debout quelque part : *Il se **planta** devant sa table.* **2.** Avoir un accident (fam.) : *L'avion s'est **planté**.* **3.** Fig. et Fam. Échouer : *Se **planter** à l'oral* ; se tromper : *Il s'est **planté** dans ses prévisions.* Déb. XIIe s. ; lat. *plantare*, « enfoncer avec le pied » ; [plɑ̃te].

**PLANTEUR, EUSE,** subst.
Personne qui plante un végétal (rare). MASC. **1.** Personne qui est à la tête d'une plantation dans un pays tropical. **2.** Punch à base de rhum blanc. FÉM. Machine servant à planter les pommes de terre. Déb. XIIIe s. ; ☞ *planter* ; [plɑ̃tœʀ, -øz].

**PLANTIGRADE,** adj. et subst. m.
*Zool.* Se dit d'un animal qui marche sur toute la plante du pied. 1795 ; lat. *planta*, « plante du pied », + *-grade* ; [plɑ̃tigʀad].

**PLANTOIR,** subst. m.
Outil servant à creuser des trous dans la terre pour y placer des jeunes plants ou des graines. 1640 ; ☞ *planter* ; [plɑ̃twaʀ].

**PLANTON,** subst. m.
**1.** Helv. *Hortic.* Jeune plant. **2.** *Milit.* ▸ Soldat affecté au service d'un officier supérieur pour porter ses ordres. ▸ Sentinelle fixe. **3.** Méton. Service du **planton** : *Être de **planton*** ; au fig. : *Faire le **planton***, attendre debout (fam.). 1584 ; ☞ *planter* ; [plɑ̃tɔ̃].

**PLANTULE,** subst. f.
*Bot.* Jeune plante phanérogame, peu après le début de la germination : *La **plantule** est constituée de trois parties, la gemmule, la tigelle et la radicule.* 1700 ; bas lat. *plantula*, « petite plante » ; [plɑ̃tyl].

**PLANTUREUX, EUSE,** adj.
**1.** Très abondant : *Dîner **plantureux***; *Végétation **plantureuse**.* **2.** Qui produit en abondance, fertile : *Terre **plantureuse**.* **3.** Bien en chair, opulent : *Femme **plantureuse**.* Mil. XIIe s. ; anc. fr. *plenteif*, du lat. *plenitas*, « abondance » ; [plɑ̃tyʀø, -øz].

**PLAQUAGE,** subst. m.
**1.** Abandon (fam.). **2.** *Sp.* Au rugby, action de plaquer l'adversaire (var. *placage*). 1864 ; ☞ *plaquer* ; [plakaʒ].

© Empics Ltd-Gamma Sports

*Une action typique du rugby, le plaquage.*

**PLAQUE,** subst. f.
**1.** Matériau qui se présente sous la forme d'une surface plate, mince et rigide : ***Plaque** de tôle, de liège.* **2.** Objet plan, peu épais, gén. rectangulaire ou rond : ***Plaque** d'égout* ; ***Plaque** de propreté*, apposée autour d'une poignée pour protéger la porte des traces de doigts ; ***Plaque** de cheminée*, contrecœur ; ***Plaque** de tir*, cible (vx) ; ***Plaque** de cuisson*, foyer rond d'une cuisinière électrique. ▸ Loc. *Être, mettre à côté de la **plaque*** : se tromper, manquer le but (fam.). **3.** Support d'une information : ***Plaque** de rue* ; ***Plaque** commémorative* ; ***Plaque** minéralogique d'un véhicule* ; insigne de certains ordres : ***Plaque** de grand-croix de la Légion d'honneur.* **4.** Ext. Couche plane d'une matière quelconque : ***Plaque** de verglas, de mousse.* **5.** Helv. ***Plaque** à gâteau* : moule à tarte. **6.** *Spéc.* ▸ *Anat.* ***Plaque** motrice* : structure particulière constituant la jonction neuro-musculaire, formée à la fois par un renflement de la membrane des cellules du muscle et par les extrémités du nerf moteur, qui libèrent l'acétylcholine, transmetteur de l'influx nerveux à la cellule musculaire. ▸ *Ch. de fer.* ***Plaque** tournante* : plate-forme pivotante permettant de faire passer un véhicule d'une voie sur une autre et, au fig., carrefour, lieu d'échanges. ▸ *Dent.* ***Plaque** dentaire* : agglomérat de matières organiques formant un enduit qui favorise les caries. ▸ *Géol.* Partie élémentaire de la lithosphère, qui se déplace horizontalement sur l'asthénosphère. ▸ *Impr.* ***Plaque** offset* : feuille de zinc qui a reçu l'image imprimante et que l'on enroule sur un cylindre. ▸ *Jeux.* Grand jeton rectangulaire. ▸ *Méd.* Formation étendue d'éléments pathologiques ou non, visible à la surface de la peau ou des muqueuses : ***Plaque** d'eczéma.* ▸ *Numism.* Ancienne monnaie de Flandre et de France. ▸ *Pathol. Sclérose en **plaques*** (☞ *sclérose*). ▸ *Phot.* ***Plaque** sensible* : feuille de verre enduite d'une émulsion sensible à la lumière. 1562 (XVe s., monnaie) ; ☞ *plaquer* ; [plak].

**PLAQUÉ,** subst. m.
**1.** *Orfèvr.* Métal recouvert d'or ou d'argent : *Du **plaqué** or.* **2.** *Ébén.* Bois recouvert d'une mince lame d'un autre bois. 1798 ; p. p. de *plaquer* ; [plake].

**PLAQUEMINE,** subst. f.
Fruit du plaqueminier. 1682 ; algonquin *piakimin* ; [plakmin].

**PLAQUEMINIER,** subst. m.
*Bot.* Arbre des régions chaudes, de la famille des Ébénacées, dont certaines espèces fournissent l'ébène et d'autres sont cultivées pour leurs fruits. 1719 ; ☞ *plaquemine* ; [plakminje].

**PLAQUER,** verbe trans. [3]
**1.** Appliquer (un revêtement) sur qqch. ▸ *Orfèvr.* et *Ébén.* Recouvrir d'un placage : ***Plaquer** de bois de rose un meuble* ; ***Plaquer** d'argent un collier* ; empl. adj. : *Montre **plaquée** or.* **2.** Ext. Aplatir : ***Plaquer** ses cheveux sur les tempes* ; empl. adj. : *Cheveux **plaqués**.* **3.** Appuyer avec force : *Le voyou le **plaqua** contre le mur.* **4.** Abandonner (fam.) : *Il a **plaqué** son travail.* **5.** *Mus.* ***Plaquer** un accord* : sur un clavier, jouer simultanément et avec vigueur toutes les notes d'un accord. **6.** *Sp.* Au rugby, saisir (l'adversaire) aux jambes pour l'envoyer à terre. XIIIe s. ; m. néerl. *placken*, « enduire, coller » ; [plake].

**PLAQUETTE,** subst. f.
**I. 1.** Petite plaque : ***Plaquette** de métal* ; ***Plaquette** de beurre.* **2.** *Pharm.* Conditionnement en matière plastique de pilules, de comprimés, où chacun est logé dans une alvéole individuelle. **3.** Petit bas-relief métallique frappé en souvenir d'un événement. **4.** *Autom.* Garniture solidaire d'une plaque d'acier, assurant le freinage par friction sur le disque. **II.** Petit livre très mince : ***Plaquette** de poésies* ; ***Plaquette** publicitaire.* **III.** *Biol.* Cellule sanguine sans noyau, fabriquée par la moelle osseuse, qui joue un rôle important dans la coagulation sanguine et lors d'une inflammation (synon. *thrombocyte*). 1521 ; ☞ *plaque* ; [plakɛt].

**PLAQUEUR, EUSE,** subst.
Personne qui effectue des travaux de placage. 1803 (1239, maçon) ; ☞ *plaquer* ; [plakœʀ, -øz].

**PLASMA,** subst. m.
**1.** *Biol.* et *Physiol.* Liquide dans lequel les cellules sanguines se trouvent en suspension, composé de 95 % d'eau et de nombreuses substances dissoutes (protéines, sels de sodium et de potassium, matières nutritives, etc.), et qui sert au transport des hormones et des différentes substances indispensables au métabolisme des cellules. **2.** *Phys.* Milieu renfermant un mélange d'atomes, de molécules, d'ions et d'électrons libres. 1845 (1752, émeraude brute broyée) ; gr. *plasma*, « ouvrage façonné » ; [plasma].

**PLASMAPHÉRÈSE,** subst. f.
*Méd.* Technique consistant à retirer du sang prélevé chez un patient un type particulier de constituant excédentaire ou anormal, afin de pouvoir ensuite réintroduire ce sang modifié dans la circulation de ce patient. V. 1960 ; formé de *plasma* et du gr. *aphairesis*, « action d'enlever » ; [plasmafeʀɛz].

**PLASMATIQUE,** adj.
Relatif au plasma. 1858 ; ☞ *plasma* ; [plasmatik].

**PLASMIDE,** subst. m.
*Biol.* et *Génét.* Molécule d'A. D. N. constituant une sorte de minigénome, chez les bactéries et certains champignons. Les **plasmides** ne sont pas toujours indispensables à la survie des bactéries, mais ils possèdent souvent un ensemble de gènes qui confèrent à ces dernières le pouvoir de résister à l'effet destructeur de nombreux antibiotiques. 1959 ; ☞ *plasma* + *-ide* ; [plasmid].

**PLASMIFIER,** verbe trans. [6]
*Phys.* Transformer (un gaz) en plasma. V. 1970 ; ☞ *plasma* ; [plasmifje].

**PLASMIQUE,** adj.
*Cytol. Membrane* ***plasmique*** : paroi entourant le cytoplasme, qui permet en partic. la régulation du milieu intracellulaire grâce aux échanges avec le milieu extracellulaire. 1937 ; ☞ *plasma* ; [plasmik].

**PLASMOCYTAIRE,** adj.
Relatif au plasmocyte. 1929 ; ☞ *plasmocyte* ; [plasmositɛʀ].

**PLASMOCYTE,** subst. m.
*Cytol.* Cellule provenant de la maturation d'un lymphocyte B, productrice d'une seule espèce d'immunoglobuline. 1903 ; gr. *plasma,* « ouvrage façonné », + *-cyte* ; [plasmɔsit].

**PLASMODE,** subst. m.
*Cytol.* Entité à plusieurs noyaux menant une existence libre et mobile. Un **plasmode** peut se former à partir d'une cellule unique dans laquelle le noyau s'est divisé un grand nombre de fois, ou bien lors de la fusion de plusieurs cellules à noyau unique. 1874 ; gr. *plasma,* « ouvrage façonné » ; [plasmɔd].

**PLASMODIUM,** subst. m.
*Biol.* Genre de sporozoaire parasite de certains vertébrés et diffusé par des moustiques. Le plus redoutable de ces parasites pour l'espèce humaine est celui responsable du paludisme. 1922 ; lat. sc. *plasmodium* ; [plasmɔdjɔm].

**PLASMOLYSE,** subst. f.
*Cytol.* Phénomène affectant des cellules entourées d'une paroi lorsqu'elles se trouvent dans un milieu hypertonique, et se traduisant par des décollements entre paroi et membrane cytoplasmique. 1884 ; gr. *plasma,* « ouvrage façonné », + *-lyse* ; [plasmɔliz].

**PLASTE,** subst. m.
*Bot.* Organite cytoplasmique de forme, de couleur et de taille variées, existant chez presque tous les végétaux. On distingue les chloroplastes, siège de la photosynthèse, les chromoplastes et les amyloplastes. 1912 ; gr. *plassein,* « façonner » ; [plast].

**PLASTIC,** subst. m.
Explosif qui a la consistance du mastic : *Des pains de* ***plastic.*** 1945 ; angl. *plastic explosive,* « explosif plastique » ; var. *plastique* ; [plastik].

**PLASTICAGE,** voir **PLASTIQUAGE**

**PLASTICIEN, IENNE,** subst.
**1.** Artiste qui se consacre aux arts plastiques. **2.** Technicien, ouvrier spécialisé dans le travail des matières plastiques. **3.** Spécialiste de la chirurgie plastique. 1860 ; ☞ *plastique* ; [plastisjɛ̃, jɛn].

**PLASTICITÉ,** subst. f.
**1.** Qualité de ce qui est malléable. **2.** Fig. Souplesse, adaptabilité : *La* ***plasticité*** *d'une langue, d'un caractère.* **3.** *Physiol.* Aptitude d'un tissu à se régénérer après une lésion. 1785 ; ☞ *plastique* ; [plastisite].

**PLASTICULTURE,** subst. f.
*Agric.* Culture qui utilise des protections en matière plastique (paillage, serres, tunnels, etc.). Fin XXe s. ; ☞ *plastique* + *-culture* ; [plastikyltyʀ].

© G. Thouvenin-Jacana

*Une forme de* ***plasticulture*** *:*
*le paillage du maïs au moyen d'un film de polyéthylène.*

**PLASTIE,** subst. f.
*Chir.* Intervention chirurgicale à visée esthétique ou thérapeutique, servant à corriger ou à réparer des anomalies d'un organe. 1958 ; gr. *plassein,* « façonner » ; [plasti].

**PLASTIFIANT, ANTE,** subst. m. et adj.
*Techn.* Se dit d'un produit que l'on incorpore à une matière pour en augmenter la plasticité. 1929 ; p. pr. de *plastifier* ; [plastifjɑ̃, ɑ̃t].

**PLASTIFIER,** verbe trans. [6]
**1.** Incorporer un plastifiant à. **2.** Recouvrir d'une couche de matière plastique ; empl. adj. : *Fil de fer* ***plastifié.*** 1932 ; ☞ *plastique* ; [plastifje].

**PLASTIQUAGE,** subst. m.
Action de plastiquer ; son résultat. V. 1960 ; ☞ *plastiquer* ; var. *plasticage* ; [plastikaʒ].

**PLASTIQUE,** adj. et subst.
**Adj. 1.** Qui vise à reproduire ou à créer formes et volumes de façon esthétique : *Arts* ***plastiques,*** architecture, sculpture, peinture, dessin. ▸ *Chirurgie* ***plastique*** : qui a pour objet la réparation ou la reconstruction des formes en cas de malformation, de lésion, etc. **2.** Propre à être modelé, malléable : *La cire est* ***plastique.*** **3.** *Matière* ***plastique*** : matière synthétique composée de macromolécules et transformable par moulage, extrusion, etc., gén. à chaud et sous pression : *Le Plexiglas, le Téflon, le polyuréthane sont des matières* ***plastiques.*** ▸ Ext. Qui est fait en cette matière ; par ell. : *Des sacs* ***plastique.*** ▸ *Explosif* ***plastique*** : plastic. **4.** *Biol.* Se dit d'une substance qui entre dans la constitution d'un tissu vivant (par ex. le carbone, l'hydrogène, l'oxygène, l'azote). **Subst. fém. 1.** Recherche de la beauté des formes : *La* ***plastique*** *grecque.* **2.** Ensemble des formes du corps humain : *Athlète qui a une* ***plastique*** *parfaite.* **Subst. masc. 1.** Matière **plastique**. **2.** Méton. Sac, emballage en matière **plastique** (fam.). **3.** Plastic. 1553 ; lat. *plasticus,* du gr. *plastikos,* « relatif au modelage » ; [plastik].

**PLASTIQUER,** verbe trans. [3]
Détruire en faisant exploser du plastic : ***Plastiquer*** *un entrepôt.* V. 1960 ; ☞ *plastic* ; [plastike].

**PLASTIQUEUR, EUSE,** subst.
Personne qui commet un attentat au plastic. V. 1960 ; ☞ *plastiquer* ; [plastikœʀ, øz].

**PLASTISOL,** subst. m.
*Techn.* Pâte obtenue par dispersion de polychlorure de vinyle dans un plastifiant. V. 1960 ; crois. de *plastique* et de *sol* (IV) ; [plastisɔl].

**PLASTRON,** subst. m.
**1.** Pièce d'armure couvrant la poitrine ; par ext., pièce rembourrée protégeant la poitrine des escrimeurs. **2.** Devant, fixe ou amovible, de chemise, de robe. **3.** Fig. Personne en butte aux sarcasmes (vieilli) : *Servir de* ***plastron*** *à qqn.* **4.** *Milit.* Petit groupe d'hommes qui, dans une manœuvre, figure l'ennemi. 1477 ; ital. *piastrone,* de *piastra,* « plaque » ; [plastʀɔ̃].

**PLASTRONNER,** verbe [3]
**Trans.** Couvrir d'un plastron ; au fig., protéger (vieilli). **Intrans.** Bomber le torse ; faire le beau. 1611 ; ☞ *plastron* ; [plastʀɔne].

**PLASTURGIE,** subst. f.
Ensemble des techniques mises en œuvre dans l'industrie des plastiques. V. 1960 ; ☞ *plastique* + *-urgie* ; [plastyʀʒi].

**PLAT, PLATE,** adj. et subst. m.
**I. Adj. 1.** Dont la surface est unie, presque sans relief : *Terrain* ***plat*** ; *Canot à fond* ***plat*** ; *Mer* ***plate,*** sans vagues ; *Calme* ***plat,*** absence de vent sur la mer ou, au fig., absence d'évènements ; *Pied* ***plat,*** dont la voûte plantaire est affaissée. ▸ Loc. *Battre qqn à* ***plate*** *couture* : le vaincre totalement. ▸ *Géom. Angle* ***plat*** : angle d'un couple de demi-droites opposées ; *Secteur angulaire* ***plat*** : dont les côtés sont deux demi-droites opposées. **2.** Qui est peu profond, peu épais : *Assiette* ***plate*** (par oppos. à *assiette creuse*) ; *Talons* ***plats*** (par oppos. à *talons hauts*) ; *Chaussures* ***plates,*** à talons **plats.** ▸ *Zool. Poissons* ***plats*** : sole, limande, etc. ; *Vers* ***plats*** : plathelminthes. **3.** Uniforme : *Voix* ***plate*** ; *Teinte* ***plate,*** sans dégradé. ▸ *Versif. Rimes* ***plates*** : qui alternent deux à deux (deux masculines, deux féminines). **4.** Sans force, sans saveur : *Vin* ***plat*** ; par ext. : *Eau* ***plate,*** non gazeuse. **5.** Sans caractère, banal : *Un style* ***plat.*** **6.** Obséquieux : *Un* ***plat*** *courtisan* ; *De* ***plates*** *excuses.* **7.** Loc. *À* ***plat.*** ▸ Sur la face la plus large, horizontalement : *Les mains posées à* ***plat.*** ▸ Entièrement dégonflé : *Pneu à* ***plat*** ; *Rouler à* ***plat*** ; déchargé : *Batterie à* ***plat.*** ▸ Fig. *Être à* ***plat*** : être épuisé (fam.) ; *Mettre un problème à* ***plat*** : en examiner tous les aspects afin d'y voir plus clair ; *Tomber à* ***plat*** : n'avoir aucun succès. **Subst. 1.** Partie **plate** de qqch. : *Le* ***plat*** *d'une épée* ; *Le* ***plat*** *de la main,* la paume et les doigts tendus ; *Plongeur qui fait un* ***plat,*** qui tombe à **plat** ventre sur l'eau. **2.** Terrain **plat** : *Courir sur du* ***plat.*** ▸ *Équit. Course de* ***plat*** : sur un terrain sans obstacles. **3.** Loc. *Faire du* ***plat*** *à qqn* : chercher à le séduire (fam.). **4.** *Spéc.* ▸ *Bouch.* ***Plat*** *de côtes* (ou ***plates*** *côtes*) : partie **plate,** moyenne des côtes du bœuf. ▸ *Métall.* Produit sidérurgique en forme de lame mince. ▸ *Reliure.* Chacun des deux côtés de la couverture d'un livre. **II. Subst. 1.** Pièce de vaisselle de forme variée, qu'on utilise pour servir les mets à table. ▸ *Cuis. Œufs sur le* ***plat*** *ou au* ***plat*** : cuits dans la poêle sans les brouiller. **2.** Méton. Contenu d'un **plat** ; chacun des mets composant le repas : ***Plat*** *de résistance,* mets principal, servi immédiatement après l'entrée ; ***Plat*** *du jour,* mets principal d'un restaurant, variant chaque jour. **3.** Loc. fam. *Mettre les petits* ***plats*** *dans les grands* : se mettre en frais pour recevoir ; *Mettre les pieds dans le* ***plat*** : aborder sans détour une question délicate ; *Faire tout un* ***plat*** *de qqch.* : en gonfler l'importance. Fin XIe s. ; lat. pop. *°plattus,* du gr. *platus,* « large et plat » ; [pla, plat].

**PLATANE,** subst. m.
*Bot.* **1.** Arbre de la famille des Platanacées, dont l'écorce se détache chaque année par plaques ; par méton., bois de cet arbre. **2.** *Faux* ***platane*** : érable sycomore. 1548 ; lat. *platanus* ; [platan].

© J. Soler-Jacana

*Une allée bordée de* ***platanes***
*au Jardin des Plantes, à Paris.*

**PLAT-BORD,** subst. m.
*Mar.* Ceinture de bois qui borde le pont d'un navire. 1573 ; comp. de *plat* et de *bord* ; plur. *plats-bords* ; [plabɔʀ].

**PLATE,** subst. f.
**1.** *Hist.* Chacune des minces lames de fer qui constituaient une armure. **2.** *Mar.* Petite embarcation à fond plat. 1170 ; ☞ *plat* ; [plat].

**PLATEAU,** subst. m.
**I. 1.** Support plat servant à poser des objets, à transporter ou à présenter des aliments, des boissons, etc. ▸ Loc. *Apporter qqch. à qqn sur un* ***plateau*** : sans qu'il ait à faire le moindre effort. **2.** Partie d'une balance où l'on pose les poids ou les objets à peser. **3.** Surface plane, partie plate de qqch. : ***Plateau*** *d'une table* ; ***Plateau*** *de chargement,* plancher mobile destiné à supporter des marchandises. **4.** Partie découverte et sans bords d'un camion. **5.** Cageot ne contenant qu'un seul étage de produits. **6.** Partie horizontale la plus élevée d'une courbe, d'un graphique. **7.** *Techn.* Pièce circulaire plate, gén. rotative, d'un mécanisme, d'un appareil : ***Plateau*** *de machine-outil* ; ***Plateau*** *d'embrayage,* sur lequel prend appui le disque d'embrayage ; ***Plateau*** *d'un électrophone,* qui reçoit le disque ; ***Plateau*** *de pédalier,* roue dentée qui entraîne, par l'intermédiaire d'une chaîne, la roue arrière d'une bicyclette. **II. 1.** Scène d'un théâtre. **2.** Anal. Partie d'un studio de cinéma ou de télévision où sont installés les décors et où se déroule le tournage. **3.** Méton. Ensemble des personnes participant à un spectacle, à une émission ; ensemble des installations et du personnel de studio : *Frais de* ***plateau.*** **III. Spéc. 1.** *Anthropol.* Disque rigide que les femmes de certaines ethnies d'Afrique insèrent dans leur lèvre inférieure. **2.** *Biol.* Appariement entre les bases puriques et pyrimidiques des deux brins d'une molécule d'A. D. N. **3.** *Bot.* Partie plate, semblable

© E. Scorcelletti-Gamma

*Invité-vedette de ce **plateau** de télévision, Charles Trenet.*

à une tige, sur laquelle les écailles d'un bulbe végétal sont implantées. **4.** *Géogr.* Étendue plane, plus ou moins élevée, souv. entaillée par des vallées encaissées. ▸ ***Plateau** continental* : partie immergée du littoral continental, qui descend en pente douce jusqu'à une profondeur variant entre 120 et 350 m (synon. *plate-forme continentale*). Fin XIIe s. ; ☞ *plat* ; [plato].

**PLATE-BANDE, subst. f.**
**1.** *Archit.* Moulure plate et large. ▸ Linteau en pierre. **2.** Bande de terre fleurie ou cultivée. ▸ Loc. *Marcher sur les **plates-bandes** de qqn* : empiéter sur son domaine. 1508 ; comp. de *plat* et de *bande* (I) ; plur. *plates-bandes* ; [platbɑ̃d].

**PLATÉE (I), subst. f.**
*Bât.* Massif de maçonnerie s'étendant sur toute la surface d'un bâtiment, entre les fondations et le plancher (vieilli). 1694 ; ☞ *plat* ; [plate].

**PLATÉE (II), subst. f.**
Contenu d'un plat. 1798 ; ☞ *plat* ; [plate].

**PLATE-FORME, subst. f.**
**1.** Surface plane et surélevée, naturelle ou artificielle ; terrasse supérieure d'une construction sans combles. **2.** Structure horizontale servant de support ou de base à qqch. ▸ Partie arrière non fermée d'un véhicule de transports publics. ▸ ***Plate-forme** élévatrice* : plateau à hauteur réglable utilisé pour la manutention des marchandises. ▸ *Arm.* Emplacement aménagé pour supporter un canon en batterie. ▸ *Ch. de fer* et *Trav. publ.* Surface qui supporte le ballast d'une voie ; revêtement servant de base à une construction. ▸ Ouvrage permettant le forage et l'exploitation des puits de pétrole sous-marins. **3.** *Géogr.* ***Plate-forme** continentale* : plateau continental. **4.** *Géol.* ***Plate-forme** structurale* : étendue horizontale ou peu inclinée qui correspond à la surface d'une couverture sédimentaire ou géologique. **5.** Fig. Ensemble d'idées sur lesquelles repose un programme politique ou revendicatif : ***Plate-forme** syndicale.* 1434 ; comp. de *plat* et de *forme* ; plur. *plates-formes*, var. *plateforme* ; [platfɔʀm].

© Y. Gladu-Explorer

***Plate-forme** de forage dans le golfe de Guinée.*

**PLATELAGE, subst. m.**
*Bât.* Plancher de charpente. 1834 ; anc. fr. *platel*, « plateau » ; [platlaʒ].

**PLATE-LONGE, subst. f.**
*Hippol.* **1.** Longe servant à maintenir les chevaux que l'on ferre ou que l'on soigne. **2.** Pièce du harnais destinée à empêcher un cheval attelé de ruer. 1690 ; comp. de *plat* et de *longe* (I) ; plur. *plates-longes* ; [platlɔ̃ʒ].

**PLATEMENT, adv.**
**1.** D'une manière plate, banale : *Écrire **platement**.* **2.** D'une manière servile : *S'excuser **platement**.* 1764 (fin XVe s., sans détour) ; ☞ *plat* ; [platmɑ̃].

**PLATERESQUE, adj.**
*Archit.* *Style **plateresque*** ou, empl. subst. masc., *Le **plateresque*** : style d'architecture à motifs baroques de la Renaissance espagnole. 1878 ; esp. *plateresco*, de *platero*, « orfèvre » ; [platʀɛsk].

**PLATHELMINTHES, subst. m. plur.**
*Zool.* Embranchement des vers plats, invertébrés, libres ou parasites, non segmentés, hermaphrodites. **Au sing.** *La douve est un **plathelminthe**.* 1878 ; gr. *platus*, « large et plat », et *helmins*, « ver » ; [platɛlmɛ̃t].

**PLATINAGE, subst. m.**
*Techn.* Action de platiner ; son résultat. 1842 ; ☞ *platiner* ; [platinaʒ].

**PLATINE (I), subst. f.**
**1.** Support plat d'un mécanisme, gén. en métal. ▸ *Arm.* Plaque de fer des anciennes armes, qui relie les pièces nécessaires à la mise à feu. ▸ *Horlog.* Plaque qui soutient le mouvement d'une montre. ▸ *Impr.* Partie d'une presse qui reçoit le papier à imprimer. ▸ *Techn.* Plaque de métal percée pour permettre le passage de la clé d'une serrure, ou de l'aiguille d'une machine à coudre. ▸ *Biol.* Plateau d'un microscope sur lequel on place la préparation à observer. **2.** Dans un électrophone, ensemble constitué par le plateau, le système d'entraînement et la tête de lecture ; par méton., élément d'une chaîne servant à la lecture des disques ou des cassettes. Déb. XIIIe s. (mil. XIIe s., dalle funéraire) ; ☞ *plat* ; [platin].

**PLATINE (II), subst. m. et adj. inv.**
**Subst.** *Chim.* Élément n° 78 de la table de Mendeleïev (symb. : Pt) ; masse atomique : 195,09 ; point de fusion : 1 772 °C ; point d'ébullition : 3 830 °C ; masse volumique 21,4 $g/cm^3$. C'est un métal précieux blanc-gris que l'on trouve à l'état naturel dans les minerais où dominent le nickel et le cuivre. **Adj.** De la couleur du **platine**, blond presque blanc. 1752 ; esp. *platina*, de *plata*, « argent » ; [platin].

**PLATINÉ, ÉE, adj.**
**1.** *Autom.* *Vis **platinée*** : pastille de contact, en tungstène, du système d'allumage d'un moteur à explosion, jadis revêtue de platine. **2.** *Cheveux **platinés*** : d'un blond très pâle ; par méton. : *Une blonde **platinée**.* 1917 ; p. p. de *platiner* ; [platine].

**PLATINER, verbe trans. [3]**
**1.** Vx. Blanchir (le cuivre). **2.** *Techn.* Recouvrir d'une couche de platine. **3.** Teindre (les cheveux) en blond platine. 1801 ; ☞ *platine* (II) ; [platine].

**PLATINIFÈRE, adj.**
*Géol.* Qui contient du platine : *Alluvions **platinifères**.* 1823 ; ☞ *platine* (II) + *-fère* ; [platinifɛʀ].

**PLATINITE, subst. f.**
*Techn.* Alliage de fer et de nickel utilisé pour les soudures verre-métal à la place du platine, du fait de son coefficient de dilatation. 1912 ; ☞ *platine* (II) ; [platinit].

**PLATITUDE, subst. f.**
**1.** Caractère de ce qui est plat, banal ; par méton., parole, idée sans originalité (gén. au plur.). **2.** Obséquiosité (vieilli) ; par méton., acte servile (gén. au plur.). **3.** État de ce qui est sans relief (rare) : ***Platitude** d'une vallée.* 1694 ; ☞ *plat* ; [platityd].

**PLATONICIEN, IENNE, adj. et subst.**
Se dit d'un adepte de la philosophie de Platon. **Adj.** Relatif, propre à la philosophie de Platon. Fin XIVe s. ; anthropon. *Platon* ; [platɔnisjɛ̃, jɛn].

**PLATONIQUE, adj.**
**1.** Qui a un caractère pur, idéal : *Amour **platonique**,* chaste. **2.** Qui reste théorique ; formel (littér.). 1659 (fin XIVe s., platonicien) ; lat. *platonicus*, du gr. *platônikos*, « de Platon » ; [platɔnik].

**PLATONISME, subst. m.**
Philosophie de Platon et de ses disciples, caractérisée par la théorie des Idées, seules réalités intelligibles, distinctes à la fois du monde sensible et de l'esprit humain. 1672 ; anthropon. *Platon* ; [platɔnism].

**PLÂTRAGE, subst. m.**
Action de plâtrer ; son résultat. ▸ *Pharm.* ***Plâtrage** gastrique* : pansement gastrique utilisant une substance basique pour combattre l'acidité. 1401 ; ☞ *plâtrer* ; [plɑtʀaʒ].

**PLÂTRAS, subst. m.**
**1.** Débris de plâtrage ; morceau détaché d'un ouvrage de plâtre. **2.** Ext. Matériau de construction de qualité médiocre. 1371 ; ☞ *plâtre* ; [plɑtʀɑ].

**PLÂTRE, subst. m.**
**1.** *Pierre à **plâtre**, **plâtre** cru* : gypse. **2.** Poudre de gypse cuit qui, mélangée à de l'eau, donne une pâte blanche qui durcit en séchant. ▸ Loc. *Battre qqn comme **plâtre*** : violemment. **3.** Méton. ▸ Objet moulé en **plâtre** (motif ornemental, reproduction ou modèle de statue, etc.) ▸ Au plur. Revêtement en **plâtre** d'une construction : *Refaire les **plâtres**.* ▸ Loc. *Essuyer les **plâtres*** (☞ *essuyer*). **4.** Anal. Maquillage épais (fam.) ; fromage insuffisamment fait. **5.** *Chir.* Appareil de contention fait de tissu imprégné de **plâtre**, utilisé notamment pour immobiliser un membre fracturé. Fin XIIe s. ; aphérèse de *emplâtre* ; [plɑtʀ].

**PLÂTRER, verbe trans. [3]**
**1.** Couvrir de plâtre : ***Plâtrer** des poutres, un mur.* **2.** *Agric.* Amender (une terre) en y répandant du plâtre. ▸ Acidifier (un vin) avec du plâtre. **3.** *Chir.* Immobiliser (une partie du corps) par un plâtre ; empl. adj. : *Bras **plâtré**.* 1287 ; ☞ *plâtre* ; [plɑtʀe].

**PLÂTRERIE, subst. f.**
**1.** Ouvrage, travail exécuté en plâtre. **2.** Usine où l'on fabrique le plâtre (synon. *plâtrière*). 1334 ; ☞ *plâtre* ; [plɑtʀəʀi].

**PLÂTREUX, EUSE, adj.**
**1.** Qui renferme du plâtre ; enduit de plâtre. **2.** Anal. Qui rappelle le plâtre par son apparence ou par sa consistance. Fin XIVe s. ; ☞ *plâtre* ; [plɑtʀø, øz].

**PLÂTRIER, IÈRE, subst.**
**1.** Personne qui extrait la pierre à plâtre, qui prépare ou qui vend le plâtre. **2.** *Bât.* Ouvrier qui travaille le plâtre. **Fém. 1.** Plâtrerie. **2.** Carrière de gypse. Mil. XIIIe s. ; ☞ *plâtre* ; [plɑtʀije, jɛʀ].

**PLATYRHINIENS, subst. m. plur.**
*Zool.* Sous-ordre de primates au nez large et aux narines écartées, regroupant les singes d'Amérique. **Au sing.** *Le ouistiti est un **platyrhinien**.* 1827 ; gr. *platurrhin*, « au large nez » ; [platiʀinjɛ̃].

**PLAUSIBILITÉ, subst. f.**
Caractère de ce qui est plausible : *La **plausibilité** d'une hypothèse.* 1684 ; ☞ *plausible* ; [plozibilite].

**PLAUSIBLE, adj.**
Qui semble pouvoir être tenu pour vrai, être admis. 1552 ; lat. *plausibilis*, « digne d'être approuvé », de *plaudere*, « applaudir » ; [plozibl].

**PLAY-BACK, subst. m. inv.**
Interprétation mimée par un chanteur, un musicien, d'un enregistrement sonore effectué au préalable (anglic.) : *Chanter en **play-back**.* 1930 ; anglo-amér. *playback*, de *to play*, « jouer », et de *back*, « en arrière » ; recomm. off. *présonorisation* ; [plɛbak].

**PLAY-BOY, subst. m.**
Homme jeune et élégant qui cultive les plaisirs de la vie et accumule les conquêtes amoureuses (anglic.). 1936 ; angl. *playboy*, de *boy*, « jeune homme », et de *play*, « jeu » ; plur. *play-boys* ; [plɛbɔj].

**PLÈBE, subst. f.**
**1.** *Antiq. rom.* Classe non noble de la société, exclue à l'origine de la citoyenneté et du sacerdoce, par oppos. au patriciat. **2.** Ext. Bas peuple (péj.). Mil. XIVe s. ; lat. *plebs* ; [plɛb].

**PLÉBÉIEN, IENNE, adj. et subst.**
**Subst. 1.** *Antiq. rom.* Citoyen appartenant à la plèbe (anton. *patricien*). **2.** Ext. Personne issue du peuple (littér. et vieilli, souv. péj.). **Adj. 1.** *Antiq. rom.* De la plèbe. **2.** Ext. Du peuple : *Une origine **plébéienne*** ; grossier (péj. et vieilli). Mil. XIVe s. ; lat. *plebeius* ; [plebejɛ̃, jɛn].

**PLÉBISCITE, subst. m.**
**1.** *Antiq. rom.* Décision ou loi votée par l'assemblée de la plèbe. **2.** Consultation où le corps électoral doit se prononcer par « oui » ou par « non » sur une résolution ou sur la confiance qu'il accorde à un homme qui a accédé au pouvoir. **3.** Vote d'une population sur son indépendance ou son rattachement à un État. **4.** Helv. Référendum. Mil. XIVe s. ; lat. *plebiscitum*, « décision du peuple » ; [plebisit].

**PLÉBISCITER, verbe trans. [3]**
**1.** Voter (qqch.), élire (qqn) par voie de plébiscite. **2.** Ext. Approuver (qqch.), élire (qqn) à une très large majorité. 1894 ; ☞ *plébiscite* ; [plebisite].

**PLÉCOPTÈRES, subst. m. plur.**
*Zool.* Ordre d'insectes névroptères, aux tarses formés de trois ou quatre articles, dont les larves sont aquatiques. **Au sing.** *La perle est un **plécoptère**.* Gr. *plekein*, « tresser », + *-ptère* ; [plekɔptɛʀ].

**PLECTRE,** subst. m.
*Mus.* Médiator. Déb. XIIIe s. ; lat. *plectrum*, du gr. *plêktron*, de *plêssein*, « donner un coup » ; [plɛktʀ].

**PLÉIADE,** subst. f.
**1.** *Astron.* *Les* **Pléiades** : amas stellaire de la constellation du Taureau, dont six étoiles (sept, pour les Anciens) sont visibles à l'œil nu. **2.** Anal. *Litt.* *La* **Pléiade** : groupe de sept poètes d'Alexandrie, au IIIe s. av. J.-C. ; groupe de sept poètes français du XVIe s., formé autour de Ronsard et de Du Bellay. **3.** Ext. Groupe de personnes (littér.) : *Une* **pléiade** *de jeunes artistes.* Déb. XIIIe s. ; lat. *Pleiades*, d'orig. gr., nom des sept filles d'Atlas ; [plejad].

**PLEIN, PLEINE,** adj., prép., adv. et subst. m.
**Adj. 1.** Empli du sentiment de ; entièrement absorbé par : *Plein d'amour* ; *Être* **plein** *de son sujet* ; *Être* **plein** *de soi-même*, imbu de sa personne. **2.** Qui contient tout ce qu'il peut contenir (anton. *vide*) : *Un* **plein** *panier de fruits* ; *Une salle* **pleine**, comble ; *Une journée bien* **pleine**, bien occupée ; *Parler la bouche* **pleine** ; *Avoir le ventre* **plein**, être rassasié ; *Être* **plein**, ivre (fam.). ► **Plein de.** Qui contient une grande quantité de : *Un sac* **plein** *de blé* ; *Une histoire* **pleine** *de péripéties.* ► Se dit d'une femelle en gestation : *Jument* **pleine**. **3.** Qui ne comporte pas de vide intérieur (anton. *creux*) : *Une porte* **pleine** ; *Un pneu* **plein**. ► *Son* **plein** : son rendu en frappant sur un objet **plein** ; *Voix* **pleine** : nette, bien marquée. ► *Visage* **plein**, *joues* **pleines** : ronds, potelés. **4.** Qui est à son maximum, à son plus haut degré : **Plein** *été* ; **Plein** *jour* ; **Pleine** *lune.* ► **Pleine** *mer* : marée haute ; le large. ► Entier, complet : **Plein** *tarif* ; *Un jour* **plein**, vingt-quatre heures ; *Travailler à temps* **plein**. ► Total, sans restriction : *De son* **plein** *gré* ; *Avoir* **pleine** *confiance* ; *Les* **pleins** *pouvoirs.* ► **À plein.** Complètement, au maximum : *L'eau coule à* **plein**. **5.** Loc. ► **En plein sur, dans.** Exactement sur, dans : *Le soleil donne en* **plein** *sur la place.* ► **En plein** (+ subst.). Au milieu de, au cœur de : *En* **plein** *champ* ; *En* **plein** *drame* ; *En* **plein** *air*, à l'extérieur, à l'air libre. **6.** (Par confusion avec « plain ».) Plat : *De* **plein** *fouet*, en ligne droite, directement ; *Écu* **plein**, sans brisure. **Prép.** En grande quantité dans (fam.) : *En avoir* **plein** *le dos, les bottes*, en avoir assez ; *En mettre* **plein** *la vue à qqn*, l'impressionner ; *Avoir* **plein** *la bouche de qqn, de qqch.*, en parler souvent. **Adv.** Beaucoup (fam.) : *Il a* **plein** *de problèmes.* ► **Tout plein.** Très (fam.) : *C'est gentil tout* **plein**. **Subst. 1.** État de ce qui est à son maximum : *Le* **plein** *de l'été.* ► Loc. *Battre son* **plein** : être haute, en parlant de la mer ou, au fig., être à son maximum, à son apogée. **2.** Espace entièrement occupé par la matière : *Les* **pleins** *et les vides.* ► Partie la plus appuyée, la plus large d'un caractère calligraphié (anton. *délié*). **3. Faire le plein de.** Remplir totalement un contenant avec : *Faire le* **plein** *d'essence* ou, empl. abs., *Faire le* **plein** ; au fig. : *Faire le* **plein** *des voix à une élection.* Mil. XIe s. ; lat. *plenus* ; [plɛ̃, plɛn].

**PLEINEMENT,** adv.
Totalement ; en toute plénitude : *Jouir* **pleinement** *de sa retraite.* Mil. XIIe s. ; ☞ *plein* ; [plɛnmɑ̃].

**PLEIN-EMPLOI,** subst. m. sing.
*Écon.* Situation dans laquelle la totalité de la main-d'œuvre disponible est employée. 1949 ; comp. de *plein* et de *emploi* ; var. *plein emploi* ; [plɛnɑ̃plwa].

**PLEIN-TEMPS,** subst. m.
Activité professionnelle qui occupe la totalité de la durée légale du travail (par oppos. à *mi-temps, temps partiel*) : *Faire un* **plein-temps**. 1959 ; comp. de *plein* et de *temps* ; plur. *pleins-temps* ; [plɛ̃tɑ̃].

**PLÉISTOCÈNE,** adj. et subst. m.
*Géol.* **Subst.** Période située au début de l'ère quaternaire. **Adj.** Du **Pléistocène**. 1839 ; gr. *pleistos*, « beaucoup », et *kainos*, « récent » ; [pleistɔsɛn].

**PLÉNIER, IÈRE,** adj.
Se dit d'une assemblée, d'une séance à laquelle tous les membres sont convoqués. Fin XIe s. ; bas lat. *plenarius*, du lat. *plenus*, « plein » ; [plenje, jɛʀ].

**PLÉNIPOTENTIAIRE,** subst.
Diplomate investi des pleins pouvoirs ; empl. adj. : *Ministre* **plénipotentiaire**, diplomate situé dans la hiérarchie immédiatement après l'ambassadeur. 1643 ; lat. *plenus*, « plein », et *potentia*, « puissance » ; [plenipɔtɑ̃sjɛʀ].

**PLÉNITUDE,** subst. f.
État de ce qui est au stade le plus accompli de son développement : *Être dans la* **plénitude** *de ses facultés.* Fin XIVe s. (déb. XIVe s., accomplissement d'un temps) ; lat. *plenitudo*, de *plenus*, « plein » ; [plenityd].

**PLÉNUM,** subst. m.
Réunion plénière d'une assemblée. 1932 (1860, maximum) ; lat. *plenum*, « plein » ; var. *plenum* ; [plenɔm].

**PLÉONASME,** subst. m.
*Ling.* Répétition de ce qui vient d'être énoncé, soit fautivement (par ex. : « s'entraider mutuellement »), soit intentionnellement (par ex. : « je l'ai entendu de mes propres oreilles »). 1610 ; bas lat. *pleonasmus*, du gr. *pleonasmos*, « excès » ; [pleɔnasm].

**PLÉONASTIQUE,** adj.
Qui constitue un pléonasme : *Tournure* **pléonastique**. 1842 ; ☞ *pléonasme* ; [pleɔnastik].

**PLÉSIOSAURE,** subst. m.
*Paléont.* Reptile marin fossile de l'ère secondaire. 1824 ; gr. *plêsios*, « proche », + *-saure* ; [plezjɔzɔʀ].

**PLÉTHORE,** subst. f.
**1.** Vx. *Méd.* Surabondance des humeurs, du sang. **2.** Abondance excessive : *Une* **pléthore** *d'exemples.* 1314 ; gr. *plêthôrê*, « plénitude » ; [pletɔʀ].

**PLÉTHORIQUE,** adj.
**1.** *Méd.* ► Vx. Qui est caractérisé par la pléthore. ► Ext. Obèse. **2.** Surabondant, surchargé : *Effectifs* **pléthoriques**. 1314 ; gr. *plêthôrikos* ; [pletɔʀik].

**PLEUR,** subst. m.
**1.** Surtout au plur. Larme (littér.) : *Être en* **pleurs**, pleurer. ► Loc. *Bureau des* **pleurs** : personne auprès de laquelle on s'épanche en récriminations (iron.). **2.** Anal. Écoulement de la sève des arbres fruitiers. Déb. XIIe s. ; ☞ *pleurer* ; [plœʀ].

**PLEURAGE,** subst. m.
*Techn.* Variation parasite de la hauteur du son, provenant des fluctuations de vitesse des appareils de lecture ou d'enregistrement électroacoustiques. V. 1960 ; ☞ *pleurer* ; [plœʀaʒ].

**PLEURAL, ALE, AUX,** adj.
*Anat.* Relatif à la plèvre : *Liquide* **pleural**. 1844 ; gr. *pleura*, « côté » ; [plœʀal, o].

**PLEURARD, ARDE,** adj. et subst.
Se dit d'une personne qui pleurniche sans cesse (fam. et péj.). **Adj.** Plaintif. 1552 ; ☞ *pleurer* ; [plœʀaʀ, aʀd].

**PLEURER,** verbe [3]
**Intrans. 1.** Verser des larmes : **Pleurer** *de rage, de joie* ; **Pleurer** *à chaudes larmes, comme une Madeleine*, abondamment. ► Loc. *Bête, triste à* **pleurer** : extrêmement bête, triste. **2.** Anal. Exsuder de la sève : *La vigne* **pleure** *après la taille.* **3. Pleurer sur.** Déplorer, s'apitoyer sur. **Trans. 1.** Déplorer la mort de (qqn), la perte de (qqch.). ► Loc. **Pleurer** *misère* : se plaindre de manquer d'argent. **2.** Verser (des larmes) : **Pleurer** *toutes les larmes de son corps.* Déb. Xe s. ; lat. *plorare*, « se lamenter » ; [plœʀe].

**PLEURÉSIE,** subst. f.
*Pathol.* Inflammation aiguë ou chronique de la plèvre, avec épanchement de liquide. Mil. XIIIe s. ; lat. méd. *pleuresis*, du gr. *pleuritis* ; [plœʀezi].

**PLEURÉTIQUE,** subst. et adj.
Se dit d'une personne atteinte de pleurésie. **Adj.** Relatif à la pleurésie, causé par elle. 1245 ; lat. méd. *pleureticus* ; [plœʀetik].

**PLEUREUR, EUSE,** adj. et subst.
Se dit d'une personne qui pleure facilement. **Adj. 1.** Larmoyant. **2.** Qualifie un arbre dont le[s] branches retombent vers le sol : *Saule* **pleureu[r]**. **Subst. fém.** Femme engagée pour pleurer à de[s] funérailles, dans l'Antiquité et, auj., dans certain[s] pays du pourtour méditerranéen. Mil. XIe s. ☞ *pleurer* ; [plœʀœʀ, øz].

Sépulcreuses (*détail*), *peinture anonyme espagnole (fin XIIIe s.) représentant des* **pleureuses**. *Musée d'Art de Catalogne, Barcelone.*

© Giraudon

**PLEURITE,** subst. f.
*Pathol.* Pleurésie sèche. 1817 ; lat. *pleuritis*, « pleu[ré]sie » ; [plœʀit].

**PLEURNICHARD,** voir **PLEURNICHEU[R]**

**PLEURNICHER,** verbe intrans. [3]
**1.** Pleurer ou feindre de pleurer sans raison sérieus[e]. **2.** Geindre. 1739 ; prob. norm. *pleurmicher*, « pleure[r] pour peu de chose » ; [plœʀniʃe].

**PLEURNICHERIE,** subst. f.
Fait de pleurnicher ; lamentation (souv. au plur.). 1797 ; ☞ *pleurnicher* ; [plœʀniʃʀi].

**PLEURNICHEUR, EUSE,** subst. et adj.
Se dit d'une personne qui pleurniche. **Adj.** Ge[i]gnard. 1774 ; ☞ *pleurnicher* ; var. *pleurnichar[d,] arde* ; [plœʀniʃœʀ, øz].

**PLEURONECTE,** subst. m.
*Zool.* Poisson plat. On distingue les **pleuronecte[s]** gauchers (dont les deux yeux sont à gauche che[z] l'adulte), comme le turbot ou la barbue, et le[s] **pleuronectes** droitiers (dont les yeux sont à droite) comme le flétan ou la limande. Déb. XIXe s. ; g[r.] *nêktos*, « qui nage », + *pleuro-* ; [plœʀɔnɛkt].

**PLEUROTE,** subst. m.
*Bot.* Champignon de la famille des Agaricacées vivant en parasite de plantes ou d'arbres, dont o[n] cultive plusieurs espèces comestibles. 1875 ; g[r.] *ous*, « oreille », + *pleuro-* ; [plœʀɔt].

© J.-L. Le Moigne-Jacana

*Pleurotes.*

**PLEUROTOMIE,** subst. f.
*Chir.* Incision de la plèvre. 1876 ; formé de *pleur[o-]* et de *-tomie* ; [plœʀɔtɔmi].

**PLEUTRE,** subst. m. et adj.
Se dit d'une personne lâche (littér.). 1750 ; prob. flam. *pleute*, « chose sans valeur ; chiffon » ; [pløtʀ].

**PLEUTRERIE,** subst. f.
Caractère du pleutre, lâcheté (littér.). 1879 ☞ *pleutre* ; [pløtʀəʀi].

**PLEUVINER,** verbe impers. [3]
Pleuvoir à très fines gouttes, bruiner ; pleuvoir pa[r] intermittence. 1216 ; ☞ *pleuvoir* ; synon. *pleuvas[-]ser, pleuvioter, pleuvoter, pluviner* ; [pløvine].

**PLEUVOIR,** verbe [44]
**Impers.** Tomber, en parlant de la pluie : *Il* **pleuvai[t]** *quelques gouttes*, légèrement ; *Il* **pleut** *à verse, à seaux, à torrents, des cordes, des hallebardes*, abondamment. ► Loc. *Comme s'il en* **pleuvait** : en grande quantité. **Intrans.** Tomber, s'abattre abondamment : *Les coup[s]* **pleuvent** ; au fig. : *Les critiques* **pleuvent**. Déb. XIIe s. ; lat. *pluere* ; [pløvwaʀ].

**PLÈVRE,** subst. f.
*Anat.* Enveloppe du poumon composée de deu[x] feuillets entre lesquels le liquide pleural s'accumul[e] en cas d'inflammation. 1552 ; gr. *pleura*, « côté » ; [plɛvʀ].

**PLEXIGLAS,** subst. m. inv.
Matière plastique transparente, dure et incassable utilisée notamment comme verre de sécurité. 1935 ; formé du lat. *plexus*, « entrelacement », et de l'all. *Glas*, « verre » ; n. déposé ; [plɛksiglas].

**PLEXUS,** subst. m.
*Anat.* Réseau des nerfs et de petits vaisseau[x] anastomosés et entrelacés : **Plexus** *solaire, cervical, lombaire.* 1575 ; lat. *plexus*, « entrelacement », d[e] lat. *plectere*, « tresser » ; [plɛksys].

**PLI (I),** subst. m.
**1.** Double épaisseur d'une matière souple rabattu[e] sur elle-même : *Plis d'un éventail.* ► *Cout.* Dispo[-]

sition du tissu rabattu sur lui-même, cousu ou maintenu par repassage : *Pli couché, creux, plat.* **2.** Repli, bourrelet, ride de la peau. **3.** Enveloppe d'une lettre ; la lettre elle-même. **4.** Marque restant sur une matière souple qui a été pliée. ► *Faux **pli*** : **pli** disgracieux sur un tissu. ► Loc. *Ne pas faire un **pli*** : se produire à coup sûr ; *Prendre un **pli*** : contracter une habitude. **5.** Chacune des ondulations d'un tissu flottant : *Les plis d'un sari.* ► *Géol.* Ondulation résultant de la déformation d'une structure géologique (couche de terrain, filon, etc.). **6.** *Mise en **plis*** : opération visant à donner une forme ondulée aux cheveux en les enroulant mouillés sur des bigoudis. **7.** *Jeux.* Aux cartes, levée. 1197 ; ☞ *plier* ; [pli].

**PLI (II), subst. m.**
*Techn.* Chacune des minces plaques de bois qui, assemblées et collées, constituent le contreplaqué. 1948 ; angl. *ply*, « couche » ; [pli].

**PLIABLE, adj.**
Qui se plie facilement. Fin XII^e s. ; ☞ *plier* ; [plijabl].

**PLIAGE, subst. m.**
Action de plier : ***Pliage** des draps* ; manière dont une chose est pliée. 1611 ; ☞ *plier* ; [plijaʒ].

**PLIANT, ANTE, adj. et subst. m.**
**Adj.** Qui est fait d'éléments articulés pouvant se rabattre les uns sur les autres. **Subst.** Siège pliable en toile, gén. sans bras ni dossier. 1420 ; p. pr. de *plier* ; [plijɑ̃, ɑ̃t].

**PLIE, subst. f.**
*Zool.* Carrelet. XV^e s. ; anc. fr. *plais*, p.-ê. du bas lat. *platessa* ; [pli].

**PLIÉ, subst. m.**
*Chorégr.* Mouvement consistant à fléchir les genoux. Fin XIX^e s. ; p. p. de *plier* ; [plije].

**PLIEMENT, subst. m.**
Action de plier (une partie du corps) ; fait de se plier (rare). 1538 ; ☞ *plier* ; [plimɑ̃].

**PLIER, verbe** [6]
**Trans. 1.** Forcer (qqn, qqch.) à se conformer à : ***Plier** la réalité à une théorie* ; ***Plier** qqn à une discipline.* **2.** Rabattre (une matière souple) sur elle-même, de manière à obtenir plusieurs épaisseurs : ***Plier** du linge* ; par méton. : ***Plier** ses affaires*, les ranger. ► Loc. ***Plier** bagage* : partir. **3.** Rabattre les éléments articulés de (un objet, un ensemble) les uns sur les autres : ***Plier** un parasol.* ► Fléchir (un membre, une articulation). **4.** Donner une forme courbe à (qqch. de flexible) : ***Plier** une tige de fer.* **Intrans. 1.** Fig. Céder, renoncer à toute résistance : ***Plier** devant l'autorité paternelle.* **2.** Se courber, fléchir : ***Plier** sous le fardeau.* **Pronom.** **Se plier à.** Se soumettre à (qqch.) : *Se **plier** de bonne grâce à une coutume.* 881 ; lat. *plicare* ; [plije].

**PLIEUR, EUSE, subst.**
Personne chargée de plier qqch. **Fém.** Machine servant à plier qqch. 1310 ; ☞ *plier* ; [plijœʀ, øz].

**PLINTHE, subst. f.**
**1.** *Archit.* Pierre plate servant de socle à une statue, à une colonne, ou coiffant un chapiteau. **2.** *Bât.* Bande plate bordant le bas d'un mur. Déb XVI^e s. ; bas lat. *plinthus*, du gr. *plinthos*, « brique » ; [plɛ̃t].

**PLIOCÈNE, adj. et subst. m.**
*Géol.* **Subst.** Période correspondant à la fin de l'ère tertiaire, qui fait suite au Miocène. **Adj.** Relatif, propre au **Pliocène**. 1834 ; gr. *pleiôn*, « plus », et *kainos*, « récent » ; [plijɔsɛn].

**PLIOIR, subst. m.**
**1.** *Impr.* Petite lame servant à plier et à couper le papier. **2.** Planchette sur laquelle on enroule une ligne de pêche. 1627 ; ☞ *plier* ; [plijwaʀ].

**PLISSAGE, subst. m.**
Action de plisser ; son résultat : ***Plissage** d'une jupe.* 1836 ; ☞ *plisser* ; [plisaʒ].

**PLISSÉ, ÉE, adj. et subst. m.**
**Adj. 1.** Qui comporte des plis. **2.** *Géol.* Qui a subi un plissement. **Subst.** *Cout.* Manière dont un tissu est plissé ; ensemble de plis. 1636 ; p. p. de *plisser* ; [plise].

**PLISSEMENT, subst. m.**
**1.** Action de plisser ; son résultat. **2.** *Géol.* Phase de déformation liée à l'orogenèse ; ensemble de terrains plissés. 1636 ; ☞ *plisser* ; [plismɑ̃].

**PLISSER, verbe** [3]
**Trans.** Marquer (qqch.) de plis. **Intrans.** Faire des plis : *Bas qui **plissent**.* 1538 ; ☞ *pli* (I) ; [plise].

**PLISSEUR, EUSE, subst.**
*Cout.* Personne qui fait les plissés. **Fém.** Machine à plisser les étoffes. 1625 ; ☞ *plisser* ; [plisœʀ, øz].

**PLIURE, subst. f.**
**1.** *Impr.* Action ou manière de plier des feuilles de papier. **2.** Marque laissée par un pli. 1538 (1314, jointure) ; ☞ *plier* ; [plijyʀ].

**PLOCÉIDÉS, subst. m. plur.**
*Zool.* Famille de petits oiseaux passériformes d'Eurasie et d'Afrique. **Au sing.** *Le moineau est un **plocéidé**.* Gr. *plokê*, « action de tresser » ; [plɔseide].

**PLOIEMENT, subst. m.**
Action de ployer ; son résultat. XV^e s. ; ☞ *ployer* ; [plwamɑ̃].

**PLOMB, subst. m.**
**1.** *Chim.* Élément n° 82 de la table de Mendeleïev (symb. : Pb) ; masse atomique : 207,19 ; point de fusion : 327,5 °C ; point d'ébullition : 1 620 °C ; masse volumique : 11,4 g/cm$^3$. C'est l'un des plus lourds métaux, et il entre dans la composition de nombreux alliages. **2.** Loc. ► **De plomb.** Qui évoque le gris bleuté ou la lourdeur du **plomb** : *Un teint de **plomb*** ; *Un soleil de **plomb***, accablant ; *Un sommeil de **plomb***, très profond. ► *Ne pas avoir de **plomb** dans la cervelle* : manquer de bon sens. **3.** Sceau en **plomb** : ***Plomb** d'un compteur électrique, d'un sac postal.* **4.** *B.-a.* Baguette de **plomb** sertissant les verres d'un vitrail. **5.** *Chasse.* Chacun des grains de **plomb** garnissant une cartouche ; ensemble de ces grains. ► Loc. *Avoir du **plomb** dans l'aile* : être en voie d'échouer. **6.** *Électr.* Fusible : *Faire sauter les **plombs**.* ► Loc. *Péter les **plombs*** : devenir fou (fam.). **7.** *Impr.* Alliage servant à former des caractères ou des lignes ; par méton., procédé de composition utilisant de tels caractères ou lignes : *Le temps du **plomb**.* **8.** *Mar.* ***Plomb** de sonde* : masse de **plomb** attachée à l'extrémité d'une ligne et servant à sonder qqch. **9.** *Pêche.* Chacun des grains de **plomb** qui lestent une ligne, un filet. **10.** *Techn.* *Fil à **plomb*** : fil lesté de **plomb** servant à matérialiser la verticale. ► Loc. *À **plomb*** : verticalement. **Plur.** Cuvette servant à l'évacuation des eaux usées (vx). Déb. XII^e s. ; lat. *plumbum* ; [plɔ̃].

**PLOMBAGE, subst. m.**
**1.** Opération consistant à garnir qqch. de plomb. **2.** Action de sceller avec un plomb. **3.** *Dent.* Action de plomber une dent avec un amalgame ; cet amalgame. 1427 ; ☞ *plomber* ; [plɔ̃baʒ].

**PLOMBAGINACÉES, subst. f. plur.**
*Bot.* Famille de plantes herbacées adaptées à la steppe et aux sables maritimes. **Au sing.** *La dentelaire est une **plombaginacée**.* Lat. *plumbago*, « dentelaire » ; [plɔ̃baʒinase].

**PLOMBAGINE, subst. f.**
Graphite. 1556 ; lat. *plumbago* ; [plɔ̃baʒin].

**PLOMBE, subst. f.**
Heure (argot.) : *Ça fait trois **plombes** que j'attends !* 1811 ; argot *plomber*, « sonner » ; [plɔ̃b].

**PLOMBÉ, ÉE, adj. et subst. f.**
**Adj. 1.** Garni de plomb : *Ligne **plombée**.* ► *Dent.* Obturé : *Dent **plombée**.* **2.** Scellé avec des plombs : *Compteur **plombé**.* **3.** Qui évoque la couleur du plomb : *Ciel **plombé***, chargé de nuages sombres. **Subst. 1.** *Antiq.* et *M. Â.* Arme de jet garnie de plomb, aussi appelée plommée. **2.** *Pêche.* Lest de plomb d'une ligne, d'un filet. Mil. XII^e s. ; p. p. de *plomber* ; [plɔ̃be].

**PLOMBÉMIE, subst. f.**
*Méd.* Présence de plomb dans le sang ; le taux qui la mesure. 1938 ; ☞ *plomb* + *-émie* ; [plɔ̃bemi].

**PLOMBER, verbe trans.** [3]
**1.** Garnir (qqch.) de plomb. **2.** Donner à (qqch.) une couleur évoquant celle du plomb ; empl. pronom. : *L'horizon se **plombe**.* **3.** Sceller avec un plomb, des plombs. **4.** *Spéc.* ► *Agric.* Tasser (la terre) avec un plombeur. ► *Dent.* Obturer (une dent cariée) avec un amalgame. ► *Techn.* Vérifier au fil à plomb la verticalité de (un mur). Déb. XII^e s. ; ☞ *plomb* ; [plɔ̃be].

**PLOMBERIE, subst. f.**
**1.** Industrie et travail du plomb ; atelier où l'on travaille le plomb. **2.** Métier, travail du plombier. **3.** Ensemble des installations et des canalisations d'eau et de gaz, autrefois en plomb. Déb. XV^e s. (1304, objet en plomb) ; ☞ *plomb* ; [plɔ̃bʀi].

**PLOMBEUR, EUSE, subst.**
Personne qui scelle une marchandise au moyen d'un sceau de plomb. **Masc.** *Agric.* Rouleau lourd utilisé pour tasser la terre. 1502 (1429, ouvrier qui travaille le plomb) ; ☞ *plomber* ; [plɔ̃bœʀ, øz].

**PLOMBIER, IÈRE, subst. m. et adj.**
**Subst.** Professionnel de l'installation et de la maintenance des canalisations de distribution d'eau et de gaz, et des équipements sanitaires. **Adj.** Qui évoque le plomb. 1841 (1266, celui qui vend ou travaille le plomb) ; ☞ *plomb* ; [plɔ̃bje, jɛʀ].

**PLOMBIÈRES, subst. f.**
Glace à la vanille garnie de fruits confits. 1818 ; topon. *Plombières* (Vosges) ; [plɔ̃bjɛʀ].

**PLOMBIFÈRE, adj.**
Qui renferme du plomb ou de l'oxyde de plomb. 1842 ; ☞ *plomb* + *-fère* ; [plɔ̃bifɛʀ].

**PLOMBURE, subst. f.**
*B.-a.* Ensemble des plombs d'un vitrail. 1881 (1409, ouvrage en plomb) ; ☞ *plomb* ; [plɔ̃byʀ].

**PLONGE, subst. f.**
Lavage de la vaisselle, dans un restaurant, un café, une cantine (fam.) : *Faire la **plonge**.* 1948 (1377, action de plonger dans l'eau) ; ☞ *plonger* ; [plɔ̃ʒ].

**PLONGEANT, ANTE, adj.**
Dirigé de haut en bas : *Regard **plongeant**.* ► *Tir **plongeant*** : dont l'angle de niveau est inférieur à 45°. 1798 ; p. pr. de *plonger* ; [plɔ̃ʒɑ̃, ɑ̃t].

**PLONGÉE, subst. f.**
**I. 1.** Action de plonger, de s'enfoncer entièrement dans l'eau ; durée de cette action. ► ***Plongée** sous-marine* : activité consistant à évoluer sous l'eau avec un équipement approprié. **2.** Point de vue plongeant. ► *Cin.* Prise de vue dirigée vers le bas. **3.** Mouvement de descente rapide dans l'air ou sur une pente très inclinée. **II.** *Fortif.* Talus supérieur d'un parapet. 1493 ; p. p. de *plonger* ; [plɔ̃ʒe].

**PLONGEOIR, subst. m.**
Tremplin, plate-forme d'où l'on peut plonger dans l'eau. 1924 (1869, châssis à aiguilles) ; ☞ *plonger* ; [plɔ̃ʒwaʀ].

**PLONGEON (I), subst. m.**
*Zool.* Grand oiseau arctique, aquatique et marin, de l'ordre des Gaviiformes, aux pieds palmés et au corps fusiforme adapté à la plongée. Fin XII^e s. ; bas lat. *plumbio*, du lat. *plumbum*, « plomb » ; [plɔ̃ʒɔ̃].

*Plongeon.*

**PLONGEON (II), subst. m.**
**1.** Action de se jeter dans l'eau tête et bras en avant. ► Loc. *Faire le **plongeon*** : faire faillite (fam.). **2.** Inclination profonde du buste, révérence (fam.). **3.** *Sp.* Au football et au rugby, détente horizontale d'un joueur. **4.** Chute en avant ou d'une grande hauteur : *Il trébucha et fit un **plongeon** dans le caniveau.* XVI^e s. ; ☞ *plonger* ; [plɔ̃ʒɔ̃].

**PLONGER, verbe** [5]
**Trans. 1.** Faire entrer (qqch., qqn) dans un liquide, entièrement ou partiellement : ***Plonger** les beignets dans la friture* ; empl. pronom. : *Se **plonger** dans la piscine.* **2.** Anal. Introduire, enfoncer ; en partic., enfoncer (une arme) dans un corps : ***Plonger** une épée en plein cœur.* ► ***Plonger** son regard dans qqch.* : le regarder intensément. **3.** Fig. Mettre brusquement (qqn) dans un certain état : *Son attitude me **plonge** dans la perplexité* ; empl. pronom., s'absorber dans : *Se **plonger** dans un roman.* **Intrans. 1.** S'enfoncer entièrement dans l'eau. **2.** Se jeter dans l'eau tête et bras en avant. **3.** Anal. Descendre rapidement. ► *Sp.* Au football et au rugby, faire un plongeon. **4.** Être dirigé vers le bas, en parlant des yeux, du regard : *Son regard **plongea** dans le précipice.* **5.** Être profondément enfoncé : *Une ancre qui **plonge** dans le sable.* Déb. XII^e s. ; lat. pop. °*plumbicare*, du lat. *plumbum*, « plomb » ; [plɔ̃ʒe].

*Plongeuse sous-marine.*

**PLONGEUR, EUSE,** subst.
**1.** Personne qui plonge, qui exécute un plongeon ; spécialiste en plongeon. **2.** Personne qui pratique la plongée sous-marine. **3.** Personne qui fait la plonge dans un restaurant, un café. **Masc.** *Zool.* Oiseau qui plonge dans l'eau pour se nourrir. 1306 ; ☞ *plonger* ; [plɔ̃ʒœʀ, øz].

**PLOT,** subst. m.
**1.** Helv. Billot. **2.** *Électr.* Pièce métallique assurant un contact électrique. **3.** *Sp.* Cube numéroté placé au bord d'une piscine, d'où plonge le nageur au départ d'une compétition. 1290 ; prob. crois. du lat. *plautus*, « plat », et du m. néerl. *block*, « bloc » ; [plo].

**PLOUC,** subst. et adj.
Se dit d'un paysan et, par ext., d'une personne rustre, peu raffinée (fam. et péj.). 1880 ; p.-ê. apocope des topon. bretons en *Plouc-* et *Ploug-* ; [pluk].

**PLOUF,** interj.
Évoque le bruit d'un objet, d'un corps qui tombe dans un liquide ; empl. subst. masc., ce bruit. 1816 ; onomat. ; [pluf].

**PLOUTOCRATE,** subst.
Personne qui doit son influence politique à sa richesse. 1842 ; angl. *plutocrat* ; [plutɔkʀat].

**PLOUTOCRATIE,** subst. f.
Système politique dans lequel le pouvoir appartient aux plus fortunés ; par méton., régime où prévaut ce système. 1582 ; gr. *ploutokratia*, de *ploutos*, « richesse », et de *kratos*, « puissance » ; [plutɔkʀasi].

**PLOYER,** verbe [17]
**Trans. 1.** Vx. Plier. **2.** Incliner, courber (littér.) : ***Ployer** les genoux*, les fléchir et, au fig., s'humilier. **3.** Fig. Faire céder, faire fléchir (la résistance de qqn). **Intrans. 1.** S'incliner, se courber. **2.** Fig. Se soumettre à : *La Gaule **ployait** sous l'aigle romaine.* Xe s. ; var. de *plier*, du lat. *plicare* ; [plwaje].

**PLUCHER,** voir **PELUCHER**

**PLUCHES,** subst. f. plur.
Épluchage des légumes, en partic. des pommes de terre (fam.) ; par méton., épluchures. 1908 ; ☞ *éplucher* ; [plyʃ].

**PLUCHEUX,** voir **PELUCHEUX**

**PLUIE,** subst. f.
**1.** Chute d'eau atmosphérique, sous forme de gouttes : ***Pluie** diluvienne, battante* ; ***Pluies** acides*, **pluies** chargées d'ions acides de provenance industrielle. **2.** Anal. Ce qui tombe dru, comme la **pluie** : ***Pluie** de cendres, de sauterelles* ; ***Pluie** d'obus.* **3.** Fig. Ce que l'on reçoit en abondance : ***Pluie** de coups, d'injures.* **4.** Loc. *En **pluie*** : en fines gouttes ; *Ennuyeux comme la **pluie*** : très ennuyeux ; *Après la **pluie**, le beau temps* : les joies succèdent aux tristesses ; *Faire la **pluie** et le beau temps* : jouir d'une grande influence ; *Parler de la **pluie** et du beau temps* : de choses sans intérêt ; *Ne pas être né de la dernière **pluie*** : avoir de l'expérience. Fin XIe s. ; lat. pop. °*ploia*, du lat. *pluvia* ; [plɥi].

**PLUMAGE,** subst. m.
Ensemble des plumes d'un oiseau. 1284 (1265, apparence de qqn) ; ☞ *plume* ; [plymaʒ].

**PLUMARD,** subst. m.
Fam. Lit (abrév. : plume). 1881 (fin XVe s., panache) ; ☞ *plume* ; [plymaʀ].

**PLUMASSIER, IÈRE,** subst.
Personne qui confectionne, qui vend des ouvrages en plumes ; empl. adj. : *La fabrication **plumassière**.* 1448 ; m. fr. *plumas*, « plumet » ; [plymasje, jɛʀ].

**PLUME,** subst. f.
**I. 1.** *Zool.* Structure cornée, légère, souple et ramifiée, composée d'une hampe, de barbes et de barbules, implantée dans la peau des oiseaux. Les plus grandes **plumes** sont aussi appelées pennes ; celles des ailes, ou rémiges, contribuent au vol ; celles de la queue, ou rectrices, ont un rôle de gouvernail ; celles du corps, ou tectrices, servent de protection ; les plus petites, plumules ou duvet, tiennent chaud. **2.** Loc. *Voler dans les **plumes** de qqn* : l'attaquer, physiquement ou verbalement (fam.) ; *Laisser des **plumes*** : subir des pertes (fam.) ; *Léger comme une **plume*** : très léger. **3.** *Sp.* En appos. *Poids **plume*** : catégorie de sportif léger. **II. 1.** Plume d'oiseau ou de matière synthétique utilisée pour divers usages : *Chapeau à **plumes** ; Oreiller de **plumes**.* **2.** Grosse **plume** d'oiseau dont le tuyau taillé en pointe servait à écrire. **3.** Petite lame métallique incurvée et pointue qui, adaptée à un porte-plume ou à un stylo, sert à écrire : *Stylo à **plume**.* ► Ext. Fait d'écrire ; manière d'écrire : *Avoir une belle **plume*** ; *Prendre la **plume***, se mettre à écrire ; *Vivre de sa **plume***, faire profession d'écrivain. Mil. XIIe s. ; lat. *pluma*, « duvet » ; [plym].

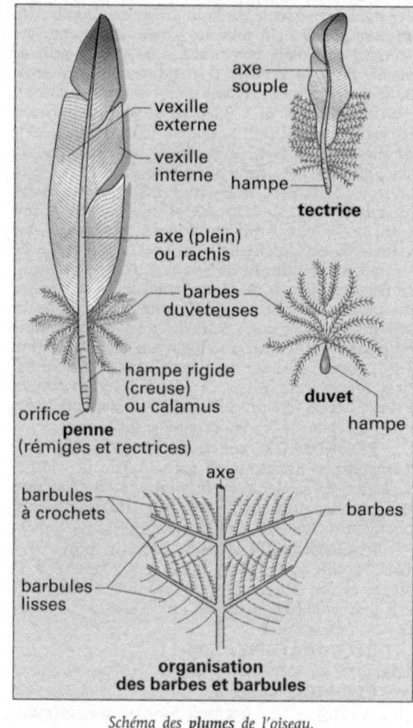


*Schéma des **plumes** de l'oiseau.*

**PLUMEAU,** subst. m.
Ustensile fait de plumes fixées à un manche et servant à épousseter. 1640 ; ☞ *plume* ; [plymo].

**PLUMER,** verbe trans. [3]
**1.** Dépouiller (un volatile) de ses plumes. **2.** Fig. Dépouiller (qqn) de ses biens, par escroquerie (fam.). XIIIe s. (mil. XIIe s., arracher la moustache) ; ☞ *plume* ; [plyme].

**PLUMET,** subst. m.
Bouquet de plumes servant d'ornement, notamment sur une coiffure militaire. 1642 (1478, mot injurieux pour un jeune homme) ; ☞ *plume* ; [plymɛ].

**PLUMETÉ, ÉE,** adj.
*Hérald.* Dont le champ est parsemé de motifs évoquant des plumes ; empl. subst. masc. : *Un **plumeté** d'argent sur azur.* 1690 (1322, qui évoque la plume) ; anc. fr. *plumete*, de *plume* ; [plym(ə)te].

**PLUMETIS,** subst. m.
*Cout.* **1.** Broderie en relief qui se fait sur un bourrage. **2.** Étoffe légère brodée de cette manière, en partic. de petits pois en relief. 1495 ; ☞ *plumeté* ; [plym(ə)ti].

**PLUMEUX, EUSE,** adj.
Qui ressemble à des plumes. 1783 (déb. XIIIe s., couvert de plumes) ; ☞ *plume* ; [plymø, øz].

**PLUMIER,** subst. m.
Boîte servant à ranger stylos, crayons, gommes, etc. 1872 ; ☞ *plume* ; [plymje].

**PLUMITIF,** subst. m.
**1.** Péj. Employé aux écritures ; par ext., écrivain ou journaliste médiocre. **2.** *Dr.* Registre dans lequel sont consignés les points essentiels d'une audience. 1589 ; altér. de *plumetis*, « brouillon d'un acte », p.-ê. d'apr. *primitif*, « original d'un écrit » ; [plymitif].

**PLUMULE,** subst. f.
*Zool.* Chacune des fines plumes qui constituent le duvet. 1842 (1764, gemmule) ; ☞ *plume* ; [plymyl].

**PLUPART (LA),** subst. f. et pron. indéf.
**Subst. 1.** Vx. **La plupart de** (+ sing.). La plus grande partie de. ► Loc. ***La plupart** du temps* : le plus souvent, généralement. **2. La plupart de** (+ plur.). La majorité de, le plus grand nombre de : ***La plupart** des oiseaux volent.* ► Loc. *Dans **la plupart** des cas* : presque toujours. **Pron.** La majorité : *Les Suédois aiment le ski, **la plupart** en font.* ► Loc. *Pour **la plupart*** : quant au plus grand nombre. 1395 formé de *plus* et de *part* (I) ; [laplypaʀ].

**PLURAL, ALE, AUX,** adj.
**1.** Qui comprend plusieurs éléments, plusieurs unités. ► *Suffrage, vote **plural*** : système dans lequel certains électeurs disposent de plusieurs voix. **2.** Pluraliste. 1874 ; lat. *pluralis* ; [plyʀal, o].

**PLURALISME,** subst. m.
**1.** *Philos.* Toute doctrine qui dénie aux êtres composant le monde une origine unitaire ou qui multiplie à l'infini les principes (anton. *monisme*). **2.** Système qui admet, au sein d'un groupe organisé, la coexistence de conceptions diverses en matière politique, économique, religieuse, etc. ; par méton. cette coexistence. 1895 ; ☞ *plural* ; [plyʀalism].

**PLURALISTE,** adj. et subst.
Se dit d'un partisan du pluralisme. **Adj.** Relatif au pluralisme. 1909 ; ☞ *plural* ; [plyʀalist].

**PLURALITÉ,** subst. f.
**1.** Fait d'être plusieurs. **2.** Majorité, dans un décompte (vieilli). Fin XIIIe s. ; lat. *pluralitas* [plyʀalite].

**PLURIANNUEL, ELLE,** adj.
**1.** *Bot.* Qui ne fleurit qu'au bout de plusieurs années. **2.** Qui s'étend sur plusieurs années. 1932 ; ☞ *annuel* + *pluri-* ; [plyʀianɥɛl].

**PLURICELLULAIRE,** adj.
*Biol.* Multicellulaire. 1890 ; ☞ *cellulaire* + *pluri-* [plyʀiselylɛʀ].

**PLURIDIMENSIONNEL, ELLE,** adj.
Multidimensionnel. 1957 ; ☞ *dimensionnel* + *pluri-* ; [plyʀidimɑ̃sjɔnɛl].

**PLURIDISCIPLINAIRE,** adj.
Multidisciplinaire. V. 1970 ; ☞ *disciplinaire* + *pluri-* ; [plyʀidisiplinɛʀ].

**PLURIEL, ELLE,** subst. m. et adj.
**Subst.** *Gramm.* **1.** Catégorie grammaticale qui indique un nombre supérieur à l'unité (anton. *singulier*) ou à deux (dans les langues ayant un duel) : *Les marques usuelles du **pluriel** des noms en français sont le « s » et le « x » ; Mettre un nom au **pluriel**.* **2.** Méton. Forme que prend un mot au **pluriel** : *Le **pluriel** de « bail » est « baux ».* **Adj. 1.** *Gramm.* Qui indique le **pluriel** : *Masculin **pluriel**.* **2.** Qui est composé d'éléments multiples ; qui relève de plusieurs points de vue, de différents niveaux d'analyse (littér.) : *Société, lecture **plurielle**.* 1460 anc. fr. *plurier*, du lat. *pluralis* ; [plyʀjɛl].

**PLURIETHNIQUE,** adj.
Multiethnique. ☞ *ethnique* + *pluri-* ; [plyʀiɛtnik].

**PLURILATÉRAL, ALE, AUX,** adj.
Multilatéral. 1932 ; ☞ *latéral* + *pluri-* ; [plyʀilateʀal, o].

**PLURILINGUE,** adj. et subst.
Multilingue. 1956 ; lat. *lingua*, « langue », + *pluri-* d'apr. *bilingue* ; [plyʀilɛ̃g].

**PLURILINGUISME,** subst. m.
Multilinguisme : *Le **plurilinguisme** des Suisses.* 1956 ; ☞ *plurilingue* ; [plyʀilɛ̃gɥism].

**PLURIPARTISME,** subst. m.
Système politique qui admet la coexistence de plusieurs partis (synon. *multipartisme*). V. 1960 ; ☞ *parti* + *pluri-* ; [plyʀipaʀtism].

**PLURIVALENT, ENTE,** adj.
**1.** *Chim.* Qui possède plusieurs valences (synon. *polyvalent*). **2.** *Philos.* Qui peut avoir plusieurs formes, produire plusieurs effets. **3.** *Log.* Qui admet d'autres valeurs que le vrai et le faux (par oppos. à *bivalent*). 1907 ; formé de *pluri-* et de *-valent* [plyʀivalɑ̃, ɑ̃t].

**PLURIVOQUE, adj.**
Qui a plusieurs valeurs, plusieurs sens (anton. *univoque*). 1917 ; ☞ *univoque* + *pluri-* ; [plyʀivɔk].

**PLUS, adv., conj. et subst. m.**
ADV. **1.** Comparatif de supériorité. Qui est supérieur en quantité, en qualité : *Il faut aller* **plus** *loin ; Elle est* **plus** *belle que je ne l'imaginais ; Je la trouve* **plus** *calme.* ► **Plus que.** *C'est une idée* **plus** *qu'intéressante.* ► **Plus de.** *Il doit avoir* **plus** *de vingt ans ;* **Plus** *d'un génie est mort dans la misère.* ► Loc. *En* **plus**, *de* **plus**, *bien* **plus**, *qui* **plus** *est* : de surcroît, en outre ; *D'autant* **plus**, *raison de* **plus** : précisément pour cette raison ; *De* **plus** *en* **plus** : en augmentant peu à peu ; **Plus** *ou moins* : à peu près ; *Ni* **plus** *ni moins* : exactement ; *Tant et* **plus** : énormément ; *On ne peut* **plus** : le **plus** qu'il est possible. **2.** Superlatif de supériorité (précédé d'un art. déf.) : *Ce fut la journée la* **plus** *chaude* (par rapport aux autres journées) ; *C'est à midi qu'elle fut le* **plus** *chaude* (en ne considérant que la seule journée). ► Loc. *Au* **plus**, *tout au* **plus** : au maximum ; *Des* **plus** : très, parmi les **plus**. **3.** Empl. négatif. Marque la cessation d'une action, d'un état ; exprime un manque : *Elle ne l'aime* **plus** ; *Il n'y a* **plus** *de pain.* ► **Sans plus.** *Il faut partir sans* **plus** *attendre* : sans attendre davantage ; *Vous en obtiendrez 1 000 francs, sans* **plus** : juste cela. CONJ. Employé dans l'addition : *6* **plus** *3 égale 9.* SUBST. **1.** ► **Un plus.** Un élément positif qui s'ajoute : *Cette expérience sera pour vous un* **plus**. ► **Le plus.** Le maximum : *C'est le* **plus** *que je puisse faire.* **2.** Le signe de l'addition (+). 980 ; lat. *plus*, « une grande quantité » ; [ply] devant une consonne et toujours au sens négatif, [plyz] devant une voyelle ou un *h* muet, [plys] en finale et toujours pour la conj. et le subst.

**PLUSIEURS, adj. plur. et pron. indéf. plur.**
ADJ. Un certain nombre de, plus d'un et, en gén., plus de deux : *À* **plusieurs** *reprises ;* **Plusieurs** *candidats se sont présentés.* PRON. **1.** Un certain nombre parmi les choses ou les personnes dont on parle : *J'ai lu* **plusieurs** *de ses romans.* **2.** Un nombre indéterminé de personnes : *Ils s'y sont mis à* **plusieurs**. Fin XIᵉ s. (mil. XIᵉ s., le plus grand nombre) ; lat. pop. °*plusiores*, du bas lat. *pluriores*, du lat. *plures*, « plus nombreux » ; [plyzjœʀ].

**PLUS-QUE-PARFAIT, subst. m.**
*Gramm.* Temps du verbe qui marque, à l'indicatif ou au subjonctif, l'antériorité d'une action passée par rapport à une autre action passée : *Dans « Il était parti quand je suis arrivé », « partir » est au* **plus-que-parfait**. 1521 ; comp. de *plus*, de *que* (I) et de *parfait* (II) ; plur. *plus-que-parfaits* ; [plyskəpaʀfɛ].

**PLUS-VALUE, subst. f.**
**1.** *Écon.* Accroissement de la valeur d'un bien, d'un revenu. ► Dans la théorie marxiste, écart entre la valeur produite par un ouvrier et le salaire qui lui est versé. **2.** *Fisc.* Excédent des recettes fiscales par rapport aux prévisions budgétaires (anton. *moins-value*). ► Majoration du prix de travaux en raison de difficultés imprévues. 1457 ; comp. de *plus* et de l'anc. fr. *value*, « valeur » ; plur. *plus-values* ; [plyvaly].

**PLUTON, subst. m.**
*Géol.* Masse de roche d'origine interne, formée par une intrusion magmatique de grande ampleur. V. 1930 ; all. *Pluton*, de *plutonisch*, « plutonique » ; [plytɔ̃].

**PLUTONIEN, IENNE, adj et subst.**
ADJ. **1.** *Myth.* Relatif au dieu Pluton. **2.** *Géol.* Plutonique (vx). SUBST. *Géol.* Partisan du plutonisme. 1579 ; *Pluton*, dieu des Enfers ; [plytɔnjɛ̃, jɛn].

**PLUTONIQUE, adj.**
*Géol. Roche* **plutonique** : qui résulte de la cristallisation d'un magma en profondeur dans l'écorce terrestre et qui n'apparaît à la surface que grâce à l'érosion. 1834 (1505, de l'enfer) ; *Pluton*, dieu des Enfers ; [plytɔnik].

**PLUTONISME, subst. m.**
*Géol.* **1.** Théorie de la fin du XVIIIᵉ s., qui attribuait la formation de la plupart des roches à la chaleur interne du globe (anton. *neptunisme*). **2.** Formation de roches plutoniques. 1842 ; *Pluton*, dieu des Enfers ; [plytɔnism].

**PLUTONIUM, subst. m.**
*Chim.* Élément transuranien nº 94 de la table de Mendeleïev (symb. : Pu) ; masse atomique : 244 ; point de fusion : 641 ºC ; point d'ébullition : 3 232 ºC. C'est un métal radioactif, utilisé dans les réacteurs nucléaires. 1948 (1816, baryum) ; *Pluton*, dieu des Enfers ; [plytɔnjɔm].

**PLUTÔT, adv.**
**1.** Vx. Plus tôt. **2.** De préférence : *Prenez* **plutôt** *le premier train.* ► **Plutôt que.** De préférence à. ► **Plutôt que de** (+ inf.). Au lieu de : **Plutôt** *que de nous regarder, aidez-nous !* **3.** Plus exactement : *Il est économe* **plutôt** *qu'avare.* ► Suivi d'un « ne » explétif (+ verbe à l'ind.) : *Elle sourit* **plutôt** *qu'elle ne rit.* ► *Ou* **plutôt** : pour être plus précis. **4.** Passablement, assez : *Ce travail est* **plutôt** *réussi* ; très (fam.) : *L'addition est* **plutôt** *élevée !* Fin XIIIᵉ s. ; formé de *plus* et de *tôt* ; [plyto].

**PLUVIAL, ALE, AUX, adj.**
Relatif à la pluie. ► *Régime* **pluvial** : régime d'un cours d'eau alimenté princ. par la pluie. ► *Agriculture* **pluviale** : soumise aux aléas des précipitations. 1488 (fin XIIᵉ s., manteau liturgique) ; lat. *pluvialis* ; [plyvjal, o].

**PLUVIAN, subst. m.**
*Zool.* Oiseau échassier de la famille des Glaréolidés. Le **pluvian** d'Égypte débarrasse le crocodile de ses parasites et des particules alimentaires coincées entre ses dents. 1781 ; ☞ *pluvier* ; [plyvjɑ̃].

© J. Robert-Jacana

*Pluvian.*

**PLUVIER, subst. m.**
*Zool.* Oiseau échassier de la famille des Charadriidés, proche des vanneaux, migrateur en France. Mil. XIIᵉ s. ; lat. pop. °*pluviarius*, « oiseau de pluie », du lat. *pluvia*, « pluie » ; [plyvje].

**PLUVIEUX, EUSE, adj.**
Caractérisé par la pluie. 1247 ; lat. *pluviosus*, de *pluvia*, « pluie » ; [plyvjø, øz].

**PLUVINER, voir PLEUVINER**

**PLUVIOMÈTRE, subst. m.**
Instrument servant à mesurer la pluviosité. 1788 ; lat. *pluvia*, « pluie », + *-mètre*[1] ; [plyvjɔmɛtʀ].

**PLUVIOMÉTRIE, subst. f.**
Étude de la pluviosité selon les régions, les saisons. 1851 ; ☞ *pluviomètre* ; [plyvjɔmetʀi].

**PLUVIOMÉTRIQUE, adj.**
Relatif à la pluviométrie. 1832 ; ☞ *pluviométrie* ; [plyvjɔmetʀik].

**PLUVIÔSE, subst. m.**
Cinquième mois du calendrier républicain (du 20, 21 ou 22 janvier au 18, 19 ou 20 février). 1793 ; lat. *pluviosus*, « pluvieux » ; [plyvjoz].

**PLUVIOSITÉ, subst. f.**
Quantité de pluie tombée en un temps et en un lieu donnés. 1909 ; ☞ *pluvieux* ; [plyvjozite].

**Pm, voir PROMÉTHIUM**

**PNEU, subst. m.**
**1.** *Techn.* Enveloppe faite d'une carcasse de textile et de fils d'acier recouverte de caoutchouc, contenant de l'air comprimé gén. dans une chambre à air, et s'adaptant sur la jante des roues de certains véhicules. **2.** Pneumatique (vx) : *Envoyer un* **pneu**. 1895 ; apocope de *pneumatique* ; plur. *pneus* ; [pnø].

**PNEUMATIQUE, adj. et subst.**
ADJ. **1.** Relatif à l'air, aux gaz (rare). ► *Machine* **pneumatique** : qui sert à faire le vide. **2.** Qui fonctionne à l'air comprimé : *Marteau* **pneumatique**. ► *Tube* **pneumatique** : système de distribution du courrier par cartouches propulsées à l'air comprimé dans des canalisations (vieilli). **3.** Qui se gonfle à l'air : *Radeau* **pneumatique**. **4.** *Zool.* Se dit de certains os creux des oiseaux. SUBST. FÉM. **1.** Science des propriétés de l'air et des gaz (vx). **2.** *Philos.* Étude de l'âme, des choses spirituelles. SUBST. MASC. Correspondance expédiée par tube **pneumatique** postal. 1547 (déb. XVIᵉ s., subtil) ; lat. *pneumaticus*, du gr. *pneumatikos*, de *pneuma*, « souffle » ; [pnømatik].

**PNEUMATOPHORE, adj. et subst. m.**
ADJ. Qui contient de l'air. SUBST. *Bot.* Excroissance des racines d'arbres de mangrove (palétuviers) ou de marécage (cyprès chauve) leur permettant de capter l'oxygène de l'air. 1846 ; formé de *pneumato-* et de *-phore* ; [pnømatɔfɔʀ].

**PNEUMOCONIOSE, subst. f.**
*Pathol.* Ensemble de troubles broncho-pulmonaires dus à l'inhalation répétée de poussières minérales ou organiques. 1874 ; gr. *konis*, « poussière », + *pneumo-* et *-ose* ; [pnømokɔnjoz].

**PNEUMOCOQUE, subst. m.**
*Bactériol.* Bactérie responsable de pneumopathies et de méningites redoutables. 1889 ; formé de *pneumo-* et de *-coque* ; [pnømɔkɔk].

**PNEUMOCYSTOSE, subst. f.**
*Pathol.* Pneumonie particulièrement grave, due à un parasite, souv. observée dans les cas de sida. 1957 ; *Pneumocystis*, nom d'un protozoaire, + *-ose* ; [pnømosistoz].

**PNEUMOGASTRIQUE, adj. m. et subst. m.**
*Anat.* Se dit du nerf qui gouverne le système nerveux végétatif agissant notamment sur le cœur, le tube digestif, les glandes endocrines (synon. *nerf vague*). 1807 ; ☞ *gastrique* + *-pneumo* ; [pnømogastʀik].

**PNEUMOLOGIE, subst. f.**
*Méd.* Étude du poumon et de ses maladies. 1803 ; formé de *pneumo-* et de *-logie* ; [pnømɔlɔʒi].

**PNEUMOLOGUE, subst.**
Médecin spécialiste en pneumologie. V. 1950 ; formé de *pneumo-* et de *-logue* ; [pnømɔlɔg].

**PNEUMONECTOMIE, subst. f.**
*Chir.* Ablation d'un poumon. 1932 ; formé de *pneumo-* et de *-ectomie* ; [pnømɔnɛktɔmi].

**PNEUMONIE, subst. f.**
*Pathol.* Inflammation aiguë d'un lobe du poumon, souv. due au pneumocoque. 1707 ; gr. *pneumonia*, de *pneumôn*, « poumon » ; [pnømɔni].

**PNEUMOPATHIE, subst. f.**
*Pathol.* Toute maladie du poumon. XXᵉ s. ; formé de *pneumo-* et de *-pathie* ; [pnømɔpati].

**PNEUMOTHORAX, subst. m.**
*Pathol.* Collection d'air entre les deux feuillets de la plèvre, réduisant la taille du poumon et pouvant entraîner une suffocation. 1803 ; ☞ *thorax* + *pneumo-* ; [pnømotɔʀaks].

**Po, voir POLONIUM**

**POACÉES, subst. f. plur.**
Graminées. [pɔase].

**POCHADE, subst. f.**
**1.** *B.-a.* Peinture exécutée rapidement. **2.** Anal. Œuvre littéraire, souv. bouffonne, écrite rapidement. 1828 ; ☞ *pocher* ; [pɔʃad].

**POCHARD, ARDE, subst.**
Ivrogne (fam.). 1466 ; ☞ *poche* (I) ; [pɔʃaʀ, aʀd].

**POCHE (I), subst. f.**
Helv. Louche, cuiller à pot. Fin XIᵉ s. ; bas lat. *popia* ; [pɔʃ].

**POCHE (II), subst. f.**
**1.** Vx. Sac. ► Grand sac à céréales. ► Petit sac en plastique ou en papier. **2.** Compartiment d'un sac, d'un portefeuille, etc. **3.** Filet utilisé pour chasser le lapin. **4.** Sorte de petit sac cousu ou morceau d'étoffe plaqué à un vêtement, destiné à recevoir de menus objets : **Poche** *intérieure*, dans la doublure ; **Poche** *revolver*, au dos du pantalon. ► **De poche.** De dimensions assez petites pour tenir dans une **poche** : *Couteau de* **poche** ; *Livre de* **poche** ou, empl. subst. masc., *Un* **poche**, livre de format réduit, à prix modique et à tirage important ; *Argent de* **poche**, destiné aux menues dépenses ; par exagér. : *Sous-marin, théâtre de* **poche**, de dimensions très réduites. ► Loc. *Faire les* **poches** *à qqn* : fouiller ses **poches** ou les vider de leur contenu ; *Se remplir les* **poches** : s'enrichir souvent malhonnêtement ; *En être de sa* **poche** : subir une perte d'argent ; *Payer, y aller de sa* **poche** : payer de son argent ; *C'est dans la* **poche** : le succès est garanti (fam.) ; *Mettre qqn dans sa* **poche** : s'assurer son concours ; *N'avoir pas les yeux, la langue dans sa* **poche** : être très observateur, bavard. **5.** Déformation d'un vêtement mal taillé ou usé ; par anal. : **Poches** *sous les yeux*, boursouflures. **6.** *Spéc.* ► *Anat.* Cavité de l'organisme, naturelle ou pathologique. ► *Géol.* Partie d'une cavité souterraine contenant son propre fluide : *Une* **poche** *de gaz, d'eau.* ► *Milit.* Pénétration dans une ligne de défense ; territoire encerclé par l'ennemi. ► *Zool.* Repli abdominal des femelles de marsupiaux, où se termine le développement embryonnaire des petits. Fin XIIᵉ s. ; anc. bas frq. °*pokka* ; [pɔʃ].

**POCHER,** verbe [3]
**Trans. 1.** *Pocher un œil à qqn* : le meurtrir par un coup. **2.** *Cuis. Pocher un œuf* : le plonger sans sa coquille dans un liquide presque bouillant ; par ext., faire cuire dans un liquide bouillant : *Pocher un poisson.* **3.** *B.-a.* Exécuter rapidement (un dessin). ▸ Exécuter au pochoir. **Intrans.** Faire des poches, en parlant d'un vêtement : *Un vieux chandail qui poche aux coudes.* Déb. XIIIe s. ; ☞ *poche* (II) ; [pɔʃe].

**POCHETTE,** subst. f.
**1.** Vx. Petite bourse. **2.** Enveloppe, sachet en papier, en plastique, etc. ▸ ***Pochette-surprise*** : cornet garni de friandises et d'un cadeau-surprise. **3.** Sac à main plat, sans poignée. **4.** Trousse plate d'écolier. **5.** Poche supérieure d'une veste ; par méton., le mouchoir décoratif qu'on y place. **6.** *Mus.* Petit violon (vieilli). Fin XIIe s. ; ☞ *poche* (II) ; [pɔʃɛt].

**POCHEUSE,** subst. f.
*Cuis.* Louche servant à pocher les œufs. 1874 ; ☞ *pocher* ; [pɔʃøz].

**POCHOIR,** subst. m.
*B.-a.* Plaque de carton, de métal découpée, servant à peindre aisément, parfois à l'aérographe, la forme évidée. 1874 ; ☞ *pocher* ; [pɔʃwaʀ].

**POCHON (I),** subst. m.
Petit sac (région.). 1585 (déb. XIIIe s., piège) ; ☞ *poche* (II) ; [pɔʃɔ̃].

**POCHON (II),** subst. m.
Helv. Louche à pot. 1476 ; ☞ *poche* (I) ; [pɔʃɔ̃].

**POCHOTHÈQUE,** subst. f.
Librairie, rayon de librairie spécialisés en livres de poche. V. 1960 ; ☞ *poche* (II) + *-thèque* ; [pɔʃɔtɛk].

**POCHOUSE,** subst. f.
Matelote de poissons de rivière (région.). 1862 ; dial. *pochouse*, « pêcheuse » ; var. *pauchouse* ; [pɔʃuz].

**POCO,** adv.
*Mus.* Placé devant un terme d'exécution, indique une atténuation : *Poco forte.* ▸ ***Poco a poco*** : progressivement. 1837 ; ital. *poco*, « peu » ; [poko].

**PODAGRE,** subst. et adj.
Vieilli. **Subst. fém.** Goutte au pied. **Subst.** et **Adj.** Se dit d'une personne qui a la goutte. Déb. XIIIe s. ; lat. *podagra*, du gr. *podagra* ; [pɔdagʀ].

**PODAIRE,** subst. f.
*Géom.* ***Podaire*** *d'une courbe plane par rapport à un point* : ensemble des pieds des perpendiculaires menées de ce point sur les tangentes à la courbe. 1892 ; gr. *pous*, « pied » ; [pɔdɛʀ].

**PODESTAT,** subst. m.
*M. Â.* Premier magistrat de certaines villes d'Italie et du midi de la France. Mil. XIIIe s. ; ital. *podestà*, du lat. *potestas*, « force, pouvoir » ; [pɔdɛsta].

**PODIUM,** subst. m.
**1.** *Archit.* Stylobate. **2.** *Antiq.* Dans un amphithéâtre, mur entourant l'arène, au sommet duquel se trouvaient les places d'honneur. ▸ Petit soubassement sur lequel on plaçait vases, lustres, etc. **3.** Anal. Estrade. ▸ *Sp.* Plate-forme à trois places sur laquelle montent les vainqueurs. 1545 ; lat. *podium*, du gr. *podion*, « petit pied » ; [pɔdjɔm].

**PODOLOGIE,** subst. f.
*Méd.* Étude de l'anatomie du pied et de ses affections. 1836 ; formé de *podo-* et de *-logie* ; [pɔdɔlɔʒi].

**PODOLOGUE,** subst.
Spécialiste en podologie. V. 1980 ; ☞ *podologie* ; [pɔdɔlɔg].

**PODOMÈTRE,** subst. m.
*Métrol.* Appareil enregistrant le nombre de pas faits par un piéton pour évaluer la distance parcourue. 1690 ; formé de *podo-* et de *-mètre*[1] ; [pɔdɔmɛtʀ].

**PODZOL,** subst. m.
*Géogr.* Sol sableux acide des régions froides et humides. 1902 ; russe *podzol*, de *zola*, « cendre » ; [pɔdzɔl].

**PŒCILE,** subst. m.
*Antiq. gr.* Portique décoré de peintures. 1765 ; lat. *Poecile*, du gr. *poikilos*, « peint de couleurs variées » ; [pesil].

**PŒCILOTHERME,** voir **POÏKILOTHERME**

**POÊLE (I),** subst. m.
*Cath.* **1.** Drap dont on recouvre le cercueil lors des funérailles : *Tenir les cordons du* ***poêle***. **2.** Voile blanc tenu au-dessus des mariés lors de la bénédiction nuptiale (vx). 1176 (fin Xe s., étoffe d'Orient) ; lat. *pallium*, « manteau ; couvre-lit » ; [pwal].

**POÊLE (II),** subst. f.
Ustensile de cuisine en métal, à bords bas, muni d'un long manche, utilisé pour cuire des aliments à feu vif. ▸ Loc. *Tenir la queue de la* ***poêle*** : avoir la direction d'une affaire (fam.). Mil. XIIe s. ; lat. *patella*, « petit plat servant aux sacrifices » ; [pwal].

**POÊLE (III),** subst. m.
**1.** Vx. Chambre chauffée. **2.** Appareil de chauffage fermé, à combustible. **3.** Québ. Cuisinière. 1351 ; lat. *pensilis*, « suspendu », par réf. aux bains bâtis sur piliers et chauffés par-dessous ; [pwal].

**POÊLÉE,** subst. f.
Contenu d'une poêle. 1260 ; ☞ *poêle* (II) ; [pwale].

**POÊLER,** verbe trans. [3]
Cuire à la poêle. 1806 ; ☞ *poêle* (II) ; [pwale].

**POÊLON,** subst. m.
Épaisse casserole de terre vernissée ou de métal, à manche creux. 1329 ; ☞ *poêle* (II) ; [pwalɔ̃].

**POÈME,** subst. m.
**1.** *Litt.* Ouvrage de poésie : ***Poème*** *à forme fixe*, dont le nombre de vers, de strophes et les rimes sont réglés. ▸ ***Poème*** *en prose* : non disposé en vers. **2.** Ext. *Mus.* ***Poème*** *symphonique* : œuvre orchestrale illustrant un sujet poétique. **3.** Fig. Ce qui émeut par sa beauté. ▸ Loc. *C'est tout un* ***poème*** : c'est une personne, une chose inénarrable (fam.). 1213 ; lat. *poema*, du gr. *poiêma*, « œuvre » ; [pɔɛm].

**POÉSIE,** subst. f.
**1.** Art de susciter des images, des émotions par la mise en œuvre des ressources d'une langue ; art de faire des vers. **2.** Pièce de vers, gén. courte. **3.** Ensemble d'œuvres poétiques caractérisées par une manière, un genre : ***Poésie*** *épique, lyrique* ; manière particulière d'une école, d'une nationalité, d'un poète : ***Poésie*** *romantique, française, hugolienne.* **4.** Fig. Caractère de ce qui suscite une émotion esthétique : *La* ***poésie*** *d'un tableau.* Fin XIVe s. ; lat. *poesis*, du gr. *poiêsis*, « création » ; [pɔezi].

**POÈTE, POÉTESSE,** subst.
**Masc. 1.** Écrivain qui compose des poèmes ; empl. adj. : *Le cœur est* ***poète***. **2.** Personne douée d'imagination, de force créatrice. **3.** Rêveur. **Fém.** Femme **poète**. Mil. XIIe s. ; lat. *poeta*, du gr. *poiêtês* ; [pɔɛt, pɔetɛs].

La Muse inspirant le **poète**
*(deuxième version ; portraits de Marie Laurencin et de Guillaume Apollinaire), peinture d'Henri Rousseau, dit le Douanier (1844-1910). Kunstmuseum, Bâle.*

**POÉTIQUE (I),** adj.
**1.** Relatif, propre à la poésie. **2.** Empreint de poésie : *Paysage* ***poétique***. Fin XIVe s. ; lat. *poeticus*, du gr. *poiêtikos* ; [pɔetik].

**POÉTIQUE (II),** subst. f.
**1.** Exposé des règles de composition des divers genres poétiques. **2.** Ensemble des conceptions poétiques d'un auteur, d'un mouvement littéraire : *La* ***poétique*** *de Rimbaud* ; *La* ***poétique*** *des surréalistes.* 1599 ; lat. *poetica*, du gr. *poiêtikê tekhnê*, « art de la création en langage » ; [pɔetik].

**POÉTIQUEMENT,** adv.
Du point de vue de la poésie ; de manière poétique. Mil. XVe s. ; ☞ *poétique* (I) ; [pɔetikmɑ̃].

**POÉTISATION,** subst. f.
Action de poétiser. 1852 ; ☞ *poétiser* ; [pɔetizasjɔ̃].

**POÉTISER,** verbe trans. [3]
Rendre poétique, embellir : ***Poétiser*** *la ville.* 1805 (fin XIVe s., faire des vers) ; ☞ *poète* ; [pɔetize].

**POGNE,** subst. f.
Main (pop.). 1807 ; ☞ *poigne* ; [pɔɲ].

**POGNON,** subst. m.
Argent (pop.). 1840 ; *poigner* (pop.), « empoigner » ; [pɔɲɔ̃].

**POGONOPHORES,** subst. m. plur.
*Zool.* Embranchement d'invertébrés marins des grands fonds, au corps vermiforme prolongé par une trompe portant des tentacules. **Au sing.** *Un* ***pogonophore***. V. 1960 (1823, coléoptère) ; lat. sc. *pogonophora*, du gr. *pôgônophoros*, « qui porte la barbe » ; [pɔgɔnɔfɔʀ].

**POGROME,** subst. m.
*Hist.* **1.** Manifestation violente et meurtrière dirigée contre la communauté juive, avec l'assentiment du pouvoir. **2.** Ext. Émeute suscitée par le racisme. 1903 ; russe *pogrom*, de *po-*, « massivement », et de *gromit'*, « détruire » ; var. *pogrom* ; [pɔgʀɔm] ou [-ɔm].

**POIDS,** subst. m.
**I. 1.** Qualité de ce qui est pesant : *Le* ***poids*** *d'un fardeau.* ▸ *Phys.* Force résultant de l'action de la gravité sur tout corps matériel à la surface d'une planète ou dans son voisinage ; produit direct de la masse du corps ($m$, donnée invariante) par la gravité du lieu considéré. **2.** Mesure de cette force : *Cet homme a atteint un* ***poids*** *de 100 kg.* ▸ *Autom.* ***Poids*** *utile* : charge maximale transportable par un véhicule. ▸ *Comm.* ***Poids*** *net* : masse d'une denrée extraite de son emballage (anton. *poids brut*). ▸ *Techn.* ***Poids*** *mort* : force d'inertie développée par la partie d'une machine qui ne produit pas de travail ou, au fig., charge inutile. **3.** *Sp.* Chacune des catégories regroupant les boxeurs, les lutteurs, les haltérophiles, etc., selon leur poids respectif : ***Poids*** *lourd,* ***poids*** *plume...* ; par méton. : *Un* ***poids*** *moyen*, un athlète se classant dans cette catégorie. ▸ Loc. *Faire le* ***poids*** : afficher une pesée conforme à la catégorie annoncée ou, au fig., être de taille à affronter qqn ou qqch. **II. 1.** Objet pesant. **2.** Masse métallique calibrée dont on se sert pour peser des denrées. ▸ Loc. *Faire deux* ***poids****, deux mesures* (☞ *mesure*). ▸ *Admin. Les* ***Poids*** *et Mesures* : organisme public chargé de contrôler les instruments de pesée et de mesure utilisés dans le commerce. **3.** *Autom.* ***Poids*** *lourd* : véhicule de transport à fort tonnage. **4.** *Sp.* Masse de métal, d'un **poids** défini, qu'un lanceur doit envoyer le plus loin possible, ou qu'un haltérophile doit soulever. **III.** Fig. **1.** Fardeau physique, moral ou psychologique : *Avoir un* ***poids*** *sur le cœur.* **2.** Importance : *Un homme, un argument de* ***poids***. **3.** *Log.* ***Poids*** *d'un prédicat (resp. d'un signe opératoire)* : nombre de variables (resp. d'objets, d'éléments) mises en relation par ce prédicat (resp. sur lesquels l'opération s'effectue). La relation $\leqslant$ est de **poids** 2, le produit mixte ($\vec{u}$, $\vec{v}$, $\vec{w}$) est de **poids** 3. Mil. XIIe s. ; lat. *pensum*, « ce qui est pesé » ; [pwa].

**POIGNANT, ANTE,** adj.
Qui serre le cœur, qui émeut douloureusement. 1188 ; p. pr. de *poindre* ; [pwaɲɑ̃, ɑ̃t].

**POIGNARD,** subst. m.
Arme blanche, à lame courte et pointue. Mil. XVe s. ; lat. *pugnus*, « poing » ; [pwaɲaʀ].

**POIGNARDER,** verbe trans. [3]
Frapper avec un poignard. ▸ Loc. ***Poignarder*** *qqn dans le dos* : le trahir. 1556 ; ☞ *poignard* ; [pwaɲaʀde].

**POIGNE,** subst. f.
**1.** Force du poignet, de la main : *Une bonne* ***poigne***. **2.** Fig. Énergie, autoritarisme : *Cette responsable a de la* ***poigne***. 1807 ; ☞ *poing* ; [pwaɲ].

**POIGNÉE,** subst. f.
**1.** Quantité contenue dans une main fermée : *Une* ***poignée*** *de riz.* ▸ Loc. *À, par* ***poignée(s)*** : à pleine(s) main(s) ou, au fig., avec prodigalité. **2.** Fig. Petit nombre (de personnes) : *Une* ***poignée*** *de manifestants.* **3.** ***Poignée*** *de main* : geste par lequel on salue qqn en lui serrant la main. **4.** Partie d'un objet destinée à être empoignée : ***Poignée*** *de porte, de valise.* Fin XIIe s. ; ☞ *poing* ; [pwaɲe].

**POIGNET,** subst. m.
**1.** *Anat.* Partie du membre supérieur où s'articulent la main et l'avant-bras. ▸ Loc. *À la force du* ***poignet*** :

en s'aidant de ses seuls bras ou, au fig., courageusement et sans l'aide de personne. **2.** Méton. Extrémité d'une manche de vêtement. 1488 (1209, mesure de grain) ; ☞ *poing* ; [pwaɲɛ].

**POÏKILOTHERME, adj. et subst. m.**
*Biol.* Se dit des animaux à sang froid dont la température interne varie suivant le milieu où ils évoluent (anton. *homéotherme*). 1905 ; gr. *poikilos*, « variable », + *-therme* ; var. *pœcilotherme* ; [pɔikilɔtɛʀm].

**POIL, subst. m.**
**1.** Formation épidermique filiforme invaginée dans le derme, où sa tige de kératine prend naissance : *Poils des jambes.* **2.** Pelage : *Chien à **poil** ras* ; *Gibier à **poil**.* **3.** Loc. fam. *À **poil*** : tout nu ; *Au **poil*** : exactement ; *À un **poil** près* : de justesse ; *De tout **poil*** : de toute sorte ; *De bon, de mauvais **poil*** : de bonne, de mauvaise humeur ; *Tomber sur le **poil** de qqn* : l'aborder par surprise et sans ménagement ; *Avoir un **poil** dans la main* : être fainéant ; *Reprendre du **poil** de la bête* : se ressaisir, se remettre d'une faiblesse. **4.** *Bot.* Chacune des formations filamenteuses de certains épidermes végétaux (certains **poils** se gorgent de substances sécrétées par la plante, les **poils** urticants de l'ortie, par ex.). **5.** Filament à la surface d'un tissu : ***Poils** d'un tapis.* Fin XIe s. ; lat. *pilus* ; [pwal].

**POILANT, ANTE, adj.**
Drôle (pop.). 1901 ; p. pr. de *se poiler* ; [pwalɑ̃, ɑ̃t].

**POIL-DE-CAROTTE, adj. inv.**
Roux orangé, en parlant d'une chevelure (fam.). XIXe s. ; formé de *poil* et de *carotte* ; [pwaldəkaʀɔt].

**POILER (SE), verbe pronom.** [3]
Rire allègrement (pop.). 1893 ; prob. *s'époiler* (vx), « s'arracher les poils » ; [pwale].

**POILU, UE, adj. et subst. m.**
Adj. Qui est couvert de poils, velu. Subst. *Hist.* Soldat français de la Première Guerre mondiale (fam.). Mil. XIIe s. ; ☞ *poil* ; [pwaly].

**POINÇON, subst. m.**
**1.** Outil pointu qui sert à percer ou à entamer divers matériaux. **2.** Tige terminée par une face gravée, servant à estampiller des objets ; marque laissée par cet outil. **3.** Original d'une médaille, d'une monnaie ou d'une fonte d'imprimerie. **4.** *Archit.* Pièce verticale d'une charpente, sur laquelle viennent se loger les arbalétriers d'une ferme ou les arêtiers d'une flèche. Déb. XIIIe s. ; lat. pop. °*punctio*, de °*punctiare*, « piquer » ; [pwɛ̃sɔ̃].

**POINÇONNAGE, subst. m.**
Action de poinçonner ; son résultat. 1402 ; ☞ *poinçonner* ; synon. *poinçonnement* ; [pwɛ̃sɔnaʒ].

**POINÇONNER, verbe trans.** [3]
**1.** Marquer (qqch.) d'un poinçon. **2.** Percer, découper (une tôle) à la poinçonneuse. **3.** Perforer (un titre de transport). 1556 (1324, orner au poinçon) ; ☞ *poinçon* ; [pwɛ̃sɔne].

**POINÇONNEUR, EUSE, subst.**
Fém. Machine à poinçonner. Masc. et Fém. **1.** Ouvrier qui travaille sur une poinçonneuse. **2.** Employé affecté au poinçonnage des titres de transport. 1878 ; ☞ *poinçonner* ; [pwɛ̃sɔnœʀ, øz].

**POINDRE, verbe** [55]
Trans. **1.** Vx. Piquer. **2.** Fig. Faire souffrir (littér.) : *L'anxiété me **poignait**.* Intrans. **1.** Pointer : *On voit **poindre** le clocher.* **2.** Se faire jour : *Remords qui **point**.* Fin XIe s. ; lat. *pungere* ; verbe défectif ; [pwɛ̃dʀ].

**POING, subst. m.**
Main fermée : ***Poing** vengeur.* ► Loc. *Faire le coup de **poing*** : se mêler à une bagarre ; *Dormir à **poings** fermés* : profondément ; *Être pieds et **poings** liés* : être réduit à l'impuissance. Mil. XIe s. ; lat. *pugnus* ; [pwɛ̃].

**POINSETTIA, subst. m.**
*Bot.* Plante ornementale de la famille des Euphorbiacées, originaire d'Amérique du Sud, aussi appelée étoile de Noël car elle fleurit à cette époque. Mil. XIXe s. ; anthropon. *Poinsett*, botaniste américain ; [pwɛ̃setja].

**POINT (I), subst. m.**
**I. 1.** Vx. Piqûre ; action de piquer. **2.** *Cout.* Action de piquer un fil sur un tissu ; figure résultant de cette action : *Faire un **point*** ; ***Point** de riz, de jersey.* **3.** *Pathol.* Douleur aiguë et localisée : *Avoir un **point** de côté*, à droite ou à gauche du thorax. **4.** Action de poindre ; son résultat : *Le **point** du jour*, l'aube. **II. 1.** Élément de petite dimension qui se détache d'un fond : *Le cavalier n'était plus qu'un **point** à l'horizon.* ► ***Point** noir* : comédon. **2.** *Typogr.* Signe de ponctuation : ***Point** (.)* ; ***Point**-virgule (;)* ; *Deux-**points** (:)* ; ***Points** de suspension (...)* ; ***Point** d'interrogation (?)* ; ***Point** d'exclamation (!).* ► Loc. *Un **point**, c'est tout !* : voilà, c'est tout ! **3.** Signe diacritique placé au-dessus des lettres *i* et *j*. ► Loc. *Mettre les **points** sur les « i »* : préciser qqch. avec insistance. **4.** *Math.* Signe symbolisant la multiplication (ou une loi notée multiplicativement). ► *Géom.* Élément sans dimension : ***Point** d'un plan, d'une courbe, etc.* **5.** *Mus.* Signe placé après une note, pour l'augmenter de la moitié de sa durée. ► ***Point** d'orgue* (☞ *orgue*). **6.** *Télécomm.* L'un des deux signes qui composent l'alphabet Morse, et dont l'équivalent acoustique est un son bref. **III. 1.** Position, lieu déterminé d'un espace : ***Point** de départ* ; ***Point** d'impact* ; ***Points** cardinaux*, le nord, le sud, l'est et l'ouest. **2.** *Mécan.* ***Point** mort* : position de la course d'un élément mécanique quand il ne reçoit plus d'impulsion du moteur ; position du levier de changement de vitesse, telle qu'aucune vitesse n'est en prise. ► Fig. État de qqch., d'une situation qui n'évolue plus. **3.** ***Point** noir* : endroit où la circulation routière est difficile ou, au fig., difficulté. **4.** *Spéc.* ► *Anat.* ***Point** aveugle* : zone de la rétine dépourvue de cellules sensibles. ► *Cin.* *Faire le **point*** : procéder au réglage nécessaire pour obtenir la netteté maximale de l'image. ► *Comm.* ***Point** de vente* : lieu où des marchandises sont mises en vente. ► *Géol.* ***Point** chaud* : anomalie thermique du manteau, qui provoque une activité volcanique ponctuelle à travers la lithosphère (Hawaii, Auvergne, etc.). ► *Mar.* et *Aéron.* Position d'un navire, d'un avion, déterminée par la configuration des astres : *Faire le **point***, établir cette position ou, au fig., examiner, analyser la situation dans laquelle on se trouve. ► *Mécan.* *Mettre au **point*** : procéder au réglage d'un moteur, d'un mécanisme ou, au fig., régler les détails d'une action, d'un protocole. ► *Milit.* ***Point** chaud* : lieu de bataille ; ***Point** sensible* : cible privilégiée des bombardements tactiques (usines, ponts, etc.). ► *Opt.* ***Point** de réfraction* : endroit précis où un rayonnement lumineux rencontre un plan matériel. ► *Topogr.* ***Point** géodésique* : dont la latitude et la longitude ont été déterminées précisément. **IV. 1.** Moment d'un processus temporel. ► Instant (vx) : *Le **point** présent.* **2.** Loc. *À **point** (nommé)* : juste au bon moment, à propos ; *Être sur le **point** de* : s'apprêter à. **V. 1.** État déterminé d'un phénomène évolutif : ***Point** d'origine.* **2.** *Phys.* et *Chim.* Seuil d'un changement d'état de la matière : ***Point** de fusion, d'ébullition, de congélation sous une pression donnée* ; ***Point** triple d'un corps*, situation d'équilibre où les trois états (solide, liquide, gazeux) d'un corps coexistent. **3.** Loc. *Au plus haut **point*** : au plus haut degré ; *Au **point** que* : à un tel degré que ; *Jusqu'à un certain **point*** : jusqu'à une certaine limite ; *Cuit à **point*** : entre bien cuit et saignant, en parlant d'une viande ; *Bien, mal en **point*** : en bonne, en mauvaise forme physique. **VI.** Fig. **1.** Partie d'une démonstration, d'un discours : *Discours en trois **points**.* ► *Dr.* ***Point** de droit* : partie d'un jugement où figure le résumé des questions adressées au tribunal. **2.** Question, sujet de discussion : *Un **point** brûlant* ; *Un **point** de détail* ; ***Point** d'accord, de désaccord.* ► Loc. ***Point** par **point*** : méthodiquement, en n'omettant rien. **VII. 1.** Unité de grandeur ou d'évaluation : *Augmenter une note d'un **point**.* **2.** *Spéc.* ► *Sp.* et *Jeux.* Unité de valeur d'un coup gagnant : *Mener aux **points*** ; *Marquer des **points*** ; au fig. : *Marquer un **point***, prendre l'avantage. ► *Stat.* Proportion calculée sur une base 100 : *Le niveau des échanges monétaires a baissé d'un **point** en trois jours.* ► *Typogr.* Unité de mesure de la force d'un caractère. ► *Enseign.* *Bon **point*** : appréciation positive donnée à la conduite d'un élève ; par méton., petite image matérialisant cette appréciation. Fin XIe s. ; lat. *punctum* ; [pwɛ̃].

**POINT (II), adv.**
Région., Littér. ou Vieilli. (S'emploie avec « ne ».) Pas, nullement. ► Loc. ***Point** n'est besoin de* : il n'est pas nécessaire de. Déb. XIIe s. ; ☞ *point* (I) ; [pwɛ̃].

**POINTAGE, subst. m.**
**1.** Action de pointer (une arme à feu) en direction d'un objectif ; par ext. : ***Pointage** d'un télescope.* **2.** Action de marquer d'un point, de contrôler ; son résultat. 1628 ; ☞ *pointer* (I) ; [pwɛ̃taʒ].

**POINTAL, subst. m.**
*Bât.* Poutre servant d'étai. 1676 ; ☞ *pointe* ; plur. *pointaux* ; [pwɛ̃tal], plur. [-to].

**POINT DE VUE, subst. m.**
**1.** Endroit d'où l'on voit le mieux (un objet) ; endroit d'où l'on jouit d'une vue étendue. **2.** Fig. Manière de voir les choses ; opinion personnelle. 1651 ; comp. de *point* (I) et de *vue* ; [pwɛ̃d(ə)vy].

**POINTE, subst. f.**
**I. 1.** Extrémité effilée d'un objet, susceptible de piquer, de percer, d'entamer ou, par ext., de tracer : ***Pointe** d'une aiguille* ; ***Pointe** d'un crayon.* ► Loc. *À la **pointe** de l'épée* : par la force. **2.** *Spéc.* ► *Grav.* ***Pointe**(-)sèche* : outil pointu qui sert à graver des traits fins sur le cuivre ; par ext., ce procédé de gravure ; par méton., gravure réalisée avec cet outil. ► *Joaill.* ***Pointe** (de diamant)* : tige de cuivre dont l'extrémité porte un diamant permettant de graver les pierres fines. ► *Méd.* ***Pointe** de feu* : instrument effilé que l'on chauffe à blanc pour cautériser les petites plaies ; par méton., les cautérisations ainsi obtenues. ► *Menuis.* Clou cylindrique à tête petite ou sans tête. **3.** Anal. Petite quantité d'un condiment à saveur piquante : *Une **pointe** de piment* ; au fig. : *Une **pointe** de malice.* **4.** Fig. Parole blessante (synon. *pique*) ; trait d'esprit : *Décocher des **pointes**.* **II. 1.** Partie d'un objet qui va en s'amincissant ; extrémité la plus fine d'une chose : ***Pointe** d'un clocher* ; ***Pointe** d'asperge*, son bourgeon terminal. ► Loc. *En **pointe*** : en forme d'angle aigu. **2.** Terminaison d'un élément anatomique : ***Pointe** des cheveux.* ► Loc. *Marcher sur la **pointe** des pieds* : en faisant le moins de bruit possible. ► *Chorégr.* *Faire des **pointes*** : se déplacer en prenant appui sur le bout des chaussons ; *Chaussons à **pointes*** ou, par ell., ***Pointes*** : chaussons à bout dur. **3.** *Cost.* Châle, fichu de forme triangulaire. **4.** *Géogr.* Bande de terre qui s'avance dans la mer : *La **pointe** du Raz.* **5.** *Hérald.* Partie inférieure de l'écu. **6.** *Milit.* Partie avancée d'un dispositif militaire. ► Loc. *À la **pointe** de* : à l'avant-garde de. **III. 1.** Charge de cavalerie (vx). ► Loc. *Pousser une **pointe*** : avancer au-delà d'une destination prévue, prolonger son chemin. **2.** Action de poindre (vieilli) : *La **pointe** du jour*, aube. **IV. 1.** Augmentation brusque et momentanée d'intensité : ***Pointe** de vitesse* ; ***Pointe** de circulation.* **2.** Seuil d'intensité maximal d'un phénomène : *Heure de **pointe*** ; *Vitesse de **pointe**.* ► Loc. *La fine **pointe** de* : le sommet, la quintessence de. Mil. XIIe s. ; bas lat. *puncta*, « estocade », de *pungere*, « poindre » ; [pwɛ̃t].

© J. Dupont-Explorer

*La **pointe** du Raz, cap de l'ouest de la Bretagne.*

**POINTÉ, ÉE, adj.**
**1.** *Mus.* *Note **pointée*** : note marquée d'un point qui en augmente la durée de moitié. **2.** Loc. *Zéro **pointé*** : note éliminatoire à un examen. 1691 ; p. p. de *pointer* (I) ; [pwɛ̃te].

**POINTEAU (I), subst. m.**
**1.** *Techn.* Petit poinçon qui sert à marquer la place d'un trou. **2.** Tige à bout conique qui sert à réguler le débit d'un fluide à travers un orifice. 1765 ; ☞ *pointe* ; [pwɛ̃to].

**POINTEAU (II), subst. m.**
Employé chargé de pointer les temps de travail du personnel d'une entreprise (synon. *pointeur*). 1884 ; ☞ *pointer* (I) ; [pwɛ̃to].

**POINTER (I), verbe trans.** [3]
**I. 1.** Vx. Piquer sur (une étoffe). **2.** Marquer d'un point, d'un signe (des éléments figurant sur une

liste) en vue d'effectuer une vérification. ▸ Enregistrer l'heure de (l'arrivée et le départ des employés d'une entreprise) ; empl. intrans. : *Les ouvriers* ***pointent****,* se soumettent à ce contrôle ; par ext. : ***Pointer*** *au chômage*, être inscrit comme chômeur. **3.** *Spéc.* ▸ *Cout.* Faire des points pour maintenir les plis de (une étoffe). ▸ *Mar.* Reconnaître sa position sur (la carte) et la marquer d'un point. ▸ *Mus.* ***Pointer*** *une note* : la marquer d'un point à droite pour prolonger sa durée de moitié. ▸ *Techn.* Marquer d'un coup de pointeau. **II.** Diriger : ***Pointer*** *son index vers, sur qqn* ; ***Pointer*** *un canon*, l'orienter vers un objectif. ▸ Abs. Au jeu de boules, envoyer sa boule le plus près possible du cochonnet (par oppos. à *tirer*). **Pronom.** Arriver, se présenter (fam.). ⚭ 1170 ; ☞ *point* (I) ; [pwɛ̃te].

**POINTER (II),** verbe [3]

**Trans.** ***Pointer*** *les oreilles* : les dresser, en parlant d'un animal. **Intrans. 1.** Poindre. **2.** S'élever en pointe : *Les ifs* ***pointent*** *vers le ciel* ; faire saillie : *Ses os* ***pointent*** *sous la peau.* ⚭ Fin XIVe s. ; ☞ *pointe* ; [pwɛ̃te].

**POINTER (III),** subst. m.

Race de chien d'arrêt à poil ras, d'origine anglaise. ⚭ 1834 ; mot angl. ; var. *pointeur* ; [pwɛ̃tɛʀ].

**POINTEUR, EUSE,** subst.

**1.** Personne qui effectue un pointage ; pointeau. **2.** *Sp.* Personne qui enregistre les points obtenus par les concurrents au cours d'une compétition. **Subst. masc. 1.** *Milit.* Servant d'une pièce d'artillerie chargé du pointage. **2.** Joueur de boules, de pétanque qui pointe (anton. *tireur*). **Subst. fém.** Machine servant à pointer, dans une entreprise. ⚭ 1499 ; ☞ *pointer* (I) ; [pwɛ̃tœʀ, øz].

**POINTILLAGE,** subst. m.

*B.-a.* Action de pointiller ; son résultat. ⚭ 1694 ; ☞ *pointiller* ; [pwɛ̃tijaʒ].

**POINTILLÉ,** subst. m.

**1.** *B.-a.* Procédé consistant à dessiner, à graver au moyen de points ; ouvrage ainsi effectué. **2.** Trait fait de tirets régulièrement espacés. ▸ Loc. *En* ***pointillé*** : peu explicite mais que l'on peut deviner. ⚭ 1765 ; p. p. de *pointiller* ; [pwɛ̃tije].

**POINTILLER,** verbe [3]

**Trans.** Tracer par points (rare) : ***Pointiller*** *un dessin.* **Intrans.** Dessiner, peindre, graver en exécutant des points. ⚭ 1414 ; ☞ *point* (I) ; [pwɛ̃tije].

**POINTILLEUX, EUSE,** adj.

Qui est d'une minutie extrême. ⚭ Fin XVIe s. ; *pointille* (vx), « point de détail » ; [pwɛ̃tijø, øz].

**POINTILLISME,** subst. m.

**1.** *B.-a.* Technique qui consiste à juxtaposer sur la toile de petites touches de couleurs pures (synon. *divisionnisme*). **2.** Fig. Fait d'aborder les choses point par point. ⚭ 1897 ; ☞ *pointiller* ; [pwɛ̃tijism].

**PEINTURE** – C'est à partir de 1880 que Seurat, soucieux de substituer à l'empirisme impressionniste une méthode scientifique, exploite picturalement les expériences faites en physique sur l'analyse de la lumière et de la couleur. S'appuyant sur les lois du contraste simultané des couleurs, il renonce à leur mélange pour les juxtaposer, créant un effet de luminosité accru (*Un dimanche après-midi à la Grande Jatte*). Cette technique nouvelle influencera de nombreux peintres, tels Signac, Gauguin, Toulouse-Lautrec et Van Gogh.

**POINTILLISTE,** subst. et adj.

Adepte du pointillisme. **Adj.** Relatif, propre au pointillisme. ⚭ 1892 ; ☞ *pointiller* ; [pwɛ̃tijist].

**POINTU, UE,** adj. et subst. m.

**Adj. 1.** Qui se termine en pointe. **2.** *Voix* ***pointue*** : dont le timbre est aigu ; empl. adv. : *Parler* ***pointu****,* avec l'accent parisien, selon les Méridionaux. **3.** Approfondi, spécialisé : *Discussion* ***pointue****.* **Subst.** Embarcation toulonnaise, aux deux bouts **pointus**. ⚭ Fin XIVe s. ; ☞ *pointe* ; [pwɛ̃ty].

**POINTURE,** subst. f.

**1.** Taille des chaussures, des gants et des chapeaux : *Chausser la* ***pointure*** *44* ou, par ell., *du 44.* **2.** Fig. *Une (grosse)* ***pointure*** : une personne éminente dans son domaine (fam.). ⚭ 1765 (fin XIe s., piqûre) ; lat. *punctura*, « piqûre » ; [pwɛ̃tyʀ].

**POINT-VIRGULE,** subst. m.

Signe de ponctuation (;) qui marque une pause intermédiaire entre celle du point et celle de la virgule. ⚭ 1869 ; comp. de *point* (I) et de *virgule* ; plur. *points-virgules* ; [pwɛ̃viʀgyl].

**POIRE,** subst. f.

**1.** Fruit du poirier, charnu, à pépins, de forme oblongue : ***Poire*** *Williams.* **2.** Eau-de-vie de ce fruit. **3.** Anal. Objet en forme de **poire** : ***Poire*** *à lavement* ; ***Poire*** *d'angoisse*, sorte de bâillon, instrument de torture. **4.** Figure, face (pop.). ▸ Belg. *Faire de sa* ***poire*** : faire le prétentieux. **5.** Personne naïve, facilement dupe (fam.). **6.** Loc. *Entre la* ***poire*** *et le fromage* (☞ *fromage*) ; *Garder une* ***poire*** *pour la soif* : faire des économies en vue de besoins ultérieurs ; *Couper la* ***poire*** *en deux* (☞ *couper*). ⚭ Mil. XIIe s. ; lat. pop. *pira*, du lat. *pirum* ; [pwaʀ].

**POIRÉ,** subst. m.

Boisson produite par fermentation du jus de poire. ⚭ Déb. XIIIe s. ; ☞ *poire* ; [pwaʀe].

**POIREAU,** subst. m.

**1.** *Bot.* Plante potagère de la famille des Liliacées, qui présente des feuilles lisses, très longues, et une tige très épaisse. **2.** Loc. *Faire le* ***poireau*** : attendre (fam.). ⚭ Fin XIe s. ; lat. *porrum* ; [pwaʀo].

**POIREAUTER,** verbe intrans. [3]

Attendre, faire le poireau (fam.). ⚭ 1883 ; ☞ *poireau* ; var. *poiroter* ; [pwaʀote].

**POIRÉE,** subst. f.

*Bot.* Bette, dite aussi carde ou bette à carde, dont on consomme les feuilles à grosses côtes. ⚭ 1256 (1197, potage) ; *por* (vx), « poireau » ; [pwaʀe].

**POIRIER,** subst. m.

**1.** *Bot.* Arbre fruitier de la famille des Malacées, cultivé pour ses fruits ; par méton., bois de cet arbre, rougeâtre, utilisé en ébénisterie. **2.** Fig. *Faire le* ***poirier*** : se tenir en équilibre sur la tête, les mains en appui au sol. ⚭ 1150 ; ☞ *poire* ; [pwaʀje].

**POIROTER,** voir **POIREAUTER**

**POIS,** subst. m.

**1.** *Bot.* Plante potagère de la famille des Fabacées, cultivée pour ses graines, depuis le Néolithique ; par méton., ces graines, débarrassées de leur cosse : *Petit* ***pois*** ou ***pois*** *vert* ; ***Pois*** *cassés*, **pois** verts secs, cassés en deux ; ***Pois*** *chiche* (☞ *chiche*). ▸ Loc. *Purée de* ***pois*** : brouillard épais ; *Avoir un* ***pois*** *chiche dans la tête* : être stupide. **2.** *Hortic.* ***Pois*** *de senteur* : plante grimpante d'ornement (synon. *gesse odorante*). **3.** Anal. Petit disque de couleur ornant une étoffe : *Foulard à* ***pois****.* ⚭ Mil. XIIe s. ; lat. *pisum* ; [pwa].

**POISE,** subst. m. ou f.

*Phys.* Unité de viscosité dynamique correspondant à $10^{-1}$ pascal-seconde. ⚭ 1931 ; anthropon. *Jean-Louis Poiseuille*, physicien français ; [pwaz].

**POISON,** subst.

**Masc. 1.** Toute substance susceptible de causer la mort ou de graves dommages à l'organisme. **2.** Fig. Ce qui corrompt l'esprit : *Ce livre est un* ***poison****.* **Masc.** et **Fém.** Personne insupportable (fam.). ⚭ 1155 (fin XIe s., boisson) ; lat. *potio*, « boisson » ; [pwazɔ̃].

Poseuse debout, étude pour « les Poseuses » *(détail), peinture exécutée par Georges Seurat (1859-1891) selon la technique du* ***pointillisme****.* *Musée d'Orsay, Paris.*

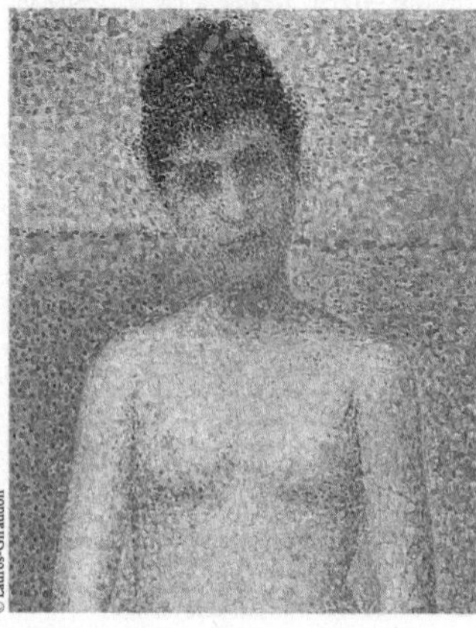



**POISSARD, ARDE,** subst. et adj.

**Subst. fém. 1.** Marchande, en partic. de poisson, aux halles (vx). **2.** Ext. Femme hardie et grossière : *Voix de* ***poissarde****.* **Adj.** Qui imite le parler et les mœurs du bas peuple (vx). **Subst. masc.** *Litt. Le* ***poissard*** : le genre **poissard** (XVIIIe s.). ⚭ 1640 (1531, voleur) ; ☞ *poix* ; [pwasaʀ, aʀd].

**POISSE,** subst. f.

**1.** Matière collante, visqueuse (vx). **2.** Fig. Pauvreté (vieilli) ; malchance (fam.). ⚭ 1893 (1723, fagot enduit de poix) ; ☞ *poisser* ; [pwas].

**POISSER,** verbe trans. [3]

**1.** Enduire de poix ou d'une matière comparable : ***Poisser*** *une ficelle.* **2.** Salir d'une matière gluante : *Du sirop a* ***poissé*** *ma cravate* ; empl. pronom. : *Se* ***poisser*** *les mains.* **3.** Fig. ***Poisser*** *qqn* : l'arrêter, l'attraper (fam.). ⚭ 1538 ; ☞ *poix* ; [pwase].

**POISSEUX, EUSE,** adj.

Qui poisse ; qui est sali d'une matière gluante. ⚭ 1575 ; ☞ *poix* ; [pwasø, øz].

**POISSON,** subst. m.

**1.** *Zool.* ▸ Vertébré adapté à la vie aquatique grâce à ses branchies, à ses nageoires et à des organes sensoriels appropriés : ***Poisson*** *de rivière, de lac, de mer* ; ***Poisson*** *volant*, exocet. ▸ ***Poisson*** *d'argent* : lépisme. **2.** Méton. Le **poisson** en tant que nourriture. **3.** *Astron. Les* ***Poissons*** : constellation. **4.** *Astrol.* Dernier signe du zodiaque ; par méton. : *Un* ***Poissons****,* personne née sous ce signe. **5.** Loc. *Être comme un* ***poisson*** *dans l'eau* : évoluer parfaitement à son aise ; *Noyer le* ***poisson*** (☞ *noyer*) ; *Faire une queue de* ***poisson*** *à qqn* : rabattre brusquement son véhicule devant celui que l'on vient de doubler. ⚭ Fin Xe s. ; anc. fr. *peis*, du lat. *piscis* ; [pwasɔ̃].

**ZOOLOGIE** – La classe des poissons comprend les Agnathes (sans mâchoire inférieure ni membres), parmi lesquels les myxines et les lamproies, et les Gnathostomes, eux-mêmes divisés en Chondrichthyens (à squelette cartilagineux) et Ostéichthyens (à squelette ossifié). Les poissons ont une température interne variable et un appareil respiratoire gén. branchial. Leur système sanguin fonctionne avec un cœur entièrement veineux divisé en deux cavités. Certains poissons effectuent de grandes migrations marines ; d'autres, comme les saumons et les anguilles, passent des eaux douces aux eaux marines. Ayant peuplé pratiquement tous les milieux aquatiques, les poissons se sont adaptés aux caractéristiques physicochimiques des eaux, aux conditions de pression ou de lumière. Ils peuvent être ovipares ou vivipares (comme les requins).

**POISSON-CHAT,** subst. m.

*Zool.* Silure. ⚭ Comp. de *poisson* et de *chat* ; plur. *poissons-chats* ; [pwasɔ̃ʃa].

**POISSON-ÉPÉE,** subst. m.

*Zool.* Xiphophore. ⚭ 1873 ; comp. de *poisson* et de *épée* ; plur. *poissons-épées* ; [pwasɔ̃epe].

**POISSON-GLOBE,** subst. m.

*Zool.* Tétrodon. ⚭ Comp. de *poisson* et de *globe* ; plur. *poissons-globes* ; [pwasɔ̃glɔb].

**POISSON-LUNE,** subst. m.

*Zool.* Môle. ⚭ 1776 ; comp. de *poisson* et de *lune* ; plur. *poissons-lunes* ; [pwasɔ̃lyn].

**POISSONNERIE,** subst. f.

Lieu où l'on vend du poisson, des fruits de mer. ⚭ 1287 ; ☞ *poissonnier* ; [pwasɔnʀi].

**POISSONNEUX, EUSE,** adj.

Qui abonde en poissons : *Une rivière* ***poissonneuse****.* ⚭ 1555 ; ☞ *poisson* ; [pwasɔnø, øz].

**POISSONNIER, IÈRE,** subst.

Personne qui vend au détail du poisson et des fruits de mer. **Fém.** Récipient oblong pour faire cuire le poisson. ⚭ Déb. XIIIe s. ; ☞ *poisson* ; [pwasɔnje, jɛʀ].

**POISSON-PERROQUET,** subst. m.

*Zool.* Scare. ⚭ Comp. de *poisson* et de *perroquet* ; plur. *poissons-perroquets* ; [pwasɔ̃peʀɔkɛ].

**POISSON-SCIE,** subst. m.

*Zool.* Sélacien à long rostre porteur de dents. ⚭ 1842 ; comp. de *poisson* et de *scie* ; plur. *poissons-scies* ; [pwasɔ̃si].

**POITEVIN, INE,** adj. et subst.

De Poitiers ou du Poitou : *Le Marais* ***poitevin****.* ⚭ Déb. XIIe s. ; topon. *Poitou* ; [pwat(ə)vɛ̃, in].

**POITRAIL, subst. m.**
1. Partie du harnais placée sur la poitrine d'un cheval. 2. Méton. Partie du corps de certains mammifères située entre l'encolure et les membres antérieurs. 3. Anal. Buste, poitrine humaine (fam.). 4. *Bât.* Pièce de bois, de métal ou de béton servant de linteau à une grande baie. Fin XIe s. ; lat. *pectoralis*, « de la poitrine » ; plur. *poitrails* ; [pwatʀaj].

**POITRINAIRE, adj. et subst.**
*Pathol.* Se dit d'une personne atteinte de tuberculose (vieilli). 1743 ; ☞ *poitrine* ; [pwatʀinɛʀ].

**POITRINE, subst. f.**
1. *Anat.* Thorax ; par ext., les organes qu'il contient. 2. Partie antérieure du thorax. ▶ Loc. *Se frapper la poitrine* : battre sa coulpe. 3. Seins de la femme. 4. Poumons (vx) : *Maladie de* **poitrine**. 5. Région antérieure du corps de certains animaux, située entre le cou et le ventre (synon. *poitrail*). 6. *Bouch.* Partie constituée par le devant des côtes et la chair environnante. Mil. XIe s. ; lat. pop. °*pectorinus*, du lat. *pectus* ; [pwatʀin].

**POIVRADE, subst. f.**
*Cuis.* 1. Sauce à base de poivre. 2. Loc. *À la poivrade* : avec du sel et du poivre. 3. Petit artichaut qui se mange cru. 1505 ; ☞ *poivre* ; [pwavʀad].

**POIVRE, subst. m.**
1. Épice à saveur piquante, fruit (grain) du poivrier : *Poivre blanc, noir, vert.* 2. Anal. Condiment tiré d'autres plantes : ***Poivre** de Cayenne*, piment en poudre ; ***Poivre** long*, piment fort. 3. Loc. *Cheveux, barbe* ***poivre** et sel* : grisonnants. Mil. XIIe s. ; lat. *piper* ; [pwavʀ].

**POIVRÉ, ÉE, adj.**
1. Assaisonné de poivre ; dont le goût, l'odeur évoquent le poivre : *Un parfum* ***poivré***. 2. Fig. Piquant, grivois. Déb. XIIIe s. ; p. p. de *poivrer* ; [pwavʀe].

**POIVRER, verbe trans. [3]**
1. *Cuis.* Assaisonner de poivre. 2. Fig. Rendre piquant. PRONOM. S'enivrer (fam.). 1285 ; ☞ *poivre* ; [pwavʀe].

**POIVRIER, IÈRE, subst.**
MASC. *Bot.* Arbuste de la famille des Pipéracées, à petites baies rouges, dont certaines espèces fournissent le poivre, une autre le bétel et une autre le kava. MASC. et FÉM. Ustensile de table garni de poivre, moulu ou non. FÉM. 1. Échauguette. 2. Lieu planté de **poivriers**. 1562 (déb. XIIIe s., marchand de poivre) ; ☞ *poivre* ; [pwavʀije, jɛʀ].

**POIVRON, subst. m.**
*Bot.* Piment doux à gros fruit ; ce fruit, consommé comme légume. 1785 ; ☞ *poivre* ; [pwavʀɔ̃].

**POIVROT, OTE, subst.**
Ivrogne (fam.). 1837 ; argot *poivre*, « eau-de-vie » ; [pwavʀo, ɔt].

**POIX, subst. f.**
Matière gluante et inflammable, à base de résines et de goudrons végétaux. Fin XIe s. ; lat. *pix* ; [pwa].

**POKER, subst. m.**
1. Jeu de cartes opposant de trois à cinq joueurs, dont le gagnant est celui qui dispose de la plus forte combinaison de cinq cartes ou qui réussit à le faire croire aux autres ; à ce jeu, ensemble de quatre cartes de même valeur. 2. Anal. *Poker d'as* : jeu de **poker** qui se joue avec cinq dés. 3. Loc. *Coup de* **poker** : opération audacieuse fondée sur le bluff ; *Partie de* **poker** : situation conflictuelle où chacun bluffe. 1855 ; mot anglo-amér. ; [pokɛʀ].

**POLACRE, subst. f.**
*Mar.* Ancien voilier de commerce de la Méditerranée, à voiles carrées. 1600 ; p.-ê. ital. *polacca* ; [pɔlakʀ].

**POLAIRE, adj. et subst. f.**
ADJ. 1. Qui se rapporte ou est propre aux pôles ; situé près d'un pôle. ▶ *Astron. L'étoile* ***Polaire*** ou, par ell., *La Polaire* : étoile dont la position actuelle est très proche du pôle céleste nord (à moins de 1°). ▶ *Géogr. Cercle* ***polaire** arctique, antarctique* : chacun des cercles parallèles à l'équateur, situés à une distance angulaire d'environ 23°27′ du pôle de référence ; *Calotte* **polaire** : zone de glaces qui entoure un pôle, dans les limites du cercle **polaire**. 2. Qui évoque un pôle : *Froid* **polaire**, intense ; *Bleu* **polaire**, pâle et brillant. 3. *Chim. Molécule* **polaire** : qui possède un moment dipolaire électrique permanent. 4. *Math. Coordonnées* ***polaires** (dans le plan) par rapport à une demi-droite d'origine O, de vecteur directeur unitaire* $\vec{\imath}$ : pour un point M autre que O, couple (r, θ) tel que $\overrightarrow{OM} = r\vec{u}$, où $\vec{u}$ est un vecteur directeur unitaire de la droite OM faisant avec $\vec{\imath}$ un angle $(\widehat{\vec{\imath}, \vec{u}})$ de mesure θ. 5. *Anat.* Qui a trait aux pôles d'une cellule, d'un organe : *Artère* ***polaire** du rein.* SUBST. *Géom.* ***Polaire** d'un point A par rapport à une conique (ou à deux droites)* : droite, ensemble des points M tels que la droite AM coupe la conique (les deux droites) en deux points P et Q formant avec A et M la division harmonique (A, M, P, Q). 1555 ; lat. médiév. *polaris* ; [pɔlɛʀ].

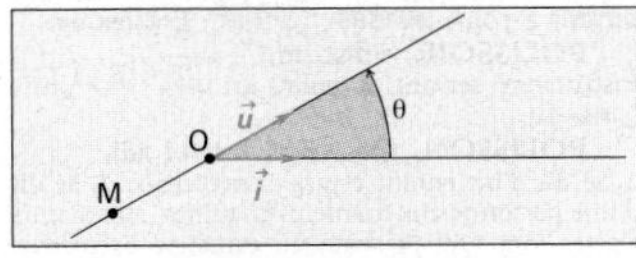

*Coordonnées polaires.*

**POLAR, subst. m.**
Roman ou film policier (fam.). V. 1970 ; altér. argot. de *roman policier* ; [pɔlaʀ].

**POLARIMÈTRE, subst. m.**
*Opt.* Instrument servant à effectuer des mesures de polarimétrie. 1841 ; formé de *polari-* et de *-mètre*[1] ; [pɔlaʀimɛtʀ].

**POLARIMÉTRIE, subst. f.**
*Opt.* Détermination de l'état de polarisation d'un faisceau lumineux, ou encore des modifications de son état de polarisation quand il traverse un échantillon d'une substance à analyser. 1851 ; ☞ *polarimètre* ; [pɔlaʀimetʀi].

**POLARISATION, subst. f.**
1. *Phys. **Polarisation** rotatoire* : rotation du plan de vibration d'un rayon lumineux polarisé rectilignement autour de la direction de propagation du rayon. 2. *Opt.* Fait, pour un rayon lumineux, et en partic. pour des ondes électromagnétiques, de présenter une répartition déterminée de la direction de propagation de leurs radiations. ▶ ***Polarisation** de la lumière* : transformation de la lumière naturelle en lumière polarisée, soit par réfraction, soit par réflexion. 3. Fig. Concentration des efforts, de l'attention, des actions sur un sujet. 1811 ; ☞ *polariser* ; [pɔlaʀizasjɔ̃].

**POLARISÉ, ÉE, adj.**
*Phys.* Se dit de la lumière, du courant électrique ou de particules élémentaires ayant subi le processus de polarisation. P. p. de *polariser* ; [pɔlaʀize].

**POLARISER, verbe trans. [3]**
1. *Phys.* Appliquer à (la lumière, le courant électrique, des particules élémentaires) le processus de polarisation. 2. Fig. Faire converger, focaliser : *La jeune femme* ***polarisait** les regards de l'assistance* ; empl. pronom., se concentrer (sur qqch.) : *Il se* ***polarise** sur son travail.* 1810 ; ☞ *polaire* ; [pɔlaʀize].

**POLARISEUR, subst. m.**
*Phys.* Dispositif permettant la polarisation de la lumière naturelle, soit par réflexion, soit par réfraction ; empl. adj. : *Filtre* ***polariseur***. 1836 ; ☞ *polariser* ; [pɔlaʀizœʀ].

**POLARITÉ, subst. f.**
Propriété d'un système physique, chimique ou biologique qui présente deux pôles : ***Polarité** d'un champ magnétique.* 1765 ; ☞ *polaire* ; [pɔlaʀite].

**POLAROGRAPHIE, subst. f.**
*Phys.* Mesure des variations de potentiel d'un métal plongé dans une cuve à électrolyse. 1959 ; formé de *polaro-* et de *-graphie* ; [pɔlaʀɔgʀafi].

**POLAROID, subst. m. inv.**
1. Feuille transparente dont les cristaux microscopiques alignés d'alcool polyvinylique iodé polarisent la lumière. 2. Appareil de photographie de la marque portant ce nom et utilisant ce procédé, à développement instantané ; par méton., la photo obtenue. 1951 ; angl. *Polaroid* ; n. déposé ; [pɔlaʀɔid].

**POLATOUCHE, subst. m.**
*Zool.* Écureuil volant. 1763 ; polonais *polatucha* ; [pɔlatuʃ].

**POLDER, subst. m.**
*Géogr.* Terre conquise, au moyen de digues et de drains, sur la mer, les lacs ou les marais : *Les* ***polders** de Hollande.* 1267 ; mot néerl. ; [pɔldɛʀ].

**PÔLE, subst. m.**
1. ***Pôle** céleste* : chacun des deux points où l'axe de la Terre rencontre la sphère céleste. 2. *Géogr.* Chacun des deux points de la surface terrestre situés sur l'axe de rotation de la Terre : ***Pôle** Nord, boréal, septentrional ou arctique* ; ***Pôle** Sud, austral, méridional ou antarctique* ; par ext., région située près d'un **pôle**. 3. Anal. Point situé à l'extrême opposé d'un autre : *Il se promenait d'un* ***pôle** à l'autre de Paris.* 4. *Anat.* Chacune des deux extrémités saillantes et opposées d'un organe : ***Pôle** antérieur de l'œil.* 5. *Géom.* Désigne parfois le centre d'une homothétie, d'une inversion. ▶ ***Pôle** d'une droite par rapport à une conique* : unique point tel que cette droite soit la polaire par rapport à la conique. 6. *Phys.* Chaque extrémité d'un aimant, d'où entrent ou sortent les lignes d'induction magnétiques. 7. *Électr.* ▶ Chacune des deux extrémités d'un circuit. ▶ Borne d'un générateur. 8. Fig. Centre d'intérêt, d'activité : ***Pôle** d'attraction* ; ***Pôle** industriel.* Déb. XIIIe s. ; lat. *polus*, du gr. *polos*, « axe », de *polein*, « tourner » ; [pol].

**POLÉMARQUE, subst. m.**
*Antiq.* Magistrat d'une cité grecque, qui commandait les armées et exerçait un rôle politique. 1738 ; gr. *polemarkhos*, « chef d'armée » ; [pɔlemaʀk].

**POLÉMIQUE, adj. et subst. f.**
ADJ. Qui vise la controverse, agressif : *Une attitude, un ton* ***polémique***. SUBST. Controverse passionnée ou violente sur un sujet. 1584 (1578, guerrier) ; gr. *polemikos*, de *polemos*, « guerre » ; [pɔlemik].

**POLÉMIQUER, verbe intrans. [3]**
Faire de la polémique ; entretenir une polémique. 1845 ; ☞ *polémique* ; [pɔlemike].

**POLÉMISTE, subst.**
Personne qui pratique la polémique et s'y complaît. 1845 ; ☞ *polémique* ; [pɔlemist].

**POLÉMOLOGIE, subst. f.**
Discipline des sciences humaines qui étudie le phénomène de la guerre. 1946 ; formé de *polémo-* et de *-logie* ; [pɔlemɔlɔʒi].

**POLÉMONIACÉES, subst. f. plur.**
*Bot.* Famille d'herbacées d'Amérique du Nord, au fruit en capsule. AU SING. *Le phlox est une* ***polémoniacée***. 1842 ; lat. sc. *polemonium*, du gr. *polemônion* ; [pɔlemɔnjase].

**POLENTA, subst. f.**
*Cuis.* Préparation à base de farine de maïs (en Italie) ou de châtaignes (en Corse). 1797 ; ital. *polenta*, du lat. *polenta*, « farine d'orge » ; [pɔlɛnta].

**POLE POSITION, subst. f.**
*Sp.* Première position sur la grille de départ d'une course automobile (anglic.) : *Obtenir la* ***pole position*** ou, par ell., *la* ***pole***. V. 1980 ; angl. *pole position*, « position en flèche » ; plur. *pole positions* ; [polpozisjɔ̃].

**POLI (I), IE, adj. et subst. m.**
ADJ. Dont la surface est lisse et brillante. SUBST. Aspect d'une surface lisse et brillante : ***Poli** d'un marbre.* ▶ *Géol.* Aspect lisse et luisant d'une roche, dû à l'action de l'érosion : ***Poli** glaciaire* ; ***Poli** éolien.* Mil. XIIe s. ; p. p. de *polir* ; [pɔli].

**POLI (II), IE, adj.**
1. Cultivé (vx). 2. Dont le comportement, le langage se conforment aux règles de la bienséance : *Enfant* ***poli*** ; qui dénote le respect des convenances : *Réponse* ***polie***. ▶ Loc. *Trop* ***poli** pour être honnête* : dont l'obséquiosité laisse deviner des intentions malhonnêtes. 1580 (fin XIIe s., élégant) ; p. p. de *polir*, d'apr. le lat. *politus*, « poli par l'instruction » ; [pɔli].

**POLICE (I), subst. f.**
1. Vx. Règlementation. 2. Organisation et règlementation de l'ordre public dans une société : *Pouvoirs de* ***police*** ; ***Police** judiciaire* (abrév. : P. J.) ; ***Police** nationale, municipale.* ▶ Loc. *Faire la* ***police*** : œuvrer au maintien de l'ordre. 3. Ensemble des organes et des institutions chargés du maintien de l'ordre et de la sécurité par des mesures de prévention (**police** administrative), ou de la répression des infractions (**police** judiciaire) : ***Police** mondaine, des mœurs* ; *Commissariat de* ***police*** ; ***Police** secours*, qui porte secours dans les cas d'urgence. ▶ Méton. Personnel de ces institutions : *Il a été arrêté par la* ***police***. 4. *Milit. Salle de* ***police*** : salle où sont consignés les soldats punis pour de légères infractions (vieilli). Mil. XIIIe s. ; bas lat. *politia*, du gr. *politeia*, « ensemble des citoyens » ; [pɔlis].

**POLICE (II),** subst. f.
1. Contrat d'assurance imprimé en double exemplaire, sur chacun desquels figurent les signatures des contractants. 2. *Impr. Police (de caractères)* : assortiment complet de caractères d'un type déterminé (synon. *fonte*). 1584 (1371, certificat) ; ital. *polizza*, « certificat », p.-ê. du lat. médiév. *apodixa*, du gr. byzantin *apodeixis*, « reçu » ; [pɔlis].

**POLICÉ, ÉE,** adj.
Qui présente un certain degré de raffinement et d'éducation (synon. *civilisé*) : *Une société **policée**.* 1601 ; p. p. de *policer* ; [pɔlise].

**POLICEMAN,** subst. m.
Agent de police, en Grande-Bretagne et dans les autres pays de langue anglaise. 1834 ; angl. *policeman*, de *police*, « police », et de *man*, « homme » ; plur. *policemans* ou *policemen* ; [pɔlisman], plur. [-mɛn].

**POLICER,** verbe trans. [4]
Civiliser, affiner les mœurs de (littér. et vieilli). Fin XVIIIe s. (1461, administrer) ; ☞ *police* (I) ; [pɔlise].

**POLICHINELLE,** subst. m.
1. Personnage bouffon de la comédie italienne ; personnage grotesque et bossu du théâtre de marionnettes, issu du précédent. ▸ Loc. *Secret de **Polichinelle*** : secret connu de tous. 2. Méton. Marionnette, jouet représentant ce personnage. 3. Fig. ▸ Personne ridicule. ▸ Individu sans personnalité, versatile. 1649 ; napol. *Pulecenella* ; [pɔliʃinɛl].

*Polichinelle, gravure de Bonnart* (XVIIe-XVIII[e] s.). *Musée Carnavalet, Paris.* © Lauros-Giraudon

**POLICIER, IÈRE,** adj. et subst.
ADJ. 1. Qui concerne la police, ses activités : *Enquête **policière**.* ▸ Qui s'appuie sur la police : *État **policier**.* 2. Qui raconte ou met en scène une enquête criminelle : *Film, roman **policier**.* SUBST. Personne qui appartient à la police (rare au fém.) : ***Policier** en civil.* 1836 (1611, qui concerne l'administration d'une ville) ; ☞ *police* (I) ; [pɔlisje, jɛʀ].

**POLICLINIQUE,** subst. f.
Établissement de soins dans lequel les malades ne sont pas hospitalisés. 1855 ; formé du gr. *polis*, « ville », et de *clinique* ; [pɔliklinik].

**POLIMENT,** adv.
D'une manière polie, courtoise. XVe s. (XIVe s., de manière à être lisse) ; ☞ *poli* (II) ; [pɔlimɑ̃].

**POLIOMYÉLITE,** subst. f.
*Pathol.* Maladie virale très contagieuse, responsable de paralysies musculaires laissant des séquelles invalidantes (abrév. fam. : polio). 1892 ; gr. *polios*, « gris », et *muelos*, « moelle » ; [pɔljɔmjelit].

**POLIOMYÉLITIQUE,** adj. et subst.
Se dit d'une personne atteinte de poliomyélite. ADJ. Relatif, propre à la poliomyélite. 1925 ; ☞ *poliomyélite* ; [pɔljɔmjelitik].

**POLIORCÉTIQUE,** adj. et subst. f.
*Antiq.* ADJ. Relatif au siège des villes : *Art **poliorcétique**.* SUBST. Technique de siège des villes. 1842 ; gr. *poliorkêtikos* ; [pɔljɔʀsetik].

**POLIR,** verbe trans. [19]
1. Rendre lisse et brillant, par usure ou par frottement : ***Polir** un marbre.* 2. Fig. Mettre la dernière main à (un ouvrage, une œuvre) : ***Polir** un sonnet.* Fin XIIe s. ; lat. *polire* ; [pɔliʀ].

**POLISSABLE,** adj.
Que l'on peut polir. 1510 ; ☞ *polir* ; [pɔlisabl].

**POLISSAGE,** subst. m.
Action de polir ; son résultat. 1749 ; ☞ *polir* ; [pɔlisaʒ].

**POLISSEUR, EUSE,** subst.
Personne qui effectue le polissage. FÉM. Machine servant à polir. 1389 ; ☞ *polir* ; [pɔlisœʀ, øz].

**POLISSOIR,** subst. m.
Instrument servant à polir. 1524 ; ☞ *polir* ; [pɔliswaʀ].

**POLISSON, ONNE,** subst. et adj.
1. Se dit d'un enfant espiègle, malicieux. 2. Se dit d'une personne aux manières coquines, aux mœurs légères. ADJ. Qui présente un caractère licencieux. 1680 (1628, gueux) ; argot *polisse*, « vol », de *polir*, « écouler après avoir volé » ; [pɔlisɔ̃, ɔn].

**POLISSONNERIE,** subst. f.
Facétie d'un polisson ; acte, propos libertin. 1696 ; ☞ *polisson* ; [pɔlisɔnʀi].

**POLISTE,** subst. m. ou f.
*Zool.* Insecte de l'ordre des Hyménoptères, voisin de la guêpe, dont une espèce construit dans les arbustes ou sous les corniches un nid cartonneux d'env. 30 cm de diamètre, comprenant gén. un rayon unique de 30 à 50 alvéoles. Déb. XIXe s. ; gr. *polistês*, « bâtisseur de ville » ; [pɔlist].

**POLITESSE,** subst. f.
1. Ensemble des règles, des rites et des usages du savoir-vivre en société ; fait de les respecter : *Formule de **politesse**.* ▸ Loc. *Brûler la **politesse** à qqn* : lui fausser brusquement compagnie. 2. Acte, propos dénotant des manières polies (gén. au plur.). 1678 (1578, état de ce qui est lisse) ; ital. *pulitezza*, « propreté », du lat. *politus*, « lisse » ; [pɔlitɛs].

**POLITICARD, ARDE,** subst.
Péj. Politicien qui se compromet dans de basses manœuvres ; empl. adj. : *Comportement **politicard** d'un élu.* 1881 ; ☞ *politicien* ; [pɔlitikaʀ, aʀd].

**POLITICIEN, IENNE,** subst. et adj.
SUBST. Personne qui mène une carrière politique, qui dirige les affaires publiques. ADJ. Relatif au jeu politique (souv. péj.) : *Rivalité **politicienne**.* 1779 ; angl. *politician* ; [pɔlitisjɛ̃, jɛn].

**POLITIQUE (I),** subst. f.
1. Art de gouverner ; manière d'exercer cet art : *Réduire la **politique** à la morale, c'est vider la **politique** de son contenu* (Maritain) ; *Mener une **politique** libérale.* 2. Anal. Ligne de conduite adoptée en un domaine particulier : ***Politique** d'embauche d'une entreprise.* 3. Ensemble des affaires publiques, des activités de l'État : ***Politique** extérieure, culturelle, monétaire* ; par méton. : *Entrer en **politique***, se consacrer aux affaires publiques. Fin XIIIe s. ; gr. *politikê* ; [pɔlitik].

**POLITIQUE (II),** adj. et subst.
ADJ. 1. Vx. Propre aux sociétés organisées. 2. Qui se rapporte à l'État, à l'organisation du pouvoir, à la conduite des affaires publiques : *Institutions **politiques**.* 3. Relatif à la conception du pouvoir et du gouvernement : *Convictions **politiques*** ; *Prisonnier **politique***, par oppos. à *prisonnier de droit commun.* 4. Qui dénote l'habileté à manœuvrer autrui, à imposer ses choix (vieilli et littér.). SUBST. Personne qui joue un rôle actif dans les affaires publiques, la conduite de l'État : *Un habile **politique*** ; au fig., personne habile à manœuvrer les autres. SUBST. MASC. Domaine propre des affaires publiques. 1365 ; lat. *politicus*, du gr. *politikos*, « de la cité » ; [pɔlitik].

PHILOSOPHIE – C'est dans l'antique démocratie grecque qu'est née la philosophie politique. Dès que les désirs et les intérêts des hommes purent entrer librement en concurrence au sein de la communauté, il apparut nécessaire de définir un intérêt supérieur commun sur lequel pût se fonder l'unité du corps social ; telles sont les fins de la politique pour Socrate, Platon et Aristote. Les stoïciens, après eux, insistèrent davantage sur la morale du citoyen. L'Empire romain et la chrétienté, l'un inventant l'État providence, l'autre subordonnant la loi des hommes à l'ordre divin, sont des périodes où domine l'apolitisme, et il faut attendre la Réforme, et surtout le mouvement des Lumières, pour que s'ouvre à nouveau le débat sur l'État et les lois. Locke et Rousseau introduisent la notion de contrat social ; avec Montesquieu, l'accent est porté sur l'idée de Constitution. Mais l'ère des révolutions bourgeoises et l'avènement d'une société de classes vont démontrer que la question politique n'est pas seulement affaire de législation ; sous les efforts conjugués de Hegel, de Marx, mais aussi de Smith, de Tocqueville, la philosophie politique devient l'économie politique, et la notion d'équilibre social se substitue à celle de bien commun.

**POLITIQUE-FICTION,** subst. f.
Genre littéraire et cinématographique fondé sur l'anticipation d'une situation politique. V. 1970 ; comp. de *politique* (I) et de *fiction*, d'apr. *science-fiction* ; plur. *politiques-fictions* ; [pɔlitikfiksjɔ̃].

**POLITIQUEMENT,** adv.
1. Sous le rapport de la politique. ▸ Loc. ***Politiquement** correct* : conforme à l'idéologie dominante. 2. De façon habile, opportuniste (littér.). 1405 ; ☞ *politique* (II) ; [pɔlitikmɑ̃].

**POLITISATION,** subst. f.
Action de politiser ; son résultat : ***Politisation** des masses.* 1929 ; ☞ *politique* (II) ; [pɔlitizasjɔ̃].

**POLITISER,** verbe trans. [3]
Donner à (qqch., qqn) un caractère, un contenu politique. 1936 ; ☞ *politique* (II) ; [pɔlitize].

**POLITOLOGIE,** subst. f.
Discipline qui étudie les phénomènes politiques et les formes concrètes qu'ils revêtent dans la société (synon. *science politique*). 1958 ; ☞ *politique* (I) + *-logie* ; [pɔlitɔlɔʒi].

**POLITOLOGUE,** subst.
Spécialiste de politologie. 1959 ; ☞ *politologie* ; [pɔlitɔlɔg].

**POLJÉ,** subst. m.
*Géogr.* Plaine karstique endoréique formée par la dissolution étendue d'une couche calcaire. 1896 ; slave *polje*, « plaine » ; [pɔlje].

**POLKA,** subst. f. et adj. inv.
SUBST. Danse à deux temps, d'origine tchèque ou polonaise, au rythme très enlevé ; musique sur laquelle on la danse : *Les **polkas** de J. Strauss.* ADJ. *Pain **polka*** : pain rond et plat, dont la croûte est ornée de carrés ou de losanges en relief. 1844 ; orig. inc. ; [pɔlka].

**POLLAKIURIE,** subst. f.
*Pathol.* Trouble urinaire caractérisé par des mictions fréquentes et peu abondantes. 1890 ; gr. *pollakis*, « souvent », + *-urie* ; [pɔl(l)akjyʀi] ou [-iyʀi].

**POLLEN,** subst. m.
*Bot.* Gamétophyte mâle, production microscopique que libèrent, à leur déhiscence, les anthères des étamines. 1766 (1562, farine) ; lat. *pollen*, « farine » ; [pɔl(l)ɛn].

**POLLICITATION,** subst. f.
*Dr.* Offre ou promesse de passer contrat, qui n'a pas encore reçu d'acceptation. 1752 (fin XVe s., promesse) ; lat. *pollicitatio* ; [pɔl(l)isitasjɔ̃].

**POLLINIE,** subst. f.
*Bot.* Chez les orchidées, agglomération du contenu pollinique au niveau des fleurs. 1832 ; ☞ *pollen* ; [pɔl(l)ini].

**POLLINIQUE,** adj.
*Bot.* Qui contient du pollen : *Sac **pollinique*** ; relatif au pollen : *Analyse **pollinique**,* palynologie. 1832 ; ☞ *pollen* ; [pɔl(l)inik].

**POLLINISATION,** subst. f.
*Bot.* Transport du pollen des pièces mâles aux pièces femelles, par l'intermédiaire du vent, d'insectes ou d'autres animaux, de l'eau ou de l'homme, et qui permet la fécondation. 1879 ; ☞ *pollen* ; [pɔl(l)inizasjɔ̃].

**POLLINOSE,** subst. f.
*Pathol.* Ensemble des manifestations allergiques dues au contact du pollen. XXe s. ; ☞ *pollen* + *-ose* ; [pɔl(l)inoz].

**POLLUANT, ANTE,** adj.
Qui pollue ou qui est susceptible de polluer : *Usine **polluante*** ; empl. subst. masc., produit, agent **polluant**. V. 1970 ; p. pr. de *polluer* ; [pɔlɥɑ̃, ɑ̃t].

**POLLUER,** verbe trans. [3]
1. Vx. Souiller ; profaner. 2. Empoisonner, rendre malsain (l'environnement) : ***Polluer** la nature.* 1461 ; lat. *polluere* ; [pɔlɥe].

**POLLUEUR, EUSE,** adj. et subst.
ADJ. Qui pollue. SUBST. Personne responsable d'une pollution. ◊ V. 1970 ; ☞ *polluer* ; [pɔlɥœʀ, øz].

**POLLUTION,** subst. f.
**1.** Vx. Souillure ; profanation. **2.** *Pollution nocturne* : éjaculation involontaire survenant lors du sommeil (vieilli). **3.** Dégradation occasionnée par un ou des agents polluants : ***Pollution*** *des grandes villes, des eaux* ; par ext., nuisance : ***Pollution*** *sonore.* ◊ XII^e s. ; lat. *pollutio* ; [pɔlysjɔ̃].

**POLO,** subst. m.
**1.** *Sp.* Jeu dans lequel des cavaliers, munis de longs maillets, s'affrontent par équipes de quatre et tentent de pousser une balle de bois dans les buts adverses. **2.** Chemise de sport en tricot, à col rabattu. ◊ 1872 ; angl. *polo*, du tibétain *polo* ; [pɔlo].

© F. Varin-Explorer

*Un match de polo.*

**POLOCHON,** subst. m.
Traversin (fam.). ◊ 1848 ; orig. obsc. ; [pɔlɔʃɔ̃].

**POLONAIS, AISE,** adj. et subst.
De Pologne. SUBST. MASC. Langue slave parlée en Pologne. SUBST. FÉM. **1.** Danse nationale, en Pologne. **2.** *Mus.* Composition adoptant le rythme ternaire de cette danse : *Les* ***polonaises*** *de Chopin.* ADJ. *Informat., Log.* et *Math. Notation* ***polonaise*** : notation due à Lukasiewicz, dans laquelle les opérateurs logiques (ou algébriques) précèdent (notation préfixée) ou suivent (notation postfixée) les termes sur lesquels ils portent, par ex. $\times\, a + bc$ pour $a \cdot (b + c)$. ◊ 1442 ; polonais *poljane* ; [pɔlɔnɛ, ɛz].

**POLONIUM,** subst. m.
*Chim.* Élément n° 84 de la table de Mendeleïev (symb. : Po) ; masse atomique : 210 ; point de fusion : 254 °C ; point d'ébullition : 962 °C ; masse volumique : 9,3 g/cm³. C'est un métal radioactif, découvert par Pierre et Marie Curie dans la pechblende. ◊ 1898 ; topon. *Pologne*, pays d'origine de Marie Curie ; [pɔlɔnjɔm].

**POLTRON, ONNE,** subst. et adj.
Se dit d'une personne peureuse, lâche. ◊ 1509 ; ital. *poltrone* ; [pɔltʀɔ̃, ɔn].

**POLTRONNERIE,** subst. f.
Caractère du poltron, de la poltronne. ◊ 1574 ; ☞ *poltron* ; [pɔltʀɔnʀi].

**POLYACIDE,** subst. m. et adj.
*Chim.* Se dit d'un composé renfermant plusieurs groupements fonctionnels acide. ◊ 1869 ; ☞ *acide* + *poly-* ; [pɔliasid].

**POLYAKÈNE,** subst. m. et adj.
*Bot.* Se dit d'un fruit constitué de plusieurs akènes. ◊ 1855 ; ☞ *akène* + *poly-* ; [pɔliakɛn].

**POLYALCOOL,** subst. m.
*Chim.* Composé renfermant plusieurs groupements fonctionnels alcool (synon. *polyol*). ◊ 1903 ; ☞ *alcool* + *poly-* ; [pɔlialkɔl].

**POLYAMIDE,** subst. m.
*Chim.* Polymère synthétique, associant des polyacides et des polyamines, dont on fait des matériaux plastiques et des fibres textiles. ◊ 1913 ; ☞ *amide* + *poly-* ; [pɔliamid].

**POLYAMINE,** subst. f.
*Chim.* Composé renfermant plusieurs groupements fonctionnels amine. ◊ 1935 ; ☞ *amine* + *poly-* ; [pɔliamin].

**POLYANDRE,** adj.
**1.** *Bot.* Qualifie une plante à plusieurs étamines. **2.** *Anthropol.* Qui pratique la polyandrie. ◊ 1812 ; formé de *poly-* et de *-andre* ; [pɔliɑ̃dʀ].

**POLYANDRIE,** subst. f.
**1.** *Anthropol.* Fait, pour une femme, d'avoir simultanément plusieurs époux ; système social admettant cette pratique. **2.** *Bot.* Caractère d'une plante polyandre. ◊ 1765 ; formé de *poly-* et de *-andrie* ; [pɔliɑ̃dʀi].

**POLYARTHRITE,** subst. f.
*Pathol.* Inflammation aiguë ou chronique qui touche simultanément plusieurs articulations. ◊ 1868 ; ☞ *arthrite* + *poly-* ; [pɔliaʀtʀit].

**POLYBUTADIÈNE,** subst. m.
*Chim.* Polymère de la molécule de butadiène, utilisé dans la fabrication des caoutchoucs. ◊ XX^e s. ; ☞ *butadiène* + *poly-* ; [pɔlibytadjɛn].

**POLYCARPIQUE,** adj.
*Bot.* **1.** Se dit d'une fleur dont le gynécée est constitué de carpelles indépendants. **2.** Se dit d'une plante vivace qui fleurit et fructifie plusieurs fois au cours de sa vie. ◊ Mil. XX^e s. ; gr. *karpos*, « fruit », + *poly-* ; [pɔlikaʀpik].

**POLYCENTRIQUE,** adj.
*Pol.* Qui est doté de plusieurs centres de direction, de décision. ◊ XX^e s. ; ☞ *centre* + *poly-* ; [pɔlisɑ̃tʀik].

**POLYCENTRISME,** subst. m.
*Pol.* Système d'organisation qui admet plusieurs centres de direction ou de décision. ◊ V. 1960 ; ☞ *centre* + *poly-* ; [pɔlisɑ̃tʀism].

**POLYCÉPHALE,** adj.
Qui a plusieurs têtes : *Hydre* ***polycéphale.*** ◊ 1808 ; gr. *polukephalos* ; [pɔlisefal].

**POLYCHÈTES,** subst. m. plur.
*Zool.* Classe de vers marins de l'embranchement des Annélides, qui portent de nombreuses soies. AU SING. *La néréide est un* ***polychète.*** ◊ 1878 (1842, genre de champignon) ; gr. *khaitê*, « soie », + *poly-* ; [pɔlikɛt].

**POLYCHROME,** adj.
Qui est de plusieurs couleurs : *Statuette* ***polychrome.*** ◊ 1788 ; gr. *polukhrômos* ; [pɔlikʀom].

**POLYCHROMIE,** subst. f.
Caractère d'un objet polychrome. ◊ 1842 ; ☞ *polychrome* ; [pɔlikʀɔmi].

**POLYCLINIQUE,** subst. f.
*Méd.* Clinique disposant de services spécialisés dans le traitement d'affections diverses. ◊ 1864 ; ☞ *clinique* + *poly-* ; [pɔliklinik].

**POLYCONDENSAT,** subst. m.
Produit qui émane d'une polycondensation. ◊ Mil. XX^e s. ; ☞ *polycondensation* ; [pɔlikɔ̃dɑ̃sa].

**POLYCONDENSATION,** subst. f.
*Chim.* Mécanisme de synthèse des macromolécules organiques, qui procède par addition de molécules simples. ◊ 1948 ; ☞ *condensation* + *poly-* ; [pɔlikɔ̃dɑ̃sasjɔ̃].

**POLYCOPIE,** subst. f.
Reproduction d'un document par décalque sur un stencil ou une couche de gélatine ; par méton., la reproduction ainsi obtenue. ◊ 1903 (1894, machine à faire des copies) ; ☞ *copie* + *poly-* ; [pɔlikɔpi].

**POLYCOPIÉ,** subst. m.
Document reproduit par polycopie ; en partic., cours universitaire, document pédagogique diffusé par ce moyen. ◊ 1920 ; p. p. de *polycopier* ; [pɔlikɔpje].

**POLYCOPIER,** verbe trans. [6]
Reproduire par polycopie. ◊ Déb. XX^e s. ; ☞ *polycopie* ; [pɔlikɔpje].

**POLYCULTURE,** subst. f.
*Agric.* Mode de production agricole fondé sur la diversification des produits cultivés au sein d'une même exploitation ou d'une même région (anton. *monoculture*). ◊ 1908 ; ☞ *culture* + *poly-* ; [pɔlikyltyʀ].

**POLYCYCLIQUE,** adj.
*Chim.* Qualifie les composés organiques dont la structure moléculaire comprend plusieurs chaînes carbonées fermées (cycles). ◊ 1906 ; ☞ *cyclique* + *poly-* ; [pɔlisiklik].

**POLYDACTYLE,** adj. et subst.
Se dit d'un sujet atteint de polydactylie. ◊ Déb. XIX^e s. ; formé de *poly-* et de *-dactyle* ; [pɔlidaktil].

**POLYDACTYLIE,** subst. f.
*Pathol.* Présence de doigts, d'orteils surnuméraires. ◊ 1820 ; ☞ *polydactyle* ; [pɔlidaktili].

**POLYDIPSIE,** subst. f.
*Pathol.* Soif immodérée qui s'observe dans certains cas de diabète ou d'affection des voies urinaires. ◊ 1803 ; gr. *dipsa*, « soif », + *poly-* ; [pɔlidipsi].

**POLYÈDRE,** subst. m. et adj.
*Géom.* SUBST. Partie bornée de l'espace limitée par un ensemble fini de polygones plans, les faces, dont les côtés communs sont les arêtes, et les points de rencontre de ces dernières, les sommets du **polyèdre** ; frontière de cet ensemble. ► ***Polyèdre*** *convexe* : situé tout entier d'un même côté du plan d'une quelconque de ses faces. ADJ. *Angle (secteur)* ***polyèdre*** *de sommet* O : portion de l'espace engendrée par une demi-droite d'origine O s'appuyant sur un polygone dont le plan ne contient pas O. La frontière est une réunion de secteurs angulaires plans, les faces, dont les côtés sont les arêtes. ◊ 1690 ; gr. *poluedros*, « à plusieurs degrés » ; [pɔliɛdʀ].

**POLYÉDRIQUE,** adj.
Qui a la forme d'un polyèdre : *Cristal* ***polyédrique.*** ◊ 1832 ; ☞ *polyèdre* ; [pɔliedʀik].

**POLYEMBRYONIE,** subst. f.
*Biol.* et *Embryol.* Formation de plusieurs embryons à partir d'un seul œuf. ◊ 1874 ; ☞ *embryon* + *poly-* ; [pɔliɑ̃bʀijɔni].

**POLYESTER,** subst. m.
*Chim.* Macromolécule d'ester obtenue par polycondensation d'un diacide en présence d'un alcool non saturé. ► Matière synthétique élaborée à partir de cette molécule. ◊ 1957 ; ☞ *ester* (II) + *poly-* ; [pɔliɛstɛʀ].

**POLYÉTHYLÈNE,** subst. m.
Matière plastique obtenue par polymérisation de l'éthylène. ◊ 1946 ; ☞ *éthylène* + *poly-* ; [pɔlietilɛn].

**POLYGALA,** subst. m.
*Bot.* Plante herbacée type de la famille des Polygalacées, dont on croyait qu'elle accroissait la production de lait des vaches. ◊ 1562 ; lat. *polygala*, du gr. *polugalos*, « au lait abondant » ; var. *polygale* ; [pɔligala].

**POLYGAME,** adj. et subst.
Se dit d'un homme ou d'une femme qui pratique la polygamie. ADJ. **1.** Relatif, propre à la polygamie. **2.** *Bot.* Qui porte, sur le même pied, des fleurs hermaphrodites et des fleurs unisexuées. ◊ 1570 ; gr. *polugamos* ; [pɔligam].

**POLYGAMIE,** subst. f.
**1.** Fait, pour un homme (polygynie) ou une femme (polyandrie), d'avoir simultanément plusieurs conjoints ; système social admettant cette pratique. **2.** *Bot.* Caractère d'une plante polygame. ◊ 1558 ; lat. chrét. *polygamia*, du gr. *polugamia* ; [pɔligami].

**POLYGÉNISME,** subst. m.
*Anthropol.* Théorie selon laquelle les différentes races humaines seraient issues de souches distinctes. ◊ 1865 ; formé de *poly-* et de *-génie* ; [pɔliʒenism].

**POLYGLOBULIE,** subst. f.
*Pathol.* Augmentation du nombre de globules rouges dans le sang ; affection correspondante. ◊ 1904 ; ☞ *globule* + *poly-* ; [pɔliglɔbyli].

**POLYGLOTTE,** adj. et subst.
Se dit d'une personne qui parle plusieurs langues. ◊ 1639 ; gr. *poluglôttos*, de *polus*, « nombreux », et de *glôtta*, « langue » ; [pɔliglɔt].

**POLYGONACÉES,** subst. f. plur.
*Bot.* Famille de plantes, gén. herbacées, riches en acide oxalique et possédant à la base des feuilles une gaine stipulaire, l'ochréa. AU SING. *La rhubarbe est une* ***polygonacée.*** ◊ 1841 ; gr. *polugonaton*, de *polus*, « nombreux », et de *gonu*, « genou » ; [pɔligɔnase].

**POLYGONAL, ALE, AUX,** adj.
*Géom.* Qui a plusieurs angles. ► *Ligne* ***polygonale*** : suite finie de segments distincts $[A_1, B_1]$, $[A_2, B_2]$, ..., $[A_n, B_n]$, telle que $B_k = A_{k+1}$ pour $k = 1, 2, ..., n - 1$. ◊ 1560 ; ☞ *polygone* ; [pɔligɔnal, o].

**POLYGONATION,** subst. f.
*Topogr.* Technique de mesure des cheminements d'un terrain, qui consiste à quadriller sa surface au moyen d'un réseau de lignes brisées. ◊ Mil. XX^e s. ; ☞ *polygone*, d'apr. *triangulation* ; [pɔligɔnasjɔ̃].

**POLYGONE,** subst. m.
**1.** *Géom.* Ligne polygonale $[A_1, A_2]$, $[A_2, A_3]$, ..., $[A_{n-1}, A_n]$ fermée, c.-à-d. telle que $A_1 = A_n$ ; les points $A_k$ sont les sommets, les segments $[A_k, A_{k+1}]$ les arêtes du **polygone.** ► ***Polygone*** *convexe* : situé tout entier du même côté de chaque droite contenant l'un de ses côtés. **2.** *Mécan.* ***Polygone*** *de forces* : formé de l'ensemble des vecteurs symbolisant les forces d'un système en équilibre. ► ***Polygone*** *de sustentation* (☞ *sustentation*). **3.** *Milit.* Tracé d'une place fortifiée dont les sommets sont occupés par des bastions ; par ext. : ***Polygone*** *de tir*, champ de manœuvre servant au tir d'entraînement de l'artillerie. ◊ 1520 ; bas lat. *polygonum*, du gr. *polugônos*, « qui a plusieurs angles » ; [pɔligɔn].

**POLYGRAPHE, subst.** Non-spécialiste qui écrit sur de nombreux sujets. 1536 ; gr. *polugraphos* ; [poligʀaf].

**POLYGYNIE, subst. f.** *Anthropol.* Fait, pour un homme, d'avoir simultanément plusieurs épouses ; système social admettant cette pratique. XVIIIe s. ; lat. sc. *polygynia* ; [poliʒini].

**POLYMÈRE, subst. m.** *Chim.* Macromolécule constituée par la succession de monomères. 1847 (1842, insecte) ; formé de *poly-* et de *-mère*[1] ; [polimɛʀ].

**POLYMÉRIE, subst. f.** *Chim.* Relation d'isomérie entre deux molécules dont l'une est le polymère de l'autre. 1862 (1818, plante) ; ☞ *polymère* ; [polimeʀi].

**POLYMÉRISABLE, adj.** Qui peut être polymérisé. 1931 ; ☞ *polymériser* ; [polimeʀizabl].

**POLYMÉRISATION, subst. f.** *Chim.* Réaction chimique aboutissant à la synthèse de macromolécules, ou polymères, à partir d'unités moléculaires répétitives, ou monomères. 1869 ; ☞ *polymère* ; [polimeʀizasjɔ̃].

**POLYMÉRISER, verbe trans.** [3] *Chim.* Transformer en polymère. 1869 ; ☞ *polymère* ; [polimeʀize].

**POLYMORPHE, adj.** Qui se présente sous diverses formes. *Interventionnisme **polymorphe**.* ▸ *Biol.* Se dit d'une espèce dont les représentants se distinguent fortement en fonction du sexe, du génotype ou du milieu. ▸ *Chim.* Se dit d'une substance qui, à l'état cristallin, peut revêtir différentes structures, sans que sa formule en soit modifiée. 1805 ; formé de *poly-* et de *-morphe* ; [polimɔʀf].

**POLYMORPHISME, subst. m.** *Sc.* Caractère de ce qui est polymorphe. 1842 ; ☞ *polymorphe* ; [polimɔʀfism].

**POLYNÉSIEN, IENNE, adj. et subst.** De Polynésie. Subst. masc. Groupe de langues de la famille malayo-polynésienne, parlées en Polynésie. Déb. XIXe s. ; topon. *Polynésie*, du gr. *polus*, « nombreux », et *nêsos*, « île » ; [polinezjɛ̃, jɛn].

**POLYNÉVRITE, subst. f.** *Pathol.* Névrite infectieuse ou toxique affectant simultanément les nerfs périphériques. 1889 ; ☞ *névrite* + *poly-* ; [polinevʀit].

**POLYNÔME, subst. m.** *Math. Fonction **polynôme** des variables* $(x_1, ..., x_p)$ *à coefficients réels* : somme de fonctions monômes de la forme $P(x) = a_0 + a_1x + ... + a_nx^n$ ; ***Polynôme** à une indéterminée à coefficients dans l'anneau commutatif unitaire A* : suite $(a_k)_{k \in \mathbb{N}}$ d'éléments de A dont l'ensemble des termes non nuls est fini. Si $P = (a_k)_{k \in \mathbb{N}}$, $Q = (b_k)_{k \in \mathbb{N}}$, alors $P + Q = (a_k + b_k)_{k \in \mathbb{N}}$, $P \cdot Q = (c_k)_{k \in \mathbb{N}}$ où $c_k = a_0b_k + a_1b_{k-1} + ... + a_{k-1}b_1 + a_kb_0$. Si on note 1 le **polynôme** (1, 0, 0, ...) et X le **polynôme** (0, 1, 0, 0, ...), alors $X^2 = (0, 0, 1, 0, 0, ...)$, $X^3 = (0, 0, 0, 1, 0,...)$, etc., et tout **polynôme** $P = (a_k)_{k \in \mathbb{N}}$ s'écrit $P = a_0 + a_1X + a_2X^2 + ... + a_nX^n$ de façon unique (on note A[X] l'ensemble de ces **polynômes**). Tout ceci se généralise aux **polynômes** à plusieurs indéterminées $(X_1, X_2, ...X_p)$, qui s'écrivent comme sommes finies de termes de la forme $a_k X_1^{k_1} X_2^{k_2} ... X_p^{k_p}$, avec $k_1 + k_2 + ... + k_p = k$. 1691 ; formé de *poly-* et de *-nôme* ; [polinom].

**POLYNUCLÉAIRE, adj. et subst. m.** *Biol.* Se dit des leucocytes granulocytaires dont le noyau, bien qu'unique, est organisé en plusieurs masses reliées entre elles par des parties très minces. 1889 ; ☞ *nucléaire* + *poly-* ; [polinykleɛʀ].

**POLYPE, subst. m.** **1.** *Pathol.* Tumeur pédiculée, gén. bénigne, développée aux dépens d'une muqueuse, sur laquelle elle s'insère. **2.** *Zool.* Cœlentéré carnivore des mers chaudes, constitué d'un sac tubulaire mou, dont une extrémité est garnie de tentacules urticants. Il se fixe sur un rocher immergé pour former des colonies, les récifs coralliens. Mil. XIIIe s. ; lat. *polypus*, du gr. *polupous*, « à plusieurs pieds » ; [polip].

**POLYPEPTIDE, subst. m.** *Biochim.* Molécule constituée et déterminée par la succession d'au moins dix acides aminés. 1913 ; ☞ *peptide* + *poly-* ; [polipɛptid].

**POLYPEUX, EUSE, adj.** *Pathol.* Qui constitue un polype : *Tumeur **polypeuse**.* 1552 ; ☞ *polype* ; [polipø, øz].

**POLYPHASÉ, ÉE, adj.** *Électr.* **1.** Qui a plusieurs phases, en parlant d'un courant alternatif. **2.** Alimenté par un courant de ce type. 1891 ; ☞ *phase* + *poly-* ; [polifaze].

**POLYPHONIE, subst. f.** *Mus.* **1.** Procédé de composition, développé à partir de la Renaissance et propre à la musique vocale, qui consiste à superposer plusieurs lignes mélodiques selon les lois du contrepoint : ***Polyphonie** grégorienne, classique.* **2.** Ext. Pièce chantée à plusieurs voix : ***Polyphonie** corse.* Fin XIXe s. ; gr. *poluphonia* ; [polifɔni].

**POLYPHONIQUE, adj.** Qui relève de la polyphonie ; qui est à plusieurs voix. 1876 ; ☞ *polyphonie* ; [polifɔnik].

**POLYPIER, subst. m.** *Zool.* Squelette calcaire sécrété par les polypes et formant le corail. 1747 ; ☞ *polype* ; [polipje].

**POLYPLOÏDE, adj.** *Biol.* et *Génét.* Se dit d'un noyau, d'une cellule, d'un organisme, d'une espèce qui possède plus de chromosomes que le stock diploïde habituel. 1931 ; formé de *poly-* et de *-oïde* ; [poliplɔid].

**POLYPLOÏDIE, subst. f.** Caractère d'une cellule, d'un organisme polyploïde. 1931 ; ☞ *polyploïde* ; [poliplɔidi].

**POLYPODE, subst. m.** *Bot.* Fougère commune de la famille des Polypodiacées, se développant en milieu humide. 1256 ; lat. *polypodium*, du gr. *polupodion* ; [polipɔd].

© R. Konig-Jacana

*Polypodes.*

**POLYPORE, subst. m.** *Bot.* Champignon basidiomycète de la famille des Polyporacées, qui se développe sur les arbres. 1790 ; ☞ *pore* + *poly-* ; [polipɔʀ].

**POLYPROPYLÈNE, subst. m.** Polymère de propylène, employé en partic. pour la fabrication de films transparents. XXe s. ; ☞ *propylène* + *poly-* ; [polipʀɔpilɛn].

**POLYPTÈRE, subst. m.** *Zool.* Poisson osseux des fleuves d'Afrique centrale et du bassin du Nil, qui se caractérise par de petites nageoires tout le long du dos et par des nageoires pectorales charnues. 1802 ; gr. *polupteros*, « aux ailes bien fournies » ; [poliptɛʀ].

**POLYPTYQUE, subst. m.** *B.-a.* Œuvre picturale ornant un autel, composée de plusieurs volets articulés. 1721 ; bas lat. *polyptycha*, du gr. *poluptukhos*, « aux nombreux plis » ; [poliptik].

**POLYSACCHARIDE, subst. m.** *Biochim.* Glucide formé de plusieurs sucres simples. 1884 ; ☞ *saccharide* + *poly-* ; [polisakaʀid].

**POLYSÉMIE, subst. f.** *Ling.* Fait, pour une unité lexicale (mot, phrase), d'admettre plusieurs sens (anton. *monosémie*). 1897 ; formé de *poly-* et de *-sémie* ; [polisemi].

**POLYSÉMIQUE, adj.** Qui admet plusieurs sens ; qui relève de la polysémie. 1952 ; ☞ *polysémie* ; [polisemik].

**POLYSOC, adj. et subst. m.** *Agric.* Se dit d'une charrue comprenant plusieurs socs. 1846 ; ☞ *soc* + *poly-* ; [polisɔk].

**POLYSTYLE, adj.** *Archit.* Qui est garni de nombreuses colonnes : *Salle **polystyle**.* 1812 ; gr. *polustulos* ; [polistil].

**POLYSTYRÈNE, subst. m.** Matière plastique issue de la polymérisation du styrène. 1936 ; ☞ *styrène* + *poly-* ; [polistiʀɛn].

**POLYSULFURE, subst. m.** *Chim.* Molécule de sulfure renfermant un ou plusieurs atomes de soufre supplémentaires. 1842 ☞ *sulfure* + *poly-* ; [polisylfyʀ].

**POLYSYLLABE, adj.** *Ling.* Qui est constitué de plusieurs syllabes (synon. *polysyllabique*) ; empl. subst. masc., mot **polysyllabe**. 1464 ; bas lat. *polysyllabus*, du gr. *polusullabos* ; [polisil(l)ab].

**POLYSYNODIE, subst. f.** *Hist.* Mode de gouvernement, institué quelque temps en France sous la Régence, dans lequel les ministères étaient assumés par des conseils. 1718 ; ☞ *synode* + *poly-* ; [polisinɔdi].

**POLYSYNTHÉTIQUE, adj.** *Ling.* Qualifie une langue agglutinante dont les unités syntaxiques s'assemblent de manière à ne plus former qu'une sorte de long mot, tel l'esquimau. 1846 ; ☞ *synthétique* + *poly-* ; [polisɛ̃tetik].

**POLYTECHNICIEN, IENNE, subst. et adj.** Se dit d'un élève ou d'un ancien élève de l'École polytechnique. 1842 ; ☞ *polytechnique* ; [politɛknisjɛ̃, jɛn].

**POLYTECHNIQUE, adj.** **1.** Vx. Qui embrasse plusieurs arts ou sciences. **2.** Se dit d'un établissement où l'on enseigne plusieurs disciplines. ▸ *L'École **polytechnique*** ou, empl. subst. fém., ***Polytechnique*** : école d'enseignement supérieur fondée à Paris en 1794, où l'on forme les ingénieurs des corps civils et militaires de l'État. 1795 ; ☞ *technique* + *poly-* ; [politɛknik].

**POLYTHÉISME, subst. m.** Système religieux qui admet l'existence de plusieurs dieux ; paganisme : *Le **polythéisme** hindou.* 1580 ; gr. *polutheos*, « qui adore plusieurs dieux » ; [politeism].

**POLYTHÉISTE, adj. et subst.** Se dit d'un adepte du polythéisme. Adj. Relatif au polythéisme. 1725 ; ☞ *polythéisme* ; [politeist].

**POLYTONAL, ALE, ALS, adj.** Qui recourt à la polytonalité : *Harmonie **polytonale*** ; *Accords **polytonals**.* 1908 ; ☞ *tonal* + *poly-* ; [politɔnal].

**POLYTONALITÉ, subst. f.** *Mus.* Superposition d'accords, de lignes mélodiques régis par des tonalités différentes. 1922 ; ☞ *tonalité* + *poly-* ; [politɔnalite].

**POLYTRANSFUSÉ, ÉE, adj. et subst.** *Méd.* Se dit d'une personne qui a reçu plusieurs transfusions provenant d'un seul ou de plusieurs donneurs. V. 1980 ; p. p. de *transfuser* + *poly-* ; [politʀɑ̃sfyze].

**POLYTRAUMATISÉ, ÉE, adj. et subst.** *Pathol.* Se dit d'un blessé souffrant de plusieurs traumas associés. V. 1950 ; p. p. de *traumatiser* + *poly-* ; [politʀomatize].

**POLYTRIC, subst. m.** *Bot.* Mousse de l'ordre des Bujales, commune dans les bois, qui forme un tapis clairsemé d'un vert sombre. Déb. XVIIe s. ; lat. sc. *polytrichum*, du gr. *trix*, « cheveu », + *poly-* ; [politʀik].

**POLYURÉTHANE, subst. m.** Nom générique de polymères synthétiques employés dans la fabrication de mousses, de fibres textiles, de vernis, etc. V. 1960 ; ☞ *uréthane* + *poly-* ; var. *polyuréthanne* ; [poliyʀetan] ou [-ljy-].

**POLYURIE, subst. f.** *Pathol.* Émission d'urine anormalement importante. 1817 ; formé de *poly-* et de *-urie* ; [poliyʀi].

**POLYVALENCE, subst. f.** Caractère de ce qui est polyvalent. 1912 ; ☞ *polyvalent* ; [polivalɑ̃s].

**POLYVALENT, ENTE, adj.** **1.** *Chim.* Qui possède plusieurs valences : *Ion **polyvalent**.* **2.** Qui offre plusieurs possibilités, admet plusieurs usages : *Un complexe **polyvalent**.* ▸ Québ. *École **polyvalente*** ou, empl. subst. fém., *Une **polyvalente*** : école secondaire où l'on dispense un enseignement à la fois général et professionnel. **3.** Dont les compétences sont multiples : *Professeur **polyvalent***, qui enseigne au moins deux disciplines. ▸ *Inspecteur **polyvalent*** ou, empl. subst., *Un **polyvalent**, une **polyvalente*** : fonctionnaire qui vérifie les déclarations fiscales des entreprises. 1902 ; lat. *valens*, « fort, puissant », + *poly-* ; [polivalɑ̃, ɑ̃t].

**POLYVINYLE, subst. m.**
*Chim.* Polymère d'un composé vinylique : *Le polystyrène est un* ***polyvinyle***. 1947 ; ☞ *vinyle* + *poly-* ; [polivinil].

**POMÉLO, subst. m.**
*Bot.* Arbre fruitier de la famille des Rutacées, hybride d'oranger et de pamplemoussier ; fruit jaune rosé de cet arbre (synon. *grape-fruit*). 1912 ; anglo-amér. *pomelo* ; [pɔmelo].

**POMÉRIUM, subst. m.**
*Antiq.* Espace sacré des villes étrusques et romaines, qui entourait la cité et où il était interdit de bâtir ou de porter les armes. 1765 ; lat. *post*, « après », et *murus*, « mur » ; var. *pomœrium* ; [pɔmeʀjɔm].

**POMEROL, subst. m.**
Vin rouge de Bordeaux. XIXe s. ; topon. *Pomerol*, commune proche de Libourne ; [pɔmʀɔl].

**POMICULTEUR, TRICE, subst.**
*Arboric.* Personne qui cultive les arbres dont les fruits contiennent des pépins. 1869 ; formé de *pomi-* et de *-culteur* ; [pɔmikyltœʀ, tʀis].

**POMMADE, subst. f.**
**1.** Cosmétique gras et parfumé réservé aux soins de la peau ou des cheveux (vieilli). ▸ Loc. *Passer de la* ***pommade*** *à qqn* : le flatter lourdement (fam.). **2.** Préparation pharmaceutique à usage externe, enfermant un principe actif dans un corps gras. 1539 ; ital. *pomata*, de *pomo*, « pomme » ; [pɔmad].

**POMMADER, verbe trans. [3]**
Oindre de pommade ; empl. pronom. : *Se* ***pommader*** *les cheveux*. 1581 ; ☞ *pommade* ; [pɔmade].

**POMMARD, subst. m.**
Vin rouge de Bourgogne. 1776 ; topon. *Pommard* (Côte-d'Or) ; [pɔmaʀ].

**POMME, subst. f.**
**1.** Fruit du pommier, à pépins, de forme ronde, de couleur et de saveur variables : ***Pomme*** *rouge, verte, jaune* ; *Jus de* ***pomme***. ▸ Loc. *Tomber dans les* ***pommes*** : s'évanouir ; *Haut comme trois* ***pommes*** : très petit ; *Aux* ***pommes*** : parfait (fam.) ; ***Pomme*** *de discorde* : cause de conflit (par réf. à la **pomme** que Pâris offrit à Aphrodite défiant, dans un concours de beauté, Héra et Athéna). **2.** Production végétale dont la forme évoque le fruit du pommier : ***Pomme*** *d'amour*, tomate ; ***Pomme*** *cannelle*, anone ; ***Pomme*** *de pin*, cône du pin ; ***Pomme*** *de terre*. **3.** Anal. Objet rond ou partie arrondie d'un objet (☞ *pommeau*) : ***Pomme*** *d'arrosoir, de douche* ; ***Pomme*** *de canne*. ▸ Cœur du chou, de la laitue. **4.** Fam. Tête, figure ; personne crédule. ▸ Loc. *C'est pour ta* ***pomme*** : c'est pour toi (fam.). **5.** *Anat.* ***Pomme*** *d'Adam* : saillie formée par le cartilage thyroïde à l'avant du cou de l'homme. Fin XIe s. ; lat. *poma*, de *pomum*, « fruit » ; [pɔm].

**POMMÉ, ÉE, adj.**
Qui est rond comme une pomme : *Choux* ***pommés***. Fin XIVe s. ; p. p. de *pommer* ; [pɔme].

**POMMEAU, subst. m.**
**1.** Extrémité arrondie de la poignée d'une épée, d'un sabre ; par anal. : *Une canne à* ***pommeau*** *ciselé*. **2.** *Équit.* Partie antérieure arrondie de l'arçon d'une selle. **3.** ***Pommeau*** *d'une douche* : partie arrondie et percée par où l'eau s'écoule. **4.** *Pêche.* Extrémité, gén. caoutchoutée, d'une canne à pêche de lancer. Fin XIIe s. ; anc. fr. *pom* ; [pɔmo].

**POMME DE TERRE, subst. f.**
**1.** *Bot.* Plante tubéreuse, de la famille des Solanacées, dont les tiges souterraines forment des tubercules comestibles. **2.** Méton. Tubercule de cette plante, consommé comme légume (gén. au plur.) : ***Pommes de terre*** *à la vapeur* ou, par ell., ***Pommes*** *vapeur* ; *Gratin de* ***pommes de terre***. 1716 ; comp. de *pomme* et de *terre*, d'apr. le lat. *malum terrae*, « fruit de terre » ; plur. *pommes de terre* ; [pɔmdətɛʀ].

**POMMELÉ, ÉE, adj.**
**1.** Qui est couvert de taches rondes, de couleur blanche ou grisâtre : *Cheval* ***pommelé***. **2.** Ext. *Ciel* ***pommelé*** : parsemé de petits nuages ronds. Mil. XIIe s. ; ☞ *pomme* ; [pɔmle].

**POMMELER (SE), verbe pronom. [12]**
Se garnir de petits nuages aux formes arrondies, en parlant du ciel. 1694 ; ☞ *pomme* ; [pɔmle].

**POMMELLE, subst. f.**
*Techn.* Plaque métallique percée de trous, placée à l'entrée d'un tuyau d'évacuation pour retenir les déchets qui l'obstrueraient. 1694 ; var. de *paumelle* (I), d'apr. *pomme* ; [pɔmɛl].

**POMMER, verbe intrans. [3]**
Prendre la forme arrondie d'une pomme, en parlant des choux, des laitues. 1611 ; ☞ *pomme* ; [pɔme].

**POMMERAIE, subst. f.**
Verger planté de pommiers (rare). Fin XIIIe s. ; ☞ *pommier* ; [pɔmʀɛ].

**POMMETÉ, ÉE, adj.**
*Hérald.* Se dit d'une figure garnie de boules aux extrémités. XVe s. ; ☞ *pommette* ; [pɔmte].

**POMMETTE, subst. f.**
*Anat.* Partie saillante de la joue, sous l'angle extérieur de l'œil, formée par l'os malaire. 1561 (fin XIVe s., objet en forme de boule) ; ☞ *pomme* ; [pɔmɛt].

**POMMIER, subst. m.**
*Bot.* Arbre de la famille des Malacées, à fleurs blanches ou roses, cultivé pour son fruit comestible, la pomme, et dont il existe de nombreuses variétés. Fin XIe s. ; ☞ *pomme* ; [pɔmje].

**POMŒRIUM, voir POMÉRIUM**

**POMOLOGIE, subst. f.**
Branche de l'agronomie qui est consacrée aux fruits comestibles. 1828 ; formé de *pomo-* et de *-logie* ; [pɔmɔlɔʒi].

**POMOLOGUE, subst.**
Spécialiste de pomologie. 1828 ; ☞ *pomologie* ; var. *pomologiste* ; [pɔmɔlɔg].

**POMPAGE, subst. m.**
**1.** Action de pomper, d'aspirer un fluide : ***Pompage*** *des eaux d'un canal* ; *Station de* ***pompage***. **2.** *Phys. part.* ***Pompage*** *optique* : technique consistant à exposer des atomes à une émission de photons, de façon à les exciter et à modifier la répartition des électrons sur les couches périphériques. 1890 (1867, action de boire beaucoup) ; ☞ *pomper* ; [pɔ̃paʒ].

**POMPE (I), subst. f.**
**1.** Déploiement de faste, d'apparat : ***Pompe*** *d'un couronnement*. ▸ Loc. *En grande* ***pompe*** : avec faste et solennité. **2.** *Litt.* Noblesse de style (vx) ; emphase. Plur. **1.** ***Pompes*** *funèbres* (☞ *funèbre*). **2.** *Relig.* Vanités du monde : *Renoncer au monde et à ses* ***pompes***. Mil. XIIe s. ; lat. *pompa* ; [pɔ̃p].

**POMPE (II), subst. f.**
**1.** Appareil servant à aspirer, à refouler ou à comprimer un fluide : ***Pompe*** *aspirante, foulante* ; ***Pompe*** *hydraulique* ; ***Pompe*** *à incendie*, qui alimente en eau les lances d'incendie ; ***Pompe*** *à vélo*, qui sert à gonfler ou à regonfler les pneus de bicyclette ; ***Pompe*** *à essence*, qui sert, dans une station-service, à distribuer le carburant ; ***Pompe*** *à chaleur*, qui permet de récupérer l'énergie thermique du milieu extérieur afin de la stocker ou de la redistribuer. ▸ Loc. fam. *À toute* ***pompe*** : à toute vitesse ; *Coup de* ***pompe*** : brusque fatigue. **2.** Anal. ▸ *Serrure à* ***pompe*** : serrure de sûreté où la clé doit pousser plusieurs ressorts pour agir sur le pêne. ▸ *Fusil à* ***pompe*** : dont le mécanisme d'armement fonctionne à la manière d'une **pompe**. **3.** Mouvement de gymnastique qui consiste à se soulever à la force des bras, le corps allongé reposant sur le bout des pieds et sur les mains (fam.). **4.** Fam. Chaussure : *Enfiler ses* ***pompes***. ▸ Loc. *Marcher à côté de ses* ***pompes*** : avoir perdu le sens des réalités. Mil. XVe s. ; prob. néerl. *pompe*, d'orig. onomat. ; [pɔ̃p].

**POMPÉIEN, IENNE, adj. et subst.**
*Antiq.* De Pompéi. Adj. **1.** *B.-a.* Qui se rapporte au style des peintures découvertes à Pompéi ou qui s'en inspire. **2.** *Hist.* Relatif à Pompéi. 1842 ; topon. *Pompéi* (Italie) ; [pɔ̃pejɛ̃, jɛn].

**POMPER, verbe trans. [3]**
**I. 1.** Aspirer (un fluide) au moyen d'une pompe : ***Pomper*** *du pétrole* ; empl. abs., actionner une pompe. **2.** Anal. Absorber (un liquide) : ***Pomper*** *l'encre avec un buvard* ; aspirer (un liquide), en parlant d'un être vivant : *Moustique qui* ***pompe*** *le sang*. ▸ Boire en grande quantité, en parlant de qqn (fam.) : *Il a* ***pompé*** *quelques bouteilles*. **II.** Fig. **1.** Fam. Prendre à (qqn, qqch.) tout ce qu'il a : *Le jeu lui* ***pompe*** *toute sa fortune* ; par ext., épuiser, ennuyer : *Cet effort m'a* ***pompé***. ▸ Loc. ***Pomper*** *l'air à qqn* : l'importuner. **2.** Copier (argot scol.) ; empl. abs. : *Ce cancre n'arrête pas de* ***pomper*** *sur ses voisins*. 1558 ; ☞ *pompe* (II) ; [pɔ̃pe].

**POMPETTE, adj.**
Légèrement ivre (fam.). 1808 ; orig. obsc. ; [pɔ̃pɛt].

**POMPEUR, EUSE, subst.**
*Techn.* Spécialiste des opérations de pompage sur un site pétrolier. Déb. XXe s. ; ☞ *pomper* ; [pɔ̃pœʀ, øz].

**POMPEUSEMENT, adv.**
De façon pompeuse, emphatique. Fin XIVe s. ; ☞ *pompeux* ; [pɔ̃pøzmɑ̃].

**POMPEUX, EUSE, adj.**
**1.** Qui affecte une solennité excessive, déplacée : *Ton* ***pompeux*** ; qui est ampoulé, plein d'emphase : *Discours* ***pompeux***. **2.** Qui est chargé de pompes, de fastes (vieilli) : *Un cortège* ***pompeux***. Mil. XIVe s. ; ☞ *pompe* (I) ; [pɔ̃pø, øz].

**POMPIER (I), subst. m.**
**1.** Vx. Fabricant de pompes. **2.** Personne appartenant à un corps organisé, militaire ou civil, chargé de porter secours en cas d'incendie ou de sinistre : *Échelle, voiture de* ***pompiers*** ; *Brigade de* ***pompiers***. ▸ Loc. *Fumer comme un* ***pompier*** : énormément (fam.). 1517 ; ☞ *pompe* (II) ; [pɔ̃pje, jɛʀ].

**POMPIER (II), IÈRE, adj. et subst. m.**
Adj. Académique et emphatique, en parlant d'un art, d'un style ou de celui qui le pratique : *Les peintres* ***pompiers*** *du XIXe s.* Subst. **1.** Style pompier. **2.** Artiste pompier. 1880 ; orig. obsc. ; [pɔ̃pje, jɛʀ].

**POMPIÉRISME, subst. m.**
Style pompier ; emphase ridicule. 1888 ; ☞ *pompier* (II) ; [pɔ̃pjeʀism].

**POMPISTE, subst.**
Personne chargée de servir le carburant, dans une station-service. 1933 ; ☞ *pompe* (II) ; [pɔ̃pist].

**POMPON, subst. m.**
**1.** Houppe de laine, de soie, servant d'ornement : *Bonnet à* ***pompon*** ; *Frange à* ***pompons*** ; empl. adj. inv. : *Des roses* ***pompon***, variété à petites fleurs sphériques. **2.** Loc. fam. *Avoir le* ***pompon*** : l'emporter (iron.) ; *C'est le* ***pompon*** *!* : c'est le comble ! 1556 ; p.-ê. orig. onomat. ; [pɔ̃pɔ̃].

**POMPONNER, verbe trans. [3]**
**1.** Agrémenter avec soin. **2.** Orner de pompons (rare). Pronom. Se parer avec soin et coquetterie. 1757 ; ☞ *pompon* ; [pɔ̃pɔne].

Moïse sauvé des eaux, *peinture de Laurence Alma-Tadema (1836-1912), représentative de l'art pompier. Coll. part., Paris.*

**PONANT, subst. m.**
**1.** Dans le Midi, vent d'ouest. **2.** L'ouest, l'occident (littér.). Mil. XIIIe s. ; anc. prov. *ponen*, du lat. pop. *sol ponens*, « soleil couchant » ; [pɔnɑ̃].

**PONÇAGE, subst. m.**
Action de poncer une surface ; son résultat. 1812 ; ☞ *poncer* ; [pɔ̃saʒ].

**PONCE, subst. f.**
**1.** *Pétrogr.* Roche volcanique légère et poreuse ; en appos. : *Pierre* ***ponce***, utilisée pour le polissage. **2.** *B.-a.* Sachet rempli de poudre colorante avec lequel on tamponne un poncif. **3.** *Techn.* Encre grasse utilisée pour marquer une pièce de toile. Mil. XIIIe s. ; bas lat. *pomex*, du lat. *pumex* ; [pɔ̃s].

**PONCEAU (I), subst. m.**
Petit pont d'une seule travée. Déb. XIIe s. ; lat. pop. °*ponticellus*, du lat. *ponticullus* ; [pɔ̃so].

**PONCEAU (II), subst. m. et adj. inv.**
SUBST. Coquelicot. ADJ. D'un rouge foncé, très vif. XIIe s. ; ☞ *paon*, par réf. à l'éclat des couleurs ; [pɔ̃so].

**PONCER, verbe trans.** [4]
**1.** Polir, décaper (une surface) au moyen d'un abrasif. **2.** *B.-a.* Reproduire (un dessin) en utilisant un poncif. **3.** *Techn.* Marquer (une pièce de toile) avec de la ponce. Fin XIIIe s. (déb. XIIIe s., épiler) ; ☞ *ponce* ; [pɔ̃se].

**PONCEUR, EUSE, subst.**
Personne chargée du ponçage. FÉM. Machine-outil servant à poncer. 1842 ; ☞ *poncer* ; [pɔ̃sœʀ, øz].

**PONCEUX, EUSE, adj.**
Qui est de la nature de la ponce : *Un minéral* ***ponceux***. 1815 ; ☞ *ponce* ; [pɔ̃sø, øz].

**PONCHO, subst. m.**
Manteau de laine, en usage en Amérique latine, formé d'une seule pièce rectangulaire percée d'un orifice pour la tête. 1716 ; mot esp. ; [pɔ̃(t)ʃo].

*Paysan bolivien vêtu d'un poncho.*

**PONCIF, subst. m.**
**1.** *B.-a.* Feuille portant un dessin piqué de trous sur lesquels on passe une ponce pour reproduire le dessin sur un papier ou une étoffe. **2.** Fig. Idée rebattue ; expression artistique sans originalité (péj.). 1551 ; ☞ *poncer* ; [pɔ̃sif].

**PONCTION, subst. f.**
**1.** *Méd.* Introduction d'une aiguille creuse ou d'un trocart dans un organe, une cavité, pour évacuer un liquide ou le prélever à des fins diagnostiques. **2.** Fig. Prélèvement de qqch., en partic. d'une somme d'argent. XIIIe s. ; lat. *punctio* ; [pɔ̃ksjɔ̃].

**PONCTIONNER, verbe trans.** [3]
**1.** *Méd.* Effectuer la ponction de (un organe, un liquide). **2.** Fig. Prélever (qqch., en partic. une somme d'argent). 1837 ; ☞ *ponction* ; [pɔ̃ksjɔne].

**PONCTUALITÉ, subst. f.**
**1.** Vx. Exactitude dans l'accomplissement de ses tâches. **2.** Qualité d'une personne qui est toujours à l'heure. 1627 ; ☞ *ponctuel* ; [pɔ̃ktɥalite].

**PONCTUATION, subst. f.**
**1.** Action, manière de ponctuer un texte. ▸ *Signes de* ***ponctuation*** : signes graphiques (point, virgule, guillemets, etc.) utilisés pour marquer des pauses dans un texte ou pour y indiquer des rapports syntaxiques. **2.** *Mus.* Action, manière de ponctuer un morceau. 1522 ; ☞ *ponctuer* ; [pɔ̃ktɥasjɔ̃].

**PONCTUEL, ELLE, adj.**
**1.** Vx. Qui accomplit à point nommé ce qu'il doit faire, en parlant de qqn : *Elle est* ***ponctuelle*** *dans sa tâche.* **2.** Qui est toujours à l'heure. ▸ *Ling. Aspect* ***ponctuel*** *d'un verbe* : qui exprime une action considérée à un moment précis. **3.** Anal. Qui porte sur un point précis (par oppos. à *global*) : *Mesure* ***ponctuelle***. ▸ *Math.* Qui concerne les points d'une droite, d'un plan, etc., en parlant d'une transformation. ▸ *Phys.* Qui peut être assimilé à un point : *Image* ***ponctuelle***. XVe s. ; lat. médiév. *punctualis*, « qui va à un point » ; [pɔ̃ktɥɛl].

**PONCTUELLEMENT, adv.**
**1.** De manière ponctuelle. **2.** À l'heure dite. 1450 ; ☞ *ponctuel* ; [pɔ̃ktɥɛlmɑ̃].

**PONCTUER, verbe trans.** [3]
**1.** Mettre des signes de ponctuation dans (un texte). **2.** *Mus.* Marquer les divisions, les repos dans (un morceau), notamment dans la direction d'orchestre ou de chœur. **3.** Souligner (des paroles) par des gestes, des exclamations, etc. 1550 (1404, accentuer en lisant) ; lat. médiév. *punctuare* ; [pɔ̃ktɥe].

**PONDAISON, subst. f.**
*Zool.* Saison de la ponte, chez les Oiseaux. 1842 ; ☞ *pondre* ; [pɔ̃dɛzɔ̃].

**PONDÉRABLE, adj.**
Dont on peut déterminer le poids. 1782 (XVe s., pesant) ; bas lat. *ponderabilis* ; [pɔ̃deʀabl].

**PONDÉRAL, ALE, AUX, adj.**
Relatif au poids : *Surcharge* ***pondérale***. 1842 ; lat. *pondus*, « poids » ; [pɔ̃deʀal, o].

**PONDÉRATION, subst. f.**
**1.** *B.-a.* Équilibre des masses et des volumes (vieilli). **2.** *Pol.* Équilibre des forces politiques, sociales d'un pays. **3.** Fig. Caractère d'une personne pondérée. **4.** *Stat.* Affectation d'un coefficient à une donnée statistique pour en refléter l'importance réelle dans un échantillon. 1676 (1455, examen attentif) ; ☞ *pondérer* ; [pɔ̃deʀasjɔ̃].

**PONDÉRÉ, ÉE, adj.**
**1.** Qui manifeste de la mesure, du calme : *Voix* ***pondérée*** ; par ext. : *Homme* ***pondéré***. **2.** *Stat.* Dont la valeur a subi une pondération. 1770 ; p. p. de *pondérer* ; [pɔ̃deʀe].

**PONDÉRER, verbe trans.** [8]
**1.** Équilibrer (une chose) par une autre : ***Pondérer*** *les pouvoirs du gouvernement.* **2.** Modérer, calmer : ***Pondérer*** *ses propos.* **3.** *B.-a.* Équilibrer les volumes, les masses de. **4.** *Stat.* Effectuer la pondération de. XVIIIe s. (1361, peser) ; lat. *ponderare* ; [pɔ̃deʀe].

**PONDÉREUX, EUSE, adj. et subst. m.**
ADJ. Vx. Grave. ADJ. et SUBST. *Sc.* et *Industr.* Se dit de matières, de marchandises d'une forte densité : *Transport en vrac des* ***pondéreux***. Fin XVe s. ; lat. *ponderosus* ; [pɔ̃deʀø, øz].

**PONDEUR, EUSE, adj.**
Qui pond. ▸ *Poule* ***pondeuse*** ou, empl. subst. fém., *Une* ***pondeuse*** : poule élevée pour la production d'œufs. 1580 ; ☞ *pondre* ; [pɔ̃dœʀ, øz].

**PONDOIR, subst. m.**
Emplacement (panier, caisse) où viennent pondre les poules. 1806 ; ☞ *pondre* ; [pɔ̃dwaʀ].

**PONDRE, verbe trans.** [51]
**1.** Déposer, produire (un œuf), en parlant d'une femelle ovipare. **2.** Fig. Produire, rédiger (fam.) : ***Pondre*** *un article.* Mil. XIIe s. ; lat. *ponere*, « poser » ; [pɔ̃dʀ].

**PONEY, subst. m.**
*Zool.* Cheval rustique de petite taille. 1801 ; angl. *pony*, prob. de °*pouleney*, du m. fr. *poulenet*, « petit poulain » ; le fém., *ponette*, est rare ; [pɔnɛ].

**PONGÉ, subst. m.**
Tissu léger de laine et de bourre de soie. 1883 ; angl. *pongee*, prob. d'orig. chinoise ; var. *pongée* ; [pɔ̃ʒe].

**PONGIDÉS, subst. m. plur.**
*Zool.* Famille de grands singes anthropoïdes (vieilli). On tend actuellement à considérer que les **Pongidés** appartiennent, comme l'homme, à la famille des Hominidés. AU SING. *Le gorille a été longtemps considéré comme un* ***pongidé***. Mil. XXe s. ; *pongo*, nom d'un grand singe ; [pɔ̃ʒide].

**PONGISTE, subst.**
*Sp.* Joueur, joueuse de ping-pong. 1935 ; ☞ *ping-pong* ; [pɔ̃ʒist].

**PONT, subst. m.**
**I. 1.** Construction en bois, en maçonnerie ou en fer, permettant de relier les deux rives d'un cours d'eau ou, par ext., deux parties de terre séparées par un obstacle naturel ou artificiel : *Sous le pont Mirabeau coule la Seine* (Apollinaire). ▸ *Pont tournant* : dont une partie du tablier peut pivoter autour d'un axe vertical pour dégager une passe navigable. ▸ *Pont suspendu* : dont le tablier est maintenu par des câbles tendus à partir de pylônes et de points d'ancrage. ▸ *Les Ponts et Chaussées* : service public chargé de la construction et de l'entretien des **ponts** et des voies publiques ; l'école formant les ingénieurs de cette administration. **2.** Anal. *Pont aérien* : liaison aérienne d'urgence assurant le ravitaillement d'une zone inaccessible. **3.** Fig. Ce qui sert de lien ou de transition entre les êtres ou les choses : *Jeter un* ***pont*** *entre les générations.* **4.** Loc. *Couper les* ***ponts*** : rompre définitivement une relation ou s'interdire tout retour en arrière ; *Coucher sous les* ***ponts*** : être rendu à l'état de clochard ; *Faire un* ***pont*** *d'or à qqn* : lui offrir une forte somme pour qu'il accepte d'occuper un poste ; *Il coulera de l'eau sous les* ***ponts*** : il se passera beaucoup de temps ; *Solide comme le Pont-Neuf* : très robuste ; ***Pont*** *aux ânes* : démonstration géométrique du théorème sur le carré de l'hypoténuse ou, au fig., évidence accessible à tous. **5.** *Faire le* ***pont*** : chômer un jour ouvrable en raison de sa position occasionnelle entre deux jours fériés ; par ext. : *Un* ***pont***, court congé incluant jours chômés et jours fériés. **II.** *Spéc.* **1.** *Autom.* Ensemble des organes qui transmettent le mouvement du moteur aux roues. **2.** *Mar.* Ensemble des bordages soutenus par des barrots et couvrant le creux de la coque d'un navire pour constituer le plancher d'un étage : *Un bateau à un, deux, trois* ***ponts*** ; empl. abs., le **pont** supérieur. **3.** *Milit.* *Tête de* ***pont*** : position conquise qui doit servir de point de départ pour la poursuite des opérations. **4.** *Mus.* Transition entre deux thèmes ou entre un thème et son développement, en partic. dans la forme sonate et la fugue, ou en jazz. **5.** *Sp.* Figure acrobatique consistant à arquer le dos en arrière, de façon que, les pieds restant à plat au sol, les mains viennent s'y poser de même. **6.** *Techn.* ***Pont*** *élévateur* : dispositif de levage des véhicules automobiles permettant les interventions à hauteur d'homme ; ***Pont*** *roulant* : portique de levage et de manutention se déplaçant sur rails. Fin XIe s. ; lat. *pons* ; [pɔ̃].

**PONTAGE, subst. m.**
**1.** *Chim.* Réaction ayant pour but d'assembler des macromolécules. **2.** *Chir.* ***Pontage*** *coronarien* : mise en place d'un greffon naturel (veine) ou synthétique en amont et en aval d'une artère coronarienne obstruée, afin de revasculariser la partie du cœur qui en dépend. Mil. XXe s. (1269, droit perçu pour traverser un pont) ; ☞ *pont* ; [pɔ̃taʒ].

**PONT-BASCULE, subst. m.**
Dispositif servant à peser les camions, les wagons. 1835 ; comp. de *pont* et de *bascule* ; plur. *ponts-bascules* ; [pɔ̃baskyl].

**PONT-CANAL, subst. m.**
Pont servant au passage d'un canal au-dessus d'un obstacle (route, voie d'eau, etc.). 1889 ; comp. de *pont* et de *canal* ; plur. *ponts-canaux* ; [pɔ̃kanal], plur. [-no].

**PONTE (I), subst. f.**
**1.** Action de pondre des œufs. **2.** Méton. ▸ Période durant laquelle les femelles ovipares pondent. ▸ Ensemble des œufs pondus. **3.** *Biol.* ***Ponte*** *ovarienne* : ovulation. 1570 ; ☞ *pondre* ; [pɔ̃t].

**PONTE (II), subst. m.**
**1.** Personne qui joue contre le banquier, dans un jeu de hasard. **2.** Ext. Personnage important, qui fait autorité dans son domaine (fam.) : *Il fait partie des grands* ***pontes***. 1703 ; ☞ *ponter* (II) ; [pɔ̃t].

**PONTÉE, subst. f.**
*Mar.* Ensemble des marchandises arrimées sur le pont d'un navire. 1876 ; ☞ *pont* ; [pɔ̃te].

**PONTER (I), verbe trans.** [3]
**1.** *Mar.* Couvrir (un bateau) d'un pont. **2.** *Chir.* Réunir (deux veines) par pontage. 1558 (fin XIIIe s., jeter un pont sur une rivière) ; ☞ *pont* ; [pɔ̃te].

**PONTER (II), verbe** [3]
*Jeux.* INTRANS. Miser contre le banquier. TRANS. Miser. 1718 ; *pont*, anc. p. p. de *pondre*, « poser » ; [pɔ̃te].

**PONTET, subst. m.**
*Arm.* Partie d'une arme à feu portative qui entoure la détente et la protège de toute manœuvre accidentelle. 1803 (1536, petit pont) ; ☞ *pont* ; [pɔ̃tɛ].

**PONTIER, IÈRE, subst.**
**1.** Personne chargée de la manœuvre d'un pont mobile. **2.** Personne qui conduit un pont roulant. 1874 ; ☞ *pont* ; [pɔ̃tje, jɛʀ].

**PONTIFE,** subst. m.
**1.** Se dit de l'évêque en tant que dépositaire du sacerdoce plénier. ▸ *Le souverain* ***pontife*** : le pape, dans sa primauté de juridiction sur l'Église. **2.** *Antiq. rom.* Membre du collège sacerdotal : *Le collège des* ***pontifes***. **3.** Anal. Personne faisant autorité et imbue d'elle-même (fam.). 1294 ; lat. *pontifex* ; [pɔ̃tif].

**PONTIFIANT, ANTE,** adj.
Qui pontifie. 1876 ; p. pr. de *pontifier* ; [pɔ̃tifjɑ̃, ɑ̃t].

**PONTIFICAL, ALE, AUX,** adj. et subst. m.
Adj. **1.** Propre au pape, aux évêques. ▸ *Les États* ***pontificaux*** : les territoires temporels de l'Église. **2.** *Antiq. rom.* Relatif aux pontifes. Subst. Livre contenant le rituel de l'ordination et du ministère des évêques. 1269 ; lat. *pontificalis* ; [pɔ̃tifikal, o].

**PONTIFICAT,** subst. m.
**1.** Charge, ministère du pape ; exercice, durée de cette charge. **2.** *Antiq. rom.* Dignité de grand pontife ; exercice, durée de cette dignité. 1368 ; lat. *pontificatus* ; [pɔ̃tifika].

**PONTIFIER,** verbe intrans. [6]
**1.** Célébrer un office pontifical (rare). **2.** Fig. Se donner un air important ; parler, écrire avec emphase. 1801 (déb. XV^e s., élever à la dignité de pape) ; lat. chrét. *pontificare* ; [pɔ̃tifje].

**PONT-L'ÉVÊQUE,** subst. m. inv.
Fromage de vache, à pâte molle, fabriqué en Normandie. 1655 ; topon. *Pont-l'Évêque* ; [pɔ̃levɛk].

**PONT-LEVIS,** subst. m.
*Fortif.* Pont jeté au-dessus du fossé entourant un ouvrage fortifié, qui peut se lever ou s'abaisser. Déb. XIII^e s. ; comp. de *pont* et de *levis* (vx), « qui se lève » ; plur. *ponts-levis* ; [pɔ̃l(ə)vi].

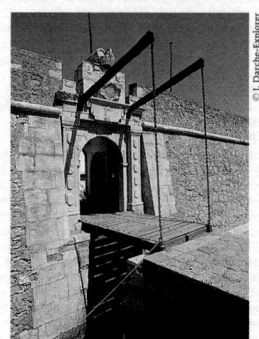

© J. Darche-Explorer

*Pont-levis à Lagos (Portugal).*

**PONTON,** subst. m.
**1.** *Mar.* Vieux navire désarmé servant de dépôt de matériel, de prison, etc. **2.** Plate-forme flottante ou sur pilotis, reliée à la terre et servant de débarcadère : ***Ponton*** *d'accostage.* ▸ ***Ponton-grue*** : **ponton** supportant une grue pour la manutention de cargaisons. **3.** *Techn.* Instrument métallique articulé, trapézoïdal, qui sert à cuber les tas de pierres. 1515 (mil. XIII^e s., bac) ; lat. *ponto*, « bateau de transport » ; [pɔ̃tɔ̃].

**PONTONNIER,** subst. m.
*Milit.* Soldat du génie spécialisé dans la construction des ponts. 1795 (fin XII^e s., batelier) ; ☞ *ponton* ; [pɔ̃tɔnje].

**PONTUSEAU,** subst. m.
*Techn.* **1.** Chacune des tiges métalliques qui soutiennent les vergeures de la forme servant à la fabrication manuelle du papier ; par méton., trace laissée sur le papier par chaque tige. **2.** Cylindre de la forme, sur les machines à papier modernes. 1765 ; prob. *pontereau* (vx), « petit pont » ; [pɔ̃tyzo].

**POOL,** subst. m.
Anglic. **1.** *Écon.* et *Fin.* Groupement de sociétés (ou d'États) gérant en commun une ressource : ***Pool*** *du charbon et de l'acier* ; ***Pool*** *bancaire*, groupement temporaire de banques partageant les risques d'une opération. **2.** Anal. Ensemble de personnes effectuant le même travail dans une entreprise : *Un* ***pool*** *de rédacteurs.* 1887 ; mot angl. ; recomm. off. *syndicat de prise ferme, tour de table* ; [pul].

**POP,** adj. inv. et subst. f.
Se dit d'une musique populaire anglo-saxonne, mélange de rock and roll et d'influences provenant du jazz, du folksong, etc. ; par méton. : *Un chanteur* ***pop***. 1955 ; anglo-amér. *pop*, abrév. de *popular music*, « musique populaire » ; [pɔp].

**POP ART,** subst. m.
*B.-a.* Mouvement artistique contemporain, anglo-saxon, qui prend pour thèmes les objets et les images stéréotypés de la vie quotidienne. Mil. XX^e s. ; anglo-amér. *pop art*, abrév. de *popular art*, « art populaire » ; [pɔpaʀt].

BEAUX-ARTS – Au cours des années cinquante apparaît un état d'esprit qui ouvre l'art à de nouveaux domaines : la musique populaire (le rock, la musique des Beatles...), les *comics* (bandes dessinées américaines) ou la publicité, ce que reflètent les œuvres d'Andy Warhol, de Claes Oldenburg, de Roy Lichtenstein, etc. Ces artistes, en magnifiant les objets cultes de la société de consommation (Coca-Cola, soupe Campbell...) ou les stars de leur époque (Marilyn Monroe, Elvis Presley...), refusent tout engagement politique. La *Chaise électrique* de Warhol n'est pas une critique de l'ordre social, pas plus que ses portraits de Mao n'ont de signification politique.

**POP-CORN,** subst. m. inv.
Maïs dont on fait éclater les grains à la chaleur pour les consommer salés ou sucrés. 1893 ; anglo-amér. *popcorn*, altér. de *popped corn*, de *to pop*, « éclater », et de *corn*, « maïs » ; [pɔpkɔʀn].

**POPE,** subst. m.
*Relig.* Prêtre de l'Église orthodoxe slave. 1606 ; russe *pop*, du gr. *pappas* ; [pɔp].

**POPELINE,** subst. f.
*Text.* **1.** Tissu à chaîne de soie, à trame de laine, de lin, de coton, et à armure toile. **2.** Ext. Étoffe de coton à armure toile. 1735 ; angl. *poplin*, de l'anc. fr. *papeline*, du topon. *Poperinge* (Belgique), ou de l'ital. *papalina*, « papale » ; [pɔplin].

**POPLITÉ, ÉE,** adj.
*Anat.* Qui concerne la partie postérieure du genou : *Creux, muscle* ***poplité*** ; *Artère* ***poplitée***. 1560 ; lat. *poples*, « jarret » ; [pɔplite].

**POPOTE,** subst. f. et adj. inv.
Subst. **1.** Réunion de militaires prenant leur repas en commun ; par ext., groupe de personnes se réunissant pour les repas et faisant caisse commune (argot.). **2.** Méton. Local où se prennent ces repas (fam.). **3.** *Faire la* ***popote*** : la cuisine (fam.). Adj. Qui ne pense qu'aux soins du ménage (fam.). 1857 ; orig. obsc. ; [pɔpɔt].

**POPOTIN,** subst. m.
Pop. Le derrière, les fesses. ▸ Loc. *Se manier le* ***popotin*** : se dépêcher. 1917 ; p.-ê. *pot* (vx), « postérieur » ; [pɔpɔtɛ̃].

**POPULACE,** subst. f.
Masse populaire, bas peuple (péj.). 1552 ; ital. *popolaccio*, « plèbe » ; [pɔpylas].

**POPULACIER, IÈRE,** adj.
Relatif, propre à la populace ; par ext., vulgaire (péj.) : *Langage* ***populacier***. 1571 ; ☞ *populace* ; [pɔpylasje, jɛʀ].

**POPULAGE,** subst. m.
*Bot.* Plante vivace herbacée toxique, de la famille des Renonculacées, à fleurs jaunes. 1752 ; lat. sc. *populago*, du lat. *populus*, « peuplier » ; [pɔpylaʒ].

**POPULAIRE,** adj.
**1.** Relatif au peuple ; composé de gens du peuple : *Un quartier* ***populaire*** ; *Gouvernement* ***populaire***. ▸ *Hist. Front* ***populaire*** : coalition politique de gauche qui gagna les élections en France en 1936. **2.** Qui est issu du peuple ; qui le caractérise. ▸ *Ling.* Qualifie un registre de langue utilisé par les gens du peuple, qui est plus employé à l'oral qu'à l'écrit. **3.** Qui s'adresse au peuple ; apprécié du plus grand nombre : *Bal* ***populaire*** ; *Chanteur* ***populaire***. Déb. XIII^e s. ; lat. *popularis* ; [pɔpylɛʀ].

**POPULAIREMENT,** adv.
D'une manière populaire ; dans le langage populaire. 1508 ; ☞ *populaire* ; [pɔpylɛʀmɑ̃].

**POPULARISATION,** subst. f.
Action de populariser ; son résultat. 1846 ; ☞ *populariser* ; [pɔpylaʀizasjɔ̃].

**POPULARISER,** verbe trans. [3]
**1.** Rendre (qqn, qqch.) populaire (vieilli). **2.** Faire connaître au plus grand nombre : ***Populariser*** *un sport.* 1622 ; ☞ *populaire* ; [pɔpylaʀize].

**POPULARITÉ,** subst. f.
Fait d'avoir la faveur du plus grand nombre, de la population : *Des sondages de* ***popularité*** ; *Une* ***popularité*** *en hausse.* 1751 (1568, gouvernement populaire) ; lat. *popularitas* ; [pɔpylaʀite].

**POPULATION,** subst. f.
**1.** Ensemble des êtres humains habitant un espace déterminé : ***Population*** *de la France.* ▸ Ext. Sous-ensemble d'individus entrant dans une catégorie particulière : ***Population*** *active*, personnes en âge de travailler ; ***Population*** *rurale.* **2.** Anal. Ensemble des espèces végétales et animales occupant un espace déterminé. **3.** *Astron.* ***Population*** *stellaire* : ensemble des étoiles d'une galaxie ayant des propriétés intrinsèques communes. **4.** *Stat.* Ensemble des éléments sur lesquels porte une étude. 1335 ; lat. *populatio* ; [pɔpylasjɔ̃].

**POPULATIONNISTE,** subst. et adj.
Se dit d'un partisan du populationnisme, doctrine prônant l'accroissement de la population, considérée comme source de richesse. Adj. Relatif à cette doctrine. 1959 ; ☞ *population* ; [pɔpylasjɔnist].

**POPULÉUM,** subst. m.
*Pharm.* Pommade calmante à base de bourgeons de peuplier et de plantes narcotiques. Mil. XIII^e s. ; lat. médiév. *populeon*, du lat. *populeus*, « de peuplier » ; [pɔpyleɔm].

**POPULEUX, EUSE,** adj.
Très peuplé. 1491 ; lat. *populosus*, de *populus*, « peuple » ; [pɔpylø, øz].

**POPULISME,** subst. m.
**1.** *Pol.* Mouvement politique russe né v. 1860, qui voulait entraîner l'ensemble du peuple dans la lutte contre le tsar. ▸ Ext. Tout mouvement ou idéologie promettant aux masses populaires la satisfaction de leurs revendications, sans aucune visée à long terme ; en partic., idéologie de certains mouvements de libération en Amérique du Sud. **2.** *Litt.* École s'attachant à la description des milieux populaires ; par ext., courant identique, au cinéma et en peinture. 1912 ; ☞ *populiste* ; [pɔpylism].

**POPULISTE,** subst. et adj.
Se dit d'un partisan du populisme. Adj. Relatif, propre au populisme. 1907 ; lat. *populus*, « peuple » ; [pɔpylist].

**POPULO,** subst. m.
Pop. Peuple ; foule. 1866 ; ☞ *populaire* ; [pɔpylo].

**POQUER,** verbe intrans. [3]
Au jeu de boules, jeter sa boule en l'air de manière qu'elle ne roule pas en touchant le sol. 1731 ; flam. *pokken*, « frapper » ; [pɔke].

**POQUET,** subst. m.
*Hortic.* Petit trou dans lequel on sème plusieurs graines. 1849 ; ☞ *poquer* ; [pɔkɛ].

**PORC,** subst. m.
**1.** *Zool.* Mammifère artiodactyle domestique, de la famille des Suidés, omnivore, élevé pour sa chair. **2.** Méton. Viande de cet animal, servant à l'alimentation humaine ; sa peau tannée. **3.** Fig. et Fam. Homme sale, grossier, libidineux : ***Porc*** *lubrique.* Fin XI^e s. ; lat. *porcus* ; [pɔʀ].

*Terrine couverte avec son plateau,* ***porcelaine*** *tendre du service de la comtesse du Barry. Décor peint de Lebel et Catrice (1771). Musée national de céramique, Sèvres.*
© Lauros-Giraudon

**PORCELAINE,** subst. f.
**1.** *Zool.* Mollusque gastéropode de la famille des Cypréidés, à coquille elliptique vernissée, dont l'ouverture étroite est dentelée. **2.** Anal. Matière

céramique à pâte fine et compacte, translucide, vitrifiée et revêtue d'une glaçure brillante ; par méton., objet fabriqué avec cette matière : *Porcelaine de Limoges, de Chine.* 1298 ; ital. *porcellana*, de *porcella*, « truie » ; [pɔʀsəlɛn].

ARTS DÉCORATIFS – Expression la plus haute de l'art céramique, la porcelaine, née en Chine avant notre ère, atteint sa perfection sous la dynastie Tang (618-907) avec les grès porcelaineux (céladon) et la porcelaine dure. Matière respectée à l'égal du jade, elle connaît en Extrême-Orient un essor et une diversité extraordinaires. L'Europe la découvre à l'époque des Croisades. Son commerce prospère dès le XVIe s., répondant à l'engouement du public pour sa translucidité, dont on s'acharne à vouloir lever le mystère. Le kaolin faisant défaut, des imitations voient le jour, nées des recherches de l'alchimiste François de Médicis, puis de Poteret, à Rouen. Les travaux de Böttger, avec la découverte du kaolin en Allemagne (1710), font de Meissen la première manufacture européenne de porcelaine dure (porcelaine de Saxe), dont le secret sera diffusé et exploité industriellement en France dès 1769, à Sèvres et à Limoges.

**PORCELAINIER, IÈRE, subst. et adj.**
SUBST. Fabricant, marchand de porcelaine. ADJ. Qui a trait à la porcelaine. 1818 ; ☞ *porcelaine* ; [pɔʀsəlɛnje, jɛʀ].

© M. Maiofiss-Gamma

*Truie avec ses* **porcelets**.

**PORCELET, subst. m.**
Petit du porc. ► *Bouch.* Cochon de lait. Déb. XIIIe s. ; anc. fr. *porcel*, « pourceau » ; [pɔʀsəlɛ].

**PORC-ÉPIC, subst. m.**
1. *Zool.* Mammifère de l'ordre des Rongeurs, appartenant à deux familles distinctes, selon qu'il vient de l'Ancien Monde (Hystricidés) ou du Nouveau Monde (Éréthizontidés). Il est couvert d'épines érectiles et se nourrit de végétaux. Le **porc-épic** commun est la seule espèce d'Europe. 2. Fig. Personne peu sociable, irritable (fam.). Déb. XIIIe s. ; ital. *porcospino* ; plur. *porcs-épics* ; [pɔʀkepik].

**PORCHAISON, subst. f.**
*Vèn.* Saison pendant laquelle le sanglier est le plus gras ; état du sanglier à cette période. 1655 (1389, chasse au sanglier) ; ☞ *porc* ; [pɔʀʃɛzɔ̃].

**PORCHE, subst. m.**
*Archit.* Construction, gén. en saillie, abritant la porte d'entrée d'un édifice. Fin XIe s. ; lat. *porticus*, « passage couvert à colonnes » ; [pɔʀʃ].

**PORCHER, ÈRE, subst.**
Personne qui garde les porcs, qui s'en occupe. Mil. XIIe s. ; lat. *porcarius* ; [pɔʀʃe, ɛʀ].

**PORCHERIE, subst. f.**
1. Local où l'on élève des porcs. 2. Fig. Lieu très sale. 1302 (mil. XIIe s., troupeau de porcs) ; ☞ *porc* ; [pɔʀʃəʀi].

**PORCIN, INE, adj. et subst. m. plur.**
ADJ. 1. Relatif, propre au porc. 2. Qui évoque le porc : *Visage* **porcin**. SUBST. *Zool.* Suidés ; au sing. : *Le porc sauvage est un* **porcin**. Déb. XIIIe s. ; lat. *porcinus* ; [pɔʀsɛ̃, in].

**PORE, subst. m.**
1. *Anat.* Chacun des petits orifices, présents à la surface de la peau, par lesquels s'écoulent la sueur et le sébum. ► Loc. *Suer la peur, le mensonge par tous ses* **pores** : de tout son être. 2. *Bot.* Orifice naturel des tiges ou des feuilles d'une plante, lui permettant de respirer. 3. *Géol.* Orifice d'une matière poreuse, perméable. Fin XIIIe s. ; lat. *porus*, du gr. *poros*, « conduit, passage » ; [pɔʀ].

**POREUX, EUSE, adj.**
Qui présente des pores. 1314 ; ☞ *pore* ; [pɔʀø, øz].

**PORION, subst. m.**
Contremaître, dans une mine. 1775 ; prob. aphérèse de *caporion*, « chef d'escouade », de l'ital. *caporione*, de *capo*, « chef », et de *rione*, « quartier » ; [pɔʀjɔ̃].

**PORNOGRAPHE, subst.**
Auteur spécialiste d'écrits obscènes. 1834 (1769, celui qui écrit sur la prostitution) ; gr. *pornê*, « prostituée », + *-graphe* ; [pɔʀnɔgʀaf].

**PORNOGRAPHIE, subst. f.**
1. Représentation littéraire, picturale, photographique ou cinématographique de choses obscènes. 2. Ext. Caractère d'une telle œuvre. 1842 (1800, traité sur la prostitution) ; ☞ *pornographe* ; [pɔʀnɔgʀafi].

**PORNOGRAPHIQUE, adj.**
Relatif à la pornographie (abrév. fam. : porno). 1832 ; ☞ *pornographie* ; [pɔʀnɔgʀafik].

**POROSITÉ, subst. f.**
1. État de ce qui est poreux. 2. *Pétrogr.* Rapport du volume des vides d'une roche ou d'un sol à son volume total. 1314 ; ☞ *poreux* ; [pɔʀozite].

**PORPHYRE, subst. m.**
1. *Pétrogr.* Roche magmatique associant des phénocristaux de feldspath à une pâte plus fine ; par anal., pâte colorée utilisée en décoration, dans l'Antiquité. 2. Méton. Pilon et mortier en **porphyre** servant à broyer. Fin XIIe s. ; lat. médiév. *porphyrium*, du gr. *porphura*, « pourpre » ; [pɔʀfiʀ].

**PORPHYRIE, subst. f.**
*Pathol.* Groupe de maladies du métabolisme caractérisées par des troubles neuro-psychiatriques, organiques et cutanés, et qui sont dues à l'accumulation de porphyrine dans les tissus. 1960 ; ☞ *porphyrine* ; [pɔʀfiʀi].

**PORPHYRINE, subst. f.**
*Biochim.* Pigment dont la synthèse dans l'organisme donne la protoporphine, substance qui se combine au fer pour former l'hème, élément constitutif de l'hémoglobine. 1924 ; gr. *porphureos*, « de couleur pourpre » ; [pɔʀfiʀin].

**PORPHYRIQUE, adj.**
Relatif au porphyre ; qui en contient. 1488 ; ☞ *porphyre* ; [pɔʀfiʀik].

**PORPHYROGÉNÈTE, adj.**
*Hist.* Né pendant le règne de son père, en parlant du fils d'un empereur byzantin. 1622 ; gr. byzantin *porphurogennêtês*, « né dans la Pourpre », nom de la chambre où accouchaient les impératrices ; [pɔʀfiʀɔʒenɛt].

**PORPHYROÏDE, adj.**
*Pétrogr.* Se dit d'une roche qui contient de gros cristaux de feldspath. 1803 ; ☞ *porphyre* + *-oïde* ; [pɔʀfiʀɔid].

**PORQUE, subst. f.**
*Mar.* Pièce de renfort d'une coque de navire. Fin XIVe s. ; anc. prov. *porca*, du lat. *porca*, « truie » ; [pɔʀk].

**PORRIDGE, subst. m.**
*Cuis.* Bouillie de flocons d'avoine. 1698 ; angl. *porridge*, prob. altér. du fr. *potage* ; [pɔʀidʒ].

**PORT (I), subst. m.**
1. Abri naturel ou artificiel destiné à accueillir les navires qui embarquent ou débarquent passagers et marchandises : *Port maritime, fluvial* ; *Port pétrolier* ; *Port de pêche* ; *Port d'attache*, auquel est administrativement rattaché un navire ; *Port franc*, où les marchandises transitent sans payer de taxes. ► Loc. *Arriver à bon* **port** : sain et sauf. 2. Méton. Ville bâtie autour d'un **port** : *Le Pirée,* **port** *de la Grèce.* 3. Fig. Havre, refuge (littér.). Mil. XIe s. ; lat. *portus* ; [pɔʀ].

**PORT (II), subst. m.**
Col, dans le massif des Pyrénées. Fin XIe s. ; anc. prov. *port* ; [pɔʀ].

**PORT (III), subst. m.**
I. 1. Charge ; en partic. : *Port en lourd*, poids maximal que peut porter un navire. 2. Fait, action de porter sur soi : *Port du casque* ; *Port d'armes* ; *Port de la barbe.* 3. Prix payé pour le transport d'une chose : *Port payé* ; *Port dû.* 4. *Milit. Au port d'armes* : position du soldat qui présente les armes (vieilli). 5. *Mus. Port de voix* : fait de porter très légèrement sa voix d'une note à l'autre. II. 1. Manière de se tenir, en parlant de qqn : *Un joli* **port** *de tête.* 2. *Bot.* Manière caractéristique dont sont disposées les branches et les feuilles d'un végétal. XVIe s. (mil. XIIe s., approvisionnement) ; ☞ *porter* (I) ; [pɔʀ].

**PORTABLE, adj.**
1. Que l'on peut facilement porter (vieilli). 2. Portatif ; empl. subst. masc., micro-ordinateur ou téléphone **portable**. 3. *Veste encore* **portable** : présentable. 4. *Dr.* Qui doit être payé au domicile du créancier (anton. *quérable*) : *Dette* **portable**. 5. *Informat.* Se dit d'un logiciel adaptable à différents types d'ordinateur. Fin XIIIe s. ; ☞ *porter* (I) ; [pɔʀtabl].

**PORTAGE, subst. m.**
1. Action de transporter ; transport à dos d'homme. 2. Québ. Transport à dos d'homme d'une embarcation, quand la navigation est impossible ; par méton., sentier emprunté pour ce faire. 3. Livraison d'un journal à domicile. Mil. XIIIe s. ; ☞ *porter* (I) ; [pɔʀtaʒ].

**PORTAIL, subst. m.**
1. Entrée principale d'un édifice, d'une propriété ; en partic., entrée monumentale d'un édifice religieux : **Portail** *central d'une cathédrale.* 2. Méton. La ou les portes d'une telle entrée : *Cadenasser le* **portail**. 1606 (mil. XIIe s., grand panneau de bois servant de porte) ; ☞ *porte* (I) ; plur. *portails* ; [pɔʀtaj].

**PORTANCE, subst. f.**
1. *Phys.* Force perpendiculaire à la direction de la vitesse, dirigée vers le haut et s'exerçant sur un solide en mouvement dans un fluide. 2. *Trav. publ.* Capacité d'un sol, d'une surface, à supporter des charges, des poussées. 1918 (fin XIVe s., action de porter) ; ☞ *portant* ; [pɔʀtɑ̃s].

**PORTANT, ANTE, adj. et subst. m.**
ADJ. 1. *Mar.* ► *Vent* **portant** : qui pousse naturellement un voilier dans son cap. ► *Allures* **portantes** : déterminées par un vent **portant** (vent arrière, grand largue, par ex.). 2. Loc. *À bout* **portant** (☞ *bout*) ; *Être bien, mal* **portant** : en bonne, mauvaise santé. 3. *Techn.* Dont le rôle est de porter, de soutenir : *Mur* **portant**. SUBST. 1. *Théâtre.* Montant soutenant un élément de décor. 2. *Mar.* Armature de métal servant d'appui aux avirons, à l'extérieur des bordages. 3. Présentoir où sont accrochés les vêtements à vendre, dans un magasin. Déb. XIIe s. ; p. pr. de *porter* (I) ; [pɔʀtɑ̃, ɑ̃t].

**PORTATIF, IVE, adj.**
Que l'on peut aisément porter avec soi : *Chevalet* **portatif**. 1328 ; ☞ *porter* (I) ; [pɔʀtatif, iv].

**PORTE (I), subst. f.**
I. 1. Ouverture, grande entrée pratiquée autrefois dans l'enceinte d'une ville. 2. Monument en forme d'arc de triomphe situé à l'emplacement d'une ancienne **porte** de ville : *La* **porte** *de Brandebourg, à Berlin* ; *Les* **portes** *Saint-Denis et Saint-Martin, à Paris.* 3. Lieu, à la périphérie d'une ville, portant le nom d'une de ses anciennes **portes** ; quartier environnant : *Habiter* **porte** *de Versailles.* II. 1. Ouverture pratiquée dans le mur d'une habitation, d'une pièce pour y entrer ou pour en sortir. ► Loc. *De* **porte** *en* **porte** : de maison en maison ; *Prendre la* **porte** : sortir ; *Entre deux* **portes** : rapidement ; *Entrer par la grande* **porte** : accéder directement à un emploi important ; *Mettre qqn à la* **porte** : le congédier ; *La* **porte** *à côté* : tout près (fam.) ; *Écouter aux* **portes** : être indiscret ; *Ouvrir, fermer sa* **porte** *à qqn* : accepter, refuser de le recevoir ; *Enfoncer des* **portes** *ouvertes* : affirmer des évidences ; *Frapper à la bonne* **porte** : s'adresser à la personne adéquate pour obtenir qqch. ; *Journée, opération* **portes** *ouvertes* : au cours de laquelle une entreprise, une institution est ouverte au public pour lui en faire connaître le fonctionnement. 2. Panneau plein qui permet d'ouvrir ou de fermer l'accès à un lieu ; par anal. : *Les* **portes** *d'une armoire.* III. *Spéc.* 1. *Géogr.* Passage étroit dans une région montagneuse : *Les* **Portes** *de Fer, sur le Danube.* 2. *Sp.* Dans un slalom, espace compris entre deux piquets, par lequel les skieurs doivent obligatoirement passer. 3. *Électron.* Circuit réalisant une opération logique élémentaire entre une ou plusieurs entrées et présentant le résultat sur une ou plusieurs sorties. Fin Xe s. ; lat. *porta*, « passage » ; [pɔʀt].

**PORTE (II), adj. f.**
*Anat. Veine* **porte** : qui conduit le sang de l'intestin grêle dans le foie. 1314 ; ☞ *porte* (I) ; [pɔʀt].

**PORTÉ, ÉE, adj. et subst. m.**
ADJ. 1. *Être* **porté** *à* : enclin à ; *Être* **porté** *sur* : fortement attiré par. 2. *B.-a. Ombre* **portée** : projetée. SUBST. *Chorégr.* Mouvement au cours duquel le danseur soulève sa partenaire. P. p. de *porter* (I) ; var. du subst. *porter* ; [pɔʀte].

**PORTE-À-FAUX, subst. m. inv.**
1. Loc. *En* **porte(-)à(-)faux** : disposé hors d'aplomb ; au fig., dont la situation est bancale, ambiguë.

2. Élément d'un assemblage, partie d'une construction qui est hors de l'aplomb. 1835 ; comp. de *porter* (I) et de *faux* (I) ; [pɔʀtafo].

**PORTE-AFFICHE(S), subst. m.**
Cadre dans lequel on placarde des affiches. 1842 ; comp. de *porter* (I) et de *affiche* ; plur. *porte-affiches* ; [pɔʀtafiʃ].

**PORTE-AIGUILLE(S), subst. m.**
**I.** Porte-aiguille. **1.** *Chir.* Pince d'acier sur laquelle on fixe l'aiguille à sutures. **2.** *Techn.* Pièce d'une machine où l'on fixe l'aiguille. **II.** Porte-aiguilles. Étui utilisé pour ranger les aiguilles à coudre. 1741 ; comp. de *porter* (I) et de *aiguille* ; au I, plur. *porte-aiguille(s)*, au II, plur. *porte-aiguilles* ; [pɔʀtɛgɥij].

**PORTE-AMARRE, subst. m.**
*Mar.* Appareil servant à lancer avec force une amarre. 1854 ; comp. de *porter* (I) et de *amarre* ; plur. *porte-amarre(s)* ; [pɔʀtamaʀ].

**PORTE-À-PORTE, subst. m. inv.**
Méthode de prospection ou de vente dans laquelle un démarcheur visite toutes les habitations d'un secteur donné. ☞ *porte* (I) ; [pɔʀtapɔʀt].

**PORTE-AVIONS, subst. m. inv.**
*Mar.* Bâtiment de guerre dont le pont supérieur est aménagé pour le transport, le décollage et l'appontage des avions. 1921 ; comp. de *porter* (I) et de *avion* ; [pɔʀtavjɔ̃].

**PORTE-BAGAGES, subst. m. inv.**
**1.** Cadre métallique installé sur un véhicule, servant à transporter des objets, des bagages. **2.** Filet ou galerie métallique, dans un véhicule de transport en commun, destiné à recevoir les bagages des voyageurs. 1892 ; comp. de *porter* (I) et de *bagage* ; [pɔʀt(ə)bagaʒ].

**PORTE-BALAI(S), subst. m.**
**1.** Porte-balais. *Techn.* Chacune des gaines maintenant les balais d'une machine électrique tournante. **2.** Porte-balai(s). Support sur lequel on accroche des balais. 1904 ; comp. de *porter* (I) et de *balai* ; plur. *porte-balais* ; [pɔʀt(ə)balɛ].

**PORTE-BÉBÉ, subst. m.**
**1.** Siège ou couffin permettant de transporter un bébé. **2.** Harnais en tissu résistant servant à transporter un bébé contre la poitrine ou sur le dos. V. 1970 ; comp. de *porter* (I) et de *bébé* ; plur. *porte-bébé(s)* ; [pɔʀt(ə)bebe].

**PORTE-BILLET(S), subst. m.**
Portefeuille conçu pour ranger des billets de banque. 1886 ; comp. de *porter* (I) et de *billet* ; plur. *porte-billets* ; [pɔʀt(ə)bijɛ].

**PORTE-BONHEUR, subst. m. inv.**
Objet censé apporter le bonheur, la chance ; en appos. : *Médailles* ***porte-bonheur***. 1706 ; comp. de *porter* (I) et de *bonheur* ; [pɔʀt(ə)bɔnœʀ].

**PORTE-BOUQUET, subst. m.**
Petit vase à fleurs. 1869 (1680, plateau sur lequel on posait des bouquets) ; comp. de *porter* (I) et de *bouquet* (II) ; plur. *porte-bouquet(s)* ; [pɔʀt(ə)bukɛ].

**PORTE-BOUTEILLE(S), subst. m.**
**1.** Casier destiné à ranger des bouteilles horizontalement. **2.** Panier à cases qui permet de transporter des bouteilles rangées verticalement. 1873 (1790, dessous-de-bouteille) ; comp. de *porter* (I) et de *bouteille* ; plur. *porte-bouteilles* ; [pɔʀt(ə)butɛj].

**PORTE-CARTE(S), subst. m.**
**1.** Petit portefeuille à compartiments transparents. **2.** Étui pour les cartes routières. 1873 (1863, coupe où les visiteurs déposent leur carte de visite) ; comp. de *porter* (I) et de *carte* ; plur. *porte-cartes* ; [pɔʀt(ə)kaʀt].

**PORTE-CIGARETTES, subst. m. inv.**
Étui à cigarettes. 1886 (1857, fume-cigarette) ; comp. de *porter* (I) et de *cigarette* ; [pɔʀt(ə)sigaʀɛt].

**PORTE-CLÉ(S), subst. m.**
Anneau ou étui destiné à porter une, des clés. 1581 (1571, celui qui détient les clés d'un domaine) ; comp. de *porter* (I) et de *clé* ; plur. *porte-clés*, var. *porte-clef(s)* ; [pɔʀtəkle].

**PORTE-CONTENEURS, subst. m. inv.**
Navire conçu pour transporter des conteneurs. V. 1970 ; comp. de *porter* (I) et de *conteneur* ; [pɔʀt(ə)kɔ̃t(ə)nœʀ].

**PORTE-COPIE, subst. m.**
Support, pupitre sur lequel on pose un document à copier à la machine. V. 1960 ; comp. de *porter* (I) et de *copie* ; plur. *porte-copie(s)* ; [pɔʀt(ə)kɔpi].

**PORTE-COUTEAU, subst. m.**
Petit objet de table sur lequel on pose la lame du couteau pour ne pas salir la nappe. 1869 (1803, outil servant à couper le fil de fer) ; comp. de *porter* (I) et de *couteau* ; plur. *porte-couteau(x)* ; [pɔʀt(ə)kuto].

**PORTE-CRAYON, subst. m.**
Petit tube métallique au bout duquel on fixe un crayon. 1609 ; comp. de *porter* (I) et de *crayon* ; plur. *porte-crayon(s)* ; [pɔʀt(ə)kʀɛjɔ̃].

**PORTE-CROIX, subst. m. inv.**
*Liturg.* Personne qui porte la croix en tête d'une procession, ou devant le pape ou un archevêque. 1571 ; comp. de *porter* (I) et de *croix* ; [pɔʀtəkʀwa].

**PORTE-DOCUMENT(S), subst. m.**
Serviette à documents sans soufflet. 1955 ; comp. de *porter* (I) et de *document* ; plur. *porte-documents* ; [pɔʀt(ə)dɔkymɑ̃].

**PORTE-DRAPEAU, subst. m.**
**1.** Personne portant le drapeau d'un régiment, lors d'un défilé, d'une cérémonie. **2.** Fig. Chef de file d'un mouvement, d'une association, d'une doctrine. 1578 ; comp. de *porter* (I) et de *drapeau* ; plur. *porte-drapeau(x)* ; [pɔʀt(ə)dʀapo].

**PORTÉE, subst. f.**
**I. 1.** Ensemble des petits qu'une femelle de mammifère porte et met bas en une fois. **2.** Distance séparant les points d'appui d'un élément de construction, voûte ou poutre, supportant une charge ou une poussée. **3.** Poids maximal que peut supporter un appareil de pesage. **4.** *Mus.* Ensemble des cinq lignes horizontales et équidistantes qui portent les signes de la notation musicale. **II. 1.** Distance maximale à laquelle une arme peut lancer un projectile. **2.** Anal. Distance à laquelle une chose porte : ***Portée*** *d'une voix.* ► Loc. *À* ***portée*** *de* : à une distance qui peut être atteinte par ou à proximité de ; *Hors de* ***portée*** *(de)* : hors d'atteinte (pour). **3.** Fig. ► Aptitude à comprendre, capacité intellectuelle : *Se mettre à la* ***portée*** *de qqn*, à son niveau. ► Capacité d'atteindre un but, de produire un effet : *La* ***portée*** *historique d'un évènement.* Mil. XVe s. (fin XIIe s., mesure pour les liquides) ; ☞ *porter* (I) ; [pɔʀte].

**PORTE-ÉPÉE, subst. m.**
Pièce de cuir ou d'étoffe fixée à la ceinture pour maintenir l'épée. 1581 (1564, celui qui porte l'épée d'un autre) ; comp. de *porter* (I) et de *épée* ; plur. *porte-épée(s)* ; [pɔʀtepe].

**PORTE-ÉTENDARD, subst. m.**
Officier qui porte l'étendard d'un corps de cavalerie. 1680 ; comp. de *porter* (I) et de *étendard* ; plur. *porte-étendard(s)* ; [pɔʀtetɑ̃daʀ].

**PORTE-ÉTRIVIÈRE, subst. m.**
Chacune des deux pièces métalliques, fixées de part et d'autre de l'arçon d'une selle, auxquelles sont accrochées les étrivières. 1756 ; comp. de *porter* (I) et de *étrivière* ; plur. *porte-étrivière(s)* ; [pɔʀtetʀivjɛʀ].

**PORTEFAIX, subst. m.**
Homme de peine qui portait des fardeaux (vx). Fin XIIIe s. ; formé de *porter* (I) et de *faix* ; [pɔʀtəfɛ].

**PORTE-FANION, subst. m.**
Gradé qui porte le fanion d'un général. 1900 ; comp. de *porter* (I) et de *fanion* ; plur. *porte-fanion(s)* ; [pɔʀt(ə)fanjɔ̃].

**PORTE-FENÊTRE, subst. f.**
Grande porte vitrée qui donne accès à une terrasse, à un balcon, etc. 1676 ; comp. de *porte* (I) et de *fenêtre* ; plur. *portes-fenêtres* ; [pɔʀt(ə)fənɛtʀ].

**PORTEFEUILLE, subst. m.**
**1.** Vx. Carton plié en deux servant à ranger des papiers, des dessins, etc. **2.** Méton. *Écon.* Ensemble des effets de commerce et des valeurs mobilières détenus par un particulier, une société. **3.** Département ministériel. **4.** Étui portatif, gén. en cuir, où l'on met ses billets de banque, ses papiers d'identité. 1544 ; formé de *porter* (I) et de *feuille* ; [pɔʀtəfœj].

*Déchargement d'un* ***porte-conteneurs*** *dans le port d'Hambourg.*

© P. Piel-Gamma

**PORTE-FORT, subst. m. inv.**
*Dr.* Engagement pris par une personne lorsqu'elle promet qu'un tiers accomplira un certain acte ; personne qui prend cet engagement. 1866 ; comp. de *porter* (I) et de *fort*, de *se porter fort* (vx), « se porter garant » ; [pɔʀtəfɔʀ].

**PORTE-GLAIVE, subst. m.**
**1.** Personne qui porte un glaive. **2.** *Zool.* Xiphophore. 1859 (1732, membre d'un ordre religieux militaire) ; comp. de *porter* (I) et de *glaive* ; plur. *porte-glaive(s)* ; [pɔʀtəglɛv].

**PORTE-GREFFE, subst. m.**
*Arboric.* Sujet sur lequel on fixe un ou des greffons. 1877 ; comp. de *porter* (I) et de *greffe* ; plur. *porte-greffe(s)* ; [pɔʀtəgʀɛf].

**PORTE-HAUBAN(S), subst. m.**
*Mar.* Pièce de bois en saillie sur la muraille d'un bateau et servant à donner aux haubans un écartement suffisant. 1611 ; comp. de *porter* (I) et de *hauban* ; plur. *porte-haubans* ; [pɔʀtəobɑ̃].

**PORTE-HÉLICOPTÈRES, subst. m. inv.**
Navire de guerre dont un pont est aménagé pour le transport, le décollage et l'appontage des hélicoptères. V. 1960 ; comp. de *porter* (I) et de *hélicoptère* ; [pɔʀtelikɔptɛʀ].

**PORTE-JARRETELLES, subst. m. inv.**
Sous-vêtement féminin servant à maintenir les bas, constitué d'une ceinture sur laquelle sont fixées les jarretelles. 1935 ; comp. de *porter* (I) et de *jarretelle* ; [pɔʀt(ə)ʒaʀtɛl].

**PORTE-LAME, subst. m.**
*Techn.* Support de lame d'une faucheuse, d'une moissonneuse, etc. 1765 ; comp. de *porter* (I) et de *lame* ; plur. *porte-lame(s)* ; [pɔʀtəlam].

**PORTE-MALHEUR, subst. m. inv.**
Être ou objet censé porter malheur ; en appos. : *Couleur* ***porte-malheur***. 1604 ; comp. de *porter* (I) et de *malheur* ; [pɔʀt(ə)malœʀ].

**PORTEMANTEAU, subst. m.**
**1.** *Hist.* Officier chargé de porter le manteau d'un haut personnage. **2.** Support auquel on suspend les manteaux et, par ext., les vêtements. **3.** *Mar.* Arc-boutant servant à hisser les embarcations le long du bordage d'un navire. 1507 ; formé de *porter* (I) et de *manteau* ; [pɔʀt(ə)mɑ̃to].

**PORTEMENT, subst. m.**
*B.-a.* ***Portement*** *de croix* : représentation du Christ portant sa croix. 1688 (mil. XIIIe s., manière d'être) ; ☞ *porter* (I) ; [pɔʀtəmɑ̃].

**PORTE-MENU, subst. m.**
**1.** Cadre dans lequel on affiche le menu à l'entrée d'un restaurant. **2.** Support de présentation du menu à table. 1874 ; comp. de *porter* (I) et de *menu* (II) ; plur. *porte-menu(s)* ; [pɔʀt(ə)məny].

**PORTEMINE, subst. m.**
Tube creux dans lequel on loge une mine de crayon que l'on fait avancer, à mesure qu'elle diminue, à l'aide d'un poussoir. 1895 ; formé de *porter* (I) et de *mine* (II) ; var. *porte-mine* (plur. *porte-mine[s]*) ; [pɔʀtəmin].

**PORTE-MONNAIE, subst. m. inv.**
Pochette, petite bourse où l'on met les pièces de monnaie. 1856 ; comp. de *porter* (I) et de *monnaie* ; [pɔʀt(ə)mɔnɛ].

**PORTE-OBJET, subst. m.**
*Sc.* Lame sur laquelle on place un objet à observer au microscope ; par ext., platine qui reçoit cette lame. 1808 ; comp. de *porter* (I) et de *objet* ; plur. *porte-objet(s)* ; [pɔʀtɔbʒɛ].

**PORTE-PARAPLUIE(S), subst. m.**
Ustensile dans lequel on range verticalement les parapluies et les cannes. 1856 ; comp. de *porter* (I) et de *parapluie* ; plur. *porte-parapluies* ; [pɔʀt(ə)paʀaplɥi].

**PORTE-PAROLE, subst. m. inv.**
**1.** Personne qui parle au nom d'autres personnes : *Le* ***porte-parole*** *du gouvernement.* **2.** Organe de presse qui véhicule les idées de qqn, d'un groupe. Fin XVIIIe s. (1552, messager) ; comp. de *porter* (I) et de *parole* ; [pɔʀt(ə)paʀɔl].

**PORTE-PLUME, subst. m.**
Instrument formé d'un manche au bout duquel s'emboîte une plume à écrire. 1725 ; comp. de *porter* (I) et de *plume* ; plur. *porte-plume(s)* ; [pɔʀtəplym].

**PORTE-QUEUE,** subst. m.
*Zool.* Nom usuel de certains papillons, tels les machaons, dont les ailes inférieures se terminent en pointe. ⚭ 1776 (1465, caudataire) ; comp. de *porter* (I) et de *queue* ; plur. *porte-queues* ; [pɔʀtəkø].

**PORTER (I),** verbe trans. [3]
**I. Trans. dir. 1.** Tenir soulevé au-dessus du sol, être chargé de : *Porter un panier* ; *Son père le **porte** sur ses épaules.* **2.** Soutenir, supporter le poids de : *Ses jambes ne le **portaient** plus* ; *La glace est-elle assez solide pour nous **porter** ?* ; au fig. : *J'en **porte** la responsabilité.* **3.** Avoir en soi, pour donner naissance : *L'enfant qu'elle **porte*** ; empl. abs. : *La lapine **porte** trente jours* ; au fig. : *Ne pas **porter** qqn dans son cœur*, ne pas l'aimer. ▸ *Arboric.* Produire : *Arbre **portant** des fruits* ; au fig. : *La leçon **a porté** ses fruits.* **Pronom.** Être en tel état de santé : *Se **porte**-t-il mieux ?* **II. Trans. dir. 1.** Arborer (un emblème, les armes ou le patronyme d'une famille, l'insigne d'une fonction) : *Il **porte** un nom glorieux.* **2.** Être marqué de : *Stèle **portant** une inscription, une date* ; ***Porter** les cicatrices d'une chute.* **3.** Ext. Avoir sur soi : *Elle ne **porte** que du noir* ; ***Porter** un béret, des lunettes* ; ***Porter** les cheveux longs.* **4.** Apposer une marque ; inscrire : ***Porter** une somme à un compte bancaire.* **5.** Déclarer : ***Être porté** disparu* ; *Se faire **porter** malade.* **6.** Laisser paraître : *Il **porte** bien son âge.* **Pronom.** Être en usage, à la mode : *Cet hiver, les jupes se **portent** longues.* **III. Trans. dir. 1.** Prendre et transporter ailleurs : ***Porter** une veste à la teinturerie* ; ***Porter** en terre*, enterrer. **2.** Amener à un nouvel état : ***Porter** l'eau à ébullition* ; ***Porter** qqn au pouvoir* ; ***Porter** à l'écran*, adapter pour le cinéma ; au fig. : ***Porter** aux nues*, encenser. **3.** Diriger, orienter : ***Porter** sa fourchette à la bouche* ; ***Porter** son regard sur qqch.* ; ***Porter** la main sur qqn*, le frapper. **4.** Exercer (une action, une faculté) sur ; vouer (un sentiment) à : *Il **a porté** plainte* ; ***Porter** secours* ; *L'affection que je lui **porte**.* **5.** Pousser, incliner (qqn) à : *Tout me **porte** à croire qu'il ment* ; *Il **est porté** sur la bonne chère.* **Trans. indir. Porter sur.** ▸ Peser, reposer sur : *Tout le poids **porte** sur le pilier central* ; au fig. : *Tu me **portes** sur les nerfs*, tu m'agaces. ▸ Avoir pour objet : *Taxe **portant** sur les bénéfices* ; au fig. : *Le débat **porte** sur la crise.* **Intrans.** Avoir telle portée : *Sa voix **porte** loin* ; *Des arguments qui **portent***, qui ont de l'effet. **Pronom. 1.** Se diriger : *Je me **suis porté** à sa rencontre.* **2.** Se laisser aller : *Pourquoi se **porter** à de telles extrémités ?* **3.** Se constituer : *Se **porter** garant, volontaire.* ⚭ Mil. XIe s. (fin Xe s., être enceinte) ; lat. *portare* ; [pɔʀte].

**PORTER (II),** subst. m.
Bière brune d'origine anglaise. ⚭ 1726 ; angl. *porter's ale*, « bière de portefaix » ; [pɔʀtɛʀ].

**PORTER (III),** voir **PORTÉ**

**PORTERIE,** subst. f.
Loge du portier, en partic. dans une institution religieuse. ⚭ Fin XVe s. ; ☞ *portier* ; [pɔʀtəʀi].

**PORTE-SAVON,** subst. m.
Emplacement ou support prévu pour recevoir le savon, sur un évier, un lavabo, etc. ⚭ 1899 ; comp. de *porter* (I) et de *savon* ; plur. *porte-savon(s)* ; [pɔʀtsavɔ̃].

**PORTE-SERVIETTE,** subst. m.
**1.** Porte-serviette(s). Élément auquel on suspend les serviettes de toilette. **2. Porte-serviette.** Pochette où l'on range une serviette de table. ⚭ 1890 ; comp. de *porter* (I) et de *serviette* ; plur. au sens 1 *porte-serviettes* et au sens 2 *porte-serviette(s)* ; [pɔʀtsɛʀvjɛt].

**PORTEUR, EUSE,** subst. et adj.
**Subst. 1.** Personne chargée de remettre un message, un colis (vieilli). **2.** Personne dont le métier est de porter des charges (vieilli) : ***Porteur** d'eau.* **3.** Personne qui porte, qui détient qqch. : *La **porteuse** du drapeau.* **4.** *Fin.* Bénéficiaire d'un effet de commerce, d'un titre de paiement. ▸ Loc. *Chèque, billet au **porteur*** : dont le bénéficiaire n'est pas désigné, payable à quiconque le détient (par oppos. à *nominatif*). **5.** *Méd.* ***Porteur** sain* : sujet qui porte les germes d'une infection non déclarée. **6.** *Aéron.* Gros-porteur. **Subst. masc.** Homme qui porte les équipements dans une expédition ; homme qui porte les bagages dans une gare, un aéroport, etc. **Adj. 1.** Qui porte, supporte : *Mur **porteur**.* **2.** *Mère **porteuse*** : femme portant un enfant pour un couple dont la femme est stérile. **3.** Susceptible de développements prometteurs : *Un marché **porteur**.* ⚭ 1248 (XIIe s., celui qui apporte une loi) ; bas lat. *portator*, du lat. *portare*, « porter » ; [pɔʀtœʀ, øz].

**PORTE-VOIX,** subst. m. inv.
Instrument évasé, destiné à amplifier la voix. ⚭ 1680 ; comp. de *porter* (I) et de *voix* ; [pɔʀtəvwa].

**PORTFOLIO,** subst. m.
Ensemble de gravures, de photos présentées dans un coffret, une serviette. ⚭ V. 1970 ; angl. *portfolio*, de l'ital. *portafogli*, « portefeuille » ; [pɔʀtfoljo].

**PORTIER, IÈRE,** subst.
**1.** Concierge (vieilli). **2.** Personne qui garde la porte, dans une communauté religieuse. **3.** Employé chargé d'accueillir la clientèle dans un établissement public, en partic. dans les hôtels et les cabarets. **Masc. 1.** *Relig.* Clerc ayant reçu le premier des ordres mineurs. **2.** ***Portier** électronique* : appareil muni d'un code permettant d'ouvrir la porte d'un bâtiment. ⚭ 1119 ; bas lat. *portarius*, du lat. *porta*, « porte » ; [pɔʀtje, jɛʀ].

**PORTIÈRE (I),** adj. f. et subst. f.
*Agric.* Se dit d'une femelle gravide, ou en âge de l'être. **Subst.** *Techn.* Travée d'un pont de bateaux. ⚭ 1326 ; ☞ *porter* (I) ; [pɔʀtjɛʀ].

**PORTIÈRE (II),** subst. f.
**1.** Rideau remplaçant ou dissimulant une porte. **2.** Porte d'une automobile, d'une voiture de train. ⚭ 1587 ; ☞ *porte* (I) ; [pɔʀtjɛʀ].

**PORTILLON,** subst. m.
Petite porte basse à battant : ***Portillon** automatique.* ⚭ 1601 ; ☞ *porte* (I) ; [pɔʀtijɔ̃].

**PORTION,** subst. f.
**1.** Part dévolue à qqn lors d'un partage ; en partic., quantité de nourriture destinée à une personne : *Double **portion**.* **2.** Partie d'un tout homogène : *Ablation d'une **portion** de l'intestin.* ⚭ Déb. XIIIe s. ; lat. *portio* ; [pɔʀsjɔ̃].

**PORTIQUE,** subst. m.
**1.** *Archit.* Galerie dont la voûte est portée par des colonnes et qui s'ouvre sur un espace découvert. ▸ *Philos. Le **Portique*** : école stoïcienne dont les membres se réunissaient sous un **portique**, à Athènes. **2.** Poutre horizontale reposant à ses extrémités sur des montants verticaux ou obliques, à laquelle on fixe des agrès, des balançoires. **3.** *Techn.* ▸ Appareil de levage en forme d'arche, souv. monté sur rails. ▸ ***Portique** à signaux* : structure métallique enjambant les voies ferrées et portant des signaux. ▸ ***Portique** électronique* : dispositif de détection des métaux, utilisé notamment dans les aéroports pour contrôler les passagers. ⚭ 1547 ; lat. *porticus* ; [pɔʀtik].

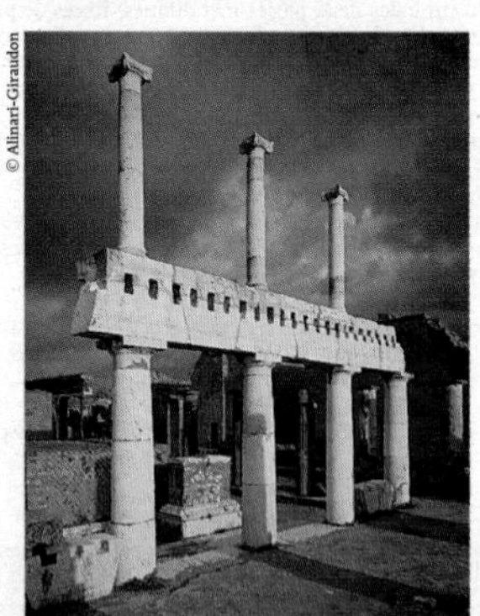


*Vestiges du **portique** du forum de Pompéi (IIe s. av. J.-C.).*

**PORTLAND,** subst. m.
Ciment obtenu par un mélange de calcaire et d'argile broyés, cuit à haute température. ⚭ 1876 ; topon. *Portland*, presqu'île de Grande-Bretagne ; [pɔʀtlɑ̃d].

**PORTO,** subst. m.
Vin liquoreux produit dans la vallée du Douro (Portugal). ⚭ 1786 ; topon. *Porto* (Portugal) ; [pɔʀto].

**PORTOR,** subst. m.
Marbre noir veiné de jaune. ⚭ 1752 ; ital. *portoro*, de *portare*, « porter », et de *oro*, « or » ; [pɔʀtɔʀ].

**PORTRAIT,** subst. m.
**1.** Représentation d'une personne par le dessin, la peinture, la sculpture, la photographie : ***Portrait** en pied*, représentant la personne debout. ▸ Loc. *Être tout le **portrait**, le **portrait** vivant de qqn* : lui ressembler fortement ; *Se faire tirer le **portrait*** : se faire photographier (fam.). **2.** Fig. Visage (fam.) : *Se faire abîmer le **portrait**.* **3.** Description orale ou écrite de qqn, de qqch. : *Un **portrait** flatteur.* ⚭ 1538 (fin XIIe s., dessin, représentation) ; *portraire* (vx), « faire le portrait de » ; [pɔʀtʀɛ].

**PORTRAITISTE,** subst.
Artiste, en partic. peintre, spécialisé dans l'art du portrait. ⚭ 1693 ; ☞ *portrait* ; [pɔʀtʀɛtist].

**PORTRAIT-ROBOT,** subst. m.
Portrait d'une personne recherchée par la police, réalisé d'après les indications fournies par les témoins. ⚭ 1964 ; comp. de *portrait* et de *robot* ; plur. *portraits-robots* ; [pɔʀtʀɛʀobo].

**PORTRAITURER,** verbe trans. [3]
Faire le portrait de (rare). ⚭ 1540 ; *portraiture* (vx), « portrait » ; [pɔʀtʀɛtyʀe].

**PORT-SALUT,** subst. m. inv.
Fromage de lait de vache, à pâte pressée non cuite. ⚭ 1873 ; topon. *Port-du-Salut*, abbaye de la Mayenne ; n. déposé ; [pɔʀsaly].

**PORTUAIRE,** adj.
Relatif à un port. ⚭ 1941 ; ☞ *port* (I) ; [pɔʀtɥɛʀ].

**PORTUGAIS, AISE,** adj. et subst.
Du Portugal. **Subst. masc.** Langue romane parlée surtout au Portugal et au Brésil. ⚭ XVIe s. ; port. *português*, du bas lat. *portucalensem* ; [pɔʀtygɛ, ɛz].

**PORTULAN,** subst. m.
Carte donnant la description des ports et des côtes, établie par des navigateurs aux XIIIe et XIVe s. ⚭ 1577 ; ital. *portolano*, de *porto*, « port » ; [pɔʀtylɑ̃].

**POSE,** subst. f.
**1.** Action de poser, d'installer (qqch.) ; mise en place : ***Pose** d'une prise électrique.* **2.** *B.-a.* Attitude du modèle qui pose pour un peintre, un sculpteur, un photographe : *Prendre, garder la **pose**.* ▸ Ext. Manière de se tenir : *Prendre une **pose** nonchalante.* **3.** Fig. Maintien affecté, comportement manquant de naturel. **4.** *Phot. Temps de **pose*** : durée d'exposition à la lumière d'une surface sensible. ⚭ 1694 ; ☞ *poser* ; [poz].

**POSÉ, ÉE,** adj.
Calme, pondéré. ⚭ 1538 ; p. p. de *poser* ; [poze].

**POSÉMENT,** adv.
D'une façon posée. ⚭ 1572 ; ☞ *posé* ; [pozemɑ̃].

**POSEMÈTRE,** subst. m.
*Phot.* Appareil servant à déterminer un temps de pose. ⚭ 1948 ; ☞ *pose* + *-mètre*[1] ; [pozmɛtʀ].

**POSER,** verbe [3]
**Trans. 1.** Mettre (qqch.) sur ce qui peut le recevoir et lui servir de support : ***Poser** un vase sur la table* ; ***Poser** le pied sur une marche.* **2.** Cesser de porter, déposer : ***Poser** son parapluie.* ▸ Loc. ***Poser** les armes* : cesser le combat. **3.** Mettre en place, installer : ***Poser** du parquet* ; ***Poser** une bombe.* ▸ Loc. ***Poser** sa voix* : bien la contrôler. ▸ *Math.* Écrire (un chiffre, une équation) selon des règles arithmétiques, algébriques. **4.** Fig. ▸ Formuler (une question) : ***Poser** une devinette, un problème* ; soulever (une difficulté) : *Cela **pose** un problème.* ▸ Admettre ou faire admettre (une vérité irréfutable, une hypothèse) : ***Poser** un principe* ; ***Poser** comme principe que.* **5.** ***Poser** sa candidature* : la présenter officiellement. **6.** Contribuer à établir la réputation de : *Ce succès l'**a posé** aux yeux de sa famille.* **Intrans. 1.** Être placé, s'appuyer (sur qqch.) : *Poutre qui **pose** sur deux murs.* **2.** Prendre une certaine pose pour être peint, sculpté, photographié. ▸ Loc. ***Poser** pour la galerie* ou, empl. abs., ***Poser*** : avoir un comportement étudié, affecté ; ***Poser** à* : chercher à se faire passer pour. **Pronom. 1.** Se placer, s'appuyer : *Sa main se **posa** sur mon bras.* **2.** S'installer : *Cette étagère se **pose** aisément* ; devoir être placé : *Cet objet se **pose** sur un socle.* **3.** Arriver, se placer (sur qqch.) après une descente : *Le papillon se **posa** sur une fleur* ; atterrir, en parlant d'un aéronef. ▸ Ext. S'arrêter, se fixer ; au fig. : *Mon regard se **posa** sur lui.* **4.** Être soulevé, exister, en parlant d'une question, d'un problème. **5. Se poser en, comme, en tant que.** Se donner pour, prétendre au rôle de : *Se **poser** en justicier.* **6. Se poser là.** Dépasser une certaine mesure (fam.) : *Comme lâche, il se **pose** là !* ⚭ 1188 (fin Xe s., ensevelir) ; lat. pop. °*pausare*, « cesser, s'arrêter » ; [poze].

**POSEUR, EUSE,** subst.
**1.** Personne chargée de la pose de certains objets : ***Poseur** de moquette* ; ***Poseur** de bombe.* **2.** Fig. Personne aux manières affectées, prétentieuses : *Quel **poseur** !* 1641 ; ☞ *poser* ; [pozœʀ, øz].

**POSIDONIE,** subst. f.
*Bot.* Plante monocotylédone marine type de la famille des Posidoniacées, aux feuilles pouvant mesurer 50 cm et aux fruits de la grosseur d'une olive. 1823 ; gr. *poseidônios*, « de Poséidon » ; [pozidɔni].

**POSITIF, IVE,** adj. et subst. m.
**Adj. 1.** Qui a été établi par une autorité humaine ou divine (par oppos. à *naturel*) : *Droit **positif***, ensemble des règles effectivement en vigueur. **2.** Qui se fonde sur l'expérience concrète ; qui a un caractère de vérité établie : *Une preuve **positive**.* ▸ *Philos. État **positif*** : pour Auguste Comte, troisième et dernier état, succédant aux états théologique et métaphysique, dans l'histoire de l'esprit humain. **3.** Qui exprime une affirmation, une acceptation (anton. *négatif*) : *Réponse **positive**.* **4.** Qui apporte qqch. de bénéfique : *Bilan **positif**.* **5.** Qui tient compte des faits, qui a le sens des réalités ; qui est constructif : *Un esprit **positif**.* **6.** *Spéc.* ▸ *Électr.* Qualifie l'électricité acquise par le verre frotté avec une étoffe : *Charge **positive** d'un ion* ; par ext. : *Pôle **positif** d'un circuit*, où les électrons sont déficitaires. ▸ *Math. Nombre **positif*** : supérieur à zéro. ▸ *Méd.* Qui met en évidence la présence de l'élément recherché : *Cuti **positive**.* ▸ *Phot. Épreuve **positive**, film **positif*** ou, empl. subst. masc., *Un **positif*** : image où les parties claires et les parties sombres correspondent à celles du sujet photographié. **Subst. 1.** Ce qui est manifeste, rationnel, concret : *Vouloir du **positif**.* **2.** *Gramm.* Forme d'un adjectif ou d'un adverbe qui pose une qualité sans faire de comparaison (par oppos. à *comparatif, superlatif*). **3.** *Mus.* Petit orgue que l'on posait sur le sol ou sur un meuble (vx) ; clavier secondaire du grand orgue. 1361 (1265, certain, réel) ; bas lat. *positivus* ; [pozitif, iv].

**POSITION,** subst. f.
**I. 1.** Situation spatiale d'une personne ou d'une chose par rapport à un ensemble ou à un repère : ***Position** d'une étoile* ; manière dont elle est placée : ***Position** horizontale, verticale.* **2.** Anal. ▸ *Fin.* Situation d'un compte à un moment donné ; montant du solde. ▸ *Math. Système de numération de **position*** : dans lequel le sens d'un symbole dépend de la place qu'il occupe par rapport aux autres. ▸ *Mus.* Chacune des différentes stations de la main gauche le long du manche, dans la technique des instruments à archet ; ordonnance des notes d'un accord. **3.** Fig. Ensemble des circonstances dans lesquelles on se trouve : *Une **position** critique.* ▸ Situation dans la société, condition : *Avoir une **position** enviée.* ▸ Loc. *Être en **position** de* : en mesure de. ▸ *Dr.* Situation d'un militaire, d'un fonctionnaire au regard des statuts de l'armée, de l'Administration. **4.** *Milit.* Emplacement occupé par une unité en campagne : ***Position** défensive.* **II. 1.** Manière de disposer son corps ou une partie de son corps : *En **position** assise.* ▸ *Chorégr.* Chacune des attitudes obtenues par une tenue et un placement particuliers des pieds et des bras. **2.** Fig. Ensemble d'idées adoptées ou soutenues sur une question donnée : *Prendre **position**.* ▸ Loc. *Rester sur ses **positions*** : garder son opinion, son avis. Fin XIII^e s. ; lat. *positio* ; [pozisjɔ̃].

**POSITIONNEMENT,** subst. m.
Anglic. Action de positionner, de se positionner ; son résultat. V. 1970 ; ☞ *positionner*, d'apr. l'anglo-amér. *positioning*, « mise en place » ; [pozisjɔnmɑ̃].

**POSITIONNER,** verbe trans. [3]
**1.** *Techn.* Mettre (qqch.) dans la position requise. **2.** *Fin.* Calculer le solde de (un compte). **3.** Déterminer la latitude et la longitude de (un navire, un avion, etc.). **4.** *Public.* Définir la situation de (un produit) par rapport au marché. **Pronom.** Se placer dans une position ou dans un lieu donné. V. 1960 ; ☞ *position* ; hormis au sens 2, l'empl. de ce mot, formé d'apr. l'anglo-amér. *to position*, « placer », est critiqué ; [pozisjɔne].

**POSITIVEMENT,** adv.
**1.** De façon sûre, exacte : *Que sais-tu **positivement** ?* ▸ Absolument, vraiment (empl. critiqué) : *C'est **positivement** impossible.* **2.** De manière bénéfique : *Évoluer **positivement**.* **3.** De façon affirmative. **4.** *Électr.* Avec de l'électricité positive : *Corps chargé **positivement**.* 1441 ; ☞ *positif* ; [pozitivmɑ̃].

**POSITIVISME,** subst. m.
**1.** *Philos.* Attitude épistémologique liée à la pratique des sciences, qui consiste à n'accorder de valeur qu'aux faits, conçus comme l'expression directe d'une réalité. **2.** *Dr. **Positivisme** juridique* : doctrine qui ne reconnaît que le droit positif (et non le droit naturel). 1830 ; ☞ *positif* ; [pozitivism].

PHILOSOPHIE – C'est chez Auguste Comte, et chez lui seul, que le positivisme prend la dimension d'une doctrine. Cette dernière pose, d'une part, que le progrès des sciences n'est possible que si l'on renonce à connaître les choses en soi, pour ne s'occuper que des faits et des lois, et d'autre part que pour cela seule est valable la méthode objective des sciences de la nature, alliée en sociologie à une méthode historique et comparative.

**POSITIVISTE,** adj. et subst.
*Philos.* **Adj.** Relatif, favorable au positivisme ou à ses partisans. **Subst.** Partisan du positivisme. 1835 ; ☞ *positivisme* ; [pozitivist].

**POSITIVITÉ,** subst. f.
Caractère de ce qui est positif. Mil. XIX^e s. ; ☞ *positif* ; [pozitivite].

**POSITON,** subst. m.
*Phys.* Antiparticule de l'électron. 1934 ; crois. de *positif* et de *électron* ; var. *positron* ; [pozitɔ̃].

**POSOLOGIE,** subst. f.
*Pharm.* **1.** Étude des dosages, des modes d'administration des médicaments. **2.** Dosage, fréquence et mode d'administration d'un médicament. 1820 ; gr. *poson*, « en quelle quantité ? », + *-logie* ; [pozolɔʒi].

**POSSÉDANT, ANTE,** adj. et subst.
Se dit d'un propriétaire de biens, de capitaux. Fin XIX^e s. ; p. pr. de *posséder* ; [pɔsedɑ̃, ɑ̃t].

**POSSÉDÉ, ÉE,** adj. et subst.
Se dit d'une personne habitée par une puissance maléfique. 1553 ; p. p. de *posséder* ; [pɔsede].

**POSSÉDER,** verbe trans. [8]
**1.** Être propriétaire de (qqch.) : ***Posséder** des terres* ; disposer, jouir de : ***Posséder** la liberté.* ▸ Anal. Contenir, renfermer : *Cette ville **possède** plusieurs musées.* **2.** Ext. ▸ Avoir en soi (qqch. d'abstrait, une qualité) : ***Posséder** un talent artistique.* ▸ Avoir une connaissance solide de (qqch.) : ***Posséder** son sujet.* **3.** Dominer psychiquement (qqn) : *La fureur le **possédait**.* ▸ *Relig.* S'emparer du corps et de l'esprit de (qqn), en parlant du démon. **4.** ***Posséder** une femme* : avoir avec elle des relations sexuelles. **5.** Tromper, duper : *Ils nous **ont** bien **possédés** !* **Pronom.** Se dominer, se maîtriser. 1364 ; anc. fr. *possider*, du lat. *possidere* ; [pɔsede].

**POSSESSEUR,** subst. m.
Personne qui possède un bien, qui a qqch. en sa possession. 1284 ; lat. *possessor* ; [pɔsesœʀ].

**POSSESSIF, IVE,** adj.
**1.** *Gramm.* Qui marque la possession, l'appartenance : *Adjectif, pronom **possessif**.* **2.** *Psychol.* Qui ressent un besoin d'appropriation exclusive de l'être, des êtres aimés : *Mère **possessive**.* Fin XIV^e s. ; lat. *possessivus*, de *possidere*, « posséder » ; [pɔsesif, iv].

**POSSESSION,** subst. f.
**1.** Fait de posséder qqch. : ***Possession** d'une maison.* ▸ Loc. *Être en **possession** de, avoir en sa **possession*** : détenir, posséder ; *Prendre **possession** de (un lieu)* : s'installer dans. ▸ *Dr.* Capacité de jouir d'un bien sans en avoir nécessairement la propriété. **2.** Méton. Chose possédée (souv. au plur.) : *Les **possessions** d'un prince.* ▸ Dépendance coloniale d'un État. **3.** Fig. Jouissance d'une chose abstraite : *La **possession** de la vérité.* ▸ Loc. *Être en (pleine) **possession** de ses facultés* : en bonne santé mentale. **4.** *Relig.* État d'une personne habitée par une force surnaturelle et maléfique. ▸ *Psych. Délire de **possession*** : dans lequel le malade se croit habité par un être démoniaque. Mil. XII^e s. ; lat. *possessio* ; [pɔsesjɔ̃].

**POSSESSIVITÉ,** subst. f.
*Psychol.* Fait d'être possessif. Mil. XX^e s. ; ☞ *possessif* ; [pɔsesivite].

**POSSESSOIRE,** adj.
*Dr.* Qui a trait à la possession. 1380 ; bas lat. *possessorius* ; [pɔseswaʀ].

**POSSIBILITÉ,** subst. f.
**1.** Caractère de ce qui est possible. **2.** Méton. Chose possible : *Un éventail de **possibilités**.* **3.** Moyen d'agir ; occasion. **Plur.** Aptitudes ; moyens : *Les **possibilités** d'un élève.* Fin XIII^e s. ; lat. *possibilitas* ; [pɔsibilite].

**POSSIBLE,** adj. et subst. m.
**Adj. 1.** Qui peut exister, être fait : *Cette hypothèse n'est pas **possible**.* ▸ Loc. *Pas **possible** !* : (c'est) très étonnant, incroyable (fam.). **2.** Qui pourrait éventuellement se produire : *Un temps clair avec des averses **possibles**.* **3.** Acceptable : *Cela vous semble un choix **possible** ?* **4.** Qui constitue une limite : *Faire tous les efforts **possibles**.* ▸ Renforce un superlatif : *Les exemples les plus simples **possible(s)** ; Dire le moins d'inepties **possible*** (inv. derrière un subst. plur.). **Subst. 1.** Ce qui est ou peut être (faisable) : *Aller au bout du **possible**.* **2.** Loc. *Faire (tout) son **possible*** : de son mieux. ▸ **Au possible.** Extrêmement : *Il est laid au **possible**.* Mil. XIII^e s. ; lat. *possibilis* ; [pɔsibl].

**POSTAGE,** subst. m.
Action de poster, de mettre à la poste. Fin XIX^e s. ; ☞ *poster* (III) ; [pɔstaʒ].

**POSTAL, ALE, AUX,** adj.
Relatif à la poste. 1832 ; ☞ *poste* (I) ; [pɔstal, o].

**POSTCOMBUSTION,** subst. f.
*Aéron.* Dans un turboréacteur, seconde combustion, produite par l'injection de carburant dans les gaz brûlés afin d'augmenter la poussée ; par ext., dispositif assurant la **postcombustion.** Mil. XX^e s. ; ☞ *combustion* + *post-* ; [pɔstkɔ̃bystjɔ̃].

**POSTCURE,** subst. f.
Période au cours de laquelle un malade sortant de cure reste sous surveillance médicale. Mil. XX^e s. ; ☞ *cure* (I) + *post-* ; [pɔstkyʀ].

**POSTDATER,** verbe trans. [3]
Dater (un document) d'une date postérieure à la date réelle. 1752 ; ☞ *dater* + *post-* ; [pɔstdate].

**POSTE (I),** subst. f.
**1.** Relais de chevaux, placé le long d'une route afin de permettre de changer les attelages, de prendre ou de déposer des voyageurs, du courrier ; par méton., distance entre deux relais (vx). **2.** Administration publique chargée de collecter, d'acheminer, de distribuer le courrier, les colis postaux et d'assurer certaines opérations financières ; par méton., bureau où se font les opérations postales. ▸ ***Poste** restante* : service permettant à un destinataire de recevoir du courrier dans le bureau de **poste** de son choix. 1480 (1298, place destinée à chaque cheval dans l'écurie) ; ital. *posta*, de *porre*, « placer » ; [pɔst].

CIVILISATION – Cavaliers changeant de monture de relais en relais (Empire perse de Cyrus le Grand) et piétons gagnant au pas de course la cité voisine (Grèce) ont transmis durant l'Antiquité les messages émanant des instances de l'État ou leur étant destinés. À Rome, Auguste institue le *cursus publicus*, avec relais réguliers, réservé au courrier public, mais auquel de rares particuliers peuvent accéder, moyennant une redevance. Au Moyen Âge, des messagers à cheval sillonnent l'Europe pour transmettre les missives. C'est en 1464 que Louis XI organise en France le premier service postal, avec des relais se succédant toutes les 4 lieues sur les principales voies du royaume, confiés à des « maîtres de poste ». Au XVI^e s., la poste achemine les colis des particuliers. En 1627 paraît la première franchise postale tarifée. Devenue office sous Louis XIV, la poste est alors dirigée par un surintendant général. Au XVIII^e s. fonctionnent la grande poste, pour le courrier interurbain, et la petite poste, pour le courrier intra-muros (1758, à Paris) ; Louis XVI les fusionne en 1787. En 1793, l'Agence nationale des postes, monopole d'État, est instituée par la Convention. Ses divers services – mandats-poste (1817), lettres recommandées (1829), timbres-poste (1848), Caisse nationale d'épargne (1881), poste aérienne (1918), etc. – ne cesseront de se multiplier et de se perfectionner aux XIX^e et XX^e s., accompagnant le développement commercial, industriel et technologique, en partic. par le biais des télécommunications, qui relèvent, depuis la troisième République, du même ministère que la poste. *(Voir planche p. 872.)*

**POSTE (II),** subst. m.
**I. 1.** Emplacement assigné à un soldat, à un groupe de soldats, pour une opération militaire ou de surveillance : ***Poste** de combat* ; ***Poste** de commandement (P. C.).* ▸ Loc. *Être fidèle au **poste*** : remplir ses obligations. **2.** Méton. Ensemble des soldats placés à un **poste.** ▸ ***Poste** de garde* : corps de garde établi à l'entrée d'une caserne, d'un camp. **3.** Anal. Tout corps de garde ou, par méton., le local qu'il occupe : ***Poste** des pompiers.* ▸ ***Poste** de police* ou, empl. abs.,

© Lauros-Giraudon
1

© Lauros-Giraudon
2

CONTRE L'ISOLEMENT RURAL
L'Administration des P.T.T. procède à des essais de mise en service de:
"Poste omnibus automobile rurale"

Grâce auxquels les populations des communes desservies bénéficient des avantages suivants :
Distribution postale avancée de plusieurs heures.
Avance dans l'expédition du courrier. Cette avance peut atteindre 24 heures.
Opérations postales de toute nature faites sans dérangement, soit directement chez le correspondant postal de la localité, soit au bureau de poste le plus voisin par l'intermédiaire du conducteur de l'auto.
Expédition et réception des colis postaux, des envois de colis de messagerie P. V. et G. V.
Exécution par le conducteur de l'auto de commissions commerciales de toute nature pour le compte de la clientèle.
Transport rapide des voyageurs entre les localités du parcours.
TÊTES DE LIGNE DES CIRCUITS AUTOMOBILES ACTUELLEMENT EN SERVICE:

© J.-L. Charmet-Explorer
3

© P. Alix-Gamma
4

© P. Alix-Gamma
5

© A. Le Bot-Gamma
6

LA POSTE
HIER ET AUJOURD'HUI

1. La Chaise de poste, *peinture de Victor Adam (1801-1866). Musée Carnavalet, Paris.*

2. *Tri dans un bureau de poste ambulant, au* XIX*e s. Gravure anonyme. Bibliothèque nationale, Paris.*

3. Contre l'isolement rural, *affiche publicitaire des P. T. T. (1927). Musée de la Poste, Paris.*

4. *Un centre de tri postal, aujourd'hui.*

5. *Un avion de l'Aéropostale en cours de chargement à l'aéroport de Roissy.*

6. *Véhicule postal affecté à la livraison des paquets.*

*Le poste* : corps de garde au local d'un commissariat de police. **II. 1.** Emploi, fonction professionnelle : *Occuper un **poste** de direction* ; par méton., lieu de son exercice : *Rejoindre son **poste**.* **2.** Temps de travail journalier d'une équipe, dans une usine : *Un **poste** de huit heures* ; l'équipe elle-même : *Travail par **poste**.* **III. 1.** Local affecté à un usage donné : ***Poste** de secours*, où sont donnés les premiers soins aux blessés. ► *Mar. **Poste** d'équipage* : partie du navire où loge l'équipage. **2.** Emplacement aménagé pour recevoir un appareillage particulier ; par méton., cet appareillage : ***Poste** d'essence* ; ***Poste** d'incendie* ; ***Poste** d'amarrage.* ► *Ch. de fer. **Poste** d'aiguillage* : local d'où sont manœuvrés les signaux et aiguilles d'une voie ferrée. **3.** Appareil récepteur de radio, de télévision. ► *Télécomm.* Appareil d'une installation téléphonique intérieure. **IV. 1.** *Comptab.* Chacune des opérations comptables. **2.** *Fin.* Grande division du budget. 1636 ; ital. *posto*, de *porre*, « placer » ; [pɔst].

**POSTE (À),** loc. adv.
*Mar.* À sa place, en parlant d'un navire. 1512 ; lat. *posita*, « position » ; [apɔst].

**POSTÉ, ÉE,** adj.
Organisé par postes, par équipes successives afin d'assurer une production continue : *Travail **posté*** ; *Employé **posté**.* V. 1970 ; ☞ *poste* (II) ; [pɔste].

**POSTER (I),** verbe trans. [3]
Assigner un poste à (des soldats) ; par anal., assigner à (qqn) une place et une fonction déterminées. PRONOM. Se tenir (à un endroit) : *Se **poster** à la fenêtre.* 1652 ; ☞ *poste* (II) ; [pɔste].

**POSTER (II),** subst. m.
Affiche décorative (anglic.). 1896 ; angl. *poster*, de *to post*, « afficher » ; [pɔstɛʀ].

**POSTER (III),** verbe trans. [3]
Mettre à la poste : ***Poster** une lettre.* 1899 ; ☞ *poste* (I) ; [pɔste].

**POSTÉRIEUR, EURE,** adj. et subst. m.
ADJ. **1.** Qui vient après, dans le temps : *Les poètes **postérieurs** à Verlaine.* **2.** Qui est placé derrière, à l'arrière : *Les membres **postérieurs**.* ► *Phon.* Articulé à l'arrière de la cavité buccale, en parlant d'un phonème. SUBST. Fesses (fam.). 1475 ; lat. *posterior* ; [pɔsteʀjœʀ].

**POSTÉRIEUREMENT,** adv.
À un moment postérieur, ultérieurement. 1660 ; ☞ *postérieur* ; [pɔsteʀjœʀmɑ̃].

**POSTERIORI (A),** voir **A POSTERIORI**

**POSTÉRIORITÉ,** subst. f.
Caractère de ce qui est postérieur à qqch. dans le temps. 1475 ; ☞ *postérieur* ; [pɔsteʀjɔʀite].

**POSTÉRITÉ,** subst. f.
**1.** Ensemble des générations à venir. ► Loc. *Passer à la **postérité*** ou *Entrer dans la **postérité*** : demeurer présent dans la mémoire collective. **2.** Descendance ; au fig., filiation spirituelle, artistique. 1314 ; lat. *posteritas* ; [pɔsteʀite].

**POSTFACE,** subst. f.
Commentaire placé à la fin d'un ouvrage. 1736 ; ☞ *face* + *post-*, d'apr. *préface* ; [pɔstfas].

**POSTGLACIAIRE,** adj. et subst. m.
*Géol.* ADJ. Qui suit une période de glaciation, en partic. la dernière. SUBST. Période qui a suivi la dernière glaciation, il y a env. 8 000 ans. Fin XIX*e* s. ; ☞ *glaciaire* + *post-* ; [pɔstglasjɛʀ].

**POSTHITE,** subst. f.
*Pathol.* Inflammation du prépuce. 1823 ; gr. *posthê*, « prépuce », + *-ite* ; [pɔstit].

**POSTHUME,** adj.
**1.** *Enfant **posthume*** : né après la mort de son père (anton. vx *anthume*). **2.** Anal. Publié après la mort de son auteur : *Roman **posthume**.* ► Ext. Qui se produit après la mort de la personne intéressée : *Être décoré à titre **posthume**.* 1488 ; bas lat. *posthumus*, du lat. *postumus*, « dernier » ; [pɔstym].

**POSTHYPOPHYSE,** subst. f.
*Anat.* Lobe postérieur de l'hypophyse. 1936 ; ☞ *hypophyse* + *post-* ; [pɔstipɔfiz].

**POSTICHE,** adj. et subst. m.
ADJ. **1.** Réalisé et ajouté après coup : *Chapitre **postiche**.* **2.** Qui remplace artificiellement qqch. qui manque : *Moustache **postiche**.* SUBST. Mèche, touffe de faux cheveux. 1638 (1609, supposé) ; ital. *posticcio*, p.-ê. de *posto*, « placé » ; [pɔstiʃ].

**POSTIER, IÈRE,** subst.
Agent de la poste. 1840 ; ☞ *poste* (I) ; [pɔstje, jɛʀ].

**POSTILLON,** subst. m.
**1.** Vieilli. Cocher d'une voiture de poste. ► Second cocher monté sur l'un des chevaux de devant d'un attelage. **2.** Goutte de salive projetée en parlant. 1540 ; ital. *postiglione*, de *posta*, « poste » ; [pɔstijɔ̃].

**POSTILLONNER,** verbe intrans. [3]
Envoyer des postillons (fam.). 1866 ; ☞ *postillon* ; [pɔstijɔne].

**POSTIMPRESSIONNISME,** subst. m.
*B.-a.* Ensemble des courants picturaux influencés par l'impressionnisme, réunissant des artistes aussi divers que Van Gogh, Cézanne, Gauguin ou Toulouse-Lautrec. 1910 ; ☞ *impressionnisme* + *post-* ; [pɔstɛ̃pʀesjɔnism].

**POSTMODERNISME,** subst. m.
Tendance artistique de la fin du XX*e* s., qui se caractérise par une certaine fantaisie, autant dans le contenu que dans les formes. V. 1980 ; ☞ *modernisme* + *post-* ; [pɔstmɔdɛʀnism].

**POSTNATAL, ALE, ALS ou AUX,** adj.
Relatif à la période qui suit immédiatement la naissance. 1970 ; ☞ *natal* + *post-* ; [pɔstnatal, o].

**POSTOPÉRATOIRE,** adj.
*Méd.* Qui suit une opération chirurgicale. 1889 ; ☞ *opératoire* + *post-* ; [pɔstɔpeʀatwaʀ].

**POST-PARTUM,** subst. m. inv.
*Physiol.* et *Méd.* Période qui suit l'enfantement. 1925 ; loc. lat. *post partum*, « après l'accouchement » ; [pɔstpaʀtɔm].

**POSTPOSER,** verbe trans. [3]
**1.** *Gramm.* Placer après un autre terme. **2.** Belg. Différer. 1377 ; ☞ *poser* + *post-* ; [pɔstpoze].

**POSTPOSITION,** subst. f.
*Gramm.* **1.** Position d'un terme placé après un autre, qu'il précède ordinairement (anton. *antéposition*). **2.** Dans certaines langues, morphème placé après le mot qu'il régit (anton. *préposition*). 1784 (1748, fièvre intermittente) ; ☞ *position* + *post-* ; [pɔstpozisjɔ̃].

**POSTPRANDIAL, ALE, AUX,** adj.
*Physiol.* et *Méd.* Qui survient après un repas.

V. 1900 ; *prandial* (rare), « relatif au repas », du lat. *prandium*, « repas », + *post-* ; [pɔstpʀɑ̃djal, o].

**POSTSCOLAIRE, adj.**
Qui suit la scolarité et vise à la compléter. 1899 ; ☞ *scolaire* + *post-* ; [pɔstskɔlɛʀ].

**POST-SCRIPTUM, subst. m. inv.**
Ajout fait au bas d'une lettre, sous la signature (abrév. : P.-S.). 1701 ; lat. *postscriptum*, de *postscribere*, « écrire à la suite » ; [pɔstskʀiptɔm].

**POSTSONORISATION, subst. f.**
*Cin.* Enregistrement différé de la bande-son d'un film, qui sera mise en concordance avec les images. Fin xxᵉ s. ; ☞ *sonorisation* + *post-* ; [pɔstsɔnɔʀizasjɔ̃].

**POSTSYNCHRONISATION, subst. f.**
*Cin.* **1.** Postsonorisation. **2.** Addition d'une bande sonore ou substitution d'une bande sonore à une autre, en partic. au cours d'un doublage. 1934 ; ☞ *synchronisation* + *post-* ; [pɔstsɛ̃kʀɔnizasjɔ̃].

**POSTULANT, ANTE, subst.**
**1.** Personne qui postule un emploi. **2.** *Relig.* Personne qui demande à être admise comme novice. 1495 ; p. pr. de *postuler* ; [pɔstylɑ̃, ɑ̃t].

**POSTULAT, subst. m.**
**1.** *Philos.* Proposition indémontrable qui ne semble pas contestable. **2.** *Log.* et *Math.* Proposition admise sans démonstration. 1752 ; angl. *postulate*, du lat. *postulatum*, « demande » ; [pɔstyla].

**POSTULER, verbe [3]**
**Intrans.** *Dr.* Représenter une partie en justice et accomplir en son nom les actes de la procédure : *L'avocat **postule** pour son client.* **Trans. 1.** Demander, solliciter : ***Postuler** une faveur.* **2.** Être candidat à : ***Postuler** un emploi* ; empl. intrans. : ***Postuler** à, pour une place.* **3.** Poser (qqch.) comme postulat. **4.** Présupposer, avoir pour condition d'existence ou de succès : *Ce projet **postule** de gros moyens.* xiiiᵉ s. ; lat. *postulare*, « demander » ; [pɔstyle].

**POSTURE, subst. f.**
**1.** Manière particulière de disposer son corps. **2.** Fig. Situation : *Être en bonne, en mauvaise **posture**.* ▸ Loc. *En **posture** de* (+ inf.) : en position favorable pour (vieilli ou littér.). **3.** Belg. Statuette. 1580 ; ital. *postura*, du lat. *positura* ; [pɔstyʀ].

**POT, subst. m.**
**I. 1.** Récipient à usage domestique, destiné à contenir ou contenant effectivement des aliments : *Pot en grès* ; *Pot à eau* ; *Pot de confiture.* ▸ Ext. Récipient à usage particulier : *Pot de chambre*, dans lequel on urine la nuit ; *Pot de fleurs.* ▸ Méton. Contenu d'un pot : *Un pot de peinture suffira.* ▸ Loc. *Payer les pots cassés* : réparer les préjudices causés ; *Découvrir le pot aux roses* : les dessous d'une affaire ; *Lutte du pot de terre contre le pot de fer* : inégale ; *Sourd comme un pot* (☞ *sourd*). **2.** Marmite où l'on fait cuire des aliments (vx). ▸ Loc. *À la fortune du pot* (☞ *fortune*) ; *C'est dans les vieux pots qu'on fait les bonnes soupes* : les gens âgés ont des qualités ; *Tourner autour du pot* (☞ *tourner*). **3.** Fam. Boisson : *Prendre un pot* ; par ext., petite réception, vin d'honneur. **4.** Chance (fam.) : *Avoir du pot.* **II.** *Spéc.* **1.** *Archit.* *Pot à feu* : ornement en forme de vase. **2.** *Jeux.* Mise, à un jeu d'argent. **3.** *Impr.* Format de papier (31 × 40 cm). **4.** *Mécan.* *Pot d'échappement* : partie du tuyau d'échappement conçue pour détendre les gaz brûlés et amortir le bruit. **5.** *Météor.* *Pot au noir* : zone de convergence des alizés, proche de l'équateur, caractérisée par des pluies abondantes et l'absence de vent. xiiᵉ s. ; lat. pop. °*pottus*, du rad. préceltique °*pott-* ; [po].

**POTABLE, adj.**
**1.** Qui peut être bu sans danger : *Eau **potable**.* **2.** Fig. Passable, d'une qualité moyenne (fam.) : *Un roman **potable**.* 1270 ; bas lat. *potabilis*, du lat. *potare*, « boire » ; [pɔtabl].

**POTACHE, subst. m.**
Collégien, lycéen (fam.). 1858 ; prob. *pot-à-chien* (vx), chapeau de collégien ; [pɔtaʃ].

**POTAGE, subst. m.**
*Cuis.* Bouillon dans lequel ont cuit des aliments solides, coupés menu ou passés. 1530 (mil. xiiiᵉ s., aliments cuits au pot) ; ☞ *pot* ; [pɔtaʒ].

**POTAGER, ÈRE, adj.**
**1.** Cultivé en vue d'une utilisation culinaire : *Plante **potagère**.* **2.** *Jardin **potager*** ou, empl. subst. masc., *Un **potager*** : espace réservé à la culture des légumes, des fines herbes et de certains fruits. 1562 (1350, cuisinier chargé des potages) ; ☞ *potage* ; [pɔtaʒe, ɛʀ].

**POTAMOCHÈRE, subst. m.**
*Zool.* Porc sauvage des marécages africains. 1903 ; gr. *khoiros*, « petit cochon », + *potamo-* ; [pɔtamɔʃɛʀ].

**POTAMOLOGIE, subst. f.**
Domaine de l'hydrologie qui étudie les cours d'eau. 1875 ; formé de *potamo-* et de *-logie* ; [pɔtamɔlɔʒi].

**POTAMOT, subst. m.**
*Bot.* Plante herbacée aquatique des eaux dormantes, flottante ou en partie immergée, type de la famille des Potamogétonacées (synon. *potamogéton*). 1793 ; abrév. de *potamogéton*, du gr. *potamogeitôn*, « voisin du fleuve » ; [pɔtamo].

**POTASSE, subst. f.**
*Chim.* Hydroxyde de potassium, de formule KOH, qui, très basique, a de nombreuses applications industrielles. 1577 ; néerl. *potas*, de *pot*, « marmite », et de *as*, « cendre » ; [pɔtas].

**POTASSER, verbe trans. [3]**
Étudier (qqch.) avec acharnement (fam.). 1838 ; orig. obsc. ; [pɔtase].

**POTASSIQUE, adj.**
Qui contient du potassium. 1826 ; ☞ *potasse* ; [pɔtasik].

**POTASSIUM, subst. m.**
*Chim.* Élément nº 19 de la table de Mendeleïev (symb. : K) ; masse atomique : 39,102 ; point de fusion : 63,65 °C ; point d'ébullition : 770 °C ; masse volumique : 0,86 g/cm³. C'est un métal alcalin, malléable, essentiel à l'équilibre hydro-électrique des liquides biologiques. 1808 ; angl. *potash*, « potasse » ; [pɔtasjɔm].

**POT-AU-FEU, subst. m. inv.**
Mets à base de viande de bœuf bouillie avec des légumes et souvent un os à moelle ; par méton., les morceaux de viande servant à le préparer. ▸ Empl. adj. inv. Attaché à son foyer, casanier (fam.). 1673 ; comp. de *pot* et de *feu* (I) ; [pɔtofø].

**POT-DE-VIN, subst. m.**
Argent ou cadeau donné en secret à qqn pour en obtenir quelque avantage. 1483 ; comp. de *pot* et de *vin* ; plur. *pots-de-vin* ; [pod(ə)vɛ̃].

**POTE, subst.**
Ami, camarade (fam.). 1898 ; apocope de *poteau* ou breton *paotr*, « ami » ; [pɔt].

**POTEAU, subst. m.**
**1.** Pièce verticale de charpente servant à maintenir ou à porter : *Un **poteau** de mine.* **2.** Toute pièce dressée à la verticale et servant de support : ***Poteau** télégraphique* ; ***Poteau** indicateur*, qui porte un panneau d'information ; ***Poteau** d'exécution*, auquel on attache une personne qui va être fusillée. **3.** Fig. Ami, camarade (pop.). **4.** *Sp.* ▸ Pieu fiché dans le sol marquant le départ ou l'arrivée d'une épreuve. ▸ Loc. *Coiffer qqn au, sur le **poteau*** : le battre de justesse. ▸ Chacune des barres verticales délimitant l'espace d'un but. Fin xiiᵉ s. ; anc. fr. *post*, du lat. *postis*, « jambage de bois » ; [poto].

**POTÉE, subst. f.**
**1.** Contenu d'un pot (rare) ; par anal., grande quantité (fam.). **2.** *Cuis.* Plat composé de viandes et de légumes mijotés : ***Potée** aux choux, auvergnate.* **3.** *Métall.* Mélange à base d'argile entrant dans la fabrication des moules de fonderie. **4.** *Techn.* Préparation à base de poudre ou de pâte abrasive, utilisée pour le ponçage et le polissage : ***Potée** d'étain* ; ***Potée** d'émeri.* Déb. xiiiᵉ s. ; ☞ *pot* ; [pɔte].

**POTELÉ, ÉE, adj.**
Qui a des formes rondes, qui est dodu : *Angelots **potelés*** ; *Mains **potelées**.* Déb. xiiiᵉ s. ; *pote* (vx), « gros, enflé » ; [pɔt(ə)le].

**POTENCE, subst. f.**
**1.** Support en bois ou en métal, fait d'un montant vertical surmonté d'une traverse horizontale. **2.** Anal. Instrument de pendaison, gibet ; par méton., le supplice lui-même : *Villon fut condamné à la **potence**.* xivᵉ s. (fin xiiᵉ s., béquille) ; lat. *potentia*, « puissance » ; [pɔtɑ̃s].

**POTENCÉ, ÉE, adj.**
*Hérald.* Dont les extrémités se terminent en T : *Croix **potencée** de Jérusalem.* 1456 ; ☞ *potence* ; [pɔtɑ̃se].

**POTENTAT, subst. m.**
**1.** Souverain absolu d'un grand État. **2.** Ext. ▸ Prince despotique. ▸ Personnage disposant d'une autorité, d'une influence excessives : *Les **potentats** du pétrole.* 1554 (fin xivᵉ s., gouvernement autocratique) ; lat. médiév. *potentatus*, du lat. *potens*, « puissant » ; [pɔtɑ̃ta].

**POTENTIALISER, verbe trans. [3]**
**1.** *Pharm.* Renforcer l'action de (un remède). **2.** Anal. Accentuer l'effet, la puissance de (qqch.). 1943 ; ☞ *potentiel* ; [pɔtɑ̃sjalize].

**POTENTIALITÉ, subst. f.**
État de ce qui est potentiel ; par méton., chose potentielle. 1869 ; ☞ *potentiel* ; [pɔtɑ̃sjalite].

**POTENTIEL, ELLE, adj. et subst. m.**
**Adj. 1.** Qui existe en puissance : *Ressources **potentielles*** ; *Client **potentiel**.* ▸ *Philos.* Virtuel (anton. *actuel*). **2.** *Gramm.* *Mode **potentiel*** : forme verbale exprimant, dans une phrase hypothétique, l'action qui aurait lieu si sa condition était réalisée (par ex. : « S'il faisait beau, nous sortirions »). **3.** *Phys.* *Énergie **potentielle*** : énergie qu'un système peut virtuellement produire si la position de certains de ses éléments est modifiée. **Subst. 1.** Ensemble des ressources que peut mobiliser un individu, un pays ou un système de production : ***Potentiel** militaire.* **2.** *Électr.* ▸ Grandeur, mesurée en volts, caractérisant les corps électrisés dans un champ électrique. ▸ *Différence de **potentiel*** : tension. **3.** *Phys.* ***Potentiel** nucléaire* : énergie que possède en puissance un nucléon selon son état quantique. xvᵉ s. ; lat. *potentialis*, de *potentia*, « puissance » ; [pɔtɑ̃sjɛl].

**POTENTILLE, subst. f.**
*Bot.* Plante de la famille des Rosacées, aux propriétés médicinales. 1605 ; lat. sc. *potentilla*, du lat. *potens*, « puissant » ; [pɔtɑ̃tij].

**POTENTIOMÈTRE, subst. m.**
*Phys.* Appareil servant à mesurer des différences de potentiel. 1883 ; ☞ *potentiel* + *-mètre*¹ ; [pɔtɑ̃sjɔmɛtʀ].

**POTERIE, subst. f.**
**1.** Fabrication d'objets en terre cuite. **2.** Méton. ▸ Objet ainsi produit. ▸ Atelier du potier. **3.** Anal. Vaisselle en métal : ***Poterie** d'étain.* **4.** *Techn.* Canalisation en terre cuite. 1260 ; ☞ *pot* ; [pɔtʀi].

*Atelier de poterie au Mexique.*

**POTERNE, subst. f.**
Porte dérobée, percée dans l'enceinte d'une fortification. Mil. xiiᵉ s. ; anc. fr. *posterle*, du bas lat. *posterula*, « porte de derrière » ; [pɔtɛʀn].

**POTESTATIF, IVE, adj.**
*Dr.* Qui dépend de la volonté des parties contractantes. 1804 (1569, qui confère un pouvoir) ; bas lat. *potestativus*, « investi du pouvoir » ; [pɔtɛstatif, iv].

**POTICHE, subst. f.**
**1.** Grand vase d'ornement, gén. en porcelaine. **2.** Fig. Personne dont le rôle est purement honorifique (fam.). 1845 ; ☞ *pot* ; [pɔtiʃ].

**POTIER, IÈRE, subst.**
Artisan qui fabrique, vend de la poterie. xiiᵉ s. ; ☞ *pot* ; [pɔtje, jɛʀ].

**POTIMARRON, subst. m.**
*Bot.* Courge orangée au goût rappelant celui de la châtaigne. 1984 ; crois. de *potiron* et de *marron* (I) ; [pɔtimaʀɔ̃].

**POTIN, subst. m.**
Fam. **1.** Commérage, cancan (gén. au plur.). **2.** Ext. Tapage, bruit. 1811 ; norm. *potin*, de *potiner*, « bavarder », prob. de *potine*, « chaufferette » ; [pɔtɛ̃].

**POTINER, verbe intrans. [3]**
Faire des potins (fam.). 1866 ; ☞ *potin* ; [pɔtine].

**POTION, subst. f.**
**1.** *Pharm.* Préparation liquide. **2.** ***Potion** magique* : breuvage aux pouvoirs extraordinaires ou, au fig., solution miracle. Déb. xiiiᵉ s. ; lat. *potio*, « boisson » ; [posjɔ̃].

© A. Berg/Spooner-Gamma

*Potirons géants.*

**POTIRON,** subst. m.
*Bot.* Grosse courge comestible. 1651 (1476, gros champignon) ; p.-ê. syriaque *pâtûrtâ*, « morille » ; [pɔtiʀɔ̃].

**POTLATCH,** subst. m.
*Anthropol.* Cérémonie rituelle, pratiquée en partic. par certains Amérindiens du Nord, consistant pour un groupe à faire des dons à un autre groupe, symboliquement rival, le défiant ainsi d'en offrir au moins autant en retour. 1936 ; nootka (langue amérindienne du Nord) *patshatl*, « don » ; [pɔtlatʃ].

**POTOMANIE,** subst. f.
*Pathol.* Besoin de boire souvent et en grandes quantités. V. 1920 ; gr. *potos*, « boisson », + *-manie* ; [pɔtɔmani].

**POTOMÈTRE,** subst. m.
Appareil utilisé pour mesurer la quantité d'eau absorbée par une plante. Mil. XXe s. ; gr. *potos*, « boisson », + *-mètre*[1] ; [pɔtɔmɛtʀ].

**POT-POURRI,** subst. m.
**1.** Vx. *Cuis.* Ragoût. **2.** Mélange disparate. ► *Mus.* Morceau fait d'emprunts divers. ► *Litt.* Assemblage de textes hétéroclites. **3.** Mélange de fleurs séchées et d'épices servant à parfumer du linge, une pièce ; par ext., vase contenant ce mélange. 1564 ; comp. de *pot* et de *pourrir* ; plur. *pots-pourris* ; [popuʀi].

**POTRON-JACQUET,** subst. m.
Potron-minet (vx). 1640 ; anc. fr. *poitron*, « cul », et *jacquet* (vx), « écureuil » ; plur. inus. ; [pɔtʀɔ̃ʒakɛ].

**POTRON-MINET,** subst. m.
Aube (littér.). ► Loc. *Dès potron-minet* : de bon matin, de très bonne heure. 1835 ; comp. de l'anc. fr. *poitron*, « cul », et de *minet* ; plur. inus. ; [pɔtʀɔ̃minɛ].

**POTTO,** subst. m.
*Zool.* Lémurien d'Afrique équatoriale, de la famille des Lorisidés, arboricole et herbivore, à la queue et aux membres courts. 1896 ; angl. *potto*, d'une langue de Guinée ; [pɔto].

**POTTOCK,** subst. m.
Poney du Pays basque. 1968 ; mot basque ; var. *pottok* ; [pɔtɔk].

**POU,** subst. m.
*Zool.* **1.** Insecte aptère parasite, de l'ordre des Anoploures. Le **pou** de l'homme se nourrit de sang et se loge dans les cheveux (**pou** de tête) ou dans le linge (**pou** de corps). ► Loc. *Laid, sale, excité comme un* **pou** : à l'extrême ; *Chercher des* **poux** *à qqn* : lui chercher querelle pour des vétilles. **2.** Parasite de diverses espèces : **Pou** *de chien*, tique ; **Pou** *de San José*, cochenille qui s'attaque aux vergers. XIIe s. ; lat. pop. °*peduculus*, du lat. *pediculus* ; plur. *poux* ; [pu].

**POUAH,** interj.
Exprime le dégoût. 1668 ; onomat. ; [pwa].

**POUBELLE,** subst. f.
Boîte dans laquelle on dépose les ordures ménagères. 1890 ; anthropon. *Eugène René Poubelle*, préfet de la Seine à la fin du XIXe s. ; [pubɛl].

**POUCE,** subst. m.
**I. 1.** *Anat.* Le plus court des doigts de la main, opposable aux autres doigts chez les primates et l'homme, qui ne compte que deux phalanges ; par anal., le gros orteil. ► Empl. interj. **Pouce** ! : marque une volonté de suspendre qqch., chez les enfants. **2.** Québ. Auto-stop. **3.** Loc. *Mettre les* **pouces** : accepter la défaite ; *Manger sur le* **pouce** : à la hâte et sans s'attabler ; *Se tourner les* **pouces** : rester oisif ; *Donner un coup de* **pouce** *à* (☞ *coup*). **II. 1.** *Métrol.* ► Ancienne mesure de longueur, qui valait environ 27 mm. ► Au Canada, douzième partie du pied, soit 25,4 mm. **2.** Ext. Mesure infime : *Ne pas céder un* **pouce** *de terrain.* ► Loc. *Ne pas bouger d'un* **pouce** : rester immobile ou, au fig., camper sur ses positions. Déb. XIIe s. ; lat. *pollex* ; [pus].

**POUCE-PIED,** subst. m.
*Zool.* Crustacé marin comestible, voisin de l'anatife. 1558 ; comp. de *pouce* et de *pied* ; plur. *pouces-pieds* ; [puspje].

**POUCIER,** subst. m.
**1.** Doigtier servant à protéger le pouce. **2.** Partie du loquet sur laquelle on appuie pour ouvrir une porte. 1530 ; ☞ *pouce* ; [pusje].

**POU-DE-SOIE,** voir **POUT-DE-SOIE**

**POUDING,** voir **PUDDING**

**POUDINGUE,** subst. m.
*Pétrogr.* Conglomérat de galets. 1753 ; angl. *pudding-stone*, « pierre pudding » ; [pudɛ̃g].

**POUDRAGE,** subst. m.
Action de poudrer. 1926 ; ☞ *poudrer* ; [pudʀaʒ].

**POUDRE,** subst. f.
**1.** Vx. Poussière : *La* **poudre** *des chemins.* ► Loc. *Jeter de la* **poudre** *aux yeux* : déployer des artifices pour éblouir. **2.** Substance très finement broyée : **Poudre** *à laver* ; *Sucre en* **poudre**. ► Loc. **Poudre** *de perlimpinpin* (☞ *perlimpinpin*). **3.** Anal. Substance pulvérulente utilisée pour unifier le teint. **4.** Substance pulvérulente explosive, déflagrante, utilisée notamment dans les armes à feu : **Poudre** *à canon.* ► Loc. *Faire parler la* **poudre** : en venir aux armes ; *Mettre le feu aux* **poudres** : déclencher un conflit latent ; *Se répandre comme une traînée de* **poudre** : très vite, en parlant d'une nouvelle ; *Ne pas avoir inventé la* **poudre** (☞ *inventer*). Fin XIe s. ; lat. *pulvis* ; [pudʀ].

**POUDRER,** verbe trans. [3]
**1.** Vx. Réduire en poussière. **2.** Couvrir de poudre. 1210 ; ☞ *poudre* ; [pudʀe].

**POUDRERIE,** subst. f.
**1.** Vx. Marchandise en poudre. **2.** Fabrique d'explosifs. **3.** Québ. Neige fraîche balayée par le vent. XVe s. ; ☞ *poudre* ; [pudʀəʀi].

**POUDRETTE,** subst. f.
*Agric.* Engrais fait à partir de déchets de vidange réduits en poudre. 1690 ; ☞ *poudre* ; [pudʀɛt].

**POUDREUSE,** subst. f.
**1.** Meuble servant à la toilette féminine. **2.** Sucrier à couvercle percé de trous. **3.** *Agric.* Machine servant à répandre des matières pulvérulentes. 1923 ; ☞ *poudrer* ; [pudʀøz].

**POUDREUX, EUSE,** adj.
**1.** Poussiéreux (littér.) : *Bottes, archives* **poudreuses**. **2.** Qui a l'aspect de la poudre : *Neige* **poudreuse** ou, empl. subst. fém., **Poudreuse**, neige fine fraîchement tombée. Fin XIe s. ; ☞ *poudre* ; [pudʀø, øz].

**POUDRIER, IÈRE,** subst.
**Fém. 1.** Vx. Nuage de poussière. **2.** Dépôt de poudre à explosifs. **3.** Fig. Région, pays où règnent des tensions susceptibles de dégénérer. **Masc. 1.** Poussière (vx). **2.** Fabricant de poudre explosive. **3.** Boîte contenant de la poudre, en partic. pour le maquillage. Mil. XIIe s. ; ☞ *poudre* ; [pudʀije, jɛʀ].

**POUDRIN,** subst. m.
**1.** *Mar.* Embrun. **2.** Can. (Terre-Neuve). Pluie ou neige très fine. 1665 ; ☞ *poudre* ; [pudʀɛ̃].

**POUDROIEMENT,** subst. m.
Effet de ce qui poudroie. 1606 ; ☞ *poudroyer* ; [pudʀwamɑ̃].

**POUDROYER,** verbe intrans. [17]
**1.** Dégager de la poussière : *Le chemin* **poudroie**. **2.** Faire scintiller les poussières en suspension dans l'air, en parlant du soleil ; miroiter à la lumière (littér.). 1377 ; ☞ *poudre* ; [pudʀwaje].

**POUF (I),** interj. et subst. m.
**Interj.** Exclamation imitant le bruit d'une chute : *Pouf ! par terre !* **Subst. 1.** *Ameubl.* Gros coussin servant de siège. **2.** *Cost.* Tournure qui faisait bouffer une jupe par-derrière. 1458 ; onomat. ; [puf].

**POUF (II),** subst. m.
Belg. Dette impayée. ► Loc. *À* **pouf** : à crédit ; au hasard. 1723 ; orig. obsc. ; [puf].

**POUFFER,** verbe intrans. [3]
**Pouffer** *(de rire)* : éclater d'un rire que l'on cherche à contenir. 1733 (1530, souffler, en parlant du vent) ; ☞ *pouf* (I) ; [pufe].

**POUFFIASSE,** subst. f.
Vulg. **1.** Prostituée (vieilli). **2.** Ext. Femme vulgaire (péj.). 1859 ; ☞ *pouf* (I) ; var. *poufiasse* ; [pufjas].

**POUILLARD,** subst. m.
*Chasse.* Jeune perdreau ou jeune faisan. 1867 ; ☞ *pouillot* ; [pujaʀ].

**POUILLÉ,** subst. m.
*Hist.* Relevé des biens et des rentes ecclésiastiques d'un diocèse, d'une abbaye, d'une cure, etc. 1624 ; anc. fr. *pouille*, « registre de comptes », du bas lat. *polypticha*, « registres » ; [puje].

**POUILLERIE,** subst. f.
**1.** Vx. Groupe de gens couverts de poux. **2.** Ext. ► Extrême pauvreté. ► Endroit misérable et sale (fam.). 1376 ; *pouil*, anc. forme de *pou* ; [pujʀi].

**POUILLES,** subst. f. plur.
Vx. Injures, reproches. ► Loc. *Chanter* **pouilles** *à qqn* : l'injurier. 1574 ; *pouiller* (vx), « injurier » ; [puj].

**POUILLEUX, EUSE,** adj. et subst.
**1.** Se dit d'une personne couverte de poux : *Un mendiant* **pouilleux**. **2.** Se dit d'une personne qui est dans la misère. **Adj. 1.** Misérable, sordide : *Façade* **pouilleuse**. **2.** *Géogr.* Stérile : *La Champagne* **pouilleuse**. **Subst. masc.** *Jeux.* Aux cartes, valet de pique. Fin XIIe s. ; *pouil*, anc. forme de *pou* ; [pujø, øz].

**POUILLOT,** subst. m.
*Zool.* Oiseau passériforme de la famille des Muscicapidés, proche de la fauvette, au plumage verdâtre ou brunâtre. Fin XIIe s. ; anc. fr. *poille*, « poule », du lat. pop. °*pullius*, du lat. *pullus*, « poulet » ; [pujo].

**POUILLY,** subst. m.
**1.** Vin blanc sec de Pouilly-sur-Loire (Nièvre). **2.** **Pouilly-fuissé** : vin blanc sec du Mâconnais. 1842 ; topon. *Pouilly* ; [puji].

**POUJADISME,** subst. m.
**1.** Doctrine politique française de droite, issue de l'Union de défense des commerçants et artisans, fondée en 1953. **2.** Souv. péj. Courant corporatiste, opposé aux changements socio-économiques ; attitude de celui qui le suit. 1956 ; anthropon. *Pierre Poujade*, homme politique ; [puʒadism].

**POUJADISTE,** subst. et adj.
**Subst.** Partisan du poujadisme. **Adj.** Relatif, propre ou favorable au poujadisme. 1956 ; ☞ *poujadisme* ; [puʒadist].

**POULAILLER,** subst. m.
**1.** Local conçu pour l'élevage des volailles ; par méton., la volaille qu'il abrite. **2.** La plus haute galerie d'un théâtre (fam.). 1389 (1260, marchand d'œufs ou de volaille) ; région. *poulaille*, « volaille » ; [pulaje].

**POULAIN,** subst. m.
**1.** Jeune cheval âgé de moins de trois ans, en partic. de sexe mâle ; par méton., sa peau. **2.** Fig. Débutant dans une carrière, qui bénéficie du soutien d'une personne influente. **3.** *Techn.* Appareil en bois, en forme d'échelle, servant au déplacement de charges, en partic. de tonneaux. **4.** *Mar.* Arc-boutant qui maintient un navire en place. Déb. XIIe s. ; bas lat. *pullamen*, « petit d'un animal » ; [pulɛ̃].

**POULAINE,** subst. f.
**1.** *Soulier à la* **poulaine** ou, par ell., *Une* **poulaine** : chaussure très pointue, souvent recourbée, que l'on portait aux XIVe et XVe s. **2.** *Mar.* Plate-forme triangulaire saillant à l'avant des anciens navires. 1365 ; anc. fr. *poulain*, « polonais » ; [pulɛn].

**POULARDE,** subst. f.
Jeune poule engraissée : **Poularde** *de Bresse.* 1562 ; ☞ *poule* (I) ; [pulaʀd].

**POULBOT,** subst. m.
Enfant pauvre de Montmartre (vieilli). 1918 ; anthropon. *Francisque Poulbot*, dessinateur ; [pulbo].

**POULE (I),** subst. f.
**I.** *Zool.* **1.** Femelle du coq de basse-cour (gallinacé) élevée pour sa chair et ses œufs. ► *Cuis.* **Poule** *au pot* bouillie et servie avec du riz. ► Loc. *Se coucher avec les* **poules** : très tôt ; **Poule** *mouillée* : personne poltronne ; *Mère, père* **poule** : qui surprotège ses enfants ; **Poule** *aux œufs d'or* : source durable de profit, de richesse ; *Chair de* **poule** (☞ *chair*) ; *Quand les* **poules** *auront des dents* (☞ *dent*). **2.** Femelle de certains autres gallinacés : **Poule** *faisane.* **3.** Oiseau de certaines espèces : **Poule** *d'eau*, échassier des roseaux ; **Poule** *des bois*, gélinotte ; **Poule** *d'Afrique, de Barbarie, de Guinée*, pintade. **II. 1.** Terme d'affection, adressé à une femme (fam.). **2.** Pop. Femme légère. ► Maîtresse d'un homme marié (vieilli). XIIIe s. ; lat. *pulla*, de *pullus*, « petit d'un animal » ; [pul].

**POULE (II),** subst. f.
**1.** *Jeux.* Enjeu d'une partie : *Gagner la* **poule**. **2.** *Turf* **Poule** *d'essai* : épreuve réunissant, sur 1 600 m, des

poulains qui courent pour la première fois. **3.** *Sp.* Série de rencontres où chaque compétiteur affronte successivement tous les autres ; groupe d'équipes destinées à se rencontrer. 1665 ; orig. obsc. ; [pul].

**POULET, ETTE, subst.**
**Masc. 1.** Petit de la poule. **2.** Jeune poule ou coq, élevé pour sa chair ; cette chair, cuisinée : ***Poulet** basquaise.* **3.** Fig. et Fam. ▸ Billet doux (vieilli). ▸ Terme affectueux. ▸ Policier. **Fém. 1.** Jeune poule. **2.** Jeune fille ou femme (fam.). **3.** *Cuis. Sauce (à la)* ***poulette*** : à base de beurre, de jaune d'œuf et de vinaigre. 1228 ; ☞ *poule* (I) ; [pulɛ, ɛt].

**POULICHE, subst. f.**
Jeune jument âgée de moins de trois ans. Fin XVIe s. ; var. norm.-pic. de *pouline*, anc. fém. de *poulain* ; [puliʃ].

**POULIE, subst. f.**
Roue tournant autour d'un axe, à la jante pourvue d'une rainure dans laquelle on place une corde ou un câble pour faciliter la traction ou le levage d'une charge. Mil. XIIe s. ; lat. pop. °*polidia*, du gr. tardif °*polidion*, du gr. *polos*, « pivot » ; [puli].

**POULINER, verbe intrans.** [3]
Mettre bas, en parlant d'une jument. Déb. XIIe s. ; *poulin*, anc. forme de *poulain* ; [puline].

**POULINIÈRE, adj. f. et subst. f.**
Se dit d'une jument destinée à la reproduction. 1651 ; ☞ *pouliner* ; [pulinjɛʀ].

**POULIOT (I), subst. m.**
*Bot.* Menthe commune, utilisée comme stimulant. Fin XIe s. ; lat. pop. °*puleium* ; [puljo].

**POULIOT (II), subst. m.**
Petit treuil fixé à l'horizontale, servant à tendre une corde pour maintenir le chargement d'un chariot. 1877 (fin XIVe s., rouet de poulie) ; ☞ *poulie* ; [puljo].

**POULPE, subst. m.**
*Zool.* Pieuvre de petite taille. 1538 ; prov. *poupe*, du lat. *polypus*, « tumeur du nez ; mollusque » ; [pulp].

**POULS, subst. m.**
*Physiol.* Battement des artères, dû aux contractions cardiaques, gén. perceptible sur la surface antérieure du poignet. ▸ Loc. *Prendre, tâter le **pouls** de qqch.* : estimer son état pour prévoir son évolution. Mil. XIIe s. ; lat. *pulsus*, « battement » ; [pu].

**POULT-DE-SOIE, voir POUT-DE-SOIE**

**POUMON, subst. m.**
**1.** *Anat.* Chacun des deux organes de la fonction respiratoire situés dans le thorax. ▸ Loc. *Cracher ses **poumons*** : tousser beaucoup (fam.) ; *Crier à pleins **poumons*** : à pleine voix. **2.** *Méd. **Poumon** d'acier* ou *artificiel* : appareil qui suppléait la défaillance motrice des **poumons**, auj. remplacé par le respirateur. **3.** Fig. Lieu qui permet le renouvellement de l'oxygène ; par ext., espace vert d'une ville : *Le bois de Boulogne, **poumon** de Paris.* Fin XIe s. ; lat. *pulmo* ; [pumɔ̃].

**POUPARD, ARDE, subst. m. et adj.**
**Subst. 1.** Bébé gras et joufflu (vieilli). **2.** Poupée figurant un bébé (vx). **Adj.** Joufflu : *Figure **pouparde**.* Déb. XIIIe s. ; lat. pop. °*puppa*, du lat. *pupa*, « petite fille ; poupée » ; [pupaʀ, aʀd].

**POUPE, subst. f.**
*Mar.* Arrière d'un navire. ▸ Loc. *Avoir le vent en **poupe*** : être poussé vers la réussite. 1246 ; génois *poppa*, du lat. pop. °*puppa*, du lat. *puppis* ; [pup].

*Collection de **poupées** anciennes.*


**POUPÉE, subst. f.**
**1.** Figurine humaine à usage ludique ou décoratif : *Jouer à la **poupée**.* **2.** Ext. Petit mannequin sur lequel on présente des accessoires de mode. **3.** Anal. ▸ Jeune fille ou femme fraîche et coquette. ▸ Femme légère et futile, voire un peu sotte (péj.). **4.** Pansement entourant un doigt. **5.** *Mécan.* Sur une machine-outil, support qui maintient les pièces à usiner ou en guide la rotation. ▸ *Mar.* Cylindre d'un treuil. **6.** Cigare qui n'a pas reçu sa cape. 1265 ; lat. pop. °*puppa*, du lat. *pupa* ; [pupe].

**POUPIN, INE, adj.**
Qui a les traits ronds et la peau lisse ; par méton. : *Visage **poupin**.* 1496 ; ☞ *poupée* ; [pupɛ̃, in].

**POUPON, subst. m.**
**1.** Bébé. **2.** Anal. Poupée figurant un bébé. 1534 ; ☞ *poupard* ; [pupɔ̃].

**POUPONNER, verbe intrans.** [3]
Choyer un bébé, s'en occuper maternellement (fam.). 1810 ; ☞ *poupon* ; [pupɔne].

**POUPONNIÈRE, subst. f.**
Lieu où l'on garde, jour et nuit, de jeunes enfants. 1892 (1851, parc) ; ☞ *poupon* ; [pupɔnjɛʀ].

**POUR, prép. et subst. m. inv.**
**Prép. 1.** Marque la cause : *Condamné **pour** meurtre.* **2.** Marque la concession (littér.). ▸ Suivi d'un adjectif : ***Pour** fort que tu sois, je ne te crains pas.* ▸ Suivi d'un infinitif : ***Pour** être riche, il n'en est pas moins simple.* **3.** Exprime la conséquence : *Il fait trop froid **pour** sortir.* **4.** Marque l'échange, l'équivalence et, par ext., la proportion. ▸ En échange de : *Acheter qqch. **pour** une bouchée de pain.* ▸ À la place de : *Payer **pour** les autres.* ▸ En tant que : *Être pris **pour** un sot.* ▸ Par rapport à, eu égard à : *Grand **pour** son âge.* ▸ Indication de proportion : *Un taux à six **pour** cent.* **5.** Marque la destination, le but, l'intention, etc. ▸ À destination de : *Partir **pour** Rome.* ▸ En vue de : *Fuir **pour** sauver sa peau.* ▸ D'une durée de, pendant : ***Pour** trois jours.* ▸ En faveur de : *C'est **pour** ton bien* ; *Être **pour**,* favorable à. **Subst.** Le côté favorable : *Le **pour** et le contre.* 842 ; lat. *pro* ; [puʀ].

**POURBOIRE, subst. m.**
Petite somme d'argent versée à titre de gratification par un client, en plus du prix d'un service. 1740 ; formé de *pour* et de *boire* ; [puʀbwaʀ].

**POURCEAU, subst. m.**
Porc (vieilli ou littér.). Déb. XIIe s. ; lat. *porcellus*, dimin. de *porcus*, « porc » ; [puʀso].

**POURCENTAGE, subst. m.**
**1.** Taux d'intérêt calculé sur un capital de cent unités. **2.** Proportion d'une grandeur, d'une quantité, évaluée en centièmes par rapport à une autre : *Le **pourcentage** d'abstentions* ; en partic., commission proportionnelle à un chiffre d'affaires : *Être rétribué au **pourcentage**.* 1872 ; *pour-cent* (vieilli), formé de *pour* et de *cent* (I) ; [puʀsɑ̃taʒ].

**POURCHASSER, verbe trans.** [3]
Poursuivre (qqn) ou rechercher (qqch.) avec obstination. Fin XIe s. ; ☞ *chasser* + *pour-* ; [puʀʃase].

**POURFENDEUR, EUSE, subst.**
Personne qui pourfend (littér. et iron.). 1779 ; ☞ *pourfendre* ; [puʀfɑ̃dœʀ, øz].

**POURFENDRE, verbe trans.** [51]
**1.** Vx. Fendre d'un coup (littér.). **2.** Fig. Attaquer vivement. Mil. XIIe s. ; ☞ *fendre* + *pour-* ; [puʀfɑ̃dʀ].

**POURLÈCHE, voir PERLÈCHE**

**POURLÉCHER, verbe trans.** [8]
Lécher avec application (vx). **Pronom.** Passer sa langue sur ses lèvres à la perspective de se régaler ou, au fig., de se réjouir (fam.) : *Se **pourlécher** les babines.* XVe s. ; ☞ *lécher* + *pour-* ; [puʀleʃe].

**POURPARLERS, subst. m. plur.**
Discussions menées entre plusieurs parties en vue d'aboutir à un accord. Mil. XIIe s. ; *pourparler* (vx), « discuter pour négocier », de *parler* (I) + *pour-* ; [puʀpaʀle].

**POURPIER, subst. m.**
*Bot.* Plante charnue de la famille des Portulacacées, aux petites fleurs vivement colorées et dont une espèce est consommée en salade. Fin XIe s. ; lat. pop. °*pullipedem*, de °*pullipes*, du lat. *pullus*, « poulet », et *pes*, « patte » ; [puʀpje].

**POURPOINT, subst. m.**
*Cost.* Vêtement masculin ajusté, couvrant le torse, en usage du XIIe au XVIIe s. Déb. XIIIe s. ; anc. fr. *porpoint*, « piqué, brodé » ; [puʀpwɛ̃].

**POURPRE, subst. et adj.**
**Subst. fém. 1.** Vx. Vêtement somptueux, rouge foncé ; en partic., manteau du souverain ; par méton., son pouvoir. ▸ *Antiq. Recevoir la **pourpre*** : la dignité impériale. ▸ *Cath. La **pourpre** romaine* (ou *cardinalice*) : la dignité de cardinal. **2.** Teinture rouge extraite du murex ; couleur rouge vif. **Subst. masc. 1.** Couleur rouge foncé, tirant sur le violet. **2.** *Zool.* Mollusque gastéropode marin, de la famille des Muricidés, dont la coquille donne une teinture analogue à celle du murex. **3.** *Anat. Pourpre rétinien* : rhodopsine. **Adj.** Qui est d'un rouge foncé intense ; au fig. : *Devenir **pourpre**,* rougir. Fin Xe s. ; lat. *purpura*, du gr. *porphura* ; [puʀpʀ].

**POURPRÉ, ÉE, adj.**
De couleur pourpre (littér.) : *Les plis de sa robe **pourprée*** (Ronsard). 1552 ; ☞ *pourpre* ; [puʀpʀe].

**POURQUOI, adv. et subst. m. inv.**
**Adv. 1.** Pour quelle raison : *Il est parti sans que l'on sache **pourquoi**.* ▸ Interrogation directe : ***Pourquoi** pas moi ?* ▸ Interrogation indirecte : *Je lui ai demandé **pourquoi** il riait.* **2.** Précédé de « voici », de « voilà » ou de « c'est », annonce la conséquence de ce qui vient d'être dit : *Je me meurs, c'est **pourquoi** je vous ai fait venir.* **Subst. 1.** Cause, motif : *Saisir le **pourquoi** des choses.* **2.** Question : *Je ne peux répondre à tous ces **pourquoi**.* Mil. XIe s. ; formé de *pour* et de *quoi* ; [puʀkwa].

**POURRI, IE, adj.**
**1.** Altéré par la pourriture : *Aliment **pourri*** ; empl. subst. masc., partie **pourrie** de qqch. **2.** Pluvieux (fam.) : *Quel temps **pourri** !* **3.** Fig. Moralement corrompu ; empl. subst. : *Bande de **pourris** !* ▸ *Enfant **pourri*** : trop gâté. **4.** Détestable, infect (fam.) : *Un patelin **pourri**.* **5.** Loc. *Être **pourri** de qqch.* : en avoir à profusion (fam.). XIIe s. ; p. p. de *pourrir* ; [puʀi].

**POURRIDIÉ, subst. m.**
*Bot.* Maladie de nombreuses plantes herbacées ou ligneuses, entraînant le pourrissement des racines. 1874 ; prov. *pourridié*, « pourriture » ; [puʀidje].

**POURRIR, verbe** [19]
**Intrans. 1.** S'altérer, se décomposer sous l'action de micro-organismes : *Ces fruits **pourrissent** sur l'arbre* ; au fig. : *Laisser **pourrir** la situation,* la laisser se dégrader. **2.** Demeurer (dans une situation pénible) : ***Pourrir** en prison.* **Trans. 1.** Altérer, abîmer : *L'humidité **pourrit** le bois.* **2.** Fig. ▸ Gâter moralement : *Le succès l'a **pourri**.* ▸ Gâter à l'excès (fam.) : *Sa mère le **pourrit**.* Mil. XIe s. ; lat. pop. °*putrire*, du lat. *putrescere* ; [puʀiʀ].

**POURRISSAGE, subst. m.**
*Techn.* **1.** Macération de chiffons dans l'eau, à partir desquels on fabrique une pâte à papier. **2.** Traitement des pâtes céramiques utilisant leur fermentation à l'humidité. 1781 ; ☞ *pourrir* ; [puʀisaʒ].

**POURRISSEMENT, subst. m.**
**1.** État d'une chose qui pourrit, putréfaction. **2.** Fig. Détérioration progressive : *Le **pourrissement** d'une grève.* XVe s. ; ☞ *pourrir* ; [puʀismɑ̃].

**POURRISSOIR, subst. m.**
**1.** *Techn.* Local où s'effectuait le pourrissage. **2.** Lieu de pourrissement, de dégradation (littér.). 1721 ; ☞ *pourrir* ; [puʀiswaʀ].

**POURRITURE, subst. f.**
**1.** Vx. Gangrène. **2.** Décomposition d'une substance organique ; état qui en résulte. **3.** Fig. ▸ Corruption morale : *La **pourriture** d'un régime.* ▸ Personne pourrie (très péj.). **4.** *Agric.* Maladie cryptogamique ou bactérienne. Déb. XIIe s. ; ☞ *pourrir* ; [puʀityʀ].

**POUR-SOI, subst. m. inv.**
*Philos.* Caractère de l'existence de l'homme en tant qu'il est conscient de son individualité propre ; en partic., chez Sartre, la conscience en tant que son être est constitué par la liberté absolue qui la caractérise, par oppos. à l'en-soi des choses. 1907 ; comp. de *pour* et de *soi* ; [puʀswa].

**POURSUITE, subst. f.**
**1.** *Dr.* Fait de saisir les autorités judiciaires pour obtenir réparation ou pour faire condamner un coupable. **2.** Action de continuer pour mener à bien (qqch.) : *La **poursuite** des opérations.* **3.** Action de courir après (qqn, qqch.) : ***Poursuite** du gibier* ; au fig., quête : *La **poursuite** d'un idéal.* **4.** *Sp.* Course-poursuite. 1247 ; ☞ *poursuivre* ; [puʀsɥit].

**POURSUITEUR, EUSE, subst.**
Coureur cycliste spécialiste des courses-poursuites. 1932 ; ☞ *poursuite* ; [puʀsɥitœʀ, øz].

**POURSUIVANT, ANTE, subst.**
Personne qui poursuit. 1424 ; p. pr. de *poursuivre* ; [puʀsɥivɑ̃, ɑ̃t].

**POURSUIVRE,** verbe trans. [62]
1. Suivre pour rattraper. 2. Fig. Chercher à atteindre : *Poursuivre la gloire.* 3. Continuer de suivre : *Poursuivre sa route, ses études* ; empl. abs., continuer (de dire) : *Poursuivez, je vous écoute.* 4. Harceler : *Être poursuivi par ses créanciers* ; importuner : *Poursuivre une femme de ses assiduités.* ▸ Fig. Hanter, obséder : *Ce rêve le poursuit.* 5. Dr. Attaquer en justice. Mil. XIIe s. ; bas lat. *prosequi* ; [puʀsɥivʀ].

**POURTANT,** adv.
Marque la contradiction apparente entre deux faits qui sont liés (synon. *toutefois, cependant*) : *Et pourtant, elle tourne* (Galilée). Mil. XIIe s. ; formé de *pour* et de *tant* ; [puʀtɑ̃].

**POURTOUR,** subst. m.
Ligne ou espace entourant un volume, une surface. ▸ *Archéol.* *Pourtour du chœur* : déambulatoire. 1400 ; anc. fr. *portorner*, « se tourner » ; [puʀtuʀ].

**POURVOI,** subst. m.
*Dr.* Recours déposé auprès d'une juridiction supérieure (Cour de cassation, Conseil d'État) en vue de casser une sentence judiciaire. 1804 (1342, prévoyance) ; ☞ *pourvoir* ; [puʀvwa].

**POURVOIR,** verbe trans. [37]
Trans. dir. 1. Mettre (qqn) en possession de ce qui est utile, nécessaire : *Pourvoir son fils d'un emploi* ; au fig. : *La nature l'a pourvue de beaux yeux.* 2. Équiper, munir (qqch.) de ce qui manque : *Pourvoir une garnison de troupes* ; *Pourvoir un poste*, y affecter qqn. Trans. indir. **Pourvoir à.** Subvenir à : *Pourvoir aux dépenses de qqn.* Pronom. 1. Se doter (de) : *Se pourvoir de bons conseillers.* 2. *Dr.* Déposer un pourvoi : *Se pourvoir en cassation.* Fin XIIe s. (déb. XIIe s., prévoir) ; lat. *providere* ; [puʀvwaʀ].

**POURVOYEUR, EUSE,** subst.
Personne qui fournit qqch. : *Pourvoyeur de drogue.* 1248 ; ☞ *pourvoir* ; [puʀvwajœʀ, øz].

**POURVU QUE,** loc. conj.
1. À condition que : *Il acceptera, pourvu qu'on le paie.* 2. Espérons que : *Pourvu qu'il pleuve !* 1396 ; comp. de *pourvoir* et de *que* (I) ; empl. avec le subj. ; [puʀvykə].

**POUSSAGE,** subst. m.
Mode de navigation fluviale utilisant un bateau à moteur qui pousse un convoi de barges métalliques rectangulaires. 1957 ; ☞ *pousser* ; [pusaʒ].

**POUSSAH,** subst. m.
1. Jouet représentant un magot assis sur une demi-sphère lestée qui le fait toujours revenir à la verticale. 2. Anal. Homme gros et petit. 1836 (1670, idole des Indiens) ; chinois *pusa*, « image de Bouddha », de *putisatuo*, du skr. *bodhisattva* ; [pusa].

**POUSSE,** subst. f.
1. *Vétér.* Dyspnée du cheval. 2. Fait de pousser, de croître : *La pousse des feuilles, des dents.* ▸ *Bot.* Ce qui vient d'apparaître, bourgeon, jet, germe : *Des pousses vert tendre.* 3. *Œnol.* Altération du vin qui se traduit par un dégagement de gaz carbonique. 1605 (mil. XVe s., impétuosité) ; ☞ *pousser* ; [pus].

**POUSSE-CAFÉ,** subst. m.
Digestif servi après le café. 1833 ; comp. de *pousser* et de *café* ; plur. *pousse-café(s)* ; [puskafe].

**POUSSÉE,** subst. f.
1. Action d'une force qui pousse ; son résultat : *Exercer une poussée sur une porte* ; *Contenir la poussée de la foule* ; *La poussée latérale d'une ogive.* ▸ *Aéron.* et *Astron.* Force de propulsion développée par un réacteur, par une fusée. ▸ *Phys.* *Poussée d'Archimède* : force verticale exercée, de bas en haut, par un liquide sur un corps qui y est plongé. 2. Accès soudain d'un phénomène pathologique : *Poussée de fièvre* ; au fig., émergence soudaine : *Poussée contestataire.* 1530 ; p. p. de *pousser* ; [puse].

**POUSSE-POUSSE,** subst. m. inv.
1. Voiture légère d'Extrême-Orient, à deux roues et à une place, tirée par un homme. 2. Helv. Poussette d'enfant. 1889 ; ☞ *pousser* ; [puspus].

**POUSSER,** verbe [3]
Intrans. 1. Vx. Respirer difficilement, en parlant d'un cheval. 2. Croître, grandir : *Le noyer a poussé.* 3. Poursuivre sa route : *Pousser jusqu'à Dijon.* 4. Exagérer (fam.) : *Tu pousses un peu avec tes conseils.* Trans. 1. Soumettre (qqn, qqch.) à une force, par choc ou pression : *Pousser un camarade* ; *Pousser la porte.* ▸ Loc. *Pousser le bouchon trop loin* (☞ *bouchon*) ; *Pousser qqn à bout* : l'exaspérer ; *Faut pas pousser (grand-mère dans les orties)* : il ne faut pas abuser (fam.). 2. Imprimer un mouvement à (qqch.) pour le faire avancer (anton. *tirer*) : *Pousser une brouette.* 3. Activer, intensifier : *Pousser un moteur.* 4. Faire aller jusqu'à un certain point (une situation, un comportement) : *Pousser ses études* ; *Pousser l'avarice jusqu'à se refuser l'essentiel.* 5. Fig. Entraîner, inciter : *Pousser qqn au vice* ; *Pousser qqn à travailler.* 6. Produire, émettre : *Pousser un soupir, un juron* ; par ext. : *Pousser une colère.* ▸ Loc. *Pousser la chansonnette* : chanter des chansons en privé ou devant un petit public (fam.). Pronom. S'écarter pour faire de la place à qqn. Mil. XIIe s. ; lat. *pulsare* ; [puse].

**POUSSETTE,** subst. f.
1. *Jeux.* Au casino, fait de tricher en poussant sa mise sur le numéro qui vient de sortir gagnant. 2. *Sp.* Infraction qui consiste à pousser un coureur cycliste pour l'avantager. 3. Petit siège d'enfant fixé à une armature souvent pliante, à roulettes, que l'on pousse devant soi ; par ext., chariot à provisions. 4. Belg. Caddie. 1873 (1718, jeu d'enfants) ; ☞ *pousser* ; [pusɛt].

**POUSSEUR, EUSE,** subst.
Personne qui pousse qqn. Masc. Bateau à moteur servant au poussage. 1690 ; ☞ *pousser* ; [pusœʀ, øz].

© P. Forget-Explorer

*Pousseur de barges pour le transport fluvial.*

**POUSSIER,** subst. m.
Poussière de charbon ; combustible constitué de cette poussière. 1376 ; ☞ *poussière* ; [pusje].

**POUSSIÈRE,** subst. f.
I. 1. Terre desséchée réduite en infimes particules très légères : *La poussière des chemins.* ▸ Loc. *Mordre la poussière* (☞ *mordre*). 2. Ensemble d'infimes particules de matières diverses qui se déposent : *Essuyer la poussière sur les meubles.* 3. Ext. Grain de poussière : *Avoir une poussière dans l'œil.* II. Anal. 1. Corps humain décomposé dans la terre (littér.) : *Car tu es poussière et tu retourneras en poussière* (Bible). 2. Poudre résultant de l'effritement d'un corps solide : *Poussière de craie, de charbon.* 3. Multitude d'éléments : *Une poussière d'étoiles.* III. Fig. Ce qui est insignifiant, sans valeur ni importance. ▸ Loc. **... et des poussières.** Et un peu plus (fam.) : *Avoir dix francs et des poussières.* Fin XIIe s. ; lat. pop. °*pulvus*, du lat. *pulvis* ; [pusjɛʀ].

**POUSSIÉREUX, EUSE,** adj.
1. Qui est plein ou couvert de poussière. 2. Fig. Figé, replié sur le passé : *Une institution poussiéreuse.* 1786 ; ☞ *poussière* ; [pusjeʀø, øz].

**POUSSIF, IVE,** adj.
1. *Vétér.* Atteint de pousse, en parlant d'un cheval. 2. Anal. Qui s'essouffle en marchant, en parlant d'une personne ; par ext. : *Moteur poussif*, qui tourne mal (fam.). 3. Fig. Laborieux : *Un récit poussif.* 1280 ; ☞ *pousser* ; [pusif, iv].

**POUSSIN,** subst. m.
1. Jeune oiseau ; spéc., poulet juste éclos. 2. Anal. Terme affectueux (fam.). 3. Élève de première année de l'École de l'air (argot milit.). 4. *Sp.* Jeune sportif appartenant à la catégorie précédant celle des benjamins. Déb. XIIe s. ; bas lat. *pullicenus* ; [pusɛ̃].

**POUSSINIÈRE,** subst. f.
Grande cage où sont élevés les poussins. 1414 (fin XIIe s., mère poule) ; ☞ *poussin* ; [pusinjɛʀ].

**POUSSIVEMENT,** adv.
De façon poussive. 1898 ; ☞ *poussif* ; [pusivmɑ̃].

**POUSSOIR,** subst. m.
Bouton que l'on presse pour déclencher un mécanisme. 1752 (1258, engin de pêche que l'on pousse devant soi) ; ☞ *pousser* ; [puswaʀ].

**POUTARGUE,** voir **BOUTARGUE**

**POUT-DE-SOIE,** subst. m.
Tissu de soie épaisse. 1389 ; comp. de *pout*, d'orig. inc., et de *soie* ; var. *poult-* ou *pou-de-soie*, plur. *pouts-*, *poults-* ou *poux-de-soie* ; [pud(ə)swa].

**POUTRAGE,** subst. m.
*Constr.* Assemblage de poutres, de poutrelles (synon. *une poutraison*). 1863 ; ☞ *poutre* ; [putʀaʒ].

**POUTRE,** subst. f.
1. Grosse pièce de bois oblongue, servant d'appui dans l'assemblage d'une charpente, d'un pont, etc. : *Poutre maîtresse*, principale. ▸ Anal. Pièce de forme analogue, et remplissant la même fonction, faite dans d'autres matériaux. 2. *Sp.* Agrès de gymnastique sportive féminine, constituée d'une **poutre** surélevée ; les exercices qu'elle permet. Fin XIIIe s. ; anc. fr. *poutre*, « pouliche » (par métaph.), du lat. pop. °*pullitra*, du lat. *pullus*, « petit d'un animal » ; [putʀ].

**POUTRELLE,** subst. f.
Petite poutre. 1489 ; ☞ *poutre* ; [putʀɛl].

**POUTSER,** verbe trans. [3]
Helv. Nettoyer (fam.). 1867 ; all. *putzen* ; [putse].

**POUVOIR (I),** verbe trans. [39]
I. Suivi de l'inf. 1. Être capable de, en mesure de (faire qqch.) : *Il pourra bientôt remarcher* ; *Comment peut-il mentir à ce point ?* 2. Avoir la permission de ; être autorisé à : *Vous pouvez entrer.* 3. Risquer de : *L'affaire peut mal tourner.* ▸ *Son fils peut avoir cinq ans* : a environ cinq ans. ▸ Empl. impers. **Il peut.** Il est possible que : *Il peut pleuvoir* ; empl. pronom. : *Il se peut qu'il pleuve.* II. 1. Avoir la capacité, l'autorité de faire (qqch.) : *Je fais ce que je peux* ; *Qui peut le plus peut le moins.* ▸ Loc. *N'en plus pouvoir* : être épuisé ou excédé ; *N'en pouvoir mais* : n'y pouvoir rien (littér.). 2. Belg. *N'en pouvoir rien* : n'y être pour rien ; *Ne pouvoir mal* : ne courir aucun danger. 842 ; lat. pop. °*potere*, du lat. *posse* ; *je puis* est vieilli, sauf dans *puis-je ?* ; [puvwaʀ].

**POUVOIR (II),** subst. m.
1. Faculté d'agir, de produire un effet : *Ce n'est pas en mon pouvoir de décider* ; *Pouvoir d'achat* (☞ *achat*). 2. Faculté légale d'agir, de commander, d'exercer une fonction : *Les pouvoirs d'un ministre* ; *Donner les pleins pouvoirs à qqn.* ▸ Document par lequel on donne **pouvoir** à qqn (synon. *mandat, procuration*). 3. Propriété physique d'une substance : *Pouvoir absorbant, couvrant.* ▸ *Phys.* *Pouvoir calorique* : quantité de chaleur dégagée lors de la combustion complète de l'unité de masse d'une matière. 4. Ascendant, influence : *Pouvoir de séduction* ; *Avoir qqn en son pouvoir*, à sa merci. 5. Puissance politique, autorité constituée : *Pouvoir monarchique, absolu* ; les dirigeants, le gouvernement : *Le pouvoir en place.* ▸ *Séparation des pouvoirs* : principe constitutionnel qui permet aux autorités exécutive, législative et judiciaire de s'exercer indépendamment les unes des autres (☞ *exécutif, législatif, judiciaire*). ▸ *Les pouvoirs publics* : ensemble des autorités qui gouvernent et administrent un pays. 842 ; ☞ *pouvoir* (I) ; [puvwaʀ].

**POUZZOLANE,** subst. f.
*Pétrogr.* Roche siliceuse éruptive, utilisée dans la fabrication de mortiers. 1670 ; ital. *puzzolana*, de *Pozzuoli*, « Pozzoles », ville proche de Naples ; [pudzɔlan].

**Pr,** voir **PRASÉODYME**

**PRACTICE,** subst. m.
*Sp.* Au golf, salle ou terrain d'entraînement (anglic.). Mil. XXe s. ; angl. *practice*, « pratique » ; [pʀaktis].

**PRAESIDIUM,** voir **PRÉSIDIUM**

**PRAGMATIQUE,** adj. et subst. f.
Adj. 1. Qui répond à la nécessité d'agir ; qui vise l'efficacité, l'utilité : *Une attitude pragmatique.* 2. *Hist.* *Pragmatique sanction* ou, par ell., *Une pragmatique* : édit d'un souverain promulgué pour trancher une affaire d'État. Subst. *Ling.* Partie de la linguistique qui traite des relations du langage au contexte référentiel et interpersonnel de l'énonciation. 1440 ; lat. *pragmaticus*, du gr. *pragmatikos*, « relatif à l'action » ; [pʀagmatik].

**PRAGMATISME,** subst. m.
1. *Philos.* Doctrine soutenue par W. James, J. Dewey et Ch. S. Peirce, dont les thèses fondamentales sont, d'une part, que la représentation correcte d'un objet réside dans la représentation de ses effets pratiques et, d'autre part, que la vérité d'une proposition équivaut à la satisfaction d'une expérience. 2. Ext.

Tendance de l'esprit à ne considérer que les aspects concrets d'un problème : *Faire preuve de **pragmatisme.*** 1877 ; all. *Pragmatismus*, du gr. *pragma*, « action » ; [pʀagmatism].

**PRAGMATISTE, subst. et adj.**
Subst. Partisan du pragmatisme. Adj. Relatif au pragmatisme. 1909 ; ☞ *pragmatisme* ; [pʀagmatist].

**PRAIRE, subst. f.**
*Zool.* Mollusque bivalve comestible, à coquille côtelée. 1873 ; prov. *prèire*, « prêtre » ; [pʀɛʀ].

**PRAIRIAL, subst. m.**
*Hist.* Neuvième mois du calendrier républicain, allant du 20 ou 21 mai au 18 ou 19 juin. 1793 ; ☞ *prairie* ; plur. *prairials* ; [pʀeʀjal].

**PRAIRIE, subst. f.**
*Agric.* Étendue de terre couverte d'herbes fourragères : ***Prairie permanente*** *ou* ***naturelle***, qui n'a pas fait l'objet d'un ensemencement ; ***Prairie artificielle***, qui fait l'objet d'un semis de plantes graminées ou légumineuses destinées au bétail. Fin XIIe s. ; lat. pop. *°prataria*, du lat. *pratum*, « pré » ; [pʀeʀi].

**PRAKRIT, subst. m.**
Groupe de langues de l'Inde ancienne (v. 300 av. J.-C. - 1100) dérivées de l'ancien indo-aryen. 1842 ; skr. *prākṛt*, « naturel » ; var. *prâkrit* ; [pʀakʀit].

**PRALIN, subst. m.**
**1.** *Agric.* Terre boueuse, enrichie d'engrais, dont on enrobe les racines et les graines qu'on s'apprête à planter ou à semer. **2.** *Cuis.* Poudre d'amandes caramélisées, servant à confectionner bonbons et gâteaux. 1869 ; ☞ *praliner* ; [pʀalɛ̃].

**PRALINAGE, subst. m.**
Action de praliner. 1869 ; ☞ *praliner* ; [pʀalinaʒ].

**PRALINE, subst. f.**
**1.** *Cuis.* ▸ Amande caramélisée dans du sucre bouillant. ▸ Belg. Bonbon chocolaté et fourré. **2.** Loc. *Cucul la **praline*** : ridicule, niais (fam.). 1662 ; anthropon. *comte du Plessis-Praslin* ; [pʀalin].

**PRALINÉ, ÉE, adj. et subst. m.**
Adj. Garni de pralines pilées. Subst. Chocolat **praliné.** 1748 ; p. p. de *praliner* ; [pʀaline].

**PRALINER, verbe trans. [3]**
**1.** *Cuis.* Préparer à la manière des pralines. ▸ Additionner de pralin. **2.** *Agric.* Enrober (les racines ou les graines) de pralin. 1715 ; ☞ *praline* ; [pʀaline].

**PRAME, subst. f.**
*Mar.* **1.** Ancien navire à fond plat, pouvant porter une forte artillerie, utilisé pour la défense côtière. **2.** Petite embarcation auxiliaire, en bois ou en plastique, et à fond plat. 1702 ; néerl. *praam* ; [pʀam].

**PRAO, subst. m.**
**1.** Barque de Malaisie, à voile et à balancier unique. **2.** Ext. Voilier multicoque, inspiré du modèle malais. Déb. XVIe s. ; port. *paró*, du malais *parāu*, du dravidien *padavu* ; [pʀao].

© S. Frances-Explorer

*Prao sur la côte malgache.*

**PRASÉODYME, subst. m.**
*Chim.* Élément n° 59 (lanthanide) de la table de Mendeleïev (symb. : Pr) ; masse atomique : 140,9 ; point de fusion : 931 °C ; point d'ébullition : 3 512 °C ; masse volumique : 6,77 g/cm³. 1895 ; all. *Praseodym*, du gr. *prasinos*, « d'un vert de poireau », et *didumos*, « double » ; [pʀazeɔdim].

**PRATICABLE, adj. et subst. m.**
Adj. **1.** Dont l'exécution est possible : *Une solution **praticable.*** **2.** Qui permet le passage, la circulation : *Route **praticable** même en hiver.* Subst. **1.** Décor de théâtre en trois dimensions (par oppos. aux panneaux en trompe l'œil), dans lequel les acteurs peuvent évoluer. **2.** *Cin.* et *Télév.* Plateau mobile servant de support aux caméras et aux projecteurs. **3.** *Sp.* Tapis carré utilisé en gymnastique au sol. 1555 ; ☞ *pratiquer* ; [pʀatikabl].

**PRATICIEN, IENNE, subst.**
**1.** Médecin en exercice (par oppos. à *chercheur*) ; par ext., membre d'une profession paramédicale. **2.** Personne qui a l'expérience pratique d'un art, d'une technique (par oppos. à *théoricien*). ▸ *B.-a.* Exécutant qui dégrossit le bloc de marbre selon les instructions du sculpteur. 1314 ; ☞ *pratique* (I) ; [pʀatisjɛ̃, jɛn].

**PRATIQUANT, ANTE, adj. et subst.**
**1.** Se dit d'une personne qui observe les pratiques d'une religion. **2.** Se dit d'une personne qui pratique régulièrement une activité, un sport. 1868 (1360, utilisateur) ; p. pr. de *pratiquer* ; [pʀatikɑ̃, ɑ̃t].

**PRATIQUE (I), subst. f.**
**1.** Mise en œuvre, dans le champ expérimental, d'un système théorique, afin de l'éprouver et d'en obtenir des résultats matériels : *La **pratique** vérifie la théorie.* ▸ Loc. *Dans la **pratique*** : concrètement ; *En **pratique*** : en réalité ; *Homme de **pratique*** : homme pragmatique. **2.** Exercice, mise en application des règles et techniques propres à une activité déterminée : ***Pratique** d'un instrument, d'une langue, d'un sport.* ▸ Loc. *Mettre en **pratique** qqch.* : l'appliquer ; *Avoir la **pratique** de qqch.* : en avoir l'expérience. **3.** Observance des préceptes d'une religion. **4.** Mise en œuvre d'une qualité, d'une vertu morale : ***Pratique** de la tolérance.* **5.** Manière d'agir (gén. au plur.) : ***Pratique** locale, universelle* ; ***Pratiques** malhonnêtes.* **6.** *Mar.* *Libre **pratique*** : autorisation donnée au personnel d'un navire de communiquer avec un port après la visite du service de santé. 1256 ; lat. chrét. *practice*, du gr. *praktikê* ; [pʀatik].

**PRATIQUE (II), adj.**
**1.** Qui appartient à l'action, qui favorise ou réalise l'action : *Méthodologie **pratique*** ; *Travaux **pratiques***, exercices d'application portant sur un enseignement théorique. **2.** Qui concerne la vie matérielle ; utilitaire : *Conseil **pratique*** ; *Guide **pratique.*** **3.** *Philos.* *Raison **pratique*** : qui détermine les principes de la conduite morale. **4.** Qui agit pour ses intérêts, en profitant des circonstances. ▸ Loc. *Avoir le sens **pratique*** : le sens des réalités, de l'efficacité. **5.** Ingénieux, commode à l'usage, en parlant de qqch. : *Une petite calculatrice très **pratique.*** 1361 ; bas lat. *practicus*, du gr. *praktikos* ; [pʀatik].

**PRATIQUEMENT, adv.**
**1.** Selon la pratique. **2.** En réalité, dans les faits. **3.** À peu près, presque (empl. critiqué) : *Il n'a **pratiquement** rien dit.* 1610 ; ☞ *pratique* (II) ; [pʀatikmɑ̃].

**PRATIQUER, verbe trans. [3]**
**1.** Mettre en pratique, appliquer (un précepte, une règle) ; empl. abs., observer les rites de sa religion. ▸ Empl. pronom. Être en usage, avoir cours : *Rituel qui se **pratique** encore de nos jours.* **2.** Exercer (une activité) : ***Pratiquer** un art* ; empl. abs. : *Médecin âgé qui ne **pratique** plus.* **3.** User de (un moyen, une méthode) : ***Pratiquer** le chantage.* **4.** Effectuer (un acte médical ou chirurgical) : ***Pratiquer** une péridurale.* **5.** Exécuter, réaliser (qqch.) : ***Pratiquer** une porte dans un mur d'enceinte.* **6.** Fréquenter : ***Pratiquer** qqn* (vx) ; ***Pratiquer** un auteur*, le lire assidûment. 1370 ; ☞ *pratique* (I) ; [pʀatike].

**PRAXIS, subst. f.**
*Philos.* **1.** Chez Marx, action collective conçue comme moteur exclusif du changement historique, fondement de la pensée théorique et norme de l'idéologie. **2.** Action ordonnée en vue d'un résultat. 1934 ; all. *Praxis*, du gr. *praxis*, « action » ; [pʀaksis].

**PRÉ, subst. m.**
**1.** Prairie naturelle. **2.** ***Pré** carré* : domaine propre à qqn, à un groupe. Fin XIe s. ; lat. *pratum* ; [pʀe].

**PRÉADOLESCENT, ENTE, subst.**
Jeune garçon ou jeune fille qui va entrer dans l'adolescence (abrév. fam. : préado). Mil. XXe s. ; ☞ *adolescent* + *pré-* ; [pʀeadɔlesɑ̃, ɑ̃t].

**PRÉALABLE, adj. et subst. m.**
Adj. Qui est dit, fait ou examiné avant autre chose : *Mise au point **préalable.*** ▸ *Dr.* et *Pol.* *Question **préalable*** : soulevée devant une assemblée qui décide de la mettre ou non à l'ordre du jour ; soumise à un tribunal et qui doit être réglée avant tout examen de la chose à juger. Subst. **1.** Condition ou ensemble de conditions à remplir impérativement avant d'engager une négociation : *Poser un **préalable.*** ▸ Loc. *Au **préalable*** : avant toute chose, d'abord. **2.** Québ. *Enseign.* Cours qui en précède nécessairement un autre, dans un programme d'études. 1437 ; ☞ *aller* (I) + *pré-* ; [pʀealabl].

**PRÉAMBULE, subst. m.**
**1.** Introduction à un discours, à un texte. ▸ *Dr.* Partie préliminaire d'un texte de loi qui en expose les motifs, les principes : *Le **préambule** de la Constitution.* **2.** Détours oratoires (souv. au plur.) : *Assez de **préambules** ! Au fait !* **3.** Anal. Ce qui prélude à qqch. ▸ Loc. *Sans **préambule*** : d'emblée, directement. 1314 ; lat. médiév. *preambulum*, du lat. *preambulare*, « marcher devant » ; [pʀeɑ̃byl].

**PRÉANNONCE, subst. f.**
*Ch. de fer.* Premier avertissement lumineux de limitation de vitesse, commandant au mécanicien d'un train classique de ne pas dépasser 160 km/h. V. 1970 ; ☞ *annonce* + *pré-* ; [pʀeanɔ̃s].

**PRÉAPPRENTISSAGE, subst. m.**
Dans l'enseignement professionnel, période de la formation effectuée en entreprise, en alternance avec l'enseignement général dispensé en classe. V. 1970 ; ☞ *apprentissage* + *pré-* ; [pʀeapʀɑ̃tisaʒ].

**PRÉAU, subst. m.**
**1.** Cour intérieure : ***Préau** d'un cloître, d'un hôpital.* **2.** Partie couverte d'une cour d'école. 1234 (fin XIIe s., petit pré) ; ☞ *pré* ; [pʀeo].

**PRÉAVIS, subst. m.**
**1.** Avertissement préalable. **2.** *Dr.* Notification préalable annonçant, dans un délai déterminé, l'intention de l'une des parties de mettre fin à un contrat : ***Préavis** de licenciement* ; ***Préavis** donné par un locataire au propriétaire* ; le délai lui-même : ***Préavis** d'un mois.* ▸ ***Préavis** de grève* : délai légal à respecter entre l'annonce d'une grève et son déclenchement. Fin XIVe s. ; ☞ *avis* + *pré-* ; [pʀeavi].

**PRÉBENDE, subst. f.**
**1.** *Dr. canon.* Revenu régulier que perçoit un clerc, mense ; par méton., le titre qui y donne droit. **2.** Anal. Revenu attaché à un titre, à une fonction ; par méton., ce titre, cette fonction. Fin XIVe s. ; lat. eccl. *praebenda*, « ce qu'il faut fournir », du lat. *praebere*, « offrir, fournir » ; [pʀebɑ̃d].

**PRÉBENDÉ, ÉE, adj.**
*Cath.* Qui jouit d'une prébende : *Chanoine **prébendé.*** Mil. XIVe s. ; lat. médiév. *praebendatus* ; [pʀebɑ̃de].

**PRÉBENDIER, subst. m.**
Titulaire d'une prébende. 1468 ; lat. médiév. *praebendarius* ; [pʀebɑ̃dje].

**PRÉCAIRE, adj.**
**1.** *Dr.* Qui n'existe ou n'a cours qu'à la faveur d'une permission, d'une tolérance révocable : *Possession (à titre) **précaire*** ; par méton. : *Détenteur **précaire.*** **2.** Ext. Dont la durée, la stabilité n'est pas assurée : *Situation, travail, santé **précaire*** ; aléatoire : *Abri **précaire.*** 1336 ; lat. jur. *precarius*, « obtenu par prière », du lat. *precari*, « prier » ; [pʀekɛʀ].

**PRÉCAMBRIEN, IENNE, subst. m. et adj.**
*Géol.* Subst. Première période de l'histoire de la Terre, qui a duré plus de 4 milliards d'années, et s'est terminée il y a 540 millions d'années. Dans les roches sédimentaires non transformées, on a trouvé des organismes monocellulaires vieux de plus de 2 milliards d'années ; l'oxygène atmosphérique n'est apparu que progressivement et les Invertébrés se sont différenciés avant d'acquérir un squelette fossilisable (synon. vieilli *Antécambrien*). Adj. Relatif, propre à cette période. 1886 ; ☞ *cambrien* + *pré-* ; [pʀekɑ̃bʀijɛ̃, jɛn].

**PRÉCARISATION, subst. f.**
Action de précariser ; son résultat. V. 1980 ; ☞ *précariser* ; [pʀekaʀizasjɔ̃].

**PRÉCARISER, verbe trans. [3]**
Rendre précaire ; empl. pronom. : *L'emploi se **précarise.*** V. 1980 ; ☞ *précaire* ; [pʀekaʀize].

**PRÉCARITÉ, subst. f.**
**1.** Caractère, état de ce qui est précaire. **2.** *Dr.* Caractère de la possession précaire. 1823 ; ☞ *précaire* ; [pʀekaʀite].

**PRÉCAUTION, subst. f.**
**1.** Mesure prise pour éviter un mal éventuel ou en atténuer les conséquences : *Une sage **précaution.*** ▸ Loc. proverb. *Deux **précautions** valent mieux qu'une.* **2.** Attitude de prudence : *Manœuvrer avec **précaution.*** **3.** ***Précautions** oratoires* : manière adroite de s'exprimer pour se ménager la bienveillance de son auditoire. 1471 ; bas lat. *praecautio*, du lat. *praecavere*, « prendre garde » ; [pʀekosjɔ̃].

**PRÉCAUTIONNEUX, EUSE, adj.**
1. Qui s'entoure de précautions avant d'agir. 2. Qui reflète la prudence : *Un ton, un pas **précautionneux**.* 1788 ; ☞ *précaution* ; [pʀekosjɔnø, øz].

**PRÉCÉDEMMENT, adv.**
Antérieurement. Déb. XVe s. ; ☞ *précédent* ; [pʀesedamɑ̃].

**PRÉCÉDENT, ENTE, adj. et subst. m.**
ADJ. Qui précède, dans le temps ou l'espace : *La semaine **précédente** ; Le numéro **précédent**.* SUBST. Évènement accompli auquel on pourra se référer à l'avenir pour résoudre un cas semblable : *S'appuyer sur un **précédent**.* ▸ Loc. *Sans **précédent*** : unique, jamais vu. XIIIe s. ; lat. *praecedens*, de *praecedere*, « marcher devant » ; [pʀesedɑ̃, ɑ̃t].

**PRÉCÉDER, verbe trans. [8]**
1. Se produire avant : *Tensions qui **précèdent** la guerre.* 2. Se situer avant : *Vestibule qui **précède** un salon.* 3. Marcher, aller devant (qqn, qqch.) : *Les gendarmes **précédaient** le convoi.* 4. Arriver avant (qqn, qqch.) : *Une lettre **précéda** sa visite.* 1353 ; lat. *praecedere*, « marcher devant » ; [pʀesede].

**PRÉCEINTE, subst. f.**
*Mar.* Partie émergée du bordage d'un navire. 1638 ; lat. *praecinctus*, de *praecingere*, « entourer » ; [pʀesɛ̃t].

**PRÉCELLENCE, subst. f.**
Supériorité qui se situe au-delà de toute comparaison (littér.). 1420 ; bas lat. *praecellentia*, du lat. *praecellere*, « exceller » ; [pʀeselɑ̃s] ou [-sɛll-].

**PRÉCEPTE, subst. m.**
1. Commandement : *Les **préceptes** de l'Évangile.* 2. Principe, enseignement énonçant la conduite à suivre dans un domaine particulier : *Les **préceptes** de la philosophie.* 1119 ; lat. *praeceptum* ; [pʀesɛpt].

**PRÉCEPTEUR, TRICE, subst.**
Personne chargée d'assurer à domicile l'instruction et l'éducation d'un enfant. XVe s. ; lat. *praeceptor*, « maître qui enseigne » ; [pʀesɛptœʀ, tʀis].

**PRÉCEPTORAT, subst. m.**
Fonction de précepteur ; durée de cette fonction. 1688 ; ☞ *précepteur* ; [pʀesɛptɔʀa].

**PRÉCESSION, subst. f.**
1. *Astron.* Rotation du plan d'une orbite dans l'espace. ▸ ***Précession** des équinoxes* : mouvement giratoire de forme conique de l'axe de rotation de la Terre, analogue au mouvement d'une toupie. 2. *Mécan.* Mouvement conique décrit autour d'une position moyenne par l'axe de rotation d'un corps animé d'un mouvement gyroscopique. 1690 ; bas lat. *praecessio*, « fait de précéder » ; [pʀesɛsjɔ̃].

**PRÉCHAUFFAGE, subst. m.**
Chauffage préalable : *Le **préchauffage** d'un four, d'un train.* 1949 ; ☞ *chauffage* + *pré-* ; [pʀeʃofaʒ].

**PRÉCHAUFFER, verbe trans. [3]**
*Techn.* Porter (un produit, un appareil) à la température voulue avant utilisation. 1931 ; ☞ *chauffer* + *pré-* ; [pʀeʃofe].

**PRÊCHE, subst. m.**
1. *Relig.* Sermon, en partic. d'un ministre protestant. 2. Discours moralisateur et ennuyeux (péj. et vieilli). Mil. XIVe s. ; ☞ *prêcher* ; [pʀɛʃ].

**PRÊCHER, verbe [3]**
TRANS. 1. *Relig.* Enseigner (la parole de Dieu). 2. Anal. Faire connaître (une doctrine) ; prôner : ***Prêcher** la révolution, la patience.* INTRANS. Prononcer un ou des sermons. ▸ Loc. ***Prêcher** dans le désert* (☞ *désert*). Fin Xe s. ; lat. eccl. *praedicare*, du lat. *prae*, « devant », et *dicare*, « proclamer » ; [pʀeʃe].

**PRÊCHEUR, EUSE, subst. et adj.**
SUBST. 1. Prédicateur (vx). 2. Personne qui aime sermonner, faire la morale (péj.). ADJ. *Frère **prêcheur*** : dominicain. 1175 ; ☞ *prêcher* ; [pʀɛʃœʀ, øz].

**PRÊCHI-PRÊCHA, subst. m. inv.**
Discours moralisateur, ennuyeux ou ridicule (fam.). 1808 ; ☞ *prêcher* ; [pʀeʃipʀeʃa].

**PRÉCIEUSEMENT, adv.**
1. Avec beaucoup de soin. 2. Avec préciosité. Fin XIIe s. ; ☞ *précieux* ; [pʀesjøzmɑ̃].

**PRÉCIEUX, EUSE, adj. et subst. f.**
I. ADJ. 1. Vx. Vénérable. ▸ *Cath. Le **précieux** corps, le **précieux** sang* : ceux de Jésus-Christ. 2. Dont la valeur marchande est considérable : *Timbre-poste rare et **précieux** ; Pierre **précieuse*** (☞ *pierre*) ; *Métal **précieux*** (☞ *métal*). 3. Qui est l'objet d'un grand attachement affectif, moral : *Souvenir **précieux**.* 4. Qui est très utile, d'un grand profit : *Renseignement **précieux**.* II. ADJ. 1. Relatif à la préciosité : *Littérature **précieuse**.* 2. Affecté : *Auteur, style **précieux**.* SUBST. *Hist.* Au XVIIe s., femme raffinée prônant la délicatesse des manières et du langage dans la vie sociale : *« Les **Précieuses** ridicules », comédie de Molière.* Mil. XIe s. ; lat. *pretiosus*, de *pretium*, « prix » ; [pʀesjø, øz].

**PRÉCIOSITÉ, subst. f.**
1. Affectation dans le style, le langage. 2. *Hist.* Ensemble des traits distinctifs des précieuses du XVIIe s. et de leur entourage. 3. *Litt.* et *B.-a.* Maniérisme. Mil. XVe s. ; ☞ *précieux* ; [pʀesjozite].

**PRÉCIPICE, subst. m.**
1. Anfractuosité profonde aux flancs escarpés ; gouffre. 2. Métaph. Situation désastreuse qui fait craindre le pire. Déb. XVIe s. ; lat. *praecipitium*, de *praeceps*, « abîme » ; [pʀesipis].

**PRÉCIPITAMMENT, adv.**
D'une manière précipitée. 1489 ; m. fr. *précipitant*, « qui agit avec précipitation » ; [pʀesipitamɑ̃].

**PRÉCIPITATION, subst. f.**
1. Hâte excessive : *Agir avec **précipitation**.* 2. *Chim.* Réaction au cours de laquelle un corps insoluble se forme dans un liquide. PLUR. *Météor.* Eau provenant de l'atmosphère, qui se dépose sur le sol sous forme liquide (pluie, rosée, brouillard) ou solide (neige, grêle). 1486 (mil. XIVe s., expulsion, au sens médical) ; lat. *praecipitatio*, « chute » ; [pʀesipitasjɔ̃].

**PRÉCIPITÉ, ÉE, adj. et subst. m.**
ADJ. 1. Accompli dans la hâte : *Décision **précipitée**.* 2. De rythme rapide : *Pas **précipités**.* SUBST. *Chim.* Corps insoluble formé dans un liquide par précipitation. 1542 ; p. p. de *précipiter* ; [pʀesipite].

**PRÉCIPITER, verbe trans. [3]**
1. Jeter (qqn, qqch.) d'une certaine hauteur ; au fig., faire tomber dans une situation désastreuse : ***Précipiter** un pays dans la guerre.* 2. Pousser avec violence : *Un tel choc l'a **précipité** à dix mètres.* 3. Presser, activer (une action en cours) : ***Précipiter** son retour, le cours des évènements.* 4. *Chim.* Provoquer la précipitation de (un corps en solution dans un liquide) ; empl. intrans. : *Le mélange **précipite**.* PRONOM. 1. Se lancer, se jeter d'une certaine hauteur. 2. S'élancer fougueusement : *Se **précipiter** dans les bras d'un ami* ; empl. abs., se hâter : *Inutile de se **précipiter**.* 3. S'accélérer : *L'action se **précipite** à la fin du roman.* Mil. XVe s. ; lat. *praecipitare*, de *praeceps*, « la tête en avant » ; [pʀesipite].

**PRÉCIPUT, subst. m.**
*Dr.* Droit reconnu à une personne (héritier, conjoint survivant) de prélever, avant partage, certains biens ou une somme d'argent sur la masse de biens à partager. 1405 ; lat. *praecipuus*, « pris par avance » ; [pʀesipyt].

**PRÉCIS, ISE, adj. et subst. m.**
ADJ. 1. Fixé avec rigueur, dans le temps ou dans l'espace : *Date **précise** ; Endroit **précis**.* 2. Évalué rigoureusement : *Bilan **précis**.* 3. Qui ne laisse place à aucune approximation, à aucune ambiguïté : *Méthode **précise**.* 4. Exécuté avec exactitude, sûreté : *Trait, geste **précis*** ; en partic. : *Tir **précis** d'une arme.* 5. Ponctuel, rigoureux, exact : *Un homme **précis** ; Une montre **précise**.* SUBST. Manuel traitant l'essentiel d'une matière : ***Précis** de chimie.* 1361 ; lat. *praecisus*, de *praecidere*, « trancher » ; [pʀesi, iz].

**PRÉCISÉMENT, adv.**
1. Avec précision. 2. Justement : *C'est **précisément** mon avis.* 1314 ; ☞ *précis* ; [pʀesizemɑ̃].

**PRÉCISER, verbe trans. [3]**
1. Clarifier, rendre plus précis en fournissant des détails : ***Précise** tes intentions !* 2. Indiquer, déterminer avec exactitude : *La date sera **précisée** plus tard.* PRONOM. Devenir de plus en plus clair : *La menace se **précise**.* Mil. XIVe s. ; ☞ *précis* ; [pʀesize].

**PRÉCISION, subst. f.**
1. Caractère d'une chose précise, nette : ***Précision** d'un raisonnement, d'un travail.* 2. Détail, fait précis (gén. au plur.) : *Fournir des **précisions**.* 3. Caractère de ce qui fonctionne, de ce qui mesure avec exactitude : *Balance de haute **précision**.* 4. Caractère de ce qui est exécuté de manière optimale pour atteindre un objectif ; dextérité : *Gestes d'une grande **précision**.* 1520 (fin XIVe s., action de rogner) ; bas lat. *praecisio*, « action de retrancher » ; [pʀesizjɔ̃].

**PRÉCITÉ, ÉE, adj.**
Cité précédemment. 1794 ; ☞ *citer* + *pré-* ; [pʀesite].

**PRÉCLASSIQUE, adj.**
Qui se situe avant une période classique. Fin XIXe s. ; ☞ *classique* + *pré-* ; [pʀeklasik].

**PRÉCOCE, adj.**
1. Qui mûrit ou fleurit avant la saison habituelle : *Fruit **précoce** ; Poirier **précoce**.* 2. Qui survient plus tôt que de coutume : *Gelée **précoce** ; Sénilité **précoce** ; Mariage **précoce**,* avant l'âge gén. admis. 3. Dont le développement physique ou intellectuel est exceptionnellement rapide : *Mozart fut un musicien **précoce**.* 1651 ; lat. *praecox*, de *praecoquere*, « hâter la maturité » ; [pʀekɔs].

**PRÉCOCITÉ, subst. f.**
Caractère de ce qui est précoce, d'une personne précoce. 1690 ; ☞ *précoce* ; [pʀekɔsite].

**PRÉCOLOMBIEN, IENNE, adj.**
Relatif à ce qui, en Amérique, existait avant l'arrivée de Christophe Colomb. 1876 ; anthropon. *Christophe Colomb*, + *pré-* ; [pʀekɔlɔ̃bjɛ̃, jɛn].

**PRÉCOMBUSTION, subst. f.**
*Mécan.* Phase précédant immédiatement l'inflammation du combustible, dans le cycle d'un moteur Diesel. 1949 ; ☞ *combustion* + *pré-* ; [pʀekɔ̃bystjɔ̃].

**PRÉCOMPTE, subst. m.**
1. Calcul préalable des sommes à déduire d'une créance. 2. Retenue sur salaire. 1499 ; ☞ *compte* + *pré-* ; [pʀekɔ̃t].

**PRÉCONÇU, UE, adj.**
Imaginé, établi d'avance. ▸ *Idée **préconçue*** : préjugé. 1640 ; p. p. de *concevoir* + *pré-* ; [pʀekɔ̃sy].

**PRÉCONISATION, subst. f.**
1. Vx. Publication. 2. Action de préconiser ; recommandation. 1321 ; ☞ *préconiser* ; [pʀekɔnizasjɔ̃].

**PRÉCONISER, verbe trans. [3]**
1. Vx. Proclamer. ▸ *Cath.* En parlant du pape, proclamer en consistoire apte aux fonctions épiscopales (un ecclésiastique choisi par une autorité civile). 2. Conseiller vivement : ***Préconiser** une solution négociée.* 1321 ; bas lat. *praeconizare*, « annoncer », du lat. *praeco*, « crieur public » ; [pʀekɔnize].

**PRÉCONSCIENT, ENTE, adj.**
1. Se dit d'un état de pensée latent, antérieur à l'émergence de la conscience : *Les réactions **préconscientes** du nouveau-né.* 2. *Psychanal.* Qui, par un travail de censure, échappe à la conscience présente sans être inconscient au sens strict : *Rappeler un souvenir est faire passer au niveau conscient un contenu **préconscient*** ; empl. subst. masc., système de l'appareil psychique distinct du système inconscient. 1870 ; ☞ *conscient* + *pré-* ; [pʀekɔ̃sjɑ̃, ɑ̃t].

**PRÉCONTRAINT, AINTE, adj.**
*Techn.* Qui a subi une compression préalable destinée à augmenter sa résistance, en parlant d'un matériau, en partic. du béton armé ; empl. subst. fém., cette compression. 1928 ; ☞ *contraint* + *pré-* ; [pʀekɔ̃tʀɛ̃, ɛ̃t].

**PRÉCORDIAL, ALE, AUX, adj.**
*Anat.* Relatif à la région thoracique située en avant du cœur. Fin XIVe s. ; lat. *praecordia*, « diaphragme », de *prae*, « devant », et de *cor*, « cœur » ; [pʀekɔʀdjal, o].

**PRÉCUIT, ITE, adj.**
*Cuis.* Qui a été soumis à une cuisson préalable. Mil. XXe s. ; ☞ p. p. de *cuire* + *pré-* ; [pʀekɥi, it].

**PRÉCURSEUR, subst. m. et adj. m.**
SUBST. 1. Personne qui annonce et prépare la venue d'une autre personne. ▸ *Relig. Le **Précurseur*** : saint Jean-Baptiste, annonciateur du Christ. 2. Ext. Personne novatrice, dont l'action ouvre de nouveaux horizons et influence la postérité : *Les **précurseurs** du surréalisme.* 3. *Biochim.* Lors d'une séquence métabolique, composé qui est à l'origine d'un autre composé. ADJ. 1. Annonciateur, avant-coureur : *Signes **précurseurs** d'une maladie.* 2. *Milit. Détachement **précurseur*** : qui prépare le cantonnement d'une unité. Déb. XVe s. ; lat. *praecursor*, « éclaireur », de *praecurrere*, « courir devant » ; [pʀekyʀsœʀ].

**PRÉDATEUR, TRICE, subst. et adj.**
SUBST. MASC. 1. Vx. Pillard. 2. *Anthropol.* Homme qui vit de la chasse et de la cueillette. 3. Anal. Personne ou entreprise qui affermit sa puissance en exploitant la faiblesse de ses concurrents. SUBST. et ADJ. 1. *Zool.* Se dit d'un animal qui se nourrit de proies. 2. *Bot.* Se dit d'un végétal qui se développe au détriment d'un autre. 1574 ; lat. *praedator*, « pillard » ; [pʀedatœʀ, tʀis].

**PRÉDATION, subst. f.**
1. Mode de nutrition des espèces prédatrices. 2. *Anthropol.* Mode de subsistance fondé sur la

1

© A. Tovy-Explorer

2

3

© J.-P. Courau-Explorer

© C. Lenars-Explorer

VESTIGES PRÉCOLOMBIENS

1. *Le Castillo, pyramide de la cité maya de Chichén Itzá, dans le Yucatán (Mexique).*

2. *Tête monumentale olmèque. Musée archéologique de Jalapa (Mexique).*

3. *Peinture murale du site maya de Bonampak (Mexique).*

4. *Forteresse inca de Sacsahuamán, à Cuzco (Pérou).*

5. *Masque funéraire chimu. Musée de l'Or, Lima (Pérou).*

© Giraudon

4

© M. Koene-Explorer

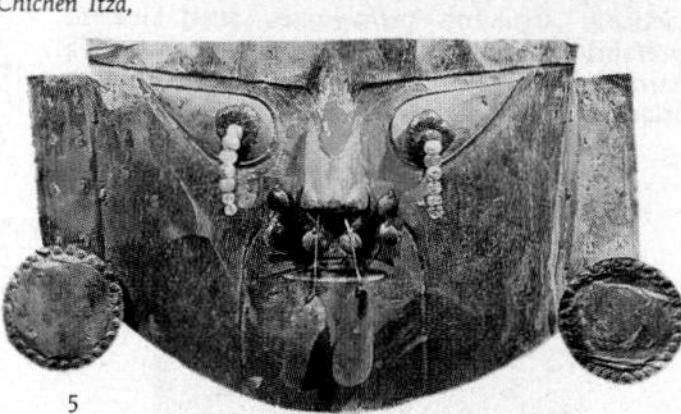
5

chasse et la cueillette. 📖 V. 1960 ; lat. *praedatio*, « pillage » ; [pʀedasjɔ̃].

**PRÉDÉCESSEUR,** subst. m.
Personne qui a précédé qqn dans une charge, un poste ou dans un même domaine d'activité. 📖 1281 ; bas lat. *praedecessor* ; [pʀedesesœʀ].

**PRÉDÉCOUPÉ, ÉE,** adj.
Qui est présenté découpé ou prêt à être découpé. 📖 V. 1970 ; p. p. de *découper* + *pré-* ; [pʀedekupe].

**PRÉDELLE,** subst. f.
*B.-a.* Partie inférieure d'un retable, gén. divisée en compartiments. 📖 1873 ; ital. *predella* ; [pʀedɛl].

**PRÉDESTINATION,** subst. f.
**1.** *Relig.* Doctrine pessimiste, notamment adoptée par le jansénisme, selon laquelle Dieu a fixé, de toute éternité, le sort définitif de la création entière et de l'humanité. ▸ Doctrine du calvinisme selon laquelle Dieu désigne, par avance, les élus et les damnés. **3.** Ext. Détermination préalable, caractère de fatalité d'évènements futurs. 📖 Fin XIIe s. ; lat. chrét. *praedestinatio* ; [pʀedɛstinasjɔ̃].

**PRÉDESTINER,** verbe trans. [3]
**1.** *Relig.* En parlant de Dieu, prédisposer de toute éternité (les hommes) au salut ou à la damnation (selon le calvinisme). **2.** Ext. ▸ Vouer (qqn, qqch.) à un destin particulier ; empl. adj. : *Homme **prédestiné** à la gloire.* ▸ Incliner, prédisposer : *Sa misanthropie le **prédestinait** à la solitude.* 📖 Fin XIIe s. ; lat. chrét. *praedestinare* ; [pʀedɛstine].

**PRÉDÉTERMINATION,** subst. f.
Action de prédéterminer. 📖 1636 ; ☞ *prédéterminer* ; [pʀedetɛʀminasjɔ̃].

**PRÉDÉTERMINER,** verbe trans. [3]
**1.** Déterminer d'avance les causes et conditions de (un acte). **2.** *Théol.* En parlant de Dieu considéré comme cause première, mouvoir vers le Bien par un effet de sa grâce (la volonté humaine libre). 📖 1530 ; lat. eccl. *praedeterminare* ; [pʀedetɛʀmine].

**PRÉDICABLE,** adj.
*Log.* Applicable à un sujet. 📖 1503 ; lat. *praedicabilis*, de *praedicare*, « proclamer » ; [pʀedikabl].

**PRÉDICANT,** subst. m.
**1.** *Relig.* Prédicateur, dans le culte protestant. **2.** Prêcheur, moralisateur (péj.). 📖 1523 ; lat. *praedicans*, de *praedicare*, « proclamer » ; [pʀedikɑ̃].

**PRÉDICAT,** subst. m.
**1.** *Log.* Variable d'une fonction propositionnelle : *Calcul des **prédicats**.* **2.** *Ling.* Ce qui, dans une phrase, est formulé à propos de ce dont on parle : *Dans « Tous les hommes sont mortels », « sont mortels » est le **prédicat**.* ▸ *Gramm.* Adjectif attribut. **3.** *Math.* Relation entre $n$ variables (pour $n = 1$ c'est une propriété, pour $n = 2$, une relation binaire...) qui, pour chaque attribution de valeurs d'individus aux variables, devient une proposition, vraie ou fausse selon ces valeurs (synon. *fonction propositionnelle*). 📖 1370 ; bas lat. *praedicatum*, « attribut » ; [pʀedika].

**PRÉDICATEUR, TRICE,** subst.
*Relig.* Personne qui prêche. 📖 1239 ; lat. eccl. *praedicator* ; [pʀedikatœʀ, tʀis].

**PRÉDICATIF, IVE,** adj.
Relatif au prédicat. ▸ *Ling. Phrase **prédicative*** : phrase qui se réduit au seul prédicat (par ex. : « Silence ! »). 📖 1842 (1466, qui affirme) ; bas lat. *praedicativus*, « affirmatif » ; [pʀedikatif, iv].

**PRÉDICATION (I),** subst. f.
**1.** Action de prêcher. **2.** Méton. Sermon, prêche (littér.). 📖 Déb. XIIe s. ; lat. chrét. *praedicatio* ; [pʀedikasjɔ̃].

**PRÉDICATION (II),** subst. f.
*Ling.* Action de fournir un prédicat à un sujet, par quoi s'instaurent, dans un langage, l'instance de discours et donc le sens. 📖 1892 ; ☞ *prédicat* ; [pʀedikasjɔ̃].

**PRÉDICTIBLE,** adj.
Dont on peut prévoir l'évolution. 📖 XXe s. ; ☞ *prédire* ; [pʀediktibl].

**PRÉDICTIF, IVE,** adj.
Qui permet de prévoir un développement : *Test **prédictif**.* 📖 V. 1970 ; angl. *predictive* ; [pʀediktif, iv].

**PRÉDICTION,** subst. f.
**1.** Action de prédire qqch. **2.** Méton. Ce qui est prédit : *Les **prédictions** se sont accomplies.* 📖 1509 ; lat. *praedictio* ; [pʀediksjɔ̃].

**PRÉDIGÉRÉ, ÉE,** adj.
Se dit d'un aliment traité chimiquement afin de diminuer le travail digestif du sujet à nourrir. 📖 1949 ; p. p. de *digérer* + *pré-* ; [pʀediʒeʀe].

**PRÉDILECTION,** subst. f.
Préférence marquée pour qqn ; goût particulier pour qqch. ▸ Loc. ***De prédilection*** : préféré, favori. 📖 1461 ; ☞ *dilection* + *pré-* ; [pʀedilɛksjɔ̃].

**PRÉDIRE,** verbe trans. [65]
Annoncer (un évènement futur) par calcul, déduction, pressentiment ou divination : *Prédire une guerre, une belle carrière.* 📖 Déb. XVe s. (fin XIIe s., ordonner) ; lat. *praedicere* ; [pʀediʀ].

**PRÉDISPOSER,** verbe trans. [3]
Mettre par avance (qqn) dans des dispositions propres à qqch. : *Son éducation le **prédispose** à la réserve.* 📖 1464 ; ☞ *disposer* + *pré-* ; [pʀedispoze].

**PRÉDISPOSITION,** subst. f.
**1.** Aptitude naturelle : ***Prédisposition** à la rêverie.* **2.** *Méd.* Vulnérabilité particulière d'un organisme à certaines maladies. 📖 1798 ; ☞ *prédisposer* ; [pʀedispozisjɔ̃].

**PRÉDOMINANCE,** subst. f.
Caractère qui prédomine ; état de ce qui prédomine. 📖 XVIe s. ; ☞ *prédominer* ; [pʀedɔminɑ̃s].

**PRÉDOMINANT, ANTE,** adj.
Qui prédomine : *Influence, inquiétude **prédominante**.* 📖 Fin XIVe s. ; p. pr. de *prédominer* ; [pʀedɔminɑ̃, ɑ̃t].

**PRÉDOMINER,** verbe intrans. [3]
Prévaloir, avoir l'avantage : *Son avis **prédomine**.* 📖 Déb. XIVe s. ; ☞ *dominer* + *pré-* ; [pʀedɔmine].

**PRÉÉLECTORAL, ALE, AUX,** adj.
Qui précède des élections. 📖 1957 ; ☞ *électoral* + *pré-* ; [pʀeelɛktɔʀal, o].

**PRÉÉLÉMENTAIRE,** adj.
*Enseign.* Relatif aux classes enfantines ou aux écoles maternelles. 📖 ☞ *élémentaire* + *pré-* ; [pʀeelemɑ̃tɛʀ].

**PRÉEMBALLÉ, ÉE,** adj.
Se dit d'un aliment frais vendu sous emballage. 📖 V. 1970 ; p. p. de *emballer* + *pré-* ; [pʀeɑ̃bale].

**PRÉÉMINENCE,** subst. f.
**1.** Préséance, privilège reconnu à une personne eu égard à son rang. **2.** Suprématie, prédominance. 📖 Fin XIVe s. ; bas lat. *praeeminentia* ; [pʀeeminɑ̃s].

**PRÉÉMINENT, ENTE,** adj.
Qui a la prééminence ; prépondérant (littér.). 📖 Déb. XVe s. ; bas lat. *praeeminens* ; [pʀeeminɑ̃, ɑ̃t].

**PRÉEMPTION,** subst. f.
*Dr.* Acquisition avant tout autre. ▸ ***Droit de préemption*** : priorité reconnue (à un particulier, à l'administration) pour l'acquisition d'un bien mis en vente. 📖 1569 ; lat. *emptio*, « achat », + *pré-* ; [pʀeɑ̃psjɔ̃].

**PRÉENCOLLÉ, ÉE,** adj.
Se dit d'un matériau dont l'envers est enduit d'une colle qui prend quand on l'humidifie. 📖 V. 1970 ; p. p. de *encoller* + *pré-* ; [pʀeɑ̃kɔle].

**PRÉENREGISTRÉ, ÉE,** adj.
**1.** Qui comporte déjà un enregistrement (par oppos. à *vierge*) : *Cassette* ***préenregistrée.*** **2.** Enregistré à l'avance : *Une interview* ***préenregistrée.*** V. 1970 ; p. p. de *enregistrer* + *pré-* ; [pʀeɑ̃ʀəʒistʀe].

**PRÉÉTABLI, IE,** adj.
Établi, fixé à l'avance : *Suivre un plan* ***préétabli.*** 1609 ; p. p. de *établir* + *pré-* ; [pʀeetabli].

**PRÉEXISTANT, ANTE,** adj.
Qui préexiste : *État* ***préexistant.*** 1377 ; ☞ *existant* + *pré-* ; [pʀeɛgzistɑ̃, ɑ̃t].

**PRÉEXISTER,** verbe intrans. [3]
Exister antérieurement (à qqn, à qqch.). 1482 ; bas lat. *praeexistere* ; [pʀeɛgziste].

**PRÉFABRICATION,** subst. f.
Fabrication d'éléments de construction destinés à être assemblés et montés sur place ultérieurement. 1946 ; ☞ *fabrication* + *pré-* ; [pʀefabʀikasjɔ̃].

**PRÉFABRIQUÉ, ÉE,** adj. et subst. m.
Adj. **1.** Se dit d'un élément de construction préalablement fabriqué en usine : *Cloisons* ***préfabriquées.*** **2.** Méton. Réalisé avec de tels éléments : *Chalet* ***préfabriqué.*** **3.** Fig. Préparé à l'avance ; artificiel, factice : *Arguments* ***préfabriqués.*** Subst. Élément **préfabriqué** ; ensemble de ce qui est construit à partir d'éléments **préfabriqués** : *Pavillon en* ***préfabriqué.*** 1932 ; p. p. de *fabriquer* + *pré-* ; [pʀefabʀike].

© Ph. Roy-Explorer

*Construction d'une maison en* ***préfabriqué.***

**PRÉFACE,** subst. f.
**1.** Texte de présentation placé en tête d'un livre. **2.** *Liturg.* Prière solennelle d'action de grâces qui ouvre la prière eucharistique. Fin XIIe s. ; lat. *praefatio*, de *praefari*, « dire avant » ; [pʀefas].

**PRÉFACER,** verbe trans. [4]
Écrire la préface de (un livre). 1608 ; ☞ *préface* ; [pʀefase].

**PRÉFACIER, IÈRE,** subst.
Auteur de préface. 1833 ; ☞ *préface* ; [pʀefasje, jɛʀ].

**PRÉFECTORAL, ALE, AUX,** adj.
Relatif au préfet, à la préfecture ; qui en émane : *Administration* ***préfectorale*** ; *Arrêtés* ***préfectoraux.*** 1815 ; ☞ *préfet* ; [pʀefɛktɔʀal, o].

**PRÉFECTURE,** subst. f.
**1.** *Antiq. rom.* ▸ Sous le Haut-Empire, grande administration : ***Préfecture*** *du prétoire, de la ville, de la flotte, d'Égypte.* ▸ Sous le Bas-Empire, l'une des quatre subdivisions de l'empire : ***Préfectures*** *d'Italie, des Gaules, d'Illyrie, d'Orient.* **2.** Charge de préfet ; durée de cette charge. **3.** Ensemble des services administratifs dépendant du préfet. ▸ ***Préfecture*** *de police* : à Paris, ensemble des services centraux et directoriaux de la police. ▸ ***Préfecture*** *maritime* : administration contrôlant une région maritime. **4.** Immeuble abritant les services préfectoraux ; par ext., ville où siège un préfet ; circonscription qu'il administre. XIVe s. ; lat. *praefectura*, de *praefectus*, « préfet » ; [pʀefɛktyʀ].

**PRÉFÉRABLE,** adj.
Qui mérite la préférence. ▸ Loc. *Il est* ***préférable*** *de* : il vaut mieux. 1516 ; ☞ *préférer* ; [pʀefeʀabl].

**PRÉFÉRENCE,** subst. f.
**1.** Fait de préférer : *Avoir une* ***préférence*** *pour un ami, pour une couleur* ; par méton., la personne, la chose préférée. ▸ Loc. *De* ***préférence*** : plutôt. **2.** Avantage accordé à qqn au détriment des autres : *Ne faisons pas de* ***préférences*** *!* **3.** *Dr. Droit de* ***préférence*** : priorité reconnue à un créancier hypothécaire de se faire payer sur la vente du bien hypothéqué, avant tout autre créancier. **4.** *Écon.* Règlementation, plus favorable que le droit commun, qui s'applique aux échanges commerciaux entre certains États. Mil. XVe s. ; ☞ *préférer* ; [pʀefeʀɑ̃s].

**PRÉFÉRENTIEL, ELLE,** adj.
Qui établit une préférence. ▸ *Pol. Vote* ***préférentiel*** : qui permet à l'électeur de modifier l'ordre initial des candidats d'une liste. 1903 ; ☞ *préférence* ; [pʀefeʀɑ̃sjɛl].

**PRÉFÉRER,** verbe trans. [8]
Se déterminer en faveur de (une chose, une personne que l'on place au-dessus des autres selon un jugement, un sentiment, un goût) : ***Préférer*** *ses amis à sa famille* ; *Je* ***préfère*** *venir plutôt que de rester seul* ; empl. abs. : *Comme vous* ***préférez,*** à votre guise ; au fig. : *Le saule* ***préfère*** *l'humidité,* il y croît mieux. XIVe s. ; lat. *praeferre*, « porter en avant » ; [pʀefeʀe].

**PRÉFET, ÈTE,** subst.
Masc. **1.** *Antiq. rom.* Haut magistrat chargé d'une préfecture. **2.** *Cath.* ***Préfet*** *de congrégation* : cardinal qui dirige une congrégation romaine. **3.** *Enseign.* ▸ ***Préfet*** *des études* : prêtre ou laïc chargé de la discipline et des programmes d'étude d'un collège privé. ▸ Belg. Directeur d'athénée, de lycée. **4.** *Admin.* Haut fonctionnaire qui, en France, représente l'État à la tête d'un département ou d'une région. ▸ ***Préfet*** *de police* : à Paris, haut fonctionnaire responsable de la police municipale. ▸ ***Préfet*** *maritime* : amiral chargé du commandement d'une région maritime. Fém. **1.** Femme d'un **préfet** (vieilli). **2.** Femme **préfet.** **3.** Belg. Directrice d'athénée, de lycée. Fin XIIe s. ; lat. *praefectus* ; [pʀefɛ, ɛt].

**PRÉFIGURATION,** subst. f.
Ce qui présente les caractères essentiels d'un être ou d'une chose à venir. Fin XVe s. ; lat. chrét. *praefiguratio* ; [pʀefigyʀasjɔ̃].

**PRÉFIGURER,** verbe trans. [3]
Présenter les caractéristiques majeures de (un être ou une chose à venir). Déb. XIIIe s. ; lat. chrét. *praefigurare* ; [pʀefigyʀe].

**PRÉFINANCEMENT,** subst. m.
Financement provisoire d'un projet, dans l'attente de la mise en place d'un financement durable. V. 1960 ; ☞ *financement* + *pré-* ; [pʀefinɑ̃smɑ̃].

**PRÉFIX, IXE,** adj.
*Dr.* Fixé d'avance (vx) : *Au jour* ***préfix.*** 1381 ; lat. *praefixus*, « fixé à l'avance » ; [pʀefiks].

**PRÉFIXATION,** subst. f.
Formation d'un mot nouveau par adjonction d'un préfixe à une unité lexicale préexistante. 1876 ; ☞ *préfixer* (II) ; [pʀefiksasjɔ̃].

**PRÉFIXE,** subst. m.
*Ling.* Élément qui précède le radical d'un mot et qui en modifie le sens (anton. *suffixe*) : *Dans « détendre », « dé- » est un* ***préfixe.*** 1681 ; lat. *praefixus*, « fixé devant » ; [pʀefiks].

**PRÉFIXER (I),** verbe trans. [3]
*Dr.* Fixer à l'avance. 1367 ; lat. *praefixus*, « fixé à l'avance » ; [pʀefikse].

**PRÉFIXER (II),** verbe trans. [3]
Ajouter un préfixe à (un mot) ; empl. adj. : *Un élément* ***préfixé.*** 1869 ; ☞ *préfixe* ; [pʀefikse].

**PRÉFIXION,** subst. f.
Fixation d'un délai ; ce délai préfixé. 1372 ; ☞ *préfixer* (I) ; [pʀefiksjɔ̃].

**PRÉFOLIATION,** subst. f.
*Bot.* Disposition des feuilles dans le bourgeon, avant éclosion. 1869 ; ☞ *foliation* + *pré-* ; [pʀefɔljasjɔ̃].

**PRÉFORMATION,** subst. f.
**1.** Formation préalable. **2.** *Sc.* Théorie, en vogue aux XVIIe et XVIIIe s., selon laquelle l'organisme vivant est déjà complètement constitué dans le germe. 1710 ; ☞ *formation* + *pré-* ; [pʀefɔʀmasjɔ̃].

**PRÉFORMER,** verbe trans. [3]
Former à l'avance dans ses éléments essentiels. 1710 ; ☞ *former* + *pré-* ; [pʀefɔʀme].

**PRÉGLACIAIRE,** adj.
*Géol.* Qui précède une période glaciaire. 1873 ; ☞ *glaciaire* + *pré-* ; [pʀeglasjɛʀ].

**PRÉGNANCE,** subst. f.
*Psychol.* Capacité qu'ont les formes à s'imposer à la sensibilité, au sein d'un ensemble de représentations. 1945 ; ☞ *prégnant* ; [pʀegnɑ̃s] ou [-ɲɑ̃s].

**PRÉGNANT, ANTE,** adj.
**1.** Qui s'impose à l'esprit, qui crée une forte impression. **2.** *Psychol.* Qui s'impose à la perception. 1572 ; anc. fr. *prembre* ou *preindre*, du lat. *premere*, « presser » ; [pʀegnɑ̃, ɑ̃t] ou [-ɲɑ̃].

**PRÉHELLÉNIQUE,** adj.
*Hist.* Antérieur au XIIe s. av. J.-C., époque de l'invasion dorienne en Grèce et dans les contrées avoisinantes. 1910 ; ☞ *hellénique* + *pré-* ; [pʀeɛl(l)enik] ou [-ele-].

**PRÉHENSIBLE,** adj.
Qui peut être saisi (rare). 1595 ; lat. *prehensum*, de *prehendere*, « saisir » ; [pʀeɑ̃sibl].

**PRÉHENSILE,** adj.
Qui a la faculté de saisir : *La queue* ***préhensile*** *de l'atèle.* 1758 ; ☞ *préhension* ; [pʀeɑ̃sil].

**PRÉHENSION,** subst. f.
Action ou faculté de prendre, de saisir. 1572 (1404, compréhension) ; lat. *prehensio*, « saisie » ; [pʀeɑ̃sjɔ̃].

**PRÉHISPANIQUE,** adj.
Précolombien. ☞ *hispanique* + *pré-* ; [pʀeispanik].

**PRÉHISTOIRE,** subst. f.
**1.** Période de l'évolution de l'humanité qui s'étend depuis son origine jusqu'à l'âge du bronze et à l'invention de l'écriture. **2.** Méton. Science qui étudie l'évolution des caractères de l'homme et de son environnement durant cette période. 1872 ; ☞ *histoire* + *pré-* ; [pʀeistwaʀ].

ARCHÉOLOGIE – La préhistoire débute avant le Quaternaire. On a subdivisé cette période en fonction des outils élaborés progressivement, d'abord en pierre, puis en os et en bois, et enfin en céramique et en métal. Ces diverses industries sont maintenant interprétées comme des civilisations (« cultures ») localisées régionalement et qui se relaient plutôt qu'elles ne se succèdent. L'évolution technique régulière s'est accompagnée d'une évolution spirituelle et artistique plus complexe (comportements religieux se modifiant en fonction de l'économie de la société, art figuratif puis symbolique). Le plus important changement – la maîtrise de l'approvisionnement par l'agriculture et l'élevage – caractéristique du Néolithique apparaît maintenant comme ayant été préparé par une sédentarisation antérieure (fin du Paléolithique et Mésolithique) et comme s'étant répandu lentement à partir de lieux d'invention indépendants les uns des autres et répartis sur les différents continents. Les premières études préhistoriques, en Europe puis en Afrique orientale, ne peuvent donc pas expliquer l'histoire de toute l'humanité, mais servent encore de cadre aux recherches modernes.

**PRÉHISTORIEN, IENNE,** subst.
Spécialiste de la préhistoire. 1874 ; ☞ *préhistoire* ; [pʀeistɔʀjɛ̃, jɛn].

**PRÉHISTORIQUE,** adj.
**1.** Relatif à la préhistoire : *Site, anthropologie* ***préhistorique.*** **2.** Très ancien, antédiluvien (souv. iron.). 1865 ; ☞ *historique* + *pré-* ; [pʀeistɔʀik].

**PRÉHOMINIEN,** subst. m.
*Paléont.* Membre d'un groupe d'hominiens auquel appartient, par ex., *Homo erectus* (pithécanthrope). V. 1950 ; ☞ *hominien* + *pré-* ; [pʀeɔminjɛ̃].

**PRÉINDUSTRIEL, ELLE,** adj.
Antérieur à la révolution industrielle du XVIIIe s. V. 1970 ; ☞ *industriel* + *pré-* ; [pʀeɛ̃dystʀijɛl].

**PRÉINSCRIPTION,** subst. f.
Inscription provisoire, dans l'attente de l'inscription définitive, une fois toutes les conditions remplies, dans un établissement d'enseignement supérieur. V. 1970 ; ☞ *inscription* + *pré-* ; [pʀeɛ̃skʀipsjɔ̃].

**PRÉJUDICE,** subst. m.
**1.** *Dr.* Acte, souvent illégal, qui lèse les intérêts de qqn (synon. *tort, dommage*) : ***Préjudice*** *moral, matériel.* ▸ Loc. *Au* ***préjudice*** *de* : au désavantage de ; *Porter* ***préjudice*** *à* : faire tort à, léser. **2.** Ce qui porte tort à qqch. ▸ Loc. *Sans* ***préjudice*** *de* : sans porter atteinte à ; sans tenir compte de. 1283 ; lat. *praejudicium*, « jugement anticipé » ; [pʀeʒydis].

**PRÉJUDICIABLE,** adj.
Qui porte ou peut porter préjudice. 1266 ; bas lat. *praejudiciabilis* ; [pʀeʒydisjabl].

**PRÉJUDICIEL, ELLE,** adj.
**1.** *Dr.* Qui doit précéder le jugement. ▸ ***Question préjudicielle*** : qui doit être tranchée par une autre

LA **PRÉHISTOIRE** :
SITES, ART, INDUSTRIES

1. *Dolmen de la fin du Néolithique en Irlande (IIIe mill. av. J.-C.).*

2. *Mégalithes du site de Stonehenge, dans le sud de la Grande-Bretagne. Ce monument, constitué de plusieurs cercles de monolithes (cromlech), a été édifié entre la fin du Néolithique et le début de l'âge du bronze (IIIe-IIe mill. av. J.-C.).*

© J. Brun-Jacana

© Anderson-Explorer

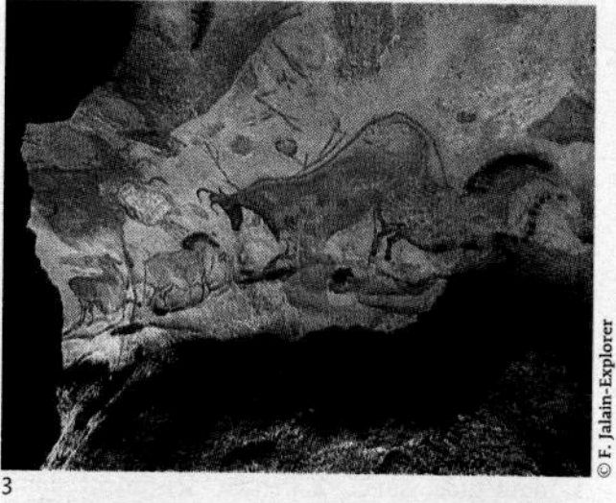

© F. Jalain-Explorer

© C. & J. Lenars-Explorer

© Champroux-Explorer

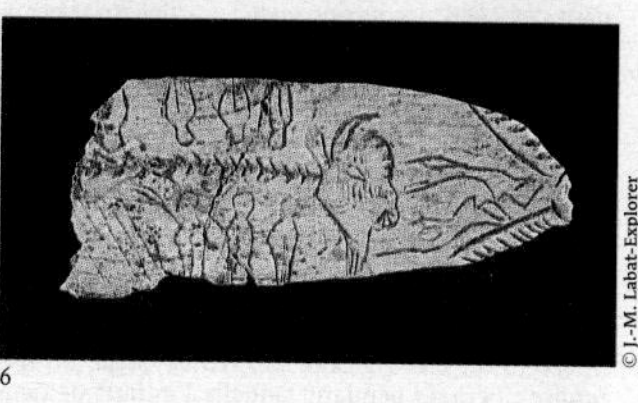

© J.-M. Labat-Explorer

© A. Wolf-Explorer

© A. Bordes-Explorer

3. *Chevaux et bovidés de la grotte de Lascaux II, une réplique de la célèbre grotte ornée de peintures magdaléniennes (vieilles de 17 000 ans).*

6. *Os gravé de l'abri de Raymonden (Dordogne), d'époque magdalénienne (de - 15 000 à - 10 000 ans). Musée du Périgord, Périgueux.*

4. *Couple de bisons modelés dans l'argile, de la grotte du Tuc-d'Audoubert en Ariège, d'époque magdalénienne (de - 15 000 à - 10 000 ans).*

7. *Meule néolithique portative accompagnée de sa molette, provenant des fouilles de Bercy, à Paris.*

5. *Reconstitution, au Thot (Dordogne), de la maison en os de mammouth de Meziric (Ukraine), d'époque épigravettienne (env. - 20 000 ans).*

8. *Biface acheuléen taillé dans le silex par l'Homo erectus (de - 500 000 à - 150 000 ans).*

juridiction, avant que l'action principale puisse être jugée. 1752 (fin XIIIe s., nuisible) ; bas lat. *praejudicialis* ; [pʀeʒydisjɛl].

**PRÉJUGÉ, subst. m.**
**1.** Jugement provisoire fondé sur l'interprétation d'indices. **2.** Opinion préconçue, imposée par le milieu ou l'éducation, ou due à une généralisation hâtive à partir d'un cas particulier (péj.) : *Il faut surmonter ses* ***préjugés*** *si on veut être lucide.* Fin XVIe s. ; p. p. de *préjuger* ; [pʀeʒyʒe].

**PRÉJUGER, verbe trans.** [5]
**Trans. dir. 1.** Littér. Émettre un jugement hâtif sur (qqch., qqn). **2.** Prévoir à l'aide d'indices : *Autant qu'on peut le* ***préjuger***. **Trans. indir. Préjuger de.** Porter un jugement prématuré sur (qqch.). Fin XVe s. ; lat. *praejudicare* ; [pʀeʒyʒe].

**PRÉLART, subst. m.**
Grosse toile imperméabilisée utilisée pour la protection d'un chargement. 1670 ; orig. obsc. ; [pʀelaʀ].

**PRÉLASSER (SE), verbe pronom.** [3]
**1.** Vx. Adopter un air important, digne. **2.** Se laisser aller avec nonchalance, alanguissement. 1532 ; crois. de *prélat* et de *lasser* ; [pʀelɑse].

**PRÉLAT, subst. m.**
*Dr. canon.* **1.** Dignitaire ecclésiastique titulaire d'une haute charge (évêché, abbaye, légation, etc.) ou honoré individuellement par le pape. **2.** ***Prélat de Sa Sainteté*** : dignitaire ecclésiastique de l'entourage du pape. 1155 ; lat. médiév. *praelatus*, « supérieur », du lat. *praeferre*, « se porter en avant » ; [pʀela].

**PRÉLATIN, INE, adj.**
Antérieur à la civilisation et à la langue latines. Déb. XXe s. ; ☞ *latin + pré-* ; [pʀelatɛ̃, in].

**PRÉLATURE, subst. f.**
**1.** Dignité de prélat ; par méton., juridiction territoriale ou spirituelle afférente à cette dignité. **2.** Corps des prélats de Rome. Mil. XIVe s. ; lat. médiév. *praelatura* ; [pʀelatyʀ].

**PRÉLAVAGE, subst. m.**
Lavage qui précède le cycle normal d'une machine à laver. V. 1960 ; ☞ *lavage + pré-* ; [pʀelavaʒ].

**PRÊLE, subst. f.**
*Bot.* Plante vivace des lieux humides, à tige creuse terminée en épi, de la famille des Équisétacées, utilisée comme reminéralisant pour sa teneur en silice. 1539 ; anc. fr. *asprele*, du lat. pop. °*asperella* ; var. *prèle* ; [pʀɛl].

**PRÉLEGS, subst. m.**
*Dr.* Legs particulier devant être prélevé sur l'héritage avant le partage. 1690 ; ☞ *legs + pré-* ; [pʀelɛ(g)].

**PRÉLÈVEMENT, subst. m.**
Action de prélever ; par méton., quantité prélevée, échantillon : ***Prélèvement*** *obligatoire*, impôt, retenue sociale sur salaire ; ***Prélèvement*** *automatique*, sur un compte en banque avec l'autorisation de son titulaire ; ***Prélèvement*** *de sang*, à des fins d'analyse. 1767 ; ☞ *prélever* ; [pʀelɛvmɑ̃].

**PRÉLEVER, verbe trans.** [10]
**1.** Prendre (une partie) d'un ensemble, d'un total : ***Prélever*** *une taxe, un échantillon.* **2.** *Méd.* Ôter de l'organisme : ***Prélever*** *de la moelle.* 1690 (1629, lever un impôt) ; bas lat. *praelevare* ; [pʀel(ə)ve].

**PRÉLIMINAIRE, adj. et subst. m.**
**Adj.** Qui précède et prépare qqch. de plus important : *Enquête* ***préliminaire***. **Subst. plur. 1.** *Diplom.* Ensemble des tractations devant mener à un accord, à un traité de paix. **2.** Ce qui précède et prépare une chose plus importante : ***Préliminaires*** *amoureux.* **Subst. sing.** *Dr.* ***Préliminaire*** *de conciliation* : tentative de conciliation. 1671 ; bas lat. *praeliminaris* ; [pʀeliminɛʀ].

**PRÉLUDE, subst. m.**
**1.** *Mus.* ► Série de notes émises par un instrumentiste, un chanteur pour préparer son instrument, sa voix. ► Composition de forme libre, instrumentale ou symphonique, servant parfois d'introduction à une œuvre, en partic. à un opéra. **2.** Fig. Ce qui précède ou annonce qqch. : *Les* ***préludes*** *d'une catastrophe.* 1530 ; bas lat. *praeludium*, du lat. *praeludere*, « se préparer à jouer » ; [pʀelyd].

**PRÉLUDER, verbe** [3]
**Intrans.** *Mus.* Préparer son instrument, sa voix, avant de commencer l'exécution d'une œuvre. **Trans. indir. Préluder à.** Se produire en annonce à (qqch. de plus important) : *Les taquineries* ***préludaient*** *à une querelle.* 1673 (1657, faire une chose comme essai) ; lat. *praeludere* ; [pʀelyde].

**PRÉMATURÉ, ÉE, adj.**
**1.** Qu'il n'est pas encore temps d'accomplir : *Entreprise* ***prématurée***. **2.** Qui a lieu avant le temps normal (synon. *précoce*). **3.** *Bébé, enfant* ***prématuré***

ou, empl. subst., *Un **prématuré*** : né avant le terme normal de la grossesse, mais viable. 🕮 1632 ; lat. *praematurus*, « précoce » ; [pʀematyʀe].

**PRÉMATURÉMENT, adv.**
De manière prématurée, trop tôt. 🕮 1576 ; lat. *praemature* ; [pʀematyʀemɑ̃].

**PRÉMATURITÉ, subst. f.**
*Méd.* État d'un enfant prématuré. 🕮 1953 (1762, maturité précoce) ; ☞ *maturité* + *pré-* ; [pʀematyʀite].

**PRÉMÉDICATION, subst. f.**
*Méd.* Administration d'un anxiolytique avant une intervention chirurgicale ou certains examens. 🕮 1959 ; ☞ *médication* + *pré-* ; [pʀemedikasjɔ̃].

**PRÉMÉDITATION, subst. f.**
Intention délibérée de mettre à exécution une action, en partic. une mauvaise action, un délit : *Meurtre avec **préméditation***. 🕮 Fin XIVe s. ; lat. *praemeditatio*, « prévision » ; [pʀemeditasjɔ̃].

**PRÉMÉDITER, verbe trans. [3]**
**Trans. dir.** Concevoir, mettre au point (un projet, une action, en partic. un acte répréhensible). **Trans. indir. Préméditer de** (+ inf.). Projeter de. 🕮 Fin XVe s. (1395, se mettre d'accord à l'avance) ; lat. *praemeditari* ; [pʀemedite].

**PRÉMENSTRUEL, ELLE, adj.**
*Méd.* Qui précède les règles. 🕮 1908 ; ☞ *menstruel* + *pré-* ; [pʀemɑ̃stʀyɛl].

**PRÉMICES, subst. f. plur.**
**1.** *Antiq.* Premiers produits saisonniers de la terre, premiers-nés du bétail, offerts en sacrifice à la divinité. **2.** Fig. Début d'une situation nouvelle, premiers signes de qqch. (littér.) : *Les **prémices** d'une crise économique, de la paix.* **3.** *Cath.* ***Prémices** sacerdotales* : première messe d'un prêtre nouvellement ordonné. 🕮 Déb. XIIe s. ; lat. eccl. *primitiae* ; [pʀemis].

**PREMIER, IÈRE, adj. et subst.**
**Adj. 1.** Qui précède les autres, dans le temps, dans l'espace, dans une série : ***Premier** jour de l'été* ; ***Première** rue à droite* ; ***Premier** épisode* ; *François Ier*. ▸ Loc. *À la **première** heure* : très tôt ; *Faire le **premier** pas* : prendre l'initiative ; *En **premier*** : tout d'abord ; *Le **premier** venu* : n'importe qui. **2.** Qui devance les autres par son mérite, son importance : ***Premier** prix* ; ***Premier** rôle.* ▸ *Le **Premier** ministre* : le chef du gouvernement. ▸ Loc. *De **première*** : de la meilleure qualité (fam.). **3.** Qui est à l'origine ou dans sa condition originelle : *Retravailler un **premier** jet* ; *Cause **première** d'un sentiment* ; *Proposition **première**,* postulat. **4.** *Math.* *Nombre **premier*** : entier naturel qui n'est divisible que par lui-même et l'unité ; *Nombres **premiers** entre eux* : entiers ayant pour seul diviseur commun l'unité. **Subst. 1.** *Jeune **premier**, jeune **première*** : comédiens qui jouent les **premiers** rôles d'amoureux. **2.** *Être le **premier*** : le plus fort, le gagnant. **Subst. masc. 1.** Étage situé juste au-dessus du rez-de-chaussée (ou parfois de l'entresol). **2.** *Le **premier** de l'an* : jour qui commence l'année. **3.** *Mon **premier**...* : annonce le terme initial d'une charade. **Subst. fém. 1.** Chose réalisée pour la **première** fois. ▸ *Théâtre* et *Cin.* **Première** représentation ou projection publique. ▸ *Alp.* Conquête d'un sommet encore inexploré. **2.** Mince semelle de cuir dans la chaussure. **3.** *Enseign.* Classe précédant la terminale. **4. Première** classe, la plus confortable, dans un moyen de transport : *Voyager en **première*** ; par méton. : *Prendre des **premières**.* **5.** Couturière à la tête d'un atelier. **6.** *Typogr.* Épreuve tirée pour correction, juste après la composition. **7.** *Autom.* Vitesse démultipliée utilisée pour le démarrage. 🕮 Fin Xe s. ; lat. *primarius* ; [pʀəmje, jɛʀ].

**PREMIÈREMENT, adv.**
Tout d'abord, en premier lieu. 🕮 Déb. XIIe s. ; ☞ *premier* ; [pʀəmjɛʀmɑ̃].

**PREMIER-NÉ, PREMIÈRE-NÉE, adj. et subst.**
Se dit du premier enfant d'une famille (synon. *aîné*). 🕮 XIIIe s. ; comp. de *premier* et de *né* ; plur. *premiers-nés, premières-nées* ; [pʀəmjene, pʀəmjɛʀne].

**PRÉMISSE, subst. f.**
**1.** *Log.* Chacune des deux propositions (la majeure et la mineure) d'où découle la conclusion d'un syllogisme (souv. au plur.). **2.** Proposition dont on tire une conclusion. 🕮 1310 ; lat. médiév. *praemissa*, du lat. *praemittere*, « envoyer devant » ; [pʀemis].

**PRÉMOLAIRE, subst. f.**
*Anat.* Chacune des dents situées entre la canine et les molaires : *L'homme a huit **prémolaires**.* 🕮 1859 ; ☞ *molaire* (I) + *pré-* ; [pʀemɔlɛʀ].

**PRÉMONITION, subst. f.**
Pressentiment qu'un évènement va avoir lieu (synon. *précognition*). 🕮 1923 (mil. XVe s., avertissement) ; lat. *praemonitio* ; [pʀemɔnisjɔ̃].

**PRÉMONITOIRE, adj.**
**1.** *Méd.* Qualifie un symptôme annonciateur d'un accès pathologique. **2.** Qui relève de la prémonition : *Rêve **prémonitoire**.* 🕮 1853 ; lat. *praemonitorius* ; [pʀemɔnitwaʀ].

**PRÉMONTRÉ, ÉE, subst.**
*Relig.* Membre de l'ordre régulier fondé à Prémontré par saint Norbert, au XIIe s. 🕮 1611 ; topon. *Prémontré* (Aisne) ; [pʀemɔ̃tʀe].

**PRÉMUNIR, verbe trans. [19]**
**1.** Vx. Munir par précaution. **2.** Garder (qqn) du danger, le mettre en garde (littér.). **Pronom.** Se protéger, s'assurer : *Se **prémunir** contre la maladie.* 🕮 1367 ; lat. *praemunire*, « protéger » ; [pʀemyniʀ].

**PRENANT, ANTE, adj.**
**1.** *Dr.* *Partie **prenante*** : qui est à créditer d'une somme d'argent ; par ext., directement concernée par une affaire, un processus. **2.** Qui saisit, attrape avec force. **3.** Fig. Qui attire et retient l'attention ; captivant : *Film **prenant**.* ▸ Qui requiert un gros effort de concentration ; accaparant : *Métier **prenant**.* 🕮 Mil. XIVe s. (mil. XIIe s., vénal) ; p. pr. de *prendre* ; [pʀənɑ̃, ɑ̃t].

**PRÉNATAL, ALE, ALS ou AUX, adj.**
Qui précède la naissance. 🕮 1901 ; ☞ *natal* + *pré-* ; [pʀenatal, o].

**PRENDRE, verbe [52]**
**Trans. 1.** Saisir, en partic. avec la main : ***Prendre** un stylo sur la table* ; ***Prendre** un enfant par la main.* ▸ Loc. ***Prendre** les choses en main* : contrôler la situation. **2.** Emporter, se munir de (qqch.) : ***Prendre** son chéquier, son chapeau* ; emmener, amener (qqn) : *Passez me **prendre** plus tard.* ▸ Loc. ***Prendre** qqch. sur soi* : en assumer la responsabilité ; ***Prendre** sur soi* : se contenir, supporter. **3.** S'approprier, s'emparer de (qqch.) : ***Prendre** la place de qqn* ; conquérir par la force : ***Prendre** une citadelle* ; voler, dérober : *Le cambrioleur **a pris** l'argenterie* ; demander, exiger : *Il **prend** cent francs l'heure* ; occuper (du temps, de l'espace) : *Ce travail me **prendra** deux jours.* ▸ Loc. ***Prendre** son temps* : ne pas se hâter ; ***Prendre** la tête à qqn* : l'excéder (fam.). **4.** S'emparer de (qqn), en parlant d'un sentiment, d'une sensation : *La peur le **prit**.* ▸ Loc. *Qu'est-ce qui te **prend** ?* : qu'est-ce qui t'arrive ? (fam.) ; *Bien, mal lui en **prit*** : il a eu raison, tort. **5.** Attraper, capturer : ***Prendre** un sanglier* ; au fig. : ***Prendre** qqn par les sentiments.* ▸ Surprendre (qqn) : ***Prendre** qqn sur le fait, en faute.* ▸ Posséder sexuellement. **6.** Acquérir, se procurer : ***Prendre** un ticket* ; ***Prendre** de l'essence* ; choisir, opter pour : *Je **prendrai** le menu* ; accepter : *Magasin qui **prend** les chèques.* **7.** Utiliser (un moyen de transport) : ***Prendre** le bus* ; emprunter (une voie de communication) : ***Prendre** un chemin.* **8.** S'adjoindre, engager (qqn) : ***Prendre** une secrétaire* ; ***Prendre** femme*, se marier, en parlant d'un homme. **9.** Se faire donner, recevoir : ***Prendre** des cours* ; ***Prendre** des nouvelles* ; ***Prendre** conseil* ; faire en sorte d'avoir, bénéficier de : ***Prendre** des vacances, sa retraite.* ▸ Mesurer, évaluer : ***Prendre** son pouls.* **10.** Absorber, consommer : ***Prendre** un verre.* ▸ Jouir de : ***Prendre** l'air, le frais, le soleil.* **11.** Subir, recevoir (fam.) : ***Prendre** des coups.* **12.** Fig. Appréhender, considérer, aborder de telle manière : ***Prendre** bien, mal les choses* ; ***Prendre** les gens comme ils sont* ; ***Prendre** qqn en affection, en pitié*, avoir tel sentiment à son égard. ▸ Loc. *À tout **prendre*** : somme toute, tout bien considéré. **13. Prendre pour.** Considérer (qqch., qqn) comme étant tel, en partic. en se trompant : *Je t'**avais pris** pour un ami.* **14.** Commencer à avoir (tel aspect, telle caractéristique) : ***Prendre** de l'embonpoint* ; ***Prendre** tournure, forme.* ▸ Commencer, accomplir (telle action) : ***Prendre** une décision*, se décider ; ***Prendre** la fuite*, fuir ; ***Prendre** la route*, partir ; ***Prendre** des notes*, noter ; ***Prendre** part à*, participer à ; ***Prendre** la parole*, commencer à parler. **Intrans. 1.** Devenir consistant, épaissir : *La sauce n'**a** pas **pris**.* **2.** Commencer à pousser, en parlant d'une plante : *Bouture qui **prend**.* **3.** Commencer à se développer, en parlant du feu. **4.** Aller dans telle direction : ***Prendre** à gauche, tout droit.* **5.** Fig. Donner l'effet escompté : *La greffe **a pris*** ; être cru : *La plaisanterie **a pris*** ; *Ça ne **prend** pas*, on n'y croit pas. **Pronom. 1.** Se coincer : *Sa jupe **s'est prise** dans la porte.* **2. Se prendre à.** Commencer à (littér.) : *Elle **se prit** à douter.* **3. Se prendre de.** Se mettre à avoir : *Il **se prit** d'amitié pour elle.* **4. Se prendre pour.** Se croire : *Il **se prend** pour un chef.* **5. S'en prendre à.** S'attaquer à, accuser : *S'en **prendre** aux riches.* **6. S'y prendre.** Faire les choses d'une certaine façon : *Tu t'y **prends** mal.* 🕮 Fin Xe s. ; lat. *prehendere* ; [pʀɑ̃dʀ].

**PRENEUR, EUSE, subst. et adj.**
**Subst. 1.** Personne qui prend qqch. : *Un **preneur** d'otages.* ▸ ***Preneur** de son* : opérateur chargé des enregistrements sonores. **2.** *Dr.* Personne qui prend à bail. **3.** Personne qui se porte acquéreur de qqch. **Adj.** Utilisé pour prendre : *Une benne **preneuse**.* 🕮 XIIIe s. ; ☞ *prendre* ; [pʀənœʀ, øz].

**PRÉNOM, subst. m.**
Nom joint au patronyme, permettant de distinguer chacun des membres d'une même famille. 🕮 1556 ; lat. *praenomen*, de *nomen*, « nom » ; [pʀenɔ̃].

**PRÉNOMMÉ, ÉE, subst.**
*Dr.* Personne que l'on a nommée précédemment dans un acte officiel (synon. *susnommé*). 🕮 Mil. XVIe s. ; bas lat. *praenominatus* ; [pʀenɔme].

**PRÉNOMMER, verbe trans. [3]**
Donner un prénom à (qqn) ; empl. pronom., avoir pour prénom ; empl. adj. : *Le **prénommé** Paul.* 🕮 1845 ; ☞ *prénom* ; [pʀenɔme].

**PRÉNUPTIAL, ALE, AUX, adj.**
Qui précède le mariage : *Formalités **prénuptiales**.* 🕮 1932 ; ☞ *nuptial* + *pré-* ; [pʀenypsjal, o].

**PRÉOCCUPANT, ANTE, adj.**
Qui préoccupe, cause de l'inquiétude. 🕮 1860 ; p. pr. de *préoccuper* ; [pʀeɔkypɑ̃, ɑ̃t].

**PRÉOCCUPATION, subst. f.**
**1.** Inquiétude, souci. **2.** Pensée, sentiment dominant. 🕮 1486 ; lat. *praeoccupatio*, « action d'occuper un lieu en premier » ; [pʀeɔkypasjɔ̃].

**PRÉOCCUPÉ, ÉE, adj.**
Soucieux. 🕮 1797 ; p. p. de *préoccuper* ; [pʀeɔkype].

**PRÉOCCUPER, verbe trans. [3]**
Causer de l'inquiétude à, tourmenter : *Sa maladie nous **préoccupe**.* **Pronom.** ***Se préoccuper** de* : s'inquiéter de. 🕮 Mil. XIVe s. (XIIIe s., saisir prématurément) ; lat. *praeoccupare*, « occuper en premier » ; [pʀeɔkype].

**PRÉOPÉRATOIRE, adj.**
**1.** *Méd.* Qui concerne la période précédant une intervention chirurgicale. **2.** *Psychol.* *Stade **préopératoire*** : période pendant laquelle l'enfant de deux à six ans développe sa fonction symbolique, sans pouvoir se décentrer de son point de vue. 🕮 1892 ; ☞ *opératoire* + *pré-* ; [pʀeɔpeʀatwaʀ].

**PRÉORAL, ALE, AUX, adj.**
*Zool.* Situé en avant de la bouche. 🕮 1897 ; ☞ *oral* + *pré-* ; [pʀeɔʀal, o].

**PRÉPARATEUR, TRICE, subst.**
**1.** Vx. Personne qui prépare qqch. ; instigateur. **2.** Assistant d'un chercheur, d'un professeur de sciences, chargé de préparer le matériel des expériences (synon. *laborantin*). ▸ ***Préparateur** en pharmacie* : collaborateur du pharmacien en titre. 🕮 1534 ; lat. *praeparator* ; [pʀepaʀatœʀ, tʀis].

**PRÉPARATIF, subst. m.**
Disposition prise en prévision de qqch. (souv. au plur.). 🕮 1404 ; ☞ *préparer* ; [pʀepaʀatif].

**PRÉPARATION, subst. f.**
**1.** Action de préparer qqch. en vue d'une action, d'une utilisation : ***Préparation** d'un voyage* ; ***Préparation** du matériel avant les travaux.* **2.** Chose préparée : ***Préparation** pharmaceutique*, médicament préparé en officine ; ***Préparation** culinaire.* **3.** *Milit.* ▸ ***Préparation** militaire* : stage effectué avant le service militaire par des volontaires se destinant à l'encadrement. ▸ *Tirs de **préparation*** : visant à désorganiser la défense ennemie avant l'attaque. **4.** *Techn.* ***Préparation** du travail* : organisation préalable et mise au point des consignes à observer pour l'exécution d'un travail industriel. 🕮 1314 ; lat. *praeparatio* ; [pʀepaʀasjɔ̃].

**PRÉPARATOIRE, adj.**
**1.** Qui prépare. ▸ *Dr.* *Jugement **préparatoire*** : jugement qui, sans préjuger le fond, décide de certaines mesures d'instruction. **2.** *Enseign.* ▸ *Cours **préparatoire** (C. P.)* : par lequel commence l'enseignement primaire. ▸ *Classe **préparatoire*** : classe qui prépare aux concours d'entrée aux grandes écoles (abrév. fam. : prépa). 🕮 1322 ; lat. *praeparatorius* ; [pʀepaʀatwaʀ].

**PRÉPARER,** verbe trans. [3]
**1.** Disposer, aménager en vue d'une utilisation : *Préparer une salle de réunion* ; apprêter : *Préparer un plat.* ▸ *Préparer une étoffe, du cuir, du papier* : les soumettre à un apprêt. ▸ *Pharm. Préparer une potion* : en amalgamer les ingrédients. **2.** Mettre en œuvre ce qui est nécessaire à la réalisation de (une action) : *Préparer un voyage.* **3.** Mettre au point (qqch.) : *Préparer une dissertation* ; étudier en vue de (un examen). **4.** Annoncer : *Cette politique nous prépare une rentrée difficile.* **5.** Aider (qqn) à se mettre en état d'accomplir, de subir ou d'affronter qqch. dans de bonnes conditions. : *Préparer un sportif, un malade* ; *Préparer l'opinion à de durs sacrifices.* PRONOM. **1.** *Se préparer à, pour* : s'apprêter, se disposer à (faire ou subir qqch.). ▸ Abs. S'habiller. **2.** Prendre ses dispositions pour (qqch.) : *Se préparer une retraite confortable.* **3.** Être sur le point de se produire : *Un orage se prépare.* Mil. XIVe s. (1314, panser) ; lat. *praeparare* ; [pʀepaʀe].

**PRÉPAYER,** verbe trans. [15]
Payer d'avance. Mil. XXe s. ; ☞ *payer + pré-* ; [pʀepɛje].

**PRÉPONDÉRANCE,** subst. f.
**1.** Vx. Supériorité de poids. **2.** Supériorité de considération, d'autorité, de valeur de qqn ou de qqch. 1752 ; ☞ *prépondérant* ; [pʀepɔ̃deʀɑ̃s].

**PRÉPONDÉRANT, ANTE,** adj.
Qui a davantage de poids, d'importance, d'autorité. ▸ *Voix prépondérante* : déterminante, en cas de partage des voix dans une élection. 1723 ; lat. *praeponderans* ; [pʀepɔ̃deʀɑ̃, ɑ̃t].

**PRÉPOSÉ, ÉE,** subst.
**1.** Personne affectée à une tâche d'exécution : *Le préposé à l'entretien.* ▸ Facteur, factrice des postes. **2.** *Dr.* Personne chargée d'accomplir une fonction pour un commettant. 1619 ; p. p. de *préposer* ; [pʀepoze].

**PRÉPOSER,** verbe trans. [3]
Employer (qqn) à une fonction de service. 1407 ; lat. *praeponere* ; [pʀepoze].

**PRÉPOSITIF, IVE,** adj.
**1.** Relatif à la préposition (synon. *prépositionnel*). **2.** *Locution prépositive* : tenant lieu de préposition. XIVe s. ; lat. *praepositivus* ; [pʀepozitif, iv].

**PRÉPOSITION,** subst. f.
*Ling.* Mot invariable qui sert à relier deux éléments de la phrase en marquant la nature du rapport qui les unit. XIVe s. ; lat. *praepositio*, « action de mettre en avant » ; [pʀepozisjɔ̃].

**PRÉPUCE,** subst. m.
*Anat.* Repli cutané mobile qui recouvre le gland de la verge. Fin XIIe s. ; lat. *praeputium* ; [pʀepys].

**PRÉRAPHAÉLISME,** subst. m.
*B.-a.* Mouvement pictural anglais de la seconde moitié du XIXe s., qui a choisi pour idéal artistique la peinture antérieure à Raphaël, c.-à-d. créée avant la Renaissance italienne. 1858 ; ☞ *préraphaélite* ; [pʀeʀafaelism].

**PRÉRAPHAÉLITE,** adj. et subst. m.
Qualifie ou désigne un peintre adepte du préraphaélisme. ADJ. Relatif au préraphaélisme. 1857 ; angl. *pre-raphaelite*, anthropon. *Raphaël*, peintre italien ; [pʀeʀafaelit].

PEINTURE – D. G. Rossetti, W. H. Hunt, J. E. Millais et E. Burne-Jones, notamment, ont créé la Confrérie préraphaélite en 1848, stimulés par la poésie de Keats et les idées de Ruskin. Elle ne dura que cinq ans, mais son influence sur la peinture symboliste fut considérable. Soucieux du détail, comme G. Moreau, et avec un goût tout aussi prononcé pour les thèmes morbides que l'ensemble des symbolistes, les préraphaélites tinrent à valoriser l'esthétique médiévale, et puisèrent souvent leurs thèmes dans la littérature.

**PRÉRÉGLER,** verbe trans. [8]
*Techn.* Procéder à la présélection de (un appareil). V. 1960 ; ☞ *régler + pré-* ; [pʀeʀegle].

**PRÉRENTRÉE,** subst. f.
Rentrée des enseignants et du personnel administratif des établissements scolaires, qui précède celle des élèves. V. 1970 ; ☞ *rentrée + pré-* ; [pʀeʀɑ̃tʀe].

**PRÉRETRAITE,** subst. f.
Retraite anticipée ; allocation de retraite anticipée. V. 1970 ; ☞ *retraite + pré-* ; [pʀeʀətʀɛt].

**PRÉROGATIVE,** subst. f.
**1.** *Dr.* Droit exclusif attaché à certaines fonctions ou à certaines dignités. **2.** Ext. Privilège, avantage. 1234 ; lat. *praerogativa*, « centurie qui vote la première » ; [pʀeʀogativ].

**PRÉROMAN, ANE,** adj.
Antérieur à la période romane ; qui la prépare. 1900 ; ☞ *roman* (II) + *pré-* ; [pʀeʀɔmɑ̃, an].

**PRÉROMANTISME,** subst. m.
Période de l'histoire artistique qui a précédé et annoncé le romantisme. 1923 ; ☞ *romantisme + pré-* ; [pʀeʀɔmɑ̃tism].

**PRÈS,** adv.
**1.** Non loin, dans le temps ou dans l'espace : *Demeurez-vous **près** d'ici ?* ; *Nous sommes **près** du XXIe s.* **2. De près.** À une petite distance : *Un presbyte voit mal de **près**.* ▸ *Être rasé de **près*** : au ras de la peau. ▸ Fig. Avec attention, minutie : *Étudiez cela de **près** !* ; *Ne pas y regarder de trop **près***, ne pas être trop exigeant. **3. À... près.** Excepté, à la différence de : *Ce travail est excellent à quelques détails **près**.* ▸ *À ceci **près** que* : sans tenir compte de ceci ; *À beaucoup **près*** : il s'en faut de beaucoup ; *À peu **près*** : approximativement. ▸ Empl. subst. masc. *Des à-peu-**près*** : des approximations. ▸ *Mar. Naviguer au plus **près*** : naviguer dans la direction du vent. **4.** Loc. prép. **Près de.** ▸ Dans le voisinage de ou, au fig., proche de, par l'esprit ou le cœur : *Se tenir **près** des faits* ; *Être **près** de qqn malgré l'éloignement.* ▸ Sur le point de : *Ils ne sont pas **près** de finir* ; presque : *Il est **près** de huit heures.* ▸ *Être **près** de ses sous* : être très économe (péj.). Mil. XIe s. ; lat. *presse*, de *pressus*, « serré, pressé » ; [pʀɛ].

**PRÉSAGE,** subst. m.
**1.** Événement que l'on prend pour un signe prémonitoire. **2.** Méton. Prévision tirée de l'interprétation de ce signe. Fin XIVe s. ; lat. *praesagium* ; [pʀezaʒ].

**PRÉSAGER,** verbe trans. [5]
**1.** Être le présage de (qqch.) ; annoncer : *Les nuages **présagent** l'orage* ; *Cela ne **présage** rien de bon.* **2.** Prévoir (ce qui doit arriver) : ***Présager** une rentrée difficile.* 1539 ; ☞ *présage* ; [pʀezaʒe].

**PRÉSALAIRE,** subst. m.
Prestation compensatoire que pourraient percevoir les étudiants pour compenser l'absence de revenu professionnel. 1949 ; ☞ *salaire + pré-* ; [pʀesalɛʀ].

**PRÉ-SALÉ,** subst. m.
**1.** Pré voisin de la mer. **2.** Mouton qui engraisse dans des herbages côtiers ; sa viande, au goût spécifique. 1732 ; comp. de *pré* et de *salé* ; plur. *prés-salés* ; [pʀesale].

**PRESBYTE,** subst. et adj.
*Pathol.* Se dit d'une personne atteinte de presbytie. 1690 ; gr. *presbutês*, « ancien, vieux » ; [pʀɛsbit].

**PRESBYTÈRE,** subst. m.
Demeure du curé. 1456 (fin XIIe s., chœur) ; lat. eccl. *presbyterium*, « sacerdoce », du gr. *presbuterion*, « conseil des anciens » ; [pʀɛsbitɛʀ].

**PRESBYTÉRIANISME,** subst. m.
*Relig.* **1.** Système inspiré de la pensée de Calvin, qui confie le gouvernement de l'Église à une assemblée de pasteurs et de laïcs. **2.** Ensemble des communautés réformées régies par ce système. 1704 ; angl. *presbyterianism* ; [pʀɛsbiteʀjanism].

**PRESBYTÉRIEN, IENNE,** subst. et adj.
Se dit d'un adepte du presbytérianisme. ADJ. Relatif, propre ou favorable au presbytérianisme. 1649 ; angl. *presbyterian* ; [pʀɛsbiteʀjɛ̃, jɛn].

**PRESBYTIE,** subst. f.
*Pathol.* Diminution du pouvoir d'accommodation de l'œil, liée à l'âge, qui rend difficile la vision des objets proches. 1926 ; ☞ *presbyte* ; [pʀɛsbisi].

**PRESCIENCE,** subst. f.
**1.** *Théol.* Connaissance absolue que Dieu a de l'avenir. **2.** Faculté de deviner, de pressentir. Fin XIIe s. ; lat. chrét. *praescientia* ; [pʀesjɑ̃s].

**PRESCIENT, ENTE,** adj.
Doué de prescience (rare). 1265 ; lat. *praesciens* ; [pʀɛsjɑ̃, ɑ̃t].

**PRÉSCOLAIRE,** adj.
Relatif à la période précédant celle de la scolarité obligatoire. 1910 ; ☞ *scolaire + pré-* ; [pʀeskɔlɛʀ].

**PRESCRIPTEUR,** subst. m.
Personne ou groupe de personnes, qui, par ses avis, joue un rôle dans le choix d'un produit ou d'un service. V. 1970 ; ☞ *prescrire* ; [pʀɛskʀiptœʀ].

**PRESCRIPTIBLE,** adj.
*Dr.* Qui peut faire l'objet d'une prescription : *Droit **prescriptible**.* 1374 ; ☞ *prescrire* ; [pʀɛskʀiptibl].

**PRESCRIPTION,** subst. f.
**1.** *Dr.* ▸ Mode légal d'acquisition ou d'affranchissement par le simple fait d'un délai : ***Prescription** acquisitive*, acquisition par le seul fait d'une possession ininterrompue pendant ce délai (souv. 30 ans) ; ***Prescription** extinctive*, qui éteint un droit non exercé pendant ce délai. ▸ Extinction, au-delà d'un délai légal, de la faculté de poursuivre une infraction en matière pénale. **2.** Ordre catégorique et précis ; précepte. **3.** Indication de soins et de médicaments donnée par un médecin. 1265 ; lat. *praescriptio*, « préambule » ; [pʀɛskʀipsjɔ̃].

**PRESCRIRE,** verbe trans. [67]
**1.** *Dr.* Acquérir ou éteindre par prescription ; empl. pronom., faire l'objet d'une prescription. **2.** Ordonner, recommander vivement : ***Prescrire** la discrétion dans une enquête* ; préciser : ***Prescrire** les modalités d'une action.* ▸ *Méd.* Recommander (un traitement, des médicaments). 1340 (déb. XIIIe s., inscrire, enrôler) ; lat. *praescribere* ; [pʀɛskʀiʀ].

**PRÉSÉANCE,** subst. f.
Droit, issu d'un privilège, de précéder qqn dans l'ordre hiérarchique. 1562 ; *séance* (vx), « droit de s'asseoir », + *pré-* ; [pʀeseɑ̃s].

**PRÉSÉLECTION,** subst. f.
**1.** Opération préalable de tri avant un choix définitif : ***Présélection** des candidats.* **2.** *Techn.* Préréglage : *Touches de **présélection** d'un poste de radio.* 1932 ; ☞ *sélection + pré-* ; [pʀeselɛksjɔ̃].

1

2

**PRÉRAPHAÉLITES**

1. *La Bien-aimée*, peinture de Dante Gabriel Rossetti (1828-1882). Tate Gallery, Londres.

2. *Soucis de mars*, peinture d'Edward Burne-Jones (1833-1898). Piccadilly Gallery, Londres.

**PRÉSENCE,** subst. f.
**1.** Fait d'être présent : *Présence souhaitée* ; *Vingt ans de présence dans l'entreprise.* ▸ Loc. *En présence* : face à face ; *En présence de (qqn)* : devant (la personne présente) ; *Présence d'esprit* : faculté de réagir aussitôt à qqch. ; *Faire acte de présence* : être présent sans s'impliquer. **2.** Méton. Personne ou chose présente : *Une présence amicale.* **3.** *Théol.* *Présence réelle* : le fait que le corps et le sang du Christ sont réellement présents sous les espèces du pain et du vin dans l'Eucharistie. **4.** Qualité d'une personne qui sait s'imposer au public : *Avoir de la présence à l'écran.* 🕮 Déb. XIIe s. ; lat. *praesentia* ; [pʀezɑ̃s].

**PRÉSÉNILE,** adj.
*Pathol.* *Démence présénile* : qui survient avant l'âge de 70 ans. 🕮 Mil. XXe s. ; ☞ *sénile* + *pré-* ; [pʀesenil].

**PRÉSENT (I), ENTE,** adj. et subst. m.
**I. Adj. 1.** Qui se trouve dans le lieu dont on parle, où un évènement survient, en parlant d'une personne : *Être présent en classe* ; empl. subst. masc. : *Les présents*, les personnes **présentes.** ▸ Loc. *Répondre présent* : affirmer sa volonté d'agir ou se porter volontaire. **2.** Que l'on trouve quelque part, en parlant d'une chose : *Substances présentes dans un corps.* **3.** Attentif : *Être présent aux autres* ; qui s'impose comme objet d'attention : *Souvenir présent à l'esprit.* **II. Adj. 1.** Qui se situe dans le temps où se place celui qui parle (gén. postposé) : *Période présente* ; par méton., qui est actuel : *Les difficultés présentes.* **2.** Qui occupe ou concerne en ce moment celui qui parle (gén. antéposé) : *Le présent courrier, dossier* ; empl. subst. fém. : *La présente*, la lettre que l'on est en train de rédiger. **Subst. 1.** Ce qui est actuel ; ce que l'on vit actuellement. ▸ Loc. *À présent* : maintenant ; aujourd'hui. **2.** *Gramm.* Temps de la conjugaison qui exprime ce qui est actuel ou habituel, ou ce qui est vrai en tout temps : *Présent de l'indicatif.* 🕮 Fin XIe s. ; lat. *praesens*, de *praeesse*, « être devant » ; [pʀezɑ̃, ɑ̃t].

**PRÉSENT (II),** subst. m.
Cadeau (littér.). 🕮 Mil. XIIe s. ; ☞ *présenter* ; [pʀezɑ̃].

**PRÉSENTABLE,** adj.
Qui peut se présenter, que l'on peut présenter en public, sans risque de choquer. 🕮 1530 (fin XIIe s., présent, par oppos. à futur) ; ☞ *présenter* ; [pʀezɑ̃tabl].

**PRÉSENTATEUR, TRICE,** subst.
**1.** Vx. *Cath.* Personne qui présentait qqn à un bénéfice ecclésiastique. **2.** Personne chargée de présenter un spectacle, une émission radiodiffusée ou télévisée. 🕮 1484 ; ☞ *présenter* ; [pʀezɑ̃tatœʀ, tʀis].

**PRÉSENTATION,** subst. f.
**1.** Action, manière de présenter qqn ou qqch. : *Présentation d'un ami, d'un rapport* ; *Soigner sa présentation.* ▸ *Droit de présentation* : de présenter leur successeur, pour certains officiers ministériels. **2.** Méton. Réunion, manifestation où l'on présente qqch. ou qqn : *Présentation de mode.* **3.** *Relig.* ▸ *Judaïsme. Présentation au Temple* : coutume par laquelle les juifs consacraient à Dieu leur premier-né, au temple de Jérusalem. ▸ *Cath. Présentation du Seigneur* : Chandeleur ; *Présentation de la Vierge* : fête, célébrée le 21 novembre, commémorant la **présentation** de Marie au Temple. **4.** *Méd.* Manière dont le fœtus aborde le détroit supérieur du bassin lors de l'accouchement. 🕮 Fin XIIe s. ; lat. chrét. *praesentatio* ; [pʀezɑ̃tasjɔ̃].

**PRÉSENTEMENT,** adv.
À présent, maintenant ; au moment où l'on s'exprime. 🕮 Mil. XIIe s. ; ☞ *présent* (I) ; [pʀezɑ̃tmɑ̃].

**PRÉSENTER,** verbe [3]
**Trans. 1.** Mettre (une personne) en présence d'une autre pour les faire se connaître : *Je vous présente ma femme.* ▸ *Présenter qqn pour un emploi, à une élection* : le proposer comme postulant, candidat. **2.** Montrer, mettre sous les yeux ; proposer, offrir : *Je lui présente le sucre.* **3.** Disposer, mettre en valeur : *Présenter des vases en vitrine.* **4.** Exposer à un public : *Présenter un appareil* ; faire une démonstration de (qqch.) : *Présenter un numéro de cirque.* ▸ *Milit. Présenter les armes* : rendre les honneurs. **5.** Exprimer, adresser : *Présenter ses hommages, ses excuses.* **6.** Soumettre pour examen : *Présenter ses papiers* ; au fig. : *Présenter sa démission.* ▸ *Techn. Présenter une pièce* : la placer à l'endroit qu'elle devra occuper une fois le montage terminé. **7.** Rendre présent à l'esprit ; décrire, peindre : *Présenter la situation sous un angle favorable.* **8.** Laisser paraître : *Ce mur présente une lézarde* ; au fig., comporter : *Ce problème présentait des difficultés.* **Intrans.** *Présenter bien, mal* : faire bonne, mauvaise impression (fam.). **Pronom. 1.** Se manifester en un lieu : *Se présenter à l'heure dite.* **2.** Se faire connaître en énonçant son nom. **3.** Postuler, être candidat : *Se présenter pour un emploi, à une élection, à un concours.* **4.** Exister sous une certaine forme : *L'œuvre se présente en deux volumes.* 🕮 Fin IXe s. ; lat. *praesentare* ; [pʀezɑ̃te].

**PRÉSENTOIR,** subst. m.
Petit meuble ou support servant à présenter des marchandises. 🕮 1955 (1887, coupe évasée) ; ☞ *présenter* ; [pʀezɑ̃twaʀ].

**PRÉSÉRIE,** subst. f.
Série limitée, aux fins de contrôle, précédant la fabrication industrielle et en série d'un produit. 🕮 V. 1960 ; ☞ *série* + *pré-* ; [pʀeseʀi].

**PRÉSERVATIF, IVE,** adj. et subst. m.
**Adj.** Vx. Qui préserve : *Soins préservatifs.* **Subst.** ▸ *Préservatif masculin* : capuchon en latex que l'on adapte sur la verge avant le rapport sexuel afin d'empêcher la fécondation ou pour se protéger des maladies sexuellement transmissibles. ▸ *Préservatif féminin* : diaphragme. 🕮 1314 ; ☞ *préserver* ; [pʀezɛʀvatif, iv].

**PRÉSERVATION,** subst. f.
Action de préserver, de se préserver ; état qui en résulte. 🕮 1314 ; ☞ *préserver* ; [pʀezɛʀvasjɔ̃].

**PRÉSERVER,** verbe trans. [3]
Protéger, mettre (qqn, qqch.) à l'abri de ce qui pourrait lui nuire ou l'altérer. 🕮 Fin XIVe s. ; bas lat. *praeservare*, « observer auparavant » ; [pʀezɛʀve].

**PRÉSIDE,** subst. m.
*Hist.* Place forte espagnole enclavée sur une côte étrangère : *Présides de Toscane* ; *Présides africains*, cinq enclaves espagnoles sur les côtes du Maroc (dont Ceuta et Melilla). 🕮 1556 ; esp. *presidio*, du lat. *praesidium*, « protection » ; [pʀezid].

**PRÉSIDENCE,** subst. f.
**1.** Fonction de président. **2.** Méton. Période pendant laquelle elle est exercée ; bureaux, résidence d'un président. 🕮 1372 ; ☞ *président* ; [pʀezidɑ̃s].

**PRÉSIDENT, ENTE,** subst.
**1.** Personne chargée de diriger les travaux, les débats d'une assemblée. ▸ *Écon. Président-directeur général (P.-D. G.)* : personne qui préside le conseil d'administration d'une société anonyme dont il exerce aussi la direction générale. ▸ *Pol. Président du Conseil* : chef du gouvernement, en France sous les IIIe et IVe Républiques, en Italie aujourd'hui encore. **2.** Chef d'État d'une république. **3.** Helv. *Président de commune* : maire. **Fém.** Épouse d'un **président.** 🕮 Fin XIIIe s. ; lat. *praesidens* ; [pʀezidɑ̃, ɑ̃t].

**PRÉSIDENTIABLE,** subst. et adj.
Se dit d'une personne susceptible de devenir président, en partic. président de la République. 🕮 V. 1970 ; ☞ *président* ; [pʀezidɑ̃sjabl].

**PRÉSIDENTIALISME,** subst. m.
*Pol.* Système, régime présidentiel. 🕮 1945 ; ☞ *présidentiel* ; [pʀezidɑ̃sjalism].

**PRÉSIDENTIEL, ELLE,** adj.
Relatif au président, à sa fonction : *Un mandat présidentiel* ; *Élection présidentielle* ou, empl. subst. fém., *La présidentielle* : élection du président de la République. ▸ *Régime présidentiel* : dans lequel le président cumule les fonctions de chef de l'État et de chef du gouvernement. 🕮 1791 ; ☞ *président* ; [pʀezidɑ̃sjɛl].

**PRÉSIDER,** verbe trans. [3]
**Trans. indir. Présider à.** Avoir le soin, la direction de, veiller à : *Présider à l'organisation d'une soirée.* **Trans. dir. 1.** Avoir la présidence de : *Présider un congrès* ; diriger les débats de : *Présider une séance* ; empl. abs., occuper le fauteuil de président. **2.** Occuper la place d'honneur de : *Présider un banquet.* 🕮 Mil. XIVe s. ; lat. *praesidere* ; [pʀezide].

**PRÉSIDIAL,** subst. m.
*Hist.* Tribunal d'appel des bailliages ordinaires institué en 1552, supprimé en 1791. 🕮 1585 (1435, adj.) ; bas lat. *praesidialis*, « d'un gouverneur de province » ; plur. *présidiaux* ; [pʀezidjal], plur. [-djo].

**PRÉSIDIUM,** subst. m.
Organisme directeur du Soviet suprême de l'U. R. S. S., jusqu'en 1990. 🕮 1918 ; lat. *praesidium*, « protection » ; var. *praesidium* ; [pʀezidjɔm].

**PRÉSOCRATIQUE,** adj. et subst.
*Philos.* Se dit des philosophes grecs antérieurs à Socrate (notamment Héraclite, Parménide, Anaxagore, Thalès de Milet, Zénon d'Élée et les philosophes de l'école pythagoricienne). 🕮 XXe s. ; ☞ *socratique* + *pré-* ; [pʀesɔkʀatik].

**PRÉSOMPTIF, IVE,** adj.
*Héritier présomptif* : successeur désigné d'une personne qui est encore en place. ▸ *Héritier présomptif de la couronne* : prince héritier, futur souverain. 🕮 1406 (déb. XIVe s., orgueilleux) ; bas lat. *praesumptivus*, « conjectural » ; [pʀezɔ̃ptif, iv].

**PRÉSOMPTION,** subst. f.
**1.** Suffisance, fatuité. **2.** Opinion fondée sur des indices, des conjectures et non pas sur des preuves. ▸ *Dr. Présomption d'innocence* : principe selon lequel une personne est considérée comme innocente tant qu'elle n'a pas été déclarée coupable par la juridiction compétente. 🕮 Fin XIIe s. ; lat. *praesumptio*, « idée anticipée » ; [pʀezɔ̃psjɔ̃].

**PRÉSOMPTUEUX, EUSE,** adj.
**1.** Qui a une trop haute opinion de soi ; empl. subst. : *Taisez-vous donc, jeune présomptueux !* **2.** Qui dénote de la présomption : *Un avis présomptueux.* 🕮 Déb. XIIIe s. ; bas lat. *praesumptuosus* ; [pʀezɔ̃ptɥø, øz].

**PRÉSONORISATION,** subst. f.
*Techn.* Play-back. 🕮 V. 1970 ; ☞ *sonorisation* + *pré-* ; [pʀesɔnɔʀizasjɔ̃].

**PRESQUE,** adv.
À peu près ; peu s'en faut : *C'est presque un ami* ; *Il a presque fini.* 🕮 XIIe s. ; formé de *près* (vx), « presque », et de *que* (I) ; ne s'élide que devant *île* ; [pʀɛsk].

**PRESQU'ÎLE,** subst. f.
Importante avancée de terre dans la mer, reliée au continent par un isthme. 🕮 1544 ; formé de *presque* et de *île* ; [pʀɛskil].

**PRESSAGE,** subst. m.
*Techn.* Action de comprimer à l'aide d'une presse. 🕮 1803 ; ☞ *presser* ; [pʀɛsaʒ].

**PRESSANT, ANTE,** adj.
**1.** Qui exerce une vive sollicitation : *Prière pressante.* **2.** Qui est urgent : *Appel pressant.* 🕮 1538 ; p. pr. de *presser* ; [pʀɛsɑ̃, ɑ̃t].

**PRESS-BOOK,** subst. m.
Anglic. Album de photos, de coupures de presse concernant un artiste, un mannequin et dont il se sert professionnellement (recomm. off. *dossier de presse*). 🕮 V. 1950 ; angl. *press-book*, « livre de presse » ; plur. *press-books* ; [pʀɛsbuk].

**PRESSE,** subst. f.
**I. 1.** Vx. Foule serrée. **2.** Fait d'être pressé par le temps ; hâte : *Moment de presse*, de grande activité. **II. 1.** Appareil dont certaines parties mobiles se rapprochent pour comprimer, boucher, réduire ou presser une matière, un objet placé entre elles : *Presse à bras* ; *Presse d'huilerie.* **2.** *Impr.* Machine : *Presse rotative* ; *Presse offset* ; *Mettre sous presse*, commencer à imprimer. **3.** *Journ.* Les journaux, les périodiques, dans leur ensemble : *Presse nationale, régionale* ; par anal., les moyens d'information non écrite : *Presse audiovisuelle* ; par méton., le milieu, les métiers journalistiques. ▸ *Liberté de la presse* : liberté légale de la publication d'informations et d'opinions par voie de presse. ▸ Loc. *Avoir mauvaise, bonne presse* : avoir mauvaise, bonne réputation. **4.** *Hist.* Engagement forcé dans la marine royale, système aboli par Colbert. 🕮 Mil. XIe s. ; ☞ *presser* ; [pʀɛs].

*Richesse et variété de la presse française.*

© F. Apesteguy-Gamma

**PRESSÉ, ÉE, adj.**
. Qui a été soumis à une pression manuelle ou ıécanique : *Orange pressée.* **2.** Qui doit se hâter : *n'attendrai pas, je suis pressé* ; qui ne souffre pas e délai : *Un travail pressé.* ► Empl. subst. masc. *arer au plus pressé* : régler en priorité ce qui est plus urgent. XIVe s. ; p. p. de *presser* ; [pʀese] ou ɔʀe-].

**PRESSE-AGRUMES, subst. m. inv.**
stensile servant à presser des agrumes pour en xprimer le jus. V. 1970 ; comp. de *presser* et de *grume* ; [pʀesagʀym].

**PRESSE-BOUTON, adj. inv.**
e dit d'un appareil automatisé dont le fonctionement est commandé par un ou des boutons ; u fig. : *Guerre* ***presse-bouton***, menée à l'aide de ystèmes d'armement sophistiqués commandés à istance. 1954 ; comp. de *presser* et de *bouton* ; ɔʀesbutɔ̃].

**PRESSE-CITRON, subst. m.**
stensile servant à extraire, par pression, le jus des trons ou d'autres agrumes. 1877 ; comp. de *resser* et de *citron* ; plur. *presse-citron(s)* ; [pʀessitʀɔ̃].

**PRESSE-ÉTOUPE, subst. m.**
*echn.* Dispositif garantissant l'étanchéité d'un ıécanisme mettant en jeu un piston, un axe. 1865 ; comp. de *presser* et de *étoupe* ; plur. *presse-toupe(s)* ; [pʀesetup].

**PRESSENTIMENT, subst. m.**
entiment confus et intuitif qui fait prévoir un vènement à venir : *Avoir un mauvais* ***pressentiment.*** 1572 ; ☞ *pressentir* ; [pʀesɑ̃timɑ̃] ou [pʀe-].

**PRESSENTIR, verbe trans. [23]**
. Prévoir confusément : ***Pressentir*** *une catastrophe.* Deviner à partir de quelques indices : *Nous* ***ressentions*** *où il voulait en venir.* **2.** Sonder (qqn) ur ses intentions : *Il* ***a été pressenti*** *pour être andidat.* 1414 ; lat. *praesentire*, « percevoir avec les ens » ; [pʀesɑ̃tiʀ] ou [pʀe-].

**PRESSE-PAPIERS, subst. m. inv.**
)bjet de bureau massif qui, posé sur des papiers, es maintient ensemble. 1839 ; comp. de *presser* t de *papier* ; [pʀespapje].

**PRESSE-PURÉE, subst. m. inv.**
stensile de cuisine servant à écraser les légumes, les réduire en purée. 1855 ; comp. de *presser* et e *purée* ; [pʀespyʀe].

**PRESSER, verbe [3]**
RANS. **1.** Agir sur (un corps) pour en exprimer un quide, ou toute autre substance : ***Presser*** *une range, un tube de dentifrice.* ► Fig. ***Presser*** *qqn omme un citron* : profiter de lui sans scrupules. **2.** Écraser au pressoir, à la presse : ***Presser*** *des olives.* Fabriquer à l'aide d'une presse ; imprimer : ***Presser*** *es disques.* **3.** Appuyer sur (qqch.) : ***Presser*** *un outon.* **4.** Saisir en étreignant : ***Presser*** *qqn sur son œur.* **5.** Fig. Rendre plus actif, brusquer : ***Presser*** *es négociations.* ► Inciter (qqn) avec force à accomlir qqch. : *Je l'ai* ***pressé*** *d'intervenir.* INTRANS. Ne ouffrir aucun délai : *Cette tâche* ***presse.*** PRONOM. **1.** S'entasser : *Les voyageurs* ***se pressent*** *sur le quai.* **2.** Se dépêcher. Fin XIIe s. (mil. XIIe s., tourmenter) ; at. *pressare* ; [pʀese] ou [pʀe-].

**PRESSE-RAQUETTE, subst. m.**
Appareil que l'on fixe au cadre d'une raquette de ennis afin d'en éviter la déformation. V. 1950 ; omp. de *presser* et de *raquette* ; plur. *presse-raquette(s)* ; pʀesʀakɛt].

**PRESSEUR, EUSE, adj. et subst.**
SUBST. Personne qui travaille à une presse. ADJ. *Techn.* Qui exerce une pression : *Rouleau* ***resseur.*** 1384 ; ☞ *presser* ; [pʀesœʀ, øz].

**PRESSIER, IÈRE, subst.**
*mpr.* Personne qui travaille sur une presse à bras. 1560 ; ☞ *presse* ; [pʀesje, jɛʀ].

**PRESSING, subst. m.**
Anglic. **1.** Établissement où l'on repasse les vêtements à la vapeur après les avoir nettoyés. **2.** *Sp.* Pression constante sur l'adversaire. 1934 ; angl. *pressing*, « action d'appuyer » ; [pʀesiŋ].

**PRESSION, subst. f.**
**1.** Force exercée sur une surface par un corps, un fluide, notamment la vapeur ; au fig. : *Être sous* ***pression***, se sentir contraint, être tendu. ► *Phys.* Grandeur P exercée par une force F perpendiculairement à la surface S d'un objet, telle que $P = F/S$ et exprimée généralement en pascals. ► ***Pression*** *atmosphérique* : exercée par l'atmosphère en un lieu donné. ► *Bière (à la)* ***pression*** : tirée directement d'un fût où elle est sous **pression.** ► *Physiol.* ***Pression*** *artérielle* : exercée par le sang sur la paroi des artères. **2.** Action de presser ; son résultat : *Une légère* ***pression*** *de la main.* **3.** Fig. Emprise, influence exercée sur qqn afin d'obtenir qqch. de lui : *Moyens de* ***pression.*** ► *Groupe de* ***pression*** : ensemble de personnes agissant de manière concertée sur l'opinion publique pour favoriser leurs intérêts. 1647 (mil. XIIIe s., épreintes) ; lat. *pressio*, de *premere*, « presser » ; [pʀesjɔ̃] ou [pʀe-].

**PRESSOIR, subst. m.**
**1.** Presse servant à écraser des fruits ou des graines pour en extraire le jus ou l'huile. **2.** Méton. Bâtiment, local où se trouve cette presse. Fin XIIe s. ; lat. *pressorium* ; [pʀeswaʀ] ou [pʀe-].

*Vendangeurs actionnant le pressoir.*
*Détail de la fresque* les Mois (octobre), *exécutée au XVe s.*
*Musée national du Trentin, Trente.*

**PRESSOSTAT, subst. m.**
*Techn.* Dispositif automatique servant à maintenir une pression constante dans un circuit. V. 1950 ; ☞ *pression* + *-stat* ; [pʀesɔsta] ou [pʀe-].

**PRESSURAGE, subst. m.**
Action d'écraser au pressoir. 1342 ; ☞ *pressurer* ; [pʀesyʀaʒ] ou [pʀe-].

**PRESSURER, verbe trans. [3]**
**1.** Presser (des fruits, des graines) pour en extraire le jus, l'huile. **2.** Comprimer : ***Pressurer*** *de la paille.* **3.** Fig. Tirer de (qqn, qqch.) le maximum de profit. PRONOM. *Se* ***pressurer*** *le cerveau, les méninges* : réfléchir en se concentrant intensément (fam.). 1283 ; ☞ *pressoir* ; [pʀesyʀe] ou [pʀe-].

**PRESSUREUR, EUSE, subst.**
**1.** Personne chargée de manœuvrer un pressoir. **2.** Fig. Personne qui pressure, exploite les autres. 1291 ; ☞ *pressurer* ; [pʀesyʀœʀ, øz] ou [pʀe-].

**PRESSURISATION, subst. f.**
Action de pressuriser ; résultat de cette action. 1949 ; angl. *pressurization* ; [pʀesyʀizasjɔ̃] ou [pʀe-].

**PRESSURISER, verbe trans. [3]**
Maintenir (un avion, un engin spatial) sous pression atmosphérique normale ; empl. adj. : *Cabine* ***pressurisée.*** 1949 ; angl. *to pressurize* ; [pʀesyʀize] ou [pʀe-].

**PRESTANCE, subst. f.**
Maintien empreint d'élégance et de fierté. 1540 (mil. XVe s., supériorité) ; lat. *praestantia* ; [pʀɛstɑ̃s].

**PRESTANT, subst. m.**
*Mus.* Jeu principal d'un orgue sur lequel on accorde les autres jeux. 1636 (fin XVe s., excellent) ; lat. *praestans*, de *praestare*, « exceller » ; [pʀɛstɑ̃].

**PRESTATAIRE, subst. m.**
**1.** Personne ou entreprise fournissant une prestation ; empl. adj. : *Société* ***prestataire*** *de services.* **2.** Personne bénéficiant d'une prestation. 1957 (1845, contribuable) ; ☞ *prestation* ; [pʀɛstatɛʀ].

**PRESTATION, subst. f.**
**I. 1.** Action de fournir qqch. ; ce qui est ou doit être fourni. ► *Dr. féod.* Redevance due au seigneur par un sujet. ► ***Prestations*** *locatives* : charges incombant au locataire. ► Indemnités : ***Prestations*** *vieillesse.* ► *Société de* ***prestation*** *de services* : qui propose des services (conseil, maintenance, assistance, etc.). **2.** Pour un sportif, un artiste, fait de se produire en public (empl. critique). **II.** ***Prestation*** *de serment* : action de prêter serment. 1288 ; lat. *praestatio* ; [pʀɛstasjɔ̃].

**PRESTE, adj.**
Rapide, agile : *Mouvement* ***preste.*** Mil. XVe s ; ital. *presto*, du lat. *praestus*, « prêt » ; [pʀɛst].

**PRESTEMENT, adv.**
De manière preste. Fin XIIe s. ; anc. fr. *prest*, « agile, prompt » ; [pʀɛstəmɑ̃].

**PRESTER, verbe trans. [3]**
Belg. Effectuer (qqch.) dans un cadre contractuel : ***Prester*** *un préavis, des services* ; ***Prester*** *trente-huit heures par semaine.* Déb. XIXe s. ; lat. *praestare*, « fournir » ; [pʀɛste].

**PRESTESSE, subst. f.**
Agilité, vivacité (littér.). 1583 ; ital. *prestezza* ; [pʀɛstɛs].

**PRESTIDIGITATEUR, TRICE, subst.**
Artiste qui crée des illusions en faisant apparaître, disparaître des objets par des manipulations (synon. *illusionniste*). 1823 ; formé de *preste* et du lat. *digitus*, « doigt » ; [pʀɛstidiʒitatœʀ, tʀis].

**PRESTIDIGITATION, subst. f.**
Art du prestidigitateur, illusionnisme. 1823 ; ☞ *prestidigitateur* ; [pʀɛstidiʒitasjɔ̃].

**PRESTIGE, subst. m.**
**1.** Vx. Illusion produite par une cause surnaturelle ; artifice. **2.** Pouvoir d'imposer le respect, d'impressionner : *Jouir d'un grand* ***prestige*** ; *Politique, opération de* ***prestige***, faite pour susciter l'admiration. 1372 ; lat. *praestigium*, « artifice, illusion » ; [pʀɛstiʒ].

**PRESTIGIEUX, EUSE, adj.**
**1.** Vx. Qui tient du prodige. **2.** Qui a du prestige. 1550 ; lat. *praestigiosus*, « trompeur » ; [pʀɛstiʒjø, øz].

**PRESTISSIMO, adv.**
*Mus.* Très vite. 1722 ; ital. *prestissimo*, superl. de *presto* ; [pʀɛstisimo].

**PRESTO, adv.**
**1.** *Mus.* Vite. **2.** Rapidement (fam.) : *Il est revenu* ***presto.*** 1651 ; ital. *presto*, « rapidement » ; [pʀɛsto].

**PRÉSTRATÉGIQUE, adj.**
Se dit d'une arme nucléaire tactique. V. 1980 ; ☞ *stratégique* + *pré-* ; [pʀestʀateʒik].

**PRÉSUMÉ, ÉE, adj.**
Supposé tel par hypothèse : *Meurtrier* ***présumé.*** 1835 ; p. p. de *présumer* ; [pʀezyme].

**PRÉSUMER, verbe trans. [3]**
TRANS. DIR. Considérer (qqch.) comme probable : *Je* ***présume*** *qu'il a dit vrai* ; empl. abs. : *Vous êtes sa mère, je* ***présume*** *?* TRANS. INDIR. **Présumer de.** Avoir trop bonne opinion de (qqch.) : ***Présumer*** *de ses forces.* Fin XIIe s. ; lat. *praesumere*, « prendre d'avance » ; [pʀezyme].

**PRÉSUPPOSÉ, subst. m.**
Ce qui est préalablement admis, dans une démonstration, un exposé. V. 1960 ; p. p. de *présupposer* ; [pʀesypoze].

**PRÉSUPPOSER, verbe trans. [3]**
**1.** Supposer au préalable. **2.** Supposer comme condition nécessaire. 1370 ; ☞ *supposer* + *pré-* ; [pʀesypoze].

**PRÉSUPPOSITION, subst. f.**
Supposition préalable. 1306 ; ☞ *supposition* + *pré-* ; [pʀesypozisjɔ̃].

**PRÉSURE, subst. f.**
Substance enzymatique extraite de la caillette des ruminants non sevrés, qui fait cailler le lait. Fin XIIe s. ; lat. pop. °*pre(n)sura*, « ce qui est pris », de *pre(he)ndere*, « prendre » ; [pʀezyʀ].

**PRÉSURER, verbe trans. [3]**
Faire cailler (du lait), avec de la présure. 1600 ; ☞ *présure* ; [pʀezyʀe].

**PRÊT (I), PRÊTE, adj.**
Préparé, apprêté, disposé : *L'envoi est* ***prêt*** ; *Je suis* ***prêt*** ; *Escroc* ***prêt*** *à tout.* Mil. XIe s. ; bas lat. *praestus*, de *praesto*, « sous la main » ; [pʀɛ, pʀɛt].

**PRÊT (II), subst. m.**
**1.** Action de prêter, à titre onéreux ou gratuit ; ce qui est prêté. ► ***Prêt*** *bancaire* : somme d'argent prêtée par une banque sous conditions stipulées par contrat. **2.** Somme versée par l'État à un soldat pour assurer sa subsistance, son entretien. 1165 ; ☞ *prêter* ; [pʀɛ].

**PRÉTANTAINE, voir PRÉTENTAINE**

**PRÊT-À-PORTER, subst. m.**
Vêtements confectionnés en série selon des mesures normalisées : *Salon du* ***prêt-à-porter.*** 1951 ; comp. de *prêt* (I) et de *porter* (I) ; plur. *prêts-à-porter* ; [pʀɛtapɔʀte].

**PRÊTÉ, subst. m.**
*C'est un **prêté** pour un rendu* : la juste revanche d'un mauvais procédé. 1690 ; ☞ *prêter* ; [pʀete].

**PRÉTENDANT, ANTE, subst.**
Personne qui prétend à qqch. ► Personne qui prétend à un trône, en partic. à un trône jugé illégitimement occupé ; en appos. : *Prince prétendant.* MASC. Celui qui désire obtenir la main ou les faveurs d'une femme. 1498 ; p. pr. de *prétendre* ; [pʀetɑ̃dɑ̃, ɑ̃t].

**PRÉTENDRE, verbe trans.** [51]
TRANS. DIR. **1.** Vx. Réclamer (un droit). **2.** Avoir la prétention de, vouloir : *Je **prétends** qu'on m'obéisse.* **3.** Avancer comme certain, soutenir : *Il **prétend** n'avoir rien aperçu ou qu'il n'a rien aperçu.* TRANS. INDIR. **Prétendre à.** Aspirer à (une chose jugée légitime). PRONOM. Se présenter comme, affirmer être. 1320 ; lat. *praetendere*, « tendre en avant » ; [pʀetɑ̃dʀ].

**PRÉTENDU, UE, adj.**
Que l'on prétend à tort être tel ; qui n'est pas ce qu'il paraît ou prétend être : *Une **prétendue** réforme* ; *Un **prétendu** prophète.* 1611 (1380, prétention) ; p. p. de *prétendre* ; [pʀetɑ̃dy].

**PRÉTENDUMENT, adv.**
Faussement. 1769 ; ☞ *prétendu* ; [pʀetɑ̃dymɑ̃].

**PRÊTE-NOM, subst. m.**
Personne agissant dans une affaire pour le compte d'une autre dont le nom n'est pas révélé. 1718 ; comp. de *prêter* et de *nom* ; plur. *prête-noms* ; [pʀɛtnɔ̃].

**PRÉTENTAINE, subst. f.**
Loc. *Courir la **prétentaine*** : faire des escapades, spéc. amoureuses (vieilli). 1604 ; orig. obsc. ; var. *prétantaine* ; [pʀetɑ̃tɛn].

**PRÉTENTIEUSEMENT, adv.**
De façon prétentieuse. 1834 ; ☞ *prétentieux* ; [pʀetɑ̃sjøzmɑ̃].

**PRÉTENTIEUX, EUSE, adj.**
Qui montre une estime excessive de soi ; par méton., qui dénote la prétention : *Un ton, un air **prétentieux*** ; empl. subst., personne **prétentieuse**. 1789 ; ☞ *prétention* ; [pʀetɑ̃sjø, øz].

**PRÉTENTION, subst. f.**
**1.** Revendication d'un droit réel ou supposé : *Prétention légitime.* ► Au plur. Exigences financières : *Quelles sont vos **prétentions** pour ce poste ?* ► Loc. *Avoir la **prétention** de* : se targuer de, prétendre. **2.** Estime vaniteuse de soi-même, fatuité. ► Loc. *Sans **prétention*** : simple, modeste. 1489 ; lat. *praetentus*, de *praetendere*, « tendre en avant » ; [pʀetɑ̃sjɔ̃].

**PRÊTER, verbe trans.** [3]
TRANS. DIR. **1.** Consentir à mettre (qqch.) à la disposition de qqn ; accorder. ► Loc. ***Prêter** attention à qqn* : lui être attentif ; ***Prêter** l'oreille* : écouter ; ***Prêter** assistance* : aider ; ***Prêter** serment* : jurer ; ***Prêter** le flanc à* (☞ *flanc*). **2.** Mettre (qqch.) à la disposition de qqn sous condition de restitution : ***Prêter** de l'argent.* **3.** Attribuer (un trait de caractère, un acte, etc.) à qqn, souvent à tort : *Il ne montre guère le talent qu'on lui **prête**.* TRANS. INDIR. **Prêter à.** Donner matière à : *Sa naïveté **prête** à sourire.* PRONOM. **Se prêter à. 1.** Consentir, se soumettre à (qqch.) : *Elle **se prêta** volontiers à cette expérience.* **2.** Convenir, s'adapter à (qqch.) : *Bois qui **se prête** au façonnage.* Mil. XIIe s. ; lat. *praestare* ; [pʀete].

**PRÉTÉRIT, subst. m.**
*Ling.* Forme verbale exprimant le passé dans certaines langues, tel l'anglais, où le **prétérit** correspond au passé simple et à l'imparfait français. Mil. XIIIe s. ; lat. *praeteritum*, de *praeterire*, « laisser en arrière » ; [pʀeteʀit].

**PRÉTÉRITION, subst. f.**
**1.** Vx. *Dr.* Omission d'un héritier dans un testament. **2.** *Rhét.* Figure consistant à introduire le sujet dont on parle en déclarant ne pas vouloir en parler, ex. : « Monsieur X, pour ne pas le nommer... ». 1510 ; bas lat. *praeteritio* ; [pʀeteʀisjɔ̃].

**PRÉTEUR, subst. m.**
*Antiq. rom.* Magistrat chargé de rendre la justice ; ce magistrat, sorti de fonction, chargé d'administrer une province. 1213 ; lat. *praetor* ; [pʀetœʀ].

**PRÊTEUR, EUSE, subst. et adj.**
Se dit d'une personne qui prête qqch., en partic. de l'argent : *Un **prêteur** sur gages.* ADJ. Qui prête volontiers. Mil. XIIIe s. ; ☞ *prêter* ; [pʀɛtœʀ, øz].

**PRÉTEXTE (I), subst. f.**
*Antiq. rom.* Toge blanche bordée de pourpre portée par les jeunes patriciens jusqu'à seize ans et par certains dignitaires ; empl. adj. : *La toge **prétexte**.* 1355 ; lat. *praetexta toga*, « toge bordée (de pourpre) » ; [pʀetɛkst].

**PRÉTEXTE (II), subst. m.**
**1.** Raison spécieuse invoquée pour justifier une action. ► Loc. *Sous aucun **prétexte*** : en aucun cas. **2.** Occasion. 1530 ; lat. *praetextus* ; [pʀetɛkst].

**PRÉTEXTER, verbe trans.** [3]
Prendre pour prétexte : ***Prétexter** un rendez-vous.* 1566 ; ☞ *prétexte* (II) ; [pʀetɛkste].

**PRETIUM DOLORIS, subst. m. inv.**
*Dr.* Dommages et intérêts octroyés par un tribunal en réparation des souffrances physiques ou morales subies. 1936 ; lat. *pretium doloris*, « prix de la douleur » ; [pʀesjɔmdɔlɔʀis].

**PRÉTOIRE, subst. m.**
**I.** *Antiq. rom.* **1.** Tribunal du préteur ; palais du préteur, dans une province. **2.** Tente d'un général ; son emplacement, dans un camp. **3.** Garde personnelle de l'empereur. **II.** *Just.* **1.** Salle d'audience d'un tribunal. **2.** Tribunal interne de la prison où l'administration pénitentiaire est juge et partie. Fin XIIe s. ; lat. *praetorium* ; [pʀetwaʀ].

**PRÉTORIAL, ALE, AUX, adj.**
*Antiq. rom.* Qui se rapporte au prétoire, au préteur (rare). 1355 ; ☞ *prétoire* ; [pʀetɔʀjal, o].

**PRÉTORIEN, IENNE, adj. et subst. m.**
ADJ. *Antiq. rom.* **1.** Relatif au préteur. **2.** Relatif au prétoire ou à un commandement en chef. **3.** *Garde **prétorienne*** : garde personnelle de l'empereur ou, par ext., formation militaire sur laquelle s'appuie un dictateur. SUBST. **1.** *Antiq. rom.* Soldat de la garde **prétorienne**. **2.** Militaire qui soutient un régime dictatorial. 1213 ; lat. *praetorianus*, « de la garde prétorienne » ; [pʀetɔʀjɛ̃, jɛn].

**PRÉTRAITÉ, ÉE, adj.**
Qui a reçu un traitement préalable : *Bois **prétraité**.* V. 1960 ; ☞ *traiter* + *pré-* ; [pʀetʀete].

**PRÊTRE, subst. m.**
**1.** Celui qui a reçu le sacrement de l'ordre dans l'Église catholique ou orthodoxe. ► ***Prêtre-ouvrier*** : qui partage la vie des travailleurs. ► *Hist. **Prêtre** réfractaire* (☞ *réfractaire*). **2.** *Antiq.* Ministre du culte : ***Prêtre** d'Apollon, d'Isis.* Déb. XIIe s. ; lat. chrét. *presbyter*, du gr. *presbuteros*, « ancien » ; [pʀɛtʀ].

**PRÊTRESSE, subst. f.**
Dans les religions païennes, femme ou jeune fille vouée au culte d'une divinité. Mil. XIIe s. ; ☞ *prêtre* ; [pʀɛtʀɛs].

**PRÊTRISE, subst. f.**
Fonction, dignité de prêtre ; second degré du sacerdoce, conféré par l'évêque, qui donne le pouvoir d'administrer les sacrements, hormis celui de l'ordre. 1310 ; ☞ *prêtre* ; [pʀetʀiz].

**PRÉTURE, subst. f.**
*Antiq. rom.* Charge de préteur ; durée de son exercice. 1527 ; lat. *praetura* ; [pʀetyʀ].

**PREUVE, subst. f.**
**1.** Ce qui établit la vérité ou la réalité de qqch. **2.** *Math.* Procédé pratique permettant de contrôler l'exactitude d'un calcul, de la solution d'un problème : ***Preuve** par neuf.* **3.** Marque, signe : *Une **preuve** d'amour.* ► Loc. *Faire **preuve** de* : montrer ; *Faire ses **preuves*** : manifester ses capacités. Mil. XIIe ; ☞ *prouver* ; [pʀœv].

**PREUX, adj. m.**
Vaillant, dans le langage de la chevalerie ; empl. subst. masc. : *Charlemagne et ses **preux**.* Fin XIe s. ; bas lat. *prode*, « utile » ; [pʀø].

**PRÉVALENCE, subst. f.**
**1.** Qualité de ce qui prévaut (littér.). **2.** *Méd.* Taux épidémiologique observé dans une population donnée. 1504 ; ☞ *prévaloir* ; [pʀevalɑ̃s].

**PRÉVALOIR, verbe intrans.** [45]
L'emporter (sur ou contre qqn, qqch.) ; empl. abs. : *Son avis **a prévalu**.* PRONOM. **Se prévaloir de.** Faire valoir ; tirer vanité de. Déb. XVe s. ; lat. *praevalere*, « valoir plus » ; irrégulier au subj. présent ; [pʀevalwaʀ].

**PRÉVARICATEUR, TRICE, adj. et subst.**
Se dit d'une personne qui se rend coupable de prévarication. XIIIe s. ; lat. *praevaricator*, « traître à la foi » ; [pʀevaʀikatœʀ, tʀis].

**PRÉVARICATION, subst. f.**
Manquement grave d'une personne, en partic. d'un agent de l'État, aux devoirs de sa charge ; malversation. Mil. XIVe s. (XIIe s., abandon de la loi divine) ; lat. *praevaricatio* ; [pʀevaʀikasjɔ̃].

**PRÉVARIQUER, verbe intrans.** [3]
Se rendre coupable de prévarication (rare). 15[…] (1432, s'écarter de la loi divine) ; lat. *praevarica[…]* « dévier » ; [pʀevaʀike].

**PRÉVENANCE, subst. f.**
Attitude d'une personne prévenante ; par métor[…] parole, acte qui témoigne de cette attitude (gén. a[…] plur.). 1732 ; ☞ *prévenant* ; [pʀev(ə)nɑ̃s].

**PRÉVENANT, ANTE, adj.**
**1.** Vx. *Théol. Grâce **prévenante*** : grâce divine qui aic[…] l'homme à accomplir le bien. **2.** Qui prévient l[…] désirs d'autrui ; attentionné. 1514 ; p. pr. c[…] *prévenir* ; [pʀev(ə)nɑ̃, ɑ̃t].

**PRÉVENIR, verbe trans.** [22]
**1.** Vieilli. Agir avant (qqn). **2.** Empêcher (un ma[…] de se produire : ***Prévenir** une infection* ; empl. abs[…] *Mieux vaut **prévenir** que guérir* (proverbe). **3.** All[…] au devant de (qqch.) pour le satisfaire : *Il **prévie**[…] tous mes désirs.* **4.** Informer (qqn) d'un fait ; alerte[…] ***Prévenir** un ami de son arrivée* ; *Vite, **prévenez** l[…] pompiers !* ► ***Prévenir** qqn en faveur de* ou *contre qq[…] qqch.* : faire naître chez lui un sentiment favorab[…] ou défavorable à l'égard de qqn, de qqch. 14[…] (1467, citer en justice) ; lat. *praevenire* ; [pʀev(ə)niʀ].

**PRÉVENTIF, IVE, adj.**
**1.** Qui vise à prévenir un mal éventuel : *Mesu[…] **préventive*** ; *Médecine **préventive**.* **2.** *Dr.* Relatif c[…] appliqué à un prévenu : *Détention **préventive*** o[…] empl. subst. fém., *La **préventive***, détention prov[…] soire (vieilli). 1819 ; lat. *praevenire*, « prévenir » [pʀevɑ̃tif, iv].

**PRÉVENTION, subst. f.**
**1.** Ensemble de mesures visant à prévenir u[…] danger, un mal ; par méton., organisme qui en e[…] chargé : *Les conseils de la **prévention** routièr[…]* **2.** Opinion préconçue, gén. défavorable. **3.** D[…] Situation d'un prévenu ; détention provisoir[…] (vieilli). 1580 (1374, fait d'arriver le premier) ; b[…] lat. *praeventio*, « action de devancer » ; [pʀevɑ̃sjɔ̃].

**PRÉVENTORIUM, subst. m.**
Établissement où l'on soigne les malades attein[…] d'une primo-infection tuberculeuse encore no[…] contagieuse. 1908 ; lat. *praeventus*, d'apr. *sanat[…] rium* ; [pʀevɑ̃tɔʀjɔm].

**PRÉVENU, UE, subst.**
Personne ayant à répondre d'un délit, en atten[…] de jugement. 1585 ; p. p. de *prévenir* ; [pʀev(ə)n[…]

**PRÉVERBE, subst. m.**
*Ling.* Préfixe apposé à une forme verbale. 1912 ☞ *verbe* + *pré-* ; [pʀevɛʀb].

**PRÉVISIBLE, adj.**
Qui peut être prévu. 1844 ; ☞ *prévoir* ; [pʀevizib[…]

**PRÉVISION, subst. f.**
Action de prévoir ; ce que l'on prévoit : ***Prévision[…] budgétaires.*** 1269 ; bas lat. *praevisio* ; [pʀevizjɔ̃].

**PRÉVISIONNEL, ELLE, adj.**
**1.** Qui vise à établir une prévision. **2.** Fondé sur de[…] prévisions : *Comptes **prévisionnels**.* 1845 ; ☞ *pr[…] vision* ; [pʀevizjɔnɛl].

**PRÉVISIONNISTE, subst.**
Spécialiste de la prévision (en économie, e[…] météorologie). 1943 ; ☞ *prévision* ; [pʀevizjɔnist[…]

**PRÉVOIR, verbe trans.** [36]
**1.** Concevoir, imaginer par avance (ce qui doit o[…] peut arriver). **2.** Envisager (une situation futur[…] et préparer les moyens d'y faire face ; empl. abs. *Gouverner, c'est **prévoir*** (Thiers). 1284 ; la[…] *praevidere* ; [pʀevwaʀ].

**PRÉVÔT, subst. m.**
**1.** *Hist.* Nom donné à divers magistrats et officie[…] royaux ou seigneuriaux : ***Prévôt** de la marine* ; *Prév[…] des marchands*, premier échevin de Paris. **2.** Offici[…] de gendarmerie commandant une prévôté. **3.** Sup[…] rieur de certains ordres religieux. **4.** *Escr. Prév[…] d'armes* : second du maître d'armes. Déb. XIIe s[…] lat. *praepositus*, « chef, officier » ; [pʀevo].

**PRÉVÔTAL, ALE, AUX, adj.**
Qui se rapporte au prévôt, à la prévôté. 1514 ☞ *prévôt* ; [pʀevotal, o].

**PRÉVÔTÉ, subst. f.**
**1.** *Hist.* Fonction, juridiction du prévôt ; siège d[…] cette juridiction **2.** Unité de gendarmerie chargé[…] de missions de police militaire. 1130 ; ☞ *prévôt* [pʀevote].

**PRÉVOYANCE, subst. f.**
**1.** Action, faculté de prévoir (vieilli). **2.** Conduit[…] de celui qui prend les dispositions, les précaution[…]

nécessaires pour faire face à l'avenir. ▭ 1491 ; ☞ *prévoir* ; [pʀevwajɑ̃s].

**PRÉVOYANT, ANTE, adj.**
Qui fait preuve de prévoyance. ▭ 1578 (1550, subst. désignant Dieu) ; p. pr. de *prévoir* ; [pʀevwajɑ̃, ɑ̃t].

**PRIAPÉE, subst. f.**
**1.** *Antiq.* Composition poétique célébrant le dieu Priape (gén. au plur.). **2.** Ext. Poésie, peinture libertine (littér. et vieilli). ▭ 1509 ; lat. *priapeia*, du gr. *priapeios* ; [pʀijape].

**PRIAPISME, subst. m.**
*Pathol.* Symptôme de diverses maladies consistant en une érection douloureuse et prolongée. ▭ 1495 ; bas lat. *priapismus*, du gr. *priapismos*, de *Priapos*, « Priape », dieu de la Virilité ; [pʀijapism].

**PRIE-DIEU, subst. m. inv.**
Chaise basse sur laquelle on s'agenouille pour prier, dont le haut du dossier se termine en accoudoir. ▭ 1603 ; comp. de *prier* et de *Dieu* ; [pʀidjø].

**PRIER, verbe trans.** [6]
**1.** *Relig. Prier Dieu* ou, empl. abs., *Prier* : élever son âme vers Dieu pour l'adorer, le remercier ou l'implorer ; par ext. : *Prier la Vierge, une sainte.* **2.** Demander de manière déférente et pressante à : *Je vous **prie** de m'aider.* ▶ Ext. Enjoindre, sommer : *On le **pria** d'entrer.* **3.** Loc. *Se faire **prier*** : n'accepter qu'après des demandes réitérées ; *Sans se faire **prier*** : avec empressement. ▶ Dans les formules de politesse : *Je vous **prie** de*, veuillez ; *Je vous en **prie***, c'est tout naturel. **4.** Convier (vieilli) : *Prier qqn à dîner.* ▭ 881 ; bas lat. *precare*, du lat. *precari* ; [pʀije].

**PRIÈRE, subst. f.**
**1.** Action de prier : *Foule en **prière*** ; par méton, paroles rituelles ou improvisées adressées à Dieu, à un saint : *Dire sa **prière**.* **2.** Demande instante et déférente : *Elle a cédé à mes **prières*** ; *Rester sourd aux **prières** de qqn*, refuser de les entendre. ▶ Loc. **Prière de** (+ inf.). On est prié de : ***Prière** d'insérer* (☞ *insérer*). ▭ Déb. XIIe s. ; bas lat. *precaria* ; [pʀijɛʀ].

**PRIEUR, EURE, subst.**
Supérieur d'un prieuré ; empl. adj. : *Père **prieur**, Mère **prieure**.* ▭ Déb. XIIe s. ; lat. eccl. *prior* ; [pʀijœʀ].

**PRIEURÉ, subst. m.**
**1.** Communauté religieuse dépendant d'une abbaye et dirigée par un prieur. **2.** Méton. Couvent, église de cette communauté. ▭ Fin XIIe s. ; lat. médiév. *prioratus*, « charge de prieur » ; [pʀijœʀe].

**PRIMA DONNA, subst. f.**
*Mus.* Première cantatrice dans un opéra. ▭ 1823 ; ital. *prima donna*, « première dame » ; plur. *prime donne* ou inv. ; [pʀimadɔna], plur. [pʀimedɔne].

**PRIMAIRE, adj.**
**1.** Qui vient en premier, dans un ordre, une série ; fondamental : *Besoins **primaires** de l'être humain.* ▶ *Couleurs **primaires*** ou *fondamentales* : que l'on ne peut décomposer (bleu, jaune, rouge). ▶ *Écon. Secteur **primaire*** : qui produit des matières premières (agriculture, pêche, extraction minière). **2.** Qui représente le premier degré d'un système. ▶ *Enseignement **primaire*** ou, empl. subst. masc., *Le **primaire*** : premier degré de l'enseignement, avant la classe de sixième. ▶ *Électr.* Se dit d'un circuit d'entrée dans une bobine d'induction ou un transformateur, qui cède de la puissance au circuit secondaire. ▶ *Géol. Ère **primaire*** ou, empl. subst. masc., *Le **Primaire*** : ère géologique, succédant au Précambrien et s'étendant de – 540 millions à – 245 millions d'années, subdivisée en cinq étages (Cambrien, Ordovicien, Silurien, Dévonien et Permien). ▶ *Méd. Symptôme **primaire*** : qui apparaît le premier dans l'évolution d'une maladie. ▶ *Pol. Élection **primaire*** ou, empl. subst. fém., *Une **primaire*** : aux États-Unis, élection, interne à un parti, désignant le candidat à une élection générale ; en France, premier tour d'un scrutin comportant plusieurs candidats d'une même tendance. **3.** Qui ne dépasse pas un niveau élémentaire (péj.) : *Esprit **primaire***, simpliste et borné ; *Anticléricalisme **primaire***, sectaire, caricatural. ▶ *Psychol.* Qualifie le premier retentissement des impressions reçues : *Émotivité **primaire*** ; empl. subst., sujet chez qui prédominent les réactions immédiates. ▭ 1789 ; lat. *primarius* ; [pʀimɛʀ].

**PRIMAL, ALE, AUX, adj.**
*Psychanal. Cri **primal*** : mode de thérapie des névroses, où le sujet revit sa souffrance originelle de manière cathartique. ▭ V. 1970 ; angl. *primal*, du lat. *primalis* ; [pʀimal, o].

**PRIMAT (I), subst. m.**
*Cath.* Titre honorifique d'un archevêque dont le siège jouit d'une prééminence historique au sein d'une nation : *L'archevêque de Lyon, **primat** des Gaules* ; *Le pape, **primat** d'Italie.* ▭ Mil. XIIe s. ; lat. eccl. *primas*, du lat. *primus*, « premier » ; [pʀima].

**PRIMAT (II), subst. m.**
*Philos.* Primauté : *Le **primat** du « Cogito » chez Descartes.* ▭ 1893 ; all. *Primat* ; [pʀima].

**PRIMATE, subst. m.**
**I.** Plur. *Zool.* Ordre de mammifères, gén. onguiculés, aux mains et aux pieds le plus souv. préhensiles et ayant, pour certains, un cerveau développé. Les Prosimiens sont des **primates** primitifs (lémuriens, par ex.), les Anthropoïdes, des **primates** évolués (ouistitis, gorilles, chimpanzés, hommes). Au sing. *L'atèle, un **primate** de la famille des Cébidés.* **II.** Fig. Personne fruste, grossière (fam. et péj.). ▭ 1793 ; lat. *primas*, « qui est au premier rang » ; [pʀimat].

**PRIMATIAL, ALE, AUX, adj. et subst. f.**
Adj. Relatif, propre à un primat. Subst. Église **primatiale**. ▭ 1445 ; lat. médiév. *primatialis* ; [pʀimasjal, o].

**PRIMATIE, subst. f.**
Dignité de primat ; territoire de sa juridiction. ▭ XIIIe s. ; ☞ *primat* (I) ; [pʀimasi].

**PRIMATOLOGIE, subst. f.**
Étude scientifique des Primates. ▭ V. 1960 ; ☞ *primate* + *-logie* ; [pʀimatɔlɔʒi].

**PRIMAUTÉ, subst. f.**
Position d'une personne, d'une chose qui est à la première place, suprématie. ▶ *Cath. **Primauté** du pape* : son autorité suprême au sein de l'Église catholique. ▭ 1545 ; lat. *primus*, « premier » ; [pʀimote].

**PRIME (I), adj. et subst. f.**
Adj. **1.** Premier (littér.) : ***Prime** jeunesse*, premières années de la vie. ▶ *De **prime** abord* : à première vue. **2.** *Math. A', B',... (lus A prime, B prime,...)* : symboles mathématiques affectés d'une sorte d'accent permettant de les différencier de A, B,... Subst. *Liturg.* Première heure de l'office divin. ▭ 1119 ; anc. fr. *prim*, du lat. *primus*, « premier » ; [pʀim].

**PRIME (II), subst. f.**
**1.** Somme due à échéances régulières par un assuré à son assureur. **2.** *Bourse.* Somme due en cas de résiliation d'une option d'achat ou de vente : *Marché à **prime**.* ▶ ***Prime** d'émission* : somme à payer par le souscripteur en sus de la valeur nominale d'une action. ▶ Loc. *Faire **prime*** : augmenter de valeur, en parlant d'un titre boursier. **3.** Somme d'argent versée à titre de gratification, d'indemnité, d'aide : ***Prime** d'ancienneté* ; ***Prime** de licenciement.* **4.** Somme allouée par l'État, par un organisme public pour encourager une activité (synon. *subvention*). **5.** Rémunération d'un service (vieilli). **6.** Cadeau offert à un acheteur. ▶ Loc. *En **prime*** : en plus. ▭ 1620 ; angl. *premium*, « récompense », du lat. *praemium*, « avantage » ; [pʀim].

**PRIMER (I), verbe trans.** [3]
Trans. dir. ou indir. L'emporter sur : *La qualité doit **primer** (sur) toute autre considération* ; empl. abs., avoir l'avantage (vieilli). ▭ 1633 (XIIe s., goûter le premier à qqch.) ; ☞ *prime* (I) ; [pʀime].

**PRIMER (II), verbe trans.** [3]
Récompenser par une prime, un prix : ***Primer** un projet.* ▭ 1869 ; ☞ *prime* (II) ; [pʀime].

**PRIMEROSE, subst. f.**
*Bot.* Rose trémière. ▭ 1846 (XIIIe s., primevère) ; formé de *prime* (I) et de *rose* ; [pʀimʀoz].

**PRIMESAUTIER, IÈRE, adj.**
Vif, spontané : *Être d'une nature **primesautière**.* ▭ Mil. XIIe s. ; *primesaut* (vx), « élan spontané », de *prime* (I) et de *saut* ; [pʀimsotje, jɛʀ].

**PRIME TIME, subst. m.**
Anglic. *Télév.* Tranche horaire de début de soirée, à l'audience la plus large (recomm. off. *heure de grande écoute*). ▭ V. 1990 ; angl. *prime time*, « première heure » ; plur. *prime times* ; [pʀajmtajm].

**PRIMEUR, subst. f.**
**1.** Caractère de ce qui est nouveau. ▶ Loc. *Avoir la **primeur** de qqch.* : être le premier à connaître, à profiter de qqch. **2. De primeur.** Se dit d'un produit (fruit, légume, vin) de début de saison : *Artichaut (de) **primeur*** ; *Beaujolais (de) **primeur**.* Plur. Fruits ou légumes de **primeur**. ▭ 1694 (fin XIIe s., commencement) ; ☞ *prime* (I) ; [pʀimœʀ].

**PRIMEURISTE, subst.**
Personne qui produit des primeurs ou en fait le commerce. ▭ 1872 ; ☞ *primeur* ; [pʀimœʀist].

**PRIMEVÈRE, subst. f.**
*Bot.* Plante ornementale de la famille des Primulacées, à fleurs jaunes, blanches ou mauves, qui fleurit au printemps. ▭ XIIe s. ; bas lat. *prima vera*, du lat. *primum ver*, « début du printemps » ; [pʀimvɛʀ].

**PRIMIDI, subst. m.**
*Hist.* Premier jour de la décade républicaine. ▭ 1793 ; lat. *dies*, « jour », + *primi-* ; [pʀimidi].

**PRIMIPARE, adj. f. et subst. f.**
Se dit d'une femme qui accouche ou d'une femelle qui met bas pour la première fois. ▭ 1812 ; lat. *primipara*, de *primus*, « premier », et de *parere*, « enfanter » ; [pʀimipaʀ].

**PRIMITIF, IVE, adj.**
**I. 1.** Qui est dans son état le plus ancien : *Stade **primitif*** ; *La **primitive** Église*, celle des deux premiers siècles apr. J.-C. **2.** *B.-a.* Qui date de la première époque d'un style : *Gothique **primitif*** ; en partic., se dit des courants artistiques qui fleurirent en Europe avant la Renaissance, des artistes, des œuvres qui en relèvent : *Les écoles **primitives*** ; *Un peintre **primitif*** ; empl. subst. masc. : *Les **primitifs** flamands.* **II.** Qui est à l'origine de qqch. d'autre. **1.** *Gramm. Temps **primitif** d'un verbe* : temps qui sert de base à la formation des autres temps. **2.** *Math. Fonction **primitive*** ou, empl. subst. fém., *Une **primitive** d'une fonction numérique f sur un intervalle I* : toute fonction définie et dérivable sur I, de dérivée égale à *f* sur I. **III. 1.** Qui relève d'une société sans écriture, ignorant les structures politiques de type étatique et pratiquant une économie faiblement productive (synon. *archaïque*) : *Peuples, arts **primitifs*** ; empl. subst., membre d'une de ces sociétés (empl. critiqué). **2.** Simple, rudimentaire : *Un outillage **primitif**.* ▭ 1310 ; lat. *primitivus*, « premier en date » ; [pʀimitif, iv].

Nativité *(détail), peinture du Maître de Flémalle (XIVe-XVe s.). Art primitif flamand. Musée des Beaux-Arts, Dijon.*

**PRIMITIVEMENT, adv.**
À l'origine. ▭ Mil. XVe s. ; ☞ *primitif* ; [pʀimitivmɑ̃].

**PRIMITIVISME, subst. m.**
*B.-a.* Caractère de ce qui s'inspire des arts primitifs. ▭ 1904 ; ☞ *primitif* ; [pʀimitivism].

Beaux-Arts – Gauguin est l'un des premiers artistes à être influencé par l'art des Polynésiens, mais beaucoup le suivront, en s'intéressant notamment à la statuaire africaine. Picasso, dans ses recherches pour *les Demoiselles d'Avignon* (1907), révèle son goût pour les masques Fang du Gabon, tandis que Giacometti s'inspire des cuillers de Côte-d'Ivoire pour *Femme-cuiller* (1926). La culture des Amérindiens du Nord interviendra plus tard dans l'art du XXe s., après 1940, influençant des artistes tels que Pollock ou Beuys, le premier à travers les figures totémiques et leur symbolique (*Masculin-Féminin*, 1942), le second dans sa création intitulée *Coyote J. Beuys : I Like America, America Likes Me* (1974).

**PRIMO, adv.**
Premièrement, d'abord. ▭ 1322 ; mot lat. ; [pʀimo].

**PRIMOGÉNITURE, subst. f.**
*Dr.* Antériorité de naissance entre frères et sœurs, entraînant certains droits. Fin XVe s. ; lat. médiév. *primogenitura* ; [pʀimoʒenityʀ].

**PRIMO-INFECTION, subst. f.**
*Pathol.* Premier contact d'un organisme avec une bactérie ou un virus : ***Primo-infection*** *tuberculeuse.* 1920 ; ☞ *infection* + *primo-* ; plur. *primo-infections* ; [pʀimoɛ̃fɛksjɔ̃].

**PRIMORDIAL, ALE, AUX, adj.**
**1.** Primitif, originel : *Cellule* ***primordiale*** *d'un être vivant.* **2.** D'une importance capitale : *Jouer un rôle* ***primordial.*** Fin XIVe s. ; lat. chrét. *primordialis*, du lat. *primordium*, « origine » ; [pʀimɔʀdjal, o].

**PRIMULACÉES, subst. f. plur.**
*Bot.* Famille de plantes herbacées vivaces, à tubercules ou à rhizomes, comportant de nombreuses espèces communes en France. AU SING. *La primevère est une* ***primulacée.*** 1798 ; lat. sc. *primula*, « primevère » ; [pʀimylase].

**PRINCE, subst. m.**
**I. 1.** Celui qui règne, qui possède une souveraineté : *Vivre à la cour d'un* ***prince.*** ▸ Loc. *Se montrer, être bon* ***prince*** : généreux, bienveillant ; *Le fait du* ***prince*** : l'arbitraire du pouvoir. **2.** Membre non régnant d'une famille souveraine : *Les* ***princes*** *du sang* ; ***Prince*** *consort*, époux d'une souveraine ne régnant pas lui-même. ▸ *Hist. Le* ***prince****-président* : Louis-Napoléon Bonaparte, président de la IIe République, futur Napoléon III. **3.** Titre de noblesse le plus élevé : *Le* ***prince*** *de Condé.* **4.** Souverain d'un État titré principauté : *Le* ***prince*** *de Liechtenstein, de Monaco.* **II.** Le principal personnage d'un groupe. **1.** *Relig. Le* ***prince*** *des apôtres* : saint Pierre ; *Les* ***princes*** *de l'Église* : les cardinaux et les évêques ; *Le* ***prince*** *des ténèbres* : Satan. **2.** *Litt.* ***Prince*** *des poètes* : titre décerné (par ses confrères) à un poète vivant (Verlaine, Mallarmé, etc.). Déb. XIIe s. ; lat. *princeps*, « le premier ; l'empereur » ; [pʀɛ̃s].

**PRINCE-DE-GALLES, subst. m. inv.**
Étoffe de laine, finement quadrillée en camaïeu. 1951 ; *prince de Galles*, titre de l'héritier du trône d'Angleterre, en l'occurrence celui qui devint Édouard VII ; [pʀɛ̃sdəgal].

**PRINCEPS, adj.**
*Édition* ***princeps*** : première édition d'un ouvrage. 1802 ; lat. *princeps*, « premier » ; [pʀɛ̃sɛps].

**PRINCESSE, subst. f.**
**1.** Fille ou épouse d'un prince. ▸ Loc. *Jouer les* ***princesses*** : être capricieuse ou prétentieuse. **2.** Souveraine d'un État (rare). ▸ Loc. *Aux frais de la* ***princesse*** : aux frais de l'État, d'une administration ou, par ext., gratuitement. 1320 (fin XIIe s., dignité chez les Amazones) ; ☞ *prince* ; [pʀɛ̃sɛs].

**PRINCIER, IÈRE, adj.**
**1.** De prince, de princesse. **2.** Digne d'un prince par son faste. Fin XVIe s. ; ☞ *prince* ; [pʀɛ̃sje, jɛʀ].

**PRINCIÈREMENT, adv.**
D'une manière princière : *On nous traita* ***princièrement.*** 1875 ; ☞ *princier* ; [pʀɛ̃sjɛʀmɑ̃].

**PRINCIPAL, ALE, AUX, adj. et subst. m.**
ADJ. **1.** Qui est le plus important : *Rue* ***principale.*** **2.** Qui est le premier parmi plusieurs : *Commissaire* ***principal.*** **3.** *Géom. Droite normale* ***principale*** *en un point M(t) d'une courbe paramétrée* : droite normale à la courbe en ce point dirigée par le vecteur dérivé par rapport à *t* du vecteur unitaire tangent en ce point. **4.** *Gramm. Proposition* ***principale*** ou, empl. subst. fém., ***Principale*** : qui régit une ou plusieurs propositions subordonnées. SUBST. **1.** Ce qui constitue l'essentiel : *Le* ***principal****, c'est qu'il guérisse.* ▸ *Dr.* Objet essentiel d'une action en justice. ▸ *Fin.* Capital dont il est demandé paiement, par oppos. aux intérêts. ▸ *Fisc.* Somme représentant le montant de l'impôt avant le calcul des décimes et des centimes additionnels. **2.** Directeur de collège. **3.** Premier clerc d'une étude. **4.** *Mus.* Jeu d'orgue constitué par de gros tuyaux formant la base des jeux de fond. 1119 (fin XIe s., princier) ; lat. *principalis*, de *princeps*, « premier » ; [pʀɛ̃sipal, o].

**PRINCIPALEMENT, adv.**
Par-dessus tout, surtout. Fin XIIe s. ; ☞ *principal* ; [pʀɛ̃sipalmɑ̃].

**PRINCIPAT, subst. m.**
**1.** *Antiq. rom.* Dignité, règne d'un empereur. **2.** Dignité de prince. 1544 (déb. XIVe s., terre d'un prince) ; lat. *principatus*, « premier rang » ; [pʀɛ̃sipa].

**PRINCIPAUTÉ, subst. f.**
Terre à laquelle est attaché le titre de prince ; État indépendant gouverné par un prince. PLUR. *Théol. Les* ***Principautés*** : anges formant le premier chœur de la troisième hiérarchie angélique. 1362 ; ☞ *prince*, prob. d'apr. *royauté* ; [pʀɛ̃sipote].

**PRINCIPE, subst. m.**
**I.** Cause originelle, source : ***Principe*** *suprême de l'Univers.* **II. 1.** Au plur. Notions fondamentales d'une science : ***Principes*** *généraux de la géométrie.* **2.** Loi générale non démontrée mais vérifiée dans ses conséquences : ***Principe*** *d'Archimède.* **3.** Notion sur laquelle repose un développement, un raisonnement, un système : *Partir d'un* ***principe*** *simple.* **4.** Loc. *De* ***principe*** : a priori ; *En* ***principe*** : théoriquement. **III. 1.** Règle morale ou d'action régissant la conduite d'une personne, d'un groupe : *Avoir des* ***principes.*** **2.** *Psychanal.* ***Principe*** *de plaisir* : selon Freud, mécanisme de l'appareil psychique, qui vise à évacuer les tensions déplaisantes, régulé par le **principe** de réalité, lequel, lié à l'expérience et à l'éducation, fait renoncer à certaines satisfactions. **IV.** Élément propre à une substance, qui lui confère des qualités particulières : ***Principe*** *actif d'un remède.* Fin XIIe s. ; lat. *principium* ; [pʀɛ̃sip].

**PRINTANIER, IÈRE, adj.**
Du printemps. 1553 ; ☞ *printemps* ; [pʀɛ̃tanje, jɛʀ].

**PRINTEMPS, subst. m.**
**1.** La première des quatre saisons, du 21 mars au 21 juin, dans l'hémisphère Nord : *Floraison de* ***printemps.*** **2.** Métaph. Jeune âge, jeunesse : *Le* ***printemps*** *de la vie.* **3.** Année d'âge, en gén. d'une personne jeune ou, par euphém., d'une personne âgée : *Bientôt quatre-vingt-dix* ***printemps*** *!* XIIIe s. ; formé de l'anc. fr. *prins*, « premier », et de *temps*, du lat. *primus tempus*, « la première saison » ; [pʀɛ̃tɑ̃].

© Alinari-Giraudon

Le **Printemps** *(détail), peinture allégorique de Sandro Filipepi Botticelli (v. 1445-1510). Galerie des Offices, Florence.*

**PRIODONTE, subst. m.**
*Zool.* Mammifère édenté d'Amérique du Sud, de la famille des Pasypodipés, appelé aussi tatou géant, qui peut mesurer 1 m de long et s'attaque aux termitières en y creusant des tunnels. 1822 ; gr. *priein*, « scier », + *-odonte* ; [pʀijɔdɔ̃t].

**PRION, subst. m.**
*Biol.* et *Biochim.* Particule qui ne semble comporter aucune molécule d'acide nucléique et qui est un agent infectieux responsable de dégénérescence spongiforme du cerveau, telle l'encéphalopathie spongiforme bovine, dite maladie de la vache folle. 1983 ; angl. *prion*, pour *protein infections particle* ; [pʀijɔ̃].

**PRIORAT, subst. m.**
Fonction de prieur, de prieure ; sa durée. 1688 ; ☞ *prieur* ; [pʀijɔʀa].

**PRIORI (A), voir A PRIORI**

**PRIORITAIRE, adj.**
Qui a la priorité. 1948 ; ☞ *priorité* ; [pʀijɔʀitɛʀ].

**PRIORITAIREMENT, adv.**
En priorité. ☞ *priorité* ; [pʀijɔʀitɛʀmɑ̃].

**PRIORITÉ, subst. f.**
**1.** Vx. Préséance. **2.** Qualité de ce qui se situe avant, dans le temps. **3.** Droit de faire qqch. avant les autres ; spéc., droit de passage d'un véhicule à un carrefour : ***Priorité*** *à droite.* **4.** Importance préférentielle accordée à qqch. : *Donner la* ***priorité*** *à la lutte contre le chômage.* ▸ Méton. Ce à quoi on donne la **priorité** : *Définir des* ***priorités.*** ▸ Loc. *En* ***priorité*** : en tout premier lieu. 1377 ; lat. médiév. *prioritas* ; [pʀijɔʀite].

**PRIS, PRISE, adj.**
**1.** Occupé (anton. *libre*). **2.** Qui a beaucoup à faire. **3.** Saisi, dominé : *Pris de panique.* ▸ Loc. *Être* ***pris*** *de boisson* : être ivre ; *Avoir le nez* ***pris*** : être enrhumé. **4.** *Taille bien* ***prise*** : bien faite, mince (vieilli). XIIe s. ; p. p. de *prendre* ; [pʀi, pʀiz].

**PRISE, subst. f.**
**I. 1.** Action de capturer un animal ; par méton., l'animal capturé : *Une belle* ***prise.*** **2.** Action de s'emparer de qqch., de qqn : ***Prise*** *d'une forteresse* ; au fig. : ***Prise*** *du pouvoir.* **II. 1.** Action de prendre pour tenir. ▸ Loc. *Lâcher* ***prise*** : cesser de tenir, de serrer qqch. ou, au fig., abandonner l'exécution d'un projet ; *Avoir* ***prise*** *sur* : avoir un moyen d'action sur ; ***Prise*** *en main(s)* : action de prendre le contrôle de qqch. **2.** Façon de saisir un adversaire, à la lutte : ***Prise*** *de catch, de judo.* ▸ Loc. *Aux* ***prises*** *avec* : en lutte contre, tourmenté par ; ***Prise*** *de bec* : dispute ; ***Prise*** *de tête* : occupation intellectuellement épuisante ou exaspérante (pop.). **3.** Ce qui permet de saisir. ▸ Loc. ***Prise*** *au vent d'un bâtiment, d'un véhicule...* : surface offrant une résistance à la poussée du vent ; *Donner, laisser* ***prise*** *à* : être vulnérable à. ▸ *Alp.* Accident du relief auquel on peut s'agripper. **III. 1.** Action d'absorber qqch. ; dose absorbée : *Remède administré en trois* ***prises*** *postprandiales.* **2.** Pincée de tabac, d'un stupéfiant en poudre, aspirée par le nez. **IV. 1.** Dispositif servant à capter qqch. : ***Prise*** *d'eau* ; ***Prise*** *d'air*, dispositif d'alimentation en air d'une machinerie ou défaut d'étanchéité à l'air d'un volume clos. **2.** Action de prélever, de recueillir qqch. : ***Prise*** *de sang.* **3.** *Cin.* ***Prise*** *de son, de vue(s)* : action d'enregistrer le son, les images d'un film. **4.** *Mécan.* ***Prise*** *directe* : configuration d'une boîte de vitesses dans laquelle le pignon de l'arbre primaire s'engrène sur un pignon identique de l'arbre secondaire, transmettant le mouvement sans démultiplication ; au fig. : *Être en* ***prise*** *(directe) avec l'actualité*, en contact étroit. **5.** *Électr.* ***Prise*** *de courant* : dispositif mâle ou femelle de branchement au secteur électrique. **6.** *Écon.* ***Prise*** *de bénéfice* : revente à un prix plus élevé que le prix d'achat de valeurs mobilières. **V. 1.** Action d'adopter une attitude, de se placer dans une nouvelle situation : ***Prise*** *de contact avec qqn* ; ***Prise*** *de fonction* ; ***Prise*** *de possession* ; ***Prise*** *de position*, action de déclarer ouvertement son avis sur une question ; ***Prise*** *d'habit, de voile*, fait d'entrer en religion. **2.** ***Prise*** *en charge de qqn* : fait d'assurer son entretien, ses dépenses. **VI.** Fait de se solidifier, en parlant d'un fluide : *Ciment à* ***prise*** *rapide.* Mil. XIIe s. ; p. p. de *prendre* ; [pʀiz].

**PRISÉE, subst. f.**
*Dr.* Estimation d'un bien mobilier effectuée par un commissaire-priseur ou par un greffier de justice de paix. 1283 ; p. p. de *priser* (I) ; [pʀize].

**PRISER (I), verbe trans.** [3]
**1.** Vx. Évaluer (un bien). **2.** Attacher du prix à (littér.) : *Cette distinction est très* ***prisée.*** Fin XIe s. ; bas lat. *pretiare* ; [pʀize].

**PRISER (II), verbe trans.** [3]
Aspirer par le nez (de la poudre de tabac, un stupéfiant). 1807 ; ☞ *prise* ; [pʀize].

**PRISEUR, EUSE, subst.**
Personne qui prise du tabac, de la drogue. 1807 ; ☞ *priser* (II) ; [pʀizœʀ, øz].

**PRISMATIQUE, adj.**
**1.** Qui a la forme d'un prisme. **2.** *Phys.* Relatif au prisme ou à l'action du prisme sur la lumière : *Couleurs* ***prismatiques.*** **3.** *Math. Surface* ***prismatique*** : cylindre dont une section par un plan non parallèle aux génératrices est un polygone. **4.** *Opt.* Qui est muni d'un prisme, de prismes : *Lentilles* ***prismatiques.*** 1659 ; ☞ *prisme* ; [pʀismatik].

**PRISME, subst. m.**
**1.** *Géom.* Polyèdre limité par une surface prismatique et deux plans parallèles rencontrant toutes les génératrices de cette surface (les faces portées par les deux plans sont les bases). **2.** *Phys.* Polyèdre utilisé en optique et en spectroscopie pour dévier, disperser ou réfléchir différemment le rayonnement lumineux, selon la longueur d'onde du rayonnement, l'angle et l'indice du **prisme**. **3.** Fig. Ce qui

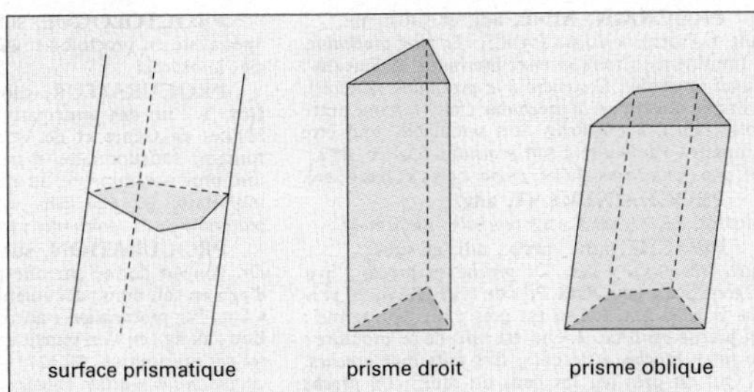


*Exemples de prismes.*

…éforme la réalité : *Prisme de la jalousie.* 1609 ; lat. *prisma*, du gr. *prisma*, de *prizein*, « scier » ; [pʀism].

**PRISON, subst. f.**
1. Captivité (vx). 2. Peine privative de liberté : *Risquer la prison* ; *Être condamné à cinq ans de prison.* 3. Lieu de détention ; établissement pénitentiaire. ▸ Loc. *Aimable comme une porte de prison* : très revêche (fam.). Mil. XIIe s. (fin XIe s., capture) ; lat. pop. °*prensio*, du lat. *prehensio*, « arrestation » ; [pʀizɔ̃].

**PRISONNIER, IÈRE, subst. et adj.**
SUBST. 1. Personne tombée aux mains de l'ennemi lors d'un conflit : *Faire des prisonniers* ; *Camp de prisonniers.* 2. Personne détenue dans une prison : *Prisonnier de droit commun* ; *Se constituer prisonnier*, se livrer à la police. ADJ. Privé de sa liberté de mouvement ; au fig. : *Être prisonnier de ses habitudes.* Fin XIIe s. ; ☞ *prison* ; [pʀizɔnje, jɛʀ].

**PRIVAT-DOZENT, subst. m.**
Professeur qui donne des cours libres, dans les universités des pays germaniques. 1805 ; all. *Privat-Dozent*, de *privat* « privé » et de *Dozent*, « professeur » ; plur. *privat-dozents*, var. *privat-docent* (plur. *privat-docents*) ; [pʀivatdɔtsɛnt].

**PRIVATIF, IVE, adj.**
1. Vx. *Dr. Peine privative* : qui prive de qqch., gén. de la liberté. 2. *Dr.* Dont on a la jouissance exclusive : *Cour, voie privative.* 3. *Ling.* Se dit d'un préfixe marquant la privation, la négation (« in- » dans « instable », par ex.). 1514 ; lat. *privativus*, de *privare*, « priver » ; [pʀivatif, iv].

**PRIVATION, subst. f.**
Absence ou perte de ce dont on jouissait ou pouvait jouir. ▸ *Dr.* Suppression : *Privation des droits civiques.* PLUR. Fait d'être privé ou de se priver de choses nécessaires ; ces choses : *Les privations du carême.* 1290 ; ☞ *priver* ; [pʀivasjɔ̃].

**PRIVATIQUE, subst. f.**
Ensemble des moyens d'information, notamment audiovisuels, indépendants d'un réseau public. V. 1980 ; ☞ *privé*, d'apr. *télématique* ; [pʀivatik].

**PRIVATISATION, subst. f.**
Action de privatiser ; son résultat. V. 1970 ; ☞ *privatiser* ; [pʀivatizasjɔ̃].

**PRIVATISER, verbe trans.** [3]
*Écon.* Transférer (ce qui était géré par l'État) au secteur privé ; empl. adj. : *Une société privatisée.* V. 1960 ; ☞ *privé*, d'apr. *étatiser* ; [pʀivatize].

**PRIVAUTÉ, subst. f.**
1. Grande intimité (vieilli). 2. Familiarité excessive, inconvenante (gén. au plur.) : *Se permettre des privautés.* XIIIe s. ; ☞ *privé*, d'apr. *royauté* ; [pʀivote].

**PRIVÉ, ÉE, adj. et subst. m.**
ADJ. 1. Qui vit ou se fait dans l'intimité de qqn (vx) : *Conseil privé du roi*, formé de ses proches. ▸ Loc. *En privé* : seul à seul. 2. Qui est d'ordre personnel, individuel : *Initiative privée* ; *Collection privée.* ▸ Intime, familial (anton. *public, professionnel*) : *La vie privée.* 3. Dont l'usage est réservé à qqn ou à quelques-uns : *Propriété privée* ; *Club privé.* 4. Qui n'est pas officiel : *Une visite privée.* 5. Qui n'est pas du domaine de l'État : *Entreprise, école privée* ; empl. subst. masc. : *Ils travaillent dans le privé.* ▸ *Détective privé* ou, empl. subst. masc., *Un privé* : enquêteur indépendant. SUBST. Vie personnelle, familiale : *Dans le privé, il est plus gai.* Mil. XIIe s. ; lat. *privatus*, « propre, individuel » ; [pʀive].

**PRIVER, verbe trans.** [3]
Ôter à (qqn) ce qu'il possède ; refuser à (qqn) ce qu'il désire, ce à quoi il a droit : *Priver un enfant d'affection.* PRONOM. **Se priver de.** 1. Renoncer à (qqch. d'agréable ou d'utile) : *Se priver de tabac.* 2. S'abstenir de : *Ne pas se priver de dire sa pensée* ; empl. abs., s'imposer des privations. Déb. XIVe s. ; lat. *privare*, « écarter de, dépouiller » ; [pʀive].

**PRIVILÈGE, subst. m.**
1. Droit particulier accordé à une personne, à un groupe, ou attaché à une fonction : *Bénéficier d'un privilège.* ▸ Au plur. *Hist.* Droits et avantages possédés par la noblesse et le clergé, sous l'Ancien Régime. ▸ *Dr. Privilège d'une créance* : priorité que la loi lui accorde d'être payée avant les autres. 2. Qualité propre à qqch., à qqn ; avantage naturel : *Privilège de l'âge.* Fin. XIIe s. ; lat. jur. *privilegium*, « loi concernant un particulier » ; [pʀivilɛʒ].

**PRIVILÉGIÉ, ÉE, adj. et subst.**
ADJ. 1. Qui jouit d'un privilège. 2. Qui bénéficie d'avantages ou d'une préférence que d'autres n'ont pas. SUBST. Personne qui bénéficie de privilèges, d'avantages. 1283 ; p. p. de *privilégier* ; [pʀivileʒje].

**PRIVILÉGIER, verbe trans.** [6]
1. Doter (qqn) d'un privilège. 2. Donner une importance particulière à (qqn, qqch.). Déb. XIIIe s. ; ☞ *privilège* ; [pʀivileʒje].

**PRIX, subst. m.**
1. Somme à payer pour obtenir un bien, un produit, un service : *S'entendre sur le prix* ; *Hausse des prix.* ▸ Loc. *De prix* : coûteux ; *Hors de prix* : excessivement cher ; *Au prix fort* : sans réduction. 2. Valeur qu'on accorde à qqch. : *Le prix de l'amitié* ; effort à fournir pour obtenir qqch. : *Prix de la réussite.* ▸ Loc. *À tout prix* : coûte que coûte ; *À aucun prix* : pour rien au monde. 3. Distinction qui récompense les mérites de qqn, les qualités de qqch. : *Distribution des prix* ; par méton., le lauréat, l'œuvre récompensée : *Inviter un prix Nobel* ; *Lire le prix Goncourt.* 4. Compétition sportive récompensée par un prix : *Prix de l'Arc de triomphe.* Mil. XIe s. ; lat. *pretium* ; [pʀi].

**PRO, subst. et adj.**
Professionnel (fam.) : *Un travail de pro* ; *Boxeur passé pro.* 1881 ; apocope de *professionnel* ; [pʀo].

**PROBABILISABLE, adj.**
*Math. Espace probabilisable* : couple $(\Omega, \mathcal{C})$ où $\Omega$ est un ensemble, et $\mathcal{C}$ une tribu de parties de $\Omega$ appelées les évènements ($\Omega$ et la partie vide $\varnothing$ figurent dans $\mathcal{C}$). V. 1970 ; ☞ *probabilité* ; [pʀɔbabilizabl].

**PROBABILISME, subst. m.**
*Philos.* Théorie définie par le Grec Carnéade (IIIe-IIe s. av. J.-C.) contre le dogmatisme stoïcien, selon laquelle le critère du probable suffit à fonder la conduite morale. 1821 (1720, doctrine théologique des opinions probables) ; lat. *probabilis* ; [pʀɔbabilism].

**PROBABILITÉ, subst. f.**
1. Caractère de ce qui est probable. ▸ Loc. *Selon toute probabilité* : vraisemblablement. 2. Chance qu'un évènement a de se produire (souv. au plur.) : *De fortes probabilités.* 3. *Math.* Rapport du nombre des cas favorables à la réalisation d'un évènement aléatoire au nombre de tous les cas possibles. ▸ *Probabilité (ou loi de probabilité) sur un espace probabilisable $(\Omega, \mathcal{C})$* : application de $\mathcal{C}$ dans l'intervalle $[0, 1]$ telle que $p(\Omega) = 1$, $p(\varnothing) = 0$, et si $(T_n)_{n \geqslant 0}$ est une suite d'évènements deux à deux disjoints ($T_n$ élément de $\mathcal{C}$), $p(\bigcup_{n=0}^{\infty} T_n) = \sum_{n=0}^{\infty} p(T_n)$ (somme des $p(T_n)$). 1370 ; lat. *probabilitas* ; [pʀɔbabilite].

**PROBABLE, adj.**
Qu'il est raisonnable de prévoir, de supposer ; vraisemblable, possible : *Hypothèse probable* ; empl. subst. masc. : *Le vrai, le faux et le probable.* Fin XIVe s. (1285, que l'on peut prouver) ; lat. *probabilis*, de *probare*, « faire l'essai » ; [pʀɔbabl].

**PROBABLEMENT, adv.**
De manière probable : *Vous serez probablement élu.* 1370 ; ☞ *probable* ; [pʀɔbabləmɑ̃].

**PROBANT, ANTE, adj.**
1. *Dr.* Qui a force de preuve. 2. Convaincant : *Démonstration probante.* 1566 ; lat. *probans*, de *probare*, « prouver » ; [pʀɔbɑ̃, ɑ̃t].

**PROBATION, subst. f.**
1. *Cath.* Temps d'épreuve précédant le noviciat ; le noviciat lui-même. 2. *Dr.* Régime des délinquants dont la peine a fait l'objet d'un sursis assorti d'une mise à l'épreuve. Mil. XIVe s. (déb. XIVe s., preuve) ; lat. *probatio*, « épreuve, examen » ; [pʀɔbasjɔ̃].

**PROBATOIRE, adj.**
Qui permet de vérifier le niveau et les capacités d'un candidat : *Examen probatoire.* 1707 (1594, terme de droit) ; ☞ *probation* ; [pʀɔbatwaʀ].

**PROBE, adj.**
Qui fait preuve de probité (littér.) : *Un magistrat des plus probes.* 1464 ; lat. *probus* ; [pʀɔb].

**PROBITÉ, subst. f.**
Droiture, intégrité ; respect de la morale et de la justice. 1429 ; lat. *probitas* ; [pʀɔbite].

**PROBLÉMATIQUE, adj. et subst. f.**
ADJ. 1. Qui constitue un problème. 2. Hasardeux, incertain. SUBST. Manière rationnelle de poser les problèmes : *Établir une problématique* ; ensemble des problèmes qui se posent dans un domaine scientifique ou philosophique. 1490 ; bas lat. *problematicus*, du gr. *problêmatikos* ; [pʀɔblematik].

**PROBLÈME, subst. m.**
1. Question d'ordre spéculatif que l'esprit tente de résoudre : *Problème moral, métaphysique.* 2. Question d'ordre scientifique qui exige une solution déductive, rationnelle : *Problème de physique.* 3. Difficulté d'ordre théorique ou pratique : *Le problème de la drogue.* 4. Ennui durable ou passager : *Un problème de santé* ; difficulté sociopsychologique (gén. au plur.) : *Enfant à problèmes.* Fin XIVe s. ; lat. *problema*, du gr. *problêma* ; [pʀɔblɛm].

**PROBOSCIDIENS, subst. m. plur.**
*Zool.* Ordre de mammifères ongulés euthériens ne comprenant qu'une famille, celle des Éléphantidés, ainsi que des espèces fossiles (mammouth, mastodonte, etc.). AU SING. *L'éléphant est un proboscidien.* 1817 ; *proboscide* (vx), du lat. *proboscis*, du gr. *proboskis*, « trompe » ; [pʀɔbɔsidjɛ̃].

**PROCAÏNE, subst. f.**
*Pharm.* Anesthésique local de synthèse, également utilisé comme vasodilatateur. V. 1950 ; ☞ *cocaïne* + *pro-* ; [pʀɔkain].

**PROCARYOTE, adj. et subst. m.**
*Bactériol.* Se dit d'un organisme, gén. unicellulaire, sans véritable noyau mais dont le patrimoine génétique baigne directement dans le cytoplasme. Les **procaryotes** forment le monde, très riche en espèces, des cyanobactéries et des bactéries. V. 1930 ; ☞ *eucaryote* + *pro-* ; [pʀɔkaʀjɔt].

**PROCÉDÉ, subst. m.**
1. Manière de s'y prendre pour faire qqch. : *Un procédé astucieux.* ▸ Méthode technique ou scientifique suivie pour obtenir un résultat : *Procédé de fabrication.* ▸ Emploi systématique d'une technique, donnant à une œuvre un caractère artificiel (péj.) : *Procédé oratoire.* 2. Manière de se comporter à l'égard d'autrui : *User de procédés détestables.* ▸ Loc. *Échange de bons procédés* : de services. 3. *Jeux.* Lamelle de cuir garnissant l'extrémité d'une queue de billard, que l'on frotte de craie. 1540 ; p. p. de *procéder* ; [pʀɔsede].

**PROCÉDER, verbe** [8]
INTRANS. Agir d'une certaine manière : *Procéder par ordre.* TRANS. INDIR. 1. **Procéder à.** Exécuter, faire : *Procéder à un recensement.* 2. **Procéder de.** Provenir de, participer de : *Le Saint-Esprit procède du Père et du Fils.* Déb. XIVe s. ; lat. *procedere*, « aller en avant » ; [pʀɔsede].

**PROCÉDURAL, ALE, AUX, adj.**
*Dr.* Relatif à la procédure : *Une irrégularité procédurale.* 1877 ; ☞ *procédure* ; [pʀɔsedyʀal, o].

**PROCÉDURE,** subst. f.
**1.** *Dr.* Ensemble des règles présidant au déroulement d'une action en justice : ***Procédure** pénale* ; *Vice de **procédure*** (☞ *vice*) ; par méton., branche du droit qui établit et codifie ces règles. ▸ Ext. Ensemble de démarches à accomplir selon ces règles : ***Procédure** électorale.* **2.** Manière de procéder en vue d'un certain résultat : ***Procédure** d'atterrissage.* ▸ *Informat.* Série de consignes à appliquer pour mener à bien une opération. 1344 ; ☞ *procéder* ; [pʀɔsedyʀ].

**PROCÉDURIER, IÈRE,** adj. et subst.
Se dit de qqn qui aime la procédure, la chicane (péj.). 1819 ; ☞ *procédure* ; [pʀɔsedyʀje, jɛʀ].

**PROCÈS,** subst. m.
**1.** *Dr.* Affaire poursuivie en justice ; instance. ▸ Loc. *Sans autre forme de **procès*** : arbitrairement ou, par ext., sans plus de façon ; *Faire le **procès** de* : attaquer vivement, dénoncer. **2.** Développement d'une réflexion (vieilli) ; processus. ▸ *Anat.* Prolongement organique : ***Procès** alvéolaire de la dent.* ▸ *Ling.* Notion d'action ou d'état exprimée par le verbe. 1250 (fin XIIe s., contrat) ; lat. *processus*, « progrès » ; [pʀɔsɛ].

**PROCESSEUR,** subst. m.
*Informat.* Partie d'un ordinateur qui effectue les opérations et contrôle l'exécution du programme. 1957 ; angl. *processor*, de *to process*, « exécuter une opération » ; [pʀɔsɛsœʀ].

**PROCESSIF (I), IVE,** adj.
**1.** Vx. Relatif au procès ; procédurier, chicanier. **2.** *Psych.* Se dit d'une personne qui a la manie des procès, des contestations (synon. *quérulent*). 1511 ; ☞ *procès* ; [pʀɔsɛsif, iv].

**PROCESSIF (II), IVE,** adj.
*Écon.* Générateur de progrès social. V. 1970 ; angl. *processive*, « capable de progrès », du lat. *procedere*, « aller en avant » ; [pʀɔsesif, iv].

**PROCESSION,** subst. f.
**1.** Défilé solennel accompagné de chants ou de prières, marquant certaines cérémonies religieuses. **2.** Anal. Longue file de personnes ou de choses. Mil. XIIe s. (déb. XIIe s., cortège, escorte) ; lat. *processio*, « action d'aller en avant » ; [pʀɔsesjɔ̃].

**PROCESSIONNAIRE,** adj.
Qui se déplace en procession (rare). ▸ *Zool. Chenille **processionnaire*** ou, empl. subst. fém., *Une **processionnaire*** : larve de lépidoptère, hôte du chêne ou du pin. Les **processionnaires** se déplacent la nuit en colonne continue en ravageant les arbres. 1734 (1328, recueil des prières chantées en procession) ; ☞ *procession* ; [pʀɔsesjɔnɛʀ].

© Labat/Lanceau-Jacana
*Processionnaires du chêne.*

**PROCESSUS,** subst. m.
**1.** *Anat.* Formation prolongeant un organe, un tissu. **2.** Succession de phénomènes liés entre eux et produisant dans le temps un résultat déterminé : ***Processus** révolutionnaire.* ▸ *Biol.* et *Méd.* Évolution d'un phénomène naturel ou pathologique : ***Processus** inflammatoire.* **3.** Suite ordonnée d'opérations menant à la réalisation de qqch. : ***Processus** de fermentation.* 1541 ; lat. *processus*, « progrès », de *procedere*, « aller en avant » ; [pʀɔsesys].

**PROCÈS-VERBAL,** subst. m.
**1.** *Dr.* Acte établi par un représentant de l'autorité publique, et consignant des faits de nature à provoquer une action juridique : *Un **procès-verbal** d'huissier* ; en partic., acte établissant une contravention (abrév. fam. : P.-V.). **2.** Ext. Compte rendu de la séance d'une assemblée ou d'une réunion. 1367 ; comp. de *procès* et de *verbal* ; plur. *procès-verbaux* ; [pʀɔsɛvɛʀbal], plur. [-bo].

**PROCHAIN, AINE,** adj. et subst. m.
**Adj. 1.** Proche. ▸ Voisin (vieilli) : *La forêt **prochaine**.* ▸ Imminent : *Croire sa mort **prochaine**.* **2.** Suivant : *Lundi **prochain*** ; *Descendre à la **prochaine** (station)*, à l'arrêt suivant ; *À la **prochaine** (fois) !*, à une autre fois (fam.). **Subst.** *Relig.* Son semblable, tout être humain : *Pardonner à son **prochain**.* Déb. XIIe s. ; lat. pop. °*propeanus*, du lat. *prope*, « près » ; [pʀɔʃɛ̃, ɛn].

**PROCHAINEMENT,** adv.
Bientôt. Mil. XIIe s. ; ☞ *prochain* ; [pʀɔʃɛnmɑ̃].

**PROCHE,** adv., prép., adj. et subst.
**Adv.** Près (vx). ▸ Loc. *De **proche** en **proche*** : par degrés, peu à peu. **Prép.** Près de (vx) : *Ils vivent **proche** la ville.* **Adj. 1.** Qui est près d'un lieu donné : *La **proche** banlieue.* **2.** Qui est près de se produire : *Le futur **proche**.* ▸ Récent : *Des faits tout **proches**.* **3.** Qui est près par les liens du sang : *Un **proche** cousin.* **4.** Fig. Qui est peu différent : *Des avis très **proches*** ; *Être **proche** de* : avoir des affinités avec. **Subst.** Personne unie à autrui par un lien étroit : *Un **proche** de la famille* ; empl. masc. plur., les parents. Déb. XIIe s. ; ☞ *prochain* ; [pʀɔʃ].

**PROCHORDÉS,** subst. m. plur.
*Zool.* Groupe d'animaux dont on fait un embranchement intermédiaire entre les Invertébrés et les Vertébrés, tels les balanoglosses et les Ascidies. **Au sing.** *L'amphioxus est un **prochordé**.* 1898 ; ☞ *chordés* + *pro-* ; var. *procordés*, *protocordés* ; [pʀɔkɔʀde].

**PROCIDENCE,** subst. f.
*Pathol.* Prolapsus d'un organe ou d'une partie d'organe : ***Procidence** du cordon*, descente du cordon ombilical au-devant du fœtus lors de l'accouchement. 1560 ; lat. *procidentia* ; [pʀɔsidɑ̃s].

**PROCLAMATION,** subst. f.
Action de proclamer ; par méton., écrit ou discours par lequel qqch. est proclamé. XIVe s. ; lat. *proclamatio*, « cris violents » ; [pʀɔklamasjɔ̃].

**PROCLAMER,** verbe trans. [3]
**1.** Faire savoir (qqch.), reconnaître (qqch., qqn) de manière publique et solennelle : ***Proclamer** la république* ; *Trajan fut **proclamé** empereur.* **2.** Ext. Annoncer hautement ; exprimer avec force : ***Proclamer** ses idées.* 1380 ; lat. *proclamare*, « réclamer » ; [pʀɔklame].

**PROCLITIQUE,** subst. m.
*Ling.* Mot dépourvu d'accent tonique, formant avec le mot suivant une seule unité phonétique. 1812 ; gr. *proklinein*, « pencher en avant » ; [pʀɔklitik].

**PROCONSUL,** subst. m.
**1.** *Antiq. rom.* Ancien consul maintenu en fonction pour administrer une province, ou pour achever une campagne en cours. **2.** Anal. Personne exerçant autoritairement le pouvoir dont elle est investie dans un territoire lointain, une colonie (péj.). Mil. XIIe s. ; lat. *proconsul*, de *pro*, « à la place de », et de *consul*, « consul » ; [pʀɔkɔ̃syl].

**PROCONSULAIRE,** adj.
Relatif au proconsul : *Pouvoir **proconsulaire**.* Déb. XVIe s. ; lat. *proconsularis* ; [pʀɔkɔ̃sylɛʀ].

**PROCONSULAT,** subst. m.
*Antiq.* Dignité, fonction de proconsul ; sa durée. Mil. XVIe s. ; lat. *proconsulatus* ; [pʀɔkɔ̃syla].

**PROCORDÉS,** voir **PROCHORDÉS**

**PROCRASTINATION,** subst. f.
Tendance à tout remettre au lendemain (littér.). XVIe s. ; lat. *procrastinatio*, « délai » ; [pʀɔkʀastinasjɔ̃].

**PROCRÉATEUR, TRICE,** adj.
Qui procrée ; empl. subst. masc. plur., les parents (vieilli). 1540 ; ☞ *procréer* ; [pʀɔkʀeatœʀ, tʀis].

**PROCRÉATION,** subst. f.
Action de procréer ; son résultat. ▸ ***Procréation** médicalement assistée (P. M. A.)* : ensemble des moyens artificiels utilisés pour pallier une impossibilité de **procréation** naturelle. Déb. XIIIe s. ; lat. *procreatio* ; [pʀɔkʀeasjɔ̃].

**PROCRÉATIQUE,** subst. f.
*Sc.* Champ d'étude et d'application de la procréation artificielle. V. 1980 ; ☞ *procréation* ; [pʀɔkʀeatik].

**PROCRÉER,** verbe trans. [7]
Transmettre la vie à, engendrer, en parlant des êtres humains. 1324 ; lat. *procreare* ; [pʀɔkʀee].

**PROCTALGIE,** subst. f.
*Pathol.* Douleur anale. 1795 ; formé de *procto-* et de *-algie* ; [pʀɔktalʒi].

**PROCTOLOGIE,** subst. f.
*Méd.* Branche de la gastro-entérologie traitant des maladies du rectum et de l'anus. V. 1950 ; formé de *procto-* et de *-logie* ; [pʀɔktɔlɔʒi].

**PROCTOLOGUE,** subst.
Spécialiste en proctologie. V. 1950 ; ☞ *proctol*
*gie* ; [pʀɔktɔlɔg].

**PROCURATEUR,** subst. m.
*Hist.* **1.** L'un des principaux magistrats des répu
bliques de Gênes et de Venise. **2.** Sous l'Empir
romain, fonctionnaire mandaté pour gouvern
une province mineure ou pour diriger un servic
important. 1680 (déb. XIIIe s., celui qui agit pa
procuration) ; lat. *procurator* ; [pʀɔkyʀatœʀ].

**PROCURATION,** subst. f.
*Dr.* Pouvoir donné par une personne à une autr
d'agir en son nom ; document attestant ce pouvoi
▸ Loc. *Par **procuration*** : au moyen d'une **procura
tion** ; au fig., en s'en remettant à autrui (péj.) : *Pen
ser par **procuration**.* 1271 (1219, frais d'entretien)
lat. *procuratio*, « action d'administrer » ; [pʀɔkyʀasjɔ̃].

**PROCURE,** subst. f.
*Dr. canon.* Office de procureur ; par méton., bureau
logement du procureur. 1743 (XIIIe s., procuration)
☞ *procurer* ; [pʀɔkyʀ].

**PROCURER,** verbe trans. [3]
**1.** Faire obtenir (qqch.) à qqn : *Il m'a **procuré** u
travail* ; empl. pronom., faire en sorte de dispose
de, de posséder. **2.** Ext. Être la cause de, occasion
ner : *Ce livre **procure** un grand plaisir.* Fin XIIIe s
(fin XIIe s., prendre soin de) ; lat. *procurare* ; [pʀɔkyʀe]

**PROCUREUR,** subst. m.
**1.** *Dr.* Celui qui a reçu une procuration (vx)
**2.** *Just.* Magistrat. ▸ ***Procureur** de la République* (d
*Roi*, en Belgique) : chef du parquet représentant l
ministère public près le tribunal de grande instance
▸ ***Procureur** général* : chef du parquet représentar
le ministère public près la Cour de cassation, l
Cour des comptes et les cours d'appel. **3.** *Dr. canon*
▸ Religieux chargé des intérêts temporels d'un ordre
d'une communauté. ▸ Religieux qui représente u
ordre près le Saint-Siège. Mil. XIIIe s. (1213
procurateur) ; ☞ *procurer* ; [pʀɔkyʀœʀ].

**PRODIGALITÉ,** subst. f.
**1.** Caractère d'une personne prodigue ; au plur
libéralités, largesses. **2.** Fig. Profusion (littér.) : *L
**prodigalité** de la végétation tropicale.* Mil. XIIIe s.
bas lat. *prodigalitas* ; [pʀɔdigalite].

**PRODIGE,** subst. m.
**1.** Phénomène insolite, merveilleux, dont l'origin
semble surnaturelle (synon. *miracle*) : *Les **prodige**
d'un thaumaturge.* ▸ Loc. *Tenir du **prodige*** : êtr
incroyable, inexplicable. **2.** Ext. Chose exception
nelle, extraordinaire : *Les **prodiges** de la technique*
**3.** Personne hors du commun, par ses qualités o
ses défauts. ▸ En appos. *Enfant **prodige*** : très dou
précocement. Mil. XIVe s. ; lat. *prodigium* ; [pʀɔdiʒ]

**PRODIGIEUSEMENT,** adv.
De manière prodigieuse ; extrêmement. 1543
☞ *prodigieux* ; [pʀɔdiʒjøzmɑ̃].

**PRODIGIEUX, EUSE,** adj.
**1.** Qui tient du prodige. **2.** Ext. Qui est extra
ordinaire, hors du commun. Fin XIVe s. ; lat
*prodigiosus* ; [pʀɔdiʒjø, øz].

**PRODIGUE,** adj.
**1.** Qui dépense immodérément, qui dissipe son
bien. ▸ Loc. *Enfant **prodigue*** : enfant qui, après avoi
gaspillé son héritage, revient dans sa famille, où i
est néanmoins accueilli avec joie (par réf. à l
parabole de l'Évangile). ▸ Empl. subst. Personne qu
dilapide son patrimoine. **2.** Fig. **Prodigue** de
Généreux en : ***Prodigue** de conseils.* Mil. XIIIe s.
lat. *prodigus* ; [pʀɔdig].

Le Repas au retour de l'enfant **prodigue**,
*peinture flamande anonyme.*
*Bayerisches National Museum, Munich.*

© Coll. ES-Explorer

**PRODIGUER,** verbe trans. [3]
épenser sans mesure ; au fig., accorder : ***Prodiguer** s soins.* 1552 ; lat. *prodigere* ; [pʀɔdiʒe].

**PRO DOMO,** loc. adv.
ur sa propre cause : *Plaider **pro domo*** ; empl. adj. v. : *Un plaidoyer **pro domo**.* 1646 ; loc. lat. *pro mo sua,* « pour sa maison » ; [pʀodomo].

**PRODROME,** subst. m.
Introduction à un ouvrage scientifique (vx). *Méd.* Ensemble des signes annonciateurs d'une aladie. ▸ Fig. et Littér. Signe avant-coureur (souv. plur.) : *Les **prodromes** d'une guerre.* Mil. XVIIe s. 548, vent précurseur) ; lat. *prodromus,* du gr. *prodro-os,* « qui court devant » ; [pʀɔdʀom].

**PRODUCTEUR, TRICE,** adj. et subst.
DJ. Qui produit et commercialise des biens agri-les et industriels : *Les pays **producteurs** de blé.* BST. **1.** Personne ou société qui crée des produits assure leur commercialisation : *Un **producteur** icole* ; par anal., créateur : *Un **producteur** fécond.* Personne ou société qui assure la production un film ou, par ext., d'une émission, d'un spec-cle. 1758 (1482, celui qui provoque, fait naître) ; . *productus* ; [pʀɔdyktœʀ, tʀis].

**PRODUCTIBLE,** adj.
ui peut être produit. 1771 ; ☞ *produire* ; ɔdyktibl].

**PRODUCTIF, IVE,** adj.
Qui produit, rapporte qqch. : *Terres **productives**.* *Pathol. Toux **productive*** : avec expectoration. Ext. Qui est d'un bon rendement : *Placement **oductif**.* Mil. XVe s. ; ☞ *produire* ; [pʀɔdyktif, iv].

**PRODUCTION,** subst. f.
*Dr.* Fait de présenter un document attestant la alité d'un fait ou la vérité de ce qu'on affirme : ***production** de pièces à un procès.* **II. 1.** Action de éer, de faire exister ; fait de se former : *Une **pro-ction** de fumée.* **2.** Ensemble des activités visant créer des richesses économiques : *La **production** dustrielle, agricole* ; *Moyens de **production**,* les atières premières, les machines, etc. **3.** Quantité biens produits dans une entreprise ou un système onomique : *Doubler la **production**.* **4.** Fig. Œuvre ensemble des œuvres produites par un artiste, ne époque, etc. : *Les **productions** de l'art abstrait.* Activité de financement, de recrutement artisti-e et technique en vue de la réalisation d'un film d'un spectacle ; le produit ainsi réalisé. 1283 ; ☞ *produire* ; [pʀɔdyksjɔ̃].

**PRODUCTIQUE,** subst. f.
estion automatisée, grâce au concours de l'infor-atique, de la production économique. V. 1980 ; ☞ *production,* d'apr. *informatique* ; [pʀɔdyktik].

**PRODUCTIVISME,** subst. m.
onception et organisation planifiée de l'économie, sant à l'accroissement optimal de la productivité. V. 1900 ; ☞ *productif* ; [pʀɔdyktivism].

**PRODUCTIVITÉ,** subst. f.
Aptitude à produire : ***Productivité** d'une mine.* *Agric.* Quantité de ce que peut fournir un sol, un égétal. **2.** Rapport entre le travail fourni, les oyens de production et le résultat obtenu ; ndement : *Gagner en **productivité**.* ▸ *Fin. **Pro-ctivité** de l'impôt* : revenu réel de l'impôt, après éduction des frais de sa perception. 1840 ; ☞ *productif* ; [pʀɔdyktivite].

**PRODUIRE,** verbe trans. [69]
*Dr.* Exhiber, présenter : ***Produire** un document* ; ***roduire** des témoins.* **II. 1.** Être à l'origine de qqch.), provoquer, causer : ***Produire** une vive npression.* **2.** Engendrer, former naturellement : *lande qui **produit** du venin.* **3.** Concevoir, créer : *aydn a **produit** cent quatre symphonies.* ▸ *Comm.* *Industr.* Fournir ou fabriquer, conditionner (des ens, des services) : ***Produire** du pétrole, des voitu-s.* **4.** Rapporter, procurer (un profit) : *Placement ui **produit** peu d'intérêts.* **5.** Assurer la production (un film, un spectacle). Pronom. **1.** Se montrer, araître en public ; en partic., donner un spectacle : *produire sur scène.* **2.** Survenir, avoir lieu : *Un ureux évènement s'est **produit**.* 1340 ; lat. *produ-re,* « conduire en avant » ; [pʀɔdɥiʀ].

**PRODUIT,** subst. m.
**1.** *Math.* ▸ Dans un ensemble muni d'une loi de omposition interne notée multiplicativement, omposé de deux éléments suivant cette loi. Résultat de la multiplication de deux nombres. ***Produit** de deux ensembles* : produit cartésien de ces deux ensembles. ▸ ***Produit** de deux matrices* $A = (a_{ij})_{\substack{1\le i\le p\\ 1\le j\le q}}$ *et* $B = (b_{kl})_{\substack{1\le k\le q\\ 1\le l\le r}}$ *(le nombre de colonnes de A est égal au nombre de lignes de B)* : matrice $C = (c_{il})_{\substack{1\le i\le p\\ 1\le l\le r}}$ telle que $c_{il} = a_{i1}b_{1l} + a_{i2}b_{2l} + ... + a_{iq}\,b_{ql}$. **2.** Gain, profit que rapporte un bien foncier, une charge, etc. : ***Produit** annuel.* ▸ Recette : ***Produit** de l'impôt.* ▸ *Écon. **Produit** intérieur brut (P. I. B.)* : total annuel des valeurs ajoutées produites par l'ensemble des entreprises d'un pays ; ***Produit** national brut (P. N. B.)* : P. I. B. d'un État, augmenté du solde annuel de ses échanges internationaux. ▸ *Fin. **Produit** financier* : ensemble des intérêts et des plus-values rapportés par les placements, les valeurs mobilières. **3.** Fig. Tout bénéfice qui découle d'une manière d'agir : *Le **produit** de nos efforts.* **II. 1.** Tout ce qui résulte d'une activité naturelle, humaine ou animale : *Les **produits** de la terre* ; au fig. : *C'est là le **produit** de son incurie !* ▸ *Comm.* Tout bien de consommation qui s'écoule sur le marché : ***Produit** frais, congelé* ; ***Produit** agricole* ; ***Produit** de beauté, d'entretien.* **2.** Être vivant, en tant que fruit de sa génération (notamment dans le règne animal). **3.** Personne représentative d'une époque, d'un milieu spécifique : *Un pur **produit** de Mai 1968.* **4.** *Chim.* Corps résultant d'une réaction. 1554 ; p. p. de *produire* ; [pʀɔdɥi].

**PROÉMINENCE,** subst. f.
État de ce qui est proéminent ; protubérance, saillie. 1755 ; ☞ *proéminent* ; [pʀɔeminɑ̃s].

**PROÉMINENT, ENTE,** adj.
Qui forme saillie, protubérant : *Ventre **proéminent**.* 1542 ; bas lat. *proeminens,* de *proeminere,* du lat. *prominere,* « faire saillir » ; [pʀɔeminɑ̃, ɑ̃t].

**PROF,** subst.
Professeur (fam.) : *Le, la **prof** de gym.* 1890 ; apocope de *professeur* ; [pʀɔf].

**PROFANATEUR, TRICE,** subst. et adj.
Littér. Se dit d'une personne qui commet une profanation. Adj. Qui constitue une profanation ; qui l'exprime : *Des paroles **profanatrices**.* 1566 ; lat. chrét. *profanator* ; [pʀɔfanatœʀ, tʀis].

**PROFANATION,** subst. f.
Action de profaner. 1433 ; lat. chrét. *profanatio* ; [pʀɔfanasjɔ̃].

**PROFANE,** adj. et subst.
Adj. Qui est étranger à la religion, à ce qui est sacré : *Musique **profane*** ; empl. subst. masc. : *Le sacré et le **profane**.* Subst. **1.** Personne non initiée à une religion. **2.** Personne ignorante d'un art, d'une science ou de certains usages ; empl. adj. : *Être **profane** en matière de micro-informatique.* 1228 ; lat. *profanus,* « qui n'est pas consacré » ; [pʀɔfan].

**PROFANER,** verbe trans. [3]
**1.** Attenter à (ce qui est sacré), souiller : ***Profaner** un sanctuaire.* **2.** Fig. Dégrader, rabaisser (littér.) : ***Profaner** un idéal.* 1342 ; lat. *profanare* ; [pʀɔfane].

**PROFECTIF, IVE,** adj.
*Dr.* Qui émane des ascendants : *Biens **profectifs**.* 1562 ; bas lat. jur. *profecticius,* « qui provient du père » ; [pʀɔfɛktif, iv].

**PROFÉRER,** verbe trans. [8]
Prononcer distinctement, à voix haute : ***Proférer** des menaces, des insultes.* Mil. XIIIe s. ; lat. *proferre,* « présenter » ; [pʀɔfeʀe].

**PROFÈS, ESSE,** adj. et subst.
*Relig.* Se dit d'une personne qui a prononcé ses vœux solennels et définitifs. Mil. XIIe s. ; lat. eccl. *professus,* « qui déclare » ; [pʀɔfɛ, ɛs].

**PROFESSER,** verbe trans. [3]
**1.** Littér. Déclarer publiquement (une opinion, une croyance, un sentiment) : ***Professer** son amour pour l'art.* **2.** Enseigner (une discipline) en tant que professeur (vieilli) ; empl. abs. : *Il **professe** à Nanterre.* 1584 ; lat. *profiteri* ; [pʀɔfɛse] ou [-fe].

**PROFESSEUR,** subst. m.
**1.** Personne qui enseigne une discipline précise : ***Professeur** d'histoire, de violon.* **2.** Membre de l'enseignement secondaire ou supérieur : ***Professeur** de collège* ; ***Professeur** agrégé* ; ***Professeur** des écoles,* instituteur. 1337 ; lat. *professor* ; [pʀɔfɛsœʀ].

**PROFESSION,** subst. f.
**I. 1.** Affirmation publique d'une croyance, d'une opinion, de dispositions personnelles : *Faire **profession** de,* professer. **2.** *Relig.* ▸ Acte par lequel un religieux ou une religieuse prononce ses vœux définitifs. ▸ ***Profession** de foi* : engagement public d'un baptisé ; par ext., affirmation publique des idées, des principes auxquels on est attaché ; document dans lequel un candidat à une élection explique les principes de son engagement aux électeurs. **II. 1.** Métier, activité déterminée, durable et rémunérée : *Les **professions** libérales.* **2.** Méton. Ensemble de personnes exerçant le même métier : *Défendre les intérêts de la **profession**.* **3.** Loc. *Faire **profession** de* : avoir pour métier ; *De **profession*** : professionnel ; au fig. (souv. péj.) : *Un séducteur de **profession**.* 1155 ; lat. *professio,* de *profiteri,* « déclarer ouvertement ; enseigner » ; [pʀɔfesjɔ̃].

**PROFESSIONNALISATION,** subst. f.
**1.** Évolution vers la spécialisation ou vers le statut de profession, en parlant d'une activité. **2.** Fait de se professionnaliser, en parlant d'une personne. 1946 ; ☞ *professionnaliser* ; [pʀɔfesjɔnalizasjɔ̃].

**PROFESSIONNALISER,** verbe trans. [3]
**1.** Transformer (une activité) en profession. **2.** Rendre (qqn) professionnel ; empl. pronom., acquérir le statut, les compétences d'un professionnel. 1898 ; ☞ *professionnel,* d'apr. l'angl. *to professionalize* ; [pʀɔfesjɔnalize].

**PROFESSIONNALISME,** subst. m.
**1.** Exercice professionnel d'une activité. **2.** Capacité, compétence d'une personne dans l'exercice de sa profession. 1881 ; ☞ *professionnel,* d'apr. l'angl. *professionalism* ; [pʀɔfesjɔnalism].

**PROFESSIONNEL, ELLE,** adj. et subst.
Adj. **1.** Qui a rapport à une profession, à l'exercice d'une profession : *Compétence **professionnelle*** ; *Une faute **professionnelle*** ; *Taxe **professionnelle*** (☞ *taxe*). ▸ *Enseign.* Qui se rapporte à l'apprentissage, à l'enseignement d'un métier : *Les écoles **professionnelles*** ; *Diplôme **professionnel**.* **2.** Qui fait profession de (telle activité) par oppos. à *amateur, occasionnel* : *Cycliste, photographe **professionnel**.* **3.** Qualifie une activité, en partic. sportive, exercée en tant que profession : *Boxe **professionnelle**.* Subst. **1.** Personne qui exerce son métier avec professionnalisme (abrév. fam. : pro) : *Un vrai **professionnel*** ; au fém., prostituée (fam.). **2.** Fig. Personne très expérimentée dans une activité quelconque : *Les **professionnels** de l'informatique, de la contrefaçon.* 1842 ; ☞ *profession* ; [pʀɔfesjɔnɛl].

**PROFESSIONNELLEMENT,** adv.
**1.** De manière professionnelle. **2.** D'un point de vue professionnel. 1845 ; ☞ *professionnel* ; [pʀɔfesjɔnɛlmɑ̃].

**PROFESSORAL, ALE, AUX,** adj.
Relatif aux professeurs, au professorat : *Ton **professoral**,* docte. 1686 ; ☞ *professeur* ; [pʀɔfesɔʀal, o].

**PROFESSORAT,** subst. m.
Fonction, métier de professeur. 1685 ; ☞ *professeur* ; [pʀɔfesɔʀa].

**PROFIL,** subst. m.
**1.** Apparence d'un visage vu de côté. ▸ Loc. *De **profil*** : de côté. ▸ *B.-a.* Représentation, picturale ou sculptée, d'un visage aperçu de côté : ***Profil** en médaillon.* **2.** Anal. Aspect d'une chose dont les contours sont nettement accusés : ***Profil** d'un édifice.* **3.** Coupe d'un objet selon un plan, un axe donné : ***Profil** longitudinal, transversal* ; ***Profil** d'un sol, d'un cours d'eau.* ▸ *Géom. Plan de **profil*** : perpendiculaire à la ligne de terre ; *Droite de **profil**,* contenue dans un plan de **profil**. **4.** Fig. ▸ Ensemble des caractéristiques propres à une situation. ▸ Ensemble des caractéristiques qu'il faut posséder pour exercer une fonction donnée : *Avoir le **profil** de l'emploi.* ▸ Loc. *Adopter un **profil** bas* : adopter une attitude discrète, conciliatrice dans une situation défavorable ; *Se montrer sous son meilleur **profil*** : mettre en avant ses qualités, ses atouts. **5.** ***Profil** psychologique* : graphique, données chiffrées résultant de tests subis par un sujet et qui rendent compte de ses diverses aptitudes mentales. 1621 ; ital. *profilo,* de l'anc. fr. *porfil,* « bordure » ; [pʀɔfil].

**PROFILAGE,** subst. m.
*Techn.* Opération qui permet de donner un profil précis à une pièce. 1872 ; ☞ *profiler* ; [pʀɔfilaʒ].

**PROFILÉ, ÉE,** adj. et subst. m.
Adj. Qui a un profil particulier. Subst. *Techn.* Longue pièce de métal, de section uniforme et d'un profil particulier : *Un **profilé** d'acier.* 1833 ; p. p. de *profiler* ; [pʀɔfile].

**PROFILER,** verbe trans. [3]
**1.** Représenter en profil. ▸ *Techn.* Donner un profil déterminé à (une pièce, un objet). **2.** Dessiner les

contours de (qqch.). PRONOM. Se montrer de profil ; se découper nettement : *Arbres se **profilant** au loin* ; au fig., s'esquisser, s'annoncer : *Dès 1938, la guerre se **profilait**.* 1621 ; ☞ *profil* ; [pʀɔfile].

**PROFILOGRAPHE,** subst. m.
Appareil traduisant graphiquement et à échelle réduite les irrégularités du profil d'une chaussée. 1890 ; ☞ *profil* + *-graphe* ; [pʀɔfilɔgʀaf].

**PROFIT,** subst. m.
**1.** Bénéfice moral ou matériel que l'on peut tirer de qqch. : *Cette expérience m'a été d'un grand **profit**.* ▸ Loc. *Au **profit** de* : à l'avantage de ; *Faire son **profit** de, tirer **profit** de* : tirer avantage de ; *Mettre qqch. à **profit*** : l'utiliser de manière à en tirer le meilleur parti. **2.** Revenu, avantage financier : *Faire de gros **profits** ; **Profit** frauduleux.* **3.** *Comptab.* ***Profit** brut* : ensemble des recettes ; ***Profit** net* : restant des recettes après déduction des frais. ▸ Loc. *Passer qqch. par pertes et **profits*** : le considérer comme définitivement perdu. **4.** *Écon.* *Taux de **profit*** : chez Marx, rapport entre la plus-value et le capital engagé. Déb. XIIe s. ; lat. *profectus*, « avancement ; profit » ; [pʀɔfi].

**PROFITABLE,** adj.
Qui peut être utile, avantageux : *Le grand air lui fut **profitable**.* Déb. XIIe s. ; ☞ *profiter* ; [pʀɔfitabl].

**PROFITER,** verbe [3]
TRANS. INDIR. **1. Profiter de.** ▸ Tirer bénéfice, avantage de ; jouir de : ***Profiter** d'une occasion, de la vie* ; ***Profiter** de (qqch.) pour* : tirer profit d'une occasion pour (faire qqch.). ▸ Abuser de la faiblesse, de la naïveté, etc., de (qqn). **2. Profiter à.** Être utile à (qqn) : *Chercher à qui **profite** le crime.* INTRANS. **1.** Grandir, se fortifier (fam.) : *Cet enfant **profite**.* **2.** Apporter un bénéfice, un profit (vieilli). ▸ Loc. proverb. *Bien mal acquis ne **profite** jamais.* Déb. XIIe s. ; ☞ *profit* ; [pʀɔfite].

**PROFITEROLE,** subst. f.
*Cuis.* Petit chou fourré de crème pâtissière ou de glace : ***Profiteroles** au chocolat*, fourrées de glace à la vanille et nappées de chocolat chaud. 1881 (1542, petit profit) ; ☞ *profit* ; [pʀɔfitʀɔl].

**PROFITEUR, EUSE,** subst.
Personne qui cherche à profiter abusivement de qqn, d'une situation. 1636 ; ☞ *profiter* ; [pʀɔfitœʀ, øz].

**PROFOND, ONDE,** adj., adv. et subst.
ADJ. **1.** Dont le fond se situe loin de la surface : *Rivière **profonde** ; Eaux **profondes**.* ▸ Dont le fond est éloigné des bords, de l'ouverture : *Galerie **profonde**.* ▸ Qui pénètre loin dans le sol : *Racines **profondes**.* ▸ Très marqué : *Cicatrices **profondes**.* **2.** Anal. Qui pénètre profondément le sens, le fond des choses (abstraites) : *Intelligence **profonde*** ; qui manifeste cette qualité : *Analyse **profonde**.* **3.** Fig. Intense : *Amour **profond** ; **Profond** sommeil ; Yeux d'un bleu **profond*** ; extrême : *Ennui, dégoût **profond**.* **4.** Intime et essentiel : *Nature **profonde**.* ▸ Qui atteint l'être en profondeur : *Un **profond** chagrin.* ▸ *Psych.* *Débile **profond*** : personne mentalement très déficiente. **5.** Qui représente les traits permanents, traditionnels d'une région, d'une nation : *La France **profonde**.* ADV. Profondément : *Labourer **profond**.* SUBST. MASC. Profondeur ; au fig. : *Du **profond** de son être.* SUBST. FÉM. Poche d'un vêtement (argot. et vieilli). Fin XIVe s. ; lat. *profundus*, de *fundus*, « fond » ; [pʀɔfɔ̃, ɔ̃d].

**PROFONDÉMENT,** adv.
**1.** De manière profonde ; à une grande profondeur : *Enfouir **profondément**.* **2.** Fig. De manière intense : *Dormir **profondément** ; Aimer **profondément** qqn.* ▸ Extrêmement : *Il fut **profondément** choqué.* Déb. XIIIe s. ; ☞ *profond* ; [pʀɔfɔ̃demɑ̃].

**PROFONDEUR,** subst. f.
**I. 1.** Caractère de ce qui est profond, de qqch. dont le fond est éloigné de la surface ou de l'orifice : ***Profondeur** d'un puits.* ▸ Au plur. Lieux profonds, éloignés de la surface de la terre, de l'eau : *Les **profondeurs** d'une mine ; Les **profondeurs** d'un océan.* **2.** Dimension d'une chose, mesurée de haut en bas, de la surface ou de l'orifice vers le fond : *À dix mètres de **profondeur** dans le sol ; Placard de trente centimètres de **profondeur**.* **II.** Fig. **1.** Intensité : ***Profondeur** d'un regard.* **2.** Qualité de ce qui va au fond des choses, de ce qui est pénétrant : *Analyse en **profondeur**.* Fin XIVe s. ; ☞ *profond* ; [pʀɔfɔ̃dœʀ].

**PROFUS, USE,** adj.
Qui se répand en abondance (littér.). ▸ *Pathol.* *Expectoration **profuse**.* 1478 ; lat. *profusus*, de *profundere*, « répandre » ; [pʀɔfy, yz].

**PROFUSION,** subst. f.
**1.** Quantité considérable ou excessive de choses, surabondance ; au fig. : ***Profusion** de détails.* ▸ Loc. *À **profusion*** : abondamment. **2.** Tendance à dépenser, à donner sans mesure ; prodigalité (littér. ou vieilli). 1495 ; lat. *profusio*, de *profundere*, « répandre » ; [pʀɔfyzjɔ̃].

**PROGÉNITURE,** subst. f.
Descendance, en parlant de l'être humain ou de l'animal (littér.) ; les enfants (fam.) : *J'emmène ma **progéniture** au cirque.* 1610 (1481, origine, extraction) ; *progéniteur* (rare), du lat. *progenitor*, « aïeul », de *progignere*, « engendrer » ; [pʀɔʒenityʀ].

**PROGESTATIF, IVE,** adj.
*Biol.* Qui favorise la nidation intra-utérine, la grossesse ; empl. subst. masc., substance **progestative**. 1958 ; lat. *progestare*, « porter en avant » ; [pʀɔʒɛstatif, iv].

**PROGESTÉRONE,** subst. f.
*Biol.* Hormone qui, sécrétée par le corps jaune de l'ovaire et par le placenta en cas de grossesse, prépare la muqueuse utérine à la nidation de l'œuf et à son développement. 1941 ; all. *Progesteron*, de l'angl. *progestin* ; [pʀɔʒɛsteʀɔn].

**PROGICIEL,** subst. m.
*Informat.* Programme permettant de concevoir, pour un type de fonctions générales et similaires, différents logiciels adaptés à des utilisateurs multiples. V. 1980 ; crois. de *programme* et de *logiciel* ; [pʀɔʒisjɛl].

**PROGLOTTIS,** subst. m.
*Zool.* Anneau constituant le corps des vers annélides, comme le ténia. 1843 ; lat. sc. *proglottis*, du gr. *pro*, « devant », et *glôttis*, « languette », par anal. de forme ; [pʀɔglɔtis].

**PROGNATHE,** adj.
**1.** *Anthropol.* Dont les maxillaires sont proéminents. **2.** Se dit d'une personne dont les mâchoires sont saillantes. 1843 ; angl. *prognathous*, du gr. *pro*, « en avant », et *gnathos*, « mâchoire » ; [pʀɔgnat].

**PROGNATHISME,** subst. m.
Saillie en avant de l'une ou des deux mâchoires. 1849 ; ☞ *prognathe* ; [pʀɔgnatism].

**PROGRAMMABLE,** adj.
Que l'on peut programmer. V. 1960 ; ☞ *programmer* ; [pʀɔgʀamabl].

**PROGRAMMATEUR, TRICE,** subst.
Responsable de la programmation d'une salle de spectacles, d'une émission de radio ou de télévision. MASC. Dispositif de commande électronique assurant le fonctionnement automatique d'un appareil ménager : *Four équipé d'un **programmateur**.* 1936 ; ☞ *programmer* ; [pʀɔgʀamatœʀ, tʀis].

**PROGRAMMATION,** subst. f.
**1.** Conception et organisation d'un programme (de radio, de télévision, etc.). **2.** Conception, mise en application de programmes électroniques, informatiques. 1921 ; ☞ *programmer* ; [pʀɔgʀamasjɔ̃].

**PROGRAMME,** subst. m.
**1.** Ensemble des matières, des sujets à traiter durant une période scolaire, et sur lesquels peut porter un examen : *Auteurs au **programme**.* **2.** Feuille, livret sur lequel sont annoncés les parties d'un spectacle et les noms des interprètes. ▸ Liste des œuvres à l'affiche pour une saison artistique ; liste des émissions de radio, de télévision prévues pour une période donnée ; support, journal présentant cette liste. ▸ Le ou les spectacles ainsi programmés. **3.** Ext. Ce que l'on se propose de faire : *Mon **programme** pour cet après-midi.* **4.** *Spéc.* ▸ *Archit.* Ensemble des impératifs auxquels doit répondre un projet. ▸ *Informat.* Séquence d'instructions et de données, rédigées de manière conventionnelle, qu'un ordinateur peut enregistrer et traiter. ▸ *Mus.* *Musique à **programme*** : qui a un sujet, tel le poème symphonique. ▸ *Pol.* Ensemble des mesures prônées, annoncées par une formation, un candidat. ▸ *Techn.* Liste planifiée des démarches et des travaux à accomplir pour mener à bien une tâche. 1677 ; gr. *programma*, « ordre du jour ; inscription » ; [pʀɔgʀam].

**PROGRAMMER,** verbe trans. [3]
**1.** Inscrire dans un programme (une émission, une œuvre, un spectacle, etc.) en vue d'une diffusion, d'une représentation. **2.** Planifier : ***Programmer** un plan quinquennal ; **Programmer** un voyage.* **3.** *Informat.* Alimenter en données et régler (un ordinateur) en vue de résoudre un problème, d'exécuter une tâche, etc. 1917 ; ☞ *programme* ; [pʀɔgʀame].

**PROGRAMMEUR, EUSE,** subst.
*Informat.* Spécialiste de la conception, du cod et de l'application de programmes. V. 1960 ; a *programmer* ; [pʀɔgʀamœʀ, øz].

**PROGRÈS,** subst. m.
**1.** Mouvement d'une troupe qui avance. **2.** Fait gagner du terrain, de se propager : *Les **progrès** l'incendie* ; augmentation, intensification graduel *Les **progrès** de la maladie.* **3.** Amélioration des ca cités, des connaissances : *Faire des **progrès**.* **4.** Ch gement apportant un mieux : ***Progrès** techniq social* ; empl. abs., évolution de la civilisat orientée vers un idéal de bonheur dont perso ne serait exclu : *Nier le **progrès**.* 1546 ; lat. *gressus*, de *progredi*, « aller en avant » ; [pʀɔgʀɛ].

**PROGRESSER,** verbe intrans. [3]
**1.** Devenir plus intense, plus important, p étendu : *L'épidémie **progresse**.* **2.** Évoluer vers mieux ; en partic., faire des progrès : ***Progresser** latin.* **3.** Avancer avec peine ou régularité : ***Progr**ser dans la neige.* 1833 ; ☞ *progrès* ; [pʀɔgʀɛ

**PROGRESSIF, IVE,** adj.
**1.** Qui s'effectue avec continuité et régularité : *marche **progressive** des armées.* **2.** Qui se dévelo par degrés, par étapes : *Succès **progressif**.* **3.** *Gram* Qualifie une forme verbale spécifiant que l'act est en cours : *En anglais, la forme **progressive** est n par la terminaison « -ing ».* 1372 ; lat. *progress* de *progredi*, « aller en avant » ; [pʀɔgʀɛsif, iv].

**PROGRESSION,** subst. f.
**1.** *Math.* ▸ ***Progression** arithmétique* : suite de no bres réels ou complexes, telle que chaque terme égal à la somme du précédent et d'un nombre f $r$, la raison ($a_{n+1} = a_n + r$). ▸ ***Progression** g métrique* : suite de nombres réels ou comple telle que chaque terme est égal au produit précédent par un nombre fixe $q$, la raison ($a_{n+1}$ $q \times a_n$). **2.** Action d'avancer, fait de s'étendre, se propager : ***Progression** des Alliés ; **Progression** désert* ; au fig. : *La **progression** des idées.* **3.** Fait se développer par phases successives : *La **progr**sion d'un mal.* **4.** Fait d'augmenter, de s'accroî régulièrement : ***Progression** du chômage, du pouv d'achat.* XIIIe s. ; lat. *progressio* ; [pʀɔgʀɛsjɔ̃].

**PROGRESSISME,** subst. m.
Doctrine, comportement progressiste (ant *conservatisme*). 1842 ; ☞ *progrès* ; [pʀɔgʀɛsis

**PROGRESSISTE,** adj.
**1.** Favorable au progrès : *Parti, revue **progressis*** **2.** Qui prône des idées avancées : *Des catholiq **progressistes*** ; empl. subst., personne **progressis** 1830 ; ☞ *progrès* ; [pʀɔgʀɛsist].

**PROGRESSIVEMENT,** adv.
De manière progressive, peu à peu. 175 ☞ *progressif* ; [pʀɔgʀɛsivmɑ̃].

**PROGRESSIVITÉ,** subst. f.
Caractère de ce qui est progressif. ▸ *Fisc.* ***Progres**vité de l'impôt* : mode de calcul de l'impôt dont taux d'élévation est proportionnel à la mati imposable. 1833 ; ☞ *progressif* ; [pʀɔgʀɛsivite].

**PROHIBÉ, ÉE,** adj.
**1.** Légalement interdit : *Trafic **prohibé*** ; par ana *Mots **prohibés**.* **2.** *Dr.* *Temps **prohibé*** : période d' terdiction de certaines formes de chasse ou pêche. 1488 ; p. p. de *prohiber* ; [pʀɔibe].

**PROHIBER,** verbe trans. [3]
Interdire, défendre par voie légale. 1377 ; *prohibere*, « tenir à distance » ; [pʀɔibe].

**PROHIBITIF, IVE,** adj.
**1.** Qui interdit : *Décret **prohibitif**.* **2.** *Prix **prohibit*** si élevé qu'il décourage l'acheteur. Déb. XVIe ☞ *prohiber* ; [pʀɔibitif, iv].

**PROHIBITION,** subst. f.
**1.** Interdiction légale : *La **prohibition** de la bigam* **2.** *Écon.* et *Pol.* Interdiction frappant le comme de certains produits. ▸ Empl. abs. Interdiction vendre de l'alcool aux États-Unis, décrétée de 19 à 1933 : *La **prohibition** fit la fortune d'Al Capo* 1237 ; lat. *prohibitio* ; [pʀɔibisjɔ̃].

**PROHIBITIONNISTE,** subst.
Partisan de la prohibition, en partic. de celle l'alcool, aux États-Unis ; empl. adj. : *Député **pro**l**bitionniste**.* 1833 ; ☞ *prohibition* ; [pʀɔibisjɔnis

**PROIE,** subst. f.
**1.** Être vivant qu'un prédateur capture pour dévorer. ▸ *Oiseau de **proie*** : oiseau qui se nour

: proies, rapace. **2.** Anal. ► Personne sans défense ue l'on tourmente, exploite ou dupe : *Être une* **proie** *vée pour un charlatan.* ► Ce dont on s'empare sans rupule : *Le littoral est une* **proie** *tentante pour les omoteurs.* **3.** Loc. ► *Lâcher la* **proie** *pour l'ombre* : andonner ce qui est sûr pour une entreprise asardeuse. ► **Être la proie de.** Subir, avoir affaire : *Être la* **proie** *des huissiers* ; subir les ravages de : *usine fut la* **proie** *des flammes.* ► **Être en proie à** qch). Endurer les tourments de : *Être en* **proie** *au ute.* ✉ Déb. XIIe s. ; lat. *praeda*, « butin » ; [pʀwa].

**PROJECTEUR,** subst. m.

. Dispositif d'éclairage puissant, qui réfléchit les yons d'une source lumineuse et les projette en isceau, utilisé en partic. au cinéma et au théâtre. *Être sous le feu des* **projecteurs** : à la une de actualité. **2.** Appareil permettant de projeter des nages, fixes ou animées, sur un écran. **3.** *Math.* ndomorphisme *p* d'un espace vectoriel, tel que $p \circ p = p$ (idempotent). Si E est un espace vectoriel omme directe des sous-espaces F et G, tout vecteur de E s'écrit de façon unique $\vec{u} = \vec{v} + \vec{w}$, $\vec{v}$ ans F, $\vec{w}$ dans G, et l'application *p* qui à $\vec{u}$ associe est le **projecteur** de E sur F parallèlement à G, est la projection de $\vec{u}$ sur F parallèlement à G. ✉ 1882 ; lat. *projectus*, de *projicere*, « jeter en avant » ; ʀɔʒɛktœʀ].

**PROJECTIF, IVE,** adj.

. *Géom.* Se dit de la géométrie adaptée à l'étude e certaines transformations, comme les perspecves, les projections centrales, etc. **2.** *Psychol. Test rojectif* : technique visant à évaluer la structure une personnalité à partir de la projection imagiative du sujet sur un matériel dépourvu de signication. ✉ 1822 ; ☞ *projection* ; [pʀɔʒɛktif, iv].

**PROJECTILE,** subst. m.

out corps lancé ou projeté pour atteindre une cible. *Balist.* Corps fortement projeté par une arme lèche, balle, boulet, etc.). ✉ 1749 ; lat. *projectus*, e *projicere*, « jeter en avant » ; [pʀɔʒɛktil].

**PROJECTION,** subst. f.

. Action de projeter ; fait d'être projeté. ► Méton. latière projetée, éclaboussure (gén. au plur.) : *Nettoyer les* **projections** *de graisse* ; **Projections** *volcaiques.* **2.** Action de projeter des images, un film sur n écran : **Projection** *de diapositives* ; par méton., ou les images ainsi projetées. **3.** *Cartogr.* Représentation du globe terrestre sur une surface plane. *Géom.* Projecteur ; image d'une figure par un rojecteur. ► **Projection** *sur une droite (D) (resp. un lan (P)) parallèlement à une direction de droite (Δ)* : pplication qui à tout point M du plan (resp. de espace) associe l'intersection de (D) (resp. de (P)) vec la droite passant par M de direction (Δ) (non arallèle à (D) ou à (P)). ► **Projection** *centrale sur n plan (P) de centre O non situé sur (P)* : appliation qui à tout point M de l'espace, non situé ur le plan passant par O parallèle à (P), associe intersection de (P) avec la droite passant par O t M. **5.** *Psychol.* Fait d'attribuer une réalité objective ce qui relève de la subjectivité. **6.** *Psychanal.* Mécanisme de défense par lequel le sujet attribue inconsciemment à autrui ce qu'il refoule. ✉ 1314 ; lat. *projectio* ; [pʀɔʒɛksjɔ̃].

**PROJECTIONNISTE,** subst.

*Cin.* Opérateur chargé de la projection des films. ✉ 1907 ; ☞ *projection* ; [pʀɔʒɛksjɔnist].

**PROJET,** subst. m.

**1.** Ce que l'on se propose de réaliser : *Nourrir d'ambitieux* **projets**. **2.** *Archit.* Représentation d'une construction future en plan, en coupe et en élévation. **3.** Esquisse, première ébauche d'un texte. ► **Projet** *de loi* : texte de loi que le gouvernement soumet au vote du Parlement. ✉ Fin XVe s. ; ☞ *projeter* ; [pʀɔʒɛ].

**PROJETER,** verbe trans. [14]

**1.** Vx. Rédiger (un brouillon). **2.** Former le dessein de (réaliser qqch.). **3.** *Géom.* Représenter (une figure) sur un plan par projection. **4.** Jeter en avant, au loin, avec force. **5.** *Cin.* Envoyer (des images) sur un écran, au moyen d'un projecteur. ✉ Fin XIVe s. ; anc. fr. *porjeter*, « jeter dehors » ; [pʀɔʒ(ə)te].

**PROJETEUR, EUSE,** subst.

Professionnel qui conçoit des projets d'entreprise. ✉ V. 1970 ; ☞ *projeter* ; [pʀɔʒ(ə)tœʀ, øz].

**PROLACTINE,** subst. f.

*Biol.* Hormone sécrétée par l'antéhypophyse, qui favorise notamment la lactation. ✉ 1933 ; lat. *lactus*, « lait », + *pro-* ; [pʀɔlaktin].

**PROLAMINE,** subst. f.

*Biochim.* Petite protéine végétale riche en acide glutamique, présente dans les graines des céréales, qui, associée à d'autres protéines, forme le gluten. ✉ 1953 ; crois. de *protéine* et de *amine* ; [pʀɔlamin].

**PROLAN,** subst. m.

*Biol.* Hormone gonadotrope de mammifère produite par l'hypophyse et le trophoplaste de l'embryon. ✉ 1928 ; lat. *proles*, « lignée » ; [pʀɔlɑ̃].

**PROLAPSUS,** subst. m.

*Pathol.* Déplacement d'un organe ou d'une partie d'organe vers le bas : **Prolapsus** *utérin.* ✉ 1800 ; lat. *lapsus*, de *labi*, « tomber », + *pro-* ; [pʀɔlapsys].

**PROLÉGOMÈNES,** subst. m. plur.

**1.** Longue introduction d'un ouvrage rappelant les connaissances de base nécessaires à sa compréhension. **2.** Notions préalables requises pour l'étude d'un sujet. ✉ Fin XVIe s. ; gr. *prolegomena* ; [pʀɔlegɔmɛn].

**PROLEPSE,** subst. f.

*Rhét.* Figure qui consiste à réfuter d'avance une objection. ✉ 1564 ; gr. *prolêpsis* ; [pʀɔlɛps].

**PROLÉTAIRE,** subst. et adj.

**Subst. 1.** *Antiq. rom.* Citoyen de la classe la plus humble, non soumis à l'impôt et qui n'intéressait l'État que par la progéniture qu'il engendrait. **2.** Travailleur manuel disposant d'un faible revenu (abrév. fam. : prolo). ► *Pol.* et *Écon.* Du point de vue marxiste, travailleur obligé de vendre à bas prix sa force de travail pour vivre, et qui est frustré de la plus-value engendrée par son labeur. **Adj.** Propre ou relatif au prolétariat. ✉ Fin XIVe s. ; lat. *proletarius*, de *proles*, « lignée » ; [pʀɔletɛʀ].

**PROLÉTARIAT,** subst. m.

**1.** Vx. Condition du prolétaire. **2.** Classe sociale des prolétaires. ✉ 1832 ; ☞ *prolétaire* ; [pʀɔletaʀja].

**PROLÉTARIEN, IENNE,** adj.

Qui concerne le prolétariat moderne : *La classe* **prolétarienne**. ✉ 1871 ; ☞ *prolétaire* ; [pʀɔletaʀjɛ̃, jɛn].

**PROLÉTARISER,** verbe trans. [3]

Amener à la condition de prolétaire ; empl. pronom. : *La paysannerie s'est* **prolétarisée**. ✉ 1904 ; ☞ *prolétaire* ; [pʀɔletaʀize].

**PROLIFÉRATION,** subst. f.

**1.** Fait de proliférer ; son résultat. ► *Bot.* Développement d'éléments surnuméraires sur une plante. ► *Biol.* Phénomène de multiplication rapide que l'on observe dans des populations cellulaires (culture bactérienne) ou des organismes pluricellulaires, tels les lapins en Australie. **2.** Augmentation spectaculaire et anarchique : *La* **prolifération** *des sectes.* ✉ 1842 ; ☞ *proliférer* ; [pʀɔlifeʀasjɔ̃].

**PROLIFÈRE,** adj.

*Bot. Fleur* **prolifère** : dont l'axe poursuit sa croissance en tige feuillée. ✉ 1766 ; lat. *proles*, « lignée », + *-fère* ; [pʀɔlifɛʀ].

**PROLIFÉRER,** verbe intrans. [8]

Se multiplier en se reproduisant rapidement : *Les lapins* **prolifèrent** ; au fig. : *Les banlieues* **prolifèrent**. ✉ 1859 ; ☞ *prolifère* ; [pʀɔlifeʀe].

**PROLIFIQUE,** adj.

**1.** Vx. Qui favorise, assure la fécondité. **2.** Qui se reproduit en grand nombre et rapidement. **3.** Fig. Fécond (parfois péj.) : *Auteur* **prolifique**. ✉ Déb. XVIe s. ; lat. *proles*, « lignée » ; [pʀɔlifik].

**PROLIGÈRE,** adj.

*Biol.* Qui est porteur d'un germe. ✉ 1821 ; lat. *proles*, « lignée », + *-gère* ; [pʀɔliʒɛʀ].

**PROLIXE,** adj.

Qui abuse de mots, de paroles : *Écrivain, orateur* **prolixe** ; par méton. : *Discours* **prolixe**. ✉ Déb. XIIIe s. ; lat. *prolixus* ; [pʀɔliks].

**PROLIXITÉ,** subst. f.

Caractère d'une personne, d'un discours prolixe. ✉ Fin XIIIe s. ; bas lat. *prolixitas*, « longueur » ; [pʀɔliksite].

**PROLOG,** subst. m.

*Informat.* Langage évolué recourant aux symboles, adapté à l'intelligence artificielle. ✉ V. 1970 ; acron. de *programmation en logique* ; [pʀɔlɔg].

**PROLOGUE,** subst. m.

**1.** Vx. Texte introductif. **2.** *Antiq.* Au théâtre, conversation ou monologue précédant l'entrée du chœur et exposant le sujet de la pièce. **3.** *Mus.* ► Acte situé après l'ouverture de certains opéras du XVIIe s., destiné à glorifier le roi. ► Œuvre initiale d'une trilogie, d'une tétralogie. **4.** Première partie, œuvre permettant de situer l'action (anton. *épilogue*). **5.** *Sp.* Courte épreuve qui précède un rallye automobile, une course cycliste par étapes, et qui fournit un classement préliminaire. ✉ XIIe s. ; lat. *prologus*, du gr. *prologos* ; [pʀɔlɔg].

**PROLONGATEUR,** subst. m.

*Électr.* Fil électrique terminé par une fiche mâle et une fiche femelle, servant à raccorder un appareil à une prise de courant éloignée de ce dernier (synon. *rallonge*). ✉ V. 1960 ; ☞ *prolongation* ; [pʀɔlɔ̃gatœʀ].

**PROLONGATION,** subst. f.

Action de prolonger dans le temps ; son résultat. ► *Sp.* Temps supplémentaire accordé en cas de match nul : *Jouer les* **prolongations**. ✉ Mil. XIIIe s. ; lat. chrét. *prolongatio* ; [pʀɔlɔ̃gasjɔ̃].

**PROLONGE,** subst. f.

**1.** Vx. Courroie. ► Anal. *Ch. de fer.* Cordage à crochets, servant à déplacer des wagons, à arrimer des chargements. **2.** *Milit.* **Prolonge** *d'artillerie* : chariot à munitions (vx). ✉ 1349 ; ☞ *prolonger* ; [pʀɔlɔ̃ʒ].

**PROLONGEMENT,** subst. m.

**1.** Fait d'accroître la durée de qqch. ; par méton. : *Accords qui sont le* **prolongement** *d'une entente.* ► Au plur. Conséquences, répercussions : *Les* **prolongements** *d'un scandale politique.* **2.** Action d'augmenter la longueur de qqch. ; par méton. : *Le* **prolongement** *de cette allée n'est pas goudronné.* ✉ Mil. XIIe s. ; ☞ *prolonger* ; [pʀɔlɔ̃ʒmɑ̃].

**PROLONGER,** verbe trans. [5]

**1.** Faire durer plus longtemps : **Prolonger** *la grève* ; empl. pronom., durer plus longtemps qu'il n'était prévu. **2.** Augmenter la longueur de : **Prolonger** *un chemin.* ✉ 1213 ; lat. chrét. *prolongare* ; [pʀɔlɔ̃ʒe].

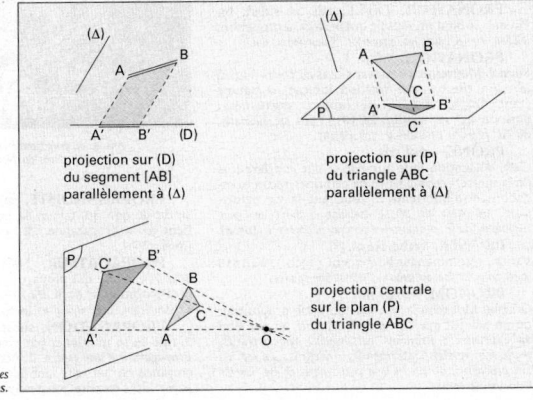

(Δ) A B A' B' (D)
projection sur (D) du segment [AB] parallèlement à (Δ)

(Δ) A B C P A' B' C'
projection sur (P) du triangle ABC parallèlement à (Δ)

P C' B' B C A' A O
projection centrale sur le plan (P) du triangle ABC

*Différentes projections.*

**PROMENADE,** subst. f.
**1.** Action de se promener ; parcours ainsi effectué. **2.** Méton. Lieu aménagé pour les promeneurs : *La **promenade** des Anglais, à Nice.* Mil. XVIe s. ; ☞ *promener* ; [pRɔm(ə)nad].

**PROMENER,** verbe trans. [10]
**Trans. 1.** Mener dehors pour donner de l'air, de l'exercice ou pour distraire : ***Promener** ses enfants, son chien* ; par ext., faire aller çà et là, souv. inutilement. **2.** Anal. Laisser errer : ***Promener** son regard.* **3.** Traîner partout avec soi : ***Promener** son vieil accordéon* ; au fig. : ***Promener** son mal de vivre.* **Intrans.** Se promener (vieilli). ▸ Loc. fam. *Envoyer **promener** qqn* (☞ *envoyer*) ; *Envoyer tout **promener*** : tout abandonner brusquement. **Pronom.** Sortir marcher pour se distraire avec ou sans but. 1365 ; anc. fr. *pourmener*, de *mener* ; [pRɔm(ə)ne].

**PROMENEUR, EUSE,** subst.
Personne qui se promène. 1583 ; ☞ *promener* ; [pRɔm(ə)nœR, øz].

**PROMENOIR,** subst. m.
**1.** Galerie couverte réservée à la promenade : *Le **promenoir** d'une abbaye, d'un hôpital.* **2.** Espace libre d'une salle de spectacle, où le public reste debout ou déambule. 1538 ; ☞ *promener* ; [pRɔm(ə)nwaR].

**PROMESSE,** subst. f.
**1.** Action de promettre ; ce qui est promis : *Tenir, trahir sa **promesse*** ; *Des **promesses** électorales.* ▸ Dr. Engagement contractuel : ***Promesse** de vente.* **2.** Ext. Assurance, espérance offerte par qqch. ▸ Signe : ***Promesse** de paix.* Mil. XIIe s. ; bas lat. *promissa*, du lat. *promittere*, « promettre » ; [pRɔmɛs].

**PROMÉTHAZINE,** subst. f.
*Pharm.* Antihistaminique utilisé surtout pour traiter les allergies mineures. XXe s. ; [pRɔmetazin].

**PROMÉTHÉEN, ÉENNE,** adj.
**1.** Relatif à Prométhée. **2.** Qui est porteur d'un idéal de dépassement, de foi dans l'être humain : *Créativité **prométhéenne**.* 1837 ; *Prométhée*, personnage de la mythologie grecque ; [pRɔmeteɛ̃, eɛn].

**PROMÉTHIUM,** subst. m.
*Chim.* Élément n° 61 de la table de Mendeleïev (symb. : Pm) ; masse atomique : 145 ; point de fusion : 1 080 °C ; point d'ébullition : 2 460 °C ; masse volumique : 7,2 g/cm³. C'est un métal radioactif du groupe des lanthanides. 1953 ; *Prométhée* ; var. *prométhéum* ; [pRɔmetjɔm].

**PROMETTEUR, EUSE,** adj.
Plein de promesses. 1836 (fin XIIe s., personne qui fait une promesse) ; ☞ *promettre* ; [pRɔmetœR, øz].

**PROMETTRE,** verbe trans. [60]
**1.** S'engager envers qqn (à faire qqch.) ou à lui donner (qqch.) : *Je te **promets** d'être prudent* ; ***Promettre** la lune*, l'impossible ; empl. pronom. : *Je me **promis** de ne plus le revoir.* **2.** Laisser présager : *Voilà qui nous **promet** de l'orage.* ▸ Abs. Donner de grandes espérances : *Un élève qui **promet*** ; par iron. : *Ça **promet** !*, on peut s'attendre au pire (fam.). Fin Xe s. ; lat. *promittere* ; [pRɔmɛtR].

**PROMIS, ISE,** adj. et subst.
**Adj. 1.** Qui a fait l'objet d'une promesse. ▸ Loc. *Chose **promise**, chose due.* ▸ **La Terre promise.** Le pays biblique de Canaan, attribué par Dieu aux Hébreux ; par ext., contrée riche et fertile ; au fig., idéal, but suprême. **2.** Destiné (à qqch.) : ***Promis** à un grand destin.* **Subst.** Fiancé, fiancée (vieilli ou région.). Fin XIe s. ; p. p. de *promettre* ; [pRɔmi, iz].

**PROMISCUITÉ,** subst. f.
Regroupement de personnes diverses, dont la disparité paraît choquante ; proximité fâcheuse d'un voisinage, qui gêne l'intimité. 1731 ; lat. *promiscuus*, « mêlé, confondu » ; [pRɔmiskɥite].

**PROMONTOIRE,** subst. m.
Avancée dans la mer d'une pointe de terre élevée. 1213 ; lat. médiév. *promontorium* ; [pRɔmɔ̃twaR].

**PROMOTEUR, TRICE,** subst.
**1.** Personne qui prend l'initiative de qqch., qui en favorise le développement, la réalisation : *Être le **promoteur** d'une théorie.* **2.** *Comm.* ▸ ***Promoteur** (immobilier)* : personne qui achète des terrains à bâtir, gère et finance les travaux de construction d'immeubles. ▸ ***Promoteur** de(s) vente(s)* : salarié d'une entreprise chargé de développer les ventes. **Masc.** *Chim.* Substance qui augmente l'activité d'un catalyseur. Mil. XIVe s. ; lat. médiév. *promotor*, du lat. *promovere*, « pousser en avant » ; [pRɔmɔtœR, tRis].

**PROMOTION,** subst. f.
**1.** Action d'élever à un grade supérieur ; son résultat : *Fêter sa **promotion** dans l'ordre de la Légion d'honneur.* ▸ Méton. Ensemble des personnes admises en même temps à un même tableau d'avancement ; ensemble des élèves admis la même année par concours dans une grande école (abrév. fam. : promo) : *Un dîner de **promotion**.* ▸ Ext. ***Promotion** sociale* : accession à un niveau de vie, à un statut social plus élevé. **2.** *Comm.* Action de favoriser la vente, le succès d'un produit. ▸ ***Promotion** des ventes* : ensemble des techniques utilisées pour développer les ventes au sein d'une entreprise (anglic.). ▸ *Article en **promotion*** : en réclame. ▸ Ext. Campagne de publicité destinée à promouvoir un produit, une opération, un projet : *Assurer la **promotion** d'un film.* **3.** ***Promotion** immobilière* : activité du promoteur. Mil. XIVe s. ; bas lat. *promotio*, du lat. *promovere*, « pousser en avant » ; [pRɔmɔsjɔ̃].

**PROMOTIONNEL, ELLE,** adj.
Qui favorise la promotion d'un produit. 1962 ; angl. *promotional* ; [pRɔmɔsjɔnɛl].

**PROMOUVOIR,** verbe trans. [49]
**1.** Élever à une dignité, à un grade supérieur : *Il a été **promu** général.* **2.** Ext. Encourager, favoriser l'expansion, le succès de : ***Promouvoir** le dialogue.* **3.** *Comm.* Mettre en promotion (un produit). Déb. XIIIe s. ; lat. *promovere*, « faire avancer » ; empl. surtout à l'inf. et aux temps comp. ; [pRɔmuvwaR].

**PROMPT, PROMPTE,** adj.
**1.** Qui agit ou réagit rapidement ; qui survient sans tarder : *Il est **prompt** à la colère* ; *Une **prompte** riposte.* **2.** Actif : *Esprit très **prompt**.* Fin XVe s. (fin XIIe s., enclin) ; lat. *promptus*, « prêt, résolu » ; [pRɔ̃, pRɔ̃t].

**PROMPTEMENT,** adv.
Littér. Avec promptitude ; sans tarder. Déb. XIVe s. ; ☞ *prompt* ; [pRɔ̃tmɑ̃] ou [-ptə-].

**PROMPTEUR,** subst. m.
*Télév.* Appareil fixé à la caméra, qui fait défiler le texte du présentateur. 1975 ; angl. *prompter*, « souffleur (de théâtre) », recomm. off. *télésouffleur* ; [pRɔ̃ptœR].

**PROMPTITUDE,** subst. f.
**1.** Qualité d'une personne prompte. **2.** Ext. Rapidité, soudaineté : *La **promptitude** d'une réponse.* Fin XVe s. ; bas lat. *promptitudo*, du lat. *promptus* ; [pRɔ̃(p)tityd].

**PROMU, UE,** adj. et subst.
Se dit d'une personne qui vient d'obtenir une promotion. Mil. XIVe s. ; p. p. de *promouvoir* ; [pRɔmy].

**PROMULGATION,** subst. f.
Action de promulguer ; acte par lequel un chef d'État, un souverain atteste l'existence d'une loi et la rend applicable. Déb. XIVe s. ; lat. *promulgatio* ; [pRɔmylgasjɔ̃].

**PROMULGUER,** verbe trans. [3]
**1.** Rendre public, officiel et exécutoire, selon les formes requises (une loi, un décret, une ordonnance). **2.** Porter à la connaissance du public (littér.). Mil. XIVe s. ; lat. *promulgare* ; [pRɔmylge].

**PRONAOS,** subst. m.
*Archit.* Section antérieure d'un temple grec, ornée d'un portique, précédant le naos. 1683 ; mot gr. ; [pRɔnaɔs].

**PRONATEUR, TRICE,** adj. et subst. m.
*Physiol.* Se dit d'un muscle qui permet la pronation. Mil. XVIe s. ; bas lat. *pronator* ; [pRɔnatœR, tRis].

**PRONATION,** subst. f.
*Physiol.* Mouvement de l'avant-bras au cours duquel la main effectue une rotation interne, la paume étant dirigée vers le sol (anton. *supination*) ; position qui en résulte. 1639 ; bas lat. *pronatio*, du lat. *pronus*, « penché » ; [pRɔnasjɔ̃].

**PRÔNE,** subst. m.
*Cath.* Allocution faite aux fidèles par le prêtre lors de la messe, accompagnée de certaines recommandations et d'informations touchant la vie paroissiale. 1420 (fin XIe s., treillage, grille) ; lat. pop. °*protinum*, du gr. *prothuron*, « porche, vestibule » ; [pRon].

**PRÔNER,** verbe trans. [3]
Vanter, recommander hautement (qqch.). 1638 (déb. XVIIe s., lire au prône) ; ☞ *prône* ; [pRone].

**PRONOM,** subst. m.
*Gramm.* Mot remplaçant un nom, une proposition ou un adjectif que l'on a déjà exprimé ou que l'on va exprimer : ***Pronoms** personnels, démonstratifs, possessifs, relatifs, interrogatifs, indéfinis.* XIVe s. ; lat. *pronomen*, de *pro*, « à la place de », et de *nomen*, « nom » ; [pRɔnɔ̃].

**PRONOMINAL, ALE, AUX,** adj.
*Gramm.* **1.** Relatif au pronom ; de la nature pronom : *Adjectif, adverbe **pronominal**.* **2.** Ve **pronominal** ou, empl. subst. masc., *Un pronominal* qui se conjugue avec deux pronoms de la mêr personne (par ex. : « Il se plaint »). 1714 ; b lat. *pronominalis* ; [pRɔnɔminal, o].

**PRONONCÉ, ÉE,** adj. et subst. m.
**Adj.** Nettement perceptible, fortement accentué *Strabisme, zézaiement **prononcé**.* **Subst.** *Dr.* Énonc à l'audience, d'une décision de justice : *Le **pronon** de la peine.* 1312 ; p. p. de *prononcer* ; [pRɔnɔ̃s

**PRONONCER,** verbe trans. [4]
**1.** Vx. Proclamer. **2.** *Dr.* Rendre, lire (un jugemer en vertu d'une autorité reconnue : ***Prononcer** la c sation d'un arrêt.* ▸ Empl. intrans. Rendre un arrê *Le tribunal **prononcera** sur le sort de l'entreprise* ; *cour a **prononcé**.* **3.** Formuler, dire : *Il **prononça** mots.* **4.** Articuler, émettre le son correspondant (une lettre, un ou des mots) : *Avoir du mal à **prono** cer correctement le « th » anglais* ; empl. pronom *Dans « plomb », le « b » ne se **prononce** pas.* **Prono** **1.** Se déterminer ; exprimer nettement son avis (s qqn, qqch.) ; empl. abs. : *Les médecins ne se **pr** noncent pas.* **2.** S'accentuer : *Son embonpoint s' **prononcé**.* Déb. XIIe s. ; lat. *pronuntiare* ; [pRɔnɔ̃se].

**PRONONCIATION,** subst. f.
**1.** *Dr.* Action de prononcer un arrêt, un jugeme **2.** Manière de prononcer les sons, les mo 1281 ; lat. *pronuntiatio*, « déclaration » ; [pRɔnɔ̃sjas

**PRONOSTIC,** subst. m.
**1.** Vx. Signe précurseur. **2.** Conjecture sur l'aven prévision. **3.** *Méd.* Estimation de l'évolution d'u maladie, fondée sur le diagnostic, l'état général malade, etc. Mil. XIIIe s. ; bas lat. *prognosticus*, gr. *progignôskein*, « savoir à l'avance » ; [pRɔnɔstik].

**PRONOSTIQUE,** adj.
*Méd.* Qui concerne un pronostic. 1552 ; bas *prognosticus* ; [pRɔnɔstik].

**PRONOSTIQUER,** verbe trans. [3]
Faire un pronostic sur ; laisser prévoir. 131 ☞ *pronostic* ; [pRɔnɔstike].

**PRONOSTIQUEUR, EUSE,** subst.
Personne qui établit des pronostics. Déb. XVIe (XIVe s., devin) ; ☞ *pronostiquer* ; [pRɔnɔstikœR, øz].

**PRONUNCIAMENTO,** subst. m.
Coup d'État militaire. 1836 ; esp. *pronunciamen* « déclaration » ; var. *pronunciamiento* ; [pRɔnunsjamɛnt

**PROPAGANDE,** subst. f.
**1.** *Cath. Congrégation de la **Propagande*** : fondée 1599 par le pape Clément VIII pour propager la f **2.** Action exercée systématiquement sur l'opinic au moyen des médias en vue de la rallier à d idées, à une doctrine, à une politique, etc. 168 lat. *propagare*, « propager, étendre » ; [pRɔpagɑ̃d].

© Y. Layma-Explorer

*Affiche de **propagande** communiste en Corée du Nord.*

**PROPAGANDISTE,** subst. et adj.
Se dit de qqn qui fait de la propagande. **Adj.** Q tient de la propagande. 1792 ; ☞ *propagand* [pRɔpagɑ̃dist].

**PROPAGATEUR, TRICE,** subst. et ac
**Subst.** Personne qui propage qqch. **Adj.** Qui assu la propagation de qqch. 1495 ; bas lat. *propagato* « conquérant, dominateur » ; [pRɔpagatœR, tRis].

**PROPAGATION,** subst. f.
**1.** Fait de se multiplier par voie de reproduction ***Propagation** d'une espèce.* **2.** Action de diffuser u croyance et, par ext., une idée. **3.** Fait de se pr pager, de s'étendre progressivement : ***Propagati***

*d'un incendie, d'une mode.* ▸ *Phys.* Transmission d'un point à un autre d'une grandeur physique, telle qu'une onde électromagnétique ou acoustique. Fin XIVe s. (XIIIe s., enfant) ; lat. *propagatio*, de *propagare*, « propager, étendre » ; [pʀɔpagasjɔ̃].

**PROPAGER, verbe trans. [5]**
**1.** Faire connaître au plus grand nombre, répandre (une croyance, une idée) ; par ext., diffuser, faire adopter : ***Propager** une technique.* **2.** Multiplier par voie de reproduction : ***Propager** une variété de rose.* **PRONOM.** Se répandre, s'étendre ; se déplacer, en parlant d'un phénomène physique : *Le son se **propage** moins vite que la lumière.* 1752 (1480, empl. adj., issu de) ; lat. *propagare* ; [pʀɔpaʒe].

**PROPAGULE, subst. f.**
*Bot.* Amas pluricellulaire chlorophyllien jouant le rôle d'agent de propagation végétative chez certaines mousses. 1815 ; lat. *propago*, « bouture » ; [pʀɔpagyl].

**PROPANE, subst. m.**
*Chim.* Alcane de formule $C_3H_8$, gaz provenant du pétrole brut et du gaz naturel, utilisé comme combustible. 1870 ; *(acide) propionique* (vx), du gr. *piôn*, « gras », + *pro-* ; [pʀɔpan].

**PROPANIER, subst. m.**
Navire spécialement équipé pour le transport du propane liquide. V. 1970 ; ☞ *propane* ; [pʀɔpanje].

**PROPAROXYTON, adj. m. et subst. m.**
*Ling.* Se dit d'un mot dont l'accent tonique porte sur la syllabe antépénultième. Mil. XIXe s. ; gr. *proparoxutonos* ; [pʀɔpaʀɔksitɔ̃].

**PROPÉDEUTIQUE, subst. f.**
**1.** Vx. Science dont l'étude prépare à celle d'une autre science. **2.** Enseignement qui prépare à des études plus approfondies. ▸ De 1948 à 1966, année préparant les bacheliers à certains enseignements supérieurs. 1876 ; all. *Propädeutik*, du gr. *paideuein*, « enseigner » ; [pʀɔpedøtik].

**PROPÈNE, subst. m.**
*Chim.* Alcène de formule $CH_3{-}CH{=}CH_2$, gaz incolore issu du raffinage du pétrole (synon. *propylène*). 1932 ; ☞ *propane*, par l'angl. *propene* ; [pʀɔpɛn].

**PROPENSION, subst. f.**
Inclination, tendance naturelle à qqch. ou à faire qqch. : ***Propension** à la raillerie, à railler.* 1528 ; lat. *propensio* ; [pʀɔpɑ̃sjɔ̃].

**PROPERGOL, subst. m.**
*Chim.* Composé formé d'un mélange d'ergols, utilisé comme carburant pour la propulsion des fusées. 1946 ; crois. de *propulsion* et de *ergol*, d'apr. l'all. *Propergol* ; [pʀɔpɛʀgɔl].

**PROPFAN, subst. m.**
*Aéron.* Hélice à pales spécialement disposées pour une rotation à des vitesses transsoniques. V. 1980 ; angl. *propfan*, abrév. de *propeller fan*, de *propeller*, « hélice », et de *fan*, « ventilateur » ; [pʀɔpfan].

**PROPHARMACIEN, IENNE, subst.**
Médecin habilité à entreposer chez lui les médicaments et à les délivrer aux patients dans les localités où il n'y a pas de pharmacien. 1902 ; ☞ *pharmacien* + *pro-* ; [pʀofaʀmasjɛ̃, jɛn].

**PROPHASE, subst. f.**
*Biol.* Première étape du processus de division cellulaire (mitose), pendant laquelle les chromosomes acquièrent un fort degré de condensation. Fin XIXe s. ; ☞ *phase* + *pro-* ; [pʀofaz].

**PROPHÈTE, ÉTESSE, subst.**
*Relig.* **MASC. 1.** Celui qui parle au nom de la divinité ; en partic., dans la Bible, homme inspiré qui transmet le message de Dieu au peuple : *Le prophète Isaïe.* ▸ *Faux **prophète*** : imposteur. ▸ *Le **Prophète*** : Mahomet, pour l'islam. **2.** Ext. Personne qui prédit l'avenir, devin. **FÉM.** Femme inspirée par la divinité et qui prophétise ; sibylle. Fin Xe s. ; lat. eccl. *propheta*, du gr. *prophêtês* ; [pʀofɛt, etɛs].

**PROPHÉTIE, subst. f.**
**1.** *Relig.* Inspiration divine, oracle. **2.** Ext. Prédiction de l'avenir ; par méton., ce qui est annoncé. 1119 ; lat. eccl. *prophetia*, du gr. *prophêteia* ; [pʀofesi].

**PROPHÉTIQUE, adj.**
**1.** Qui relève de la prophétie : *Vision **prophétique**.* **2.** Propre à un prophète. Fin XIVe s. ; lat. *propheticus*, du gr. *prophêtikos* ; [pʀofetik].

**PROPHÉTISER, verbe trans. [3]**
Annoncer (des évènements futurs) en vertu d'une révélation surnaturelle ou par pressentiment ; empl. abs., prédire l'avenir. 1155 ; lat. eccl. *prophetizare*, du gr. *prophêtizein* ; [pʀofetize].

**PROPHYLACTIQUE, adj.**
Relatif, propre ou favorable à la prophylaxie. 1537 ; gr. *prophulaktikos*, de *prophulaktein*, « veiller sur » ; [pʀofilaktik].

**PROPHYLAXIE, subst. f.**
*Méd.* Ensemble des mesures prises pour éviter la survenue d'une maladie, son extension ou son aggravation. 1793 ; ☞ *prophylactique* ; [pʀofilaksi].

**PROPICE, adj.**
**1.** Bienveillant, favorable (littér.) : *Un sort **propice**.* **2.** Qui convient, se prête (à qqch.) : *Un lieu **propice** à la réflexion.* Fin XIIe s. ; lat. *propitius* ; [pʀɔpis].

**PROPITIATION, subst. f.**
*Relig.* Action de rendre propice aux hommes la divinité, d'obtenir son pardon : *Fête des **Propitiations***, rituel d'expiation des anciens Hébreux. Fin XIIe s. ; lat. eccl. *propitiatio* ; [pʀɔpisjasjɔ̃].

**PROPITIATOIRE, adj.**
*Relig.* Qui vise à rendre la divinité propice : *Offrande, sacrifice **propitiatoire**.* Fin XIIe s. ; lat. chrét. *propitiatorium*, « lieu de propitiation » ; [pʀɔpisjatwaʀ].

**PROPOLIS, subst. f.**
*Bot.* Gomme obtenue par les abeilles sur certains bourgeons par récolte et ajout d'enzymes qu'elles sécrètent, avec laquelle elles obturent les fentes des ruches. 1555 ; lat. *propolis*, du gr. *propolis*, de *pro*, « devant », et de *polis*, « cité » ; [pʀɔpɔlis].

**PROPORTION, subst. f.**
**1.** Rapport de grandeur entre les parties d'un ensemble ou entre une partie et le tout : *Réduire, agrandir dans les mêmes **proportions**.* **2.** Harmonie des dimensions selon un canon esthétique : *Le nombre d'or des Anciens instituait les **proportions** idéales.* **3.** *Math.* Égalité de deux rapports de la forme $a/b = c/d$ où le produit des extrêmes $a \cdot d$ est égal au produit des moyens $b \cdot c$. **4.** Rapport quantitatif entre deux ou plusieurs choses : *La **proportion** d'illettrés dans une population.* **5.** Loc. *Hors de **proportion*** : sans commune mesure (avec) ; *Toutes **proportions** gardées* : de manière relative ; *En **proportion*** : dans le même rapport. **PLUR.** Dimensions : *Des **proportions** gigantesques* ; au fig. : *Ramener un incident à ses vraies **proportions**.* Mil. XIIIe s. ; lat. *proportio*, « analogie, rapport » ; [pʀɔpɔʀsjɔ̃].

**PROPORTIONALITÉ, subst. f.**
Qualité de deux grandeurs liées par un rapport de proportion : ***Proportionalité** des délits et des peines.* ▸ *Fin. **Proportionalité** de l'impôt* : mode de calcul de l'impôt appliquant à tous un taux de prélèvement unique, qui reste fixe quel que soit le montant imposable (anton. *progressivité*). Fin XIVe s. ; lat. *proportionalitas* ; var. *proportionnalité* ; [pʀɔpɔʀsjɔnalite].

**PROPORTIONNÉ, ÉE, adj.**
**1. Proportionné à.** Qui est en proportion avec : *Impôts **proportionnés** aux revenus.* **2.** Qui a telles proportions : *Corps bien **proportionné**.* 1314 ; p. p. de *proportionner* ; [pʀɔpɔʀsjɔne].

**PROPORTIONNEL, ELLE, adj.**
**1.** Placé dans un rapport constant avec une autre chose du même genre : *Le poids est généralement **proportionnel** à la taille.* ▸ *Math. Moyenne **proportionnelle** de deux nombres* : moyenne géométrique de ces nombres ; *Nombres **proportionnels** (resp. inversement **proportionnels**)* : $n$ nombres non nuls $a_1, a_2, ..., a_n$ sont dits **proportionnels** (resp. inversement **proportionnels**) aux $n$ nombres non nuls $b_1, b_2, ..., b_n$ si $\frac{a_1}{b_1} = \frac{a_2}{b_2} = ... = \frac{a_n}{b_n}$ (resp. : $a_1b_1 = a_2b_2 = ... = a_nb_n$). **2.** Qui varie dans le même sens (que qqch.) : *Prime **proportionnelle** aux résultats obtenus.* ▸ *Impôt **proportionnel*** (☞ *proportionalité*). ▸ *Pol. Scrutin à la **proportionnelle*** ou, par ell., *La **proportionnelle*** : système électoral dans lequel le nombre d'élus de chaque liste est fonction du nombre de voix recueillies par cette liste (anton. *majoritaire*). Fin XIVe s. ; bas lat. *proportionalis* ; [pʀɔpɔʀsjɔnɛl].

**PROPORTIONNELLEMENT, adv.**
Selon une proportion ; par ext., comparativement. 1342 ; ☞ *proportionnel* ; [pʀɔpɔʀsjɔnɛlmɑ̃].

**PROPORTIONNER, verbe trans. [3]**
Établir une juste proportion, un égal rapport entre (une chose) et une autre : ***Proportionner** une peine à la gravité du délit.* 1483 (1314, adapter, préparer) ; bas lat. *proportionare* ; [pʀɔpɔʀsjɔne].

**PROPOS, subst. m.**
**I. 1.** Intention (littér.) : *Tel est mon **propos*** ; *De **propos** délibéré*, à dessein ; *Avec le ferme **propos** de*, la résolution bien arrêtée de. **2.** Sujet : *À **propos** de*, au sujet de ; *À **propos***, au fait. ▸ Loc. *À **propos** de tout et de rien* : pour des motifs futiles ; *À tout **propos*** : en toute occasion ; *(Faire qqch.) à **propos*** : opportunément ; *Hors de **propos**, mal à **propos*** : intempestivement. **II.** Parole, mot échangé dans une conversation (gén. au plur.) : *Tenir des **propos** peu amènes.* 1180 ; ☞ *proposer* ; [pʀɔpo].

**PROPOSER, verbe [3]**
**INTRANS.** Vx. Former un dessein : *L'homme **propose** et Dieu dispose.* **TRANS. 1.** Présenter ; offrir (qqch.) au choix de qqn : ***Proposer** du café.* **2.** Soumettre à la réflexion, à l'approbation : ***Proposer** une loi, un arrangement.* **3.** Suggérer : *Je **propose** une halte.* **4.** Offrir : *Il m'a **proposé** de m'aider.* **5.** Présenter (qqn) comme candidat pour une fonction. **PRONOM. 1. Se proposer de.** Avoir l'intention de : *Je me **proposais** d'aller vous voir.* **2.** S'offrir (pour, comme), postuler : *Se **proposer** pour une mission, comme remplaçant.* Déb. XIIe s. ; lat. *proponere*, « placer devant (les yeux), présenter » ; [pʀɔpoze].

**PROPOSITION, subst. f.**
**I.** Action de proposer qqch. à qqn ; la chose proposée. ▸ *Faire des **propositions** à une femme* : l'entreprendre, lui faire des avances. ▸ *Dr. **Proposition** de loi* : texte législatif proposé au Parlement, par un ou plusieurs de ses membres, pour y être voté. **II. 1.** *Gramm.* Unité syntaxique formée d'un mot ou d'un groupe de mots, construite autour d'un verbe, et constituant une phrase simple (**proposition** indépendante) ou un des éléments d'une phrase complexe (**proposition** principale, subordonnée). **2.** *Log.* et *Philos.* Énoncé dont on peut dire qu'il est vrai ou faux (par oppos. à l'énoncé d'un ordre ou d'un souhait) ; par ext., jugement. ▸ *Calcul des **propositions*** : partie de la logique où l'on cherche à établir la valeur de vérité de **propositions** complexes, à partir de **propositions** élémentaires reliées entre elles par des connecteurs logiques (conjonction, disjonction, implication, équivalence). **3.** *Math.* Théorème. Déb. XIIe s. ; lat. *propositio* ; [pʀɔpozisjɔ̃].

**PROPOSITIONNEL, ELLE, adj.**
*Log.* Relatif aux propositions : *Une fonction **propositionnelle***, un prédicat. 1928 ; ☞ *proposition* ; [pʀɔpozisjɔnɛl].

**PROPRE, adj. et subst. m.**
**I. ADJ. 1.** Qui appartient en particulier ou exclusivement à qqn ou à qqch. : *Il n'a pas de volonté **propre**.* **2.** Souligne et renforce l'appartenance, l'attribution (gén. antéposé) : *Par ses **propres** moyens* ; *De mes **propres** yeux.* ▸ Loc. **En mains propres.** Sans intermédiaire : *Remettre un chèque en mains **propres** à qqn.* **3. Propre à.** Spécifique à : *L'enthousiasme **propre** au néophyte.* **4.** *Astron. Mouvement **propre** d'un astre* : son déplacement angulaire, indépendamment des mouvements de la Terre. **5.** *Dr. Biens **propres*** : apportés par l'un des conjoints, et n'entrant pas dans la communauté (anton. *acquêts*). **6.** *Gramm. Nom **propre*** : s'appliquant à des êtres, des lieux, des choses considérés dans leur individualité (par oppos. à *nom commun*), et prenant la majuscule. ▸ *Ling. Sens **propre** d'un mot* : le plus proche de son sens premier (par oppos. à *sens figuré*). **SUBST. 1.** Qualité, caractère distinctif : *L'insouciance est le **propre** de l'enfance.* ▸ Loc. *En **propre*** : à titre personnel. **2.** *Dr. Le **propre*** : les biens **propres**. **3.** *Liturg.* Ensemble des parties chantées additionnelles qui viennent s'insérer entre les parties fixes de la messe (l'ordinaire) en fonction du jour ou de la circonstance. **II. ADJ. 1.** Approprié, adéquat : *Employer le mot **propre**.* **2. Propre à.** Fait pour, apte à : *Outil **propre** à un usage.* **III. ADJ. 1.** Sans souillures : *Linge **propre**.* ▸ Loc. *Avoir les mains **propres*** : n'avoir rien à se reprocher. **2.** Lavé, nettoyé, en parlant d'un vêtement, d'un intérieur, etc. **3.** Qui prend soin de son corps, se lave ; dont la mise est nette. ▸ Par antiphr. *Me voilà **propre** !* : dans une mauvaise situation (fam.). **4.** Non polluant, non salissant : *Énergies **propres**.* **5.** Se dit d'un travail soigneusement fini ; empl. subst. masc. : *Mettre au **propre***, recopier avec soin sous sa forme définitive. **6.** Fig. Probe, honorable : *Argent pas très **propre**.* 1090 ; lat. *proprius* ; [pʀɔpʀ].

**PROPRE-À-RIEN, subst.**
Personne incapable (fam.). 1844 ; comp. de *propre* et de *rien* ; plur. *propres-à-rien* ; [pʀɔpʀaʀjɛ̃].

**PROPREMENT, adv.**
**I. 1.** Spécifiquement, en propre. **2.** À la lettre, au sens propre : *J'ai été **proprement** jeté dehors.* ► Loc. *À **proprement** parler* : à vrai dire ; ***Proprement** dit* : au sens restreint du terme. **II. 1.** Avec propreté, avec soin : *Peindre **proprement**.* **2.** Fig. Dignement ; honnêtement. Fin XIIe s. ; ☞ *propre* ; [pʀɔpʀəmɑ̃].

**PROPRET, ETTE, adj.**
Net et coquet. Fin XVe s. ; ☞ *propre* ; [pʀɔpʀɛ, ɛt].

**PROPRETÉ, subst. f.**
**1.** Qualité d'une personne propre ; en partic., capacité à contrôler ses sphincters, chez un enfant, un animal. **2.** Ext. Caractère d'une chose, d'un lieu propre. **3.** Anal. Netteté d'exécution (d'un travail). 1538 ; ☞ *propre* ; [pʀɔpʀəte].

**PROPRÉTEUR, subst. m.**
*Antiq. rom.* Préteur sorti de charge, et à qui l'on confiait l'administration d'une province (dite propréture). 1542 ; lat. *propraetor* ; [pʀɔpʀetœʀ].

**PROPRIÉTAIRE, subst.**
**1.** Personne qui possède un bien en vertu du droit de propriété. **2.** Personne qui possède un appartement, un local qu'il loue à bail (anton. *locataire*). 1263 ; bas lat. jur. *proprietarius*, du lat. jur. *proprietas*, « propriété » ; [pʀɔpʀijetɛʀ].

**PROPRIÉTÉ, subst. f.**
**I. 1.** *Dr.* Droit d'user, de jouir et de disposer de qqch. de façon exclusive et absolue, sous les restrictions établies par la loi. ► ***Propriété** artistique et littéraire* : droits moraux et pécuniaires détenus par les auteurs, compositeurs et artistes, quant à l'exploitation de leurs œuvres. ► ***Propriété** industrielle* : monopole d'exploitation d'un brevet, droit exclusif sur une appellation. **2.** Ce que l'on possède en propre. **3.** Terre, maison, domaine appartenant à qqn. **II. 1.** Caractère, qualité propre à qqch. : *Les **propriétés** de l'or* ; *Avoir la **propriété** de*, le pouvoir particulier de. **2.** Qualité du mot approprié. 1174 ; lat. jur. *proprietas* ; [pʀɔpʀijete].

**PROPRIO, subst.**
Propriétaire d'un logement loué (pop.). Fin XIXe s. ; abrév. de *propriétaire* ; [pʀɔpʀijo].

**PROPRIOCEPTIF, IVE, adj.**
*Physiol. Sensibilité **proprioceptive*** : qui gouverne la fonction de relation, le tonus musculaire, la position relative des segments du corps et leur déplacement, la statique et l'équilibration. 1935 ; crois. du lat. *proprius*, « qui appartient en propre », et de *réceptif* ; [pʀɔpʀijosɛptif, iv].

**PROPRIOCEPTION, subst. f.**
*Physiol.* Sensibilité proprioceptive. V. 1970 ; ☞ *proprioceptif* ; [pʀɔpʀijosɛpsjɔ̃].

**PROPULSER, verbe trans.** [3]
**1.** Lancer au loin, projeter au moyen d'un engin. **2.** Ext. Pousser, projeter (qqn, qqch.) avec force : *Être **propulsé** par le souffle d'une explosion* ; au fig., faire accéder soudainement à une position importante (fam.). 1863 ; ☞ *propulsion* ; [pʀɔpylse].

**PROPULSEUR, adj. m. et subst. m.**
*Techn.* Adj. Qui propulse qqch. : *Gaz **propulseur**.* Subst. Dispositif de propulsion d'un bateau, d'un avion, etc. : ***Propulseur** auxiliaire de fusée.* 1846 ; ☞ *propulsion* ; [pʀɔpylsœʀ].

**PROPULSIF, IVE, adj.**
Qui génère une propulsion. ► *Poudre **propulsive*** : dont l'explosion permet la propulsion d'un projectile (notamment utilisée en pyrotechnie). 1846 ; ☞ *propulsion* ; [pʀɔpylsif, iv].

**PROPULSION, subst. f.**
**1.** Action de propulser, poussée ; son résultat. **2.** Production d'une force déplaçant un engin : ***Propulsion** nucléaire.* 1640 ; lat. *propulsus*, de *propellere*, « pousser en avant » ; [pʀɔpylsjɔ̃].

**PROPYLÉE, subst. m.**
*Antiq.* et *Archit.* Portique, ouvrant sur un vestibule, qui ornait l'entrée des temples ou des palais grecs et romains (souv. au plur.) ; empl. abs. : *Les **Propylées***, ceux de l'Acropole d'Athènes. 1605 ; gr. *propulaia*, de *pro*, « devant », et de *pulê*, « porte » ; [pʀɔpile].

**PROPYLÈNE, subst. m.**
*Chim.* Propène. 1854 ; ☞ *propane*, d'apr. *éthyle* ; [pʀɔpilɛn].

**PRORATA, subst. m. inv.**
**1.** Vx. Quote-part. **2.** Loc. **Au prorata de.** À proportion de ; proportionnellement à : *Bénéfices au **prorata** des ventes.* 1360 ; loc. lat. *pro rata parte*, « selon la part comptée » ; [pʀɔʀata].

**PROROGATION, subst. f.**
Action de proroger : ***Prorogation** d'une échéance.* 1313 ; lat. *prorogatio* ; [pʀɔʀɔgasjɔ̃].

**PROROGER, verbe trans.** [5]
**1.** *Dr.* Prolonger la durée de ; reporter à une date ultérieure : ***Proroger** la validité d'un contrat.* **2.** *Pol.* Prolonger (les fonctions d'une assemblée) au-delà d'une date initialement fixée ; reporter à une date ultérieure (les séances d'une assemblée). 1325 ; lat. *prorogare* ; [pʀɔʀɔʒe].

**PROSAÏQUE, adj.**
**1.** Vx. Qui appartient à la prose (anton. *poétique*). **2.** Fig. Banal, bassement matériel ; vulgaire. Déb. XVe s. ; bas lat. *prosaicus*, du lat. *prosa* ; [pʀozaik].

**PROSAÏSME, subst. m.**
Caractère prosaïque de qqch., de qqn. 1785 ; ☞ *prosaïque* ; [pʀozaism].

**PROSATEUR, TRICE, subst.**
Auteur qui écrit en prose. 1666 ; ital. *prosatore*, du lat. *prosa*, « prose » ; [pʀozatœʀ, tʀis].

**PROSCENIUM, subst. m.**
**1.** *Antiq.* Plate-forme qui occupait le fond des théâtres gréco-romains, où évoluaient les acteurs. **2.** Avant-scène d'un théâtre. 1547 ; lat. *proscenium*, du gr. *proskênion*, de *pro*, « devant », et de *skênê*, « scène » ; [pʀɔsenjɔm].

**PROSCRIPTION, subst. f.**
**1.** *Antiq. rom.* Condamnation à mort ou à l'exil par voie d'affichage, livrant celui qui en était frappé à la vindicte populaire. **2.** Ext. Bannissement, exil. **3.** Fig. Action de proscrire, interdiction formelle. **4.** *Dr.* ***Proscription** de biens* : partage ou vente des biens d'un débiteur en fuite au profit de ses créanciers. 1418 ; lat. *proscriptio*, « affichage » ; [pʀɔskʀipsjɔ̃].

**PROSCRIRE, verbe trans.** [67]
**1.** *Antiq. rom.* Condamner à la mort ou à l'exil par proscription. **2.** Bannir, exiler. **3.** Fig. Interdire catégoriquement l'usage de (qqch.) : ***Proscrire** un barbarisme.* Fin XIIe s. ; lat. *proscribere*, « afficher sur une liste (de proscription) » ; [pʀɔskʀiʀ].

**PROSCRIT, ITE, adj. et subst.**
Adj. **1.** Frappé de proscription. **2.** Fig. Dont l'usage est réprouvé. Subst. Personne frappée de proscription. 1552 ; p. p. de *proscrire* ; [pʀɔskʀi, it].

**PROSE, subst. f.**
**1.** Forme habituelle du discours oral ou écrit n'obéissant pas aux règles de la versification. ► *Litt.* ***Prose** poétique* : **prose** lyrique, aux périodes cadencées, souvent assonante et allitérative. **2.** *Liturg.* Hymne latine versifiée : *La **prose** du Dies irae.* Mil. XIIIe s. ; lat. *prosa*, de *prosa oratio*, « discours en droite ligne » ; [pʀoz].

**PROSÉLYTE, subst.**
**1.** *Antiq.* et *Relig.* Personne ayant renoncé au paganisme pour embrasser le judaïsme. **2.** Tout nouveau converti à une religion (littér.). **3.** Ext. Personne qui adhère depuis peu à une idéologie ou à une croyance et la propage à son tour avec zèle. Déb. XIIIe s. ; lat. eccl. *proselytus*, du gr. *prosêlutos*, « nouveau converti » ; [pʀozelit].

**PROSÉLYTISME, subst. m.**
Zèle déployé pour gagner de nouveaux adeptes à une croyance, à une idéologie, à un système (souv. péj.) : *Le **prosélytisme** des sectes.* 1721 ; ☞ *prosélyte* ; [pʀozelitism].

**PROSIMIEN, subst. m.**
*Zool.* Primate inférieur, lémurien. 1839 ; ☞ *simien + pro-* ; [pʀosimjɛ̃].

*Propylée du temple d'Aphaia (480 av. J.-C.), à Égine.*

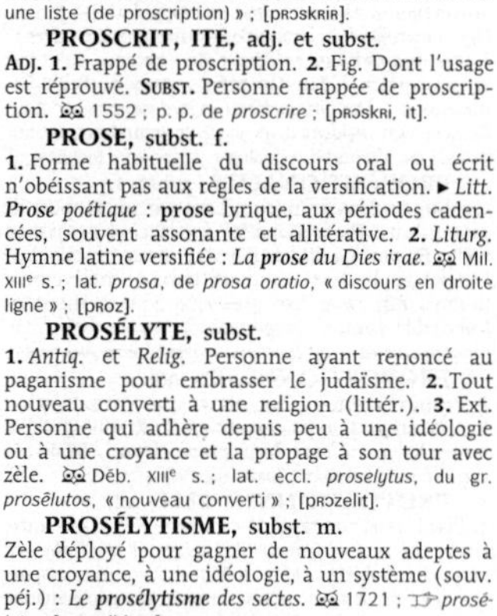

© Ly. Loirat-Explorer

**PROSOBRANCHES, subst. m. plur.**
*Zool.* Sous-classe de mollusques gastéropodes aux branchies placées en avant du cœur, qui comprend les ormeaux, les patelles, les tritons, les pourpres, etc. Au sing. *Le murex, comme le bigorneau, est un **prosobranche**.* 1848 ; formé du gr. *prosô*, « en avant », et de *branche*, « branchie » ; [pʀɔzobʀɑ̃ʃ].

**PROSODIE, subst. f.**
**1.** *Versif.* Ensemble des règles portant sur l'accentuation et sur la quantité des voyelles, notamment dans les poésies grecque et latine. **2.** *Ling.* Étude des phonèmes sur le plan de l'intonation, de l'accentuation et de la durée. **3.** *Mus.* Adéquation de la durée des sons aux quantités de texte chanté : *La **prosodie** attribue une valeur longue à la syllabe portant l'accent tonique.* 1572 ; lat. *prosodia*, du gr. *prosôdia*, « chant d'accompagnement » ; [pʀɔzɔdi].

**PROSODIQUE, adj.**
Relatif à la prosodie : *Accent **prosodique**.* 1736 ; ☞ *prosodie* ; [pʀɔzɔdik].

**PROSOPOPÉE, subst. f.**
*Rhét.* Figure par laquelle l'orateur ou l'auteur donne la parole à un être défunt, absent, inanimé ou allégorique, ou bien à un animal. 1507 ; gr. *prosôpopoiïa*, de *prosôpon*, « figure, personne », et de *poiein*, « faire » ; [pʀɔzɔpɔpe].

**PROSPECT (I), subst. m.**
*Urban.* Espacement règlementaire à respecter entre deux constructions voisines : *Servitude de **prospect**.* V. 1960 (fin XVIe s., vue, perspective) ; lat. *prospectus*, de *prospicere*, « regarder au loin » ; [pʀɔspɛ].

**PROSPECT (II), subst. m.**
*Comm.* Client potentiel : *Le démarchage des **prospects**.* V. 1960 (1861, action de prospecter) ; anglo-amér. *prospect*, « prélèvement » ; [pʀɔspɛ].

**PROSPECTER, verbe trans.** [3]
**1.** Examiner, sonder (un sol) pour y découvrir des richesses naturelles. **2.** Anal. Explorer systématiquement (un lieu, une région) à la recherche de qqch. **3.** *Comm.* Effectuer une prospection auprès de, démarcher. 1862 ; anglo-amér. *to prospect* ; [pʀɔspɛkte].

**PROSPECTEUR, TRICE, subst.**
Personne qui prospecte : ***Prospecteur** de pétrole.* ► *Comm.* Personne qui recherche de nouveaux clients pour une entreprise. 1862 ; anglo-amér. *prospector* ; [pʀɔspɛktœʀ, tʀis].

**PROSPECTIF, IVE, adj. et subst. f.**
Adj. Qui porte sur l'avenir (synon. *prévisionnel*) : *Étude **prospective**.* Subst. Science qui étudie les divers facteurs susceptibles d'influer sur l'évolution des sociétés humaines, en vue d'anticiper et, éventuellement, de déterminer leur avenir (synon. *futurologie*). 1834 (1444, qui concerne l'optique) ; lat. *prospectivus*, « qui permet de voir loin » ; [pʀɔspɛktif, iv].

**PROSPECTION, subst. f.**
**1.** Action de prospecter un sol. **2.** Anal. Exploration systématique d'un endroit. **3.** *Comm.* Démarchage diversifié des prospects et promotion des produits auprès de la clientèle potentielle. 1874 ; ☞ *prospecter* ; [pʀɔspɛksjɔ̃].

**PROSPECTUS, subst. m.**
Imprimé gratuit portant une annonce publicitaire, une information : ***Prospectus** d'un hôtel de luxe.* 1813 (1723, document annonçant un livre) ; lat. *prospectus*, « vue, perspective » ; [pʀɔspɛktys].

**PROSPÈRE, adj.**
Qui s'épanouit, se développe avec succès, florissant : *Commerce **prospère*** ; *Santé **prospère*** ; *Pays **prospère**.* Mil. XIVe s. ; lat. *prosperus* ; [pʀɔspɛʀ].

**PROSPÉRER, verbe intrans.** [8]
Réussir dans ses activités ; se développer fructueusement. Mil. XIVe s. ; lat. *prosperare* ; [pʀɔspeʀe].

**PROSPÉRITÉ, subst. f.**
État d'une collectivité, d'une activité prospère ; empl. abs., état d'abondance, de richesse : *Vivre dans la **prospérité**.* Déb. XIIe s. ; lat. *prosperitas*, de *prosperus*, « prospère » ; [pʀɔspeʀite].

**PROSTAGLANDINE, subst. f.**
*Biochim.* Substance, constituée à partir d'un acide gras organique, synthétisée dans de nombreux organes, qui agit de façon locale, notamment dans les phénomènes inflammatoires, et induit les contractions utérines lors de l'accouchement. V. 1970 ; crois. de *prostate* et de *glande* ; [pʀɔstaglɑ̃din].

**PROSTATE, subst. f.**
*Anat.* Glande de l'appareil génital mâle, encerclant l'urètre initial, qui sécrète une partie du liquide

…inal ; affection prostatique (empl. abusif). 1555 ; gr. *prostatês*, « qui se tient devant » ; [pʀɔstat].

**PROSTATECTOMIE, subst. f.**
…ir. Ablation de la prostate. 1890 ; ☞ *prostate* …ectomie ; [pʀɔstatɛktɔmi].

**PROSTATIQUE, adj. et subst. m.**
…dit d'un homme atteint d'une affection de la …ostate. **Adj.** Qui concerne la prostate. 1765 ; … *prostate* ; [pʀɔstatik].

**PROSTATITE, subst. f.**
…hol. Inflammation de la prostate. 1823 ; … *prostate* + *-ite* ; [pʀɔstatit].

**PROSTERNATION, subst. f.**
…tion de se prosterner ; posture d'une personne …osternée (synon. *un prosternement*). 1568 ; … *prosterner* ; [pʀɔstɛʀnasjɔ̃].

**PROSTERNER, verbe trans.** [3]
…aisser, incliner vers la terre (vieilli ou littér.) : …*osterner son front devant Dieu*. **Pronom.** S'incliner …squ'au sol, en signe d'adoration, de profond …spect. 1496 (1329, abattre) ; lat. *prosternere*, …oucher en avant, renverser » ; [pʀɔstɛʀne].

**PROSTHÈSE, subst. f.**
…Vx. *Méd.* Prothèse. **2.** *Ling.* Ajout d'un élément …n étymologique à la composition d'un mot (par …, le *é* de « écriture », du latin *scriptura*). 1658 ; … *prosthesis*, « action de poser sur » ; [pʀɔstɛz].

**PROSTHÉTIQUE, adj.**
…*Ling.* Qui résulte d'une prosthèse (synon. *prothé…ue*). **2.** *Biochim.* *Groupement **prosthétique*** : consti…ant non protéique susceptible d'être associé à une …otéine qui en a besoin pour exercer son activité. 1898 ; ☞ *prosthèse* ; [pʀɔstetik].

**PROSTITUÉ, ÉE, subst.**
…rsonne qui se livre à la prostitution. 1611 ; …p. de *prostituer* ; [pʀɔstitɥe].

**PROSTITUER, verbe trans.** [3]
Avilir, déshonorer (qqch.) par intérêt et par un …age indigne, dégradant : ***Prostituer** sa plume*. Amener ou contraindre (qqn) à faire commerce …son corps. **Pronom. 1.** Se livrer à la prostitution. …Se déshonorer par intérêt. 1380 ; lat. *prosti…ere*, « exposer aux yeux ; salir (fig.) » ; [pʀɔstitɥe].

**PROSTITUTION, subst. f.**
…Activité d'une personne qui a des relations …xuelles avec des partenaires différents dans un …t lucratif. **2.** Fig. Accomplissement d'une tâche …gradante, indigne, par intérêt ou par obligation …ttér.). Mil. XIII^e s. ; lat. chrét. *prostitutio*, « profana…n, prostitution » ; [pʀɔstitysjɔ̃].

**PROSTRATION, subst. f.**
…Vx. Prosternation. **2.** État de profond accable…ent. Déb. XIV^e s. ; lat. chrét. *prostratio*, du lat. *pros…nere*, « coucher, renverser » ; [pʀɔstʀasjɔ̃].

**PROSTRÉ, ÉE, adj.**
…ui est dans un état de prostration. 1869 (mil. … s., prosterné) ; lat. chrét. *prostratus* ; [pʀɔstʀe].

**PROSTYLE, adj. et subst. m.**
…tiq. **Adj.** *Temple **prostyle*** : temple dont la façade …térieure est ornée d'une colonnade formant …rtique. **Subst.** Ce portique lui-même. 1547 ; gr. …ostulos, de *pro*, « devant », et de *stulos*, « colonne » ; …ostil].

**PROTACTINIUM, subst. m.**
…im. Élément n° 91 de la table de Mendeleïev …ymb. : Pa) ; masse atomique : 231,03 ; point de …sion : 1 600 °C ; masse volumique : 15,4 g/cm$^3$. …'est un métal radioactif appartenant au groupe …s actinides. V. 1920 ; ☞ *actinium* + *proto-* ; …ɔtaktinjɔm].

**PROTAGONISTE, subst.**
…*Litt.* Acteur qui avait le rôle principal dans une …agédie grecque. **2.** Anal. Personne jouant un rôle …terminant dans une affaire (synon. *acteur*). … 1787 ; gr. *prôtagônistês*, de *prôtos*, « premier », et de …*ônistês*, « acteur » ; [pʀɔtagɔnist].

**PROTAMINE, subst. f.**
…ochim. Petite protéine basique associée à l'A. D. N. …romosomique au niveau de la tête des spermato…ïdes. 1890 ; ☞ *amine* + *proté-* ; [pʀɔtamin].

**PROTANDRIE, subst. f.**
…ot. Caractère d'une fleur hermaphrodite dont les …amines sont mûres avant que le stigmate soit …ceptif, ce qui évite l'autofécondation (☞ *proto…ynie*). Fin XIX^e s. ; formé de *proto-* et de *-andrie* ; var. …*otérandrie* ; [pʀɔtɑ̃dʀi].

**PROTASE, subst. f.**
**1.** Partie d'une pièce de théâtre contenant l'exposition du sujet. **2.** *Gramm.* Subordonnée conditionnelle placée avant la proposition principale. 1660 ; bas lat. *protasis* ; [pʀɔtaz].

**PROTE, subst. m.**
*Impr.* Chef typographe dans une imprimerie. 1649 ; ital. *proto*, du gr. *prôtos*, « premier » ; [pʀɔt].

**PROTÉAGINEUX, EUSE, adj. et subst. m.**
*Bot.* Se dit des plantes riches en protéines (soja, pois, etc.). V. 1970 ; crois. de *protéine* et de *oléagineux* ; [pʀɔteaʒinø, øz].

**PROTÉASE, subst. f.**
*Biochim.* Enzyme qui catalyse la dégradation hydrolytique plus ou moins complète des protéines. 1900 ; ☞ *protéine* ; [pʀɔteaz].

**PROTECTEUR, TRICE, subst. et adj.**
**Subst. 1.** Personne qui protège qqn ou qqch. (synon. *défenseur, gardien*). **2.** *Hist.* En Angleterre et en Écosse, titre de régent (XV^e-XVII^e s.) ; empl. abs. : *Le **Protecteur***, Cromwell. **Adj. 1.** Qui vise à protéger : *Société **protectrice** des animaux*. **2.** Qui témoigne d'une bienveillance condescendante : *Un air **protecteur***. 1234 ; bas lat. *protector* ; [pʀɔtɛktœʀ, tʀis].

**PROTECTION, subst. f.**
**1.** Action de protéger contre un danger, un risque ; fait de se protéger ou d'être protégé : ***Protection** de l'environnement* ; ***Protection** sociale*, ensemble des mesures destinées à assurer des ressources et à rembourser des soins, notamment en cas de maladie, d'accident du travail, de chômage ; ***Protection** maternelle et infantile (P. M. I.)*, service public assurant la **protection** sanitaire et sociale des femmes enceintes et des enfants de moins de sept ans. **2.** Ce qui protège, abrite : *Ce blindage est une **protection** efficace contre le vol*. **3.** Fait d'user de son influence pour protéger, favoriser qqn ; par méton., personne qui agit ainsi : *Bénéficier de **protections** au gouvernement*. **4.** *Écon.* Politique visant à protéger les produits nationaux. Déb. XIII^e s. ; bas lat. *protectio* ; [pʀɔtɛksjɔ̃].

**PROTECTIONNISME, subst. m.**
*Écon.* Ensemble de mesures (barrières douanières, obstacles non tarifaires, etc.) visant à favoriser la production nationale contre la concurrence étrangère. 1845 ; ☞ *protection* ; [pʀɔtɛksjɔnism].

**PROTECTIONNISTE, subst. et adj.**
**Subst.** Partisan du protectionnisme. **Adj.** Relatif ou favorable au protectionnisme : *Une politique **protectionniste***. 1845 ; ☞ *protectionnisme* ; [pʀɔtɛksjɔnist].

**PROTECTORAT, subst. m.**
*Hist.* **1.** Régime politique établi en Angleterre par Cromwell de 1653 à 1659 ; dignité du Protecteur. **2.** Régime juridique selon lequel un État était placé sous la protection d'un autre, notamment pour ce qui concerne ses relations extérieures et sa sécurité. 1751 ; ☞ *protecteur* ; [pʀɔtɛktɔʀa].

**PROTÉE, subst. m.**
**1.** Personnage changeant sans cesse d'apparence ou d'opinion (gén. péj.). **2.** *Zool.* Amphibien cavernicole du sous-ordre des Salamandroïdés, vivant dans les eaux souterraines de Dalmatie. 1555 ; *Protée*, dieu grec marin, fils de Poséidon, qui se métamorphosait à volonté ; [pʀɔte].

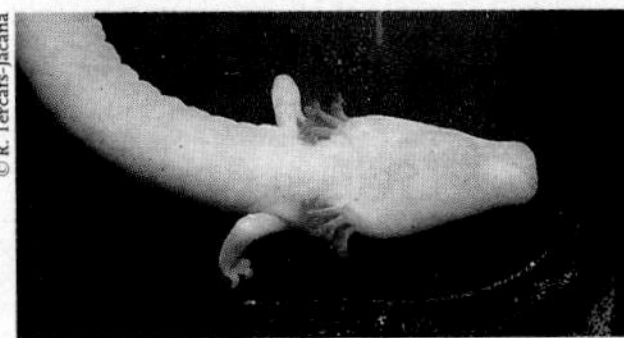
© R. Tercafs-Jacana

*Protée.*

**PROTÉGÉ, ÉE, subst. et adj.**
**Subst.** Personne bénéficiant de la protection de qqn : *C'est la **protégée** du patron* ; animal qu'une personne protège. **Adj.** Abrité, qui bénéficie d'une protection : *Crique **protégée** du vent* ; *Site **protégé***, que la loi interdit de dénaturer ; *Passage **protégé*** (☞ *passage*). Mil. XVIII^e s. ; p. p. de *protéger* ; [pʀɔteʒe].

**PROTÈGE-CAHIER, subst. m.**
Couverture souple servant à protéger un cahier. V. 1960 ; comp. de *protéger* et de *cahier* ; plur. *protège-cahiers* ; [pʀɔtɛʒkaje].

**PROTÈGE-DENTS, subst. m. inv.**
Appareil en caoutchouc protégeant les dents, utilisé lors de la pratique de certains sports (boxe, karaté, rugby, etc.). V. 1920 ; comp. de *protéger* et de *dent* ; [pʀɔtɛʒdɑ̃].

**PROTÉGER, verbe trans.** [9]
**1.** Défendre contre un danger, un risque : ***Protéger** une espèce animale* ; ***Protéger** une invention par un brevet*. **2.** Assurer (qqn) de son soutien, le recommander. **3.** Favoriser le développement de (une activité) : ***Protéger** les arts*. **4.** *Écon.* Défendre (l'économie nationale) contre la concurrence. **5.** *Informat.* ***Protéger** un programme* : empêcher son effacement par un dispositif approprié. Fin XIV^e s. ; lat. *protegere*, de *tegere*, « couvrir, abriter » ; [pʀɔteʒe].

**PROTÈGE-SLIP, subst. m.**
Bande adhésive amovible de matière absorbante, se fixant à l'intérieur d'un slip de femme. V. 1980 ; comp. de *protéger* et de *slip* (II) ; plur. *protège-slips* ; [pʀɔtɛʒslip].

**PROTÈGE-TIBIA, subst. m.**
Jambière protégeant le tibia contre les coups de pied, en partic. au football. V. 1930 ; comp. de *protéger* et de *tibia* ; plur. *protège-tibias* ; [pʀɔtɛʒtibja].

**PROTÉIFORME, adj.**
Qui revêt de multiples formes (littér.). 1761 ; ☞ *protée* + *-forme* ; [pʀɔteifɔʀm].

**PROTÉINE, subst. f.**
*Biochim.* Molécule constituée à partir de chaînes polypeptidiques résultant de la polymérisation d'acides aminés appartenant à un groupe, commun à l'ensemble du monde vivant, de 21 acides aminés. Il existe un très grand nombre de **protéines** et ces dernières remplissent des fonctions très différentes (enzymes, immunoglobulines, collagènes, hormones, etc.). 1838 ; gr. *prôteios*, « qui occupe le premier rang » ; [pʀɔtein].

**PROTÉINURIE, subst. f.**
*Pathol.* Présence de protéines dans l'urine. Mil. XX^e s. ; ☞ *protéine* + *-urie* ; [pʀɔteinyʀi].

**PROTÉIQUE, adj.**
Relatif aux protéines ; qui se compose de protéines ou qui en contient. 1838 ; ☞ *protéine* ; [pʀɔteik].

**PROTÈLE, subst. m.**
*Zool.* Mammifère d'Afrique du Sud, de la famille des Hyénidés. C'est un fouineur nocturne à l'aspect de chien, qui se nourrit de termites. 1824 ; gr. *pro*, « devant », et *teleîs*, « achevé, parfait » ; [pʀɔtɛl].

**PROTÉOLYSE, subst. f.**
*Biochim.* Destruction, dégradation hydrolytique des protéines. 1898 ; ☞ *protéine* + *-lyse* ; [pʀɔteoliz].

**PROTÉRANDRIE voir PROTANDRIE**

**PROTÉROGYNIE voir PROTOGYNIE**

**PROTÉROZOÏQUE, adj. et subst. m.**
*Géol.* Se dit de la deuxième partie des temps précambriens, après l'Archéen, qui voit la différenciation des principaux embranchements sous la forme d'organismes sans squelette fossilisable. **Adj.** Relatif, propre à cette période. Gr. *proteros*, « le premier », + *-zoïque* ; [pʀɔteʀɔzɔik].

**PROTESTANT, ANTE, subst. et adj.**
**Subst.** Adepte d'une confession issue de la Réforme. **Adj.** Qui appartient au protestantisme. 1542 ; p. pr. de *protester*, d'apr. l'all. *Protestant* ; [pʀɔtɛstɑ̃, ɑ̃t].

**PROTESTANTISME, subst. m.**
**1.** Religion des protestants. **2.** Ensemble des Églises, des confessions issues de la Réforme. 1623 ; ☞ *protestant* ; [pʀɔtɛstɑ̃tism].

**RELIGION** – Issu de la réforme de Luther et de Calvin au XVI^e s., le protestantisme englobe de nombreuses confessions (luthérienne, réformée, méthodiste, pentecôtiste, presbytérienne, baptiste, etc.) réunissant aujourd'hui environ trois cents millions de fidèles. Avec le catholicisme et l'orthodoxie, il est l'une des principales expressions de la religion chrétienne. À la différence des Églises catholique, orthodoxe et anglicane, le protestantisme ne reconnaît que deux sacrements, le baptême et l'eucharistie (certaines Églises reconnaissent la Présence réelle), et ne prévoit pas, dans sa structure ecclésiale, de hiérarchie sacerdotale. Les pasteurs, dont l'ordination n'est pas sacramentelle, dirigent le culte et président à la sainte cène. Deux aspects essentiels fondent la doctrine protestante : la lecture et la méditation de la Bible, la Parole de Dieu, éclairées par l'assistance de l'Esprit-Saint ; la foi en Jésus-Christ, sauveur de l'humanité – foi personnelle, qui libère sui generis du péché et justifie le croyant (les bonnes œuvres étant un signe visible de la foi plutôt que l'instrument du salut).

**PROTESTATAIRE,** adj. et subst.
Se dit d'une personne qui proteste contre qqch. 1869 ; ☞ *protester* ; [pʀɔtɛstatɛʀ].

**PROTESTATION,** subst. f.
Déclaration, démonstration par laquelle on proteste de qqch. ou contre qqch. Fin XIIIe s. ; bas lat. *protestatio* ; [pʀɔtɛstasjɔ̃].

© A. Buu-Gamma

*Manifestation de protestation contre les nuisances sonores de l'aéroport de Roissy.*

**PROTESTER,** verbe [3]
TRANS. INDIR. **Protester de. 1.** Vx. S'engager solennellement à. **2.** Assurer solennellement et avec force : ***Protester** de sa bonne foi.* **3.** *Dr.* ou Vieilli. Déclarer publiquement qu'on est victime de : ***Protester** de violence.* TRANS. DIR. **1. Protester que.** Affirmer avec force que (en oppos. avec ce qui vient d'être dit) : *Il **protesta** qu'il en était bien incapable.* **2.** *Dr.* **Protester qqch.** Faire un protêt contre qqch., qqn : ***Protester** une signature.* INTRANS. Exprimer vivement son opposition, son refus : ***Protester** contre une accusation injuste* ; empl. abs. : *Se laisser faire sans **protester**.* 1339 ; lat. *protestari* ; [pʀɔtɛste].

**PROTÊT,** subst. m.
*Dr.* Acte authentique constatant le non-paiement d'un effet de commerce (traite, chèque, lettre de crédit) et permettant au créancier de porter l'affaire devant la justice. 1630 (1479, déclaration, affirmation) ; ☞ *protester* ; [pʀɔtɛ].

**PROTHALLE,** subst. m.
*Bot.* Gamétophyte des Ptéridophytes (fougères, prêles, etc.). Formation née de la spore, le **prothalle** porte des archégones ou des anthéridies selon qu'il est unisexué ou bisexué. 1860 ; all. *Prothallium*, du gr. *thallos*, « rameau, pousse », et *pro*, « en avant » ; [pʀɔtal].

**PROTHÈSE,** subst. f.
**1.** Pièce ou appareil remplaçant en partie ou en totalité un organe, un membre amputé ou gravement atteint : ***Prothèse** dentaire.* ► Méton. Ensemble des techniques de fabrication, de pose de **prothèses**. **2.** *Ling.* Prosthèse (vx). 1695 ; gr. *prosthêsis*, « application d'une chose sur une autre » ; [pʀɔtɛz].

**PROTHÉSISTE,** subst.
Technicien spécialisé dans la fabrication de prothèses. 1955 ; ☞ *prothèse* ; [pʀɔtezist].

**PROTHORAX,** subst. m.
*Zool.* Partie antérieure du thorax des Insectes. 1824 ; ☞ *thorax + pro-* ; [pʀɔtɔʀaks].

**PROTHROMBINE,** subst. f.
*Biol.* Substance plasmatique constituant l'un des facteurs de la coagulation. Déb. XXe s. ; ☞ *thrombine + -pro* ; [pʀɔtʀɔ̃bin].

**PROTIDE,** subst. m.
*Biochim.* Acide aminé, peptide ou protéine (vieilli). 1838 ; ☞ *protéine* ; [pʀɔtid].

**PROTISTE,** subst. m.
*Biol.* Tout organisme vivant unicellulaire, qu'il appartienne au règne végétal (protophyte) ou animal (protozoaire). 1873 ; all. *Protist*, du gr. *prôtistos*, « le premier de tous » ; [pʀɔtist].

**PROTOCOLAIRE,** adj.
**1.** Relatif ou conforme au protocole. **2.** Attaché au protocole. 1904 ; ☞ *protocole* ; [pʀɔtɔkɔlɛʀ].

**PROTOCOLE,** subst. m.
**1.** Vx. Registre authentique. **2.** Formulaire servant à dresser des actes publics (vx). **3.** Cérémonial codifié règlementant les rapports diplomatiques et le déroulement des réunions officielles. **4.** *Dr. internat.* Procès-verbal de conférence diplomatique ; par méton., son contenu. ► ***Protocole** d'accord* : signé entre les représentants de parties antagonistes. **5.** *Sc.* Description détaillée des conditions de réalisation et du déroulement d'une expérience. **6.** *Typogr.* Ensemble des conventions mises au point pour préparer un texte à la composition. 1330 ; lat. médiév. *protocollum* ; [pʀɔtɔkɔl].

**PROTOCORDÉS,** voir **PROCORDÉS**

**PROTOÉTOILE,** subst. f.
*Astron.* Stade primordial d'une étoile en formation, après l'effondrement d'une nébuleuse dense, et avant le commencement des réactions thermonucléaires. V. 1970 ; ☞ *étoile + proto-* ; [pʀɔtoetwal].

**PROTOGALAXIE,** subst. f.
*Astron.* Stade primordial d'une galaxie en formation. V. 1970 ; ☞ *galaxie + proto-* ; [pʀɔtogalaksi].

**PROTOGINE,** subst. f.
*Pétrogr.* Granite verdâtre faiblement métamorphisé, que l'on trouve dans le massif du Mont-Blanc. Déb. XIXe s. ; gr. *prôtos*, « premier », et *gignesthai*, « naître » ; [pʀɔtɔʒin].

**PROTOGYNIE,** subst. f.
*Bot.* Caractère d'une fleur hermaphrodite dont les stigmates sont réceptifs, puis flétris, avant que les étamines soient mûres, ce qui évite l'autofécondation (anton. *protandrie*). Fin XIXe s. ; formé de *proto-* et de *-gynie* ; var. *protérogynie* ; [pʀɔtɔʒini].

**PROTOHISTOIRE,** subst. f.
Période de l'histoire de l'humanité, intermédiaire entre la préhistoire et l'histoire, au cours de laquelle se développent les cultures métallurgiques et qui s'achève avec l'apparition de l'écriture. 1910 ; ☞ *histoire + proto-* ; [pʀɔtoistwaʀ].

**PROTON,** subst. m.
*Phys.* Particule du noyau atomique, porteuse d'une charge électrique positive de même valeur absolue que celle de l'électron. 1923 ; angl. *proton*, du gr. *prôton*, « premier » ; [pʀɔtɔ̃].

**PROTONÉMA,** subst. m.
*Bot.* Partie filamenteuse chlorophyllienne du gamétophyte des Bryophytes. 1846 ; gr. *nêma*, « filament », + *proto-* ; [pʀɔtɔnema].

**PROTONOTAIRE,** subst. m.
*Cath.* Prélat du Saint-Siège, non évêque, dont le rang est supérieur à celui des autres notaires apostoliques. Fin XIVe s. ; lat. chrét. *protonotarius*, « premier notaire » ; [pʀɔtonɔtɛʀ].

**PROTOPHYTE,** subst. m.
*Bot.* Végétal unicellulaire dont l'équivalent dans le règne animal est le protozoaire. 1839 ; formé de *proto-* et de *-phyte* ; [pʀɔtɔfit].

**PROTOPLANÈTE,** subst. f.
*Astron.* Stade primordial d'une planète en formation (phase d'accrétion) au sein d'un système stellaire (étoiles et planètes) en train de se former (synon. *planétoïde*). ☞ *planète + proto-* ; [pʀɔtoplanɛt].

**PROTOPLASME,** subst. m.
*Biol.* Substance cellulaire constituée du cytoplasme et du noyau (vieilli). 1846 ; all. *Protoplasma*, du gr. *prôtos*, « premier », et *plasma*, « ouvrage façonné, modelé » ; var. *protoplasma* ; [pʀɔtoplasm].

**PROTOPTÈRE,** subst. m.
*Zool.* Poisson pulmoné des marais africains, mesurant de 45 cm à 1 m de long, aux écailles molles, qui se déplace à terre en rampant. V. 1900 ; formé de *proto-* et de *-ptère* ; [pʀɔtɔptɛʀ].

**PROTOTHÉRIENS,** subst. m. plur.
*Zool.* Sous-classe de mammifères ovipares comprenant un ordre unique, celui des Monotrèmes. AU SING. *L'ornithorynque est un **protothérien**.* Gr. *thêrion*, « bête sauvage », + *proto-* ; [pʀɔtɔteʀjɛ̃].

**PROTOTYPE,** subst. m.
**1.** Vx. Premier exemplaire, modèle original d'un objet à reproduire. **2.** Anal. Modèle parfait, archétype : *Il est le **prototype** de l'élève studieux.* **3.** *Industr.* Premier exemplaire d'un appareil, d'une machine, construit avant la production en série. 1552 ; lat. *prototypus*, du gr. *prôtotupos*, « qui est le premier type, primitif » ; [pʀɔtɔtip].

**PROTOXYDE,** subst. m.
*Chim.* Oxyde comprenant une moindre proportion d'atomes d'oxygène par rapport à d'autres oxydes issus de la même molécule. 1809 ; angl. *protox…* de *oxide*, « oxyde », + *proto-* ; [pʀɔtɔksid].

**PROTOZOAIRES,** subst. m. plur.
*Zool.* Sous-règne des organismes unicellulaires … règne animal. AU SING. *La paramécie est un pr… zoaire.* 1834 ; formé de *proto-* et de *-zoa…* [pʀɔtɔzɔɛʀ].

**PROTRACTEUR,** adj. m. et subst. m.
*Anat.* Se dit d'un muscle qui commande … protraction. 1805 ; ☞ *protraction* ; [pʀɔtʀakt…

**PROTRACTILE,** adj.
*Physiol.* Qui peut s'étirer vers l'avant : *La… **protractile** d'un lézard.* 1805 ; lat. *protrac…* de *protrahere*, « tirer en avant » ; [pʀɔtʀaktil].

**PROTRACTION,** subst. f.
*Physiol.* Étirement d'un organe vers l'avant. 1… (fin XIVe s., délai, ajournement) ; lat. *protractio*, « pro… gement » ; [pʀɔtʀaksjɔ̃].

**PROTUBÉRANCE,** subst. f.
**1.** *Anat.* Partie du tronc cérébral située au-des… du bulbe, au-dessous des pédoncules cérébraux… en avant du cervelet. **2.** Saillie sur un os ou sur u… autre structure anatomique ; par ext., toute s… de saillie. **3.** *Astron.* Phénomène stellaire surven… dans la région de la haute chromosphère, qui … présente sous la forme d'un jet vertical de plas… pouvant s'élever à plus de 200 000 km au-des… de la surface. 1687 ; ☞ *protubérant* ; [pʀɔtybeʀ…

**PROTUBÉRANT, ANTE,** adj.
Qui fait saillie ; proéminent. 1575 ; bas … *protuberans*, de *protuberare*, du lat. *tuberare*, … gonfler » ; [pʀɔtybeʀɑ̃, ɑ̃t].

**PROTUTEUR, TRICE,** subst.
*Dr.* Personne faisant fonction de tuteur sans … avoir le titre ; en partic., administrateur des bi… d'un mineur quand ils sont situés à l'étrang… 1667 ; lat. *protutor* ; [pʀɔtytœʀ, tʀis].

**PROU,** adv.
**1.** Vx. Beaucoup. **2.** Loc. *Peu ou prou* : plus ou mo… (littér.). Fin XIe s. ; anc. fr. *pro*, du lat. pop. *pro…* « profit » ; [pʀu].

**PROUE,** subst. f.
*Mar.* Avant d'un navire (anton. *poupe*). 12… anc. génois *proa*, du lat. *prora*, du gr. *prôra* ; [pʀu].

**PROUESSE,** subst. f.
**1.** Vx. Vaillance d'un preux. **2.** Méton. Acte … bravoure : ***Prouesses** d'un sauveteur en mer* ; par e… exploit : *Une belle **prouesse** sportive.* Fin XIe … ☞ *preux* ; [pʀuɛs].

**PROUVER,** verbe trans. [3]
**1.** Établir la vérité de (une chose) par des preuv… ***Prouver** la culpabilité de qqn* ; être la preuve de : *C… ne **prouve** rien.* **2.** Exprimer (une chose) par … comportement : *Il lui **prouve** chaque jour son amo…* Déb. XIIe s. ; lat. *probare* ; [pʀuve].

**PROVENANCE,** subst. f.
Lieu d'où provient qqch., qqn : *La **provenance** d… fruit exotique* ; source, origine. ► Loc. **En provenar… de.** Arrivant de : *Voyageurs, avion en **provenance** … Moscou.* 1294 ; ☞ *provenir* ; [pʀɔvnɑ̃s].

**PROVENÇAL, ALE, AUX,** adj. et sub…
De la Provence. ► *Cuis.* *Préparation à la **provença…*** avec de l'ail et du persil. SUBST. MASC. Groupe … dialectes occitans parlés sur le territoire de l'a… cienne Provence ; par ext., la langue d'oc t… entière. Mil. XIIe s. ; topon. *Provence*, du lat. *provir… romana*, « province romaine » ; [pʀɔvɑ̃sal, o].

**PROVENDE,** subst. f.
**1.** Vx. Provisions, vivres. **2.** Mélange d'alime… pour le bétail. Mil. XIIe s. ; bas lat. *provenda*, « di… bution d'aliments » ; [pʀɔvɑ̃d].

**PROVENIR,** verbe intrans. [22]
**Provenir de. 1.** Avoir pour provenance : *Ce v… **provient** de Chine.* **2.** Résulter de ; avoir son orig… dans : *Des peurs **provenant** de l'enfance.* 1284 (d… XIIIe s., naître) ; lat. *provenire*, « naître » ; [pʀɔvniʀ].

**PROVERBE,** subst. m.
**1.** Maxime imagée exprimant une vérité d'ex… rience ou un conseil de bon sens qui est deve… d'un usage commun. ► Loc. *Passer en **proverbe*** : ê… cité comme **proverbe**. **2.** *Litt.* Petite comédie … illustre un proverbe. Fin XIIe s. ; lat. *proverbiu…* [pʀɔvɛʀb].

**PROVERBIAL, ALE, AUX,** adj.
**1.** Qui tient du proverbe : *Expression **proverbi…*** **2.** Qui est cité comme type, connu de tous : *Il … d'une générosité **proverbiale**.* 1487 ; bas lat. *pro… bialis* ; [pʀɔvɛʀbjal, o].

**PROVIDENCE, subst. f.**
Puissance suprême qui gouverne le monde en ›illant sur lui ; par méton. (avec une majuscule), ›ieu, qui gouverne la Création : *S'en remettre à la ›ovidence.* **2.** Ce qui assure le bonheur, la protec- ›n de qqn, d'une nation : *Ce mécénat fut pour ›i une* ***providence*** *; L'État* ***providence.*** Déb. XIII^e s. ›n XII^e s., prévisions) ; lat. *providentia*, de *providere*, ›révoir ; pourvoir à » ; [pʀɔvidɑ̃s].

**PROVIDENTIALISME, subst. m.**
›ilos. Finalisme fondé sur la providence divine. 1853 ; ☞ *providentiel* ; [pʀɔvidɑ̃sjalism].

**PROVIDENTIEL, ELLE, adj.**
. Qui relève de la providence. **2.** Ext. Qui arrive ›pportunément : *Aide* ***providentielle.*** Fin XVIII^e s. ; ☞ *providence*, d'apr. l'angl. *providential* ; [pʀɔvidɑ̃sjɛl].

**PROVIGNEMENT, subst. m.**
›ction de provigner ; son résultat. 1538 ; ☞ *pro- ›gner* ; synon. *provignage* ; [pʀɔviɲmɑ̃].

**PROVIGNER, verbe [3]**
›tic. **Trans.** Marcotter (une vigne). **Intrans.** Se mul- ›plier par provins. Fin XI^e s. ; ☞ *provin* ; [pʀɔviɲe].

**PROVIN, subst. m.**
›tic. Marcotte de vigne. Mil. XIII^e s. (déb. XIII^e s., ›nséquence) ; lat. *propago*, de *propagare*, « propager » ; ›ʀɔvɛ̃].

**PROVINCE, subst. f.**
. *Cath.* ► ***Province*** *ecclésiastique* : ensemble de dio- ›ses dépendant d'un même archevêque métropoli- ›in. ► Ensemble de maisons religieuses d'un ordre ›lacées sous l'autorité d'un provincial. **2.** *Antiq.* ›m. Territoire conquis hors de l'Italie et administré ›r un gouverneur. **3.** Contrée, pays (vx). **4.** Divi- ›on territoriale d'un royaume, d'un État. ► En ›ance, sous l'Ancien Régime, circonscription. Région, avec son histoire, ses traditions. ► Au ›anada, État fédéré. **5.** *La* ***province*** : en France, ›ensemble du pays à l'exclusion de l'Ile-de-France ; ›r méton., les habitants de la **province** (vieilli). Fin XII^e s. ; lat. *provincia* ; [pʀɔvɛ̃s].

**PROVINCIAL, ALE, AUX, subst. et adj.**
›bst. masc. *Cath.* Supérieur d'une province reli- ›euse. **Subst.** Habitant de la province. **Adj. 1.** De la ›ovince : *Aimer la vie* ***provinciale*** *; Air* ***provincial,*** ›elque peu lourdaud, emprunté (péj.). **2.** D'une ›ovince : *Dialecte* ***provincial*** *; Cuisine* ***provinciale.*** . *Gouvernement* ***provincial*** : au Canada, gouverne- ›ent d'une province (par oppos. à *fédéral*). Mil. ›I^e s. ; lat. *provincialis* ; [pʀɔvɛ̃sjal, o].

**PROVINCIALISME, subst. m.**
Caractère de ce qui est provincial (souv. péj.). . Tournure, manière de s'exprimer propre à une ›ovince. 1779 ; ☞ *provincial* ; [pʀɔvɛ̃sjalism].

**PROVISEUR, subst. m.**
. Fonctionnaire qui dirige un lycée. **2.** Belg. Adjoint ›u préfet des études, dans un athénée ou un lycée. 1802 (mil. XIII^e s., chef d'un hospice) ; lat. *provisor*, ›celui qui pourvoit à » ; [pʀɔvizœʀ].

**PROVISION, subst. f.**
. Ensemble de choses nécessaires à la subsistance, l'entretien, etc., de qqn : ***Provision*** *de bois pour hiver* ; au fig. : *Faire* ***provision*** *de courage.* **Plur.** Ré- ›erve de denrées alimentaires, de produits d'entre- ›en : *Reconstituer son stock de* ***provisions.*** **II.** *Dr.* . *Jugement par* ***provision*** : provisoire, en attendant la ›entence définitive (vx). **2.** Somme qu'un juge alloue un créancier en attendant le jugement définitif. . Ext. Acompte versé à un avocat, à un avoué ou à ›n expert. **4.** *Dr. comm.* Dépôt ; somme mise en ›anque et destinée à couvrir le paiement d'un titre ›mis. **5.** *Comptab.* Somme affectée par l'entreprise à couverture d'une créance douteuse, d'une perte. 1316 (mil. XIII^e s., attribution d'un salaire) ; lat. *provisio*, action de pourvoir à, de prévoir » ; [pʀɔvizjɔ̃].

**PROVISIONNEL, ELLE, adj.**
. *Dr.* Fait par provision, en attente d'un jugement, ›un règlement définitif. **2.** *Fisc. Acompte* ***pro- ›isionnel*** (☞ *tiers*). 1565 (fin XV^e s., provisoire) ; ☞ *provision* ; [pʀɔvizjɔnɛl].

**PROVISIONNER, verbe trans. [3]**
›in. Approvisionner (un compte), gén. en prévision ›une dépense. Fin XIX^e s. ; ☞ *provision* ; ›ʀɔvizjɔne].

**PROVISOIRE, adj.**
. *Dr.* Qui est rendu, prononcé avant un jugement ›éfinitif. **2.** Ext. Momentané, transitoire : *Solution ›***rovisoire** ; empl. subst. masc. : *Du* ***provisoire*** *qui s'éternise.* 1499 ; lat. *provisus*, de *providere*, « prévoir, pourvoir à » ; [pʀɔvizwaʀ].

**PROVISOIREMENT, adv.**
D'une manière provisoire. 1694 ; ☞ *provisoire* ; [pʀɔvizwaʀmɑ̃].

**PROVITAMINE, subst. f.**
*Biochim.* Substance sans activité biologique particulière, dont la transformation donne naissance à des molécules ayant des propriétés vitaminiques. 1938 ; all. *Provitamin* ; [pʀɔvitamin].

**PROVOCANT, ANTE, adj.**
**1.** Qui vise à susciter des réactions violentes : *Ton* ***provocant.*** **2.** Qui suscite le désir, troublant. 1776 ; p. pr. de *provoquer* ; [pʀɔvɔkɑ̃, ɑ̃t].

**PROVOCATEUR, TRICE, adj. et subst.**
Se dit d'une personne qui incite au désordre et à la violence, et, en partic., de qqn qui incite à des actes justifiant une répression de la part de l'autorité en place. **Adj.** Provocant : *Attitude* ***provocatrice.*** Déb. XVI^e s. ; lat. *provocator* ; [pʀɔvɔkatœʀ, tʀis].

**PROVOCATION, subst. f.**
**1.** Action de provoquer qqn, de l'inciter à faire qqch. : ***Provocation*** *au délit.* **2.** Méton. Parole, geste qui provoque ou vise à provoquer. 1549 (XIII^e s., appel) ; lat. *provocatio* ; [pʀɔvɔkasjɔ̃].

**PROVOQUER, verbe trans. [3]**
**1.** Inciter, pousser (qqn), par des propos, une attitude de défi, à faire qqch. et, en partic., à réagir violemment ; empl. abs. : ***Provoquer*** *qqn*, le pousser à être violent. **2.** Exciter érotiquement, chercher à éveiller le désir de (qqn). **3.** Être, volontairement ou non, à l'origine de (qqch.) : ***Provoquer*** *une réaction chimique, l'admiration, une rencontre.* Mil. XII^e s. ; lat. *provocare*, « appeler dehors » ; [pʀɔvɔke].

**PROXÉMIQUE, subst. f.**
Discipline scientifique qui étudie la façon dont l'être humain ou les animaux utilisent l'espace. V. 1970 ; anglo-amér. *proxemics*, de *proximity*, « proximité » ; var. *proxémie* ; [pʀɔksemik].

**PROXÈNE, subst. m.**
*Antiq. gr.* Citoyen choisi pour veiller, dans sa ville, aux intérêts des ressortissants d'une autre cité. 1766 ; gr. *proxenos*, de *pro*, « pour », et de *xenos*, « étranger » ; [pʀɔksɛn].

**PROXÉNÈTE, subst.**
**1.** Entremetteur. **2.** Personne qui se livre au proxénétisme. Mil. XVII^e s. (1521, courtier) ; lat. *proxeneta*, « courtier », du gr. *proxenêtês*, « médiateur » ; [pʀɔksenɛt].

**PROXÉNÉTISME, subst. m.**
Délit consistant à inciter ou à contraindre autrui à se prostituer, et à tirer profit de cette prostitution. 1842 ; ☞ *proxénète* ; [pʀɔksenetism].

**PROXIMAL, ALE, AUX, adj.**
*Anat.* Placé le plus près d'un point de référence (anton. *distal*) : *Partie* ***proximale*** *d'un membre*, la plus proche de sa racine. 1887 ; angl. *proximal*, du lat. *proximus*, « le plus proche » ; [pʀɔksimal, o].

**PROXIMITÉ, subst. f.**
**1.** Vx. Proche parenté. **2.** Caractère de ce qui est proche, dans l'espace ou dans le temps : *La* ***proximité*** *de la côte ; La* ***proximité*** *des congés ; Commerce de* ***proximité***, situé dans le proche voisinage. **3.** Loc. *À* ***proximité*** *(de)* : à faible distance (de). 1479 ; lat. *proximitas*, de *proximus*, « le plus proche » ; [pʀɔksimite].

**PROYER, subst. m.**
*Zool.* Oiseau passériforme proche du bruant, au plumage brun-fauve, qui vit dans les prés non loin des cours d'eau. Mil. XIV^e s. ; ☞ *pré* ; [pʀwaje].

**PRUCHE, subst. f.**
Québ. *Bot.* Conifère proche du sapin. 1544 ; topon. *Prusse* ; [pʀyʃ].

**PRUDE, adj. et subst.**
**1.** Se dit de qqn d'une vertu austère (vieilli). **2.** Se dit de qqn qui est pudibond (péj.) : *Jouer les* ***prudes.*** **Adj.** Qui marque la pruderie. 1640 ; anc. fr. *prodefemme*, « femme de mérite » ; [pʀyd].

**PRUDEMMENT, adv.**
Avec prudence. Fin XV^e s. ; ☞ *prudent* ; [pʀydamɑ̃].

**PRUDENCE, subst. f.**
Attitude qui consiste à mesurer les conséquences d'une action, d'une situation, et à agir de manière à prévenir tout danger, toute erreur. ► *Théol.* La première des quatre vertus cardinales. **Plur.** Méton. Actes, manifestations de prudence : ***Prudences*** *de langage.* Déb. XIII^e s. ; lat. *prudentia* ; [pʀydɑ̃s].

**PRUDENT, ENTE, adj. et subst.**
Se dit d'une personne qui a, qui montre de la prudence. **Adj.** Empreint de prudence. Déb. XII^e s. ; lat. *prudens*, de *providere*, « prévoir » ; [pʀydɑ̃, ɑ̃t].

**PRUDERIE, subst. f.**
**1.** Manifestation outrée de pudeur, pudibonderie. **2.** Attitude de retenue respectueuse envers la morale (rare et littér.). 1666 ; ☞ *prude* ; [pʀydʀi].

**PRUD'HOMAL, ALE, AUX, adj.**
*Dr.* Relatif ou qui appartient aux conseils de prud'hommes. 1907 ; ☞ *prud'homme* ; var. *prud'hommal, ale, aux* ; [pʀydɔmal, o].

**PRUD'HOMIE, subst. f.**
**1.** Vx. Qualité d'un prud'homme. **2.** *Dr.* Juridiction prud'homale. Fin XIV^e s. ; ☞ *prud'homme* ; var. *prud'hommie* ; [pʀydɔmi].

**PRUD'HOMME, subst. m.**
**1.** Homme de valeur, sage et probe (vx). **2.** *Dr. Conseil de* ***prud'hommes*** ou, par ell., *Les* ***prud'hommes*** : tribunal paritaire composé d'employeurs et de salariés élus pour juger les conflits opposant employeurs et salariés ; en appos. : *Conseiller* ***prud'homme.*** Fin XI^e s. ; formé de *preux* et de *homme* ; [pʀydɔm].

**PRUINE, subst. f.**
*Bot.* Matière cireuse et grasse recouvrant certains fruits tels que les prunes. 1842 (déb. XII^e s., gelée blanche) ; lat. *pruina*, « frimas, gelée blanche » ; [pʀɥin].

**PRUNE, subst. f. et adj. inv.**
**Subst.** Fruit du prunier, drupe comestible qui compte de nombreuses variétés (mirabelle, reine-claude, quetsche, etc.) ; par méton., eau-de-vie obtenue à partir de ce fruit. ► Loc. fam. *Pour des* ***prunes*** : pour rien, inutilement. **Adj.** D'une couleur violet foncé rappelant celle de certaines prunes : *Des rideaux de velours* ***prune*** ; empl. subst. masc., cette couleur. Fin XII^e s. ; lat. *pruna* ; [pʀyn].

**PRUNEAU, subst. m.**
**1.** Prune séchée au four ou au soleil : ***Pruneaux*** *d'Agen.* **2.** Balle d'une arme à feu (pop.). **3.** Helv. et Région. Quetsche. 1507 ; ☞ *prune* ; [pʀyno].

**PRUNELAIE, subst. f.**
*Agric.* Plantation de pruniers. 1690 ; ☞ *prunier* ; [pʀynlɛ].

**PRUNELLE, subst. f.**
**1.** Fruit du prunellier, petite prune acidulée, bleu-noir ; par méton., eau-de-vie, liqueur obtenue à partir de ce fruit. **2.** Anal. Pupille de l'œil. ► Loc. *Tenir à qqch. comme à la* ***prunelle*** *de ses yeux* : y tenir fortement. Mil. XII^e s. ; ☞ *prune* ; [pʀynɛl].

**PRUNELLIER, subst. m.**
*Bot.* Prunier sauvage épineux, de la famille des Amygdalacées, nommé aussi épine noire. XV^e s. ; ☞ *prunelle* ; [pʀynɛlje] ou [-nə-].

**PRUNIER, subst. m.**
*Bot.* Arbre fruitier de la famille des Amygdalacées, qui présente de nombreuses variétés acclimatées aux régions tempérées. ► Loc. *Secouer qqn comme un* ***prunier*** : le secouer avec force (fam.). Déb. XIII^e s. ; ☞ *prune* ; [pʀynje].

**PRUNUS, subst. m.**
*Bot.* **1.** Genre d'arbres et d'arbustes de la famille des Amygdalacées, comprenant diverses espèces fruitières (prunier, pêcher, abricotier, amandier, cerisier) et ornementales. **2.** Prunier ornemental à feuillage pourpre. Fin XVII^e s. ; mot lat. ; [pʀynys].

**PRURIGINEUX, EUSE, adj.**
*Pathol.* Qui démange. Fin XIV^e s. ; lat. *pruriginosus*, de *prurigo*, « démangeaison » ; [pʀyʀiʒinø, øz].

**PRURIGO, subst. m.**
*Pathol.* Dermatose très prurigineuse, caractérisée par des papules œdémateuses. 1810 ; lat. *prurigo*, « démangeaison » ; [pʀyʀigo].

**PRURIT, subst. m.**
*Pathol.* Sensation de démangeaison. Fin XIII^e s. ; lat. *pruritus*, de *prurire*, « démanger » ; [pʀyʀit].

**PRUSSIQUE, adj.**
*Chim. Acide* ***prussique*** : acide cyanhydrique, poison violent (vx). 1787 ; topon. *Prusse* ; [pʀysik].

**PRYTANE, subst. m.**
*Antiq.* **1.** Premier magistrat dans certaines cités grecques. **2.** À Athènes, membre de la boulê. Fin XIV^e s. ; lat. *prytanis*, du gr. *prutanis* ; [pʀitan].

**PRYTANÉE, subst. m.**
**1.** *Antiq.* Édifice public où se réunissaient les prytanes et où le peuple recevait les personnes qu'il voulait honorer. **2.** Établissement militaire d'enseignement du second degré. 1556 ; lat. *prytaneum*, du gr. *prutaneion* ; [pʀitane].

**PSALLETTE,** subst. f.
*Mus.* École de chant attachée à une église ; maîtrise. 1443 ; lat. *psallere*, « jouer de la cithare ; chanter des psaumes » ; [psalɛt].

**PSALLIOTE,** subst. f.
*Bot.* Champignon de la famille des Agaricacées, dont une espèce, la **psalliote** champêtre, est le champignon de couche dit champignon de Paris. Mil. XIXe s. ; gr. *pselion*, « anneau » ; [psaljɔt].

**PSALMISTE,** subst. m.
**1.** Auteur de psaumes ; empl. abs. : *Le **Psalmiste**,* le roi David. **2.** Chantre de psaumes. Fin XIIe s. ; bas lat. eccl. *psalmista*, du gr. *psalmistês* ; [psalmist].

**PSALMODIE,** subst. f.
**1.** *Relig.* et *Mus.* Façon monocorde, codifiée, de réciter ou de chanter les psaumes. **2.** Anal. Façon monotone de chanter, de réciter. Déb. XIIe s. ; lat. eccl. *psalmodia*, du gr. *psalmôdia*, de *psalmos*, « psaume », et de *ôdê*, « chant » ; [psalmɔdi].

**PSALMODIER,** verbe [6]
Intrans. Chanter, réciter des psaumes sans inflexion de voix. Trans. Dire, chanter (qqch.) d'un ton monotone. 1406 ; ☞ *psalmodie* ; [psalmɔdje].

**PSALTÉRION,** subst. m.
*Mus.* Cithare à cordes frappées, grattées ou pincées, en usage dans l'Antiquité et l'Europe médiévale. 1155 ; lat. *psalterium*, du gr. *psaltêrion* ; [psalteʀjɔ̃].

**PSAUME,** subst. m.
*Relig.* Chacun des poèmes du Livre des **Psaumes** (attribués au roi David), dans l'Ancien Testament, récités ou chantés dans les liturgies juive et chrétienne. Déb. XIIe s. ; lat. eccl. *psalmus*, du gr. *psalmos*, « air joué sur la lyre ; psaume » ; [psom].

**PSAUTIER,** subst. m.
*Relig.* Livre contenant les psaumes de la Bible. 1155 ; lat. eccl. *psalterium* ; [psotje].

**PSCHENT,** subst. m.
*Antiq.* Double couronne du pharaon, symbolisant sa souveraineté sur la Haute-Égypte et la Basse-Égypte. 1822 ; égyptien *p-skhent* ; [pskɛnt].

**PSEUDONYME,** adj. et subst. m.
Adj. Vx. **1.** Qui écrit sous un nom d'emprunt. **2.** Publié sous un nom d'emprunt. Subst. Nom d'emprunt pris par qqn pour cacher son identité (abrév. fam. : pseudo). 1690 ; gr. *pseudônumos* ; [psødɔnim].

**PSEUDOPODE,** subst. m.
*Biol.* Expansion cytoplasmique mobile émise par certaines cellules, gén. phagocytaires. 1859 (déb. XIXe s., famille de crustacés) ; formé de *pseudo-* et de *-pode* ; [psødɔpɔd].

**PSI,** subst. m. inv.
Vingt-troisième lettre de l'alphabet grec (ψ, Ψ), qui sert à noter le son [ps]. 1819 (1762, noctuelle) ; mot gr. ; [psi].

**PSILOCYBE,** subst. m.
*Bot.* Champignon de la famille des Agaricacées, caractérisé par un chapeau conique. 1836 ; gr. *psulos*, « dénudé », et *kubos*, « cube » ; [psilɔsib].

**PSITT,** interj.
Onomatopée servant à appeler, à attirer l'attention de qqn. 1656 ; onomat. ; var. *pst* ; [psit].

**PSITTACIDÉS,** subst. m. plur.
*Zool.* Famille unique d'oiseaux constituant l'ordre des Psittaciformes et comprenant les perroquets, les perruches, les aras, etc. Au sing. *Le jacquot est un **psittacidé**.* 1828 ; lat. *psittacus*, du gr. *psittakos*, « perroquet » ; [psitaside].

**PSITTACISME,** subst. m.
Action de répéter des mots sans les comprendre. 1765 ; lat. *psittacus*, du gr. *psittakos*, « perroquet » ; [psitasism].

**PSITTACOSE,** subst. f.
*Pathol.* Maladie infectieuse transmise à l'homme par les Psittacidés et due à une chlamydia. 1904 ; lat. *psittacus*, du gr. *psittakos*, « perroquet », + *-ose* ; [psitakoz].

**PSOAS,** subst. m.
*Anat.* Chacun des deux muscles de la paroi postérieure du tronc, tendus des vertèbres lombaires au petit trochanter, qui permettent l'inclinaison du rachis et le fléchissement de la hanche. 1690 ; gr. *psoa*, « lombes » ; [psɔas].

**PSOQUE,** subst. m.
*Zool.* Insecte ptérygote et aptère, tel le pou des livres, qui envahit les pièces humides et qui se nourrit des moisissures microscopiques du papier. 1796 ; gr. *psôkhein*, « broyer » ; [psɔk].

**PSORALÈNE,** subst. m.
*Pharm.* Substance potentialisant l'action des rayons ultraviolets sur la peau et utilisée notamment dans le traitement du psoriasis et du vitiligo. V. 1970 ; lat. *psoralea*, nom d'une plante d'Asie, du gr. *psôraleos*, « galeux » ; [psɔʀalɛn].

**PSORIASIS,** subst. m.
*Pathol.* Affection cutanée bénigne dont la cause est inconnue, évoluant par poussées, caractérisée par des plaques de squames épaisses et blanches sur certaines parties du corps. 1822 ; gr. *psôriasis*, « éruption galeuse », de *psôra*, « gale » ; [psɔʀjazis].

**PST,** voir **PSITT**

**PSY,** subst.
Psychiatre, psychanalyste ou psychologue (fam.). V. 1970 ; apocope de *psychiatre*, *psychanalyste*, *psychologue* ; plur. *psy(s)* ; [psi].

**PSYCHANALYSE,** subst. f.
**1.** Méthode d'investigation analytique des contenus psychiques profonds, fondée sur des concepts rigoureusement définis. **2.** Pratique du psychanalyste (ou analyste) et de l'analysant (ou patient) mettant en œuvre cette méthode (synon. *analyse*). 1896 ; all. *Psychoanalyse* ; [psikanaliz].

SCIENCES HUMAINES – Sigmund Freud inaugure la technique psychanalytique v. 1896, en adoptant la règle de l'association libre des pensées. Fondée sur le postulat de l'existence de processus psychiques inconscients et du rôle essentiel de la sexualité et du complexe d'Œdipe, cette pratique doit permettre d'accéder au matériel psychique refoulé qui se manifeste à travers les symptômes, les lapsus, les rêves. Avec la levée du refoulement, le sujet dénoue les liens psychiques inconscients qui le maintiennent à son insu dans une répétition des conflits infantiles. Le transfert sur la personne du psychanalyste lui donne la possibilité de réactualiser ces conflits dans la cure et d'affronter ses propres résistances à les dépasser, grâce au travail d'interprétation du thérapeute. L'histoire de la psychanalyse a été émaillée de ruptures (Adler en 1911, Jung en 1913, Ferenczi en 1929), de scissions et de créations d'écoles. En France, la Société psychanalytique de Paris (S. P. P. ), fondée en 1926, est affiliée à l'International Psychoanalytical Association (I. P. A.), créée par Freud en 1910. L'apport de J. Lacan, fondateur en 1964 de l'École freudienne de Paris, a enrichi l'héritage freudien de concepts nouveaux et démarqué la psychanalyse des visées plus adaptatives prévalant aux États-Unis. Le courant anglo-saxon (A. Freud, M. Klein, Winnicott) a ouvert de nouvelles voies dans le champ de la psychanalyse des enfants.

**PSYCHANALYSER,** verbe trans. [3]
Mener un travail de psychanalyse sur (qqn) ; interpréter (un texte, une œuvre) par la psychanalyse. 1926 ; ☞ *psychanalyse* ; [psikanalize].

**PSYCHANALYSTE,** subst.
Spécialiste de la psychanalyse ; spéc., personne qui traite des patients par la psychanalyse (synon. *analyste*). 1910 ; ☞ *psychanalyse* ; [psikanalist].

**PSYCHANALYTIQUE,** adj.
Relatif à la psychanalyse. 1905 ; ☞ *psychanalyse* ou all. *psychoanalytisch* ; [psikanalitik].

**PSYCHASTHÉNIE,** subst. f.
*Psych.* Syndrome caractérisé par une indécision de l'esprit allant jusqu'à l'aboulie, un perfectionnisme scrupuleux et une tendance maladive à l'introspection. 1893 ; ☞ *asthénie* + *psycho-* ; [psikasteni].

**PSYCHÉ (I),** subst. f.
Grande glace mobile pivotant sur un châssis et permettant de se regarder en pied. 1812 ; *Psyché*, princesse de la mythologie grecque ; [psiʃe].

**PSYCHÉ (II),** subst. f.
*Philos.* Tout ce qui, pour l'idéalisme occidental, relève de l'âme ou du psychisme, par oppos. au corps. 1842 ; gr. *psukhê*, « souffle ; âme » ; [psiʃe].

**PSYCHÉDÉLIQUE,** adj.
**1.** Qualifie un état psychique provoqué par l'absorption d'hallucinogènes, se traduisant par une exacerbation des sensations. **2.** Qui provoque un tel état : *Substance **psychédélique**.* **3.** Anal. Qui évoque, qui inspire un tel état. V. 1970 ; angl. *psychedelic*, du gr. *psukhê*, « âme », et *dêlos*, « visible » ; [psikedelik].

**PSYCHIATRE,** subst.
Médecin spécialiste de psychiatrie. 1802 ; forr de *psycho-* et de *-iatre* ; [psikjatʀ].

**PSYCHIATRIE,** subst. f.
Partie de la médecine consacrée à l'étude et traitement des maladies mentales et des troubl psychiques. 1842 ; ☞ *psychiatre* ; [psikjatʀi].

**PSYCHIATRIQUE,** adj.
Relatif à la psychiatrie. 1842 ; ☞ *psychiatr* [psikjatʀik].

**PSYCHIATRISER,** verbe trans. [3]
**1.** Admettre (un patient) dans une instituti psychiatrique. **2.** Attribuer, parfois abusivement, (un comportement, un fait) un caractère psych trique (péj.) ; empl. adj. : *Un conflit **psychiatri**.* V. 1970 ; ☞ *psychiatrie* ; [psikjatʀize].

**PSYCHIQUE,** adj.
Relatif au psychisme : *La vie **psychique**.* 18 (1557, matérialiste) ; lat. chrét. *psychicus*, du gr. *psuk kos*, « qui concerne le souffle, l'âme » ; [psiʃik].

**PSYCHISME,** subst. m.
Ensemble dynamique des structures et des conten de la conscience et de l'inconscient qui sont en j dans l'élaboration du moi. 1873 (1812, spiritu lisme) ; ☞ *psychique* ; [psiʃism].

**PSYCHOAFFECTIF, IVE,** adj.
*Psychol.* Qualifie un processus mental qui f intervenir l'affectivité. XXe s. ; ☞ *affectif* + *psych* [psikoafɛktif, iv].

**PSYCHOANALEPTIQUE,** adj. et subst. r
*Pharm.* Se dit d'une substance qui stimule l'activ psychique (synon. *psychotonique*). Mil. XXe s ☞ *analeptique* + *psycho-* ; [psikoanalɛptik].

**PSYCHOBIOLOGIE,** subst. f.
Étude des interactions du psychisme et des fo tions biologiques. 1946 ; ☞ *biologie* + *psych* [psikɔbjɔlɔʒi].

**PSYCHOCHIRURGIE,** subst. f.
*Chir.* Thérapie des troubles mentaux par le bia d'interventions sur l'encéphale, telle la lobotom 1936 ; ☞ *chirurgie* + *psycho-* ; [psikoʃiʀyʀʒi].

**PSYCHOCRITIQUE,** subst. et adj.
Subst. fém. Critique littéraire qui met en lumiè dans une œuvre, des constantes révélatrices l'inconscient de l'auteur. Subst. Personne pratiqua cette critique. Adj. Relatif à la **psychocritiqu** V. 1950 ; ☞ *critique* (II) + *psycho-* ; [psikokʀitik].

**PSYCHODRAME,** subst. m.
**1.** *Psychol.* et *Psych.* Méthode de psychothérapie groupe, fondée sur le jeu dramatique qui, en laissa les patients s'exprimer librement, leur permet lever les inhibitions liées à leurs névroses. **2.** F Situation conflictuelle, passionnelle qui évoq cette thérapie par son caractère spectaculai 1950 ; angl. *psychodrama* ; [psikɔdʀam].

**PSYCHODYSLEPTIQUE,** adj. et subst. r
*Pharm.* Se dit d'une substance qui crée des troubl comparables à ceux des psychoses. 1957 ; forr de *psycho-*, de *dys-* et de *-leptique* ; [psikodislɛptik].

**PSYCHOGÈNE,** adj.
Qui provient du psychisme : *Maladie **psychogèn*** 1908 ; formé de *psycho-* et de *-gène* ; [psikoʒɛn].

**PSYCHOGENÈSE,** subst. f.
**1.** Étude des processus psychiques. **2.** Étude l'apparition d'un phénomène psychique. 189 ☞ *genèse* + *psycho-* ; [psikoʒənɛz].

**PSYCHOKINÉSIE,** subst. f.
Capacité supposée d'effectuer des lévitations, d déformations d'objets à distance, etc. V. 197 gr. *kinêsis*, « mouvement », + *psycho-* ; [psikokinezi].

**PSYCHOLEPTIQUE,** adj. et subst. m.
*Pharm.* Se dit d'une substance qui inhibe et calı l'activité psychique : *Les neuroleptiques sont d **psycholeptiques**.* 1951 ; *psycholepsie* (vx), « chute la tension psychologique » ; [psikɔlɛptik].

**PSYCHOLINGUISTIQUE,** subst. f. et ac
Subst. Étude des processus psychologiques q sous-tendent les activités langagières. Adj. Rela à la **psycholinguistique**. V. 1960 ; ☞ *linguistiq* + *psycho-* ; [psikolɛ̃gɥistik].

**PSYCHOLOGIE,** subst. f.
**I. 1.** Ensemble des approches théoriques qui vise à comprendre et à expliquer les comportemen humains ou ceux des mammifères supérieur **2.** Chacune de ces approches spécifiques ; pratiq qui en découle : ***Psychologie** pathologique, social*

. 1. Manière de penser, de sentir et d'agir, propre une personne ou à une catégorie : *La **psychologie** l'adolescent.* 2. Aptitude à comprendre les états âme ou les agissements d'autrui : *Faire preuve de **ychologie**.* ▤ 1690 (1588, spiritisme) ; formé de *ycho-* et de *-logie* ; [psikɔlɔʒi].

**PSYCHOLOGIQUE, adj.**
Qui relève de la psychologie. 2. Qui atteint le ychisme : *Choc **psychologique** ; Guerre, action **psyologique**,* visant à influencer l'opinion, le moral un pays. ▤ 1751 ; ☞ *psychologie* ; [psikɔlɔʒik].

**PSYCHOLOGISME, subst. m.**
ndance doctrinale à réduire tous les comporte-ents humains à des phénomènes psychologiques. 1840 ; ☞ *psychologie* ; [psikɔlɔʒism].

**PSYCHOLOGUE, subst. et adj.**
**bst.** Spécialiste qui étudie, enseigne ou pratique psychologie. **Subst.** et **Adj.** Se dit de toute per-nne apte à comprendre le comportement et les ntiments d'autrui : *Être fin **psychologue**.* ▤ 1760 ; rmé de *psycho-* et de *-logue* ; [psikɔlɔg].

**PSYCHOMÉTRIE, subst. f.**
isemble des méthodes d'évaluation quantitatives pliquées à l'étude du comportement humain. 1842 ; *psychomètre* (vx), « instrument servant à préciser les facultés psychiques » ; [psikɔmetʀi].

**PSYCHOMOTEUR, TRICE, adj.**
ui concerne la psychomotricité : *Troubles **psychooteurs** ; Thérapie, rééducation **psychomotrice**,* visant amener une personne à mieux se situer dans espace et à améliorer sa relation à son corps. 1877 ; ☞ *moteur* + *psycho-* ; [psikɔmɔtœʀ, tʀis].

**PSYCHOMOTRICITÉ, subst. f.**
rganisation et intégration du développement oteur et psychologique, sous l'effet de la matura-on du système nerveux. ▤ 1952 ; ☞ *motricité psycho-* ; [psikɔmɔtʀisite].

**PSYCHOPATHE, subst. et adj.**
dit d'une personne atteinte de psychopathie. 1894 ; formé de *psycho-* et de *-pathe* ; [psikɔpat].

**PSYCHOPATHIE, subst. f.**
*ych.* Maladie mentale caractérisée par une inadap-tion à la vie sociale, sans sentiment de culpabilité erceptible : ***Psychopathie** meurtrière.* ▤ 1877 ; formé *psycho-* et de *-pathie* ; [psikɔpati].

**PSYCHOPATHOLOGIE, subst. f.**
ude et classification des troubles mentaux, de urs mécanismes et de leur évolution. ▤ 1896 ; *pathologie* + *psycho-* ; [psikɔpatɔlɔʒi].

**PSYCHOPÉDAGOGIE, subst. f.**
édagogie intégrant les acquis de la psychologie. 1952 ; ☞ *pédagogie* + *psycho-* ; [psikopedagɔʒi].

**PSYCHOPHARMACOLOGIE, subst. f.**
ude des substances psychotropes. ▤ 1956 ; *pharmacologie* + *psycho-* ; [psikofaʀmakɔlɔʒi].

**PSYCHOPHYSIOLOGIE, subst. f.**
ude des relations existant entre les processus ysiologiques et les comportements. ▤ 1877 ; *physiologie* + *psycho-* ; [psikofizjɔlɔʒi].

**PSYCHOPOMPE, adj.**
*yth.* Qui escorte l'âme du défunt vers l'au-delà : *pollon **psychopompe**.* ▤ 1842 ; gr. *psukhopompos* ; sikopɔ̃p].

**PSYCHORIGIDITÉ, subst. f.**
*sychol.* Caractère d'une personne incapable de considérer sa façon de penser ou de s'adapter aux rconstances. ▤ V. 1950 ; ☞ *rigidité* + *psycho-* ; sikoʀiʒidite].

**PSYCHOSE, subst. f.**
*Psych.* et *Psychanal.* Affection essentiellement sychique, d'origine organique (syphilitique, alcoo-que, etc.) ou dont l'étiologie reste inconnue ; ouble de la personnalité dans lequel le sujet, ojetant ses conflits psychiques sur les personnes les réalités extérieures, leur attribue, sans en avoir onscience, des anomalies dont l'origine est en i-même. 2. Ext. Peur obsessionnelle et diffuse qui empare d'une collectivité : *La **psychose** de l'attentat.* 1859 ; formé de *psycho-* et de *-ose*, d'apr. *névrose* ; sikoz].

**PSYCHOSENSORIEL, ELLE, adj.**
ualifie des troubles à la fois psychiques et senso-els : *Une hallucination **psychosensorielle**.* ▤ 1891 ; *sensoriel* + *psycho-* ; [psikosɑ̃sɔʀjɛl].

**PSYCHOSOCIOLOGIE, subst. f.**
ranche de la psychologie qui traite de l'influence des phénomènes sociaux sur l'individu. ▤ 1901 ; ☞ *sociologie* + *psycho-* ; [psikososjɔlɔʒi].

**PSYCHOSOMATIQUE, adj.**
1. Qualifie une affection organique dont le lien spécifique avec un facteur psychique a été établi. 2. *Médecine **psychosomatique*** : discipline qui étudie les relations réciproques des phénomènes affectifs et des troubles somatiques ; pratique médicale qui en découle. ▤ 1904 ; ☞ *somatique* + *psycho-* ; [psikosɔmatik].

**PSYCHOTECHNIQUE, subst. f.**
*Psychol.* Ensemble des méthodes servant à étudier la personnalité d'un individu et à évaluer ses capacités intellectuelles, à des fins d'orientation ou de sélection ; empl. adj. : *Tests **psychotechniques**.* ▤ 1928 ; ☞ *technique* + *psycho-* ; [psikotɛknik].

**PSYCHOTHÉRAPEUTE, subst.**
Personne qui pratique la psychothérapie. ▤ 1902 ; ☞ *thérapeute* + *psycho-* ; [psikoteʀapøt].

**PSYCHOTHÉRAPIE, subst. f.**
Mode de traitement des troubles somatiques ou psychiques utilisant des moyens exclusivement psychologiques : ***Psychothérapie** comportementaliste*, psychodrame ; ***Psychothérapie** analytique*, psychanalyse. ▤ 1888 ; ☞ *thérapie* + *psycho-* ; [psikoteʀapi].

**PSYCHOTIQUE, adj. et subst.**
Se dit d'une personne atteinte d'une psychose. **Adj.** Relatif, propre à la psychose : *État **psychotique**.* ▤ 1877 ; ☞ *psychose* ; [psikɔtik].

**PSYCHOTONIQUE, adj. et subst. m.**
*Pharm.* Psychoanaleptique (synon. *psychostimulant*). ▤ 1946 ; ☞ *tonique* (I) + *psycho-* ; [psikɔtonik].

**PSYCHOTROPE, adj. et subst. m.**
*Pharm.* Se dit d'une substance qui agit sur le psychisme. ▤ 1951 ; formé de *psycho-* et de *-trope* ; [psikɔtʀɔp].

**PSYCHROMÈTRE, subst. m.**
*Météor.* Instrument de mesure de l'hygrométrie. ▤ 1732 ; gr. *psukhros*, « froid », + *-mètre*[1] ; [psikʀɔmɛtʀ].

**PSYLLE (I), subst. m.**
Charmeur de serpents, en Orient. ▤ 1743 ; lat. *Psylli*, du gr. *Psulloi*, nom d'un peuple de Libye ; [psil].

**PSYLLE (II), subst. m. ou f.**
*Zool.* Insecte homoptère ressemblant à une petite cigale, qui combine le vol avec le saut et qui ravage les vergers. ▤ 1762 ; gr. *psulla*, « puce » ; [psil].

**PSYLLIUM, subst. m.**
1. *Bot.* Variété de plantain. 2. *Pharm.* Les graines de cette plante, utilisées pour leurs propriétés laxatives. ▤ 1256 ; lat. *psyllium*, du gr. *psullion*, « herbe aux puces » ; [psiljɔm].

**Pt, voir PLATINE (II)**

**PTÉRANODON, subst. m.**
*Paléont.* Reptile volant édenté de l'ordre des Ptérosauriens. ▤ Fin XIXe s. ; gr. *anodontos*, « édenté », + *ptéro-* ; [pteʀanɔdɔ̃].

**PTÉRIDOPHYTES, subst. m. plur.**
*Bot.* Embranchement du règne végétal, comprenant entre autres les prêles et les fougères. **Au sing.** *L'osmonde est un **ptéridophyte**.* ▤ 1898 ; gr. *pteris*, « fougère », + *-phyte* ; [pteʀidɔfit].

**PTÉRODACTYLE, subst. m.**
*Paléont.* Dinosaurien apparu au Crétacé, qui possédait une paire d'ailes membraneuses fonctionnelles. ▤ 1809 ; formé de *ptéro-* et de *-dactyle* ; [pteʀɔdaktil].

**PTÉROPODES, subst. m. plur.**
*Zool.* Ordre de mollusques pélagiques nageurs, de la classe des Gastéropodes, qui appartiennent au zooplancton. **Au sing.** *La clioboréale est un **ptéropode**.* ▤ 1809 ; formé de *ptéro-* et de *-pode* ; [pteʀɔpɔd].

**PTÉROSAURIENS, subst. m. plur.**
*Paléont.* Ordre de reptiles volants, diversifiés pendant l'ère secondaire et caractérisés par l'existence d'une aile membraneuse tendue sur un seul doigt, contrairement à celle des chauves-souris. **Au sing.** *Le ptéranodon est un **ptérosaurien**.* ▤ 1904 ; ☞ *saurien* + *ptéro-* ; [pteʀosɔʀjɛ̃].

**PTÉRYGOÏDE, adj. et subst. f.**
*Anat.* Se dit de chacune des deux apophyses crâniennes situées sur la face inférieure du sphénoïde. ▤ 1591 ; gr. *pterugoeidês*, « en forme d'aile » ; [pteʀigɔid].

**PTÉRYGOÏDIEN, IENNE, adj.**
*Anat.* Relatif aux ptérygoïdes : *Muscles **ptérygoïdiens*** ou, empl. subst. masc., *Les **ptérygoïdiens**,* muscles assurant le mouvement latéral du maxillaire. ▤ 1678 ; ☞ *ptérygoïde* ; [pteʀigɔidjɛ̃, jɛn].

**PTÉRYGOTES, subst. m. plur.**
*Zool.* Sous-classe des Insectes, regroupant tous ceux pourvus d'ailes ou de vestiges d'ailes. **Au sing.** *La libellule est un **ptérygote**.* ▤ 1932 ; gr. *pterugôtos*, « ailé » ; [pteʀigɔt].

**PTOLÉMAÏQUE, adj.**
Qui concerne les Ptolémée d'Égypte. ▤ 1875 ; bas lat. *ptolemaicus*, « de Ptolémée » ; [ptɔlemaik].

**PTOMAÏNE, subst. f.**
*Biochim.* Substance aminée toxique résultant de l'action dégradative exercée par certaines bactéries sur la viande en putréfaction. ▤ 1875 ; ital. *ptomaina*, du gr. *ptôma*, « cadavre » ; [ptɔmain].

**PTOSE, subst. f.**
*Pathol.* Affaissement d'un organe, dû à une perte de tonicité des muscles et des ligaments qui le maintiennent : ***Ptose** rénale, mammaire.* ▤ 1803 ; gr. *ptôsis*, « chute » ; var. *ptôse* ; [ptoz].

**PTOSIS, subst. m.**
*Pathol.* Abaissement anormal de la paupière supérieure : ***Ptosis** congénital, paralytique.* ▤ 1832 ; gr. *ptôsis*, « chute » ; var. *ptôsis* ; [ptozis].

**PTYALINE, subst. f.**
*Biochim.* Amylase salivaire (vieilli). ▤ 1842 ; gr. *ptualon*, « salive » ; [ptjalin].

**PTYALISME, subst. m.**
*Pathol.* Salivation excessive qui accompagne certaines affections, telles qu'intoxication, gastrite, stomatite. ▤ 1704 ; gr. *ptualismos* ; [ptjalism].

**Pu, voir PLUTONIUM**

**PUANT, PUANTE, adj.**
1. Qui dégage une odeur fétide, nauséabonde. 2. Fig. Qui est d'une odieuse vanité ; qui inspire un profond dégoût (fam. et péj.). 3. *Vén. Bêtes **puantes*** : le renard et les Mustélidés. ▤ Fin Xe s. ; anc. fr. *puir*, du lat. pop. °*putire*, « puer » ; [pɥɑ̃, pɥɑ̃t].

**PUANTEUR, subst. f.**
Odeur fétide. ▤ Mil. XIIIe s. ; ☞ *puant* ; [pɥɑ̃tœʀ].

**PUB (I), subst. m.**
Débit de boissons alcooliques typique de la Grande-Bretagne ; par ext., brasserie, café français décoré dans le style des bars anglais. ▤ 1925 ; angl. *pub*, abrév. de *public house*, « établissement public » ; [pœb].

**PUB (II), subst. f.**
Publicité (fam.). ▤ V. 1960 ; abrév. de *publicité* ; [pyb].

**PUBALGIE, subst. f.**
*Pathol.* Douleur causée par l'inflammation, souvent d'origine traumatique, des tendons adducteurs de la symphyse pubienne : ***Pubalgie** des footballeurs.* ▤ 1932 ; ☞ *pubis* + *-algie* ; [pybalʒi].

**PUBÈRE, adj.**
Qui a l'âge de la puberté. ▤ 1392 ; lat. *puber* ; [pybɛʀ].

**PUBERTAIRE, adj.**
Relatif à la puberté : *Crise **pubertaire**.* ▤ 1923 ; ☞ *puberté* ; [pybɛʀtɛʀ].

**PUBERTÉ, subst. f.**
1. Période de la croissance d'un être humain passant de l'enfance à l'adolescence, au cours de laquelle il devient apte à procréer et où les caractères sexuels secondaires apparaissent (pilosité, mue de la voix...). 2. Méton. Ensemble des modifications physiologiques et psychologiques qui caractérisent cette période. ▤ Mil. XIVe s. ; lat. *pubertas* ; [pybɛʀte].

**PUBESCENT, ENTE, adj.**
1. Qui est dans la période pubertaire, en parlant d'un garçon. 2. *Bot.* Couvert de poils duveteux : *Épicarpe **pubescent** du kiwi.* ▤ 1516 ; lat. *pubescens*, de *pubescere*, « se couvrir de poils » ; [pybɛsɑ̃, ɑ̃t].

**PUBIEN, IENNE, adj.**
*Anat.* Du pubis. ▤ 1796 ; ☞ *pubis* ; [pybjɛ̃, jɛn].

**PUBIS, subst. m.**
1. *Anat.* Partie inférieure et antérieure de chacun des os iliaques, formant une articulation. 2. Renflement triangulaire situé à l'extrémité inférieure de l'hypogastre, qui se couvre de poils à partir de la puberté. ▤ 1478 ; bas lat. *pubis*, du lat. *pubes*, « poil ; pubis » ; [pybis].

**PUBLIC, IQUE, adj. et subst. m.**
**Adj.** 1. Qui concerne l'ensemble du peuple, de la collectivité, ou qui en émane : *L'intérêt **public**.* 2. Qui relève de l'État : *Pouvoirs, services **publics** ; École **publique**.* 3. Connu de tous, notoire, manifeste : *Débat **public** ; Rumeur **publique**.* 4. Qui est commun à tous, à l'usage de tous : *Voie **publique** ;*

*Jardin public.* **Subst. 1.** Ensemble indéfini des individus, de la population : *Guichet ouvert au* ***public.*** **2.** Ensemble des personnes touchées, ou susceptibles de l'être, par un moyen de diffusion, une manifestation intellectuelle, sportive, etc. : *Livre destiné à un* ***public*** *jeune* ; *Être bon* ***public,*** être peu porté à la critique, et spontanément disposé à apprécier un spectacle. ▸ Loc. *Le grand* ***public*** : le plus grand nombre, aux goûts et aux idées indéfinis (par oppos. à un **public** d'initiés) ; empl. adj. inv. : *Spectacle grand* ***public.*** **3.** Ensemble défini des personnes effectivement présentes en un lieu donné à un moment donné ; assistance, auditoire. ▸ Loc. *En* ***public*** : en présence de nombreuses personnes. 1238 ; lat. *publicus* ; [pyblik].

**PUBLICAIN,** subst. m.
*Antiq. rom.* Personne qui prenait à ferme la perception des impôts et des droits de douane. Fin XIIe s. ; lat. *publicanus* ; [pyblikɛ̃].

**PUBLICATION,** subst. f.
**1.** Action de rendre public, de porter qqch. à la connaissance du public. ▸ *Dr.* Action de porter à la connaissance du public un acte législatif ou administratif par son insertion dans un périodique officiel. **2.** Action de faire éditer, de diffuser un écrit, un ouvrage. ▸ *Informat.* ***Publication*** *assistée par ordinateur (P. A. O.)* : ensemble de moyens informatiques permettant la production d'un journal, d'un ouvrage. **3.** Méton. Ouvrage, écrit publié : *Directeur de* ***publication,*** responsable juridique du contenu rédactionnel d'un périodique. 1290 ; lat. *publicatio,* « confiscation » ; [pyblikasjɔ̃].

**PUBLICISTE,** subst.
**1.** Spécialiste du droit public. **2.** Journaliste (vx). **3.** Publicitaire (empl. abusif). 1748 ; ☞ *public* ; [pyblisist].

**PUBLICITAIRE,** adj.
**1.** Qui a trait à la publicité ; qui sert à la publicité. **2.** Dont l'activité s'exerce dans le domaine de la publicité ; empl. subst. : *Un, une* ***publicitaire.*** 1930 ; ☞ *publicité* ; [pyblisitɛʀ].

**PUBLICITÉ,** subst. f.
**1.** Action de rendre public ; caractère de ce qui est porté à la notoriété publique : *Éviter la* ***publicité*** *d'une affaire.* ▸ *Dr.* ***Publicité*** *d'une audience* : possibilité accordée au public d'assister aux audiences d'un tribunal. **2.** Activité commerciale consistant à faire connaître des biens, des services ou des personnes ; ensemble des moyens mis en œuvre à cet effet : *Campagne, agence de* ***publicité*** ; par méton., message publicitaire, quel que soit son support (affiche, encart, spot). 1694 ; ☞ *public* ; [pyblisite].

© F. Jalain-Explorer

***Publicité*** *pour les pneus Michelin.*

**PUBLIER,** verbe trans. [6]
**1.** Porter à la connaissance du public. ▸ *Dr.* Procéder à la publication officielle de (une loi) ; promulguer. **2.** Faire paraître en imprimant, en diffusant (un ouvrage, un écrit) ; éditer. 1175 ; lat. *publicare* ; [pyblije].

**PUBLIPHONE,** subst. m. inv.
Cabine téléphonique publique. V. 1980 ; crois. de *public* et de *téléphone* ; n. déposé ; [pyblifɔn].

**PUBLIPOSTAGE,** subst. m.
Prospection publicitaire ou vente par voie postale. 1973 ; crois. de *publicité* et de *postage* ; [pyblipostaʒ].

**PUBLIQUEMENT,** adv.
D'une manière publique ; en public. 1302 ; ☞ *public* ; [pyblikmɑ̃].

**PUCCINIE,** subst. f.
*Bot.* Champignon parasite de l'ordre des Urédinales, responsable de la rouille des végétaux. 1808 ; anthropon. *Puccini* ; var. *un puccinia* ; [pyksini].

**PUCE,** subst. f.
**1.** *Zool.* Insecte sauteur de l'ordre des Siphonaptères, mesurant moins de 4 mm, parasite de l'homme et de certains mammifères, dont il absorbe le sang. Certaines espèces transmettent la peste. ▸ Loc. *Secouer les* ***puces*** *à qqn* : le réprimander vivement (fam.) ; *Mettre la* ***puce*** *à l'oreille de qqn* : éveiller ses soupçons, l'intriguer. ▸ Empl. adj. inv. D'une couleur brun-rouge. **2.** Anal. ***Puce*** *de mer* : talitre ; ***Puce*** *d'eau* : daphnie. **3.** *Marché aux* ***puces*** ou, par ell., *Les* ***puces*** : marché où l'on vend des objets d'occasion de toutes sortes. **4.** *Électron.* Nom familier donné au microprocesseur en raison de sa petite taille. Fin XIIe s. ; lat. *pulex* ; [pys].

**PUCEAU,** subst. m. et adj.
Se dit d'un garçon vierge (fam.). XIIIe s. ; ☞ *pucelle* ; [pyso].

**PUCELAGE,** subst. m.
Virginité (fam.). Fin XIIe s. ; ☞ *pucelle* ; [pyslaʒ].

**PUCELLE,** subst. f. et adj.
Se dit d'une fille vierge (fam.). ▸ *Hist. La* ***Pucelle*** *(d'Orléans)* : Jeanne d'Arc. Fin IXe s. ; lat. pop. °*pullicella,* « vierge pure » ; [pysɛl].

**PUCERON,** subst. m.
*Zool.* Petit insecte de l'ordre des Homoptères, parasite des plantes. 1636 ; ☞ *puce* ; [pysʀɔ̃].

**PUCHE,** subst. f.
Région. (Normandie). Filet servant à pêcher les crevettes et les petits poissons sur les plages sablonneuses. 1904 ; *pucher,* forme dial. de *puiser* ; [pyʃ].

**PUDDING,** subst. m.
*Cuis.* Entremets à base de farine, d'œufs, de mie de pain, de graisse de bœuf ou de beurre, garni de raisins secs et parfois parfumé à l'eau-de-vie. 1678 ; mot angl. ; var. *pouding* ; [pudiŋ].

**PUDDLAGE,** subst. m.
*Métall.* Technique ancienne de décarburation de la fonte liquide, brassée avec une scorie oxydante dans un four à réverbère, afin d'obtenir de l'acier ou du fer. 1826 ; ☞ *puddler* ; [pydlaʒ].

**PUDDLER,** verbe trans. [3]
*Métall.* Procéder au puddlage de (la fonte). 1827 ; angl. *to puddle,* « patauger ; brasser » ; [pydle].

**PUDEUR,** subst. f.
**1.** Attitude de réserve, de gêne envers ce qui évoque la sexualité ou à l'égard de la nudité : *Délit d'attentat, d'outrage public à la* ***pudeur.*** **2.** Discrétion qui porte à éviter ce qui peut choquer autrui ; retenue. 1542 ; lat. *pudor* ; [pydœʀ].

**PUDIBOND, ONDE,** adj.
Se dit d'une personne, d'un comportement manifestant une pudeur excessive : *Une vieille fille* ***pudibonde.*** 1542 (1488, qualifie les organes génitaux) ; lat. *pudibundus,* « qui éprouve de la honte » ; [pydibɔ̃, ɔ̃d].

**PUDIBONDERIE,** subst. f.
Caractère, comportement pudibond ; affectation de pudeur. 1842 ; ☞ *pudibond* ; [pydibɔ̃dʀi].

**PUDICITÉ,** subst. f.
Pudeur, caractère pudique (littér.). 1417 ; lat. *pudicitia* ; [pydisite].

**PUDIQUE,** adj.
**1.** Qui manifeste de la pudeur : *Jeune fille* ***pudique.*** **2.** Discret, réservé dans l'expression des sentiments : *Tendresse* ***pudique.*** XIVe s. ; lat. *pudicus* ; [pydik].

**PUER,** verbe [3]
**Intrans.** Exhaler une odeur nauséabonde, empester. **Trans. 1.** Exhaler la mauvaise odeur de : *Il* ***pue*** *le vin.* **2.** Fig. Porter la marque manifeste de (une chose désagréable ou honteuse) : *Ça* ***pue*** *l'escroquerie.* Fin XIIe s. ; lat. pop. °*putire,* du lat. *putere* ; [pɥe].

**PUÉRICULTEUR, TRICE,** subst.
Personne diplômée qui s'occupe de jeunes enfants (rare au masc.). 1932 ; ☞ *puériculture,* d'apr. *agriculteur* ; [pɥeʀikyltœʀ, tʀis].

**PUÉRICULTURE,** subst. f.
Ensemble des connaissances, des méthodes destinées à assurer le bon développement physique et psychique des enfants, de la naissance jusqu'à l'âge de quatre ou cinq ans. 1863 ; lat. *puer,* « enfant », + *-culture* ; [pɥeʀikyltyʀ].

**PUÉRIL, ILE,** adj.
**1.** Relatif à l'enfant, à l'enfance (vieilli) : *Âge* ***puéril.*** **2.** Qui témoigne d'une immaturité déplacée pour un adulte : *Discussion* ***puérile*** ; *Entêtement* ***puéril.*** Fin XVe s. ; lat. *puerilis,* de *puer,* « enfant » ; [pɥeʀil].

**PUÉRILISME,** subst. m.
*Psychol.* Attitude d'un adulte dont le comporteme[nt] évoque celui d'un enfant. 1901 ; ☞ *puéri[l]* ; [pɥeʀilism].

**PUÉRILITÉ,** subst. f.
**1.** Caractère de ce qui est puéril. **2.** Méton. Enfanti[l]lage (gén. au plur.) : *Débiter des* ***puérilités.*** 139[4] ; lat. *puerilitas* ; [pɥeʀilite].

**PUERPÉRAL, ALE, AUX,** adj.
*Méd.* Relatif à l'accouchement. ▸ *Fièvre* ***puerpérale*** : maladie infectieuse qui peut survenir après l'acco[u]chement. 1782 ; lat. *puerpera,* « accouchée », [de] *puer,* « enfant », et de *parere,* « enfanter » ; [pɥɛʀpeʀal, o].

**PUFFIN,** subst. m.
*Zool.* Oiseau palmipède migrateur, de la famille d[es] Procellariidés, qui niche en colonies dans les creu[x] des rochers. 1760 ; mot angl. ; [pyfɛ̃].

**PUGILAT,** subst. m.
**1.** *Antiq.* Lutte à coups de poing pratiquée par d[es] athlètes gantés de cestes. **2.** Ext. Bagarre à cou[ps] de poing, rixe. 1570 ; lat. *pugilatus* ; [pyʒila].

**PUGILISTE,** subst. m.
**1.** *Antiq.* Athlète spécialiste du pugilat. **2.** Boxeu[r]. 1789 ; prob. angl. *pugilist,* du lat. *pugil* ; [pyʒilis[t]].

**PUGNACE,** adj.
Qui a de la pugnacité, combatif (littér.). 184[0] ; lat. *pugnax,* de *pugnus,* « poing » ; [pygnas].

**PUGNACITÉ,** subst. f.
Combativité, propension à aimer l'affronteme[nt] (littér.). 1788 ; lat. *pugnacitas* ; [pygnasite].

**PUÎNÉ, ÉE,** adj. et subst.
Se dit d'une personne née après un frère ou u[ne] sœur (vieilli) : *Sœur* ***puînée,*** cadette. Fin XIIe s[.] ; formé de *puis* et de *né* ; [pɥine].

**PUIS,** adv.
**1.** Ensuite, après : *Il se leva,* ***puis*** *sortit* ; *Ici, [la] chambre,* ***puis*** *le bureau.* **2.** ***Et puis.*** D'ailleurs, d[u] reste : *Ce n'est nullement souhaitable, et* ***puis*** *ce sera inutile.* Fin XIe s. ; lat. pop. °*postius,* du lat. *pos[t],* « après » ; [pɥi].

**PUISAGE,** subst. m.
Action de puiser. 1466 ; ☞ *puiser* ; [pɥizaʒ].

**PUISARD,** subst. m.
**1.** Puits à fond perméable destiné à recevoir et absorber les eaux-vannes. **2.** *Archit.* Ouvertu[re] permettant d'accéder à l'intérieur d'un aqued[uc] pour le nettoyer ou le réparer. **3.** *Mar.* Caisso[n] étanche où les eaux de cale s'accumulent ava[nt] d'être aspirées par les pompes d'assècheme[nt]. 1690 ; ☞ *puits* ; [pɥizaʀ].

**PUISATIER, IÈRE,** subst.
Ouvrier spécialisé dans le forage, la réparation d[es] puits. 1836 ; ☞ *puits* ; [pɥizatje, jɛʀ].

**PUISER,** verbe trans. [3]
**1.** Prélever (du liquide) à l'aide d'un récipient : ***Puiser*** *de l'eau à une rivière* ; par anal. : ***Puiser*** *d[es] billes dans un sac* ; par ext. : ***Puiser*** *dans ses économie[s].* **2.** Fig. Emprunter, tirer : ***Puiser*** *sa force dans [la] religion.* ▸ Loc. ***Puiser*** *à la source* : se référer a[ux] textes originaux. Déb. XIIIe s. ; ☞ *puits* ; [pɥize].

**PUISQUE,** conj.
Introduit une cause, un motif connu ou considé[ré] comme incontestable ; sert à justifier une assertio[n]. Du moment que, étant donné que : *Je viendra[i]* ***puisque*** *vous insistez* ; *On ne peut démontrer l'immo[r]talité de l'âme,* ***puisqu'on*** *ne connaît pas sa natur[e].* Fin Xe s. ; formé de *puis* et de *que* (I) ; s'élide deva[nt] *il(s), elle(s), on, en, un(e)* ; [pɥisk(ə)].

**PUISSAMMENT,** adv.
Avec force, intensité ; avec des moyens puissants[,] avec efficacité. Mil. XIIe s. ; ☞ *puissant* ; [pɥisamɑ̃].

**PUISSANCE,** subst. f.
**I. 1.** Faculté, capacité de produire un effet, u[ne] énergie ; la force qui en résulte : ***Puissance*** *du bœ[uf] tirant la charrue* ; ***Puissance*** *créatrice* ; ***Puissan[ce]*** *du vent.* **2.** *Phys.* Grandeur P mesurant la quan[ti]té d'énergie E par unité de temps *t,* telle que [P] soit égale au rapport de la variation d'énergie s[ur] la variation de temps (*dE/dt*) et exprimée en watt[s]. ▸ ***Puissance*** *fiscale d'un moteur automobile* : exprimé[e] en chevaux fiscaux pour servir de base à l'impo[]sition. ▸ Ext. ***Puissance*** *du son d'une radio, d'u[n] éclairage* : son volume, son intensité. **II. 1.** Pouvo[ir] de commander, d'exercer de l'influence ; autorit[é,] pouvoir, domination : ***Puissance*** *de la presse* ; *L[a]* ***puissance*** *économique d'une multinationale.* **2.** *Philo[s.]* ▸ *Volonté de* ***puissance*** : selon Nietzsche, volonté q[ui]

ffirme les valeurs de vie, contre les morales :ablies. ▸ Virtualité ; caractère de ce qui tend être, à se réaliser ; en partic., chez Aristote, ropriété de la matière d'aspirer à une forme. Loc. *En* **puissance** : à l'état potentiel (par ppos. à *en acte*). **3.** *Pol.* État souverain qui ossède une certaine **puissance** : *Les grandes puissances*. **Plur. 1.** *Théol. Les* **Puissances** : les anges u 3ᵉ chœur de la 2ᵉ hiérarchie. **2.** *Les* **puissances** *ccultes* : êtres surnaturels auxquels certains prêtent n grand pouvoir, le plus souvent maléfique. **II.** *Math.* ▸ **Puissance** *n-ième d'un nombre réel on nul a* : produit de *n* facteurs égaux à *a* $n$ est entier positif, noté $a^n$ ($a^0 = 1$) ; ombre $\frac{1}{a^{-n}}$ si *n* est entier négatif ; nombre $\sqrt[q]{a^p}$, oté $a^{p/q}$ si *n* est la fraction $p/q$ ; et si *a* st strictement positif, $a^n$ se lit « *a* **puissance** *n* », étant l'exposant (si *n* est réel, ☞ *exponentiel*). *Fonction* **puissance** : pour un réel $\alpha$ fixé, fonction ui à $x$ associe $x^\alpha$, définie sur $\mathbb{R}$ si $\alpha$ est entier ositif ; définie pour $x \neq 0$ si $\alpha$ est entier négatif ; léfinie pour $x > 0$ si $\alpha$ n'est pas entier, par $x^\alpha = e^{\alpha \ln x}$. ▸ **Puissance** *d'un point P par rapport à un cercle u à une sphère de centre O et de rayon R* : nombre $OP^2 - R^2$, égal à $\overline{PM} \cdot \overline{PN}$ où M et N sont les inersections d'une droite passant par P avec le cercle u la sphère. ▸ **Puissance** *d'un ensemble* : cardinal le cet ensemble. 📖 Mil. XIIᵉ s. ; ☞ *puissant* ; [pɥisɑ̃s].

**PUISSANT, ANTE,** adj.
. Qui a un grand pouvoir, une grande influence : *Iomme, lobby* **puissant**. ▸ Empl. subst. masc. plur. *es* **puissants** *de ce monde* : les personnages les plus nfluents. **2.** Qui a un grand potentiel économique u militaire : *Une entreprise* **puissante** ; *Un* **puissant** *nnemi*. **3.** Qui produit un effet important, actif : **Puissant** *somnifère*. **4.** Capable de développer une rande énergie ; qui dénote cette capacité : *Musculature* **puissante**. **5.** Qui a une forte intensité : *Voix, umière* **puissante**. 📖 Fin XIᵉ s. ; anc. p. pr. de *pouoir* (I) ; [pɥisɑ̃, ɑ̃t].

**PUITS,** subst. m.
**1.** Trou creusé dans le sol pour atteindre une nappe l'eau, dont les parois sont gén. maçonnées. **2.** Anal. Trou, galerie creusée dans le sol pour exploiter un gisement : *Puits de mine* ; *Puits de pétrole*. **3.** Fig. *Puits de science* : personne très savante. **4.** *Mar.* **Puits** *ux chaînes* : compartiment servant à loger les chaînes des ancres. 📖 Déb. XIIᵉ s. ; lat. *puteus*, « trou, osse » ; [pɥi].

**PULICAIRE,** subst. f.
*Bot.* Plante de la famille des Astéracées, à feuilles ancéolées, qui pousse en milieu humide. 📖 1784 ; bas lat. *pulicaria herba*, « herbe aux puces » ; [pylikɛʀ].

**PULL,** subst. m.
Pull-over. 📖 V. 1930 ; apocope de *pull-over* ; [pyl].

**PULLMAN,** subst. m.
**1.** Wagon-salon de luxe (vieilli). **2.** Anal. Autocar très confortable. 📖 1873 ; mot anglo-amér., de l'anthropon. *Pullman*, créateur des voitures-lits ; [pulman].

**PULLOROSE,** subst. f.
*Vétér.* Maladie bactérienne contagieuse et mortelle des volailles, en partic. des poussins (synon. *diarrhée blanche du poussin*). 📖 1948 ; lat. sc. *bacterium pullorum*, « bactérie des poulets », + *-ose* ; [pyloʀoz].

**PULL-OVER,** subst. m.
Tricot couvrant le buste, gén. à manches, qui s'enfile par la tête ; chandail. 📖 1925 ; angl. *pull-over*, de *to pull*, « tirer », et de *over*, « par-dessus » ; plur. *pull-overs*, abrév. *pull* ; [pylɔvɛʀ].

**PULLULEMENT,** subst. m.
**1.** Fait de pulluler, de proliférer : **Pullulement** *de cafards*. **2.** Fig. Profusion, foisonnement : **Pullulement** *d'idées nouvelles*. 📖 1869 ; ☞ *pulluler* ; synon. *une pullulation* ; [pylylmɑ̃].

**PULLULER,** verbe intrans. [3]
**1.** Se multiplier rapidement et en grand nombre : *Les insectes* **pullulent**. **2.** Se manifester en très grand nombre ; foisonner : *Les touristes* **pullulent** *à Rome* ; *Ce quartier* **pullule** *d'enfants*. 📖 Mil. XIVᵉ s. ; lat. *pullulare*, de *pullus*, « petit (d'animal) » ; [pylyle].

**PULMONAIRE,** subst. f. et adj.
**Subst.** *Bot.* Plante de la famille des Borraginacées, utilisée autrefois contre les affections des voies respiratoires. **Adj. 1.** *Pathol.* Qui affecte, atteint le poumon : *Embolie* **pulmonaire**. **2.** Relatif au poumon : *Artère* **pulmonaire**. 📖 XVᵉ s. ; lat. *pulmonarius*, de *pulmo*, « poumon » ; [pylmɔnɛʀ].

**PULMONÉS,** subst. m. plur. et adj.
*Zool.* **Subst.** Sous-classe de mollusques gastéropodes aquatiques ou terrestres sans branchies, à cavité palléale servant de poumon ; au sing. : *La limnée est un* **pulmoné**. **Adj.** Se dit d'un poisson dont la vessie natatoire a évolué en poumon (vieilli). 📖 1817 ; lat. *pulmo*, « poumon » ; [pylmɔne].

**PULPAIRE,** adj.
*Dent.* Relatif à la pulpe dentaire. 📖 1922 ; ☞ *pulpe* ; [pylpɛʀ].

**PULPE,** subst. f.
**1.** Partie tendre, riche en sucs, des fruits charnus. **2.** *Anat.* ▸ Extrémité charnue des doigts. ▸ **Pulpe** *dentaire* : tissu conjonctif, riche en nerfs et en vaisseaux, de la cavité dentaire. 📖 1503 ; lat. *pulpa*, « chair, viande » ; [pylp].

**PULPEUX, EUSE,** adj.
**1.** Formé de pulpe, charnu : *Fruit* **pulpeux**. **2.** Qui a l'aspect charnu et moelleux de la pulpe : *Bouche* **pulpeuse**. 📖 1539 ; ☞ *pulpe* ; [pylpø, øz].

**PULPITE,** subst. f.
*Pathol.* Inflammation de la pulpe dentaire. 📖 1878 ; ☞ *pulpe* + *-ite* ; [pylpit].

**PULQUE,** subst. m.
Boisson mexicaine alcoolique tirée du suc de certains agaves. 📖 1765 ; esp. *pulque*, d'une langue amérindienne du Mexique ; [pulke].

**PULSAR,** subst. m.
*Astron.* Étoile en fin d'évolution (résidu de supernova) émettant des ondes hertziennes suivant des impulsions de période constante et très courte (de l'ordre de 1 ms à 1 s). 📖 V. 1970 ; angl. *pulsar*, crois. de *pulsating*, « vibrant », et de *star*, « étoile » ; [pylsaʀ].

**PULSATIF, IVE,** adj.
*Méd.* Qui concerne le pouls et les pulsations cardiaques. 📖 Fin XIVᵉ s. ; ☞ *pulsation* ; [pylsatif, iv].

**PULSATION,** subst. f.
**1.** *Méd.* Chacun des battements cardiaques perçu au niveau des artères. **2.** *Phys.* Grandeur $\omega$, exprimée en radians par seconde, représentant un coefficient déterminant la **pulsation** d'une oscillation sinusoïdale définie par $s = a \cos \omega t$, où $a$ est l'amplitude de l'oscillation et $t$ le temps. 📖 Fin XIVᵉ s. ; lat. *pulsatio*, « choc, heurt » ; [pylsasjɔ̃].

**PULSER,** verbe trans. [3]
*Techn.* Envoyer (un gaz, de l'air) dans un circuit, par pression ou au moyen d'une soufflerie ; empl. adj. : *Chauffage à air* **pulsé**. 📖 1949 ; angl. *to pulse*, du lat. *pulsare*, « pousser » ; [pylse].

**PULSION,** subst. f.
*Psychanal.* Processus dynamique somato-psychique qui pousse le sujet vers une action susceptible de supprimer un état de tension : **Pulsions** *sexuelles*. 📖 1910 (1572, poussée) ; bas lat. *pulsio*, « action de repousser » ; [pylsjɔ̃].

**PULSIONNEL, ELLE,** adj.
*Psychanal.* Relatif aux pulsions. 📖 1949 ; ☞ *pulsion* ; [pylsjɔnɛl].

**PULSORÉACTEUR,** subst. m.
*Aéron.* Réacteur à combustion discontinue. 📖 V. 1940 ; ☞ *réacteur* + *pulso-* ; [pylsoʀeaktœʀ].

**PULTACÉ, ÉE,** adj.
Qui a la consistance d'une bouillie. ▸ *Pathol. Angine* **pultacée** : caractérisée par un exsudat **pultacé** sur les amygdales. 📖 1790 ; lat. *puls*, « bouillie » ; [pyltase].

**PULVÉRIN,** subst. m.
Poudre très fine avec laquelle on amorçait jadis certaines armes à feu, utilisée aujourd'hui en pyrotechnie. 📖 1552 (1545, récipient à poudre) ; ital. *polverino*, du lat. *pulvis*, « poudre » ; [pylveʀɛ̃].

**PULVÉRISATEUR,** subst. m.
Appareil servant à pulvériser un liquide, une poudre. 📖 1860 ; ☞ *pulvériser* ; [pylveʀizatœʀ].

**PULVÉRISATION,** subst. f.
**1.** Action de réduire en particules très fines. **2.** *Techn.* Projection d'une poudre ou d'un liquide pulvérisé. 📖 1390 ; ☞ *pulvériser* ; [pylveʀizasjɔ̃].

**PULVÉRISER,** verbe trans. [3]
**1.** Réduire (une matière) en poudre. **2.** Détruire totalement : *L'explosion a* **pulvérisé** *les carreaux*. ▸ Fig. Anéantir, vaincre : **Pulvériser** *un adversaire, un argument* ; **Pulvériser** *un record*, le battre de beaucoup. **3.** Projeter en fines gouttelettes, en fines particules (un liquide, une matière pulvérulente) : **Pulvériser** *un insecticide*. 📖 1314 ; bas lat. *pulverizare*, du lat. *pulvis*, « poudre » ; [pylveʀize].

© G. Carde-Explorer

*Pulvérisation d'insecticide au-dessus d'une rizière, en Camargue.*

**PULVÉRISEUR,** subst. m.
*Agric.* Machine servant à briser les mottes de terre. 📖 1904 ; ☞ *pulvériser* ; [pylveʀizœʀ].

**PULVÉRULENT, ENTE,** adj.
Qui est à l'état de poudre ou qui peut facilement se réduire en poudre. 📖 1773 ; lat. *pulverulentus*, de *pulvis*, « poudre » ; [pylveʀylɑ̃, ɑ̃t].

**PUMA,** subst. m.
Mammifère carnassier d'Amérique, de la famille des Félidés, qui vit jusqu'à 4 500 m d'altitude, en forêt comme en prairie. Son pelage uni peut varier du brun-rouge au gris bleuté. Il peut atteindre 2 m de longueur et peser de 40 à 100 kg (synon. *cougar* ou *cougouar*, *lion des montagnes*). 📖 1633 ; esp. *puma*, d'orig. quechua ; [pyma].

© R. Lynn/P. H. R.-Jacana

*Puma femelle et son petit.*

**PUNA,** subst. f.
**1.** *Géogr.* Zone semi-aride et froide des hauts plateaux andins, occupée par une steppe herbeuse. **2.** Méton. Mal des montagnes. 📖 1598 ; esp. *puna*, d'orig. quechua ; [pyna].

**PUNAISE,** subst. f.
**1.** *Zool.* Insecte hétéroptère, à l'abdomen aplati, aux ailes antérieures épaissies, qui dégage une odeur nauséabonde, dont certaines espèces, parasites de l'homme, se nourrissent de son sang. **2.** Femme méprisable (péj. et fam.). **3.** Empl. interj. **Punaise !** : exprime le dépit ou la stupéfaction (fam.). **4.** Petit clou court à large tête plate, qui se plante par simple pression du doigt. 📖 1256 ; *punais* (vx), « puant, fétide », du lat. pop. °*putinasius*, « qui pue » ; [pynɛz].

**PUNAISER,** verbe trans. [3]
Fixer avec des punaises. 📖 1954 (1891, peindre par petites touches) ; ☞ *punaise* ; [pyneze].

**PUNCH (I),** subst. m.
Boisson à base de rhum additionné de sirop de canne, de jus de fruits, etc. : **Punch** *planteur* ; **Punch** *coco*. 📖 1653 ; angl. *punch*, prob. du hindi *pañca*, « cinq », cette boisson comptant à l'orig. cinq ingrédients ; [pɔ̃ʃ].

**PUNCH (II),** subst. m.
**1.** *Sp.* Aptitude d'un boxeur à porter des coups précis et puissants. **2.** Fig. Dynamisme, efficacité (fam.). 📖 1909 ; angl. *punch*, « coup de poing » ; [pœnʃ].

**PUNCHING-BALL,** subst. m.
Ballon fixé par des liens élastiques, qui sert à l'entraînement des boxeurs. 📖 1900 ; angl. *punching ball*, de *punching*, « en frappant », et de *ball*, « ballon » ; plur. *punching-balls* ; [pœnʃiŋbol].

**PUNCTUM,** subst. m.
*Anat.* et *Physiol.* ***Punctum*** *caecum* (☞ *point aveugle*) ; ***Punctum*** *proximum* : point pour lequel l'accommodation est maximale et en deçà duquel la vision n'est plus nette ; ***Punctum*** *remotum* : point au-delà duquel la vision n'est plus nette. 1865 ; lat. *punctum*, « piqûre ; point » ; [pɔ̃ktɔm].

**PUNIQUE,** adj.
*Antiq.* Relatif aux colonies phéniciennes d'Afrique, et en partic. à Carthage. ► *Les guerres* ***puniques*** : les trois guerres qui opposèrent Rome et Carthage de 264 à 146 av. J.-C. Fin XIVe s. ; lat. *punicus*, de *Poeni*, « les Carthaginois » ; [pynik].

**PUNIR,** verbe trans. [19]
**1.** Infliger une peine à (une personne qui a commis un délit, un crime) : ***Punir*** *un meurtrier* ; ***Être puni*** *de réclusion* ; par ext., infliger une sanction à (qqn) en réponse à un acte répréhensible : ***Punir*** *un enfant.* **2.** Sanctionner (un crime, un acte répréhensible) par un châtiment, une punition : ***Punir*** *une infraction.* **3.** Ext. Causer un mal, un préjudice à (qqn) ; infliger à (qqn) un désagrément qui sert de sanction : *Cet accident l'a* ***puni*** *de son imprudence.* 1260 ; lat. *punire* ; [pyniʀ].

**PUNISSABLE,** adj.
Qui mérite une peine : *Délit* ***punissable.*** 1477 (1364, qui punit) ; ☞ *punir* ; [pynisabl].

**PUNITIF, IVE,** adj.
Qui a pour but de punir : *Expédition* ***punitive,*** menée en représailles. 1370 ; ☞ *punition* ; [pynitif, iv].

**PUNITION,** subst. f.
**1.** Action de punir. **2.** Peine, châtiment infligé à qqn. 1250 ; lat. *punitio* ; [pynisjɔ̃].

**PUNK,** adj. et subst. m.
Se dit d'un mouvement musical et culturel né en Grande-Bretagne, qui fait de la provocation et de la dérision un mode de vie, et dont le slogan est *No future*, « Pas d'avenir ». **Adj.** Qui a trait ou qui appartient à ce mouvement : *Mode, coiffures* ***punk(s)*** ; empl. subst., adepte de ce mouvement. V. 1970 ; anglo-amér. *punk*, « pourri ; voyou » ; [pœk] ou [pœnk].

© B. Gérard-Explorer

*Punk londonien.*

**PUNTARELLE,** subst. f.
Petit morceau de corail, dont on fait des bracelets et des colliers. 1864 ; orig. obsc. ; [pɔ̃taʀɛl].

**PUPAZZO,** subst. m.
Marionnette italienne montée sur une gaine dans laquelle on enfile la main. 1852 ; mot ital. ; plur. *pupazzos* ou *pupazzi* ; [pupadzo], plur. [-dzo] ou [-dzi].

**PUPE,** subst. f.
*Zool.* **1.** Mollusque gastéropode terrestre, aussi appelé maillot. **2.** Chez certains insectes à métamorphoses, stade intermédiaire entre la larve et l'adulte, caractérisé par la présence d'une enveloppe qui dissimule les organes ; cette enveloppe. 1822 ; lat. sc. *pupa*, du lat. *pupa*, « poupée » ; [pyp].

**PUPILLAIRE (I),** adj.
*Dr.* Relatif à un, à une pupille : *Intérêts* ***pupillaires.*** 1409 ; lat. *pupillaris* ; [pypilɛʀ].

**PUPILLAIRE (II),** adj.
*Anat.* Relatif à la pupille de l'œil : *Contraction* ***pupillaire.*** 1727 ; ☞ *pupille* (I) ; [pypilɛʀ].

**PUPILLARITÉ,** subst. f.
*Dr.* État, situation du, de la pupille. 1398 ; ☞ *pupillaire* (I) ; [pypilaʀite].

**PUPILLE (I),** subst. f.
*Anat.* Orifice, à diamètre variable, situé au centre de l'iris de l'œil (synon. *prunelle*). 1314 ; lat. *pupilla*, de *pupa*, « petite fille ; poupée » ; [pypij].

**PUPILLE (II),** subst.
**1.** *Dr.* Orphelin mineur placé sous tutelle. ► ***Pupille*** *de la Nation* : orphelin de guerre bénéficiant d'un soutien de l'État ; ***Pupille*** *de l'Assistance publique* (vx), ou ***Pupille*** *de l'État* : enfant abandonné, orphelin ou retiré à ses parents, qui est placé sous tutelle de l'État. **2.** *Sp.* Jeune sportif appartenant à une catégorie qui précède celle des minimes. 1334 ; lat. *pupillus*, de *pupus*, « petit garçon » ; [pypij].

**PUPINISATION,** subst. f.
*Télécomm.* Introduction, à intervalles réguliers, de bobines d'induction dans une ligne téléphonique pour améliorer la transmission du signal. 1922 ; anthropon. *Pupin*, physicien américain ; [pypinizasjɔ̃].

**PUPIPARE,** adj.
*Zool.* Qualifie un insecte diptère qui ne pond pas d'œufs mais donne le jour directement à des pupes. 1827 ; ☞ *pupe* + *-pare* ; [pypipaʀ].

**PUPITRE,** subst. m.
**1.** Petit meuble avec ou sans pied, comportant un plan incliné pour lire ou écrire : ***Pupitre*** *d'écolier* ; ***Pupitre*** *de chapelle*, lutrin. **2.** *Électron.* Tableau de commande d'un ordinateur, d'une machine-outil, etc. 1357 ; lat. *pulpitum*, « tréteau » ; [pypitʀ].

**PUPITREUR, EUSE,** subst.
Personne aux commandes du pupitre d'un ordinateur. V. 1970 ; ☞ *pupitre* ; [pypitʀœʀ, øz].

**PUR, PURE,** adj. et subst.
**Adj. 1.** Qui est sans mélange, qui est dépourvu de corps étranger : *Chien de* ***pure*** *race* ; *Alcool* ***pur*** ; *Corps chimiquement* ***pur.*** **2.** Qui n'est pas altéré par un autre élément : *Un ciel* ***pur***, sans nuages ; *Un air* ***pur***, non pollué. **3.** Fig. Qui est sans souillure d'ordre moral, sans corruption : *Une conscience* ***pure*** ; *Une jeune fille* ***pure***, chaste. **4.** Qui ne dépend pas de l'expérience, de la pratique : *Science* ***pure*** (par oppos. à *science appliquée*) ; qui se limite strictement à son objet, à ses caractères spécifiques : *Art* ***pur*** ; *Poésie* ***pure.*** ► *Philos. Raison* ***pure*** : dont l'objet de connaissance est indépendant de toute expérience, chez Kant. ► *Math. Géométrie* ***pure*** : qui ne fait intervenir ni repères ni coordonnées (anton. *géométrie analytique*) ; *Nombre complexe imaginaire* ***pur*** : complexe non nul de partie réelle nulle, de la forme $z = ib$. **5.** Qui est conforme à une norme considérée comme idéale : *Style* ***pur*** ; *Un profil* ***pur.*** **6.** Qui est totalement, exclusivement tel : *Un* ***pur*** *hasard.* ► Loc. *En* ***pure*** *perte* : en vain ; ***Pur*** *et simple* : qui est tel sans restriction, sans condition. **7.** Loc. ***Pur*** *de* : exempt de ; ***Pur*** *et dur* : rigoureux, radical. **Subst. 1.** Personne d'une grande rigueur morale. **2.** Personne rigoureusement fidèle à une orthodoxie, à un parti. 980 ; lat. *purus* ; [pyʀ].

**PUREAU,** subst. m.
*Bât.* Partie non recouverte d'une tuile, d'une ardoise. 1676 ; anc. fr. *purer*, « écouler, dégoutter » ; [pyʀo].

**PURÉE,** subst. f.
**1.** Mets à base de légumes cuits puis écrasés ou passés : ***Purée*** *de carottes* ; ***Purée*** *de pommes de terre* ou, empl. abs., ***Purée.*** **2.** Métaph. ***Purée*** *de pois* : brouillard très épais (fam.). **3.** Fig. et Fam. Gêne, misère : *Être dans la* ***purée*** ; empl. interj. : ***Purée !***, misère ! (pop.). Déb. XIIIe s. ; anc. fr. *purer*, « nettoyer », du lat. *purare* ; [pyʀe].

**PUREMENT,** adv.
**1.** D'une manière pure, innocente (rare). **2.** Nettement ; uniquement, exclusivement. ► Loc. ***Purement*** *et simplement* : sans réserve, totalement. XIIe s. ; ☞ *pur* ; [pyʀmɑ̃].

**PURETÉ,** subst. f.
**1.** État de ce qui est pur, sans souillure morale : ***Pureté*** *des intentions* ; en partic., virginité. **2.** État de ce qui est pur, sans mélange : ***Pureté*** *de l'air, d'un métal.* **3.** Caractère de ce qui est sans défaut, limpide : ***Pureté*** *des lignes d'un dessin.* XIIe s. ; lat. *puritas* ; [pyʀte].

**PURGATIF, IVE,** adj. et subst. m.
*Pharm.* Se dit d'un remède qui purge. Déb. XIVe s. ; lat. médiév. *purgativus* ; [pyʀgatif, iv].

**PURGATION,** subst. f.
**1.** Vx. *Théol.* Purification du pécheur. ► *Litt.* ***Purgation*** *des passions* : catharsis (vx). **2.** *Méd.* Action de purger ; par méton., remède purgatif (vieilli). Fin XIIe s. ; lat. *purgatio*, « nettoyage » ; [pyʀgasjɔ̃].

**PURGATOIRE,** subst. m.
**1.** *Cath.* Lieu, état où, après la mort, l'âme dign[e] du salut éternel expie ses péchés avant d'accéde[r] au paradis (synon. *Église souffrante*). **2.** Fig. Lie[u], période d'épreuve transitoire. Fin XIIe s. ; la[t.] médiév. *purgatorium*, du lat. *purgatorius*, « qui purifie » ; [pyʀgatwaʀ].

**PURGE,** subst. f.
**1.** *Méd.* Action de purger ; par méton., reméd[e] purgatif. **2.** *Techn.* Action de purger un appareil, un[e] conduite. **3.** *Pol.* Élimination autoritaire d'oppo[-]sants : *Les* ***purges*** *staliniennes.* **4.** *Dr.* Opération qu[i] libère un bien d'une hypothèque qui le grèv[e]. 1538 (1390, acquittement) ; ☞ *purger* ; [pyʀʒ].

**PURGER,** verbe trans. [5]
**1.** Vx. Purifier : ***Purger*** *son âme* ; expier : ***Purger*** *se[s] péchés.* **2.** Épurer, raffiner : ***Purger*** *le sucre.* ► ***Purge[r]*** *un radiateur* : le vidanger. **3.** Provoquer l'évacuatio[n] des selles de (qqn) en administrant un purgatif [;] empl. pronom., prendre un purgatif. **4.** Fig. Débar[-]rasser de ce qui nuit : ***Purger*** *un texte de ses platitude[s]* ► Éliminer des éléments indésirables dans (un part[i,] un groupe). **5.** *Dr.* ► Procéder à la purge de (un bie[n] hypothéqué). ► ***Purger*** *une peine* : la faire disparaîtr[e] en la subissant. 1197 ; lat. *purgare*, « nettoyer » ; [pyʀʒe].

**PURGEUR,** subst. m.
Robinet ou système de vidange d'une canalisatio[n,] d'une machine, etc. 1869 (1531, celui qui purg[e] l'âme) ; ☞ *purger* ; [pyʀʒœʀ].

**PURIFICATEUR, TRICE,** subst. m. et adj.
**Subst.** Appareil qui sert à purifier : ***Purificateur*** *d'ea[u,] d'air.* **Adj.** Qui purifie. 1790 (1547, celui qu[i] purifie) ; ☞ *purifier* ; [pyʀifikatœʀ, tʀis].

**PURIFICATION,** subst. f.
**1.** *Relig.* Cérémonie, rite purificatoire. ► ***Purificatio[n]*** *des femmes* : dans la religion juive, cérémoni[e] destinée à purifier l'accouchée. ► *Cath.* ***Purificatio[n]*** *de la Vierge* : fête commémorant la purification d[e] Marie et la présentation de l'Enfant Jésus au Templ[e] (synon. *Chandeleur*). **2.** Action de purifier : ***Purifi[-]cation*** *de l'eau.* **3.** ***Purification*** *ethnique* : politiqu[e] visant à assurer à une seule ethnie, gén. par l[a] violence, l'exclusivité d'un territoire occupé pa[r] plusieurs ethnies. Fin XIIe s. ; lat. *purificatio[n]* ; [pyʀifikasjɔ̃].

**PURIFICATOIRE,** subst. m. et adj.
**Subst.** *Cath.* Linge avec lequel le prêtre purifie l[e] calice, s'essuie les lèvres et les doigts après la commu[-]nion. **Adj.** *Relig.* Qui est destiné, propre à purifier. 1610 ; lat. chrét. *purificatorius* ; [pyʀifikatwaʀ].

**PURIFIER,** verbe trans. [6]
**1.** Rendre moralement pur, débarrasser de la souil[-]lure morale : ***Purifier*** *sa conscience.* ► *Relig.* Rendr[e] pur grâce à un rite purificatoire : ***Purifier*** *un lieu, une âme* ; empl. pronom. : *Se* ***purifier*** *de ses péchés.* **2.** Débarrasser de ses impuretés : ***Purifier*** *l'eau* ; pa[r] ext. : ***Purifier*** *un texte de ses imperfections*, le corriger. Fin XIIe s. ; lat. *purificare*, « nettoyer » ; [pyʀifje].

**PURIN,** subst. m.
*Agric.* Partie liquide du fumier, composée des urine[s] et de la décomposition des matières solides, servan[t] d'engrais. 1842 ; anc. fr. *purer*, « s'écouler » ; [pyʀɛ̃].

**PURINE,** subst. f.
*Biochim.* Composé hétérocyclique azoté, de formul[e] $C_5H_4N_4$. 1904 ; all. *Purin*, du lat. sc. *purum uricu[m]* *acidum*, « acide urique pur » ; [pyʀin].

**PURIQUE,** adj.
*Biochim. Base* ***purique*** : l'un des constituants de[s] acides nucléiques, dérivé de la purine. Déb. XXe s. ; ☞ *purine* ; [pyʀik].

**PURISME,** subst. m.
**1.** Attitude consistant à se conformer rigoureuse[-]ment, dans l'usage de la langue, à un modèle idéa[l] et intangible en vue de la préserver pure. **2.** Perfec[-]tionnisme dans la pratique d'un art, d'un métier, etc. **3.** Mouvement pictural issu du cubisme, repré[-]senté notamment par Le Corbusier, qui recherch[e] la pureté des lignes. 1701 ; ☞ *pur* ; [pyʀism].

**PURISTE,** adj. et subst.
Se dit d'un partisan du purisme. **Adj.** Qui relève du purisme. 1625 (1586, puritain) ; ☞ *pur* ; [pyʀist].

**PURITAIN, AINE,** subst. et adj.
**Subst. 1.** *Relig.* Presbytérien des Églises d'Angle[-]terre et d'Écosse appartenant à une obédienc[e] très attachée à la lettre des Écritures, et dont de nombreux membres, après les persécutions du

XVIIe s., émigrèrent en Amérique du Nord. **2.** Ext. Personne qui montre ou affecte un attachement scrupuleux à des principes moraux. **Adj. 1.** *Hist.* et *Relig.* Qui relève du puritanisme. **2.** Ext. Qui témoigne d'une grande rigidité morale ou doctrinale : *Une éducation* ***puritaine.*** 1587 ; angl. *puritan*, du lat. *puritas*, « pureté » ; [pyʀitɛ̃, ɛn].

**PURITANISME, subst. m.**
**1.** *Hist.* et *Relig.* Doctrine, état d'esprit des puritains. **2.** Ext. Rigorisme moral ou doctrinal extrême. 1649 ; angl. *puritanism* ; [pyʀitanism].

**PUROT, subst. m.**
*Agric.* Fosse à purin. 1842 ; ☞ *purin* ; [pyʀo].

**PURPURA, subst. m.**
*Pathol.* Dépôt de sang sous-cutané formant des pétéchies, des ecchymoses ou des vibices, causé par une anomalie de la coagulation, par une infection ou par une fragilité capillaire. 1827 ; lat. *purpura*, « pourpre » ; [pyʀpyʀa].

**PURPURIN, INE, adj. et subst. f.**
**Adj.** De couleur pourpre (littér.). **Subst.** Matière colorante extraite de la garance. 1309 ; anc. fr. *pourprin*, d'apr. le lat. *purpura* ; [pyʀpyʀɛ̃, in].

**PUR-SANG, subst. m. inv.**
Cheval de course issu d'une race obtenue au XVIIIe s. par le croisement d'étalons arabes avec des juments anglaises. 1835 ; comp. de *pur* et de *sang* ; [pyʀsɑ̃].

**PURULENCE, subst. f.**
*Pathol.* État purulent ; suppuration. 1555 ; bas lat. *purulentia* ; [pyʀylɑ̃s].

**PURULENT, ENTE, adj.**
**1.** *Pathol.* Qui contient, produit du pus. **2.** Fig. Qui propage la putréfaction morale (littér.). 1542 ; lat. *purulentus* ; [pyʀylɑ̃, ɑ̃t].

**PUS, subst. m.**
*Pathol.* Liquide jaunâtre formé à la suite d'une infection et contenant des débris cellulaires, des globules blancs altérés et des germes : ***Pus*** *d'un abcès.* 1520 ; lat. *pus* ; [py].

**PUSEYISME, subst. m.**
*Relig.* Doctrine du théologien anglican E. B. Pusey, qui, au XIXe s., rapprocha du catholicisme une fraction de l'Église anglicane. 1856 ; angl. *puseyism* ; var. *puséysme* ; [pyzeism].

**PUSH-PULL, adj. inv. et subst. m. inv.**
Anglic. **1.** *Électron.* Se dit d'un montage symétrique de deux tubes ou de deux transistors, utilisé comme circuit amplificateur. **2.** Se dit d'un avion à moteurs en tandem. 1928 ; angl. *push pull*, de *to push*, « pousser », et de*to pull*, « tirer » ; [puʃpul].

**PUSILLANIME, adj.**
Littér. Qui manque d'audace ; qui fuit les responsabilités, timoré. Mil. XIIIe s. ; lat. *pusillanimus* ; [pyzilanim].

**PUSILLANIMITÉ, subst. f.**
Caractère, comportement d'une personne pusillanime (littér.). Fin XIIIe s. ; lat. *pusillanimitas* ; [pyzilanimite].

**PUSTULE, subst. f.**
**1.** *Pathol.* Vésicule cutanée inflammatoire, qui contient un liquide purulent : ***Pustule*** *maligne*, charbon humain. **2.** Anal. ▸ *Bot.* Chacune des petites vésicules qui recouvrent les tiges et les feuilles de certains végétaux. ▸ *Zool.* Chacune des excroissances de la peau de certains animaux, en partic. du crapaud. Déb. XIVe s. ; lat. *pustula* ; [pystyl].

**PUSTULEUX, EUSE, adj.**
*Pathol.* Qui a l'aspect d'une pustule ; caractérisé par la présence de pustules ; couvert de pustules. 1530 ; lat. *pustulosus* ; [pystylø, øz].

**PUTAIN, subst. f.**
**1.** Vulg. et Péj. Prostituée ; par ext., femme de mœurs légères. **2.** Fam. Personne qui veut plaire à tout le monde ; empl. adj. : *Il est très* ***putain.*** **3.** Empl. interj. ***Putain !*** : marque le dépit, la surprise, l'admiration (vulg.). Déb. XIIe s. ; anc. fr. *put*, « puant ; mauvais », du lat. *putidus* ; [pytɛ̃].

**PUTATIF, IVE, adj.**
*Dr.* Qualifie un titre, un acte que l'on suppose de bonne foi être légal, mais qui est sans fondement juridique (synon. *présomptif*) : *Père* ***putatif*** ; *Mariage* ***putatif***, dont la décision le frappant de nullité n'est pas encore effective. Fin XIVe s. ; lat. *putativus*, « imaginaire » ; [pytatif, iv].

**PUTE, subst. f.**
Putain (vulg. et péj.). Fin XIIe s. ; anc. fr. *put*, « puant, mauvais », du lat. *putidus* ; [pyt].

**PUTIER, subst. m.**
*Bot.* Nom commun du cerisier à grappes, de la famille des Amygdalacées. 1666 ; anc. fr. *put*, « puant ; mauvais » ; var. *putiet* ; [pytje].

**PUTOIS, subst. m.**
**1.** *Zool.* Mammifère carnivore de la famille des Mustélidés, dont l'espèce européenne, à la fourrure brune avec des taches claires sur la face, est commune dans les campagnes et mesure env. 50 cm de long. ▸ Loc. *Crier comme un* ***putois*** : pousser des cris perçants, protester. **2.** Méton. Fourrure de cet animal. **3.** *Techn.* Pinceau dont se servent les peintres sur porcelaine. 1164 ; anc. fr. *put*, « puant ; mauvais » ; [pytwa].

© M. Danegger-Jacana

*Putois.*

**PUTRÉFACTION, subst. f.**
Décomposition bactérienne des matières organiques. 1314 ; lat. *putrefactio* ; [pytʀefaksjɔ̃].

**PUTRÉFIER, verbe trans.** [6]
Faire pourrir. **Pronom.** Se décomposer. 1314 ; lat. *putrefacere* ; [pytʀefje].

**PUTRESCENCE, subst. f.**
État d'un corps en train de se putréfier. 1801 ; ☞ *putrescent* ; [pytʀesɑ̃s].

**PUTRESCENT, ENTE, adj.**
Qui est en cours de putréfaction. 1549 ; lat. *putrescens* ; [pytʀesɑ̃, ɑ̃t].

**PUTRESCIBLE, adj.**
Qui peut se putréfier. Fin XIVe s. ; bas lat. *putrescibilis* ; [pytʀesibl].

**PUTRIDE, adj.**
**1.** Vx. *Pathol. Fièvre* ***putride*** : fièvre que l'on attribuait à la corruption des humeurs. **2.** Qui est en putréfaction. **3.** Produit par la putréfaction. **4.** Fig. Qui a une influence malsaine (littér.). 1256 ; lat. *putridus* ; [pytʀid].

**PUTSCH, subst. m.**
Soulèvement d'un groupe politique armé en vue de prendre le pouvoir ; coup d'État militaire. V. 1920 ; all. *Putsch* ; [putʃ].

**PUTSCHISTE, subst. et adj.**
Se dit d'une personne qui participe à un putsch ou qui en est partisan. **Adj.** Relatif à un putsch. 1920 ; ☞ *putsch* ; [putʃist].

**PUTT, subst. m.**
*Sp.* Au golf, coup joué sur le green avec le putter. 1907 ; angl. *putt*, de *to put*, « placer » ; [pœt].

**PUTTER, subst. m.**
*Sp.* Au golf, club utilisé pour faire rouler doucement la balle vers le trou. 1899 ; mot angl. ; [pœtœʀ].

**PUTTO, subst. m.**
*B.-a.* Bébé nu, angelot personnifiant l'Amour, en partic. dans la peinture italienne. XXe s. ; mot ital. ; plur. *puttos* ou *putti* ; [puto], plur. [-ti].

**PUY, subst. m.**
**1.** Montagne, dans le Massif central (région.). **2.** *M. Â.* Société littéraire et religieuse qui organisait des joutes poétiques ou musicales à caractère marial. Fin XIe s. ; lat. *podium*, « petite éminence » ; [pɥi].

**PUZZLE, subst. m.**
**1.** Jeu de patience composé d'éléments qu'il faut assembler pour reconstituer une image. **2.** Fig. Problème complexe qui exige, pour être résolu, la synthèse d'éléments disparates. 1909 ; angl. *puzzle*, « embarras » ; [pœzl].

**PYCNIQUE, adj. et subst.**
Se dit d'un type morphologique présentant un corps massif, de taille moyenne, un cou et un visage larges (anton. *leptosome*). V. 1950 ; gr. *puknos*, « dense » ; [piknik].

**PYCNOMÈTRE, subst. m.**
*Métrol.* Flacon servant à déterminer la densité d'un solide ou d'un liquide. 1923 ; gr. *puknos*, « dense », + *-mètre*[1] ; [piknɔmɛtʀ].

**PYÉLITE, subst. f.**
*Pathol.* Infection de la muqueuse qui tapisse le bassinet et les calices des reins. 1849 ; formé de *pyélo-* et de *-ite* ; [pjelit].

**PYGARGUE, subst. m.**
*Zool.* Grand aigle pêcheur diurne de la famille des Accipitridés (synon. *orfraie*). Le **pygargue** à tête blanche est l'emblème des États-Unis d'Amérique. 1482 ; lat. *pygargus*, du gr. *pugargos*, « qui a le derrière blanc » ; [pigaʀg].

© T. Walker-Jacana

*Pygargue à tête blanche.*

**PYGMÉE, adj. et subst. m.**
Des Pygmées. **Subst.** Ext. Personne très petite ; par anal., personne insignifiante. 1246 ; lat. *Pygmaei*, du gr. *pugmaios*, « nain » ; [pigme].

**PYJAMA, subst. m.**
**1.** Pantalon large et bouffant porté par les deux sexes dans certaines régions de l'Inde. **2.** Tenue de nuit ou d'intérieur, composée d'une veste et d'un pantalon. 1837 ; angl. *pyjamas*, du persan *pāyjāma*, de *pāy*, « pied », et de *jāma*, « vêtement » ; [piʒama].

**PYLÔNE, subst. m.**
**1.** *Archéol.* Portail monumental des temples égyptiens, flanqué de deux massifs de maçonnerie tronconiques et peints. ▸ *Archit.* Pilier quadrangulaire à l'entrée d'une avenue, d'un pont. **2.** *Techn.* Pièce verticale en béton armé ou en charpente métallique supportant un pont suspendu, des câbles aériens, etc. 1819 ; gr. *pulōn*, « portail » ; [pilon].

**PYLORE, subst. m.**
*Anat.* Orifice inférieur de l'estomac, débouchant sur le duodénum. 1552 ; bas lat. *pylorus*, du gr. *pulōros*, « portier » ; [pilɔʀ].

**PYODERMITE, subst. f.**
*Pathol.* Infection dermique purulente. 1904 ; ☞ *dermite* + *pyo-* ; [pjodɛʀmit].

**PYOGÈNE, adj.**
*Pathol.* Qui entraîne une suppuration. 1833 ; formé de *pyo-* et de *-gène* ; [pjɔʒɛn].

**PYORRHÉE, subst. f.**
*Pathol.* Écoulement de pus : *Une* ***pyorrhée*** *gingivale.* 1808 ; gr. *puorroia*, ; [pjɔʀe].

**PYRALE, subst. f.**
*Zool.* Papillon dont les chenilles causent des ravages dans les cultures : ***Pyrale*** *de la vigne, du maïs, du pommier.* 1804 ; lat. *pyralis*, du gr. *purallis*, « insecte vivant dans le feu » ; [piʀal].

**PYRALÈNE, subst. m. inv.**
*Techn.* Isolant liquide de synthèse, ininflammable, équipant notamment des transformateurs électriques, et qui dégage, en cas d'exposition à la chaleur, des émanations toxiques de dioxine. V. 1960 ; ☞ *aldéhyde* + *pyro-* ; n. déposé ; [piʀalɛn].

**PYRAMIDAL, ALE, AUX, adj.**
**1.** Qui a la forme d'une pyramide ou, au fig., qui est organisé, hiérarchisé à la manière d'une pyramide : *Structure* ***pyramidale*** *d'un parti politique.* **2.** *Anat. Cellules* ***pyramidales*** : cellules nerveuses du cortex cérébral ; *Voies* ***pyramidales*** : faisceaux de fibres nerveuses motrices allant de l'encéphale à la moelle épinière. **3.** *Pathol. Syndrome* ***pyramidal*** : ensemble des troubles de la motricité volontaire, variables en fonction du siège de la lésion (hémiplégie, paraplégie ou tétraplégie), et apparaissant après l'interruption des voies **pyramidales**, notamment à la suite d'un accident. Mil. XIIIe s. ; bas lat. *pyramidalis* ; [piʀamidal, o].

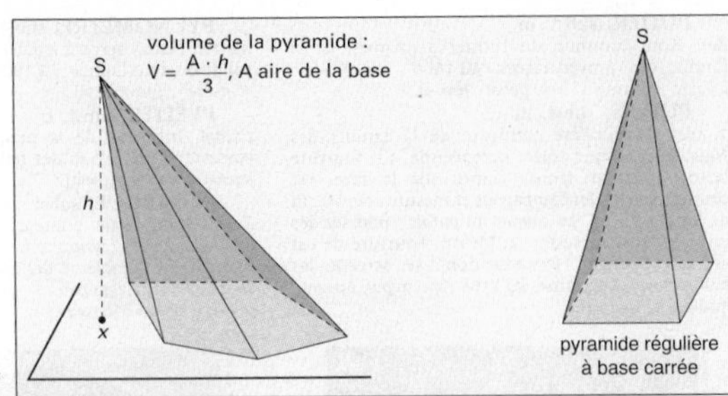


Exemples de pyramides.

**PYRAMIDE,** subst. f.
1. Tombeau pharaonique de l'ancienne Égypte, à base rectangulaire, à quatre faces triangulaires et à sommet pointu. ▸ Monument moderne de même forme : *La* ***pyramide*** *du Louvre.* ▸ Anal. Construction du Mexique précolombien, de forme similaire, aux faces étagées et au sommet tronqué portant un temple ou un autel. 2. *Géom.* Polyèdre dont une face (appelée base) est un polygone convexe plan, les autres faces étant des triangles dont la base est un côté du polygone et dont le sommet est un même point S (sommet de la **pyramide**) : ***Pyramide*** *régulière,* dont la base est un polygone régulier et dont le sommet se projette orthogonalement au centre de la base. 3. Anal. *Anat.* ***Pyramides*** *de Malpighi* : chacune des subdivisions triangulaires constituant la substance médullaire du rein. 4. Ext. Entassement d'objets en forme de **pyramide** : *Une* ***pyramide*** *de légumes.* ▸ Graphique de forme pyramidale : *La* ***pyramide*** *des âges.* Mil. XII^e s. ; lat. *pyramis*, du gr. *puramis* ; [piʀamid].

ARCHÉOLOGIE – D'une forme évoquant l'ascension du pharaon vers le royaume du dieu Râ (dieu Soleil), symboles de la butte primordiale d'où est née la vie terrestre, les pyramides d'Égypte ont été bâties pour abriter les sarcophages des pharaons. Elles faisaient partie de vastes complexes comprenant divers édifices cultuels et les tombeaux des dignitaires de la cour. Elles ont connu leur apogée sous l'Ancien Empire : la première pyramide, à degrés, est bâtie à Saqqarah v. 2800 av. J.-C. ; le roi Snéfrou fait construire, v. 2700 av. J.-C., des monuments sans degrés apparents (Meidoum, Dahchour). Son fils sera le bâtisseur des grandes pyramides de Kheops – l'une des Sept Merveilles du monde –, de Khephren et de Mykérinos, sur le plateau de Gizeh. L'intérieur des pyramides abritait un réseau de galeries et de chambres, parmi lesquelles la chambre funéraire du pharaon. À partir du roi Ounas (v. 2400 av. J.-C.), on y trouve, gravés sur les parois intérieures, les « textes des pyramides », le plus vieux corpus religieux de l'ancienne Égypte.

**PYRAMIDION,** subst. m.
Petit sommet pyramidal d'un obélisque. 1828 ; ☞ *pyramide* ; [piʀamidjɔ̃].

**PYRÈNE,** subst. m.
*Chim.* Hydrocarbure, composant du goudron, formé de plusieurs cycles aromatiques. 1858 ; gr. *pur*, « feu » ; [piʀɛn].

**PYRÈTHRE,** subst. m.
*Bot.* Plante de la famille des Astéracées, proche du chrysanthème et dont les fleurs fournissent une oléorésine insecticide. Mil. XIII^e s. ; lat. *pyrethrum*, du gr. *purethron*, « fièvre » ; [piʀɛtʀ].

**PYREX,** subst. m.
Verre très résistant et peu fusible. 1924 ; anglo-amér. *Pyrex*, du gr. *pur*, « feu » ; n. déposé ; [piʀɛks].

**PYREXIE,** subst. f.
*Pathol.* Fièvre ; par ext., maladie fébrile. 1795 ; gr. *purexis*, de *puressein*, « être fiévreux » ; [piʀɛksi].

**PYRIDINE,** subst. f.
*Chim.* Hydrocarbure azoté, composant du goudron, de formule $C_5H_5N$. C'est un liquide incolore à l'odeur caractéristique, très utilisé en chimie organique. 1839 ; gr. *pur*, « feu » ; [piʀidin].

**PYRIDOXINE,** subst. f.
*Biochim.* Vitamine $B_6$, qui intervient dans de nombreuses réactions du métabolisme des acides aminés. 1942 ; ☞ *pyridine* ; [piʀidɔksin].

**PYRIMIDINE,** subst. f.
*Biochim.* Composé hétérocyclique azoté, de formule $C_4H_4N_2$. Fin XIX^e s. ; all. *Pyrimidin* ; [piʀimidin].

**PYRIMIDIQUE,** adj.
*Biochim.* ***Base pyrimidique*** : l'un des constituants des acides nucléiques, dérivé de la pyrimidine. 1905 ; ☞ *pyrimidine* ; [piʀimidik].

**PYRITE,** subst. f.
*Minér.* Sulfure de fer, de formule $FeS_2$, présent dans les roches sédimentaires, magmatiques ou métamorphiques et utilisé comme minerai de soufre. Mil. XII^e s. ; lat. *pyrites*, du gr. *puritês*, « de feu » ; [piʀit].

**PYROCORISE,** subst. m.
*Zool.* Punaise des bois, rouge à taches noires, aussi appelée gendarme. 1875 ; gr. *purrhos*, « roux », et *koris*, « punaise » ; var. *pyrrhocoris* (rare) ; [piʀɔkɔʀiz].

**PYROÉLECTRICITÉ,** subst. f.
*Phys.* Polarisation électrique de certains cristaux sous l'effet d'une variation de température. 1869 ; ☞ *électricité* + *pyro-* ; [piʀoelɛktʀisite].

**PYROGÉNATION,** subst. f.
*Chim.* Réaction chimique provoquée par une forte température. 1894 ; ☞ *pyrogène* ; [piʀɔʒenasjɔ̃].

**PYROGÈNE,** adj.
*Méd.* Qui provoque la fièvre. 1839 ; formé de *pyro-* et de *-gène* ; [piʀɔʒɛn].

**PYROGRAVER,** verbe trans. [3]
Décorer par pyrogravure. 1888 ; ☞ *graver* + *pyro-* ; [piʀoɡʀave].

**PYROGRAVURE,** subst. f.
Action, art de graver un dessin sur bois, sur cuivre, etc., avec une pointe métallique chauffée au rouge ; par méton., gravure ainsi obtenue. 1888 ; ☞ *gravure* + *pyro-* ; [piʀoɡʀavyʀ].

**PYROLYSE,** subst. f.
*Chim.* Décomposition obtenue par la chaleur seule. V. 1900 ; formé de *pyro-* et de *-lyse* ; [piʀɔliz].

**PYROMANE,** subst. et adj.
Se dit d'une personne atteinte de pyromanie. 1833 ; formé de *pyro-* et de *-mane*[2] ; [piʀɔman].

**PYROMANIE,** subst. f.
Besoin obsessionnel d'allumer des incendies. 1833 ; formé de *pyro-* et de *-manie* ; [piʀɔmani].

**PYROMÈTRE,** subst. m.
Instrument de mesure des températures élevées. 1738 ; formé de *pyro-* et de *-mètre*[1] ; [piʀɔmɛtʀ].

**PYROTECHNIE,** subst. f.
1. Vx. Art de se servir du feu. 2. Technique de fabrication des explosifs et des pièces d'artifice ; art de les employer. 1556 ; formé de *pyro-* et de *-technie* ; [piʀɔtɛkni].

**PYROTECHNIQUE,** adj.
Relatif à la pyrotechnie : *Spectacle* ***pyrotechnique***. 1626 ; ☞ *pyrotechnie* ; [piʀɔtɛknik].

**PYROXÈNE,** subst. m.
*Minér.* Minéral noir, vert ou violacé, à l'éclat métallique, constituant essentiel des roches magmatiques et métamorphiques. 1797 ; gr. *xenos*, « hôte », + *pyro-* ; [piʀɔksɛn].

**PYRRHONISME,** subst. m.
*Philos.* Doctrine de Pyrrhon ; scepticisme. 1580 ; anthropon. *Pyrrhon*, philosophe grec ; [piʀɔnism].

**PYTHAGORICIEN, IENNE,** adj. et subst.
*Philos.* Se dit d'un disciple de Pythagore. ADJ. 1. Propre au pythagorisme. 2. *Arithm.* ***Triplet pythagoricien*** : triplet $(a, b, c)$ de nombres entiers naturels tels que $a^2 + b^2 = c^2$. 1586 ; *pythagorique* (vx), « propre à Pythagore, à son école » ; [pitaɡɔʀisjɛ̃, jɛn].

**PYTHAGORISME,** subst. m.
*Philos.* Mouvement religieux, philosophique et politique issu de l'école fondée par Pythagore. 1756 ; *pythagorique* (vx), « de Pythagore » ; [pitaɡɔʀism].

**PYTHIE,** subst. f.
*Antiq.* Prêtresse de l'oracle d'Apollon, à Delphes. ▸ Ext. Prophétesse, voyante. 1546 ; lat. *Pythia*, du gr. *Puthia*, de *Puthô*, anc. nom de Delphes ; [piti].

**PYTHIEN, IENNE,** adj.
*Antiq.* Relatif à Delphes, à la pythie. ▸ *Apollon* ***pythien*** : Apollon vainqueur du serpent Python. 1550 ; gr. *Puthô*, anc. nom de Delphes ; [pitjɛ̃, jɛn].

**PYTHIQUES,** adj. m. plur.
*Antiq. gr.* ***Les jeux pythiques*** : célébrés tous les quatre ans, à Delphes, en l'honneur d'Apollon pythien. 1690 ; gr. *puthikos* ; [pitik].

**PYTHON,** subst. m.
*Zool.* Serpent de la famille des Boïdés, non venimeux mais qui étouffe ses proies. Il peut mesurer de 60 cm (**python** pygmée d'Australie) à 9 m (**python** molure de Birmanie). 1803 ; gr. *Puthôn*, nom du serpent fabuleux tué par Apollon ; [pitɔ̃].

© J.-P. Hervy-Jacana

*Python.*

**PYTHONISSE,** subst. f.
*Antiq.* Prophétesse. ▸ Voyante (littér.). XIII^e s. ; lat. médiév. *pythonissa*, du lat. *pytho*, « devin » ; [pitɔnis].

**PYURIE,** subst. f.
*Pathol.* Présence de pus dans les urines. 1803 ; formé de *pyo-* et de *-urie* ; [pjyʀi].

**PYXIDE,** subst. f.
1. *Archéol.* Coffret à bijoux. 2. *Liturg.* Petite boîte renfermant les hosties (synon. *custode*). 3. *Bot.* Fruit sec déhiscent s'ouvrant par une fente circulaire complète. Fin XV^e s. ; lat. *pyxis*, du gr. *puxos*, « coffret » ; [piksid].

Quai Conti à Paris, l'hôtel de la Monnaie. © Comstock

**Q,** subst. m. inv.
**1.** Dix-septième lettre et treizième consonne de l'alphabet, qui, en français, est toujours suivie de *u*, sauf à la fin d'un mot. Le groupe *qu* peut se prononcer [k] (« qui »), [kw] (« équateur ») ou [kɥ] (« équidistant »). **2.** Abrév. et Symb. ▸ *Math.* ℚ : ensemble des nombres rationnels (ℚ* désigne ℚ privé du zéro). ▸ q : quintal. [ky].

**QARAÏTE,** voir **KARAÏTE**

**QAT,** subst. m.
**1.** *Bot.* Arbuste d'Arabie ou d'Abyssinie, dont on mâche les feuilles ; ces feuilles elles-mêmes. **2.** Substance hallucinogène extraite des feuilles de cet arbuste. 1890 ; ar. *qāt* ; var. *khat* ; [kat].

**QUADRAGÉNAIRE,** adj. et subst.
Adj. Dont l'âge est compris entre quarante et quarante-neuf ans. Subst. Personne **quadragénaire** (abrév. fam. : quadra). 1569 ; lat. *quadragenarius*, « qui a quarante ans » ; [k(w)adʀaʒenɛʀ].

**QUADRAGÉSIMAL, ALE, AUX,** adj.
*Liturg.* Relatif, propre au carême. Déb. XVIe s. ; lat. chrét. *quadragesimalis* ; [k(w)adʀaʒezimal, o].

**QUADRAGÉSIME,** subst. f.
*Liturg.* Premier dimanche de carême (vieilli). 1680 (1487, carême) ; lat. chrét. *quadragesima*, « carême » ; [k(w)adʀaʒezim].

**QUADRANGLE,** subst. m.
*Géom.* Figure plane formée des six droites joignant deux à deux quatre points du plan non alignés trois à trois (synon. *quadrilatère plan*). Mil. XIIIe s. ; lat. *quadrangulus* ; [k(w)adʀɑ̃gl].

**QUADRANGULAIRE,** adj.
Qui a quatre angles ; dont la base est un quadrilatère. 1450 ; bas lat. *quadrangularis* ; [k(w)adʀɑ̃gylɛʀ].

**QUADRANT,** subst. m.
**1.** *Mar.* Instrument qui servait à calculer la hauteur du soleil. **2.** *Géom.* Secteur angulaire saillant formé par deux demi-droites perpendiculaires. 1567 (XVe s., quart du jour) ; lat. *quadrans*, « quart » ; [kadʀɑ̃].

**QUADRATIQUE,** adj.
**1.** *Math.* ▸ ***Forme quadratique** sur un K-espace vectoriel E* : application $q$ de E dans K telle que $q(\lambda\vec{x}) = \lambda^2\, q(x)$ pour tout $\lambda$ de K et tout $\vec{x}$ de E, et l'application $(\vec{x}, \vec{y}) \rightarrow q(\vec{x} + \vec{y}) - q(\vec{x}) - q(\vec{y})$ est bilinéaire symétrique. ▸ *Moyenne **quadratique** de n nombres* : racine carrée de la moyenne arithmétique des carrés de ces nombres. **2.** *Minér.* Lié à un système cristallin caractérisé par trois axes dont deux égaux qui se recoupent à angle droit. 1765 ; lat. *quadratus*, « carré » ; [k(w)adʀatik].

**QUADRATURE,** subst. f.
**1.** *Math.* Calcul d'une intégrale définie ; détermination d'une aire. ▸ ***Quadrature** du cercle* : construction d'un carré ayant même aire que celle de l'intérieur d'un cercle donné (impossible à effectuer à l'aide des seuls compas et règle) et, au fig., problème quasi insoluble. **2.** *Astron.* Situation présentée par deux astres lorsque leurs longitudes géométriques ou leurs ascensions droites diffèrent de 90°. Déb. XVe s. ; bas lat. *quadratura* ; [k(w)adʀatyʀ].

**QUADRETTE,** subst. f.
Équipe de quatre joueurs, au jeu de boules. 1902 (1882, jeu de cartes) ; prov. *quadreto* ; [kadʀɛt].

**QUADRICEPS,** subst. m.
*Anat.* Muscle à quatre faisceaux de la loge antérieure de la cuisse, qui s'insère par un tendon sur la rotule et le tibia. 1924 ; bas lat. *quadriceps*, « qui a quatre têtes » ; [k(w)adʀisɛps].

**QUADRICHROMIE,** subst. f.
*Impr.* Procédé d'impression par superposition des couleurs cyan, magenta, jaune et noir. 1945 ; formé de *quadri-* et de *-chromie* ; [k(w)adʀikʀɔmi].

**QUADRIENNAL, ALE, AUX,** adj.
**1.** Qui a lieu tous les quatre ans. **2.** Qui dure quatre ans. 1652 ; bas lat. *quadriennalis* ; [k(w)adʀijɛnal, o].

**QUADRIFIDE,** adj.
*Bot.* Qui présente quatre divisions. 1803 ; lat. *quadrifidus*, « fendu en quatre » ; [k(w)adʀifid].

**QUADRIGE,** subst. m.
*Antiq.* Char à deux roues, attelé de quatre chevaux de front. 1624 ; lat. *quadrigae* ; [k(w)adʀiʒ].

**QUADRIJUMEAU,** adj. m. et subst. m.
Adj. *Anat. Tubercule **quadrijumeau***, ou, empl. subst. masc., *Un **quadrijumeau*** : chacune des quatre petites éminences de la face dorsale du mésencéphale, qui servent de relais aux voies optiques et auditives. Subst. *Biol.* Chacun des quatre enfants nés d'une même grossesse (synon. *quadruplé*). 1639 ; ☞ *jumeau + quadri-* ; [k(w)adʀiʒymo].

**QUADRILATÉRAL, ALE, AUX,** adj.
Qui a quatre côtés. 1586 ; ☞ *quadrilatère* ; [k(w)adʀilateʀal, o].

**QUADRILATÈRE,** subst. m.
**1.** *Géom.* Polygone à quatre côtés ; surface intérieure de ce polygone s'il est non croisé (c.-à-d. qu'aucun côté n'en coupe un autre). **2.** *Milit.* Position stratégique s'appuyant sur quatre points fortifiés. ▸ *Hist. Le **Quadrilatère*** : les quatre places fortes autrichiennes de Vérone, Peschiera, Mantoue et Legnano. 1554 ; bas lat. *quadrilaterus* ; [k(w)adʀilatɛʀ].

**QUADRILLAGE,** subst. m.
**1.** Ensemble de lignes, de bandes entrecroisées qui forment des carrés ; surface divisée de cette manière. ▸ Carroyage. **2.** Opération militaire ou policière consistant à diviser une zone en secteurs et à y exercer un contrôle renforcé. **3.** Implantation planifiée de services publics, d'établissements commerciaux, etc., dans une ville, une région. 1860 ; ☞ *quadriller* ; [kadʀijaʒ].

**QUADRILLE,** subst.
Fém. **1.** *Hist.* Troupe de cavaliers qui évoluaient dans un carrousel. **2.** *Taurom.* Groupe de toreros faisant équipe autour du matador (synon. *cuadrilla*). Masc. **1.** Chacun des quatre groupes de danseurs dans une contredanse. **2.** Danse à la mode au XIXe s., proche de la contredanse, où les danseurs exécutaient une série de figures ; cette série de figures ; musique accompagnant cette danse. **3.** *Chorégr.* Échelon du corps de ballet de l'Opéra de Paris. 1685 (fin XVIe s., troupe de combattants) ; esp. *cuadrilla*, de *cuadro*, « espace carré » ; [kadʀij].

**QUADRILLÉ, ÉE,** adj.
Dont la surface est divisée en carreaux. 1786 ; *quadrille* (vx), « jour en losange formé par l'entrecroisement de franges » ; [kadʀije].

**QUADRILLER,** verbe trans. [3]
**1.** Diviser par quadrillage. **2.** Procéder au quadrillage de (une zone géographique) : *L'armée **quadrille** la ville ; Réseau téléphonique qui **quadrille** un territoire.* 1875 ; ☞ *quadrillé* ; [kadʀije].

**QUADRILLION,** voir **QUATRILLION**

**QUADRILOBE,** subst. m.
*Archit.* Motif ornemental composé de quatre arcs de cercle égaux et symétriques. 1890 ; ☞ *lobe + quadri-* ; [k(w)adʀilɔb].

**QUADRIMOTEUR,** adj. m. et subst. m.
Se dit d'un avion à quatre moteurs. 1929 ; ☞ *moteur + quadri-* ; [k(w)adʀimɔtœʀ].

**QUADRIPARTITE,** adj.
**1.** Qui comporte quatre parties. **2.** Qui réunit des représentants de quatre pays, partis, etc. (synon. *quadriparti, ie*) : *Réunion **quadripartite**.* Mil. XIVe s. ; lat. *quadripartitus* ; [k(w)adʀipaʀtit].

**QUADRIPHONIE,** subst. f.
*Techn.* Système d'enregistrement et de reproduction des sons utilisant quatre canaux. V. 1970 ; formé de *quadri-* et de *-phonie* ; [k(w)adʀifɔni].

**QUADRIPOLAIRE,** adj.
**1.** Qui comporte quatre pôles. **2.** *Électron.* Qui se rapporte au quadripôle. V. 1950 ; ☞ *polaire + quadri-* ; [k(w)adʀipɔlɛʀ].

**QUADRIPÔLE,** subst. m.
*Électron.* Circuit électrique comportant deux bornes d'entrée et deux bornes de sortie. 1926 ; ☞ *pôle + quadri-* ; [k(w)adʀipol].

**QUADRIQUE,** subst. f.
*Géom.* Surface dont l'équation est algébrique de degré 2. 1890 ; lat. *quadrus*, « carré » ; [k(w)adʀik].

**QUADRIRÉACTEUR,** adj. m. et subst. m.
Se dit d'un avion à quatre réacteurs. 1953 ; ☞ *réacteur + quadri-* ; [k(w)adʀiʀeaktœʀ].

**QUADRIRÈME,** subst. f.
*Antiq. rom.* Navire à quatre rangs de rameurs. 1530 ; lat. *quadriremis* ; [k(w)adʀiʀɛm].

**QUADRISYLLABE,** subst. m.
Mot ou vers de quatre syllabes. 1606 ; lat. *quadrisyllabus* ; [k(w)adʀisil(l)ab].

**QUADRISYLLABIQUE,** adj.
Constitué de quatre syllabes. 1582 ; ☞ *quadrisyllabe* ; [k(w)adʀisil(l)abik].

**QUADRIVALENT, ENTE,** adj.
*Chim.* Qui a pour valence 4. 1885 ; formé de *quadri-* et de *-valent* ; [k(w)adʀivalɑ̃, ɑ̃t].

**QUADRIVIUM,** subst. m.
*M. Â.* Dans l'université, groupe des quatre arts libéraux à caractère mathématique (arithmétique, astronomie, géométrie et musique). XIIIe s. ; mot lat. ; [k(w)adʀivjɔm].

**QUADRUMANE,** adj. et subst. m.
*Zool.* Se dit d'un animal dont chacun des quatre membres se termine par une main. 1766 ; bas lat. *quadrumanus* ; [k(w)adʀyman].

**QUADRUPÈDE,** adj. et subst. m.
*Zool.* Se dit d'un mammifère terrestre qui possède quatre pattes. Déb. XIV^e s. ; lat. *quadrupes* ; [k(w)adʀypɛd].

**QUADRUPLE,** adj. et subst. m.
Se dit de ce qui vaut quatre fois une quantité, une valeur donnée. Adj. Qui est au nombre de quatre. Mil. XIII^e s. ; lat. *quadruplex* ; [k(w)adʀypl].

**QUADRUPLÉ, ÉE,** adj. et subst.
Adj. Rendu quadruple. Subst. Chacun des quatre enfants nés d'une même grossesse. 1941 ; p. p. de *quadrupler* ; [k(w)adʀyple].

**QUADRUPLER,** verbe [3]
Trans. Multiplier par quatre. Intrans. Être multiplié par quatre : *Nos gains **ont quadruplé**.* 1493 (1404, transcrire en quatre exemplaires) ; bas lat. *quadruplare* ; [k(w)adʀyple].

**QUADRUPLET,** subst. m.
*Math.* Multiplet d'ordre 4. 1903 ; ☞ *quadruple* ; [k(w)adʀyplɛ].

**QUADRUPLEX,** subst. m.
*Techn.* Système de transmission télégraphique permettant d'envoyer simultanément quatre messages, deux dans chaque sens de la ligne. 1879 ; lat. *quadruplex*, « quadruple », par l'angl. ; [k(w)adʀyplɛks].

**QUAI,** subst. m.
**1.** Terre-plein aménagé le long d'un cours d'eau ; voie publique longeant cet ouvrage. ▸ Méton. *Le **Quai** des Orfèvres* : siège de la police judiciaire, à Paris ; *Le **Quai** d'Orsay* ou, par ell., *Le **Quai*** : le ministère des Affaires étrangères ; *Le **Quai** Conti* : l'Institut, l'Académie française ; *Les **quais*** : les échoppes des bouquinistes le long de la Seine, à Paris. **2.** Partie d'un port aménagée pour l'accostage des navires, le chargement, etc. **3.** *Ch. de fer.* Plate-forme longeant les voies, dans une gare. 1167 ; lat. médiév. *caiagium*, du gaul. °*caio*, « enceinte » ; [kɛ].

**QUAKER, ERESSE,** subst.
*Relig.* Membre d'un mouvement religieux protestant (la « société des Amis ») né au début du XVII^e s. en Grande-Bretagne et organisé par George Fox en 1647. Présents en partic. aux États-Unis, les **quakers** prêchent la solidarité, le pacifisme et l'austérité des mœurs ; ils ont aidé beaucoup d'esclaves à s'enfuir des plantations du sud des États-Unis et à gagner le Canada. 1657 ; angl. *quaker*, « celui qui tremble » ; [kwɛkœʀ, ɛʀɛs].

**QUAKERISME,** subst. m.
*Relig.* Doctrine des quakers. 1692 ; ☞ *quaker* ; [kwɛkœʀism].

**QUALIFIABLE,** adj.
Qui peut être qualifié : *Sportif **qualifiable**.* 1858 ; ☞ *qualifier* ; [kalifjabl].

**QUALIFIANT, ANTE,** adj.
Qui donne une qualification professionnelle, une compétence. V. 1980 ; p. pr. de *qualifier* ; [kalifjɑ̃, ɑ̃t].

**QUALIFICATIF, IVE,** subst. m. et adj.
Subst. Terme servant à qualifier qqn ou qqch. : *Un **qualificatif** méprisant.* Adj. **1.** Relatif à la qualité, à la nature des choses, par oppos. à la quantité. ▸ *Gramm. Adjectif **qualificatif*** : adjoint à un substantif dont il indique une qualité. **2.** *Sp. Épreuve **qualificative*** : qui permet à un concurrent de se qualifier. Mil. XVIII^e s. ; ☞ *qualifier* ; [kalifikatif, iv].

**QUALIFICATION,** subst. f.
**1.** Action de qualifier ; la qualité ainsi attribuée. **2.** *Sp.* Fait de satisfaire aux conditions requises pour participer à une épreuve. **3.** Aptitude à exercer une activité professionnelle. 1431 ; lat. médiév. *qualificatio*, « condition » ; [kalifikasjɔ̃].

**QUALIFIÉ, ÉE,** adj.
**1.** Qui possède les aptitudes, la qualification, l'expérience requises. ▸ *Ouvrier **qualifié*** : ayant suivi une formation professionnelle. **2.** *Dr.* Se dit d'un délit érigé en crime du fait de circonstances aggravantes : *Vol **qualifié**.* **3.** *Sp.* Qui a obtenu sa qualification. 1483 ; p. p. de *qualifier* ; [kalifje].

**QUALIFIER,** verbe trans. [6]
**1.** Attribuer à (qqn, qqch.) une qualité, un titre : ***Qualifier** de science une simple technique.* **2.** Rendre qualifié, compétent. **3.** *Sp.* Faire obtenir à (qqn, un groupe) une qualification : *Il **a qualifié** son équipe.* Pronom. *Sp.* Obtenir sa qualification : *Se **qualifier** pour la finale.* Fin XV^e s. ; lat. médiév. *qualificare* ; [kalifje].

**QUALITATIF, IVE,** adj.
Relatif à la qualité, à la nature d'un objet ; empl. subst. masc. : *Opposer le **qualitatif** au quantitatif.* 1834 ; bas lat. *qualitativus* ; [kalitatif, iv].

**QUALITATIVEMENT,** adv.
Du point de vue de la qualité. 1875 ; ☞ *qualitatif* ; [kalitativmɑ̃].

**QUALITÉ,** subst. f.
**1.** Ce qui fait qu'une chose est telle ; propriété, caractéristique : *L'élasticité est une **qualité** de l'air* ; *Des fruits de bonne, de mauvaise **qualité**.* **2.** Disposition naturelle, bonne ou mauvaise, de qqn : *Il a réussi, malgré ses médiocres **qualités**.* **3.** Abs. Élément qui, dans la nature de qqn, en fait la valeur, le distingue en bien : *Saluer les **qualités** d'un adversaire* ; *Sa grande **qualité** est l'honnêteté* ; valeur positive, excellence de qqch. : *Sacrifier la **qualité** à la quantité.* ▸ Loc. *De **qualité*** : supérieur. **4.** Littér. Distinction que donne la naissance. ▸ Loc. *De **qualité*** : de condition noble. **5.** Condition définie par la naissance, l'activité, la position sociale, etc. : *La **qualité** de citoyen* ; *Il fit valoir sa **qualité** de doyen.* ▸ *Dr.* Titre qui habilite à l'exercice d'un droit, d'un pouvoir : *Décliner ses nom, prénom et **qualité**.* ▸ Loc. *Ès **qualités*** : en vertu de la fonction qu'on exerce (et non à titre personnel) ; *Avoir **qualité** pour* (+ inf.) : être habilité à ; *En **qualité** de* : à titre de. **6.** *Philos.* Manière d'être propre à la nature d'un sujet. ▸ ***Qualités** premières* : propriétés fondamentales de la matière, en ce qu'elles existent dans les corps (par oppos. aux **qualités** secondes). Déb. XII^e s. ; lat. *qualitas* ; [kalite].

**QUAND,** conj. et adv.
Conj. **1.** Au moment où, lorsque : ***Quand** vous partirez, fermez la porte.* **2.** Toutes les fois que : ***Quand** il sort, il ne dit jamais où il va.* **3.** Alors que, bien que : *Tu travailles dur, **quand** tu pourrais te reposer.* ▸ ***Quand** bien même* (+ cond.) : même si. ▸ Loc. ***Quand** même* : pourtant, malgré tout. Adv. À quel moment : ***Quand** viendrez-vous ?* ; *Je ne me rappelle plus **quand**.* 1050 ; lat. *quando* ; [kɑ̃] [kɑ̃t] en liaison pour la conj.

**QUANTA,** voir **QUANTUM**

**QUANT À,** loc. prép.
Pour ce qui est de, en ce qui concerne : ***Quant à** moi*, pour ma part. Fin XIII^e s. ; lat. *quantum ad* ; [kɑ̃ta].

**QUANT-À-SOI,** subst. m. inv.
Réserve un peu distante : *Rester sur son **quant-à-soi**.* 1780 ; comp. de *quant à* et de *soi* ; [kɑ̃taswa].

**QUANTIÈME,** adj. interr. et subst. m.
Adj. *Le, la **quantième** ?* : lequel, laquelle, dans l'ordre numérique ? (vieilli). Subst. Numéro d'ordre du jour du mois : *Montre qui indique les **quantièmes**.* 1484 ; anc. fr. *quant*, « combien » ; [kɑ̃tjɛm].

**QUANTIFIABLE,** adj.
Que l'on peut quantifier. 1932 ; ☞ *quantifier* ; [kɑ̃tifjabl].

**QUANTIFICATEUR,** subst. m.
*Log.* et *Math.* Opérateur du calcul des prédicats portant sur une variable d'individu. Il en existe deux, le **quantificateur** universel (symb. : $\forall$) et le **quantificateur** existentiel (symb. : $\exists$). « $\forall x$ » se lit « pour tout $x$ » et « $\exists x$ » se lit « il existe au moins un $x$ ». 1957 ; ☞ *quantifier* ; [kɑ̃tifikatœʀ].

**QUANTIFICATION,** subst. f.
Action de quantifier ; son résultat. 1904 ; mot angl. ; [kɑ̃tifikasjɔ̃].

**QUANTIFIÉ, ÉE,** adj.
*Phys. Grandeur **quantifiée*** : qui ne peut prendre que certaines valeurs, celles des multiples entiers d'une valeur élémentaire de référence. 1924 ; p. p. de *quantifier* ; [kɑ̃tifje].

**QUANTIFIER,** verbe trans. [6]
**1.** Déterminer la quantité de ; attribuer une valeur mesurable à. **2.** *Log.* Attribuer une quantité à (un terme). **3.** *Phys.* Définir (une grandeur physique) par un ensemble de valeurs discrètes. 1897 ; angl. *to quantify*, du lat. médiév. *quantificare* ; [kɑ̃tifje].

**QUANTIQUE,** adj.
*Phys.* Relatif aux quanta, à leur théorie. ▸ *Mécanique **quantique*** : partie de la physique se rapportant au comportement des particules nucléaires, noyau et atome compris. ▸ *Théorie **quantique*** : théorie de Max Planck selon laquelle certaines grandeurs ne peuvent être échangées ou transmises de façon continue mais seulement de façon discrète (discontinue), correspondant toujours à un nombre entier de quanta. L'effet photoélectrique et la spectroscopie électronique sont des exemples d'applications de la théorie **quantique**. 1924 ; ☞ *quantum* ; [k(w)ɑ̃tik].

**QUANTITATIF, IVE,** adj.
Relatif à la quantité, de l'ordre de la quantité (par oppos. à *qualitatif*). 1586 ; lat. médiév. *quantitativus* ; [kɑ̃titatif, iv].

**QUANTITATIVEMENT,** adv.
Du point de vue de la quantité. 1581 ; ☞ *quantitatif* ; [kɑ̃titativmɑ̃].

**QUANTITÉ,** subst. f.
**1.** Nombre d'unités d'un tout mesurable ou d'unités de mesure de qqch. : ***Quantité** exprimée en nombre, en poids, en volume, en francs* ; *Une grande **quantité** d'objets* ; *Boire une petite **quantité** de lait.* **2.** Loc. *Une, des **quantités** de* : un grand nombre de ; ***Quantité** de* : beaucoup de ; *En **quantité*** : en abondance. **3.** *Spéc.* ▸ *Log.* Extension des termes d'une proposition. ▸ *Phon.* Durée d'émission d'un phonème. ▸ *Versif.* Durée de prononciation d'une syllabe. Fin XII^e s. ; lat. *quantitas* ; [kɑ̃tite].

**QUANTON,** subst. m.
*Phys.* Particule obéissant à la théorie quantique. V. 1980 ; ☞ *quantum*, d'apr. *photon* ; [k(w)ɑ̃tɔ̃].

**QUANTUM,** subst. m.
**1.** *Philos.* Ce qui est susceptible d'être quantifié : *Le temps et l'espace sont, pour Kant, les deux **quanta** originaires de notre intuition.* **2.** *Phys.* Valeur minimale d'échange d'une grandeur physique (notamment l'énergie) dans la théorie quantique. Le **quantum** d'énergie électromagnétique, par ex., est lié à l'énergie du photon par la relation $h\gamma$, où $h$ est la constante de Planck et $\gamma$ la fréquence du rayonnement électromagnétique. 1624 ; lat. *quantum*, « combien » ; plur. *quanta* ; [k(w)ɑ̃tɔm], plur. [-ta].

**QUARANTAINE,** subst. f.
**1.** Nombre de quarante ou d'environ quarante : *Une*

*Le **quaker** William Penn signant un traité avec les Indiens de Pennsylvanie en 1681, détail d'une peinture anonyme du XIX^e s. Musée d'Art, Philadelphie.*

quarantaine de personnes. **2.** Période de quarante jours, d'environ quarante jours. ▸ *Cath. La sainte quarantaine* : le carême (rare). **3.** *Méd.* Isolement de quarante jours (à l'origine) imposé par les autorités d'un pays aux personnes, aux animaux, aux marchandises présentant un risque de contagion. ▸ Loc. *Mettre en* **quarantaine** : isoler par précaution ou, au fig., exclure (qqn) d'un groupe. **4.** Âge d'environ quarante ans. **5.** *Hortic.* Variété de giroflée de la famille des Brassicacées, ornementale, à fleurs parfumées. Fin XIIe s. ; ☞ *quarante* ; [kaʀɑ̃tɛn].

**QUARANTE, adj. num. inv. et subst. m. inv.**

Adj. card. Quatre fois dix : *Les* **quarante** *membres de l'Académie française* ou, empl. subst. masc., *Les* **Quarante**. Adj. ord. **1.** Quarantième : *En* **quarante**, en 1940 ; *S'en moquer comme de l'an* **quarante**, ne pas s'en soucier. **2.** Qui porte le numéro **quarante** : *La chambre* **quarante** ou, empl. subst., *La* **quarante**. Subst. **1.** Le nombre **quarante**. **2.** Le numéro quarante. **3.** Représentation graphique de ce nombre. **4.** Taille ou pointure : *Chausser du* **40**. **5.** *Sp.* Au tennis, troisième point obtenu dans un jeu. Fin Xe s. ; lat. pop. *quaranta*, du lat. *quadraginta* ; [kaʀɑ̃t].

**QUARANTE-HUITARD, ARDE, adj. et subst.**

Subst. Révolutionnaire de 1848. Adj. Relatif à cette révolution. 1884 ; *(mille huit cent) quarante-huit*, date de la révolution qui amena la IIe République ; plur. *quarante-huitards, ardes* ; [kaʀɑ̃tɥitaʀ, aʀd].

**QUARANTENAIRE, adj.**

**1.** Qui dure quarante ans ; qui dure depuis quarante ans. **2.** *Méd.* Relatif à la quarantaine sanitaire. 1830 (1634, cordage de quarantaine) ; ☞ *quarante* ; [kaʀɑ̃tnɛʀ].

**QUARANTIÈME, adj.**

Adj. num. ord. Qui occupe le rang marqué par le nombre quarante : *Le* **quarantième** *parallèle.* ▸ Empl. subst. Personne ou chose occupant ce rang : *Les* **quarantièmes** *rugissants*, zone maritime, située entre les 40e et 50e parallèles Sud, où les tempêtes sont fréquentes. Adj. Qui constitue une fraction d'un tout divisé également en quarante : *La* **quarantième** *partie* ou, empl. subst. masc., *Le* **quarantième**. Fin XIIe s. ; ☞ *quarante* ; [kaʀɑ̃tjɛm].

**QUARK, subst. m.**

*Phys.* Particule subnucléaire formant les mésons et les baryons. Un baryon serait constitué de trois **quarks**, un méson d'un **quark** et d'un antiquark. V. 1960 ; mot angl. emprunté au *Finnegans Wake*, roman de James Joyce ; [kwaʀk].

**QUART (I), QUARTE, adj.**

Quatrième (vx) : *« Le* **Quart** *Livre », de Rabelais* ; *Fièvre* **quarte**, revenant tous les quatre jours ; empl. subst. masc. : *Se moquer du tiers comme du* **quart** (☞ *tiers*). Fin XIe s. ; lat. *quartus* ; [kaʀ, kaʀt].

**QUART (II), subst. m.**

**1.** Portion d'un tout divisé en quatre parties égales : **Quart** *de cercle* ; **Quart** *de siècle.* ▸ Mesure de 25 centilitres : **Quart** *de vin* ; gobelet en métal d'un **quart** de litre pour le vin, le café, dans l'armée. ▸ *Deux heures (et) trois* **quarts** : deux heures passées de 45 minutes. ▸ **Quart d'heure**. Quinze minutes ; par ext., bref moment : *Passer un mauvais* **quart** *d'heure.* **2.** *Mar.* Période de service, de veille sur un navire, autrefois de six heures : *Homme de* **quart** ; *Prendre son* **quart**. **3.** Partie d'un tout d'environ un **quart** : *Il n'a pas fait le* **quart** *de son travail*, il n'a encore presque rien fait ; *Il est ivre les trois* **quarts** *du temps*, la majeure partie du temps ; *Portrait de trois* **quarts**, dans une position intermédiaire entre la face et le profil ; *Au* **quart** *de tour* : instantanément (fam.). **4.** **Quart** *de finale* : épreuve éliminatoire conduisant à la demi-finale. Fin XIIe s. ; lat. *quartum* ; [kaʀ].

**QUARTAUT, subst. m.**

Petit tonneau, d'un quart de muid à l'origine, de contenance variable (région.). 1280 ; dial. *quartal*, « mesure de blé » ; [kaʀto].

**QUART-DE-ROND, subst. m.**

*Techn.* Moulure convexe dont le profil est un quart de cercle. 1676 ; comp. de *quart* (II) et de *rond* ; plur. *quarts-de-rond* ; [kaʀdəʀɔ̃].

**QUARTE, subst. f.**

**1.** Ancienne mesure de capacité valant deux pintes. **2.** *Mus.* Intervalle de quatre degrés dans la gamme diatonique. **3.** *Escr.* Quatrième des huit positions d'attaque ou de parade. **4.** *Jeux.* Série de quatre cartes consécutives dans une couleur. 1233 ; ☞ *quart* (I) ; [kaʀt].

**QUARTÉ, subst. m.**

Pari mutuel engagé sur les quatre premiers chevaux d'une course. V. 1980 ; ☞ *quart* (I) ; [kaʀte].

**QUARTERON (I), subst. m.**

**1.** Vx. Quart d'une livre. **2.** Quart d'une centaine ; par ext., petit nombre : *Un* **quarteron** *de généraux en retraite* (de Gaulle). 1244 ; ☞ *quartier* ; [kaʀtəʀɔ̃].

**QUARTERON (II), ONNE, subst.**

Métis dont trois des quatre grands-parents sont blancs. 1722 ; esp. *cuarteron* ; [kaʀtəʀɔ̃, ɔn].

**QUARTETTE, subst. m.**

Formation de jazz composée de quatre musiciens. 1935 ; angl. *quartet* ; var. *quartet* ; [k(w)aʀtɛt].

**QUARTIDI, subst. m.**

*Hist.* Quatrième jour de la décade, dans le calendrier républicain. 1793 ; lat. *quartus*, « quatrième », et *dies*, « jour » ; [kwaʀtidi].

**QUARTIER, subst. m.**

**I. 1.** Portion résultant d'une division en quatre : **Quartiers** *de poire.* ▸ *Bouch.* Partie d'une carcasse débitée en quatre : **Quartier** *de bœuf* ; *Cinquième* **quartier**, tripes, pieds et abats. ▸ *Hérald.* Chacune des quatre parties de l'écu écartelé ; par ext. : **Quartiers** *de noblesse*, degré d'ascendance noble. ▸ *Astron.* Première ou dernière des quatre phases de la Lune. **2.** Division naturelle des fruits : **Quartier** *d'orange.* **3.** Gros morceau, bloc : **Quartier** *de roche.* **4.** Chacune des deux parties de la chaussure prenant le talon. **5.** *Équit.* Pan latéral de la selle sur lequel repose la cuisse. **II. 1.** Division administrative d'une ville : *Commissariat de* **quartier**. **2.** Sous-ensemble urbain ayant son identité propre : *Habiter*

© C. Delpal-Explorer

*Le quartier Saint-Jean, dans le vieux Lyon.*

*un* **quartier** *populaire* ; *Le* **quartier** *Latin* ; empl. abs., le secteur environnant ; par méton., ses habitants : *Tout le* **quartier** *se fournit ici.* **III. 1.** Cantonnement militaire (souv. au plur.) : *Établir, prendre ses* **quartiers** ; **Quartiers** *d'hiver*, logement d'une troupe en période d'inactivité ; caserne. ▸ Loc. *Avoir* **quartier** *libre* : ne pas être de service. ▸ **Quartier** *général (Q. G.)* : siège du commandement ; par méton., état-major ; par ext., lieu de réunion, centre d'opérations. **2.** Anal. Locaux d'une prison affectés aux détenus jugés dangereux : **Quartier** *de haute sécurité (Q. H. S.)*, dénomination courante des **quartiers** de sécurité renforcée (Q. S. R.), dans les maisons centrales, et des **quartiers** de plus grande sécurité (Q. P. G. S.), dans les maisons d'arrêt, officiellement supprimés en 1982. **3.** Belg. Petit appartement. **IV.** Vie sauve, miséricorde (vx). ▸ Loc. *Ne pas faire de* **quartier** : massacrer tout le monde ou, au fig., être sans pitié. Fin XIe s. ; ☞ *quart* (I) ; [kaʀtje].

**QUARTIER-MAÎTRE, subst. m.**

*Milit.* **1.** Marin ayant le premier grade au-dessus du matelot, correspondant au caporal ou au brigadier dans l'armée de terre. **2.** Officier subalterne chargé de l'intendance (vx). Mil. XVIIe s. ; p.-ê. néerl. *kwartiermeester* ; plur. *quartiers-maîtres* ; [kaʀtjemɛtʀ].

**QUARTILE, subst. m.**

*Stat.* Chacun des trois nombres qui divisent l'ensemble des valeurs prises par un caractère quantitatif en quatre parties égales : *Le deuxième* **quartile** *est la médiane.* 1953 ; angl. *quartile*, du lat. médiév. *quartilis* ; [kwaʀtil].

**QUART-MONDE, subst. m.**

**1.** Partie de la population la plus défavorisée au sein d'une société industrialisée. **2.** Ensemble des pays du tiers-monde les plus démunis. V. 1970 ; comp. de *quart* (I) et de *monde* ; plur. *quarts-mondes* ; [kaʀmɔ̃d].

**QUARTO, adv.**

Quatrièmement : *Primo, secondo, tertio,* **quarto**. 1419 ; mot lat. ; [kwaʀto].

**QUARTZ, subst. m.**

*Minér.* Variété la plus commune de silice cristallisée, constituant essentiel de certaines roches (granite, gneiss, grès, etc.), et dont les grands cristaux font partie des pierres fines : *L'améthyste, la citrine, le cristal de roche sont des* **quartz**. 1729 ; all. *Quarz* ; [kwaʀts].

© H. Berthoule-Jacana

*Une variété de* **quartz**, *l'améthyste.*

**QUARTZEUX, EUSE, adj.**

**1.** De la nature du quartz. **2.** Riche en quartz. 1771 ; ☞ *quartz* ; [kwaʀtsø, øz].

**QUARTZIFÈRE, adj.**

Se dit d'une roche qui contient du quartz. 1801 ; ☞ *quartz* + *-fère* ; [kwaʀtsifɛʀ].

**QUARTZITE, subst. f.**

*Minér.* Roche sédimentaire ou métamorphique très dure, constituée de grains de quartz agglomérés. 1823 ; ☞ *quartz* ; [kwaʀtsit].

**QUASAR, subst. m.**

*Astron.* Astre d'apparence stellaire présentant de forts décalages des raies spectrales vers le rouge. V. 1960 ; angl. *quasar*, acron. de *quasi-stellar radio-source*, « radiosource quasi stellaire » ; [kasaʀ].

ASTRONOMIE – Les quasars, découverts en 1960, sont vraisemblablement des noyaux de galaxies à un stade primitif de formation. Leur décalage spectral vers le rouge indique qu'ils sont situés à de très grandes distances de la Terre. Objets observables les plus âgés de l'Univers, ils présentent une très forte luminosité (de l'ordre de celle de 100 à 1 000 galaxies).

**QUASI (I), adv.**

Presque, pour ainsi dire : *Il est* **quasi** *fou* ; *J'en sais* **quasi** *autant que toi.* Fin Xe s. ; mot lat. ; associé à un subst., il lui est relié par un trait d'union (*une quasi-unanimité, un quasi-monopole...*) ; [kazi].

**QUASI (II), subst. m.**

*Bouch.* Morceau de veau tiré du haut de la cuisse. 1739 ; p.-ê. turc *kasi*, « pli du ventre » ; [kazi].

**QUASI-CONTRAT, subst. m.**

*Dr.* Fait volontaire n'ayant pas donné lieu à une convention préalable, mais entraînant des engagements légaux. 1675 ; comp. de *quasi* (I) et de *contrat* ; plur. *quasi-contrats* ; [kazikɔ̃tʀa].

**QUASI-DÉLIT, subst. m.**

*Dr.* Fait, commis sans intention délictueuse, qui cause un dommage à autrui et ouvre droit à réparation. 1690 ; comp. de *quasi* (I) et de *délit* (I) ; plur. *quasi-délits* ; [kazideli].

**QUASIMENT, adv.**

Quasi (fam.). 1505 ; ☞ *quasi* (I) ; [kazimɑ̃].

**QUASIMODO, subst. f.**

*Liturg. La* **Quasimodo**, ou *Le dimanche de* **Quasimodo** : le premier dimanche après Pâques. XIIIe s. ; lat. *quasi modo geniti infantes*, premiers mots de l'introït de la messe de ce dimanche ; [kazimɔdo].

**QUASSIA, subst. m.**

*Bot.* Arbre tropical de la famille des Simarubacées, dont une espèce fournit le bois du Surinam. 1769 ; lat. sc. *quassia*, de l'anthropon. *Coissi* ou *Quassi*, sorcier du Surinam ; var. *quassier* ; [kwasja].

**QUASSINE,** subst. f.
Substance amère extraite du bois de quassia. 1827 ; ☞ *quassia* ; [kwasin].

**QUATER,** adv.
Pour la quatrième fois : *Habiter au 5* ***quater*** *de la rue.* 1507 ; mot lat. ; [kwatɛʀ].

**QUATERNAIRE,** adj.
**1.** Divisible par quatre ; formé de quatre éléments. ▸ *Chim.* Se dit d'une molécule constituée par quatre atomes différents. **2.** *Géol.* *Ère* ***quaternaire*** ou, empl. subst. masc., *Le* ***Quaternaire*** : période s'étendant de - 1,650 million d'années à nos jours, souv. associée à l'apparition de l'homme et aux glaciations, phénomènes qui remontent en fait au Pliocène (on tend aujourd'hui à réduire le **Quaternaire** à une modeste partie de l'ère cénozoïque). 1488 ; lat. *quaternarius* ; [kwatɛʀnɛʀ].

GÉOLOGIE – L'ère quaternaire est divisée en deux périodes très inégales, le Pléistocène, qui contient au moins quatre glaciations séparées par des épisodes interglaciaires, et l'Holocène, correspondant aux temps postglaciaires qui débutent il y a 10 000 ans. Lors des glaciations, le froid a immobilisé, sous forme de calottes polaires de neige et de glace, l'eau des mers évaporée dans les régions plus chaudes. Il en a résulté une baisse du niveau des océans de 120 à 150 m, annulée par la fonte des glaces pendant les phases interglaciaires et depuis le début de l'Holocène. Le temps écoulé et les crises climatiques répétées ont fait disparaître des régions de latitude moyenne les flores et les faunes chaudes du Tertiaire, y compris celles qui s'étaient adaptées au froid (mammouth, rhinocéros laineux), de sorte qu'il existe une différence marquée entre les fossiles du début du Quaternaire et les organismes actuels. Plusieurs espèces d'hommes se sont également succédé tout au long de cette période : *Homo erectus, Homo neanderthalensis, Homo sapiens.*

**QUATERNE,** subst. m.
*Jeux.* **1.** Vx. Ensemble de quatre numéros sortis ensemble à la loterie. **2.** Ensemble de quatre numéros sur une rangée horizontale d'un carton de loto. XIIIe s. ; lat. *quaterni,* « quatre chaque fois » ; [kwatɛʀn].

**QUATERNION,** subst. m.
*Math. Corps des* ***quaternions*** : l'espace vectoriel $\mathbb{R}^4$ sur $\mathbb{R}$ de base canonique $1 = (1, 0, 0, 0)$, $i = (0, 1, 0, 0)$, $j = (0, 0, 1, 0)$, $k = (0, 0, 0, 1)$ est muni d'une multiplication définie par la table $i^2 = j^2 = k^2 = -1$, $ij = -ji = k$, $jk = -kj = i$, $ki = -ik = j$, conférant à cet espace une structure de corps non commutatif, noté $\mathbb{H}$ (de Hamilton), dont les éléments sont les **quaternions** $q = x + yi + zj + tk$ ($x$, $y$, $z$, $t$ réels). 1860 (1537, ensemble de quatre) ; bas lat. *quaternio,* « groupe de quatre » ; [kwatɛʀnjɔ̃].

**QUATORZE,** adj. num. inv. et subst. m. inv.
**Adj. card.** Treize plus un. **Adj. ord. 1.** Quatorzième : *Louis XIV* ; *Le 14 juillet 1789,* date de la prise de la Bastille ; *La guerre de* ***quatorze*** *(- dix-huit),* Première Guerre mondiale (fam.). ▸ Loc. *Repartir comme en* ***quatorze*** : avec ardeur (fam.) ; *Chercher midi à* ***quatorze*** *heures* (☞ *midi*). **2.** Qui porte le numéro **quatorze** : *Le lot* ***quatorze*** ou, empl. subst., *Le* ***quatorze.*** **Subst. 1.** Le nombre **quatorze**. **2.** Le numéro **quatorze** : *Le* ***quatorze,*** *impair et passe.* **3.** Représentation graphique de ce nombre. Déb. XIIe s. ; lat. *quatt(u)ordecim* ; [katɔʀz].

**QUATORZIÈME,** adj.
**Adj. num. ord.** Qui occupe le rang marqué par le nombre quatorze : *Le* ***quatorzième*** *étage* ; empl. subst. : *Le, la* ***quatorzième.*** **Adj.** Qui constitue une fraction d'un tout divisé également en quatorze : *La* ***quatorzième*** *partie* ou, empl. subst. masc., *Le* ***quatorzième.*** 1119 ; ☞ *quatorze* ; [katɔʀzjɛm].

**QUATORZIÈMEMENT,** adv.
En quatorzième lieu. 1788 ; ☞ *quatorzième* ; [katɔʀzjɛmmɑ̃].

**QUATRAIN,** subst. m.
*Versif.* Strophe ou poème de quatre vers. 1543 ; ☞ *quatre* ; [katʀɛ̃].

**QUATRE,** adj. num. inv. et subst. m. inv.
**Adj. card.** Trois plus un : *Les* ***quatre*** *roues d'une voiture* ; *Un trèfle à* ***quatre*** *feuilles* ; *Les* ***quatre*** *saisons.* ▸ Loc. *Monter, descendre (un escalier)* ***quatre*** *à* ***quatre*** : très vite ; *Se mettre en* ***quatre*** : se donner beaucoup de mal ; *Manger comme* ***quatre*** : avoir gros appétit ; *Un de ces* ***quatre*** *(matins)* : un jour, un de ces jours (fam.). **Adj. ord. 1.** Quatrième : *Page* ***quatre*** ; *Henri IV* ; *Il est 4 heures.* **2.** Qui porte le numéro **quatre** : *La porte* ***quatre*** ou, empl. subst., *La* ***quatre.*** **Subst. 1.** Le nombre **quatre**. **2.** Le numéro **quatre** : *Le* ***quatre*** *gagne.* **3.** Représentation graphique de ce nombre. **4.** *Jeux.* ▸ Face du dé portant **quatre** points. ▸ Carte à jouer portant ce numéro : *Le* ***quatre*** *de trèfle.* **5.** *Sp.* En aviron, embarcation à **quatre** rameurs : *Un* ***quatre*** *sans barreur.* Fin Xe s. ; lat. *quatt(u)or* ; [katʀ].

**QUATRE-DE-CHIFFRE,** subst. m. inv.
*Chasse.* Piège rustique à détente fait de baguettes de bois assemblées en forme de 4. 1740 ; comp. de *quatre* et de *chiffre* ; [katdəʃifʀ].

**QUATRE-ÉPICES,** subst. m. ou f. inv.
*Bot.* Nigelle cultivée dont les graines broyées donnent un condiment rappelant le mélange dit des **quatre-épices**, composé de girofle, de muscade, de poivre et de cannelle (ou de gingembre). 1839 ; comp. de *quatre* et de *épice* ; [katʀepis].

**QUATRE-FEUILLES,** subst. m. inv.
*Archit.* Ornement gothique composé de quatre lobes disposés autour d'un centre. 1842 ; comp. de *quatre* et de *feuille* ; [kat(ʀə)fœj].

**QUATRE-HEURES,** subst. m. inv.
Goûter, en-cas d'après-midi (fam.). XXe s. ; comp. de *quatre* et de *heure* ; var. *quatre heures* ; [katʀœʀ].

**QUATRE-MÂTS,** subst. m. inv.
*Mar.* Voilier à quatre mâts. 1907 ; comp. de *quatre* et de *mât* ; [kat(ʀə)mɑ].

**QUATRE-QUARTS,** subst. m. inv.
*Cuis.* Gâteau composé à parts égales de farine, de beurre, d'œufs et de sucre. 1893 ; comp. de *quatre* et de *quart* (II) ; [kat(ʀə)kaʀ].

**QUATRE-QUATRE,** subst. inv. m. ou f.
Véhicule automobile à quatre roues motrices. V. 1970 ; ☞ *quatre* ; abrév. 4 × 4 ; [katkatʀ].

**QUATRE-SAISONS,** subst. f. inv.
**1.** *Marchand de(s)* ***quatre-saisons*** : qui vend sur la voie publique des fruits et des légumes dans une voiture à bras (vieilli). **2.** *Hortic.* Variété de légume ou de fruit qui se récolte à différentes saisons. 1873 ; comp. de *quatre* et de *saison* ; [kat(ʀə)sɛzɔ̃].

**QUATRE-TEMPS,** subst. m. plur.
*Cath.* Les quatre périodes liturgiques marquant le début de chaque saison, qui s'accompagnaient de trois jours d'abstinence et de jeûne. Mil. XIVe s. ; comp. de *quatre* et de *temps* ; [kat(ʀə)tɑ̃].

**QUATRE-VINGT, -VINGTS,** adj. num. et subst. m. inv.
**Adj. card.** Huit fois dix : *Il a* ***quatre-vingts*** *ou* ***quatre-vingt-un*** *ans.* **Adj. ord. 1.** Quatre-vingtième : *Page* ***quatre-vingt.*** ▸ *Hist.* ***Quatre-vingt-neuf*** : la Révolution de 1789. **2.** Qui porte le numéro **quatre-vingt** : *La salle* ***quatre-vingt*** ou, empl. subst., *La* ***quatre-vingt*** ; *Il habite au numéro* ***quatre-vingt*** ou, empl. subst., *au* ***quatre-vingt.*** **Subst. Quatre-vingts.** Le nombre **quatre-vingts** : *Deux fois quarante font* ***quatre-vingts.*** Fin XIIe s. ; comp. de *quatre* et de *vingt* ; l'adj. card. s'écrit avec un *s* final quand il n'est pas suivi d'un autre adj. num. ; [katʀəvɛ̃].

**QUATRE-VINGT-DIX,** adj. num. inv. et subst. m. inv.
**Adj. card.** Neuf fois dix. **Adj. ord. 1.** Quatre-vingt dixième. **2.** Qui porte le numéro **quatre-vingt-dix**. **Subst. 1.** Le nombre **quatre-vingt-dix**. **2.** Le numéro **quatre-vingt-dix**. **3.** Représentation graphique de ce nombre. Déb. XIIIe s. ; comp. de *quatre-vingt* et de *dix* ; [katʀəvɛ̃dis].

**QUATRE-VINGT-DIXIÈME,** adj.
**Adj. num. ord.** Qui occupe le rang marqué par le nombre quatre-vingt-dix ; empl. subst. : *Le, la* ***quatre-vingt-dixième.*** **Adj.** Qui constitue une fraction d'un tout divisé également en quatre-vingt-dix : *La* ***quatre-vingt-dixième*** *partie* ou, empl. subst. masc., *Le* ***quatre-vingt-dixième.*** 1530 ; ☞ *quatre-vingt-dix* ; [katʀəvɛ̃dizjɛm].

**QUATRE-VINGT-ET-UN,** subst. m. inv.
Jeu à trois dés dérivé du zanzibar, dont la plus forte combinaison se compose d'un quatre, d'un deux et d'un as (soit 421). V. 1950 ; ell. de *quatre-cent-vingt-et-un* (moins usité) ; [katvɛ̃teœ̃].

**QUATRE-VINGTIÈME,** adj.
**Adj. num. ord.** Qui occupe le rang marqué par le nombre quatre-vingts ; empl. subst. : *Le, la* ***quatre-vingtième.*** **Adj.** Qui constitue une fraction d'un tout divisé également en quatre-vingts : *La* ***quatre-vingtième*** *partie* ou, empl. subst. masc., *Le* ***quatre-vingtième.*** 1530 ; ☞ *quatre-vingt* ; [katʀəvɛ̃tjɛm].

**QUATRIÈME,** adj. et subst. f.
**Adj. num. ord.** Qui occupe le rang marqué par le nombre quatre : *Le* ***quatrième*** *jour* ; *La* ***quatrième*** (ou *IVe*) *République* ; *Loger au* ***quatrième*** *étage* ou empl. subst., *au* ***quatrième*** ; *Passer la* ***quatrième*** *vitesse* ou, empl. subst., *la* ***quatrième.*** ▸ Loc. *En* ***quatrième*** *vitesse* : très vite (fam.). **Adj.** Qui constitue une fraction d'un tout divisé également en quatre : *La* ***quatrième*** *partie* ou, empl. subst. masc. *Le* ***quatrième*** (synon. *quart*). **Subst.** Classe de troisième année du premier cycle de l'enseignement secondaire. Déb. XIVe s. ; ☞ *quatre* ; [katʀijɛm].

**QUATRIÈMEMENT,** adv.
En quatrième lieu. 1551 ; ☞ *quatrième* ; [katʀijɛmmɑ̃].

**QUATRILLION,** subst. m.
**1.** Vx. Un million de milliards ($10^{15}$). **2.** Depuis 1948, un million de trillions ($10^{24}$). 1765 ; crois. de *quatre* et de *million* ; var. *quadrillion* ; [k(w)atʀiljɔ̃].

**QUATTROCENTO,** subst. m.
Le XVe siècle artistique et littéraire, en Italie. 1927 ; ital. *quattrocento,* « quatre cents ; années 1400 » ; [kwatʀɔtʃɛnto].

**QUATUOR,** subst. m.
**1.** *Mus.* ▸ Composition à quatre parties, chantées ou instrumentales : ***Quatuor*** *de Mozart* ; ***Quatuor*** *à cordes,* pour deux violons, un alto et un violoncelle. ▸ Les quatre interprètes d'un **quatuor**. **2.** Ext. Groupe de quatre personnes. 1705 ; lat. *quat(t)uor,* « quatre » ; [kwatɥɔʀ].

**QUE (I),** conj. et adv.
**Conj. 1.** Introduit une proposition subordonnée. ▸ Sujet : ***Qu'****il ait perdu importe peu.* ▸ Objet : *Je pense* ***qu'****il a fini.* ▸ Circonstancielle : *Il était à peine parti* ***qu'****elle arriva* (temps) ; *As-tu froid,* ***que*** *tu trembles ?* (cause) ; *Viens,* ***que*** *je t'embrasse* (but) ; *Il fut si ému* ***qu'****il sembla défaillir* (conséquence) ; ***Qu'****il insiste,*

**Quatuor** à cordes *(détail), gravure anonyme du XVIIIe s. Musée Mozart, Prague.*

*je me retire* (hypothèse). **2.** Introduit une proposition indépendante dont le verbe au subjonctif exprime un ordre, un souhait... : *Qu'il entre !* ; *Qu'il soit béni !* **3.** S'emploie, dans la coordination, pour reprendre d'autres conjonctions (« si », « comme », « puisque », « quand », etc.) ou locutions conjonctives. **4.** S'emploie avec « autant », « plus », « moins », « tel », etc., pour introduire le second terme de la comparaison. **5.** S'emploie en corrélation avec « ne » pour marquer la restriction. **6.** S'emploie dans les formules de présentation (*C'est... **que**...*) et d'interrogation (*Est-ce **que**... ?*). **7.** Sert à former de nombreuses locutions conjonctives : *Afin **que**, après **que**, bien **que**, de façon **que**...* Adv. interr. Pourquoi ? : *Qu'avez-vous besoin de tant travailler ?* Adv. exclam. Combien ! : *Que d'émotions !* ; comme : *Qu'il est bête !* 842 ; lat. médiév. *que*, du lat. *quia*, « parce que » ; le *e* s'élide devant une voyelle ou un *h* muet ; [kə].

**QUE (II), pron. rel.**
Représente, dans la proposition qu'il introduit, une personne ou une chose (l'antécédent). ▸ Objet direct : *Les livres **que** j'ai lus* ; *Je sais ce **qu'il** veut.* ▸ Objet indirect ou complément circonstanciel : *C'est à toi **que** je parle* ; *Il y a un an **qu'il** vit ici.* ▸ Attribut : *De docile **qu'il** était, il devient rétif.* ▸ Sujet : *Advienne **que** pourra.* 842 ; lat. *quem*, accusatif de *qui* ; le *e* s'élide devant une voyelle ou un *h* muet ; [kə].

**QUE (III), pron. interr.**
Introduit une question. ▸ Objet direct : ***Qu'**as-tu ?* ; *Je ne sais **que** te conseiller* (tournure indirecte). ▸ Attribut : ***Que** seriez-vous sans moi ?* ▸ Sujet dans les tours impersonnels : ***Qu'**y a-t-il ?* ; ***Que** se passe-t-il ?* ▸ S'emploie dans les formes renforcées « Qu'est-ce que... ? », « Qu'est-ce qui... ? ». Fin Xe s. ; lat. *quid*, « quoi » ; le *e* s'élide devant une voyelle ou un *h* muet ; [kə].

**QUÉBÉCISME, subst. m.**
*Ling.* Trait de langue spécifique au français parlé au Québec. 1973 ; topon. *Québec* ; [kebesism].

**QUÉBÉCOIS, OISE, adj. et subst.**
Du Québec. Subst. masc. Langue française, telle qu'elle est parlée au Québec. 1754 ; topon. *Québec* ; [kebekwa, waz].

**QUEBRACHO, subst. m.**
*Bot.* Arbre d'Amérique du Sud, au bois riche en tanin. 1868 ; mot esp. d'orig. brésilienne ; [kebʀatʃo].

**QUECHUA, subst. m.**
Langue amérindienne de l'ancien Empire inca, aujourd'hui parlée en Bolivie et au Pérou. 1765 ; mot du quechua ; var. *quichua* ; [ketʃwa].

**QUEL, QUELLE, adj. et pron.**
Adj. interr. Sert à interroger sur la nature, l'identité, la quantité : ***Quel** est votre projet ?* ; ***Quel** âge as-tu ?* *Il ne sait pas **quel** parti prendre.* ▸ Exclamatif : ***Quel** temps superbe !* ; ***Quelle** (ne) fut (pas) notre surprise !* Adj. indéf. **Quel... que.** Toujours suivi du subjonctif, exprime une concession, une opposition : ***Quel** que soit le temps, il faut qu'il sorte.* Pron. interr. Lequel, qui : *De ces deux éditions, **quelle** est la meilleure ?* Xe s. ; lat. *qualis* ; [kɛl].

**QUELCONQUE, adj.**
Adj. indéf. N'importe lequel, quel qu'il soit : *Pour un motif **quelconque*** ; *Un individu **quelconque**.* Adj. Ordinaire, banal, sans intérêt : *Des gens très **quelconques**.* Déb. XIIe s. ; lat. *qualis-cumque* ; [kɛlkɔ̃k].

**QUÉLÉA, subst. m.**
*Zool.* Oiseau passériforme granivore, très répandu en Afrique subsaharienne, orientale et méridionale, nuisible aux récoltes de céréales (synon. *travailleur à bec rouge*). Lat. sc. *quelea* ; [kelea].

**QUELQUE, adj. et adv.**
Adj. indéf. **1.** Au sing. Un certain : ***Quelque** renard aura mangé la poule* ; *En **quelque** sorte.* ▸ Loc. pronom. masc. **Quelque chose.** Une chose, dont on ne précise pas ou dont on ignore la nature : *Désirez-vous **quelque** chose ?* ; *Il y a **quelque** chose de suspect.* ▸ Loc. adv. **Quelque part.** En un lieu indéterminé, qu'on ne peut ou ne veut pas préciser : *J'ai déjà vu ça **quelque** part* ; *Recevoir un coup de pied **quelque** part,* aux fesses (fam.). **2.** Au plur. Un certain nombre de, un petit nombre de : *Il nous reste **quelques** minutes.* **3.** Loc. ▸ **Et quelque(s).** Et un peu plus : *Trente personnes et **quelques*** ; *Deux mètres et **quelque**.* ▸ **Quelque... que.** N'importe lequel, quel que soit : ***Quelques** règles qu'on énonce, il y a toujours des exceptions.* Adv. **1.** Environ (devant un numéral) : ***Quelque** mille personnes étaient présentes.* **2.** **Quelque... que** (+ subj.). Si, aussi : ***Quelque** rusés qu'ils soient, ils ne pourront la convaincre.* Déb. XIIe s. ; formé de *quel* et de *que* (I) ; ne s'élide que devant *un, une* ; [kɛlk(ə)].

**QUELQUEFOIS, adv.**
**1.** Une fois, par hasard (vieilli) : *Si **quelquefois** tu le vois.* **2.** Parfois, en quelques occasions : *J'y vais **quelquefois**.* 1513 ; formé de *quelque* et de *fois* ; [kɛlkəfwa].

**QUELQU'UN, UNE, QUELQUES-UNS, -UNES, pron. indéf.**
Sing. **1.** Au masc. Une personne. ▸ Au moins une : *Y a-t-il **quelqu'un** ?* ▸ Non identifiée : ***Quelqu'un** crie.* ▸ Non nommée : *J'attends **quelqu'un**.* ▸ Indéterminée : *Il faut que **quelqu'un** s'en occupe.* ▸ Définie par qqch. : ***Quelqu'un** de bien* ; ***Quelqu'un** qui sait.* ▸ Éminente : *Il deviendra **quelqu'un**.* **2.** Un, une parmi plusieurs êtres ou choses (littér. ou vieilli) : *Voilà encore **quelqu'une** de tes folies.* Plur. Un petit ou un certain nombre (de choses, d'êtres) parmi plusieurs : ***Quelques-unes** de ces pommes sont pourries* ; empl. abs., un petit nombre de gens, certains, une minorité : *Il n'écrit que pour **quelques-uns**.* Fin XIIIe s. ; comp. de *quelque* et de *un* (III) ; [kɛlkœ̃, yn], plur. [kɛlkəzœ̃, yn].

**QUÉMANDER, verbe [3]**
Intrans. Vx. Mendier. Trans. Chercher à obtenir, demander (qqch.) avec une insistance humble mais importune : ***Quémander** une faveur.* 1413 ; anc. fr. *caimant*, « mendiant » ; [kemɑ̃de].

**QU'EN-DIRA-T-ON, subst. m. inv.**
Propos qui sont tenus sur qqn ; opinion des autres : *Ne pas se soucier du **qu'en-dira-t-on**.* 1650 ; comp. de *que* (III), de *en* (II), de *dire* (I) et de *on* ; [kɑ̃diʀatɔ̃].

**QUENELLE, subst. f.**
*Cuis.* Préparation en forme de rouleau, à base de viande, de poisson, de fromage ou de légumes, liés avec de l'œuf, de la farine ou de la mie de pain. 1750 ; all. *Knödel* ; [kənɛl].

**QUENOTTE, subst. f.**
Dent de jeune enfant (fam.). 1640 ; anc. norm. *cane*, « dent », du bas frq. °*kinni*, « mâchoire » ; [kənɔt].

**QUENOUILLE, subst. f.**
**1.** Bâton portant à son extrémité une petite quantité de fibres textiles que l'on filait au fuseau ou au rouet. ▸ Loc. *Tomber en **quenouille*** : échoir à une femme, en parlant d'un patrimoine, du pouvoir (vx) et, par ext., péricliter. **2.** Anal. Forme effilée donnée à un arbre par la taille. **3.** *Bot.* Tige et épi du maïs. **4.** *Métall.* Obturateur d'un moule de fonderie. Fin XIIe s. ; lat. médiév. *conucula*, du lat. *colus* ; [kənuj].

© Coll. Soazig-Explorer

*Fileuse à la **quenouille**, détail d'une gravure anonyme (XIXe s.).*

**QUÉRABLE, adj.**
*Dr.* Qui doit être demandé chez le débiteur (synon. *requérable*). 1765 ; ☞ *quérir* ; [keʀabl].

**QUERCITRIN, subst. m.**
Colorant jaune extrait de l'écorce du quercitron. 1842 ; ☞ *quercitron* ; var. *la quercitrine* ; [kɛʀsitʀɛ̃].

**QUERCITRON, subst. m.**
*Bot.* Chêne d'Amérique du Nord, qui fournit le quercitrin. 1797 ; angl. *quercitron*, du lat. *quercus*, « chêne », et de *citron*, « jaune citron » ; [kɛʀsitʀɔ̃].

**QUERELLE, subst. f.**
**1.** Vx. Plainte en justice. ▸ Ext. Cause d'une partie dans un litige (vieilli). ▸ Loc. *Épouser la **querelle** de qqn* : prendre son parti. **2.** Différend, vive altercation : ***Querelle** de ménage* ; *Chercher **querelle** à qqn.* ▸ Loc. ***Querelle** d'Allemand* : sans motif valable. **3.** Ext. Violent débat d'idées, controverse : *La **querelle** des Anciens et des Modernes,* qui opposa les partisans des auteurs anciens et ceux des auteurs modernes, à la fin du XVIIe s. 1155 ; lat. *querela* ; [kəʀɛl].

**QUERELLER, verbe trans. [3]**
Chercher querelle à (qqn), lui adresser des reproches (vieilli). Pronom. Se disputer : *Se **quereller** avec son voisin.* Fin XIIe s. ; ☞ *querelle* ; [kəʀele].

**QUERELLEUR, EUSE, adj. et subst.**
Se dit d'une personne qui aime les querelles, qui les provoque. Déb. XVIe s. (1273, celui qui intente un procès) ; ☞ *quereller* ; [kəʀɛlœʀ, øz].

**QUÉRIR, verbe trans. [33]**
Chercher (littér.) : ***Quérir** le médecin.* Fin XIIe s. ; anc. fr. *querre*, du lat. *quaerere* ; empl. gén. à l'inf., après *aller, venir, envoyer, faire* ; [keʀiʀ].

**QUÉRULENCE, subst. f.**
*Psych.* Tendance pathologique à réclamer réparation pour des injustices, des préjudices subis ou fictifs. 1960 ; lat. *querulus*, « qui se plaint » ; [keʀylɑ̃s].

**QUESTEUR, subst. m.**
**1.** *Antiq. rom.* Magistrat chargé des affaires financières. **2.** *Pol.* Membre élu du bureau d'une assemblée parlementaire qui en assume la gestion budgétaire et administrative. 1213 ; lat. *quaestor* ; [kɛstœʀ].

**QUESTION, subst. f.**
**I. 1.** Sujet de réflexion, de débat, de connaissance à approfondir : ***Question** à l'ordre du jour* ; *La **question** sociale* ; *C'est toute la **question**.* ▸ Loc. *(Il n'en est) pas **question** !* : il n'y a pas lieu de l'envisager ; *Remettre en **question*** : réexaminer. **2.** Ce dont il s'agit ; ce que l'on envisage de faire : *Il est **question** de démolir cette tour* ; *L'homme, le problème en **question**,* celui dont on parle. **3.** Affaire : *C'est une **question** de vie ou de mort* ; *Une **question** de minutes.* **II. 1.** Interrogation, demande orale ou écrite adressée à qqn : *Répondre aux **questions** du juge, d'un test* ; ***Question** piège,* qui présente une difficulté particulière. ▸ *Se poser des **questions*** : s'interroger soi-même, en son for intérieur. **2.** *Hist.* Torture légalement employée, jusqu'à la Révolution, pour obtenir d'un prisonnier des aveux ou des renseignements. **3.** *Pol.* ▸ ***Question** préalable* (☞ *préalable*). ▸ ***Question** de confiance* : par laquelle un gouvernement met en jeu sa responsabilité, en faisant approuver ou censurer sa politique. Déb. XIIe s. ; lat. *quaestio* ; [kɛstjɔ̃].

**QUESTIONNAIRE, subst. m.**
Liste de questions préparée à des fins d'enquête ou de contrôle ; l'imprimé sur lequel sont inscrites ces questions : *Remplir un **questionnaire**.* ▸ ***Questionnaire** à choix multiple (Q. C. M.)* : série de questions accompagnées chacune de plusieurs réponses entre lesquelles on doit choisir. 1533 ; bas lat. *questionnarius*, du lat. *quaestio*, « question » ; [kɛstjɔnɛʀ].

**QUESTIONNEMENT, subst. m.**
Fait de questionner, de dresser une liste des questions sur un problème ; cette liste elle-même. Déb. XVIIIe s. ; ☞ *questionner* ; [kɛstjɔnmɑ̃].

**QUESTIONNER, verbe trans. [3]**
**1.** Interroger, poser des questions à (qqn) : *Il le **questionna** habilement.* **2.** Soumettre à la torture de la question (vx). Fin XIIe s. ; ☞ *question* ; [kɛstjɔne].

**QUESTURE, subst. f.**
**1.** *Antiq. rom.* Charge exercée par un questeur ; par méton., durée de cette charge. **2.** *Pol.* Fonction de questeur dans une assemblée parlementaire. ▸ Méton. Ensemble des services des questeurs ; leurs locaux. 1574 ; lat. *quaestura* ; [kɛstyʀ].

**QUÊTE (I), subst. f.**
**1.** Action de chercher avec obstination (littér.) : *La **quête** du Graal* ; *La **quête** du bonheur.* ▸ Loc. *En **quête** de* : à la recherche de. **2.** Action de solliciter et de recueillir des dons : *Faire la **quête*** ; par méton., produit de cette collecte. Fin XIIe s. ; lat. *quaesita*, de *quaerere*, « chercher » ; [kɛt].

**QUÊTE (II), subst. f.**
*Mar.* **1.** Inclinaison vers l'arrière d'un mât de navire. **2.** Angle formé par la quille et l'étambot. 1643 ; anc. fr. *cheoite*, « chute » ; [kɛt].

**QUÊTER, verbe trans. [3]**
**1.** Vieilli ou Littér. Chercher (qqn, qqch.). **2.** *Vén.* Chercher la trace de (un gibier). **3.** Abs. Faire

la quête : ***Quêter** dans la rue.* **4.** Fig. Réclamer, solliciter avec insistance : ***Quêter** la pitié.* Déb. XIIIe s. ; ☞ *quête* (I) ; [kɛte].

**QUÊTEUR, EUSE, subst.**
Personne qui quête. XIIe s. ; ☞ *quêter* ; [kɛtœʀ, øz].

**QUETSCHE, subst. f.**
**1.** Grosse prune oblongue, violet foncé. **2.** Méton. Eau-de-vie obtenue à partir du jus fermenté de cette prune. 1775 ; all. *Zwetsche*, « prune » ; [kwɛtʃ].

**QUETZAL, subst. m.**
**1.** *Zool.* Oiseau d'Amérique centrale, de la famille des Trogonidés, au plumage coloré, à grande queue chez les mâles, et qui peut mesurer de 1 m à 1,20 m. Au Mexique, il a eu un rôle mythologique et symbolique. **2.** Unité monétaire du Guatemala. 1875 ; nahuatl *quetzalli*, « plume précieuse » ; plur. *quetzals* au sens 1, *quetzales* au sens 2 ; [kɛtzal], plur. [-lɛs].

© S. Krasemann-Jacana

*Quetzal.*

**QUEUE, subst. f.**
**I. 1.** Appendice souple et mobile de nombreux mammifères, qui prolonge la colonne vertébrale : ***Queue** en panache, en trompette.* ▸ Loc. *La **queue** basse* ou *entre les jambes* : piteusement, honteusement ; ***Queue** de vache* : de couleur roux jaune ; *À la **queue** leu leu* : l'un derrière l'autre, en file ; *Pas la **queue** d'un, d'une* : aucun, aucune (fam.) ; *Se mordre la **queue*** : raisonner de façon circulaire, sans aboutir. **2.** Membre viril (vulg.). **3.** Partie postérieure du corps de certains animaux : ***Queue** de crocodile, de lézard, de langouste, de poisson.* ▸ Loc. *Faire une **queue**(-)de(-)poisson à qqn* (☞ *poisson*). **4.** Plumes du croupion des oiseaux : ***Queue** du paon, de l'hirondelle.* ▸ *En **queue** d'aronde* (☞ *aronde*). **5.** Pédoncule d'une fleur ou d'un fruit : ***Queues** de cerises.* ▸ Tige, pétiole : ***Queues** de radis.* **II.** Fig. **1.** Trait partant du corps d'une note de musique, d'une lettre, d'un chiffre. **2.** Partie allongée qui prolonge un objet : *Piano à **queue*** ; manche fixé à un ustensile : ***Queue** de casserole.* **3.** *Spéc.* ▸ *Aéron.* Partie arrière d'un avion. ▸ *Astron.* ***Queue** d'une comète* : traînée lumineuse visible à sa suite. ▸ *Chim.* *Produits de **queue*** : dont la distillation se fait, dont l'arôme se développe en dernier. ▸ *Cost.* Pan arrière, traîne ; basque d'un habit. ▸ *Constr.* Protubérance encastrée par scellement, par assemblage : ***Queue** de pierre.*

© T. Mc Hugh/PHR-Jacana

*Chez les atèles, la **queue** de la mère sert aussi à transporter le petit.*

▸ *Jeux.* Bâton servant à pousser les boules, au billard. ▸ *Math.* *Théorie des **queues*** ou *des files d'attente* : construction et étude de modèles des flux et trafics, utilisant le calcul des probabilités. ▸ *Mus.* Partie qui prolonge un mouvement (synon. *coda*). **III. 1.** Ce qui vient en dernière position : *Wagons de **queue*** ; ***Queue** d'un cortège* ; *La **queue** de la classe*, les mauvais élèves. ▸ Loc. *Tête(-)à(-)**queue*** : demi-tour accidentel d'un véhicule ; *Sans **queue** ni tête* : confus, sans début ni fin. **2.** File d'attente : *Faire la **queue**.* Fin XIe s. ; lat. *coda*, var. de *cauda* ; [kø].

**QUEUE-DE-CHEVAL, subst. f.**
**1.** *Bot.* Prêle. **2.** *Anat.* Ensemble constitué par les racines des nerfs lombaires, sacrés et coccygiens, situé à la partie terminale du canal rachidien. **3.** Coiffure formée par les cheveux attachés au sommet de la tête et qu'on laisse flotter en arrière. 1600 ; comp. de *queue* et de *cheval* ; plur. *queues-de-cheval* ; [kødʃəval].

**QUEUE-DE-COCHON, subst. f.**
*Techn.* **1.** Vrille. **2.** Ornement torsadé, en ferronnerie. 1803 ; comp. de *queue* et de *cochon* ; plur. *queues-de-cochon* ; [kødkɔʃɔ̃].

**QUEUE-DE-MORUE, subst. f.**
**1.** *Cost.* Habit à basques en pointe. **2.** Pinceau large et plat. 1829 ; comp. de *queue* et de *morue* ; plur. *queues-de-morue* ; [kødmɔʀy].

**QUEUE-DE-PIE, subst. f.**
*Cost.* Habit de cérémonie à basques en pointe. 1845 ; comp. de *queue* et de *pie* (I) ; plur. *queues-de-pie* ; [kødpi].

**QUEUE-DE-RAT, subst. f.**
**1.** *Techn.* Lime arrondie et pointue. **2.** *Mar.* Extrémité amincie d'un cordage. 1752 (1680, cheval à la queue dégarnie de poils) ; comp. de *queue* et de *rat* ; plur. *queues-de-rat* ; [kødʀa].

**QUEUE-DE-RENARD, subst. f.**
*Bot.* Espèce d'amarante. 1538 ; comp. de *queue* et de *renard* ; plur. *queues-de-renard* ; [kødʀənaʀ].

**QUEUSOT, subst. m.**
*Techn.* Tube de verre servant à faire le vide dans une ampoule électrique. 1912 ; ☞ *queue* ; [køzo].

**QUEUTER, verbe intrans. [3]**
*Jeux.* ▸ Au billard, laisser la queue en contact avec la bille après l'avoir frappée. ▸ Au croquet, accompagner la boule au lieu de la frapper. 1765 ; ☞ *queue* ; [køte].

**QUEUX (I), subst. m.**
Cuisinier (vx) : *Un maître **queux**.* Fin XIe s. ; lat. *coquus* ; [kø].

**QUEUX (II), subst. f.**
Pierre à aiguiser (vx). Déb. XIIe s. ; lat. *cotis* ; [kø].

**QUI, pron. rel. et interr.**
**Pron. rel.** Représente une personne ou une chose. **1.** Sujet. ▸ Avec antécédent exprimé : *Je connais cette femme, **qui** attend un taxi* ; *Passe-moi le livre **qui** est sur la table.* ▸ Sans antécédent exprimé. Celle qui, celui qui : ***Qui** vivra verra* ; ***Qui** dort dîne.* ▸ Répété. Les uns... les autres..., ceux-ci... ceux-là... (littér.) : *Ils étaient tous là, **qui** pour dîner, **qui** pour discuter.* ▸ Indéfini. ***Qui** que, **qui** que ce soit **qui*** (+ subj.) : quelque personne que ce soit, quelle que soit la personne **qui.** ▸ Loc. *Comme **qui** dirait* : en quelque sorte (fam.) ; ***Qui** plus est* : de plus, en outre. **2.** Complément. Précédé d'une préposition, représente un nom de personne ou de chose personnifiée : *Un homme en **qui** j'ai confiance* ; *Dis-moi pour **qui** tu as voté.* **Pron. interr.** Quelle personne ? **1.** Sujet : ***Qui** va là ?* **2.** Attribut : ***Qui** êtes-vous ?* **3.** Complément : ***Qui** attends-tu ?* ; *Dis-moi **qui** tu as invité.* 842 ; lat. *qui* ; [ki].

**QUIA (À), loc. adv.**
Dans l'impossibilité de répondre : *Mettre qqn **à quia**.* Mil. XVe s. ; lat. *quia*, « parce que » ; [akɥija].

**QUICHE, subst. f.**
*Cuis.* Tarte à pâte brisée garnie de lardons, d'œufs battus et de crème : *Une **quiche** lorraine.* 1805 ; p.-ê. all. *Kuchen*, « gâteau » ; [kiʃ].

**QUICHENOTTE, subst. f.**
Coiffe traditionnelle des paysannes de Vendée et de Saintonge. Mil. XIXe s. ; p.-ê. angl. *kiss not*, « n'embrasse pas » ; var. *kichenotte* ; [kiʃnɔt].

**QUICHUA, voir QUECHUA**

**QUICK, subst. m. inv.**
Revêtement synthétique dur et poreux de certains courts de tennis de plein air. 1956 ; angl. *quick*, « rapide » ; n. déposé ; [kwik].

**QUICONQUE, pron. rel. et indéf.**
**Pron. rel.** Toute personne qui : *Je le donnerai à **quiconque** le méritera.* **Pron. indéf.** N'importe qui : *Du cran, il en a plus que **quiconque*** ; personne (avec privatif) : *Sans en parler à **quiconque**.* Fin XIIe s. ; anc. fr. *qui... qu'onques*, « qui... jamais » ; [kikɔ̃k].

**QUID, adv. interr.**
Fam. Quoi ? ; qu'en est-il ? : ***Quid** de votre examen ?* 1825 ; mot lat. ; [kwid] ou [kɥid].

**QUIDAM, subst. m.**
Individu quelconque (fam. et vieilli). Fin XIVe s. ; lat. *quidam*, « un certain » ; [k(ɥ)idam].

**QUIESCENT, ENTE, adj.**
**1.** *Biol.* et *Pathol.* Se dit d'un organisme, d'une cellule, d'une maladie en état de sommeil, de non-développement. **2.** *Ling.* Se dit, en hébreu, d'une lettre qui ne se prononce que liée à une voyelle et, en arabe, d'une syllabe formée d'une consonne, sans voyelle. 1624 ; lat. *quiescens*, de *quiescere*, « se reposer » ; [kɥi(j)ɛsɑ̃, ɑ̃t] ou [kjɛ-].

**QUIET, QUIÈTE, adj.**
Calme, tranquille (littér.). Fin XIIIe s. ; lat. *quietus* ; [kjɛ, kjɛt].

**QUIÉTISME, subst. m.**
*Relig.* Doctrine (condamnée en 1687) répandue en France à la fin du XVIIe s., inspirée par l'Espagnol Molinos, qui affirmait que le pur amour de Dieu et la pratique contemplative suffisent à assurer le salut. 1688 ; ☞ *quiet* ; [kjetism].

**QUIÉTISTE, subst.**
*Relig.* Adepte du quiétisme ; empl. adj., relatif, favorable au quiétisme : *La philosophie **quiétiste** de Fénelon.* 1687 ; ☞ *quiétisme* ; [kjetist].

**QUIÉTUDE, subst. f.**
Tranquillité d'âme, grand calme (littér.). Mil. XVe s. ; bas lat. *quietudo*, « repos » ; [kjetyd].

**QUIGNON, subst. m.**
Gros croûton de pain. 1515 ; altér. de *coignon* (vx), « coin » ; [kiɲɔ̃].

**QUILLE (I), subst. f.**
**1.** *Jeux.* Chacune des pièces de bois posées verticalement sur le sol, et que l'on tente de renverser en lançant une boule. **2.** Jambe (pop.). 1288 ; anc. haut all. *kegil*, « piquet » ; [kij].

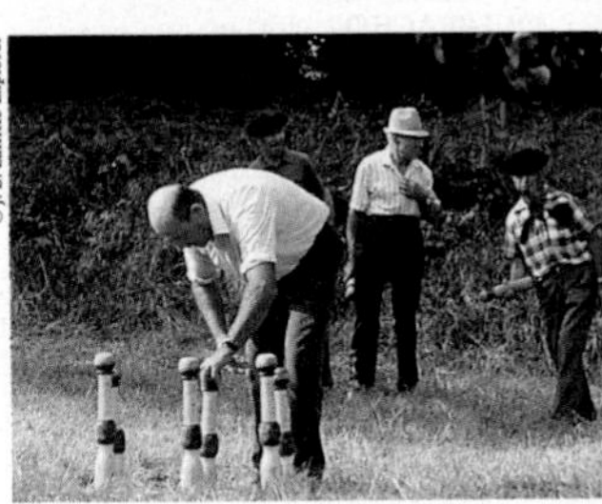
© J. B. Laffitte-Explorer

*Une partie de jeu de **quilles**.*

**QUILLE (II), subst. f.**
*Mar.* Pièce axiale de la partie inférieure d'un navire, qui supporte les autres éléments de la charpente. 1383 ; anc. nord. *kilir* ; [kij].

**QUILLE (III), subst. f.**
Fin du service militaire (argot milit.). 1936 ; p.-ê. *quille* (I), dans *jouer des quilles* (vx), « s'enfuir » ; [kij].

**QUILLEUR, EUSE, subst.**
Québ. Personne qui joue aux quilles. 1916 ; ☞ *quille* (I) ; [kijœʀ, øz].

**QUILLON, subst. m.**
*Arm.* Chacune des deux tiges de la croix dans la garde d'une épée, d'une baïonnette. 1570 ; ☞ *quille* (I) ; [kijɔ̃].

**QUINAIRE, adj. et subst. m.**
**Adj.** Divisible par cinq. **Subst.** Monnaie romaine, qui valait 5 as. 1546 ; lat. *quinarius* ; [kinɛʀ].

**QUINCAILLERIE, subst. f.**
**1.** Ensemble de petits ustensiles ménagers, d'outils en métal. **2.** Méton. Industrie ou commerce de ces objets ; magasin où ils sont vendus. **3.** Bijoux sans valeur, de mauvais goût (fam.). Fin XIIIe s. ; *quincaille* (vx), de l'anc. fr. *clinquer*, « résonner » ; [kɛ̃kajʀi].

**QUINCAILLIER, IÈRE,** subst.
Vendeur de quincaillerie. 1442 ; *quincaille* (vx), « ensemble d'ustensiles » ; [kɛ̃kaje, jɛʀ].

**QUINCONCE,** subst. m.
1. *En* **quinconce** : se dit d'éléments groupés par cinq, dont quatre en carré et le cinquième au centre. 2. Plantation d'arbres disposés de la sorte. 1534 ; lat. *quincunx*, « monnaie de cuivre de 5 onces » ; [kɛ̃kɔ̃s].

**QUINDÉCEMVIR,** subst. m.
*Antiq. rom.* Chacun des quinze prêtres qui gardaient les livres sibyllins et organisaient certaines cérémonies. 1732 ; lat. *quindecimviri*, « quinze hommes » ; var. *quindécimvir* ; [k(ɥ)ɛ̃desɛmviʀ].

**QUINE,** subst. m.
*Jeux.* 1. À la loterie, série de cinq numéros sortis ensemble (vx). 2. Au loto, série de cinq numéros sortis sur une ligne horizontale. 1783 (1155, série de cinq, aux dés) ; lat. *quini*, « cinq chacun » ; [kin].

**QUINÉ, ÉE,** adj.
*Bot.* Qualifie des organes végétaux disposés par cinq. 1783 ; lat. sc. *quinatus* ou *quinus* ; [kine].

**QUININE,** subst. f.
*Pharm.* Alcaloïde tiré du quinquina, dont les sels sont utilisés comme antipaludéens et comme régulateurs du rythme cardiaque. 1820 ; ☞ *quinquina* ; [kinin].

**QUINOA,** subst. m.
*Bot.* Plante de la famille des Chénopodiacées, originaire d'Amérique du Sud, à graines comestibles. 1816 ; esp. *quinua*, d'orig. quechua ; [kinɔa].

**QUINOLÉINE,** subst. f.
*Chim.* Hétérocycle obtenu à partir de la pyridine, dont les dérivés ont des applications thérapeutiques. 1843 ; crois. de *quinine* et de *oléine* ; [kinɔlein].

**QUINONE,** subst. f.
*Chim.* Toute dicétone comprenant un cycle insaturé. Les dérivés des **quinones** sont employés comme colorants ou synthétiques industriels. 1838 ; ☞ *quinquina* ; [kinɔn].

**QUINQUAGÉNAIRE,** adj. et subst.
Adj. Dont l'âge est compris entre cinquante et cinquante-neuf ans. Subst. Personne **quinquagénaire**. 1482 ; lat. *quinquagenarius* ; [kɛ̃kaʒenɛʀ].

**QUINQUENNAL, ALE, AUX,** adj.
1. Qui a lieu tous les cinq ans. 2. Qui dure cinq ans. 1520 ; lat. *quinquennalis* ; [kɛ̃kenal, o].

**QUINQUENNAT,** subst. m.
Durée de cinq ans (d'un plan, d'une fonction, etc.). 1948 ; ☞ *quinquennal* ; [kɛ̃kena].

**QUINQUET,** subst. m.
1. Lampe à courant d'air double, dont le réservoir d'huile est placé plus haut que la mèche. 2. Œil (fam. et vieilli). 1800 ; anthropon. *Antoine Quinquet*, qui perfectionna cette lampe ; [kɛ̃kɛ].

**QUINQUINA,** subst. m.
1. *Bot.* Arbre tropical de grande taille (de 20 à 25 m), de la famille des Rubiacées, dont l'écorce fournit des alcaloïdes (quinine, cinchonine). 2. Vin apéritif amer à base d'écorce de **quinquina**. 1653 ; esp. *quinaquina*, du quechua ; [kɛ̃kina].

© G. Félix-Jacana

*Tous les ingrédients pour la préparation du* ***quinquina*** *: écorce, épices, sucre et agrumes.*

**QUINT, QUINTE,** adj. et subst. f.
Adj. Vx. Cinquième : *Charles* **Quint**. ▸ *Pathol. Fièvre* **quinte** : fièvre qui revient tous les cinq jours. Subst. 1. *Mus.* Intervalle consonant de cinq degrés dans la gamme diatonique : ***Quinte*** *augmentée, diminuée*. 2. Accès de mauvaise humeur (vx). ▸ ***Quinte*** *de toux* : accès de toux. 3. *Jeux.* Suite de cinq cartes de couleur identique. 4. *Escr.* La cinquième garde. Fin XIe s. ; lat. *quintus* ; [kɛ̃, kɛ̃t].

**QUINTAL,** subst. m.
1. Vx. Poids de 100 livres. ▸ Au Canada, poids de 112 livres. 2. Poids de 100 kilogrammes (symb. : q). Déb. XIIIe s. ; lat. médiév. *quintale* ; plur. *quintaux* ; [kɛ̃tal], plur. [-to].

**QUINTEFEUILLE,** subst.
Fém. 1. *Bot.* Potentille rampante, de la famille des Rosacées, comptant gén. cinq pétales. 2. *Hérald.* Pièce à cinq pétales. Masc. *Archit.* Rosace formée de cinq lobes. XIIe s. ; lat. *quinquefolium* ; [kɛ̃tfœj].

**QUINTESSENCE,** subst. f.
1. *Philos.* L'éther, ou cinquième essence, celle des astres, ajoutée aux quatre éléments d'Empédocle. 2. *Alchim.* Extrait le plus pur d'un corps. ▸ Fig. L'essentiel, le meilleur de qqch. Fin XIIIe s. ; lat. médiév. *quinta essentia* ; [kɛ̃tesɑ̃s].

**QUINTETTE,** subst. m.
*Mus.* 1. Œuvre pour cinq parties, instrumentales ou chantées. 2. Formation de cinq musiciens : ***Quintette*** *de jazz*. 1801 ; ital. *quintetto*, dimin. de *quinto*, « cinquième » ; [k(ɥ)ɛ̃tɛt].

**QUINTEUX, EUSE,** adj.
1. Qui se fâche aisément et soudainement (vieilli). 2. *Toux* **quinteuse** : qui se manifeste par quintes. 1562 ; ☞ *quinte* ; [kɛ̃tø, øz].

**QUINTIDI,** subst. m.
Cinquième jour de la décade, dans le calendrier républicain. 1793 ; lat. *quintus*, « cinquième », et *dies*, « jour » ; [kɛ̃tidi].

**QUINTILLION,** subst. m.
1. Jusqu'en 1948, un milliard de milliards ($10^{18}$). 2. Depuis 1948, un million de quatrillions ($10^{30}$). 1630 ; crois. du lat. *quintus*, « cinquième », et de *million* ; [kɛ̃tiljɔ̃].

**QUINTO,** adv.
Cinquièmement. 1419 ; mot lat. ; [kwinto] ou [kɛ̃-].

**QUINTUPLE,** adj. et subst. m.
Se dit de ce qui vaut cinq fois une quantité, une valeur donnée. ▸ Loc. *Rendre au* ***quintuple*** : beaucoup plus qu'on a emprunté ou reçu. Adj. Formé de cinq éléments semblables : *Le* ***quintuple*** *toit d'une pagode*. 1484 ; bas lat. *quintuplex* ; [kɛ̃typl].

**QUINTUPLÉ, ÉE,** subst.
Chacun des cinq enfants nés d'une même grossesse. 1941 ; p. p. de *quintupler* ; [kɛ̃typle].

**QUINTUPLER,** verbe [3]
Trans. Multiplier par cinq. Intrans. Devenir cinq fois plus élevé : *Les bénéfices* ***ont quintuplé***. 1484 ; ☞ *quintuple* ; [kɛ̃typle].

**QUINZAINE,** subst. f.
1. Ensemble de quinze ou d'environ quinze unités. 2. Durée de quinze jours, de deux semaines. Déb. XIIe s. ; ☞ *quinze* ; [kɛ̃zɛn].

**QUINZE,** adj. num. inv. et subst. m. inv.
Adj. card. Quatorze plus un. Adj. ord. 1. Quinzième : *Louis XV*. 2. Qui porte le numéro **quinze** : *L'appartement* ***quinze*** ou, empl. subst., *Le* ***quinze***. Subst. 1. Le nombre **quinze** : *Huit et sept font* ***quinze***. 2. Le numéro **quinze** : *Le* ***quinze*** *a gagné la course de trot*. 3. Représentation graphique de ce nombre. 4. *Sp.* Équipe de rugby (à **quinze**). Fin XIe s. ; lat. *quindecim* ; [kɛ̃z].

**QUINZIÈME,** adj.
Adj. num. ord. Qui occupe le rang marqué par le nombre quinze ; empl. subst. : *Le, la* ***quinzième***. Adj. Qui constitue une fraction d'un tout divisé également en quinze : *La* ***quinzième*** *partie* ou, empl. subst. masc., *Le* ***quinzième***. 1119 ; ☞ *quinze* ; [kɛ̃zjɛm].

**QUINZIÈMEMENT,** adv.
En quinzième lieu. 1788 ; ☞ *quinzième* ; [kɛ̃zjɛmmɑ̃].

**QUINZISTE,** subst. m.
*Sp.* Joueur d'une équipe de rugby à quinze. V. 1980 ; ☞ *quinze* ; [kɛ̃zist].

**QUIPROQUO,** subst. m.
Malentendu qui fait prendre une chose ou une personne pour une autre. 1370 ; lat. médiév. *quid pro quod*, « qqch. pour qqch. » ; plur. *quiproquo(s)* ; [kipʀɔko].

**QUIPU,** subst. m.
*Hist.* Chez les Incas, ensemble de cordelettes qui, par les combinaisons de leurs couleurs et de leurs nœuds, servaient à calculer ou à noter dates et évènements. 1716 ; orig. du quechua ; var. *quipou*, *quipo* ; [kipu].

**QUIQUI,** voir **KIKI**

**QUISCALE,** subst. m.
*Zool.* Oiseau passériforme d'Amérique centrale, appelé aussi loriot du Nouveau Monde, au plumage noir à reflets rouges et au bec conique. 1808 ; lat. sc. *quiscalus* ; [kɥiskal].

**QUITTANCE,** subst. f.
*Dr.* Document attestant le paiement d'un dû. Mil. XIIe s. ; ☞ *quitter* ; [kitɑ̃s].

**QUITTANCER,** verbe trans. [4]
*Dr.* Donner quittance de (une dette). 1393 ; ☞ *quittance* ; [kitɑ̃se].

**QUITTE,** adj.
1. Libéré d'une dette, d'un devoir moral, d'une obligation. 2. Exonéré : ***Quitte*** *de frais*. 3. Loc. *En être* ***quitte pour*** : n'avoir à subir que ; ***Quitte*** *à* : au risque de ; *Jouer à* ***quitte*** *ou double* : au risque de doubler ses gains ou de tout perdre. Fin XIe s. ; lat. jur. *quitus*, du lat. *quietus*, « tranquille » ; [kit].

**QUITTER,** verbe trans. [3]
1. Vx. Libérer (qqn) d'une dette, d'une obligation. 2. Céder (un bien, un droit) à qqn (vieilli). 3. Abandonner (une activité). 4. Laisser provisoirement (qqn) ; se séparer définitivement de (qqn) ; empl. pronom. : *Ils* ***se sont quittés***. ▸ Loc. ***Quitter*** *le monde, les siens* : décéder. 5. Sortir de, s'éloigner de (un lieu) : ***Quitter*** *sa chambre* ; partir de (une ville, un pays). 6. Lâcher (qqn ou qqch.). 7. Ôter (un vêtement). Mil. XIIe s. ; ☞ *quitte* ; [kite].

**QUITUS,** subst. m.
*Dr.* Acte par lequel la gestion d'une personne est reconnue régulière : *Les copropriétaires donnent* ***quitus*** *au syndic*. 1421 ; mot du lat. médiév. ; [kitys].

**QUI-VIVE,** subst. m. inv.
État de veille, de vigilance. ▸ Loc. *Être sur le* ***qui-vive*** : sur ses gardes. 1626 (1419, *Qui vive ?*, Qui va là ?) ; prob. loc. *homme qui vive*, « qui que ce soit » ; [kiviv].

**QUOI,** pron. rel., indéf. et interr.
Pron. rel. Représente une chose, une idée. 1. Avec antécédent, gén. un mot à valeur d'indéfini : *Ce pour* ***quoi*** *je suis doué* ; *Il n'y a rien à* ***quoi*** *s'agripper*. ▸ Avec un antécédent de sens précis (vx) : *Il montra une audace à* ***quoi*** *je ne m'attendais pas*. 2. Ayant pour antécédent une proposition : *Pars, sans* ***quoi*** *tu seras en retard*, sinon... 3. Sans antécédent. **De quoi** (+ inf.). Motif à, assez pour : ***De quoi*** *rire*. ▸ Loc. *Avoir de* ***quoi*** (par ell. de *vivre*) : être nanti (fam.) ; *Il n'y a pas de* ***quoi*** : ce n'est pas la peine de me remercier. Pron. indéf. **Quoi que** (+ subj.). Quelle que soit la chose que : ***Quoi*** *qu'il dise, on le raille*. Pron. interr. 1. Interrogation directe : *À* ***quoi*** *penses-tu ?* ; ***Quoi*** *de neuf ?* ▸ Abs. Sert à faire répéter, préciser : ***Quoi*** *? c'est tout ?* 2. Interrogation indirecte : *Je me demande en* ***quoi*** *j'ai eu tort*. 3. Empl. exclam. ***Quoi*** *! toi ici !* : comment !... ; *Mais* ***quoi*** *! j'étais jeune* : mais voilà... (littér.). Mil. XIe s. ; lat. *quid* ; [kwa].

**QUOIQUE,** conj.
1. Introduit une idée d'opposition (+ subj.). Bien que : ***Quoiqu'****il ne sache rien, il nous abreuve de ses avis*. ▸ Avec ellipse du verbe : ***Quoique*** *fatigué, il refuse de se reposer*. 2. Introduit une restriction (+ cond. ou indic.). Encore que : *Je pars pour Naples,* ***quoique*** *je préférerais rester à Rome*. Fin XIIe s. ; formé de *quoi* et de *que* (I) ; le *e* ne s'élide que devant *il, elle, ils, elles, un, une, on* ; [kwak(ə)].

*Quipu.*

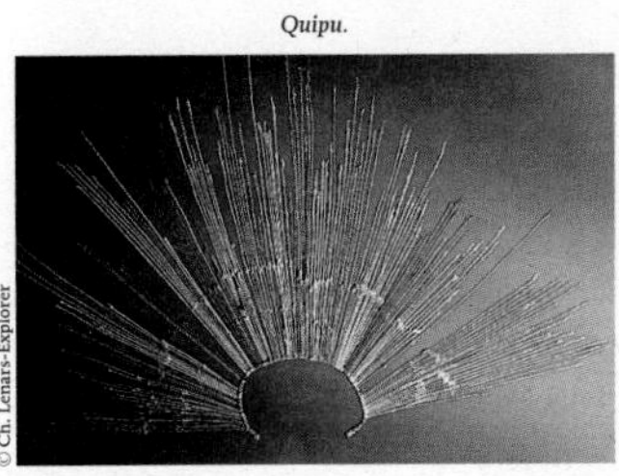
© Ch. Lenars-Explorer

**QUOLIBET, subst. m.**
Raillerie. 1306 ; lat. scol. *disputationes de quolibet*, « débats sur ce que l'on veut » ; [kɔlibɛ].

**QUORUM, subst. m.**
**1.** *Dr.* Nombre requis de personnes présentes, ou représentées, pour qu'une assemblée soit habilitée à délibérer. **2.** *Pol.* Nombre minimal de votants requis pour valider une élection. 1672 ; lat. *quorum*, « desquels, dont » ; [k(w)ɔʀɔm].

**QUOTA, subst. m.**
**1.** Quantité limitée et imposée : *Un **quota** de production.* **2.** *Stat.* Dans un sondage, échantillon représentatif d'une population. 1927 ; angl. *quota*, du lat. *quota pars*, « quote-part » ; [k(w)ɔta].

**QUOTE-PART, subst. f.**
**1.** Dans un groupe, partie d'une somme que chacun doit payer ou recevoir. **2.** *Dr.* Quotité. **3.** Fig. Contribution. 1490 ; comp. de *quote*, « cote », et de *part* (I), du lat. *quota pars* ; plur. *quotes-parts* ; [kɔtpaʀ].

**QUOTIDIEN, IENNE, adj. et subst. m.**
Adj. **1.** Qui se produit chaque jour : *Une promenade **quotidienne**.* **2.** Ext. Habituel, ordinaire. Subst. **1.** Réalité journalière : *Il aimait le **quotidien**.* ▸ Loc. *Au **quotidien*** : journellement. **2.** Journal paraissant tous les jours. Déb. XII$^{e}$ s. ; lat. *quotidianus*, de *quotidie*, « chaque jour » ; [kɔtidjɛ̃, jɛn].

**QUOTIDIENNEMENT, adv.**
De façon quotidienne. 1421 ; ☞ *quotidien* ; [kɔtidjɛnmɑ̃].

**QUOTIDIENNETÉ, subst. f.**
Caractère de ce qui est quotidien. 1834 ; ☞ *quotidien* ; [kɔtidjɛnte].

**QUOTIENT, subst. m.**
**1.** *Math.* Résultat d'une division ; entier $q$ de $a = bq + r$ dans la division euclidienne de l'entier $a$ par l'entier $b$ ($r$ est le reste, $0 \leqslant r < b$). ▸ En appos. *Ensemble **quotient** d'un ensemble E par une relation d'équivalence R* : ensemble noté E/R dont les éléments sont les classes d'équivalence suivant R. **2.** *Spéc.* ▸ *Pol.* ***Quotient** électoral* : résultat de la division du nombre de suffrages exprimés par le nombre des sièges à pourvoir (scrutin proportionnel). ▸ *Fisc.* ***Quotient** familial* : résultat obtenu en divisant le revenu imposable par le nombre de parts, déterminées par la composition du foyer du contribuable. ▸ *Psychol.* ***Quotient** intellectuel (Q. I.)* : indice de capacité intellectuelle obtenu en divisant l'âge mental, mesuré par des tests, par l'âge réel, le résultat étant multiplié par cent. ▸ *Physiol.* ***Quotient** respiratoire* : rapport du volume de gaz carbonique rejeté au volume d'oxygène inhalé dans le même temps. 1484 ; lat. *quotiens*, var. de *quoties*, « combien de fois », de *quot*, « combien » ; [kɔsjɑ̃].

PSYCHOLOGIE – Chargé d'une enquête préparatoire à l'enseignement destiné aux enfants arriérés mentaux, Alfred Binet met au point, avec Théodore Simon, une méthode d'examen permettant de sélectionner ces derniers : le test Binet-Simon (1905) établit une échelle métrique de l'intelligence. Ce test sera revu et complété (Terman-Merril en 1917 et 1937). Wechsler, avec le WISC (Wechsler Intelligence Scale for Children) et le WAIS (Wechsler Adult Intelligence Scale), pondère le nombre d'épreuves verbales avec des épreuves centrées sur la performance. Outre le fait que les tests de Q. I. portent toujours sur un domaine déterminé de l'activité intellectuelle (capacités logiques, linguistiques, combinatoires, etc.) – d'où leur désignation, moins réductrice, de « tests d'aptitude » – et les problèmes que pose la définition même de l'intelligence, l'usage de la notion de Q. I. appelle une grande vigilance : il paraît nécessaire de prendre en compte les facteurs affectifs, sociaux, pédagogiques qui viennent se greffer sur toute situation de test (expliquant la variation de Q. I. chez un même individu et les répercussions, sur le résultat, du contexte socioculturel et familial). L'utilisation du Q. I. à des fins sélectives et discriminatoires, la tendance à faire passer pour des différences de nature le résultat d'inégalités qu'il tient à la volonté des hommes de supprimer témoignent des dangers idéologiques et éthiques de cet outil.

**QUOTITÉ, subst. f.**
**1.** Montant fixe d'une quote-part. **2.** *Fisc.* *Impôt de **quotité*** : dont le taux est directement déterminé par le législateur (par oppos. à *impôt de répartition*). **3.** *Dr.* ***Quotité** disponible* : part de son propre patrimoine à laquelle les ayants droit naturels ne peuvent prétendre et dont on peut disposer librement. 1473 ; crois. de *quote*, « cote », et de *quantité* ; [kɔtite].

*Raffinerie de pétrole.* © Stock Image

**R,** subst. m. inv.
**1.** Dix-huitième lettre et quatorzième consonne de l'alphabet, qui note une consonne constrictive ou une vibrante sonore. À la finale d'un mot, le digramme *er* peut se prononcer [ɛʀ] (comme dans « cher »), mais le plus souvent il reste muet, se prononçant alors [e] (comme dans « aimer » et « courrier »). **2.** Abrév. et Symb. ▸ *Chim.* R : constante universelle des gaz parfaits. ▸ *Math.* ℝ (resp. ℝ*) : ensemble des nombres réels (resp. réels non nuls). ▸ *Phys.* R : röntgen. [ɛʀ].

**Ra,** voir **RADIUM**

**RA,** subst. m. inv.
Série de coups de baguette produisant un bref roulement sur un tambour (vx). 1842 ; onomat. ; [ʀa].

**RAB,** subst. m.
Rabiot (fam.). 1893 ; apocope de *rabiot* ; var. *rabe* ; [ʀab].

**RABAB,** voir **REBAB**

**RABÂCHAGE,** subst. m.
Fam. Action de rabâcher ; propos que l'on rabâche. 1735 ; ☞ *rabâcher* ; [ʀabɑʃaʒ].

**RABÂCHER,** verbe [3]
Fam. **Trans.** Répéter sans cesse (ce que l'on a déjà dit) d'une manière lassante. **Intrans.** Radoter. Déb. XVIIIe s. (1611, faire du vacarme) ; rad. préroman °*rabb-*, qui exprime l'idée de faire du bruit ; [ʀabɑʃe].

**RABÂCHEUR, EUSE,** subst.
Personne qui rabâche (fam.). 1740 ; ☞ *rabâcher* ; [ʀabɑʃœʀ, øz].

**RABAIS,** subst. m.
Baisse de prix, remise. ▸ Loc. **Au rabais.** Au-dessous du prix habituel et, par ext., d'une qualité ou d'un rapport médiocre : *Travail au* ***rabais.*** 1294 ; ☞ *rabaisser* ; [ʀabɛ].

**RABAISSEMENT,** subst. m.
**1.** Action de rabaisser. **2.** Fig. Action de dénigrer. 1374 ; ☞ *rabaisser* ; [ʀabɛsmɑ̃].

**RABAISSER,** verbe trans. [3]
**1.** Baisser, rabattre. **2.** Fig. Minimiser : ***Rabaisser*** *l'orgueil de qqn* ; déprécier, dénigrer ; humilier. **Pronom.** Se dénigrer ; s'avilir. Fin XIIe s. ; ☞ *abaisser* + *re-* ; [ʀabese].

**RABAN,** subst. m.
*Mar.* Corde utilisée pour amarrer ou fixer qqch. 1573 ; néerl. *raband*, de *ra*, « vergue », et de *band*, « lien » ; [ʀabɑ̃].

**RABANE,** subst. f.
Tissu de raphia. 1877 ; orig. inc. ; [ʀaban].

**RABAT,** subst. m.
**1.** *Chasse.* Action de rabattre le gibier. **2.** *Cost.* ▸ Morceau d'étoffe quadrangulaire ornant autrefois le col de l'habit de certains clercs. ▸ Large cravate formant plastron, ornant la robe des magistrats, des avocats et de certains universitaires. **3.** ***Rabat*** *d'une poche, d'un dossier* : partie qui peut se replier. 1480 (1260, rabais) ; ☞ *rabattre* ; [ʀaba].

**RABAT-JOIE,** subst. inv. et adj. inv.
Se dit d'une personne qui contrarie la bonne humeur de son entourage. Fin XIVe s. ; comp. de *rabattre* et de *joie* ; [ʀabaʒwa].

**RABATTAGE,** subst. m.
**1.** *Chasse.* Action de rabattre le gibier. **2.** *Arboric.* Suppression de certaines branches d'un arbre. 1869 (1723, rabais) ; ☞ *rabattre* ; [ʀabataʒ].

**RABATTEMENT,** subst. m.
**1.** Action de rabattre ; son résultat. **2.** *Géom.* ***Rabattement*** *d'un plan* : rotation permettant d'appliquer ce plan sur un plan de projection. **3.** *Trav. publ.* Abaissement du niveau d'une nappe d'eau par pompage. 1857 (1284, rabais) ; ☞ *rabattre* ; [ʀabatmɑ̃].

**RABATTEUR, EUSE,** subst.
**1.** *Chasse.* Personne qui rabat le gibier vers les chasseurs. **2.** Anal. Personne qui cherche à procurer des clients à un commerçant, des marchandises à un acheteur. **Masc.** Élément rotatif d'une moissonneuse, qui rabat et maintient sur la lame les tiges à couper. 1850 (1585, celui qui calme, diminue) ; ☞ *rabattre* ; [ʀabatœʀ, øz].

**RABATTOIR,** subst. m.
*Techn.* **1.** Instrument utilisé pour tailler l'ardoise. **2.** Outil servant à rabattre les bords d'un objet. 1803 ; ☞ *rabattre* ; [ʀabatwaʀ].

**RABATTRE,** verbe trans. [61]
**1.** Déduire, consentir un rabais de : ***Rabattre*** *2 % sur le prix.* ▸ Loc. *En* ***rabattre*** : modérer ses prétentions. **2.** Amener à un niveau inférieur, abaisser : ***Rabattre*** *le bord de son chapeau.* ▸ Loc. ***Rabattre*** *le caquet à qqn* : le faire taire (fam.). ▸ *Arboric.* Tailler. ▸ *Text.* Atténuer l'éclat de (une teinture). **3.** Replier, refermer. ▸ ***Rabattre*** *les mailles d'un tricot* : les arrêter. ▸ *Géom.* Exécuter le rabattement de (un plan). **4.** Forcer à aller dans une certaine direction : ***Rabattre*** *le gibier vers les chasseurs.* **Pronom. 1.** Changer brusquement de direction. ▸ *Autom.* Ramener son véhicule sur la file de droite, après un dépassement. **2.** Fig. ***Se rabattre sur*** : se reporter, par dépit ou par déception, sur (qqn ou qqch.). Déb. XIIe s. (XIIe s., renverser) ; ☞ *abattre* + *re-* ; [ʀabatʀ].

**RABBI,** subst. m.
Titre donné aux docteurs de la Loi juive à l'époque talmudique et médiévale. 1314 (fin XIIIe s., employé à propos du Christ) ; araméen *rabbī*, « mon maître, mon professeur » ; [ʀabi].

**RABBIN,** subst. m.
*Relig.* **1.** Docteur de la Loi juive. **2.** Chef spirituel d'une communauté juive, qui préside au culte. ▸ *Grand* ***rabbin*** : chef d'un consistoire israélite. 1351 ; prob. lat. médiév. *rabbinus*, de l'araméen *rabbīn*, de *rabb*, « maître » ; [ʀabɛ̃].

**RABBINAT,** subst. m.
**1.** Dignité, fonction de rabbin. **2.** Méton. Ensemble des rabbins. 1842 ; ☞ *rabbin* ; [ʀabina].

**RABBINIQUE,** adj.
Relatif aux rabbins et au rabbinisme. ▸ *École* ***rabbinique*** : où sont formés les rabbins. Fin XVIe s. ; ☞ *rabbin* ; [ʀabinik].

**RABBINISME,** subst. m.
Activité religieuse et littéraire (exégèse, prescriptions) qu'eurent les rabbins, à partir de la destruction du second Temple, en 70 apr. J.-C., jusqu'à la fin du XVIIIe s. Mil. XVIIe s. (1580, subtilité) ; ☞ *rabbin* ; [ʀabinism].

**RABDOMANCIE,** voir **RHABDOMANCIE**

**RABDOMANCIEN,** voir **RHABDOMANCIEN**

**RABE,** voir **RAB**

**RABELAISIEN, IENNE,** adj.
**1.** Relatif à François Rabelais et à son œuvre. **2.** Qui évoque Rabelais par sa truculence ou sa gaillardise. 1828 ; anthropon. *François Rabelais*, écrivain français du XVIe s. ; [ʀablezjɛ̃, jɛn].

**RABIBOCHER,** verbe trans. [3]
Fam. **1.** Réparer sommairement (qqch.). **2.** Réconcilier (des personnes brouillées). **Pronom.** Se réconcilier. 1843 ; mot dial., d'orig. onomat. ; [ʀabibɔʃe].

**RABIOT,** subst. m.
Fam. **1.** Surplus de nourriture restant après une première distribution. **2.** Ext. Temps de travail imposé en sus. **3.** Supplément inespéré. 1831 ; p.-ê. gascon *rabiot*, « rebut de la pêche » ; [ʀabjo].

**RABIOTER,** verbe [3]
Fam. **Trans.** S'approprier (un supplément). **Intrans.** Réaliser de petits profits supplémentaires, en gén. indûment. 1832 ; ☞ *rabiot* ; [ʀabjɔte].

**RABIQUE,** adj.
Relatif à la rage. 1824 ; lat. *rabies*, « rage » ; [ʀabik].

**RÂBLE,** subst. m.
**I. 1.** *Techn.* Outil de chauffe à long manche, servant à déplacer le minerai, les braises. **2.** Grand râteau utilisé par les sauniers pour extraire le sel de la saumure. **II. 1.** *Zool.* Partie du corps de certains quadrupèdes s'étendant des côtes à la queue. **2.** Anal. et Fam. Bas du dos d'une personne. ▸ Loc. *Tomber sur le* ***râble*** *de qqn* : tomber sur lui, l'attaquer par surprise. Fin XIIIe s. (1246, râteau sans dents) ; lat. *rutabulum* ; [ʀɑbl].

**RÂBLÉ, ÉE,** adj.
**1.** *Zool.* Qui a le râble court et épais : *Chien* ***râblé.*** **2.** Anal. Se dit d'une personne trapue et vigoureuse. Fin XVIe s. ; ☞ *râble* ; [ʀɑble].

Un **rabbin**, *peinture de Marc Chagall (1887-1985). Galerie d'Art moderne, Venise.*

**RÂBLURE, subst. f.**
*Mar.* Chacune des entailles de la quille, de l'étrave ou de l'étambot, où viennent se loger les extrémités des bordages. 1643 ; ☞ *râble* ; [ʀablyʀ].

**RABOT, subst. m.**
**1.** *Menuis.* Outil à fût portant une lame oblique, et servant à corroyer, à dresser ou à rainer des pièces de bois. **2.** Anal. *Techn.* Machine-outil servant à polir, à égaliser, à racler, etc. Déb. XIV^e s. ; dial. *rabotte*, « lapin », par anal. de forme ; [ʀabo].

**RABOTAGE, subst. m.**
Action de raboter. 1765 (XVI^e s., copeaux) ; ☞ *raboter* ; [ʀabɔtaʒ].

**RABOTER, verbe trans. [3]**
**1.** Aplanir à l'aide d'un rabot ou d'une raboteuse. **2.** Racler, érafler. **3.** *Géol.* Éroder, user. 1409 ; ☞ *rabot* ; [ʀabɔte].

**RABOTEUR, EUSE, subst.**
**Masc.** Ouvrier employé au rabotage. **Fém.** Machine-outil utilisée pour raboter des pièces de grandes dimensions. 1576 ; ☞ *raboter* ; [ʀabɔtœʀ, øz].

**RABOTEUX, EUSE, adj.**
**1.** Dont la surface est inégale, râpeuse. **2.** Fig. Rude, heurté : *Des manières **raboteuses**.* 1540 ; ☞ *rabot* ; [ʀabɔtø, øz].

**RABOUGRI, IE, adj.**
**1.** Qui ne s'est pas développé normalement ; chétif : *Des arbres **rabougris**.* **2.** Anal. Ratatiné : *Un vieil homme **rabougri**.* 1653 ; p. p. de *rabougrir* ; [ʀabugʀi].

**RABOUGRIR, verbe trans. [19]**
Contrarier ou arrêter la croissance de : *La sécheresse **a rabougri** la végétation.* **Pronom.** S'étioler, dépérir ; se recroqueviller. 1600 ; *abougrir* (vx), « retarder », de *bougre*, « chétif », + *re-* ; [ʀabugʀiʀ].

**RABOUILLÈRE, subst. f.**
Terrier où le lapin de garenne élève ses petits (région.). 1564 (1542, cavité) ; dial. *rabotte*, du m. néerl. *robbe*, « lapin » ; [ʀabujɛʀ].

**RABOUILLEUR, EUSE, subst.**
Personne qui agite et trouble l'eau d'une rivière pour effrayer poissons et écrevisses et ainsi les pêcher plus facilement (région.). 1841 ; *rabouiller*, dial. de *bouiller*, du lat. *bullare*, « bouillonner » ; [ʀabujœʀ, øz].

**RABOUTER, verbe trans. [3]**
Réunir bout à bout : ***Rabouter** des cordages.* 1845 (1294, établir une hypothèque) ; ☞ *abouter* + *re-* ; [ʀabute].

**RABROUER, verbe trans. [3]**
Traiter (qqn) avec brusquerie, sans ménagement. Fin XIV^e s. ; m. fr. *brouer*, « gronder », + *re-* et *a-*^1 ; [ʀabʀue].

**RACAGE, subst. m.**
*Mar.* Corde garnie de boules de bois placée autour d'un mât pour réduire le frottement d'une vergue. 1636 ; *raque*, « boule percée pour faire un racage », de l'anc. nord. *rakki*, « anneau de cordage » ; [ʀakaʒ].

**RACAHOUT, subst. m.**
Mélange de cacao, de glands doux, de farine de riz, de fécule de pomme de terre, de sucre et de vanille que les Turcs et les Arabes utilisaient pour préparer des bouillies. 1831 ; orig. obsc. ; [ʀakau] ou [-ut].

**RACAILLE, subst. f.**
Péj. **1.** Populace (vieilli). **2.** Ensemble d'individus malhonnêtes. Mil. XII^e s. ; anc. norm. °*rasquer*, du lat. pop. °*rasicare*, « raser » ; [ʀakaj].

**RACCARD, subst. m.**
Helv. Grange à blé sur pilotis, dans le Valais. 1873 ; orig. obsc. ; var. *racart* ; [ʀakaʀ].

**RACCOMMODAGE, subst. m.**
Action de raccommoder ; son résultat. 1650 ; ☞ *raccommoder* ; [ʀakɔmɔdaʒ].

**RACCOMMODEMENT, subst. m.**
Réconciliation (fam.). 1616 ; ☞ *raccommoder* ; [ʀakɔmɔdmɑ̃].

**RACCOMMODER, verbe trans. [3]**
**1.** Réparer (en partic. du linge). **2.** Fig. Réconcilier (fam.). **Pronom.** Se réconcilier (fam.). 1587 ; ☞ *accommoder* + *re-* ; [ʀakɔmɔde].

**RACCOMMODEUR, EUSE, subst.**
Personne employée pour raccommoder des habits, des objets : ***Raccommodeur** de porcelaine, de dentelles.* 1612 ; ☞ *raccommoder* ; [ʀakɔmɔdœʀ, øz].

**RACCOMPAGNER, verbe trans. [3]**
Reconduire (qqn qui s'en va). 1877 ; ☞ *accompagner* + *re-* ; [ʀakɔ̃paɲe].

**RACCORD, subst. m.**
**1.** Assemblage, liaison, jonction de deux éléments. ▸ Loc. *(Se) faire un **raccord*** : retoucher son maquillage (fam.). **2.** *Spéc.* ▸ *Cin.* Manière dont deux plans se succèdent dans un film. ▸ *Peint.* Retouche. ▸ *Techn.* Pièce assurant l'étanchéité de l'assemblage de deux éléments de tuyauterie. Fin XVI^e s. (déb. XIV^e s., avis) ; ☞ *raccorder* ; [ʀakɔʀ].

**RACCORDEMENT, subst. m.**
**1.** Action de raccorder deux éléments ; la jonction qui en résulte. **2.** *Ch. de fer.* Courte voie qui en raccorde deux autres. 1691 (fin XII^e s., réconciliation) ; ☞ *raccorder* ; [ʀakɔʀdəmɑ̃].

**RACCORDER, verbe trans. [3]**
**1.** Réunir, rattacher (deux éléments) par un raccord. **2.** Fig. Établir un lien, une jonction. **Pronom.** Se réunir, se joindre. ▸ *Se **raccorder** à* : se rattacher à. 1300 (fin XII^e s., réconcilier) ; ☞ *accorder* + *re-* ; [ʀakɔʀde].

**RACCOURCI, subst. m.**
**1.** Abrégé, condensé. ▸ Loc. *En **raccourci*** : en bref, en résumé ou à plus petite échelle. **2.** *Peint.* Diminution des dimensions pour restituer la perspective. **3.** Formule très concise. **4.** Chemin plus court que le chemin ordinaire : *Prendre un **raccourci**.* 1651 ; p. p. de *raccourcir* ; [ʀakuʀsi].

**RACCOURCIR, verbe [19]**
**Trans.** Rendre plus court, diminuer, abréger. ▸ Loc. *À bras **raccourci(s)*** : de toute sa force. **Intrans.** Devenir plus court : *Ce pull **a raccourci** ; Les jours **raccourcissent**.* Déb. XIII^e s. ; ☞ *accourcir* + *re-* ; [ʀakuʀsiʀ].

**RACCOURCISSEMENT, subst. m.**
Action de raccourcir ; son résultat. 1529 ; ☞ *raccourcir* ; [ʀakuʀsismɑ̃].

**RACCROC, subst. m.**
Coup heureux, au billard (vieilli). ▸ Loc. *Par **raccroc*** : par un hasard heureux. 1798 ; ☞ *raccrocher* ; [ʀakʀo].

**RACCROCHAGE, subst. m.**
Action de raccrocher qqn, de racoler. 1797 ; ☞ *raccrocher* ; [ʀakʀɔʃaʒ].

**RACCROCHER, verbe trans. [3]**
**1.** Rattraper opportunément (qqch. qui semblait perdu) : ***Raccrocher** un contrat.* **2.** Accrocher, suspendre à nouveau ; empl. abs., replacer le combiné téléphonique sur son support, à la fin d'une communication. **3.** Arrêter (qqn) sur son passage ; racoler. **4.** Fam. ***Raccrocher** les gants, le vélo* : abandonner la boxe, le cyclisme ; empl. abs., abandonner la compétition et, par ext., mettre un terme à sa carrière. **Pronom.** S'agripper, se retenir pour éviter une chute ; au fig., tenter de trouver un réconfort, une aide, un soutien : *Se **raccrocher** à ses souvenirs.* 1662 (1310, se rallier) ; ☞ *accrocher* + *re-* ; [ʀakʀɔʃe].

**RACE, subst. f.**
**1.** Vx. Ensemble des personnes issues d'un ancêtre commun : ***Race** d'Abraham.* **2.** Ext. Groupe humain présentant des caractéristiques communes : *La **race** des aventuriers, des hommes de loi.* **3.** *Spéc.* ▸ *Anthropol.* Groupe d'êtres humains qui présenteraient des caractères héréditaires communs (voir ci-dessous) : *Les **races** blanche, jaune, noire.* ▸ *Zool.* Subdivision de l'espèce, constituée d'individus ayant des caractères héréditaires communs : ***Races** bovine, chevaline ; Chien de **race**,* dont les ascendants sont eux-mêmes de **race** pure. Fin XV^e s. ; ital. *razza* ; [ʀas].

© W. Layer-Jacana

*Deux chiens de races différentes : un terrier du Staffordshire et un rottweiller.*

**Anthropologie** – La notion de race, appliquée à l'humanité, a vécu son apogée au XIX^e s., quand, sur le modèle de la classification des espèces par Linné et sous la pression du colonialisme, ont été définis des types raciaux. Faute de réel fondement scientifique, cette notion n'est plus, désormais, que le résidu des heures sombres de l'anthropologie. C'est à la génétique des populations que revient le privilège d'avoir montré que la diversité des races, telle qu'on se la représentait jusqu'alors, ne rend pas compte de la diversité génétique des membres de l'espèce humaine, ni n'a de pertinence en aucun domaine de l'anthropologie ou de la biologie. Les caractères anthropométriques sur lesquels reposaient les classifications raciales ne représentent, en effet, qu'une part minime de ce qui, du point de vue génétique, peut distinguer deux individus. Ainsi, un Européen pris au hasard a environ une chance sur deux de se trouver génétiquement plus proche d'un Africain que d'un autre Européen.

**RACÉ, ÉE, adj.**
**1.** De pure race, en parlant d'un animal. **2.** Anal. Fin, distingué, élégant. 1890 ; ☞ *race* ; [ʀase].

**RACÉMIQUE, adj.**
*Chim.* Se dit d'un mélange comprenant autant de molécules d'énantiomères lévogyres que dextrogyres. 1828 ; lat. *racemus*, « grappe de raisin » ; [ʀasemik].

**RACER, subst. m.**
Anglic. **1.** Cheval de course. **2.** Bateau léger conçu pour la course. 1846 ; angl. *racer*, « coureur » ; [ʀɛsœʀ] ou [ʀasɛʀ].

**RACHAT, subst. m.**
**1.** Action de racheter. ▸ *Dr.* Fait de se libérer d'une obligation en versant une somme forfaitaire : ***Rachat** de rente.* **2.** Libération obtenue contre paiement d'une rançon : ***Rachat** d'un otage.* **3.** *Relig.* Rédemption. Fin XII^e s. ; ☞ *racheter* ; [ʀaʃa].

**RACHETER, verbe trans. [13]**
**1.** Acheter de nouveau ; acheter (qqch. qui a déjà été acheté par qqn d'autre). **2.** Se libérer de (une obligation) en échange du versement d'une indemnité. **3.** Faire délivrer (qqn) en acquittant une rançon. **4.** Fig. ▸ Accorder le pardon à (qqn), par la rédemption : *Le dessein de Dieu est de **racheter** les hommes.* ▸ Compenser, faire pardonner : *Ses bonnes notes **rachètent** son indiscipline.* **Pronom.** Réparer ses fautes, se réhabiliter moralement. Déb. XII^e s. ; ☞ *acheter* + *re-* ; [ʀaʃte].

**RACHIALGIE, subst. f.**
*Pathol.* Douleur au rachis. 1795 ; ☞ *rachis* + *-algie* ; [ʀaʃjalʒi].

**RACHIANESTHÉSIE, subst. f.**
*Méd.* Méthode d'anesthésie partielle consistant à injecter dans le canal médullaire une substance qui insensibilise les régions innervées par les nerfs sous-jacents (synon. *rachianalgésie*). 1908 ; formé de *rachis* et de *anesthésie* ; [ʀaʃjanɛstezi].

**RACHIDIEN, IENNE, adj.**
*Anat.* Relatif au rachis : *Canal **rachidien**.* ▸ *Nerf **rachidien*** : chacun des nerfs nés de la moelle épinière, sortant par les trous de conjugaison des vertèbres, formés par l'union d'une racine antérieure (motrice) et d'une racine postérieure (sensitive). ▸ *Bulbe **rachidien*** : renflement situé à la partie supérieure de la moelle épinière, entre le cervelet et le cerveau, et réglant en partic. la fonction respiratoire. 1806 ; ☞ *rachis* ; [ʀaʃidjɛ̃, jɛn].

**RACHIS, subst. m.**
**1.** *Anat.* Colonne vertébrale. **2.** *Bot.* Axe portant, de part et d'autre, des pièces végétales souvent réduites. 1575 ; gr. *rhakhis*, « épine dorsale » ; [ʀaʃis].

**RACHITIQUE, adj.**
**1.** *Pathol.* Atteint de rachitisme. **2.** Ext. Chétif, malingre. 1707 ; ☞ *rachis* ; [ʀaʃitik].

**RACHITISME, subst. m.**
*Pathol.* Maladie infantile caractérisée par un défaut de minéralisation de l'os en croissance, entraînant des déformations du squelette et un retard moteur. Elle est due à un déséquilibre nutritionnel, à un manque d'exposition solaire et, surtout, de vitamine D. 1749 ; ☞ *rachitique* ; [ʀaʃitism].

**RACIAL, ALE, AUX, adj.**
Qui concerne la race. 1911 ; ☞ *race* ; [ʀasjal, o].

**RACINAGE, subst. m.**
*Techn.* Procédé qui consiste à orner le cuir d'une reliure de marbrures rappelant les racines d'un arbre ; la reliure ainsi marbrée. 1827 (1674, teinture) ; ☞ *raciner* ; [ʀasinaʒ].

**RACINAL, subst. m.**
*Techn.* Pièce de charpente servant de soutien à d'autres pièces. ꕤ 1578 ; ☞ *racine* ; plur. *racinaux* ; [ʀasinal], plur. [-no].

**RACINE, subst. f.**
**I. 1.** *Bot.* Organe végétatif, gén. souterrain, d'une plante vasculaire, dont les rôles essentiels sont la fixation du végétal et l'approvisionnement de ce dernier en eau et en sels minéraux dissous. ▸ Loc. *Prendre* **racine** : demeurer longtemps immobile ou, au fig., s'établir durablement. **2.** Fig. Base, origine : *Les* **racines** *grecques de la philosophie ; Couper le mal à la* **racine**, l'extirper. ▸ Attache solide fondée sur le sentiment d'appartenance d'une personne à ses origines géographiques, sociales, culturelles : *Retrouver ses* **racines**. **II.** *Spéc.* **1.** *Anat.* Partie inférieure d'un organe, par laquelle il est implanté dans un tissu. **2.** *Ling.* Élément irréductible d'un mot, obtenu par

© J. Brun-Jacana

*Racines aériennes du « figuier maudit », en Guadeloupe.*

suppression des préfixes, suffixes et désinences et qui est porteur de sa signification (☞ *sémantème*). **3.** *Math.* ▸ **Racine** *d'une équation* : solution de cette équation. ▸ **Racine** *d'un polynôme P à coefficients dans le corps K* : élément $a$ de K qui annule la fonction polynôme associée, c.-à-d. tel que $P(a) = 0$. ▸ **Racine** *n-ième ($n \geqslant 2$, entier) d'un élément a d'un anneau A* : tout élément $b$ de A tel que $b^n = a$. Tout réel possède une unique **racine** $n$-ième si $n$ est impair, tout réel strictement positif possède deux **racines** $n$-ièmes opposées si $n$ est pair. Une **racine** 2-ième est dite carrée, une **racine** 3-ième est dite cubique. ꕤ Déb. XIIe s. ; bas lat. *radicina* ; [ʀasin].

**RACINER, verbe trans.** [3]
Exécuter le racinage de (une reliure). ꕤ 1827 (mil. XIIe s., s'établir) ; ☞ *racine* ; [ʀasine].

**RACINIEN, IENNE, adj.**
**1.** Relatif à Jean Racine, à son art, à son œuvre. **2.** Qui évoque cette œuvre. ꕤ 1763 ; anthropon. *Jean Racine*, auteur français du XVIIe s. ; [ʀasinjɛ̃, jɛn].

**RACISME, subst. m.**
**1.** Idéologie consistant à affirmer, au nom d'une hiérarchie entre les races, qu'un peuple, incarnation d'un type humain idéal, est supérieur à tous les autres et voué, par conséquent, à les dominer ; comportement discriminatoire qui relève de cette idéologie. **2.** Anal. Hostilité envers une catégorie quelconque de personnes : **Racisme** *envers les policiers, les jeunes.* ꕤ 1902 ; ☞ *race* ; [ʀasism].

**RACISTE, adj. et subst.**
**Adj.** Relatif, propre au racisme ; qui professe le racisme. **Subst.** Personne qui fait preuve de racisme. ꕤ 1895 ; ☞ *racisme* ; [ʀasist].

**RACK, subst. m.**
Meuble de rangement destiné à recevoir les éléments d'une chaîne haute-fidélité ou d'un système électronique (anglic.). ꕤ 1954 ; angl. *rack*, « râtelier, casier » ; [ʀak].

**RACKET, subst. m.**
Extorsion d'argent ou de biens par le recours à la violence ou au chantage. ꕤ 1931 ; anglo-amér. *racket*, « tapage, désordre » ; [ʀakɛt].

**RACKETTER, verbe trans.** [3]
Faire subir un racket à (qqn) ; rançonner (qqn). ꕤ V. 1960 ; ☞ *racket* ; [ʀakɛte].

**RACLAGE, subst. m.**
Action de racler ; son résultat. ꕤ 1875 (1846, éclaircissement d'un taillis) ; ☞ *racler* ; [ʀɑklaʒ].

**RACLE, subst. f.**
*Techn.* Outil permettant de racler ; en partic., lame d'acier servant à faire couler l'encre dans les alvéoles des cylindres utilisés en héliogravure et à en essuyer l'excès. ꕤ 1561 ; ☞ *racler* ; [ʀɑkl].

**RACLÉE, subst. f.**
Fam. **1.** Volée de coups. **2.** Ext. Défaite sévère. ꕤ 1829 ; p. p. *racler* ; [ʀɑkle].

**RACLEMENT, subst. m.**
Action de racler ; bruit produit par cette action. ꕤ 1602 ; ☞ *racler* ; [ʀɑkləmɑ̃].

**RACLER, verbe trans.** [3]
**1.** Gratter, frotter pour nettoyer ou polir : **Racler** *le fond d'une gamelle* ; empl. pronom. : *Se* **racler** *la gorge*, tousser pour s'éclaircir la voix. **2.** Frotter rudement : **Racler** *son coude sur le mur.* ▸ Anal. **Racler** *du violon* : jouer avec maladresse (fam.). **3.** Loc. **Racler** *les fonds de tiroirs* : utiliser ses dernières ressources (fam.). ꕤ 1377 ; prov. *rasclar*, du lat. *rasus*, de *radere*, « raser » ; [ʀɑkle].

**RACLETTE, subst. f.**
**1.** Petite racle munie d'une lame caoutchoutée, utilisée pour nettoyer les sols ou les vitres. **2.** *Cuis.* Plat d'origine suisse, à base de fromage fondu, raclé au fur et à mesure, et servi avec des pommes de terre ; fromage avec lequel on prépare ce plat. ꕤ 1788 ; ☞ *racle* ; [ʀɑklɛt].

**RACLEUR, EUSE, subst.**
Personne qui racle : **Racleur** *de cuir.* ꕤ 1576 ; ☞ *racler* ; [ʀɑklœʀ, øz].

**RACLOIR, subst. m.**
**1.** Outil servant à racler : **Racloir** *à parquets.* **2.** *Préhist.* Instrument réalisé à partir d'un éclat de silex au moyen de retouches continues sur l'un des bords. ꕤ 1538 ; ☞ *racler* ; [ʀɑklwaʀ].

**RACLURE, subst. f.**
Déchet résultant du raclage d'un objet ; rognure. ꕤ 1462 ; ☞ *racler* ; [ʀɑklyʀ].

**RACOLAGE, subst. m.**
Action de racoler. ꕤ 1747 ; ☞ *racoler* ; [ʀakɔlaʒ].

**RACOLER, verbe trans.** [3]
**1.** Vx. Enrôler pour le service militaire, par la ruse ou la force. **2.** Attirer par des moyens plus ou moins honnêtes. **3.** Accoster (les passants), en parlant d'une personne qui se prostitue. ꕤ 1750 (XIIe s., embrasser de nouveau) ; ☞ *accoler* + *re-* ; [ʀakɔle].

**RACOLEUR, EUSE, adj. et subst.**
**Subst. masc.** Vx. Recruteur militaire peu scrupuleux. **Subst.** Homme ou femme qui se prostitue en racolant. **Adj.** Qui cherche à racoler : *Affiche* **racoleuse**. ꕤ 1735 ; ☞ *racoler* ; [ʀakɔlœʀ, øz].

**RACONTAR, subst. m.**
Propos médisant ou peu crédible (péj.). ꕤ Mil. XIXe s. ; ☞ *raconter* ; [ʀakɔ̃taʀ].

**RACONTER, verbe trans.** [3]
**1.** Faire le récit détaillé de : **Raconter** *une histoire.* **2.** Dire à la légère (des propos sans fondement) : **Raconter** *des histoires.* ꕤ Déb. XIIe s. ; anc. fr. *aconter*, « décrire », + *re-* ; [ʀakɔ̃te].

**RACONTEUR, EUSE, subst.**
Personne qui aime raconter, conteur (rare). ꕤ Fin XIIIe s. ; ☞ *raconter* ; [ʀakɔ̃tœʀ, øz].

**RACORNIR, verbe trans.** [19]
Rendre dur comme de la corne, dessécher ; empl. pronom., devenir sec, dur et ratatiné. ꕤ Déb. XIVe s. ; ☞ *corne* + *re-* et *a-*[1] ; [ʀakɔʀniʀ].

**RACORNISSEMENT, subst. m.**
Action de racornir, fait de se racornir ; état qui en résulte. ꕤ 1743 ; ☞ *racornir* ; [ʀakɔʀnismɑ̃].

**rad, voir RADIAN**

**RAD, subst. m.**
*Phys.* Ancienne unité mesurant la dose de rayonnements ionisants absorbée (symb. : rd). ꕤ 1953 ; ☞ *radiation* (II) ; [ʀad].

**RADAR, subst. m.**
*Phys.* Appareil qui envoie dans différentes directions des signaux radioélectriques qui, lorsqu'ils se heurtent à un obstacle, sont réfléchis vers le lieu d'émission, où ils sont analysés : *Le* **radar** *est utilisé en navigation, en météorologie, etc.* ▸ En appos. (inv.) : *Station* **radar** ; *Contrôle-***radar**. ꕤ 1943 ; anglo-amér. *radar*, acron. de *radio detecting and ranging*, « détection et télémétrie par radio » ; [ʀadaʀ].

PHYSIQUE – Le radar permet de repérer un obstacle, d'en déterminer la nature et la position. Il fait appel aux ondes électromagnétiques (les ondes radio), qui se réfléchissent à la surface de l'objet visé. Le premier radar est réalisé en 1904 par l'Allemand C. Hülsmeyer, qui emploie des ondes amorties métriques pour détecter l'écho renvoyé par des navires distants d'environ 1 km. En 1934, P. David expérimente avec succès un système de détection électromagnétique des avions. Deux chercheurs français, M. Ponte et H. Gutton, créent des dispositifs dont ils équipent le paquebot *Normandie* en 1935. Les premières stations radar sont mises en place en Angleterre en 1939 par R. Watson-Watt, pour détecter des avions allemands.

**RADARISTE, subst.**
Spécialiste des radars. ꕤ 1946 ; ☞ *radar* ; [ʀadaʀist].

**RADE (I), subst. f.**
Grand bassin, naturel ou artificiel, où les navires peuvent mouiller en sécurité : *Les* **rades** *de Brest et de Toulon.* ▸ Loc. fam. *Laisser en* **rade** : abandonner ; *Être, tomber en* **rade** : en panne. ꕤ 1474 ; angl. *rade*, de l'anc. angl. *rād*, « voyage » ; [ʀad].

**RADE (II), subst. m.**
Argot. Comptoir d'un bar ; par méton., bistrot. ꕤ 1844 (1815, boutique) ; argot *radeau* ; [ʀad].

**RADEAU, subst. m.**
**1.** Plate-forme flottante, faite de pièces de bois assemblées, servant au transport d'hommes ou de marchandises ; par ext. : **Radeau** *de sauvetage.* **2.** Train de bois dérivant sur un cours d'eau. ꕤ 1477 ; anc. prov. *radel*, du lat. *ratis* ; [ʀado].

© L. Rebmann-Explorer

*Radeau de pêcheurs, en Indonésie.*

**RADIAIRE, adj.**
*Bot.* et *Zool.* Disposé en rayons : *Des bractées* **radiaires**. ꕤ 1796 (1778, ombellifère) ; lat. *radius*, « rayon » ; [ʀadjɛʀ].

**RADIAL, ALE, AUX, adj.**
**1.** *Anat.* Relatif au radius. **2.** Relatif au rayon : *Voie* **radiale** ou, empl. subst. fém., *Une* **radiale**, voie qui relie un centre urbain à sa périphérie. ꕤ XVe s. ; lat. *radius*, « rayon » ; [ʀadjal, o].

**RADIAN, subst. m.**
**1.** *Math.* Unité S. I. de mesure d'angle et d'arc de cercle (symb. : rad), valant $180/\pi$ degrés. Un arc de cercle de 1 **radian** a une longueur égale à celle du rayon du cercle. Un angle de demi-droites (O$x$, O$y$) mesure 1 **radian** si le secteur angulaire associé intercepte un cercle (et alors, tout cercle) centré en O suivant un arc de 1 **radian**. **2.** *Phys.* Unité d'angle plan dans le système international. ꕤ 1904 ; lat. *radius*, « rayon » ; [ʀadjɑ̃].

**RADIANT, ANTE, adj.**
**1.** Vx. Brillant. **2.** Qui rayonne, émet des radiations. **3.** *Astron.* *Point* **radiant** ou, empl. subst. masc., *Un* **radiant** : point du ciel d'où, par un effet de perspective, semblent jaillir les étoiles filantes. ꕤ Déb. XIIIe s. ; lat. *radians* ; [ʀadjɑ̃, ɑ̃t].

**RADIATEUR, subst. m.**
**1.** Appareil de chauffage, indépendant ou relié à une chaudière, diffusant la chaleur, en gén. par rayonnement. **2.** *Autom.* Organe de refroidissement d'un

moteur à explosion. 1895 (1877, adj., qui peut rayonner) ; lat. *radiare*, « rayonner » ; [ʀadjatœʀ].

**RADIATIF, IVE,** adj.
*Phys.* Relatif aux radiations ; qui émet des radiations : *Zone **radiative**.* 1928 ; ☞ *radiation* (II) ; [ʀadjatif, iv].

**RADIATION (I),** subst. f.
**1.** Action de radier qqn d'une liste. **2.** Ext. Exclusion sanctionnant une faute grave : ***Radiation** du barreau.* 1388 ; bas lat. *radiare*, « rayer » ; [ʀadjasjɔ̃].

**RADIATION (II),** subst. f.
**1.** Vx. Émission de rayons lumineux. **2.** *Phys.* Rayonnement électromagnétique monochromatique, correspondant à une onde lumineuse dont la propagation est rectiligne. **3.** *Biol.* ***Radiation** évolutive* : période d'intense et rapide diversification des espèces au sein d'un groupe d'êtres vivants lorsqu'un vaste domaine de ressources devient brusquement disponible. 1472 ; lat. *radiatio* ; [ʀadjasjɔ̃].

**RADICAL (I), ALE, AUX,** adj. et subst. m.
Adj. **1.** Propre à la racine, à l'essence d'une chose ou d'un être : *Vice **radical***, fondamental. **2.** Qui s'attaque aux causes profondes : *Action **radicale*** ; par ext., décisif, complet : *Changement **radical**.* **3.** *Bot.* Qui se développe sur les racines ou naît du collet d'une plante : *Feuille **radicale**.* **4.** *Ling.* Qui appartient à la racine d'un mot ou qui la constitue : *Une consonne **radicale*** ; *Un morphème **radical**.* Subst. **1.** *Ling.* Forme concrète que prend la racine dans la formation des mots : *Dans « chanter » et dans « cantique », les **radicaux** « chant- » et « cant- » sont issus de la racine abstraite /chant/.* **2.** *Chim.* Groupement d'atomes, correspondant souvent à un groupement fonctionnel, considéré soit dans une molécule, soit de manière autonome : ***Radical** libre.* **3.** *Math.* Nom du symbole $\sqrt{}$ : ***Radical** d'un nombre réel positif a*, racine carrée positive de *a*, notée $\sqrt{a}$ ou $\sqrt[2]{a}$ ; ***Radical** n-ième d'un réel positif a*, racine *n*-ième positive de *a*, notée $\sqrt[n]{a}$. Mil. xv^e s. ; bas lat. *radicalis*, de *radix*, « racine » ; [ʀadikal, o].

**RADICAL (II), ALE, AUX,** adj. et subst.
*Pol.* **1.** Qualifie ou désigne une personne qui souhaite une réforme profonde de la société : *En Grande-Bretagne, les **radicaux** luttèrent contre la monarchie et l'Église.* **2.** Se dit d'une personne attachée au progrès de la démocratie : *Gambetta, porte-drapeau des **radicaux**.* **3.** Se dit d'un membre du parti républicain **radical** et radical-socialiste, créé sous la troisième République, et des formations qui en sont issues. Adj. Qui appartient aux **radicaux**, au radicalisme ou au radical-socialisme : *Parlementaire **radical**.* Fin xviii^e s. ; angl. *radical*, du lat. *radicalis*, « fondamental » ; [ʀadikal, o].

**RADICALEMENT,** adv.
De manière radicale ; complètement : *Être **radicalement** guéri de ses illusions.* 1314 ; p.-ê. bas lat. *radicaliter* ; [ʀadikalmɑ̃].

**RADICALISATION,** subst. f.
Action de radicaliser, fait de se radicaliser ; son résultat : ***Radicalisation** d'une opinion.* 1933 ; ☞ *radicaliser* ; [ʀadikalizasjɔ̃].

**RADICALISER,** verbe trans. [3]
Rendre radical, plus intransigeant, plus extrême ; empl. pronom. : *Le conflit se **radicalise**.* 1845 ; ☞ *radical* (I) ; [ʀadikalize].

**RADICALISME,** subst. m.
**1.** Attitude d'une personne qui prend des positions extrêmes et refuse les compromis. **2.** *Pol.* Doctrine et politique des radicaux, du second Empire à nos jours. 1831 (1820, doctrine des radicaux anglais) ; ☞ *radical* (II) ; [ʀadikalism].

**RADICAL-SOCIALISME,** subst. m.
Doctrine du mouvement radical-socialiste. Fin xix^e s. ; ☞ *radical-socialiste* ; [ʀadikalsɔsjalism].

**RADICAL-SOCIALISTE,** adj.
*Pol. Parti républicain radical et **radical-socialiste*** : parti fondé en 1901 en vue de rassembler les socialistes de tradition non marxiste ; empl. subst. : *Les **radicaux-socialistes**.* 1871 ; comp. de *radical* (II) et de *socialiste* ; le fém., *radicale-socialiste*, est rare, plur. *radicaux-socialistes* ; [ʀadikalsɔsjalist], plur. [-ko-].

**RADICANT, ANTE,** adj.
*Bot.* Qui développe des racines adventives et s'accroche ainsi au sol, à un mur, à une écorce d'arbre : *La ronce a des tiges **radicantes**.* 1783 ; lat. *radicans*, de *radicari*, « prendre racine » ; [ʀadikɑ̃, ɑ̃t].

**RADICELLE,** subst. f.
*Bot.* Ramification de la racine principale d'un végétal. 1815 ; lat. *radix*, « racine » ; [ʀadisɛl].

**RADICULAIRE,** adj.
**1.** *Bot.* Qui se rapporte à la radicule. **2.** *Méd.* ▸ Relatif aux racines nerveuses rachidiennes ou crâniennes : *Paralysie **radiculaire**.* ▸ Qui concerne la racine des dents : *Pulpe **radiculaire**.* 1817 ; ☞ *radicule* ; [ʀadikylɛʀ].

**RADICULE,** subst. f.
*Bot.* Partie de l'embryon qui donnera la racine. 1676 ; lat. *radicula*, « petite racine » ; [ʀadikyl].

**RADICULITE,** subst. f.
*Pathol.* Inflammation des racines nerveuses crâniennes ou rachidiennes. 1923 ; lat. *radicula*, « petite racine », + *-ite* ; [ʀadikylit].

**RADIÉ, ÉE,** adj. et subst. f. plur.
Adj. **1.** Qui présente des lignes rayonnantes. **2.** *Bot.* *Fleur **radiée*** : dont les pétales sont disposés en rayons. Subst. *Bot.* Plantes de la famille des Astéracées, caractérisées par des fleurs périphériques ligulées et des fleurs centrales tubulées ; au sing. : *La marguerite est une **radiée**.* 1679 ; lat. *radiatus*, « rayonnant » ; [ʀadje].

**RADIER (I),** subst. m.
Dalle servant de fondation à un bâtiment ; revêtement protégeant de l'érosion des eaux la base d'un ouvrage. Fin xiv^e s. ; prob. *radeau* ; [ʀadje].

**RADIER (II),** verbe trans. [6]
Rayer (un nom) d'un registre, d'une liste ; exclure (qqn) officiellement. 1819 ; ☞ *radiation* (I) ; [ʀadje].

**RADIESTHÉSIE,** subst. f.
**1.** Don de percevoir les radiations qu'émettraient certains corps. **2.** Mode de détection utilisant ce don. 1930 ; ☞ *radiation* (II) + *-esthésie* ; [ʀadjɛstezi].

**RADIESTHÉSISTE,** subst.
Personne qui pratique la radiesthésie. 1941 ; ☞ *radiesthésie* ; [ʀadjɛstezist].

**RADIEUX, EUSE,** adj.
**1.** Qui émet des rayons lumineux : *Soleil **radieux*** ; par méton. : *Un temps **radieux**.* **2.** Fig. Rayonnant de joie, épanoui. Mil. xv^e s. ; lat. *radiosus* ; [ʀadjø, øz].

**RADIN, INE,** adj. et subst.
Avare (fam.). 1920 ; orig. obsc. ; l'adj. est peu usité au fém. ; [ʀadɛ̃, in].

**RADINER,** verbe intrans. [3]
Fam. Arriver, venir ; empl. pronom. : *Alors, tu te **radines** ?* 1864 ; orig. obsc. ; [ʀadine].

**RADIO,** subst.
Masc. **1.** Vx. Radiotélégramme. **2.** Opérateur en radiotélégraphie ou en radiotéléphonie : *Le **radio** du navire.* **3.** *Québ.* Poste récepteur de radiodiffusion. Fém. **1.** Radiotéléphonie ; poste émetteur et récepteur de radiophonie. **2.** Radiographie : *Passer une **radio*** ; cliché radiographique : *Étudier une **radio**.* **3.** Radiodiffusion ; station émettrice ou poste récepteur de radiodiffusion : *Écouter la **radio*** ; *Une **radio** locale.* 1915 ; apocope de chacun des mots correspondants ; [ʀadjo].

**RADIOACTIF, IVE,** adj.
Doué de radioactivité ; par méton. : *Pluies **radioactives***, contaminées par la radioactivité. 1896 ; ☞ *actif* + *radio-*[1] ; [ʀadjoaktif, iv].

**RADIOACTIVATION,** subst. f.
*Phys.* Processus d'activation d'un élément chimique, le faisant passer d'un état stable à un état radioactif. V. 1960 ; ☞ *activation* + *radio-*[1] ; [ʀadjoaktivasjɔ̃].

**RADIOACTIVITÉ,** subst. f.
*Phys.* Propriété qu'ont certains éléments chimiques, tel l'uranium, d'émettre des rayonnements alpha, bêta ou gamma lors de leur désintégration (cette propriété est due à l'instabilité de leur noyau atomique). 1896 ; ☞ *activité* + *radio-*[1] ; [ʀadjoaktivite].

**RADIOALIGNEMENT,** subst. m.
*Aéron.* et *Mar.* Balisage d'une route aérienne ou maritime effectué au moyen de radiophares. 1941 ; ☞ *alignement* + *radio-*[2] ; [ʀadjoaliɲəmɑ̃].

**RADIOALTIMÈTRE,** subst. m.
*Aéron.* Appareil permettant de mesurer l'altitude d'un avion selon le principe du radar. 1952 ; ☞ *altimètre* + *radio-*[2] ; [ʀadjoaltimɛtʀ].

**RADIOAMATEUR,** subst. m.
Amateur utilisant les radiocommunications à ondes courtes. V. 1960 ; ☞ *amateur* + *radio-*[2] ; [ʀadjoamatœʀ].

**RADIOASTRONOMIE,** subst. f.
*Astron.* Branche de l'astronomie étudiant le rayonnement radioélectrique des corps célestes. 1953 ; ☞ *astronomie* + *radio-*[2] ; [ʀadjoastʀɔnɔmi].

**RADIOBALISAGE,** subst. m.
Signalisation d'un espace maritime ou aérien au moyen de balises qui émettent des signaux radioélectriques. 1943 ; ☞ *balisage* + *radio-*[2] ; [ʀadjobalizaʒ].

**RADIOBALISE,** subst. f.
Dispositif de signalisation d'une voie maritime ou aérienne à l'aide d'un procédé radioélectrique. 1949 ; ☞ *balise* (I) + *radio-*[2] ; [ʀadjobaliz].

**RADIOBIOLOGIE,** subst. f.
*Biol.* Étude de l'effet des radiations (rayons X, radioactivité, neutrons) sur la matière vivante. 1943 ; ☞ *biologie* + *radio-*[1] ; [ʀadjobjɔlɔʒi].

**RADIOCARBONE,** subst. m.
*Chim.* Isotope radioactif du carbone, servant de base à une méthode de datation de spécimens d'origine biologique (synon. *carbone 14*). 1936 ; ☞ *carbone* + *radio-*[1] ; [ʀadjokaʀbɔn].

**RADIOCASSETTE,** subst. m. ou f.
Appareil associant un poste de radio à un lecteur de cassettes audio. V. 1970 ; ☞ *cassette* + *radio-*[2] ; [ʀadjokasɛt].

**RADIOCHRONOLOGIE,** subst. f.
Méthode de datation absolue reposant sur l'évolution, en fonction du temps écoulé, du rapport entre un élément radioactif naturel, piégé dans un minéral (roche ou fossile d'origine biologique), et l'élément qui résulte de sa désintégration (synon. *radiochimie, géochronologie absolue*). Mil. xx^e s. ; ☞ *chronologie* + *radio-*[1] ; [ʀadjokʀɔnɔlɔʒi].

Géologie – C'est en général en mesurant le rapport existant aujourd'hui entre un élément radioactif (père) et l'élément dérivé (fils) que l'on évalue le temps écoulé depuis le piégeage de l'élément père dans la roche ou dans le fossile qui les contient tous deux (sachant que la vitesse de désintégration est constante et caractéristique de chaque élément radioactif). Selon la vitesse de désintégration, on utilise différents systèmes radioactifs (uranium-plomb, rubidium-strontium, potassium-argon, uranium-thorium, ou carbone 14). La méthode de datation au carbone 14, par exemple, ne remonte guère au-delà de 30 000 ans, alors que celle à l'uranium-thorium va jusqu'à 300 000 ans. Pour les âges récents, un repère a été fixé : on considère que le « Présent » correspond à 1950. Un fossile daté de 3200 B. P. (*before Present*) est donc ce qui reste d'un organisme qui vivait en 1250 av. J.-C.

**RADIOCOBALT,** subst. m.
*Phys.* Isotope radioactif du cobalt. 1959 ; ☞ *cobalt* + *radio-*[1] ; [ʀadjokɔbalt].

**RADIOCOMMANDE,** subst. f.
*Techn.* Commande à distance au moyen d'ondes radioélectriques. V. 1960 ; ☞ *commande* + *radio-*[2] ; [ʀadjokɔmɑ̃d].

**RADIOCOMMUNICATION,** subst. f.
*Techn.* Télécommunication utilisant des ondes électromagnétiques ou radioélectriques. 1927 ; ☞ *communication* + *radio-*[2] ; [ʀadjokɔmynikasjɔ̃].

**RADIOCOMPAS,** subst. m.
*Aéron.* et *Mar.* Radiogoniomètre permettant de maintenir un cap grâce aux signaux radioélectriques émis par une station au sol. 1923 ; ☞ *compas* + *radio-*[2] ; [ʀadjokɔ̃pa].

**RADIOCONCENTRIQUE,** adj.
Se dit du plan d'une agglomération urbaine dont les voies rayonnent en étoile à partir du centre et sont reliées entre elles par des voies circulaires et concentriques. Mil. xx^e s. ; ☞ *concentrique* + *radio-*[1] ; [ʀadjokɔ̃sɑ̃tʀik].

**RADIOCRISTALLOGRAPHIE,** subst. f.
*Phys.* Détermination de la structure atomique des cristaux grâce à la diffraction des rayons X. Mil. xx^e s. ; ☞ *cristallographie* + *radio-*[1] ; [ʀadjokʀistalɔgʀafi].

**RADIODERMITE,** subst. f.
*Pathol.* Lésion cutanée provoquée par des rayonnements ionisants. 1907 ; ☞ *dermite* + *radio-*[1] ; [ʀadjodɛʀmit].

**RADIODIAGNOSTIC,** subst. m.
*Méd.* Diagnostic s'appuyant sur des radiographies. 1907 ; ☞ *diagnostic* + *radio-*[1] ; [ʀadjodjagnɔstik].

**RADIODIFFUSER,** verbe trans. [3]
*Techn.* Émettre (un programme radiophonique) sur les ondes hertziennes. 1927 ; ☞ *diffuser* + *radio-*[2] ; [ʀadjodifyze].

**RADIODIFFUSION,** subst. f.
*Techn.* Radiocommunication de programmes sonores ou télévisés. ▸ Méton. Organisme qui émet ces programmes. 1925 ; ☞ *diffusion* + *radio-*[2] ; [ʀadjodifyzjɔ̃].

**RADIOÉLECTRICITÉ,** subst. f.
*Phys.* Technique de radiocommunication utilisant les oscillations électriques de fréquence élevée (ondes magnétiques), c.-à-d. de longueur d'onde supérieure à celle des radiations visibles ou infrarouges. 1922 ; ☞ *électricité* + *radio-*[2] ; [ʀadjoelɛktʀisite].

**RADIOÉLECTRIQUE,** adj.
Relatif à la radioélectricité ; qui utilise la radioélectricité : *Fréquence **radioélectrique**,* hertzienne. 1913 ; ☞ *électrique* + *radio-*[2] ; [ʀadjoelɛktʀik].

**RADIOÉLÉMENT,** subst. m.
*Chim.* Élément radioactif. 1906 ; ☞ *élément* + *radio-*[1] ; [ʀadjoelemɑ̃].

**RADIOFRÉQUENCE,** subst. f.
*Phys.* Fréquence utilisée en radiocommunication. 1949 ; ☞ *fréquence* + *radio-*[2] ; [ʀadjofʀekɑ̃s].

**RADIOGONIOMÈTRE,** subst. m.
*Techn.* Récepteur d'ondes radioélectriques permettant à un navire ou à un avion d'établir sa position, grâce aux signaux provenant de stations émettrices (☞ *radiophare*). 1899 ; ☞ *goniomètre* + *radio-*[2] ; [ʀadjogɔnjɔmɛtʀ].

**RADIOGONIOMÉTRIE,** subst. f.
Technique de localisation (angle et direction) d'un émetteur d'ondes radioélectriques, utilisée en partic. dans la navigation, navale et aérienne. 1921 ; ☞ *radiogoniomètre* ; [ʀadjogɔnjɔmetʀi].

**RADIOGRAMME,** subst. m.
**1.** Image réalisée par radiographie. **2.** Télégramme émis par radiotélégraphie. 1904 ; contraction de *radiotélégramme* (vx) ; [ʀadjɔgʀam].

**RADIOGRAPHIE,** subst. f.
**1.** Procédé d'obtention d'épreuves photographiques par rayons X et, par méton., cliché obtenu par ce procédé (abrév. : radio). **2.** Fig. Analyse précise et visant à l'objectivité : ***Radiographie** de la société.* 1896 ; formé de *radio-*[1] et de *-graphie* ; [ʀadjɔgʀafi].

**RADIOGRAPHIER,** verbe trans. [6]
**1.** Procéder à la radiographie de. **2.** Fig. Analyser avec précision, finesse. 1896 ; ☞ *radiographie* ; [ʀadjɔgʀafje].

**RADIOGUIDAGE,** subst. m.
**1.** Guidage par ondes radioélectriques des avions, des navires, etc. **2.** *Autom.* Information routière radiodiffusée. 1948 ; ☞ *guidage* + *radio-*[2] ; [ʀadjogidaʒ].

**RADIO-IMMUNOLOGIE,** subst. f.
*Méd.* Méthode de dosage d'antigènes faisant appel à des marqueurs radioactifs. Fin XXe s. ; ☞ *immunologie* + *radio-*[1] ; plur. *radio-immunologies* ; [ʀadjoimynɔlɔʒi].

**RADIO-ISOTOPE,** subst. m.
*Chim.* Isotope radioactif : *Le carbone 14 est un **radio-isotope** du carbone.* 1947 ; ☞ *isotope* + *radio-*[1] ; plur. *radio-isotopes* ; [ʀadjoizɔtɔp].

**RADIOLAIRES,** subst. m. plur.
*Zool.* Classe d'animaux unicellulaires pélagiques et planctoniques des mers chaudes, au squelette siliceux entouré de fins pseudopodes. AU SING. Animal appartenant à cette classe. 1862 ; all. *Radiolarien,* du bas lat. *radiolus,* « petit rayon » ; [ʀadjɔlɛʀ].

**RADIOLARITE,** subst. f.
*Géol.* Roche sédimentaire siliceuse déposée dans des mers profondes, riche en tests de radiolaires : *La **radiolarite** est une variété de jaspe.* V. 1960 ; ☞ *radiolaires* ; [ʀadjɔlaʀit].

**RADIOLÉSION,** subst. f.
*Pathol.* Dermite, ou nécrose, consécutive à une irradiation. Mil. XXe s. ; ☞ *lésion* + *radio-*[1] ; [ʀadjolezjɔ̃].

**RADIOLOCALISATION,** subst. f.
*Techn.* Localisation, en partic. en mer, au moyen de signaux radioélectriques. Mil. XXe s. ; ☞ *localisation* + *radio-*[2] ; [ʀadjolɔkalizasjɔ̃].

**RADIOLOGIE,** subst. f.
*Phys.* Étude des rayonnements ionisants. ▸ ***Radiologie** médicale* : application à des fins diagnostiques ou thérapeutiques de rayonnements, ionisants ou non. 1904 ; formé de *radio-*[1] et de *-logie* ; [ʀadjɔlɔʒi].

**RADIOLOGIQUE,** adj.
Qui concerne la radiologie. 1904 ; ☞ *radiologie* ; [ʀadjɔlɔʒik].

**RADIOLOGUE,** subst.
Spécialiste en radiologie. 1932 ; formé de *radio-*[1] et de *-logue* ; var. *radiologiste* ; [ʀadjɔlɔg].

**RADIOLYSE,** subst. f.
*Chim.* et *Phys.* Production de réactions chimiques sous l'action de rayonnements ionisants. V. 1970 ; formé de *radio-*[1] et de *-lyse* ; [ʀadjɔliz].

**RADIOMESSAGERIE,** subst. f.
*Télécomm.* Service permettant la transmission de messages vers un récepteur de poche. V. 1990 ; ☞ *messagerie* + *radio-*[2] ; [ʀadjomesaʒʀi].

**RADIOMÈTRE,** subst. m.
*Phys.* Instrument permettant de mesurer l'intensité des rayonnements en les transformant en signal électrique. 1876 (1690, instrument de mesure méridienne) ; formé de *radio-*[1] et de *-mètre*[1] ; [ʀadjɔmɛtʀ].

**RADIONAVIGANT, ANTE,** subst.
Spécialiste de radionavigation. 1932 ; ☞ *radionavigation* ; [ʀadjonavigɑ̃, ɑ̃t].

**RADIONAVIGATION,** subst. f.
*Mar.* et *Aéron.* Technique de navigation utilisant des signaux radioélectriques. 1932 ; ☞ *navigation* + *radio-*[2] ; [ʀadjonavigasjɔ̃].

**RADIONÉCROSE,** subst. f.
*Pathol.* Forme extrême de radiodermite consécutive à une intense irradiation localisée. V. 1960 ; ☞ *nécrose* + *radio-*[1] ; [ʀadjonekʀoz].

**RADIOPHARE,** subst. m.
*Mar.* et *Aéron.* Balise émettrice de signaux radioélectriques destinés à être captés par le radiogoniomètre. 1912 ; ☞ *phare* + *radio-*[2] ; [ʀadjofaʀ].

**RADIOPHONIE,** subst. f.
*Techn.* **1.** Système de transmission des sons par ondes hertziennes. **2.** Anal. Radiodiffusion. 1880 ; formé de *radio-*[2] et de *-phonie* ; [ʀadjɔfɔni].

**RADIOPHONIQUE,** adj.
*Techn.* **1.** Qui concerne la radiophonie, la radiodiffusion. **2.** Qui s'exprime par ces moyens. 1880 ; ☞ *radiophonie* ; [ʀadjɔfɔnik].

**RADIOPHOTOGRAPHIE,** subst. f.
Photographie de l'image radioscopique obtenue sur un écran fluorescent. 1948 ; ☞ *photographie* + *radio-*[1] ; [ʀadjofɔtɔgʀafi].

**RADIOPROTECTION,** subst. f.
Ensemble des moyens mis en œuvre afin de protéger qqn contre les rayonnements ionisants. V. 1970 ; ☞ *protection* + *radio-*[1] ; [ʀadjopʀɔtɛksjɔ̃].

**RADIOREPORTAGE,** subst. m.
Reportage radiodiffusé. 1930 ; ☞ *reportage* + *radio-*[2] ; [ʀadjoʀ(ə)pɔʀtaʒ].

**RADIORÉSISTANCE,** subst. f.
*Biol.* Propriété qu'ont certains organismes (par ex., ceux des blattes et des scorpions) de résister à certaines radiations (atomiques ou ultraviolettes). ☞ *résistance* + *radio-*[1] ; [ʀadjoʀezistɑ̃s].

**RADIORÉVEIL,** subst. m.
*Techn.* Appareil de radio couplé à un réveil électronique. V. 1980 ; ☞ *réveil* (II) + *radio-*[2] ; var. *radio-réveil* (plur. *radios-réveils*) ; [ʀadjoʀevɛj].

**RADIOSCOPIE,** subst. f.
*Méd.* Examen sur écran fluorescent d'un organe ou d'un objet exposé aux rayons X. 1896 ; formé de *radio-*[1] et de *-scopie* ; [ʀadjɔskɔpi].

**RADIOSENSIBILITÉ,** subst. f.
*Biol.* Sensibilité de certains organismes vivants aux radiations. Déb. XXe s. ; ☞ *sensibilité* + *radio-*[1] ; [ʀadjosɑ̃sibilite].

**RADIOSONDAGE,** subst. m.
Mesure réalisée à l'aide d'une radiosonde. 1942 ; ☞ *sondage* + *radio-*[2] ; [ʀadjosɔ̃daʒ].

**RADIOSONDE,** subst. f.
*Météor.* Émetteur qui, fixé sur un ballon-sonde, transmet certaines mesures atmosphériques (température, pression) à une station réceptrice. 1935 ; ☞ *sonde* + *radio-*[2] ; [ʀadjosɔ̃d].

**RADIOSOURCE,** subst. f.
*Astron.* Corps céleste (quasar et pulsar, par ex.) émettant des ondes radioélectriques en continu. 1957 ; ☞ *source* + *radio-*[2] ; [ʀadjosuʀs].

**RADIO-TAXI,** subst. m.
Taxi relié de façon permanente à sa compagnie par un émetteur-récepteur radiophonique. V. 1950 ; ☞ *taxi* + *radio-*[2] ; plur. *radio(s)-taxis* ; [ʀadjotaksi].

**RADIOTÉLÉGRAPHIE,** subst. f.
*Techn.* Télégraphie sans fil, par ondes radioélectriques. 1906 ; ☞ *télégraphie* + *radio-*[2] ; [ʀadjotelegʀafi].

**RADIOTÉLÉPHONE,** subst. m.
*Techn.* Téléphone sans fil, utilisant les ondes radioélectriques. 1903 ; ☞ *téléphone* + *radio-*[2] ; [ʀadjotelefɔn].

**RADIOTÉLÉPHONIE,** subst. f.
*Techn.* Téléphonie par ondes radioélectriques. Déb. XXe s. ; ☞ *téléphonie* + *radio-*[2] ; [ʀadjotelefɔni].

**RADIOTÉLESCOPE,** subst. m.
*Astron.* Télescope muni d'une antenne captant les ondes qui proviennent de radiosources. 1952 ; ☞ *télescope* + *radio-*[2] ; [ʀadjotelɛskɔp].

© R. Gaillarde-Gamma

*Batterie de **radiotélescopes** à Nançay, dans le Cher.*

**RADIOTÉLÉVISÉ, ÉE,** adj.
Radiodiffusé et télévisé. 1946 ; crois. de *radiodiffusé* et de *télévisé* ; [ʀadjotelevize].

**RADIOTHÉRAPEUTE,** subst.
Médecin spécialisé en radiothérapie. 1905 ; ☞ *radiothérapie* ; [ʀadjoteʀapøt].

**RADIOTHÉRAPIE,** subst. f.
*Méd.* Traitement par des radiations ionisantes, gén. dans le cadre d'un protocole pluridisciplinaire. 1901 ; formé de *radio-*[1] et de *-thérapie* ; [ʀadjoteʀapi].

**RADIS,** subst. m.
*Bot.* Plante de la famille des Brassicacées, dont la racine, noire ou rose selon les espèces, est comestible. ▸ Loc. *Être sans un **radis*** ou *Ne pas avoir un **radis*** : être sans le sou, sans argent (fam.). 1507 ; ital. *radice,* du lat. *radix,* « racine » ; [ʀadi].

**RADIUM,** subst. m.
*Chim.* Élément n° 88 de la table de Mendeleïev (symb. : Ra) ; masse atomique : 226,03 ; point de fusion : 700 °C ; masse volumique : 5 g/cm³. C'est un métal alcalino-terreux dont tous les isotopes sont radioactifs. 1898 ; ☞ *radioactif* ; [ʀadjɔm].

**RADIUS,** subst. m.
*Anat.* L'un des deux os longs du squelette de l'avant-bras. Ses articulations inférieure (avec le scaphoïde) et supérieure (avec l'humérus et le cubitus) permettent les mouvements de pronation et de supination. 1541 ; lat. *radius,* « baguette ; rayon » ; [ʀadjys].

**RADJAH,** voir **RAJA**

**RADÔME,** subst. m.
*Techn.* Dôme protégeant une antenne, en partic. de radar, sans en gêner le fonctionnement. V. 1960 ; angl. *radome,* de *radar,* « radar », et de *dome,* « dôme » ; [ʀadom].

**RADON,** subst. m.
*Chim.* Élément n° 86 de la table de Mendeleïev (symb. : Rn) ; masse atomique : 222 ; point de fusion : – 71 °C ; point d'ébullition : – 62 °C. C'est un gaz rare dont tous les isotopes sont radioactifs. 1924 ; ☞ *radium* ; [ʀadɔ̃].

**RADOTAGE,** subst. m.
Discours d'une personne qui radote ; action de radoter. 1740 ; ☞ *radoter* ; [ʀadɔtaʒ].

**RADOTER,** verbe intrans. [3]
Déraisonner, tenir des propos décousus. ▸ Ext. Se répéter, rabâcher. Fin XIIe s. ; anc. fr. *redoté,* « tombé en enfance », du m. néerl. *doten,* « être fou » ; [ʀadɔte].

**RADOTEUR, EUSE,** subst.
Personne qui radote ; empl. adj. : *Un écrivain **radoteur**.* 1543 ; ☞ *radoter* ; [ʀadɔtœʀ, øz].

**RADOUB,** subst. m.
Action de radouber : *Mettre un navire au* ***radoub.*** ⌘ 1532 ; ☞ *radouber* ; [ʀadu].

**RADOUBER,** verbe trans. [3]
*Mar.* **1.** Réparer, entretenir la coque de (un navire). **2.** Raccommoder les mailles de (un filet de pêche). ⌘ 1260 ; *adouber* (vx), « arranger ; équiper », + *re-* ; [ʀadube].

**RADOUCIR,** verbe trans. [19]
Rendre plus doux, plus conciliant ; apaiser, calmer ; empl. pronom. : *Son humeur s'est* ***radoucie.*** **Pronom.** Devenir plus doux, en parlant du temps qu'il fait. ⌘ Fin XIIe s. ; ☞ *adoucir* + *re-* ; [ʀadusiʀ].

**RADOUCISSEMENT,** subst. m.
Action de radoucir, fait de se radoucir ; son résultat. ⌘ 1671 ; ☞ *radoucir* ; [ʀadusismɑ̃].

**RADULA,** subst. f.
*Zool.* Pièce buccale de la plupart des mollusques non bivalves, consistant en une lame flexible sur laquelle se dressent des aspérités fonctionnant comme des dents. ⌘ 1895 ; lat. *radula,* « racloir » ; [ʀadyla].

**RAFALE,** subst. f.
**1.** Coup de vent bref et violent, bourrasque ; par anal. : ***Rafale*** *de pluie.* **2.** Ext. Suite ininterrompue de coups tirés par une arme à feu ou par une pièce d'artillerie. ▸ Anal. Succession rapide : *Une* ***rafale*** *d'injures.* ⌘ 1640 ; p.-ê. *affaler* + *re-,* d'apr. l'ital. *raffica* ; [ʀafal].

**RAFFERMIR,** verbe trans. [19]
**1.** Rendre plus ferme (qqch.) ; empl. pronom., devenir plus ferme. **2.** Fig. Consolider, renforcer (un état, une situation) ; empl. pronom., retrouver sa force, son assurance. ⌘ 1394 ; ☞ *affermir* + *re-* ; [ʀafɛʀmiʀ].

**RAFFERMISSEMENT,** subst. m.
Action de raffermir, fait de se raffermir ; son résultat. ⌘ 1669 ; ☞ *raffermir* ; [ʀafɛʀmismɑ̃].

**RAFFINAGE,** subst. m.
*Industr.* Action de raffiner un produit ; son résultat. ⌘ 1611 ; ☞ *raffiner* ; [ʀafinaʒ].

**RAFFINÉ, ÉE,** adj.
**1.** Qui fait preuve d'une exquise délicatesse, élégant, subtil : *Plaisirs* ***raffinés*** ; empl. subst., personne **raffinée** (rare). **2.** Rendu plus pur, plus fin, par raffinage. ⌘ 1642 ; p. p. de *raffiner* ; [ʀafine].

**RAFFINEMENT,** subst. m.
**1.** Expression extrême d'un sentiment, d'une tendance : *Un* ***raffinement*** *de préciosité.* **2.** Caractère de ce qui est raffiné, subtil. ⌘ 1655 (1600, action de rendre plus fin, plus délicat) ; ☞ *raffiner* ; [ʀafinmɑ̃].

**RAFFINER,** verbe [3]
**Trans. 1.** *Industr.* Débarrasser (un produit) de ses impuretés. ▸ Transformer (le pétrole brut) en produit fini (essence, gazole). ▸ Traiter (la pâte à papier) pour lui donner des propriétés feutrantes. **2.** Fig. Rendre plus distingué. **Intrans.** Chercher le raffinement, la subtilité : ***Raffiner*** *sur sa coiffure.* ⌘ 1468 ; ☞ *affiner* + *re-* ; [ʀafine].

**RAFFINERIE,** subst. f.
*Industr.* Établissement où l'on procède au raffinage de certains produits, en partic. du sucre et du pétrole brut. ⌘ 1666 ; ☞ *raffiner* ; [ʀafinʀi].

**RAFFINEUR, EUSE,** subst.
Employé ou propriétaire d'une raffinerie. **Masc.** *Papet.* Appareil employé pour raffiner la pâte à papier. ⌘ 1611 ; ☞ *raffiner* ; [ʀafinœʀ, øz].

**RAFFLÉSIE,** subst. f.
*Bot.* Plante parasite de la famille des Rafflésiacées, dépourvue de chlorophylle, à fleurs énormes, dont les feuilles sont réduites à des écailles, et les racines à des suçoirs. ⌘ Mil. XIXe s. ; anthropon. *sir T.S. Raffles,* gouverneur de Sumatra ; var. *un rafflesia* ; [ʀaflezi].

**RAFFOLER,** verbe trans. indir. [3]
**Raffoler de.** Aimer follement (qqn) ; se passionner pour (qqch.). ⌘ 1761 (fin XIVe s., être fou) ; ☞ *affoler* + *re-* ; [ʀafɔle].

**RAFFUT,** subst. m.
Fam. Tapage, tintamarre ; au fig., esclandre, scandale. ⌘ 1866 ; dial. *raffuter,* « rosser » ; [ʀafy].

**RAFIOT,** subst. m.
*Mar.* **1.** Vx. Petit bateau méditerranéen à voile et à rames. **2.** Bateau en mauvais état (fam.). ⌘ 1792 ; orig. inc. ; var. *rafiau* (vx) ; [ʀafjo].

**RAFISTOLAGE,** subst. m.
Fam. Action de rafistoler ; son résultat. ⌘ 1833 ; ☞ *rafistoler* ; [ʀafistɔlaʒ].

**RAFISTOLER,** verbe trans. [3]
Fam. Réparer grossièrement, bricoler (qqch.). ⌘ 1649 ; m. fr. *afistoler,* « arranger », + *re-* ; [ʀafistɔle].

**RAFLE (I),** subst. f.
**1.** Action de rafler, pillage (vieilli). ▸ Arrestation massive faite à l'improviste par la police. **2.** *Spéc.* ▸ *Chasse.* Filet à double maille servant à attraper des oiseaux de petite taille. ▸ *Pêche.* Filet à plusieurs entrées. ⌘ Fin XVIe s. (mil. XIIIe s., racloir) ; m. haut all. *raffel,* « instrument servant à racler le feu » ; [ʀɑfl].

**RAFLE (II),** subst. f.
*Bot.* **1.** Ensemble des axes et des pédoncules supportant les fruits disposés en grappe. **2.** Axe central de l'épi de maïs. ⌘ 1549 ; p.-ê. *rafle* (I) ; [ʀɑfl].

**RAFLER,** verbe trans. [3]
Fam. Emporter (tout ce que l'on peut prendre), faire main basse sur (qqch.) ; par anal., saisir promptement, voler ; par métaph. : *Champion qui* ***rafle*** *toutes les médailles.* ⌘ 1573 ; ☞ *rafle* (I) ; [ʀɑfle].

**RAFRAÎCHIR,** verbe trans. [19]
**1.** Vx. Redonner de la vigueur à : ***Rafraîchir*** *les troupes.* **2.** Rendre plus frais ; empl. intrans. : *Mettre du vin à* ***rafraîchir.*** **3.** Rénover, raviver (qqch.) : ***Rafraîchir*** *les peintures* ; ***Rafraîchir*** *une coupe,* couper légèrement les cheveux. ▸ Loc. ***Rafraîchir*** *la mémoire, les idées à qqn* : lui rappeler ce qu'il prétend avoir oublié. **Pronom. 1.** Fraîchir : *Le temps se* ***rafraîchit.*** **2.** Se donner une sensation de fraîcheur, en procédant à une toilette rapide ou en se désaltérant. ⌘ Fin XIIe s. ; ☞ *fraîchir* + *re-* ; [ʀafʀɛʃiʀ].

**RAFRAÎCHISSANT, ANTE,** adj.
**1.** Qui rafraîchit ; qui désaltère. **2.** Fig. Qui laisse une impression de fraîcheur, de spontanéité. ⌘ 1579 ; p. pr. de *rafraîchir* ; [ʀafʀɛʃisɑ̃, ɑ̃t].

**RAFRAÎCHISSEMENT,** subst. m.
**1.** Action de rafraîchir, de se rafraîchir ; son résultat. **2.** Boisson fraîche sans alcool. **3.** Action de réparer, de raviver (littér.). ⌘ XIIIe s ; ☞ *rafraîchir* ; [ʀafʀɛʃismɑ̃].

**RAFT,** subst. m.
*Sp.* Sport consistant à descendre des rapides dans un radeau pneumatique. ⌘ V. 1980 ; angl. *raft,* « radeau » ; var. *rafting* ; [ʀaft].

***Raft*** *dans les gorges de l'Allier.*

**RAGAILLARDIR,** verbe trans. [19]
Redonner de la vigueur, de la force ou de l'entrain à. ⌘ 1533 ; ☞ *gaillard* (I) + *re-* ; [ʀagajaʀdiʀ].

**RAGE,** subst. f.
**1.** Fureur intense : *Frémir de* ***rage.*** ▸ Loc. *Faire* ***rage*** : se déchaîner. **2.** Passion violente pour qqch. ou besoin ardent de qqch. : *La* ***rage*** *de vaincre.* **3.** ***Rage*** *de dents* : mal de dents très douloureux. **4.** *Pathol.* Maladie infectieuse, virale, commune à l'homme et aux animaux, transmise par la morsure d'animaux contaminés, qui se caractérise par une méningo-encéphalite mortelle et se manifeste par une violente excitation. Pasteur a mis au point un vaccin contre la **rage** en 1885. ⌘ Fin XIe s. ; lat. pop. °*rabia,* du lat. *rabies* ; [ʀaʒ].

**RAGEANT, ANTE,** adj.
Qui provoque la fureur, qui exaspère (fam.). ⌘ 1901 ; p. pr. de *rager* ; [ʀaʒɑ̃, ɑ̃t].

**RAGER,** verbe intrans. [5]
Éprouver de la rage, de la fureur (fam.). ⌘ Fin XIIe s. ; ☞ *rage* ; [ʀaʒe].

**RAGEUR, EUSE,** adj.
**1.** Irascible ; en rage. **2.** Qui exprime la rage, la mauvaise humeur. ⌘ 1832 ; ☞ *rager* ; [ʀaʒœʀ, øz].

**RAGEUSEMENT,** adv.
De manière rageuse. ⌘ 1837 ; ☞ *rageur* ; [ʀaʒøzmɑ̃].

**RAGLAN,** subst. m.
**1.** Vx. Manteau à pèlerine, en vogue sous le second Empire. **2.** Large pardessus dont les emmanchures, coupées en biais, se terminent à l'encolure ; empl. adj. inv. : *Manches, pull* ***raglan.*** ⌘ 1858 ; anthropon. *lord Raglan,* général anglais du XIXe s. ; [ʀaglɑ̃].

**RAGONDIN,** subst. m.
**1.** *Zool.* Rongeur semi-aquatique d'Amérique du Sud, de la famille des Myocastoridés, élevé pour sa fourrure. En Europe, les **ragondins** sauvages proviennent de spécimens échappés et causent des dégâts en creusant des terriers. **2.** Méton. Fourrure, très prisée, de cet animal. ⌘ 1867 ; orig. inc. ; [ʀagɔ̃dɛ̃].

**RAGOT (I),** subst. m.
*Vèn.* Sanglier solitaire de deux ou trois ans. ⌘ 1655 (1392, cochon de lait) ; orig. onomat. ; [ʀago].

**RAGOT (II),** subst. m.
Bavardage médisant, racontar (fam.). ⌘ 1767 ; *ragoter* (vx), « grogner », de *ragot* (I) ; [ʀago].

**RAGOUGNASSE,** subst. f.
Plat en sauce peu ragoûtant (fam.). ⌘ 1881 ; ☞ *ragoût* ; [ʀaguɲas].

**RAGOÛT,** subst. m.
*Cuis.* Plat de morceaux de viande ou de poisson et de légumes cuits en sauce. ⌘ 1665 (1623, assaisonnement) ; *ragoûter* (vx), « réveiller le goût » ; [ʀagu].

**RAGOÛTANT, ANTE,** adj.
Appétissant (gén. dans des tournures négatives) : *Un plat peu* ***ragoûtant*** ; au fig. : *Des affaires pas très* ***ragoûtantes.*** ⌘ 1672 ; *ragoûter* (vx), « réveiller le goût » ; [ʀagutɑ̃, ɑ̃t].

**RAGRÉER,** verbe trans. [7]
*Techn.* Polir les inégalités de surface de (un ouvrage de maçonnerie ou de menuiserie). ⌘ 1554 ; anc. fr. *agréer,* « mettre en état », + *re-* ; [ʀagʀee].

**RAGTIME,** subst. m.
*Mus.* Style pianistique syncopé, mêlant le folklore négro-américain et les airs de danse des Blancs, apparu dans le sud des États-Unis à la fin du XIXe s., et qui est une des sources du jazz ; par méton., morceau de cette musique. ⌘ 1913 ; anglo-amér. *ragtime,* de *rag,* « chiffon », et de *time,* « temps, tempo » ; [ʀagtajm].

**RAGUER,** verbe intrans. [3]
*Mar.* S'user par frottement, en parlant d'un cordage. ⌘ 1682 ; angl. *to rag,* « déchirer » ; [ʀage].

**RAI,** subst. m.
Rayon (littér.) : ***Rai*** *de lune.* ⌘ 1119 ; lat. *radius* ; [ʀɛ].

**RAÏ,** subst. m. inv.
Genre poétique et musical traditionnel du Maghreb, en partic. de l'Ouest algérien. ▸ Musique populaire moderne issue de ce genre ; empl. adj. inv. : *Des musiciens, des rythmes* ***raï.*** ⌘ V. 1980 ; ar. *ra'y,* « opinion, avis » ; [ʀaj].

**RAÏA, voir RAYA**

**RAID,** subst. m.
**1.** *Milit.* ▸ Incursion, gén. en petit commando, dans un territoire ennemi. ▸ Attaque aérienne. **2.** *Sp.* Longue épreuve visant à éprouver l'endurance du sportif et du matériel : *Un* ***raid*** *automobile.* **3.** *Bourse.* Offre publique d'achat lancée par un raider. ⌘ 1864 ; angl. *raid,* « expédition militaire à cheval », de l'anc. angl. *râd,* « chevauchée » ; [ʀɛd].

**RAIDE,** adj. et adv.
**Adj. 1.** Qui ne plie pas ; qui manque de souplesse : *Avoir les jambes* ***raides,*** engourdies ; *Cheveux* ***raides,*** qui ne frisent pas. **2.** Parfaitement tendu : *Corde* ***raide.*** **3.** Abrupt, très incliné : *Pente* ***raide.*** **4.** Fig. Qui manque de naturel ; sévère. **5.** Difficile à admettre (fam.) : *C'est un peu* ***raide*** *!* **6.** Loc. *Être* ***raide*** : être sans un sou ou être ivre (fam.). **Adv. 1.** Brutalement, soudainement : *Tomber* ***raide*** *mort.* **2.** De façon abrupte : *Le chemin monte* ***raide.*** ⌘ Déb. XIIe s. ; lat. *rigidus* ; var. vieillie *roide* ; [ʀɛd].

**RAI-DE-CŒUR,** subst. m.
*Archit.* Ornement alternant fers de lance et éléments végétaux en forme de cœur. ⌘ 1676 ; comp. de *rai* et de *cœur* ; plur. *rais-de-cœur* ; [ʀɛdəkœʀ].

**RAIDER,** subst. m.
*Bourse.* Personne physique ou morale qui se livre à des opérations financières visant à prendre le contrôle d'une société (anglic.). ⌘ V. 1980 ; angl. *raider,* « pillard » ; recomm. off. *attaquant* ; [ʀɛdœʀ].

**RAIDEUR, subst. f.**
Caractère d'une chose, d'une personne raide, rigide. Fin XIIᵉ s. ; ☞ *raide* ; var. vieillie *roideur* ; [ʀɛdœʀ].

**RAIDILLON, subst. m.**
Petit sentier en pente raide ; partie escarpée d'un chemin, d'une route. 1762 ; ☞ *raide* ; [ʀɛdijɔ̃].

**RAIDIR, verbe [19]**
**Intrans.** Devenir raide. **Trans.** Rendre raide ; tendre fortement. ▸ Empl. pronom. *Se **raidir** de peur* ; au fig. : *Se **raidir** contre qqch.*, y résister. Déb. XIIIᵉ s. ; ☞ *raide* ; var. vieillie *roidir* ; [ʀɛdiʀ].

**RAIDISSEMENT, subst. m.**
Action de raidir, fait de se raidir ; son résultat. 1547 ; ☞ *raidir* ; [ʀɛdismɑ̃].

**RAIDISSEUR, subst. m.**
**1.** *Techn.* Appareil servant à raidir les câbles, les treillages, etc. **2.** *Constr.* Pièce servant à soutenir certains éléments soumis à une charge. 1873 ; ☞ *raidir* ; [ʀɛdisœʀ].

**RAIE (I), subst. f.**
**1.** *Agric.* Sillon creusé par la charrue. **2.** Ligne tracée sur une surface. **3.** Anal. Bande étroite décorant une étoffe, un papier, ou marquant le pelage, le plumage d'un animal. **4.** Séparation des cheveux. ▸ ***Raie** des fesses* : sillon séparant les fesses (fam.). **5.** *Phys.* ***Raies** spectrales* : émission ou absorption de la lumière par des atomes à des fréquences bien définies. 1140 ; bas lat. *riga*, du gaul. °*rica* ; [ʀɛ].

**RAIE (II), subst. f.**
*Zool.* Poisson marin cartilagineux de la classe des Chondrichtyens. Les **raies**, dont la taille peut aller de 60 cm à 2 m, ont un corps plat, large, arrondi ou en losange. Certaines espèces sont appréciées en cuisine. 1155 ; lat. *raia* ; [ʀɛ].

© Labat/Lanceau-Jacana

*Raie bouclée.*

**RAIFORT, subst. m.**
*Bot.* Plante de la famille des Brassicacées cultivée pour sa racine à la saveur très piquante ; par méton., cette racine, utilisée en condiment. Mil. XVᵉ s. ; crois. de l'anc. fr. *raiz*, « racine », et de *fort* ; [ʀɛfɔʀ].

**RAIL, subst. m.**
**1.** Chacun des deux profilés d'acier, alignés parallèlement, qui constituent une voie ferrée : *Écartement des **rails**.* ▸ Méton. Le transport par chemin de fer. ▸ Loc. *Sortir des **rails*** : du droit chemin ; *Remettre sur les **rails*** : sur la bonne voie. **2.** Ext. Pièce profilée guidant le déplacement d'une autre pièce ; glissière. **3.** ***Rail** de sécurité* : barrière profilée qui borde certaines portions de route dangereuses. 1817 ; angl. *rail*, « barre de bois horizontale », de l'anc. fr. *reille*, du lat. *regula*, « règle, barre » ; plur. *rails* ; [ʀɑj].

**RAILLER, verbe trans. [3]**
Se moquer de. 1479 (1462, faire des plaisanteries) ; lat. pop. °*ragulare*, « crier, grogner » ; [ʀɑje].

**RAILLERIE, subst. f.**
Action de railler ; par méton., propos railleur. Fin XVᵉ s. ; ☞ *railler* ; [ʀɑjʀi].

**RAILLEUR, EUSE, adj. et subst.**
Se dit d'une personne qui raille, qui aime à railler. **Adj.** Moqueur. Déb. XVᵉ s. ; ☞ *railler* ; [ʀɑjœʀ, øz].

**RAIL-ROUTE, subst. m. et adj. inv.**
Se dit d'un mode de transport des marchandises utilisant, de manière complémentaire, le rail et la route (synon. *ferroutage*). 1949 ; comp. de *rail* et de *route* ; plur. du subst. *rails-routes*, var. *railroute* ; [ʀɑjʀut].

**RAINER, verbe trans. [3]**
*Techn.* Marquer de rainures ; entailler avec une rénette. XIIIᵉ s. ; *roisne*, anc. forme de *rouanne* ; synon. *rainurer* ; [ʀene].

**RAINETTE (I), subst. f.**
*Zool.* Amphibien anoure de la famille des Hylidés, qui se distingue de la grenouille par ses doigts dont l'extrémité s'élargit en ventouse, et par ses mœurs arboricoles. L'espèce commune en France est la **rainette** verte, qui ne dépasse pas 5 cm de long. XIVᵉ s. ; *raine* (vx), du lat. *rana*, « grenouille » ; [ʀɛnɛt].

© J.-L. Le Moigne-Jacana

*Rainette verte.*

**RAINETTE (II), voir RÉNETTE**

**RAINURAGE, subst. m.**
*Techn.* Ensemble des rainures pratiquées sur une chaussée pour en augmenter l'adhérence. 1932 ; ☞ *rainurer* ; [ʀenyʀaʒ].

**RAINURE, subst. f.**
Entaille en longueur pratiquée sur une pièce de bois, de métal, qui permet d'assembler, de faire coulisser ; par ext., longue entaille pratiquée dans le béton d'une chaussée. 1382 ; *roisne*, anc. forme de *rouanne* ; [ʀenyʀ].

**RAINURER, verbe trans. [3]**
Rainer. 1913 ; ☞ *rainure* ; [ʀenyʀe].

**RAIPONCE, subst. f.**
*Bot.* Plante de la famille des Campanulacées, poussant sur des terrains secs, et dont certaines espèces sont cultivées pour leurs feuilles et leurs racines comestibles. Mil. XVᵉ s. ; anc. fr. *rais*, « racine, rave », et ital. *raponzo*, du lat. *rapa*, « rave » ; [ʀɛpɔ̃s].

**RAIRE, verbe intrans. [58]**
Bramer (vx). Fin XIVᵉ s. (déb. XIIIᵉ s., crier, grincer) ; bas lat. *ragere*, « mugir, rugir » ; var. *réer* [7] ; [ʀɛʀ].

**RAÏS, subst. m.**
Chef de l'État, président, dans certains pays arabes, en partic. en Égypte. V. 1960 ; ar. *ra'īs* ; [ʀais].

**RAISIN, subst. m.**
**1.** Fruit de la vigne ; ensemble des baies supportées par la rafle et formant une grappe : ***Raisin** blanc, noir, de table.* **2.** Anal. ▸ *Bot.* Baies en grappe : ***Raisin** d'ours*, busserole ; ***Raisin** de renard*, parisette. ▸ *Zool.* Œufs de mollusques en grappe : ***Raisin** de mer*, ponte de la seiche. **3.** Méton. Format de papier (50 × 64 cm) marqué autrefois d'une grappe de **raisin** en filigrane. Déb. XIIᵉ s. ; lat. pop. °*racimus*, du lat. *racemus* ; [ʀɛzɛ̃].

**RAISINÉ, subst. m.**
**1.** Gelée de moût de raisin auquel on ajoute parfois d'autres fruits. **2.** Sang (argot.). 1788 (1508, vin cuit) ; ☞ *raisin* ; [ʀɛzine].

**RAISON, subst. f.**
**I. 1.** Principe de vérité, de justice dans l'appréciation des choses. ▸ Loc. *Avoir **raison*** : être dans le vrai ; *Donner **raison** à qqn* : admettre la justesse de son point de vue. **2.** Faculté de discernement ; pensée discursive, par oppos. au sentiment, à l'instinct, à l'imagination, aux passions. ▸ Loc. *Entendre **raison*** : admettre ce qui est raisonnable ; *La voix de la **raison*** : du bon sens ; *Plus que de **raison*** : immodérément ; *Mariage de **raison*** : union où les intérêts priment les sentiments ; *Âge de **raison*** : âge auquel un enfant est censé être conscient de ses actes (vers sept ans). **3.** Connaissance naturelle, par oppos. à la foi en la Révélation. ▸ *Hist. Culte de la **Raison*** : institué par les hébertistes en 1793-1794 contre le christianisme. **4.** Faculté propre à l'homme, lui permettant de penser, de relier les idées, d'avoir des rapports cohérents avec le réel. ▸ Ensemble des facultés intellectuelles, considérées du point de vue de leur fonctionnement : *Avoir toute sa **raison*** ; *Perdre la **raison***, devenir fou. **5.** *Philos.* Faculté de juger et d'agir par raisonnement, de former des idées générales, de découvrir des rapports entre les choses et d'accéder aux vérités essentielles. ▸ Chez Kant, la **raison**, ou faculté de connaître a priori, se décompose en une **raison** pure, exclusivement liée à la connaissance, et une **raison** pratique, liée à l'action et contenant les règles a priori de la morale. ▸ Dans le système de Leibniz, le principe de **raison** suffisante, selon lequel rien n'arrive qui ne dépende d'une cause, est, avec le principe de contradiction, l'une des deux conditions du raisonnement. **II. 1.** Cause, explication. ▸ Motif, justification raisonnable ou prétendue telle : *Avoir ses **raisons*** ; *La **raison** du plus fort est toujours la meilleure* (La Fontaine) ; ***Raison** d'État*, intérêt supérieur de l'État, invoqué pour justifier un acte politique illégitime ou immoral. ▸ Argument : *Il s'est rendu à mes **raisons**.* ▸ Loc. *À plus forte **raison*** : pour un motif d'autant plus justifié ; *En **raison** de* : à cause de ; *Se faire une **raison*** : se résigner. **2.** Réparation (vieilli) : *Ce n'est pas à vous [...] que je demanderai **raison** des insultes faites à mademoiselle Mirouët* (Balzac). ▸ Loc. *Avoir **raison** de qqn* : vaincre sa résistance. **III. 1.** Rapport établi entre deux quantités. ▸ *En **raison** directe, inverse de* : de façon proportionnelle, inversement proportionnelle à ; *À **raison** de* : dans la proportion de. **2.** *Dr. comm.* ***Raison** sociale* : dénomination d'une société. **3.** *Math.* Différence entre deux termes consécutifs d'une progression arithmétique ; quotient de deux termes consécutifs d'une progression géométrique. Fin Xᵉ s. (Xᵉ s., parole, langage, récit) ; lat. *ratio* ; [ʀɛzɔ̃].

**RAISONNABLE, adj.**
**1.** Doué de raison. ▸ Qui agit avec raison, avec bon sens. **2.** Ext. Sage, dicté par la raison. **3.** Modéré : *Coût **raisonnable**.* Déb. XIIᵉ s. ; ☞ *raison* ; [ʀɛzɔnabl].

**RAISONNABLEMENT, adv.**
De manière raisonnable : *Manger **raisonnablement**.* Déb. XIIᵉ s. ; ☞ *raisonnable* ; [ʀɛzɔnabləmɑ̃].

**RAISONNÉ, ÉE, adj.**
Fondé sur le raisonnement : *Un acte **raisonné***, réfléchi. 1611 ; p. p. de *raisonner* ; [ʀɛzɔne].

**RAISONNEMENT, subst. m.**
**1.** Faculté, action d'exercer sa raison. **2.** Suite de propositions reliées logiquement et aboutissant à une conclusion ; argumentation : *Un **raisonnement** inattaquable.* Fin XIVᵉ s. ; ☞ *raisonner* ; [ʀɛzɔnmɑ̃].

**RAISONNER, verbe [3]**
**Intrans. 1.** Faire usage de sa raison. **2.** Enchaîner les parties d'un raisonnement. **3.** Argumenter, discuter : *Agis, au lieu de **raisonner** !* **Trans. 1.** Analyser les raisons de (un comportement) pour le contrôler : ***Raisonner** sa peur.* **2.** Tenter de ramener (qqn) à la raison ; empl. pronom. : *Essaie de te **raisonner** !* Fin XIVᵉ s. (fin XIIᵉ s., parler à qqn) ; ☞ *raison* ; [ʀɛzɔne].

**RAISONNEUR, EUSE, subst. et adj.**
**1.** Se dit d'une personne qui discute sans cesse ou abuse des raisonnements (péj.). **2.** Se dit d'une personne qui raisonne. 1666 (1345, avocat) ; ☞ *raisonner* ; [ʀɛzɔnœʀ, øz].

**RAJA, subst. m.**
**1.** Souverain d'une principauté de l'Inde. **2.** Vassal des empereurs moghols. Déb. XVIᵉ s. ; skr. *rājā*, « roi » ; var. *rajah*, *radjah* ; [ʀa(d)ʒa].

**RAJEUNIR, verbe [19]**
**Trans. 1.** Rendre la jeunesse à (qqn) ; faire paraître plus jeune. ▸ Anal. ***Rajeunir** un arbre* : le tailler. ▸ Fig. Rénover, moderniser : ***Rajeunir** la maquette d'un journal.* **2.** Attribuer à (qqn) un âge moindre que son âge réel. **3.** Diminuer la moyenne d'âge de (un groupe) en y accueillant des personnes plus jeunes. **Intrans. 1.** Retrouver la vigueur, l'enthousiasme de la jeunesse : *Il a **rajeuni**.* **2.** Paraître plus jeune : *Il est **rajeuni**.* **Pronom. 1.** Essayer de paraître plus jeune. **2.** Se prétendre plus jeune que l'on est. Fin XIIᵉ s. ; ☞ *jeune* + *re-* et *a-*¹ ; [ʀaʒœniʀ].

**RAJEUNISSANT, ANTE, adj.**
Qui sert à rajeunir qqn ou qqch. Déb. XVIIIᵉ s. ; p. pr. de *rajeunir* ; [ʀaʒœnisɑ̃, ɑ̃t].

**RAJEUNISSEMENT, subst. m.**
**1.** Action de rajeunir qqch. ; son résultat. **2.** Fait de rajeunir. Déb. XIIIᵉ s. ; ☞ *rajeunir* ; [ʀaʒœnismɑ̃].

**RAJOUT,** subst. m.
Ce qui a été rajouté. 1896 ; ☞ *rajouter* ; [ʀaʒu].

**RAJOUTER,** verbe trans. [3]
Ajouter de nouveau. ► Loc. *En* **rajouter** : exagérer (fam.). xv^e s. ; ☞ *ajouter* + *re-* ; [ʀaʒute].

**RAJUSTEMENT,** subst. m.
Action de rajuster (rare). 1803 (1690, réconciliation) ; ☞ *rajuster* ; [ʀaʒystəmɑ̃].

**RAJUSTER,** verbe trans. [3]
**1.** Remettre en place (qqch.) ; empl. pronom., remettre de l'ordre dans ses vêtements. **2.** Rendre sa justesse, sa précision à : ***Rajuster** une balance.* **3.** Réajuster : ***Rajuster** une veste* ; ***Rajuster** les prix.* Fin xii^e s. ; ☞ *ajuster* + *re-* ; [ʀaʒyste].

**RAKI,** subst. m.
Eau-de-vie aromatisée à l'anis, fabriquée surtout en Turquie. 1628 ; turc *raki*, de l'ar. *'araq* ; [ʀaki].

**RÂLANT, ANTE,** adj.
**1.** Qui produit un râle. **2.** Fig. Qui mécontente, exaspère (fam.). 1834 ; p. pr. de *râler* ; [ʀɑlɑ̃, ɑ̃t].

**RÂLE (I),** subst. m.
*Zool.* Oiseau échassier de la famille des Rallidés. Le **râle** d'eau, au long bec rouge et aux flancs rayés, vit dans les marais et près des cours d'eau ; le **râle** des genêts, au bec court et au plumage roussâtre, devenu rare, vit dans les prés et les champs. Fin xii^e s. ; prob. *râler*, par réf. au cri de l'oiseau ; [ʀɑl].

**RÂLE (II),** subst. m.
Son rauque de la respiration des agonisants. ► *Pathol.* Bruit anormal entendu au cours de l'auscultation pulmonaire, témoignant d'une pneumopathie. 1611 ; ☞ *râler* ; [ʀɑl].

**RÂLEMENT,** subst. m.
Son rauque émis par une personne qui râle (vieilli ou littér.). 1611 ; ☞ *râler* ; [ʀɑlmɑ̃].

**RALENTI,** subst. m.
**1.** *Techn.* Régime le plus faible d'un moteur. ► Loc. **Au ralenti.** À très bas régime ; au fig., sur un rythme très lent : *Vivre au* **ralenti**. **2.** *Cin.* Effet de lenteur des mouvements réels obtenu en projetant à vitesse normale une prise de vues réalisée à une vitesse supérieure. 1907 ; p. p. de *ralentir* ; [ʀalɑ̃ti].

**RALENTIR,** verbe [19]
Trans. Réduire la vitesse, l'intensité de (un mouvement, une activité, un processus) ; empl. adj. : *Une production* **ralentie** ; empl. pronom. : *Son pas se* **ralentit**. Intrans. Réduire sa vitesse : *À l'approche d'une gare, le train* **ralentit**. Mil. xvi^e s. ; *alentir* (vx), « rendre lent », + *re-* ; [ʀalɑ̃tiʀ].

**RALENTISSEMENT,** subst. m.
Fait de ralentir. 1584 ; ☞ *ralentir* ; [ʀalɑ̃tismɑ̃].

**RALENTISSEUR,** subst. m.
**1.** *Techn.* Appareil qui diminue la vitesse de qqch. ; en partic., dispositif auxiliaire de freinage des véhicules lourds. **2.** Dos-d'âne placé en travers d'une route pour faire ralentir les automobilistes. 1902 ; ☞ *ralentir* ; [ʀalɑ̃tisœʀ].

**RÂLER,** verbe intrans. [3]
**1.** Émettre un râle, en partic. en agonisant. **2.** Fig. Maugréer, récriminer (fam.). 1549 (1456, marchander) ; var. de *racler* ; [ʀɑle].

**RÂLEUR, EUSE,** adj. et subst.
Se dit de qqn qui récrimine à tout propos (fam.). 1923 (1571, malade qui râle) ; ☞ *râler* ; [ʀɑlœʀ, øz].

**RALINGUE,** subst. f.
*Mar.* Cordage cousu en renfort le long des bords à enverguer d'une grand-voile ou sur le guindant d'un foc. Mil. xii^e s. ; anc. nord. °*rár-lík*, de *rá*, « vergue », et de *lík*, « bord d'une voile » ; [ʀalɛ̃g].

**RALINGUER,** verbe [3]
*Mar.* Intrans. Faseyer. Trans. **1.** Orienter (une voile) parallèlement au vent. **2.** Munir (une voile) de ralingues. 1687 ; ☞ *ralingue* ; [ʀalɛ̃ge].

**RALLIDÉS,** subst. m. plur.
*Zool.* Famille d'oiseaux de l'ordre des Gruiformes, comprenant 132 espèces de râles, de poules d'eau et de foulques. Au sing. *La marouette ponctuée est un* **rallidé**. 1839 ; ☞ *râle* (I) ; [ʀalide].

**RALLIEMENT,** subst. m.
**1.** Action de rallier, fait de se rallier : *Point de* **ralliement**, de rassemblement, de rencontre ; *Cri, signe de* **ralliement**, de reconnaissance. **2.** Fig. Adhésion à un parti, à une cause : ***Ralliement** tardif.* ► *Hist.* Mouvement qui, à l'appel du pape Léon XIII en 1892, amena les catholiques de France à accepter la république. Fin xii^e s. ; ☞ *rallier* ; [ʀalimɑ̃].

**RALLIER,** verbe trans. [6]
**1.** Regrouper (des personnes dispersées). **2.** Fig. Réunir (un groupe) autour d'une cause commune : ***Rallier** des partisans.* ► Constituer l'élément fédérateur de (qqch.) : *Décision qui* **rallie** *tous les suffrages.* **3.** Rejoindre : ***Rallier** un port.* Pronom. **1.** Se regrouper. **2.** *Se* **rallier** *à* : adhérer à (une cause, un avis). Déb. xii^e s. ; ☞ *allier* + *re-* ; [ʀalje].

**RALLONGE,** subst. f.
**1.** Élément qui sert à rallonger qqch. : *Une table à* **rallonges** ; *Nom à* **rallonge(s)**, nom composé de plusieurs noms, gén. réunis par des particules (fam.). **2.** *Techn.* Prolongateur d'un câble électrique. **3.** Anal. Supplément, en partic. de temps ou d'argent (fam.). 1373 ; ☞ *rallonger* ; [ʀalɔ̃ʒ].

**RALLONGEMENT,** subst. m.
Action de rallonger ; son résultat. 1329 ; ☞ *rallonger* ; [ʀalɔ̃ʒmɑ̃].

**RALLONGER,** verbe [5]
Trans. Augmenter la longueur, la quantité de (qqch.) : ***Rallonger** une robe, une sauce.* Intrans. Devenir plus long (fam.). 1266 ; ☞ *allonger* + *re-* ; [ʀalɔ̃ʒe].

**RALLUMER,** verbe trans. [3]
**1.** Allumer de nouveau ; empl. pronom. : *La lumière se* **ralluma**. **2.** Fig. Raviver, ranimer ; empl. pronom. : *Les passions se* **rallument**. Fin xiii^e s. (mil. xi^e s., recouvrer la vue) ; ☞ *allumer* + *re-* ; [ʀalyme].

**RALLYE,** subst. m.
**1.** *Sp.* Épreuve dans laquelle les concurrents, gén. partis d'endroits différents, doivent rallier un point déterminé après diverses étapes. ► ***Rallye** automobile* : course comportant des épreuves de vitesse moyenne sur routes ouvertes à la circulation et des épreuves chronométrées sur routes fermées à la circulation. **2.** Série de soirées dansantes destinées à favoriser les rencontres et les mariages entre jeunes gens de milieux aisés. 1900 ; ell. de *rallye-paper*, de *rallie-papier* (vx), jeu imitant la chasse à courre, d'apr. l'angl. *to rally*, « rassembler », et *paper chase*, « poursuite au papier » ; [ʀali].

*Le* **rallye** *des Pharaons, en Égypte.*

**RAMADAN,** subst. m.
*Relig.* Neuvième mois de l'année musulmane (lunaire), durant lequel les musulmans doivent se soumettre à une stricte obligation de jeûne et de continence, du lever au coucher du soleil ; par méton., prescriptions qui s'y rattachent. 1441 ; ar. *ramaḍān* ; [ʀamadɑ̃].

**RAMAGE,** subst. m.
**1.** Vx. Rameau, branchage. ► Motif de rameaux fleuris (gén. au plur.). **2.** Chant des oiseaux dans les ramures. **3.** *Anthropol.* Ensemble de personnes descendant d'un ancêtre commun en régime de filiation indifférenciée. Fin xiii^e s. ; anc. fr. *ram*, du lat. *ramus*, « branche » ; [ʀamaʒ].

**RAMAGER,** verbe [5]
Intrans. Faire entendre son chant, en parlant d'un oiseau. Trans. Orner (qqch.) de ramages (rare). 1585 ; ☞ *ramage* ; [ʀamaʒe].

**RAMAS,** subst. m.
Ramassis (vieilli et péj.). 1538 ; ☞ *ramasser* ; [ʀama].

**RAMASSAGE,** subst. m.
**1.** Action de ramasser : ***Ramassage** du foin, des ordures.* **2.** Transport quotidien en autocar, organisé pour conduire des écoliers ou des travailleurs de leur domicile à l'école ou au lieu de travail. 1797 ; ☞ *ramasser* ; [ʀamasaʒ].

**RAMASSÉ, ÉE,** adj.
**1.** Massif, trapu. **2.** Concis, dense : *Style* **ramassé**. 1536 ; p. p. de *ramasser* ; [ʀamase].

**RAMASSE-MIETTES,** subst. m. inv.
Petite brosse, souvent roulante, servant à ramasser les miettes sur une nappe. 1876 ; comp. de *ramasser* et de *miette* ; [ʀamasmjɛt].

**RAMASSER,** verbe trans. [3]
**1.** Rassembler en une masse : ***Ramasser** sa chevelure* ; au fig., condenser : ***Ramasser** son style, sa pensée.* **2.** Rassembler en un tout (ce qui est épars) ; regrouper : ***Ramasser** ses troupes* ; au fig. : ***Ramasser** ses forces*, les concentrer ; empl. pronom., se replier sur soi en concentrant ses forces. ► Collecter : ***Ramasser** des dons.* **3.** Prendre à terre (qqch. qui s'y trouve naturellement ou qui y est tombé) : ***Ramasser** des champignons* ; ***Ramasser** un crayon.* ► Ramener avec soi (qqn qu'on a trouvé errant ou en piteux état) : *Il l'a* **ramassé** *dans la rue.* **4.** Loc. fam. ► ***Ramasser** une pelle* : tomber. ► ***Ramasser** une volée* : recevoir des coups. ► *Se* **ramasser** : se relever de terre ou, par ext., tomber et, au fig., échouer. ► *Se faire* **ramasser** : se faire arrêter par la police ou se faire sévèrement réprimander. Déb. xiii^e s. ; ☞ *amasser* + *re-* ; [ʀamase].

**RAMASSEUR, EUSE,** subst.
Personne chargée de ramasser qqch. : *Les* **ramasseurs** *de balles d'un tournoi de tennis* ; en partic., personne qui collecte dans les fermes des produits tel le lait. Masc. *Agric.* Dispositif d'une machine permettant le ramassage mécanique des récoltes. 1845 (1509, chiffonnier) ; ☞ *ramasser* ; [ʀamasœʀ, øz].

**RAMASSEUSE-PRESSE,** subst. f.
*Agric.* Machine qui ramasse, compresse et ficelle en balles la paille, le foin. Mil. xx^e s. ; comp. de *ramasser* et de *presse* ; plur. *ramasseuses-presses* ; [ʀamasøzpʀɛs].

**RAMASSIS,** subst. m.
Ensemble de personnes peu estimables ; amas d'objets sans valeur. 1674 ; ☞ *ramasser* ; [ʀamasi].

**RAMBARDE,** subst. f.
Garde-corps, balustrade des ponts et des passerelles d'un bateau ; par ext., garde-fou. 1773 (1445, construction élevée à la proue d'une galère, servant de plate-forme aux combattants) ; ital. *rembata*, de *arrembare*, « aborder un navire » ; [ʀɑ̃baʀd].

**RAMBOUR,** subst. m.
Variété de pommier dont le fruit, la pomme d'août, est comestible. 1536 ; topon. *Rambures* (Somme) ; [ʀɑ̃buʀ].

**RAMBOUTAN,** subst. m.
Fruit de l'Asie tropicale, appelé aussi litchi chevelu, à coque rouge et à chair blanche savoureuse. 1604 ; port. *rabutão*, du malais *rambūtan* ; [ʀɑ̃butɑ̃].

**RAMDAM,** subst. m.
Tapage (pop.). 1890 ; ar. du Maghreb *ramdān*, de l'ar. *ramaḍān*, « ramadan », par réf. à l'activité bruyante des soirées de cette période ; [ʀamdam].

**RAME (I),** subst. f.
Tuteur d'une plante grimpante cultivée. 1669 (1180, fagot de ramilles) ; anc. fr. *ram*, du lat. *ramus*, « branche, rameau » ; [ʀam].

**RAME (II),** subst. f.
**1.** *Papet.* Paquet de cinq cents feuilles, ou vingt mains. **2.** Convoi de péniches ; par ext., file de wagons attelés. Mil. xiv^e s. ; catalan *raima*, de l'ar. *rizma*, « ballot ; rame de papier » ; [ʀam].

**RAME (III),** subst. f.
*Text.* Châssis horizontal servant à tendre le tissu durant certains traitements. 1405 (mil. xiv^e s., perche sur laquelle on place des habits) ; m. néerl. *raem* ou m. haut all. *ram* ; [ʀam].

**RAME (IV),** subst. f.
Barre de bois aplatie à une extrémité, servant à manœuvrer et à faire avancer une embarcation (synon. *aviron*). 1395 ; ☞ *ramer* (I) ; [ʀam].

**RAMEAU,** subst. m.
**1.** Petite branche ; ramification d'une tige. ► *Bot.* Formation ayant une structure de tige, née d'un bourgeon porté par un axe principal. **2.** *Anat.* Branche collatérale d'un nerf ou d'un vaisseau. **3.** Subdivision d'un ensemble représenté sous forme d'arbre. **4.** *Relig.* *Les* **Rameaux** : fête chrétienne célébrée le dimanche avant Pâques, qui commémore l'entrée de Jésus à Jérusalem, accueilli par les foules agitant des palmes (synon. *Pâques fleuries*). Mil. xii^e s. ; lat. pop. °*ramellus*, du lat. *ramus* ; [ʀamo].

**RAMÉE,** subst. f.
1. Abri de feuillage ; ensemble de branches feuillées d'un arbre (vx ou littér.). 2. Branches coupées avec leurs feuilles. Fin XIIe s. ; ☞ *rame* (I) ; [Rame].

**RAMENDER,** verbe trans. [3]
1. Restaurer à la feuille d'or (des dorures). 2. Amender de nouveau (une terre). 3. Réparer (un filet de pêche). 1676 (mil. XIIe s., améliorer, rétablir) ; ☞ *amender* + *re-* ; [Ramɑ̃de].

**RAMENDEUR, EUSE,** subst.
Personne qui ramende les filets de pêche. 1873 (1292, ravaudeur) ; ☞ *ramender* ; [Ramɑ̃dœR, øz].

**RAMENER,** verbe trans. [10]
1. Faire revenir à un état antérieur : ***Ramener** qqn à la raison, à la vie.* ▸ Faire réapparaître, faire renaître : ***Ramener** la paix.* 2. Amener de nouveau à un endroit : ***Ramener** son fils à l'hôpital* ; au fig. : ***Ramener** la conversation sur un sujet.* 3. Reconduire au lieu d'origine : ***Ramener** le troupeau à la bergerie* ; par anal. : *Ce train me **ramène** à Paris* ; empl. pronom. : *Le voilà qui se **ramène**,* qui arrive (fam.). 4. Amener (qqn) ou apporter (qqch.) d'un lieu dont on revient : ***Ramener** un souvenir de Grèce.* ▸ Loc. ***Ramener** sa fraise* ou *La **ramener*** : faire l'important (pop.). 5. Remettre en place ou mettre dans la position voulue : ***Ramener** ses cheveux en arrière.* 6. Réduire : *Le taux **a été ramené** à 5 %* ; empl. pronom. : *Ça **se ramène** à peu de chose.* ▸ Subordonner : ***Ramener** tout à soi,* être égocentrique. XIIe s. ; ☞ *amener* + *re-* ; [Ram(ə)ne].

**RAMEQUIN,** subst. m.
*Cuis.* 1. Petit gâteau salé au fromage. 2. Méton. Petit récipient rond utilisé pour la cuisson au four. 1656 ; néerl. *rammeken* ; [Ramkɛ̃].

**RAMER (I),** verbe intrans. [3]
1. Manœuvrer des rames pour faire avancer et diriger une embarcation. 2. Avoir beaucoup de peine à faire qqch., à atteindre son but (fam.). 3. *Zool.* Voler en battant des ailes (rare). 1213 ; anc. fr. *raim*, du lat. *remus*, « rame » ; [Rame].

**RAMER (II),** verbe trans. [3]
Munir d'une rame (une plante grimpante) : ***Ramer** des pois.* 1549 ; ☞ *rame* (I) ; [Rame].

**RAMESCENCE,** subst. f.
*Bot.* Disposition en rameaux. 1869 ; lat. *ramus*, « branche, rameau » ; [Ramesɑ̃s].

**RAMETTE,** subst. f.
*Papet.* Rame de feuilles, gén. de format in-quarto, de cinq mains. 1845 ; ☞ *rame* (II) ; [Ramɛt].

**RAMEUR, EUSE,** subst.
Dans une embarcation, personne qui manie les rames. 1213 ; ☞ *ramer* (I) ; [RamœR, øz].

**RAMEUTER,** verbe trans. [3]
1. *Vén.* Rassembler (les chiens) en meute. 2. Anal. Regrouper, mobiliser en vue d'une nouvelle action. 1583 ; ☞ *ameuter* + *re-* ; [Ramøte].

**RAMEUX, EUSE,** adj.
Qui a de nombreux rameaux ; par anal., qui a des ramifications. 1314 ; ☞ *rame* (I) ; [Ramø, øz].

**RAMI,** subst. m.
Jeu dont le but est d'étaler toutes ses cartes en formant des combinaisons, le nombre des joueurs allant de deux à cinq. 1929 ; p.-ê. anglo-amér. *rummy*, prob. de *rum*, « rhum » ; [Rami].

**RAMIE,** subst. f.
*Bot.* Plante tropicale de la famille des Urticacées, aux fibres résistantes utilisées en papeterie et dans l'industrie textile. 1868 ; malais *rami* ; [Rami].

**RAMIER,** subst. m.
*Zool.* Oiseau de l'ordre des Columbidés. C'est un grand pigeon sauvage, migrateur partiel, commun dans les parcs et les bois, et reconnaissable à ses taches blanches sur le cou et les ailes. Déb. XIIIe s. ; anc. fr. *ram*, « branche, rameau » ; [Ramje].

**RAMIFICATION,** subst. f.
1. *Anat.* Division d'un organe en branches ; par méton., chacune de ces branches. 2. *Bot.* Division d'un végétal arborescent en plusieurs rameaux ; par méton., chacune des parties résultant de cette division, rameau ; par anal. : *Les **ramifications** d'une route* ; au fig. : ***Ramifications** d'une administration.* 1541 ; ☞ *ramifier* ; [Ramifikasjɔ̃].

**RAMIFIER (SE),** verbe pronom. [6]
Se diviser en rameaux ; empl. adj. : *Tige **ramifiée*** ; au fig. : *Une entreprise qui **se ramifie** en plusieurs filiales.* 1314 ; lat. médiév. *ramificare* ; [Ramifje].

**RAMILLE,** subst. f.
1. Ensemble des petites branches d'arbre coupées. 2. Chacune des dernières divisions d'un rameau (gén. au plur.). 1690 (déb. XIIIe s., brindille) ; anc. fr. *ram*, « branche, rameau » ; [Ramij].

**RAMINGUE,** adj.
*Équit. Cheval **ramingue*** : qui se défend contre l'éperon et refuse d'avancer. 1593 ; prob. ital. *ramingo*, « qui va de branche en branche (en parlant d'un faucon) », du lat. *ramus*, « branche » ; [Ramɛ̃g].

**RAMOLLI, IE,** adj. et subst.
Adj. Rendu mou. Adj. et Subst. Fig. Se dit d'une personne dont les facultés intellectuelles se sont détériorées (fam.) : *C'est une **ramollie** (du cerveau) !* 1560 ; p. p. de *ramollir* ; [Ramɔli].

**RAMOLLIR,** verbe trans. [19]
Rendre mou, amollir. Pronom. Devenir mou ; au fig., perdre son énergie, ses facultés mentales (fam.). 1520 ; ☞ *amollir* + *re-* ; [RamɔliR].

**RAMOLLISSANT, ANTE,** adj.
Qui ramollit. 1549 ; p. pr. de *ramollir* ; [Ramɔlisɑ̃, ɑ̃t].

**RAMOLLISSEMENT,** subst. m.
1. Action de ramollir qqch., fait de se ramollir ; son résultat : *Le **ramollissement** des esprits.* 2. *Pathol.* Lésion caractérisée par une diminution de la cohésion tissulaire, gén. consécutive à une thrombose ou à une inflammation. 1552 (1393, radoucissement du temps) ; ☞ *ramollir* ; [Ramɔlismɑ̃].

**RAMOLLO,** adj. et subst.
Fam. Adj. Mou. Adj. et Subst. Se dit d'une personne avachie ou gâteuse. 1883 ; ☞ *ramolli* ; [Ramɔlo].

**RAMONAGE,** subst. m.
Action de ramoner ; son résultat. 1439 (1317, balayage) ; ☞ *ramoner* ; [Ramɔnaʒ].

**RAMONER,** verbe [3]
Trans. Débarrasser (un conduit, un appareil) de la suie. Intrans. *Alp.* Escalader une cheminée en prenant appui simultanément sur les deux parois opposées. 1516 (déb. XIIIe s., balayer) ; anc. fr. *ramon*, « balai », de *ram*, « rameau » ; [Ramɔne].

**RAMONEUR,** subst. m.
Personne dont le métier consiste à ramoner les cheminées. Fin XVe s. ; ☞ *ramoner* ; [RamɔnœR].

**RAMPANT, ANTE,** adj.
1. Vx. Qui grimpe. ▸ *Archit.* Incliné : *Arc **rampant**,* dont les naissances ne sont pas au même niveau ; empl. subst. masc., pente, versant, partie oblique. ▸ *Hérald. Animal **rampant*** : debout sur une patte arrière, les autres levées pour attaquer. 2. Qui se déplace par reptation. ▸ Fam. *Personnel **rampant*** : non navigant, dans l'aviation ; empl. subst. masc. : *Un **rampant**.* 3. Qui se développe au ras du sol, en parlant d'un végétal. 4. Fig. ▸ Qui s'étend insidieusement : *Un mal **rampant**.* ▸ Servile, obséquieux. Déb. XIIe s. ; p. pr. de *ramper* ; [Rɑ̃pɑ̃, ɑ̃t].

**RAMPE,** subst. f.
1. Plan incliné permettant le passage d'un niveau à un autre ; par ext., partie en pente d'une route, d'une voie ferrée. ▸ ***Rampe** de lancement* : dispositif comportant un plan incliné utilisé pour le lancement de projectiles autopropulsés, le catapultage d'avions. ▸ *Anat. **Rampe** tympanique, **rampe** vestibulaire* : chacun des deux compartiments du limaçon de l'oreille interne, séparés par la lame spirale. 2. Balustrade, main courante placée le long d'un escalier et servant d'appui. ▸ Loc. *Tenir bon la **rampe*** : se maintenir en bonne santé (fam.). 3. Rangée de lumières bordant l'avant de la scène d'un théâtre ; au fig. : *Il ne passe pas la **rampe**,* son jeu ne conquiert pas le public. ▸ Ext. Alignement de projecteurs servant à éclairer et à baliser un terrain d'atterrissage. 1584 ; ☞ *ramper* ; [Rɑ̃p].

**RAMPEAU,** subst. m.
*Jeux.* Second et dernier coup d'une partie ou coup supplémentaire qui départage deux joueurs à égalité, en partic. aux quilles et aux dés : *Faire **rampeau**,* faire coup nul. 1592 (1518, jeu de hasard) ; prob. altér. de *rappel* ; [Rɑ̃po].

**RAMPER,** verbe intrans. [3]
1. Se déplacer par des mouvements ondulatoires en prenant appui sur la partie ventrale du corps, en parlant de certains animaux, tels les serpents, les limaces. ▸ Anal. Avancer, le ventre au contact du sol, à l'aide des quatre membres, en parlant d'un quadrupède ou de l'homme. 2. Se développer en s'étalant sur le sol ou en s'accrochant, à l'aide de vrilles ou de crampons, à un support vertical, en parlant d'une plante. 3. Fig. S'abaisser, avoir un comportement servile : ***Ramper** devant ses supérieurs.* Déb. XIIe s. ; anc. bas frq. °*(h)rampon*, « grimper avec des griffes », de °*(h)rampa*, « crochet, griffe » ; [Rɑ̃pe].

**RAMPONNEAU,** subst. m.
Bourrade, coup (pop.). 1915 (1789, ivre) ; anthropon. *Jean Ramponeaux*, aubergiste célèbre au XVIIIe s. ; var. *ramponeau* ; [Rɑ̃pɔno].

**RAMURE,** subst. f.
1. Ensemble des branches et des rameaux d'un arbre. 2. Bois d'un cervidé. Fin XIIIe s. ; anc. fr. *ram*, du lat. *ramus*, « rameau ; branche » ; [RamyR].

**RANALES,** subst. f. plur.
*Bot.* Ordre de plantes dicotylédones primitives dont la famille la plus connue est celle des Renonculacées. Au sing. *Le bouton-d'or est une **ranale**.* 1891 ; lat. *rana*, « grenouille » ; [Ranal].

**RANATRE,** subst. f.
*Zool.* Insecte de l'ordre des Hétéroptères, au corps très allongé, en forme de bâtonnet (5 cm), et aux longues pattes, qui vit dans les eaux marécageuses. 1803 ; lat. *rana*, « grenouille » ; [RanatR].

**RANCARD,** voir **RENCARD**

**RANCARDER,** voir **RENCARDER**

**RANCART,** subst. m.
Fam. *Mettre au **rancart*** : se débarrasser de (ce qui est inutile, vieux). 1755 ; p.-ê. norm. *mettre au récart*, de *récarter*, « éparpiller » ; [Rɑ̃kaR].

**RANCE,** adj.
Se dit d'un corps gras qui a pris une odeur forte et un goût désagréable au contact de l'air ; empl. subst. masc. : *Un goût de **rance*** ; *Sentir le **rance**.* Déb. XIVe s. ; lat. *rancidus* ; [Rɑ̃s].

**RANCH,** subst. m.
Grande ferme de la Prairie, aux États-Unis, vouée à l'élevage extensif. 1862 ; anglo-amér. *ranch*, de l'esp. *rancho*, « campement » ; plur. *ranch(e)s* ; [Rɑ̃(t)ʃ].

**RANCHE,** subst. f.
1. Vx. Étai qui soutient les ridelles d'une charrette. 2. Barre transversale servant d'échelon sur un rancher. 1363 ; anc. bas frq. °*runka* ; [Rɑ̃ʃ].

**RANCHER,** subst. m.
Échelle à un seul montant central. 1676 (1400, pièce de bois placée sur le devant ou le derrière d'une charrette) ; ☞ *ranche* ; [Rɑ̃ʃe].

**RANCI, IE,** adj.
Devenu rance ; empl. subst. masc. : *Du lard qui a le goût et l'odeur du **ranci**.* 1539 ; p. p. de *rancir* ; [Rɑ̃si].

**RANCIO,** subst. m.
1. Vin doux espagnol, vieilli dans des fûts exposés au soleil. 2. Saveur sucrée et veloutée prise par les vins doux naturels en vieillissant. Mil. XVIIIe s. ; esp. *rancio*, du lat. *rancidus*, « rance » ; [Rɑ̃sjo].

**RANCIR,** verbe intrans. [19]
1. Devenir rance ; empl. pronom. (vieilli) : *Le beurre **s'est ranci**.* 2. Fig. Vieillir en perdant ses qualités. 1538 ; ☞ *rance* ; [Rɑ̃siR].

**RANCISSEMENT,** subst. m.
Fait de rancir. 1877 ; ☞ *rancir* ; [Rɑ̃sismɑ̃].

**RANCŒUR,** subst. f.
Amertume tenace née d'une désillusion, d'une injustice. Fin XIIe s. ; lat. *rancor* ; [Rɑ̃kœR].

**RANÇON,** subst. f.
1. Somme d'argent exigée pour la libération d'un prisonnier. 2. Fig. Inconvénient lié à une satisfaction, à un avantage : *La **rançon** du succès.* Mil. XIIe s. ; lat. *redemptio*, « action de racheter » ; [Rɑ̃sɔ̃].

**RANÇONNER,** verbe trans. [3]
1. Exiger de (qqn), par la force ou le chantage, une somme d'argent ou des objets de valeur. 2. Ext. Faire payer à (qqn) une somme excessive (fam.). Mil. XIIIe s. ; ☞ *rançon* ; [Rɑ̃sɔne].

**RANCUNE,** subst. f.
Ressentiment mêlé d'un désir de vengeance, éprouvé au souvenir d'une offense subie : *Garder **rancune** à qqn de ses mensonges.* ▸ Loc. *Sans **rancune** !* : oublions nos griefs ! Fin XIe s. ; anc. fr. *rancure*, du lat. pop. °*rancura*, du lat. *rancor*, « rancœur » ; [Rɑ̃kyn].

**RANCUNIER, IÈRE,** adj.
Porté à la rancune ; qui manifeste de la rancune : *Regard **rancunier*** ; empl. subst., personne **rancunière**. 1718 ; ☞ *rancune* ; [Rɑ̃kynje, jɛR].

**RAND,** subst. m.
Monnaie de la République sud-africaine, qui a cours également en Namibie. V. 1960 ; angl. *rand*, « bord, marge » ; [Rɑ̃d].

**RANDOMISATION,** subst. f.
Action de randomiser. 1957 ; angl. *randomization*, de *random*, « hasard » ; [ʀɑ̃dɔmizasjɔ̃].

**RANDOMISER,** verbe trans. [3]
*Stat.* Introduire un élément de hasard dans (un raisonnement ou un calcul). V. 1960 ; angl. *to randomize* ; [ʀɑ̃dɔmize].

**RANDONNÉE,** subst. f.
**1.** *Vén.* Circuit que fait un gibier lancé. **2.** Longue promenade, excursion : ***Randonnée** pédestre, à bicyclette, à cheval, à skis* ; *Sentier de grande **randonnée***, parcours balisé prévu pour des excursions de plusieurs jours. 1574 (déb. XII^e^ s., course impétueuse) ; *randonner* (vx), « courir vite », de l'anc. bas frq. °*rant*, « course » ; [ʀɑ̃dɔne].

*Randonnée cycliste.*

**RANDONNEUR, EUSE,** subst.
Personne qui fait une randonnée ou qui s'adonne régulièrement à la randonnée pendant ses loisirs. V. 1960 (1909, au fém., bicyclette de randonnée) ; ☞ *randonnée* ; [ʀɑ̃dɔnœʀ, øz].

**RANG,** subst. m.
**I. 1.** Ligne formée par une série de personnes ou de choses placées côte à côte : *Un **rang** d'élèves* ; *Chef de **rang***, responsable d'un ensemble de tables, dans un restaurant ; *Rang de tricot*, ensemble des mailles exécutées sur une même ligne ; par méton. : *Un **rang** de perles*, un collier fait d'un seul **rang** de perles ; empl. abs., rangée de sièges dans une salle de spectacle. ▸ Loc. *En **rang** d'oignons* : bien alignés. **2.** *Milit.* Alignement de soldats de flanc à flanc ; par méton. : *Les **rangs***, ensemble des soldats d'une unité. ▸ Abs. *Le **rang*** : ensemble des hommes de troupe ; *Officier sorti du **rang*** : qui n'est pas issu d'une école. ▸ Loc. *Grossir les **rangs** de* : rejoindre, augmenter le nombre de ; *Se mettre, être sur les **rangs*** : se porter candidat à un poste ; *Serrer les **rangs*** : se rapprocher les uns des autres pour tenir moins de place ou, au fig., pour se soutenir. **3.** Québ. Suite de fermes alignées le long d'un chemin perpendiculaire à une rivière, à une route ; chemin desservant ces fermes. **II. 1.** Place dans un ensemble ordonné : *S'asseoir au premier **rang***. ▸ Loc. *Au **rang** de* : parmi. **2.** Position dans une hiérarchie : *Fonctionnaire de haut **rang***, occupant un poste élevé ; *Romancier de second **rang***, de moindre importance. ▸ Abs. Condition sociale ; en partic., situation élevée : *Garder, tenir son **rang***. **3.** *Math.* ***Rang** d'une application linéaire définie sur un espace vectoriel de dimension finie* : dimension de son image (qui est un sous-espace vectoriel) ; ***Rang** d'une matrice* : ordre maximal des déterminants non nuls que l'on peut former par suppression de lignes et de colonnes de cette matrice ; ***Rang** d'un terme d'une suite* $(u_n)_{n \geqslant 0}$ : indice de ce terme. Fin XI^e^ s. ; anc. bas frq. °*hring*, « cercle, anneau » ; [ʀɑ̃].

**RANGÉ, ÉE,** adj. et subst. f.
**Adj. 1.** *Bataille **rangée*** : dans laquelle se font face les deux armées en rang ou, par ext., bagarre générale. **2.** Se dit de qqn qui mène une existence régulière ; par méton. : *Une vie **rangée***. **Subst.** Série de personnes ou de choses qui sont disposées sur une même ligne : ***Rangée** de soldats, de tilleuls, de fauteuils.* Fin XII^e^ s. ; p. p. de *ranger* (I) ; [ʀɑ̃ʒe].

**RANGEMENT,** subst. m.
**1.** Action de ranger, de mettre en ordre ; manière de le faire : *Faire du **rangement*** ; *Un **rangement** pratique.* **2.** Méton. Meuble ou endroit qui sert à ranger. 1630 ; ☞ *ranger* (I) ; [ʀɑ̃ʒmɑ̃].

**RANGER (I),** verbe trans. [5]
**1.** Mettre en rang, en rangs (vieilli). **2.** Mettre à sa place, ordonner, classer : *Il **range** ses jouets* ou, par méton., *sa chambre* ; empl. pronom. : *Où se **rangent** les verres ?* ▸ Garer : ***Ranger** sa voiture.* **3.** Fig. Mettre au nombre de (littér.) : *On le **range** parmi les intellectuels.* **4.** *Mar.* Passer tout près de : ***Ranger** une côte* ; empl. pronom. : *Se **ranger** à quai*, le longer ou s'y amarrer. **Pronom. 1.** Se mettre en rang, en rangs. **2.** S'écarter pour laisser le passage. **3.** S'assagir. ▸ Loc. *Se **ranger** des voitures* : abandonner une activité, gén. illicite (pop.). **4.** Fig. *Se **ranger** du côté de* : rallier, embrasser le parti de ; *Se **ranger** à l'avis de* : adopter l'avis de. 1165 ; ☞ *rang* ; [ʀɑ̃ʒe].

**RANGER (II),** subst. m.
**1.** Soldat d'un corps d'élite américain. **2.** Méton. Chaussure montante, de marche ou de randonnée. **3.** Anal. Scout chevronné ; routier. 1844 ; angl. *ranger*, de l'anc. fr. *range*, « rang » ; [ʀɑ̃dʒœʀ] ou [-dʒɛʀ].

**RANI,** subst. f. inv.
Femme d'un raja. 1904 ; skr. *rājñī* ; [ʀani].

**RANIDÉS,** subst. m. plur.
*Zool.* Famille d'amphibiens anoures à laquelle appartiennent toutes les espèces de grenouilles. **Au sing.** *La grenouille verte est un **ranidé**.* 1904 ; lat. *rana*, « grenouille » ; [ʀanide].

**RANIMER,** verbe trans. [3]
**1.** Faire reprendre conscience à, réanimer (qqn). **2.** Raviver : ***Ranimer** un feu* ; au fig., réactiver, ressusciter : ***Ranimer** l'espoir.* **Pronom. 1.** Revenir à soi. **2.** Reprendre de la vigueur, se réveiller : *Son courage se **ranime**.* 1549 ; ☞ *animer* + *re-* ; [ʀanime].

**RANZ,** subst. m.
Helv. *Ranz des vaches* : chanson populaire des bergers, en Suisse. 1768 ; mot além. ; [ʀɑ̃(z)].

**RAOUT,** subst. m.
Fête mondaine (vieilli). 1776 ; angl. *rout* ; [ʀaut].

**RAP,** subst. m.
Musique rythmique syncopée appuyant le langage de la rue (des ghettos noirs d'Amérique, à l'origine). V. 1980 ; angl. *rap*, de *to rap*, « donner des coups secs » ; [ʀap].

**RAPACE,** adj. et subst. m.
**1.** Se dit d'un oiseau qui poursuit sa proie avec avidité. **2.** Se dit d'une personne âpre au gain, souvent aux dépens d'autrui. **Subst. plur.** *Zool.* Groupe d'oiseaux carnivores, au bec crochu et puissant, pourvus de serres (synon. *oiseaux de proie*) ; au sing. : *Le faucon pèlerin est un **rapace**.* Déb. XIV^e^ s. ; lat. *rapax*, de *rapere*, « saisir, ravir » ; [ʀapas].

*Rapace apprivoisé.*

**RAPACITÉ,** subst. f.
Caractère, comportement d'une personne rapace. 1374 ; lat. *rapacitas*, « penchant au vol » ; [ʀapasite].

**RÂPAGE,** subst. m.
Action de râper. 1775 ; ☞ *râper* ; [ʀɑpaʒ].

**RAPATRIÉ, ÉE,** subst. et adj.
Se dit d'une personne ramenée dans son pays sous la responsabilité d'une autorité officielle. 1856 ; p. p. de *rapatrier* ; [ʀapatʀije].

**RAPATRIEMENT,** subst. m.
Action de rapatrier. 1859 (1671, action de réconcilier) ; ☞ *rapatrier* ; [ʀapatʀimɑ̃].

**RAPATRIER,** verbe trans. [6]
Faire revenir (qqn) dans son pays d'origine ; par ext. : ***Rapatrier** des capitaux.* Mil. XV^e^ s. ; lat. médiév. *repatriare*, « rentrer dans sa patrie » ; [ʀapatʀije].

**RÂPE,** subst. f.
**1.** Lime à aspérités servant à user un matériau tendre. **2.** Anal. Ustensile servant à réduire en poudre ou en fragments certains aliments. **3.** *Agric.* Rafle ; peaux et pépins résiduels du raisin pressé. **4.** Helv. Avare (fam.). Mil. XIII^e^ s. ; ☞ *râper* ; [ʀɑp].

**RÂPÉ, ÉE,** adj. et subst. m.
**Adj. 1.** Réduit en copeaux, en poudre ; par ext., usé, élimé. **2.** Raté (fam.) : *C'est **râpé** !* **Subst. 1.** Fromage râpé. **2.** Boisson obtenue en mêlant eau et marc de raisin. 1688 ; p. p. de *râper* ; [ʀɑpe].

**RÂPER,** verbe trans. [3]
**1.** Frotter (qqch.) contre une râpe pour le réduire en poudre ou en fragments. **2.** Travailler à la râpe (du bois, du métal, de la pierre). **3.** Anal. User par un frottement : ***Râper** son pantalon* ; empl. pronom. : *Se **râper** le menton en tombant.* ▸ Irriter, par son âpreté : *Une piquette qui **râpe** le gosier.* 1555 (1270, gratter) ; lat. *raspare* ; [ʀɑpe].

**RÂPERIE,** subst. f.
*Techn.* Atelier où s'effectue le râpage des betteraves pour la production de sucre. 1872 (1862, prison) ; ☞ *râper* ; [ʀɑpʀi].

**RAPETASSER,** verbe trans. [3]
Fam. Rapiécer, raccommoder de façon grossière ; au fig., remanier (un texte). 1532 ; anc. prov. *petassar*, de *petas*, « pièce pour rapiécer » ; [ʀap(ə)tase].

**RAPETISSEMENT,** subst. m.
Action ou fait de rapetisser. 1547 ; ☞ *rapetisser* ; [ʀap(ə)tismɑ̃].

**RAPETISSER,** verbe [3]
**Trans. 1.** Rendre plus petit ; faire paraître plus petit. **2.** Fig. Diminuer l'importance de (qqn, qqch.). **Intrans.** Devenir plus petit ou plus court. **Pronom.** Se faire plus petit, en taille ou en valeur. 1349 ; *apetisser* (vx), même sens, + *re-* ; [ʀap(ə)tise].

**RÂPEUX, EUSE,** adj.
**1.** Rugueux comme une râpe. **2.** Âpre au goût. Mil. XVI^e^ s. ; ☞ *râpe* ; [ʀɑpø, øz].

**RAPHAÉLIQUE,** adj.
Relatif, propre au peintre italien Raphaël ; qui rappelle son œuvre. 1810 ; anthropon. *Raphaël* ; synon. *raphaélesque* ; [ʀafaelik].

**RAPHIA,** subst. m.
*Bot.* Palmier de la famille des Arécacées, dont les feuilles fournissent une fibre textile ; par méton., cette fibre. 1781 ; mot d'orig. malgache ; [ʀafja].

**RAPIAT, ATE,** adj. et subst.
Se dit d'une personne avare (fam.). 1836 ; lat. *rapere*, « saisir, ravir » ; rare au fém. ; [ʀapja, at].

**RAPIDE,** adj. et subst. m.
**Adj. 1.** Qui se meut à une vitesse élevée : *Une voiture **rapide*** ; *Un skieur **rapide**.* **2.** *Une personne **rapide*** ou, empl. subst. (fam.), *Un, une **rapide*** : personne prompte ou, par méton., dont l'esprit assimile vite. **3.** Qualifie un cours d'eau dont le courant est puissant et, par méton., le courant lui-même. **4.** Qui s'effectue en peu de temps : *Mouvement **rapide*** ; *Guérison **rapide**.* **5.** *Spéc.* ▸ *Bât. Ciment à prise **rapide*** : qui durcit vite. ▸ *Métall. Acier à coupe **rapide*** ou, par ell., *Acier **rapide*** : acier très dur employé dans les machines-outils. ▸ *Phot.* Qualifie une pellicule ne nécessitant qu'un bref temps de pose. **Subst. 1.** Partie d'un cours d'eau où le courant est violent. **2.** Train à vitesse élevée et aux arrêts limités. 1500 ; lat. *rapidus*, « qui emporte » ; [ʀapid].

**RAPIDEMENT,** adv.
Avec rapidité. 1611 ; ☞ *rapide* ; [ʀapidmɑ̃].

**RAPIDITÉ,** subst. f.
Qualité de ce qui est rapide, d'une personne rapide. 1573 ; lat. *rapiditas*, « impétuosité » ; [ʀapidite].

**RAPIÉÇAGE,** subst. m.
Action de rapiécer ; son résultat. 1552 ; ☞ *rapiécer* ; synon. *rapiècement* ; [ʀapjesaʒ].

**RAPIÉCER,** verbe trans. [8]
*Cout.* Raccommoder (un tissu, un vêtement) en y cousant une ou plusieurs pièces : ***Rapiécer** une veste.* 1549 (1389, rassembler des pièces) ; ☞ *pièce* + *re-* et *a-*[1] ; [ʀapjese].

**RAPIÈRE,** subst. f.
Longue épée à garde hémisphérique, utilisée dans les duels. 1474 ; ☞ *râpe* ; [ʀapjɛʀ].

**RAPIN,** subst. m.
**1.** Vx. Apprenti dans l'atelier d'un peintre. **2.** Ext. Peintre bohème au talent médiocre. 1829 ; orig. obsc. ; [ʀapɛ̃].

**RAPINE,** subst. f.
Littér. **1.** Action de s'emparer de qqch. par la violence. **2.** Vol, pillage : *Vivre de **rapines*** ; par méton., butin. Fin XII^e^ s. ; lat. *rapina* ; [ʀapin].

**RAPLAPLA, adj. inv.**
Fam. Qui manque d'énergie, en parlant d'une personne ; qui est tout plat, en parlant d'un objet. 1892 ; ☞ *raplatir* ; [ʀaplapla].

**RAPLATIR, verbe trans.** [19]
Rendre plus plat. 1458 ; ☞ *aplatir* + *re-* ; [ʀaplatiʀ].

**RAPOINTIR, voir RAPPOINTIR**

**RAPOINTIS, voir RAPPOINTIS**

**RAPPAREILLER, verbe trans.** [3]
Réassortir (des objets) entre eux (rare). 1690 (mil. XII^e s., rendre pair) ; ☞ *appareiller* (II) + *re-* ; [ʀapaʀeje].

**RAPPARIER, verbe trans.** [6]
Réunir (les éléments d'une paire) : ***Rapparier** des gants.* 1690 ; ☞ *apparier* + *re-* ; [ʀapaʀje].

**RAPPEL, subst. m.**
**I. 1.** Action de faire revenir qqn : ***Rappel** d'un exilé.* **2.** *Milit.* Batterie de tambour, sonnerie de clairon pour rassembler la troupe. **3.** Applaudissements en fin de spectacle destinés à faire revenir les artistes sur scène. **II. 1.** Action d'évoquer qqch., de faire revenir à la mémoire. **2. Rappel à.** Action de ramener qqn à : ***Rappel** au calme* ; ***Rappel** à l'ordre*, avertissement. **3.** Paiement d'une partie d'appointements restée en suspens. **III. 1.** *Alp.* Procédé de descente d'une paroi à l'aide d'une corde que l'on ramène ensuite à soi. **2.** *Mar.* Position au vent prise par un équipage pour compenser la gîte d'un voilier. **3.** *Math. Ligne de **rappel*** : droite joignant les projections horizontale et frontale d'un point, en géométrie descriptive. **4.** *Méd.* Nouvelle injection d'un vaccin visant à renforcer l'immunité. Déb. XIII^e s. ; ☞ *appel* + *re-* ; [ʀapɛl].

**RAPPELER, verbe trans.** [12]
**1.** Appeler (qqn) pour le faire revenir. ▸ Loc. *Être **rappelé** à Dieu* : mourir. **2.** Appeler de nouveau ; en partic., téléphoner de nouveau à. **3.** Fig. Faire revenir à un état antérieur : *On m'a **rappelé** à mon poste.* ▸ Remettre (qqch.) dans sa position initiale : *Le ressort **rappelle** la courroie.* **4.** Remettre (qqch.) en mémoire : *Il m'a **rappelé** notre première rencontre* ; *Je vous **rappelle** que la vitesse est limitée.* **5.** Évoquer (qqn, qqch.) par une ressemblance ou une analogie : *Tout ici me **rappelle** mon père* ; *Ce bleu **rappelle** celui des rideaux.* **Pronom.** Se souvenir de (qqn ou qqch.) : *Je me **rappelle** les moindres détails.* Déb. XII^e s. ; ☞ *appeler* + *re-* ; [ʀap(ə)le].

**RAPPEUR, EUSE, subst.**
Chanteur, musicien qui fait du rap. XX^e s. ; ☞ *rap* ; [ʀapœʀ, øz].

**RAPPLIQUER, verbe intrans.** [3]
Fam. Revenir ; venir, arriver. 1835 ; ☞ *appliquer* + *re-* ; [ʀaplike].

**RAPPOINTIR, verbe trans.** [19]
*Techn.* Refaire la pointe de. 1846 ; *appointir* (vx), « rendre pointu », + *re-* ; var. *rapointir* ; [ʀapwɛ̃tiʀ].

**RAPPOINTIS, subst. m.**
*Constr.* Pointe à large tête servant à retenir un enduit sur une surface de bois. 1765 ; ☞ *pointe* + *re-* ; var. *rapointis* ; [ʀapwɛ̃ti].

**RAPPORT, subst. m.**
**I. 1.** Action de rapporter un évènement, témoignage ; par méton., texte, document rédigé à cet effet : *Un **rapport** de police* ; *Un **rapport** de stage.* ▸ Récit fait dans l'intention de nuire. **2.** *Milit.* Réunion au cours de laquelle un chef donne ses instructions ; par ext., compte rendu officiel. **II. 1.** Lien de cause à effet : *Je ne vois pas le **rapport**.* **2.** Relation de ressemblance : *Ces deux choses n'ont aucun **rapport**.* **3.** Relation entre des individus (gén. au plur.) : *Des **rapports** amicaux, de force* ; par ext., relation sexuelle. ▸ Loc. *Mettre en **rapport*** : en relation. **4.** Loc. *Sous tous **rapports*** : à tous points de vue. ▸ Loc. prép. *Par **rapport** à* : relativement à. **5.** *Math.* ▸ ***Rapport** de deux nombres a et b, b non nul* : quotient de *a* par *b*. ▸ ***Rapport** d'une projection d'un axe (Δ) sur un axe (Δ') suivant une direction non parallèle à (Δ')* : si A et B sont deux points de (Δ) et A', B' leurs projections sur (Δ'), le **rapport** $\overline{A'B'}/\overline{AB}$ ne dépend pas de A et de B choisis sur (Δ), c'est le **rapport** de projection de (Δ) sur (Δ'). **III. 1.** Fait de rapporter un profit : *Immeuble de **rapport*** ; le profit lui-même : *Placement d'un bon **rapport**.* **2.** Fait d'ajouter qqch. : *De l'or de **rapport**,* plaqué. **3.** *Dr.* Action de rapporter un bien. 1214 ; ☞ *rapporter* ; [ʀapɔʀ].

**RAPPORTÉ, ÉE, adj.**
Se dit d'une chose qui a été ajoutée : *Élément **rapporté**.* ▸ *Pièce **rapportée*** : élément ajouté pour compléter et, au fig., personne alliée à une famille (fam.). 1549 ; p. p. de *rapporter* ; [ʀapɔʀte].

**RAPPORTER, verbe trans.** [3]
**I. 1.** Rendre (qqch.) à qqn : *Je vous **rapporte** la clé* ; remettre (qqch. qui avait été déplacé) à sa place. ▸ Apporter à son maître, en parlant d'un chien. **2.** *Dr.* Restituer (un bien, une valeur, etc.) à la masse des biens à partager. **3.** Apporter avec soi (qqch.) de l'endroit d'où l'on vient. **4.** Produire (un bénéfice) ; au fig. : *La méchanceté ne **rapporte** rien.* **5.** Ajouter (qqch.) pour compléter. ▸ *Cout.* Coudre (une pièce) sur un tissu : ***Rapporter** une poche.* **II. 1.** Faire le récit de. ▸ Raconter (qqch.) dans l'intention de nuire : ***Rapporter** des ragots* ; empl. abs., dénoncer. **2.** Faire le compte rendu de (une étude, une loi, etc.). **III. 1.** Lier (une chose) à une autre ; ramener : *Il **rapporte** tout à lui.* **2.** *Dr.* Abroger (une décision, un texte officiel). **Pronom. Se rapporter à. 1.** Ressembler à (vx). **2.** Être en relation avec : *Le sujet se **rapporte** au verbe.* **3.** *S'en **rapporter** à qqn* : s'en remettre à lui. Mil. XII^e s. ; ☞ *apporter* + *re-* ; [ʀapɔʀte].

**RAPPORTEUR, EUSE, subst. et adj.**
Se dit d'une personne qui dénonce les fautes commises par autrui. **Subst. masc. 1.** Personne qui fait le compte rendu d'un procès. **2.** *Pol.* Personne qui rédige les conclusions d'une commission : ***Rapporteur** d'un projet de loi.* **3.** *Géom.* Instrument en forme de demi-cercle permettant de mesurer ou de porter des angles sur un croquis. Déb. XIV^e s. ; ☞ *rapporter* ; [ʀapɔʀtœʀ, øz].

**RAPPROCHEMENT, subst. m.**
**1.** Action de rapprocher, fait de se rapprocher ; son résultat. **2.** Fig. Réconciliation. **3.** Action d'établir une corrélation entre plusieurs choses ; son résultat. Fin XV^e s. ; ☞ *rapprocher* ; [ʀapʀɔʃmɑ̃].

**RAPPROCHER, verbe trans.** [3]
**1.** Mettre (qqch.) plus près dans l'espace ou dans le temps : ***Rapprocher** le banc du mur.* **2.** Fig. Resserrer les liens entre. **3.** Établir un lien entre (des choses, des idées, etc.). **Pronom. 1.** S'avancer plus près. **2.** Fig. Resserrer des relations. **3. Se rapprocher de.** Présenter des analogies avec ; ressembler à. 1268 ; ☞ *approcher* + *re-* ; [ʀapʀɔʃe].

**RAPSODE, voir RHAPSODE**

**RAPSODIE, voir RHAPSODIE**

**RAPT, subst. m.**
Action d'enlever illégalement qqn. Fin XII^e s. ; lat. *raptus* ; [ʀapt].

**RAPTUS, subst. m.**
*Psych.* Trouble du comportement à caractère explosif, qui peut se traduire, chez le sujet atteint, par une automutilation, un suicide ou un meurtre. 1915 (1788, transport soudain des humeurs dans une partie du corps) ; lat. *raptus*, « enlèvement » ; [ʀaptys].

**RÂPURE, subst. f.**
Particule enlevée d'une substance que l'on râpe. 1598 (mil. XIII^e s., *vin de raspure*, vin de qualité inférieure) ; ☞ *râper* ; [ʀɑpyʀ].

**RAQUER, verbe trans.** [3]
Payer (pop.). 1893 ; dial. *raquer*, « cracher » ; [ʀake].

**RAQUETTE, subst. f.**
**1.** *Sp.* Instrument fait d'un manche et d'un cadre ovale garni d'un cordage en boyau ou synthétique (au badminton, au tennis, au squash), ou d'un disque de contreplaqué couvert de caoutchouc (au ping-pong) et qui sert à projeter une balle ou un volant ; par méton., le joueur lui-même. **2.** Anal. Large semelle ovale fixée sous les chaussures pour éviter de s'enfoncer dans la neige. **3.** *Bot.* Tige aplatie des oponces : *Cactus à **raquettes**.* Mil. XV^e s. (1314, carpe, en anat.) ; ar. *rāḥa*, « paume de la main » ; [ʀakɛt].

**RAQUETTEUR, EUSE, subst.**
Personne qui se déplace avec des raquettes sur un terrain enneigé. 1705 ; ☞ *raquette* ; [ʀakɛtœʀ, øz].

**RARE, adj.**
**1.** Épars, peu dense : *La végétation est **rare** sous ces climats.* **2.** Peu commun, étonnant : *Des affrontements d'une **rare** violence.* **3.** Qui ne se produit presque jamais. ▸ Loc. *Se faire **rare*** : apparaître peu souvent. **4.** Dont il n'existe que peu d'exemplaires : *Des éditions **rares**.* 1377 ; lat. *rarus* ; [ʀɑʀ].

**RARÉFACTION, subst. f.**
Fait de devenir rare : ***Raréfaction** de l'oxygène.* 1377 ; lat. médiév. *rarefactio* ; [ʀaʀefaksjɔ̃].

**RARÉFIER, verbe trans.** [6]
**1.** Rendre rare (qqch.). **2.** *Phys.* Diminuer la densité, la pression de. **Pronom.** Devenir rare. 1370 ; lat. *rarefacere* ; [ʀaʀefje].

**RAREMENT, adv.**
Presque jamais. XIV^e s. ; ☞ *rare* ; [ʀɑʀmɑ̃].

**RARETÉ, subst. f.**
Qualité de ce qui est rare ; par méton., objet rare. Fin XV^e s. (1314, faible densité) ; lat. *raritas* ; [ʀɑʀte].

**RARISSIME, adj.**
Extrêmement rare. 1544 ; ital. *rarissimo* ; [ʀaʀisim].

**RAS (I), RASE, adj.**
**1.** Dont le contenu arrive au niveau du bord du contenant : *Cuillère **rase*** ; *À **ras** bord(s)*, jusqu'au(x) bord(s). ▸ *Vêtement **ras** du cou* ou, empl. subst. masc., *Un **ras** du cou* : qui arrive au niveau du cou. ▸ Loc. *Au **ras** des pâquerettes* : peu élevé, sommaire (fam.). **2.** Très court ; coupé près de la peau, en parlant de cheveux ou de poils : *Barbe **rase*** ; *Chien à poil **ras**.* ▸ Empl. adv. Très court : *Ongles coupés **ras**.* **3.** Dont la surface est plane et uniforme. ▸ Loc. *En **rase** campagne* (☞ *campagne*) ; *Faire table **rase*** (☞ *table*). 1191 ; anc. fr. *rés*, du lat. *rasus*, « rasé » ; [ʀɑ, ʀɑz].

**RAS (II), voir RAZ**

**RAS (III), subst. m.**
Chef éthiopien. 1556 ; mot d'orig. amharique ; [ʀɑs].

**RAS (IV), subst. m.**
*Mar.* Radeau utilisé pour la réparation des bateaux près de la flottaison. Mil. XVII^e s. ; anc. prov. *rat*, du lat. *ratis* ; [ʀɑ].

**RASADE, subst. f.**
Quantité de boisson correspondant à un verre rempli à ras bord. 1670 ; ☞ *ras* (I) ; [ʀɑzad].

**RASAGE, subst. m.**
Action de raser ou de se raser. 1797 ; ☞ *raser* ; [ʀɑzaʒ].

**RASANCE, subst. f.**
*Milit.* Rapport entre la hauteur de la trajectoire d'un projectile et celle de l'objectif visé. 1940 ; ☞ *rasant* ; [ʀɑzɑ̃s].

**RASANT, ANTE, adj.**
**1.** Qui frôle une surface. **2.** Fig. Très ennuyeux (fam.). 1270 ; p. pr. de *raser* ; [ʀɑzɑ̃, ɑ̃t].

**RASCASSE, subst. f.**
*Zool.* Poisson osseux de l'ordre des Scorpéniformes, prédateur à la dorsale munie d'épines venimeuses. On connaît dans l'Atlantique et en Méditerranée la **rascasse** brune et la **rascasse** rouge. 1554 ; anc. prov. *rascassa*, de *rasca*, « teigne », du lat. *rasicare*, « gratter » ; [ʀaskas].

© Labat/Lanceau-Jacana

*Rascasse volante.*

**RASE-MOTTES, subst. m. inv.**
*Aéron.* Vol à très basse altitude. ▸ Loc. *En **rase-mottes*** : près du sol. 1917 ; comp. de *raser* et de *motte* ; [ʀɑzmɔt].

**RASER, verbe trans.** [3]
**1.** Couper (des poils, des cheveux) au ras de la peau, avec un rasoir. **2.** Anal. Passer très près de, frôler : *La balle **rase** le filet.* ▸ Loc. ***Raser** les murs* : tenter de passer inaperçu. **3.** Abattre à ras de terre (une ville, un édifice). **4.** Fig. Plonger (un auditoire) dans l'ennui (fam.). **Pronom. 1.** Se couper la barbe. **2.** Fig. S'ennuyer (fam.). Mil. XII^e s. ; lat. pop. °*rasare*, du lat. *radere* ; [ʀɑze].

**RASEUR, EUSE, subst.**
Personne qui ennuie les autres (fam.). 1853 (fin XIII^e s., celui qui rase le poil) ; ☞ *raser* ; [ʀɑzœʀ, øz].

**RASH, subst. m.**
*Pathol.* Éruption cutanée fugace ressemblant à celle de la rougeole, observée notamment dans la phase qui précède certaines maladies fébriles. 1772 ; mot angl. ; plur. *rash(e)s* ; [ʀaʃ].

**RASIBUS,** adv.
Tout près, à ras (fam.). Fin XIVe s. ; lat. *rasus,* « ras » ; [ʀazibys].

**RAS-LE-BOL,** interj. et subst. m. inv.
Fam. INTERJ. Marque l'exaspération : *Les factures,* ***ras-le-bol*** *!* SUBST. Fait d'être excédé : *Le* ***ras-le-bol*** *des paysans.* V. 1970 ; comp. de *ras* (I) et de l'argot *bol,* « cul » ; [ʀɑl(ə)bɔl].

**RASOIR,** subst. m. et adj. inv.
SUBST. Instrument à lame fine servant à raser, à se raser. ADJ. Ennuyeux (fam.). Mil. XIIe s. ; lat. pop. °*rasorium,* du lat. *radere,* « raser » ; [ʀɑzwaʀ].

**RASPOUTITSA,** subst. f.
*Géogr.* Période de dégel entraînant la liquéfaction du sol, qui devient boueux et instable. 1925 ; russe *rasputica,* de *put',* « chemin », et de *ras-,* « éclatement, dispersion » ; [ʀasputitsa].

**RASSASIEMENT,** subst. m.
État d'une personne rassasiée ; assouvissement. Fin XIIe s. ; ☞ *rassasier* ; [ʀasazimɑ̃].

**RASSASIER,** verbe trans. [6]
**1.** Combler (qqn, qqch.) : *Sa curiosité n'est jamais* ***rassasiée.*** **2.** Assouvir l'envie de nourriture de (qqn). Fin XIIe s. ; anc. fr. *assasier,* du lat. *satiare* ; [ʀasazje].

**RASSEMBLEMENT,** subst. m.
**1.** Action de rassembler ; son résultat. **2.** Réunion d'un grand nombre de personnes ; en partic., assemblée à caractère politique. ▸ *Milit. Sonner le* ***rassemblement*** : jouer du clairon pour appeler les soldats. 1426 ; ☞ *rassembler* ; [ʀasɑ̃bləmɑ̃].

**RASSEMBLER,** verbe trans. [3]
**1.** Assembler de nouveau ; réunir au même endroit (des personnes, des animaux) ; au fig., concentrer : ***Rassembler*** *ses forces.* **2.** Mettre ensemble (des objets). **3.** *Équit.* ***Rassembler*** *un cheval* : le tenir par une action simultanée des mains et des jambes pour le préparer aux mouvements qu'on veut lui faire exécuter. PRONOM. Se réunir, se regrouper. 1155 ; ☞ *assembler* + *re-* ; [ʀasɑ̃ble].

**RASSEMBLEUR, EUSE,** subst.
Personne qui rassemble. 1580 ; ☞ *rassembler* ; [ʀasɑ̃blœʀ, øz].

**RASSEOIR,** verbe trans. [46]
**1.** Vx. Calmer. **2.** Asseoir de nouveau ; replacer. PRONOM. Se remettre dans la position assise. Mil. XIIe s. ; ☞ *asseoir* + *re-* ; [ʀaswaʀ].

**RASSÉRÉNER,** verbe trans. [8]
Ramener à la sérénité, au calme. PRONOM. Retrouver son calme. 1550 ; ☞ *serein* + *re-* et *a-*[1] ; [ʀaseʀene].

**RASSIR,** verbe intrans. [19]
Devenir rassis. 1909 ; ☞ *rassis* ; verbe défectif, empl. surtout à l'inf. et au p. p. ; [ʀasiʀ].

**RASSIS, ISE,** adj.
**1.** Qui n'est plus frais, sans être dur, en parlant d'un pain, d'un gâteau. ▸ ***Viande rassise*** : viande d'animaux tués depuis quelques jours. **2.** Fig. Calme, pondéré. Déb. XIVe s. (mil. XIIe s., durci, en parlant du plomb) ; p. p. de *rasseoir* ; var. du fém. *rassie* ; [ʀasi, iz].

**RASSORTIMENT,** voir **RÉASSORTIMENT**

**RASSORTIR,** voir **RÉASSORTIR**

**RASSURANT, ANTE,** adj.
Qui rassure. 1777 ; p. pr. de *rassurer* ; [ʀasyʀɑ̃, ɑ̃t].

**RASSURER,** verbe trans. [3]
Redonner assurance et confiance à (qqn) ; empl. pronom. : ***Rassurez-vous,*** *je pars.* 1155 ; ☞ *assurer* + *re-* ; [ʀasyʀe].

**RASTA,** subst. et adj.
SUBST. Adepte d'un mouvement ayant pour but la valorisation de la culture noire et, en partic., du reggae. ADJ. Relatif, propre à ce mouvement : *Coiffure* ***rasta.*** V. 1980 ; apocope de *rastafari,* nom d'une secte jamaïcaine, de *ras Tafari,* nom porté par Hailé Sélassié ; plur. *rasta(s),* var. *rastafari* ; [ʀasta].

*Rasta.*

© Giacomoni-Gamma

**RASTAQUOUÈRE,** subst. m.
Fam. et Péj. Étranger au luxe tapageur et à la fortune suspecte (abrév. : rasta). 1880 ; hisp.-amér. *rastracueros,* « traîne-cuir » (parvenu) ; [ʀastakwɛʀ].

**RAT,** subst. m.
**I.** *Zool.* **1.** Mammifère placentaire appartenant à l'ordre des Rongeurs et à la famille des Muridés. Il se reconnaît à son long museau moustachu et à sa taille dépassant 20 cm sans la queue, qui est nue. Le **rat** noir, originaire d'Asie, mais devenu cosmopolite, est le vecteur de la peste. ▸ Loc. *Être fait comme un* ***rat*** : être pris au piège (fam). **2.** Anal. ***Rat*** *des Alpes* : marmotte ; ***Rat*** *des champs* : mulot ; ***Rat*** *musqué* : ondatra ; ***Rat*** *palmiste* : xérus. **II.** Fig. et Fam. **1.** Jeune élève de la classe de danse de l'Opéra de Paris. **2.** Personne avare. **3.** ***Rat*** *d'hôtel* : cambrioleur de chambres d'hôtel. **4.** ***Rat*** *de bibliothèque* : personne qui fréquente assidûment les bibliothèques. Fin XIIe s. ; prob. orig. onomat. ; [ʀa].

© J.-L. Dubois-Jacana

*Rat noir.*

**RATA,** subst. m.
Fam. Ragoût peu appétissant ; par ext., mauvaise nourriture. 1829 ; apocope de *ratatouille* ; [ʀata].

**RATAFIA,** subst. m.
Liqueur obtenue par macération de fruits et de plantes dans de l'eau-de-vie sucrée. Fin XVIIe s. ; p.-ê. lat. *rata fiat,* « que (le marché) soit conclu » ; [ʀatafja].

**RATAGE,** subst. m.
Fait de rater, échec : *Le lancement fut un* ***ratage.*** 1864 ; ☞ *rater* ; [ʀataʒ].

**RATATINER,** verbe trans. [3]
**1.** Réduire en déformant. **2.** Ext. Endommager fortement (pop.). **3.** Fig. *Se faire* ***ratatiner*** : se faire battre, écraser (fam.). PRONOM. Se tasser ; se faner. 1662 (1508, effacer les plis) ; p.-ê. gallo-roman °*tacticare,* « attaquer » ; [ʀatatine].

**RATATOUILLE,** subst. f.
**1.** Ragoût peu engageant (vx, péj. et fam.). **2.** *Cuis.* Plat niçois fait d'aubergines, de courgettes, de tomates, de poivrons et d'oignons mijotés dans de l'huile d'olive. 1778 ; ☞ *touiller* ; [ʀatatuj].

**RAT-DE-CAVE,** subst. m.
**1.** Vx. Employé des contributions chargé de contrôler les caves. **2.** Bougie mince et longue. 1649 ; comp. de *rat* et de *cave* (II) ; plur. *rats-de-cave* ; [ʀadkav].

**RATE (I),** subst. f.
*Anat.* Organe lymphoïde de consistance molle et spongieuse situé sous le diaphragme, dans l'hypocondre gauche. La **rate,** organe hématopoïétique, intervient dans la régulation des leucocytes et des plaquettes, fabrique les lymphocytes et détruit les hématies défectueuses. Mil. XIIe s. ; orig. obsc. ; [ʀat].

**RATE (II),** subst. f.
*Zool.* Femelle du rat. 1530 ; ☞ *rat* ; [ʀat].

**RATÉ, ÉE,** adj. et subst.
Se dit d'une personne dont la vie est marquée par l'échec (fam.). SUBST. MASC. **1.** Coup de feu, explosion qui ne se déclenche pas au moment souhaité. **2.** Bruit caractéristique d'un moteur qui présente des problèmes d'allumage. **3.** Fig. Dysfonctionnement d'un processus. 1836 ; p. p. de *rater* ; [ʀate].

**RÂTEAU,** subst. m.
**1.** Outil composé d'un long manche terminé d'une traverse munie de dents, servant à ramasser des feuilles, du foin, ou à égaliser une surface. **2.** *Jeux.* Raclette utilisée par un croupier de casino pour ramasser enjeux et jetons sur le tapis. Fin XIIe s. ; lat. *rastellus* ; [ʀɑto].

**RATEL,** subst. m.
*Zool.* Mammifère africain de la famille des Mustélidés, ressemblant au blaireau par la taille et le pelage. 1787 ; ☞ *rat* ; [ʀatɛl].

**RÂTELAGE,** subst. m.
Action de râteler. 1436 ; ☞ *râteler* ; [ʀɑt(ə)laʒ].

**RÂTELÉE,** subst. f.
Quantité ramassée d'un seul coup de râteau. 1636 (mil. XVe s., récit) ; ☞ *râteau* ; [ʀɑt(ə)le].

**RÂTELER,** verbe trans. [12]
Ramasser ou égaliser à l'aide d'un râteau. Déb. XIIIe s. ; ☞ *râteau* ; [ʀɑt(ə)le].

**RÂTELEUR, EUSE,** subst.
Personne qui râtelle. FÉM. Machine servant à râteler. 1694 ; ☞ *râteler* ; [ʀɑt(ə)lœʀ, øz].

**RÂTELIER,** subst. m.
**1.** Support muni de crochets ou d'encoches, servant à ranger des objets (armes, outils). **2.** *Élev.* Mangeoire fixée à un mur, faite de planches espacées. ▸ Loc. *Manger à tous les* ***râteliers*** : profiter de toutes les occasions qui se présentent (fam.). **3.** Dentier (fam.). Mil. XIIIe s. ; ☞ *râteau* ; [ʀɑtəlje].

**RATER,** verbe [3]
TRANS. **1.** Ne pas réussir (qqch.), ne pas atteindre (un but) : ***Rater*** *son pari* ; manquer (sa cible, sa proie), en parlant d'un chasseur. **2.** Ne pas joindre, manquer (qqch., qqn) : ***Rater*** *un ami, un train.* **3.** Loc. fam. *Ne pas* ***rater*** *qqn* : ne pas manquer de le corriger ; *Ne pas en* ***rater*** *une* : accumuler les erreurs. INTRANS. **1.** Ne pas partir, en parlant d'un coup de feu. **2.** Échouer. 1715 ; ☞ *rat,* d'apr. la loc. *prendre un rat* (vx), « échouer » ; [ʀate].

**RATIBOISER,** verbe trans. [3]
Fam. **1.** Obtenir, prendre (une somme) au jeu. **2.** Ruiner (qqn) au jeu ; par ext., perdre, tuer. **3.** Couper à ras les cheveux de (qqn). 1875 ; crois. de *ratisser* et de l'anc. fr. *emboiser,* « tromper » ; [ʀatibwaze].

**RATICIDE,** subst. m.
Produit employé pour tuer les rats. V. 1960 ; ☞ *rat* + *-cide* ; [ʀatisid].

**RATIER, IÈRE,** subst.
FÉM. **1.** Piège à rats. **2.** *Text.* Mécanisme commandant les lames d'un métier à tisser. MASC. Chien dressé à chasser les rats ; empl. adj. : *Chien* ***ratier.*** Mil. XIIIe s. ; ☞ *rat* ; [ʀatje, jɛʀ].

**RATIFICATION,** subst. f.
**1.** *Dr.* Acte par lequel on valide un engagement pris par un tiers : ***Ratification*** *d'une vente effectuée par un mandataire.* **2.** *Dr. publ.* Confirmation requise par un organe compétent pour valider un acte. **3.** *Dr. internat.* Validation par un État d'un traité signé en son nom par l'un de ses représentants ; par méton., le document qui l'atteste : *Échanger les* ***ratifications.*** **4.** Confirmation (littér.). 1358 ; lat. médiév. *ratificatio,* « confirmation » ; [ʀatifikasjɔ̃].

**RATIFIER,** verbe trans. [6]
**1.** *Dr.* Procéder à la ratification de. **2.** Confirmer (littér.). 1281 ; lat. médiév. *ratificare,* du lat. *ratus,* « valable », et *facere,* « faire » ; [ʀatifje].

**RATINAGE,** subst. m.
*Text.* Opération qui consiste à friser certains tissus (velours, ratine, etc.) ; la frisure ainsi obtenue. 1812 ; ☞ *ratiner* ; [ʀatinaʒ].

**RATINE,** subst. f.
*Text.* Étoffe de laine dont le poil est tiré et frisé à la surface du tissu. 1593 ; *raster* (vx), « racler » ; [ʀatin].

**RATINER,** verbe trans. [3]
Soumettre (une étoffe) au ratinage. 1765 ; ☞ *ratine* ; [ʀatine].

**RATING,** subst. m.
Anglic. **1.** *Mar.* Indice permettant de classer les yachts et de calculer leur handicap lors des compétitions (recomm. off. *indice de performance*). **2.** Indice de santé financière des entreprises (recomm. off. *notation*). 1960 ; angl. *rating,* « évaluation » ; [ʀatiŋ].

**RATIO,** subst. m.
*Fin.* et *Écon.* Rapport, quotient de deux grandeurs comptables ou financières. 1951 ; angl. *ratio,* du lat. *ratio,* « compte » ; [ʀasjo].

**RATIOCINATION,** subst. f.
Fait de ratiociner ; argumentation trop subtile et vaine (péj.). 1495 ; lat. *ratiocinatio* ; [ʀasjɔsinasjɔ̃].

**RATIOCINER,** verbe intrans. [3]
**1.** Raisonner (vx). **2.** Abuser de raisonnements vains (péj.). 1546 ; lat. *ratiocinari,* « calculer » ; [ʀasjɔsine].

**RATION,** subst. f.
**1.** Portion de nourriture et de boisson fournie

quotidiennement à un soldat. **2.** Ext. Quantité de nourriture ou de boisson nécessaire quotidiennement à une personne ou à un animal : ***Ration*** *d'avoine.* **3.** Fig. Ce que reçoit qqn, ce qu'il mérite, réclame, ou qu'on lui inflige : *Avoir sa* ***ration*** *d'ennuis.* 1643 (1290, part de la solde d'un militaire mise en commun) ; lat. *ratio*, « compte » ; [ʀasjɔ̃].

**RATIONAL, subst. m.**

*Antiq.* Carré d'étoffe orné de douze pierres fines, symbole des douze tribus d'Israël, porté sur la poitrine par le grand prêtre des Hébreux. Déb. XIIIe s. ; lat. eccl. *rationale* ; plur. *rationaux* ; [ʀasjɔnal], plur. [-no].

**RATIONALISATION, subst. f.**

Action de rationaliser ; son résultat. ▸ *Écon.* Fait d'optimiser les rendements grâce à une organisation rationnelle. ▸ *Fin.* ***Rationalisation*** *des choix budgétaires (R. C. B.)* : système de calcul permettant d'optimiser les dépenses publiques au regard des objectifs. ▸ *Psychanal.* et *Psych.* Action de rationaliser, pour un sujet en analyse. 1842 ; ☞ *rationaliser* ; [ʀasjɔnalizasjɔ̃].

**RATIONALISER, verbe trans.** [3]

**1.** Rendre rationnel. **2.** Organiser d'une façon logique et rationnelle. **3.** *Psychanal.* et *Psych.* Justifier (ses comportements ou ses sentiments) d'une manière apparemment logique et moralement acceptable. 1826 ; ☞ *rationnel* ; [ʀasjɔnalize].

**RATIONALISME, subst. m.**

**1.** *Philos.* ▸ Doctrine selon laquelle tout ce qui existe a une raison d'être, et est par conséquent accessible à la raison. ▸ Doctrine n'admettant, en matière de religion, que ce qui est reconnu par la raison : *Le* ***rationalisme*** *de Voltaire.* **2.** Ext. Croyance et confiance en la seule raison humaine. 1803 ; lat. *rationalis*, de *ratio*, « raison » ; [ʀasjɔnalism].

**RATIONALISTE, adj. et subst.**

Se dit d'un adepte du rationalisme. **Adj.** Relatif, propre au rationalisme : *Une théorie* ***rationaliste.*** 1718 (mil. XVIe s., médecin qui raisonne) ; lat. *rationalis*, de *ratio*, « raison » ; [ʀasjɔnalist].

**RATIONALITÉ, subst. f.**

Caractère de ce qui est rationnel. 1834 (fin XIIIe s., activité rationnelle) ; ☞ *rationnel* ; [ʀasjɔnalite].

**RATIONNEL, ELLE, adj.**

**1.** Relatif à la raison, qui s'y conforme ou qui s'y rapporte. **2.** Ext. Conforme à la logique, au bon sens. **3.** *Math.* ▸ *Entier* ***rationnel*** *(ou entier relatif)* : élément de l'anneau $\mathbb{Z}$, entier positif, négatif ou nul. ▸ *Nombre* ***rationnel*** ou, empl. subst. masc., *Un* ***rationnel*** : élément du corps Q, représenté par une fraction $p/q$, $p$ et $q$ entiers relatifs, $q \neq 0$. Deux fractions $p/q$ et $p'/q'$ représentent le même **rationnel** si et seulement si $pq' = qp'$. ▸ *Fonction, fraction* ***rationnelle*** : fonction $P(x)/Q(x)$ où P et Q sont deux fonctions polynômes. 1546 (déb. XIIe s., doué de raison) ; lat. *rationalis*, de *ratio*, « raison » ; [ʀasjɔnɛl].

**RATIONNELLEMENT, adv.**

D'une manière rationnelle. 1802 ; ☞ *rationnel* ; [ʀasjɔnɛlmɑ̃].

**RATIONNEMENT, subst. m.**

Action de rationner ; son résultat : *Des tickets de* ***rationnement.*** 1846 ; ☞ *rationner* ; [ʀasjɔnmɑ̃].

**RATIONNER, verbe trans.** [3]

**1.** Distribuer (un produit) en quantité limitée et déterminée : ***Rationner*** *le carburant.* **2.** Ext. Mettre (qqn) à la ration ; réduire la nourriture de (qqn) : ***Rationner*** *un obèse.* 1795 ; ☞ *ration* ; [ʀasjɔne].

**RATISSAGE, subst. m.**

Action de ratisser. 1765 ; ☞ *ratisser* ; [ʀatisaʒ].

**RATISSER, verbe trans.** [3]

**1.** Égaliser ou nettoyer (un sol) avec un râteau : ***Ratisser*** *une pelouse.* **2.** Fig. Ruiner, voler (fam.) : ***Ratisser*** *un naïf.* **3.** *Milit.* Fouiller méthodiquement (un terrain, un quartier) pour trouver des indices, un suspect : *La police a* ***ratissé*** *tout le secteur* ; empl. abs. : ***Ratisser*** *large*, tenter de rassembler le plus d'éléments possible (fam.). 1679 (fin XIVe s., racler légèrement) ; *raster* (vx), « racler » ; [ʀatise].

**RATITES, subst. m. plur.**

*Zool.* Sous-classe d'oiseaux dépourvus de bréchet et aux ailes plus ou moins atrophiées, tels le kiwi, l'autruche, le nandou et le casoar. **Au sing.** *L'emeu est un* ***ratite.*** 1839 ; lat. *ratis*, « radeau », le sternum des ratites étant plat ; [ʀatit].

**RATON (I), subst. m.**

**1.** Petit du rat ; petit rat. **2.** *Zool.* ***Raton laveur*** : mammifère d'Amérique du Nord, de la famille des Procyonidés, caractérisé par ses yeux cerclés de noir et par le fait qu'il lave sa nourriture. **3.** Maghrébin (injure raciste). Fin. XIIIe s. ; ☞ *rat* ; [ʀatɔ̃].

© T. Walker-Jacana

***Raton*** *laveur.*

**RATON (II), subst. m.**

*Cuis.* Tartelette au fromage blanc. Fin XIIIe s. ; *raster* (vx), « racler » ; [ʀatɔ̃].

**RATONNADE, subst. f.**

Expédition violente menée par racisme contre des Maghrébins ou, par ext., contre tout groupe de personnes. V. 1960 ; ☞ *raton* (I) ; [ʀatɔnad].

**RATTACHEMENT, subst. m.**

Action de rattacher ; son résultat. 1845 ; ☞ *rattacher* ; [ʀataʃmɑ̃].

**RATTACHER, verbe trans.** [3]

**1.** Attacher de nouveau (ce qui s'est détaché) : ***Rattacher*** *ses cheveux.* **2.** Fig. Subordonner (qqn, qqch.) par un lien, une filiation à qqn, qqch. d'autre : ***Rattacher*** *une œuvre à son époque.* **Pronom.** Être lié (à) : *Se* ***rattacher*** *à un parti.* Fin XIIIe s. (fin XIIe s., relier) ; ☞ *attacher* + *re-* ; [ʀataʃe].

**RATTACHISTE, adj. et subst.**

Belg. Se dit d'un partisan du rattachisme, mouvement prônant le rattachement à la France des régions wallonnes. **Adj.** Relatif, propre à ce mouvement. Fin XXe s. ; ☞ *rattacher* ; [ʀataʃist].

**RATTE, subst. f.**

Variété de pomme de terre oblongue, à peau jaune, d'une saveur très fine. 1894 ; ☞ *rate* (I) ; [ʀat].

**RATTRAPAGE, subst. m.**

Action de rattraper, de se rattraper. ▸ *Enseign. Cours de* ***rattrapage*** : destiné à améliorer le niveau scolaire d'un élève en difficulté. 1870 (1833, fin d'alinéa) ; ☞ *rattraper* ; [ʀatʀapaʒ].

**RATTRAPER, verbe trans.** [3]

**1.** Attraper de nouveau (ce qui s'échappe) : ***Rattraper*** *un détenu en fuite.* **2.** Saisir (qqn, qqch.) avant qu'il ne tombe. **3.** Réparer, corriger (qqch.) : *Il a bien* ***rattrapé*** *sa bévue.* **4.** Rejoindre en se pressant (qqn, qqch. qui a de l'avance) ; au fig. : ***Rattraper*** *un retard scolaire.* **Pronom.** **1.** S'agripper : *Se* ***rattraper*** *au bras de qqn.* **2.** Regagner ce que l'on a perdu (argent, temps, occasion, etc.) : *Je me* ***rattraperai*** *aux cartes.* **3.** Combler une lacune. **4.** Réparer une maladresse que l'on vient de commettre. Fin XIIIe s. ; ☞ *attraper* + *re-* ; [ʀatʀape].

**RATURAGE, subst. m.**

Action de raturer. 1875 ; ☞ *raturer* ; [ʀatyʀaʒ].

**RATURE, subst. f.**

Trait tracé sur une partie de texte que l'on souhaite annuler. 1537 (fin XIIIe s., raclure) ; lat. médiév. *rasitoria*, « instrument à raser » ; [ʀatyʀ].

**RATURER, verbe trans.** [3]

Annuler (une portion de texte) en la rayant d'un ou de plusieurs traits. 1458 ; ☞ *rature* ; [ʀatyʀe].

**RAUCITÉ, subst. f.**

Timbre d'un son rauque (littér.). XIVe s. ; lat. *raucitas* ; [ʀosite].

**RAUQUE, adj.**

Qualifie une voix sèche, voilée, au timbre grave. Mil. XIIIe s. ; lat. *raucus*, « enroué » ; [ʀok].

**RAUQUER, verbe intrans.** [3]

Feuler ; émettre un son rauque. Mil. XVIIIe s. ; ☞ *rauque* ; [ʀoke].

**RAUWOLFIA, subst. m.**

*Bot.* Petit arbre originaire de l'Inde, de la famille des Apocynacées, dont les racines contiennent des alcaloïdes aux propriétés hypotensives. 1808 ; anthropon. *Rauwolf*, botaniste allemand ; [ʀovɔlfja].

**RAVAGE, subst. m.**

**1.** Destruction, détérioration importante résultant d'une action violente ou d'un cataclysme. **2.** Atteinte grave à l'intégrité d'une personne, d'un groupe social : *Les* ***ravages*** *de la toxicomanie.* ▸ Loc. *Faire des* ***ravages*** : provoquer des passions amoureuses (fam.). 1355 ; ☞ *ravir* ; [ʀavaʒ].

**RAVAGÉ, ÉE, adj.**

**1.** Endommagé, détruit. **2.** Profondément marqué, par l'âge, la maladie, etc. : *Traits* ***ravagés.*** **3.** Fig. Fou (fam.). 1685 ; p. p. de *ravager* ; [ʀavaʒe].

**RAVAGER, verbe trans.** [5]

**1.** Détruire, faire subir des dommages considérables à. **2.** Provoquer de graves troubles physiques ou moraux chez (qqn) : *L'alcool l'a* ***ravagé.*** Déb. XVIe s. (déb. XIVe s., arracher des cultures par mesure pénale) ; ☞ *ravage* ; [ʀavaʒe].

**RAVAGEUR, EUSE, subst. et adj.**

Se dit de qqn, d'un animal qui fait des ravages ; au fig., se dit d'un séducteur, d'une femme séduisante. **Adj.** Dévastateur : *Orage* ***ravageur*** ; au fig. : *Sourire* ***ravageur.*** 1578 ; ☞ *ravager* ; [ʀavaʒœʀ, øz].

**RAVALEMENT, subst. m.**

**1.** Action d'avilir qqn ; son résultat. **2.** *Bât.* ***Ravalement*** *de façade* : finition ou rénovation du parement extérieur d'une construction ou, par anal., maquillage (fam.). 1460 ; ☞ *ravaler* ; [ʀavalmɑ̃].

**RAVALER, verbe trans.** [3]

**I. 1.** Vx. Faire redescendre. **2.** Fig. Avilir, humilier ; empl. pronom., s'abaisser moralement. **3.** *Bât.* Faire le ravalement de. **4.** *Arboric.* Tailler plus court (un arbre). **II. 1.** Avaler de nouveau : ***Ravaler*** *sa salive.* **2.** Fig. Se retenir d'exprimer (des pensées, un sentiment) : ***Ravaler*** *ses mots, sa colère.* ▸ Loc. *Faire* ***ravaler*** *ses paroles à qqn* : le forcer à se rétracter (fam.). Mil. XIIe s. ; ☞ *avaler* + *re-* ; [ʀavale].

**RAVAUDAGE, subst. m.**

Vieilli. Action de ravauder ; rapiéçage. 1690 (1553, ouvrage rapiécé) ; ☞ *ravauder* ; [ʀavodaʒ].

**RAVAUDER, verbe trans.** [3]

Repriser à l'aiguille (vieilli). 1530 ; anc. fr. *raval*, « dépréciation (d'une monnaie) » ; [ʀavode].

**RAVAUDEUR, EUSE, subst.**

Personne qui ravaude des vêtements (vieilli). 1530 ; ☞ *ravauder* ; [ʀavodœʀ, øz].

**RAVE, subst. f.**

*Bot.* Brassicacée annuelle, fourragère et potagère, cultivée pour sa racine comestible ; en appos. : *Chou-rave.* Fin XIIe s. ; lat. *rapa*, de *rapum* ; [ʀav].

**RAVELIN, subst. m.**

*Fortif.* Ouvrage extérieur en forme de demi-cercle. 1450 ; ital. *rivellino*, de *riva*, « rive » ; [ʀavlɛ̃].

**RAVENALA, subst. m.**

*Bot.* Arbre tropical de la famille des Musacées, appelé aussi arbre du voyageur, dont la base des feuilles retient l'eau de pluie. 1828 ; malgache *ravinale*, « feuille de la forêt » ; [ʀavenala].

© J. Brun-Jacana

*Le* ***ravenala****, surnommé arbre du voyageur.*

**RAVENELLE, subst. f.**

*Bot.* Nom donné à plusieurs plantes de la famille des Brassicacées, le radis sauvage, la moutarde des champs et la giroflée jaune. 1596 (1382, variété de garance) ; anc. fr. *ravene*, « radis », du lat. *raphanus*, « radis noir », du gr. *raphanos*, « rave » ; [ʀavnɛl].

**RAVI, IE, adj.**

Enchanté, très content : ***Ravi*** *de vous connaître !* XIIIe s. ; p. p. de *ravir* ; [ʀavi].

**RAVIER, IÈRE,** subst.
FÉM. Champ de raves. MASC. Petit plat dans lequel on sert les hors-d'œuvre. 1535 ; ☞ *rave* ; [ravje, jɛʀ].

**RAVIGOTANT, ANTE,** adj.
Qui ravigote (fam.). 1720 ; p. pr. de *ravigoter* ; [ʀavigɔtɑ̃, ɑ̃t].

**RAVIGOTE,** subst. f.
*Cuis.* Vinaigrette à l'échalote et aux fines herbes, additionnée de jaune d'œuf dur écrasé. 1720 ; ☞ *ravigoter* ; inv. en appos. ; [ʀavigɔt].

**RAVIGOTER,** verbe trans. [3]
Rendre de la vigueur à (fam.). 1611 ; prob. *ravigorer* (vx), « reprendre vigueur », d'apr. *vivoter* ; [ʀavigɔte].

**RAVIN,** subst. m.
Dépression allongée aux versants raides, creusée par des eaux de ruissellement ou par un torrent. Mil. XVe s. ; ☞ *ravine* ; [ʀavɛ̃].

**RAVINE,** subst. f.
**1.** Torrent passager (vieilli). **2.** Petit ravin. 1388 (1160, rapine) ; lat. *rapina*, « rapine » ; [ʀavin].

**RAVINEMENT,** subst. m.
*Géomorph.* Érosion d'un terrain meuble (souv. déboisé) par les eaux de ruissellement, qui provoque la formation de ravines ou de ravins. 1848 ; ☞ *raviner* ; [ʀavinmɑ̃].

**RAVINER,** verbe trans. [3]
**1.** Creuser (un sol) de ravines. **2.** Fig. Marquer (un visage) de rides. Fin XVIe s. (1160, intrans., couler avec force) ; ☞ *ravine* ; [ʀavine].

**RAVIOLI,** subst. m.
*Cuis.* Carré de pâte alimentaire farci de viande hachée ou de légumes. 1834 ; ital. *ravioli*, du lat. médiév. *rabiola* ; [ʀavjɔli].

**RAVIR,** verbe trans. [19]
**1.** Littér. Enlever de force (qqch., qqn) : *L'aigle* ***ravit*** *sa proie.* ▸ Arracher (qqn) à l'affection des siens. **2.** Plaire beaucoup à (qqn) : *Cette nouvelle me* ***ravit.*** ▸ Loc. *À* ***ravir*** : admirablement. Déb. XIIe s. ; lat. pop. °*rapire*, du lat. *rapere*, « saisir » ; [ʀaviʀ].

**RAVISER (SE),** verbe pronom. [3]
Changer d'avis, revenir sur une décision. Mil. XIVe s. (fin XIIIe s., réfléchir) ; ☞ *aviser* (II) + *re-* ; [ʀavize].

**RAVISSANT, ANTE,** adj.
Dont la beauté, le charme ravit. 1627 (mil. XIVe s., qui enlève de force) ; p. pr. de *ravir* ; [ʀavisɑ̃, ɑ̃t].

**RAVISSEMENT,** subst. m.
**1.** Vx. *Relig.* Transport d'extase mystique. **2.** Émotion ressentie par une personne transportée de joie. 1287 ; ☞ *ravir* ; [ʀavismɑ̃].

**RAVISSEUR, EUSE,** subst.
Personne qui se rend coupable d'un rapt. Fin XIIe s. ; ☞ *ravir* ; [ʀavisœʀ, øz].

**RAVITAILLEMENT,** subst. m.
**1.** Action de ravitailler, de se ravitailler. **2.** Méton. Ensemble des produits nécessaires à la consommation. 1430 ; ☞ *ravitailler* ; [ʀavitajmɑ̃].

**RAVITAILLER,** verbe trans. [3]
**1.** Procurer des vivres à. **2.** Fournir ce qui est nécessaire à : ***Ravitailler*** *une armée en munitions* ; empl. pronom : *Se* ***ravitailler*** *en carburant.* 1425 ; ☞ *avitailler* + *re-* ; [ʀavitaje].

**RAVITAILLEUR, EUSE,** subst.
Personne chargée de ravitailler. MASC. *Milit.* Véhicule, navire ou avion servant à ravitailler. 1527 ; ☞ *ravitailler* ; [ʀavitajœʀ, øz].

**RAVIVAGE,** subst. m.
*Techn.* Décapage d'une surface métallique. 1873 ; ☞ *raviver* ; [ʀavivaʒ].

**RAVIVER,** verbe trans. [3]
**1.** Ranimer : ***Raviver*** *la flamme dans l'âtre* ; rendre plus vif : ***Raviver*** *des couleurs* ; au fig. : ***Raviver*** *des souvenirs.* **2.** *Méd.* ***Raviver*** *une plaie* : la mettre à vif pour accélérer la cicatrisation. **3.** *Techn.* Décaper (un métal) avant soudure ou dorure. 1175 ; ☞ *aviver* + *re-* ; [ʀavive].

**RAVOIR,** verbe trans.
**1.** Avoir de nouveau. **2.** Fam. Rendre l'aspect du neuf à : ***Ravoir*** *un vêtement taché.* Mil. XIIe s. ; ☞ *avoir* (I) + *re-* ; empl. uniquement à l'inf. ; [ʀavwaʀ].

**RAY,** subst. m.
*Anthropol.* Culture sur brûlis, en Asie du Sud-Est. Mil. XXe s. ; mot d'orig. annamite ; [ʀɛ].

**RAYA,** subst. m.
*Hist.* Sujet non musulman de l'Empire ottoman, victime de discriminations (péj.). 1765 ; turc *raya*, de l'ar. *ra'āyā*, « troupeau » ; var. *raia*, *rayia* ; [ʀaja].

**RAYAGE,** subst. m.
Action de rayer ; son résultat. 1864 ; ☞ *rayer* ; [ʀɛjaʒ].

**RAYER,** verbe trans. [15]
**1.** Tracer des raies sur ; marquer de rayures, érafler : ***Rayer*** *une carrosserie* ; empl. adj. : *Fusil à canon* ***rayé***, dont l'intérieur est creusé de rainures hélicoïdales. **2.** Raturer : ***Rayer*** *trois mots dans un paragraphe* ; par ext., exclure, éliminer : *Ville qu'un bombardement a* ***rayée*** *de la carte.* Fin XIIe s. ; ☞ *raie* (I) ; [ʀeje].

**RAYÈRE,** subst. f.
*Archit.* Étroite ouverture verticale pratiquée dans le mur d'une tour afin d'en éclairer l'intérieur. 1412 ; prob. anc. fr. *raier*, du lat. *radiare*, « rayonner, briller » ; [ʀɛjɛʀ].

**RAY-GRASS,** subst. m. inv.
*Bot.* Plante herbacée vivace, de la famille des Poacées. 1754 ; angl. *ray-grass*, de *ray*, « ivraie », et de *grass*, « herbe » ; [ʀɛgʀɑ(s)].

**RAYIA,** voir **RAYA**

**RAYON (I),** subst. m.
*Agric.* Sillon peu profond creusé pour recevoir des semences. Déb. XIIe s. ; orig. obsc. ; [ʀɛjɔ̃].

**RAYON (II),** subst. m.
**1.** Gâteau de cire alvéolé, fabriqué par certains insectes hyménoptères, en partic. les abeilles. **2.** Tablette d'un meuble de rangement : *Les* ***rayons*** *d'une bibliothèque.* **3.** Partie d'un magasin réservée à un type de marchandises : *Chef de* ***rayon.*** **4.** Loc. fam. *En connaître un* ***rayon*** : être très compétent ; *C'est mon* ***rayon*** : c'est de mon ressort. 1429 ; anc. fr. *ree*, de l'anc. bas frq. °*hrâta*, « rayon de miel » ; [ʀɛjɔ̃].

**RAYON (III),** subst. m.
**I. 1.** Ligne, bande de lumière provenant d'une source lumineuse : ***Rayons*** *de soleil* ; au fig. : *Un* ***rayon*** *d'espoir.* ▸ Loc. *Un* ***rayon*** *de soleil* : une personne, ou une chose, qui réjouit, réconforte. **2.** *Phys.* ***Rayon*** *lumineux* : trajectoire de l'énergie véhiculée par les photons. PLUR. *Phys.* ▸ ***Rayons*** *alpha, bêta, gamma* : particules émises au cours des phénomènes de radioactivité. ▸ ***Rayons*** *cathodiques* : électrons émis par la cathode d'un tube électronique. ▸ ***Rayons*** *X* : rayonnement de nature électromagnétique émis par de la matière bombardée par des électrons ou des photons très énergétiques. **II. 1.** Pièce métallique allongée, autrefois de bois, reliant le moyeu à la jante d'une roue. **2.** *Math.* ***Rayon*** *d'un cercle (resp. d'une sphère)* : tout segment dont une extrémité est le centre du cercle (resp. de la sphère), l'autre étant un point du cercle (resp. de la sphère) et, par méton., longueur d'un tel segment. ▸ Loc. *Dans un* ***rayon*** *de 50 mètres* : à 50 mètres à la ronde ; ***Rayon*** *d'action* : distance maximale que peut franchir un véhicule sans ravitaillement en carburant ou, au fig., zone d'action. **3.** *Zool.* Chacun des éléments rigides ou cartilagineux soutenant la nageoire de certains poissons. 1474 ; ☞ *rai* ; [ʀɛjɔ̃].

**RAYONNAGE (I),** subst. m.
*Agric.* Action de tracer des rayons sur une terre cultivée. 1842 ; ☞ *rayon* (I) ; [ʀɛjɔnaʒ].

**RAYONNAGE (II),** subst. m.
Ensemble des rayons d'un meuble de rangement. 1874 ; ☞ *rayon* (II) ; [ʀɛjɔnaʒ].

**RAYONNANT, ANTE,** adj.
**I. 1.** Qui émet un rayonnement lumineux : *Astre* ***rayonnant.*** **2.** *Chaleur* ***rayonnante*** : qui se propage par rayonnement. **3.** Fig. Radieux, éclatant : *Être* ***rayonnant*** *de bonheur.* **II.** Qui est disposé en forme d'étoile. ▸ *Arts déc. Décor* ***rayonnant*** : décor circulaire dont les motifs pointent vers le centre. ▸ *Archit. Gothique* ***rayonnant*** : style intermédiaire entre le gothique primitif et le gothique flamboyant, caractérisé notamment par des motifs **rayonnants** (rosaces). 1611 ; p. pr. de *rayonner* (I) ; [ʀɛjɔnɑ̃, ɑ̃t].

**RAYONNE,** subst. f. inv.
Fibre textile synthétique en viscose (synon. *soie artificielle*) ; par méton., tissu de **Rayonne.** 1924 ; anglo-amér. *rayon*, de *rayon* (III) ; n. déposé ; [ʀɛjɔn].

**RAYONNÉ, ÉE,** adj.
**1.** Disposé en rayons. **2.** Orné de rayons. 1765 ; p. p. de *rayonner* (I) ; [ʀɛjɔne].

**RAYONNEMENT,** subst. m.
**1.** Fait d'émettre des rayons. **2.** *Phys.* Émission d'énergie par un corps physique, sous forme d'ondes électromagnétiques ou de particules, à la suite d'une excitation des niveaux d'énergie. Le **rayonnement** thermique est émis par des corps maintenus à température constante. **3.** Fig. ▸ Éclat qui émane d'une personne. ▸ Influence, ascendant de nature prestigieuse : *Le* ***rayonnement*** *de la Grèce.* 1558 ; ☞ *rayonner* (I) ; [ʀɛjɔnmɑ̃].

**RAYONNER (I),** verbe intrans. [3]
**I. 1.** Diffuser des rayons lumineux. **2.** Se répandre par rayonnement, en parlant de l'énergie ; empl. trans. : *La puissance que* ***rayonne*** *un astre.* **3.** Fig. Briller, être éclatant : ***Rayonner*** *de joie.* **II. 1.** Présenter une disposition en rayons : *Avenues qui* ***rayonnent*** *autour d'une place.* **2.** Exercer une activité (sur une aire plus ou moins vaste) : *Société qui* ***rayonne*** *sur l'Asie* ; se déplacer (dans un certain rayon) : ***Rayonner*** *autour de Nice.* Mil. XVIe s. ; ☞ *rayon* (III) ; [ʀɛjɔne].

**RAYONNER (II),** verbe trans. [3]
Garnir de rayonnages (rare) : ***Rayonner*** *les murs d'une pièce.* 1869 ; ☞ *rayon* (II) ; [ʀɛjɔne].

**RAYONNEUR,** subst. m.
*Agric.* Outil de jardin ou pièce d'un semoir mécanique servant à tracer des rayons. 1842 ; ☞ *rayon* (I) ; [ʀɛjɔnœʀ].

**RAYURE,** subst. f.
**1.** Rainure hélicoïdale interne du canon d'une arme à feu, ayant pour but d'augmenter la précision du tir. **2.** Chacune des bandes se détachant sur un fond de couleur différente. **3.** Trace creuse laissée sur une surface par un corps dur ; éraflure. 1688 (1372, malfaçon d'une étoffe) ; ☞ *rayer* ; [ʀɛjyʀ].

**RAZ,** subst. m.
**1.** Courant marin puissant de certains détroits. **2.** Méton. Détroit où passe ce courant. Fin XIVe s. ; anc. nord. *rás*, « courant d'eau » ; var. *ras* (II) ; [ʀɑ].

**RAZ-DE-MARÉE,** subst. m. inv.
**1.** *Océanogr.* Vague très haute, atteignant parfois 30 m, qui déferle sur une côte, gén. provoquée par la concentration locale d'ondes dues à un séisme sous-marin très éloigné. **2.** Fig. Phénomène massif et soudain qui bouleverse une situation : ***Raz-de-marée*** *électoral.* 1678 ; comp. de *raz* et de *marée* ; var. *raz de marée* ; [ʀɑdmaʀe].

**RAZZIA,** subst. f.
Expédition de pillage menée en territoire ennemi. ▸ Loc. *Faire une* ***razzia*** *sur qqch.* : l'emporter, s'en emparer (fam.). 1725 ; ar. *ġāziya* ; [ʀa(d)zja].

**RAZZIER,** verbe trans. [6]
**1.** Ravir lors d'une razzia. **2.** Opérer une razzia contre, piller. 1843 ; ☞ *razzia* ; [ʀa(d)zje].

**Rb,** voir **RUBIDIUM**

**rd,** voir **RAD**

**Re,** voir **RHÉNIUM**

**RÉ,** subst. m. inv.
*Mus.* Deuxième note de la gamme d'*ut.* Déb. XIIIe s. ; 1re syllabe du vers lat. *resonare fibris*, dans l'hymne de saint Jean-Baptiste choisi par Gui d'Arezzo pour solfier les notes de musique ; [ʀe].

**RÉA,** subst. m.
Roue à gorge d'une poulie. 1831 ; ☞ *rouet* ; [ʀea].

**RÉABONNEMENT,** subst. m.
Reconduction d'un abonnement. 1845 ; ☞ *réabonner* ; [ʀeabɔnmɑ̃].

**RÉABONNER,** verbe trans. [3]
Abonner de nouveau ; empl. pronom., renouveler un abonnement à son échéance. 1786 ; ☞ *abonner* + *re-* ; [ʀeabɔne].

**RÉABSORBER,** verbe trans. [3]
Absorber de nouveau. Mil. XVIIIe s. ; ☞ *absorber* + *re-* ; [ʀeapsɔʀbe].

**RÉABSORPTION,** subst. f.
Action de réabsorber qqch. 1795 ; ☞ *réabsorber* ; [ʀeapsɔʀpsjɔ̃].

**RÉAC,** adj. et subst.
Réactionnaire (fam.). V. 1970 ; apocope de *réactionnaire* ; [ʀeak].

**RÉACCOUTUMER,** verbe trans. [3]
Accoutumer de nouveau. 1531 ; ☞ *accoutumer* + *re-* ; [ʀeakutyme].

**RÉACTANCE,** subst. f.
*Phys.* Partie imaginaire de l'impédance complexe, dont la partie réelle est la résistance du dipôle électrique parcouru par un courant sinusoïdal. 1894 ; angl. *reactance*, de *to react*, « réagir » ; [ʀeaktɑ̃s].

**RÉACTEUR,** subst. m.
**1.** *Aéron.* Propulseur aérien à réaction. **2.** *Chim.* Installation industrielle dans laquelle on conduit une réaction chimique. **3.** *Phys.* ***Réacteur*** *nucléaire* (☞ *nucléaire*). 1949 (1794, partisan d'une politique de réaction) ; ☞ *réaction* ; [ʀeaktœʀ].

**RÉACTIF, IVE,** adj. et subst. m.
Adj. **1.** Qui réagit ou qui fait réagir : *Force **réactive**.* **2.** *Électr. Courant **réactif*** : composante d'un courant alternatif sinusoïdal en quadrature avec la tension. Subst. *Chim.* Composé chimique dont la réaction avec un substrat donne un ou plusieurs produits. 1740 ; ☞ *réaction* ; [ʀeaktif, iv].

**RÉACTION,** subst. f.
**I. 1.** *Mécan.* Action qu'un corps exerce en retour sur un autre corps. ▸ *Aéron. Avion à **réaction*** : propulsé en avant par des gaz expulsés sous haute pression. **2.** *Phys. **Réaction** en chaîne* : succession de **réactions** correspondant à des transformations s'entretenant et progressant spontanément, parfois jusqu'à l'explosion, comme dans le cas de la fission nucléaire ou, au fig., série de phénomènes déclenchés les uns par les autres. **3.** *Chim.* Processus de transformation d'un ou de plusieurs éléments chimiques ou de composés (réactifs), qui a pour effet de former de nouveaux composés (produits). **4.** *Psychol.* Réponse à un stimulus : *Temps de **réaction***, intervalle entre le stimulus et la réponse. **5.** *Pathol.* Modification de l'organisme produite par un facteur extérieur : ***Réaction** immunitaire.* **II.** Fig. **1.** Manière de réagir d'une personne, d'un groupe : *S'attendre à des **réactions*** ; par anal., manière dont une machine répond aux commandes : *Bonnes **réactions** au freinage.* **2.** *Pol.* Mouvement d'opinion favorable au retour à un ordre ancien, dans le domaine politique ou social ; ensemble des partisans de ce mouvement. 1616 ; lat. médiév. *reactio* ; [ʀeaksjɔ̃].

**RÉACTIONNAIRE,** adj. et subst.
*Pol.* Se dit d'un partisan de la réaction, du point de vue politique ou social (abrév. fam. : réac). Adj. Qui concerne, qui exprime cette tendance. 1794 ; ☞ *réaction* ; [ʀeaksjɔnɛʀ].

**RÉACTIONNEL, ELLE,** adj.
**1.** Qui concerne une réaction chimique, physiologique, etc. **2.** *Psychol.* Qualifie un trouble psychique consécutif à un évènement traumatisant. 1865 ; ☞ *réaction* ; [ʀeaksjɔnɛl].

**RÉACTIVATION,** subst. f.
Action de réactiver. Déb. xxᵉ s. ; ☞ *réactiver* ; [ʀeaktivasjɔ̃].

**RÉACTIVER,** verbe trans. [3]
**1.** Activer de nouveau. **2.** Remettre en activité. 1798 ; ☞ *activer + re-* ; [ʀeaktive].

**RÉACTIVITÉ,** subst. f.
Aptitude à réagir. 1936 (1796, nouvelle activité) ; ☞ *réactif*, d'apr. *activité* ; [ʀeaktivite].

**RÉACTUALISATION,** subst. f.
Action de réactualiser ; remise à jour. xxᵉ s. ; ☞ *réactualiser* ; [ʀeaktɥalizasjɔ̃].

**RÉACTUALISER,** verbe trans. [3]
**1.** Remettre à jour. **2.** Rendre présent de nouveau. 1898 ; ☞ *actualiser + re-* ; [ʀeaktɥalize].

**RÉADAPTATION,** subst. f.
Action de réadapter, de se réadapter ; fait d'être réadapté. 1897 ; ☞ *adaptation + re-* ; [ʀeadaptasjɔ̃].

**RÉADAPTER,** verbe trans. [3]
Adapter de nouveau. 1899 ; ☞ *adapter + re-* ; [ʀeadapte].

**RÉADMETTRE,** verbe trans. [60]
Admettre de nouveau. 1818 ; ☞ *admettre + re-* ; [ʀeadmɛtʀ].

**RÉADMISSION,** subst. f.
Action de réadmettre qqn, qqch. 1808 ; ☞ *admission + re-* ; [ʀeadmisjɔ̃].

**READY-MADE,** subst. m. inv.
*B.-a.* Objet manufacturé détaché de son contexte utilitaire et élevé par l'artiste au rang d'œuvre d'art, après d'éventuelles « rectifications ». 1915 ; angl. *ready-made*, « fini, prêt à l'usage », terme emprunté par Marcel Duchamp ; [ʀedimɛd].

**BEAUX-ARTS** – C'est en 1913 et en 1914 que Marcel Duchamp présente ses deux premiers ready-made : une roue de bicyclette montée sur un tabouret et un porte-bouteille. L'objet déjà fabriqué est dégagé de sa fonction première par l'effet du choix de l'artiste, qui le présente sous un autre angle et en fait le départ d'une nouvelle réflexion, démarche provocatrice et contestation de la tradition du savoir-faire artistique comme des critères de laideur et de beauté.

**RÉAFFIRMER,** verbe trans. [3]
Affirmer de nouveau, plus fermement : ***Réaffirmer** ses intentions.* 1858 ; ☞ *affirmer + re-* ; [ʀeafiʀme].

**RÉAGIR,** verbe intrans. [19]
**1.** *Phys.* Agir en retour (sur un autre corps). **2.** *Chim.* Être modifié (par l'action d'un agent externe) : ***Réagir** à l'air, à la chaleur.* **3.** *Méd.* et *Biol.* Répondre par une ou plusieurs réactions, en parlant de l'organisme : ***Réagir** par la fièvre contre l'infection* ; ***Réagir** aux antibiotiques.* **4.** Fig. ▸ **Réagir contre.** S'élever contre (qqch.) ; résister à : ***Réagir** contre la monotonie* ; empl. abs. : *Il ne **réagira** pas.* ▸ **Réagir à.** Manifester une réaction spontanée à : ***Réagir** aux évènements.* 1771 (1516, terme d'alchimie) ; bas lat. *reagere*, « pousser de nouveau » ; [ʀeaʒiʀ].

**RÉAJUSTEMENT,** subst. m.
Action de réajuster : ***Réajustement** des salaires.* 1924 ; ☞ *réajuster* ; [ʀeaʒystəmɑ̃].

**RÉAJUSTER,** verbe trans. [3]
**1.** Ajuster de nouveau : ***Réajuster** un costume.* **2.** Adapter à des conditions nouvelles, et en partic. à l'évolution du coût de la vie : ***Réajuster** les impôts.* 1886 ; ☞ *ajuster + re-* ; [ʀeaʒyste].

**RÉAL,** subst. m.
*Numism.* Ancienne monnaie espagnole, équivalant à un quart de peseta. 1363 ; esp. *real*, « royal » ; plur. *réaux* ; [ʀeal], plur. [ʀeo].

**RÉALE,** subst. f. et adj. f.
*Hist. Galère **réale*** ou, par ell., *La **réale*** : galère principale du roi ou du général des galères. Subst. plur. *Typogr.* Famille de caractères. 1547 ; esp. *real*, « royal » ; [ʀeal].

**RÉALÉSAGE,** subst. m.
Action de réaléser. 1928 ; ☞ *réaléser* ; [ʀealezaʒ].

**RÉALÉSER,** verbe trans. [8]
Aléser de nouveau. 1921 ; ☞ *aléser + re-* ; [ʀealeze].

**RÉALGAR,** subst. m.
*Chim.* Sulfure naturel d'arsenic, rouge, de formule AsS, utilisé dans les feux grégeois. xivᵉ s. ; ar. *rahğ al-ğār*, « poussière de caverne » ; [ʀealgaʀ].

**RÉALIGNEMENT,** subst. m.
Action de réaligner ; son résultat. xxᵉ s. ; ☞ *alignement + re-* ; [ʀealiɲəmɑ̃].

**RÉALIGNER,** verbe trans. [3]
**1.** Aligner de nouveau. **2.** *Fin. **Réaligner** une monnaie par rapport à une autre* : en redéfinir le taux de change. xxᵉ s. ; ☞ *aligner + re-* ; [ʀealiɲe].

**RÉALISABLE,** adj.
**1.** Qui peut se réaliser ou être réalisé. **2.** Qui peut être transformé en argent : *Titre non **réalisable**.* 1780 ; ☞ *réaliser* (I) ; [ʀealizabl].

**RÉALISATEUR, TRICE,** subst.
**1.** Personne qui réalise une œuvre, un projet. **2.** Personne qui dirige l'ensemble d'une réalisation cinématographique, télévisuelle ou radiophonique. 1842 ; ☞ *réaliser* (I) ; [ʀealizatœʀ, tʀis].

**RÉALISATION,** subst. f.
**1.** Action de réaliser ; son résultat. **2.** Transformation en argent d'un bien que l'on vend. **3.** *Mus.* Harmonisation complète, notée ou directement exécutée à partir d'une basse chiffrée (jusqu'à J.-S. Bach). **4.** Exécution d'un projet, d'un plan, d'un scénario, etc. 1755 (1509, terme de droit) ; ☞ *réaliser* (I) ; [ʀealizasjɔ̃].

**RÉALISER (I),** verbe trans. [3]
**I. 1.** *Dr.* Exécuter légalement : ***Réaliser** un contrat.* **2.** Convertir (un bien) en liquidités par la vente. ▸ Obtenir (un gain) : ***Réaliser** un chiffre d'affaires.* **II. 1.** Concrétiser : ***Réaliser** un rêve* ; mener à bien, accomplir (qqch.). **2.** *Mus.* Effectuer la réalisation de (une basse chiffrée). **3.** Être le réalisateur de (un film, une émission de télévision ou de radio). Pronom. **1.** S'effectuer, devenir concret. **2.** S'épanouir en développant pleinement ses aptitudes. 1611 ; ☞ *réel*, d'apr. le lat. médiév. *realis* ; [ʀealize].

**RÉALISER (II),** verbe trans. [3]
Se rendre compte de (qqch.) ; comprendre (qqch.) de façon précise. 1858 ; angl. *to realize* ; anglic. déconseillé ; [ʀealize].

**RÉALISME,** subst. m.
**1.** *Philos.* ▸ Conception accordant au monde une réalité indépendante de la perception que nous en avons et sur laquelle se fonde la possibilité d'une connaissance fiable (anton. *idéalisme*). ▸ Conception affirmant la réalité des universaux (anton. *nominalisme*). **2.** Attachement à représenter fidèlement la réalité, notamment en peinture, en rejetant tout idéalisme ou maniérisme. ▸ Tendance littéraire et artistique de la deuxième moitié du xixᵉ s., privilégiant l'observation directe et la représentation objective de la nature et de la société. ▸ ***Réalisme** socialiste* : doctrine artistique et littéraire officielle des pays soviétiques, élaborée en 1934, en partic. par Gorki et Jdanov, selon laquelle l'artiste doit s'engager dans une « représentation historiquement concrète de la réalité dans son développement révolutionnaire pour contribuer à la transformation idéologique et à l'éducation des travailleurs dans l'esprit du socialisme ». ▸ *Nouveau **réalisme*** : mouvement artistique fondé par le critique P. Restany en 1960, qui considère le monde comme un tableau dont les artistes s'approprient des fragments dotés d'une signification sociale. **3.** Capacité à tenir compte de la réalité : *Faire preuve de **réalisme**.* 1801 ; ☞ *réel* ; [ʀealism].

**ARTS et LITTÉRATURE** – Le réalisme témoigne, en art comme en littérature, d'une violente réaction contre les conventions académiques et les clichés idéalistes d'un romantisme qui sombre dans la mièvrerie. Lié au climat des mouvements révolutionnaires de 1848, au socialisme de Proudhon, au positivisme d'Auguste Comte, ce courant antisubjectiviste affirme, dans un souci de fidélité à la chose vue, son ambition de rendre compte des réalités sociales de son temps. C'est le peintre Courbet qui prend comme étendard l'épithète « réaliste », appliquée à ses grandes scènes de la vie paysanne. Millet, Daumier, les paysagistes de Barbizon, Manet participent au renouveau des thèmes et des techniques qui anime l'art européen, engageant une révolution picturale qui débouchera sur l'impressionnisme. En littérature, Flaubert, pourtant fervent défenseur du style, fournit avec *Madame Bovary* le modèle du roman réaliste dont Champfleury avait tenté de poser les bases doctrinales. Son disciple Maupassant définit un réalisme subjectif. Le mouvement naturaliste, avec Zola, systématisera le projet d'un roman expérimental objectif et scientifique. *(Voir planche p. 930.)*

**RÉALISTE,** subst. et adj.
**1.** Se dit d'un adepte du réalisme. **2.** Se dit d'une personne qui a le sens des réalités. Adj. **1.** Qui relève du réalisme en philosophie (anton. *nominaliste*), ou en art et en littérature. **2.** Qui tient compte des réalités (anton. *utopique, irréaliste*) : *Un projet **réaliste**.* 1599 ; lat. médiév. *realis*, « réel » ; [ʀealist].

**RÉALITÉ,** subst. f.
**1.** Caractère de ce qui existe réellement : *La **réalité** d'un phénomène.* **2.** Ce qui est réel, tangible (anton. *fiction*) : *Son rêve est devenu **réalité**.* **3.** Ce qui s'impose à nous : *Affronter la **réalité**.* **4.** Loc. *En **réalité*** : en fait ; *Avoir le sens des **réalités*** : être capable de s'adapter aux circonstances. **5.** *Philos.* Ce qui est irréductible, permanent et déterminé, s'imposant à la volonté et s'opposant à l'apparence. Mil. xvᵉ s. (1368, bien, possession) ; bas lat. *realitas* ; [ʀealite].

**REALPOLITIK,** subst. f.
Politique qui ne tient compte que des rapports de force. V. 1960 ; all. *Realpolitik*, de *real*, « réaliste », et de *Politik*, « politique » ; [ʀealpɔlitik].

**RÉAMÉNAGEMENT,** subst. m.
Action de réaménager, de réorganiser ; restructuration. ▸ *Fin. **Réaménagement** d'une dette* (☞ *rééchelonnement*). 1933 ; ☞ *réaménager* ; [ʀeamenaʒmɑ̃].

**RÉAMÉNAGER,** verbe trans. [5]
Aménager (qqch.) d'une manière différente, nouvelle. 1874 ; ☞ *aménager + re-* ; [ʀeamenaʒe].

**RÉAMORCER,** verbe trans. [4]
Amorcer de nouveau (ce qui avait été désamorcé). 1932 ; ☞ *amorcer + re-* ; [ʀeamɔʀse].

**RÉANIMATEUR, TRICE,** subst.
Spécialiste de la réanimation. V. 1960 ; ☞ *réanimer* ; [ʀeanimatœʀ, tʀis].

**RÉANIMATION,** subst. f.
*Méd.* Action de réanimer ; par méton., ensemble des soins intensifs (nursage, respiration assistée, perfusion...) appliqués à des sujets gravement atteints, en vue de rétablir et de maintenir leurs fonctions vitales. Mil. xxᵉ s. ; ☞ *réanimer* ; [ʀeanimasjɔ̃].

**RÉANIMER,** verbe trans. [3]
**1.** *Méd.* Assurer la réanimation de (qqn). **2.** Fig. Redonner vie à : ***Réanimer** un village.* V. 1960 (1549, reprendre vie) ; ☞ *animer + re-* ; [ʀeanime].

**RÉAPPARAÎTRE,** verbe intrans. [73]
Apparaître de nouveau ; faire sa réapparition. 1603 ; ☞ *apparaître + re-* ; [ʀeapaʀɛtʀ].

1

© Lauros-Giraudon

2

© Giraudon

3

© Giraudon

LE RÉALISME EN PEINTURE

1. La Famille heureuse *ou* la Famille de paysans, *dit aussi* le Retour de baptême *(1642), peinture attribuée aux frères Antoine (v. 1597-1648) et Louis (v. 1598-1648) Le Nain. Musée du Louvre, Paris.*

4

© H. Negre-Explorer

5

© Lauros-Giraudon

2. Les Cribleuses de blé *(1855), peinture de Gustave Courbet (1819-1877). Musée des Beaux-Arts, Nantes.*

3. Le Mineur, *peinture de Constantin Meunier (1831-1905). Musée de la Chartreuse, Douai.*

4. Émile Zola *(1868 ; détail), peinture d'Édouard Manet (1832-1883). Musée d'Orsay, Paris.*

5. Femme faisant paître sa vache, *peinture de Jean-François Millet (1814-1875). Musée de Brou, Bourg-en-Bresse.*

**RÉAPPARITION,** subst. f.
Fait de réapparaître ; recommencement, retour. 1823 (1752, émersion, en astron.) ; ☞ *apparition + re-* ; [ʀeapaʀisjɔ̃].

**RÉAPPRENDRE,** verbe trans. [52]
Apprendre de nouveau (ce qu'on avait mal assimilé ou ce qu'on avait cessé de pratiquer). 1797 ; ☞ *apprendre + re-* ; [ʀeapʀɑ̃dʀ].

**RÉAPPROVISIONNEMENT,** subst. m.
Action de réapprovisionner. 1873 ; ☞ *réapprovisionner* ; [ʀeapʀɔvizjɔnmɑ̃].

**RÉAPPROVISIONNER,** verbe trans. [3]
Approvisionner de nouveau. XVI^e s. ; ☞ *approvisionner + re-* ; [ʀeapʀɔvizjɔne].

**RÉARGENTER,** verbe trans. [3]
Argenter de nouveau : *Donner des couverts à **réargenter**.* 1846 ; ☞ *argenter + re-* ; [ʀeaʀʒɑ̃te].

**RÉARMEMENT,** subst. m.
Action de réarmer : *Le **réarmement** d'un pays, d'un navire.* 1771 ; ☞ *réarmer* ; [ʀeaʀməmɑ̃].

**RÉARMER,** verbe [3]
TRANS. **1.** Rééquiper (qqn) en armes ; doter de nouveau en armements ou en armées (un pays). **2.** *Mar.* Équiper de nouveau (un navire). **3.** Remettre (un dispositif) en état de fonctionnement. INTRANS. Recommencer à s'armer, en parlant d'un pays. Mil. XV^e s. ; ☞ *armer + re-* ; [ʀeaʀme].

**RÉARRANGEMENT,** subst. m.
**1.** Action d'arranger de nouveau ; son résultat. **2.** *Chim.* Transformation dans laquelle les atomes d'une molécule migrent pour former une molécule isomère ou provoquer une anomalie de réaction. 1876 ; ☞ *réarranger* ; [ʀeaʀɑ̃ʒmɑ̃].

**RÉARRANGER,** verbe trans. [5]
Procéder au réarrangement de (qqch.). 1771 ; ☞ *arranger + re-* ; [ʀeaʀɑ̃ʒe].

**RÉASSIGNATION,** subst. f.
Action de réassigner. 1481 ; ☞ *réassigner* ; [ʀeasiɲasjɔ̃].

**RÉASSIGNER,** verbe trans. [3]
**1.** *Dr.* Assigner de nouveau (une personne déjà assignée et qui n'a pas comparu). **2.** *Fin.* Assigner sur un autre fonds afin de garantir un paiement. 1537 ; ☞ *assigner + re-* ; [ʀeasiɲe].

**RÉASSORT,** subst. m.
Ensemble des fournitures destinées à réassortir un fonds de commerce. XX^e s. ; apocope de *réassortiment* ; [ʀeasɔʀ].

**RÉASSORTIMENT,** subst. m.
Action de réassortir un stock ; par méton., réassort. 1838 ; ☞ *réassortir* ; var. *rassortiment* ; [ʀeasɔʀtimɑ̃].

**RÉASSORTIR,** verbe trans. [19]
*Comm.* Remplacer les articles manquants de (un stock). 1808 ; ☞ *assortir + re-* ; var. *rassortir* ; [ʀeasɔʀtiʀ].

**RÉASSURANCE,** subst. f.
*Dr.* Opération par laquelle un assureur souscrit une assurance auprès d'une autre compagnie, afin de se garantir, totalement ou en partie, contre les risques qu'il couvre lui-même pour le compte d'un de ses clients. 1681 ; ☞ *réassurer* ; [ʀeasyʀɑ̃s].

**RÉASSURER,** verbe trans. [3]
*Dr.* Garantir une réassurance à (un assureur). 1647 ; ☞ *assurer + re-* ; [ʀeasyʀe].

**REBAB,** subst. m.
*Mus.* Instrument à une ou plusieurs cordes, frottées ou pincées, utilisé dans le monde arabe et en Asie du Sud-Est. 1767 ; ar. *rabâb* ; var. *rabab* ; [ʀəbab].

**REBAISSER,** verbe intrans. [3]
Baisser une nouvelle fois. 1775 ; ☞ *baisser + re-* ; [ʀəbese].

**REBAPTISER,** verbe trans. [3]
Donner un autre nom à (une rue, une personne, etc.). Fin XIII^e s. ; ☞ *baptiser + re-* ; [ʀəbatize].

**RÉBARBATIF, IVE,** adj.
Rebutant, rude : *Allure **rébarbative*** ; au fig. : *Travail **rébarbatif**.* Fin XIV^e s. ; prob. anc. fr. *rebarber*, « s'opposer » ; [ʀebaʀbatif, iv].

**REBÂTIR,** verbe trans. [19]
Reconstruire (ce qui a été détruit). 1549 (fin XII^e s., prendre [une revanche]) ; ☞ *bâtir + re-* ; [ʀəbɑtiʀ].

**REBATTEMENT,** subst. m.
*Hérald.* Répétition des partitions ou des pièces d'un écu. 1690 (XVI^e s., battement répété) ; ☞ *battre + re-* ; [ʀəbatmɑ̃].

**REBATTRE,** verbe trans. [61]
**1.** Battre une nouvelle fois. **2.** Loc. ***Rebattre** les oreilles à qqn de qqch.* : lui répéter sans arrêt la même chose. Fin XII^e s. ; ☞ *battre + re-* ; [ʀəbatʀ].

**REBATTU, UE,** adj.
Souvent répété, banal : *Sujet de controverse **rebattu**.* 1690 ; p. p. de *rebattre* ; [ʀəbaty].

**REBEC,** subst. m.
*Mus.* Instrument à cordes frottées et à archet, utilisé au Moyen Âge. 1384 ; anc. fr. *rebebe*, de l'ar. *rabâb*, d'apr. *bec*, par anal. de forme ; [ʀəbɛk].

**REBELLE,** adj. et subst.
**1.** Se dit de qqn qui s'insurge contre un pouvoir établi. ▸ Loc. **Rebelle à.** Réfractaire à : ***Rebelle** aux maths.* **2.** Se dit de qqn qui ne se soumet pas : *Fille **rebelle**.* ADJ. **1.** *Méd.* Qui résiste à tous les remèdes : *Infection **rebelle**.* **2.** Difficile à manier, à modeler : *Mèche **rebelle**.* Fin XII^e s. ; lat. *rebellis* ; [ʀəbɛl].

**REBELLER (SE),** verbe pronom. [3]
**1.** Se soulever contre une autorité légitime. **2.** Protester, se révolter : ***Se rebeller** contre le conformisme.* Fin XI^e s. ; lat. *rebellare* ; [ʀəbele].

**RÉBELLION,** subst. f.
**1.** Révolte contre l'autorité légale. **2.** Méton. Ensemble de rebelles : *Mater la **rébellion**.* **3.** Ext. Tendance à désobéir, à s'opposer : *Esprit de **rébellion**.* Mil. XIII^e s. ; lat. *rebellio* ; [ʀebɛljɔ̃].

**REBELOTE,** interj.
**1.** *Jeux. Belote et **rebelote** !* : mots que prononce celui qui abat successivement la dame ou le roi d'atout, à la belote. **2.** Fig. Marque la répétition d'une situation (fam.). V. 1960 ; ☞ *belote + re-* ; [ʀəbəlɔt].

**REBIFFER (SE),** verbe pronom. [3]
Fam. Se refuser (à qqch.) ; protester vivement. XVII^e s. (déb. XIII^e s., retrousser) ; orig. obsc. ; [ʀəbife].

**REBIQUER,** verbe intrans. [3]
Se dresser (fam.) : *Son col* ***rebique.*** XXᵉ s. ; prob. dial. *bique,* « corne », + *re-* ; [ʀəbike].

**REBLANCHIR,** verbe trans. [19]
Blanchir de nouveau. 1320 ; ☞ *blanchir* + *re-* ; [ʀəblɑ̃ʃiʀ].

**REBLOCHON,** subst. m.
Fromage de Savoie au lait de vache, à pâte molle non cuite. 1877 ; mot savoyard ; [ʀəblɔʃɔ̃].

**REBOISEMENT,** subst. m.
Action de reboiser ; son résultat. 1830 ; ☞ *reboiser* ; [ʀəbwazmɑ̃].

**REBOISER,** verbe trans. [3]
Replanter d'arbres. 1846 ; ☞ *boiser* + *re-* ; [ʀəbwaze].

**REBOND,** subst. m.
Mouvement d'un objet qui rebondit ; fait de rebondir. 1583 ; ☞ *rebondir* ; [ʀəbɔ̃].

**REBONDI, IE,** adj.
Arrondi par l'embonpoint : *Ventre* ***rebondi.*** XVᵉ s. ; p. p. de *rebondir* ; [ʀəbɔ̃di].

**REBONDIR,** verbe intrans. [19]
**1.** Faire un ou plusieurs bonds après avoir heurté une surface dure : *Le ballon* ***rebondit*** *sur le mur.* **2.** Fig. ► Prendre un tour ou un intérêt nouveau : *La question posée fit* ***rebondir*** *le débat.* ► Se rétablir, après une période difficile. 1530 (mil. XIIᵉ s., résonner) ; ☞ *bondir* + *re-* ; [ʀəbɔ̃diʀ].

**REBONDISSEMENT,** subst. m.
**1.** Action d'un corps qui rebondit ; mouvement qui en résulte. **2.** Fig. Développement nouveau d'une situation, après une période de calme. Mil. XVᵉ s. ; ☞ *rebondir* ; [ʀəbɔ̃dismɑ̃].

**REBORD,** subst. m.
**1.** Bord en saillie : ***Rebord*** *d'un balcon.* **2.** Bord naturel d'une dénivellation : ***Rebord*** *d'une vallée.* 1563 ; ☞ *reborder* ; [ʀəbɔʀ].

**REBORDER,** verbe trans. [3]
**1.** Mettre un nouveau bord à (qqch.). **2.** Border de nouveau. 1476 ; ☞ *border* + *re-* ; [ʀəbɔʀde].

**REBOT,** subst. m.
Jeu de pelote basque (région.). 1897 ; anc. fr. *reboter,* « repousser » ; [ʀebo].

**REBOUCHER,** verbe trans. [3]
**1.** Boucher, combler (un trou) de nouveau. **2.** Obturer, fermer de nouveau : ***Reboucher*** *une bouteille, un stylo.* Déb. XIVᵉ s. ; ☞ *boucher* (II) + *re-* ; [ʀəbuʃe].

**REBOURS (À),** loc.
**Loc. adv. 1.** À rebrousse-poil. **2.** En sens inverse : *Courir* ***à rebours.*** ► *Compte* ***à rebours*** : décompte dégressif du temps qui précède un départ donné à zéro. **3.** Fig. À contre-courant. **Loc. prép. À (au) rebours de.** Contrairement à : *Aller* ***à rebours de*** *la mode.* 1220 (fin XIIᵉ s., ébouriffé) ; bas lat. *reburrus,* « dont les cheveux sont rebroussés » ; [aʀəbuʀ].

**REBOUTEUX, EUSE,** subst.
Personne qui remet des membres démis ou réduit des fractures, sans être médecin (fam.). Fin XVᵉ s. ; *rebouter* (rare), « replacer » ; synon. *rebouteur, euse* ; [ʀəbutø, øz].

**REBOUTONNER,** verbe trans. [3]
Boutonner de nouveau. 1606 (1549, en parlant de boutons sur le visage) ; ☞ *boutonner* + *re-* ; [ʀəbutɔne].

**REBRAS,** subst. m.
*Cost.* Revers d'une manche ; en partic., partie d'un gant long qui recouvre le bras. 1403 ; anc. fr. *rebrasser,* « retrousser ses manches » ; [ʀəbʀa].

**REBRODER,** verbe trans. [3]
Broder (une étoffe) sur ce qui est déjà brodé. 1658 ; ☞ *broder* + *re-* ; [ʀəbʀɔde].

**REBROUSSEMENT,** subst. m.
**1.** Action de rebrousser ; son résultat. **2.** *Géom. Point de* ***rebroussement*** *d'une courbe plane* : point M en lequel la courbe admet une tangente (T), et au voisinage duquel la courbe est contenue dans un demi-plan limité par une droite passant par M distincte de (T). **3.** *Ch. de fer. Gare de* ***rebroussement*** : où un train change de sens tout en poursuivant sa route. 1604 ; ☞ *rebrousser* ; [ʀəbʀusmɑ̃].

**REBROUSSE-POIL (À),** loc. adv.
**1.** En relevant le poil dans le sens inverse de celui qui lui est naturel. **2.** Fig. À l'inverse de ce qu'il faudrait faire : *Attaquer un problème* ***à rebrousse-poil.*** 1694 ; comp. de *rebrousser* et de *poil* ; [aʀəbʀuspwal].

**REBROUSSER,** verbe trans. [3]
**1.** Relever (cheveux ou poils) à l'inverse du sens naturel. **2.** Loc. ***Rebrousser*** *chemin* : revenir sur ses pas. XIIIᵉ s. ; ☞ *rebours,* d'apr. *trousser* ; [ʀəbʀuse].

© Ph. Roy-Explorer

*Reboisement dans les Landes.*

**REBUFFADE,** subst. f.
Accueil brutal ; refus blessant. 1550 ; m. fr. *rebuffe,* « injure », de l'anc. ital. *ribuffo,* « menace » ; [ʀəbyfad].

**RÉBUS,** subst. m.
Devinette composée d'une suite d'images dont la lecture phonétique donne la solution (mot ou phrase). 1512 ; lat. *de rebus quae geruntur,* « au sujet des choses qui se passent » ; [ʀebys].

**REBUT,** subst. m.
**1.** Vx. Action de rebuter, de repousser avec mépris. **2.** Ce qu'on a rejeté ; au fig., ce qu'il y a de plus vil : *Le* ***rebut*** *du genre humain.* ► Loc. *Mettre qqch. au* ***rebut*** : s'en débarrasser ; *De* ***rebut*** : qui ne vaut rien, bon à jeter. Fin XVᵉ s. ; ☞ *rebuter* ; [ʀəby].

**REBUTANT, ANTE,** adj.
Qui rebute. 1669 ; p. pr. de *rebuter* ; [ʀəbytɑ̃, ɑ̃t].

**REBUTER,** verbe trans. [3]
**1.** Vx. Rejeter avec mépris. **2.** Décourager, dégoûter (qqn) ; répugner, déplaire à : *L'étude du solfège le* ***rebutait.*** Déb. XIIIᵉ s. ; ☞ *buter* (I) + *re-* ; [ʀəbyte].

**RECADRER,** verbe trans. [3]
**1.** *Cin.* et *Phot.* Modifier le cadrage de. **2.** Fig. Reconsidérer (qqch.). ☞ *cadrer* + *re-* ; [ʀəkadʀe].

**RECALAGE,** subst. m.
Fait d'être refusé à un examen (fam.). 1922 ; ☞ *recaler* ; [ʀəkalaʒ].

**RECALCIFICATION,** subst. f.
**1.** *Physiol.* Reprise du processus d'ossification à la suite d'une fracture ou en cas d'ostéoporose, après administration de calcium. **2.** *Biol. Temps de* ***recalcification*** *plasmatique* : temps de coagulation standardisé d'un plasma, constituant un test de surveillance du traitement d'un sujet par anticoagulant. 1932 ; ☞ *calcification* + *re-* ; [ʀəkalsifikasjɔ̃].

**RÉCALCITRANT, ANTE,** adj.
**1.** Qui regimbe, se cabre, en parlant d'une monture. **2.** Qui manifeste une résistance opiniâtre ; empl. subst. : *Mater les* ***récalcitrants.*** 1551 ; *récalcitrer* (vx), « résister en ruant » ; [ʀekalsitʀɑ̃, ɑ̃t].

**RECALER,** verbe trans. [3]
Refuser (qqn) à un examen (fam.). 1880 ; prob. *caler,* « couler (un bateau) », + *re-* ; [ʀəkale].

**RÉCAPITULATIF, IVE,** adj.
Qui récapitule, remet en mémoire l'essentiel d'un propos, d'un fait ; empl. subst. masc. : *Un* ***récapitulatif.*** 1831 ; ☞ *récapituler* ; [ʀekapitylatif, iv].

**RÉCAPITULATION,** subst. f.
**1.** Action de reprendre une chose point par point : ***Récapitulation*** *d'un discours* ; par ext., résumé. **2.** Action de repasser des faits, des évènements, dans sa mémoire. Fin XIIIᵉ s. ; lat. chrét. *recapitulatio,* « action de reprendre au début » ; [ʀekapitylasjɔ̃].

**RÉCAPITULER,** verbe trans. [3]
**1.** Reprendre les points essentiels de (un compte, un discours, etc.). **2.** Se remettre en mémoire (des évènements, des situations). Fin XIVᵉ s. ; lat. chrét. *recapitulare,* « reprendre au début » ; [ʀekapityle].

**RECASER,** verbe trans. [3]
Fam. Caser à nouveau (qqn qui a perdu sa place, qqch. qui a été ôté de sa place). 1845 ; ☞ *caser* + *re-* ; [ʀəkaze].

**RECAUSER,** verbe [3]
**Intrans.** Reparler (avec qqn). **Trans. indir.** Reparler (de qqch.). 1578 ; ☞ *causer* (II) + *re-* ; [ʀəkoze].

**RECÉDER,** verbe trans. [8]
**1.** Restituer à qqn (une chose qu'il avait cédée). **2.** Vendre à qqn (ce qu'on avait acheté). 1596 ; ☞ *céder* + *re-* ; [ʀəsede].

**RECEL,** subst. m.
*Dr.* Délit constitué par la détention de biens issus d'une opération délictueuse, ou par le fait de donner asile à un malfaiteur avéré. 1810 (1180, secret) ; ☞ *receler* ; [ʀəsɛl].

**RECELER,** verbe trans. [11]
**1.** Renfermer, tenir caché (qqch.). **2.** *Dr.* ► Détenir (un bien volé). ► Donner refuge à (un malfaiteur). Fin XIIᵉ s. ; ☞ *celer* + *re-* ; var. *recéler* [8] ; [ʀəsəle].

**RECELEUR, EUSE,** subst.
*Dr.* Personne qui se livre au recel. Déb. XIVᵉ s. ; ☞ *receler* ; var. *recéleur, euse* ; [ʀəsəlœʀ, øz].

**RÉCEMMENT,** adv.
Depuis peu ; il y a peu. 1647 ; ☞ *récent* ; [ʀesamɑ̃].

**RECENSEMENT,** subst. m.
**1.** Opération consistant à dénombrer les habitants d'un pays ou d'une ville et à fournir certaines données statistiques sur cette population. **2.** Dénombrement par les mairies des jeunes hommes en âge d'être appelés au service national. **3.** Liste détaillée, inventaire. 1611 ; ☞ *recenser* ; [ʀəsɑ̃smɑ̃].

**RECENSER,** verbe trans. [3]
**1.** Compter, évaluer (une population). **2.** Procéder à l'inventaire de (qqch.). 1532 (mil. XIIᵉ s., raconter) ; lat. *recensere,* « passer en revue » ; [ʀəsɑ̃se].

**RECENSEUR, EUSE,** subst.
Personne qui effectue un recensement. 1789 ; ☞ *recenser* ; [ʀəsɑ̃sœʀ, øz].

**RECENSION,** subst. f.
**1.** Confrontation d'une édition du texte d'un auteur ancien avec les manuscrits. **2.** Compte rendu, dans une revue, d'un ouvrage qui vient de paraître. 1808 (1753, examen critique de cartes géographiques) ; lat. *recensio* ; [ʀəsɑ̃sjɔ̃].

**RÉCENT, ENTE,** adj.
Qui vient d'avoir lieu ; qui existe depuis peu : *Fait, ouvrage* ***récent.*** Mil. XVᵉ s. ; lat. *recens* ; [ʀesɑ̃, ɑ̃t].

**RECENTRAGE,** subst. m.
Action de recentrer ; son résultat. 1924 ; ☞ *recentrer* ; [ʀəsɑ̃tʀaʒ].

**RECENTRER,** verbe trans. [3]
**1.** Ramener vers le centre ou dans l'axe (ce qui s'en était éloigné) ; au fig. : ***Recentrer*** *un débat.* **2.** ***Recentrer*** *une politique* : l'infléchir pour la rendre plus modérée. **3.** *Sp.* Renvoyer (le ballon) de l'aile vers le centre. 1902 ; ☞ *centrer* + *re-* ; [ʀəsɑ̃tʀe].

**RECÉPAGE,** subst. m.
*Arboric.* Action de recéper ; son résultat. 1690 ; ☞ *recéper* ; var. *recepage* ; [ʀəsepaʒ].

**RECÉPER,** verbe trans. [8]
**1.** *Arboric.* Tailler (une vigne) afin qu'il ne reste que les ceps ; tailler (des arbres ou des arbustes) en ne conservant que les branches maîtresses. **2.** *Bât.* Étêter (un pieu, un pilotis). 1395 ; ☞ *cep* ; var. *receper* [11] ; [ʀəsepe].

**RÉCÉPISSÉ,** subst. m.
Accusé de réception ; document attestant qu'une chose a bien été reçue. Fin XIVᵉ s. ; lat. *cognosco me recepisse,* « je reconnais avoir reçu » ; [ʀesepise].

**RÉCEPTACLE,** subst. m.
**1.** Contenant, lieu qui reçoit des contenus de provenances diverses ; au fig. : *Le livre,* ***réceptacle*** *de la pensée.* **2.** *Hydrol.* Bassin de rassemblement des eaux. **3.** *Bot.* Prolongement élargi du pédoncule, supportant toutes les pièces florales. 1314 ; lat. *receptaculum* ; [ʀesɛptakl].

**RÉCEPTEUR, TRICE,** subst. m. et adj.
**Subst. 1.** Personne qui reçoit qqch. **2.** *Techn.* Appareil ou dispositif permettant de recevoir et d'interpréter un signal, en partic. de transformer des ondes électromagnétiques en signal audiovisuel : ***Récepteur*** *de radio, de télévision.* **3.** *Biol.* et *Biochim.* ***Récepteur*** *biologique* : protéine spécialisée permettant à des cellules de réagir spécifiquement à la présence d'une molécule qui joue le rôle de transmetteur entre des cellules émettrices et les cellules **réceptrices** dotées du **récepteur. 4.** Fig. Organisme vivant qui reçoit des impressions (littér.). **5.** *Ling.* Destinataire d'un message linguistique (anton. *émetteur*). **Adj.** Qui reçoit ; qui est conçu pour recevoir : *Cellule* ***réceptrice.*** XIVᵉ s. ; lat. *receptor* ; [ʀesɛptœʀ, tʀis].

**RÉCEPTIF, IVE,** adj.
**1.** Sensible aux impressions, aux suggestions. **2.** *Méd.* Qualifie un organisme dont l'immunité est diminuée. Déb. XIXe s. (mil. XVe s., qui reçoit) ; lat. *receptum*, de *recipere*, « recevoir » ; [ʀesɛptif, iv].

**RÉCEPTION,** subst. f.
**I. 1.** Action de recevoir qqn et manière de le faire ; accueil : *Une* ***réception*** *chaleureuse.* **2.** Cérémonie par laquelle une personne est officiellement reçue au sein d'un groupe. **3.** Réunion mondaine : *Aller à une* ***réception.*** **4.** Service où l'on reçoit des clients ; par méton., personnel ou local affecté à ce service : ***Réception*** *d'un hôtel.* **II. 1.** Fait, pour un destinataire, de recevoir qqch. qui lui a été expédié : ***Réception*** *d'une missive* ; *Accusé de* ***réception*** (☞ *accusé*). **2.** *Dr.* ***Réception*** *de travaux* : acte par lequel une personne qui a commandé des travaux atteste qu'ils ont été réalisés de façon satisfaisante. **3.** *Sc.* Action de recevoir des ondes. **4.** *Sp.* ▸ Action de recevoir le ballon. ▸ Manière de se recevoir au sol après un saut. Déb. XIIIe s. ; lat. *receptio* ; [ʀesɛpsjɔ̃].

© E. Vandeville-Gamma

*Réception royale à Madrid : le roi Juan Carlos et la reine Sophie accueillent les souverains belges.*

**RÉCEPTIONNAIRE,** subst.
**1.** Personne chargée de réceptionner des marchandises. **2.** Responsable de la réception dans un hôtel. 1866 ; ☞ *réception* ; [ʀesɛpsjɔnɛʀ].

**RÉCEPTIONNER,** verbe trans. [3]
**1.** Accuser réception de ; s'assurer de la conformité de (une marchandise). **2.** *Sp.* Recevoir (un ballon). 1909 ; ☞ *réception* ; [ʀesɛpsjɔne].

**RÉCEPTIONNISTE,** subst.
Personne chargée de recevoir les clients, les visiteurs, dans un hôtel, un organisme, etc. V. 1960 ; ☞ *réception* ; [ʀesɛpsjɔnist].

**RÉCEPTIVITÉ,** subst. f.
**1.** Sensibilité à une influence extérieure : ***Réceptivité*** *à la critique.* **2.** *Méd.* Propriété d'un organisme immunodéprimé. 1801 ; ☞ *réceptif* ; [ʀesɛptivite].

**RECÈS,** subst. m.
**1.** *Hist.* Acte qui consignait les délibérations des diètes de l'Empire germanique : *Le* ***recès*** *de 1803 remania la vieille Allemagne.* **2.** *Diplom.* Procès-verbal d'accords conclus entre deux pays. XIVe s. ; lat. *recessus*, « action de se retirer » ; var. *recez* ; [ʀəsɛ].

**RÉCESSIF, IVE,** adj.
*Génét.* Qualifie une forme allélique d'un gène (ainsi que le caractère phénotypique qui lui correspond) lorsqu'il est nécessaire que cet allèle soit à l'état homozygote (en double) pour que le caractère qui lui correspond soit réalisé. Un allèle **récessif** est souvent un allèle sans activité biologique. 1907 ; ☞ *récession* ; [ʀesɛsif, iv].

**RÉCESSION,** subst. f.
**1.** Vx. Action de se retirer. **2.** *Astron.* ***Récession*** *des galaxies* : mouvement de fuite relatif des galaxies, dont la vitesse est proportionnelle à leur distance (plus elles sont éloignées, plus leur vitesse de **récession** est grande). C'est l'une des conséquences observables de l'expansion de l'Univers depuis le big-bang. **3.** *Écon.* Ralentissement de la croissance. Mil. XIXe s. ; lat. *recessio* ; [ʀesɛsjɔ̃].

**RÉCESSIVITÉ,** subst. f.
*Génét.* Propriété d'un allèle ou d'un caractère récessif. 1953 ; ☞ *récessif* ; [ʀesɛsivite].

**RECETTE,** subst. f.
**I. 1.** Somme d'argent reçue, encaissée. ▸ ***Recettes*** *fiscales* : argent que l'État encaisse grâce à l'impôt. ▸ ***Recettes*** *publiques* : ensemble des sommes perçues par l'État ou les collectivités locales. ▸ Loc. *Faire* ***recette*** : avoir du succès. **2.** Action de recevoir de l'argent. ▸ *Garçon de* ***recette*** : encaisseur. **3.** Méton. Endroit où l'impôt est perçu ; fonction de receveur, de percepteur. **II. 1.** Formule de composition d'un remède : ***Recette*** *de grand-mère.* **2.** Indication détaillée d'une préparation culinaire ; cette préparation : *Réussir une* ***recette.*** **3.** Fig. Façon de faire, procédé : *Une* ***recette*** *douteuse.* **III.** *Techn.* À chaque étage d'une mine, lieu de manutention et de déchargement du charbon. 1283 (1080, lieu où l'on se retire) ; lat. *recepta*, de *recipere*, « recevoir » ; [ʀəsɛt].

**RECEVABILITÉ,** subst. f.
*Dr.* Caractère de ce qui est recevable. 1829 ; ☞ *recevable* ; [ʀəsəvabilite].

**RECEVABLE,** adj.
**1.** *Dr.* ▸ *Demande* ***recevable*** : dont l'examen ne peut être empêché. ▸ *Être* ***recevable*** *à* (+ inf.) : avoir qualité pour (faire telle action en justice). **2.** Qui peut être accepté, reçu : *Motif* ***recevable.*** 1265 ; ☞ *recevoir* ; [ʀəsəvabl].

**RECEVEUR, EUSE,** subst.
**1.** Personne chargée de recouvrer les revenus de l'État. ▸ ***Receveur*** *des postes* : responsable d'un bureau postal. **2.** Employé chargé de la recette dans les transports publics. **3.** *Méd.* ▸ ***Receveur*** *universel* : individu du groupe sanguin AB, qui peut recevoir du sang de tous les autres groupes. ▸ Sujet qui reçoit un greffon d'un autre organisme. **4.** *Techn.* Ouvrier travaillant à la recette d'une mine. Fin XIIe s. (1120, celui qui soutient) ; ☞ *recevoir* ; [ʀəsəvœʀ, øz].

**RECEVOIR,** verbe trans. [38]
**1.** Se voir donner, adresser, transmettre (qqch.) : ***Recevoir*** *un cadeau, une lettre* ; par ext. : ***Recevoir*** *des compliments.* **2.** Être l'objet de (qqch. que l'on subit) : ***Recevoir*** *des coups, un affront.* **3.** Laisser entrer, accueillir amicalement ou officiellement : ***Recevoir*** *des amis* ; empl. pronom. : *Ils se* ***reçoivent*** *souvent* ; empl. abs. : *Le maire* ***reçoit*** *le jeudi.* **4.** *Dr.* ***Recevoir*** *une plainte* : reconnaître la recevabilité de cette plainte. **5.** Recueillir : *La terre* ***reçoit*** *les eaux de pluie.* **6.** Admettre (qqn) à un examen : ***Être reçu*** *au baccalauréat.* Pronom. *Sp.* Retomber d'une certaine manière, après un saut. Fin Xe s. ; lat. *recipere*, de *capere*, « prendre » ; [ʀəsəvwaʀ].

**RECEZ,** voir **RECÈS**

**RÉCHAMPI,** subst. m.
*Arts déc.* Ornement qui se détache sur un fond. 1690 ; p. p. de *réchampir* ; var. *rechampi* ; [ʀeʃɑ̃pi].

**RÉCHAMPIR,** verbe trans. [19]
*Arts déc.* Faire ressortir (un ornement) sur un fond, en partic. en marquant ses contours par un contraste de couleurs. 1676 ; *échampir* (rare), de *champ*, + *re-* ; var. *rechampir* ; [ʀeʃɑ̃piʀ].

**RECHANGE,** subst. m.
**1.** Objet servant à remplacer un objet similaire. ▸ Loc. *De* ***rechange*** : qui peut remplacer une autre chose. **2.** *Dr.* Opération par laquelle le porteur d'une lettre de change non réglée se paie en tirant sur un garant une nouvelle lettre de change. Mil. XIVe s. ; ☞ *change* + *re-* ; [ʀəʃɑ̃ʒ].

**RECHAPAGE,** subst. m.
Action de rechaper ; son résultat. 1928 ; ☞ *rechaper* ; [ʀəʃapaʒ].

**RECHAPER,** verbe trans. [3]
Couvrir (un pneu usé) d'une nouvelle couche de caoutchouc. 1928 ; ☞ *chape* + *re-* ; [ʀəʃape].

**RÉCHAPPER,** verbe trans. indir. [3]
**Réchapper de, à.** Échapper de justesse à (un péril) : ***Réchapper*** *d'une maladie* ; ***Réchapper*** *à un accident.* ▸ *En* ***réchapper*** : s'en sortir de justesse. Déb. XIIIe s. ; ☞ *échapper* + *re-* ; [ʀeʃape].

**RECHARGE,** subst. f.
**1.** Action de recharger, de donner une nouvelle charge : *La* ***recharge*** *d'une batterie d'accumulateurs.* **2.** Nouvelle charge d'explosif ; par ext., ce avec quoi on recharge : *Une* ***recharge*** *de stylo.* 1553 (1433, mission) ; ☞ *recharger* ; [ʀəʃaʀʒ].

**RECHARGEABLE,** adj.
Qui peut être rechargé : *Briquet* ***rechargeable.*** V. 1960 ; ☞ *recharger* ; [ʀəʃaʀʒabl].

**RECHARGEMENT,** subst. m.
Action de recharger ; son résultat. XVe s. ; ☞ *recharger* ; [ʀəʃaʀʒəmɑ̃].

**RECHARGER,** verbe trans. [5]
**1.** Charger de nouveau (une cargaison, un véhicule). **2.** Mettre une nouvelle charge dans (une arme, un appareil photographique). **3.** Mettre en charge (une batterie). **4.** Empierrer, remblayer (une voie). Mil. XIIe s. ; ☞ *charger* + *re-* ; [ʀəʃaʀʒe].

**RÉCHAUD,** subst. m.
**1.** Chauffe-plat. **2.** Appareil portatif de cuisson ou de réchauffage. 1549 ; ☞ *réchauffer* ; [ʀeʃo].

**RÉCHAUFFAGE,** subst. m.
Action de réchauffer ; son résultat. 1842 (1800, vieux donné pour du neuf) ; ☞ *réchauffer* ; [ʀeʃofaʒ].

**RÉCHAUFFÉ, ÉE,** adj.
**1.** Qui a été chauffé une nouvelle fois après avoir refroidi : *Plat* ***réchauffé*** ; empl. subst. masc. : *Un goût de* ***réchauffé.*** **2.** Fig. et Fam. Qualifie une chose rebattue que l'on présente comme neuve ; empl. subst. masc. : *C'est du* ***réchauffé !*** XIIIe s. ; p. p. de *réchauffer* ; [ʀeʃofe].

**RÉCHAUFFEMENT,** subst. m.
**1.** Fait de se réchauffer. **2.** Fait de devenir plus chaud, en parlant du temps. 1525 ; ☞ *réchauffer* ; [ʀeʃofmɑ̃].

**RÉCHAUFFER,** verbe trans. [3]
**1.** Chauffer (ce qui s'est refroidi ou ce qui est froid) : ***Réchauffer*** *un plat, ses mains* ; empl. intrans. : *La soupe* ***réchauffe.*** **2.** Fig. Réconforter : *Sa gaieté me* ***réchauffe.*** Pronom. **1.** Redonner de la chaleur à son corps. **2.** Devenir plus chaud. Fin XIIe s. ; ☞ *chauffer* + *re-* ; [ʀeʃofe].

**RÉCHAUFFEUR,** subst. m.
*Techn.* Appareil servant à chauffer, à réchauffer un fluide avant son utilisation. 1861 (1501, réchaud) ; ☞ *réchauffer* ; [ʀeʃofœʀ].

**RECHAUSSER,** verbe trans. [3]
**1.** Chausser de nouveau ; empl. pronom., remettre ses chaussures. **2.** Ajouter de la terre au pied de (un arbre). **3.** *Archit.* Consolider la base de (un ouvrage). Déb. XIIIe s. ; ☞ *chausser* + *re-* ; [ʀəʃose].

**RÊCHE,** adj.
**1.** Dont le caractère est difficile ; bourru : ***Vieillard rêche.*** **2.** Qui racle la gorge : *Vin* ***rêche.*** **3.** Rude et désagréable au toucher : *Paume* ***rêche*** ; *Cheveux* ***rêches.*** Mil. XIIIe s. ; anc. bas frq. °*rubisk* ; [ʀɛʃ].

**RECHERCHE,** subst. f.
**1.** Action de rechercher (qqn ou qqch.) : *Lancer un avis de* ***recherche.*** **2.** Soin extrême apporté pour se distinguer ; raffinement : *Cuisiner, se vêtir avec* ***recherche.*** **3.** Action qui vise à obtenir qqch. : *La* ***recherche*** *de la perfection.* **4.** Ensemble des activités, des travaux ayant pour but de faire progresser la connaissance : ***Recherche*** *fondamentale, appliquée.* 1452 ; ☞ *rechercher* ; [ʀəʃɛʀʃ].

**RECHERCHÉ, ÉE,** adj.
**1.** Que l'on cherche à posséder, du fait de sa rareté, de sa valeur : *Un objet de collection très* ***recherché.*** **2.** Raffiné ; qui est d'une recherche trop poussée (parfois péj.) : *Un langage* ***recherché.*** 1580 ; p. p. de *rechercher* ; [ʀəʃɛʀʃe].

**RECHERCHER,** verbe trans. [3]
**1.** Chercher avec soin, méthode, persévérance : ***Rechercher*** *un objet égaré* ; *La police* ***recherche*** *des indices.* **2.** Chercher à connaître : ***Rechercher*** *les causes d'un décès.* **3.** Chercher la fréquentation de (qqn) : ***Rechercher*** *les femmes.* **4.** Reprendre (qqn ou qqch.) à l'endroit où on l'a laissé : *Je viendrai la* ***rechercher*** *demain.* **5.** Tâcher d'obtenir, d'acquérir ou d'atteindre (qqch.) : ***Rechercher*** *un appartement* ; ***Rechercher*** *le calme.* 1216 (fin XIe s., parcourir en fouillant) ; ☞ *chercher* + *re-* ; [ʀəʃɛʀʃe].

**RECHIGNER,** verbe intrans. [3]
Renâcler : ***Rechigner*** *à faire la vaisselle.* Déb. XIIIe s. (mil. XIIe s., grincer des dents) ; anc. bas frq. °*kinan*, « tordre la bouche », + *re-* ; [ʀəʃiɲe].

**RECHRISTIANISER,** verbe trans. [3]
Raviver la foi chrétienne de (un pays, un peuple déchristianisé). 1847 ; ☞ *christianiser* + *re-* ; [ʀəkʀistjanize].

**RECHUTE,** subst. f.
**1.** Reprise d'une maladie en cours de convalescence. **2.** Fait de retomber dans une mauvaise conduite. 1475 ; *recheoir* (vx), « tomber de nouveau » ; [ʀəʃyt].

**RECHUTER,** verbe intrans. [3]
Faire une rechute. 1611 ; ☞ *chuter* + *re-* ; [ʀəʃyte].

**RÉCIDIVE,** subst. f.
**1.** *Méd.* Nouvel accès d'une maladie qui avait été guérie. **2.** *Dr.* Action de perpétrer une nouvelle fois un acte délictueux pour lequel on a déjà été condamné. **3.** Fait de retomber dans l'erreur ou les mauvaises actions. 1561 ; lat. médiév. *recidiva*, « reprise », du lat. *recidere*, « retomber » ; [ʀesidiv].

**RÉCIDIVER,** verbe intrans. [3]
**1.** *Méd.* Revenir après la guérison, en parlant d'une maladie. **2.** *Dr.* Perpétrer de nouveau un acte

riminel ou délictueux. **3.** Retomber dans ses égarements, recommencer la même erreur. 1478 ; lat. médiév. *recidivare* ; [ʀesidive].

**RÉCIDIVISTE, adj. et subst.**
Se dit d'une personne qui récidive. 1845 ; ☞ *récidiver* ; [ʀesidivist].

**RÉCIF, subst. m.**
**1.** Écueil ou groupe de rochers, qui émergent ou affleurent, présentant un danger pour la navigation. **2.** Masse minérale immergée, constituée par les squelettes de coraux soudés entre eux et créant un relief résistant aux vagues : ***Récif** corallien* ; ***Récif** frangeant* (☞ *franger*) ; ***Récif(-)**barrière*, situé à une certaine distance de la côte. 1688 ; esp. *arrecife*, de l'ar. *raṣīf*, « pavage, jetée » ; [ʀesif].

© W. Wisniewski-Jacana

*Récifs du littoral écossais.*

**RECINGLE, voir RÉSINGLE**

**RÉCIPIENDAIRE, subst.**
**1.** Personne admise au sein d'un ordre, d'une société au cours d'une cérémonie. **2.** Personne recevant un diplôme, une distinction, etc. 1674 ; lat. *recipiendus*, de *recipere*, « recevoir » ; [ʀesipjɑ̃dɛʀ].

**RÉCIPIENT, subst. m.**
Tout objet creux pouvant contenir un solide, un liquide ou un gaz. 1555 ; lat. *recipiens*, « qui reçoit » ; [ʀesipjɑ̃].

**RÉCIPROCITÉ, subst. f.**
Caractère, état de ce qui est réciproque. 1729 ; lat. *reciprocitas* ; [ʀesipʀɔsite].

**RÉCIPROQUE, adj. et subst. f.**
Adj. **1.** Qui s'exerce entre deux éléments, deux personnes, etc., agissant l'un sur l'autre de manière équivalente : *Un effort **réciproque***. **2.** *Gramm. Verbe pronominal **réciproque*** : exprimant une action effectuée par deux ou plusieurs sujets qui accomplissent et subissent cette action à la fois (par ex. : « Ils se détestent »). **3.** *Log. Implication **réciproque** de P ⇒ Q* : implication Q ⇒ P. **4.** *Math.* ► *Bijection **réciproque** d'une bijection f de E dans F* : unique bijection de F sur E, notée $f^{-1}$, qui à chaque élément y de F associe l'unique élément x de E tel que $f(x) = y$ et $x = f^{-1}(y)$. ► *Image **réciproque** d'une partie B de l'ensemble F par une application f de E vers F* : partie de E, notée $f^{-1}$ (B), constituée des éléments de E dont l'image par f est dans B. *Relation **réciproque** d'une relation* $\mathcal{R}$ *de E vers F* : relation notée $\mathcal{R}^{-1}$ de F vers E définie par $y\ \mathcal{R}^{-1} x$ si et seulement si $x\ \mathcal{R}\ y$. Subst. *La **réciproque*** : l'équivalent, l'inverse. Fin XIV^e^ s. ; lat. *reciprocus*, « qui revient au point de départ » ; [ʀesipʀɔk].

**RÉCIPROQUEMENT, adv.**
De manière réciproque. ► Loc. *Et **réciproquement*** : et vice versa. 1489 ; ☞ *réciproque* ; [ʀesipʀɔkmɑ̃].

**RÉCIT, subst. m.**
**1.** Relation écrite ou orale d'évènements réels ou fictifs. **2.** *Mus.* ► Récitatif (vx). ► Un des claviers de l'orgue, utilisé pour jouer les solos. 1498 ; ☞ *réciter* ; [ʀesi].

**RÉCITAL, subst. m.**
**1.** Concert donné par un seul artiste. **2.** Ext. Spectacle artistique consacré à un seul genre : ***Récital** poétique*. 1872 ; angl. *recital*, de *to recite*, du fr. *réciter* ; plur. *récitals* ; [ʀesital].

**RÉCITANT, ANTE, adj. et subst.**
Adj. *Mus.* Écrit pour un instrument solo : *Partition **récitante***. Subst. **1.** *Mus.* Interprète d'un récitatif. **2.** Ext. Personne qui récite un texte ; en partic., personne qui introduit, commente l'action d'une œuvre musicale, théâtrale, cinématographique, etc. 1705 ; p. pr. de *réciter* ; [ʀesitɑ̃, ɑ̃t].

**RÉCITATIF, subst. m.**
*Mus.* Chant déclamatoire accompagné, dont la ligne mélodique et le rythme imitent le langage parlé. 1690 ; ☞ *réciter* ; [ʀesitatif].

**RÉCITATION, subst. f.**
**1.** Action, manière de réciter un texte. **2.** Méton. Texte littéraire qu'un élève récite de mémoire. 1530 (1392, récit) ; lat. *recitatio* ; [ʀesitasjɔ̃].

**RÉCITER, verbe trans. [3]**
Dire à haute voix (un texte que l'on a appris) : ***Réciter** une poésie*. Mil. XII^e^ s. ; lat. *recitare*, « lire à haute voix » ; [ʀesite].

**RÉCLAMANT, ANTE, subst.**
*Dr.* Personne qui dépose une réclamation en justice. 1775 ; p. pr. de *réclamer* ; [ʀeklamɑ̃, ɑ̃t].

**RÉCLAMATION, subst. f.**
Action de réclamer ou de contester ce qui paraît injuste. XIII^e^ s. ; lat. *reclamatio* ; [ʀeklamasjɔ̃].

**RÉCLAME (I), subst. m.**
*Fauconn.* Cri ou signal lancé à un oiseau pour le faire revenir au leurre ou sur le poing. Fin XII^e^ s. ; anc. fr. *reclaim*, de *réclamer* ; [ʀeklam].

**RÉCLAME (II), subst. f.**
**1.** Texte inséré dans un journal pour vanter un produit (vieilli). **2.** Publicité (vieilli). **3.** Loc. *En **réclame*** : à un prix réduit (synon. *en promotion*). 1834 (1625, terme d'imprimerie) ; ☞ *réclamer* ; [ʀeklam].

**RÉCLAMER, verbe [3]**
Trans. **1.** Demander instamment : ***Réclamer** justice*. **2.** Exiger, nécessiter : *Ce travail **réclame** beaucoup d'adresse*. Intrans. Protester (contre qqch.) : ***Réclamer** contre les privilèges*. Pronom. **1.** ***Se réclamer** de qqch.* : s'en prévaloir. **2.** ***Se réclamer** de qqn* : se recommander de lui. Fin XI^e^ s. ; lat. *reclamare* ; [ʀeklame].

**RECLASSEMENT, subst. m.**
**1.** Action de classer à nouveau qqch. **2.** Action d'affecter qqn à un nouveau poste ou de le réinsérer. Mil. XIX^e^ s. ; ☞ *reclasser* ; [ʀəklasmɑ̃].

**RECLASSER, verbe trans. [3]**
**1.** Procéder au reclassement de (qqch.) : ***Reclasser** des fiches*. **2.** Assurer le reclassement social ou professionnel de (qqn) : ***Reclasser** des ouvriers*. **3.** Réajuster les rémunérations de (une catégorie professionnelle) par comparaison avec celles d'autres catégories. 1875 ; ☞ *classer* + *re-* ; [ʀəklase].

**RECLUS, USE, subst. et adj.**
Se dit d'une personne qui vit enfermée ou à l'écart du monde (synon. du subst. *ermite*). Adj. Retiré, isolé : *Vie **recluse***. Fin XII^e^ s. (X^e^ s., subst. m., lieu de réclusion) ; p. p. de *reclure* (vx), « fermer » ; [ʀəkly, yz].

**RÉCLUSION, subst. f.**
**1.** État d'une personne qui vit coupée du monde. **2.** *Dr. **Réclusion** criminelle* : peine de détention temporaire ou à perpétuité, incluant le travail obligatoire. 1270 ; *reclure* (vx), « fermer » ; [ʀeklyzjɔ̃].

**RÉCLUSIONNAIRE, subst.**
*Dr.* Personne condamnée à la réclusion. 1828 ; ☞ *réclusion* ; [ʀeklyzjɔnɛʀ].

**RÉCOGNITIF, IVE, adj.**
*Dr. Acte **récognitif*** : acte par lequel on reconnaît l'existence d'une obligation, d'un droit, par référence à un acte plus ancien. 1791 ; lat. *recognitum*, de *recognoscere*, « reconnaître » ; [ʀekɔgnitif, iv].

**RÉCOGNITION, subst. f.**
*Philos.* Acte par lequel l'objet d'une perception est identifié ; en partic., chez Kant, conceptualisation par l'entendement du contenu de l'intuition sensible. 1531 ; lat. *recognitio* ; [ʀekɔgnisjɔ̃].

**RECOIFFER, verbe trans. [3]**
Remettre de l'ordre dans la coiffure de (qqn). 1555 ; ☞ *coiffer* + *re-* ; [ʀəkwafe].

**RECOIN, subst. m.**
Coin retiré, caché : *Fouiller les coins et les **recoins** d'un bois* ; par métaph. : *Les **recoins** de la mémoire*. Fin XV^e^ s. ; ☞ *coin* + *re-* ; [ʀəkwɛ̃].

**RÉCOLEMENT, subst. m.**
**1.** *Dr.* ► Inventaire des biens saisis par un huissier. ► Contrôle de la conformité de l'exploitation d'une coupe de bois. ► Action de récoler un témoin. **2.** Vérification d'inventaire : *Le **récolement** d'une bibliothèque*. 1389 ; ☞ *récoler* ; [ʀekɔlmɑ̃].

**RÉCOLER, verbe trans. [3]**
**1.** *Dr.* ► Faire le récolement de (qqch.) : ***Récoler** des meubles saisis* ; ***Récoler** une coupe de bois*. ► Relire sa déposition à (un témoin) afin qu'il en confirme les termes. **2.** Vérifier l'inventaire de : ***Récoler** une librairie*. 1337 ; lat. *recolere* ; [ʀekɔle].

**RÉCOLLECTION, subst. f.**
*Relig.* Période de méditation et de prière ; par méton., brève retraite spirituelle. 1553 (1372, résumé) ; lat. médiév. *recollectio*, du lat. *recolligere*, « réunir » ; [ʀekɔlɛksjɔ̃].

**RECOLLER, verbe trans. [3]**
Trans. dir. Coller (ce qui est décollé) ; réparer en collant. Trans. indir. Recoller à. *Sp.* Rejoindre : ***Recoller** au peloton*. 1382 ; ☞ *coller* + *re-* ; [ʀəkɔle].

**RÉCOLLET, subst. m.**
*Cath.* Religieux appartenant à une branche réformée de l'ordre des Franciscains ou de celui des Augustins. 1611 ; lat. *recollectus*, de *recolligere*, « réunir » ; [ʀekɔlɛ].

**RÉCOLTE, subst. f.**
**1.** Action de recueillir les produits du sol ; par méton., les produits recueillis. **2.** Fig. Ce qu'on collecte au cours de recherches : ***Récolte** d'informations*. 1550 ; ital. *ricolta*, de *ricogliere*, « recueillir » ; [ʀekɔlt].

© F. Jalain-Explorer

*Récolte des tomates à Cavaillon.*

**RÉCOLTER, verbe trans. [3]**
**1.** Faire la récolte de (un produit du sol). **2.** Ext. Collecter : ***Récolter** des dons* ; au fig. (fam.) : ***Récolter** des injures*. 1742 ; ☞ *récolte* ; [ʀekɔlte].

**RECOMMANDABLE, adj.**
Digne d'estime, de recommandation. Mil. XV^e^ s. ; ☞ *recommander* ; [ʀəkɔmɑ̃dabl].

**RECOMMANDATION, subst. f.**
**1.** Intervention par laquelle on recommande qqn : *Lettre de **recommandation***. **2.** Conseil, mise en garde : *Dernières **recommandations** avant le départ*. **3.** Modalité d'affranchissement d'un envoi remis en main propre au destinataire, contre paiement d'une taxe spéciale par l'expéditeur. Mil. XII^e^ s. ; ☞ *recommander* ; [ʀəkɔmɑ̃dasjɔ̃].

**RECOMMANDÉ, ÉE, adj. et subst. m.**
Se dit d'une lettre, d'un pli, etc., ayant fait l'objet d'une recommandation postale. 1831 ; p. p. de *recommander* ; [ʀəkɔmɑ̃de].

**RECOMMANDER, verbe trans. [3]**
**1.** Conseiller ou demander (qqch.) à qqn avec insistance : *Je vous **recommande** de réfléchir* ; empl. impers. : *Il **est recommandé** de faire demi-tour*. **2.** Signaler (une personne) à l'attention de qqn : *Il t'**a recommandé** auprès du directeur* ; vanter les mérites de (qqch.) : *Je vous **recommande** cet hôtel*. **3.** Expédier (une lettre, un colis, etc.) par voie de recommandation. Pronom. **1.** Invoquer l'appui (de qqn) pour obtenir qqch. : ***Se recommander** d'un ami*. **2.** Signaler sa valeur (par une qualité) : *Ce film **se recommande** par son humour*. Fin XIII^e^ s. (fin X^e^ s., livrer qqn) ; ☞ *commander* + *re-* ; [ʀəkɔmɑ̃de].

**RECOMMENCEMENT, subst. m.**
Action de recommencer ; répétition. XIII^e^ s. ; ☞ *recommencer* ; [ʀəkɔmɑ̃smɑ̃].

**RECOMMENCER, verbe [4]**
Trans. dir. Commencer de nouveau (ce qui avait été interrompu ou abandonné) : ***Recommencer** une lettre* ; reprendre (une habitude, une activité). Trans. indir. Recommencer à (+ inf.). Se remettre à : ***Recommencer** à skier*. Intrans. Avoir un nouveau commencement : *Les cours **recommencent** lundi* ; reprendre : *Leur dispute **a recommencé** après une pause*. Fin XI^e^ s. ; ☞ *commencer* + *re-* ; [ʀəkɔmɑ̃se].

**RÉCOMPENSE,** subst. f.
**1.** Avantage accordé à qqn pour un acte méritoire, un service rendu. ▸ Satisfaction morale : *Accomplir son devoir fut sa **récompense**.* **2.** *Dr.* Sous le régime de la communauté des biens, indemnité compensatoire due à l'un des époux après la dissolution de la communauté. 1413 ; ☞ *récompenser* ; [ʀekɔ̃pɑ̃s].

**RÉCOMPENSER,** verbe trans. [3]
Accorder une récompense à (qqn). Fin XIVe s. (1322, compenser) ; bas lat. *recompensare* ; [ʀekɔ̃pɑ̃se].

**RECOMPOSER,** verbe trans. [3]
Composer de nouveau (qqch.). 1545 ; ☞ *composer* + *re-* ; [ʀəkɔ̃poze].

**RECOMPOSITION,** subst. f.
Action de recomposer : ***Recomposition** d'un texte* ; restructuration : ***Recomposition** d'une assemblée.* 1762 ; ☞ *recomposer* ; [ʀəkɔ̃pozisjɔ̃].

**RECOMPTER,** verbe trans. [3]
Compter de nouveau. 1409 ; ☞ *compter* + *re-* ; [ʀəkɔ̃te].

**RÉCONCILIATION,** subst. f.
**1.** *Cath.* Cérémonie de purification par l'évêque d'un lieu saint profané. ▸ *Sacrement de la **réconciliation*** : qui réconcilie le pécheur repentant avec Dieu (synon. *sacrement de pénitence, confession*). **2.** Fait de réconcilier ou de se réconcilier. Fin XIIIe s. ; lat. *reconciliatio* ; [ʀekɔ̃siljasjɔ̃].

**RÉCONCILIER,** verbe trans. [6]
**1.** Rétablir l'entente entre (des personnes fâchées) ; au fig., faire revenir (qqn) à un jugement plus favorable sur qqch. : ***Réconcilier** qqn avec l'opéra.* **2.** *Cath.* Procéder à la réconciliation de (un lieu profané). **Pronom.** Renouer des relations amicales (avec qqn). Fin XIIe s. ; lat. *reconciliare* ; [ʀekɔ̃silje].

**RECONDUCTIBLE,** adj.
Qui peut être renouvelé ou prorogé : *Crédit **reconductible**.* V. 1960 ; ☞ *reconduire* ; [ʀəkɔ̃dyktibl].

**RECONDUCTION,** subst. f.
**1.** *Dr.* Renouvellement d'un contrat au-delà du terme prévu. ▸ *Tacite **reconduction*** : renouvellement automatique d'un contrat, sans modification de clauses, avec l'accord tacite des parties. **2.** Fait de renouveler, de poursuivre ou de maintenir ce qui existe déjà : ***Reconduction** d'un projet.* 1582 ; lat. médiév. *reconductio* ; [ʀəkɔ̃dyksjɔ̃].

**RECONDUIRE,** verbe trans. [69]
**1.** Accompagner (qqn qui part) ; escorter (qqn) jusque chez lui. ▸ ***Reconduire** qqn à la frontière* : l'expulser. **2.** Reprendre, renouveler en suivant les mêmes modalités : ***Reconduire** la grève.* **3.** *Dr.* Proroger ou renouveler (un contrat) : ***Reconduire** un bail.* Déb. XIIIe s. ; bas lat. *reconducere*, « se charger en retour » ; [ʀəkɔ̃dɥiʀ].

**RÉCONFORT,** subst. m.
Aide morale, consolation. Fin XIIe s. ; ☞ *réconforter* ; [ʀekɔ̃fɔʀ].

**RÉCONFORTANT, ANTE,** adj.
Qui réconforte physiquement ou moralement. ▸ *Pharm. Médicament **réconfortant*** ou, empl. subst. masc., *Un **réconfortant*** : médicament qui revigore. 1430 ; p. pr. de *réconforter* ; [ʀekɔ̃fɔʀtɑ̃, ɑ̃t].

**RÉCONFORTER,** verbe trans. [3]
**1.** Soutenir moralement (une personne éprouvée). **2.** Redonner des forces à (une personne affaiblie). Mil. XIe s. ; ☞ *conforter* + *re-* ; [ʀekɔ̃fɔʀte].

**RECONNAISSABLE,** adj.
Qui peut facilement être identifié. Fin XIe s. ; ☞ *reconnaître* ; [ʀəkɔnɛsabl].

**RECONNAISSANCE,** subst. f.
**I. 1.** Fait de reconnaître ou d'identifier qqn ou qqch. ▸ *Psych. Fausse **reconnaissance*** : identification à caractère pathologique de lieux ou de personnes considérés à tort comme connus. ▸ *Informat. **Reconnaissance** des formes, de la parole* : procédé permettant d'identifier des caractères ou des sons en vue d'un traitement informatique. **2.** Fait de se reconnaître mutuellement : *Signe de **reconnaissance***, qui permet à des personnes de se reconnaître. **II. 1.** Fait d'admettre qqch., d'en convenir ; aveu : ***Reconnaissance** de ses péchés.* **2.** Découverte et exploration d'un lieu : ***Reconnaissance** du terrain.* ▸ *Milit.* Mission de renseignement : *Patrouille de **reconnaissance*** ; *Partir en **reconnaissance***, partir à la découverte, à la recherche de qqn ou de qqch. **3.** *Dr.* Acte par lequel on reconnaît formellement et juridiquement l'existence de qqn ou de qqch. : ***Reconnaissance** d'un État.* ▸ ***Reconnaissance** de dettes* : acte par lequel on reconnaît avoir une dette. ▸ ***Reconnaissance** d'utilité publique* : acte qui confère une capacité juridique accrue à une association ou à une fondation privée. ▸ ***Reconnaissance** d'enfant* : acte par lequel on reconnaît être le père ou la mère d'un enfant naturel. **III.** Sentiment de gratitude envers un bienfaiteur : *Témoignage de **reconnaissance**.* ▸ Loc. ***Reconnaissance** du ventre* : gratitude envers celui qui nourrit (fam.). 1538 (fin XIe s., signe de ralliement) ; ☞ *reconnaître* ; [ʀəkɔnɛsɑ̃s].

**RECONNAISSANT, ANTE,** adj.
Qui témoigne de la reconnaissance. Fin XIIe s. ; p. pr. de *reconnaître* ; [ʀəkɔnɛsɑ̃, ɑ̃t].

**RECONNAÎTRE,** verbe trans. [73]
**I. 1.** Identifier (qqch. ou qqn) : ***Reconnaître** qqn dans la rue.* **2.** Identifier (qqn ou qqch.) grâce à certains caractères : *Il l'**a reconnu** à sa voix.* **3.** Découvrir, explorer, chercher à connaître (un endroit) : ***Reconnaître** les positions ennemies.* **Pronom. 1.** Retrouver de soi-même dans une autre personne : *Le père **se reconnaît** dans ses enfants.* **2.** Se retrouver, déterminer sa position géographique. **3.** Fig. **S'y reconnaître.** Démêler une situation confuse : *Il n'arrive pas à s'y **reconnaître** dans ce fouillis.* **4.** Être reconnu ou reconnaissable : *Un bon élève **se reconnaît** à son sérieux.* **II. 1.** Avouer, confesser : ***Reconnaître** ses torts.* **2.** Convenir de (qqch.), admettre (qqch.), après l'avoir mis en doute : ***Reconnaître** les qualités de son adversaire* ; empl. pronom. : *L'accusé **s'est reconnu** coupable.* **3.** Admettre comme vrai, réel, légitime. ▸ *Dr. **Reconnaître** un gouvernement* : l'accepter officiellement ; ***Reconnaître** un enfant* : se déclarer son père ou sa mère. Fin Xe s. ; lat. *recognoscere*, « examiner » ; [ʀəkɔnɛtʀ].

**RECONNU, UE,** adj.
**1.** Admis pour vrai ; indiscutable. **2.** Dont la valeur est incontestée : *Artiste **reconnu**.* XVIe s. ; p. p. de *reconnaître* ; [ʀəkɔny].

**RECONQUÉRIR,** verbe trans. [33]
**1.** Reprendre par les armes : ***Reconquérir** une province.* **2.** Fig. Regagner, conquérir de nouveau : ***Reconquérir** l'estime de qqn.* Fin XIIe s. ; ☞ *conquérir* + *re-* ; [ʀəkɔ̃keʀiʀ].

**RECONQUÊTE,** subst. f.
Action de reconquérir. XIVe s. ; ☞ *conquête* + *re-* ; [ʀəkɔ̃kɛt].

**RECONSIDÉRER,** verbe trans. [8]
Étudier à nouveau (une situation, un problème). 1312 ; ☞ *considérer* + *re-* ; [ʀəkɔ̃sideʀe].

**RECONSTITUANT, ANTE,** adj.
Propre à redonner des forces à l'organisme : *Remède **reconstituant*** ou, empl. subst. masc., *Un **reconstituant**.* 1869 ; p. pr. de *reconstituer* ; [ʀəkɔ̃stitɥɑ̃, ɑ̃t].

**RECONSTITUER,** verbe trans. [3]
**1.** Constituer de nouveau, reformer : ***Reconstituer** un parti.* **2.** Rétablir dans son état antérieur ; régénérer. **3.** Procéder à la reconstitution de : ***Reconstituer** un crime.* 1790 (1534, créer de nouveau) ; ☞ *constituer* + *re-* ; [ʀəkɔ̃stitɥe].

**RECONSTITUTION,** subst. f.
**1.** Action de reconstituer, de se reconstituer. **2.** Acte d'instruction consistant à simuler le déroulement d'un crime, d'un accident, en présence des témoins, du suspect, sur les lieux où les faits se sont produits. **3.** ***Reconstitution** historique* : reproduction fidèle d'un évènement historique. 1734 ; ☞ *reconstituer* ; [ʀəkɔ̃stitysjɔ̃].

**RECONSTRUCTION,** subst. f.
Action de reconstruire. 1728 ; ☞ *construction* + *re-* ; [ʀəkɔ̃stʀyksjɔ̃].

*Prémices de la **reconstruction** à Beyrouth.*

© J.-M. Turpin-Gamma

**RECONSTRUIRE,** verbe trans. [69]
**1.** Construire de nouveau. **2.** Reconstituer, refair[e] 1549 ; ☞ *construire* + *re-* ; [ʀəkɔ̃stʀɥiʀ].

**RECONVENTIONNEL, ELLE,** adj.
*Dr. Demande **reconventionnelle*** : demande faite p[ar] le défendeur afin d'atténuer l'action judiciaire prin[]cipale. 1421 ; ☞ *convention* + *re-* ; [ʀəkɔ̃vɑ̃sjɔnɛ[l]].

**RECONVERSION,** subst. f.
Action de reconvertir ; fait de se reconverti[r] 1874 ; ☞ *conversion* + *re-* ; [ʀəkɔ̃vɛʀsjɔ̃].

**RECONVERTIR,** verbe trans. [19]
**1.** Transformer pour adapter à des besoins nou[]veaux : ***Reconvertir** une économie.* **2.** Affecter (qq[n]) à un nouvel emploi. **Pronom.** Changer de métier o[u] d'activité. V. 1960 (1575, transformer de nouveau) ☞ *convertir* + *re-* ; [ʀəkɔ̃vɛʀtiʀ].

**RECOPIER,** verbe trans. [6]
Copier (un texte déjà écrit) ; en partic., mettre a[u] propre (un brouillon). 1362 ; ☞ *copier* + *re[-]* ; [ʀəkɔpje].

**RECORD,** subst. m.
**1.** *Sp.* Performance homologuée dépassant tou[te] autre performance connue dans la même disciplin[e] et la même catégorie. **2.** Ext. Résultat supérieur [à] tous ceux qui ont précédé : ***Record** de chaleur* ; e[n] appos. : *Des vitesses **records**.* 1882 ; angl. *recor[d]* « fait digne d'être enregistré » ; [ʀəkɔʀ].

**RECORDER,** verbe trans. [3]
**1.** Lier de nouveau avec des cordes. **2.** Remplac[er] les cordes de : ***Recorder** une raquette de tenni[s].* Fin XIII[e] s. ; ☞ *corder* + *re-* ; [ʀəkɔʀde].

**RECORDMAN, WOMAN,** subst.
Personne détenant un record (anglic.). 188[3] formé de *record* et de l'angl. *man*, « homme », ou *woma[n]* « femme » ; plur. *recordmans* ou *recordmen, recor[d]womans* ou *recordwomen* ; [ʀəkɔʀdman, wuman], plu[r.] [-mɛn].

**RECORRIGER,** verbe trans. [5]
Corriger de nouveau. 1538 ; ☞ *corriger* + *re[-]* ; [ʀəkɔʀiʒe].

**RECOUCHER,** verbe trans. [3]
Coucher de nouveau. **Pronom.** Se remettre au li[t]. 1160 ; ☞ *coucher* (I) + *re-* ; [ʀəkuʃe].

**RECOUDRE,** verbe trans. [77]
**1.** Coudre (ce qui est décousu ou déchiré). **2.** *Chi[r.]* Coudre (une plaie) ; par ext. : ***Recoudre** un bless[é].* Fin XIIe s. ; ☞ *coudre* + *re-* ; [ʀəkudʀ].

**RECOUPE,** subst. f.
**1.** Fragment provenant de la taille d'une pierre o[u] d'une étoffe. **2.** Farine grossière de seconde mou[]ture. **3.** Seconde coupe de fourrage. 1384 (122[.] morceau coupé) ; ☞ *recouper* ; [ʀəkup].

**RECOUPEMENT,** subst. m.
**1.** *Bât.* Retrait laissé à chaque assise de pierre p[ar] rapport à celle d'en dessous afin d'affermir u[n] bâtiment. **2.** *Topogr.* Détermination de la positio[n] exacte d'un point par l'intersection de lignes d[e] direction préalablement définies. **3.** Fig. Vérificatio[n] d'un fait, par confrontation de données provenan[t] de sources différentes. 1690 (fin XIIe s., action [de] couper) ; ☞ *recouper* ; [ʀəkupmɑ̃].

**RECOUPER,** verbe trans. [3]
**1.** Couper de nouveau. ▸ *Cout.* Modifier la cou[pe] de (un vêtement). **2.** Abs. Couper une seconde fo[is] aux cartes. **3.** Fig. Confirmer par la confrontatio[n] de sources différentes : ***Recouper** des faits.* 154[.] (mil. XIIe s., diminuer) ; ☞ *couper* + *re-* ; [ʀəkupe].

**RECOURBER,** verbe trans. [3]
Courber à son extrémité : ***Recourber** une tige, u[ne] branche.* 1160 ; ☞ *courber* + *re-* ; [ʀəkuʀbe].

**RECOURIR,** verbe [25]
**Intrans.** Courir de nouveau. **Trans. indir.** Recour[ir] à. **1.** Demander de l'aide à (qqn). **2.** Utiliser (t[el]) moyen) dans une situation donnée : ***Recourir** à [la] ruse.* 1175 ; ☞ *courir* + *re-* ; [ʀəkuʀiʀ].

**RECOURS,** subst. m.
**1.** Action de recourir à qqn, à qqch. ▸ *Avoir recou[rs] à* : faire appel à, se servir de. **2.** Méton. Personn[e] ou chose à laquelle on recourt : *Vous êtes mon derni[er] **recours** !* **3.** *Dr.* ▸ Demande d'annulation, de mod[i]fication, d'interprétation d'un acte administrat[if] ou d'une décision de justice. ▸ Procédure visa[nt] à faire réexaminer une décision de justice : ***Recou[rs]** en grâce*, demande de remise ou de commutatio[n] de peine, adressée au chef de l'État. 1225 ; la[t.] *recursus* ; [ʀəkuʀ].

**RECOUVRAGE,** subst. m.
…ction de recouvrir : ***Recouvrage*** *d'un divan, d'un …arapluie.* 1877 ; ☞ *recouvrir* ; [ʀəkuvʀaʒ].

**RECOUVREMENT (I),** subst. m.
. Action de recouvrir ce qui est perdu (littér.). . Perception des sommes dues : ***Recouvrement*** *de impôt.* Fin XIIe s. ; ☞ *recouvrer* ; [ʀəkuvʀəmɑ̃].

**RECOUVREMENT (II),** subst. m.
. Action de recouvrir ; son résultat. **2.** *Spéc. Constr.* Mode d'assemblage dans lequel les éléments se chevauchent afin d'assurer l'étanchéité e la couverture. ▸ *Géol.* Superposition de formations de nature différente. ▸ *Math.* ***Recouvrement*** *'une partie A d'un ensemble E* : famille de parties e E dont la réunion contient A. 1627 ; ☞ *reouvrir* ; [ʀəkuvʀəmɑ̃].

**RECOUVRER,** verbe trans. [3]
. Récupérer, rentrer en possession de (littér.) : ***ecouvrer*** *la santé.* **2.** Percevoir (des sommes dues) : ***ecouvrer*** *une créance.* Fin XIe s. (mil. XIe s., trouver) ; …t. *recuperare* ; [ʀəkuvʀe].

**RECOUVRIR,** verbe trans. [27]
. Couvrir (ce qui n'est pas couvert) ; garnir d'un ouveau revêtement. **2.** Couvrir complètement : *La eige* ***recouvre*** *le toit.* **3.** Fig. Correspondre, s'appliuer à : *Ce mot* ***recouvre*** *plusieurs sens.* XIIe s. ; ☞ *couvrir* + *re-* ; [ʀəkuvʀiʀ].

**RECRACHER,** verbe trans. [3]
…racher (ce qu'on a mis dans sa bouche). Mil. …e s. ; ☞ *cracher* + *re-* ; [ʀəkʀaʃe].

**RÉCRÉANCE,** subst. f.
…r. internat. *Lettre de* ***récréance*** : lettre envoyée à un …mbassadeur que l'on rappelle dans son pays, et qu'il …résente au chef de l'État près de qui il est accrédité. 1718 (1250, puissance des revenus d'un bénéfice en …ige) ; *recroire* (vx), « rendre, remettre » ; [ʀekʀeɑ̃s].

**RÉCRÉATIF, IVE,** adj.
…estiné à divertir : *Séance* ***récréative.*** 1487 ; ☞ *récréer* ; [ʀekʀeatif, iv].

**RÉCRÉATION,** subst. f.
. Détente, distraction. **2.** *Enseign.* Temps accordé …ux élèves pour se détendre. Fin XIIIe s. (déb. XIIIe s., …éconfort) ; lat. *recreatio*, « rétablissement » ; [ʀekʀeasjɔ̃].

**RECRÉER,** verbe trans. [7]
. Reconstruire, reconstituer. **2.** Faire revivre : ***Re-…réer*** *une ambiance.* 1457 ; ☞ *créer* + *re-* ; [ʀəkʀee].

**RÉCRÉER,** verbe trans. [7]
…élasser, divertir (littér.). Déb. XIIIe s. (mil. XIIe s., …e ragaillardir) ; lat. *recreare*, « ranimer » ; [ʀekʀee].

**RECRÉPIR,** verbe trans. [19]
…répir de nouveau : ***Recrépir*** *un mur.* 1549 ; ☞ *crépir* + *re-* ; [ʀəkʀepiʀ].

**RECREUSER,** verbe trans. [3]
…reuser de nouveau ; creuser plus profond. 1549 ; ☞ *creuser* + *re-* ; [ʀəkʀøze].

**RÉCRIER (SE),** verbe pronom. [6]
… S'exclamer, sous le coup d'une émotion agréable, …'une surprise (littér.). **2.** S'indigner, manifester …on désaccord. 1663 ; ☞ *s'écrier* + *re-* ; [ʀekʀije].

**RÉCRIMINATION,** subst. f.
… Action de récriminer. **2.** Méton. Protestation …éhémente, reproche amer (gén. au plur.). 1794 ; …t. *recriminatio*, « accusation » ; [ʀekʀiminasjɔ̃].

**RÉCRIMINER,** verbe intrans. [3]
… Vx. Répondre aux accusations d'un adversaire en …accusant à son tour. **2.** Récriminer contre. Protester contre, critiquer amèrement : ***Récriminer*** *contre …s injustices.* 1543 ; lat. *recriminari*, de *crimen*, « ac…usation » ; [ʀekʀimine].

**RÉCRIRE,** verbe trans. [67]
…crire ou rédiger de nouveau. 1283 (mil. XIIe s., …crire à son tour) ; lat. *rescribere*, « répondre par écrit » ; …ar. *réécrire* ; [ʀekʀiʀ].

**RECROQUEVILLER (SE),** verbe pronom. [3]
… Se rétracter, se racornir (sous l'action du froid …u de la chaleur). **2.** Se tasser sur soi-même. 1694 ; anc. fr. *recoquiller* ; [ʀəkʀɔkvije].

**RECRU, UE,** adj.
…xténué, harassé (littér.) : ***Recru*** *de douleur.* 1176 …in XIe s., qui se rend) ; *recroire* (vx), « s'avouer vaincu » ; …əkʀy].

**RECRÛ,** subst. m.
…ormation spontanée de rejets après une coupe de …ois. 1669 ; *recroître* (rare), « se remettre à croître » ; …əkʀy].

**RECRUDESCENCE,** subst. f.
**1.** *Méd.* ▸ Réapparition des symptômes d'une maladie avec un regain d'intensité après une rémission temporaire. ▸ Augmentation du nombre de cas au cours d'une épidémie. **2.** Fig. Réapparition subite d'un phénomène sous une forme plus intense : ***Recrudescence*** *de la violence.* 1810 ; lat. *recrudescere*, « devenir plus violent » ; [ʀəkʀydɛsɑ̃s].

**RECRUDESCENT, ENTE,** adj.
Qui est en recrudescence (littér.). 1842 ; ☞ *recrudescence* ; [ʀəkʀydɛsɑ̃, ɑ̃t].

**RECRUE,** subst. f.
**1.** Soldat qui vient d'être recruté. **2.** Anal. Personne qui intègre une équipe, un groupe. 1800 (1501, supplément) ; *recroître* (rare), « se remettre à croître » ; [ʀəkʀy].

**RECRUTEMENT,** subst. m.
**1.** Action de recruter des militaires : *Service de* ***recrutement.*** **2.** Fig. Action de recruter du personnel, des adhérents. 1789 ; ☞ *recruter* ; [ʀəkʀytmɑ̃].

**RECRUTER,** verbe trans. [3]
**1.** Engager (des recrues) en vue de constituer une troupe. **2.** Fig. Amener (qqn) à rejoindre un groupe : ***Recruter*** *des adeptes.* **Pronom. 1.** Être recruté. **2.** Fig. ***Se recruter*** *dans, parmi* : provenir de. 1691 ; ☞ *recrue* ; [ʀəkʀyte].

**RECRUTEUR, EUSE,** subst.
Personne chargée de recruter pour un parti, une association, un groupe ; en appos. : *Agent* ***recruteur.*** 1771 ; ☞ *recruter* ; [ʀəkʀytœʀ, øz].

**RECTA,** adv.
Ponctuellement, exactement (fam.). 1725 (1718, directement) ; lat. *recta*, « tout droit » ; [ʀɛkta].

**RECTAL, ALE, AUX,** adj.
*Anat.* Relatif, propre au rectum : *Température* ***rectale.*** 1812 ; ☞ *rectum* ; [ʀɛktal, o].

**RECTANGLE,** adj. et subst. m.
*Géom.* **Adj.** Qui possède au moins un angle droit : *Parallélépipède* ***rectangle,*** dont deux faces non parallèles sont perpendiculaires ; *Trapèze* ***rectangle,*** dont deux côtés consécutifs sont perpendiculaires. **Subst.** Quadrilatère plan dont les quatre angles sont égaux (donc chacun égal à un angle droit) ; c'est un parallélogramme ayant un angle droit, ses côtés opposés sont donc égaux. 1549 ; lat. *rectiangulus*, de *rectus*, « droit », et de *angulus*, « angle » ; [ʀɛktɑ̃gl].

**RECTANGULAIRE,** adj.
**1.** En forme de rectangle. **2.** *Géom.* Qui forme un angle droit. 1571 ; ☞ *rectangle* ; [ʀɛktɑ̃gylɛʀ].

**RECTEUR, TRICE,** subst. m. et adj.
**Subst. 1.** *M. Â.* Chef élu d'une université. **2.** *Cath.* ▸ Supérieur de certains collèges religieux, en partic., de jésuites. ▸ Curé de paroisse, en Bretagne. ▸ Desservant de certaines églises non paroissiales : *Recteur du Sacré-Cœur de Paris.* **3.** *Enseign.* Haut fonctionnaire nommé à la tête d'une académie. **Adj.** Qui dirige (rare). ▸ *Zool. Plumes* ***rectrices*** ou, empl. subst. fém., *Les* ***rectrices*** : plumes de la queue des oiseaux, qui servent à diriger le vol. 1261 ; lat. *rector*, de *regere*, « diriger » ; [ʀɛktœʀ, tʀis].

**RECTIFIABLE,** adj.
**1.** Que l'on peut rectifier. **2.** *Math.* Se dit d'un arc de courbe dont la longueur peut être définie comme borne supérieure des longueurs des lignes polygonales pouvant y être inscrites. 1708 ; ☞ *rectifier* ; [ʀɛktifjabl].

**RECTIFICATEUR, TRICE,** subst.
Personne qui rectifie (littér.). **Masc.** *Chim.* Appareil qui sert à rectifier un liquide. 1611 ; ☞ *rectifier* ; [ʀɛktifikatœʀ, tʀis].

**RECTIFICATIF, IVE,** adj. et subst. m.
**Adj.** Qui vise à rectifier une inexactitude : *Note* ***rectificative.*** **Subst.** Texte rédigé à cet effet : *Publier un* ***rectificatif.*** 1769 ; ☞ *rectifier* ; [ʀɛktifikatif, iv].

**RECTIFICATION,** subst. f.
**1.** Action de rectifier ; correction, texte, paroles qui rectifient. **2.** *Spéc.* ▸ *Chim.* Distillation visant à purifier un liquide ou à en dissocier les constituants. ▸ *Math.* ***Rectification*** *d'un arc de courbe* : calcul de sa longueur. ▸ *Techn.* Meulage de finition d'une pièce. 1314 ; bas lat. *rectificatio* ; [ʀɛktifikasjɔ̃].

**RECTIFIER,** verbe trans. [6]
**1.** Modifier afin de rendre correct : ***Rectifier*** *sa conduite.* **2.** Rendre droit, redresser : ***Rectifier*** *un alignement.* **3.** Rendre exact : ***Rectifier*** *une addition.* **4.** Faire disparaître en corrigeant : ***Rectifier*** *une erreur* ; par ext., tuer (argot.). **5.** *Spéc.* ▸ *Chim.* Traiter (un liquide) par rectification. ▸ *Techn.* Parfaire la surface de (une pièce usinée) par meulage. Fin XIIIe s. ; bas lat. *rectificare* ; [ʀɛktifje].

**RECTIFIEUR, EUSE,** subst.
*Techn.* Personne qui travaille sur une **rectifieuse.** **Fém.** Machine-outil qui sert à rectifier les pièces usinées. 1932 ; ☞ *rectifier* ; [ʀɛktifjœʀ, øz].

**RECTILIGNE,** adj.
**1.** *Géom.* Limité ou formé par des lignes droites : *Angle* ***rectiligne*** ; empl. subst. masc. : ***Rectiligne*** *d'un dièdre*, angle de demi-droite obtenu en coupant ce dièdre par un plan perpendiculaire à l'arête. **2.** Qui s'effectue ou qui est en ligne droite : *Mouvement* ***rectiligne*** ; *Route* ***rectiligne.*** 1377 ; bas lat. *rectilineus*, « en ligne droite » ; [ʀɛktiliɲ].

**RECTILINÉAIRE,** adj.
*Phot. Objectif* ***rectilinéaire*** : qui est conçu pour ne pas déformer l'image. 1932 (1774, formé par des lignes droites) ; ☞ *rectiligne*, d'apr. *linéaire* ; [ʀɛktilineɛʀ].

**RECTION,** subst. f.
*Ling.* Propriété qu'a un mot de régir un complément qu'il détermine grammaticalement. 1933 (1503, gouvernement) ; lat. *rectio*, « action de gérer » ; [ʀɛksjɔ̃].

**RECTITE,** subst. f.
*Pathol.* Inflammation du rectum (synon. *proctite*). 1836 ; ☞ *rectum* + *-ite* ; [ʀɛktit].

**RECTITUDE,** subst. f.
**1.** Caractère de ce qui est en ligne droite ou à angle droit (littér.) : ***Rectitude*** *d'un tracé.* **2.** Fig. Qualité de ce qui est conforme à la justice, à la raison : ***Rectitude*** *de la pensée.* Fin XIVe s. ; bas lat. *rectitudo* ; [ʀɛktityd].

**RECTO,** subst. m.
Première page d'un feuillet (anton. *verso*). ▸ Loc. *Recto verso* : des deux côtés du feuillet. 1663 ; lat. *folio recto*, « sur le feuillet qui est à l'endroit » ; [ʀɛkto].

**RECTOCOLITE,** subst. f.
*Pathol.* Maladie inflammatoire touchant simultanément le rectum et le côlon. 1926 ; formé de *rectum* et de *colite* ; [ʀɛktɔkolit].

**RECTORAL, ALE, AUX,** adj.
Relatif au recteur ou à ses services ; qui en émane. 1588 ; ☞ *recteur* ; [ʀɛktɔʀal, o].

**RECTORAT,** subst. m.
**1.** Fonction de recteur ; durée de cette fonction. **2.** Méton. Bureaux où siègent un recteur d'académie et ses services administratifs. 1560 ; ☞ *recteur* ; [ʀɛktɔʀa].

**RECTOSCOPIE,** subst. f.
*Méd.* Examen de l'anus et du rectum au moyen d'un endoscope. 1909 ; ☞ *rectum* + *-scopie* ; [ʀɛktɔskɔpi].

**RECTUM,** subst. m.
*Anat.* Portion terminale du gros intestin, située entre le sigmoïde et l'anus. Mil. XIVe s. ; lat. méd. *rectum*, de *rectum intestinum*, « intestin de forme droite » ; [ʀɛktɔm].

**REÇU, UE,** subst.
**Masc.** Écrit dans lequel une personne reconnaît avoir reçu une somme d'argent, un bien : ***Reçu*** *pour solde de tout compte.* **Masc.** et **Fém.** Personne admise à un concours ou à un examen. 1611 ; p. p. de *recevoir* ; [ʀəsy].

**RECUEIL,** subst. m.
Ouvrage réunissant des écrits, des documents, etc. : *Un* ***recueil*** *de poèmes.* 1532 (XVe s., accueil) ; ☞ *recueillir* ; [ʀəkœj].

**RECUEILLEMENT,** subst. m.
Action de se recueillir ; état d'une personne qui se recueille. 1660 ; ☞ *recueillir* ; [ʀəkœjmɑ̃].

**RECUEILLIR,** verbe trans. [30]
**1.** Rassembler, collecter : ***Recueillir*** *des dons, des témoignages.* **2.** Offrir un refuge à (qqn) : ***Recueillir*** *un ami.* **3.** Prendre en ramassant, récolter (vieilli) : ***Recueillir*** *du miel* ; au fig. : ***Recueillir*** *le fruit de ses efforts.* **4.** Recevoir, récupérer (ce qui s'échappe, se répand) : ***Recueillir*** *l'eau de pluie* ; au fig. : ***Recueillir*** *une déposition.* **5.** Recevoir par héritage. **Pronom. 1.** S'absorber en soi-même : ***Se recueillir*** *avant l'épreuve.* **2.** Se livrer à la méditation religieuse. Fin XIe s. ; lat. *recolligere*, « rassembler » ; [ʀəkœjiʀ].

**RECUIRE,** verbe [69]
**Trans. 1.** Cuire de nouveau. **2.** *Techn.* Soumettre (un matériau) au recuit. **Intrans.** Subir une nouvelle cuisson. Mil. XIIe s. ; ☞ *cuire* + *re-* ; [ʀəkɥiʀ].

**RECUIT,** subst. m.
**1.** *Métall.* Chauffage puis refroidissement d'un métal ou d'un alliage, pour en améliorer les qualités. **2.** *Techn.* Chauffage permettant de parfondre des couleurs dans du verre ou de l'émail. 1455 (XIIIe s., type de fromage) ; p. p. de *recuire* ; [ʀəkɥi].

**RECUL,** subst. m.
**1.** Mouvement vers l'arrière d'une arme à feu au moment du tir. **2.** Action ou fait de reculer : ***Recul** des troupes* ; ***Recul** de la mortalité.* **3.** Position d'éloignement, dans le temps ou l'espace, permettant une meilleure appréciation ; au fig. : *Prendre du **recul**,* se détacher de la situation. **4.** *Sp.* Espace libre permettant à un joueur de reculer. Fin XVIe s. (XIIIe s., esquive) ; *reculer* ; [ʀəkyl].

**RECULADE,** subst. f.
**1.** Recul (vieilli). **2.** Fig. Fait de se dérober après s'être trop engagé. 1611 ; *reculer* ; [ʀəkylad].

**RECULÉ, ÉE,** adj.
**1.** Situé à l'écart : *Contrée **reculée**.* **2.** Éloigné dans le temps. 1549 ; p. p. de *reculer* ; [ʀəkyle].

**RECULÉE,** subst. f.
*Géogr.* Vallée jurassienne, profonde et en cul-de-sac, creusée dans une barre de calcaire. 1908 (déb. XIIIe s., action de reculer) ; p. p. de *reculer* ; [ʀəkyle].

**RECULEMENT,** subst. m.
**1.** Vx. Recul. **2.** Partie du harnais qui permet au cheval qui recule d'entraîner l'attelage avec lui. **3.** *Dr. Servitude de **reculement*** : qui contraint le propriétaire d'un immeuble frappé d'alignement à ne faire, sur l'espace concerné, que des travaux d'entretien. Déb. XIVe s. ; *reculer* ; [ʀəkylmɑ̃].

**RECULER,** verbe [3]
**Intrans. 1.** Se mouvoir vers l'arrière. ► Loc. ***Reculer** pour mieux sauter* : **reculer** pour prendre de l'élan avant de sauter ou, au fig., retarder une décision que l'on sait inévitable. **2.** Ext. Perdre du terrain ; au fig., diminuer, régresser : *Faire **reculer** les préjugés.* **3.** Fig. Renoncer, abandonner : ***Reculer** devant les difficultés.* **Trans. 1.** Tirer, pousser en arrière : ***Reculer** un siège.* **2.** Ext. Mettre plus loin : ***Reculer** une frontière.* **3.** Fig. Différer, retarder : ***Reculer** son départ.* Déb. XIIe s. ; *cul* + *re-* ; [ʀəkyle].

**RECULONS (À),** loc. adv.
En reculant. 1178 ; *reculer* ; [aʀ(ə)kylɔ̃].

**RECULOTTER,** verbe trans. [3]
Remettre sa culotte, son pantalon à (qqn). 1953 ; *culotter* (I) + *re-* ; [ʀəkylɔte].

**RÉCUPÉRABLE,** adj.
Que l'on peut récupérer. 1468 ; *récupérer* ; [ʀekypeʀabl].

**RÉCUPÉRATEUR, TRICE,** subst. et adj.
**Subst.** Personne qui récupère des matériaux usagés. **Subst. masc.** Appareil permettant la récupération de la chaleur ou de l'énergie. **Adj. 1.** Qui récupère. **2.** Qui détourne à son profit : *Discours **récupérateur**.* Fin XVIe s. ; lat. *recuperator* ; [ʀekypeʀatœʀ, tʀis].

**RÉCUPÉRATION,** subst. f.
Action de récupérer ; fait d'être récupéré. 1356 ; lat. *recuperatio*, « recouvrement » ; [ʀekypeʀasjɔ̃].

**RÉCUPÉRER,** verbe trans. [8]
**1.** Redevenir possesseur de (ce que l'on avait perdu), retrouver (l'usage de qqch.) : ***Récupérer** de l'argent prêté* ; par ext., aller chercher (qqn) : ***Récupérer** son enfant à l'école.* **2.** ***Récupérer** ses forces* : les recouvrer ; empl. abs., se remettre d'un effort, d'une maladie. **3.** Rassembler, recueillir (ce qui est mis au rebut) : ***Récupérer** du verre.* **4.** ***Récupérer** des journées, des heures* : travailler des journées, des heures en compensation d'autres non effectuées ; à l'inverse, prendre des jours, des heures de congé en compensation de jours, d'heures supplémentaires de travail. **5.** Détourner (qqch.) de son orientation première, à son profit, en partic. en politique : ***Récupérer** une grève.* 1495 ; lat. *recuperare* ; [ʀekypeʀe].

**RÉCURAGE,** subst. m.
Action de récurer. 1768 ; *récurer* ; [ʀekyʀaʒ].

**RÉCURER,** verbe trans. [3]
Nettoyer en frottant vigoureusement. Fin XIIIe s. ; *écurer* (vx), « curer à fond », + *re-* ; [ʀekyʀe].

**RÉCURRENCE,** subst. f.
**1.** Caractère de ce qui se répète, de ce qui revient périodiquement : *La **récurrence** des saisons.* **2.** *Philos.* Propriété d'un processus qui fait retour sur lui-même ; en partic., réaction d'un fait sur ses causes. **3.** *Log.* et *Math.* ► *Axiome de **récurrence*** : si une partie A de l'ensemble des entiers naturels $\mathbb{N}$ contient 0 et le successeur de tout élément de A, alors $A = \mathbb{N}$ (synon. *induction*). ► *Principe du raisonnement par **récurrence*** : soit $P(n)$ une proposition dépendant d'un entier naturel $n$, si pour un entier $n_0 \geqslant 0$ la proposition $P(n_0)$ est vraie, et si pour tout $n \geqslant n_0$ l'implication $P(n) \Rightarrow P(n+1)$ est vraie, alors $P(n)$ est vraie pour tout entier supérieur à $n_0$. 1840 ; *récurrent* ; [ʀekyʀɑ̃s].

**RÉCURRENT, ENTE,** adj.
**1.** *Anat. Nerf **récurrent*** : chacun des nerfs qui innervent les muscles du larynx. **2.** *Pathol. Fièvre **récurrente*** : nom générique d'un groupe d'infections endémiques dues à des borrélias et transmises par les poux ou les tiques. **3.** *Physiol. Image **récurrente*** : qui subsiste au niveau de la rétine quand l'œil a été impressionné par une lumière très vive. **4.** *Math. Suite **récurrente*** : suite définie par la donnée d'un ou de plusieurs de ses premiers termes, et d'une relation dite de récurrence qui exprime le terme général en fonction d'un ou de plusieurs des termes précédents. **5.** Qui se répète, qui réapparaît : *Thème **récurrent*** ; *Héros **récurrent**.* 1541 ; lat. *recurrens*, « qui revient en arrière » ; [ʀekyʀɑ̃, ɑ̃t].

**RÉCURSIF, IVE,** adj.
**1.** *Ling. Élément **récursif*** : en grammaire générative, désigne un constituant pouvant se répéter un nombre indéfini de fois en étant à chaque fois inclus dans un syntagme de même type (par ex. : « La vitre/*de* la fenêtre/*du* 1er étage/*du* n° 6/*de* la rue... »). **2.** *Log. Fonction **récursive*** : fonction de l'ensemble des entiers $\mathbb{N}$ à valeurs dans $\mathbb{N}$ effectivement calculable par un algorithme. 1951 ; angl. *recursive*, « revenant sans cesse » ; [ʀekyʀsif, iv].

**RÉCURSOIRE,** adj.
*Dr. Action **récursoire*** : qui permet d'exercer un recours légal contre une personne ou un tiers. 1769 ; lat. *recursus*, « recours » ; [ʀekyʀswaʀ].

**RÉCUSATION,** subst. f.
**1.** *Dr.* Fait de récuser (un juge, un témoin, un expert, etc.) ou de se récuser. **2.** Ext. Fait de récuser (qqn, qqch.). 1332 ; lat. *recusatio* ; [ʀekyzasjɔ̃].

**RÉCUSER,** verbe trans. [3]
**1.** *Dr.* Rejeter (qqn) en tant que juge, juré, témoin, expert. **2.** Ext. Rejeter en tant que tel, contester la valeur de (qqch.), l'autorité de (qqn) : ***Récuser** une théorie.* **Pronom. 1.** *Dr.* S'affirmer incompétent sur une question. **2.** Ext. Refuser une responsabilité, une mission. Fin XIIIe s. ; lat. *recusare* ; [ʀekyze].

**RECYCLABLE,** adj.
Que l'on peut recycler : *Des matières **recyclables**.* V. 1970 ; *recycler* ; [ʀəsiklabl].

*Contribution de la mairie de Paris au **recyclage** des déchets.*

**RECYCLAGE,** subst. m.
**1.** Formation complémentaire dispensée à des adultes pour leur permettre de s'adapter aux progrès techniques ou de se reconvertir. **2.** *Écon.* Réintroduction de capitaux dans les circuits financiers. **3.** *Techn.* ► Réintroduction d'un produit dans un cycle de traitement pour parfaire son épuration ou sa transformation : ***Recyclage** de l'eau.* ► Ensemble des techniques de récupération et de traitement qui visent à réutiliser des déchets : ***Recyclage** du verre, du papier.* V. 1960 ; *cycle* (I) + *re-* ; [ʀəsiklaʒ].

**RECYCLER,** verbe trans. [3]
Soumettre (qqn, qqch.) à un recyclage. 1959 ; *cycle* (I) + *re-* ; [ʀəsikle].

**RÉDACTEUR, TRICE,** subst.
Personne qui a pour tâche de rédiger des textes, e partic. dans une maison d'édition, un journal, ur agence de publicité, etc. ► ***Rédacteur** en chef* directeur de rédaction d'un journal. 1722 ; la *redactum*, de *redigere*, « réduire » ; [ʀedaktœʀ, tʀis].

**RÉDACTION,** subst. f.
**1.** Action, manière de rédiger ; le texte ainsi produ **2.** Méton. Ensemble des rédacteurs d'une public tion quotidienne ou d'un périodique, d'une maiso d'édition ; bureaux où ils travaillent. **3.** *Enseig* Exercice scolaire consistant à rédiger un tex narratif. 1534 ; lat. *redactum*, de *redigere*, « r duire » ; [ʀedaksjɔ̃].

**RÉDACTIONNEL, ELLE,** adj.
Relatif à la rédaction. ► *Journ. Publicité **rédactio** **nelle*** : présentée à dessein comme un article ma comportant une mention obligatoire qui en indiqu la nature ; empl. subst. masc. : *Le **rédactionnel**,* texte d'une publicité (anton. *visuel*). 187 *rédaction* ; [ʀedaksjɔnɛl].

**REDAN,** subst. m.
**1.** *Fortif.* Saillant triangulaire d'une enceinte. **2.** *A chit.* Découpure ornementale en forme de dent c de feston. **3.** *Constr.* Ressaut d'un mur, situé s un plan horizontal ou vertical. 1611 ; altér. c *redent*, de *dent* + *re-* ; var. *redent* ; [ʀədɑ̃].

**REDDITION,** subst. f.
**1.** Fait de capituler, de se rendre : ***Reddition** sa condition.* **2.** Action de rendre : ***Reddition** d'u somme.* ► ***Reddition** des comptes* : acte par lequel u comptable présente ses comptes à l'autorité do il dépend. 1356 ; bas lat. *redditio*, du lat. *redder* « rendre » ; [ʀɛdisjɔ̃].

*Le 2 septembre 1945, la délégation japonaise vient signe la **reddition** du Japon à bord du cuirassé américain Missouri.*

**REDÉCOUVRIR,** verbe trans. [27]
Découvrir de nouveau. 1843 ; *découvrir* + *re* [ʀədekuvʀiʀ].

**REDÉFINIR,** verbe trans. [19]
Définir de nouveau ou d'une autre façon. 179 *définir* + *re-* ; [ʀədefiniʀ].

**REDEMANDER,** verbe trans. [3]
**1.** Demander une nouvelle fois. **2.** Demander à q de rendre (ce qu'on lui a prêté) ; réclame Mil. XIIe s. ; *demander* + *re-* ; [ʀəd(ə)mɑ̃de].

**REDÉMARRER,** verbe intrans. [3]
Démarrer de nouveau ; au fig. : *Les affaires **red** **marrent**.* 1927 ; *démarrer* + *re-* ; [ʀədemaʀe].

**RÉDEMPTEUR, TRICE,** subst. et adj.
**Subst. 1.** *Théol. Le **Rédempteur*** : le Christ, en ta qu'il a racheté le genre humain du péché, par s mort et sa résurrection. **2.** Anal. Personne, cho qui rachète moralement. **Adj.** Qui opère la rédem tion ; par ext., salutaire, salvateur : *Une épreu **rédemptrice**.* Fin Xe s. ; lat. eccl. *redemptor*, du la *redimere*, « racheter » ; [ʀedɑ̃ptœʀ, tʀis].

**RÉDEMPTION,** subst. f.
**1.** *Théol. La **Rédemption*** : le rachat du genre huma par le Christ mort et ressuscité. **2.** Ext. Action c racheter moralement qqn ; fait de se rachet (littér.) : ***Rédemption** par le travail.* **3.** *Dr.* Rachat ***Rédemption** d'un droit, d'une rente.* Fin Xe s. ; la eccl. *redemptio*, du lat. *redimere*, « racheter » ; [ʀedɑ̃psj

**RÉDEMPTORISTE,** subst. m.
*Cath.* Membre de la congrégation du Très-Sain Rédempteur, fondée en Italie en 1732 par sai Alphonse-Marie de Liguori, vouée à l'évangélis tion. 1829 ; *rédempteur* ; [ʀedɑ̃ptɔʀist].

**REDENT,** voir **REDAN**

**REDENTÉ, ÉE,** adj.
*rchit.* Qui présente des redans : *Fronton **redenté**.* 1875 ; ☞ *redent* ; [ʀədɑ̃te].

**REDÉPLOIEMENT,** subst. m.
**.** *Milit.* Réorganisation d'un dispositif militaire. **.** *Écon.* Restructuration d'une politique économique, notamment en direction de nouveaux marchés. 1945 ; ☞ *déploiement + re-* ; [ʀədeplwamɑ̃].

**REDESCENDRE,** verbe [51]
NTRANS. Descendre de nouveau ou après être monté. **RANS. 1.** Parcourir de nouveau de haut en bas : *edescendre une pente.* **2.** Porter en bas une nouvelle ois : ***Redescendre** du vin à la cave.* Déb. XIII^e^ s. ; ☞ *descendre + re-* ; [ʀədesɑ̃dʀ].

**REDEVABLE,** adj. et subst.
**DJ. 1.** Qui est toujours débiteur. **2.** Fig. Qui est 'obligé de qqn : *Je te suis **redevable** de mon boneur.* **SUBST.** Personne assujettie à une redevance, à n impôt. Déb. XIII^e^ s. ; ☞ *redevoir* ; [ʀəd(ə)vabl].

**REDEVANCE,** subst. f.
**.** Somme due à échéances fixes. **2.** Taxe due en ontrepartie d'un service public : *La **redevance** de 'audiovisuel.* **3.** Droit perçu par le propriétaire d'un ol, d'un brevet qu'une autre personne exploite recomm. off. pour *royalties*). Mil. XIII^e^ s. ; ☞ *reevoir* ; [ʀ(ə)dəvɑ̃s] ou [ʀəd(ə)-].

**REDEVENIR,** verbe intrans. [22]
ecommencer à être (ce que l'on était devenu). XIII^e^ s. ; ☞ *devenir* (I) + *re-* ; [ʀədəv(ə)niʀ].

**REDEVOIR,** verbe trans. [41]
r. Devoir (une somme) comme reliquat d'une lette, d'un compte que l'on apure. 1468 (1160, evoir à son tour) ; ☞ *devoir* (I) ; [ʀədəvwaʀ].

**RÉDHIBITION,** subst. f.
r. Annulation, par l'acheteur, de la vente d'une hose présentant un vice dit rédhibitoire. XIII^e^ s. ; as lat. jur. *redhibitio* ; [ʀedibisjɔ̃].

**RÉDHIBITOIRE,** adj.
**.** *Dr.* De nature à provoquer la rédhibition : *Tare édhibitoire.* **2.** Ext. Qui constitue un obstacle bsolu : *Un argument **rédhibitoire**.* XIII^e^ s. ; bas lat. ur. *redhibitorius* ; [ʀedibitwaʀ].

**RÉDIE,** subst. f.
*ool.* Larve de la douve du foie, qui se développe u deuxième stade du cycle évolutif, entre les miraidies ou larves ciliées et les cercaires. Fin XIX^e^ s. ; nthropon. *Redi*, naturaliste italien ; [ʀedi].

**REDIFFUSER,** verbe trans. [3]
*udiov.* Diffuser de nouveau (une émission). V. 1960 ; ☞ *diffuser + re-* ; [ʀədifyze].

**REDIFFUSION,** subst. f.
ction, fait de rediffuser un programme ; programme rediffusé. V. 1960 ; ☞ *rediffuser* ; ʀədifyzjɔ̃].

**RÉDIGER,** verbe trans. [5]
crire (un texte) selon certaines règles, sous une orme donnée : ***Rédiger** une dissertation.* 1455 ; at. *redigere*, « réduire » ; [ʀediʒe].

**RÉDIMER,** verbe trans. [3]
*héol.* Racheter, sauver de la damnation. Fin XIV^e^ s. ; lat. *redimere* ; [ʀedime].

**REDINGOTE,** subst. f.
**1.** Veste d'homme croisée, à longues basques. **2.** Manteau de femme cintré. 1725 ; angl. *ridingoat*, « manteau de cavalier » ; [ʀədɛ̃gɔt].

**REDIRE,** verbe trans. [65]
**1.** Dire de nouveau (la même chose). **2.** Rapporter (ce que l'on a reçu en confidence) : *Ne le lui **redis** as !* ; empl. trans. indir. : *Avoir, trouver à **redire** à qqch.*, trouver à critiquer qqch. Mil. XII^e^ s. ; ☞ *dire* (I) + *re-* ; [ʀədiʀ].

**REDISTRIBUTION,** subst. f.
**1.** Nouvelle distribution ou répartition. **2.** *Écon.* Système consistant à reverser aux uns les prélèvements fiscaux opérés sur d'autres, afin de réduire les inégalités de revenu. 1690 ; ☞ *distribution + re-* ; [ʀədistʀibysjɔ̃].

**REDITE,** subst. f.
Répétition superflue. 1392 ; ☞ *redire* ; [ʀədit].

**REDONDANCE,** subst. f.
**1.** Caractère d'un style alourdi par une abondance de développements, d'ornements inutiles ; par méton., redite. **2.** *Ling.* Processus de fonctionnement du code linguistique qui utilise un surplus d'informations indispensable à la communication : *Dans l'exemple « les roses sont écloses », la **redondance** se manifeste par les quatre morphèmes du pluriel.* **3.** *Informat.* Duplication des informations opérée par mesure de sécurité. 1690 (fin XIII^e^ s., rebondissement) ; lat. *redundantia* ; [ʀədɔ̃dɑ̃s].

**REDONDANT, ANTE,** adj.
**1.** Qui est superflu, sans intérêt, dans l'expression orale ou écrite : *Adjectif **redondant**.* **2.** Qui comporte des redondances : *Une phrase **redondante**.* 1559 (déb. XIV^e^ s., surabondant) ; lat. *redundans* ; [ʀədɔ̃dɑ̃, ɑ̃t].

**REDONNER,** verbe [3]
**TRANS. 1.** Donner de nouveau. **2.** Rendre, restituer : ***Redonner** l'espoir, la santé.* **INTRANS. Redonner dans.** Tomber de nouveau dans : *Elle **redonne** dans la mégalomanie.* XII^e^ s. ; ☞ *donner + re-* ; [ʀədɔne].

**REDORER,** verbe trans. [3]
Dorer de nouveau (un objet). ► Loc. ***Redorer** son blason* (☞ *blason*). 1322 ; ☞ *dorer + re-* ; [ʀədɔʀe].

**REDOUBLANT, ANTE,** subst.
Élève qui redouble une classe. 1875 ; p. pr. de *redoubler* ; [ʀədublɑ̃, ɑ̃t].

**REDOUBLEMENT,** subst. m.
**1.** Action de rendre double. ► *Ling.* Répétition d'une ou de plusieurs syllabes dans un mot (par ex. « bébête »), ou d'un mot entier (synon. *réduplication*) dans une phrase (par ex. « c'est très très bon »). **2.** Fait d'augmenter en intensité : *Un **redoublement** de frénésie.* **3.** *Enseign.* Fait de redoubler une classe. Fin XIV^e^ s. ; ☞ *redoubler* ; [ʀədubləmɑ̃].

**REDOUBLER,** verbe [3]
**INTRANS.** Augmenter beaucoup, s'intensifier : *La pluie **redouble**.* **TRANS. DIR. 1.** Rendre double : ***Redoubler** une voyelle.* **2.** *Cout.* Remettre une doublure à : ***Redoubler** un manteau.* **3.** Augmenter la quantité, l'intensité de : ***Redoubler** ses cris.* **4.** *Enseign.* Suivre (le même enseignement) une deuxième année : *Il **redouble** sa sixième* ou, empl. abs., *Il **redouble**.* **TRANS. INDIR. Redoubler de.** Manifester encore plus de : ***Redoubler** de vigilance.* Déb. XIII^e^ s. ; ☞ *doubler + re-* ; [ʀəduble].

**REDOUTABLE,** adj.
Qui est à redouter, dangereux : *Un ennemi **redoutable**.* Fin XII^e^ s. ; ☞ *redouter* ; [ʀədutabl].

**REDOUTE,** subst. f.
Petite fortification isolée. 1599 ; ital. *ridotto*, « refuge », du lat. *reductus*, « retiré » ; [ʀədut].

**REDOUTER,** verbe trans. [3]
Craindre fortement (qqn, qqch.). Mil. XII^e^ s. ; anc. fr. *douter*, « craindre », + *re-* ; [ʀədute].

**REDOUX,** subst. m.
Radoucissement passager du temps pendant la saison froide. 1839 ; ☞ *doux + re-* ; [ʀədu].

**REDRESSE (À LA),** loc. adj.
Pop. Qui ne se laisse pas duper ; qui sait se faire respecter dans le milieu. 1875 ; argot *redresser*, « filouter » ; [alaʀ(ə)dʀɛs].

**REDRESSEMENT,** subst. m.
**I. 1.** Action de rectifier, de remettre dans l'exactitude. ► *Fisc.* ***Redressement** fiscal* : correction, par le service des impôts, d'une déclaration jugée erronée ou frauduleuse. ► *Écon.* ***Redressement** judiciaire* : procédure visant à la sauvegarde d'une entreprise, au maintien de l'activité et de l'emploi et à l'apurement du passif. **2.** Action de redonner sa forme à ce qui est tordu : ***Redressement** d'une tôle.* **3.** Action de remettre un véhicule sur sa trajectoire. **4.** *Électr.* Transformation d'un courant alternatif en courant continu. **5.** *Maison de **redressement*** : établissement chargé de la rééducation des jeunes délinquants (vieilli). **II. 1.** Action de redresser un objet, tout ou partie du corps ; fait de se redresser ; son résultat. **2.** Fig. Amélioration, en parlant d'un pays, de sa situation économique, de sa monnaie. Mil. XII^e^ s. ; ☞ *redresser* ; [ʀədʀɛsmɑ̃].

**REDRESSER,** verbe trans. [3]
**1.** Remettre en position verticale : ***Redresser** le dos.* ► Loc. ***Redresser** la tête* : cesser de se soumettre, d'obéir. **2.** Redonner sa forme initiale à : ***Redresser** une aile de voiture enfoncée.* **3.** Fig. ► Ramener vers ce qui est jugé correct (littér.). ► Rétablir (ce qui était compromis) : ***Redresser** la situation.* **4.** *Électr.* ***Redresser** un courant* : le rendre unidirectionnel. **5.** Relever le nez de (un avion). **6.** Remettre dans un axe droit les roues de (un véhicule). **PRONOM. 1.** Reprendre une position droite, verticale, cesser d'être penché. **2.** Se tenir droit, spéc. dans une attitude fière. **3.** Fig. Se rétablir : *Le cours du franc se **redresse**.* Fin XI^e^ s. ; ☞ *dresser + re-* ; [ʀədʀese].

**REDRESSEUR,** subst. m. et adj. m.
**SUBST. 1.** ***Redresseur** de torts* : au Moyen Âge, chevalier qui se vouait à la défense des opprimés ; auj., souvent par iron., personne prétendant réformer la société, réparer les injustices. **2.** *Électr.* Appareil convertissant le courant alternatif en courant de sens constant. **ADJ. 1.** *Anat. Muscle **redresseur*** : dont la contraction fait se hérisser un poil (synon. *horripilateur*). **2.** *Opt. Prisme **redresseur*** : système qui redresse l'image renversée apparaissant dans un objectif. 1614 (1535, celui qui redresse) ; ☞ *redresser* ; [ʀədʀɛsœʀ, øz].

**RÉDUCTEUR, TRICE,** adj. et subst. m.
**1.** *Chim.* Se dit d'une substance qui cède des électrons au cours d'une réaction. **2.** *Mécan.* Se dit d'un dispositif qui diminue la vitesse de rotation d'un organe de transmission. **ADJ.** Qui simplifie, qui schématise : *Vision trop **réductrice** d'une crise politique.* 1835 (1542, qui ramène) ; lat. *reductor*, de *reducere*, « ramener » ; [ʀedyktœʀ, tʀis].

**RÉDUCTIBLE,** adj.
**1.** Qui peut être simplifié : *L'histoire n'est pas **réductible** aux faits.* **2.** *Math.* Se dit d'une fraction dont le numérateur et le dénominateur ne sont pas premiers entre eux. **3.** *Chir.* Qui peut être réduit : *Fracture **réductible**.* **4.** Qui peut être diminué : *Frais **réductibles**.* 1690 (1607, transformable en argent) ; ☞ *réduire* ; [ʀedyktibl].

**RÉDUCTION,** subst. f.
**1.** *Chir.* Remise en place d'un os fracturé, d'une articulation luxée. **2.** Action de soumettre (vieilli) : *La **réduction** des hérétiques.* **3.** Action de simplifier : ***Réduction** à des archétypes.* **4.** Action de diminuer, de rendre plus petit ; son résultat : ***Réduction** d'effectifs* ; *Prisonnier bénéficiant d'une **réduction** de peine* ; ***Réduction** d'une carte à l'échelle de 1/10* ; ***Réduction** de capital* ; empl. abs., diminution de prix. ► Loc. *En **réduction*** : en miniature. **5.** *Chim.* Apport d'électrons à un atome ou à une molécule, qui se produit au cours d'une réaction chimique. **6.** *Math.* ► ***Réduction** d'une expression algébrique* : réduction du nombre de ses termes (par mise en facteur, simplification...). ► ***Réduction** de fractions au même dénominateur* : détermination d'un dénominateur commun à ces fractions. **7.** *Hist.* ***Réductions** des jésuites* : villages communautaires indiens, interdits aux Espagnols, comme aux Portugais, constitués par les jésuites au Paraguay aux XVII^e^ et XVIII^e^ s. **8.** *Cuis.* Concentration par évaporation ; produit ainsi obtenu : *Une **réduction** de vin et d'échalotes.* **9.** *Mus.* Arrangement d'une partition d'orchestre destiné à une petite formation ou à un soliste : ***Réduction** pour piano.* **10.** *Biol.* ***Réduction** chromatique* : diminution de 2*n* à *n* chromosomes s'opérant lors de la formation des gamètes pendant la méiose. **11.** *Philos.* ***Réduction** phénoménologique* : suspension du jugement qui, chez Husserl, consiste en une mise entre parenthèses du monde objectif, rendant ainsi possible sa saisie par la conscience dans une visée originelle. 1377 (fin XIII^e^ s., rapprochement) ; lat. *reductio*, « action de ramener » ; [ʀedyksjɔ̃].

**RÉDUCTIONNISME,** subst. m.
Tendance à expliquer une réalité complexe par le jeu d'une combinaison de faits élémentaires (souv. péj.). V. 1970 ; ☞ *réduction* ; [ʀedyksjɔnism].

**RÉDUIRE,** verbe trans. [69]
**1.** Vx. Ramener. ► *Chir.* Remettre en place : ***Réduire** une fracture.* **2.** Porter à un certain point de simplification ; limiter : ***Réduire** l'histoire à une succession de dates.* **3.** Vaincre, soumettre (vieilli) : ***Réduire** des rebelles, des ennemis* ; imposer un état à (qqn) : ***Réduire** un peuple en esclavage, un clerc à l'état laïc* ; au fig. : ***Réduire** qqn au silence*, le contraindre à se taire. ► Loc. *En être **réduit** à* : n'avoir plus d'autre possibilité que (de). **4.** Transformer (qqch.) en éléments plus petits : ***Réduire** en miettes* ; ***Réduire** en cendres*, détruire par le feu. **5.** Reproduire à une échelle plus petite sans changer les proportions : ***Réduire** une image.* **6.** Diminuer en importance, en nombre, en quantité, en valeur : ***Réduire** son train de vie* ; ***Réduire** le personnel* ; ***Réduire** sa vitesse*, ralentir. **7.** *Chim.* Fournir (des électrons) à un atome ou à une molécule au cours d'une réaction. **8.** *Cuis.* Faire épaissir par évaporation : ***Réduire** une sauce* ; empl. abs. : *Laissez **réduire**.* **9.** Helv. Remettre (qqch.) à sa place. **PRONOM. 1. Se réduire à.** Se limiter, se résumer à : *Toute cette histoire se **réduit** à peu de chose.* **2.** Restreindre ses dépenses (vieilli). Fin XII^e^ s. ; lat. *reducere* ; [ʀedɥiʀ].

**RÉDUIT (I),** subst. m.
1. Vx. Lieu retiré. 2. Local exigu et peu éclairé ; renfoncement. 3. *Milit.* ▸ Petit ouvrage construit à l'intérieur d'une place forte, servant d'ultime retranchement (vx). ▸ Poche de résistance. 🕮 XII^e s ; lat. pop. *reductum*, « qui est à l'écart » ; [ʀedɥi].

**RÉDUIT (II), ITE,** adj.
Qui a subi une réduction : *Tarif **réduit** ; Modèle **réduit*** (☞ *modèle*). 🕮 1631 ; p. p. de *réduire* ; [ʀedɥi, it].

**RÉDUPLICATION,** subst. f.
1. Répétition (littér.). 2. *Ling.* Répétition consécutive d'un mot entier dans un énoncé (synon. *redoublement*). 🕮 1501 (fin XIV^e s., repli d'une membrane) ; bas lat. *reduplicatio* ; [ʀedyplikasjɔ̃].

**RÉDUVE,** subst. m.
*Zool.* Punaise hémiptère de la famille des Réduviidés, qui aspire le sang et la lymphe d'autres insectes et dont deux espèces américaines s'attaquent aux Mammifères. 🕮 1798 ; lat. sc. *reduvius*, du lat. *reduvia*, « envie aux doigts » ; [ʀedyv].

**RÉÉCHELONNEMENT,** subst. m.
*Écon.* ***Rééchelonnement** d'une dette* : nouvel échelonnement des remboursements, établi sur une période plus longue que celle prévue antérieurement. 🕮 V. 1980 ; ☞ *échelonnement* + *ré-* ; [ʀeeʃlɔnmɑ̃].

**RÉÉCRIRE,** voir **RÉCRIRE**

**RÉÉCRITURE,** subst. f.
Action de récrire un texte, en partic. pour en perfectionner la forme. 🕮 V. 1960 ; ☞ *réécrire* ; [ʀeekʀityʀ].

**RÉÉDIFIER,** verbe trans. [6]
Édifier de nouveau, rebâtir. 🕮 Déb. XIII^e s. ; ☞ *édifier* + *re-* ; [ʀeedifje].

**RÉÉDITER,** verbe trans. [3]
1. Éditer de nouveau ; faire une nouvelle édition de. 2. Fig. Refaire, renouveler : ***Rééditer** une performance.* 🕮 1842 ; ☞ *éditer* + *re-* ; [ʀeedite].

**RÉÉDITION,** subst. f.
1. Action d'éditer de nouveau ; édition nouvelle d'un ouvrage. 2. Fig. Répétition : ***Réédition** d'une situation.* 🕮 1725 ; ☞ *édition* + *re-* ; [ʀeedisjɔ̃].

**RÉÉDUCATION,** subst. f.
1. Action de rétablir, chez un sujet malade ou blessé, l'usage normal d'un membre, d'une fonction ; traitement utilisé pour pallier une déficience fonctionnelle, motrice ou psychomotrice. 2. Éducation spécialisée destinée à favoriser la réinsertion sociale de jeunes délinquants ; par euphém., endoctrinement qui, dans un régime totalitaire, est destiné à ramener qqn dans la ligne idéologique. 🕮 1900 ; ☞ *éducation* + *re-* ; [ʀeedykasjɔ̃].

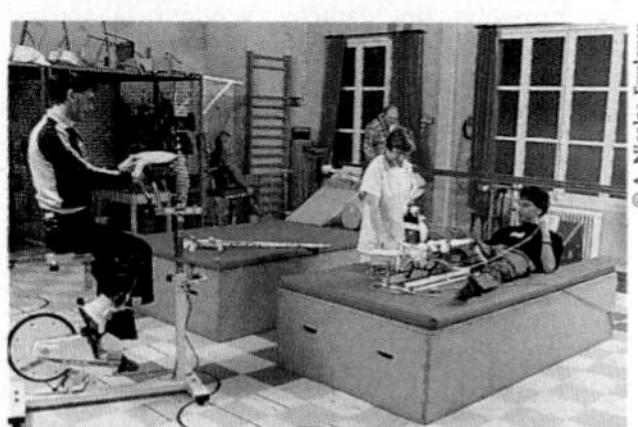
© A. Nicolas-Explorer

*Centre de **rééducation** fonctionnelle en milieu hospitalier.*

**RÉÉDUQUER,** verbe trans. [3]
1. Procéder à la rééducation de (qqn) : ***Rééduquer** un handicapé.* 2. Donner une nouvelle éducation morale à (qqn) ; en partic., l'endoctriner pour tenter de le ramener dans la ligne idéologique dont il s'est écarté. 🕮 Fin XIX^e s. ; ☞ *éduquer* + *re-* ; [ʀeedyke].

**RÉEL, RÉELLE,** adj. et subst. m.
ADJ. 1. *Dr.* Qui concerne les choses, les biens (par oppos. à *personnel*) : *L'usufruit est un droit **réel**.* 2. Qui a une existence effective : *Je le touche, il est bien **réel**.* ▸ *Philos.* Donné, actuel (anton. *virtuel*) ; doué d'une existence indépendante de la visée objective du sujet (anton. *apparent, relatif*). 3. Qui est bien ce qu'il doit être ; authentique, vrai : *Un **réel** dévouement.* 4. *Math.* ▸ *Nombre **réel*** : élément du corps $\mathbb{R}$. $\mathbb{R}$, ensemble des nombres réels, peut être défini axiomatiquement à partir des entiers naturels, ou comme corps ordonné contenant le corps $\mathbb{Q}$ des rationnels comme sous-corps. C'est un espace métrique pour la distance $d(x, y) = |x - y|$, $\mathbb{Q}$ est alors dense dans $\mathbb{R}$, c.-à-d. que tout **réel** est limite d'au moins une suite de rationnels. On a $\mathbb{N} \subset \mathbb{Z} \subset \mathbb{Q} \subset \mathbb{R}$. ▸ *Fonction **réelle*** : à valeurs dans $\mathbb{R}$ (synon. *fonction numérique*). ▸ *Partie **réelle** d'un nombre complexe z* : nombre *a*, noté Re (*z*), dans l'écriture $z = a + ib$. 5. Opt. *Image **réelle*** : formée au point de convergence de rayons lumineux (anton. *virtuelle*). SUBST. **Le réel.** Ce qui possède une existence effective (synon. *réalité*) : *Ne prendre en compte que le **réel**.* 🕮 1283 ; bas lat. *realis*, du lat. *res*, « chose » ; [ʀeɛl].

**RÉÉLECTION,** subst. f.
Action de réélire ; son résultat. 🕮 1784 ; ☞ *réélire* ; [ʀeelɛksjɔ̃].

**RÉÉLIGIBLE,** adj.
Qui est légalement apte à être réélu. 🕮 1791 ; ☞ *éligible* + *re-* ; [ʀeeliʒibl].

**RÉÉLIRE,** verbe trans. [66]
Élire de nouveau. 🕮 1237 (mil. XII^e s., choisir à son tour) ; ☞ *élire* + *re-* ; [ʀeeliʀ].

**RÉELLEMENT,** adv.
Effectivement, véritablement ; en réalité : *Cela s'est **réellement** passé.* 🕮 1310 ; ☞ *réel* ; [ʀeɛlmɑ̃].

**RÉÉMETTEUR,** subst. m.
*Télécomm.* Émetteur destiné à retransmettre les signaux émis par un émetteur principal. 🕮 V. 1960 ; ☞ *émetteur* + *re-* ; [ʀeemɛtœʀ].

**RÉEMPLOI,** voir **REMPLOI**

**RÉEMPLOYER,** voir **REMPLOYER**

**RÉEMPRUNTER,** voir **REMPRUNTER**

**RÉENGAGEMENT,** voir **RENGAGEMENT**

**RÉENGAGER,** voir **RENGAGER**

**RÉENSEMENCER,** verbe trans. [4]
Ensemencer de nouveau. 🕮 1549 ; ☞ *ensemencer* + *re-* ; [ʀeɑ̃s(ə)mɑ̃se].

**RÉENTENDRE,** verbe trans. [51]
Entendre de nouveau. 🕮 1805 ; ☞ *entendre* + *re-* ; [ʀeɑ̃tɑ̃dʀ].

**RÉÉQUILIBRAGE,** subst. m.
Action de rééquilibrer ; son résultat. 🕮 1954 ; ☞ *rééquilibrer* ; [ʀeekilibʀaʒ].

**RÉÉQUILIBRER,** verbe trans. [3]
Rétablir l'équilibre de (qqch.). 🕮 1942 ; ☞ *équilibrer* + *re-* ; [ʀeekilibʀe].

**RÉER,** voir **RAIRE**

**RÉESCOMPTE,** subst. m.
*Fin.* Opération par laquelle une banque centrale achète à une banque un effet que celle-ci a déjà escompté et qui n'est pas encore parvenu à échéance. 🕮 1867 ; ☞ *escompte* + *re-* ; [ʀeɛskɔ̃t].

**RÉESSAYAGE,** subst. m.
Action de faire un nouvel essayage. 🕮 V. 1900 ; ☞ *réessayer* ; var. *ressayage* ; [ʀeesɛjaʒ].

**RÉESSAYER,** verbe trans. [15]
Essayer de nouveau. 🕮 1561 (déb. XIII^e s., essayer de son côté) ; ☞ *essayer* + *re-* ; var. *ressayer* ; [ʀeeseje].

**RÉÉVALUATION,** subst. f.
1. Action de réévaluer ; son résultat. 2. ▸ *Comptab.* ***Réévaluation** des bilans* : correction des différents postes d'un bilan à la suite d'une dépréciation de la monnaie. ▸ *Écon.* ***Réévaluation** de l'encaisse* : rectification de la valeur, en monnaie nationale, des avoirs en or et en devises, après une dévaluation. 3. *Fin.* Relèvement de la valeur officielle d'une monnaie, par rapport à une autre (anton. *dévaluation*). 🕮 1929 ; ☞ *évaluation* + *re-* ; [ʀeevalɥasjɔ̃].

**RÉÉVALUER,** verbe trans. [3]
1. Évaluer de nouveau. 2. *Fin.* Procéder à la réévaluation de (une monnaie). 🕮 1949 ; ☞ *évaluer* + *re-* ; [ʀeevalɥe].

**RÉEXAMINER,** verbe trans. [3]
Examiner de nouveau. 🕮 1625 ; ☞ *examiner* + *re-* ; [ʀeɛgzamine].

**RÉEXPÉDIER,** verbe trans. [6]
Expédier (qqch.) vers son lieu d'origine ou vers une nouvelle destination. 🕮 1627 (1585, envoyer qqn ailleurs) ; ☞ *expédier* + *re-* ; [ʀeɛkspedje].

**RÉEXPÉDITION,** subst. f.
Action de réexpédier : ***Réexpédition** du courrier.* 🕮 1791 ; ☞ *réexpédier* ; [ʀeɛkspedisjɔ̃].

**RÉEXPORTER,** verbe trans. [3]
Envoyer hors d'un pays (des marchandises impor-tées). 🕮 1734 ; ☞ *exporter* + *re-* ; [ʀeɛkspɔʀte].

**RÉFACTION,** subst. f.
*Comm.* Réduction sur le prix des marchandises quand, au moment de la livraison, elles n[e] correspondent pas aux conditions établies. 🕮 175[...] (1686, réfection) ; var. de *réfection* ; [ʀefaksjɔ̃].

**REFAIRE,** verbe trans. [57]
1. Faire de nouveau (ce qui a déjà été fait) : ***Refai[re]** un calcul.* 2. Remettre en état, restaurer : ***Refaire** [un] crépi* ; par ext., rétablir : ***Refaire** sa santé.* 3. Repren[-]dre, recommencer (qqch.) en le modifiant : *C[e] devoir est à **refaire**.* 4. Duper, escroquer (fam.) : *Vo[us] voilà **refait** d'une jolie somme !* PRONOM. 1. Rétabl[ir] sa santé, récupérer. ▸ Rétablir l'état de ses finances en partic. après des pertes au jeu. 2. Se transforme[r] dans sa personnalité (empl. négatif) : *On ne [se] **refait** pas !* 🕮 XII^e s. ; ☞ *faire* (I) + *re-* ; [ʀəfɛʀ].

**RÉFECTION,** subst. f.
Action de refaire, de remettre à neuf : ***Réfection** d'u[n] bâtiment.* 🕮 1332 (mil. XII^e s., réconfort moral) ; la[t.] *refectio*, de *reficere*, « refaire, rétablir » ; [ʀefɛksjɔ̃].

**RÉFECTOIRE,** subst. m.
Salle où l'on prend les repas, dans une commu[-]nauté. 🕮 Déb. XII^e s. ; lat. eccl. *refectorium*, du bas la[t.] *refectorius*, « qui restaure » ; [ʀefɛktwaʀ].

**REFEND,** subst. m.
1. *Constr.* ▸ ***Mur de refend*** : mur porteur constituan[t] une séparation intérieure dans un bâtiment. ▸ *Lign[e] de **refend*** : rainure creusée sur le parement d'un[e] façade pour mettre en évidence les joints ou pou[r] les simuler. 2. *Menuis.* *Bois de **refend*** : scié en lon[g]. 🕮 1690 (1423, cloison) ; ☞ *refendre* ; [ʀəfɑ̃].

**REFENDRE,** verbe trans. [51]
Fendre, scier dans le sens de la longueur. 🕮 1260 ☞ *fendre* + *re-* ; [ʀəfɑ̃dʀ].

**RÉFÉRÉ,** subst. m.
*Dr.* Procédure d'urgence permettant d'obtenir un[e] décision judiciaire provisoire : *Ordonnance de **référ[é]***. 🕮 1806 (1690, rapport fait par un juge) ; p. p. d[e] *référer* ; [ʀefeʀe].

**RÉFÉRENCE,** subst. f.
1. Action de se référer, de renvoyer à une norm[e] à une autorité, à un texte ; par méton., cette norm[e] cette autorité, ce texte : *Cet auteur est une **référen[ce]** en la matière.* ▸ *Ouvrage de **référence*** : destiné à êtr[e] consulté (dictionnaires, usuels, etc.). 2. Indicatio[n] précise relative à un auteur, à un livre, à un text[e] cité, permettant de s'y reporter (souv. au plur.) *Des **références** bibliographiques.* 3. Indication placé[e] en tête et à gauche d'une lettre, devant être rappelé[e] lors de la réponse. 4. *Ling.* Fonction par laquell[e] un signe linguistique renvoie à un signifié concrète[-]ment identifiable. PLUR. Renseignements attesté[s] relatifs à l'expérience, aux qualités d'une personne 🕮 1846 ; ☞ *référer* ; [ʀefeʀɑ̃s].

**RÉFÉRENCER,** verbe trans. [4]
Donner une référence à ; classer selon un systèm[e] normatif. 🕮 1877 ; ☞ *référence* ; [ʀefeʀɑ̃se].

**RÉFÉRENDAIRE,** subst. m. et adj.
SUBST. *Hist.* Officier de chancellerie. ADJ. 1. *Consei[l]ler **référendaire** à la Cour des comptes* : magistra[t] chargé d'examiner les comptes des justiciables e[t] d'instruire les affaires contentieuses. 2. Relatif [à] un référendum. 🕮 1310 ; bas lat. *referendarius*, d[e] *referre*, « faire un rapport » ; [ʀefeʀɑ̃dɛʀ].

**RÉFÉRENDUM,** subst. m.
1. *Dr.* Vote par lequel l'ensemble des citoyens peu[t] manifester son approbation ou son rejet d'un[e] mesure proposée par le gouvernement. ▸ Helv[...]

*Campagne pour le **référendum** sur l'espace économique européen.*

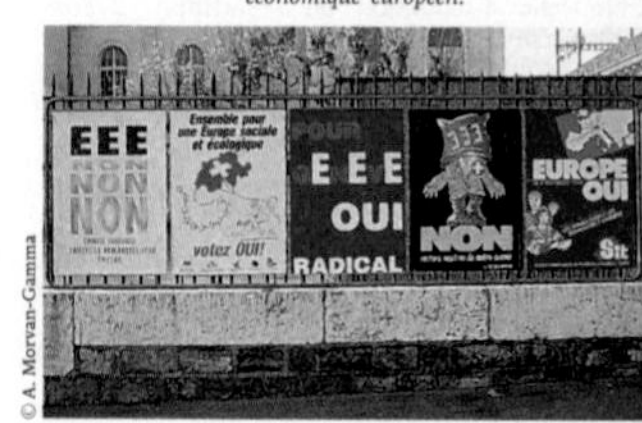

© A. Morvan-Gamma

…férendum *d'initiative populaire* : procédure par …quelle des citoyens peuvent proposer un texte de …i et le soumettre au vote populaire, à condition …u'ils aient recueilli un nombre de signatures …éterminé. **2.** Ext. Consultation de l'ensemble des …embres d'un groupe donné. 1874 (1781, de…ande de consultation) ; lat. *ad referendum*, « pour …pporter » ; var. *referendum* ; [ʀefeʀɑ̃dɔm].

**RÉFÉRENT, subst. m.**
…ng. Tout élément du monde réel auquel se réfère …n signe linguistique. 1955 ; ☞ *référer* ; [ʀefeʀɑ̃].

**RÉFÉRENTIEL, ELLE, subst. m. et adj.**
…bst. **1.** *Math.* Ensemble lié à une étude, à un …oblème concernant des parties de cet ensemble. … *Phys.* Corps solide ou ensemble de coordonnées …patiales, temporelles) servant de repère pour …crire le mouvement d'un système de corps solides. …dj. *Ling.* *Sens **référentiel*** : qui se rapporte aux …éments invariants du sens d'un mot, sans …nnotation (synon. *dénotatif*). 1953 ; ☞ *réfé…nce* ; [ʀefeʀɑ̃sjɛl].

**RÉFÉRER, verbe trans. indir.** [8]
En référer à. Recourir à (qqn, qqch.) pour lui …umettre un cas, en appeler à : *En **référer** au …ibunal, à un supérieur.* **2.** *Ling.* ***Référer** à* : avoir …our référent. **Pronom. Se référer à.** S'en rapporter … s'appuyer sur : *Se **référer** à une loi, à qqn* ; se …pporter à, en parlant de qqch. Fin xvᵉ s. (1370, …pporter, mettre en rapport) ; lat. *referre* ; [ʀefeʀe].

**REFERMER, verbe trans.** [3]
…rmer de nouveau. **Pronom.** Se fermer après avoir …é ouvert ou s'être ouvert ; au fig., se replier sur …i. Mil. xiiᵉ s. ; ☞ *fermer* + *re-* ; [ʀəfɛʀme].

**REFILER, verbe trans.** [3]
…onner ou vendre (ce dont on veut se défaire) à …qn, souvent en le dupant (fam.) : ***Refiler** un faux …llet.* 1790 ; ☞ *filer* + *re-* ; [ʀəfile].

**RÉFLÉCHI, IE, adj.**
… *Phys.* Se dit de rayonnements, d'ondes, de vibra…ons ou de particules qui sont renvoyés par ré…exion. **2.** Qui fait preuve de réflexion : *Une élève …fléchie* ; qui dénote la réflexion : *Geste **réfléchi*** ; …i résulte d'une réflexion : *Projet mûrement **réfléchi**.* … *Gramm.* *Pronom **réfléchi*** : pronom personnel …mplément représentant la chose ou la personne …i est le sujet du verbe (ex. : « Je *me* suis promené …ans le jardin »). ▸ *Verbe pronominal **réfléchi*** : verbe …njugué avec un pronom **réfléchi**. Fin xiiiᵉ s. ; …p. de *réfléchir* ; [ʀefleʃi].

**RÉFLÉCHIR, verbe** [19]
…rans. dir. Renvoyer par réflexion (des rayonne…ents, des ondes, des vibrations, des particules) ; …mpl. pronom., donner une image par réflexion : …*a lune se **réfléchit** dans l'eau.* **Trans. indir. Réflé…hir sur, à.** Examiner, étudier avec soin : ***Réfléchir** …ur un projet* ; ***Réfléchir** à un problème*, y penser. …ntrans. Penser longuement, se concentrer : ***Réflé…issez** bien avant de choisir.* Fin xiiiᵉ s. ; lat. …*flectere*, « courber en arrière », d'apr. *fléchir* ; [ʀefleʃiʀ].

**RÉFLÉCHISSANT, ANTE, adj.**
…hys. Se dit d'un matériau ou d'un milieu per…ettant à un rayonnement, à une onde, à une …bration, à une particule d'être réfléchi. 1720 ; …pr. de *réfléchir* ; [ʀefleʃisɑ̃, ɑ̃t].

**RÉFLECTEUR, TRICE, subst. m. et adj.**
…bst. *Phys.* Appareil qui, par réflexion, opère une …odification du rayonnement incident, quelle …'en soit sa nature. **Adj.** Qui réfléchit, renvoie par …flexion. 1804 ; ☞ *réfléchir* ; [ʀeflɛktœʀ, tʀis].

**RÉFLECTIF, IVE, adj.**
…hysiol. Relatif aux réflexes : *Des contractions …**flectives*** ; *Des mouvements **réflectifs**.* 1803 ; ☞ *réfléchir* ; [ʀeflɛktif, iv].

**REFLET, subst. m.**
… Effet lumineux, plus ou moins coloré, résultant …e la réflexion de la lumière sur un corps : *Des **reflets** …nants* ; *Fourrure aux **reflets** dorés.* **2.** Méton. Image …fléchie : *Voir son **reflet** dans la vitre.* **3.** Fig. Éclat …i transparaît : *Son visage est le **reflet** de son âme.* Image, gén. affaiblie, de qqn ou de qqch. : *Cette …pie n'est qu'un **reflet** de l'original.* 1651 ; ital. …*flesso*, du bas lat. *reflexus*, « retour en arrière » ; [ʀəflɛ].

**REFLÉTER, verbe trans.** [8]
… Réfléchir de façon imprécise (une lumière, une …ouleur, l'image de qqn, de qqch.) : *La vitre **reflète** …s rayons du soleil.* **2.** Fig. Laisser apparaître ; être l'image, le reflet de : *Son style **reflète** sa personnalité.* **Pronom.** Avoir son reflet dans ; au fig., transparaître dans : *La jalousie se **reflétait** dans ses yeux.* 1762 ; ☞ *reflet* ; [ʀəflete].

**REFLEURIR, verbe** [19]
**Intrans.** Fleurir de nouveau ; au fig., renaître (littér.) : *L'espoir **refleurit**.* **Trans.** Garnir, orner de nouveau de fleurs. xiiᵉ s. ; ☞ *fleurir* + *re-* ; [ʀəflœʀiʀ].

**REFLEX, adj. et subst. m.**
*Phot.* **Adj.** Qualifie un système de visée dans lequel l'image du sujet est renvoyée sur un verre dépoli par un miroir incliné à 45°, apparaissant ainsi telle qu'elle se formera sur le film. **Subst.** Appareil muni d'un tel système. Déb. xxᵉ s. ; mot angl. ; [ʀeflɛks].

**RÉFLEXE, adj. et subst. m.**
**Adj.** Vx. *Phys.* Réfléchi. **Subst. 1.** *Physiol.* Réponse motrice involontaire déclenchée par un stimulus sensitif ou sensoriel : ***Réflexe** ostéo-tendineux*, contraction musculaire provoquée par la percussion du tendon de ce muscle ; empl. adj. : *Mouvement **réflexe**.* ▸ ***Réflexe** conditionné* (☞ *conditionné*). **2.** Ext. Réaction instantanée à un évènement déterminé : *Au volant, il faut des **réflexes**.* 1480 ; lat. *reflexus* ; [ʀeflɛks].

**RÉFLEXIF, IVE, adj.**
**1.** *Math.* *Relation **réflexive*** : relation binaire sur un ensemble telle que tout élément de cet ensemble soit relié à lui-même suivant cette relation. **2.** *Philos.* Se dit, chez Husserl, de tout acte qui, posant un vécu dans la sphère de la conscience réduite, permet la saisie intuitive de son essence (☞ *réduction*). 1611 ; lat. sc. *reflexivus*, « relatif à la réflexion de la lumière » ; [ʀeflɛksif, iv].

**RÉFLEXION, subst. f.**
**I. 1.** *Phys.* Propriété d'une onde arrivant sur la limite séparant deux milieux et se réfléchissant dans son milieu d'origine. La **réflexion** permet d'étudier la nature de l'onde incidente ainsi que celle des milieux mis en cause. **2.** *Géom.* Symétrie orthogonale par rapport à un plan. **II. 1.** Faculté qu'a l'esprit de faire retour sur lui-même pour examiner une idée, un problème, un processus, etc. : *Prendre le temps de la **réflexion**.* ▸ Loc. ***Réflexion** faite* : tout bien pensé. **2.** Méton. Pensée formulée découlant du fait de réfléchir : *Je vous livre mes **réflexions**.* ▸ Remarque peu agréable (fam.) : *Sa **réflexion** m'a déplu.* 1377 ; bas lat. *reflexio*, « action de tourner en arrière, de retourner » ; [ʀeflɛksjɔ̃].

**RÉFLEXOGÈNE, adj.**
*Méd.* Qui provoque un, des réflexes. Fin xixᵉ s. ; ☞ *réflexe* + *-gène* ; [ʀeflɛksɔʒɛn].

**RÉFLEXOGRAMME, subst. m.**
*Méd.* Enregistrement graphique d'un réflexe. Déb. xxᵉ s. ; ☞ *réflexe* + *-gramme* ; [ʀeflɛksɔgʀam].

**RÉFLEXOLOGIE, subst. f.**
*Méd.* Étude scientifique des réflexes. Déb. xxᵉ s. ; ☞ *réflexe* + *-logie* ; [ʀeflɛksɔlɔʒi].

**REFLUER, verbe intrans.** [3]
**1.** Couler en sens contraire, en parlant d'un liquide. **2.** Anal. Revenir sur ses pas, en parlant d'une foule. 1450 ; lat. *refluere* ; [ʀəflye].

**REFLUX, subst. m.**
**1.** Marée descendante. **2.** Anal. Mouvement de retrait d'une foule. **3.** *Pathol.* Écoulement anormal, dans le sens opposé au sens physiologique : ***Reflux** œsophagien.* 1520 ; ☞ *flux* + *re-* ; [ʀəfly].

**REFONDRE, verbe trans.** [51]
**1.** Fondre de nouveau. **2.** Fig. Restructurer, remanier : ***Refondre** un ouvrage, un texte.* Mil. xiiᵉ s. ; ☞ *fondre* + *re-* ; [ʀəfɔ̃dʀ].

**REFONTE, subst. f.**
Action de refondre ; son résultat. 1718 ; ☞ *refondre*, d'apr. *fonte* (I) ; [ʀəfɔ̃t].

**REFORESTATION, subst. f.**
Reconstitution d'une forêt (synon. *reboisement*). 1932 ; ☞ *déforestation* + *re-* ; [ʀəfɔʀɛstasjɔ̃].

**REFORMAGE, subst. m.**
*Chim.* Procédé de conversion chimique ou catalytique d'hydrocarbures saturés. 1946 ; angl. *to reform*, « modifier » ; [ʀəfɔʀmaʒ].

**RÉFORMATEUR, TRICE, subst. et adj.**
**Subst. 1.** Personne qui désire réformer, qui entreprend des réformes. **2.** *Relig.* Initiateur de la Réforme, au xviᵉ s. **Adj.** Qui opère une réforme ; qui tend à réformer : *Un parti **réformateur**.* 1327 ; lat. *reformator* ; [ʀefɔʀmatœʀ, tʀis].

**RÉFORMATION, subst. f.**
**1.** Action de réformer, son résultat (vieilli ou littér.). **2.** *Dr.* Modification d'une décision par l'autorité supérieure. **3.** *Relig.* *La **Réformation*** : la Réforme. 1213 ; lat. *reformatio* ; [ʀefɔʀmasjɔ̃].

**RÉFORME, subst. f.**
**1.** *Relig.* Retour à l'observance de la règle initiale : *La **réforme** cistercienne.* ▸ *Hist.* *La **Réforme*** : mouvement qui, au xviᵉ s., fut à l'origine du protestantisme. **2.** Changement visant à améliorer qqch., gén. une institution : ***Réforme** de la justice.* **3.** *Milit.* ▸ Mise au rebut du matériel devenu impropre. ▸ Position de celui qui est jugé inapte au service national. 1625 ; ☞ *réformer* ; [ʀefɔʀm].

*Jean Calvin, grand **réformateur** protestant. Bibliothèque de l'Histoire du protestantisme, Paris.*

**RÉFORMÉ, ÉE, adj.**
**1.** *Relig.* Issu de la Réforme : *L'Église **réformée** de France* ; *La religion **réformée***, le protestantisme ; empl. subst., protestant (vx). **2.** *Milit.* ▸ Devenu impropre, en parlant du matériel. ▸ Reconnu inapte au service national ; empl. subst. masc. : *Un **réformé**.* 1546 ; p. p. de *réformer* ; [ʀefɔʀme].

**REFORMER, verbe trans.** [3]
Refaire, reconstituer, regrouper (ce qui a été défait, dissous, dispersé). **Pronom.** Se reconstituer, reprendre sa forme : *Glace qui fond le jour, puis se **reforme** la nuit.* 1174 ; ☞ *former* + *re-* ; [ʀəfɔʀme].

**RÉFORMER, verbe trans.** [3]
**1.** *Relig.* Rétablir dans sa stricte observance : *Saint Jean de la Croix **réforma** l'ordre des Carmes.* **2.** Changer en vue d'améliorer : ***Réformer** une loi.* **3.** Littér. Supprimer (ce qui est nuisible) : ***Réformer** les excès.* **4.** *Milit.* Mettre (du matériel) à la réforme ; reconnaître (un appelé) inapte au service national. Fin xiiᵉ s. ; lat. *reformare* ; [ʀefɔʀme].

**RÉFORMETTE, subst. f.**
Réforme minime, ou jugée telle (fam. et péj.). V. 1960 ; ☞ *réforme* ; [ʀefɔʀmɛt].

**RÉFORMISME, subst. m.**
*Pol.* **1.** Doctrine, pratique donnant la préférence aux réformes légales (plutôt qu'à la révolution) pour promouvoir le progrès social. **2.** Au sein d'un parti, tendance prônant l'évolution de la doctrine. 1908 ; ☞ *réformiste* ; [ʀefɔʀmism].

**RÉFORMISTE, subst. et adj.**
Se dit d'un partisan d'une réforme, du réformisme. **Adj.** Relatif à une réforme, au réformisme. 1834 ; ☞ *réforme* ; [ʀefɔʀmist].

**REFORMULER, verbe trans.** [3]
Formuler à nouveau, souvent avec plus de clarté. 1954 ; ☞ *formuler* + *re-* ; [ʀəfɔʀmyle].

**REFOULÉ, ÉE, adj. et subst.**
Se dit d'une personne qui a refoulé ses pulsions, en partic. ses pulsions sexuelles (fam. et souv. péj.). **Subst. masc.** *Psychanal.* Ce qui a été occulté par refoulement. 1905 ; p. p. de *refouler* ; [ʀəfule].

**REFOULEMENT, subst. m.**
**1.** Action de refouler, de repousser : ***Refoulement** des indésirables.* ▸ *Ch. de fer.* Manœuvre par laquelle une locomotive fait reculer un train. **2.** Fait de ne pas donner libre cours à des désirs, à des émotions que l'on ne peut ou que l'on ne veut pas extérioriser. ▸ *Psychanal.* Processus psychique par lequel les représentations pénibles sont maintenues dans l'inconscient. 1611 (1538, action d'émousser) ; ☞ *refouler* ; [ʀəfulmɑ̃].

**REFOULER,** verbe trans. [3]
**1.** Fouler de nouveau. **2.** Renvoyer (un fluide) vers son point de départ : *Pompe qui **refoule** de l'eau.* **3.** Repousser, faire refluer : *La police **refoula** les curieux.* **4.** Empêcher l'extériorisation de (une pensée, un sentiment) : ***Refouler** une envie de rire.* ▸ *Psychanal.* Effectuer le refoulement de (une représentation pénible). Mil. XIIIe s. (fin XIIe s., refluer) ; ☞ *fouler* + *re-* ; [ʀəfule].

**REFOULOIR,** subst. m.
*Artill.* Instrument composé d'un cylindre monté sur une hampe et servant autrefois à charger un canon. 1575 ; ☞ *refouler* ; [ʀəfulwaʀ].

**REFOUTRE,** verbe trans. [51]
Remettre (vulg.) : *Ne **refous** jamais les pieds ici !* 1790 ; ☞ *foutre* + *re-* ; verbe défectif ; [ʀəfutʀ].

**RÉFRACTAIRE,** adj. et subst. m.
**Adj. 1. Réfractaire à.** Qui ne se soumet pas à, refuse d'obéir à : *Être **réfractaire** à un ordre.* ▸ Ext. Qui résiste, cherche à se soustraire, est inaccessible à : *Être **réfractaire** à tout dialogue.* **2.** *Hist.* ▸ *Prêtre **réfractaire*** : prêtre qui avait refusé de prêter serment à la Constitution civile du clergé, pendant la Révolution française (synon. *insermenté*). ▸ *Conscrit **réfractaire*** : qui refusait de se soumettre au service dans les armées, sous le Consulat et l'Empire. **3.** *Spéc.* ▸ *Physiol. Période **réfractaire*** : pendant laquelle, après le passage d'un influx nerveux, une fibre nerveuse ne réagit pas aux stimulus. ▸ *Phys.* Se dit d'un matériau qui résiste à des températures très élevées. **Subst.** *Hist.* ▸ Prêtre **réfractaire**, conscrit **réfractaire**. ▸ Français qui, sous l'Occupation, refusait d'aller en Allemagne effectuer le service du travail obligatoire. 1546 ; lat. *refractarius*, de *refringere*, « briser » ; [ʀefʀaktɛʀ].

**RÉFRACTER,** verbe trans. [3]
*Phys.* Produire la réfraction de. 1734 ; angl. *to refract*, du lat. *refringere*, « briser » ; [ʀefʀakte].

**RÉFRACTEUR, TRICE,** subst. m. et adj.
Se dit de ce qui réfracte la lumière : *Le prisme est un **réfracteur**.* 1892 (1870, sorte de lunette astronomique) ; ☞ *réfracter* ; [ʀefʀaktœʀ, -tʀis].

**RÉFRACTION,** subst. f.
**1.** *Phys.* Modification de la direction d'une onde lorsqu'elle passe d'un milieu dans un autre. ▸ *Indice de **réfraction*** (☞ *indice*). **2.** *Physiol.* Pouvoir que possède l'œil de réfracter la lumière. 1270 ; bas lat. *refractio*, du lat. *refringere*, « briser » ; [ʀefʀaksjɔ̃].

**RÉFRACTOMÈTRE,** subst. m.
*Phys.* Appareil qui permet les mesures d'indices de réfraction d'une substance. 1875 ; ☞ *réfraction* + *-mètre*[1] ; [ʀefʀaktɔmɛtʀ].

**REFRAIN,** subst. m.
**1.** Phrase ou suite de phrases qu'on répète entre chaque couplet d'une chanson, d'un poème ; par méton., la chanson elle-même. **2.** Fig. Paroles sempiternellement répétées ; rengaine : *Tu nous fatigues avec ce **refrain** !* 1392 (fin XIIe s., mélodie) ; anc. fr. *refraindre*, « briser » ; [ʀəfʀɛ̃].

**RÉFRANGIBLE,** adj.
*Phys.* Susceptible d'être réfracté. 1706 ; angl. *refrangible*, du lat. pop. °*refrangere*, « briser » ; [ʀefʀɑ̃ʒibl].

**RÉFRÉNER,** verbe trans. [8]
Mettre un frein à : ***Réfréner** son ambition.* XIIe s. ; lat. *refrenare*, « arrêter par le frein » ; var. *refréner* ; [ʀefʀene].

**RÉFRIGÉRANT, ANTE,** adj.
**1.** Qui produit du froid, qui sert à abaisser la température ; empl. subst. masc., appareil servant à refroidir. **2.** Fig. Qui glace, paralyse : *Regard **réfrigérant**.* 1328 ; p. pr. de *réfrigérer* ; [ʀefʀiʒeʀɑ̃, -ɑ̃t].

**RÉFRIGÉRATEUR,** subst. m.
Appareil électroménager formé d'un meuble calorifugé contenant un dispositif producteur de froid et servant à conserver des aliments. 1933 (1611, ce qui rafraîchit) ; ☞ *réfrigérer* ; [ʀefʀiʒeʀatœʀ].

**RÉFRIGÉRATION,** subst. f.
Abaissement artificiel de la température, en partic. pour conserver une denrée alimentaire, sans toutefois la congeler. 1938 (1505, action de rafraîchir) ; lat. *refrigeratio* ; [ʀefʀiʒeʀasjɔ̃].

**RÉFRIGÉRER,** verbe trans. [8]
**1.** Refroidir par réfrigération ; empl. adj. : *Présentoir **réfrigéré**.* **2.** Fig. Mettre mal à l'aise par une attitude peu cordiale. 1328 ; lat. *refrigerare* ; [ʀefʀiʒeʀe].

**RÉFRINGENCE,** subst. f.
Propriété de réfracter la lumière. 1799 ; ☞ *réfringent* ; [ʀefʀɛ̃ʒɑ̃s].

**RÉFRINGENT, ENTE,** adj.
*Phys.* Qui produit la réfraction. 1720 ; lat. *refringens*, de *refringere*, « briser » ; [ʀefʀɛ̃ʒɑ̃, -ɑ̃t].

**REFROIDIR,** verbe [19]
**Trans. 1.** Abaisser la température de ; rendre froid. **2.** Fig. Diminuer l'ardeur de (qqn), l'intensité de (un sentiment). **3.** Assassiner (pop.). **Intrans.** Devenir froid ou plus froid. ▸ Fig. *Laisser **refroidir** qqch.* : attendre que la situation soit meilleure (fam.). **Pronom. 1.** Devenir froid. **2.** Prendre froid. Déb. XIIe s. ; ☞ *froid* + *re-* ; [ʀəfʀwadiʀ].

**REFROIDISSEMENT,** subst. m.
**1.** Baisse de la température : ***Refroidissement** du temps ; Moteur à **refroidissement** par air.* **2.** Indisposition due à une baisse de température de l'air ambiant. **3.** Fig. Amoindrissement de l'intensité d'un sentiment. 1314 ; ☞ *refroidir* ; [ʀəfʀwadismɑ̃].

**REFROIDISSEUR,** subst. m.
*Techn.* Agent réfrigérant. 1827 ; ☞ *refroidir* ; [ʀəfʀwadisœʀ].

**REFUGE,** subst. m.
**1.** Celui à qui on fait appel comme soutien, en parlant de Dieu (vx). ▸ Fig. Personne vers laquelle on se tourne pour obtenir une protection : *Vous êtes mon seul **refuge**.* **2.** Lieu, retraite où l'on va pour échapper à un danger ou pour s'abriter : *Le métro sert de **refuge** aux sans-abri.* ▸ Petite plateforme aménagée au milieu d'une chaussée pour accueillir les piétons. **3.** Abri construit en haute montagne. **4.** *Fin.* En appos. *Des valeurs **refuges*** : considérées par les épargnants comme particulièrement sûres. XIIe s. ; lat. *refugium* ; [ʀəfyʒ].

© J. J. Raynal-Explorer

*Refuge dans le parc national de la Vanoise.*

**RÉFUGIÉ, ÉE,** adj. et subst.
Se dit d'une personne qui a fui une région où elle était en danger, du fait de persécutions, d'une catastrophe naturelle, d'une guerre, etc. 1435 ; p. p. de *se réfugier* ; [ʀefyʒje].

**RÉFUGIER (SE),** verbe pronom. [6]
Se rendre en un lieu pour y trouver refuge ; au fig. : ***Se réfugier** dans ses souvenirs, dans le sommeil.* 1435 ; ☞ *refuge* ; [ʀefyʒje].

**REFUS,** subst. m.
Action, fait de refuser : ***Refus** formel ; **Refus** d'obéissance*, insoumission, en partic. militaire. ▸ Loc. *Ce n'est pas de **refus*** : volontiers (fam.). Déb. XIIIe s. ; ☞ *refuser* ; [ʀəfy].

**REFUSER,** verbe [3]
**Trans. 1.** Ne pas accepter : ***Refuser** une machine défectueuse ; **Refuser** une aide.* **2.** Ne pas accorder : ***Refuser** une faveur à qqn.* **3. Refuser de** (+ inf.). Ne pas vouloir (faire qqch.) : ***Refuser** d'obéir.* **4.** Ne pas admettre dans un lieu : ***Refuser** des spectateurs.* ▸ Ne pas recevoir (qqn) à un examen ; empl. adj. : *Candidat **refusé**.* **5.** Esquiver ou s'arrêter devant (l'obstacle), en parlant d'un cheval. **Intrans.** *Mar. Le vent **refuse*** : tourne en formant un angle plus aigu avec l'axe de progression d'un bateau. **Pronom. 1.** Se priver de : *Il ne se **refuse** rien.* **2. Se refuser à.** ▸ Échapper à : *Ces faits se **refusent** à toute interprétation.* ▸ S'interdire de : *Il se **refuse** à penser qu'ils pourraient échouer.* ▸ Ne pas consentir au rapport sexuel avec (qqn). Déb. XIIe s. ; lat. pop. °*refusare*, crois. du lat. *refutare*, « réfuter », et de *recusare*, « récuser » ; [ʀəfyze].

**RÉFUTATION,** subst. f.
**1.** Action de réfuter ; argumentation développée à cet effet. **2.** Anal. Démenti implicite. 1495 (1284, renonciation à ses droits) ; lat. *refutatio* ; [ʀefytasjɔ̃].

**RÉFUTER,** verbe trans. [3]
Démentir (une affirmation) en démontrant s[…] manque de fondement : ***Réfuter** une théorie* ; p[…] ext. : ***Réfuter** un auteur.* 1559 (déb. XIVe s., repous[…] qqn en contestant ses dires) ; lat. *refutare*, « refouler[…] [ʀefyte].

**REFUZNIK,** subst.
Juif soviétique qui se voyait refuser l'autorisati[…] d'émigrer. V. 1980 ; mot russe ; [ʀəfyznik].

**REG,** subst. m.
*Géomorph.* Désert caillouteux dû à l'érosion du sa[…] par le vent. 1923 ; ar. *riqq* ou *ruqq* ; [ʀɛg].

**REGAGNER,** verbe trans. [3]
**1.** Gagner de nouveau (ce que l'on avait perdu[…] au fig. : ***Regagner** l'estime de qqn.* ▸ Loc. ***Regagn**[…] du terrain* : reprendre l'avantage. **2.** Retourner rejoindre : *Il a **regagné** son domicile.* Fin XIIe […] ☞ *gagner* + *re-* ; [ʀəgaɲe].

**REGAIN (I),** subst. m.
Herbe qui repousse après la première fauchais[…] Fin XIIe s. ; anc. fr. *gain*, du lat. pop. °*waidimen*, frq. °*waida*, « prairie », + *re-* ; [ʀəgɛ̃].

**REGAIN (II),** subst. m.
Nouvel élan, recrudescence : ***Regain** d'appé*[…] *d'espoir.* 1666 ; ☞ *regagner*, d'apr. *gain* ; [ʀəg[…]

**RÉGAL,** subst. m.
**1.** Vx. Festin. **2.** Mets que l'on trouve délicie[…] **3.** Fig. Ce qui procure un plaisir très vif (fam.[…] *Ce bouquet est un **régal** pour les yeux.* 1310 ; cr[…] de *rigoler* (vx), « faire la fête », et de l'anc. fr. *g*[…] « réjouissance » ; plur. *régals* ; [ʀegal].

**RÉGALADE (I),** subst. f.
**1.** *Boire à la **régalade*** : en projetant un jet de liqu[…] dans la bouche, sans que le récipient touche […] lèvres. **2.** Festin (vieilli). 1719 ; ☞ *régaler* (I[…] [ʀegalad].

**RÉGALADE (II),** subst. f.
Feu vif et clair (région.). 1835 ; mot dial., cr[…] de *régal* et de *galée*, « flambée » ; [ʀegalad].

**RÉGALE (I),** subst. f.
*Hist.* Droit inhérent à la fonction de roi ; en parti[…] droit qu'avaient les souverains de France […] percevoir les revenus des évêchés vacants (*rég*[…] temporelle) et d'en nommer les bénéficiers (*rég*[…] spirituelle). Fin XIIe s. ; lat. médiév. *regalia* ; [ʀeg[…]

**RÉGALE (II),** subst. m.
*Mus.* **1.** Sorte de petit orgue à anches battant[…] muni de deux soufflets, en usage jusqu'au XVIIIe […] **2.** Un des jeux de l'orgue (synon. *voix humain*[…] 1537 ; prob. lat. *regalis*, « royal » ; [ʀegal].

**RÉGALE (III),** adj. f.
*Chim. Eau **régale*** : mélange d'acide chlorhydriq[…] et d'acide nitrique, qui dissout l'or et le platin[…] 1639 ; lat. *regalis*, « royal » ; [ʀegal].

**RÉGALER (I),** verbe trans. [3]
**1.** Dr. Répartir (un impôt) entre les contribuabl[…] **2.** *Trav. publ.* Aplanir, égaliser (un terrain). 16[…] (1400, retoucher) ; ☞ *égaler* + *re-* ; [ʀegale].

**RÉGALER (II),** verbe trans. [3]
Offrir un excellent repas à ; empl. abs. : *C'est n*[…] *qui **régale*** (fam.). **Pronom.** Éprouver un vif plai[…] gustatif ; au fig. : *Se **régaler** d'un bon film.* 150[…] ☞ *régal* ; [ʀegale].

**RÉGALIEN, IENNE,** adj.
**1.** Propre au roi, à un roi : *Droits **régalien**[…] *Institution **régalienne**.* **2.** Ext. Qui relève du seul ch[…] de l'État : *Le droit de grâce est un droit **régali**[…] 1690 ; ☞ *régale* (I) ; [ʀegaljɛ̃, -jɛn].

**REGARD,** subst. m.
**1.** Action, manière de regarder, de diriger les ye[…] sur qqn, qqch. ; au fig., manière de considé[…] qqch. : Porter un ***regard** pessimiste sur le mon*[…] ▸ Expression des yeux : ***Regard** amoureux ; Lan*[…] *un **regard** noir*, furieux. ▸ Loc. *Droit de **regard*** : contrôle ; *En **regard*** : en face. ▸ Loc. prép. *Au **rega**[…] *de* : selon, d'après ; *En **regard** de* : en comparais[…] de. **2.** *Géol.* Sens vers lequel est tourné un escar[…] ment. **3.** *Techn.* Ouverture aménagée pour perm[…] tre l'accès à un égout, à une cave, à l'intérieur d'[…] appareil, etc. Fin Xe s. ; ☞ *regarder* ; [ʀəgaʀ].

**REGARDANT, ANTE,** adj.
**1.** Qui fait preuve d'une exigence minutieuse : *est très **regardant** sur la tenue.* **2.** Qui regarde à dépense. 1611 (XVe s., spectateur) ; p. pr. de *reg*[…] *der* ; [ʀəgaʀdɑ̃, -ɑ̃t].

**REGARDER,** verbe trans. [3]
**TRANS. DIR. 1.** Porter son regard sur : ***Regarder*** *sa voisine* ; empl. intrans. : ***Regarder*** *par la fenêtre* ; empl. abs., observer. ► Loc. ***Regarder*** *qqn de travers* : avec méfiance, hostilité. **2.** Considérer, envisager : ***Regarder*** *l'intérêt général.* **3.** Concerner : *Ça ne me* ***regarde*** *pas.* **4.** Faire face à, être tourné vers : *La façade* ***regarde*** *le midi.* **TRANS. INDIR. Regarder à.** Prendre garde à : ***Regarder*** *à la dépense,* se montrer très économe (souv. péj.). ► Loc. *Y* ***regarder*** *à deux fois* : bien réfléchir. **PRONOM. 1.** Contempler sa propre image. ► Loc. *Il ne s'est pas* ***regardé*** : il possède les défauts qu'il critique chez autrui (fam.). **2.** Être en vis-à-vis : *Fenêtres qui se* ***regardent.*** Fin XIe s. ; *garder* (vx), « prendre garde à », + *re-* ; [ʀəgaʀde].

**REGARNIR,** verbe trans. [19]
Garnir de nouveau (ce qui est dégarni). Déb. XIIIe s. ; ☞ *garnir + re-* ; [ʀəgaʀniʀ].

**RÉGATE,** subst. f.
**1.** *Sp.* Course d'aviron, de voiliers (souv. au plur.). **2.** Cravate. 1679 ; vénitien *regata,* « défi » ; [ʀegat].

**RÉGATIER, IÈRE,** subst.
Chacun des concurrents engagés dans une régate. 1855 ; ☞ *régate* ; [ʀegatje, jɛʀ].

**REGEL,** subst. m.
**1.** Gel suivant un dégel. **2.** *Phys.* Phénomène par lequel un morceau de glace, soumis à une pression, fond puis regèle dès que cette pression diminue. 1777 ; ☞ *regeler* ; [ʀəʒɛl].

**REGELER,** verbe [11]
Geler de nouveau. 1447 ; ☞ *geler + re-* ; [ʀəʒ(ə)le] ou [ʀ(ə)ʒəle].

**RÉGENCE,** subst. f. et adj. inv.
**SUBST.** Gouvernement d'un royaume exercé par un régent ; dignité, fonction de régent ; par méton., durée de ce gouvernement. ► *Hist. La* ***Régence*** : gouvernement de Philippe, duc d'Orléans, pendant la minorité de Louis XV, de 1715 à 1723. **ADJ.** Propre, relatif à la Régence : *Un bureau style* ***Régence.*** 1403 ; ☞ *régent* ; [ʀeʒɑ̃s].

**REGENCY,** adj. inv.
*Ameubl.* et *Archit.* Propre à la période ou au style de la régence de George IV et, plus largement, au premier tiers du XIXe s., en Angleterre : *Canapé* ***Regency.*** 1959 ; angl. *regency,* « régence » ; [ʀeʒɛnsi].

**RÉGÉNÉRATEUR, TRICE,** adj. et subst. m.
**ADJ.** Qui régénère. **SUBST. 1.** *Chim.* Appareil servant à reconstituer le réactif de départ ou le catalyseur d'une réaction chimique. **2.** *Techn.* Récupérateur de chaleur. 1495 ; ☞ *régénérer* ; [ʀeʒeneʀatœʀ, tʀis].

**RÉGÉNÉRATION,** subst. f.
**1.** Vx. *Relig.* Renouveau de l'âme par les sacrements du baptême, de la pénitence. **2.** *Biol.* Reconstitution naturelle de tissus, d'organes lésés ou détruits. **3.** Fig. Nouvel élan, essor, nouvelle vigueur (littér.). **4.** *Chim.* Récupération de l'activité chimique d'un réactif ou d'un catalyseur au cours d'une réaction. Fin XIIe s. ; bas lat. *regeneratio,* « retour à la vie » ; [ʀeʒeneʀasjɔ̃].

**RÉGÉNÉRER,** verbe trans. [8]
**1.** Vx. *Relig.* Faire renaître à la vie spirituelle. **2.** *Biol.* Reconstituer (un tissu organique). **3.** Redonner sa vigueur primitive à (littér.) : *Ces mesures* ***régénèrent*** *l'économie.* **4.** *Chim.* Effectuer la régénération de. Mil. XIe s. ; lat. chrét. *regenerare* ; [ʀeʒeneʀe].

**RÉGENT, ENTE,** subst.
**1.** Personne qui gouverne pendant la minorité, la maladie ou l'absence d'un souverain ; empl. adj. : *Prince* ***régent.*** **2.** *Hist. Le* ***Régent*** : Philippe, duc d'Orléans, qui assura la régence de 1715 à 1723. ► Diamant de 137 carats, acquis par le **Régent,** le plus précieux joyau de la Couronne de France. **3.** *Fin.* ***Régent*** *de la Banque de France* : membre du conseil général de cette banque, avant sa nationalisation en 1936. **4.** Belg. Enseignant exerçant dans le premier cycle du secondaire. 1316 (1261, professeur d'université) ; lat. *regens,* de *regere,* « diriger » ; [ʀeʒɑ̃, ɑ̃t].

**RÉGENTER,** verbe trans. [3]
**1.** Vx. Gouverner. **2.** Anal. Diriger de façon autoritaire : *Il excelle à* ***régenter*** *ses collègues.* 1418 ; ☞ *régent* ; [ʀeʒɑ̃te].

**REGGAE,** subst. m.
**1.** Musique jamaïcaine à rythme binaire syncopé ; empl. adj. inv. : *Des groupes* ***reggae.*** **2.** Méton. Morceau de **reggae** ; danse exécutée sur cette musique. V. 1970 ; mot angl. de la Jamaïque ; [ʀege].

*Un* ***régicide*** *: l'exécution de Louis XVI (21 janvier 1793).*

**RÉGICIDE,** subst. et adj.
**SUBST.** Assassin d'un roi. ► *Hist.* Chacun de ceux qui condamnèrent à mort Louis XVI en France, ou Charles Ier en Angleterre. **SUBST. MASC.** Assassinat ou condamnation à mort d'un roi. **ADJ.** Relatif à l'assassinat ou à la condamnation à mort d'un roi : *Parti, vote* ***régicide.*** 1594 ; lat. médiév. *regicidum,* du lat. *rex,* « roi » ; [ʀeʒisid].

**RÉGIE,** subst. f.
**1.** Gestion d'un service public, d'une entreprise liée à la vie publique, par des agents de l'État ou une collectivité territoriale (**régie** simple ou directe) ou par une personne physique ou morale que l'autorité intéresse aux bénéfices (**régie** intéressée) ; par méton., le service, l'entreprise ainsi dirigée. **2.** Dénomination de certaines entreprises publiques : *La* ***Régie*** *Renault.* **3.** *Travaux en* ***régie*** : travaux facturés au temps passé (anton. *travaux à forfait*). **4.** *Hist.* Perception des impôts effectuée directement par l'administration royale (anton. *ferme*). **5.** *Audiov.* et *Théâtre.* Organisation pratique et technique d'un spectacle. ► Local proche d'un studio, où se tiennent le réalisateur de l'émission et les techniciens affectés aux consoles de commande. 1570 (1512, siège du gouvernement) ; p. p. de *régir* ; [ʀeʒi].

**REGIMBER,** verbe intrans. [3]
**1.** Résister en ruant, en parlant d'un cheval. **2.** Fig. Résister, s'insurger : *Un enfant qui* ***regimbe.*** Fin XIIe s. ; anc. fr. *regiber,* du rad. *gib-,* « ruade » ; [ʀəʒɛ̃be].

**RÉGIME (I),** subst. m.
**1.** Mode d'organisation politique, sociale et économique d'un État : ***Régime*** *présidentiel, parlementaire.* ► *Hist. L'Ancien* ***Régime*** : la société française d'avant 1789, fondée sur la monarchie de droit divin. **2.** Ensemble des dispositions légales régissant une institution : ***Régime*** *pénitentiaire,* qui règlemente la vie carcérale ; ***Régime*** *matrimonial,* qui détermine le mode de répartition des biens entre conjoints. **3.** Ensemble de règles d'hygiène alimentaire : *Être au* ***régime*** ; ***Régime*** *amaigrissant.* **4.** *Spéc.* ► *Géogr.* Mode d'évolution cyclique d'un phénomène naturel : ***Régime*** *d'un cours d'eau.* ► *Gramm.* Terme de la phrase régi par un autre : ***Régime*** *direct du verbe,* complément d'objet direct ; *Cas* ***régime,*** en ancien français, cas des substantifs compléments. ► *Phys.* Caractère de l'écoulement d'un fluide : ***Régime*** *laminaire.* ► *Techn.* Vitesse de rotation d'un moteur : ***Régime*** *de croisière,* qui assure un bon rendement pour une consommation modérée. Mil. XIIIe s. (1190, royaume) ; lat. *regimen,* « direction, gouvernement », de *regere,* « diriger » ; [ʀeʒim].

**RÉGIME (II),** subst. m.
Grappe de fruits du bananier ou du palmier-dattier : ***Régime*** *de dattes.* 1640 ; p.-ê. esp. *racimo,* du lat. *racemus,* « grappe » ; [ʀeʒim].

**RÉGIMENT,** subst. m.
**1.** Unité militaire de l'armée de terre, placée sous l'autorité d'un colonel : *Un* ***régiment*** *d'infanterie, du génie.* **2.** Méton. Le service militaire (fam.) : *Un copain de* ***régiment.*** **3.** Ext. Multitude, grand nombre (fam.) : *Cuisiner pour un* ***régiment.*** 1553 (fin XIIIe s., règle de vie) ; bas lat. *regimentum,* du lat. *regimen,* « direction, gouvernement » ; [ʀeʒimɑ̃].

**RÉGIMENTAIRE,** adj.
Relatif à un régiment : *Train* ***régimentaire.*** 1791 ; ☞ *régiment* ; [ʀeʒimɑ̃tɛʀ].

**RÉGION,** subst. f.
**1.** Étendue de territoire dont l'unité est due à des caractères physiques ou humains : ***Région*** *rurale* ; ***Région*** *polaire.* **2.** *Admin.* En France, chacune des 22 collectivités territoriales, groupant plusieurs départements, dirigées par un conseil régional : *La* ***Région*** *Île-de-France.* ► *Milit.* ***Région*** *militaire, maritime, aérienne* : division territoriale commandée par un officier général. **3.** Zone qui entoure une ville : *La* ***région*** *de Nice.* **4.** Partie déterminée du corps : *La* ***région*** *thoracique.* Fin XIVe s. (1119, pays) ; lat. *regio,* « direction, ligne droite » ; [ʀeʒjɔ̃].

**RÉGIONAL, ALE, AUX,** adj.
**1.** Relatif, propre à une région : *Cuisine* ***régionale.*** **2.** Qui se rapporte à une région administrative : *Le conseil* ***régional*** ; *Les élections* ***régionales*** ou, empl. subst. fém., *Les* ***régionales,*** élections des conseillers **régionaux.** 1478 ; ☞ *région* ; [ʀeʒjɔnal, o].

**RÉGIONALISATION,** subst. f.
Transfert réalisé au profit des régions, dans le cadre de la décentralisation, de certains pouvoirs politiques, administratifs et économiques. V. 1960 ; ☞ *régionaliser* ; [ʀeʒjɔnalizasjɔ̃].

**RÉGIONALISER,** verbe trans. [3]
Procéder à la régionalisation de. V. 1960 (1936, adapter à une région) ; ☞ *régional* ; [ʀeʒjɔnalize].

**RÉGIONALISME,** subst. m.
**1.** Mouvement qui affirme l'existence d'une identité régionale et qui cherche à la promouvoir. **2.** *Litt.* Caractère d'un écrivain, d'une œuvre s'attachant à décrire les particularités d'une région. **3.** *Ling.* Expression, tournure propre à une région ; sens particulier que prend un mot dans une région. 1875 ; ☞ *régional* ; [ʀeʒjɔnalism].

**RÉGIONALISTE,** subst. et adj.
Se dit d'un partisan du régionalisme. **ADJ.** Relatif, propre au régionalisme : *Romancier* ***régionaliste.*** 1907 ; ☞ *régional* ; [ʀeʒjɔnalist].

**RÉGIR,** verbe trans. [19]
**1.** Vx. Administrer, gouverner : ***Régir*** *une abbaye.* **2.** Anal. Servir de règle à, déterminer : *La loi qui* ***régit*** *ce phénomène.* **3.** *Ling.* Déterminer un lien grammatical avec (un terme), en parlant d'un autre terme. 1234 ; lat. *regere* ; [ʀeʒiʀ].

**RÉGISSEUR,** subst. m.
**1.** Personne chargée d'administrer un domaine, une propriété : ***Régisseur*** *d'un château.* **2.** *Audiov.* et *Théâtre.* Responsable de la régie. 1724 ; ☞ *régir* ; [ʀeʒisœʀ].

**REGISTRATION,** subst. f.
*Mus.* Art d'utiliser et de combiner les registres, à l'orgue ou au clavecin. XXe s. (1435, inscription sur un registre) ; ☞ *registrer* ; [ʀ(ə)ʒistʀasjɔ̃].

**REGISTRE,** subst. m.
**1.** Livre où l'on consigne des actes, des faits, des chiffres : ***Registre*** *des naissances* ; ***Registre*** *paroissial.* ► *Dr.* ***Registre*** *du commerce et des sociétés* : tenu par le greffe du tribunal de commerce et centralisant les informations légales relatives aux commerçants et aux sociétés. **2.** *Mus.* ► Commande des divers jeux d'un orgue. ► Chacune des trois plages qui constituent l'échelle sonore d'une voix, d'un instrument : ***Registres*** *aigu, médium et grave* ; *Le* ***registre*** *d'un chanteur,* la tessiture de sa voix. **3.** Fig. Ton d'une œuvre, d'un discours : ***Registre*** *comique.* **4.** *Techn.* Dispositif, constitué d'un ou de plusieurs volets mobiles, placé à l'intérieur d'un conduit et servant à régler le débit d'un fluide. **5.** *B.-a.* Ensemble des motifs formant une bande horizontale, sur une œuvre peinte ou sculptée. **6.** *Informat.* Partie de mémoire capable de stocker une unité élémentaire d'information. 1259 ; crois. du bas lat. *regesta,* du lat. *regerere,* « transcrire », et du fr. *épistre* (vx), « épître » ; [ʀəʒistʀ].

**REGISTRER,** verbe trans. [3]
*Mus.* Exécuter la registration de (un morceau d'orgue ou de clavecin). V. 1960 (1281, inscrire sur un registre) ; ☞ *registre* ; [ʀəʒistʀe].

**RÉGLABLE,** adj.
Qui peut être réglé. 1842 ; ☞ *régler* ; [ʀeglabl].

**RÉGLAGE,** subst. m.
**1.** Action, manière de régler du papier ; lignes ainsi tracées. **2.** Action de régler un appareil, un dispositif ; façon dont il est réglé : ***Réglage*** *d'un moteur* ; ***Réglage*** *d'un tir.* 1508 ; ☞ *régler* ; [ʀeglaʒ].

**RÈGLE,** subst. f.
**I. 1.** Ce qui constitue un principe de conduite, par choix ou par obligation : *Se fixer une* ***règle*** *morale* ; *Les* ***règles*** *de la bienséance.* **2.** Convention propre à une science, à une technique, à un art, à un jeu, etc. : *Les* ***règles*** *de la physique* ; *La* ***règle*** *de*

*l'accord du verbe avec le sujet* ; *Les* **règles** *du tennis.* ▸ Fig. *La* **règle**, *les* **règles** *du jeu* : les conventions que l'usage impose quand on se livre à une activité donnée, quand on est dans certaines situations. ▸ Loc. *Dans, selon les* **règles** : comme il convient ; *De* **règle** : conforme aux usages ; *En* **règle** *générale* : le plus souvent, généralement ; *Être, se mettre en* **règle** : en conformité avec la loi. **3.** *Relig.* Ensemble des préceptes qui régissent la vie des membres d'un ordre religieux : *La* **règle** *du Carmel.* **4.** *Math.* **Règle** *de trois* : disposition pratique du procédé de calcul d'un nombre inconnu à partir de trois autres connus, deux d'entre eux variant en proportion directe ou inverse, de forme : $x = \frac{a \cdot b}{c}$ ou $x = \frac{c}{a \cdot b}$. **5.** *Psychanal.* **Règle** *fondamentale* : exigence de libre association des idées au cours de la cure. **II. 1.** Instrument long, à arêtes rectilignes, gén. gradué, servant à tracer des lignes droites, à mesurer des longueurs. **2.** **Règle** *à calcul* : instrument composé de deux **règles** portant une échelle logarithmique et coulissant l'une sur l'autre, qui permet d'effectuer rapidement certains calculs. PLUR. Menstrues. Déb. XIIIe s. ; lat. *regula* ; [ʀɛgl].

**RÉGLÉ, ÉE, adj.**
**I. 1.** Régulier, ordonné : *Une vie* **réglée**. **2.** Résolu de façon définitive : *Une affaire* **réglée**. **3.** Mis au point : *Débit bien* **réglé**. **4.** Qui a ses règles, en parlant d'une femme ; nubile. **II. 1.** Rayé de lignes parallèles. **2.** *Géom.* *Surface* **réglée** : engendrée, telle celle d'un cylindre, par une famille de droites dépendant d'un paramètre. 1470 ; p. p. de *régler* ; [ʀegle].

**RÈGLEMENT, subst. m.**
**1.** *Dr.* Acte législatif émanant d'une autorité autre que le Parlement et légiférant sur des matières non réglées par la loi ; décision de portée générale prise par une autorité administrative (gouvernement, préfet, maire, etc.) : **Règlement** *administratif* ; **Règlement** *de police.* **2.** Ensemble des règles propres à un groupe, à un établissement ; document sur lequel sont inscrites ces règles : **Règlement** *de copropriété* ; **Règlement** *intérieur d'une école* ; *Lire le* **règlement**. **3.** Opération par laquelle on règle (un compte), on paie (une somme due) : **Règlement** *en espèces.* ▸ Loc. **Règlement** *de compte(s)* : action de régler un différend par la violence ; vengeance. **4.** Action, fait de régler un conflit, une affaire : **Règlement** *à l'amiable d'un litige.* ▸ *Dr.* **Règlement** *judiciaire* : procédure remplacée en 1985 par le redressement judiciaire. 1465 ; ☞ *régler* ; [ʀɛgləmɑ̃].

**RÈGLEMENTAIRE, adj.**
**1.** *Dr.* Qui concerne un règlement ; qui est de la nature d'un règlement. **2.** Qui est conforme au règlement. 1768 ; ☞ *règlement* ; var. *réglementaire* ; [ʀɛgləmɑ̃tɛʀ].

**RÈGLEMENTATION, subst. f.**
**1.** Action de règlementer : **Règlementation** *des loyers.* **2.** Ensemble des règles, des règlements régissant un domaine. 1845 ; ☞ *règlementer* ; var. *réglementation* ; [ʀɛgləmɑ̃tasjɔ̃].

**RÈGLEMENTER, verbe trans. [3]**
Soumettre à un règlement ; empl. adj. : *Stationnement* **règlementé**. 1768 ; ☞ *règlement* ; var. *réglementer* ; [ʀɛgləmɑ̃te].

**RÉGLER, verbe trans. [8]**
**I.** *Techn.* Tracer à la règle des lignes droites parallèles sur (du papier). **II. 1.** Soumettre à des règles (vx ou littér.). ▸ **Régler sur.** Conformer à : **Régler** *sa conduite sur qqn*, le prendre pour référence, pour modèle. **2.** Assujettir à un certain ordre ; établir : **Régler** *un programme de travail.* **3.** Trouver une solution définitive à : **Régler** *un litige* ; **Régler** *un compte*, le solder. ▸ Loc. **Régler** *son compte à qqn* : le tuer ou le punir pour se venger (fam.). **4.** Payer : **Régler** *une facture* ; **Régler** *un fournisseur.* **5.** Mettre (un appareil) en état de fonctionner comme il convient, mettre au point : **Régler** *les freins d'une voiture* ; **Régler** *sa montre*, la mettre à l'heure. ▸ *Artill.* **Régler** *le tir* : rapprocher de l'objectif choisi les coups tirés. Fin XIIIe s. ; ☞ *règle* ; [ʀegle].

**RÉGLET, subst. m.**
**1.** Règle plate et souple, gén. en métal. **2.** *Archit.* Moulure rectiligne qui, sur un panneau, forme un filet de séparation. 1370 ; ☞ *règle* ; [ʀeglɛ].

**RÉGLETTE, subst. f.**
**1.** Petite règle. **2.** *Typogr.* Règle métallique servant à sortir les lignes de caractères du composteur. 1680 (1415, aiguille de cadran) ; ☞ *règle* ; [ʀeglɛt].

**RÉGLEUR, EUSE, subst.**
Personne spécialisée dans le réglage de certaines machines. FÉM. *Impr.* Machine servant à tracer des lignes sur du papier. 1704 (1527, ouvrier qui règle les feuillets d'un livre) ; ☞ *régler* ; [ʀeglœʀ, øz].

**RÉGLISSE, subst. f.**
**1.** *Bot.* Plante herbacée vivace du sud de l'Europe, de la famille des Fabacées, dont la racine sert en confiserie et en pharmacie. **2.** Racine de cette plante ; préparation à base de son jus : *Bâton, rouleau de* **réglisse**. 1393 ; altér. de l'anc. fr. *ricolice*, du bas lat. *liquiritia*, du gr. *glukurrhiza*, « racine douce » ; [ʀeglis].

**RÉGLO, adj. inv.**
Correct, régulier (fam.) : *Un type* **réglo**. 1917 ; ☞ *régulier* ; [ʀeglo].

**RÉGLOIR, subst. m.**
*Techn.* Instrument servant à régler le papier. Fin XIIIe s. ; ☞ *régler* ; [ʀeglwaʀ].

**RÉGLURE, subst. f.**
*Impr.* Réglage du papier ; manière dont il est réglé. 1549 ; ☞ *régler* ; [ʀeglyʀ].

**RÉGNANT, ANTE, adj.**
**1.** Qui règne. **2.** Qui prévaut, prédomine : *Les valeurs* **régnantes**. 1356 ; p. pr. de *régner* ; [ʀeɲɑ̃, ɑ̃t].

**RÈGNE, subst. m.**
**1.** Exercice du pouvoir par un souverain ; par méton., durée, époque de cet exercice : *Le long* **règne** *de Louis XIV.* ▸ Anal. Exercice d'un pouvoir dictatorial ; sa durée. **2.** Fig. Pouvoir absolu de qqn, d'une catégorie sociale ; domination, prépondérance absolue de qqch. : *Le* **règne** *de l'argent.* **3.** *Sc. nat.* Chacune des trois grandes divisions traditionnelles de la nature (la première n'est plus en usage) : **Règnes** *minéral, végétal et animal.* 1170 (fin Xe s., royaume) ; lat. *regnum* ; [ʀɛɲ].

**RÉGNER, verbe intrans. [8]**
**1.** Exercer le pouvoir, pour un souverain : *Charles X* **régna** *de 1824 à 1830.* ▸ Loc. *Diviser pour mieux* **régner** (☞ *diviser*). **2.** Dominer, être prépondérant : *La corruption* **règne** *dans certains milieux.* **3.** Être établi, durer : *La confiance* **règne**. Fin Xe s. ; lat. *regnare*, de *regnum*, « royaume » ; [ʀeɲe].

**RÉGOLITE, subst. m.**
*Géol.* Formation superficielle constituée de débris rocheux non transportés et non transformés, que l'on trouve dans les zones arides et sur la Lune. V. 1970 ; ☞ *reg* + *-lite* ; [ʀegɔlit].

**REGONFLAGE, subst. m.**
Action de regonfler ; son résultat. V. 1970 ; ☞ *regonfler* ; [ʀ(ə)gɔ̃flaʒ].

**REGONFLEMENT, subst. m.**
Fait de regonfler : **Regonflement** *d'un cours d'eau.* 1562 ; ☞ *regonfler* ; [ʀ(ə)gɔ̃fləmɑ̃].

**REGONFLER, verbe [3]**
INTRANS. Se gonfler de nouveau, en partic. en parlant d'un cours d'eau. TRANS. Gonfler de nouveau : **Regonfler** *un pneu.* ▸ Fig. Redonner de l'énergie à (fam.) : **Regonfler** *le moral de ses troupes.* 1527 ; ☞ *gonfler* + *re-* ; [ʀ(ə)gɔ̃fle].

**REGORGER, verbe [5]**
INTRANS. S'écouler hors d'un contenant trop plein (vieilli) : *Eaux fluviales qui* **regorgent**. TRANS. INDIR. **Regorger de.** Avoir en surabondance : **Regorger** *de victuailles.* Mil. XIVe s. ; ☞ *gorge* + *re-* ; [ʀ(ə)gɔʀʒe].

**REGRAT, subst. m.**
Vente au détail de denrées de seconde main (vx). 1329 ; ☞ *regratter* ; [ʀəgʀa].

**REGRATTER, verbe [3]**
TRANS. Gratter de nouveau, gratter pour nettoyer : **Regratter** *un tableau.* INTRANS. Réaliser de petits gains en vendant de seconde main (vx). 1538 (1484, vendre au détail) ; ☞ *gratter* + *re-* ; [ʀ(ə)gʀate].

**REGRATTIER, IÈRE, subst.**
*Hist.* Personne qui pratiquait le regrat, en particulier celui du sel. 1180 ; ☞ *regratter* ; [ʀ(ə)gʀatje, jɛʀ].

**REGRÉER, verbe trans. [7]**
*Mar.* Remplacer le gréement de (un navire). 1666 ; ☞ *gréer* + *re-* ; [ʀ(ə)gʀee].

**REGREFFER, verbe trans. [3]**
Greffer une nouvelle fois. 1676 ; ☞ *greffer* + *re-* ; [ʀ(ə)gʀefe].

**RÉGRESSER, verbe intrans. [3]**
Subir une régression ; diminuer. Fin XIXe s. ; ☞ *régression*, d'apr. *progresser* ; [ʀegʀese].

**RÉGRESSIF, IVE, adj.**
**1.** Qui témoigne d'un retour en arrière : *Marche* **régressive**. **2.** *Psychanal.* Qui constitue une régression : *Il est dans une phase* **régressive**. Fin XIXe s. ; ☞ *régression* ; [ʀegʀesif, iv].

**RÉGRESSION, subst. f.**
**1.** Recul, retour à un stade inférieur, diminution : **Régression** *de la criminalité.* **2.** *Spéc.* ▸ *Biol.* Atrophie ou disparition d'un organe au cours de l'évolution de certaines espèces, gén. lorsque l'organe a perdu son utilité. ▸ *Géol.* Recul des eaux marines par rapport aux terres. ▸ *Psychanal.* Retour à un stade antérieur de l'évolution libidinale. ▸ *Rhét.* Figure qui consiste à reprendre des mots énoncés dans un ordre inverse. ▸ *Stat.* Pour deux caractères quantitatifs X et Y, lissage linéaire, par la méthode des moindres carrés, des images de (X, Y) et de (Y, X), donnant deux droites (dites de **régression**) qui représentent une certaine relation entre X et Y. Fin XIXe s. (1374, retour) ; lat. *regressio*, de *regredi*, « revenir » ; [ʀegʀesjɔ̃].

**REGRET, subst. m.**
**1.** État de conscience douloureux provoqué par une perte, une absence, une mort : *Partir sans* **regret** ; **Regrets** *éternels.* **2.** Insatisfaction causée par le fait d'avoir ou de ne pas avoir accompli qqch. **3.** Contrariété causée par une réalité qui va à l'encontre d'une attente, d'un désir. ▸ Loc. *À* **regret** : à contrecœur. **4.** Excuse exprimant un déplaisir, un refus poli : *J'ai le* **regret** *de...* ; *Je suis au* **regret** *de...* Fin XIIe s. ; ☞ *regretter* ; [ʀəgʀɛ].

**REGRETTABLE, adj.**
**1.** Vx. Digne de regret. **2.** Qui est à déplorer : *Mots* **regrettables**. 1478 ; ☞ *regretter* ; [ʀəgʀɛtabl].

**REGRETTER, verbe trans. [3]**
**1.** Ressentir vivement ou douloureusement la perte, l'absence de : **Regretter** *sa jeunesse.* **2.** Être mécontent de (ce qu'on a ou n'a pas fait) : *Je ne* **regrette** *rien* ; **Regretter** *une décision.* **3.** Déplorer (ce qui va à l'encontre d'un désir) : *On peut* **regretter** *le manque de coordination.* ▸ **Je regrette.** Formule utilisée pour s'excuser ou pour réfuter : *Je* **regrette**, *c'est fermé* ; *Je* **regrette**, *mais c'est faux.* Mil. XIe s. ; p.-ê. anc. scand. *grâta*, « pleurer » ; [ʀəgʀete].

**REGROS, subst. m.**
*Techn.* Écorce épaisse de chêne utilisée pour faire le tan. 1808 ; ☞ *gros* + *re-* ; [ʀəgʀo].

**REGROSSIR, verbe intrans. [19]**
Grossir de nouveau (après avoir maigri). 1831 ; ☞ *grossir* + *re-* ; [ʀ(ə)gʀosiʀ].

**REGROUPEMENT, subst. m.**
Action de regrouper ou de se regrouper. Fin XIXe s. ; ☞ *regrouper* ; [ʀ(ə)gʀupmɑ̃].

**REGROUPER, verbe trans. [3]**
**1.** Grouper de nouveau (des éléments dispersés) ; empl. pronom. : *Les manifestants se sont* **regroupés**. **2.** Rassembler, réunir, former un groupe avec (des éléments divers). Fin XIXe s. ; ☞ *grouper* + *re-* ; [ʀ(ə)gʀupe].

**RÉGULARISATION, subst. f.**
Action de régulariser ; fait d'être régularisé ; son résultat. 1819 ; ☞ *régulariser* ; [ʀegylaʀizasjɔ̃].

**RÉGULARISER, verbe trans. [3]**
**1.** Rendre conforme à la loi, à un règlement. ▸ **Régulariser** *(sa situation)* : se marier, après avoir vécu maritalement. **2.** Rendre régulier : **Régulariser** *le cours d'une rivière.* 1723 ; bas lat. *regularis* « régulier » ; [ʀegylaʀize].

**RÉGULARITÉ, subst. f.**
**1.** Caractère de ce qui est régulier, constant, uniforme : **Régularité** *d'un mouvement d'horlogerie.* **2.** Caractère de ce qui présente de justes proportions : **Régularité** *d'un visage.* **3.** Caractère de ce qui se produit à intervalles constants : **Régularité** *des saisons.* **4.** Caractère de ce qui est conforme aux règles, aux lois : **Régularité** *d'une décision.* Fin XIVe s. ; bas lat. *regularis*, « régulier » ; [ʀegylaʀite].

**RÉGULATEUR, TRICE, adj. et subst. m.**
ADJ. Qui règle, régularise. SUBST. **1.** *Techn.* Dispositif qui permet de maintenir ou de faire varier selon une règle donnée un paramètre de fonctionnement d'une machine : **Régulateur** *de pression, de température.* **2.** *Agric.* **Régulateur** *de croissance* : substance naturelle ou de synthèse capable de modifier le développement d'une plante. **3.** *Horlog.* Horloge de précision donnant une heure de référence pour le réglage des montres et des pendules. **4.** *Ch. de fer.* Agent chargé de réguler le trafic. 1508 ; bas lat. *regulare*, « diriger, régler » ; [ʀegylatœʀ, tʀis].

**RÉGULATION, subst. f.**
**1.** Action de régler un appareil (vieilli). **2.** Fai

d'assurer le bon fonctionnement, l'équilibre d'un système : ***Régulation** du trafic maritime.* 1832 (fin XV^e^ s., pouvoir, domination) ; ☞ *réguler* (I) ; [ʀegylasjɔ̃].

ÉCONOMIE – Si c'est au marché que revient le rôle de régulateur des grandeurs macroéconomiques (offre, demande, emploi, prix, etc.), les difficultés économiques et sociales (sous-production, surproduction, déficience ou gaspillage des moyens, chômage) témoignent des limites et des aléas de cette autorégulation dans l'économie libérale. Sismondi, A. Wagner au XIX^e^ s., Keynes au XX^e^ s. ont soutenu la thèse d'un nécessaire réajustement par l'État pour maintenir l'équilibre du marché. La politique économique de l'État en matière de régulation peut se traduire par des interventions budgétaires (augmentation des dépenses publiques, baisse des impôts pour accroître la consommation), monétaires (encadrement du crédit, variation des taux d'intérêts, etc.), comme par des mesures concernant l'emploi (amélioration de la qualification, encouragement à l'emploi des jeunes...). Les déficits du budget et des organismes sociaux, la persistance du chômage illustrent les difficultés rencontrées dans la mise en œuvre de cette régulation étatique.

**RÉGULE,** subst. m.
*Techn.* Alliage antifriction en métal ou en résine de synthèse. 1932 (1611, métal non ductile) ; lat. *regulus*, « petit roi », les alchimistes croyant que le régule d'antimoine pouvait se transformer en or ; [ʀegyl].

**RÉGULER (I),** verbe trans. [3]
Contrôler, assurer la maîtrise de l'évolution de (un processus). 1932 (1368, décider de) ; bas lat. *regulare*, « diriger, régler » ; [ʀegyle].

**RÉGULER (II),** verbe trans. [3]
*Techn.* Garnir de régule (un support métallique). 1932 ; ☞ *régule* ; [ʀegyle].

**RÉGULIER, IÈRE,** adj. et subst.
**I. ADJ. 1.** Dont le rythme, l'intensité, etc., est constant, uniforme : *Un pouls **régulier** ; Un élève **régulier**,* dont les résultats sont constants. **2.** Qui se produit à intervalles fixes : *Paiements **réguliers**.* **3.** Qui est habituel, non occasionnel : *Trafic aérien **régulier**.* **4.** Qui présente des proportions harmonieuses, une certaine symétrie : *Écriture **régulière**.* **5.** *Math.* ► *Polyèdre **régulier*** : inscriptible dans une sphère et dont les faces sont des polygones **réguliers** isométriques. Il n'existe que cinq polyèdres **réguliers**, qui sont le cube, le tétraèdre, l'octaèdre, le dodécaèdre et l'icosaèdre. ► *Polygone **régulier*** : inscriptible dans un cercle et dont les côtés ont la même longueur. ► *Matrice (carrée) **régulière*** : inversible, c.-à-d. de déterminant non nul. **II. ADJ. 1.** Conforme à une règle édictée : *Verbes **réguliers**,* qui obéissent aux règles de base de la conjugaison. ► *Clergé **régulier*** : clergé appartenant à un ordre, soumis à une règle (par oppos. au clergé séculier). **2.** Conforme à la loi, réglementaire : *Un gouvernement, un acte **régulier** ; Armée **régulière**,* qui dépend du pouvoir central et constitue la force armée officielle d'un État. **3.** Qui respecte l'usage, correct, loyal (fam.) : *Être **régulier** en affaires.* ► Loc. *À la **régulière*** : sans tricherie (fam.). **SUBST. MASC. 1.** Membre du clergé **régulier**. **2.** Mari, compagnon habituel (fam. et vieilli). **SUBST. FÉM.** Épouse légitime, maîtresse attitrée (fam. et vieilli). 1119 ; bas lat. *regularis*, « qui sert de règle » ; [ʀegylje, jɛʀ].

**RÉGULIÈREMENT,** adv.
**1.** Conformément à une règle. **2.** De façon régulière ; habituellement. Fin XII^e^ s. ; ☞ *régulier* ; [ʀegyljɛʀmɑ̃].

**RÉGURGITATION,** subst. f.
**1.** Remontée spontanée, normale chez le nourrisson, d'une partie des aliments de l'estomac dans la bouche. **2.** *Pathol.* ► Reflux des aliments dans la bouche lors de certaines affections stomacales ou lors d'un rétrécissement de l'œsophage. ► Projection de sang du ventricule gauche dans l'oreillette gauche, due à une insuffisance mitrale. **3.** *Zool.* ► Chez les Ruminants, phase de la digestion précédant la rumination. ► Chez les Oiseaux, aliments régurgités pour nourrir les petits. Mil. XIX^e^ s. (1567, débordement) ; ☞ *régurgiter* ; [ʀegyʀʒitasjɔ̃].

**RÉGURGITER,** verbe trans. [3]
Faire remonter (des aliments) de l'estomac dans la bouche. Mil. XIX^e^ s. (XVI^e^ s., regorger) ; lat. *gurges*, « tourbillon, gouffre », + *re-* ; [ʀegyʀʒite].

**RÉHABILITATION,** subst. f.
Action de réhabiliter ; son résultat. 1401 ; ☞ *réhabiliter* ; [ʀeabilitasjɔ̃].

**RÉHABILITER,** verbe trans. [3]
**1.** *Dr.* Rétablir (qqn) dans ses droits en reconnaissant son innocence. **2.** Ext. Rendre à (qqn, qqch.) la considération, l'estime d'autrui : ***Réhabiliter** un ami calomnié ; **Réhabiliter** l'opérette* ; empl. pronom., se racheter. **3.** Rénover, remettre en état (un bâtiment, un quartier). 1456 (1234, *réhabiliter une ville à maire*, lui rendre le droit d'avoir un maire) ; ☞ *habiliter* + *re-* ; [ʀeabilite].

**RÉHABITUER,** verbe trans. [3]
Donner de nouveau l'habitude de qqch. à (qqn) ; empl. pronom. : *Se **réhabituer** à la vie urbaine.* 1549 ; ☞ *habituer* + *re-* ; [ʀeabitɥe].

**REHAUSSEMENT,** subst. m.
Action de rehausser : ***Rehaussement** d'une estrade, d'un tarif.* Déb. XVI^e^ s. ; ☞ *rehausser* ; [ʀəosmɑ̃].

**REHAUSSER,** verbe trans. [3]
**1.** Élever (qqch.) à une hauteur, à un niveau supérieur : ***Rehausser** un toit.* **2.** Fig. Faire valoir, augmenter (l'importance, le prestige de) : ***Rehausser** la gloire d'un général.* **3.** *B.-a.* Accentuer, mettre en relief par l'ajout de rehauts ; par anal. : ***Rehausser** son teint d'une touche de fard.* **4.** *Cuis.* Relever : ***Rehausser** une sauce avec de l'ail, du piment.* Déb. XIII^e^ s. ; ☞ *hausser* + *re-* ; [ʀəose].

**REHAUT,** subst. m.
*B.-a.* Touche d'un ton clair servant à mettre en relief certaines parties d'un tableau. 1527 ; ☞ *rehausser* ; [ʀəo].

**RÉHOBOAM,** subst. m.
Bouteille de champagne, d'une contenance de six bouteilles ordinaires. Déb. XX^e^ s. ; angl. *rehoboam*, de *Réhoboam*, un des fils de Salomon ; [ʀeɔbɔam].

**RÉHYDRATER,** verbe trans. [3]
Hydrater de nouveau (un organisme, un produit desséché). V. 1960 ; ☞ *hydrater* + *re-* ; [ʀeidʀate].

**RÉIFICATION,** subst. f.
*Philos.* Action de réifier ; son résultat (synon. *chosification*). 1912 ; ☞ *réifier* ; [ʀeifikasjɔ̃].

**RÉIFIER,** verbe trans. [6]
*Philos.* Donner un caractère de chose à (une abstraction). 1930 ; lat. *res*, « chose » ; [ʀeifje].

**RÉIMPLANTATION,** subst. f.
Action de réimplanter. ► *Chir.* et *Dent.* Intervention consistant à remettre en place un organe dans son milieu organique, une dent dans son alvéole. 1879 ; ☞ *réimplanter* ; [ʀeɛ̃plɑ̃tasjɔ̃].

**RÉIMPLANTER,** verbe trans. [3]
**1.** Réintroduire (une espèce, un commerce, une industrie, etc.) dans un milieu donné. **2.** *Chir.* et *Dent.* Opérer la réimplantation de. 1864 ; ☞ *implanter* + *re-* ; [ʀeɛ̃plɑ̃te].

**RÉIMPORTER,** verbe trans. [3]
Faire rentrer (des biens exportés) dans leur pays d'origine. 1792 ; ☞ *importer* (I) + *re-* ; [ʀeɛ̃pɔʀte].

**RÉIMPOSER,** verbe trans. [3]
**1.** *Fisc.* Imposer de nouveau. **2.** *Impr.* Refaire l'imposition de (une feuille). 1549 ; ☞ *imposer* + *re-* ; [ʀeɛ̃poze].

**RÉIMPRESSION,** subst. f.
Action de réimprimer ; par méton., ouvrage réimprimé. 1556 ; ☞ *impression* + *re-* ; [ʀeɛ̃pʀesjɔ̃].

**RÉIMPRIMER,** verbe trans. [3]
Imprimer de nouveau : ***Réimprimer** un livre ancien.* 1511 ; ☞ *imprimer* + *re-* ; [ʀeɛ̃pʀime].

**REIN,** subst. m.
**1.** La région lombaire, le bas du dos (toujours au plur.) : *Avoir mal aux **reins** ; Attraper un tour de **reins**,* un lumbago. ► Loc. fam. *Avoir les **reins** solides* : être capable de surmonter une épreuve ; *Casser les **reins** à qqn* : briser sa carrière. **2.** *Anat.* Chacun des deux organes excréteurs en forme de haricot, situés dans les fosses lombaires, qui assurent l'épuration du sang par l'élaboration de l'urine. ► ***Rein** artificiel* : appareillage permettant d'effectuer la dialyse. **3.** *Archit.* Partie basse de la montée d'une voûte. XII^e^ s. ; lat. *renes* ; [ʀɛ̃].

**RÉINCARCÉRATION,** subst. f.
Action de réincarcérer ; son résultat. 1792 ; ☞ *réincarcérer* ; [ʀeɛ̃kaʀseʀasjɔ̃].

**RÉINCARCÉRER,** verbe trans. [8]
Incarcérer une nouvelle fois, remettre en prison. 1794 ; ☞ *incarcérer* + *re-* ; [ʀeɛ̃kaʀseʀe].

**RÉINCARNATION,** subst. f.
**1.** *Relig.* Phénomène en vertu duquel l'âme quitterait le corps à l'instant de la mort pour intégrer un autre corps. **2.** Anal. Personne qui évoque une autre personne, disparue, par des ressemblances. 1875 ; ☞ *incarnation* + *re-* ; [ʀeɛ̃kaʀnasjɔ̃].

**RÉINCARNER (SE),** verbe pronom. [3]
*Relig.* En parlant de l'âme, s'incarner une nouvelle fois ; revivre sous une nouvelle apparence physique. Déb. XX^e^ s. ; ☞ *incarner* + *re-* ; [ʀeɛ̃kaʀne].

**RÉINCORPORER,** verbe trans. [3]
Incorporer de nouveau. 1319 ; ☞ *incorporer* + *re-* ; [ʀeɛ̃kɔʀpɔʀe].

**REINE,** subst. f.
**1.** Femme d'un roi. ► *La **reine** mère* : la mère du souverain. **2.** Souveraine d'un royaume. ► Loc. *Avoir un port de **reine*** : une grâce altière. **3.** Anal. Femme, chose (de genre fém.) qui domine, qui l'emporte sur les autres : *La **reine** de la fête.* ► *La petite **reine*** : la bicyclette. **4.** *Jeux.* Dame, dans un jeu de cartes ; aux échecs, deuxième pièce, après le roi. **5.** *Zool.* Chez les insectes sociaux, femelle dont il n'existe qu'un individu par colonie et qui, totalement spécialisée dans la reproduction, assure la ponte de tous les œufs. 1149 ; lat. *regina* ; [ʀɛn].

**REINE-CLAUDE,** subst. f.
Variété de prune à chair parfumée, de couleur verte ou ambrée. 1690 ; ell. de *prune de la reine Claude* (femme de François I^er^) ; plur. *reines-claudes* ; [ʀɛnklod].

**REINE-DES-PRÉS,** subst. f.
*Bot.* Ulmaire. 1655 ; comp. de *reine* et de *pré* ; plur. *reines-des-prés* ; [ʀɛndepʀe].

**REINE-MARGUERITE,** subst. f.
*Bot.* Plante de la famille des Astéracées, à grands capitules jaunes. 1714 ; comp. de *reine* et de *marguerite* ; plur. *reines-marguerites* ; [ʀɛnmaʀgəʀit].

**REINETTE,** subst. f.
Pomme à la chair parfumée, dont il existe de nombreuses variétés. 1535 ; ☞ *reine* ; [ʀɛnɛt].

**RÉINFECTER,** verbe trans. [3]
*Pathol.* Infecter une nouvelle fois ; empl. pronom. : *Plaie qui se **réinfecte**.* 1549 ; ☞ *infecter* + *re-* ; [ʀeɛ̃fɛkte].

**RÉINSCRIPTION,** subst. f.
Renouvellement d'une inscription. 1877 ; ☞ *inscription* + *re-* ; [ʀeɛ̃skʀipsjɔ̃].

**RÉINSCRIRE,** verbe trans. [67]
Inscrire de nouveau ; empl. pronom. : *Se **réinscrire** à un examen.* 1876 ; ☞ *inscrire* + *re-* ; [ʀeɛ̃skʀiʀ].

**RÉINSÉRER,** verbe trans. [8]
Insérer de nouveau (qqn, en partic. dans un cadre social, professionnel) ; empl. pronom. : *Ce toxicomane s'est bien **réinséré**.* 1846 ; ☞ *insérer* + *re-* ; [ʀeɛ̃seʀe].

**RÉINSERTION,** subst. f.
Fait de réinsérer : *La **réinsertion** sociale des handicapés.* V. 1970 ; ☞ *insertion* + *re-* ; [ʀeɛ̃sɛʀsjɔ̃].

*Situation des **reins** par rapport à la colonne vertébrale.*

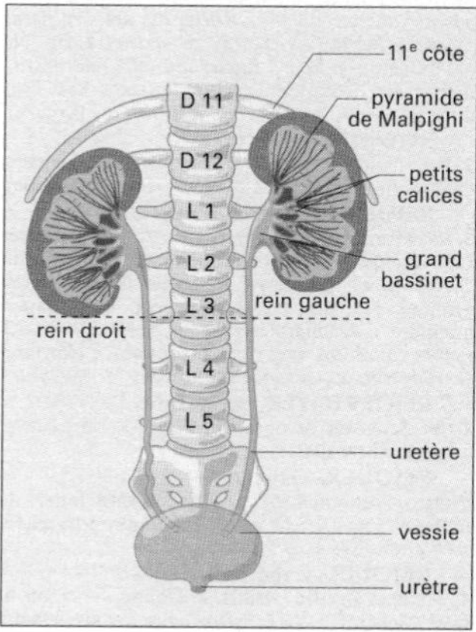

**RÉINSTALLER,** verbe trans. [3]
Installer de nouveau ; empl. pronom. : *Se **réinstaller** à la campagne.* 1581 ; ☞ *installer* + *re-* ; [ʀeɛ̃stale].

**RÉINTÉGRATION,** subst. f.
Action de réintégrer, de s'intégrer à nouveau ; son résultat. 1367 (1326, remise en état) ; ☞ *réintégrer* ; [ʀeɛ̃tegʀasjɔ̃].

**RÉINTÉGRER,** verbe trans. [8]
**1.** Rétablir (qqn) dans la possession, la jouissance d'un bien, d'un droit, d'une qualité : ***Réintégrer** un professeur dans ses fonctions.* **2.** Ext. Revenir dans : ***Réintégrer** son appartement.* 1352 ; lat. médiév. *reintegrare*, du lat. *redintegrare*, « rétablir » ; [ʀeɛ̃tegʀe].

**RÉINTRODUIRE,** verbe trans. [69]
Introduire de nouveau. 1845 ; ☞ *introduire* + *re-* ; [ʀeɛ̃tʀɔdɥiʀ].

**RÉINVENTER,** verbe trans. [3]
Inventer de nouveau, recréer sur de nouvelles bases. 1842 ; ☞ *inventer* + *re-* ; [ʀeɛ̃vɑ̃te].

**RÉINVESTIR,** verbe trans. [19]
Investir de nouveau ; empl. abs. : ***Réinvestir** dans l'immobilier.* 1845 ; ☞ *investir* (III) + *re-* ; [ʀeɛ̃vɛstiʀ].

**RÉITÉRATION,** subst. f.
Action de réitérer, répétition (littér.) : *La **réitération** d'une mise en garde.* 1450 (1419, action de renouveler un acte juridique) ; ☞ *réitérer* ; [ʀeiteʀasjɔ̃].

**RÉITÉRER,** verbe trans. [8]
Renouveler, refaire : ***Réitérer** une offre* ; empl. adj. : *Des avertissements **réitérés**,* répétés. 1314 ; bas lat. *reiterare* ; [ʀeiteʀe].

**REÎTRE,** subst. m.
**1.** *Hist.* Cavalier allemand mercenaire au service de la France aux XVe et XVIe s. **2.** Ext. Soudard, homme brutal (littér.). 1563 ; all. *Reiter*, « cavalier » ; [ʀɛtʀ].

**REJAILLIR,** verbe intrans. [19]
**1.** Jaillir sous l'effet d'une pression ou en étant renvoyé par une surface ; rebondir. **2.** Fig. Atteindre en retour : *Le scandale a **rejailli** sur sa famille.* Fin XVIe s. (déb. XIIIe s., résonner) ; ☞ *jaillir* + *re-* ; [ʀəʒajiʀ].

**REJAILLISSEMENT,** subst. m.
Littér. Fait de rejaillir ; mouvement de ce qui rejaillit. 1557 ; ☞ *rejaillir* ; [ʀəʒajismɑ̃].

**REJET,** subst. m.
**I. 1.** Action de rejeter, de repousser qqn, qqch. ; par méton., ce qui est rejeté : *Les **rejets** apportés par la marée.* **2.** Fait de refuser, de ne pas admettre qqn, qqch. ; son résultat : *Le **rejet** d'une théorie.* **II.** *Spéc.* **1.** *Bot.* Nouvelle pousse issue de la souche, du tronc ou des branches d'une plante. **2.** *Géol.* ***Rejet** d'une faille* : sa partie en surplomb. **3.** *Pathol.* Destruction d'un tissu greffé provoquée par les réactions immunologiques du receveur. **4.** *Versif.* Report au début d'un vers d'un ou de plusieurs mots rattachés par le sens au vers précédent (synon. *enjambement*). 1242 ; ☞ *rejeter* ; [ʀəʒɛ].

**REJETER,** verbe [14]
**Trans. 1.** Jeter, envoyer loin de soi, hors de soi. ▸ Vomir, cracher : *Un nourrisson qui **rejette** son lait.* **2.** Relancer, renvoyer : ***Rejeter** la balle* ; au fig. : ***Rejeter** une faute, une responsabilité sur qqn.* **3.** Repousser, mettre ailleurs : ***Rejeter** des notes en fin de chapitre* ; ***Rejeter** ses cheveux en arrière.* **4.** Fig. Ne pas admettre, refuser : ***Rejeter** une offre, un conseil* ; ***Rejeter** qqn,* l'écarter, l'exclure. **Intrans.** *Bot.* Produire des rejets. Fin. XIIe s. ; ☞ *jeter* + *re-* ; [ʀəʒ(ə)te].

**REJETON,** subst. m.
**1.** *Bot.* Nouvelle pousse d'une plante. **2.** Descendant, enfant (fam.). 1539 ; ☞ *rejeter* ; [ʀəʒ(ə)tɔ̃].

**REJOINDRE,** verbe trans. [55]
**1.** Vx. Réunir (ce qui a été séparé). **2.** Aller retrouver (qqn, qqch.) : ***Rejoindre** un ami, son travail.* **3.** Aboutir à : *Les fleuves **rejoignent** la mer* ; empl. pronom. : *Lignes qui se **rejoignent**.* **4.** Rattraper, atteindre : ***Rejoindre** le peloton.* **5.** Fig. Avoir des points communs avec ; empl. pronom. : *Nos idées se **rejoignent**.* Fin XIIIe s. ; ☞ *joindre* + *re-* ; [ʀəʒwɛ̃dʀ].

**REJOINTOYER,** verbe trans. [17]
*Techn.* Jointoyer de nouveau. 1392 ; ☞ *jointoyer* + *re-* ; [ʀəʒwɛ̃twaje].

**REJOUER,** verbe [3]
**Intrans.** Recommencer à jouer. **Trans.** Jouer de nouveau (qqch.) : *Ils **rejouèrent** le spectacle.* Fin XIIe s. ; ☞ *jouer* + *re-* ; [ʀəʒwe].

**RÉJOUIR,** verbe trans. [19]
**1.** Amuser, divertir (vieilli). **2.** Donner de la joie à, faire plaisir à : *Votre lettre nous a tous **réjouis**.* **Pronom.** Éprouver de la joie : *Se **réjouir** d'un succès.* Fin XIIe s. ; anc. fr. *esjoir*, « rendre joyeux », + *re-* ; [ʀeʒwiʀ].

**RÉJOUISSANCE,** subst. f.
Fait de se réjouir ; joie collective. **Plur.** Festivités, divertissements : *Un bal marqua le début des **réjouissances**.* Mil. XVe s. ; ☞ *réjouissant* ; [ʀeʒwisɑ̃s].

**RÉJOUISSANT, ANTE,** adj.
Qui réjouit, remplit d'aise : *Une situation peu **réjouissante**.* 1425 ; p. pr. de *réjouir* ; [ʀeʒwisɑ̃, ɑ̃t].

**RELÂCHE,** subst.
**Masc.** (empl. fém. critiqué) **1.** Interruption momentanée d'un travail pénible ; détente qui s'ensuit (littér.). ▸ Loc. *Sans **relâche*** : sans répit. **2.** *Théâtre.* Interruption momentanée des représentations : *Le lundi, jour de **relâche**.* **Fém.** *Mar.* Lieu d'escale ; action de relâcher. Fin XIIe s. ; ☞ *relâcher* ; [ʀəlɑʃ].

**RELÂCHÉ, ÉE,** adj.
**1.** Distendu. **2.** Qui manque de rigueur, négligé : *Un style **relâché**.* 1627 ; p. p. de *relâcher* ; [ʀəlɑʃe].

**RELÂCHEMENT,** subst. m.
**1.** État de ce qui est relâché, distendu : ***Relâchement** musculaire.* **2.** Fig. Diminution d'ardeur : ***Relâchement** dans l'effort* ; laisser-aller : ***Relâchement** des mœurs.* 1590 (fin XIIe s., interruption) ; ☞ *relâcher* ; [ʀəlɑʃmɑ̃].

**RELÂCHER,** verbe [3]
**Trans. 1.** Rendre lâche, détendre : ***Relâcher** les liens d'un prisonnier.* **2.** Fig. ▸ Remettre en liberté : ***Relâcher** un animal.* ▸ Détendre, reposer ; rendre moins rigoureux : ***Relâcher** son attention* ; empl. pronom. : *Votre attention se **relâche**.* **Intrans.** *Mar.* Faire escale. Fin XIIe s. ; lat. *relaxare* ; [ʀəlɑʃe].

**RELAIS,** subst. m.
**I. 1.** *Vèn.* Groupe de chiens postés sur le parcours d'une chasse pour prendre la relève. **2.** Ensemble des chevaux postés sur un parcours pour remplacer les chevaux fourbus ; par méton., ce lieu de relève (vx) : ***Relais** de poste.* **3.** Ext. Lieu d'étape. ▸ Fig. *Servir de **relais** à qqn* : d'intermédiaire. **4.** Mode d'organisation du travail par roulement : *Équipes de **relais**.* ▸ *Prendre le **relais** de qqn* : poursuivre la tâche qu'il a commencée. **5.** *Sp.* *Course de **relais*** : épreuve par équipes au cours de laquelle les membres de chacune d'elles se relaient à intervalles déterminés. **II. 1.** *Électr.* Appareil faisant passer un courant d'une faible intensité à une forte intensité. **2.** *Télév.* ***Relais** hertzien* : réémetteur. XIIIe s. ; ☞ *relayer*, d'apr. *se relaisser* ; [ʀəlɛ].

© Empics Ltd-Gamma

*Une course de **relais** : le 4 × 400 mètres.*

**RELAISSER (SE),** verbe pronom. [3]
*Vèn.* S'arrêter d'épuisement, en parlant d'un animal traqué. 1559 ; ☞ *laisser* + *re-* ; [ʀəlɛse].

**RELANCE,** subst. f.
**1.** *Sp.* Action de relancer (une balle, une attaque, etc.). **2.** *Jeux.* Action de surenchérir sur un adversaire, surtout au poker ; par méton., la somme engagée. **3.** Nouvel élan, nouvelle impulsion : ***Relance** de l'économie.* **4.** Rappel : *Lettre de **relance**.* 1894 ; ☞ *relancer* ; [ʀəlɑ̃s].

**RELANCER,** verbe [3]
**Trans. 1.** Lancer de nouveau, renvoyer. **2.** *Vèn.* Faire repartir (une bête arrêtée). **3.** Remettre en marche (un moteur, un processus, etc.) : ***Relancer** la production* ; au fig. : ***Relancer** le débat.* **4.** Solliciter (qqn) de nouveau : ***Relancer** un client.* **Intrans.** *Jeux.* Faire une relance. Mil. XIIe s. ; ☞ *lancer* (I) + *re-* ; [ʀəlɑ̃se].

**RELAPS, APSE,** adj. et subst.
*Cath.* Qualifie ou désigne une personne retombée dans l'hérésie après l'avoir abjurée : *Être laps et **relaps**.* 1384 ; lat. *relapsus* ; [ʀəlaps].

**RELATER,** verbe trans. [3]
Raconter, faire le récit détaillé de : ***Relater** les faits.* 1362 ; lat. *relatus*, de *referre*, « rapporter » ; [ʀəlate].

**RELATIF, IVE,** adj.
**I. 1.** Qui se définit, se comprend dans une relation mutuelle avec un ou plusieurs autres termes ; qui n'est pas absolu : *Valeur **relative**.* ▸ Loc. *Tout est **relatif*** : il faut prendre en compte l'ensemble dans lequel s'insère l'élément considéré. **2.** Ext. Incomplet, approximatif : *Un succès **relatif*** ; *Un confort **relatif**.* **3. Relatif à.** Qui concerne : *Instructions **relatives** à la mise en marche.* **II.** *Spéc.* **1.** *Gramm.* Qualifie les mots qui servent à établir une relation entre un nom ou un pronom qu'ils représentent (antécédent) et une subordonnée : *Pronoms, adverbes, adjectifs **relatifs*** ou, empl. subst. masc., *Les **relatifs*** ; *Proposition **relative*** ou, empl. subst. fém., *Une **relative**,* subordonnée qu'introduit un **relatif**. **2.** *Math.* *Entier **relatif*** : élément de $\mathbb{Z}$ (synon. *entier rationnel*) ; *Maximum (resp. minimum) **relatif*** : une fonction numérique $f$ définie sur un espace topologique E admet un maximum (resp. minimum) **relatif** $f(a)$ en $a \in$ E s'il existe un voisinage V de $a$ tel que, pour tout $x$ de V, $f(x)$ soit inférieur (resp. supérieur) à $f(a)$. **3.** *Mus.* *Tonalités **relatives*** : tonalités mineure et majeure de même armature à la clef (par ex. *do* majeur et *la* mineur). Mil. XIIIe s. ; bas lat. *relativus*, « en rapport avec » ; [ʀəlatif, iv].

**RELATION,** subst. f.
**I.** Action de relater, de rendre compte d'un fait, d'un évènement ; par méton., ce récit (écrit ou oral). **II. 1.** Rapport, lien existant entre plusieurs choses, phénomènes, etc. : *Établir une **relation** entre deux faits* ; ***Relation** de cause à effet.* ▸ Rapport de dépendance : ***Relation** entre l'échec scolaire et le milieu social.* **2.** Lien spécifique existant entre deux ou plusieurs personnes : ***Relations** amoureuses, sexuelles, épistolaires* ; *Se mettre en **relation** avec qqn.* ▸ Méton. Personne que l'on connaît, que l'on fréquente : *Une **relation** de travail.* ▸ Loc. *Avoir des **relations*** : connaître des gens influents. **3.** *Log.* Prédicat à plusieurs variables. ▸ *Théorie des **relations*** : calcul des prédicats et étude des divers types de **relations** en théorie des ensembles. **4.** *Math.* ***Relation** d'un ensemble E vers un ensemble F* : étant donné un triplet d'ensembles $\mathcal{R}$ = (E, F, G), où G est une partie du produit cartésien E × F, alors $a$, élément de E, est en **relation** avec $b$, élément de F, suivant $\mathcal{R}$ signifie que le couple $(a, b)$ est dans G, et on note $a\ \mathcal{R}\ b$ ou $\mathcal{R}(a, b)$. En pratique la **relation** $\mathcal{R}$ est définie par un énoncé caractérisant les éléments de G (le graphe de la **relation**). **5.** *Physiol.* *Fonction de **relation*** : ensemble des fonctions qui assurent le contact de l'organisme avec le milieu extérieur. **Plur.** Liens, de natures diverses, existant entre groupes, collectivités, États, etc. : ***Relations** économiques, diplomatiques, internationales.* ▸ ***Relations** publiques* : ensemble des activités de communication d'une collectivité (entreprise, syndicat, etc.), destinées à la promouvoir. Déb. XIIIe s. ; lat. *relatio*, « récit » ; [ʀəlasjɔ̃].

**RELATIONNEL, ELLE,** adj.
Qui concerne les relations entre les personnes. 1870 ; ☞ *relation* ; [ʀəlasjɔnɛl].

**RELATIVEMENT,** adv.
**1.** De manière relative ; par ext., assez : *Il fait **relativement** beau.* **2.** Par comparaison. ▸ Loc. prép. ***Relativement** à* : pour ce qui est de, en ce qui concerne. XIVe s. ; ☞ *relatif* ; [ʀəlativmɑ̃].

**RELATIVISER,** verbe trans. [3]
Donner un caractère relatif à ; par ext., minimiser, dédramatiser. 1932 ; ☞ *relatif* ; [ʀəlativize].

**RELATIVISME,** subst. m.
*Philos.* Doctrine qui pose que toute connaissance humaine est relative, qu'elle est fonction de circonstances historiques, ou, plus radicalement, qu'il n'existe pas de vérité absolue. ▸ ***Relativisme** culturel* : courant dominant de l'anthropologie moderne, qui conteste l'universalité des valeurs et pose que chaque société est à elle-même sa propre mesure. 1875 ; ☞ *relatif* ; [ʀəlativism].

**RELATIVISTE,** adj. et subst.
**Adj. 1.** *Philos.* Qui concerne, qui prône le relativisme. **2.** *Phys.* ▸ Se dit des principes, des théories, des corps physiques conformes à la relativité et à ses conséquences. ▸ Qui concerne la relativité. **Subst.** *Philos.* Partisan du relativisme. 1876 ; ☞ *relativisme* ; [ʀəlativist].

**RELATIVITÉ, subst. f.**
Caractère de ce qui est relatif. ▸ *Philos.* ***Relativité la connaissance humaine*** : son caractère limité, ıi fait que l'homme ne peut saisir les choses ᵉes-mêmes, mais seulement des phénomènes. *Phys.* Principe postulant qu'aucun référentiel est immobile de manière absolue, mais toujours ꞉ manière relative. 📖 1805 ; ☞ *relatif* ; [ʀəlativite].
ᴴYSIQUE – La relativité restreinte (Einstein, 1905) nonce que les lois de la mécanique sont indépen-ıantes du référentiel d'inertie choisi. Découlant ꞉e la relativité en mécanique newtonienne, elle se onfond avec elle pour des vitesses très petites par apport à celle de la lumière. La relativité générale st une extension de la relativité restreinte ; elle 'applique à un espace-temps (Univers) à quatre ᵢimensions, soumis à un champ de gravitation qui ꞉ rend courbe.

**RELAVER, verbe [3]**
ʀANS. Laver une nouvelle fois ; empl. pronom. : *Se laver les mains.* **Intrans.** Belg. et Helv. Faire la isselle. 📖 Déb. XIII^e s. ; ☞ *laver* + *re-* ; [ʀəlave].

**RELAX, adj.**
ıglic. et Fam. **1.** Qui repose, détend : *Fauteuil **lax.*** **2.** Décontracté, calme : *Une soirée très **relax.*** ꞉ V. 1950 ; angl. *to relax*, « se détendre » ; var., au ɪn., *relaxe* ; [ʀəlaks].

**RELAXANT, ANTE, adj.**
ui détend : *Une musique **relaxante*** ; *Médicament **'axant***, qui favorise la relaxation. 📖 Mil. XX^e s. ; pr. de *relaxer* ; [ʀəlaksɑ̃, ɑ̃t].

**RELAXATION, subst. f.**
Décontraction, absence de tension physique ou ıychique : ***Relaxation** musculaire.* **2.** Méthode per-ettant d'accéder à cet état : ***Relaxation** de groupe.* *Phys.* et *Techn.* Retour à l'équilibre, spontané et ·ogressif, d'un système. 📖 1314 ; lat. *relaxatio*, de *laxare*, « relâcher » ; [ʀəlaksasjɔ̃].

**RELAXE (I), subst. f.**
ʀ. Verdict par lequel un tribunal correctionnel ı de police déclare un prévenu non coupable. ꞉ 1671 ; ☞ *relaxer* ; [ʀəlaks].

**RELAXE (II), voir RELAX**

**RELAXER, verbe trans. [3]**
*Dr.* Prononcer la relaxe de (un prévenu). **2.** Dé-ndre : ***Relaxer** ses muscles* ; empl. pronom., se dé-ndre mentalement et physiquement. 📖 1338 (fin ᵉ s., pardonner) ; lat. *relaxare*, « relâcher » ; [ʀəlakse].

**RELAYER, verbe [15]**
ɴTRANS. Changer de chevaux dans un relais (vx). ʀANS. **1.** Remplacer (qqn) dans une tâche, une ꞉tivité afin d'en assurer la continuité. ▸ *Sp.* ꞉mplacer (un sportif) dans une équipe ; prendre suite de (un équipier) lors d'une course de relais. Remplacer (qqch.) par qqch. d'autre. **3.** *Télé-mm.* Retransmettre par relais (émetteur ou tellite) une émission. **Pronom.** Se remplacer, se ıccéder : *Se **relayer** au chevet d'un malade.* 📖 1573 ıil. XIII^e s., changer de chiens pendant la chasse à courre) ; ıc. dial. *laier*, « laisser », + *re-* ; [ʀəleje].

**RELAYEUR, EUSE, subst.**
). Personne qui participe à une course de relais. ꞉ 1924 (1855, personne entretenant des relais de evaux) ; ☞ *relayer* ; [ʀəlɛjœʀ, øz].

**RELECTURE, subst. f.**
꞉tion de relire, spéc. pour apporter les corrections ꞉cessaires. 📖 1611 ; ☞ *lecture* + *re-* ; [ʀəlɛktyʀ].

**RELÉGATION, subst. f.**
*Dr. rom.* Action de reléguer qqn. **2.** *Dr.* Peine ɔmplémentaire de réclusion ou de séjour hors de métropole, infligée aux récidivistes (jusqu'en 970). **3.** *Sp.* Passage d'une équipe dans la catégorie ꞉férieure. 📖 Fin XIV^e s. ; lat. *relegatio* ; [ʀəlegasjɔ̃].

**RELÉGUER, verbe trans. [8]**
*Dr. rom.* Exiler (qqn) dans un lieu déterminé ıns lui ôter ses droits civils et politiques. **2.** *Dr.* ondamner à la relégation. **3.** Ext. Écarter, placer ꞉qn, qqch.) dans une situation inférieure : ***Relé-ıer** au second plan.* 📖 Fin XIV^e s. ; lat. *relegare*, de *gare*, « envoyer » ; [ʀəlege].

**RELENT, subst. m.**
Mauvaise odeur tenace : *Un **relent** d'huile rance.* Fig. Ce qui persiste, trace, soupçon de qqch. ouv. péj.) : *Un discours aux **relents** révisionnistes.* ꞉ Déb. XIII^e s. ; lat. *lentus*, « tenace », + *re-* ; [ʀəlɑ̃].

**RELEVAGE, subst. m.**
*Mar.* Remise à flot d'un navire. **2.** *Ch. de fer.* ꞉mise sur voie d'un train, d'un wagon déraillé. **3.** *Techn.* Action de relever. ▸ *Dispositif, levier de **relevage*** : permettant de relever, de mettre en position de repos des pièces mécaniques. 📖 1861 (1348, droit féodal) ; ☞ *relever* ; [ʀələvaʒ].

**RELEVAILLES, subst. f. plur.**
**1.** *Cath.* Bénédiction donnée par le prêtre à une femme relevant de couches (vieilli). **2.** Ext. Fait de relever de couches ; fête donnée à cette occasion (vieilli ou région.). 📖 Fin XII^e s. ; ☞ *relever* ; [ʀələvaj].

**RELÈVE, subst. f.**
Action de remplacer une personne, une équipe à son poste : *La **relève** de la garde* ; par méton., la personne qui remplace : *Attendre la **relève**.* ▸ Loc. *Prendre la **relève*** : relayer. 📖 1872 ; ☞ *relever* ; [ʀəlɛv].

**RELEVÉ, ÉE, adj. et subst. m.**
**Adj. 1.** Dirigé vers le haut, redressé. **2.** Fig. Généreux, noble (littér.) : *Sentiments **relevés**.* **3.** D'un goût prononcé, épicé : *Mets **relevé**.* **Subst. 1.** Action de relever par écrit ou par un dessin ; liste, état, croquis, plan, etc., ainsi réalisé : ***Relevé** des factures* ; ***Relevé** topographique.* ▸ ***Relevé** de compte* : liste de toutes les opérations bancaires d'une période donnée. ▸ ***Relevé** d'identité bancaire (R. I. B.)* : **relevé** des coordonnées d'un compte. ▸ *Archit.* Plan, en coupe ou en élévation, d'un édifice existant. ▸ *B.-a.* Copie, au trait ou peinte, d'une œuvre. **2.** *Chorégr.* Mouvement exécuté, sans déplacement, sur les pointes ou les demi-pointes. 📖 1555 ; p. p. de *relever* ; [ʀəl(ə)ve].

© D. Clément-Explorer

*Relevé d'un bloc sculpté, sur un site archéologique.*

**RELÈVEMENT, subst. m.**
**1.** Action de relever, de remettre debout : ***Relèvement** d'un mur.* ▸ Fig. Redressement : ***Relèvement** d'un pays.* **2.** Action de hausser le niveau de qqch. : ***Relèvement** des prix, des salaires.* **3.** Action de relever des informations ; par méton., ces informations : ***Relèvement** des mots nouveaux dans un corpus.* ▸ *Mar.* Mesure de la position d'un navire par l'angle de l'axe nord-sud avec sa ligne de marche ; par méton., cet angle. ▸ *Topogr.* Détermination de la position d'un point donné. **4.** *Géom.* Opération réciproque du rabattement (en géométrie descriptive). 📖 Déb. XIII^e s. ; ☞ *relever* ; [ʀəlɛvmɑ̃].

**RELEVER, verbe trans. [10]**
**Trans. dir. 1.** Remettre debout (qqch., qqn qui est tombé) : ***Relever** une colonne.* ▸ ***Relever** une maille* : retricoter une maille qui s'est défaite. ▸ Fig. Redonner de la vigueur à, redresser : ***Relever** les finances d'un pays.* **2.** Ramasser, collecter : ***Relever** les copies* ; par méton. : ***Relever** les boîtes aux lettres, les pièges.* ▸ Loc. ***Relever** le gant* : répondre à un défi. **3.** Mettre en valeur, en relief : *Maquillage qui **relève** l'éclat du teint.* ▸ *Cuis.* Donner plus de saveur à (un mets) par un assaisonnement, des épices. **4.** Libérer d'un engagement : ***Relever** qqn d'un serment.* ▸ Loc. ***Relever** qqn de ses fonctions* : le destituer. **5.** Mettre en position haute, orienter vers le haut : ***Relever** un store, l'ancre* ; ***Relever** le menton.* **6.** Donner plus de hauteur à, rehausser : ***Relever** le niveau de l'eau retenue par un barrage* ; au fig. : ***Relever** la conversation.* **7.** Faire remarquer, souligner : ***Relever** une erreur* ; par ext. : ***Relever** une allusion, une offense*, y répliquer vivement. **8.** Remplacer (qqn) dans une fonction, dans un service : ***Relever** une sentinelle.* **9.** Consigner, noter par écrit, par un dessin, etc. : ***Relever** une citation* ; ***Relever** des mesures* ; ***Relever** des empreintes*, les reporter sur un support pour identification ; par méton. : ***Relever** un compteur.* **Trans. indir.** Relever de. **1.** Se remettre de : ***Relever** de maladie, de couches.* **2.** Être subordonné à, être du ressort de : *Cela ne **relève** pas de ma compétence.* **Pronom. 1.** Se remettre debout ; au fig. : *Se **relèvera**-t-il de cet échec ?* **2.** Revenir en position haute : *Siège qui se **relève**.* 📖 Fin XI^e s. ; lat. *relevare* ; [ʀəl(ə)ve].

**RELEVEUR, EUSE, adj. et subst. m.**
**Adj. 1.** Qui relève : *Un bras mécanique **releveur**.* **2.** *Anat.* *Muscle **releveur***, ou empl. subst. masc., *Un **releveur*** : qui permet de lever l'organe dans lequel il s'insère. **Subst.** Employé qui relève les compteurs (d'eau, d'électricité, etc.). 📖 1561 (déb. XIII^e s., celui qui reconstruit des églises) ; ☞ *relever* ; [ʀəl(ə)vœʀ, øz].

**RELIAGE, subst. m.**
*Techn.* Action de relier un tonneau, de cercler ses douves. 📖 1328 ; ☞ *relier* ; [ʀəljaʒ].

**RELIEF, subst. m.**
**I. Plur.** Littér. **1.** Ce qui reste d'un repas. **2.** Fig. Ce qui reste de qqch. : ***Reliefs** d'un passé somptueux.* **II. 1.** Ce qui fait saillie sur une surface. ▸ *B.-a.* Ouvrage sculpté se détachant sur un fond plan. ▸ *Géogr.* Forme que prend localement la surface de la croûte terrestre : *Un **relief** plat, accidenté.* ▸ Loc. **En relief.** Qui n'est pas plan ou qui donne une impression de volume : *Carte en **relief*** ; *Cinéma en **relief**.* **2.** Anal. Impression et contraste des volumes que donne une œuvre picturale : *Un lavis au **relief** saisissant.* ▸ ***Relief** acoustique* : perception auditive de l'espace résultant de la perception simultanée de sons par les deux oreilles. **3.** Fig. Importance, valeur donnée à un élément par son contexte. ▸ Loc. *Mettre en **relief*** : en avant, en lumière. 📖 Mil. XI^e s. ; ☞ *relever* ; [ʀəljɛf].

**RELIER, verbe trans. [6]**
**1.** Assembler par un lien. ▸ Coudre ensemble les feuillets de (un livre) et les couvrir d'une matière rigide. ▸ *Techn.* Assembler par cerclage les douves de (un tonneau). **2.** Mettre (un point, un lieu) en communication avec un autre ; joindre (deux points) entre eux : *Le T. G. V. **relie** Paris à Londres.* **3.** Fig. Mettre en rapport : ***Relier** les indices d'une enquête.* 📖 Fin XII^e s. ; ☞ *lier* + *re-* ; [ʀəlje].

**RELIEUR, EUSE, subst.**
**1.** Ouvrier, artisan qui relie des livres. **2.** Propriétaire d'une entreprise de reliure. 📖 1358 (1279, botteleur) ; ☞ *relier* ; [ʀəljœʀ, øz].

**RELIGIEUSEMENT, adv.**
**1.** D'une manière religieuse. **2.** Fig. Avec recueillement, grande attention : *Il écoutait **religieusement** l'orateur.* 📖 Déb. XIII^e s. ; ☞ *religieux* ; [ʀəliʒjøzmɑ̃].

**RELIGIEUX, EUSE, adj. et subst.**
**Adj. 1.** Qui pratique une religion, qui en observe les préceptes : *Famille très **religieuse**.* **2.** Relatif, propre à un ordre ecclésiastique, à une congrégation : *Habit **religieux*** ; *La vie **religieuse**.* **3.** Relatif, conforme à la religion, à une religion : *L'art **religieux*** ; *Un mariage **religieux**.* **4.** Fig. Qui évoque la religion par son recueillement, sa gravité : *Une attention **religieuse**.* **Subst.** Personne entrée en religion, qui appartient à un ordre, à une congrégation. **Subst. fém.** Pâtisserie faite de deux choux à la crème superposés : *Une **religieuse** au chocolat.* 📖 Déb. XII^e s. ; lat. *religiosus*, « scrupuleux ; pieux » ; [ʀəliʒjø, øz].

**RELIGION, subst. f.**
**1.** Vx. Monastère. ▸ État d'un membre d'un ordre religieux, d'une congrégation : *Entrer en **religion**,* prononcer ses vœux. **2.** Relation de l'homme avec le sacré, se traduisant par des croyances et des pratiques. ▸ Attitude personnelle à l'égard du sacré, foi : *Sa **religion** est sincère.* **3.** Système de croyances et de pratiques propre à une communauté : ***Religions** polythéistes, monothéistes* ; ***Religion** juive, chrétienne, musulmane.* **4.** Fig. Idéologie, système de valeurs érigé en absolu : *La **religion** du progrès.* ▸ Loc. *Ma **religion** est faite* : mon opinion est arrêtée. 📖 Fin XI^e s. ; lat. *religio*, « vénération » ; [ʀəliʒjɔ̃].
SCIENCES HUMAINES – Alors que le terme « sacré » possède un équivalent dans toutes les langues, le concept de religion stricto sensu est proprement occidental et ne s'applique qu'aux religions dites universelles (christianisme, judaïsme, islam, bouddhisme). La religion n'est pas le religieux : elle ne se réduit pas au fait de séparer le profane du sacré, de vénérer une puissance divine, ni même d'instituer une caste sacerdotale. La religion apparaît lorsque l'administration du sacré prend le caractère d'une institution sociale autonome, distincte des autorités laïques et dont les limites ne sont pas fixées par la société, mais par la diffusion du culte et par l'extension de l'Église :

c'est bien le cas des religions « universelles », qui se sont étendues au-delà des aires culturelles où elles sont apparues au fur et à mesure que leur contenu était placé au-dessus des sociétés particulières.

**RELIGIONNAIRE,** subst.
*Hist.* Fidèle de la religion réformée, protestant (vx). 1560 ; ☞ *religion* ; [ʀəliʒjɔnɛʀ].

**RELIGIOSITÉ,** subst. f.
1. Piété, dévotion extrême. 2. Sentiment religieux d'ordre sentimental, dépourvu de toute référence à une religion déterminée. XIIIe s. ; lat. *religiositas* ; [ʀəliʒjozite].

**RELIQUAIRE,** subst. m.
Châsse, coffret précieux renfermant des reliques. 1328 ; ☞ *relique* ; [ʀəlikɛʀ].

**RELIQUAT,** subst. m.
Ce qui reste ; en partic., ce qui reste dû après la clôture d'un compte. 1409 ; lat. *reliqua* ; [ʀəlika].

**RELIQUE,** subst. f.
1. *Relig.* Ce qui reste du corps d'un saint, d'un martyr, ou d'un objet qui lui fut familier, que l'on conserve et que l'on vénère : *Exposer une* ***relique***. 2. Anal. Ce qui reste d'une époque révolue ; objet auquel on reste sentimentalement attaché : *Une* ***relique*** *de son passé.* 3. *Biol.* Espèce dont l'aire de répartition, initialement importante, se trouve extrêmement réduite à la suite d'évènements variés. Certaines espèces anciennes, tel le cœlacanthe, sont des **reliques** en raison de la forte concurrence que leur livrent les nouvelles espèces plus efficaces. Fin XIe s. ; lat. *reliquiae*, « restes » ; [ʀəlik].

**RELIRE,** verbe trans. [66]
1. Lire une nouvelle fois. 2. Lire afin de corriger, de vérifier : ***Relire*** *un manuscrit.* PRONOM. Lire ce que l'on a écrit. Mil. XIIe s. ; ☞ *lire* (I) + *re-* ; [ʀəliʀ].

**RELIURE,** subst. f.
1. Couverture d'un ouvrage relié ; façon dont un livre est relié : *Une* ***reliure*** *pleine peau.* 2. Action ou art de relier un livre. 1548 ; ☞ *relier* ; [ʀəljyʀ].

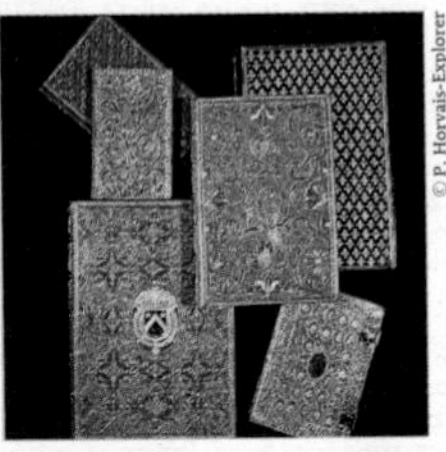
© P. Horvais-Explorer

*Reliures précieuses du XVIIe et du XVIIIe s. Bibliothèque Méjanes, Aix-en-Provence.*

**RELOGEMENT,** subst. m.
Action de reloger ; fait de se reloger. 1952 ; ☞ *reloger* ; [ʀəlɔʒmɑ̃].

**RELOGER,** verbe trans. [5]
Pourvoir au logement de (qqn qui en est ou qui en sera bientôt dépourvu). Déb. XIIIe s. ; ☞ *loger* + *re-* ; [ʀəlɔʒe].

**RELOUER,** verbe trans. [3]
Louer de nouveau (une habitation, des bureaux, etc.). Déb. XIIIe s. ; ☞ *louer* (II) + *re-* ; [ʀəlwe].

**RÉLUCTANCE,** subst. f.
*Phys.* Dans un circuit magnétique, quotient de la force magnétomotrice par le flux d'induction qui le traverse. 1902 ; angl. *reluctance*, du lat. *reluctari*, « résister » ; [ʀelyktɑ̃s].

**RELUIRE,** verbe intrans. [69]
Luire en réfléchissant la lumière. ▸ Loc. *Manier la brosse à* ***reluire*** : flatter (fam.). Fin XIe s. ; ☞ *luire* + *re-* ; [ʀəlɥiʀ].

**RELUISANT, ANTE,** adj.
1. Qui reluit. 2. Fig. Brillant (gén. en tournure négative) : *Ce travail n'est pas très* ***reluisant***. XIIe s. ; p. pr. de *reluire* ; [ʀəlɥizɑ̃, ɑ̃t].

**RELUQUER,** verbe trans. [3]
Regarder avec convoitise ou curiosité (fam.). Mil. XVIIIe s. ; m. fr. *luquier*, « regarder », du m. néerl. *loeken*, « épier », + *re-* ; [ʀəlyke].

**REM,** subst. m.
*Métrol.* Unité d'équivalent de dose de radiation (☞ *dose*). 1952 ; acron. de l'angl. *Röntgen equivalent man*, « équivalent-homme de Röntgen » ; [ʀɛm].

**REMÂCHER,** verbe trans. [3]
1. Mâcher une seconde fois, en parlant d'un ruminant. 2. Fig. Ressasser, tourner et retourner (qqch.) par la pensée : ***Remâcher*** *sa colère, son passé.* 1538 ; ☞ *mâcher* + *re-* ; [ʀəmaʃe].

**REMAILLAGE,** voir **REMMAILLAGE**

**REMAILLER,** voir **REMMAILLER**

**REMAKE,** subst. m.
Nouvelle version d'un film et, par ext., de toute œuvre (anglic.). 1946 ; anglo-amér. *remake*, « nouvelle version », de *to remake*, « refaire » ; [ʀimɛk].

**RÉMANENCE,** subst. f.
Fait de subsister, de persister : ***Rémanence*** *d'une coutume.* ▸ *Phys.* Persistance de l'aimantation d'un barreau d'acier après le retrait du flux d'induction magnétique. ▸ *Psychol.* Propriété d'une sensation de persister après que le stimulus a disparu. ▸ *Méd.* Propriété d'une substance qui continue d'agir alors qu'elle n'est plus administrée. 1901 (déb. XIIe s., demeure) ; ☞ *rémanent* ; [ʀemanɑ̃s].

**RÉMANENT, ENTE,** adj.
Qui perdure en dépit de la cessation de sa cause : *Odeur* ***rémanente***. 1877 (déb. XIIe, permanent) ; lat. *remanens*, de *remanere*, « demeurer » ; [ʀemanɑ̃, ɑ̃t].

**REMANIEMENT,** subst. m.
Action de remanier ; son résultat : ***Remaniement*** *ministériel.* 1690 ; ☞ *remanier* ; [ʀəmanimɑ̃].

**REMANIER,** verbe trans. [6]
Modifier l'ordonnance de (un ouvrage de l'esprit), la composition de (un groupe) : ***Remanier*** *un roman, une équipe.* Mil. XIIIe s. ; ☞ *manier* + *re-* ; [ʀəmanje].

**REMAQUILLER,** verbe trans. [3]
Maquiller de nouveau ; empl. pronom. : *Elle s'est* ***remaquillée***. 1901 ; ☞ *maquiller* + *re-* ; [ʀəmakije].

**REMARCHER,** verbe intrans. [3]
1. Marcher de nouveau après une période d'invalidité. 2. Fig. Fonctionner de nouveau (fam.) : *La radio* ***remarche***. 1549 ; ☞ *marcher* + *re-* ; [ʀəmaʀʃe].

**REMARIAGE,** subst. m.
Nouveau mariage. 1278 ; ☞ *remarier* ; [ʀəmaʀjaʒ].

**REMARIER,** verbe trans. [6]
Marier de nouveau ; empl. pronom. : *Elle s'est* ***remariée***. Mil. XIIIe s. (mil. XIIe s., marier à son tour) ; ☞ *marier* + *re-* ; [ʀəmaʀje].

**REMARQUABLE,** adj.
1. Susceptible d'être remarqué : *Un fait* ***remarquable***. 2. Qui mérite d'être remarqué : *Une femme* ***remarquable***. Mil. XVIe s. ; ☞ *remarquer* ; [ʀəmaʀkabl].

**REMARQUABLEMENT,** adv.
De manière remarquable ; admirablement. 1616 ; ☞ *remarquable* ; [ʀəmaʀkabləmɑ̃].

**REMARQUE,** subst. f.
1. Vx. Fait de remarquer, de constater qqch. 2. Méton. Observation orale ou écrite visant à attirer l'attention : *«* ***Remarques*** *sur la langue française », œuvre de Vaugelas ; Une* ***remarque*** *judicieuse* ; en partic., observation critique : *Il ne supporte aucune* ***remarque***. 3. *Grav.* Petit croquis tracé en marge d'une estampe. 1579 ; ☞ *remarquer* ; [ʀəmaʀk].

**REMARQUER,** verbe trans. [3]
I. 1. Avoir l'attention attirée par : ***Remarquer*** *un colis suspect.* 2. Distinguer (qqn, qqch.) parmi d'autres : *Une femme que l'on* ***remarque*** *; Se faire* ***remarquer***, se distinguer, en bien ou en mal. 3. Exprimer par une remarque : *« Il va pleuvoir »,* ***remarqua-t-il***. II. Marquer de nouveau : ***Remarquer*** *des vêtements.* 1549 ; ☞ *marquer* + *re-* ; [ʀəmaʀke].

**REMBALLAGE,** subst. m.
Action de remballer qqch. 1842 ; ☞ *remballer* ; [ʀɑ̃balaʒ].

**REMBALLER,** verbe trans. [3]
1. Emballer de nouveau (ce qui a été déballé). 2. Repousser (qqn) vivement, le rembarrer (fam.). 1539 ; ☞ *emballer* + *re-* ; [ʀɑ̃bale].

**REMBARQUEMENT,** subst. m.
Action de rembarquer ; fait de se rembarquer. 1535 ; ☞ *rembarquer* ; [ʀɑ̃baʀkəmɑ̃].

**REMBARQUER,** verbe [3]
TRANS. Embarquer de nouveau (qqch. ou qqn). INTRANS. S'embarquer de nouveau. 1527 ; ☞ *embarquer* + *re-* ; [ʀɑ̃baʀke].

**REMBARRER,** verbe trans. [3]
Éconduire brutalement (qqn), le rabrouer (fam.). 1476 ; ☞ *embarrer* + *re-* ; [ʀɑ̃baʀe].

**REMBLAI,** subst. m.
1. Action de remblayer ; ouvrage, levée qui en résulte : ***Remblai*** *de voie ferrée.* 2. Matériaux utilisés à cet effet. 1694 ; ☞ *remblayer* ; [ʀɑ̃blɛ].

**REMBLAIEMENT,** subst. m.
*Géol.* Accumulation de sédiments dans une dépression, en milieu subaquatique ou subaérien. 1924 ; ☞ *remblayer* ; [ʀɑ̃blɛmɑ̃].

**REMBLAYAGE,** subst. m.
Action de remblayer ; son résultat. Mil. XIXe s. ☞ *remblayer* ; [ʀɑ̃blɛjaʒ].

**REMBLAYER,** verbe trans. [15]
Combler (une excavation), élever (un terrain) à l'aide de terre, de gravats, etc. 1244 ; anc. fr. *emblaer*, « ensemencer de blé », + *re-* ; [ʀɑ̃blɛje].

**REMBLAYEUSE,** subst. f.
Machine qui sert à remblayer. Mil. XXe s. ; ☞ *rem*[*blayer*] ; [ʀɑ̃blɛjøz].

**REMBOBINER,** verbe trans. [3]
Embobiner de nouveau : ***Rembobiner*** *de la ficelle, un*[*e*] *cassette.* 1936 ; ☞ *embobiner* + *re-* ; [ʀɑ̃bɔbine].

**REMBOÎTAGE,** subst. m.
*Techn.* Fait de remettre un livre réparé dans s[a] reliure d'origine ou dans une reliure d'époque e[n] bon état. 1876 ; ☞ *remboîter* ; [ʀɑ̃bwataʒ].

**REMBOÎTEMENT,** subst. m.
Action de remboîter ; son résultat : ***Remboîtemen***[***t***] *d'un os.* 1626 ; ☞ *remboîter* ; [ʀɑ̃bwatmɑ̃].

**REMBOÎTER,** verbe trans. [3]
1. Replacer (ce qui a été démis) : ***Remboîter*** *u*[*ne*] *épaule.* 2. *Techn.* Procéder au remboîtage de (u[n] livre). 1549 (1306, mettre à couvert) ; ☞ *emboîte*[*r*] + *re-* ; [ʀɑ̃bwate].

**REMBOURRAGE,** subst. m.
Action de rembourrer ; ce qui sert à rembourre[r]. 1412 ; ☞ *rembourrer* ; [ʀɑ̃buʀaʒ].

**REMBOURRER,** verbe trans. [3]
Garnir (un siège, un coussin, etc.) de bourre, o[u] d'une matière analogue, afin de le rendre confo[r]table. ▸ Loc. ***Être rembourré*** : être bien en cha[ir] (fam.). 1209 ; ☞ *bourre* (I) + *re-* et *en-*[1] ; [ʀɑ̃buʀe].

**REMBOURSABLE,** adj.
Qui peut ou qui doit être remboursé. 1432 ☞ *rembourser* ; [ʀɑ̃buʀsabl].

**REMBOURSEMENT,** subst. m.
Action de rembourser ; son résultat. ▸ Loc. *Env*[*oi*] *contre* ***remboursement*** : contre paiement à la livra[i]son. 1432 ; ☞ *rembourser* ; [ʀɑ̃buʀsəmɑ̃].

**REMBOURSER,** verbe trans. [3]
1. Payer à une personne (ce qu'elle avait déboursé) ***Rembourser*** *des frais de déplacement* ; payer (un dû) ***Rembourser*** *un emprunt.* 2. Rendre à (qqn) ce qu[il] a dépensé : *Sa mutuelle le* ***rembourse*** *à 100* [%]. 1393 (1262, remettre dans la bourse) ; *embours*[*er*] (vx), « mettre dans la bourse », + *re-* ; [ʀɑ̃buʀse].

**REMBRUNIR,** verbe trans. [19]
Rendre plus brun (vx). PRONOM. S'assombrir, dev[e]nir soucieux (en parlant de qqn, de sa mine). 1690 ; ☞ *embrunir* + *re-* ; [ʀɑ̃bʀyniʀ].

**REMBUCHER,** verbe trans. [3]
*Vén.* Poursuivre (un gros gibier) qui rentre dans bois. Fin XIIIe s. ; anc. fr. *embuschier*, « mettre embuscade », + *re-* ; [ʀɑ̃byʃe].

**REMÈDE,** subst. m.
1. Ce qui est utilisé pour traiter une maladi[e] médicament. ▸ Loc. ***Remède*** *de bonne femme* : tra[di]tionnel et empirique ; ***Remède*** *de cheval* : très fo[rt] brutal. 2. Fig. Moyen permettant de combattre u[ne] souffrance morale, un mal, ou de résoudre u[ne] difficulté : *Trouver un* ***remède*** *au chômage.* ▸ L[oc.] proverb. *Aux grands maux, les grands* ***remèdes*** : da[ns] une situation grave, il faut agir avec énerg[ie]. 1181 ; lat. *remedium*, de *mederi*, « soigner » ; [ʀəmɛ[d]].

**REMÉDIABLE,** adj.
À quoi l'on peut remédier : *Des erreurs* ***remédiabl***[***es***]. Fin XIVe s. ; ☞ *remédier* ; [ʀəmedjabl].

**REMÉDIER,** verbe trans. indir. [6]
Remédier à. Traiter par un remède : ***Remédier*** *mal de tête* ; au fig. : ***Remédier*** *à l'ennui par le t*[*ra*]*vail.* 1281 ; lat. *remediare* ; [ʀəmedje].

**REMEMBREMENT,** subst. m.
Regroupement de parcelles agricoles éparses en v[ue] de constituer des domaines plus aisément expl[oi]tables. 1909 ; ☞ *membre* + *re-* ; [ʀəmɑ̃bʀəmɑ̃].

**REMEMBRER,** verbe trans. [3]
Soumettre (des parcelles) à un remembreme[nt]. 1933 ; ☞ *remembrement* ; [ʀəmɑ̃bʀe].

**REMÉMORATION,** subst. f.
Action de remémorer ; fait de se remémorer (rare). Fin XIVe s. ; lat. chrét. *rememoratio* ; [ʀəmemɔʀasjɔ̃].

**REMÉMORER,** verbe trans. [3]
Remettre en mémoire (littér.) ; empl. pronom., se rappeler. Fin XVe s. (1374, commémorer) ; lat. chrét. *rememorari* ; [ʀəmemɔʀe].

**REMERCIEMENT,** subst. m.
**1.** Action de remercier ; par méton., les mots par lesquels on remercie. **2.** Discours du récipiendaire à l'Académie française. 1374 ; *remercier* ; [ʀəmɛʀsimɑ̃].

**REMERCIER,** verbe trans. [6]
**1.** Exprimer sa gratitude, sa reconnaissance envers (qqn) ; dire merci à (qqn). ▸ Loc. *Je vous **remercie*** : exprime la reconnaissance, ou un refus poli. **2.** Par euphém. Licencier, congédier (qqn). Déb. XIIIe s. ; anc. fr. *mercier*, « remercier », + *re-* ; [ʀəmɛʀsje].

**RÉMÉRÉ,** subst. m.
*Dr. Clause de **réméré*** : clause qui réserve au vendeur le droit de racheter ce qu'il vend, dans un délai convenu, en remboursant l'acquéreur. 1481 ; lat. médiév. *reemere*, du lat. *redimere*, « racheter » ; [ʀemeʀe].

**REMETTANT, ANTE,** subst.
*Fin.* Personne qui remet une valeur à sa banque. V. 1960 ; p. pr. de *remettre* ; [ʀəmɛtɑ̃, ɑ̃t].

**REMETTRE,** verbe trans. [60]
**I. 1.** Mettre dans sa position antérieure ; mettre de nouveau à une place, en un lieu : ***Remettre** les chaises contre le mur* ; *Vingt fois sur le métier **remettez** votre ouvrage* (Boileau). ▸ Loc. fam. ***Remettre** qqn à sa place* : le rabrouer ; *Ne plus **remettre** les pieds quelque part* : ne pas y retourner. **2.** Replacer (un membre démis). **3.** Revêtir de nouveau : ***Remettre** son manteau.* **4.** Ajouter : ***Remettre** du lait dans son bol.* **5.** Fig. Se souvenir de : ***Remettre** qqn.* **Pronom.** Se replacer ; se mettre de nouveau : *Se **remettre** au lit, debout* ; *Se **remettre** du fard.* **II. 1.** Confier (qqn, qqch.) ; donner (qqch.) : ***Remettre** le prisonnier à la police* ; ***Remettre** une médaille* ; ***Remettre** sa démission* ; ***Remettre** un travail*, le rendre. ▸ Belg. Céder (une maison, une affaire) ; ***Remettre** sur* : rendre la monnaie sur. **2.** Faire grâce de (qqch.) : ***Remettre** une dette, une punition.* ▸ *Théol. **Remettre** les péchés* : les pardonner au nom de Dieu. **Pronom.** *S'en **remettre** à* : se confier à. **III.** Ramener à un état antérieur : ***Remettre** sa montre à l'heure* ; ***Remettre** en état*, réparer. ▸ Loc. ***Remettre** qqn sur pied* : le guérir ; ***Remettre** en question, en cause* : reconsidérer. **Pronom. 1.** Se rétablir, se calmer : *Se **remettre** d'une maladie, de sa peur.* **2.** Se réconcilier. **IV.** Ajourner, différer : *Le cours **est remis** à demain* ; ***Remettre** un jugement.* ▸ Loc. *Ce n'est que partie **remise*** : ce n'est pas définitif. **V. 1.** Faire de nouveau. ▸ Loc. ***Remettre** ça* : recommencer (fam.) ; *En **remettre*** : exagérer (fam.). **2.** *Sp.* ***Remettre** la balle en jeu* : rejouer. **Pronom. Se remettre à.** Reprendre une activité : *Se **remettre** au chant* ; récidiver : *Se **remettre** à boire.* XIIe s. ; lat. *remittere*, « rendre » ; [ʀəmɛtʀ].

**REMEUBLER,** verbe trans. [3]
Meubler de nouveau ou avec de nouveaux meubles. Fin XIIIe s. ; *meubler* + *re-* ; [ʀəmœble].

**RÉMIGE,** subst. f.
*Zool.* Chacune des grandes plumes rigides des ailes d'un oiseau ; empl. adj. : *Plume **rémige**.* 1789 ; lat. *remex*, « rameur » ; [ʀemiʒ].

**REMILITARISER,** verbe trans. [3]
Militariser de nouveau. V. 1940 ; *militariser* + *re-* ; [ʀəmilitaʀize].

**RÉMINISCENCE,** subst. f.
**1.** *Psychol.* Retour à la conscience d'images, d'impressions que l'on ne reconnaît pas. **2.** Souvenir imprécis : ***Réminiscences** du passé.* Déb. XIIIe s. ; bas lat. *reminiscentia*, du lat. *reminisci*, « se souvenir » ; [ʀeminisɑ̃s].

**REMISAGE,** subst. m.
Action de remiser. 1867 ; *remiser* (I) ; [ʀəmizaʒ].

**REMISE,** subst. f.
**I. 1.** Action de remettre ; son résultat : ***Remise** à l'heure, à neuf* ; ***Remise** en jeu* ; ***Remise** de peine, de dettes* ; ***Remise** d'un prix.* **2.** Réduction, rabais : *Une **remise** de 10 %.* **II. 1.** *Vén.* Lieu où se réfugie le gibier levé. **2.** Local à véhicules : *Une **remise** de locomotives.* ▸ *Voiture de **remise*** : à louer (vieilli) ; *Voiture de grande **remise*** : voiture de location luxueuse. **3.** Lieu de débarras : ***Remise** de jardin.* 1311 ; *remettre* ; [ʀəmiz].

**REMISER (I),** verbe trans. [3]
Mettre à l'abri dans une remise ; ranger (ce qui ne sert pas). **Pronom.** *Vén.* Se réfugier dans un fourré, en parlant du gibier. 1761 ; *remise* ; [ʀəmize].

**REMISER (II),** verbe trans. [3]
*Jeux.* Miser de nouveau. 1906 ; *miser* + *re-* ; [ʀəmize].

**REMISIER, IÈRE,** subst.
Intermédiaire qui apportait aux agents de change, contre remise, des ordres de Bourse émanant de ses clients : *La profession de **remisier** a été supprimée en 1989.* 1857 ; *remise* ; [ʀəmizje, jɛʀ].

**RÉMISSIBLE,** adj.
Digne de rémission. Fin XIVe s. ; lat. chrét. *remissibilis* ; [ʀemisibl].

**RÉMISSION,** subst. f.
**1.** Pardon : ***Rémission** de tous les péchés.* ▸ Loc. *Sans **rémission*** : sans pitié. **2.** Accalmie, atténuation : ***Rémission** d'une fièvre.* ▸ Loc. *Sans **rémission*** : sans répit. Déb. XIIe s. ; lat. chrét. *remissio*, du lat. *remittere*, « remettre » ; [ʀemisjɔ̃].

**RÉMITTENCE,** subst. f.
*Pathol.* Propriété d'un mal rémittent. 1776 ; *rémittent* ; [ʀemitɑ̃s].

**RÉMITTENT, ENTE,** adj.
*Pathol.* Qui offre des rémissions : *Fièvre **rémittente**.* 1756 ; lat. *remittens* ; [ʀemitɑ̃, ɑ̃t].

**RÉMIZ,** subst. m.
*Zool.* Oiseau passériforme proche de la mésange ; en appos. : *Mésange **rémiz**.* 1760 ; prob. polonais *remiz*, « oiseau romain » ; [ʀemiz].

**REMMAILLAGE,** subst. m.
**1.** Action de remmailler. **2.** Couture des parties d'un tricot. 1834 ; *remmailler* ; var. *remaillage* ; [ʀɑ̃majaʒ].

**REMMAILLER,** verbe trans. [3]
Raccommoder les mailles de (un filet, un tricot). 1611 ; *mailler* + *re-* ; var. *remailler* ; [ʀɑ̃maje].

**REMMAILLOTER,** verbe trans. [3]
Emmailloter de nouveau. 1549 ; *emmailloter* + *re-* ; [ʀɑ̃majɔte].

**REMMANCHER,** verbe trans. [3]
**1.** Emmancher de nouveau. **2.** Québ. Rebouter. 1445 ; *emmancher* + *re-* ; [ʀɑ̃mɑ̃ʃe].

**REMMENER,** verbe trans. [10]
Reconduire (qqn) au lieu d'où il est venu. Mil. XIVe s. ; *emmener* + *re-* ; [ʀɑ̃m(ə)ne].

**REMNOGRAMME,** subst. m.
*Méd.* Image obtenue par remnographie. V. 1980 ; *remnographie* + *-gramme* ; [ʀɛmnɔgʀam].

**REMNOGRAPHIE,** subst. f.
*Méd.* Méthode d'imagerie utilisant la résonance magnétique nucléaire (R. M. N.). V. 1980 ; sigle *R. M. N.* + *-graphie* ; [ʀɛmnɔgʀafi].

**REMODELAGE,** subst. m.
Action de remodeler ; son résultat. 1957 ; *modeler* ; [ʀəmɔd(ə)laʒ].

**REMODELER,** verbe trans. [11]
**1.** Refaçonner : ***Remodeler** le nez.* **2.** Donner une nouvelle structure à (qqch.) : ***Remodeler** un projet.* 1823 ; *modeler* + *re-* ; [ʀəmɔd(ə)le].

**REMONTAGE,** subst. m.
**1.** Remonte d'un cours d'eau. **2.** Action de remonter un mécanisme. **3.** Action de remonter ce qui est démonté. 1543 ; *remonter* ; [ʀəmɔ̃taʒ].

**REMONTANT, ANTE,** adj. et subst. m.
**Adj.** *Hortic.* Qui fleurit plusieurs fois dans l'année. **Adj. et Subst.** Se dit de ce qui redonne de l'énergie : *Prendre un **remontant**.* 1842 (1680, extrémité de baudrier) ; p. pr. de *remonter* ; [ʀəmɔ̃tɑ̃, ɑ̃t].

**REMONTE,** subst. f.
**1.** Action de remonter un cours d'eau : *La **remonte** des saumons* ; par ext., ensemble des poissons qui remontent un cours d'eau. **2.** *Milit.* Fait de fournir des chevaux à un haras, à un corps de cavalerie ; le service qui en est chargé. ▸ *Cheval de **remonte*** : étalon. 1424 ; *remonter* ; [ʀəmɔ̃t].

**REMONTÉE,** subst. f.
**1.** Action de remonter : *La **remontée** du fleuve.* **2.** *Sp.* Action de regagner du terrain, des points : *Une belle **remontée**.* **3.** *Techn. **Remontée** mécanique* : installation qu'utilisent les skieurs pour remonter les pentes. 1853 (1119, après-midi) ; p. p. de *remonter* ; [ʀəmɔ̃te].

**REMONTE-PENTE,** subst. m.
Téléski. 1941 ; comp. de *remonter* et de *pente* ; plur. *remonte-pentes* ; [ʀəmɔ̃tpɑ̃t].

**REMONTER,** verbe [3]
**Intrans. 1.** Monter de nouveau : ***Remonter** à cheval* ; ***Remonter** au bureau.* **2.** Fig. Augmenter, après une baisse : *Le franc **remonte**.* **3.** Aller à contre-courant, vers l'amont (d'un cours d'eau) ; au fig. : ***Remonter** dans le passé.* ▸ Loc. ***Remonter** à* : dater de. ▸ *Mar. **Remonter** (au vent)* : se rapprocher du lit du vent. **Trans. 1.** Porter en haut ; hausser : ***Remonter** les jouets au grenier* ; ***Remonter** ses chaussettes.* ▸ *Sp.* Rattraper : ***Remonter** un concurrent.* **2.** Gravir de nouveau : ***Remonter** la côte.* ▸ Loc. ***Remonter** la pente* : surmonter une situation difficile. **3.** Aller vers la source de : ***Remonter** un fleuve* ; au fig., revenir à l'origine de : ***Remonter** le temps* ; ***Remonter** une filière.* **4.** Pourvoir (un cavalier) d'un nouveau cheval (vx) ; par ext., pourvoir de nouveau (qqn, qqch.) du nécessaire : ***Remonter** son ménage.* **5.** Monter à nouveau (ce qui était démonté) : ***Remonter** une armoire.* **6.** Fig. Réconforter, redonner de l'énergie à : *Le bon air vous **remontera*** ; ***Remonter** le moral à qqn.* ▸ Loc. ***Être remonté** contre qqn* : lui en vouloir. **7.** *Horlog.* Retendre (un ressort de mécanisme) ; par ext. : ***Remonter** son réveil.* **8.** *Théâtre.* Mettre à nouveau en scène. Mil. XIIe s. ; *monter* + *re-* ; [ʀəmɔ̃te].

**REMONTOIR,** subst. m.
*Horlog.* Dispositif servant à remonter un mécanisme. 1641 ; *remonter* ; [ʀəmɔ̃twaʀ].

**REMONTRANCE,** subst. f.
**1.** Parole de reproche, réprimande (gén. au plur.) : *Faire des **remontrances** à qqn.* **2.** *Hist.* Discours au roi par lequel le Parlement ou une autre cour émettait des réserves sur un édit, une ordonnance. XIVe s. ; *remontrer* ; [ʀəmɔ̃tʀɑ̃s].

**REMONTRER,** verbe trans. [3]
**I. 1.** Vx. Exposer à qqn (ses erreurs). ▸ Abs. *Hist.* Faire des remontrances. **2.** Loc. *En **remontrer** à qqn* : lui donner une leçon. **II.** Montrer de nouveau. Fin XIIe s. ; *montrer* + *re-* ; [ʀəmɔ̃tʀe].

**RÉMORA,** subst. m.
*Zool.* Poisson téléostéen dont la nageoire dorsale, épineuse, transformée en ventouse, lui permet de s'accrocher à d'autres animaux marins, et même aux bateaux. 1562 ; lat. *remora*, « obstacle », les Anciens pensant qu'il pouvait arrêter les bateaux ; [ʀemɔʀa].

**REMORDRE,** verbe trans. [51]
Mordre de nouveau. 1538 (fin XIIe s., causer du remords) ; *mordre* + *re-* ; [ʀəmɔʀdʀ].

**REMORDS,** subst. m.
Souffrance morale causée par le sentiment d'avoir mal agi. 1259 ; *remordre* ; [ʀəmɔʀ].

**REMORQUAGE,** subst. m.
Action de remorquer. 1842 ; *remorquer* ; [ʀəmɔʀkaʒ].

*Préparation au **remorquage** d'un porte-conteneurs dans la rade de Montoir-de-Bretagne.*

**REMORQUE,** subst. f.
**1.** Action de remorquer : *Prendre un bateau en **remorque**.* ▸ Loc. *Être à la **remorque*** : à la traîne ; *Être à la **remorque** de qqn* : le suivre aveuglément. **2.** Câble utilisé pour remorquer. **3.** Véhicule sans moteur destiné à être tracté : ***Remorque** de camion.* 1694 ; *remorquer* ; [ʀəmɔʀk].

**REMORQUER,** verbe trans. [3]
**1.** Tirer (un bateau, un véhicule) par un système d'attelage. **2.** Fig. Entraîner (qqn), exercer une grande influence sur lui (fam.). 1478 ; ital. *rimorchiare*, du bas lat. *remulcare* ; [ʀəmɔʀke].

**REMORQUEUR,** subst. m.
*Mar.* Petit navire très puissant construit pour remorquer de grands bâtiments dans un port ou des péniches sur un cours d'eau. 1817 ; ☞ *remorquer* ; [ʀəmɔʀkœʀ].

**REMOUILLER,** verbe trans. [3]
Mouiller de nouveau ; empl. abs., jeter de nouveau l'ancre. Fin XII^e s. ; ☞ *mouiller* + *re-* ; [ʀəmuje].

**RÉMOULADE,** subst. f.
*Cuis.* Mayonnaise très moutardée, parfois assaisonnée de fines herbes ; en appos. : *Céleri* ***rémoulade.*** 1740 ; p.-ê. dial. pic. *rémola*, « radis noir » ; [ʀemulad].

**REMOULAGE (I),** subst. m.
**1.** Action de remoudre. **2.** Résidu de meunerie issu d'une deuxième mouture. 1768 ; *remoudre* (rare), « moudre de nouveau » ; [ʀəmulaʒ].

**REMOULAGE (II),** subst. m.
Action de remouler ; le moulage qui en résulte. 1875 ; ☞ *moulage* (II) + *re-* ; [ʀəmulaʒ].

**REMOULER,** verbe trans. [3]
Mouler de nouveau. 1578 (déb. XIII^e s., former de nouveau) ; ☞ *mouler* + *re-* ; [ʀəmule].

**RÉMOULEUR, EUSE,** subst.
Artisan, gén. ambulant, qui aiguise les lames à l'aide d'une meule. 1334 ; *rémoudre* (vx), « aiguiser de nouveau avec une meule » ; [ʀemulœʀ, øz].

**REMOUS,** subst. m.
**1.** Tourbillon qui se forme dans l'eau au voisinage d'un obstacle (bateau, récif, etc.). **2.** Anal. Turbulence de l'air. **3.** Fig. Agitation : ***Remous*** *dans l'opinion.* 1687 ; *remoudre* (rare), « moudre de nouveau », par anal. entre la rotation de la meule et le tourbillon ; [ʀəmu].

**REMPAILLAGE,** subst. m.
Action de rempailler un siège ; le résultat obtenu. 1775 ; ☞ *rempailler* ; [ʀɑ̃pajaʒ].

**REMPAILLER,** verbe trans. [3]
Refaire la garniture de paille de (un siège). 1723 ; ☞ *empailler* + *re-* ; [ʀɑ̃paje].

**REMPAILLEUR, EUSE,** subst.
Personne qui rempaille des sièges. 1723 ; ☞ *rempailler* ; [ʀɑ̃pajœʀ, øz].

**REMPAQUETER,** verbe trans. [14]
Empaqueter de nouveau, remballer. 1549 ; ☞ *empaqueter* + *re-* ; [ʀɑ̃pak(ə)te].

**REMPART,** subst. m.
**1.** *Fortif.* Muraille, levée de terre entourant une place forte. **2.** Fig. Protection : *Un* ***rempart*** *d'arbustes.* 1370 ; *remparer* (vx), « fortifier » ; [ʀɑ̃paʀ].

**REMPIÈTEMENT,** subst. m.
*Bât.* Action de rempiéter ; son résultat. XVI^e s. ; ☞ *rempiéter* ; var. *rempiétement* ; [ʀɑ̃pjɛtmɑ̃].

**REMPIÉTER,** verbe trans. [8]
*Bât.* Reprendre en sous-œuvre les fondations de (une construction). 1360 ; ☞ *pied* + *re-* et *en-* [1] ; [ʀɑ̃pjete].

**REMPILER,** verbe [3]
**Trans.** Empiler de nouveau. **Intrans.** Se rengager dans l'armée (argot milit.). 1875 (1306, se joindre à un groupe) ; ☞ *empiler* + *re-* ; [ʀɑ̃pile].

**REMPLAÇABLE,** adj.
Que l'on peut remplacer. 1784 ; ☞ *remplacer* ; [ʀɑ̃plasabl].

**REMPLAÇANT, ANTE,** subst.
Personne qui en remplace une autre. **Masc.** *Hist.* Personne qui se faisait licitement payer pour accomplir le service militaire à la place d'une autre. 1790 ; ☞ *remplacer* ; [ʀɑ̃plasɑ̃, ɑ̃t].

**REMPLACEMENT,** subst. m.
Action de remplacer ; son résultat. 1549 ; ☞ *remplacer* ; [ʀɑ̃plasmɑ̃].

**REMPLACER,** verbe trans. [4]
**1.** Mettre une chose à la place de (autre chose) : ***Remplacer*** *l'huile par le beurre.* **2.** Suppléer, prendre la place de (qqn) : ***Remplacer*** *au pied levé un absent.* 1606 ; *emplacer* (vx), « mettre en place », + *re-* ; [ʀɑ̃plase].

**REMPLAGE,** subst. m.
**1.** *Bât.* Blocage fait de moellons ou de briques et de mortier, qui soude les deux parements d'un mur. **2.** *Archit.* Cadre de pierre dans lequel sont insérés les vitraux d'une fenêtre gothique. 1409 (déb. XIV^e s., état de plénitude) ; ☞ *remplir* ; [ʀɑ̃plaʒ].

**REMPLIER,** verbe trans. [6]
*Cout.* Rabattre et coudre (le bord de l'étoffe d'un vêtement). 1572 ; ☞ *pli* (I) + *re-* et *en-* [1] ; [ʀɑ̃plije].

**REMPLIR,** verbe trans. [19]
**1.** Rendre plein (un récipient, un espace clos) : ***Remplir*** *un verre* ; ***Remplir*** *une salle* ; au fig., combler : ***Remplir*** *qqn de joie.* ▸ Loc. *Bien* ***remplir*** *ses journées* : être très occupé. **2.** Couvrir entièrement : ***Remplir*** *une page* ; par ext. : ***Remplir*** *son discours de lieux communs.* **3.** Compléter (un document) : ***Remplir*** *un chèque.* **4.** Occuper totalement, envahir : *Son parfum* ***remplit*** *la pièce.* **5.** Accomplir, exécuter : ***Remplir*** *ses devoirs* ; ***Remplir*** *les conditions*, correspondre à ce qui est requis. **Pronom.** Devenir plein. ▸ Loc. *Se* ***remplir*** *les poches* (☞ *poche*). Fin XII^e s. ; ☞ *emplir* + *re-* ; [ʀɑ̃pliʀ].

**REMPLISSAGE,** subst. m.
**1.** *Bât.* Matériau destiné à combler les vides de la structure d'un bâtiment. **2.** Action de remplir ; ce qui sert à remplir. **3.** Développement inutile d'un texte : *Faire du* ***remplissage.*** **4.** *Mus.* Action d'écrire les notes entre la basse et le dessus d'un accord. 1508 ; ☞ *remplir* ; [ʀɑ̃plisaʒ].

**REMPLISSEUR, EUSE,** subst. et adj.
**Subst. fém. 1.** Ouvrière qui répare ou finit les ouvrages en dentelle. **2.** *Alim.* Machine qui remplit les bouteilles en série. **Subst.** ***Remplisseur*** *sur verre, sur porcelaine* : ouvrier chargé du coloriage de dessins tracés à l'avance. **Adj.** Qui remplit. 1679 ; ☞ *remplir* ; [ʀɑ̃plisœʀ, øz].

**REMPLOI,** subst. m.
**1.** Fait d'employer ou d'être employé de nouveau. **2.** *Fin.* Acquisition d'un bien avec les fonds provenant d'une vente ou d'une indemnité. 1577 ; ☞ *employer* + *re-* ; var., au sens 1, *réemploi* ; [ʀɑ̃plwa].

**REMPLOYER,** verbe trans. [17]
**1.** Employer de nouveau. **2.** *Fin.* Faire le remploi de (un bien). 1320 ; ☞ *employer* + *re-* ; var., au sens 1, *réemployer* ; [ʀɑ̃plwaje].

**REMPLUMER,** verbe trans. [3]
Regarnir de plumes (vx). **Pronom.** Fam. **1.** Rétablir sa situation financière. **2.** Reprendre du poids. XIII^e s. ; ☞ *emplumer* + *re-* ; [ʀɑ̃plyme].

**REMPOCHER,** verbe trans. [3]
Empocher de nouveau. 1743 ; ☞ *empocher* + *re-* ; [ʀɑ̃pɔʃe].

**REMPOISSONNER,** verbe trans. [3]
Repeupler de poissons : ***Rempoissonner*** *un lac, un fleuve.* 1360 ; ☞ *empoissonner* + *re-* ; [ʀɑ̃pwasɔne].

**REMPORTER,** verbe trans. [3]
**1.** Reprendre (ce que l'on avait apporté). **2.** Fig. Obtenir : ***Remporter*** *un succès.* 1376 ; ☞ *emporter* + *re-* ; [ʀɑ̃pɔʀte].

**REMPOTAGE,** subst. m.
Action de rempoter une plante. 1803 ; ☞ *rempoter* ; [ʀɑ̃pɔtaʒ].

**REMPOTER,** verbe trans. [3]
Mettre (une plante) dans un autre pot, plus grand. 1835 ; ☞ *empoter* + *re-* ; [ʀɑ̃pɔte].

**REMPRUNTER,** verbe trans. [3]
Emprunter de nouveau. 1549 ; ☞ *emprunter* + *re-* ; var. *réemprunter* ; [ʀɑ̃pʀœ̃te].

**REMUAGE,** subst. m.
**1.** *Agric.* Action de remuer le blé pour l'aérer. **2.** *Vinic.* Opération, propre à la méthode champenoise, consistant à imprimer régulièrement un mouvement rotatif aux bouteilles, placées le goulot en bas, pour amener le dépôt vers le bouchon. 1347 (1314, droit de mutation) ; ☞ *remuer* ; [ʀəmɥaʒ].

**REMUANT, ANTE,** adj.
**1.** Qui bouge beaucoup, qui s'agite : *Un enfant* ***remuant.*** **2.** Fig. Qui est enclin à l'agitation sociale : *Une université très* ***remuante.*** Fin XII^e s. ; p. pr. de *remuer* ; [ʀəmɥɑ̃, ɑ̃t].

**REMUE,** subst. f.
Région. (Alpes). **1.** Transhumance du bétail vers les hauts pâturages d'été. **2.** Méton. Station temporaire du bétail dans un alpage. 1949 (1410, mise en œuvre) ; ☞ *remuer* ; [ʀəmy].

**REMUE-MÉNAGE,** subst. m. inv.
**1.** Vx. Déménagement. **2.** Déplacement désordonné de meubles, d'objets. **3.** Fig. Agitation. 1585 ; comp. de *remuer* et de *ménage* ; [ʀəmymenaʒ].

**REMUE-MÉNINGES,** subst. m. inv.
Réunion où chaque participant émet des idées qui font l'objet d'un débat général. V. 1980 ; comp. de *remuer* et de *méninges* ; recomm. off. pour *brainstorming* ; [ʀəmymenɛ̃ʒ].

**REMUEMENT,** subst. m.
Action de remuer ; le mouvement qui en résulte : *Le* ***remuement*** *des lèvres des fidèles.* Fin XII^e s. (1155, modification) ; ☞ *remuer* ; [ʀəmymɑ̃].

**REMUER,** verbe [3]
**Trans. 1.** Mettre en mouvement, agiter (qqch.) : ***Remuer*** *la tête* ; au fig. : ***Remuer*** *des idées.* ▸ Loc. *Ne pas* ***remuer*** *le petit doigt* : ne rien faire pour aider (fam.). **2.** Déplacer, bouger : ***Remuer*** *une armoire* ; mélanger : ***Remuer*** *une crème.* **3.** Fig. Toucher, émouvoir : *Cette histoire l'a* ***remué.*** **Intrans.** Bouger, faire des mouvements : *Il vit ! il* ***remue*** *encore !* **Pronom. 1.** Se mouvoir. **2.** Fig. Se dépenser ; s'activer. Déb. XII^e s. (fin XI^e s., changer) ; ☞ *muer* + *re-* ; [ʀəmɥe].

**REMUEUR, EUSE,** subst.
**1.** Personne qui donne une impulsion aux êtres, aux choses : ***Remueur*** *de foules.* **2.** *Vinic.* Ouvrier chargé du remuage. 1581 (1275, ouvrier qui remue le grain) ; ☞ *remuer* ; [ʀəmɥœʀ, øz].

**REMUGLE,** subst. m.
Relent, mauvaise odeur de renfermé ou de moisi (littér.). Déb. XVI^e s. ; anc. nord. *mygla*, « moisissure », + *re-* ; [ʀəmygl].

**RÉMUNÉRATEUR, TRICE,** adj.
**1.** Vx. Qui récompense : *Dieu* ***rémunérateur.*** **2.** Qui rapporte des bénéfices, un salaire. XIII^e s. ; lat. chrét. *remunerator* ; [ʀemyneʀatœʀ, tʀis].

**RÉMUNÉRATION,** subst. f.
**1.** Récompense (vieilli). **2.** Salaire, argent que l'on gagne en travaillant ou en fournissant un service. 1300 ; lat. *remuneratio* ; [ʀemyneʀasjɔ̃].

**RÉMUNÉRATOIRE,** adj.
*Dr.* Qui a valeur de rémunération : *Prime* ***rémunératoire.*** 1514 ; ☞ *rémunérer* ; [ʀemyneʀatwaʀ].

**RÉMUNÉRER,** verbe trans. [8]
**1.** Vieilli. Récompenser (un mérite, une vertu, une personne). **2.** Payer (un service, une prestation). **3.** Ext. Payer (qqn) pour un travail, un service exécuté. 1346 ; lat. *remunerare*, de *munus*, « présent, cadeau » ; [ʀemyneʀe].

**RENÂCLER,** verbe intrans. [3]
**1.** Montrer son mécontentement en reniflant bruyamment, en parlant d'un animal. **2.** Manifester une opposition, de la répugnance (pour qqch.) : *Il* ***renâclait*** *à s'engager.* 1762 (1725, crier après qqn) ; altér., par crois. avec *renifler*, du m. fr. *renaquer* du lat. pop. °*nasicare*, du lat. *nasus*, « nez » ; [ʀənɑkle].

**RENAISSANCE,** subst. f.
**1.** *Relig.* Action de renaître : *Le bouddhisme cherche à briser le cycle des* ***renaissances.*** **2.** Fig. Renouveau, régénération de ce qui était affaibli, engourdi : ***Renaissance*** *de la nature au printemps.* **3.** *Hist.* *La* ***Renaissance*** : mouvement culturel qui anima l'Europe aux XV^e et XVI^e s. *(Voir planche p. 1542)* ▸ En appos. Qui date de cette époque, qui en adopte le style : *Château* ***Renaissance.*** ▸ Anal. Période historique caractérisée par un renouveau : *La* ***renaissance*** *carolingienne.* 1363 ; ☞ *renaître* ; [ʀənɛsɑ̃s].

**HISTOIRE** – Marquée par un retour aux valeurs de l'Antiquité, la Renaissance toucha les domaines artistique, littéraire, scientifique et économique. Dans les arts, ce renouveau naquit à Florence au début du XV^e s. (quattrocento), avec l'apparition de nouveaux systèmes d'architecture (redécouverte des ordres antiques) et l'éclosion d'une peinture empruntant ses thèmes à la mythologie. Cette première Renaissance s'étendit à toute l'Italie et s'acheva avec l'entrée de Charles VIII, roi de France, en Italie, en 1494. Rome devint alors, jusqu'à son pillage, en 1527, le foyer artistique d'une deuxième Renaissance, plus classique, qui se propagea en Espagne, en France et aux Pays-Bas. Une forme exacerbée du mouvement précédent, le maniérisme, se développa au XVI^e s., notamment à Fontainebleau et à Prague. Mais c'est de nouveau en Italie que surgit un dernier aspect de la Renaissance, conséquence directe du concile de Trente (1563), imposant son classicisme à l'art religieux. En musique, la Renaissance voit l'apogée de la polyphonie et les premiers balbutiements de l'opéra (1600). La littérature bénéficie de l'invention de l'imprimerie, ce qui favorise la diffusion des œuvres antiques et contribue à l'émergence d'un nouveau courant de pensée, l'humanisme. Enfin, les sciences et l'économie connaissent une grande expansion, marquée par de nombreuses découvertes et par l'avènement du capitalisme.

**RENAISSANT, ANTE,** adj.
**1.** Qui commence une nouvelle vie ; qui réapparaît. **2.** Relatif, propre à la Renaissance. 1550 ; p. pr. de *renaître* ; [ʀənɛsɑ̃, ɑ̃t].

**RENAÎTRE,** verbe intrans. [74]
. Naître de nouveau. ▶ *Théol.* Recouvrer l'état de ·âce (par le sacrement du baptême ou de la ·énitence). **2.** Ext. Repousser, en parlant des végé·ux, réapparaître : *L'herbe* **renaît** *avec la pluie.* . Anal. Reprendre son essor : *La croissance* **renaît**. . Fig. Recouvrer ses forces physiques ou morales : ·ans son nouvel emploi, il se sentait **renaître**. . **Renaître à.** Littér. Retrouver (un état perdu) : *le* **renaissait** *à la joie.* 🕮 Fin XII^e^ s. ; ☞ *naître* + *re-* ; ·re aux temps composés ; [ʀənɛtʀ].

**RÉNAL, ALE, AUX,** adj.
·nat. Relatif au rein : *Artère* **rénale** ; *Calculs* **rénaux**. ·1314 ; bas lat. *renalis*, du lat. *ren*, « rein » ; [ʀenal, o].

© M. Danegger-Jacana

*Renard roux.*

**RENARD, ARDE,** subst.
·ASC. **1.** *Zool.* Mammifère de la famille des Canidés, ·ui creuse des terriers et vit dans les bois ou la ·ampagne. C'est un chasseur solitaire qui se nourrit ·oiseaux et de rongeurs, mais il mange aussi des ·aies. ▶ Anal. **Renard** *bleu* : isatis ; **Renard** *des sables* : ·nnec. **2.** Méton. Fourrure de **renard** : *Manteau de* **·nard** ou, par ell., *Porter un* **renard** ; en partic., ·épouille complète de l'animal, que les femmes ·ortaient en guise d'écharpe. **3.** Fig. Personne rusée : ·*e* **renard** *du désert, surnom de Rommel.* **4.** *Techn.* ·rou, difficile à localiser, par lequel se perd l'eau ·un canal ou d'un bassin. **FÉM. Renard** femelle. 🕮 Déb. XIII^e^ s. ; *Renart*, héros du *Roman de Renart* (ce ·rme a supplanté l'anc. fr. *goupil*) ; [ʀənaʀ, aʀd].

**RENARDEAU,** subst. m.
·etit du renard. 🕮 1288 ; ☞ *renard* ; [ʀənaʀdo].

**RENARDIÈRE,** subst. f.
. Terrier du renard. **2.** Québ. Élevage de renards. 🕮 1512 ; ☞ *renard* ; [ʀənaʀdjɛʀ].

**RENCAISSAGE,** subst. m.
·ortic. Action de rencaisser une plante. 🕮 1835 ; ☞ *rencaisser* ; [ʀɑ̃kɛsaʒ].

**RENCAISSEMENT,** subst. m.
·n. Action de rencaisser une somme d'argent ; son ·ésultat. 🕮 1765 ; ☞ *rencaisser* ; [ʀɑ̃kɛsmɑ̃].

**RENCAISSER,** verbe trans. [3]
. *Hortic.* Changer (une plante) de caisse : **Rencais·er** *des palmiers nains.* **2.** *Fin.* Remettre en caisse ·une somme). 🕮 1704 ; ☞ *encaisser* + *re-* ; [ʀɑ̃kese].

**RENCARD,** subst. m.
. Renseignement (argot.). **2.** Rendez-vous (fam.). 🕮 1889 ; orig. obsc. ; var. *rancard* ; [ʀɑ̃kaʀ].

**RENCARDER,** verbe trans. [3]
. Renseigner (argot.). **2.** Fam. Donner un rendez·ous à (qqn). 🕮 1899 ; ☞ *rencard* ; var. *rancarder* ; ·ɑ̃kaʀde].

**RENCHÉRIR,** verbe [19]
·RANS. Rendre plus cher (vieilli) : *Les taxes* **renchéris·ent** *les denrées.* **INTRANS. 1.** Devenir plus cher : *Le ·ain* **renchérit**. **2. Renchérir sur.** ▶ Faire une en·hère supérieure à (une autre, qqn) : **Renchérir** *sur ·n adversaire.* ▶ Fig. Faire ou dire encore plus ·u'un autre sur : *Il* **renchérit** *sur le mauvais goût.* 🕮 Fin XII^e^ s. ; ☞ *enchérir* + *re-* ; [ʀɑ̃ʃeʀiʀ].

**RENCHÉRISSEMENT,** subst. m.
·ction, fait de renchérir ; son résultat. 🕮 1260 ; ☞ *renchérir* ; [ʀɑ̃ʃeʀismɑ̃].

**RENCOGNER,** verbe trans. [3]
·am. Repousser dans un coin : **Rencogner** *un meuble* ; ·u fig. : **Rencogner** *sa colère.* **PRONOM.** Se blottir ; se ·ettre à l'écart. 🕮 1586 ; ☞ *cogner* + *re-* et *en-*^1^ ; ·ɑ̃kɔɲe].

**RENCONTRE,** subst.
·ÉM. **1.** Fait de se trouver opposé, face à face, spéc. ·ans un combat : **Rencontre** *de deux armées.* **2.** Ext. ·ait de croiser le chemin de qqn : *Mauvaise* **ren·ontre**. ▶ Loc. *Aller à la* **rencontre** *de* : au-devant de. **3.** Mise en contact professionnelle, politique, sportive : **Rencontre** *intersyndicale* ; **Rencontre** *amicale*, match hors compétition. **4.** Anal. Contact, choc entre éléments : *Point de* **rencontre** *de deux droites* ; **Rencontre** *de voyelles*, hiatus. **5.** Circonstance fortuite, hasard (littér.). ▶ Loc. *De* **rencontre** : fortuit. **MASC.** *Hérald.* Tête d'animal représentée de face : *Un* **rencontre** *de taureau.* 🕮 1234 ; ☞ *rencontrer* ; [ʀɑ̃kɔ̃tʀ].

**RENCONTRER,** verbe trans. [3]
**1.** Se trouver face à (qqn) lors d'un combat : **Rencontrer** *un adversaire, un ennemi*, l'affronter. **2.** Se trouver en présence de (qqn) ; faire la connaissance de (qqn) : *Des gens comme lui, on n'en* **rencontre** *pas souvent* ; *Elle l'a* **rencontré** *au théâtre.* **3.** Se trouver, en chemin, face à (qqch.) : **Rencontrer** *un obstacle* ; au fig. : *Il* **avait** *rarement* **rencontré** *une telle haine.* **PRONOM. 1.** Se trouver au même endroit en même temps ; faire connaissance : *Il* **se sont rencontrés** *chez des amis.* **2.** Fig. Communier, partager les mêmes idées (littér.) : *Les grands esprits* **se rencontrent**. **3.** Se toucher, en parlant de choses : *Des lèvres qui* **se rencontrent**. 🕮 Fin XII^e^ s. ; anc. fr. *encontre*, « fait de venir en face », + *re-* ; [ʀɑ̃kɔ̃tʀe].

**RENDEMENT,** subst. m.
**1.** Ce que produit qqn ou qqch. par rapport à une unité de référence : *Faible* **rendement** *d'une terre à l'hectare* ; **Rendement** *journalier d'un atelier.* **2.** Ext. Travail global fourni par qqn, efficacité : *Prime de* **rendement**. **3.** *Fin.* Bénéfice rapporté par un capital placé ou investi. **4.** *Phys.* **Rendement** *d'une machine* : rapport entre le travail utile qu'elle fournit et l'énergie qu'elle consomme. 🕮 1842 (fin XII^e^ s., action de rendre) ; ☞ *rendre* ; [ʀɑ̃dmɑ̃].

**RENDEZ-VOUS,** subst. m.
**1.** Rencontre programmée entre plusieurs personnes : *Prendre (un)* **rendez-vous**, convenir d'une date et d'un lieu pour se voir ; *Annuler, reporter un* **rendez-vous**. **2.** Méton. ▶ Personne avec qui on a **rendez-vous** (fam.). ▶ Endroit où l'on se rencontre : *Sa mansarde est le* **rendez-vous** *de ses amis.* 🕮 1578 ; *rendez-vous !*, impér. de *se rendre* ; [ʀɑ̃devu].

© Nasa/Liaison-Gamma

*Rendez-vous spatial entre un cosmonaute et un astronaute à bord de la station* Mir.

**RENDORMIR,** verbe trans. [29]
Endormir de nouveau ; empl. pronom : **Rendors-toi.** 🕮 Mil. XII^e^ s. ; ☞ *endormir* + *re-* ; [ʀɑ̃dɔʀmiʀ].

**RENDRE,** verbe trans. [51]
**1.** Redonner au propriétaire (ce qu'on a emprunté ou reçu en dépôt) : **Rendre** *un dossier.* **2.** Remettre à qqn (ce qui lui est destiné) : **Rendez-moi** *votre copie.* ▶ Loc. **Rendre** *des comptes* : s'expliquer, se justifier. **3.** Renvoyer (ce qui a été offert, cédé) : *Elle lui* **rendit** *sa bague de fiançailles* ; **Rendre** *une marchandise.* **4.** Donner en retour : **Rendre** *le bien pour le mal* ; **Rendre** *grâce*, remercier ; **Rendre** *hommage*, louer ; remettre en échange : *Vous* **ai-je rendu** *la monnaie ?* ▶ Loc. **Rendre** *service* : donner une aide. ▶ *Milit.* **Rendre** *une place* : la livrer en capitulant ; **Rendre** *les armes* : s'avouer vaincu. **5.** Produire, rapporter : *Cette terre* **rend** *plusieurs quintaux à l'hectare* ; empl. abs. : *La pêche* **rend** *peu cet été.* **6.** Faire recouvrer (un état perdu) : *Son opération lui a* **rendu** *la vue* ; faire devenir : **Rendre** *malheureux.* **7.** Fam. Rejeter par la bouche (ce qu'on a ingéré) ; vomir : *Il* **a rendu** *son repas.* ▶ Loc. **Rendre** *l'âme* : mourir. **8.** Exprimer, traduire : *Une expression difficile à* **rendre**. ▶ Loc. **Rendre** *compte de* (☞ *compte*). ▶ *Dr.* **Rendre** *un jugement* : le prononcer. **PRONOM. 1.** Se soumettre ; se livrer ; capituler ; au fig. : *Je me* **rends** *à vos arguments*, j'en reconnais le bien-fondé. **2.** Se transporter (en un lieu) : *Il se* **rend** *en Bretagne.* **3.** Devenir (tel) aux yeux d'autrui : *Elle se* **rend** *détestable à ses proches.* ▶ Loc. *Se* **rendre** *compte de qqch.* : s'en apercevoir, en saisir la portée. 🕮 Fin X^e^ s. ; lat. pop. °*rendere*, du lat. *reddere* ; [ʀɑ̃dʀ].

**RENDU, UE,** adj. et subst. m.
**ADJ. 1.** Fourbu, harassé (vieilli). **2.** Arrivé à destination. **SUBST. 1.** Marchandise rapportée au fournisseur. **2.** Loc. *Un prêté pour un* **rendu** (☞ *prêté*). **3.** *B.-a.* Effet esthétique obtenu par l'artiste qui cherche à reproduire la réalité : *Le* **rendu** *d'un drapé.* ▶ *Techn.* Dessin achevé d'un projet. 🕮 Déb. XIII^e^ s. ; p. p. de *rendre* ; [ʀɑ̃dy].

**RÊNE,** subst. f.
Courroie de cuir fixée au mors d'une bête de selle, qui sert à la diriger. ▶ Loc. *Prendre, tenir les* **rênes** *d'une affaire, d'une entreprise* : la diriger, la contrôler ; *Lâcher les* **rênes** : renoncer. 🕮 Fin XI^e^ s. ; lat. pop. °*retina*, du lat. *retinere*, « retenir » ; [ʀɛn].

**RENÉGAT, ATE,** subst.
**1.** Personne qui a renié sa religion. **2.** Ext. Personne qui renie ses opinions ou qui trahit sa patrie, son parti, etc. 🕮 1450 ; ital. *rinnegato* ; [ʀənega, at].

**RENÉGOCIER,** verbe trans. [6]
Négocier à nouveau. 🕮 V. 1960 ; ☞ *négocier* + *re-* ; [ʀənegɔsje].

**RENEIGER,** verbe impers. [5]
Neiger de nouveau : *Il a* **reneigé** *cette nuit.* 🕮 1549 ; ☞ *neiger* + *re-* ; [ʀəneʒe].

**RÉNETTE,** subst. f.
*Techn.* **1.** Outil à pointe recourbée servant à creuser des rainures dans le bois, le cuir. **2.** Instrument tranchant utilisé pour tailler le sabot du cheval. 🕮 XIII^e^ s. ; *roisne*, anc. forme de *rouanne* ; var. *rainette* ; [ʀenɛt].

**RENFAÎTER,** verbe trans. [3]
*Constr.* Restaurer le faîte de (un toit). 🕮 1549 ; ☞ *enfaîter* + *re-* ; [ʀɑ̃fete].

**RENFERMÉ, ÉE,** adj. et subst. m.
**ADJ. 1.** Confiné, rangé, emprisonné dans un espace clos (vieilli). **2.** Fig. Taciturne, replié sur soi : *Enfant* **renfermé**. **SUBST.** Odeur désagréable qui émane d'une pièce non aérée ou d'objets trop longtemps confinés. 🕮 XVII^e^ s. ; p. p. de *renfermer* ; [ʀɑ̃fɛʀme].

**RENFERMER,** verbe trans. [3]
**1.** Enfermer étroitement, serrer, ranger (vieilli) : **Renfermer** *l'argenterie après les fêtes* ; remettre en prison, en cage. **2.** Contenir, receler : *Cet écrin* **renferme** *un trésor* ; au fig. : *Ses paroles* **renfermeraient-elles** *un sens caché ?* **PRONOM.** Se replier sur soi. 🕮 Déb. XII^e^ s. ; ☞ *enfermer* + *re-* ; [ʀɑ̃fɛʀme].

**RENFLÉ, ÉE,** adj.
Qui présente un volume plus important en une de ses parties : *Cou* **renflé** *par un goitre* ; *Colonne* **renflée**, galbée. 🕮 1701 ; p. p. de *renfler* ; [ʀɑ̃fle].

**RENFLEMENT,** subst. m.
**1.** État de ce qui est renflé. **2.** Partie renflée, proéminence. 🕮 1547 ; ☞ *renfler* ; [ʀɑ̃fləmɑ̃].

**RENFLER,** verbe [3]
**TRANS.** Donner un volume plus important, plus arrondi à (qqch.) : *Le vent* **renfle** *les voiles.* **INTRANS.** Augmenter de volume. **PRONOM.** Gonfler, grossir : *Ventre qui se* **renfle**. 🕮 1160 ; ☞ *enfler* + *re-* ; [ʀɑ̃fle].

**RENFLOUAGE,** subst. m.
Action de renflouer (synon. *renflouement*). 🕮 1865 ; ☞ *renflouer* ; [ʀɑ̃fluaʒ].

**RENFLOUER,** verbe trans. [3]
**1.** *Mar.* Remettre à flot : **Renflouer** *une épave.* **2.** Fig. Apporter les capitaux nécessaires pour sauver (une entreprise en difficulté). 🕮 1529 ; norm. *flouée*, « flot, marée », + *re-* et *en-*^1^ ; [ʀɑ̃flue].

**RENFONCEMENT,** subst. m.
**1.** État ou partie d'une chose en retrait, renfoncée : *Se cacher dans un* **renfoncement** *de la muraille.* **2.** *Typogr.* Alinéa, blanc initial d'un paragraphe. 🕮 1611 ; ☞ *renfoncer* ; [ʀɑ̃fɔ̃smɑ̃].

**RENFONCER,** verbe trans. [4]
Enfoncer de nouveau ou davantage : **Renfoncer** *sa tête dans l'oreiller.* ▶ *Typogr.* **Renfoncer** *une ligne* : la faire débuter en retrait. 🕮 1549 (1335, réparer le fond de) ; ☞ *enfoncer* + *re-* ; [ʀɑ̃fɔ̃se].

**RENFORÇATEUR, TRICE,** adj. et subst. m. ADJ. Qui renforce. SUBST. Ce qui renforce (une action, un effet). ▸ *Alim.* Agent de sapidité. ▸ *Phot.* Soluté qui servait à renforcer la densité d'un cliché. ▸ *Psychol.* Agent qui induit un renforcement dans le conditionnement. 1898 ; ☞ *renforcer* ; [ʀɑ̃fɔʀsatœʀ, tʀis].

**RENFORCEMENT,** subst. m.
Action de renforcer ; son résultat : ***Renforcement** des effectifs.* ▸ *Phot.* Augmentation de la densité. ▸ *Psychol.* Modification du conditionnement, stimulus. 1387 ; ☞ *renforcer* ; [ʀɑ̃fɔʀs(ə)mɑ̃].

**RENFORCER,** verbe trans. [4]
**1.** Rendre plus fort : ***Renforcer** un barrage* ; ***Renforcer** une équipe*, augmenter ses effectifs. **2.** Rendre plus intense : ***Renforcer** des couleurs.* **3.** Fig. Consolider (une situation, un sentiment). 1155 ; anc. fr. *enforcier*, « donner de la force », + *re-* ; [ʀɑ̃fɔʀse].

**RENFORMIR,** verbe trans. [19]
*Bât.* Réparer et crépir (un mur). 1690 ; anc. fr. *renformer*, « remettre en état » ; [ʀɑ̃fɔʀmiʀ].

**RENFORT,** subst. m.
**1.** Effectifs ou moyens matériels supplémentaires adjoints à une armée en guerre ou à une équipe de travailleurs : *Envoyer des **renforts** aériens.* **2.** *Techn.* Fait de consolider : *Pièce de **renfort*** ; par méton., pièce ou épaisseur ajoutée pour parer à une rupture ou à une déformation : *Doubler un édifice de **renforts** en béton.* **3.** Loc. *À grand **renfort** de* : avec beaucoup de, en faisant un grand usage de. Déb. XV<sup>e</sup> s. (1340, enchère) ; ☞ *renforcer* ; [ʀɑ̃fɔʀ].

**RENFROGNER (SE),** verbe pronom. [3]
Montrer son insatisfaction, sa contrariété en grimaçant : *Il **se renfrogna** à l'annonce des résultats* ; empl. adj. : *Visage, air **renfrogné*** ; *Personne **renfrognée**.* Déb. XIII<sup>e</sup> s. ; anc. fr. *frogner*, « froncer le nez », du gaul. °*frogna*, « nez », + *re-* ; [ʀɑ̃fʀɔɲe].

**RENGAGÉ,** subst. m.
Militaire qui a renouvelé son engagement. 1779 ; p. p. de *rengager* ; [ʀɑ̃gaʒe].

**RENGAGEMENT,** subst. m.
Action de rengager ; fait de se rengager. 1718 ; ☞ *rengager* ; var. *réengagement* ; [ʀɑ̃gaʒmɑ̃].

**RENGAGER,** verbe [5]
TRANS. Engager de nouveau (qqn, qqch.). INTRANS. ou PRONOM. Renouveler son engagement dans l'armée. 1471 ; ☞ *engager* + *re-* ; var. *réengager* ; [ʀɑ̃gaʒe].

**RENGAINE,** subst. f.
**1.** Paroles sans cesse répétées : *C'est toujours la même **rengaine**.* **2.** Refrain lassant : *Une **rengaine** à la mode.* 1807 (1680, refus) ; ☞ *rengainer* ; [ʀɑ̃gɛn].

**RENGAINER,** verbe trans. [3]
**1.** Ranger dans sa gaine : ***Rengainer** son arme.* **2.** Fig. et Fam. Ne pas exprimer (ce que l'on s'apprêtait à dire). 1526 ; ☞ *engainer* + *re-* ; [ʀɑ̃gene].

**RENGORGER (SE),** verbe pronom. [5]
**1.** Gonfler la gorge en rejetant la tête en arrière, en parlant d'un oiseau. **2.** Ext. Parader, se gonfler de vanité, d'orgueil : ***Se rengorger** de son succès.* 1482 ; ☞ *engorger* + *re-* ; [ʀɑ̃gɔʀʒe].

**RENGRÈNEMENT,** subst. m.
Action de rengréner ; son résultat. 1611 ; ☞ *rengréner* ; [ʀɑ̃gʀɛnmɑ̃].

**RENGRÉNER,** verbe trans. [8]
**1.** Remettre du grain dans (une trémie). **2.** *Techn.* Rengager dans un engrenage. 1549 ; ☞ *engrener* + *re-* ; var. *rengrener* [10] ; [ʀɑ̃gʀene].

**RENIEMENT,** subst. m.
Fait de renier. Fin XII<sup>e</sup> s. ; ☞ *renier* ; [ʀənimɑ̃].

**RENIER,** verbe trans. [6]
**1.** *Relig.* Déclarer ne plus croire en (Dieu). **2.** Refuser de reconnaître (qqn) : ***Renier** son enfant* ; ne plus considérer comme sien : ***Renier** son pays.* **3.** Désavouer complètement (qqch.) : ***Renier** un engagement.* 880 ; lat. pop. °*renegare*, du lat. *negare*, « nier, refuser » ; [ʀənje].

**RENIFLARD,** subst. m.
*Techn.* **1.** Dispositif d'évacuation des vapeurs d'huile de graissage d'un moteur. **2.** Soupape de régulation de pression d'un appareil hydropneumatique. **3.** Appareil d'évacuation des eaux de condensation. 1796 ; ☞ *renifler* ; [ʀəniflaʀ].

**RENIFLEMENT,** subst. m.
Action de renifler ; bruit ainsi produit. ▸ *Vétér.* Maladie du porc qui se manifeste par ce symptôme. 1576 ; ☞ *renifler* ; [ʀənifləmɑ̃].

**RENIFLER,** verbe [3]
INTRANS. Inspirer par le nez en faisant du bruit. TRANS. **1.** Aspirer (qqch.) par les narines : ***Renifler** du tabac.* **2.** Humer avec insistance : ***Renifler** une fleur.* **3.** Fig. Soupçonner (fam.) : *Il **reniflait** une supercherie.* 1530 ; anc. fr. *nifler* + *re-* ; [ʀənifle].

**RENIFLEUR, EUSE,** subst.
Fam. Personne qui renifle. ▸ Toxicomane inhalant de la drogue. MASC. Appareil de détection des hydrocarbures gazeux. 1576 ; ☞ *renifler* ; [ʀəniflœʀ, øz].

**RÉNIFORME,** adj.
En forme de rein. 1778 ; lat. *ren*, « rein », + *-forme* ; [ʀenifɔʀm].

**RÉNINE,** subst. f.
*Biochim.* Enzyme protéolytique produite par des cellules rénales en réponse à des variations de tension. Mil. XX<sup>e</sup> s. ; lat. *ren*, « rein » ; [ʀenin].

**RÉNITENT, ENTE,** adj.
*Méd.* Qui oppose une résistance élastique à la pression. 1555 ; lat. *renitens*, « résistant » ; [ʀenitɑ̃, ɑ̃t].

**RENNE,** subst. m.
**1.** *Zool.* Grand mammifère de la famille des Cervidés, qui vit du Groenland à la Sibérie. Chez ce ruminant, élevé en troupeaux par les Lapons, le mâle et la femelle portent de grands bois. ▸ *Renne du Canada* : caribou. **2.** *Préhist.* *Âge du **renne*** : Paléolithique supérieur, époque où les **rennes** abondaient. 1552 ; all. *Reen*, du scand. *ren* ; [ʀɛn].

*Rennes.*

**RENOM,** subst. m.
**1.** Vx. Réputation, bonne ou mauvaise. **2.** Appréciation élogieuse que le public associe à qqch., à qqn : *Un poète de **renom**.* 1176 ; ☞ *renommer* ; [ʀənɔ̃].

**RENOMMÉ, ÉE,** adj. et subst. f.
ADJ. Réputé, dont le nom est célèbre pour telle raison : *Une région **renommée** pour son climat.* SUBST. **1.** Réputation, bonne ou mauvaise, dont jouit qqn ou qqch. ▸ *Dr. Enquête par commune **renommée*** : fondée sur l'opinion de témoins relative à un fait, à un évènement qu'ils n'ont pas observés. ▸ *Myth.* *La **Renommée*** : messagère ailée embouchant une trompette. **2.** Opinion favorable répandue dans le public sur qqn ou qqch. : *La **renommée** des vins de Bourgogne.* Fin XI<sup>e</sup> s. ; p. p. de *renommer* ; [ʀənɔme].

**RENOMMER,** verbe trans. [3]
**1.** Vx. Célébrer de façon élogieuse. **2.** Nommer de nouveau : ***Renommer** qqn au poste de président.* Fin XI<sup>e</sup> s. ; ☞ *nommer* + *re-* ; [ʀənɔme].

**RENON,** subst. m.
Belg. *Dr.* Résiliation d'un bail. 1874 ; ☞ *renoncer* ; [ʀənɔ̃].

**RENONCE,** subst. f.
*Jeux.* Aux cartes, fait de ne pas vouloir ou de ne pas pouvoir fournir la couleur demandée. 1690 ; ☞ *renoncer* ; [ʀənɔ̃s].

**RENONCEMENT,** subst. m.
**1.** Fait de renoncer à qqch., de l'abandonner. **2.** Abs. Détachement, action de renoncer au monde et à ses biens : *Le **renoncement** des grands sages.* 1267 (fin XII<sup>e</sup> s., annonce) ; ☞ *renoncer* ; [ʀənɔ̃smɑ̃].

**RENONCER,** verbe [4]
TRANS. DIR. **1.** Vieilli. Désavouer (qqn). **2.** Littér. Sacrifier (ce qui est désirable). **3.** Belg. ***Renoncer** un bail* : le résilier ; ***Renoncer** un locataire* : lui signifier son congé. TRANS. INDIR. Renoncer à. **1.** Cesser de prétendre à (un bien, un droit) : ***Renoncer** à un héritage, au trône.* **2.** Cesser d'envisager, abandonner l'idée de : *Ils **renoncèrent** à partir.* **3.** Se défaire de (ce que l'on a) ; abandonner (une habitude, une pratique) : ***Renoncer** à son confort* ; ***Renoncer** à son poste* ; ***Renoncer** à la drogue.* **4.** Se désintéresser de, se détourner de (qqn) : *Il finit par **renoncer** à elle.* INTRANS. *Jeux.* Aux cartes, ne pas fournir la couleur demandée. PRONOM. Faire preuve d'abnégati[on] (littér.). Mil. XIII<sup>e</sup> s. (mil. XII<sup>e</sup> s., annoncer) ; lat. *ren[un]tiare*, « annoncer en retour ; renoncer à » ; [ʀənɔ̃se].

**RENONCIATAIRE,** subst.
*Dr.* Personne bénéficiaire d'une renonciatio[n]. 1823 ; ☞ *renoncer* ; [ʀənɔ̃sjatɛʀ].

**RENONCIATEUR, TRICE,** subst.
*Dr.* Personne qui fait une renonciation en fave[ur] d'une autre. 1839 ; ☞ *renoncer* ; [ʀənɔ̃sjatœʀ, tʀi[s]].

**RENONCIATION,** subst. f.
Action de renoncer à qqch., en partic. à un droi[t] ; acte par lequel on confirme cet abandon : ***Reno[n]ciation** à une succession.* 1247 ; lat. *renuntiati[o]* ; [ʀənɔ̃sjasjɔ̃].

**RENONCULACÉES,** subst. f. plur.
*Bot.* Famille comprenant des plantes entomophil[es] d'aspect très différent, car adaptées à des milieu[x] divers, comme les clématites ou les anémon[es]. AU SING. *L'ancolie est une **renonculacée**.* 179[8] ; ☞ *renoncule* ; [ʀənɔ̃kylase].

**RENONCULE,** subst. f.
*Bot.* Plante herbacée très commune de la fami[lle] des Renonculacées, à fleurs jaunes (bouton-d'o[r]) ou blanches (bouton-d'argent). 1549 ; lat. *ran[un]cula*, « petite grenouille » ; [ʀənɔ̃kyl].

**RENOUÉE,** subst. f.
*Bot.* Plante herbacée de la famille des Polygonacé[es]. 1545 ; p. p. de *renouer* ; [ʀənwe].

**RENOUER,** verbe trans. [3]
**1.** Nouer de nouveau : ***Renouer** ses lacets.* **2.** Fi[g.] Reprendre (une communication, une relation inte[r]rompue) : ***Renouer** le dialogue.* ▸ Abs. *Ils ont fi[ni] par **renouer*** : par se réconcilier ; ***Renouer** avec [la] tradition.* Fin XII<sup>e</sup> s. ; ☞ *nouer* + *re-* ; [ʀənwe].

**RENOUVEAU,** subst. m.
**1.** Nouvelle manifestation de vie ; en partic., reto[ur] du printemps (littér.). **2.** Fig. Nouveau dépa[rt] dynamique nouvelle : *Un **renouveau** des étu[des] latines.* Déb. XIII<sup>e</sup> s. ; ☞ *renouveler* ; [ʀənuvo].

**RENOUVELABLE,** adj.
**1.** Qui peut être renouvelé : *Énergie **renouvelab[le]*** dont la réserve naturelle se reconstitue rapidemen[t]. **2.** Qui peut être répété : *Accord, expérience **renouv[e]lable**.* 1461 ; ☞ *renouveler* ; [ʀənuv(ə)labl].

**RENOUVELANT, ANTE,** subst.
*Cath.* Jeune qui renouvelle ses vœux du baptêm[e]. 1907 ; p. pr. de *renouveler* ; [ʀənuv(ə)lɑ̃, ɑ̃t].

**RENOUVELER,** verbe trans. [12]
**1.** Remplacer par une chose de même nature : ***Renouveler** une réserve d'eau.* **2.** Modifier po[ur] donner un nouvel aspect : ***Renouveler** une vitri[ne].* **3.** Donner un nouvel élan à, raviver (littér.) : ***Renouveler** une impression, un désir.* **4.** Faire [de] nouveau, répéter : ***Renouveler** une performance, u[ne] demande.* ▸ Reconduire (un contrat, un engag[e]ment). PRONOM. **1.** Se reconstituer : *Une énergie q[ui] **se renouvelle**.* **2.** Être formé d'éléments nouveaux : *Cette équipe **s'est renouvelée**.* **3.** Se former [de] nouveau. **4.** Se répéter : *Ce problème **se renouve[lle]** trop souvent.* Fin XI<sup>e</sup> s. ; anc. fr. *noveler*, de *nov[el]*, « nouveau », + *re-* ; [ʀənuv(ə)le].

**RENOUVELLEMENT,** subst. m.
**1.** Action de renouveler, fait de se renouveler ; s[on] résultat : ***Renouvellement** d'un stock* ; ***Renouvell[e]ment** des saisons.* **2.** *Cath.* ***Renouvellement** des vœ[ux] du baptême* : communion solennelle (☞ *solenne[l]*). Mil. XII<sup>e</sup> s. ; ☞ *renouveler* ; [ʀənuvɛlmɑ̃].

**RÉNOVATEUR, TRICE,** subst. et adj.
**1.** Se dit d'une personne qui rénove. **2.** Se dit d'u[ne] personne partisane de la rénovation. ADJ. Q[ui] rénove ou qui tend à rénover : *Idée **rénovatric[e]**.* 1555 ; bas lat. *renovator* ; [ʀenɔvatœʀ, tʀis].

**RÉNOVATION,** subst. f.
**1.** Rétablissement de qqch. dans son état initi[al] ; régénération : ***Rénovation** de l'Université.* **2.** Mode[r]nisation : ***Rénovation** urbaine*, reconstruction d[es] vieux quartiers selon une nouvelle logique (p[ar] oppos. à la réhabilitation, qui conserve les ancie[ns] immeubles). 1310 ; lat. *renovatio* ; [ʀenɔvasjɔ̃].

**RÉNOVER,** verbe trans. [3]
**1.** Redonner vie à : ***Rénover** une ancienne pratiqu[e].* ▸ Remettre à neuf : ***Rénover** une maison.* **2.** Moder[ni]ser, mettre au goût du jour : ***Rénover** des structur[es], des méthodes.* 1119 ; lat. *renovare* ; [ʀenɔve].

**RENSEIGNEMENT,** subst. m.
**1.** Indication précise nécessaire pour faire qqch., f[ait] dont on informe qqn : *Demander un **renseignemen[t]***

*ıreau des* ***renseignements*** ; *Prendre des* ***renseigne-*** ***ents*** *sur qqn,* se documenter sur lui. **2.** Informa-ɔn d'intérêt national concernant l'ennemi. ▸ *Les* ***ɛnseignements*** *généraux (R. G.)* : service de police ıargé d'informer l'État sur tout ce qui a trait à ɔrdre public. ▸ *Le service des* ***renseignements*** *(S. R.)* ı, par ell., *Le* ***renseignement*** : organisme chargé de ɛspionnage et du contre-espionnage. 1429 ; ☞ *renseigner* ; [ʀɑ̃sɛɲmɑ̃].

**RENSEIGNER,** verbe trans. [3]
. Fournir des indications, des informations à ɥqn) : ***Renseigner*** *un voyageur.* **2.** Belg. Indiquer, gnaler (qqch.) : ***Renseigner*** *un hôtel, une bonne ɫresse.* **Pronom.** Demander des renseignements. Mil. xii^e^ s. ; ☞ *enseigner + re-* ; [ʀɑ̃seɲe].

**RENTABILISER,** verbe trans. [3]
endre rentable. V. 1960 ; ☞ *rentable* ; [ʀɑ̃tabilize].

**RENTABILITÉ,** subst. f.
ɩualité de ce qui est rentable. 1909 ; ☞ *rentable* ; ɑ̃tabilite].

**RENTABLE,** adj.
Vx. Qui rapporte une rente. **2.** Dont on dégage ı profit satisfaisant : *Investissement, entreprise* ***ntable.*** **3.** Ext. Valable, qui offre un résultat : *ne expérience pédagogiquement* ***rentable.*** 1290 ; ☞ *rente* ; [ʀɑ̃tabl].

**RENTE,** subst. f.
. Revenu régulier d'un bien, d'un capital : *Vivre ɛ ses* ***rentes.*** **2.** Somme versée régulièrement : ***Rente*** *'invalidité* ; ***Rente*** *viagère,* versée jusqu'à la mort ı bénéficiaire. ▸ Loc. ***Rente*** *de situation* : avantage ɔquis depuis longtemps, jugé irréversible par son ɛ́néficiaire. **3.** ***Rente*** *sur l'État* ou, par ell., *La* ***rente*** : mprunt, titre émis par l'État rapportant un intérêt nnuel. **4.** Fig. Personne ou chose qui occasionne ɛs avantages réguliers (fam.) : *Ton affaire, c'est une ɛ́ritable* ***rente.*** Déb. xii^e^ s. ; lat. pop. °*rendita,* de *endere,* « rendre » ; [ʀɑ̃t].

**RENTIER, IÈRE,** subst.
ersonne qui possède des rentes et qui en vit. Déb. xiii^e^ s. ; ☞ *rente* ; [ʀɑ̃tje, jɛʀ].

**RENTOILAGE,** subst. m.
*-a.* Action de rentoiler. 1752 ; ☞ *rentoiler* ; ɑ̃twalaʒ].

**RENTOILER,** verbe trans. [3]
. Remettre une toile neuve sur (qqch.). **2.** *B.-a.* ıxer (un tableau) sur une toile neuve, pour le ɛnforcer. 1449 ; ☞ *entoiler + re-* ; [ʀɑ̃twale].

**RENTOILEUR, EUSE,** subst.
ɒécialiste du rentoilage des tableaux. 1856 ; ☞ *rentoiler* ; [ʀɑ̃twalœʀ, øz].

**RENTRAIRE,** verbe trans. [58]
. Coudre bord à bord (deux morceaux de tissu échirés ou coupés). **2.** Réparer à l'aiguille (la trame 'une tapisserie). 1404 ; anc. fr. *entraire,* du lat. *trahere,* « tirer », + *re-* ; var. *rentrayer* [15] ; [ʀɑ̃tʀɛʀ].

**RENTRAITURE,** subst. f.
outure pratiquée en rentrayant. 1530 ; ☞ *rentraire* ; [ʀɑ̃tʀɛtyʀ].

**RENTRANT, ANTE,** adj. et subst.
**ɒj. 1.** *Géom. Secteur angulaire* (ou, abusivement, *ngle)* ***rentrant*** : secteur angulaire non convexe. . Que l'on peut rentrer, escamotable. **Subst.** Joueur ui en remplace un autre en cours de partie. 1652 ; p. pr. de *rentrer* ; [ʀɑ̃tʀɑ̃, ɑ̃t].

**RENTRAYER,** voir **RENTRAIRE**

**RENTRÉ, ÉE,** adj. et subst. m.
**ɒj. 1.** Tourné vers l'intérieur, refoulé : *Fureur* ***entrée.*** **2.** Creux : *Joues* ***rentrées.*** **Subst.** *Cout.* Repli 'un tissu sur l'envers. 1670 ; p. p. de *rentrer* ; ıɑ̃tʀe].

**RENTRÉE,** subst. f.
. Action de rentrer, de revenir au lieu d'où l'on tait parti : *Après une telle escapade, la* ***rentrée*** *ne ouvait être que mélancolique.* ▸ *Astronaut.* ***Rentrée*** *ɔatiale* : retour d'un engin dans l'atmosphère ɛrrestre. **2.** Reprise d'activité après une interrup-ion : *Acteur qui fait sa* ***rentrée.*** **3.** Reprise après les acances : ***Rentrée*** *des classes, parlementaire* ; par ext., noment de cette reprise : *Nous déciderons à la* ***ɛntrée.*** **4.** Action de rentrer qqch. : ***Rentrée*** *d'une ɛ́colte.* **5.** ***Rentrée*** *d'argent* ou, par ell., ***Rentrée*** : ncaissement ; somme encaissée : *Avoir des* ***rentrées*** *ɔnfortables.* **6.** *Jeux.* Carte(s) prise(s) dans le talon n échange de celle(s) que l'on rejette après la onne. xiii^e^ s. ; p. p. de *rentrer* ; [ʀɑ̃tʀe].

**RENTRER,** verbe [3]
**Intrans. 1.** Entrer de nouveau en un lieu, après en être sorti : *À peine sortie, elle* ***rentra.*** **2.** Retourner chez soi après s'en être absenté : ***Rentrer*** *de vacances.* **3.** Effectuer sa rentrée, reprendre son activité : *Les étudiants* ***rentrent*** *demain.* **4.** Revenir à un état antérieur ou à une situation habituelle : *Tout* ***est rentré*** *dans l'ordre* ; *Le fleuve* ***rentrait*** *peu à peu dans son lit* ; ***Rentrer*** *dans le droit chemin.* ▸ ***Rentrer*** *en grâce* : retrouver, récupérer les faveurs de qqn. **5.** Prendre de nouveau possession (de qqch.) : ***Rentrer*** *dans ses biens* ; ***Rentrer*** *dans ses frais,* en récupérer l'équivalent ; être perçu : *Les cotisations* ***rentrent*** *peu à peu.* **6.** Fig. et Littér. ***Rentrer*** *en soi-même* : réfléchir sur soi-même, sur sa conduite, se recueillir. ▸ Loc. ***Rentrer*** *dans sa coquille* : se renfermer sur soi ; ***Rentrer*** *(à cent pieds) sous terre* : éprouver et manifester un fort sentiment de honte ou d'humiliation. **7.** Être inclus : *Cela* ***rentre-t-il*** *dans vos fonctions ?* **8.** Pénétrer, s'infiltrer : *L'air froid* ***rentrait*** *par les interstices* ; s'enfoncer, en s'emboîtant dans ou en empiétant sur (qqch.) : *À l'endroit où la mer* ***rentre*** *dans les terres.* **9.** Entrer par force : *Son camion* ***est rentré*** *dans le parapet.* ▸ Loc. pop. ***Rentrer*** *dans le chou, dans le lard (de qqn)* : l'accabler de coups ou, au fig., d'injures, de reproches. **Trans. 1.** Mettre dans un endroit abrité (ce qui est à l'extérieur) : ***Rentrer*** *les récoltes* ; par ext. : ***Rentrer*** *son ventre,* le contracter pour le rendre plat. **2.** Rétracter : ***Rentrer*** *ses griffes.* **3.** Fig. Refouler (un sentiment) : ***Rentrer*** *sa colère, ses larmes.* Mil. xi^e^ s. ; ☞ *entrer + re-* ; [ʀɑ̃tʀe].

**RENVERSANT, ANTE,** adj.
Qui plonge dans la stupéfaction : *Une histoire* ***renversante.*** 1830 ; p. pr. de *renverser* ; [ʀɑ̃vɛʀsɑ̃, ɑ̃t].

**RENVERSE,** subst. f.
**1.** Loc. *Tomber à la* ***renverse*** : tomber en arrière, sur le dos. **2.** *Mar.* Changement à 180° de la direction du courant, du vent. Fin xv^e^ s. ; ☞ *renverser* ; [ʀɑ̃vɛʀs].

**RENVERSÉ, ÉE,** adj.
**1.** Qui est inversé par rapport à la position normale : *Image* ***renversée.*** ▸ *Cuis. Crème* ***renversée*** : que l'on a retournée avant de la servir. **2.** Qui est tombé : *Sièges* ***renversés*** ; *Liquide* ***renversé,*** répandu. **3.** Fig. Stupéfait, décontenancé. 1538 ; p. p. de *renverser* ; [ʀɑ̃vɛʀse].

**RENVERSEMENT,** subst. m.
Action de renverser ; fait d'être renversé, de s'inverser : ***Renversement*** *du corps* ; ***Renversement*** *de la vapeur.* ▸ Changement de direction d'un courant, du vent, de la marée : ***Renversement*** *de la mousson.* ▸ *Géom.* Antidéplacement. ▸ *Hist.* ***Renversement*** *des alliances* : modification des alliances de la France, scellée à Versailles en 1756, qui fit de l'Autriche une alliée de la France, au détriment de la Prusse, qui venait de s'allier à l'Angleterre. 1478 ; ☞ *renverser* ; [ʀɑ̃vɛʀsəmɑ̃].

**RENVERSER,** verbe trans. [3]
**1.** Retourner (qqch.), mettre le haut en bas ou sens dessus dessous : ***Renverser*** *un sac pour le vider.* **2.** Faire aller en sens inverse : ***Renverser*** *la vapeur,* inverser le sens de marche d'une machine à vapeur ; au fig., intervertir : ***Renverser*** *les rôles.* ▸ *Mus.* ***Renverser*** *un accord* : changer l'étagement naturel de ses notes. ▸ Abs. *Mar.* Changer de sens : *La marée* ***renverse.*** **3.** Pencher vers l'arrière : ***Renverser*** *le buste* ; empl. pronom. : *Se* ***renverser*** *dans un fauteuil.* **4.** Faire tomber, provoquer la chute de : ***Renverser*** *un passant* ; ***Renverser*** *un régime, un ministère.* **5.** Répandre (un contenu) : ***Renverser*** *du lait.* **6.** Fig. Étonner, bouleverser : *Cette nouvelle le* ***renversa.*** 1280 ; anc. fr. *enverser,* « retourner », + *re-* ; [ʀɑ̃vɛʀse].

**RENVIDER,** verbe trans. [3]
Rembobiner (le fil) sur un métier à tisser ou à filer (anton. *dévider*). 1765 ; ☞ *envider + re-* ; [ʀɑ̃vide].

**RENVIDEUR,** subst. m.
Métier à renvider. 1860 ; ☞ *renvider* ; [ʀɑ̃vidœʀ].

**RENVOI,** subst. m.
**1.** Action de renvoyer ; son résultat : ***Renvoi*** *d'une procédure judiciaire, d'une discussion de loi, d'un cadeau, d'un messager, d'un élève, d'un ministre.* **2.** *Typogr.* Marque qui, dans un texte, invite le lecteur à se reporter à un autre passage du texte. ▸ *Mus.* Signe indiquant une reprise. **3.** *Mécan. Organe de* ***renvoi*** : mécanisme de changement de direction d'un mouvement. **4.** Rot, éructation. 1373 ; ☞ *renvoyer* ; [ʀɑ̃vwa].

**RENVOYER,** verbe trans. [18]
**1.** Faire repartir (qqn) vers le lieu d'où il était venu : ***Renvoyer*** *un messager.* **2.** Signifier son congé à (qqn), éconduire : ***Renvoyer*** *un fonctionnaire, un solliciteur.* **3.** Réexpédier (qqch.) à la personne qui l'avait envoyé : ***Renvoyer*** *un cadeau, une invitation.* **4.** Relancer (un objet) : ***Renvoyer*** *un ballon* ; répercuter, réfléchir : *Surface qui* ***renvoie*** *la lumière.* **5.** Diriger (qqn, qqch.) vers la destination, le service compétent : *Le commissariat les* ***a renvoyés*** *à la préfecture.* ▸ *Dr.* Déférer, adresser à l'instance judiciaire compétente. **6.** Ajourner (qqch.), remettre à une date ultérieure. **7.** Inviter à se reporter à un autre endroit d'un texte : *Cette note* ***renvoie*** *le lecteur au chapitre précédent.* Mil. xii^e^ s. ; ☞ *envoyer + re-* ; [ʀɑ̃vwaje].

**RÉOCCUPATION,** subst. f.
Action d'occuper une nouvelle fois : ***Réoccupation*** *des locaux par des grévistes.* 1830 ; ☞ *réoccuper* ; [ʀeɔkypasjɔ̃].

**RÉOCCUPER,** verbe trans. [3]
Occuper de nouveau : ***Réoccuper*** *une place forte.* 1796 ; ☞ *occuper + re-* ; [ʀeɔkype].

**RÉOPÉRER,** verbe trans. [8]
*Chir.* Opérer de nouveau. 1845 ; ☞ *opérer + re-* ; [ʀeɔpeʀe].

**RÉORCHESTRATION,** subst. f.
Nouvelle orchestration. 1932 ; ☞ *réorchestrer* ; [ʀeɔʀkɛstʀasjɔ̃].

**RÉORCHESTRER,** verbe trans. [3]
Faire une nouvelle orchestration de (une œuvre musicale). 1850 ; ☞ *orchestrer + re-* ; [ʀeɔʀkɛstʀe].

**RÉORDINATION,** subst. f.
*Dr. canon.* Seconde ordination conférée à un prêtre dont l'ordination a été invalidée. 1575 ; ☞ *ordination + re-* ; [ʀeɔʀdinasjɔ̃].

**RÉORGANISATEUR, TRICE,** subst. et adj.
Se dit d'une personne qui réorganise. **Adj.** Qui réorganise : *Méthode* ***réorganisatrice.*** 1839 ; ☞ *réorganiser* ; [ʀeɔʀganizatœʀ, tʀis].

**RÉORGANISATION,** subst. f.
Action de réorganiser ; son résultat. 1791 ; ☞ *réorganiser* ; [ʀeɔʀganizasjɔ̃].

**RÉORGANISER,** verbe trans. [3]
Organiser de nouveau, d'une manière différente, plus appropriée ; restructurer : ***Réorganiser*** *de fond en comble une administration.* 1791 ; ☞ *organiser + re-* ; [ʀeɔʀganize].

**RÉORIENTATION,** subst. f.
Action de réorienter ; son résultat. 1952 ; ☞ *réorienter* ; [ʀeɔʀjɑ̃tasjɔ̃].

**RÉORIENTER,** verbe trans. [3]
Donner une nouvelle orientation à (qqch., qqn). 1901 ; ☞ *orienter + re-* ; [ʀeɔʀjɑ̃te].

**RÉOUVERTURE,** subst. f.
**1.** Action, fait de rouvrir : ***Réouverture*** *d'un musée restauré.* **2.** Action de reprendre le cours de ce qui avait été interrompu : ***Réouverture*** *d'une négociation.* ▸ *Dr.* ***Réouverture*** *des débats* : reprise des débats après qu'ils ont été clos sur décision du tribunal. 1600 ; ☞ *ouverture + re-* ; [ʀeuvɛʀtyʀ].

**REPAIRE,** subst. m.
**1.** Abri, refuge d'un animal sauvage. **2.** Ext. Lieu où se cachent des individus dangereux ou recherchés : *Un* ***repaire*** *de malfaiteurs.* Fin. xi^e^ s. ; ☞ *repairer* ; [ʀəpɛʀ].

**REPAIRER,** verbe intrans. [3]
*Vèn.* Être au repaire. 1450 ; anc. fr. *repairier,* du bas lat. *repatriare,* du lat. *patria,* « patrie » ; [ʀəpeʀe].

**REPAÎTRE,** verbe trans. [75]
**1.** Vx. Nourrir. **2.** Fig. Combler, rassasier (littér.). **Pronom.** Assouvir sa faim ; au fig. (littér.) : *Se* ***repaître*** *d'illusions, de médisances.* Fin xii^e^ s. ; ☞ *paître + re-* ; [ʀəpɛtʀ].

**RÉPANDRE,** verbe trans. [51]
**1.** Verser en laissant s'étaler, s'éparpiller : ***Répandre*** *du sel, un peu de vin* ; en partic. : ***Répandre*** *le sang,* assassiner, tuer. **2.** Projeter hors de soi, émettre : ***Répandre*** *des larmes, une odeur.* **3.** Distribuer généreusement : ***Répandre*** *des bienfaits.* **4.** Fig. Propager : ***Répandre*** *une rumeur.* **Pronom. 1.** S'écouler, se déverser en s'étalant : *La sauce* ***s'est répandue*** *sur la nappe.* **2.** Se dégager, s'exhaler : *Lumière, parfum qui se* ***répand.*** **3.** Transparaître en s'étendant : *La consternation se* ***répandit*** *sur son visage* ; se propager, s'étendre : *Une mode, une épidémie qui se* ***répand.*** **4.** Fig. **Se répandre en.** Exprimer (des sentiments) par des paroles abondantes : *Se* ***répandre*** *en lamentations.* Mil. xii^e^ s. ; ☞ *épandre + re-* ; [ʀepɑ̃dʀ].

**RÉPANDU, UE,** adj.
**1.** Renversé ; éparpillé. **2.** Admis ou pratiqué par un grand nombre de personnes : *Habitudes et idées* ***répandues.*** ⚮ 1255 ; p. p. de *répandre* ; [ʀepɑ̃dy].

**RÉPARABLE,** adj.
Qui peut être réparé : *Machine* ***réparable*** ; *Faute, erreur* ***réparable.*** ⚮ Mil. XV^e s. ; ☞ *réparer* ; [ʀepaʀabl].

**REPARAÎTRE,** verbe intrans. [73]
**1.** Se montrer, paraître de nouveau : *Le soleil* ***reparaît*** ; *Il* ***a reparu*** *au bureau après une longue absence* ; *Cette revue va* ***reparaître.*** **2.** Fig. Resurgir : *Vieux préjugés qui* ***reparaissent.*** ⚮ 1611 ; ☞ *paraître* (I) + *re-* ; [ʀ(ə)paʀɛtʀ].

**RÉPARATEUR, TRICE,** subst. et adj.
**Subst.** Personne qui répare ce qui est détérioré ou ce qui ne fonctionne plus. **Adj. 1.** Qui redonne des forces : *Un sommeil* ***réparateur.*** **2.** *Méd. Chirurgie* ***réparatrice*** (☞ *plastique*). ⚮ 1549 (mil. XIV^e s., rédempteur) ; lat. *reparator* ; [ʀepaʀatœʀ, tʀis].

**RÉPARATION,** subst. f.
**1.** Action de réparer ; son résultat : ***Réparation*** *d'un dégât, d'une injustice.* **2.** *Dr.* Dédommagement d'une personne, victime d'un préjudice, par la personne qui en est responsable ; peine encourue par le coupable d'une infraction. **3.** Prestation due par un État vaincu au vainqueur en dédommagement des préjudices subis pendant une guerre (gén. au plur.). ▸ *Hist. La question des* ***réparations*** : ensemble des problèmes liés au paiement des dommages de guerre dus par l'Allemagne après la Première Guerre mondiale. **4.** *Physiol.* Fait, pour l'organisme, de se rétablir, de se régénérer : ***Réparation*** *des tissus.* **5.** *Sp. Surface de* ***réparation*** : au football, zone délimitée par un grand rectangle devant les buts, dans laquelle toute faute commise par un défenseur est sanctionnée par un coup de pied de **réparation** (☞ *penalty*). ⚮ 1310 ; lat. *reparatio* ; [ʀepaʀasjɔ̃].

**RÉPARER,** verbe trans. [3]
**1.** Remettre, rétablir dans son état normal (ce qui est endommagé, abîmé) : ***Réparer*** *une voiture, un jouet.* **2.** Supprimer ou corriger (un préjudice, les conséquences d'un acte) : ***Réparer*** *une faute, une maladresse.* **3.** Loc. ***Réparer*** *ses forces* : se rétablir. ⚮ Mil. XII^e s. ; lat. *reparare* ; [ʀepaʀe].

**REPARLER,** verbe [3]
**Intrans.** Recommencer à parler : *On* ***reparlera*** *de cette question plus tard.* **Trans. indir.** Reparler à. S'entretenir de nouveau avec (qqn) : ***Reparlez-en*** *à votre éditeur* ; empl. pronom. : *Ils* ***se reparlent*** *enfin après une longue bouderie.* ⚮ Mil. XII^e s. ; ☞ *parler* (I) + *re-* ; [ʀ(ə)paʀle].

**REPARTIE,** subst. f.
Réponse piquante et pleine d'à-propos. ⚮ 1606 ; ☞ *repartir* (I) ; var. *répartie* ; [ʀəpaʀti] ou [ʀe-].

**REPARTIR (I),** verbe trans. [23]
Répondre (qqch) avec vivacité et à propos (littér.). ⚮ 1588 ; ☞ *partir* (II) + *re-* ; [ʀəpaʀtiʀ] ou [ʀe-].

**REPARTIR (II),** verbe intrans. [23]
**1.** Partir de nouveau. ▸ Fig. Recommencer : ***Repartir*** *de zéro.* **2.** Retourner à l'endroit d'où l'on vient. ⚮ 1669 (1611, échapper de la main, en parlant d'un cheval) ; ☞ *partir* (II) + *re-* ; [ʀ(ə)paʀtiʀ].

**RÉPARTIR,** verbe trans. [19]
Procéder à la répartition, à la distribution, au partage de (qqch.) selon des critères précis. ⚮ Fin XII^e s. ; ☞ *partir* (I) + *re-* ; [ʀepaʀtiʀ].

**RÉPARTITEUR, TRICE,** subst.
Personne chargée d'opérer une répartition ; empl. adj. : *Organisme* ***répartiteur.*** ⚮ 1728 ; ☞ *répartir* ; [ʀepaʀtitœʀ, tʀis].

**RÉPARTITION,** subst. f.
**1.** Action de partager, de diviser, de distribuer qqch. : ***Répartition*** *des vivres.* ▸ Manière dont qqch. est réparti. **2.** Distribution dans l'espace : ***Répartition*** *des espèces végétales dans une région* ; par ext., distribution dans le temps : ***Répartition*** *annuelle des programmes.* **3.** Disposition d'éléments divers suivant une grille de classement, par catégories : ***Répartition*** *par âge, par sexe.* ⚮ 1389 ; ☞ *répartir* ; [ʀepaʀtisjɔ̃].

**REPARUTION,** subst. f.
Fait de reparaître : *La* ***reparution*** *d'un journal.* ⚮ 1948 ; ☞ *parution* + *re-* ; [ʀ(ə)paʀysjɔ̃].

**REPAS,** subst. m.
Nourriture prise chaque jour à certaines heures. ⚮ Mil. XII^e s. ; anc. fr. *past*, du lat. *pastus*, + *re-* ; [ʀ(ə)pɑ].

**REPASSAGE,** subst. m.
**1.** Action de repasser du linge. **2.** Action d'aiguiser une lame. ⚮ 1753 (1340, nouvelle traversée) ; ☞ *repasser* ; [ʀ(ə)pɑsaʒ].

**REPASSER,** verbe [3]
**Intrans. 1.** Passer de nouveau : *Quand* ***repasserez****-vous ?* **2.** Passer dans un lieu où l'on est déjà passé : ***Repasser*** *par Paris.* **Trans. 1.** Retraverser (un espace) dans un sens ou dans l'autre : ***Repasser*** *les Alpes, la frontière.* **2.** Faire passer de nouveau (qqch.) : ***Repasser*** *un plat, un disque, une cassette.* **3.** Relire, reprendre (un texte, un sujet) pour se le remettre en mémoire : ***Repasser*** *une leçon.* **4.** Passer un fer chaud sur (un linge) pour le défroisser ou le replisser : ***Repasser*** *une jupe.* **5.** Aiguiser (une lame). ⚮ Mil. XII^e s. ; ☞ *passer* + *re-* ; [ʀ(ə)pɑse].

**REPASSEUR, EUSE,** subst.
**1.** Artisan, ouvrier qui aiguise des lames (synon. *rémouleur*). **2.** Personne dont le métier est de repasser du linge. **Fém.** Machine équipée de cylindres chauffés qui repassent le linge. ⚮ 1753 ; ☞ *repasser* ; [ʀ(ə)pɑsœʀ, øz].

**REPAVAGE,** subst. m.
Action de repaver. ⚮ 1632 ; ☞ *repaver* ; [ʀ(ə)pavaʒ].

**REPAVER,** verbe trans. [3]
Paver de nouveau. ⚮ 1329 ; ☞ *paver* + *re-* ; [ʀ(ə)pave].

**REPÊCHAGE,** subst. m.
**1.** Action de repêcher : ***Repêchage*** *d'une épave.* **2.** Fig. et Fam. Épreuve supplémentaire que l'on fait passer à un candidat en principe éliminé, à qui l'on donne une nouvelle chance ; l'admission définitive qui en résulte. ⚮ 1844 ; ☞ *repêcher* ; [ʀ(ə)pɛʃaʒ].

**REPÊCHER,** verbe trans. [3]
**1.** Pêcher de nouveau (des poissons). **2.** Ramener hors de l'eau (ce qui y est tombé) : ***Repêcher*** *le corps d'un noyé.* **3.** Fig. ***Repêcher*** *un candidat* : lui accorder l'admission à un examen après une épreuve de repêchage (fam.). ⚮ 1372 ; ☞ *pêcher* (II) + *re-* ; [ʀ(ə)peʃe].

**REPEINDRE,** verbe trans. [53]
Refaire la peinture de (une surface, un objet, etc.). ⚮ 1290 ; ☞ *peindre* + *re-* ; [ʀ(ə)pɛ̃dʀ].

**REPEINT,** subst. m.
*B.-a.* Partie d'un tableau repeinte ou restaurée. ⚮ 1803 ; p. p. de *repeindre* ; [ʀəpɛ̃].

**REPENSER,** verbe trans. [3]
**Trans. indir.** Repenser à. Penser de nouveau à (qqn, qqch.) : ***Repenser*** *à un absent, à un problème.* **Trans. dir.** Reconsidérer, envisager d'un autre point de vue : ***Repenser*** *la conception d'un projet.* ⚮ Fin XII^e s. ; ☞ *penser* + *re-* ; [ʀ(ə)pɑ̃se].

**REPENTANT, ANTE,** adj.
Qui se repent. ⚮ Fin XII^e s. ; p. pr. de *se repentir* ; [ʀ(ə)pɑ̃tɑ̃, ɑ̃t].

**REPENTI, IE,** adj. et subst.
Se dit d'une personne qui s'est repentie. **Subst.** Membre d'une organisation secrète, en partic. terroriste ou mafieuse, qui accepte de collaborer avec la justice pour obtenir une remise de peine. ⚮ 1280 ; p. p. de *se repentir* ; [ʀ(ə)pɑ̃ti].

**REPENTIR (SE),** verbe pronom. [23]
**1.** Se repentir de. Regretter vivement : ***Se repentir*** *de ses péchés.* **2.** Abs. Regretter les conséquences, les inconvénients de ses actions. ⚮ Fin XI^e s. ; bas lat. *repoenitere*, du lat. *poena*, « peine » ; [ʀ(ə)pɑ̃tiʀ].

**REPENTIR,** subst. m.
**1.** *Relig.* Regret sincère d'avoir péché, accompagné du désir de s'amender. **2.** Ext. Regret d'une faute, d'une faiblesse, d'une action ou d'une omission. **3.** *B.-a.* Correction apportée à une œuvre en cours d'exécution. ⚮ Mil. XII^e s. ; ☞ *se repentir* ; [ʀ(ə)pɑ̃tiʀ].

**REPÉRABLE,** adj.
Qui peut être repéré : *Objectif* ***repérable.*** ⚮ 1923 ; ☞ *repérer* ; [ʀ(ə)peʀabl].

**REPÉRAGE,** subst. m.
**1.** Action de repérer. **2.** Choix et examen des lieux sur lesquels aura lieu le tournage d'un film, d'un reportage, etc. **3.** *Impr.* Action de faire coïncider les repères portés sur les films dont la superposition permettra d'obtenir un document en couleurs. ⚮ 1845 ; ☞ *repérer* ; [ʀ(ə)peʀaʒ].

**REPERCER,** verbe trans. [7]
Percer de nouveau : ***Repercer*** *un trou pour l'agrandir.* ⚮ 1549 ; ☞ *percer* + *re-* ; [ʀ(ə)pɛʀse].

**RÉPERCUSSION,** subst. f.
**1.** Fait d'être répercuté, renvoyé : ***Répercussion*** *d'un son.* **2.** Fig. Retombée, contrecoup : *Évènement aux* ***répercussions*** *imprévisibles.* ⚮ Déb. XIV^e s. ; lat. *repercussum*, de *repercutere*, « repousser » ; [ʀepɛʀkysjɔ̃].

**RÉPERCUTER,** verbe trans. [3]
**1.** Réfléchir (la lumière) ; renvoyer (un son). **2.** Fig. Transmettre : ***Répercuter*** *une nouvelle.* **3.** *Écon.* Transférer (une charge) sur qqn ou sur qqch. : ***Répercuter*** *une hausse de prix sur certains produits.* **Pronom. 1.** Être renvoyé, se réfléchir. **2.** Fig. Avoir des conséquences directes (sur). ⚮ Fin XIV^e s. ; lat. *repercutere*, « repousser » ; [ʀepɛʀkyte].

**REPERDRE,** verbe trans. [51]
**1.** Perdre de nouveau. **2.** Perdre (ce que l'on vient de gagner). ⚮ Mil. XII^e s. ; ☞ *perdre* + *re-* ; [ʀ(ə)pɛʀdʀ].

**REPÈRE,** subst. m.
**1.** Marque ou objet servant à reconnaître une position, à se situer dans l'espace ou dans le temps, à diriger un mouvement ou à ajuster plusieurs choses ensemble : *Prendre ses* ***repères*** ; *Un point de* ***repère.*** **2.** Fig. Référence, connaissance ou valeur servant à organiser la réalité autour de soi : *Génération qui a perdu ses* ***repères*** ; *Manquer de* ***repères.*** **3.** *Géom.* Ensemble d'éléments d'un espace permettant d'y définir un système de coordonnées : ***Repère*** *affine, cartésien, orthonormé.* **4.** *Phys.* Ensemble de trois axes dans un espace à trois dimensions, munis d'origines, permettant de déterminer la position d'un point par la donnée de trois nombres (ses coordonnées). ⚮ 1676 ; anc. fr. *repaire*, « retour au pays », du lat. *reperire*, « retrouver » ; [ʀ(ə)pɛʀ].

**REPÉRER,** verbe trans. [8]
**1.** Marquer au moyen d'un repère ; empl. pronom., se situer grâce à des points de repère. **2.** Déterminer la position de (qqch.) dans l'espace, dans le temps : ***Repérer*** *l'ennemi.* **3.** Fam. Distinguer, reconnaître (qqn, qqch.) dans un ensemble, au milieu des autres : *J'ai* ***repéré*** *le livre sur cette étagère.* ▸ *Se faire* ***repérer*** : se faire surprendre alors que l'on essaie de se cacher. ⚮ 1676 ; ☞ *repère* ; [ʀ(ə)peʀe].

**RÉPERTOIRE,** subst. m.
**1.** Liste, énumération dans laquelle les matières sont classées de manière à être retrouvées facilement. ▸ Support de ces informations : *Un* ***répertoire*** *d'adresses.* ▸ Ext. Recueil méthodique : ***Répertoire*** *des métiers* ; ***Répertoire*** *civil.* **2.** Ensemble des œuvres chorégraphiques, théâtrales ou musicales constituant le fonds d'une troupe de ballet, de théâtre ou d'un orchestre et reprises régulièrement ; par ext., œuvres appartenant à une même catégorie : ***Répertoire*** *classique.* **3.** Ensemble des numéros, des rôles qu'un artiste a l'habitude d'interpréter ; par anal. : *Il a un fameux* ***répertoire*** *d'insultes.* ⚮ Fin XIV^e s. ; lat. jur. *repertorium*, « inventaire », du lat. *reperire* « retrouver » ; [ʀepɛʀtwaʀ].

**RÉPERTORIER,** verbe trans. [6]
**1.** Noter dans un répertoire. **2.** Dresser le répertoire de (un ensemble d'éléments). ⚮ 1906 ; ☞ *répertoire* ; [ʀepɛʀtɔʀje].

**RÉPÉTER,** verbe trans. [8]
**1.** Redire (ce que l'on a dit ou ce qu'un autre a dit) : *Ne* ***répète*** *jamais cela !* ; empl. pronom., redire les mêmes choses inutilement. **2.** Refaire, recommencer : *Il n'a pu* ***répéter*** *son exploit.* **3.** Reproduire à certains intervalles : ***Répéter*** *un motif, un ornement* ; empl. pronom. : *Une erreur qui* ***se répète*** *à chaque page.* **4.** Redire, refaire pour s'exercer ou fixer dans la mémoire : ***Répéter*** *des exercices physiques* ; ***Répéter*** *un rôle.* **5.** *Dr.* Réclamer : ***Répéter*** *des dommages et intérêts.* ⚮ Déb. XIII^e s. ; lat. *repetere* ; [ʀepete].

**RÉPÉTEUR,** subst. m.
*Télécomm.* Organe permettant l'amplification d'un courant sur les lignes téléphoniques. ⚮ 1953 (fin XIV^e s., celui qui redemande) ; ☞ *répéter* ; [ʀepetœʀ].

**RÉPÉTITEUR, TRICE,** subst.
Personne chargée de faire répéter leurs leçons aux élèves (vieilli). **Masc.** Appareil qui reproduit les indications données par un autre appareil : ***Répétiteur*** *de signaux.* ⚮ 1671 ; lat. *repetitor* ; [ʀepetitœʀ, tʀis].

**RÉPÉTITIF, IVE,** adj.
Qui se répète avec monotonie : *Travail* ***répétitif*** ; *Style* ***répétitif.*** ⚮ V. 1960 ; ☞ *répétition* ; [ʀepetitif, iv].

**RÉPÉTITION,** subst. f.
**1.** Fait d'être répété, dit plusieurs fois : *Un discours plein de* ***répétitions.*** **2.** Fait de refaire un acte, un processus, un geste une ou plusieurs fois : ***Répétition*** *d'un succès, d'un refrain, d'un ordre, d'un effet.* ▸ *Arme à* ***répétition*** : qui tire plusieurs coups sans êt[re]

rechargée. **3.** Action de redire un texte pour le fixer dans la mémoire. ▸ Séance de mise au point d'un spectacle (ballet, concert, pièce) ou d'un plan à tourner. **4.** Leçon particulière donnée à un élève (vieilli). **5.** Helv. *Cours de **répétition*** : période militaire accomplie après l'école du soldat. **6.** *Dr. **Répétition** de l'indu* : demande de remboursement d'une somme payée par erreur. **7.** *Géom. **Répétition** d'ordre n d'une figure* : rotation d'un *n*-ième de tour laissant la figure globalement invariante. **8.** *Psychanal. Compulsion de **répétition*** : selon Freud, tendance du sujet à se replacer de façon inconsciente dans une situation où il répète un conflit pulsionnel ancien. 📖 Fin XIIIe s. ; lat. *repetitio* ; [ʀepetisjɔ̃].

**RÉPÉTITIVITÉ, subst. f.**
Caractère de ce qui est répétitif. 📖 V. 1970 ; ☞ *répétitif* ; [ʀepetitivite].

**REPEUPLEMENT, subst. m.**
Action, fait de repeupler ; son résultat. 📖 1559 ; ☞ *repeupler* ; [ʀəpœpləmɑ̃].

**REPEUPLER, verbe trans. [3]**
**1.** Peupler de nouveau (un lieu dépeuplé) : ***Repeupler** une région*. **2.** Regarnir d'animaux ou de végétaux (un lieu propre à leur reproduction) : ***Repeupler** une rivière*. 📖 Déb. XIIIe s. ; ☞ *peupler* + *re-* ; [ʀəpœple].

**REPIC, subst. m.**
*Jeux*. Au piquet, avantage de 60 points gagnés par le joueur qui en totalise 30 alors que son adversaire n'en a aucun. 📖 1621 ; ☞ *pic* (I) + *re-* ; [ʀəpik].

**REPIQUAGE, subst. m.**
Action de repiquer ; son résultat. 📖 1801 ; ☞ *repiquer* ; [ʀəpikaʒ].

**REPIQUE, subst. f.**
*Phot*. Suppression, au grattoir, au crayon ou au pinceau, des points noirs ou blancs qui apparaissent sur une photographie. 📖 XXe s. ; ☞ *repiquer* ; [ʀəpik].

**REPIQUER, verbe trans. [3]**
Trans. dir. **1.** Piquer de nouveau. **2.** *Agric*. Replanter (des jeunes pousses issues de semis) : ***Repiquer** des salades*. **3.** *Impr*. Imprimer (qqch.) sur un support déjà imprimé. **4.** *Phot*. Procéder à la repique de. **5.** Faire une copie de, reproduire (un enregistrement) : ***Repiquer** une cassette*. **6.** *Trav. publ. **Repiquer** une chaussée* : en remplacer les pavés défectueux. Trans. indir. ***Repiquer** à* : revenir à (pop.). 📖 Déb. XVIe s. ; ☞ *piquer* + *re-* ; [ʀəpike].

**RÉPIT, subst. m.**
**1.** *Dr*. Délai dont bénéficiaient autrefois les débiteurs de bonne foi (vx). **2.** Suspension momentanée d'une souffrance : *Maladie qui ne laisse aucun **répit***. **3.** Pause, relâche, repos : *Un moment de **répit***. **4.** Loc. *Sans **répit*** : sans cesse, sans relâche. 📖 1155 (1119, proverbe) ; lat. *respectus*, « égard ; délai » ; [ʀepi].

**REPLACEMENT, subst. m.**
Action de replacer ; son résultat. 📖 Fin XVIIIe s. ; ☞ *replacer* ; [ʀəplasmɑ̃].

**REPLACER, verbe trans. [4]**
**1.** Remettre (qqch.) à sa place : ***Replacer** un bibelot sur une commode* ; au fig. : ***Replacer** un écrivain dans son époque*. **2.** Donner à (qqn) une nouvelle place ou le remettre à celle qu'il occupait auparavant. 📖 1669 ; ☞ *placer* (I) + *re-* ; [ʀəplase].

**REPLANTER, verbe trans. [3]**
Planter de nouveau. 📖 1190 ; ☞ *planter* + *re-* ; [ʀəplɑ̃te].

**REPLAT, subst. m.**
*Géomorph*. Sur un versant, surface intermédiaire moins inclinée que le reste de la pente. 📖 Déb. XIVe s. ; ☞ *plat* + *re-* ; [ʀəpla].

**REPLÂTRAGE, subst. m.**
Action de replâtrer ; son résultat. 📖 1728 ; ☞ *replâtrer* ; [ʀəplɑtʀaʒ].

**REPLÂTRER, verbe trans. [3]**
**1.** Remettre une couche de plâtre sur : ***Replâtrer** (les murs de) sa cuisine*. **2.** Anal. Réparer sommairement. **3.** Fig. et Fam. Réconcilier en apparence : ***Replâtrer** un couple*. 📖 1399 ; ☞ *plâtrer* + *re-* ; [ʀəplɑtʀe].

**REPLET, ÈTE, adj.**
Qui est bien en chair ; grassouillet. 📖 Fin XIIe s. ; lat. *repletus*, de *replere*, « remplir » ; [ʀəplɛ, ɛt].

**RÉPLÉTION, subst. f.**
*Méd*. État d'un organe rempli de liquide, de solide ou de gaz : ***Réplétion** vésicale*. 📖 Mil. XIIIe s. ; bas lat. *repletio*, du lat. *replere*, « remplir » ; [ʀeplesjɔ̃].

**REPLEUVOIR, verbe impers. [44]**
Pleuvoir de nouveau. 📖 1549 ; ☞ *pleuvoir* + *re-* ; [ʀəplœvwaʀ].

**REPLI, subst. m.**
I. **1.** Bord d'une matière souple plié une ou deux fois : *Le **repli** d'un pantalon*. **2.** Anal. Pli, sinuosité, méandre : *Les **replis** d'un terrain, de l'Amazone*. ▸ *Anat. **Repli** adipeux*. **3.** Fig. Ce qui est le plus intime : *Les **replis** de l'âme*. II. **1.** Action de se replier, retrait, régression ; son résultat : ***Repli** stratégique* ; ***Repli** des valeurs à la Bourse*. **2.** *Psychol. **Repli** sur soi* : attitude consistant à se couper du monde pour s'enfermer dans ses pensées. 📖 1532 ; *reployer* (vx), « replier » ; [ʀəpli].

**REPLIABLE, adj.**
Qui peut être replié. 📖 1842 ; ☞ *replier* ; [ʀəpliabl].

**RÉPLICATION, subst. f.**
*Biochim*. et *Génét*. Mécanisme par lequel le matériel génétique se duplique. 📖 Mil. XXe s. ; angl. *replication* ; [ʀeplikasjɔ̃].

**REPLIEMENT, subst. m.**
Action de replier ; action de se replier sur soi. 📖 1572 ; ☞ *replier* ; [ʀəplimɑ̃].

**REPLIER, verbe trans. [6]**
**1.** Plier plusieurs fois (une feuille, une étoffe, etc.). **2.** Refermer, ranger (ce que l'on avait déplié) : ***Replier** une tente*. Pronom. **1.** *Milit*. Retirer ses troupes : *Se **replier** en bon ordre*. **2.** Fig. *Se **replier** sur soi-même* : s'isoler des influences extérieures, rentrer en soi-même. 📖 1213 ; ☞ *plier* + *re-* ; [ʀəplije].

**RÉPLIQUE, subst. f.**
I. **1.** Repartie vive, objection que l'on oppose à un interlocuteur : *Obéir sans **réplique*** ; *Avoir la **réplique** facile*. **2.** *Cin*. et *Théâtre*. Partie du dialogue dite par un acteur : *Donner la **réplique***. II. **1.** Copie, reproduction à l'identique : ***Réplique** d'un tableau, d'un monument* ; par ext., en parlant de qqn : *C'est la **réplique** exacte de son père*. **2.** *Géol*. Secousse secondaire, d'intensité variable, succédant à un tremblement de terre. 📖 Fin XVe s. (1306, explication, action de répondre) ; ☞ *répliquer* ; [ʀeplik].

**RÉPLIQUER, verbe trans. [3]**
Répondre par une réplique, objecter : *Il n'y a rien à **répliquer** à cela* ; *C'est faux, **répliqua**-t-il sèchement* ; empl. abs., riposter par une action (à une attaque). 📖 XIIIe s. ; lat. *replicare* ; [ʀeplike].

**REPLOIEMENT, subst. m.**
Littér. Repliement ; au fig., retour sur soi-même. 📖 1190 ; *reployer* (vx), « replier » ; [ʀəplwamɑ̃].

**REPLONGER, verbe [5]**
Trans. Plonger de nouveau (qqn ou qqch.) ; empl. pronom. : *Se **replonger** dans son travail*. Intrans. Plonger de nouveau ; au fig. : *Il a **replongé***, il a rechuté, il a récidivé (fam.). 📖 1302 (déb. XIIIe s., se renfoncer à la hâte) ; ☞ *plonger* + *re-* ; [ʀəplɔ̃ʒe].

**REPOLIR, verbe trans. [19]**
Polir de nouveau. 📖 1389 ; ☞ *polir* + *re-* ; [ʀəpɔliʀ].

**RÉPONDANT, ANTE, subst.**
**1.** Vx. Celui qui soutient une thèse ; personne qui répond la messe. **2.** Personne qui se porte caution pour une autre, garant financier. Masc. Ext. *Avoir du **répondant*** : être solvable ; avoir le sens de la repartie (fam.). 📖 1255 ; p. pr. de *répondre* ; [ʀepɔ̃dɑ̃, ɑ̃t].

**RÉPONDEUR, EUSE, adj. et subst. m.**
Adj. Se dit d'une personne qui répond, qui réplique. Subst. Dispositif téléphonique émettant automatiquement un message préenregistré destiné aux correspondants et leur permettant, le plus souvent, de laisser un message : ***Répondeur** interrogeable à distance*. 📖 1855 (1176, personne qui donne une réponse) ; ☞ *répondre* ; [ʀepɔ̃dœʀ, øz].

**RÉPONDRE, verbe trans. [51]**
Trans. dir. Énoncer (ce qu'on a à dire) en retour à une question, à une observation, à une objection : *Que **répondez**-vous à cela ?* ; empl. abs. : ***Répondre** aimablement*. ▸ *Liturg. **Répondre** la messe* : dire les répons. Trans. indir. **1. Répondre à.** ▸ Adresser (oralement, par écrit, par gestes) une réponse à : ***Répondre** par retour du courrier à qqn* ; ***Répondre** aux questions du jury* ; *Il me **répondit** par un sourire*. ▸ Répliquer à, réfuter : ***Répondre** à des critiques, à des attaques*. ▸ Adopter en réponse un comportement similaire à : ***Répondre** aux avances de qqn* ; *Ne pas **répondre** à une provocation*. ▸ Être conforme à, satisfaire à : *Émission qui **répond** aux attentes d'un large public* ; *Installation **répondant** aux normes de sécurité*. ▸ Réagir à (une sollicitation, un stimulus) ; empl. abs. : *Commandes qui ne **répondent** plus*. ▸ Correspondre symétriquement à ; empl. pronom., se correspondre : *Les couleurs, les parfums et les sons se **répondent*** (Baudelaire). **2. Répondre de.** Assumer la responsabilité de (qqch.) : ***Répondre** des dettes de qqn* ; se porter garant de (qqn) : *Je **réponds** de lui* ; *Je ne **réponds** plus de rien*, je refuse d'assumer une quelconque responsabilité dans ce qui se passe. 📖 Fin Xe s. ; bas lat. *respondere* ; [ʀepɔ̃dʀ].

**RÉPONS, subst. m.**
*Liturg*. Refrain repris par le chœur sur des paroles empruntées aux Écritures, en alternance avec les versets chantés par un soliste. 📖 Fin XIIe s. (fin XIe s., réponse) ; lat. *responsum* ; [ʀepɔ̃].

**RÉPONSE, subst. f.**
**1.** Parole, écrit ou geste adressé en retour à une demande, à une question : *Faire une **réponse** évasive* ; *Obtenir un haussement d'épaules pour toute **réponse*** ; *Faire une **réponse** de trois pages*. ▸ Loc. *Avoir **réponse** à tout* : faire preuve d'esprit de repartie, faire face à toutes les situations ; ***Réponse** de Normand* : ambiguë. **2.** Réaction à une sollicitation : *Temps de **réponse***, temps nécessaire à une machine pour exécuter un ordre. ▸ *Physiol*. Réaction d'un organisme à un stimulus : ***Réponse** réflexe, musculaire*. **3.** Solution apportée à une question par le raisonnement. **4.** *Droit de **réponse*** : droit, pour toute personne mise en cause dans une publication, d'exiger l'insertion de sa **réponse** au même emplacement et à titre gracieux. 📖 Fin XIe s. ; ☞ *répons* ; [ʀepɔ̃s].

**REPOPULATION, subst. f.**
Augmentation d'une population après un déficit de peuplement. 📖 1424 ; ☞ *population* + *re-* ; [ʀəpɔpylasjɔ̃].

**REPORT, subst. m.**
**1.** *Fin*. Opération de Bourse consistant à acheter des titres au comptant pour les reprendre immédiatement à terme ; bénéfice ainsi réalisé par le reporteur. **2.** Action de reporter qqch., à sa place initiale ou ailleurs. ▸ *Comptab*. Chiffre reporté sur la colonne suivante ou sur un autre compte ; cette opération. ▸ ***Report** à nouveau* : reliquat d'un résultat reporté au bilan de l'année suivante. ▸ *Impr*. Transport d'un dessin sur un autre support : ***Report** photographique*, technique consistant à imprimer une photographie sur une toile. ▸ *Jeux*. Pari où l'on reporte la somme gagnée sur un autre numéro. **3.** Action de reporter qqch. à une date ultérieure (synon. *ajournement*) : ***Report** d'une réunion* ; ***Report** d'incorporation*, octroi d'un sursis pour le service national. **4.** *Bourse*. Intérêt payé sur le montant d'une opération à terme prorogée après la date de liquidation ; cette prorogation elle-même. **5.** *Pol. **Report** des voix* : répartition des suffrages obtenus par un candidat éliminé au premier tour du scrutin sur l'un des candidats du second tour. 📖 1826 ; ☞ *reporter* (I) ; [ʀəpɔʀ].

**REPORTAGE, subst. m.**
**1.** Métier de reporter. **2.** Enquête, investigation visant à recueillir les informations de première main qui seront présentées dans un article de presse, une émission radio ou télévisée. 📖 1865 ; ☞ *reporter* (II) ; [ʀəpɔʀtaʒ].

**REPORTER (I), verbe trans. [3]**
**1.** Transporter (une chose) à l'endroit où elle se trouvait auparavant. **2.** Transférer sur un autre support : ***Reporter** un dessin sur un calque*. **3.** Transférer (qqch.) sur un objet autre que celui initialement prévu : ***Reporter** ses sentiments sur qqn d'autre* ; ***Reporter** ses voix*. **4.** Remettre à plus tard (synon. *ajourner, différer*) : ***Reporter** sa décision*. **5.** Fig. Transporter (qqn) en imagination à une période antérieure : *Ce paysage me **reporte** vingt ans en arrière*. Pronom. **Se reporter à.** ▸ Se référer à : ***Reportez**-vous à la notice*. ▸ Se transporter par la pensée : *Se **reporter** aux jours heureux de l'enfance*. 📖 Mil. XIe s. ; ☞ *porter* (I) + *re-* ; [ʀəpɔʀte].

**REPORTER (II), subst. m.**
Journaliste qui est spécialisé dans le reportage : *Grand **reporter*** ; ***Reporter**-photographe* ; ***Reporter**-cameraman*. 📖 1828 ; angl. *reporter*, « journaliste », de l'anc. fr. *reporteur*, « rapporteur » ; recomm. off. *reporteur* ; [ʀəpɔʀtɛʀ] ou [-tœʀ].

**REPORTEUR, TRICE, subst.**
**1.** *Fin*. Personne qui achète au comptant des titres et les revend à terme. **2.** *Impr*. Professionnel qui reporte les dessins : ***Reporteur** lithographe*. **3.** *Télév. **Reporteur**, **reportrice** d'images* : reporter-cameraman. 📖 1855 (XVe s., mouchard) ; ☞ *reporter* (I) ; [ʀəpɔʀtœʀ, tʀis].

**REPOS, subst. m.**
**1.** Fait de se reposer, de s'accorder une détente dans une activité fatigante ; temps que l'on y consacre :

*Avoir besoin de* ***repos*** ; *Prendre un peu de* ***repos*** ; *Maison de* ***repos*** ; *Aire de* ***repos*** *d'une autoroute.* ► Période règlementaire ou légale de cessation du travail : ***Repos*** *hebdomadaire*, congé légal dû à tout salarié. ► *Milit.* Position règlementaire, pieds légèrement écartés, mains croisées derrière le dos. **2.** État d'immobilité, absence de mouvement : *Muscle au* ***repos.*** ► *Phys.* État d'un système qui n'évolue pas au cours du temps. **3.** État de quiétude, sérénité : *Ne pas arriver à trouver le* ***repos*** ; *Situation, activité de tout* ***repos***, sans risques, tranquille. ► *Relig.* Béatitude, félicité éternelle : *Prier pour le* ***repos*** *de l'âme de qqn.* **4.** Large marche d'un escalier entre deux paliers. **5.** *Mus.* Pause dans le discours musical, consistant souvent en une cadence à la dominante. **6.** *Versif.* Césure dans un vers. Mil. XII^e s. (déb. XII^e s., absence de troubles, en parlant d'un pays) ; ☞ *reposer* (I) ; [ʀəpo].

**REPOSANT, ANTE, adj.**
Qui repose. 1551 ; p. pr. de *reposer* (I) ; [ʀəpozɑ̃, ɑ̃t].

**REPOSE, subst. f.**
*Techn.* Action de remettre en place un appareil, un dispositif. Fin XIV^e s. ; ☞ *reposer* (II) ; [ʀəpoz].

**REPOSÉ, ÉE, adj.**
Qui a pris du repos, qui n'est plus fatigué : *Visage* ***reposé*** ; au fig., tranquille, serein. ► Loc. *À tête* ***reposée*** : en prenant le temps de la réflexion. Mil. XII^e s. ; p. p. de *reposer* (I) ; [ʀəpoze].

**REPOSÉE, subst. f.**
*Vén.* Lieu tranquille où les cerfs, les sangliers se retirent le jour pour se reposer. 1376 (mil. XII^e s., halte, repos) ; p. p. de *reposer* (I) ; [ʀəpoze].

**REPOSE-PIED(S), subst. m.**
**1.** Sur une motocyclette, appui fixé au cadre et sur lequel on peut poser le pied. **2.** Support destiné à poser les pieds, sous un fauteuil, sous un bureau. 1896 ; comp. de *reposer* (I) et de *pied* ; plur. *repose-pieds* ; [ʀəpozpje].

**REPOSER (I), verbe [3]**
**Intrans. 1.** Être étendu, en parlant d'un mort ; être enterré : *Balzac* ***repose*** *au Père-Lachaise* ; *Ici* ***repose***, ci-gît. **2.** Être étendu, au repos (littér.) : ***Reposer*** *sous un arbre.* **3.** Ext. **Reposer sur.** S'appuyer sur : *Voûte qui* ***repose*** *sur des piliers.* ► Fig. Être fondé sur : *Théorie* ***reposant*** *sur un postulat.* **4.** *Laisser* ***reposer*** *(un liquide)* : le laisser immobile pour qu'il décante. ► *Agric. Laisser* ***reposer*** *(une terre)* : la mettre en jachère. ► *Cuis. Laisser* ***reposer*** *la pâte* : cesser de la travailler. **Trans. 1.** Placer (une partie du corps) dans une position de détente : ***Reposer*** *sa tête dans ses mains.* **2.** Délasser : ***Reposer*** *son esprit, ses yeux* ; *La campagne me* ***repose***. **Pronom. 1.** Prendre du repos ; se délasser, se détendre : *Partir se* ***reposer*** *un mois* ; ***Repose-toi*** *un peu !* ► Loc. *Se* ***reposer*** *sur ses lauriers* : se satisfaire d'un premier succès, sans chercher à le renouveler. **2.** *Se* ***reposer*** *sur qqn* : compter sur lui, s'en remettre à lui (parfois péj.). Fin X^e s. ; bas lat. *repausare*, « apaiser ; se délasser » ; [ʀəpoze].

**REPOSER (II), verbe trans. [3]**
**1.** Remettre en place, à sa place. **2.** Fig. Poser de nouveau : ***Reposer*** *la même question.* 1831 ; ☞ *poser* + *re-* ; [ʀəpoze].

**REPOSE-TÊTE, subst. m. inv.**
Appuie-tête. V. 1960 ; comp. de *reposer* (I) et de *tête* ; [ʀəpoztɛt].

**REPOSITIONNER, verbe trans. [3]**
Remettre en (bonne) position. V. 1990 ; ☞ *positionner* + *re-* ; [ʀəpozisjɔne].

**REPOSOIR, subst. m.**
*Liturg.* Autel destiné à accueillir le saint sacrement au cours d'une procession : ***Reposoir*** *de la Fête-Dieu.* ► Table disposée au chevet d'une personne malade qui reçoit les sacrements. 1680 (1373, lieu de repos) ; ☞ *reposer* (I) ; [ʀəpozwaʀ].

**REPOUSSAGE, subst. m.**
*Techn.* Façonnage à froid d'un métal, d'un cuir, pour obtenir un relief. 1866 ; ☞ *repousser* ; [ʀəpusaʒ].

**REPOUSSANT, ANTE, adj.**
Qui inspire de l'aversion, du dégoût. 1788 (1611, peu accueillant) ; p. pr. de *repousser* ; [ʀəpusɑ̃, ɑ̃t].

**REPOUSSE, subst. f.**
Fait de repousser : ***Repousse*** *du gazon, des cheveux.* 1790 ; ☞ *repousser* ; [ʀəpus].

**REPOUSSÉ, ÉE, adj. et subst. m.**
*Techn.* **Adj.** Se dit d'un cuir ou d'un métal façonné par repoussage. **Subst.** Objet fabriqué par repoussage. 1875 ; p. p. de *repousser* ; [ʀəpuse].

**REPOUSSER, verbe [3]**
**Trans. 1.** Faire reculer : ***Repousser*** *l'ennemi, les assaillants.* ► Fig. Éconduire : ***Repousser*** *un prétendant.* **2.** Éloigner de soi (qqch.) : ***Repousser*** *la table, ses couvertures.* ► Fig. Rejeter, écarter : ***Repousser*** *une tentation* ; ***Repousser*** *une offre, une invitation.* **3.** Remettre (qqch.) à plus tard, différer (empl. critiqué) : ***Repousser*** *un rendez-vous.* **4.** *Techn.* Façonner (le cuir, le métal) par repoussage. **Intrans.** Pousser, croître de nouveau. Fin XIV^e s. ; ☞ *pousser* + *re-* ; [ʀəpuse].

**REPOUSSOIR, subst. m.**
**1.** *Techn.* Outil métallique utilisé pour enlever des clous, des chevilles. ► Ciselet utilisé dans le repoussage. **2.** *B.-a.* Élément d'un tableau placé au premier plan afin de créer un effet de perspective. ► Fig. Personne ou chose qui en valorise une autre par contraste : *Servir de* ***repoussoir.*** 1549 (1429, refouloir) ; ☞ *repousser* ; [ʀəpuswaʀ].

**RÉPRÉHENSIBLE, adj.**
Qui mérite d'être blâmé. Fin XIII^e s. ; lat. *reprehensibilis* ; [ʀepʀeɑ̃sibl].

**REPRENDRE, verbe [52]**
**Trans. 1.** Récupérer ; prendre de nouveau : ***Reprendre*** *un livre prêté à un ami* ; ***Reprendrez****-vous du café ?* **2.** Saisir de nouveau : ***Reprendre*** *un prisonnier évadé.* ► *On ne m'y* ***reprendra*** *plus* : je ne me laisserai plus prendre, abuser. **3.** Occuper de nouveau (une position perdue) : ***Reprendre*** *une ville tenue par l'ennemi* ; ***Reprendre*** *le dessus, l'avantage sur qqn* ; recouvrer : ***Reprendre*** *ses esprits, son souffle* ; ***Reprendre*** *confiance en soi* ; ***Reprendre*** *des forces, goût à la vie.* **4.** Revenir à, poursuivre (une activité interrompue) : ***Reprendre*** *sa lecture, son travail* ; ***Reprendre*** *des études* ; ***Reprendre*** *la parole* ; par ext. : ***Reprendre*** *sa route, la mer.* **5.** Faire sien, poursuivre (qqch. qui existait au préalable) : ***Reprendre*** *une idée à son compte* ; ***Reprendre*** *la politique de son prédécesseur* ; ***Reprendre*** *un refrain en chœur.* **6.** Rejouer (un spectacle). **7.** Retoucher, corriger (un ouvrage) : ***Reprendre*** *un texte, un tableau.* ► ***Reprendre*** *un vêtement* : l'ajuster. **8.** Signaler à (qqn) l'erreur, la faute qu'il vient de commettre, en la corrigeant : ***Reprendre*** *une personne sur sa conduite, son langage.* **Intrans. 1.** Recommencer sa croissance, en parlant d'un végétal : *Les boutures* ***ont bien repris.*** **2.** Recommencer : *La fusillade* ***reprit*** *de plus belle.* ► Retrouver son essor : *Les affaires* ***reprennent.*** **Pronom. 1.** Abs. Se ressaisir. **2.** *S'y* ***reprendre*** *à deux, à plusieurs fois* : recommencer deux, plusieurs fois. **3. Se reprendre à.** Se remettre à : *Elle se* ***reprit*** *à rire.* Mil. XII^e s. (1119, corriger) ; lat. *reprendere*, de *reprehendere*, « saisir » ; [ʀəpʀɑ̃dʀ].

**REPRENEUR, EUSE, subst.**
*Écon.* Personne ou entreprise qui reprend une entreprise en difficulté ; empl. adj. : *Entreprise* ***repreneuse.*** V. 1980 ; ☞ *reprendre* ; [ʀəpʀənœʀ, øz].

**REPRÉSAILLES, subst. f. plur.**
Mesure violente adoptée par un État à l'égard d'un autre pour répondre à une agression ; par anal., acte de vengeance exercé contre qqn, contre un groupe. 1401 ; lat. médiév. *represalie*, du lat. *reprendere*, « reprendre » ; [ʀəpʀezaj].

**REPRÉSENTANT, ANTE, subst.**
**1.** Personne qui représente une autre personne ou un groupe : *Gustave Moreau,* ***représentant*** *du symbolisme pictural.* ► ***Représentant*** *syndical* : délégué d'un syndicat au comité d'entreprise ; ***Représentant*** *du personnel* : délégué du personnel ou membre du comité d'entreprise ; ***Représentant*** *du peuple* : membre élu d'une assemblée législative. **2.** ***Représentant*** *(de commerce)* : vendeur chargé par une entreprise commerciale de prospecter des clients et de prendre les commandes. **3.** *Math.* Tout élément d'une classe d'équivalence. 1599 ; ☞ *représenter* (I) ; [ʀəpʀezɑ̃tɑ̃, ɑ̃t].

**REPRÉSENTATIF, IVE, adj.**
**1.** Qui s'exprime ou agit au nom d'une collectivité : *Un syndicat* ***représentatif*** *du personnel de l'usine.* ► *Pol. Régime, gouvernement* ***représentatif*** : qui repose sur la souveraineté nationale, principe selon lequel le peuple gouverne par l'intermédiaire des représentants qu'il élit. **2.** Qui a valeur de modèle ; typique : *Un écrivain* ***représentatif*** *d'une génération, d'une école.* ► *Stat. Échantillon* ***représentatif*** (☞ *échantillon*). 1718 (déb. XIV^e s., qui donne une représentation de qqch.) ; lat. *repraesentatum*, de *repraesentare*, « représenter » ; [ʀəpʀezɑ̃tatif, iv].

**REPRÉSENTATION, subst. f.**
**I. 1.** Vieilli ou *Dr.* Présentation : ***Représentatio[n]*** *d'acte.* **2.** Action de dépeindre, de figurer qqch sous l'aspect d'une image ou au moyen de signe[s] conventionnels ; résultat de cette action : *U[n]* ***représentation*** *peinte, sculptée* ; *Une* ***représentatio[n]*** *idéalisée de Napoléon.* **3.** Fait de se représenter qqc[h] en esprit ; idée, image mentale qui en résulte : *[L]* ***représentation*** *d'un souhait est « co ipso » la* ***repré[sentation]*** *de sa réalisation* (Wittgenstein). **4.** Actio[n] de jouer en public un spectacle, en partic. u[n] pièce de théâtre ; le spectacle lui-même : *Assist[er] à une* ***représentation*** *d'« Andromaque ».* ► Loc. *Êt[re] en* ***représentation*** : jouer un rôle, se faire valoi[r]. **5.** *Math.* ***Représentation*** *graphique d'une fonction (*... *ℝ dans ℝ)* : schéma de son graphe dans un systèm[e] de coordonnées. **II. 1.** *Dr.* Fait de tenir la place [de] qqn, de parler en son nom : ***Représentation*** *[en] justice.* **2.** Action de représenter une collectivité ; l[es] membres, gén. élus, qui en sont chargés : ***Représen[tation]*** *nationale* ; ***Représentation*** *proportionnell[e].* ► ***Représentation*** *diplomatique* : action de représente[r] un pays à l'étranger ; les services (ambassad[e], consulat) intéressés. **3.** Activité de représentant [de] commerce. **Plur.** Observations, remontrances (vx) *Faire des* ***représentations*** *à qqn.* ► *Diplom.* Protesta[tions] adressées par un gouvernement à un autr[e]. Mil. XIII^e s. ; lat. *repraesentatio* ; [ʀəpʀezɑ̃tasjɔ̃].

**REPRÉSENTATIVITÉ, subst. f.**
**1.** Caractère significatif de qqch. : ***Représentativi[té]*** *d'un échantillon dans une enquête d'opinion.* **2.** Qua[lité] reconnue d'une personne, d'un groupe [à] s'exprimer, à agir au nom d'une collectivité : *L[a]* ***représentativité*** *d'un syndicat.* 1864 ; ☞ *représe[ntatif]* ; [ʀəpʀezɑ̃tativite].

**REPRÉSENTER (I), verbe trans. [3]**
**I. 1.** Vieilli ou *Dr.* Montrer, présenter : ***Représent[er]*** *une pièce à conviction.* **2.** Matérialiser concrètemen[t] ou symboliquement (une chose abstraite) : *O[n]* ***représente*** *les sons par des notes* ; *On* ***représente*** *[la] Mort par un squelette tenant une faux.* **3.** Figurer pa[r] le moyen des arts plastiques : *Ce tableau* ***représen[te]*** *une scène champêtre.* **4.** Décrire par le langage : *C[e] roman* ***représente*** *le milieu de la presse.* **5.** Jouer (u[n] spectacle) devant un public. **6.** Constituer : *Descen[dre] à cet hôtel* ***représente*** *pour lui le luxe suprême* ; *Découverte qui* ***représente*** *un bond en avant dans [la] recherche.* ► Équivaloir à : *Ouvrage qui* ***représente*** *d[es] ans de travail* ; *Biens immobiliers* ***représentant*** *u[ne] immense fortune.* **II. 1.** Être le représentant de (qq[n], d')un groupe) afin d'agir en son nom : *Il s'est fa[it]* ***représenter*** *par son secrétaire* ; ***Représenter*** *qqn e[n] justice* ; *Ce pays n'est pas* ***représenté*** *à l'O. N. U.* **2.** Être le représentant de (une entreprise comme[r]ciale) : ***Représenter*** *une grande marque.* **Pronom.** S[e] figurer, s'imaginer : *Il avait peine à se* ***représent[er]*** *la vieillesse.* ► Évoquer, se rappeler : *Déjà, il n'arriva[it] plus à se* ***représenter*** *clairement son visage.* F[in] XII^e s. ; lat. *repraesentare* ; [ʀəpʀezɑ̃te].

**REPRÉSENTER (II), verbe trans. [3]**
Présenter de nouveau (rare). **Pronom.** *Se* ***représent[er]*** *à un examen, à une élection* : s'y présenter u[ne] nouvelle fois. Fin XIII^e s. ; ☞ *présenter* + *re-* ; [ʀəpʀezɑ̃te].

**RÉPRESSEUR, subst. m.**
*Biochim.* Protéine dont la synthèse dépend d'u[n] gène régulateur ayant pour fonction d'inhibe[r] l'expression d'autres gènes. V. 1970 ; lat. *repre[s]sus*, « réprimé », d'apr. *processeur* ; [ʀepʀɛsœʀ].

**RÉPRESSIF, IVE, adj.**
Qui vise à réprimer : *Mesures* ***répressives*** ; tr[ès] autoritaire : *Des parents* ***répressifs.*** 1795 (dé[b.] XIV^e s., qui résorbe, en parlant d'une enflure) ; lat. mé[d.] *repressivus*, de *repressus*, « réprimé » ; [ʀepʀesif, iv].

**RÉPRESSION, subst. f.**
**1.** Action de réprimer et, en partic., de recourir [à] la violence pour mater un soulèvement collectif ***Répression*** *d'une révolte, d'une grève.* **2.** *Psycho[l.]* Rejet, effectué de manière consciente et délibéré[e] d'un désir, d'un instinct : ***Répression*** *d'un accès d[e] colère.* ► *Psychanal.* Refoulement. 1802 (137[?], répression d'un sentiment) ; lat. *repressus*, « réprimé » d'apr. *oppression* ; [ʀepʀesjɔ̃].

**RÉPRIMANDE, subst. f.**
Reproche, remontrance adressée à un subordonn[é], à un enfant : *Adresser des* ***réprimandes.*** 1549 ; la[t.] *reprimenda culpa*, « faute qui doit être réprimée » [ʀepʀimɑ̃d].

**RÉPRIMANDER,** verbe trans. [3]
Faire des reproches, des réprimandes à. 1615 ; ☞ *réprimande* ; [ʀepʀimɑ̃de].

**RÉPRIMER,** verbe trans. [3]
**1.** Contenir (qqch.) : ***Réprimer** sa colère, son impatience* ; ***Réprimer** un bâillement.* **2.** Briser par la violence (un mouvement de révolte) : ***Réprimer** des émeutes* ; sévir contre : ***Réprimer** la fraude.* Fin XIIIe s. ; lat. *reprimere*, « faire reculer » ; [ʀepʀime].

**REPRINT,** subst. m.
*Impr.* Reproduction, en fac-similé, d'un ouvrage épuisé (anglic.). V. 1960 ; mot angl. ; [ʀəpʀint].

**REPRIS DE JUSTICE,** subst. m. inv.
Personne ayant déjà fait l'objet d'une condamnation pénale (synon. *récidiviste*). 1835 ; comp. de *reprendre* et de *justice* ; [ʀəpʀid(ə)ʒystis].

**REPRISAGE,** subst. m.
Action de repriser. 1868 ; ☞ *repriser* ; [ʀəpʀizaʒ].

**REPRISE,** subst. f.
**1.** Action de reprendre : ***Reprise** d'une ville à l'ennemi.* ▶ *Dr.* Opération par laquelle chacun des époux reprend ses biens propres à la dissolution de la communauté (gén. au plur.). ▶ Loc. ***Reprise** en main* : fait de reprendre le contrôle (de qqch.). **2.** Fait de reprendre une activité après une interruption : ***Reprise** des cours, des hostilités.* ▶ Fait de rejouer une pièce de théâtre, un film. ▶ *Mus.* Répétition d'une ou de plusieurs parties d'un morceau, prescrite par le compositeur. ▶ Loc. *À plusieurs **reprises*** : plusieurs fois. **3.** *Sp.* Round d'un combat de boxe. ▶ *Équit.* Séance de dressage, leçon d'équitation ; ensemble de cavaliers travaillant ensemble. **4.** Rachat par un commerçant d'un matériel usagé. ▶ Rachat d'une entreprise en difficulté. ▶ Somme d'argent demandée par un locataire à son successeur, en dédommagement de travaux effectués ou pour le rachat de mobilier. **5.** *Bât.* Réfection : ***Reprise** d'un mur, d'un pilier.* **6.** *Autom.* Passage d'un régime peu élevé du moteur à un régime supérieur : *Voiture qui a de bonnes **reprises**.* **7.** *Cout.* Raccommodage d'un vêtement troué. **8.** Fait de reprendre vie, vigueur, en parlant d'un végétal. ▶ Ext. Nouvel essor : ***Reprise** de l'activité économique.* 1213 ; p. p. de *reprendre* ; [ʀəpʀiz].

**REPRISER,** verbe trans. [3]
Faire une reprise à (un vêtement, un tissu). 1835 ; ☞ *reprise* ; [ʀəpʀize].

**RÉPROBATEUR, TRICE,** adj.
Qui condamne, réprouve : *Un air, un ton **réprobateur**.* 1788 ; lat. *reprobator* ; [ʀepʀɔbatœʀ, tʀis].

**RÉPROBATION,** subst. f.
**1.** *Théol.* Jugement divin par lequel un pécheur est réprouvé (synon. *damnation*). **2.** Ext. Vive désapprobation : *Une **réprobation** générale.* 1496 ; lat. eccl. *reprobatio*, de *reprobare*, « rejeter » ; [ʀepʀɔbasjɔ̃].

**REPROCHE,** subst. m.
Jugement défavorable, remontrance exprimée à l'encontre de qqn : *Accabler qqn de **reproches*** ; *Un air de **reproche**.* ▶ Ext. Critique (sans portée morale). Mil. XIIe s. ; ☞ *reprocher* ; [ʀəpʀɔʃ].

**REPROCHER,** verbe trans. [3]
**1.** Faire grief de (qqch.) à qqn : ***Reprocher** à qqn sa froideur.* **2.** Juger critiquable (tel caractère d'une chose) : ***Reprocher** sa fragilité à un appareil.* **Pronom. 1.** Se juger coupable de (qqch.), regretter : *Il se **reprochait** sa paresse.* **2.** S'adresser mutuellement (des reproches). Déb. XIIe s. ; lat. pop. °*repropiare*, « rapprocher ; objecter », de *prope*, « près » ; [ʀəpʀɔʃe].

**REPRODUCTEUR, TRICE,** adj. et subst.
**Adj.** *Biol.* Qui concerne, qui sert à la reproduction : *Organes **reproducteurs**.* **Subst.** Animal destiné à la reproduction. **Subst. masc.** *Techn.* Appareil servant à la reproduction d'images, de textes. 1762 ; ☞ *reproduire*, d'apr. *producteur* ; [ʀəpʀɔdyktœʀ, tʀis].

**REPRODUCTIBLE,** adj.
Qui peut être reproduit. 1798 ; ☞ *reproduire*, d'apr. *productible* ; [ʀəpʀɔdyktibl].

**REPRODUCTION,** subst. f.
**I.** Action de se reproduire ; fonction par laquelle les êtres vivants perpétuent leur espèce : *La **reproduction** animale, végétale* ; ***Reproduction** par insémination artificielle* ; ***Reproduction** par bouturage.* **II. 1.** Action de reproduire une création originale afin d'en obtenir des exemplaires multiples : *Procédés de **reproduction*** ; *Droits de **reproduction***, perçus par l'auteur ou le propriétaire d'une œuvre littéraire ou artistique pour sa diffusion. **2.** Méton. Copie ainsi obtenue ; en partic., copie d'une œuvre d'art. **III.** *Écon.* Concept marxiste désignant la reconstitution permanente des conditions et des rapports de production ; en partic., reconstitution du capital. 1690 ; ☞ *reproduire*, d'apr. *production* ; [ʀəpʀɔdyksjɔ̃].

**REPRODUIRE,** verbe trans. [69]
**I. 1.** Produire de nouveau (des individus) par génération (rare). **2.** Restituer le plus fidèlement possible (la réalité). **3.** Produire, copier (un original) en de nombreux exemplaires : ***Reproduire** un texte, un dessin.* **II. 1.** Répéter, recommencer : ***Reproduire** une expérience* ; ***Reproduire** les mêmes erreurs* ; empl. pronom. : *Phénomènes qui se **reproduisent** cycliquement.* **2.** Imiter (un son, un geste, le comportement de qqn). **Pronom. 1.** Engendrer des êtres vivants de son espèce. **2.** Se produire de nouveau, se répéter. 1539 ; ☞ *produire* + *re-* ; [ʀəpʀɔdɥiʀ].

**REPROGRAMMATION,** subst. f.
*Biol.* Réponse intervenant pendant le développement d'un organisme à la suite d'une modification de l'environnement d'un groupe de cellules. V. 1970 ; ☞ *reprogrammer* ; [ʀəpʀɔgʀamasjɔ̃].

**REPROGRAMMER,** verbe trans. [3]
Programmer de nouveau. V. 1970 ; ☞ *programmer* + *re-* ; [ʀəpʀɔgʀame].

**REPROGRAPHIE,** subst. f.
Ensemble des procédés permettant de reproduire des documents, écrits ou graphiques (photocopie, par ex.). V. 1960 ; angl. *reprography*, crois. de *reproduction* et de *photography* ; [ʀəpʀɔgʀafi].

**REPROGRAPHIER,** verbe trans. [6]
Reproduire (un document) par reprographie. V. 1970 ; ☞ *reprographie* ; [ʀəpʀɔgʀafje].

**RÉPROUVÉ, ÉE,** subst.
**1.** *Théol.* Personne rejetée par Dieu, damné. **2.** Anal. Paria : *Les **réprouvés** de la société.* Mil. XVIe s. ; p. p. de *réprouver* ; [ʀepʀuve].

**RÉPROUVER,** verbe trans. [3]
**1.** Condamner sévèrement, blâmer : ***Réprouver** qqch. au nom de la morale* ; par exagér., désapprouver. **2.** *Théol.* Vouer aux peines éternelles, damner. Déb. XIIe s. (fin XIe s., reprocher qqch. à qqn) ; lat. eccl. *reprobare*, de *probare*, « trouver bon » ; [ʀepʀuve].

**REPS,** subst. m.
Tissu d'ameublement à côtes perpendiculaires aux lisières. 1730 ; angl. *ribs*, « côtes » ; [ʀɛps].

**REPTATION,** subst. f.
Action de ramper. ▶ *Zool.* Mode de locomotion de certains animaux, notamment des serpents, qui progressent par ondulations et rétractions alternatives, en prenant appui sur les aspérités du sol. 1810 ; lat. *reptatio*, de *reptare*, « ramper » ; [ʀɛptasjɔ̃].

**REPTILES,** subst. m. plur.
*Zool.* Classe d'animaux poïkilothermes de l'embranchement des Chordés et du sous-embranchement des Vertébrés, souv. ovipares, caractérisés par la respiration pulmonaire dès l'éclosion et par le port d'écailles. **Au sing.** *La tortue est un **reptile**.* 1798 (1304, qui rampe) ; lat. *reptilis*, « rampant » ; [ʀɛptil].

**REPTILIEN, IENNE,** adj.
Relatif aux reptiles. 1874 ; ☞ *reptile* ; [ʀɛptiljɛ̃, jɛn].

**REPU, UE,** adj.
**1.** Qui a mangé à sa faim ; rassasié. **2.** Fig. Assouvi. 1549 ; p. p. de *repaître* ; [ʀəpy].

**RÉPUBLICAIN, AINE,** subst. et adj.
**Subst. 1.** Partisan de la république. **2.** *Zool.* Oiseau passériforme de la famille des Plocéidés, voisin du moineau, qui habite la savane sud-africaine, où il construit des nids collectifs. **Adj. 1.** Favorable à la république. ▶ *Parti **républicain*** : l'un des deux grands partis politiques américains, conservateur. **2.** Relatif à la, à une république ; de la République française : *Calendrier **républicain*** ; *Garde **républicaine**.* 1615 (1586, citoyen d'une république) ; ☞ *république* ; [ʀepyblikɛ̃, ɛn].

**RÉPUBLICANISME,** subst. m.
Opinion, doctrine des républicains (vieilli). 1750 ; ☞ *républicain* ; [ʀepyblikanism].

**RÉPUBLIQUE,** subst. f.
**1.** Système politique d'un État où le pouvoir n'est pas héréditaire et est partagé et confié à des représentants élus du peuple. **2.** État doté d'un tel système (gén. avec une majuscule) : *Les **républiques** de la Grèce antique* ; *La **République** française.* **3.** *La **république** des lettres* : les gens de lettres, considérés dans leur ensemble. 1549 (1520, État, quel qu'en soit le gouvernement) ; lat. *respublica* ; [ʀepyblik].

**RÉPUDIATION,** subst. f.
Action de répudier. 1342 ; lat. *repudiatio*, « refus » ; [ʀepydjasjɔ̃].

**RÉPUDIER,** verbe trans. [6]
**1.** Dans les législations antiques ou le droit musulman, renvoyer légalement (sa femme) par décision unilatérale du mari. **2.** Fig. Rejeter. **3.** *Dr.* Renoncer volontairement à (un bien, un droit acquis). XIIIe s. ; lat. *repudiare*, « repousser » ; [ʀepydje].

**RÉPUGNANCE,** subst. f.
Sensation très désagréable produite par la vue, l'odeur, etc., de certaines choses ou personnes et qui entraîne un vif désir de les éviter. 1647 (mil. XIIIe s., incompatibilité) ; lat. *repugnantia* ; [ʀepyɲɑ̃s].

**RÉPUGNANT, ANTE,** adj.
Qui inspire de la répugnance, de l'aversion, une antipathie viscérale. XVIIe s. (1213, contraire) ; p. pr. de *répugner* ; [ʀepyɲɑ̃, ɑ̃t].

**RÉPUGNER,** verbe trans. indir. [3]
Répugner à. **1.** Éprouver une aversion pour (qqch.), à (faire qqch.) : ***Répugner** à la dépense* ; ***Répugner** à se soumettre.* **2.** Inspirer de la répugnance à, dégoûter : *La saleté lui **répugne**.* XVIe s. (1213, s'opposer, être contraire) ; lat. *repugnare*, « lutter contre ; être incompatible avec » ; [ʀepyɲe].

**RÉPULSIF, IVE,** adj. et subst. m.
**Adj. 1.** *Phys.* Qui exerce une répulsion (anton. *attractif*) : *Force **répulsive**.* **2.** Fig. Qui suscite la répulsion (littér.). **Subst.** Dispositif, produit servant à repousser les animaux, notamment les insectes. 1705 (1495, qui repousse) ; lat. *repulsus*, de *repellere*, « repousser » ; [ʀepylsif, iv].

**RÉPULSION,** subst. f.
**1.** *Phys.* Phénomène par lequel deux corps ou deux molécules se repoussent mutuellement : ***Répulsion** électrique*, entre charges électriques de même signe. **2.** Fig. Répugnance physique ou morale à l'égard de qqn, de qqch. : *Une **répulsion** instinctive.* 1746 (1450, action de repousser des ennemis) ; bas lat. *repulsio*, « rejet » ; [ʀepylsjɔ̃].

**RÉPUTATION,** subst. f.
**1.** Célébrité d'une personne ou d'une chose en raison de sa valeur morale : *Salir la **réputation** de qqn.* **2.** Opinion, bonne ou mauvaise, attachée à qqn, à qqch. : *Jouir d'une excellente **réputation*** ; *Avoir la **réputation** d'être un escroc* ; *Une **réputation** d'ivrogne.* ▶ Loc. *Connaître de **réputation*** : par ouï-dire. 1370 ; lat. *reputatio*, « compte ; réflexion, examen » ; [ʀepytasjɔ̃].

**RÉPUTÉ, ÉE,** adj.
Qui a de la notoriété : *Vin **réputé**.* ▶ ***Réputé** pour* : célèbre pour. 1694 ; p. p. de *réputer* ; [ʀepyte].

**RÉPUTER,** verbe trans. [3]
Considérer comme, tenir pour (littér.). 1261 ; lat. *reputare*, « calculer, examiner » ; [ʀepyte].

**REQUALIFICATION,** subst. f.
Nouvelle qualification (dans les domaines sportif, professionnel, judiciaire). 1908 ; ☞ *requalifier* ; [ʀəkalifikasjɔ̃].

**REQUALIFIER,** verbe trans. [6]
Donner une nouvelle qualification à ; empl. pronom. : *Se **requalifier** en bureautique.* Déb. XXe s. ; ☞ *qualifier* + *re-* ; [ʀəkalifje].

**REQUÉRANT, ANTE,** subst. et adj.
*Dr.* Se dit d'une personne qui requiert, demande en justice (synon. *demandeur, eresse*). 1342 (1265, soupirant) ; ☞ *requérir* ; [ʀəkeʀɑ̃, ɑ̃t].

**REQUÉRIR,** verbe trans. [33]
**1.** Vieilli et littér. Prier (qqn de qqch.). **2.** Solliciter (littér.) : *Je **requiers** votre bienveillance.* **3.** *Dr.* Demander au nom de la loi : ***Requérir** le divorce.* ▶ Demander (en parlant du ministère public) : ***Requérir** l'application de la loi* ; empl. abs., prononcer le réquisitoire à l'audience. ▶ Faire la réquisition de : ***Requérir** la force publique.* **4.** Avoir besoin de, nécessiter : *Un blessé dont l'état **requiert** des soins.* Fin Xe s. ; lat. pop. °*requaerere*, du lat. *requirere*, « chercher, réclamer » ; [ʀəkeʀiʀ].

**REQUÊTE,** subst. f.
**1.** Demande instante ; prière : *L'ultime **requête** du condamné.* ▶ *À la **requête** de* : à la demande de. **2.** *Dr.* Demande écrite adressée à un magistrat ; mode d'introduction de certaines procédures : ***Requête** de pourvoi en cassation.* **3.** *Maître des **requêtes*** : membre du Conseil d'État chargé d'établir un rapport sur les questions qui lui sont confiées. 1155 ; ☞ *requérir* ; [ʀəkɛt].

**REQUIEM,** subst. m.
**1.** *Liturg.* Office catholique pour le repos de l'âme d'un mort : *Messe de* ***requiem***. **2.** Composition musicale sur le texte liturgique de la messe des morts : *Le* ***Requiem*** *de Mozart, de Berlioz, de Fauré.* 1277 ; lat. *requiem,* « repos » ; [ʀekɥijɛm] ou [-kwi-].

**REQUIN,** subst. m.
**1.** *Zool.* Poisson marin sélacien, carnassier, dépourvu de vessie natatoire, au corps fusiforme, à la taille variant de 30 cm à 20 m suivant les espèces (plus de 200), dont quelques-unes sont particulièrement dangereuses (lamie, **requin** blanc, **requin** bleu, etc.). **2.** Fig. Homme d'affaires redoutable et sans scrupule. 1539 ; orig. obsc. ; [ʀəkɛ̃].

© Ochocki/P. H. R.-Jacana
*Requin gris des récifs.*

**REQUINQUER,** verbe trans. [3]
Fam. Redonner de la vigueur à ; empl. pronom., reprendre des forces, retrouver de l'énergie. 1733 (1611, se parer) ; p.-ê. pic. °*reclinquer,* « redonner du clinquant à » ; [ʀəkɛ̃ke].

**REQUIS, ISE,** adj.
**1.** Demandé, nécessaire : *Satisfaire aux conditions* ***requises*** ; *Avoir l'âge* ***requis*** *par la loi.* **2.** Mobilisé pour un travail par voie d'autorité : *La population* ***requise*** ; empl. subst., civil réquisitionné pour un travail en temps de guerre : *Les* ***requis*** *de 1939-1945.* Fin XIIe s. ; p. p. de *requérir* ; [ʀəki, iz].

**RÉQUISIT,** subst. m.
*Philos.* Ce qui est nécessairement requis pour une fin donnée : *Les* ***réquisits*** *d'une hypothèse.* 1907 ; lat. *requisitum* ; [ʀekwizit].

**RÉQUISITION,** subst. f.
**1.** *Dr.* Conclusions du ministère public ; réquisitoire ; plaidoirie de la partie civile. ▸ Demande faite en justice ; demande incidente faite à l'audience. **2.** Acte par lequel l'autorité civile ou militaire exige la remise de biens ou la prestation de certains services : ***Réquisition*** *des écoles pour loger les garnisons.* ▸ ***Réquisition*** *de la force armée* : recours à l'armée pour maintenir l'ordre ou assurer le fonctionnement d'un service public. 1636 (fin XIIe s., action de sommer) ; lat. *requisitio,* « recherche », de *requirere,* « réclamer » ; [ʀekizisjɔ̃].

**RÉQUISITIONNER,** verbe trans. [3]
**1.** Se procurer (qqch.) par voie de réquisition ; empl. adj. : *Trains* ***réquisitionnés***. **2.** Assigner une tâche à (qqn) en vertu d'un acte de réquisition. ▸ Utiliser (qqn) d'office (fam.) : *Elle* ***réquisitionna*** *les invités pour faire la vaisselle.* 1796 ; ☞ *réquisition* ; [ʀekizisjɔne].

**RÉQUISITOIRE,** subst. m.
**1.** *Dr.* Réquisitions écrites du ministère public : ***Réquisitoire*** *définitif,* développement oral du représentant du ministère public énumérant les charges qui pèsent sur le prévenu ou l'accusé et requérant contre lui l'application ou non de la loi. **2.** Fig. Ensemble d'accusations portées oralement ou par écrit : *Se lancer dans un violent* ***réquisitoire***. 1577 (1379, adj., qui exprime une requête) ; lat. *requisitus,* de *requirere,* « chercher » ; [ʀekizitwaʀ].

**RÉQUISITORIAL, ALE, AUX,** adj.
*Dr.* Qui relève du réquisitoire. 1793 (1743, qui tient de la requête) ; ☞ *réquisitoire* ; [ʀekizitɔʀjal, o].

**RESALER,** verbe trans. [3]
Saler de nouveau. 1314 ; ☞ *saler* + *re-* ; [ʀəsale].

**RESALIR,** verbe trans. [19]
Salir de nouveau ; empl. pronom. : *Se* ***resalir*** *les mains.* 1875 ; ☞ *salir* + *re-* ; [ʀəsaliʀ].

**RESARCELÉ, ÉE,** adj.
*Hérald.* Qui est bordé d'un filet d'émail, en parlant d'une pièce. 1690 ; orig. inc. ; [ʀəsaʀsəle].

**RESCAPÉ, ÉE,** adj. et subst.
Se dit de qqn sorti indemne d'un accident, d'une catastrophe. 1906 ; forme dial. de *réchappé* ; [ʀɛskape].

**RESCINDER,** verbe trans. [3]
*Dr.* Casser, annuler (un jugement, un contrat). Mil. XVe s. (1406, alléger en retranchant) ; lat. *rescindere,* « séparer en coupant » ; [ʀəsɛ̃de] ou [ʀe-].

**RESCISION,** subst. f.
*Dr.* Annulation judiciaire d'un acte pour cause de lésion. 1465 ; lat. jur. *rescissio* ; [ʀəsizjɔ̃] ou [ʀe-].

**RESCISOIRE,** adj. et subst. m.
Adj. Qui donne lieu à rescision (synon. *rescindant*). Subst. Lors d'un pourvoi en révision, phase destinée à rejuger l'affaire et qui s'ouvre après la rescision. XIIIe s. ; lat. jur. *rescissorius* ; [ʀəsizwaʀ] ou [ʀe-].

**RESCOUSSE,** subst. f.
**1.** Vx. Action de reprendre qqn ou qqch. enlevé de force. ▸ *Dr. mar.* Reprise à l'ennemi d'un navire ou de biens. **2.** Loc. **À la rescousse.** À l'aide, en renfort : *Venir, accourir à la* ***rescousse*** *de qqn.* Mil. XIIe s. ; m. fr. *rescourre,* « reprendre », de *escourre,* du lat. *excutere,* « secouer » ; [ʀɛskus].

**RESCRIT,** subst. m.
**1.** *Dr. rom.* Jugement écrit rendu par un empereur sur une question de droit. **2.** *Dr. canon.* Lettre du pape, notifiant son jugement concernant un litige ou un point de droit. **3.** *Hist.* Lettre d'ordres délivrée par certains souverains. Mil XIIIe s. ; bas lat. *rescriptum,* de *rescribere,* « écrire en réponse » ; [ʀɛskʀi].

**RÉSEAU,** subst. m.
**I. 1.** Vx. Filet que l'on tend pour capturer un animal. **2.** Tissu léger à mailles régulières (vieilli). **3.** Anal. Enchevêtrement plus ou moins serré de lignes, de filaments : ***Réseau*** *d'une toile d'araignée* ; ***Réseau*** *de lianes.* **4.** Fig. Ensemble de points répartis dans un espace déterminé et constituant une organisation : ***Réseau*** *commercial* ; ***Réseau*** *radiophonique.* **5.** Structure, souv. clandestine, regroupant des personnes agissant dans un intérêt commun : ***Réseau*** *d'espionnage.* **II.** *Spéc.* **1.** *Anat.* Ensemble de vaisseaux, de nerfs, qui s'entrecroisent : ***Réseau*** *capillaire, veineux, lymphatique.* **2.** *Archit.* Armature plombée soutenant les pièces d'un vitrail ; ensemble de motifs (en pierre, en bois, etc.) formant des entrelacs. **3.** *Informat.* Système d'ordinateurs interconnectés par des canaux de transmission (câble, téléphone, etc.) : *Travailler en* ***réseau*** ; ***Réseau*** *numérique à intégration de services (R. N. I. S.),* réseau de télécommunication véhiculant tout type d'information (texte, image, son) sous forme numérique. **4.** *Phys.* ***Réseau*** *de diffraction* : surface striée de lignes parallèles ou concentriques, qui diffracte les ondes lumineuses ; ***Réseau*** *cristallin* : disposition géométrique régulière des atomes d'un cristal. **5.** *Urban.* Ensemble des voies, des lignes, des conduites, etc., desservant une même aire géographique : ***Réseau*** *routier, aérien, ferroviaire, téléphonique, électrique* ; ***Réseau*** *express régional (R. E. R.).* **6.** *Zool.* Une des quatre poches de l'estomac des ruminants (synon. *bonnet*). Fin XIIe s. ; anc. fr. *reiz,* « filet » ; [ʀezo].

**RÉSECTION,** subst. f.
*Chir.* Ablation totale ou partielle d'un tissu ou d'un organe. 1799 (1549, action de couper) ; bas lat. *resectio,* « taille de la vigne » ; [ʀesɛksjɔ̃].

**RÉSÉDA,** subst. m.
*Bot.* Plante herbacée des régions méditerranéennes à fleurs jaunâtres odorantes, cultivée comme plante ornementale. 1562 ; lat. *reseda,* de *resedare,* « calmer » ; [ʀezeda].

**RÉSÉQUER,** verbe trans. [3]
*Chir.* Procéder à la résection de. 1827 (1352, biffer, retrancher) ; lat. *resecare,* « retrancher » ; [ʀeseke].

**RÉSERPINE,** subst. f.
*Biochim.* et *Pharm.* Alcaloïde tiré du rauwolfia, utilisé comme sédatif dans certaines pathologies du système nerveux central. 1959 ; lat. sc. *rauwolfia serpentina* ; [ʀezɛʀpin].

**RÉSERVATAIRE,** adj.
*Dr. Héritier* ***réservataire*** ou, empl. subst., *Un, une* ***réservataire*** : héritier qui bénéficie du droit de réserve légale. 1846 ; ☞ *réserve* ; [ʀezɛʀvatɛʀ].

**RÉSERVATION (I),** subst. f.
*Dr.* Fait de se réserver un droit dans un contrat ; ce droit. 1330 ; lat. médiév. *reservatio* ; [ʀezɛʀvasjɔ̃].

**RÉSERVATION (II),** subst. f.
Fait de réserver une place dans un bateau, un avion, un train, une salle de spectacle, de retenir une chambre d'hôtel, etc. 1951 ; angl. *reservation* ; [ʀezɛʀvasjɔ̃].

**RÉSERVE,** subst. f.
**I. 1.** *Dr.* Clause restrictive ajoutée à un acte. ▸ *Sous toutes* ***réserves*** : formule garantissant des clauses ou des conditions non stipulées dans l'acte et, par ext., sans aucune garantie. ▸ Loc. *Sous (toute)* ***réserve*** : sous condition ; *Sous* ***réserve*** *que* : à la condition que. ▸ ***Réserve*** *héréditaire, légale* : partie d'un héritage revenant de droit à certains héritiers. **2.** Ext. Restriction : *Émettre, faire des* ***réserves*** *sur qqch., sur le compte de qqn* ; *Aimer sans* ***réserve***. **II.** Provision, stock : *Faire des* ***réserves*** *de sucre* ; au fig. : ***Réserves*** *d'énergie.* ▸ *Écon.* Fonds de ***réserve*** : bénéfices non distribués et non intégrés au capital, demeurant à disposition d'une entreprise ; ***Réserve*** *légale* : capital imposé, à la constitution d'une société anonyme. Plur. **1.** *Écon.* ***Réserves*** *monétaires* : ensemble des avoirs d'un pays, en or et en devises. ▸ Quantité encore inexploitée d'une ressource naturelle : ***Réserves*** *mondiales d'eau potable.* **2.** *Physiol.* Ensemble d'éléments nutritifs stockés dans l'organisme, qui les utilise en cas de besoin : ***Réserves*** *énergétiques du tissu adipeux.* **3.** *Milit.* Les **réserves.** ▸ Ensemble des forces gardées disponibles en vue d'une intervention particulière ; au sing. : *L'armée de* ***réserve***. ▸ Forces armées d'un pays susceptibles d'être rappelées en cas de conflit ; au sing. : *Un officier de* ***réserve***. **III.** Circonspection, retenue : *Se tenir sur la* ***réserve*** ; *Garder une certaine* ***réserve***. ▸ *Obligation, devoir de* ***réserve*** : discrétion à laquelle sont tenus les fonctionnaires. **IV. 1.** Local où l'on entrepose des marchandises. **2.** Partie des collections d'une bibliothèque ou d'un musée non accessible au public. **3.** Territoire réservé à un peuple aborigène ou à une minorité ethnique dans certains pays, en partic. aux Amérindiens des États-Unis et du Canada. **4.** *B.-a.* et *Arts graph.* Toute partie d'un dessin, d'une peinture, etc., laissée en blanc ; toute surface soustraite à l'action d'un acide, d'un colorant, etc., pour apparaître en blanc ou en relief. **5.** *Écol.* Territoire protégé en vue de préserver la faune et la flore : ***Réserve*** *ornithologique.* ▸ ***Réserve*** *de chasse, de pêche* : où la chasse, la pêche sont interdites. **6.** *Sylvic.* Partie d'une forêt laissée en futaie. 1342 ; ☞ *réserver* ; [ʀezɛʀv].

© A. Thomas-Explorer
*Dans une réserve d'Indiens Pueblos, au Nouveau-Mexique.*

**ANTHROPOLOGIE** – La notion de réserve est habituellement associée à l'histoire des populations indiennes d'Amérique du Nord. Pourtant, l'institution des réserves se rencontre partout où des populations colonisées n'ont pu être assimilées par l'envahisseur, ou se sont vu refuser par lui l'assimilation. Ainsi des Bantous d'Afrique du Sud, des aborigènes d'Australie, des Mélanésiens de Nouvelle-Calédonie et des Inuits du Canada. Sauf dans le cas de l'Afrique du Sud, où les bantoustans furent le résultat d'une politique de ségrégation raciale visant à créer les conditions d'une séparation économique et administrative entre Blancs et Noirs, les réserves témoignent de la résistance intrinsèque qu'offrent les cultures véritablement différentes à l'hégémonie occidentale. Passée la période de la conquête et de l'installation des colons, qui se traduit par l'accaparement de l'espace et l'extermination partielle ou totale des peuples autochtones (les Amérindiens passent de 3 millions en 1492 à moins de 300 000 en 1890 ; le dernier des

Tasmaniens, qui étaient environ 2 000 en 1642, meurt en 1877), la question s'est posée de gérer l'altérité culturelle à l'intérieur de la nouvelle nation. Les solutions ont longtemps varié selon les peuples colonisés et leurs colonisateurs : depuis la simple concession foncière d'un territoire, jusqu'à l'institution d'une autonomie administrative partielle des tribus. De nos jours, sous l'impulsion du Canada et de la France, le modèle d'une autodétermination progressive des minorités culturelles commence à émerger. Mais l'état de destruction sociale et de pauvreté économique auquel ces minorités ont été réduites les place dans une situation nouvelle, qui les apparente aux peuples du tiers-monde.

**RÉSERVÉ, ÉE, adj.**
**1.** Destiné à qqn, à son usage particulier : *Privilège réservé.* **2.** Retenu, discret : *Caractère, comportement réservé.* **3.** Retenu à l'intention de qqn : *Place réservée* ; *Table réservée.* ► *Dr. canon. Péché réservé* : péché dont l'absolution est exclusivement réservée à l'évêque (causes mineures) ou au pape (causes majeures). 1559 (XII^e s., ce qui a été mis à part dans un contrat) ; p. p. de *réserver* ; [ʀezɛʀve].

**RÉSERVER, verbe trans. [3]**
**1.** Destiner (qqch.) à l'usage de qqn : *Réserver une surprise à (qqn)* ; *Le sort qui nous est réservé.* ► Destiner (qqn) à une fonction, un avenir. **2.** *Dr.* Mettre de côté (une clause) dans un contrat ; empl. adj. : *Tous droits réservés.* **3.** Conserver, mettre de côté : *Réserver un article pour un client* ; *Réserver ses forces.* ► S'abstenir d'exprimer (qqch.) : *Réserver son avis, son jugement* ; empl. pronom. : *Se réserver la possibilité de dire non.* **4.** Retenir : *Réserver une table.* **5.** *B.-a.* et *Arts graph.* Laisser en réserve (un blanc). Fin XII^e s. ; lat. *reservare* ; [ʀezɛʀve].

**RÉSERVISTE, subst. m.**
Membre de l'armée de réserve. 1870 ; ☞ *réserve* ; [ʀezɛʀvist].

**RÉSERVOIR, subst. m.**
**1.** Récipient destiné à contenir des matières liquides ou gazeuses : *Réservoir d'essence.* **2.** Bassin naturel ou artificiel. **3.** Lieu destiné au stockage de certaines denrées : *Réservoir à grains* ; par ext., lieu contenant diverses réserves ; réceptacle de certains éléments amassés : *Un réservoir de main-d'œuvre.* **4.** *Géol. Roche(-)réservoir* : dépôt sédimentaire poreux imprégné par un hydrocarbure qui a migré et s'est trouvé enfermé entre des couches imperméables. 1510 ; ☞ *réserver* ; [ʀezɛʀvwaʀ].

**RÉSIDANT, ANTE, adj. et subst.**
Se dit d'une personne qui réside, habite dans un lieu (synon. *habitant*). 1415 ; p. pr. de *résider* ; [ʀezidɑ̃, ɑ̃t].

**RÉSIDENCE, subst. f.**
**1.** Obligation faite à un fonctionnaire, un ecclésiastique, de résider sur le lieu où il exerce sa fonction ; par ext. : *Assignation à résidence* (☞ *assignation*). ► *Résidence surveillée* : lieu où une personne est contrainte de résider par décision de justice. **2.** Fait de demeurer habituellement dans un lieu ; par ext., ce lieu : *Résidence principale* ; *Résidence secondaire*, maison de campagne ou de vacances. **3.** Lieu où réside un personnage revêtu de fonctions officielles : *La résidence présidentielle.* **4.** Habitation ou groupe d'habitations, en gén. luxueuses. 1271 ; lat. *residentia*, de *residere*, « résider » ; [ʀezidɑ̃s].

**RÉSIDENT, ENTE, subst. et adj.**
**Subst. 1.** Habitant (synon. *résidant*). **2.** Diplomate envoyé par un État auprès d'un gouvernement étranger. **3.** *Dr.* Personne qui réside dans un pays qui n'est pas son pays d'origine. **4.** *Hist. Résident général* : haut fonctionnaire que l'État protecteur plaçait auprès du souverain de l'État protégé. **Adj.** *Informat. Programme résident* : installé à demeure dans la mémoire centrale d'un ordinateur. 1260 ; lat. *residens* ; [ʀezidɑ̃, ɑ̃t].

**RÉSIDENTIEL, ELLE, adj.**
**1.** Se dit d'un lieu destiné plus spécialement à l'habitation. **2.** Se dit d'un lieu offrant un certain niveau de confort et de luxe : *Quartier, immeuble résidentiel.* 1936 (1895, astreint à résidence) ; ☞ *résidence* ; [ʀezidɑ̃sjɛl].

**RÉSIDER, verbe intrans. [3]**
**1.** Avoir sa résidence dans un lieu, y séjourner habituellement : *Résider à Paris.* **2.** Fig. Avoir son origine (dans qqch.) ; consister (en qqch.) : *L'erreur réside en ceci.* Fin XIV^e s. ; lat. *residere* ; [ʀezide].

**RÉSIDU, subst. m.**
**1.** Ce qui reste de qqch. ; déchet. **2.** Matière qui subsiste après une opération chimique, physique, etc. : *Résidus de pétrole.* **3.** *Log. Méthode des résidus* : méthode inductive de J. Stuart Mill, consistant à trouver par élimination les éléments inconnus d'un phénomène, une fois éliminée la partie dont on connaît déjà les causes. Fin XIV^e s. (1331, reliquat d'un compte) ; lat. *residuum* ; [ʀezidy].

**RÉSIDUAIRE, adj.**
Qui constitue un résidu (littér.). 1877 ; ☞ *résidu* ; [ʀezidɥɛʀ].

**RÉSIDUEL, ELLE, adj.**
**1.** Qui constitue un résidu, un reste : *Substances résiduelles* ; *Une huile résiduelle.* **2.** Fig. Se dit d'une chose qui persiste malgré les efforts faits pour l'éliminer : *Chômage résiduel.* **3.** *Géol. Relief résiduel* : qui a résisté à l'érosion ; *Roches résiduelles* : dont les matériaux proviennent de l'altération de roches préexistantes. **4.** *Math. Classe résiduelle modulo un entier naturel n non nul* : classe d'équivalence pour la congruence modulo *n* sur $\mathbb{Z}$. 1871 ; ☞ *résidu* ; [ʀezidɥɛl].

**RÉSIGNATION, subst. f.**
**1.** *Dr.* Action de résigner, de renoncer à une fonction, un mandat. **2.** Action, fait de se résigner ; renoncement, soumission : *Subir son sort avec résignation* ; par ext. : *Soupir, geste, sourire de résignation.* Fin XIII^e s. ; lat. médiév. *resignatio* ; [ʀeziɲasjɔ̃].

**RÉSIGNÉ, ÉE, adj.**
Qui se soumet, sans révolte, à une chose pénible : *Victime résignée à son sort* ; par ext. : *Prendre un air résigné.* 1686 ; p. p. de *résigner* ; [ʀeziɲe].

**RÉSIGNER, verbe trans. [3]**
Vx. Renoncer à (un droit, une charge, une fonction). **Pronom. Se résigner à.** Accepter, se soumettre à qqch. sans se révolter : *Se résigner à son sort* ; empl. abs. : *Avec le temps on se résigne.* Déb. XIII^e s. ; lat. *resignare*, « rompre le sceau ; annuler » ; [ʀeziɲe].

**RÉSILIABLE, adj.**
*Dr.* Qui peut faire l'objet d'une résiliation. 1815 ; ☞ *résilier* ; [ʀeziljabl].

**RÉSILIATION, subst. f.**
*Dr.* Dissolution d'un contrat, annulation. 1429 ; ☞ *résilier* ; [ʀeziljasjɔ̃].

**RÉSILIENCE, subst. f.**
*Phys.* Résistance d'un matériau aux chocs. 1906 ; angl. *resilience* ; [ʀeziljɑ̃s].

**RÉSILIENT, ENTE, adj.**
Qui présente une certaine résilience. 1932 ; angl. *resilient* ; [ʀeziljɑ̃, ɑ̃t].

**RÉSILIER, verbe trans. [6]**
*Dr.* Annuler, rompre (un contrat, un engagement, etc.) d'un commun accord ou à l'initiative d'une des parties. 1501 ; lat. *resilire*, « se retirer » ; [ʀezilje].

**RÉSILLE, subst. f.**
Filet qui enveloppe les cheveux et les maintient en place ; en appos. : *Bas résille*, bas à larges mailles. 1775 ; esp. *redecilla*, du lat. *rete*, « filet » ; [ʀezij].

**RÉSINE, subst. f.**
**1.** *Bot.* Substance translucide sécrétée après blessure par certains végétaux, comme les conifères, et qui est insoluble dans l'eau. **2.** *Chim.* Polymère synthétique ou naturel utilisé dans la fabrication des matières plastiques. Déb. XIII^e s. ; lat. *resina* ; [ʀezin].

**RÉSINÉ, adj. m.**
*Vin résiné* : vin, gén. grec, qui contient une légère proportion de résine de pin ; empl. subst. masc. : *Une bouteille de résiné.* 1562 ; ☞ *résine* ; [ʀezine].

**RÉSINER, verbe trans. [3]**
**1.** Enduire de résine. **2.** Extraire la résine de (un arbre). 1382 ; ☞ *résine* ; [ʀezine].

**RÉSINEUX, EUSE, adj. et subst. m.**
*Bot.* **Adj. 1.** Qui produit de la résine. **2.** Qui est de la nature de la résine, qui en contient : *Bois résineux.* **Subst.** Arbre producteur de résine, au feuillage constitué d'aiguilles ou d'écailles, et particulièrement représenté par les conifères. 1538 ; lat. *resinosus* ; [ʀezinø, øz].

**RÉSINGLE, subst. f.**
*Orfèvr.* Tige courbe et rigide, arrondie au bout, servant à débosseler des objets métalliques. 1752 ; p.-ê. lat. *cingula*, « sangle » ; var. *recingle* ; [ʀezɛ̃gl].

**RÉSINIER, IÈRE, adj. et subst.**
**Subst.** Personne qui gemme les pins et en récolte la résine. **Adj.** Relatif aux produits résineux. 1824 (1764, arbuste) ; ☞ *résine* ; [ʀezinje, jɛʀ].

**RÉSINIFÈRE, adj.**
*Bot.* Qui fournit de la résine. 1812 ; ☞ *résine* + *-fère* ; [ʀezinifɛʀ].

**RÉSIPISCENCE, subst. f.**
*Relig.* ou *Littér.* Fait de reconnaître sa faute avec la volonté de s'amender : *Amener à résipiscence* ; *Venir à résipiscence*, se repentir. 1542 (1405, retour à la raison) ; lat. eccl. *resipiscentia* ; [ʀesipisɑ̃s].

**RÉSISTANCE, subst. f.**
**I. 1.** Fait pour qqch. de résister, de s'opposer aux effets d'une force, d'une action ; solidité : *Résistance d'une roche à l'érosion.* **2.** *Électr.* Propriété caractéristique d'un conducteur, dépendant de sa résistivité intrinsèque, de sa longueur et de sa section droite, et représentant l'opposition du conducteur au passage d'un courant électrique. ► *Mécan. Résistance des matériaux* : étude du comportement des matériaux en traction, compression, flexion, torsion pour en déterminer les conditions d'emploi. **3.** *Biol.* Propriété d'une espèce, d'un individu résistant. **4.** *Plat de résistance* : plat principal d'un repas. **II. 1.** Opposition par les armes à l'attaque d'un ennemi. ► *Hist. La Résistance* : mouvement français qui, pendant la Seconde Guerre mondiale, s'opposa aux forces allemandes d'occupation et au gouvernement de Vichy. **2.** Opposition à une action jugée insupportable : *Résistance active, passive.* ► *Psychanal.* Attitude qui exprime l'opposition du sujet analysé à l'émergence de son inconscient. **3.** Qualité d'une personne qui supporte une épreuve physique ou morale : *Résistance à la fatigue.* Fin XIII^e s. ; lat. eccl. *resistencia* ; [ʀezistɑ̃s].

**RÉSISTANT, ANTE, adj. et subst.**
**Adj. 1.** Qui résiste, s'oppose aux effets d'une action, d'une force ; qui a une bonne résistance à l'effort, à l'usure : *Une étoffe résistante.* **2.** Endurant, robuste. **3.** *Biol.* Se dit d'un individu ou d'une espèce manifestant une absence de sensibilité à un agent délétère. **Adj.** et **Subst. 1.** *Hist.* Se dit d'un membre de la Résistance, pendant la Seconde Guerre mondiale. **2.** Se dit d'une personne qui s'oppose à l'occupation de son pays par un ennemi. XIV^e s. ; p. pr. de *résister* ; [ʀezistɑ̃, ɑ̃t].

**RÉSISTER, verbe trans. indir. [3]**
**Résister à. 1.** S'opposer à (une menace), en partic. par la force. **2.** Ne pas céder à (ce qui plaît, ce qui est tentant) : *Elle résiste à cette tentation ruineuse.* ► Lutter contre (un sentiment). **3.** Ne pas céder ou ne pas s'altérer sous l'effet de (une force extérieure, un choc), en parlant d'une chose : *Matière qui résiste à la pression.* **4.** Supporter sans être affaibli : *Résister à la maladie* ; *Végétal qui résiste au froid.* **5.** Survivre à : *Amour qui résiste à une séparation.* 1327 ; lat. *resistere* ; [ʀeziste].

**RÉSISTIBLE, adj.**
À qui ou à quoi l'on peut résister (rare). 1688 ; ☞ *résister* ; [ʀezistibl].

**RÉSISTIVITÉ, subst. f.**
*Électr.* Résistance, spécifique à une substance conductrice, correspondant à la résistance d'un cylindre de cette substance de 1 m de long et de 1 m² de section. 1904 ; angl. *resistivity* ; [ʀezistivite].

**RESOCIALISATION, subst. f.**
Réinsertion dans la vie sociale. V. 1970 ; ☞ *socialisation* + *re-* ; [ʀəsɔsjalizasjɔ̃].

**RÉSOLU, UE, adj.**
Qui est décidé, déterminé et qui se tient fermement à une résolution prise ; par méton. : *Une attitude résolue.* 1549 (1372, brisé) ; p. p. de *résoudre* ; [ʀezɔly].

**RÉSOLUBLE, adj.**
**1.** Susceptible d'être résolu, élucidé. **2.** *Dr.* Sujet à annulation : *Un bail résoluble.* XV^e s. ; bas lat. *resolubilis*, « qui peut être désagrégé » ; [ʀezɔlybl].

**RÉSOLUMENT, adv.**
Avec résolution ; sans hésitation. 1510 (déb. XV^e s., tout à fait) ; ☞ *résolu* ; [ʀezɔlymɑ̃].

**RÉSOLUTIF, IVE, adj. et subst. m.**
*Méd.* **1.** Se dit d'une substance qui fait disparaître les inflammations sans qu'il y ait suppuration. **2.** Se dit d'un topique qui provoque le relâchement momentané des muscles. 1314 ; lat. *resolutum* ; [ʀezɔlytif, iv].

**RÉSOLUTION, subst. f.**
**I. 1.** Réduction, désagrégation d'une chose en ses éléments constituants : *Résolution de la glace en eau.*

**2.** *Méd.* ▸ Guérison progressive d'un tissu enflammé. ▸ ***Résolution** musculaire* : relâchement musculaire. **3.** *Dr.* Dissolution d'un contrat en raison de l'inexécution des conditions. **4.** Fig. Action de résoudre une difficulté, un problème. ▸ *Math.* ***Résolution** d'une équation, d'une inéquation* : détermination de l'ensemble de ses solutions. ▸ ***Résolution** d'un triangle* : calcul, à partir de trois de ses éléments qui le déterminent, des autres éléments de ce triangle. ▸ *Mus.* Procédé consistant à faire progresser, selon les lois de l'harmonie, une dissonance vers une consonance. **5.** *Informat.* Densité, exprimée en points par pouce, de l'impression d'une imprimante, de la numérisation d'un scanner, de l'affichage d'un écran. **II. 1.** Décision très ferme prise après réflexion. **2.** *Dr.* Décision exprimée par une des Chambres du Parlement et dépourvue de force exécutoire. ▸ Ext. Décision prise par une assemblée quelconque. **3.** Attitude d'une personne résolue ; fermeté. 📖 Fin XIII^e^ s. ; lat. *resolutio*, « désagrégation » ; [ʀezɔlysjɔ̃].

**RÉSOLUTOIRE, adj.**
*Dr. Clause **résolutoire*** : qui entraîne la résiliation *ipso facto* du contrat si l'un des contractants ne respecte pas ses engagements ou en cas d'empêchements imprévus. 📖 1701 ; bas lat. *resolutorius*, du lat. *resolvere*, « résoudre » ; [ʀezɔlytwaʀ].

**RÉSOLVANT, ANTE, adj. et subst. f.**
**Adj.** Qui permet de faire une résolution. ▸ *Méd.* Résolutif (vx). **Subst.** *Math.* ***Résolvante** d'une équation* : seconde équation qui sert à résoudre la première. 📖 1314 ; p. pr. de *résoudre* ; [ʀezɔlvɑ̃, ɑ̃t].

**RÉSONANCE, subst. f.**
**1.** Augmentation de la durée ou de l'intensité d'un son dans certains milieux ; propriété de résonner propre à un lieu : ***Résonance** d'une salle.* ▸ *Caisse de **résonance*** : enceinte close dans laquelle se prolonge ou s'amplifie un son. **2.** Fig. Retentissement, écho se produisant dans l'esprit, le cœur (littér.) : *Évocation qui éveille une **résonance** profonde.* **3.** *Spéc.* ▸ *Chim.* Propriété moléculaire telle que la représentation de la structure d'une molécule se fait par deux formules conventionnelles ou plus. ▸ *Électr.* Surtension importante apparaissant aux bornes d'une inductance ou d'une capacité appartenant à un circuit alimenté en courant alternatif à une fréquence particulière. ▸ *Phys.* Phénomène d'amplification des vibrations d'un système oscillant lorsque la fréquence de la vibration excitatrice est proche de, ou égale à une fréquence particulière du système, dite fréquence propre. ▸ *Phys. nucl. **Résonance** magnétique nucléaire (R. M. N.)* : effet de couplage entre les moments magnétiques nucléaires, caractéristiques d'un noyau atomique, et un rayonnement électromagnétique, le tout en présence d'un champ magnétique. ▸ *Méd.* Technique d'imagerie médicale. 📖 Mil. XIV^e^ s. ; ☞ *résonner* ; [ʀezɔnɑ̃s].

**RÉSONANT, ANTE, adj.**
**1.** Qui résonne (vieilli ou littér.). **2.** *Phys.* Qui est le siège d'un phénomène de résonance. 📖 1538 ; p. pr. de *résonner* ; var. *résonnant, ante* ; [ʀezɔnɑ̃, ɑ̃t].

**RÉSONATEUR, subst. m.**
*Phys.* Dispositif utilisant le phénomène de résonance pour amplifier certaines fréquences particulières. 📖 1868 ; ☞ *résonner* ; [ʀezɔnatœʀ].

**RÉSONNANT,** voir **RÉSONANT**

**RÉSONNER, verbe intrans.** [3]
**1.** Produire un son amplifié ou prolongé : *Tam-tam qui **résonne** sourdement.* **2.** Retentir en étant amplifié : *Sous une voûte, les pas **résonnent**.* **3.** Renvoyer un son en l'amplifiant : *La rue **résonne** de mille bruits.* 📖 Mil. XII^e^ s. ; lat. *resonare* ; [ʀezɔne].

**RÉSORBER, verbe trans.** [3]
**1.** *Méd.* Procéder à la résorption de (une tumeur, un épanchement, etc.). **2.** Fig. Faire disparaître de façon progressive. **Pronom.** Disparaître progressivement. 📖 1761 ; lat. *resorbere*, « avaler de nouveau », de *sorbere*, « avaler » ; [ʀezɔʀbe].

**RÉSORCINE, subst. f.**
*Chim.* Diphénol qui entre dans la fabrication d'antiseptiques et de certains colorants (synon. *un résorcinol*). 📖 1865 ; crois. de *résine* et de *orcine* ; [ʀezɔʀsin].

**RÉSORPTION, subst. f.**
**1.** *Méd.* ▸ Disparition, par absorption progressive, d'une masse, d'un produit pathologique, etc. : ***Résorption** d'une tumeur, du pus.* ▸ Passage dans le sang d'un principe actif contenu dans un médicament. **2.** Fig. Disparition progressive. 📖 1746 ; lat. *resorbere*, « avaler de nouveau » ; [ʀezɔʀpsjɔ̃].

**RÉSOUDRE, verbe trans.** [76]
**I. 1.** Décomposer (un corps) en ses éléments constitutifs (vieilli ou littér.) : *Chaleur qui **résout** l'eau en vapeur.* **2.** *Méd.* Faire disparaître progressivement et sans suppuration : ***Résoudre** une tumeur.* **3.** *Dr.* Annuler (un contrat). **4.** Fig. Trouver la solution de, élucider : ***Résoudre** un problème.* ▸ *Math.* Effectuer la résolution de (une équation, un système d'équations). ▸ *Mus.* Opérer la résolution de (un accord, une dissonance). **II. Résoudre de** (+ inf.). Décider de : *Ils **résolurent** de se séparer.* **Pronom. Se résoudre à.** Se décider à : *Se **résoudre** à parler.* 📖 1377 ; lat. *resolvere*, de *solvere*, « délier ; acquitter » ; [ʀezudʀ].

**RESPECT, subst. m.**
**1.** Fait de prendre en considération. **2.** Sentiment qui porte à traiter qqn, qqch., avec beaucoup d'égards, à ne pas porter atteinte à une chose jugée bonne : *Témoigner du **respect** à qqn ; **Respect** des lois.* ▸ Loc. *Sauf votre **respect*** : pardonnez par avance ce que je vais dire. **3.** ***Respect** humain* : crainte du jugement d'autrui, qui influe sur le comportement individuel. **4.** Loc. *Tenir qqn en **respect*** : le tenir à distance, gén. avec une arme. **Plur.** Marques de déférence : *Présenter ses **respects** à qqn.* 📖 1287 ; lat. *respectus*, « regard en arrière ; égard » ; [ʀɛspɛ].

**RESPECTABILISER, verbe trans.** [3]
Rendre respectable. 📖 V. 1980 ; ☞ *respectable* ; [ʀɛspɛktabilize].

**RESPECTABILITÉ, subst. f.**
Qualité d'une personne ou d'une chose respectable. 📖 1784 ; ☞ *respectable* ; [ʀɛspɛktabilite].

**RESPECTABLE, adj.**
**1.** Qui mérite le respect. **2.** Assez important : *Une maison de dimensions **respectables**.* 📖 Mil. XV^e^ s. ; prob. bas lat. *respectabilis* ; [ʀɛspɛktabl].

**RESPECTER, verbe trans.** [3]
**1.** Avoir de la déférence, des égards pour (qqn). **2.** Ne pas porter atteinte à (une chose, ce qu'il convient de faire) : ***Respecter** les coutumes* ; ne pas troubler : ***Respecter** la vie privée.* **Pronom.** Se comporter en accord avec le sens de la dignité que l'on a de soi-même. 📖 1554 ; lat. *respectare*, « se préoccuper de » ; [ʀɛspɛkte].

**RESPECTIF, IVE, adj.**
Qui concerne chaque chose, chaque personne parmi d'autres. 📖 1680 (déb. XIII^e^ s., relatif à) ; lat. scol. *respectivus* ; [ʀɛspɛktif, iv].

**RESPECTIVEMENT, adv.**
Chacun en ce qui le concerne : *Deux enfants âgés **respectivement** de cinq et dix ans.* 📖 1415 ; ☞ *respectif* ; [ʀɛspɛktivmɑ̃].

**RESPECTUEUSEMENT, adv.**
Avec respect. 📖 1636 (1581, respectivement) ; ☞ *respectueux* ; [ʀɛspɛktɥøzmɑ̃].

**RESPECTUEUX, EUSE, adj.**
Qui témoigne du respect ; qui est signe de respect. 📖 1549 ; ☞ *respect* ; [ʀɛspɛktɥø, øz].

**RESPIRABLE, adj.**
Que l'on peut respirer ; au fig., supportable : *Cette atmosphère n'est pas **respirable**.* 📖 1686 (XV^e^ s., propre à la respiration) ; ☞ *respirer* ; [ʀɛspiʀabl].

**RESPIRATEUR, subst. m.**
**1.** Masque garni d'un filtre à air. **2.** *Méd.* Appareil servant à assurer une respiration artificielle. 📖 1802 ; ☞ *respirer* ; [ʀɛspiʀatœʀ].

**RESPIRATION, subst. f.**
**1.** Fait de respirer. **2.** *Mus.* Pause durant laquelle un chanteur reprend son souffle ; par ext., pause qui ponctue la musique vocale ou instrumentale. **3.** *Bot.* et *Physiol.* Ensemble des échanges gazeux entre le milieu ambiant et les tissus vivants. **4.** *Méd.* ***Respiration** artificielle* : ensemble des manœuvres visant à rétablir la ventilation pulmonaire normale chez une personne en état de détresse respiratoire. 📖 Fin XIV^e^ s. ; lat. *respiratio* ; [ʀɛspiʀasjɔ̃].

**RESPIRATOIRE, adj.**
**1.** Qui sert à la respiration : *Voies **respiratoires**.* **2.** Qui a trait à la respiration : *Difficultés **respiratoires**.* 📖 1566 ; bas lat. *respiratorius*, du lat. *respiratum* ; [ʀɛspiʀatwaʀ].

**RESPIRER, verbe** [3]
**Intrans. 1.** Faire pénétrer l'air dans les poumons en inspirant et l'expulser en expirant ; par anal., absorber l'air ou l'oxygène de l'air, puis rejeter du gaz carbonique, en parlant des animaux ou des végétaux. **2.** Avoir un moment de répit, être soulagé : *On peut enfin **respirer** !* **3.** Fig. Se manifester (vieilli et littér.) : *La sagesse **respire** dans ses écrits.* **Trans. 1.** Aspirer par les organes respiratoires : ***Respirer** le bon air à la montagne.* **2.** Exprimer ; manifester : *Son visage **respire** la santé.* 📖 Déb. XIII^e^ s. (fin XII^e^ s., reprendre vie) ; lat. *respirare* ; [ʀɛspiʀe].

**RESPLENDIR, verbe intrans.** [19]
Briller avec un vif éclat (littér.). 📖 Déb. XII^e^ s. ; lat. *resplendere*, « reluire » ; [ʀɛsplɑ̃diʀ].

**RESPLENDISSANT, ANTE, adj.**
Qui resplendit : *Un soleil **resplendissant**.* 📖 1170 ; p. pr. de *resplendir* ; [ʀɛsplɑ̃disɑ̃, ɑ̃t].

**RESPLENDISSEMENT, subst. m.**
Éclat de ce qui resplendit (littér.). 📖 Déb. XII^e^ s. ; ☞ *resplendir* ; [ʀɛsplɑ̃dismɑ̃].

**RESPONSABILISATION, subst. f.**
Action de responsabiliser ; fait d'être responsabilisé. 📖 V. 1970 ; ☞ *responsabiliser* ; [ʀɛspɔ̃sabilizasjɔ̃].

**RESPONSABILISER, verbe trans.** [3]
**1.** Rendre (une personne) responsable. **2.** Faire prendre conscience de ses responsabilités à (qqn). 📖 V. 1960 ; ☞ *responsable* ; [ʀɛspɔ̃sabilize].

**RESPONSABILITÉ, subst. f.**
**1.** *Dr. constit.* Obligation qu'a le gouvernement de renoncer à ses fonctions lorsque le corps législatif lui retire sa confiance. **2.** Obligation de répondre de ses actes (réparer une faute, remplir son devoir, tenir ses engagements). **3.** *Dr.* ▸ ***Responsabilité** civile* : obligation de réparer le préjudice causé à autrui par soi-même, par une personne dont on répond, par ce dont on a la garde. ▸ ***Responsabilité** pénale* : obligation de subir la peine prévue par la loi pour l'acte délictueux qu'on a commis. ▸ *Comm. Société à **responsabilité** limitée* (☞ *société*). **4.** Ext. Charge qui entraîne la prise de décision et oblige celui qui en est investi à supporter les conséquences de ses actes : *Accepter une lourde **responsabilité**.* 📖 1783 ; ☞ *responsable*, d'apr. l'angl. *responsability* ; [ʀɛspɔ̃sabilite].

**RESPONSABLE, adj. et subst.**
**Adj. 1.** Qui doit répondre de ses actes ou de ceux des personnes dont il a la garde : *Être **responsable** pénalement ; Propriétaires **responsables** des dégâts causés par leurs chiens.* **2.** Qui porte la responsabilité de qqch., qui en est l'auteur : *Chacun est **responsable** de sa conduite* ; qui est la cause, la raison de, en parlant de qqch. : *L'alcool est **responsable** de nombreuses cirrhoses.* **3.** Qui est en charge de qqch. : *Ce vendeur est **responsable** d'un rayon.* **4.** Mesuré, réfléchi : *Se conduire en personne **responsable**.* **Subst. 1.** Personne qui porte la responsabilité de qqch. : *Il est le seul **responsable** de ce crime.* **2.** Personne qui occupe une fonction où elle a des pouvoirs de décision : ***Responsable** politique.* 📖 1304 (1284, celui qui doit payer la rente d'un fief ecclésiastique) ; lat. *responsus* de *respondere*, « répondre » ; [ʀɛspɔ̃sabl].

**RESQUILLE, subst. f.**
Fam. Action de resquiller (synon. *un resquillage*). 📖 1924 ; ☞ *resquiller* ; [ʀɛskij].

**RESQUILLER, verbe** [3]
Fam. **Intrans.** Se glisser subrepticement dans un moyen de transport, une file d'attente sans payer sa place ou sans attendre son tour. **Trans.** Obtenir (qqch.) sans payer. 📖 1910 ; prov. *resquilla*, « glisser », de *esquilha*, « fuir » ; [ʀɛskije].

**RESQUILLEUR, EUSE, subst.**
Personne qui resquille (fam.). 📖 1924 ; ☞ *resquiller* ; [ʀɛskijœʀ, øz].

**RESSAC, subst. m.**
Retour violent des vagues sur elles-mêmes lorsqu'elles rencontrent un obstacle. 📖 1613 ; esp. *resaca*, de *resacar*, « tirer de nouveau » ; [ʀəsak].

**RESSAIGNER, verbe intrans.** [3]
Saigner de nouveau. 📖 Mil. XVI^e^ s. ; ☞ *saigner* + *re-* ; [ʀəseɲe].

**RESSAISIR, verbe trans.** [19]
**1.** Saisir de nouveau (ce qu'on avait perdu, laisse échapper). **2.** Fig. S'emparer de nouveau de (qqn) : *L'angoisse le **ressaisit**.* **Pronom.** Retrouver le contrôle de soi, reprendre son sang-froid. 📖 Mil. XIII^e^ s. (fin XII^e^ s., être de nouveau en possession de) ; ☞ *saisir* + *re-* ; [ʀəseziʀ].

**RESSAISISSEMENT, subst. m.**
Action de ressaisir, de se ressaisir (littér.). 📖 191[illegible] (1510, action de retenir par voie de saisie) ; ☞ *ressaisir* ; [ʀəsezismɑ̃].

**RESSASSER,** verbe trans. [3]
**1.** Revenir sans cesse sur (la même idée, le même sujet) : ***Ressasser** sa défaite.* **2.** Répéter continuellement : ***Ressasser** des arguments.* Déb. XVIIIe s. (1549, repasser la farine dans un sas) ; ☞ *sasser + re-* ; [ʀəsase].

**RESSAUT,** subst. m.
**1.** *Archit.* Saillie interrompant le plan d'un bâtiment. **2.** *Géogr.* Dénivellation ; rupture de pente. 1651 ; ital. *rissalto*, de *risaltare*, « sauter de nouveau » ; [ʀəso].

**RESSAUTER,** verbe [3]
**TRANS.** Franchir de nouveau en sautant. **INTRANS.** Sauter de nouveau. 1478 ; ☞ *sauter + re-* ; [ʀəsote].

**RESSAYAGE,** voir **RÉESSAYAGE**

**RESSAYER,** voir **RÉESSAYER**

**RESSEMBLANCE,** subst. f.
**1.** Rapport entre des personnes, des objets qui présentent certains traits communs. ▸ Méton. (au plur.). Traits communs : *Relever des **ressemblances** entre deux styles.* **2.** Conformité entre la chose représentée et son modèle : ***Ressemblance** d'un portrait.* Fin XIIIe s. ; ☞ *ressembler* ; [ʀəsɑ̃blɑ̃s].

**RESSEMBLANT, ANTE,** adj.
Qui ressemble à qqn, à qqch. 1503 ; p. pr. de *ressembler* ; [ʀəsɑ̃blɑ̃, ɑ̃t].

**RESSEMBLER,** verbe trans. indir. [3]
**Ressembler à. 1.** Présenter de la ressemblance avec (qqn, qqch.) ; empl. pronom., présenter une ressemblance mutuelle. ▸ Loc. péj. ***Ne ressembler à rien*** : sortir de l'ordinaire ; manquer de cohérence. **2.** Être conforme au caractère, aux habitudes de (qqn) : *Cela ne lui **ressemble** pas d'être avare.* Fin XIe s. ; ☞ *sembler + re-* ; [ʀəsɑ̃ble].

**RESSEMELAGE,** subst. m.
Action de ressemeler ; son résultat. 1741 ; ☞ *ressemeler* ; [ʀəsəm(ə)laʒ].

**RESSEMELER,** verbe trans. [12]
Changer la semelle de (une chaussure). 1423 ; ☞ *semelle + re-* ; [ʀəsəm(ə)le].

**RESSENTIMENT,** subst. m.
**1.** Souvenir d'un tort subi, s'accompagnant gén. d'un désir de vengeance. **2.** Souvenir reconnaissant (vx). Déb. XIVe s. ; ☞ *ressentir* ; [ʀəsɑ̃timɑ̃].

**RESSENTIR,** verbe trans. [23]
**1.** Éprouver (une sensation, un sentiment). **2.** Subir les effets, les suites de (qqch.). **PRONOM. 1. Se ressentir de.** ▸ Se souvenir de (qqch.) avec ressentiment ou reconnaissance (vx). ▸ Subir les effets, les suites de (un évènement, une chose fâcheuse) : *Se **ressentir** d'un accident* ; par ext. : *Il est malade, et son humeur s'en **ressent**.* **2.** Loc. ***S'en ressentir** pour qqch.* : se sentir apte à la réaliser (fam.). Fin XIIIe s. (fin XIIe s., éprouver par sympathie ce que ressent autrui) ; ☞ *sentir + re-* ; [ʀəsɑ̃tiʀ].

**RESSERRE,** subst. f.
Endroit où l'on met certaines choses à l'abri (synon. *remise*). 1836 (1629, paroi qui sépare la bûcherie du four) ; ☞ *resserrer* ; [ʀəsɛʀ].

**RESSERREMENT,** subst. m.
Action de resserrer ; son résultat. 1550 ; ☞ *resserrer* ; [ʀəsɛʀmɑ̃].

**RESSERRER,** verbe trans. [3]
**1.** Placer dans un endroit fermé (vieilli). **2.** Serrer de nouveau ou davantage : ***Resserrer** un étau.* **3.** Rendre plus étroit en rapprochant certains éléments. ▸ Réduire : ***Resserrer** ses dépenses* ; ***Resserrer** un texte*, le condenser. ▸ Fig. Renforcer : ***Resserrer** des liens d'amitié.* **PRONOM. 1.** Se serrer de nouveau ou plus encore. **2.** Se rétrécir ; au fig., se renforcer : *Leurs relations se **resserrent**.* XIIIe s. ; ☞ *serrer + re-* ; [ʀəseʀe].

**RESSERVIR,** verbe [28]
**TRANS.** Servir de nouveau ; au fig., répéter : ***Resservir** toujours les mêmes histoires.* **INTRANS.** Être encore utilisable : *Vêtements qui peuvent **resservir**.* 1842 (1265, payer en retour) ; ☞ *servir + re-* ; [ʀəsɛʀviʀ].

**RESSORT (I),** subst. m.
**1.** Pièce élastique, souv. hélicoïdale, qui, par ses compressions et ses détentes, participe au fonctionnement d'un mécanisme. **2.** Fig. Force, gén. cachée, qui fait agir : *Les véritables **ressorts** d'un complot* ; moyen (littér.) : *Les **ressorts** de la réussite* ; énergie : *Manquer de **ressort**.* 1260 (déb. XIIe s., secours, remède) ; ☞ *ressortir* (I) ; [ʀəsɔʀ].

**RESSORT (II),** subst. m.
**1.** Vx. *Dr.* Recours à une juridiction supérieure. ▸ Loc. *Jugement en premier, en dernier **ressort*** : susceptible, non susceptible d'appel. **2.** Compétence matérielle ou circonscription territoriale d'une juridiction : *Le **ressort** de la Cour de cassation.* **3.** Loc. ***C'est du ressort de*** : de la compétence de. 1210 ; ☞ *ressortir* (I) ; [ʀəsɔʀ].

**RESSORTIR (I),** verbe [23]
**INTRANS. 1.** Apparaître avec un relief accusé ; par ext., se détacher sur un fond. ▸ Fig. Apparaître avec évidence ; empl. impers., résulter : *Il **ressort** de cette enquête qu'il est coupable.* **2.** Sortir de nouveau (d'un lieu) ; sortir peu après être entré. **TRANS. 1.** Sortir (qqch.) de nouveau. **2.** Fig. Répéter (fam.) : ***Ressortir** toujours les mêmes plaisanteries.* Déb. XIIe s. (fin XIe s., rebondir) ; ☞ *sortir* (I) *+ re-* ; [ʀəsɔʀtiʀ].

**RESSORTIR (II),** verbe trans. indir. [19]
**Ressortir à. 1.** *Dr.* Être du ressort, de la compétence de (une juridiction). **2.** Ext. Concerner, relever de. 1398 ; ☞ *ressort* (II) ; [ʀəsɔʀtiʀ].

**RESSORTISSANT, ANTE,** adj. et subst.
**ADJ.** *Dr.* Qui est du ressort d'une juridiction (vieilli). **SUBST.** Personne qui relève de l'autorité d'un État, ou qui, lorsqu'elle réside à l'étranger, est sous la protection de l'autorité représentant son pays. 1694 ; p. pr. de *ressortir* (II) ; [ʀəsɔʀtisɑ̃, ɑ̃t].

**RESSOUDER,** verbe trans. [3]
Souder de nouveau ; souder (ce qui est brisé). Fin XIIe s. ; ☞ *souder + re-* ; [ʀəsude].

**RESSOURCE,** subst. f.
**1.** Ce qui permet de se tirer d'embarras : *C'est votre ultime **ressource**.* ▸ Loc. ***Sans ressource*** : sans remède (vieilli). **2.** *Aéron.* Manœuvre de redressement d'un avion qui sort d'un piqué. **PLUR. 1.** Moyens financiers et matériels d'une personne : *Être sans **ressources**.* ▸ Potentiel, moyens divers dont dispose un pays, une collectivité : ***Ressources** industrielles, minières* ; ***Ressources** humaines.* **2.** Fig. Capacités physiques ou morales. ▸ Moyens, possibilités qu'offre qqch. : *Les **ressources** de la médecine.* 1422 (fin XIIe s., secours) ; *ressourdre* (vx), du lat. *resurgere*, « se relever ; se rétablir ; ressusciter » ; [ʀəsuʀs].

**RESSOURCEMENT,** subst. m.
Retour aux sources (littér.). 1905 ; ☞ *ressource* ; [ʀəsuʀsəmɑ̃].

**RESSOURCER (SE),** verbe pronom. [4]
Se revigorer en revenant aux sources, aux valeurs essentielles : *Se **ressourcer** aux poètes latins.* V. 1960 (1911, jaillir de nouveau) ; ☞ *source* ; [ʀəsuʀse].

**RESSOUVENIR (SE),** verbe pronom. [22]
Vieilli ou Littér. Se rappeler (une chose ancienne ou qu'on avait oubliée). Mil. XIIe s. ; ☞ *souvenir* (I) *+ re-* ; [ʀəsuv(ə)niʀ].

**RESSUAGE,** subst. m.
**1.** *Métall.* Opération consistant à séparer les éléments d'un métal brut en le chauffant jusqu'à fusion partielle. **2.** *Techn.* Fait, pour un corps, de perdre son humidité. 1723 (1692, fourneau servant à faire ressuer) ; ☞ *ressuer* ; [ʀəsɥaʒ].

**RESSUER,** verbe intrans. [3]
Subir ou présenter le ressuage. 1692 (déb. XIIIe s., suer de nouveau) ; ☞ *suer + re-* ; [ʀəsɥe].

**RESSUI,** subst. m.
*Vén.* Lieu où le gros gibier vient se sécher, après la pluie, la rosée. 1561 ; ☞ *ressuyer* ; [ʀesɥi].

**RESSURGIR,** voir **RESURGIR**

**RESSUSCITER,** verbe [3]
**INTRANS. 1.** Revenir de la mort à la vie. **2.** Ext. Retrouver la santé après une grave maladie (fam.). **3.** Fig. Réapparaître, retrouver sa vivacité : *Végétation qui **ressuscite** aux beaux jours.* **TRANS. 1.** Ramener de la mort à la vie. **2.** Ext. Guérir (une personne très malade) de façon surprenante (fam.). **3.** Fig. Faire revivre en pensée ; faire réapparaître : ***Ressusciter** une tradition artisanale.* Déb. XIIe s. ; lat. *resuscitare*, « réveiller, ranimer » ; [ʀesysite].

**RESSUYAGE,** subst. m.
*Agric.* Action de ressuyer. 1877 ; ☞ *ressuyer* ; [ʀesɥijaʒ].

**RESSUYER,** verbe trans. [16]
**1.** Faire sécher. **2.** Essuyer de nouveau. **3.** *Agric.* Débarrasser (un légume) de la terre restée après l'arrachage. Fin XIIe s. ; ☞ *essuyer + re-* ; [ʀesɥije].

**RESTANT, ANTE,** adj. et subst. m.
**ADJ.** Qui reste : *La somme **restante**.* ▸ ***Poste restante*** (☞ *poste*). **SUBST.** Reste : *Le **restant** de l'année.* Déb. XIIIe s. ; p. pr. de *rester* ; [ʀɛstɑ̃, ɑ̃t].

**RESTAU,** voir **RESTO**

**RESTAURANT,** subst. m.
**1.** Vx. Boisson, aliment qui restaure. **2.** Établissement où l'on prend un repas moyennant paiement. 1521 ; p. pr. de *restaurer* ; [ʀɛstɔʀɑ̃].

**RESTAURATEUR, TRICE,** subst. et adj.
**SUBST. 1.** Artisan qui restaure, répare des œuvres d'art ; au fig., personne qui rétablit une chose : *Coubertin fut le **restaurateur** des jeux Olympiques.* **2.** Personne qui tient un restaurant. **ADJ.** Qui fortifie, redonne des forces. Déb. XVIe s. (1495, celui qui guérit, qui remet un membre cassé en bon état) ; bas lat. *restaurator* ; [ʀɛstɔʀatœʀ, tʀis].

**RESTAURATION,** subst. f.
**I. 1.** Réparation, remise en état d'un édifice, d'une œuvre d'art. **2.** Fig. Rétablissement dans l'état initial : ***Restauration** d'une religion* ; en partic., rétablissement sur le trône d'une dynastie qui en avait été écartée. ▸ *Hist. La **Restauration*** : le rétablissement des Bourbons sur le trône de France, de 1814 à 1830 (les règnes de Louis XVIII et de Charles X) ; en appos. : *Style **Restauration***, de cette période. **II. 1.** Métier de qqn qui tient un restaurant ; préparation et commerce de plats cuisinés, de sandwichs, etc. **2.** Helv. Restaurant. XIIIe s. ; bas lat. *restauratio*, « renouvellement » ; [ʀɛstɔʀasjɔ̃].

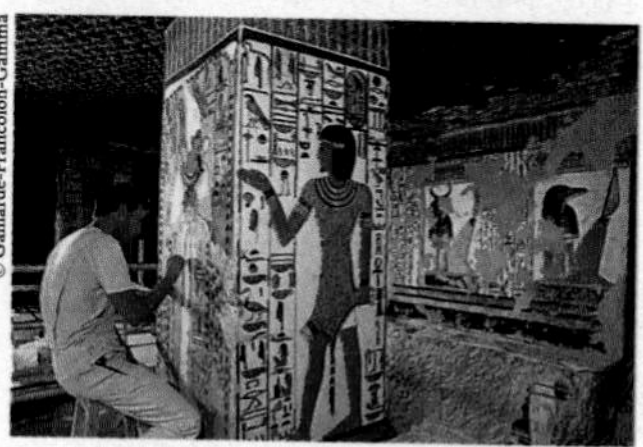

© Gaillarde-Francolon-Gamma

*Restauration de la tombe de Néfertari, dans la Vallée des Reines, à Thèbes (Égypte).*

**RESTAURER,** verbe trans. [3]
**1.** Vx. Guérir. **2.** Remettre en état (qqch.) en respectant le style d'origine. **3.** Fig. Faire exister de nouveau, remettre en vigueur : ***Restaurer** la paix.* ▸ ***Restaurer** un monarque* : le rétablir sur le trône. **4.** Servir à manger à (rare). **PRONOM.** Rétablir ses forces en mangeant. Fin Xe s. ; lat. *restaurare*, « rebâtir, réparer ; renouveler » ; [ʀɛstɔʀe].

**RESTE,** subst. m.
**I. 1.** Ce qui reste d'un tout auquel on a retranché une ou plusieurs parties : *Il a gardé ce champ et vendu le **reste** du terrain.* ▸ Loc. ***De reste*** : plus qu'il n'en faut ; ***Être en reste** avec qqn* : être son débiteur ; ***Le reste** du temps* : aux autres moments ; ***Partir sans demander son reste*** : sans insister, par crainte de subir quelque désagrément. **2.** Abs. Tout ce dont il n'a pas été fait mention : *Voilà la vérité, tout le **reste** est mensonge.* ▸ Loc. ***Au reste, du reste*** : en outre, d'ailleurs ; ***Et tout le reste*** : et ce qui suit. **3.** *Arithm.* ***Reste** d'une division* : différence entre le dividende et le produit du diviseur par le quotient. **II.** Ce qui subsiste d'un ensemble dont l'intégrité a été altérée (souv. au plur.) : *Les **restes** d'un monument*, ses ruines. ▸ ***Un reste de*** : une petite quantité subsistante de. ▸ Loc. ***Avoir de beaux restes*** : garder une partie de sa beauté passée (fam.). **PLUR. 1.** Aliments non consommés d'un repas ; empl. abs. : *Manger les **restes**.* **2.** Survivants (après un combat) : *Les **restes** d'une armée.* **3.** Cadavre, cendres d'une personne : *Exhumer les **restes** de qqn.* Déb. XIIIe s. ; ☞ *rester* ; [ʀɛst].

**RESTER,** verbe intrans. [3]
**1.** Ne pas bouger (d'un lieu). ▸ Loc. ***Y rester*** : y laisser sa vie (fam.). ▸ Demeurer, habiter (région.). **2.** Se maintenir (dans un même état, une même position). ▸ ***Rester à*** (+ inf.) : continuer à. **3.** Subsister, être encore présent : *Il ne **reste** rien de sa fortune.* **4. En rester à.** S'arrêter à (dans un processus, une action) : *En photo, il en **est resté** au noir et blanc.* ▸ ***En rester là*** : ne pas aller plus avant (dans une action, des relations, etc.). **5.** Loc. ***Il reste que*** ; ***Il n'en reste pas moins que***, il est néanmoins vrai que. Fin XIIe s. ; lat. *restare* ; [ʀɛste].

**RESTITUER,** verbe trans. [3]
1. Rendre (ce qui a été pris ou est possédé illégalement) : *On lui **restitua** son argent.* 2. Rétablir dans son état initial : ***Restituer** une fresque.* ► Fig. Faire revivre, recréer : *Ce film **restitue** le climat de l'Occupation.* 3. Libérer (ce qui a été absorbé) : *Brique chauffée qui **restitue** la chaleur.* ► Reproduire fidèlement (un son, une image). 4. *Topogr.* Procéder à la restitution de. XIIIe s. ; lat. *restituere* ; [ʀɛstitɥe].

**RESTITUTION,** subst. f.
1. Action de restituer ; son résultat. 2. *Topogr.* Représentation en trois dimensions d'un terrain, d'un objet à partir de photographies stéréoscopiques. 1251 ; lat. *restitutio* ; [ʀɛstitysjɔ̃].

**RESTO,** subst. m.
Restaurant (fam.). Fin XIXe s. ; abrév. de *restaurant* ; var. *restau* ; [ʀɛsto].

**RESTOROUTE,** subst. m. inv.
Restaurant placé au bord d'une route importante, d'une autoroute. V. 1960 ; crois. de *restaurant* et de *route* ; n. déposé ; [ʀɛstoʀut].

**RESTREINDRE,** verbe trans. [53]
Réduire, limiter : ***Restreindre** son activité.* PRONOM. 1. Devenir plus petit : *Notre champ d'action **s'est restreint**.* 2. Abs. Réduire son train de vie. 1283 (mil. XIIe s., serrer, attacher) ; lat. *restringere*, « serrer fortement » ; [ʀɛstʀɛ̃dʀ].

**RESTRICTIF, IVE,** adj.
Qui restreint, limite. 1513 (1377, remède) ; lat. *restrictus*, de *restringere*, « restreindre » ; [ʀɛstʀiktif, -iv].

**RESTRICTION,** subst. f.
1. Condition, considération qui restreint. ► ***Restriction** mentale* : réserve, faite au for intérieur, d'une partie de ce que l'on pense ou de ce que l'on sait, de manière à empêcher autrui de savoir qqch., tout en évitant l'accusation de mensonge. ► Loc. *Sans **restriction*** : sans réserve, sans condition. 2. Action de restreindre la quantité, l'importance de : *Des **restrictions** budgétaires.* 3. *Math.* ***Restriction** d'une application f de E dans F à une partie A de E* : application de A dans F, notée $f/_A$ ou $f_A$, qui à tout élément $x$ de A associe $f(x)$ dans F. PLUR. Mesures visant à limiter la consommation en période de pénurie. Fin XIVe s. (1314, contraction) ; bas lat. *restrictio* ; [ʀɛstʀiksjɔ̃].

**RESTRUCTURATION,** subst. f.
Action de restructurer ; son résultat. V. 1960 ; ☞ *restructurer* ; [ʀəstʀyktyʀasjɔ̃].

**RESTRUCTURER,** verbe trans. [3]
Donner une nouvelle structure à, réorganiser (qqch.). V. 1960 ; ☞ *structurer* + *re-* ; [ʀəstʀyktyʀe].

**RESUCÉE,** subst. f.
Fam. Nouvelle dose d'une boisson absorbée ; répétition de ce qui a déjà été dit, fait, etc. 1867 ; *resucer* (rare), « sucer de nouveau » ; [ʀəsyse].

**RÉSULTANT, ANTE,** adj. et subst. f.
ADJ. 1. Qui résulte de qqch. 2. *Mus. Son **résultant*** : qui correspond à deux sons émis simultanément. SUBST. 1. Conséquence de l'action de plusieurs facteurs. 2. *Math. **Résultante** d'un système de n glisseurs* $(D_k, \vec{v}_k)_{k=1,\ldots,n}$ : vecteur $\vec{R} = \vec{v}_1 + \vec{v}_2 + \ldots + \vec{v}_n$. XVIe s. ; p. pr. de *résulter* ; [ʀezyltɑ̃, -ɑ̃t].

**RÉSULTAT,** subst. m.
1. Ce qui résulte de qqch. ► *Math.* Solution (d'un calcul, d'un problème). 2. Succès ou échec à un examen, à un concours (gén. au plur.) ; par méton., liste des personnes ayant réussi. ► Score réalisé dans une consultation électorale, une compétition sportive, etc. 3. *Comptab.* Solde d'un compte. 1611 ; lat. scol. *resultatum* ; [ʀezylta].

**RÉSULTER,** verbe intrans. [3]
Être l'effet, la conséquence de ; empl. impers., s'ensuivre. 1491 ; lat. scol. *resultare*, « résulter », du lat. *resultare*, « rebondir » ; verbe défectif ; [ʀezylte].

**RÉSUMÉ,** subst. m.
Forme condensée d'un texte, abrégé. ► Loc. *En **résumé*** : en bref. 1750 ; p. p. de *résumer* ; [ʀezyme].

**RÉSUMER,** verbe trans. [3]
1. Exprimer brièvement l'essentiel de : ***Résumer** un discours.* 2. Définir par un élément caractéristique : *Cet incident **résume** bien la situation.* PRONOM. 1. Reprendre brièvement ce que l'on a dit. 2. *Se **résumer** à* : consister pour l'essentiel en. 1690 (fin XIVe s., répéter) ; lat. *resumere*, « ressaisir » ; [ʀezyme].

**RESURCHAUFFE,** subst. f.
*Techn.* Nouvelle surchauffe, après première détente, d'une vapeur déjà surchauffée, pour améliorer le rendement d'une turbine. V. 1960 ; ☞ *surchauffe* + *re-* ; [ʀəsyʀʃof].

**RÉSURGENCE,** subst. f.
1. *Géogr.* En région karstique, point de retour à l'air libre (source) d'un cours d'eau qui a pénétré dans le calcaire par une perte. 2. Fig. Fait de resurgir : ***Résurgence** du fanatisme.* 1896 ; lat. *resurgens*, de *resurgere*, « rejaillir » ; [ʀezyʀʒɑ̃s].

**RÉSURGENT, ENTE,** adj.
*Géogr.* Se dit d'un cours d'eau qui revient à l'air libre après un parcours souterrain. 1923 ; lat. *resurgens*, de *resurgere*, « rejaillir » ; [ʀezyʀʒɑ̃, -ɑ̃t].

**RESURGIR,** verbe intrans. [19]
Surgir de nouveau. 1611 ; lat. *resurgere*, « se relever » ; var. *ressurgir* ; [ʀəsyʀʒiʀ].

**RÉSURRECTION,** subst. f.
1. Retour de la mort à la vie : *La **résurrection** de Lazare.* ► *Relig. La **résurrection** du Christ* ou, empl. abs., *La **Résurrection*** : passage du Christ à la vie glorieuse, trois jours après sa mort sur la croix. ► *Théol. **Résurrection** de la chair* : dogme du judéo-christianisme et de l'islam, selon lequel le corps humain ressuscitera à la fin des temps, en vue du jugement dernier. ► *B.-a.* Œuvre d'art représentant la **résurrection** du Christ. 2. Ext. Guérison surprenante. 3. Fig. Renaissance, nouvel essor. ► Réapparition (d'un sentiment, d'une idée). XIIe s. (déb. XIIe s., action de se lever) ; lat. eccl. *resurrectio*, « action de se relever » ; [ʀezyʀɛksjɔ̃].

**RETABLE,** subst. m.
Dans une église, partie postérieure et verticale d'un autel, peinte ou ornée de motifs sculptés. 1426 ; anc. prov. *retaule*, du lat. *retro*, « derrière », et *tabula*, « planche » ; [ʀətabl].

© A. Thomas-Explorer

*Détail du **Retable** de sainte Brigitte (XIVe s.). Musée historique de Stockholm.*

BEAUX-ARTS – L'art du retable se développe dès le Moyen Âge, utilisant des matériaux variés (émaux, orfèvrerie, ivoire, pierre, bois...). À partir du XIIIe s., son importance en peinture est comparable à celle de la fresque, qu'il soit constitué d'un panneau unique (*Maestà* de Duccio, de Giotto) ou doté de panneaux multiples, fixes ou mobiles. Le XVe s. voit fleurir des retables dans l'Europe entière : *Pala de Montefeltro*, de Piero Della Francesca ; *Retable de San Zeno*, de Mantegna, en Italie ; *Retable de l'Agneau mystique* de Van Eyck, à Gand ; *Couronnement de la Vierge* de Quarton, à Villeneuve-lès-Avignon ; monumentaux retables espagnols de Borrassa, de Martorell, etc. Malgré le développement de la peinture sur toile, le retable reste un objet privilégié de l'art religieux au XVIe s., avec Raphaël, Titien, Grünewald (*Retable d'Issenheim*), au XVIIe s., avec Rubens, Le Brun, etc. et au XVIIIe s., où les œuvres baroques y associent des éléments de peinture, de sculpture et d'architecture.

**RÉTABLIR,** verbe trans. [19]
1. Établir de nouveau (ce qui a disparu) : ***Rétablir** un courant électrique* ; remettre en vigueur : ***Rétablir** la loi martiale.* 2. Remettre dans son état antérieur, ou en bon état : ***Rétablir** sa fortune* ; ***Rétablir** la vérité.* 3. Remettre (qqn) en place : ***Rétablir** qqn dans ses fonctions.* 4. Rendre la santé à. PRONOM. 1. Revenir : *Le silence se **rétablit**.* 2. Guérir. Mil. XIIe s. ; ☞ *établir* + *re-* ; [ʀetabliʀ].

**RÉTABLISSEMENT,** subst. m.
1. Action de rétablir ; son résultat : ***Rétablissement** de la paix.* 2. Guérison. 3. *Sp.* Mouvement de gymnastique consistant à hisser le corps par traction des bras au-dessus du point d'appui des mains. Mil. XIIIe s. ; ☞ *rétablir* ; [ʀetablismɑ̃].

**RETAILLE,** subst. f.
*Techn.* 1. Partie retranchée (d'un objet taillé). 2. Action de retailler : ***Retaille** d'un diamant.* Fin XIIe s. ; ☞ *retailler* ; [ʀətaj].

**RETAILLER,** verbe trans. [3]
Tailler de nouveau. 1459 (fin XIIe s., rogner) ; ☞ *tailler* + *re-* ; [ʀətaje].

**RÉTAMAGE,** subst. m.
Action de rétamer. 1870 ; ☞ *rétamer* ; [ʀetamaʒ].

**RÉTAMER,** verbe trans. [3]
1. Étamer de nouveau. 2. Fam. Fatiguer beaucoup. ► Rendre ivre ; empl. adj. : *Être **rétamé**.* ► Dépouiller au jeu : *Se faire **rétamer**.* PRONOM. Faire une chute (fam.). 1412 ; ☞ *étamer* + *re-* ; [ʀetame].

**RÉTAMEUR, EUSE,** subst.
Ouvrier, ouvrière qui rétame. 1870 ; ☞ *rétamer* ; [ʀetamœʀ, -øz].

**RETAPE,** subst. f.
Fam. 1. Racolage : *Faire de la **retape**.* 2. Fig. Publicité outrancière, tapageuse. 1830 (1797, action de guetter qqn pour le voler) ; ☞ *retaper* ; [ʀətap].

**RETAPER,** verbe trans. [3]
I. 1. Rendre sa forme à (qqch.) en le tapant, en l'arrangeant : ***Retaper** un lit.* 2. Réparer (parfois sommairement) : ***Retaper** un vieil appartement.* 3. Fam. Rendre la santé, redonner des forces à (qqn) ; empl. pronom., recouvrer la santé, reprendre des forces. II. Taper de nouveau (un texte) à la machine. 1752 (mil. XVe s., se tapir de nouveau) ; ☞ *taper* + *re-* ; [ʀətape].

**RETARD,** subst. m.
1. Fait d'arriver, de se produire après le moment prévu : *Le train a du **retard*** ; par méton., délai entre le moment prévu et le moment réel d'arrivée : *Un **retard** de deux heures.* ► Loc. *En **retard*** : après le moment fixé, prévu. 2. Fait qu'une montre, une pendule retarde ; par méton., dispositif servant à ralentir ou à accélérer son mouvement. 3. Action, fait d'agir plus tard que prévu : *Un **retard** de paiement.* ► Loc. *Sans **retard*** : sans délai. 4. *Spéc.* ► *Mus.* Prolongation d'une des notes d'un accord sur l'accord suivant. ► *Pharm.* En appos. : *Médicament **retard***, substance qui agit sur l'organisme avec un effet prolongé. 5. État de qqn, de qqch. qui est moins avancé que ce qu'il devrait être : *Travail qui a du **retard**.* 1629 ; ☞ *retarder* ; [ʀətaʀ].

**RETARDATAIRE,** adj. et subst.
Se dit d'une personne qui arrive, qui agit ou qui est en retard. 1808 ; ☞ *retarder* ; [ʀətaʀdatɛʀ].

**RETARDATEUR, TRICE,** adj. et subst. m.
ADJ. 1. Qui ralentit une action, un processus. 2. *Milit. Action **retardatrice***, destinée à ralentir la progression de l'ennemi. SUBST. 1. *Chim.* Corps dont la présence ralentit une réaction. 2. *Phot.* Minuterie servant à différer le déclenchement d'un appareil photo. 1743 ; ☞ *retarder* ; [ʀətaʀdatœʀ, -tʀis].

**RETARDÉ, ÉE,** adj.
1. Ralenti (vieilli). 2. Différé. 3. Dont le stade de développement est en retard par rapport à une moyenne : *Pays, enfant **retardé**.* 1659 ; p. p. de *retarder* ; [ʀətaʀde].

**RETARDEMENT,** subst. m.
1. Action de retarder (vieilli). 2. Loc. *À **retardement***. ► Qui se manifeste après disparition de la cause : *Rire à **retardement**.* ► Dont la mise à feu est différée par un dispositif retardateur : *Bombe à **retardement**.* 1345 ; ☞ *retarder* ; [ʀətaʀdəmɑ̃].

**RETARDER,** verbe [3]
TRANS. 1. Différer, remettre à plus tard : ***Retarder** le moment d'agir.* 2. Faire arriver après le moment prévu : *Une panne a **retardé** notre train.* 3. Ralentir (un mouvement, un processus) : ***Retarder** l'évolution d'une maladie.* 4. Mettre (qqn) en retard. 5. ***Retarder** une horloge* : la régler sur une heure moins avancée que celle qu'elle indique. INTRANS. 1. Indiquer une heure moins avancée que l'heure réelle : *Ma montre **retarde** de dix minutes* ; par méton. : *Je **retarde** de dix minutes.* 2. Fam. ► Ignorer une nouvelle connue de tous. ► Avoir des idées dépassées. Fin XIIe s. ; lat. *retardare* ; [ʀətaʀde].

**RETASSURE,** subst. f.
*Métall.* Défaut, en forme de cavité, apparaissant dans une pièce coulée lorsqu'elle se solidifie. 1923 ; ☞ *tasser* + *re-* ; [ʀətasyʀ].

**RETÂTER,** verbe trans. [3]
TRANS. DIR. Tâter de nouveau. TRANS. INDIR. Retâter de. Goûter, essayer de nouveau (qqch.). XIIIe s. ☞ *tâter* + *re-* ; [ʀətate].

**RETENDOIR,** subst. m.
*Techn.* Clé servant à régler la tension des cordes de piano. 1811 ; ☞ *retendre* ; [ʀətɑ̃dwaʀ].

**RETENDRE,** verbe trans. [51]
Tendre de nouveau. Fin XIIe s. ; ☞ *tendre* (I) + *re-* ; [ʀətɑ̃dʀ].

**RETENIR,** verbe trans. [22]
**I. 1.** Garder avec soi (ce qui appartient à une autre personne) : *On **a retenu** son passeport.* **2.** Faire réserver : ***Retenir** une place de théâtre.* **3.** Garder en mémoire : ***Retenir** le nom de qqn.* ▸ Loc. *Je le **retiens** !* : je me souviendrai de lui, mais pas en bien (fam.). **4.** Prélever (une partie d'une somme) : ***Retenir** sa commission.* **5.** *Arithm.* Placer en réserve (un chiffre) pour la suite de l'opération : *Je pose six et je **retiens** un.* **6.** Conserver après examen : ***Retenir** une candidature.* **II. 1.** Empêcher (qqn) d'aller librement ; faire rester (qqn) auprès de soi ou quelque part : ***Retenir** qqn en prison, à dîner.* **2.** Fig. Réprimer, contenir : ***Retenir** ses larmes* ; ***Retenir** son souffle.* **3.** Maintenir (qqn), le saisir pour l'empêcher de tomber, de s'écarter : ***Retenir** qqn par le bras.* **4.** Maintenir en place, bloquer, contenir (qqch.) : *Deux peignes **retiennent** ses cheveux* ; *Un barrage **retiendra** les eaux.* PRONOM. **1. Se retenir à.** S'accrocher à (qqn, qqch.) pour ne pas tomber, pour ralentir sa descente. **2. Se retenir de** (+ inf.). S'empêcher de (céder à une envie, à un comportement instinctif) : *Se **retenir** de crier* ; empl. abs., différer la satisfaction d'un besoin naturel. Mil. XIe s. ; lat. *retinere* ; [ʀətəniʀ].

**RETENTER,** verbe trans. [3]
Tenter de nouveau. Déb. XIIIe s. ; ☞ *tenter* + *re-* ; [ʀətɔ̃te].

**RÉTENTEUR, TRICE,** adj. et subst.
ADJ. Qui retient : *Muscle **rétenteur**.* ADJ. et SUBST. *Dr.* Se dit d'une personne qui exerce un droit de rétention. 1552 ; lat. *retentus*, de *retinere*, « retenir » ; [ʀetɑ̃tœʀ, tʀis].

**RÉTENTION,** subst. f.
**1.** Vx. Réserve de ses droits. **2.** *Pathol.* Accumulation, dans un organe ou dans l'organisme, d'un produit normalement destiné à être éliminé : ***Rétention** placentaire* ; empl. abs., accumulation de l'urine dans la vessie : *Il souffre de **rétention**.* **3.** *Psychol.* Mémorisation des sensations, des perceptions. **4.** Fait de garder par-devers soi : *De la **rétention** d'informations.* **5.** *Dr. Droit de **rétention*** : qui autorise un créancier à garder un bien d'un débiteur jusqu'au remboursement de sa créance. **6.** *Géogr.* Immobilisation au sol des précipitations pendant un certain temps : ***Rétention** glaciaire nivale.* ▸ *Géol. Eau de **rétention*** : partie de l'eau souterraine qui ne s'écoule pas. 1291 ; lat. *retentio* ; [ʀetɑ̃sjɔ̃].

**RETENTIR,** verbe intrans. [19]
**1. Retentir de.** Être rempli de (un son puissant) : *Cour d'école qui **retentit** de cris d'enfants.* **2.** Se faire entendre bruyamment : *Des cloches **retentissent**.* **3.** Fig. **Retentir sur.** Avoir des conséquences, se répercuter sur : *La crise du dollar **retentit** sur notre économie.* Mil. XIIe s. ; anc. fr. *tentir*, du lat. *tinnire*, « tinter », + *re-* ; [ʀətɑ̃tiʀ].

**RETENTISSANT, ANTE,** adj.
**1.** Dont le son se fait entendre avec force. **2.** Dont on parle beaucoup dans le public : *Une faillite **retentissante**.* 1546 ; p. pr. de *retentir* ; [ʀətɑ̃tisɑ̃, ɑ̃t].

**RETENTISSEMENT,** subst. m.
**1.** Son s'accompagnant de résonances (vieilli ou littér.). **2.** Fig. ▸ Réactions d'intérêt suscitées dans le public : *Ce livre a eu un grand **retentissement**.* ▸ Suite de conséquences : *Ce choix aura un grand **retentissement**.* XIIIe s. ; ☞ *retentir* ; [ʀətɑ̃tismɑ̃].

**RETENUE,** subst. f.
**1.** Action de retenir, de garder, en partic. en vertu d'une loi, d'un règlement : ***Retenue** des passagers en quarantaine.* ▸ Prélèvement effectué sur une rémunération, correspondant à des cotisations obligatoires ou conventionnelles. ▸ *Enseign.* Punition qui consiste à garder un élève à l'école ou à l'y faire revenir en dehors de ses heures de cours. ▸ *Fisc. **Retenue** à la source* : impôt prélevé sur un revenu au moment où le contribuable perçoit celui-ci. **2.** Aptitude d'une personne à se contrôler, à montrer de la réserve : *Faire preuve de **retenue**.* **3.** *Trav. publ.* Fait de retenir (une masse d'eau) derrière un barrage ; masse d'eau ainsi accumulée ; par ext., bouchon de véhicules : *Une **retenue** de 10 km.* **4.** *Bât.* Fixation des extrémités d'une pièce de charpente dans un mur. **5.** *Arithm.* Chiffre que l'on réserve pour l'ajouter à celui du rang suivant, dans une opération. 1342 (mil. XIIe s., fait de retenir prisonnier) ; p. p. de *retenir* ; [ʀətəny].

**RETERCER,** verbe trans. [4]
*Agric.* Labourer (une vigne) une quatrième fois. 1316 ; ☞ *tercer* + *re-* ; var. *reterser* ; [ʀətɛʀse].

**RÉTIAIRE,** subst. m.
*Antiq. rom.* Gladiateur armé d'un filet et d'un trident, qui livrait combat à un mirmillon. 1611 ; lat. *retiarius*, de *rete*, « filet » ; [ʀetjɛʀ] ou [-sjɛʀ].

**RÉTICENCE,** subst. f.
**1.** Omission volontaire d'une chose qu'on pourrait ou devrait dire (vieilli) : *Discours plein de **réticences**.* **2.** Réserve mêlée de réprobation, dans ses paroles ou son comportement : *Montrer de la **réticence** envers qqn.* 1552 ; lat. *reticentia* ; [ʀetisɑ̃s].

**RÉTICENT, ENTE,** adj.
**1.** Qui comporte des réticences (vieilli) : *Propos **réticents**.* **2.** Qui fait preuve de, qui dénote la réticence. 1845 ; ☞ *réticence* ; [ʀetisɑ̃, ɑ̃t].

**RÉTICULAIRE,** adj.
**1.** Qui forme un réseau, ou qui en a l'aspect. **2.** *Anat.* Relatif à un réseau. 1610 ; lat. *reticulum*, « réseau » ; [ʀetikylɛʀ].

**RÉTICULATION,** subst. f.
*Chim.* Phase réactive, lors de la polymérisation, au cours de laquelle les macromolécules s'enchaînent par des liaisons chimiques, en formant un réseau. 1812 ; lat. *reticulum*, « réseau » ; [ʀetikylasjɔ̃].

**RÉTICULE,** subst. m.
**1.** *Opt.* Disque percé d'une ouverture coupée par deux lignes croisées, servant à la mesure des positions, et placé dans le plan focal d'un instrument d'optique. **2.** Petit sac à main (vieilli). **3.** *Antiq.* Résille des femmes romaines. 1682 ; lat. *reticulum*, « filet à petites mailles » ; [ʀetikyl].

**RÉTICULÉ, ÉE,** adj.
**1.** *Bot.* Marqué de nervures en réseau : *Feuilles **réticulées**.* **2.** *Anat.* *Substance **réticulée*** ou, empl. subst. fém., *La **réticulée*** : réseau de fibres du système nerveux central, qui gouverne la vigilance. **3.** *Archit.* Constitué d'éléments disposés en damier : *Appareil **réticulé***, maçonnerie de briques disposées en damier, utilisée par les Romains. **4.** *B.-a. Porcelaine **réticulée*** : formée de deux épaisseurs, dont celle qui est à l'extérieur est ajourée en réseau. 1778 ; ☞ *réticule* ; [ʀetikyle].

**RÉTICULER,** verbe trans. [3]
*Chim.* Former (un réseau de molécules polymérisées) par réticulation. V. 1970 ; ☞ *réticulation* ; [ʀetikyle].

**RÉTICULOCYTE,** subst. m.
*Biol.* Avant-dernière étape dans la différenciation des hématies. V. 1930 ; formé de *réticulo-* et de *-cyte* ; [ʀetikylɔsit].

**RÉTICULO-ENDOTHÉLIAL, ALE, AUX,** adj.
*Histol.* Se dit d'un ensemble cellulaire qui joue un rôle dans les mécanismes de défense de l'organisme. 1924 ; ☞ *endothélial* + *réticulo-* ; var. *réticuloendothélial, ale, aux* ; [ʀetikyloɑ̃dɔteljal, o].

**RÉTICULOSE,** subst. f.
*Pathol.* Prolifération cellulaire dans les organes du système réticulo-endothélial, notamment dans les ganglions, la rate, les poumons (synon. *réticulo-endothéliose*). XXe s. ; formé de *reticulo-* et de *-ose* ; [ʀetikyloz].

**RÉTICULUM,** subst. m.
**1.** *Anat.* Réseau de fibres et de vaisseaux. **2.** *Cytol. **Réticulum** endoplasmique granulaire* : ergastoplasme. 1667 ; lat. *reticulum*, « réseau » ; [ʀetikylɔm].

**RÉTIF, IVE,** adj.
**1.** Qui s'arrête ou recule, qui refuse d'avancer : *Âne **rétif**.* **2.** Anal. Difficile à diriger, à persuader ; récalcitrant, en parlant d'une personne : *Élève **rétif**.* Mil. XIIe s. (fin XIe s., que l'on force à s'arrêter) ; lat. pop. °*restivus*, du lat. *restare*, « rester » ; [ʀetif, iv].

**RÉTINE,** subst. f.
*Anat.* Mince membrane nerveuse tapissant la face interne et postérieure du globe oculaire, qui contient les éléments récepteurs de la sensation visuelle (cônes et bâtonnets), et qui transmet les informations au cerveau par le nerf optique. 1314 ; lat. médiév. *retina*, du lat. *rete*, « filet » ; [ʀetin].

**RÉTINIEN, IENNE,** adj.
Relatif à la rétine. 1854 ; ☞ *rétine* ; [ʀetinjɛ̃, jɛn].

**RÉTINITE,** subst. f.
*Pathol.* Inflammation de la rétine. 1830 ; ☞ *rétine* + *-ite* ; [ʀetinit].

**RÉTINOL,** subst. m.
*Biochim.* Vitamine A. V. 1970 ; ☞ *rétine* ; [ʀetinɔl].

**RÉTIQUE,** voir **RHÉTIQUE**

**RETIRAGE,** subst. m.
Nouveau tirage (d'une photo, d'un film, d'un livre, etc.). 1874 ; ☞ *retirer* ; [ʀətiʀaʒ].

**RETIRATION,** subst. f.
*Impr.* Action d'imprimer le verso d'une feuille déjà imprimée. ▸ *Machine à **retiration*** : qui imprime les deux côtés d'une feuille dans un seul passage. 1564 ; ☞ *retirer* ; [ʀətiʀasjɔ̃].

**RETIRÉ, ÉE,** adj.
**1.** Éloigné, isolé, en retrait : *Une maison **retirée**.* **2.** Qui est à la retraite ; qui vit loin de la société. 1559 ; p. p. de *retirer* ; [ʀətiʀe].

**RETIRER,** verbe trans. [3]
**I. 1.** Ramener à soi : ***Retirer** vite la main.* **2.** Ôter, enlever (qqch.) en tirant : ***Retirer** ses habits* ; ***Retirer** la clé de la serrure.* ▸ Loc. ***Retirer** de l'affiche* : cesser de jouer (une pièce, un film). **3.** Enlever (qqch.) d'un lieu : ***Retirer** sa valise de la consigne* ; ***Retirer** de l'argent de son compte.* **4.** Obtenir (un gain, un profit, etc.) : *De cette affaire, il **a retiré** un maximum de bénéfices.* **5.** Renoncer à, annuler : ***Retirer** sa candidature* ; ***Retirer** sa confiance, sa parole.* PRONOM. **1.** S'éloigner, s'isoler : *Se **retirer** du monde* ; *Se **retirer** dans ses appartements* ; battre en retraite. **2.** Ne plus exercer sa profession, quitter une affaire, prendre sa retraite. **3.** Refluer : *La mer se **retire**.* **II. 1.** Tirer de nouveau (un coup) avec une arme ; tirer au sort une nouvelle fois. **2.** Procéder à un nouveau tirage de (une photo, un film, un livre). Fin XIIe s. ; ☞ *tirer* + *re-* ; [ʀətiʀe].

**RÉTIVITÉ,** subst. f.
Caractère d'une monture, d'une personne rétive (rare). Déb. XIVe s. ; ☞ *rétif* ; var. *rétiveté* ; [ʀetivite].

**RETOMBÉ,** subst. m.
*Chorégr.* Retombée du corps après un saut. 1870 ; p. p. de *retomber* ; [ʀətɔ̃be].

**RETOMBÉE,** subst. f.
**1.** *Archit.* Partie basse d'un élément descendant : *Les **retombées** d'une voûte, d'un arc.* **2.** Fait de retomber ; chose qui retombe au sol après s'être élevée : ***Retombées** radioactives.* **3.** Fig. Apaisement, perte d'intensité, disparition (littér.) : ***Retombée** d'une colère.* PLUR. Conséquences, effets : *Les **retombées** sociales d'une politique.* 1518 ; p. p. de *retomber* ; [ʀətɔ̃be].

**RETOMBER,** verbe intrans. [3]
**1.** Tomber de nouveau. **2.** Descendre, après être monté : *La fusée **retomba** en mer* ; *Le dollar **est retombé** à 4,30 F.* **3.** Être de nouveau dans une situation antérieure : ***Retomber** en enfance* ; rechuter : ***Retomber** dans l'erreur.* **4. Retomber sur.** Rejaillir sur (qqn), l'atteindre en retour. ▸ Se trouver de nouveau en présence de (qqn, qqch.). **5.** Pendre librement : *Ses cheveux **retombaient** sur ses épaules.* **6.** Fig. S'apaiser, perdre de son intensité : *Sa joie **est** bien vite **retombée**.* 1538 ; ☞ *tomber* (I) + *re-* ; [ʀətɔ̃be].

**RETORDAGE,** subst. m.
Action de retordre des fils. 1472 ; ☞ *retordre* ; [ʀətɔʀdaʒ].

*Coupe de la **rétine**.*

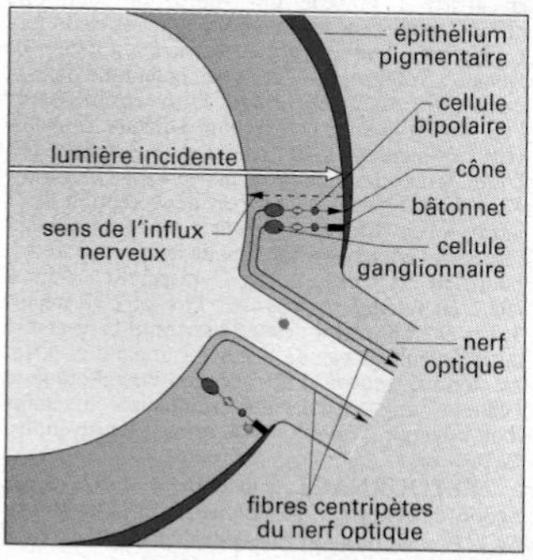

**RETORDEUR, EUSE,** subst. *Techn.* Ouvrier qui fait du retordage. FÉM. Machine à retordre. 1390 ; ☞ *retordre* ; [ʀətɔʀdœʀ, øz].

**RETORDOIR,** voir **RETORSOIR**

**RETORDRE,** verbe trans. [51] **1.** Assembler par torsion (plusieurs fils) pour obtenir un matériau plus résistant : *Retordre de la laine.* ▸ Loc. *Donner du fil à retordre à qqn* : lui créer des difficultés, lui résister. **2.** Tordre de nouveau (qqch.). Mil. XIIIe s. (fin XIIe s., se tordre) ; lat. *retorquere*, « tourner en arrière » ; [ʀətɔʀdʀ].

**RÉTORQUER,** verbe trans. [3] **1.** Vx. Retourner contre qqn (les arguments qu'il a utilisés). **2.** Ext. Répliquer vivement : *Il ne trouva rien à rétorquer.* 1549 (fin XIVe s., rapporter) ; lat. *retorquere*, « tourner en arrière » ; [ʀetɔʀke].

**RETORS, ORSE,** adj. **1.** Qui a été tordu plusieurs fois : *Fil retors* ; *Soie retorse.* **2.** Fig. Qui est tortueux, rusé, sournois : *Un esprit retors* ; *Un stratagème retors.* Déb. XIIIe s. ; anc. p. p. de *retordre* ; [ʀətɔʀ, ɔʀs].

**RÉTORSION,** subst. f. **1.** Action de rétorquer à qqn (vx). **2.** *Dr. internat.* Mesure licite de coercition employée par un État contre un autre, en riposte à une mesure semblable : *User de rétorsion.* **3.** Anal. Riposte à un acte d'agression. 1607 (déb. XIVe s., retournement) ; ☞ *rétorquer* ; [ʀetɔʀsjɔ̃].

**RETORSOIR,** subst. m. *Techn.* Appareil servant à retordre les fils. 1702 ; ☞ *retordre* ; var. *retordoir* ; [ʀətɔʀswaʀ].

**RETOUCHE,** subst. f. Action de retoucher ; son résultat : *Faire une retouche à une robe.* 1507 ; ☞ *retoucher* ; [ʀətuʃ].

**RETOUCHER,** verbe trans. [3] TRANS. DIR. **1.** Toucher de nouveau. **2.** Corriger les défauts de (un ouvrage, une œuvre) en y apportant des modifications : *Retoucher un pantalon, un texte, une photographie.* TRANS. INDIR. Retoucher à. Toucher de nouveau à : *Jamais je ne retoucherai à l'alcool.* Déb. XIIIe s. (fin XIIe s., toucher) ; ☞ *toucher* (I) + *re-* ; [ʀətuʃe].

**RETOUCHEUR, EUSE,** subst. Personne qui effectue des retouches. 1877 ; ☞ *retoucher* ; [ʀətuʃœʀ, øz].

**RETOUR,** subst. m. **I. 1.** Action, fait de repartir vers son point de départ : *J'attends son retour* ; *Sans retour*, à jamais. ▸ Méton. Chemin parcouru, temps mis pour revenir à son point de départ : *Un aller et retour pour Paris.* **2.** Fait de se trouver de nouveau dans un lieu : *Être de retour au pays* ; *Faire un retour en force*, resurgir avec des forces accrues. **3.** Fait de revenir à un stade, à un état antérieur : *Retour aux sources, au calme.* ▸ Loc. *Être sur le retour* : sur le déclin ; *Retour d'âge* : ménopause. **4.** Réapparition d'un phénomène périodique : *Le retour de l'été* ; *Retour de couches*, premières règles après l'accouchement. **5.** *Philos. L'éternel retour* : conception cyclique de l'univers, qui connaîtrait éternellement les mêmes phases. **II. 1.** Inversion d'un mouvement ; au fig. : *Retour de bâton*, conséquence imprévue et fâcheuse de qqch. ; *Faire un retour sur soi*, faire un examen introspectif de sa conduite. **2.** *Archit.* Angle formé avec l'alignement d'un bâtiment par un mur en saillie avec le corps d'un bâtiment. **3.** *Cin. Retour en arrière* : procédé qui rompt la continuité chronologique en évoquant un fait antérieur (recomm. off. pour *flash-back*). **4.** *Mécan.* ▸ *Retour de flamme* : irruption d'un mélange enflammé dans le carburateur ou, au fig., regain d'un sentiment que l'on croyait éteint ; contrecoup. ▸ *Retour de manivelle* (☞ *manivelle*). **III. 1.** Action de renvoyer, fait d'être renvoyé : *Retour d'un emballage consigné* ; *Répondre par retour de courrier*, dès réception de la lettre. ▸ Loc. *Cheval de retour* : vieux cheval qui ramenait l'équipage à son lieu de louage ou, au fig., politicien discrédité. **2.** Fig. Contrepartie, réciprocité : *En retour*, en échange ; *Être payé de retour.* **3.** *Dr. Droit de retour* : clause prévoyant la réversion au donateur en cas de décès du donataire. **4.** *Sp.* Au tennis, renvoi d'un service. PLUR. Retour à l'éditeur, au journal, des exemplaires invendus d'un ouvrage, d'un organe de presse ; les invendus. Déb. XIIe s. ; ☞ *retourner* ; [ʀətuʀ].

**RETOURNAGE,** subst. m. Action de retourner un vêtement, un objet (rare). 1715 ; ☞ *retourner* ; [ʀətuʀnaʒ].

**RETOURNE,** subst. f. *Jeux.* Carte retournée qui détermine la couleur d'atout. 1690 ; ☞ *retourner* ; [ʀətuʀn].

**RETOURNÉ,** subst. m. *Sp.* Au football, coup que l'on frappe vers le but en lui tournant le dos. XXe s. ; ☞ *retourner* ; [ʀətuʀne].

**RETOURNEMENT,** subst. m. **1.** Vx. Retour. **2.** Action de retourner qqch., fait de se retourner : *Retournement d'une barque.* ▸ *Aéron.* Figure de voltige, qui consiste à voler sur le dos. **3.** Fig. Revirement soudain : *Retournement de tendance, de situation.* **4.** *Math.* Dans l'espace, symétrie orthogonale par rapport à une droite. Fin XIIe s. ; ☞ *retourner* ; [ʀətuʀnəmɑ̃].

**RETOURNER,** verbe [3] INTRANS. **1.** Aller de nouveau (là où l'on est déjà allé) : *J'aimerais retourner à Capri.* **2.** Regagner un lieu que l'on a quitté : *Et puis est retourné, plein d'usage et raison, / Vivre entre ses parents le reste de son âge !* (du Bellay) ; *Retourner à sa place* ; *Retourner sur ses pas* : revenir en arrière. **3.** Revenir à un stade antérieur : *Chat qui retourne à l'état sauvage.* **4.** Être restitué : *Ses biens retourneront à sa famille.* TRANS. **1.** Tourner dans l'autre sens : *Ton pull est à l'envers, retourne-le.* ▸ *Agric. Retourner la terre* : la bêcher, la labourer. ▸ Loc. *Retourner sa veste* : changer de parti, d'opinion ; *Savoir de quoi il retourne* : de quoi il s'agit. **2.** Fig. Bouleverser (fam.) : *De le voir dans cet état, cela m'a retourné.* **3.** Faire changer de camp, d'avis : *Retourner l'opinion*, la faire basculer en sa faveur. **4.** Renvoyer : *N'oublie pas de me retourner le double signé.* ▸ Loc. *Je vous retourne le compliment* : la critique (par antiphr.). PRONOM. **1.** *S'en retourner* : repartir vers le lieu d'où l'on vient (vieilli). **2.** Faire volte-face, tourner le buste ou la tête vers l'arrière : *Il se retourna pour voir qui entrait* ; changer de position : *Se retourner dans son lit* ; se renverser : *Sa voiture s'est retournée.* **3.** S'adapter, réagir (fam.) : *Laissez-moi le temps de me retourner.* **4.** Se retourner contre (qqn). Atteindre (qqn) en retour : *Sa mauvaise foi ne peut que se retourner contre lui.* Fin XIe s. (842, détourner) ; ☞ *tourner* + *re-* ; [ʀətuʀne].

**RETRACER,** verbe trans. [4] **1.** Vx. Suivre la trace de. **2.** Tracer de nouveau : *Retracer des lettres effacées.* **3.** Anal. Décrire, relater à nouveau ; remettre en mémoire : *Laissez-moi vous retracer les faits.* Fin XIVe s. ; ☞ *tracer* + *re-* ; [ʀətʀase].

**RÉTRACTABLE,** adj. Que l'on peut rétracter : *Antenne rétractable.* 1661 ; ☞ *rétracter* (II) ; [ʀetʀaktabl].

**RÉTRACTATION,** subst. f. Action de rétracter ou de se rétracter, de se dédire. 1549 ; ☞ *rétracter* (I) ; [ʀetʀaktasjɔ̃].

**RÉTRACTER (I),** verbe trans. [3] Revenir sur, désavouer (ce que l'on a dit ou fait). PRONOM. Se dédire, revenir sur ses affirmations : *Après être passé aux aveux, le prévenu s'est rétracté.* 1545 (1370, annuler) ; lat. *retractare* ; [ʀetʀakte].

**RÉTRACTER (II),** verbe trans. [3] Faire disparaître par contraction : *Le chat rétracte ses griffes.* PRONOM. Se contracter, se retirer ; rétrécir. 1600 ; lat. *retractum*, de *retrahere*, « tirer en arrière » ; [ʀetʀakte].

**RÉTRACTIF, IVE,** adj. Qui produit une rétraction. 1537 (déb. XVe s., qui empêche) ; bas lat. °*retractivus* ; [ʀetʀaktif, iv].

**RÉTRACTILE,** adj. Qui peut être rétracté, rétréci : *Cornes rétractiles de l'escargot* ; *Griffes rétractiles des félins.* 1770 ; ☞ *rétracter* (II) ; [ʀetʀaktil].

**RÉTRACTILITÉ,** subst. f. Propriété de ce qui est rétractile. 1835 ; ☞ *rétractile* ; [ʀetʀaktilite].

**RÉTRACTION,** subst. f. **1.** *Pathol.* État d'un organe contracté et rétréci : *Rétraction utérine.* **2.** *Psychol. Rétraction affective* : fait de se replier sur soi-même. 1515 (fin XIVe s., action de se retirer) ; lat. *retractio* ; [ʀetʀaksjɔ̃].

**RETRADUIRE,** verbe trans. [69] Traduire à nouveau ; en partic., traduire (un texte déjà traduit). 1556 ; ☞ *traduire* + *re-* ; [ʀətʀadɥiʀ].

**RETRAIT,** subst. m. **1.** Fait de se retirer, de quitter un lieu : *Retrait de la mer* ; *Retrait des troupes.* ▸ Loc. *En retrait* : en arrière, à l'écart. ▸ *Techn.* Contraction de certains corps, perte de volume : *Retrait d'un bois au séchage.* **2.** Action de retirer qqch. : *Retrait de capitaux.* **3.** *Dr.* ▸ Mesure d'annulation d'un acte antérieur. ▸ *Retrait successoral* : disposition permettant à un cohéritier de se porter acquéreur de la quote-part qu'un autre cohéritier aurait cédée à un tiers. Fin XIIe s. ; *retraire* (vx), « retirer » ; [ʀətʀɛ].

**RETRAITANT, ANTE,** subst. Personne qui fait une retraite spirituelle. 1886 ; ☞ *retraite* ; [ʀətʀɛtɑ̃, ɑ̃t].

**RETRAITE,** subst. f. **I. 1.** Action de se retirer, de quitter un lieu ; départ (vieilli). **2.** *Milit.* Abandon de tout ou partie d'un champ de bataille par une armée qui ne peut s'y maintenir : *La retraite de Russie* ; *Sonner la retraite.* ▸ Loc. *Battre en retraite* : se retirer du combat ou, au fig., céder face à un adversaire. **3.** *Retraite aux flambeaux* : défilé solennel des troupes ou, par ext., procession de personnes munies de flambeaux. **II. 1.** Action de se retirer du monde ; par méton., période passée à l'écart, consacrée au repos ou au recueillement : *Retraite de première communion.* ▸ Lieu où l'on se retire (littér.) : *Retraite forestière.* **2.** Cessation de l'activité professionnelle en fin de carrière : *Prendre sa retraite.* ▸ Pension assurée aux personnes ayant pris leur **retraite** : *Toucher sa retraite.* **III.** *Archit.* Réduction de l'épaisseur d'un mur. Fin XIIe s. ; *retraire* (vx), « se retirer » ; [ʀətʀɛt].

**RETRAITÉ, ÉE,** adj. et subst. Se dit d'une personne qui s'est retirée de la vie active et qui perçoit une pension de retraite. 1818 ; ☞ *retraite* ; [ʀətʀete].

**RETRAITEMENT,** subst. m. *Techn.* Traitement d'un produit déjà employé, permettant d'en réutiliser certains éléments récupérables : *Retraitement des eaux usées.* 1962 (1636, fait de revoir un texte) ; ☞ *traitement* + *re-* ; [ʀətʀɛtmɑ̃].

**RETRAITER,** verbe trans. [3] *Techn.* Traiter à nouveau (une matière, un produit), en vue d'en réutiliser certains éléments. V. 1970 (1549, réviser un texte) ; ☞ *traiter* + *re-* ; [ʀətʀete].

**RETRANCHEMENT,** subst. m. **1.** Vx. Action de retrancher ; son résultat ; au fig., retraite, isolement. ▸ *Dr.* Limitation de la part de l'époux dans un contrat de mariage conclu avec une personne qui a déjà des enfants. **2.** Ouvrage servant à se protéger de l'ennemi. ▸ Loc. *Pousser qqn dans ses (derniers) retranchements* : le harceler, l'acculer. Fin XIIe s. ; ☞ *retrancher* ; [ʀətʀɑ̃ʃmɑ̃].

**RETRANCHER,** verbe trans. [3] **1.** Supprimer en coupant (vieilli) : *Retrancher les branches basses.* ▸ Ôter, enlever : *Retrancher un passage d'un texte.* ▸ Soustraire, déduire : *Retrancher la T. V. A. du prix.* **2.** Munir de tranchées, fortifier (une place). PRONOM. Se mettre à l'abri ; au fig., se protéger : *Se retrancher derrière le secret professionnel.* Déb. XIIe s. ; ☞ *trancher* + *re-* ; [ʀətʀɑ̃ʃe].

**RETRANSCRIPTION,** subst. f. Nouvelle transcription. 1917 ; ☞ *transcription* + *re-* ; [ʀətʀɑ̃skʀipsjɔ̃].

**RETRANSCRIRE,** verbe trans. [67] Transcrire de nouveau. 1741 ; ☞ *transcrire* + *re-* ; [ʀətʀɑ̃skʀiʀ].

**RETRANSMETTRE,** verbe trans. [60] **1.** Transmettre à son tour (un message, un enseignement reçu). **2.** Diffuser (une émission radiophonique ou télévisée) : *Retransmettre un concert.* 1860 ; ☞ *transmettre* + *re-* ; [ʀətʀɑ̃smɛtʀ].

**RETRANSMISSION,** subst. f. Action de retransmettre ; émission retransmise. 1904 ; ☞ *retransmettre* ; [ʀətʀɑ̃smisjɔ̃].

**RETRAVAILLER,** verbe [3] TRANS. INDIR. Retravailler à. Travailler de nouveau à (qqch.). TRANS. DIR. Revenir sur (un ouvrage) afin de l'améliorer. INTRANS. Travailler de nouveau ; retrouver un emploi. 1689 (1176, faire de nouveaux efforts) ; ☞ *travailler* + *re-* ; [ʀətʀavaje].

**RETRAYANT, ANTE,** subst. *Dr.* Personne exerçant le droit de retrait successoral. 1549 ; ☞ *retraire* (vx), « se retirer » ; [ʀətʀɛjɑ̃, ɑ̃t].

**RÉTRÉCIR,** verbe [19] TRANS. Rendre plus étroit, réduire les dimensions ou, au fig., l'ampleur de : *Éducation qui rétrécit l'esprit.* INTRANS. Devenir plus étroit, plus petit : *Rétrécir au lavage.* PRONOM. Diminuer : *Le sentier se rétrécissait peu à peu.* XVe s. ; ☞ *étrécir* + *re-* ; [ʀetʀesiʀ].

**RÉTRÉCISSEMENT, subst. m.**
**1.** Action de rétrécir ; état qui en résulte. **2.** *Pathol.* Diminution du calibre d'un organe creux ou d'un orifice : ***Rétrécissement** valvulaire.* 1546 ; ☞ *rétrécir* ; [ʀetʀesismɑ̃].

**RÉTREINDRE, verbe trans. [53]**
*Techn.* Diminuer, par martelage, la section d'une pièce métallique. 1752 ; ☞ *étreindre* + *re-* ; var. *retreindre* ; [ʀetʀɛ̃dʀ].

**RETREMPER, verbe trans. [3]**
**1.** *Techn.* Tremper de nouveau (un métal) pour le durcir : ***Retremper** un acier, la lame d'une épée.* **2.** Fig. Redonner de la force à (qqch.). **Pronom.** Se replonger : *Se **retremper** dans l'ambiance provinciale.* Fin XIIe s. ; ☞ *tremper* + *re-* ; [ʀətʀɑ̃pe].

**RÉTRIBUER, verbe trans. [3]**
**1.** Rémunérer (un travail, un service). **2.** Payer (qqn) pour son travail. 1541 (fin XIVe s., indemniser) ; lat. *retribuere*, « attribuer en retour » ; [ʀetʀibɥe].

**RÉTRIBUTION, subst. f.**
Salaire correspondant à un travail, à un service. XIIe s. ; bas lat. *retributio* ; [ʀetʀibysjɔ̃].

**RETRIEVER, subst. m.**
Chien de chasse dressé pour rapporter le gibier. 1854 ; angl. *retriever*, de *to retrieve*, « rapporter » ; [ʀetʀivœʀ].

**RÉTRO (I), subst. m.**
Mouvement rétrograde d'une boule de billard. 1889 ; apocope de *rétrograde* ; [ʀetʀo].

**RÉTRO (II), subst. m.**
Rétroviseur (fam.). 1935 ; apocope de *rétroviseur* ; [ʀetʀo].

**RÉTRO (III), adj. inv.**
Qui imite, prône le style d'un passé récent, en partic. celui des Années folles (1920-1930) ; empl. subst. masc. : *J'adore le **rétro**.* V. 1970 ; apocope de *rétrospectif* ; [ʀetʀo].

**RÉTROACTIF, IVE, adj.**
Se dit de ce qui exerce un effet sur des évènements, des faits antérieurs : *Les dernières dispositions fiscales furent à effet **rétroactif**.* 1510 ; lat. *retroactus*, « ramené en arrière » ; [ʀetʀoaktif, iv].

**RÉTROACTION, subst. f.**
**1.** Effet en retour d'une action sur son auteur. **2.** *Biol.* et *Techn.* Autorégulation d'un organisme, d'une machine. 1750 ; lat. *retroactus*, de *retroagere*, « ramener en arrière » ; [ʀetʀoaksjɔ̃].

**RÉTROACTIVEMENT, adv.**
De façon rétroactive : *Mesure prenant effet **rétroactivement**.* 1604 ; ☞ *rétroactif* ; [ʀetʀoaktivmɑ̃].

**RÉTROACTIVITÉ, subst. f.**
Caractère de ce qui est rétroactif. 1801 ; ☞ *rétroactif* ; [ʀetʀoaktivite].

**RÉTROCÉDER, verbe [8]**
**Intrans.** *Méd.* Régresser : *Tumeur, lésion qui **rétrocède**.* **Trans. 1.** Céder (ce que l'on a reçu). **2.** *Dr.* Revendre (un bien, un droit) à son vendeur ou à un tiers. 1611 (1534, reculer) ; lat. *retrocedere*, « rebrousser chemin » ; [ʀetʀosede].

**RÉTROCESSION, subst. f.**
**1.** *Dr.* Cession d'un bien, d'un droit par son acquéreur à celui dont il le tenait ou à un tiers. **2.** *Méd.* Régression d'un processus pathologique. 1640 (1550, reculade) ; bas lat. *retrocessio*, « retrait » ; [ʀetʀosesjɔ̃].

**RÉTROFLEXE, adj. et subst. f.**
*Phon.* Se dit d'une consonne articulée avec la pointe de la langue orientée vers l'arrière du palais. 1875 ; lat. *retroflexum*, de *retroflectere*, « plier en arrière » ; [ʀetʀɔflɛks].

**RÉTROFUSÉE, subst. f.**
*Astronaut.* Fusée qui freine ou fait reculer un engin spatial. V. 1960 ; ☞ *fusée* + *rétro-* ; [ʀetʀofyze].

**RÉTROGRADATION, subst. f.**
**1.** Vx. Mouvement rétrograde. **2.** Fig. Retour au passé, régression (littér.). **3.** Sanction faisant redescendre qqn à un grade ou à un classement inférieur : ***Rétrogradation** d'un sportif.* XIIIe s. ; bas lat. *retrogradatio* ; [ʀetʀɔgʀadasjɔ̃].

**RÉTROGRADE, adj.**
**1.** Qui va vers l'arrière : *Mouvement **rétrograde** des astres.* **2.** Fig. Qui s'oppose au progrès, au changement : *Idées **rétrogrades**.* **3.** *Spéc.* ► *Pathol. Amnésie **rétrograde*** : portant sur des souvenirs antérieurs à la maladie. ► *Rhét. Vers **rétrograde*** : palindrome. ► *Math. Automorphisme **rétrograde*** (par oppos. à *direct*) *d'un* $\mathbb{R}$*-espace vectoriel de dimension finie* : dont le déterminant est négatif ; *Isométrie **rétrograde** d'un espace (affine) euclidien* : isométrie dont l'automorphisme orthogonal associé est **rétrograde** (synon. *antidéplacement*). Fin XIVe s. ; lat. *retrogradus* ; [ʀetʀɔgʀad].

**RÉTROGRADER, verbe [3]**
**Intrans. 1.** Revenir en arrière, reculer. **2.** Fig. Remonter à une époque, à une situation antérieure ; régresser : ***Rétrograder** en deuxième division.* **3.** *Mécan.* Passer à la vitesse inférieure : ***Rétrograder** avant de doubler.* **Trans.** Sanctionner par rétrogradation. 1488 ; bas lat. *retrogradere* ; [ʀetʀɔgʀade].

**RÉTROPROJECTEUR, subst. m.**
Appareil permettant la projection d'images sur un écran placé derrière l'opérateur. V. 1970 ; ☞ *projecteur* + *rétro-* ; [ʀetʀopʀɔʒɛktœʀ].

**RÉTROPROPULSION, subst. f.**
*Astronaut.* Freinage d'un engin spatial par rétrofusée. V. 1960 ; ☞ *propulsion* + *rétro-* ; [ʀetʀopʀɔpylsjɔ̃].

**RÉTROSPECTIF, IVE, adj. et subst. f.**
**Adj. 1.** Qui est orienté vers le passé : *Une analyse **rétrospective**.* **2.** Que l'on ressent après coup, au souvenir de faits passés : *Angoisse **rétrospective**.* **Subst.** Exposition, présentation récapitulative de l'œuvre d'un artiste, d'une époque, de l'évolution d'une technique, d'un genre : ***Rétrospective** d'un peintre célèbre, du cinéma néoréaliste.* 1779 ; lat. *spectare*, « regarder », + *rétro-* ; [ʀetʀɔspɛktif, iv].

**RÉTROSPECTIVEMENT, adv.**
De manière rétrospective ; après coup. Mil. XIXe s. ; ☞ *rétrospectif* ; [ʀetʀɔspɛktivmɑ̃].

**RETROUSSÉ, ÉE, adj.**
**1.** Qui est relevé, remonté : *Jupe **retroussée**.* **2.** *Nez **retroussé*** : nez court et dont le bout est relevé. 1561 ; p. p. de *retrousser* ; [ʀətʀuse].

**RETROUSSER, verbe trans. [3]**
Relever les bords de (un vêtement) : ***Retrousser** son pantalon.* ► Loc. ***Retrousser** ses manches* : se mettre au travail. 1530 (déb. XIIIe s., recharger un fardeau en croupe) ; ☞ *trousser* + *re-* ; [ʀətʀuse].

**RETROUVAILLE, subst. f.**
Vx. Action de retrouver ce que l'on avait égaré. **Plur.** Fait de se retrouver, en parlant de personnes qui étaient séparées : *Célébrons nos **retrouvailles**.* 1782 ; ☞ *retrouver* ; [ʀətʀuvaj].

**RETROUVER, verbe trans. [3]**
**1.** Trouver (ce que l'on avait perdu) ; au fig. : ***Retrouver** ses forces*, les recouvrer. **2.** Découvrir (ce qu'on croyait disparu) : ***Retrouver** un manuscrit de Voltaire.* **3.** Rattraper (qqn en fuite) : ***Retrouver** les voleurs.* **4.** Rejoindre (qqn) : ***Retrouver** un ami au théâtre* ; au fig., reconnaître : *Comme je vous **retrouve** !* **5.** Être de nouveau en (un lieu, un état) : ***Retrouver** l'hiver, la Bretagne.* **Pronom. 1.** Se trouver de nouveau quelque part ; par ext. : *Se **retrouver** célibataire.* **2.** Se repérer ; au fig. : *Ne pas s'y **retrouver***, ne pas maîtriser la situation. ► Loc. *S'y **retrouver*** (fam.) : rentrer dans ses frais. **3.** Être de nouveau en présence d'autrui, après une séparation ; se rencontrer : *Se **retrouver** à l'heure dite.* Déb. XIIe s. ; ☞ *trouver* + *re-* ; [ʀətʀuve].

**RÉTROVERSION, subst. f.**
*Méd.* Position, normale ou pathologique, d'un organe incliné vers l'arrière : ***Rétroversion** de l'utérus.* 1783 ; lat. *vertere*, « tourner », + *rétro-* ; [ʀetʀovɛʀsjɔ̃].

**RÉTROVIRUS, subst. m.**
*Biol.* Virus dont les particules infectieuses contiennent de l'A. R. N. comme matériel génétique. Il est utilisé dans les cellules infectées pour la constitution d'un génome de type A. D. N. qui s'intègre dans l'A. D. N. chromosomique cellulaire. V. 1980 ; angl. *retrovirus* ; [ʀetʀoviʀys].

**RÉTROVISEUR, subst. m.**
Petit miroir orientable qui permet au conducteur de voir derrière lui. 1929 ; ☞ *viseur* + *rétro-* ; [ʀetʀovizœʀ].

**RETS, subst. m.**
**1.** Vx. Filet tendu pour capturer un animal. **2.** Fig. Ruse ; piège (littér.) : *Prendre qqn dans ses **rets**.* Déb. XIIe s. ; lat. *retis*, « filet » ; [ʀɛ].

**RETUBER, verbe trans. [3]**
*Techn.* Remplacer les tubes de (une chaudière). 1922 ; ☞ *tuber* + *re-* ; [ʀətybe].

**RÉUNIFICATION, subst. f.**
Action de réunifier ; son résultat : *La **réunification** allemande d'octobre 1990.* 1952 ; ☞ *réunifier* ; [ʀeynifikasjɔ̃].

**RÉUNIFIER, verbe trans. [6]**
Restaurer l'unité de (un pays, un peuple, etc.). 1956 ; ☞ *unifier* + *re-* ; [ʀeynifje].

**RÉUNION, subst. f.**
**1.** *Hist.* Action de réunir un territoire à un autre : *La politique des **réunions** menée par Louis XIV entraîna l'annexion de Strasbourg en 1681.* **2.** Ext. Action d'assembler, de regrouper. **3.** Fait de se retrouver en un lieu donné ; par méton., ensemble de personnes réunies : *Une **réunion** houleuse.* ► *Dr.* Rassemblement momentané : *Liberté de **réunion**.* **4.** *Math.* ► ***Réunion** de deux ensembles A et B* : ensemble, noté A ∪ B (lu « A union B »), des éléments qui appartiennent à A ou à B, y compris les éléments communs à A et à B. ► ***Réunion** d'une famille d'ensemble* $(A_i)_i \in I$ : ensemble, noté $\bigcup_{i \in I} A_i$, des éléments appartenant à l'un des $A_i$ au moins. 1477 (1468, réconciliation) ; ☞ *réunir* ; [ʀeynjɔ̃].

**RÉUNIONITE, subst. f.**
Pratique immodérée des réunions (fam. et péj.). V. 1980 ; ☞ *réunion* ; var. *réunionnite* ; [ʀeynjɔnit].

**RÉUNIR, verbe trans. [19]**
**1.** Rattacher : ***Réunir** les deux communes.* **2.** Ext. Rapprocher (ce qui est disjoint) ; faire communiquer : *Pont qui **réunit** deux rives.* **3.** Regrouper pour constituer un tout : ***Réunir** des indices* ; par ext., comporter : *Placement qui **réunit** tous les avantages.* **4.** Réconcilier (vieilli). **5.** Rassembler (des personnes) en un lieu donné, convoquer : ***Réunir** les états généraux* ; empl. pronom. : *Ils se **réunissaient** au Procope.* 1475 ; ☞ *unir* + *re-* ; [ʀeyniʀ].

**RÉUSSI, IE, adj.**
**1.** Qui a abouti (vx). **2.** Accompli avec succès : *Fête **réussie*** ; par antiphr. : *C'est **réussi** !*, se dit quand cela est raté. 1569 ; p. p. de *réussir* ; [ʀeysi].

**RÉUSSIR, verbe [19]**
**Intrans. 1.** Aboutir à une issue, bonne ou mauvaise (vx). **2.** Parvenir à un résultat positif, connaître le succès : *L'opération a **réussi**.* ► ***Réussir** dans la vie* ou, empl. abs., ***Réussir*** : connaître la réussite sociale. **3. Réussir à.** Parvenir à : ***Réussir** à convaincre* ; ***Réussir** à un concours*, le passer avec succès. **4.** Être profitable : *Le grand air vous **réussit**.* **Trans.** Accomplir avec succès : ***Réussir** un plat* ; ***Réussir** une transaction.* 1537 ; ital. *riuscire*, « ressortir » ; [ʀeysiʀ].

**RÉUSSITE, subst. f.**
**1.** Vx. Résultat, bon ou mauvais. **2.** Aboutissement heureux de qqch., succès : ***Réussite** professionnelle* ; par méton., réalisation qui connaît le succès. **3.** Jeu de cartes solitaire à combinaisons multiples, qui devait jadis augurer le succès d'une entreprise. 1583 ; ital. *riuscita* ; [ʀeysit].

**RÉUTILISABLE, adj.**
Que l'on peut réutiliser. V. 1970 ; ☞ *réutiliser* ; [ʀeytilizabl].

**RÉUTILISATION, subst. f.**
Fait de réutiliser. 1961 ; ☞ *réutiliser* ; [ʀeytilizasjɔ̃].

**RÉUTILISER, verbe trans. [3]**
Utiliser de nouveau. 1949 ; ☞ *utiliser* + *re-* ; [ʀeytilize].

**REVACCINER, verbe trans. [3]**
Vacciner de nouveau. 1834 ; ☞ *vacciner* + *re-* ; [ʀəvaksine].

**REVALOIR, verbe trans. [45]**
Rendre (la pareille) à qqn, pour le remercier ou s'en venger : *Je vous **revaudrai** ça un de ces jours.* Fin XIIe s. ; ☞ *valoir* + *re-* ; [ʀəvalwaʀ].

**REVALORISATION, subst. f.**
Action de revaloriser ; état qui en résulte : ***Revalorisation** du métier d'instituteur.* 1921 ; ☞ *revaloriser* ; [ʀəvalɔʀizasjɔ̃].

**REVALORISER, verbe trans. [3]**
**1.** Rétablir ou augmenter la valeur de (qqch.). **2.** Fig. Redonner de l'importance à (qqn, qqch.). 1925 ; ☞ *valoriser* + *re-* ; [ʀəvalɔʀize].

**REVANCHARD, ARDE, adj. et subst.**
Péj. **Subst.** Personne qui manifeste un ardent désir de revanche, gén. dans un esprit de patriotisme. **Adj.** Qui cherche une revanche : *Politique **revancharde**.* 1894 ; ☞ *revanche* ; [ʀəvɑ̃ʃaʀ, aʀd].

**REVANCHE, subst. f.**
**1.** Action de rendre la pareille à qqn, de reprendre le dessus sur qqn. ► Loc. *À charge de **revanche*** (☞ *charge*) ; *En **revanche*** : à l'opposé, par contre. **2.** *Jeux* et *Sp.* Deuxième manche, offrant la possibilité de reprendre l'avantage sur l'adversaire. 1525 (fin XIIIe s., vengeance) ; *se revancher* (vx), « prendre sa revanche » ; [ʀəvɑ̃ʃ].

**RÊVASSER,** verbe intrans. [3]
Se laisser aller à de vagues rêveries. Fin XIVe s. ; ☞ *rêver* ; [ʀevase].

**RÊVASSERIE,** subst. f.
Rêverie vague. Déb. XVIe s. ; ☞ *rêvasser* ; [ʀevasʀi].

**RÊVE,** subst. m.
**1.** Suite d'images, de scènes produites par le psychisme durant le sommeil. **2.** Construction élaborée par l'imagination et affranchie de la réalité : *Un esprit porté au **rêve*** ; aspiration profonde : *Son **rêve** est de devenir comédien.* ▸ Loc. **De rêve.** Irréel ; idéal : *Une journée de **rêve**.* **3.** Méton. Chose si belle qu'elle semble issue d'un **rêve** (fam.) : *Cette maison, c'est le **rêve** !* 1674 ; ☞ *rêver* ; [ʀɛv].

© J.-L. Charmet-Explorer

*Quand le rêve devient cauchemar. Imagerie populaire.*

**RÊVÉ, ÉE,** adj.
Idéal, parfait. 1668 ; p. p. de rêver ; [ʀeve].

**REVÊCHE,** adj.
**1.** Âpre au goût (vieilli) ; rude au toucher. **2.** Fig. Peu aimable, acariâtre ; par ext. : *Attitude **revêche**.* 1549 (déb. XIIIe s., violent, en parlant d'un feu) ; prob. anc. bas frq. °*hreubisck* ; [ʀəvɛʃ].

**RÉVEIL (I),** subst. m.
**1.** Fait de se réveiller ; sortie du sommeil ou, par ext., d'une anesthésie ou d'un coma. **2.** Action de réveiller ; par méton. : *Battre le **réveil***, faire sonner le clairon pour réveiller les soldats. **3.** Fig. Reprise d'activité, de vigueur : ***Réveil** d'un volcan* ; ***Réveil** de la contestation.* 1262 ; ☞ *réveiller* ; [ʀevɛj].

**RÉVEIL (II),** subst. m.
Petite horloge dont la sonnerie se déclenche à l'heure programmée. 1440 ; abrév. de *réveille-matin* ; [ʀevɛj].

**RÉVEILLE-MATIN,** subst. m. inv.
Réveil (vieilli). 1514 (1497, branle-bas au réveil) ; comp. de *réveiller* et de *matin* ; [ʀevɛjmatɛ̃].

**RÉVEILLER,** verbe trans. [3]
**1.** Faire sortir (qqn) du sommeil. **2.** Fig. Faire revenir à la réalité, à l'activité : ***Réveiller** l'opinion.* **Pronom. 1.** Sortir du sommeil. **2.** Fig. Revenir à la réalité. Déb. XIIe s. ; ☞ *éveiller* + *re-* ; [ʀeveje].

**RÉVEILLON,** subst. m.
**1.** Vx. Petit repas pris la nuit en compagnie. **2.** Repas de fête organisé pour la nuit de Noël et celle du nouvel an ; par méton., la fête elle-même. 1526 ; ☞ *réveiller* ; [ʀevɛjɔ̃].

**RÉVEILLONNER,** verbe intrans. [3]
Faire un réveillon. 1355 ; ☞ *réveillon* ; [ʀevɛjɔne].

**RÉVÉLATEUR, TRICE,** subst. et adj.
**Subst.** Personne qui révèle, dénonce. **Adj. 1.** Qui dévoile, révèle qqch. : *Un choix **révélateur*** ; empl. subst. masc., ce qui révèle qqch. **2.** *Phot.* Bain ***révélateur*** ou, empl. subst. masc., *Un **révélateur*** : solution employée pour rendre visible l'image latente. 1444 ; lat. eccl. *revelator* ; [ʀevelatœʀ, tʀis].

**RÉVÉLATION,** subst. f.
**1.** *Relig.* Ensemble des vérités surnaturelles qui fondent les religions monothéistes, inaccessibles en soi à l'esprit humain, et que Dieu révèle aux hommes par les Saintes Écritures (en partic. la Bible) ; par ext., manifestation soudaine à l'esprit d'une réalité jusqu'alors ignorée. **2.** Action de révéler qqch., de le rendre public ; ce qui est révélé. **3.** Méton. Personne qui devient célèbre : *Cet acteur est la **révélation** de la saison.* Fin XIIe s. ; lat. *revelatio*, « action de laisser voir » ; [ʀevelasjɔ̃].

**RÉVÉLER,** verbe trans. [8]
**1.** *Relig.* Rendre accessible par une révélation ; empl. adj. : *Une religion **révélée**.* **2.** Ext. Faire connaître (ce qui était inconnu, caché) : ***Révéler** le mot de passe* ; laisser paraître : *Ce lapsus **révèle** son sentiment.* **Pronom.** Se manifester dans sa vraie nature : *Traitement qui se **révèle** inefficace* ; empl. abs., affirmer sa valeur, s'épanouir : *Son talent se **révèle** enfin.* 1120 ; lat. *revelare*, « découvrir » ; [ʀevele].

**REVENANT, ANTE,** subst.
**1.** Esprit d'un mort supposé se manifester aux vivants, fantôme. **2.** Anal. Personne qui revient après une longue disparition (fam.). 1690 ; p. pr. de *revenir* ; [ʀəv(ə)nɑ̃, ɑ̃t].

**REVENDEUR, EUSE,** subst.
Personne qui revend des marchandises, qui achète qqch. en gros pour le vendre au détail. Fin XIIe s. ; ☞ *revendre* ; [ʀəvɑ̃dœʀ, øz].

**REVENDICATEUR, TRICE,** subst. et adj.
Se dit d'une personne qui revendique. **Adj.** Qui exprime une revendication : *Propos **revendicateur**.* 1870 ; ☞ *revendiquer* ; [ʀəvɑ̃dikatœʀ, tʀis].

**REVENDICATIF, IVE,** adj.
Qui exprime, qui comporte des revendications. 1949 ; ☞ *revendication* ; [ʀəvɑ̃dikatif, iv].

**REVENDICATION,** subst. f.
**1.** *Dr.* Action en justice visant à faire reconnaître un droit de propriété. **2.** Action de revendiquer ; ce qui est revendiqué : *Des **revendications** syndicales.* 1506 ; lat. jur. *rei vindicatio*, « réclamation d'une chose » ; [ʀəvɑ̃dikasjɔ̃].

**REVENDIQUER,** verbe trans. [3]
**1.** Exiger la restitution de (un bien, un droit) : ***Revendiquer** un héritage.* **2.** Réclamer (ce qui est considéré comme un dû) : ***Revendiquer** un meilleur salaire.* **3.** Demander à être reconnu comme l'auteur de (qqch.) : ***Revendiquer** un attentat* ; assumer pleinement la responsabilité de (un acte). 1437 ; lat. *vindicare*, « réclamer en justice », + *re-* ; [ʀəvɑ̃dike].

**REVENDRE,** verbe trans. [51]
**1.** Proposer à la vente (ce que l'on a acheté). ▸ Loc. *En avoir à **revendre*** : posséder qqch. en abondance. **2.** *Comm.* Vendre au détail. Fin XIIe s. ; ☞ *vendre* + *re-* ; [ʀəvɑ̃dʀ].

**REVENEZ-Y,** subst. m. inv.
Littér. Nouvelle manifestation d'un sentiment ; retour sur le passé. ▸ Loc. *Un goût de **revenez-y*** : qui incite à reprendre (de qqch.), à recommencer (fam.). 1638 ; comp. de *revenir* et de *y* (II) ; [ʀəv(ə)nezi].

**REVENIR,** verbe intrans. [22]
**1.** Venir, se présenter, se manifester une nouvelle fois : *Je **reviendrai** demain* ; *L'automne **revint** avec ses longues pluies* (Maupassant) ; *Cette expression **revient** souvent dans la conversation* ; *L'appétit lui **revient*** ; *Cette histoire me **revient** (à l'esprit)* ; empl. impers. : *En regardant son visage, il me **revient** des souvenirs.* ▸ Loc. ***Revenir** à la charge* : renouveler ses tentatives ; ***Revenir** sur le tapis* (☞ *tapis*). **2.** Venir d'un lieu où l'on est allé ; regagner son point de départ : ***Revenir** du bureau* ; ***Revenir** au pays*, rentrer chez soi ; sortir (d'un état) : ***Revenir** de maladie.* ▸ Fig. Retrouver son état premier, sa situation première : ***Revenir** à ses habitudes, à son sujet.* ▸ Loc. ***Revenir** à soi* : reprendre connaissance après un évanouissement ; ***Revenir** sur ses pas* : rebrousser chemin ; ***Revenir** sur sa parole* : se dédire ; ***Revenir** sur une chose* : en reparler ; *J'en **reviens** toujours là* : je persiste dans cette opinion ; *N'y **revenez** pas !* : n'insistez plus ! (fam.) ; ***Revenir** de loin* : avoir échappé à un danger ; *Je n'en **reviens** pas !* : je suis stupéfait ; ***Revenir** de ses erreurs* : s'en corriger ; *Être **revenu** de tout* : être complètement blasé. **3.** Venir à la connaissance (de qqn) : *Certains propos lui sont **revenus** aux oreilles* ; empl. impers. : *Il m'est **revenu** que vous n'aimiez pas ça.* **4.** Échoir légitimement (à qqn) : *Cet honneur vous **revient*** ; empl. impers. : *C'est à vous qu'il **revient** de trancher.* **5.** Plaire (fam.) : *Son visage ne me **revient** pas.* **6.** **Revenir à.** Coûter : *Ce repas m'**est revenu** à 100 francs* ; par ext., se résumer à : *Cela **revient** à dire que vous renoncez.* **7.** *Spéc.* ▸ *Cuis. Faire **revenir** un aliment* : le faire dorer avant cuisson. ▸ *Sp.* Regagner des points. 980 ; lat. *revenire* ; [ʀəv(ə)niʀ].

**REVENTE,** subst. f.
Action de revendre ; résultat de cette action. 1382 ; ☞ *revendre* ; [ʀəvɑ̃t].

**REVENU,** subst. m.
**1.** Ce qui revient (à une personne, à une collectivité) comme rémunération d'un travail ou produit d'un capital, pour une période déterminée : *Des bons **revenus*** ; ***Revenu** annuel imposable*, ensemble des **revenus** perçus dans l'année par une personne physique, à partir desquels est calculé l'impôt sur le **revenu**. ▸ *Politique des **revenus*** : ensemble des mesures prises par les pouvoirs publics pour assurer une distribution équitable des **revenus** de la nation. ▸ ***Revenu** national* : somme des **revenus** tirés de la production de biens et de services dans un pays. ▸ ***Revenu** minimum d'insertion (R. M. I.)* : allocation versée, sous certaines conditions, par l'État aux personnes les plus démunies, associée à des mesures propres à favoriser leur réinsertion. **2.** *Métall.* Traitement thermique de l'acier, après la trempe, en vue de renforcer sa résistance aux chocs. 1320 ; p. p. de *revenir* ; [ʀəv(ə)ny].

**REVENUE,** subst. f.
*Sylvic.* Nouvelle pousse des bois de taillis. 1307 (1155, retour) ; lat. *revenuta* ; [ʀəv(ə)ny].

**RÊVER,** verbe [3]
**Intrans. 1.** Vx. Délirer au cours d'une maladie ; par ext., divaguer. **2.** Laisser vagabonder ses pensées ; par ext., se bercer d'illusions. **3.** Faire des rêves pendant son sommeil. **Trans. dir. 1.** Imaginer ; désirer ardemment (qqch.) : ***Rêver** le grand amour.* **2.** Voir en rêve : *Le prisonnier **rêve** qu'il s'évade.* **Trans. indir. 1. Rêver à.** Penser à : *« À quoi **rêvent** les jeunes filles », comédie de Musset.* **2. Rêver de.** Désirer vivement : ***Rêver** du bonheur* ; voir en rêve : *J'ai **rêvé** de vous.* Déb. XIIe s. ; orig. obsc. ; [ʀeve].

**RÉVERBÉRATION,** subst. f.
**1.** Phénomène de réflexion de la lumière ou de la chaleur ; par méton., le rayonnement réfléchi. **2.** Persistance d'un son après son émission. 1314 ; lat. *reverberare*, « repousser » ; [ʀevɛʀbeʀasjɔ̃].

**RÉVERBÈRE,** subst. m.
**1.** Dispositif renvoyant la chaleur ou la lumière dans une direction donnée. ▸ *Four à **réverbère*** : four utilisant la réflexion et la chaleur par la voûte. **2.** Méton. Appareil utilisé pour l'éclairage public. 1670 (1509, écho) ; ☞ *réverbérer* ; [ʀevɛʀbɛʀ].

**RÉVERBÉRER,** verbe trans. [8]
**1.** Réfléchir (la lumière ou la chaleur). **2.** Renvoyer (un son). 1496 (fin XIVe s., frapper de nouveau) ; lat. *reverberare*, « repousser » ; [ʀevɛʀbeʀe].

**REVERCHER,** verbe trans. [3]
*Techn.* Reboucher par soudure (les trous d'un récipient en étain). 1765 ; lat. pop. °*reverticare*, du lat. *revertere*, « retourner » ; [ʀəvɛʀʃe].

**REVERDIR,** verbe [19]
**Intrans.** Redevenir vert ; au fig., se ranimer (littér.). **Trans. 1.** Rendre vert de nouveau. **2.** *Peauss.* Mouiller (les peaux) pour le tannage. 1132 ; ☞ *verdir* + *re-* ; [ʀəvɛʀdiʀ].

**REVERDOIR,** subst. m.
*Brasserie.* Petite cuve servant à recueillir le moût filtré. 1751 ; lat. *revertere*, « retourner » ; [ʀəvɛʀdwaʀ].

**RÉVÉRENCE,** subst. f.
**1.** Profonde considération. ▸ Loc. ***Révérence** parler* : sauf votre respect (vieilli). **2.** Inclinaison du corps et (ou) ploiement d'un genou, marquant une salutation déférente. ▸ Loc. *Tirer sa **révérence*** : se retirer. Mil. XIIe s. ; lat. *reverentia* ; [ʀeveʀɑ̃s].

**RÉVÉRENCIEL, ELLE,** adj.
Inspiré par la révérence (vieilli) : *Crainte **révérencielle**.* 1457 ; ☞ *révérence* ; [ʀeveʀɑ̃sjɛl].

**RÉVÉRENCIEUX, EUSE,** adj.
Qui témoigne de la révérence, respectueux. 1642 ; ☞ *révérence* ; [ʀeveʀɑ̃sjø, øz].

**RÉVÉREND, ENDE,** adj. et subst.
**Adj.** Vx. Digne de respect. **Adj.** et **Subst.** Titre honorifique donné à certains membres du clergé : ***Révérende** mère* ; *Mon **révérend**.* **Subst. masc.** Titre donné aux pasteurs anglicans. 1273 ; lat. *reverendus*, « vénérable » ; [ʀeveʀɑ̃, ɑ̃d].

**RÉVÉRENDISSIME,** adj.
*Relig.* Épithète honorifique réservée aux archevêques, aux généraux d'ordre et à certains abbés. 1350 ; lat. eccl. *reverendissimus* ; [ʀeveʀɑ̃disim].

**RÉVÉRER,** verbe trans. [8]
Considérer avec un profond respect ; honorer : ***Révérer** les Saintes Écritures.* 1404 ; lat. *revereri*, « craindre avec respect » ; [ʀeveʀe].

**RÊVERIE,** subst. f.
**1.** Vx. Délire au cours d'une maladie. **2.** Méditation (vieilli). **3.** État où l'esprit se laisse aller à vaga-

bonder ; songerie : *« Les* ***Rêveries*** *du promeneur solitaire », œuvre de Rousseau.* Déb. XIIIᵉ s. ; ☞ *rêver* ; [ʀɛvʀi].

**REVERNIR,** verbe trans. [19]
Enduire de nouveau de vernis. 1565 ; ☞ *vernir* + *re-* ; [ʀəvɛʀniʀ].

**REVERS,** subst. m.
**1.** Côté d'une chose opposé à celui qui est utilisé ou qui apparaît le plus souvent : *Signer au* ***revers*** *du chèque* ; *Le* ***revers*** *de la main,* son dos. **2.** Coup porté avec le dos de la main ; coup donné par un mouvement inversé (de gauche à droite pour un droitier). ▸ *Sp.* Au tennis, au ping-pong, etc., coup de raquette ainsi donné. **3.** Fig. ***Revers*** *de fortune* ou, par ell., ***Revers*** : coup du sort, infortune, échec. **4.** *Numism.* Côté pile d'une médaille ou d'une pièce de monnaie (anton. *avers*). ▸ Loc. *Le* ***revers*** *de la médaille* (☞ *médaille*). **5.** Partie d'un vêtement que l'on rabat sur l'endroit : *Pantalon à* ***revers.*** **6.** *Milit.* ***Revers*** *d'une tranchée* : sa partie tournant le dos au champ de bataille. ▸ Loc. ***Attaquer à revers*** : par l'arrière ou par le côté. 1306 ; lat. *reversus,* de *revertere,* « retourner » ; [ʀəvɛʀ].

**RÉVERSAL, ALE, AUX,** adj.
**1.** *Dr.* Qualifie un document donné à l'appui d'un engagement : *Diplôme* ***réversal.*** **2.** *Hist.* ***Lettres réversales*** ou, empl. subst. fém., ***Réversales*** : lettres accordant une concession en échange d'une autre et, dans le Saint Empire, décrets d'un État stipulant que tel fait ne pouvait constituer un précédent. 1594 ; lat. *reversum,* de *revertere,* « revenir » ; var. *reversal, ale, aux* ; [ʀevɛʀsal, o].

**REVERSEMENT,** subst. m.
*Fin.* Action de reverser ; son résultat. 1773 ; ☞ *reverser* ; [ʀəvɛʀsəmɑ̃].

**REVERSER,** verbe trans. [3]
**1.** Verser de nouveau (un liquide) ; transvaser. **2.** *Fin.* Transférer (une somme, des titres) d'une caisse à une autre, d'un compte à un autre. 1553 (déb. XIIᵉ s., verser) ; ☞ *verser* + *re-* ; [ʀəvɛʀse].

**REVERSI,** subst. m.
Jeu de cartes dans lequel le gagnant est celui qui fait le moins de levées. 1601 ; ital. *rovescio,* « à rebours » ; var. *reversis* ; [ʀəvɛʀsi].

**RÉVERSIBILITÉ,** subst. f.
**1.** Qualité de ce qui est réversible : ***Réversibilité*** *d'une rente.* **2.** *Théol.* ***Réversibilité*** *des mérites* : dogme selon lequel les prières et les mérites des justes, de ce monde et de l'au-delà, profitent à l'ensemble de la communauté. 1745 ; ☞ *réversible* ; [ʀevɛʀsibilite].

**RÉVERSIBLE,** adj.
**1.** Qualifie ce qui peut ou, parfois, doit revenir à qqn d'autre : *Les apanages royaux étaient* ***réversibles*** *à la couronne, en cas de décès sans descendance du titulaire.* ▸ *Dr.* ***Pension réversible*** : transférable au décès du titulaire. ▸ *Théol.* ***Mérites réversibles*** (☞ *réversibilité*). **2.** Dont le cours, le résultat peut être inversé ou modifié : *Une décision* ***réversible.*** ▸ *Biol.* Susceptible de revenir à un état antérieur. ▸ *Ch. de fer.* ***Rame réversible*** : comprenant un poste de conduite à chaque extrémité. ▸ *Chim.* Se dit d'un processus, ou d'une réaction, dans lequel les variables qui définissent l'état du système sont telles qu'elles conservent leur valeur en prenant un ordre inverse lorsque le processus lui-même s'inverse. Cela implique qu'une réaction se produisant simultanément en sens inverse aboutit à un état d'équilibre. ▸ *Techn.* ***Hélice à pas réversible*** : dont le sens de rotation peut être inversé. **3.** Se dit d'un tissu, d'un vêtement utilisable à l'envers comme à l'endroit. 1610 ; lat. médiév. *reversibilis* ; [ʀevɛʀsibl].

**RÉVERSION,** subst. f.
*Dr.* Droit permettant à un donateur de recouvrer ses biens au cas où son donataire meurt sans enfants. ▸ ***Pension de réversion*** : retraite transférée du titulaire décédé à son conjoint. 1304 ; lat. *reversio,* « retour » ; [ʀevɛʀsjɔ̃].

**REVERSOIR,** subst. m.
*Techn.* Barrage par-dessus lequel une eau s'écoule en nappe. 1771 (1309, trop-plein) ; ☞ *reverser* ; [ʀəvɛʀswaʀ].

**REVÊTEMENT,** subst. m.
**1.** *Bât.* Placage sur une surface d'un matériau destiné à la protéger ou à l'embellir. **2.** *Techn.* Ce qui revêt un objet pour le consolider ou le préserver : ***Revêtement*** *ignifuge.* **3.** *Trav. publ.* Couche dont on recouvre une route pour la rendre carrossable. 1508 (1249, donation mutuelle) ; ☞ *revêtir* ; [ʀəvɛtmɑ̃].

**REVÊTIR,** verbe trans. [24]
**1.** Couvrir, parer (qqn) d'un vêtement, en partic. d'un habit de cérémonie ; se vêtir de (un vêtement) : ***Revêtir*** *l'uniforme d'amiral.* **2.** Fig. Investir (qqn) d'une autorité, d'une charge, d'une qualité : ***Revêtir*** *qqn d'un pouvoir, de gloire* ; par ext., prendre (un caractère) : *Geste qui* ***revêt*** *de la grandeur.* **3.** Anal. Couvrir d'un revêtement. **4.** Apposer sur (un document) une marque de validité : ***Revêtir*** *un acte d'un sceau.* Fin Xᵉ s. ; ☞ *vêtir* + *re-* ; [ʀəvetiʀ].

**RÊVEUR, EUSE,** subst. et adj.
**Subst. 1.** Personne qui s'absorbe dans la réflexion (vieilli). **2.** Personne qui s'adonne à la rêverie. **3.** Personne qui fait un rêve. **Adj. 1.** Qui s'évade de la réalité, distrait. ▸ Loc. *Cela laisse* ***rêveur*** : perplexe. **2.** Méton. Qui exprime la rêverie : *Sourire* ***rêveur.*** 1651 (1260, vagabond) ; ☞ *rêver* ; [ʀɛvœʀ, øz].

**RÊVEUSEMENT,** adv.
De manière rêveuse, distraitement. Mil. XIXᵉ s. ; ☞ *rêveur* ; [ʀɛvøzmɑ̃].

**REVIENT,** subst. m.
***Revient*** (vx), ou ***Prix de revient*** : somme des coûts de production, directs (matières premières, main-d'œuvre) et indirects (amortissements, entretien, etc.), qui, ajoutée aux frais généraux et au bénéfice, contribue à fixer le prix de vente d'un bien, d'un service. 1833 ; ☞ *revenir* ; [ʀəvjɛ̃].

**REVIF,** subst. m.
**1.** *Océanogr.* Période de croissance de l'amplitude des marées, qui se situe pendant le cycle lunaire, entre une morte-eau et la vive-eau suivante (anton. *déchet*). **2.** Fig. Regain (littér.). 1561 (mil. XIVᵉ s., ressuscité) ; ☞ *vif* + *re-* ; [ʀəvif].

**REVIGORER,** verbe trans. [3]
Redonner de la vigueur à. 1170 ; ☞ *vigueur* + *re-* ; [ʀəvigɔʀe].

**REVIREMENT,** subst. m.
**1.** Vx. Retour sur soi-même. **2.** *Mar.* Virement (vieilli). **3.** Fig. Changement brusque et total : ***Revirement*** *de situation, d'opinion.* 1585 ; *revirer* (vx), « virer de nouveau » ; [ʀəviʀmɑ̃].

**RÉVISER,** verbe trans. [3]
**1.** Vx. Examiner. **2.** Soumettre à un nouvel examen pour apporter d'éventuelles modifications : ***Réviser*** *un procès* ; par méton. : *Il* ***a révisé*** *son jugement.* **3.** Revoir (des épreuves d'imprimerie) pour les corriger. **4.** Contrôler le bon état de fonctionnement de : ***Réviser*** *un avion.* **5.** Étudier de nouveau pour mémoriser : ***Réviser*** *ses conjugaisons.* 1240 ; lat. *revisere,* « revenir voir » ; [ʀevize].

**RÉVISEUR, EUSE,** subst.
Correcteur chargé de réviser des épreuves d'imprimerie. 1567 ; ☞ *réviser* ; [ʀevizœʀ, øz].

**RÉVISION,** subst. f.
**1.** Vx. Inspection. **2.** Action de réviser ; son résultat : ***Révision*** *des listes électorales.* ▸ *Dr.* Procédure exceptionnelle permettant de réexaminer des faits ayant motivé une décision de justice définitive : ***Révision*** *d'un procès.* ▸ *Milit.* ***Conseil de révision*** (☞ *conseil*). 1298 ; lat. *revisio* ; [ʀevizjɔ̃].

**RÉVISIONNISME,** subst. m.
**1.** Position de qqn qui, remettant en cause une loi, une constitution, une décision judiciaire ou une doctrine politique, en réclame la révision. **2.** Position idéologique tendant à nier ou à minimiser la réalité du génocide des Juifs par les nazis. 1897 ; ☞ *révision* ; [ʀevizjɔnism].

**RÉVISIONNISTE,** subst.
Partisan du révisionnisme ; empl. adj., relatif, favorable au révisionnisme. 1851 ; ☞ *révision* ; [ʀevizjɔnist].

**REVISITER,** verbe trans. [3]
**1.** Visiter de nouveau. **2.** Fig. Considérer, interpréter (une œuvre, un auteur) sous un jour nouveau. Déb. XIIᵉ s. ; ☞ *visiter* + *re-* ; [ʀəvizite].

**REVISSER,** verbe trans. [3]
Visser de nouveau. 1892 ; ☞ *visser* + *re-* ; [ʀəvise].

**REVITALISER,** verbe trans. [3]
Donner un surcroît de vitalité à : ***Revitaliser*** *l'épiderme* ; au fig. : ***Revitaliser*** *l'emploi.* 1933 ; ☞ *vital* + *re-* ; [ʀəvitalize].

**REVIVAL,** subst. m.
**1.** *Relig.* ▸ Réunion de fidèles, propre aux confessions anglo-saxonnes, dont la foi est exaltée par des prêches virulents. ▸ Mouvement protestant prônant le réveil de la foi. **2.** Réapparition d'une forme artistique, d'une mode (anglic.). 1835 ; angl. *revival,* « renaissance » ; plur. *revivals* ; [ʀəvival] ou [ʀivajvœl].

**REVIVIFIER,** verbe trans. [6]
Vivifier de nouveau (littér.). Déb. XVIᵉ s. (fin XIIIᵉ s., revenir à la vie) ; ☞ *vivifier* + *re-* ; [ʀəvivifje].

**REVIVISCENCE,** subst. f.
**1.** Vx. Réapparition à la conscience. **2.** Fait de reprendre vie. ▸ *Biol.* Reprise, en présence d'humidité, de la vie active de certains organismes capables de subsister en milieu anhydre (synon. *anabiose*). 1586 ; lat. *reviviscentia* ; [ʀevivisɑ̃s].

**REVIVRE,** verbe [63]
**Intrans. 1.** Revenir à la vie ; au fig. : *Il* ***revit*** *dans nos mémoires.* **2.** Ext. Recouvrer sa vitalité ; connaître un nouvel essor : *Le cinéma* ***revit.*** **Trans.** Vivre une nouvelle fois (qqch.) : ***Revivre*** *le même cauchemar.* Fin Xᵉ s. ; lat. *revivere* ; [ʀəvivʀ].

**RÉVOCABILITÉ,** subst. f.
Caractère d'une chose, d'une personne révocable. 1789 ; ☞ *révocable* ; [ʀevɔkabilite].

**RÉVOCABLE,** adj.
Qui peut être révoqué : *Contrat, fonction, juge* ***révocable.*** 1275 ; lat. *revocabilis* ; [ʀevɔkabl].

**RÉVOCATION,** subst. f.
**1.** Vx. *Théol.* Temps de retour dans le droit chemin. **2.** Action de révoquer ; abrogation : ***Révocation*** *d'un décret* ; destitution : ***Révocation*** *d'un fonctionnaire.* Fin XIIIᵉ s. ; lat. *revocatio* ; [ʀevɔkasjɔ̃].

**REVOICI,** prép.
Voici de nouveau (fam.) : ***Me revoici !*** Déb. XVIᵉ s. ; ☞ *voici* + *re-* ; [ʀəvwasi].

**REVOILÀ,** prép.
Voilà de nouveau (fam.) : ***Nous revoilà*** *en panne !* 1339 ; ☞ *voilà* + *re-* ; [ʀəvwala].

**REVOIR (I),** verbe trans. [36]
**I. 1.** Voir, rencontrer de nouveau : *Je le* ***revois*** *lundi* ; par ext., recommencer à fréquenter (qqn) : *Il la* ***revoit*** *depuis peu.* **2.** Voir une nouvelle fois (un spectacle) : ***Revoir*** *« le Cid ».* **3.** Retourner dans (un lieu) après une absence : ***Revoir*** *sa maison natale.* **4.** Évoquer le souvenir de : ***Revoir*** *les dimanches de son enfance.* **II. 1.** Soumettre à un nouvel examen ; en partic., relire pour corriger : ***Revoir*** *sa copie* ; empl. adj. : *Édition* ***revue*** *et augmentée.* **2.** Étudier de nouveau pour apprendre : ***Revoir*** *ses leçons.* Fin Xᵉ s. ; ☞ *voir* + *re-* ; [ʀəvwaʀ].

**REVOIR (II),** subst. m.
Vx. Action de revoir qqn. ▸ Loc. **Au revoir.** Formule par laquelle on prend congé momentanément (par oppos. à *adieu*) : *As-tu dit au* ***revoir*** *?* ; empl. interj. : *Au* ***revoir*** *! à demain* ; empl. subst. masc. : *Ce n'est qu'un au* ***revoir.*** Déb. XIIIᵉ s. ; ☞ *revoir* (I) ; [ʀəvwaʀ].

**RÉVOLTANT, ANTE,** adj.
Qui révolte, qui indigne : *Une injustice* ***révoltante.*** 1749 ; p. pr. de *révolter* ; [ʀevɔltɑ̃, ɑ̃t].

**RÉVOLTE,** subst. f.
**1.** Mouvement, souv. violent, par lequel un groupe se retourne contre le pouvoir établi. **2.** Ext. Attitude d'opposition profonde et virulente à l'autorité, à une contrainte ou à ce qui est ressenti comme une injustice. 1501 ; ☞ *révolter* ; [ʀevɔlt].

**RÉVOLTÉ, ÉE,** adj. et subst.
Se dit d'une personne qui se révolte. **Adj.** Qui exprime la révolte. 1559 ; p. p. de *révolter* ; [ʀevɔlte].

**RÉVOLTER,** verbe [3]
**Pronom. 1.** Manifester violemment son refus de l'autorité établie : *L'esclave Spartacus* ***se révolta*** *contre le pouvoir romain.* **2.** S'indigner vivement, avec colère de qqch. : ***Se révolter*** *contre l'injustice.* **Trans. 1.** Inciter à la désobéissance, à la résistance (rare). **2.** Susciter chez (qqn) une réaction indignée, la colère : *Son cynisme me* ***révolte.*** Déb. XVIᵉ s. (1414, se retourner) ; ital. *rivoltare* ; [ʀevɔlte].

**RÉVOLU, UE,** adj.
**1.** Vx. *Astron.* Qui a accompli, achevé une révolution. **2.** Anal. Écoulé, achevé : *Dix-huit ans* ***révolus*** ; par ext. : *Une époque* ***révolue,*** qui appartient au passé. 1377 ; lat. *revolutus* ; [ʀevɔly].

**RÉVOLUTIF, IVE,** adj.
**1.** Vx. *Théologie* ***révolutive*** : du retour du Christ (☞ *parousie*). **2.** *Astron.* Propre à une révolution : *Mouvement* ***révolutif.*** **3.** *Bot.* ***Feuille révolutive*** : qui se roule en dehors (anton. *involutif*). 1578 ; lat. *revolutus* ; [ʀevɔlytif, iv].

**RÉVOLUTION,** subst. f.
**I. 1.** *Astron.* Mouvement orbital et périodique qu'un corps céleste accomplit autour d'un astre principal ; période de ce mouvement : *La* ***révolution*** *de la Terre autour du Soleil dure 365,242 2 jours*

*solaires.* **2.** *Géom. Surface de* ***révolution*** : surface engendrée par une courbe, nommée directrice, tournant autour d'une droite fixe, l'axe de **révolution.** **3.** *Mécan.* Rotation complète qu'une pièce effectue autour de son axe ; tour complet de l'arbre d'un moteur : *6 500* ***révolutions*** *par minute.* **II. 1.** Bouleversement, émoi (vieilli). **2.** Coup d'État (vx). ▸ ***Révolution*** *de palais* : éviction des détenteurs du pouvoir par des gens qui leur sont proches, sans transformation de la société ou du régime. **3.** Renversement, souv. violent, d'un gouvernement, d'un pouvoir par un mouvement populaire, lié à une transformation profonde du régime, des mœurs, de la société : ***Révolution*** *bourgeoise, prolétarienne.* ▸ *Hist. La* ***Révolution*** *française* ou, par ell., *La* ***Révolution*** : celle de 1789 ; *La* ***Révolution*** *d'Octobre* : celle des Soviets, en novembre 1917, qui abolit le régime de Kerenski et aboutit à la création de l'U. R. S. S. ; *La Grande* ***Révolution*** *culturelle prolétarienne* : celle qui eut lieu de 1965 à 1968, en Chine populaire. ▸ Ext. Transformation radicale des structures économiques et sociales : *La* ***révolution*** *industrielle* (☞ *industriel*). ▸ Loc. *En* ***révolution*** : en effervescence (fam.). **4.** Évolution, transformation plus ou moins profonde, intervenant dans un domaine, un comportement particulier : *La* ***révolution*** *copernicienne, romantique, sexuelle.* 📖 Déb. XIIIe s. ; lat. *revolutio*, « déroulement » ; [ʀevɔlysjɔ̃].

**RÉVOLUTIONNAIRE, adj. et subst.**

**Adj. 1.** Relatif, propre ou favorable à une révolution politique : *Situation, ardeur, publication* ***révolutionnaire*** ; en partic., qui concerne la Révolution française. **2.** Qui entraîne des changements fondamentaux ; qui bouleverse des principes établis : *Théorie, découverte* ***révolutionnaire.*** **Subst.** Partisan, acteur d'une révolution : *Les* ***révolutionnaires*** *cubains.* 📖 1790 ; ☞ *révolution* ; [ʀevɔlysjɔnɛʀ].

**RÉVOLUTIONNARISME, subst. m.**

**1.** Vx. Esprit révolutionnaire. **2.** Tendance à considérer la révolution comme une fin en soi (gén. péj.). 📖 1843 ; ☞ *révolutionnaire* ; [ʀevɔlysjɔnaʀism].

**RÉVOLUTIONNER, verbe trans. [3]**

**1.** Vx. Provoquer une révolution dans (un pays). **2.** Transformer profondément : *Le laser a* ***révolutionné*** *la chirurgie.* **3.** Fig. Mettre en émoi, créer une grande agitation chez : *Cette incroyable nouvelle va* ***révolutionner*** *le quartier.* 📖 1789 ; ☞ *révolution* ; [ʀevɔlysjɔne].

**RÉVOLVER, subst. m.**

**1.** *Arm.* Pistolet à chargement automatique par barillet. ▸ Ext. Tout pistolet (fam.). ▸ En appos. *Poche* ***révolver*** : poche de pantalon placée sur la fesse. **2.** *Techn.* Mécanisme articulé rotatif : ***Révolver*** *de microscope.* 📖 1848 ; angl. *revolver*, de *to revolve*, « tourner » ; var. *revolver* ; [ʀevɔlvɛʀ].

**REVOLVING, adj. inv.**

*Fin. Crédit* ***revolving*** : au taux révisable périodiquement (anglic.). 📖 XXe s. ; angl. *revolving*, de *to revolve*, « tourner » ; recomm. off. *crédit permanent* ; [ʀevɔlviŋ].

**RÉVOQUER, verbe trans. [3]**

**1.** Vx. Rappeler. **2.** Retirer ses fonctions, son emploi à (un fonctionnaire). **3.** *Dr.* Annuler, abroger : ***Révoquer*** *un décret* ; *Louis XIV* ***révoqua*** *l'édit de Nantes.* 📖 Mil. XIIIe s. ; lat. *revocare*, « faire revenir » ; [ʀ(e)vɔke].

**REVOTER, verbe [3]**

Voter de nouveau. 📖 1876 ; ☞ *voter* + *re-* ; [ʀəvɔte].

**REVOYURE, subst. f.**

*À la* ***revoyure*** *!* : au revoir ! (pop.). 📖 1821 ; ☞ *revoir* (II) ; [ʀ(ə)vwajyʀ].

**REVUE, subst. f.**

**I. 1.** Vx. Réexamen. **2.** Examen attentif de chaque élément d'un ensemble : *Faire la* ***revue*** *de sa garde-robe.* ▸ ***Revue*** *de presse* : présentation, synthèse des opinions exprimées dans la presse sur un sujet donné, l'actualité du jour, etc. **3.** *Milit.* Inspection : *Passer les troupes, le matériel en* ***revue.*** ▸ Anal. Défilé : *La* ***revue*** *du 14 Juillet.* ▸ Loc. *Être de la* ***revue*** : en être pour ses frais (fam.). **4.** Fait de se revoir après s'être quittés (vx). ▸ Loc. *On est de* ***revue*** : on se reverra (fam.). **II.** Publication périodique, souvent spécialisée : ***Revue*** *d'art, financière.* **III. Théâtre. 1.** Suite de saynètes comiques ou satiriques qui passe en **revue** l'actualité : ***Revue*** *de chansonniers.* **2.** Spectacle de music-hall : *La* ***revue*** *du Lido* ; *Une meneuse de* ***revue.*** 📖 1317 ; p. p. de *revoir* (I) ; [ʀəvy].

**REVUISTE, subst.**

*Théâtre.* Auteur de revues : ***Revuiste*** *de fin d'année.* 📖 1887 ; ☞ *revue* ; [ʀəvɥist].

**RÉVULSER, verbe trans. [3]**

**1.** Provoquer la révulsion de (une inflammation). **2.** Fig. Horrifier, inspirer de la répulsion à. **Pronom. 1.** *Yeux qui se* ***révulsent*** : qui se tournent vers l'intérieur, sous le coup de la colère, de l'horreur, d'une maladie, etc. **2.** Se rejeter, s'arquer vers l'arrière : *Sous le coup, tout son corps se* ***révulsa.*** 📖 1845 ; lat. *revellere*, « arracher » ; [ʀevylse].

**RÉVULSIF, IVE, adj. et subst. m.**

*Pharm.* Se dit d'une substance irritante qui, appliquée sur la peau, attire le sang et décongestionne la partie malade. 📖 1538 ; lat. *revulsum* ; [ʀevylsif, iv].

**RÉVULSION, subst. f.**

Effet produit par un révulsif. 📖 1538 ; lat. *revulsio*, « arrachement » ; [ʀevylsjɔ̃].

**REWRITER (I), subst. m.**

*Édition* et *Journ.* Personne chargée de récrire un texte (anglic.). 📖 1947 ; mot anglo-amér. ; [ʀiʀajtœʀ] ou [ʀə-].

**REWRITER (II), verbe trans. [3]**

*Édition* et *Journ.* Récrire (un texte), adapter (anglic.). 📖 1952 ; angl. *to rewrite* ; [ʀiʀajte] ou [ʀə-].

**REWRITING, subst. m.**

*Édition* et *Journ.* Réécriture, adaptation (anglic.). 📖 1947 ; mot anglo-amér. ; [ʀiʀajtiŋ] ou [ʀə-].

**REXISME, subst. m.**

*Hist.* et *Pol.* Mouvement corporatiste et antiparlementaire belge fondé en 1935 par Léon Degrelle, interdit à la Libération. 📖 1936 ; lat. *Rex*, de *Christus Rex*, « Christ-Roi » ; [ʀɛksism].

**REZ-DE-CHAUSSÉE, subst. m. inv.**

**1.** Vx. Terrain situé au niveau de la rue. **2.** Partie d'un bâtiment située au niveau de la rue ; par méton., appartement situé à ce niveau. 📖 1365 ; comp. de *rez* (vx), « au ras de », et de *chaussée* ; [ʀed(ə)ʃose].

**REZ-DE-JARDIN, subst. m. inv.**

Niveau d'un bâtiment situé de plain-pied avec un jardin. 📖 V. 1960 ; comp. de *rez* (vx), « au ras de », et de *jardin* ; [ʀed(ə)ʒaʀdɛ̃].

**rH, subst. m.**

*Chim.* Potentiel d'oxydoréduction d'un milieu. 📖 1958 ; formé de l'initiale de *réduction* et de *H*, symb. de l'hydrogène ; [ɛʀaʃ].

**Rh, voir RHÉSUS**

**Rh, voir RHODIUM**

**RHABDOMANCIE, subst. f.**

*Occult.* Radiesthésie pratiquée à l'aide de baguettes ; art du sourcier. 📖 1580 ; gr. *rhabdos*, « baguette », + *-mancie* ; var. *rabdomancie* ; [ʀabdɔmɑ̃si].

**RHABDOMANCIEN, IENNE, subst.**

Personne qui pratique la rhabdomancie ; sourcier. 📖 1832 ; ☞ *rhabdomancie* ; var. *rabdomancien, ienne* ; [ʀabdɔmɑ̃sjɛ̃, jɛn].

**RHABILLAGE, subst. m.**

Action de rhabiller, de se rhabiller ; son résultat. 📖 Déb. XVIe s. ; ☞ *rhabiller* ; [ʀabijaʒ].

**RHABILLER, verbe trans. [3]**

**1.** *Techn.* Réparer : ***Rhabiller*** *une montre.* **2.** Habiller de nouveau ; changer les vêtements de. ▸ Acheter de nouveaux vêtements à : ***Rhabiller*** *un enfant.* ▸ Loc. fam. *Aller se* ***rhabiller*** : être renvoyé pour incompétence, s'en aller ou, au fig., renoncer. **3.** Ext. Donner un nouvel aspect à : ***Rhabiller*** *une carrosserie* ; au fig. : ***Rhabiller*** *une théorie.* 📖 1380 ; ☞ *habiller* + *re-* ; [ʀabije].

**RHAMNACÉES, subst. f. plur.**

*Bot.* Famille de plantes dicotylédones comprenant des arbres et des arbustes souvent épineux. **Au sing.** *Le jujubier est une* ***rhamnacée.*** 📖 1842 ; lat. *rhamnus*, du gr. *ramnos*, « nerprun » ; [ʀamnase].

**RHAPSODE, subst. m.**

*Antiq. gr.* Chanteur ambulant récitant des poèmes épiques. 📖 1552 ; gr. *rhapsôdos*, « qui coud des chants » ; var. *rapsode* ; [ʀapsɔd].

**RHAPSODIE, subst. f.**

**1.** *Antiq. gr.* Suite de pièces épiques que chantaient les rhapsodes. **2.** *Mus.* Morceau de forme libre, pour piano ou orchestre, s'inspirant souvent de la tradition folklorique. 📖 1580 ; gr. *rhapsôdia*, « récitation d'un poème épique » ; var. *rapsodie* ; [ʀapsɔdi].

**RHÉNIUM, subst. m.**

*Chim.* Élément n° 75 de la table de Mendeleïev (symb. : Re) ; masse atomique : 186,2 ; point de fusion : 3 180 °C ; point d'ébullition : 5 596 °C ; masse volumique : 21 g/cm$^3$. C'est un métal blanc, dense, souv. extrait de la molybdénite, utilisé pour former certains alliages réfractaires. 📖 1927 ; all. *Rhenium*, du lat. *Rhenus*, « Rhin » ; [ʀenjɔm].

**RHÉOBASE, subst. f.**

*Physiol.* Intensité minimale liminaire d'un courant électrique appliqué pendant une longue durée, qui permet d'atteindre le seuil d'excitation d'un nerf ou d'un muscle. 📖 1909 ; ☞ *base* + *rhéo-* ; [ʀeobɑz].

**RHÉOLOGIE, subst. f.**

Étude des déformations des matériaux. 📖 1943 ; formé de *rhéo-* et de *-logie* ; [ʀeɔlɔʒi].

**RHÉOPHILE, adj.**

*Biol.* Se dit de la faune et de la flore des torrents. 📖 V. 1960 ; formé de *rhéo-* et de *-phile* ; [ʀeofil].

**RHÉOSTAT, subst. m.**

*Électr.* Résistance variable qui permet de modifier l'intensité dans un circuit. 📖 1844 ; formé de *rhéo-* et de *-stat* ; [ʀeɔsta].

**RHÉSUS, subst. m.**

**1.** *Zool.* Espèce de macaque de l'Asie du Sud-Est. **2.** *Biol. Facteur* ***rhésus*** ou, par ell., ***Rhésus*** : antigène découvert dans le sang du macaque **rhésus** et présent dans les globules rouges de 85 % des personnes de race blanche (abrév. : Rh). Une mère Rh– qui porte un fœtus Rh+ développe une réaction de type immunitaire pouvant conduire à la destruction des hématies d'un second fœtus, donc à sa mort, s'il est aussi Rh+. 📖 1797 ; lat. *Rhesus*, du gr. *Rhêsos*, roi légendaire de Thrace ; [ʀezys].

© M. Loup-Jacana

*Macaques* ***rhésus.***

**RHÉTEUR, subst. m.**

**1.** *Antiq.* Professeur de rhétorique. **2.** Écrivain, orateur chez qui l'art du discours l'emporte sur le fond, phraseur (littér.). 📖 1534 ; lat. *rhetor*, du gr. *rhêtôr* ; [ʀetœʀ].

**RHÉTIEN, IENNE, adj. et subst. m.**

*Géol.* Se dit de l'étage le plus récent du Trias, caractérisé par l'apparition des premiers mammifères. **Adj.** Relatif, propre à cet étage. 📖 1636 ; topon. *Rhétie* ; [ʀetjɛ̃, jɛn] ou [-sjɛ̃, jɛn].

**RHÉTIQUE, adj. et subst.**

De la Rhétie, région alpine et, par ext., des Grisons : *Chemins de fer* ***rhétiques.*** **Subst. masc.** *Ling.* Rhéto-roman. 📖 1732 ; lat. *rhaeticus* ; var. *rétique* ; [ʀetik].

**RHÉTORICIEN, IENNE, subst.**

**1.** Personne qui pratique ou enseigne la rhétorique ; empl. adj. : *Technique* ***rhétoricienne.*** **2.** Phraseur (péj.). **3.** Belg. Élève de rhétorique. 📖 Fin XIVe s. ; ☞ *rhétorique* ; [ʀetɔʀisjɛ̃, jɛn].

**RHÉTORIQUE, subst. f. et adj.**

**Subst. 1.** Art de bien parler, de persuader avec éloquence ; technique que cet art met en œuvre : *Figures de* ***rhétorique*** ; par ext. : ***Rhétorique*** *musicale.* **2.** *Enseign.* Classe de première (vx). ▸ Belg. Classe terminale du secondaire supérieur. **3.** Emphase de l'expression, du style. **Adj.** Relatif à la **rhétorique.** 📖 Déb. XIIe s. ; lat. *rhetorica*, du gr. *rhêtorikê* ; [ʀetɔʀik].

**RHÉTORIQUEUR, subst. m.**

*Litt. Grands* ***rhétoriqueurs*** : poètes de cour français de la fin du XVe s. et du début du XVIe s., très attachés aux subtilités formelles de la poésie. 📖 1480 ; ☞ *rhétorique* ; [ʀetɔʀikœʀ].

**RHÉTO-ROMAN, ANE, subst. m. et adj.**

*Ling.* Se dit d'un groupe de dialectes romans des Alpes centrales (romanche, frioulan, ladin, etc.). 📖 Fin XIXe s. ; comp. de *rhétique* et de *roman* (II) ; plur. *rhéto-romans, anes* ; [ʀetɔʀɔmɑ̃, an].

**RHINANTHE, subst. m.**

*Bot.* Plante de la famille des Scrofulariacées, qui parasite d'autres plantes au moyen de ses racines (synon. *crête-de-coq*). 📖 1765 ; lat. sc. *rhinantus*, du gr. *rhis*, « nez », et *anthos*, « fleur » ; [ʀinɑ̃t].

**RHINENCÉPHALE, subst. m.**

*Anat.* Système limbique (☞ *limbique*). 📖 1923 (1836, mot médical) ; ☞ *encéphale* + *rhino-* ; [ʀinɑ̃sefal].

**RHINGRAVE, subst.**
Masc. *Hist.* Comte de la région rhénane. Fém. *Cost.* Culotte bouffante à rubans, portée en France au XVII^e^ s. 🕮 1549 ; all. *Rheingraf* ; [ʀɛ̃gʀav].

**RHINITE, subst. f.**
*Pathol.* Inflammation de la muqueuse nasale (synon. *coryza*). 🕮 1830 ; formé de *rhino-* et de *-ite* ; [ʀinit].

**RHINOCÉROS, subst. m.**
*Zool.* Mammifère ongulé à trois doigts, de l'ordre des Périssodactyles, grand et lourd, mais cependant rapide. Les espèces africaines ont deux grandes cornes fibreuses sur le nez, tandis que les espèces asiatiques n'en n'ont qu'une, plus petite. 🕮 1288 ; lat. *rhinoceros*, du gr. *rhinokherôs* ; [ʀinɔseʀɔs].

**RHINOLOGIE, subst. f.**
*Méd.* Étude des affections du nez. 🕮 1890 ; formé de *rhino-* et de *-logie* ; [ʀinɔlɔʒi].

**RHINOLOPHE, subst. m.**
*Zool.* Mammifère volant de l'ordre des Chiroptères. Cette espèce de chauve-souris possède une feuille nasale au-dessus de la lèvre supérieure. 🕮 1799 ; gr. *lophos*, « crête », + *rhino-* ; [ʀinɔlɔf].

**RHINOPHARYNGÉ, ÉE, adj.**
*Anat.* Qui concerne le rhinopharynx. 🕮 1901 ; ☞ *rhinopharynx* ; [ʀinofaʀɛ̃ʒe].

**RHINOPHARYNGITE, subst. f.**
*Pathol.* Inflammation aiguë ou chronique du rhinopharynx (synon. *rhume*). 🕮 1892 ; ☞ *rhinopharynx + -ite* ; [ʀinofaʀɛ̃ʒit].

**RHINOPHARYNX, subst. m.**
*Anat.* Partie haute du pharynx, située au-dessus du voile du palais, en arrière des fosses nasales. 🕮 1902 ; ☞ *pharynx + rhino-* ; [ʀinofaʀɛ̃ks].

**RHINOPLASTIE, subst. f.**
*Chir.* Plastie du nez. 🕮 1822 ; formé de *rhino-* et de *-plastie* ; [ʀinoplasti].

**RHINOSCOPIE, subst. f.**
*Méd.* Examen des fosses nasales effectué à l'aide d'un spéculum introduit dans les narines (**rhinoscopie** antérieure) ou d'un miroir placé derrière le voile du palais (**rhinoscopie** postérieure). 🕮 1860 ; formé de *rhino-* et de *-scopie* ; [ʀinɔskɔpi].

**RHIZOBIUM, subst. m.**
*Bactériol.* Bactérie Gram– présente dans les racines de certaines plantes, qui réalise la conversion de l'azote atmosphérique en azote organique. Le **rhizobium** permet aux plantes d'exploiter une terre pauvre en azote minéral et conduit à l'enrichissement du sol. 🕮 1904 ; gr. *bios*, « vie », + *rhizo-* ; [ʀizɔbjɔm].

**RHIZOCARPÉ, ÉE, adj.**
*Bot.* Qualifie une plante qui, à partir d'une souche vivace, peut émettre chaque année de nouvelles tiges. 🕮 1846 ; formé de *rhizo-* et de *-carpe*[1] ; [ʀizokaʀpe].

**RHIZOÏDE, subst. m.**
*Bot.* Poil à vocation absorbante et fixatrice, jouant le rôle de racine chez les plantes qui en sont normalement démunies, comme les Bryophytes. 🕮 1897 ; formé de *rhizo-* et de *-oïde* ; [ʀizɔid].

**RHIZOME, subst. m.**
*Bot.* Tige souterraine, vivace, gorgée de réserves nutritives, qui émet, au fil des ans, des pousses aériennes. 🕮 1817 ; gr. *rhizôma*, « ce qui est enraciné » ; [ʀizom].

**RHIZOPHAGE, adj.**
Qui se nourrit de racines. 🕮 1732 ; formé de *rhizo-* et de *-phage* ; [ʀizɔfaʒ].

**RHIZOPHORE, subst. m.**
*Bot.* Arbre de la famille des Rhizophoracées, se développant dans les mangroves et qui est caractérisé par des racines en grande partie aériennes (synon. *manglier*) : *Le palétuvier est un* ***rhizophore****.* 🕮 1765 ; formé de *rhizo-* et de *-phore* ; [ʀizɔfɔʀ].

**RHIZOSTOME, subst. m.**
*Zool.* Méduse commune sur les côtes européennes, dépourvue de tentacules mais dont les lèvres tombent en pendentif sous l'ombelle. 🕮 1800 ; formé de *rhizo-* et de *-stome* ; [ʀisɔstɔm].

**RHÔ, subst. m. inv.**
Dix-septième lettre de l'alphabet grec (ρ, Ρ), qui correspond au *r* français. 🕮 Mot gr. ; var. *rho* ; [ʀo].

**RHODAMINE, subst. f.**
*Chim.* Colorant rouge non toxique, appartenant à la famille des phtaléines. 🕮 1889 ; ☞ *amine + rhodo-* ; [ʀɔdamin].

© Y. Verbeek

*Rhinocéros du Kenya devant un troupeau de zèbres.*

**RHODIA, subst. m. inv.**
*Text.* Fil d'acétate de cellulose ; tissu fait de ce fil. 🕮 1948 ; apocope de *Rhodiaceta* ; n. déposé ; [ʀɔdja].

**RHODIAGE, subst. m.**
Action de rhodier ; son résultat. 🕮 V. 1960 ; ☞ *rhodier* ; [ʀɔdjaʒ].

**RHODIÉ, ÉE, adj.**
**1.** *Chim.* Qui contient du rhodium ; qui est allié au rhodium. **2.** *Techn.* Qui est recouvert de rhodium. 🕮 1900 ; ☞ *rhodium* ; [ʀɔdje].

**RHODIER, verbe trans.** [6]
*Techn.* Recouvrir (un métal) de rhodium, gén. par électrolyse. 🕮 Mil. XX^e^ s. ; ☞ *rhodium* ; [ʀɔdje].

**RHODINOL, subst. m.**
*Chim.* Alcool terpénique, composant de l'essence de rose. 🕮 1890 ; lat. *rhodinus*, du gr. *rhodinos*, « de rose » ; [ʀɔdinɔl].

**RHODITE, subst.**
Fém. *Chim.* Alliage naturel de rhodium et d'or. Masc. *Zool.* Insecte gallicole hyménoptère de la famille des Cynipidés. Ses larves, qu'il dépose sur les rosiers, donnent à ces derniers la galle chevelue. 🕮 1892 (1752, pierre rose) ; gr. *rhodon*, « rose » ; [ʀɔdit].

**RHODIUM, subst. m.**
*Chim.* Élément n° 45 de la table de Mendeleïev (symb. : Rh) ; masse atomique : 102,90 ; point de fusion : 1 960 °C ; point d'ébullition : 3 730 °C ; masse volumique : 12,4 g/cm$^3$. On le trouve associé au platine à l'état naturel. Il est utilisé en bijouterie et dans la construction de réflecteurs optiques. 🕮 1805 ; gr. *rhodon*, « rose » ; [ʀɔdjɔm].

**RHODODENDRON, subst. m.**
*Bot.* Plante de la famille des Éricacées, qui pousse spontanément en montagne jusqu'à 2 500 m, dont certaines espèces sont cultivées pour leurs fleurs ornementales à corolle en forme d'entonnoir et disposées en grappes. 🕮 Déb. XVI^e^ s. ; lat. *rhododendron*, du gr. *rhododendron*, « arbre rose » ; [ʀɔdɔdɛ̃dʀɔ̃].

© M. Viard-Jacana

*Fleurs de rhododendron.*

**RHODOÏD, subst. m. inv.**
*Chim.* Matière plastique à base d'acétate de cellulose. 🕮 1936 ; crois. de *Rhône-Poulenc* et de *Celluloïd* ; n. déposé ; [ʀɔdɔid].

**RHODOPHYCÉES, subst. f. plur.**
*Bot.* Classe d'algues chlorophylliennes, également nommées Algues rouges à cause de la présence d'un pigment rouge qui masque la chlorophylle. Au sing. *Une* ***rhodophycée****.* 🕮 Déb. XX^e^ s. ; gr. *phucos*, « algue », + *rhodo-* ; [ʀɔdɔfise].

**RHODOPSINE, subst. f.**
*Biochim.* et *Physiol.* Pigment visuel présent dans les bâtonnets de la rétine, qui rend possible la vision dans la pénombre (synon. *pourpre rétinien*). 🕮 Mil. XX^e^ s. ; gr. *opsis*, « vue », + *rhodo-* ; [ʀɔdɔpsin].

**RHOMBE, subst. m.**
**1.** *Géom.* Losange (vx). **2.** *Anthropol.* et *Mus.* Instrument d'usage rituel, gén. constitué d'une plaque de bois ou d'os, souv. crénelée ou dentelée, que l'on fait tournoyer au bout d'une corde. La fréquence du son émis croît avec la vitesse. Dans beaucoup de cultures, le son du **rhombe** évoque les voix des esprits. 🕮 1536 (1505, coquillage) ; lat. *rhombus*, du gr. *rhombos* ; [ʀɔ̃b].

**RHOMBENCÉPHALE, subst. m.**
*Anat.* Partie postérieure du cerveau, qui comprend le bulbe, la protubérance et le cervelet. 🕮 1929 ; ☞ *encéphale + rhombo-* ; [ʀɔ̃bɑ̃sefal].

**RHOMBIQUE, adj.**
En forme de rhombe. 🕮 1843 ; ☞ *rhombe* ; [ʀɔ̃bik].

**RHOMBOÈDRE, subst. m.**
**1.** *Géom.* Hexaèdre dont les faces sont des losanges isométriques. **2.** *Minér.* Cristal dont les six faces sont des losanges égaux. 🕮 1817 ; formé de *rhombo-* et de *-èdre* ; [ʀɔ̃bɔɛdʀ].

**RHOMBOÉDRIQUE, adj.**
**1.** *Géom.* En forme de rhomboèdre. **2.** *Minér.* *Système* ***rhomboédrique*** : système cristallin caractérisé par trois axes égaux qui ne se coupent pas à angle droit. 🕮 1818 ; ☞ *rhomboèdre* ; [ʀɔ̃bɔedʀik].

**RHOMBOÏDAL, ALE, AUX, adj.**
*Géom.* **1.** En forme de losange. **2.** En forme de rhomboèdre. 🕮 1671 ; ☞ *rhomboïde* ; [ʀɔ̃bɔidal, o].

**RHOMBOÏDE, subst. m.**
**1.** *Géom.* Quadrilatère aux diagonales orthogonales, et symétrique par rapport à l'une d'elles (forme de cerf-volant). **2.** *Anat.* Muscle tendu entre les vertèbres cervico-dorsales et l'omoplate, qu'il élève ; empl. adj. : *Muscle* ***rhomboïde****.* 🕮 1542 ; bas lat. *rhomboides*, du gr. *rhomboeidês*, « rhombique » ; [ʀɔ̃bɔid].

**RHOTACISME, subst. m.**
**1.** *Phon.* Prononciation défectueuse de la lettre *r*. **2.** *Rhét.* Allitération en *r* (par ex. : « Robert rit rarement »). **3.** *Ling.* Évolution d'une consonne aboutissant à sa transformation en *r*. 🕮 1793 ; gr. *rhô*, « rhô », d'apr. *iotacisme* ; [ʀɔtasism].

**RHOVYL, subst. m. inv.**
*Text.* Fil de chlorure de vinyle ; étoffe synthétique tissée avec ce fil. 🕮 1951 ; crois. de *Rhône-Poulenc* et de *vinyle* ; n. déposé ; [ʀɔvil].

**RHUBARBE, subst. f.**
*Bot.* Plante vivace de la famille des Polygonacées, aux pétioles comestibles après cuisson. 🕮 Mil. XIII^e^ s. ; bas lat. *rheubarbarum*, « racine barbare » ; [ʀybaʀb].

**RHUM, subst. m.**
Eau-de-vie provenant de la fermentation alcoolique et de la distillation des produits issus de la canne à sucre (jus, mélasse). 🕮 1688 ; angl. *rum*, p.-ê. abrév. de *rumbullion*, « tumulte » ; [ʀɔm].

**RHUMATISANT, ANTE, adj. et subst.**
Adj. Vx. Qui entraîne un rhumatisme : *Humeur* ***rhumatisante****.* Adj. et Subst. Se dit d'une personne affectée de rhumatisme. 🕮 1534 ; ☞ *rhumatisme* ; [ʀymatizɑ̃, ɑ̃t].

**RHUMATISMAL, ALE, AUX, adj.**
*Pathol.* **1.** Relatif au rhumatisme. **2.** Causé par le rhumatisme. 🕮 1755 ; ☞ *rhumatisme* ; [ʀymatismal, o].

**RHUMATISME, subst. m.**
*Pathol.* Groupe d'affections d'origine inflammatoire (polyarthrite, par ex.), dégénérative (arthrose) ou métabolique (goutte), touchant surtout l'appareil locomoteur. ▸ ***Rhumatisme*** *articulaire aigu* : survenant chez l'enfant ou l'adulte jeune, gén. au décours d'une angine mal soignée. Il est dû à un streptocoque et souvent accompagné de lésions cardiaques ou rénales graves. Le traitement systématique des angines par la pénicilline l'a fait considérablement régresser. 🕮 1549 ; lat. *rheumatismus*, du gr. *rheumatismos*, « catarrhe » ; [ʀymatism].

**RHUMATOÏDE, adj.**
*Pathol.* Qualifie une polyarthrite inflammatoire chronique évolutive, plus fréquente chez la femme, entraînant des déformations articulaires importantes des mains et des pieds. 🕮 1832 ; ☞ *rhumatisme + -oïde* ; [ʀymatɔid].

**RHUMATOLOGIE, subst. f.**
*Méd.* Étude et traitement des maladies rhumatismales. 🕮 1945 ; ☞ *rhumatisme + -logie* ; [ʀymatɔlɔʒi].

**RHUMATOLOGIQUE, adj.**
Relatif à la rhumatologie. 🕮 1956 ; ☞ *rhumatologie* ; [ʀymatɔlɔʒik].

**RHUMATOLOGUE, subst.**
Spécialiste de rhumatologie. 🕮 1956 ; ☞ *rhumatologie* ; [ʀymatɔlɔg].

**RHUMB,** subst. m.
*Mar.* Angle séparant deux secteurs consécutifs de la rose des vents, égal à 11° 15′. ▸ *Ligne de rhumb* : loxodromie. 1554 ; m. fr. *rym de vent*, de l'angl. *rim*, « cercle extérieur d'une roue » ; var. *rumb* ; [ʀɔ̃b].

**RHUME,** subst. m.
*Pathol.* Rhinopharyngite. 1226 ; lat. *rheuma*, du gr. *rheuma*, de *rhein*, « couler » ; [ʀym].

**RHUMERIE,** subst. f.
**1.** Fabrique de rhum. **2.** Débit de rhum et de boissons au rhum. 1802 ; ☞ *rhum* ; [ʀɔmʀi].

*Dans une rhumerie de la Martinique.*

© Ph. Leroux-Explorer

**RHYNCHITE,** subst. m.
*Zool.* Insecte ptérygote de l'ordre des Coléoptères, apparenté au charançon, nuisible aux arbres fruitiers. 1807 ; gr. *rhugkos*, « bec » ; [ʀɛ̃kit].

**RHYTHM AND BLUES,** subst. m. inv.
Musique de danse des Noirs américains, issue du blues. Mil. XX^e s. ; loc. anglo-amér. ; [ʀitmɛ̃ndbluz].

**RHYTON,** subst. m.
*Archéol.* Vase à boire des Grecs, en forme de corne ou de tête d'animal. 1829 ; gr. *rhuton* ; [ʀitɔ̃].

**RIA,** subst. f.
*Géogr.* Estuaire encaissé envahi en permanence par la mer (synon. *aber*). 1896 ; esp. *ria*, « baie » ; [ʀija].

**RIAL,** subst. m.
Unité monétaire de l'Iran, de l'Arabie Saoudite, du Qatar, du Yémen et d'Oman. V. 1960 ; mot persan ; plur. *rials*, var. *riyal*, *ryal* ; [ʀ(i)jal].

**RIANT, RIANTE,** adj.
**1.** Qui exprime la gaieté : *Des yeux **riants**.* **2.** Méton. Qui suscite la gaieté ; au fig. : *De **riantes** perspectives.* Fin XI^e s. ; p. pr. de *rire* (I) ; [ʀ(i)jɑ̃, ʀ(i)jɑ̃t].

**RIBAMBELLE,** subst. f.
Longue suite de personnes ou d'objets (fam.) : *Une **ribambelle** de gamins.* 1790 ; prob. formé de *riban*, var. dial. de *ruban*, et du rad. onomat. *bamb-* ; [ʀibɑ̃bɛl].

**RIBAUD, AUDE,** adj. et subst.
Se dit d'une personne débauchée (littér.). Subst. masc. *M. Â.* **1.** Aventurier qui suivait les armées pour se livrer au pillage. **2.** Anal. Soldat à pied, membre d'un corps créé par Philippe Auguste. Mil. XII^e s. ; anc. fr. *riber*, « se livrer à la débauche », de l'anc. haut all. *riban*, « frotter ; s'accoupler » ; [ʀibo, od].

**RIBAUDEQUIN,** subst. m.
*M. Â.* Chariot portant une grande arbalète ou des petits canons. 1346 ; m. néerl. *ribaudekijn*, de l'anc. fr. *ribaud*, « canon » ; [ʀibod(ə)kɛ̃].

**RIBLON,** subst. m.
*Métall.* Déchet d'aciérie, utilisé pour la refonte. 1774 ; prob. anc. haut all. *riban*, « frotter » ; [ʀiblɔ̃].

**RIBOFLAVINE,** subst. f.
*Biochim.* Vitamine $B_2$. V. 1950 ; ☞ *flavine* + *ribo-* ; [ʀiboflavin].

**RIBONUCLÉASE,** subst. f.
*Biochim.* Enzyme catalysant l'hydrolyse de l'A. R. N. V. 1960 ; ☞ *nucléase* + *ribo-* ; [ʀibonykleɑz].

**RIBONUCLÉIQUE,** adj.
*Biochim.* *Acide **ribonucléique** (A. R. N.)* : défini par la succession de nucléotides composés d'une base azotée, d'un phosphate et d'un sucre. On distingue les A. R. N. messagers, de transfert et ribosomiques. Mil. XX^e s. ; ☞ *nucléique* + *ribo-* ; [ʀibonykleik].

**RIBOSE,** subst. m.
*Biochim.* Monosaccharide de formule $C_5H_{10}O_5$, qui entre dans la composition des ribonucléotides à partir desquels sont constitués les acides ribonucléiques. 1892 ; *acide ribonique* (vx), de *arabine* (vx), « principe soluble de la gomme arabique » ; [ʀiboz].

**RIBOSOME,** subst. m.
*Biochim.* Organite globulaire de forme et de fonction complexes, nécessaire à la traduction en chaîne polypeptidique de l'information contenue dans les A. R. N. messagers. V. 1960 ; formé de *ribo-* et de *-some* ; [ʀibozom].

**RIBOTE,** subst. f.
Bombance, ripaille (vx). 1754 ; *riboter* (vx), « se livrer à des excès de table », de *ribaud* ; [ʀibɔt].

**RIBOULDINGUE,** subst. f.
Partie de plaisir, noce, bombance (fam. et vieilli). 1892 ; crois. de *ribouler* et de *dinguer* ; [ʀibuldɛ̃g].

**RIBOULER,** verbe intrans. [3]
*Ribouler des yeux* : rouler les yeux d'étonnement (fam. et vieilli). 1862 ; ☞ *boule* ; [ʀibule].

**RIBOZYME,** subst. m.
*Biochim.* Acide ribonucléique doué d'un pouvoir catalytique souvent impliqué dans le découpage spécifique d'A. R. N. particuliers. V. 1980 ; ☞ *enzyme* + *ribo-* ; [ʀibozim].

**RICANEMENT,** subst. m.
Action de ricaner. 1702 ; ☞ *ricaner* ; [ʀikan(ə)mɑ̃].

**RICANER,** verbe intrans. [3]
**1.** Rire à demi, de manière railleuse ou méprisante. **2.** Rire sottement, ou avec gêne. 1538 (fin XIV^e s., braire) ; anc. fr. *recaner*, « braire », du frq. °*kinni*, « mâchoire » ; [ʀikane].

**RICANEUR, EUSE,** subst. et adj.
Se dit d'une personne qui ricane. Adj. Qui dénote le ricanement : *Air **ricaneur**.* 1555 ; ☞ *ricaner* ; [ʀikanœʀ, øz].

**RICCIE,** subst. f.
*Bot.* Hépatique à thalle du genre *Riccia*, se développant dans les endroits humides des régions tempérées. 1765 ; anthropon. *Ricci*, botaniste italien ; [ʀiksi].

**RICERCARE,** subst. m.
*Mus.* Forme fondée sur l'imitation, moins stricte que le canon, pratiquée à la Renaissance et au début de l'époque baroque, et qui a donné naissance à la fugue. 1875 ; ital. *ricercare*, « rechercher » ; plur. *ricercari* ; [ʀitʃɛʀkaʀe], plur. [-ʀi].

**RICHARD, ARDE,** subst.
Personne très riche (fam. et péj.). 1466 ; ☞ *riche* ; [ʀiʃaʀ, aʀd].

**RICHE,** adj.
**1.** Vx. Puissant. **2.** Qui a beaucoup de biens, d'argent. ▸ *Pays riche* : qui possède une économie forte. ▸ Empl. subst. *Les **riches*** : les gens fortunés ; *Nouveau **riche*** : personne qui exhibe sa fortune acquise récemment ; *Gosse de **riches*** : enfant gâté, égoïste et capricieux (fam. et péj.). **3.** Méton. Qui a une grande valeur : *De **riches** atours.* **4.** Qui contient beaucoup de choses : *Une contrée **riche** en matières premières* ; au fig. : *Un avenir **riche** de promesses.* **5.** Ext. Fertile, fécond : *Un sol **riche*** ; au fig. : *Une inspiration **riche*** ; *Une **riche** nature*, une personne pleine de possibilités (fam.). **6.** *Versif.* *Rime **riche*** : dans laquelle la consonne précédant la voyelle tonique rime aussi. Mil. XI^e s. ; anc. bas frq. °*riki*, « puissant » ; [ʀiʃ].

**RICHELIEU,** subst. m.
Chaussure basse à lacets. 1894 ; anthropon. *Richelieu*, cardinal et homme d'État ; plur. *richelieu(s)* ou *richelieux* ; [ʀiʃəljø].

**RICHEMENT,** adv.
**1.** De façon riche. **2.** De façon à devenir riche : *Richement marié.* Mil. XII^e s. ; ☞ *riche* ; [ʀiʃmɑ̃].

**RICHESSE,** subst. f.
**1.** Vx. Puissance. **2.** État d'une personne qui possède beaucoup de biens, d'argent. **3.** Caractère de ce qui a une grande valeur : *La **richesse** d'un mobilier.* **4.** Ext. Fertilité, fécondité : *La **richesse** d'une terre* ; au fig. : *La **richesse** de son inspiration.* **5.** Anal. Caractère de ce qui contient de nombreux éléments : *La **richesse** d'une cinémathèque* ; *La **richesse** d'un mortier*, la quantité de liant qu'il contient. Plur. **1.** Biens, possessions de valeur, argent : *Voilà toutes mes **richesses**.* **2.** Ressources naturelles dont dispose ou peut disposer un pays. **3.** Objets de grande valeur : *Les **richesses** d'un musée* ; au fig. : *Les **richesses** de la littérature française.* Déb. XII^e s. ; ☞ *riche* ; [ʀiʃɛs].

**RICHISSIME,** adj.
Immensément riche. Déb. XIV^e s. ; ☞ *riche* ; [ʀiʃisim].

**RICIN,** subst. m.
*Bot.* Plante à grandes feuilles palmées, de la famille des Euphorbiacées, dont le fruit sec renferme des graines oléagineuses. ▸ *Huile de **ricin*** : huile purgative extraite des graines de cette plante. 1548 ; lat. *ricinus* ; [ʀisɛ̃].

**RICINÉ, ÉE,** adj.
Qui contient du ricin, de l'huile de ricin. 1871 ; ☞ *ricin* ; [ʀisine].

**RICKETTSIE,** subst. f.
*Bactériol.* Bactérie Gram- intracellulaire, gén. diffusée par des tiques. Dans le cas du typhus, c'est le pou qui sert de vecteur. 1931 ; anthropon. *H. T. Ricketts*, biologiste américain ; [ʀikɛtsi].

**RICKSHAW,** subst. m.
Voiture légère tirée par un vélo, une moto ou un scooter, utilisée en Asie, du Pakistan à la Chine. 1898 ; angl. *rickshaw*, du hindi *rikšā* ; [ʀikʃo].

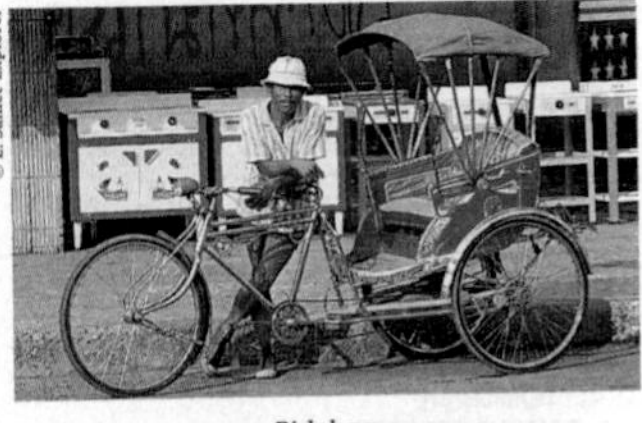

© E. Saillet-Explorer

*Rickshaw.*

**RICOCHER,** verbe intrans. [3]
Faire ricochet. 1807 ; ☞ *ricochet* ; [ʀikɔʃe].

**RICOCHET,** subst. m.
Rebond que fait une pierre plate, lancée à ras de l'eau ou, par anal., un projectile dévié de sa route par un obstacle. ▸ Loc. *Par ricochet* : par contrecoup. 1611 ; orig. obsc. ; [ʀikɔʃɛ].

**RICOTTA,** subst. f.
Fromage d'origine italienne, fait à partir de petit-lait obtenu lors de la fabrication d'autres fromages. 1911 ; ital. *ricotta*, « recuite » ; [ʀikɔta].

**RIC-RAC,** adv.
Fam. **1.** Avec exactitude, rigueur : *Régler **ric-rac** une dette.* **2.** De justesse : *Gagner **ric-rac** une élection.* 1611 ; onomat. ; [ʀikʀak].

**RICTUS,** subst. m.
**1.** *Pathol.* Contraction involontaire des muscles de la bouche, évoquant un sourire grimaçant : *Le **rictus** dû au tétanos.* **2.** Anal. Expression négative déformant la bouche : *Un **rictus** de haine.* 1821 ; lat. *rictus*, « ouverture de la bouche » ; [ʀiktys].

**RIDAGE,** subst. m.
*Mar.* Action de rider. 1831 ; ☞ *rider* ; [ʀidaʒ].

**RIDE,** subst. f.
**1.** Vx. Fer à plisser. **2.** Petit sillon qui marque la peau, gén. sous l'effet du vieillissement ; au fig. : *Ce film n'a pas pris une **ride***, il n'a pas vieilli. **3.** Anal. Ondulation affectant la surface de l'eau, ou légère strie marquant toute autre surface. **4.** *Mar.* Filin servant à rider. **5.** *Géol.* *Ride océanique* ou *médio-océanique* : relief basaltique s'élevant au-dessus de la plaine abyssale, entre deux plaques lithosphériques qui s'écartent (synon. *dorsale océanique* ou *médio-océanique*). XIII^e s. ; ☞ *rider* ; [ʀid].

**RIDEAU,** subst. m.
**1.** Pièce d'étoffe faisant écran à la lumière, aux regards, au froid, etc., gén. décorative et placée devant une fenêtre, une ouverture : *Tirer le **rideau*** ; ***Rideaux** de velours* ; ***Rideau** de douche.* **2.** *Théâtre.* Ample tenture ou toile peinte qui s'abaisse ou se lève devant la scène. ▸ Empl. interj. ***Rideau !*** : protestation des spectateurs mécontents ; par ext., cela suffit (fam.). ▸ Loc. *En **rideau*** : en panne (fam.). **3.** Anal. Tout ce qui est dense et arrête la vue ou protège : ***Rideau** de fumée, de peupliers.* **4.** ***Rideau** de fer* : protection métallique devant séparer une salle de spectacle de la scène, en cas d'incendie, ou protégeant la devanture d'un magasin ; au fig., frontière politique instaurée après la Seconde Guerre mondiale, isolant les pays communistes de l'Europe de l'Est, symbolisée par le mur de Berlin, et abolie en 1989. 1347 ; ☞ *rider* ; [ʀido].

**RIDÉE,** subst. f.
*Chasse.* Filet servant à prendre des alouettes. 1834 ; ☞ *rider* ; [ʀide].

**RIDELLE, subst. f.**
Châssis, plein ou à claire-voie, formant les parois latérales d'une charrette, d'un camion, d'un wagon, etc. XIII$^{e}$ s. ; m. haut all. *reidel*, « rondin » ; [ʀidɛl].

**RIDER, verbe trans.** [3]
**1.** Marquer de rides : *La perplexité* ***ridait*** *son front* ; empl. adj. : *Visage* ***ridé*** *comme une pomme* ; empl. pronom. : *La peau se* ***ride*** *avec l'âge.* **2.** *Mar.* Raidir (un câble, un hauban) au moyen d'un ridoir. Fin XII$^{e}$ s. ; prob. anc. haut all. *rîdan*, « tordre » ; [ʀide].

**RIDICULE, subst. m. et adj.**
**Subst.** Ce qui, dans qqch. ou chez qqn, excite le rire, la moquerie. ► Loc. *Tourner en* ***ridicule*** : présenter sous un jour qui incite à la raillerie ; *Se couvrir de* ***ridicule*** : avoir un comportement ridicule. **Adj. 1.** De nature à susciter le rire, la moquerie : *Un uniforme* ***ridicule.*** **2.** Contraire au bon sens : *Coutume* ***ridicule.*** **3.** Dérisoire, insignifiant : *Un pourboire* ***ridicule.*** Déb. XVI$^{e}$ s. ; lat. *ridiculus*, de *ridere*, « rire » ; [ʀidikyl].

**RIDICULEMENT, adv.**
De façon ridicule. 1552 ; ☞ *ridicule* ; [ʀidikylmɑ̃].

**RIDICULISER, verbe trans.** [3]
Rendre ridicule. 1666 ; ☞ *ridicule* ; [ʀidikylize].

**RIDOIR, subst. m.**
*Mar.* Pièce métallique munie d'une tige filetée, servant à rider. 1859 ; ☞ *rider* ; [ʀidwaʀ].

**RIDULE, subst. f.**
Petite ride. 1956 ; ☞ *ride* ; [ʀidyl].

**RIEL, subst. m.**
Unité monétaire du Cambodge. V. 1960 ; mot khmer ; [ʀjɛl].

**RIEMANNIEN, IENNE, adj.**
*Géom.* Relatif aux théories de Bernhard Riemann. ► *Géométrie* ***riemannienne*** : géométrie dans laquelle le cinquième axiome d'Euclide est remplacé par un axiome exigeant que, par un point extérieur à une droite, on ne puisse mener aucune parallèle à cette droite. La géométrie sur la sphère, en considérant comme droites les grands cercles de cette sphère, est un modèle de cette géométrie. 1903 ; anthropon. *Bernhard Riemann* ; [ʀimanjɛ̃, jɛn].

**RIEN, pron. indéf., subst. et adv.**
**Pron. 1.** Sens positif. Quelque chose, quoi que ce soit : *Y a-t-il* ***rien*** *de moins cher ?* ; *Il est sorti sans* ***rien*** *dire* ; *Je ne crois pas que* ***rien*** *m'ait jamais réjoui à ce point.* **2.** Sens négatif. Aucune chose. ► Avec « ne » : *Je ne sais* ***rien*** ; *Il ne comprend* ***rien*** ; ***Rien*** *ne l'étonne* ; *Ce n'est* ***rien***, ce n'est pas grave ; *Cela ne fait* ***rien***, cela n'a pas d'importance ; *Il n'en est* ***rien***, ce n'est pas vrai ; *Cela ne me dit* ***rien***, je n'en ai pas envie ; *Ce n'est pas* ***rien***, c'est beaucoup, c'est difficile (fam.) ; *Comme si de* ***rien*** *n'était*, comme si rien ne s'était passé ; *N'avoir* ***rien*** *contre*, ne pas s'opposer à ; *N'avoir* ***rien*** *de*, ne posséder aucun des caractères de. ► Sans « ne » : *Qu'as-tu ?* – ***Rien*** ; *Ce sera tout ou* ***rien*** ; *Pour* ***rien***, pour peu de chose, pour une quantité, une valeur nulle ou négligeable, inutilement ; *De* ***rien***, *de* ***rien*** *du tout*, sans valeur, insignifiant (fam.) ; *En* ***rien***, aucunement ; ***Rien*** *que*, seulement, uniquement ; ***Rien*** *moins que*, ***rien*** *de moins que* (☞ *moins*). **Subst. masc.** Peu de chose, chose sans importance : *Un* ***rien*** *l'amuse* ; *Elle s'irrite pour des* ***riens.*** ► Loc. prép. **Un rien de.** Un peu de : *Ajoutez un* ***rien*** *de persil, et ce sera parfait* ; *En un* ***rien*** *de temps*, très rapidement. ► Loc. **Un rien.** Légèrement : *Il est un* ***rien*** *énervant.* **Subst.** *Un, une* ***rien*** *du tout* ; *Un, une moins que* ***rien*** : une personne sans valeur, méprisable. **Adv.** Très (fam. et vieilli) : *C'est* ***rien*** *beau !* Fin X$^{e}$ s. ; lat. *res*, « chose » ; [ʀjɛ̃].

**RIESLING, subst. m.**
Cépage blanc, cultivé en Alsace, en Moselle, en Europe de l'Est ; par méton., vin fait avec ce cépage. 1832 ; all. *Riesling* ; [ʀisliŋ].

**RIEUR, RIEUSE, subst. et adj.**
**Subst.** Personne qui rit, ou qui aime rire. ► Loc. *Mettre les* ***rieurs*** *de son côté* : faire rire aux dépens de son adversaire. **Adj. 1.** Qui rit : *Tu es bien* ***rieur*** ; qui est enjoué : *Il est d'un naturel très* ***rieur*** ; qui exprime la gaieté : *Yeux* ***rieurs.*** **2.** *Zool. Mouette* ***rieuse*** ou, empl. subst. fém., *Une* ***rieuse*** : mouette dont le cri saccadé évoque le rire. Mil. XV$^{e}$ s. ; ☞ *rire* (I) ; [ʀijœʀ, ʀijøz].

**RIF, subst. m.**
Argot. **1.** Vx. Érythème fessier de l'enfant. **2.** Pistolet : *Lâche ton* ***rif*** ! **3.** Méton. ► Rixe. ► Front, zone de combat : *Monter au* ***rif.*** 1455 ; argot ital. *ruffo*, « feu », du lat. *rufus*, « roux » ; var. *riffe* ; [ʀif].

**RIFF, subst. m.**
*Mus.* Dans le jazz et, par ext., dans le rock, court motif mélodique répété rythmiquement. 1946 ; mot anglo-amér. ; [ʀif].

**RIFFE, voir RIF**

**RIFIFI, subst. m.**
Bagarre violente (argot.). 1942 ; ☞ *rif* ; [ʀififi].

**RIFLARD (I), subst. m.**
**1.** Laine la plus longue et la plus grosse d'une toison. **2.** *Techn.* ► Palette de maçon. ► Grand rabot de menuisier à deux poignées. ► Grosse lime à métaux. 1450 ; ☞ *rifler* ; [ʀiflaʀ].

**RIFLARD (II), subst. m.**
Parapluie (pop. et vieilli). 1825 ; *Riflard*, personnage de comédie ; [ʀiflaʀ].

**RIFLE, subst. m.**
*Arm.* Carabine à long canon rayé. ► *Carabine 22 long* ***rifle*** : arme de sport ou de chasse d'un calibre de 22/100 de pouce, soit 5,58 mm. 1833 ; anglo-amér. *rifle*, prob. du fr. *rifler* ; [ʀifl].

**RIFLER, verbe trans.** [3]
*Techn.* Travailler, dégrossir (qqch.) au riflard ou au rifloir. 1765 (fin XII$^{e}$ s., égratigner) ; anc. haut all. *riffilôn*, « déchirer en frottant » ; [ʀifle].

**RIFLOIR, subst. m.**
Lime à tige de formes variées utilisée pour des ouvrages délicats. XVI$^{e}$ s. ; ☞ *rifler* ; [ʀiflwaʀ].

**RIFT, subst. m.**
*Géol.* Fossé tectonique pouvant atteindre des milliers de kilomètres, correspondant à une zone de fracture de l'écorce terrestre. 1942 ; angl. *rift valley* ; [ʀift].

**RIGAUDON, voir RIGODON**

**RIGIDE, adj.**
**1.** Dont la rigueur ne fléchit jamais : *Un moraliste* ***rigide*** ; qui ne tolère aucune infraction : *Règlement* ***rigide.*** **2.** Qui résiste à la torsion ; dur, raide : *Un plastique* ***rigide.*** 1457 ; lat. *rigidus* ; [ʀiʒid].

**RIGIDIFIER, verbe trans.** [6]
Rendre rigide, plus rigide. 1885 ; ☞ *rigide* ; [ʀiʒidifje].

**RIGIDITÉ, subst. f.**
**1.** Caractère d'une personne rigide : ***Rigidité*** *d'un magistrat* ; caractère de ce qui fait l'objet d'une application stricte : ***Rigidité*** *d'un horaire.* **2.** État de ce qui est rigide, qui résiste à la torsion : ***Rigidité*** *d'un métal.* **3.** *Phys.* ***Rigidité*** *diélectrique* : intensité maximale de courant qu'un isolant peut supporter. 1641 ; lat. *rigiditas*, de *rigidus*, « raide » ; [ʀiʒidite].

**RIGODON, subst. m.**
**1.** Danse sautillante des XVII$^{e}$ et XVIII$^{e}$ s., d'origine provençale. **2.** Air vif, à deux temps, propre à cette danse. 1673 ; orig. obsc. ; var. *rigaudon* ; [ʀigɔdɔ̃].

**RIGOLADE, subst. f.**
Fam. **1.** Amusement un peu vulgaire ou plaisanterie facile : *Aimer la* ***rigolade.*** **2.** Chose peu sérieuse ou accomplie sans effort : *C'est de la* ***rigolade.*** ► Loc. *Prendre qqch. à la* ***rigolade*** : avec légèreté. 1815 ; ☞ *rigoler* ; [ʀigɔlad].

**RIGOLAGE, subst. m.**
*Hortic.* Creusement de rigoles destinées au semis ou à la distribution de l'eau d'arrosage. 1842 ; *rigoler* (vx), « creuser une rigole » ; [ʀigɔlaʒ].

**RIGOLARD, ARDE, subst.**
Fam. Personne qui aime la rigolade ; empl. adj. : *Sourire* ***rigolard.*** 1822 ; ☞ *rigoler* ; synon. vx *rigoleur, euse* ; [ʀigɔlaʀ, aʀd].

**RIGOLE, subst. f.**
**1.** Fossé étroit servant à l'écoulement des eaux. **2.** Filet de liquide, gén. d'eau, ruisselant sur une surface. **3.** *Constr.* Tranchée de fondation. **4.** *Hortic.* Sillon peu profond destiné à recevoir des semis. Déb. XIII$^{e}$ s. ; m. néerl. *regel*, « rangée », et *richel*, « fossé d'écoulement » ; [ʀigɔl].

**RIGOLER, verbe intrans.** [3]
Fam. **1.** Rire, s'amuser pleinement : *On a bien* ***rigolé.*** **2.** Ne pas être sérieux dans ce que l'on dit : *Vous* ***rigolez***, *j'espère ?* ► Loc. *Pour* ***rigoler*** : pour plaisanter. Fin XIII$^{e}$ s. ; prob. crois. de l'anc. fr. °*riolle*, « partie de plaisir », et de *gale*, « réjouissance » ; [ʀigɔle].

**RIGOLO, OTE, adj. et subst.**
Fam. **Adj. 1.** Qui fait rire, qui amuse : *Une tenue* ***rigolote.*** **2.** Étrange, surprenant : *Il n'est pas venu ? Tiens, c'est* ***rigolo.*** **Subst. 1.** Personne amusante, drôle. **2.** Personne peu fiable, peu compétente (péj.). 1848 ; ☞ *rigoler* ; [ʀigɔlo, ɔt].

**RIGORISME, subst. m.**
Attachement rigoureux aux règles de la religion, aux principes de la morale. 1696 ; lat. *rigor*, « rigueur » ; [ʀigɔʀism].

**RIGORISTE, subst.**
Personne qui fait preuve de rigorisme ; empl. adj. : *Attitude, éducation* ***rigoriste.*** 1683 ; lat. *rigor*, « rigueur » ; [ʀigɔʀist].

**RIGOTTE, subst. f.**
Petit fromage cylindrique à pâte molle, fait d'un mélange de lait de chèvre et de vache, fabriqué dans le Lyonnais. 1890 ; dial. *rigotte*, de l'ital. *ricotta*, « recuite » ; [ʀigɔt].

**RIGOUREUSEMENT, adv.**
**1.** Vx. Avec violence. **2.** D'une manière rigoureuse : *Appliquer* ***rigoureusement*** *la loi.* **3.** Ext. Complètement : *C'est* ***rigoureusement*** *exact.* XIII$^{e}$ s. ; ☞ *rigoureux* ; [ʀiguʀøzmɑ̃].

**RIGOUREUX, EUSE, adj.**
**1.** Qui fait preuve de rigueur ; sévère : *Des sanctions* ***rigoureuses.*** **2.** Qui dénote la rigueur ; strict : *Ponctualité* ***rigoureuse*** ; *Interdiction* ***rigoureuse***, absolue. **3.** Mené avec rigueur, avec précision : *Démonstration* ***rigoureuse.*** **4.** Difficile à endurer : *Sort* ***rigoureux*** ; *Froid* ***rigoureux.*** Déb. XIV$^{e}$ s. ; bas lat. *rigorosus*, du lat. *rigor*, « rigueur » ; [ʀiguʀø, øz].

**RIGUEUR, subst. f.**
**1.** Caractère ou comportement d'une personne sévère ; dureté extrême d'un acte, d'une décision : *La* ***rigueur*** *d'un maître, d'un jugement.* ► Loc. *Tenir* ***rigueur*** *à qqn* : lui garder rancune. **2.** Inflexibilité d'une obligation. **3.** Loc. ► **De rigueur.** Requis par l'usage ou le règlement : *Délai, tenue de* ***rigueur.*** ► *À la* ***rigueur*** : s'il le faut. **4.** Caractère de ce qui est difficile à endurer (souv. au plur.) : *Les* ***rigueurs*** *de l'hiver.* **5.** Précision, exactitude extrême : ***Rigueur*** *d'un raisonnement.* Fin XII$^{e}$ s. ; lat. *rigor* ; [ʀigœʀ].

**RIKIKI, voir RIQUIQUI**

**RILLETTES, subst. f. plur.**
*Cuis.* Pâté onctueux fait de viande de porc ou d'oie mijotée dans sa graisse : ***Rillettes*** *du Mans.* 1836 ; m. fr. *rille*, « bande de lard », var. dial. de *reille*, « planchette », du lat. *regula*, « règle » ; [ʀijɛt].

**RILLONS, subst. m. plur.**
*Cuis.* **1.** Restes de porc cuits à la poêle pour en obtenir la graisse. **2.** Dés de porc dorés dans leur graisse et servis froids. 1611 ; m. fr. *rille*, « bande de lard » ; [ʀijɔ̃].

**RIMAILLER, verbe intrans.** [3]
Composer des vers médiocres (péj. et vieilli). Mil. XVI$^{e}$ s. ; ☞ *rimer* ; [ʀimaje].

**RIMAILLEUR, EUSE, subst.**
Poète dépourvu de talent (péj. et vieilli). Déb. XVI$^{e}$ s. ; ☞ *rimailler* ; [ʀimajœʀ, øz].

**RIMAYE, subst. f.**
*Géogr.* Dans un cirque glaciaire, crevasse majeure séparant le glacier du névé ou des rochers. 1839 ; savoyard *rimaye*, du lat. *rima*, « fente » ; [ʀimaj].

**RIME, subst. f.**
*Versif.* Répétition d'un son identique à la fin de deux ou de plusieurs vers : ***Rimes*** *croisées (ABAB)* ; ***Rimes*** *embrassées (ABBA)* ; ***Rimes*** *plates (AABBCC)* ; ***Rimes*** *féminines*, terminées par un e muet. ► Loc. *Sans* ***rime*** *ni raison* : d'une manière incohérente, dépourvue de sens. Mil. XII$^{e}$ s. ; ☞ *rimer* ; [ʀim].

**RIMER, verbe** [3]
**Intrans. 1.** Faire de la poésie : ***Rimer*** *en maître.* **2.** Se terminer par le même son : *Amour* ***rime*** *avec toujours.* ► Loc. *Ça ne* ***rime*** *à rien* : ça n'a pas de sens (fam.). **Trans.** Mettre (qqch.) en vers. Déb. XII$^{e}$ s. ; p.-ê. anc. bas frq. °*rim*, « série, nombre » ; [ʀime].

**RIMEUR, EUSE, subst.**
Poète médiocre (péj.). Déb. XIII$^{e}$ s. ; ☞ *rimer* ; [ʀimœʀ, øz].

**RIMMEL, subst. m. inv.**
Fard servant à colorer les cils (synon. *mascara*). 1929 ; anthropon. *Rimmel* ; n. déposé ; [ʀimɛl].

**RINÇAGE, subst. m.**
Action de rincer. 1845 ; ☞ *rincer* ; [ʀɛ̃saʒ].

**RINCEAU, subst. m.**
*Arts déc.* Motif peint ou sculpté, en forme de tige ou de branche enroulée sur elle-même. 1360 (déb. XIII$^{e}$ s., rameau) ; lat. pop. °*ramuscellus*, du lat. *ramus*, « rameau » ; [ʀɛ̃so].

**RINCE-BOUCHE, subst. m. inv.**
Bol d'eau tiède parfumée qui servait à se rincer la bouche à la fin du repas (vx). 1842 ; comp. de *rincer* et de *bouche* ; [Rɛ̃sbuʃ].

**RINCE-BOUTEILLE(S), subst. m.**
Appareil servant à rincer les bouteilles. 1894 ; comp. de *rincer* et de *bouteille* ; plur. *rince-bouteilles* ; [Rɛ̃sbutɛj].

**RINCE-DOIGTS, subst. m. inv.**
Bol contenant de l'eau tiède, parfois citronnée, utilisé pour se rincer les doigts à table. 1907 ; comp. de *rincer* et de *doigt* ; [Rɛ̃sdwa].

**RINCÉE, subst. f.**
Fam. **1.** Volée de coups (vieilli). **2.** Pluie forte et soudaine, averse. 1791 ; p. p. de *rincer* ; [Rɛ̃se].

**RINCER, verbe trans.** [4]
Passer (qqch.) à l'eau claire pour en ôter le savon, les impuretés, etc. : *Rincer le linge ; Rincer une carafe.* **Pronom.** *Se rincer les cheveux, les mains* : les passer à l'eau après un lavage ; *Se rincer la bouche*, faire un gargarisme. ► Loc. *Se rincer l'œil* : se délecter en regardant une personne très séduisante ou un spectacle érotique (fam.). Déb. XIIe s. ; anc. fr. *recincier*, du lat. pop. °*recentiare*, « rafraîchir » ; [Rɛ̃se].

**RINCETTE, subst. f.**
Petite quantité d'eau-de-vie que l'on boit, après le café, dans sa tasse, sous prétexte de la rincer (fam.). 1856 ; ☞ *rincer* ; [Rɛ̃sɛt].

**RINCEUR, EUSE, subst.**
Personne chargée de rincer. **Fém.** Rince-bouteille automatique. 1611 (fin XVe s., bon buveur) ; ☞ *rincer* ; [Rɛ̃sœR, øz].

**RINÇURE, subst. f.**
**1.** Eau de rinçage. **2.** Vin médiocre (fam.). 1660 (1393, vin coupé d'eau) ; ☞ *rincer* ; [Rɛ̃syR].

**RINFORZANDO, adv.**
*Mus.* En renforçant soudain le son et en l'atténuant aussitôt (synon. *sforzando*). 1775 ; ital. *rinforzando*, de *rinforzare*, « renforcer » ; [Rinfɔrdzɑ̃do].

**RING (I), subst. m.**
Estrade délimitée par des cordes, sur laquelle se disputent les combats de boxe ou de catch : *Monter sur le ring.* 1829 ; angl. *ring*, « cercle » ; [Riŋ].

**RING (II), subst. m.**
Belg. Boulevard circulaire. XXe s. ; all. *Ring*, « anneau » ; [Riŋ].

**RINGARD (I), subst. m.**
*Techn.* Tisonnier à tige courte ou en crochet, utilisé dans certains fours de métallurgie pour attiser le feu, retirer les scories, etc. 1731 ; wallon *ringuèle*, « levier », de l'all. dial. *Rengel*, « rondin » ; [Rɛ̃gaR].

**RINGARD (II), ARDE, subst. et adj.**
Fam. **Subst. 1.** Comédien démodé. **2.** Personne dépassée, médiocre. **Adj.** Qui est passé de mode : *Tenue, décoration **ringarde**.* V. 1960 ; orig. inc. ; [Rɛ̃gaR, aRd].

**RINGARDER, verbe trans.** [3]
*Techn.* Remuer avec un ringard. 1873 ; ☞ *ringard* (I) ; [Rɛ̃gaRde].

**RINGARDISE, subst. f.**
Caractère d'une personne ou d'une chose ringarde (fam.). V. 1970 ; ☞ *ringard* (II) ; [Rɛ̃gaRdiz].

**RINGGIT, subst. m.**
Unité monétaire principale de la fédération de Malaysia. [Ringit].

**RINGUETTE, subst. f.**
*Sp.* Hockey sur glace féminin. ☞ *rink* ; [Rɛ̃gɛt].

**RINK, subst. m.**
Piste de patinage (anglic.) : ***Rink** de hockey.* 1875 ; mot angl. ; [Rink].

**RIOJA, subst. m.**
Vin espagnol, gén. rouge, produit dans la région de la Rioja. Topon. *Rioja* (Espagne) ; [Rjoxa].

**RIPAGE, subst. m.**
Action, fait de riper ; son résultat (synon. *ripement*). 1846 ; ☞ *riper* ; [Ripaʒ].

**RIPAILLE, subst. f.**
Repas où l'on mange et où l'on boit beaucoup (fam.) : *De bruyantes **ripailles** ; Faire **ripaille**.* 1579 ; m. néerl. *rippen*, « racler, palper » ; [Ripɑj].

**RIPAILLER, verbe intrans.** [3]
Faire ripaille. 1821 ; ☞ *ripaille* ; [Ripɑje].

**RIPAILLEUR, EUSE, subst. et adj.**
Se dit d'une personne qui aime à faire ripaille. 1803 ; ☞ *ripaille* ; [Ripɑjœr, øz].

**RIPATON, subst. m.**
Pied (pop.). 1878 (1866, soulier) ; ☞ *patte* (I) ; [Ripatɔ̃].

**RIPE, subst. f.**
*Techn.* Outil de tailleur de pierre, en forme de S, dont une extrémité, dentelée, sert au grattage et l'autre au polissage. 1676 ; ☞ *riper* ; [Rip].

**RIPER, verbe** [3]
**Trans. 1.** Gratter, polir (une pierre) à l'aide d'une ripe. **2.** Déplacer (qqch.) en le faisant glisser sur un support. **Intrans.** Déraper, glisser (fam.). 1690 (1328, étriller) ; m. néerl. *rippen*, « racler, palper » ; [Ripe].

**RIPEUR, EUSE, subst.**
Éboueur. XXe s. ; ☞ *riper* ; [Ripœr, øz].

**RIPIENO, subst. m.**
*Mus.* Dans le concerto grosso, ensemble de l'orchestre (par oppos. au concertino ou au groupe soliste). 1748 ; ital. *ripieno*, « rempli » ; [Ripjeno].

**RIPOSTE, subst. f.**
**1.** Réponse vive et immédiate à une agression verbale : *Avoir la **riposte** cinglante.* **2.** Ext. Contre-attaque, action de représailles. **3.** *Escr.* Botte faisant suite à une parade de l'adversaire. Déb. XVIe s. ; ital. *risposta*, « réponse » ; [Ripɔst].

**RIPOSTER, verbe** [3]
**Intrans.** Faire une riposte. ► *Escr.* Enchaîner une riposte. **Trans. indir. Riposter à.** Réagir d'une manière cinglante à. **Trans. dir.** Rétorquer avec vigueur et promptitude. 1645 ; ☞ *riposte* ; [Ripɔste].

**RIPOU, adj. et subst.**
Se dit d'une personne corrompue, en partic. d'un policier (fam.). V. 1980 ; *pourri*, en verlan ; plur. *ripous* ou *ripoux* ; [Ripu].

**RIPPER, subst. m.**
Anglic. *Techn.* Engin de terrassement (synon. *défonceuse*). 1946 ; angl. *ripper*, de *to rip*, « arracher » ; recomm. off. *rippeur* ; [Ripœr].

**RIPPLE-MARK, subst. f.**
*Géol.* Fine ride laissée dans le sable par le passage de l'eau ou sous l'action du vent. 1904 ; angl. *ripple-mark*, de *ripple*, « clapotis », et de *mark*, « marque » ; plur. *ripple-marks* ; [Ripœlmark].

**RIPUAIRE, adj.**
Qualifie les anciens peuples riverains du Rhin : *Les Francs **ripuaires*** ou, empl. subst., *Les **Ripuaires**.* 1586 ; lat. médiév. *ripuarius*, du lat. *ripa*, « rive » ; [Ripɥɛr].

**RIQUIQUI, adj. inv.**
Petit, mesquin, chiche (fam.). 1866 (1789, eau-de-vie) ; orig. onomat. ; var. *rikiki* ; [Rikiki].

**RIRE (I), verbe** [68]
**Intrans. 1.** Manifester son hilarité, sa gaieté, par des mouvements répétés de la bouche ouverte s'accompagnant d'expirations bruyantes et spasmodiques : *Ne pouvoir s'arrêter de **rire**.* ► Loc. ***Rire** sous cape* : intérieurement ; *C'est à mourir de **rire*** : très drôle ; ***Rire** jaune* (☞ *jaune*). **2.** Se moquer. ► Loc. *Laissez-moi **rire*** : ce que j'entends est ridicule (fam.) ; ***Rire** à la barbe, au nez de qqn* : se moquer de lui en sa présence. **3.** Exprimer la gaieté (littér.) : *Yeux qui **rient**.* **4.** Se divertir, s'amuser : *Ne songer qu'à **rire**.* ► Loc. *Avoir le mot pour **rire*** : être enclin à plaisanter. **5.** Dire ou faire qqch. par plaisanterie, sans être sérieux : *Vous voulez **rire** ? ; Je ne **ris** pas, c'est sérieux.* ► Loc. *Histoire de **rire*** : pour plaisanter (fam.). **Trans. indir. Rire de.** Se moquer de, faire peu de cas de. ► Loc. *Il n'y a pas de quoi **rire*** : l'affaire est grave, il ne faut pas plaisanter. **Pronom. Se rire de. 1.** Se moquer de (vieilli). **2.** Surmonter avec aisance, traiter par le dédain (qqch.) : *Se **rire** des obstacles.* Fin XIe s. ; lat. *ridere* ; [Rir].

**RIRE (II), subst. m.**
Action de rire : *Le **rire** est le propre de l'homme ; Fou **rire**,* rire irrépressible. Déb. XIIIe s. ; ☞ *rire* (I) ; [Rir].

**RIS (I), subst. m.**
Vx. Rire. **Plur.** Plaisirs (littér.) : *Les jeux et les **ris**.* Mil. XIIe s. ; lat. *risus*, « rire » ; [Ri].

**RIS (II), subst. m.**
*Mar.* Chacune des bandes d'une voile que l'on resserre sur la vergue par des garcettes, pour réduire la voilure : *Prendre un **ris**,* l'attacher à la bôme. Mil. XIIe s. ; prob. anc. scand. *rif* ; [Ri].

**RIS (III), subst. m.**
*Bouch.* Thymus du veau ou de l'agneau, très apprécié des gastronomes. 1583 ; orig. inc. ; [Ri].

**RISBERME, subst. f.**
*Trav. publ.* Talus de protection, couvert de fascines, au pied de certains ouvrages hydrauliques. 1771 (1752, terme de fortifications) ; néerl. *rijsberme*, de *rijs*, « fascines », et de *berme*, « talus » ; [Risbɛrm].

**RISÉE (I), subst. f.**
**1.** Vx. Raillerie bruyante. **2.** Méton. Moquerie collective : *Un objet de **risée** ; Être la **risée** du village.* Mil. XIIe s. ; ☞ *ris* (I) ; [Rize].

**RISÉE (II), subst. f.**
*Mar.* Brève rafale de vent. 1689 ; ☞ *ris* (II) ; [Rize].

**RISETTE, subst. f.**
Sourire, notamment d'un jeune enfant (fam.) : *Fais-moi **risette** !* 1840 ; ☞ *ris* (I) ; [Rizɛt].

**RISIBLE, adj.**
**1.** Propre à exciter le rire. **2.** Grotesque, ridicule. 1370 ; bas lat. *risibilis*, du lat. *ridere*, « rire » ; [Rizibl].

**RISORIUS, subst. m.**
*Anat.* Muscle des commissures des lèvres, qui participe à l'expression du rire. 1765 ; lat. sc. *(musculus) risorius*, « (muscle) riant » ; [Rizɔrjys].

**RISOTTO, subst. m.**
*Cuis.* Plat de riz à l'italienne, cuit avec de la purée de tomates et saupoudré de parmesan. 1818 ; ital. *risotto*, de *riso*, « riz » ; [Rizɔto].

**RISQUE, subst. m.**
**1.** Péril, danger, inconvénient éventuel auquel on s'expose : *Les **risques** d'une expédition.* ► Loc. *Au **risque** de* : en s'exposant à ; *À ses **risques** et périls* : en prenant sur soi l'entière responsabilité de ce que l'on entreprend. ► **À risque(s).** Qui est exposé à un danger ou qui présente un danger : *Opération boursière à **risque** ; Grossesse à **risque** ; Population à **risque**,* particulièrement exposée à une maladie déterminée. ► *Dr.* Éventualité d'un préjudice découlant de la perte ou de la détérioration d'un objet et qui est indépendante de la volonté des contractants : *Assurance tous **risques** ; **Risque** de vol, d'inondation, d'incendie.* **2.** Fait de s'exposer à un **risque** pour obtenir un avantage : *Le goût du **risque**.* 1578 ; anc. ital. *risco*, p.-ê. du lat. pop. °*resecum*, « roc escarpé, écueil », du lat. *resecare*, « couper » ; [Risk].

**RISQUÉ, ÉE, adj.**
**1.** Qui présente des risques, périlleux : *L'affaire est bien **risquée**.* **2.** Scabreux, osé : *Des propos **risqués**.* 1690 ; p. p. de *risquer* ; [Riske].

**RISQUER, verbe trans.** [3]
**Trans. dir. 1.** Exposer (qqch.) à un risque, un danger : ***Risquer** sa fortune, sa réputation ; **Risquer** sa vie.* ► Loc. ***Risquer** le tout pour le tout* : jouer son va-tout ; *Qui ne **risque** rien n'a rien.* **2.** S'exposer à (une conséquence fâcheuse) : ***Risquer** la prison.* **Trans. indir. Risquer de** (+ inf.). **1.** Courir le risque de : *Nous **risquons** d'être en retard.* **2.** Avoir la chance de (empl. critiqué) : *Il **risque** de réussir.* **Pronom. 1.** Se hasarder (en un lieu qui présente des risques) : *Se **risquer** dehors à minuit.* **2.** *Se **risquer** à* : prendre le risque de. 1577 ; ☞ *risque* ; [Riske].

**RISQUE-TOUT, subst. inv.**
Personne dont l'audace confine à l'inconscience. 1863 ; comp. de *risquer* et de *tout* ; [Riskətu].

**RISS, subst. m.**
*Géol.* Avant-dernière glaciation du Quaternaire (Pléistocène moyen) définie dans les Alpes. Topon. *Riss*, affluent du Danube ; [Ris].

**RISSOLE (I), subst. f.**
*Cuis.* Chausson de pâte feuilletée farci à la viande ou au poisson, passé à la friture et consommé chaud. Mil. XIIIe s. ; lat. pop. °*russeola*, « préparation rougeâtre », du lat. *russus*, « roux » ; [Risɔl].

**RISSOLE (II), subst. f.**
Filet à mailles serrées utilisé pour la pêche aux sardines et aux anchois, en Méditerranée. 1803 ; prov. *risolo*, du lat. *retiolum*, « petit filet » ; [Risɔl].

**RISSOLER, verbe trans.** [3]
Cuire (un aliment) à feu vif pour le faire dorer ; empl. adj. : *Des pommes de terres **rissolées*** ; empl. intrans. : *Faire **rissoler** des oignons dans la poêle.* 1549 ; ☞ *rissole* (I) ; [Risɔle].

**RISTOURNE, subst. f.**
**1.** *Dr. mar.* Annulation d'un contrat d'assurance maritime. **2.** Remboursement de la partie d'une cotisation d'assurance, proportionnel à la période durant laquelle le risque n'est pas encouru. **3.** Part de bénéfice attribuée à chaque membre d'une coopérative. **4.** Remise commerciale consentie à un client. 1755 (1705, report d'un compte sur un autre) ; ital. *storno* ; [Risturn].

**RISTOURNER,** verbe trans. [3]
**1.** *Dr.* Rendre nul (un contrat d'assurance maritime). **2.** Remettre, accorder à titre de ristourne. 🕮 1755 (1704, reporter une somme d'un compte sur un autre) ; ☞ *ristourne* ; [ʀistuʀne].

**RITAL, ALE,** subst.
Italien (fam. et péj.). 🕮 1890 ; altér. de *Italien* ; plur. *ritals, ales* ; [ʀital].

**RITARDANDO,** adv.
*Mus.* En ralentissant progressivement le temps. 🕮 1837 ; mot ital. ; [ʀitaʀdɑ̃do].

**RITE,** subst. m.
**1.** Ensemble des traditions liturgiques et des prescriptions cultuelles propres à une communauté religieuse : *Les **rites** latin, byzantin, maronite de l'Église catholique.* ► Méton. Rituel, pratique, cérémonie particulière à une liturgie. **2.** Anal. Ensemble des pratiques initiatiques propres à une société secrète : *Les **rites** de la franc-maçonnerie.* **3.** Fig. Déroulement réglé, traditionnel d'une manifestation : *Le **rite** de la rentrée parlementaire* ; action que l'on accomplit de manière habituelle, immuable. **4.** *Anthropol.* Dans certaines sociétés traditionnelles, pratique, geste de caractère surnaturel ou symbolique : ***Rites** magiques, nuptiaux, chamaniques.* ► ***Rite** de passage* (☞ *passage*). 🕮 1535 (1479, coutume) ; lat. *ritus* ; var. *rit* au sens 1 ; [ʀit].

**RITOURNELLE,** subst. f.
**1.** *Mus.* Bref motif instrumental qui introduit, entrecoupe ou conclut un air. **2.** Air, chanson populaire à refrain. **3.** Fig. Propos ressassés. 🕮 1671 ; ital. *ritornello*, de *ritorno*, « retour » ; [ʀituʀnɛl].

**RITUALISER,** verbe trans. [3]
Donner un caractère rituel à (une pratique religieuse, une habitude). 🕮 1909 ; ☞ *rituel* ; [ʀitɥalize].

**RITUALISME,** subst. m.
**1.** *Hist.* Tendance d'une partie de l'Église anglicane, au XIXe s., à vouloir rétablir certains rites de la liturgie romaine. **2.** Ext. Formalisme liturgique ; par anal., caractère systématique de certaines habitudes. 🕮 1875 (1829, traité des rites de l'Église) ; angl. *ritualism*, du lat. *ritualis*, « du rite » ; [ʀitɥalism].

**RITUALISTE,** subst. et adj.
Se dit d'un adepte du ritualisme ou d'un partisan du respect formaliste des rites. **Adj.** Relatif au ritualisme. 🕮 1870 (1704, auteur traitant des rites) ; angl. *ritualist*, du lat. *ritualis*, « du rite » ; [ʀitɥalist].

**RITUEL, ELLE,** adj. et subst. m.
**Adj. 1.** *Relig.* Qui relève du rite ; prescrit par le rite. **2.** Fig. Qui constitue un rite, se reproduit de façon immuable : *La vente **rituelle** du muguet, le 1er mai.* **Subst. 1.** *Cath.* Livre liturgique décrivant les rites des sacrements, les sacramentaux et la forme précise des cérémonies religieuses. **2.** Anal. Cérémonial, ensemble de règles fixées par l'usage : *Le **rituel** d'une réception à l'Académie française.* 🕮 1564 ; lat. *ritualis* ; [ʀitɥɛl].

© Ferrero-Explorer

*Coiffure et peintures rituelles de Papouasie.*

**RITUELLEMENT,** adv.
De manière rituelle ; par anal., selon une habitude immuable. 🕮 1910 ; ☞ *rituel* ; [ʀitɥɛlmɑ̃].

**RIVAGE,** subst. m.
Frange de terre qui borde une mer, un océan ; bande de terre bordant une étendue d'eau douce (rare). 🕮 Déb. XIIe s. ; ☞ *rive* ; [ʀivaʒ].

**RIVAL, ALE, AUX,** subst. et adj.
**Subst.** Personne qui dispute à une ou à plusieurs autres un même bien, un même avantage ; en partic., personne qui prétend, en même temps qu'une autre, à l'amour de qqn : *Éliminer un **rival**.* ► Loc. *Sans **rival*** : inégalable, unique en son genre. **Adj.** Qu'oppose la recherche d'un même but, d'un même avantage : *Entreprises, équipes **rivales**.* 🕮 Déb. XVIe s. ; lat. *rivalis*, de *rivus*, « ruisseau », les riverains devant puiser leur eau au même ruisseau ; [ʀival, o].

**RIVALISER,** verbe intrans. [3]
**1.** ***Rivaliser** avec* : tenter d'égaler ou de surpasser (qqn), être comparable à (qqch.). **2.** ***Rivaliser** de* : faire assaut de. 🕮 1750 ; ☞ *rival* ; [ʀivalize].

**RIVALITÉ,** subst. f.
Situation de personnes rivales ; émulation, antagonisme : ***Rivalité** commerciale, amoureuse* ; par méton., querelle (souv. au plur.). 🕮 1656 ; lat. *rivalitas* ; [ʀivalite].

**RIVE,** subst. f.
**I. 1.** Bande de terre qui borde un cours d'eau, une étendue d'eau douce : *Passer d'une **rive** à l'autre.* ► ***Rive** droite, **rive** gauche* : berge droite, gauche d'un cours d'eau en regardant vers l'aval ; par méton., ensemble des quartiers d'une ville situés sur la **rive** droite ou gauche d'un fleuve. **2.** Espace de terre en bordure de mer, littoral : ***Rive** orientale de la Méditerranée.* **II. 1.** Bord, limite (vx) : ***Rive** d'une forêt.* **2.** *Bât.* ► Pourtour de terre cuite bordant une toiture en tuiles. ► *Poutres de **rive*** : servant d'appui au tablier d'un pont. **3.** *Techn.* ► Bord aigu d'une pièce de métal ou de bois. ► ***Rive** d'un four* : son bord, près de la gueule. 🕮 Fin XIe s. ; lat. *ripa* ; [ʀiv].

**RIVELAINE,** subst. f.
*Techn.* Pic de mineur à deux pointes servant à entamer la roche tendre, la houille. 🕮 1773 ; m. néerl. *riven*, « râper », par le pic. ou le wallon ; [ʀiv(ə)lɛn].

**RIVER,** verbe trans. [3]
**1.** Vx. Attacher solidement (qqn) au moyen de fers. **2.** Fig. Enchaîner : *Il **était rivé** à son poste* ; empl. adj., fixé : *Il avait le regard **rivé** sur moi.* **3.** Rabattre par martelage la pointe de (un clou, un rivet) sur la pièce traversée ; par ext., assembler au moyen de rivets, riveter. ► Loc. ***River** son clou à qqn* : le laisser sans voix par une réplique, un argument péremptoire. 🕮 Mil. XIIe s. ; ☞ *rive*, « bord » ; [ʀive].

**RIVERAIN, AINE,** subst. et adj.
**1.** Se dit d'une personne qui occupe ou possède un terrain au bord d'un cours d'eau, d'une étendue d'eau : *Le nettoyage de la rivière incombe aux **riverains**.* **2.** Se dit d'une personne qui habite le long d'une voie de communication, d'une forêt, etc. : *Stationnement réservé aux **riverains**.* **Adj.** Qui se trouve ou qui est construit en bordure de qqch. : *Quartier **riverain** d'un parc.* 🕮 1690 (1669, celui qui a des terres au bord d'une forêt) ; ☞ *rivière* ; [ʀiv(ə)ʀɛ̃, ɛn].

**RIVERAINETÉ,** subst. f.
Qualité de riverain ; droit des riverains. 🕮 1904 ; ☞ *riverain* ; [ʀiv(ə)ʀɛnte].

**RIVESALTES,** subst. m.
Vin doux naturel à base de muscat. 🕮 1792 ; topon. *Rivesaltes* (Pyrénées-Orientales) ; [ʀivzalt].

**RIVET,** subst. m.
Petite tige de métal garnie d'une tête, dont on aplatit l'autre extrémité après l'avoir passée dans le trou d'une pièce que l'on veut assembler à une autre. 🕮 1260 ; ☞ *river* ; [ʀivɛ].

**RIVETAGE,** subst. m.
Fixation, assemblage au moyen de rivets. 🕮 1877 ; ☞ *riveter* ; [ʀiv(ə)taʒ].

**RIVETER,** verbe trans. [14]
*Techn.* Fixer (une pièce) par des rivets. 🕮 1877 ; ☞ *rivet* ; [ʀiv(ə)te].

**RIVETEUSE,** subst. f.
Machine servant à poser des rivets. 🕮 V. 1960 ; ☞ *riveter* ; [ʀiv(ə)tøz].

**RIVIÈRE,** subst. f.
**I. 1.** Cours d'eau de moyen débit qui se jette dans un autre : *Lit d'une **rivière*** ; ***Rivière** souterraine*, cours souterrain d'une **rivière** ; *Poissons de **rivière***, d'eau douce. ► Loc. proverb. *Les petits ruisseaux font les grandes **rivières*** : ce qui est amassé peu à peu (en partic. l'argent) finit par constituer une quantité considérable. **2.** Métaph. Ce qui coule en abondance (littér.) : ***Rivière** de sang, de larmes.* **3.** *Bijout.* ***Rivière** de diamants* : collier de diamants sertis sur une monture fine. **4.** *Sp.* Obstacle constitué d'un fossé rempli d'eau que doit franchir le cheval dans un steeple-chase, ou le coureur dans un steeple : *La **rivière** des tribunes.* **II.** Méton. Terre jouxtant une **rivière** (vx). 🕮 1138 (fin XIe s., ruisseau) ; lat. *riparia*, de *ripa*, « rive » ; [ʀivjɛʀ].

**RIVOIR,** subst. m.
*Techn.* Marteau utilisé pour le rivetage ; riveteuse. 🕮 1769 ; ☞ *river* ; [ʀivwaʀ].

**RIVULAIRE,** adj. et subst. f.
*Bot.* **Adj.** Qui vit au bord des ruisseaux. **Subst.** Cyanophycée filamenteuse, ou algue bleue, proche des nostocs. 🕮 1802 ; lat. *rivulus*, « ru » ; [ʀivylɛʀ].

**RIVURE,** subst. f.
*Techn.* Action de river ; rivetage. 🕮 1611 (1480, broche métallique) ; ☞ *river* ; [ʀivyʀ].

**RIXDALE,** subst. f.
Ancienne monnaie d'argent d'Europe du Nord : *Sonnez, **rixdales**, sonnez, doublons !* (Hugo). 🕮 1619 ; néerl. *rijksdaler*, « thaler d'empire » ; [ʀiksdal].

**RIXE,** subst. f.
Altercation publique accompagnée d'insultes et de coups violents. 🕮 1478 ; lat. *rixa* ; [ʀiks].

**RIYAL,** voir **RIAL**

**RIZ,** subst. m.
**1.** *Bot.* Plante alimentaire herbacée, de la famille des Poacées, dont le fruit (grain de riz) est particulièrement riche en amidon, et qui est cultivée en terrain humide ou sur sol largement irrigué. ► *Paille de **riz*** : utilisée pour faire des chapeaux. **2.** Le grain de cette céréale, utilisé dans l'alimentation : ***Riz** blanc* ; ***Riz** long* ; ***Riz** complet*, qui possède encore son embryon et les couches dures du péricarpe ; par méton., préparation culinaire à base de riz : ***Riz** au safran* ; ***Riz** au lait.* ► *Alcool de **riz*** : saké ; *Eau de **riz*** : décoction de **riz** prescrite en cas de diarrhée ; *Poudre de **riz*** : fécule du **riz**, utilisée en cosmétique. **3.** *Papier de **riz*** : fabriqué avec des tiges de bambou ou avec la moelle de l'arbre à pain. 🕮 1270 ; ital. *riso*, du lat. *oryza*, du gr. *oruza* ; [ʀi].

© Tatopoulos-Explorer

*Repiquage du riz en Thaïlande.*

**RIZERIE,** subst. f.
Usine où l'on traite le riz en vue de sa commercialisation. 🕮 1868 ; ☞ *riz* ; [ʀizʀi].

**RIZICOLE,** adj.
Relatif à la riziculture ; où l'on cultive le riz : *Pays **rizicoles**.* 🕮 1870 ; ☞ *riz* + *-cole* ; [ʀizikɔl].

**RIZICULTEUR, TRICE,** subst.
Personne qui cultive le riz. 🕮 1851 ; ☞ *riz* + *-culteur* ; [ʀizikyltœʀ, tʀis].

**RIZICULTURE,** subst. f.
*Agric.* Culture du riz. 🕮 1912 ; ☞ *riz* + *-culture* ; [ʀizikyltyʀ].

**RIZIÈRE,** subst. f.
Terrain, gén. inondé, où l'on cultive le riz ; plantation de riz. 🕮 1718 ; ☞ *riz* ; [ʀizjɛʀ].

**RIZ-PAIN-SEL,** subst. m. inv.
Militaire servant dans l'intendance (argot.). 🕮 1790 ; comp. de *riz*, de *pain* et de *sel* ; [ʀipɛ̃sɛl].

**Rn,** voir **RADON**

**ROADSTER,** subst. m.
Automobile biplace décapotable munie d'un spider (vieilli). 🕮 1927 (1891, bicyclette) ; angl. *roadster*, de *road*, « route » ; [ʀodstɛʀ].

**ROB,** voir **ROBRE**

**ROBE,** subst. f.
**I. 1.** *Antiq.* Long vêtement d'homme (synon. *toge, tunique*) : ***Robe** prétexte des Romains* (☞ *prétexte*). **2.** *Relig.* Soutane. ► Loc. *Prendre la **robe*** : entrer dans les ordres. **3.** Vêtement ample, porté par-dessus l'habillement ordinaire, que revêtent les membres de certaines professions : ***Robe** de magistrat, d'avocat.* ► *Noblesse de **robe*** : sous l'Ancien

Régime, noblesse acquise dans l'exercice de certaines hautes charges, en partic. dans la judicature (par oppos. à *noblesse d'épée*). **4.** ***Robe de chambre*** : manteau d'intérieur garni d'une ceinture ou d'un boutonnage. ▸ *Cuis. Pommes de terre en* ***robe*** *de chambre* (ou *en* ***robe*** *des champs*) : cuites entières avec leur peau. **5.** Vêtement féminin, avec ou sans manches, recouvrant le buste et descendant plus ou moins bas sur les jambes : ***Robe*** *longue*, descendant jusqu'aux chevilles ; ***Robe*** *de soirée, de mariée*. **II. 1.** Peau, enveloppe de certains fruits et légumes : ***Robe*** *d'une gousse d'ail*. **2.** Pelage de certains animaux, gén. considéré du point de vue de sa couleur : ***Robe*** *baie d'un cheval* ; *La* ***robe*** *du léopard*. **3.** Grande feuille de tabac qui enveloppe un cigare. **4.** *Œnol.* Couleur d'un vin. ⌘ Fin XII^e s. (1155, dépouille de guerre) ; germ. °*rauba*, « butin, vêtement dont on dépouille qqn » ; [ʀɔb].

**ROBER, verbe trans.** [3]
Garnir (un cigare) d'une robe. ⌘ 1904 (1723, écorcer la garance) ; ☞ *robe* ; [ʀɔbe].

**ROBIN, subst. m.**
Magistrat, homme de loi portant la robe (vieilli et péj.). ⌘ Déb. XVII^e s. ; ☞ *robe* ; [ʀɔbɛ̃].

**ROBINET, subst. m.**
**1.** Dispositif permettant d'établir ou de suspendre l'écoulement d'un liquide ou le passage d'un gaz dans une canalisation. **2.** Clé commandant ce dispositif. ⌘ 1401 (1285, figure ornant le haut d'un instrument à cordes) ; *robin* (vx), « mouton », des têtes de mouton ornant souv. les anciens robinets ; [ʀɔbinɛ].

**ROBINETIER, IÈRE, subst.**
Fabricant ou marchand de robinetterie. ⌘ 1870 ; ☞ *robinet* ; [ʀɔbinətje, jɛʀ].

**ROBINETTERIE, subst. f.**
**1.** Industrie et commerce des robinets et de leurs accessoires ; usine qui fabrique des robinets. **2.** Ensemble des robinets faisant partie d'un appareillage, d'une installation : *Changer la* ***robinetterie***. ⌘ 1846 ; ☞ *robinet* ; [ʀɔbinɛtʀi].

**ROBINIER, subst. m.**
*Bot.* Arbre épineux de la famille des Fabacées, aux fleurs blanches très odorantes disposées en grappe pendante, appelé aussi faux acacia. ⌘ 1778 ; lat. sc. *robinia*, de l'anthropon. *J. Robin*, botaniste ; [ʀɔbinje].

**ROBORATIF, IVE, adj.**
**1.** Vx. Fortifiant : *Sirop* ***roboratif***. **2.** Fig. Qui redonne de l'énergie (littér.) : *Rencontre* ***roborative***. ⌘ 1501 ; lat. *roborare*, « fortifier » ; [ʀɔbɔʀatif, iv].

**ROBOT, subst. m.**
**1.** Machine conçue à l'image de l'homme, capable d'imiter les fonctions humaines ; en partic., machine androïde des ouvrages de science-fiction. ▸ Anal. Personne à l'esprit conditionné, agissant de façon machinale. **2.** *Sc.* et *Techn.* Appareil cybernétique conçu pour se substituer à l'homme dans la réalisation de certains travaux industriels ou scientifiques ; par ext. : ***Robot*** *ménager*, appareil électroménager utilisé en cuisine. ⌘ 1924 ; tchèque *robota*, « travail pénible, corvée » ; [ʀɔbo].

*Robot à huit « jambes » de la Nasa, destiné à l'exploration d'autres planètes.*

**ROBOTIQUE, subst. f.**
Technologie de la conception, de la fabrication et de la programmation des robots : ***Robotique*** *spatiale, industrielle*. ⌘ V. 1970 ; ☞ *robot* ; [ʀɔbɔtik].

**ROBOTISATION, subst. f.**
Action de robotiser ; son résultat. ⌘ V. 1960 ; ☞ *robotiser* ; [ʀɔbɔtizasjɔ̃].

**ROBOTISER, verbe trans.** [3]
**1.** Équiper (un lieu) de robots, en partic. dans le domaine industriel. **2.** Faire ressembler (qqn) à un robot, en lui ôtant tout esprit critique, toute initiative. ⌘ 1957 ; ☞ *robot* ; [ʀɔbɔtize].

**ROBRE, subst. m.**
*Jeux.* Au bridge et au whist, partie en deux ou trois manches, qui se termine quand une équipe en a gagné deux. ⌘ 1773 ; angl. *rubber* ; var. *rob* ; [ʀɔbʀ].

**ROBUSTA, subst. m.**
*Bot.* Variété de café particulièrement fort en goût. ⌘ V. 1970 ; lat. *robustus*, « robuste » ; [ʀɔbysta].

**ROBUSTE, adj.**
**1.** Fort, résistant, solidement constitué ; par ext. : *Une volonté* ***robuste***, ferme. **2.** Qui résiste à l'usure, solide. ⌘ Déb. XIV^e s. ; lat. *robustus* ; [ʀɔbyst].

**ROBUSTESSE, subst. f.**
Qualité d'une personne, d'une chose robuste. ⌘ 1852 ; ☞ *robuste* ; [ʀɔbystɛs].

**ROC, subst. m.**
**1.** Saillie massive de pierre dure, qui fait corps avec le sol : *Escalader un* ***roc*** ; par méton., matière rocheuse dure : *Tailler dans le* ***roc***. **2.** Fig. Personne robuste, inébranlable. ⌘ Fin XV^e s. ; ☞ *roche* ; [ʀɔk].

**ROCADE, subst. f.**
**1.** *Milit.* Voie parallèle à la ligne de feu permettant d'assurer les liaisons entre les secteurs de l'arrière. **2.** *Urban.* Voie contournant une agglomération. ⌘ Fin XVIII^e s ; ☞ *roquer* ; [ʀɔkad].

**ROCAILLAGE, subst. m.**
*Archit.* Ouvrage ornemental en rocaille. ⌘ 1875 ; ☞ *rocaille* ; [ʀɔkajaʒ].

**ROCAILLE, subst.**
**Fém. 1.** Terrain caillouteux, pierreux. **2.** Amas de cailloux : *Vipère cachée sous une* ***rocaille***. **3.** Ensemble décoratif de jardin, composé de pierres diversement creusées et cimentées, incrusté çà et là de coquillages variés : *Grotte, fontaine en* ***rocaille*** ; *Le célèbre bosquet des* ***Rocailles***, *à Versailles*. **Masc.** ou **Fém.** *Archit.* et *Arts déc.* Style décoratif en vogue sous la Régence et sous Louis XV, privilégiant des compositions exubérantes imitant la nature (pierres de formes étranges et évocatrices, coquillages, motifs végétaux complexes) ; empl. adj. inv. : *Style, meubles* ***rocaille***. ⌘ Fin XIV^e s. ; ☞ *roc* ; [ʀɔkaj].

**ROCAILLEUR, EUSE, subst.**
*Techn.* Personne spécialisée dans la confection des ouvrages décoratifs en rocaille. ⌘ 1665 ; ☞ *rocaille* ; [ʀɔkajœʀ, øz].

**ROCAILLEUX, EUSE, adj.**
**1.** Jonché de rocaille, caillouteux : *Sente* ***rocailleuse***. **2.** Fig. Heurté et sans grâce : *Style* ***rocailleux***. ▸ *Voix* ***rocailleuse*** : rauque, un peu rude. ⌘ 1767 (1692, rugueux) ; ☞ *rocaille* ; [ʀɔkajø, øz].

**ROCAMBOLE, subst. f.**
*Bot.* Espèce d'ail doux (synon. *ail d'Espagne*). ⌘ 1680 ; all. *Rockenbolle*, de *Rocken*, « seigle », et de *Bolle*, « oignon » ; [ʀɔkɑ̃bɔl].

**ROCAMBOLESQUE, adj.**
Extravagant, incroyable, plein d'évènements imprévus : *Des aventures* ***rocambolesques***. ⌘ Fin XIX^e s. ; *Rocambole*, héros de romans-feuilletons de Ponson du Terrail ; [ʀɔkɑ̃bɔlɛsk].

**ROCHAGE, subst. m.**
Émanation gazeuse qui forme des cloques à la surface d'un métal fondu en cours de refroidissement. ⌘ 1845 ; ☞ *rocher* (II) ; [ʀɔʃaʒ].

**ROCHE, subst. f.**
**1.** Grosse masse de pierre : *Chemin tracé au milieu des* ***roches***. ▸ *Poisson de* ***roche*** : poisson d'eau douce vivant au milieu des roches. ▸ *Eau de* ***roche*** : eau de source d'une grande limpidité. ▸ Québ. Caillou : *Lancer des* ***roches*** *à qqn*. ▸ Loc. *Il y a anguille sous* ***roche*** (☞ *anguille*) ; *Clair comme de l'eau de* ***roche*** : évident, très facile à comprendre. **2.** *Minér. Cristal de* ***roche*** (☞ *cristal*). **3.** *Pétrogr.* Matière constituant l'écorce terrestre, composée de minéraux offrant une certaine homogénéité de mode de formation et de structure : ***Roches*** *tendres, dures*. ▸ ***Roche*** *mère* : formation qui a fourni des éléments détritiques à certaines **roches** sédimentaires. ▸ ***Roche(-)réservoir*** ou ***Roche(-)magasin*** (☞ *réservoir*). ⌘ Fin X^e s. ; lat. pop. °*rocca* ; [ʀɔʃ].

**Géologie** – On peut classer les roches en fonction de leur origine en roches endogènes, formées en profondeur sous des pressions et à des températures élevées, et en roches exogènes, formées en surface. Parmi les roches endogènes, on trouve les roches magmatiques (roches plutoniques lentement solidifiées en grands cristaux, comme le granite, le gabbro et les roches volcaniques) et les roches métamorphiques, résultant de la transformation de roches préexistantes, sédimentaires ou plutoniques. Les roches exogènes se divisent en roches sédimentaires, formées par les matériaux d'érosion et des minéraux précipités, et en roches résiduelles (argiles, bauxites...). On peut également classer les roches selon leur composition chimique (calcaires, siliceuses, ultrabasiques), leurs qualités physiques (cassantes, ductiles, denses, légères) ou leur cristallinité (grenues, vitreuses).

**ROCHER (I), subst. m.**
**1.** Masse de roche qui forme une éminence plus ou moins escarpée ; en partic., site rocheux situé sur la côte ou s'élevant au-dessus du niveau de la mer : *Le* ***rocher*** *de Gibraltar*. ▸ Méton. Matière qui constitue le **rocher** ; roche. ▸ *Sp. Faire du* ***rocher*** : pratiquer l'escalade. **2.** *Anat.* Partie de l'os temporal de forme pyramidale, contenant l'oreille interne, l'oreille moyenne et le sinus carotidien. **3.** Confiserie en chocolat ou gâteau rappelant la forme, l'aspect d'un **rocher**. ⌘ Mil. XII^e s. ; ☞ *roche* ; [ʀɔʃe].

**ROCHER (II), verbe intrans.** [3]
*Techn.* **1.** Produire de la mousse, en parlant de la bière en cours de fermentation. **2.** Produire un rochage, en parlant d'un métal (en partic. l'argent) qui refroidit. ⌘ 1803 (1622, recouvrir de borax, souder) ; *roche*, « borax impur » ; [ʀɔʃe].

**ROCHET (I), subst. m.**
**1.** Aube courte, à manches étroites, portée par certains ecclésiastiques. **2.** Mantelet de cérémonie des pairs d'Angleterre. ⌘ Fin XII^e s. ; lat. médiév. *roccus*, du frq. °*hrokk*, « tunique » ; [ʀɔʃɛ].

**ROCHET (II), subst. m.**
**1.** *Text.* Bobine sur laquelle on enroule les fils de soie. **2.** *Mécan.* Roue dentée munie d'un cliquet empêchant la rotation en sens inverse. ⌘ 1669 (1285, fer de lance de joute) ; frq. °*rokko*, « quenouille » ; [ʀɔʃɛ].

**ROCHEUX, EUSE, adj.**
**1.** Qui présente de nombreux rochers : *Côte* ***rocheuse***. **2.** De la nature de la roche : *Sol* ***rocheux***. ⌘ 1598 (1549, situé sur un rocher) ; ☞ *roche* ; [ʀɔʃø, øz].

**ROCK (I), subst. m.**
*Myth.* Oiseau fabuleux, d'une taille gigantesque, des légendes d'Orient. ⌘ Fin XIII^e s. ; ar. *rubb* ; [ʀɔk].

**ROCK (II), subst. m. et adj. inv.**
**Subst. 1.** *Mus.* Genre de musique populaire d'origine américaine, essentiellement vocale, provenant d'un mélange de musique country et de jazz, accentuée en gén. sur les temps faibles et faisant un large appel à la guitare, à la batterie et à l'amplification électrique. **2.** Méton. Danse exécutée sur cette musique. **Adj.** Qui concerne le **rock** : *Chanteur* ***rock***. ⌘ 1955 ; anglo-amér. *rock-and-roll*, de *to rock*, « balancer », et de *to roll*, « rouler » ; var. *rock and roll* (inv.) ; [ʀɔk].

**ROCKET, voir ROQUETTE (II)**

**ROCKEUR, EUSE, subst.**
**1.** Chanteur, musicien de rock. **2.** Personne qui aime le rock, et qui imite le style vestimentaire des chanteurs de rock. ⌘ V. 1960 ; angl. *rocker*, « blouson noir » ; var. *un rocker* ; [ʀɔkœʀ, øz].

**ROCKING-CHAIR, subst. m.**
Anglic. Siège à bras que l'on peut mouvoir d'avant en arrière par un léger mouvement du corps (synon. *fauteuil à bascule*). ⌘ 1851 ; anglo-amér. *rocking chair*, de *to rock*, « balancer », et de *chair*, « chaise » ; plur. *rocking-chairs* ; [ʀɔkiŋtʃɛʀ].

**ROCOCO, adj. inv. et subst. m.**
**Adj. 1.** Désuet, alambiqué (péj.). **2.** *B.-a.* Qui appartient au style typique du XVIII^e s., caractérisé par une profusion d'ornements, de rocaille et par une grâce maniériste ; qui s'en inspire. **Subst.** *B.-a.* Le style **rococo**. ⌘ 1825 ; ☞ *rocaille* ; [ʀɔkɔko].

**ROCOU, subst. m.**
Colorant rouge orangé, que l'on extrait des graines de rocouyer. ⌘ 1614 ; tupi *urucú* ; var. *roucou* ; [ʀɔku].

**ROCOUYER, subst. m.**
*Bot.* Arbre tropical d'Amérique du Sud, de la famille des Bixacées. ⌘ 1645 ; ☞ *rocou* ; [ʀɔkuje].

**RODAGE, subst. m.**
**1.** *Techn.* Action de soumettre une pièce subissant des frottements à une usure afin que sa surface s'adapte parfaitement à une autre pièce : ***Rodage de soupape.*** ▸ *Autom.* Action de roder un moteur, un véhicule ; par méton., période durant laquelle on le rode. **2.** Fig. Adaptation progressive à une situation, période de mise en route : *Le **rodage** des stagiaires.* 1842 ; ☞ *roder* ; [ʀɔdaʒ].

**RODÉO, subst. m.**
**1.** Fête donnée à l'occasion du marquage du bétail aux États-Unis, au cours de laquelle des épreuves minutées mettent en compétition des cow-boys jugés sur leur habileté à maîtriser un animal sauvage (cheval, taureau) ; le spectacle lui-même. **2.** Ext. Équipée bruyante et provocatrice de voitures ou de motos ; au fig., agitation collective (fam.). 1923 ; anglo-amér. *rodeo*, de l'hisp.-amér. *rodeo*, « encerclement du bétail », de l'esp. *rodear*, « tourner autour » ; [ʀɔdeo].

© J. Pat Carter/Liaison-Gamma

*Rodéo à Oklahoma City.*

**RODER, verbe trans. [3]**
**1.** *Techn.* Opérer le rodage de (une pièce mécanique). ▸ *Autom.* ***Roder** un moteur* ou, par méton., *une voiture* : conduire à une vitesse limitée pendant un certain nombre de kilomètres, afin d'éviter le grippage de certaines pièces. **2.** Fig. Mettre progressivement au point ou en marche : ***Roder** un spectacle.* 1842 (1723, tourner la platine d'un fusil) ; lat. *rodere*, « ronger » ; [ʀɔde].

**RÔDER, verbe intrans. [3]**
**1.** Marcher sans but précis : ***Rôder** dans la ville.* **2.** Aller et venir çà et là, de manière suspecte : *Des loups **rôdaient** autour du campement.* 1530 (1418, trans., parcourir à l'aventure) ; anc. prov. *rodar*, du lat. *rotare*, « faire tourner » ; [ʀode].

**RÔDEUR, EUSE, subst.**
**1.** Flâneur (rare). **2.** Personne qui rôde avec de mauvaises intentions. 1538 ; ☞ *rôder* ; [ʀodœʀ, øz].

**RODOIR, subst. m.**
*Techn.* Outil abrasif dont on se sert pour roder une pièce mécanique. 1812 ; ☞ *roder* ; [ʀɔdwaʀ].

**RODOMONT, subst. m. et adj.**
Se dit d'un personnage bravache, fanfaron (vieilli ou littér.). 1573 ; ital. *Rodomonte*, personnage de Boiardo, puis de l'Arioste ; [ʀɔdɔmɔ̃].

**RODOMONTADE, subst. f.**
Acte, propos d'un rodomont, fanfaronnade (gén. au plur.). 1587 ; ☞ *rodomont* ; [ʀɔdɔmɔ̃tad].

**RŒNTGEN, voir RÖNTGEN**

**RŒSTI, voir RÖSTI**

**ROGATIONS, subst. f. plur.**
*Cath.* Fêtes et cérémonies, en usage depuis le v^e s. et supprimées du calendrier liturgique depuis Vatican II, ayant lieu à la Saint-Marc et pendant les trois jours précédant l'Ascension pour attirer la bénédiction divine sur le bétail, les travaux des champs et les récoltes. Fin xiv^e s. (mil. xiv^e s., au sing., projet de loi soumis au peuple de la Rome antique) ; lat. *rogatio*, « demande » ; [ʀɔgasjɔ̃].

**ROGATOIRE, adj.**
*Dr.* Qui concerne une demande : *Commission **rogatoire*** (☞ *commission*). 1599 ; bas lat. eccl. *rogatorius*, du lat. *rogare*, « interroger » ; [ʀɔgatwaʀ].

**ROGATON, subst. m.**
Fam. **1.** Petit écrit sans valeur (vx). **2.** Bricole, objet de rebut (vx). ▸ Reste d'un repas (surtout au plur.). 1668 (1367, convocation) ; lat. *rogatus*, « demande » ; [ʀɔgatɔ̃].

**ROGNAGE, subst. m.**
*Techn.* Action de rogner ; son résultat. 1761 ; ☞ *rogner* (I) ; [ʀɔɲaʒ].

**ROGNE, subst. f.**
Fam. Irritabilité, colère : *Passer sa **rogne** sur qqn.* ▸ Loc. *Être, se mettre en **rogne*** : être, se mettre en colère. 1888 (1486, différend) ; ☞ *rogner* (II) ; [ʀɔɲ].

**ROGNER (I), verbe trans. [3]**
**1.** Vx. Décapiter. **2.** Couper (qqch.) sur les bords pour ajuster le contour. ▸ *Impr.* Massicoter : ***Rogner** un livre.* **3.** Anal. Diminuer : ***Rogner** les salaires* ; empl. trans. indir. : ***Rogner** sur un budget, une ration, etc.*, économiser par petites quantités. **4.** ***Rogner** les ailes à un oiseau* : lui en couper les extrémités pour l'empêcher de s'échapper. ▸ Loc. ***Rogner** les ailes à qqn* : diminuer sa liberté d'action. Fin xii^e s. ; lat. pop. °*retundiare*, « couper en rond » ; [ʀɔɲe].

**ROGNER (II), verbe intrans. [3]**
Être en rogne, en colère (fam. et vieilli). 1876 (xiii^e s., gronder) ; orig. onomat. ; [ʀɔɲe].

**ROGNEUR, EUSE, subst.**
*Impr.* Personne qui rogne le papier après reliure. Fém. Massicot (vieilli). 1845 (1354, personne qui rogne les pièces de monnaie) ; ☞ *rogner* (I) ; [ʀɔɲœʀ, øz].

**ROGNOIR, subst. m.**
*Techn.* Outil servant à rogner le papier, le carton, etc. 1835 (1803, plaque chauffée sur laquelle on rognait les chandelles) ; ☞ *rogner* (I) ; [ʀɔɲwaʀ].

**ROGNON, subst. m.**
**1.** Vx. Rein humain. **2.** *Bouch.* et *Cuis.* Rein de porc, de mouton, de veau, etc. ; par anal. : ***Rognons** blancs*, testicules de ces animaux préparés en cuisine. **3.** *Géol.* Masse minérale, arrondie et dure, qui s'est différenciée à l'intérieur d'un sédiment ou d'une roche : *Les **rognons** de silex de la craie.* Fin xii^e s. ; lat. pop. °*renio*, du lat. *ren*, « rein » ; [ʀɔɲɔ̃].

**ROGNONNADE, subst. f.**
*Cuis.* Longe de veau cuisinée avec le rognon dans sa graisse. 1938 ; prov. *rougnounada*, de *rougnoun*, « rognon » ; [ʀɔɲɔnad].

**ROGNURE, subst. f.**
**1.** Ce qui se détache de qqch. que l'on rogne : ***Rognures** de bois* ; ***Rognures** d'ongles.* **2.** Déchet (gén. au plur.) : *Le chien appréciera ces **rognures**.* Fin xi^e s. ; ☞ *rogner* (I) ; [ʀɔɲyʀ].

**ROGOMME, subst. m.**
Eau-de-vie (vx et pop.). ▸ Loc. *Voix de **rogomme*** : voix éraillée par l'abus d'alcool (fam.). 1700 ; orig. obsc. ; [ʀɔgɔm].

**ROGUE (I), adj.**
Désagréable par son arrogance et sa rudesse ; qui dénote ce comportement : *Un ton **rogue**.* Fin xii^e s. ; anc. nord. *hrokr*, « insolence » ; [ʀɔg].

**ROGUE (II), subst. f.**
Appât pour la pêche à la sardine, constitué d'œufs de poissons, notamment de morue. 1723 ; prob. anc. nord. *hrogn*, « frai de poisson » ; [ʀɔg].

**ROGUÉ, ÉE, adj.**
Qui porte des œufs, en parlant d'un poisson femelle. 1772 ; ☞ *rogue* (II) ; [ʀɔge].

**ROHART, subst. m.**
Ivoire des dents de l'hippopotame ou des défenses du morse. Déb. xiii^e s. ; anc. nord. *hrosshvalr*, « morse », de *hross*, « cheval », et de *hvalr*, « baleine » ; [ʀɔaʀ].

**ROI, subst. m.**
**1.** Homme qui exerce le pouvoir souverain, gén. à vie, par voie le plus souvent héréditaire, dans un État monarchique portant le nom de royaume : *Le **roi** de France.* ▸ Loc. *Être plus royaliste que le **roi*** (☞ *royaliste*) ; *Morceau de **roi*** : plat délicieux. ▸ Empl. adj. inv. *Des tentures bleu **roi*** : d'un bleu vif et profond. ▸ *Hist. Les **rois** chevelus* : les **rois** mérovingiens ; *Les **rois** fainéants* (☞ *fainéant*) ; *Le **Roi**-Soleil* : Louis XIV ; *Les **Rois** Catholiques* : Ferdinand II d'Aragon et Isabelle I^re de Castille ; *Le **Roi** Très-Chrétien* : le **roi** de France ; *Le **roi** de Rome* : Napoléon II ; *Le **roi** des Romains* : l'empereur du Saint Empire romain germanique tant qu'il n'était pas couronné par le pape ; *Le **Roi** des **rois*** : titre protocolaire du négus. ▸ *Relig. Livres des **Rois*** : livres bibliques relatant l'histoire des **rois** d'Israël ; *Le **Roi**-prophète* : Salomon ; *Les **Rois** mages* (☞ *mage*) ; *Le jour, la fête des **Rois*** : l'Épiphanie. **2.** Fig. Personne, animal ou chose qui détient la suprématie dans un domaine particulier : *Le **roi** de la chimie* ; *Le **roi** des animaux*, le lion ; *L'or est le **roi** des métaux.* ▸ Loc. *Le **roi** des* : le plus grand des (souv. péj.). **3.** *Jeux.* ▸ Pièce maîtresse du jeu d'échecs, qu'il s'agit de mettre échec et mat. ▸ Chacune des quatre cartes figurant un **roi** : ***Roi** de cœur, de pique, de trèfle, de carreau.* Fin ix^e s. ; lat. *rex* ; [ʀwa].

**ROIDE, voir RAIDE**

**ROIDEUR, voir RAIDEUR**

**ROIDIR, voir RAIDIR**

**ROITELET, subst. m.**
**1.** Péj. Roi d'un petit État ; roi peu puissant. **2.** *Zool.* Passereau, de très petite taille, au plumage tirant sur le vert et à la tête tachetée d'orange ou de jaune. xiv^e s. ; anc. fr. *roitel*, « petit roi » ; [ʀwat(ə)lɛ].

© A. Ducrot-Jacana

*Roitelet à trois bandeaux.*

**RÔLE, subst. m.**
**I. 1.** *Dr.* Page recto et verso de la minute d'un jugement, d'un acte notarié ; registre où sont consignées, par ordre chronologique, les affaires soumises à un tribunal : *Prévoir une affaire au **rôle**.* ▸ Loc. *À tour de **rôle*** : chaque affaire à son tour ; par ext., chacun à son tour. **2.** *Fisc.* ***Rôle** d'impôt* ou *nominatif* : registre de la liste des contribuables soumis à l'impôt direct et de leur imposition individuelle. **3.** *Mar.* ***Rôle** d'équipage* : liste obligatoire des membres de l'équipage et des passagers d'un navire. **II. 1.** Personnage incarné par un artiste sur scène ou dans un film : *Sarah Bernhardt créa le **rôle** de l'Aiglon.* ▸ *Jeu de **rôle*** : jeu collectif où chacun incarne un personnage et improvise spontanément son jeu en fonction de celui des autres joueurs. **2.** Ce qu'un artiste (acteur, chanteur, danseur) doit réciter, chanter, exécuter dans un spectacle scénique ou dans un film : *Répéter son **rôle**.* **3.** Anal. Action, influence : *Je ne sais quel a été son **rôle** dans cette histoire.* ▸ Tâche : *Le **rôle** des parents.* ▸ Fonction : *Le **rôle** des hormones dans l'organisme.* **4.** Fig. Comportement que l'on adopte : *S'imposer un **rôle**.* ▸ Loc. *Avoir le beau **rôle*** : jouir d'une situation avantageuse, facile. **5.** *Sociol.* Type de comportement et de statut social codifié au sein d'un groupe : *Le **rôle** de la femme dans la société patriarcale.* **III.** *Techn.* Cordelette faite de feuilles de tabac à mâcher enroulées et torsadées. xiii^e s. (fin xii^e s., parchemin, manuscrit roulé) ; lat. médiév. *rollus*, « rouleau », du lat. *rotulus*, « petite roue » ; [ʀol].

**ROLLER, subst. m.**
Patin à roulettes garni d'une chaussure haute (anglic.). V. 1980 ; angl. *roller-skate* ; [ʀɔlœʀ].

**ROLLIER, subst. m.**
*Zool.* Passereau insectivore, multicolore, vivant dans les bois clairs et près des cours d'eau ; cet oiseau migrateur hiverne en Afrique orientale. 1760 ; all. *Roller* ; [ʀɔlje].

**ROLLMOPS, subst. m.**
*Alim.* Filet de hareng en marinade vinaigrée, roulé autour d'un cornichon. 1923 ; all. *Rollmops*, de *rollen*, « rouler », et de *mops*, « carlin » ; [ʀɔlmɔps].

**ROLLOT, subst. m.**
Fromage de Picardie, confectionné au lait de vache, à pâte molle et en forme de cœur. 1904 ; topon. *Rollot* (Somme) ; [ʀɔlo].

**ROM, adj. inv.**
**1.** Relatif aux Roms, l'un des trois groupes tsiganes (vieilli). **2.** Relatif aux Roms, autodénomination de tous les Tsiganes depuis 1971 : *Les coutumes **rom**.* Tsigane *rom*, « fils, homme » ; [ʀɔm].

**ROMAIN, AINE, subst. et adj.**
**1.** De la Rome antique. **2.** De la Rome moderne. Adj. **1.** *Chiffres **romains*** : représentations des chiffres 1, 5, 10, 50, 100, 500 et 1000 respectivement par les lettres I, V, X, L, C, D et M. **2.** *Typogr.*

*Caractères **romains*** : caractères à traits droits, verticaux et horizontaux (anton. *italique*) ; empl. subst. masc. : *Imprimer en **romain**.* **3.** Relatif à Rome, siège de la papauté : *L'Église catholique, apostolique et **romaine**.* Fin XIe s. ; lat. *romanus* ; [ʀɔmɛ̃, ɛn].

**ROMAINE (I), subst. f.**
Balance à fléau composée d'un bras court muni d'un crochet auquel on suspend le corps à peser, et d'un bras long, gradué, sur lequel on fait glisser un poids jusqu'à ce que la position d'équilibre à l'horizontale soit atteinte ; empl. adj. : *Balance **romaine**.* 1399 ; ar. *rummāna*, « grenade », et par anal. de forme, « peson », d'apr. *romain, aine* ; [ʀɔmɛn].

**ROMAINE (II), subst. f.**
Variété de laitue, appelée aussi chicon, à feuilles allongées et croquantes. 1800 ; ell. de *laitue romaine* ; [ʀɔmɛn].

**ROMAÏQUE, subst. m. et adj.**
*Ling.* Se dit du grec moderne. 1823 ; gr. *rômaikos*, « qui concerne Rome ou les Romains » ; var. *roméique* ; [ʀɔmaik].

**ROMAN (I), subst. m.**
*Litt.* **1.** Œuvre en vers, puis en prose, en gén. de grande envergure, relatant des aventures fabuleuses inspirées de l'Antiquité, de la mythologie ou des légendes celtiques, écrite en roman ou en ancien français entre le Xe et le XIIe s. : *Le **Roman** de Tristan et Yseut.* **2.** Œuvre en prose, d'une certaine ampleur, parfois divisée en chapitres, en parties, qui suscite l'intérêt du lecteur par ses descriptions narratives de choses réelles ou fictives (intrigues, évènements, portraits psychologiques, analyse de sentiments, peinture de mœurs, etc.) mettant en scène plusieurs personnages évoluant souvent autour d'un personnage principal ; genre littéraire constitué par le **roman** : ***Roman** d'aventures, de cape et d'épée* ; ***Roman** policier.* ► *Nouveau **Roman*** : technique romanesque postérieure aux années cinquante, qui remet en cause toute la méthodologie du **roman** traditionnel. **3.** Fig. et Fam. Ce qui, dans la vie réelle, évoque les péripéties d'un **roman** ; propos mensonger, fabulation. ► Loc. *En faire (tout) un **roman*** : donner à qqch. une importance excessive. Mil. XIIe s. (déb. XIIe s., langue vulgaire) ; lat. médiév. *romanice*, « en langue vulgaire » ; [ʀɔmɑ̃].

**ROMAN (II), ANE, subst. m. et adj.**
**1.** *Ling.* ► Se dit de la langue vernaculaire, issue du latin, parlée avant l'ancien français (du VIIIe au XIe s.). ► Se dit des langues vivantes du groupe indo-européen issues du latin (français, espagnol, italien, portugais, catalan, occitan, romanche, roumain). **2.** *B.-a.* Se dit de l'art (architecture, peinture, sculpture, etc.) d'Europe occidentale du Xe au XIIe s. : *Le **roman** a précédé le gothique* ; *Architecture, voûte **romane**.* 1596 ; ☞ *roman* (I) ; [ʀɔmɑ̃, an].

BEAUX-ARTS – Le terme « roman » (association avec l'art romain faite par des médiévistes du XIXe s.) qualifie un art hautement créatif et original, sobre et puissant. S'il a puisé aux sources de l'art antique, de l'Orient chrétien, de l'Islam, de l'Irlande, il s'est imposé à partir de la fin du Xe s. dans un élan de renouveau favorisé par la puissance de l'Église, le prestige des ordres monastiques, l'explosion démographique qui ont suivi l'an mille. La fièvre bâtisseuse qui s'empare de l'Europe s'accompagne de transformations successives qui viennent enrichir le plan de l'ancienne basilique constantinienne. L'espace intérieur de l'église se voit fractionné (travées, chapelles accolées à l'abside, collatéraux, déambulatoire à chapelles rayonnantes, etc.) pour répondre aux besoins liturgiques (développement des chœurs monastiques, culte des reliques, circulation des pèlerins), tandis que des systèmes variés de voûtes de pierre (voûtes d'arêtes, berceaux) sont étendus à tout l'édifice. La sculpture (chapiteaux, tympans, portails) prend une place privilégiée, en même temps que se développent peinture murale, vitrail, sculpture sur bois, orfèvrerie. En raison des nombreux échanges qui le diversifièrent et l'enrichirent, l'art roman n'a pas connu d'écoles régionales. Sa présence en Catalogne, à Tournus, Cluny, Beaune, Autun, Vézelay, Toulouse ou Saint-Jacques-de-Compostelle illustre différents aspects de la renaissance romane.

**ROMANCE, subst.**
Masc. Poème espagnol composé, sur un sujet épique ou amoureux, en vers de huit syllabes. Fém. **1.** *Litt.* Au XVIIIe s., pièce de vers naïve destinée à être mise en musique ; par méton., air sur lequel cette pièce est chantée. **2.** *Mus.* Vieille chanson populaire espagnole. ► Court morceau, divisé en couplets et refrains, portant sur des sujets sentimentaux ; par anal., chanson sentimentale et plaintive. ► Loc. *Pousser la **romance*** : chanter (pop.). **3.** Pièce instrumentale courte et chantante. 1599 ; esp. *romance*, prob. de l'anc. prov. *romans* ou de *romanz*, anc. forme de *roman* (I) ; [ʀɔmɑ̃s].

**ROMANCER, verbe trans.** [4]
Donner à (qqch.) un caractère romanesque, en modifiant plus ou moins les faits réels : ***Romancer** la vie de Napoléon* ; au fig., enjoliver. Fin XVIIe s. (déb. XIIIe s., écrire en langue vulgaire) ; anc. fr. *romanz*, « roman » ; [ʀɔmɑ̃se].

ART ET ARCHITECTURE
**ROMANS**

1
© F. Jalain-Explorer

2
© F. Jalain-Explorer

3

1. *Le chœur (XIe s.) de l'abbatiale de Saint-Benoît-sur-Loire (Loiret).*

2. *Le cloître (v. 1100) de l'abbaye de Moissac (Tarn-et-Garonne).*

3. Deux hommes s'affrontent armés de serpes. *Chapiteau roman (XIIe s.). Musée Sainte-Croix, Poitiers.* © J.-M. Labat-Explorer

4. *Reliquaire (XIIe s.), émail rhénan. Musée Thomas-Dobrée, Nantes.*

5. Christ bénissant, *détail du* Jugement dernier *(v. 1140), tympan de l'église Sainte-Foy, Conques (Aveyron).*

6. Christ pantocrator, *détail d'une fresque (XIIe s.) de la chapelle des Moines à Berzé-la-Ville (Saône-et-Loire).*

7. La Cène, *chapiteau de l'église Saint-Austremoine (XIIe s.) à Issoire (Puy-de-Dôme).* © Explorer

4
© Lauros-Giraudon

5
© Lauros-Giraudon

6
© Giraudon

7

La Mort de Sardanapale *(1827), peinture d'Eugène Delacroix (1798-1863). Musée du Louvre, Paris.*

Le Départ des volontaires, *plus connu sous le nom de* La Marseillaise *(1836), haut-relief de François Rude (1784-1855). Arc de triomphe de l'Étoile, Paris.*

*Le château de Neuschwanstein, érigé de 1869 à 1886 pour Louis II de Bavière.*

ART ET ARCHITECTURE ROMANTIQUES

**ROMANCERO,** subst. m.
*Litt.* Genre littéraire du romance espagnol ; recueil poétique relevant de ce genre : *Le* **romancero** *du Cid.* 1827 ; esp. *romancero*, du fr. *romance* ; [ʀɔmɑ̃seʀo].

**ROMANCHE,** subst. m.
Langue romane parlée dans le canton suisse des Grisons ; empl. adj. : *Mot* **romanche.** 1813 ; rhéto-roman *romontsch*, du lat. médiév. *romanice*, « roman » ; [ʀɔmɑ̃ʃ].

**ROMANCIER, IÈRE,** subst.
Auteur de romans. 1669 (1469, celui qui écrit en langue vulgaire) ; *romanz*, anc. forme de *roman* (I) ; [ʀɔmɑ̃sje, jɛʀ].

**ROMAND, ANDE,** adj.
De la région occidentale de la Suisse, où l'on parle français. Mil. XVIe s. ; var. de *roman* (II), d'apr. *allemand* ; [ʀɔmɑ̃, ɑ̃d].

**ROMANÉE,** subst. m.
*Œnol.* Très grand cru de vin rouge de Bourgogne. 1829 ; topon. *Vosne-Romanée* (Côte-d'Or) ; [ʀɔmane].

**ROMANESQUE,** adj.
**1.** Propre au genre littéraire du roman : *L'œuvre* **romanesque** *de Balzac.* **2.** Fig. Qui tient du roman par son caractère pittoresque, sentimental ou extraordinaire ; empl. subst. masc. : *Le* **romanesque** *d'une situation.* **3.** Qui est porté à voir la vie comme un roman : *Jeune fille* **romanesque.** 1627 ; ☞ *roman* (I) ; [ʀɔmanɛsk].

**ROMAN-FEUILLETON,** subst. m.
Récit publié par épisodes dans la presse quotidienne ou périodique, de caractère souvent populaire et à péripéties multiples ; au fig. : *Son histoire, c'est du* **roman-feuilleton.** 1840 ; comp. de *roman* (I) et de *feuilleton* ; plur. *romans-feuilletons* ; [ʀɔmɑ̃fœjtɔ̃].

**ROMAN-FLEUVE,** subst. m.
Roman très long, de structure complexe, et aux nombreux personnages. 1930 ; comp. de *roman* (I) et de *fleuve* ; plur. *romans-fleuves* ; [ʀɔmɑ̃flœv].

**ROMANI,** subst. m.
Langue des Roms. 1845 ; tsigane *romani tschib*, « langue des Roms », de *rom*, « homme » ; [ʀɔmani].

**ROMANICHEL, ELLE,** subst.
Péj. **1.** Personne qui appartient à l'un des peuples tsiganes nomades (vieilli). **2.** Ext. Vagabond, personne qui n'a pas de résidence fixe. 1828 ; tsigane *romani tšel*, « peuple des Roms » ; [ʀɔmaniʃɛl].

**ROMANISATION,** subst. f.
Action de romaniser ; son résultat. 1894 ; ☞ *romaniser* ; [ʀɔmanisasjɔ̃].

**ROMANISER,** verbe [3]
**Intrans.** *Relig.* Adopter les dogmes de l'Église catholique romaine, le rite latin. **Trans. 1.** *Antiq.* Imposer la civilisation romaine à (un pays conquis). **2.** *Ling.* Transcrire (une langue) en caractères latins. 1688 (1566, p. p., devenu romain) ; ☞ *romain* ; [ʀɔmanize].

**ROMANISME,** subst. m.
Doctrine de l'Église catholique romaine (vx et péj.). 1857 ; lat. *romanus*, « romain » ; [ʀɔmanism].

**ROMANISTE (I),** subst.
**1.** Vx. Fidèle de l'Église romaine (péj.). **2.** *Dr.* Spécialiste du droit romain. **3.** *Peint.* Peintre flamand du XVIe s. qui a voyagé en Italie et dont l'art est marqué par la Renaissance italienne. 1535 ; ☞ *romain* ; [ʀɔmanist].

**ROMANISTE (II),** subst.
*Ling.* Spécialiste des langues romanes. 1872 ; ☞ *roman* (II) ; [ʀɔmanist].

**ROMANITÉ,** subst. f.
**1.** Civilisation de la Rome antique. **2.** Empire, monde romain. 1875 ; lat. *romanitas*, de *romanus*, « romain » ; [ʀɔmanite].

**ROMAN-PHOTO,** subst. m.
Récit à caractère romanesque et sentimental, publié dans un périodique, consistant en une série de photos accompagnées d'un texte succinct gén. intégré aux images sous forme de bulles. V. 1950 ; comp. de *roman* (I) et de *photo* ; plur. *romans-photos* ; [ʀɔmɑ̃foto].

**ROMANTIQUE,** adj. et subst.
**Adj. 1.** Vx. Romanesque : *Éclairage lunaire et* **romantique. 2.** Relatif au romantisme, ou qui en présente les caractères : *Période, drame* **romantique. 3.** Ext. Qui a un caractère sentimental et passionné. **Subst.** Artiste, écrivain se réclamant du romantisme. 1675 ; angl. *romantic*, de *romance* ; [ʀɔmɑ̃tik].

**ROMANTISME,** subst. m.
**1.** Vaste mouvement qui marqua l'Europe littéraire, artistique et philosophique du XIXe s., notamment entre 1815 et 1850. **2.** Caractère romantique propre à un artiste, à un auteur. **3.** Ext. Comportement, état d'âme évoquant le **romantisme.** 1824 (1804, caractère d'évocation romanesque de qqch.) ; ☞ *romantique* ; [ʀɔmɑ̃tism].

**ARTS et LITTÉRATURE** – Le romantisme constitue une réaction contre l'esprit rationaliste du XVIIIe s., dans une Europe aux mentalités profondément ébranlées par la Révolution. Dès les années 1790-1800 apparaît une nouvelle sensibilité, née d'un certain désarroi, privilégiant l'introspection et la rêverie mélancolique. Une nostalgie inquiète hante l'âme romantique, qui aspire à un monde nouveau, idéal, sorte de paradis perdu, désiré et indéfini à la fois. Chateaubriand donne un nom à cet état d'âme : le « mal du siècle » ; plus tard, Baudelaire l'appellera « spleen ». Rejetant le formalisme, l'impersonnalité et la mesure du classicisme, le romantisme exalte le moi, l'individualité, la communion avec la nature. Il revendique la liberté de l'imagination et la libre peinture des sentiments. Détrônant les modèles de l'Antiquité chers aux classiques, il voue un culte à Dante et à Shakespeare. Cultivant le fantastique et le pittoresque, il réhabilite le gothique et le merveilleux chrétien du Moyen Âge. Les initiateurs du romantisme, pressentis par Jean-Jacques Rousseau, seront Chateaubriand et Mme de Staël en France, Novalis, Hölderlin, Goethe et Schiller en Allemagne, lord Byron et Walter Scott en Grande-Bretagne, Gogol et Pouchkine en Russie. En France, Lamartine, Musset, Hugo, Vigny, Nodier, George Sand, Stendhal, Balzac et Dumas père illustreront l'âge d'or de la littérature romantique. En musique, Beethoven, quoique dépassant les cadres classique et romantique, ouvre la voie à Weber, Schubert, Berlioz, Schumann, Wagner et Brahms ; Liszt et Chopin seront les « poètes » du piano romantique. En peinture, Gros, Géricault, Delacroix, Chassériau, E. Devéria, Goya, Turner et C. D. Friedrich incarneront (comme Rude en sculpture ou A. Devéria en dessin) l'apogée du romantisme. Réalisme et naturalisme, impressionnisme et symbolisme succéderont à l'âge romantique proprement dit au cours de la seconde moitié du XIXe siècle.

**ROMARIN,** subst. m.
*Bot.* Arbuste aromatique de la famille des Lamiacées, à feuilles persistantes et à fleurs bleues, qui pousse tout autour de la Méditerranée. XIIIe s. ; lat. *rosmarinus*, « rosée de mer » ; [ʀɔmaʀɛ̃].

**ROMBIÈRE,** subst. f.
Femme d'âge mûr, désagréable, suffisante et ridicule (fam. et péj.). 1860 ; p.-ê. onomat. ; [ʀɔ̃bjɛʀ].

**ROMÉIQUE,** voir **ROMAÏQUE**

**ROMPRE,** verbe [51]
**Trans. 1.** Briser en deux, ou en plusieurs parties, casser, fragmenter : *Navire qui* **rompt** *les amarres.* ▸ Loc. **Rompre** *la glace* (☞ *glace*) ; **Rompre** *ses chaînes* (☞ *chaîne*) ; *Applaudir à tout* **rompre** (☞ *applaudir*). **2.** Interrompre, mettre un terme à (qqch.) : **Rompre** *une négociation* ; **Rompre** *le silence* ; cesser de respecter (une prescription, une disposition). **3.** Défoncer en disloquant : *Le raz-de-marée a* **rompu** *la digue* ; enfoncer, défaire : *Offensive qui* **rompt** *les lignes ennemies.* ▸ *Milit.* **Rompre** *les rangs* : cesser de former un rang, notamment sur un ordre ; empl. abs. : **Rompez ! 4.** *Peint.* **Rompre** *une couleur* : la nuancer, l'atténuer. **Trans. indir. Rompre avec. 1.** Suspendre tout rapport avec (qqn), en partic. sur le plan amoureux ; empl. abs. : *Ils ont* **rompu,** ils se sont séparés. **2.** Cesser de pratiquer (qqch.), renoncer à : **Rompre** *avec le passé.* **Intrans. 1.** Se briser brutalement : *Glace qui* **rompt** *sous les pieds* ; *Le cordage a* **rompu. 2.** *Sp.* Reculer (en escrime, en boxe, etc.). **Pronom. 1.** Se briser. **2.** Loc. *Se* **rompre** *le cou* : se blesser en tombant. Fin Xe s. ; lat. *rumpere* ; [ʀɔ̃pʀ].

**ROMPU, UE,** adj. et subst. m.
**Adj. 1.** Cassé, brisé ; par anal., interrompu, annulé : *Contrat* **rompu.** ▸ Loc. *Discuter à bâtons* **rompus** : de manière peu suivie. **2.** Fig. Extrêmement fatigué, épuisé. **3.** Loc. *Être* **rompu** *à* : être habitué, exercé à. **4.** *Peint. Teinte, couleur* **rompue** : nuancée par un mélange. **Subst.** *Fin.* Quantité de titres ou de droits

qui fait défaut pour prendre part à une transaction mobilière. XIIIe s. ; p. p. de *rompre* ; [ʀɔ̃py].

**ROMSTECK, subst. m.**
*Bouch.* Morceau tendre de l'aloyau, à servir rôti ou grillé. 1816 ; angl. *rump-steak*, de *rump*, « croupe », et de *steak*, « tranche » ; var. *rumsteck* ; [ʀɔmstɛk].

**RONCE, subst. f.**
**1.** *Bot.* Arbrisseau de la famille des Rosacées, à tiges sarmenteuses et épineuses, dont le fruit est la mûre. **2.** Partie d'un bois dotée de nœuds, de veines : *Ronce de noyer.* Fin XIIe s. ; lat. *rumex* ; [ʀɔ̃s].

**RONCERAIE, subst. f.**
Terrain rempli de ronces. 1771 ; ☞ *ronce* ; [ʀɔ̃sʀɛ].

**RONCEUX, EUSE, adj.**
**1.** Plein de ronces. **2.** *Bois* **ronceux** : irrégulièrement veiné. 1583 ; ☞ *ronce* ; [ʀɔ̃sø, øz].

**RONCHON, ONNE, subst. et adj.**
Fam. Se dit d'une personne qui aime à ronchonner. **Adj.** Grincheux. 1878 ; ☞ *ronchonner* ; [ʀɔ̃ʃɔ̃, ɔn].

**RONCHONNER, verbe intrans.** [3]
Grogner, murmurer sans cesse en signe de mauvaise humeur, de mécontentement (fam.). 1866 ; prob. dial. lyonnais *roncher*, du lat. *roncare*, « ronfler » ; [ʀɔ̃ʃɔne].

**RONCIER, subst. m.**
Buisson ronceux, touffe de ronces. 1547 ; ☞ *ronce* ; var. *une roncière* ; [ʀɔ̃sje].

**ROND, RONDE, adj. et subst. m.**
**Adj. 1.** Qui a une forme circulaire, sphérique, cylindrique. **2.** De forme plus ou moins arrondie, ou qui présente une ou plusieurs courbes : *Des mollets* **ronds** ; par ext., replet, corpulent. ► Loc. *Ouvrir des yeux* **ronds** : les écarquiller d'étonnement. **3.** Entier, qui ne comporte pas de fraction, qui se termine par un zéro, en parlant d'une quantité : *Un nombre, un compte* **rond**. **4.** Fig. Qui agit sans détour, avec franchise : *Être* **rond** *en affaires* ; empl. adv. : *Tourner* **rond**, régulièrement, sans à-coups, en parlant d'un mécanisme ; au fig., fonctionner, se dérouler normalement ; *Avaler tout* **rond** : sans même mâcher (fam.). **5.** Soûl (fam.). **Subst. 1.** Figure en forme de cercle (synon. *circonférence*). ► Loc. *En* **rond** : de manière circulaire ; *Tourner en* **rond** : ne pas progresser. **2.** Sou (vx) ; argent (fam.). **3.** Objet de forme **ronde** (circulaire ou cylindrique) : *Un* **rond** *de serviette.* **4.** *Chorégr.* **Rond** *de jambe* : mouvement dans lequel la jambe libre décrit un arc de cercle, notamment dans l'exécution d'un fouetté. ► Loc. *Faire des* **ronds** *de jambe* : se montrer exagérément poli. 1119 ; lat. pop. °*retundus*, du lat. *rotundus*, « en forme de roue » ; [ʀɔ̃, ʀɔ̃d].

**RONDACHE, subst. f.**
*Archéol.* Grand bouclier circulaire, en usage de l'Antiquité au XVIe s. 1569 ; prob. var. norm.-pic. de *rondelle* ; [ʀɔ̃daʃ].

**ROND-DE-CUIR, subst. m.**
Employé de bureau (péj.). 1883 ; empl. métonymique de *rond de cuir*, « coussin garnissant les sièges de bureaux » ; plur. *ronds-de-cuir* ; [ʀɔ̃d(ə)kɥiʀ].

**RONDE, subst. f.**
**1.** Loc. **À la ronde.** Dans le périmètre alentour : *Nul hôtel à vingt lieues à la* **ronde** ; tour à tour, en s'adressant aux personnes qui font cercle : *Demander une cigarette à la* **ronde**. **2.** Parcours effectué par des militaires et, par ext., des policiers, des vigiles, etc. pour surveiller un lieu et s'assurer que tout est normal, en partic. la nuit ; par méton. : *La* **ronde** *vient de passer.* ► *Chemin de* **ronde** (☞ *chemin*). **3.** Chanson à refrain ; danse collective où l'on tourne en rond en se donnant la main ; par méton., les danseurs. **4.** Écriture à boucles et à panses arrondies, à jambages courbes. **5.** *Mus.* Note valant deux blanches, figurée par un rond évidé et sans queue. Fin XIIe s. ; ☞ *rond* ; [ʀɔ̃d].

**RONDEAU, subst. m.**
**1.** Vx. Danse formant un cercle. **2.** *Litt.* Poème médiéval à forme fixe, construit sur deux rimes, et utilisant des effets de répétition (synon. vx *rondel*). **3.** Anal. *Mus.* ► Pièce musicale chantée, à refrain, qui apparut vers le XIIIe s. ► Rondo. Fin XIIIe s. ; ☞ *rond* ; [ʀɔ̃do].

**RONDE-BOSSE, subst. f.**
*Sculpt.* Ouvrage exécuté en ronde bosse (☞ *bosse*). 1558 ; comp. de *rond* et de *bosse* ; plur. *rondes-bosses* ; [ʀɔ̃dbɔs].

**RONDELET, ETTE, adj.**
**1.** Qui a des formes rondes, grassouillet. **2.** Fig. Assez important (synon. *coquet*) : *Une somme* **rondelette**. 1391 ; ☞ *rond* ; [ʀɔ̃dlɛ, ɛt].

**RONDELLE, subst. f.**
**1.** Petit disque percé : **Rondelle** *de caoutchouc* ; en partic., rond de métal évidé placé entre une vis ou un écrou et la pièce à serrer. **2.** *Sculpt.* Ciseau arrondi des marbriers. **3.** Tout objet circulaire et plat ; en partic., tranche fine et ronde : **Rondelle** *de saucisson, de concombre.* 1566 (déb. XIIIe s., globe) ; ☞ *rond* ; [ʀɔ̃dɛl].

**RONDEMENT, adv.**
**1.** Avec promptitude et efficacité : *Un marché* **rondement** *conclu.* **2.** Sans détour (vx) : *Parler* **rondement**. Mil. XIIIe s. (mil. XIIe s., environ) ; ☞ *rond* ; [ʀɔ̃dmɑ̃].

**RONDEUR, subst. f.**
**1.** Caractère de ce qui est rond, sphérique (synon. *rotondité*). **2.** Forme arrondie du corps, ou d'une partie du corps ; par méton. : *Les* **rondeurs** *d'une femme.* **3.** Fig. Attitude d'une personne franche et simple. 1388 ; ☞ *rond* ; [ʀɔ̃dœʀ].

**RONDIER, voir RÔNIER**

**RONDIN, subst. m.**
**1.** Bûche courte, non fendue. **2.** Bille de bois utilisée dans des travaux d'étaiement ou de construction : *Une cabane, un pont en* **rondins**. 1391 (1387, tonneau) ; ☞ *rond* ; [ʀɔ̃dɛ̃].

**RONDO, subst. m.**
*Mus.* Forme de composition instrumentale, inspirée du rondeau français, faisant alterner un thème principal avec des couplets, souvent adoptée pour le final de symphonies, de sonates, de concertos. 1814 ; ital. *rondo*, du fr. *rondeau* ; var. *rondeau* ; [ʀɔ̃do].

**RONDOUILLARD, ARDE, adj.**
Qui a un certain embonpoint, grassouillet (fam.). 1893 (1886, au tracé mou) ; ☞ *rond* ; [ʀɔ̃dujaʀ, aʀd].

**ROND-POINT, subst. m.**
**1.** Espace circulaire dégagé, dans un bois, un parc ou un jardin, à partir duquel rayonnent des allées. **2.** Place urbaine vers laquelle convergent plusieurs avenues. 1708 (1376, demi-cercle) ; comp. de *rond* et de *point* (I) ; plur. *ronds-points* ; [ʀɔ̃pwɛ̃].

**RONEO, subst. f. inv.**
*Techn.* Machine servant à reproduire un texte dactylographié sur stencil. 1921 ; n. déposé ; [ʀɔneo].

**RONÉOTYPER, verbe trans.** [3]
Reproduire (un texte) au moyen d'une Roneo. 1939 ; ☞ *Roneo* + *-type* ; var. *ronéoter* ; [ʀɔneɔtipe].

**RONFLANT, ANTE, adj.**
**1.** Qui produit un bruit évoquant un ronflement : *Moteur* **ronflant**. ► *Pathol. Râle* **ronflant** : respiration sonore typique de la bronchite. **2.** Fig. Emphatique et creux : *Discours* **ronflant** ; *Luxe* **ronflant**, ostentatoire. 1179 ; p. pr. de *ronfler* ; [ʀɔ̃flɑ̃, ɑ̃t].

**RONFLEMENT, subst. m.**
Bruit que certains dormeurs émettent en respirant ; par anal. : **Ronflement** *d'une chaudière.* 1596 (1553, bruit d'un cheval apeuré) ; ☞ *ronfler* ; [ʀɔ̃fləmɑ̃].

**RONFLER, verbe intrans.** [3]
**1.** Émettre un ronflement pendant le sommeil ; par ext., dormir profondément (fam.). **2.** Anal. Produire un bruit régulier et sourd. Fin XIIe s. (mil. XIIe s., râler) ; orig. onomat. ; [ʀɔ̃fle].

**RONFLEUR, EUSE, subst.**
Personne, animal qui ronfle. **Masc.** *Techn.* Vibreur remplaçant la sonnerie, jugée stridente, de certains téléphones. 1559 (1552, celui qui souffle) ; ☞ *ronfler* ; [ʀɔ̃flœʀ, øz].

**RONGEMENT, subst. m.**
Action de ronger ; son résultat. Fin XIIIe s. ; anc. fr. *rungier*, « ruminer » ; [ʀɔ̃ʒmɑ̃].

**RONGER, verbe trans.** [5]
**1.** Détacher de (un support) la nourriture qui y adhère : *Le lion* **rongeait** *un os.* ► Grignoter avec les incisives : *La souris* **a rongé** *le pain* ; par anal. : *Les termites* **rongent** *le bois.* **2.** Provoquer la corrosion de : *La rouille* **ronge** *la tôle* ; par anal. : *La gangrène* **ronge** *les tissus.* **3.** Fig. Détruire peu à peu, de façon sourde : *Le remords l'***a rongé** *toute sa vie* ; empl. adj. : *Des parents* **rongés** *de chagrin.* Fin XIIe s. ; crois. du lat. *rumigare*, « ruminer », et du lat. pop. °*rodicare*, « ronger » ; [ʀɔ̃ʒe].

**RONGEUR, EUSE, adj. et subst. m. plur.**
**Adj.** Qui ronge. **Subst.** *Zool.* Ordre de mammifères, herbivores ou omnivores, répandus dans le monde entier, dont les incisives biseautées, à croissance continue, les rendent aptes à ronger ; au sing. : *Le castor est un* **rongeur**. 1546 (1314, rugine, racloir à os chirurgical) ; ☞ *ronger* ; [ʀɔ̃ʒœʀ, øz].

**RÔNIER, subst. m.**
*Bot.* Palmier qui donne des fruits comestibles et dont on tire du vin de palme (synon. *borasse*). 1764 ; ☞ *rond* ; var. *ronier*, *rondier* ; [ʀonje].

**RONRON, subst. m.**
**1.** Bruit sourd, continu ; en partic., ronflement doux et régulier émis par un chat satisfait ou qui s'abandonne. **2.** Fig. Monotonie : *Le* **ronron** *du quotidien.* 1761 ; onomat. ; [ʀɔ̃ʀɔ̃].

**RONRONNEMENT, subst. m.**
**1.** Action, fait de ronronner. **2.** Ronron. 1862 ; ☞ *ronronner* ; [ʀɔ̃ʀɔnmɑ̃].

**RONRONNER, verbe intrans.** [3]
**1.** Émettre un ronron, en parlant du chat. **2.** Anal. Produire un ronflement étouffé et régulier : *Le moteur* **ronronne**. 1853 ; ☞ *ronron* ; [ʀɔ̃ʀɔne].

**RÖNTGEN, subst. m.**
*Métrol.* Unité d'exposition de rayonnement valant $2{,}58 \times 10^{-4}$ coulomb par kilogramme (symb. : R). 1921 ; anthropon. *W. C. Röntgen*, physicien allemand ; var. *rœntgen* ; [ʀøntgɛn] ou [ʀœ-].

**ROOKERIE, subst. f.**
*Zool.* Collectivité d'oiseaux polaires, en partic. de manchots. 1890 ; angl. *rookery*, de *rook*, « corbeau » ; var. *roquerie* ; [ʀukʀi].

**ROQUE, subst. m.**
*Jeux.* Aux échecs, mouvement par lequel on roque : *Grand, petit* **roque**. 1859 ; ☞ *roquer* ; [ʀɔk].

**ROQUEFORT, subst. m.**
Fromage de brebis ensemencé d'une moisissure particulière et affiné à Roquefort. 1642 ; topon. *Roquefort-sur-Soulzon* (Aveyron) ; [ʀɔkfɔʀ].

**ROQUENTIN, subst. m.**
Vieillard voulant jouer au jeune homme (vieilli). 1669 (1630, jeune élégant) ; dial. gallo-roman *roquer*, « heurter, craquer » ; [ʀɔkɑ̃tɛ̃].

**ROQUER, verbe intrans.** [3]
*Échecs.* Dans le même coup, placer l'une de ses tours à côté de son roi et faire passer ce dernier de l'autre côté de la tour : *On ne peut* **roquer** *que dans certaines conditions, notamment quand aucune pièce ne sépare le roi de la tour.* 1690 ; ☞ *roc* ; [ʀɔke].

**ROQUERIE, voir ROOKERIE**

**ROQUET, subst. m.**
**1.** Petit chien agressif qui aboie très souvent. **2.** Anal. Personne hargneuse, mais peu impressionnante. 1616 ; prob. dial. *roquer*, « heurter ; craquer ; croquer » ; [ʀɔkɛ].

**ROQUETIN, subst. m.**
*Text.* Petite bobine recevant le fil de soie lors du moulinage ou servant au dévidage des fils d'argent. 1751 ; *roquet*, « bobine », du germ. *rukka* ; [ʀɔk(ə)tɛ̃].

**ROQUETTE (I), subst. f.**
*Bot.* Plante annuelle dont les feuilles sont consommées en salade. 1505 ; anc. ital. *rochetta*, de *ruca*, « chou », du lat. *eruca* ; var. *rouquette* ; [ʀɔkɛt].

**ROQUETTE (II), subst. f.**
*Arm.* **1.** *M. Â.* Fusée incendiaire. **2.** Projectile autopropulsé et gén. non guidé : **Roquette** *antichar.* 1561 ; ital. *rocchetta*, de *rocca*, du got. °*rukka*, « quenouille » ; var. *rocket* ; [ʀɔkɛt].

**RORQUAL, subst. m.**
*Zool.* Cétacé à fanons courts et nageoire dorsale importante : *Le* **rorqual** *bleu, qui atteint 32 mètres de long, est le plus grand mammifère connu.* 1789 ; norv. *røyrkval* ; plur. *rorquals* ; [ʀɔʀk(w)al].

**ROSACE, subst. f.**
**1.** *Archit.* Ornement formé de courbes s'inscrivant dans un cercle et évoquant une rose ou une étoile. **2.** Rose, grand vitrail d'église. 1546 ; lat. *rosaceus*, de *rosa*, « rose » ; [ʀozas].

**ROSACÉ, ÉE, adj. et subst. f. plur.**
**Adj. 1.** Disposé en rosace. **2.** *Pathol. Acné* **rosacée** ou, empl. subst. fém., *Une* **rosacée** : forme d'acné accompagnée de couperose. **Subst.** *Bot.* Famille de plantes dicotylédones, dialypétales, dont font partie les arbres fruitiers d'Europe et les rosiers ; au sing. : *Le fraisier est une* **rosacée**. 1694 ; ☞ *rose* ; [ʀozase].

**ROSAIRE, subst. m.**
**1.** *Cath.* Chapelet formé de quinze dizaines de petits grains (pour les Ave) séparées par des grains plus gros (pour les Pater). **2.** Méton. Les prières dites en égrenant le **rosaire**, ou trois chapelets. 1495 ; lat. eccl. *rosarium* ; [ʀozɛʀ].

**ROSALBIN, subst. m.**
*Zool.* Cacatoès australien rose et blanc de la famille des Psittacidés. 1828 ; lat. sc. *rosalbus*, du lat. *rosa*, « rose », et *albus*, « blanc » ; [ʀozalbɛ̃].

**ROSAT, adj. inv.**
*Pharm.* Qualifie des préparations contenant des roses, en partic. des roses rouges. XIIe s. ; lat. *rosatum oleum*, « huile de rose » ; [ʀoza].

**ROSÂTRE, adj.**
D'un rose sale. 1812 ; ☞ *rose* ; [ʀozɑtʀ].

**ROSBIF, subst. m.**
*Cuis.* Morceau de bœuf rôti ou à rôtir, gén. découpé dans l'aloyau. 1691 ; angl. *roastbeef*, « bœuf rôti », de l'anc. fr. *rostir*, « rôtir », et *boef*, « bœuf » ; [ʀɔsbif].

© G. Thouvenin-Explorer

*La grande rose de la façade occidentale de Notre-Dame de Paris.*

**ROSE, subst. et adj.**
**I. Subst. fém. 1.** *Bot.* Fleur du rosier, aux couleurs, aux formes et aux parfums variés. ▸ *Eau de rose* : eau de toilette à base d'essence de **roses**. ▸ Loc. *Envoyer qqn sur les roses* : s'en débarrasser rudement (fam.) ; *Ne pas sentir la* **rose** : empester ; *À l'eau de rose* : sentimental et mièvre. **2.** Nom courant d'autres végétaux. ▸ *Rose de Chine* : variété d'hibiscus. ▸ *Rose de Noël* : ellébore noir. ▸ *Rose de Sibérie* : variété de rhododendron. **3.** *Bois de rose* : bois clair veiné de **rose**, provenant d'une variété de palissandre, utilisé en ébénisterie. **Adj. 1.** Qui a la teinte rouge très pâle de la **rose** commune. ▸ Loc. *Rose bonbon* : **rose** vif ; *Rose thé* : d'un jaune rosé ; *Ce n'est pas* **rose** : pas gai. **2.** Relatif au socialisme, au parti socialiste. **3.** Qui a trait au commerce sexuel : *Ballets* **roses** ; *Messagerie* **rose**. **Subst. masc.** La couleur **rose** : *Rose orangé* ; *Vieux* **rose**. ▸ Loc. *Voir la vie en* **rose** : être optimiste. **II. Subst. fém.** Anal. **1.** Grand vitrail circulaire ornant le portail ou le transept d'une église (synon. *rosace*). **2.** *Rose des sables* : concrétion de gypse beige, aux cristaux lenticulaires enchevêtrés, que l'on trouve dans les sables des zones désertiques. **3.** *Rose des vents* : étoile représentée sur les compas, les boussoles et les cartes marines, comportant trente-deux divisions symbolisant les aires des vents ; en partic., diagramme étoilé indiquant, pour une période donnée, les fréquences des directions du vent. **4.** *Joaill. Diamant en* **rose** : taillé en facettes dans la partie supérieure. Déb. XIIe s. ; lat. *rosa* ; [ʀoz].

**ROSÉ, ÉE, adj. et subst. m.**
**Adj.** Qui présente une légère coloration rose ou rouge clair. **Subst.** Vin rouge clair élaboré à partir de raisins noirs peu macérés. Fin XIIe s. ; ☞ *rose* ; [ʀoze].

© M. Loup-Jacana

*Roseaux.*

**ROSEAU, subst. m.**
*Bot.* Plante aquatique de la famille des Poacées. XIIe s. ; anc. fr. *raus*, du germ. °*raus*, « jonc » ; [ʀozo].

**ROSE-CROIX, subst. inv.**
**Fém.** Confrérie mystique secrète allemande du XVIIe s. **Masc. 1.** Adepte, membre de la Rose-Croix. **2.** Grade maçonnique. 1623 ; all. *Rosenkreuz* ; [ʀozkʀwa].

**ROSÉE, subst. f.**
**1.** *Météor.* Ensemble de fines gouttes d'eau qui se forment par condensation de la vapeur d'eau contenue dans l'air humide. **2.** *Phys. Point de* **rosée** : température à laquelle, sous une pression donnée, la condensation de la vapeur d'eau a lieu. Fin XIe s. ; lat. pop. °*rosata*, du lat. *ros* ; [ʀoze].

**ROSELET, subst. m.**
Robe d'été de l'hermine, d'un ton roux jaunâtre. 1758 ; ☞ *rose* ; [ʀozlɛ].

**ROSELIER, IÈRE, subst. f. et adj.**
**Subst.** Lieu où poussent des roseaux. **Adj.** Qui produit des roseaux. 1802 ; ☞ *roseau* ; [ʀozəlje, jɛʀ].

**ROSÉOLE, subst. f.**
*Pathol.* Éruption cutanée constituée de macules rose pâle, observée au cours de certaines maladies infectieuses (syphilis, exanthème subit du nourrisson) ou lors de certaines intoxications. 1828 ; ☞ *rose*, d'apr. *rougeole* ; [ʀozeɔl].

**ROSER, verbe trans.** [3]
Rendre rose (qqch.). 1765 ; ☞ *rose* ; [ʀoze].

**ROSERAIE, subst. f.**
Plantation de rosiers. 1690 ; ☞ *rosier* ; [ʀozʀɛ].

**ROSETTE, subst. f.**
**1.** Objet en forme de rose (en architecture, broderie, etc.). **2.** Nœud composé de deux boucles. **3.** Décoration que les dignitaires de certains ordres portent à la boutonnière ; empl. abs., insigne de la Légion d'honneur. **4.** *Bot.* Disposition circulaire de feuilles, étalées au contact du sol. **5.** Saucisson sec de Lyon. 1298 (fin XIIe s., petite rose) ; ☞ *rose* ; [ʀozɛt].

**ROSEUR, subst. f.**
Couleur de ce qui est rose ou rosé (rare). 1879 ; ☞ *rose* ; [ʀozœʀ].

**ROSEVAL, subst. f.**
Variété de pomme de terre à peau rose. V. 1950 ; orig. obsc. ; plur. *rosevals* ; [ʀozval].

**ROSICRUCIEN, IENNE, adj. et subst.**
Se dit d'un membre de la Rose-Croix. **Adj.** Qui a trait à la Rose-Croix. 1907 ; lat. *rosa*, « rose » et *crux*, « croix » ; [ʀozikʀysjɛ̃, jɛn].

**ROSIER, subst. m.**
*Bot.* Arbuste épineux de la famille des Rosacées, cultivé pour ses nombreuses espèces et variétés ornementales. 1175 ; ☞ *rose* ; [ʀozje].

**ROSIÈRE, subst. f.**
**1.** Vx. Jeune fille vertueuse à qui l'on offrait une couronne de roses. **2.** Ext. Jeune fille chaste et candide. 1766 ; ☞ *rose* ; [ʀozjɛʀ].

**ROSIÉRISTE, subst.**
Horticulteur spécialisé dans la culture des rosiers. 1868 ; ☞ *rosier* ; [ʀozjeʀist].

**ROSIR, verbe** [19]
**Trans.** Roser (qqch.). **Intrans.** Prendre une teinte rose. 1823 ; ☞ *rose* ; [ʀoziʀ].

**ROSSARD, ARDE, adj. et subst.**
Fam. Se dit d'une personne méchante, médisante. **Adj.** Malveillant : *Propos* **rossards**. 1907 (1844, paresseux) ; ☞ *rosse* ; [ʀɔsaʀ, aʀd].

**ROSSE, subst. f. et adj.**
**Subst. 1.** Mauvais cheval (vieilli). **2.** Personne dure, méchante (fam.). **Adj.** Fam. **1.** Méchant. **2.** Dur, sévère : *Une critique* **rosse**. 1460 ; anc. fr. *ros*, du m. haut all. *ross* ; [ʀɔs].

**ROSSÉE, subst. f.**
Volée de coups (fam.). 1834 ; p. p. de *rosser* ; [ʀɔse].

**ROSSER, verbe trans.** [3]
Rouer de coups (fam.). Mil. XIIe s. ; prob. anc. fr. *roissier*, du lat. pop. °*rustiare*, de *rustia*, « gaule » ; [ʀɔse].

**ROSSERIE, subst. f.**
Fam. **1.** Acte, propos rosse. **2.** Caractère rosse de qqn, de qqch. 1885 ; ☞ *rosse* ; [ʀɔsʀi].

**ROSSIGNOL, subst. m.**
**1.** *Zool.* Petit oiseau passériforme, insectivore, de la famille des Muscicapidés, au plumage brun clair, au chant mélodieux. **2.** Outil servant à crocheter les serrures (pop.). **3.** Livre invendu (péj.) ; par ext., objet sans valeur, démodé. **4.** *Pathol. Rossignol des tanneurs* : ulcère des doigts causé par des produits corrosifs (synon. *pigeonneau*). Mil. XIIe s. ; anc. prov. *rossinhol*, du lat. pop. °*lusciniolus* ; [ʀɔsiɲɔl].

**ROSSINANTE, subst. f.**
Mauvais cheval (vieilli). 1633 ; esp. *Rocinante*, nom du cheval de don Quichotte ; [ʀɔsinɑ̃t].

**ROSSOLIS, subst. m.**
*Bot.* Droséra. 1669 ; lat. médiév. *ros solis*, « rosée du soleil » ; [ʀɔsɔli].

**RÖSTI, subst. m.**
Helv. Galette de pommes de terre râpées, dorée à la poêle. 1899 ; mot além. ; var. *rœsti* ; [ʀøsti].

**ROSTRAL, ALE, AUX, adj.**
**1.** *Antiq. rom. Colonne* **rostrale** : colonne ornée de rostres commémorant une victoire navale. **2.** *Zool.* Relatif au rostre. Fin XIVe s. (1363, en forme de bec) ; bas lat. *rostralis* ; [ʀɔstʀal, o].

**ROSTRE, subst. m.**
**I.** *Antiq.* Éperon de navire. **Plur.** À Rome, tribune aux harangues, ornée de **rostres** pris à l'ennemi. **II.** *Zool.* **1.** Prolongement de l'avant de la carapace de certains crustacés (crevettes). **2.** Pièce buccale pointue de certains insectes et acariens (punaises, tiques, etc.). **3.** Siphon allongé de certains coquillages. Mil. XIVe s. ; lat. *rostrum* ; [ʀɔstʀ].

**ROT (I), subst. m.**
Éructation. Mil. XIIe s. ; bas lat. *ruptus* ; [ʀo].

**ROT (II), subst. m.**
*Vitic.* Maladie cryptogamique de la vigne. 1875 ; angl. *rot*, « pourriture » ; [ʀɔt].

**RÔT, subst. m.**
Rôti (vieilli). Déb. XIIe s. ; ☞ *rôtir* ; [ʀo].

**ROTACÉ, ÉE, adj.**
*Bot.* Qualifie un organe végétal en forme de roue. 1803 ; lat. *rota*, « roue » ; [ʀɔtase].

**ROTANG, subst. m.**
*Bot.* Palmier originaire de Malaisie, qui fournit le rotin. 1610 ; mot malais ; [ʀɔtɑ̃g].

**ROTARY, subst. m.**
**1.** *Techn.* Appareil de forage par rotation. **2.** Système de téléphonie automatique. 1931 ; angl. *rotary*, du lat. *rotalius*, de *rota*, « roue » ; [ʀɔtaʀi].

**ROTATEUR, TRICE, subst. m. et adj.**
*Anat.* Se dit d'un muscle qui permet la rotation d'un membre, d'une partie du corps. **Adj.** Qui permet la rotation. 1611 ; bas lat. *rotator* ; [ʀɔtatœʀ, tʀis].

**ROTATIF, IVE, adj. et subst. f.**
**Adj.** Qui agit en tournant, en parlant d'une machine ; par ext., rotatoire : *Mouvement* **rotatif**. **Subst.** Presse cylindrique qui imprime par un mouvement **rotatif** continu. 1817 (fin XIVe s., circulaire, en parlant d'un chant) ; ☞ *rotation* ; [ʀɔtatif, iv].

**ROTATION, subst. f.**
**I. 1.** Mouvement circulaire d'un corps autour d'un axe, matériel ou non. ▸ *Astron.* Mouvement d'un astre autour d'un axe passant par son centre de gravité : *Rotation de la Terre*. **2.** *Math.* ▸ *Rotation plane de centre O et d'angle* $\alpha$ : transformation ponctuelle associant au point M le point M′ sur le cercle de centre O passant par M, tel que l'angle $(\overrightarrow{OM}, \overrightarrow{OM'}) = \alpha$. ▸ *Rotation dans l'espace d'axe (D) et d'angle* $\alpha$ : transformation ponctuelle dont la restriction à tout plan (P) perpendiculaire à (D) est la **rotation** plane dans (P), dont le centre est l'intersection de (P) avec (D), et dont l'angle est $\alpha$. ▸ *Matrice de* **rotation** : matrice de déterminant 1 dont l'inverse est égal à sa transposée. **3.** Ext. Mouvement circulaire ; tour. **II. 1.** Mouvement cyclique, parcours qui fait revenir au point de départ : *Cet avion effectue deux* **rotations** *par jour.* **2.** Alternance périodique : **Rotation** *des équipes.* **3.** **Rotation** *des stocks* : leur renouvellement. ▸ *Rotation du personnel* : pourcentage du personnel remplacé, en une année, par rapport à l'effectif moyen. **4.** *Agric.* Succession périodique, sur un terrain, de cultures différentes : **Rotation** *triennale.* **5.** *Sylvic.* Temps séparant deux coupes : *Essences à courte* **rotation**. 1486 ; lat. *rotatio*, de *rotare*, « tourner » ; [ʀɔtasjɔ̃].

**ROTATIVISTE, subst.**
*Impr.* Personne qui conduit une rotative. 1939 ; ☞ *rotatif* ; [ʀɔtativist].

**ROTATOIRE, adj.**
**1.** Relatif à une rotation ; qui a un mouvement de rotation. **2.** *Phys. Pouvoir* **rotatoire** : particularité de certaines molécules qui consiste à faire tourner le plan de polarisation d'une lumière qui les traverse. 1746 ; ☞ *rotation* ; [ʀɔtatwaʀ].

**ROTE, subst. f.**
*Dr. canon. Tribunal de la* **Rote** *romaine* : cour d'appel du Saint-Siège, statuant le plus souvent en matière matrimoniale. 1526 ; lat. eccl. *rota*, du lat. *rota*, « roue », les juges s'asseyant sur un banc circulaire ; [ʀɔt].

**ROTENGLE, subst. m.**
*Zool.* Gardon rouge. 1764 ; all. *Roteugel*, de *Rotauge*, « œil rouge » ; [ʀɔtɑ̃gl].

**ROTÉNONE, subst. f.**
Substance insecticide extraite de certaines fabacées. 1953 ; angl. *rotenone*, du jap. *roten*, plante donnant cette substance ; [ʀɔtenɔn].

**ROTER, verbe intrans.** [3]
Éructer (fam.). XIIe s. ; lat. *ructare* ; [ʀɔte].

**RÔTI, IE, adj. et subst.**
Adj. Cuit à la broche ou au four. Subst. fém. Tranche de pain grillée (vieilli et région.). Subst. masc. Pièce de viande **rôtie**. XIIIe s. ; ☞ *rôtir* ; [ʀoti].

**ROTIN (I), subst. m.**
Partie de la tige du rotang utilisée pour confectionner du petit mobilier. 1688 ; néerl. *rottin*, du malais *rötan* ; [ʀɔtɛ̃].

**ROTIN (II), subst. m.**
Sou (vieilli et argot.). 1835 ; p.-ê. *rondin*, « pièce d'or » ; [ʀɔtɛ̃].

**RÔTIR, verbe** [19]
Trans. Faire cuire (une viande) à la broche ou au four. Intrans. **1.** Cuire à la broche ou au four. **2.** Anal. Fam. Être soumis à une forte chaleur ; empl. pronom. : *Se* **rôtir** *au soleil.* Mil. XIIe s. ; germ. °*raustjan*, de l'anc. haut all. *rôsten* ; [ʀotiʀ].

**RÔTISSAGE, subst. m.**
Action de rôtir (rare). 1842 ; ☞ *rôtir* ; [ʀotisaʒ].

**RÔTISSERIE, subst. f.**
**1.** Boutique du rôtisseur. **2.** Restaurant où sont préparées et servies des viandes rôties. Mil. XVe s. ; ☞ *rôtir* ; [ʀotisʀi].

**RÔTISSEUR, EUSE, subst.**
**1.** Personne qui fait commerce de viandes rôties. **2.** Cuisinier qui prépare les viandes rôties, les grillades. 1396 ; ☞ *rôtir* ; [ʀotisœʀ, øz].

**RÔTISSOIRE, subst. f.**
**1.** Dispositif équipé d'une longue broche traversant la viande à rôtir. **2.** Four à broche tournante. Fin XIVe s. ; ☞ *rôtir* ; [ʀotiswaʀ].

**ROTOGRAVURE, subst. f.**
*Techn.* Procédé d'héliogravure. 1914 ; crois. de *rotatif* et de *gravure* ; [ʀɔtɔgʀavyʀ].

**ROTONDE, subst. f.**
**1.** *Archit.* Construction de forme circulaire, généralement surmontée d'un dôme. **2.** *Ch. de fer.* Hangar circulaire où se garent les locomotives. **3.** Compartiment semi-circulaire situé à l'arrière d'une diligence, d'un autobus. 1488 ; ital. *rotonda*, « édifice circulaire », du lat. *rotundus*, « rond » ; [ʀɔtɔ̃d].

**ROTONDITÉ, subst. f.**
**1.** Caractère de ce qui est rond. **2.** Embonpoint (fam.). 1314 ; lat. *rotunditas* ; [ʀɔtɔ̃dite].

**ROTOR, subst. m.**
**1.** *Techn.* Élément tournant dans un mécanisme : *Le* **rotor** *d'une dynamo.* **2.** Système tournant assurant la sustentation et la propulsion des hélicoptères. 1900 ; bas lat. *rotator* ; [ʀɔtɔʀ].

**ROTROUENGE, subst. f.**
*M. Â.* Poème à strophes monorimes et à refrain. Mil. XIIe s. ; orig. obsc. ; var. *rotruenge* ; [ʀɔtʀuɑ̃ʒ].

**ROTULE, subst. f.**
**1.** *Anat.* Petit os plat du genou, enclavé dans le tendon du quadriceps, à la face antérieure de l'articulation du fémur avec le tibia. ▸ Loc. *Être sur les* **rotules** : être épuisé (fam.). **2.** Anal. *Mécan.* Pièce sphérique autour de laquelle s'articulent les pièces d'un mécanisme : *La* **rotule** *d'une boîte de vitesses.* 1487 ; lat. médiév. *rotula*, « petite roue » ; [ʀɔtyl].

**ROTULIEN, IENNE, adj.**
Relatif à la rotule. 1822 ; ☞ *rotule* ; [ʀɔtyljɛ̃, jɛn].

**ROTURE, subst. f.**
**1.** *Hist.* État d'un bien, d'une terre qui n'est pas noble. **2.** Condition de roturier. **3.** Ensemble des roturiers. 1549 (1406, terre nouvellement défrichée) ; bas lat. *ruptura*, « défrichement » ; [ʀɔtyʀ].

**ROTURIER, IÈRE, adj. et subst.**
Littér. Adj. Qui n'est pas noble, qui est de condition inférieure ; par méton. : *Une terre* **roturière**. Subst. Personne qui n'appartient pas à la noblesse. Fin XIIIe s. ; ☞ *roture* ; [ʀɔtyʀje, jɛʀ].

**ROUABLE, subst. m.**
*Techn.* **1.** Perche munie d'un râteau de fer qui, en boulangerie, sert à regrouper les braises. **2.** Râteau utilisé pour ramasser le sel dans les salines. XIIIe s. ; lat. *rutabulum* ; [ʀwabl].

**ROUAGE, subst. m.**
**1.** Chaque pièce mobile d'un mécanisme. **2.** Fig. Élément qui participe au fonctionnement de qqch. : *Les* **rouages** *du gouvernement.* 1569 (1253, taxe perçue pour le charroi des vins) ; ☞ *roue* ; [ʀwaʒ].

**ROUAN, ROUANNE, adj.**
Dont les poils sont mêlés de blanc, de brun-roux et de noir, en parlant d'un cheval. 1340 ; anc. esp. *roán*, prob. du lat. pop. °*radivanius*, du lat. *ravidus*, « grisâtre » ; [ʀwɑ̃, ʀwan].

**ROUANNE, subst. f.**
*Techn.* **1.** Outil utilisé pour râcler le bois. **2.** Compas servant à marquer les tonneaux. Fin XIIIe s. ; lat. pop. °*rucina*, du gr. *rhukanê*, « rabot » ; [ʀwan].

**ROUBLARD, ARDE, adj.**
Fam. Rusé, retors ; empl. subst. : *Ce* **roublard** *nous a encore bernés !* 1835 ; p.-ê. argot *roublion*, « feu », de l'ital. *robbio*, « rouge » ; [ʀublaʀ, aʀd].

**ROUBLARDISE, subst. f.**
Fam. **1.** Caractère d'une personne roublarde. **2.** Astuce, rouerie, ruse. 1877 ; ☞ *roublard* ; [ʀublaʀdiz].

**ROUBLE, subst. m.**
Unité monétaire principale de pays composant la C. E. I. (Russie, Biélorussie, etc.). 1606 ; russe *rubl'*, de *rubit'*, « couper à la hache » ; [ʀubl].

**ROUCHI, subst. m.**
Patois de Valenciennes et de sa région. 1812 ; orig. inc. ; [ʀuʃi].

**ROUCOU, voir ROCOU**

**ROUCOULADE, subst. f.**
**1.** Bruit de l'oiseau qui roucoule. **2.** Fig. Propos amoureux (fam.). 1857 ; ☞ *roucouler* ; [ʀukulad].

**ROUCOULEMENT, subst. m.**
**1.** Cri du pigeon ou de la tourterelle. **2.** Fig. Propos langoureux. 1611 ; ☞ *roucouler* ; [ʀukulmɑ̃].

**ROUCOULER, verbe** [3]
Intrans. **1.** Chanter, en parlant du pigeon ou de la tourterelle. **2.** Tenir des propos langoureux (fam.). Trans. Dire, chanter (qqch.) de façon langoureuse (fam.). Mil. XVe s. ; orig. onomat. ; [ʀukule].

**ROUDOUDOU, subst. m.**
Bonbon à lécher coulé dans une coquille ou une petite boîte en bois. 1931 ; mot enfantin ; [ʀududu].

**ROUE, subst. f.**
**I. 1.** Disque plein ou évidé tournant sur un axe passant par son centre et permettant le déplacement d'un véhicule : **Roue** *motrice*, commandée par le moteur à l'aide de la transmission, entraînant le déplacement du véhicule ; **Roue** *libre*, dispositif qui rend la **roue** indépendante du mécanisme d'entraînement. ▸ **Roue** *de secours* : **roue** d'un véhicule destinée à remplacer celle dont le pneu est crevé ; *Chapeau de* **roue** : pièce qui protège le moyeu de la **roue**. ▸ Loc. *Être la cinquième* **roue** *du carrosse* : être inutile ; *Mettre des bâtons dans les* **roues** : faire obstacle à ; *En* **roue** *libre* : sur sa lancée ; *Sur les chapeaux de* **roue** : à vive allure. **2.** Disque tournant sur son axe, recevant ou transmettant le mouvement dans un assemblage mécanique : **Roue** *dentée* ; **Roue** *de friction*, transmettant le mouvement par frottement. ▸ **Roue** *hydraulique* : grand cylindre muni d'aubes convertissant l'énergie cinétique d'un cours d'eau en énergie mécanique. ▸ **Roue** *à aubes* : **roue** hydraulique servant à la propulsion de certains navires. ▸ *Grande* **roue** : manège de fête foraine en forme de **roue** dressée. ▸ Fig. **Roue** *de la Fortune* : symbole des vicissitudes humaines. **3.** *Hist.* *Le supplice de la* **roue** : supplice consistant à attacher sur une **roue** un condamné dont on avait brisé les membres. **II.** Anal. **1.** Objet circulaire : *Une* **roue** *de fromage.* **2.** Loc. **Faire la roue.** Déployer ses plumes, en parlant de certains oiseaux, en partic. du paon ; au fig., se pavaner. **3.** *Sp.* Mouvement de gymnastique dans lequel on tourne latéralement sur soi-même en s'appuyant alternativement sur les mains et les pieds. Fin XIe s. ; lat. *rota* ; [ʀu].

La **Roue** de la Fortune, *miniature du XIVe s. Bibliothèque municipale, Rouen.*

**ROUÉ, ÉE, subst. et adj.**
**1.** *Hist.* Se dit d'une personne qui a subi le supplice de la roue. **2.** Se dit d'une personne retorse, rusée, intrigante. Adj. Brisé : **Roué** *de fatigue.* Subst. masc. plur. *Hist.* Compagnons de débauche du régent Philippe d'Orléans. XIVe s. ; p. p. de *rouer* ; [ʀwe].

**ROUELLE, subst. f.**
**1.** Rondelle. ▸ *Cuis.* Tranche circulaire : **Rouelle** *de viande.* **2.** Petite roue. **3.** Cercle d'étoffe, souvent jaune, imposé aux Juifs du XIIIe au XVIIIe s. comme signe distinctif. Fin XIe s. ; lat. tardif *rotella* ; [ʀwɛl].

**ROUE-PELLE, subst. f.**
*Techn.* Excavatrice de grandes dimensions utilisée pour l'extraction de matériaux. V. 1970 ; comp. de *roue* et de *pelle* ; plur. *roues-pelles* ; [ʀupɛl].

**ROUER, verbe trans.** [3]
**1.** *Hist.* Infliger le supplice de la roue à (qqn). **2.** Ext. **Rouer** *qqn de coups* : le battre avec violence. 1450 ; ☞ *roue* ; [ʀwe].

**ROUERIE, subst. f.**
Caractère d'une personne rouée ; action qui le dénote. 1823 (1777, acte de débauché) ; ☞ *roué* ; [ʀuʀi].

**ROUET, subst. m.**
**1.** Machine à filer (le chanvre, le lin, etc.) actionnée par une pédale. **2.** *Arm.* Petite roue d'acier qui, butant sur un silex, déclenchait la mise à feu (vx). **3.** *Serr.* Garde de serrure. Fin XIVe s. (déb. XIIIe s., roue pour monter l'eau) ; ☞ *roue* ; [ʀwɛ].

**ROUF, subst. m.**
Superstructure rehaussant le pont d'un navire, qui n'en occupe pas toute la largeur et est souvent munie d'un capot. 1582 ; néerl. *roef* ; [ʀuf].

**ROUFLAQUETTE, subst. f.**
Fam. **1.** Vx. Mèche en accroche-cœur sur la tempe. **2.** Patte de cheveux descendant sur les joues, chez un homme. 1876 ; orig. obsc. ; [ʀuflakɛt].

**ROUGE, adj., adv. et subst. m.**
Adj. **1.** De la couleur du coquelicot, du rubis, du sang, etc. ▸ *Poisson* **rouge** : cyprin. ▸ *Vin* **rouge** : vin provenant de raisins **rouges** dont la macération est complète ; empl. subst. masc. : *Un verre de* **rouge**. **2.** Ext. Tirant sur le **rouge** : *Cheveux* **rouges**, roux. **3.** Dont le visage est rougi par un afflux de sang, dû à l'émotion, au froid, à la chaleur ou à un effort. **4.** Porté à incandescence par la chaleur. **5.** Fig. Qui signale l'importance de qqch., le danger, l'interdit : *Alerte* **rouge**, très grave ; *Feu* **rouge** ; *Lanterne* **rouge** (☞ *lanterne*). **6.** Qui se rapporte aux idées d'extrême gauche, en partic. au communisme : *Le drapeau* **rouge**. ▸ *Hist.* *Armée* **rouge** : armée soviétique ; *Garde* **rouge** : partisan de la Révolution culturelle chinoise. Subst. **1.** La couleur **rouge** : *Un* **rouge** *vif.* **2.** Fard **rouge** : **Rouge** *à joues* ; **Rouge** *à lèvres.* **3.** Matière colorante d'origine organique ou synthétique : **Rouge** *de cochenille*, pigment fourni par cet insecte et servant à préparer le carmin ; **Rouge** *de mercure*, vermillon ; **Rouge** *de plomb*, minium. **4.** Couleur du métal porté à incandescence : *Fer chauffé au* **rouge**. **5.** Couleur du visage sous l'effet de l'émotion, de l'effort, du froid : *Le* **rouge** *lui monta aux joues.* **6.** Couleur des signaux de danger ou d'arrêt : *Le feu est au* **rouge**. ▸ Loc. *Être dans le* **rouge** : être débiteur à la banque. Adv. *Se fâcher tout* **rouge**, *voir* **rouge** : entrer dans une colère violente. Déb. XIIe s. ; lat. *rubeus*, « roux » ; [ʀuʒ].

**ROUGEÂTRE, adj.**
Légèrement rouge. 1270 ; ☞ *rouge* ; [ʀuʒɑtʀ].

**ROUGEAUD, AUDE, adj.**
Qui a le visage rouge ; empl. subst. : *Un petit* **rougeaud**. 1640 ; ☞ *rouge* ; [ʀuʒo, od].

**ROUGE-GORGE, subst. m.**
*Zool.* Oiseau insectivore, passériforme, caractérisé par son plastron rouge vif. 1464 ; comp. de *rouge* et de *gorge* ; plur. *rouges-gorges* ; [ʀuʒgɔʀʒ].

**ROUGEOIEMENT, subst. m.**
Teinte ou reflet qui tire sur le rouge : **Rougeoiement** *d'une flamme.* 1862 ; ☞ *rougeoyer* ; [ʀuʒwamɑ̃].

**ROUGEOLE, subst. f.**
*Pathol.* Maladie virale infectieuse et contagieuse se manifestant notamment par une forte fièvre et une éruption de papules, débutant derrière les oreilles avant de se généraliser. ☞ 1426 ; lat. pop. °*rubeola*, du lat. *rubeus*, « roux » ; [ʀuʒɔl].

**ROUGEOYANT, ANTE, adj.**
Qui rougeoie : *Âtre **rougeoyant**.* ☞ Fin XIIe s. ; p. pr. de *rougeoyer* ; [ʀuʒwajɑ̃, ɑ̃t].

**ROUGEOYER, verbe intrans.** [17]
Prendre une teinte, des reflets rougeâtres. ☞ Mil. XIIe s. ; ☞ *rouge* ; [ʀuʒwaje].

**ROUGE-QUEUE, subst. m.**
*Zool.* Petit oiseau passériforme à queue roussâtre. ☞ 1640 ; comp. de *rouge* et de *queue* ; plur. *rouges-queues* ; [ʀuʒkø].

**ROUGET, subst. m.**
**1.** *Zool.* ▶ Poisson marin de la famille des Mullidés, au corps allongé, vivant près des côtes : ***Rouget** barbet* ; ***Rouget** de roche* ; ***Rouget** de vase.* ▶ ***Rouget** grondin* : variété rouge de grondin. ▶ Aoûtat. **2.** *Vétér.* Maladie contagieuse du porc, caractérisée par des plaques rouges. ☞ XIIIe s. ; ☞ *rouge* ; [ʀuʒɛ].

**ROUGEUR, subst. f.**
**1.** Coloration rouge de qqch. (rare). **2.** Coloration rouge du visage, due à une émotion. **3.** Tache rouge apparaissant sur la peau, due à une inflammation. ☞ Déb. XIIIe s. ; ☞ *rouge* ; [ʀuʒœʀ].

**ROUGH, subst. m.**
**1.** Partie non entretenue d'un terrain de golf. **2.** *Arts graph.* Ébauche, esquisse (anglic.). ☞ 1932 ; angl. *rough*, « rude » ; [ʀœf].

**ROUGIR, verbe** [19]
**Intrans. 1.** Prendre une coloration rouge. **2.** Devenir rouge sous le coup d'une émotion : ***Rougir** de honte, de fierté.* ▶ Abs. **Rougir** de honte ou, au fig., avoir honte. **Trans.** Rendre rouge (qqch.). ☞ 1155 ; ☞ *rouge* ; [ʀuʒiʀ].

**ROUGISSANT, ANTE, adj.**
**1.** Qui devient rouge. **2.** Qui rougit d'émotion, de timidité. ☞ 1555 ; p. pr. de *rougir* ; [ʀuʒisɑ̃, ɑ̃t].

**ROUGISSEMENT, subst. m.**
Action de rendre rouge, de devenir rouge. ☞ 1516 ; ☞ *rougir* ; [ʀuʒismɑ̃].

**ROUILLE, subst. f.**
**1.** *Chim.* Substance de dégradation de consistance poreuse, résultant de l'oxydation des métaux ferreux. ▶ Empl. adj. inv. De la couleur brun rougeâtre de cette substance : *Des tons **rouille**.* **2.** *Bot.* Maladie des végétaux, affectant surtout les céréales, qui se manifeste par des taches roussâtres sur la tige et les feuilles. **3.** *Cuis.* Sorte d'ailloli pimenté servi avec la bouillabaisse et la soupe de poissons. ☞ Fin XIIe s. ; lat. pop. °*robicula*, du lat. *robigo* ; [ʀuj].

**ROUILLER, verbe** [3]
**Intrans.** Se couvrir de rouille. **Trans. 1.** Provoquer l'oxydation de. **2.** Fig. Rendre (qqn) moins agile, physiquement ou intellectuellement. **Pronom. 1.** S'oxyder. **2.** Fig. Perdre sa souplesse, son adresse ou sa vivacité d'esprit, faute de pratique ou à cause du vieillissement. ☞ Fin XIIe s. ; ☞ *rouille* ; [ʀuje].

**ROUILLURE, subst. f.**
État d'un métal rouillé, d'une plante atteinte par la rouille (rare). ☞ 1464 ; ☞ *rouille* ; [ʀujyʀ].

**ROUIR, verbe trans.** [19]
Isoler les fibres textiles de (le chanvre, le lin, etc.) en éliminant la matière gommeuse qui les lie. ☞ Déb. XIIIe s. ; frq. °*rôtjan* ; [ʀwiʀ].

**ROUISSAGE, subst. m.**
Action de rouir. ☞ 1706 ; ☞ *rouir* ; [ʀwisaʒ].

**ROUISSOIR, subst. m.**
Lieu où l'on rouit les fibres textiles. ☞ 1549 ; ☞ *rouir* ; [ʀwiswaʀ].

**ROULADE, subst. f.**
**1.** *Mus.* Suite de notes rapides chantées sur une même syllabe. **2.** *Sp.* Mouvement au sol consistant à rouler sur soi-même, en avant ou en arrière, après avoir ramassé son corps, tête contre les genoux (synon. *galipette*). **3.** *Cuis.* Tranche de viande roulée autour d'une farce. ☞ 1622 ; ☞ *rouler* ; [ʀulad].

**ROULAGE, subst. m.**
**1.** Transport de marchandises par des voitures à cheval (vx). ▶ ***Roulage** maritime* : transport par mer. ▶ Transport des blocs de pierre sur roules, dans une mine ou une carrière. **2.** Action de rouler, en parlant de véhicules. **3.** Chargement ou déchargement d'un navire par engins roulants. **4.** Action de donner à qqch. une forme circulaire. ▶ *Techn.* Mise en forme d'une pièce métallique par passage entre des tables ou des cylindres. ▶ *Agric.* Action de tasser la terre, labourée et hersée, au moyen d'un rouleau. ☞ 1668 ; ☞ *rouler* ; [ʀulaʒ].

**ROULANT, ANTE, adj.**
**1.** Qui roule ; qui est équipé de roues : *Fauteuil **roulant**.* **2.** Ext. ▶ *Cuisine **roulante*** ou, empl. subst. fém., *Une **roulante*** : cuisine ambulante, pour les militaires en campagne. ▶ *Personnel **roulant*** ou, empl. subst. masc. (fam.), *Les **roulants*** : agents de conduite, dans les transports en commun. **3.** *Escalier, tapis **roulant*** : qui glisse sur des galets, des rouleaux, facilitant le déplacement d'un étage ou d'un point à un autre. **4. Feu roulant.** Tir ininterrompu d'armes à feu ; au fig. : *Un feu **roulant** de questions.* **5.** Hilarant (fam. et vieilli). ☞ Mil. XVe s. ; p. pr. de *rouler* ; [ʀulɑ̃, ɑ̃t].

**ROULE, subst. m.**
*Techn.* Pièce de bois cylindrique servant à déplacer les blocs de pierre. ☞ 1870 ; ☞ *rouler* ; [ʀul].

**ROULÉ, ÉE, adj. et subst. m.**
**Adj. 1.** Mis en rond, enroulé : *Col **roulé**.* **2.** Érodé par l'action de l'eau. **3.** *Bien **roulé*** : qui possède des formes harmonieuses, gén. en parlant d'une femme (fam.). **4.** *Phon. Un « r » **roulé*** : que l'on roule. **Subst.** Génoise **roulée** en bûche. ☞ Mil. XVIe s. ; p. p. de *rouler* ; [ʀule].

**ROULEAU, subst. m.**
**1.** Bande enroulée sur elle-même : ***Rouleau** de papyrus.* ▶ Loc. *Être au bout du **rouleau*** : ne plus avoir d'argent, d'énergie (fam.). **2.** Objet cylindrique et enroulé ; forme cylindrique : ***Rouleau** de pièces de monnaie.* **3.** Longue vague déferlante. **4.** Cylindre à usages divers. ▶ ***Rouleau** à pâtisserie* : qui sert à étendre la pâte. ▶ ***Rouleau** compresseur* : compacteur. ▶ ***Rouleau** de peinture* : avec lequel on étale la peinture. **5.** Bigoudi. **6.** *Archit.* Rangée de claveaux dans certains ouvrages voûtés. **7.** *Sp.* Technique de saut en hauteur. ☞ 1315 ; ☞ *rôle* ; [ʀulo].

**ROULEAUTÉ, voir ROULOTTÉ**

**ROULÉ-BOULÉ, subst. m.**
Roulade exécutée pour amortir une chute. ☞ V. 1960 ; comp. du p. p. de *rouler* et du p. p. de *bouler* ; plur. *roulés-boulés* ; [ʀulebule].

**ROULEMENT, subst. m.**
**1.** Mouvement de ce qui roule. **2.** *Mécan.* Dispositif qui réduit le frottement des pièces roulant les unes sur les autres : ***Roulement** à billes.* **3.** Bruit de ce qui roule ; par anal. : ***Roulement** de tonnerre.* **4.** Mouvement circulaire : ***Roulement** des yeux.* **5.** *Fin.* Circulation d'argent, de capitaux : *Fonds de **roulement**.* **6.** Alternance de personnes à un poste de travail. ☞ 1538 ; ☞ *rouler* ; [ʀulmɑ̃].

**ROULER, verbe** [3]
**Trans. 1.** Déplacer (un objet arrondi) en le faisant tourner sur lui-même : ***Rouler** un tonneau.* ▶ Loc. ***Rouler** sa bosse* (☞ *bosse*). **2.** Faire avancer (un objet à roues ou à roulettes). **3.** Mettre en rouleau, en boule (qqch.). **4.** Passer un rouleau sur (une surface). **5.** Imprimer un balancement à : ***Rouler** les hanches.* ▶ Loc. ***Rouler** les mécaniques* : fanfaronner (fam.). **6.** *Phon.* ***Rouler** les « r »* : les prononcer avec une vibration de la langue contre les alvéoles. **7.** Fig. Tromper, duper (fam.). **8.** Tourner (des idées, des pensées) dans sa tête. **Intrans. 1.** Avancer par un mouvement de rotation, en tournant sur soi : *Les billes **roulent** sur le plancher.* ▶ Loc. ***Rouler** sur l'or* : être très riche. **2.** Circuler, en parlant d'un véhicule ou des passagers. **3.** Être animé d'un balancement d'un bord à l'autre, en parlant d'un bateau. **4.** Produire un bruit sourd, prolongé. **5.** Fig. Porter (sur tel sujet) : *La conversation **roula** sur le sport.* **6.** Loc. *Ça **roule*** : tout va bien (fam.). **Pronom.** S'enrouler sur soi : *Se **rouler** en boule.* ▶ Loc. *À se **rouler** par terre* : extrêmement drôle ; *Se les **rouler*** : ne rien faire (pop.). ☞ Mil. XIIe s. ; crois. de l'anc. fr. *roele*, « petite roue », et de *rôle* ; [ʀule].

**ROULETTE, subst. f.**
**1.** Petite roue fixée sous un objet pour en faciliter le déplacement : *Table à **roulettes*** ; *Patins à **roulettes**.* ▶ Loc. *Aller, marcher comme sur des **roulettes*** : fonctionner à merveille (fam.). **2.** *Techn.* Instrument constitué d'une petite roue dentée montée sur un manche : ***Roulette** de vitrier* ; par ext., fraise de dentiste (fam.). **3.** Jeu de casino où l'arrêt d'une boule sur l'un des numéros (de 0 à 36) d'un plateau tournant désigne le gagnant. ▶ Fig. ***Roulette** russe* : jeu suicidaire où, avec un révolver partiellement chargé, le tireur prend le risque de se tuer. ☞ 1119 ; anc. fr. *roele*, « petite roue » ; [ʀulɛt].

**ROULEUR, EUSE, subst. et adj.**
**Subst. 1.** Personne qui roule (des tonneaux, des cigares, etc.). **2.** *Sp.* Cycliste spécialiste du plat. **Adj. 1.** Qui roule. **2.** *Zool. Insecte **rouleur*** ou, empl. subst. masc., *Un **rouleur*** : qui vit à l'intérieur des feuilles qu'il a enroulées. ☞ 1284 ; ☞ *rouler* ; [ʀulœʀ, øz].

**ROULIER, subst. m.**
**1.** Vx. Voiturier qui convoyait des marchandises. **2.** *Mar.* Navire sur lequel la manutention s'effectue par roulage. ☞ 1292 ; ☞ *rouler* ; [ʀulje].

**ROULIS, subst. m.**
**1.** *Mar.* Mouvement d'un navire qui oscille d'un bord sur l'autre (par oppos. à *tangage*). **2.** Anal. Balancement d'un véhicule. ☞ 1671 (mil. XIIe s., mêlée d'hommes) ; ☞ *rouler* ; [ʀuli].

**ROULOIR, subst. m.**
*Techn.* Outil servant à rouler les bougies. ☞ 1723 (1364, qui roule) ; ☞ *rouler* ; [ʀulwaʀ].

**ROULOTTE, subst. f.**
**1.** Voiture attelée (vieilli). **2.** Loc. *Vol à la **roulotte*** : dans une voiture en stationnement. **3.** Grande remorque où logent les forains, les nomades. **4.** Anal. Caravane de camping. ☞ 1821 (1800, charrue) ; anc. fr. *roele*, du lat. *rotella*, « petite roue » ; [ʀulɔt].

**ROULOTTÉ, ÉE, adj. et subst. m.**
*Cout.* **Adj.** Dont le bord est finement roulé, en parlant d'un tissu. **Subst.** L'ourlet ainsi obtenu. ☞ 1819 ; ☞ *rouler* ; var. *rouleauté, ée* ; [ʀulɔte].

**ROULURE, subst. f.**
**1.** *Arboric.* Maladie des arbres provoquant le décollement et l'enroulement des couches ligneuses. ▶ Défaut du bois provoqué par cette maladie. **2.** Prostituée (terme d'injure). ☞ 1742 ; ☞ *rouler* ; [ʀulyʀ].

**ROUMAIN, AINE, adj. et subst.**
De Roumanie. **Subst. masc.** Langue romane parlée en Roumanie. ☞ 1836 ; topon. *Roumanie* ; [ʀumɛ̃, ɛn].

**ROUMI, subst.**
Chrétien, pour les musulmans. ☞ 1667 ; ar. *rūmī*, « Byzantin ; chrétien » ; fém. *roumi(e)* ; [ʀumi].

**ROUND, subst. m.**
Reprise, dans un combat de boxe. ☞ 1816 ; angl. *round*, « cercle » ; [ʀawnd] ou [ʀund].

**ROUPIE (I), subst. f.**
Goutte de sécrétion nasale qui pend au nez (vx). ▶ Loc. *De la **roupie** de sansonnet* : une chose sans valeur. ☞ XIIIe s. ; orig. inc. ; [ʀupi].

**ROUPIE (II), subst. f.**
Unité monétaire principale de l'Inde, du Népal et du Pakistan. ☞ 1614 ; port. *rupia*, du skr. *rùpya*, « argent » ; [ʀupi].

**ROUPILLER, verbe intrans.** [3]
Dormir (fam.). ☞ 1597 ; p.-ê. orig. onomat. ; [ʀupije].

**ROUPILLON, subst. m.**
Petit somme (fam.) : *Piquer un **roupillon**.* ☞ 1894 (1881, homme endormi) ; ☞ *roupiller* ; [ʀupijɔ̃].

**ROUQUETTE, voir ROQUETTE (I)**

**ROUQUIN, INE, adj. et subst.**
**Adj.** Qui est roux (fam.). **Subst.** Personne rousse. **Subst. masc.** Vin rouge (pop.). ☞ 1845 ; formé de *roux* et du pic. *quin*, « chien » ; [ʀukɛ̃, in].

**ROUSCAILLER, verbe intrans.** [3]
Réclamer, protester (fam.). ☞ 1628 ; crois. de *rousser* (vx), « grogner », et de °*cailler*, « bavarder » ; [ʀuskaje].

**ROUSPÉTANCE, subst. f.**
Fam. Action de rouspéter ; par méton., propos de qqn qui rouspète. ☞ 1878 ; ☞ *rouspéter* ; [ʀuspetɑ̃s].

**ROUSPÉTER, verbe intrans.** [8]
Protester (fam.). ☞ 1878 ; crois. de *rousser* (vx), « gronder », et de *péter* ; [ʀuspete].

**ROUSSÂTRE, adj.**
Qui tire sur le roux. ☞ 1401 ; ☞ *roux* ; [ʀusɑtʀ].

**ROUSSE, subst. f.**
Police (argot.). ☞ 1827 ☞ *roussin* (II) ; [ʀus].

**ROUSSEAU, subst. m.**
*Zool.* **1.** Daurade rose. **2.** Pigeon domestique. ☞ XIXe s. (mil. XIIe s., de couleur rousse) ; ☞ *roux* ; [ʀuso].

**ROUSSEAUISTE, adj. et subst.**
Se dit d'une personne adepte des idées de Rousseau. **Adj.** Relatif, propre à l'œuvre de Rousseau. ☞ 1912 ; anthropon. *Jean-Jacques Rousseau* ; [ʀusoist].

**ROUSSELET, subst. m.**
*Bot.* Variété de poire mûrissant en été. ☞ 1600 ; *roussel*, poire à la peau rougeâtre, de *roux* ; [ʀuslɛ].

**ROUSSEROLLE,** subst. f.
*Zool.* Oiseau passériforme, voisin de la fauvette, vivant dans les roseaux (synon. *rossignol des rivières*). 🕮 1555 ; ☞ *roux*, par anal. de couleur ; [ʀusʀɔl].

**ROUSSETTE,** subst. f.
*Zool.* **1.** Poisson sélacien au corps élancé et au museau court. Une espèce, à la chair appréciée, se vend sous le nom de saumonette. **2.** Grande chauve-souris frugivore d'Afrique et d'Asie, dont certaines espèces sont comestibles. **3.** *Cuis.* Merveille ; bugne. 🕮 1530 ; *russet* (vx), « roussâtre », de *roux* ; [ʀusɛt].

© R. König-Jacana

*Petite* **roussette.**

**ROUSSEUR,** subst. f.
**1.** Couleur rousse. **2.** *Tache de* **rousseur** : petite tache pigmentant la peau (synon. *éphélide*). 🕮 Mil. XIIe s. ; ☞ *roux* ; [ʀusœʀ].

**ROUSSI,** subst. m.
Odeur de ce qui a légèrement brûlé. ▸ Loc. *Ça sent le* **roussi** : la situation se gâte (fam.). 🕮 Fin XIIIe s. ; p. p. de *roussir* ; [ʀusi].

**ROUSSIN (I),** subst. m.
**1.** Fort cheval de guerre ou de chasse (vx). **2.** *Roussin d'Arcadie* : âne. 🕮 1350 ; anc. fr. *roncin*, « cheval de charge » ; [ʀusɛ̃].

**ROUSSIN (II),** subst. m.
Policier (argot.). 🕮 1811 ; p.-ê. argot *roux*, « traître » ; [ʀusɛ̃].

**ROUSSIR,** verbe [19]
**Trans.** Rendre roux ; en partic. en brûlant superficiellement. **Intrans.** Virer au roux : *Les feuilles* **roussissent** *à l'automne.* 🕮 Fin XIIIe s. ; ☞ *roux* ; [ʀusiʀ].

**ROUSSISSEMENT,** subst. m.
Action de roussir ; état de ce qui est roussi (synon. *roussissure*). 🕮 Fin XVIIIe s. ; ☞ *roussir* ; [ʀusismɑ̃].

**ROUSTE,** subst. f.
Volée de coups (fam.). 🕮 Déb. XXe s. ; prov. *rousto*, de *roustá*, « rosser » ; [ʀust].

**ROUTAGE,** subst. m.
**1.** Action de router des envois postaux. **2.** *Mar.* Action de router un navire. 🕮 1908 (1347, action de percer des chemins dans un bois) ; ☞ *router* ; [ʀutaʒ].

**ROUTARD, ARDE,** subst.
Personne, touriste qui voyage à peu de frais (fam.). 🕮 V. 1970 ; ☞ *route* ; [ʀutaʀ, aʀd].

**ROUTE,** subst. f.
**1.** Voie de communication terrestre, située hors d'une agglomération : **Route** *nationale* ; **Route** *de campagne.* **2.** Réseau routier : *Accidents de la* **route.** ▸ *Code de la* **route** (☞ *code*). **3.** Itinéraire ; direction ; parcours accompli ou à accomplir : *La* **route** *des Indes* ; *Le cargo faisait* **route** *au sud.* ▸ Loc. *En* **route** : pendant le voyage ; *Faire fausse* **route** : s'égarer ou, au fig., faire un mauvais choix ; *Mettre en* **route** : faire fonctionner. **4.** Fig. Ligne de conduite : *Trouver sa* **route.** ▸ Loc. *Barrer la* **route** *à qqn* : lui faire obstacle, l'empêcher de progresser. 🕮 Déb. XIIe s. ; lat. *rupta via*, « voie frayée » ; [ʀut].

**ROUTER,** verbe trans. [3]
**1.** Grouper (des envois postaux) selon leur destination. **2.** *Mar.* Déterminer l'itinéraire de (un navire). 🕮 1908 (mil. XIVe s., marcher) ; ☞ *route* ; [ʀute].

**ROUTEUR, EUSE,** subst.
**1.** Spécialiste du routage postal. **2.** Personne qui effectue le routage d'un navire. 🕮 V. 1990 ; ☞ *router* ; [ʀutœʀ, øz].

**ROUTIER (I), IÈRE,** adj. et subst.
**Adj.** Relatif à la route : *Carte* **routière.** **Subst. masc.** **1.** Chauffeur de poids lourds. ▸ Ext. Restaurant fréquenté par les **routiers.** **2.** Scout âgé de plus de 16 ans (vx). **3.** Cycliste qui effectue des courses sur route. **Subst. fém.** Automobile confortable, moto destinées aux longs trajets. 🕮 1765 (déb. XIIIe s., qui parcourt les routes [en volant]) ; ☞ *route* ; [ʀutje, jɛʀ].

**ROUTIER (II),** subst. m.
Vx. *M. Â.* Soldat aventurier qui se livrait au pillage. ▸ Loc. *Vieux* **routier** : homme habile et expérimenté (fam.). 🕮 Mil. XIIIe s. ; anc. fr. *route*, « bande de soldats », de *rout*, « rompu » ; [ʀutje].

**ROUTINE,** subst. f.
**1.** Habitude d'agir toujours de la même façon. **2.** *Informat.* Sous-programme, gén. exécuté à plusieurs reprises lors de la mise en œuvre d'un programme. 🕮 1559 ; ☞ *route* ; [ʀutin].

**ROUTINIER, IÈRE,** adj.
Qui agit par routine ; qui relève d'une routine : *Acte* **routinier.** 🕮 1761 ; ☞ *routine* ; [ʀutinje, jɛʀ].

**ROUVERIN,** adj. m.
*Métall.* Qualifie un fer cassant, difficile à travailler. 🕮 1676 ; prob. anc. fr. *rouvelain*, « rougeâtre » ; var. *rouverain* ; [ʀuv(ə)ʀɛ̃].

**ROUVRAIE,** subst. f.
Forêt de rouvres. 🕮 1611 ; ☞ *rouvre* ; [ʀuvʀɛ].

**ROUVRE,** subst. m.
*Bot.* Espèce de chêne d'Europe ; en appos. : *Chêne* **rouvre.** 🕮 1401 ; lat. pop. °*robor*, du lat. *robur* ; [ʀuvʀ].

**ROUVRIR,** verbe [27]
**Trans.** Ouvrir de nouveau : **Rouvrir** *une plaie* ; au fig. : **Rouvrir** *le débat.* **Intrans.** Être de nouveau ouvert, en parlant d'un établissement. 🕮 Fin XIIe s. ; ☞ *ouvrir* + *re-* ; [ʀuvʀiʀ].

**ROUX, ROUSSE,** adj. et subst.
**Adj.** De couleur orangée, cuivrée. **Subst.** Personne qui a les cheveux de cette couleur. **Subst. masc.** **1.** Couleur **rousse.** **2.** *Cuis.* Mélange de beurre et de farine bruni au feu, utilisé pour lier les sauces. 🕮 Fin XIe s. ; lat. *russus* ; [ʀu, ʀus].

**ROYAL, ALE, AUX,** adj. et subst. f.
**Adj.** **1.** Relatif, propre au roi : *Couronne* **royale.** **2.** Ext. Digne d'un roi, édifiant : *Générosité* **royale.** ▸ Loc. *Voie* **royale** : manière prestigieuse de parvenir à qqch. **Subst.** **1.** Touffe de poils sous la lèvre inférieure, portée à l'époque de Louis XIII. **2.** *La* **Royale** : la marine nationale française (fam.). 🕮 880 ; lat. *regalis*, de *rex*, « roi » ; [ʀwajal, o].

**ROYALEMENT,** adv.
**1.** De façon royale. **2.** Complètement (fam.) : *Se tromper* **royalement.** 🕮 1155 ; ☞ *royal* ; [ʀwajalmɑ̃].

**ROYALISME,** subst. m.
Attachement à la royauté, à la monarchie. 🕮 1770 ; ☞ *royal* ; [ʀwajalism].

**ROYALISTE,** subst. et adj.
Se dit d'une personne favorable à la royauté (quasi-synon. *monarchiste*). ▸ Loc. *Être plus* **royaliste** *que le roi* : défendre les vues, les intérêts de qqn avec plus d'ardeur qu'il ne le fait lui-même. **Adj.** Relatif au royalisme. 🕮 1589 ; ☞ *royal* ; [ʀwajalist].

**ROYALTIES,** subst. f. plur.
Droits versés au propriétaire d'un brevet, d'un texte, d'un terrain, par leur utilisateur (anglic.). 🕮 1865 ; angl. *royalty*, de l'anc. fr. *roialté*, « droit régulier » ; recomm. off. *redevance* ; [ʀwajalti].

**ROYAUME,** subst. m.
**1.** État dirigé par un roi ou une reine : **Royaume** *de France, d'Espagne* ; au fig., domaine propre à qqn ou à qqch. **2.** *Relig. Le* **royaume** *des cieux* : le paradis. **3.** *Le* **royaume** *des morts* : les Enfers (vx et littér.). 🕮 Fin XIe s. ; anc. fr. *reiame*, du lat. *regimen*, « gouvernement », d'apr. *royal* ; [ʀwajom].

**ROYAUTÉ,** subst. f.
**1.** Royaume, régime monarchique. **2.** Fonction, dignité de roi. 🕮 1140 ; lat. médiév. *regalitas*, « pouvoir royal » ; [ʀwajote].

**RU,** subst. m.
Petit ruisseau. 🕮 Mil. XIIe s. ; lat. *rivus* ; [ʀy].

**Ru,** voir **RUTHÉNIUM**

**RUADE,** subst. f.
Mouvement d'un équidé qui rue : *Lancer une* **ruade.** 🕮 Déb. XVIe s. ; ☞ *ruer* ; [ʀyad].

**RUBAN,** subst. m.
**1.** Bande étroite de tissu servant d'attache ou d'ornement. **2.** Insigne d'une décoration : *Le* **ruban** *de la Légion d'honneur.* ▸ **Ruban** *bleu* : distinction attribuée jadis aux transatlantiques les plus rapides ; par ext., reconnaissance d'un mérite. **3.** Bande fine d'une matière souple : **Ruban** *adhésif, magnétique.* **4.** *Arts déc.* Ornement en forme de ruban. **5.** *Bot.* **Ruban** *d'eau* : sparganier. 🕮 1260 ; m. néerl. *ringband*, « collier » ; [ʀybɑ̃].

**RUBANER,** verbe trans. [3]
**1.** Garnir de rubans (vx). **2.** *Techn.* Façonner en forme de ruban. 🕮 1349 ; ☞ *ruban* ; [ʀybane].

**RUBANERIE,** subst. f.
Fabrication, commerce des rubans. 🕮 1490 ; ☞ *ruban* ; [ʀybanʀi].

**RUBANIER, IÈRE,** adj. et subst.
Se dit d'une personne qui fabrique ou vend des rubans. **Adj.** Relatif à leur fabrication : *Industrie* **rubanière.** 🕮 1387 ; ☞ *ruban* ; [ʀybanje, jɛʀ].

**RUBATO,** adv. et subst. m.
*Mus.* **Adv.** Avec une certaine liberté rythmique. **Subst.** Mouvement exécuté **rubato.** 🕮 1907 ; ital. *rubato*, « dérobé » ; [ʀybato] ou [ʀu-].

**RUBÉFACTION,** subst. f.
**1.** *Pathol.* Rougeur cutanée intense, mais passagère, provoquée par une substance irritante. **2.** Processus d'altération des sols ou des roches dans les régions tropicales, qui se traduit par une coloration rouge due à des cristaux microscopiques d'oxyde de fer (hématite). 🕮 1812 (1555, action de chauffer au rouge) ; ☞ *rubéfier* ; [ʀybefaksjɔ̃].

**RUBÉFIANT, ANTE,** adj. et subst. m.
Se dit d'une substance qui, appliquée sur la peau, entraîne une rubéfaction. 🕮 1771 ; p. pr. de *rubéfier* ; [ʀybefjɑ̃, ɑ̃t].

**RUBÉFIER,** verbe trans. [6]
Produire la rubéfaction de. 🕮 1413 ; lat. *rubefacere*, de *rubere*, « être rouge » ; [ʀybefje].

**RUBELLITE,** subst. f.
*Joaill.* Variété de tourmaline, de couleur variant du rose au rouge selon sa teneur en lithium. 🕮 1802 ; lat. sc. *rubellus*, « tirant sur le rouge » ; [ʀybelit] ou [-bɛl-].

**RUBÉNIEN, IENNE,** adj.
Qui se rapporte à l'art de Rubens. 🕮 XXe s. ; anthropon. *Petrus Paulus Rubens*, peintre flamand ; [ʀybenjɛ̃, jɛn].

**RUBÉOLE,** subst. f.
*Pathol.* Maladie virale, contagieuse et immunisante, qui sévit sous forme d'épidémies. Elle se caractérise par une éruption de macules fugace, de la fièvre et des adénopathies. Chez la femme enceinte, elle peut entraîner des malformations fœtales. Son dépistage par un examen sérologique est nécessaire. 🕮 1845 ; lat. *rubeus*, « rouge » ; [ʀybeɔl].

**RUBESCENT, ENTE,** adj.
Qui devient rouge (littér.). 🕮 1817 ; lat. *rubescens*, de *rubescere*, « devenir rouge » ; [ʀybesɑ̃, ɑ̃t].

**RUBIACÉES,** subst. f. plur.
*Bot.* Famille de plantes gamopétales, comprenant notamment le caféier, le gardénia. **Au sing.** *Le quinquina est une* **rubiacée.** 🕮 1718 ; lat. sc. *rubia*, « garance » ; [ʀybjase].

**RUBICAN, ANE,** adj. et subst.
*Zool.* Se dit d'un cheval noir, bai ou alezan dont la robe est semée de poils blancs. 🕮 1559 ; esp. *rabicano*, de *rabo*, « queue », et de *cano*, « blanc » ; rare au fém. ; [ʀybikɑ̃, an].

**RUBICELLE,** subst. f.
*Joaill.* Pierre fine d'une couleur allant du jaune à l'orange, variété de spinelle. 🕮 1765 ; ☞ *rubis* ; [ʀybisɛl].

**RUBICOND, ONDE,** adj.
Se dit d'un visage très rouge. 🕮 XIVe s. ; lat. *rubicundus*, de *rubere*, « être rouge » ; [ʀybikɔ̃, ɔ̃d].

**RUBIDIUM,** subst. m.
*Chim.* Élément n° 37 de la table de Mendeleïev (symb. : Rb) ; masse atomique : 85,47 ; point de fusion : 39 °C ; point d'ébullition : 688 °C ; masse volumique : 1,53 g/cm$^3$. C'est un métal alcalin dont un isotope radioactif (Rb 87) permet d'effectuer des datations. 🕮 1861 ; lat. *rubidus*, « rouge brun » ; [ʀybidjɔm].

**RUBIGINEUX, EUSE,** adj.
Rouillé ; couleur de rouille. 🕮 1794 ; lat. *rubiginosus*, de *rubigo*, « rouille » ; [ʀybiʒinø, øz].

**RUBIS,** subst. m.
**1.** *Minér.* Pierre précieuse de couleur rouge (aux nombreuses nuances), variété de corindon contenant des traces de chrome. ▸ Anal. **Rubis** *spinelle* : spinelle rouge foncé ; **Rubis** *balais* : spinelle rose. ▸ Loc. *Payer* **rubis** *sur l'ongle* : payer tout ce que l'on doit immédiatement (fam.). **2.** *Horlog.* Pivot de rouage d'une montre constitué d'un **rubis** ou d'un cristal de roche. 🕮 Fin XIIe s. ; lat. médiév. *rubinus*, du lat. *rubeus*, « rouge » ; [ʀybi].

**RUBRIQUE**, subst. f.
Vx. Titre, en lettres rouges, des livres de droit ou ; missels. **2.** *Liturg.* Prescription indiquée en ıge dans les livres touchant le rituel. **3.** Anal. Titre chapitre ou de section, dans certains ouvrages : *ıbrique du Code pénal* ; *Rubrique d'une encyclopédie.* Indication de la matière dont va traiter un article, ouvrage : *Rubrique des faits divers.* 1273 ; lat. *ırica*, « couleur rouge » ; [ʀybʀik].

**RUCHE**, subst. f.
Habitation, naturelle ou fabriquée par l'homme, ıns laquelle les abeilles d'un essaim construisent s rayons de cire où elles déposent le miel ; par éton., l'essaim d'abeilles. **2.** Fig. Lieu où règne e intense activité. **3.** *Cout.* Ornement d'un corıe, en tissu plissé. Déb. XIIIe s. ; lat. médiév. *rusca*, corce », du gaul. *rusca* ; [ʀyʃ].

**RUCHÉ**, subst. m.
*ut.* Étoffe plissée. 1904 ; ☞ *ruche* ; [ʀyʃe].

**RUCHÉE**, subst. f.
pulation d'une ruche. 1559 ; ☞ *ruche* ; [ʀyʃe].

**RUCHER (I)**, verbe trans. [3]
*ut.* **1.** Travailler (une étoffe) en ruché. **2.** Décorer ın ruché. 1834 (1582, remplir la ruche, en parlant s abeilles) ; ☞ *ruche* ; [ʀyʃe].

**RUCHER (II)**, subst. m.
Ensemble de ruches disposées dans un même droit. **2.** Méton. Endroit où se trouvent des ches. 1600 ; ☞ *ruche* ; [ʀyʃe].

**RUDBECKIE**, subst. f.
*t.* Astéracée ornementale originaire d'Amérique Nord. 1808 ; anthropon. *Olof Rudbeck*, botaniste ədois ; var. *un rudbeckia* ; [ʀydbɛki].

**RUDE**, adj.
Fruste, grossier. **2.** Qui offre des aspérités, des gosités au toucher. **3.** Désagréable à entendre : *ix **rude**.* **4.** Difficile à endurer : *Être soumis à **rude** reuve.* **5.** Brutal : *Il est **rude** avec elle.* **6.** Redoutable : *ıde guerrier.* **7.** Remarquable (fam.) : *Rude courage.* Ardu, compliqué. 1213 ; lat. *rudis* ; [ʀyd].

**RUDEMENT**, adv.
Avec brutalité ; avec sévérité : *Nous fûmes **dement** secoués.* **2.** Vraiment, très (fam.) : *C'est **dement** bon !* XIIIe s. ; ☞ *rude* ; [ʀydmɑ̃].

**RUDENTÉ, ÉE**, adj.
rné de rudentures. 1546 ; lat. *rudens*, « câble, rdage » ; [ʀydɑ̃te].

**RUDENTURE**, subst. f.
*chit.* Ornement en forme de bâton, uni ou ulpté, au bas des cannelures d'une colonne ou un pilastre. 1546 ; ☞ *rudenté* ; [ʀydɑ̃tyʀ].

**RUDÉRAL, ALE, AUX**, adj.
ıt. Se dit d'un végétal qui croît dans les décombres. 1802 ; lat. *rudus*, « gravats » ; [ʀydeʀal, o].

**RUDÉRATION**, subst. f.
vage de cailloux ou de petites pierres. 1765 547, maçonnerie grossière faite avec des plâtres) ; lat. *deratio* ; [ʀydeʀasjɔ̃].

**RUDESSE**, subst. f.
Caractère de ce qui manque de raffinement ; ıractère de ce qui est brutal, dur à supporter : *udesse d'un style* ; *Rudesse d'un climat.* **2.** Brusıerie, dureté dans le comportement. **3.** État de ce ıi est rude aux sens : *Rudesse de la peau, d'un son.* 1271 ; ☞ *rude* ; [ʀydɛs].

**RUDIMENT**, subst. m.
Première notion (gén. au plur.) : ***Rudiments** d'albre.* ▸ Petit livre contenant un enseignement de ıse (vx). **2.** *Sc.* Amorce d'un organe (vx) : ***Rudiment** queue.* **3.** Fig. Forme sommaire, ébauche : ***Rudiıent** de savoir.* 1495 ; lat. *rudimentum* ; [ʀydimɑ̃].

**RUDIMENTAIRE**, adj.
Sommaire, peu élaboré : *Schéma **rudimentaire**.* *Biol.* Qualifie un organe encore à l'état d'ébauche ı atrophié. 1789 ; ☞ *rudiment* ; [ʀydimɑ̃tɛʀ].

**RUDOIEMENT**, subst. m.
ction de rudoyer (littér.). 1571 ; ☞ *rudoyer* ; ydwamɑ̃].

**RUDOYER**, verbe trans. [17]
ıalmener, brutaliser. 1372 ; ☞ *rude* ; [ʀydwaje].

**RUE (I)**, subst. f.
Voie bordée d'habitations, dans une aggloméraon : *Rue piétonne*, réservée aux piétons. ▸ Loc. *À ıs les coins de **rue*** : partout ; *Être à **la rue*** : sans ɔmicile ; *L'homme de la **rue*** : le citoyen moyen. Méton. ▸ Ensemble des gens qui habitent les

Vue imaginaire de la Grande Galerie du Louvre en **ruines** *(détail), peinture d'Hubert Robert (1733-1808). Musée du Louvre, Paris.*

maisons d'une **rue**. ▸ Le peuple des villes, en partic. en tant qu'entité susceptible de s'opposer au pouvoir : *La **rue** s'est soulevée.* Mil. XIe s. ; bas lat. *ruga*, du lat. *ruga*, « ride », par métaph. ; [ʀy].

**RUE (II)**, subst. f.
*Bot.* Plante herbacée méditerranéenne de la famille des Rutacées. Fin XIe s. ; lat. *ruta* ; [ʀy].

**RUÉE**, subst. f.
Action de se ruer (sur qqn ou qqch.) ; par ext., déferlement, en parlant d'une foule. 1864 (fin XIIe s., portée d'un objet lancé) ; p. p. de *ruer* ; [ʀɥe].

**RUELLE**, subst. f.
**1.** Rue étroite. **2.** Espace compris entre un côté du lit et le mur ou entre deux lits. ▸ *Hist.* Alcôve, chambre à coucher où l'on faisait salon, aux XVIe et XVIIe s. Mil. XIIe s. ; ☞ *rue* (I) ; [ʀɥɛl].

**RUER**, verbe intrans. [3]
Lancer vivement en arrière les membres postérieurs, en parlant d'un équidé ; au fig. : ***Ruer** dans les brancards*, protester vivement. **Pronom.** Se jeter violemment ; se précipiter en foule : *Elle se **rua** sur sa rivale* ; *Le public s'est **rué** vers la porte.* Fin XIIe s. (déb. XIIe s., jeter violemment) ; lat. pop. °*rutare*, du lat. *ruere*, « lancer, renverser » ; [ʀɥe].

**RUFFIAN**, subst. m.
**1.** Vx. Souteneur. **2.** Aventurier. Déb. XIVe s. ; ital. *ruffiano*, de *roffia*, « saleté », de l'anc. haut all. *hrûf*, « escarre » ; var. *rufian* ; [ʀyfjɑ̃].

**RUGBY**, subst. m.
Sport opposant deux équipes de quinze joueurs et qui consiste à déposer un ballon ovale, joué au pied ou à la main, dans l'en-but de l'adversaire ou à le faire passer, par un coup de pied, entre les poteaux de but. ▸ ***Rugby** à treize* : joué avec des équipes de treize joueurs et dont les règles sont modifiées. 1888 ; topon. *Rugby* (Angleterre) ; [ʀygbi].

**RUGBYMAN**, subst. m.
Joueur de rugby. 1909 ; formé de *rugby* et de l'angl. *man*, « homme » ; plur. *rugbymans* ou *rugbymen* ; [ʀygbiman], plur. [-mɛn].

**RUGIR**, verbe [19]
**Intrans.** **1.** Pousser son cri, en parlant d'un fauve, notamment du lion. **2.** Anal. Pousser des cris rauques et violents : ***Rugir** de colère.* **Trans.** Exprimer violemment (qqch.) : ***Rugir** un slogan, des imprécations.* Déb. XIIe s. ; lat. *rugire* ; [ʀyʒiʀ].

**RUGISSANT, ANTE**, adj.
Qui rugit : *Fauve **rugissant*** ; par anal. : *Mer **rugissante*** ; *Les quarantièmes **rugissants*** (☞ *quarantième*). 1460 ; p. pr. de *rugir* ; [ʀyʒisɑ̃, ɑ̃t].

**RUGISSEMENT**, subst. m.
Cri de certains fauves ; par anal. : *Les **rugissements** du vent.* Déb. XIIe s. ; ☞ *rugir* ; [ʀyʒismɑ̃].

**RUGOSITÉ**, subst. f.
**1.** Petite aspérité sur une surface. **2.** État d'une surface rugueuse. 1515 ; ☞ *rugueux* ; [ʀygozite].

**RUGUEUX, EUSE**, adj. et subst. m.
**Adj.** Se dit d'une surface irrégulière, qui présente de multiples aspérités (anton. *lisse*). **Subst.** *Artill.* Pièce d'un dispositif de mise à feu. 1520 ; lat. *rugosus* ; [ʀygø, øz].

**RUILER**, verbe trans. [3]
*Techn.* Combler de plâtre ou de mortier (un joint) entre le bord d'un toit et un mur. 1840 (1320, régler un parchemin) ; lat. *regula*, « règle » ; [ʀɥile].

**RUINE**, subst. f.
**1.** Dégradation importante d'une construction ; par méton., la construction dégradée elle-même (souv. au plur.) : *Des **ruines** gallo-romaines* ; par exagér. : *Restaurer une **ruine**.* ▸ Loc. *En **ruine(s)*** : partiellement ou totalement écroulé. **2.** Fig. Chute, effondrement : *La **ruine** de nos espoirs* ; en partic., perte des biens : *Banquier au bord de la **ruine**.* ▸ Loc. *Ce n'est pas la **ruine*** : ce n'est pas trop cher (fam.). **3.** Personne en état de déchéance physique ou intellectuelle (péj.). Mil. XIIe s. ; lat. *ruina* ; [ʀɥin].

**RUINER**, verbe trans. [3]
**1.** Réduire en ruine ; par ext., endommager gravement (littér.) : *Grêle qui **ruine** une récolte* ; ***Ruiner** sa santé* ou, empl. pronom., *Se **ruiner** la santé.* **2.** Fig. Réduire à néant : ***Ruiner** une réputation* ; faire perdre ses biens, sa fortune à (qqn). **Pronom.** Entraîner sa propre perte financière ; par exagér., faire des dépenses excessives. Mil. XIVe s. (fin XIIIe s., tomber, s'enfoncer) ; ☞ *ruine* ; [ʀɥine].

**RUINEUX, EUSE**, adj.
Excessivement onéreux. 1680 (fin XIIIe s., qui menace ruine) ; lat. *ruinosus* ; [ʀɥinø, øz].

**RUINIFORME**, adj.
*Géomorph.* Qualifie une roche, un relief auquel l'érosion a donné l'aspect d'une ruine. 1803 ; ☞ *ruine* + *-forme* ; [ʀɥinifɔʀm].

**RUINURE**, subst. f.
*Bât.* Entaille pratiquée dans un élément de charpente ou d'huisserie afin d'augmenter la prise de la maçonnerie. 1676 ; ☞ *ruiner* ; [ʀɥinyʀ].

**RUISSEAU**, subst. m.
**1.** Petit cours d'eau ; par hyperb., quantité abondante de liquide : *Des **ruisseaux** de sang.* **2.** Anal. Eau qui coule le long d'une chaussée ; par méton., caniveau ; au fig. : *Tirer qqn du **ruisseau***, d'une situation difficile, dégradante. Mil. XIIe s. ; lat. pop. °*rivuscellus*, du lat. *rivus*, « petit cours d'eau » ; [ʀɥiso].

**RUISSELER**, verbe intrans. [12]
S'écouler abondamment, sans interruption : *La pluie **ruisselle** sur le toit.* **Trans. indir.** **Ruisseler de.** Être couvert de (un liquide qui coule en abondance) : ***Ruisseler** de larmes* ; par métaph. : *Décor **ruisselant** d'or.* Fin XIIe s. ; *ruissel*, anc. forme de *ruisseau* ; [ʀɥis(ə)le].

**RUISSELET**, subst. m.
Petit ruisseau. Fin XIIe s. ; *ruissel*, anc. forme de *ruisseau* ; [ʀɥis(ə)lɛ].

**RUISSELLEMENT**, subst. m.
**1.** Fait de ruisseler. **2.** *Géomorph.* Écoulement des eaux à la surface du sol : ***Ruissellement** pluvial, nival.* 1613 ; ☞ *ruisseler* ; [ʀɥisɛlmɑ̃].

**RUMB**, voir **RHUMB**

**RUMBA**, subst. f.
Danse d'origine cubaine ; par méton., musique très syncopée sur laquelle elle se danse. 1930 ; hisp.-amér. *rumbambo*, de l'esp. *rimbo*, « vacarme » ; [ʀumba].

**RUMEN**, subst. m.
*Zool.* Première poche de l'estomac d'un ruminant (synon. *panse*). 1765 ; mot lat. ; [ʀymɛn].

**RUMEUR**, subst. f.
**1.** Nouvelle de source inconnue ou peu sûre. **2.** Bruit confus et sourd, en partic. de voix. 1264 (fin XIe s., bruit de troupes) ; lat. *rumor* ; [ʀymœʀ].

**RUMEX**, subst. m.
*Bot.* Plante de la famille des Polygonacées, dont une espèce est l'oseille cultivée. 1805 ; lat. *rumex*, « dard » ; [ʀymɛks].

**RUMINANT, ANTE**, adj. et subst. m. plur.
*Zool.* **Adj.** Qui rumine : *La girafe est un herbivore **ruminant**.* **Subst.** Sous-ordre de mammifères artiodactyles possédant un estomac à plusieurs poches, qui permet la rumination ; au sing. : *La vache est un **ruminant**.* 1553 ; p. pr. de *ruminer* ; [ʀyminɑ̃, ɑ̃t].

**RUMINATION**, subst. f.
**1.** *Zool.* Mode de digestion caractérisant les Ruminants. Les aliments sont d'abord accumulés dans le rumen, puis régurgités dans la bouche, où ils sont remâchés longuement, avant de passer dans d'autres poches de l'estomac. **2.** Fig. Action de ressasser une pensée. 1732 (fin XIVe s., action de réciter par cœur) ; lat. *ruminatio* ; [ʀyminasjɔ̃].

**RUMINER**, verbe trans. [3]
**1.** Mastiquer (les végétaux régurgités du rumen) ; empl. abs. : *Bœufs qui **ruminent** dans l'étable.* **2.** Fig. Tourner et retourner (qqch.) dans son esprit : ***Ruminer** ses souvenirs, sa rancœur.* 1328 (déb. XIIIe s., réfléchir longuement) ; lat. *ruminare* ; [ʀymine].

**RUMSTECK**, voir **ROMSTECK**

**RUNABOUT, subst. m.**
Canot automobile à moteur intérieur. 1934 (1907, sorte d'automobile) ; angl. *runabout*, de *to run*, « courir », et de *about*, « autour » ; [rœnabawt].

**RUNE, subst. f.**
Caractère de l'ancien alphabet des langues germaniques orientales et septentrionales. 1653 ; anc. nord. *rún*, « secret ; signe magique » ; [ʀyn].

**RUNIQUE, adj.**
Relatif aux runes ; formé de runes : *Manuscrit **runique***. 1653 ; ☞ *rune* ; [ʀynik].

**RUOLZ, subst. m.**
Alliage de cuivre, argenté ou doré par galvanoplastie, utilisé en orfèvrerie. 1853 ; anthropon. *Henri de Ruolz-Montchal*, chimiste français ; [ʀɥɔls].

**RUPESTRE, adj.**
**1.** *Biol.* Qui croît ou vit sur les rochers : *Flore **rupestre***. **2.** *Préhist.* Qualifie les manifestations graphiques (peinture, gravure) réalisées sur des parois rocheuses d'abris-sous-roche ou de grottes : *Art **rupestre***. 1812 ; lat. sc. *rupestris*, du lat. *rupes*, « paroi de rocher » ; [ʀypɛstʀ].

PRÉHISTOIRE – Les premières manifestations artistiques de l'humanité remontent au début du Paléolithique supérieur (il y a quelque 35 000 ans). Les plus célèbres sont attribuées aux hommes de Cro-Magnon des cultures aurignacienne (grotte Chauvet) puis magdalénienne (grottes de Lascaux, d'Altamira...). Sur les parois des cavernes sont représentés, de façon très détaillée, des animaux disparus (mammouths, rhinocéros laineux...) ou non (aurochs, bisons, cerfs, chevaux), mais aussi des humains, plus maladroitement. Soulignées de noir, d'un trait vigoureux, ou peintes avec des terres de couleurs vives d'une grande subtilité de nuances, ces peintures et gravures ont été organisées en fresques et placées souvent à l'abri des regards, dans des endroits peu accessibles, ce qui témoignerait de leur fonction magique — peindre l'animal revenant à avoir prise sur lui — et de leur association à des rites de fécondité animale et, plus rarement, humaine. Mais ces dessins sont indissociables d'une authentique démarche esthétique, dans laquelle on a distingué des styles régionaux et une évolution à travers le temps.

**RUPIAH, subst. f.**
Monnaie principale de l'Indonésie. [ʀupja].

**RUPICOLE, adj. et subst. m.**
*Bot.* et *Zool.* Se dit de ce qui vit ou croît sur les rochers. SUBST. *Zool.* **1.** Animal vivant sur les rochers. **2.** Passereau d'Amérique de la famille des Cotingidés, appelé aussi coq de roche. 1789 ; lat. *rupes*, « paroi rocheuse », + *-cole* ; [ʀypikɔl].

**RUPIN, INE, subst. et adj.**
Pop. Se dit d'une personne riche. ADJ. Luxueux. 1844 (1628, gentilhomme) ; argot *rupe*, « dame », prob. du m. fr. *ripe*, « gale », de *riper*, « gratter » ; [ʀypɛ̃, in].

**RUPINER, verbe intrans.** [3]
Réussir dans un examen, dans une matière (argot scol., vieilli). 1890 ; ☞ *rupin* ; [ʀypine].

**RUPTEUR, subst. m.**
*Électr.* Dispositif servant à interrompre et à rétablir périodiquement le courant primaire dans une bobine d'induction. ▸ ***Rupteur** d'allumage* : élément du circuit d'allumage d'une voiture qui, en rompant le courant, produit l'étincelle sur la bougie. 1903 ; ☞ *rompre*, d'apr. *rupture* ; [ʀyptœʀ].

**RUPTURE, subst. f.**
**1.** Fait de se rompre, de se déchirer ; son résultat : ***Rupture** d'une branche* ; ***Rupture** d'anévrisme*. **2.** Interruption brusque : ***Rupture** des pourparlers*. ▸ ***Rupture** de stock* : état d'un stock de marchandises insuffisant pour répondre à la demande. **3.** Dénonciation d'un engagement : ***Rupture** de contrat*. **4.** Arrêt des relations entre des personnes : *Lettre de **rupture***. **5.** Opposition nette entre deux choses consécutives : ***Rupture** de ton*. XIVe s. ; lat. *ruptura*, de *rumpere*, « rompre » ; [ʀyptyʀ].

**RURAL, ALE, AUX, adj. et subst.**
Relatif, propre à la campagne, aux paysans : *Baux **ruraux***. SUBST. Habitant de la campagne (gén. au masc. plur.). Déb. XIVe s. ; lat. *ruralis*, de *rus*, « campagne » ; [ʀyʀal, o].

**RURALISME, subst. m.**
Politique, tendance favorable au mode de vie à la campagne. 1874 ; ☞ *rural* ; [ʀyʀalism].

**RURBAIN, AINE, adj.**
Qui a trait à la rurbanisation. V. 1970 ; crois. de *rural* et de *urbain* ; [ʀyʀbɛ̃, ɛn].

**RURBANISATION, subst. f.**
*Géogr.* Urbanisation des zones rurales limitrophes des grandes villes. Fin XXe s. ; crois. de *rural* et de *urbanisation* ; [ʀyʀbanizasjɔ̃].

**RUSE, subst. f.**
**1.** Artifice, subterfuge utilisé pour tromper : ***Ruse** de guerre*, manœuvre employée pour abuser l'ennemi. **2.** Art de dissimuler, habileté à tromper : *Agir par **ruse***. Fin XIIIe s. (fin XIIe s., détours du gibier en fuite) ; lat. *recusare*, « refuser » ; [ʀyz].

**RUSÉ, ÉE, adj.**
**1.** Qui agit avec ruse ; empl. subst., personne **rusée**. **2.** Qui dénote la ruse. 1268 ; ☞ *ruse* ; [ʀyze].

**RUSER, verbe intrans.** [3]
Recourir à une ruse, à la ruse. XIVe s. ; ☞ *ruse* ; [ʀyze].

**RUSH, subst. m.**
Anglic. **1.** Ruée. **2.** *Sp.* Effort final. PLUR. *Cin.* et *Télév.* Ensemble des prises de vues avant le montage (recomm. off. *épreuve de tournage*). 1872 ; angl. *rush*, « précipitation » ; plur. *rush(e)s* ; [ʀœʃ].

**RUSSE, subst. et adj.**
De Russie. ▸ *Hist. **Russe**(-)blanc* : émigré **russe** hostile à la révolution. SUBST. MASC. Langue indo-européenne du rameau slave oriental de la branche balto-slave, écrite en caractères cyrilliques, parlée en Russie et dans la plupart des pays de l'ex-U. R. S. S. 1671 ; topon. *Russie* ; [ʀys].

**RUSSIFICATION, subst. f.**
Action de russifier ; son résultat. 1892 ; ☞ *russifier* ; [ʀysifikasjɔ̃].

**RUSSIFIER, verbe trans.** [6]
Faire adopter les institutions, les traditions, la langue russes à. 1830 ; ☞ *russe* ; [ʀysifje].

**RUSSOPHILE, adj. et subst.**
ADJ. Favorable aux Russes, à la Russie ou à l'ex-U. R. S. S. SUBST. Personne **russophile**. 1854 ; formé de *russo-* et de *-phile* ; [ʀysɔfil].

**RUSSOPHONE, adj. et subst.**
ADJ. De langue russe. SUBST. Personne qui parle le russe. Formé de *russo-* et de *-phone* ; [ʀysɔfɔn].

**RUSSULE, subst. f.**
*Bot.* Champignon basidiomycète de la famille des Russulacées, dont certaines espèces sont comestibles. 1816 ; lat. sc. *russula*, du lat. *russulus*, « rougeâtre » ; [ʀysyl].

**RUSTAUD, AUDE, adj. et subst.**
Péj. ADJ. Rustre, gauche : *Manières **rustaudes***. SUBST. Personne **rustaude** (vieilli). 1530 (déb. XVIe s., homme fort) ; ☞ *rustre* ; [ʀysto, od].

**RUSTICAGE, subst. m.**
Action de rustiquer ; son résultat. 1890 (1842, mortier très clair) ; ☞ *rustiquer* ; [ʀystikaʒ].

**RUSTICITÉ, subst. f.**
**1.** Caractère de ce qui est rustique. **2.** Absence de raffinement ; simplicité. **3.** Qualité d'un végétal ou d'un animal résistant et, par ext., d'une machine robuste et d'entretien facile. 1512 (déb. XIIIe s., travail des champs) ; lat. *rusticitas* ; [ʀystisite].

**RUSTINE, subst. f. inv.**
Rondelle de caoutchouc servant à réparer une chambre à air crevée. V. 1910 ; anthropon. *Rustin*, le fabricant ; n. déposé ; [ʀystin].

**RUSTIQUE, adj. et subst. m.**
ADJ. **1.** Qui a le caractère de simplicité propre à la vie campagnarde (vieilli et littér.) : *Travaux, manières **rustiques*** ; *Mobilier **rustique***, du style traditionnel d'une région ; empl. subst. masc. : *Se meubler en **rustique***. **2.** *Archit. Ordre **rustique*** : dont les colonnes, les membres de l'entablement sont ornés de bossages à parement brut ou vermiculé. **3.** Robuste, résistant : *Plante **rustique***. SUBST. Outil de tailleur de pierre, à tranchant dentelé. 1355 ; lat. *rusticus*, de *rus*, « campagne » ; [ʀystik].

**RUSTIQUER, verbe trans.** [3]
**1.** Tailler (une pierre) avec un rustique. **2.** Crépir (un mur) de façon à lui donner un aspect rustique. 1676 (1564, se livrer aux travaux des champs) ; ☞ *rustique* ; [ʀystike].

**RUSTRE, subst. et adj.**
Se dit d'une personne grossière et brutale. ADJ. Qui manque de finesse. XIIe s. ; anc. fr. *ruiste*, du lat. *rusticus*, de *rus*, « campagne » ; [ʀystʀ].

**RUT, subst. m.**
Ensemble des modifications physiologiques saisonnières conduisant certains mammifères à recher cher un ou plusieurs partenaires pour l'accoup ment ; par ext., saison des amours. Mil. XIIe bas lat. *rugitus*, du lat. *rugire*, « rugir » ; [ʀyt].

**RUTABAGA, subst. m.**
*Bot.* Plante de la famille des Brassicacées, voisi du navet et dont la tige renflée, à chair jaunât est comestible. 1803 ; suédois *rotabagge*, « ch rave » ; [ʀytabaga].

**RUTACÉES, subst. f. plur.**
*Bot.* Famille de plantes dicotylédones à laque appartiennent de nombreux arbres fruitiers, tels pamplemoussier, l'oranger, etc. AU SING. *Le citro nier est une **rutacée***. 1803 (1615, relatif à la ru lat. *ruta*, « rue » ; [ʀytase].

**RUTHÉNIUM, subst. m.**
*Chim.* Élément n° 44 de la table de Mendelei (symb. : Ru) ; masse atomique : 101,7 ; point fusion : 2 250 °C ; point d'ébullition : 4 150 °C masse volumique : 12,4 g/cm$^3$. Métal de transiti existant à l'état naturel dans les minerais de platir il a des applications en électricité. 1847 ; top lat. médiév. *Ruthenia*, « Russie », sa découverte ayant lieu dans l'Oural ; [ʀytenjɔm].

**RUTILANCE, subst. f.**
Caractère de ce qui est rutilant (synon. *rutilement*). 1851 ; ☞ *rutilant* ; [ʀytilɑ̃s].

**RUTILANT, ANTE, adj.**
**1.** Qui est d'un rouge éclatant. **2.** Qui brille d'u vif éclat. 1495 ; lat. *rutilans*, de *rutilare*, « brille teindre en rouge » ; [ʀytilɑ̃, ɑ̃t].

**RUTILE, subst. m.**
*Chim.* Forme minérale de l'oxyde de titane, formule $TiO_2$. 1821 ; all. *Rutil*, du lat. *rutilus*, « d rouge ardent » ; [ʀytil].

**RUTILER, verbe intrans.** [3]
Briller d'un vif éclat ; être d'un rouge éclata 1458 ; lat. *rutilare*, de *rutilus*, « d'un rouge arder brillant » ; [ʀytile].

**RUZ, subst. m.**
*Géomorph.* Ravin qui incise les flancs d'un an clinal, dans un relief de type jurassien. 19 (1933, petit cours d'eau) ; jurassien *ruz*, du lat. *riv* « ruisseau » ; [ʀy].

**RYAL, voir RIAL**

**RYE, subst. m.**
Whisky canadien obtenu à partir de seigle. 190 anglo-amér. *rye-whisky*, « whisky de seigle » ; [ʀaj].

**RYTHME, subst. m.**
**I. 1.** *Mus.* Organisation régulière de l'intensité de la durée des sons musicaux donnant au morce son allure spécifique : ***Rythme** binaire, ternair **Rythme** carré, syncopé*. **2.** *Versif.* Organisation fo melle, caractéristique de la poésie, d'élémen prosodiques, fondée sur la succession des syllab et définie par la disposition régulière et récurren des temps forts et des temps faibles, des césures des coupes ; par ext., mouvement général c discours en prose, résultant de la longueur relati des membres de la phrase, des déplacemen d'accents, etc. **3.** *Arts plast.* et *Archit.* Répartitio harmonieuse, dans une œuvre ou un ouvrage, d masses, des volumes, des pleins et des vides, d lignes dominantes ainsi que des motifs orneme taux répétitifs. **II. 1.** Récurrence périodique d'u phénomène : ***Rythme** des marées* ; ***Rythme** respir toire*. **2.** Vitesse à laquelle se déroule un processu en partic., allure à laquelle se déroule l'action d'u narration : *Le **rythme** trépidant d'un roman polici* Fin XIVe s. ; lat. *rhythmus*, du gr. *rhuthmos* ; [ʀitn

**RYTHMER, verbe trans.** [3]
Donner du rythme à ; soumettre à un rythm Fin XIVe s. ; ☞ *rythme* ; [ʀitme].

**RYTHMICITÉ, subst. f.**
Caractère rythmique d'un phénomène. 187 ☞ *rythmique* ; [ʀitmisite].

**RYTHMIQUE, adj. et subst. f.**
Relatif au rythme ; qui possède un rythme : *Mo vement **rythmique*** ; *Gymnastique **rythmique*** o empl. subst. fém., ***Rythmique*** (☞ *gymnastique* SUBST. Étude du rythme dans l'expression littérai en partic. poétique. Mil. XIVe s. ; bas lat. *rhythmicu* du gr. *rhuthmikos*, « mesuré, cadencé » ; [ʀitmik].

**RYTHMIQUEMENT, adv.**
En rythme, de façon rythmique. 1816 ; ☞ *ry mique* ; [ʀitmikmɑ̃].

*Ivresse du ski dans la poudreuse.* © Comstock

**S, subst. m. inv.**
Dix-neuvième lettre et quinzième consonne de alphabet, qui note une fricative alvéolaire sourde , à l'initiale (« sot »), à la finale de certains mots os »), devant ou derrière une consonne (« as- », « anse »), entre deux voyelles dans des mposés (« entresol »), ou sonore [z], entre deux yelles (« brise »). **2.** Forme sinueuse évoquant le : *Un tournant en S.* **3.** Abrév. et Symb. ► *Chim.* : soufre. ► *Géogr.* S. : sud. ► *Métrol.* s : seconde. *Phys.* S : siemens. [ɛs].

**SA, voir SON (I)**

**SABAYON, subst. m.**
*uis.* Entremets mousseux composé de jaunes œufs, de sucre et de vin doux ou de cham- agne, que l'on fait prendre au bain-marie. 1803 ; ital. dial. *zabaione*, p.-ê. du bas lat. *sabaia*, oière » ; [sabajɔ̃].

**SABBAT, subst. m.**
*Relig.* Dans le judaïsme, repos hebdomadaire, mmençant le vendredi au coucher du soleil et nissant le samedi soir, pendant lequel tout juif doit consacrer à Dieu selon des prescriptions et des terdictions spécifiques. **2.** *Occult.* Prétendu ren- z-vous nocturne, tapageur et orgiaque, de sorciers de sorcières célébrant le diable. Fin XIIe s. ; lat. cl. *sabbatum*, du gr. *sabbaton*, de l'hébreu *šabbāt*, epos » ; var. *shabbat* au sens 1 ; [saba].

**SABBATIQUE, adj.**
*Relig.* Qui concerne le sabbat des juifs : *Repos bbatique.* ► *Année* **sabbatique** : septième année, endant laquelle, selon la loi mosaïque, on devait isser reposer la terre ; par anal., année de congé munérée accordée, dans certains pays, aux profes- urs d'université, pour leur permettre de se nsacrer à leurs recherches ; par ext., année de ngé non rémunérée. **2.** *Occult.* Relatif au sabbat s sorciers. 1569 ; lat. chrét. *sabbaticus*, du gr. *bbatikos* ; [sabatik].

**SABÉEN (I), ÉENNE, adj. et subst.**
*ntiq.* Du pays de Saba (auj. Yémen). Fin XIIIe s. ; t. *Sabaei* ; [sabeɛ̃, eɛn].

**SABÉEN (II), ÉENNE, subst.**
*elig.* Membre d'une secte néo-platonicienne de aute Mésopotamie, qui joua un rôle important ans la transmission du savoir hellénistique vers islam aux VIIIe et IXe s. 1653 ; ar. *ṣābi'*, de l'araméen *a'*, « baptiser » ; [sabeɛ̃, eɛn].

**SABELLE, subst. f.**
*ool.* Ver annelé logeant dans un tube caoutchou- ux d'où dépassent des branchies multicolores, ché dans le sable des fonds marins. 1805 ; lat. *sabella*, p.-ê. du lat. pop. °*sabellum*, « sable » ; [sabɛl].

**SABINE, subst. f.**
*ot.* Espèce de genévrier du sud de l'Europe, toxique ais parfois utilisée pour ses propriétés médici- ales. XVe s. ; prob. anc. prov. *sabina*, du lat. *sabina erba*, « herbe des Sabins » ; [sabin].

**SABIR, subst. m.**
. Parler mêlé d'arabe, de turc, de grec et de diverses angues romanes, usité anciennement dans les ports d'Afrique du Nord et du Levant. **2.** Langue compo- site réduite à quelques règles de combinaison et à un vocabulaire limité, gén. commercial, née du contact de communautés linguistiques très diffé- rentes. **3.** Ext. Charabia (péj.). 1852 ; esp. *saber*, « savoir » ; [sabiʀ].

**SABLAGE, subst. m.**
*Techn.* Action de sabler ; son résultat. 1786 ; ☞ *sabler* ; [sablaʒ].

**SABLE (I), subst. m. et adj. inv.**
SUBST. **1.** *Pétrogr.* Sédiment rocheux meuble d'ori- gine détritique, composé de petits grains. ► ***Sables mouvants*** : sol sablonneux gorgé d'eau où l'on s'enlise. ► **Les sables.** Désert de **sable** : *Rose des* ***sables.*** **2.** Loc. *Grain de* ***sable*** : détail infime qui empêche une entreprise d'aboutir ; *Être sur le* ***sable*** : être ruiné, sans emploi (fam.) ; *Bâti sur du* ***sable*** : non fondé, fragile. ADJ. Beige clair. Mil. XIIe s. ; lat. *sabulum*, d'apr. *sablon* ; [sɑbl].

**SABLE (II), subst. m.**
*Hérald.* La couleur noire. Mil. XIIIe s. (fin XIIe s., fourrure de zibeline) ; russe *sobol* ou polonais *sabol*, « martre noire » ; [sɑbl].

**SABLÉ, ÉE, subst. m. et adj.**
*Cuis.* SUBST. Gâteau sec, à la fois friable et croquant. ADJ. *Pâte* ***sablée*** : riche en beurre, peu travaillée, à consistance sableuse. 1870 ; p. p. de *sabler* ou topon. *Sablé* (Sarthe) ; [sɑble].

**SABLER, verbe trans. [3]**
**1.** Couvrir de sable (un sol) ; empl. adj. : *Chemin* ***sablé.*** **2.** *Techn.* ► Couler (le métal) dans un moule en sable ; par anal., boire d'un trait (vx). ► Loc. ***Sabler*** *le champagne* : fêter un évènement au champagne. ► Décaper, dépolir, graver par jet de sable. 1587 ; ☞ *sable* (I) ; [sɑble].

**SABLERIE, subst. f.**
*Techn.* Partie d'une fonderie où est préparé le sable de moulage. 1870 ; ☞ *sable* (I) ; [sɑbləʀi].

**SABLEUR, EUSE, subst.**
*Techn.* **1.** Personne chargée de la fabrication des moules en sable, dans une fonderie. **2.** Personne pratiquant le sablage. FÉM. **1.** Machine projetant du sable, utilisée pour décaper, dépolir ou graver. **2.** Véhicule utilisé pour sabler une chaussée vergla- cée ou enneigée. 1756 ; ☞ *sabler* ; [sɑblœʀ, øz].

**SABLEUX, EUSE, adj.**
**1.** Qui contient du sable. **2.** Qui, par son aspect, évoque le sable : *Poudre* ***sableuse.*** Fin XIIIe s. ; ☞ *sable* (I) ; [sɑblø, øz].

**SABLIER, IÈRE, subst.**
FÉM. **1.** *Constr.* Grosse poutre horizontale d'une charpente, gén. scellée en tête d'un mur et sup- portant le bas des chevrons. **2.** Carrière de sable. ► *Ch. de fer.* Réservoir contenant du sable que l'on répand sur les rails pour éviter le patinage des roues. MASC. Appareil servant à mesurer le temps, consti- tué d'un récipient de verre formé de deux parties, l'une contenant du sable qui s'écoule dans l'autre par un conduit étroit. Mil. XIVe s. ; ☞ *sable* (I) ; [sɑblije, jɛʀ].

**SABLON, subst. m.**
**1.** Vx. Sable. **2.** Étendue de sable. **3.** *Techn.* Sable très fin servant d'abrasif. Déb. XIIe s. ; lat. *sabulo* ; [sɑblɔ̃].

**SABLONNER, verbe trans. [3]**
**1.** Récurer avec du sablon. **2.** Recouvrir d'une couche de sable. **3.** *Techn.* Répandre du sable fin sur (le fer chauffé) avant de souder. 1387 ; ☞ *sablon* ; [sɑblɔne].

**SABLONNEUX, EUSE, adj.**
Riche en sable. 1160 ; ☞ *sablon* ; [sɑblɔnø, øz].

**SABLONNIÈRE, subst. f.**
Lieu d'où l'on extrait le sablon. 1237 (fin XIIe s., lieu sablonneux) ; ☞ *sablon* ; [sɑblɔnjɛʀ].

**SABORD, subst. m.**
*Mar.* Canonnière ménagée dans la muraille d'un navire. ► *Mille* ***sabords*** *!* : juron des marins. ► ***Sabord*** *d'aérage* : hublot carré. ► ***Sabord*** *de charge* : ouverture pratiquée pour l'embarquement de la cargaison. Déb. XVe s. ; p.-ê. de *bord* ; [sabɔʀ].

**SABORDAGE, subst. m.**
Action de saborder ou de se saborder. 1894 ; ☞ *sabord* ; [sabɔʀdaʒ].

**SABORDER, verbe trans. [3]**
**1.** *Mar.* Couler volontairement (un navire) en perçant des voies d'eau ; empl. pronom. : *La flotte s'est* ***sabordée.*** **2.** Fig. Arrêter, détruire volontaire- ment (une entreprise) ; empl. pronom. : *L'organisa- tion s'est* ***sabordée.*** 1831 ; ☞ *sabord* ; [sabɔʀde].

**SABOT, subst. m.**
**1.** Chaussure paysanne en bois. ► Loc. *Voir venir qqn avec ses gros* ***sabots*** : deviner aisément ses intentions (fam.) ; *Ne pas rester les deux pieds dans le même* ***sabot*** : être actif et débrouillard. **2.** *Zool.* Enveloppe cornée constituée d'un ou de plusieurs ongles modifiés, qui termine les membres des mammifères ongulés. **3.** *Techn.* Garniture de métal servant à protéger l'extrémité d'une pièce de bois. **4.** *Autom.* ***Sabot*** *de frein* : pièce qui vient s'appliquer contre une poulie ou contre la jante d'une roue. ► ***Sabot*** *(de Denver)* : pince qui permet à la police de bloquer la roue d'un véhicule en stationnement illicite. **5.** En appos. *Baignoire* ***sabot*** : baignoire de petite taille, dans laquelle on se tient assis. **6.** Bateau, violon, outil défectueux, inutilisable (fam. et vieilli). 1512 (déb. XIVe s., toupie) ; prob. crois. de *savate* et du poitevin *bot*, « botte » ; [sabo].

**SABOTAGE, subst. m.**
**1.** Vx. Fabrication des sabots. **2.** ► *Ch. de fer.* Action de saboter des traverses. ► *Techn.* Pose d'un sabot sur l'extrémité d'une pièce de bois. **3.** Action de saboter un travail. ► Acte clandestin visant à rendre inutilisable un matériel. ► Anal. Manœuvre visant à faire échouer une entreprise, un projet. 1842 ; ☞ *saboter* ; [sabɔtaʒ].

**SABOT-DE-VÉNUS, subst. m.**
*Bot.* Nom usuel d'une orchidacée rare dont le la- belle est en forme de sabot (synon. *cypripedium*). Comp. de *sabot* et de *Vénus* ; plur. *sabots-de-Vénus* ; [sabod(ə)venys].

**SABOTER,** verbe trans. [3]
**I. 1.** Exécuter (un travail) à la hâte et sans soin. **2.** Endommager, détruire volontairement (un matériel). ▸ Anal. Désorganiser, faire échouer (une entreprise). **II. 1.** *Techn.* Garnir d'un sabot (l'extrémité d'une pièce de bois). **2.** *Ch. de fer.* Entailler, percer (des traverses) pour y fixer des coussinets. 1808 (1564, jouer au sabot) ; ☞ *sabot* ; [sabɔte].

**SABOTERIE,** subst. f.
*Techn.* Fabrique de sabots ; fabrication des sabots. 1855 ; ☞ *sabot* ; [sabɔtʀi].

**SABOTEUR, EUSE,** subst.
Personne qui sabote un travail ; auteur d'un acte de sabotage. **Masc.** *Ch. de fer.* Cheminot qui sabote les traverses. 1808 (1694, qqn qui joue à la toupie) ; ☞ *saboter* ; [sabɔtœʀ, øz].

**SABOTIER, IÈRE,** subst.
Personne qui fabrique et qui vend des sabots. 1518 ; ☞ *sabot* ; [sabɔtje, jɛʀ].

**SABRA,** subst. et adj.
Se dit d'un Juif né en Israël. 1950 ; ar. *ṣubbayr*, « figue de Barbarie » ; [sabʀa].

**SABRAGE,** subst. m.
*Techn.* Opération qui consiste à débarrasser la toison des peaux de mouton de ses impuretés. 1904 (1883, hachure) ; ☞ *sabrer* ; [sabʀaʒ].

**SABRE,** subst. m.
**1.** Arme blanche munie d'une garde, dont la lame, à un seul tranchant, est plus ou moins longue et courbe : *Sabre d'apparat* ; *Sabre-baïonnette*, petit sabre fixé au fusil, servant de baïonnette. ▸ Méton. *Escr.* Art du maniement de cette arme. ▸ Loc. *Le **sabre** et le goupillon* : l'armée et l'Église (fam.). **2.** Anal. Tout objet évoquant un **sabre**. ▸ Lame de métal utilisée dans la taille des haies. ▸ Tringle servant au sabrage. ▸ Dérive de certains yachts. 1629 ; all. *Säbel*, du hongr. *szàblya* ; [sabʀ].

**SABRER,** verbe trans. [3]
**1.** Frapper à coups de sabre. ▸ Loc. ***Sabrer** le champagne* : ouvrir la bouteille en tranchant le goulot. **2.** Fig. ▸ Couper de larges extraits de (un texte). ▸ Fam. Expédier (une tâche) ; renvoyer ou noter trop sévèrement (un élève) ; licencier (un employé). **3.** *Techn.* Soumettre au sabrage (les peaux de mouton). 1680 ; ☞ *sabre* ; [sabʀe].

**SABRETACHE,** subst. f.
*Hist.* Sac plat que les cavaliers suspendaient à leur ceinture, près du sabre, aux XVIIIe et XIXe s. 1767 ; all. *Säbeltasche*, « sacoche de sabre » ; [sabʀətaʃ].

**SABREUR, EUSE,** subst.
**Masc. 1.** Vx. Soldat brave mais brutal. **2.** *Escr.* Spécialiste du sabre. **Fém.** *Techn.* Machine servant au sabrage. 1790 ; ☞ *sabrer* ; [sabʀœʀ, øz].

**SABURRAL, ALE, AUX,** adj.
*Pathol. Langue **saburrale*** : recouverte d'un enduit blanchâtre, dû notamment à des troubles digestifs (synon. usuel *langue chargée*). 1776 ; *saburre* (vx), du lat. *saburra*, « lest de navire » ; [sabyʀal, o].

**SAC (I),** subst. m.
**1.** Vx. Étoffe grossière. **2.** Contenant fabriqué dans une matière souple, et ouvert uniquement par le haut : ***Sac** en papier* ; ***Sac** (en) plastique* ; ***Sac** postal* ; ***Sac**(-)poubelle.* **3.** Ext. Objet souple, de formes diverses, que l'on porte avec soi pour transporter des choses : ***Sac** de plage, de voyage* ; ***Sac** à provisions* ; ***Sac** à main* ou, empl. abs., ***Sac***, accessoire où les femmes rangent leurs papiers, leurs produits de maquillage, etc. ; ***Sac** à dos*, muni de poches, maintenu au dos par deux sangles, gén. utilisé par les randonneurs et les alpinistes, ou par toute personne qui désire garder les mains libres. **4.** Méton. Contenu du **sac** : *Manger un **sac** de bonbons.* ▸ Somme d'argent, fortune (vx et argot.) ; somme de dix francs (fam.) : *Prête-moi dix **sacs**.* **5.** Anal. Enveloppe évoquant un **sac**. ▸ Vêtement droit, informe (péj.) ; en appos. : *Une robe **sac***, non ajustée à la taille. ▸ ***Sac** de couchage* (☞ *couchage*). **6.** Loc. fam. ***Sac** de nœuds* : affaire très compliquée ; *Avoir plus d'un tour dans son **sac*** : être malin, habile ; *L'affaire est dans le **sac*** : quasi réglée ; *Prendre qqn la main dans le **sac*** : sur le fait ; ***Sac** à vin* : ivrogne ; ***Sac** d'os* : personne très maigre ; *Vider son **sac*** : dire d'un coup ce que l'on avait sur le cœur. **7.** *Spéc.* ▸ *Anat.* Cavité membraneuse, contenant parfois un liquide ; organe en forme de poche : *Les **sacs** de l'estomac d'un ruminant* ; ***Sac** lacrymal.* ▸ *Bot.* ***Sac** embryonnaire* : partie centrale de l'ovule des Angiospermes, contenant l'oosphère. ▸ *Zool.* ***Sac** aérien* : chez les insectes volants et les oiseaux, poche d'air qui agit sur le rapport volume/poids. Mil. XIe s. ; lat. *saccus*, du gr. *sakkos* ; [sak].

**SAC (II),** subst. m.
Pillage. ▸ Loc. *Mettre à **sac*** : dévaster. 1527 (mil. XVe s., massacre) ; ital. *sacco*, abrév. de *saccomano*, « pillard » ; [sak].

**SACCADE,** subst. f.
**1.** *Équit.* Secousse brusque donnée à un cheval en tirant sur les rênes. **2.** Secousse violente que l'on donne à qqn en le tirant. ▸ Loc. *Par **saccades*** : par à-coups. 1534 ; dial. *saquer*, de l'anc. fr. *sachier*, « secouer » ; [sakad].

**SACCADÉ, ÉE,** adj.
Qui se fait par saccades ; heurté, haché : *Geste, style **saccadé**.* 1774 ; p. p. de *saccader* ; [sakade].

**SACCADER,** verbe trans. [3]
**1.** Secouer brusquement. ▸ *Équit.* Donner des saccades à (un cheval). **2.** Rendre haché, irrégulier (qqch.). 1532 ; ☞ *saccade* ; [sakade].

**SACCAGE,** subst. m.
Action de saccager ; son résultat. 1596 ; ☞ *saccager* ; [sakaʒ].

**SACCAGER,** verbe trans. [5]
**1.** Piller en ravageant, mettre à feu et à sang. **2.** Ext. Dévaster, détruire : *Les oiseaux ont **saccagé** toute la récolte.* **3.** Mettre en désordre, bouleverser. Mil. XVe s. ; ital. *saccheggiare* ; [sakaʒe].

**SACCHARASE,** subst. f.
*Biochim.* Enzyme impliquée dans la catalyse de l'hydrolyse du saccharose en glucose et fructose (synon. *invertase*). V. 1950 ; lat. *saccharum*, du gr. *sakkharon*, « sucre » ; [sakaʀɑz].

**SACCHARATE,** subst. m.
*Chim.* Nom impropre qui désignait le résultat du traitement alcalin d'un saccharide. 1799 ; lat. *saccharum*, du gr. *sakkharon*, « sucre » ; [sakaʀat].

**SACCHARIDE,** subst. m.
*Chim.* Glucide (vx). 1860 ; formé de *sacchari-* et de *-ide* ; [sakaʀid].

**SACCHARIFÈRE,** adj.
Qui produit ou renferme du sucre. 1819 ; formé de *sacchari-* et de *-fère* ; [sakaʀifɛʀ].

**SACCHARIFICATION,** subst. f.
*Chim.* Transformation en sucre. 1823 ; ☞ *saccharifier* ; [sakaʀifikasjɔ̃].

**SACCHARIFIER,** verbe trans. [6]
*Chim.* Convertir en sucre. 1823 ; lat. *saccharum*, du gr. *sakkharon*, « sucre » ; [sakaʀifje].

**SACCHARIMÈTRE,** subst. m.
Appareil servant à déterminer la teneur en sucre d'une solution. Mil. XIXe s. ; formé de *sacchari-* et de *-mètre*[1] ; [sakaʀimɛtʀ].

**SACCHARIMÉTRIE,** subst. f.
Détermination de la teneur en sucre d'une solution. Mil. XIXe s. ; ☞ *saccharimètre* ; [sakaʀimetʀi].

**SACCHARINE,** subst. f.
*Chim.* Molécule de formule $C_7H_5NO_3S$, dont un des sels est employé comme succédané du sucre. 1868 (1829, espèce bot. du genre laminaire) ; lat. *saccharum*, du gr. *sakkharon*, « sucre » ; [sakaʀin].

**SACCHAROÏDE,** adj.
*Minér.* Se dit de composés ayant l'apparence du sucre cristallisé. 1803 ; formé de *saccharo-* et de *-oïde* ; [sakaʀɔid].

**SACCHAROMYCES,** subst. m.
*Bot.* Champignon ascomycète communément appelé levure, agent de la fermentation alcoolique. 1883 ; lat. sc. *saccharomyces*, formé de *saccharo-* et du gr. *mukês*, « champignon » ; [sakaʀomisɛs].

**SACCHAROSE,** subst. m.
*Biochim.* Glucide composé de glucose et de fructose, présent dans de nombreux végétaux. 1860 ; lat. *saccharum*, du gr. *sakkharon*, « sucre » ; [sakaʀoz].

**SACCULE,** subst. m.
*Anat.* L'une des deux vésicules du vestibule de l'oreille interne, qui joue un rôle dans l'équilibre. 1847 ; lat. *sacculus*, « petit sac » ; [sakyl].

**SACCULINE,** subst. f.
*Zool.* Crustacé du groupe des Entomostracés, parasite du crabe. 1870 (1823, polypier) ; lat. *sacculus*, « petit sac » ; [sakylin].

**SACERDOCE,** subst. m.
**1.** *Relig.* Dignité, ministère du prêtre, dans plusieurs religions. **2.** Anal. Fonction exigeant du dévouement : *Le **sacerdoce** des enseignants.* Fin XIIIe s. ; *sacerdotium*, « dignité d'augure » ; [sasɛʀdɔs].

**SACERDOTAL, ALE, AUX,** adj.
Qui a trait au sacerdoce. 1325 ; lat. *sacerdotal*[is] ; [sasɛʀdɔtal, o].

**SACHEM,** subst. m.
Ancien élevé au rang de chef, chez les Amérindie[ns] du Nord. 1784 ; mot algonquin ; [saʃɛm].

**SACHET,** subst. m.
Petit sac. Fin XIIe s. ; ☞ *sac* (I) ; [saʃɛ].

**SACOCHE,** subst. f.
**1.** Sac de cuir ou de toile, gén. porté à l'aide d'u[ne] courroie. **2.** Belg. et Québ. Sac à main. 160[…] ital. dial. *saccoccia*, de *sacco*, « sac » ; [sakɔʃ].

**SACOME,** subst. m.
*Archit.* Moulure en saillie ; son profil. 1676 ; i[tal.] *sacoma*, du gr. *sêkôma*, « contrepoids » ; [sakom].

**SACQUER,** verbe trans. [3]
Fam. **1.** Congédier, renvoyer (qqn) ; noter sé[vè]rement. **2.** Loc. *Ne pas pouvoir **sacquer** qqn* : détester. 1866 ; ☞ *sac* (I) ; var. *saquer* ; [sake].

**SACRAL, ALE, AUX,** adj.
Qui a acquis un caractère sacré. 1930 ; lat. *sac*[…] « sacré » ; [sakʀal, o].

**SACRALISATION (I),** subst. f.
*Pathol.* Malformation de la cinquième vertè[bre] lombaire qui, solidaire du sacrum, perd to[ute] mobilité. 1912 ; angl. *sacralization*, de *sacral*, « re[la]tif au sacrum » ; [sakʀalizasjɔ̃].

**SACRALISATION (II),** subst. f.
Action de sacraliser ; son résultat. 1941 ; ☞ *[sa]craliser* ; [sakʀalizasjɔ̃].

**SACRALISER,** verbe trans. [3]
Donner un caractère sacré à (qqch. ou qq[n]). 1899 ; ☞ *sacral* ; [sakʀalize].

**SACRAMENTAIRE,** subst. et adj.
*Relig.* **Subst.** Membre des sectes protestantes q[ui] au XVIe s., niaient la présence réelle dans l'euch[a]ristie. **Adj.** Qui a trait aux sacrements. 1535 ; l[at.] médiév. *sacramentarius* ; [sakʀamɑ̃tɛʀ].

**SACRAMENTAL,** subst. m.
*Relig.* Rite institué procurant un effet spiritu[el]. 1904 (fin XIVe s., sacramentel) ; lat. chrét. *sacram[en]talis* ; plur. *sacramentaux* ; [sakʀamɑ̃tal], plur [-to].

**SACRAMENTEL, ELLE,** adj.
**1.** *Relig.* Qui tient à un sacrement, aux sacrement[s] : *Onction **sacramentelle**.* **2.** Qui a un caractère ritu[el]. Fin XIVe s. ; lat. chrét. *sacramentalis* ; [sakʀamɑ̃t[ɛl]].

**SACRE (I),** subst. m.
**1.** Cérémonie religieuse par laquelle un souvera[in] acquiert un caractère sacré. **2.** Consécration d'u[n] évêque (on dit auj. *ordination épiscopale*). **3.** F[ig.] Consécration de qqn ou de qqch. : *Le **sacre** d'[un] champion.* **4.** Québ. Juron (fam.). Fin XIIe s[.] ; ☞ *sacrer* ; [sakʀ].

**SACRE (II),** subst. m.
*Zool.* Rapace diurne de la famille des Falconid[és] très apprécié en fauconnerie arabe. Fin XIIIe s. ; [ar.] *saqr* ; [sakʀ].

**SACRÉ (I), ÉE,** adj.
**1.** Qui appartient au domaine du divin et, comm[e] tel, inspire crainte et respect (par oppos. à *profane*) : *Le Coran, la Bible sont des livres **sacrés*** ; ***Sacré** Coll[ège]* (☞ *collège*) ; empl. subst. masc. : *Le **sacré** et [le] profane.* ▸ Loc. *Avoir le feu **sacré*** : avoir de l'ardeu[r,] de l'enthousiasme pour qqch. **2.** Ext. Qui [se] rapporte à la religion, au culte : *Art **sacré**.* **3.** An[al.] Qui est inviolable ; vénérable : *L'amitié est u[n] sentiment **sacré**.* **4.** Fam. Renforce un terme inj[u]rieux ou laudateur (avant le nom) : *Il a une **sacr**[ée] santé !* Déb. XIIe s. ; p. p. de *sacrer* ; [sakʀe].

**SCIENCES HUMAINES** – En 1912, le sociologue Émi[le] Durkheim voyait dans le sacré « quelque cho[se] d'éternel, destiné à survivre aux religions par[ti]culières ». Il entendait par là que le sacré constit[ue] un des langages anthropologiques fondamentau[x]. Domaine de l'interdit et de la prohibition, soustra[it] magiquement à l'emprise de la rationalité, le sac[ré] est également l'espace imaginaire où l'homm[e] invente ses origines et les relie à celles du mond[e]. Se concilier la nature, surmonter le mystère [et] l'angoisse de la mort, se situer dans l'empi[re] immuable des choses : tels sont les motifs que l'[on] invoque généralement pour expliquer comme[nt] l'humanité a pu constituer ce monde à pa[rt] (distinct de celui de la vie matérielle), porteur d[e] ses espérances et de ses craintes.

**SACRÉ (II), ÉE, adj.**
*Anat.* Relatif au sacrum. XVIe s. ; ☞ *sacrum* ; [sakʀe].

**SACREBLEU, interj.**
Juron d'impatience, de colère (fam.). 1745 ; euphém. pour *sacré Dieu* ; var. *sacredieu* ; [sakʀəblø].

**SACRÉ-CŒUR, subst. m. sing.**
*Cath.* Cœur de Jésus-Christ, symbole de l'amour divin pour les hommes et objet d'un culte. 1863 ; comp. de *sacré* (I) et de *cœur* ; [sakʀekœʀ].

**SACREMENT, subst. m.**
*Relig.* Signe sacré institué par Jésus-Christ pour conférer ou affermir la grâce : *Les sept **sacrements** de l'Église catholique*, le baptême, la confirmation, l'eucharistie, la pénitence, l'ordre, le mariage et l'onction des malades (ou extrême-onction). ▸ *Les derniers **sacrements*** : l'eucharistie, la pénitence, l'onction des malades. ▸ *Le saint **sacrement*** : l'eucharistie. Fin Xe s. ; lat. *sacramentum* ; [sakʀəmɑ̃].

**SACRÉMENT, adv.**
Extrêmement (fam.) : *C'est **sacrément** bon !* 1929 ; ☞ *sacré* (I) ; [sakʀemɑ̃].

**SACRER, verbe [3]**
**Trans. 1.** Conférer un caractère sacré à (qqn) par la cérémonie du sacre. **2.** Ext. Reconnaître officiellement (qqn) comme : ***Être sacré** champion de France.* **Intrans.** Jurer (fam. et vieilli). Mil. XIIe s. ; lat. *sacrare* ; [sakʀe].

**SACRET, subst. m.**
*Fauconn.* Sacre mâle. 1377 ; ☞ *sacre* (II) ; [sakʀɛ].

**SACRIFICATEUR, TRICE, subst.**
*Antiq.* **1.** Prêtre, ou prêtresse, préposé aux sacrifices. **2.** *Relig. Grand **sacrificateur*** : grand prêtre, chez les Hébreux. 1535 ; lat. chrét. *sacrificator* ; [sakʀifikatœʀ, tʀis].

**SACRIFICE, subst. m.**
**1.** *Relig.* Acte sacré, en partic. immolation rituelle ou symbolique d'une victime, par lequel on fait une offrande à une divinité afin d'en obtenir la grâce ou le pardon. ▸ ***Sacrifice** de la Croix* : la crucifixion et la mort du Christ pour opérer le salut des hommes. **2.** Fig. Renoncement volontaire, abnégation ; spéc., privation financière (souv. au plur.) : *La crise nous oblige à faire des **sacrifices**.* 1119 ; lat. *sacrificium* ; [sakʀifis].

© Giraudon

Le Sacrifice d'Abraham *(détail), bronze de Lorenzo Ghiberti (1378-1455) et Filippo Brunelleschi (1377-1446). Musée national du Bargello, Florence.*

**SACRIFICIEL, ELLE, adj.**
*Relig.* Propre au sacrifice (synon. vieilli *sacrificatoire*). 1931 ; ☞ *sacrifice* ; [sakʀifisjɛl].

**SACRIFIÉ, ÉE, adj. et subst.**
Se dit d'une personne qui est sacrifiée ou qui se sacrifie. **Adj.** Dont on fait le sacrifice. ▸ *Articles **sacrifiés*** : vendus à très bas prix, à un prix **sacrifié**. Fin XVIIe s. ; p. p. de *sacrifier* ; [sakʀifje].

**SACRIFIER, verbe trans. [6]**
**Trans. dir. 1.** Offrir en sacrifice (qqn, qqch.). **2.** Abandonner (qqn, qqch.) au profit de ce que l'on considère comme plus important : ***Sacrifier** sa famille à sa carrière.* **3.** Renoncer à (qqch.), s'en défaire : ***Sacrifier** ses congés.* ▸ Vendre à très bas prix : ***Sacrifier** des marchandises.* **Trans. indir.** **Sacrifier** à. Se vouer à ; se conformer à : ***Sacrifier** à la mode.* **Pronom.** Se dévouer ; faire don de soi : *Elle **s'est sacrifiée** pour lui.* 1119 ; lat. *sacrificare* ; [sakʀifje].

**SACRILÈGE (I), subst. m.**
**1.** Profanation de qqch., de qqn de sacré. **2.** Ext. Atteinte à qqch. de respectable. Fin XIIe s. ; lat. *sacrilegium* ; [sakʀilɛʒ].

**SACRILÈGE (II), subst. et adj.**
Se dit d'une personne qui commet un sacrilège. **Adj.** Qui a un caractère de sacrilège : *Parole **sacrilège**.* 1283 ; lat. *sacrilegus* ; [sakʀilɛʒ].

**SACRIPANT, subst. m.**
Chenapan (fam.). 1713 (1600, fanfaron) ; ital. *Sacripante*, nom d'un personnage de Boiardo ; [sakʀipɑ̃].

**SACRISTAIN, subst. m.**
Celui qui s'occupe de la sacristie, de l'entretien de l'église, et des objets du culte. Mil. XIIe s. ; lat. médiév. *sacristanus*, du lat. *sacer*, « sacré » ; [sakʀistɛ̃].

**SACRISTIE, subst. f.**
Lieu attenant à une église, où l'on range les vêtements sacerdotaux et les objets du culte. 1339 ; lat. médiév. *sacristia* ; [sakʀisti].

**SACRISTINE, subst. f.**
Femme chargée du soin de la sacristie. 1671 ; lat. médiév. *sacristana* ; [sakʀistin].

**SACRO-ILIAQUE, adj.**
*Anat.* Qui concerne à la fois le sacrum et l'os iliaque. 1836 ; comp. de *sacro-* et de *iliaque* ; plur. *sacro-iliaques* ; [sakʀoiljak].

**SACRO-SAINT, -SAINTE, adj.**
**1.** *Relig.* Inviolable et sacré. **2.** Ext. Qui a un caractère sacralisé, immuable. 1546 ; lat. *sacrosanctus*, de *sacer*, « sacré », et de *sanctus*, « saint » ; plur. *sacro-saints, -saintes* ; [sakʀosɛ̃, -sɛ̃t].

**SACRUM, subst. m.**
*Anat.* Pièce osseuse triangulaire formée par les cinq vertèbres sacrées soudées entre elles, et qui s'articule avec les os iliaques pour former le bassin. 1478 ; lat. *os sacrum*, « os sacré », soutenant les entrailles des animaux sacrifiés aux dieux ; [sakʀɔm].

**SADDUCÉEN, ÉENNE, subst. et adj.**
*Antiq.* Se dit d'un membre d'une secte juive opposée aux pharisiens. **Adj.** Relatif, propre à cette secte. Fin XIIIe s. ; lat. chrét. *Sadducaei*, p.-ê. de l'anthropon. hébreu *Ṣādôqî*, « Fils de Sadoq » ; var. *saducéen, éenne* ; [sadyseɛ̃, eɛn].

**SADIQUE, adj. et subst.**
Se dit de qqn qui fait preuve de sadisme. **Adj.** Qui a trait au sadisme. 1862 ; ☞ *sadisme* ; [sadik].

**SADIQUE-ANAL, -ANALE, adj.**
*Psychanal. Stade **sadique-anal*** : selon S. Freud, deuxième stade (qui suit le stade oral) du développement de la libido, dominé par le caractère érogène de la zone anale et la symbolisation des fonctions d'expulsion (destruction active) et de rétention (possession passive) des matières fécales. Fin XIXe s. ; comp. de *sadique* et de *anal* ; plur. *sadiques-anaux, -anales*, var. *sadico-anal, -anale, -anaux* ; [sadikanal], plur. [-no].

**SADISME, subst. m.**
**1.** *Psych.* Perversion sexuelle dans laquelle la jouissance est liée à la souffrance du partenaire. **2.** Ext. Plaisir à faire souffrir autrui. 1841 ; anthropon. *Sade* ; [sadism].

**SADOMASOCHISME, subst. m.**
*Psych.* Perversion sexuelle associant le sadisme et le masochisme. 1935 ; crois. de *sadique* et de *masochisme* ; [sadomazɔʃism].

**SADUCÉEN, voir SADDUCÉEN**

**SAFARI, subst. m.**
Expédition organisée pour chasser le gros gibier, en Afrique noire. V. 1960 ; swahili *safari*, de l'ar. *safar*, « voyage » ; [safaʀi].

**SAFARI-PHOTO, subst. m.**
Expédition durant laquelle des touristes filment ou photographient des animaux sauvages dans une réserve. V. 1970 ; comp. de *safari* et de *photo* ; plur. *safaris-photos* ; [safaʀifoto].

**SAFRAN (I), subst. m.**
**1.** *Bot.* Crocus de la famille des Iridacées, aux stigmates jaune orangé. ▸ Anal. ***Safran** des prés* : colchique. **2.** Méton. ▸ Stigmate de cette plante, réduit en poudre et servant de colorant ou d'épice. ▸ Couleur jaune orangé ; empl. adj. inv. : *Une robe **safran**.* Mil. XIIe s. ; lat. médiév. *safranum*, de l'ar. *za'farān* ; [safʀɑ̃].

**SAFRAN (II), subst. m.**
*Mar.* Pièce immergée, plate et verticale, du gouvernail. Fin XIVe s. ; orig. obsc. ; [safʀɑ̃].

**SAFRANER, verbe trans. [3]**
**1.** Colorer (qqch.) avec du safran. **2.** Assaisonner avec du safran. 1546 ; ☞ *safran* (I) ; [safʀane].

**SAGA, subst. f.**
**1.** Récit historique ou légendaire de la littérature scandinave médiévale. **2.** Anal. Histoire d'une famille à travers les générations ; suite romanesque ; par ext. : *La **saga** de la 2 CV Citroën.* 1721 ; anc. nord. *saga*, « récit » ; [saga].

**SAGACE, adj.**
Qui fait preuve de sagacité. 1495 ; lat. *sagax*, « qui a l'odorat subtil » ; [sagas].

**SAGACITÉ, subst. f.**
**1.** Vx. Finesse de l'odorat. **2.** Acuité d'esprit faite de discernement, de perspicacité. XVe s. ; lat. *sagacitas* ; [sagasite].

**SAGAIE, subst. f.**
*Arm.* Lance ou javelot de diverses tribus primitives. 1306 ; esp. *azagaya*, « petite lance », de l'ar. *zaġāya* ; [sagɛ].

**SAGARD, subst. m.**
Scieur qui débite le bois en planches, dans les Vosges. 1860 ; all. *Säger*, « scieur » ; [sagaʀ].

**SAGE, adj. et subst. m.**
**Adj. 1.** Vx. Qui possède la science, la juste connaissance des choses. **2.** Avisé, prudent : *Une **sage** décision* ; par ext., sobre : *Une mode **sage**.* **3.** Pudique, chaste (vieilli) : *Elle est restée **sage** jusqu'au mariage.* **4.** Docile, tranquille : *Un enfant **sage**.* **Subst. 1.** Personne qui, maîtrisant ses passions, est parvenue à la sérénité : *Le **sage** stoïcien.* **2.** Personne d'expérience, susceptible de donner un avis judicieux : *Conseil des **sages**.* **3.** Personne qui dispose de toute sa raison, qui a tout son bon sens, par oppos. à *fou* (vieilli ou littér.). Mil. XIe s. ; lat. pop. °*sabius*, du lat. *sapidus*, « qui a du goût » ; [saʒ].

**SAGE-FEMME, subst. f.**
Auxiliaire médicale diplômée qui assiste les femmes pendant leur grossesse et leur enfantement. En France, les hommes peuvent exercer cette profession depuis 1982 ; en appos. : *Un homme **sage-femme**.* XIIIe s. ; comp. de *sage* et de *femme* ; plur. *sages-femmes* ; [saʒfam].

**SAGEMENT, adv.**
De manière sage. 1549 (déb. XIIe s., adroitement) ; ☞ *sage* ; [saʒmɑ̃].

**SAGESSE, subst. f.**
**1.** Juste connaissance des choses. ▸ *Relig.* Discernement dans le domaine du surnaturel : *Le don de **sagesse***, l'un des sept dons du Saint-Esprit. **2.** Comportement qui tend vers le bien, la sérénité : *Être sur la voie de la **sagesse**.* **3.** Ext. Modération, prévoyance dans la conduite : *Réagir avec **sagesse** à la provocation.* **4.** Docilité, calme, en partic. d'un enfant. **5.** Classicisme esthétique : *La **sagesse** d'un style.* Fin XIIIe s. ; ☞ *sage* ; [saʒɛs].

**SAGETTE, subst. f.**
**1.** Vx. Flèche. **2.** *Bot.* Sagittaire. 1541 ; anc. fr. *saiete*, d'apr. le lat. *sagitta* ; [saʒɛt].

**SAGITTAIRE (I), subst. m.**
**1.** *Astron.* Constellation du zodiaque. **2.** *Astrol. Le **Sagittaire*** : neuvième signe du zodiaque (22 novembre-20 décembre) ; par méton. : *Un **Sagittaire***, une personne native de ce signe. 1119 ; lat. *sagittarius*, « archer » ; [saʒitɛʀ].

**SAGITTAIRE (II), subst. f.**
*Bot.* Plante des eaux douces stagnantes, de la famille des Alismatacées, à feuilles aériennes en fer de flèche (synon. *flèche d'eau*). 1824 ; lat. sc. *sagittaria*, du lat. *sagitta*, « flèche » ; [saʒitɛʀ].

© J.-L. Le Moigne-Jacana

*Sagittaire.*

**SAGITTAL, ALE, AUX, adj.**
**1.** En forme de flèche. **2.** *Anat.* Se dit de la suture du crâne qui unit les deux pariétaux. **3.** *Math. Diagramme **sagittal** (d'une relation)* : schéma représentant une relation d'un ensemble fini vers un autre ensemble fini, où des flèches joignent les éléments reliés suivant cette relation. 1490 ; lat. *sagitta*, « flèche » ; [saʒital, o].

**SAGITTÉ, ÉE, adj.**
Qui a la forme d'un fer de flèche. 1778 ; lat. *sagitta*, « flèche » ; [saʒite].

**SAGOU, subst. m.**
Substance féculente alimentaire extraite de la moelle de certains palmiers, en partic. du sagoutier. 1525 ; port. *sagu*, du malais *sāgū* ; [sagu].

**SAGOUIN, INE, subst.**
MASC. *Zool.* Petit singe amazonien de la famille des Callithricidés, à queue préhensile et dont la bouche est entourée de poils blancs. MASC. et FÉM. Personne malpropre (fam.). 1537 ; port. *saguim*, du tupi-guarani *sahy*, « singe » ; [sagwɛ̃, in].

**SAGOUTIER, subst. m.**
*Bot.* Palmier dont la moelle du tronc, riche en amidon, fournit le sagou. 1779 ; ☞ *sagou* ; [sagutje].

**SAGUM, subst. m.**
*Cost.* Saie. 1655 ; mot lat., d'orig. gaul. ; [sagɔm].

**SAHARIEN, IENNE, adj. et subst.**
Du Sahara. SUBST. FÉM. Veste de toile légère à manches courtes, munie de nombreuses poches. Mil. XIXe s. ; topon. *Sahara* ; [saaʀjɛ̃, jɛn].

**SAHÉLIEN, IENNE, adj. et subst.**
Du Sahel. 1858 ; topon. *Sahel* ; [saeljɛ̃, jɛn].

**SAHRAOUI, IE, adj. et subst.**
Du Sahara occidental. 1977 ; ar. *al-Ṣahrā'*, « le Sahara » ; [saʀawi].

**SAÏ, subst. m.**
*Zool.* Singe d'Amérique de la famille des Cébidés (synon. *capucin*). 1766 ; tupi *sahy*, « singe » ; [sai].

**SAIE (I), subst. f.**
*Cost.* Manteau court, en laine, des soldats romains et gaulois (synon. *sagum*). 1567 (fin XIIe s., serge de laine) ; esp. *sayo*, « casaque », du lat. pop. °*sagia* ; [sɛ].

**SAIE (II), subst. f.**
*Orfèvr.* Petite brosse en soies de porc. 1680 ; var. norm.-pic. de *soie* ; [sɛ].

**SAIETTER, verbe trans. [3]**
*Orfèvr.* Nettoyer (un bijou) avec la saie. 1680 ; ☞ *saie* (II) ; [sɛj(ə)te] ou [sejete].

**SAÏGA, subst. m.**
*Zool.* Petite antilope de la famille des Bovidés, vivant dans les steppes d'Asie, caractérisée par un museau très busqué. 1764 ; russe *sajga* ; [saiga].

© J.-Ph. Varin-Jacana
Saïga.

**SAIGNANT, ANTE, adj.**
**1.** Qui saigne, qui perd du sang. **2.** Fig. Blessé, meurtri : *Mon cœur **saignant** de douleur.* **3.** Cinglant, violent (fam.) : *Riposte **saignante**.* **4.** *Cuis.* *Viande **saignante*** : peu cuite, qui contient encore du sang. Fin XIIe s. ; p. pr. de *saigner* ; [sɛɲɑ̃, ɑ̃t].

**SAIGNÉE, subst. f.**
**1.** *Méd.* Ouverture pratiquée dans un vaisseau afin d'évacuer du sang ; le sang ainsi retiré (vieilli) : ***Saignée** thérapeutique.* **2.** Méton. Pli du bras et de l'avant-bras (où se pratique en gén. la **saignée**). **3.** Métaph. Pertes humaines dues à une guerre (littér.). ▸ Pertes financières. **4.** Anal. Entaille pratiquée dans qqch. ▸ Incision faite à un arbre pour en tirer divers sucs. ▸ Rigole creusée dans un terrain pour provoquer un écoulement. ▸ Tranchée ouverte dans un mur pour passer des gaines. 1216 (mil. XIIe s., coup qui fait saigner) ; p. p. de *saigner* ; [seɲe].

**SAIGNEMENT, subst. m.**
*Pathol.* Hémorragie, écoulement de sang : *Un **saignement** de nez* ; *Temps de **saignement***, temps pendant lequel s'écoule le sang d'une incision pratiquée au lobe de l'oreille pour diagnostiquer des anomalies de la coagulation. 1688 ; ☞ *saigner* ; [sɛɲmɑ̃].

**SAIGNER, verbe [3]**
INTRANS. **1.** Perdre du sang : ***Saigner** abondamment* ; *Coupure qui **saigne**.* **2.** Fig. Être en proie à une souffrance intense (littér.). **3.** Loc. *Ça va **saigner*** : la lutte va être chaude (fam.). TRANS. **1.** Faire une saignée à (qqn). **2.** *Bouch.* Tuer (un animal) en le vidant de son sang ; par anal., tuer (qqn) avec une arme blanche. **3.** *Techn.* Pratiquer une saignée dans (un arbre, un terrain). **4.** Fig. Extorquer une somme importante à (qqn) ; empl. pronom. : *Se **saigner** (aux quatre veines)*, s'imposer de lourds sacrifices financiers. Fin XIe s. ; lat. *sanguinare* ; [seɲe].

**SAIGNEUR, EUSE, subst.**
**1.** *Bouch.* Personne qui saigne les porcs. **2.** Personne qui recueille le latex en saignant les arbres à caoutchouc. Déb. XIIIe s. ; ☞ *saigner* ; [sɛɲœʀ, øz].

**SAIGNOIR, subst. m.**
Couteau à saigner. 1932 ; ☞ *saigner* ; [sɛɲwaʀ].

**SAILLANT, ANTE, adj. et subst. m.**
ADJ. **1.** Proéminent : *Des muscles **saillants**.* **2.** Fig. Incisif, frappant : *Esprit **saillant**.* **3.** *Math.* *Angle **saillant*** : secteur angulaire **saillant** (☞ *secteur*). SUBST. **1.** *Fortif.* Saillie. **2.** *Milit.* Position avancée par rapport à une ligne de front. XVIe s. (1119, jaillissant) ; p. pr. de *saillir* ; [sajɑ̃, ɑ̃t].

**SAILLIE, subst. f.**
**I. 1.** Vx. Mouvement soudain et brusque. **2.** Fig. Boutade, trait d'esprit (littér.). **3.** Accouplement des animaux domestiques pour la reproduction. **II.** Partie proéminente. ▸ Loc. *En **saillie*** : saillant ; *Faire **saillie*** : dépasser. Mil. XIIe s. ; ☞ *saillir* ; [saji].

**SAILLIR, verbe [19] ou [31]**
INTRANS. **1.** Vx. Jaillir, en parlant d'un liquide. **2.** Avancer, dépasser, faire saillie, en parlant d'une chose. TRANS. Couvrir (une femelle), en parlant d'un animal mâle. Fin XIe s. ; lat. *salire*, « sauter » ; ne s'emploie guère qu'à l'inf. et à la 3e pers. de quelques temps (conj. 19 au sens de *avancer* ; conj. 31 aux sens de *jaillir*, *couvrir une femelle*) ; [sajiʀ].

**SAÏMIRI, subst. m.**
*Zool.* Petit singe d'Amérique tropicale de la famille des Cébidés, insectivore, aux grands yeux cernés de blanc et à la bouche entourée de noir. 1614 ; port. du Brésil *saimirim*, du tupi-guarani *sahy*, « singe », et *miri*, « petit » ; [saimiʀi].

**SAIN, SAINE, adj.**
**1.** Qui ne présente pas de maladies ni de lésions ; qui n'est pas contaminé. ▸ Loc. ***Sain** et sauf* : indemne. **2.** Psychiquement équilibré : *Être **sain** d'esprit*, jouir de ses facultés mentales. **3.** Qui n'est pas altéré, pas corrompu : *Fruit **sain**.* ▸ Fig. Qui ne présente pas d'anomalie, qui n'est pas douteux : *Situation **saine**.* **4.** Favorable à la santé, physique ou mentale : *Le climat est très **sain*** ; ***Saines** distractions.* **5.** *Mar.* Qualifie un mouillage, une côte qui offre toute sécurité. Déb. XIIe s. ; lat. *sanus* ; [sɛ̃, sɛn].

**SAINBOIS, subst. m.**
*Bot.* Petit arbrisseau à fleurs blanches de la famille des Thyméléacées, qui pousse dans les garrigues. 1540 ; crois. de *saint* et de *bois* ; [sɛ̃bwa].

**SAINDOUX, subst. m.**
Graisse de porc fondue. XIIIe s. ; formé de l'anc. fr. *sain*, « graisse animale », du lat. *sagina*, « embonpoint », et de *doux* ; [sɛ̃du].

**SAINEMENT, adv.**
De manière saine. 1380 (mil. XIe s., sans dommage) ; ☞ *sain* ; [sɛnmɑ̃].

**SAINFOIN, subst. m.**
*Bot.* Plante herbacée vivace de la famille des Fabacées, dont une espèce, l'esparcette, est cultivée comme plante fourragère. 1549 ; formé de *sain* et de *foin* (I) ; [sɛ̃fwɛ̃].

**SAINT, SAINTE, adj. et subst.**
ADJ. **1.** Qui est parfait, pur, en parlant de Dieu : *Le **Saint**-Esprit* (☞ *esprit*). **2.** Que l'Église a élevé au rang de **saint** : *Le martyre de **saint** Sébastien* ; *Les écrits de **sainte** Thérèse d'Ávila.* ▸ *La **Saint**-Jean, la **Sainte**-Catherine* : le jour de la fête de ces **saints**. **3.** Qui a un caractère sacré : *Que Dieu vous ait en sa **sainte** garde* ; *Lieux **saints*** ; *Année **sainte***, célébrée tous les 25 ans par l'Église catholique. ▸ Se dit de la semaine, et de chacun des jours, précédant le dimanche de Pâques : *La semaine **sainte*** ; *Le Vendredi **saint**.* ▸ Loc. *Toute la **sainte** journée* : du matin au soir (fam.). ▸ *Hist.* *Le **Saint** Empire romain germanique* : l'empire d'Allemagne, de 962 à 1806. **4.** Ext. ▸ Qui mène une vie pieuse, irréprochable : *Une **sainte** femme.* ▸ Qui est inspiré par la morale ou par la religion : *Une œuvre, une vie **sainte**.* ▸ Loc. *Une **sainte** horreur* : une forte répulsion. **5.** Qui est vénérable : *Une **sainte** mission.* SUBST. **1.** Personne canonisée par l'Église eu égard à sa vie édifiante ou à son zèle évangélisateur, et faisant l'objet d'un culte. ▸ *Les **saints** de glace* : Mamert, Pancrace et Servais, fêtés autrefois les 11, 12 et 13 mai, jours souvent marqués par un retour du froid. ▸ Loc. *Ne plus savoir à quel **saint** se vouer* : ne plus savoir à qui, à quoi recourir. **2.** Méton. Effigie d'un **saint** : *Un **saint** de plâtre.* **3.** Ext. ▸ Personne d'une abnégation, d'une vertu exemplaires : *Ce n'est pas un **saint**.* ▸ *Antiq.* **Le saint des saints.** La partie la plus sacrée du temple de Jérusalem, qui abritait l'Arche d'alliance ; au fig., la partie la plus secrète et la plus importante de qqch. : *Il fut reçu dans le **saint** des **saints**.* Fin Xe s. ; lat. *sanctus*, « sacré » ; [sɛ̃, sɛ̃t].

RELIGION – Toutes les grandes religions ont développé des idéaux de sainteté qui, dans leur ensemble, présentent l'homme saint comme celui qui pratique une sagesse et une vertu exemplaires, aspire à l'union mystique avec Dieu et traite son prochain avec une charité parfaite. C'est toutefois dans la tradition chrétienne que le terme revêt, historiquement, son sens le plus courant. Dans l'absolu, Dieu seul est saint, c.-à-d. pur et parfait, mais l'Église catholique reconnaît comme saint le serviteur de Dieu, martyr ou non, qui a conformé sa vie à ses commandements et a pratiqué les trois vertus théologales (foi, espérance et charité) et les quatre vertus cardinales (prudence, justice, tempérance et force) à un degré héroïque et jusqu'à la mort. Déclaré bienheureux à l'aboutissement d'un premier procès (juridiction exclusive du pape), il est déclaré saint au terme d'un second procès, celui de la canonisation. Un culte de dulie est rendu au saint, intercesseur auprès de Dieu et modèle donné aux fidèles.

**SAINT-AMOUR, subst. m.**
Vin d'un cru du Beaujolais. Topon. *Saint-Amour Bellevue* (Saône-et-Loire) ; plur. *saint-amour(s)* ; [sɛ̃tamuʀ].

**SAINT-BERNARD, subst. m.**
**1.** Chien de grande taille, au pelage roux et blanc, souvent dressé pour le sauvetage en montagne. **2.** Fig. Personne toujours prête à porter secours. 1837 ; topon. *col du Grand-Saint-Bernard*, entre Suisse et Italie ; plur. *saint-bernard(s)* ; [sɛ̃bɛʀnaʀ].

**SAINT-CYRIEN, IENNE, subst.**
Élève de l'École militaire de Saint-Cyr. 1851 ; topon. *Saint-Cyr* (Yvelines) ; plur. *saint-cyriens, iennes* ; [sɛ̃siʀjɛ̃, jɛn].

**SAINTEMENT, adv.**
De manière sainte. Mil. XIIe s. ; ☞ *saint* ; [sɛ̃tmɑ̃].

**SAINT-ÉMILION, subst. m.**
Bordeaux rouge produit dans la région de Saint-Émilion. 1797 ; topon. *Saint-Émilion* (Gironde) ; plur. *saint-émilion(s)* ; [sɛ̃temiljɔ̃].

**SAINTE-NITOUCHE, subst. f.**
Jeune femme qui feint l'innocence. 1534 ; comp. de *saint* et de *nitouche*, altér. de *n'y touche pas* ; plur. *saintes-nitouches* ; [sɛ̃tnituʃ].

**SAINT-ESPRIT, voir ESPRIT**

**SAINTETÉ, subst. f.**
Qualité d'une personne ou d'une chose sainte. ▸ *Sa **Sainteté*** : le pape. ▸ Loc. *Être en odeur de **sainteté*** (☞ *odeur*). Mil. XIIIe s. ; anc. fr. *saintée*, du lat. *sanctitas*, « caractère sacré » ; [sɛ̃t(ə)te].

**SAINT-FRUSQUIN, subst. m.**
Pop. Ensemble de vêtements, de biens que l'on possède, souvent de peu de valeur. ▸ Loc. *Et tout le **saint-frusquin*** : et tout le reste. 1788 ; comp. de *saint* et de l'argot *frusquin*, « habit » ; le plur., *saint-frusquin(s)*, est rare ; [sɛ̃fʀyskɛ̃].

**SAINT-GLINGLIN (À LA), loc. adv.**
Jamais (fam.). 1897 ; orig. obsc. ; [alasɛ̃glɛ̃glɛ̃].

**SAINT-HONORÉ, subst. m.**
Gâteau garni de petits choux et d'une crème mousseuse. 1863 ; anthropon. *saint Honoré*, patron des boulangers ; plur. *saint-honoré(s)* ; [sɛ̃tɔnɔʀe].

**SAINT-MARCELLIN, subst. m.**
Fromage du Dauphiné, à pâte molle, fait principalement avec du lait de vache. 1926 ; topon. *Saint-Marcellin* (Isère) ; plur. *saint-marcellin(s)* ; [sɛ̃maʀsəlɛ̃].

**SAINT-NECTAIRE, subst. m.**
Fromage du Puy-de-Dôme, à pâte pressée et à croûte

ɔisie, fabriqué avec du lait de vache. 1911 ; ɔon. *Saint-Nectaire* (Puy-de-Dôme) ; plur. *saint-nec-'re(s)* ; [sɛ̃nɛktɛʀ].

**SAINTPAULIA, subst. m.**
t. Plante ornementale originaire d'Afrique tropi-.e, aussi appelée violette du Cap. 1893 ; lat. sc. *intpaulia*, de l'anthropon. *W. von Saint-Paul*, explorateur emand ; [sɛ̃pɔlja].

**SAINT-PAULIN, subst. m.**
omage de lait de vache à pâte ferme. V. 1960 ; pon. *Saint-Paulin* ; plur. *saint-paulin(s)* ; [sɛ̃polɛ̃].

**SAINT-PÈRE, subst. m.**
ıth. Le pape. Mil. XIVe s. ; comp. de *saint* et de *père* ; ır. *saints-pères* ; [sɛ̃pɛʀ].

**SAINT-PIERRE, subst. m.**
ɔol. Poisson de mer osseux de la famille des Zélidés, arqué d'une tache noire sur les flancs, à la air blanche très appréciée. 1611 ; anthropon. *int Pierre* ; plur. *saint-pierre(s)* ; [sɛ̃pjɛʀ].

**SAINT-SIÈGE, subst. m. sing.**
siège pontifical de Rome ; par méton., le uvernement pontifical. 1669 ; comp. de *saint* et *siège* ; [sɛ̃sjɛʒ].

**SAINT-SIMONIEN, IENNE, adj. et subst.**
: dit d'un adepte du saint-simonisme. **Adj.** Relatif saint-simonisme. 1830 ; anthropon. *Saint-non* ; plur. *saint-simoniens, iennes* ; [sɛ̃simɔnjɛ̃, jɛn].

**SAINT-SIMONISME, subst. m.**
octrine de Saint-Simon (1760-1825), affirmant primauté de l'économie sur le politique. 1830 ; thropon. *Saint-Simon* ; [sɛ̃simɔnism].

**SAINT-SYNODE, subst. m.**
ɔnseil suprême de l'Église russe. Comp. de *saint* de *synode* ; plur. *saints-synodes* ; [sɛ̃sinɔd].

**SAISI, IE, adj. et subst.**
*Dr.* **Adj.** Qui fait l'objet d'une saisie. ► *Tiers saisi* : ɛrsonne entre les mains de qui a été saisi un bien ɔpartenant à autrui. **Subst.** Personne dont un bien it l'objet d'une **saisie**. **II. Subst. fém. 1.** *Dr.* Voie exécution forcée par laquelle un créancier fait ettre les biens d'un débiteur sous la main de la stice. ► ***Saisie-exécution*** ou ***Saisie mobilière*** : por-nt sur des meubles corporels en vue d'en opérer vente publique aux enchères. ► ***Saisie-brandon*** : aisie-exécution portant sur des récoltes encore sur ed. ► ***Saisie conservatoire*** : visant à empêcher le ébiteur de disposer de ses biens mobiliers, afin de éserver les intérêts du créancier. ► ***Saisie-gagerie*** : aisie conservatoire des meubles d'un locataire ou es récoltes d'un fermier, visant à garantir au ailleur le versement des loyers ou des fermages npayés. ► ***Saisie-revendication*** : **saisie** conservatoire ffectuée, à certaines conditions, sur des biens obiliers n'appartenant plus au débiteur, mais à n tiers. ► ***Saisie-arrêt*** (auj. ***saisie-attribution***) : par quelle un créancier (le saisissant) arrête entre les ains d'un tiers (le tiers **saisi**) des sommes ou des ɔjets appartenant au débiteur (le **saisi**). **2.** Ext. onfiscation, par l'autorité publique ou les servi-s douaniers, de pièces à conviction ou d'objets rohibés : *Une **saisie** d'héroïne.* **3.** *Informat.* Intro-uction et enregistrement de données en vue de leur ɔnservation ou de leur traitement. Fin XIIe s. ; p. p. *saisir* ; [sezi].

**SAISINE, subst. f.**
*Dr.* **1.** Vx. Prise de possession sans droits réels. . Entrée en possession d'un héritage sans auto-sation de justice. **3.** Droit, fait de saisir une ıstance officielle. **II.** *Mar.* Cordage servant à aintenir ou à soulever des objets. Mil. XIIe s. ; ☞ *saisir* ; [sezin].

**SAISIR, verbe trans.** [19]
. **1.** Attraper (qqch.) d'un geste vif de la main : ***aisir** le ballon.* **2.** Mettre la main sur, attraper (qqn, n animal) par la force : ***Saisir** sa proie.* **3.** Produire ne sensation, une impression soudaine et forte sur qqn) : *Un malaise le **saisit*** ; empl. abs. : ***Être saisi***, npressionné, surpris. **4.** S'empresser de mettre à rofit, d'exploiter (une occasion, un évènement) : ***aisir** une affaire.* **5.** Percevoir, comprendre (qqch.) : ***aisir** un propos.* **6.** *Cuis.* Exposer (un aliment) à n feu vif. **7.** *Dr.* Opérer la saisie de (qqch.) ; par 1éton. : ***Saisir** qqn, ses biens.* ► Ext. Confisquer. . *Informat.* Effectuer la saisie de (une, des don-ées). **II.** *Dr.* **1.** Vieilli. Mettre (qqn) en possession e (un bien, un héritage). **2.** Porter auprès de (une ıstance officielle) : ***Saisir** la justice d'une affaire.*

**Pronom.** **Se saisir de.** S'emparer de : ***Se saisir** d'une arme.* Fin XIe s. ; anc. haut all. °*sajzan* ; [seziʀ].

**SAISISSABLE, adj.**
**1.** *Dr.* Qui peut être saisi. **2.** Compréhensible. 1764 (1727, qui peut être cliniquement isolé) ; ☞ *saisir* ; [sezisabl].

**SAISISSANT, ANTE, adj. et subst.**
**Adj. 1.** *Dr.* Qui fait pratiquer une saisie. **2.** Qui surprend brusquement : *Bruit **saisissant**.* **3.** Qui étonne, frappe : *Une image **saisissante**.* **Subst.** *Dr.* Personne qui pratique une saisie : *Le saisi et le **saisissant**.* 1690 ; p. pr. de *saisir* ; [sezisɑ̃, ɑ̃t].

**SAISISSEMENT, subst. m.**
**1.** *Dr.* Action d'accomplir une saisie. **2.** Sensation physique ou émotion soudaine et violente. 1463 (1170, fait d'attraper) ; ☞ *saisir* ; [sezismɑ̃].

**SAISON, subst. f.**
**1.** Époque de l'année caractérisée par son climat, sa végétation, ses productions : *La belle **saison*** ; *La **saison** des pluies, des vendanges* ; *La **saison** des amours*, période de la reproduction, chez les animaux. **2.** Chacune des quatre divisions de l'année (printemps, été, automne, hiver), comprise entre un équinoxe et un solstice. **3.** Époque de l'année pendant laquelle s'exercent certaines activités : ***Saison** théâtrale* ; ***Saison** des collections.* ► Période de l'année où l'activité touristique est à son maximum : *La **saison** a été bonne* ; *Haute, basse **saison*** ; *Hors **saison***, en dehors de la période d'affluence. **4.** Loc. ► ***En toute(s) saison(s)*** : en permanence. ► **De saison.** Qui correspond à la période de l'année dans laquelle on se trouve : *Des fruits, une tenue de **saison*** ; *Être de **saison***, de circonstance, opportun. **5.** Période ; âge (vieilli ou littér.) : ***Saison** de la jeunesse.* **6.** Cure dans une station thermale : *Faire une **saison** à Évian.* 1215 (1119, temps qu'il fait) ; lat. *satio*, « semailles ; saison favorable » ; [sezɔ̃].

**SAISONNALITÉ, subst. f.**
Caractère saisonnier de qqch. V. 1980 ; ☞ *saison* ; [sezɔnalite].

**SAISONNIER, IÈRE, adj. et subst.**
**Adj. 1.** Qui caractérise telle ou telle saison. **2.** Qui a la durée d'une saison. **Subst.** Personne qui travaille durant une saison. 1775 ; ☞ *saison* ; [sezɔnje, jɛʀ].

**SAÏTE, adj.**
*Antiq.* Relatif à la ville égyptienne de Saïs et à son influence (VIIe et VIe s. av. J.-C.) : *Dynastie **saïte**.* 1721 ; topon. *Saïs*, ville de l'ancienne Egypte ; [sait].

**SAJOU, voir SAPAJOU**

**SAKÉ, subst. m.**
Boisson japonaise alcoolique fabriquée à partir de riz fermenté. 1667 ; jap. *sake* ; [sake].

**SAKI, subst. m.**
*Zool.* Singe d'Amazonie de la famille des Cébidés, à longue queue, qui porte soit une barbe, soit un capuchon de poils. 1767 ; prob. *çahy*, altér. du tupi *çaý*, « singe » ; [saki].

**SAKIEH, subst. f.**
En Égypte, noria mue par des bœufs. 1665 ; ar. *sāqiya*, « canal d'irrigation » ; [sakje].

**SALACE, adj.**
Lubrique, obscène. 1555 ; lat. *salax*, de *salire*, « couvrir une femelle » ; [salas].

**SALACITÉ, subst. f.**
Lubricité. 1552 ; lat. *salacitas* ; [salasite].

**SALADE (I), subst. f.**
**1.** Plat composé de feuilles d'herbes potagères crues et assaisonnées : *Une **salade** de laitue, de mâche.* **2.** Méton. Plante potagère dont on consomme ainsi les feuilles (laitue, batavia, scarole, chicorée, etc.). **3.** Anal. Plat froid à base d'un ou de plusieurs ingrédients assaisonnés : ***Salade** de pommes de terre* ; ***Salade** de poisson.* ► ***Salade de fruits*** : mélange de fruits coupés en morceaux auxquels on ajoute du sucre et, parfois, de l'alcool. **4.** Fig. et Fam. Mélange confus, embrouillamini. ► Histoire, propos mensonger (souv. au plur.) : *Raconter des **salades**.* ► ***Vendre sa salade*** : son boniment. 1414 ; ital. du Nord *salada*, de l'ital. *salare*, « saler » ; [salad].

**SALADE (II), subst. f.**
Casque porté aux XVe et XVIe s. 1417 ; ital. *celata*, de *cielo*, « voûte céleste », par anal. de forme ; [salad].

**SALADIER, subst. m.**
Plat creux dans lequel on prépare et on sert la salade ; par méton., son contenu. 1660 (1558, marchand de salades) ; ☞ *salade* (I) ; [saladje].

**SALAGE, subst. m.**
Action de saler ; son résultat. 1611 (1281, gabelle) ; ☞ *saler* ; [salaʒ].

**SALAIRE, subst. m.**
**1.** Rétribution d'un travail, d'un service, stipulée par un contrat de travail : ***Salaire** brut*, avant déduction des cotisations sociales ; ***Salaire** net*, effectivement perçu après déduction des cotisations sociales ; ***Salaire** de base*, pris comme base de calcul des prestations et des cotisations sociales ; ***Salaire** social* ou *indirect*, avantages sociaux (congés, allocations, prestations diverses) perçus par un salarié ; *Allocation de **salaire** unique*, accordée à la naissance d'un enfant aux personnes isolées ou aux couples qui ne bénéficient que d'un seul revenu mensuel. ► ***Salaire minimum interprofessionnel de croissance (smic)*** : au-dessous duquel aucun salarié ne peut, légalement, être rétribué. **2.** Fig. Récompense, contrepartie de qqch. ► Loc. *Toute peine mérite **salaire*** : tout effort doit être récompensé. Mil. XIIIe s. ; lat. *salarium*, « ration de sel » ; [salɛʀ].

**SALAISON, subst. f.**
*Alim.* **1.** Action de saler un produit afin de le conserver. **2.** Méton. Denrée ainsi conservée (gén. au plur.). Fin XIIIe s. ; ☞ *saler* ; [salɛzɔ̃].

**SALAMALECS, subst. m. plur.**
Politesses exagérées (fam.). 1659 (1559, salut musulman) ; ar. *al-salām 'alaykum*, « que le salut soit sur vous » ; [salamalɛk].

**SALAMANDRE, subst. f.**
**1.** *Zool.* Amphibien terrestre de l'ordre des Urodèles, vivant en milieu humide, qui a la forme d'un lézard, qui ne porte pas d'écailles et dont la peau sécrète des liquides protecteurs parfois toxiques. On le rencontre en Europe, en Afrique du Nord, au Proche-Orient. La **salamandre** tachetée, noire et jaune, peut atteindre 30 cm de long. **2.** Modèle de poêle de chauffage (n. déposé). Déb. XIIe s. ; lat. *salamandra*, du gr. *salamandra* ; [salamɑ̃dʀ].

*Salamandre tachetée.*

**SALAMI, subst. m.**
Gros saucisson sec fait de viande (de porc en gén.) finement hachée. Fin XVIIe s. ; ital. *salame* ; [salami].

**SALANGANE, subst. f.**
*Zool.* Oiseau des côtes d'Asie, de la famille des Apodidés, voisin du martinet, dont le nid fait d'algues est comestible (potage aux nids d'hirondelle). 1719 ; langue des Philippines *salamga*, du malais *sārang*, « nid » ; [salɑ̃gan].

**SALANT, ANTE, adj. et subst. m.**
**Adj.** Qui contient ou qui produit du sel par évaporation : *Marais **salant**.* **Subst.** *Géogr.* Étendue de terre voisine de la mer, qui présente des efflorescences salines. 1417 ; p. pr. de *saler* ; [salɑ̃, ɑ̃t].

**SALARIAL, ALE, AUX, adj.**
**1.** Qui a trait au salaire. ► ***Masse salariale*** : somme globale des rémunérations directes et indirectes perçues par les salariés d'une entreprise, d'un pays. **2.** Relatif, propre au travailleur salarié (par oppos. à *patronal*). 1953 ; ☞ *salaire* ; [salaʀjal, o].

**SALARIAT, subst. m.**
**1.** État, condition de salarié. **2.** Ensemble des salariés (par oppos. à *patronat*). **3.** Rétribution du travail par le salaire. 1846 ; ☞ *salaire* ; [salaʀja].

**SALARIÉ, ÉE, adj. et subst.**
Se dit d'une personne rémunérée par un salaire. **Adj.** Qui se fait en échange d'un salaire. 1766 ; p. p. de *salarier* ; [salaʀje].

**SALARIER,** verbe trans. [6]
Rémunérer par un salaire. 1369 ; ☞ *salaire* ; [salaʀje].

**SALAUD,** subst. m.
Vulg. Personne ignoble, sans moralité ; empl. adj. masc. : *Il est* ***salaud.*** Mil. XIIIe s. ; ☞ *sale* ; [salo].

**SALE,** adj.
**1.** Qui est souillé, qui n'est pas propre : *Mains* ***sales*** ; qui ne se lave pas assez ; qui manque de soin. **2.** Méton. Susceptible de salir : *Un travail* ***sale.*** **3.** Qui n'est pas net, en parlant d'une couleur : *Gris* ***sale.*** **4.** Contraire à la morale, douteux : *Propos* ***sales,*** obscènes. ▸ *Argent* ***sale*** : obtenu frauduleusement. **5.** Empl. antéposé. ▸ Qui peut avoir des conséquences fâcheuses ; désagréable : ***Sale*** *affaire* ; ***Sale*** *temps,* pluvieux et froid. ▸ Méprisable, mauvais : *Un* ***sale*** *type* ; *Une* ***sale*** *bête.* Fin XIIe s. ; anc. bas frq. °*salo,* « trouble, terne » ; [sal].

**SALÉ, ÉE,** adj. et subst. m.
Adj. **1.** Qui renferme du sel ; assaisonné de sel ; qui en a le goût : *Lac* ***salé*** ; *Potage* ***salé.*** ▸ Conservé avec du sel : *Jambon* ***salé.*** **2.** Fig. et Fam. ▸ Grivois, salace : *Histoire* ***salée.*** ▸ Sévère, excessif : *Une note* ***salée.*** Subst. **1.** Ce qui est salé : *Préférer le* ***salé*** *au sucré.* **2.** *Cuis. Petit* ***salé*** : poitrine de porc conservée avec un peu de sel. Mil. XIIe s. ; p. p. de *saler* ; [sale].

**SALEMENT,** adv.
**1.** De manière sale. **2.** Beaucoup, très (fam.) : *Elle est* ***salement*** *atteinte.* Déb. XVIe s. ; ☞ *sale* ; [salmɑ̃].

**SALEP,** subst. m.
Fécule extraite des tubercules desséchés d'un orchis, utilisée en cuisine ou comme excipient en pharmacie. 1740 ; mot turc ; [salɛp].

**SALER,** verbe trans. [3]
**1.** Assaisonner avec du sel : ***Saler*** *une béchamel.* ▸ Conserver (un aliment) dans du sel ou de la saumure. **2.** Couvrir de sel pour faire fondre neige ou verglas : ***Saler*** *un trottoir.* **3.** Fig. ▸ Punir, critiquer trop sévèrement. ▸ Faire payer trop cher : ***Saler*** *une facture.* Mil. XIIe s. ; *sal,* anc. forme de *sel* ; [sale].

**SALERON,** subst. m.
Petite salière de table. 1926 (1406, partie creuse d'une salière) ; *salere,* anc. forme de *salière* ; [salʀɔ̃].

**SALÉSIEN, IENNE,** adj. et subst.
*Cath.* Adj. Relatif à saint François de Sales. Subst. masc. Membre d'une congrégation vouée à l'éducation sociale, fondée par saint Jean Bosco à Turin. Subst. fém. Religieuse de la congrégation des Filles de Marie-Auxiliatrice. 1892 (1803, visitandine) ; anthropon. *saint François de Sales* ; [salezjɛ̃, jɛn].

**SALETÉ,** subst. f.
**1.** Caractère, état d'une personne, d'une chose sale, malpropre. **2.** Ce qui est sale, souillé ; ce qui salit : *Se vautrer dans la* ***saleté.*** **3.** Fig. Acte malhonnête ; propos vil, obscène : *Faire une* ***saleté*** *à qqn* ; *Dire des* ***saletés.*** **4.** Chose sans valeur ou mauvaise (fam.) : *Manger des* ***saletés.*** **5.** Personne immorale, méchante (fam.) : *Cet homme est une vraie* ***saleté.*** 1563 ; ☞ *sale* ; [salte].

**SALEUR, EUSE,** subst.
Personne qui prépare des salaisons. Fém. Engin utilisé pour le salage des chaussées. 1561 ; ☞ *saler* ; [salœʀ, øz].

**SALICAIRE,** subst. f.
*Bot.* Plante herbacée vivace de la famille des Lythracées, poussant dans les endroits humides. 1694 ; lat. sc. *salicaria,* du lat. *salix,* « saule » ; [salikɛʀ].

**SALICINE,** subst. f.
*Chim.* Salicoside. 1830 ; lat. *salix,* « saule » ; [salisin].

**SALICOLE,** adj.
Qui a trait à la production de sel : *Industrie* ***salicole.*** 1866 ; lat. *sal,* « sel », + *-cole* ; [salikɔl].

**SALICOQUE,** subst. f.
Région. (Bretagne, Normandie). Crevette grise ou rose. 1530 ; orig. obsc. ; [salikɔk].

**SALICORNE,** subst. f.
*Bot.* Plante herbacée à tige charnue, de la famille des Chénopodiacées, qui croît sur les terrains salés, utilisée comme condiment et dont on extrayait de la soude. 1563 ; catalan *salicorn,* prob. du bas lat. *salicorneum,* « en forme de corne de sel » ; [salikɔʀn].

**SALICOSIDE,** subst. m.
*Chim.* Molécule d'hétéroside, produite par le saule et le peuplier, servant de base à la fabrication de l'aspirine. 1933 ; lat. *salix,* « saule », d'apr. *glucoside* ; [salikozid].

**SALICYLATE,** subst. m.
*Chim.* Molécule de sel ou d'ester de l'acide salicylique. 1844 ; ☞ *salicylique* ; [salisilat].

**SALICYLIQUE,** adj.
*Chim. Acide* ***salicylique*** : composé de formule $C_6H_4(OH)(COOH)$ présent à l'état naturel dans certaines plantes, utilisé couramment pour la fabrication de l'aspirine. 1838 ; ☞ *salicine* ; [salisilik].

**SALIEN, IENNE,** adj.
*Hist.* Salique. 1589 ; bas lat. *Salii,* tribu franque ; [saljɛ̃, jɛn].

**SALIÈRE,** subst. f.
**1.** Petit récipient à sel. **2.** *Vétér.* Partie enfoncée au-dessus de l'œil du cheval. **3.** *Anat.* Creux formé en arrière des clavicules, chez les personnes maigres. Fin XIIe s. ; lat. *salarius,* « de sel » ; [saljɛʀ].

**SALIFÈRE,** adj.
**1.** Qui renferme du sel. **2.** *Géol. Tectonique* ***salifère*** : ensemble des phénomènes liés à l'ascension et à l'écoulement latéral de roches salines à densité plus faible que les roches sous-jacentes (synon. *halocinèse*). 1788 ; lat. *sal,* « sel », + *-fère* ; [salifɛʀ].

**SALIFIER,** verbe trans. [6]
*Chim.* Transformer en sel. 1789 ; lat. *sal,* « sel » ; [salifje].

**SALIGAUD,** subst. m.
Fam. **1.** Personne sale. **2.** Fig. Personne méprisable, ignoble. 1640 ; prob. frq. °*salik,* « sale » ; [saligo].

**SALIGNON,** subst. m.
*Techn.* Pain de sel obtenu par évaporation de l'eau d'une fontaine salée. 1257 ; lat. *salinum,* « salière » ; [saliɲɔ̃].

**SALIN, INE,** adj. et subst. m.
Adj. **1.** Qui renferme du sel, qui est formé de sel : *Eau* ***saline*** ; *Croûte* ***saline.*** ▸ *Pétrogr. Roche* ***saline*** : roche sédimentaire plus ou moins soluble, constituée de sulfates, de chlorures (halite, potasse, gypse, anhydrite, etc.), qui se forme par évaporation de l'eau de mer ou d'une eau de pluie qui s'est chargée en sels. **2.** *Chim.* Qui a la composition chimique d'un sel : *Composés* ***salins.*** Subst. Marais salant. Fin XVIe s. ; lat. *sal,* « sel » ; [salɛ̃, in].

**SALINAGE,** subst. m.
*Techn.* **1.** Concentration d'une eau salée jusqu'à obtention d'un dépôt du sel. **2.** Endroit où l'on recueille le sel. 1765 (1407, droit de faire du sel) ; *salineir* (vx), « faire du sel », de *saline* ; [salinaʒ].

**SALINE,** subst. f.
Lieu où l'on exploite le sel marin, par évaporation ou par extraction. Mil. XIIIe s. (déb. XIIIe s., rive d'un fleuve près de la mer) ; lat. *salinae* ; [salin].

**SALINIER, IÈRE,** subst. et adj.
Subst. *Techn.* Personne qui exploite une saline. Adj. Relatif à la production du sel. 1374 ; ☞ *saline* ; [salinje, jɛʀ].

**SALINITÉ,** subst. f.
État de ce qui est salin ; en partic., teneur en sel de l'eau de mer. 1867 ; ☞ *salin* ; [salinite].

**SALIQUE,** adj.
*Hist.* Qui a trait, qui appartient aux Francs Saliens. ▸ *Loi* ***salique*** : recueil législatif dont une clause, qui excluait les femmes de la succession à la terre, fut invoquée au XIVe s. pour leur refuser tout droit à la succession au trône de France. 1390 ; lat. médiév. *salicus,* de *Salii,* tribu franque ; [salik].

**SALIR,** verbe trans. [19]
**1.** Rendre sale ; empl. pronom. : *Il s'est* ***sali*** *les mains.* **2.** Fig. Diffamer, déshonorer. XIIIe s. ; ☞ *sale* ; [saliʀ].

**SALISSANT, ANTE,** adj.
**1.** Qui salit ; qui se salit facilement : *Couleur* ***salissante.*** **2.** Fig. Qui souille moralement : *Un propos* ***salissant.*** **3.** *Agric. Plante, culture* ***salissante*** : qui favorise le développement des mauvaises herbes. 1694 ; p. pr. de *salir* ; [salisɑ̃, ɑ̃t].

**SALISSURE,** subst. f.
Ce qui salit, souille. Mil. XVIe s. ; ☞ *salir* ; [salisyʀ].

**SALIVAIRE,** adj.
*Anat.* Qui se rapporte à la salive : ***Glande salivaire,*** chacune des glandes (sublinguales, sous-maxillaires et parotidiennes chez l'homme) qui sécrètent la salive. Fin XVIe s. ; ☞ *salive,* d'apr. le lat. *salivarius,* « qui ressemble à la salive » ; [salivɛʀ].

**SALIVATION,** subst. f.
Processus de sécrétion de la salive. 1575 ; ☞ *saliver* ; [salivasjɔ̃].

**SALIVE,** subst. f.
*Physiol.* Sécrétion digestive, claire et visqueu[se] produite par les glandes salivaires et contenant d[es] enzymes, en partic. la ptyaline. ▸ Loc. *Perdre, [ou dé]penser sa* ***salive*** : parler beaucoup et en vain. [Fin] XIIe s. ; lat. *saliva* ; [saliv].

**SALIVER,** verbe intrans. [3]
Produire de la salive. 1611 ; ☞ *salive* ; [saliv[e]].

**SALLE,** subst. f.
**1.** Vaste pièce de réception, dans un châte[au]. **2.** Pièce d'une habitation, réservée à un usage par[ti]culier. ▸ ***Salle*** *à manger* : réservée aux repas ; p[ar] méton., son mobilier. ▸ ***Salle*** *de séjour* : pièce prin[ci]pale, comportant salon et **salle** à manger. ▸ ***Sa[lle]*** *de bains* : aménagée pour la toilette avec baignoir[e]. ***Salle*** *d'eau* : avec lavabo et douche. **3.** Pièce d'[un] bâtiment public : ***Salle*** *d'audience d'un tribunal* ; ***Sa[lle]*** *de classe* ; ***Salle*** *d'attente* ; ***Salle*** *d'opération.* ▸ ***Sa[lle]*** *des pas perdus* : hall d'une gare ou d'un palais [de] justice ; ***Salle*** *des ventes* : où ont lieu des ventes a[ux] enchères. **4.** Lieu où l'on reçoit des spectateurs : ***Salle*** *de spectacle* ; ***Salle*** *obscure,* **salle** de ciném[a]. ▸ Méton. *La* ***salle*** : le public. Fin XIe s. ; anc. b[as] frq. °*sal,* « habitation à une seule pièce » ; [sal].

**SALMANAZAR,** subst. m.
Grosse bouteille de champagne dont la capac[ité] équivaut à celle de douze bouteilles champenoise[s]. V. 1960 ; *Salmanasar,* nom de plusieurs rois assyrien[s] ; [salmanazaʀ].

**SALMIGONDIS,** subst. m.
**1.** *Cuis.* Ragoût de viandes réchauffées (vieill[i]). **2.** Fig. Mélange confus : ***Salmigondis*** *de sentimen[ts].* 1552 ; p.-ê. crois. du m. fr. *salemine,* « plat de po[is]sons », de *sel* et de *condir,* « assaisonner » ; [salmigɔ̃d[i]].

**SALMIS,** subst. m.
*Cuis.* Ragoût de pièces de gibier à plumes préal[a]blement rôties à la broche, cuit dans une sau[ce] au vin. 1718 ; abrév. de *salmigondis* ; [salmi].

**SALMONELLE,** subst. f.
*Bactériol.* Bactérie Gram–, pathogène, vivant da[ns] l'intestin, responsable, chez l'homme, des fièvr[es] typhoïdes et paratyphoïdes et d'épidémies de gastr[o-]entérites. 1901 ; anthropon. *David Elmer Salmo[n],* pathologiste américain ; [salmɔnɛl].

**SALMONELLOSE,** subst. f.
*Pathol.* Maladie infectieuse, due à une salmonel[le], particulièrement grave chez les malades aux réa[c]tions immunitaires faibles. 1901 ; ☞ *salmone[lle]* + *-ose* ; [salmɔnɛloz] ou [-ne-].

**SALMONICULTURE,** subst. f.
*Techn.* Élevage de saumons ou de truites. 191[.] ; lat. *salmo,* « saumon », + *-culture* ; [salmɔnikyltyʀ].

**SALMONIDÉS,** subst. m. plur.
*Zool.* Famille de poissons osseux des eaux tempéré[es] [et] froides d'Europe, d'Asie et d'Amérique du Nor[d], comptant environ 70 espèces (saumons, omble[s], corégones, etc.). Au sing. *La truite est un* ***salm[o]nidé.*** 1829 ; lat. *salmo,* « saumon » ; [salmɔnide].

**SALOIR,** subst. m.
**1.** Récipient de bois ou de grès où l'on place l[es] viandes à saler. **2.** Local où se font les salaison[s]. 1376 ; ☞ *saler* ; [salwaʀ].

**SALON,** subst. m.
**1.** Pièce de réception dans une habitation privé[e] ; par méton., son mobilier. **2.** Réunion organisée p[ar] une femme du monde qui recevait régulièreme[nt] des personnalités, des artistes, des mondains : *L[es]* ***salons*** *littéraires des XVIIe et XVIIIe siècles* ; par méton., l'ensemble des personnes réunies. ▸ Loc. *Fai[re]* ***salon*** : recevoir, se réunir pour converser. **3.** Exp[o]sition périodique d'œuvres d'artistes vivants ; exp[o]sition commerciale annuelle : *Le* ***Salon*** *de l'agricu[l]ture.* **4.** Lieu où l'on reçoit les clients, dans ce[r]taines professions : ***Salon*** *de coiffure* ; ***Salon*** *de th[é].* 1650 ; ital. *salone,* de *sala,* « salle » ; [salɔ̃].

Culture – Les salons littéraires connurent u[ne] vogue extraordinaire aux XVIIe et XVIIIe s. D[es] femmes de la haute société, réputées pour le[ur] beauté, leur culture, leur esprit et leur goû[t], organisaient dans leurs demeures des réunio[ns] fréquentées avec assiduité par les grands d[u] royaume, les écrivains, les artistes, les savants l[es] plus distingués. Les plus célèbres salons du Gran[d] Siècle furent ceux de la marquise de Rambouill[et], de Mlle de Scudéry, de Mme Scarron et de Ninc[n] de Lenclos. Rivalisant d'esprit et de bonn[es] manières, on y discutait art, langue et littératur[e]

Précieux et précieuses, bientôt brocardés par Molière, y décrétaient la mode du jour. Au XVIIIe s., avec Mme de Tencin, Mme du Deffand, Mlle de Lespinasse et Mme Necker, les salons devinrent philosophiques et exercèrent une influence politique. Après la Révolution, les derniers à connaître encore des heures de gloire furent ceux qu'animèrent Mme de Staël, Mme de Beaumont et, surtout, Mme Récamier.

**SALONNARD, ARDE,** subst.
Personne snob, habituée des salons mondains (péj.). Fin XIXe s. ; ☞ *salon* ; [salɔnaʀ, aʀd].

**SALONNIER, IÈRE,** subst. et adj.
Subst. Critique d'art chargé d'écrire sur les salons (vieilli). Adj. Propre aux salons mondains. 1870 ; ☞ *salon* ; [salɔnje, jɛʀ].

**SALOON,** subst. m.
Bar du Far West. 1895 (1830, salle de bal) ; anglo-amér. *saloon*, du fr. *salon* ; [salun].

**SALOP,** subst. m.
Salaud (vulg. et vieilli). 1837 ; ☞ *salaud*, d'apr. *salope* ; [salo].

**SALOPARD,** subst. m.
1. Injure proférée par les soldats français contre les partisans d'Abd el-Krim qui luttaient contre le colonialisme (argot milit.). 2. Salaud (vulg.). 1911 ; ☞ *salop* ; [salɔpaʀ].

**SALOPE,** subst. f.
Vulg. 1. Femme débauchée. 2. Personne haïssable que l'on méprise pour sa méchanceté, son sadisme. 1775 (1607, personne sale) ; prob. crois. de *sale* et de *hoppe*, var. dial. de *huppe*, oiseau réputé pour sa saleté ; [salɔp].

**SALOPER,** verbe trans. [3]
Fam. 1. Bâcler (un travail). 2. Salir beaucoup (qqch.). 1841 (1808, fréquenter des prostituées) ; ☞ *salope* ; [salɔpe].

**SALOPERIE,** subst. f.
Fam. 1. Ordure, saleté. 2. Chose de très mauvaise qualité. 3. Action, propos condamnable, abject. 1694 ; ☞ *salope* ; [salɔpʀi].

**SALOPETTE,** subst. f.
1. Combinaison de travail. 2. Pantalon à bavette et à bretelles. 1871 (1832, tablier d'enfant) ; ☞ *salope* ; [salɔpɛt].

**SALOPIAUD,** subst. m.
Salaud (fam.). 1866 ; ☞ *salop* ; var. *salopiot*, *salopiau* ; [salɔpjo].

**SALPE,** subst. f.
*Zool.* Invertébré marin de l'embranchement des Chordés. Voisines des Ascidies, les **salpes** flottent librement dans les eaux tropicales et subtropicales, formant parfois des colonies qui peuvent atteindre neuf mètres de long. 1875 ; lat. *salpa*, du gr. *salpê*, « poisson de mer » ; [salp].

**SALPÊTRE,** subst. m.
1. *Minér.* Nitrate de potassium (synon. *nitre*). ▸ ***Salpêtre du Chili*** : nitrate de sodium. 2. Méton. Poudre de guerre qui était fabriquée avec du **salpêtre**. 3. Efflorescence de nitrates qui se forme sur les murs humides. 1338 ; lat. médiév. *salpetrae*, « sel de pierre » ; [salpɛtʀ].

**SALPÊTRER,** verbe trans. [3]
1. Couvrir de salpêtre ; empl. adj. : *Murs **salpêtrés***. 2. Couvrir (un sol) d'un imperméabilisant de salpêtre et de terre. 1583 ; ☞ *salpêtre* ; [salpetʀe].

**SALPICON,** subst. m.
*Cuis.* Farce ou garniture composée d'aliments divers coupés en dés. 1712 ; esp. *salpicon*, de *sal*, « sel », et de *picar*, « hacher » ; [salpikɔ̃].

**SALPINGITE,** subst. f.
*Pathol.* ▸ Inflammation de la trompe d'Eustache. ▸ Inflammation aiguë ou chronique des trompes de Fallope. 1859 ; lat. *salpinx*, du gr. *salpigx*, « trompette », + *-ite* ; [salpɛ̃ʒit].

**SALSA,** subst. f.
Musique de danse d'origine afro-cubaine, au rythme entraînant. V. 1980 ; hisp.-amér. *salsa*, « sauce (piquante) » ; [salsa].

**SALSE,** subst. f.
*Géol.* Volcan de boue dû à une accumulation souterraine de pétrole, qui se traduit en surface par un dégagement gazeux. 1797 ; ital. *salsa*, du lat. *salsus*, « salé » ; [sals].

**SALSEPAREILLE,** subst. f.
*Bot.* Plante volubile du Mexique, de la famille des Liliacées, dont les racines et les rhizomes ont des vertus dépuratives. Fin XVIe s. ; esp. *zarzaparrilla*, de *zarza*, « ronce », et de *parrilla*, « treille » ; [salsəpaʀɛj].

**SALSIFIS,** subst. m.
*Bot.* Plante astéracée, à la racine comestible ; par méton., cette racine. ▸ ***Salsifis noir*** ou ***d'Espagne*** : scorsonère. Fin XVIe s. ; ital. *salsefrica* ; [salsifi].

**SALSOLACÉES,** subst. f. plur.
*Bot.* Chénopodiacées. 1846 ; lat. sc. *salsola*, « soude », du lat. *salsus*, « salé » ; [salsɔlase].

**SALTARELLE,** subst. f.
Danse populaire italienne à trois temps ; air sur lequel on l'exécute. 1834 ; ital. *saltarello*, de *saltare*, « sauter » ; [saltaʀɛl].

**SALTATION,** subst. f.
1. *Antiq. rom.* Art de l'expression corporelle, alliant la danse et la pantomime. 2. Ext. Art de la danse, des sauts. 3. *Géomorph.* Déplacement de particules détritiques par bonds successifs sous l'effet d'un courant dans l'eau ou dans l'air. 1372 ; lat. *saltatio*, de *saltare*, « sauter » ; [saltasjɔ̃].

**SALTATOIRE,** adj.
1. Qui concerne l'art de la danse, des sauts. 2. Qui se manifeste par des sauts. 3. Adapté, propre au saut. 4. *Biol.* Se dit de la conduction de l'influx nerveux au niveau des axones myélinisés. 1879 ; lat. *saltatorius*, de *saltare*, « sauter » ; [saltatwaʀ].

**SALTIMBANQUE,** subst.
Baladin des places publiques. 1615 ; ital. *saltimbanco*, de *saltare*, « sauter », et de *banco*, « banc » ; [saltɛ̃bɑ̃k].

© D. Casimiro-Explorer

*Un saltimbanque, le cracheur de feu.*

**SALTO,** subst. m.
*Sp.* Saut périlleux exécuté en gymnastique, en patinage artistique, etc. V. 1970 ; mot ital. ; [salto].

**SALUBRE,** adj.
1. Favorable à la santé, sain : *Des locaux **salubres***. 2. Fig. Salutaire : *Une confession **salubre***. Mil. XVe s. ; lat. *salubris* ; [salybʀ].

**SALUBRITÉ,** subst. f.
Qualité de ce qui est salubre. ▸ ***Mesures de salubrité publique*** : mesures d'hygiène destinées à améliorer la santé publique. 1491 ; lat. *salubritas* ; [salybʀite].

**SALUER,** verbe trans. [3]
1. Honorer du titre de ; reconnaître (qqn) en tant que : ***Saluer** qqn comme le sauveur*. 2. Honorer (qqn) d'une marque extérieure de civilité, de respect : ***Saluer** un ami d'un geste*. ▸ ***Saluer le public*** : s'incliner devant lui à la fin d'un spectacle, en parlant d'un artiste. ▸ Honorer par des gestes réglés par l'usage : ***Saluer** un officier, le drapeau*. 3. Ext. Honorer (qqn) d'une visite. 4. Rendre hommage à : ***Saluer** la mémoire d'un disparu*. 5. Accueillir (qqn) par des manifestations hostiles ou louangeuses : ***Saluer** par des sifflets*. Fin Xe s. ; lat. *salutare* ; [salɥe].

**SALURE,** subst. f.
1. État de ce qui est salé. 2. Teneur en sel d'une eau. 1246 ; ☞ *saler* ; [salyʀ].

**SALUT,** subst. m.
**I.** 1. *Relig.* Rachat, rédemption. ▸ ***Armée du salut*** : association protestante qui secourt les pauvres. 2. Fait d'échapper à un danger, à un malheur : *Trouver son **salut** dans l'action* ; *Mesures de **salut** public*, d'urgence nationale. 3. Méton. Personne, chose à laquelle on doit son salut. **II.** 1. Action de saluer ; marque de civilité adressée à qqn que l'on rencontre ou que l'on quitte : *Adresser un **salut** de la tête*. 2. Geste conventionnel servant à saluer : ***Salut** scout*. ▸ ***Salut militaire*** : marque de respect due à un supérieur, qui s'exécute en portant la main droite sur la tempe. 3. Formule brève de salutation (fam.) : ***Salut**, comment vas-tu ?* 4. *Cath.* Office du soir qui se termine par la bénédiction du saint sacrement. Fin Xe s. ; lat. *salus* ; [saly].

**SALUTAIRE,** adj.
Utile à la conservation de la santé physique et morale ; bénéfique : *Sommeil **salutaire*** ; *Avis **salutaire***. 1315 ; lat. *salutaris* ; [salytɛʀ].

**SALUTATION,** subst. f.
1. Action de saluer. ▸ ***Salutation angélique*** : annonciation, salut de l'ange Gabriel à Marie ; prière à la Vierge (synon. *Ave Maria*). 2. Salut, marqué de civilité ostentatoire. Plur. Formule de politesse adressée en fin de lettre : *Recevez mes **salutations** respectueuses*. Fin XIIIe s. ; lat. *salutatio* ; [salytasjɔ̃].

**SALUTISTE,** adj. et subst.
Se dit d'un membre de l'Armée du salut. Adj. Relatif à l'Armée du salut. 1890 ; ☞ *salut* ; [salytist].

**SALVATEUR, TRICE,** adj.
Qui sauve (littér.) : *Amour **salvateur***. 1485 ; lat. chrét. *salvator*, de *salvare*, « sauver » ; [salvatœʀ, tʀis].

**SALVE,** subst. f.
Décharge simultanée d'armes à feu, en partic. en signe de bienvenue ou de réjouissance ; par anal. : *Une **salve** d'applaudissements*. 1559 ; ital. *salva*, du lat. *salve*, « salut » ; [salv].

**SALVE REGINA,** subst. m. inv.
*Cath.* Prière en l'honneur de la Vierge. 1387 ; lat. eccl. *Salve, Regina*, « Salut, Reine », premiers mots de l'antienne ; var. *salvé* ; [salveʀeʒina].

**SAMARE,** subst. f.
*Bot.* Akène pourvu d'ailes membraneuses : *Le fruit du frêne est une **samare***. 1798 ; lat. *samara*, « semence d'orme » ; [samaʀ].

**SAMARITAIN, AINE,** adj. et subst.
De Samarie. ▸ Loc. *Faire le bon **Samaritain*** : être charitable et dévoué (souv. iron.). Subst. Helv. Secouriste. Fin XIIe s. ; topon. *Samarie* ; [samaʀitɛ̃, ɛn].

**SAMARIUM,** subst. m.
*Chim.* Élément no 62 de la table de Mendeleïev (symb. : Sm) ; masse atomique : 150,35 ; point de fusion : 1 077 °C ; point d'ébullition : 1 791 °C ; masse volumique : 7,54 g/cm³. C'est un métal du groupe des lanthanides, utilisé dans la fabrication des réacteurs nucléaires. 1879 ; *samarskite*, minerai, de l'anthropon. *Samarski*, chimiste russe ; [samaʀjɔm].

**SAMBA,** subst. f.
Danse brésilienne à deux temps ; air vif sur lequel elle s'exécute. 1925 ; mot brésilien ; [sɑ̃(m)ba].

© G. Hunter-Explorer

*École de samba au carnaval de Rio.*

**SAMBUQUE,** subst. f.
1. *M. Â.* Machine de guerre, faite d'une échelle mobile, surmontée d'une plate-forme. 2. *Antiq. gr.* Harpe triangulaire. 1284 ; lat. *sambuca*, du gr. *sambukê* ; [sɑ̃byk].

**SAMEDI,** subst. m.
Sixième jour de la semaine. Déb. XIIe s. ; lat. pop. °*sambati dies*, « jour du sabbat » ; [samdi].

**SAMIT,** subst. m.
*Archéol.* Tissu à trame de soie et à chaîne de fil, introduit d'Orient en Italie au Moyen Âge et produit jusqu'au XVIIe s. Mil. XIIe s. ; lat. médiév. *samitum*, du gr. byzantin *hexamitos*, « six fils » ; [sami].

**SAMIZDAT,** subst. m.
Dans l'ancien bloc communiste, diffusion clandestine d'ouvrages censurés ; par méton., l'ouvrage lui-même. V. 1970 ; russe *samizdat*, acron. de *samoizdatel'stvo*, « auto-édition » ; [samizdat].

**SAMMY,** subst. m.
Soldat américain arrivé en France en 1917 (fam.). 1917 ; dimin. de *oncle Sam* ; plur. *sammies* ; [sami].

**SAMOLE, subst. m.**
*Bot.* Plante herbacée à fleurs blanches, de la famille des Primulacées, qui se développe sur les sables humides. 1752 ; lat. *samolus* ; [samɔl].

**SAMOURAÏ, subst. m.**
Guerrier de la société féodale japonaise. 1852 ; jap. *samurai* ; var. *samurai* (inv.) ; [samuʀaj].

**SAMOVAR, subst. m.**
Grande bouilloire russe munie d'un robinet, grâce à laquelle on dispose en permanence d'eau chaude, en partic. pour faire du thé. 1829 ; russe *samovar*, de *sam-*, « soi-même », et de *varit'*, « bouillir » ; [samɔvaʀ].

**SAMPAN, subst. m.**
Légère embarcation asiatique à voile unique, qui se dirige à la godille et qui dispose d'un abri en bambou tressé. 1540 ; prob. chinois *shanban* ou *sanban*, « trois planches » ; var. *sampang* ; [sɑ̃pɑ̃].

**SAMPI, subst. m.**
*Ling.* et *Antiq.* Lettre numérale qui servait à noter le nombre 900. 1870 ; gr. *sam-pi*, du dorien *san*, « sigma », et de *pi* ; [sɑ̃pi].

**SAMPOT, subst. m.**
*Cost.* Étoffe que l'on drape en culotte, dans le Sud-Est asiatique. 1904 ; cambodgien *sampuet* ; [sɑ̃po].

**SANATORIUM, subst. m.**
Établissement où sont traitées les différentes formes de tuberculose, situé dans une région au climat propice (abrév. fam. : sana). 1870 ; angl. *sanatorium*, du bas lat. *sanatorius*, « propre à guérir » ; [sanatɔʀjɔm].

**SAN-BENITO, subst. m.**
*Hist.* Casaque jaune portée par les condamnés au bûcher de l'Inquisition. 1611 ; esp. *sambenito*, de *san*, « saint », et de *Benito*, « Benoît », par anal. avec le scapulaire bénédictin ; plur. *san-benito(s)* ; [sɑ̃benito].

**SANCERRE, subst. m.**
Vin du Sancerrois. XIXe s. ; topon. *Sancerre* ; [sɑ̃sɛʀ].

**SANCTIFICATEUR, TRICE, subst. et adj.**
**Subst.** Personne qui sanctifie. **Adj.** Qui sanctifie. 1539 ; lat. eccl. *sanctificator* ; [sɑ̃ktifikatœʀ, tʀis].

**SANCTIFICATION, subst. f.**
Action de sanctifier ; son résultat. Déb. XIIe s. ; bas lat. *sanctificatio* ; [sɑ̃ktifikasjɔ̃].

**SANCTIFIER, verbe trans. [6]**
*Relig.* **1.** Rendre saint ; révérer comme saint : *Que Ton Nom soit* ***sanctifié***. **2.** Célébrer religieusement : ***Sanctifier*** *le dimanche.* ► Ext. Sacraliser (littér.). Fin Xe s. ; lat. eccl. *sanctificare* ; [sɑ̃ktifje].

**SANCTION, subst. f.**
**1.** Approbation ; consécration : *La* ***sanction*** *de l'expérience, de l'usage.* **2.** *Hist.* Acte du chef de l'État, par lequel une loi devient exécutoire : *La Pragmatique* ***Sanction*** *de Bourges, signée par Charles VII.* **3.** Conséquence inévitable d'une chose : *La* ***sanction*** *d'une attitude.* **4.** *Dr.* ► Peine ou récompense établie pour garantir l'exécution d'une loi ; par ext., peine ou récompense liée à une interdiction ou à un ordre. ► Peine légale réprimant une infraction. ► Ext. Mesure, acte de répression : *Prendre des* ***sanctions***. 1762 (XIVe s., précepte) ; lat. *sanctio* ; [sɑ̃ksjɔ̃].

**SANCTIONNER, verbe trans. [3]**
**1.** Confirmer par une sanction ; confirmer légalement. **2.** Punir. 1777 ; ☞ *sanction* ; [sɑ̃ksjɔne].

**SANCTUAIRE, subst. m.**
**1.** Lieu le plus saint d'un édifice religieux ; partie du chœur de l'église, qui entoure l'autel. **2.** Ext. Temple, église. **3.** Fig. Lieu secret ; intimité (littér.). **4.** *Milit.* Territoire inviolable ; territoire protégé par la dissuasion nucléaire. Déb. XIIe s. ; lat. eccl. *sanctuarium*, du lat. *sanctus*, « sacré, saint » ; [sɑ̃ktɥɛʀ].

**SANCTUS, subst. m.**
*Liturg.* Prière récitée après la préface dans la messe catholique ; musique composée sur cette prière. Mil. XIIIe s. ; lat. *sanctus*, « sacré, saint » ; [sɑ̃ktys].

**SANDALE, subst. f.**
Chaussure constituée d'une semelle fixée au pied par des lanières. Mil. XIIe s. ; lat. eccl. *sandalium*, du gr. *sandalion* ; [sɑ̃dal].

**SANDALETTE, subst. f.**
Sandale légère avec une empeigne basse. 1922 ; ☞ *sandale* ; [sɑ̃dalɛt].

**SANDARAQUE, subst. f.**
Résine extraite d'une espèce de thuya, que l'on utilise pour la préparation de vernis et le glaçage du papier. 1559 (1482, réalgar) ; lat. *sandaraca*, du gr. *sandarakê*, « réalgar » ; [sɑ̃daʀak].

**SANDERLING, subst. m.**
*Zool.* Petit oiseau échassier limicole et migrateur de l'ordre des Charadriiformes, ressemblant au chevalier et au bécasseau. 1750 ; mot angl. ; [sɑ̃dɛʀliŋ].

**SANDINISTE, adj. et subst.**
*Pol.* Se dit d'une personne adepte du sandinisme, doctrine de gauche qui prônait la libération du Nicaragua du joug du dictateur Anastasio Somoza. **Adj.** Relatif à cette doctrine. V. 1970 ; anthropon. *Augusto Sandino*, guérillero nicaraguayen ; [sɑ̃dinist].

**SANDIX, subst. m.**
*Archéol.* Rouge minéral utilisé par les Anciens dans la teinture des tissus. 1516 ; lat. *sandix*, du gr. *sandux* ; var. *sandyx* ; [sɑ̃diks].

**SANDJAK, subst. m.**
*Hist.* Ancienne circonscription turque : *Le* ***sandjak*** *de Novi-Bazar.* 1540 (1519, gouverneur d'un sandjak) ; mot turc ; [sɑ̃dʒak].

**SANDOW, subst. m. inv.**
Câble élastique employé dans les exerciseurs ou comme tendeur. 1902 ; anthropon. *Eugène Sandow*, culturiste allemand ; n. déposé ; [sɑ̃do].

**SANDRE, subst. m. ou f.**
*Zool.* Poisson d'eau douce européen de la famille des Percidés. 1785 ; all. *Zander* ; [sɑ̃dʀ].

**SANDWICH, subst. m.**
**1.** Casse-croûte fait de deux tranches de pain enserrant une garniture froide. ► Loc. *En* ***sandwich*** : coincé de deux côtés à la fois (fam.). **2.** Anal. *Techn.* Matériau constitué d'une couche d'une matière intercalée entre deux couches d'une autre. 1802 ; anthropon. *comte de Sandwich*, lord anglais dont le cuisinier inventa cette collation ; plur. *sandwich(e)s* ; [sɑ̃dwi(t)ʃ].

**SANDYX, voir SANDIX**

**SANG, subst. m.**
**1.** *Biol.* Liquide de couleur rouge, propulsé par le cœur et conduit par les vaisseaux vers les organes, qu'il nourrit, oxygène et dont il transporte les déchets. Il est composé de cellules, fabriquées par la moelle osseuse (globules rouges, blancs ; plaquettes), en suspension dans le plasma (☞ *hématie, leucocyte, plasma*). **2.** Fig. Symbole de la vie. ► Loc. *Avoir le* ***sang*** *qui monte à la tête* : ressentir une émotion vive ; *Avoir le* ***sang*** *chaud* : être impulsif ou irascible ; *Payer de son* ***sang***, *donner son* ***sang*** : sacrifier sa vie ; *Se faire du mauvais* ***sang***, *un* ***sang*** *d'encre* ou *Se ronger, se manger les* ***sangs*** (fam.) : se tracasser ; *Un apport de* ***sang*** *neuf, frais* : d'éléments nouveaux, en partic. de capitaux. **3.** Mort, blessure due à la violence : *Bain de* ***sang***, carnage. ► Loc. *Mettre à feu et à* ***sang*** : ravager et massacrer. **4.** Hérédité ; lignée : *Être du même* ***sang*** ; *Les liens du* ***sang*** ; *La voix du* ***sang*** ; race : *Être de* ***sang*** *mêlé.* Fin Xe s. ; lat. *sanguis* ; [sɑ̃].

**SANG-DRAGON, subst. m. inv.**
Résine rougeâtre extraite des fruits de certains palmiers. XIIIe s. ; comp. de *sang* et de *dragon*, « dragonnier » ; var. *sang-de-dragon* (inv.) ; [sɑ̃dʀagɔ̃].

**SANG-FROID, subst. m. inv.**
Maîtrise de soi. ► Loc. *De* ***sang-froid*** : délibérément. 1395 ; comp. de *sang* et de *froid* ; [sɑ̃fʀwa].

**SANGLANT, ANTE, adj.**
**1.** Souillé de sang. **2.** Qui fait couler le sang, meurtrier : ***Sanglants*** *affrontements.* **3.** Métaph. Qui est rouge sang (littér.) : *Soleil* ***sanglant***. **4.** Fig. Cinglant, très blessant : *Riposte* ***sanglante***. Fin XIe s. ; lat. *sanguilentus*, de *sanguinolentus* ; [sɑ̃glɑ̃, ɑ̃t].

**SANGLE, subst. f.**
**1.** Bande de cuir ou de tissu servant à ceindre ou à serrer : *Les* ***sangles*** *d'une selle.* ► *Lit de* ***sangle*** : fait de deux châssis croisés en X sur lesquels sont tendues des sangles. **2.** *Anat.* ***Sangle*** *abdominale* : ensemble des muscles de la paroi de l'abdomen. Fin XIe s. ; lat. *cingula*, de *cingere*, « ceindre » ; [sɑ̃gl].

**SANGLER, verbe trans. [3]**
**1.** Serrer avec une ou des sangles : ***Sangler*** *un cheval.* **2.** Anal. Maintenir en serrant. **3.** Frapper à coups de sangle (vx). 1176 ; ☞ *sangle* ; [sɑ̃gle].

**SANGLIER, subst. m.**
**1.** *Zool.* Mammifère artiodactyle de la famille des Suidés habitant les forêts d'Europe, d'Afrique du Nord et d'Asie. Il est l'ancêtre du porc domestique, dont il se distingue par sa tête massive (la hure), par ses défenses pointées vers le haut et par son pelage raide, de couleur sombre. Omnivore, il se nourrit de racines, de tubercules, de charognes et de petits mammifères : *Le* ***sanglier*** *grommelle.* **2.** *Bouch.* La chair de cet animal. Mil. XIIe s. ; lat. *singularis porcus*, « porc solitaire » ; [sɑ̃glije].

**SANGLON, subst. m.**
Courroie de fixation du harnais ou de la selle. Déb. XVIe s. ; ☞ *sangle* ; [sɑ̃glɔ̃].

**SANGLOT, subst. m.**
Spasme du diaphragme, gén. accompagné d'une respiration bruyante et de larmes, causé par une vive émotion : *Éclater en* ***sanglots*** ; par anal., bruit évoquant un **sanglot** (littér.). Fin XIIe s. ; lat. pop. °*singluttus*, du lat. *singultus*, « hoquet » ; [sɑ̃glo].

**SANGLOTER, verbe intrans. [3]**
Pleurer avec des sanglots. Mil. XIIe s. ; lat. pop. °*singluttare*, du lat. *singultare*, « hoqueter » ; [sɑ̃glɔte].

**SANG-MÊLÉ, subst. inv.**
Métis. 1798 (1772, mélange de races) ; comp. de *sang* et du p. p. de *mêler* ; [sɑ̃mele].

**SANGRIA, subst. f.**
Boisson espagnole à base de vin rouge sucré dans lequel macèrent des fruits coupés en morceaux. V. 1960 ; esp. *sangria*, de *sangre*, « sang » ; [sɑ̃gʀija].

**SANGSUE, subst. f.**
**1.** *Zool.* Invertébré parasite, de mer ou d'eau douce, de la famille des Annélides, qui s'accroche à la peau des vertébrés au moyen de deux ventouses afin de sucer leur sang. La **sangsue** médicinale, espèce européenne, a longtemps servi à la pratique de la saignée. **2.** Anal. Personne cupide (vieilli) ; personne importune dont on ne peut se débarrasser (fam.). XIIe s. ; lat. *sanguisuga*, de *sanguis*, « sang », et de *sugere*, « sucer » ; [sɑ̃sy].

**SANGUIN, INE, adj. et subst.**
**Adj. 1.** De la couleur du sang. ► *Orange* ***sanguine*** ou, empl. subst. fém., *Une* ***sanguine*** : orange à la pulpe rouge. **2.** Coloré par un afflux de sang : *Visage* ***sanguin*** ; *Tempérament* ***sanguin***, impulsif, coléreux. **3.** Relatif au sang : *Vaisseau* ***sanguin***. **Subst.** Personne de tempérament **sanguin**. **Subst. fém. 1.** *Minér.* Variété d'oxyde de fer rouge. **2.** Méton. *B.-a.* Crayon rouge, fait avec ce minerai ; dessin exécuté avec ce crayon. Déb. XIIe s. ; lat. *sanguineus* ; [sɑ̃gɛ̃, in].

**SANGUINAIRE (I), subst. f.**
*Bot.* Plante d'Amérique du Nord, de la famille des Papavéracées, dont les Amérindiens utilisaient le latex rouge pour se colorer la peau. 1744 ; (XIIIe s., plante astringente) ; lat. *sanguinaria (herba)* ; [sɑ̃ginɛʀ].

**SANGUINAIRE (II), adj.**
**1.** Qui aime répandre le sang ; cruel. **2.** Qui fait couler le sang : *Dictature* ***sanguinaire***. Fin XIVe s. ; lat. *sanguinarius* ; [sɑ̃ginɛʀ].

**SANGUINOLENT, ENTE, adj.**
**1.** Mêlé, teinté de sang. **2.** Couleur de sang. Fin XIVe s. ; lat. *sanguinolentus* ; [sɑ̃ginɔlɑ̃, ɑ̃t].

**SANGUISORBE, subst. f.**
*Bot.* Pimprenelle. 1544 ; lat. sc. *sanguisorba*, du lat. *sanguis*, « sang », et *sorbere*, « absorber » ; [sɑ̃g(ɥ)isɔʀb].

**SANHÉDRIN, subst. m.**
*Hist.* Conseil judaïque suprême (constitué à la fin du IIIe s. av. J.-C. et disparu en 70 apr. J.-C.), composé de soixante-dix membres (prêtres et notables) qui siégeaient dans le Temple de Jérusalem, sous l'autorité du grand prêtre. 1605 (1573, traité du Talmud) ; araméen *sanhedrīn*, du gr. *sunedrion*, « assemblée, conseil » ; [sanedʀɛ̃].

**SANICLE, subst. f.**
*Bot.* Plante herbacée vivace de la famille des Apiacées, poussant dans les bois à sol humide. Fin XIIe s. ; lat. sc. *sanicula*, du lat. *sanus*, « sain », à cause de ses vertus médicinales ; var. *sanicule* ; [sanikl].

**SANIE, subst. f.**
*Pathol.* Pus mêlé de sang. XIIIe s. ; lat. *sanies* ; [sani].

*Sanglier.*

**SANISETTE,** subst. f. inv.
Toilettes publiques automatisées et payantes. V. 1980 ; ☞ *sanitaire* ; n. déposé ; [sanizɛt].

**SANITAIRE,** adj.
**1.** Qui concerne la santé publique. **2.** Qui concerne les équipements d'hygiène permettant de fournir et d'évacuer l'eau dans une habitation ; empl. subst. masc., ensemble de ces équipements (gén. au plur.). 1801 ; lat. *sanitas*, « santé » ; [sanitɛʀ].

**SANS,** prép.
**1.** Marque la privation, le manque : *Un couple **sans** enfants ; Un homme **sans** scrupule.* **2.** Marque négativement la supposition : *Sans toi, je n'aurais pas réussi.* **3.** Sert à exclure une possibilité : *Partez **sans** (plus) attendre.* ► *Vous n'êtes pas **sans** savoir que* : vous savez bien que. **4.** Loc. ***Sans** cesse* : tout le temps ; ***Sans** quoi* : sinon ; ***Sans** doute* : probablement ; *Non **sans*** : avec. **5.** Loc. conj. **Sans que** (+ subj.). *Il est parti **sans que** je le voie* : de telle façon que je ne l'ai pas vu ; *Elle ne viendra pas **sans** qu'on l'ait invitée* : si on ne l'a pas invitée. **6.** Empl. adv. (fam.) : *Tu ne prends pas ta veste ? – Non, je préfère sortir **sans**.* X^e^ s. ; lat. *sine* ; [sɑ̃].

**SANS-ABRI,** subst. inv.
Personne qui n'a pas de logement (synon. *sans-logis*). 1929 ; comp. de *sans* et de *abri* ; [sɑ̃zabʀi].

**SANS-CŒUR,** subst. inv.
Personne insensible (fam.). 1830 (1808, homme lâche et paresseux) ; comp. de *sans* et de *cœur* ; [sɑ̃kœʀ].

**SANSCRIT, voir SANSKRIT**

**SANS-CULOTTE,** subst. m.
*Hist.* Révolutionnaire ardent, sous la Révolution française. 1790 ; comp. de *sans* et de *culotte*, les révolutionnaires ayant remplacé la culotte aristocratique par le pantalon du peuple ; plur. *sans-culottes* ; [sɑ̃kylɔt].

**SANS-EMPLOI,** subst. inv.
Chômeur. V. 1960 ; comp. de *sans* et de *emploi* ; [sɑ̃zɑ̃plwa].

**SANSEVIÈRE,** subst. f.
*Bot.* Plante africaine ornementale rhizomateuse dont les feuilles, longues et épaisses, fournissent des fibres textiles. 1819 ; lat. sc. *sansevieria*, de l'anthropon. *prince de San Severo*, érudit du XVIII^e^ s. ; [sɑ̃s(ə)vjɛʀ].

**SANS-FAÇON,** subst. m. inv.
Littér. Désinvolture ; simplicité. Déb. XIX^e^ s. ; comp. de *sans* et de *façon* ; [sɑ̃fasɔ̃].

**SANS-FAUTE,** subst. m. inv.
Parcours ou prestation sans faute. V. 1960 ; comp. de *sans* et de *faute* ; [sɑ̃fot].

**SANS-FIL,** subst. m. inv.
*Télécomm.* Téléphone sans fil. XX^e^ s. (1925, télégraphie sans fil) ; comp. de *sans* et de *fil* ; [sɑ̃fil].

**SANS-GÊNE,** subst. inv.
MASC. Comportement d'une personne qui prend trop ses aises. MASC. et FÉM. Personne qui ne se gêne pas pour autrui. 1817 ; comp. de *sans* et de *gêne* ; [sɑ̃ʒɛn].

**SANS-GRADE,** subst. inv.
MASC. Simple soldat. MASC. et FÉM. Ext. Subalterne. V. 1900 ; comp. de *sans* et de *grade* ; [sɑ̃gʀad].

**SANSKRIT, ITE,** subst. m. et adj.
SUBST. Langue utilisée en Inde depuis le II^e^ mill. av. J.-C. Le **sanskrit** classique, issu du **sanskrit** védique, est devenu langue de culture et langue sacrée. ADJ. Relatif, propre au **sanskrit**. 1667 ; skr. *saṃskṛta*, « parfait » ; var. *sanscrit* ; [sɑ̃skʀi, it].

**SANS-LE-SOU,** subst. inv.
Personne sans ressources (fam.). 1846 ; comp. de *sans* et de *sou* ; [sɑ̃l(ə)su].

**SANS-LOGIS,** subst. inv.
Sans-abri. 1893 ; comp. de *sans* et de *logis* ; [sɑ̃lɔʒi].

**SANSONNET,** subst. m.
*Zool.* Étourneau. ► Loc. *De la roupie de **sansonnet*** (☞ *roupie*). Fin XV^e^ s. ; p.-ê. dimin. de *Samson*, personnage biblique ; [sɑ̃sɔnɛ].

**SANTAL,** subst. m.
*Bot.* Arbre d'Asie de la famille des Santalacées, dont le bois de certaines espèces est utilisé en ébénisterie et en parfumerie. Mil. XIII^e^ s. ; lat. médiév. *sandalum*, de l'ar. *ṣandal*, du skr. *candana* ; plur. *santals* ; [sɑ̃tal].

**SANTALINE,** subst. f.
Colorant extrait du bois de santal rouge. 1820 ; ☞ *santal* ; [sɑ̃talin].

**SANTÉ,** subst. f.
**1.** État physiologique normal, bon fonctionnement de l'organisme : *Elle déborde de **santé** ; Bon pour la **santé***, sain. ► Loc. *Boire à la **santé** de qqn* : en son honneur, en formant des vœux pour qu'il se porte bien ; empl. interj. : ***Santé !*** **2.** État, bon ou mauvais, de l'organisme à un moment donné : *Petite **santé***, constitution fragile ; *Pour raisons de **santé***, pour cause de maladie ; *Bulletin de **santé***, compte rendu officiel émis par le corps médical. **3.** ***Santé** mentale* : équilibre de la vie psychique. ► *Maison de **santé*** : clinique où l'on soigne les troubles psychiques. **4.** Tout ce qui, dans une collectivité, une organisation sociale, concerne l'état sanitaire, l'hygiène, la prophylaxie et les services médicaux : *Le ministère de la **Santé** publique.* **5.** Fig. État, satisfaisant ou non, de qqch. : *La **santé** d'une monnaie.* Fin X^e^ s. ; lat. *sanitas*, de *sanus*, « sain » ; [sɑ̃te].

**SANTIAG,** subst. f.
Botte en cuir à bout pointu et à talon oblique. V. 1970 ; prob. topon. *Santiago* (Chili) ; [sɑ̃tjag].

**SANTOLINE,** subst. f.
*Bot.* Arbrisseau des régions méditerranéennes, de la famille des Astéracées. 1572 ; altér. de *santonique*, du lat. *santonica*, « absinthe » ; [sɑ̃tɔlin].

**SANTON,** subst. m.
Figurine provençale en terre cuite peinte qui orne les crèches de Noël. 1896 ; prov. *santoun*, « petit saint », de *sant*, « saint » ; [sɑ̃tɔ̃].

© F. Jalain-Explorer

*Santon de Provence.*

**SANVE,** subst. f.
*Bot.* Moutarde des champs (région.). XIV^e^ s. ; lat. *sinapi*, du gr. *sinapi*, « moutarde » ; [sɑ̃v].

**SANZA,** subst. f.
*Mus.* Instrument africain constitué de lamelles que l'on fait vibrer avec les doigts. Mot d'une langue africaine ; [sanza] ou [sɑ̃-].

**SAOUL, voir SOÛL**

**SAOULARD, voir SOÛLARD**

**SAOULER, voir SOÛLER**

**SAOULERIE, voir SOÛLERIE**

**SAPAJOU,** subst. m.
**1.** *Zool.* Petit singe d'Amérique tropicale, de la famille des Cébidés, vivant à l'étage moyen des arbres, à longue queue et qui porte sur la tête une crête ou une toque de poils noirs, d'où son autre nom de capucin. **2.** Fig. Petit homme laid (vx et péj.). 1614 ; mot d'orig. tupi ; var. *sajou* ; [sapaʒu].

**SAPE (I),** subst. f.
*Techn.* Houe. Mil. XV^e^ s. ; bas lat. *sappa* ; [sap].

**SAPE (II),** subst. f.
**1.** Fosse creusée à la base d'un ouvrage, afin qu'il s'effondre. ► *Milit.* Souterrain creusé pendant un siège. **2.** Action de saper ; au fig. : *Travail de **sape***, manœuvre lente et sournoise menée dans l'intention de faire échouer. 1559 ; ☞ *saper* (I) ; [sap].

**SAPE (III),** subst. f.
Argot. Vêtement (gén. au. plur.) ; empl. coll. : *La **sape***, l'habillement. 1926 ; ☞ *saper* (II) ; [sap].

**SAPEMENT,** subst. m.
Action de saper. 1559 ; ☞ *saper* (I) ; [sapmɑ̃].

**SAPÈQUE,** subst. f.
Ancienne monnaie chinoise et indochinoise de faible valeur. Mil. XIX^e^ s. ; malais *sapek* ; [sapɛk].

**SAPER (I),** verbe trans. [3]
**1.** Détruire les fondements de (une construction) pour qu'elle s'effondre. **2.** Anal. User, détruire par la base, en parlant de l'eau. **3.** Fig. Tenter de ruiner (qqch.) dans son fondement par des manœuvres lentes et cachées : ***Saper** le moral de qqn.* 1547 ; ital. *zappare*, du lat. médiév. *sappa*, « houe » ; [sape].

**SAPER (II),** verbe trans. [3]
Argot. Habiller. PRONOM. S'habiller. 1919 ; orig. obsc. ; [sape].

**SAPERDE,** subst. f.
*Zool.* Genre d'insectes xylophages, de l'ordre des Coléoptères . 1798 ; lat. *saperda* ; [sapɛʀd].

**SAPERLIPOPETTE,** interj.
Juron, forme atténuée de sapristi (fam.). 1864 ; altér., par euphém., de *sacré* (I) ; [sapɛʀlipɔpɛt].

**SAPEUR,** subst. m.
*Milit.* **1.** Soldat qui creuse une sape (vx). **2.** Soldat du génie. 1547 ; ☞ *saper* (I) ; [sapœʀ].

**SAPEUR-POMPIER,** subst. m.
Pompier. 1832 ; comp. de *sapeur* et de *pompier* (I) ; plur. *sapeurs-pompiers* ; [sapœʀpɔ̃pje].

**SAPHÈNE,** adj. et subst. f.
*Anat.* Se dit de chacune des deux veines, l'une interne, l'autre externe, du réseau superficiel des membres inférieurs. Mil. XIII^e^ s. ; lat. sc. *saphena*, p.-ê. du gr. *saphênês*, « évident » ; [safɛn].

**SAPHIQUE,** adj.
**1.** *Versif.* *Vers **saphique*** ou, empl. subst. masc., *Un **saphique*** : type d'hendécasyllabe grec ou latin. **2.** Relatif au saphisme, lesbien. Fin XIV^e^ s. ; lat. *sapphicus*, du gr. *sapphikos*, de l'anthropon. *Sapphô*, « Sapho », poétesse de Lesbos ; [safik].

**SAPHIR,** subst. m.
**1.** *Minér.* Pierre précieuse bleue, variété de corindon ; par ext. : ***Saphir** jaune, rose, etc.*, autres variétés de corindon. **2.** *Techn.* Pointe de lecture d'un électrophone. **3.** Loc. *De **saphir*** : d'un bleu lumineux ; empl. adj. inv. : *Des yeux **saphir**.* Déb. XII^e^ s. ; lat. *sappirus*, du gr. *sappheiros*, d'orig. sémitique ; [safiʀ].

**SAPHISME,** subst. m.
Homosexualité féminine (littér.). 1842 ; anthropon. *Sapphô*, « Sapho », poétesse de Lesbos ; [safism].

**SAPIDE,** adj.
Qui a du goût (anton. *insipide*). Mil. XVIII^e^ s. (1492, qui de la fraîcheur, de la fertilité) ; lat. *sapidus* ; [sapid].

**SAPIDITÉ,** subst. f.
Qualité de ce qui est sapide. 1762 ; ☞ *sapide* ; [sapidite].

**SAPIENCE,** subst. f.
Sagesse (vieilli). Déb. XII^e^ s. ; lat. *sapientia* ; [sapjɑ̃s].

**SAPIENTIAUX,** adj. m. plur.
*Relig.* *Livres **sapientiaux*** ou, empl. subst. masc., *Les **sapientiaux*** : livres de l'Ancien Testament qui délivrent, sous forme de sentences et de poèmes moraux, une leçon de sagesse (Psaumes, Cantique des cantiques, Proverbes, Ecclésiaste, Sagesse, Job, Ecclésiastique). 1374 ; lat. médiév. *libri sapientiales* ; [sapjɛ̃sjo].

**SAPIN,** subst. m.
*Bot.* Arbre résineux de grande taille, commun en moyenne montagne, dont le bois est utilisé en menuiserie et dans la fabrication de la pâte à papier. ► Bois de cet arbre. Fin XII^e^ s. ; lat. *sappinus*, crois. du gaul. °*sappus* et du lat. *pinus*, « pin » ; [sapɛ̃].

© M. Viard-Jacana

*Cône et aiguilles de sapin blanc.*

**SAPINE,** subst. f.
**1.** *Constr.* Solive de sapin. **2.** Petit bateau à fond plat. **3.** Baquet en bois de sapin. **4.** *Techn.* Ancien appareil de levage. Déb. XIII^e^ s. (fin XII^e^ s., sapinière) ; ☞ *sapin* ; [sapin].

**SAPINETTE,** subst. f.
*Bot.* Nom générique de différentes espèces d'épicéas d'Amérique du Nord. 1765 (1600, bois de sapins) ; ☞ *sapin* ; [sapinɛt].

**SAPINIÈRE, subst. f.**
Lieu planté de sapins. 1632 ; ☞ *sapin* ; [sapinjɛʀ].

**SAPITEUR, subst. m.**
*Dr. mar.* Expert qui évalue les marchandises en cas d'avarie. 1736 ; lat. médiév. *sapitor*, du lat. *sapere*, « comprendre ; savoir » ; [sapitœʀ].

**SAPONACÉ, ÉE, adj.**
Qui a les propriétés du savon. 1746 ; lat. *sapo*, « savon » ; [saponase].

**SAPONAIRE, subst. f.**
*Bot.* Plante de la famille des Caryophyllacées, à fleurs roses, poussant gén. dans les lieux humides, dont une espèce renferme de la saponine. XIVe s. ; lat. sc. *saponaria*, de l'anc. fr. *erbe savoniere* ; [sapɔnɛʀ].

**SAPONÉ, subst. m.**
*Pharm.* Nom générique des médicaments contenant du savon. 1836 ; lat. *sapo*, « savon » ; [sapɔne].

**SAPONIFICATION, subst. f.**
*Chim.* Transformation des matières grasses en savon par hydrolyse alcaline. 1794 ; ☞ *saponifier* ; [sapɔnifikasjɔ̃].

**SAPONIFIER, verbe trans.** [6]
*Chim.* Transformer en savon. 1797 ; lat. *sapo*, « savon » ; [sapɔnifje].

**SAPONINE, subst. f.**
*Chim.* Famille de substances détergentes toxiques et très amères, élaborées par certaines plantes à fleurs, notamment par la saponaire. 1832 ; lat. *sapo*, « savon » ; [sapɔnin].

**SAPONITE, subst. f.**
*Minér.* Minéral argileux magnésien, onctueux au toucher. 1870 ; lat. *sapo*, « savon » ; [sapɔnit].

**SAPOTACÉES, subst. f. plur.**
*Bot.* Famille d'arbres tropicaux de l'ordre des Ébénales, au bois très dur, dont une espèce produit la gutta-percha. AU SING. *Le balata est une* ***sapotacée***. Déb. XIXe s. ; *sapote*, var. de *sapotille* ; [sapɔtase].

**SAPOTILLE, subst. f.**
Fruit du sapotillier. 1690 ; hisp.-amér. *sapotilla*, du nahuatl *tzapotl* ; var. *sapote* ; [sapɔtij].

**SAPOTILLIER, subst. m.**
*Bot.* Arbre des Antilles, de la famille des Sapotacées, qui produit des fruits comestibles et fournit un latex entrant dans la fabrication du chewing-gum. 1701 ; ☞ *sapotille* ; var. *sapotier* ; [sapɔtije].

**SAPRISTI, interj.**
Juron qui exprime la surprise, la contrariété (fam.). 1835 ; altér. de *sacristi* ; [sapʀisti].

**SAPROPHAGE, adj.**
*Zool.* Qui se nourrit de matières décomposées ; empl. subst. masc. : *Les nécrophores sont des* ***saprophages***. 1827 ; formé de *sapro-* et de *-phage* ; [sapʀɔfaʒ].

**SAPROPHYTE, adj. et subst. m.**
*Biol.* Se dit de champignons et de nombreuses bactéries qui tirent leur nourriture d'organismes morts dont ils provoquent la décomposition. Le recyclage de la litière forestière s'effectue en grande partie grâce à l'activité de ces micro-organismes. 1875 ; formé de *sapro-* et de *-phyte* ; [sapʀɔfit].

**SAQUER, voir SACQUER**

**SAR, subst. m.**
*Zool.* Poisson osseux téléostéen de la famille des Sparidés, carnivore, voisin de la dorade. Il vit en eau peu profonde, en Méditerranée et dans l'Atlantique. Mot prov. ; [saʀ].

**SARABANDE, subst. f.**
**1.** Ancienne danse espagnole, vive et sensuelle (jusqu'au XVIIe s.). **2.** Danse française à trois temps, grave et lente. ► *Mus.* Air sur lequel elle se dansait ; mouvement lent de la suite classique, notamment au XVIIIe s. **4.** Fig. Suite effrénée, désordonnée d'évènements ; par anal., suite d'éléments disparates. ► Vacarme : *Faire la* ***sarabande*** ; par méton., groupe de personnes qui s'agitent bruyamment. 1605 ; esp. *zarabanda* ; [saʀabɑ̃d].

**SARBACANE, subst. f.**
Long tube dans lequel on souffle pour lancer de petits projectiles. 1524 ; esp. *cerbatana*, de l'ar. *zarbaṭāna* ; [saʀbakan].

**SARCASME, subst. m.**
Moquerie caustique, persiflage. 1552 ; bas lat. *sarcasmus*, du gr. *sarkasmos* ; [saʀkasm].

**SARCASTIQUE, adj.**
Qui allie la moquerie à la méchanceté : *Des remarques* ***sarcastiques***. 1805 ; ☞ *sarcasme* ; [saʀkastik].

**SARCELLE, subst. f.**
*Zool.* Genre d'oiseaux aquatiques de la famille des Anatidés, que l'on rencontre sur les étangs, les rivières et dans les marais. Fin XIIe s. ; lat. *querquedula* ; [saʀsɛl].

**SARCINE, subst. f.**
*Bactériol.* Bactérie Gram+ de forme ronde, de l'ordre des Micrococcales, qui vit dans un environnement très acide. 1855 ; lat. *sarcina*, « paquet » ; [saʀsin].

**SARCLAGE, subst. m.**
Action de sarcler ; son résultat : *Le* ***sarclage*** *des allées*. XIIIe s. ; ☞ *sarcler* ; [saʀklaʒ].

**SARCLER, verbe trans.** [3]
*Agric.* **1.** Extirper (une plante) à la main ou avec un outil. **2.** Nettoyer (un sol) de ses mauvaises herbes. Mil. XIIIe s. ; bas lat. *sarculare*, du lat. *sarculum*, « sarcloir » ; [saʀkle].

**SARCLOIR, subst. m.**
Outil de sarclage. 1413 ; ☞ *sarcler* ; [saʀklwaʀ].

**SARCOÏDOSE, subst. f.**
*Pathol.* Maladie disséminée dans tout l'organisme, définie histologiquement par une lésion caractéristique, le granulome, associée à des troubles immunitaires. Ses formes les plus fréquentes sont pulmonaires, ostéo-articulaires, cutanées, oculaires et salivaires. XXe s. ; gr. *sarx*, « chair », + *-oïde* et *-ose* ; [saʀkɔidoz].

**SARCOMATEUX, EUSE, adj.**
De la nature du sarcome : *Tumeur* ***sarcomateuse***. 1803 ; ☞ *sarcome* ; [saʀkɔmatø, øz].

**SARCOME, subst. m.**
*Pathol.* Cancer développé aux dépens du tissu conjonctif. 1575 ; bas lat. *sarcoma*, du gr. *sarkôma* ; [saʀkom].

**SARCOPHAGE, subst.**
MASC. **1.** *Antiq.* et *M. Â.* Cercueil de pierre : *Les* ***sarcophages*** *phéniciens*. **2.** Anal. Sac de couchage à capuche. FÉM. *Zool.* Grosse mouche grise, vivipare, qui pond sur les viandes. 1495 ; lat. *sarcophagus*, du gr. *sarkophagos*, « qui consume les chairs », propriété attribuée jadis à la pierre d'un cercueil ; [saʀkɔfaʒ].

**SARCOPTE, subst. m.**
*Zool.* Acarien, parasite de l'homme et d'autres mammifères, qui provoque la gale. 1802 ; gr. *sarx*, « chair », et *koptein*, « couper » ; [saʀkɔpt].

**SARDANE, subst. f.**
Ronde catalane ; air de cette danse. 1929 ; catalan *sardana*, prob. de *cerdana*, « de Cerdagne » ; [saʀdan].

**SARDE, adj. et subst.**
De Sardaigne. SUBST. MASC. Groupe de parlers romans de la Sardaigne. 1606 ; lat. *Sardus* ; [saʀd].

**SARDINE, subst. f.**
**1.** *Zool.* Petit poisson osseux téléostéen et marin, à ventre argenté, de la famille des Clupéidés. Commun dans l'Atlantique et la Méditerranée, il se déplace par bancs. ► Loc. *Être serrés comme des* ***sardines*** *(en boîte)* : être très à l'étroit (fam.). **2.** Anal. ► Galon de sous-officier (argot milit.). ► Piquet de tente de camping (fam.). Fin XIVe s. ; lat. *sardina*, du gr. *sardênê*, « poisson de Sardaigne » ; [saʀdin].

**SARDINERIE, subst. f.**
Conserverie de sardines. 1870 ; ☞ *sardine* ; [saʀdinʀi].

**SARDINIER, IÈRE, adj. et subst.**
ADJ. Relatif à la pêche et à l'industrie de la sardine. SUBST. **1.** Personne travaillant dans une sardinerie. **2.** Pêcheur de sardines. SUBST. MASC. Bateau de pêche à la sardine. 1765 ; ☞ *sardine* ; [saʀdinje, jɛʀ].

**SARDOINE, subst. f.**
*Joaill.* Pierre fine et dure, de couleur brun orangé, qui est, comme la cornaline dont elle est proche, une variété de calcédoine. Fin XIe s. ; lat. *sardonyx*, du gr. *sardonux*, « onyx de Sardaigne » ; [saʀdwan].

**SARDONIQUE, adj.**
Qui exprime une moquerie amère ou méchante : *Rire, regard* ***sardonique***. 1558 ; gr. *sardanion gelan*, « rire, sourire sardonique », que l'on croyait provoqué par la sardonie, ou renoncule de Sardaigne ; [saʀdɔnik].

**SARDONYX, subst. f.**
*Joaill.* Variété d'agate striée de bandes brun-rouge et blanches. 1836 ; lat. *sardonyx*, du gr. *sardonux*, « onyx de Sardaigne » ; [saʀdɔniks].

**SARGASSE, subst. f.**
*Bot.* Algue brune de l'ordre des Fucales, se développant dans les mers tropicales et dont une espèce forme au large de la Floride une véritable prairie où viennent se reproduire les anguilles (mer des Sargasses). 1598 ; port. *sargaço*, prob. du lat. pop. °*salicaceus*, du lat. *salix*, « saule » ; [saʀgas].

**SARI, subst. m.**
*Cost.* Longue étoffe dont se drapent les Indiennes. 1830 ; hindi *sāḍī* ; [saʀi].

**SARIGUE, subst. f.**
*Zool.* Nom donné à diverses espèces sud-américaines de mammifères de l'ordre des Marsupiaux, telle la **sarigue**-musaraigne, qui porte ses petits sur son dos, accrochés à sa longue queue préhensile. 1578 ; port. *sarigueia*, du tupi-guarani ; [saʀig].

**SARISSE, subst. f.**
*Antiq. gr.* Longue lance des soldats de la phalange macédonienne. 1546 ; gr. *sarissa* ; [saʀis].

**SARMENT, subst. m.**
*Bot.* Tige ligneuse grimpante ; en partic., rameau de vigne. Déb. XIIe s. ; lat. *sarmentum* ; [saʀmɑ̃].

**SARMENTER, verbe intrans.** [3]
*Vitic.* Ramasser les sarments, après la taille de la vigne. 1836 (1603, ramasser des fleurs) ; ☞ *sarment* ; [saʀmɑ̃te].

**SARMENTEUX, EUSE, adj.**
*Bot.* **1.** Qualifie un végétal ligneux à tige longue, souple et grimpante. **2.** Qui produit beaucoup de sarments. 1559 ; lat. *sarmentosus* ; [saʀmɑ̃tø, øz].

**SARONG, subst. m.**
*Cost.* Vêtement unisexe porté en Asie du Sud-Est, constitué d'une longue bande d'étoffe enroulée sur les hanches. 1836 ; mot d'orig. malaise ; [saʀɔ̃g].

**SAROS, subst. m.**
*Astron.* Période de dix-huit ans et dix ou onze jours, comportant 43 éclipses de Soleil et autant d'éclipses lunaires, à partir de laquelle on prévoit le retour des éclipses. 1746 ; gr. *saros*, « cycle babylonien de 222 mois » ; [saʀɔs].

**SAROUAL, subst. m.**
*Cost.* Pantalon ample, traditionnel du Maghreb et du Proche-Orient, à entrejambe bas. 1839 ; ar. *sirwāl*, du persan *šalvār*, « pantalon, haut-de-chausses » ; plur. *sarouals*, var. *sarouel* ; [saʀwal].

**SARRACÉNIE, subst. f.**
*Bot.* Plante carnivore des tourbières d'Amérique du Nord, de la famille des Sarracéniacées, aux feuilles en urne servant à capturer des insectes. 1774 ; lat. sc. *sarracena*, de l'anthropon. *Michel Sarrasin*, médecin français ; var. *un sarracenia* ; [saʀaseni].

**SARRANCOLIN, subst. m.**
Marbre rouge à veines grises et jaunes. 1677 ; topon. *Sarrancolin* (Hautes-Pyrénées) ; [saʀɑ̃kɔlɛ̃].

**SARRASIN, INE, subst. et adj.**
*M. Â.* Se dit des musulmans d'Afrique, d'Espagne et d'Orient qui combattirent les chrétiens dans le bassin occidental de la Méditerranée. ADJ. Qui provient des **Sarrasins** ou qui les évoque. SUBST. MASC. *Bot.* Plante de la famille des Polygonacées, originaire d'Orient, aussi appelée blé noir, cultivée pour ses graines alimentaires ; farine de cette plante. SUBST. FÉM. *Fortif.* Herse protégeant l'entrée d'une ville ou d'un château fort. Fin XIe s. ; lat. médiév. *Saraceni*, du gr. *byzantin Sarakênoi*, désignant les Arabes ; [saʀazɛ̃, in].

**SARRAU, subst. m.**
**1.** Blouse de travail ample et courte. **2.** Tablier d'écolier qui se ferme dans le dos. Fin XIe s. ; m. haut all. *sarroc*, « surplis » ; plur. *sarraus* ; [saʀo].

**SARRETTE, subst. f.**
*Bot.* Plante de la famille des Astéracées, appelée aussi serratule des teinturiers, qui produit une matière colorante jaune. 1669 ; lat. *serra*, « scie » ; var. *sarrète*, *serrette* ; [saʀɛt].

**SARRIETTE, subst. f.**
*Bot.* Plante aromatique de la famille des Lamiacées, utilisée comme condiment. 1350 ; anc. fr. *sadree*, du lat. *satureia* ; [saʀjɛt].

**SARRUSSOPHONE, subst. m.**
*Mus.* Instrument à vent à anche double, souvent utilisé dans les fanfares. 1856 ; anthropon. *Sarrus* + *-phone* ; var. *sarrusophone* ; [saʀysɔfɔn].

**SAS, subst. m.**
**1.** Tamis fait d'un tissu ou d'une toile métallique, cerclé de bois : *Un* ***sas*** *à plâtre, à sable*. **2.** *Nav.* Bassin compris entre deux portes d'une écluse, ou entre deux écluses. **3.** *Techn.* Pièce étanche dont les deux ouvertures ne peuvent être ouvertes en même temps, faisant communiquer deux espaces de pressions, de températures, d'humidités différentes : *Un* ***sas*** *de sous-marin, d'engin spatial*. **4.** Vestibule

re deux portes, servant à éviter un passage direct. XIIe s. ; bas lat. *setacium*, « tamis » ; [sɑs].

**SASHIMI, subst. m.**
*s.* Plat japonais de poisson cru présenté en nches minces avec du raifort et du gingembre. V. 1970 ; mot jap. ; [saʃimi].

**SASSAFRAS, subst. m.**
. Plante ligneuse d'Amérique du Nord, de la nille des Lauracées, dont les feuilles sont utilisées mme condiment. 1590 ; esp. *sasafras* ; [sasafʀa].

**SASSAGE, subst. m.**
*Bijout.* Polissage d'objets en métal précieux par ttement dans du sable. **2.** Sassement. 1875 ; *sasser* ; [sasaʒ].

**SASSANIDE, subst. et adj.**
*st.* D'une dynastie persane qui régna du IIIe au s. 1816 ; lat. médiév. *Sassanidae*, de l'anthropon. san *Sāsān*, roi fondateur ; [sasanid].

**SASSEMENT, subst. m.**
tion de sasser. 1900 ; ☞ *sasser* ; [sasmɑ̃].

**SASSENAGE, subst. m.**
mage à pâte ferme persillée. 1721 ; topon. *ssenage* (Isère) ; [sasnaʒ].

**SASSER, verbe trans.** [3]
Passer au sas : *Sasser du plâtre.* **2.** *Nav.* Faire sser par un sas. 1197 ; ☞ *sas* ; [sase].

**SASSEUR, EUSE, subst.**
sonne qui sasse, qui tamise. Masc. *Agric.* Ma-ne à sasser. Fin XIVe s. ; ☞ *sasser* ; [sasœʀ, øz].

**SATANÉ, ÉE, adj.**
udit, diable de (fam.) : *Quel* ***satané*** *menteur !* 1792 ; *Satan*, l'esprit du mal ; [satane].

**SATANIQUE, adj.**
Relatif à Satan. **2.** Infernal, digne de Satan : *Piège* ***anique.*** 1475 ; *Satan*, l'esprit du mal ; [satanik].

**SATANISME, subst. m.**
Caractère de ce qui est satanique. **2.** Culte rendu Satan. 1842 ; ☞ *satanique* ; [satanism].

**SATELLISABLE, adj.**
*ronaut.* Qui peut être mis en orbite. V. 1960 ; *satelliser* ; [satɛl(l)izabl] ou [-teli-].

**SATELLISATION, subst. f.**
tion de satelliser ; son résultat. V. 1960 ; *satelliser* ; [satɛllizasjɔ̃] ou [-teli-].

**SATELLISER, verbe trans.** [3]
*Astronaut.* Mettre en orbite autour d'un astre. Fig. *Pol.* Mettre (un pays) sous sa dépendance. 1958 ; ☞ *satellite* ; [satɛllize] ou [-teli-].

**SATELLITAIRE, adj.**
ui se rapporte aux satellites artificiels. V. 1970 ; *satellite* ; [satɛllitɛʀ] ou [-teli-].

**SATELLITE, subst. m.**
*Astron.* Corps céleste en mouvement orbital tour d'une planète : *La Lune est le* ***satellite*** *de la* *re.* ► *Astronaut.* ***Satellite*** *artificiel* : engin spatial s en orbite autour de la Terre, ou d'un autre corps este, et muni d'un équipement à visée scientifi-e, militaire ou de télécommunication ; en appos. : *otos* ***satellites***, prises d'un tel engin. **2.** *Mécan.* ue d'engrenage dont l'axe n'est pas fixe et tourne ec la roue qui l'entraîne. **3.** Anal. Ce qui est lié qch. ► *Pol.* État placé dans la sphère d'influence litique, économique, militaire d'un État plus issant ; en appos. : *Pays* ***satellite.*** ► *Aéron.* Bâti-ent annexe d'une aérogare. 1665 (XIVe s., garde corps) ; lat. *satelles*, « soldat » ; [satɛllit] ou [-teli-].

**SATI, subst. inv.**
*lig.* Masc. Rituel brahmanique suivant lequel e femme s'immolait sur le bûcher funéraire de n époux. Fém. Veuve qui accomplissait ce rite. 1825 ; skr. *satī*, « femme de qualité » ; [sati].

**SATIÉTÉ, subst. f.**
at d'une personne dont la faim, la soif, les désirs nt assouvis. ► Loc. *À* ***satiété*** : jusqu'à être rassasié , au fig., jusqu'à la lassitude. Déb. XIIe s. ; lat. *tietas*, de *satis*, « assez » ; [sasjete].

**SATIN, subst. m.**
xt. Étoffe de soie douce et brillante, ne laissant voir trame que sur l'envers ; par anal. : *Avoir une peau* ***satin.*** 1352 ; ar. *zaytūnī*, de *Zaytūn*, « Xyadong », e chinoise d'où provenait cette étoffe ; [satɛ̃].

**SATINÉ, ÉE, adj.**
Qui a le lustre du satin : *Ruban* ***satiné*** ; par anal., i rappelle la douceur du satin : *Peau* ***satinée.*** Empl. subst. masc. Aspect **satiné** : *Le* ***satiné*** *d'une* *se.* 1603 ; ☞ *satin* ; [satine].

**SATINER, verbe trans.** [3]
**1.** *Techn.* Donner à (un tissu, du papier) le lustre du satin. **2.** Anal. Rendre doux et soyeux comme le satin. 1690 ; ☞ *satin* ; [satine].

**SATINETTE, subst. f.**
Étoffe de coton, mêlé ou non de soie, dont l'endroit est satiné. 1703 ; ☞ *satin* ; [satinɛt].

**SATIRE, subst. f.**
**1.** *Litt.* Écrit en vers ou en prose ayant pour objet de critiquer, de ridiculiser les vices, les défauts de qqn, d'une société, d'une époque ; par méton., le genre satirique. **2.** Ext. Œuvre, propos où s'exerce une verve railleuse à l'égard de qqn ou de qqch. ► Loc. *Faire la* ***satire*** *de* : tourner en dérision. 1355 ; lat. *satira*, « mélange » ; [satiʀ].

**SATIRIQUE, adj.**
**1.** Qui appartient à la satire ; qui est porté à la satire ; qui écrit des satires : *Boileau, auteur* ***satirique.*** **2.** Ext. Qui raille, critique : *Journal, dessin, film* ***satirique.*** XVe s. ; bas lat. *satiricus* ; [satiʀik].

**SATIRISTE, subst.**
Auteur de satires. 1683 ; ☞ *satire* ; [satiʀist].

**SATISFACTION, subst. f.**
**1.** Action destinée à réparer une offense : *Obtenir, donner* ***satisfaction.*** **2.** Action de satisfaire qqn, qqch. : ***Satisfaction*** *d'une revendication.* **3.** État de bien-être d'une personne dont les désirs sont comblés : *La* ***satisfaction*** *du travail accompli* ; *Un sourire de* ***satisfaction.*** **4.** Occasion de plaisir : *S'offrir une petite* ***satisfaction.*** Mil. XIIe s. ; lat. *satisfactio*, « réparation » ; [satisfaksjɔ̃].

**SATISFAIRE, verbe trans.** [57]
Trans. dir. **1.** Donner à (qqn) ce qu'il demande, le contenter : ***Satisfaire*** *un créancier.* **2.** Assouvir (un désir, un besoin) : ***Satisfaire*** *sa faim.* Trans. indir. **Satisfaire à.** S'acquitter de (ce qui doit être fait), répondre à (des exigences) : ***Satisfaire*** *à son devoir.* Pronom. **1.** Contenter ses désirs, ses besoins. **2.** *Se* ***satisfaire*** *de* : s'accommoder de. XIVe s. (1219, payer) ; lat. *satisfacere* ; [satisfɛʀ].

**SATISFAISANT, ANTE, adj.**
Qui satisfait ; dont on peut se contenter. Mil. XVIIe s. ; p. pr. de *satisfaire* ; [satisfəzɑ̃, ɑ̃t].

**SATISFAIT, AITE, adj.**
**1.** Qui est comblé ; content : *Être* ***satisfait*** *d'un professeur, de ses vacances* ; par méton. : *Un air* ***satisfait.*** **2.** Assouvi : *Curiosité* ***satisfaite.*** 1598 (XVe s., absous) ; p. p. de *satisfaire* ; [satisfɛ, ɛt].

**SATISFECIT, subst. m. inv.**
**1.** Billet qui atteste la satisfaction d'un maître à l'égard d'un élève (vieilli). **2.** Approbation (littér.). 1845 ; lat. *satisfecit*, « il a satisfait » ; [satisfesit].

**SATRAPE, subst. m.**
**1.** *Antiq.* Gouverneur d'une satrapie. **2.** Fig. et Littér. ► Personne menant grande vie. ► Personne au pouvoir despotique. XIVe s. ; lat. *satrapes*, du gr. *satrapês*, du vieux perse *xšassapāvan*, « qui garde le royaume » ; [satʀap].

**SATRAPIE, subst. f.**
**1.** *Antiq.* Province de l'Empire perse. **2.** Fig. Gouvernement de despote (littér.). 1530 ; lat. *satrapia*, du gr. *satrapeia* ; [satʀapi].

**SATURABILITÉ, subst. f.**
Qualité de ce qui est saturable. 1801 ; ☞ *saturer* ; [satyʀabilite].

**SATURABLE, adj.**
*Chim.* Qui est susceptible de saturation. 1832 ; ☞ *saturer* ; [satyʀabl].

**SATURANT, ANTE, adj.**
Qui a la propriété de saturer. ► *Phys. Pression de vapeur* ***saturante*** : pression partielle de la vapeur d'un corps en équilibre avec son liquide. 1846 (1765, subst., absorbant) ; p. pr. de *saturer* ; [satyʀɑ̃, ɑ̃t].

**SATURATEUR, subst. m.**
**1.** Appareil servant à dissoudre, jusqu'à saturation, des gaz dans divers liquides. **2.** Récipient contenant de l'eau destinée à s'évaporer, afin d'humidifier l'air. 1857 ; ☞ *saturer* ; [satyʀatœʀ].

**SATURATION, subst. f.**
**1.** Action de saturer ; état qui en résulte : ***Saturation*** *du sol en eau* ; par ext., encombrement : ***Saturation*** *d'une ligne téléphonique, du marché.* ► *Log.* Caractère d'un système axiomatique saturé. **2.** Fig. Dégoût, lassitude : *Arriver à* ***saturation.*** **3.** *Chim.* Transformation d'un composé à liaisons multiples en composé à liaisons simples ; état d'une solution saturée. 1513 ; bas lat. *saturatio* ; [satyʀasjɔ̃].

**SATURÉ, ÉE, adj.**
**1.** Rassasié jusqu'au dégoût, fatigué (de qqch.). **2.** *Chim.* Qualifie une solution obtenue après dissolution d'un solide ou d'un gaz dans un solvant liquide, lorsqu'il s'établit un équilibre entre la solution et l'excès de soluté. ► *Hydrocarbure* ***saturé*** : dont la molécule n'a que des liaisons simples. **3.** Anal. Totalement imprégné de : *Air* ***saturé*** *d'humidité* ; par ext., qui a atteint sa capacité d'accueil maximale : *Autoroute* ***saturée.*** **4.** *Spéc.* ► *Log. Système axiomatique* ***saturé*** : tel qu'on ne puisse lui adjoindre un nouvel axiome sans que celui-ci soit redondant ou contradictoire dans ce système. ► *Math. Partie* ***saturée*** *pour une relation d'équivalence R sur un ensemble E* : partie S de E telle que, pour tout *x* élément de S, la classe de *x* suivant R est incluse dans S. ► *Opt.* Qualifie une couleur intense, pure. ► *Pétrogr.* Qualifie une roche magmatique à excès de silice, sans feldspathoïde. 1564 ; p. p. de *saturer* ; [satyʀe].

**SATURER, verbe trans.** [3]
**1.** Vx. Rassasier. **2.** *Chim.* Porter à saturation. **3.** Anal. Imprégner complètement, remplir : ***Saturer*** *le sol d'engrais.* **4.** Fig. Lasser à l'excès : *On nous a* ***saturés*** *de publicité* ; empl. intrans., parvenir à saturation (fam.). Déb. XIVe s. ; lat. *saturare*, « rassasier », de *satis*, « assez » ; [satyʀe].

**SATURNALES, subst. f. plur.**
**1.** *Antiq. rom.* Fêtes en l'honneur du dieu Saturne, célébrées au solstice d'hiver, durant lesquelles une grande licence avait cours. **2.** Ext. Orgie (aussi empl. au sing.). Mil. XIVe s. ; lat. *saturnalia*, de *Saturnus*, « Saturne » ; [satyʀnal].

**SATURNE, subst. m.**
*Alchimie.* Plomb. 1564 ; lat. *Saturnus*, nom d'un dieu et d'une planète ; [satyʀn].

**SATURNIE, subst. f.**
*Zool.* Papillon de nuit, de la famille des Saturnidés, aux ailes portant des ocelles (synon. *paon-de-nuit*). 1842 ; lat. *Saturnia*, fille de Saturne ; [satyʀni].

**SATURNIEN, IENNE, adj.**
**1.** Relatif à la planète Saturne. **2.** Mélancolique (littér.) : *« Poèmes* ***saturniens*** *», de Verlaine.* **3.** *Litt. Vers* ***saturniens*** : vers latins dédiés à Saturne. Fin XIVe s. ; lat. *saturnius*, « de Saturne » ; [satyʀnjɛ̃, jɛn].

**SATURNIN, INE, adj.**
**1.** *Chim.* Relatif au plomb. **2.** *Méd.* Provoqué par le plomb. 1636 ; ☞ *saturne* ; [satyʀnɛ̃, in].

**SATURNISME, subst. m.**
*Pathol.* Intoxication chronique par le plomb, entraînant des troubles hématologiques, digestifs, neurologiques. 1878 ; ☞ *saturnin* ; [satyʀnism].

**Satyre couronnant une bacchante,** *terre cuite de Claude Michel, dit Clodion (1738-1814). Musée du Louvre, Paris.* © Lauros-Giraudon

**SATYRE, subst. m.**
**1.** *Myth.* Demi-dieu au corps couvert de poils, à jambes de bouc, avec une queue et des cornes, escortant Dionysos (synon. *chèvre-pied*, *faune*). **2.** Anal. Homme lubrique, exhibitionniste. ► *Psych.* Homme atteint de satyriasis. **3.** *Zool.* Nom vernaculaire de diverses espèces de papillons diurnes, de couleur brune à jaunâtre, répandues en Europe. 1372 ; lat. *Satyrus*, du gr. *Saturos* ; [satiʀ].

**SATYRIASIS,** subst. m.
*Psych.* Augmentation anormale de la libido masculine. 🕮 1538 ; mot lat. ; [satiʀjazis].

**SATYRIQUE,** adj.
**1.** Des satyres : *Danse* ***satyrique***, licencieuse. **2.** *Antiq. gr. Poème, drame* ***satyrique*** : pièce tragi-comique, faisant partie de la tétralogie, dont le chœur était composé de satyres. 🕮 1555 ; lat. *satyricus*, du gr. *saturikos* ; [satiʀik].

**SAUCE,** subst. f.
**1.** *Cuis.* Préparation plus ou moins liquide nappant ou accompagnant un mets : ***Sauce*** *gribiche* ; *Plat en* ***sauce***. **2.** Fig. Ce qui est accessoire ou inutile : *Allonger la* ***sauce***, alourdir un discours, un écrit de détails oiseux. **3.** Loc. *À toutes les* ***sauces*** : de toutes les façons ; *À quelle* ***sauce*** *manger qqn* : quel fâcheux traitement lui réserver ; *Mettre toute la* ***sauce*** : pousser un moteur jusqu'à son plein régime ou, au fig., forcer la dose (fam.). **4.** *Orfèvr.* Liquide contenant du métal précieux. **5.** *B.-a.* Crayon noir très friable et tendre, donnant un trait estompé ; poudre de fusain servant à ombrer. 🕮 Fin XIIe s. ; lat. pop. °*salsa*, « chose salée », du lat. *salsus*, « salé » ; [sos].

**SAUCÉ, ÉE,** adj.
*Numism.* Qualifie une pièce de monnaie antique de métal pauvre, recouverte d'une couche d'argent. 🕮 1701 ; ☞ *sauce* ; [sose].

**SAUCÉE,** subst. f.
Forte pluie (pop.). 🕮 1864 ; ☞ *saucer* ; [sose].

**SAUCER,** verbe trans. [4]
**1.** Vx. Tremper. **2.** *Cuis.* Garnir de sauce (rare) : ***Saucer*** *une viande.* ▸ ***Saucer*** *son assiette* : en ôter, avec du pain, toute trace de sauce. **3.** *Se faire* ***saucer***, *être* ***saucé*** : être trempé par une averse (fam.). 🕮 Déb. XIIIe s. ; ☞ *sauce* ; [sose].

**SAUCIER, IÈRE,** subst.
Masc. **1.** Cuisinier chargé des sauces. **2.** Appareil électrique servant à préparer des sauces. Fém. Récipient permettant de servir une sauce à table. 🕮 1285 ; ☞ *sauce* ; [sosje, jɛʀ].

**SAUCISSE,** subst. f.
**1.** *Alim.* Préparation de charcuterie, boyau allongé rempli de viande hachée et assaisonnée. ▸ Loc. *Ne pas attacher son chien avec des* ***saucisses*** : être pingre (fam.). **2.** Anal. Ballon captif de la Première Guerre mondiale. **3.** Personne stupide (fam.). 🕮 Mil. XIIIe s. ; lat. pop. °*salsicius*, du lat. *salsus*, « salé » ; [sosis].

**SAUCISSON,** subst. m.
**1.** *Alim.* Saucisse séchée, qui se consomme crue ou cuite. ▸ Loc. *Ficelé comme un* ***saucisson*** : attaché solidement (fam.). **2.** *Arm.* Rouleau de toile rempli de poudre explosive. 🕮 1552 ; ital. *salsiccione*, de *salsiccia*, « saucisse » ; [sosisɔ̃].

**SAUCISSONNAGE,** subst. m.
Action de saucissonner (fam.). 🕮 1959 ; ☞ *saucissonner* ; [sosisɔnaʒ].

**SAUCISSONNER,** verbe [3]
Fam. Trans. **1.** Ficeler (qqn) comme un saucisson. **2.** Diviser (qqch.) en tranches ; au fig. : ***Saucissonner*** *l'application d'un projet.* Intrans. Manger du saucisson ; par ext., faire un repas froid rapide (fam.). 🕮 1885 ; ☞ *saucisson* ; [sosisɔne].

**SAUF (I), SAUVE,** adj.
**1.** Sauvé, indemne après avoir encouru un grave danger : *Être sain et* ***sauf*** ; *Avoir la vie* ***sauve***, être épargné. **2.** Anal. Intact : *La maison était* ***sauve*** ; au fig. : *L'honneur est* ***sauf***, préservé. 🕮 Mil. XIIe s. (fin Xe s., qui a le salut éternel) ; lat. *salvus* ; [sof, sov].

**SAUF (II),** prép.
**1.** Sans qu'il soit porté atteinte à (littér.) : ***Sauf*** *votre respect.* **2.** Hormis : *Tous riaient,* ***sauf*** *lui.* **3.** Sous réserve de : ***Sauf*** *erreur, je vous dois cent francs.* **4.** Loc. ***Sauf si*** (+ ind.) : à moins que ; ***Sauf à*** (+ inf.) : à moins de ; ***Sauf que*** (+ ind.) : sinon que, excepté que. 🕮 Fin XIIe s. ; ☞ *sauf* (I) ; [sof].

**SAUF-CONDUIT,** subst. m.
Document légal permettant de demeurer ou de passer dans un lieu, sur un territoire, en partic. en temps de guerre. 🕮 Fin XIIe s. ; comp. de *sauf* (I) et de *conduit* ; plur. *sauf-conduits* ; [sofkɔ̃dɥi].

**SAUGE,** subst. f.
*Bot.* Plante lamiacée, gén. herbacée, dont on cultive des espèces ornementales ou officinales. 🕮 Fin XIe s. ; lat. *salvia*, de *salvus*, « sauf » ; [soʒ].

**SAUGRENU, UE,** adj.
Déroutant par son caractère insolite, inepte, voire ridicule : *Une idée* ***saugrenue***. 🕮 1578 ; formé de *sau*, forme dial. de *sel*, et de *grenu* ; [sogʀəny].

**SAULAIE,** subst. f.
Lieu planté de saules (synon. *saussaie*). 🕮 1277 ; ☞ *saule* ; [solɛ].

**SAULE,** subst. m.
*Bot.* Arbre ou arbrisseau de la famille des Salicacées, qui croît dans les lieux humides, dont il existe plusieurs espèces (**saule** pleureur, osier blanc, etc.). 🕮 Déb. XIIIe s. ; anc. bas frq. °*salha* ; [sol].

© P. Pilloud-Jacana

*Saule pleureur.*

**SAUMÂTRE,** adj.
**1.** Qui a un goût salé : *Une eau* ***saumâtre***. **2.** *Géogr. Milieu* ***saumâtre*** : milieu marin — lagune, estuaire ou mer fermée — peu salin, mêlé d'eau douce. **3.** Fig. Amer, déplaisant. ▸ Loc. *La trouver* ***saumâtre*** : ne pas apprécier une situation (fam.). 🕮 1298 ; lat. pop. °*salmaster*, du lat. *salmacidus* ; [somatʀ].

**SAUMON,** subst. m. et adj. inv.
Subst. **1.** *Zool.* Poisson téléostéen, à la chair rose appréciée, de la famille des Salmonidés, qui naît en eau douce, migre vers la mer et revient après plusieurs années frayer dans sa rivière natale, où il meurt : *Le* ***saumon*** *de l'Atlantique peut atteindre 1,50 m de long.* **2.** *Métall.* Lingot sortant du moule (synon. *gueuse*). Adj. D'un rose orangé : *Des chemises* ***saumon***. 🕮 Mil. XIIe s. ; lat. *salmo* ; [somɔ̃].

© S. Cordier-Jacana

*Saumons remontant une rivière.*

**SAUMONÉ, ÉE,** adj.
Se dit des poissons à chair rose comme celle du saumon : *Truite* ***saumonée***. 🕮 1564 ; ☞ *saumon* ; [somɔne].

**SAUMONETTE,** subst. f.
*Zool.* Roussette (poisson). 🕮 V. 1980 ; ☞ *saumon* ; [somɔnɛt].

**SAUMURAGE,** subst. m.
Action de saumurer ; son résultat. 🕮 1803 ; ☞ *saumure* ; [somyʀaʒ].

**SAUMURE,** subst. f.
**1.** Liquide très salé dans lequel on conserve des denrées. **2.** *Techn.* Eau très salée que l'on fait évaporer pour en extraire le sel. 🕮 Fin XIe s. ; bas lat. *salimuria*, du lat. *sal*, « sel », et *muria*, « eau salée » ; [somyʀ].

**SAUMURER,** verbe trans. [3]
Conserver (un aliment) dans la saumure. 🕮 1859 ; ☞ *saumure* ; [somyʀe].

**SAUNA,** subst. m.
**1.** Bain de vapeur sèche et brûlante, d'origine finlandaise. **2.** Établissement où l'on prend ce bain ; installation, cabine qui permet de prendre [un] bain. 🕮 1839 ; mot finnois ; [sona].

**SAUNAGE,** subst. m.
**1.** Époque où l'on récolte le sel de mer. **2.** Fabri[ca]tion et vente de ce sel. 🕮 1497 ; ☞ *sauner* ; [son[aʒ]].

**SAUNER,** verbe intrans. [3]
**1.** Produire du sel, en parlant d'un marais sala[nt]. **2.** Récolter le sel marin. 🕮 1660 ; lat. pop. °*salin[are]* du lat. *salinae*, « salines » ; [sone].

**SAUNIER, IÈRE,** subst.
**1.** Vx. Personne qui vend du sel. **2.** Personne [qui] extrait le sel de mer. Masc. *Faux(-)saunier* : p[er]sonne qui faisait la contrebande du sel, s[ous] l'Ancien Régime. Fém. Récipient qui contenait [le] sel d'usage domestique (vx). 🕮 Mil. XIIe s. ; [lat.] pop. °*salinarius* ; [sonje, jɛʀ].

**SAUPIQUET,** subst. m.
*Cuis.* **1.** Sauce épicée ; ragoût préparé avec ce[tte] sauce. **2.** Jambon poêlé servi avec une sauce au [vin] et à la crème, relevée à l'échalote (région.). 🕮 XIVe s. ; prob. °*saupiquer* (vx), « piquer avec du sel » ; [sopikɛ].

**SAUPOUDRAGE,** subst. m.
Action de saupoudrer ; son résultat. 🕮 187[.] ; ☞ *saupoudrer* ; [sopudʀaʒ].

**SAUPOUDRER,** verbe trans. [3]
**1.** Vx. Couvrir légèrement de sel. **2.** Anal. Répan[dre] sur (qqch.) une substance en poudre : ***Saupoud[rer]*** *de talc une peau.* **3.** Fig. Émailler : ***Saupoudrer*** *de b[ons] mots son allocution.* ▸ *Fin.* ***Saupoudrer*** *des crédi[ts]* : les répartir en petites quantités entre de nombre[ux] bénéficiaires. 🕮 Fin XIVe s. ; formé de *sau*, forme d[ial.] de *sel*, et de *poudrer* ; [sopudʀe].

**SAUPOUDREUR, EUSE,** subst. f. et a[dj.]
Subst. Boîte ou flacon à couvercle percé de tro[us] servant à saupoudrer. Adj. Qui sert à saupoud[rer]. 🕮 1900 ; ☞ *saupoudrer* ; [sopudʀœʀ, øz].

**SAUR,** adj. m.
*Hareng* ***saur*** : salé et fumé. 🕮 XIIIe s. ; m. néerl. *so[or]*, « séché » ; [sɔʀ].

**SAURAGE,** subst. m.
Saurissage. 🕮 1876 ; ☞ *saurer* ; [sɔʀaʒ].

**SAURER,** verbe trans. [3]
Fumer (un aliment) après saumurage pour le séch[er] et le conserver. 🕮 1350 ; ☞ *saur* ; [sɔʀe].

**SAURET,** adj. m.
Saur (vx). 🕮 1360 ; ☞ *saur* ; [sɔʀɛ].

**SAURIENS,** subst. m. plur.
*Zool.* Sous-ordre de reptiles squamates comprena[nt] dix-sept familles d'iguanes, de caméléons, [de] lézards, etc. (synon. *Lacertiliens*). Au sing. *Le léz[ard] vert est un* ***saurien*** ; empl. adj. masc. : *Un rep[tile]* ***saurien***. 🕮 1800 ; gr. *saura*, « lézard » ; [sɔʀjɛ̃].

**SAURIN,** subst. m.
Hareng mâle qui vient d'être fumé. 🕮 1819 (16[..] saurisseur) ; ☞ *saur* ; [sɔʀɛ̃].

**SAURIR,** verbe trans. [19]
Saurer. 🕮 1318 ; ☞ *saur* ; [sɔʀiʀ].

**SAURIS,** subst. m.
Saumure de hareng. 🕮 1842 ; ☞ *saurir* ; [sɔʀi].

**SAURISSAGE,** subst. m.
Action de saurer (synon. *saurage*). 🕮 1741 ; ☞ *saurir* ; [sɔʀisaʒ].

**SAURISSERIE,** subst. f.
Usine où l'on saure les poissons, en partic. [les] harengs. 🕮 1808 ; ☞ *saurir* ; [sɔʀisʀi].

**SAURISSEUR, EUSE,** subst.
Personne chargée du saurissage des poisso[ns]. 🕮 1606 ; ☞ *saurir* ; [sɔʀisœʀ, øz].

**SAUSSAIE,** subst. f.
Saulaie (région.). 🕮 Déb. XIIIe s. ; lat. pop. °*salice[tum]* du lat. *salix*, « saule » ; [sosɛ].

**SAUT,** subst. m.
**1.** Action de quitter son point d'appui et de [se] propulser, par détente, à une certaine hauteur, [à] une certaine distance. ▸ Jeu, exercice corpo[rel] consistant à sauter : ***Saut*** *à la corde* ; ***Saut*** *pérille[ux]* avec une révolution complète du corps avant [de] retoucher le sol. ▸ Loc. *Faire le* ***saut*** : oser, se lanc[er]. ▸ *Chorégr.* Pas au cours duquel les pieds quitte[nt] le sol. ▸ *Sp.* Discipline athlétique consistant [à] sauter le plus loin ou le plus haut possible : ***Sa[ut]*** *en hauteur, en longueur, à la perche* ; *Triple sa[ut]* s'effectuant en trois appels successifs. **2.** Mode [de] locomotion par bonds de certains animaux. **3.** [Ac]tion de s'élancer vers un point situé plus bas, [de] se laisser tomber : ***Saut*** *en parachute.* ▸ Loc. *Le gra[nd]*

saut : la mort ; *Au saut du lit* : dès le lever. ▸ *Sp. Saut de l'ange* : en natation, plongeon les bras en croix. **4.** Bref passage en un lieu : *Faire un* **saut** *en ville.* **5.** Fig. Passage sans transition d'une étape à une autre : *Le saut mystérieux de l'inanimé à l'animé* (Jean Rostand) ; **Saut** *dans le temps.* **6.** *Géogr.* Cascade : *Le* **saut** *du Doubs.* **7.** *Math.* **Saut** *d'une fonction numérique de la variable réelle en un point a* : différence entre la limite à droite et la limite à gauche de cette fonction en *a* (pour une discontinuité de première espèce). **8.** *Informat.* Passage, conditionnel ou non, d'un point d'un programme à un autre, la partie intermédiaire étant occultée. ⊠ Fin XI^e s. ; lat. *saltus* ; [so].

**SAUT-DE-LIT, subst. m.**
Peignoir léger. ⊠ 1877 (1829, descente de lit) ; comp. de *saut* et de *lit* ; plur. *sauts-de-lit* ; [sod(ə)li].

**SAUT-DE-LOUP, subst. m.**
Fossé barrant l'accès à une propriété. ⊠ 1740 ; comp. de *saut* et de *loup* ; plur. *sauts-de-loup* ; [sod(ə)lu].

**SAUT-DE-MOUTON, subst. m.**
*Trav. publ.* Passage d'une voie ferrée, d'une route au-dessus d'une autre, évitant les croisements à niveau. ⊠ 1835 (1611, saut dans lequel un cheval s'enlève d'une seule pièce) ; comp. de *saut* et de *mouton* ; plur. *sauts-de-mouton* ; [sod(ə)mutɔ̃].

**SAUTE, subst. f.**
**1.** *Mar.* Changement subit de la direction du vent. **2.** Anal. Brusque variation : **Saute** *de température* ; au fig. : **Saute** *d'humeur.* ⊠ 1771 ; ☞ *sauter* ; [sot].

**SAUTÉ, subst. m.**
*Cuis.* Aliment en morceaux que l'on saisit à feu vif dans une matière grasse : **Sauté** *de veau, d'agneau.* ⊠ 1813 ; p. p. de *sauter* ; [sote].

**SAUTELLE, subst. f.**
*Vitic.* **1.** Provin. **2.** Sarment que l'on recourbe pour accroître la production de grappes. ⊠ 1551 ; ☞ *sauter* ; [sotɛl].

**SAUTE-MOUTON, subst. m. inv.**
Jeu où l'on effectue des sauts en prenant appui des deux mains sur le dos d'un partenaire qui se tient courbé, tête rentrée. ⊠ 1845 ; comp. de *sauter* et de *mouton* ; [sotmutɔ̃].

**SAUTER, verbe** [3]
**Intrans. 1.** S'élever un instant au-dessus du sol par une brusque détente : **Sauter** *à la corde* ; au fig. : **Sauter** *au plafond*, réagir vivement. ▸ *Sp.* Pratiquer le saut : **Sauter** *en longueur.* **2.** Se déplacer, changer de position d'un bond : **Sauter** *à cloche-pied.* **3.** S'élancer vers le bas : **Sauter** *en parachute.* **4.** Se jeter, se précipiter : **Sauter** *sur qqn*, l'assaillir et, au fig., l'entreprendre ; **Sauter** *au cou de qqn*, l'embrasser. ▸ Loc. **Sauter** *sur l'occasion* : la saisir ; **Sauter** *aux yeux* : être évident. **5.** Fig. Passer sans transition : **Sauter** *d'une idée à l'autre.* **6.** Être agité de secousses : *L'image de la télévision* **saute.** **7.** Manifester un sentiment : **Sauter** *de joie.* **8.** Être détruit par une explosion ; exploser : *Faire* **sauter** *une mine.* ▸ Loc. *Se faire* **sauter** *la cervelle* : se suicider d'une balle dans la tête ; *Faire* **sauter** *les plombs* : provoquer un court-circuit ; *Faire* **sauter** *la banque* : au casino, la mettre en faillite par des gains énormes. **9.** Subir un déplacement brusque : *Le bouchon* **saute.** ▸ Loc. fam. *Et que ça* **saute** ! : injonction réclamant une action immédiate ; *Faire* **sauter** *qqn* : l'évincer de ses fonctions. **10.** *Faire* **sauter** *un aliment* : le faire cuire à feu vif, en le remuant pour qu'il n'attache pas. **11.** Être supprimé, disparaître : *Un paragraphe a* **sauté** *à la saisie* ; *Faire* **sauter** *une contravention*, la faire annuler. **Trans. 1.** Franchir en bondissant : **Sauter** *un obstacle.* ▸ Loc. **Sauter** *le pas* : s'engager dans une voie nouvelle et hasardeuse. **2.** Omettre (un élément) dans une série : **Sauter** *une ligne, une étape, un repas.* ▸ Loc. fam. *La* **sauter** : passer un repas et, par ext., avoir faim. **3. Sauter** *qqn* : le posséder sexuellement (vulg.). ⊠ Fin XII^e s. ; lat. *saltare*, « danser », de *salire*, « sauter, bondir » ; [sote].

**SAUTEREAU, subst. m.**
*Mus.* Dans un clavecin, planchette munie d'un bec faisant vibrer la corde. ⊠ 1611 ; ☞ *sauter* ; [sotʀo].

**SAUTERELLE, subst. f.**
**1.** *Zool.* Insecte orthoptère aux longues pattes postérieures repliées et adaptées au saut, capable d'émettre un son stridulant en frottant les arêtes de ses ailes antérieures ; la femelle possède une tarière. Les **sauterelles** ne sont pas ravageuses et ne doivent pas être confondues avec les criquets. **2.** Anal. Personne maigre, efflanquée (fam.) : *Une grande* **sauterelle.** **3.** *Techn.* ▸ Équerre à branches articulées. ▸ Mécanisme de fixation à crochet vertical, permettant de détacher rapidement une corde ou une chaîne d'attache. ▸ Appareil de manutention monté sur roues et inclinable, équipé d'une bande transporteuse sans fin. ⊠ Déb. XII^e s. ; ☞ *sauter* ; [sotʀɛl].

*Sauterelle.*

**SAUTERIE, subst. f.**
Réunion dansante intime (fam.). ⊠ 1824 (1616, saut dans une rivière) ; ☞ *sauter* ; [sotʀi].

**SAUTERNES, subst. m.**
Vin blanc liquoreux de Bordeaux. ⊠ 1836 ; topon. *Sauternes* (Gironde) ; [sotɛʀn].

**SAUTE-RUISSEAU, subst. m.**
Clerc d'étude débutant, chargé d'effectuer les courses (vx). ⊠ 1822 (1791, agent de spéculateur) ; comp. de *sauter* et de *ruisseau* ; plur. *saute-ruisseau(x)* ; [sotʀɥiso].

**SAUTEUR, EUSE, subst. et adj.**
**Adj.** Qui se déplace par bonds : *Insectes* **sauteurs.** ▸ *Cheval* **sauteur** ou, empl. subst. masc., *Un* **sauteur** : dressé pour le saut. **Subst. 1.** Acrobate spécialiste des sauts. **2.** *Sp.* Athlète spécialiste des épreuves de saut : **Sauteur** *à la perche.* **3.** Fig. Personne peu fiable, versatile (fam. et vieilli). **Subst. fém. 1.** Large poêle conçue pour faire sauter des aliments. **2.** Scie électrique à lame étroite, permettant des découpes curvilignes ; empl. adj. : *Une scie* **sauteuse.** ⊠ 1530 (1380, danseuse) ; ☞ *sauter* ; [sotœʀ, øz].

**SAUTILLANT, ANTE, adj.**
Qui sautille : *Danse* **sautillante** ; au fig. : *Un style* **sautillant.** ⊠ 1688 ; p. pr. de *sautiller* ; [sotijɑ̃, ɑ̃t].

**SAUTILLEMENT, subst. m.**
Action de sautiller ; son résultat. ⊠ 1718 ; ☞ *sautiller* ; [sotijmɑ̃].

**SAUTILLER, verbe intrans.** [3]
Sauter, se déplacer par petits bonds successifs. ⊠ 1564 ; ☞ *sauter* ; [sotije].

**SAUTOIR, subst. m.**
**1.** *Hérald.* Pièce constituée d'une bande et d'une barre, en croix de Saint-André ; par anal. : *Épées en* **sautoir**, croisées en forme de X. **2.** *Bijout.* Collier ou chaîne, souvent à pendentif, tombant sur la poitrine. ▸ Loc. *En* **sautoir** : pendant sur la poitrine. **3.** *Sp.* Aire réservée au saut. **4.** *Cuis.* Sauteuse. ⊠ 1235 ; ☞ *sauter* ; [sotwaʀ].

**SAUVAGE, adj.**
**I. 1.** Qualifie un animal qui n'est pas apprivoisé, qui vit en liberté : *Les bêtes* **sauvages** ; *Chat* **sauvage.** ▸ *Soie* **sauvage** : provenant de chenilles autres que le ver à soie. **2.** Qualifie un homme ou un groupe humain resté à un stade considéré comme primitif (vieilli et péj.) : *Peuplade* **sauvage** ; empl. subst. : *Les* **sauvages.** **3.** Qualifie un végétal à l'état naturel, non cultivé : *Rosier* **sauvage.** **4.** Qualifie un lieu non touché par l'homme ; par ext., inhospitalier : *Des gorges* **sauvages.** **II.** Fig. **1.** Qui fuit la vie en société ; qui a un comportement fruste, grossier : *Il est devenu* **sauvage** ; empl. subst. : *C'est une* **sauvage.** **2.** Qui a un caractère barbare, violent : *Crime* **sauvage.** **3.** Qui échappe à la règle, incontrôlable : *Affichage* **sauvage** ; qui se fait hors des lieux habituels : *Camping* **sauvage.** ⊠ Déb. XII^e s. ; bas lat. *salvaticus*, du lat. *silva*, « forêt » ; [sovaʒ].

**SAUVAGEMENT, adv.**
De manière rude, bestiale ou cruelle. ⊠ XIV^e s. (fin XII^e s., avec passion) ; ☞ *sauvage* ; [sovaʒmɑ̃].

**SAUVAGEON, ONNE, subst.**
**Masc.** *Arboric.* Arbre poussé naturellement ; arbre non encore greffé. **Masc.** et **Fém.** Anal. Enfant peu éduqué, farouche. ⊠ 1396 ; ☞ *sauvage* ; [sovaʒɔ̃, ɔn].

**SAUVAGERIE, subst. f.**
**1.** Caractère d'une personne qui fuit la société. **2.** État des hommes restés à un stade considéré comme primitif (rare). **3.** Caractère brutal, féroce d'une personne, d'un acte ; barbarie : *Tuer avec* **sauvagerie.** ⊠ Mil. XVIII^e s. ; ☞ *sauvage* ; [sovaʒʀi].

**SAUVAGIN, INE, subst.**
**Fém. 1.** Ensemble des oiseaux de mer, d'étang et de marais. **2.** Ensemble des peaux des animaux sauvages chassés pour leur fourrure. **Masc.** Odeur et goût spécifique du gibier d'eau (rare) ; empl. adj. : *Une odeur* **sauvagine.** ⊠ Mil. XIII^e s. (déb. XII^e s., ensemble des bêtes sauvages) ; ☞ *sauvage* ; [sovaʒɛ̃, in].

**SAUVEGARDE (I), subst. f.**
**1.** Protection, défense d'un droit, d'une personne, etc., qu'exerce une autorité : *La* **sauvegarde** *d'un traité.* **2.** Méton. Ce qui sert de garantie, de défense contre un danger. **3.** Fig. Préservation : *La* **sauvegarde** *d'un site.* **4.** *Informat.* Copie d'un ensemble d'informations ou d'un programme pour en éviter la perte par effacement systématique ou accidentel. ⊠ Mil. XII^e s. ; formé de *sauf* (I) et de *garde* (I) ; [sovgaʀd].

**SAUVEGARDE (II), subst. f.**
*Mar.* Filin de sécurité d'une pièce. ⊠ 1678 ; formé de *sauver* et de *garde* (I) ; [sovgaʀd].

**SAUVEGARDER, verbe trans.** [3]
**1.** Défendre, assurer la sauvegarde de (qqn, qqch.) ; préserver (qqch.). **2.** *Informat.* Faire une sauvegarde de. ⊠ 1788 ; ☞ *sauvegarde* (I) ; [sovgaʀde].

**SAUVE-QUI-PEUT, subst. m. inv.**
Fuite générale, débandade, panique. ⊠ 1819 (fin XIV^e s., interj.) ; loc. interj. *sauve qui peut*, « se sauve qui le peut » ; [sovkipø].

**SAUVER, verbe trans.** [3]
**1.** Faire échapper à un danger, à la mort : **Sauver** *la patrie* ; *La pénicilline l'a* **sauvé** ; *Je suis* **sauvé**, tiré d'affaire. **2.** *Relig.* Assurer le salut, la rédemption de : *Jésus-Christ est venu* **sauver** *les hommes* ; **Sauver** *son âme.* **3.** Éviter la perte de : **Sauver** *son bétail, ses bijoux.* ▸ Loc. **Sauver** *sa tête* : échapper à la condamnation à mort ou, au fig., à une sanction ; **Sauver** *les meubles* : limiter les pertes (fam.). ▸ *Informat.* Sauvegarder. **4.** Faire accepter malgré ses défauts (qqch. de médiocre, de mauvais) : *Cet acteur* **sauve** *la pièce.* **5.** Préserver (qqn, qqch.) d'un mal : **Sauver** *un château de la ruine.* **Pronom. 1.** Échapper à la mort. ▸ *Relig.* Assurer son salut (vieilli). **2.** S'échapper. **3.** Prendre congé sans plus tarder (fam.). ⊠ 842 ; bas lat. *salvare*, « rendre bien portant » ; [sove].

**SAUVETAGE, subst. m.**
**1.** *Mar.* Action de porter assistance à un navire en détresse. ▸ *Gilet, bouée de* **sauvetage** : permettant de se maintenir à flot en attendant les secours ; *Canot de* **sauvetage** : embarcation insubmersible destinée à recueillir les naufragés. **2.** Ext. Action de tirer qqn ou qqch. d'une situation périlleuse : **Sauvetage** *en montagne.* **3.** Fig. Action de préserver qqn, qqch. d'une menace, d'un risque : **Sauvetage** *d'une espèce en voie de disparition, du petit commerce, du patrimoine.* ⊠ 1773 ; ☞ *sauver* ; [sovtaʒ].

*Sauvetage en haute montagne assuré par la gendarmerie.*

**SAUVETÉ, subst. f.**
**1.** *Hist.* Village franc du sud de la France créé au XI^e-XII^e s. pour servir d'asile aux fugitifs et aux errants. **2.** *Apic. Reine de* **sauveté** : future reine, élevée dans une alvéole agrandie, dite cellule de **sauveté.** ⊠ 1375 (mil. XI^e s., salut de l'âme) ; lat. médiév. *salvitas*, « inviolabilité » ; [sovte].

**SAUVETERRIEN, IENNE,** subst. m. et adj. *Préhist.* SUBST. Culture du Mésolithique, caractérisée par des microlithes triangulaires, qui suit l'Azilien et précède le Tardenoisien. ADJ. Relatif, propre au Sauveterrien. 🕮 V. 1970 ; topon. *Sauveterre-la-Lémance* (Lot-et-Garonne) ; [sovteʀjɛ̃, jɛn].

**SAUVETEUR,** subst. m.
Personne qui participe à une opération de sauvetage, en partic. en mer, ou qui l'organise ; empl. adj. : *Bateau* ***sauveteur***. 🕮 1816 ; ☞ *sauvetage* ; [sovtœʀ].

**SAUVETTE (À LA),** loc. adv.
**1.** *Vente* ***à la sauvette*** : pratiquée illégalement sur la voie publique. **2.** Ext. À la hâte, furtivement : *Entretien* ***à la sauvette***. 🕮 1898 (1867, jeu d'enfants) ; ☞ *sauver* ; [alasovɛt].

**SAUVEUR,** subst. m.
**1.** *Relig.* ***Le Sauveur*** : Jésus-Christ ; empl. adj. : *Le Dieu* ***sauveur***, salvateur. **2.** Ext. Personne qui sauve (qqch., qqn). 🕮 Déb. XII^e^ s. ; lat. *salvator* ; [sovœʀ].

**SAUVIGNON,** subst. m.
Cépage de Touraine ; par méton., vin blanc sec obtenu avec ce cépage. 🕮 1721 ; orig. inc. ; [soviɲɔ̃].

**SAVAMMENT,** adv.
**1.** De manière savante, érudite : *Disserter* ***savamment***. **2.** Ext. De manière habile : *Une opération* ***savamment*** *conçue*. 🕮 1533 ; ☞ *savant* ; [savamɑ̃].

**SAVANE,** subst. f.
**1.** *Géogr.* Formation végétale des zones tropicales et subtropicales à longue saison sèche. La **savane**, qui se caractérise par la prédominance de hautes herbes, de plantes herbacées, présente parfois des arbres ou des arbustes et abrite une faune importante et variée. **2.** Québ. Sol marécageux. 🕮 1529 ; esp. *sabana*, d'orig. haïtienne ; [savan].

**SAVANT, ANTE,** adj. et subst.
ADJ. **1.** Qui possède un savoir étendu dans un ou plusieurs domaines : *Il n'est guère* ***savant*** *en chimie* ; *Société* ***savante***, formée de scientifiques ou d'érudits. **2.** Qui dénote ou nécessite des connaissances étendues ; ardu : *Conversation* ***savante***. **3.** Habile ; qui dénote l'habileté, l'ingéniosité : *Un* ***savant*** *cuisinier* ; *Une* ***savante*** *machination*. ▸ ***Animal savant*** : dressé à exécuter des tours. SUBST. Personne érudite (vx). SUBST. MASC. Spécialiste, chercheur dans un domaine scientifique : *Parmi les femmes, peu de* ***savants*** *reçurent le prix Nobel*. 🕮 Déb. XII^e^ s. ; anc. p. pr. de *savoir* (I) ; [savɑ̃, ɑ̃t].

**SAVARIN,** subst. m.
Gâteau à pâte levée, moulé en couronne, imbibé de sirop de sucre au rhum, souvent garni de crème. 🕮 1864 ; anthropon. *Anthelme Brillat-Savarin*, gastronome français ; [savaʀɛ̃].

**SAVART,** subst. m.
*Acoust.* La plus petite unité d'intervalle. 🕮 1902 ; anthropon. *Félix Savart*, physicien français ; [savaʀ].

**SAVATE,** subst. f.
**1.** Chaussure ou pantoufle très usée. ▸ Loc. ***Traîner la savate*** : vagabonder, vivre dans la misère (fam.). **2.** Fig. Personne maladroite (fam.). **3.** *Sp.* Sorte de boxe française, sport de combat où l'on peut porter des coups de pied. **4.** *Mar.* Pièce de bois qui supporte un navire au moment de son lancement. 🕮 Fin XII^e^ s. ; orig. obsc. ; [savat].

**SAVETIER, IÈRE,** subst.
Cordonnier (vx). 🕮 1213 ; ☞ *savate* ; [savtje, jɛʀ].

**SAVEUR,** subst. f.
**1.** Qualité que l'on perçoit par le sens du goût. **2.** Fig. Qualité de ce qui est agréable : ***La saveur*** *d'un baiser*. 🕮 XII^e^ s. ; lat. *sapor*, « goût » ; [savœʀ].

**SAVOIR (I),** verbe trans. [42]
**I. 1.** Être informé de (un fait), connaître de façon certaine (qqch.) : *Je ne le* ***savais*** *pas* ; *Nous* ***savons*** *que la Terre est ronde* ; *Faire* ***savoir***, communiquer (qqch.) ; empl. pronom. : *Tout se* ***sait***, tout finit par être connu. ▸ Abs. Avoir des connaissances, des certitudes : *Oh !* ***savoir***, *jeune homme, n'est-ce pas jouir intuitivement ?* (Balzac). **2.** Avoir conscience de : *Ils ne* ***savent*** *pas ce qu'ils font*. **3.** Avoir en mémoire : ***Savoir*** *sa leçon*. **4.** Littér. Connaître (qqch.) : *Il* ***sait*** *du grec, ma sœur !* (Molière). **5.** Loc. ***Qui sait ?*** : peut-être ; ***En savoir*** *qqch.* : en avoir fait l'expérience ; ***Je n'en sais rien*** : je l'ignore ; ***Qui vous savez*** : employé pour éviter de nommer qqn ; ***Sache que*** : apprends que ; ***Que je sache*** : à ma connaissance ; ***Ne rien vouloir savoir*** : s'obstiner, ignorer les objections, les conseils. **6.** Loc. conj. **À savoir.** C'est-à-dire : *Elle lui a enfin dit la vérité,* ***à savoir*** *qu'elle ne l'aimait plus*. **II. 1.** Être à même de (faire qqch.), grâce à des connaissances acquises : *Elle* ***sait*** *lire et écrire* ; ***Saurais****-tu réparer cette voiture ?* **2.** Être capable de : *Elle* ***sait*** *nager*. ▸ Pouvoir, s'autoriser à (au cond. et avec *ne*) : *Je ne* ***saurais*** *en dire plus sans son accord*. ▸ Belg. Pouvoir : *Il* ***saura*** *venir demain*. **3.** Loc. **Tout ce qu'il sait.** Beaucoup, intensément (fam.) : *Il sanglote tout ce qu'il* ***sait***. 🕮 842 ; lat. *sapere*, « goûter, connaître » ; [savwaʀ].

**SAVOIR (II),** subst. m.
**1.** Fait de savoir. ▸ *Philos.* État d'un esprit qui connaît, au sens où ce qu'il sait est tenu pour vrai suivant des raisons communicables (anton. *ignorance, opinion, foi*). **2.** Ensemble des connaissances acquises par l'expérience, l'apprentissage, l'exercice intellectuel (souv. au sing.) : *Le* ***savoir*** *encyclopédique* ; *Un* ***savoir*** *limité* ; *Un homme d'un grand* ***savoir***, très érudit. 🕮 842 ; ☞ *savoir* (I) ; [savwaʀ].

**SAVOIR-FAIRE,** subst. m. inv.
Habileté pratique, compétence : *Le* ***savoir-faire*** *d'un luthier, d'une entreprise*. 🕮 1671 ; comp. de *savoir* (I) et de *faire* (I) ; [savwaʀfɛʀ].

**SAVOIR-VIVRE,** subst. m. inv.
Connaissance et respect des usages de la vie en société : *Faire preuve de* ***savoir-vivre***. 🕮 Fin XVII^e^ s. ; comp. de *savoir* (I) et de *vivre* (I) ; [savwaʀvivʀ].

**SAVON,** subst. m.
**1.** *Chim.* Substance détergente obtenue par l'action d'un alcali sur un corps gras. **2.** Morceau moulé de cette substance. **3.** Fig. Forte réprimande (fam.) : *Passer un* ***savon*** *à qqn*. 🕮 Fin XII^e^ s. ; lat. *sapo*, « mélange de suif et de cendre » ; [savɔ̃].

**SAVONNAGE,** subst. m.
Action de savonner ; son résultat. 🕮 1680 ; ☞ *savonner* ; [savɔnaʒ].

**SAVONNÉE,** subst. f.
Belg. Eau savonneuse. 🕮 P. p. de *savonner* ; [savɔne].

**SAVONNER,** verbe trans. [3]
**1.** Laver au savon ; empl. pronom. : *Se* ***savonner*** *soigneusement*. **2.** Fig. Réprimander (fam.). 🕮 Déb. XVI^e^ s. ; ☞ *savon* ; [savɔne].

**SAVONNERIE,** subst. f.
**1.** Fabrique, fabrication de savon. **2.** *B.-a.* Tapis de la manufacture de la Savonnerie, à Paris. 🕮 1313 ; ☞ *savon* ; [savɔnʀi].

**SAVONNETTE,** subst. f.
**1.** Petit savon de toilette, souvent parfumé. **2.** *Hist.* ***Savonnette*** *à vilain* : sous l'Ancien Régime, charge ou terre dont l'achat par un roturier lui valait l'anoblissement (fam.). **3.** *Horlog. Montre à* ***savonnette*** : pourvue d'un couvercle à ressort. 🕮 1579 ; ☞ *savon* ; [savɔnɛt].

**SAVONNEUX, EUSE,** adj.
**1.** Qui contient du savon, qui en est enduit : *Eau, planche* ***savonneuse***. ▸ Loc. ***Être sur une pente savonneuse*** : être engagé dans une action fâcheuse ou répréhensible (fam.). **2.** Qui évoque le savon : *Boue* ***savonneuse***. 🕮 1740 ; ☞ *savon* ; [savɔnø, øz].

**SAVONNIER, IÈRE,** subst. et adj.
SUBST. Personne qui fabrique du savon. SUBST. MASC. **1.** Québ. Porte-savon. **2.** *Bot.* Arbre tropical de la famille des Sapindacées, dont les racines, le bois et les fruits contiennent de la saponine. ADJ. Qui concerne le savon : *L'industrie* ***savonnière*** *de Marseille*. 🕮 1292 ; ☞ *savon* ; [savɔnje, jɛʀ].

**SAVOURER,** verbe trans. [3]
**1.** Manger, boire lentement (qqch.) pour mieux en apprécier la saveur : ***Savourer*** *un grand cru*. **2.** Fig. Prendre un plaisir extrême à, se délecter de : ***Savourer*** *un spectacle, sa revanche*. 🕮 XIII^e^ s. (fin XII^e^ s., avoir de la saveur) ; ☞ *saveur* ; [savuʀe].

**SAVOUREUX, EUSE,** adj.
Dont on apprécie la saveur : *Un gâteau* ***savoureux*** ; au fig. : *Une anecdote* ***savoureuse***, plaisante. 🕮 Fin XII^e^ s. ; ☞ *saveur* ; [savuʀø, øz].

**SAXATILE,** adj.
*Biol.* Qui vit sur les rochers (synon. *saxicole*). 🕮 1555 ; lat. *saxatilis*, de *saxum*, « rocher » ; [saksatil].

**SAXE,** subst. m.
Porcelaine de Saxe ; par méton., objet fait de cette matière. 🕮 1847 ; topon. *Saxe* (Allemagne) ; [saks].

**SAXHORN,** subst. m.
*Mus.* Nom générique d'instruments à vent, de la famille des cuivres, à embouchure en cuvette, allant du sopranino à la contrebasse. 🕮 1842 ; formé de l'anthropon. *Adolphe Sax*, facteur d'instruments d'origine belge, et de l'all. *Horn*, « corne, cor » ; [saksɔʀn].

**SAXICOLE,** adj.
*Biol.* Saxatile. 🕮 1836 ; lat. *saxum*, « rocher », + *-cole* [saksikɔl].

**SAXIFRAGACÉES,** subst. f. plur.
*Bot.* Famille de plantes herbacées, dicotylédones et dialypétales croissant surtout dans les régions tempérées. AU SING. *La perce-pierre est une* ***saxifragacée***. 🕮 1841 ; ☞ *saxifrage* ; [saksifʀagase].

**SAXIFRAGE,** subst. f.
*Bot.* Plante herbacée poussant sur les terrains rocailleux, surtout en montagne, et dont on cultive certaines espèces ornementales : *Le désespoir-des-peintres est une* ***saxifrage***. 🕮 XIII^e^ s. ; lat. sc. *saxifraga*, du lat. *saxifragum*, « qui brise les rochers » ; [saksifʀaʒ].

**SAXON, ONNE,** adj. et subst.
**1.** De Saxe. **2.** De l'ancien peuple germanique des Saxons. **3.** Fig. Se dit de qqn qui trahit brusquement son parti, son groupe, par réf. aux Saxons qui trahirent Napoléon au milieu de la bataille de Leipzig (vieilli). SUBST. MASC. *Ling.* ***Vieux saxon*** : état le plus ancien du bas allemand (entre 800 et 1100 env.). 🕮 1512 ; bas lat. *Saxo* ; [saksɔ̃, ɔn].

**SAXOPHONE,** subst. m.
*Mus.* Instrument à vent en cuivre, à anche simple, muni d'un bec de clarinette et de clés, popularisé par le jazz (abrév. : saxo ou, fam., sax) : ***Saxophone*** *ténor, alto*. 🕮 1846 ; anthropon. *Adolphe Sax*, facteur d'instruments d'origine belge, + *-phone* ; [saksɔfɔn].

© Ch. Ducasse-Gamma

*Le saxophoniste Brandford Marsalis.*

**SAXOPHONISTE,** subst.
Personne qui joue du saxophone (abrév. : saxo). 🕮 1934 ; ☞ *saxophone* ; [saksɔfɔnist].

**SAYNÈTE,** subst. f.
**1.** Intermède comique du théâtre espagnol, que l'on jouait pendant l'entracte. **2.** Ext. Petite pièce comique. 🕮 1764 ; esp. *sainete* ; [sɛnɛt].

**SAYON,** subst. m.
*Cost.* **1.** Ancienne tunique paysanne. **2.** Casaque des soldats gaulois, puis romains, et des chevaliers du Moyen Âge. 🕮 1487 ; ☞ *saie* (I) ; [sɛjɔ̃].

**Sb, voir ANTIMOINE**

**SBIRE,** subst. m.
**1.** *M. Â.* Agent de police, en Italie. **2.** Ext. Homme de main au service de qqn, d'un pouvoir (péj.). 🕮 1552 ; ital. *sbirro* ; [zbiʀ].

**Sc, voir SCANDIUM**

**SCABIEUX, EUSE,** adj. et subst. f.
SUBST. *Bot.* Plante vivace de la famille des Dipsacacées, dont certaines espèces sont cultivées comme plantes d'ornement. ADJ. Relatif à la gale. 🕮 XIII^e^ s. ; lat. *scabiosus*, « galeux », cette plante passant pour guérir la gale ; [skabjø, øz].

**SCABREUX, EUSE,** adj.
**1.** Qui est source de risques (littér.) : *Projet* ***scabreux***. **2.** Inconvenant, obscène : *Des allusions* ***scabreuses***. 🕮 1501 (1500, raboteux) ; bas lat. *scabrosus*, « rude, inégal » ; [skabʀø, øz].

**SCAFERLATI,** subst. m.
Tabac coupé fin, à utiliser pour la pipe ou pour rouler des cigarettes. 🕮 1707 ; orig. obsc. ; [skafɛʀlati].

**SCALAIRE (I),** subst. m.
*Zool.* Poisson téléostéen carnivore de l'Amazone, au corps discoïde comprimé latéralement et aux

longues nageoires en voile. 1801 ; lat. *scala*, « échelle » ; [skalɛʀ].

**SCALAIRE (II),** subst. m. et adj.
*Math.* ADJ. *Grandeur **scalaire**, produit **scalaire** sur un espace vectoriel réel* $\vec{E}$ : forme bilinéaire symétrique $\varphi$ qui est positive ($\varphi(\vec{x}, \vec{x}) \geqslant 0$ pour tout $\vec{x}$ de $\vec{E}$), non dégénérée (si pour tout $\vec{y}$, $\varphi(\vec{x}, \vec{y}) = 0$, alors $\vec{x} = \vec{0}$). On note souvent $\varphi(\vec{x}, \vec{y})$ par $(\vec{x}/\vec{y})$ ou $\vec{x} \cdot \vec{y}$. $\vec{E}$ muni de $\varphi$ est dit euclidien. Dans une base orthonormée d'un espace euclidien, $(\vec{x}/\vec{y}) = x_1y_1 + x_2y_2 + ... + x_ny_n$, où $x_1, ..., x_n$ (resp. $y_1, ..., y_n$) sont les composantes de $\vec{x}$ (resp. $\vec{y}$) dans cette base. SUBST. Nombre (ou élément d'un corps), par oppos. à *vecteur*. 1901 ; angl. *scalar*, du lat. *scalaris*, « comme une échelle » ; [skalɛʀ].

**SCALDE,** subst. m.
*Litt.* Poète de cour et chanteur scandinave au Moyen Âge. 1752 ; suédois *skald* ; [skald].

**SCALÈNE,** adj.
**1.** *Géom. Triangle **scalène*** : dont les trois côtés sont inégaux. **2.** *Anat. Muscle **scalène*** ou, empl. subst. masc., *Un **scalène*** : chacun des muscles inspirateurs insérés aux apophyses transverses des vertèbres cervicales et à l'une des deux premières côtes. 1542 ; gr. *skalênos*, « boiteux » ; [skalɛn].

**SCALP,** subst. m.
**1.** Action de scalper. **2.** Trophée ainsi obtenu ; par ext., cuir chevelu. 1771 ; ☞ *scalper* ; [skalp].

**SCALPEL,** subst. m.
Petit couteau fin, gén. utilisé par les spécialistes d'anatomie pour inciser ou disséquer. 1370 ; lat. *scalpellum* ; [skalpɛl].

**SCALPER,** verbe trans. [3]
Enlever le cuir chevelu de (qqn) après avoir incisé la peau du crâne. 1769 ; angl. *to scalp*, de *scalp*, « cuir chevelu » ; [skalpe].

**SCAMPI,** subst. m.
*Cuis.* Grosse crevette ou langoustine frite en beignet. V. 1950 ; mot ital. ; plur. *scampi(s)* ; [skɑ̃mpi].

**SCANDALE,** subst. m.
**I. 1.** *Relig.* Acte, propos incitant à pécher ; le péché ainsi commis. **2.** *Théol.* Fait qui trouble, interpelle la raison et la foi : *Le **scandale** de la crucifixion.* **II.** Ext. **1.** Retentissement d'un fait, d'un acte jugé révoltant et, par méton., l'indignation publique qu'il suscite : *Étouffer une affaire pour éviter le **scandale**.* **2.** Acte, fait propre à indigner ; en partic., affaire grave qui émeut l'opinion : *Un **scandale** financier, politique.* **3.** Querelle, dénonciation bruyante : *Faire un **scandale**.* Mil. XIIe s. ; lat. eccl. *scandalum*, du gr. *skandalon*, « piège » ; [skɑ̃dal].

**SCANDALEUSEMENT,** adv.
De manière scandaleuse. Fin XVe s. ; ☞ *scandaleux* ; [skɑ̃daløzmɑ̃].

**SCANDALEUX, EUSE,** adj.
Qui provoque le scandale ; qui est choquant : *Conduite, propos **scandaleux**.* 1365 ; bas lat. *scandalosus*, « abominable » ; [skɑ̃dalø, øz].

**SCANDALISER,** verbe trans. [3]
**1.** *Relig.* ► Être objet de scandale pour (qqn). ► Inciter (qqn) au péché ou blesser sa conscience morale. **2.** Ext. Offusquer, indigner (qqn). Fin XIIe s. ; bas lat. *scandalizare* ; [skɑ̃dalize].

**SCANDER,** verbe trans. [3]
**1.** *Versif.* Analyser le rythme de (un vers) ; déclamer en tenant compte de la métrique : ***Scander** le début de l'« Odyssée ».* **2.** Ext. Prononcer (un discours) en soulignant ses composants ; ponctuer (un énoncé) : ***Scander** des mots d'ordre.* 1516 ; lat. *scandere*, « battre la mesure » ; [skɑ̃de].

**SCANDINAVE,** subst. et adj.
De Scandinavie. ADJ. *Langues **scandinaves*** : langues nordiques du groupe germanique. 1756 ; topon. *Scandinavie* ; [skɑ̃dinav].

**SCANDIUM,** subst. m.
*Chim.* Élément métallique n° 21 de la table de Mendeleïev (symb. : Sc) ; masse atomique : 44,9 ; point de fusion : 1 541 °C ; point d'ébullition : 2 831 °C ; masse volumique : 3 g/cm³. C'est un élément assez rare et très léger dont un isotope radioactif, le **scandium** 85, a des applications en radiothérapie. 1879 ; lat. *Scandia*, « Scandinavie » ; [skɑ̃djɔm].

**SCANNER (I),** subst. m.
**1.** *Impr.* et *Informat.* Scanneur. **2.** *Méd.* Scanographe. V. 1960 ; angl. *scanner*, de *to scan*, « scruter » ; [skanɛʀ].

© P. Fagot-Explorer

*Examen médical au scanner.*

**SCANNER (II),** verbe trans. [3]
**1.** *Impr.* et *Informat.* Balayer (un document) au moyen d'un scanneur afin d'en analyser l'image, les couleurs en vue de les numériser. **2.** *Méd.* Balayer (une région du corps) avec un scanographe afin d'en obtenir une image radiologique. V. 1980 ; angl. *to scan*, « scruter » ; [skane].

**SCANNEUR,** subst. m.
*Impr.* et *Informat.* Appareil électronique permettant, par analyse de rayons lumineux réfléchis, de numériser des documents (synon. *scanner*) : *Un **scanneur** à main.* V. 1970 ; ☞ *scanner* (I) ; [skanœʀ].

**SCANOGRAPHE,** subst. m.
Appareil électronique utilisé en médecine, permettant d'observer la matière par radiographies de plans successifs (synon. *scanner*). On obtient une image radiologique point par point et en coupes fines, en balayant la région observée. V. 1970 ; ☞ *scanner* (I) + *-graphe* ; [skanɔgʀaf].

**SCANOGRAPHIE,** subst. f.
Examen pratiqué à l'aide d'un scanographe ; par méton., l'image obtenue par ce procédé. V. 1970 ; ☞ *scanner* (I) + *-graphie* ; [skanɔgʀafi].

**SCANSION,** subst. f.
*Versif.* Action ou manière de scander des vers. 1741 ; lat. *scansio*, « échelle des sons » ; [skɑ̃sjɔ̃].

**SCAPHANDRE,** subst. m.
**1.** Tenue de plongée étanche reliée à la surface, d'où une pompe assure l'alimentation en air du plongeur. ► ***Scaphandre** autonome* : pourvu de bouteilles à air comprimé, le plongeur évoluant sans lien avec la surface. **2.** Anal. Équipement isolant des cosmonautes. 1858 (1765, habit de liège servant à nager) ; gr. *skaphê*, « barque », + *-andre* ; [skafɑ̃dʀ].

**SCAPHANDRIER,** subst. m.
Plongeur revêtu d'un scaphandre. Fin XIXe s. (1805, nageur utilisant un habit de liège) ; ☞ *scaphandre* ; [skafɑ̃dʀije, jɛʀ].

**SCAPHOÏDE,** adj. et subst. m.
*Anat.* Se dit d'un des os du carpe et du tarse. 1538 ; gr. *skaphoeidês*, « en forme de barque » ; [skafɔid].

**SCAPULAIRE (I),** subst. m.
*Cath.* **1.** Partie du vêtement de certains moines, constituée d'un capuchon et de deux grands lés tombant des épaules pour couvrir la poitrine et le dos. **2.** Forme réduite de ce vêtement, en étoffe bénite, portée sous leur costume, attachée au cou, par certains moines ou fidèles. Fin XIIe s. ; lat. médiév. *scapulare*, du lat. *scapulae*, « épaules » ; [skapylɛʀ].

**SCAPULAIRE (II),** adj.
*Anat.* Qui concerne l'épaule ou l'omoplate. ► *Ceinture **scapulaire*** : squelette de l'épaule constitué par les clavicules, les omoplates et les os coracoïdes. 1721 ; lat. *scapulae*, « épaules » ; [skapylɛʀ].

**SCAPULO-HUMÉRAL, ALE, AUX,** adj.
*Anat.* Qui concerne à la fois l'omoplate et l'humérus : *Une périarthrite **scapulo-humérale**.* 1839 ; ☞ *huméral* + *scapulo-* ; [skapyloymeʀal, o].

**SCARABÉE,** subst. m.
**1.** *Zool.* Gros coléoptère. **2.** *Archéol.* Pierre gravée portant le **scarabée** sacré des anciens Égyptiens. 1526 ; lat. *scarabaeus* ; [skaʀabe].

**SCARE,** subst. m.
*Zool.* Poisson téléostéen de la famille des Scaridés, qui vit dans les récifs coralliens des mers tropicales. Ses couleurs vives et ses dents formant une sorte de bec lui valent le nom de poisson-perroquet. 1546 ; lat. *scarus*, du gr. *skaros* ; [skaʀ].

**SCARIEUX, EUSE,** adj.
*Bot.* Qualifie un organe membraneux, coriace et transparent. 1778 ; lat. sc. *scariosus*, p.-ê. du lat. médiév. *scaria*, « bouton » ; [skaʀjø, øz].

**SCARIFIAGE,** subst. m.
*Agric.* Opération consistant à briser un sol durci avant les semailles. 1859 ; ☞ *scarifier* ; [skaʀifjaʒ].

**SCARIFICATEUR,** subst. m.
**1.** *Méd.* Vaccinostyle. **2.** *Agric.* Machine utilisée pour le scarifiage d'un sol. 1561 ; ☞ *scarifier* ; [skaʀifikatœʀ].

**SCARIFICATION,** subst. f.
**1.** *Méd.* Incision superficielle de l'épiderme, effectuée notamment pour une cuti-réaction, une vaccination par le B. C. G. et en allergologie. **2.** *Arboric.* Incision de l'écorce d'un arbre fruitier ou d'un sarment de vigne pour arrêter l'afflux de la sève près des fruits. **3.** *Anthropol.* Marquage rituel, initiatique ou esthétique, par incision superficielle de la peau (gén. au plur.). 1314 ; bas lat. *scarificatio* ; [skaʀifikasjɔ̃].

**SCARIFIER,** verbe trans. [6]
**1.** *Méd.* Inciser superficiellement (la peau). **2.** *Agric.* Pratiquer le scarifiage de (un sol durci). **3.** *Arboric.* Inciser (une écorce). **4.** *Anthropol.* Procéder à la scarification de (qqn). Fin XIIIe s. ; lat. *scarificare*, du gr. *skariphos*, « stylet » ; [skaʀifje].

**SCARLATINE,** subst. f.
*Pathol.* Maladie infectieuse, contagieuse et éruptive qui atteint surtout les enfants. Elle est due à un streptocoque, et elle se manifeste par une forte fièvre, une angine et une éruption cutanée diffuse, qui disparaît en une semaine et est suivie d'une desquamation. 1741 ; lat. médiév. *scarlatinus*, de *scarlatum*, « écarlate » ; [skaʀlatin].

**SCAROLE,** subst. f.
*Bot.* Variété de chicorée à feuilles larges et peu découpées qui se mange en salade. XIIIe s. ; bas lat. *escariola*, « endive » ; [skaʀɔl].

**SCAT,** subst. m.
*Mus.* Improvisation vocale, propre au jazz, consistant à substituer des onomatopées aux paroles. 1933 ; onomat. anglo-amér. ; [skat].

**SCATOLOGIE,** subst. f.
Ensemble de propos ou d'écrits traitant complaisamment des excréments ; caractère de tels propos ou écrits : *La joyeuse **scatologie** rabelaisienne.* 1868 ; formé de *scato-* et de *-logie* ; [skatɔlɔʒi].

**SCATOLOGIQUE,** adj.
Qui a trait à la scatologie : *Plaisanterie **scatologique**.* 1858 ; ☞ *scatologie* ; [skatɔlɔʒik].

**SCATOPHILE,** adj.
*Sc. nat.* Qui vit ou croît sur des excréments. 1839 ; formé de *scato-* et de *-phile* ; [skatɔfil].

**SCEAU,** subst. m.
**1.** Cachet portant la marque d'une autorité ou d'un individu, permettant d'authentifier ou de sceller un document : *Le **sceau** d'un roi* ; *Le garde des Sceaux* (☞ *garde*). **2.** Méton. Empreinte laissée par ce cachet ; morceau de plomb ou de cire portant cette empreinte. **3.** Fig. Marque distinctive (littér.) : *Son œuvre porte le **sceau** du génie.* ► Loc. *Sous le **sceau** du secret* : à condition de respecter le secret. Fin XIe s. ; lat. *sigillum*, « figurine » ; [so].

**SCEAU-DE-SALOMON,** subst. m.
*Bot.* Plante à rhizome des bois humides, de la famille des Liliacées, à petites fleurs blanches en clochettes. XVe s. ; comp. de *sceau* et de *Salomon*, roi biblique ; plur. *sceaux-de-Salomon* ; [sod(ə)salomɔ̃].

**SCÉLÉRAT, ATE,** adj. et subst.
Se dit d'une personne qui commet ou pourrait commettre un acte perfide, criminel (littér. ou iron.) : *Ce **scélérat** t'a berné.* ADJ. **1.** Qui manifeste

*Scarabée.*

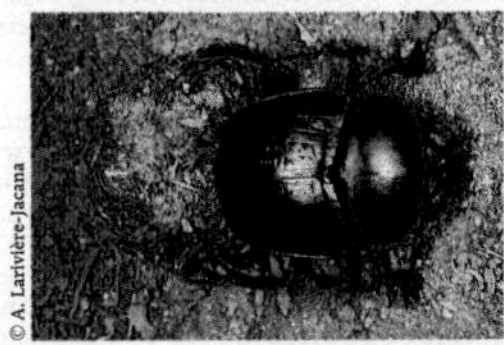

© A. Larivière-Jacana

des intentions criminelles (littér.) : *Manœuvre scélérate.* **2.** *Hist. Les lois scélérates* : votées en France en 1894-1895 contre les anarchistes. 1536 ; lat. *sceleratus*, de *scelus*, « crime » ; [seleʀa, at].

**SCÉLÉRATESSE, subst. f.**
Littér. **1.** Caractère, comportement du scélérat. **2.** Action scélérate. 1560 ; ☞ *scélérat* ; [seleʀatɛs].

**SCELLAGE, subst. m.**
*Techn.* Scellement. 1765 (déb. XVe s., action de sceller un écrit) ; ☞ *sceller* ; [selaʒ].

**SCELLÉ, subst. m.**
*Dr.* Cachet de cire au sceau de l'État, fixé à une bande d'étoffe ou de papier, apposé par une autorité de justice sur un meuble ou à l'entrée d'un local pour signifier la défense de les ouvrir (gén. au plur.) : *Poser, lever les scellés.* 1690 (fin XIVe s., lettre scellée) ; p. p. de *sceller* ; [sele].

**SCELLEMENT, subst. m.**
*Techn.* **1.** Action de sceller qqch. à l'aide d'un liant (synon. *scellage*). **2.** Méton. Partie de la pièce, de l'objet, prise dans la matière qui scelle. 1469 ; ☞ *sceller* ; [sɛlmɑ̃].

**SCELLER, verbe trans. [3]**
**1.** Apposer un sceau sur (un acte, un objet). **2.** Anal. Fermer hermétiquement : *Sceller une bouteille.* ▸ *Techn.* Fixer (qqch.) dans un mur, au sol, etc., à l'aide d'un liant qui durcit en séchant. **3.** *Dr.* Apposer des scellés sur. **4.** Fig. Confirmer, rendre définitif : *Ce pacte a scellé leur amitié.* Fin XIe s. ; bas lat. *sigillare*, « pétrifier » ; [sele].

**SCÉNARIO, subst. m.**
**1.** Canevas, plan détaillé d'une pièce de théâtre ou, par ext., d'un roman. **2.** Fig. Déroulement concerté d'un projet, d'une action : *Un scénario bien rodé.* **3.** *Cin.* Description écrite des différentes séquences dialoguées d'un film (synon. *script*). **4.** *Litt.* Récit d'une bande dessinée. 1764 ; ital. *scenario*, de *scena*, « scène » ; var. *scenario* (plur. *scenarii*) ; [senaʀjo].

**SCÉNARISTE, subst.**
Auteur de scénarios de films, de bandes dessinées, etc. 1915 ; ☞ *scénario* ; [senaʀist].

**SCÈNE, subst. f.**
**I. 1.** Aire d'un théâtre où évoluent les acteurs. ▸ Loc. *Occuper le devant de la scène* : une position en vue ; *Quitter la scène* : se retirer d'une activité ou, par ext., mourir ; *À la scène comme à la ville* : en public comme en privé. **2. Mettre en scène.** ▸ Concevoir la représentation de (un ouvrage dramatique ou lyrique) et en coordonner toutes les composantes (interprétation, décors, etc.). ▸ Réaliser (un film). ▸ Faire de (un personnage, un évènement) le thème d'une œuvre : *Balzac mit en scène ses contemporains.* **3.** Méton. ▸ L'art dramatique : *Débuter à la scène.* ▸ Lieu, décor de l'action théâtrale : *La scène représente un jardin.* **4.** Anal. Lieu d'une action, cadre d'une activité : *La scène politique.* **II. 1.** Division d'un acte : *Acte IV, scène II* ; action qui se déroule à l'intérieur d'une scène. **2.** Anal. Partie d'une œuvre présentant une unité d'action : *Les scènes d'un roman* ; *« Scènes de Faust », oratorio de Schumann.* ▸ *Cin.* Séquence d'un film. ▸ *B.-a.* Composition représentant des personnages en action : *Scène de chasse.* **3.** Ext. Spectacle offert par la vie réelle : *Scène de rue.* **4.** Querelle, explosion de colère : *Scène de ménage.* **5.** *Psychanal. Scène originaire* ou *primitive* : fantasme développé à partir de la vision, réelle ou imaginée, qu'a un enfant des rapports sexuels de ses parents. 1558 (1531, représentation théâtrale) ; lat. *scaena*, du gr. *skênê* ; [sɛn].

**SCÉNIQUE, adj.**
Qui a trait, qui convient à la scène, au théâtre : *Représentation, indications scéniques.* XIVe s. ; lat. *scaenicus*, du gr. *skênikos* ; [senik].

**SCÉNOGRAPHIE, subst. f.**
**1.** *B.-a.* Art de la perspective ; représentation en perspective. **2.** *Théâtre.* Art, technique d'organisation matérielle de la scène. 1545 ; lat. *scaenographia* ; [senɔgʀafi].

**SCEPTICISME, subst. m.**
**1.** *Philos.* Toute doctrine selon laquelle nous ne pouvons rien connaître avec certitude : *Le scepticisme radical de Pyrrhon.* **2.** Ext. Incrédulité, défiance à l'égard des opinions courantes. 1669 ; ☞ *sceptique* ; [sɛptisism].

PHILOSOPHIE – Méthode, plus que doctrine, le scepticisme enseigné par Pyrrhon et transmis par Sextus Empiricus, propose, contre les affirmations des philosophies dogmatiques, l'examen de la seule réalité à laquelle nous ayons accès : le phénomène. La fin de cette pratique n'est pas la connaissance, que la nature même des choses exclut, mais l'ataraxie, contentement et absence de trouble de l'âme. Au XVIIIe s., David Hume infléchit la sagesse sceptique dans un sens méthodologique, que l'on retrouve en philosophie analytique, dans la proposition de « purifier notre connaissance commune » (Bertrand Russell).

**SCEPTIQUE, subst. et adj.**
**1.** *Philos.* Se dit d'un adepte du scepticisme : *Les sceptiques grecs.* **2.** Ext. Se dit d'une personne portée à douter. Adj. **1.** *Philos.* Relatif, propre au scepticisme. **2.** Ext. Qui exprime l'incrédulité, le doute : *Un sourire sceptique.* 1546 ; gr. *skeptikos*, « observateur » ; [sɛptik].

**SCEPTRE, subst. m.**
**1.** Bâton de commandement, emblème du pouvoir royal ou impérial. **2.** Méton. Ce pouvoir souverain ; l'autorité suprême (littér.) : *Usurper le sceptre.* Fin XIe s. ; lat. *sceptrum*, du gr. *skêptron* ; [sɛptʀ].

**SCHAH, voir CHAH**

**SCHAPPE, subst. m. ou f.**
*Text.* Fil obtenu à partir de déchets de soie. ▸ *Fils de schappe* : bourre de soie. 1849 ; mot além. ; [ʃap].

**SCHAPSKA, voir CHAPSKA**

**SCHEIDAGE, subst. m.**
*Techn.* Triage et concassage grossier de blocs de minerai. 1804 ; all. *scheiden*, « séparer » ; [ʃɛdaʒ].

**SCHEIK, voir CHEIKH**

**SCHELEM, voir CHELEM**

**SCHÉMA, subst. m.**
**1.** Tracé, représentation simplifiée d'un objet complexe ou d'un processus, mettant en évidence les relations fonctionnelles de leurs éléments : *Schéma d'un réacteur.* **2.** Fig. Représentation mentale des traits fondamentaux d'un projet, d'un ouvrage : *Vivre hors des schémas préétablis.* **3.** *Psychol. Schéma corporel* : représentation mentale qu'a une personne de son propre corps. 1858 (1549, figure de rhétorique) ; lat. *schema*, du gr. *skhêma*, « figure » ; [ʃema].

**SCHÉMATIQUE, adj.**
**1.** Qui constitue un schéma, qui en a la nature simplifiée et concise : *Un exposé schématique.* **2.** Qui simplifie, qui est simplifié à l'excès. 1838 (fin XIVe s., terme de rhétorique) ; ☞ *schéma* ; [ʃematik].

**SCHÉMATIQUEMENT, adv.**
D'une manière schématique. 1870 ; ☞ *schématique* ; [ʃematikmɑ̃].

**SCHÉMATISATION, subst. f.**
Action de schématiser ; son résultat. 1898 ; ☞ *schématiser* ; [ʃematizasjɔ̃].

**SCHÉMATISER, verbe trans. [3]**
**1.** *Philos.* Selon Kant, rapporter les catégories de la pensée à (un phénomène). **2.** Concevoir ou figurer (qqch.) sous la forme d'un schéma. **3.** Réduire aux éléments essentiels ; empl. abs. : *Garde-toi de trop schématiser.* 1800 ; ☞ *schéma* ; [ʃematize].

**SCHÉMATISME, subst. m.**
**1.** *Philos.* Application d'un schème à une réalité. **2.** Caractère de ce qui est schématique : *Le schématisme d'une analyse.* 1800 (1635, planche de figures mathématiques) ; lat. *schematismus*, du gr. *skhêmatismos*, « style figuré » ; [ʃematism].

**SCHÈME, subst. m.**
**1.** *Philos.* Figure intermédiaire entre une sensation particulière et une idée générale, nécessaire, selon Kant, pour établir des rapports entre l'esprit et la réalité : *Schème transcendantal.* **2.** Structure d'un objet, mouvement d'ensemble d'un processus. ▸ *Ling.* Type, structure organisant le langage : *Schèmes verbaux, syntaxiques.* ▸ *Psychol.* Structure organisant une dynamique, une représentation mentale : *Schèmes d'action.* 1800 (1587, figure de style) ; lat. *schema*, du gr. *skhêma*, « figure » ; [ʃɛm].

**SCHÉOL, subst. m.**
*Relig.* Séjour des morts, dans l'Ancien Testament. 1586 ; hébreu *še'ôl* ; var. *shéol* ; [ʃeɔl].

**SCHERZANDO, adv.**
*Mus.* En jouant avec vivacité et enjouement. 1834 ; ital. *scherzando*, « en badinant » ; [skɛʀdzɑ̃do].

**SCHERZO, subst. m.**
*Mus.* Morceau, de forme ABA, de rythme ternaire très vif, qui remplace le menuet dans la symphonie, la sonate, le quatuor, etc., dès le début du XIXe s. 1821 ; ital. *scherzo*, « plaisanterie » ; [skɛʀdzo].

**SCHIEDAM, subst. m.**
Eau-de-vie aromatisée au genièvre, fabriquée et consommée surtout aux Pays-Bas et en Flandre. 1842 ; topon. *Schiedam* (Pays-Bas) ; [skidam].

**SCHILLING, subst. m.**
Unité monétaire de l'Autriche. 1359 ; all. *Schilling*, unité monétaire de divers pays germaniques ; [ʃiliŋ].

**SCHISMATIQUE, adj.**
*Relig.* **1.** Qui provoque un schisme ou qui y adhère, en partic., qui ne reconnaît pas l'autorité pontificale ; empl. subst. : *Un schismatique luthérien.* **2.** Qui tient du schisme : *Propos schismatiques.* Fin XIIe s. ; gr. *skhismatikos* ; [ʃismatik].

**SCHISME, subst. m.**
**1.** *Relig.* Division entre les fidèles d'une même confession amenant la constitution d'autorités spirituelles ou d'Églises différentes : *Le schisme anglican.* **2.** Ext. Scission dans un groupe, un parti. 1174 ; lat. eccl. *schisma*, du gr. *skhisma*, de *skhizein*, « fendre » ; [ʃism].

**SCHISTE, subst. m.**
*Pétrogr.* **1.** Roche sédimentaire ou métamorphique à structure en feuillets résultant de contraintes tectoniques. **2.** *Schiste bitumineux* : qui contient une certaine proportion de matière organique faiblement évoluée (kérogène). **3.** *Schiste cristallin* : roche métamorphique qui a acquis une foliation par réorganisation et croissance de minéraux. 1555 ; lat. *schistos*, du gr. *skhistos*, « fendu » ; [ʃist].

**SCHISTEUX, EUSE, adj.**
Qui a la nature, la structure du schiste. 1758 ; ☞ *schiste* ; [ʃistø, øz].

**SCHISTOSOME, subst. m.**
*Zool.* Ver plat trématode, responsable d'une maladie parasitaire grave, la schistosomiase, ou bilharziose. 1933 ; gr. *skhistos*, « fendu », + *-some* ; [ʃistozom].

**SCHIZOGAMIE, subst. f.**
*Biol.* Mode de reproduction de quelques espèces d'annélides, par division du corps : la partie postérieure, où se concentrent les gamètes, participe à une reproduction sexuée tandis que la partie antérieure, dite souche, se régénère et redevient un individu complet. 1903 ; formé de *schizo-* et de *-gamie* ; [skizɔgami].

**SCHIZOGONIE, subst. f.**
*Biol.* Mode de reproduction asexuée propre à certains protozoaires, chez lesquels le noyau se divise à plusieurs reprises avant la division du cytoplasme. 1897 ; formé de *schizo-* et de *-gonie* ; [skizɔgɔni].

**SCHIZOÏDE, adj.**
*Psych.* Qui a trait à la schizoïdie, qui la manifeste ; empl. subst., personne atteinte de schizoïdie. 1922 ; formé de *schizo-* et de *-ide* ; [skizɔid].

**SCHIZOÏDIE, subst. f.**
*Psych.* Trouble de la personnalité, propre à l'enfance et à l'adolescence, caractérisé par un repli sur soi, un contact difficile et une froideur apparente. 1922 ; ☞ *schizoïde* ; [skizɔidi].

**SCHIZOPHASIE, subst. f.**
*Psych.* Trouble du langage, rencontré dans certaines formes de schizophrénie, caractérisé par la dissociation entre la mimique et le contenu du discours, associé à une distorsion dans l'agencement des mots. V. 1970 ; formé de *schizo-* et de *-phasie* ; [skizɔfazi].

**SCHIZOPHRÈNE, adj. et subst.**
*Psych.* Se dit d'une personne atteinte de schizophrénie. 1920 ; ☞ *schizophrénie* ; [skizɔfʀɛn].

**SCHIZOPHRÉNIE, subst. f.**
*Psych.* Psychose délirante chronique caractérisée par une dissociation psychique engendrant des troubles de l'affectivité et du comportement relationnel. 1917 ; formé de *schizo-* et de *-phrénie* ; [skizɔfʀeni].

**SCHIZOSE, subst. f.**
*Psych.* Forme peu évolutive de la schizophrénie, caractérisée surtout par des accès d'excitation névrotique. 1926 ; formé de *schizo-* et de *-ose* ; [skizoz].

**SCHIZOTHYMIE, subst. f.**
*Psych.* Ensemble des traits morphopsychologiques caractérisant le type leptosome, asthénique et introverti. 1922 ; formé de *schizo-* et de *-thymie*[2] ; [skizɔtimi].

**SCHLAGUE, subst. f.**
*Hist.* Châtiment corporel jadis en usage dans les armées allemandes : *Infliger la schlague.* ▸ Loc. *À la schlague* : de façon autoritaire et brutale. 1765 ; all. *Schlag*, « coup » ; [ʃlag].

**SCHLAMM,** subst. m.
*Techn.* Résidu très fin issu du concassage d'un minerai. 1795 ; all. *Schlamm* ; [ʃlam].

**SCHLASS (I),** adj.
Ivre (pop.). 1873 ; all. *schlass*, « fatigué » ; [ʃlɑs].

**SCHLASS (II),** subst. m.
Couteau (pop.). 1932 ; p.-ê. angl. *slasher*, « arme blanche » ; [ʃlɑs].

**SCHLEU,** voir **CHLEUH**

**SCHLICH,** subst. m.
*Techn.* Minerai broyé, lavé et préparé pour la fusion. 1750 ; all. *Schlich* ; [ʃlik].

**SCHLINGUER,** verbe intrans. [3]
Sentir mauvais (fam.). 1846 ; orig. obsc. ; var. *chlinguer* ; [ʃlɛ̃ge].

**SCHLITTAGE,** subst. m.
Transport du bois par schlitte (région.). 1871 ; ☞ *schlitte* ; [ʃlitaʒ].

**SCHLITTE,** subst. f.
Région. Traîneau autrefois employé dans les Vosges et en Forêt-Noire pour transporter le bois coupé des hauteurs vers les vallées. ▸ *Chemin de* **schlitte** : qui est fait de troncs d'arbres ou de rondins assemblés. 1860 ; vosgien *schlitte*, de l'all. *Schlitten*, « traîneau » ; [ʃlit].

**SCHNAPS,** subst. m.
Eau-de-vie de grain ou de pomme de terre des pays germaniques ; par ext., eau-de-vie (fam.). Fin XVIIIe s. ; all. *Schnaps*, de *schnappen*, « happer » ; [ʃnaps].

**SCHNAUZER,** subst. m.
Chien terrier et ratier, d'origine allemande, caractérisé par des sourcils broussailleux, une forte moustache et des favoris pendants. 1932 ; suisse all. *Schnauzer*, de l'all. *Schnauze*, « gueule » ; [ʃnozɛʀ] ou [ʃnaw-].

**SCHNOCK,** subst. et adj.
Imbécile ou fou (fam.). 1863 ; p.-ê. *Hans im Schnokeloch*, chanson als. ; var. *(s)chnoque* ; [ʃnɔk].

**SCHNORCHEL,** subst. m.
*Techn.* Tube rétractable affleurant à la surface de l'eau, permettant à un sous-marin en plongée périscopique d'alimenter ses moteurs en air frais et d'évacuer les gaz brûlés. 1945 ; all. *Schnorchel*, de *schnarchen*, « ronfler » ; var. *schnorkel* ; [ʃnɔʀkɛl].

**SCHNOUFF,** subst. f.
Argot. vieilli. Héroïne ; par ext., drogue. 1952 (1800, tabac à priser) ; all. *Schnupftabak*, « tabac à priser » ; var. *(s)chnouf* ; [ʃnuf].

**SCHOFAR,** subst. m.
*Hist.* Trompe utilisée dans le rituel hébraïque, faite à l'origine d'une corne de bélier. 1923 ; hébreu *šôfār* ; [ʃɔfaʀ].

**SCHOLIASTE,** voir **SCOLIASTE**

**SCHOLIE,** voir **SCOLIE**

**SCHOONER,** subst. m.
*Mar.* Goélette. 1751 ; mot anglo-amér. ; [skunœʀ] ou [ʃu-].

**SCHORRE,** subst. m.
*Océanogr.* Partie haute d'un marais littoral, souv. couverte de prairies, submergée seulement pendant les grandes marées. 1285 ; néerl. *schor*, « terrain d'alluvions » ; [ʃɔʀ].

**SCHUPO,** subst. m.
Agent de la police allemande (vieilli). 1923 ; all. *Schupo*, abrév. de *Schutzpolizist*, de *Schutzpolizei*, « police de protection » ; [ʃupo].

**SCHUSS,** subst. m.
Descente rapide à skis (ou monoski, surf, Skwal), en trace directe et en suivant la plus grande pente ; empl. adv. : *Filer tout* **schuss**. 1933 ; all. *Schussfahrt*, « descente à pic » ; [ʃus].

**SCIAGE,** subst. m.
Action de scier un matériau ; manière de le faire. Bois provenant de troncs sciés en longueur et utilisé en construction ou en menuiserie. ▸ *Joaill.* Opération consistant à dégager le diamant de sa gangue. 1294 ; ☞ *scier* ; [sjaʒ].

**SCIALYTIQUE,** subst. m. inv.
Dispositif d'éclairage permettant d'éviter les ombres portées, utilisé dans les salles d'opération. 1923 ; gr. *skia*, « ombre », + *-lytique* ; n. déposé ; [sjalitik].

**SCIATIQUE,** adj. et subst. f.
Adj. *Anat.* Qui se rapporte à la hanche ou à l'ischion : *Nerf* **sciatique** ou, empl. subst. masc., *Le* **sciatique**, nerf d'origine lombo-sacrée qui innerve les muscles postérieurs de la cuisse et de la jambe. Subst. *Pathol.* Irritation très douloureuse, gén. unilatérale, d'une racine du nerf **sciatique**, due le plus souv. à une hernie discale. 1256 ; bas lat. *sciaticus*, du lat. *ischiadicus*, du gr. *iskhiadikos*, de *iskhion*, « hanche » ; [sjatik].

**SCIE,** subst. f.
**1.** Outil ou machine à lame dentée servant à couper les matériaux durs grâce au mouvement qu'on lui imprime (va-et-vient, rotation). ▸ Loc. **En dents de scie.** De forme dentelée ; au fig., irrégulier : *Une humeur en dents de* **scie**. **2.** Fig. Rengaine ; personne ou chose ennuyeuse (fam.). **3.** *Mus.* **Scie** *musicale* : lame qui vibre sous le frottement d'un archet. Déb. XIIIe s. ; ☞ *scier* ; [si].

**SCIEMMENT,** adv.
De manière consciente, à dessein. Fin XIIe s. ; lat. *sciens*, de *scire*, « savoir » ; [sjamɑ̃].

**SCIENCE,** subst. f.
**I. 1.** Savoir-faire, art (littér.) : *Ce poète a une* **science** *consommée de l'alexandrin.* **2.** Connaissance, savoir : *La* **science** *du bien et du mal.* ▸ Loc. *Avoir la* **science** *infuse* : disposer d'une connaissance naturelle et immédiate des choses (iron.) ; *Être un puits de* **science** : être très savant. **II. 1.** Ensemble de connaissances constitué autour d'un domaine phénoménologique particulier : *La* **science** *politique, historique* ; *La sociologie est une* **science** *dont la difficulté principale est de devenir une* **science** *comme les autres* (Bourdieu). ▸ *Les* **sciences** *exactes* : les mathématiques et la logique formelle. ▸ *Les* **sciences** *naturelles* : la biologie, la géologie, la botanique, etc. ▸ *Les* **sciences** *humaines* : ensemble des disciplines qui étudient le « fait humain » (psychologie, linguistique, histoire, etc.). ▸ *Les* **sciences** *sociales* : ensemble des disciplines qui aident l'homme à comprendre la société et à agir sur elle (☞ *social*). ▸ *Les* **sciences** *pures* : la recherche fondamentale. ▸ *Les* **sciences** *appliquées* : ensemble des recherches visant à transférer vers des applications techniques les connaissances théoriques. ▸ Abs. *Les* **sciences** : les disciplines fondées essentiellement sur le calcul et l'observation (mathématiques, physique, chimie, biologie, **sciences** de la Terre, etc.), par oppos. aux *lettres*. **2.** *La* **science** : activité humaine visant à une connaissance objective du monde par le moyen de l'observation, de la mesure et de l'expérimentation. Fin XIe s. ; lat. *scientia*, de *scire*, « savoir » ; [sjɑ̃s].

**ÉPISTÉMOLOGIE** – La démarche de la science consiste aussi bien à établir des vérités qu'à tenter de les invalider. C'est là son originalité : le soin pris à contrôler, à vérifier, à mettre à l'épreuve les explications proposées. Mais cette entreprise n'est possible que dans la mesure où un accord préalable existe sur les conditions de validité des connaissances. Cette clause épistémologique est à l'origine du partage des sciences en deux grands ensembles : d'une part, les sciences expérimentales, où ce sont la reproductibilité des mesures et la possibilité de prédire un résultat qui valident une théorie ; d'autre part, les sciences de l'observation et de l'interprétation, qui regroupent les sciences humaines et sociales, où la valeur d'une explication repose sur son aptitude à réunir des faits jusque-là séparés et où l'instrument statistique sert, dans bien des cas, de moteur d'inférence.

**SCIENCE-FICTION,** subst. f.
Genre littéraire et cinématographique qui s'inspire de données scientifiques contemporaines et de leur développement possible pour imaginer une société future ou explorer un avenir fictif (abrév. : S.-F.). 1950 ; comp. de *science* et de *fiction*, d'apr. l'angl. *science fiction* ; plur. *sciences-fictions* ; [sjɑ̃sfiksjɔ̃].

**LITTÉRATURE et CINÉMA** – Certains thèmes propres à la science-fiction avaient déjà affleuré en littérature : voyages dans la Lune (Cyrano de Bergerac), terres d'utopie (Platon, Rabelais, Th. More, Fr. Bacon), créatures venues d'ailleurs. Mais c'est avec la science moderne que naît le genre, dont l'imaginaire et la diversité s'alimentent des perspectives de mutations spatiales et temporelles, du jeu vertigineux des possibles, du merveilleux comme des angoisses que font naître chez l'homme les nouvelles technologies. J. Verne, dans ses anticipations scientifiques, H. G. Wells, à partir de 1895 (*la Machine à explorer le temps*), dans ses *scientific romances*, J. H. Rosny aîné, E. R. Burroughs ouvrent la voie de la littérature de science-fiction, terme attribué à H. Gernsback, auteur en 1911 de *Ralph 124 C41 +*. Influencées dans leur forme par les nouvelles fantastiques de E. A. Poe, les histoires paraissent dans des revues dès 1920. À l'idéalisme des débuts (R. A. Heinlein, A. E. Van Vogt, I. Asimov) succède, en écho aux prémonitoires *1984*, de G. Orwell, ou *le Meilleur des mondes*, d'A. Huxley, une veine plus alarmiste, en même temps que s'affirme la richesse créative du genre. Br. Aldiss, R. Bradbury, Ph. K. Dick, Fr. Herbert (*Dune*) aux États-Unis, M. Moorcock en Grande-Bretagne, S. Lem en Pologne, Ph. Curval, Ph. Goy, J.-P. Andrevon en France illustrent

SCIENCE-FICTION ET CINÉMA

1. La Guerre des étoiles (*George Lucas, 1977*).
2. Le Secret de la planète des singes (*Ted Post, 1970*).
3. E. T., l'extraterrestre (*Steven Spielberg, 1982*).
4. Alien, le 8e passager (*Ridley Scott, 1979*).

© Retna/Photofest-Stills
1

© Pele-Stills
2

© Pele-Stills
3

© Stills
4

quelques tendances de cette « forme nouvelle de la mythologie de notre temps » (M. Butor), dont l'inspiration s'est étendue au domaine du cinéma (St. Kubrick, St. Spielberg, G. Lucas) et à celui de la bande dessinée.

**SCIÈNE, subst. f.**
*Zool.* Poisson marin de la famille des Sciénidés, présent dans tous les océans, à la chair très appréciée : *La sciène noire de l'Atlantique, ou tambour noir, peut atteindre deux mètres de long.* 1752 ; lat. *sciaena*, du gr. *skiaina*, « ombre » ; [sjɛn].

**SCIÉNIDÉS, subst. m. plur.**
*Zool.* Famille de poissons osseux, souvent appelés grogneurs, ronfleurs ou tambours parce qu'ils produisent des sons à l'aide de leur vessie natatoire et de muscles spécialisés. AU SING. *L'ombrine est un sciénidé.* 1904 ; ☞ *sciène* ; [sjenide].

**SCIENTIFICITÉ, subst. f.**
Caractère scientifique d'une théorie, d'une démarche spéculative. V. 1960 ; ☞ *scientifique* ; [sjɑ̃tifisite].

**SCIENTIFIQUE, adj. et subst.**
ADJ. **1.** Qui est du domaine de la science ou d'une science : *L'expérimentation* ***scientifique***. **2.** Qui présente la rigueur, l'objectivité, le souci de la méthode exigés par la science : *Un raisonnement* ***scientifique***, non empirique. SUBST. Personne qui étudie les sciences ; spécialiste d'une science. 1370 ; bas lat. *scientificus*, du lat. *scientia*, « science » ; [sjɑ̃tifik].

**SCIENTIFIQUEMENT, adv.**
De manière scientifique ; du point de vue de la science. 1501 ; ☞ *scientifique* ; [sjɑ̃tifikmɑ̃].

**SCIENTISME, subst. m.**
Attitude intellectuelle consistant à faire de la science le seul moteur du progrès humain et à prôner l'extension de ses principes à l'ensemble des domaines de la pensée. 1911 ; ☞ *science* ; [sjɑ̃tism].

**SCIENTISTE, adj. et subst.**
SUBST. Partisan du scientisme. ADJ. Qui relève du scientisme. 1898 ; ☞ *science* ; [sjɑ̃tist].

**SCIER, verbe trans.** [6]
**1.** Couper, découper avec une scie ou tout instrument à lame tranchante. **2.** Fig. et Fam. Ennuyer (vieilli) ; stupéfier. Déb. XII^e s. ; lat. *secare* ; [sje].

**SCIERIE, subst. f.**
Atelier, usine où l'on scie des matériaux, en partic. du bois. 1421 ; ☞ *scier* ; [siʀi].

**SCIEUR, EUSE, subst.**
Personne dont le métier est de scier (le bois, la pierre, etc.). ▸ ***Scieur de long*** : ouvrier qui scie de grandes pièces de bois, dans le sens de la longueur des troncs. FÉM. *Techn.* Scie mécanique. 1247 (fin XII^e s., coupeur de blé) ; ☞ *scier* ; [sjœʀ, øz].

**SCILLE, subst. f.**
*Bot.* Plante bulbeuse de la famille des Liliacées, rustique mais que l'on cultive aussi comme plante ornementale ou médicinale. XIII^e s. ; lat. *scilla*, du gr. *skilla* ; [sil].

**SCINCIDÉS, subst. m. plur.**
*Zool.* Famille de reptiles de l'ordre des Squamates, comprenant quelque 1 300 espèces, apparentées aux lézards, qui habitent les régions arides de tous les continents. AU SING. *Le scinque est un scincidé.* 1904 ; ☞ *scinque* ; [sɛ̃side].

**SCINDER, verbe trans.** [3]
Diviser, fractionner. PRONOM. Se partager, éclater en fractions. 1791 (1539, retrancher) ; lat. *scindere*, « fendre, diviser » ; [sɛ̃de].

**SCINQUE, subst. m.**
*Zool.* Reptile de la famille des Scincidés, voisin des lézards, parfois apode. Le **scinque** est un fouisseur qui vit caché ; ses écailles, lisses et chevauchantes, ont valu à certaines espèces des noms tels que poisson des sables ou muge de terre. 1611 ; lat. *scincus*, du gr. *skigkos* ; [sɛ̃k].

**SCINTIGRAPHIE, subst. f.**
*Méd.* Méthode d'exploration permettant d'évaluer l'importance d'une lésion ou d'une tumeur. Son principe repose sur l'injection d'un produit traceur, légèrement radioactif, ayant une affinité pour l'organe étudié, et dont on suit l'évolution à l'aide d'un compteur à scintillation. Le produit traceur est en gén. plus facilement retenu par le tissu atteint que par le tissu sain, d'où une différence de contraste dans l'image obtenue : ***Scintigraphie*** *de la thyroïde.* Mil. XX^e s. ; lat. *scintillatio*, « éblouissement », *-graphie* ; [sɛ̃tigʀafi].

**SCINTILLANT, ANTE, adj.**
Qui scintille. 1560 ; p. pr. de *scintiller* ; [sɛ̃tijɑ̃, ɑ̃t].

**SCINTILLATEUR, subst. m.**
*Phys. part.* Détecteur de particules, également appelé appareil à scintillation. V. 1970 (1918, qui scintille) ; ☞ *scintiller* ; [sɛ̃tijatœʀ].

**SCINTILLATION, subst. f.**
**1.** *Astron.* Variation rapide de l'intensité lumineuse des astres. **2.** *Phys. part.* Émission d'un bref signal lumineux par une substance luminescente, après impact d'un proton ou d'une particule chargée électriquement. 1740 (1490, éclair) ; lat. *scintillatio*, « éblouissement » ; [sɛ̃tijasjɔ̃].

**SCINTILLEMENT, subst. m.**
**1.** Fait de scintiller. **2.** Distorsion parasite dans la vitesse de restitution d'un signal lumineux ou sonore. 1764 ; ☞ *scintiller* ; [sɛ̃tijmɑ̃].

**SCINTILLER, verbe intrans.** [3]
**1.** *Astron.* Briller en présentant le phénomène de la scintillation. **2.** Briller par éclats, étinceler. 1375 ; lat. *scintillare*, de *scintilla*, « étincelle » ; [sɛ̃tije].

**SCION, subst. m.**
**1.** *Arboric.* Pousse de l'année ; rejeton d'un arbre. ▸ Jeune plant résultant du greffage après une année de croissance. **2.** Anal. Brin très fin qui termine une canne à pêche. Mil. XIII^e s. (déb. XIII^e s., enfant, rejeton) ; p.-ê. anc. bas frq. °*kith*, « rejeton » ; [sjɔ̃].

**SCIOTTE, subst. f.**
Scie à main du marbrier, du tailleur de pierres. 1765 (1560, petite scie) ; ☞ *scie* ; [sjɔt].

**SCIRPE, subst. m.**
*Bot.* Plante des marais et des terrains humides, de la famille des Cypéracées, à feuilles plates. 1765 ; lat. *scirpus*, « jonc » ; [siʀp].

**SCISSION, subst. f.**
**1.** Action de se scinder, en parlant d'un groupe, d'un parti ; son résultat. **2.** *Dr.* Forme de cessation d'activité, attribuant à de nouvelles sociétés tous les avoirs de celle qui disparaît. 1486 ; bas lat. *scissio*, du lat. *scindere*, « fendre, diviser » ; [sisjɔ̃].

**SCISSIONNISTE, adj. et subst.**
Se dit du partisan d'une scission, d'un dissident. ADJ. Relatif à une scission. 1935 ; ☞ *scission* ; [sisjɔnist].

**SCISSIPARE, adj.**
*Biol.* Se dit d'un organisme qui se reproduit par scissiparité. 1855 ; lat. *scissum*, de *scindere*, « fendre, diviser », + *-pare* ; [sisipaʀ].

**SCISSIPARITÉ, subst. f.**
*Biol.* Mode de reproduction asexuée, par segmentation, de certains organismes. 1855 ; ☞ *scissipare* ; [sisipaʀite].

**SCISSURE, subst. f.**
*Anat.* Sillon naturel, profond, à la surface d'un organe. 1575 (1314, égratignure, gerçure) ; lat. *scissura*, « coupure, égratignure » ; [sisyʀ].

**SCITAMINALES, subst. f. plur.**
*Bot.* Ordre de plantes monocotylédones caractérisées par des fleurs zygomorphes dont l'androcée est incomplet. AU SING. *Le bananier est une* ***scitaminale***. 1839 ; lat. *scitamenta*, « friandises », la fécule de ces plantes étant nourrissante ; [sitaminal].

**SCIURE, subst. f.**
Poussière de déchets issus d'un matériau que l'on a scié, en partic. du bois. Fin XIV^e s. (XIII^e s., action de faucher) ; ☞ *scier* ; [sjyʀ].

*Scinque.*

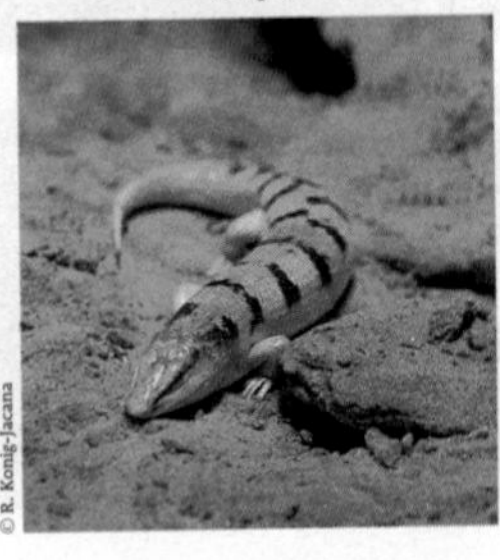
© R. Konig-Jacana

**SCIURIDÉS, subst. m. plur.**
*Zool.* Famille de mammifères de l'ordre des Rongeurs, comprenant plus de 250 espèces d'écureuils, d'écureuils volants et de marmottes, répandues dans le monde entier, sauf en Australie. AU SING. *Le chien de prairie d'Amérique est un* ***sciuridé***. 1848 ; lat. *sciurus*, du gr. *skiouros*, « écureuil » ; [sjyʀide].

**SCLÉRAL, ALE, AUX, adj.**
*Anat.* Relatif à la sclérotique. V. 1960 ; gr. *sklêros* « dur, sec » ; [skleʀal, o].

**SCLÉRANTHE, subst. m.**
*Bot.* Plante herbacée des lieux arides, de la famille des Caryophyllacées, annuelle et vivace, à fleurs verdâtres. 1839 ; formé de *scléro-* et de *-anthe* ; [skleʀɑ̃t].

**SCLÉRENCHYME, subst. m.**
*Bot.* Tissu végétal de soutien, constitué de cellules aux parois épaisses et lignifiées. 1858 ; ☞ *parenchyme* + *scléro-* ; [skleʀɑ̃ʃim].

**SCLÉREUX, EUSE, adj.**
*Pathol.* Se dit d'un tissu épaissi et durci en raison d'un développement anormal de ses fibres conjonctives. 1836 ; gr. *sklêros*, « dur, sec » ; [skleʀø, øz].

**SCLÉRODERMIE, subst. f.**
*Pathol.* Maladie chronique évolutive, caractérisée par un épaississement et une sclérose de la peau, associée parfois à des lésions viscérales diffuses. 1878 ; formé de *scléro-* et de *-dermie* ; [skleʀɔdɛʀmi].

**SCLÉROGÈNE, adj.**
*Pathol.* Qui provoque la formation d'une sclérose. 1896 ; formé de *scléro-* et de *-gène* ; [skleʀɔʒɛn].

**SCLÉROPHYLLE, adj.**
*Bot.* Qualifie un végétal dont les feuilles, coriaces, vernissées, lui permettent de résister à la sécheresse. 1871 ; formé de *scléro-* et de *-phylle* ; [skleʀɔfil].

**SCLÉROPROTÉINE, subst. f.**
*Biochim.* Protéine de structure jouant un rôle mécanique dû à sa résistance aux tractions. La cuticule des arthropodes doit souvent sa résistance et sa rigidité à la présence de **scléroprotéines**. Mil. XX^e s. ; ☞ *protéine* + *scléro-* ; [skleʀopʀɔtein].

**SCLÉROSE, subst. f.**
**1.** *Pathol.* Induration anormale du tissu d'un organe par condensation de ses éléments constitutifs. ▸ ***Sclérose en plaques*** : maladie évoluant par poussées, caractérisée par la constitution de plaques de **sclérose**, et due à une destruction localisée de la myéline gainant la substance blanche du système nerveux central, ce qui provoque des troubles neurologiques variés. **2.** Fig. Défaut de ce qui est figé ; incapacité à s'adapter, à progresser. 185[illegible] (1812, tumeur des paupières) ; gr. *sklêrôsis*, de *sklêros* « dur, sec » ; [skleʀoz].

**SCLÉROSÉ, ÉE, adj.**
**1.** *Pathol.* Atteint de sclérose. **2.** Fig. Figé, incapable d'évoluer. 1867 ; ☞ *sclérose* ; [skleʀoze].

**SCLÉROSER, verbe trans.** [3]
**1.** *Pathol.* Provoquer la sclérose de (un tissu organique). **2.** Fig. Rendre incapable d'évoluer, figer (une institution, un mode de pensée). PRONOM. **1.** *Pathol.* Être atteint de sclérose. **2.** Fig. Perdre toute capacité à évoluer. 1867 ; ☞ *sclérose* ; [skleʀoze].

**SCLÉROTIQUE, subst. f.**
*Anat.* Tunique externe du globe oculaire, qui forme le blanc de l'œil. 1314 ; lat. médiév. *sclerotica*, du gr. *sklêrotês*, « dureté » ; [skleʀɔtik].

**SCOLAIRE, adj. et subst.**
ADJ. **1.** Relatif à l'école, à son organisation matérielle et administrative, à l'enseignement qu'elle dispense ou aux enfants qu'elle accueille : *Manuel* ***scolaire***. **2.** Qui pèche par son aspect appliqué, convenu ou livresque : *Une éloquence* ***scolaire***. SUBST. Enfant en âge d'aller à l'école. 1807 ; bas lat. *scholaris*, du lat. *schola*, « école » ; [skɔlɛʀ].

**SCOLARISATION, subst. f.**
Action de scolariser ; fait d'être scolarisé. 194[illegible] ; ☞ *scolariser* ; [skɔlaʀizasjɔ̃].

**SCOLARISER, verbe trans.** [3]
**1.** Assurer une instruction scolaire à (qqn) ; soumettre (qqn) à l'obligation scolaire ; empl. adj. *Enfants non* ***scolarisés***. **2.** Pourvoir (une région, un pays) de l'infrastructure nécessaire à l'enseignement. 1904 ; ☞ *scolaire* ; [skɔlaʀize].

**SCOLARITÉ, subst. f.**
**1.** Fait de suivre les cours dispensés par un établissement scolaire. **2.** Durée des études. 18[illegible] (1383, état d'écolier) ; lat. médiév. *scholaritas*, du bas lat. *scholaris*, « scolaire » ; [skɔlaʀite].

**SCOLASTICAT, subst. m.**
Maison où les jeunes religieux poursuivent leurs études après le noviciat ; par ext., durée de ces études. 1904 (1894, état de scolastique) ; ☞ *scolastique* ; [skɔlastika].

**SCOLASTIQUE, adj. et subst.**
ADJ. 1. *Philos.* Relatif à l'enseignement de la **scolastique**. 2. Ext. Qualifie toute réflexion dogmatique et stérile (péj.). SUBST. MASC. 1. Philosophe, théologien **scolastique** : *Les grands **scolastiques** furent Anselme de Canterbury, Abélard, saint Thomas d'Aquin, Jean Duns Scot, saint Bonaventure et Guillaume d'Occam.* 2. Jeune religieux qui, après le noviciat, poursuit ses études. SUBST. FÉM. Enseignement philosophique et théologique qui, au Moyen Âge en Europe, appliqua aux questions religieuses le savoir rationnel d'Aristote. 1541 (XIIe s., scolaire) ; bas lat. *scholasticus*, du gr. *skholastikos*, « propre à l'école » ; [skɔlastik].

**SCOLEX, subst. m.**
*Zool.* Extrémité antérieure du ténia, pourvue de ventouses. 1855 (1817, ver cestode des poissons) ; lat. sc. *scolex*, du gr. *skôlêx*, « ver, larve » ; [skɔlɛks].

**SCOLIASTE, subst. m.**
Commentateur, auteur de scolies ; par ext., commentateur critique, érudit. 1552 ; ☞ *scolie* ; var. *scholiaste* ; [skɔljast].

**SCOLIE, subst.**
FÉM. Note philologique ou historique éclairant un texte antique, due à un commentateur ancien. MASC. Développement complétant ou explicitant un axiome, une proposition. 1546 ; gr. *skholion*, de *skholê*, « école » ; var. *scholie* ; [skɔli].

**SCOLIOSE, subst. f.**
*Pathol.* Déviation latérale du rachis. 1820 ; gr. *skoliôsis*, de *skolios*, « oblique, tortueux » ; [skɔljoz].

**SCOLOPENDRE (I), subst. f.**
*Bot.* Fougère de la famille des Aspléniacées, à feuilles entières en fer de lance, dont une espèce, la langue-de-cerf, pousse sur des rochers ombragés. 1314 ; bas lat. *scolopendrium*, du gr. *skolopendrion* ; [skɔlɔpɑ̃dʀ].

*Scolopendre annelée.*

**SCOLOPENDRE (II), subst. f.**
*Zool.* Arthropode des régions chaudes, de la classe des Myriapodes, au corps long et plat, apparenté au mille-pattes. C'est un prédateur dont certaines espèces peuvent infliger une morsure venimeuse qui provoque des accès de fièvre, voire des troubles plus graves. 1558 (1552, serpent fabuleux) ; lat. *scolopendra*, du gr. *skolopendra* ; [skɔlɔpɑ̃dʀ].

**SCOLYTE, subst. m.**
*Zool.* Coléoptère xylophage qui creuse des galeries sous l'écorce des arbres et des arbustes. 1762 ; lat. sc. *scolytus*, p.-ê. du gr. *skôlêx*, « ver, larve » ; [skɔlit].

**SCOMBRIDÉS, subst. m. plur.**
*Zool.* Famille cosmopolite de poissons téléostéens de l'ordre des Perciformes, comprenant des espèces au corps fuselé vivant dans les mers tropicales et tempérées, comme les thons. AU SING. *Le maquereau est un **scombridé**.* 1842 ; *scombre* (rare), du lat. *scomber*, du gr. *skombros*, « maquereau » ; [skɔ̃bʀide].

**SCONSE, subst. m.**
1. Vx. *Zool.* Mouffette (mustélidé d'Amérique). 2. Méton. Fourrure provenant de cet animal. 1764 ; angl. *skunk*, de l'algonquin *shi-gaw*, « putois » ; var. *skons, sconce* ou *skun(k)s* ; [skɔ̃s].

**SCOOP, subst. m.**
Anglic. Information d'intérêt majeur délivrée en exclusivité et en primeur par un organe de presse ; par ext., nouvelle sensationnelle. 1957 ; anglo-amér. *scoop*, de *to scoop*, « ramasser ; devancer » ; recomm. off. *exclusivité, primeur* ; [skup].

**SCOOTER, subst. m.**
Motocycle à deux petites roues, à cadre ouvert et caréné. 1919 ; angl. *scooter*, de *to scoot*, « démarrer vite » ; [skutœʀ].

**SCOPOLAMINE, subst. f.**
*Biochim.* Alcaloïde hallucinogène produit par des plantes de la famille des Solanacées, telles que les daturas (jusquiame, stramoine). 1899 ; crois. de *scopolie* (rare), « solanacée », de l'anthropon. *Scopoli*, naturaliste du XVIIIe s., et de *amine* ; [skɔpɔlamin].

**SCORBUT, subst. m.**
*Pathol.* Maladie causée par une carence en vitamine C, qui se manifeste par des hémorragies cutanées et gingivales, et par un déchaussement des dents. Fin XVIe s. ; lat. méd. *scorbutus*, prob. du m. néerl. *scôrbut* ; [skɔʀbyt].

**SCORE, subst. m.**
1. *Sp.* Décompte des points, ou des buts, marqués lors d'un match : *Un **score** final de 5 à 2.* 2. Anal. Performance, en gén. chiffrée, réalisée lors d'une compétition (électorale, syndicale, etc.) ; résultat d'un test. 1896 ; angl. *score*, de l'anc. nord. *skor*, « entaille ; vingtaine » ; [skɔʀ].

**SCORIACÉ, ÉE, adj.**
*Pétrogr.* Qui contient, qui est constitué de scories, qui en a l'apparence. 1775 ; ☞ *scorie* ; [skɔʀjase].

**SCORIE, subst. f.**
1. Fragment résiduel d'un métal ou d'un minerai en fusion. 2. *Pétrogr.* Matière volcanique de texture vacuolaire, qui se forme à la surface des coulées de laves refroidies. 3. Fig. Partie inutile ou mauvaise, déchet. 1553 (fin XIIIe s., alluvion) ; lat. *scoria*, du gr. *skôria* ; [skɔʀi].

**SCORPÈNE, subst. f.**
*Zool.* Rascasse. 1552 ; lat. *scorpaena*, du gr. *skorpaina*, « scorpion marin » ; [skɔʀpɛn].

**SCORPION, subst. m.**
1. *Zool.* Arthropode de la classe des Arachnides, comprenant 600 espèces. Nocturne et discret, il abonde dans les régions tropicales, mais on le trouve aussi dans le Bassin méditerranéen. Il a des pédipalpes en pince, et le dernier segment de sa queue est terminé par un dard dont le venin peut être mortel pour l'homme. 2. *Astron.* Constellation de l'hémisphère austral. 3. *Astrol.* ***Le Scorpion*** : huitième signe du zodiaque (23 octobre-21 novembre) ; par méton. : *Un **Scorpion**, personne née sous ce signe.* 1119 ; lat. *scorpio*, du gr. *skorpios* ; [skɔʀpjɔ̃].

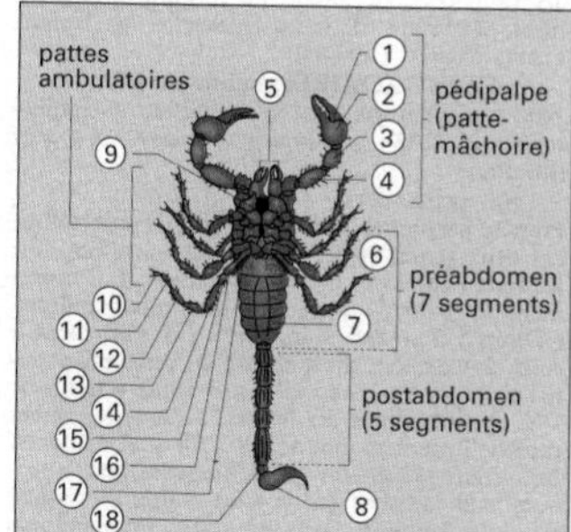


SCORPION (FACE VENTRALE)
*1. Doigt mobile. 2. Tibiotarse. 3. Fémur (bras). 4. Préfémur (avant-bras). 5. Chélicères. 6. Orifice génital. 7. Orifice respiratoire. 8. Telson (vésicule à venin). 9. Bouche. 10. Tarse. 11. Basitarse. 12. Tibia. 13. Fémur. 14. Préfémur. 15. Trochanter. 16. Hanche. 17. Peigne. 18. Anus.*

**SCORSONÈRE, subst. f.**
*Bot.* Salsifis noir, comestible. 1572 ; ital. *scorzonera*, « vipère noire », cette plante ayant servi d'antidote à son venin ; [skɔʀsɔnɛʀ].

**SCOTCH (I), subst. m.**
Whisky d'Écosse. Fin XIXe s. ; angl. *scotch*, « écossais » ; plur. *scotch(e)s* ; [skɔtʃ].

**SCOTCH (II), subst. m. inv.**
Ruban adhésif transparent. 1955 ; mot angl. ; n. déposé ; [skɔtʃ].

**SCOTCHER, verbe trans. [3]**
Fixer avec du Scotch ou, par anal., avec tout autre ruban adhésif. V. 1960 ; ☞ *Scotch* (II) ; [skɔtʃe].

**SCOTIE, subst. f.**
*Archit.* Moulure curviligne en creux, bordée de deux filets, employée en partic. dans les bases de colonnes, entre les tores. Déb. XVIe s. ; lat. *scotia*, du gr. *skotia* ; [skɔti].

**SCOTISME, subst. m.**
Doctrine du philosophe Jean Duns Scot. 1732 ; anthropon. *Duns Scot* ; [skɔtism].

**SCOTOME, subst. m.**
*Pathol.* Trouble de la vision qui se caractérise par une réduction du champ visuel. 1839 ; bas lat. *scotoma*, du gr. *skotôma*, « vertige, obscurcissement » ; [skɔtɔm].

**SCOTOMISATION, subst. f.**
*Psychanal.* Action de scotomiser. 1926 ; ☞ *scotome* ; [skɔtɔmizasjɔ̃].

**SCOTOMISER, verbe trans. [3]**
*Psychanal.* Écarter de son champ de conscience (un fait désagréable). 1926 ; ☞ *scotomisation* ; [skɔtɔmize].

**SCOTTISH-TERRIER, subst. m.**
Chien terrier d'Écosse, à poil dur et dru. 1868 ; angl. *scottish terrier*, de *scottish*, « écossais », et de *terrier*, « terrier » ; var. *scotch-terrier*, plur. *scottish-* ou *scotch-terriers* ; [skɔtiʃtɛʀje].

**SCOUBIDOU, subst. m.**
Petite tresse faite de fines lanières de plastique colorées. 1958 ; prob. suite de syllabes propre au scat ; [skubidu].

**SCOUMOUNE, subst. f.**
Malchance (argot.). V. 1930 ; ital. *scomunica*, de *scomunicare*, « excommunier » ; [skumun] ou [ʃku-].

**SCOURED, subst. m.**
Laine lavée à même le dos du mouton, avant la tonte (anglic.). 1875 ; angl. *scoured*, de *to scour*, « laver » ; [skuʀɛd].

**SCOUT, SCOUTE, subst. et adj.**
SUBST. Membre d'une organisation de scoutisme. ADJ. 1. Propre au scoutisme, à ses membres ou à ses activités : *La promesse **scoute**.* 2. Fig. D'un idéalisme un peu naïf. 1910 (1907, bâtiment de guerre participant à une recherche) ; ☞ *boy-scout*, de l'angl. *boy scout*, « garçon éclaireur » ; [skut].

**SCOUTISME, subst. m.**
Mouvement, fondé en 1908 par le général anglais Baden-Powell, qui s'attache à développer les qualités morales et physiques des enfants et des adolescents, au sein d'organisations structurées, gén. inscrites dans une mouvance religieuse. 1913 ; ☞ *scout* ; [skutism].

**SCRABBLE, subst. m. inv.**
Jeu de société qui consiste à former des mots en plaçant sur une grille spéciale des jetons marqués d'une lettre, choisis au hasard. V. 1960 ; prob. angl. *to scrabble*, « gribouiller » ; n. déposé ; [skʀabl].

**SCRAPER, subst. m.**
Décapeuse (anglic.). 1933 ; angl. *scraper*, de *to scrap*, « gratter » ; recomm. off. *scrapeur* ; [skʀɛpœʀ].

**SCRATCH, adj. inv.**
*Sp.* 1. ***Course scratch*** : course automobile dans laquelle tous les concurrents partent d'une même ligne. ► Empl. subst. masc. Action de rayer d'une épreuve un concurrent absent à l'appel. 2. ***Joueur scratch*** : joueur de golf qui ne bénéficie d'aucun point dans une compétition à handicap. 1854 ; angl. *scratch*, « coup d'ongle, marque ; ligne de départ » ; [skʀatʃ].

**SCRATCHER, verbe trans. [3]**
*Sp.* Éliminer (un joueur absent ou qui se présente en retard). 1906 ; angl. *to scratch*, « rayer » ; [skʀatʃe].

**SCRIBAN, subst. m.**
*Ameubl.* Secrétaire d'origine flamande (XVIIe s.), à panneau incliné surmonté d'un corps d'armoire. 1694 ; néerl. *schrijfbank*, « pupitre » ; var. *une scribanne* ; [skʀibɑ̃].

**SCRIBE, subst. m.**
1. *Antiq.* Lettré qui occupait en Égypte les fonctions de rédacteur ou de copiste. ► Docteur de la Loi juive. 2. Celui dont le métier est d'écrire à la main ; copiste. ► Employé aux écritures (péj.). Fin XIIIe s. ; lat. *scriba*, de *scribere*, « écrire » ; [skʀib].

**SCRIBOUILLARD, ARDE, subst.**
Commis aux écritures (fam. et péj.). 1914 ; ☞ *scribe* ; [skʀibujaʀ, aʀd].

**SCRIPT (I), subst. m.**
*Fin.* Document représentant la fraction de la valeur des intérêts ou du capital remboursable qu'une collectivité emprunteuse ne peut pas payer à un obligataire (anglic.). 1856 ; angl. *script*, abrév. de *subscription receipt*, « reçu de souscription » ; [skʀipt].

**SCRIPT (II), subst. m.**
**1.** *Cin.* Scénario (anglic.). **2.** Type d'écriture proche des caractères d'imprimerie. 1951 ; angl. *script*, du lat. *scriptum*, de *scribere*, « écrire » ; [skʀipt].

**SCRIPTE, subst.**
*Cin.* Membre d'une équipe de tournage qui assiste le réalisateur en veillant à la cohérence et à la continuité technique des séquences. V. 1970 ; angl. *script-girl*, de *script*, « texte », et de *girl*, « fille » ; [skʀipt].

**SCRIPTURAIRE, adj.**
*Relig.* Relatif à l'Écriture sainte. 1860 (1701, secrétaire) ; lat. *scriptura*, « écriture » ; [skʀiptyʀɛʀ].

**SCRIPTURAL, ALE, AUX, adj.**
**1.** Relatif à l'écriture. **2.** Scripturaire. **3.** *Monnaie* ***scripturale*** : qui a été créée et qui circule par jeu d'écriture. 1840 (1350, qui sert à écrire) ; lat. eccl. *scripturalis*, du lat. *scriptura*, « écriture » ; [skʀiptyʀal, o].

**SCROFULAIRE, subst. f.**
*Bot.* Plante de la famille des Scrofulariacées, dont les feuilles et les racines étaient utilisées pour soigner les tumeurs scrofuleuses, d'où son autre nom d'herbe aux écrouelles. XVe s. ; lat. médiév. *scrofularia*, du bas lat. *scrofulae*, « scrofules » ; [skʀɔfylɛʀ].

**SCROFULARIACÉES, subst. f. plur.**
*Bot.* Famille de plantes dicotylédones gamopétales comme les véroniques, les scrofulaires, les digitales et les linaires. AU SING. *Le muflier est une* ***scrofulariacée.*** XIXe s. ; ☞ *scrofulaire* ; [skʀɔfylaʀjase].

**SCROFULE, subst. f.**
**I.** PLUR. Vx. Écrouelles. **II.** *Pathol.* Maladie caractérisée par des adénopathies superficielles, d'origine tuberculeuse, syphilitique ou infectieuse (vieilli). Fin XIVe s. ; bas lat. *scrofulae* ; [skʀɔfyl].

**SCROFULEUX, EUSE, adj. et subst.**
*Pathol.* Se dit d'un sujet atteint de scrofule. ADJ. Relatif aux écrouelles, à la scrofule. 1534 ; ☞ *scrofule* ; [skʀɔfylø, øz].

**SCROGNEUGNEU, interj.**
Juron manifestant la mauvaise humeur (souv. attribué aux militaires) ; empl. subst., vieux grognon. 1884 ; altér., par euphém., de *sacré nom de Dieu !* ; var. *scrongneugneu* ; [skʀɔɲøɲø].

**SCROTAL, ALE, AUX, adj.**
Relatif au scrotum. 1923 ; ☞ *scrotum* ; [skʀɔtal, o].

**SCROTUM, subst. m.**
*Anat.* Membrane cutanée enveloppant les testicules. 1538 ; mot lat. ; [skʀɔtɔm].

**SCRUB, subst. m.**
*Géogr.* Brousse épaisse d'Australie, formée de buissons (anglic.). 1900 ; mot angl. ; [skʀœb].

**SCRUBBER, subst. m.**
*Techn.* Tour dans laquelle l'épuration des gaz se fait par pulvérisation d'eau (anglic.). 1877 ; angl. *scrubber*, de *to scrub*, « récurer, laver » ; [skʀœbœʀ].

**SCRUPULE (I), subst. m.**
Ancienne unité de poids, valant un vingt-quatrième d'once. Mil. XIIIe s. ; lat. *scrupulum* ; [skʀypyl].

**SCRUPULE (II), subst. m.**
**1.** Inquiétude de la conscience sur la valeur, le bien-fondé d'un acte accompli, d'une conduite à tenir : *Un être sans* ***scrupule(s)***, sans préoccupations morales. ▸ Loc. *Se faire* ***scrupule*** *de qqch.* : hésiter ou renoncer à faire qqch., par trouble moral. **2.** Grande exigence morale, souci de rigueur intellectuelle. 1375 ; lat. *scrupulus*, « petite pierre pointue » ; [skʀypyl].

**SCRUPULEUSEMENT, adv.**
De manière scrupuleuse. 1375 ; ☞ *scrupuleux* ; [skʀypyløzmɑ̃].

**SCRUPULEUX, EUSE, adj.**
**1.** Qui témoigne d'une conscience exigeante, d'une délicatesse morale ; par ext., honnête : *Un comptable peu* ***scrupuleux.*** **2.** Qui accomplit sa tâche avec rigueur et minutie ; par méton. : *Une vérification* ***scrupuleuse.*** 1382 ; ☞ *scrupule* (II) ; [skʀypylø, øz].

**SCRUTATEUR, TRICE, subst. et adj.**
SUBST. MASC. Vx. Celui qui scrute : *Le* ***scrutateur*** *des cœurs*, Dieu. SUBST. Personne qui veille à la régularité d'un scrutin, en partic. lors du dépouillement. ADJ. Qui fouille du regard ; qui examine avec attention. 1531 ; lat. *scrutator* ; [skʀytatœʀ, tʀis].

**SCRUTER, verbe trans.** [3]
**1.** Considérer avec soin (qqch., qqn), afin d'en percer quelque aspect ignoré ou caché. **2.** Fouiller du regard, inspecter : ***Scruter*** *le ciel.* 1501 ; lat. *scrutari*, « fouiller » ; [skʀyte].

**SCRUTIN, subst. m.**
**1.** Vote, en gén. secret, émis par le dépôt de bulletins dans une urne ou par tout autre système. **2.** Ext. Ensemble des opérations relatives à une consultation électorale : *Mode de* ***scrutin***, uninominal, de liste, etc. ; *Premier, second tour de* ***scrutin.*** 1261 ; lat. médiév. *per viam scrutinii*, « par vote secret », du bas lat. *scrutinium*, « action de fouiller » ; [skʀytɛ̃].

**SCULL, subst. m.**
*Sp.* Bateau dont le rameur manœuvre deux avirons (anglic.). 1876 ; mot angl. ; [skœl].

**SCULPTER, verbe trans.** [3]
**1.** Travailler, façonner (une matière solide) pour réaliser un objet, une œuvre d'art : ***Sculpter*** *un bloc de marbre au burin* ; par méton., orner de sculptures : ***Sculpter*** *une chaise.* **2.** Créer, produire (une œuvre d'art en trois dimensions) par taille, modelage, moulage ou assemblage de matériaux : ***Sculpter*** *une tête de lion.* ▸ Abs. S'adonner à la sculpture. Fin XIVe s. ; prob. *sculper* (vx), du lat. *sculpere*, « tailler » ; [skylte].

**SCULPTEUR, TRICE, subst.**
Artiste qui pratique la sculpture. 1400 ; lat. *sculptor*, de *sculpere*, « tailler » ; rare au fém. ; [skyltœʀ, tʀis].

**SCULPTURAL, ALE, AUX, adj.**
**1.** Relatif à la sculpture. **2.** Qui possède la beauté d'une sculpture classique : *Corps, formes* ***sculpturales.*** 1765 ; ☞ *sculpture* ; [skyltyʀal, o].

**SCULPTURE, subst. f.**
**1.** Action de sculpter, de dégager d'une matière dure une forme à trois dimensions. ▸ Art du sculpteur ; ensemble des techniques mises en œuvre dans la pratique de cet art : *La* ***sculpture*** *en ronde bosse, en haut ou en bas relief* ; *La* ***sculpture*** *sur bois, sur pierre* ; *La* ***sculpture*** *religieuse, profane* ; *La perfection esthétique du corps recherchée par la* ***sculpture*** *classique grecque.* **2.** Œuvre d'art sculptée : *Une* ***sculpture*** *moderne en papier mâché.* 1380 ; lat. *sculptura*, de *sculpere*, « tailler » ; [skyltyʀ].

**SCUTELLAIRE, subst. f.**
*Bot.* Plante vivace des zones humides, de la famille des Lamiacées, aux propriétés vermifuges et fébrifuges. 1820 ; lat. sc. *scutellaria*, du lat. *scutella*, « petite coupe » ; [skytɛlɛʀ].

**SCYPHOZOAIRES, subst. m. plur.**
*Zool.* Acalèphes. AU SING. *La physalie est un* ***scyphozoaire.*** 1933 ; gr. *skuphos*, « coupe », + *-zoaire* ; [sifɔzɔɛʀ].

**SE, pron. pers.**
Pronom personnel réfléchi de la troisième personne, des deux genres et des deux nombres, utilisé avec les verbes employés pronominalement. **1.** Complément d'objet d'un verbe pronominal réfléchi. ▸ Direct : *Il* ***se*** *lave.* ▸ Indirect : *Elle* ***s'****est coupé le doigt.* **2.** Complément d'objet d'un verbe pronominal réciproque. ▸ Direct : *Il* ***se*** *sont salués.* ▸ Indirect : *Elles* ***se*** *sont adressé des injures.* **3.** Dans les verbes essentiellement pronominaux : *Elle* ***s'****est évanouie* ; *Les oiseaux* ***se*** *sont envolés.* **4.** Dans les verbes pronominaux de sens passif : *Les fraises* ***se*** *vendent bien cette année.* **5.** Dans les verbes pronominaux impersonnels : *Il* ***s'****est dit beaucoup de sottises pendant cette réunion.* Fin XIe s. (842, exprime l'intérêt que prend à l'action la personne dont on parle) ; mot lat. ; s'élide devant une voyelle et un *h* muet ; [sə].

**Se, voir SÉLÉNIUM**

**SEA-LINE, subst. m.**
Canalisation sous-marine servant au transport des hydrocarbures. 1950 ; angl. *sea line*, de *sea*, « mer », et de *line*, « ligne » ; plur. *sea-lines* ; [silajn].

**SÉANCE, subst. f.**
**1.** Réunion des membres d'un groupe organisé, siégeant dans le cadre de leur mission : *Ouvrir, lever, suspendre la* ***séance*** ; par méton., durée d'une **séance**. ▸ Loc. ***Séance*** *tenante* : pendant la **séance** ou, au fig., sans délai. **2.** Portion de temps réservée à une occupation donnée, en compagnie d'une ou de plusieurs personnes : *Une* ***séance*** *d'acupuncture, de travail.* **3.** Temps consacré à un divertissement, à un spectacle ; par méton., la représentation elle-même : *Une* ***séance*** *de cinéma.* 1356 (1266, gré, convenance) ; ☞ *seoir* ; [seɑ̃s].

**SÉANT, SÉANTE, adj. et subst. m.**
ADJ. **1.** Vx. Assis. **2.** Qui sied ; qui est convenable : *Il n'est guère* ***séant*** *de jurer ainsi.* SUBST. Postérieur (fam.). ▸ Loc. *Être sur son* ***séant*** : en position assise. Mil. XIe s. ; p. pr. de *seoir* ; [seɑ̃, seɑ̃t].

**SEAU, subst. m.**
Récipient cylindrique ouvert, gén. muni d'une anse, servant à recueillir, à transporter des liquides ou certaines matières fines ou en morceaux : *Un* ***seau*** *à charbon* ; ***Seau*** *à glace*, récipient dans lequel on met une bouteille à rafraîchir. ▸ Méton. Contenu d'un **seau**. ▸ Loc. *Il pleut à* ***seaux*** : abondamment. XIIe s. ; lat. pop. °*sitellus*, du lat. *sitella*, « urne » ; [so].

**SÉBACÉ, ÉE, adj.**
Relatif au sébum. ▸ *Glande* ***sébacée*** : annexe glandulaire de la peau, fonctionnelle à partir de la puberté et qui sécrète le sébum évacué par le canal pilaire sur la couche cornée de l'épiderme. 1734 ; bas lat. *sebaceus*, du lat. *sebum*, « suif » ; [sebase].

**SÉBASTE, subst. m.**
*Zool.* Poisson marin téléostéen, voisin de la rascasse gén. de couleur rouge ou rose, à la chair appréciée 1874 ; orig. inc. ; [sebast].

**SÉBILE, subst. f.**
Petite coupe dans laquelle les mendiants recueillent les aumônes. 1417 ; orig. obsc. ; [sebil].

**SEBKHA, subst. f.**
*Géogr.* Marécage salé des régions sahariennes 1833 ; ar. *sabḫa* ; var. *sebka* ; [sɛpka].

**SÉBORRHÉE, subst. f.**
*Pathol.* Sécrétion excessive de sébum. 1855 ☞ *sébum* + *-rrhée* ; [sebɔʀe].

**SÉBUM, subst. m.**
*Biol.* Substance lipidique complexe sécrétée par les glandes sébacées qui, mélangée à la sueur, contribue à former un film hydrolipidique qui protège la peau Fin XVIIIe s. ; lat. *sebum*, « suif » ; [sebɔm].

**SEC, SÈCHE, adj., adv. et subst. m.**
**I.** ADJ. **1.** Qui a perdu son humidité naturelle (anton. *frais, vert*) : *Foin* ***sec*** ; par ext. : *Extrait* ***sec*** matière déshydratée. ▸ *Alim.* Se dit de produit conservés par dessiccation : *Raisins, légumes* ***secs*** **2.** Qui n'est pas ou plus mouillé, imbibé d'eau ou d'un autre liquide : *Linge* ***sec*** ; *Plâtres à peine* ***secs*** non recouvert par l'eau : *Cale* ***sèche.*** ▸ Loc. *Traverser un cours d'eau à pied* ***sec*** : sans se mouiller ; *Faire cul* ***sec*** : vider son verre d'un trait. ▸ *Phys. Vapeur* ***sèche*** : non saturante. **3.** Naturellement pauvre en humidité, en précipitations : *Sol calcaire et* ***sec*** *Froid* ***sec*** ; *Saison* ***sèche.*** **4.** Dont les sécrétions sont insuffisantes : *Peau* ***sèche*** ; *Toux* ***sèche***, non grasse ▸ Loc. *L'œil* ***sec*** : sans émotion ; *Avoir le gosier* ***sec*** avoir soif ou, par ell. et au fig. : *L'avoir* ***sec***, être mécontent (pop.). **5.** Sans addition d'eau : *Whisky* ***sec.*** **6.** À qui ou à quoi un élément liquide fait défaut : *Nourrice* ***sèche***, qui n'a pas de lait ; *Régime* ***sec***, sans alcool ; *Panne* ***sèche***, par manque de carburant ; *Mur de pierres* ***sèches***, sans mortier SUBST. **1.** Qualité, état de ce qui est sec : *Il leur faut du chaud et du* ***sec*** ; *Tenir au* ***sec***, à l'abri de l'humidité. **2.** À sec. ▸ Tari : *Torrent à* ***sec.*** ▸ Sans utiliser de liquide : *Nettoyage à* ***sec.*** ▸ Fig. *Être* ***sec*** : sans argent (fam.). ▸ *Mar. À* ***sec*** *de toile* sans voile hissée. **II.** ADJ. **1.** Sans accompagnement : *Du pain* ***sec*** *et de l'eau.* ▸ *Jeux.* Aux cartes *Atout* ***sec***, seul de sa couleur ; *Partie* ***sèche***, en une seule manche ; au fig. : *En cinq* ***sec(s)***, en vitesse (par réf. à une partie d'écarté jouée en cinq points ▸ *Mus. Guitare* ***sèche*** : sans amplification (par oppos. à *électrique*). ▸ *Écon. Des licenciements* ***secs*** sans mesures sociales d'accompagnement. **2.** Peu charnu, maigre ; empl. subst. : *Un grand* ***sec.*** **3.** Qui manque d'ampleur, de moelleux : *Dessin un peu* ***sec*** ; *Vin* ***sec*** ; *Bruit* ***sec***, dur et bref. **III.** ADJ. **1.** Qui manque de plénitude, de vie ; stérile : *Style très* ***sec.*** **2.** Sans chaleur ni générosité : *Cœur sec* **3.** Cassant, peu amène : *Ton* ***sec.*** ADV. Vite et sans douceur : *Virer* ***sec*** ; *Boire* ***sec***, sans ajouter d'eau et, par ext., beaucoup ; *Aussi* ***sec***, immédiatement (fam.). Fin Xe s. ; lat. *siccus* ; [sɛk, sɛʃ].

**SÉCABLE, adj.**
Que l'on peut couper, diviser. 1691 ; lat. *secabilis*, de *secare*, « couper » ; [sekabl].

**SÉCANT, ANTE, adj.**
*Géom.* Qualifie deux courbes ou deux surfaces, ou une courbe et une surface, ayant au moins un point en commun sans être tangentes en ce point ; empl. subst. fém. : *Une* **sécante**, une droite **sécante** (relativement à une courbe, à une surface). 1542 ; lat. *secans*, de *secare*, « couper » ; [sekɑ̃, ɑ̃t].

**SÉCATEUR, subst. m.**
Outil de jardinage utilisé pour tailler les branches, sorte de gros ciseaux dont un ressort maintient écartées les deux lames ; par anal. : ***Sécateur** à volailles.* 1827 ; lat. *secare*, « couper » ; [sekatœʀ].

**SÉCESSION, subst. f.**
**1.** Action, pour une partie de la population d'un État, de se détacher volontairement de celui-ci en vue de former un autre État : *La guerre de **Sécession** (1861-1865), aux États-Unis.* **2.** Anal. Action de se retirer d'un groupe avec lequel on est en désaccord. Mil. XIVe s. ; lat. *secessio* ; [sesesjɔ̃].

**SÉCESSIONNISTE, adj.**
Qui fait sécession ou qui s'y emploie : *Politique **sécessionniste*** ; empl. subst., personne **sécessionniste**. ► *Hist. Les États **sécessionnistes*** : les États du Sud des États-Unis, qui firent sécession en 1861. 1862 ; ☞ *sécession* ; [sesesjɔnist].

**SÉCHAGE, subst. m.**
**1.** Action de faire sécher qqch., par élimination de son eau. **2.** Fait de sécher : ***Séchage** d'une peinture, d'un vernis.* 1797 (1339, droit payé pour faire sécher dans le four du seigneur) ; ☞ *sécher* ; [seʃaʒ].

**SÈCHE, subst. f.**
Cigarette (fam. et vieilli). 1874 ; orig. inc. ; [sɛʃ].

**SÈCHE-CHEVEUX, subst. m. inv.**
Appareil électrique servant à sécher les cheveux (synon. *séchoir*). 1910 ; comp. de *sécher* et de *cheveu* ; [sɛʃʃəvø].

**SÈCHE-LINGE, subst. m. inv.**
Appareil qui permet de sécher le linge en le brassant dans un courant d'air chaud (synon. *séchoir*). V. 1960 ; comp. de *sécher* et de *linge* ; [sɛʃlɛ̃ʒ].

**SÈCHE-MAINS, subst. m. inv.**
Appareil électrique séchant les mains par un flux d'air chaud pulsé. XXe s. ; comp. de *sécher* et de *main* ; [sɛʃmɛ̃].

**SÈCHEMENT, adv.**
**1.** De manière brutale, blessante : *Parler **sèchement**.* **2.** De manière brève, sans fantaisie : *Rappeler **sèchement** les faits.* Déb. XIIIe s. ; ☞ *sec* ; [sɛʃmɑ̃].

**SÉCHER, verbe** [8]
**Trans. 1.** Rendre sec, ôter l'humidité de (qqch.) ; étancher : *Le vent **sèche** la terre* ; ***Sécher** ses larmes*, se consoler. **2.** Manquer délibérément (fam.) : ***Sécher** un cours.* **Intrans. 1.** Devenir sec, perdre son humidité ; au fig., languir, dépérir : ***Sécher** de jalousie.* **2.** Ne pouvoir répondre à une question (fam.) : *Je **sèche** sur le sujet.* **Pronom.** Se rendre sec : *Se **sécher** devant le feu.* Déb. XIIe s. ; lat. *siccare* ; [seʃe].

© Th. Rannou-Gamma

*Sècheresse au Sahel.*

**SÈCHERESSE, subst. f.**
**1.** État de ce qui est sec : *La **sècheresse** du sol.* **2.** Absence de pluie : *Une **sècheresse** catastrophique pour les cultures.* **3.** Anal. Manque d'ampleur, d'agrément : *La **sècheresse** d'un dessin, d'une représentation.* **4.** Fig. ► Manque de sensibilité, de douceur. ► Manque de moelleux, de rondeur et, par ext., d'attrait : *La **sècheresse** d'un visage.* Déb. XIIe s. ; ☞ *sec* ; var. *sécheresse* ; [seʃʀɛs] ou [sɛ-].

**SÈCHERIE, subst. f.**
Lieu, établissement où l'on fait sécher certains produits : ***Sècherie** de poisson.* 1333 (XIIIe s., sècheresse) ; ☞ *sécher* ; var. *sécherie* ; [seʃʀi] ou [sɛ-].

**SÉCHEUR, EUSE, subst. m. ou f.**
Appareil servant à sécher. 1872 (1611, personne qui met à sécher) ; ☞ *sécher* ; [seʃœʀ, øz].

**SÉCHOIR, subst. m.**
**1.** Dispositif, appareil servant à faire sécher ; sèche-cheveux ; sèche-linge. **2.** Local où l'on fait sécher certains produits. 1660 ; ☞ *sécher* ; [seʃwaʀ].

**SECOND, ONDE, adj. et subst.**
**Adj. 1.** Qui occupe le rang marqué par le nombre deux (souvent préféré à « deuxième » quand il n'y a que deux éléments) : *Réussir au **second** essai* ; *De **seconde** main*, transmis indirectement. ► Empl. subst. Chose, personne placée en **seconde** position : *La **seconde** de la famille.* **2.** Inférieur au premier dans un domaine déterminé : *Le commandant en **second*** ; *De **second** choix*, de médiocre qualité. **3.** Qui vient en double, autre : *L'habitude est une **seconde** nature.* **4.** Qui découle d'une chose originelle : *Sens **second** d'un mot* ; *État **second***, état mental anormal dans lequel des automatismes se substituent à la pleine conscience. **Adj. fém.** *Math. A", B",... (lus A **seconde**, B **seconde**,...)* : symboles mathématiques affectés d'une sorte d'accent double permettant de les différencier de A', B',... **Subst. masc. 1.** Personne qui aide qqn, adjoint : *Mon fidèle **second**.* ► Capitaine suppléant d'un navire. **2.** Deuxième élément d'une charade : *Mon **second** est une fleur.* **3.** Deuxième étage. **Subst. fém. 1.** *Chorégr.* et *Escr.* Deuxième position. **2.** Classe de l'enseignement secondaire précédant la première. **3.** *Impr.* Deuxième épreuve. **4.** *Mus.* Intervalle entre deux degrés conjoints. **5.** Deuxième classe, dans les transports publics : *Voyager en **seconde*** ; par méton., place dans cette classe. **6.** *Autom.* Deuxième vitesse. 1119 ; lat. *secundus*, « qui suit » ; [səgɔ̃, ɔ̃d].

**SECONDAIRE, adj.**
**1.** Qui vient au second rang ou dans un second temps (par oppos. à *primaire*) : *Enseignement **secondaire*** ou, empl. subst. masc., *Le **secondaire***, qui accueille les élèves de la sixième à la terminale ; *Couleur **secondaire***, qui résulte du mélange de couleurs primaires. **2.** De moindre importance ou valeur (anton. *principal*) : *Un rôle **secondaire*** ; *Résidence **secondaire**.* **3.** *Spéc.* ► *Bot.* Qualifie une formation issue de l'activité du cambium. ► *Chim.* Se dit d'atomes de carbone ou d'azote liés à un seul atome d'oxygène (rare). ► *Écon. Secteur **secondaire*** ou, empl. subst. masc., *Le **secondaire*** : ensemble des activités de transformation des matières premières. ► *Électr. Circuit **secondaire*** : bobinage relié au circuit principal et dans lequel apparaît une force électromotrice réduite. ► *Géol. Ère **secondaire*** ou, empl. subst. masc., *Le **Secondaire*** : troisième grande division des temps géologiques (de – 245 à – 65 millions d'années). Succédant au Précambrien et au Primaire et comprenant les périodes du Trias, du Jurassique et du Crétacé, il se caractérise notamment par les sédimentations, le passage des Cryptogames aux Gymnospermes et aux Angiospermes, la profusion des ammonites, l'apogée puis la disparition des grands reptiles (dinosaures) et l'apparition des Oiseaux et des Mammifères (synon. *Mésozoïque*). ► *Géogr.* Qui a remplacé le manteau végétal primitif : *Forêt **secondaire**.* ► *Pathol.* Consécutif à une première affection : ***Effets secondaires***, effets indésirables d'un traitement. ► *Phys.* Se dit d'un rayonnement émis par une matière, elle-même soumise à un rayonnement. ► *Psychol.* En caractérologie, se dit d'une personne qui réagit avec lenteur, mais de manière profonde et durable : *Un émotif **secondaire**.* Fin XIIIe s. ; lat. *secundarius* ; [səgɔ̃dɛʀ].

**SECONDAIREMENT, adv.**
De manière secondaire. XVe s. ; ☞ *secondaire* ; [səgɔ̃dɛʀmɑ̃].

**SECONDE, subst. f.**
**1.** Unité de mesure du temps correspondant à un soixantième de minute, définie par l'émission électromagnétique centimétrique de l'atome de césium 133 dans des circonstances déterminées. La seconde vaut 9 192 631 770 périodes de la radiation correspondant à la transition entre les deux niveaux superfins de l'état fondamental du césium 133 (symb. : s). **2.** Anal. ► Moment très bref : *J'arrive dans une **seconde**.* ► Moment précis : *À la **seconde** où il entra.* ► Loc. *En une fraction de **seconde*** : très rapidement. **3.** *Géom.* Unité de mesure d'angle plan égale à 1/60 de minute. 1636 ; lat. médiév. *secunda minuta*, « parties menues résultant de la seconde division de l'heure ou du degré » ; [səgɔ̃d].

**SECONDER, verbe trans.** [3]
**1.** Assister, aider (qqn) dans une tâche, une mission. **2.** Contribuer au succès de (qqch.) ; favoriser. 1519 (1240, répéter) ; ☞ *second* ; [s(ə)gɔ̃de].

**SECOUER, verbe trans.** [3]
**1.** Ne pas ménager (qqn), rudoyer, inviter à l'effort. **2.** Agiter (la main, la tête) vivement, en signe de dénégation, d'assentiment, etc. **3.** Ébranler, agiter fortement : *La tempête **secoue** les arbres.* **4.** Faire tomber (qqch.) par des mouvements vifs : ***Secouer** la neige de son manteau* ; au fig. : ***Secouer** le joug*, s'affranchir d'une contrainte. **5.** Toucher, affecter profondément : *Cette nouvelle l'a **secoué**.* **Pronom.** Réagir contre la fatigue, le découragement (fam.). Mil. XVe s. ; anc. fr. *seco(u)rre*, du lat. *succutere* ; [səkwe].

**SECOUEUR, subst. m.**
*Agric.* Crible disposé en oblique à l'arrière d'une moissonneuse-batteuse pour extraire des pailles les derniers grains. 1892 (1611, personne qui secoue) ; ☞ *secouer* ; [səkwœʀ].

**SECOURABLE, adj.**
Qui aide volontiers son prochain ; qui assiste et réconforte. Mil. XIIe s. ; ☞ *secourir* ; [səkuʀabl].

**SECOURIR, verbe trans.** [25]
Procurer son aide à, porter secours à (qqn) : ***Secourir** un blessé.* Mil. XIIe s. ; anc. fr. *succure*, du lat. *succurrere* ; [səkuʀiʀ].

**SECOURISME, subst. m.**
Ensemble des moyens déployés pour administrer les premiers soins aux blessés ou secourir les personnes en danger. 1941 ; ☞ *secours* ; [səkuʀism].

**SECOURISTE, subst.**
**1.** Membre d'une équipe de secourisme. **2.** Personne apte à pratiquer le secourisme. 1832 (1750, à propos des convulsionnaires) ; ☞ *secours* ; [səkuʀist].

**SECOURS, subst. m.**
**1.** Action d'apporter son assistance dans le danger : *Venir au **secours** de qqn.* ► Empl. interj. : *Au **secours** !*, à l'aide ! **2.** *Milit.* Renfort en hommes et en matériel. **3.** Aide matérielle allouée aux nécessiteux. **4.** Soins dispensés rapidement à un blessé ou à un malade : *Attendre les premiers **secours**.* **5.** Aide morale, spirituelle : *Être d'un grand **secours** à qqn.* **6. De secours.** Qui sert en cas de nécessité ou de défaillance d'un service, d'un mécanisme, d'une pièce : *Équipe de **secours*** ; *Roue de **secours**.* Fin XIe s. ; lat. *succursum*, de *succurrere*, « secourir » ; [səkuʀ].

**SECOUSSE, subst. f.**
**1.** Mouvement brusque qui secoue, ébranle : *Les **secousses** du train.* ► ***Secousse** tellurique* : séisme. ► ***Secousse** électrique* : décharge qui fait tressauter. **2.** Fig. Commotion, bouleversement. Mil. XVe s. ; anc. fr. *seco(u)rre*, « secouer » ; [səkus].

**SECRET (I), subst. m.**
**1.** Ce qui doit être tenu caché ; ce qui n'est révélé qu'à un très petit nombre : ***Secret** d'État.* ► Loc. *Dans le **secret** de* : au courant de ; *Être dans le **secret** des dieux* : connaître les dessous d'une affaire (fam.) ; ***Secret** de Polichinelle* (☞ *polichinelle*). **2.** Ce qui constitue la réalité profonde, mystérieuse de qqch. ou de qqn : *Les **secrets** de la nature.* **3.** Moyen connu de quelques initiés ou d'un unique individu : *Un **secret** de fabrication* ; *Un meuble à **secret***, dont la fermeture est assurée par un mécanisme caché. **4.** Lieu séparé, sans communication avec l'extérieur : *Prisonnier au **secret**.* **5.** Discrétion absolue sur une chose dont on a été informé : ***Secret** professionnel.* ► *En **secret*** : secrètement. Déb. XIIe s. ; lat. *secretum*, « lieu écarté » ; [səkʀɛ].

**SECRET (II), ÈTE, adj.**
**1.** Qui ne se livre pas, par méfiance ou par pudeur : *Esprit **secret**.* **2.** Que l'on ne peut (ou ne doit) pas voir : *Passage **secret**.* **3.** Que l'on ne doit pas connaître ou révéler ; réservé à quelques initiés : *Projet, rendez-vous **secret**.* **4.** Qui appartient au domaine de l'impénétrable ou de l'indicible : *Les desseins **secrets** du Ciel.* Mil. XIIe s. ; lat. *secretus* ; [səkʀɛ, ɛt].

**SECRÉTAIRE, subst.**
**1.** Personne qui rédige, en partic. des lettres, pour le compte de qqn : ***Secrétaire** particulier.* **2.** Personne chargée de divers travaux de bureau (courrier, classement, etc.) : ***Secrétaire** commerciale* ; ***Secrétaire** de mairie* ; ***Secrétaire** de direction*, qui travaille pour un chef d'entreprise ; ***Secrétaire** de rédaction*, journaliste qui seconde le rédacteur en chef en coordonnant

les tâches rédactionnelles d'un journal. **3.** Personne chargée, dans un organisme, des comptes rendus de séance, de l'organisation des délibérations et du fonctionnement de l'assemblée : *Secrétaire de séance.* **4.** Personne chargée de l'organisation d'une collectivité. ▸ **Secrétaire général.** Dirigeant d'un parti, d'un syndicat ; responsable élu d'une organisation internationale ; responsable du service de secrétariat général du gouvernement ou de la présidence de la République. ▸ **Secrétaire d'État.** Responsable d'un département ministériel, aux compétences définies par la Constitution (en France, membre du gouvernement agissant sous l'autorité d'un ministre ou du Premier ministre, avec pouvoir de délégation ; aux États-Unis, responsable des Affaires étrangères ; au Vatican, équivalent de Premier ministre). SUBST. MASC. **1.** Meuble pourvu de compartiments de rangement et d'un plateau, gén. un abattant, pour écrire. **2.** *Zool.* Serpentaire. 1370 (1180, tabernacle) ; bas lat. *secretarius,* « membre des conseils secrets » ; [səkʀetɛʀ].

**SECRÉTAIRERIE,** subst. f.
**1.** Vx. Fonction de secrétaire. **2.** Fonction du cardinal secrétaire d'État au Vatican ; les services attachés à cette fonction. 1407 ; ☞ *secrétaire* ; [səkʀetɛʀʀi].

**SECRÉTARIAT,** subst. m.
**1.** Fonction de secrétaire : *Secrétariat de direction* ; service assuré par un ou plusieurs secrétaires ; local, bureau qui y est affecté : *Le secrétariat est au fond du couloir.* ▸ *Admin.* Fonction officielle exercée par qqn ayant, pendant son mandat, son exercice, le titre de secrétaire ; service administratif correspondant : *Secrétariat d'État à la Jeunesse et aux Sports ; Secrétariat d'ambassade.* **2.** Activité de secrétaire, travail relevant de sa compétence : *Faire du secrétariat* ; ensemble des techniques du travail de secrétaire, métier de secrétaire : *Un cours de secrétariat.* 1538 ; ☞ *secrétaire* ; [səkʀetaʀja].

**SECRÉTARIAT-GREFFE,** subst. m.
*Just.* Ensemble des services administratifs du siège et du parquet. V. 1960 ; comp. de *secrétariat* et de *greffe* ; plur. *secrétariats-greffes* ; [səkʀetaʀjagʀɛf].

**SECRÈTE,** subst. f.
*Liturg.* Prière à voix basse qui clôt l'offertoire de la messe. 1680 ; ☞ *secret* (II) ; [səkʀɛt].

**SECRÈTEMENT,** adv.
De manière secrète, confidentiellement. Déb. XII^e s. ; ☞ *secret* (II) ; [səkʀɛtmɑ̃].

**SECRÉTER,** verbe trans. [8]
*Techn.* Frotter (une peau) avec une solution de nitrate de mercure pour la feutrer. 1776 ; *secret* (rare), « solution de nitrate de mercure » ; [səkʀete].

**SÉCRÉTER,** verbe trans. [8]
**1.** *Physiol.* Produire par sécrétion. **2.** Anal. Dégager ; distiller : *La fleur sécrète son parfum.* **3.** Fig. Engendrer : *Sécréter des idées pernicieuses.* 1798 ; ☞ *sécrétion* ; [sekʀete].

**SÉCRÉTEUR, TRICE,** adj.
Qui sécrète ; qui sert à la sécrétion : *Canal sécréteur.* 1753 ; ☞ *sécrétion* ; var. du fém. *sécréteuse* ; [sekʀetœʀ, tʀis].

**SÉCRÉTION,** subst. f.
*Physiol.* Processus par lequel les cellules d'un organe élaborent une substance qui est évacuée vers un autre organe ou vers l'extérieur : *La sécrétion de la bile par le foie* ; cette substance elle-même. 1711 (fin XV^e s., séparation) ; lat. *secretio,* « séparation » ; [sekʀesjɔ̃].

**SECTAIRE,** adj. et subst.
**1.** Se dit d'un adepte fanatique d'une secte religieuse (vieilli). **2.** Ext. Se dit d'une personne intolérante. ADJ. Qui dénote un zèle exclusif et étroit dans la défense d'une cause ou d'une idée. 1584 (1566, protestant) ; ☞ *secte* ; [sɛktɛʀ].

**SECTARISME,** subst. m.
Comportement propre aux personnes sectaires. 1891 ; ☞ *sectaire* ; [sɛktaʀism].

**SECTATEUR, TRICE,** subst.
**1.** Partisan déclaré de la doctrine d'une personne, en partic. d'un philosophe (vieilli) : *Les sectateurs d'Aristote.* **2.** Membre d'une secte. 1403 ; lat. *sectator,* « qui accompagne » ; [sɛktatœʀ, tʀis].

**SECTE,** subst. f.
**1.** *Hist.* Ensemble des partisans se réclamant des mêmes idées philosophiques et religieuses : *La secte stoïcienne.* **2.** Groupement structuré dont les membres professent une doctrine différente de la religion dominante ; en partic., communauté de personnes vivant sous l'influence, voire sous l'emprise totale, d'un maître spirituel (gén. péj.). **3.** Anal. Coterie, clan (iron. et péj.) : *La secte des énarques.* Mil. XII^e s. ; lat. *secta,* de *sequi,* « suivre » ; [sɛkt].

© K. Kurita-Gamma

*Mariage collectif d'adeptes de la secte Moon.*

**SECTEUR,** subst. m.
**1.** *Géom.* ▸ *Secteur angulaire saillant (resp. rentrant) d'un plan euclidien* : intersection (resp. réunion) de deux demi-plans dont les frontières sont des droites sécantes en un point, le sommet (les demi-droites dont la réunion constitue la frontière du **secteur** sont les côtés). ▸ *Secteur circulaire* : intersection d'un disque avec un **secteur** angulaire dont le sommet est le centre du disque. **2.** *Techn.* Instrument, pièce d'un mécanisme qui comporte une portion de surface de cercle. **3.** *Milit.* Partie de territoire ou de front affectée à une division. ▸ *Secteur postal (S. P.)* : code numérique de camouflage utilisé pour acheminer le courrier aux soldats sans révéler leur position géographique. **4.** *Admin.* Subdivision d'une zone en vue d'une répartition des tâches et des services ; en partic., subdivision du réseau d'électricité : *Une panne de secteur.* **5.** *Climatol. Secteur chaud, secteur froid* : chacune des parties d'une dépression situées de part et d'autre du front cyclonique. **6.** *Écon.* ▸ Ensemble d'activités qui relèvent d'un même domaine ou du même statut juridique : *Secteur industriel ; Secteur public ou secteur privé.* ▸ Chacune des trois subdivisions qui caractérisent les activités économiques fondamentales d'un pays : *Secteurs primaire, secondaire, tertiaire.* 1542 ; lat. *sector,* « celui qui tranche » ; [sɛktœʀ].

**SECTION,** subst. f.
**I. 1.** Action de couper ; son résultat : *Section d'une veine.* ▸ Caractéristique d'une coupe plane, réelle ou imaginaire : *Un tube de section circulaire, de 7 mm de section.* **2.** *Géom.* ▸ *Section droite d'un cylindre* : intersection du cylindre avec un plan perpendiculaire aux génératrices. ▸ *Section plane d'une partie V de l'espace (en dimension trois)* : intersection de V avec un plan. **3.** *Phys. part. Section efficace* : surface équivalente d'un noyau atomique soumis à un flux de particules en interaction avec lui. **4.** Représentation graphique d'un ensemble complexe coupé selon un plan transversal (synon. *coupe*) : *Section transversale d'un moteur.* **II. 1.** Division matérielle d'un ouvrage ou d'un chapitre. **2.** Partie d'un parcours constituant une unité pour le calcul du prix d'un trajet : *Section d'autoroute.* **3.** *Spéc.* ▸ *Admin.* Subdivision d'une commune, d'une juridiction, d'un service, d'une institution ; par ext. : *Section cadastrale.* ▸ *Écon. Section homogène* : subdivision d'une entreprise où le coût est proportionnel à une unité d'œuvre (coût horaire de la main-d'œuvre, coût d'une unité de matière première, etc.). ▸ *Milit.* Subdivision d'une compagnie, ou d'une batterie, commandée en gén. par un lieutenant : *Une section d'infanterie.* ▸ *Pol.* Groupement local d'un parti, d'un syndicat : *Une section syndicale d'entreprise.* Fin XIV^e s. (1366, scission) ; lat. *sectio* ; [sɛksjɔ̃].

**SECTIONNEMENT,** subst. m.
**1.** Division en sections. **2.** Action de sectionner, de trancher net ; fait d'être sectionné. 1872 ; ☞ *sectionner* ; [sɛksjɔnmɑ̃].

**SECTIONNER,** verbe trans. [3]
**1.** Scinder en sections. **2.** Trancher net : *Le couteau lui a sectionné un tendon* ; empl. pronom. : *Le filin s'est sectionné.* 1796 ; ☞ *section* ; [sɛksjɔne].

**SECTIONNEUR,** subst. m.
*Électr.* Dispositif servant à isoler une portion de circuit électrique, pour y permettre toute intervention. 1924 ; ☞ *sectionner* ; [sɛksjɔnœʀ].

**SECTORIEL, ELLE,** adj.
Qui concerne un secteur déterminé : *Analyse sectorielle.* V. 1960 ; ☞ *secteur* ; [sɛktɔʀjɛl].

**SECTORISATION,** subst. f.
Organisation par secteurs. V. 1970 ; ☞ *secteur* ; [sɛktɔʀizasjɔ̃].

**SECTORISER,** verbe trans. [3]
Diviser, organiser en secteurs. V. 1970 ; ☞ *secteur* ; [sɛktɔʀize].

**SÉCULAIRE,** adj.
**1.** Qui se produit une fois par siècle ou tous les cent ans. **2.** Qui existe depuis cent ans ; par ext., qui remonte à un passé quasi immémorial : *Des rites séculaires.* 1549 (déb. XIII^e s., séculier) ; lat. *saecularis,* de *saeculum,* « siècle » ; [sekylɛʀ].

**SÉCULARISATION,** subst. f.
Action de séculariser ; son résultat. 1567 ; ☞ *séculariser* ; [sekylaʀizasjɔ̃].

**SÉCULARISER,** verbe trans. [3]
**1.** *Relig.* Faire passer (qqn) de l'état régulier à l'état séculier, ou laïc. **2.** Destiner à un usage profane, laïciser (un bien d'Église) : *Séculariser une abbaye.* 1586 ; ☞ *séculier* ; [sekylaʀize].

**SÉCULIER, IÈRE,** adj. et subst. m.
*Cath.* Se dit d'un prêtre qui vit dans le monde et qu'aucun vœu ne lie à une congrégation ou à un ordre religieux (par oppos. à *régulier*). ADJ. Qui est propre au domaine laïque, profane (anton. *ecclésiastique*) : *Justice séculière ; Bras séculier,* la justice laïque ou, par ext., la puissance temporelle. Déb. XIII^e s. ; anc. fr. *seculer,* du lat. *saecularis* ; [sekylje, jɛʀ].

**SECUNDO,** adv.
Deuxièmement. 1419 ; mot lat. ; [səgɔ̃do].

**SÉCURISANT, ANTE,** adj.
Qui est de nature à faire naître un sentiment de sécurité. 1959 ; ☞ *sécurité* ; [sekyʀizɑ̃, ɑ̃t].

**SÉCURISER,** verbe trans. [3]
**1.** Faire naître un sentiment de sécurité chez (qqn). **2.** Renforcer la sécurité de (qqch.). V. 1970 ; ☞ *sécurité* ; [sekyʀize].

**SECURIT,** subst. m. inv.
Verre de sécurité obtenu par trempe. 1950 ; ☞ *sécurité* ; n. déposé ; [sekyʀit].

**SÉCURITAIRE,** adj.
Qui met l'accent sur la sécurité publique. V. 1980 ; ☞ *sécurité* ; [sekyʀitɛʀ].

**SÉCURITÉ,** subst. f.
**1.** Confiance, assurance éprouvée par qqn qui se sent à l'abri du danger, de l'adversité : *Auprès de lui, je me sens en sécurité ; Sécurité matérielle.* **2.** Ensemble des conditions, des mesures propres à garantir l'ordre, à protéger les personnes et les biens : *Sécurité publique,* au bénéfice d'une collectivité ; *Agent de sécurité ; Sécurité rapprochée,* surveillance par des gardes du corps. ▸ Service public ou privé ayant cette mission : *La Sécurité militaire,* qui protège les institutions de la Défense contre l'espionnage ou la subversion ; *La Sécurité routière*

*Affiche pour la* **Sécurité** *routière.*

UNE VOITURE, C'EST SOLIDE.
UN ENFANT, C'EST FRAGILE !


© D. Clément-Explorer

…i s'emploie à la prévention des accidents de la …ute. 3. *La sécurité sociale* : système d'assurances, …us contrôle public, servant à couvrir les dépenses … santé, à compenser toute nature ou degré …incapacité au gain et à contribuer aux charges …miliales (abrév. fam. : sécu). 4. *Pol. Le Conseil de …curité de l'O. N. U.* : son organe exécutif. 5. Ab…nce ou limitation des risques : *Cet appareil offre …ne sécurité totale* ; au fig. : *Sécurité de l'emploi*. ► Loc. *…ettre en sécurité* : en lieu sûr ; *Par sécurité* : par …écaution. 6. **De sécurité.** Qui est de nature à …arter ou à atténuer un danger, un risque : *Ceinture … sécurité ; Marge de sécurité ; Verre de sécurité*, …aité de manière à ne pouvoir causer de coupures …aves en cas de bris. ► *Arm. Cran, manette de sé…rité* ou, par ell., *Sécurité d'une arme à feu* : dispo…tif empêchant tout départ intempestif d'un coup. … Fin XII^e s. ; lat. *securitas*, de *securus*, « sûr » ; [sekyʀite].

**SÉDATIF, IVE, adj. et subst. m.**
…DJ. Qui est de nature à calmer la douleur, l'anxiété … à modérer l'activité d'un organe. SUBST. Médi…ment possédant ces propriétés. 1314 ; lat. …édiév. *sedativus*, du lat. *sedare*, « calmer » ; [sedatif, iv].

**SÉDATION, subst. f.**
…éd. Action produite par un sédatif. 1314 ; lat. …datio ; [sedasjɔ̃].

**SÉDENTAIRE, adj.**
… Qui a lieu, qui s'exerce toujours au même endroit …anton. *itinérant*) : *Vie, profession sédentaire*. 2. Qui …meure habituellement chez soi ; casanier. 3. *An…ropol.* Dont l'habitat est fixe (anton. *nomade*) : *…uples sédentaires* ; empl. subst., personne séden…ire. 1492 ; lat. *sedentarius*, « qui travaille assis », … *sedere*, « être assis » ; [sedɑ̃tɛʀ].

**SÉDENTARISATION, subst. f.**
…ction de sédentariser, fait de se sédentariser ; son …sultat. 1957 ; ☞ *sédentariser* ; [sedɑ̃taʀizasjɔ̃].

**SÉDENTARISER, verbe trans.** [3]
…endre sédentaire ; empl. pronom. : *Les Touaregs sédentarisent*. 1910 ; ☞ *sédentaire* ; [sedɑ̃taʀize].

**SÉDENTARITÉ, subst. f.**
… *Anthropol.* Mode de vie d'une personne séden…ire. 2. Fait d'être sédentaire (littér.). 1819 ; ☞ *sédentaire* ; [sedɑ̃taʀite].

**SEDIA GESTATORIA, subst. f.**
…ath. Siège sur lequel on transportait le pape lors … cérémonies religieuses. 1895 ; ital. *sedia gesta…ria*, « chaise gestatoire » ; [sedjaʒɛstatɔʀja].

**SÉDIMENT, subst. m.**
…éol. Couche meuble résultant de la précipitation … particules ou du dépôt de grains de taille variable …yant été transportés. 1564 ; lat. *sedimentum* ; …edimɑ̃].

**SÉDIMENTAIRE, adj.**
…étrogr. Relatif aux sédiments ou à leur formation. … 1838 ; ☞ *sédiment* ; [sedimɑ̃tɛʀ].

**SÉDIMENTATION, subst. f.**
… *Géol.* Ensemble des phénomènes qui régissent la …ormation et le dépôt des sédiments. 2. *Méd. Vitesse … sédimentation des hématies* : dans une éprouvette, …tesse de chute des globules rouges d'un échantil…n de sang rendu incoagulable, qui s'accroît en cas … inflammation ou d'infection (abrév. : V. S.). … 1861 ; ☞ *sédiment* ; [sedimɑ̃tasjɔ̃].

**SÉDIMENTER (SE), verbe pronom.** [3]
…éol. Se déposer, en parlant de particules en …ouvement. 1922 ; ☞ *sédiment* ; [sedimɑ̃te].

**SÉDIMENTOLOGIE, subst. f.**
…éol. Étude des sédiments, des roches sédimentaires … des processus qui interviennent dans leur dépôt … dans leur formation (synon. *géologie sédimen…aire*). 1952 ; ☞ *sédiment* + *-logie* ; [sedimɑ̃tɔlɔʒi].

**SÉDITIEUX, EUSE, adj. et subst.**
… dit d'une personne qui prend part à une sédi…on. ADJ. Qui incite à la sédition : *Propos séditieux*. … Mil. XIV^e s. ; lat. *seditiosus* ; [sedisjø, øz].

**SÉDITION, subst. f.**
…ouvement organisé de désobéissance, visant à …enverser, à contester une autorité ; trouble, insur…ection. 1209 ; lat. *seditio* ; [sedisjɔ̃].

**SÉDUCTEUR, TRICE, subst.**
… Vx. Corrupteur. 2. Personne qui séduit, charme ; …mpl. adj. : *Un regard séducteur*. Fin XIV^e s. ; lat. …ccl. *seductor* ; [sedyktœʀ, tʀis].

**SÉDUCTION, subst. f.**
… Action, fait de séduire. 2. Ce qui sert à séduire ; charme : *Femme d'une grande séduction*. Déb. XIII^e s. (fin XII^e s., trahison) ; lat. eccl. *seductio* ; [sedyksjɔ̃].

**SÉDUIRE, verbe trans.** [69]
1. Vx. Écarter (qqn) du droit chemin. 2. Entraîner (une personne) à renoncer à la chasteté ou à la fidélité ; suborner. 3. Agir de manière à charmer (qqn), à le convaincre. 4. Exercer un attrait irrésistible sur ; gagner l'admiration de. Déb. XII^e s. ; lat. *seducere*, « emmener à part » ; [sedɥiʀ].

**SÉDUISANT, ANTE, adj.**
1. Qui séduit. 2. Qui tente ; alléchant : *Programme séduisant*. 1542 ; p. pr. de *séduire* ; [sedɥizɑ̃, ɑ̃t].

**SEERSUCKER, subst. m.**
*Text.* Tissu de coton gaufré. 1838 ; mot angl. ; [siʀsœkœʀ].

**SÉFARADE, subst. et adj.**
1. Se dit d'un Juif espagnol ou portugais. 2. Ext. Se dit d'un Juif méditerranéen. ADJ. Relatif, propre aux Séfarades. 1875 ; hébreu *s^e fāraddī*, « espagnol » ; var. *sépharade* ; [sefaʀad].

**SÉGALA, subst. m.**
Terre à seigle de certains plateaux du Massif central (région.). 1868 ; mot occitan ; [segala].

**SEGHIA, voir SÉGUIA**

**SEGMENT, subst. m.**
1. *Géom.* ► *Segment circulaire* : intersection d'un disque avec un demi-plan (situé dans le plan du disque) dont la frontière rencontre le disque. ► *Segment de droite* : partie d'une droite limitée par deux points distincts de cette droite. ► *Segment d'extrémités A et B dans un espace affine réel* : ensemble des points M tels que $\overrightarrow{AM} = t\,\overrightarrow{AB}$, $t$ parcourant le **segment** [0,1] de $\mathbb{R}$. 2. Portion nettement délimitée d'un tout. 3. *Spéc.* ► *Écon.* Sous-ensemble homogène : *Segment de marché, de clientèle*. ► *Ling.* Unité phonétique ou logique. ► *Math. Segment d'un ensemble ordonné* : intervalle contenant ses extrémités (ex. : [-2, 7] dans $\mathbb{R}$). ► *Mécan. Segment de piston* : bague élastique le ceignant et en assurant l'étanchéité lorsqu'il se meut dans le cylindre ; *Segment de frein* : pièce en arc portant la garniture qui vient s'appliquer sur le tambour (synon. *mâchoire*). ► *Zool.* Chaque élément composant le corps d'un animal articulé, segmenté ou annelé. 1596 ; lat. *segmentum*, « bande » ; [sɛgmɑ̃].

**SEGMENTAIRE, adj.**
1. Formé de segments. 2. Relatif à un segment. 1842 ; ☞ *segment* ; [sɛgmɑ̃tɛʀ].

**SEGMENTATION, subst. f.**
1. Division en segments. 2. *Embryol.* Division affectant le zygote juste après la fécondation, qui donne naissance à des blastomères. 1855 ; ☞ *segmenter* ; [sɛgmɑ̃tasjɔ̃].

**SEGMENTER, verbe trans.** [3]
Partager en segments, fractionner. 1877 ; ☞ *segment* ; [sɛgmɑ̃te].

**SÉGRAIRIE, subst. f.**
*Sylvic.* 1. Possession d'un bois par indivis. 2. Méton. Le bois ainsi possédé. 1343 (1286, office de ségrayer) ; ☞ *ségrayer* ; [segʀɛʀi].

**SÉGRAIS, subst. m.**
*Sylvic.* Bois exploité isolément. 1690 ; ☞ *ségrayer* ; [segʀɛ].

**SÉGRAYER, subst. m.**
*Sylvic.* Propriétaire d'un ségrais ou d'une ségrairie. 1636 (1336, garde forestier) ; lat. médiév. *secretarius* ; [segʀɛje].

**SÉGRÉGATIF, IVE, adj.**
Qui a trait à la ségrégation ; qui la met en œuvre ou la favorise. 1845 ; ☞ *ségrégation* ; [segʀegatif, iv].

**SÉGRÉGATION, subst. f.**
1. Action de séparer qqch. d'un ensemble ; action d'écarter qqn d'un groupe, fondée sur des critères d'âge, de sexe, de religion, d'appartenance sociale, etc. ► *Ségrégation raciale* : discrimination entre des êtres humains fondée sur des critères raciaux. 2. *Métall.* Séparation des différentes parties d'un alliage durant sa solidification. 1374 ; bas lat. *segregatio*, « séparation » ; [segʀegasjɔ̃].

**SÉGRÉGATIONNISTE, adj. et subst.**
Se dit d'un partisan de la ségrégation raciale. ADJ. Relatif, propre à une ségrégation, en partic. raciale. V. 1950 ; ☞ *ségrégation* ; [segʀegasjɔnist].

**SÉGUEDILLE, subst. f.**
1. Danse andalouse de rythme rapide à trois temps, accompagnée de guitare, de castagnettes et de chants. 2. Musique et chants accompagnant cette danse. 1784 (1630, chanson) ; esp. *seguidilla*, de *seguir*, « suivre » ; [segədij] ou [-ge-].

**SÉGUIA, subst. f.**
Canal d'irrigation, en Afrique du Nord. 1849 ; ar. *sâqiya* ; var. *seghia* ; [segja].

**SEICHE (I), subst. f.**
*Zool.* Mollusque céphalopode marin comestible, au corps ovale entouré d'une nageoire ondulante, portant dix tentacules, et doté d'une coquille interne. Attaqué, l'animal répand une encre noire. XII^e s. ; lat. *sepia*, du gr. *sêpia* ; [sɛʃ].

© Y. Lanceau-Jacana
*Seiche.*

**SEICHE (II), subst. f.**
*Géogr.* Oscillation non cyclique de la surface d'une étendue d'eau. 1730 ; orig. obsc. ; [sɛʃ].

**SÉIDE, subst. m.**
Fanatique qui obéit aveuglément à un chef (péj.). 1815 ; *Séide*, personnage de *Mahomet*, tragédie de Voltaire ; [seid].

**SEIGLE, subst. m.**
1. *Bot.* Céréale de la famille des Poacées, cultivée sur les terres froides des régions pauvres, car elle résiste au gel, et servant à l'alimentation animale et à la fabrication de farine. 2. Méton. Le grain lui-même : *Pain de seigle*, à base de farine de **seigle**. Fin XII^e s. ; lat. *secale* ; [sɛgl].

**SEIGNEUR, subst. m.**
1. *Féod.* Personne qui exerce sa souveraineté sur un fief, un territoire. 2. *Hist.* Sous l'Ancien Régime, titre honorifique attribué aux personnes de haut rang. 3. Ext. Personne détenant puissance et autorité ; maître. ► *Relig.* Dieu : *Le jour du Seigneur*, le dimanche ; *Notre Seigneur*, le Christ. 4. Fig. Personnage puissant, détenant une supériorité dans un domaine. ► Loc. *À tout seigneur tout honneur* : il faut honorer celui qui le mérite ; *En grand seigneur* : avec faste et, au fig., avec noblesse, générosité. 842 ; lat. *senior*, « plus âgé ; ancien » ; [sɛɲœʀ].

**SEIGNEURIAGE, subst. m.**
*Féod.* 1. Droit d'un seigneur. 2. Droit prélevé par un seigneur sur la frappe des monnaies. Déb. XII^e s. ; ☞ *seigneur* ; [sɛɲœʀjaʒ].

**SEIGNEURIAL, ALE, AUX, adj.**
1. *Féod.* Qui relève du seigneur. 2. Digne d'un seigneur (littér.). Déb. XIII^e s. ; ☞ *seigneur* ; [sɛɲœʀjal, o].

**SEIGNEURIE, subst. f.**
1. *Féod.* ► Souveraineté exercée par un seigneur en matière de justice et de gouvernement sur sa terre et sur les personnes qui y résidaient. ► Terre seigneuriale (synon. *fief*). 2. Titre honorifique donné à divers dignitaires, en partic. aux anciens pairs de France sous la Restauration et, de nos jours, en Grande-Bretagne, aux membres de la Chambre des lords. Mil. XII^e s. ; ☞ *seigneur* ; [sɛɲœʀi].

**SEILLE, subst. f.**
Seau de bois ou de toile (vx). Fin XII^e s. ; lat. *situla*, « seau » ; [sɛj].

**SEILLON, subst. m.**
1. Seille à lait. 2. Baquet peu profond servant au soutirage du vin. 1355 ; ☞ *seille* ; [sɛjɔ̃].

**SEIME, subst. f.**
*Vétér.* Fente du sabot des Équidés, allant de la sole à la couronne. 1607 ; angl. *seam*, « fissure » ; [sɛm].

**SEIN, subst. m.**
I. Littér. 1. Siège des sentiments : *S'épancher dans le sein de qqn* ; *Serrer contre son sein*. ► Loc. prép. *Du sein de* : du plus profond de ; *Au sein de* : au cœur de, parmi. 2. Lieu de la gestation : *Sortir du même sein*. II. 1. Chacune des mamelles de la femme : *Avoir de beaux seins*, une belle poitrine. ► Loc. *Donner le sein* : allaiter ; *Prendre le sein* : téter.

**2.** Mamelon de l'homme. Mil. XII^e s. (déb. XII^e s., partie du vêtement recouvrant la poitrine) ; lat. *sinus*, « partie du corps couverte par le pli de la toge » ; [sɛ̃].

**SEINE, subst. f.**
*Pêche.* Filet que l'on traîne sur les fonds plats. Fin XII^e s. ; lat. *sagena*, du gr. *sagênê* ; var. *senne* ; [sɛn].

**SEING, subst. m.**
**1.** Vx. Signe, marque distinctive. **2.** Signature d'une personne au bas d'un document, d'un acte. ▸ *Dr. Acte sous seing privé* : qui n'a pas été enregistré par un notaire. Mil. XII^e s. ; lat. *signum* ; [sɛ̃].

**SÉISME, subst. m.**
**1.** *Géol.* Vibrations du sol et du sous-sol provoquées, en un point déterminé de la croûte terrestre ou du manteau supérieur, par une brutale libération de l'énergie accumulée par une tension sur une surface de discontinuité trop longtemps bloquée (synon. *tremblement de terre*). **2.** Fig. Bouleversement inattendu. 1885 ; gr. *seismos* ; [seism].

**SÉISMICITÉ, voir SISMICITÉ**
**SÉISMIQUE, voir SISMIQUE**
**SÉISMOGRAPHE, voir SISMOGRAPHE**
**SÉISMOLOGIE, voir SISMOLOGIE**

**SEIZE, adj. num. inv. et subst. m. inv.**
**Adj. card.** Quinze plus un. ▸ *Seize cents* : mille six cents. **Adj. ord. 1.** Seizième : *Louis XVI*. **2.** Qui porte le numéro seize : *La table seize* ou, empl. subst., *La seize*. **Subst. 1.** Le nombre seize. **2.** Le numéro seize : *Le seize est éliminé*. Mil. XII^e s. ; lat. *sedicim*, de *sex*, « six », et de *decem*, « dix » ; [sɛz].

**SEIZIÈME, adj. et subst. m.**
**Adj. num. ord.** Qui occupe le rang marqué par le nombre seize ; empl. subst. : *Le, la seizième*. ▸ *Le XVI^e arrondissement de Paris* ou, par ell., *Le seizième* : arrondissement bourgeois de Paris ; au fig. : *Ils sont très seizième*, bon chic bon genre (par réf. à l'aspect social de cet arrondissement). **Adj.** Qui constitue une fraction d'un tout divisé également en seize : *La seizième partie* ou, empl. subst. masc., *Le seizième*. **Subst.** *Seizième de finale* : phase d'une compétition opposant deux à deux trente-deux concurrents. Mil. XII^e s. ; ☞ *seize* ; [sɛzjɛm].

**SÉJOUR, subst. m.**
**1.** Fait de résider dans un lieu sans s'y fixer. ▸ *Carte de séjour* : document autorisant un étranger à demeurer dans un pays pour un temps déterminé. **2.** Méton. Temps passé à séjourner quelque part. **3.** Lieu où l'on reste un certain temps (littér.) : *Plus me plaît le séjour qu'ont bâti mes aïeux* (du Bellay). **4.** *Salle de séjour* ou, par ell., *Le séjour* : pièce où l'on se tient habituellement. Fin XI^e s. ; ☞ *séjourner* ; [seʒuʀ].

**SÉJOURNER, verbe intrans. [3]**
Demeurer quelque temps dans un lieu : *Séjourner à Naples, chez des amis*. Déb. XII^e s. ; lat. pop. °*subdiurnare*, « durer un certain temps » ; [seʒuʀne].

**SEL, subst. m.**
**1.** *Chim.* Composé formé par réaction d'un acide avec une base, dans lequel l'atome d'hydrogène de l'acide est remplacé par un cation. **2.** Substance blanche et friable, de saveur piquante, constituée essentiellement de chlorure de sodium (NaCl), extraite de l'eau de mer ou de mines et servant à la conservation ou à l'assaisonnement d'aliments : *Sel de table* ; *Sel fin* ; *Gros sel* ; par anal. d'emploi : *Du sel de céleri*. ▸ Fig. Ce qui donne du piquant, de l'intérêt : *Une histoire pleine de sel*. ▸ Loc. *Mettre son grain de sel* (☞ *grain*) ; *Le sel de la terre* : l'élite d'un groupe. **Plur. 1.** Substance acide que l'on faisait respirer aux gens tombés en syncope. **2.** *Sels de bain* : mélange de cristaux parfumés pour le bain. Déb. XII^e s. ; lat. *sal* ; [sɛl].

**SÉLACIENS, subst. m. plur.**
*Zool.* Ordre rassemblant les poissons cartilagineux dépourvus de vessie natatoire (vieilli). **Au sing.** *Le squale, comme la raie, est un sélacien*. 1817 ; gr. *selakhos*, « poisson cartilagineux » ; [selasjɛ̃].

**SÉLAGINELLE, subst. f.**
*Bot.* Petite ptéridophyte des forêts tropicales. 1823 ; lat. *selago*, genre de plante ; [selaʒinɛl].

**SÉLECT, ECTE, adj.**
**1.** Vx. De premier choix. **2.** Qui est composé d'une élite : *Public sélect*. 1831 ; angl. *select*, « choisi parmi un grand nombre », du lat. *selectus*, « trié » ; [selɛkt].

**SÉLECTEUR, TRICE, adj. et subst. m.**
**Adj.** Qui opère une sélection. **Subst. 1.** *Techn.* Dispositif de commutation servant à choisir entre les différentes parties d'un système ou d'une machine : *Sélecteur de programmes*. **2.** Pédale de changement de vitesse, sur une motocyclette. 1902 ; ☞ *sélection* ; [selɛktœʀ, tʀis].

**SÉLECTIF, IVE, adj.**
**1.** Qui se fonde sur une sélection ; qui opère une sélection : *Mémoire sélective*. **2.** *Télécomm.* *Récepteur sélectif* : qui permet la réception d'une onde de fréquence bien séparée des ondes de fréquence voisines. 1872 ; ☞ *sélection* ; [selɛktif, iv].

**SÉLECTION, subst. f.**
**1.** Opération par laquelle, à l'intérieur d'un ensemble donné, on choisit certains éléments en fonction de caractéristiques déterminées et en vue d'une certaine fin : *Sélection des candidats*. **2.** Méton. Ensemble des éléments choisis : *Sélection des meilleurs films*. **3.** *Techn.* Choix d'une des possibilités offertes par un appareil. **4.** *Biol.* *Sélection naturelle* : selon la théorie de l'évolution de Darwin, processus qui assure la survivance des individus d'une espèce les mieux adaptés à des conditions de vie données et qui élimine les individus les moins adaptés. **5.** *Impr.* *Sélection des couleurs* : procédé photographique ou électronique qui permet de dissocier les couleurs d'un document en deux ou trois couleurs primaires. 1801 (1609, morceaux choisis) ; lat. *selectio* ; [selɛksjɔ̃].

**SÉLECTIONNER, verbe trans. [3]**
Effectuer la sélection de. 1866 ; ☞ *sélection* ; [selɛksjɔne].

**SÉLECTIONNEUR, EUSE, subst.**
Personne chargée de sélectionner qqch. ou qqn. 1923 ; ☞ *sélectionner* ; [selɛksjɔnœʀ, øz].

**SÉLECTIVEMENT, adv.**
D'une manière sélective. 1871 ; ☞ *sélectif* ; [selɛktivmɑ̃].

**SÉLECTIVITÉ, subst. f.**
Qualité d'un processus, d'un appareil sélectif (en partic. un récepteur de radiodiffusion). 1924 ; ☞ *sélectif* ; [selɛktivite].

**SÉLÉNIATE, subst. m.**
*Chim.* Sel de l'acide sélénique. 1820 ; ☞ *sélénium* ; [selenjat].

**SÉLÉNIEUX, adj. m.**
*Chim.* Se dit de l'acide de formule globale $H_2SeO_3$. 1827 ; ☞ *sélénium* ; [selenjø].

**SÉLÉNIQUE, adj. m.**
*Chim.* Se dit de l'acide de formule globale $H_2SeO_4$. 1842 (1721, de la Lune) ; ☞ *sélénium* ; [selenik].

**SÉLÉNITE (I), adj. et subst.**
**Adj.** Qui est propre à la Lune ; lunaire. **Subst.** Être autrefois supposé habiter la Lune. 1812 ; lat. *selenitis*, du gr. *Selênê*, « la Lune » ; [selenit].

**SÉLÉNITE (II), subst. m.**
*Chim.* Sel de l'acide sélénieux. 1842 ; ☞ *sélénium* ; [selenit].

**SÉLÉNITEUX, EUSE, adj.**
*Chim.* Qui contient du sulfate de calcium. 1757 ; *sélénite* (vx), « gypse » ; [selenitø, øz].

**SÉLÉNIUM, subst. m.**
*Chim.* Élément n° 34 de la table de Mendeleïev (symb. : Se) ; masse atomique : 78,96 ; point de fusion : 217 °C ; point d'ébullition : 685 °C ; masse volumique : 4,79 g/cm^3. C'est un non-métal solide, dont la conductivité électrique varie selon la lumière qu'il reçoit et qui est utilisé notamment dans les cellules photoélectriques. 1818 ; gr. *Selênê*, « la Lune » ; [selenjɔm].

**SÉLÉNIURE, subst. m.**
*Chim.* Corps composé de sélénium et d'un autre corps simple. 1818 ; ☞ *sélénium* ; [selenjyʀ].

**SÉLÉNOLOGIE, subst. f.**
Étude de la Lune. V. 1970 ; gr. *Selênê*, « la Lune », + *-logie* ; [selenɔlɔʒi].

**SELF (I), subst. m.**
Restaurant où l'on se sert soi-même (fam.). V. 1960 ; apocope de *self-service* ; [sɛlf].

**SELF (II), subst. m.**
*Psychanal.* Selon D. W. Winnicott, espace intérieur de l'enfant après l'intégration de souvenirs, de sentiments et de pulsions, et la constitution des mécanismes de défense (anglic.). Mil. XX^e s. ; angl. *self*, « soi-même » ; [sɛlf].

**SELF-CONTROL, subst. m.**
Contrôle de soi-même (anglic.). 1883 ; mot angl. ; plur. *self-controls* ; [sɛlfkɔ̃tʀol].

**SELF-GOVERNMENT, subst. m.**
*Pol.* Système britannique dans lequel les citoyens s'administrent eux-mêmes, hormis pour les questions de politique générale : *Le self-government des îles Anglo-Normandes*. 1831 ; angl. *self-government*, « gouvernement par soi-même » ; plur. *self-governments* ; [sɛlfgɔvɛʀnmɛnt].

**SELF-INDUCTANCE, subst. f.**
*Électr.* Auto-inductance (anglic.). 1893 ; mot angl. ; plur. *self-inductances* ; [sɛlfɛ̃dyktɑ̃s].

**SELF-INDUCTION, subst. f.**
*Électr.* Auto-induction (anglic.) : *Coefficient de self-induction*, inductance. 1881 ; mot angl. ; plur. *self-inductions* ; [sɛlfɛ̃dyksjɔ̃].

**SELF-MADE-MAN, subst. m.**
Homme qui ne doit sa réussite qu'à ses mérites personnels (anglic.). 1873 ; anglo-amér. *self-made-man*, « homme qui s'est fait lui-même » ; plur. *self-made-mans ou -men* ; [sɛlfmɛdman], plur. [-mɛn].

**SELF-SERVICE, subst. m.**
Libre-service (anglic.). 1949 ; mot angl. ; plur. *self-services* ; [sɛlfsɛʀvis].

**SELLE, subst. f.**
**1.** Pièce du harnais, de forme incurvée et gén. en cuir, placée sur le dos d'une monture pour recevoir le cavalier. ▸ Loc. *Cheval de selle* : propre à être monté ; *Être en selle* : être assis sur la **selle** ou, au fig., être prêt ; *Mettre, remettre qqn en selle* : l'aider à entreprendre qqch., à se rétablir. **2.** Anal. Petit siège triangulaire d'un cycle ou d'un tracteur. **3.** *Bouch.* Quartier postérieur situé entre la première côte et le gigot, dans l'agneau, le mouton, le veau, le chevreuil. **4.** Chaise percée (vx) : *Aller à la selle*, déféquer ; par méton. : *Les selles*, les matières fécales. **5.** *Sculpt.* Socle à trois pieds supportant un plateau sur lequel le sculpteur pose l'ouvrage qu'il va modeler. **6.** *Anat.* *Selle turcique* (☞ *turcique*) Fin XI^e s. ; lat. *sella*, « chaise » ; [sɛl].

**SELLER, verbe trans. [3]**
Équiper d'une selle. Mil. XII^e s. ; ☞ *selle* ; [sele].

**SELLERIE (I), subst. f.**
Métier du sellier ; ouvrages qu'il réalise : *Articles de sellerie*. 1260 ; ☞ *sellier* ; [sɛlʀi].

**SELLERIE (II), subst. f.**
**1.** Ensemble des selles, des harnais nécessaires aux montures. **2.** Lieu où sont rangés les selles et les harnais. 1360 ; ☞ *selle* ; [sɛlʀi].

**SELLETTE, subst. f.**
**1.** *Hist.* Petit siège bas sur lequel on faisait asseoir un accusé pour l'interroger. ▸ Loc. *Être sur la sellette* : être accusé ou, par ext., être l'objet des conversations ; *Mettre qqn sur la sellette* : le presser de questions pour le forcer à s'expliquer. **2.** *Sculpt.* Petite selle de sculpteur ; par anal., petit support décoratif à trois ou quatre pieds assez hauts, sur lequel on pose un objet, une plante, etc. **3.** *Bât.* Petit siège suspendu à des cordes, tenant lieu d'échafaudage mobile. XIII^e s. ; ☞ *selle* ; [sɛlɛt].

**SELLIER, IÈRE, subst.**
Personne qui fabrique ou qui vend des selles et des accessoires de harnachement. 1260 ; ☞ *selle* ; [selje, jɛʀ].

**SELON, prép.**
**1.** Conformément à ; eu égard à : *Selon votre désir*. **2.** En fonction de, suivant. **3.** À proportion de : *À chacun selon ses besoins*. **4.** D'après l'opinion, le point de vue, le sentiment de : *Selon nous...* **5.** Loc. conj. *Selon que* (+ ind.) : suivant que, dans la mesure où. **6.** Loc. *C'est selon* : cela dépend des circonstances (fam.). XII^e s. ; prob. lat. pop. °*sublongum*, « le long de » ; [s(ə)lɔ̃].

**SELVE, subst. f.**
*Géogr.* Forêt vierge équatoriale ; en partic., la forêt amazonienne. 1877 ; port. *selva*, du lat. *silva*, « forêt » ; var. *selva* ; [sɛlv].

**SEMAILLES, subst. f. plur.**
**1.** Graines semées ou à semer. **2.** Méton. Action de semer ; période pendant laquelle on sème. Déb. XIII^e s. ; ☞ *semer* ; [s(ə)maj].

**SEMAINE, subst. f.**
**1.** Période de sept jours consécutifs, qui s'étend du lundi au dimanche. ▸ *Relig.* *Semaine sainte* : qui précède Pâques. ▸ Loc. *Fin de semaine* : samedi et dimanche, week-end. **2.** Ensemble des jours de cette période consacrés aux activités professionnelles : *Semaine de 39 heures*. ▸ Loc. *Semaine anglaise*

période de travail allant du lundi matin au vendredi soir ou au samedi midi ; *En **semaine*** : le samedi et le dimanche exclus ; *Être de **semaine*** : de service pour la **semaine**. ▸ Rémunération hebdomadaire : *Gagner sa **semaine***. **3.** Ext. Toute période de sept jours consécutifs : *Un voyage d'une **semaine***. ▸ Loc. *À la petite **semaine*** : au jour le jour, sans rien prévoir. **4.** Suite de sept jours consacrés à qqch. : ***Semaine** commerciale*. Mil. XIe s. ; lat. eccl. *septimana*, du lat. *septimanus*, « relatif au nombre sept » ; [s(ə)mɛn].

**SEMAINIER, IÈRE,** subst.
Personne qui est de semaine dans un établissement. **Masc. 1.** Calendrier groupant les jours par semaines. **2.** Petit meuble à sept tiroirs. **3.** Bracelet à sept anneaux. Déb. XIIIe s. ; ☞ *semaine* ; [s(ə)mɛnje, jɛʀ].

**SÉMANTÈME,** subst. m.
*Ling.* **1.** Élément du mot qui porte sa signification : *Dans « aimable », « aim- » est un **sémantème***. **2.** Ensemble des traits sémantiques d'une unité lexicale. 1921 ; ☞ *sémantique*, d'apr. *phonème* ; [semɑ̃tɛm].

**SÉMANTICIEN, IENNE,** subst.
Spécialiste de sémantique. 1913 ; ☞ *sémantique* ; [semɑ̃tisjɛ̃, jɛn].

**SÉMANTIQUE,** adj. et subst. f.
**Adj. 1.** *Ling.* Relatif au sens, à la signification : *Trait **sémantique***. **2.** *Log.* Qui est relatif à l'interprétation (par l'examen d'un modèle) d'un système formel (anton. *syntaxique*). **Subst. 1.** *Ling.* Partie de la linguistique qui étudie le langage du point de vue du sens des unités lexicales (polysémie, synonymie, changements de sens, etc.). **2.** *Log.* Étude d'une théorie formelle du point de vue des valeurs logiques que peuvent prendre ses propositions : modèle à deux valeurs, le vrai et le faux ; à trois valeurs avec le « ni vrai ni faux » en plus, etc. (synon. *théorie des modèles*). 1561 ; gr. *sêmantikos*, « qui signifie, indique » ; [semɑ̃tik].

**SÉMAPHORE,** subst. m.
**1.** *Mar.* Tour, mât, poste établi sur le littoral, qui sert à communiquer par signaux optiques avec les navires en vue. **2.** *Ch. de fer.* Signal d'arrêt servant à la sécurité de la circulation, constitué, en signalisation mécanique, par un bras et une palette rouge ou, en signalisation lumineuse, par un feu rouge. 1812 ; gr. *sêma*, « signe », + *-phore* ; [semafɔʀ].

**SÉMAPHORIQUE,** adj.
Relatif, propre au sémaphore : *Code **sémaphorique***. 1829 ; ☞ *sémaphore* ; [semafɔʀik].

**SÉMASIOLOGIE,** subst. f.
Partie de la sémantique qui cherche à déterminer le sens des mots en se fondant sur leur expression (anton. *onomasiologie*). 1884 ; gr. *sêmasia*, « signification », + *-logie* ; [semazjɔlɔʒi].

**SEMBLABLE,** adj. et subst.
**Adj. 1.** De même nature, de même apparence : *Deux maisons **semblables***. ▸ Semblable à. Identique à, ressemblant à : *Des ongles **semblables** à des griffes* ; par ell. : *Sa thèse est assez **semblable***. **2.** De ce genre, pareil, tel (souv. péj.) : *A-t-on jamais entendu **semblables** inepties ?* **3.** *Géom. Figures **semblables*** : figures du plan telles qu'il existe une similitude transformant l'une en l'autre. **Subst.** Personne considérée dans sa similitude avec le reste des humains : *Estimer ses **semblables***. Mil. XIIe s. ; ☞ *sembler* ; [sɑ̃blabl].

**SEMBLABLEMENT,** adv.
De manière semblable (littér.). 1267 ; ☞ *semblable* ; [sɑ̃blabləmɑ̃].

**SEMBLANT,** subst. m.
Vx. Aspect extérieur. ▸ Loc. *Un **semblant** de* : une chose qui n'a que l'apparence de ; *Faire **semblant** de* (+ inf.) : faire mine de ; *(Ne) faire **semblant** de rien* : feindre l'indifférence. 1100 ; p. pr. de *sembler* ; [sɑ̃blɑ̃].

**SEMBLER,** verbe intrans. [3]
**1.** Sembler (+ attribut). Paraître, donner l'impression d'être : *Tu me **sembles** bien lasse !* **2.** Sembler (+ inf.). Avoir l'air de : *Il **semble** dormir*. **Impers.** *Il **semble** que* : il est probable que ; *À ce qu'il **semble*** : selon toute apparence ; *À ce qu'il me **semble*** ou, par ell., *Ce me **semble*** : d'après moi ; *Comme bon me **semble*** : comme je le désire ; *Que vous en **semble** ?* : qu'en pensez-vous ? (littér.). 1100 ; bas lat. *similare*, « être semblable » ; [sɑ̃ble].

**SÈME,** subst. m.
*Ling.* Élément minimal de signification entrant dans la composition d'une unité lexicale (synon. *trait sémantique*). 1822 ; gr. *sêmeion*, « signe » ; [sɛm].

**SÉMÉIOLOGIE,** voir **SÉMIOLOGIE**

**SEMELLE,** subst. f.
**1.** Pièce de cuir, de caoutchouc, etc., qui constitue le dessous d'un soulier, d'une botte, et qui est en contact avec le sol. ▸ Loc. *Battre la **semelle*** : frapper le sol de ses pieds, pour les réchauffer. **2.** Pièce dont on garnit l'intérieur de la chaussure, de la botte. **3.** Méton. Longueur du pied (vx). ▸ Loc. *Ne pas avancer, bouger d'une **semelle*** : ne pas progresser du tout ; *Ne pas lâcher, quitter qqn d'une **semelle*** : le suivre partout. **4.** Fig. Viande trop dure (fam.). **5.** *Techn.* Pièce plate servant d'assise ou de renfort à une construction, à un objet : ***Semelle** de rail* ; ***Semelle** de fer à repasser*, sa base métallique ; ***Semelle** d'un ski*, sa face inférieure. Fin XIIe s. ; orig. obsc. ; [s(ə)mɛl].

**SÉMÈME,** subst. m.
*Ling.* Ensemble des sèmes qui composent le sens d'une unité lexicale. V. 1960 ; angl. *sememe*, « unité de signification » ; [semɛm].

**SEMENCE,** subst. f.
**1.** Sperme. **2.** *Agric.* Graine, fraction de végétal semé ou enfoui pour la reproduction. **3.** Petit clou utilisé par les tapissiers, les cordonniers, etc. Déb. XIIe s. ; bas lat. *sementia*, « semailles » ; [s(ə)mɑ̃s].

**SEMER,** verbe trans. [10]
**1.** Mettre (des semences) en terre ; par méton., ensemencer : ***Semer** un champ*. **2.** Anal. Jeter çà et là, disséminer. **3.** Fig. Répandre, propager : ***Semer** la confusion*. **4.** ***Semer** qqn* : le distancer pour s'en débarrasser (fam.). Mil. XIIe s. ; lat. *seminare* ; [s(ə)me].

**SEMESTRE,** subst. m.
**1.** Période de six mois consécutifs ; chacune des deux parties de l'année civile. ▸ Moitié de l'année scolaire, universitaire. **2.** Méton. Rente, pension payée tous les six mois. 1618 (1550, semestriel) ; lat. *semestris*, « semestriel » ; [s(ə)mɛstʀ].

**SEMESTRIEL, ELLE,** adj.
**1.** Qui dure pendant un semestre. **2.** Qui a lieu chaque semestre. 1818 ; ☞ *semestre* ; [s(ə)mɛstʀijɛl].

**SEMEUR, EUSE,** subst.
**1.** Personne qui sème le grain. **2.** Fig. ***Semeur** de discorde* : personne qui se plaît à répandre la discorde. Fin XIIe s. ; ☞ *semer* ; [s(ə)mœʀ, øz].

**SEMI-ARIDE,** adj.
*Géogr.* Qui n'est pas tout à fait aride. 1912 ; ☞ *aride* + *semi-* ; plur. *semi-arides* ; [səmiaʀid].

**SEMI-AUTOMATIQUE,** adj.
En partie automatique : *Arme **semi-automatique***, dont le chargement est automatique, mais non le tir. 1896 ; ☞ *automatique* + *semi-* ; plur. *semi-automatiques* ; [səmiɔtɔmatik].

**SEMI-AUXILIAIRE,** adj. et subst. m.
*Ling.* Se dit d'un verbe qui peut être employé comme auxiliaire devant un infinitif et qui sert à exprimer certaines nuances de temps ou d'aspect : *« Devoir » est un **semi-auxiliaire***. 1933 ; ☞ *auxiliaire* + *semi-* ; plur. *semi-auxiliaires* ; [səmiɔksiljɛʀ].

**SEMI-CIRCULAIRE,** adj.
**1.** En forme de demi-cercle. **2.** *Anat. Canaux **semi-circulaires*** : canaux osseux et membraneux de l'oreille interne qui jouent un rôle important dans l'équilibration. 1314 ; ☞ *circulaire* + *semi-* ; plur. *semi-circulaires* ; [səmisiʀkylɛʀ].

**SEMI-COKE,** subst. m.
*Techn.* Produit de la distillation de la houille, intermédiaire entre la houille et le coke. 1927 ; ☞ *coke* (I) + *semi-* ; plur. *semi-cokes* ; [səmikɔk].

**SEMI-CONDUCTEUR, TRICE,** adj. et subst. m.
*Électr.* Se dit d'un corps dont les propriétés de conduction sont intermédiaires entre celles des corps conducteurs (métaux) et celles des isolants. 1897 ; ☞ *conducteur* + *semi-* ; plur. *semi-conducteurs, trices* ; [səmikɔ̃dyktœʀ, tʀis].

**SEMI-CONSERVE,** subst. f.
*Alim.* Conserve partiellement stérilisée. 1950 ; ☞ *conserve* + *semi-* ; plur. *semi-conserves* ; [səmikɔ̃sɛʀv].

**SEMI-CONSONNE,** subst. f.
*Phon.* Semi-voyelle. 1893 ; ☞ *consonne* + *semi-* ; plur. *semi-consonnes* ; [səmikɔ̃sɔn].

**SEMI-FINI, IE,** adj.
*Écon. Produits **semi-finis*** : intermédiaires entre les matières premières et les produits finis. 1927 ; ☞ *fini* + *semi-* ; plur. *semi-finis, ies* ; [səmifini].

**SEMI-GLOBALE,** adj. f.
Qualifie une méthode d'apprentissage de la lecture associant méthodes analytique et globale. XXe s. ; ☞ *global* + *semi-* ; plur. *semi-globales* ; [səmiglɔbal].

**SEMI-LIBERTÉ,** subst. f.
*Dr.* Régime de liberté partielle accordé à un détenu. V. 1970 (1928, mesure éducative) ; ☞ *liberté* + *semi-* ; plur. *semi-libertés* ; [səmilibɛʀte].

**SÉMILLANT, ANTE,** adj.
Qui est vif et gai ; fringant : *Enfant, esprit **sémillant***. 1546 ; anc. fr. *semiller*, « s'agiter » ; [semijɑ̃, ɑ̃t].

**SÉMILLON,** subst. m.
*Vitic.* Cépage blanc du Bordelais, qui donne des raisins très sucrés. 1832 ; prov. *semilhoun*, de l'anc. prov. *sem*, « semence » ; [semijɔ̃].

**SEMI-LUNAIRE,** adj.
*Anat. Os **semi-lunaire*** : os de la rangée supérieure du carpe, en forme de demi-lune. 1721 ; ☞ *lunaire* (I) + *semi-* ; plur. *semi-lunaires* ; [səmilynɛʀ].

**SÉMINAIRE,** subst. m.
**1.** Établissement où l'on forme les jeunes gens qui se destinent à la prêtrise. ▸ Méton. Ensemble de ceux qui fréquentent cet établissement ; la durée des études. **2.** Anal. Groupe d'étude, dans le milieu universitaire ou dans celui de la recherche. Fin XVIe s. ; lat. *seminarium*, « pépinière » ; [seminɛʀ].

**SÉMINAL, ALE, AUX,** adj.
Relatif à la semence, au sperme ou, au fig., à une idée essentielle. 1372 ; lat. *seminalis*, « destiné à être semé » ; [seminal, o].

**SÉMINARISTE,** subst. m.
Élève qui étudie dans un séminaire. 1609 ; ☞ *séminaire* ; [seminaʀist].

**SEMI-NASAL, ALE, ALS ou AUX,** adj. et subst. f.
*Phon.* Se dit d'un phonème constitué de consonnes, à articulation complexe, qui s'effectue avec un mouvement du voile du palais en cours d'articulation, de sorte qu'il a à la fois les caractères de la nasalité et de l'oralité. Mil. XXe s. ; ☞ *nasal* + *semi-* ; [səminazal, o].

**SÉMINIFÈRE,** adj.
*Anat.* Se dit des tubes dans lesquels se forment les spermatozoïdes. 1803 ; lat. *semen*, « semence », + *-fère* ; [seminifɛʀ].

**SEMI-NOMADE,** adj.
**1.** Qui pratique le semi-nomadisme ; empl. subst. : *Un, une **semi-nomade***. **2.** Relatif à ce mode de vie. 1830 ; ☞ *nomade* + *semi-* ; plur. *semi-nomades* ; [səminɔmad].

**SEMI-NOMADISME,** subst. m.
*Anthropol.* Genre de vie combinant élevage nomade et agriculture. 1906 ; ☞ *nomadisme* + *semi-* ; plur. *semi-nomadismes* ; [səminɔmadism].

**SEMI-OFFICIEL, ELLE,** adj.
Qui émane du pouvoir sans être officiel. 1800 ; ☞ *officiel* + *semi-* ; plur. *semi-officiels, elles* ; [səmiɔfisjɛl].

**SÉMIOLOGIE,** subst. f.
**1.** *Méd.* Étude des symptômes des maladies (synon. *symptomatologie, sémiotique*). **2.** *Ling.* Sémiotique. 1752 ; gr. *sêmeion*, « signe », + *-logie* ; var., au sens 1, *séméiologie* ; [semjɔlɔʒi].

**SÉMIOLOGIQUE,** adj.
Relatif à la sémiologie. 1832 ; ☞ *sémiologie* ; [semjɔlɔʒik].

**SÉMIOLOGUE,** subst.
Spécialiste de sémiologie. V. 1960 ; ☞ *sémiologie* ; [semjɔlɔg].

**SÉMIOTICIEN, IENNE,** subst.
Spécialiste de sémiotique. 1765 ; ☞ *sémiotique* ; [semjɔtisjɛ̃, jɛn].

**SÉMIOTIQUE,** subst. f. et adj.
**Subst. 1.** *Méd.* Sémiologie. **2.** *Ling.* Science des signes, du langage et des discours. ▸ Ext. Science qui étudie tous les systèmes de signification, en partic. les différentes formes artistiques, les mythes, les modes, etc. **Adj.** Relatif, propre à la **sémiotique**. 1555 ; gr. *sêmeiôtikê*, « observation des symptômes » ; [semjɔtik].

**SEMI-OUVERT, ERTE,** adj.
*Math.* Se dit d'un intervalle de nombres réels qui ne contient que l'une de ses extrémités. Mil. XXe s. ; ☞ *ouvert* + *semi-* ; plur. *semi-ouverts, ertes* ; [səmiuvɛʀ, ɛʀt].

**SEMI-OUVRÉ, ÉE,** adj.
*Produit **semi-ouvré*** : en partie élaboré. Mil. XXe s. ; ☞ *ouvré* + *semi-* ; plur. *semi-ouvrés, ées* ; [səmiuvʀe].

**SEMI-PUBLIC, IQUE,** adj.
*Dr.* Qui relève à la fois du droit privé et du droit public. 1928 ; ☞ *public* + *semi-* ; plur. *semi-publics, iques* ; [səmipyblik].

**SÉMIQUE, adj.**
*Ling.* Du sème. 1943 ; ☞ *sème* ; [semik].

**SEMI-REMORQUE, subst.**
**Fém.** Remorque équipée d'un train de roues à l'arrière et dont l'avant, sans roues, repose sur un tracteur routier. **Masc.** Ensemble composé du tracteur et de la **semi-remorque** ; empl. adj. : *Camion **semi-remorque**.* 1951 ; ☞ *remorque* + *semi-* ; plur. *semi-remorques* ; [səmiʀ(ə)mɔʀk].

**SEMIS, subst. m.**
**1.** *Hortic.* et *Sylvic.* Action de semer ; par méton., la terre ensemencée ou les graines semées : ***Semis** d'œillets.* **2.** Fig. Ornement constitué d'un motif répété régulièrement : *Un **semis** de petites étoiles.* 1742 ; ☞ *semer* ; [s(ə)mi].

**SEMI-SUBMERSIBLE, adj.**
Se dit d'une plate-forme de forage de haute mer posée sur des caissons à degré variable d'immersion. V. 1970 ; ☞ *submersible* + *semi-* ; plur. *semi-submersibles* ; [səmisybmɛʀsibl].

**SÉMITE, subst. et adj.**
Se dit d'un membre de l'un des peuples qui appartiennent à un groupe ethnique et linguistique du Proche-Orient se donnant Sem pour ancêtre. **Adj.** Relatif, propre à ces peuples. 1845 ; *Sem*, fils de Noé ; [semit].

**SÉMITIQUE, adj.**
Des Sémites. ► *Ling.* Se dit d'un groupe de langues d'Asie occidentale et d'Afrique : *L'hébreu et l'arabe sont des langues **sémitiques**.* 1812 ; all. *semitisch*, de *Sem*, fils de Noé ; [semitik].

**SÉMITISME, subst. m.**
Caractère sémitique. 1848 ; ☞ *sémite* ; [semitism].

**SEMI-VOYELLE, subst. f.**
*Phon.* Phonème intermédiaire entre une voyelle et une consonne, comme, par ex., [w] dans « fouet », [ɥ] dans « lui » ou [j] dans « vieux » (synon. *semi-consonne*). XVe s. ; ☞ *voyelle* + *semi-* ; plur. *semi-voyelles* ; [səmivwajɛl].

**SEMNOPITHÈQUE, subst. m.**
*Zool.* Mammifère primate anthropoïde de la famille des Cercopithécidés, voisin des colobes. 1821 ; gr. *semnos*, « majestueux », + *-pithèque* ; [sɛmnɔpitɛk].

© J.-Ph. Varin-Jacana

*Semnopithèque à coiffe.*

**SEMOIR, subst. m.**
*Agric.* **1.** Sac où le semeur puise son grain (vieilli). **2.** Machine servant à semer le grain. 1328 ; ☞ *semer* ; [səmwaʀ].

**SEMONCE, subst. f.**
**1.** Vx. Convocation à comparaître devant le roi ou son seigneur. **2.** Fig. Avertissement, mise en garde. **3.** *Mar.* Ordre donné à un navire d'arborer ses couleurs ou de stopper. ► *Coup de **semonce*** : coup de canon appuyant cet ordre et, par anal., tir d'avertissement. Mil. XIe s. ; *semondre* (vx), « exhorter », du lat. pop. °*submonere*, « avertir secrètement » ; [səmɔ̃s].

**SEMONCER, verbe trans.** [4]
**1.** Vx. Convoquer (un vassal). **2.** Réprimander (vieilli). **3.** *Mar.* Faire une semonce à (un navire). Fin XIIIe s. ; ☞ *semonce* ; [səmɔ̃se].

**SEMOULE, subst. f.**
*Alim.* **1.** Produit constitué de grains concassés de céréales débarrassés de leur enveloppe : ***Semoule** de blé dur, de maïs* ; *Gâteau de **semoule**.* **2.** En appos. *Sucre **semoule*** : à plus gros grains que ceux du sucre en poudre. 1505 ; ital. *semola*, « son », du lat. *simila*, « fleur de farine » ; [s(ə)mul].

**SEMOULERIE, subst. f.**
**1.** Usine où l'on fabrique de la semoule. **2.** Fabrication de la semoule. 1930 ; ☞ *semoule* ; [s(ə)mulʀi].

**SEMPERVIRENT, ENTE, adj.**
**1.** *Sylvic.* Qui paraît toujours vert : *Forêt **sempervirente**.* **2.** *Bot.* Qui conserve ses feuilles vertes toute l'année. V. 1970 ; lat. *semper virens*, « toujours vert » ; [sɛ̃pɛʀviʀɑ̃, ɑ̃t].

**SEMPITERNEL, ELLE, adj.**
**1.** Vx. Perpétuel. **2.** Incessant et lassant (péj.) : *De **sempiternelles** jérémiades.* Mil. XIIIe s. ; bas lat. *sempiternalis*, du lat. *semper*, « toujours », et *aeternus*, « éternel » ; [sɛ̃pitɛʀnɛl] ou [sɑ̃-].

**SEMPITERNELLEMENT, adv.**
De manière sempiternelle. 1527 ; ☞ *sempiternel* ; [sɛ̃pitɛʀnɛlmɑ̃] ou [sɑ̃-].

**SEMPLE, subst. m.**
*Techn.* Disposition de ficelles formant une partie du métier à tisser. 1765 ; *simple* (vx), « fil » ; [sɑ̃pl].

**SÉNAIRE, subst. m. et adj.**
**Subst.** *Versif.* **1.** Vers latin de six pieds. **2.** Vers français à six accents. **Adj.** Qui comporte six parties (vx). 1564 ; lat. *senarius*, « composé de six » ; [senɛʀ].

**SÉNAT, subst. m.**
**I.** *Hist.* **1.** Assemblée suprême de la Rome antique, souveraine sous la République, aux pouvoirs restreints sous l'Empire : *Le **sénat** et le peuple de Rome*, titre officiel du pouvoir romain. ► Anal. Assemblée souveraine de républiques antiques, médiévales ou des temps modernes : *Les **sénats** de Venise, de Byzance* ; aujourd'hui : *Le **sénat** de Hambourg.* **2.** Assemblée chargée de veiller au respect de la Constitution, sous le Consulat et l'Empire français. **II.** *Pol.* **1.** Chambre haute, ayant qualité d'organe partiel du pouvoir législatif dans diverses démocraties bicaméristes : ***Sénat** des États-Unis, d'Italie.* ► *Le **Sénat*** : en France, chambre haute élue au suffrage indirect, qui forme, avec l'Assemblée nationale, le Parlement. **2.** Méton. Lieu où siègent les sénateurs. 1213 ; lat. *senatus*, « assemblée des anciens », de *senex*, « vieillard » ; [sena].

**SÉNATEUR, TRICE, subst.**
**Masc.** **1.** *Antiq. rom.* Membre de l'ordre le plus élevé, qui, de ce fait, pouvait siéger au sénat. **2.** Membre d'un sénat. ► Loc. *Train de **sénateur*** : allure lente. **Fém.** Femme d'un **sénateur** (rare). Mil. XIIe s. ; lat. *senator* ; [senatœʀ, tʀis].

**SÉNATORIAL, ALE, AUX, adj.**
Relatif au sénat, aux sénateurs : *Élections **sénatoriales*** ou, empl. subst. fém., *Les **sénatoriales**.* 1518 ; ☞ *sénateur* ; [senatɔʀjal, o].

**SÉNATUS-CONSULTE, subst. m.**
**1.** *Antiq. rom.* Décision du sénat. **2.** *Hist.* Sous le Consulat et l'Empire, acte émanant du Sénat et ayant force de loi. 1476 ; lat. *senatus consultum* ; plur. *sénatus-consultes* ; [senatyskɔ̃sylt].

**SÉNÉ, subst. m.**
**1.** *Bot.* Arbre des zones chaudes dont les feuilles et les fruits possèdent des propriétés purgatives. **2.** *Pharm.* Purgatif extrait du **séné**. XIIIe s. ; lat. médiév. *sene*, de l'ar. *sanā* ; [sene].

**SÉNÉCHAL, subst. m.**
*Hist.* **1.** Serviteur de la table royale. **2.** Officier royal ayant des attributions militaires, financières et judiciaires dans l'ouest ou le midi de la France (appelé bailli dans le Nord). Fin XIe s. ; anc. bas frq. °*seniskalk*, « serviteur le plus âgé » ; plur. *sénéchaux* ; [seneʃal], plur. [-ʃo].

**SÉNÉCHAUSSÉE, subst. f.**
*Hist.* Étendue de la juridiction d'un sénéchal. 1406 ; ☞ *sénéchal* ; [seneʃose].

**SÉNEÇON, subst. m.**
*Bot.* Plante cosmopolite de la famille des Astéracées, herbacée dans nos régions (mauvaise herbe des jardins), arborescente dans les montagnes équatoriales africaines. XIIIe s. ; lat. *senecio* ; [sɛnsɔ̃].

**SENELLIER, voir CENELLIER**

**SÉNESCENCE, subst. f.**
Processus naturel du vieillissement de l'organisme humain. 1876 ; lat. *senescere*, « vieillir » ; [senɛsɑ̃s].

**SÉNESCENT, ENTE, adj.**
Atteint de sénescense. Déb. XVIe s. ; lat. *senescens*, « vieillissant » ; [senɛsɑ̃, ɑ̃t].

**SÉNESTRE, adj. et subst. f.**
**Adj.** **1.** Vx. Gauche. **2.** *Hérald.* Situé du côté gauche de l'écu. **Adj.** et **Subst.** *Zool.* Se dit d'une coquille de gastéropode dont les spires s'enroulent de droite à gauche. **Subst.** La main gauche (vieilli). Fin XIe s. ; lat. *sinister* ; var. *senestre* ; [senɛstʀ].

**SÉNESTROCHÈRE, subst. m.**
*Hérald.* Bras gauche représenté sur un écu. 1690 ; formé de *sénestre* et du gr. *kheir*, « main » ; var. *senestrochère* ; [senɛstʀɔʃɛʀ].

**SÉNEVÉ, subst. m.**
*Bot.* Moutarde des champs. Mil. XIIIe s. ; lat. pop. °*sinapatum*, du lat. *sinapi*, du gr. *sinapi* ; [sɛnve].

**SÉNILE, adj.**
**1.** Relatif, propre à la vieillesse : *Un tremblement **sénile**.* **2.** Atteint de sénilité. 1509 ; lat. *senilis* ; [senil].

**SÉNILITÉ, subst. f.**
*Méd.* Diminution des facultés corporelles et mentales liée à la vieillesse. 1832 ; ☞ *sénile* ; [senilite].

**SENIOR, adj. et subst.**
Se dit d'un sportif d'un âge intermédiaire entre celui des juniors et celui des vétérans. 1884 ; angl. *senior*, du lat. *senior*, « plus âgé » ; [senjɔʀ].

**SÉNIORITÉ, subst. f.**
*Anthropol.* Principe hiérarchique fondé sur l'ancienneté. V. 1970 ; angl. *seniority* ; [senjɔʀite].

**SENNE, voir SEINE**

**SÉNOLOGIE, subst. f.**
*Méd.* Partie de la médecine qui étudie les affections du sein. V. 1980 ; ☞ *sein* + *-logie* ; [senɔlɔʒi].

**SÉNOLOGUE, subst.**
Spécialiste de sénologie. V. 1980 ; ☞ *sénologie* ; [senɔlɔg].

**SENS (I), subst. m.**
**I. 1.** *Physiol.* Ensemble des éléments anatomiques et physiologiques par lesquels l'organisme reçoit de manière spécifique des informations du milieu extérieur et en tire des sensations : *Les cinq **sens** sont la vue, le toucher, l'odorat, l'ouïe, le goût.* ► Loc. *Tomber sous le **sens*** : être perceptible et, au fig., être évident. **2.** Connaissance intuitive et immédiate d'une chose : *Avoir le **sens** du rythme.* **3.** *Les **sens**.* La sensualité : *Vivre sous l'empire des **sens**.* **II.** Faculté de juger ; jugement : *J'abonde dans votre **sens**.* ► *Bon **sens*** : faculté de discerner spontanément le vrai du faux, de raisonner avec sagesse. ► ***Sens** moral* : conscience spontanée du bien et du mal. ► ***Sens** commun.* Façon la plus répandue de penser et d'agir ; fond immuable de l'esprit, unité fondamentale du raisonnement : *Votre opinion heurte le **sens** commun* ; *Perdre le **sens** commun*, ne plus savoir raisonner. **III. 1.** Idée, pensée représentée ou évoquée par un mot, un signe ou un ensemble de signes (synon. *signification*) : *Des propos au **sens** décousu* ; en partic. : ***Sens** propre*, ce qui est exprimé littéralement ; ***Sens** figuré*, ce qui est évoqué de surcroît. **2.** Raison d'être, finalité d'une chose : *Le **sens** de la vie, de l'histoire.* Fin XIe s. ; lat. *sensus* « perception » ; [sɑ̃s].

**SENS (II), subst. m.**
**1.** Direction, orientation : ***Sens** interdit, giratoire* ; au fig. : *Agir en ce **sens***, à cette fin. ► Loc. ***Sens** dessus dessous* (☞ *dessous*). **2.** *Math.* ► *Dans le plan, **sens** trigonométrique, direct, positif* : **sens** de rotation choisi conventionnellement, contraire à celui du mouvement des aiguilles d'une montre. ► *Base de **sens** direct (resp. rétrograde) d'un espace vectoriel orienté* : base de même **sens** que (resp. de sens contraire à) une base de la classe définissant l'orientation de l'espace. 1160 ; crois. de l'anc. fr. *sen*, « direction », et de *sens* (I) ; [sɑ̃s].

**SENSATION, subst. f.**
**1.** Impression consciente, distincte et plus ou moins agréable, produite sur les sens ou ressentie par le corps : ***Sensation** de chaud, de froid* ; ***Sensation** de plaisir, de douleur* ; ***Sensation** de fatigue.* **2.** État de conscience à forte composante affective ; émotion : ***Sensation** de peur, de panique.* ► Loc. ***Sensation** forte*, vive émotion ; *Roman, film à **sensation*** : propre à impressionner ; *Faire **sensation*** : produire une forte impression sur autrui. 1370 ; bas lat. *sensatio*, « fait de comprendre » ; [sɑ̃sasjɔ̃].

**SENSATIONALISME, subst. m.**
Goût, recherche du sensationnel. 1909 ; ☞ *sensationnel* ; var. *sensationnalisme* ; [sɑ̃sasjɔnalism].

**SENSATIONNEL, ELLE, adj.**
**1.** Qui fait sensation ; empl. subst. masc. : *Le **sensationnel**.* **2.** Fam. Qui est remarquable ; exceptionnel, extraordinaire (abrév. fam. et vieillie sensass). 1875 (1837, qui se fonde sur la sensation) ; ☞ *sensation* ; [sɑ̃sasjɔnɛl].

**SENSÉ, ÉE, adj.**
Qui fait preuve de bon sens, raisonnable : *Personne, réponse **sensée**.* 1567 ; ☞ *sens* (I) ; [sɑ̃se].

**SENSÉMENT, adv.**
)e manière sensée (littér.) : *Argumenter **sensément**.* 1531 ; ☞ *sensé* ; [sɑ̃semɑ̃].

**SENSEUR, subst. m.**
*'hys.* Élément photoélectrique permettant de déter-niner l'orientation d'un engin spatial (souv. par isée des étoiles fixes) ; par ext., tout élément ermettant d'acquérir une information sous forme e courant ou d'impulsions électriques. V. 1970 ; ngl. *sensor* ; [sɑ̃sœʀ].

**SENSIBILISATEUR, TRICE, adj.**
*hot.* Qui rend sensible un support photogra-hique ; empl. subst. masc., produit utilisé à cet ffet. 1858 ; ☞ *sensibiliser* ; [sɑ̃sibilizatœʀ, tʀis].

**SENSIBILISATION, subst. f.**
. *Phot.* Processus qui consiste à sensibiliser un upport. **2.** *Méd.* Réponse immunologique d'un or-anisme formant des anticorps lors de la réintro-uction d'un antigène déjà reçu précédemment. . Fig. Action de sensibiliser ; fait d'être sensibilisé : *ensibilisation de l'opinion à un danger.* 1875 801, application de la pensée à un objet sensible) ; ☞ *sensibiliser* ; [sɑ̃sibilizasjɔ̃].

**SENSIBILISER, verbe trans.** [3]
. Vx. Rendre perceptible par les sens. **2.** Fig. Rendre qqn, un groupe) sensible, attentif à qqch. **3.** *Phot.* .endre (un support) sensible, impressionnable à ı lumière. **4.** *Méd.* Provoquer la sensibilisation de un organisme) à un antigène. 1803 ; ☞ *sen-ible* ; [sɑ̃sibilize].

**SENSIBILITÉ, subst. f.**
. Capacité d'un être vivant à éprouver des sensa-ions physiques : ***Sensibilité** à la lumière, à la chaleur.* **:.** Faculté de ressentir des émotions d'ordre esthé-ique ou affectif, spéc. pour autrui : *Enfant d'une rande **sensibilité**.* ► ***Sensibilité** artistique* : goût pour s arts, capacité d'un artiste à transmettre sa **sen-ibilité** ; par méton. : *Une œuvre pleine de **sensibilité**.* **:.** Capacité de réaction d'un appareil, d'un objet : ***ensibilité** d'une balance* ; ***Sensibilité** d'une pellicule hotographique*, rapidité avec laquelle elle réagit la lumière. **4.** *Pol.* Tendance, courant au sein l'un parti. 1314 ; bas lat. *sensibilitas* ; [sɑ̃sibilite].

**SENSIBLE, adj.**
**. 1.** Capable d'éprouver des sensations : *Un être **ensible**.* ► *Point **sensible*** : qui est affecté douloureuse-nent par tout contact et, au fig., vulnérable, qui equiert une vigilance particulière. **2.** Qui ressent acilement : ***Sensible** au froid, aux éloges.* ► Abs. *Un arçon **sensible*** : émotif. **3.** Fig. Qui a une sensibi-ité artistique. **4.** *Techn. Appareil **sensible*** : qui réagit ux moindres variations. **5.** *Mus. Note **sensible*** ou, mpl. subst. fém., *La **sensible*** : septième degré de la amme diatonique. **II. 1.** *Philos.* Qui peut être perçu ar les sens (anton. *intelligible*) : *Le monde **sensible**.* **:.** Nettement perceptible : *Des progrès **sensibles**.* Mil. XIIIᵉ s. ; lat. *sensibilis* ; [sɑ̃sibl].

**SENSIBLEMENT, adv.**
**.** D'une manière perceptible par les sens (vieilli). **:.** Notablement, nettement : *Ses manières ont **sen-iblement** changé.* **3.** À peu près : *Effets **sensiblement** gaux.* 1314 ; ☞ *sensible* ; [sɑ̃sibləmɑ̃].

**SENSIBLERIE, subst. f.**
iensibilité exagérée et souvent affectée. 1782 ; ☞ *sensible* ; [sɑ̃sibləʀi].

**SENSITIF, IVE, adj.**
**.** Vx. Doué de sensibilité ; relatif, propre aux sens. **:.** *Physiol.* Qui concerne la conduction de l'influx ıerveux d'un organe des sens à un centre nerveux : *erritoire **sensitif** d'un nerf mixte* ; *Nerf **sensitif***, qui ransmet les sensations. **3.** Émotif (littér.) ; empl. ubst. : *C'est un **sensitif** plus qu'un cérébral.* Mil. XIIIᵉ s. ; lat. médiév. *sensitivus* ; [sɑ̃sitif, iv].

**SENSITIVE, subst. f.**
*3ot.* Variété de mimosa dont les feuilles se rétractent u toucher. 1639 ; ☞ *sensitif* ; [sɑ̃sitiv].

**SENSITOMÈTRE, subst. m.**
*'hot.* Appareil qui mesure la sensibilité photogra-hique. 1904 ; ☞ *sensible* + *-mètre*[1] ; [sɑ̃sitɔmɛtʀ].

**SENSORIEL, ELLE, adj.**
Relatif, propre aux organes des sens, à la sensa-ion : *Perception **sensorielle**.* 1839 ; lat. *sensorium*, « siège d'une faculté » ; [sɑ̃sɔʀjɛl].

**SENSORIMOTEUR, TRICE, adj.**
Relatif à la fois aux fonctions sensorielles et à la motricité. 1879 ; crois. de *sensoriel* et de *moteur* ; sɑ̃sɔʀimɔtœʀ, tʀis].

**SENSUALISME, subst. m.**
**1.** *Philos.* Doctrine selon laquelle toute connais-sance vient des sensations. **2.** Tendance à rechercher les émotions de caractère sensuel. 1803 ; lat. chrét. *sensualis*, « relatif aux sens » ; [sɑ̃sɥalism].

**SENSUALITÉ, subst. f.**
**1.** Vx. Activité des sens. **2.** Caractère d'une personne ou d'une chose sensuelle. Fin XIIᵉ s. ; lat. chrét. *sensualitas*, « faculté de sentir » ; [sɑ̃sɥalite].

**SENSUEL, ELLE, adj.**
**1.** Qui flatte les sens : *Parfum **sensuel*** ; relatif aux sens. **2.** Attaché aux plaisirs des sens, en partic. charnels ; empl. subst., personne **sensuelle**. **3.** Mé-ton. Qui dénote un tempérament voluptueux : *Bouche **sensuelle**.* 1370 ; lat. chrét. *sensualis*, « relatif aux sens » ; [sɑ̃sɥɛl].

**SENT-BON, subst. m. inv.**
Parfum (fam.). 1530 ; comp. de *sentir* et de *bon* ; [sɑ̃bɔ̃].

**SENTE, subst. f.**
Petit sentier (littér.). Mil. XIIᵉ s. ; lat. *semita* ; [sɑ̃t].

**SENTENCE, subst. f.**
**1.** Formule exprimant une vérité, un précepte moral. **2.** *Dr.* Décision d'un juge ou d'un arbitre : ***Sentence** de mort.* Mil. XIIᵉ s. ; lat. *sententia*, « opi-nion », de *sentire*, « penser » ; [sɑ̃tɑ̃s].

**SENTENCIEUX, EUSE, adj.**
**1.** Vx. Qui contient des sentences. **2.** Ext. Qui exprime une gravité affectée ; pompeux : *Discours, auteur **sentencieux**.* Mil. XIIIᵉ s. ; lat. *sententiosus*, « riche de pensées » ; [sɑ̃tɑ̃sjø, øz].

**SENTEUR, subst. f.**
Littér. Odeur agréable ; effluve, parfum. 1585 (XVᵉ s., vent d'une bête) ; ☞ *sentir* ; [sɑ̃tœʀ].

**SENTI, IE, adj.**
**1.** Sincère (littér.). **2.** *Bien **senti*** : exprimé avec vigueur et sans détour. 1758 ; p. p. de *sentir* ; [sɑ̃ti].

**SENTIER, subst. m.**
**1.** Chemin étroit. **2.** Fig. Voie difficile : *Les **sentiers** de la vertu.* Fin XIᵉ s. ; lat. pop. °*semitarius*, du lat. *semita*, « sente » ; [sɑ̃tje].

**SENTIMENT, subst. m.**
**1.** État affectif causé par une impression d'ordre intellectuel ou moral : *Le **sentiment** du sublime* ; ***Sentiment** de fierté* ; empl. abs., amour (littér.). **2.** Connaissance immédiate, à caractère intuitif ; opinion formée sur cette base : *Le **sentiment** de la réalité.* ► Loc. *Avoir le **sentiment** que, de* : croire que, croire en. **3.** Ensemble d'émotions et de disposi-tions morales à caractère altruiste ; sensibilité : *Faire du **sentiment**.* Fin XIIᵉ s. ; anc. fr. *sentement*, du lat. *sentire*, « percevoir » ; [sɑ̃timɑ̃].

**SENTIMENTAL, ALE, AUX, adj.**
**1.** Qui est de l'ordre affectif ; en partic., qui concerne le sentiment amoureux. **2.** Dont la sensibilité est outrée, un peu mièvre (péj.) : *Film **sentimental*** ; *Adolescent **sentimental*** ; empl. subst. : *Un grand **sentimental**.* 1769 ; angl. *sentimental*, de *sentiment*, « sentiment », de l'anc. fr. *sentement* ; [sɑ̃timɑ̃tal, o].

**SENTIMENTALISME, subst. m.**
Tendance à privilégier ce qui relève du sentiment (souv. péj.). 1801 ; ☞ *sentimental* ; [sɑ̃timɑ̃talism].

**SENTIMENTALITÉ, subst. f.**
Caractère d'une personne, d'une œuvre sentimen-tale. 1804 ; ☞ *sentimental* ; [sɑ̃timɑ̃talite].

**SENTINE, subst. f.**
**1.** *Mar.* Partie de la cale d'un navire où s'amassent les eaux. **2.** Ext. Lieu humide et sale, cloaque (littér.). Fin XIIᵉ s. ; lat. *sentina* ; [sɑ̃tin].

**SENTINELLE, subst. f.**
Soldat armé placé en faction. ► Loc. *Être en **sentinelle*** : faire le guet. Mil. XVIᵉ s. ; ital. *senti-nella*, de *sentire*, « sentir, entendre » ; [sɑ̃tinɛl].

**SENTIR, verbe trans.** [23]
**I. 1.** Percevoir intuitivement ; pressentir : *Je **sens** qu'il t'énerve* ; ***Sentir** sa fin prochaine.* **2.** Ressentir (qqch.) sur le plan esthétique. **3.** Percevoir par l'odorat : ***Sentir** des parfums* ; au fig. : *Ne pas pouvoir **sentir** qqn, qqch.*, le détester (fam.). **4.** Recevoir (une impression physique) : ***Sentir** la chaleur du soleil.* ► Loc. *Se faire **sentir*** : se manifester. **II.** Exha-ler, dégager (une odeur) : *Ça **sent** le poisson* ; empl. abs., puer : *Cette viande **sent*** ; ***Sentir** des pieds.* Pronom. Avoir le sentiment (d'être dans un certain état, de faire qqch.) : *Se **sentir** mal, libre* ; *Se **sentir** tomber.* ► Loc. *Ça se **sent*** : c'est manifeste. Fin XIᵉ s. ; lat. *sentire*, « percevoir par les sens » ; [sɑ̃tiʀ].

**SEOIR, verbe intrans.** [48]
**1.** Vx. Être assis. **2.** Convenir, aller : *Cette couleur vous **sied** bien* ; *Comme il **sied***, comme il convient. Fin Xᵉ s. ; lat. *sedere* ; verbe défectif ; [swaʀ].

**SEP, voir CEP**

**SÉPALE, subst. m.**
*Bot.* Pièce, gén. verte, du calice d'une fleur d'angio-sperme. 1790 ; lat. sc. *sepalum*, du gr. *skepê*, « enveloppe », d'apr. le lat. *petalum*, « pétale » ; [sepal].

**SÉPALOÏDE, adj.**
*Bot.* En forme de sépale. 1871 ; ☞ *sépale* + *-oïde* ; [sepalɔid].

**SÉPARATEUR, TRICE, adj. et subst. m.**
Adj. **1.** Qui sépare. **2.** *Opt. Pouvoir **séparateur*** : capa-cité d'un système optique à mesurer la distance, angulaire ou linéaire, de deux points que l'on peut distinguer (synon. *révolution*) ; par anal., capacité à distinguer deux couleurs ou deux sons proches. Subst. **1.** *Chim.* Appareil servant à séparer les constituants d'un mélange. **2.** *Électr.* Feuille isolante mise entre les plaques de polarité différente d'un accumulateur. **3.** *Minér.* Dispositif magnétique uti-lisé pour enrichir un minerai, après broyage, en séparant du reste les constituants ferromagnétiques. 1585 ; bas lat. *separator* ; [sepaʀatœʀ, tʀis].

**SÉPARATION, subst. f.**
**1.** Action de séparer ; fait d'être séparé : ***Séparation** des pouvoirs* ; *La **séparation** de l'Église et de l'État.* ► *Chim.* Opération au cours de laquelle on obtient deux phases à partir d'une solution non homogène. ► *Phys. **Séparation** isotopique* : processus d'isolation des isotopes d'un élément, rendu délicat par leur grande similarité chimique. **2.** En parlant de per-sonnes, fait de se quitter. ► *Dr. **Séparation** de corps* : pour un couple, suppression du devoir de cohabita-tion, sans divorce ; ***Séparation** de biens* : régime matrimonial dans lequel chacun des époux conserve la propriété de ses biens personnels. **3.** Méton. Ce qui sépare : *Mettre une **séparation** entre deux jardins.* 1314 ; lat. *separatio* ; [sepaʀasjɔ̃].

**SÉPARATISME, subst. m.**
Tendance, mouvement d'une communauté qui revendique l'autonomie politique par rapport à l'État dont elle dépend. 1860 (1721, secte anglaise dissidente) ; ☞ *séparatiste* ; [sepaʀatism].

**SÉPARATISTE, subst. et adj.**
Se dit d'un partisan du séparatisme. Adj. Relatif, propre au séparatisme. 1796 (1650, partisan d'une secte anglaise) ; angl. *separatist* ; [sepaʀatist].

**SÉPARÉMENT, adv.**
De façon séparée, indépendante. Fin XIVᵉ s. ; ☞ *séparer* ; [sepaʀemɑ̃].

**SÉPARER, verbe trans.** [3]
**1.** Diviser (un tout) en fragments : ***Séparer** une feuille en deux.* **2.** Dissocier (un élément) d'un autre, avec lequel il formait un ensemble : ***Séparer** le blanc du jaune.* ► Loc. ***Séparer** le bon grain de l'ivraie* (☞ *ivraie*). **3.** Éloigner : ***Séparer** des combattants* ; désunir, empêcher de vivre ensemble : ***Séparer** un enfant de sa mère.* ► *Dr. **Être séparés** de corps* (☞ *séparation*). **4.** Former une séparation entre : *Les Alpes **séparent** la France de l'Italie.* Pronom. **1.** Cesser de vivre ensemble ; se quitter. **2.** Prendre congé l'un de l'autre : *Nous nous **sommes séparés** bons amis.* **3.** Cesser de former un tout : *Ici, la route **se sépare** en deux.* **4.** Se séparer de. Se défaire de : ***Se séparer** de ses biens* ; ***Se séparer** d'un em-ployé*, le renvoyer. 1314 ; lat. *separare*, « mettre à part » ; [sepaʀe].

**SÉPHARADE, voir SÉFARADE**

**SÉPIA, subst. f. et adj. inv.**
Subst. **1.** Liquide sécrété par la seiche. **2.** Matière colorante brune, autrefois extraite de ce liquide, utilisée pour le dessin au lavis. **3.** Méton. Dessin fait avec cette matière. Adj. Qui est de la couleur de cette matière. 1791 ; lat. *sepia*, « seiche » ; [sepja].

**SÉPIOLE, subst. f.**
*Zool.* Petit mollusque céphalopode décapode, proche du calmar mais ne dépassant pas 5 cm de long. 1812 ; lat. *sepiola*, « petite seiche » ; [sepjɔl].

**SEPPUKU, subst. m.**
Au Japon, suicide par incision de l'abdomen (synon. *hara-kiri*). Mil. XXᵉ s. ; mot jap. ; [sepuku].

**SEPS, subst. m.**
*Zool.* Lézard à pattes courtes des régions méditerra-néennes, de la famille des Scincidés, d'envi-ron 20 cm de long. 1562 ; mot lat. ; [sɛps].

**SEPT, adj. num. inv. et subst. m. inv.**
**ADJ. CARD.** Six plus un : *Les **Sept** Merveilles du monde.* **ADJ. ORD. 1.** Septième : *Chapitre **sept** ; Louis VII le Jeune.* **2.** Qui porte le numéro **sept** : *La table **sept*** ou, empl. subst., *La **sept**.* **SUBST. 1.** Le nombre **sept** : *Quatre et trois font **sept**.* **2.** Le numéro **sept**. **3.** Représentation graphique de ce nombre. **4.** *Enseign.* Note valant **sept** points. **5.** Carte à jouer portant ce numéro. Fin Xe s. ; lat. *septem* ; [sɛt].

**SEPTAIN, subst. m.**
*Versif.* Strophe de sept vers. 1521 (fin XIIe s., septième) ; ☞ *sept* ; [sɛptɛ̃].

**SEPTANTE, adj. num. inv. et subst. m. inv.**
Belg., Helv. et Région. (Nord et Est). Soixante-dix. Déb. XIIe s. ; lat. pop. °*septanta* ; [sɛptɑ̃t].

**SEPTANTIÈME, adj.**
Belg., Helv. et Région. (Nord et Est). Soixante-dixième. 1530 ; ☞ *septante* ; [sɛptɑ̃tjɛm].

**SEPTEMBRE, subst. m.**
Neuvième mois de l'année, qui compte trente jours. 1119 ; lat. *september*, de *septem*, « sept », ce mois étant le septième de l'année romaine ; [sɛptɑ̃bʀ].

**SEPTEMBRISEUR, subst. m.**
*Hist.* Personne qui prit part aux massacres de septembre 1792, perpétrés contre les détenus des prisons de Paris. 1793 ; *septembriser*, « massacrer », en parlant des massacres de septembre ; [sɛptɑ̃bʀizœʀ].

**SEPTEMVIR, subst. m.**
*Antiq. rom.* Magistrat qui faisait partie d'un collège de sept membres. 1636 ; lat. *septemvir*, de *septem*, « sept », et de *vir*, « homme » ; [sɛptɛmviʀ].

**SEPTÉNAIRE, adj. et subst. m.**
**ADJ.** Qui comporte sept éléments (vx). **SUBST.** Période de sept jours ou de sept ans. Fin XIIIe s. ; lat. *septenarius*, de *septem*, « sept » ; [sɛptenɛʀ].

**SEPTENNAL, ALE, AUX, adj.**
**1.** Qui a lieu tous les sept ans. **2.** Qui dure sept ans. 1469 ; lat. médiév. *septennalis* ; [sɛptɛnal, o].

**SEPTENNAT, subst. m.**
Période de sept ans, en parlant d'une fonction, d'une magistrature, etc. ; en partic., en France, durée du mandat de président de la République. 1875 ; ☞ *septennal* ; [sɛptɛna].

**SEPTENTRION, subst. m.**
Le nord (littér.). 1155 ; lat. *septentrio*, de *septemtriones*, « les sept bœufs de labour », c.-à-d. les sept étoiles de la Grande ou de la Petite Ourse ; [sɛptɑ̃tʀijɔ̃].

**SEPTENTRIONAL, ALE, AUX, adj.**
Du nord ; situé au nord (anton. *méridional*). Déb. XIVe s. ; lat. *septentrionalis* ; [sɛptɑ̃tʀijɔnal, o].

**SEPTICÉMIE, subst. f.**
*Pathol.* Infection générale due à la dissémination par voie sanguine d'un micro-organisme pathogène, à partir d'un foyer primitif. 1847 ; lat. *septicus*, « qui putréfie », + *-émie* ; [sɛptisemi].

**SEPTIDI, subst. m.**
Septième jour de la décade dans le calendrier républicain. 1793 ; lat. *septimus*, « septième », et *dies*, « jour » ; [sɛptidi].

**SEPTIÈME, adj. et subst. f.**
**ADJ. NUM. ORD.** Qui occupe le rang marqué par le nombre sept ; empl. subst. : *Le, la **septième**.* ► *Le **septième** art* : le cinéma. ► Loc. *Être au **septième** ciel* (☞ *ciel*). ► *Enseign. La **septième** classe* ou, empl. subst. fém., *La **septième*** : cours moyen deuxième année. **ADJ.** Qui constitue une fraction d'un tout divisé également en sept : *La **septième** partie* ou, empl. subst. masc., *Le **septième**.* **SUBST.** *Mus.* Intervalle de sept notes. 1119 ; ☞ *sept* ; [sɛtjɛm].

**SEPTIÈMEMENT, adv.**
En septième lieu. 1478 ; ☞ *septième* ; [sɛtjɛmmɑ̃].

**SEPTIQUE, adj.**
**1.** *Méd.* Relatif à l'infection microbienne ; qui la provoque ou qui en résulte : *Plaie, syndrome **septique**.* **2.** *Fosse **septique*** (☞ *fosse*). 1538 ; lat. *septicus*, « qui putréfie », du gr. *sêpein*, « pourrir » ; [sɛptik].

**SEPTMONCEL, subst. m.**
Fromage du Jura, au lait de vache et à moisissures bleues. 1803 ; topon. *Septmoncel* (Jura) ; [setmɔ̃sɛl].

**SEPTUAGÉNAIRE, adj. et subst.**
**ADJ.** Dont l'âge se situe entre soixante-dix et soixante-dix-neuf ans. **SUBST.** Personne **septuagénaire**. Fin XIVe s. ; lat. *septuagenarius*, « âgé de soixante-dix ans » ; [sɛptɥaʒenɛʀ].

**SEPTUAGÉSIME, subst. f.**
*Liturg.* Premier des trois dimanches précédant le Carême ; période de soixante-trois jours avant Pâques ouverte par ce dimanche. Fin XIIe s. ; lat. chrét. *septuagesima* ; [sɛptɥaʒezim].

**SEPTUM, subst. m.**
*Anat.* Cloison, membrane qui sépare deux cavités d'un organisme ou d'un organe. 1575 ; mot lat. ; [sɛptɔm].

**SEPTUOR, subst. m.**
*Mus.* **1.** Composition pour sept instruments ou voix. **2.** Formation musicale de sept exécutants. 1830 ; ☞ *sept*, d'apr. *quatuor* ; [sɛptɥɔʀ].

**SEPTUPLE, adj. et subst. m.**
Se dit de ce qui vaut sept fois une quantité ou de ce qui compte sept éléments. Fin XVe s. ; bas lat. *septuplum* ; [sɛptypl].

**SEPTUPLER, verbe [3]**
**TRANS.** Multiplier par sept. **INTRANS.** Être multiplié par sept. 1493 ; ☞ *septuple* ; [sɛptyple].

**SÉPULCRAL, ALE, AUX, adj.**
**1.** Propre au sépulcre (littér.). **2.** Anal. Qui évoque le sépulcre, la mort : *Silence **sépulcral** ; Voix **sépulcrale**.* 1487 ; lat. *sepulcralis* ; [sepylkʀal, o].

**SÉPULCRE, subst. m.**
Tombeau. ► *Le Saint-Sépulcre* : celui du Christ, à Jérusalem. Fin Xe s. ; lat. *sepulcrum* ; [sepylkʀ].

**SÉPULTURE, subst. f.**
**1.** Littér. Inhumation ; funérailles. **2.** Lieu où l'on ensevelit un corps. Déb. XIIe s. ; lat. *sepultura* ; [sepyltyʀ].

**SÉQUELLE, subst. f.**
**1.** *Pathol.* Trouble persistant après une guérison (souv. au plur.). **2.** Anal. Conséquence d'un évènement passé, contrecoup. 1904 (1369, suite) ; lat. *sequel(l)a* ; [sekɛl].

**SÉQUENÇAGE, subst. m.**
*Biochim.* Opération permettant de déterminer l'ordre selon lequel se succèdent les monomères impliqués dans la constitution d'un polymère. V. 1970 ; ☞ *séquence* ; [sekɑ̃saʒ].

**SÉQUENCE, subst. f.**
**1.** *Liturg.* Chant en vers mesurés et rimés qui suit le graduel ou l'alléluia. **2.** Ext. Suite ordonnée d'éléments, de phases, etc. ► *Jeux.* Au bridge, au piquet, suite d'au moins trois cartes de même couleur ; au poker, suite de cinq cartes. ► *Biochim.* Ordre selon lequel se succèdent les monomères impliqués dans la constitution d'un polymère comportant un nombre plus ou moins grand de ces éléments. ► *Cin.* Succession de plans formant une unité distincte à l'intérieur d'un film. ► *Informat. **Séquence** (d'instructions)* : série d'instructions qui se déroulent selon un ordre préétabli. Fin XIIe s. ; bas lat. *sequentia*, du lat. *sequi*, « suivre » ; [sekɑ̃s].

**SÉQUENCEUR, subst. m.**
*Informat.* Organe de commande d'un automatisme séquentiel à programme enregistré, qui déclenche les différentes phases de l'exécution des instructions. V. 1970 ; ☞ *séquence* ; [sekɑ̃sœʀ].

**SÉQUENTIEL, ELLE, adj.**
**1.** Qui relève d'une séquence, d'une suite ordonnée d'éléments. **2.** *Techn. Brûleur **séquentiel*** : qui fonctionne de manière intermittente. **3.** *Informat. Traitement **séquentiel*** : traitement de données dans l'ordre où elles se présentent, sans tri ni regroupement. V. 1950 ; ☞ *séquence* ; [sekɑ̃sjɛl].

**SÉQUESTRATION, subst. f.**
**1.** Action de séquestrer (qqn) ; fait d'être séquestré. **2.** *Pathol.* Formation d'un séquestre. 1810 (1390, séquestre) ; lat. jur. *sequestratio* ; [sekɛstʀasjɔ̃].

**SÉQUESTRE, subst. m.**
**1.** *Dr.* Dépôt, entre les mains d'un tiers, d'un bien litigieux jusqu'au règlement du litige ; le dépositaire de ce bien (rare). **2.** *Pathol. **Séquestre** osseux* : petite particule osseuse nécrosée, retenue dans le tissu conjonctif environnant. **3.** *Pol.* Mainmise opérée par un État en guerre sur les biens, situés sur son territoire, d'un État ennemi ou de ses ressortissants. 1281 ; lat. jur. *sequestrum* ; [sekɛstʀ].

**SÉQUESTRER, verbe trans. [3]**
**1.** *Dr.* Mettre (un bien) sous séquestre. **2.** Maintenir illégalement (qqn) enfermé. 1463 (mil. XIIIe s., isoler) ; lat. jur. *sequestrare* ; [sekɛstʀe].

**SEQUIN, subst. m.**
*Numism.* Ancienne monnaie d'or de Venise, qui avait cours en Italie et dans le Levant. 1400 ; prob. ital. *zecchino*, de *zecca*, « lieu où l'on frappe les monnaies », de l'ar. *sikka*, « argent monnayé » ; [səkɛ̃].

**SÉQUOIA, subst. m.**
*Bot.* Conifère de Californie, de la famille des Taxodiacées, pouvant atteindre plus de 100 m de hauteur. 1870 ; lat. sc. *sequoia*, de l'anthropon. *Sequoya*, chef cherokee ; [sekɔja].

*Séquoia.*

**SÉRAIL, subst. m.**
**1.** Palais du sultan et de certains hauts dignitaires de l'Empire ottoman. ► Loc. *Être élevé, nourri dans le **sérail*** : appartenir à une élite. **2.** Vieilli. Harem (empl. abusif) : *« L'Enlèvement au **sérail** », opéra de Mozart.* Déb. XVe s. ; ital. *serraglio*, du turc *seraj*, du persan *sarāy*, « maison » ; plur. *sérails* ; [seʀaj].

**SÉRANCER, verbe trans. [3]**
*Techn.* Peigner (le lin, le chanvre). Mil. XIIIe s. ; *séran*, « peigne pour le chanvre, le lin » ; [seʀɑ̃se].

**SERAPEUM, subst. m.**
*Archéol.* **1.** Nécropole des taureaux Apis, dans l'Égypte ancienne. **2.** Temple de Sérapis, dans le monde gréco-romain. 1752 ; bas lat. *serapeum*, du gr. *serapeion* ; plur. *serapea* ; [seʀapeɔm], plur. [-pea].

**SÉRAPHIN, subst. m.**
**1.** *Théol.* Ange du premier chœur de la première hiérarchie. **2.** Anal. Jeune enfant gracieux (littér.). Mil. XIIe s. ; lat. chrét. *seraphim*, de l'hébreu *šerâfîn*, de *šâraf*, « brûler » ; [seʀafɛ̃].

**SÉRAPHIQUE, adj.**
**1.** *Relig.* Propre aux séraphins. **2.** Anal. Qui rappelle les séraphins, les anges (littér.) : *Âme **séraphique**.* Mil. XVe s. ; lat. médiév. *seraphicus* ; [seʀafik].

**SERBO-CROATE, adj. et subst.**
De la Serbie et de la Croatie. **SUBST. MASC.** Langue slave parlée en Serbie, en Bosnie-Herzégovine, en Croatie et au Monténégro. 1904 ; comp. de *serbe* et de *croate* ; plur. *serbo-croates* ; [sɛʀbokʀɔat].

**SERDAB, subst. m.**
*Archéol.* Dans un mastaba, réduit muré qui contient les effigies du mort. 1869 ; ar. *sirdāb*, du persan *sardāba*, « salle souterraine » ; [sɛʀdab].

**SERDEAU, subst. m.**
*Hist.* Officier de bouche de la table du roi de France. Fin XVe s. ; anc. fr. *sert-de-l'eau*, comp. de *servir* et de *eau* ; [sɛʀdo].

**SEREIN, EINE, adj.**
**1.** Clair, calme, pur, en parlant d'un état atmosphérique : *Nuit **sereine**.* **2.** Tranquille, paisible (littér.) : *Esprit **serein**.* Fin XIIe s. ; lat. *serenus* ; [səʀɛ̃, ɛn].

**SÉRÉNADE, subst. f.**
**1.** Concert donné la nuit sous les fenêtres de qqn, notamment d'une femme qu'on aime, pour l'honorer. ► *Mus.* Genre de composition proche du divertimento et de la suite : *Les **sérénades** de Mozart.* **2.** Fig. et Fam. Tapage ; vifs reproches. Mil. XVIe s. ; ital. *serenata*, de *sereno*, « serein » ; [seʀenad].

**SÉRÉNISSIME, adj.**
**1.** Qualificatif honorifique donné à certains princes. **2.** *Hist. La **Sérénissime** République* ou, empl. subst. fém., *La **Sérénissime*** : la république de Venise. XIIIe s. ; ital. *serenissimo*, de *sereno*, « serein » ; [seʀenisim].

**SÉRÉNITÉ,** subst. f.
État d'une personne sereine ; calme. Fin XII$^{e}$ s. ; lat. *serenitas*, de *serenus*, « serein » ; [seʀenite].

**SÉREUX, EUSE,** adj.
*Anat.* **1.** Qui ressemble au sérum ; qui en contient. **2.** *Membrane séreuse* ou, empl. subst. fém., *Une séreuse* : double membrane enveloppant un organe mobile et dont les feuillets déterminent une cavité. 1363 ; ☞ *sérum* ; [seʀø, øz].

**SERF, SERVE,** subst. et adj.
*Féod.* Se dit d'une personne attachée à une terre et assujettie à un seigneur. ADJ. Relatif au servage. Fin XI$^{e}$ s. (mil. X$^{e}$ s., serviteur) ; lat. *servus*, « esclave » ; [sɛʀ(f), sɛʀv].

**SERFOUETTE,** subst. f.
*Hortic.* Outil de jardinage à deux branches, en forme de lame d'un côté et de fourche à deux dents de l'autre. 1360 ; ☞ *serfouir* ; [sɛʀfwɛt].

**SERFOUIR,** verbe trans. [19]
*Hortic.* Travailler (la terre) avec une serfouette. Fin XII$^{e}$ s. ; lat. pop. °*circumfodire*, du lat. *circumfodere*, « creuser autour » ; [sɛʀfwiʀ].

**SERGE,** subst. f.
*Text.* **1.** Étoffe de laine légère. **2.** Tissu d'armure en laine, sec et serré. Fin XII$^{e}$ s. ; lat. pop. °*sarica*, du lat. *serica*, « étoffe de soie » ; [sɛʀʒ].

**SERGÉ,** subst. m.
*Text.* Armure utilisée pour le tissage d'étoffes à côtes obliques. 1771 ; ☞ *serge* ; [sɛʀʒe].

**SERGENT,** subst. m.
**1.** *Hist.* ***Sergent de justice*** : officier de justice chargé des poursuites et des saisies. **2.** *Milit.* Dans l'infanterie, l'aviation et le génie, sous-officier du grade le moins élevé. ▸ ***Sergent-chef*** : sous-officier d'un grade situé entre ceux de **sergent** et d'adjudant. ▸ ***Sergent-major*** : chargé de la comptabilité d'une compagnie. **3.** ***Sergent de ville*** : gardien de la paix (vieilli). Mil. XI$^{e}$ s. ; lat. *servientem*, de *serviens*, de *servire*, « servir » ; [sɛʀʒɑ̃].

**SERIAL,** subst. m.
Anglic. **1.** *Cin.* Film à épisodes. **2.** *Télév.* Feuilleton. 1921 ; mot angl. ; plur. *serials* ; [seʀjal] ou [siʀjəl].

**SÉRIALISME,** subst. m.
Théorie, caractère de la musique sérielle. Mil. XX$^{e}$ s. ; ☞ *sériel* ; [seʀjalism].

**SÉRIATION,** subst. f.
Action de sérier. 1843 ; ☞ *série* ; [seʀjasjɔ̃].

**SÉRICICULTEUR, TRICE,** subst.
Personne qui pratique la sériciculture. 1858 ; ☞ *sériciculture* ; [seʀisikyltœʀ, tʀis].

**SÉRICICULTURE,** subst. f.
Élevage des vers à soie. 1845 ; formé de *sérici-* et de *-culture* ; [seʀisikyltyʀ].

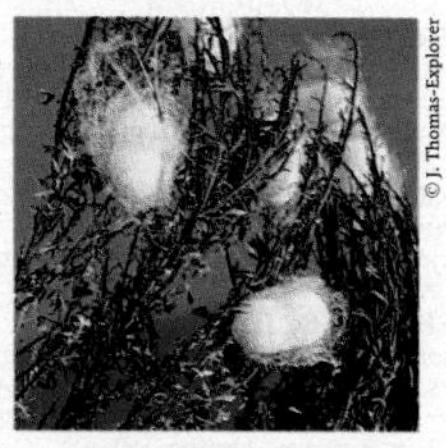

*Sériciculture : cocons filés sur de la bruyère.*

**SÉRICIGÈNE,** adj.
Qui produit de la soie. 1871 ; formé de *sérici-* et de *-gène* ; [seʀisiʒɛn].

**SÉRICINE,** subst. f.
Grès de la soie. 1878 ; lat. *sericus*, « soie » ; [seʀisin].

**SÉRIE,** subst. f.
**1.** *Math.* Généralisation de la notion de somme d'un nombre fini de termes. ▸ ***Série dans un espace normé E (numérique si $E = \mathbb{R}$)*** : couple $((u_n)_{n \geqslant n_0}, (S_n)_{n \geqslant n_0})$ constitué d'une suite $(u_n)_{n \geqslant n_0}$ d'éléments de E, et de la suite $(S_n)_{n \geqslant n_0}$ où $S_n = u_{n_0} + u_{n_0+1} + u_{n_0+2} + ... + u_n$ est la somme partielle de rang $n$. On note souvent $(\Sigma u_n)_{n \geqslant n_0}$ une **série**, et on lit « **série** de terme général $u_n$, $n \geqslant n_0$ ». Étudier une **série**, c'est, par définition, étudier la suite $(S_n)_{n \geqslant n_0}$ (☞ *convergent*). ▸ ***Série de fonctions à valeurs dans un espace normé E*** : **série**, encore notée $(\Sigma f_n)$, donnant pour chaque valeur $x$ de la variable la **série** $(\Sigma f_n(x))$ dans E. ▸ ***Série entière*** : **série** de fonctions numériques ou complexes $(\Sigma f_n)$ où $f_n(z) = a_n z^n$, $a_n$ et $z$ réels ou complexes. ▸ *Fonction développable en **série** entière* (☞ *développable*). **2.** Ensemble, succession ordonnée de choses de nature identique ou présentant des similitudes : ***Série** régulière des colonnes d'un péristyle* ; ***Série** d'indices concordants.* ▸ Loc. ***Série noire*** : succession d'accidents, d'évènements fâcheux. **3. En série.** En grand nombre et faits sur le même modèle (synon. *à la chaîne*) : *Fabrication de machines-outils en **série**.* ▸ *Voiture, article de **série*** : produit en **série**. **4. Hors série.** Unique, hors standard ; au fig., singulier, exceptionnel : *Talent hors **série**.* **5.** *Spéc.* ▸ *Chim.* Ensemble de composés de même formule générale (mais dont le nombre de carbones d'hydrogène diffère, par ex.) qui appartiennent au même groupe organique (les alcanes, par ex.). ▸ *Électr.* ***Couplage en série*** : montage de générateurs alimentés par le même courant (par oppos. à *en dérivation*). ▸ *Mus.* Dans le système dodécaphonique, combinaison des douze notes (demi-tons) de l'échelle chromatique suivant un ordre préétabli par le compositeur. ▸ *Sp.* Au billard, succession de points accumulés d'affilée par un joueur ; en boxe, suite de coups serrés portés à l'adversaire : *Perdre l'équilibre sous une **série** au corps.* ▸ *Télév.* Ensemble des épisodes d'une émission documentaire ou d'une fiction diffusés à échéance régulière : ***Série** policière.* **6.** Chacune des divisions, des catégories qui composent un classement. ▸ *Cin.* ***Film de série B*** : rapidement tourné et avec un budget modeste. ▸ *Sp.* Groupe de concurrents en compétition ; catégorie de concurrents classés en fonction de leurs performances : ***Être tête de série*** ; en appos. : *Cette équipe est deuxième **série**.* 1715 ; lat. *series*, de *serere*, « tresser, lier ensemble » ; [seʀi].

**SÉRIEL, ELLE,** adj.
**1.** Relatif à une série. **2.** *Mus.* Qui repose sur le principe de la série, appliqué non seulement à la hauteur des sons mais aussi à l'ensemble des paramètres musicaux (durée, timbre, intensité, etc.), en parlant d'une technique de composition. 1836 ; ☞ *série* ; [seʀjɛl].

**SÉRIER,** verbe trans. [6]
Classer, disposer, ranger par séries : ***Sérier** des problèmes.* 1815 ; ☞ *série* ; [seʀje].

**SÉRIEUSEMENT,** adv.
De façon sérieuse. 1380 ; ☞ *sérieux* ; [seʀjøzmɑ̃].

**SÉRIEUX, EUSE,** adj. et subst. m.
ADJ. **1.** Qui mérite l'attention du fait de son importance : *Venons-en aux choses **sérieuses*** ; *Une situation, une maladie **sérieuse**,* grave. **2.** Qui ne cherche pas à amuser : *Un sujet **sérieux*** ; *Un air **sérieux**.* **3.** Réfléchi, appliqué : *Un employé **sérieux*** ; *Une fille **sérieuse**,* rangée, sage ; par méton. : *Un travail **sérieux**,* fait avec soin. **4.** Sur quoi l'on peut compter, solide : *Une proposition **sérieuse**.* **5.** Substantiel, considérable : *Une **sérieuse** hausse des prix.* SUBST. **1.** Attitude d'une personne grave : *Garder son **sérieux**,* contenir son envie de rire. **2.** Qualité d'une personne raisonnable, posée. ▸ Loc. ***Se prendre au sérieux*** : s'accorder une importance excessive. **3.** Caractère de ce qui est digne de confiance ou de considération : *Le **sérieux** d'un projet.* ▸ Loc. ***Prendre au sérieux*** : considérer comme important ou vrai. Mil. XIV$^{e}$ s. ; lat. médiév. *seriosus* ; [seʀjø, øz].

**SÉRIGRAPHIE,** subst. f.
*Techn.* Procédé d'impression utilisant un écran, de soie à l'origine. 1959 ; formé de *sérici-* et de *-graphie* ; [seʀigʀafi].

**SERIN, INE,** subst. m. et adj.
SUBST. *Zool.* Oiseau passériforme, arboricole et granivore au plumage jaunâtre, de la famille des Fringillidés, qui migre entre la France et les Canaries. ADJ. Niais, étourdi (fam.). 1478 ; lat. *sirena*, du gr. *seirên*, « sirène ; animal ailé » ; [s(ə)ʀɛ̃, in].

**SÉRINE,** subst. f.
*Biochim.* Acide aminé alcool intervenant dans la constitution des protéines. 1865 ; all. *Serin*, du lat. *sericum*, « soie » ; [seʀin].

**SERINER,** verbe trans. [3]
**1.** Apprendre un air à (un oiseau) avec une serinette. **2.** Fig. et Fam. Répéter sans cesse (qqch.) à qqn ; par ext., importuner (qqn) en ce faisant. 1808 (1555, chanter) ; ☞ *serin* ; [s(ə)ʀine].

**SERINETTE,** subst. f.
Petit orgue mécanique servant à apprendre à chanter aux oiseaux. 1739 ; ☞ *serin* ; [s(ə)ʀinɛt].

**SERINGA,** subst. m.
*Bot.* Arbrisseau ornemental de la famille des Hydrangéacées, à fleurs blanches odorantes. 1600 ; lat. *syringa*, « seringue » ; var. *seringat* ; [s(ə)ʀɛ̃ga].

**SERINGUE,** subst. f.
**1.** Petite pompe portative utilisée pour repousser ou aspirer les liquides par compression de l'air. **2.** *Méd.* Instrument au corps cylindrique, en verre ou en matière plastique, contenant un piston qu'on actionne pour injecter ou prélever des liquides par l'intermédiaire d'une aiguille creuse ou d'une canule. Déb. XIII$^{e}$ s. ; lat. *syringa*, du gr. *surinx*, « roseau taillé et creusé ; flûte » ; [s(ə)ʀɛ̃g].

**SÉRIQUE,** adj.
Relatif au sérum. 1924 ; ☞ *sérum* ; [seʀik].

**SERMENT,** subst. m.
**1.** Promesse faite en invoquant un être ou un objet sacré : *Prêter **serment** devant Dieu.* **2.** Affirmation solennelle par laquelle une personne atteste la véracité d'un fait, s'engage à bien remplir les devoirs de sa charge ; par méton., texte, formule prononcée. ▸ ***Serment** d'Hippocrate* : **serment** prononcé par le futur médecin, qui s'engage à respecter les règles de l'éthique médicale. **3.** Engagement ferme. 842 ; lat. *sacramentum* ; [sɛʀmɑ̃].

Le Serment des Horaces *(détail)*,
*peinture de Jacques Louis David (1748-1825).*
*Musée du Louvre, Paris.*

**SERMON,** subst. m.
**1.** *Relig.* Prédication prononcée par un prêtre, en partic. lors d'une messe (synon. *homélie*). **2.** Discours moralisateur. Fin X$^{e}$ s. ; lat. *sermo* ; [sɛʀmɔ̃].

**SERMONNAIRE,** subst. m.
*Relig.* **1.** Auteur de sermons. **2.** Recueil de sermons. 1584 ; ☞ *sermon* ; [sɛʀmɔnɛʀ].

**SERMONNER,** verbe trans. [3]
Faire des remontrances à (qqn). XII$^{e}$ s. ; ☞ *sermon* ; [sɛʀmɔne].

**SERMONNEUR, EUSE,** subst. et adj.
Se dit d'une personne qui aime à sermonner. ADJ. Moralisateur ; ennuyeux. 1691 (déb. XIII$^{e}$ s., prédicateur) ; ☞ *sermonner* ; [sɛʀmɔnœʀ, øz].

**SÉROCONVERSION,** subst. f.
*Biol.* et *Méd.* Développement d'anticorps en réponse à une infection ou à l'administration d'un vaccin, constaté après deux examens sérologiques, le second produisant un résultat contraire au premier ; à l'inverse, disparition des anticorps. V. 1980 ; ☞ *conversion* + *séro-* ; [seʀokɔ̃vɛʀsjɔ̃].

**SÉRODIAGNOSTIC,** subst. m.
*Méd.* Diagnostic d'une maladie infectieuse par détection dans le sérum du patient des anticorps spécifiques du micro-organisme suspecté. 1896 ; ☞ *diagnostic* + *séro-* ; [seʀodjagnɔstik].

**SÉROLOGIE,** subst. f.
*Méd.* Étude des sérums et de leurs propriétés. 1916 ; formé de *séro-* et de *-logie* ; [seʀɔlɔʒi].

**SÉROLOGIQUE,** adj.
Relatif à la sérologie. Mil. XX$^{e}$ s. ; ☞ *sérologie* ; [seʀɔlɔʒik].

**SÉRONÉGATIF, IVE,** adj.
*Méd.* Qualifie une personne dont le résultat des examens sérologiques montre qu'elle n'a pas été en contact avec un agent infectieux, en partic. avec le virus du sida ; empl. subst., personne **séronégative**. Déb. XX$^{e}$ s. ; ☞ *négatif* + *séro-* ; [seʀonegatif, iv].

**SÉRONÉGATIVITÉ,** subst. f.
État d'un sujet séronégatif. XXe s. ; ☞ *séronégatif* ; [seʀonegativite].

**SÉROPOSITIF, IVE,** adj.
*Méd.* Qualifie une personne dont le résultat des examens sérologiques montre qu'elle a été en contact avec un agent infectieux, en partic. avec le virus du sida ; empl. subst., personne **séropositive.** Déb. XXe s. ; ☞ *positif* + *séro-* ; [seʀopozitif, iv].

**SÉROPOSITIVITÉ,** subst. f.
État d'un sujet séropositif. XXe s. ; ☞ *séropositif* ; [seʀopozitivite].

**SÉROSITÉ,** subst. f.
**1.** *Physiol.* Liquide contenu dans la cavité des séreuses. **2.** *Pathol.* Liquide accumulé dans une cavité ou dans les tissus, lors de certaines affections. 1495 ; ☞ *séreux* ; [seʀozite].

**SÉROTHÉRAPIE,** subst. f.
*Méd.* Emploi thérapeutique, à des fins préventives ou curatives, de sérums sanguins, qui confèrent une immunité passive. 1893 ; formé de *séro-* et de *-thérapie* ; [seʀoteʀapi].

**SÉROTONINE,** subst. f.
*Biochim.* Substance présente dans le système nerveux central et périphérique, jouant un rôle de neurotransmetteur ; elle agit aussi sur l'appareil cardio-vasculaire et sur le déclenchement des affections allergiques. V. 1950 ; angl. *serotonin* ; [seʀɔtɔnin].

**SÉROVACCINATION,** subst. f.
*Méd.* Immunisation visant à protéger rapidement un sujet contre une maladie infectieuse en lui injectant simultanément un sérum (immunité rapide d'action temporaire) et un vaccin (immunité plus tardive mais durable). 1923 ; ☞ *vaccination* + *séro-* ; [seʀovaksinasjɔ̃].

**SERPE,** subst. f.
Outil à large lame tranchante en forme de croissant et à manche de bois, qui sert à couper des branches. ▸ Loc. *Visage taillé à la serpe* : aux traits rudes. Déb. XIIIe s. ; lat. pop. °*sarpa*, du lat. *sarpere*, « tailler (la vigne) » ; [sɛʀp].

**SERPENT,** subst. m.
**1.** *Zool.* Vertébré de la classe des Reptiles, au corps très allongé, dépourvu de membres, et capable de se déplacer par ondulations latérales ou en accordéon. ▸ *Serpent de mer* : monstre marin chimérique ou, au fig., information gén. dénuée de fondement, qui revient pourtant périodiquement dans la presse. **2.** Fig. Personne venimeuse, qui a une influence malfaisante. **3.** Anal. Ce qui ressemble à un **serpent** par son aspect, sa façon de se mouvoir, etc. : *Un **serpent** de fumée.* ▸ *Mus.* Ancien instrument à vent (XVIe-XVIIIe s.) formé d'un tuyau sinueux percé de six trous. ▸ *Écon.* ***Serpent** monétaire européen* : système limitant la fluctuation des taux de change entre des monnaies liées par des parités définies. Fin XIe s. ; lat. *serpens*, « rampant » ; [sɛʀpɑ̃].

**SERPENTAIRE,** subst. m.
*Zool.* Oiseau rapace diurne de la famille des Sagittaridés, à huppe érectile, qui vit dans les savanes d'Afrique et se nourrit de reptiles (synon. *secrétaire*). XIIIe s. ; lat. sc. *serpentarius* ; [sɛʀpɑ̃tɛʀ].

© Ferrero/Labat-Jacana
*Serpentaire.*

**SERPENTE,** subst. f.
Papier fin servant à protéger les gravures des livres. 1680 (fin XIIIe s., serpent) ; ☞ *serpent* ; [sɛʀpɑ̃t].

**SERPENTEAU,** subst. m.
**1.** *Zool.* Jeune serpent. **2.** *Pyrotechnie.* Petite fusée volante qui s'élève avec un mouvement sinueux. Mil. XIIe s. ; ☞ *serpent* ; [sɛʀpɑ̃to].

**SERPENTER,** verbe intrans. [3]
Former une ligne sinueuse : *Chemin, fleuve qui **serpente**.* Fin XIVe s. ; ☞ *serpent* ; [sɛʀpɑ̃te].

**SERPENTIN, INE,** adj. et subst.
**Adj. 1.** Qui a la forme sinueuse, la souplesse ou le mouvement du serpent : *Danse, rivière **serpentine**.* **2.** Orné de taches rappelant celles d'une peau de serpent : *Marbre **serpentin*** ; par méton. : *Colonne **serpentine**.* **Subst. masc. 1.** Long ruban de papier coloré qu'on lance à l'occasion d'une fête. **2.** *Techn.* Tuyau enroulé en spirale, contenant un liquide ou un gaz, qui est plongé dans un bain de température variable afin de favoriser les échanges de chaleur. **Subst. fém. 1.** *Minér.* Au plur. Groupe de minéraux comprenant les silicates de magnésium à formule complexe. **2.** *Pétrogr.* Roche métamorphique constituée principalement de **serpentine.** Mil. XIIe s. ; lat. *serpentinus* ; [sɛʀpɑ̃tɛ̃, in].

**SERPETTE,** subst. f.
Petite serpe. XVe s. ; ☞ *serpe* ; [sɛʀpɛt].

**SERPILLIÈRE,** subst. f.
Torchon de toile grossière servant au nettoyage des sols. Fin XIIe s. ; p.-ê. lat. pop. °*sirpicularia*, du lat. *s(c)irpus*, « jonc » ; [sɛʀpijɛʀ].

**SERPOLET,** subst. m.
*Bot.* Plante aromatique de la famille des Lamiacées, appelée aussi thym sauvage. Déb. XVIe s. ; anc. prov. *serpol*, du lat. *serpullum* ; [sɛʀpɔlɛ].

**SERPULE,** subst. f.
*Zool.* Annélide marin au corps garni de soies, qui vit à l'intérieur d'un tube calcaire fermé par un opercule. Déb. XIXe s. ; lat. sc. *serpula* ; [sɛʀpyl].

**SERRAGE,** subst. m.
Action de serrer. 1567 ; ☞ *serrer* ; [sɛʀaʒ].

**SERRAN,** subst. m.
*Zool.* Poisson marin de la famille des Serranidés, comestible mais de médiocre qualité, vivant en Méditerranée et dans l'Atlantique. 1554 ; lat. pop. °*serranus*, du lat. *serra*, « scie de mer » ; [sɛʀɑ̃].

**SERRATULE,** subst. f.
*Bot.* Plante de la famille des Astéracées, à fleurs rouges (synon. *sarrette*). 1561 ; lat. *serratula*, « bétoine », de *serra*, « scie » ; [sɛʀatyl].

© L. Tangre-Jacana
*Cultures sous serre.*

**SERRE (I),** subst. f.
**I. 1.** Vx. Ce qui serre, presse. **2.** Griffe d'un oiseau de proie (gén. au plur.). ▸ Loc. *Tenir dans ses serres* : à sa merci. **3.** Pressurage de fruits, en partic. du raisin ; le produit obtenu. **II. 1.** Abri translucide, chauffé ou non, permettant de cultiver des plantes exotiques ou d'obtenir des fruits et des légumes hors saison. **2.** *Climatol.* *Effet de serre* : réchauffement de l'atmosphère dû au dégagement de certains gaz perturbant la réflexion du rayonnement solaire. Déb. XIIe s. ; ☞ *serrer* ; [sɛʀ].

**SERRE (II),** subst. f.
*Géogr.* Crête longue et étroite entre des vallées, dans le sud de la France. Déb. XVIIIe s. ; lat. *serra* ; [sɛʀ].

**SERRÉ, ÉE,** adj.
**1.** Contracté : *Avoir la gorge **serrée**.* **2.** Très ajusté, en parlant d'un vêtement. **3.** Tassé : *Écriture **serrée**,* dont l'espace entre les lettres est restreint ; *Café **serré**,* très fort ; *Feuillage **serré**,* très dense. ▸ Loc. *Être **serrés** comme des sardines* : être tassés dans un espace réduit (fam.). **4.** Concis, rigoureux : *Raisonnement **serré**.* **5.** Qui laisse peu de marge, de choix, de possibilités : *Délais **serrés*** ; *Budget **serré*** ; *Match **serré**,* disputé entre des adversaires de force égale ; empl. adv. : *Jouer **serré**,* avec une faible marge de manœuvre. Mil. XIIe s. ; p. p. de *serrer* ; [seʀe].

**SERRE-FILE,** subst. m.
**1.** *Milit.* Soldat qui ferme une marche et veille à sa cohésion. **2.** *Mar.* Dernier bateau d'une escadre, d'un convoi. 1678 ; comp. de *serrer* et de *file* ; plur. *serre-files* ; [sɛʀfil].

**SERRE-FILS,** subst. m. inv.
*Électr.* Pièce raccordant des fils par serrage. 1869 ; comp. de *serrer* et de *fil* ; [sɛʀfil].

**SERRE-FREIN,** subst. m.
*Ch. de fer.* Employé chargé de serrer le frein, dans un train (vx). 1872 ; comp. de *serrer* et de *frein* ; plur. *serre-freins* ; [sɛʀfʀɛ̃].

**SERRE-JOINT,** subst. m.
*Techn.* Outil servant à maintenir ensemble des pièces. 1845 ; comp. de *serrer* et de *joint* (I) ; plur. *serre-joints* ; [sɛʀʒwɛ̃].

**SERRE-LIVRES,** subst. m. inv.
Objet constitué de deux éléments placés de chaque côté d'un ensemble de livres et qui sert à les maintenir debout les uns contre les autres. 1936 ; comp. de *serrer* et de *livre* (II) ; [sɛʀlivʀ].

**SERREMENT,** subst. m.
**1.** Action de serrer : *Un **serrement** de mains.* **2.** Fait d'être contracté : *Un **serrement** à l'estomac* ; au fig. : ***Serrement** de cœur,* sentiment de tristesse. **3.** *Techn.* Dans une mine, barrage empêchant les eaux de submerger une galerie. 1509 ; ☞ *serrer* ; [sɛʀmɑ̃].

**SERRER,** verbe trans. [3]
**1.** Maintenir étroitement (qqch., qqn) en exerçant une pression : ***Serrer** un objet dans sa main* ; ***Serrer** qqn contre son cœur* ; au fig., contracter : *L'émotion me **serre** la gorge.* **2.** Joindre, rapprocher : ***Serrer** les rangs.* **3.** Ajuster (un lien) en tirant dessus : ***Serrer** sa ceinture* ; au fig. : ***Serrer** les prix,* les diminuer. **4.** Comprimer en entourant étroitement : *Cette jupe me **serre** à la taille.* **5.** Agir sur (une pièce) pour rapprocher deux choses : ***Serrer** une vis, un écrou.* **6.** Presser de manière à gêner : ***Serrer** qqn contre un mur* ; ***Serrer** l'ennemi,* le talonner. **7.** Longer, frôler : ***Serrer** le bas-côté* ; ***Serrer** sa droite,* se rapprocher du côté droit de la route ; au fig. : ***Serrer** un concept,* l'appréhender, le cerner mieux. **Pronom. 1.** Se contracter. **2.** *Se **serrer** contre, autour de* : se blottir contre, se rapprocher autour de. **3.** Loc. *Se **serrer** les coudes* (☞ *coude*). Déb. XIIe s. ; lat. pop. °*serrare*, du lat. *serare*, de *sera*, « serrure » ; [seʀe].

**SERRE-TÊTE,** subst. m. inv.
Demi-cercle flexible, bandeau servant à maintenir les cheveux en arrière. 1573 ; comp. de *serrer* et de *tête* ; [sɛʀtɛt].

**SERRETTE, voir SARRETTE**

**SERRISTE,** subst.
*Hortic.* Personne qui fait des cultures en serre. V. 1970 ; ☞ *serre* (I) ; [sɛʀist].

**SERRURE,** subst. f.
Mécanisme de fermeture constitué d'un pêne qui s'engage dans une gâche sous l'action d'une clé, d'un bouton : *Tourner la clé dans la **serrure**.* Fin XIe s. ; ☞ *serrer* ; [sɛʀyʀ].

**SERRURERIE,** subst. f.
**1.** Métier, commerce du serrurier ; son ouvrage. **2.** Fabrication d'ouvrages en métal, en partic. en fer forgé. Mil. XIIIe s. ; ☞ *serrurier* ; [sɛʀyʀʀi].

**SERRURIER, IÈRE,** subst.
**1.** Personne qui fabrique, vend ou répare des serrures, des verrous, etc. **2.** Personne qui fabrique, vend des objets de métal ; en partic., ferronnier. 1237 ; ☞ *serrure* ; [sɛʀyʀje, jɛʀ].

**SERTÃO,** subst. m.
*Géogr.* Au Brésil, zone semi-aride où se pratique l'élevage extensif. 1822 ; mot port. ; [sɛʀtɑ̃] ou [-tao].

**SERTE,** subst. f.
Sertissage. 1765 ; ☞ *sertir* ; [sɛʀt].

**SERTIR,** verbe trans. [19]
**1.** *Joaill.* Monter (une pierre) sur un bijou en rabattant les bords tout autour. ▸ Empl. adj. **Serti de.** Incrusté de : *Bague **sertie** de rubis.* **2.** Anal. *Techn.* Assembler (deux pièces) sans soudure. 1636 ; anc. fr. *sartir*, « ajuster (des pièces de métal) », du lat. pop. °*sartire*, du lat. *sarcire*, « ravauder » ; [sɛʀtiʀ].

**SERTISSAGE,** subst. m.
Action de sertir. 1872 ; ☞ *sertir* ; [sɛʀtisaʒ].

**SERTISSEUR, EUSE,** subst. m.
Artisan spécialisé dans le sertissage. **Fém.** Appareil servant à sertir les boîtes de conserve. 1837 ; ☞ *sertir* ; [sɛʀtisœʀ, øz].

**SERTISSURE, subst. f.**
*Joaill.* Manière dont une pierre est sertie ; partie du chaton qui la maintient. 1701 (1328, fixation d'un émail) ; ☞ *sertir* ; [sɛʀtisyʀ].

**SÉRUM, subst. m.**
**1.** Liquide qui se sépare de la partie coagulée du lait. **2.** *Biol.* Partie du sang ne contenant pas les cellules sanguines, qui surnage après coagulation et qui est dépourvue de fibrinogène. ► ***Sérum** antitoxique* : **sérum** provenant du sang d'un animal immunisé contre un antigène (toxique) donné. ► ***Sérum** physiologique* : soluté salé isotonique au plasma sanguin. 1478 ; lat. *serum,* « petit-lait » ; [seʀɔm].

**SERVAGE, subst. m.**
**1.** *Féod.* Condition du serf. **2.** Fig. Asservissement, dépendance. XIIe s. ; ☞ *serf* ; [sɛʀvaʒ].

**SERVAL, subst. m.**
*Zool.* Grand chat sauvage d'Afrique, à la robe fauve mouchetée de noir. 1761 ; port. *cerval,* « cervier » ; plur. *servals* ; [sɛʀval].

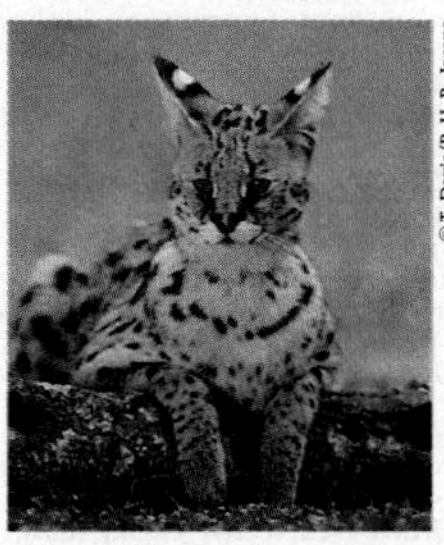
© T. Davis/P. H. R.-Jacana

*Serval.*

**SERVANT, ANTE, adj. m. et subst.**
**Adj. 1.** Vx. Qui est au service de qqn : *Chevalier **servant*** (☞ *chevalier*). **2.** *Cath. Frère **servant*** : frère convers employé aux tâches domestiques. **3.** *Dr. Fonds **servant*** : soumis à une servitude. **Subst. masc. 1.** *Cath. **Servant** de messe* : clerc ou laïc qui sert la messe. **2.** *Milit.* Artilleur affecté à l'approvisionnement d'une pièce pendant le tir. **Subst. fém. 1.** Domestique chargée des travaux ménagers (vieilli). **2.** *Techn.* Support, tablette réglable prolongeant un établi. Mil. XIe s. ; p. pr. de *servir* ; [sɛʀvɑ̃, ɑ̃t].

**SERVEUR, EUSE, subst.**
**1.** Personne qui sert dans un bar, un restaurant, etc. **2.** *Sp.* Joueur qui sert, qui met la balle en jeu. **3.** Joueur qui distribue les cartes. **4.** *Techn.* Personne qui alimente une machine. **Masc.** *Informat.* Ordinateur permettant à des utilisateurs périphériques organisés en réseau d'avoir accès à certaines données ou applications et de les partager. 1892 (déb. XIIIe s., serviteur) ; ☞ *servir* ; [sɛʀvœʀ, øz].

**SERVIABLE, adj.**
Qui rend volontiers service. Mil. XIIe s. ; anc. fr. *servisable,* d'apr. *amiable* ; [sɛʀvjabl].

**SERVICE, subst. m.**
**I. 1.** *Relig.* Ensemble des devoirs envers la divinité : *Entrer au **service** de Dieu* ; ***Service** divin,* célébration de l'office ; ***Service** funèbre,* messe célébrée pour un défunt. **2.** Ensemble des devoirs d'un citoyen envers l'État. ► ***Service** national* : ensemble des obligations militaires ou civiles imposées aux citoyens français. ► ***Service** militaire* ou, empl. abs., ***Service*** : temps pendant lequel un citoyen jugé apte accomplit ses obligations militaires. **3.** Travail exercé dans une administration, une entreprise : *Prendre son **service*** ; *Note de **service**.* **II. 1.** Fonction de domestique : *Entrer, être au **service** de qqn.* ► *Escalier, porte de **service*** : réservés aux domestiques, aux fournisseurs, etc. **2.** Action ou manière de servir des clients dans un restaurant, un hôtel : ***Service** rapide* ; par méton., rémunération de cette prestation : ***Service** compris.* **3.** Action ou manière de servir à table : *Faire le **service**.* ► Ensemble de repas servis en même temps dans une cantine, un restaurant : *Premier, second **service**.* **4.** Assortiment d'objets (vaisselle, linge) utilisés pour la table : ***Service** à thé.* **III. 1.** Ce qu'on accomplit pour aider qqn, lui être utile : *Rendre (un) **service** à qqn* ; *À votre **service**,* formule de politesse. **2.** Organisme chargé d'une fonction d'utilité publique : ***Service** des postes, des transports* ; ***Service** social.* ► ***Service** public* : organisme public ou privé assurant une fonction d'intérêt général ou ensemble des activités d'intérêt général. **3.** Secteur, au sein d'une entreprise : ***Service** informatique, après-vente* ; *Chef de **service**.* **Plur. 1.** Travail rémunéré que l'on fait pour qqn : *Offrir ses **services**.* **2.** *Écon.* Produits immatériels fournis par les entreprises ou l'État, par oppos. aux biens : *Société de **services**.* **IV. 1.** Fait d'être en état de fonctionner : *Mettre en **service**.* ► Loc. *Être hors **service*** (abrév. : H. S.) : ne plus fonctionner ou, au fig. (et seulement en abrév.), être très fatigué (fam.). **2.** Fait de distribuer, d'expédier une publication : *Le **service** des abonnés.* ► ***Service** de presse* : expédition d'un ouvrage aux journalistes, aux critiques et, par méton., ce qui est expédié. **3.** *Sp.* Dans certains sports, coup par lequel on met la balle en jeu. Mil. XIe s. ; lat. *servitium,* « servitude » ; [sɛʀvis].

**SERVIETTE, subst. f.**
**1.** Pièce de linge. ► ***Serviette** (de table)* : avec laquelle on protège ses vêtements, on essuie ses lèvres. ► ***Serviette** (de toilette)* : avec laquelle on se sèche le corps. ► ***Serviette** hygiénique, périodique* : protection jetable utilisée par les femmes pendant les règles. **2.** Sac compartimenté servant à porter des documents. XIVe s. ; ☞ *servir* ; [sɛʀvjɛt].

**SERVILE, adj.**
**1.** Qui fait preuve de servilité. ► Ext. Dépourvu d'originalité : *L'imitation **servile** d'un modèle.* **2.** Relatif aux serfs, à leur état. XIIIe s. ; lat. *servilis,* de *servus,* « esclave » ; [sɛʀvil].

**SERVILEMENT, adv.**
D'une manière servile, bassement. Fin XIVe s. ; ☞ *servile* ; [sɛʀvilmɑ̃].

**SERVILITÉ, subst. f.**
**1.** Soumission excessive ; bassesse. **2.** Ext. Absence d'originalité. 1542 ; ☞ *servile* ; [sɛʀvilite].

**SERVIR, verbe trans.** [28]
**Trans. dir. 1.** Remplir certaines obligations, certains devoirs envers (qqn, une collectivité) : ***Servir** Dieu.* ► ***Servir** l'État* : être militaire ou fonctionnaire ; empl. abs., être militaire : ***Servir** dans la marine.* **2.** Vieilli. Être au service de (qqn) en tant que domestique ; empl. abs. : *Il a **servi** chez la comtesse.* **3.** Apporter les plats à (qqn), lui donner à manger, à boire : *Vous m'avez **servi** largement* ; apporter (un plat, une boisson) à qqn : ***Servir** la soupe* ; ***Servir** le dîner.* **4.** Fournir, procurer à (qqn) ce qu'il demande : ***Servir** un client* ; fournir, procurer (qqch.) ; au fig., raconter, débiter : ***Servir** des fadaises.* ► Verser, payer (une somme d'argent) : ***Servir** une rente.* ► *Jeux.* Distribuer (les cartes) ; empl. abs. : *À vous de **servir**.* ► *Sp. **Servir** la balle* ou, empl. abs., ***Servir*** : mettre la balle en jeu. **5.** Apporter son aide, son soutien à (qqn, qqch.), se consacrer à : ***Servir** une cause humanitaire* ; ***Servir** les intérêts de qqn.* **6.** Être profitable, utile à (qqn, qqch.) : *Son humour le **sert**.* **7.** *Cath. **Servir** la messe* : assister le prêtre qui célèbre la messe. **8.** *Milit.* Approvisionner (une arme). **9.** *Vèn.* Abattre (une bête forcée). **Trans. indir. 1. Servir à.** Être utile à (qqn) : *Ses relations lui ont **servi*** ; être utile, utilisé pour : *Couteau qui **sert** à couper le pain.* ► Abs. Être utile ; être en usage : *Objet qui peut encore **servir**, qui n'a jamais **servi**.* **2. Servir de.** Être employé comme : *Ce canapé me **sert** de lit.* **Pronom. 1.** Prendre (d'un plat, d'une boisson) : ***Se servir** un verre d'eau* ; ***Servez-vous**.* **2.** Se fournir en marchandises. **3. Se servir de.** Utiliser (qqch.) ; manœuvrer (qqn) : *Il **s'est servi** de moi.* Fin IXe s. ; lat. *servire,* « être esclave » ; [sɛʀviʀ].

**SERVITEUR, subst. m.**
**1.** Personne qui est au service d'une collectivité, d'une institution (littér.). **2.** Domestique (vieilli). Mil. XIe s. ; bas lat. *servitor* ; [sɛʀvitœʀ].

**SERVITUDE, subst. f.**
**1.** Condition du serf ; ensemble d'obligations liées à cet état. ► Anal. État d'asservissement, en partic. d'un peuple. **2.** Ext. Assujettissement à qqch., contrainte. **3.** *Dr.* Charge imposée sur un immeuble (fonds servant), au profit d'un autre immeuble (fonds dominant) appartenant à un autre propriétaire : ***Servitude** de passage.* **4.** *Mar. Bâtiment de **servitude*** : engin flottant réservé au service des ports. Fin XIIIe s. ; bas lat. *servitudo* ; [sɛʀvityd].

**SERVOCOMMANDE, subst. f.**
*Techn.* Mécanisme auxiliaire qui produit la force nécessaire au fonctionnement d'un ensemble. Mil. XXe s. ; ☞ *commande* + *servo-* ; [sɛʀvokɔmɑ̃d].

**SERVOFREIN, subst. m.**
*Techn.* Servocommande d'assistance au freinage. 1922 ; ☞ *frein* + *servo-* ; [sɛʀvofʀɛ̃].

**SERVOMÉCANISME, subst. m.**
*Techn.* Système régulant automatiquement le fonctionnement d'un dispositif, selon un programme déterminé. 1932 ; ☞ *mécanisme* + *servo-* ; [sɛʀvomekanism].

**SERVOMOTEUR, subst. m.**
*Techn.* Organe permettant de commander un moteur. 1869 ; ☞ *moteur* + *servo-* ; [sɛʀvomɔtœʀ].

**SES, voir SON (I)**

**SÉSAME, subst. m.**
**1.** *Bot.* Plante oléagineuse de la famille des Pédaliacées, cultivée en Inde pour ses graines ; par méton., la graine qu'elle fournit. **2.** Moyen d'accéder à qqch. (par allus. au « Sésame, ouvre-toi ! » du conte d'Ali Baba). Mil. XIIIe s. ; lat. *sesamum,* du gr. *sêsamon* ; [sezam].

**SÉSAMOÏDE, adj. et subst. m.**
*Anat.* Se dit de chacun des petits os présents dans les tendons des mains et des pieds. 1539 ; gr. *sêsamoeidês,* « en forme de sésame » ; [sezamɔid].

**SESBANIE, subst. f.**
*Bot.* Arbuste de la famille des Fabacées, cultivé en Inde pour la filasse extraite de ses tiges et servant à la confection du papier à cigarettes. 1677 ; persan *sisabân,* graine d'un arbre ; var. *un sesbania* ; [sɛsbani].

**SESSILE, adj.**
*Bot.* et *Zool.* Qualifie un organe implanté directement sur une autre partie, sans l'intermédiaire d'un pied, d'un pédoncule : *Feuille **sessile*** ; *Œil **sessile**.* 1611 ; lat. *sessilis* ; [sesil].

**SESSION, subst. f.**
Période durant laquelle siège une assemblée, un jury d'examen. 1440 (XIIe s., fait d'être assis) ; lat. *sessio,* de *sedere,* « s'asseoir » ; [sesjɔ̃].

**SESTERCE, subst. m.**
*Antiq. rom.* Monnaie principale valant deux as et demi. 1521 ; lat. *sestertius,* de *semis,* « moitié de l'as », et de *tertius,* « troisième » ; [sɛstɛʀs].

**SET, subst. m.**
**1.** *Sp.* Manche d'un match de tennis, de ping-pong, de volley. **2.** Ensemble des napperons d'un service de table ; chacun d'entre eux. 1893 (1833, coterie) ; angl. *set,* de *to set,* « établir, disposer » ; [sɛt].

**SÉTACÉ, ÉE, adj.**
*Bot.* Qui possède les caractères morphologiques d'une soie, comme certaines feuilles de mousses. 1778 ; lat. *saeta,* « soie, poil » ; [setase].

**SETIER, subst. m.**
Ancienne mesure agraire de capacité, de valeur variable. Fin XIIe s. ; lat. *sextarius,* « sixième » ; [sətje].

**SÉTON, subst. m.**
*Chir.* Mèche de coton ou de crins qui, glissée sous la peau et entrant et sortant par deux orifices différents, permettait de drainer une plaie (vx). ► *Plaie, blessure en **séton*** : qui présente deux orifices correspondant au passage sous-cutané d'un projectile ou d'une arme blanche. Fin XIVe s. ; lat. médiév. *seto,* de l'anc. prov. *sedon* ; [setɔ̃].

**SETTER, subst. m.**
Chien d'arrêt à poil long. 1828 ; angl. *setter,* de *to set,* « tomber en arrêt » ; [setɛʀ].

**SEUIL, subst. m.**
**I. 1.** Dalle, barre de bois ou de métal formant la partie inférieure de la baie d'une porte ; par méton., entrée d'une maison, d'une pièce : *Franchir le **seuil**.* **2.** Ext. Point d'accès à un lieu : *Au **seuil** d'une terre inconnue* ; au fig., moment où l'on va entrer dans une autre période : *Au **seuil** du XXIe siècle.* **3.** *Géogr.* Exhaussement d'un fond marin ou fluvial. ► Barre, ligne de partage des eaux entre deux dépressions : ***Seuil** du Lauragais.* **II. 1.** Limite au-delà de laquelle se produit un changement d'état, une réaction : ***Seuil** critique.* **2.** *Écon. **Seuil** de rentabilité* : chiffre d'affaires à partir duquel on réalise un bénéfice. **3.** *Physiol.* Niveau d'intensité minimale d'un stimulus, au-dessous duquel il n'est plus perçu : ***Seuil** d'audibilité.* ► ***Seuil** d'élimination* : niveau de concentration minimal pour qu'une substance contenue dans le sang soit éliminée. Fin XIIe s. ; bas lat. *solea,* « plancher », du lat. *solea,* « sandale » ; [sœj].

**SEUL, SEULE,** adj.
1. Qui ne reçoit pas d'aide : *Tu peux le faire (tout) seul.* 2. Qui est sans compagnie. ▸ Loc. *Seul à seul* : tête à tête (gén. inv.). 3. Qui n'a pas d'amis, de famille, de conjoint : *Un enfant seul* ; *Vivre seul.* 4. Unique de son espèce : *Le seul homme que j'aime* ; empl. subst. : *C'est le seul à rire.* 5. Uniquement, à l'exclusion de tout autre (en appos. avec valeur adv.) : *Seuls, les livres me restent* ; *Dieu seul le sait.* Fin Xe s. ; lat. *solus* ; [sœl].

**SEULEMENT,** adv.
1. Sans rien de plus ; uniquement : *Il y a seulement une chaise* ; *Il voulait seulement te parler.* 2. À l'instant : *Il arrive seulement* ; pas avant : *Dites-lui seulement demain.* 3. Toutefois (fam.) : *J'accepte, seulement je veux de l'argent.* 4. Loc. ▸ **Non seulement.** Marque une opposition ou une gradation : *Non seulement il viendra, mais il restera.* ▸ **Si seulement.** Marque un souhait ou un regret : *Si seulement j'avais vingt ans !* Déb. XIIe s. ; ☞ *seul* ; [sœlmɑ̃].

**SEULET, ETTE,** adj.
Seul (vx ou fam.). Fin XIIe s. ; ☞ *seul* ; [sœlɛ, ɛt].

**SÈVE,** subst. f.
1. *Bot.* Liquide circulant dans les plantes vasculaires, qui assure leur nutrition et leur croissance. 2. Fig. Énergie, vigueur (littér.). Déb. XIIIe s. ; lat. *sapa*, « vin cuit » ; [sɛv].

**SÉVÈRE,** adj.
1. Qui n'hésite pas à punir, à blâmer : *Mère sévère.* 2. Inflexible : *Des lois sévères.* 3. Austère, dépouillé : *Un style sévère.* 4. Grave, sérieux (empl. critiqué) : *Un échec sévère.* Déb. XIIIe s. ; lat. *severus* ; [sevɛʀ].

**SÉVÈREMENT,** adv.
Avec sévérité. 1539 ; ☞ *sévère* ; [sevɛʀmɑ̃].

**SÉVÉRITÉ,** subst. f.
Disposition à être sévère ; caractère de ce qui est sévère. Déb. XIIIe s. ; lat. *severitas* ; [seveʀite].

**SÉVICES,** subst. m. plur.
Brutalités exercées sur une personne placée sous son autorité. 1273 ; lat. *seavitia*, « fureur » ; [sevis].

**SÉVIR,** verbe intrans. [19]
1. *Sévir contre* : infliger une punition à (qqn), réprimer (qqch.). 2. Faire des ravages : *La famine sévit.* 1593 (fin XIVe s., être en colère) ; lat. *saevire*, de *saevus*, « cruel » ; [seviʀ].

**SEVRAGE,** subst. m.
1. Action de sevrer un nourrisson ; son résultat. 2. *Méd.* Privation progressive de drogue ou d'alcool. 1741 ; ☞ *sevrer* ; [səvʀaʒ].

**SEVRER,** verbe trans. [3]
1. Cesser l'allaitement de (un enfant, un petit animal). 2. *Hortic.* Séparer (un greffon) de la plante mère. 3. *Méd.* Priver progressivement (un toxicomane, un alcoolique) de drogue, d'alcool. Fin XIIe s. (fin XIe s., séparer) ; lat. pop. °*seperare*, du lat. *separare*, « mettre à part » ; [səvʀe].

**SÈVRES,** subst. m.
Porcelaine fabriquée à la manufacture de Sèvres ; par méton., objet fait de cette porcelaine. 1837 ; topon. *Sèvres* (Hauts-de-Seine) ; [sɛvʀ].

**SÉVRIENNE,** subst. f.
Élève de l'École normale supérieure de jeunes filles, autrefois à Sèvres. 1904 ; topon. *Sèvres* (Hauts-de-Seine) ; [sevʀijɛn].

**SEXAGE,** subst. m.
*Élev.* Détermination du sexe des animaux : *Sexage des poussins.* V. 1960 ; ☞ *sexe* ; [sɛksaʒ].

**SEXAGÉNAIRE,** adj. et subst.
Se dit d'une personne ayant entre soixante et soixante-neuf ans. Déb. XVe s. ; lat. *sexagenarius*, de *sexaginta*, « soixante » ; [sɛksaʒenɛʀ] ou [sɛgza-].

**SEXAGÉSIMAL, ALE, AUX,** adj.
Se dit d'un système de numération à base soixante. 1724 ; lat. *sexagesimus* ; [sɛksaʒezimal, o] ou [sɛgza-].

**SEX-APPEAL,** subst. m.
Charme sensuel, qui provoque le désir physique (anglic.). 1927 ; angl. *sex appeal*, de *sex*, « sexe », et de *appeal*, « attrait » ; plur. *sex-appeals* ; [sɛksapil].

**SEXE,** subst. m.
1. Ensemble des caractères qui, au sein d'une même espèce, différencient un individu mâle d'un individu femelle. 2. Ensemble des personnes du même sexe : *Égalité des sexes* ; *Sexe fort*, les hommes ; *Sexe faible, beau sexe*, les femmes. ▸ Abs. *Le sexe* : les femmes (vx). 3. Organes génitaux externes. 4. Sexualité (fam.). Déb. XIIIe s. ; lat. *sexus* ; [sɛks].

**SEXISME,** subst. m.
Attitude de discrimination fondée sur le sexe. V. 1960 ; ☞ *sexe*, d'apr. *racisme* ; [sɛksism].

**SEXISTE,** adj. et subst.
Se dit d'une personne qui fait preuve de sexisme. ADJ. Qui relève du sexisme. V. 1970 ; ☞ *sexe*, d'apr. *raciste* ; [sɛksist].

**SEXOLOGIE,** subst. f.
Étude des phénomènes liés à la sexualité, à ses troubles. 1932 ; ☞ *sexe* + *-logie* ; [sɛksɔlɔʒi].

**SEXOLOGUE,** subst.
Spécialiste de sexologie. 1949 ; ☞ *sexologie* ; [sɛksɔlɔg].

**SEX-RATIO,** subst. f.
Rapport entre le nombre d'individus mâles et femelles dans une population. 1948 ; angl. *sex-ratio*, de sex, « sexe », et de *ratio*, « pourcentage » ; plur. *sex-ratios* ; [sɛksʀasjo].

**SEX-SHOP,** subst. m. ou f.
Boutique spécialisée dans le domaine de la pornographie. V. 1970 ; angl. *sex shop*, de *sex*, « sexe », et de *shop*, « boutique » ; plur. *sex-shops* ; [sɛksʃɔp].

**SEXTANT,** subst. m.
*Astron.* et *Mar.* Instrument constitué d'un secteur circulaire gradué de 60°, d'une lunette de visée et de deux miroirs, permettant de faire le point en mesurant l'angle d'un astre au-dessus de l'horizon. 1639 (1547, un sixième) ; lat. *sextans*, « un sixième » ; [sɛkstɑ̃].

**SEXTE,** subst. f.
1. Vx. Sixième heure. 2. *Cath.* Partie de l'office divin célébrée à midi. XIIIe s. ; lat. *sexta hora* ; [sɛkst].

**SEXTIDI,** subst. m.
Sixième jour de la décade, dans le calendrier républicain. 1793 ; lat. *sextus*, « sixième », et *dies*, « jour » ; [sɛkstidi].

**SEXTILLION,** subst. m.
1. Vx. Mille milliards de milliards ($10^{21}$). 2. Depuis 1948, un million de quintillions ($10^{36}$). 1484 ; lat. *sextus*, « sixième », d'apr. *million* ; [sɛkstiljɔ̃].

**SEXTOLET,** subst. m.
*Mus.* Groupe de six notes à exécuter dans le même temps que quatre notes de même valeur. 1837 ; lat. *sextus*, « sixième », d'apr. *triolet* ; [sɛkstɔlɛ].

**SEXTUOR,** subst. m.
*Mus.* 1. Composition écrite pour six instruments ou six voix. 2. Ensemble de six interprètes. 1775 ; lat. *sex*, « six », d'apr. *quatuor* ; [sɛkstɥɔʀ].

**SEXTUPLE,** adj. et subst. m.
Se dit de ce qui vaut six fois une quantité ou de ce qui compte six éléments. 1450 ; bas lat. *sextuplex* ; [sɛkstypl].

**SEXTUPLÉ, ÉE,** subst.
Chacun des six enfants nés d'une même grossesse. V. 1970 ; p. p. de *sextupler* ; [sɛkstyple].

**SEXTUPLER,** verbe [3]
TRANS. Multiplier par six. INTRANS. Être multiplié par six. 1493 ; ☞ *sextuple* ; [sɛkstyple].

**SEXUALISER,** verbe trans. [3]
Donner un caractère sexuel à : *Sexualiser la publicité.* 1917 ; ☞ *sexuel* ; [sɛksɥalize].

**SEXUALITÉ,** subst. f.
1. *Biol.* Ensemble des caractères propres à chaque sexe ; ensemble des mécanismes liés à la reproduction sexuée. 2. Ensemble des comportements relatifs à l'instinct sexuel et à sa satisfaction. 1838 ; ☞ *sexuel* ; [sɛksɥalite].

**SEXUÉ, ÉE,** adj.
Pourvu d'un sexe. ▸ *Reproduction sexuée* : opérée par la conjonction des deux sexes. 1873 ; ☞ *sexe* ; [sɛksɥe].

**SEXUEL, ELLE,** adj.
1. *Biol.* Relatif aux caractères de l'un ou l'autre sexe. 2. Relatif à l'amour physique : *Acte sexuel*, coït ; *Pulsions sexuelles* ; *Éducation sexuelle.* 1742 ; bas lat. *sexualis*, du lat. *sexus*, « sexe » ; [sɛksɥɛl].

**SEXUELLEMENT,** adv.
Du point de vue sexuel ; par le sexe : *Maladie sexuellement transmissible (M. S. T.).* 1896 ; ☞ *sexuel* ; [sɛksɥɛlmɑ̃].

**SEXY,** adj. inv.
Anglic. Qui excite les instincts sexuels ; par méton. : *Une robe sexy.* 1925 ; mot angl. ; [sɛksi].

**SEYANT, ANTE,** adj.
Qui sied, qui met en valeur qqn : *Coupe de cheveux seyante.* 1863 ; var. mod. de *séant* ; [sɛjɑ̃, ɑ̃t].

**SFORZANDO,** adv.
*Mus.* En renforçant brusquement et ponctuellement l'intensité du son (abrév. : *sf.* ou *sfz.*). 1799 ; ital. *sforzando*, « en forçant » ; [sfɔʀdzɑ̃do].

**SFUMATO,** subst. m.
*Peint.* Modelé vaporeux des contours d'un sujet. 1758 ; ital. *sfumato*, « enfumé » ; [sfumato].

**SGRAFFITE,** subst. m.
*B.-a.* Technique de peinture murale consistant à enduire un support sombre d'un mortier blanc et à le gratter pour faire apparaître le dessin souhaité. 1680 ; ital. *sgraffito*, « égratigné » ; [sgʀafit].

**SHABBAT,** voir **SABBAT**

**SHAH,** voir **CHAH**

**SHAKER,** subst. m.
Récipient formé de deux timbales emboîtées, qui sert à préparer des cocktails frappés (anglic.). 1895 ; angl. *shaker*, de *to shake*, « secouer » ; [ʃɛkœʀ].

**SHAKESPEARIEN, IENNE,** adj.
Relatif à Shakespeare ou à son œuvre ; qui évoque son théâtre. 1778 ; anthropon. *William Shakespeare* ; [ʃɛkspiʀjɛ̃, jɛn].

**SHAKO,** subst. m.
Coiffure militaire tronconique : *Le shako des saints-cyriens.* Fin XVIIIe s. ; hongrois *csákó* ; [ʃako].

**SHAMA,** subst. m.
*Zool.* Passereau de la famille des Muscapidés, élevé pour son chant. 1933 ; hindi *sāmā* ; [ʃama].

**SHAMAN,** voir **CHAMAN**

**SHAMPOING,** subst. m.
1. Lavage des cheveux au moyen d'un liquide savonneux. 2. Méton. Produit destiné à cet usage ; par anal., détergent moussant : *Shampoing cirant.* 1877 ; angl. *shampooing*, de *to shampoo*, « frictionner », du hindi *cāpnā*, « presser » ; var. *shampooing* ; [ʃɑ̃pwɛ̃].

**SHAMPOUINER,** verbe trans. [3]
Faire un shampoing à (qqn) ; par anal. : *Shampouiner la moquette.* 1894 ; ☞ *shampoing* ; [ʃɑ̃pwine].

**SHAMPOUINEUR, EUSE,** subst.
Personne qui fait les shampoings, dans un salon de coiffure. FÉM. Machine utilisée pour nettoyer le sol. 1955 ; ☞ *shampoing* ; [ʃɑ̃pwinœʀ, øz].

**SHANTUNG,** voir **CHANTOUNG**

**SHED,** subst. m.
*Constr.* Toiture en dents de scie, faite de versants abrupts et vitrés alternant avec des versants de pente plus faible. 1890 ; angl. *shed*, « hangar » ; [ʃɛd].

**SHEKEL,** subst. m.
Unité monétaire d'Israël. V. 1980 ; hébreu *šeqel*, « poids » ; [ʃekɛl].

**SHÉOL,** voir **SCHÉOL**

**SHÉRIF,** subst. m.
1. Magistrat représentant la loi dans chaque comté de Grande-Bretagne. 2. Aux États-Unis, officier d'administration élu, chargé du maintien de l'ordre et de l'application de la loi, dans un comté ou un district. 1547 ; angl. *sheriff* ; [ʃeʀif].

**SHERPA,** subst. m.
1. Guide ou porteur, dans les expéditions himalayennes. 2. Collaborateur d'un chef d'État chargé de préparer un sommet international (fam.). 1933 ; *Sherpas*, nom d'un peuple montagnard du Népal ; [ʃɛʀpa].

© Ph. Delarbre-Explorer

*Sherpas.*

**SHERRY,** subst. m.
Xérès (anglic.). 1819 ; angl. *sherry*, altér. de *Jerez* (Andalousie) ; plur. *sherrys* ou *sherries* ; [ʃɛʀi].

**SHETLAND,** subst. m.
1. *Text.* Laine des moutons des îles Shetland. ▸ Méton. Tissu fait de cette laine ; pull-over en

shetland. **2.** *Zool.* Poney d'une race vigoureuse originaire de ces îles. 1894 ; topon. *Shetland*, îles au N.-E. de l'Écosse ; [ʃɛtlɑ̃d].

**SHIATSU, subst. m.**
*Méd.* Méthode thérapeutique d'origine japonaise, consistant à comprimer manuellement certains points du corps. Mot jap. ; [ʃjatsu].

**SHIISME, voir CHIISME**

**SHIITE, voir CHIITE**

**SHIITAKE, subst. m. inv.**
*Bot.* Champignon basidiomycète comestible de la famille des Polyporacées, très apprécié. Mot jap. ; [ʃiitake].

**SHILLING, subst. m.**
Ancienne monnaie anglaise. 1558 ; mot angl. ; [ʃiliŋ].

**SHILOM, voir CHILOM**

**SHIMMY, subst. m.**
**1.** Danse américaine très rythmée, à la mode dans les années vingt. **2.** Tremblement d'une automobile dû à un mauvais équilibrage des roues (anglic.). 1920 ; anglo-amér. *shimmy*, du fr. *chemise* ; [ʃimi].

**SHINTOÏSME, subst. m.**
*Relig.* Religion primitive du Japon, antérieure au bouddhisme, officielle dans ce pays jusqu'en 1945, qui prône la célébration des ancêtres et de l'empereur, ainsi que, depuis le XIVᵉ s., le nationalisme. 1765 ; jap. *shintō*, « voie des dieux » ; var. *shinto* ; [ʃintɔism].

**SHINTOÏSTE, subst. et adj.**
Se dit d'un adepte du shintoïsme. **ADJ.** Relatif, propre au shintoïsme. 1904 ; ☞ *shintoïsme* ; [ʃintɔist].

**SHIPCHANDLER, subst. m.**
Fournisseur d'articles pour les bateaux (anglic.). 1850 ; angl. *shipchandler*, de *ship*, « bateau », et de *chandler*, « fournisseur » ; [ʃipʃɑ̃dlœʀ].

**SHIRTING, subst. m.**
*Text.* Solide tissu de coton, utilisé en lingerie. 1855 ; angl. *shirting*, de *shirt*, « chemise » ; [ʃœʀtiŋ].

*Ascète adepte du shivaïsme.*

**SHIVAÏSME, subst. m.**
*Relig.* Tendance de l'hindouisme caractérisée par la prééminence du dieu Shiva. *Shiva*, dieu hindou ; var. *çivaïsme*, *sivaïsme* ; [ʃivaism].

**SHOCKING, adj. inv.**
Choquant (anglic. et vieilli). 1842 ; mot angl. ; [ʃɔkiŋ].

**SHOGUN, subst. m.**
*Hist.* Chef militaire du Japon, véritable détenteur du pouvoir à la place de l'empereur (de 1192 à 1868). 1836 ; jap. *shōgun*, de *shō*, « chef », et de *gun*, « armée » ; var. *shogoun* ; [ʃɔgun].

**SHOOT, subst. m.**
Anglic. **1.** *Sp.* Tir, au football. **2.** Injection de drogue (fam.). 1893 ; angl. *shoot*, de *to shoot*, « tirer » ; [ʃut].

**SHOOTER, verbe [3]**
Anglic. **INTRANS.** Tirer, au football. **PRONOM.** Se faire une injection de drogue (fam.). 1900 ; angl. *to shoot*, « tirer » ; [ʃute].

**SHOPPING, subst. m.**
Action d'aller de magasin en magasin pour faire des achats (anglic.) : *Faire du **shopping**.* 1804 ; angl. *shopping*, de *shop*, « boutique » ; [ʃɔpiŋ].

**SHORT, subst. m.**
Culotte courte, portée comme tenue d'été, de sport. 1910 ; angl. *short*, « court » ; [ʃɔʀt].

**SHOW, subst. m.**
**1.** Spectacle de variétés, de music-hall. **2.** Anal. Prestation (d'une personnalité). 1930 (1773, spectacle grotesque) ; mot angl. ; [ʃo].

**SHOW-BUSINESS, subst. m. inv.**
Anglic. Activité commerciale liée au spectacle (abrév. fam. : show-biz). 1954 ; angl. *show-business*, de *show*, « spectacle », et de *business*, « affaires » ; [ʃobiznɛs].

**SHRAPNEL, subst. m.**
Obus chargé de balles projetées au moment de l'explosion. 1827 ; anthropon. *H. Schrapnel*, officier anglais ; var. *shrapnell* ; [ʃʀapnɛl].

**SHUNT, subst. m.**
Anglic. **1.** *Électr.* Conducteur branché en parallèle aux bornes d'un circuit afin de diminuer l'intensité du courant qui le traverse. **2.** *Méd.* Court-circuit entre deux vaisseaux sanguins normalement séparés l'un de l'autre, spontané ou créé chirurgicalement : ***Shunt** artério-veineux.* 1881 ; angl. *shunt*, de *to shunt*, « dériver, détourner » ; [ʃœt].

**SHUNTER, verbe trans. [3]**
*Électr.* Munir d'un shunt ; placer une résistance en dérivation sur (un circuit). 1881 ; angl. *to shunt*, « dériver » ; [ʃœte].

**SI (I), conj. et subst. m. inv.**
**I. CONJ.** Employé dans un contexte hypothétique. **1.** Introduit une condition : *S'il fait beau, nous sortirons.* **2.** Introduit une potentialité : ***Si** vous cherchiez encore, vous trouveriez.* **3.** Marque l'irréalité d'une condition : ***Si** elle avait pu, elle serait venue.* **4.** Marque l'interrogation sur une éventualité : *Et **si** elle refuse ?* **5.** S'emploie dans une exclamation à la conclusion implicite : ***Si** je pouvais la revoir !* **6.** Loc. *Même **si*** : même en admettant que ; *Comme **si*** : en posant l'hypothèse que ; ***Si** ce n'est* : sinon, sauf ; ***Si** ce n'est que* : excepté que ; ***Si** tant est que* : à condition que, en admettant que. **SUBST.** Hypothèse, utopie : *On ne refait pas le monde avec des **si**.* **II. CONJ.** Employé dans un contexte non hypothétique. **1.** Introduit une explication : *S'il te l'a dit, c'est qu'il le croit.* **2.** Introduit une interrogation indirecte : *Dis-moi **si** tu pars.* **3.** Introduit une proposition complétive : *Ne t'inquiète pas **si** j'arrive tard.* **4.** Introduit une comparaison avec une valeur concessive : *S'il est généreux, il ne s'en montre pas moins économe.* 842 ; mot lat. ; s'élide en s' devant *il* et *ils* ; [si].

**SI (II), adv.**
**1.** Marque l'affirmation, en réponse à une question formulée négativement : *Ne l'aimes-tu pas ? – **Si**.* **2.** Marque l'intensité : *Pourquoi est-elle **si** triste ?* ▸ **Si... que.** Introduit une conséquence ou une concession : *C'est **si** grand que l'on s'y perd* ; ***Si** sensible qu'il soit, il n'en montre rien.* ▸ Loc. ***Si** bien que* : de sorte que. **3.** Marque la comparaison (avec un terme exprimé ou sous-entendu) : *Finalement, il n'est pas **si** malin.* 842 ; lat. *sic*, « ainsi » ; [si].

**SI (III), subst. m. inv.**
*Mus.* Septième note de la gamme d'*ut*. XVIIᵉ s. ; initiales de *Sancte Iohannes*, dans l'hymne latin à saint Jean-Baptiste choisi par Gui d'Arezzo pour solfier les sept notes de la gamme ; [si].

**Si, voir SILICIUM**

**SIAL, subst. m.**
*Géol.* Couche externe de la Terre ; en partic., croûte continentale (vieilli). 1913 ; formé de *Si* et de *Al*, symb. du silicium et de l'aluminium ; plur. *sials* ; [sjal].

**SIALAGOGUE, adj. et subst. m.**
*Méd.* Se dit d'une substance qui augmente la sécrétion salivaire. 1741 ; formé de *sialo-* et de *-agogue* ; [sjalagɔg].

**SIALIS, subst. m.**
*Zool.* Insecte névroptère, type de la famille des Sialidés, à larve aquatique, qui vit dans la végétation et les pierres aux bords des eaux stagnantes ou lentes. 1802 ; gr. *sialis*, sorte d'oiseau ; [sjalis].

**SIALORRHÉE, subst. f.**
*Pathol.* Salivation excessive (synon. *ptyalisme*). 1842 ; formé de *sialo-* et de *-rrhée* ; [sjalɔʀe].

**SIAMANG, subst. m.**
*Zool.* Singe anthropoïde d'Indonésie, proche du gibbon, au pelage noir et aux bras très longs. Mot malais ; [sjamɑ̃g].

**SIAMOIS, OISE, adj. et subst.**
Du Siam. **ADJ. 1.** *Frères **siamois*** : jumeaux rattachés l'un à l'autre par deux parties homologues de leurs corps, par réf. aux deux frères, originaires du Siam, présentés comme attraction en Europe vers 1830 et, au fig. (fam.), amis inséparables. **2.** *Zool. Chat **siamois*** ou, empl. subst. masc., *Un **siamois*** : chat d'une race originaire d'Extrême-Orient, au pelage beige clair marqué de brun foncé aux extrémités, et aux yeux bleus. **SUBST. MASC.** *Ling.* Thaï. 1686 ; topon. *Siam*, anc. nom de la Thaïlande ; [sjamwa, waz].

**SIB, subst. m.**
*Anthropol.* Ensemble de personnes solidaires, sans territoire propre, formé soit de plusieurs lignages, soit d'individus liés par filiation unilinéaire mais sans généalogie précise. Angl. *sib*, de l'all. *Sippe*, « parenté » ; [sib].

**SIBILANT, ANTE, adj.**
*Pathol.* Qui évoque un sifflement : *Râle **sibilant**.* 1819 ; lat. *sibilare*, « siffler » ; [sibilɑ̃, ɑ̃t].

**SIBYLLE, subst. f.**
*Antiq.* Prophétesse (synon. *pythie*). Déb. XIIᵉ s. ; lat. *Sibylla*, du gr. *Sibulla* ; [sibil].

**SIBYLLIN, INE, adj.**
**1.** *Antiq.* D'une sibylle. **2.** Fig. Mystérieux, dont le sens est obscur (littér.) : *Propos **sibyllins**.* Mil. XIVᵉ s. ; lat. *sibyllinus* ; [sibilɛ̃, in].

**SIC, adv.**
Se place entre parenthèses après une citation pour confirmer qu'elle est exacte, si étrange ou incorrecte qu'elle paraisse. 1771 ; lat. *sic*, « ainsi » ; [sik].

**SICAIRE, subst. m.**
Tueur à gages (vx ou littér.). Déb. XIVᵉ s. ; lat. *sicarius*, de *sica*, « poignard » ; [sikɛʀ].

**SICCATIF, IVE, adj. et subst. m.**
Se dit d'un produit qui accélère le séchage d'un vernis, d'une peinture, d'une encre. 1723 (déb. XIVᵉ s., remède desséchant) ; bas lat. *siccativus*, du lat. *siccare*, « sécher » ; [sikatif, iv].

**SICCITÉ, subst. f.**
Caractère de ce qui est sec. 1425 ; lat. *siccitas* ; [siksite].

**SICILIEN, IENNE, adj. et subst. f.**
De Sicile. **SUBST. FÉM.** Danse en vogue au XVIIIᵉ s. ; par ext., pièce instrumentale ou vocale de caractère pastoral, d'un tempo modéré. Déb. XIVᵉ s. ; lat. médiév. *sicilianus*, du lat. *Sicilia*, « Sicile » ; [sisiljɛ̃, jɛn].

**SICLE, subst. m.**
*Numism.* Poids et monnaie usités dans l'Orient ancien. Fin XIIᵉ s. ; lat. chrét. *siclus*, de l'hébreu *šeqel*, « poids » ; [sikl].

**SIDA (I), subst. m.**
*Bot.* Plante tropicale ou subtropicale de la famille des Malvacées, dont plusieurs espèces, sous-arbrisseaux ou herbes, sont médicinales ou donnent des fibres textiles. Lat. sc. *sida* ; [sida].

**SIDA (II), subst. m.**
*Pathol.* Maladie infectieuse due au virus V. I. H., transmissible par voie sexuelle ou sanguine, caractérisée par la diminution des défenses immunitaires de l'organisme, notamment du nombre de lymphocytes $T_4$, favorisant la survenue d'infections graves et de cancers. V. 1980 ; acron. de *syndrome d'immunodéficience acquise* ; [sida].

**SIDE-CAR, subst. m.**
Sorte de nacelle monoplace montée sur une roue et que l'on fixe latéralement à une motocyclette ; par méton., ensemble ainsi formé. 1912 (1888, cabriolet irlandais) ; angl. *side-car*, de *side*, « côté », et de *car*, « voiture » ; plur. *side-cars* ; [sidkaʀ] ou [sajd-].

*Siamang.*

**SIDÉEN, ÉENNE,** adj. et subst.
Se dit d'une personne atteinte du sida. V. 1990 ; ☞ *sida* (II) ; [sideɛ̃, eɛn].

**SIDÉRAL, ALE, AUX,** adj.
Des astres ; qui a rapport aux astres. 1520 ; lat. *sideralis*, de *sidus*, « astre » ; [sideʀal, o].

**SIDÉRANT, ANTE,** adj.
**1.** Vx. *Pathol. Mal **sidérant*** : foudroyant. **2.** Stupéfiant (fam.). 1858 ; p. pr. de *sidérer* ; [sideʀɑ̃, ɑ̃t].

**SIDÉRATION,** subst. f.
*Pathol.* Inhibition fonctionnelle brutale d'un ou de plusieurs organes. 1759 (1549, gangrène, nécrose) ; lat. *sideratio*, « action funeste des astres » ; [sideʀasjɔ̃].

**SIDÉRER,** verbe trans. [3]
**1.** Fam. Frapper de stupeur : *La nouvelle me **sidère*** ; empl. adj. : *Il resta **sidéré***. **2.** *Pathol.* Frapper de sidération. 1894 ; lat. *siderari*, « subir l'action funeste des astres » ; [sideʀe].

**SIDÉRITE,** subst. f.
**1.** *Minér.* Sidérose. **2.** Météorite composée essentiellement de fer et de nickel. 1803 (XVe s., aimant) ; gr. *sidêritês*, « de fer » ; [sideʀit].

**SIDÉROGRAPHIE,** subst. f.
*Techn.* Gravure sur le fer ou sur l'acier (rare). 1835 ; formé de *sidéro-* et de *-graphie* ; [sideʀɔgʀafi].

**SIDÉROLITHE,** subst. f.
*Pétrol.* Météorite composée de fer, de nickel et de silicates. 1864 ; formé de *sidéro-* et de *-lithe* ; var. *sidérolite* ; [sideʀɔlit].

**SIDÉROLITHIQUE,** adj. et subst. m.
*Géol.* Se dit du dépôt sédimentaire continental, riche en oxyde de fer et en argiles fines, déposé sur la bordure aquitaine du Massif central au début du Tertiaire. 1864 ; formé de *sidéro-* et de *-lithique* ; var. *sidérolitique* ; [sideʀɔlitik].

**SIDÉROSE,** subst. f.
**1.** *Minér.* Carbonate naturel de fer, de formule $FeCO_3$. **2.** *Pathol.* Fibrose pulmonaire due à l'inhalation de particules métalliques et de fumées d'oxyde de fer. 1832 ; formé de *sidéro-* et de *-ose* ; [sideʀoz].

**SIDÉROSTAT,** subst. m.
*Astron.* Appareil muni d'un miroir mobile, destiné à l'observation des astres dans une direction fixe. 1868 ; formé de *sidéro-* et de *-stat* ; [sideʀɔsta].

**SIDÉROXYLON,** subst. m.
*Bot.* Arbre tropical de la famille des Sapotacées, au bois très dur, dit bois de fer. 1765 ; formé de *sidéro-* et de *-xylon* ; var. *sidéroxyle* ; [sideʀɔksilɔ̃].

**SIDÉRURGIE,** subst. f.
Métallurgie du fer et de ses alliages, en partic. de la fonte et de l'acier. 1812 ; gr. *sidêrourgos*, « forgeron » ; [sideʀyʀʒi].

**SIDÉRURGIQUE,** adj.
Relatif à la sidérurgie : *Usine, bassin **sidérurgique***. 1872 ; ☞ *sidérurgie* ; [sideʀyʀʒik].

**SIDÉRURGISTE,** subst.
Personne qui travaille dans la sidérurgie. 1934 ; ☞ *sidérurgie* ; [sideʀyʀʒist].

**SIDOLOGUE,** subst.
*Méd.* Spécialiste du sida. V. 1980 ; ☞ *sida* (II) + *-logue* ; [sidɔlɔg].

**SIÈCLE,** subst. m.
**I.** *Relig.* **1.** La vie terrestre, par oppos. à la vie après la mort. **2.** Le monde temporel et profane, par oppos. au monde spirituel, à la vie religieuse : *Vivre dans le **siècle***. **II. 1.** Durée de cent années ; par exagér., durée très longue (fam.) : *Je t'attends depuis un **siècle** !* **2.** Période de cent années portant un numéro, en référence à un moment déterminé qui en marque le début, en partic. à l'année présumée de la naissance du Christ : *Au* XIIe ***siècle***. **3.** Période historique d'une centaine d'années dominée par un évènement, un grand homme : *Le **siècle** de l'atome* ; *Le **siècle** d'Auguste*. ▸ *Hist. Le Grand **Siècle*** : l'époque de Louis XIV ; *Le **siècle** des Lumières* : le XVIIIe **siècle**, en Europe. **4.** Époque où l'on vit : *Le mal du **siècle***. ▸ Loc. **Du siècle.** Unique en son genre (fam.) : *Le match du **siècle** !* 881 ; lat. *saeculum* ; [sjɛkl].

**SIÈGE,** subst. m.
**I. 1.** Lieu où est légalement établie une autorité, une société : *Le **siège** de l'O. N. U. est à New York* ; ***Siège** social d'une entreprise*, son domicile statutaire. **2.** Lieu où apparaît et d'où se développe une sensation, un phénomène : *Le **siège** d'une douleur* ; *Le **siège** d'une insurrection*. **II. 1.** Meuble fait pour s'asseoir : ***Siège** de jardin* ; ***Siège** en cuir*. ▸ Ext. Dispositif fait pour s'asseoir, en partic. dans un véhicule : ***Siège** arrière*. **2.** *Dr.* Place où se tient assis un magistrat. ▸ *Magistrature du **siège*** : ensemble des juges, par oppos. à *magistrature debout*, ou parquet. **3.** Place occupée par un membre élu d'une assemblée : ***Siège** d'académicien, de député*. ▸ ***Siège** pontifical* (☞ *Saint-Siège*). **4.** *Techn.* Partie servant d'appui à une pièce : ***Siège** de soupape*. **III.** *Milit.* Ensemble des opérations menées par une armée pour investir une place forte : *Le **siège** d'Alésia par César* ; au fig. : *Lever le **siège***, se retirer (fam.). ▸ *État de **siège*** : régime d'exception établi par décret en cas de troubles, de guerre, donnant, en partic., des pouvoirs étendus à l'autorité militaire. **IV.** Partie du corps sur laquelle on s'assoit : *Bain de **siège***. ▸ *Accouchement par le **siège*** : pendant lequel les fesses ou les membres inférieurs de l'enfant se présentent en premier. Fin XIe s. ; lat. pop. °*sedicum*, du lat. *sedere*, « être assis » ; [sjɛʒ].

**SIÉGER,** verbe intrans. [9]
**1.** Tenir séance. **2.** Occuper un siège dans une assemblée : ***Siéger** à la diète*. **3.** Avoir son siège, en parlant d'un organisme, d'une juridiction : *Le Conseil de l'Europe **siège** à Strasbourg* ; au fig., se trouver : *Là **siège** le mal*. 1611 ; ☞ *siège* ; [sjeʒe].

**SIEMENS,** subst. m.
*Électr.* Unité de mesure S. I. (symb. : S) de la conductance électrique. Une tension de 1 volt aux bornes d'un conducteur de 1 **siemens** provoque un courant de 1 ampère. 1949 ; anthropon. *W. von Siemens*, ingénieur allemand ; [simɛns] ou [sje-].

**SIEN, SIENNE,** adj. poss., pron. poss. et subst.
**Adj.** À lui, à elle (littér. ou vieilli) : *Un **sien** cousin* ; *Cette idée est **sienne*** ; *Faire **sien** l'avis de qqn*. **Pron.** Précédé de « le », « la », « les ». Celui, celle, etc., qui est, sont à lui, à elle : *Ce bureau est le **sien***. **Subst. masc.** Ce qui lui appartient (vx). ▸ Loc. *Y mettre du **sien*** : faire des efforts, des concessions. ▸ Au plur. *Les **siens*** : sa famille, ses proches. **Subst. fém. plur.** *Faire des **siennes*** : des sottises (fam.). IXe s. ; lat. *suum*, accusatif de *suus* ; [sjɛ̃, sjɛn].

**SIERRA,** subst. f.
Chaîne de montagnes, dans les pays de langue espagnole. XVIe s. ; esp. *sierra*, « scie » ; [sjeʀa].

**SIESTE,** subst. f.
Repos pris l'après-midi. 1661 ; esp. *siesta*, du lat. *sexta hora*, « sixième heure, midi » ; [sjɛst].

**SIEUR,** subst. m.
*Dr.* Appellation dont on fait précéder le nom d'un homme : *Le **sieur** X contre la dame Y* ; par iron. ou péj. : *Le **sieur** Untel*. XVIIe s. (XIIIe s., seigneur) ; ☞ *sire* ; [sjœʀ].

**SIEVERT,** subst. m.
*Phys.* Unité de mesure S. I. (symb. : Sv) d'équivalent de dose de rayonnement absorbée par un organisme vivant, subissant une radiation de 100 rad de rayons X d'une énergie de 250 keV. V. 1980 ; anthropon. *Sievert*, physicien suédois ; [sivɛʀt].

**SIFFLAGE,** subst. m.
*Vétér.* Cornage. 1788 ; ☞ *siffler* ; [siflaʒ].

**SIFFLANT, ANTE,** adj.
**1.** Qui émet un sifflement. **2.** *Phon. Consonne **sifflante*** ou, empl. subst. fém., *Une **sifflante*** : dont l'émission est caractérisée par un sifflement [s], [z]. 1552 ; p. pr. de *siffler* ; [siflɑ̃, ɑ̃t].

**SIFFLEMENT,** subst. m.
Action de siffler ; son, résultat : *Le **sifflement** du merle, d'une balle*. Fin XIIe s. ; ☞ *siffler* ; [sifləmɑ̃].

**SIFFLER,** verbe [3]
**Intrans. 1.** Émettre un bruit strident, en parlant de certains animaux. **2.** Produire un son aigu en soufflant à travers les lèvres resserrées, ou dans un instrument ; par anal : *Le vent **siffle*** ; *Avoir les oreilles qui **sifflent***, éprouver une sensation analogue à celle produite par un sifflement. **Trans. 1.** Appeler en **sifflant**. **2.** Reproduire en **sifflant** : ***Siffler** une rengaine*. **3.** Huer en **sifflant** : ***Siffler** un acteur*. **4.** Signaler par un coup de sifflet : ***Siffler** la fin du match*. **5.** ***Siffler** un verre* : le boire très rapidement (fam.). XIIe s. ; bas lat. *sifilare*, du lat. *sibilare* ; [sifle].

**SIFFLET,** subst. m.
**1.** Petit instrument formé d'un tube court à ouverture en biseau, avec lequel on siffle. ▸ Anal. *En **sifflet*** : en biseau. **2.** Sifflement de désapprobation : *Sortir sous les **sifflets***. **3.** Gorge, gosier (vx). ▸ Loc. *Couper le **sifflet** à qqn* : le faire taire, le laisser interdit (fam.). **4.** Ext. Avertisseur sonore fonctionnant à la vapeur ou à l'air comprimé : ***Sifflet** d'une locomotive*. XIIIe s. ; ☞ *siffler* ; [siflɛ].

**SIFFLEUR, EUSE,** adj. et subst.
Se dit d'une personne ou d'un animal qui siffle. 1537 ; ☞ *siffler* ; [siflœʀ, øz].

**SIFFLEUX,** subst. m.
Québ. Marmotte. 1634 ; ☞ *siffler* ; [siflø].

**SIFFLOTEMENT,** subst. m.
Action de siffloter ; son, air ainsi produit. 1837 ; ☞ *siffloter* ; [siflɔtmɑ̃].

**SIFFLOTER,** verbe [3]
Siffler légèrement, négligemment : ***Siffloter** un air*. 1840 ; ☞ *siffler* ; [siflɔte].

**SIFILET,** subst. m.
*Zool.* Oiseau de paradis de Nouvelle-Guinée, dont le mâle porte sur la tête six petites plumes à longue hampe. 1775 ; crois. de *six* et de *filet* (I) ; [sifilɛ].

**SIGILLAIRE,** adj. et subst. f.
**Adj. 1.** Qui porte un sceau. **2.** Relatif à la sigillographie. **Subst.** *Paléont.* Ptéridophyte caractéristique des forêts du Carbonifère, qui pouvait dépasser 20 m de hauteur. 1456 ; bas lat. *sigillarius*, « fabricant de sceaux », du lat. *sigillum*, « cachet, sceau » ; [siʒil(l)ɛʀ].

**SIGILLÉ, ÉE,** adj.
**1.** Marqué d'un sceau. **2.** *Archéol.* Se dit d'une céramique romaine ou gallo-romaine rouge foncé, vernissée et ornée de décors en relief. XIVe s. ; lat. *sigillatus* ; [siʒil(l)e].

**SIGILLOGRAPHIE,** subst. f.
Étude, description et interprétation des sceaux. 1851 ; lat. *sigillum*, « sceau », + *-graphie* ; [siʒil(l)ɔgʀafi].

**SIGISBÉE,** subst. m.
Chevalier servant (vx ou iron.) : *Une dame et son **sigisbée***. 1736 ; ital. *cicisbeo* ; [siʒisbe].

**SIGLAISON,** subst. f.
Formation d'un sigle. V. 1960 ; ☞ *sigle* ; [siglɛzɔ̃].

**SIGLE,** subst. m.
Abréviation constituée par les initiales de plusieurs mots formant un groupe nominal usuel : *O. N. U. est le **sigle** de « Organisation des Nations unies »*. 1712 ; lat. jur. *sigla*, « abréviations » ; [sigl].

**SIGMA,** subst. m. inv.
Dix-huitième lettre de l'alphabet grec ($\sigma$, ς, $\Sigma$), qui correspond au *s* de l'alphabet français. 1562 ; mot gr. ; [sigma].

**SIGMOÏDE,** adj.
*Anat.* En forme de sigma ($\Sigma$). ▸ *Colon **sigmoïde*** ou, empl. subst. masc., *Le **sigmoïde*** : portion du gros intestin placée juste avant le rectum. ▸ *Valvules **sigmoïdes*** : valves cardiaques situées au départ de l'aorte et de l'artère pulmonaire. 1566 ; gr. *sigmoeidês* ; [sigmɔid].

**SIGMOÏDITE,** subst. f.
*Pathol.* Inflammation du colon sigmoïde. XXe s. ; ☞ *sigmoïde* + *-ite* ; [sigmɔidit].

**SIGNAL,** subst. m.
**1.** Signe convenu par lequel on transmet une indication, un renseignement, un ordre : *Attendez le **signal***. ▸ Loc. *Donner le **signal** de* : annoncer, déclencher (une action). **2.** Dispositif conventionnel qui donne une information, qui avertit : ***Signal** sonore, lumineux* ; ***Signal** d'alarme*. ▸ *Mar. Code international des **signaux*** : permettant aux navires et aux sémaphores de communiquer entre eux à l'aide de drapeaux ou de repères optiques. **3.** Évènement provoquant le début d'un processus : *Sa mort fut le **signal** de l'émeute*. **4.** *Psychol.* Stimulus déclenchant un réflexe conditionné. **5.** *Sc.* Grandeur physique variable porteuse d'une information. 1540 (déb. XIVe s., marque distinctive) ; bas lat. *signale*, du lat. *signum*, « signe » ; plur. *signaux* ; [siɲal], plur. [-ɲo].

**SIGNALÉ, ÉE,** adj.
Remarquable (littér.) : *Rendre un **signalé** service*. 1557 ; ital. *segnaleto* ; [siɲale].

**SIGNALEMENT,** subst. m.
Description des caractères physiques d'une personne que l'on veut identifier. 1718 ; ☞ *signaler* ; [siɲalmɑ̃].

**SIGNALER,** verbe trans. [3]
**1.** Attirer l'attention sur (qqn, qqch.). **2.** Indiquer par un signal : *Ce feu **signale** un danger*. **Pronom.** Se faire remarquer. 1572 ; ☞ *signalé* ; [siɲale].

**SIGNALÉTIQUE,** adj. et subst. f.
**Adj.** Qui donne un signalement : *Fiche **signalétique***. **Subst. 1.** Ensemble des éléments de signalisation d'un lieu public, d'une voie. **2.** Étude sémiotique des signaux. 1832 ; ☞ *signaler* ; [siɲaletik].

**SIGNALEUR,** subst. m.
Employé, marin, soldat chargé de la signalisation. 1869 ; ☞ *signaler* ; [siɲalœʀ].

**SIGNALISATION,** subst. f.
1. Action d'indiquer par des signaux. 2. Équipement d'une voie en signaux ; par méton., ensemble des signaux utilisés : *La* **signalisation** *routière, ferroviaire, fluviale.* 1909 ; ☞ *signaliser* ; [siɲalizasjɔ̃].

**SIGNALISER,** verbe trans. [3]
Équiper d'une signalisation ; empl. adj. : *Voie bien* **signalisée.** 1909 ; ☞ *signal* ; [siɲalize].

**SIGNATAIRE,** adj. et subst.
Se dit de qqn, d'une autorité qui a signé un acte, un document. 1789 ; ☞ *signer* ; [siɲatɛʀ].

**SIGNATURE,** subst. f.
1. Inscription manuscrite (son nom, le plus souvent) qu'une personne porte au bas d'une lettre, d'un document, ou sur une œuvre d'art, pour attester qu'elle en est l'auteur, qu'elle en approuve le contenu ou en assume la responsabilité : *Apposer sa* **signature** ; par méton., engagement que l'on a signé : *Honorer sa* **signature** ; au fig., marque qui identifie l'auteur de qqch. : *Ce désordre porte sa* **signature.** 2. Action de signer : **Signature** *d'un bail.* 3. *Dr.* **Signature** *sociale* : qui engage une société. 4. *Impr.* Signe apposé sur la première page de chacun des cahiers d'un livre pour en indiquer l'emplacement. 5. *Phys.* ▸ **Signature** *spectrale* : distribution de l'énergie rayonnée par un corps en fonction de la longueur d'onde (ou de la fréquence) caractéristique de ce corps. ▸ **Signature** *acoustique* : spectre sonore permettant d'identifier son émetteur. ▸ **Signature** *radar* : réflexion d'une onde radar par un objet, une cible, permettant de l'identifier. 1436 ; lat. jur. *signatura*, du lat. *signare*, « marquer d'un signe » ; [siɲatyʀ].

**SIGNE,** subst. m.
I. 1. Tout objet, marque ou indice qui représente, indique ou annonce qqch. d'autre que lui-même : *Le vent se lève, c'est* **signe** *d'orage* ; *Donner des* **signes** *de faiblesse.* ▸ Loc. *Ne pas donner* **signe** *de vie* : paraître mort ou, au fig., ne pas donner de nouvelles ; *C'est bon, mauvais* **signe** : de bon, de mauvais augure. 2. Marque caractéristique qui permet de reconnaître qqn, qqch. : **Signe** *particulier* ; **Signe** *des temps*, phénomène qui caractérise une époque. 3. *Méd.* ▸ Chacune des manifestations d'une maladie qui la caractérisent. ▸ Manifestation pathognomonique d'une maladie : *Le* **signe** *de Koplik est caractéristique de la rougeole.* II. 1. Geste, mimique utilisée comme moyen d'expression ou de communication : **Signe** *de tête* ; *Faire* **signe** *à qqn* ; *La langue des* **signes**, utilisée par les sourds et les muets. ▸ *Relig.* **Signe** *de (la) croix* : chez les chrétiens, geste figurant la croix du Christ. 2. Unité conventionnelle d'un langage, utilisée à des fins de notation ou de communication : **Signe** *musical* ; *Étude des* **signes**, sémiologie ; **Signes** *de ponctuation.* 3. *Spéc.* ▸ *Astrol.* *Les* **signes** *du zodiaque* : figures qui symbolisent chacune des douze parties de l'écliptique (☞ *zodiaque*). ▸ *Ling.* Unité linguistique constituée par l'association d'un signifié et d'un signifiant. ▸ *Math.* Caractère graphique primitif constitutif du langage d'un système formel, pouvant avoir une valeur d'objet, de relation, syntaxique ou opératoire. Dans ℝ, caractères + et – servant à noter respectivement les nombres positifs et négatifs. Fin Xe s. ; lat. *signum* ; [siɲ].

**SIGNER,** verbe trans. [3]
1. Apposer sa signature sur : **Signer** *une lettre* ; empl. abs. : **Signer** *en marge.* 2. **Signer** *un contrat, un traité* : s'engager, par sa signature, à en respecter les clauses ; au fig. : **Signer** *la paix*, se réconcilier. 3. Reconnaître, attester qu'on est l'auteur de (qqch.), en le **signant** : **Signer** *son œuvre* ; au fig. : *C'est* **signé**, on en reconnaît l'auteur. 4. Dédicacer (un ouvrage). Pronom. *Relig.* Faire le signe de croix. Déb. XVIe s. (XIIIe s., faire signe) ; anc. fr. *seignier*, du lat. *signare*, « marquer d'un signe » ; [siɲe].

**SIGNET,** subst. m.
Mince ruban fixé en haut du dos d'un livre relié, servant à marquer une page. 1377 (fin XIIIe s., petit sceau) ; ☞ *signe* ; [siɲɛ].

**SIGNIFIANT, ANTE,** adj. et subst. m.
Adj. Chargé de sens. Subst. *Ling.* Phénomène sonore ou visuel formant la face matérielle du signe, au contraire du signifié, qui en forme la face conceptuelle. 1553 ; p. pr. de *signifier* ; [siɲifjɑ̃, ɑ̃t].

**SIGNIFICATIF, IVE,** adj.
Qui exprime ou révèle clairement qqch. Fin XVe s. ; bas lat. *significativus* ; [siɲifikatif, iv].

**SIGNIFICATION,** subst. f.
1. Ce qu'un signe, une chose représente ou signifie : *La* **signification** *d'un mot, d'un geste.* 2. *Dr.* Action de notifier. Déb. XIIe s. ; lat. *significatio*, de *significare*, « indiquer, montrer » ; [siɲifikasjɔ̃].

**SIGNIFIÉ,** subst. m.
*Ling.* Valeur sémantique d'un signe. 1910 ; p. p. de *signifier* ; [siɲifje].

**SIGNIFIER,** verbe trans. [6]
1. Être le signe de : *Que* **signifie** *ce regard ?* ; avoir pour sens : *Le mot espagnol « guapo »* **signifie** *beau.* 2. Faire connaître de façon impérative. ▸ *Dr.* Notifier (un acte, un jugement) par l'intermédiaire d'un huissier. Fin XIe s. ; lat. *significare* ; [siɲifje].

**SIKH, SIKHE,** subst.
Se dit d'un adepte du sikhisme. Adj. Relatif, propre au sikhisme. 1846 ; hindi *sikh*, du skr. *śiṣya*, « disciple, élève » ; [sik].

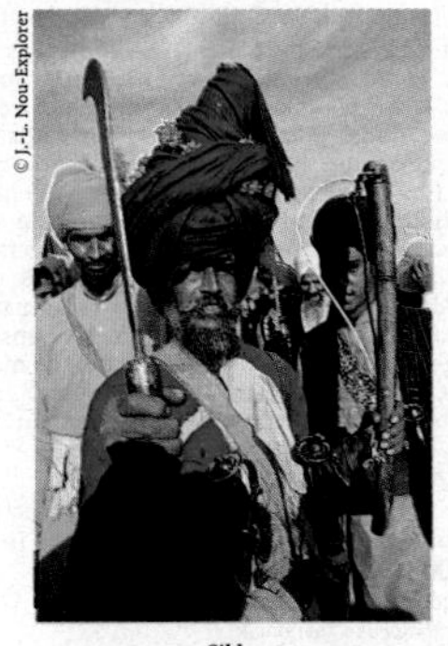


*Sikhs.*

**SIKHARA,** subst. m. inv.
*Archit.* Dans l'Inde médiévale, haute tour au profil curviligne, surmontant un sanctuaire. Skr. *śikhara*, « cime » ; [ʃikaʀa].

**SIKHISME,** subst. m.
*Relig.* Religion minoritaire de l'Inde (2 %), fondée au Pendjab par Nanak au début du XVIe s., qui reconnaît un dieu unique dont la grâce permet à tous les hommes d'atteindre, moyennant une discipline, la délivrance. ☞ *sikh* ; [sikism].

**SIL,** subst. m.
Argile de couleur ocre. 1547 ; mot lat. ; [sil].

**SILANE,** subst. m.
*Chim.* Gaz incolore ($SiH_4$), composé hydrogéné du silicium, insoluble dans l'eau et stable en l'absence d'air. 1949 ; crois. de *silicium* et de *alcane* ; [silan].

**SILENCE,** subst. m.
1. Fait de ne pas parler ; attitude de qqn qui se tait : *Regarder en* **silence.** ▸ *Minute de* **silence** : moment de recueillement en hommage à une personne disparue. 2. Fait de taire qqch. : *Je compte sur votre* **silence** ; *Passer un évènement sous* **silence** ; *Garder le* **silence**, ne pas s'expliquer sur qqch. ; *Réduire qqn au* **silence**, l'empêcher de s'exprimer. ▸ Loc. *En* **silence** : en secret. 3. Absence totale de bruit. 4. *Mus.* Interruption du son plus ou moins longue ; signe permettant de la noter. XIIe s. ; lat. *silentium* ; [silɑ̃s].

**SILENCIEUSEMENT,** adv.
En silence. 1586 ; ☞ *silencieux* ; [silɑ̃sjøzmɑ̃].

**SILENCIEUX, EUSE,** adj. et subst. m.
Adj. 1. Où l'on n'entend aucun bruit. 2. Qui se tait, qui n'est pas bruyant. Subst. *Techn.* Dispositif qui permet de réduire le bruit d'une arme à feu, de l'échappement d'un moteur à explosion. 1524 ; bas lat. *silentiosus* ; [silɑ̃sjø, øz].

**SILÈNE,** subst. m.
*Bot.* Caryophyllacée herbacée à fleurs blanches, très commune en Europe sur les bords des chemins forestiers. 1765 ; lat. *Silenus*, « Silène », demi-dieu au ventre gonflé comme le calice de la fleur ; [silɛn].

**SILENTBLOC,** subst. m. inv.
*Techn.* Bloc de caoutchouc placé entre des pièces métalliques afin d'en absorber les vibrations et les bruits. 1928 ; formé de l'angl. *silent*, « silencieux », et de *bloc* ; n. déposé ; [silɑ̃tblɔk] ou [saj-].

**SILEX,** subst. m.
*Pétrogr.* et *Archéol.* Nodule siliceux concentré dans un dépôt calcaire, constitué essentiellement de calcédoine, très utilisé comme arme ou comme outil pendant la Préhistoire. ▸ Méton. Fragment de **silex** ; objet, arme, outil de **silex.** 1556 ; mot lat. ; [silɛks].

**SILHOUETTE,** subst. f.
1. Dessin du profil de qqn, qui suit le contour de son ombre projetée. 2. Ext. Forme qui se détache sur un fond. 3. Ligne générale, allure d'une personne : *Frêle* **silhouette.** 1763 ; anthropon. *Étienne de Silhouette*, ministre des Finances ; [silwɛt].

**SILHOUETTER,** verbe trans. [3]
Dessiner la silhouette de (qqn, qqch.). Pronom. Se profiler (littér.). 1857 ; ☞ *silhouette* ; [silwete].

**SILICATE,** subst. m.
*Minér.* Nom générique de composés minéraux naturels à base de silice et d'oxygène, dont l'unité de base est la molécule $SiO_4$, et qui constituent la majeure partie de la croûte terrestre. 1818 ; ☞ *silice* ; [silikat].

**SILICE,** subst. f.
*Chim.* Dioxyde de silicium, de formule $SiO_2$, corps solide et dur se trouvant dans la nature sous des formes variées (quartz, opale, etc.). 1787 ; lat. *silex*, « silex » ; [silis].

**SILICEUX, EUSE,** adj.
Qui contient de la silice. 1780 ; lat. *siliceus*, « de silex » ; [silisø, øz].

**SILICICOLE,** adj.
*Bot.* Qualifie un végétal qui pousse dans les terrains siliceux. 1872 ; ☞ *silice* + *-cole* ; [silisikɔl].

**SILICIUM,** subst. m.
*Chim.* Élément n° 14 de la table de Mendeleïev (symb. : Si) ; masse atomique : 28,086 ; point d'ébullition : 2 355 °C ; point de fusion : 1 410 °C ; masse volumique : 2,33 g/cm$^3$. Cet élément métallique, qui possède des propriétés semi-conductrices, est très abondant dans la croûte terrestre sous la forme de quartz et de silicates. 1829 ; angl. *silicium*, du lat. *silex*, « silex » ; [silisjɔm].

**SILICIURE,** subst. m.
*Chim.* Corps composé de silicium et d'un autre élément, en partic. d'un métal. 1830 ; ☞ *silicium* ; [silisjyʀ].

**SILICONE,** subst. f.
*Chim.* Nom générique des composés polymères contenant des chaînes d'atomes de silicium alternés avec des atomes d'oxygène, les premiers étant liés à des groupements organiques. 1863 ; ☞ *silicium* ; [silikon].

**SILICOSE,** subst. f.
*Pathol.* Fibrose pulmonaire provoquée par l'inhalation de particules de silice libre, maladie gén. professionnelle dont la gravité dépend du temps d'exposition. 1945 ; ☞ *silice* + *-ose* ; [silikoz].

**SILICOSÉ, ÉE,** adj. et subst.
Se dit d'une personne atteinte de silicose. V. 1970 ; ☞ *silicose* ; [silikoze].

**SILICOTIQUE,** adj.
Relatif à la silicose. Mil. XXe s. ; ☞ *silicose* ; [silikɔtik].

**SILICULE,** subst. f.
*Bot.* Silique aussi longue que large. 1771 ; lat. *silicula*, « petite silique » ; [silikyl].

**SILIONNE,** subst. f. inv.
*Text.* Fil de verre formé de fibres continues recouvertes d'une pellicule lubrifiante. XXe s. ; crois. de *silice* et de *rayonne* ; n. déposé ; [siljɔn].

**SILIQUE,** subst. f.
*Bot.* Fruit sec déhiscent des Brassicacées, allongé et s'ouvrant par quatre fentes. 1549 (fin XIIIe s., gousse) ; lat. *siliqua* ; [silik].

**SILLAGE,** subst. m.
1. *Mar.* Trace que laisse à la surface de l'eau un bateau qui se déplace. ▸ *Phys.* Perturbations créées à l'arrière d'un corps en mouvement dans un fluide. 2. Anal. Trace laissée par qqn ou qqch. : **Sillage** *d'un parfum.* ▸ Loc. *Dans le* **sillage** *de qqn* : en suivant son exemple. 1574 ; anc. fr. *seil*, « sillon » ; [sijaʒ].

**SILLET,** subst. m.
*Mus.* Petite pièce de bois, d'ivoire ou de métal, fixée en haut du manche de certains instruments pour maintenir les cordes éloignées de la touche. 1640 ; ital. *ciglietto*, de *ciglio*, « cil » ; [sijɛ].

**SILLON,** subst. m.
**1.** Tranchée ouverte par le soc d'une charrue dans la terre ; au plur., champs cultivés (littér.). ▸ Loc. *Tracer son* **sillon** : accomplir qqch. avec constance. **2.** Anal. Trace en longueur ; ride. **3.** Rainure gravée sur un disque phonographique et qui porte l'enregistrement. 1306 (fin XIIe s., mesure de terre) ; p.-ê. rad. gaul. *°selj-*, « amasser la terre » ; [sijɔ̃].

**SILLONNER,** verbe trans. [3]
**1.** Vx. Tracer des sillons dans (la terre). **2.** Creuser par des marques ; empl. adj. : *Visage* **sillonné** *de rides.* **3.** Ext. Traverser (une étendue) en tous sens : **Sillonner** *les mers.* 1538 ; ☞ *sillon* ; [sijɔne].

**SILO,** subst. m.
**1.** Fosse servant à stocker des céréales. **2.** Réservoir de grande capacité servant à stocker et à conserver des grains, du fourrage ; par anal. : **Silo** *à ciment.* **3.** *Milit.* Site souterrain où sont entreposés des missiles. 1823 (1685, cachot souterrain) ; esp. *silo*, du lat. *sirus*, du gr. *siros* ; [silo].

**SILOTAGE,** subst. m.
Action de mettre en silo. 1923 ; ☞ *silo* ; [silɔtaʒ].

**SILPHE,** subst. m.
*Zool.* Coléoptère voisin des nécrophores, orné de marques orange ou jaunes, qui se nourrit d'escargots, de champignons ou de végétaux selon les espèces. 1789 ; gr. *silphê*, « blatte » ; [silf].

**SILT,** subst. m.
Sable très fin. Mot angl. ; [silt].

**SILURE,** subst. m.
*Zool.* Poisson d'eau douce, de la famille des Siluridés, au corps cylindrique, à la tête aplatie, qui peut atteindre 5 m de long et peser 300 kg, aussi appelé poisson-chat à cause de ses barbillons. Il se nourrit d'écrevisses et fait l'objet d'une pêche sportive. 1558 ; lat. *silurus*, du gr. *silouros* ; [silyʀ].

**SILURIDÉS,** subst. m. plur.
*Zool.* Famille de poissons téléostéens, de l'ordre des Siluriformes. Au sing. *Le silure est un* **siluridé.** 1904 ; ☞ *silure* ; [silyʀide].

**SILURIEN, IENNE,** adj. et subst. m.
*Géol.* Relatif, propre à la troisième période du Primaire, comprise entre l'Ordovicien et le Dévonien. Subst. Cette période. 1839 ; angl. *silurian*, du lat. *Silures*, nom d'un peuple de Grande-Bretagne ; [silyʀjɛ̃, jɛn].

**SIMA,** subst. m.
*Géol.* Partie de l'écorce terrestre située entre le sial et le nife. 1913 ; formé de *Si* et de *Ma*, symb. du *silicium* et du *magnésium* ; [sima].

**SIMAGRÉE,** subst. f.
Manière affectée, comédie (gén. au plur.) : *Faire des* **simagrées.** Fin XIIIe s. ; orig. obsc. ; [simagʀe].

**SIMARRE,** subst. f.
**1.** Ancienne robe d'apparat. **2.** *Relig.* Soutane d'intérieur. 1606 ; ital. *zimarra* ; [simaʀ].

**SIMARUBA,** subst. m.
*Bot.* Arbre d'Amérique centrale, de la famille des Simarubacées, dont l'écorce est utilisée pour ses propriétés apéritives. 1729 ; mot guyanais ; [simaʀyba].

**SIMBLEAU,** subst. m.
*Bât.* Cordeau servant à tracer de grandes circonférences. Fin XVIIe s. ; orig. obsc. ; [sɛ̃blo].

**SIMIEN, IENNE,** adj. et subst. m. plur.
*Zool.* Adj. Propre, relatif au singe. Subst. Ancien sous-ordre de primates regroupant l'ensemble des singes. Aujourd'hui, ils sont réunis dans le sous-ordre des Anthropoïdes. 1842 ; lat. *simia*, « singe » ; [simjɛ̃, jɛn].

**SIMIESQUE,** adj.
Qui rappelle le singe, qui en relève : *Des traits* **simiesques.** 1844 ; lat. *simia*, « singe » ; [simjɛsk].

**SIMILAIRE,** adj.
De nature à peu près semblable : *Un modèle* **similaire** *à un autre* ; *Deux vies* **similaires.** 1515 ; lat. *similis*, « semblable » ; [similɛʀ].

**SIMILARITÉ,** subst. f.
**1.** Fait d'être similaire ; qualité de choses similaires. **2.** Ressemblance (souv. au plur.) : *Présenter des* **similarités** *troublantes avec qqn, qqch.* 1755 ; ☞ *similaire* ; [similaʀite].

**SIMILI,** subst.
Masc. **1.** Matière, objet qui en imite un autre. **2.** Cliché tramé, en similigravure. Fém. Similigravure (fam.). 1881 ; lat. *similis*, « semblable » ; [simili].

**SIMILICUIR,** subst. m.
Toile enduite de matière synthétique, imitant le cuir. 1900 ; ☞ *cuir* + *simili-* ; [similikɥiʀ].

**SIMILIGRAVURE,** subst. f.
*Impr.* Procédé permettant de reproduire un document en demi-teintes, grâce à un cliché tramé. 1890 ; ☞ *gravure* + *simili-* ; [similigʀavyʀ].

**SIMILISER,** verbe trans. [3]
*Text.* Faire subir à (un tissu de coton) un traitement mécanique lui donnant un aspect brillant, mercerisé. 1902 ; ☞ *simili* ; [similize].

**SIMILISTE,** subst.
Spécialiste de la similigravure. 1901 ; ☞ *simili* ; [similist].

**SIMILITUDE,** subst. f.
**1.** Ressemblance entre plusieurs choses ; analogie. **2.** *Géom.* **Similitude** *d'un espace affine euclidien E* : transformation $f$ de E pour laquelle il existe un réel $k > 0$ (rapport de la **similitude**) tel que pour tout M et tout N de E, $\overrightarrow{f(M)f(N)} = k\overrightarrow{MN}$ ; les **similitudes** sont les transformations conservant les angles. ▸ Dans le plan, une **similitude** directe est soit une translation, soit la composée, dans un ordre quelconque, d'une rotation et d'une homothétie (de rapport $k$) de même centre (centre de la **similitude**) ; une **similitude** rétrograde est la composée d'une symétrie orthogonale par rapport à une droite avec une **similitude** directe de centre sur la droite ou de vecteur de translation parallèle à la droite. **3.** *Industr. Loi des* **similitudes** : ensemble des règles imposées pour la construction de modèles réduits, afin que les résultats des essais soient transposables aux réalisations en grandeur réelle. Déb. XIIIe s. ; lat. *similitudo* ; [similityd].

**SIMILOR,** subst. m.
Alliage métallique imitant l'or, notamment utilisé en bijouterie. 1742 ; ☞ *or* (I) + *simili-* ; [similɔʀ].

**SIMONIAQUE,** adj.
Entaché, coupable de simonie (littér.). 1372 ; lat. eccl. *simoniacus* ; [simɔnjak].

**SIMONIE,** subst. f.
*Dr. canon.* Trafic d'objets religieux, de biens spirituels ou de bénéfices ecclésiastiques. Fin XIIe s. ; lat. eccl. *simonia*, de *Simon le Magicien*, qui aurait tenté de corrompre saint Pierre et saint Jean ; [simɔni].

**SIMOUN,** subst. m.
Vent chaud et violent soufflant dans le désert, du Sahara à l'Iran. 1773 ; ar. *samûm* ; [simun].

**SIMPLE,** adj. et subst. m.
Adj. **1.** Naturellement honnête, franc : *Un tempérament* **simple** ; *Il a su rester* **simple**, modeste ; *Des manières* **simples**, dénuées d'affectation. **2.** Naïf et sans finesse : *Brave mais* **simple.** ▸ **Simple** *d'esprit* : arriéré, idiot. **3.** Réduit à l'essentiel, sans prétention ni luxe inutile : *Des goûts* **simples** ; *Une robe toute* **simple.** ▸ Loc. *Dans le plus* **simple** *appareil* : tout nu. **4.** Qui n'a ni qualification ni titre particuliers : *Un* **simple** *employé.* ▸ Qui n'est que ce qu'il est censé être : *C'est la* **simple** *réalité* ; *Une* **simple** *formalité*, qui ne prête pas à conséquence. ▸ Exempt de complications : *Un* **simple** *rhume.* **5.** Qui ne comporte qu'un élément : *Un aller* **simple** ; *Une feuille* **simple.** ▸ Empl. subst. masc. *Du* **simple** *au double.* ▸ *Chim. Corps* **simples** : qu'on ne peut pas décomposer. ▸ *Gramm. Temps* **simples** *du verbe* : dont la conjugaison se fait sans auxiliaire. **6.** Qui se manie, s'exécute aisément : *Un appareil, un travail* **simple.** ▸ Que l'esprit saisit facilement : *Un raisonnement* **simple.** ▸ Loc. **Simple** *comme bonjour* : très facile. Subst. *Sp.* Partie de tennis ou de ping-pong où s'opposent deux joueurs (anton. *double*) : *Un* **simple** *dames.* Subst. plur. Plantes médicinales : *Se soigner avec des* **simples.** Déb. XIIe s. ; lat. *simplex* ; [sɛ̃pl].

**SIMPLEMENT,** adv.
**1.** De façon simple. **2.** Seulement. ▸ Loc. *Purement et* **simplement** : sans réserves. Mil. XIIe s. ; ☞ *simple* ; [sɛ̃pləmɑ̃].

**SIMPLET, ETTE,** adj.
Un peu simple ; naïf. XIIe s. ; ☞ *simple* ; [sɛ̃plɛ, ɛt].

**SIMPLEX,** subst. m.
*Électron.* et *Télécomm.* Mode de transmission dans lequel l'information est monodirectionnelle. XXe s. ; lat. *simplex*, « simple » ; [sɛ̃plɛks].

**SIMPLEXE,** subst. m.
*Math.* Ensemble formé par les parties d'un ensemble. 1937 ; ☞ *simple* ; [sɛ̃plɛks].

**SIMPLICITÉ,** subst. f.
**1.** Façon d'être naturelle et sans fatuité ; naïveté. **2.** Absence de complexité ; sobriété. Déb. XIIe s. ; lat. *simplicitas* ; [sɛ̃plisite].

**SIMPLIFIABLE,** adj.
Que l'on peut simplifier. 1844 ; ☞ *simplifier* ; [sɛ̃plifjabl].

**SIMPLIFICATEUR, TRICE,** adj.
Qui simplifie ou qui tend à le faire. 1786 ; ☞ *simplifier* ; [sɛ̃plifikatœʀ, tʀis].

**SIMPLIFICATION,** subst. f.
Action de simplifier ; son résultat. 1470 ; ☞ *simplifier* ; [sɛ̃plifikasjɔ̃].

**SIMPLIFIER,** verbe trans. [6]
**1.** Rendre plus simple ; débarrasser (qqch.) de ce qui le rend compliqué. **2.** *Math.* **Simplifier** *une égalité, une fraction* : diviser ses deux membres par un facteur commun. Mil. XVe s. ; ☞ *simple* ; [sɛ̃plifje].

**SIMPLISME,** subst. m.
Propension à simplifier à outrance. 1822 ; ☞ *simple* ; [sɛ̃plism].

**SIMPLISTE,** adj.
Qui simplifie, schématise à l'excès en négligeant des éléments importants. 1836 ; ☞ *simple* ; [sɛ̃plist].

**SIMULACRE,** subst. m.
**1.** Vx. Représentation ; idole. **2.** Ce qui se donne pour une réalité qu'il n'est pas : *Un* **simulacre** *de procès.* Fin XIIe s. ; lat. *simulacrum*, « représentation, image » ; [simylakʀ].

**SIMULATEUR, TRICE,** subst.
Personne qui simule un sentiment ou un état pour en tirer avantage. Masc. *Techn.* Dispositif permettant de reproduire les conditions de fonctionnement d'un appareil afin d'en étudier le comportement ou d'en enseigner l'utilisation : **Simulateur** *de vol.* 1274 ; lat. *simulator* ; [simylatœʀ, tʀis].

**SIMULATION,** subst. f.
**1.** Action de simuler ; son résultat. **2.** *Dr.* Déguisement frauduleux d'un acte. **3.** *Techn.* Reproduction simplifiée d'un système ou d'un phénomène à étudier. Fin XIIe s. ; lat. *simulatio* ; [simylasjɔ̃].

**SIMULER,** verbe trans. [3]
**1.** Feindre, imiter (un comportement, un état, un sentiment) afin de tromper : **Simuler** *un malaise.* **2.** Figurer, représenter (qqch.) par qqch. d'autre : **Simuler** *un fusil par un bâton.* ▸ *Dr.* Dissimuler (un acte réel) sous le couvert d'un autre. Déb. XIVe s. ; lat. *simulare* ; [simyle].

**SIMULIE,** subst. f.
*Zool.* Insecte diptère qui vit au bord de l'eau en colonies formant des sortes de nuages, dont les larves sont aquatiques et dont la femelle pique les animaux et l'homme. 1802 ; lat. sc. *simulium*, p.-ê. du lat. *simulare*, « simuler » ; [simyli].

**SIMULTANÉ, ÉE,** adj. et subst. f.
Adj. Qui se produit en même temps, synchrone : *Traduction* **simultanée.** Subst. *Jeux.* Épreuve d'échecs opposant un joueur à plusieurs adversaires en même temps. 1738 (1701, concours à plusieurs) ; lat. médiév. *simultaneus* ; [simyltane].

**SIMULTANÉISME,** subst. m.
*Litt.* Procédé narratif qui consiste à présenter en les juxtaposant des évènements qui se déroulent en même temps en des lieux différents. 1908 ; ☞ *simultané* ; [simyltaneism].

**SIMULTANÉITÉ,** subst. f.
Fait de se produire, d'exister dans le même temps. 1754 ; ☞ *simultané* ; [simyltaneite].

**SIMULTANÉMENT,** adv.
En même temps : *Faits survenant* **simultanément.** 1788 ; ☞ *simultané* ; [simyltanemɑ̃].

**SINANTHROPE,** subst. m.
*Anthropol.* Hominidé du début du Quaternaire, de l'espèce *Homo erectus*, mis au jour près de Pékin. 1931 ; formé de *sino-* et de *-anthrope* ; [sinɑ̃tʀɔp].

**SINAPISÉ, ÉE,** adj.
Additionné de farine de moutarde. 1478 ; bas lat. *sinapizatus*, du gr. *sinapi*, « moutarde » ; [sinapize].

**SINAPISME,** subst. m.
Cataplasme révulsif préparé avec de la farine de moutarde. 1572 ; bas lat. *sinapismus* ; [sinapism].

**SINCÈRE,** adj.
**1.** Qui exprime ce qu'il pense ou ressent, sans

chercher à dissimuler : *Ami* ***sincère.*** **2.** Réellement éprouvé, authentique : *Chagrin* ***sincère.*** **3.** Qui n'est pas altéré ni falsifié : *Comptes* ***sincères*** *d'une société.* ⌘ 1441 ; lat. *sincerus*, « pur, naturel » ; [sɛ̃sɛʀ].

**SINCÈREMENT, adv.**
Avec sincérité. ⌘ 1528 ; ☞ *sincère* ; [sɛ̃sɛʀmɑ̃].

**SINCÉRITÉ, subst. f.**
**1.** Caractère de ce qui est sincère ; bonne foi : *La* ***sincérité*** *de ses intentions.* **2.** Qualité d'une personne sincère. ▸ Loc. *En toute* ***sincérité*** : sincèrement. **3.** Authenticité : ***Sincérité*** *d'un document.* ⌘ XVe s. ; ☞ *sincère* ; [sɛ̃seʀite].

**SINCIPITAL, ALE, AUX, adj.**
Relatif, propre au sinciput. ⌘ 1793 ; ☞ *sinciput* ; [sɛ̃sipital, o].

**SINCIPUT, subst. m.**
*Anat.* Sommet de la tête. ⌘ 1538 ; lat. *sinciput*, « la moitié de la tête » ; [sɛ̃sipyt].

**SINÉCURE, subst. f.**
Fonction rétribuée n'exigeant que peu de travail. ▸ Loc. *Ce n'est pas une* ***sinécure*** : c'est pénible (fam.). ⌘ 1715 ; angl. *sinecure*, du lat. *beneficium sine cura*, « bénéfice ecclésiastique sans charge » ; [sinekyʀ].

**SINE DIE, loc. adv.**
*Dr.* Sans fixer de date : *Ajourner une entrevue* ***sine die.*** ⌘ 1890 ; lat. *sine die*, « sans jour (fixé) » ; [sinedje].

**SINE QUA NON, loc. adj. inv.**
*Condition* ***sine qua non*** : indispensable pour que qqch. soit, s'accomplisse. ⌘ 1565 ; lat. *sine qua non*, « (condition) sans laquelle non » ; [sinekwanɔn].

**SINGALETTE, subst. f.**
*Text.* Mousseline de coton avec laquelle on fait la gaze hydrophile et la gaze apprêtée. ⌘ 1783 ; topon. *Saint-Gall* (Suisse) ; [sɛ̃galɛt].

**SINGE, subst. m.**
**1.** *Zool.* Mammifère placentaire de l'ordre des Primates et du sous-ordre des Anthropoïdes, proche de l'homme. On distingue les **singes** du Nouveau Monde (ouistitis, **singes** hurleurs, sapajous) et ceux de l'Ancien Monde (macaques, babouins, cynocéphales, semnopithèques, grands **singes**). Les **singes** ont la face glabre, le pouce opposable et, gén., une longue queue, parfois préhensile. ▸ Loc. *Payer en monnaie de* ***singe*** (☞ *monnaie*) ; *Faire le* ***singe*** : faire des singeries, des pitreries. **2.** Anal. ▸ Personne laide, grimacière ou rusée. ▸ Imitateur. **3.** Chef (pop.). **4.** Bœuf en conserve (argot milit.). ⌘ Déb. XIIe s. ; lat. *simius* ; [sɛ̃ʒ].

**SINGER, verbe trans. [5]**
Fam. Imiter (qqn, qqch.) par moquerie ; simuler (qqch.). ⌘ 1770 ; ☞ *singe* ; [sɛ̃ʒe].

**SINGERIE, subst. f.**
**1.** Imitation grotesque. **2.** Grimace, pitrerie. **3.** Ménagerie de singes. ⌘ Mil. XIVe s. ; ☞ *singe* ; [sɛ̃ʒʀi].

**SINGLE, subst. m.**
Anglic. **1.** Vx. *Sp.* Simple, au tennis. **2.** Compartiment de wagon-lit, cabine de bateau à une seule place ; par ext., chambre d'hôtel pour une personne. **3.** Disque 45 tours n'ayant qu'un morceau par face. ⌘ 1891 ; angl. *single*, « seul » ; [siŋgœl].

**SINGLETON, subst. m.**
**1.** *Jeux.* Unique carte de sa couleur dans la main d'un joueur. **2.** *Math.* Ensemble à un seul élément. ⌘ 1767 ; angl. *single*, « seul » ; [sɛ̃glətɔ̃].

**SINGSPIEL, subst. m.**
Opéra allemand (fin du XVIIIe s. - début du XIXe s.) où alternent morceaux lyriques et dialogues parlés. ⌘ All. *Singspiel* ; [siŋʃpil].

**SINGULARISER, verbe trans. [3]**
Rendre singulier, différent. **Pronom.** Se faire remarquer, faire preuve d'originalité. ⌘ 1555 (1530, traiter dans le détail) ; ☞ *singulier* ; [sɛ̃gylaʀise].

**SINGULARITÉ, subst. f.**
**1.** Manière étonnante de se comporter : *Sa* ***singularité*** *nous suffoque !* ; par méton., parole, action singulière. **2.** Qualité de ce qui est singulier, original : *La* ***singularité*** *d'un style.* **3.** *Math.* Particularité que présente une fonction, une courbe, une surface, etc., en un certain point dit singulier. ⌘ Fin XIIe s. ; bas lat. *singularitas*, « unicité » ; [sɛ̃gylaʀite].

**SINGULIER, IÈRE, subst. m. et adj.**
**Subst.** *Gramm.* Catégorie marquant le nombre d'un mot. ▸ Exprime l'unité (anton. *pluriel*) : *« Je » est la 1re personne du* ***singulier.*** ▸ Exprime ce qui ne peut être divisé, compté (par ex. : « de l'eau »). **Adj.** **1.** Qui concerne un seul individu : *Terme* ***singulier*** ; *Combat* ***singulier***, opposant une personne de chaque camp. **2.** Peu ordinaire ; insolite : *Des circonstances* ***singulières*** ; *Un* ***singulier*** *personnage.* **3.** *Math. Point* ***singulier*** *d'un champ de vecteurs (resp. d'une courbe paramétrée (I, f))* : point en lequel ce champ s'annule (resp. point $f(t_0) = (x(t_0), y(t_0))$ pour lequel les dérivées $x'(t_0)$, $y'(t_0)$ des composantes du point sont toutes deux nulles). ⌘ Fin XIIe s. ; lat. *singularis*, « unique, seul » ; [sɛ̃gylje, jɛʀ].

**SINGULIÈREMENT, adv.**
**1.** Notamment, particulièrement : *Il doute de tout le monde et* ***singulièrement*** *de lui-même.* **2.** Beaucoup, très : *Elle a* ***singulièrement*** *maigri* ; *Il est* ***singulièrement*** *aimable.* **3.** D'une manière bizarre, particulière : *Réagir* ***singulièrement.*** ⌘ 1470 (fin XIIe s., individuellement) ; ☞ *singulier* ; [sɛ̃gyljɛʀmɑ̃].

**SINISANT, ANTE, adj. et subst.**
**Adj.** Influencé par la Chine ; qui aime la Chine. **Subst.** Spécialiste de la Chine, de ses coutumes, de sa langue. ⌘ Mil. XXe s. ; p. pr. de *siniser* ; [sinizɑ̃, ɑ̃t].

**SINISER, verbe trans. [3]**
Donner un caractère chinois à. **Pronom.** Devenir chinois ; adopter la culture chinoise. ⌘ Mil. XXe s. ; gr. *Sinai*, « Chinois » ; [sinize].

**SINISTRE (I), adj.**
**1.** Vx. Gauche. **2.** Très malveillant : *De* ***sinistres*** *desseins.* **3.** Qui annonce la mort, funeste : *Un* ***sinistre*** *présage.* **4.** Inquiétant, effrayant : *Cri, lieu* ***sinistre.*** **5.** Ennuyeux, sans intérêt : *Un film* ***sinistre.*** ⌘ Fin XIe s. ; lat. *sinister*, « qui est à gauche » ; [sinistʀ].

**SINISTRE (II), subst. m.**
**1.** Catastrophe naturelle qui cause d'importants dégâts : *Le* ***sinistre*** *fit plus de cent morts* ; par ext., drame, accident. **2.** *Dr.* Dommage subi : *Déclarer un* ***sinistre.*** ⌘ 1485 ; ital. *sinistro* ; [sinistʀ].

**SINISTRÉ, ÉE, adj. et subst.**
**Adj.** Qui a subi un sinistre. **Subst.** Personne sinistrée. ⌘ 1870 ; ☞ *sinistre* (II) ; [sinistʀe].

**SINISTROSE, subst. f.**
**1.** *Psych.* Névrose survenant après un accident ou un sinistre, qui porte le sujet à exagérer la gravité de son état et à revendiquer une indemnisation maximale. **2.** Ext. Pessimisme exagéré. ⌘ 1908 ; ☞ *sinistre* (II) + *-ose* ; [sinistʀoz].

**SINITÉ, subst. f.**
Aspect, caractère de ce qui est propre à la civilisation chinoise. ⌘ 1957 ; gr. *Sinai*, « Chinois » ; [sinite].

**SINOLOGUE, subst.**
Spécialiste de l'histoire, de la langue et de la civilisation chinoises. ⌘ 1814 ; formé de *sino-* et de *-logue* ; [sinolɔg].

**SINON, conj.**
**1.** Sert à marquer, dans une proposition négative, une exception, une restriction. Hormis, excepté : *Il n'aime personne* ***sinon*** *sa mère.* **2.** Introduit la seule option possible. Si ce n'est : *Quelle issue,* ***sinon*** *la mort ?* ▸ Loc. conj. ***Sinon que*** (+ ind.) : sauf que. **3.** Si ce n'est pas le cas, autrement : *Je pars,* ***sinon*** *je serai en retard.* **4.** Sert à surenchérir sur ce qui est dit. Pour ne pas dire ; et même : *C'est possible,* ***sinon*** *certain.* ⌘ Mil. XIVe s. ; formé de *si* (I) et de *non* ; [sinɔ̃].

**SINOPLE, subst. m.**
*Hérald.* Émail de couleur verte. ⌘ 1260 ; lat. *sinopis*, du gr. *sinôpis*, « terre de Sinope » ; [sinɔpl].

**SINOQUE, adj.**
Fou (fam. et vieilli). ⌘ 1926 ; p.-ê. savoyard *sinoc*, « bille à jouer » ; [sinɔk].

**SINUER, verbe intrans. [3]**
Suivre un tracé sinueux (littér.). ⌘ 1891 (1778, adj., découpé) ; ☞ *sinueux* ; [sinɥe].

**SINUEUX, EUSE, adj.**
**1.** Qui présente de multiples courbures : *Route* ***sinueuse.*** **2.** Fig. Indirect, tortueux : *Comportement* ***sinueux.*** ⌘ 1539 ; lat. *sinuosus* ; [sinɥø, øz].

**SINUOSITÉ, subst. f.**
**1.** Caractère de ce qui est sinueux : *La* ***sinuosité*** *d'un raisonnement.* **2.** Méton. Détour, courbe, méandre. ⌘ 1552 ; ☞ *sinueux* ; [sinɥozite].

**SINUS (I), subst. m.**
*Anat.* **1.** Cavité tapissée d'une membrane et contenant du sang ou de l'air. ▸ ***Sinus*** *de la face* : chacune des cavités, remplies d'air, creusées dans le front, le maxillaire, le sphénoïde et l'ethmoïde. ▸ ***Sinus*** *vasculaire du cerveau* : chacune des cavités remplies de sang veineux, situées dans la dure-mère. **2.** ***Sinus*** *cardiaque* : zone du tissu cardiaque d'où part l'excitation nerveuse qui commande la contraction (synon. *nœud de Keith et Flack*). ⌘ 1539 ; lat. *sinus*, « courbure ; creux » ; [sinys].

**SINUS (II), subst. m.**
*Math.* ▸ ***Sinus*** *d'un angle de demi-droites orienté* $(\widehat{Ax, Ay})$ *dans un plan euclidien orienté* : nombre noté et défini par $\sin(\widehat{Ax, Ay}) = \dfrac{\det(\vec{u}, \vec{v})}{\|\vec{u}\| \cdot \|\vec{v}\|}$, où $\det(\vec{u}, \vec{v})$, $\|\vec{u}\|$ et $\|\vec{v}\|$ sont respectivement le déterminant, les normes euclidiennes des vecteurs directeurs $\vec{u}$ et $\vec{v}$ des demi-droites (Ax) et (Ay), exprimés dans une quelconque base orthonormée directe. ▸ ***Sinus*** *d'un arc orienté* $\overset{\frown}{AM}$ *d'un cercle de centre* O : **sinus** de l'angle $(\widehat{OA, OM})$. Si Q est la projection orthogonale de M sur la perpendiculaire à la droite (OA), et si B est le point de cette droite tel que OB = OA et que la base $(\overrightarrow{OA}, \overrightarrow{OB})$ (non normée) est directe, $\sin(\overset{\frown}{AM}) = \sin(\widehat{OA, OM}) = \dfrac{\overline{OQ}}{\overline{OB}}$ (rapport des mesures algébriques). Le **sinus** dépend de l'orientation du plan. ▸ *Fonction* ***sinus*** : définie pour tout $x$ réel par $\sin x = \mathrm{Im}(e^{ix})$, partie imaginaire de l'exponentielle complexe $e^{ix}$ (☞ *exponentiel*). ⌘ 1544 ; lat. médiév. *sinus*, de l'ar. *jayb*, du skr. *jyâ*, « corde d'arc » ; [sinys].

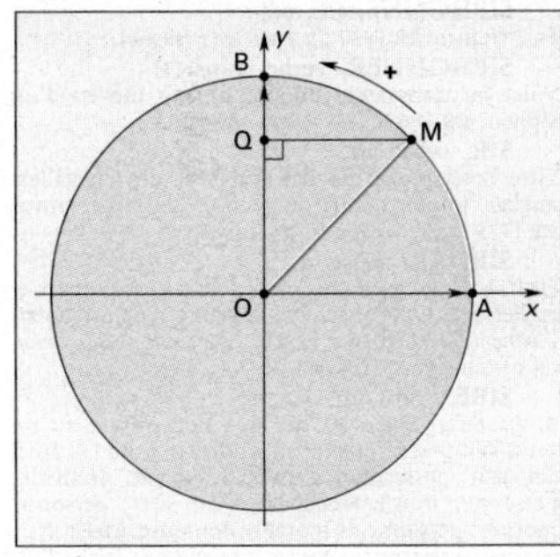


*Représentation graphique d'un* ***sinus.***

**SINUSITE, subst. f.**
*Pathol.* Inflammation ou infection des sinus de la face. ⌘ 1907 ; ☞ *sinus* (I) + *-ite* ; [sinyzit].

**SINUSOÏDAL, ALE, AUX, adj.**
**1.** *Math.* Qualifie une courbe plane qui présente des arches rappelant celles d'une sinusoïde. **2.** *Mécan.* Qualifie un mouvement d'un mobile ponctuel dont l'équation horaire est de la forme $x = a \cos(\omega t + \varphi)$. ⌘ 1823 ; ☞ *sinusoïde* ; [sinyzɔidal, o].

**SINUSOÏDE, subst. f.**
*Math.* Courbe plane qui est le graphe, dans un repère orthonormé, de la fonction sinus ou cosinus. ⌘ 1729 ; ☞ *sinus* (II) + *-oïde* ; [sinyzɔid].

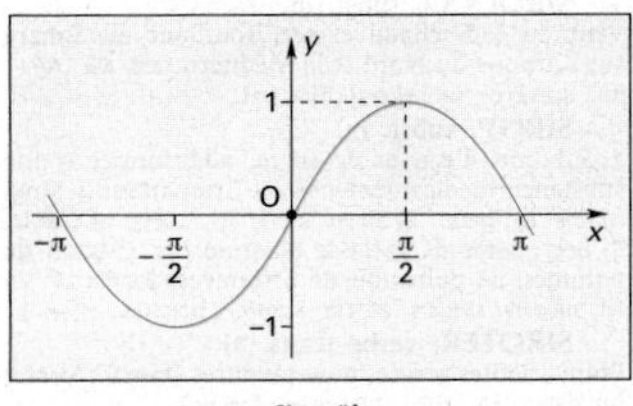


*Sinusoïde.*

**SIONISME, subst. m.**
*Hist.* Mouvement religieux et politique visant à établir un État juif en Palestine, qui se développa en Europe à la fin du XIXe s. et qui aboutit en 1948 à la création de l'État d'Israël. ⌘ 1886 ; topon. *Sion*, colline de Jérusalem ; [sjɔnism].

**SIONISTE, adj. et subst.**
Se dit d'un partisan du sionisme. **Adj.** Relatif, favorable au sionisme. ⌘ 1886 ; ☞ *sionisme* ; [sjɔnist].

**SIOUX, subst. et adj.**
Des Sioux. ► Loc. *Ruse de* ***Sioux*** : ruse très habile ; *C'est sioux !* : c'est astucieux (fam.). SUBST. MASC. Ensemble des langues parlées par les différents peuples **sioux**. 1724 ; altér. de *Nadoweisiw*, « petit serpent », nom donné par les Ojibwa aux Sioux ; [sju].

**SIPHOÏDE, adj.**
En forme de siphon. 1844 ; ☞ *siphon* ; [sifɔid].

**SIPHON, subst. m.**
**1.** *Techn.* ► Tuyau coudé permettant de transvaser un liquide à un niveau inférieur, après l'avoir fait passer au-dessus de son niveau de départ. ► Canalisation deux fois recourbée permettant d'évacuer les eaux usées en évitant la remontée des odeurs : *Le* ***siphon*** *d'un évier.* **2.** Bouteille en verre épais contenant un liquide sous pression. **3.** *Méd.* Appareil servant à nettoyer certaines cavités de l'organisme. **4.** *Spéléologie.* Conduit noyé d'eau. **5.** *Trav. publ.* Ouvrage permettant à une canalisation de franchir un obstacle ou une dénivellation. 1639 (1343, trombe) ; lat. *sipho*, du gr. *siphôn* ; [sifɔ̃].

**SIPHONAPTÈRES, subst. m. plur.**
*Zool.* Ordre d'invertébrés de la classe des Insectes, comprenant les quelque 1 800 espèces de puces. AU SING. *La puce est un* ***siphonaptère***. Gr. *siphôn*, « siphon », et *pteron*, « aile » ; [sifɔnaptɛʀ].

**SIPHONNÉ, ÉE, adj.**
Fou (fam.). 1937 ; ☞ *siphon* ; [sifɔne].

**SIPHONNER, verbe trans.** [3]
Vider ou transvaser (un liquide) au moyen d'un siphon. 1862 ; ☞ *siphon* ; [sifɔne].

**SIR, subst. m.**
Titre honorifique des baronnets et des chevaliers anglais, toujours suivi du prénom de la personne. 1779 ; angl. *sir*, du fr. *sire* ; [sœʀ].

**SIRDAR, subst. m.**
*Hist.* **1.** Chef militaire, dans l'Empire ottoman et en Perse. **2.** Officier général anglais qui commandait l'armée du khédive d'Égypte. 1598 ; turc *serdar*, du persan *sardâr* ; [siʀdaʀ].

**SIRE, subst. m.**
**1.** Vx. *Relig.* Dieu. **2.** Titre que l'on donne au roi ou à l'empereur quand on s'adresse à lui. **3.** *Féod.* Seigneur possesseur d'un fief. **4.** Ext. Individu, personne (iron.). ► Loc. *Un triste* ***sire*** : personne morose ; personne de moralité douteuse. Fin Xe s. ; lat. pop. °*seior*, du lat. *senior*, « seigneur » ; [siʀ].

**SIRÈNE, subst. f.**
**1.** *Myth.* Divinité marine maléfique, représentée avec un torse de femme et une queue de poisson, ou un corps d'oiseau, dont le chant mélodieux charme les marins, provoquant des naufrages. ► Loc. *Écouter le chant des* ***sirènes*** : se laisser séduire par qqch. de fatal. **2.** Ext. Appareil produisant un son puissant et modulable : ***Sirène*** *des pompiers.* Fin XIe s. ; bas lat. *sirena*, du gr. *seirên* ; [siʀɛn].

**SIRÉNIENS, subst. m. plur.**
*Zool.* Ordre de mammifères placentaires aquatiques, regroupant les Dugongidés et les Trichécidés. AU SING. *Le lamentin est un* ***sirénien***. 1811 ; ☞ *sirène* ; [siʀenjɛ̃].

**SIRERIE, subst. f.**
*Féod.* Fief d'un sire. 1694 ; ☞ *sire* ; [siʀʀi].

**SIROCCO, subst. m.**
Vent du sud, chaud et sec, soufflant du Sahara sur l'Afrique du Nord et la Méditerranée. 1441 ; ital. *scirocco* ; var. *siroco* ; [siʀɔko].

**SIROP, subst. m.**
**1.** Solution d'eau et de sucre, additionnée d'une substance médicamenteuse ou aromatique : ***Sirop*** *contre la toux.* **2.** ***Sirop*** *d'érable* : sève d'érable. **3.** Belg. Sorte de mélasse obtenue par cuisson de pommes, de poires ou de betteraves. Fin XIIe s. ; lat. médiév. *sirupus*, de l'ar. *šarāb*, « boisson » ; [siʀo].

**SIROTER, verbe trans.** [3]
Boire à petites gorgées pour savourer (fam.) : ***Siroter*** *un porto.* 1680 ; ☞ *sirop* ; [siʀɔte].

**SIRTAKI, subst. m.**
Danse populaire grecque. V. 1970 ; mot gr. ; [siʀtaki].

**SIRUPEUX, EUSE, adj.**
**1.** Qui a la consistance du sirop : *Vin* ***sirupeux***. **2.** Fig. Mièvre et lourd, voire écœurant (péj.) : *Quelle mélodie* ***sirupeuse*** ! 1742 ; ☞ *sirop* ; [siʀypø, øz].

**SIRVENTÈS, subst. m.**
*Litt.* Poème satirique chanté par les troubadours provençaux. Mil. XIIe s. ; anc. prov. *sirvent*, « serviteur », du lat. *serviens*, « qui sert » ; var. *sirvente* ; [siʀvɑ̃tɛs].

**SIS, SISE, adj.**
*Dr.* Situé. Fin XIVe s. ; p. p. de *seoir* ; [si, siz].

**SISAL, subst. m.**
**1.** *Bot.* Agavacée du Mexique, aussi appelée agave ou faux aloès, que l'on cultive pour ses feuilles fibreuses. **2.** Méton. Fibre textile que l'on en tire. 1906 ; topon. *Sisal* (Mexique) ; plur. *sisals* ; [sizal].

**SISMICITÉ, subst. f.**
*Géol.* Distribution géographique des séismes en fonction de leur intensité et de leur nombre. 1892 ; ☞ *sismique* ; var. *séismicité* ; [sismisite].

**SISMIQUE, adj.**
**1.** Relatif, propre aux séismes : *Foyer* ***sismique*** ; *Ondes* ***sismiques***. **2.** *Géol. Prospection* ***sismique*** ou, empl. subst. fém., *La* ***sismique*** : prospection du sous-sol fondée sur la propriété qu'ont les ondes mécaniques (ici provoquées artificiellement) de subir des réfractions (**sismique** réfraction) et des réflexions (**sismique** réflexion). La **sismique** réflexion est utilisée par l'industrie pétrolière pour reconnaître la forme et la structure des couches du sous-sol. 1856 ; ☞ *séisme* ; var. *séismique* ; [sismik].

**SISMOGRAPHE, subst. m.**
*Géol.* Appareil qui enregistre les mouvements de la surface du sol engendrés par des ondes mécaniques (dues, par ex., à un séisme, à une explosion ou à un effondrement). 1871 ; formé de *sismo-* et de *-graphe* ; var. *séismographe* ; [sismɔgʀaf].

**SISMOLOGIE, subst. f.**
Domaine de la géophysique qui étudie les séismes. 1890 ; formé de *sismo-* et de *-logie* ; var. *séismologie* ; [sismɔlɔʒi].

**SISMOLOGUE, subst.**
Spécialiste en sismologie. 1909 ; ☞ *sismologie* ; [sismɔlɔg].

**SISSONNE, subst. f.**
*Chorégr.* Saut effectué sur les deux pieds, dont l'un reste levé à la retombée. Fin XVIIe s. ; anthropon. *comte de Sissonne* ; var. *sissone* ; [sisɔn].

**SISTERSHIP, subst. m.**
Navire jumeau (anglic.). Déb. XXe s. ; angl. *sistership*, de *sister*, « sœur », et de *ship*, « navire » ; var. *sister-ship* (plur. *sister-ships*) ; [sistœʀʃip].

**SISTRE, subst. m.**
*Mus.* Instrument à percussion fait d'un cadre traversé de tiges métalliques garnies de rondelles et de sonnailles, ou de coques de calebasse. 1527 ; lat. *sistrum*, du gr. *seistron* ; [sistʀ].

**SISYMBRE, subst. m.**
*Bot.* Plante rudérale de la famille des Brassicacées, dont une espèce est appelée herbe-aux-chantres. 1555 ; lat. *sisynbrium*, du gr. *sisunbrion* ; [sizɛ̃bʀ].

**SITAR, subst. m.**
*Mus.* Grand instrument de l'Inde, à dix-huit cordes pincées. 1844 ; hindi *sitār* ; [sitaʀ].

**SITARISTE, subst.**
Personne qui joue du sitar. Mil. XXe s. ; ☞ *sitar* ; [sitaʀist].

**SITCOM, subst. m. ou f.**
*Télév.* Comédie dont l'intrigue repose essentiellement sur les situations (anglic.). XXe s. ; abrév. de l'angl. *situation comedy* ; [sitkɔm].

**SITE, subst. m.**
**1.** Vx. Emplacement. **2.** Paysage, gén. vu sous l'aspect esthétique : ***Site*** *pittoresque, sauvage, enchanteur.* **3.** Configuration d'un terrain, d'un lieu choisi pour une activité humaine : ***Site*** *urbain, industriel.* ► ***Site*** *propre* : chaussée réservée aux transports en commun de surface. **4.** *Archéol.* Lieu où s'effectuent des fouilles. **5.** *Artill. Angle de* ***site*** : formé par la ligne de tir avec le plan horizontal. Déb. XIVe s. ; lat. *situs*, « situation » ; [sit].

**SIT-IN, subst. m. inv.**
Manifestation de contestation non violente, consistant à s'asseoir par terre en un lieu public (anglic.). V. 1970 ; angl. *sit-in*, de *to sit in*, « s'installer » ; [sitin].

**SITIOMANIE, subst. f.**
*Psych.* Boulimie. 1885 ; gr. *sition*, « aliment », + *-manie* ; [sitjɔmani].

**SITOGONIOMÈTRE, subst. m.**
*Topogr.* Instrument servant à mesurer les angles de site. 1923 ; formé de *site* et de *goniomètre* ; [sitogɔnjɔmɛtʀ].

**SITOLOGUE, subst.**
Spécialiste de l'étude et de la préservation des sites. V. 1970 ; ☞ *site* + *-logue* ; [sitɔlɔg].

**SITÔT, adv.**
**1.** Aussitôt : ***Sitôt*** *dit,* ***sitôt*** *fait.* ► Loc. *Pas de* ***sitôt*** : pas avant longtemps. **2.** Loc. conj. **Sitôt que.** Dès que, aussitôt que : ***Sitôt*** *qu'il la vit, il l'aima.* Fin XVIe s. ; formé de *si* (II) et de *tôt* ; [sito].

**SITTELLE, subst. f.**
*Zool.* Passériforme petit et trapu à queue courte, sédentaire dans les forêts. La **sittelle** torchepot casse les noisettes avec son bec droit et pointu. 1778 ; lat. sc. *sitta*, du gr. *sittê*, « pivert » ; var. *sittèle* ; [sitɛl].

*Sittelle torchepot.*

**SITUATION, subst. f.**
**1.** Emplacement d'une chose, d'un bâtiment, d'une ville dans l'espace ; en partic., sa position géographique. **2.** Fig. Condition dans laquelle se trouve une personne : ***Situation*** *de famille* ; ***Situation*** *troublée*. ► Loc. *Être à la hauteur de la* ***situation*** : avoir les qualités requises pour y faire face ; *Être en* ***situation*** *de* : capable de, en passe de ; *En* ***situation*** : dans des conditions proches de la réalité. **3.** Ensemble des circonstances, des caractères qui définissent, à un moment donné, l'état d'un domaine particulier : ***Situation*** *sociale explosive.* **4.** *Litt.* Caractéristique d'un moment précis de l'action : ***Situation*** *comique* ; *Créer des* ***situations***. **5.** *Fin.* État d'une entreprise, d'un compte. **6.** Rang occupé dans la société ; place, emploi : *Perdre sa* ***situation***. 1447 (1375, position des étoiles) ; ☞ *situer* ; [sitɥasjɔ̃].

**SITUATIONNISTE, adj. et subst.**
SUBST. Membre du groupe radical international artistique puis politique qui, dans les années soixante, contesta les valeurs de l'ordre établi, les structures en place. ADJ. Relatif à ce groupe. 1958 ; ☞ *situation* ; [sitɥasjɔnist].

**SITUÉ, ÉE, adj.**
Qui occupe une place précise dans un ensemble : *Une pièce mal* ***située*** *sur l'échiquier.* Déb. XIVe s. ; p. p. de *situer* ; [sitɥe].

**SITUER, verbe trans.** [3]
**1.** Établir la position de (qqch., qqn) dans l'espace ou le temps. **2.** Fig. Cerner, évaluer la place de (qqn, qqch.) dans un ensemble. PRONOM. Avoir lieu ; se tenir. Mil. XVe s. ; lat. médiév. *situare*, du lat. *situs*, « situation » ; [sitɥe].

**SIVAÏSME, voir SHIVAÏSME**

**SIX, adj. num. et subst. m.**
ADJ. CARD. Cinq plus un : *Les* ***six*** *jours de la Création.* ADJ. ORD. **1.** Sixième : *Charles VI le Fou* ; *Page* ***six***. **2.** Qui porte le numéro six : *La table* ***six*** ou, empl. subst., *La* ***six***. SUBST. **1.** Le nombre six : *Trois et trois font* ***six***. **2.** Le numéro **six**. **3.** Représentation graphique de ce nombre. **4.** *Enseign.* Note qui correspond à six points : *Un* ***six*** *en français.* **5.** *Jeux.* Carte à jouer, face de dé ou moitié de domino portant ce numéro : *Le* ***six*** *de trèfle* ; *Le double* ***six***. Fin XIe s. ; lat. *sex* ; [sis] devant une pause, [siz] devant une voyelle ou un *h* muet, [si] devant une consonne ou un *h* aspiré.

**SIXAIN, voir SIZAIN**

**SIX-HUIT, subst. m. inv.**
*Mus.* Mesure à deux temps dont la noire pointée est l'unité. 1705 ; comp. de *six* et de *huit* ; [sisɥit].

**SIXIÈME, adj.**
ADJ. NUM. ORD. Qui occupe le rang marqué par le nombre six : *Le* ***sixième*** *sens* ; empl. subst. : *Le, la* ***sixième***, personne ou chose occupant le **sixième** rang. ► *Le* ***sixième*** *arrondissement* ou, empl. subst. masc., *Le* ***sixième*** : arrondissement n° 6 de Paris, de Lyon ou de Marseille. ► Empl. subst. fém. Première classe du premier cycle de l'enseignement secondaire. ADJ. Qui constitue une fraction d'un tout divisé également en six : *La* ***sixième*** *partie* ou, empl. subst. masc., *Le* ***sixième***. Fin XIIe s. ; ☞ *six* ; [sizjɛm].

**SIX-QUATRE-DEUX (À LA),** loc. adv.
À la hâte, à la va-vite (fam.). 1866 ; comp. de *six*, de *quatre*, et de *deux* ; [alasiskatdø].

**SIXTE,** subst. f.
*Mus.* Sixième degré de la gamme diatonique ; intervalle de six degrés. 1611 ; var. de *siste*, d'apr. *six*, du lat. *sextus*, « sixième » ; [sikst].

**SIZAIN,** subst. m.
**1.** *Versif.* Strophe ou poème de six vers. **2.** *Jeux.* Paquet de six jeux de cartes. Fin XVe s. (fin XIIIe s., sixième) ; ☞ *six* ; var. *sixain* ; [sizɛ̃].

**SKAÏ,** subst. m. inv.
Toile synthétique qui imite le cuir. 1959 ; n. déposé ; [skaj].

**SKATEBOARD,** subst. m.
Anglic. *Sp.* Planche à roulettes (abrév. fam. : skate). V. 1980 ; angl. *skateboard*, de *skate*, « patin », et de *board*, « planche » ; var. *skate-board* (plur. *skate-boards*) ; [skɛtbɔʀd].

**SKATING,** subst. m.
*Sp.* Patinage avec des patins à roulettes (anglic.). 1871 ; angl. *skating*, de *to skate*, « patiner » ; [skɛtiŋ].

**SKETCH,** subst. m.
*Théâtre.* Courte scène, souv. comique. ▸ *Film à sketches* : suite de récits unis par un thème. 1908 ; angl. *sketch*, « esquisse » ; plur. *sketch(e)s* ; [skɛtʃ].

**SKI,** subst. m.
*Sp.* **1.** Lame longue et étroite, relevée à l'avant, que l'on fixe sous chaque pied pour glisser sur la neige. **2.** Méton. ▸ Sport pratiqué à l'aide de **skis** : ***Ski alpin***, pratiqué sur des pentes abruptes ; ***Ski de fond***, pratiqué sur un terrain à faible dénivellation. ▸ Sports d'hiver (fam.) : ***Aller au ski.*** **3.** Anal. ***Ski nautique*** : sport aquatique où le skieur est tiré par un bateau. 1842 ; mot norv. ; [ski].

**SKIABLE,** adj.
Où l'on peut skier. 1896 ; ☞ *skier* ; [skjabl].

**SKI-BOB,** subst. m.
Véloski (anglic.). V. 1960 ; angl. *skibob*, de *ski*, et de *to bob*, « se balancer » ; plur. *ski-bobs* ; [skibɔb].

**SKIER,** verbe intrans. [6]
Faire du ski. 1894 ; ☞ *ski* ; [skje].

**SKIEUR, SKIEUSE,** subst.
Personne qui skie. 1896 ; ☞ *ski* ; [skjœʀ, skjøz].

**SKIFF,** subst. m.
*Sp.* Canot étroit à un seul rameur. 1851 ; angl. *skiff*, du fr. *esquif* ; var. *skif* ; [skif].

**SKINHEAD,** subst.
Personne au crâne rasé, adoptant une tenue de style militaire, qui évolue au sein de groupes au comportement agressif et violent, et qui adhère souvent à une idéologie raciste ou xénophobe. V. 1980 ; angl. *skinhead*, « crâne rasé » ; [skinɛd].

**SKIP,** subst. m.
Benne de grande contenance, qui glisse sur un châssis et sert à alimenter les fours verticaux, à extraire le minerai (anglic.). 1905 ; mot angl. ; [skip].

**SKIPPER,** subst. m.
*Mar.* **1.** Commandant de bord de yacht. **2.** Barreur d'un voilier de régate. 1773 ; mot angl. ; [skipœʀ].

**SKONS,** voir **SCONCE**

**SKUNKS,** voir **SCONCE**

**SKUNS,** voir **SCONCE**

**SKWAL,** subst. m.
*Sp.* **1.** Planche analogue au surf des neiges, mais sur laquelle les pieds sont dans l'axe, l'un derrière l'autre, avec laquelle on glisse sur la neige. **2.** Méton. Sport pratiqué à l'aide d'un **Skwal.** V. 1990 ; mot angl. ; n. déposé ; [skwal].

**SKWALEUR, EUSE,** subst.
Personne qui pratique le skwal (anglic.). V. 1990 ; ☞ *skwal* ; [skwalœʀ, øz].

**SKYE-TERRIER,** subst. m.
Petit chien d'agrément, à poil long. 1886 ; comp. du topon. *Skye*, île anglaise, et de *terrier* ; plur. *skye-terriers* ; [skajtɛʀje].

**SLALOM,** subst. m.
**1.** *Sp.* Descente à skis comportant une série de virages, avec passage obligatoire entre des portes représentées par des piquets. **2.** Anal. Parcours en zigzag, avec des obstacles nombreux : ***Un slalom au milieu des stands.*** 1905 ; norv. *slalom*, de *slad*, « incliné », et de *laam*, « trace » ; [slalɔm].

**SLALOMER,** verbe intrans. [3]
Effectuer un slalom. 1939 ; ☞ *slalom* ; [slalɔme].

**SLALOMEUR, EUSE,** subst.
Skieur qui fait du slalom. 1936 ; ☞ *slalom* ; [slalɔmœʀ, øz].

**SLAVE,** adj. et subst.
D'un groupe de peuples d'Europe centrale ou orientale : *Peuples slaves* ; *Charme slave.* **Subst. masc.** Famille de langues issues de l'indo-européen et parlées par ces peuples. ▸ *Vieux slave* : slavon. 1573 ; lat. médiév. *sclavus* ; [slav].

**SLAVISANT, ANTE,** subst. et adj.
Se dit d'un spécialiste des langues slaves (synon. *slaviste*). **Adj.** Qui présente des caractères slaves. 1904 ; ☞ *slave* ; [slavizɑ̃, ɑ̃t].

**SLAVISER,** verbe trans. [3]
Rendre slave (rare). 1844 ; ☞ *slave* ; [slavize].

**SLAVON, ONNE,** adj. et subst.
De Slavonie. **Subst. masc.** Vieux slave, aujourd'hui employé comme langue liturgique des Églises orthodoxes. 1656 ; topon. *Slavonie*, contrée des Balkans ; [slavɔ̃, ɔn].

**SLAVOPHILE,** subst. et adj.
Se dit d'une personne attachée aux valeurs slaves et hostile à toute influence occidentale. 1852 ; ☞ *slave* + *-phile* ; [slavɔfil].

**SLEEPING-CAR,** subst. m.
Anglic. *Ch. de fer.* Voiture-lit (vieilli) ; par ext., couchette de voiture-lit (abrév. : sleeping). 1868 ; angl. *sleeping car*, de *to sleep*, « dormir », et de *car*, « voiture » ; plur. *sleeping-cars* ; [slipiŋkaʀ].

**SLICE,** subst. m.
*Sp.* Coup latéral donné à une balle afin de dévier sa trajectoire (anglic.). 1924 ; angl. *to slice*, « trancher », de l'anc. fr. *esclicer*, « se fendre » ; [slajs].

**SLICER,** verbe trans. [4]
Frapper (une balle de golf, de tennis) en faisant un slice. 1933 ; ☞ *slice* ; [slajse].

**SLIP (I),** subst. m.
Anglic. *Mar.* **1.** Plan incliné servant à mettre des embarcations à l'eau. **2.** Anal. Plan servant à hisser les baleines dans les navires-usines. 1861 ; angl. *to slip*, « glisser » ; [slip].

**SLIP (II),** subst. m.
Culotte courte ajustée, servant de sous-vêtement ou de caleçon de bain. 1913 ; angl. *slip*, « sous-vêtement féminin » ; [slip].

**SLOGAN,** subst. m.
Formule de propagande publicitaire ou politique. 1930 (1842, cri de guerre d'un clan écossais) ; angl. *slogan*, du gaélique *sluagh*, « troupe », et *gairm*, « cri » ; [slɔgɑ̃].

**SLOOP,** subst. m.
*Mar.* Petit navire à voiles à un seul mât. 1797 (1752, navire angl. de moins de vingt canons) ; néerl. *sloep*, « chaloupe » ; var. *sloup* ; [slup].

**SLOUGHI,** subst. m.
Lévrier arabe à poil ras, à la robe fauve. 1848 ; ar. *salūgī* ; [slugi].

**SLOVAQUE,** subst. et adj.
De Slovaquie. **Subst. masc.** Langue slave occidentale, proche du tchèque, parlée en Slovaquie. 1841 ; topon. *Slovaquie* ; [slɔvak].

**SLOVÈNE,** subst. et adj.
De Slovénie. **Subst. masc.** Langue slave du Sud, proche du serbo-croate, et parlée en Slovénie. 1875 ; topon. *Slovénie* ; [slɔvɛn].

**SLOW,** subst. m.
**1.** Vx. Fox-trot lent. **2.** Danse lente à pas glissés, où les couples se tiennent serrés ; musique sur laquelle on la danse. 1930 ; angl. *slow*, « lent » ; [slo].

**Sm,** voir **SAMARIUM**

**SMALA,** subst. f.
**1.** Groupement de tentes abritant la famille, les biens, les équipages d'un chef arabe. **2.** Anal. Famille ou suite nombreuse (fam. et péj.). 1843 ; ar. *zamāla*, « entourage, escorte » ; var. *smalah* ; [smala].

**SMALT,** subst. m.
Colorant bleu à base d'oxyde de cobalt ; verre coloré en bleu par l'oxyde de cobalt. 1536 ; ital. *smalto*, « émail » ; [smalt].

**SMALTITE,** subst. f.
*Minér.* Composé arsénieux de cobalt et de nickel. 1845 ; ☞ *smalt* ; var. *smaltine* ; [smaltit].

**SMARAGDIN, INE,** adj.
D'un vert émeraude. 1752 (déb. XVIe s., émeraude) ; gr. *smaragdos*, « émeraude » ; [smaʀagdɛ̃, in].

**SMARAGDITE,** subst. f.
*Minér.* Silicate naturel de couleur vert émeraude. 1796 ; ☞ *smaragdin* ; [smaʀagdit].

**SMART,** adj. inv.
Distingué, chic (anglic. vieilli et fam.). 1851 ; mot angl. ; [smaʀt].

**SMASH,** subst. m.
*Sp.* Au tennis, au ping-pong, au volley-ball, coup violent qui rabat une balle pour la mettre hors de portée de l'adversaire. 1893 ; angl. *smash*, « coup violent qui écrase » ; plur. *smash(e)s* ; [sma(t)ʃ].

**SMECTIQUE,** adj.
**1.** *Minér.* Qualifie un type de minéral argileux qui gonfle en absorbant de l'eau ou des matières grasses. **2.** *Phys.* Se dit d'un état mésomorphe de la matière dans lequel les molécules, allongées, sont disposées perpendiculairement à des surfaces parallèles. 1828 ; lat. *smecticus*, du gr. *smêktikos*, « détersif » ; [smɛktik].

**SMEGMA,** subst. m.
*Méd.* Matière blanchâtre due à la desquamation des cellules épithéliales, qui s'accumule dans les replis des organes génitaux externes. Déb. XIXe s. ; gr. *smegmā*, « substance savonneuse » ; [smɛgma].

**SMICARD, ARDE,** subst.
Fam. Personne payée au smic (salaire minimum interprofessionnel de croissance). V. 1970 ; sigle *smic* ; [smikaʀ, aʀd].

**SMILLAGE,** subst. m.
Action de dégrossir une pierre au moyen d'une smille. 1875 ; ☞ *smille* ; [smijaʒ].

**SMILLE,** subst. f.
*Techn.* Marteau de carrier, à deux pointes. 1676 ; bas lat. *smila*, du gr. *smilê*, « ciseau » ; [smij].

**SMITHSONITE,** subst. f.
*Minér.* Carbonate, de formule $ZnCO_3$, qui est un minerai de zinc. 1832 ; anthropon. *Smithson*, chimiste ; [smitsɔnit].

**SMOCKS,** subst. m. plur.
*Cout.* Fronces rebrodées sur l'endroit du tissu (anglic.). 1929 ; angl. *to smock*, « froncer avec des fils entrecroisés » ; [smɔk].

**SMOG,** subst. m.
Brouillard dense, mêlé de fumée, qui se forme dans les régions humides fortement industrialisées (anglic.). 1905 ; angl. *smog*, crois. de *smoke*, « fumée », et de *fog*, « brouillard » ; [smɔg].

**SMOKING,** subst. m.
Veste de soirée masculine gén. noire, à revers de soie ; par ext., costume comportant cette veste et un pantalon galonné de soie. 1890 ; angl. *smoking jacket*, « veste pour fumer » ; [smɔkiŋ].

**SMOLT,** subst. m.
Jeune saumon ayant l'âge de descendre vers la mer (anglic.). 1866 ; mot angl. ; [smɔlt].

**SMURF,** subst. m.
Danse aux mouvements saccadés, semblable à ceux d'un robot. V. 1980 ; nom angl. du *Schtroumpf*, personnage de bande dessinée de Peyo ; [smœʀf].

**Sn,** voir **ÉTAIN**

**SNACK-BAR,** subst. m.
Anglic. Café-restaurant où l'on sert des plats simples, à toute heure (abrév. : snack). 1933 ; anglo-amér. *snack bar*, de *snack*, « repas léger », et de *bar*, « bar (café) » ; plur. *snack-bars* ; [snakbaʀ].

**SNIFF,** interj.
Onomatopée imitant un bruit de reniflement. V. 1970 ; angl. *to sniff*, « renifler » ; var. *snif* ; [snif].

**SNIFFER,** verbe trans. [3]
Aspirer (de la drogue) par le nez (argot.). V. 1970 ; ☞ *sniff* ; var. *snifer* ; [snife].

**SNOB,** subst. et adj.
Se dit d'une personne qui cherche à adopter les manières, les goûts, etc., représentant selon elle l'idéal de la distinction. **Adj.** Qui dénote le snobisme. 1857 (1843, personne vulgaire) ; angl. argot. de Cambridge *snob*, « personne sans éducation », de *snob*, « cordonnier » ; [snɔb].

**SNOBER,** verbe trans. [3]
Traiter de haut (qqn) ; mépriser (qqch.) par snobisme (fam.). 1921 ; ☞ *snob* ; [snɔbe].

**SNOBINARD, ARDE,** subst. et adj.
Se dit d'une personne un peu snob (fam. et péj.). 1955 ; ☞ *snob* ; [snɔbinaʀ, aʀd].

**SNOBISME,** subst. m.
Comportement snob. 1857 ; ☞ *snob* ; [snɔbism].

**SNOWBOARD,** subst. m.
Surf des neiges (anglic.). 🕮 Fin XX^e s. ; angl. *snowboard*, de *snow*, « neige », et de *board*, « planche » ; [snobɔʀd].

**SNOW-BOOT,** subst. m.
Bottine de caoutchouc portée par-dessus la chaussure par temps de neige (vieilli). 🕮 1885 ; angl. *snow boot*, de *snow*, « neige », et de *boot*, « botte » ; plur. *snow-boots* ; [snobut].

**SOAP-OPÉRA,** subst. m.
Anglic. Fiction télévisée populaire à épisodes où se multiplient les péripéties (abrév. : soap). 🕮 V. 1980 ; angl. *soap opera*, de *soap*, « savon », et de *opera*, « opéra », ces feuilletons étant à l'origine produits par des firmes de détergents, et entrecoupés d'annonces pour leurs produits ; plur. *soap-opéras* ; [sopɔpeʀa].

**SOBRE,** adj.
**1.** Mesuré (littér.) : ***Sobre** en paroles.* **2.** Qui mange et boit avec mesure ; par méton. : *Repas **sobre**,* frugal. **3.** Simple, dépouillé : *Style **sobre**.* 🕮 Fin XII^e s. ; lat. *sobrius* ; [sɔbʀ].

**SOBREMENT,** adv.
De manière sobre. 🕮 Fin XII^e s. ; ☞ *sobre* ; [sɔbʀəmɑ̃].

**SOBRIÉTÉ,** subst. f.
**1.** Qualité d'une personne ou d'un animal sobre ; en partic., comportement d'une personne qui boit très peu ou pas d'alcool. **2.** Simplicité ; modération. 🕮 Déb. XIII^e s. ; lat. *sobrietas* ; [sɔbʀijete].

**SOBRIQUET,** subst. m.
Surnom familier, qu'on donne par affection ou par moquerie. 🕮 1531 (1355, petit coup sous le menton) ; orig. inc. ; [sɔbʀikɛ].

**SOC,** subst. m.
Lame en acier de la charrue, qui creuse le sillon dans la terre. 🕮 Fin XII^e s. ; gaul. °*soccos*, d'apr. le lat. *soccus*, « chaussure basse » ; [sɔk].

**SOCIABILITÉ,** subst. f.
**1.** Aptitude à vivre en société. **2.** Qualité d'une personne sociable. 🕮 1665 ; ☞ *sociable* ; [sɔsjabilite].

**SOCIABLE,** adj.
**1.** Qui est apte à vivre en société : *Insectes **sociables**.* **2.** Agréable à fréquenter ; qui aime être en compagnie d'autrui ; par méton. : *Une humeur **sociable**.* 🕮 1540 (1342, uni, lié) ; lat. *sociabilis* ; [sɔsjabl].

**SOCIAL, ALE, AUX,** adj.
**I. 1.** Qui se rapporte aux relations entre les individus ou entre un individu et un groupe : *Comportement **social** ; Relations **sociales**.* ▸ *Psychologie **sociale*** : étudiant les interactions relationnelles entre individus, entre l'individu et le groupe. **2.** Qui se rapporte à la société, aux personnes qui la constituent : *Phénomène, problème **social**.* ▸ *Sciences **sociales*** : sociologie, anthropologie culturelle, psychologie **sociale**, science et économie politiques, etc. **3.** Qui concerne les rapports entre les classes de la société : *Inégalités **sociales** ; Milieu **social** ; Promotion **sociale**.* **4.** Qui concerne les conditions de vie des membres de la société : *Législation **sociale** ; Acquis **sociaux** ; Prendre des mesures **sociales**.* ▸ Qui est destiné à assurer ou à améliorer le bien-être des membres de la société, notamment des personnes les plus défavorisées : *Aide **sociale** ; Logements **sociaux** ; Sécurité **sociale*** (☞ *sécurité*) ; ***Travailleurs sociaux** ; Assistante **sociale*** (☞ *assistant*) ; empl. subst. masc. : *Le **social***, l'ensemble des questions **sociales**. **II.** Qui se rapporte à une société civile ou commerciale : *Siège **social** d'une entreprise ; Raison **sociale*** (☞ *raison*). 🕮 1557 (1555, militairement allié) ; lat. *socialis*, « relatif aux alliés ; accordé à la société », de *socius*, « compagnon » ; [sɔsjal, o].

**SOCIAL-DÉMOCRATE, SOCIALE-DÉMOCRATE,** adj. et subst.
Se dit d'un adepte de la social-démocratie. **Adj.** Relatif, favorable à la social-démocratie. 🕮 1893 ; all. *Sozialdemokrat* ; plur. *sociaux-démocrates, sociales-démocrates* ; [sɔsjaldemɔkʀat], plur. [-sjo-].

**SOCIAL-DÉMOCRATIE,** subst. f.
*Pol.* Socialisme parlementaire de tendance réformiste, spéc. développé en Allemagne ; par méton., ensemble des tendances, des organisations qui se réclament de ce courant. 🕮 1899 ; ☞ *social-démocrate* ; plur. *social-démocraties* ; [sɔsjaldemɔkʀasi].

**SOCIALEMENT,** adv.
Relativement à la vie sociale, à la société. 🕮 1767 (1282, en société) ; ☞ *social* ; [sɔsjalmɑ̃].

**SOCIALISANT, ANTE,** adj.
Proche des idées, des théories socialistes. 🕮 1840 ; ☞ *socialisme* ; [sɔsjalizɑ̃, ɑ̃t].

**SOCIALISATION,** subst. f.
**1.** Fait de s'adapter à la société. ▸ *Psychol.* Processus par lequel un enfant s'adapte à la vie d'une société. **2.** *Écon.* et *Pol.* Collectivisation. 🕮 1831 ; ☞ *socialiser* ; [sɔsjalizasjɔ̃].

**SOCIALISER,** verbe trans. [3]
**1.** Adapter (qqn) aux réalités de la vie d'une société. **2.** *Écon.* et *Pol.* Collectiviser : ***Socialiser** les terres.* 🕮 1786 ; ☞ *social* ; [sɔsjalize].

**SOCIALISME,** subst. m.
**1.** Ensemble de doctrines préconisant une nouvelle organisation sociale, politique, économique en vue de la suppression des inégalités au sein de la société. **2.** Méton. Chacune de ces doctrines ; les forces politiques s'en réclamant : ***Socialisme** scientifique*, doctrine de Marx. ▸ ***Socialisme** à visage humain* : par oppos. au **socialisme** totalitaire des pays de l'Est, désigne un régime où l'individu n'est pas sacrifié. 🕮 1831 ; ☞ *social* ; [sɔsjalism].

**IDÉES** – C'est dans le sillage de la révolution parisienne de juillet 1830, elle-même héritière de la Révolution française, que le mot « socialisme » fit son entrée dans le vocabulaire politique. L'égalité des droits étant acquise, l'inégalité des conditions ne pouvait apparaître que plus crûment aux yeux des néojacobins que furent les premiers socialistes. « Qu'est-ce qu'une démocratie incapable d'assurer la justice sociale ? », s'interroge Saint-Simon, ouvrant la voie au socialisme utopique, qui proposera diverses solutions associatives (phalanstères de Ch. Fourier, ateliers nationaux de L. Blanc, coopératives de R. Owen en Grande-Bretagne, etc.). Mais il faudra attendre les grandes révoltes européennes de 1848, la diffusion des thèses de Marx et la naissance du syndicalisme pour que l'on passe de l'idée au mouvement. Les premiers partis socialistes se créent au cours des années 1860 en Europe, d'abord sous la forme d'une internationale des travailleurs, puis sous celle de partis nationaux. Tous ont en commun le projet d'une société sans classes, la limitation du droit de propriété et la collectivisation des moyens de production. Le partage se fera, à l'issue de la révolution d'Octobre, entre le socialisme réformiste, à l'origine de la social-démocratie, et le socialisme révolutionnaire, dont se réclamèrent les communistes.

**SOCIALISTE,** adj. et subst.
**Adj.** Favorable au socialisme ; qui repose sur le socialisme ou s'en inspire ; qui diffuse les idées du socialisme. **Subst.** Partisan du socialisme ; adhérent d'une organisation qui milite en faveur du socialisme. 🕮 1842 (1798, adversaire de la Révolution, allié des royalistes) ; ☞ *social* ; [sɔsjalist].

**SOCIATRIE,** subst. f.
*Psychol.* Analyse d'un comportement social à des fins thérapeutiques. 🕮 V. 1970 ; formé de *socio-* et de *-iatrie* ; [sɔsjatʀi].

**SOCIÉTAIRE,** subst. et adj.
Se dit d'un membre d'une société, d'une association. ▸ ***Sociétaire** de la Comédie-Française* : acteur qui, contrairement au pensionnaire, participe aux bénéfices réalisés par le théâtre. **Adj.** Relatif à une société. 🕮 1787 ; ☞ *société* ; [sɔsjetɛʀ].

**SOCIÉTÉ,** subst. f.
**I. 1.** Forme de sociabilité fondée sur la fréquentation, l'habitude ou l'affinité (synon. *compagnie*) : *Fuir la **société** des hommes.* **2.** Ensemble de personnes qui se réunissent, se fréquentent, partagent une même activité : *Une joyeuse **société**.* ▸ *Jeu de **société*** : jeu d'intérieur qui réunit plusieurs personnes. **II. 1.** Collectivité humaine ou animale organisée : *Vivre en **société** ; Une **société** d'insectes.* **2.** Milieu constitué par des individus entre lesquels s'établissent des relations durables, régies par des lois et des codes sociaux : *Défendre les intérêts de la **société** ; Une **société** en crise ; Un phénomène de **société**.* ▸ Loc. *La haute, la bonne **société*** : les couches sociales aisées, influentes (souv. iron.). **3.** Mode d'organisation socio-économique : ***Société** féodale, capitaliste ; **Société** agraire, industrielle.* **4.** Collectivité des membres d'une nation, d'un État : *La **société** française.* **III. 1.** Association de personnes représentant une communauté d'intérêt et poursuivant un but déterminé : *Une **société** de bienfaisance ; Une **société** savante.* ▸ *Cath. La **Société** de Jésus* : l'ordre des Jésuites. **2.** *Dr.* Contrat instituant une communauté de ressources et d'intérêts entre plusieurs associés, sous la forme d'une personne juridique unique ; personne juridique et morale née de ce contrat ; par ext., entreprise poursuivant un but commercial : *Les statuts d'une **société** ; L'impôt sur les **sociétés**.* ▸ ***Société** anonyme (S. A.)* : entreprise commerciale au capital divisé, dont le statut autorise la libre cession des parts. ▸ ***Société** à responsabilité limitée (S. A. R. L.)* : entreprise dans laquelle les associés ne sont responsables que dans la limite de leur apport au capital. ▸ ***Société** d'économie mixte (S. E. M.)* : entreprise commerciale qui associe des intérêts publics et privés. 🕮 Fin XII^e s. ; lat. *societas*, de *socius*, « compagnon, associé, allié » ; [sɔsjete].

**SOCINIANISME,** subst. m.
*Relig.* Doctrine, condamnée par l'Église, inspirée de l'enseignement de Socin, qui nie le mystère de la Trinité et la divinité du Christ. 🕮 Fin XVII^e s. ; anthropon. *Socin* ; [sɔsinjanism].

**SOCIOCULTUREL, ELLE,** adj.
Qui concerne le rapport entre les structures sociales et les formes de la vie culturelle. 🕮 1948 ; ☞ *culture* + *socio-* ; [sɔsjokyltyʀɛl].

**SOCIODRAME,** subst. m.
*Psychol.* Scène dramatique improvisée par un groupe sur un thème donné dans un but psychothérapeutique. 🕮 1947 ; ☞ *drame* + *socio-* ; [sɔsjodʀam].

**SOCIO-ÉCONOMIQUE,** adj.
Qui concerne les phénomènes sociaux, économiques et leurs relations : *Conditions, difficultés **socio-économiques**.* 🕮 1957 ; ☞ *économique* + *socio-* ; plur. *socio-économiques* ; [sɔsjoekɔnɔmik].

**SOCIO-ÉDUCATIF, IVE,** adj.
À vocation sociale et éducative : *Activités **socio-éducatives**.* 🕮 XX^e s. ; ☞ *éducatif* + *socio-* ; plur. *socio-éducatifs, ives* ; [sɔsjoedykatif, iv].

**SOCIOGENÈSE,** subst. f.
Incidence des facteurs sociaux sur la genèse des troubles psychiques. 🕮 V. 1960 ; formé de *socio-* et de *-genèse* ; [sɔsjoʒənɛz].

**SOCIOGRAMME,** subst. m.
*Sociol.* Schéma représentant les relations existant entre les différents membres d'un groupe. 🕮 1947 ; formé de *socio-* et de *-gramme* ; [sɔsjogʀam].

**SOCIOLINGUISTIQUE,** subst. f. et adj.
**Subst.** Branche de la linguistique qui étudie les incidences des facteurs sociaux sur le langage. **Adj.** Relatif à la **sociolinguistique**. 🕮 V. 1970 ; ☞ *linguistique* + *socio-* ; [sɔsjolɛ̃gɥistik].

**SOCIOLOGIE,** subst. f.
Discipline ayant pour objet l'étude des sociétés humaines et des phénomènes sociaux. 🕮 1830 ; formé de *socio-* et de *-logie* ; [sɔsjɔlɔʒi].

**SCIENCES HUMAINES** – L'idée que l'homme est modelé par la catégorie sociale à laquelle il appartient s'est développée au XIX^e s. Les bouleversements économiques et sociaux, les révolutions ont souligné le rôle prédominant des phénomènes collectifs sur les comportements individuels et orienté la réflexion sur la réalité sociale. De cette dernière, constituée de manières de penser, de percevoir, d'agir assurant la pérennité d'une société, il paraît possible de dégager, sinon des lois, du moins des régularités. Si le terme « sociologie » apparaît avec Auguste Comte (1830), qui étudie dans ses cours de philosophie positiviste, les fonctionnements de la société, Max Weber, en Allemagne, et Émile Durkheim (dont l'étude *Le Suicide*, en 1897, s'appuie sur des données statistiques) ont contribué à en faire une discipline distincte de la philosophie. Elle a conquis sa place parmi les sciences humaines, pour se différencier pas à pas en s'ouvrant à de nombreux domaines de la vie sociale (éducation, travail, politique, médias, religion, etc.) et en se dotant de méthodes diversifiées d'investigation, d'analyse, empruntant à l'économie, à la statistique, à la linguistique, etc.

**SOCIOLOGIQUE,** adj.
Qui concerne la sociologie ou les faits qu'elle étudie. 🕮 1839 ; ☞ *sociologie* ; [sɔsjɔlɔʒik].

**SOCIOLOGISME,** subst. m.
Tendance à surévaluer la valeur scientifique des faits sociaux ou de la sociologie pour la compréhension des phénomènes humains. 🕮 1902 ; ☞ *sociologie* ; [sɔsjɔlɔʒism].

**SOCIOLOGUE,** subst.
Spécialiste de sociologie. 🕮 1888 ; ☞ *sociologie* ; [sɔsjɔlɔg].

**SOCIOMÉTRIE, subst. f.**
Méthode permettant d'évaluer les relations interindividuelles à l'intérieur d'un groupe à l'aide d'indices numériques. 1946 ; formé de *socio-* et de *-métrie* ; [sɔsjɔmetʀi].

**SOCIOPROFESSIONNEL, ELLE, adj.**
Qui concerne à la fois l'appartenance sociale et la vie professionnelle : *Les catégories* ***socioprofessionnelles*** ; empl. subst., membre d'une de ces catégories. 1958 ; ☞ *professionnel* + *socio-* ; [sɔsjopʀɔfɛsjɔnɛl].

**SOCIOTHÉRAPIE, subst. f.**
**1.** Psychothérapie destinée à permettre l'intégration d'une personne à un groupe ou à améliorer les relations à l'intérieur d'un groupe. **2.** Ensemble des moyens déployés pour réinsérer un malade mental dans son milieu social. Mil. XXe s. ; ☞ *thérapie* + *socio-* ; [sɔsjoteʀapi].

**SOCLE, subst. m.**
**1.** Base servant de support à une colonne, à une statue, à un buste, etc. **2.** *Géol.* Ensemble de terrains déformés (montagne arasée), composés de roches plutoniques sédimentaires et métamorphiques, sur lesquels peut reposer en discordance une couverture sédimentaire plus récente. 1639 ; ital. *zoccolo*, du lat. *socculus*, « petite chaussure » ; [sɔkl].

**SOCQUE, subst. m.**
**1.** *Antiq. rom.* Chaussure basse, portée en partic. par les acteurs comiques. **2.** Chaussure à semelle de bois. 1562 (fin XIVe s., grosse chaussure) ; lat. *soccus* ; [sɔk].

**SOCQUETTE, subst. f.**
Chaussette légère s'arrêtant au-dessus de la cheville. 1930 ; angl. *sock*, « chaussette », du lat. *soccus*, « chaussure basse » ; [sɔkɛt].

**SOCRATIQUE, adj.**
Propre à Socrate, à sa philosophie, ou qui l'évoque : *L'ironie* ***socratique***. XVIe s. (1540, disciple de Socrate) ; lat. *socraticus*, du gr. *sôkratikos* ; [sɔkʀatik].

**SODA, subst. m.**
Eau gazeuse, souvent aromatisée : ***Soda*** *à l'orange* ; en appos. : *Whisky* ***soda***. 1837 (1814, eau gazéifiée par une solution de bicarbonate de soude) ; angl. *soda water*, « eau de soude » ; [sɔda].

**SODÉ, ÉE, adj.**
**1.** Qui contient du sodium. **2.** Qui contient de la soude. 1855 ; ☞ *sodium* ; [sɔde].

**SODIQUE, adj.**
Relatif au sodium ; qui contient du sodium. 1826 ; ☞ *sodium* ; [sɔdik].

**SODIUM, subst. m.**
*Chim.* Élément no 11 de la table de Mendeleïev (symb. : Na) ; masse atomique : 22,98 ; point d'ébullition : 882,9 °C ; point de fusion : 97,81 °C ; masse volumique : 0,97 g/cm$^3$. Très réactif, le **sodium** est utilisé comme agent réducteur dans certaines réactions ; il existe à l'état naturel sous forme de chlorure dans les eaux marines. Le **sodium** liquide est utilisé comme refroidisseur dans les réacteurs nucléaires. 1808 ; angl. *sodium*, de *soda*, « soude » ; [sɔdjɔm].

**SODOKU, subst. m.**
*Pathol.* Spirillose éruptive accompagnée d'une inflammation locale et d'une fièvre récurrente, due à la transmission d'un micro-organisme par la morsure d'un animal, souv. du rat. 1916 ; jap. *sodoku*, de *so*, « rat », et de *doku*, « poison » ; [sɔdɔku].

**SODOMIE, subst. f.**
Pratique du coït anal. Fin XIIe s. ; lat. chrét. *sodomia*, de *Sodoma*, « Sodome », ville de Palestine, détruite par Dieu à cause de la dépravation de ses habitants ; [sɔdɔmi].

**SODOMISER, verbe trans. [3]**
Pratiquer le coït anal sur (qqn). 1587 ; ☞ *sodomie* ; [sɔdɔmize].

**SODOMITE, subst. m.**
Homme qui pratique la sodomie (littér.). Mil. XIIe s. ; lat. chrét. *sodomita* ; [sɔdɔmit].

**SŒUR, subst. f.**
**1.** Fille qui est née du même père et de la même mère qu'une autre personne : ***Sœur*** *aînée, cadette* ; *Demi-***sœur**. ▸ *Myth. Les Neuf* ***Sœurs*** : les Muses. **2.** Anal. Femme pour laquelle on éprouve une très grande amitié ; compagne : ***Sœur*** *d'infortune.* **3.** Fig. Chose (de genre féminin) analogue à une autre : *La richesse est* ***sœur*** *de l'avarice.* ▸ En appos. *Âme* ***sœur*** : personne aux sentiments, aux inclinations très proches de ceux d'une autre. **4.** Titre donné à une religieuse : *Merci ma* ***sœur*** ; ***Sœur*** *Marie* ; *Les petites* ***sœurs*** *des pauvres.* ▸ *Bonne* ***sœur*** : religieuse (fam.). Fin XIe s. ; lat. *soror* ; [sœʀ].

**SŒURETTE, subst. f.**
Terme affectueux qui désigne une sœur plus jeune. 1571 (1463, religieuse) ; ☞ *sœur* ; [sœʀɛt].

**SOFA, subst. m.**
**1.** *Hist.* En Orient, estrade couverte de tapis et de coussins, utilisée comme siège d'apparat. **2.** Anal. Divan, lit de repos. 1519 ; turc *sofa*, de l'ar. *ṣuffa*, « banc, banquette » ; [sɔfa].

**SOFFITE, subst. m.**
*Archit.* **1.** Surface inférieure d'un larmier. **2.** Plafond à caissons. 1675 ; ital. *soffitto*, « plafond », du lat. *suffigere*, « fixer, suspendre » ; [sɔfit].

**SOFTWARE, subst. m.**
Anglic. *Informat.* Ensemble des moyens d'utilisation (programmes, procédés, etc.) d'un système informatique (abrév. : soft ; anton. *hardware*). V. 1970 ; anglo-amér. *software*, de *soft*, « doux », d'apr. *hardware*, « matériel » ; recomm. off. *logiciel* ; [sɔftwɛʀ].

**SOI, pron. pers. et subst. m. inv.**
Pronom personnel réfléchi de la 3e personne, forme accentuée de « se », sans marque de genre ni de nombre. **1.** Représente une personne, gén. indéterminée : *Savoir rester* ***soi*** ; *Être sûr de* ***soi*** ; *Chez* ***soi***, dans sa maison. ▸ Renforcé par « même » : *Ici, on se sert* ***soi-même***. **2.** Représente (toujours précédé d'une préposition) une chose, gén. déterminée (synon. *lui, elle*) : *La voiture traînait derrière* ***soi*** *une épaisse fumée.* ▸ Loc. *Cela va de* ***soi*** : c'est évident, naturel ; *En* ***soi*** : de par sa propre nature. **Subst. 1.** L'individu, la personnalité, le moi de chacun : *Un tête-à-tête avec* ***soi*** ; *S'associer avec un autre* ***soi-même***. **2.** *Philos.* Principe de toutes les distinctions entre la personne et le reste du monde (anton. *non-soi*). Mil. Xe s. ; lat. *se* ; [swa].

**SOI-DISANT, adj. inv. et adv.**
**Adj. 1.** Qui se dit, se prétend tel : *Un* ***soi-disant*** *ingénieur.* **2.** Prétendu, en parlant d'une chose (empl. critiqué) : *Une* ***soi-disant*** *réforme.* **Adv.** Prétendument (empl. critiqué) : ***Soi-disant*** *pour notre bien.* ▸ Loc. conj. ***Soi-disant*** *que* : il paraîtrait que (fam.). XVe s. ; comp. de *soi* et du p. pr. de *dire* (I) ; [swadizɑ̃].

**SOIE, subst. f.**
**I. 1.** Long poil raide du porc, du sanglier, dont on se sert pour confectionner des pinceaux ou des brosses. **2.** *Zool.* Sorte de poil servant à la locomotion de certains invertébrés. **3.** *Bot.* ***Soie*** *végétale* : duvet de certaines graines ou poils de certaines plantes. **II. 1.** Sécrétion filamenteuse que la chenille (ou ver à **soie**) du bombyx du mûrier enroule pour faire son cocon. **2.** Fibre textile résistante obtenue à partir du cocon déroulé et filé. **3.** Méton. Étoffe, légère et douce, obtenue après tissage de cette fibre : *Des bas de* ***soie*** ; ***Soie*** *brute, grège* ; ***Soie*** *sauvage* ; ***Soie*** *naturelle.* **4.** Fig. Ce qui évoque la **soie** par son éclat, sa souplesse, sa douceur : *Avoir une peau de* ***soie***. ▸ *Papier de* ***soie*** : papier fin utilisé pour envelopper des objets délicats. **III.** Partie effilée d'un couteau, d'une arme blanche, s'insérant dans le manche ou la poignée. Déb. XIIe s. ; lat. pop. °*seta*, du lat. *saeta*, « poil d'un animal, crin » ; [swa].

**SOIERIE, subst. f.**
**1.** Étoffe de soie. **2.** Méton. Industrie, commerce de la soie. 1328 ; ☞ *soie* ; [swaʀi].

**SOIF, subst. f.**
**1.** Sensation d'un manque d'eau dans l'organisme ; désir de boire : *Avoir* ***soif*** ; *Mourir de* ***soif*** ; par anal. : *La terre a* ***soif***. ▸ Loc. *(Boire) jusqu'à plus* ***soif*** : à satiété ; *Rester sur sa* ***soif*** : être insatisfait. **2.** Fig. Désir impérieux qui demande à être satisfait : *La* ***soif*** *d'absolu.* Déb. XIIe s. ; lat. *sitis* ; [swaf].

**SOIFFARD, ARDE, subst. et adj.**
Se dit d'une personne qui s'adonne à la boisson (pop.). 1830 ; ☞ *soif* ; [swafaʀ, aʀd].

**SOIGNANT, ANTE, adj.**
Qui donne des soins aux malades : *Personnel* ***soignant*** ; en appos. : *Une* ***aide-soignante***. 1927 ; p. pr. de *soigner* ; [swaɲɑ̃, ɑ̃t].

**SOIGNÉ, ÉE, adj.**
**1.** Dont on prend grand soin : *Travail* ***soigné*** ; *Cuisine* ***soignée***. **2.** Qui prend soin de sa personne : *Une femme très* ***soignée*** ; net, propre : *Mains* ***soignées***. **3.** Abusif (fam. et iron.) : *Une addition* ***soignée***. 1751 ; p. p. de *soigner* ; [swaɲe].

**SOIGNER, verbe trans. [3]**
**1.** Être attentif aux souhaits de (qqn), à son confort, lui apporter un soin tout particulier : ***Soigner*** *ses clients* ; par antiphr. : ***Soigner*** *qqn*, lui faire subir un mauvais traitement (fam.). **2.** Apporter une attention particulière à (qqch.) : ***Soigner*** *son apparence, son jardin.* **3.** Donner des soins à, œuvrer à la guérison de : ***Soigner*** *un malade* ; panser : ***Soigner*** *une blessure.* **Pronom. 1.** Être plein d'attentions pour soi et pour son confort. **2.** Faire le nécessaire pour guérir : *Il* ***néglige de se soigner***. **3.** Pouvoir être guéri : *Un mal qui* ***ne se soigne pas***. 1538 (mil. XIIe s., procurer, fournir) ; p.-ê. lat. médiév. *soniare*, « procurer le nécessaire » ; [swaɲe].

**SOIGNEUR, EUSE, subst.**
Personne qui veille à la condition physique d'un sportif, d'une équipe, qui leur apporte des soins. 1903 ; ☞ *soigner* ; [swaɲœʀ, øz].

**SOIGNEUSEMENT, adv.**
D'une manière soigneuse ; avec soin, application. Déb. XIIIe s. ; ☞ *soigneux* ; [swaɲøzmɑ̃].

**SOIGNEUX, EUSE, adj.**
**1.** Qui apporte du soin à ce qu'il fait ou à ce dont il se sert, ordonné. ▸ Loc. ***Soigneux*** *de* : attentif à. **2.** Accompli avec minutie, avec soin : *Une vérification* ***soigneuse***. Déb. XIIIe s. ; ☞ *soigner* ; [swaɲø, øz].

**SOIN, subst. m.**
**1.** Préoccupation, pensée inquiète de ce que l'on a à faire (vieilli ou littér.) : *Son premier* ***soin*** *fut de s'enquérir du résultat.* **2.** Attention que l'on porte à qqch. ou à qqn, application que l'on met à faire qqch. : *Il choisit ses cravates avec* ***soin***. ▸ Loc. *Avoir, prendre* ***soin*** *de (qqn, qqch.)* : s'occuper particulièrement du bien-être de (qqn), du bon état de (qqch.). **3.** Tâche, mission : *Je vous confie le* ***soin*** *de le ramener à la raison.* **Plur. 1.** Tâches particulières que requiert la bonne marche de qqch., ou l'entretien de son corps : *Il se chargeait des* ***soins*** *quotidiens du bétail* ; ***Soins*** *de la peau.* ▸ Loc. *Aux bons* ***soins*** *de M. X* : formule écrite sur une lettre dont on confie l'acheminement à qqn. **2.** Action de soigner qqn, de s'occuper d'un malade : *Donner les premiers* ***soins*** ; ***Soins*** *dentaires* ; *Centre de* ***soins***. ▸ Loc. *Être aux petits* ***soins*** *pour qqn, avec qqn* : faire en sorte de le satisfaire, être plein d'attentions à son égard. Fin XIe s. ; p.-ê. lat. médiév. *sunnis*, « excuse légitime » ; [swɛ̃].

**SOIR, subst. m.**
**1.** Crépuscule ; dernières heures de la journée : *Six heures du* ***soir*** ; *Robe du* ***soir*** ; *Il y a un bal dimanche* ***soir***. ▸ Loc. *Du matin au* ***soir*** : continuellement, sans cesse. **2.** Fig. *Le* ***soir*** *de la vie* : la vieillesse. Fin Xe s. ; lat. *sero*, « tard », de *serus*, « tardif » ; [swaʀ].

**SOIRÉE, subst. f.**
**1.** Temps compris entre la tombée du jour et le moment où l'on se couche. **2.** Fête, réception, réunion ayant lieu à ce moment de la journée : ***Soirée*** *de gala* ; *Tenue de* ***soirée***, très habillée. ▸ Représentation théâtrale ou spectacle donné le soir. Mil. XIIIe s. ; ☞ *soir* ; [swaʀe].

**SOIT, conj. et adv.**
**Conj. 1. Soit (que)... soit (que)...** (+ subj.). Introduit une alternative. Ou (bien)... ou (bien)... : ***Soit*** *fromage,* ***soit*** *dessert* ; ***Soit*** *que j'aie mal compris,* ***soit*** *qu'il ait mal prononcé.* **2.** Introduit une explication. À savoir, c'est-à-dire : *L'Académie française,* ***soit*** *quarante immortels.* **3.** Introduit une hypothèse. Étant donné : ***Soit*** *deux inconnues x et y.* **Adv.** Marque une concession. D'accord, bon : *Eh bien,* ***soit***, *allons-y* ; *Il a perdu,* ***soit***, *mais de peu.* Fin XIIe s. ; 3e personne du sing. du subj. prés. du verbe *être* ; [swa], adv. [swat].

**SOIT-COMMUNIQUÉ, subst. m. inv.**
*Dr. Ordonnance de* ***soit-communiqué*** : émanant d'un juge d'instruction, et prescrivant que soit communiqué au parquet le dossier de la procédure, pour que ce dernier donne ses réquisitions. 1878 ; comp. de *être* (I) et de *communiquer* ; [swakɔmynike].

**SOIXANTAINE, subst. f.**
**1.** Quantité de ou d'environ soixante éléments. **2.** Âge de soixante ans ou d'environ soixante ans. Mil. XIIe s. ; ☞ *soixante* ; [swasɑ̃tɛn].

**SOIXANTE, adj. num. inv. et subst. m. inv.**
**Adj. card.** Six fois dix : ***Soixante*** *kilomètres.* **Adj. ord. 1.** Soixantième : *Le kilomètre* ***soixante***. **2.** Qui porte le numéro soixante : *La chambre* ***soixante*** ou, empl. subst., *La* ***soixante***. **Subst. 1.** Le nombre **soixante**. **2.** Le numéro **soixante**. **3.** Représentation graphique de ce nombre. Fin XIe s. ; lat. *sexaginta* ; [swasɑ̃t].

**SOIXANTE-DIX, adj. num. inv. et subst. m. inv.**
ADJ. CARD. Soixante plus dix. ADJ. ORD. **1.** Soixante-dixième. **2.** Qui porte le numéro **soixante-dix** : *Le lot* ***soixante-dix*** ou, empl. subst., *Le* ***soixante-dix***. SUBST. **1.** Le nombre **soixante-dix**. **2.** Le numéro **soixante-dix**. **3.** Représentation graphique de ce nombre. Mil. XII^e s. ; comp. de *soixante* et de *dix* ; [swasɑ̃tdis].

**SOIXANTE-DIXIÈME, adj.**
ADJ. NUM. ORD. Qui occupe le rang marqué par le nombre soixante-dix. ADJ. Qui constitue une fraction d'un tout divisé également en soixante-dix ; empl. subst. masc. : *Le* ***soixante-dixième***. 1550 ; ☞ *soixante-dix* ; plur. *soixante-dixièmes* ; [swasɑ̃tdizjɛm].

**SOIXANTE-HUITARD, ARDE, adj. et subst.**
Se dit d'une personne qui a participé aux évènements de mai 1968 ou qui se réfère aux idées contestataires de cette époque (fam. ou péj.). V. 1970 ; *soixante-huit*, de *mille neuf cent soixante-huit* ; plur. *soixante-huitards, ardes* ; [swasɑ̃tɥitaʀ, aʀd].

**SOIXANTIÈME, adj.**
ADJ. NUM. ORD. Qui occupe le rang marqué par le nombre soixante. ADJ. Qui constitue une fraction d'un tout divisé également en soixante ; empl. subst. masc. : *Le* ***soixantième*** *de l'heure est la minute.* Mil. XII^e s. ; ☞ *soixante* ; [swasɑ̃tjɛm].

**SOJA, subst. m.**
*Bot.* **1.** Fabacée protéagineuse et oléagineuse, originaire d'Asie, cultivée pour l'alimentation animale : *Des tourteaux de* ***soja***. **2.** Plante voisine de la précédente, dont les pousses germées sont consommées comme légumes, en partic. en Asie. 1874 (1732, sauce à base de graines de soja) ; néerl. *soja*, du jap. *shōyu*, « sauce de soja » ; var. *soya* ; [sɔʒa].

**SOL (I), subst. m.**
**1.** Sou (vx ou littér.) : *Trente* ***sols*** *un lavement !* (Molière) ; *Les carrosses à cinq* ***sols***. **2.** Unité monétaire de base du Pérou. XII^e s. ; bas lat. *soldus*, « pièce d'or », du lat. *solidus*, « massif » ; [sɔl].

**SOL (II), subst. m.**
*Mus.* Cinquième note de la gamme d'*ut* ; le signe qui la représente. ▸ *Clé de* ***sol*** : signe indiquant la place du **sol** sur la portée. Déb. XIII^e s. ; 1^re syllabe de *Solve saluti*, dans l'hymne latin à saint Jean-Baptiste, choisi par Gui d'Arezzo pour solfier les sept notes de la gamme ; [sɔl].

**SOL (III), subst. m.**
**1.** Partie superficielle de l'écorce terrestre où l'on marche. ▸ La terre, par oppos. au ciel : *Un engin téléguidé du* ***sol*** ; *Missile* ***sol****-sol,* ***sol****-air*, lancé du **sol** pour atteindre une cible terrestre ou aérienne. **2.** Surface aménagée par l'homme, plancher : *Un* ***sol*** *carrelé, asphalté* ; *Un tapis de* ***sol***. **3.** Terrain ; surface de production agricole : ***Sol*** *argileux, fertile* ; *Être propriétaire du* ***sol***. ▸ *Urban. Plan d'occupation des* ***sols*** *(P. O. S.)* : document qui détermine les servitudes des terrains, ce qu'il est possible ou non de bâtir ; *Coefficient d'occupation des* ***sols*** *(C. O. S.)* : chiffre qui indique la surface de plancher que l'on est autorisé à construire sur une surface de terrain donnée. **4.** Contrée, pays : ***Sol*** *natal*. ▸ *Droit du* ***sol*** : droit qui, pour accorder la citoyenneté, prend en compte la naissance sur un territoire national (anton. *droit du sang*). **5.** *Géol.* Formation superficielle qui provient essentiellement de l'altération physique, chimique ou biochimique des roches sous-jacentes. Dans les **sols** zonaux, l'influence du climat prédomine ; dans les **sols** intrazonaux ou azonaux, c'est celle de la roche mère. XV^e s. ; lat. *solum*, « fondement ; surface de la terre ; pays » ; [sɔl].

**SOL (IV), subst. m.**
*Chim.* Solution colloïdale dans laquelle des petites particules solides sont dispersées dans une phase liquide continue. 1933 ; angl. *sol*, de *solution* ; [sɔl].

**SOLAIRE, adj.**
**1.** Qui concerne le Soleil. ▸ *Astron. Système* ***solaire*** : ensemble formé par le Soleil, les neuf planètes principales gravitant autour de lui (Mercure, Vénus, Terre, Mars, Jupiter, Saturne, Uranus, Neptune, Pluton), près de 5 000 astéroïdes, les anneaux de Jupiter, de Saturne, d'Uranus et de Neptune et les satellites (une cinquantaine) des planètes, plus d'une centaine de milliards de comètes et de météorites et le milieu interplanétaire ; *Couronne* ***solaire*** : vaste zone s'étendant autour du Soleil jusqu'à plusieurs millions de kilomètres de son centre ; *Vent* ***solaire*** : plasma constitué principalement d'hydrogène ionisé, éjecté par la couronne **solaire** à une vitesse de 200 à 2 000 km/s. **2.** Qui fonctionne grâce à la lumière ou à la chaleur émise par le Soleil : *Énergie* ***solaire***, issue du Soleil, en partic. transformée en énergie thermique ou électrique au moyen de capteurs **solaires** ; *Maison* ***solaire***, dont le chauffage est assuré par l'énergie **solaire**. ▸ Empl. subst. masc. Ensemble des techniques mises en œuvre pour exploiter l'énergie **solaire**. **3.** Qui protège des effets des rayons **solaires** : *Crème* ***solaire***. **4.** *Anat. Plexus* ***solaire*** : abondant réseau de nerfs et de ganglions sympathiques situé au-dessous des reins, entre les surrénales, et qui innerve tous les viscères de l'abdomen. Fin XIII^e s. (XII^e s., le midi) ; lat. *solaris*, de *sol*, « soleil » ; [sɔlɛʀ].

**SOLANACÉES, subst. f. plur.**
*Bot.* Famille de plantes dicotylédones gamopétales, de l'ordre des Polémoniales, à laquelle appartiennent le pétunia, la tomate, la belladone, le piment, etc., cultivées pour leur valeur alimentaire, médicinale ou ornementale. AU SING. *Le tabac est une* ***solanacée***. 1787 ; lat. *solanum*, « morelle » ; [sɔlanase].

**SOLARISATION, subst. f.**
*Phot.* Insolation d'une surface sensible (plaque, pellicule, épreuve, etc.) avant développement, en vue de créer des effets colorés ou de souligner des contours. 1878 ; lat. *solaris*, « solaire » ; [sɔlaʀizasjɔ̃].

**SOLARIUM, subst. m.**
**1.** *Antiq. rom.* Terrasse en surplomb de certaines maisons. **2.** *Méd.* Établissement où se pratique l'héliothérapie. **3.** Anal. Lieu aménagé où l'on prend des bains de soleil. 1765 ; lat. *solarium*, « cadran solaire ; lieu exposé au soleil », du lat. *sol*, « soleil » ; [sɔlaʀjɔm].

**SOLDANELLE, subst. f.**
*Bot.* Plante vivace de la famille des Primulacées, à fleurs violettes, qui fleurit en montagne à la fonte des neiges. XV^e s. ; prob. anc. fr. *souz*, sorte de saumure, de l'anc. bas frq. °*sultja*, « saumure » ; [sɔldanɛl].

**SOLDAT, ATE, subst.**
MASC. **1.** Vx. Homme de troupe touchant une solde. **2.** Membre d'une armée effectuant son service national, engagé volontaire ou militaire de carrière : *Simple* ***soldat***, sans grade ; *Le* ***Soldat*** *inconnu*, dépouille d'un **soldat** non identifié de la guerre de 1914-1918, enterré à Paris sous l'Arc de triomphe en hommage aux victimes françaises de ce conflit. ▸ Loc. *Jouer au petit* ***soldat*** : adopter un comportement téméraire, voire effronté. **3.** Fig. Ardent défenseur d'une cause, d'une foi : *Les* ***soldats*** *du Christ*. **4.** ***Soldats*** *de plomb* : figurines de jeu enfantin (vieilli). **5.** *Zool.* Chez les termites ou certaines fourmis, individu stérile, à la tête gén. cuirassée et armée de fortes mandibules, spécialisé dans la défense de ses congénères. FÉM. Femme soldat (fam.). 1475 ; ital. *soldato*, de *soldare*, « payer une solde », de *soldo*, « solde » ; [sɔlda, at].

**SOLDATESQUE, adj. et subst. f.**
ADJ. Propre aux soldats ; grossier, brutal. SUBST. Péj. **1.** Groupe de soldats indisciplinés se livrant à des excès. **2.** L'armée. 1556 ; esp. *soldadesco*, de l'ital. *soldatesco* ; [sɔldatɛsk].

**SOLDE (I), subst. f.**
Rémunération d'un soldat et, par ext., de certains fonctionnaires. ▸ Loc. *Être à la* ***solde*** *de qqn* : être acheté par qqn (péj.). 1464 ; ital. *soldo* ; [sɔld].

**SOLDE (II), subst. m.**
**1.** *Comptab.* Différence entre le crédit et le débit d'un compte ; ce qui reste à payer à la clôture d'un compte, reliquat : *Pour* ***solde*** *de tout compte* ; par ext. : ***Solde*** *migratoire*, différence entre immigration et émigration pour un temps et dans un espace donnés. **2.** Marchandise qui reste en stock et qui est vendue au rabais (gén. au plur.) : *Faire les* ***soldes***, fréquenter les magasins qui vendent des **soldes**. ▸ Loc. *En* ***solde*** : à moindre prix, au rabais. 1675 (1598, ce qui reste à payer d'une dette) ; ital. *saldo*, de *saldare*, « solder » ; [sɔld].

**SOLDER, verbe trans. [3]**
**1.** *Comptab.* Arrêter (un compte) ; payer (un solde, le reliquat d'une dette). **2.** Vendre (les marchandises qui restent en stock) à un prix réduit. PRONOM. Se solder par, en. Aboutir à (une situation gén. défavorable) : *Cette entreprise se* ***solde*** *par un échec*. 1636 ; ital. *saldare*, du lat. médiév. *saldus*, « compact » ; [sɔlde].

**SOLDERIE, subst. f.**
Magasin spécialisé dans la vente de produits au rabais. V. 1980 ; ☞ *solde* (II) ; n. déposé ; [sɔldəʀi].

**SOLDEUR, EUSE, subst.**
Personne spécialisée dans le commerce de marchandises soldées. 1887 ; ☞ *solder* ; [sɔldœʀ, øz].

**SOLE (I), subst. f.**
**1.** *Constr.* Pièce de bois de charpente, disposée à l'horizontale, qui sert d'appui aux étais (synon. *semelle*). **2.** *Techn.* Partie d'un four recevant les produits à traiter. **3.** *Agric.* Chacune des parcelles d'une terre affectée à la même culture ou à la jachère dans le cadre de l'assolement. 1213 ; anc. fr. *suele*, du lat. pop. °*sola*, du lat. *solea*, « sandale ; sorte de plancher » ; [sɔl].

**SOLE (II), subst. f.**
*Zool.* Poisson plat, ovale, vivant sur les fonds sableux, à la chair très estimée. XIII^e s. ; anc. prov. *sola*, du lat. pop. °*sola*, du lat. *solea* ; [sɔl].

**SOLE (III), subst. f.**
*Vétér.* Partie cornée, mais sensible, constituant le dessous du sabot des Équidés. XIV^e s. (XIII^e s., semelle) ; lat. *solea*, « sandale ; garniture de sabot » ; [sɔl].

**SOLÉAIRE, adj. et subst. m.**
*Anat.* Se dit d'un muscle de la face postérieure de la jambe, qui constitue avec les jumeaux le triceps sural. 1562 ; bas lat. *solearis*, « qui a la forme d'une sandale », du lat. *solea*, « sandale » ; [sɔleɛʀ].

**SOLÉCISME, subst. m.**
*Ling.* Faute contre les règles de la syntaxe, portant sur la construction de la phrase (par ex. : « Il a fait pareil que moi » pour « Il a fait comme moi »). 1265 ; lat. *soloecismus*, du gr. *soloikismos*, du topon. *Soloi*, « Soles », ville de Cilicie dont les habitants parlaient un grec très incorrect ; [sɔlesism].

**SOLEIL, subst. m.**
**I.** *Astron.* **1.** *Le* ***Soleil*** : étoile située au centre de notre système solaire, qui s'est formée en même temps que les planètes, il y a env. 5 milliards d'années. La température de sa surface est d'env. 6 400 °C et son diamètre équatorial mesure 1 390 000 km. ▸ Astre incandescent, qui prodigue chaleur et lumière à la Terre : ***Soleil*** *de minuit*, qui reste au-dessus de l'horizon en été, durant les nuits polaires. ▸ Loc. *L'empire du* ***Soleil****-Levant* : le Japon. **2.** Anal. Étoile occupant le centre d'un système. **II. 1.** Métaph. Symbole de ce qui brille, de la puissance, de la majesté : *Le Roi-****Soleil***, Louis XIV. ▸ *Myth.* Dieu personnifiant le **Soleil**. **2.** Méton. Lumière ou chaleur dégagée par le **Soleil** ; temps ou lieu ensoleillé : *S'allonger au* ***soleil*** ; *Un* ***soleil*** *de plomb*, un temps caniculaire ; *Bain de* ***soleil*** (☞ *bain*) ; *Coup de* ***soleil***, brûlure due à une trop longue exposition au **soleil** ; *Chapeau, lunettes de* ***soleil***, permettant de se protéger du **soleil**. ▸ Loc. *Faire sa place au* ***soleil*** : se créer une situation professionnelle confortable ; *Avoir des biens au* ***soleil*** : posséder des biens immobiliers. **III.** Anal. **1.** Fleur du tournesol. **2.** *Techn.* Feu d'artifice composé de fusées tournoyant autour d'un axe. **3.** *Sp.* En gymnastique, tour complet en arrière autour de la barre fixe. Fin X^e s. ; lat. pop. °*soliculus*, du lat. *sol* ; [sɔlɛj].

ASTRONOMIE – Considéré jusqu'à la révolution copernicienne comme une planète, puis comme un astre fixe jusqu'à la fin du XVIII^e s., le Soleil est une étoile de type spectral G 2 V qui tourne sur elle-même en 25 jours environ et dont la masse égale 1989 millions de milliards de milliards de tonnes. Il est formé de la superposition de plusieurs couches concentriques : autour du noyau et des zones de diffusion et de conversion radioactive, sa surface visible, la photosphère, est recouverte de taches dont l'importance varie suivant un cycle de 11 années. Au-delà, la chromosphère, épaisse de 10 000 km, est le siège de protubérances (flammes pouvant atteindre 800 000 km). À l'extérieur, une couronne de très faible luminosité est le point de départ du vent solaire dont la Terre, à la différence de la Lune, est protégée par son champ magnétique. Ce sont les réactions nucléaires, transformant l'hydrogène en hélium (composantes principales du Soleil) qui produisent l'émission de photons de grande énergie (les rayons X, ou rayons gamma), lesquels, atteignant la surface du Soleil, sont ensuite propagés dans l'espace, constituant le rayonnement colossal du Soleil.

**SOLEN, subst. m.**
*Zool.* Mollusque bivalve arénicole, à la coquille rectangulaire et allongée (synon. *couteau*). 1694 ; lat. *solen*, du gr. *solēn*, « tuyau » ; [sɔlɛn].

**SOLENNEL, ELLE, adj.**
**1.** Que l'on accomplit officiellement, avec les fastes d'une cérémonie ; fait en public avec un retentis-

sement important : *Séance, déclaration* ***solennelle.*** ▸ *Cath. Communion* ***solennelle*** : cérémonie au cours de laquelle l'enfant renouvelle les promesses de son baptême (synon. *profession de foi*). **2.** *Dr.* Accompli avec toutes les formes requises pour être valide : *Acte, contrat* ***solennel.*** **3.** Qui impressionne par sa dignité, sa gravité ; cérémonieux, emphatique : *Démarche, voix* ***solennelle.*** Fin XII^e s. ; lat. *sollemnis*, « qui revient tous les ans ; consacré » ; [sɔlanɛl].

**SOLENNELLEMENT, adv.**
D'une manière solennelle ; officiellement, en grande pompe. Fin XII^e s. ; ☞ *solennel* ; [sɔlanɛlmɑ̃].

**SOLENNISER, verbe trans.** [3]
Littér. Célébrer avec solennité ; rendre solennel. 1309 ; lat. chrét. *sollemnizare* ; [sɔlanize].

**SOLENNITÉ, subst. f.**
**1.** Célébration majestueuse : *Les* ***solennités*** *du bicentenaire de la Révolution.* **2.** Caractère de ce qui est solennel : *La* ***solennité*** *d'une procession.* **3.** *Dr.* Formalité requise lors des actes solennels. Déb. XII^e s. ; lat. *sollemnitas* ; [sɔlanite].

**SOLÉNOÏDE, subst. m.**
*Phys.* Bobine cylindrique constituée d'un fil électrique enroulé en hélice et parcouru par un courant continu, utilisée pour étudier les lois d'aimantation. 1823 ; gr. *sôlên*, « étui ; tuyau », + *-oïde* ; [sɔlenɔid].

**SOLERET, subst m.**
Partie de l'armure qui protégeait le pied. Mil. XIII^e s. ; anc. fr. *soller*, « soulier » ; [sɔlʀɛ].

**SOLEX, subst. m.**
Cyclomoteur de petite cylindrée. Mil. XX^e s. ; aphérèse de *Vélosolex* (n. déposé) ; [sɔlɛks].

**SOLFATARE, subst. m. ou f.**
*Géol.* Lieu de dépôt de soufre autour de fumerolles volcaniques (synon. *soufrière*). 1566 ; ital. *solfatara*, de *solfo*, « soufre » ; [sɔlfataʀ].

**SOLFÈGE, subst. m.**
*Mus.* **1.** Action de solfier. **2.** Apprentissage des fondements et des règles de l'écriture musicale ; par méton., manuel présentant ces connaissances. 1798 ; ital. *solfeggio*, de *solfeggiare*, « solfier » ; [sɔlfɛʒ].

**SOLFIER, verbe trans.** [6]
Chanter (une partition) en nommant les notes. Déb. XIII^e s. ; lat. médiév. *solfa*, « gamme » ; [sɔlfje].

**SOLIDAGO, subst. m.**
*Bot.* Plante de la famille des Astéracées, dont une espèce ornementale, à fleurs jaunes, est appelée aussi verge-d'or. 1834 ; lat. *solidago*, de *solidare*, « durcir », à cause de ses propriétés vulnéraires ; var. *un* ou *une solidage* ; [sɔlidago].

**SOLIDAIRE, adj.**
**1.** *Dr.* Commun à plusieurs personnes, en parlant d'une obligation, d'une dette, d'un droit : *Caution* ***solidaire.*** **2.** Qui dépend étroitement de qqn d'autre ; qui assume un devoir ou une responsabilité commune : *Être* ***solidaire*** *des grévistes.* **3.** Qui est en relation directe avec qqch. : *Des problèmes* ***solidaires*** ; qui fait corps avec qqch. : *Bielle* ***solidaire*** *d'un vilebrequin.* 1584 ; ☞ *solide* ; [sɔlidɛʀ].

**SOLIDARISER, verbe trans.** [3]
**1.** Unir (des personnes) par un lien de solidarité. **2.** *Mécan.* Rendre interdépendantes (les pièces d'un mécanisme). **Pronom.** *Se solidariser avec* : faire cause commune avec. 1842 ; ☞ *solidaire* ; [sɔlidaʀize].

**SOLIDARITÉ, subst. f.**
**1.** *Dr.* Lien de celui qui assume une obligation solidaire ; en partic. : ***Solidarité*** *ministérielle*, adhésion de chaque ministre aux actes et aux déclarations de son gouvernement. **2.** Sentiment d'interdépendance associant les membres d'un groupe humain dont il fonde l'entraide et la cohésion. ▸ *Impôt de* ***solidarité*** : impôt exceptionnel créé pour aider les victimes d'une crise ou d'une catastrophe. **3.** État de deux choses solidaires, dont les mouvements sont liés. 1693 ; ☞ *solidaire* ; [sɔlidaʀite].

**SOLIDE, adj. et subst. m.**
**Adj. 1.** Qui présente une certaine consistance (anton. *liquide*) : *Aliments* ***solides.*** ▸ *Phys. État* ***solide*** : état de la matière dans lequel les atomes ou les molécules d'un corps ont une forte cohésion et où la distance interatomique varie très peu. La structure peut être cristalline (ordre à longue distance) ou amorphe (ordre à courte distance). ▸ *Géom. Angle* ***solide*** *de sommet* O : **solide** engendré par les demi-droites (*Ox*) d'origine O rencontrant un domaine d'une sphère centrée en O. **2.** Ext. Qui ne se brise ou ne s'use pas facilement, qui dure, résistant. **3.** Fig. À quoi l'on peut faire confiance, assuré, sérieux : *Une amitié, une éducation, une formation* ***solide*** ; *Ces accusations ne se fondent sur rien de* ***solide*** ; robuste, vigoureux : *Un garçon* ***solide*** ; *Un* ***solide*** *appétit*, impressionnant, important. ▸ Loc. *Avoir les reins* ***solides*** : avoir les capacités, en partic. financières, de surmonter certaines difficultés. **Subst. 1.** Ce qui est solide. ▸ Loc. *C'est du* ***solide*** : c'est du sérieux (fam.). **2.** *Géom.* et *Mécan.* Objet, partie de l'espace, tel que la distance entre deux quelconques de ses points est invariante dans tout déplacement. **3.** *Phys.* Corps physique, considéré dans le cas idéal comme indéformable, dont la position peut en partic. être définie par trois coordonnées prises à partir de son centre d'inertie. 1314 ; lat. *solidus*, « dense, massif » ; [sɔlid].

**SOLIDIFICATION, subst. f.**
**1.** *Phys.* et *Chim.* Modification d'une substance, d'un matériau qui passe de l'état liquide ou gazeux à l'état solide (anton. *fusion*). **2.** Fait de devenir solide, de solidifier. 1789 ; ☞ *solide* ; [sɔlidifikasjɔ̃].

**SOLIDIFIER, verbe trans.** [6]
**1.** Amener à l'état solide : ***Solidifier*** *une pâte.* **2.** Fig. Rendre plus solide : ***Solidifier*** *un sentiment.* **Pronom.** Devenir dur : *Versez le caramel avant qu'il ne se* ***solidifie.*** Fin XVIII^e s. ; ☞ *solide* ; [sɔlidifje].

**SOLIDITÉ, subst. f.**
Qualité de ce qui est solide. 1314 ; lat. *soliditas* ; [sɔlidite].

**SOLIFLORE, subst. m.**
Vase destiné à contenir une seule fleur. V. 1970 ; lat. *solus*, « seul », et *flor*, « fleur » ; [sɔliflɔʀ].

**SOLIFLUXION, subst. f.**
*Géogr.* Glissement de terrains gorgés d'eau, lors du dégel ou après de fortes pluies. C'est un phénomène caractéristique des périodes froides du Quaternaire en Europe. 1923 ; angl. *solifluction*, du lat. *solum*, « sol », et *fluctio*, « écoulement » ; [sɔliflyksjɔ̃].

**SOLILOQUE, subst. m.**
Discours d'une personne qui se parle à elle-même ou qui parle sans tenir compte de ses interlocuteurs. Déb. XVII^e s. ; bas lat. *soliloquium*, du lat. *solus*, « seul », et *loqui*, « parler » ; [sɔlilɔk].

**SOLILOQUER, verbe intrans.** [3]
Monologuer, se livrer à un soliloque. 1883 ; ☞ *soliloque* ; [sɔlilɔke].

**SOLIN, subst. m.**
*Techn.* Étroite bande d'enduit servant de joint de maçonnerie étanche. 1676 (1329, soubassement d'une construction) ; prob. *sole* (I) ; [sɔlɛ̃].

**SOLIPÈDE, adj.**
*Zool.* Dont les membres se terminent par un doigt unique transformé en sabot ; empl. subst. masc. : *Le cheval est un* ***solipède.*** 1556 ; contraction fautive d'apr. *solus*, « seul, unique », du lat. *solidipes*, « au pied massif » ; [sɔlipɛd].

**SOLIPSISME, subst. m.**
*Philos.* Forme outrée d'idéalisme qui amènerait un sujet à s'affirmer lui-même comme la seule réalité, le monde et autrui n'ayant pas plus d'existence qu'un rêve. 1878 ; formé du lat. *solus*, « seul », et *ipse*, « même, en personne », p.-ê. d'apr. *solipse* (vx), terme qui désignait les jésuites, en raison de l'égoïsme qu'on leur prêtait ; [sɔlipsism].

**SOLISTE, subst.**
*Mus.* Personne qui exécute ou chante un solo, ou qui se produit seule sur scène. 1836 ; ☞ *solo* ; [sɔlist].

**SOLITAIRE, adj. et subst.**
**Adj. 1.** Qui vit dans la solitude, à l'écart de ses congénères ou qui ne les associe pas à ses activités ; qui manifeste cette disposition : *Humeur* ***solitaire.*** **2.** Qui est seul, de façon temporaire : *Promeneur* ***solitaire.*** **3.** Retiré, isolé : *Chemin* ***solitaire.*** **4.** Qui se fait seul : *Travail* ***solitaire.*** **5.** *Ver* ***solitaire*** : ténia. **Subst. 1.** Ermite : *Les* ***solitaires*** *de la Thébaïde.* **2.** Personne qui vit dans la solitude, qui aime être seule. ▸ Loc. **En solitaire.** Seul, en solo : *Tour du monde en* ***solitaire.*** **3.** Jeu pour une seule personne, qui consiste à éliminer le plus de pièces possible sur les 37 qui figurent initialement dans les cases. **4.** *Joaill.* Diamant unique serti sur un bijou, spéc. une bague. **5.** Animal, gén. vieux sanglier mâle, vivant loin de ses congénères. Fin XII^e s. ; lat. *solitarius*, de *solus*, « seul » ; [sɔlitɛʀ].

**SOLITUDE, subst. f.**
**1.** État, qualité d'un lieu inhabité ou peu fréquenté. **2.** Condition d'une personne isolée, en partic. qui vit seule. 1213 ; lat. *solitudo*, « état d'abandon, vie isolée », de *solus*, « seul » ; [sɔlityd].

**SOLIVE, subst. f.**
*Constr.* Pièce de charpente qui soutient un plancher en s'appuyant sur les murs ou sur les poutres d'un bâtiment. Fin XII^e s. ; ☞ *sole* (I) ; [sɔliv].

**SOLIVEAU, subst. m.**
Petite solive. 1296 ; ☞ *solive* ; [sɔlivo].

**SOLLICITATION, subst. f.**
Action de solliciter ; demande insistante. 1404 ; lat. *sollicitatio*, « instigation ; souci » ; [sɔl(l)isitasjɔ̃].

**SOLLICITER, verbe trans.** [3]
**1.** Entraîner (qqn) à qqch. (vieilli) : ***Solliciter*** *le peuple à la révolte.* **2.** Chercher à obtenir, demander avec insistance ou déférence : ***Solliciter*** *une entrevue.* ▸ ***Solliciter*** *qqn* : le prier d'agir, en vue d'obtenir qqch. **3.** Éveiller, attirer : ***Solliciter*** *l'attention, la mémoire* ; ***Être sollicité*** *par les évènements.* **4.** Faire fonctionner : ***Solliciter*** *le démarreur.* Mil. XIV^e s. (1332, réclamer) ; lat. *sollicitare*, « remuer, agiter ; tourmenter ; séduire » ; [sɔl(l)isite].

**SOLLICITEUR, EUSE, subst.**
Personne qui sollicite qqch., en partic. auprès d'une autorité. 1572 (1347, celui qui prend soin des affaires d'autrui dans un procès) ; ☞ *solliciter* ; [sɔl(l)isitœʀ, øz].

**SOLLICITUDE, subst. f.**
**1.** Prévenance affectueuse et zélée, bienveillance. **2.** Méton. Ensemble des manifestations concrètes inspirées par ce sentiment (gén. au plur.). Mil. XIII^e s. ; lat. *sollicitudo*, « inquiétude, souci » ; [sɔl(l)isityd].

**SOLO, subst. m.**
*Mus.* Partie d'une composition au cours de laquelle un interprète joue seul ; en appos. : *Piano* ***solo.*** ▸ Loc. *En* ***solo*** : en solitaire. 1740 ; ital. *solo*, du lat. *solus*, « seul » ; plur. *solos* ou *soli* ; [sɔlo], plur. [sɔlo] ou [sɔli].

**SOLSTICE, subst. m.**
Époque à laquelle le Soleil passe par sa plus forte déclinaison boréale (le 21 ou 22 juin, jour le plus long) ou australe (le 21 ou 22 décembre, jour le plus court). Le premier **solstice** correspond au **solstice** d'été pour l'hémisphère Nord de la Terre, et le second, au **solstice** d'hiver (c'est le contraire dans l'hémisphère Sud, où les saisons sont inversées). 1284 ; lat. *solstitium*, de *sol*, « soleil », et de *sistere*, « s'arrêter » ; [sɔlstis].

**SOLUBILISER, verbe trans.** [3]
Rendre soluble. 1877 ; ☞ *soluble* ; [sɔlybilize].

**SOLUBLE, adj.**
**1.** Qui peut se dissoudre dans un liquide, un solvant. **2.** Traité pour être dissous dans un liquide et consommé : *Café* ***soluble.*** **3.** Qui peut être résolu : *Énigme* ***soluble.*** 1267 ; bas lat. *solubilis* ; [sɔlybl].

**SOLUTÉ, subst. m.**
**1.** *Pharm.* Préparation liquide obtenue par dissolution d'une substance dans un solvant. **2.** *Chim.* Substance dissoute dans un solvant. 1819 ; lat. *solutum*, de *solvere*, « dissoudre » ; [sɔlyte].

**SOLUTION, subst. f.**
**I. 1.** Ensemble des opérations intellectuelles ou des moyens mis en œuvre pour résoudre une difficulté, une question ; par méton., la réponse donnée : ***Solution*** *d'une devinette.* ▸ *Math.* ***Solution*** *d'une équation, d'une inéquation, d'un système* : élément (ou $n$-uplet d'éléments dans le cas de $n$ inconnues) qui, substitué à l'inconnue (ou aux inconnues), rend vraies l'égalité, l'inégalité ou les conditions du système proposé. **2.** Dénouement, conclusion :

*Le navigateur Bruno Peyron lors d'une course en* ***solitaire.***

© Le Cosses-Explorer

*Solution* d'un *conflit*. **3.** *Hist.* ***Solution** finale* : programme nazi d'extermination des Juifs et des Tsiganes. **II. 1.** *Méd. **Solution** de continuité* : fracture, plaie ou, au fig., rupture, absence de continuité (littér.). **2.** *Chim.* Résultat du mélange de plusieurs corps, homogène et présentant une seule phase. **3.** Liquide renfermant une substance dissoute. Déb. XIIIe s. (1119, explication) ; lat. *solutio*, « action de délier, de dissoudre » ; [sɔlysjɔ̃].

**SOLUTRÉEN, ÉENNE, subst. m. et adj.**
**Subst.** *Préhist.* Culture du Paléolithique supérieur ayant duré de 22500 à 18500 avant notre ère et qui doit son nom à la roche de Solutré, site où l'on trouve des silex taillés par retouches planes sur des outils « en feuilles de laurier ». C'est pendant cette période que les chasseurs de rennes, inventeurs de l'aiguille à chas et du propulseur, sculpteurs d'abris-sous-roche, disparaissent brusquement après avoir gagné l'Espagne et sont remplacés par les Magdaléniens, aux techniques de taille moins élaborées. **Adj.** Relatif, propre à cette culture, à la période qui y correspond. 1872 ; topon. *Solutré* (Saône-et-Loire) ; [sɔlytʀeɛ̃, eɛn].

**SOLVABLE, adj.**
**1.** Qui peut payer ses créanciers. **2.** Qui est susceptible d'être payé : *Commande **solvable**.* Déb. XIVe s. ; lat. *solvere*, « payer » ; [sɔlvabl].

**SOLVANT, subst. m.**
Substance, gén. liquide, utilisée pour dissoudre un corps. 1890 ; ☞ *dissolvant* ; [sɔlvɑ̃].

**SOMA, subst. m.**
*Biol.* Ensemble des tissus d'un organisme animal, à l'exclusion de la lignée germinale. 1892 ; gr. *sôma*, « corps » ; [sɔma].

**SOMALI, IE, adj. et subst.**
De Somalie. **Subst. masc.** Langue officielle de la Somalie. 1875 ; topon. *Somalie* ; var. *somalien, ienne* ; [sɔmali].

**SOMATION, subst. f.**
*Biol.* Modification non héréditaire de la morphologie d'un organisme en réponse à des conditions particulières de vie. 1953 ; ☞ *soma* ; [sɔmasjɔ̃].

**SOMATIQUE, adj.**
**1.** *Méd.* et *Psychol.* Qui concerne le corps (anton. *psychique*). **2.** *Biol.* Relatif au soma. 1855 ; gr. *sômatikos*, de *sôma*, « corps » ; [sɔmatik].

**SOMATISATION, subst. f.**
Action, fait de somatiser. V. 1960 ; ☞ *somatiser* ; [sɔmatizasjɔ̃].

**SOMATISER, verbe trans.** [3]
*Méd.* et *Psychol.* Convertir (un conflit d'ordre psychique) en un trouble physique, ou somatique : ***Somatiser** sa peur* ; empl. abs. : *Il **somatise** en toute occasion.* V. 1970 ; ☞ *somatique* ; [sɔmatize].

**SOMATOTROPE, adj.**
*Biol. Hormone **somatotrope*** : somatotrophine. 1941 ; formé de *somato-* et de *-trope* ; [sɔmatɔtʀɔp].

**SOMATOTROPHINE, subst. f.**
*Biol.* et *Biochim.* Polypeptide synthétisé dans l'hypophyse antérieure, connu sous le nom d'hormone de croissance. 1959 ; gr. *trophê*, « nourriture », + *somato-* ; var. *somatotropine* ; [sɔmatɔtʀɔfin].

**SOMBRE, adj.**
**I. 1.** Peu éclairé : *Un coin **sombre**.* **2.** De couleur foncée : *Manteau **sombre**.* **II.** Fig. **1.** Morne, ténébreux : *Avoir un air **sombre**.* **2.** Sans espoir, inquiétant : *Un **sombre** pronostic.* **3.** Lamentable, louche (toujours antéposé) : *Un **sombre** imbécile* ; *Une **sombre** affaire.* 1530 (1374, *sombre coup*, meurtrissure) ; p.-ê. *sombrer* (vx), « faire de l'ombre », du bas lat. *subumbrare*, « couvrir d'ombre » ; [sɔ̃bʀ].

**SOMBRER, verbe intrans.** [3]
**1.** Couler, en parlant d'une embarcation. **2.** Fig. S'enfoncer : ***Sombrer** dans le sommeil, dans la folie* ; péricliter, s'anéantir. 1654 ; prob. *soussoubrer* (vx), du port. *sossobrar* ou de l'esp. *zozobrar* ; [sɔ̃bʀe].

**SOMBRERO, subst. m.**
*Cost.* Chapeau à large bord porté dans les pays hispaniques. Fin XVIe s. ; esp. *sombrero*, de *sombra*, « ombre » ; var. *sombréro* ; [sɔ̃bʀeʀo].

**SOMITE, subst. m.**
*Biol.* Chacun des sacs dorsaux situés de part et d'autre de la chorde et du tube neural, qui résultent du découpage des deux masses mésodermiques présentes au stade neurula chez les embryons de vertébrés. 1891 ; gr. *sôma*, « corps » ; [sɔmit].

**SOMMABLE, adj.**
Dont la somme peut être calculée. ▸ *Math.* Dont on peut faire la sommation. 1904 ; ☞ *sommer* (II) ; [sɔm(m)abl].

**SOMMAIRE, subst. m. et adj.**
**Subst. 1.** Brève analyse d'un texte, résumé. **2.** Table des matières, liste des chapitres d'un ouvrage. **Adj. 1.** Exposé brièvement, succinct : *Récit **sommaire**.* **2.** Réduit à sa forme la plus simple : *Repas **sommaire**.* **3.** Expéditif. ▸ *Exécution **sommaire*** : sans un procès en règle. XVe s. ; lat. *summarium*, de *summa*, « somme » ; [sɔm(m)ɛʀ].

**SOMMAIREMENT, adv.**
D'une manière sommaire : *Décrire **sommairement** les lieux.* Fin XIIIe s. ; ☞ *sommaire* ; [sɔm(m)ɛʀmɑ̃].

**SOMMATION (I), subst. f.**
Mise en demeure : ***Sommation** d'huissier* ; *Tir sans **sommation**.* 1283 ; ☞ *sommer* (I) ; [sɔm(m)asjɔ̃].

**SOMMATION (II), subst. f.**
**1.** *Math.* ▸ *Symbole de **sommation*** : lettre grecque Σ (sigma majuscule) utilisée pour noter la somme d'une suite de termes (dans un groupe additif). La somme $a_p + a_{p+1} + a_{p+2} + ... + a_n$, $p \leqslant n$, se note $\sum_{k=p}^{n} a_k$ ($k$ prenant toute valeur entière de $p$ à $n$). ▸ ***Sommation** d'une série convergente de terme général $u_n$, $n \geqslant n_o$* : détermination de la limite de la suite des sommes partielles $S_n = \sum_{k=n_0}^{n} u_k$, appelée la somme de la série, notée : $\sum_{k=n_0}^{+\infty} u_k$ ou $\sum_{k \geqslant n_0} u_k$. **2.** *Physiol.* Addition des réponses à des stimulations infraliminaires de fibres nerveuses, entraînant une réponse réflexe appropriée. 1458 ; ☞ *sommer* (II) ; [sɔm(m)asjɔ̃].

**SOMME (I), subst. m.**
Action de dormir pour un temps relativement court. Déb. XIIe s. ; lat. *somnus*, « sommeil » ; [sɔm].

**SOMME (II), subst. f.**
*Bête de **somme*** : animal qui porte des fardeaux. Mil XIIe s. ; bas lat. *sauma*, « bât » ; [sɔm].

**SOMME (III), subst. f.**
**1.** *Math.* Résultat d'une addition. ▸ ***Somme** de deux éléments* : résultat de leur composition par une loi de composition interne associative, commutative, notée additivement. ▸ ***Somme** d'une série convergente* : limite de la suite des **sommes** partielles. **2.** Fig. Ensemble de choses qui s'ajoutent : ***Somme** des forces.* ▸ Loc. *En **somme*** : tout bien considéré ; ***Somme** toute* : en fin de compte. **3.** Quantité d'argent : *Une grosse **somme**.* **4.** Œuvre qui synthétise toutes les connaissances relatives à un domaine : *La « **Somme** théologique », de saint Thomas d'Aquin.* Fin XIIe s. (déb. XIIe s., l'essentiel) ; lat. *summa*, de *summus*, « le plus élevé » ; [sɔm].

**SOMMEIL, subst. m.**
**1.** *Physiol.* État réversible, succédant à l'état de veille, rythmé par plusieurs phases, qui vont du **sommeil** lent au **sommeil** paradoxal (☞ *paradoxal*). ▸ *Méd. Cure de **sommeil*** : traitement de certains états psychiatriques aigus par un sommeil artificiel supérieur à quinze heures par jour, entrecoupé d'entretiens psychothérapiques. ▸ *Pathol. Maladie du **sommeil*** : forme africaine de la trypanosomiase humaine. **2.** Ext. Envie de dormir : *Avoir **sommeil**.* **3.** Anal. Ralentissement saisonnier

*Sieste à l'ombre d'un **sombrero**.*

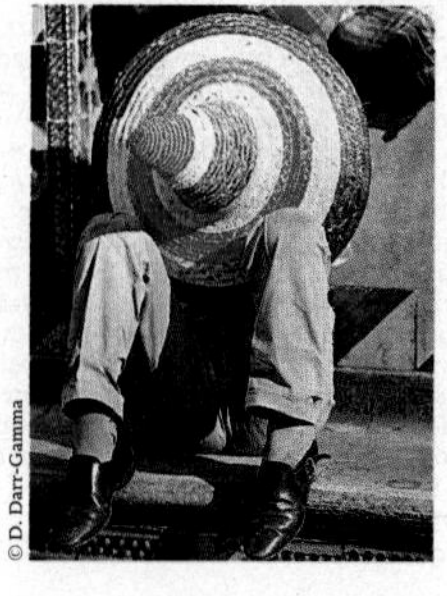

© D. Darr-Gamma

des fonctions vitales chez certains animaux ou arrêt de la croissance végétale. **4.** *Le **sommeil** éternel* : la mort (littér.). **5.** Fig. Suspension d'activité ; latence : *Facultés en **sommeil**.* Mil. XIIe s. ; bas lat. *somniculus*, « sommeil léger », du lat. *somnus* ; [sɔmɛj].

**SOMMEILLER, verbe intrans.** [3]
**1.** Dormir d'un sommeil peu profond. **2.** Anal. Être dans un état d'inertie : *L'hiver, la nature **sommeille**.* **3.** Fig. Être à l'état latent. Déb. XIVe s. (déb. XIIe s., dormir) ; ☞ *sommeil* ; [sɔmeje].

**SOMMELIER, IÈRE, subst.**
Personne qui a charge des vins et des alcools dans un restaurant. **Fém.** Helv. Serveuse. 1322 (XIIIe s., conducteur de bêtes de somme) ; anc. fr. *sommerier*, de *sommier*, « bête de somme » ; [sɔməlje, jɛʀ].

**SOMMELLERIE, subst. f.**
**1.** Lieu où l'on garde le vin, les vivres. **2.** Charge de sommelier. 1504 ; ☞ *sommelier* ; [sɔmɛlʀi].

**SOMMER (I), verbe trans.** [3]
**1.** *Dr.* Mettre (qqn) en demeure, dans les formes établies, de faire qqch. **2.** Ext. Demander instamment à, enjoindre : *Je vous **somme** de me dire la vérité.* Mil. XIIIe s. (fin XIIe s., achever) ; lat. médiév. *summare*, du lat. *summa*, « résumé » ; [sɔm(m)e].

**SOMMER (II), verbe trans.** [3]
*Math.* Faire la somme de (plusieurs éléments). Fin XIIIe s. ; ☞ *somme* (III) ; [sɔm(m)e].

**SOMMET, subst. m.**
**1.** Partie la plus élevée, faîte : ***Sommet** d'un mont, d'une échelle.* ▸ *Géom. **Sommet** d'un angle* : point commun aux deux côtés de l'angle ; ***Sommet** d'un triangle, d'un polygone* : point commun à deux côtés consécutifs ; ***Sommet** d'un polyèdre* : point commun à deux arêtes au moins. **2.** Fig. Degré le plus haut, apogée : *Être au **sommet** de son art.* ▸ *Pol. Conférence au **sommet*** ou, empl. abs., ***Sommet*** : qui réunit des chefs d'État ou de gouvernement. Déb. XIIe s. ; anc. fr. *som*, du lat. *summum* ; [sɔm(m)ɛ].

**SOMMIER, subst. m.**
**1.** *Constr.* Pièce de charpente formant le linteau de l'ouverture d'une porte, d'une croisée. ▸ *Archit.* Pierre qui supporte la retombée d'une voûte. ▸ *Serr.* Barre métallique supportant les barreaux d'une grille. ▸ *Mus. **Sommier** d'orgue* : coffre hermétique qui emmagasine l'air sous pression et sur lequel repose la tuyauterie. **2.** Support quadrangulaire souple sur lequel repose le matelas d'un lit : ***Sommier** à lattes, à ressorts.* **3.** Registre où sont consignés des éléments comptables. ▸ *Dr.* Fichier centralisant les condamnations. 1316 (fin XIe s., bête de somme) ; bas lat. *sagmarius*, « bête de somme » ; [sɔmje].

**SOMMITAL, ALE, AUX, adj.**
Relatif au sommet ; qui se trouve au sommet. 1906 ; ☞ *sommet* ; [sɔm(m)ital, o].

**SOMMITÉ, subst. f.**
**1.** ***Sommité** fleurie* : pointe d'une tige, d'une plante à inflorescence complexe. **2.** Fig. Personne éminente dans un domaine. Fin XIIIe s. ; bas lat. *summitas*, du lat. *summus*, « le plus élevé » ; [sɔm(m)ite].

**SOMNAMBULE, subst. et adj.**
Se dit d'une personne atteinte de somnambulisme. 1688 ; lat. *somnus*, « sommeil », et *ambulare*, « marcher » ; [sɔmnɑ̃byl].

**SOMNAMBULIQUE, adj.**
Relatif au somnambulisme. 1786 ; ☞ *somnambule* ; [sɔmnɑ̃bylik].

**SOMNAMBULISME, subst. m.**
État inconscient se manifestant par diverses activités (telle la marche) qui se produisent pendant le sommeil, sans que le sujet en garde le souvenir au réveil. 1765 ; ☞ *somnambule* ; [sɔmnɑ̃bylism].

**SOMNIFÈRE, adj. et subst. m.**
Se dit d'un médicament qui fait dormir. Déb. XVIe s. ; lat. *somnifer*, de *somnus*, « sommeil », et de *ferre*, « apporter » ; [sɔmnifɛʀ].

**SOMNOLENCE, subst. f.**
**1.** Mollesse, inactivité. **2.** État intermédiaire entre la veille et le sommeil. Fin XIVe s. ; bas lat. *somnolentia*, du lat. *somnus*, « sommeil » ; [sɔmnɔlɑ̃s].

**SOMNOLENT, ENTE, adj.**
**1.** Qui somnole. **2.** Qui manque de vigueur ; au fig., latent. Déb. XVe s. ; bas lat. *somnolentus*, du lat. *somnus*, « sommeil » ; [sɔmnɔlɑ̃, ɑ̃t].

**SOMNOLER, verbe intrans.** [3]
Être dans un état de somnolence. Mil. XIXe s. ; ☞ *somnolent* ; [sɔmnɔle].

**SOMPTUAIRE, adj.**
**1.** *Antiq. rom. Loi **somptuaire*** : loi règlementant les dépenses des citoyens, en partic. celles concernant le luxe. **2.** Relatif aux dépenses (vieilli). **3.** *Arts **somptuaires*** : arts décoratifs de luxe. 1520 ; lat. *sumptuarius*, de *sumptus*, « dépense » ; [sɔ̃ptɥɛʀ].

**SOMPTUEUX, EUSE, adj.**
Luxueux ; qui représente de grandes dépenses : *Fête **somptueuse*** ; par ext., magnifique. 1342 ; lat. *sumptuosus*, de *sumptus*, « dépense » ; [sɔ̃ptɥø, øz].

**SOMPTUOSITÉ, subst. f.**
Caractère de ce qui est somptueux, magnifique. Déb. XV^e s. ; bas lat. *sumptuositas* ; [sɔ̃ptɥozite].

**SON (I), SA, SES, adj. poss.**
**1.** Qui lui appartient ; qui vient de lui, d'elle : *Tintin et **son** chien* ; *C'est **son** idée, pas la tienne.* ► Qui lui est habituel : *Il écourta **sa** promenade matinale.* ► Relatif, propre à la personne ou à la chose dont il est question : *Elle prit **son** élan* ; *La mer et **ses** dangers.* ► Marque diverses relations de parenté, d'appartenance sociale : ***Sa** famille, **ses** amis, **son** école.* **2.** Se rapporte à un sujet indéfini : *À chacun selon **ses** mérites* ; *Gagner **sa** vie.* **3.** Avant un titre honorifique (avec majuscule) : ***Son** Altesse.* 842 ; lat. *suum, suom, suos, suas* ; *son* remplace *sa* devant un subst. fém. ou un adj. fém. commençant par une voyelle ou un *h* muet ; [sɔ̃, sa, se].

**SON (II), subst. m.**
**1.** Sensation auditive produite par la vibration d'une onde en milieu élastique, en partic. dans l'air. **2.** Méton. Ce phénomène, perçu du point de vue du timbre : ***Son** grave, aigu* ; ***Son** d'un instrument.* ► Loc. **Au son de.** En suivant la musique de : *Marcher au **son** du tambour.* ► *Phon.* Élément du langage parlé ; phonème. ► *Mus.* Degré de l'échelle musicale, déterminé par sa hauteur tonale. **3.** *Phys.* Mouvement vibratoire d'un milieu élastique, provoquant une sensation auditive lorsqu'il s'agit de l'air : *Franchir le mur du **son***, dépasser la vitesse de 340 m par seconde (vitesse à laquelle les ondes sonores se propagent dans l'air). **4.** Ext. Volume sonore : *Baisser le **son**.* **5.** Ensemble des techniques d'enregistrement et de reproduction des **sons** : *Ingénieur du **son**.* ► *Spectacle **son** et lumière* : retraçant l'histoire d'un site au moyen d'illuminations et d'évocations sonores et musicales. Mil. XII^e s. ; lat. *sonus* ; [sɔ̃].

**SON (III), subst. m.**
**1.** Résidu de la mouture des grains de céréales. **2.** Anal. Sciure utilisée pour le rembourrage : *Poupée de **son**.* **3.** Fig. *Tache de **son*** : tache de rousseur. Fin XIV^e s. (fin XII^e s., rebut) ; lat. *secundus*, « second », le son provenant d'un second tamisage de la farine ; [sɔ̃].

**SONAGRAMME, subst. m.**
*Phys.* Représentation en trois dimensions (intensité, fréquence, durée) du son de la voix. V. 1970 ; ☞ *son* (II) + *-gramme* ; [sɔnagʀam].

**SONAR, subst. m.**
Détecteur utilisant les ondes acoustiques. 1949 ; acron. anglo-amér. de *sound navigation and ranging*, « navigation et pointage au son », d'apr. *radar* ; [sɔnaʀ].

**SONATE, subst. f.**
*Mus.* **1.** Œuvre composée pour deux instruments, ou pour le piano seul, et qui comporte, depuis le milieu du XVIII^e s., trois mouvements (rapide, lent, rapide). **2.** *Forme **sonate*** : structure fixe à trois parties (exposition, développement, réexposition), gén. adoptée pour le premier mouvement d'une **sonate**, d'un concerto, d'une symphonie, etc. 1695 ; ital. *sonata*, de *sonare*, « jouer d'un instrument » ; [sɔnat].

**SONATINE, subst. f.**
*Mus.* Composition techniquement plus simple que la sonate. 1821 ; ital. *sonatina* ; [sɔnatin].

**SONDAGE, subst. m.**
**I. 1.** Forage fait dans un terrain afin d'en déterminer la nature, d'en détecter les ressources (nappes d'eau, minerais, pétrole) : ***Sondage** au diamant* ; par méton., trou qui en résulte. **2.** Mesure, au moyen d'une sonde, des profondeurs aquatiques. **3.** Mesure de l'atmosphère en altitude. **4.** *Méd.* Introduction d'une sonde dans une cavité ou une plaie à des fins diagnostiques ou thérapeutiques. **II.** Fig. **1.** Investigation rapide et non exhaustive. **2.** *Stat.* Méthode de collecte d'informations visant à connaître les opinions des individus, utilisée surtout en politique et en mercatique. 1773 ; ☞ *sonder* ; [sɔ̃daʒ].

**ÉCONOMIE** – Le questionnaire utilisé pour les sondages est réalisé sur un échantillon représentatif de la population, déterminé d'une manière aléatoire ou par la méthode des quotas ; les résultats obtenus subissent un traitement statistique (extrapolation, calculs de probabilités). Un autre type d'enquête repose sur un panel de distributeurs, de consommateurs, de spectateurs, constitué des groupes témoins, sollicités par des questionnaires à intervalles réguliers. C'est ainsi, par exemple, qu'était mesurée l'audience des diverses chaînes de télévision avant la mise au point de l'Audimat. Apparu aux États-Unis dans les années trente, le sondage d'opinion s'est répandu en France dans les années soixante.

**SONDE, subst. f.**
**1.** Instrument servant à mesurer une profondeur aquatique, un relief sous-marin : *Ligne de **sonde*** ; ***Sonde** acoustique* ; par anal., instrument de mesure des altitudes : ***Sonde** ionosphérique.* **2.** *Astron.* ***Sonde** spatiale* : engin d'étude spatial non habité. **3.** *Méd.* Tige flexible pleine, creuse ou formant gouttière, utilisée pour sonder. **4.** *Techn.* Engin servant à prélever des échantillons ou à pratiquer un forage. Fin XII^e s. ; prob. anc. nord. *sund*, « mer ; détroit » ; [sɔ̃d].

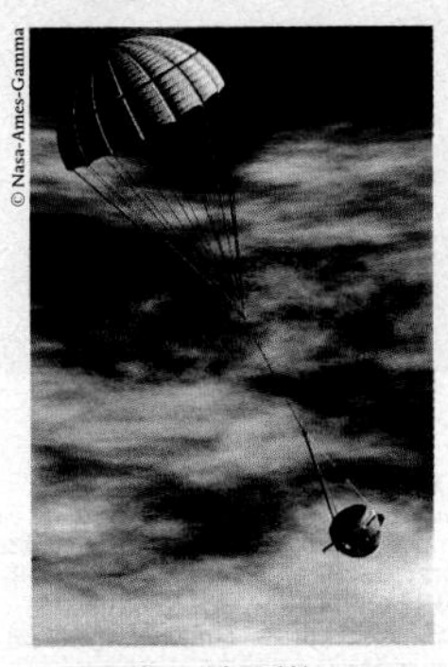
© Nasa-Ames-Gamma

*La sonde spatiale* Galilée *entrant dans l'atmosphère de Jupiter (maquette).*

**SONDER, verbe trans.** [3]
**1.** *Mar.* Mesurer (une profondeur) au moyen d'une sonde. **2.** Effectuer un prélèvement dans (un terrain) pour déterminer sa nature, l'existence d'un gisement, etc. **3.** *Méd.* Faire un sondage de (une plaie, un organe, etc.). **4.** Examiner (un sol, un mur) pour y découvrir une cache. **5.** Fig. Chercher à connaître l'état d'esprit de (qqn). ► *Stat.* Soumettre à un sondage. 1382 ; ☞ *sonde* ; [sɔ̃de].

**SONDEUR, EUSE, subst.**
Personne qui fait des sondages. **Masc.** *Techn.* Appareil de sondage. **Fém.** Petit engin servant aux forages peu profonds. 1572 ; ☞ *sonder* ; [sɔ̃dœʀ, øz].

**SONGE, subst. m.**
Rêve (littér.). 1155 ; lat. *somnium* ; [sɔ̃ʒ].

**SONGE-CREUX, subst. m. inv.**
Personne qui se laisse aller à des chimères (littér.). Déb. XVI^e s. ; comp. de *songer* et de *creux* ; [sɔ̃ʒkʀø].

**SONGER, verbe** [5]
**Trans. dir. 1.** Vx. Voir en rêve. **2.** Considérer : ***Songez** qu'il vient.* **Intrans.** Laisser son esprit vagabonder. **Trans. indir. Songer à. 1.** Réfléchir à. **2.** Avoir l'intention de. Fin XI^e s. ; lat. *somniare* ; [sɔ̃ʒe].

**SONGERIE, subst. f.**
Rêverie (littér.). Fin XIII^e s. ; ☞ *songer* ; [sɔ̃ʒʀi].

**SONGEUR, EUSE, subst. et adj.**
**Subst.** Rêveur (littér.). **Adj.** Pensif ; préoccupé : *Air **songeur**.* ► Loc. *Laisser qqn **songeur*** : lui donner à réfléchir. Fin XII^e s. ; ☞ *songer* ; [sɔ̃ʒœʀ, øz].

**SONIE, subst. f.**
Intensité de la perception auditive, liée à la pression de l'air sur le tympan. V. 1960 ; ☞ *son* (II) ; [sɔni].

**SONIQUE, adj.**
Relatif à la vitesse du son : *Mur **sonique**.* 1949 ; ☞ *son* (II) ; [sɔnik].

**SONNAILLE, subst. f.**
Cloche ou clochette que l'on accroche au cou des bestiaux ; par méton., le son qu'elle produit. Déb. XIV^e s. ; ☞ *sonner* ; [sɔnɑj].

**SONNAILLER (I), subst. m.**
Animal qui porte au cou une sonnaille et conduit un troupeau. Fin XIV^e s. ; ☞ *sonnaille* ; [sɔnɑje].

**SONNAILLER (II), verbe intrans.** [3]
Tinter. 1762 ; ☞ *sonner* ; [sɔnɑje].

**SONNANT, ANTE, adj.**
**1.** Vx. Qui tinte. ► Loc. *Espèces **sonnantes** et trébuchantes* : monnaie métallique, argent liquide. **2.** Qui sonne les heures. **3.** Juste, précis, en parlant de l'heure : *Rendez-vous à neuf heures **sonnantes***, ou *sonnant*. Fin XII^e s. ; p. pr. de *sonner* ; [sɔnɑ̃, ɑ̃t].

**SONNÉ, ÉE, adj.**
**1.** Annoncé par une sonnerie ; qui vient de sonner, en parlant de l'heure. **2.** Ext. Révolu, passé (fam.) : *Trente ans bien **sonnés**.* **3.** Fam. Étourdi par un choc ; au fig., fou. 1680 ; p. p. de *sonner* ; [sɔne].

**SONNER, verbe** [3]
**Intrans. 1.** Rendre un son ; tinter : *Cloches qui **sonnent** à toute volée.* **2.** Retentir ; résonner : *Sabots qui **sonnent** sur le pavé* ; rendre tel son particulier : *Ce mur **sonne** creux* ; au fig. : *Cela **sonne** faux, juste*, cela semble faux, vrai ; ***Sonner** bien ou mal*, être harmonieux ou non à l'oreille. **3.** Émettre une sonnerie : *Le téléphone **a sonné*** ; être signalé par une sonnerie : *Minuit **sonne*** ; empl. impers. : *Il **sonne** deux heures.* ► Fig. Arriver : *L'heure de la revanche **a sonné** !* ; *Sa dernière heure **a sonné***, il va bientôt mourir. **Trans. dir. 1.** Faire résonner : ***Sonner** le tocsin.* ► Loc. ***Sonner** les cloches à qqn* : le réprimander (fam.). **2.** Signaler par une sonnerie : ***Sonner** l'hallali.* **3.** Appeler (qqn) en actionnant une sonnette : ***Sonner** un domestique.* **4.** Étourdir d'un coup violent (fam.) ; au fig. : *Mon divorce m'**a sonné**.* **Trans. indir. Sonner de.** Jouer de : ***Sonner** du cor.* Fin XI^e s. (fin X^e s., prononcer) ; lat. *sonare* ; [sɔne].

**SONNERIE, subst. f.**
**1.** Son produit par ce qui sonne : ***Sonnerie** de téléphone.* **2.** Motif joué par un ou plusieurs instruments à vent (trompette, clairon, cor), dans l'armée ou à la chasse, et constituant un signal. **3.** Méton. ► Ensemble des cloches d'une église. ► Mécanisme permettant à un appareil de sonner : *Régler la **sonnerie** du réveil à sept heures.* ► Appareil avertisseur : ***Sonnerie** électrique.* Déb. XIII^e s. ; ☞ *sonner* ; [sɔnʀi].

**SONNET, subst. m.**
Poème composé de deux quatrains suivis de deux tercets et comportant un agencement spécifique des rimes. 1536 ; ital. *sonetto*, de l'anc. prov. *sonet*, « chanson », de *son*, « air de musique » ; [sɔnɛ].

**SONNETTE, subst. f.**
**1.** Petite cloche ou avertisseur : ***Sonnette** de bicyclette* ; dispositif servant à actionner la sonnerie : *Appuyer sur la **sonnette**.* ► *Mus.* Instrument à plusieurs rangs de clochettes. ► *Zool. Serpent à **sonnette*** : crotale. **2.** Méton. Son produit par une **sonnette**. **3.** *Trav. publ.* ► Échafaudage utilisé pour guider le mouton avec lequel on enfonce des pieux. ► Appareil de sondage, servant à perforer la roche. 1234 ; ☞ *sonner* ; [sɔnɛt].

**SONNEUR, EUSE, subst.**
Personne qui sonne des cloches ou joue du clairon, du cor ou de la cornemuse. **Masc.** *Trav. publ.* Ouvrier chargé de manœuvrer une sonnette. 1260 ; ☞ *sonner* ; [sɔnœʀ, øz].

**SONO, subst. f.**
*Techn.* Sonorisation (fam.). XX^e s. ; apocope de *sonorisation* ; [sɔno].

**SONOMÈTRE, subst. m.**
**1.** Instrument destiné à comparer les sons. **2.** Appareil servant à mesurer les niveaux acoustiques. 1699 ; ☞ *sono-* + *-mètre*[1] ; [sɔnɔmɛtʀ].

**SONORE, adj.**
**1.** Qui rend un son, en partic. un son de forte intensité : *Un rire **sonore**.* ► *Phon.* Qui nécessite la vibration des cordes vocales : *Consonne **sonore***, voisée (par oppos. à *sourd*). **2.** Dont l'acoustique est bonne. **3.** Relatif au son, propre au son : *Bande **sonore**.* Mil. XVI^e s. ; lat. *sonorus* ; [sɔnɔʀ].

**SONORISATION, subst. f.**
**1.** *Phon.* Passage d'un phonème sourd au phonème sonore correspondant. **2.** *Techn.* ► Action de sonoriser un film, un spectacle ; son résultat. ► Action de sonoriser un espace ; par méton., l'ensemble des équipements utilisés à cet effet. 1872 ; ☞ *sonoriser* ; [sɔnɔʀizasjɔ̃].

**SONORISER,** verbe trans. [3]
**1.** *Phon.* Rendre sonore (une consonne sourde). **2.** *Techn.* ▸ Rendre sonore (ce qui n'était que visuel) : *Sonoriser un film.* ▸ Équiper (un lieu) de matériel d'amplification, de diffusion du son. 1872 ; ☞ *sonore* ; [sɔnɔʀize].

**SONORITÉ,** subst. f.
**1.** Caractère de ce qui est sonore : *Sonorité d'un métal.* **2.** Qualité du son : *Sonorité d'un piano, d'une voix.* Fin XIVe s. ; bas lat. *sonoritas* ; [sɔnɔʀite].

**SONOTHÈQUE,** subst. f.
Lieu où l'on archive des enregistrements de bruits, d'effets sonores. V. 1950 ; formé de *sono-* et de *-thèque* ; [sɔnɔtɛk].

**SOPHISME,** subst. m.
**1.** *Philos.* Raisonnement qui part de prémisses vraies mais aboutit à une conclusion absurde : *Le paradoxe de la tortue, développé par Zénon d'Élée, est un* ***sophisme.*** **2.** Ext. Raisonnement faux, mais en apparence valide et convaincant. Fin XIIe s. ; lat. *sophisma*, du gr. *sophisma*, « habileté » ; [sɔfism].

**SOPHISTE,** subst. m.
**1.** *Antiq. gr.* Philosophe qui, au Ve s. av. J.-C., vendait ses services de professeur en rhétorique. **2.** Ext. Personne qui use de sophismes, d'arguments spécieux. Mil. XIIIe s. ; lat. *sophistes*, du gr. *sophistês* ; [sɔfist].

**SOPHISTICATION,** subst. f.
**1.** Vx. Action de frelater une substance. **2.** Caractère artificiel, affecté. **3.** Complexité technique ; perfection technique. 1365 ; ☞ *sophistiquer* ; [sɔfistikasjɔ̃].

**SOPHISTIQUE,** adj. et subst. f.
**Adj.** *Log.* Qui tient du sophisme ; relatif aux sophistes. **Subst.** *Philos.* Ensemble des conceptions défendues par les sophistes. XIIIe s. ; lat. *sophisticus*, du gr. *sophistikos* ; [sɔfistik].

**SOPHISTIQUÉ, ÉE,** adj.
**1.** Vx. Falsifié, frelaté. **2.** Fig. Qui manque de naturel ; d'une subtilité extrême : *Théorie* ***sophistiquée.*** **3.** Dont l'apparence, l'attitude dénote la recherche : *Femme* ***sophistiquée.*** **4.** Techniquement perfectionné, complexe. 1484 ; p. p. de *sophistiquer* ; [sɔfistike].

**SOPHISTIQUER,** verbe trans. [3]
**1.** Vx. Falsifier, frelater (une substance). **2.** Perfectionner ; rendre plus complexe ; empl. pronom., se perfectionner techniquement. 1370 ; bas lat. *sophisticari* ; [sɔfistike].

**SOPHORA,** subst. m.
*Bot.* Arbre d'Extrême-Orient, de la famille des Fabacées, cultivé pour l'ornement des parcs. 1807 ; lat. sc. *sophora*, de l'ar. *ṣufayrā'* ; [sɔfɔʀa].

**SOPHROLOGIE,** subst. f.
Méthode thérapeutique intégrant l'hypnose et diverses techniques de relaxation, dont certaines sont empruntées à l'Orient. V. 1970 ; gr. *sôphrôn*, « sain d'esprit », + *-logie* ; [sɔfʀɔlɔʒi].

**THÉRAPEUTIQUE** – C'est le Colombien Alfonso Caycedo qui est le père de la sophrologie. Interne dans un service de psychiatrie, il est frappé par la brutalité des pratiques thérapeutiques telles que le coma insulinique ou l'électrochoc. Il découvre l'hypnose chimique, qui lui révèle certains traits du psychisme, mais sa médication le rebute. Après s'être pénétré des enseignements de Bernheim, de Binswanger et de yogis, il crée en 1960 le terme « sophrologie », et formule ses principes. Selon lui, la conscience comporte trois niveaux, au premier rang desquels se trouve le niveau sophroliminal, c.-à-d. celui sur lequel on peut agir. La relaxation ainsi obtenue permet de soulager la souffrance. Les indications thérapeutiques sont nombreuses : lutte contre les migraines, le diabète, l'alcoolisme, le tabagisme, les troubles du sommeil, etc.

**SOPORIFIQUE,** adj. et subst. m.
Se dit d'une substance qui fait dormir. **Adj.** Fig. Qui ennuie, endort (fam.) : *Ce film est* ***soporifique.*** Fin XVIe s. ; lat. *sopor*, « profond sommeil » ; [sɔpɔʀifik].

**SOPRANISTE,** subst. m.
*Mus.* Chanteur adulte qui a une voix de soprano. 1842 ; ☞ *soprano* ; [sɔpʀanist].

**SOPRANO,** subst.
*Mus.* **Masc.** Le plus haut registre vocal chez la femme ou chez l'enfant. **Masc.** et **Fém.** Méton. Personne possédant cette voix (synon. *soprane*) : *Soprano dramatique, léger.* 1768 ; ital. *soprano*, « qui est au-dessus » ; plur. *sopranos* ou *soprani* ; [sɔpʀano], plur. [-ni].

**SORBE,** subst. f.
*Bot.* Fruit comestible du sorbier. Mil. XIIIe s. ; anc. occitan *sorba*, du lat. *sorbum* ; [sɔʀb].

**SORBET,** subst. m.
**1.** Vx. Boisson composée d'un jus de fruits battu avec de l'eau et du sucre. **2.** Glace sans crème à base de jus de fruit et de sucre. 1553 ; ital. *sorbetto*, du turc *şerbet*, « boisson rafraîchissante », de l'ar. *šurba*, « boisson » ; [sɔʀbɛ].

**SORBETIÈRE,** subst. f.
Appareil servant à préparer les glaces et les sorbets. 1763 ; ☞ *sorbet* ; [sɔʀbətjɛʀ].

**SORBIER,** subst. m.
*Bot.* Arbre de la famille des Malacées, dont certaines espèces produisent des fruits comestibles, comme l'alisier et le cormier : *Le* ***sorbier*** *des oiseleurs est une plante ornementale.* Mil. XIIIe s. ; anc. occitan *sorbier*, de *sorba*, « sorbe » ; [sɔʀbje].

© G. Hofer-Jacana

*Fruits du sorbier des oiseleurs.*

**SORBITOL,** subst. m.
*Biochim.* Molécule de polyalcool, dont un isomère est extrait du sorbier et employé en confiserie et en pharmacie. 1949 ; ☞ *sorbe* ; [sɔʀbitɔl].

**SORBONNARD, ARDE,** subst.
Étudiant, professeur à la Sorbonne (péj.). 1911 ; *Sorbonne*, université parisienne ; [sɔʀbɔnaʀ, aʀd].

**SORCELLERIE,** subst. f.
**1.** *Occult.* Pratique du sorcier qui vise à opérer des prodiges, des maléfices, par l'invocation des esprits ; magie noire. **2.** Fig. Charme, pouvoir irrésistible (littér.) : *Quelle* ***sorcellerie*** *dans ses beaux yeux !* ▸ Loc. *C'est de la sorcellerie* : se dit d'un fait ou d'un phénomène qui s'accomplit de manière mystérieuse. Déb. XIIIe s. ; ☞ *sorcier* ; [sɔʀsɛlʀi].

**SORCIER, IÈRE,** subst.
*Occult.* Personne aux pouvoirs supposés surnaturels qui opère des maléfices en invoquant les forces du mal. ▸ Loc. *Ne pas être (un) grand* ***sorcier*** : ne pas être très intelligent ou habile (fam.) ; empl. adj. masc. : *Ce n'est pas* ***sorcier***, pas difficile. ▸ *Hist. Chasse aux* ***sorcières*** : campagne anticommuniste mise en œuvre dans les années 1950 aux États-Unis par le sénateur McCarthy ; par ext., chasse aux opposants politiques et, plus gén., à tous les membres indésirables d'un groupe déterminé. **Fém. 1.** Femme effrayante des contes de fées. **2.** Anal. Femme rebutante et acariâtre (fam.). Mil. XIIe s. ; lat. pop. °*sortiarius*, du lat. *sors*, « prophétie » ; [sɔʀsje, jɛʀ].

**SORDIDE,** adj.
**1.** À l'aspect repoussant, sale : *Lieu* ***sordide.*** **2.** Fig. ▸ Qui inspire le mépris, infâme : *Crime* ***sordide.*** ▸ D'une mesquinerie ignoble : ***Sordide*** *question de gros sous.* 1478 ; lat. *sordidus* ; [sɔʀdid].

**SORE,** subst. m.
*Bot.* Amas de sporanges, chez les fougères. Il peut être nu ou protégé par un repli membraneux, l'indusie. 1815 ; gr. *sôros*, « tas » ; [sɔʀ].

**SORGHO,** subst. m.
*Bot.* Plante tropicale fourragère et alimentaire, de la famille des Poacées (synon. *gros mil*). 1542 ; ital. *sorgo*, du lat. *syricus*, « de Syrie » ; [sɔʀgo].

**SORITE,** subst. m.
*Log.* Suite finie d'affirmations d'égalité de propositions : A = B (A est B), B = C, ..., P = Q, Q = R, donc A = R, qui traduit que l'égalité est transitive. 1558 ; lat. *sorites*, du gr. *sôreitês*, « formé par accumulation », de *sôros*, « tas » ; [sɔʀit].

**SORNETTE,** subst. f.
Baliverne, propos creux (souv. au plur.). 1465 (1420, devinette) ; m. fr. *sorne*, « morgue » ; [sɔʀnɛt].

**SORORAL, ALE, AUX,** adj.
Qui concerne la ou les sœurs (littér.). ▸ *Anthropol. Polygynie* ***sororale*** : système matrimonial dans lequel les coépouses d'un homme sont des sœurs. 1533 ; lat. *soror*, « sœur » ; [sɔʀɔʀal, o].

**SORT,** subst. m.
**I. 1.** Destinée : *Le* ***sort*** *de chacun* ; *Être le jouet du* ***sort*** ; *Conjurer le mauvais* ***sort.*** **2.** Effet de la destinée : *Être content de son* ***sort*** ; issue : *Le* ***sort*** *de la bataille* ; en partic., état d'une personne du point de vue de sa situation matérielle : *Son* ***sort*** *est enviable.* ▸ Loc. *Faire un* ***sort*** *à* : en finir avec (qqch.). **3.** Hasard, fortune. ▸ Loc. *Tirer au* ***sort*** : laisser faire le hasard pour procéder à un partage ; *Le* ***sort*** *en est jeté* : la décision est prise, advienne que pourra. **II.** Maléfice lancé par un sorcier : *Un jeteur de* ***sorts.*** Fin Xe s. ; lat. *sors* ; [sɔʀ].

**SORTABLE,** adj.
Présentable, qui se conduit bien en tous lieux. 1894 ; ☞ *sortir* (I) ; [sɔʀtabl].

**SORTANT, ANTE,** adj. et subst.
Se dit d'une personne qui n'est plus membre d'un corps, d'une assemblée, son mandat venant à expiration : *Maire* ***sortant.*** **Adj.** Qui sort par tirage dans une loterie, au jeu : *Les numéros* ***sortants.*** **Subst.** Personne qui quitte un lieu. 1789 (mil. XVIIIe s., qui ressort) ; p. pr. de *sortir* (I) ; [sɔʀtɑ̃, ɑ̃t].

**SORTE,** subst. f.
**1.** Espèce, genre : *Des erreurs de toute* ***sorte*** ; *Toutes* ***sortes*** *de fruits.* ▸ Loc. **Une sorte de.** Désigne ce qui n'est pas bien défini : *Une* ***sorte*** *de cape.* **2.** Façon de faire une chose : *Agir de telle* ***sorte*** *que l'on soit vu.* ▸ Loc. *En quelque* ***sorte*** : pour ainsi dire ; *De la* ***sorte*** : ainsi ; *En aucune* ***sorte*** : d'aucune manière. 1327 (déb. XIIIe s., groupe de gens) ; lat. *sors*, « catégorie » ; [sɔʀt].

**SORTIE,** subst. f.
**1.** Action de sortir, de quitter un lieu : *La* ***sortie*** *s'est effectuée dans le calme* ; *Porte de* ***sortie.*** **2.** Méton. Moment où l'on sort : *Venez me voir à la* ***sortie*** *du cours* ; issue prévue pour sortir : ***Sortie*** *de secours* ; *La* ***sortie*** *est par ici.* ▸ Loc. *Se ménager une porte de* ***sortie*** : prévoir une solution pour échapper à une situation pénible. **3.** Action de sortir de chez soi pour faire qqch., se divertir : *Avoir prévu une* ***sortie.*** **4.** *Milit.* Avancée effectuée par une troupe pour se dégager de l'endroit où elle est assiégée : *Tenter une* ***sortie.*** ▸ Fig. Emportement verbal contre qqn ou qqch. ; par ext., paroles exagérées, déplacées, incontrôlées. **5.** *Comptab.* Dépense, frais (souv. au plur.) : *Équilibre des* ***sorties*** *et des rentrées.* **6.** *Comm.* Mise à la disposition du public ; commercialisation : ***Sortie*** *d'un disque, d'un film.* **7.** *Techn.* Fait de s'écouler : ***Sortie*** *des eaux usées* ; *Conduite de* ***sortie.*** **8.** *Informat.* Transfert d'une information, d'un résultat, de l'unité centrale d'un ordinateur vers un périphérique. 1400 ; p. p. de *sortir* (I) ; [sɔʀti].

**SORTIE-DE-BAIN,** subst. f.
Peignoir de bain. 1904 ; comp. de *sortie* et de *bain* ; plur. *sorties-de-bain* ; [sɔʀtid(ə)bɛ̃].

**SORTILÈGE,** subst. m.
**1.** Procédé de sorcier. **2.** Fig. Pouvoir, effet qui semble magique : ***Sortilèges*** *de la musique.* 1213 ; lat. médiév. *sortilegium* ; [sɔʀtilɛʒ].

**SORTIR (I),** verbe [23]
**Intrans. 1.** Aller hors d'un lieu : ***Sortir*** *d'une chambre, de la forêt.* **2.** Quitter un lieu où l'on a séjourné : ***Sortir*** *de prison, de table, du bureau.* **3.** Aller dehors, notamment pour se promener ou se distraire : *Il* ***sort*** *tous les soirs* ; *Madame* ***est sortie***, elle n'est pas chez elle. ▸ Par euphém. ***Sortir*** *avec qqn* : avoir des rapports amoureux avec qqn (fam.). **4.** Se répandre à l'extérieur, en parlant d'une odeur, d'un son, d'un liquide : *Une odeur* ***sort*** *du vide-ordures.* **5.** Être issu de : ***Sortir*** *d'un milieu défavorisé* ; ***Sortir*** *d'une grande école.* **6.** Apparaître, être visible à l'extérieur ; pousser : *Les bourgeons* ***sortent.*** **7.** Aller au-delà d'une limite, hors d'un contenant : *La balle* ***est sortie*** *du court* ; ***Sortir*** *de son axe* ; au fig. : *Vous* ***sortez*** *du sujet.* ▸ Loc. ***Sortir*** *de ses gonds* (☞ *gond*). **8.** Passer d'une période à une autre, d'un état à un autre : ***Sortir*** *de l'adolescence, de maladie* ; empl. pronom. : *S'en* ***sortir***, être tiré d'affaire. **9.** Être tiré au sort : *Le 8* ***est enfin sorti.*** **10.** Être mis dans le commerce ;

n partic., être publié : *Son roman* **sort** *demain.* **RANS. 1.** Mettre dehors (qqch.) ; extraire (qqch., qqn) de : **Sortir** *les poubelles* ; **Sortir** *un révolver de a poche.* **2.** Conduire, accompagner (qqn, un animal) dehors : **Sortir** *son chien* ; emmener (qqn) our le distraire (fam.) : **Sortir** *un ami.* **3.** Aider qqn) à se tirer d'une situation difficile, pénible : *l t'a* **sorti** *de la misère.* **4.** Mettre dehors, expulser fam.) : **Sortir** *un élève.* ▸ *Sp.* Fam. Expulser du terain (un joueur qui a commis une faute) ; éliminer (une équipe adverse). **5.** Proférer (des paroles nconvenantes, impolies) : **Sortir** *une énormité.* **.** Mettre dans le commerce ; en partic., publier : **ortir** *un disque.* 🕮 Mil.-XII^e s. ; lat. *sortiri,* « tirer au ort » ; [sɔʀtiʀ].

**SORTIR (II),** verbe trans. [19]
*Dr.* Obtenir : *Cette décision* **sortissait** *son plein et ntier effet,* elle était exécutée dans toutes ses onséquences. 🕮 1401 ; ☞ *sortir* (I) ; gén. empl. seulement aux 3^es personnes, aux participes et à l'inf. ; sɔʀtiʀ].

**SORTIR (III),** subst. m.
*Vx.* Action de sortir. ▸ Loc. **Au sortir de.** À la sortie le ; à l'issue de : *Au* **sortir** *d'une maladie, d'une ntrevue.* 🕮 1540 ; ☞ *sortir* (I) ; [sɔʀtiʀ].

**SOSIE,** subst. m.
Personne qui présente une ressemblance presque parfaite avec une autre. 🕮 1792 (1638, titre d'une pièce) ; *Sosie,* nom de l'esclave d'Amphitryon, dont le dieu Mercure prend les traits ; [sozi].

**SOSTENUTO,** adv.
*Mus.* De façon soutenue : *Allegretto* **sostenuto.** 🕮 1813 ; ital. *sostenuto,* « soutenu » ; [sɔstenuto].

**SOT, SOTTE,** adj. et subst.
Se dit d'une personne qui manque d'intelligence, de bon sens. **Adj.** Qui traduit la sottise : *Question* **sotte.** ▸ Loc. proverb. *Il n'y a pas de* **sot** *métier, il n'y a que de* **sottes** *gens* : tout métier est respectable. **Subst.** *Hist.* Personnage de bouffon ; acteur jouant dans une sottie. 🕮 1155 ; lat. médiév. *sottus* ; [so, sɔt].

**SOTCH,** subst. m.
*Géogr.* Grande dépression fermée, de nature karstique ; doline. 🕮 1901 ; orig. obsc. ; [sɔtʃ].

**SOTIE,** voir **SOTTIE**

**SOT-L'Y-LAISSE,** subst. m. inv.
Morceau très délicat et peu apparent, situé au-dessus du croupion d'une volaille. 🕮 Mil. XVIII^e s. ; comp. de *sot* et de *laisser* ; [solilɛs].

**SOTTEMENT,** adv.
De manière sotte. 🕮 Fin XII^e s. ; ☞ *sot* ; [sɔtmɑ̃].

**SOTTIE,** subst. f.
*Litt.* Farce satirique des XIV^e et XV^e s., jouée par des acteurs appelés sots ou fous. 🕮 1483 (fin XII^e s., sottise) ; ☞ *sot* ; var. *sotie* ; [sɔti].

**SOTTISE,** subst. f.
**1.** Défaut d'esprit et de jugement. **2.** Méton. Parole, acte qui dénote peu d'intelligence ; bêtise : *Proférer des* **sottises.** **3.** Injure (fam. et vieilli) : *Accabler qqn de* **sottises.** 🕮 XIII^e s. ; ☞ *sot* ; [sɔtiz].

**SOTTISIER,** subst. m.
Recueil de sottises, de platitudes, spéc. celles de gens célèbres. 🕮 Mil. XVII^e s. ; ☞ *sottise* ; [sɔtizje].

**SOU,** subst. m.
**1.** *Numism.* Pièce de cuivre ou de bronze valant 12 deniers, soit un vingtième de l'ancienne livre. **2.** De 1793 à 1947, pièce de 5 centimes. ▸ Québ. Cent, centième du dollar. ▸ Loc. *Propre comme un* **sou** *neuf* : très propre. **3.** Méton. Valeur très faible. ▸ Loc. **Sou** *par* **sou** : par petites sommes ; *Être sans le* **sou** : ne pas avoir d'argent ; *N'être pas compliqué, méchant... pour un* **sou** : ne l'être absolument pas ; *De quatre* **sous** : de pacotille ; *S'ennuyer à cent* **sous** *de l'heure* : se morfondre ; *N'avoir pas un* **sou** *de* : être dénué de. **Plur.** Argent (fam.) : *Réclamer des* **sous.** ▸ Loc. *Être près de ses* **sous** : être regardant, avare ; *Parler gros* **sous** : aborder des questions d'argent. 🕮 Déb. XII^e s. ; bas lat. *soldus,* « pièce d'or », du lat. *solidus,* « massif » ; [su].

**SOUAGE,** voir **SUAGE (I)**

**SOUAHÉLI,** voir **SWAHILI**

**SOUBASSEMENT,** subst. m.
**1.** *Archit.* ▸ Assise d'une construction, reposant sur les fondations. ▸ Partie inférieure d'un mur, d'une fenêtre. **2.** Fig. Base. 🕮 1358 ; formé de *sous* et de *bas* (I) ; [subasmɑ̃].

**SOUBRESAUT,** subst. m.
**1.** Saut vif et inopiné : **Soubresaut** *d'un cheval.* **2.** Ext. Mouvement spasmodique du corps : **Soubresauts** *de l'agonie* ; au fig. : *Les* **soubresauts** *d'une passion.* **3.** *Chorégr.* Saut vertical, les jambes serrées. 🕮 1547 (1369, saut périlleux) ; prob. anc. prov. *sobresaut,* de *sobre,* « sur », et de *saut* ; [subʀəso].

**SOUBRETTE,** subst. f.
**1.** *Théâtre.* Servante de comédie. **2.** Femme de chambre agréable et délurée. 🕮 1636 ; prov. *soubret,* « affecté », du lat. *superare,* « être au-dessus » ; [subʀɛt].

**SOUBREVESTE,** subst. f.
*Cost.* Longue veste sans manches portée par-dessus les armes : **Soubreveste** *de mousquetaire.* 🕮 1435 ; anc. prov. *sobrevesta,* de l'ital. *sopravesta* ; [subʀəvɛst].

**SOUCHE,** subst. f.
**1.** Partie du tronc qui reste dans la terre quand un arbre a été coupé. ▸ Loc. *Dormir comme une* **souche** : dormir profondément ; *Rester planté comme une* **souche** : être inerte, immobile (fam.). **2.** Fig. Personne qui est à l'origine d'une lignée de descendants. ▸ Loc. *Faire* **souche** : avoir une lignée de descendants ; *De vieille* **souche** : de famille ancienne ; *De* **souche** : originaire du pays dans lequel il vit. ▸ *Biol.* **Souche** *microbienne* ou *bactérienne* : population génétiquement homogène de micro-organismes (virus, bactéries, champignons, etc.) issue par multiplication végétative d'un individu unique. ▸ *Ling.* Origine linguistique ; en appos. : *Mot* **souche,** à partir duquel s'est formée une famille de mots. **3.** Anal. Partie d'une chose qui en forme la base : **Souche** *d'une cheminée,* partie maçonnée qui s'élève sur le toit. **4.** Partie d'un document qui reste fixée à un registre (synon. *talon*) : *Carnet à* **souche(s).** 🕮 Fin XI^e s. ; prob. gaul. °*tsükka* ; [suʃ].

**SOUCHET (I),** subst. m.
*Bot.* Plante semi-aquatique de la famille des Cypéracées, dont une espèce possède un rhizome comestible, et une autre une moelle utilisée dans la fabrication du papier. 🕮 1376 ; ☞ *souche* ; [suʃɛ].

**SOUCHET (II),** subst. m.
*Zool.* Canard sauvage au bec noir et en spatule. 🕮 1438 ; orig. obsc. ; [suʃɛ].

**SOUCHETER,** verbe trans. [14]
**1.** *Sylvic.* Vérifier dans (une coupe), d'après les souches, le nombre d'arbres abattus. **2.** Marquer (les arbres à abattre). 🕮 1893 ; ☞ *souche* ; [suʃ(ə)te].

**SOUCHETTE,** subst. f.
*Bot.* Genre de champignon basidiomycète se développant sur les souches. *Collybia fusipes* est comestible. 🕮 1904 (1564, souche d'un jeune arbre) ; ☞ *souche* ; [suʃɛt].

**SOUCHONG,** subst. m. inv.
Thé noir de Chine, très apprécié. 🕮 1842 ; angl. *souchong,* du chinois *xiaozhong,* de *xiao,* « petite », et de *zhong,* « sorte » ; var. *sou-chong* (inv.) ; [su(t)ʃɔ̃(ŋ)].

**SOUCI (I),** subst. m.
**1.** État d'un esprit préoccupé, troublé ; inquiétude : *Se faire du* **souci,** s'inquiéter. **2.** Méton. Cause d'inquiétude : **Soucis** *familiaux* ; personne, chose qui préoccupe : *Sa fille est son grand* **souci.** **3.** Soin, importance accordée à qqch. : *Il a le* **souci** *du bien public.* ▸ Loc. *C'est le cadet, le dernier de mes* **soucis** : je m'en moque. 🕮 Déb. XIII^e s. ; ☞ *soucier* ; [susi].

**SOUCI (II),** subst. m.
*Bot.* Plante annuelle rustique, de la famille des Astéracées, dont une espèce est cultivée pour ses fleurs jaunes ou orangées. 🕮 Mil. XIII^e s. ; bas lat. *solsequia,* « tournesol » ; [susi].

**SOUCIER,** verbe trans. [6]
Causer du souci à (vx ou fam.). **Pronom. 1.** Se faire du souci (vx ou littér.). **2. Se soucier de.** Faire attention à, se préoccuper de : *Se* **soucier** *de l'opinion.* ▸ Loc. *S'en* **soucier** *comme de l'an quarante, comme de sa première chemise* : n'en faire aucun cas (fam.). 🕮 Mil. XIII^e s. ; lat. *sollicitare* ; [susje].

**SOUCIEUX, EUSE,** adj.
**1.** Préoccupé, inquiet ; par méton., qui dénote un souci : *Voix* **soucieuse.** **2.** Attentif à : **Soucieux** *de sa santé* ; qui a le souci de : **Soucieux** *de lui plaire.* 🕮 Déb. XIV^e s. ; ☞ *souci* (I) ; [susjø, øz].

**SOUCOUPE,** subst. f.
**1.** Petite assiette destinée à recevoir une tasse, gén. assortie. **2.** Anal. **Soucoupe** *volante* : ovni circulaire. 🕮 1735 (1615, petit plateau) ; ital. *sottocoppa* ; [sukup].

**SOUDAGE,** subst. m.
Action de souder ; son résultat : **Soudage** *à plat.* 🕮 1459 ; ☞ *souder* ; [sudaʒ].

**SOUDAIN, AINE,** adj. et adv.
**Adj.** Qui se produit subitement, de manière imprévue : *Rire* **soudain.** **Adv.** Dans l'instant même, tout à coup : **Soudain,** *il se mit à rire.* 🕮 Déb. XII^e s. ; bas lat. *subitanus,* du lat. *subitaneus* ; [sudɛ̃, ɛn].

**SOUDAINEMENT,** adv.
De façon soudaine ; subitement. 🕮 Fin XII^e s. ; ☞ *soudain* ; [sudɛnmɑ̃].

**SOUDAINETÉ,** subst. f.
Caractère de ce qui survient inopinément, brutalement. 🕮 XIII^e s. ; ☞ *soudain* ; [sudɛnte].

**SOUDAN,** subst. m.
Sultan (vx) : *Le* **soudan** *d'Égypte.* 🕮 Fin XII^e s. ; ar. *sulṭān,* « souverain » ; [sudɑ̃].

**SOUDANT, ANTE,** adj.
*Métall.* Qui soude, qui peut être soudé. ▸ *Blanc* **soudant** : couleur prise par le fer à la température de soudure. 🕮 1863 ; p. pr. de *souder* ; [sudɑ̃, ɑ̃t].

**SOUDARD,** subst. m.
**1.** *Hist.* Soldat mercenaire. **2.** Ext. Homme aux manières brutales et grossières. 🕮 Mil. XIV^e s. ; anc. fr. *soldee,* « solde » ; [sudaʀ].

**SOUDE,** subst. f.
**1.** *Chim.* ▸ **Soude** *caustique* : hydroxyde de sodium, de formule NaOH. Solide soluble dans l'eau, qui forme des solutions très corrosives. ▸ **Soude** *du commerce* : carbonate de sodium ($Na_2CO_3$). **2.** *Bot.* Plante qui pousse dans des terrains salés et dont la racine calcinée fournissait autrefois la **soude.** **3.** *Pharm. Bicarbonate de* **soude** : bicarbonate de sodium. 🕮 1527 ; ital. *soda,* de l'ar. *suwayda* ; [sud].

**SOUDER,** verbe trans. [3]
**1.** Fixer ensemble par une soudure (des pièces métalliques, du verre, etc.) ; empl. abs. : *Fer à* **souder.** **2.** Réunir, faire adhérer : **Souder** *des os fracturés.* **3.** Fig. Unir étroitement : **Souder** *les joueurs d'une équipe.* **Pronom.** Se réunir pour former un tout. 🕮 Fin XI^e s. ; lat. *solidare,* « rendre solide » ; [sude].

**SOUDEUR, EUSE,** subst.
Spécialiste de la soudure. **Fém.** *Techn.* Machine à souder. 🕮 1313 ; ☞ *souder* ; [sudœʀ, øz].

**SOUDIER, IÈRE,** adj. et subst.
**Subst. fém.** Fabrique de soude. **Subst.** Personne travaillant dans une fabrique de soude. **Adj.** Relatif à la soude. 🕮 1796 ; ☞ *soude* ; [sudje, jɛʀ].

**SOUDOYER,** verbe trans. [17]
**1.** Vx. Payer une solde à (des soldats). **2.** Ext. Acheter le concours de, corrompre (péj.) : **Soudoyer** *un témoin.* 🕮 1465 ; anc. fr. *sold,* « sou » ; [sudwaje].

**SOUDURE,** subst. f.
**1.** Alliage fusible (en gén. à forte proportion de plomb, de zinc ou de cuivre) qui sert à souder des pièces de métal ; par méton., la partie soudée : *Une* **soudure** *bien étanche.* **2.** Opération par laquelle on assemble deux pièces, en partic. de métal, en les unissant après chauffage ou au moyen d'un alliage fusible : **Soudure** *au chalumeau, à l'étain* ; au fig. : *La* **soudure** *de deux volontés.* ▸ *Histol.* **Soudure** *du cartilage de conjugaison* : remplacement du cartilage par du tissu osseux, déterminant la fin de la croissance. **3.** *Comm. Faire la* **soudure** : garantir la disponibilité d'un produit sur le marché afin de répondre à la demande ou, au fig., assurer la transition entre deux situations, deux personnes. 🕮 Fin XI^e s. ; ☞ *souder* ; [sudyʀ].

**SOUE,** subst. f.
Étable à cochons (vx). 🕮 Déb. XIII^e s. ; anc. fr. *seu,* du bas lat. *sutis,* p.-ê. du gaul. °*sū-tēg* ; [su].

**SOUFFLAGE,** subst. m.
**1.** Action de souffler. ▸ **Soufflage** *du verre* : technique consistant à insuffler de l'air dans le verre en fusion au moyen d'un long tube, pour lui donner la forme désirée. ▸ **Soufflage** *de la fonte* : affinage de la fonte en fusion par un fort courant d'air. **2.** *Mar.* Revêtement de planches renforçant la carène d'un navire au niveau de la ligne de flottaison. 🕮 Fin XV^e s. ; ☞ *souffler* ; [suflaʒ].

**SOUFFLANT, ANTE,** adj. et subst. f.
**Adj. 1.** Qui souffle ; qui produit un mouvement d'air : *Un peigne* **soufflant.** **2.** Étonnant, stupéfiant (fam.). **Subst. 1.** *Techn.* Ventilateur très puissant. **2.** Brutale réprimande (fam.). 🕮 Déb. XII^e s. ; p. pr. de *souffler* ; [suflɑ̃, ɑ̃t].

**SOUFFLARD,** subst. m.
*Géol.* Jet de vapeur d'eau de température élevée (de 120 à 210 °C) dans une zone volcanique. 🕮 1875 (fin XV^e s., canon) ; ☞ *souffler* ; [suflaʀ].

**SOUFFLE,** subst. m.
**I. 1.** Émission d'air par la bouche au cours d'une expiration volontaire : *Éteindre une allumette d'un léger **souffle**.* **2.** Expiration d'air lors de la respiration naturelle ; par méton., respiration : *Écouter le **souffle** de qqn* ; *Le dernier **souffle**,* précédant la mort. ► Loc. *Couper le **souffle** à* : stupéfier (fam.) ; *Retenir son **souffle*** : être en haleine. **3.** Bonne capacité respiratoire permettant d'endurer l'effort physique : *Être à bout de **souffle**.* ► Loc. *Ne pas manquer de **souffle*** : avoir de l'aplomb (fam.). **4.** Fig. Force qui anime ; inspiration, puissance créatrice : *Le **souffle** divin* ; *Le **souffle** d'un compositeur.* **II. 1.** Déplacement naturel de l'air : *Un **souffle** léger.* **2.** Déplacement d'air provoqué : *Le **souffle** d'un ventilateur, d'une déflagration.* **III. 1.** *Pathol.* Bruit anormal entendu à l'auscultation cardiaque, vasculaire ou pulmonaire, témoignant d'une anomalie du passage de l'air ou du sang : ***Souffle** systolique,* entendu pendant la systole cardiaque ; ***Souffle** anorganique,* parfois entendu sur un cœur normal, en partic. chez un sujet jeune. **2.** Bruit parasite permanent émis par un haut-parleur. Mil. XIIe s. ; ☞ *souffler* ; [sufl].

**SOUFFLÉ, ÉE,** adj. et subst. m.
**Adj. 1.** Gonflé, boursouflé. **2.** *Cuis.* Qui a gonflé à la cuisson : *Omelette **soufflée**.* **3.** Fig. Abasourdi (fam.). **Subst.** *Cuis.* Mets ou entremets qui monte à la cuisson, grâce à des blancs d'œufs battus en neige : *Un **soufflé** au fromage.* 1772 (fin XIIIe s., haletant) ; p. p. de *souffler* ; [sufle].

**SOUFFLER,** verbe [3]
**Intrans. 1.** Expulser volontairement de l'air par la bouche ou par le nez : ***Souffler** sur un potage fumant.* **2.** Respirer bruyamment, avec effort : *Il **souffle** en montant l'escalier.* **3.** Provoquer un déplacement d'air : *Le vent **souffle**.* ► Loc. *Regarder de quel côté **souffle** le vent* : voir comment vont tourner les évènements. **4.** Suspendre un effort physique pour reprendre haleine : *Faire **souffler** son cheval.* **5.** *Zool.* Expulser l'air par les évents, en parlant des Cétacés : *La baleine **souffle**.* **Trans. 1.** Orienter son souffle sur : ***Souffler** la poussière* ; ***Souffler** une bougie,* l'éteindre. ► Loc. ***Souffler** le chaud et le froid* : agir tour à tour positivement et négativement. **2.** Murmurer discrètement (qqch.) à qqn, en guise de conseil ou de rappel : ***Souffler** la réponse.* ► Loc. *Ne **souffler** mot (de qqch.)* : ne rien dire (de). **3.** Insuffler de l'air dans (qqch.). ► *Techn.* Travailler (le verre) par soufflage. **4.** Enlever (qqch. ou qqn) à qqn (fam.) : *Il lui a **soufflé** sa petite amie.* ► *Jeux.* ***Souffler** un pion* : aux dames, le prendre à l'adversaire, qui ne s'en est pas servi pour prendre ; ***Souffler** n'est pas jouer* : **souffler** un pion ne constitue pas un coup. **5.** Ahurir, stupéfier (fam.) : *Un tel sans-gêne m'a **soufflé** !* **6.** Projeter, faire voler en éclats (qqch.) sous l'action d'un souffle violent : *L'explosion a **soufflé** les vitres.* Déb. XIIe s. ; lat. *sufflare* ; [sufle].

**SOUFFLERIE,** subst. f.
**1.** *Mus.* Ensemble des soufflets d'un orgue. **2.** *Techn.* Toute installation servant à souffler de l'air avec force : ***Soufflerie** aérodynamique.* 1636 (fin XIIIe s., action de souffler) ; ☞ *souffler* ; [suflǝʀi].

**SOUFFLET,** subst. m.
**I. 1.** Instrument comportant deux planchettes qui compriment une poche en cuir, servant à souffler de l'air pour attiser le feu. **2.** Anal. Partie centrale, à plis extensibles, d'un accordéon, d'une chambre photographique. **3.** *Cout.* Triangle ou losange d'étoffe qu'on ajoute à un vêtement pour lui donner de l'aisance : *Poche plaquée à **soufflet**.* **4.** *Ch. de fer.* Corridor à parois flexibles et repliables, faisant communiquer deux voitures (vieilli). **II.** Littér. **1.** Gifle. **2.** Fig. Outrage, insulte : *Recevoir, donner un **soufflet**.* Fin XIIIe s. ; ☞ *souffler* ; [suflɛ].

**SOUFFLETER,** verbe trans. [14]
Littér. **1.** Frapper d'un soufflet, gifler. **2.** Fig. Outrager, offenser. 1542 (déb. XVIe s., frapper, en parlant du faucon) ; ☞ *soufflet* ; [suflǝte].

**SOUFFLEUR, EUSE,** subst.
**1.** Au théâtre ou à l'opéra, personne chargée d'aider les acteurs ou les chanteurs en leur soufflant leur texte : *Le trou du **souffleur**.* **2.** *Techn.* Personne qui souffle le verre. **Masc.** *Zool.* Nom courant d'un cétacé, notamment du dauphin. **Fém. 1.** *Agric.* Appareil de manutention des grains. **2.** Québ. Véhicule qui projette la neige à distance. 1549 (1261, celui qui souffle le feu, à la cuisine) ; ☞ *souffler* ; [suflœʀ, øz].

**SOUFFLURE,** subst. f.
*Techn.* Cavité pleine de gaz, qui se forme pendant la solidification d'une masse en fusion. 1701 (fin XIIIe s., action de souffler) ; ☞ *souffler* ; [suflyʀ].

**SOUFFRANCE,** subst. f.
**1.** Vx. Délai, attente, répit. ► Loc. *Affaire en **souffrance*** : en suspens ; *Marchandise en **souffrance*** : qui n'a pas été réclamée. **2.** Fait de souffrir, d'avoir mal ; douleur physique ou morale. Fin XIIe s. ; ☞ *souffrir* ; [sufʀɑ̃s].

**SOUFFRANT, ANTE,** adj.
**1.** Qui souffre (littér.) : *Humanité **souffrante**.* ► *Théol. L'Église **souffrante*** : les âmes du purgatoire (par oppos. à *militante* et à *triomphante*). **2.** Qui exprime la souffrance : *Mine **souffrante**.* **3.** Qui est légèrement indisposé. 1690 (1120, patient ; vaillant) ; p. pr. de *souffrir* ; [sufʀɑ̃, ɑ̃t].

**SOUFFRE-DOULEUR,** subst. m. inv.
Personne ou animal en butte aux mauvais traitements, aux moqueries de son entourage : *Cosette, le **souffre-douleur** des Thénardier.* 1607 ; comp. de *souffrir* et de *douleur* ; [sufʀǝdulœʀ].

**SOUFFRETEUX, EUSE,** adj.
**1.** Malingre, fréquemment souffrant ; par méton. : *Un air **souffreteux**,* maladif. **2.** Anal. Rabougri, qui pousse mal : *Plante **souffreteuse**.* 1832 (déb. XIIe s., qui est dans le besoin) ; lat. pop. °*suffracta*, du lat. *suffringere*, « manquer de » ; [sufʀǝtø, øz].

**SOUFFRIR,** verbe [27]
**Trans. 1.** Endurer, supporter, ressentir douloureusement (qqch. de pénible) : ***Souffrir** la misère, le martyre.* ► Fam. *Ne pas pouvoir **souffrir** qqn, qqch.* : le détester ; empl. pronom. : *Ils ne peuvent pas se **souffrir**.* **2.** Littér. Admettre (qqch.) : *Ce verdict ne **souffre** aucune contestation* ; permettre : ***Souffrez** que je vous aide.* **Intrans.** Éprouver une douleur physique ou morale. **Trans. indir. Souffrir de. 1.** Avoir mal à : ***Souffrir** du dos* ; être atteint de : ***Souffrir** d'un ulcère.* **2.** Être endommagé par : *La moisson **a souffert** du froid* ; au fig., pâtir de : *Ce pays **souffre** de ses rivalités tribales.* Mil. XIe s. ; lat. pop. °*sufferire*, du lat. *sufferre* ; [sufʀiʀ].

**SOUFI, IE,** adj. et subst.
Se dit d'un adepte du soufisme. **Adj.** Relatif ou propre au soufisme. 1511 ; ar. *ṣūfī*, de *ṣūf*, « laine », par réf. au vêtement de ces ascètes, ou gr. *sophia*, « sagesse » ; [sufi].

**SOUFISME,** subst. m.
*Relig.* Courant mystique de l'islam, apparu vers le VIIIe s., qui prône comme but de la réalisation spirituelle l'anéantissement du moi dans l'Unicité divine. Parfois en conflit avec l'islam officiel (exécution d'al-Halladj en 922), il a été illustré, entre autres, par Ibn Arabi et Djalal al-Din Rumi, aux XIIe et XIIIe s. 1831 ; ☞ *soufi* ; [sufism].

**SOUFRAGE,** subst. m.
Action de soufrer ; son résultat. 1763 ; ☞ *soufrer* ; [sufʀaʒ].

**SOUFRE,** subst. m.
**1.** *Chim.* Élément non métallique, jaune intense, no 16 de la table de Mendeleïev (symb. : S) ; masse atomique : 32,064 ; point de fusion : 112,8 °C ; point d'ébullition : 444,67 °C ; masse volumique : 2,07 g/cm$^3$. Le **soufre** se trouve dans la nature à l'état de sulfure. ► Loc. *Sentir le **soufre*** : paraître peu orthodoxe, avoir qqch. de diabolique. **2.** Couleur jaune intense ; empl. adj. inv. : *Jaune **soufre**.* Déb. XIIe s. ; lat. *sulphur* ; [sufʀ].

**SOUFRER,** verbe trans. [3]
**1.** Imprégner, enrober de soufre ; empl. adj. : *Allumettes **soufrées**.* **2.** *Spéc.* ► *Agric.* Traiter (des végétaux, en partic. la vigne) avec du soufre en poudre. ► *Vinic.* Traiter (un vin), désinfecter (le matériel) avec de l'anhydride sulfureux. 1636 (mil. XIIIe s., *soufré*, qui renferme du soufre) ; ☞ *soufre* ; [sufʀe].

**SOUFRIÈRE,** subst. f.
*Géol.* Site volcanique exploité pour son soufre natif. 1495 ; ☞ *soufre* ; [sufʀijɛʀ].

**SOUHAIT,** subst. m.
Désir, exprimé ou non, d'obtenir qqch., de voir un évènement se produire. ► Loc. *À **souhait*** : autant qu'on puisse le désirer. ► *À vos **souhaits*** : formule que l'on adresse à qqn qui éternue (fam.). Fin XIIe s. ; ☞ *souhaiter* ; [swɛ].

**SOUHAITABLE,** adj.
Qui peut ou doit être souhaité : *Évolution **souhaitable**.* 1511 ; ☞ *souhaiter* ; [swɛtabl].

**SOUHAITER,** verbe trans. [3]
**1.** Désirer l'obtention de (qqch.), la réalisation c (un évènement) pour soi ou pour autrui : *Je sou haite qu'il réussisse.* **2.** Exprimer (un souhait) à qq (dans des formules de politesse, de présentatio de vœux) : ***Souhaiter** le bonjour, bon voyage à qq* Fin XIIe s. ; gallo-roman °*subtus-haitare*, du lat. *subtu* « sous », et de l'anc. bas frq. °*haitan*, « ordonner ; pr mettre » ; [swete].

**SOUILLARD, ARDE,** subst.
**Fém.** Arrière-cuisine (région.). **Masc.** *Constr.* Tro percé dans une pierre pour l'écoulement des eaux par méton., la pierre ainsi percée. 1731 (133 laveur de vaisselle) ; ☞ *souille* ; [sujaʀ, aʀd].

**SOUILLE,** subst. f.
**1.** *Vèn.* Endroit bourbeux où le sanglier vient s vautrer. **2.** *Mar.* Cavité formée dans la vase ou sable par un navire échoué. **3.** *Artill.* Impact laiss sur le sol par le ricochet d'un obus. 1346 ; an fr. *soil*, du lat. *solium*, « cuve » ; [suj].

**SOUILLER,** verbe trans. [3]
Littér. **1.** Salir. ► Loc. ***Être souillé** de sang* : être u meurtrier. **2.** Fig. Avilir, déshonorer. XIIe s. ; an fr. *soil*, « abîme de l'enfer ; bourbier » ; [suje].

**SOUILLON,** subst.
Fam. **Masc.** Personne malpropre (vx). **Fém.** Servant malpropre. Déb. XVe s. ; ☞ *souiller* ; [sujɔ̃].

**SOUILLURE,** subst. f.
Littér. **1.** Tache, saleté sur qqch. **2.** Fig. Tare, flétrissure. 1268 ; ☞ *souiller* ; [sujyʀ].

**SOUIMANGA,** subst. m.
*Zool.* Oiseau passériforme aux pattes courtes de l famille des Nectariinés, vivant en Afrique, en Asi méridionale et en Australie. Son bec long, fin e recourbé et sa langue partiellement tubulaire e protractile caractérisent cet insectivore qui s nourrit aussi de nectar. Le mâle est brillammen coloré. Fin XVIIIe s. ; mot malgache ; var. *soui-mang* (plur. *soui-mangas*) ; [swimɑ̃ga].

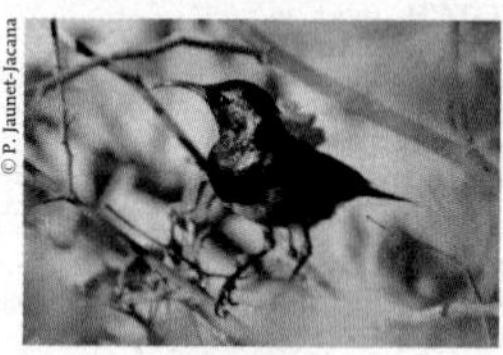
© P. Jaunet-Jacana

*Souimanga.*

**SOUK,** subst. m.
**1.** Marché couvert, dans les pays arabes. **2.** Fig Pagaille (fam.). 1636 ; ar. *sūq* ; [suk].

**SOÛL, SOÛLE,** adj.
**1.** Pleinement repu (vx) ; au fig., rassasié au poin d'être dégoûté (littér.) : ***Soûl** de promesses* ; empl subst. masc. : *Tout son (mon, ton, etc.) **soûl*** : à satiété. **2.** Ivre (fam.). Déb. XIIe s. ; lat. *satullus* « repu » ; var. *saoul, saoule* ; [su, sul].

**SOULAGEMENT,** subst. m.
**1.** Diminution d'une souffrance. **2.** État d'une per sonne soulagée. 1384 ; ☞ *soulager* ; [sulaʒmɑ̃].

**SOULAGER,** verbe trans. [5]
**1.** Délivrer (qqn, un animal) d'une partie d'ur fardeau. **2.** Adoucir la douleur, le travail de (qqn) ***Soulager** son collègue.* ► ***Soulager** sa conscience* : diminuer ses remords par un aveu. **3.** Rendre (qqch.) moins pénible : ***Soulager** un mal de tête.* **4.** Pop Voler (qqn) : ***Soulager** un passant de son portefeuille.* **5.** *Spéc.* ► *Mar.* ***Soulager** un navire* : débarquer la cargaison de (un navire échoué). ► *Techn.* Diminuer le poids, l'encombrement de. **Pronom. 1.** Se libérer (de ce qui pèse) : *Se **soulager** de ses angoisses en parlant.* **2.** Satisfaire un besoin naturel (fam.). 1461 ; lat. pop. °*subleviare*, du lat. *sublevare*, « soulever, exhausser » ; [sulaʒe].

**SOULANE,** subst. f.
*Géogr.* Région. (Pyrénées). Adret. 1907 ; gascon *soulane*, du lat. *sol*, « soleil » ; [sulan].

**SOÛLARD, ARDE,** subst. et adj.
Pop. Se dit d'un ivrogne (synon. *soûlaud, soûlot*). 1690 (1433, repu) ; ☞ *soûl* ; var. *saoulard, arde* [sulaʀ, aʀd].

**SOÛLER**, verbe trans. [3]
Satisfaire (qqn) jusqu'à satiété (littér.) ; au fig. : *›ûler de paroles.* **2.** Enivrer (qqn). **3.** Fig. Étourdir, iser (qqn) : *Son parfum le* **soûlait**. Déb. XII^e s. ; *t. satullare* ; var. *saouler* ; [sule].

**SOÛLERIE**, subst. f.
ım. **1.** Beuverie. **2.** Ivresse. 1857 ; ☞ *soûl* ; var. *›oulerie* ; [sulʀi].

**SOULÈVEMENT**, subst. m.
. Action de soulever ; fait d'être soulevé : *Soulèvent d'un rideau, du bras* ; par métaph. : *Soulèvent de cœur*, nausée. **2.** Fig. Insurrection ; émeute. Fin XII^e s. ; ☞ *soulever* ; [sulɛvmɑ̃].

**SOULEVER**, verbe trans. [10]
. Élever (un objet, un corps, une partie du corps) une faible hauteur ; faire monter : *Soulever la ›ussière.* ► *Soulever le cœur* : dégoûter. **2.** Fig. Susciter (un sentiment, une réaction hostile) : *›ulever la colère, les protestations.* ► Pousser (qqn) la révolte : *Soulever les mécontents.* **3.** Faire naître, ›ovoquer : *Soulever une question, un débat.* **4.** Dérober, prendre (fam.) : *Se faire soulever son portefeuille.* **RONOM. 1.** S'élever faiblement : *Il se souleva de son* . **2.** Fig. S'insurger : *La ville s'est soulevée.* Mil. s. ; formé de *sous* et de *lever* (I) ; [sul(ə)ve].

**SOULIER**, subst. m.
haussure basse qui couvre le pied : *Souliers plats, ›rnis.* ► Loc. *Être dans ses petits* **souliers** : se sentir ›né, être embarrassé (fam.). Déb. XIII^e s. ; anc. fr. *›l(l)er*, du bas lat. *subtel*, « creux sous la plante du pied » ; ulje].

**SOULIGNEMENT**, subst. m.
ction de souligner ; trait qui souligne. 1828 ; ☞ *souligner* ; synon. *soulignage* ; [suliɲmɑ̃].

**SOULIGNER**, verbe trans. [3]
. Tracer un trait sous (un mot ou un groupe de ›ots) pour le mettre en valeur. **2.** Anal. Faire ›ssortir : *Bustier qui* **souligne** *la taille.* **3.** Fig. Faire ›marquer, insister sur : *Souligner les qualités de qqch.* 1704 ; formé de *sous* et de *ligne* ; [suliɲe].

**SOUL MUSIC**, subst. f.
Iusique des Noirs américains, née dans les années ›ixante, et issue du gospel et du rhythm and blues ›brév. : soul). V. 1960 ; anglo-amér. *soul music*, de *›ul*, « âme », et de *music*, « musique » ; [sulmjuzik].

**SOÛLOGRAPHE**, subst.
›rogne (fam.). 1842 ; ☞ *soûlographie* ; [sulɔɡʀaf].

**SOÛLOGRAPHIE**, subst. f.
›rognerie (fam.). 1837 ; crois. de *soûl* et de *›pographie*, ce mot venant des typographes ; [sulɔɡʀafi].

**SOULTE**, subst. f.
›r. Somme d'argent dont le versement vient ›mpenser l'inégalité de valeur des lots, dans un ›artage ou un échange. 1255 (1176, argent ›mptant) ; anc. fr. *sout*, de *soldre*, « payer », du lat. *›lvere*, « délier » ; [sult].

**SOUMETTRE**, verbe trans. [60]
. Placer sous son autorité, assujettir : *Soumettre ›n peuple, une province.* **2.** Astreindre à une loi, à ›n règlement : *Soumettre à l'impôt.* **3.** Proposer ›qch.) au jugement de qqn : *Soumettre un projet.* . Faire subir une épreuve, un contrôle à (qqn) : *›oumettre qqn à un interrogatoire, à des tests.* **PRO›OM. 1.** Se plier à une autorité, cesser de résister. . **Se soumettre à.** Se plier à : *Se soumettre à la ›olonté d'autrui* ; se conformer à : *Se soumettre à ›ne décision.* Déb. XII^e s. ; lat. *submittere* ; [sumɛtʀ].

**SOUMIS, ISE**, adj.
. Docile, obéissant. **2.** Qui dénote la soumission : *›on soumis.* **3.** *Fille soumise* : prostituée (vieilli). 1652 ; p. p. de *soumettre* ; [sumi, iz].

**SOUMISSION**, subst. f.
. Fait de se soumettre ; obéissance. ► Loc. *Faire ı soumission* : capituler, dans un conflit. **2.** Action ›e soumettre. **3.** *Dr.* Dans un appel d'offre, écrit ›ar lequel un concurrent s'engage à respecter le ›ahier des charges et les conditions de prix ›roposées par lui-même dans ce même écrit. 1507 (1349, obligation financière vis-à-vis de qqn) ; ›t. *submissio*, « action d'abaisser » ; [sumisjɔ̃].

**SOUMISSIONNAIRE**, subst.
›r. Personne qui fait une soumission dans un appel d'offres. 1687 ; ☞ *soumission* ; [sumisjɔnɛʀ].

**SOUMISSIONNER**, verbe trans. [3]
›r. Faire une soumission pour la fourniture de ›un bien, un service). 1795 ; ☞ *soumission* ; ›umisjɔne].

**SOUPAPE**, subst. f.
*Mécan.* Obturateur mobile du conduit d'un fluide, fermé par un ressort ou un contrepoids, qu'une force supérieure à celle exercée par ce ressort ou ce contrepoids peut ouvrir : *Soupapes d'admission et d'échappement d'un moteur à explosion.* ► *Soupape de sûreté* : clapet permettant de limiter la pression à l'intérieur d'un engin à vapeur en libérant une partie de cette dernière ou, au fig., échappatoire, exutoire. 1580 (1419, pièce mobile du sommier de l'orgue) ; anc. fr. *sou(s)pape*, « coup sous le menton », formé de *sous* et de *pape*, « mâchoire », de *paper*, « manger » ; [supap].

**SOUPÇON**, subst. m.
**1.** Présomption nourrie à l'égard de qqn, de sa conduite ou de ses intentions blâmables : *De graves* **soupçons** *pèsent sur lui* ; *Être à l'abri, au-dessus de tout* **soupçon**, d'une honnêteté parfaite. **2.** Fait de supposer qqch. : *Je n'ai pas le moindre* **soupçon** *de l'endroit où nous sommes.* **3.** Touche très légère : *Un* **soupçon** *d'ironie* ; très petite quantité de qqch. : *Un* **soupçon** *de vin.* Mil. XII^e s. ; lat. *suspectio*, de *suspicere*, « suspecter » ; [supsɔ̃].

**SOUPÇONNABLE**, adj.
Que l'on peut soupçonner. XIII^e s. ; ☞ *soupçonner* ; [supsɔnabl].

**SOUPÇONNER**, verbe trans. [3]
**1.** Concevoir des soupçons au sujet de (qqn) : *Il est* **soupçonné** *de meurtre* ; mettre en doute : *Soupçonner la sincérité de qqn.* **2.** Pressentir l'existence de (qqch.) : *Un courage qu'on ne* **soupçonnait** *pas.* Déb. XIII^e s. ; ☞ *soupçon* ; [supsɔne].

**SOUPÇONNEUX, EUSE**, adj.
**1.** Qui conçoit facilement des soupçons : *Homme* **soupçonneux**. **2.** Qui dénote la suspicion : *Regard* **soupçonneux**. Mil. XII^e s. ; ☞ *soupçon* ; [supsɔnø, øz].

**SOUPE**, subst. f.
**1.** Vx. Tranche de pain arrosée de bouillon, de lait, etc. : *Tremper la* **soupe**. ► Loc. *Être trempé comme une* **soupe** : tout mouillé. **2.** Potage épais auquel on peut adjoindre du pain, du riz, etc. : *Soupe aux choux, à l'oignon* ; *Soupe de poisson.* ► Loc. *Être* **soupe** *au lait* : irascible ; *Un gros plein de* **soupe** : un homme très gros (fam.) ; *Cracher dans la* **soupe** (☞ *cracher*) ; *Servir la* **soupe** *à qqn* : le faire valoir (fam.). **3.** Méton. Repas, nourriture : *À la* **soupe** *!*, à table ! ► *Soupe populaire* : **soupe**, repas préparés pour les nécessiteux ; par méton., local où on les sert. **4.** Neige fondante (fam.). **5.** *Biol. Soupe primitive* : mélange de composés organiques dissous dans les océans qui aurait conduit à l'apparition des premiers êtres vivants par une lente évolution, et qui serait donc leur milieu d'origine selon la théorie de A. I. Oparine, émise dans les années vingt. Déb. XIII^e s. ; germ. °*suppa* ; [sup].

**SOUPENTE**, subst. f.
Réduit aménagé dans la hauteur d'une pièce, sous la pente d'un toit, ou sous un escalier. 1338 ; *soupendre*, anc. forme de *suspendre* ; [supɑ̃t].

**SOUPER (I)**, verbe intrans. [3]
**1.** Belg., Québ. et Helv. Prendre le repas du soir. **2.** Faire un dîner tardif. **3.** Loc. *(En) avoir soupé de qqch.* : en avoir assez de cette chose (fam.). Fin X^e s. ; ☞ *soupe* ; [supe].

**SOUPER (II)**, subst. m.
**1.** Belg., Québ. et Helv. Repas du soir. **2.** Repas pris tard dans la nuit, notamment après un spectacle. Fin X^e s. ; ☞ *souper* (I) ; [supe].

**SOUPESER**, verbe trans. [10]
**1.** Prendre (qqch.) dans la main pour en évaluer le poids. **2.** Fig. Estimer : *Soupeser les risques d'un projet.* XIII^e s. ; formé de *sous* et de *peser* ; [supəze].

**SOUPIÈRE**, subst. f.
Récipient large et creux, à couvercle, dans lequel on sert la soupe, le potage ; par méton., son contenu. 1729 ; ☞ *soupe* ; [supjɛʀ].

**SOUPIR**, subst. m.
**1.** Respiration profonde marquant une émotion : *Pousser un soupir de soulagement.* ► *Dernier* **soupir** : dernier souffle d'un mourant (littér.). **2.** *Mus.* Silence correspondant à une noire ; signe qui le marque. Mil. XII^e s. ; ☞ *soupirer* ; [supiʀ].

**SOUPIRAIL**, subst. m.
Ouverture pratiquée à la base d'un bâtiment pour donner de l'air et du jour à un sous-sol. Déb. XIII^e s. ; ☞ *soupirer* ; plur. *soupiraux* ; [supiʀaj], plur. [-ʀo].

**SOUPIRANT**, subst. m.
Amoureux (vieilli ou iron.) : *Elle éconduisit ses* **soupirants**. Déb. XIII^e s. ; p. pr. de *soupirer* ; [supiʀɑ̃].

**SOUPIRER**, verbe [3]
**INTRANS. 1.** Pousser des soupirs : *Soupirer d'ennui.* **2.** Fig. ► *Soupirer pour qqn* : en être amoureux. ► Empl. trans. indir. **Soupirer après.** Désirer vivement (qqch.) : *Soupirer après la gloire.* **TRANS. DIR.** Dire (qqch.) dans un soupir : *« Oh non ! »,* **soupira**-*t-elle.* Fin X^e s. ; lat. *suspirare* ; [supiʀe].

**SOUPLE**, adj.
**I. 1.** Complaisant, docile (vieilli). ► Loc. *Avoir l'échine* **souple** : se montrer servile. **2.** Qui s'adapte à la situation : *Tempérament* **souple**. **II. 1.** Qui plie facilement, délié (anton. *raide*) : *Taille* **souple** ; *Je ne suis plus très* **souple** *à mon âge* ; gracieux, léger : *Démarche* **souple**. **2.** Qualifie une matière malléable, que l'on peut plier, déformer facilement (par oppos. à *dur, rigide*) : *Plastique* **souple**. ► *Sp. Terrain* **souple** : meuble. **3.** Que l'on peut adapter : *Horaires* **souples**. Fin XII^e s. ; lat. *supplex*, « qui plie les genoux ; suppliant » ; [supl].

**SOUPLESSE**, subst. f.
Qualité d'une personne, d'une chose qui est souple ; agilité. ► *En* **souplesse** : avec aisance ou, au fig., avec tact. 1284 ; ☞ *souple* ; [suplɛs].

**SOUQUER**, verbe [3]
*Mar.* **TRANS.** Serrer fermement (un nœud) : *Souquer un amarrage.* **INTRANS.** Ramer : *Souquez ferme !* 1687 ; prov. *souca* ou béarnais *soucá* ; [suke].

**SOURATE**, subst. f.
*Relig.* Chacun des 114 chapitres du Coran. 1559 ; ar. *sūra* ; var. *surate* ; [suʀat].

**SOURCE**, subst. f.
**1.** Eau souterraine qui jaillit à l'air libre ; point d'émergence de cette eau : *Découvrir une* **source** ; *Source thermale, minérale* ; *Eau de* **source**. ► Loc. *Couler de* **source** : aller de soi. **2.** Naissance d'un cours d'eau : *La Loire prend sa* **source** *au mont Gerbier-de-Jonc.* **3.** Fig. Origine : *La* **source** *d'un conflit* ; *Retour aux* **sources**. ► Ce qui produit qqch. : *Des* **sources** *de revenus* ; *Source d'ennuis, d'inspiration.* ► Provenance d'une information : *Apprendre qqch. de* **source** *sûre* ; en partic., œuvre à laquelle un auteur fait référence, ou dont il s'inspire : *Citer ses* **sources**. **4.** *Phys.* Point matériel localisé fournissant de l'énergie (chaleur, rayonnement...) susceptible d'être identifiée et mesurée. **5.** *Fisc. Retenue, prélèvement à la* **source** : perception de l'impôt au moment du versement du revenu. **6.** *Électron.* Électrode placée à l'une des extrémités du barreau semi-conducteur d'un transistor à effet de champ. **7.** *Ling. Langue* **source** : langue d'origine, dans un texte traduit. Fin XII^e s. ; ☞ *sourdre* ; [suʀs].

**SOURCIER, IÈRE**, subst.
Personne à qui l'on attribue le pouvoir de détecter des sources cachées en se servant d'une baguette de coudrier ou d'un pendule. 1781 (1585, source) ; ☞ *source* ; [suʀsje, jɛʀ].

*« Le Sourcier », illustration extraite du* Petit Journal *(1912).*

**SOURCIL**, subst. m.
*Anat.* Partie saillante en forme d'arc, garnie de poils, située au-dessus de l'orbite de l'œil ; par méton., les poils eux-mêmes : *Sourcils en bataille.* ► Loc. *Froncer les* **sourcils** : manifester sa désapprobation, sa mauvaise humeur. Mil. XII^e s. ; lat. *supercilium*, de *super*, « au-dessus de », et de *cilium*, « cil » ; [suʀsi].

**SOURCILIER, IÈRE,** adj.
*Anat.* Qui se rapporte aux sourcils. ► *Arcade* ***sourcilière*** : saillie osseuse au-dessus des fosses orbitaires. 1586 ; ☞ *sourcil* ; [suʀsilje, jɛʀ].

**SOURCILLER,** verbe intrans. [3]
Manifester son trouble, son mécontentement par un mouvement de sourcils. ► Loc. *Sans* ***sourciller*** : sans se troubler. Déb. XIIIe s. ; ☞ *sourcil* ; [suʀsije].

**SOURCILLEUX, EUSE,** adj.
**1.** À qui des sourcils élevés ou froncés donnent un air sévère (littér.). **2.** Pointilleux, tatillon. 1552 ; lat. *superciliosus* ; [suʀsijø, øz].

**SOURD, SOURDE,** adj. et subst.
**I. Adj. 1.** Qui est privé partiellement ou totalement du sens de l'ouïe : ***Sourd*** *de naissance.* ► Loc. ***Sourd*** *comme un pot* : très **sourd** (fam.). **2.** Fig. Insensible, indifférent : *Être* ***sourd*** *aux supplications.* ► Loc. *Faire la* ***sourde*** *oreille* : faire semblant de n'avoir rien entendu. **Subst.** Personne frappée de surdité. ► Loc. *Crier, frapper comme un* ***sourd*** : de toutes ses forces ; *Dialogue de* ***sourds*** (☞ *dialogue*) ; *Il n'est pire* ***sourd*** *que celui qui ne veut pas entendre* : l'incompréhension résulte de l'entêtement. **II. Adj. 1.** Qui résonne peu ; étouffé : *Un bruit, un coup* ***sourd***. ► *Phon.* *Consonne* ***sourde*** ou, empl. subst. fém., *Une* ***sourde*** : qui ne nécessite pas la vibration des cordes vocales (anton. *sonore*). **2.** Anal. Sans éclat, peu intense : *Lueur, couleur* ***sourde***. **3.** Fig. Qui ne se révèle pas avec netteté : *Angoisse, douleur, haine* ***sourde***. Mil. XIe s. ; lat. *surdus* ; [suʀ, suʀd].

**SOURDEMENT,** adv.
**1.** En produisant un bruit sourd. **2.** Fig. En cachette. 1577 (fin XIIe s., tel un sourd) ; ☞ *sourd* ; [suʀdəmɑ̃].

**SOURDINE,** subst. f.
*Mus.* Dispositif que l'on adapte aux instruments à cordes, aux cuivres, pour en affaiblir le son. ► *En* ***sourdine*** : en diminuant l'intensité du son ; sans bruit. ► Loc. *Mettre une* ***sourdine*** *à* : modérer, tempérer. 1611 (1568, trompette sourde) ; ital. *sordina*, de *sordo*, « sourd » ; [suʀdin].

**SOURDINGUE,** adj. et subst.
Se dit d'une personne sourde (fam. et péj.). 1926 ; ☞ *sourd*, p.-ê. croisé avec *dingue* ; [suʀdɛ̃g].

**SOURD-MUET, SOURDE-MUETTE,** adj. et subst.
Se dit d'une personne atteinte d'une surdité congénitale qui entraîne la mutité. 1564 ; comp. de *sourd* et de *muet* ; plur. *sourds-muets, sourdes-muettes* ; [suʀmɥɛ, suʀdmɥɛt].

**SOURDRE,** verbe intrans. [51]
Littér. **1.** Apparaître, naître. **2.** Sortir de terre, en parlant de l'eau. Fin XIe s. ; lat. *surgere* ; empl. uniquement à l'inf. et aux 3es pers. du prés. et de l'imp. de l'ind. ; [suʀdʀ].

**SOURIANT, ANTE,** adj.
**1.** Qui sourit ; gai, de bonne humeur. **2.** Riant, agréable : *Un* ***souriant*** *petit village.* 1830 ; p. pr. de *sourire* (I) ; [suʀjɑ̃, ɑ̃t].

**SOURICEAU,** subst. m.
Petit de la souris. 1413 ; ☞ *souris* ; [suʀiso].

**SOURICIÈRE,** subst. f.
**1.** Piège à souris. **2.** Fig. Piège tendu à des malfaiteurs par la police. 1380 ; ☞ *souris* ; [suʀisjɛʀ].

**SOURIRE (I),** verbe [68]
**Intrans.** Manifester, par l'expression légèrement rieuse de la bouche et des yeux, certains sentiments : ***Sourire*** *tendrement, sottement* ; ***Sourire*** *d'un air entendu.* ► Loc. *Prêter à, faire* ***sourire*** : provoquer l'ironie. **Trans. indir. 1. Sourire à.** ► Adresser un sourire à (qqn). ► Convenir, plaire à (qqn) : *L'idée ne me* ***sourit*** *guère.* ► Être favorable à (qqn, qqch.) : *La chance lui* ***sourit***. **2. Sourire de.** ► Se moquer gentiment de (qqn). ► Ne pas prendre (qqch.) au sérieux. Mil. XIIe s. ; lat. *subridere* ; [suʀiʀ].

**SOURIRE (II),** subst. m.
Action de sourire ; expression qui en résulte : *Un doux* ***sourire*** ; ***Sourire*** *poli* ; *Le premier* ***sourire*** *d'un enfant.* ► Loc. *Avoir, garder le* ***sourire*** : être, rester de bonne humeur ; *Être tout* ***sourire*** : très gai. 1454 ; ☞ *sourire* (I) ; [suʀiʀ].

**SOURIS,** subst. f.
**I. 1.** *Zool.* Petit mammifère rongeur de la famille des Muridés, dont une espèce commune, très prolifique, occasionne des dégâts dans l'habitat rural et urbain. ► ***Souris*** *blanche* : **souris** albinos souvent utilisée comme cobaye de laboratoire. ► Loc. *La montagne a accouché d'une* ***souris*** : un projet ambitieux a donné un résultat dérisoire ; *Quand le chat n'est pas là, les* ***souris*** *dansent* : les subordonnés ne travaillent plus dès que leur chef s'absente. **2.** En appos. *Gris* ***souris*** ou, empl. abs., ***Souris*** : d'un gris proche de celui du pelage de la **souris** commune. **II. 1.** Fam. Jeune femme, jeune fille ; petite amie. **2.** *Bouch.* Partie musculeuse située à l'extrémité inférieure du gigot de mouton. **3.** *Informat.* Système de guidage manuel permettant de positionner le curseur à l'écran, et avec lequel on clique pour activer une fonction. Fin XIIe s. ; lat. pop. °*sorix*, du lat. *sorex* ; [suʀi].

**SOURNOIS, OISE,** adj.
**1.** Qui dissimule ses sentiments, gén. dans une intention malveillante : *Enfant* ***sournois*** ; qui dénote une telle attitude : *Question* ***sournoise*** ; empl. subst., personne **sournoise**. **2.** Fig. Qui ne se déclare pas franchement : *Douleur* ***sournoise***. 1640 ; prob. anc. prov. *sorn*, « sombre » ; [suʀnwa, waz].

**SOURNOISEMENT,** adv.
D'une manière sournoise. 1743 ; ☞ *sournois* ; [suʀnwazmɑ̃].

**SOUS,** prép.
**1.** Marque la position inférieure, avec ou sans contact, d'une personne, d'une chose, par rapport à une autre qui se trouve au-dessus ou qui l'enveloppe : *Se lover* ***sous*** *les draps* ; *S'abriter* ***sous*** *un arbre* ; *Nager* ***sous*** *l'eau* ; au fig. : *Apparaître* ***sous*** *les traits de* ; *Se présenter* ***sous*** *le nom de* ; *Mettre* ***sous*** *clé* ; *Avoir qqch.* ***sous*** *les yeux.* **2.** Marque divers rapports. ► Temps : ***Sous*** *le premier Empire* ; ***Sous*** *huitaine* ; ***Sous*** *peu.* ► Subordination ou dépendance : ***Sous*** *les ordres de* ; ***Sous*** *la direction de* ; *Être* ***sous*** *calmants.* ► Cause : *Succomber* ***sous*** *les coups.* ► Manière : *Vu* ***sous*** *cet angle,* ***sous*** *tel aspect.* Fin Xe s. ; lat. *subtus* ; [su].

**SOUS-ALIMENTATION,** subst. f.
Insuffisance alimentaire prolongée, à l'origine de nombreux troubles organiques et fonctionnels (synon. *malnutrition*) ; état pathologique qui en résulte. 1918 ; comp. de *sous* et de *alimentation* ; [suzalimɑ̃tasjɔ̃].

**SOUS-ALIMENTÉ, ÉE,** adj.
Qui souffre de sous-alimentation. 1925 ; comp. de *sous* et du p. p. de *alimenter* ; [suzalimɑ̃te].

**SOUS-AMENDEMENT,** subst. m.
*Pol.* Amendement s'appliquant lui-même à un amendement, dans un texte législatif. 1789 ; comp. de *sous* et de *amendement* (II) ; [suzamɑ̃d(ə)mɑ̃].

**SOUS-BARBE,** subst. f.
**1.** *Hippol.* Partie de la mâchoire du cheval située sous la bouche, et sur laquelle passe la gourmette. **2.** *Mar.* Câble, chaîne, barre stabilisant le beaupré. 1605 ; comp. de *sous* et de *barbe* (I) ; [subaʀb].

**SOUS-BOIS,** subst. m.
**1.** Ensemble des végétaux qui poussent sous le couvert des arbres d'une forêt. **2.** Méton. Partie d'un bois où pousse cette végétation. **3.** *B.-a.* Représentation de l'intérieur d'une forêt. 1333 ; comp. de *sous* et de *bois* ; [subwa].

**SOUS-BRIGADIER,** subst. m.
Gendarme, douanier ou policier de grade immédiatement inférieur à celui de brigadier. 1854 (1680, officier) ; comp. de *sous* et de *brigadier* ; [subʀigadje].

**SOUS-CALIBRÉ, ÉE,** adj.
*Arm.* *Projectile* ***sous-calibré*** : inférieur en calibre à celui du canon qui le tire. V. 1960 ; comp. de *sous* et du p. p. de *calibrer* ; [sukalibʀe].

**SOUS-CHEF,** subst.
Chef en second : *Un, une* ***sous-chef*** *de gare.* 1791 ; comp. de *sous* et de *chef* ; [suʃɛf].

**SOUS-CLASSE,** subst. f.
*Sc. nat.* Taxon immédiatement inférieur à la classe ; subdivision d'une classe. 1809 ; comp. de *sous* et de *classe* ; [suklɑs].

**SOUS-CLAVIER, IÈRE,** adj.
*Anat.* Qui est situé sous la clavicule. 1561 ; comp. de *sous* et du rad. de *clavicule* ; [suklavje, jɛʀ].

**SOUS-COMMISSION,** subst. f.
Groupe de travail dont les membres sont choisis parmi ceux d'une commission : ***Sous-commission*** *sénatoriale.* 1871 ; comp. de *sous* et de *commission* ; [sukɔmisjɔ̃].

**SOUS-CONSOMMATION,** subst. f.
*Écon.* **1.** Consommation inférieure à l'offre d'un produit. **2.** Ext. Consommation inférieure à la normale. 1926 ; comp. de *sous* et de *consommation* ; [sukɔ̃sɔmasjɔ̃].

**SOUS-CONTINENT,** subst. m.
*Géogr.* *Le* ***sous-continent*** *indien* : partie du continent asiatique située au sud de l'Himalaya. V. 1960 comp. de *sous* et de *continent* (II) ; [sukɔ̃tinɑ̃].

**SOUS-COUCHE,** subst. f.
Couche sous-jacente, couche de base : ***Sous-couche*** *argileuse, neigeuse* ; ***Sous-couche*** *de peinture.* 1872 comp. de *sous* et de *couche* ; [sukuʃ].

**SOUSCRIPTEUR, TRICE,** subst.
**1.** *Fin.* Personne qui souscrit un effet de commerce, une lettre de change. **2.** Personne qui participe à une souscription. 1679 ; lat. *subscriptor*, « accusateur en second » ; [suskʀiptœʀ, tʀis].

**SOUSCRIPTION,** subst. f.
**1.** Signature que l'on appose au bas d'un acte pour approbation. **2.** Action de souscrire à un emprunt, à une entreprise... ; rassemblement de fonds pour financer un projet, une œuvre : *Une* ***souscription*** *publique* ; *Ouvrir une* ***souscription*** *pour publier un ouvrage, ériger un monument* ; par méton., somme ainsi engagée. **3.** *Bourse.* *Droit de* ***souscription*** : prérogative d'un actionnaire, prioritaire pour prendre part à une augmentation de capital. XIIIe s. ; lat. *subscriptio* ; [suskʀipsjɔ̃].

**SOUSCRIRE,** verbe trans. [67]
**Trans. dir. 1.** Signer (un document) pour l'approuver : ***Souscrire*** *un contrat, un engagement.* **2.** Écrire en dessous (rare) ; empl. adj. : *Iota* ***souscrit***, placé sous une voyelle longue, en grec ancien. **3.** ***Souscrire*** *un abonnement à une revue, à un service* : s'engager à le payer en signant. **Trans. indir. Souscrire à. 1.** S'engager à contribuer, à participer financièrement à la réalisation de (qqch.) : ***Souscrire*** *à un emprunt, à une publication.* **2.** Adhérer, acquiescer à (qqch.) : ***Souscrire*** *à une idée, à un propos.* 1356 ; lat. *subscribere* ; [suskʀiʀ].

**SOUS-CUTANÉ, ÉE,** adj.
**1.** *Anat.* Qui se trouve sous la peau : *Kyste* ***sous-cutané***. **2.** *Méd.* Qui se pratique sous la peau : *Injection* ***sous-cutanée***. 1753 ; comp. de *sous* et de *cutané* ; [sukytane].

**SOUS-DÉVELOPPÉ, ÉE,** adj.
**1.** *Écon.* Dont le niveau de développement est bas : *Pays* ***sous-développé***, dont le niveau de vie par habitant est inférieur à la moyenne mondiale, en raison de l'insuffisance de sa production (synon. *en voie de développement*). **2.** Ext. Qui présente un développement insuffisant par rapport à la norme : *Secteur sanitaire* ***sous-développé***. 1951 ; comp. de *sous* et de *développé* ; [sudevlɔpe].

**SOUS-DÉVELOPPEMENT,** subst. m.
**1.** *Écon.* État d'un pays sous-développé. **2.** Ext. Retard, faiblesse du développement, de l'équipement par rapport à certaines normes. 1952 comp. de *sous* et de *développement* (I) ; [sudevlɔpmɑ̃].

**SOUS-DIACONAT,** subst. m.
*Cath.* Ordre ecclésiastique qui précédait le diaconat et qui fut supprimé en 1972. 1610 ; comp. de *sous* et de *diaconat* ; [sudjakɔna].

**SOUS-DIACRE,** subst. m.
*Cath.* Clerc ayant reçu le sous-diaconat. Fin XIIe s. ; comp. de *sous* et de *diacre* ; [sudjakʀ].

**SOUS-DIRECTEUR, TRICE,** subst.
Personne qui dirige en second. 1780 ; comp. de *sous* et de *directeur* ; [sudiʀɛktœʀ, tʀis].

**SOUS-DOMINANTE,** subst. f.
*Mus.* Quatrième degré de la gamme diatonique. 1726 ; comp. de *sous* et de *dominante* ; [sudɔminɑ̃t].

**SOUS-EFFECTIF,** subst. m.
Effectif inférieur à ce qu'il devrait être. Comp. de *sous* et de *effectif* ; [suzefɛktif].

**SOUS-EMBRANCHEMENT,** subst. m.
*Sc. nat.* Taxon immédiatement inférieur à l'embranchement ; subdivision d'un embranchement. 1890 ; comp. de *sous* et de *embranchement* ; [suzɑ̃bʀɑ̃ʃmɑ̃].

**SOUS-EMPLOI,** subst. m.
**1.** *Écon.* Offre d'emploi inférieure à la quantité de main-d'œuvre disponible. **2.** Emploi insuffisant. 1942 ; comp. de *sous* et de *emploi* ; [suzɑ̃plwa].

**SOUS-EMPLOYER,** verbe trans. [17]
N'employer que partiellement les aptitudes, le temps, le potentiel de (qqn, qqch.). V. 1960 comp. de *sous* et de *employer* ; [suzɑ̃plwaje].

**SOUS-ENSEMBLE,** subst. m.
*Math.* ***Sous-ensemble*** *d'un ensemble E* : partie de E. V. 1960 ; comp. de *sous* et de *ensemble* (II) ; [suzɑ̃sɑ̃bl].

**SOUS-ENTENDRE,** verbe trans. [51]
**1.** Donner à entendre (qqch.) sans le dire expressément. **2.** Anal. Comporter de façon implicite. **3.** *Gramm.* Ne pas exprimer (un mot que le contexte permet de rétablir) ; empl. adj. : *Mot **sous-entendu.*** 🙰 1656 (1303, veiller en sous-ordre) ; comp. de *sous* et de *entendre* ; [suzɑ̃tɑ̃dʀ].

**SOUS-ENTENDU,** subst. m.
Ce que l'on sous-entend ; allusion : *Déclaration pleine de **sous-entendus.*** 🙰 1706 ; p. p. de *sous-entendre* ; [suzɑ̃tɑ̃dy].

**SOUS-ENTREPRENEUR,** subst. m.
Entrepreneur qui effectue, en sous-traitance, la totalité ou une partie des travaux commandés à un autre. 🙰 1848 ; comp. de *sous* et de *entrepreneur* ; [suzɑ̃tʀəpʀənœʀ].

**SOUS-ÉQUIPÉ, ÉE,** adj.
Dont l'équipement, les infrastructures sont insuffisants : *Région **sous-équipée.*** 🙰 1959 ; comp. de *sous* et du p. p. de *équiper* ; [suzekipe].

**SOUS-ÉQUIPEMENT,** subst. m.
*Écon.* État d'un pays, d'une région, d'un secteur sous-équipé. 🙰 V. 1960 ; comp. de *sous* et de *équipement* ; [suzekip(ə)mɑ̃].

**SOUS-ESPACE,** subst. m.
*Math.* Partie P d'un ensemble E muni d'une certaine structure, dont la restriction à P est stable, conférant à cette partie une structure de même espèce que celle de E : ***Sous-espace** vectoriel* ; ***Sous-espace** topologique.* 🙰 V. 1970 ; comp. de *sous* et de *espace* (I) ; [suzɛspas].

**SOUS-ESPÈCE,** subst. f.
*Sc. nat.* Taxon immédiatement inférieur à l'espèce ; subdivision d'une espèce. 🙰 Mil. XIXe s. ; comp. de *sous* et de *espèce* ; [suzɛspɛs].

**SOUS-ESTIMATION,** subst. f.
Action de sous-estimer ; son résultat. 🙰 1898 ; ☞ *sous-estimer* ; [suzɛstimasjɔ̃].

**SOUS-ESTIMER,** verbe trans. [3]
Estimer (qqch., qqn) au-dessous de sa valeur, de son importance réelle : ***Sous-estimer** l'adversaire, l'ampleur de la tâche.* 🙰 1898 ; comp. de *sous* et de *estimer* ; [suzɛstime].

**SOUS-ÉVALUATION,** subst. f.
Action de sous-évaluer ; son résultat : ***Sous-évaluation** de la valeur d'un logement.* 🙰 1931 ; comp. de *sous* et de *évaluation* ; [suzevalɥasjɔ̃].

**SOUS-ÉVALUER,** verbe trans. [3]
Évaluer (qqn, qqch.) au-dessous de sa valeur, de son importance réelle. 🙰 1856 ; comp. de *sous* et de *évaluer* ; [suzevalɥe].

**SOUS-EXPLOITATION,** subst. f.
Action de sous-exploiter ; son résultat. 🙰 V. 1960 ; comp. de *sous* et de *exploitation* ; [suzɛksplwatasjɔ̃].

**SOUS-EXPLOITER,** verbe trans. [3]
Exploiter insuffisamment (des ressources, des équipements). 🙰 V. 1960 ; comp. de *sous* et de *exploiter* ; [suʒɛksplwate].

**SOUS-EXPOSER,** verbe trans. [3]
*Phot.* Exposer insuffisamment (une pellicule) ; empl. adj. : *Photo **sous-exposée.*** 🙰 1894 ; comp. de *sous* et de *exposer* ; [suzɛkspoze].

**SOUS-EXPOSITION,** subst. f.
*Phot.* Exposition insuffisante. 🙰 1904 ; comp. de *sous* et de *exposition* ; [suzɛkspozisjɔ̃].

**SOUS-FAÎTE,** subst. m.
*Constr.* Pièce de bois fixée horizontalement sous le faîtage. 🙰 1676 ; comp. de *sous* et de *faîte* ; [sufɛt].

**SOUS-FAMILLE,** subst. f.
*Sc. nat.* Taxon immédiatement inférieur à la famille ; subdivision d'une famille. 🙰 1904 ; comp. de *sous* et de *famille* ; [sufamij].

**SOUS-FIFRE,** subst. m.
Employé subalterne (fam. et péj.). 🙰 1904 ; comp. de *sous* et de *fifre*, dimin. de l'argot *fifrelin*, « homme maladroit » ; [sufifʀ].

**SOUS-GARDE,** subst. f.
*Arm.* Pièce qui protège la détente d'une arme à feu. 🙰 1688 ; comp. de *sous* et de *garde* (I) ; [sugaʀd].

**SOUS-GENRE,** subst. m.
*Sc. nat.* Taxon immédiatement inférieur au genre ; subdivision d'un genre. 🙰 1798 ; comp. de *sous* et de *genre* ; [suʒɑ̃ʀ].

**SOUS-GORGE,** subst. f. inv.
*Équit.* Élément de la bride passant sous la gorge du cheval. 🙰 1611 ; comp. de *sous* et de *gorge* ; [sugɔʀʒ].

**SOUS-GOUVERNEUR,** subst. m.
Adjoint au gouverneur, en partic. dans les banques. 🙰 1806 (XVIIe s., précepteur adjoint) ; comp. de *sous* et de *gouverneur* ; [suguvɛʀnœʀ].

**SOUS-GROUPE,** subst. m.
Groupe de personnes ou de choses inclus dans un groupe plus important. ▸ *Math.* Partie d'un groupe, stable pour la loi de composition et qui est un groupe pour la loi induite (☞ *stable*). 🙰 1891 ; comp. de *sous* et de *groupe* ; [sugʀup].

**SOUS-HOMME,** subst. m.
Homme considéré comme inférieur, en partic. dans certaines théories racistes, ou traité comme tel (péj.). 🙰 1859 ; comp. de *sous* et de *homme* ; [suzɔm].

**SOUS-JACENT, ENTE,** adj.
**1.** Situé en dessous : *Couche **sous-jacente.*** **2.** Fig. Caché derrière les apparences : *Ironie **sous-jacente.*** 🙰 1812 ; m. fr. *subjacent*, du lat. *subjacens*, de *subjacere*, « être en dessous » ; [suʒasɑ̃, ɑ̃t].

**SOUS-LIEUTENANT,** subst. m.
*Milit.* Premier grade d'officier, immédiatement inférieur à celui de lieutenant. 🙰 1641 (1479, celui qui tenait la place d'un lieutenant de l'ordre administratif) ; comp. de *sous* et de *lieutenant* ; [suljøtnɑ̃].

**SOUS-LOCATAIRE,** subst.
Personne qui prend un local en sous-location. 🙰 1611 ; comp. de *sous* et de *locataire* ; [sulɔkatɛʀ].

**SOUS-LOCATION,** subst. f.
Action de sous-louer un local ; local ainsi occupé. 🙰 1804 ; comp. de *sous* et de *location* ; [sulɔkasjɔ̃].

**SOUS-LOUER,** verbe trans. [3]
**1.** Donner à loyer (tout ou partie d'un local dont on est locataire en titre). **2.** Prendre à loyer. 🙰 1609 ; comp. de *sous* et de *louer* (II) ; [sulwe].

**SOUS-MAIN,** subst. m. inv.
**1.** Loc. *En sous-main* : secrètement. **2.** Accessoire de bureau, souvent garni d'un buvard, où l'on place le papier sur lequel on écrit. 🙰 1548 ; comp. de *sous* et de *main* ; [sumɛ̃].

**SOUS-MAÎTRE, -MAÎTRESSE,** subst.
Vx. Personne qui surveillait l'étude et pouvait remplacer le maître ou la maîtresse. **Masc.** *Milit.* Sous-officier du Cadre noir de Saumur. **Fém.** Surveillante d'une maison de tolérance (av. 1946). 🙰 1410 ; comp. de *sous* et de *maître* ; [sumɛtʀ, -mɛtʀɛs].

**SOUS-MARIN, INE,** adj. et subst. m.
**Adj.** Qui est situé, qui se produit, qui vit sous la mer : *Faune **sous-marine*** ; *Plongée **sous-marine.*** **Subst. 1.** *Mar.* Bâtiment conçu pour naviguer sous l'eau : ***Sous-marin** nucléaire.* **2.** Fig. Personne qui agit en secret pour le compte d'un autre, dans une organisation, dans une entreprise, etc. (fam.). 🙰 1557 ; comp. de *sous* et de *marin* ; [sumaʀɛ̃, in].

**SOUS-MARINIER,** subst. m.
Membre de l'équipage d'un sous-marin. 🙰 1934 ; ☞ *sous-marin* ; [sumaʀinje].

**SOUS-MARQUE,** subst. f.
*Comm.* Marque exploitée par un fabricant dépositaire d'une marque plus connue. 🙰 V. 1980 ; comp. de *sous* et de *marque* ; [sumaʀk].

**SOUS-MAXILLAIRE,** adj.
*Anat.* Situé sous la mâchoire. 🙰 1745 ; comp. de *sous* et de *maxillaire* ; [sumaksilɛʀ].

**SOUS-MULTIPLE,** subst. m.
**1.** *Math.* ***Sous-multiple** d'un entier n* : tout entier qui divise *n*, c.-à-d. dont *n* est un multiple. **2.** *Métrol.* ***Sous-multiple** d'une unité de mesure* : quotient de cette unité par une puissance entière positive de 10. 🙰 1552 ; comp. de *sous* et de *multiple* ; [sumyltipl].

**SOUS-NAPPE,** subst. f.
Tissu molletonné que l'on place sous une nappe. 🙰 1872 ; comp. de *sous* et de *nappe* ; [sunap].

**SOUS-NORMALE,** subst. f.
*Géom.* En un point d'une courbe plane et relativement à un axe, projection sur cet axe du segment de la normale en ce point à la courbe, dont les extrémités sont ce point et le point où la normale rencontre l'axe. 🙰 1762 ; comp. de *sous* et de *normale* ; [sunɔʀmal].

**SOUS-NUTRITION,** subst. f.
Nutrition présentant des carences. 🙰 Comp. de *sous* et de *nutrition* ; [sunytʀisjɔ̃].

**SOUS-OCCIPITAL, ALE, AUX,** adj.
*Anat.* et *Méd.* Qui est situé ou qui se produit sous l'os occipital. 🙰 1753 ; comp. de *sous* et de *occipital* ; [suzɔksipital, o].

**SOUS-ŒUVRE (EN),** loc. adv.
*Constr.* En n'affectant que les fondations, les parties basses d'un bâtiment, sans qu'il soit nécessaire de le démolir : *Reprise **en sous-œuvre.*** 🙰 1742 ; comp. de *sous* et de *œuvre* ; [ɑ̃suzœvʀ].

**SOUS-OFFICIER,** subst. m.
**1.** Militaire des armées de terre et de l'air dont le grade est supérieur à celui de caporal-chef ou de brigadier-chef et inférieur à celui de sous-lieutenant (abrév. fam. : sous-off) : *Adjudants, sergents et brigadiers forment le corps des **sous-officiers.*** **2.** Officier marinier. 🙰 1790 (1765, dignitaire allemand) ; comp. de *sous* et de *officier* (II) ; [suzɔfisje].

**SOUS-ORBITAIRE,** adj.
*Anat.* Situé sous l'orbite. 🙰 1765 ; comp. de *sous* et de *orbitaire* ; [suzɔʀbitɛʀ].

**SOUS-ORDRE,** subst. m.
**1.** *Dr.* Procédure autorisant les créanciers d'un débiteur, lui-même créancier, à se substituer à lui et à se répartir la somme qui lui est due. ▸ Loc. ***En sous-ordre*** : en second, en sous-traitance. **2.** Personne travaillant sous les ordres d'une autre. **3.** *Sc. nat.* Taxon immédiatement inférieur à l'ordre ; subdivision d'un ordre. 🙰 1690 ; comp. de *sous* et de *ordre* ; [suzɔʀdʀ].

**SOUS-PALAN,** adj.
*Mar.* Se dit d'une marchandise prise ou livrée à quai par le transporteur. ▸ Loc. *Contrat de fret **en sous-palan.*** 🙰 1878 ; comp. de *sous* et de *palan* ; [supalɑ̃].

**SOUS-PAYER,** verbe trans. [15]
Payer trop peu ou au-dessous de la normale ; empl. adj. : *Main-d'œuvre **sous-payée.*** 🙰 V. 1970 ; comp. de *sous* et de *payer* ; [supeje].

1

2

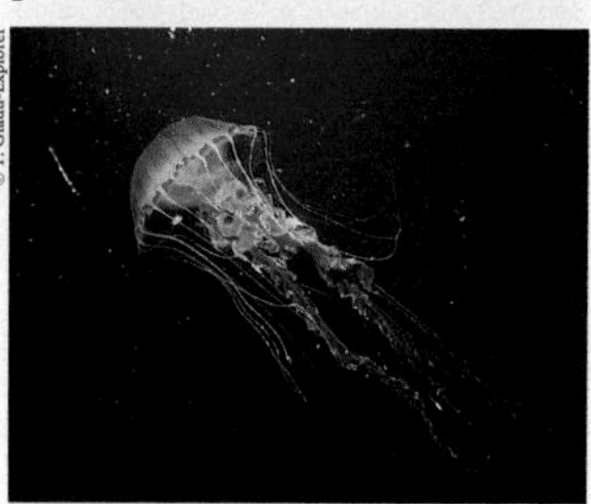

3

EN MILIEU SOUS-MARIN

1. *Pêcheur de coraux.*
2. *Bathyscaphe* Le Nautile *en plongée.*
3. *Méduse entre deux eaux.*

**SOUS-PEUPLÉ, ÉE, adj.**
Insuffisamment peuplé. V. 1960 ; comp. de *sous* et de *peuplé* ; [supœple].

**SOUS-PEUPLEMENT, subst. m.**
État d'une région insuffisamment peuplée, eu égard à ses ressources potentielles. V. 1960 ; comp. de *sous* et de *peuplement* ; [supœpləmɑ̃].

**SOUS-PIED, subst. m.**
Lanière passant sous le pied et fixée au bas du pantalon pour qu'il reste bien tendu. 1834 (1477, marchepied) ; comp. de *sous* et de *pied* ; [supje].

**SOUS-PRÉFECTORAL, ALE, AUX, adj.**
Qui a trait à une sous-préfecture, à un sous-préfet. 1842 ; ☞ *sous-préfecture* ; [supʀefɛktɔʀal, o].

**SOUS-PRÉFECTURE, subst. f.**
**1.** Division administrative d'un département, ayant à sa tête un sous-préfet (synon. *arrondissement*). **2.** Chef-lieu d'arrondissement, où réside le sous-préfet. **3.** Méton. Ensemble des services dirigés par un sous-préfet ; bâtiment qui les abrite. **4.** Fonction de sous-préfet. 1800 ; comp. de *sous* et de *préfecture* ; [supʀefɛktyʀ].

**SOUS-PRÉFET, ÈTE, subst.**
Masc. Fonctionnaire représentant l'État dans un arrondissement autre que celui du chef-lieu de département, ou pouvant remplir les fonctions de secrétaire général de la préfecture ou de chef de cabinet du préfet. Fém. **1.** Épouse d'un **sous-préfet.** **2.** Femme **sous-préfet.** 1800 ; comp. de *sous* et de *préfet* ; [supʀefɛ, ɛt].

**SOUS-PRESSION, subst. f.**
Pression s'exerçant de bas en haut, qui fait se soulever. Comp. de *sous* et de *pression* ; [supʀɛsjɔ̃].

**SOUS-PRODUCTION, subst. f.**
*Écon.* Production insuffisante, par rapport à la normale ou à la demande. 1926 ; comp. de *sous* et de *production* ; [supʀɔdyksjɔ̃].

**SOUS-PRODUIT, subst. m.**
**1.** Produit secondaire, résidu obtenu au cours de la fabrication d'un produit principal. **2.** Produit dérivé. **3.** Ext. Produit de basse qualité ; imitation médiocre. 1873 ; comp. de *sous* et de *produit* ; [supʀɔdɥi].

**SOUS-PROLÉTAIRE, subst.**
Personne appartenant au sous-prolétariat. 1962 ; comp. de *sous* et de *prolétaire* ; [supʀɔletɛʀ].

**SOUS-PROLÉTARIAT, subst. m.**
Partie la plus misérable du prolétariat. 1945 ; comp. de *sous* et de *prolétariat* ; [supʀɔletaʀja].

**SOUS-PUBIEN, IENNE, adj.**
*Anat.* Situé sous le pubis. 1805 ; comp. de *sous* et de *pubien* ; [supybjɛ̃, jɛn].

**SOUS-PULL, subst. m.**
Pull à col montant et à mailles fines porté sous un pull-over. V. 1970 ; comp. de *sous* et de *pull* ; [supyl].

**SOUS-SCAPULAIRE, adj.**
*Anat.* Situé sous l'omoplate. 1690 ; comp. de *sous* et de *scapulaire* (II) ; [suskapylɛʀ].

**SOUS-SECRÉTAIRE, subst.**
*Sous-secrétaire d'État* : membre du gouvernement rattaché à un secrétaire d'État ou à un ministre. 1816 (1640, secrétaire en second) ; comp. de *sous* et de *secrétaire* ; [susəkʀetɛʀ].

**SOUS-SECRÉTARIAT, subst. m.**
*Sous-secrétariat d'État* : fonction d'un sous-secrétaire d'État ; administration qui relève de lui. 1834 ; ☞ *sous-secrétaire* ; [susəkʀetaʀja].

**SOUS-SEING, subst. m. inv.**
*Dr.* Acte sous seing privé (☞ *seing*). 1773 ; comp. de *sous* et de *seing* ; [susɛ̃].

**SOUSSIGNÉ, ÉE, adj. et subst.**
Se dit de qqn dont la signature est apposée au bas d'un acte : *Je* **soussigné(e)**... 1507 ; p. p. de *soussigner* (rare), « signer dessous » ; [susiɲe].

**SOUS-SOL, subst. m.**
**1.** *Géol.* Partie ou ensemble des formations géologiques d'une région ; roche mère d'un sol. **2.** *Agric.* Couche du sol située au-dessous de la terre végétale : **Sous-sol** *argileux.* **3.** Étage inférieur d'un bâtiment, situé au-dessous du rez-de-chaussée ; chacun des niveaux souterrains d'une construction. 1835 ; comp. de *sous* et de *sol* (III) ; [susɔl].

**SOUS-SOLAGE, subst. m.**
*Agric.* Labourage en profondeur qui ne ramène pas la terre fragmentée à la surface. 1902 ; *sous-soler* (rare), « briser le sous-sol », de *sous-sol* ; [susɔlaʒ].

**SOUS-SOLEUSE, subst. f.**
*Agric.* Charrue servant au sous-solage. 1890 ; *sous-soler* (rare), « briser le sous-sol », de *sous-sol* ; [susɔløz].

**SOUS-STATION, subst. f.**
*Techn.* Station secondaire d'un réseau de distribution d'électricité. 1900 ; comp. de *sous* et de *station* ; [sustasjɔ̃].

**SOUS-TANGENTE, subst. f.**
*Géom.* En un point d'une courbe plane et relativement à un axe, projection sur cet axe du segment de la tangente en ce point à la courbe, dont les extrémités sont ce point et le point où la tangente rencontre l'axe. 1690 ; comp. de *sous* et de *tangente* ; [sutɑ̃ʒɑ̃t].

**SOUS-TASSE, subst. f.**
Soucoupe (plus partic. en Belgique et en Suisse). 1905 ; comp. de *sous* et de *tasse* ; [sutas].

**SOUS-TENDRE, verbe trans.** [51]
Être au départ, à la base de (qqch.) : *Principes qui* **sous-tendent** *un raisonnement.* 1856 ; comp. de *sous* et de *tendre* (I) ; [sutɑ̃dʀ].

**SOUS-TENSION, subst. f.**
*Électr.* Tension inférieure à la normale. V. 1960 (1949, tension artérielle insuffisante) ; comp. de *sous* et de *tension* ; [sutɑ̃sjɔ̃].

**SOUS-TITRAGE, subst. m.**
*Cin.* Action de sous-titrer un film ; ensemble des textes ainsi produits : **Sous-titrage** *en anglais.* 1923 ☞ *sous-titrer* ; [sutitʀaʒ].

**SOUS-TITRE, subst. m.**
**1.** Titre secondaire d'un livre, d'un texte. **2.** Traduction des dialogues d'un film, d'une émission de télévision, qui s'inscrit en surimpression au bas de l'image. 1837 ; comp. de *sous* et de *titre* ; [sutitʀ].

**SOUS-TITRER, verbe trans.** [3]
Mettre des sous-titres à (un film) ; empl. adj. : *Émission* **sous-titrée.** 1923 ; ☞ *sous-titre* ; [sutitʀe].

**SOUSTRACTIF, IVE, adj.**
*Math.* Relatif à la soustraction. 1683 ; ☞ *soustraire* ; [sustʀaktif, iv].

**SOUSTRACTION, subst. f.**
**1.** Action de soustraire, de retrancher. **2.** *Math.* Dans un groupe additif G, loi de composition interne définie par l'association à $(a, b)$ de $a + (-b)$, notée $a - b$, où $-b$ est le symétrique de $b$. Effectuer la **soustraction** de $a$ par $b$, c'est trouver l'unique élément $c$ de G tel que $c + b = a$. **3.** *Dr.* Délit consistant à retirer illicitement un document d'un dépôt public ou, pour un plaideur, à retirer une pièce d'un dossier après l'avoir produite. 1155 ; bas lat. *substractio* ; [sustʀaksjɔ̃].

**SOUSTRAIRE, verbe trans.** [58]
**1.** Ôter (un ou plusieurs éléments, une quantité nombrable) d'un ensemble de même nature. **2.** Enlever, de façon malhonnête : **Soustraire** *un document du dossier.* **3.** Fig. Faire en sorte que (qqn) ne subisse pas ou plus qqch. : **Soustraire** *un enfant à un danger, à une influence* ; dissimuler (littér.) : **Soustraire** *son émoi à la vue d'autrui.* Pronom. Se dérober (à) : *Se* **soustraire** *à son devoir.* 1119 ; lat. *subtrahere*, « tirer par-dessous, retirer » ; [sustʀɛʀ].

**SOUS-TRAITANCE, subst. f.**
Production en sous-ordre, faite pour le compte d'une autre entreprise. 1959 ; ☞ *sous-traitant* ; [sutʀɛtɑ̃s].

**SOUS-TRAITANT, ANTE, subst. m. et adj.**
Subst. *Hist.* Sous l'Ancien Régime, personne qui prenait du travail en sous-ordre d'un fermier général (le traitant). Subst. et Adj. Se dit d'une personne ou d'une entreprise travaillant en sous-traitance. 1656 ; p. pr. de *sous-traiter* ; [sutʀɛtɑ̃, ɑ̃t].

**SOUS-TRAITER, verbe** [3]
Intrans. Œuvrer en tant que sous-entrepreneur d'un entrepreneur donneur d'ordres. Trans. Déléguer à un sous-traitant l'exécution de (tout ou partie d'une transaction). 1673 ; comp. de *sous* et de *traiter* ; [sutʀete].

**SOUS-UTILISER, verbe trans.** [3]
Ne pas utiliser tout le potentiel de (qqn, qqch.). Comp. de *sous* et de *utiliser* ; [suzytilize].

**SOUS-VENTRIÈRE, subst. f.**
Sangle fixée aux deux limons d'une charrette ou d'une voiture et qui passe sous le ventre du cheval attelé. 1367 ; comp. de *sous* et de *ventrière*, « ceinture de l'armure » ; [suvɑ̃tʀijɛʀ].

**SOUS-VERGE, subst. m. inv.**
*Équit.* Dans un attelage dit à la Daumont, cheval non monté, placé à la droite du cheval mon[té]. 1780 ; comp. de *sous* et de *verge*, « fouet » ; [suvɛʀ[ʒ]].

**SOUS-VERRE, subst. m.**
Plaque de verre fixée par les bords à un fond, so[us] laquelle on glisse une image ; le montage ain[si] obtenu. 1919 ; comp. de *sous* et de *verre* ; [suvɛ[ʀ]].

**SOUS-VÊTEMENT, subst. m.**
Linge porté sous les vêtements. 1907 ; comp. [de] *sous* et de *vêtement* ; [suvɛtmɑ̃].

**SOUS-VIRER, verbe intrans.** [3]
*Autom.* Chasser des roues avant vers l'extérieur [d'un] virage. V. 1960 ; comp. de *sous* et de *virer* ; [suvi[ʀe]].

**SOUS-VIREUR, EUSE, adj.**
Qualifie un véhicule qui sous-vire. V. 196[0] ; ☞ *sous-virer* ; [suviʀœʀ, øz].

**SOUTACHE, subst. f.**
**1.** Vx. Galon tressé qui ornait le shako des hussar[ds]. **2.** Galon plat qui dissimule les coutures d'[un] vêtement ou indique le grade sur un uniforme, [un] képi. 1842 ; hongrois *suitas*, « bordure » ; [suta[ʃ]].

**SOUTACHER, verbe trans.** [3]
Orner (un vêtement) d'une soutache. 184[?] ☞ *soutache* ; [sutaʃe].

**SOUTANE, subst. f.**
Long vêtement d'ecclésiastique boutonné de ha[ut] en bas. 1553 (1550, longue robe portée par u[ne] femme) ; ital. *sottana*, « jupe » ; [sutan].

**SOUTE, subst. f.**
**1.** *Mar.* Partie de la cale ou de l'entrepont inférie[ur] d'un navire, où l'on entrepose le matériel ou l[es] provisions : **Soute** *à charbon.* **2.** Anal. Espace ména[gé] dans le fuselage d'un avion pour les bagages, le fr[et]. Plur. Combustible liquide des navires. 1306 ; a[nc.] prov. *sota*, du lat. pop. °*subta*, « sous » ; [sut].

**SOUTENABLE, adj.**
**1.** Qui peut être enduré, supportable. **2.** Que l'o[n] peut soutenir à l'aide de raisons admissibles (syno[n.] *défendable*). Mil. XIIIe s. ; ☞ *soutenir* ; [sut(ə)nab[l]].

**SOUTENANCE, subst. f.**
Action de soutenir un mémoire, une thèse. 183[?] (mil. XIIe s., subsistance) ; ☞ *soutenir* ; [sut(ə)nɑ̃s].

**SOUTÈNEMENT, subst. m.**
**1.** Action de contenir une force qui s'exerce e[n] pesant : *Mur de* **soutènement**, qui sert à contrer l[a] poussée des terres d'un remblai. **2.** Méton. Pièc[e,] dispositif servant d'appui ; coffrage dont on garn[it] les parois d'une galerie minière ou d'une excava[-]tion, pour les consolider. Mil. XIIe s. (1119, souti[en] moral) ; ☞ *soutenir* ; [sutɛnmɑ̃].

**SOUTENEUR, subst. m.**
**1.** Vx. Adepte, défenseur d'une cause. **2.** Proxénète. Fin XIIIe s. ; ☞ *soutenir* ; [sut(ə)nœʀ].

**SOUTENIR, verbe trans.** [22]
**I. 1.** Servir d'appui à (qqch.), supporter : *De[s] poutres* **soutiennent** *la charpente.* **2.** Aider (qqn) [à] rester debout. **3.** Donner des forces à : *Traitemen[t] pour* **soutenir** *le cœur.* **4.** Fig. Réconforter, apporte[r] un soutien moral à ; empl. pronom. : *Se* **souten[ir]** *mutuellement.* ► Procurer un soutien matériel à. **5.** Assurer une certaine continuité, un bon nivea[u] à : **Soutenir** *un effort, son attention* ; **Soutenir** *un[e] monnaie* ; **Soutenir** *la conversation*, l'alimenter. **Soutenir** *son rang*, s'en montrer digne. **6.** Défendr[e,] prendre position en faveur de : **Soutenir** *un part[i].* **7.** Justifier par des arguments : **Soutenir** *une théori[e].* ► **Soutenir** *une thèse* : la présenter devant un jur[y] d'examen. ► Affirmer : *Je* **soutiens** *qu'il se tromp[e].* **II.** Supporter (qqch.) sans trouble, sans faiblesse : **Soutenir** *le choc* ; **Soutenir** *la comparaison* ; **Souteni[r]** *le regard de qqn*, le regarder dans les yeux, san[s] détourner le regard. Déb. XIIIe s. (fin IXe s., endurer) lat. pop. °*sustenire*, du lat. *sustinere* ; [sut(ə)niʀ].

**SOUTENU, UE, adj.**
**1.** Qui ne faiblit pas, constant : *Attention* **soute[-]nue.** **2.** Qui dénote un souci d'élégance : *Langu[e]* **soutenue** ; *Style* **soutenu.** **3.** Prononcé, intense : *U[n] vert* **soutenu.** 1647 ; p. p. de *soutenir* ; [sut(ə)ny].

**SOUTERRAIN, AINE, subst. m. et adj.**
Subst. Passage, galerie construite sous terre. Adj. **1.** Qui est situé, qui se produit sous terre : *Rivière[,] explosion* **souterraine.** **2.** Fig. Qui se fait de manièr[e] occulte : *Économie* **souterraine.** 1155 ; formé d[e] *sous* et de *terre*, d'apr. le lat. *subterraneus* ; [sutɛʀɛ̃, ɛn].

**SOUTIEN,** subst. m.
**1.** Action de soutenir qqn ; appui, aide : *Offrir son* ***soutien*** ; *Bénéficier du* ***soutien*** *du public* ; par méton., personne qui apporte son aide. ▸ ***Soutien*** *de famille* : jeune homme qui assure la subsistance de sa famille et qui, à ce titre, peut être dispensé du service national ou percevoir des allocations. ▸ *Milit. Unité de* ***soutien*** : qui apporte son aide aux forces engagées. **2.** Action de soutenir, de maintenir en place qqch. : *Mur de* ***soutien*** ; par méton., support. Mil. XIVe s. ; ☞ *soutenir* ; [sutjɛ̃].

**SOUTIEN-GORGE,** subst. m.
Sous-vêtement féminin servant à soutenir la poitrine. 1904 ; comp. de *soutien* et de *gorge* ; plur. *soutiens-gorge(s)* ; [sutjɛ̃gɔʀʒ].

**SOUTIER,** subst. m.
*Mar.* Matelot en service dans la soute à charbon, sur un bateau à vapeur. 1870 ; ☞ *soute* ; [sutje].

**SOUTIRAGE,** subst. m.
Action de soutirer. 1721 ; ☞ *soutirer* ; [sutiʀaʒ].

**SOUTIRER,** verbe trans. [3]
**1.** *Œnol.* Transvaser (un liquide en fermentation) d'un récipient dans un autre, pour que la lie reste au fond du premier. **2.** Fig. Obtenir (qqch.) de qqn par la ruse ou par des moyens indélicats : ***Soutirer*** *de l'argent à qqn.* 1721 ; formé de *sous* et de *tirer* ; [sutiʀe].

**SOUTRA,** subst. m.
*Litt.* Dans la littérature indienne, aphorisme qui définit une règle dans la plupart des disciplines : rituel, droit, grammaire, architecture, etc. ; au plur., recueil de ce genre. 1842 ; skr. *sūtra*, « cordon ; règle » ; var. *soûtra*, *sûtra* ; [sutʀa].

**SOUTRAGE,** subst. m.
Nettoiement annuel des sous-bois qui gênent l'exploitation d'une forêt. 1869 ; gascon *sostratge*, « litière », du latin *substrare*, « mettre la litière » ; [sutʀaʒ].

**SOUVENANCE,** subst. f.
Littér. Fait de se souvenir ; mémoire. ▸ Loc. *Avoir* ***souvenance*** *d'une chose* : se la rappeler. Fin XIIIe s. ; ☞ *souvenir* (I) ; [suv(ə)nɑ̃s].

**SOUVENIR (I),** verbe [22]
**Impers.** Revenir à l'esprit, en mémoire (littér.) : *Et nos amours/Faut-il qu'il m'en* ***souvienne*** (Apollinaire). **Pronom.** **Se souvenir de.** **1.** Se remettre en mémoire (un évènement, une image) : ***Se souvenir*** *de son enfance.* ▸ **Se souvenir que** (+ ind.). *Je me* ***souviens*** *qu'il a gagné.* **2.** Se rappeler, évoquer (qqn) : *Se* ***souvenir*** *d'un ami.* **3.** Ne pas être près d'oublier (qqch., qqn), avec une idée de dépit ou de menace : *Ce voyage, il s'en* ***souviendra*** ! Fin XIe s. ; lat. *subvenire* ; [suv(ə)niʀ].

**SOUVENIR (II),** subst. m.
**1.** Fait de se souvenir de qqch., de qqn : *Garder le* ***souvenir*** *d'un évènement.* **2.** Faculté de se souvenir ; mémoire : *Dans mon* ***souvenir***, *il était plus grand.* **3.** Ce que l'on garde en mémoire : *Rassembler ses* ***souvenirs*** ; *Un bon* ***souvenir***. ▸ *Mon bon* ***souvenir***, *meilleurs* ***souvenirs*** : utilisé dans une formule de politesse. ▸ Loc. **En souvenir de.** Pour garder le **souvenir** de : *En* ***souvenir*** *de vous.* **4.** Objet qui rappelle qqch., qui évoque qqn. **5.** Bibelot destiné aux touristes. **Plur.** Mémoires : *Publier ses* ***souvenirs***. Fin XIIIe s. ; ☞ *souvenir* (I) ; [suv(ə)niʀ].

**SOUVENT,** adv.
**1.** Fréquemment, à maintes reprises. **2.** Généralement. Mil. XIe s. ; lat. *subinde* ; [suvɑ̃].

**SOUVERAIN (I), AINE,** adj. et subst.
**Adj.** **1.** Qui est au plus haut degré, dans son genre : *Calme* ***souverain***. ▸ Très efficace : *Remède* ***souverain***. **2.** Qui est dépositaire de l'autorité suprême : *Le peuple* ***souverain*** ; *Le* ***souverain*** *pontife*, le pape ; *État* ***souverain***, qui dispose d'une souveraineté internationale. **3.** *Dr.* Dont les décisions sont sans appel : *Jugement* ***souverain***. **Subst.** Monarque. **Subst. masc.** Helv. Ensemble des citoyens. **Subst. masc. plur.** Couple formé par un monarque et son épouse : *Visite des* ***souverains*** *russes à Paris.* Mil. XIe s. ; bas lat. *superanus* ; [suv(ə)ʀɛ̃, ɛn].

**SOUVERAIN (II),** subst. m.
Ancienne monnaie d'or anglaise, valant une livre. 1829 ; angl. *sovereign*, du fr. *souverain* (I) ; [suv(ə)ʀɛ̃].

**SOUVERAINEMENT,** adv.
**1.** Supérieurement ; extrêmement. **2.** Du fait d'une autorité souveraine ; sans appel. Déb. XIIIe s. ; ☞ *souverain* (I) ; [suv(ə)ʀɛnmɑ̃].

**SOUVERAINETÉ,** subst. f.
**1.** Autorité, pouvoir du souverain. **2.** Pouvoir suprême, autorité supérieure propre à une collectivité autonome : ***Souveraineté*** *populaire, nationale* ; ***Souveraineté*** *de l'État*, son autorité sur le plan national et son indépendance sur le plan international. **3.** *Dr.* Caractère d'un jugement, d'une décision sans appel. 1283 (mil. XIIe s., ce qui est le plus élevé) ; ☞ *souverain* (I) ; [suv(ə)ʀɛnte].

**SOVIET,** subst. m.
*Hist.* **1.** Pendant les révolutions russes de 1905 et de 1917, conseil de délégués (ouvriers, soldats ou paysans). **2.** Assemblée des représentants de la nation ou des républiques fédérales en U. R. S. S. : ***Soviet*** *de l'Union et* ***Soviet*** *des nationalités* ; ***Soviet*** *suprême*, organe du pouvoir fédéral composé de ces deux assemblées. 1917 (1840, conseil d'un pays slave) ; russe *sovet*, « conseil » ; [sɔvjɛt].

**SOVIÉTIQUE,** adj. et subst.
De l'U. R. S. S. **Adj.** Relatif à un soviet. 1920 ; ☞ *soviet* ; [sɔvjetik].

**SOVIÉTISER,** verbe trans. [3]
**1.** Organiser (les institutions, l'économie) sur le modèle des soviets. **2.** Placer (un pays) sous l'influence de l'U. R. S. S. 1918 ; ☞ *soviet* ; [sɔvjetize].

**SOVIÉTOLOGUE,** subst.
Spécialiste de la politique soviétique. V. 1960 ; ☞ *soviet* + *-logue* ; [sɔvjetɔlɔg].

**SOVKHOZE,** subst. m.
*Hist.* Exploitation agricole d'État, en U. R. S. S. 1922 ; russe *sovhoz*, acron. de *soveckoe hozâjstvo*, « économie des soviets » ; [sɔvkoz].

**SOYA,** voir **SOJA**

**SOYEUX, EUSE,** adj. et subst. m.
**Adj.** **1.** Vx. De soie, qui contient de la soie. **2.** Qui a la douceur, la souplesse, les reflets de la soie : *Cheveux* ***soyeux***. **Subst.** À Lyon, industriel ou commerçant en soieries. 1488 (fin XIVe s., couvert de soies) ; ☞ *soie* ; [swajø, øz].

**SPACIEUX, EUSE,** adj.
Où il y a de l'espace, vaste : *Appartement* ***spacieux***. Déb. XIIe s. ; lat. *spatiosus* ; [spasjø, øz].

**SPADASSIN,** subst. m.
**1.** Vx. Homme d'épée. **2.** Ext. Tueur à gages (littér.). 1548 ; ital. *spadaccino*, de *spada*, « épée » ; [spadasɛ̃].

**SPADICE,** subst. m.
*Bot.* Inflorescence constituée de fleurs sessiles (épi) dont l'axe porteur, souvent charnu, est enveloppé par une grande pièce stérile, la spathe : *Le* ***spadice*** *est l'inflorescence type des arums.* 1743 ; lat. *spadix*, du gr. *spadix*, « branche de palmier » ; [spadis].

**SPADICIFLORES,** subst. f. plur.
*Bot.* Sous-classe de plantes monocotylédones dont les inflorescences sont des spadices. **Au sing.** *Le palmier est une* ***spadiciflore***. Lat. *spadix*, « branche de palmier », et *flos*, « fleur » ; [spadisiflɔʀ].

**SPAGHETTI,** subst. m.
**1.** Long et fin cylindre de pâte alimentaire (gén. au plur.). **2.** En appos. *Cin. Western* ***spaghetti*** : western italien (iron.). 1893 ; ital. *spaghetti*, du bas lat. *spacus*, « ficelle » ; [spageti].

**SPAHI,** subst. m.
*Hist.* Soldat des corps de cavalerie indigènes recrutés en Afrique du Nord, à partir du XIXe s. 1834 (1519, cavalier de l'armée ottomane) ; turc *sipahi*, du persan *sipāhī*, « armée » ; [spai].

**SPALAX,** subst. m.
*Zool.* Mammifère placentaire de l'ordre des Rongeurs. C'est un fouisseur aveugle au corps allongé et au pelage moelleux, qui vit en Europe orientale et au Proche-Orient ; il est appelé aussi rat-taupe. 1827 ; gr. *spalax*, « taupe » ; [spalaks].

**SPALLATION,** subst. f.
*Phys.* Phénomène très énergétique provoqué par la dissociation spontanée de noyaux atomiques après bombardement par des particules de haute énergie. Ce phénomène se produit dans les supernovae et intervient dans le rayonnement cosmique. 1953 ; angl. *spallation*, de *to spall*, « éclater » ; [spalasjɔ̃].

**SPALTER,** subst. m.
*Bât.* Brosse de peintre servant à faire les faux bois. 1876 ; all. *Spalter*, de *spalten*, « fendre » ; [spaltɛʀ].

**SPANANDRIE,** subst. f.
*Biol.* Situation d'une espèce où règne la parthénogenèse et où il naît quelques rares mâles. XXe s. ; gr. *spanios*, « rare », + *-andrie* ; [spanɑ̃dʀi].

**SPARADRAP,** subst. m.
Bande adhésive de tissu, de papier ou de matière plastique, qui sert à fixer un pansement. 1314 ; lat. médiév. *sparadrapum* ; [spaʀadʀa].

**SPARDECK,** subst. m.
*Mar.* Pont supérieur d'un navire, dépourvu de dunette et de gaillard, d'un seul tenant de l'avant à l'arrière. 1792 ; angl. *spardeck*, de *spar*, « barre », et de *deck*, « pont » ; [spaʀdɛk].

**SPARGANIER,** subst. m.
*Bot.* Plante aquatique herbacée vivace, de l'ordre des Thyphales, appelée aussi ruban d'eau. 1561 ; lat. sc. *sparganium*, du gr. *sparganion* ; [spaʀganje].

**SPARIDÉS,** subst. m. plur.
*Zool.* Famille de poissons marins téléostéens de l'ordre des Perciformes, des mers chaudes ou tempérées, comprenant une centaine d'espèces. **Au sing.** *La daurade, comme le sar, est un* ***sparidé***. Lat. *sparus*, « petit javelot ; dard » ; [spaʀide].

**SPARRING-PARTNER,** subst. m.
*Sp.* Partenaire d'entraînement, en boxe (anglic.). 1909 ; angl. *sparring partner*, de *to spar*, « combattre », et de *partner*, « partenaire » ; plur. *sparring-partners* ; [spaʀiŋpaʀtnɛʀ].

**SPART,** voir **SPARTE**

**SPARTAKISME,** subst. m.
*Hist.* Courant révolutionnaire allemand des spartakistes, à l'origine du parti communiste allemand. 1916 ; ☞ *spartakiste* ; [spaʀtakism].

**SPARTAKISTE,** subst. et adj.
*Hist.* **Subst.** Membre ou partisan du groupe constitué au sein du parti social-démocrate allemand en 1914 par Karl Liebknecht et Rosa Luxemburg, internationaliste et révolutionnaire, qui disparut en 1919 après une sévère répression. **Adj.** Qui appartient ou a trait au spartakisme. 1916 ; all. *Spartakist*, de l'anthropon. lat. *Spartacus* ; [spaʀtakist].

**SPARTE,** subst. m.
*Bot.* Plante herbacée dont les fibres servent, après rouissage, à la sparterie. 1532 ; lat. *spartum*, du gr. *sparton* ; var. *spart* ; [spaʀt].

**SPARTÉINE,** subst. f.
*Pharm.* Alcaloïde extrait du genêt à balai, aux propriétés tonicardiaques, stimulant des contractions utérines. 1863 ; ☞ *sparte* ; [spaʀtein].

**SPARTERIE,** subst. f.
Fabrication d'objets en fibres végétales issues du sparte, du jonc, du raphia, etc. ; par méton., ouvrage ainsi fabriqué. 1752 ; ☞ *sparte* ; [spaʀtəʀi].

**SPARTIATE,** subst. et adj.
*Antiq.* De Sparte. **Adj.** Qui rappelle l'austérité, la rigueur des citoyens de Sparte : *Éducation* ***spartiate***. **Subst. fém.** Sandale à lanières entrecroisées. Fin XVIe s. ; lat. *spartiates*, du gr. *spartiatês*, de *Spartê*, « Sparte » ; [spaʀsjat].

**SPASME,** subst. m.
**1.** *Pathol.* Contraction musculaire d'origine réflexe, observée notamment dans les conduits comme la trachée, l'œsophage et les intestins. **2.** Fig. Soubresaut, bouleversement subit. XIIIe s. ; lat. *spasmus*, du gr. *spasmos* ; [spasm].

**SPASMODIQUE,** adj.
Qui est de la nature du spasme ; qui se manifeste par des spasmes. 1721 ; lat. sc. *spasmodicus*, du gr. *spasmôdês* ; [spasmɔdik].

**SPASMOLYTIQUE,** adj. et subst. m.
*Pharm.* Se dit d'un médicament antispasmodique. V. 1960 ; ☞ *spasme* + *-lytique* ; [spasmɔlitik].

**SPASMOPHILE,** adj. et subst.
Se dit d'une personne atteinte de spasmophilie. 1928 ; ☞ *spasmophilie* ; [spasmɔfil].

**SPASMOPHILIE,** subst. f.
*Pathol.* Affection mal connue, plus fréquente chez les femmes, caractérisée par des états anxieux, une hyperexcitabilité des muscles et des picotements. 1907 ; ☞ *spasme* + *-philie* ; [spasmɔfili].

**SPATANGUE,** subst. m.
*Zool.* Invertébré proche de l'oursin, qui présente une altération de la symétrie rayonnée : le test, plus ou moins aplati, est en forme de cœur (10 cm). C'est un fouisseur vivant dans les sables côtiers. 1771 ; lat. *spatangius*, du gr. *spataggês* ; [spatɑ̃g].

**SPATH,** subst. m.
*Minér.* Nom donné autrefois à des minéraux aux faces cristallines nettes. 1751 ; all. *Spath* ; [spat].

**SPATHE,** subst. f.
**1.** *Archéol.* Épée à large lame des Gaulois et des Germains. **2.** *Bot.* Enveloppe charnue (bractée) entourant et protégeant l'inflorescence dans le spadice. 1555 ; lat. *spatha*, du gr. *spathê* ; [spat].

**SPATHIQUE, adj.**
*Minér.* De la nature du spath, qui en a l'aspect. 1757 ; ☞ *spath* ; [spatik].

**SPATIAL, ALE, AUX, adj.**
**1.** Relatif à l'espace, à l'étendue. ▸ *Électron. Charge* ***spatiale*** : accumulation d'électrons autour de la cathode d'un tube électronique. ▸ *Télécomm. Commutation* ***spatiale*** : dans laquelle chaque liaison en cours utilise un itinéraire déterminé. **2.** Relatif à l'espace cosmique : *Navette, études* ***spatiales.*** 1889 ; lat. *spatium,* « espace » ; [spasjal, o].

*Astronaute dans son scaphandre* ***spatial.***

**SPATIALISATION, subst. f.**
Action de spatialiser ; fait d'être spatialisé. 1927 ; ☞ *spatialiser* ; [spasjalizasjɔ̃].

**SPATIALISER, verbe trans.** [3]
**1.** Donner un caractère spatial à (qqch.). ▸ *Psychol.* Localiser dans l'espace (un stimulus visuel ou auditif). **2.** Adapter (qqch.) aux conditions de l'espace cosmique. 1907 ; ☞ *spatial* ; [spasjalize].

**SPATIALITÉ, subst. f.**
Caractère de ce qui est spatial. 1907 ; ☞ *spatial* ; [spasjalite].

**SPATIONAUTE, subst.**
Astronaute (rare). V. 1960 ; lat. *spatium,* « espace », + *-naute* ; [spasjɔnot].

**SPATIONEF, subst. m.**
Vaisseau spatial (vieilli). V. 1960 ; formé du lat. *spatium,* « espace », et de *nef* ; [spasjɔnɛf].

**SPATIOTEMPOREL, ELLE, adj.**
Relatif à la fois à l'espace et au temps : *Critères* ***spatiotemporels.*** 1904 ; formé du lat. *spatium,* « espace », et de *temporel* ; var. *spatio-temporel, elle* (plur. *spatio-temporels, elles*) ; [spasjotɑ̃pɔʀɛl].

**SPATULE, subst. f.**
**1.** Instrument de bois ou d'une autre matière, aplati à une extrémité, servant à divers usages. **2.** Anal. Extrémité évasée d'un manche de cuiller, de fourchette ; extrémité antérieure d'un ski, légèrement relevée. **3.** *Zool.* Oiseau de rivage, proche de l'ibis, au bec élargi en **spatule**, qui lui permet de balayer l'eau et la vase pour ramasser les coquillages : *La* ***spatule*** *blanche migre entre l'Afrique et l'Europe.* 1377 ; bas lat. *spat(h)ula,* dimin. de *spatha,* « battoir ; épée » ; [spatyl].

***Spatule** blanche.*

**SPATULÉ, ÉE, adj.**
En forme de spatule. 1778 ; ☞ *spatule* ; [spatyle].

**SPEAKER, SPEAKERINE, subst.**
Masc. **1.** Président de la Chambre des communes, en Grande-Bretagne. **2.** Président de la Chambre des représentants, aux États-Unis. **3.** Personne qui présente un programme de radio, une manifestation sportive (anglic. vieilli). Fém. Présentatrice d'un programme télévisé (vieilli). 1649 ; angl. *speaker,* de *to speak,* « parler » ; recomm. off. *annonceur, euse,* au sens 3 du masc. et au fém. ; [spikœʀ, spikʀin].

**SPÉCIAL, ALE, AUX, adj. et subst. f.**
Adj. **1.** Qui constitue, qui concerne une espèce particulière de choses, de personnes (par oppos. à *général*) : *Mathématiques* ***spéciales*** (☞ *mathématique*) ; *Train* ***spécial.*** **2.** Qui constitue une exception : *Traitement* ***spécial*** ; *Édition* ***spéciale*** *d'un journal.* **3.** Particulier, qui n'est pas commun : *Cas* ***spécial*** ; *Rien de* ***spécial*** ; par euphém. : *Mœurs* ***spéciales,*** homosexuelles, déviantes. Subst. **1.** Bière de qualité supérieure. **2.** Huître grasse, ayant séjourné longtemps en claire. **3.** Épreuve chronométrée d'un rallye automobile. Mil. XIIe s. ; lat. *specialis* ; [spesjal, o].

**SPÉCIALEMENT, adv.**
De manière spéciale ; particulièrement. XIIe s. ; ☞ *spécial* ; [spesjalmɑ̃].

**SPÉCIALISATION, subst. f.**
**1.** Fait de se spécialiser ou de spécialiser. **2.** Formation dans un domaine spécialisé. 1825 ; ☞ *spécialiser* ; [spesjalizasjɔ̃].

**SPÉCIALISÉ, ÉE, adj.**
Qui possède une spécialité : *Personnel hautement* ***spécialisé*** ; *Librairie* ***spécialisée*** *dans le tourisme.* V. 1900 ; p. p. de *spécialiser* ; [spesjalize].

**SPÉCIALISER, verbe trans.** [3]
Faire acquérir des connaissances spéciales à (qqn) ; affecter (qqn, qqch.) à une tâche précise, une activité déterminée : *Ouvrier* ***spécialisé*** *(O. S.),* qui n'a pas de C. A. P. Pronom. Acquérir des compétences (dans un domaine particulier). 1826 (1535, préciser) ; ☞ *spécial* ; [spesjalize].

**SPÉCIALISTE, subst. et adj.**
Se dit d'une personne qui a des compétences particulières dans un domaine déterminé : *Un* ***spécialiste*** *de la musique contemporaine* ; par iron. : *Il est* ***spécialiste*** *des rendez-vous manqués.* Subst. Médecin qui s'est spécialisé dans une branche particulière de la médecine (par oppos. à *généraliste*). 1842 (1832, intuitif) ; ☞ *spécial* ; [spesjalist].

**SPÉCIALITÉ, subst. f.**
**1.** Caractère de ce qui est spécial, particulier (anton. *généralité*). ▸ *Dr. Principe de* ***spécialité*** : selon lequel chaque autorité administrative doit se cantonner aux attributions qui lui sont propres. **2.** Ensemble de connaissances approfondies dans un domaine particulier ; activité spécifique à laquelle on se consacre. ▸ ***Spécialité*** *médicale* : domaine dans lequel un médecin a acquis une formation spécifique. **3.** Méton. Produit résultant d'une activité spécifique, d'un traitement particulier. ▸ *Cuis.* Produit ou mets spécifique d'une région, recette qui fait la fierté d'un restaurant, d'une personne : ***Spécialités*** *régionales.* ▸ *Pharm.* Médicament préparé industriellement et dont le conditionnement précise la formule. Mil. XIIIe s. ; bas lat. *specialitas* ; [spesjalite].

**SPÉCIATION, subst. f.**
*Biol.* Formation d'une ou de plusieurs espèces nouvelles à partir d'une espèce déjà existante, qui se produit lorsque des populations d'une même espèce divergent de telle façon qu'elles ne sont plus interfécondes. V. 1960 ; angl. *speciation,* du lat. *species,* « espèce » ; [spesjasjɔ̃].

**SPÉCIEUX, EUSE, adj.**
**1.** Vx. Qui a une belle apparence. **2.** Qui, sous une belle apparence, n'a ni valeur ni réalité. ▸ Qui est destiné à tromper : *Argument* ***spécieux.*** Fin XIVe s. ; lat. *speciosus* ; [spesjø, øz].

**SPÉCIFICATION, subst. f.**
**1.** Action de spécifier : ***Spécification*** *d'une clause sur un contrat.* **2.** Caractéristique propre à une chose, à une espèce, etc. (souv. au plur.). 1341 ; lat. médiév. *specificatio* ; [spesifikasjɔ̃].

**SPÉCIFICITÉ, subst. f.**
Qualité de ce qui est spécifique : *Chaque culture a sa* ***spécificité.*** ▸ *Méd.* et *Biol.* Ensemble des caractères propres à une espèce, à un phénomène, etc. : ***Spécificité*** *d'une maladie, d'un médicament.* 1832 ☞ *spécifique* ; [spesifisite].

**SPÉCIFIER, verbe trans.** [6]
Indiquer de manière précise. 1290 ; bas lat. *specificare* ; [spesifje].

**SPÉCIFIQUE, adj.**
**1.** Qui présente un caractère original et exclusif *Domaine* ***spécifique.*** **2.** Propre à une espèce, à une chose. ▸ *Bot. Nom* ***spécifique*** : donné à une espèce à l'intérieur d'un genre. ▸ *Fisc. Droits* ***spécifiques*** droits de douane calculés sur des quantités physiques et non sur la valeur des biens taxés. ▸ *Ling Terme* ***spécifique*** : qui appartient à un vocabulaire spécialisé (par oppos. à *mot courant*). Fin XIVe s. bas lat. *specificus* ; [spesifik].

**SPÉCIFIQUEMENT, adv.**
D'une manière spécifique. 1366 ; ☞ *spécifique* [spesifikmɑ̃].

**SPÉCIMEN, subst. m.**
**1.** Individu représentatif d'une espèce (synon *échantillon*). **2.** Exemplaire d'un ouvrage, offert à titre publicitaire. **3.** Individu (fam.) : *Quel drôle de* ***spécimen !*** 1662 ; lat. *specimen* ; [spesimɛn].

**SPECTACLE, subst. m.**
**1.** Ce qui s'offre au regard, attire l'attention : *Jouir du* ***spectacle*** *de la rue.* ▸ Loc. *Se donner en* ***spectacle*** s'afficher sans retenue. **2.** Représentation théâtrale chorégraphique, cinématographique, etc. ▸ Loc. *À grand* ***spectacle*** : dont la mise en scène a nécessité des moyens importants. ▸ Fig. En appos. *Politique* ***spectacle*** : qui privilégie l'aspect médiatique **3.** Ensemble des activités concernant la conception, la représentation artistique : *Les professions du* ***spectacle.*** Déb. XIIIe s. ; lat. *spectaculum* ; [spɛktakl]

**SPECTACULAIRE, adj.**
Qui frappe la vue, l'imagination ; sensationnel : *Évasion* ***spectaculaire*** ; *Réussite* ***spectaculaire*** ; empl. subst. masc. : *Le goût du* ***spectaculaire.*** 1933 (1907, qui concerne les spectacles) ; ☞ *spectacle* [spɛktakylɛʀ].

**SPECTATEUR, TRICE, subst.**
**1.** Témoin oculaire d'une action, d'un évènement. ▸ Loc. *En* ***spectateur*** : sans participer, sans s'engager **2.** Personne qui assiste à un spectacle, à une manifestation publique quelconque. 1372 ; lat *spectator* ; [spɛktatœʀ, tʀis].

**SPECTRAL, ALE, AUX, adj.**
**1.** Qui a l'apparence d'un spectre, qui l'évoque *Apparition* ***spectrale.*** **2.** *Math. Rayon* ***spectral*** *d'une matrice* : maximum des modules des valeurs propres de la matrice. **3.** *Phys. Analyse* ***spectrale*** : analyse de raies atomiques et moléculaires, obtenues après émission ou absorption d'un rayonnement par de la matière. 1856 ; ☞ *spectre* ; [spɛktʀal, o].

**SPECTRE, subst. m.**
**I. 1.** Apparition fantastique d'un mort ; par anal., silhouette blafarde, décharnée. **2.** Fig. Idée, image effrayante qui hante l'esprit : *Le* ***spectre*** *de la misère.* **II. 1.** *Math.* ***Spectre*** *d'un endomorphisme, d'une matrice* : ensemble des valeurs propres de cet endomorphisme, de cette matrice. **2.** *Bactériol.* Ensemble des germes sur lesquels un antibiotique est actif. **3.** *Phys.* Ensemble des radiations monochromatiques, de différentes longueurs d'onde, composant la lumière émise ou absorbée par la matière observée : *Les sept couleurs du* ***spectre*** *sont le violet, l'indigo, le bleu, le vert, le jaune, l'orangé et le rouge.* 1524 ; lat. *spectrum* ; [spɛktʀ].

**SPECTROCHIMIQUE, adj.**
*Chim.* Se dit de moyens d'analyse spectrale utilisés pour étudier la nature et les caractéristiques d'une matière ou d'une substance chimique. Mil. XXe s. ; ☞ *chimique* + *spectro-* ; [spɛktʀoʃimik].

**SPECTROGRAMME, subst. m.**
*Phys.* Représentation d'un spectre obtenue par un spectrographe. 1949 ; formé de *spectro-* et de *-gramme* ; [spɛktʀogʀam].

**SPECTROGRAPHE, subst. m.**
*Phys.* Appareil d'analyse enregistrant un spectre, le domaine de fréquence couvert dépendant du phénomène étudié. 1902 ; formé de *spectro-* et de *-graphe* ; [spɛktʀogʀaf].

**SPECTROGRAPHIE, subst. f.**
Méthode d'analyse utilisant un spectrographe. 1934 ; ☞ *spectrographe* ; [spɛktʀogʀafi].

**SPECTROHÉLIOGRAPHE,** subst. m.
*Phys.* Appareil fonctionnant sur le principe du spectrographe, utilisé pour l'observation du rayonnement électromagnétique du Soleil. 1904 ; ☞ *héliographe + spectro-* ; [spɛktʀoeljɔgʀaf].

**SPECTROMÈTRE,** subst. m.
*Phys.* Appareil qui analyse le rayonnement électromagnétique en fonction de la longueur d'onde. 1863 ; formé de *spectro-* et de *-mètre*[1] ; [spɛktʀomɛtʀ].

**SPECTROMÉTRIE,** subst. f.
*Phys.* Étude du rayonnement électromagnétique à l'aide d'un spectromètre, qui permet d'obtenir un ensemble de raies caractéristiques de l'objet étudié. 1872 ; formé de *spectro-* et de *-métrie* ; [spɛktʀometʀi].

**SPECTROPHOTOMÈTRE,** subst. m.
*Phys.* Appareil utilisant les techniques de spectroscopie, de même nature que le spectromètre, auquel est ajouté un détecteur photométrique. 1890 ; ☞ *photomètre + spectro-* ; [spɛktʀofɔtɔmɛtʀ].

**SPECTROPHOTOMÉTRIE,** subst. f.
*Phys.* Étude effectuée à l'aide d'un spectrophotomètre. Fin XIXe s. ; ☞ *photométrie + spectro-* ; [spɛktʀofɔtɔmetʀi].

**SPECTROSCOPE,** subst. m.
*Phys.* Appareil permettant de visualiser l'analyse spectrale d'un corps. 1862 ; formé de *spectro-* et de *-scope* ; [spɛktʀɔskɔp].

**SPECTROSCOPIE,** subst. f.
*Phys.* Méthode d'observation et d'analyse utilisant un spectroscope. 1864 ; formé de *spectro-* et de *-scopie* ; [spɛktʀɔskɔpi].

**SPÉCULAIRE,** adj. et subst. f.
ADJ. **1.** Qui réfléchit la lumière comme un miroir : *Métaux polis et **spéculaires**.* **2.** Produit par un miroir : *Image **spéculaire**.* ▸ *Écriture **spéculaire*** : écriture inversée, qui se lit dans un miroir. SUBST. *Bot.* Plante à fleurs violacées, de la famille des Campanulacées, accompagnant les cultures sur sol calcaire, appelée aussi miroir-de-Vénus. 1521 ; lat. *specularis*, de *speculum*, « miroir » ; [spekylɛʀ].

**SPÉCULATEUR, TRICE,** subst.
Personne qui fait des spéculations financières ou commerciales. 1745 (1355, guetteur, sentinelle) ; lat. *speculator*, « observateur » ; [spekylatœʀ, tʀis].

**SPÉCULATIF, IVE,** adj.
**1.** *Philos.* Qui concerne les recherches abstraites, théoriques ; qui s'y consacre : *Esprit, pensée **spéculative**.* **2.** Relatif à une, à des spéculations financières. Mil. XIIIe s. ; bas lat. *speculativus* ; [spekylatif, iv].

**SPÉCULATION,** subst. f.
**1.** *Philos.* Recherche purement abstraite, théorique : ***Spéculation** métaphysique.* **2.** Opération financière, commerciale visant à tirer profit des variations du marché ; par ext., calcul (péj.). Mil XIVe s. (fin XIIIe s., observation, réflexion) ; bas lat. *speculatio*, « lieu d'observation ; considération » ; [spekylasjɔ̃].

**SPÉCULER,** verbe intrans. [3]
**1.** *Philos.* Se livrer à des recherches abstraites, méditer : ***Spéculer** sur l'existence de Dieu.* **2.** Faire des opérations financières, commerciales, en vue de tirer profit des avantages du marché : ***Spéculer** à la hausse, à la baisse ; **Spéculer** en Bourse.* **3.** Ext. Miser (sur qqch.) en vue d'en tirer un avantage (péj.) : ***Spéculer** sur l'ignorance des gens.* Mil. XIVe s. ; lat. *speculari*, « observer, regarder d'en haut » ; [spekyle].

**SPÉCULOS,** subst. m.
Biscuit sec belge au sucre candi. 1925 ; néerl. *speculaas* ; var. *spéculoos, spéculaus* ; [spekylos].

**SPÉCULUM,** subst. m.
*Méd.* Instrument, en métal ou en plastique, formé de deux valves pouvant s'écarter, que l'on insère dans une cavité naturelle (vagin, anus, narine, conduit auditif externe) pour la maintenir béante et en permettre l'examen. Mil. XIVe s. ; lat. *speculum*, « miroir » ; var. *speculum* ; [spekylɔm].

**SPEECH,** subst. m.
Petit discours de circonstance (anglic. et fam.). 1829 ; mot angl. ; plur. *speech(e)s* ; [spitʃ].

**SPEED,** subst. m. et adj.
Anglic. SUBST. Amphétamine (argot.). ADJ. Fam. *Être **speed*** : agité, excité comme qqn qui a pris des amphétamines (synon. *speedé*). V. 1970 ; angl. *speed*, « vitesse ; amphétamine (argot.) » ; [spid].

**SPEEDER,** verbe intrans. [3]
Anglic. **1.** Être speed (argot.). **2.** Se dépêcher (fam.) : ***Speede** un peu !* V. 1970 ; ☞ *speed* ; [spide].

**SPEISS,** subst. m.
*Métall.* Mélange arsénieux formé au cours de la métallurgie du cobalt. 1765 ; all. *Speiss* ; [spɛs].

**SPÉLÉOLOGIE,** subst. f.
**1.** Science qui étudie la formation et la structure des cavités souterraines naturelles. **2.** Activité de loisirs consistant à explorer les cavités souterraines. 1893 ; formé de *spéléo-* et de *-logie* ; abrév. fam. : spéléo ; [speleolɔʒi].

**SPÉLÉOLOGUE,** subst.
Personne qui pratique la spéléologie (abrév. fam. : spéléo). 1897 ; ☞ *spéléologie* ; [speleolɔg].

**SPENCER,** subst. m.
*Cost.* **1.** Veste d'homme très courte, croisée et sans basques. **2.** Corsage court ou veste courte de femme. 1797 ; angl. *spencer*, de l'anthropon. *sir George John Spencer* ; [spɛnsœʀ] ou [-sɛʀ].

**SPÉOS,** subst. m.
*Archéol.* Temple égyptien creusé dans une montagne. 1851 ; gr. *speos*, « caverne » ; [speos].

**SPERGULE,** subst. f.
*Bot.* Plante herbacée des champs et des bois, de la famille des Caryophyllacées. 1615 ; lat. médiév. *spergula*, du lat. *asparagus*, « asperge » ; [spɛʀgyl].

**SPERMACETI,** subst. m.
*Zool.* Matière huileuse stockée dans la masse adipeuse de la tête des cachalots ; au-dessous de 30 °C, elle se solidifie en un corps gras, appelé blanc de baleine, qui servait à faire des chandelles, du savon, etc. 1509 ; lat. sc. *spermaceti*, du bas lat. *sperma ceti*, « semence de baleine » ; [spɛʀmaseti].

**SPERMAPHYTES,**
voir **SPERMATOPHYTES**

**SPERMATIDE,** subst. f.
*Biol.* Stade du gamète mâle non mature, précédant la formation du spermatozoïde et produit par la division méiotique. 1897 ; formé de *spermato-* et de *-ide* ; [spɛʀmatid].

**SPERMATIE,** subst. f.
*Bot.* Gamète mâle dépourvu de flagelle. 1876 ; gr. *sperma*, « semence » ; [spɛʀmati] ou [-si].

**SPERMATIQUE,** adj.
*Biol.* Qui concerne le liquide séminal. 1314 ; bas lat. *spermaticus*, du gr. *spermatikos* ; [spɛʀmatik].

**SPERMATOCYTE,** subst. m.
*Biol.* Stade dans la formation des cellules reproductrices mâles animales. 1880 ; formé de *spermato-* et de *-cyte* ; [spɛʀmatɔsit].

**SPERMATOGENÈSE,** subst. f.
*Biol.* Ensemble du processus qui permet de passer des spermatogonies aux spermatozoïdes. 1877 ; formé de *spermato-* et de *-genèse* ; [spɛʀmatoʒənɛz].

**SPERMATOGONIE,** subst. f.
*Biol.* Chacune des cellules diploïdes de la lignée germinale mâle à l'origine de la formation des spermatozoïdes. 1877 ; formé de *spermato-* et de *-gonie* ; [spɛʀmatɔgɔni].

**SPERMATOPHORE,** subst. m.
*Zool.* Sac contenant des spermatozoïdes émis dans l'eau par les mâles de certains animaux aquatiques tels que les tritons. XIXe s. ; formé de *spermato-* et de *-phore* ; [spɛʀmatɔfɔʀ].

**SPERMATOPHYTES,** subst. m. plur.
*Bot.* Phanérogames. 1954 ; formé de *spermato-* et de *-phyte* ; var. *spermaphytes* ; [spɛʀmatɔfit].

**SPERMATOZOÏDE,** subst. m.
*Biol.* Gamète mâle constitué le plus souvent d'une tête contenant le noyau et d'un flagelle propulseur (certains animaux produisent des **spermatozoïdes** ayant l'aspect d'amibes). 1842 ; formé de *spermato-* et de *-zoïde* ; [spɛʀmatɔzɔid].

**SPERME,** subst. m.
*Biol.* Liquide blanchâtre et visqueux formé par les sécrétions des glandes génitales mâles et contenant les spermatozoïdes. XIIIe s. ; bas lat. *sperma*, du gr. *sperma*, « semence » ; [spɛʀm].

**SPERMICIDE,** adj. et subst. m.
Se dit d'un contraceptif local qui détruit les spermatozoïdes. V. 1960 ; ☞ *sperme + -cide* ; [spɛʀmisid].

**SPERMOGRAMME,** subst. m.
*Méd.* Examen du sperme en laboratoire ; son résultat. 1959 ; formé de *spermo-* et de *-gramme* ; [spɛʀmɔgʀam].

**SPERMOPHILE,** subst. m.
*Zool.* Mammifère placentaire de l'ordre des Rongeurs, proche de l'écureuil, qui se nourrit de grains. 1823 ; formé de *spermo-* et de *-phile* ; [spɛʀmɔfil].

**SPHACÈLE,** subst. m.
*Pathol.* Fragment tissulaire nécrosé. 1520 ; gr. *sphakelos*, « gangrène sèche » ; [sfasɛl].

**SPHAGNALES,** subst. f. plur.
*Bot.* Ordre de la classe des Mousses. AU SING. *La sphaigne est une **sphagnale**.* V. 1960 ; lat. *sphagnos*, du gr. *sphagnos*, « sphaigne » ; [sfagnal].

**SPHAIGNE,** subst. f.
*Bot.* Type de mousse dont la décomposition contribue à la formation de la tourbe. Fin XVIIIe s. ; lat. *sphagnos*, du gr. *sphagnos* ; [sfɛɲ].

**SPHÉNISCIDÉS,** subst. m. plur.
*Zool.* Famille unique d'oiseaux, qui comprend la vingtaine d'espèces de manchots. AU SING. *Le manchot empereur est un **sphéniscidé**.* XXe s. ; *sphénisque*, manchot de l'hémisphère Sud, du lat. sc. *spheniscus*, du gr. *sphêniskos*, « petit coin » ; [sfeniside].

**SPHÉNODON,** subst. m.
*Zool.* Hattéria. 1875 ; gr. *sphên*, « coin », et *odous*, « dent » ; [sfenɔdɔ̃].

**SPHÉNOÏDAL, ALE, AUX,** adj.
Relatif au sphénoïde : *Sinus **sphénoïdaux**.* 1690 ; ☞ *sphénoïde* ; [sfenɔidal, o].

**SPHÉNOÏDE,** subst. m.
*Anat.* Os du crâne qui forme le plancher central de la boîte crânienne. 1561 ; gr. *sphênoeidês*, de *sphên*, « coin », et de *eidos*, « forme, aspect » ; [sfenɔid].

**SPHÈRE,** subst. f.
**1.** *Géom.* Dans l'espace $\mathbb{R}^3$, la **sphère** de centre A et de rayon $r > 0$ est l'ensemble des points situés à la distance euclidienne $r$ de A. Dans un espace métrique, la **sphère** de centre $a$ et de rayon $r > 0$ est l'ensemble des points situés à la distance $r$ de $a$ ; elle est notée $S(a, r)$. ▸ *Astron.* ***Sphère** céleste* : **sphère** fictive de rayon indéterminé, ayant pour centre un observateur terrestre et servant à matérialiser les coordonnées et les directions de référence des astres dans l'espace. **2.** Anal. Corps ayant la forme d'une **sphère**. **3.** Fig. Domaine plus ou moins étendu où s'exerce l'action, la compétence ou l'influence d'une personne ou d'un groupe ; par ext., milieu spécifique où s'exerce une activité : ***Sphère** gouvernementale.* Mil. XIIe s. ; lat. *sphaera*, du gr. *sphaira* ; [sfɛʀ].

**SPHÉRICITÉ,** subst. f.
Forme sphérique. 1671 ; ☞ *sphérique* ; [sfeʀisite].

**SPHÉRIQUE,** adj.
**1.** Qui a la forme d'une sphère : *La terre n'est pas parfaitement **sphérique**.* **2.** *Géom.* Relatif à une sphère. ▸ *Anneau **sphérique*** : solide engendré par un segment circulaire S d'un disque C tournant autour d'une droite située dans le plan de C, passant par son centre et ne rencontrant pas S. ▸ *Calotte **sphérique*** : partie d'une sphère limitée par un cercle, intersection de cette sphère avec un plan ne passant pas par son centre. ▸ *Secteur **sphérique*** : solide engendré par un secteur circulaire d'un cercle tournant autour d'un diamètre du cercle qui ne rencontre pas le secteur. ▸ *Segment **sphérique*** : partie d'une boule comprise entre deux plans parallèles rencontrant cette boule. ▸ *Triangle **sphérique*** : trois points A, B, C d'une sphère, non situés sur

*Coordonnées sphériques.*

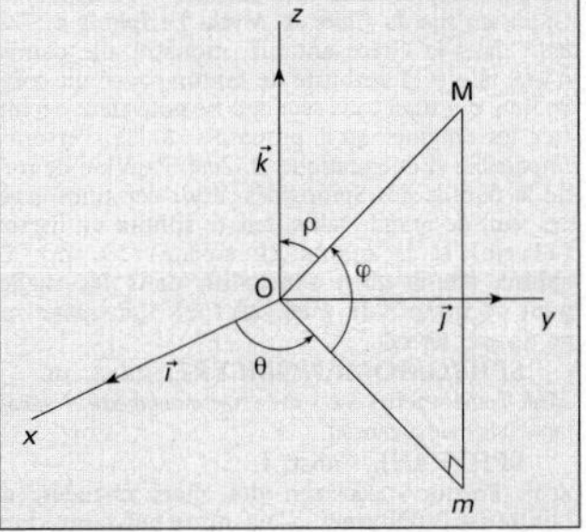

un même grand cercle, déterminent un triangle **sphérique**, dont les côtés sont les arcs de grands cercles $\overset{\frown}{AB}$, $\overset{\frown}{BC}$, $\overset{\frown}{CA}$. ▸ *Trigonométrie **sphérique*** : étude des relations entre les angles et les longueurs des côtés d'un triangle **sphérique**. ▸ *Zone **sphérique*** : partie d'une sphère limitée par deux plans parallèles qui la coupent. ▸ *Coordonnées **sphériques** d'un point M de l'espace $\mathbb{R}^3$ dans un repère orthonormé* $\mathcal{R} = (O, \vec{\imath}, \vec{\jmath}, \vec{k})$ : triplet $(\rho, \theta, \varphi)$ où $\rho = \| \overrightarrow{OM} \|$ (norme euclidienne), $\theta \in [0, 2\pi[$ est la mesure en radians de l'angle $(\vec{\imath}, \overrightarrow{Om})$, *m* étant la projection orthogonale de M sur le plan $(O, \vec{\imath}, \vec{\jmath})$, $\varphi \in [-\pi/2, \pi/2]$ est la mesure en radians de l'angle $(\overrightarrow{Om}, \overrightarrow{OM})$ ; $\rho$, $\theta$, $\varphi$ sont resp. le rayon-vecteur, la longitude (ou azimut), la latitude (ou hauteur) du point M. 1370 ; bas lat. *sphaericus*, du gr. *sphairikos* ; [sfeʀik].

**SPHÉROÏDAL, ALE, AUX, adj.**
En forme de sphéroïde ; relatif, propre à un sphéroïde. 1740 ; ☞ *sphéroïde* ; [sfeʀɔidal, o].

**SPHÉROÏDE, subst. m.**
Corps solide presque sphérique. 1556 ; lat. *sphaeroides*, du gr. *sphairoeidês* ; [sfeʀɔid].

**SPHÉROMÈTRE, subst. m.**
*Phys.* Instrument permettant la mesure des courbes sphériques. 1803 ; ☞ *sphère + -mètre*[1] ; [sfeʀɔmɛtʀ].

**SPHEX, subst. m.**
*Zool.* Insecte de l'ordre des Hyménoptères. C'est une grande guêpe fouisseuse qui creuse des nids dans lesquels elle traîne des insectes vivants paralysés par son venin et dont sa larve se nourrit. 1798 ; lat. sc. *sphex*, du gr. *sphêx*, « guêpe » ; [sfɛks].

**SPHINCTER, subst. m.**
*Anat.* Muscle concentrique situé autour d'un conduit ou d'un orifice dont il contrôle l'ouverture ou la fermeture. 1548 ; lat. méd. *sphincter*, du gr. *sphigktêr*, de *sphiggein*, « enserrer » ; [sfɛ̃ktɛʀ].

**SPHINCTÉRIEN, IENNE, adj.**
Relatif à un sphincter. 1878 ; ☞ *sphincter* ; [sfɛ̃kteʀjɛ̃, jɛn].

**SPHINGE, subst. f.**
Sphinx à buste de femme. 1546 ; lat. *sphinx*, du gr. *Sphigx* ; [sfɛ̃ʒ].

**SPHINGIDÉS, subst. m. plur.**
*Zool.* Famille de papillons nocturnes, répartis dans le monde entier, aux ailes étroites, capables de migrer sur de longues distances. AU SING. *Le sphinx est un **sphingidé**.* XIXe s. ; ☞ *sphinx* ; [sfɛ̃ʒide].

© A. Ducrot-Jacana

*Sphinx tête-de-mort.*

**SPHINX, subst. m.**
**1.** *Antiq.* Dans l'Égypte ancienne, statue colossale de lion couché, à tête d'homme, de bélier ou de faucon, représentant une divinité : *Le **sphinx** de Gizeh, au sud du Caire.* **2.** *Myth. Le **Sphinx** de Thèbes* : dans la Grèce antique, monstre ailé pourvu d'une tête et d'un buste de femme, avec un corps de lion, qui tuait tous ceux qui ne pouvaient déchiffrer les énigmes qu'il proposait. **3.** Fig. Personne impassible et énigmatique. **4.** *Zool.* Papillon de nuit de la famille des Sphingidés, dont certaines espèces sont de grande taille, tels le **sphinx** du liseron (11 cm) et le **sphinx** du troène (10 cm). Le **sphinx** tête-de-mort s'introduit dans les ruches pour se nourrir de miel. 1553 ; lat. *sphinx*, du gr. *Sphigx* ; [sfɛ̃ks].

**SPHYGMOMANOMÈTRE, subst. m.**
*Méd.* Tensiomètre. 1907 ; ☞ *manomètre + sphygmo-* ; [sfigmomanɔmɛtʀ].

**SPHYRÈNE, subst. f.**
*Zool.* Poisson téléostéen des mers chaudes, de l'ordre des Perciformes, à la denture puissante, dont l'espèce la plus connue est le barracuda. 1803 ; lat. sc. *sphyraena*, du gr. *sphuraina* ; [sfiʀɛn].

**SPI, subst. m.**
*Mar.* Spinnaker. XXe s. ; apocope de *spinnaker* ; [spi].

**SPIC, subst. m.**
*Bot.* Aspic. XIIIe s. ; lat. *spicum*, « épi » ; [spik].

**SPICA, subst. m.**
*Chir.* Bandage croisé en forme d'épi, entourant la racine d'un membre. 1555 ; lat. *spica*, « épi » ; [spika].

**SPICILÈGE, subst. m.**
Recueil de notes, de documents (littér. et rare). 1678 ; lat. *spicilegium*, « glanage », de *spica*, « épi », et de *legere*, « recueillir » ; [spisilɛʒ].

**SPICULE, subst. m.**
**1.** *Zool.* Fibre minérale sécrétée par certaines cellules des Éponges et constitutive de leur squelette. **2.** *Astron.* Élément constitutif de la chromosphère solaire, jet de matière pouvant atteindre 1 000 km de diamètre et 10 000 km de hauteur. 1830 ; lat. *spiculum*, « dard, flèche » ; [spikyl].

**SPIDER, subst. m.**
**1.** Vx. Voiture hippomobile décapotable à quatre hautes roues. **2.** *Autom.* Partie arrière bombée des anciens cabriolets, dont le coffre était réservé aux bagages, ou parfois à des passagers ; par méton., cabriolet. 1877 ; angl. *spider*, « araignée » ; [spidɛʀ].

**SPIEGEL, subst. m.**
*Métall.* Alliage de carbone, de manganèse et de silicium, utilisé dans l'élaboration de l'acier. 1890 ; all. *Spiegeleisen*, « fer à miroir » ; [spigœl] ou [ʃpi-].

**SPIN, subst. m.**
*Phys.* Moment cinétique d'une particule, rappelant celui d'une toupie. Les particules quantiques peuvent être à **spin** entier ou demi-entier. 1938 ; angl. *spin*, « rotation » ; [spin].

**SPINA-BIFIDA, subst. m. inv.**
*Pathol.* Malformation congénitale caractérisée par l'absence de fermeture de l'arc postérieur d'une ou de plusieurs vertèbres, accompagnée d'une hernie des méninges, des nerfs ou de la moelle épinière normalement contenus dans le canal rachidien. 1810 ; lat. *spina bifida*, « épine dorsale fendue en deux » ; [spinabifida].

**SPINAL, ALE, AUX, adj.**
*Anat.* Qui concerne la colonne vertébrale ou la moelle épinière : *Les nerfs **spinaux**.* 1534 ; bas lat. *spinalis*, du lat. *spina*, « épine dorsale » ; [spinal, o].

**SPINELLE, subst. m.**
*Minér.* Aluminate naturel de magnésium, pierre fine souvent rouge. PLUR. Groupe d'oxydes métalliques. 1533 ; ital. *spinello*, de *spina*, « épine » ; [spinɛl].

**SPINNAKER, subst. m.**
*Mar.* Grande voile triangulaire d'avant, que l'on hisse par vent portant (abrév. : spi). 1878 ; mot angl. ; [spinakɛʀ] ou [-nekœʀ].

**SPINOZISME, subst. m.**
Système philosophique de Spinoza. 1697 ; anthropon. *Spinoza* ; var. *spinosisme* ; [spinozism].

**SPIRACLE, subst. m.**
*Zool.* Chez les larves d'anoures, orifice par lequel s'évacue l'eau désoxygénée à la suite de son passage dans les branchies. 1924 (1505, soupirail) ; lat. *spiraculum*, « soupirail, ouverture » ; [spiʀakl].

**SPIRAL, ALE, AUX, adj. et subst. f.**
ADJ. Qui est en forme de spirale. ▸ *Horlog. Ressort **spiral*** ou, empl. subst. masc., *Un **spiral*** : ressort aplati assurant l'échappement régulier du balancier d'une montre. SUBST. **1.** Courbe plane décrivant des révolutions autour d'un point dont elle s'écarte de plus en plus. ▸ *Géom. **Spirale** logarithmique* : courbe plane d'équation polaire $\rho = e^{a\theta}$, *a* non nul. Ses points d'intersection avec un même rayon vecteur $\theta = \theta_0$ sont répartis selon la progression géométrique $\rho_k = e^{a(\theta_0+2\pi k)}$, $k \in \mathbb{Z}$, $\rho_{k+1} = e^{2\pi a} \cdot \rho k$ ; la tangente en ces points forme un angle constant V avec le rayon vecteur, et on a tan V = 1/*a*. **2.** Suite d'enroulements autour d'un axe : ***Spirale** d'un escalier* ; *Cahier à **spirale**,* dont les feuilles sont reliées par un fil métallique hélicoïdal. ▸ *En **spirale*** : en forme de **spirale**. **3.** Fig. Évolution ascendante et irrésistible : ***Spirale** de la violence.* 1534 ; lat. scol. *spiralis*, du lat. *spira*, « spire » ; [spiʀal, o].

**SPIRALÉ, ÉE, adj.**
Enroulé en spirale. 1808 ; ☞ *spirale* ; [spiʀale].

**SPIRANT, ANTE, adj. et subst. f.**
*Phon.* ADJ. Qualifie une consonne, un phonème qui, réalisé avec un relâchement des organes de la parole, produit une résonance au point d'articulation, mais pas de friction (ce qui la distingue d'une consonne constrictive). SUBST. Consonne **spirante**. 1872 (1546, animé, vivant) ; lat. *spirans*, de *spirare*, « respirer » ; [spiʀɑ̃, ɑ̃t].

**SPIRE, subst. f.**
**1.** Tour complet d'une spirale. **2.** Chacun des enroulements d'une structure hélicoïdale. **3.** Ensemble des enroulements d'une coquille, comme celle des Gastéropodes. 1579 (1547, base d'une colonne) ; lat. *spira*, du gr. *speira* ; [spiʀ].

**SPIRÉE, subst. f.**
*Bot.* Plante de la famille des Rosacées, dont une espèce, la reine-des-prés, pousse dans les lieux humides. Certaines espèces sont cultivées pour leur floraison printanière très odorante. 1752 ; lat. sc. *spiraea*, du gr. *speiraia* ; [spiʀe].

**SPIRIFER, subst. m.**
*Paléont.* Fossile du Dévonien, de l'embranchement des Brachiopodes, à la coquille bivalve et au squelette branchial à double hélice. 1839 ; lat. sc. *spirifer*, « qui porte des spires » ; [spiʀifɛʀ].

**SPIRILLE, subst. m.**
*Bactériol.* Bactérie Gram–, relativement courte, de forme hélicoïdale, dotée de flagelles à son extrémité, capable de vivre en anaérobie. 1841 ; lat. sc. *spirillum*, du lat. *spira*, « spire » ; [spiʀij].

**SPIRILLOSE, subst. f.**
*Pathol.* Maladie infectieuse provoquée par un micro-organisme spiralé. 1905 ; ☞ *spirille + -ose* ; [spiʀiloz].

**SPIRITAIN, subst. m.**
*Relig.* Membre de la congrégation du Saint-Esprit, au XVIIIe s. 1703 ; lat. *spiritus*, « esprit » ; [spiʀitɛ̃].

**SPIRITE, adj. et subst.**
ADJ. **1.** Relatif, propre au spiritisme. **2.** Qui pratique le spiritisme. SUBST. Adepte du spiritisme. 1857 ; angl. *spirit*, du lat. *spiritus*, « esprit » ; [spiʀit].

**SPIRITISME, subst. m.**
Science occulte fondée sur la croyance en l'existence des esprits ; ensemble des pratiques (tables tournantes, transes hypnotiques, etc.) visant à provoquer leur manifestation et à entrer en communication avec eux. 1857 ; ☞ *spirite* ; [spiʀitism].

**SPIRITUALISATION, subst. f.**
Littér. Action de spiritualiser ; fait d'être spiritualisé (anton. *matérialisation*). 1845 (1676, distillation) ; ☞ *spiritualiser* ; [spiʀitɥalizasjɔ̃].

**SPIRITUALISER, verbe trans.** [3]
Donner un caractère spirituel à (qqch., qqn) en l'élevant au-dessus de la matière, des sens, des instincts (anton. *matérialiser*). Déb. XVIe s. ; ☞ *spirituel* ; [spiʀitɥalize].

**SPIRITUALISME, subst. m.**
*Philos.* Doctrine qui reconnaît l'indépendance et la primauté de l'esprit : *Le **spiritualisme** de Bergson.* ▸ Doctrine niant l'existence de la matière ; en partic., immatérialisme de Berkeley (anton. *matérialisme*). 1831 (1694, doctrine proche du quiétisme) ; lat. *spiritualis*, « spirituel » ; [spiʀitɥalism].

**SPIRITUALISTE, adj. et subst.**
Se dit d'un partisan du spiritualisme. ADJ. Relatif, propre au spiritualisme : *Une doctrine **spiritualiste**.* 1802 (1771, partisan de l'immatérialisme) ; ☞ *spiritualisme* ; [spiʀitɥalist].

*Spirale logarithmique.*

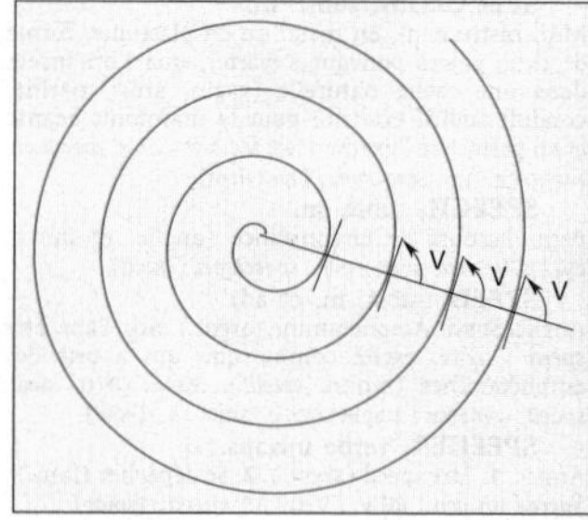

**SPIRITUALITÉ, subst. f.**
**1.** *Philos.* Caractère de ce qui relève de la vie de l'esprit (anton. *matérialité*) : ***Spiritualité** de l'âme.* **2.** *Relig.* Ensemble des principes et des pratiques qui inspirent une vie spirituelle, religieuse : ***Spiritualité** franciscaine.* Mil. XIVe s. ; lat. chrét. *spirit(u)alitas*, du lat. *spiritus*, « esprit » ; [spiʀitɥalite].

**SPIRITUEL, ELLE, adj.**
**I. 1.** Qui relève de l'esprit (par oppos. à *matériel, corporel*). ► Loc. *Fils, père **spirituel*** : celui qui reçoit, celui qui lègue un héritage intellectuel. **2.** *Relig.* Relatif à la vie religieuse (anton. *temporel*) : *Pouvoir **spirituel** ; Musique **spirituelle**,* religieuse. ► Empl. subst. masc. plur. *Les **spirituels*** : les franciscains mystiques (XIIIe-XIV[e] s.) ; les quiétistes (XVIIe s.). **II. 1.** Qui a de l'esprit, de l'à-propos : *Une femme **spirituelle**.* **2.** Ext. Fin, plaisant : *Un mot **spirituel**.* Fin Xe s. ; bas lat. *spirit(u)alis*, du lat. *spiritus*, « esprit » ; [spiʀitɥɛl].

**SPIRITUELLEMENT, adv.**
**1.** En esprit, par l'esprit. **2.** Avec esprit, finesse. Déb. XIIe s. ; ☞ *spirituel* ; [spiʀitɥɛlmɑ̃].

**SPIRITUEUX, EUSE, adj. et subst. m.**
Se dit d'une boisson qui titre un degré élevé d'alcool : *Vins et **spiritueux**.* 1672 (1515, riche en esprits) ; lat. *spiritus*, « esprit » ; [spiʀitɥø, øz].

**SPIROCHÈTE, subst. m.**
*Bactériol.* Bactérie mobile Gram–, longue et flexueuse, de forme hélicoïdale, responsable de diverses maladies graves telle la syphilis. 1875 ; gr. *khaitê*, « longue chevelure », + *spiro-* ; [spiʀokɛt].

**SPIROCHÉTOSE, subst. f.**
*Pathol.* Maladie due à un spirochète. 1909 ; ☞ *spirochète* + *-ose* ; [spiʀoketoz].

**SPIROGRAPHE, subst. m.**
*Zool.* Invertébré marin sédentaire, appartenant à l'embranchement des Annélides. Ce ver arénicole se construit un tube à consistance de caoutchouc, d'une longueur d'environ 30 cm, par lequel sortent la tête et un remarquable panache de branchies. 1823 ; lat. sc. *spirographis*, du lat. *spira*, « spire », et *graphis*, « stylet, pinceau » ; [spiʀogʀaf].

*Spirographe.*

**SPIROGYRE, subst. f.**
*Bot.* Algue verte des eaux douces. Lat. *spira*, « spire », + *-gyre* ; [spiʀoʒiʀ].

**SPIROÏDAL, ALE, AUX, adj.**
En forme de spire, de spirale. 1868 ; gr. *speiroeidês* ; [spiʀoidal, o].

**SPIROMÈTRE, subst. m.**
*Méd.* Appareil servant à mesurer la capacité respiratoire des poumons. 1855 ; lat. *spirare*, « respirer », + *-mètre*[1] ; [spiʀomɛtʀ].

**SPIRORBE, subst. m.**
*Zool.* Invertébré marin sédentaire de l'embranchement des Annélides. Ce ver se construit un tube calcaire spiralé (de 2 cm de diamètre), qui se fixe sur les rochers. 1803 ; lat. sc. *spirorbis*, du lat. *spira*, « spire », et *orbis*, « cercle » ; [spiʀoʀb].

**SPIRULINE, subst. f.**
*Bactériol.* Cyanobactérie comestible, très riche en protéines, se développant dans les eaux saumâtres. Lat. sc. *spirulina* ; [spiʀylin].

**SPITANT, ANTE, adj.**
Belg. **1.** Vif, enjoué. **2.** *Eau **spitante*** : pétillante. 1880 ; flam. *spitten*, « éclabousser » ; [spitɑ̃, ɑ̃t].

**SPLANCHNIQUE, adj.**
*Anat.* Qui se rapporte aux viscères. 1729 ; gr. *splagkhnikos*, de *splagkhnon*, « entrailles » ; [splɑ̃knik].

**SPLANCHNOLOGIE, subst. f.**
Partie de l'anatomie qui traite des viscères. 1654 ; gr. *splagkhnon*, « entrailles », + *-logie* ; [splɑ̃knɔlɔʒi].

**SPLEEN, subst. m.**
Mélancolie profonde, tristesse sans cause apparente (littér.). 1745 ; angl. *spleen*, du lat. *splen*, du gr. *splên*, « rate, siège de l'humeur noire » ; [splin].

**SPLENDEUR, subst. f.**
**1.** Éclat intense d'une lumière, d'une couleur (littér.). **2.** Beauté puissante, somptueuse ; par iron. : *La bêtise dans toute sa **splendeur**.* **3.** Prospérité ; abondance de richesses : *Du temps de sa **splendeur**.* **4.** Méton. Chose splendide. Mil. XIIe s. ; lat. *splendor* ; [splɑ̃dœʀ].

**SPLENDIDE, adj.**
**1.** Qui brille d'un grand éclat ; clair, sans intempéries, en parlant du temps. **2.** Éclatant de beauté, somptueux ; au fig., prodigieux : *Un **splendide** acte de courage.* 1491 ; lat. *splendidus* ; [splɑ̃did].

**SPLENDIDEMENT, adv.**
De manière splendide. Déb. XVIe s. ; ☞ *splendide* ; [splɑ̃didmɑ̃].

**SPLÉNECTOMIE, subst. f.**
*Chir.* Ablation de la rate. 1822 ; formé de *spléno-* et de *-ectomie* ; [splenɛktɔmi].

**SPLÉNIQUE, adj.**
*Anat.* Relatif à la rate : *Infarctus **splénique**.* 1575 (1555, personne malade de la rate) ; lat. *splenicus*, du gr. *splênikos* ; [splenik].

**SPLÉNITE, subst. f.**
*Pathol.* Inflammation de la rate (rare). 1795 ; formé de *spléno-* et de *-ite* ; [splenit].

**SPLÉNIUS, subst. m.**
*Anat.* Muscle de la nuque et du dos, tendu des cinq premières vertèbres dorsales à l'occipital et à la mastoïde. 1687 ; lat. méd. *splenius*, du gr. *splênion*, « bandage » ; [splenjys].

**SPLÉNOMÉGALIE, subst. f.**
*Pathol.* Hypertrophie de la rate. 1904 ; formé de *spléno-* et de *-mégalie* ; [splenomegali].

**SPOILER, subst. m.**
Anglic. **1.** *Aéron.* Volet escamotable placé sur les ailes d'un avion pour en réduire la portance. **2.** *Autom.* Élément de carrosserie destiné à améliorer l'aérodynamisme du véhicule. V. 1970 ; angl. *spoiler*, « aérofrein » ; [spɔjlœʀ].

**SPOLIATEUR, TRICE, adj. et subst.**
Se dit d'une personne qui spolie. Adj. Qui spolie. 1488 ; lat. *spoliator* ; [spɔljatœʀ, tʀis].

**SPOLIATION, subst. f.**
Action de spolier ; son résultat : ***Spoliation** d'un héritier.* 1425 ; lat. *spoliatio* ; [spɔljasjɔ̃].

**SPOLIER, verbe trans.** [6]
Déposséder (qqn) de qqch. par force, par ruse ou par abus de pouvoir : ***Spolier** un auteur de ses droits.* Mil. XVe s. ; lat. *spoliare* ; [spɔlje].

**SPONDAÏQUE, adj.**
*Versif.* *Vers **spondaïque*** : dans la métrique grécolatine, hexamètre dactylique dont le cinquième pied est un spondée. 1580 ; gr. *spondeiakos* ; [spɔ̃daik].

**SPONDÉE, subst. m.**
*Versif.* Pied de deux syllabes longues, dans la métrique gréco-latine. Fin XIVe s. ; lat. *spondeus*, du gr. *spondeios*, de *spondê*, « libation » ; [spɔ̃de].

**SPONDIAS, subst. m.**
*Bot.* Arbre fruitier d'Amérique tropicale, de la famille des Anacardiacées, dont le fruit est appelé pomme de Cythère. 1765 ; gr. *spodias*, « prunier sauvage » ; [spɔ̃djas].

**SPONDYLARTHRITE, subst. f.**
*Pathol.* ***Spondylarthrite** ankylosante* : rhumatisme inflammatoire chronique évolutif, plus fréquent chez l'homme que chez la femme, caractérisé par des douleurs sacro-iliaques et une ankylose progressive du rachis. 1945 ; formé de *spondyle* et de *arthrite* ; [spɔ̃dilaʀtʀit].

**SPONDYLE, subst. m.**
**1.** Vx. Vertèbre. **2.** *Zool.* ► Mollusque bivalve du Pacifique tropical, très coloré, se soudant par la valve droite aux substrats durs, et dont la valve gauche est couverte de longues épines (env. 10 cm). ► Insecte de l'ordre des Coléoptères, dont la larve est xylophage. 1314 ; gr. *spondulos*, « vertèbre » ; [spɔ̃dil].

**SPONDYLITE, subst. f.**
*Pathol.* Infection ou inflammation du corps vertébral. 1823 ; ☞ *spondyle* + *-ite* ; [spɔ̃dilit].

**SPONGIAIRES, subst. m. plur.**
*Zool.* Embranchement d'invertébrés, comprenant les trois classes d'éponges. Au sing. *Le porte-bouquet de Vénus est un **spongiaire**.* 1816 ; lat. *spongia*, « éponge » ; [spɔ̃ʒjɛʀ].

**SPONGIEUX, EUSE, adj.**
**1.** Qui a la structure poreuse ou la consistance molle de l'éponge. **2.** Qui s'imbibe ou qui est imbibé comme une éponge : *Terrain **spongieux**.* Fin XIIIe s. ; lat. *spongiosus*, de *spongia*, « éponge » ; [spɔ̃ʒjø, øz].

**SPONGIFORME, adj.**
**1.** Qui rappelle la forme d'une éponge. **2.** *Pathol.* et *Vétér.* *Encéphalopathie **spongiforme*** : maladie caractérisée par une dégénérescence du cerveau, qui prend l'aspect d'une éponge, chez les Ovins et les Caprinés (tremblante), chez les bovins (encéphalopathie **spongiforme** bovine, ou maladie de la vache folle) et chez l'être humain (kuru et maladie de Creutzfeldt-Jakob). 1846 ; lat. *spongia*, « éponge », + *-forme* ; [spɔ̃ʒifɔʀm].

**SPONGILLE, subst. f.**
*Zool.* Éponge d'eau douce à reproduction asexuée. 1816 ; lat. sc. *spongilla*, du lat. *spongia* ; [spɔ̃ʒil].

**SPONSOR, subst. m.**
Personne, association ou entreprise qui sponsorise une manifestation (anglic.). 1954 ; mot angl. ; recomm. off. *commanditaire, parrain* ; [spɔ̃sɔʀ].

**SPONSORING, subst. m.**
Action de sponsoriser (anglic.). V. 1970 ; mot angl. ; recomm. off. *parrainage* ; [spɔ̃sɔʀiŋ].

**SPONSORISATION, subst. f.**
Action de sponsoriser. V. 1990 ; ☞ *sponsoriser* ; recomm. off. *parrainage* ; [spɔ̃sɔʀizasjɔ̃].

**SPONSORISER, verbe trans.** [3]
Soutenir financièrement (une manifestation, une activité) à des fins publicitaires (anglic.). V. 1980 ; ☞ *sponsor* ; recomm. off. *commanditer, parrainer* ; [spɔ̃sɔʀize].

**SPONTANÉ, ÉE, adj.**
**1.** Qui se produit de soi-même, sans être provoqué : *Phénomène **spontané**.* ► *Bot.* Qui pousse de façon naturelle, sans être cultivé : *Végétation **spontanée**.* ► *Génération **spontanée*** (☞ *génération*). **2.** Que l'on fait sans contrainte extérieure : *Démarche **spontanée**.* **3.** Qui se fait sans calcul, sans arrière-pensée ; par méton., sincère, ingénu : *Une fille très **spontanée**.* 1541 ; bas lat. *spontaneus* ; [spɔ̃tane].

**SPONTANÉISME, subst. m.**
*Pol.* Doctrine, attitude s'inspirant de Bakounine et de Rosa Luxemburg, qui postule le développement spontané du mouvement révolutionnaire, hors de tout encadrement institutionnel (politique, syndical). V. 1970 ; ☞ *spontané* ; [spɔ̃taneism].

**SPONTANÉITÉ, subst. f.**
**1.** Caractère de ce qui est spontané, non provoqué. **2.** Qualité d'une personne, d'une chose spontanée, naturelle. 1695 ; ☞ *spontané* ; [spɔ̃taneite].

**SPONTANÉMENT, adv.**
D'une manière spontanée. 1381 ; ☞ *spontané* ; [spɔ̃tanemɑ̃].

**SPORADIQUE, adj.**
**1.** *Méd.* Se dit d'une maladie qui ne frappe que quelques individus (anton. *épidémique*). **2.** *Sc. nat.* Dispersé dans diverses régions du globe : *Espèces **sporadiques**.* **3.** Qui apparaît, se produit de manière irrégulière : *Actions, tirs **sporadiques**.* 1620 ; gr. *sporadikos*, de *sporas*, « épars » ; [spɔʀadik].

**SPORADIQUEMENT, adv.**
De manière sporadique. 1845 ; ☞ *sporadique* ; [spɔʀadikmɑ̃].

**SPORANGE, subst. m.**
*Bot.* Organe végétal qui produit les spores. 1817 ; formé de *spore* et du gr. *aggos*, « vase » ; [spɔʀɑ̃ʒ].

**SPORE, subst. f.**
*Biol.* et *Bot.* Stade cellulaire de résistance aux conditions défavorables qui peut être produit automatiquement à un moment bien défini du cycle biologique des champignons, des mousses et des fougères, gén. après la méiose. Beaucoup de champignons produisent des **spores** en dehors de la reproduction sexuée comme moyen de dispersion et les cellules de certaines espèces bactériennes produisent une **spore** en réponse à la dégradation de leur milieu. 1817 ; gr. *spora*, « semence » ; [spɔʀ].

**SPOROGONE, subst. m.**
*Bot.* Sporophyte des Bryophytes. 1900 ; formé de *sporo-* et de *-gone*[2] ; [spɔʀogɔn].

**SPOROPHYTE, subst. m.**
*Bot.* Forme végétale diploïde provenant du développement d'un zygote et porteur des sporanges. 1897 ; formé de *sporo-* et de *-phyte* ; [spɔʀɔfit].

**SPOROTRICHE, subst. m.**
*Bot.* Champignon dont un genre est une moisissure à l'origine de la sporotrichose. 1842 ; lat. sc. *sporotrichum*, du gr. *spora*, « semence », et *thrix*, « cheveu » ; [spɔʀɔtʀiʃ].

**SPOROTRICHOSE, subst. f.**
*Pathol.* Mycose, rare en Europe, due à un sporotriche, caractérisée par un chancre d'inoculation et des lésions gommeuses qui suivent le trajet des vaisseaux lymphatiques. 1903 ; ☞ *sporotriche* + *-ose* ; [spɔʀɔtʀikoz].

**SPOROZOAIRES, subst. m. plur.**
*Zool.* Embranchement de protozoaires parasites, unicellulaires et peu mobiles, tels la coccidie ou le plasmodium. **Au sing.** *Le plasmodium, agent du paludisme, est un* ***sporozoaire****.* 1890 ; formé de *sporo-* et de *-zoaire* ; [spɔʀɔzɔɛʀ].

**SPORT, subst. m. et adj. inv.**
**Subst. 1.** Activité physique obéissant à des règles déterminées, qui se pratique sous forme de jeu ou de compétition : *Faire du* ***sport*** ; *Terrain de* ***sport****.* **2.** Forme spécifique de cette activité constituant une discipline autonome : ***Sports*** *individuels, d'équipe* ; ***Sports*** *de combat.* ▸ ***Sports*** *d'hiver* : que l'on pratique en montagne, sur la neige ou la glace et, par ext., vacances d'hiver à la montagne. ▸ *Voiture de* ***sport*** : automobile rapide et légère. **3.** Fig. Activité qui s'apparente au **sport**, par les difficultés qu'elle présente, les efforts qu'elle nécessite : ***Sport*** *cérébral.* ▸ Loc. fam. *C'est du* ***sport*** *!* : c'est difficile ! ; *Il va y avoir du* ***sport*** *!* : de la bagarre. **Adj. 1.** *Être* ***sport*** : être beau joueur (vieilli). **2.** Confortable, décontracté : *Tenue* ***sport****.* 1828 ; angl. *sport*, du m. angl. *disport*, de l'anc. fr. *de(s)port*, « plaisir, amusement » ; [spɔʀ].

**SPORTIF, IVE, adj. et subst.**
**Adj. 1.** Propre ou relatif au sport, à un sport : *Exercices* ***sportifs*** ; *Journal* ***sportif****.* **2.** Qui a un caractère de sport : *Conduite, pêche* ***sportive****.* **3.** Qui traduit la pratique du sport : *Allure* ***sportive****.* **4.** Qui respecte les règles du sport ; loyal : *Esprit* ***sportif****.* **Adj.** et **Subst.** Se dit d'une personne qui pratique un, des sports. 1862 ; ☞ *sport* ; [spɔʀtif, iv].

**SPORTIVEMENT, adv.**
Avec sportivité. 1893 ; ☞ *sportif* ; [spɔʀtivmɑ̃].

**SPORTIVITÉ, subst. f.**
Esprit sportif, attitude loyale. 1898 ; ☞ *sportif* ; [spɔʀtivite].

**SPORTSWEAR, subst. m.**
Ensemble des vêtements sport, confortables et pratiques (anglic.). V. 1960 ; angl. *sportswear*, de *sport*, « sport », et de *wear*, « tenue » ; var. *sportwear* ; [spɔʀtswɛʀ].

**SPORTULE, subst. f.**
*Antiq. rom.* Don qu'un client recevait quotidiennement de son patron. 1564 (1404, épices que le client donnait au juge) ; lat. *sportula*, de *sporta*, « panier » ; [spɔʀtyl].

**SPORTWEAR,** voir **SPORTSWEAR**

**SPORULATION, subst. f.**
*Biol.* et *Bot.* Formation de spores chez les végétaux et les champignons. Par **sporulation**, certaines bactéries génèrent, au sein de leur cytoplasme, des spores très résistantes. 1875 ; *sporule* (vx), « petite spore » ; [spɔʀylasjɔ̃].

**SPORULER, verbe intrans.** [3]
*Biol.* et *Bot.* Former des spores. 1877 ; *sporule* (vx), « petite spore » ; [spɔʀyle].

**SPOT, subst. m.**
Anglic. **1.** *Phys.* Point lumineux qui sert d'index en se déplaçant sur l'échelle graduée d'un instrument de mesure à miroir. ▸ Tache lumineuse formée par l'impact d'un faisceau d'électrons sur l'écran d'un tube cathodique. **2.** Petit projecteur orientable diffusant un faisceau lumineux sur un espace restreint. **3.** Bref message à caractère publicitaire (empl. critiqué). 1889 ; angl. *spot*, « point, tache » ; [spɔt].

**SPRAT, subst. m.**
*Zool.* Poisson de mer téléostéen, proche du hareng, qui vit dans les eaux froides à tempérées. C'est un poisson que l'on consomme souvent fumé. 1723 ; mot angl. ; [spʀat].

**SPRAY, subst. m.**
Anglic. **1.** Liquide sous pression projeté d'une bombe en fines gouttelettes. **2.** Méton. La bombe elle-même : *Parfum en* ***spray****.* 1884 ; angl. *spray*, « brouillard ; vaporisateur » ; [spʀɛ].

**SPRINGBOK, subst. m.**
*Zool.* Antilope d'Afrique du Sud caractérisée par un repli de peau sur le dos, recouvert de poils plus clairs qui se hérissent en cas de danger. 1781 ; néerl. *springbok*, « bouc sauteur » ; [spʀiŋbɔk].

*Springbok.*

**SPRINGER, subst. m.**
Chien d'arrêt d'origine britannique, à poil long et aux oreilles tombantes, ancêtre de plusieurs épagneuls actuels. 1867 ; angl. *springer*, de *to spring*, « sauter » ; [spʀiŋɡɛʀ].

**SPRINT, subst. m.**
*Sp.* **1.** Accélération de l'allure d'un coureur à proximité de l'arrivée ; par méton., fin d'une course : *Être battu au* ***sprint****.* ▸ Loc. *Piquer un* ***sprint*** : courir très vite sur une petite distance (fam.). **2.** Épreuve de vitesse sur une courte distance. 1895 ; angl. *sprint*, de *to sprint*, « s'élancer » ; [spʀint].

**SPRINTER (I), subst. m.**
*Sp.* Spécialiste du sprint. 1887 ; mot angl. ; var. conseillée *sprinteur, euse* ; [spʀintœʀ].

**SPRINTER (II), verbe intrans.** [3]
*Sp.* Accélérer l'allure en fin de course (anglic.). 1907 ; ☞ *sprint* ; [spʀinte].

**SPRUE, subst. f.**
*Pathol.* **1.** *Sprue tropicale* : forme chronique de diarrhée graisseuse, accompagnée de dénutrition, d'aphtes, d'une glossite et d'une anémie ; d'origine inconnue, elle est sensible aux antibiotiques et aux vitamines. **2.** Affection de même type due à une intolérance au gluten (synon. *maladie cœliaque*). 1923 ; mot angl. ; [spʀy].

**SPUMESCENT, ENTE, adj.**
Qui produit de l'écume ; qui a l'aspect de l'écume (rare). 1817 ; lat. *spumescens* ; [spymesɑ̃, ɑ̃t].

**SPUMEUX, EUSE, adj.**
Qui est mêlé ou recouvert d'écume. Mil. XIV^e s. ; lat. *spumosus* ; [spymø, øz].

**SQUALE, subst. m.**
*Zool.* Poisson cartilagineux, comme le requin ou la raie. 1754 ; lat. *squalus* ; [skwal].

**SQUAMATES, subst. m. plur.**
*Zool.* Ordre de vertébrés de la classe des Reptiles comprenant les Sauriens et les Serpents. **Au sing.** *La couleuvre à collier est un* ***squamate****.* XX^e s. ; lat. sc. *squamata*, du lat. *squamatus*, « écailleux » ; [skwamat].

**SQUAME, subst. f.**
Lamelle de l'épiderme qui se détache de la peau. Fin XIII^e s. ; lat. *squama*, « écaille » ; [skwam].

**SQUAMEUX, EUSE, adj.**
*Pathol.* Qui présente des squames : *Le psoriasis se caractérise par des lésions* ***squameuses****.* 1495 ; lat. *squamosus* ; [skwamø, øz].

**SQUAMIFÈRE, adj.**
*Zool.* Recouvert d'écailles, comme beaucoup de lézards, de serpents et de poissons. Déb. XIX^e s. ; lat. *squamifer* ; [skwamifɛʀ].

**SQUAMULE, subst. f.**
*Zool.* Petite écaille recouvrant les ailes de certains insectes, en partic. celles des papillons. 1812 ; lat. *squamula* ; [skwamyl].

**SQUARE, subst. m.**
Jardin public gén. entouré d'une grille. 1715 ; angl. *square*, de l'anc. fr. *esquarre*, « carré » ; [skwaʀ].

**SQUASH, subst. m.**
*Sp.* Sport pratiqué en salle où deux joueurs placés côte à côte se renvoient une balle à l'aide de raquettes, en la faisant rebondir sur les quatre murs. 1930 ; angl. *squash*, de *to squash*, « écraser » ; [skwaʃ].

**SQUAT, subst. m.**
Fait d'occuper illégalement un local vide ; local ainsi occupé. V. 1980 ; ☞ *squatter* (II) ; [skwat].

**SQUATINE, subst. f.**
*Zool.* Poisson cartilagineux, appelé aussi ange de mer, qui vit dans l'Atlantique oriental et en Méditerranée. C'est un requin de fond indolent, comestible, qui peut mesurer jusqu'à 2 m. 1597 ; lat. *squatina* ; var. *un squatina* ; [skwatin].

**SQUATTER (I), subst. m.**
**1.** *Hist.* ▸ Aux États-Unis, pionnier qui s'installait, sans titre de propriété, sur des terres inexploitées. ▸ En Australie, éleveur de moutons utilisant comme pâturage des terrains loués par le gouvernement. **2.** Anal. Personne qui occupe un local vacant, sans en avoir le droit (anglic.). 1827 ; anglo-amér. *squatter*, de *to squat*, « s'accroupir » ; [skwatœʀ].

**SQUATTER (II), verbe trans.** [3]
Occuper illégalement (un local vide). V. 1970 ; anglo-amér. *to squat* ; var. *squattériser* ; [skwate].

**SQUAW, subst. f.**
Femme mariée, chez les Amérindiens du Nord. 1634 ; anglo-amér. *squaw*, de l'algonquin ; [skwo].

**SQUEEZE, subst. m.**
*Jeux.* Au bridge, action de squeezer (anglic.). Angl. *to squeeze*, « presser » ; [skwiz].

**SQUEEZER, verbe trans.** [3]
Anglic. **1.** *Jeux.* Au bridge, contraindre (un adversaire) à se défausser. **2.** Fig. Prendre l'avantage sur (qqn) sans lui laisser la possibilité d'agir (fam.). Mil. XX^e s. ; angl. *to squeeze*, « presser » ; [skwize].

**SQUELETTE, subst. m.**
**1.** Charpente osseuse décharnée qui subsiste d'un homme ou d'un animal mort ; au fig., personne très maigre (fam.). **2.** *Anat.* Ensemble des os du corps (ou d'une partie du corps) de l'homme et des vertébrés : *Radiographie du* ***squelette*** ; ***Squelette*** *du pied* ; en partic., structure rigide soutenant un organe : ***Squelette*** *de la langue.* ▸ Ext. Ensemble des parties dures composant le corps des invertébrés. **3.** Bâti, ossature d'une construction. **4.** Fig. Schéma, plan non détaillé d'une œuvre. 1552 ; gr. *skeletos*, « corps desséché » ; [skəlɛt].

**SQUELETTIQUE, adj.**
**1.** Qui évoque un squelette ; extrêmement maigre. **2.** Relatif au squelette. **3.** Fig. ▸ Trop concis ou trop schématique. ▸ Trop peu nombreux : *Effectifs* ***squelettiques****.* 1833 ; ☞ *squelette* ; [skəletik].

**SQUILLE, subst. f.**
*Zool.* Crustacé marin dont une espèce comestible, la **squille**-mante, au corps longiligne atteignant 20 cm de long, est appelée improprement cigale de mer. 1591 ; lat. *squilla* ; [skij].

**SQUIRRE, subst. m.**
*Pathol.* Forme de cancer, en partic. du sein, caractérisée par une importante réaction scléreuse de la peau, formant cuirasse. 1538 ; gr. *skirrhos* ; var. *squirrhe* ; [skiʀ].

**sr,** voir **STÉRADIAN**

**Sr,** voir **STRONTIUM**

**STABAT MATER, subst. m. inv.**
**1.** *Liturg.* Texte latin chanté ou récité évoquant la souffrance de la Vierge auprès du Christ crucifié. **2.** *Mus.* Œuvre sacrée composée sur ce texte. 1761 ; lat. *stabat mater*, « sa mère se tenait debout », début du texte liturgique ; [stabatmatɛʀ].

**STABILISATEUR, TRICE, adj. et subst. m.**
**Adj.** Qui rend stable. **Subst. 1.** Mécanisme ou dispositif servant à maintenir ou à rétablir l'équilibre d'un véhicule, d'un système : *Le gyroscope est un* ***stabilisateur****.* ▸ *Mar.* ***Stabilisateur*** *de roulis* : dispositif dépliable fixé aux flancs d'un navire. **2.** *Chim.* Substance ajoutée à une autre pour la rendre plus stable (synon. *stabilisant*). 1877 ; ☞ *stabiliser* ; [stabilizatœʀ, tʀis].

**STABILISATION, subst. f.**
Action de stabiliser ; son résultat : ***Stabilisation*** *d'une maladie.* 1780 ; ☞ *stabiliser* ; [stabilizasjɔ̃].

**STABILISER,** verbe trans. [3]
Rendre stable ; consolider. ☞ 1780 ; lat. *stabilis,* « stable » ; [stabilize].

**STABILITÉ,** subst. f.
**1.** Qualité de ce qui est stable, de ce qui demeure en équilibre : *Stabilité d'une construction.* ▸ Faculté de reprendre son équilibre après une oscillation passagère : *Stabilité d'un aéronef.* ▸ *Phys.* Propriété d'un système qui reste dans un état d'équilibre permanent. **2.** Fig. Constance dans la conduite, le comportement. **3.** Capacité à rester dans le même état, à ne pas subir de fluctuations importantes : *Stabilité de la monnaie, des cours ; Stabilité ministérielle.* ☞ Déb. XII^e s. ; lat. *stabilitas* ; [stabilite].

**STABLE,** adj.
**1.** Qui est constant dans son comportement ; équilibré : *Caractère* ***stable*** *; Personne* ***stable.*** **2.** Qui n'est pas soumis à des changements répétés, qui demeure dans le même état : *Monnaie* ***stable.*** **3.** Qui est fermement en place, en état d'équilibre : *Une chaise bien* ***stable.*** ▸ Qui n'est pas affecté par des oscillations : *Véhicule* ***stable.*** **4.** *Spéc.* ▸ *Agric. Sol* ***stable*** : qui résiste à l'action d'agents de dégradation. ▸ *Chim.* Qui ne peut être transformé par une réaction spontanée : *Composition* ***stable.*** ▸ *Math. Partie* ***stable*** *d'un ensemble E muni d'une loi de composition interne* $*$ : partie A de E telle que pour tout couple $(x, y)$ d'éléments de A, le composé $x * y$ appartienne à A ; *Partie* ***stable*** *par une application f d'un ensemble E dans lui-même* : partie A de E telle que $f(A) \subset A$. ☞ XII^e s. ; lat. *stabilis* ; [stabl].

**STABULATION,** subst. f.
Séjour du bétail en étable. ▸ ***Stabulation*** *libre* : qui permet aux bêtes, non attachées, de se déplacer librement. ☞ Déb. XIX^e s. ; lat. *stabulatio,* de *stabulum,* « étable » ; [stabylasjɔ̃].

**STACCATO,** adv.
*Mus.* En détachant nettement chaque note ; empl. subst. masc., morceau exécuté **staccato.** ☞ 1771 ; ital. *staccato,* « détaché » ; [stakato].

**STADE,** subst. m.
**I. 1.** *Antiq.* Mesure de longueur de 600 pieds grecs (env. 185 m). ▸ Méton. Piste de cette longueur où s'affrontaient les coureurs ; enceinte qui l'englobait. **2.** Terrain aménagé pour la pratique des sports, gén. bordé de tribunes. **II.** Chacune des étapes d'une évolution, d'un processus : *Dernier* ***stade*** *d'une maladie ; En être toujours au même* ***stade.*** ☞ 1265 ; lat. *stadium,* du gr. *stadion* ; [stad].

**STADHOUDER,** voir **STATHOUDER**

**STADIA,** subst. m. ou f.
*Techn.* Mire graduée permettant de mesurer des distances avec un tachéomètre. ☞ 1862 ; prob. gr. *stadios,* « qui se tient debout » ; [stadja].

**STAFF (I),** subst. m.
Matériau composé de plâtre à mouler et de fibres végétales. ☞ 1884 ; p.-ê. all. *staffieren,* « garnir » ; [staf].

**STAFF (II),** subst. m.
Anglic. Groupe de responsables dans une entreprise. ▸ Équipe de professionnels : ***Staff*** *médical.* ☞ 1944 (1895, état-major) ; mot anglo-amér. ; [staf].

**STAGE,** subst. m.
**1.** Période probatoire de formation nécessaire pour exercer certaines professions : ***Stage*** *d'avocat.* **2.** Période d'initiation ou de perfectionnement dans une activité professionnelle, sportive, artistique : ***Stage*** *en entreprise ;* ***Stage*** *de voile.* ☞ 1783 (déb. XVII^e s., temps de résidence imposé à un nouveau chanoine) ; lat. médiév. *stagium,* de l'anc. fr. *estage,* « demeure » ; [staʒ].

**STAGFLATION,** subst. f.
*Écon.* Situation caractérisée à la fois par l'inflation, la stagnation de l'activité et un taux élevé de chômage. ☞ V. 1970 ; anglo-amér. *stagflation,* crois. de *stagnation,* « stagnation », et de *inflation,* « inflation » ; [stagflasjɔ̃].

**STAGIAIRE,** adj. et subst.
Se dit d'une personne qui fait un stage. ☞ 1811 (1743, chanoine qui fait son stage) ; lat. médiév. *stagiarus* ; [staʒjɛʀ].

**STAGNANT, ANTE,** adj.
**1.** Qui ne s'écoule pas : *Eaux* ***stagnantes.*** **2.** Fig. Qui n'évolue pas : *Une économie* ***stagnante.*** ☞ 1552 ; lat. *stagnans* ; [stagnɑ̃, ɑ̃t].

**STAGNATION,** subst. f.
État de ce qui stagne. ☞ 1741 ; lat. *stagnatum,* de *stagnare,* « stagner » ; [stagnasjɔ̃].

**STAGNER,** verbe intrans. [3]
**1.** Rester à la même place, ne pas s'écouler, en parlant d'un fluide. **2.** Fig. Rester dans le même état, ne pas évoluer. ☞ 1788 ; lat. *stagnare* ; [stagne].

**STAKHANOVISME,** subst. m.
Méthode de travail appliquée en U. R. S. S. entre 1930 et 1950, qui s'appuyait sur les records de rendement prétendument rendus possibles par les innovations techniques et l'émulation des travailleurs. ☞ 1936 ; anthropon. *Stakhanov,* mineur soviétique ; [stakanɔvism].

**STAKHANOVISTE,** adj. et subst.
Se dit d'un travailleur appliquant les principes du stakhanovisme ; par ext. (péj.) : ***Stakhanoviste*** *de la chanson.* Adj. Qui relève du stakhanovisme. ☞ 1936 ; ☞ *stakhanovisme* ; [stakanɔvist].

**STAKNING,** subst. m.
*Sp.* En ski de fond, fait d'avancer en poussant simultanément sur les deux bâtons. ☞ 1930 ; mot norv. ; [stakniŋ].

**STALACTITE,** subst. f.
*Géol.* Concrétion calcaire en forme de fine colonne, qui se développe à partir de la voûte d'une grotte karstique, par précipitation du carbonate dissous dans l'eau qui s'égoutte à son extrémité. ☞ 1644 ; lat. sc. *stalagtites,* du gr. *stalaktos,* « qui coule goutte à goutte » ; [stalaktit].

© Berthoule-Explorer

*Stalactites et stalagmites des grottes de Cougnac (Lot).*

**STALAG,** subst. m.
Camp d'internement des sous-officiers et des soldats alliés prisonniers des Allemands pendant la Seconde Guerre mondiale. ☞ 1940 ; all. *Stalag,* abrév. de *Stammlager,* « camp de base » ; [stalag].

**STALAGMITE,** subst. f.
*Géol.* Concrétion calcaire en forme de fine colonne, qui se développe sur le sol d'une grotte karstique, au point où les gouttes d'eau tombent d'une stalactite. ☞ 1644 ; lat. sc. *stalagmites,* du gr. *stalagmos,* « écoulement goutte à goutte » ; [stalagmit].

**STALINIEN, IENNE,** adj. et subst.
Se dit d'un partisan de Staline ou du stalinisme. Adj. **1.** Relatif, propre ou favorable à Staline, au stalinisme. **2.** Ext. Qui manifeste des idées, des intentions totalitaires (péj.). ☞ 1926 ; anthropon. *Staline* ; [stalinjɛ̃, jɛn].

**STALINISME,** subst. m.
*Pol.* Système totalitaire mis en œuvre en U. R. S. S. par Staline, se réclamant du marxisme-léninisme. ☞ 1929 ; anthropon. *Staline* ; [stalinism].

**STALLE,** subst. f.
**1.** Chacun des sièges en bois sculpté réservés aux membres du clergé, disposés de chaque côté du chœur d'une cathédrale, d'une abbatiale, d'une basilique. **2.** Compartiment cloisonné affecté à un animal dans une écurie, une étable. ☞ 1556 ; lat. médiév. *stallum* ; [stal].

**STAMINAL, ALE, AUX,** adj.
*Bot.* Relatif à l'étamine. ☞ 1803 ; lat. *stamen,* « étamine » ; [staminal, o].

**STAMINÉ, ÉE,** adj.
*Bot.* Se dit d'une fleur unisexuée mâle, qui ne produit que des étamines. ☞ 1791 ; lat. *stamen,* « étamine » ; [stamine].

**STAMINIFÈRE,** adj.
*Bot.* Qui porte des étamines. ☞ 1783 ; lat. *stamen,* « étamine », + *-fère* ; [staminifɛʀ].

**STANCE,** subst. f.
*Versif.* Strophe dont les vers composent un tout. Plur. Pièce poétique à caractère moral, religieux ou élégiaque, composée de plusieurs **stances.** ☞ 1550 ; ital. *stanza* ; [stɑ̃s].

**STAND (I),** subst. m.
**1.** Emplacement réservé à un exposant dans une foire, une exposition. **2.** Point de ravitaillement affecté à une écurie en bordure d'un circuit de course automobile. ☞ 1883 (1833, tribune d'un champ de courses) ; angl. *stand,* de *to stand,* « se tenir debout » ; [stɑ̃d].

**STAND (II),** subst. m.
Endroit aménagé pour le tir à la cible. ☞ 1878 ; fr. de Suisse romande *stand,* de l'além. *Stand* ; [stɑ̃d].

**STANDARD,** subst. m. et adj.
Subst. **1.** Élément spécifique de référence servant de norme de définition et d'évaluation dans la production d'objets en série. **2.** Anal. Valeur propre à un groupe social. ▸ ***Standard*** *de vie* : niveau de vie. **3.** Dispositif permettant de faire communiquer entre eux et avec le réseau extérieur les différents postes d'une installation téléphonique. **4.** Ensemble des caractéristiques techniques qui régissent le fonctionnement d'un système donné de télévision. **5.** *Mus.* Thème de jazz qui sert de base à des improvisations. Adj. **1.** Qui est conforme à un prototype, à une norme, notamment dans la fabrication de produits en série : *Modèles* ***standard(s).*** ▸ *Prix* ***standard*** : prix théorique fixé pour un bien, un service, dans le budget d'une entreprise. **2.** Fig. Conforme au modèle courant, sans originalité (souv. péj.) : *Tenue* ***standard.*** **3.** *Ling.* Se dit d'une langue considérée du point de vue de sa forme la plus couramment employée, sans tenir compte de ses particularités dialectales ou sociales. ☞ 1857 (1692, étalon) ; angl. *standard,* de l'anc. fr. *estandart,* « étendard », du frq. *°standhard,* « inébranlable » ; plur. de l'adj. *standard(s)* ; [stɑ̃daʀ].

**STANDARDISATION,** subst. f.
Action de standardiser ; son résultat. ☞ 1904 ; ☞ *standard* ; [stɑ̃daʀdizasjɔ̃].

**STANDARDISER,** verbe trans. [3]
**1.** Soumettre ou ramener à une norme. **2.** Uniformiser (souv. péj.) ; empl. adj. : *Des comportements* ***standardisés.*** ☞ 1904 ; ☞ *standard* ; [stɑ̃daʀdize].

**STANDARDISTE,** subst.
Personne assurant le service d'un standard téléphonique. ☞ 1933 ; ☞ *standard* ; [stɑ̃daʀdist].

**STAND-BY,** subst. inv. et adj. inv.
Anglic. Se dit d'une personne qui, ne disposant pas de réservation sur un avion de ligne, reste en attente d'une place disponible. Subst. masc. Cette attente : *Être en* ***stand-by.*** ☞ V. 1980 ; angl. *stand-by passenger,* de *to stand by,* « se tenir prêt » ; [stɑ̃dbaj].

**STANDING,** subst. m.
Anglic. **1.** Niveau de vie, position sociale : *Maintenir son* ***standing.*** **2.** Niveau de confort, de prestige, de luxe d'un immeuble, d'un hôtel. ☞ 1928 ; angl. *standing,* de *to stand,* « se tenir debout » ; recomm. off. *classe,* au sens 2 ; [stɑ̃diŋ].

**STANNEUX,** adj. m.
*Chim.* Se dit d'un composé issu de l'étain bivalent. ☞ 1831 ; lat. *stannum,* « étain » ; [stanø].

**STANNIFÈRE,** adj.
Qui contient de l'étain : *Gisement, alliage* ***stannifère.*** ☞ 1823 ; lat. *stannum,* « étain », + *-fère* ; [stanifɛʀ].

**STANNIQUE,** adj.
*Chim.* Se dit d'un composé issu de l'étain tétravalent. ☞ 1789 ; lat *stannum,* « étain » ; [stanik].

**STAPHISAIGRE,** subst. f.
*Bot.* Renonculacée dont une espèce est utilisée en décoction pour tuer les poux. ☞ Mil. XIII^e s. ; bas lat. *staphis agria,* « raisin sauvage » ; [stafizɛgʀ].

**STAPHYLIER,** subst. m.
*Bot.* Arbuste ornemental d'Europe, appelé aussi faux pistachier, cultivé comme arbre d'ornement. ☞ 1803 ; gr. *staphulê,* « grappe de raisin » ; [stafilje].

**STAPHYLIN (I), INE,** adj.
*Anat.* Qui concerne la luette. ☞ 1752 ; gr. *staphulê,* « luette » ; [stafilɛ̃, in].

**STAPHYLIN (II),** subst. m.
*Zool.* Coléoptère carnassier de la famille des Staphylinidés (27 000 espèces). C'est un coureur

au corps svelte (de 2 à 3 cm de long) dont l'abdomen peut se recourber vers le haut, et dont une espèce mange des bouses de vache. 1755 ; lat. sc. *staphylinus*, du gr. *staphulinos*, « insecte » ; [stafilɛ̃].

**STAPHYLOCOCCIE, subst. f.**
*Pathol.* Infection due à un staphylocoque. 1896 ; ☞ *staphylocoque* ; [stafilɔkɔksi].

**STAPHYLOCOQUE, subst. m.**
*Bactériol.* Bactérie Gram+, dont une espèce, le **staphylocoque** doré, résistante aux antibiotiques, provoque parfois des septicémies secondaires à des infections O. R. L. et cutanées. 1891 ; lat. sc. mod. *staphylococcus*, du gr. *staphulê*, « grappe de raisin », et *kokkos*, « graine » ; [stafilɔkɔk].

**STAPHYLOME, subst. m.**
*Pathol.* Saillie locale de la paroi du globe oculaire. 1575 ; bas lat. *staphyloma*, du gr. *staphulôma*, de *staphulê*, « grappe de raisin » ; [stafilom].

**STAR, subst. f.**
Anglic. **1.** *Cin.* Vedette que son prestige rend inaccessible, mythique. **2.** Ext. Personnalité dont la notoriété est consacrée par les médias : ***Star** de la politique.* 1919 ; angl. *star*, « étoile » ; [staʀ].

**STARETS, subst. m.**
*Hist.* Saint homme tenu pour prophète ou thaumaturge dans l'ancienne Russie. 1849 ; russe *starec*, de *staryj*, « vieux, ancien » ; var. *stariets* ; [staʀɛts].

**STARIE, subst. f.**
*Mar.* Délai imposé pour charger ou décharger un navire. 1870 ; néerl. *star*, « immobile » ; [staʀi].

**STARKING, subst. f.**
Variété de pomme rouge, originaire d'Amérique. V. 1960 ; mot angl. ; [staʀkiŋ].

**STARLETTE, subst. f.**
*Cin.* Jeune actrice qui aspire à devenir une star. 1922 ; angl. *starlet*, de *star*, « étoile » ; [staʀlɛt].

**STAROSTE, subst. m.**
*Hist.* **1.** Noble polonais qui détenait en fief une terre de la Couronne. **2.** En Russie, chef élu d'un mir. 1606 ; polonais *starosta* ; [staʀɔst].

**STAR-SYSTÈME, subst. m.**
Système fondé sur le prestige d'une vedette, dans l'industrie du cinéma et, par ext., dans d'autres domaines (anglic.). 1948 ; anglo-amér. *star system* ; plur. *star-systèmes*, var. *star-system* (plur. *star-systems*) ; [staʀsistɛm].

**STARTER, subst. m.**
Anglic. **1.** Personne qui donne le signal du départ dans une course. **2.** Dispositif qui facilite le démarrage à froid d'un moteur à explosion. 1861 ; angl. *starter*, de *to start*, « partir » ; [staʀtɛʀ].

**STARTING-BLOCK, subst. m.**
*Sp.* Appareil fixé au sol, muni de deux cales réglables contre lesquelles un athlète place ses pieds, au départ d'une course de vitesse (anglic.). 1939 ; angl. *starting block*, de *to start*, « partir », et de *block*, « bloc » ; plur. *starting-blocks*, recomm. off. *bloc de départ* ; [staʀtiŋblɔk].

**STARTING-GATE, subst. m. ou f.**
Dispositif formé d'une suite de portes qui s'ouvrent automatiquement devant les chevaux au départ d'une course (anglic.). 1900 ; angl. *starting gate*, « barrière de départ » ; plur. *starting-gates* ; [staʀtiŋgɛt].

**STASE, subst. f.**
*Pathol.* Arrêt ou ralentissement important de la circulation d'un liquide dans l'organisme. 1741 ; gr. *stasis*, « arrêt » ; [stɑz].

**STATÈRE, subst. m.**
*Antiq. gr.* Monnaie d'argent de certaines cités, valant de 2 à 4 drachmes. ▸ ***Statère** d'or* : valant de 20 à 28 drachmes. Fin XIVe s. ; lat. *stater*, du gr. *statêr*, « monnaie » ; [statɛʀ].

**STATHOUDER, subst. m.**
*Hist.* **1.** Gouverneur de province dans les Pays-Bas espagnols. **2.** Titre donné au chef de l'exécutif dans les Provinces-Unies (devenu quasi héréditaire dans la maison d'Orange-Nassau). 1672 ; néerl. *stadhouder*, « lieutenant » ; var. *stadhouder* ; [statudɛʀ].

**STATHOUDÉRAT, subst. m.**
Fonction, dignité de stathouder. 1701 ; ☞ *stathouder* ; [statudeʀa].

**STATIF, subst. m.**
**1.** Support stable et massif d'un instrument, notamment de laboratoire. **2.** Partie mécanique d'un microscope. 1904 (déb. XIXe s., adj., stable) ; lat. *stativus*, « stationnaire » ; [statif].

**STATION, subst. f.**
**I. 1.** Halte sur un parcours : *De longues **stations** devant les vitrines.* ▸ *Relig. Les **stations** du chemin de croix* : les quatorze arrêts de Jésus montant au Calvaire ; par méton., les quatorze peintures ou sculptures les représentant. **2.** *Astron.* Situation d'une planète lorsqu'elle paraît immobile dans le zodiaque. **II. 1.** Lieu de séjour où l'on peut faire des cures, pratiquer certaines activités : ***Station** thermale, balnéaire.* **2.** Lieu d'observation : ***Station** géodésique.* ▸ Établissement où s'effectuent des observations, des travaux scientifiques ou techniques : ***Station** météorologique* ; ***Station** d'épuration des eaux*, installations où l'on épure les eaux usées. **3.** Espace aménagé où s'arrêtent les véhicules de transport pour déposer ou prendre des voyageurs : ***Station** de métro, de taxis.* **III.** Manière de se tenir, position : ***Station** debout.* **IV.** *Spéc.* **1.** *Astronaut.* ***Station** spatiale, orbitale* : conçue pour rester en orbite et constituée de modules pressurisés habitables, équipés pour la recherche scientifique. **2.** *Informat.* ***Station** de travail* : installation, connectable à un réseau, affectée à un travail déterminé. **3.** *Mar.* Étendue maritime placée sous la surveillance de navires militaires ; l'ensemble de ces navires. **4.** *Télécomm.* Ensemble localisé d'installations propres à assurer des émissions radiophoniques ou télévisuelles, ou leur relais. Fin XIIe s. ; lat. *statio*, « fait d'être immobile » ; [stasjɔ̃].

ASTRONAUTIQUE – Les premières stations orbitales ont été Saliout 1 (U. R. S. S., 1971) et Skylab (États-Unis, 1973). Depuis 1986, des astronautes, transportés par les véhicules spatiaux récupérables russes Soyouz ou par la navette spatiale américaine, occupent régulièrement la station d'origine soviétique Mir, agrandie successivement de six ateliers pour les recherches d'astrophysique et la fabrication de matériaux en microgravité. Aujourd'hui, l'objectif de la coopération spatiale internationale (États-Unis, Europe, Japon, Canada et Russie) est la station orbitale permanente Freedom, rebaptisée Alpha. Formée de l'assemblage en orbite de modules satellisés séparément (dont l'européen Colombus), elle servira de laboratoire, de station-service pour les satellites et de base de lancement de véhicules spatiaux vers l'espace interplanétaire.

**STATIONNAIRE, adj. et subst. m.**
Adj. **1.** Qui reste immobile un certain temps dans un point de l'espace : *Vol **stationnaire**.* **2.** Qui reste un certain temps sans se modifier, sans évoluer : *État **stationnaire** d'un malade* ; *Situation **stationnaire**.* **3.** *Spéc.* ▸ *Math. Point **stationnaire** d'un arc paramétré (de classe $C^1$ au moins)* : point $M(t_0)$ en lequel le vecteur dérivé $\frac{d\,\overrightarrow{OM}}{dt}(t_0) = \vec{0}$ ; ***Suite stationnaire*** : suite $(u_n)_{n \geqslant 0}$ telle qu'il existe un entier $n_0$ pour lequel $u_n = u_{n_0}$ pour tout $n \geqslant n_0$. ▸ *Phys.* Se dit d'états ou de grandeurs physiques conservant leurs caractéristiques ou leurs valeurs quelle que soit l'évolution globale du système dans lequel ils se trouvent. Subst. Navire militaire chargé d'une mission de surveillance d'un port, d'une zone restreinte. Fin XIIIe s. ; lat. *stationarius* ; [stasjɔnɛʀ].

**STATIONNEMENT, subst. m.**
**1.** Fait de stationner, de s'arrêter un certain temps dans un lieu : ***Stationnement** interdit* ; *Parc de **stationnement***, emplacement public aménagé pour y garer des véhicules. **2.** Québ. Parc de **stationnement**. 1834 ; ☞ *stationner* ; [stasjɔnmɑ̃].

*Statère de Philippe II de Macédoine (IVe s. av. J.-C.). Bibliothèque nationale, Paris.* © Giraudon

**STATIONNER, verbe intrans.** [3]
S'arrêter quelque part pendant un certain temps : ***Stationner** en double file* ; empl. adj. (empl. critiqué) : *Un régiment **stationné** à Metz.* 1802 (1596, placer qqch. quelque part) ; ☞ *station* ; [stasjɔne].

**STATION-SERVICE, subst. f.**
Poste de distribution de carburant, offrant gén. aux usagers certains services supplémentaires d'entretien ou de dépannage de leur véhicule. 1932 ; angl. *service station* ; plur. *stations-service* ; [stasjɔ̃sɛʀvis].

**STATIQUE, subst. f. et adj.**
Subst. *Phys.* Spécialité de la mécanique qui traite des systèmes de forces et de leur équilibre. Adj. **1.** *Phys.* Se dit d'un système sans évolution dont les forces exercées entre les différents corps sont en état d'équilibre constant. **2.** Qui est immobile, stable sans progression ; qui n'évolue pas : *Société **statique**.* 1634 ; lat. sc. *statica*, du gr. *statikos*, de *histanai*, « faire tenir » ; [statik].

**STATISME, subst. m.**
État de ce qui est statique. 1931 ; ☞ *statique* ; [statism].

**STATISTICIEN, IENNE, subst.**
Spécialiste de statistique. 1805 ; ☞ *statistique* ; [statistisjɛ̃, jɛn].

**STATISTIQUE, subst. f. et adj.**
Subst. Branche des mathématiques appliquées qui, à partir de données et d'analyses résultant d'observations d'évènements réels, vise à élaborer des modèles probabilistes permettant des prévisions à partir de situations analogues. Adj. **1.** Qui relève de la **statistique**. **2.** *Math. Série **statistique** associée à un caractère X pour une population de n individus* $(u_1, u_2, ..., u_n)$ : suite des valeurs $(X(u_1), X(u_2), ..., X(u_n))$ prises par X. Fin XVIIIe s. ; all. *Statistik*, de l'ital. *statista*, « homme d'État » ; [statistik].

**STATISTIQUEMENT, adv.**
Par des méthodes statistiques ; selon les lois de la statistique. 1828 ; ☞ *statistique* ; [statistikmɑ̃].

**STATOR, subst. m.**
*Techn.* Partie fixe d'une machine (par oppos. à *rotor*). 1901 ; lat. *stator*, « planton » ; [statɔʀ].

**STATTHALTER, subst. m.**
*Hist.* Gouverneur allemand, en partic. de l'Alsace-Lorraine de 1879 à 1918. 1904 ; all. *Statthalter* ; [statalтɛʀ] ou [ʃta-].

**STATUAIRE, subst. et adj.**
*Sculpt.* Adj. Relatif aux statues ; qui sert à faire des statues : *Bronze, marbre **statuaire**.* Subst. Sculpteur de statues. Subst. fém. Art de sculpter des statues. 1495 ; lat. *statuarius* ; [statɥɛʀ].

**STATUE, subst. f.**
*Sculpt.* Ouvrage d'art de plein relief, sculpté ou moulé, représentant, en entier, un être animé, une allégorie ou un élément de la nature : ***Statue** de marbre* ; ***Statue** équestre* ; ***Statue** de la Liberté.* ▸ Loc. *Être changé en **statue** de sel* : être pétrifié de stupeur (par allus. au châtiment subi par la femme de Loth, dans la Bible). Déb. XIIe s. ; lat. *statua* ; [staty].

**STATUER, verbe intrans.** [3]
Prendre une décision, se prononcer avec autorité (sur qqch.) : ***Statuer** sur un cas litigieux.* 1230 ; lat. *statuere*, « établir » ; [statɥe].

**STATUETTE, subst. f.**
Statue de petite dimension, plus grande que la figurine. 1627 ; ☞ *statue* ; [statɥɛt].

**STATUFIER, verbe trans.** [6]
**1.** Élever une statue à (qqn). ▸ *Sculpt.* Représenter (qqn) par une statue. **2.** Fig. Paralyser de stupeur ; pétrifier. 1888 ; ☞ *statue* ; [statyfje].

**STATU QUO, subst. m. inv.**
État actuel des choses : *Revenir au **statu quo**.* 1757 ; loc. lat. *in statu quo ante*, « dans l'état où les choses étaient auparavant » ; [statykwo].

**STATURE, subst. f.**
**1.** Taille d'une personne debout. **2.** Fig. Envergure : *Une **stature** de chef.* Mil. XIIe s. ; lat. *statura* ; [statyʀ].

**STATUT, subst. m.**
**1.** *Dr.* Ensemble des textes qui régissent les droits et les devoirs d'une catégorie de personnes : ***Statut** de fonctionnaire.* **2.** Situation de fait d'une personne dans la société : *Le **statut** de l'adolescent.* Plur. Ensemble des règles fixant par un acte écrit les objectifs et le fonctionnement d'un groupe : *Les **statuts** d'un club.* Mil. XIIIe s. ; lat. *statutum* ; [staty].

**STATUTAIRE, adj.**
Conforme aux statuts. 1589 ; ☞ *statut* ; [statytɛʀ].

**STATUTAIREMENT, adv.**
Conformément aux statuts. 1872 ; ☞ *statutaire* ; [statytɛʀmɑ̃].

**STAWUG, subst. m.**
*Sp.* En ski de fond, technique combinant stakning et pas alternatif. 1930 ; norv. *stavhugg* ; [stavyg].

**STAYER, subst. m.**
*Sp.* **1.** Cheval apte aux courses de fond. **2.** Coureur cycliste de demi-fond, sur piste, derrière une moto. 1875 ; angl. *stayer*, de *to stay*, « rester ; tenir bon » ; [stɛjœʀ].

**STEAK, subst. m.**
Bifteck. 1848 ; mot angl. ; [stɛk].

**STEAMER, subst. m.**
Navire à vapeur (vx). 1833 ; mot angl. ; [stimœʀ].

**STÉARATE, subst. m.**
Sel ou ester de l'acide stéarique. 1823 ; ☞ *stéarique* ; [steaʀat].

**STÉARINE, subst. f.**
*Chim.* Ester stéarique de la glycérine, provenant de la saponification des graisses naturelles. 1814 ; gr. *stear*, « graisse » ; [steaʀin].

**STÉARIQUE, adj.**
*Chim.* Qualifie un acide gras saturé présent dans les graisses animales et végétales. 1819 ; gr. *stear*, « graisse » ; [steaʀik].

**STÉATITE, subst. f.**
*Minér.* Variété compacte de talc, utilisée autrefois dans la fabrication des poteries ou des statuettes. 1747 ; lat. *steatitis*, du gr. *steatitis* ; [steatit].

**STÉATOME, subst. m.**
*Pathol.* Lipome (vieilli). Fin XVIe s. ; lat. *steatoma*, « tumeur » ; [steatom].

**STÉATOPYGE, adj.**
Qui a de la stéatopygie. ► *Vénus* ***stéatopyge*** : représentée avec des fesses et des hanches très larges. 1842 ; formé de *stéato-* et de *-pyge* ; [steatopiʒ].

**STÉATOPYGIE, subst. f.**
Développement adipeux important au niveau des fesses. 1872 ; ☞ *stéatopyge* ; [steatopiʒi].

**STÉATOSE, subst. f.**
*Pathol.* Accumulation de graisse dans un tissu, pouvant aboutir à sa dégénérescence. 1865 ; formé de *stéato-* et de *-ose* ; [steatoz].

**STEEPLE, subst. m.**
*Sp.* **1.** Steeple-chase. **2.** Course à pied de 3 000 mètres comportant divers obstacles (haies, rivières, etc.). 1866 ; abrév. de *steeple-chase* ; [stip(œ)l].

**STEEPLE-CHASE, subst. m.**
*Sp.* Course de chevaux jalonnée d'obstacles (haies, rivières, murs, fossés). 1828 ; angl. *steeplechase*, « chasse au clocher » ; plur. *steeple-chases* ; [stipœl(t)ʃɛz].

*Steeple-chase.*

**STÉGOCÉPHALES, subst. m. plur.**
*Paléont.* Ordre d'amphibiens fossiles qui ont vécu du Dévonien supérieur au Trias, comprenant les premiers vertébrés terrestres. Au sing. *Un* ***stégocéphale.*** 1893 ; formé de *stégo-* et de *-céphale* ; [stegɔsefal].

**STÉGOMYIE, subst. f.**
*Zool.* Insecte des régions intertropicales, de l'ordre des Diptères, proche du moustique, et vecteur du virus de la fièvre jaune. 1907 ; lat. sc. *stegomya*, du gr. *stegos*, « toit », et *muia*, « mouche » ; var. *stegomya* ; [stegɔmii].

**STÉGOSAURE, subst. m.**
*Paléont.* Dinosaure du Jurassique, portant une double rangée de plaques osseuses dressées sur son dos, et qui pouvait mesurer 7 mètres de long. 1922 ; formé de *stégo-* et de *-saure* ; [stegɔzɔʀ].

**STEINBOCK, subst. m.**
*Zool.* Antilope pygmée d'Afrique du Sud. 1791 ; afrikaans *steenbock*, « bouquetin » ; [stɛnbɔk].

**STÈLE, subst. f.**
Monument monolithe, dressé à la verticale, gravé d'inscriptions. 1694 ; lat. *stela*, du gr. *stêlê* ; [stɛl].

**STELLAGE, subst. m.**
*Bourse.* Opération à terme conditionnelle dans laquelle, pour une quantité et un cours de titres convenus d'avance, le spéculateur se réserve le droit de ne décider qu'au terme échu s'il est acheteur ou vendeur ; les titres concernés par cette opération. 1904 ; all. *Stellage*, « tréteau » ; [stɛl(l)aʒ].

**STELLAIRE, subst. f. et adj.**
Subst. *Bot.* Plante herbacée de la famille des Caryophyllacées, dont une espèce est le mouron des oiseaux. Adj. **1.** Qui rayonne en étoile : *Formes* ***stellaires.*** **2.** Des étoiles, relatif aux étoiles ; composé d'étoiles : *Champs* ***stellaires.*** **3.** *Pathol. Angiome* ***stellaire*** : angiome en forme d'étoile, fréquent dans les troubles hépatiques et s'effaçant à la pression. 1615 ; bas lat. *stellaris*, « d'étoile » ; [stɛl(l)ɛʀ].

**STELLIONAT, subst. m.**
*Dr.* Opération frauduleuse qui consiste à vendre ou à hypothéquer un bien dont on n'est pas propriétaire. 1680 (1577, fraude) ; lat. *stellionatus*, « sorte d'escroquerie », de *stellio*, « lézard de couleur changeante ; fourbe » ; [stɛljɔna].

**STEM, subst. m.**
*Sp.* En ski, virage dont la technique est fondée sur le transfert du poids du corps d'un ski sur l'autre. 1924 ; all. *Stemmbogen* ; var. *stemm* ; [stɛm].

**STENCIL, subst. m.**
Feuillet paraffiné et encré qui, perforé par la frappe d'une machine à écrire et placé sur une Roneo, fonctionne comme un pochoir pour reproduire un texte. 1909 ; angl. *stencil*, « pochoir », de l'anc. fr. *estenceler*, « parer de couleurs étincelantes » ; [stɛnsil].

**STENDHALIEN, IENNE, adj.**
Propre à Stendhal ; qui évoque son style. 1890 ; anthropon. *Stendhal* ; [stɛ̃daljɛ̃, jɛn].

**STÉNODACTYLO, subst.**
Dactylographe qui pratique également la sténographie. 1903 ; apocope de *sténodactylographe* ; [stenodaktilo].

**STÉNODACTYLOGRAPHIE, subst. f.**
Notation en sténographie, puis en dactylographie d'un texte (abrév. : sténodactylo). 1907 ; ☞ *dactylographie* + *sténo-* ; [stenodaktilɔgʀafi].

**STÉNOGRAPHE, subst.**
Professionnel qui pratique la sténographie (abrév. : sténo). 1792 ; ☞ *sténographie* ; [stenɔgʀaf].

**STÉNOGRAPHIE, subst. f.**
**1.** Écriture abrégée, formée de signes conventionnels, qui permet de transcrire en temps réel les paroles d'un locuteur (abrév. : sténo). **2.** Méton. ► Texte transcrit selon ce procédé. ► Métier de sténographe. 1792 ; formé de *sténo-* et de *-graphie* ; [stenɔgʀafi].

**STÉNOGRAPHIER, verbe trans.** [6]
Noter en sténographie : ***Sténographier*** *un discours.* 1792 ; ☞ *sténographie* ; [stenɔgʀafje].

**STÉNOPÉ, subst. m.**
*Phot.* Petit trou percé dans une paroi de chambre noire, faisant fonction d'objectif photographique. 1904 ; gr. *ôps*, « œil », + *sténo-* ; [stenɔpe].

**STÉNOSAGE, subst. m.**
*Techn.* Traitement destiné à durcir les fibres de cellulose. 1949 ; gr. *stenos*, « étroit » ; [stenozaʒ].

**STÉNOSE, subst. f.**
*Pathol.* Rétrécissement d'un conduit, d'un orifice : ***Sténose*** *du pylore.* 1823 ; gr. *stenôsis* ; [stenoz].

**STÉNOTYPE, subst. f.**
Clavier servant à transcrire en temps réel la parole d'un locuteur, à l'aide des caractères de l'alphabet. 1909 ; formé de *sténo-* et de *-type* ; [stenɔtip].

**STÉNOTYPISTE, subst.**
Personne qui utilise une sténotype. 1909 ; ☞ *sténotype* ; [stenɔtipist].

**STENTOR, subst. m.**
**1.** *Voix de* ***stentor*** : voix forte, tonitruante. **2.** Méton. Personne dotée d'une telle voix (rare). **3.** *Zool.* Protozoaire cilié, à membrane souple revêtue de cils vibratiles. 1576 ; *Stentor*, héros de l'Iliade ; [stɑ̃tɔʀ].

**STEPPE, subst. f.**
**1.** *Géogr.* Région quasi désertique, à végétation pauvre et clairsemée (herbacées et graminées) et à climat continental froid et sec, ou tropical et aride : *« Dans les* ***steppes*** *de l'Asie centrale », poème symphonique de Borodine.* **2.** *Art des* ***steppes*** : production artistique caractérisée par des représentations animales, propre aux peuples nomades euro-asiatiques et qui s'est développée entre le IIIe mill. av. J.-C. et le IIIe s. apr. J.-C. 1679 ; russe *step'* ; [stɛp].

*Dans la steppe de Mongolie.*

**STEPPEUR, subst. m.**
*Hippol.* Trotteur à l'allure vive, qui lève haut et lance bien en avant ses antérieurs. 1842 ; angl. *stepper*, de *to step*, « faire des pas » ; var. *stepper* ; [stɛpœʀ].

**STEPPIQUE, adj.**
Propre à la steppe, qui vit dans les steppes. 1909 ; ☞ *steppe* ; [stɛpik] ou [ste-].

**STÉRADIAN, subst. m.**
Unité de mesure d'angle solide (symb : sr). Un angle solide de sommet O mesure 1 **stéradian** si la section de la sphère de centre O et de rayon 1 avec le cône a une aire de 1 unité. 1931 ; ☞ *radian* + *stéréo-* ; [steʀadjɑ̃].

**STERCORAIRE, subst. m. et adj.**
*Zool.* Subst. Oiseau marin palmipède ; il harcèle les autres oiseaux de mer et leur fait régurgiter leur repas pour s'en nourrir. Adj. Qui se nourrit de matières fécales. 1760 ; lat. *stercorarius*, de *stercus*, « excrément ; fumier » ; [stɛʀkɔʀɛʀ].

**STERCORAL, ALE, AUX, adj.**
*Méd.* Relatif aux excréments. 1537 ; lat. *stercus*, « excrément » ; [stɛʀkɔʀal, o].

**STÈRE, subst. m.**
Unité volumique, égale à 1 mètre cube, qui sert à mesurer les bois de chauffage ou de charpente (symb. : st). 1795 ; gr. *stereos*, « solide » ; [stɛʀ].

**STÉRÉO, subst. f. et adj. inv.**
Subst. Stéréophonie : *Retransmission d'un concert en* ***stéréo.*** Adj. Stéréophonique : *Chaîne* ***stéréo.*** Mil. XXe s. ; gr. *stereos*, « solide » ; [steʀeo].

**STÉRÉOBATE, subst. m.**
*Archit.* Soubassement sans moulure soutenant une colonnade, un édifice (vx). 1676 ; lat. *stereobata* ; [steʀeɔbat].

**STÉRÉOCOMPARATEUR, subst. m.**
*Topogr.* Appareil qui, pour les levés de plans, sert à déterminer, à partir de mesures de coordonnées, la position de points topographiques sur des photographies. 1903 ; ☞ *comparateur* + *stéréo-* ; [steʀeokɔ̃paʀatœʀ].

**STÉRÉODUC, subst. m.**
*Techn.* Dispositif convoyeur de matériaux solides. V. 1970 ; lat. *ductus*, « conduite », + *stéréo-* ; [steʀeɔdyk].

**STÉRÉOGNOSIE, subst. f.**
Reconnaissance d'un objet au toucher, par la perception de sa forme et de son volume. 1938 ; formé de *stéréo-* et de *-gnosie* ; [steʀeognozi].

**STÉRÉOGRAMME, subst. m.**
Épreuve photographique constituée de deux clichés, donnant un effet de relief par stéréoscopie. 1894 ; formé de *stéréo-* et de *-gramme* ; [steʀeɔgʀam].

**STÉRÉOGRAPHIE, subst. f.**
Image d'un volume par projection sur un plan. 1721 ; formé de *stéréo-* et de *-graphie* ; [steʀeɔgʀafi].

**STÉRÉOGRAPHIQUE,** adj.
*Géom. Projection **stéréographique*** : étant donné un point S d'une sphère de centre O et (P) le plan passant par O perpendiculaire au rayon OP, la projection **stéréographique** de pôle S est l'application qui, à tout point M de la sphère autre que S, associe le point d'intersection de la droite (SM) avec le plan (P). 1765 ; ☞ *stéréographie* ; [steʀeɔgʀafik].

**STÉRÉO-ISOMÈRE,** subst. m.
*Chim.* Isomère qui diffère des autres uniquement par sa configuration spatiale. 1903 ; ☞ *isomère* + *stéréo-* ; plur. *stéréo-isomères* ; [steʀeoizɔmɛʀ].

**STÉRÉOMÉTRIE,** subst. f.
Branche de la géométrie qui a pour objet la mesure des solides. 1560 ; lat. de la Renaissance *stereometria*, d'orig. gr. ; [steʀeɔmetʀi].

**STÉRÉOPHONIE,** subst. f.
Ensemble de techniques permettant d'enregistrer ou de restituer des sons en rendant compte distinctement du relief acoustique (abrév. : stéréo). 1944 ; formé de *stéréo-* et de *-phonie* ; [steʀeɔfɔni].

**STÉRÉOPHONIQUE,** adj.
Qui utilise la stéréophonie (abrév. : stéréo). 1952 ; ☞ *stéréophonie* ; [steʀeɔfɔnik].

**STÉRÉOPHOTOGRAPHIE,** subst. f.
Photographie stéréoscopique. 1904 ; ☞ *photographie* + *stéréo-* ; [steʀeofɔtɔgʀafi].

**STÉRÉOSCOPE,** subst. m.
Instrument binoculaire conçu pour observer une image stéréoscopique. 1841 ; formé de *stéréo-* et de *-scope*, d'apr. l'angl. *stereoscope* ; [steʀeɔskɔp].

**STÉRÉOSCOPIE,** subst. f.
Procédé optique rendant l'impression de relief par superposition de deux images prises chacune sous un angle différent, correspondant à celui de chaque œil dans la vision binoculaire. 1856 ; ☞ *stéréoscope* ; [steʀeɔskɔpi].

**STÉRÉOSCOPIQUE,** adj.
Relatif à la stéréoscopie. 1856 ; ☞ *stéréoscope* ; [steʀeɔskɔpik].

**STÉRÉOTOMIE,** subst. f.
Art traditionnel de la taille des pierres et de la coupe des matériaux de construction. 1691 ; formé de *stéréo-* et de *-tomie* ; [steʀeɔtɔmi].

**STÉRÉOTYPE,** subst. m.
**1.** *Typogr.* Cliché en relief, obtenu par moulage. **2.** Fig. Idée toute faite, lieu commun. Fin XVIIIe s. ; formé de *stéréo-* et de *-type* ; [steʀeɔtip].

**STÉRÉOTYPÉ, ÉE,** adj.
Impersonnel, figé : *Formule **stéréotypée**.* 1834 ; ☞ *stéréotype* ; [steʀeɔtipe].

**STÉRÉOTYPIE,** subst. f.
**1.** *Typogr.* Procédé de reproduction utilisant le stéréotype. **2.** *Psych.* Persévération. 1802 ; ☞ *stéréotype* ; [steʀeɔtipi].

**STÉRER,** verbe trans. [8]
Évaluer en stères (une quantité de bois). 1872 ; ☞ *stère* ; [steʀe].

**STÉRIDE,** subst. m.
*Chim.* Molécule issue de l'estérification d'un acide gras par un stérol. 1941 ; ☞ *stérol* ; [steʀid].

**STÉRILE,** adj.
**1.** Infécond, inapte à la reproduction : *Femme, homme **stérile**.* **2.** Aride, impropre à la culture : *Terrain **stérile**.* **3.** Fig. Intellectuellement improductif, qui n'aboutit à rien de concret : *Occupation, projet **stérile**.* **4.** *Minér.* Se dit d'une roche, d'un filon qui ne contient aucun minerai exploitable ; empl. subst. masc. : *Un **stérile**.* **5.** *Méd.* Dont les germes (virus, bactéries, etc.) ont été détruits : *Pince, chambre **stérile**.* Fin XIVe s. ; lat. *sterilis* ; [steʀil].

**STÉRILET,** subst. m.
Dispositif contraceptif, en plastique ou en cuivre, placé dans l'utérus afin d'empêcher la nidation de l'œuf fécondé. Mil. XXe s. ; ☞ *stérile* ; [steʀilɛ].

**STÉRILISANT, ANTE,** adj.
Qui stérilise : *L'action **stérilisante** de la chaleur.* 1859 ; p. pr. de *stériliser* ; [steʀilizɑ̃, ɑ̃t].

**STÉRILISATEUR,** subst. m.
Appareil servant à stériliser : ***Stérilisateur** à biberons.* 1891 ; ☞ *stériliser* ; [steʀilizatœʀ].

**STÉRILISATION,** subst. f.
**1.** Action de détruire les germes pathogènes, pour réaliser l'asepsie ou pour assurer la conservation des aliments. **2.** Suppression irréversible de la capacité de reproduction, chez l'être humain ou l'animal. **3.** Fig. Inhibition des facultés créatrices (littér.). 1880 (1869, stérilisation du sol) ; ☞ *stériliser* ; [steʀilizasjɔ̃].

**STÉRILISER,** verbe trans. [3]
**1.** Ôter à (une personne, un animal) la possibilité de procréer. **2.** Rendre (un sol) incultivable. **3.** Fig. Rendre improductif (l'esprit). **4.** Procéder à la stérilisation de (un instrument, un aliment, etc.) ; empl. adj. : *Lait **stérilisé**.* XVIIIe s. (1495, rendre impuissant) ; ☞ *stérile* ; [steʀilize].

**STÉRILITÉ,** subst. f.
**1.** Inaptitude à procréer. **2.** Improductivité : ***Stérilité** d'un sol.* **3.** Fig. Manque, absence de créativité ; inefficacité. **4.** État de ce qui est exempt de tout agent pathogène. XIIIe s. ; lat. *sterilitas* ; [steʀilite].

**STÉRIQUE,** adj.
*Chim. Effet **stérique*** : qui rend le taux d'une réaction chimique dépendant de la taille ou de la configuration de la molécule considérée. 1925 ; gr. *stereos*, « solide » ; [steʀik].

**STERLET,** subst. m.
*Zool.* Esturgeon d'Europe orientale et d'Asie occidentale, dont les œufs sont recherchés pour la préparation du caviar. 1575 ; russe *sterlâd'* ; [stɛʀlɛ].

**STERLING,** adj. inv.
*Livre **sterling*** (☞ *livre*). 1576 ; angl. *sterling*, « de bon aloi » ; [stɛʀliŋ].

**STERNAL, ALE, AUX,** adj.
*Anat.* Qui a trait au sternum : *Fracture **sternale**.* 1805 ; ☞ *sternum* ; [stɛʀnal, o].

**STERNE,** subst. f.
*Zool.* Oiseau de mer et de rivage, au plumage gris et blanc, à tête noire, vivant sur les côtes atlantiques européennes (synon. *hirondelle de mer*). 1800 (déb. XVIe s., étourneau) ; lat. sc. *sterna*, de l'anc. angl. *stern* ; [stɛʀn].

**STERNO-CLÉIDO-MASTOÏDIEN, IENNE,** adj. et subst. m.
*Anat.* Se dit d'un muscle qui s'insère sur le sternum, sur la clavicule et sur l'apophyse mastoïde. **Adj.** Qui concerne ce muscle ou sa région : *Région **sterno-cléido-mastoïdienne**.* 1740 ; comp. de *sternum*, de *cléido-* et de *mastoïdien* ; plur. *sterno-cléido-mastoïdiens, iennes* ; [stɛʀnokleidomastɔidjɛ̃, jɛn].

**STERNUM,** subst. m.
**1.** *Anat.* Os médian antérieur de la cage thoracique, de forme plate, sur lequel s'insèrent les clavicules et les vraies côtes. Il présente trois parties soudées entre elles : le manubrium, le corps et l'appendice xiphoïde. **2.** *Zool.* Saillie osseuse verticale du thorax de nombreux oiseaux (☞ *bréchet*) ; face antérieure de chacun des anneaux thoraciques des insectes. 1552 ; gr. *sternon*, « poitrine » ; [stɛʀnɔm].

**STERNUTATION,** subst. f.
*Méd.* Éternuement. Mil. XIVe s. ; lat. *sternutatio*, de *sternutare*, « éternuer souvent » ; [stɛʀnytasjɔ̃].

**STERNUTATOIRE,** adj.
*Méd.* Qui déclenche l'éternuement. XIIIe s. ; lat. *sternutare*, « éternuer souvent » ; [stɛʀnytatwaʀ].

**STÉROÏDE,** adj.
*Biochim.* Qualifie une substance dérivant du cholestérol : *Les hormones sexuelles et corticosurrénales sont de nature **stéroïde**.* 1956 ; ☞ *stérol* + *-ide* ; [steʀɔid].

**STÉROÏDIEN, IENNE,** adj.
Qui a trait aux substances stéroïdes. XXe s. ; ☞ *stéroïde* ; var. *stéroïdique* ; [steʀɔidjɛ̃, jɛn].

**STÉROL,** subst. m.
*Biochim.* Alcool polycyclique de poids moléculaire élevé : *Le cholestérol est un **stérol**.* 1933 ; aphérèse de *cholestérol* ; [steʀɔl].

**STERTOREUX, EUSE,** adj.
*Pathol.* Se dit d'une respiration difficile, accompagnée de ronflements, en partic. lors d'un coma. 1795 ; lat. *stertere*, « ronfler » ; [stɛʀtɔʀø, øz].

**STÉTHOSCOPE,** subst. m.
*Méd.* Instrument, gén. biauriculaire, muni d'une membrane vibrante d'auscultation du système cardio-pulmonaire, dont l'extrémité libre est appliquée sur l'organe à examiner. 1819 ; gr. *stêthos*, « poitrine », + *-scope* ; [stetɔskɔp].

**STEWARD,** subst. m.
**1.** Garçon, maître d'hôtel, à bord d'un paquebot. **2.** Membre d'équipage masculin au service des passagers d'un avion. 1833 (1450, majordome) ; mot angl. ; fém. rare *stewardess* ; [stjuwaʀd] ou [stiwaʀt].

**STHÈNE,** subst. m.
*Phys.* Ancienne unité de force du système M. T. S. équivalant à 1 000 newtons. 1923 ; gr. *sthenos* « force » ; [stɛn].

**STIBIÉ, ÉE,** adj.
*Pharm.* Qui contient de l'antimoine. 1703 ; lat *stibium*, « antimoine », du gr. *stibi*, « noir d'antimoine » [stibje].

**STIBINE,** subst. f.
*Chim.* Sulfure naturel d'antimoine, de formule globale $Sb_2S_3$. 1832 ; ☞ *stibié* ; [stibin].

**STICHOMYTHIE,** subst. f.
*Litt.* Dialogue d'une tragédie, dans lequel les acteurs se répondent de manière symétrique, en partic. quand chaque réplique est constituée d'un vers. 1865 ; gr. *stikhos*, « vers », et *muthos*, « parole » [stikɔmiti].

**STICK,** subst. m.
Anglic. **1.** Canne fine, flexible. **2.** *Sp.* Crosse de hockey. **3.** Présentation d'un produit sous forme de bâtonnet : *Stick de colle.* **4.** *Milit.* Groupe de parachutistes sautant d'un même avion. Fin XVe s. ; angl. *stick*, « bâton » ; [stik].

**STIGMA,** subst. m.
*Biol.* Œil rudimentaire chez certains protistes, comme les euglènes. V. 1960 ; lat. *stigma*, « marque au fer rouge », du gr. *stigma*, « piqûre » ; [stigma].

**STIGMATE,** subst. m.
**I.** **Plur.** *Relig.* Les cinq plaies infligées à Jésus sur la Croix ; plaies similaires apparaissant sur le corps de certains mystiques : *Les **stigmates** de saint François d'Assise.* **II.** **1.** Cicatrice laissée sur la peau : *Un, des **stigmates** de la variole.* ▸ Brûlure au fer rouge dont on marquait les esclaves fugitifs romains puis, sous l'Ancien Régime, les forçats, les voleurs. **2.** Anal. Signe permanent de dégradation (souv. au plur.) : *Les **stigmates** de l'alcoolisme.* **3.** *Spéc.* ▸ *Bot.* Terminaison du pistil, organisée pour retenir le pollen et le transmettre à l'ovaire de la plante. ▸ *Zool.* Orifice respiratoire des Insectes, des Arachnides et d'autres arthropodes. Mil. XVe s. ; lat. *stigma*, du gr. *stigma*, « piqûre au fer rouge » ; [stigmat].

**STIGMATIQUE,** adj.
*Opt.* Qui présente les caractéristiques du stigmatisme. 1949 ; angl. *stigmatic*, du gr. *stigmê*, « point » ; [stigmatik].

**STIGMATISATION,** subst. f.
**1.** *Relig.* Fait de recevoir les stigmates. **2.** Dénonciation publique, condamnation morale (littér.). 1766 ; ☞ *stigmatiser* ; [stigmatizasjɔ̃].

**STIGMATISER,** verbe trans. [3]
**1.** Vx. Marquer d'un stigmate : ***Stigmatiser** un esclave.* **2.** Fig. Flétrir, condamner publiquement : ***Stigmatiser** la corruption des dirigeants.* 1611 ; ☞ *stigmate* ; [stigmatize].

**STIGMATISME,** subst. m.
*Opt.* Qualité d'un système qui restitue une image nette à partir d'un point objet (anton. *astigmatisme*). 1949 ; angl. *stigmatism*, du gr. *stigmê*, « point » ; [stigmatism].

**STILLATION,** subst. f.
Écoulement d'un liquide goutte à goutte. 1507 ; lat. *stillatio* ; [stil(l)asjɔ̃].

**STILLIGOUTTE,** subst. m.
*Méd.* Compte-gouttes. 1889 ; crois. de *stillation* et de *goutte* (I) ; [stil(l)igut].

**STILTON,** subst. m.
Fromage anglais au lait de vache, à pâte persillée. 1863 ; angl. *Stilton cheese*, du topon. *Stilton* et de *cheese*, « fromage » ; [stiltɔn].

**STIMUGÈNE,** adj. et subst. m.
*Méd.* Se dit d'un produit immunostimulant. V. 1970 ; ☞ *stimuler* + *-gène* ; [stimyʒɛn].

**STIMULANT, ANTE,** adj. et subst. m.
**Adj.** **1.** Qui renforce les facultés physiques ou psychiques : *Les effets **stimulants** du ginseng.* **2.** Qui stimule qqn, l'incite à agir : *Paroles **stimulantes**.* **Subst.** **1.** Facteur, évènement qui motive. **2.** Produit excitant ; médicament fortifiant : *Le thé est un **stimulant**.* 1752 ; p. pr. de *stimuler* ; [stimylɑ̃, ɑ̃t].

**STIMULATEUR, TRICE,** adj. et subst. m.
**Adj.** Qui stimule (littér.) : *Les vertus **stimulatrices** du grand air.* **Subst.** *Méd.* Appareil électrique placé dans l'organisme, destiné à remplacer une fonction, une commande nerveuse déficiente : ***Stimulateur** cardiaque* (☞ *pacemaker*). 1803 (1549, personne qui incite à faire qqch.) ; ☞ *stimuler* ; [stimylatœʀ, tʀis].

**STIMULATION,** subst. f.
Action de stimuler : *La **stimulation** des esprits.* ⊠ Fin XIVe s. ; lat. *stimulatio* ; [stimylasjɔ̃].

**STIMULER,** verbe trans. [3]
**1.** Motiver, encourager, porter (qqn) à agir : *L'espoir le **stimulait*** ; empl. pronom. : *Coéquipiers qui se **stimulent**.* **2.** Favoriser, accroître, donner une impulsion à (une activité, une fonction, une qualité) : *Stimuler la curiosité* ; *Stimuler l'économie d'un pays.* ⊠ 1355 ; lat. *stimulare* ; [stimyle].

**STIMULINE,** subst. f.
*Biol.* Hormone hypophysaire dont la fonction est de stimuler la production d'autres hormones. ⊠ 1904 ; ☞ *stimuler* ; [stimylin].

**STIMULUS,** subst. m.
*Physiol.* Facteur endogène ou exogène, d'intensité variée, capable de stimuler une fonction organique ou sensorielle, de faire réagir un système excitable : *Le couple **stimulus**-réponse, base du comportement.* ⊠ 1785 ; lat. sc. *stimulus*, « aiguillon » ; plur. *stimulus* ou *stimuli* ; [stimylys], plur. [-li].

**STIPE,** subst. m.
*Bot.* **1.** Pseudo-tronc des monocotylédones arborescentes, constitué par les bases des feuilles : *Le **stipe** du palmier.* **2.** Pied des champignons basidiomycètes. **3.** Axe principal de certaines algues. ⊠ 1778 ; lat. *stipes*, « souche » ; [stip].

**STIPENDIÉ, ÉE,** adj.
Littér. Soudoyé pour accomplir une vile besogne ; corrompu ; empl. subst., personne soudoyée, corrompue. ⊠ 1460 ; p. p. de *stipendier* ; [stipɑ̃dje].

**STIPENDIER,** verbe trans. [6]
Littér. **1.** Vx. Avoir (qqn) à sa solde. **2.** Acheter (qqn) pour l'accomplissement d'une vile besogne. **3.** Ext. Corrompre. ⊠ 1443 ; lat. *stipendiari*, « toucher une solde » ; [stipɑ̃dje].

**STIPITÉ, ÉE,** adj.
Qualifie un organe végétal porté par un stipe. ⊠ 1803 ; ☞ *stipe* ; [stipite].

**STIPULATION,** subst. f.
**1.** *Dr.* Clause, mention apposée dans un contrat. **2.** Ext. Condition expressément formulée. ⊠ 1231 ; lat. *stipulatio* ; [stipylasjɔ̃].

**STIPULE,** subst. f.
*Bot.* Appendice foliacé situé au niveau de l'insertion du pétiole sur la tige. ⊠ 1749 ; lat. *stipula*, « paille » ; [stipyl].

**STIPULER,** verbe trans. [3]
**1.** *Dr.* Formuler (une clause, une condition) dans un acte, un contrat. **2.** Notifier expressément : *On lui **stipula** son renvoi.* ⊠ 1289 ; lat. *stipulari*, « faire promettre par contrat » ; [stipyle].

**STOCHASTIQUE,** adj. et subst. f.
Adj. Qui est de nature aléatoire, lié au hasard : *Évolution **stochastique** d'une situation.* Subst. *Math.* Partie de la théorie des probabilités qui s'applique à l'analyse des données statistiques. ⊠ 1949 ; gr. *stokhastikos*, « habile à conjecturer » ; [stɔkastik].

**STOCK,** subst. m.
**1.** *Comm.* et *Écon.* ► Quantité d'une marchandise disponible sur le marché, ou possédée par une industrie : *Le **stock** mondial des céréales.* ► Ensemble des matières premières et des produits dont une entreprise est propriétaire à une date donnée : *État des **stocks**.* **2.** Ext. Réserve de qqch. que l'on accumule chez soi : *Un **stock** de bois* ; au fig. : *Faire un **stock** de souvenirs.* ⊠ 1656 (1611, emprunt) ; angl. *stock*, « souche » ; [stɔk].

**STOCKAGE,** subst. m.
Action de stocker ; son résultat. ⊠ 1918 ; ☞ *stocker* ; [stɔkaʒ].

**STOCK-CAR,** subst. m.
Automobile de série aménagée pour participer à une course où les carambolages sont autorisés ; par méton., la course elle-même. ⊠ 1950 ; angl. *stock-car*, « voiture de série » ; plur. *stock-cars* ; [stɔkkaʀ].

**STOCKER,** verbe trans. [3]
**1.** Mettre (qqch.) en stock ; garder (un produit, une énergie) en attente ; faire des réserves de (qqch.). **2.** *Informat.* Rassembler, conserver sur un support, en mémoire : ***Stocker** des informations sur disque dur.* ⊠ 1918 ; ☞ *stock* ; [stɔke].

**STOCKFISCH,** subst. m.
Morue séchée à l'air ; par ext., tout poisson séché. ⊠ 1387 ; m. néerl. *stocvisch*, « poisson séché sur des bâtons », de *stoc*, « bâton », et de *visch*, « poisson » ; [stɔkfiʃ].

**STOCKISTE,** subst.
Commerçant ou industriel conservant le stock d'un fabricant ; en partic., dépositaire conservant les pièces détachées des machines, des voitures d'un constructeur. ⊠ 1904 ; ☞ *stock* ; [stɔkist].

**STŒCHIOMÉTRIE,** subst. f.
Partie de la chimie décrivant les lois de proportionnalité des réactifs, selon des nombres entiers, dans des équations chimiques. ⊠ Fin XVIIIe s. ; gr. *stoekheion*, « élément », + *-métrie* ; [stekjɔmetʀi].

**STOÏCIEN, IENNE,** adj. et subst.
Adj. *Philos.* **1.** Qui professe le stoïcisme. **2.** Relatif au stoïcisme. Subst. **1.** *Philos.* Adepte du stoïcisme. **2.** Ext. Personne stoïque (littér.). ⊠ Déb. XIVe s. ; lat. *stoicus*, « stoïque » ; [stɔisjɛ̃, jɛn].

**STOÏCISME,** subst. m.
**1.** *Philos.* Doctrine de Zénon de Kition et de ses disciples. **2.** Ext. Impassibilité, force morale face à la souffrance, à l'adversité. ⊠ 1688 ; ☞ *stoïque* ; [stɔisism].

**PHILOSOPHIE** – Fondé à Athènes par Zénon de Kition et développé par Chrysippe (IVe-IIIe s. av. J.-C.), le stoïcisme pénètre le monde latin avec Panétius et Posidonius (IIe-Ier s. av. J.-C.), puis s'impose au début de l'époque impériale grâce, notamment, à Épictète et à Marc Aurèle (Ier-IIe s. apr. J.-C.). Fondateur de la logique des propositions, le stoïcisme associe à une théorie de la connaissance matérialiste une physique où le cosmos, qui est Dieu même, est conçu comme un macrocosme dont l'humain reproduit la structure, où l'âme elle-même est un corps, parcelle du logos universel qui meut la matière amorphe. Dans l'éthique stoïcienne, l'homme vertueux, tout pénétré de raison, infaillible et étranger aux passions, trouve la sagesse dans l'accord avec la nature universelle. Système complet, le stoïcisme a constitué une source permanente de la pensée occidentale.

**STOÏQUE,** adj. et subst.
**1.** *Philos.* Stoïcien (vieilli). **2.** Ext. Se dit d'une personne qui fait preuve de stoïcisme. ⊠ Fin XIIIe s. ; lat. *stoicus*, du gr. *stoikos*, de *stoa*, « portique », Zénon enseignant sous le portique du Pœcile ; [stɔik].

**STOÏQUEMENT,** adv.
De manière stoïque. ⊠ 1555 ; ☞ *stoïque* ; [stɔikmɑ̃].

**STOKES,** subst. m.
*Métrol.* Ancienne unité de mesure de viscosité cinématique (symb. : St) du système C. G. S., valant $10^{-4}$ m²/s. ⊠ 1953 ; anthropon. *G. Stokes*, physicien irlandais ; [stɔks].

**STOL,** subst. m.
Avion capable de décoller et d'atterrir sur une très courte distance (anglic.). ⊠ V. 1960 ; acron. de l'angl. *Short Taking-Off and Landing* ; recomm. off. *adac*, avion à décollage et à atterrissage courts ; [stɔl].

**STOLON,** subst. m.
**1.** *Bot.* Tige rampante à feuilles écailleuses, terminée par un bourgeon pouvant s'enraciner : ***Stolons** du fraisier.* **2.** *Zool.* Excroissance tissulaire assurant, par bourgeonnement, la reproduction asexuée de certains animaux primitifs. ⊠ 1808 (1549, rejeton d'un noisetier) ; lat. *stolo* ; [stɔlɔ̃].

**STOLONIFÈRE,** adj.
*Bot.* Qui produit des stolons. ⊠ 1778 ; ☞ *stolon* + *-fère* ; [stɔlɔnifɛʀ].

**STOMACAL, ALE, AUX,** adj.
Relatif à l'estomac. ⊠ 1560 (1425, stomachique) ; lat. *stomachus*, du gr. *stomakhos*, « estomac » ; [stɔmakal, o].

*Stock-car.*

**STOMACHIQUE,** adj.
*Méd.* et *Pharm.* Qui favorise la digestion ; empl. subst. masc. : *La sauge est un **stomachique**.* ⊠ 1694 (1537, stomacal) ; bas lat. *stomachicus*, du gr. *stomakhikos*, « de l'estomac » ; [stɔmaʃik].

**STOMATE,** subst. m.
*Bot.* Structure épidermique des végétaux, consistant en une ouverture qui permet les échanges gazeux entre la plante et l'atmosphère. ⊠ 1817 (1803, nom d'un mollusque) ; gr. *stoma*, « bouche » ; [stɔmat].

**STOMATITE,** subst. f.
*Pathol.* Inflammation de la muqueuse buccale. ⊠ 1830 ; gr. *stoma*, « bouche », + *-ite* ; [stɔmatit].

**STOMATOLOGIE,** subst. f.
Partie de la médecine qui traite des maladies buccales et dentaires ainsi que des malformations maxillo-faciales. ⊠ 1863 ; formé de *stomato-* et de *-logie* ; [stɔmatɔlɔʒi].

**STOMATOLOGUE,** subst.
Médecin ou chirurgien-dentiste spécialisé en stomatologie (synon. *stomatologiste*). ⊠ 1863 ; formé de *stomato-* et de *-logue* ; [stɔmatɔlɔg].

**STOMATOPLASTIE,** subst. f.
*Chir.* **1.** Restauration plastique des malformations de la bouche. **2.** Opération destinée à élargir ou à reconstituer l'ouverture d'un organe creux : ***Stomatoplastie** de la trompe utérine.* ⊠ 1849 ; formé de *stomato-* et de *-plastie* ; [stɔmatoplasti].

**STOMOXE,** subst. m.
*Zool.* Mouche piquante de l'ordre des Diptères, qui se nourrit du sang des bovins et des chevaux et peut transmettre le bacille du charbon (synon. *mouche charbonneuse*) ; contrairement aux autres mouches, le **stomoxe** a la tête dirigée vers le haut quand il est posé sur un mur. ⊠ 1762 ; gr. *stoma*, « bouche », et *oxus*, « aigu » ; [stɔmɔks].

**STOP,** interj. et subst. m.
Interj. **1.** Ordre de suspendre immédiatement une action en cours. **2.** Séparateur de phrases, dans les télégrammes. Subst. **1.** Position d'arrêt d'un appareil. **2.** Feu arrière rouge d'un véhicule routier, qui s'allume en cas de freinage ; empl. adj. inv. : *Des feux **stop**.* **3.** Panneau routier imposant un arrêt absolu. **4.** Auto-stop (fam.) : *Faire du **stop**.* ⊠ 1792 ; angl. *to stop*, « arrêter » ; [stɔp].

**STOPPAGE,** subst. m.
Action de stopper une étoffe, une déchirure ; son résultat. ⊠ 1900 ; ☞ *stopper* (II) ; [stɔpaʒ].

**STOPPER (I),** verbe [3]
Intrans. S'arrêter, en parlant d'un véhicule : ***Stopper** net à un feu rouge.* Trans. **1.** Faire s'arrêter (un véhicule, une machine). **2.** Fig. Interrompre (qqch., qqn) dans son activité, son avancée : ***Stopper** les recherches.* ⊠ 1841 ; ☞ *stop* ; [stɔpe].

**STOPPER (II),** verbe trans. [3]
Raccommoder (un accroc, un tissu) en restaurant la chaîne et la trame. ⊠ 1900 ; néerl. *stoppen* ; [stɔpe].

**STOPPEUR (I), EUSE,** subst.
Personne dont le travail consiste à stopper des étoffes. ⊠ 1900 ; ☞ *stopper* (II) ; [stɔpœʀ, øz].

**STOPPEUR (II),** subst. m.
*Sp.* Au football, arrière central chargé d'arrêter l'attaque de l'adversaire. ⊠ 1940 ; angl. *stopper*, de *to stop*, « arrêter » ; [stɔpœʀ].

**STOPPEUR (III), EUSE,** subst.
Auto-stoppeur (fam.). ⊠ 1953 ; ☞ *stop* ; [stɔpœʀ, øz].

**STORAX,** voir **STYRAX**

**STORE,** subst. m.
**1.** Rideau (de métal, de tissu, etc.) fixé en haut d'une fenêtre, qui s'abaisse et se relève. ► ***Store** vénitien* : fait de lames orientables. **2.** Grande toile, montée sur châssis, qui se déploie au-dessus d'une terrasse, d'une devanture. ⊠ 1664 (fin XIIIe s., natte de jonc) ; ital. *stora*, du lat. *storea*, « natte » ; [stɔʀ].

**STORISTE,** subst.
Personne qui fabrique ou qui vend des stores. ⊠ V. 1970 ; ☞ *store* ; [stɔʀist].

**STORY-BOARD,** subst. m.
*Cin.* et *Télév.* Série de dessins visualisant les différents plans d'une séquence, avant tournage (anglic.). ⊠ V. 1980 ; angl. *storyboard*, de *story*, « histoire », et de *board*, « tableau » ; plur. *story-boards*, recomm. off. *scénarimage* ; [stɔʀibɔʀd].

**STOUPA,** voir **STUPA**

**STOUT,** subst. m. ou f.
Bière brune anglaise, forte en alcool. ⊠ 1844 ; angl. *stout*, « fort » ; [stawt] ou [stut].

**STRABISME, subst. m.**
Anomalie du parallélisme des axes optiques, qui fait dévier les yeux vers l'intérieur ou vers l'extérieur : *Strabisme convergent, divergent.* 1575 ; gr. *strabismos*, de *strabos*, « qui louche » ; [stʀabism].

**STRADIOT, subst. m.**
*Hist.* Aux XVe et XVIe s., cavalier originaire de Grèce ou d'Albanie, recruté comme éclaireur. XVIe s. ; ital. *stradiotto*, du gr. *stratiôtês*, « soldat » ; var. *estradiot* ; [stʀadjo].

**STRADIVARIUS, subst. m.**
Violon, violoncelle ou alto fabriqué par Antonio Stradivari. 1828 ; *Stradivarius*, forme lat. de l'anthropon. *Stradivari*, luthier de Crémone ; [stʀadivaʀjys].

**STRAMOINE, subst. f.**
*Bot.* Plante toxique de la famille des Solanacées, aux grandes fleurs blanches et aux fruits épineux, qui pousse sur les décombres. 1572 ; lat. sc. *stramonia* ; var. *un stramonium* ; [stʀamwan].

**STRANGULATION, subst. f.**
Action d'étrangler ; son résultat. 1549 ; lat. *strangulatio* ; [stʀɑ̃gylasjɔ̃].

**STRAPONTIN, subst. m.**
**1.** Petit siège d'appoint, gén. rabattable, placé dans une salle de spectacle ou un véhicule. **2.** Fig. Fonction, poste subalterne et de peu d'influence au sein d'un groupe, d'une assemblée. 1666 (1560, matelas sur un bateau) ; ital. *strapuntino*, « petit matelas », du lat. *transpungere*, « piquer à l'aiguille » ; [stʀapɔ̃tɛ̃].

**STRASS, subst. m.**
**1.** Verre riche en plomb, coloré ou non, qui imite une pierre précieuse. **2.** Fig. Ce qui brille d'un éclat trompeur. 1746 ; anthropon. *Georges Strass*, joaillier français ; var. *stras* ; [stʀas].

**STRASSE, subst. f.**
En sériciculture, bourre, rebut de la soie. 1690 (1439, mauvais papier) ; anc. prov. *estrassa*, « rebut », du lat. pop. °*extractiare*, « déchirer » ; [stʀas].

**STRATAGÈME, subst. m.**
**1.** Vx. Ruse de guerre. **2.** Manœuvre adroite, subtilement combinée : *User de stratagèmes.* 1372 ; lat. *strategema*, du gr. *stratêgêma* ; [stʀataʒɛm].

**STRATE, subst. f.**
**1.** *Géol.* Chacune des couches constitutives d'un terrain, en partic. d'un terrain sédimentaire. **2.** Fig. Couche, niveau : *Les **strates** de la mémoire* ; ***Strates** sociologiques.* 1727 ; lat. *stratum*, « lit », de *sternere*, « étendre sur le sol » ; [stʀat].

**STRATÈGE, subst. m.**
**1.** *Antiq.* À Athènes, magistrat élu commandant l'armée et la flotte. **2.** Chef militaire chargé d'opérations de grande envergure. **3.** Ext. Personne apte à élaborer des stratégies, à les mener à bien : *Un fin **stratège**.* 1721 ; gr. *stratêgos*, de *stratos*, « armée », et de *agein*, « conduire » ; [stʀatɛʒ].

**STRATÉGIE, subst. f.**
**1.** Partie de l'art militaire qui consiste à organiser, à coordonner, et à disposer les forces armées sur un théâtre d'opérations : *La **stratégie** prépare la bataille, la tactique la conduit* ; cet art appliqué aux divers facteurs dont dépend la conduite d'une guerre, la défense d'un État : *La **stratégie** nucléaire.* **2.** Ext. Ensemble élaboré de manœuvres ingénieuses visant à un but précis : ***Stratégie** commerciale.* **3.** *Jeu de **stratégie*** : jeu où la mise au point d'un plan est nécessaire. **4.** *Math.* ***Stratégie** d'un partenaire en théorie des jeux* : description de la manière dont devrait se comporter ce partenaire en chaque circonstance possible, établie en fonction de renseignements ou d'hypothèses sur le comportement des autres partenaires. 1808 (1562, gouvernement militaire d'une province romaine) ; lat. *strategia*, du gr. *stratêgia*, « commandement d'une armée » ; [stʀateʒi].

**STRATÉGIQUE, adj.**
**1.** Relatif à la stratégie. **2.** Ext. Qui occupe une position essentielle au sein d'un système, d'un groupe. 1819 ; ☞ *stratégie* ; [stʀateʒik].

**STRATÉGIQUEMENT, adv.**
Selon les lois, les principes de la stratégie. 1844 ; ☞ *stratégique* ; [stʀateʒikmɑ̃].

**STRATIFICATION, subst. f.**
**1.** *Géol.* Disposition en strates. **2.** Ext. Accumulation d'éléments en couches, en niveaux. ▸ *Sociol.* et *Stat.* ***Stratification** sociale* : répartition en catégories d'une population soumise à une étude. 1624 (1578, procédé alchimique de purification) ; lat. *stratificatio* ; [stʀatifikasjɔ̃].

**STRATIFIÉ, ÉE, adj.**
**1.** Disposé en couches superposées, en strates. **2.** *Techn.* Qualifie un produit constitué de couches successives (de tissu, de papier, de bois, etc.) agglomérées par traitements chimiques et industriels ; empl. subst. masc. : *Un lit en **stratifié**.* Fin XVIIIe s. ; p. p. de *stratifier* ; [stʀatifje].

**STRATIFIER, verbe trans. [6]**
Disposer (une matière) en couches superposées, en strates. 1675 ; lat. *stratificare* ; [stʀatifje].

**STRATIGRAPHIE, subst. f.**
**1.** *Géol.* Étude des modalités de la succession chronologique des couches sédimentaires ou volcaniques. **2.** *Méd.* Procédé de tomographie où la source de rayons X reste fixe. 1854 ; ☞ *strate* + *-graphie* ; [stʀatigʀafi].

**STRATIGRAPHIQUE, adj.**
*Géol.* Qui se rapporte à la stratigraphie. ▸ *Échelle **stratigraphique*** : chronologie des temps géologiques fondée sur la superposition de couches à fossiles différents. 1860 ; ☞ *stratigraphie* ; [stʀatigʀafik].

**STRATIOME, subst. m.**
*Zool.* Mouche à l'abdomen large et plat, appelée également mouche armée, dont les larves sont aquatiques. 1799 ; gr. *stratiôtês*, « soldat », à cause de son aiguillon, et *muia*, « mouche » ; [stʀatjom].

**STRATOCUMULUS, subst. m.**
*Météor.* Banc de nuages de moyenne altitude, situé au front des dépressions. 1842 ; ☞ *cumulus* + *strato-* ; var. *strato-cumulus* (inv.) ; [stʀatokymylys].

*Stratocumulus.*

**STRATOPAUSE, subst. f.**
*Météor.* Limite, située à 45 km d'altitude, entre la stratosphère et la mésosphère. V. 1960 ; gr. *pausis*, « cessation, fin », + *strato-* ; [stʀatopoz].

**STRATOSPHÈRE, subst. f.**
*Météor.* Partie de l'atmosphère située au-dessus de la troposphère, entre 10 et 45 km d'altitude, qui contient la couche d'ozone. 1898 ; formé de *strato-* et de *-sphère* ; [stʀatɔsfɛʀ].

**STRATUS, subst. m.**
Nuage bas, à l'aspect d'une nappe grise uniforme, pouvant donner de faibles précipitations. 1830 ; lat. *stratus*, « étendu » ; [stʀatys].

**STREPTOCOCCIE, subst. f.**
*Pathol.* Infection due aux streptocoques. 1893 ; ☞ *streptocoque* ; [stʀɛptɔkɔksi].

**STREPTOCOQUE, subst. m.**
*Bactériol.* Bactérie sphérique, se présentant en chaînettes, à l'origine d'infections chez l'homme et les animaux. 1887 ; formé de *strepto-* et de *-coque* ; [stʀɛptɔkɔk].

**STREPTOMYCINE, subst. f.**
Antibiotique tiré d'un champignon actinomycète, actif contre le bacille de Koch et d'autres bactéries. 1944 ; formé de *strepto-* et de *-myce* ; [stʀɛptomisin].

**STRESS, subst. m.**
**1.** *Psychol.* Agression, choc, situation perturbant l'organisme ; ensemble des réactions qui en découlent. **2.** Ext. Fatigue, tension nerveuse. 1950 ; angl. *stress*, « effort, tension » ; [stʀɛs].

**STRESSANT, ANTE, adj.**
Qui stresse. 1953 ; p. pr. de *stresser* ; [stʀɛsɑ̃, ɑ̃t].

**STRESSER, verbe trans. [3]**
Provoquer un stress chez (qqn) ; empl. adj. : *Ton **stressé**, nerveux, tendu* ; empl. intrans, être tendu, angoissé (fam.). V. 1960 ; ☞ *stress* ; [stʀese].

**STRETCH, subst. m. inv.**
Procédé appliqué aux tissus pour les rendre élastiques ; par méton., le tissu ainsi traité ; en appos. : *Des velours **Stretch**.* V. 1960 ; angl. *stretch* de *to stretch*, « étirer » ; n. déposé ; [stʀɛtʃ].

**STRETCHING, subst. m.**
Gymnastique qui exploite les facultés d'étirement des muscles (anglic.). V. 1980 ; angl. *stretching*, de *to stretch*, « étirer » ; [stʀɛtʃiŋ].

**STRETTE, subst. f.**
*Mus.* Partie d'une fugue précédant la conclusion, où les reprises du sujet s'accélèrent et se chevauchent. 1832 ; ital. *stretta*, « étreinte» ; [stʀɛt].

**STRIATION, subst. f.**
Disposition en stries ; action de strier. 1873 ; ☞ *strier* ; [stʀijasjɔ̃].

**STRICT, ICTE, adj.**
**1.** Fixé de manière rigoureuse : *Discipline **stricte**.* ▸ Qui ne tolère aucun écart : *Un professeur très **strict**.* **2.** Austère, sans ornement : *Costume **strict**.* **3.** Restreint à son minimum : *Le **strict** nécessaire* ; exact : *La **stricte** vérité.* ▸ Loc. *Au sens **strict*** : au sens propre, littéral. **4.** *Math.* ▸ *Inégalité **stricte*** : dans un ensemble ordonné, relation $x \leqslant y$ et $x \neq y$ notée $x < y$. ▸ *Inclusion **stricte*** : entre deux parties A et B d'un ensemble, relation $A \subset B$ et $A \neq B$ notée $A \subsetneq B$ (A strictement inclus dans B). 1752 ; lat. *strictus*, « serré, étroit ; rigoureux » ; [stʀikt].

**STRICTEMENT, adv.**
D'une manière stricte ; absolument. 1503 ; ☞ *strict* ; [stʀiktəmɑ̃].

**STRICTION, subst. f.**
**1.** *Pathol.* Constriction. **2.** *Phys.* Resserrement, diminution de la section d'une pièce métallique, d'un fluide en écoulement, etc. 1761 ; lat. *strictio*, « pression » ; [stʀiksjɔ̃].

**STRICTO SENSU, loc. adv.**
Au sens strict, littéralement (anton. *lato sensu*). 1905 ; loc. lat. ; [stʀiktosɛ̃sy].

**STRIDENCE, subst. f.**
Littér. Caractère d'un son strident ; ce son lui-même. 1883 ; ☞ *strident* ; [stʀidɑ̃s].

**STRIDENT, ENTE, adj.**
Aigu et intense, en parlant d'un son : *Cris **stridents**.* 1529 ; lat. *stridens* ; [stʀidɑ̃, ɑ̃t].

**STRIDOR, subst. m.**
*Pathol.* Sifflement entendu à l'inspiration, en partic. chez le nouveau-né. 1896 ; lat. *stridor*, « son aigu, perçant, strident » ; [stʀidɔʀ].

**STRIDULANT, ANTE, adj.**
Qui produit une stridulation, un son perçant. 1842 ; p. pr. de *striduler* ; [stʀidylɑ̃, ɑ̃t].

**STRIDULATION, subst. f.**
Ensemble de vibrations sonores que certains insectes (sauterelles, criquets, etc.) et quelques crustacés (crabes, par ex.) produisent en frottant l'une contre l'autre deux parties de leur corps. 1817 ; lat. *stridulus*, « striduleux » ; [stʀidylasjɔ̃].

**STRIDULER, verbe intrans. [3]**
Produire une stridulation. 1845 ; lat. *stridulus*, « striduleux » ; [stʀidyle].

**STRIDULEUX, EUSE, adj.**
*Pathol.* Qui s'accompagne d'un stridor : *Laryngite **striduleuse**.* 1778 ; lat. *stridulus* ; [stʀidylø, øz].

**STRIE, subst. f.**
Chacune des rainures ou des lignes parallèles qui marquent une surface (gén. au plur.) : ***Stries** d'un velours côtelé.* Déb. XVIe s. ; lat. *stria* ; [stʀi].

**STRIÉ, ÉE, adj.**
**1.** Qui comporte des stries. **2.** *Anat. Fibre musculaire **striée*** : fibre constitutive des muscles squelettiques, en forme de cylindre allongé, possédant des fibrilles dont les filaments déterminent l'ensemble des stries ; par méton. : *Muscle **strié**,* composé de fibres **striées**. 1534 ; lat. *striatus*, de *striare*, « faire des cannelures » ; [stʀije].

**STRIER, verbe trans. [6]**
Marquer de stries. 1853 ; ☞ *strié* ; [stʀije].

**STRIGE, subst. f.**
**1.** *Myth.* Monstre à tête de femme et à corps de rapace, qui était supposé sucer le sang des jeunes enfants. **2.** Ext. Mort ou, par anal., sorcier, sorcière censés vampiriser les vivants. 1586 (1562, sorte d'oiseau de nuit) ; lat. *strix*, du gr. *strigx*, « effraie » ; var. *stryge* ; [stʀiʒ].

**STRIGIDÉS, subst. m. plur.**
*Zool.* Famille d'oiseaux rapaces nocturnes comprenant quelque cent vingt espèces de hiboux et de

chouettes. Au sing. *La hulotte est un* **strigidé**. 1839 ; lat. *strix*, « strige » ; [stʀiʒide].

**STRIGILE, subst. m.**
1. *Antiq. rom.* Racloir courbe utilisé pour nettoyer la peau. 2. *Archéol.* Cannelure en forme de S, décorant certains sarcophages antiques. 1544 ; lat. *strigilis* ; [stʀiʒil].

**STRING, subst. m.**
Cache-sexe tenu par un cordon, laissant les fesses nues. V. 1980 ; angl. *string*, « ficelle » ; [stʀiŋ].

**STRIOSCOPIE, subst. f.**
*Phys.* Méthode d'étude par photographie de l'écoulement des fluides autour d'un solide en mouvement relatif. 1911 ; ☞ *strie* + *-scopie* ; [stʀijɔskɔpi].

**STRIPAGE, subst. m.**
*Phys. nucl.* Modification, par transfert lors du choc, du nombre de nucléons d'un noyau cible bombardé par un noyau projectile. V. 1970 ; angl. *stripping* ; recomm. off. pour *stripping* ; [stʀipaʒ].

**STRIPPER (I), subst. m.**
*Chir.* Tire-veine. V. 1960 ; angl. *stripper*, de *to strip*, « dépouiller » ; recomm. off. *tire-veine* ; [stʀipœʀ].

**STRIPPER (II), verbe trans.** [3]
*Techn.* Distiller (un liquide) par stripping (anglic.). Mil. XX^e s. ; angl. *to strip*, « dépouiller » ; [stʀipe].

**STRIPPING, subst. m.**
Anglic. 1. *Techn.* Distillation d'un liquide qui le débarrasse de ses éléments trop volatils. 2. *Chir.* Ablation des varices (recomm. off. *éveinage*). 3. *Phys. nucl.* Stripage. Mil. XX^e s. ; mot angl. ; [stʀipiŋ].

**STRIP-POKER, subst. m.**
*Jeux.* Poker où la mise est faite avec les vêtements que l'on porte. XX^e s. ; crois. de *strip-tease* et de *poker* ; plur. *strip-pokers* ; [stʀippɔkɛʀ].

**STRIP-TEASE, subst. m.**
Numéro de cabaret où une personne, gén. une femme, se déshabille en musique ; par méton., établissement qui propose ce genre de spectacle ; au fig., comportement exhibitionniste. 1949 (1937, strip-teaseuse) ; anglo-amér. *striptease*, de *to strip*, « déshabiller », et de *to tease*, « taquiner » ; plur. *strip-teases*, var. *striptease* ; [stʀiptiz].

**STRIP-TEASEUR, EUSE, subst.**
Personne qui effectue un numéro de strip-tease (gén. au fém.). V. 1950 ; ☞ *strip-tease* ; plur. *strip-teaseurs, euses*, var. *stripteaseur, euse* ; [stʀiptizœʀ, øz].

**STRIURE, subst. f.**
1. Strie (vieilli). 2. Disposition en stries. 1567 ; lat. *striatura* ; [stʀijyʀ].

**STROBILE, subst. m.**
1. *Bot.* Cône des Gymnospermes. 2. *Zool.* Deuxième stade larvaire des méduses, dont la structure en pile d'assiettes est due à un processus de division. Lorsque les **strobiles** se séparent, ils se métamorphosent en petites méduses. 1798 ; lat. *strobilus*, du gr. *strobilos*, « pomme de pin » ; [stʀɔbil].

**STROBOSCOPE, subst. m.**
1. Appareil rotatif donnant l'illusion du mouvement d'images fixes, ancêtre du cinéma. 2. *Phys.* Appareil permettant d'éclairer à intervalles réguliers et rapprochés un objet en mouvement, de façon à créer une apparence d'immobilité ou de lenteur. 1890 ; formé de *strobo-* et de *-scope* ; [stʀɔbɔskɔp].

**STROBOSCOPIE, subst. f.**
*Phys.* Procédé d'observation par stroboscope. 1890 ; formé de *strobo-* et de *-scopie* ; [stʀɔbɔskɔpi].

**STROBOSCOPIQUE, adj.**
Relatif à la stroboscopie : *Méthode* **stroboscopique**. 1890 ; ☞ *stroboscope* ; [stʀɔbɔskɔpik].

**STROMA, subst. m.**
*Biol.* Tissu conjonctif de soutien d'un organe ou d'une tumeur, spéc. des épithéliomas. 1846 ; lat. *stroma*, du gr. *strôma*, « tapis, couverture » ; [stʀɔma].

**STROMBE, subst. m.**
*Zool.* Mollusque gastéropode marin des mers tropicales, caractérisé par l'encoche livrant passage à l'œil pédonculé gauche de l'animal. 1798 ; lat. sc. *strombus*, du gr. *strombos*, « toupie » ; [stʀɔ̃b].

**STROMBOLIEN, IENNE, adj.**
1. De Stromboli. 2. *Géol.* Se dit d'un type de volcanisme caractérisé à la fois par des coulées de lave et des projections volcaniques : *Volcan* **strombolien**. 1904 ; topon. *Stromboli* (Italie) ; [stʀɔ̃bɔljɛ̃, jɛn].

**STRONGYLE, subst. m.**
*Zool.* Ver rond qui parasite l'intestin des Équidés et les voies respiratoires des Mammifères. 1700 ; gr. *stroggulos*, « rond » ; var. *strongle* ; [stʀɔ̃ʒil].

**STRONGYLOSE, subst. f.**
*Vétér.* Parasitose due à la présence de strongyles. 1906 ; ☞ *strongyle* + *-ose* ; [stʀɔ̃ʒiloz].

**STRONTIANE, subst. f.**
*Chim.* Oxyde ou hydroxyde de strontium. 1795 ; topon. *Strontian* (Écosse) ; [stʀɔ̃sjan].

**STRONTIUM, subst. m.**
*Chim.* Élément métallique n° 38 de la table de Mendeleïev (symb. : Sr) ; masse atomique : 87,62 ; point d'ébullition : 1 381 °C ; point de fusion : 769 °C ; masse volumique : 2,54 $g/cm^3$. Très réactif, il est utilisé dans certains alliages. 1816 ; angl. *strontium*, du topon. *Strontian* (Écosse) ; [stʀɔ̃sjɔm].

**STROPHANTE, subst. m.**
*Bot.* Sorte de liane tropicale, de la famille des Apocynacées, produisant un poison dont les indigènes enduisaient les pointes de flèches. 1808 ; lat. sc. *strophantus*, du gr. *strophos*, « cordon », et *anthos*, « fleur » ; var. *strophantus* ; [stʀɔfɑ̃t].

**STROPHANTINE, subst. f.**
*Biochim.* et *Pharm.* Nom générique de glucosides tirés des graines de strophante, utilisés comme tonicardiaques. 1890 ; ☞ *strophante* ; [stʀɔfɑ̃tin].

**STROPHE, subst. f.**
1. *Antiq. gr.* Dans la tragédie, première des trois parties chantées par le chœur. 2. Partie d'un poème, d'au moins quatre vers rimés ou libres, présentant une unité de structure métrique ou de rimes ; par ext., couplet de chanson. 1550 ; lat. *stropha*, du gr. *strophê* ; [stʀɔf].

**STRUCTURAL, ALE, AUX, adj.**
1. Relatif à une structure. 2. Qui étudie les structures, les éléments. ► Qui relève du structuralisme. 3. *Géol.* ► *Géologie* **structurale** : domaine qui étudie les déformations tectoniques de l'écorce terrestre à l'échelle régionale. ► *Surface* **structurale** : surface qui a été dégagée par l'érosion et qui correspond à la limite supérieure d'une couche plus ou moins inclinée en fonction de la structure tectonique des plaques. 1872 ; ☞ *structure* ; [stʀyktyʀal, o].

**STRUCTURALISME, subst. m.**
1. *Ling.* École de pensée qui considère que la langue doit être décrite comme un ensemble structuré dont les éléments ne peuvent s'étudier qu'à travers leurs rapports réciproques. 2. Ext. Méthode d'analyse, prédominante dans les années 1960, fondée sur le principe que les faits humains n'ont de sens qu'en vertu des différences et des oppositions qu'ils créent à l'intérieur d'un système de relations. 1932 ; ☞ *structural* ; [stʀyktyʀalism].

SCIENCES HUMAINES – Malgré l'appel pressant de Claude Lévi-Strauss à un ralliement des sciences sociales au paradigme de la linguistique structurale, on serait bien en peine aujourd'hui de trouver trace du structuralisme en histoire, en sociologie et en anthropologie. Sans doute ces disciplines étaient-elles structuralistes sans le savoir – le dogmatisme en moins. L'idée de saisir la réalité comme un ensemble de relations y est, en effet, partout présente. En revanche, le primat donné à l'analyse synchronique des faits ne pouvait y remporter le même succès qu'en linguistique. Imagine-t-on l'histoire ignorant volontairement l'historicité des phénomènes qu'elle étudie ? C'est en philosophie et dans les disciplines littéraires que le mouvement structuraliste trouva le plus d'écho, au prix, il est vrai, d'un usage le plus souvent métaphorique de ses principes. De la structure du langage à celle du texte, il n'y avait qu'un pas, et la sémiologie, fille du structuralisme, s'empressa de le franchir. Les philosophes Foucault, Derrida, Lacan, Althusser sont autant de figures différentes de structuralistes. Leur ancrage commun à cette problématique tient dans le rejet de toute philosophie de la conscience, au profit de la recherche d'un « impensé » qui, dans le secret des structures, organiserait le langage et le monde. La réintroduction du sujet du discours en philosophie et en linguistique, à travers la problématique de l'intentionnalité, amorcera le déclin du structuralisme.

**STRUCTURALISTE, adj. et subst.**
Se d'une personne qui se réclame du structuralisme. Adj. Relatif, propre à cette doctrine, à cette école. 1932 ; ☞ *structuralisme* ; [stʀyktyʀalist].

**STRUCTURATION, subst. f.**
Action de structurer, fait de se structurer ; son résultat. 1945 ; ☞ *structurer* ; [stʀyktyʀasjɔ̃].

**STRUCTURE, subst. f.**
1. Agencement particulier des éléments d'un ensemble construit : *La* **structure** *d'un temple* ; par anal. : **Structure** *d'un poème*. 2. Ordonnancement interne des éléments d'un tout cohérent : *La* **structure** *cristalline d'une roche*. 3. Principe d'organisation d'un système complexe, d'un ensemble abstrait : *La* **structure** *administrative d'un pays* ; *Les* **structures** *universitaires* ; *Les* **structures** *de l'économie*, les caractères durables sur lesquels repose son mode de fonctionnement. ► Ensemble de services ayant une finalité commune : **Structure** *d'accueil*. 4. *Ling.* Système de relations entre unités linguistiques interdépendantes ; organisation syntaxique de la phrase. 5. *Math.* Une **structure** sur un ensemble est la donnée d'une ou de plusieurs relations entre certaines de ses parties, d'une ou de plusieurs lois de composition internes ou externes. 6. *Philos.* Ensemble des rapports entre phénomènes solidaires, qui n'ont de signification qu'à travers leur participation à cet ensemble. 1396 ; lat. *structura*, de *struere*, « disposer avec ordre » ; [stʀyktyʀ].

**STRUCTUREL, ELLE, adj.**
Qui relève d'une structure. ► *Écon. Chômage, inflation* **structurels** : dus à la structure de l'économie (anton. *conjoncturel*). 1938 ; ☞ *structure* ; [stʀyktyʀɛl].

**STRUCTURELLEMENT, adv.**
De manière structurelle. 1938 ; ☞ *structurel* ; [stʀyktyʀɛlmɑ̃].

**STRUCTURER, verbe trans.** [3]
Doter (qqch.) d'une structure. Pronom. Acquérir une structure. 1868 ; ☞ *structure* ; [stʀyktyʀe].

**STRUDEL, subst. m.**
*Cuis.* Pâtisserie garnie de pommes et de raisins secs, parfumée à la cannelle. XX^e s. ; all. *Apfelstrudel*, « roulé aux pommes » ; [ʃtʀudœl].

**STRUME, subst. f.**
*Méd.* 1. Vx. Scrofule. 2. Goitre (rare). Mil. XII^e s. ; lat. *struma*, de *struere*, « disposer par couches » ; [stʀym].

**STRYCHNINE, subst. f.**
*Biochim.* Alcaloïde extrêmement toxique, présent dans l'écorce et les graines des strychnos. 1818 ; ☞ *strychnos* ; [stʀiknin].

**STRYCHNOS, subst. m.**
*Bot.* Plante tropicale de la famille des Loganiacées, encore appelée vomiquier. Une espèce donne la noix vomique, et d'autres la strychnine et le curare. 1816 ; gr. *strukhnos*, « morelle sauvage » ; [stʀiknos].

**STRYGE, voir STRIGE**

**STUC, subst. m.**
Enduit composé de plâtre ou de marbre pulvérisé gâché avec de la colle, servant à réaliser des motifs décoratifs imitant le marbre ; par méton., motif ainsi réalisé : *Un plafond couronné de* **stucs**. Déb. XVI^e s. ; ital. *stucco*, du germ. *°stucchi*, « croûte » ; [styk].

**STUCAGE, subst. m.**
Action d'appliquer du stuc ; décoration ainsi réalisée. 1898 ; ☞ *stuquer* ; [stykaʒ].

**STUCATEUR, TRICE, subst.**
Spécialiste qui travaille le stuc. 1641 ; ital. *stuccatore*, de *stucco*, « stuc » ; [stykatœʀ, tʀis].

**STUD-BOOK, subst. m.**
Registre de la généalogie et des performances des pur-sang (anglic.). 1828 ; angl. *studbook*, de *stud*, « haras », et de *book*, « livre » ; plur. *stud-books* ; [stœdbuk].

**STUDETTE, subst. f.**
Petit studio. V. 1970 ; dimin. de *studio* ; [stydɛt].

**STUDIEUSEMENT, adv.**
De manière studieuse ; avec sérieux, application. 1541 ; ☞ *studieux* ; [stydjøz(ə)mɑ̃].

**STUDIEUX, EUSE, adj.**
1. Qui aime l'étude, qui s'applique à son travail : *Élève* **studieux**. 2. Consacré à l'étude : *Une retraite* **studieuse**. Déb. XII^e s. ; lat. *studiosus* ; [stydjø, øz].

**STUDIO, subst. m.**
1. Atelier d'artiste (vieilli). 2. Local servant aux prises de vues cinématographiques ; par ext., lieu où l'on enregistre de la musique, des émissions de radio ou de télévision. 3. Local de répétition de danse. 4. Ext. Logement comportant une seule pièce principale. 1830 ; angl. *studio*, de l'ital. ; [stydjo].

**STUPA, subst. m.**
*Archit.* Reliquaire ou monument bouddhiste commémoratif ou funéraire, gén. en forme de dôme. 1863 ; skr. *stūpa* ; var. *stoupa* ; [stupa].

**STUPÉFACTION,** subst. f.
Étonnement extrême. 1480 ; lat. *stupefactio*, de *stupefacere*, « stupéfier » ; [stypefaksjɔ̃].

**STUPÉFAIRE,** verbe trans. [57]
Frapper de stupeur (synon. *stupéfier*). 1776 ; ☞ *stupéfait* ; surtout à la 3$^{e}$ pers. du sing. ind. prés. et aux temps comp. ; [stypefɛʀ].

**STUPÉFAIT, AITE,** adj.
Figé sur place d'étonnement. 1655 ; lat. *stupefactus*, de *stupefacere*, « stupéfier » ; [stypefɛ, ɛt].

**STUPÉFIANT, ANTE,** adj. et subst. m.
Adj. **1.** Qui provoque un engourdissement (vieilli). **2.** Qui stupéfie ; extraordinaire : *Une mémoire **stupéfiante**.* Subst. *Pharm.* Produit naturel ou de synthèse aux effets analgésiques, narcotiques, euphorisants ou hallucinogènes, dont l'usage médical est strictement règlementé en raison de la dépendance qu'il entraîne ; empl. adj : *Substances **stupéfiantes**.* ▸ *Brigade des **stupéfiants*** : service de police chargé de la prévention et de la répression du trafic de drogues. 1588 ; p. pr. de *stupéfier* ; [stypefjɑ̃, ɑ̃t].

**STUPÉFIER,** verbe trans. [6]
Étonner (qqn) à l'extrême : *Cette nouvelle nous a **stupéfiés**.* 1478 ; lat. *stupefacere*, de *stupere*, « demeurer immobile », et de *facere*, « faire » ; [stypefje].

**STUPEUR,** subst. f.
**1.** *Psych.* État caractérisé par l'arrêt de toute activité motrice, accompagné de mutisme et observé parfois après un traumatisme affectif. **2.** Ext. Stupéfaction : *Frappé de **stupeur**.* 1377 ; lat. *stupor* ; [stypœʀ].

**STUPIDE,** adj.
**1.** Frappé de stupeur (vieilli ou littér.). **2.** Dénué d'intelligence, lent d'esprit ; par méton. : *Un entêtement **stupide**.* **3.** Ext. Absurde : *Accident, pari **stupide**.* 1377 ; lat. *stupidus* ; [stypid].

**STUPIDEMENT,** adv.
De manière stupide ou absurde. 1588 ; ☞ *stupide* ; [stypidmɑ̃].

**STUPIDITÉ,** subst. f.
**1.** État d'apathie, de torpeur (vieilli ou littér.). **2.** Caractère d'une personne ou d'une chose stupide. 1541 ; lat. *stupiditas*, de *stupere*, « demeurer immobile » ; [stypidite].

**STUPRE,** subst. m.
Débauche, luxure (littér.). 1684 (1372, viol) ; lat. *stuprum* ; [stypʀ].

**STUQUER,** verbe trans. [3]
Recouvrir (qqch.) de stuc. 1842 ; ☞ *stuc* ; [styke].

**STURNIDÉS,** subst. m. plur.
*Zool.* Famille d'oiseaux d'Eurasie, de l'ordre des Passériformes, comprenant plus d'une centaine d'espèces (étourneaux, pique-bœufs, mainates, etc.). Au sing. *Le sansonnet est un **sturnidé**.* 1875 ; lat. *sturnus*, « étourneau » ; [styʀnide].

**STYLE,** subst. m.
**I. 1.** Manière personnelle de se comporter ; genre : *Ce n'est pas son **style** de dénigrer autrui* ; en partic., qualité qui dénote de l'originalité, un goût sûr ou de l'élégance : *Une maison de **style*** ; *Ce cavalier a du **style**.* ▸ Loc. *De grand style* : réalisé avec de grands moyens. **2.** Manière de s'exprimer, d'utiliser la langue : *Un **style** plat, dépouillé, fleuri.* ▸ Abs. Originalité, maîtrise du **style**. ▸ *Ling.* Aspect de l'énoncé, dû au choix des moyens d'expression : ***Style** soutenu, familier* ; ***Style** juridique, administratif.* **3.** Ensemble de traits caractérisant une œuvre, un genre ou un courant littéraire : ***Style** romantique, épique.* **4.** Ext. Ensemble de traits esthétiques propres à un artiste, à une œuvre, à un courant ou à une époque : ***Style** musical, vestimentaire* ; ***Style** rococo, nouille, roman* ; *Fauteuils de **style** Louis XV* ; empl. abs. : *Meuble de **style***, qui imite un type ancien bien défini. **II. 1.** *Antiq.* Poinçon de métal ou d'os servant à écrire sur des tablettes de cire. **2.** Anal. Pointe servant à inscrire ou à inciser qqch. ▸ Tige de métal dont l'ombre indique l'heure sur un cadran solaire. ▸ ***Style** d'un sismographe* : qui trace les courbes de variations sur le cylindre enregistreur. **3.** *Bot.* Section allongée du pistil qui relie l'ovaire au stigmate. Fin XIII$^{e}$ s. ; lat. *stilus*, « poinçon » ; [stil].

**STYLÉ, ÉE,** adj.
Qui accomplit son service dans les règles : *Domestique **stylé**.* Fin XIV$^{e}$ s. ; ☞ *style* ; [stile].

**STYLET,** subst. m.
**1.** Poignard à lame très pointue et effilée. **2.** Anal. Pointe servant à inscrire ou à inciser qqch. **3.** *Chir.* Instrument métallique fin, à pointe mousse, utilisé pour explorer des plaies. **4.** *Zool.* Pièce buccale longue et pointue de certains insectes. 1620 ; ital. *stiletto*, du lat. *stilus*, « poinçon » ; [stilɛ].

**STYLISATION,** subst. f.
Action de styliser ; son résultat. 1893 ; ☞ *styliser* ; [stilizasjɔ̃].

**STYLISER,** verbe trans. [3]
**1.** Représenter (un objet) en réduisant ses formes à leurs caractéristiques essentielles, à des fins esthétiques. **2.** Donner un style particulier à (vieilli). 1898 ; ☞ *style* ; [stilize].

**STYLISME,** subst. m.
**1.** Attention extrême apportée à son style (littér.). **2.** Profession de styliste. 1845 ; ☞ *style* ; [stilism].

**STYLISTE,** subst.
**1.** Écrivain dont le style est très travaillé ; artiste dont l'œuvre se distingue par sa recherche formelle. **2.** Professionnel des industries textile, automobile, de l'ameublement, chargé par un fabricant ou un créateur de concevoir de nouveaux modèles, de créer une nouvelle collection. 1836 ; ☞ *style* ; [stilist].

**STYLISTICIEN, IENNE,** subst.
Spécialiste de stylistique. V. 1960 ; ☞ *stylistique* ; [stilistisjɛ̃, jɛn].

**STYLISTIQUE,** subst. f. et adj.
Subst. *Ling.* Étude du style, des procédés littéraires d'un texte, d'un auteur, d'une langue : ***Stylistique** comparée.* Adj. Relatif au style ou à la **stylistique**. 1872 ; ☞ *style* ; [stilistik].

**STYLITE,** subst. m.
*Hist.* et *Relig.* Ermite qui vivait retiré au sommet d'une colonne : *Saint Siméon le **Stylite**.* 1609 ; gr. *stulitês*, « qui se tient sur une colonne » ; [stilit].

**STYLO,** subst. m.
Instrument servant à écrire, composé d'un corps contenant de l'encre et d'une pointe inoxydable : ***Stylo** à plume* ; ***Stylo** à bille* ou ***Stylo-bille*** ; ***Stylos-feutres*** ; par méton. : ***Stylo** rouge*, à encre rouge. 1912 ; apocope de *stylographe* (vx), « porte-plume à réservoir d'encre » ; [stilo].

**STYLOBATE,** subst. m.
*Archit.* Soubassement mouluré portant une rangée de colonnes. 1545 ; gr. *stulobatês* ; [stilɔbat].

**STYLOÏDE,** adj.
*Anat.* Qualifie une apophyse en forme de saillie conique : *Apophyse **styloïde** du temporal.* 1590 ; gr. *stuloeidês*, « qui ressemble à une colonne » ; [stilɔid].

**STYLOMINE,** subst. m. inv.
Portemine. 1929 ; formé de *stylo* et de *mine* (II) ; n. déposé ; [stilomin].

**STYPTIQUE,** adj.
*Pharm.* Se dit d'une substance fortement astringente. 1265 ; lat. *stypticus*, du gr. *stuptikos*, de *stuphein*, « contracter » ; [stiptik].

**STYRAX,** subst. m.
**1.** *Bot.* Arbrisseau de la famille des Styracacées, encore appelé aliboufier, qui fournit du baume et du benjoin. **2.** Baume résineux fourni par le **styrax**. 1636 ; mot lat. ; var. *storax* au sens 2 ; [stiʀaks].

**STYRÈNE,** subst. m.
*Chim.* Hydrocarbure liquide benzénique de formule $C_6H_5{-}CH{=}CH_2$, qui, polymérisé, forme le polystyrène, base de nombreuses matières plastiques. 1867 ; ☞ *styrax* ; var. *styrolène* ; [stiʀɛn].

**SU, SUE,** adj.
Qui est connu ; empl. subst. masc. : *Au vu et au **su** de tout le monde* (☞ *vu*). XII$^{e}$ s. ; p. p. de *savoir* (I) ; [sy].

**SUAGE (I),** subst. m.
*Techn.* **1.** Petit ourlet bordant un plat, une assiette d'étain. **2.** Partie carrée du pied d'un chandelier, d'un flambeau. 1332 ; anc. fr. *soue*, du bas lat. *soca*, « corde » ; var. *souage* ; [sɥaʒ].

**SUAGE (II),** subst. m.
**1.** *Mar.* Humidité qui suinte des bois d'un navire neuf. **2.** Eau qui suinte d'une bûche placée dans un feu. 1773 (fin XV$^{e}$ s., sueur) ; ☞ *suer* ; [sɥaʒ].

**SUAIRE,** subst. m.
**1.** *Antiq.* Pièce de tissu dont on voilait le visage d'un mort. **2.** Ext. Linceul. ▸ *Relig. Le saint **suaire*** : relique considérée comme le linceul du Christ, portant son empreinte, conservée à Turin. 1200 ; lat. eccl. *sudarium*, du lat. *sudare*, « suer » ; [sɥɛʀ].

**SUANT, SUANTE,** adj.
**1.** Qui est en sueur. **2.** Fig. Ennuyeux, fatigant (fam.). Fin XII$^{e}$ s. ; p. pr. de *suer* ; [sɥɑ̃, sɥɑ̃t].

**SUAVE,** adj.
D'une douceur exquise : *Un arôme, une parole **suave**.* 1490 ; lat. *suavis* ; [sɥav].

**SUAVITÉ,** subst. f.
Qualité de ce qui est suave. Déb. XIII$^{e}$ s. ; lat. *suavitas* ; [sɥavite].

**SUBAÉRIEN, IENNE,** adj.
**1.** Qui est en contact avec la couche inférieure de l'atmosphère. **2.** *Géol. Dépôt **subaérien*** : formé à l'air libre. 1872 ; ☞ *aérien* + *sub-* ; [sybaeʀjɛ̃, jɛn].

**SUBAIGU, UË,** adj.
*Pathol.* Qualifie un état moins accentué que l'état aigu. 1833 ; ☞ *aigu* + *sub-* ; [sybegy].

**SUBALPIN, INE,** adj.
*Géogr. Régions **subalpines*** : situées au pied des Alpes. 1786 ; ☞ *alpin* + *sub-* ; [sybalpɛ̃, in].

**SUBALTERNE,** adj. et subst.
Se dit d'une personne qui est subordonnée à une autre : *Fonctionnaire **subalterne*** ; *Il rudoie tous ses **subalternes**.* Adj. Qui est secondaire ou hiérarchiquement inférieur : *Poste **subalterne**.* 1466 ; bas lat. *subalternus* ; [sybaltɛʀn].

**SUBAQUATIQUE,** adj.
Qui vit ou qui se produit sous l'eau. 1872 ; ☞ *aquatique* + *sub-* ; [sybakwatik].

**SUBATOMIQUE,** adj.
*Phys.* Se dit de particules contenues dans le noyau atomique (protons, neutrons, par ex.). 1903 ; ☞ *atomique* + *sub-* ; [sybatɔmik].

**SUBCONSCIENT, ENTE,** subst. m. et adj.
Adj. **1.** Faiblement conscient (synon. *subliminal*). **2.** Qui est ignoré de la conscience à un moment donné, mais qui transparaît dans la vie psychique. Subst. Ensemble des phénomènes **subconscients**. 1897 ; ☞ *conscient* + *sub-* ; [sybkɔ̃sjɑ̃, ɑ̃t].

**SUBDÉLÉGUER,** verbe trans. [8]
Déléguer (qqn) dans une fonction, lui confier une mission pour laquelle on a été soi-même délégué. Fin XVI$^{e}$ s. ; ☞ *déléguer* + *sub-* ; [sybdelege].

**SUBDÉSERTIQUE,** adj.
*Géogr.* Relatif aux caractéristiques climatiques des régions situées à la périphérie des déserts. 1921 ; ☞ *désertique* + *sub-* ; [sybdezɛʀtik].

**SUBDIVISER,** verbe trans. [3]
Diviser de nouveau (ce qui a déjà été divisé) ; empl. pronom. : *Cet ordre se **subdivise** en familles.* Fin XIV$^{e}$ s. ; bas lat. *subdividere* ; [sybdivize].

**SUBDIVISION,** subst. f.
Action de subdiviser, fait de se subdiviser ; son résultat. 1314 ; ☞ *division* + *sub-* ; [sybdivizjɔ̃].

**SUBDUCTION,** subst. f.
*Géol.* Enfoncement d'une plaque lithosphérique océanique sous une autre. V. 1970 ; lat. *subductio*, « action de tirer les navires sur le rivage » ; [sybdyksjɔ̃].

**SUBÉQUATORIAL, ALE, AUX,** adj.
*Géogr.* Proche de l'équateur ou de son climat. 1925 ; ☞ *équatorial* + *sub-* ; [sybekwatɔʀjal, o].

**SUBER,** subst. m.
*Bot.* Tissu végétal de protection (synon. *liège*). 1765 ; mot lat. ; [sybɛʀ].

**SUBÉREUX, EUSE,** adj.
*Bot.* Formé de liège. 1798 ; ☞ *suber* ; [sybeʀø, øz].

*Le saint **suaire** de Turin.*

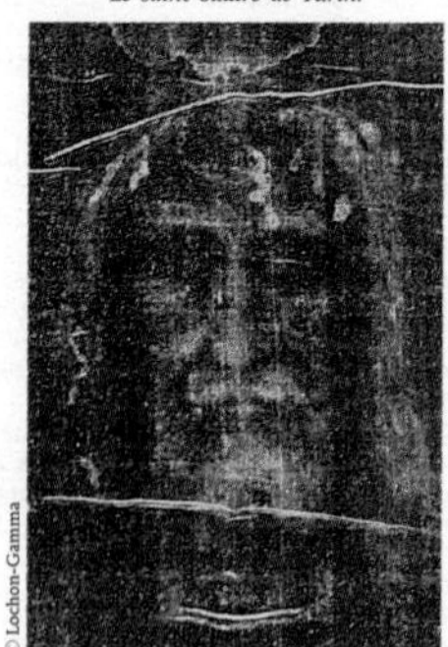

**SUBÉRINE,** subst. f.
*Biochim.* Composé organique complexe, imperméable à l'eau et aux gaz, constituant le dépôt caractéristique des parois squelettiques des cellules du liège. 1821 ; ☞ *suber* ; [sybeʀin].

**SUBINCISION,** subst. f.
*Anthropol.* Incision rituelle de la partie inférieure de l'urètre pénien, pratiquée chez certains peuples d'Australie. Mil. XXᵉ s. ; ☞ *incision* + *sub-* ; [sybɛ̃sizjɔ̃].

**SUBINTRANT, ANTE,** adj.
*Pathol.* Se dit d'accès qui se chevauchent : *Coliques néphrétiques* ***subintrantes***. 1478 ; lat. *subintrans*, de *subintrare*, « pénétrer subrepticement » ; [sybɛ̃tʀɑ̃, ɑ̃t].

**SUBIR,** verbe trans. [19]
**1.** Être soumis à, supporter (qqch.) contre son gré : ***Subir*** *un interrogatoire, un échec* ; par ext., supporter (qqn) à contrecœur ; empl. abs., rester passif. **2.** Se soumettre volontairement à : ***Subir*** *une opération, un examen.* **3.** Être l'objet de, en parlant d'une chose : *Ce cargo* ***a subi*** *une avarie.* 1481 ; lat. *subire*, « aller sous ; supporter » ; [sybiʀ].

**SUBIT, ITE,** adj.
Qui survient tout à coup, inattendu. 1155 ; lat. *subitus*, de *subire*, « aller sous ; supporter » ; [sybi, it].

**SUBITEMENT,** adv.
De manière subite. Fin XIIᵉ s. ; ☞ *subit* ; [sybitmɑ̃].

**SUBITO,** adv.
Subitement (fam.). 1509 ; mot lat. ; [sybito].

**SUBJACENT, ENTE,** adj.
Sous-jacent (littér.). 1534 ; lat. *subjacens*, de *subjacere*, « être placé sous » ; [sybʒasɑ̃, ɑ̃t].

**SUBJECTIF, IVE,** adj.
**1.** Qui est le fait du sujet en tant qu'individu conscient (anton. *objectif*) : *L'imagination est* ***subjective***. **2.** Qui se fonde sur des critères relevant de la personnalité du sujet : *Jugement* ***subjectif*** ; *Impression* ***subjective***. **3.** *Ling.* Relatif au sujet. Fin XIVᵉ s. ; lat. *subjectivus*, « placé après » ; [sybʒɛktif, iv].

**SUBJECTILE,** subst. m.
*Techn.* Surface externe sur laquelle on passe un enduit, une peinture. 1888 ; lat. *subjectum*, de *subjicere*, « placer dessous » ; [sybʒɛktil].

**SUBJECTIVEMENT,** adv.
De manière subjective. 1610 (1495, sans influence extérieure) ; ☞ *subjectif* ; [sybʒɛktivmɑ̃].

**SUBJECTIVISME,** subst. m.
**1.** *Philos.* Doctrine qui prétend que la subjectivité est la mesure de toute chose : *Le* ***subjectivisme*** *des sophistes.* **2.** Ext. Tendance d'une personne à accorder un crédit excessif à ses propres sentiments. 1866 ; ☞ *subjectif* ; [sybʒɛktivism].

**SUBJECTIVISTE,** adj. et subst.
Se dit d'un partisan du subjectivisme. ADJ. Propre au subjectivisme. 1888 ; ☞ *subjectivisme* ; [sybʒɛktivist].

**SUBJECTIVITÉ,** subst. f.
**1.** Caractère de ce qui est subjectif (anton. *objectivité*) : ***Subjectivité*** *d'un avis.* **2.** Abs. *Philos.* Intériorité, conscience individuelle. 1801 ; ☞ *subjectif* ; prob. d'apr. l'all. *Subjektivität* ; [sybʒɛktivite].

**SUBJONCTIF, IVE,** adj. et subst. m.
*Gramm.* ADJ. Qui est au **subjonctif**. SUBST. Mode verbal personnel employé gén. dans les subordonnées, qui sert à exprimer une volonté, un doute, etc. XIVᵉ s. ; bas lat. *subjunctivus*, « qui sert à lier », du lat. *subjungere*, « ajouter » ; [sybʒɔ̃ktif, iv].

**SUBJUGUER,** verbe trans. [3]
**1.** Vx. Soumettre (qqn, un peuple, un pays) par la force. **2.** Exercer une emprise sur (qqn) par la séduction (synon. *fasciner*). XVᵉ s. ; bas lat. *subjugare*, « faire passer sous le joug » ; [sybʒyge].

**SUBLIMATION,** subst. f.
**1.** Purification, élévation des sentiments, des instincts (littér.). **2.** *Chim.* Passage d'un corps de l'état solide à l'état gazeux sans passer par l'état liquide. **3.** *Psychanal.* Focalisation inconsciente de l'énergie des pulsions sexuelles au service d'activités socialement valorisées. Fin XIIIᵉ s. ; lat. *sublimatio* ; [syblimasjɔ̃].

**SUBLIME,** adj. et subst. m.
ADJ. **1.** Qui élève l'esprit ; dont la beauté ou la grandeur remplit d'une profonde admiration : *Une voix* ***sublime*** ; *Un paysage* ***sublime***. **2.** Ext. Qui est exceptionnel, admirable : *Un poète* ***sublime***. SUBST. Ce qu'il y a de plus élevé dans le domaine moral ou esthétique. ► *Philos. Sentiment du* ***sublime*** : chez Kant, sentiment du beau, lorsqu'il s'accompagne du sentiment de l'infini, de la puissance ou de la grandeur. Fin XVᵉ s. ; lat. *sublimis* ; [syblim].

**SUBLIMÉ, ÉE,** adj. et subst. m.
*Chim.* Se dit d'un composé qui passe directement de l'état solide à l'état gazeux. 1314 ; p. p. de *sublimer* ; [syblime].

**SUBLIMER,** verbe trans. [3]
**1.** *Chim.* Procéder à la sublimation de (un corps solide). **2.** Ext. Magnifier, exalter. **3.** *Psychanal.* Transporter (l'énergie libidinale) sur un autre plan : ***Sublimer*** *une pulsion*, la transformer par sublimation. 1314 ; lat. *sublimare* ; [syblime].

**SUBLIMINAL, ALE, AUX,** adj.
*Psychol.* Qui n'atteint pas le seuil de la pleine conscience (synon. *subliminaire, subconscient*) : *Désir* ***subliminal***. ► *Message* ***subliminal*** : qui vise le subconscient du destinataire, notamment dans les diffusions publicitaires. 1893 ; angl. *subliminal*, du lat. *limen*, « seuil » ; [sybliminal, o].

**SUBLIMITÉ,** subst. f.
Caractère de ce qui est sublime (littér.). Fin XIIᵉ s. ; lat. *sublimitas* ; [syblimite].

**SUBLINGUAL, ALE, AUX,** adj.
*Anat.* Qui est situé sous la langue. 1585 ; lat. *lingua*, « langue », + *sub-* ; [syblɛ̃gwal, o].

**SUBLUNAIRE,** adj.
Situé entre la Terre et la Lune (vx) ; terrestre (littér. ou iron.). 1548 ; bas lat. *sublunaris* ; [syblynɛʀ].

**SUBMERGER,** verbe trans. [5]
**1.** Recouvrir complètement (qqch.), en parlant d'un liquide ; inonder. **2.** Fig. S'emparer totalement de l'esprit de (qqn) : *La joie l'a* ***submergé***. ► Accabler, déborder (souv. au passif) : ***Être submergé*** *de travail.* 1393 ; lat. *submergere* ; [sybmɛʀʒe].

**SUBMERSIBLE,** adj. et subst. m.
ADJ. Qui peut être submergé : *Zone* ***submersible***. SUBST. *Mar.* Sous-marin autonome et habitable, doté de ballasts extérieurs pour accroître la flottabilité. 1842 ; lat. *submersus* ; [sybmɛʀsibl].

**SUBMERSION,** subst. f.
**1.** Action de submerger, fait d'être submergé. **2.** *Agric.* Technique d'irrigation consistant à submerger une terre. 1314 ; bas lat. *submersio* ; [sybmɛʀsjɔ̃].

**SUBODORER,** verbe trans. [3]
**1.** Flairer (une odeur) à distance (rare). **2.** Fig. Pressentir (fam.) : *Il* ***subodore*** *un coup bas.* 1522 ; *odorer* (rare), « exhaler une odeur », + *sub-* ; [sybɔdɔʀe].

**SUBORBITAL, ALE, AUX,** adj.
*Astronaut. Vitesse* ***suborbitale*** : inférieure à la vitesse orbitale ; *Vol* ***suborbital*** : effectué à cette vitesse. V. 1960 ; ☞ *orbital* + *sub-* ; [sybɔʀbital, o].

**SUBORDINATION,** subst. f.
**1.** État d'une personne qui dépend hiérarchiquement d'une autorité, et à qui elle rend compte de ses actes : ***Subordination*** *des cardinaux au pape.* **2.** Fait de subordonner une chose à une autre ; état de dépendance d'une chose par rapport à une autre : ***Subordination*** *d'un effet à sa cause.* **3.** *Gramm.* Construction dans laquelle une proposition (dite subordonnée) dépend syntaxiquement d'une autre, à laquelle elle est rattachée par un subordonnant. 1610 ; bas lat. *subordinatio* ; [sybɔʀdinasjɔ̃].

**SUBORDONNANT, ANTE,** adj. et subst. m.
*Gramm.* Se dit d'un mot qui établit une relation de subordination, et plus gén. qui introduit une proposition subordonnée : *Les pronoms relatifs et certaines conjonctions sont des* ***subordonnants***. 1863 ; p. pr. de *subordonner* ; [sybɔʀdɔnɑ̃, ɑ̃t].

**SUBORDONNÉ, ÉE,** adj. et subst.
Se dit d'une personne qui dépend hiérarchiquement d'une autorité supérieure : *Chef de service* ***subordonné*** *au directeur* ; *Consulter ses* ***subordonnés***. ADJ. **1.** Qui est conditionné par qqch. : *Le succès est* ***subordonné*** *à l'effort.* **2.** *Gramm. Proposition* ***subordonnée*** ou, empl. subst. fém., *Une* ***subordonnée*** : proposition qui dépend syntaxiquement d'une autre proposition (appelée principale), à laquelle elle est reliée par un subordonnant. 1690 ; p. p. de *subordonner* ; [sybɔʀdɔne].

**SUBORDONNER,** verbe trans. [3]
**1.** Soumettre (une personne) à l'autorité d'une autre. **2.** Conditionner (une chose) à une autre : ***Subordonner*** *une décision à l'accord des siens.* Fin XVᵉ s. ; lat. médiév. *subordinare* ; [sybɔʀdɔne].

**SUBORNATION,** subst. f.
*Dr.* ***Subornation*** *de témoin* : action illicite visant à suborner un témoin. Déb. XIVᵉ s. ; lat. médiév. *subornatio* ; [sybɔʀnasjɔ̃].

**SUBORNER,** verbe trans. [3]
Détourner (qqn) de son devoir (vieilli) : ***Suborner*** *une femme*, la séduire (littér.). ► *Dr.* ***Suborner*** *un témoin* : le convaincre d'apporter un faux témoignage. 1278 ; lat. *subornare*, « équiper ; préparer secrètement qqn à une mauvaise action » ; [sybɔʀne].

**SUBORNEUR, EUSE,** adj. et subst.
Personne qui suborne qqn, le détourne du devoir (littér.). SUBST. MASC. Homme qui séduit une femme (vieilli). ADJ. Qui suborne, qui corrompt. XVᵉ s. ; ☞ *suborner* ; [sybɔʀnœʀ, øz].

**SUBRÉCARGUE,** subst. m.
*Mar.* Personne qui représente l'armateur ou l'affréteur sur un navire de commerce et assure la gestion de la cargaison. Fin XVIIᵉ s. ; prob. ital. *sopraccarico*, de *sopra*, « sur », et de *carico*, « cargaison » ; [sybʀekaʀg].

**SUBREPTICE,** adj.
**1.** *Dr.* Qui est obtenu par dissimulation et tromperie. **2.** Ext. Qui s'accomplit à l'insu de qqn, de manière déloyale : *Manœuvres* ***subreptices***. Déb. XIVᵉ s. ; lat. *subrepticius*, « clandestin » ; [sybʀɛptis].

**SUBREPTICEMENT,** adv.
De manière subreptice, à la dérobée. 1342 ; ☞ *subreptice* ; [sybʀɛptismɑ̃].

**SUBREPTION,** subst. f.
*Dr. canon.* Obtention d'un privilège par dissimulation d'un fait qui s'y opposerait (vx). 1316 ; lat. jur. *subreptio*, du lat. *subrepere*, « se glisser sous » ; [sybʀɛpsjɔ̃].

**SUBROGATIF, IVE,** adj.
Qui constitue une subrogation ; qui l'exprime. 1872 ; ☞ *subroger* ; [sybʀɔgatif, iv].

**SUBROGATION,** subst. f.
*Dr.* ***Subrogation*** *personnelle* : substitution d'une personne à une autre dans un rapport juridique ; ***Subrogation*** *réelle* : attribution à une chose des qualités juridiques de celle qu'elle remplace. 1401 ; bas lat. *subrogatio* ; [sybʀɔgasjɔ̃].

**SUBROGATOIRE,** adj.
Qui a pour effet de subroger : *Acte* ***subrogatoire***. 1842 ; ☞ *subroger* ; [sybʀɔgatwaʀ].

**SUBROGÉ, ÉE,** adj.
*Dr.* ***Subrogé*** *tuteur* : personne que désigne le conseil de famille pour contrôler le tuteur et pour défendre éventuellement les intérêts du pupille ; empl. subst., personne substituée à une autre par subrogation. 1690 ; p. p. de *subroger* ; [sybʀɔʒe].

**SUBROGER,** verbe trans. [5]
*Dr.* Substituer (une personne, une chose) à une autre. 1332 ; lat. *subrogare* ; [sybʀɔʒe].

**SUBSÉQUEMMENT,** adv.
**1.** À la suite de quoi. **2.** *Dr.* De manière subséquente. XIVᵉ s. ; bas lat. *subsequenter*, du lat. *subsequens*, « subséquent » ; [sypsekamɑ̃].

**SUBSÉQUENT, ENTE,** adj.
**1.** *Dr.* Qui vient immédiatement après (qqch.). **2.** *Géogr.* Qualifie un cours d'eau parallèle à une cuesta. Fin XIVᵉ s. ; lat. *subsequens* ; [sypsekɑ̃, ɑ̃t].

**SUBSIDE,** subst. m.
Aide financière, subvention allouée à qqn, à un groupe (gén. au plur.) : *Vivre de* ***subsides***. 1220 ; lat. *subsidium*, « réserve ; renfort » ; [sybzid] ou [sypsid].

**SUBSIDENCE,** subst. f.
*Géol.* Affaissement régional de l'écorce terrestre, qui permet de grandes accumulations de sédiments conduisant à la formation d'un bassin sédimentaire. ► *Météor.* Courant vertical descendant qui affecte une masse d'air (anton. *ascendance*). 1555 ; p.-ê. angl. *subsidence*, du lat. *subsidentia*, de *subsidere*, « former un dépôt » ; [sybzidɑ̃s] ou [sypsi-].

**SUBSIDIAIRE,** adj.
**1.** Qui renforce ce qui est principal ; par ext., accessoire : *Argument* ***subsidiaire*** ; *Question* ***subsidiaire***, question supplémentaire qui départage des concurrents ex aequo. **2.** *Dr.* Qui supplée à ce qui ferait défaut : *Conclusions* ***subsidiaires***, déposées en annexe aux conclusions principales. 1355 ; lat. *subsidiarus*, de *subsidium*, « réserve » ; [sybzidjɛʀ] ou [sypsi-].

**SUBSIDIARITÉ,** subst. f.
Caractère de ce qui est subsidiaire. ► *Admin.* et *Dr. Principe de* ***subsidiarité*** : selon lequel les pouvoirs sont délégués à différents niveaux d'une hiérarchie. XXᵉ s. ; ☞ *subsidiaire* ; [sybzidjaʀite] ou [sypsi-].

**SUBSIDIER, verbe trans.** [6]
Belg. Subventionner. ☞ *subside* ; [sybzidje] ou [sypsi-].

**SUBSISTANCE, subst. f.**
**1.** Fait de subsister, de subvenir à ses besoins ; ce qui contribue à sauvegarder l'existence matérielle : *Tirer sa* ***subsistance*** *de*, vivre de ; en partic., nourriture. **2.** *Militaire en* ***subsistance*** : qui dépend administrativement d'une autre unité que la sienne. **Plur.** Ensemble des denrées, des biens permettant de subsister (vieilli). ► *Service des* ***subsistances*** : section de l'intendance chargée de pourvoir à l'alimentation de la troupe. Déb. XVIII^e s. (1471, impôt affecté à l'entretien des troupes) ; ☞ *subsister* ; [sybzistɑ̃s].

**SUBSISTANT, ANTE, adj. et subst.**
**Adj.** Qui perdure après la disparition d'autres éléments. **Subst. masc.** *Milit.* Soldat en subsistance. **Subst.** Assuré social dont les prestations sont versées par une autre caisse que sa caisse d'affiliation. 1372 ; lat. *subsistens* ; [sybzistɑ̃, ɑ̃t].

**SUBSISTER, verbe intrans.** [3]
**1.** Continuer d'exister, perdurer à travers les changements : *Vieilles traditions, lois qui* ***subsistent***. **2.** Continuer de vivre en assurant ses moyens d'existence. Fin XV^e s. ; lat. *subsistere*, « s'arrêter ; rester ; résister » ; [sybziste].

**SUBSONIQUE, adj.**
*Techn.* Dont la vitesse est inférieure à celle du son (par oppos. à *supersonique*). V. 1950 ; ☞ *sonique* + *sub-* ; [sypsɔnik].

**SUBSTANCE, subst. f.**
**1.** *Philos.* Ce qui existe par soi, qui possède une existence propre : *La* ***substance*** *est ce qui n'a besoin que de soi-même pour exister* (Descartes) ; ce qui subsiste et perdure, demeurant identique (par oppos. à *accident*). **2.** L'essentiel d'une pensée, d'une œuvre, d'un acte : *La* ***substance*** *d'un discours.* ► Loc. *En* ***substance*** : pour ne garder que l'essentiel. **3.** Matière définie du point de vue de ses propriétés : ***Substance*** *organique* ; ***Substance*** *toxique.* Mil. XII^e s. ; lat. *substantia*, de *substare*, « être dessous » ; [sypstɑ̃s].

**SUBSTANTIALISME, subst. m.**
*Philos.* Doctrine qui admet que la substance existe. 1864 ; ☞ *substantiel* ; [sypstɑ̃sjalism].

**SUBSTANTIALITÉ, subst. f.**
*Philos.* Caractère de ce qui est une substance. Fin XV^e s. ; ☞ *substantiel* ; [sypstɑ̃sjalite].

**SUBSTANTIEL, ELLE, adj.**
**1.** Vx. Qui est essentiel. **2.** *Philos.* Qui relève de la substance : *Forme* ***substantielle***, qui constitue, selon Aristote, la substance. **3.** Nutritif, consistant : *Alimentation* ***substantielle*** ; au fig. : *Une lecture* ***substantielle***. **4.** Important, considérable : *Gains* ***substantiels***. Mil. XIII^e s. ; lat. *substantialis* ; [sypstɑ̃sjɛl].

**SUBSTANTIF, IVE, subst. m. et adj.**
**Subst.** *Gramm.* Unité lexicale (mot ou groupe de mots) qui peut se combiner avec divers morphèmes, tels les déterminants, les marques du genre et du nombre, et qui sert à désigner des êtres, des choses, des idées (synon. *nom*). **Adj. 1.** *Gramm.* Relatif au **substantif** ; qui a valeur de **substantif** : *Proposition* ***substantive***. **2.** *Chim.* Qualifie un colorant qui se fixe sur le tissu sans l'intermédiaire d'un mordant. 1365 ; lat. *substantivus*, de *substantia*, « substance » ; [sypstɑ̃tif, iv].

**SUBSTANTIFIQUE, adj.**
*La* ***substantifique*** *moelle* : partie la plus riche en substance d'un écrit, d'un ouvrage (expression tirée de *Gargantua*, roman de Rabelais). 1521 ; lat. *substantia*, « substance » ; [supstɑ̃tifik].

**SUBSTANTIVATION, subst. f.**
Action de substantiver : ***Substantivation*** *d'un verbe.* 1922 ; ☞ *substantiver* ; [sypstɑ̃tivasjɔ̃].

**SUBSTANTIVER, verbe trans.** [3]
*Gramm.* Transformer en substantif (un mot qui ne l'est pas). Fin XIV^e s. ; ☞ *substantif* ; [sypstɑ̃tive].

**SUBSTITUER, verbe trans.** [3]
**1.** Mettre (qqn ou qqch.) à la place de qqn ou de qqch. d'autre : ***Substituer*** *un faux tableau au vrai.* **2.** *Dr.* ***Substituer*** *qqn à un héritier* : désigner qqn comme légataire du premier héritier ou légataire à son défaut. **Pronom.** *Se* ***substituer*** *à* : prendre la place de. 1270 ; lat. *substituere* ; [sypstitɥe].

**SUBSTITUT, subst. m.**
**1.** *Dr.* Magistrat du parquet chargé d'assister le procureur général ou le procureur de la République. **2.** Ce qui remplace qqch. ; ersatz. **3.** *Ling.* Terme que l'on substitue à un autre pour en éviter la répétition : *Le pronom est un* ***substitut***. 1332 ; lat. *substitutus* ; [sypstity].

**SUBSTITUTIF, IVE, adj.**
Qui peut remplacer qqch. 1837 ; bas lat. *substitutivus* ; [sypstitytif, iv].

**SUBSTITUTION, subst. f.**
**I.** *Dr.* **1.** Disposition par laquelle est désignée une personne qui recevra le don ou le legs à défaut du donataire ou légataire. **2.** *Peine de* ***substitution*** : qui remplace l'emprisonnement. **3.** *Pouvoir de* ***substitution*** : possibilité pour une autorité de tutelle d'être décisionnaire à la place d'une autre autorité. **4.** ***Substitution*** *d'enfant* : remplacement illégal d'un nouveau-né par un autre. **II. 1.** Action de remplacer une personne ou une chose par une autre. **2.** *Math.* Permutation sur un ensemble fini. **3.** *Écon.* Remplacement d'un produit par un autre, aux qualités identiques. XIII^e s. ; lat. *substitutio* ; [sypstitysjɔ̃].

**SUBSTRAT, subst. m.**
**1.** *Philos.* Matière, en tant qu'elle sert de support aux choses ; vecteur qui sous-tend une entité rationnelle : *Nos habitudes constituent le* ***substrat*** *de nos activités libres* (Bergson). **2.** Ext. Ce qui fonde qqch., son infrastructure : *Le* ***substrat*** *religieux d'une pratique sociale.* **3.** *Spéc.* ► *Électron.* Matériau qui sert de support aux éléments d'un circuit. ► *Ling.* Premier parler connu dans un espace géographique, supplanté par un autre parler qu'il a influencé : *Le* ***substrat*** *celtique du français.* 1846 ; lat. *substratum*, de *substernere*, « étendre sous » ; [sypstʀa].

**SUBSTRATUM, subst. m.**
*Géol.* Partie inférieure d'un sous-sol, sur laquelle repose sa couverture. 1745 ; lat. *substratum*, « ce qui est dessous » ; [sypstʀatɔm].

**SUBSUMER, verbe trans.** [3]
*Philos.* Inscrire (un terme particulier) sous un terme général : ***Subsumer*** *une espèce sous un genre* ; considérer (un fait) sous l'angle d'une loi. 1835 ; lat. scol. *subsumere*, « prendre sous » ; [sypsyme].

**SUBTERFUGE, subst. m.**
Moyen détourné qui permet d'échapper à une situation embarrassante ; par ext., procédé ingénieux. 1316 ; bas lat. *subterfugium*, du lat. *subterfugere*, « esquiver » ; [syptɛʀfyʒ].

**SUBTIL, ILE, adj.**
**1.** Impalpable ; délicat : *Un parfum* ***subtil*** ; au fig. : *Une différence* ***subtile***. **2.** Fin, ingénieux : *Esprit, commentateur* ***subtil***. Déb. XII^e s. ; lat. *subtilis* ; [syptil].

**SUBTILEMENT, adv.**
**1.** De façon subtile. **2.** Belg. Rapidement. Déb. XIII^e s. ; ☞ *subtil* ; [syptil(ə)mɑ̃].

**SUBTILISATION, subst. f.**
Action de subtiliser ; son résultat. 1572 (1566, subtilité) ; ☞ *subtiliser* ; [syptilizasjɔ̃].

**SUBTILISER, verbe** [3]
**Intrans.** Rechercher la complexité, l'élément ténu, souvent avec exagération, dans le raisonnement, le style (littér.). **Trans.** Dérober, voler habilement (qqch.). Fin XIV^e s. ; ☞ *subtil* ; [syptilize].

**SUBTILITÉ, subst. f.**
**1.** Caractère de ce qui est subtil ; finesse de pensée. **2.** Méton. Pensée, parole subtile. Fin XII^e s. ; lat. *subtilitas* ; [syptilite].

**SUBTROPICAL, ALE, AUX, adj.**
Situé sous le tropique de l'hémisphère Nord ; par ext., proche des tropiques. ► *Climatol.* Propre à un type de climat intermédiaire entre tropical et tempéré. 1875 ; ☞ *tropical* + *sub-* ; [sybtʀɔpikal, o].

**SUBULÉ, ÉE, adj.**
*Biol.* En forme d'alêne : *Feuille* ***subulée***. 1749 ; lat. sc. *subulatum*, du lat. *subula*, « alêne » ; [sybyle].

**SUBURBAIN, AINE, adj.**
Situé à la périphérie d'une ville. Fin XIV^e s. ; lat. *suburbanus*, de *urbanus*, « de la ville » ; [sybyʀbɛ̃, ɛn].

**SUBURBICAIRE, adj.**
*Cath.* Propre à chacun des sept diocèses voisins de Rome, dont le pape est l'archevêque métropolitain. 1639 ; bas lat. *suburbicarius*, du lat. *sub*, « sous », et *Urbs*, « la ville (Rome) » ; [sybyʀbikɛʀ].

**SUBVENIR, verbe trans. indir.** [22]
**Subvenir à.** Fournir le nécessaire pour couvrir (les besoins de qqn). 1370 ; lat. *subvenire*, « survenir ; venir en aide » ; [sybvəniʀ].

**SUBVENTION, subst. f.**
Aide pécuniaire consentie par l'État ou par une institution publique ou privée à une collectivité, à une entreprise ou à une personne pour mener à bien un projet, une action d'intérêt général. Fin XIII^e s. ; bas lat. *subventio*, du lat. *subvenire*, « survenir ; venir en aide » ; [sybvɑ̃sjɔ̃].

**SUBVENTIONNER, verbe trans.** [3]
Verser une subvention à (une personne, une collectivité). 1832 ; ☞ *subvention* ; [sybvɑ̃sjɔne].

**SUBVERSIF, IVE, adj.**
Susceptible de déstabiliser les institutions, l'ordre établi : *Opinion* ***subversive***. 1780 ; lat. *subversum*, de *subvertere*, « retourner, renverser » ; [sybvɛʀsif, iv].

**SUBVERSION, subst. f.**
Action destinée à déstabiliser les institutions, l'ordre établi. Fin XII^e s. ; bas lat. *subversio* ; [sybvɛʀsjɔ̃].

**SUBVERTIR, verbe trans.** [19]
Déstabiliser (des institutions, un ordre établi). Déb. XII^e s. ; lat. *subvertere*, « retourner, renverser », de *sub*, « sous », et de *vertere*, « changer » ; [sybvɛʀtiʀ].

**SUC, subst. m.**
**1.** Liquide organique qui imprègne certains tissus animaux ou végétaux. ► *Physiol.* Liquide sécrété par un organe : *Les* ***sucs*** *gastriques.* **2.** Fig. Le meilleur de qqch. (littér.). 1488 ; lat. *sucus* ; [syk].

**SUCCÉDANÉ, subst. m.**
**1.** *Pharm.* Médicament de substitution. **2.** Ext. Produit de substitution, ersatz. **3.** Anal. Ce qui remplace qqch. mais qui reste insuffisant (péj.). 1690 ; lat. *succedaneus* ; [syksedane].

**SUCCÉDER, verbe trans. indir.** [8]
**Succéder à. 1.** *Dr.* Hériter du patrimoine de (qqn). **2.** Prendre la suite de (qqn) dans une charge, une fonction : ***Succéder*** *à un notaire, au roi.* **3.** Venir après (qqch.) dans le temps ou dans l'espace : *Le printemps* ***succède*** *à l'hiver.* **Pronom.** Se suivre, s'enchaîner : *Elles se* ***sont succédé*** *à la tribune.* 1340 (1258, revenir en héritage) ; lat. *succedere*, de *sub*, « sous », et de *cedere*, « aller » ; [syksede].

**SUCCENTURIÉ, ÉE, adj.**
*Zool. Ventricule* ***succenturié*** : élément de l'estomac des Oiseaux, dont les parois sécrètent les sucs digestifs. 1690 ; lat. sc. *succenturiatus*, du lat. *succenturiare*, « compléter une centurie » ; [syksɑ̃tyʀje].

**SUCCÈS, subst. m.**
**1.** Réussite : ***Succès*** *d'une opération.* **2.** Faveur du public : *Acteur, livre qui a du* ***succès***. 1646 (1540, résultat) ; lat. *successus*, « approche ; réussite » ; [syksɛ].

**SUCCESSEUR, subst. m.**
**1.** Personne qui succède à une autre dans une charge, une fonction ; par ext., continuateur d'une œuvre. **2.** *Dr.* Personne qui reçoit un héritage. **3.** *Math.* ***Successeur*** *d'un entier naturel n* : l'entier $n + 1$. Fin XII^e s. ; lat. *successor*, de *succedere*, « succéder » ; [syksɛsœʀ].

**SUCCESSIBILITÉ, subst. f.**
**1.** *Dr.* Droit à recevoir une succession. **2.** *Pol. Ordre de* ***successibilité*** : ordre régissant la succession au trône. 1792 ; ☞ *successible* ; [syksɛsibilite].

**SUCCESSIBLE, adj.**
*Dr.* **1.** Apte à recevoir une succession ; empl. subst., l'héritier présomptif. **2.** Qui ouvre droit à recevoir une succession : *Degré de parenté* ***successible***. 1771 ; lat. *successum*, de *succedere*, « succéder » ; [syksɛsibl].

**SUCCESSIF, IVE, adj.**
**1.** Continu (vieilli ou littér.). **2.** *Dr. Contrat* ***successif*** : qui engage au moins l'une des parties à fournir des prestations périodiques. **Plur.** Qui succèdent à d'autres, qui se succèdent : *Des gouvernements, des échecs* ***successifs***. XV^e s. ; lat. jur. *successorius*, « relatif aux successions » ; [syksɛsif, iv].

**SUCCESSION, subst. f.**
**1.** Série d'éléments, d'évènements qui se succèdent dans le temps, dans l'espace : ***Succession*** *des jours* ; *Une* ***succession*** *de banlieues.* **2.** *Dr.* Transmission du patrimoine d'une personne décédée à une ou plusieurs personnes vivantes ; par méton., l'héritage lui-même. **3.** Fait de succéder à qqn dans une charge, une fonction et, en partic., fait d'accéder au pouvoir : *Guerre de* ***succession*** ; par méton., la charge, la fonction ainsi transmise. Fin XIII^e s. ; lat. *successio*, de *succedere*, « succéder » ; [syksɛsjɔ̃].

**SUCCESSIVEMENT, adv.**
Tour à tour ; l'un après l'autre. 1314 ; ☞ *successif* ; [syksɛsiv(ə)mɑ̃].

**SUCCESSORAL, ALE, AUX, adj.**
*Dr.* Qui a trait aux successions, aux successeurs. 1819 ; ☞ *successeur* ; [syksɛsɔʀal, o].

**SUCCIN,** subst. m.
Ambre jaune. ✉ 1663 ; lat. *succinum* ; [syksɛ̃].

**SUCCINCT, INCTE,** adj.
**1.** Exprimé en peu de mots, bref : *Écrit* ***succinct.*** **2.** Simple, sommaire : *Déjeuner* ***succinct.*** ✉ 1482 ; lat. *succinctus* ; [syksɛ̃, ɛ̃t].

**SUCCINIQUE,** adj.
*Chim. Acide* ***succinique*** : solide cristallin soluble dans l'eau, qui, présent dans l'organisme des êtres vivants, intervient dans certains processus métaboliques. ✉ 1787 ; ☞ *succin* ; [syksinik].

**SUCCION,** subst. f.
**1.** Action de sucer, d'aspirer un liquide dans la bouche en faisant le vide. **2.** *Techn.* Aspiration d'une substance au moyen d'un appareil qui fait le vide. ✉ 1314 ; lat. médiév. *suctio* ; [sy(k)sjɔ̃].

**SUCCOMBER,** verbe [3]
**Intrans. 1.** Être vaincu au cours d'une lutte. **2.** Mourir. **3.** S'affaisser : ***Succomber*** *sous une charge.* **Trans. indir. Succomber à.** Céder à : ***Succomber*** *à la fatigue, aux tentations.* ✉ 1376 ; lat. *succumbere* ; [sykɔ̃be].

**SUCCUBE,** subst. m.
*Occult.* Au Moyen Âge, démon qui, sous la forme d'une femme, s'unit charnellement à un homme dans son sommeil (par oppos. à *incube*). ✉ 1486 ; lat. *succuba*, « concubine », de *sub*, « sous », et de *cubare*, « coucher » ; [sykyb].

**SUCCULENCE,** subst. f.
Caractère de ce qui est succulent, savoureux (littér.). ✉ 1769 ; ☞ *succulent* ; [sykylɑ̃s].

**SUCCULENT, ENTE,** adj.
**1.** *Bot. Plante* ***succulente*** : plante adaptée à la sécheresse, dont les réserves d'eau sont contenues dans les parenchymes aquifères. **2.** Exquis, savoureux. ✉ 1512 ; lat. *succulentus*, « plein de suc » ; [sykylɑ̃, ɑ̃t].

**SUCCURSALE,** subst. f.
Établissement, gén. commercial, qui dépend d'un autre, tout en jouissant d'une certaine autonomie. ✉ 1675 ; lat. médiév. *succursus*, du lat. *succurrere*, « courir derrière ; courir au secours de » ; [sykyʀsal].

**SUCCURSALISME,** subst. m.
*Comm.* Forme d'organisation commerciale mettant en place un réseau de magasins à succursales multiples. ✉ V. 1960 ; ☞ *succursale* ; [sykyʀsalism].

**SUCCURSALISTE,** adj. et subst.
*Comm.* **Adj.** Relatif au succursalisme. **Subst.** Personne qui exploite une ou plusieurs succursales. ✉ 1815 ; ☞ *succursale* ; [sykyʀsalist].

**SUCEPIN,** subst. m.
*Bot.* Plante herbacée sans chlorophylle, vivant en saprophyte sur les pieds de certains arbres (synon. *monotrope*). ✉ Formé de *sucer* et de *pin* ; [syspɛ̃].

**SUCER,** verbe trans. [4]
**1.** Aspirer (un liquide) par contraction des lèvres. ▸ Aspirer (un liquide nutritif) au moyen d'un suçoir, en parlant d'animaux ou de plantes : *L'abeille* ***suce*** *le nectar des fleurs.* **2.** Faire fondre (qqch.) entre la langue et le palais, en l'imprégnant de salive : ***Sucer*** *un bonbon.* **3.** Exercer une succion sur (un objet) que l'on porte à la bouche : ***Sucer*** *son pouce.* ✉ Déb. XII^e s. ; lat. pop. °*suctiare*, du lat. *sugere* ; [syse].

**SUCETTE,** subst. f.
**1.** Petite tétine que l'on fait sucer aux jeunes enfants. **2.** Sucrerie fixée à un bâtonnet. ✉ 1930 (1869, appareil aspirateur) ; ☞ *sucer* ; [sysɛt].

**SUCEUR, EUSE,** adj. et subst.
**Adj.** Qui suce qqch. ▸ *Zool. Insecte* ***suceur*** ou, empl. subst. masc., *Un* ***suceur*** : insecte qui aspire sa nourriture avec une trompe. **Subst. masc.** Embout d'un aspirateur. **Subst. fém.** Drague munie d'un système d'aspiration. ✉ Mil. XVI^e s. ; ☞ *sucer* ; [sysœʀ, øz].

**SUÇOIR,** subst. m.
**1.** *Bot.* Organe permettant à une plante parasite de se fixer sur la plante hôte pour y puiser les éléments nutritifs : *Les* ***suçoirs*** *du gui.* **2.** *Zool.* Organe d'un insecte, servant à sucer : *Le* ***suçoir*** *d'une mouche.* ✉ 1816 ; ☞ *sucer* ; [syswaʀ].

**SUÇON,** subst. m.
Marque faite sur la peau par une forte succion (fam.). ✉ 1690 ; ☞ *sucer* ; [sysɔ̃].

**SUÇOTER,** verbe trans. [3]
Sucer (qqch.) lentement : ***Suçoter*** *des pastilles.* ✉ 1556 ; ☞ *sucer* ; [sysɔte].

**SUCRAGE,** subst. m.
**1.** Action de sucrer ; son résultat (rare). **2.** *Vinic.* Chaptalisation. ✉ 1876 ; ☞ *sucrer* ; [sykʀaʒ].

**SUCRE (I),** subst. m.
**1.** Substance de saveur douce, cristallisée, soluble dans l'eau, extraite de la canne à **sucre** ou de la betterave : ***Sucre*** *semoule ;* ***Sucre*** *glace*, très finement broyé ; ***Sucre*** *d'orge* (☞ *orge*) ; *Faux* ***sucre***, édulcorant (fam.). ▸ Méton. *Un* ***sucre*** : un morceau de cette substance. **2.** Loc. *Être en* ***sucre*** : être très fragile (fam.) ; *Casser du* ***sucre*** *sur le dos de qqn* : dire du mal de lui (fam.) ; *Être tout* ***sucre***, *tout miel* (☞ *miel*). **3.** *Chim.* Hydrate de carbone possédant plusieurs fonctions alcool et au moins quatre atomes de carbone ; saccharose. ▸ *Biol.* Glucose : ***Sucre*** *présent dans le sang, l'urine* (☞ *glycémie, glycosurie*). ✉ Fin XII^e s. ; ital. *zucchero*, de l'ar. *sukkar*, du skr. *śarkarā* ; [sykʀ].

**SUCRE (II),** subst. m.
Unité monétaire de l'Équateur. ✉ 1903 ; anthropon. *Antonio José Sucre*, libérateur du pays ; [sykʀ].

**SUCRÉ, ÉE,** adj.
**1.** Qui renferme du sucre ; qui en a le goût ; empl. subst. masc. : *Aimer le* ***sucré.*** **2.** Fig. Qui feint la douceur, mielleux. ✉ Fin XV^e s. ; ☞ *sucre* (I) ; [sykʀe].

**SUCRER,** verbe trans. [3]
**1.** Adoucir la saveur de (un aliment, une boisson) par l'adjonction de sucre ou d'un édulcorant. **2.** Fig. Retirer, supprimer (fam.). **Pronom.** S'attribuer la plus large part (fam.) : *Il* ***s'est sucré*** *dans cette affaire.* ✉ XIII^e s. ; ☞ *sucre* (I) ; [sykʀe].

**SUCRERIE,** subst. f.
**1.** Usine d'extraction et de fabrication du sucre ; par ext., raffinerie. **2.** Industrie du sucre. **3.** Produit confectionné avec du sucre (gén. au plur.). **4.** Fabrique de sirop d'érable, au Canada. ✉ 1684 (fin XVI^e s., culture de la canne à sucre) ; ☞ *sucre* (I) ; [sykʀəʀi].

**SUCRETTE,** subst. f. inv.
Petite pastille de sucre de synthèse (☞ *aspartame*). ✉ V. 1990 ; ☞ *sucre* (I) ; n. déposé ; [sykʀɛt].

**SUCRIER, IÈRE,** subst. m. et adj.
**Subst.** Récipient à sucre. **Adj.** Qui produit du sucre. ✉ 1653 (1555, confiseur) ; ☞ *sucre* (I) ; [sykʀije, jɛʀ].

**SUD,** subst. m. inv. et adj. inv.
**Subst. 1.** L'un des quatre points cardinaux, opposé au nord ; direction correspondante : *Maison exposée au* ***sud*** ; *Vent de* ***sud***, venant du sud. **2.** Partie méridionale d'une région, d'un pays : *Italie du* ***Sud*** ; *Le* ***sud*** *de la France.* **Adj.** Situé au sud : *Versant* ***sud*** ; *Le pôle* ***Sud.*** ✉ Mil. XII^e s. ; anc. anglo-saxon *suth*, d'orig. germ. ; [syd].

**SUDATION,** subst. f.
Production de sueur physiologique, pathologique ou provoquée à des fins thérapeutiques. ✉ Fin XIV^e s. ; lat. *sudatio*, de *sudare*, « suer » ; [sydasjɔ̃].

**SUD-EST,** subst. m. inv. et adj. inv.
**Subst. 1.** Point de l'horizon situé à égale distance entre le sud et l'est ; la direction correspondante. **2.** Partie d'un pays située au **sud-est** : *Le* ***Sud-Est*** *américain.* **Adj.** Situé au **sud-est** : *Région* ***sud-est.*** ✉ Mil. XII^e s. ; comp. de *sud* et de *est* ; [sydɛst].

**SUDISTE,** subst. et adj.
*Hist.* Se dit d'un partisan des États esclavagistes du Sud ou d'un soldat de l'armée confédérée, aux États-Unis, pendant la guerre de Sécession. **Adj.** Relatif, propre aux sudistes : *L'armée* ***sudiste.*** ✉ 1865 ; ☞ *sud* ; [sydist].

**SUDORAL, ALE, AUX,** adj.
*Méd.* Relatif à la sueur : *Sécrétion* ***sudorale.*** ✉ XV^e s. ; lat. *sudor*, « sueur » ; [sydɔʀal, o].

**SUDORIFIQUE,** adj.
*Méd.* Qui active la sudation ; empl. subst. masc., substance **sudorifique.** ✉ 1561 ; lat. *sudor*, « sueur » ; [sydɔʀifik].

**SUDORIPARE,** adj.
*Anat.* Qui sécrète la sueur ; qui conduit la sueur (synon. *sudorifère*). ✉ 1855 ; lat. *sudor*, « sueur », + *-pare* ; [sydɔʀipaʀ].

**SUD-OUEST,** subst. m. inv. et adj. inv.
**Subst. 1.** Point de l'horizon situé à égale distance entre le sud et l'ouest ; direction correspondante. **2.** Partie d'un pays située au **sud-ouest** : *Spécialités du* ***Sud-Ouest.*** **Adj.** Situé au **sud-ouest** : *Banlieue* ***sud-ouest.*** ✉ 1423 ; comp. de *sud* et de *ouest* ; [sydwɛst].

**SUÈDE,** subst. m.
*Peauss.* Peau dont le côté chair, placé à l'extérieur, est poncé afin de lui donner un aspect velouté. ✉ 1840 ; topon. *Suède* ; [sɥɛd].

**SUÉDÉ, ÉE,** adj.
**1.** Qui est traité comme le suède. **2.** Qui a l'aspect du suède. ✉ 1936 ; ☞ *suède* ; [sɥede].

**SUÉDINE,** subst. f.
Tissu qui imite le suède. ✉ 1932 ; ☞ *suède* ; [sɥedin].

**SUÉDOIS, OISE,** adj. et subst.
De Suède. **Subst. masc.** Langue nordique parlée en Suède et dans le sud de la Finlande. ✉ Déb. XVII^e s. ; topon. *Suède* ; [sɥedwa, waz].

**SUÉE,** subst. f.
Abondante sudation due à un effort, à une fièvre ou à une vive émotion (fam.). ✉ Fin XV^e s. ; p. p. de *suer* ; [sɥe].

**SUER,** verbe [3]
**Trans. 1.** Rendre (un exsudat) par les pores de la peau. ▸ Loc. ***Suer*** *sang et eau* : fournir de gros efforts. **2.** Fig. Laisser transparaître : *Ce roman* ***sue*** *la médiocrité ;* ***Suer*** *la haine.* **Intrans. 1.** Être en sueur : ***Suer*** *à grosses gouttes.* **2.** Ext. Travailler beaucoup. **3.** Anal. Suinter. **4.** Loc. fam. *Faire* ***suer*** *qqn* : l'importuner, l'exaspérer ; *Se faire* ***suer*** : s'ennuyer. ✉ Fin X^e s. ; lat. *sudare* ; [sɥe].

**SUET,** subst. m. inv.
*Mar. Vent de* ***suet*** : de sud-est. ✉ Altér. de *sud-est* ; [sɥɛ(t)].

**SUETTE,** subst. f.
*Pathol.* ***Suette*** *miliaire* : maladie infectieuse éruptive très contagieuse, caractérisée par une sudation importante. ✉ XVI^e s. ; ☞ *suer* ; [sɥɛt].

**SUEUR,** subst. f.
**1.** *Physiol.* Sécrétion aqueuse, incolore, salée et à l'odeur caractéristique plus ou moins forte, évacuée par les pores de la peau, dont la production augmente sous l'effet de la chaleur, de la maladie, de l'émotion. ▸ Loc. *Gagner son pain à la* ***sueur*** *de son front* : en travaillant beaucoup et péniblement. ▸ *Méd. Test de la* ***sueur*** : pratiqué pour déceler une éventuelle mucoviscidose. **2.** Fait de suer, transpiration. ▸ Loc. *Avoir, donner des* ***sueurs*** *froides* : éprouver, provoquer un sentiment de peur, d'angoisse. ✉ Fin X^e s. ; lat. *sudor* ; [sɥœʀ].

**SUFFÈTE,** subst. m.
*Antiq.* **1.** En Phénicie, haut magistrat : ***Suffète*** *de Tyr.* **2.** À Carthage, chacun des deux premiers magistrats. ✉ 1582 ; lat. *suffes*, du punique *suphet*, de l'hébreu *šôfēt*, « juge » ; [syfɛt].

**SUFFIRE,** verbe trans. indir. [64]
**1. Suffire à, pour.** Être en quantité nécessaire pour ; avoir la qualité juste nécessaire pour : *Une valise* ***suffira*** *pour contenir ces dossiers ; Une soirée au casino* ***avait suffi*** *à le ruiner.* **2. Suffire à.** ▸ Être de nature à contenter (qqn) : *Un repas léger me* ***suffira.*** ▸ Pouvoir seul satisfaire aux exigences de (qqch.) : ***Suffiras****-tu à la tâche ?* **Impers.** *Il* ***suffit*** *de* (+ subst. ou inf.), *que* (+ subj.) : il faut seulement. ▸ Abs. *Il* ***suffit*** : c'est assez (vx) ; *Ça* ***suffit*** *!* : en voilà assez ! **Pronom.** Posséder en soi de quoi satisfaire ses aspirations, de quoi répondre à ses besoins. ✉ 1160 ; lat. *sufficere*, « suppléer ; supporter » ; [syfiʀ].

**SUFFISAMMENT,** adv.
De façon suffisante ; assez : *Elles ont* ***suffisamment*** *attendu.* ✉ 1230 ; ☞ *suffisant* ; [syfizamɑ̃].

**SUFFISANCE,** subst. f.
**1.** Quantité suffisante : *Avoir de l'argent en* ***suffisance.*** **2.** Caractère d'une personne suffisante. ✉ Fin XIII^e s. (XII^e s., satisfaction) ; ☞ *suffisant* ; [syfizɑ̃s].

**SUFFISANT, ANTE,** adj.
**1.** Qui suffit : *Des ressources* ***suffisantes.*** ▸ *Théol. Grâce* ***suffisante*** : qui offre la possibilité de faire le bien. ▸ *Log. Condition* ***suffisante*** : si la proposition $P \Longrightarrow Q$ est vraie, la proposition P est une condition **suffisante** pour que la proposition Q soit vraie. **2.** Qui a une haute opinion de soi ; qui dénote la vanité, la présomption. ✉ Fin XII^e s. (déb. XII^e s., satisfait) ; p. pr. de *suffire* ; [syfizɑ̃, ɑ̃t].

**SUFFIXAL, ALE, AUX,** adj.
Qui est relatif au suffixe ; qui fait fonction de suffixe ; qui utilise un suffixe : *Dérivation* ***suffixale.*** ✉ 1904 ; ☞ *suffixe* ; [syfiksal, o].

**SUFFIXATION,** subst. f.
Procédé de formation des mots à l'aide de suffixes. ✉ 1876 ; ☞ *suffixer* ; [syfiksasjɔ̃].

**SUFFIXE,** subst. m.
*Ling.* Élément placé après le radical ou la racine d'un mot pour former un dérivé : *« -âtre » est un* ***suffixe*** *péjoratif.* ✉ 1809 ; lat. *suffixus*, de *suffigere*, « fixer par-dessous ; attacher » ; [syfiks].

**SUFFIXER,** verbe trans. [3]
Ajouter un suffixe à. ✉ 1876 ; ☞ *suffixe* ; [syfikse].

**SUFFOCANT, ANTE,** adj.
Qui gêne ou empêche la respiration ; au fig., stupéfiant. Déb. XVe s. ; p. pr. de *suffoquer* ; [syfɔkɑ̃, ɑ̃t].

**SUFFOCATION,** subst. f.
**1.** Fait de suffoquer. **2.** *Pathol.* Asphyxie due à l'obstruction des voies respiratoires. 1380 ; lat. *suffocatio* ; [syfɔkasjɔ̃].

**SUFFOQUER,** verbe [3]
**Trans. 1.** Gêner la respiration de, causer une sensation d'étouffement à. **2.** Fig. Provoquer une vive surprise chez. **Intrans. 1.** Éprouver des difficultés à respirer. **2.** Être oppressé par une forte émotion : ***Suffoquer** de fureur.* 1370 (fin XIIIe s., tuer par suffocation) ; lat. *suffocare*, de *fauces*, « gorge » ; [syfɔke].

**SUFFRAGANT,** adj. m. et subst. m.
*Dr. canon.* Se dit d'un évêque qui dépend d'un archevêque métropolitain. Fin XIIe s. ; lat. eccl. *suffraganeus*, « subordonné, dépendant » ; [syfʀagɑ̃].

**SUFFRAGE,** subst. m.
**1.** Déclaration orale ou écrite exprimant l'avis de celui qui est appelé à faire un choix lors d'une élection, d'une délibération. **2.** *Dr.* ▸ ***Suffrage** universel* : droit de vote donné à tous les citoyens en âge de voter (il peut comporter des exclusions en fonction de l'âge, du sexe, de la santé mentale, etc.). ▸ ***Suffrage** direct* : système électoral dans lequel les électeurs votent directement pour leurs représentants. ▸ ***Suffrage** indirect* : système dans lequel le candidat est élu par de grands électeurs, eux-mêmes issus du **suffrage** direct. ▸ ***Suffrage** exprimé* : bulletin valide (par oppos. au bulletin blanc ou nul). ▸ ***Suffrage** censitaire* (☞ *censitaire*). **3.** Anal. Adhésion, opinion favorable : *Ce film a recueilli les **suffrages** de la jeunesse.* 1355 (1289, prière) ; lat. *suffragium* ; [syfʀaʒ].

**SUFFRAGETTE,** subst. f.
*Hist.* Militante qui, dans l'Angleterre de la fin du XIXe s. et du début du XXe s., luttait pour le droit de vote des femmes. 1907 ; mot angl. ; [syfʀaʒɛt].

**SUFFUSION,** subst. f.
*Pathol.* Épanchement liquidien (séreux, sanguin, etc.) sous-cutané. 1370 ; lat. *suffusio*, de *suffundere*, « répandre sous » ; [syfyzjɔ̃].

**SUGGÉRER,** verbe trans. [8]
**1.** Inspirer, proposer (une action, une idée, etc.) à qqn : *Je vous **suggère** de prendre du repos.* **2.** Faire venir (qqch.) à l'esprit : *Que vous **suggère** ce dessin ?* 1380 ; lat. *suggerere*, « proposer » ; [sygʒeʀe].

**SUGGESTIBLE,** adj.
*Psychol.* Perméable aux suggestions. 1890 ; ☞ *suggestion* ; [sygʒɛstibl].

**SUGGESTIF, IVE,** adj.
**1.** Qui a la capacité de suggérer, d'évoquer des images, des idées, des sentiments. **2.** Qui suggère des idées érotiques. 1857 (fin XVIIIe s., qui fait allusion à la sexualité) ; ☞ *suggestion* ; [sygʒɛstif, iv].

**SUGGESTION,** subst. f.
**1.** Action de suggérer. ▸ Méton. Ce que l'on suggère, idée que l'on fait naître dans l'esprit de qqn ; par ext., proposition : *J'attends vos **suggestions**.* **2.** *Psychol.* Fait de se laisser inconsciemment influencer par qqn ; pouvoir qu'a une personne d'agir sur l'inconscient de qqn : ***Suggestion** télépathique.* Fin XIIe s. ; lat. *suggestio*, « avis » ; [sygʒɛstjɔ̃].

**SUGGESTIONNER,** verbe trans. [3]
Influencer (qqn) par suggestion. Fin XVe s. ; ☞ *suggestion* ; [sygʒɛstjɔne].

**SUGGESTIVITÉ,** subst. f.
Caractère de ce qui est suggestif (rare). 1904 ; ☞ *suggestif* ; [sygʒɛstivite].

**SUICIDAIRE,** adj.
**1.** Qui conduit, qui tend au suicide. ▸ Qui est tenté par le suicide, qui y semble prédisposé ; empl. subst., personne **suicidaire**. **2.** Fig. Qui conduit à l'échec, à la ruine : *Un projet **suicidaire**.* 1901 ; ☞ *suicide* ; [sɥisidɛʀ].

**SUICIDANT, ANTE,** subst.
*Psychol.* Personne qui a tenté de se suicider ou qui est suicidaire. 1855 ; p. pr. de *suicider* ; [sɥisidɑ̃, ɑ̃t].

**SUICIDE,** subst. m.
**1.** Action de se tuer soi-même volontairement. **2.** Ext. Prise de risques inconsidérés : *Cette excursion est un **suicide*** ; en appos. : *Commando **suicide**.* **3.** Fig. Fait de concourir à sa propre ruine : *Le **suicide** d'une nation.* 1734 ; lat. *sui*, « soi », + *-cide* ; [sɥisid].

**SUICIDÉ, ÉE,** adj. et subst.
Se dit d'une personne qui s'est suicidée. 1823 ; p. p. de *suicider* ; [sɥiside].

**SUICIDER (SE),** verbe pronom. [3]
Commettre un suicide ; au fig. : *Il **s'est suicidé** politiquement.* 1787 ; ☞ *suicide* ; [sɥiside].

**SUIDÉS,** subst. m. plur.
*Zool.* Famille de mammifères placentaires, de l'ordre des Artiodactyles, comprenant huit espèces de porcins. **Au sing.** *Le sanglier est un **suidé**.* 1864 ; lat. *sus*, « porc » ; [sɥide].

**SUIE,** subst. f.
Dépôt noirâtre pulvérulent laissé par la fumée lorsque la combustion est incomplète. Déb. XIIe s. ; prob. gaul. °*sūdia* ; [sɥi].

**SUIF,** subst. m.
Graisse d'animaux herbivores : *Une chandelle de **suif**.* Fin XIIe s. ; lat. *sebum* ; [sɥif].

**SUIFFER,** verbe trans. [3]
Graisser avec du suif. Fin XIVe s. ; ☞ *suif* ; [sɥife].

**SUIFFEUX, EUSE,** adj.
De la nature du suif. 1842 ; ☞ *suif* ; [sɥifø, øz].

**SUI GENERIS,** loc. adj. inv.
Propre à un être, à une espèce, à une chose. ▸ Par euphém. *Une odeur **sui generis*** : une mauvaise odeur, en partic. corporelle. 1743 ; loc. lat. *sui generis*, « de son espèce » ; [sɥiʒeneʀis].

**SUINT,** subst. m.
Corps gras sécrété par la peau du mouton et qui imprègne la laine. Déb. XIVe s. ; ☞ *suer* ; [sɥɛ̃].

**SUINTEMENT,** subst. m.
Écoulement goutte à goutte d'un liquide. 1635 ; ☞ *suinter* ; [sɥɛ̃tmɑ̃].

**SUINTER,** verbe [3]
**Intrans. 1.** S'écouler imperceptiblement, en parlant d'un liquide. **2.** Laisser s'écouler très lentement un liquide : *Plaie qui **suinte**.* **Trans.** Fig. Laisser transparaître : *Un regard qui **suinte** l'angoisse.* 1553 ; ☞ *suint* ; [sɥɛ̃te].

**SUISSE,** subst. et adj.
De Suisse. **Subst. masc. 1.** Portier d'une grande maison, dont la tenue chamarrée rappelait l'uniforme des mercenaires **suisses**. **2.** Personne qui était chargée, dans une église, d'ouvrir les cortèges et de régler l'ordonnance des cérémonies. **3.** Soldat appartenant à la garde **suisse** du Vatican. **4.** Loc. *Boire, manger en **suisse*** : seul, en n'invitant personne. **5.** Québ. Écureuil au pelage rayé. Mil. XVe s. ; all. *Schweiz* ; la var. du fém., *Suissesse*, désignant une habitante de la Suisse, est rare ; [sɥis].

© G. Merillon-Gamma

*Gardes **suisses** du Vatican.*

**SUITE,** subst. f.
**I.** Action de poursuivre. ▸ *Dr.* **Droit de suite.** Droit, pour un créancier hypothécaire, d'exiger la somme due, quel que soit le détenteur de l'immeuble hypothéqué ; droit qui permet à un auteur, à un artiste ou à ses héritiers d'effectuer un prélèvement sur le prix de vente de ses œuvres. **II.** Ce qui suit. **1.** Groupe de personnes, domestiques ou subordonnés, qui escortent un haut personnage dans ses déplacements. **2.** Ce qui arrive après : *La **suite** d'un repas* ; *Il n'écouta pas la **suite** du discours* ; ***Suite** et fin d'un feuilleton.* **3.** Loc. *Faire **suite** à* : venir après ; *Prendre la **suite** de qqn* : lui succéder ; *À la **suite** de* : en suivant derrière ou en raison de ; *À la **suite*** : d'affilée ; *De **suite*** : sans interruption ; *Tout de **suite*** : immédiatement ; *Et ainsi de **suite*** : en continuant de la même façon ; *Par la **suite*** : ensuite, plus tard. **4.** Enchaînement, ordre logique : *Des propos sans **suite**,* incohérents. ▸ Loc. *Avoir de la **suite** dans les idées* : ne pas dévier dans son raisonnement, dans ses projets. **5.** Ce qui découle de qqch. (souv. au plur.) : *Son imprudence eut des **suites** fâcheuses* ; *Mourir des **suites** d'un accident* ; ***Suites** de couches,* état de la femme qui vient d'accoucher. ▸ Loc. *Donner **suite** à* : poursuivre, faire aboutir (une idée, une action) ; *Par **suite*** : en conséquence. **III.** Ce qui se suit. **1.** Ensemble de choses ou de personnes qui se suivent dans l'espace ou dans le temps : *Une longue **suite** de malheurs.* **2.** Ensemble de choses qui forment un tout : *Une **suite** de cartes à pique.* ▸ *Mus.* Composition, pour soliste ou orchestre, formée de plusieurs mouvements de danse (bourrée, menuet, sarabande, etc.) écrits dans la même tonalité : ***Suite** pour violoncelle.* ▸ *B.-a.* Ensemble de tableaux, d'estampes ou de gravures constituant une série homogène. ▸ *Math. **Suite** dans un ensemble E* : application $f$ de $\mathbb{N}$ dans E ; l'image $u_n = f(n)$ de l'entier $n$ est le terme de rang $n$ ; une **suite** se note le plus souvent $(u_n)_{n \geq 0}$ puisqu'elle n'est autre que la donnée d'une famille d'éléments de E indexée par les entiers naturels. **3.** Appartement de plusieurs pièces attenantes, proposé par un hôtel de luxe. Mil. XIIe s. ; lat. pop. °*sequita*, du lat. *sequi*, « suivre » ; [sɥit].

**SUITÉE,** adj. f.
Se dit de la femelle d'un animal d'élevage, en partic. d'une jument, lorsqu'elle est accompagnée de son ou de ses petits. 1875 ; ☞ *suite* ; [sɥite].

**SUIVANT (I), ANTE,** adj. et subst.
**Adj.** Qui vient juste après : *Le jour **suivant*** ; empl. subst. : *Au **suivant** !,* au tour de la personne qui vient tout de suite après. **Subst.** Personne qui suit qqn, qui l'accompagne. **Subst. fém.** Autrefois, dame de compagnie, femme de chambre. Déb. XIIIe s. ; p. pr. de *suivre* ; [sɥivɑ̃, ɑ̃t].

**SUIVANT (II),** prép.
**1.** Conformément à : ***Suivant** le règlement* ; en fonction de : ***Suivant** les cas.* **2.** Selon l'opinion de, d'après : ***Suivant** Aristote...* **3.** Loc. conj. ***Suivant** que* : selon que. 1538 ; p. pr. de *suivre* ; [sɥivɑ̃].

**SUIVEUR, EUSE,** subst. et adj.
**Subst. 1.** Personne qui manque d'initiative et s'inspire d'autrui. **2.** *Sp.* Personne qui suit une course cycliste à titre officiel. **Subst. masc. 1.** Homme qui suit les femmes dans la rue (vx). **2.** *Techn.* Dispositif composé d'un détecteur et d'un appareil qui permet de diriger l'orientation d'un autre. **Adj.** *Sp. Voiture **suiveuse*** : qui accompagne une course cycliste sur route. Déb. XIIIe s. ; ☞ *suivre* ; [sɥivœʀ, øz].

**SUIVI, IE,** adj. et subst. m.
**Adj. 1.** Qui se fait avec continuité : *Des efforts **suivis**.* **2.** Cohérent : *Argumentation **suivie**.* **3.** Fréquenté : *Des conférences **suivies**.* **Subst.** Contrôle continu sur une longue période : *Le **suivi** pédagogique.* 1679 (1585, qui entraîne l'adhésion) ; p. p. de *suivre* ; [sɥivi].

**SUIVISME,** subst. m.
Attitude consistant à imiter qqn, à suivre des idées, la ligne d'un parti politique, etc., sans faire preuve d'esprit critique. 1927 ; ☞ *suiveur* ; [sɥivism].

**SUIVISTE,** adj.
Qui fait preuve de suivisme ; empl. subst., personne **suiviste**. 1950 ; ☞ *suivisme* ; [sɥivist].

**SUIVRE,** verbe trans. [62]
**I. 1.** Marcher, aller derrière (qqn ou qqch. qui se déplace) ; accompagner (qqn) dans ses déplacements. ▸ Loc. *Suivre des yeux* : ne pas quitter du regard (qqn, qqch. qui se déplace) ; ***Suivre** le mouvement* : imiter autrui sans initiative personnelle (fam. et souv. péj.). **2.** Abs. Venir après ; être placé derrière : *Lire la notice qui **suit**.* ▸ *Faire **suivre** le courrier* : le réexpédier afin qu'il arrive à la nouvelle adresse de son destinataire. **3.** Venir après (qqch.) dans le temps : *Le jour qui **suivit** sa naissance.* ▸ Abs. Au poker, miser afin de pouvoir continuer à jouer. **4.** Poursuivre (un voleur) ; traquer (une bête). **5.** Prendre, garder (une direction) : *Navire qui **suit** le nord* ; aller le long de (une voie). **Pronom. 1.** Se succéder. **2.** S'ordonner logiquement : *Des idées qui **se suivent**.* **II. 1.** Se soumettre à (un régime, un traitement) ; au fig., se conformer à : ***Suivre** la mode.* ▸ *Exemple à **suivre*** : à imiter. **2.** Participer régulièrement à : ***Suivre** un stage* ; être attentif à : ***Suivre** une histoire* ; empl. abs. : *Il ne **suit** pas en classe,* il n'écoute pas ou il n'a pas le niveau requis. ▸ Comprendre : ***Suivre** une argumentation.* ▸ ***Suivre** qqn (de près)* : l'observer pour le guider ou le soigner. **3.** S'abandonner à, se laisser aller à (qqch.) : ***Suivre** ses penchants naturels.* **4.** Soutenir, donner son appui à (qqn, une idée, etc.). Fin XIe s. ; lat. pop. *sequere*, du lat. *sequi* ; [sɥivʀ].

**SUJET (I), ETTE,** subst. et adj.
ᴜʙsᴛ. **1.** Personne soumise à l'autorité d'un souve-ain : *Les fidèles **sujets** de la couronne danoise.* . *Admin.* ou Vieilli. Citoyen, ressortissant. ᴀᴅᴊ. Su-et à. **1.** Qui est légalement soumis à : *Patrimoine ujet à imposition.* **2.** Exposé par sa nature à ; enclin susceptible de : *Être **sujet** au vertige, à la colère.* . *Sujet à caution* : dont il convient de se méfier, outeux. Déb. xɪɪᵉ s. ; lat. *subjectus*, de *subjicere*, placer dessous ; soumettre » ; [syʒɛ, ɛt].

**SUJET (II),** subst. m.
. **1.** Ce sur quoi s'exerce la réflexion ; ce dont on arle, ce que l'on traite : ***Sujet** de polémique, d'étude* ; *n **sujet** de reportage* ; *Nul n'aborda ce **sujet** délicat.* Loc. *Au **sujet** de* : à propos de. ► *Enseign.* Matière ır laquelle porte un exercice, un examen : *Les **sujets** u baccalauréat.* ► *Litt.* et *B.-a.* Idée centrale, thème 'une œuvre. ► *Mus.* Thème principal d'une fugue anton. *contre-sujet*). **2.** Ce qui donne matière à un entiment, fournit l'occasion d'une action : *Un **sujet** e fierté.* ► Loc. *Sans **sujet*** : sans motif ; *Avoir **sujet** e* (+ inf.) : avoir des raisons de. **3.** *Log.* Support u prédicat. **4.** *Gramm.* Terme, groupe nominal qui égit le verbe d'une phrase ou à propos duquel on xprime qqch. : *Le **sujet** fait l'action exprimée par le erbe.* **II. 1.** Être vivant pris comme objet d'étude u faisant l'objet de soins : *Le **sujet** est-il vacciné ?* . Individu, considéré du point de vue de ses ualités : *Un mauvais, un brillant **sujet**.* ► *Dr. **Sujet** e droit* : personne titulaire de droits. **3.** *Philos.* 'être pensant en tant que doué de conscience et e volonté propre. **4.** *Chorégr.* Danseur, danseuse e l'Opéra de Paris, de rang immédiatement upérieur à celui de coryphée. Fin xɪvᵉ s. ; bas lat. *ıbjectum*, « substance » ; [syʒɛ].

**SUJÉTION,** subst. f.
. Situation d'une personne assujettie à une auto-té ou d'un peuple soumis par la conquête. **2.** Ce ui restreint la liberté ; contrainte, obligation énible. 1155 ; lat. *subjectio*, de *subjicere*, « placer essous ; soumettre » ; [syʒesjɔ̃].

**SULCATURE,** subst. f.
*Géol.* Trace en forme de sillon produite par éro-ion ou par frottement. 1872 ; lat. *sulcatum*, de *ulcare*, « labourer », de *sulcus*, « sillon » ; [sylkatyʀ].

**SULCIFORME,** adj.
Qui a la forme d'un sillon (rare). 1842 ; lat. *ulcus*, « sillon », + *-forme* ; [sylsifɔʀm].

**SULFAMIDE,** subst. m.
*Chim.* Composé contenant le groupement de base $SO_2NH_2$, très utilisé en pharmacologie pour traiter es infections. V. 1940 (1838, sulfate d'ammoniaque nhydre) ; ☞ *amide* + *sulfo-* ; [sylfamid].

**SULFATAGE,** subst. m.
Action de sulfater. 1849 ; ☞ *sulfater* ; [sylfataʒ].

**SULFATE,** subst. m.
*Chim.* Sel de l'acide sulfurique, très utilisé dans 'agriculture ou en thérapeutique. 1787 ; lat. *ulfur*, « soufre » ; [sylfat].

**SULFATER,** verbe trans. [3]
*Agric.* Traiter (une plante, de la vigne) avec une préparation à base de sulfate de cuivre. 1904 1801, renfermer du sulfate) ; ☞ *sulfate* ; [sylfate].

**SULFATEUR, EUSE,** subst.
Personne qui sulfate. ꜰᴇ́ᴍ. **1.** Appareil qui sert à sulfater. **2.** Mitraillette (argot milit.). 1858 ; ☞ *sulfater* ; [sylfatœʀ, øz].

**SULFHYDRIQUE,** adj. m.
*Chim. Acide **sulfhydrique*** : sulfure d'hydrogène, gaz ncolore à l'odeur caractéristique d'œuf pourri. 1832 ; ☞ *hydrique* + *sulfo-* ; [sylfidʀik].

**SULFINISATION,** subst. f.
*Métall.* Cémentation des métaux ferreux par le soufre. 1953 ; lat. *sulfur*, « soufre » ; [sylfinizasjɔ̃].

**SULFITAGE,** subst. m.
*Alim.* Traitement des moûts par l'anhydride sulfu-reux. 1904 ; *sulfiter* (vx), « traiter par l'anhydride sulfureux » ; [sylfitaʒ].

**SULFITE,** subst. m.
*Chim.* Sel ou ester dérivé de l'acide sulfureux, qui présente gén. des propriétés réductrices. 1787 ; lat. *sulfur*, « soufre » ; [sylfit].

**SULFONATION,** subst. f.
*Chim.* Type de réaction chimique dans laquelle un groupement $SO_3H$ vient remplacer un atome d'hydrogène. ☞ *sulfoné* ; [sylfɔnasjɔ̃].

**SULFONE,** subst. f.
*Chim.* Composé comprenant le groupement $SO_2$. 1875 ; lat. *sulfur*, « soufre » ; [sylfɔn].

**SULFONÉ, ÉE,** adj.
*Chim.* Se dit d'un composé qui a subi la sulfonation. 1868 ; lat. *sulfur*, « soufre » ; [sylfɔne].

**SULFOSEL,** subst. m.
*Chim.* Sel contenant le groupement $SO_4$. 1846 ; ☞ *sel* + *sulfo-* ; [sylfosɛl].

**SULFURAGE,** subst. m.
*Agric.* Action de détruire les parasites en introdui-sant du sulfure de carbone dans le sol. 1884 ; ☞ *sulfurer* ; [sylfyʀaʒ].

**SULFURE,** subst. m.
**1.** *Chim.* Composé formé par un ou plusieurs atomes de soufre associés avec un autre atome : ***Sulfure** d'hydrogène* ($H_2S$) ; ***Sulfure** de carbone* ($CS_2$). **2.** Objet en cristal ou en verre qui est décoré dans la masse. 1787 ; lat. *sulfur*, « soufre » ; [sylfyʀ].

**SULFURÉ, ÉE,** adj.
*Chim.* Sous forme de sulfure ; qui est combiné avec du soufre. 1785 (fin xɪvᵉ s., qui contient du soufre) ; lat. *sulfuratus* ; [sylfyʀe].

**SULFURER,** verbe trans. [3]
**1.** *Chim.* Combiner avec le soufre. **2.** *Agric.* Traiter (une plante, de la vigne) avec du sulfure. 1857 ; ☞ *sulfuré* ; [sylfyʀe].

**SULFUREUX, EUSE,** adj.
**1.** Qui sent le soufre, la subversion, qui évoque le démon : *Écrits **sulfureux**.* **2.** *Chim.* Qui contient du soufre. ► *Anhydride **sulfureux*** : gaz de formule $SO_2$, utilisé dans la fabrication de l'acide sulfurique. Déb. xɪɪɪᵉ s. ; lat. *sulfurosus* ; [sylfyʀø, øz].

**SULFURIQUE,** adj.
*Chim. Acide **sulfurique*** : liquide huileux incolore très corrosif, de formule $H_2SO_4$, fréquemment utilisé dans l'industrie chimique (fertilisants, peintures, pigments, détergents, etc.). 1787 (1585, qui contient du soufre) ; ☞ *sulfure* ; [sylfyʀik].

**SULFURISÉ, ÉE,** adj.
Traité par l'acide sulfurique et rendu ainsi imper-méable, en parlant d'un papier : *Chemiser un moule à gâteau avec du papier **sulfurisé**.* 1909 (1789, combiné avec le soufre) ; ☞ *sulfure* ; [sylfyʀize].

**SULKY,** subst. m.
Légère voiture, sans caisse et munie de deux roues, utilisée pour les courses de trot attelé. 1790 ; angl. *sulky*, de l'adj. *sulky*, « boudeur », cette voiture n'ayant qu'une place ; plur. *sulkys* ou *sulkies* ; [sylki].

© J.-M. Loubat-Gamma

*Sulky.*

**SULPICIEN, IENNE,** adj.
**1.** *Relig.* De la congrégation de Saint-Sulpice ; empl. subst. masc., membre de cette congrégation. **2.** À l'aspect mièvre et conventionnel, par réf. aux objets d'art religieux vendus dans les boutiques du quartier de l'église Saint-Sulpice, à Paris (péj.). 1721 ; *Saint-Sulpice*, nom du séminaire fondé au xᴠɪɪᵉ s. par J.-J. Olier ; [sylpisjɛ̃, jɛn].

**SULTAN, ANE,** subst.
ᴍᴀsᴄ. **1.** *Hist.* Souverain ottoman. **2.** Souverain de certains États musulmans. **3.** Variété de poire. ꜰᴇ́ᴍ. **1.** Femme d'un sultan ottoman, en partic. la favorite. **2.** *Ameubl.* Canapé à deux dossiers latéraux. 1519 ; ar. *sulṭān* ; [syltɑ̃, an].

**SULTANAT,** subst. m.
**1.** Dignité, règne d'un sultan. **2.** État ayant un sultan à sa tête. 1842 ; ☞ *sultan* ; [syltana].

**SUMAC,** subst. m.
*Bot.* Arbuste ou arbre, parfois ornemental, à canaux résinifères, de la famille des Anacardiacées, qui fournit des fruits comestibles (mangue, pistache) et des oléorésines (donnant des vernis et des laques). 1256 ; ar. *summāq* ; [symak].

**SUMÉRIEN, IENNE,** adj. et subst.
Du pays de Sumer. **Subst. masc.** Langue du peuple de Sumer, la plus ancienne langue connue. 1873 ; topon. *Sumer*, du babylonien *Šumeru* ; [symeʀjɛ̃, jɛn].

**SUMMUM,** subst. m.
Le plus haut degré : *Le **summum** du raffinement* ; apogée. 1806 ; lat. *summum*, de *summus*, « le plus haut » ; [sɔm(m)ɔm].

**SUMO,** subst. m.
**1.** Lutte japonaise. **2.** Lutteur de **sumo**, dont le poids excède souvent 150 kg (synon. *sumotori*). V. 1980 ; jap. *sumō*, « tâter » ; [sumo] ou [sy-].

**SUNLIGHT,** subst. m.
Puissant projecteur de cinéma (anglic.). 1920 (1881, lampe à gaz de grande puissance) ; angl. *sunlight*, de *sun*, « soleil », et de *light*, « lumière » ; [sœnlajt].

**SUNNA,** subst. f.
*Relig.* Ensemble des actes et des paroles de Mahomet qui fondent le sunnisme. 1553 ; ar. *sunna*, « exemple précédent », par métaph. pour Mahomet ; [suna] ou [sy-].

**SUNNISME,** subst. m.
Doctrine de la majorité des musulmans, fondée sur la sunna. xxᵉ s. ; ☞ *sunna* ; [synism].

**SUNNITE,** adj. et subst.
ᴀᴅᴊ. Qui a trait au sunnisme, qui en est adepte. **Subst.** Musulman fidèle au sunnisme. 1653 ; ar. *sunnī*, « qui se réclame de la sunna » ; [synit].

**SUPER (I),** adj. inv.
Supérieur, sensationnel (fam.). 1951 ; lat. *super*, « au-dessus » ; [sypɛʀ].

**SUPER (II),** subst. m.
Supercarburant : *Faire le plein de **super**.* 1956 ; apocope de *supercarburant* ; [sypɛʀ].

**SUPERALLIAGE,** subst. m.
*Métall.* Alliage réfractaire. V. 1960 ; ☞ *alliage* + *super-* ; [sypɛʀaljaʒ].

**SUPERAMAS,** subst. m.
*Astron.* Superstructure de l'Univers, correspondant à un regroupement d'amas de galaxies. V. 1970 ; ☞ *amas* + *super-* ; [sypɛʀamɑ].

**SUPERBE (I),** subst. f.
Orgueil, fierté arrogante (littér.) : *La **superbe** des tyrans.* Déb. xɪɪᵉ s. ; lat. *superbia* ; [sypɛʀb].

**SUPERBE (II),** adj.
**1.** Vx. Altier, orgueilleux. **2.** D'une grande beauté ; magnifique. Déb. xɪɪɪᵉ s. ; lat. *superbus* ; [sypɛʀb].

**SUPERBEMENT,** adv.
**1.** Vx. Avec superbe. **2.** D'une façon magnifique. 1538 ; ☞ *superbe* (II) ; [sypɛʀbəmɑ̃].

**SUPERCALCULATEUR,** subst. m.
*Informat.* Ordinateur à très grande capacité de calcul. V. 1980 ; ☞ *calculateur* + *super-* ; [sypɛʀkalkylatœʀ].

**SUPERCARBURANT,** subst. m.
Essence de qualité supérieure (abrév. : super). 1931 ; ☞ *carburant* + *super-* ; [sypɛʀkaʀbyʀɑ̃].

**SUPERCHERIE,** subst. f.
Tromperie, duperie. 1611 (1566, attaque par sur-prise) ; ital. *soperchieria*, « injure, affront », de *soperchio*, « excessif », du lat. *super*, « au-dessus » ; [sypɛʀʃəʀi].

**SUPÈRE,** adj.
*Bot.* Qualifie un ovaire disposé au-dessus des pièces du périanthe. Fin xᴠɪɪɪᵉ s. (1529, supérieur, suprême) ; lat. *superus*, « qui est au-dessus » ; [sypɛʀ].

**SUPÉRETTE,** subst. f.
Magasin d'alimentation en libre service (d'une surface de 120 à 400 m²). V. 1960 ; anglo-amér. *superette*, de *supermarket*, « supermarché » ; [sypeʀɛt].

**SUPERFAMILLE,** subst. f.
*Sc. nat.* Taxon immédiatement supérieur à la famille ; regroupement de familles. V. 1960 ; ☞ *famille* + *super-* ; [sypɛʀfamij].

**SUPERFÉTATOIRE,** adj.
Superflu (littér.). 1901 ; lat. *superfetatio*, de *super-fetare*, « concevoir de nouveau » ; [sypɛʀfetatwaʀ].

**SUPERFICIALITÉ,** subst. f.
Caractère de qqn, de qqch. de superficiel. 1731 (1512, surface) ; ☞ *superficiel* ; [sypɛʀfisjalite].

**SUPERFICIE,** subst. f.
**1.** Étendue de terrain plus ou moins délimitée ; en partic., étendue mesurée. ► *Droit de **superficie*** : droit exercé par le locataire, pendant la durée d'un

bail, sur les constructions qu'il a bâties sur le terrain du bailleur. **2.** Fig. Aspect superficiel de qqch. (littér.). 1484 ; anc. fr. *superfice,* « apparence, dehors », du lat. *superficies,* « partie supérieure ; surface », de *super,* « au-dessus », et de *facies,* « forme extérieure ; premier aspect » ; [sypɛʀfisi].

**SUPERFICIEL, ELLE, adj.**
**1.** Qui ne concerne que la surface ; peu profond : *Couche de neige* ***superficielle*** ; *Blessure* ***superficielle.*** ► *Phys.* Qualifie une grandeur (ou un phénomène) ramenée à l'unité de surface (vx). **2.** Fig. Sans profondeur : *Intelligence* ***superficielle*** ; *Une approche* ***superficielle*** *d'un problème.* 1314 ; bas lat. *superficialis,* du lat. *superficies,* « partie supérieure ; surface » ; [sypɛʀfisjɛl].

**SUPERFICIELLEMENT, adv.**
De manière superficielle. 1314 ; ☞ *superficiel* ; [sypɛʀfisjɛlmɑ̃].

**SUPERFIN, INE, adj.**
*Comm.* Surfin ; d'excellente qualité. 1544 ; ☞ *fin* (II) + *super-* ; [sypɛʀfɛ̃, in].

**SUPERFINITION, subst. f.**
*Techn.* Polissage extrêmement poussé d'une surface métallique visant à en éliminer la couche superficielle rendue amorphe par l'usinage. V. 1950 ; ☞ *finition* + *super-* ; [sypɛʀfinisjɔ̃].

**SUPERFLU, UE, adj.**
Qui excède le nécessaire, inutile ; empl. subst. masc. : *Éliminer le* ***superflu.*** Fin XIVe s. (XIIIe s., qui est ajouté) ; bas lat. *superfluus,* « débordant » ; [sypɛʀfly].

**SUPERFLUIDE, adj.**
*Phys.* De viscosité quasi nulle. V. 1960 ; ☞ *fluide* + *super-* ; [sypɛʀflyid].

**SUPERFLUIDITÉ, subst. f.**
*Phys.* État de viscosité quasi nulle de l'hélium liquide, observé à une température inférieure à 2,2 K. V. 1960 ; ☞ *fluidité* + *super-* ; [sypɛʀflyidite].

**SUPERFLUITÉ, subst. f.**
**1.** Chose superflue (littér.). **2.** Surabondance (vx). Déb. XIVe s. (fin XIIe s., excès de luxe, faste) ; bas lat. *superfluitas,* « excroissance ; surabondance inutile » ; [sypɛʀflyite].

**SUPERGRAND, subst. m.**
*Pol.* Superpuissance (fam.). V. 1960 ; ☞ *grand* + *super-* ; [sypɛʀgʀɑ̃].

**SUPER-HUIT, subst. m. inv.**
*Cin.* Format de film amateur se situant entre le 8 mm standard et le 16 mm ; empl. adj. inv. : *Caméra* ***super-huit.*** V. 1960 ; ☞ *huit* + *super-* ; abrév. *super-8* ; [sypɛʀɥit].

**SUPÉRIEUR, EURE, adj. et subst.**
**Adj. 1.** Situé au-dessus, plus haut : *Lèvre* ***supérieure*** ; *Cours* ***supérieur*** *d'un fleuve.* **2.** Plus grand : *Note* ***supérieure*** *à 10.* ► *Math.* Dans un ensemble ordonné, l'élément $a$ est **supérieur** à l'élément $b$, c.-à-d. $b \leqslant a$ et $b \neq a$ noté $b < a$ ou $a > b$. ► *Géol.* Qualifie l'intervalle le plus récent d'une période géologique : *Crétacé* ***supérieur.*** **3.** Qui est à un rang, à une place plus élevée, dans une hiérarchie : *Cadre* ***supérieur*** ; *Enseignement* ***supérieur,*** qui se situe après le secondaire. **4.** Plus évolué : *Mammifères* ***supérieurs.*** **5.** Qui dépasse en qualité, en valeur : *Son travail est bien* ***supérieur*** *à la moyenne* ; *Esprit* ***supérieur.*** ► Arrogant, suffisant : *Air* ***supérieur.*** **Subst. 1.** Chef : *Un* ***supérieur*** *intraitable.* **2.** Personne qui est à la tête d'une institution religieuse : *La* ***supérieure*** *d'un couvent.* Mil. XIIe s. ; lat. *superior,* de *superus,* « qui est au-dessus » ; [sypeʀjœʀ].

**SUPÉRIEUREMENT, adv.**
De manière supérieure. 1604 ; ☞ *supérieur* ; [sypeʀjœʀmɑ̃].

**SUPÉRIORITÉ, subst. f.**
**1.** Caractère de ce qui est supérieur, suprématie : ***Supériorité*** *numérique.* **2.** Excellence, perfection. **3.** Condescendance : *Parler sur un ton de* ***supériorité.*** 1409 ; lat. médiév. *superioritas* ; [sypeʀjɔʀite].

**SUPERLATIF, IVE, adj. et subst. m.**
**Adj. 1.** Vx. Excellent. **2.** Qui exprime le degré très élevé : *Un adjectif* ***superlatif.*** ► Fig. Excessif (vx) : *Une louange* ***superlative.*** **Subst. 1.** *Gramm.* Procédé à l'aide duquel on exprime le degré d'une qualité, degré très élevé (**superlatif** absolu ; par ex. « très », dans « très fort »), le plus élevé (**superlatif** relatif de supériorité ; par ex. « le plus », dans « le plus fort ») ou le moins élevé (**superlatif** relatif d'infériorité ; par ex. « le moins », dans « le moins fort »). **2.** Mot, syntagme qui marque le degré supérieur d'une qualité : *« Illustrissime », « extra-fin » sont des* ***superlatifs.*** ► Terme emphatique : *Il abuse des* ***superlatifs.*** ► Fig. *Il est stupide au* ***superlatif*** : au plus haut point. Déb. XIIIe s. ; bas lat. *superlativus* ; [sypɛʀlatif, iv].

**SUPERMAN, subst. m.**
Surhomme (fam.). V. 1950 ; anglo-amér. *Superman,* « surhomme », nom d'un héros de bande dessinée ; plur. *supermans* ou *supermen* ; [sypɛʀman], plur. [-mɛn].

**SUPERMARCHÉ, subst. m.**
Grand magasin en libre-service (d'une surface de 400 à 2 500 m$^2$). V. 1960 ; ☞ *marché* + *super-,* d'apr. l'anglo-amér. *supermarket* ; [sypɛʀmaʀʃe].

**SUPERNOVA, subst. f.**
*Astron.* Phase explosive terminale des étoiles devenues très massives, dégageant une énergie considérable ainsi qu'une grande partie de la matière stellaire qu'elles ont élaborée pendant leurs vies. 1949 ; ☞ *nova* + *super-* ; plur. *supernovae* ; [sypɛʀnɔva], plur. [-ve].

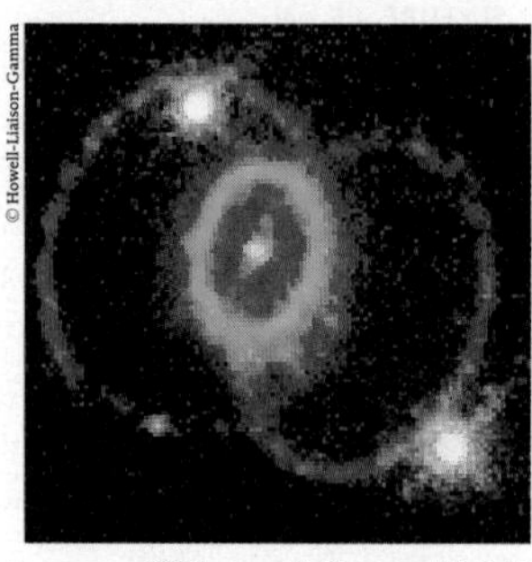


*La* ***supernova*** *1987A vue par le télescope spatial Hubble.*

**SUPERORDRE, subst. m.**
*Sc. nat.* Taxon immédiatement supérieur à l'ordre ; regroupement d'ordres. V. 1960 ; ☞ *ordre* + *super-* ; [sypɛʀɔʀdʀ].

**SUPEROVARIÉ, ÉE, adj.**
*Bot.* Se dit d'une plante dont l'ovaire est supère. 1838 ; ☞ *ovaire* + *super-* ; [sypɛʀɔvaʀje].

**SUPERPHOSPHATE, subst. m.**
*Chim.* Composé de base de certains engrais, résultant du traitement du phosphate par l'acide sulfurique. Mil. XIXe s. ; ☞ *phosphate* + *super-* ; [sypɛʀfɔsfat].

**SUPERPOSABLE, adj.**
Qui peut être superposé à qqch. ► *Géom. Figures* ***superposables*** *(dans le plan euclidien)* : figures (parties) du plan directement isométriques, c.-à-d. se correspondant dans un déplacement. 1868 ; ☞ *superposer* ; [sypɛʀpozabl].

**SUPERPOSER, verbe trans.** [3]
**1.** Poser (une chose) au-dessus d'une autre : ***Superposer*** *un édredon à une couverture* ; empl. adj. : *Lits* ***superposés*** ; empl. pronom. : *Étagères qui se* ***superposent.*** **2.** *Géom.* Placer (une figure) sur une autre, pour en vérifier ou en démontrer l'égalité. **3.** Fig. Ajouter : ***Superposer*** *les interdits aux interdits.* 1762 ; ☞ *poser* + *super-* ; [sypɛʀpoze].

**SUPERPOSITION, subst. f.**
Action de superposer ; ensemble de choses superposées. 1613 ; bas lat. *superpositio,* « action de poser la main sur » ; [sypɛʀpozisjɔ̃].

**SUPERPRODUCTION, subst. f.**
Film, spectacle à très gros budget. V. 1920 ; mot angl. ; [sypɛʀpʀɔdyksjɔ̃].

**SUPERPUISSANCE, subst. f.**
*Pol.* Puissance en situation hégémonique (synon. fam. *supergrand*) : *Les États-Unis sont une* ***superpuissance.*** V. 1960 ; ☞ *puissance* + *super-* ; [sypɛʀpɥisɑ̃s].

**SUPERSONIQUE, adj.**
*Phys.* ► *Vitesse* ***supersonique*** : supérieure à celle du son ; par méton. : *Avion* ***supersonique*** ou, empl. subst. masc., *Un* ***supersonique,*** avion se déplaçant à une vitesse **supersonique.** ► *Fréquence* ***supersonique*** : supérieure aux fréquences audibles. 1933 ; ☞ *son* (II) + *super-* ; [sypɛʀsɔnik].

**SUPERSTAR, subst. f.**
Très grande vedette, artiste très populaire (anglic.). V. 1970 ; anglo-amér. *superstar,* de *super,* « super » et de *star,* « étoile ; vedette de l'écran » ; [sypɛʀstaʀ].

**SUPERSTITIEUX, EUSE, adj. et subst.**
Se dit d'une personne qui fait preuve de superstition. **Adj.** Relatif, propre à la superstition. 1375 ; lat. *superstitiosus* ; [sypɛʀstisjø, øz].

**SUPERSTITION, subst. f.**
**1.** Attachement excessif, ritualiste, à l'égard de prescriptions purement cultuelles de la religion (souv. au détriment de la spiritualité). **2.** Fait de prêter une influence (bonne ou mauvaise) à certains actes, à certains signes : *La* ***superstition*** *du chat noir du vendredi 13.* **3.** Attachement méticuleux, obsessionnel : *Pousser la propreté jusqu'à la* ***superstition.*** 1375 ; lat. *superstitio,* de *superstare,* « se tenir au-dessus » ; [sypɛʀstisjɔ̃].

**SUPERSTRUCTURE, subst. f.**
**1.** Partie élevée d'une construction ; par ext., tout élément qui s'ajoute à un ensemble servant de base. ► *Ch. de fer.* Ensemble de l'appareillage supporté par les ouvrages de maçonnerie et de terrassement. ► *Mar.* Structure édifiée sur le pont supérieur d'un navire. **2.** *Philos.* Dans la conception marxiste de la société, système politique, juridique et idéologique dépendant d'une infrastructure économique. 1858 (1764, ornement surajouté à un ouvrage de l'esprit) ; ☞ *structure* + *super-* ; [sypɛʀstʀyktyʀ].

**SUPERTANKER, subst. m.**
Pétrolier d'une capacité supérieure à 100 000 tonnes. V. 1960 ; mot angl. ; [sypɛʀtɑ̃kœʀ].

**SUPERVISER, verbe trans.** [3]
Contrôler (un travail fait par d'autres) dans ses grandes lignes. 1941 ; angl. *to supervise,* « contrôler, surveiller », du lat. médiév. *supervidere* ; [sypɛʀvize].

**SUPERVISEUR, EUSE, subst.**
Personne qui supervise. **Masc.** *Informat.* Programme qui, dans un système d'exploitation, permet de contrôler l'enchaînement, la gestion des ressources. 1596 ; angl. *supervisor* ; [sypɛʀvizœʀ, øz].

**SUPERVISION, subst. f.**
Action de superviser un travail. 1921 ; ☞ *superviser* ; [sypɛʀvizjɔ̃].

**SUPIN, subst. m.**
*Gramm.* En latin, forme nominale du verbe servant à former le participe passé. Mil. XIIIe s. ; bas lat. *supinum,* du lat. *supinus,* « penché en arrière » ; [sypɛ̃].

**SUPINATEUR, adj. m. et subst. m.**
*Anat.* Se dit d'un muscle qui permet la supination. 1550 ; lat. *supinare,* « retourner » ; [sypinatœʀ].

**SUPINATION, subst. f.**
*Physiol.* **1.** Mouvement de l'avant-bras au cours duquel la main effectue une rotation externe de 180 degrés. **2.** La position qui en résulte (antonyme *pronation*). 1635 ; lat. *supinare,* « retourner, renverser en arrière » ; [sypinasjɔ̃].

**SUPPLANTER, verbe trans.** [3]
**1.** Remplacer (ce qui est dépassé). **2.** Prendre la place de (qqn) par des manœuvres visant à le déconsidérer ; évincer. 1585 (déb. XIIe s., faire tomber) ; lat. *supplantare,* « faire un croc-en-jambe » ; [syplɑ̃te].

**SUPPLÉANCE, subst. f.**
Action, fait de suppléer ; remplacement. 1791 ; ☞ *suppléant* ; [sypleɑ̃s].

**SUPPLÉANT, ANTE, adj. et subst.**
**Adj.** Qui supplée. **Subst.** Remplaçant : *Un poste de* ***suppléant.*** 1789 ; p. pr. de *suppléer* ; [sypleɑ̃, ɑ̃t].

**SUPPLÉER, verbe trans.** [7]
**Trans. dir.** Littér. **1.** Pallier (un manque, un défaut). **2.** Remplacer (qqn) temporairement. **3.** Compléter (qqch.). **Trans. indir.** Suppléer à. **1.** Remplacer (ce qui fait défaut) : *L'imagination* ***supplée*** *à la réalité.* **2.** Remédier à. **3.** Se substituer à, jouer le même rôle que. 1280 ; lat. *supplere* ; [syplee].

**SUPPLÉMENT, subst. m.**
**1.** Ce qui vient étoffer, développer une chose déjà complète : *Un* ***supplément*** *d'enquête.* **2.** Ce qui s'ajoute à une publication : ***Supplément*** *hebdomadaire.* **3.** *Géom.* ***Supplément*** *d'un angle* : son angle complémentaire, avec lequel il forme un angle plat. **4.** Somme à payer en sus du prix de la prestation ordinaire : *Menu avec* ***supplément.*** **5.** Loc. *En* ***supplément*** : en plus. 1361 (1313, fourniture complète) ; lat. *supplementum,* « fait de compléter, complément » ; [syplemɑ̃].

**SUPPLÉMENTAIRE, adj.**
**1.** Qui vient en supplément ; qui s'ajoute : *Heures* ***supplémentaires*** ; *Autocars* ***supplémentaires.*** ► Mus

*ignes* ***supplémentaires*** : qui sont ajoutées à la portée. *. Géom.* Deux angles (ou deux arcs d'un cercle de ayon 1) sont **supplémentaires** si la somme de leurs nesures en radians (resp. degrés) vaut π mod 2π resp. 180° mod 360), c.-à-d. la mesure de l'angle lat. 1790 ; ☞ *supplément* ; [syplemɑ̃tɛʀ].

**SUPPLÉTIF, IVE, adj. et subst. m.**
**ADJ. 1.** Qui supplée, complète (vieilli). **2.** *Milit.* *orces* ***supplétives*** : qui renforcent temporairement es forces régulières. **SUBST.** Soldat des forces **supplé**ives. 1539 ; lat. *suppletum*, de *supplere*, « compléter, uppléer » ; [sypletif, iv].

**SUPPLÉTOIRE, adj.**
*Dr.* *Serment* ***supplétoire*** : déféré par le juge à l'une les parties afin de suppléer au manque de preuves. 1754 ; lat. *suppletum*, de *supplere*, « compléter, suppléer » ; [sypletwaʀ].

**SUPPLIANT, ANTE, adj.**
Qui supplie ; qui exprime la supplication ; empl. ubst., personne qui supplie. Fin XII^e s. ; p. pr. de *upplier* ; [syplijɑ̃, ɑ̃t].

**SUPPLICATION, subst. f.**
Prière implorante. **PLUR.** *Hist.* Sous l'Ancien Régime, emontrances que le Parlement pouvait adresser au oi. Fin XII^e s. ; lat. *supplicatio* ; [syplikasjɔ̃].

**SUPPLICE, subst. m.**
**.** Vx. Peine corporelle ordonnée par sentence judiiaire, entraînant le plus souvent la mort. **2.** ► *Relig.* *es* ***supplices*** *éternels* : les peines de l'enfer. ► *Myth.* *upplice de Tantale* : châtiment infligé à Tantale ou, u fig., souffrance de qqn qui frôle l'objet de ses déirs mais ne peut l'atteindre. **3.** Vive souffrance phyique : *Cette maladie, quel* ***supplice*** *!* **4.** Tourment : *e* ***supplice*** *de l'attente.* ► Loc. *Être au* ***supplice*** : dans ne situation très pénible. 1475 ; lat. *supplicium*, action de ployer les genoux ; châtiment » ; [syplis].

**SUPPLICIER, verbe trans.** [6]
**.** Soumettre (un condamné) à un supplice ; torturer qqn). **2.** Mettre (qqn) au supplice moral. 1590 ; ☞ *supplice* ; [syplisje].

**SUPPLIER, verbe trans.** [6]
Demander instamment qqch. à (qqn) ; prier (qqn) vec insistance et humilité : *Je vous* ***supplie*** *de rester vec moi !* Mil. XII^e s. ; lat. *supplicare* ; [syplije].

**SUPPLIQUE, subst. f.**
Requête par laquelle on demande une faveur, une râce : *Adresser une* ***supplique*** *au pape.* 1629 ; ital. *upplica*, du lat. *supplicare*, « supplier » ; [syplik].

**SUPPORT, subst. m.**
**.** Vx. Action d'aider, secours. **2.** Dispositif servant le socle, d'appui, en partic. à qqch. de lourd : *Un* ***upport*** *métallique.* **3.** *Hérald.* Ornement extérieur, eprésentant en partic. un animal, qui semble outenir l'écu ; l'ensemble de deux **supports**. **4.** Ce ui sert de base à une œuvre graphique ou picturale : *a toile est le* ***support*** *de la peinture.* **5.** *Informat.* Tout natériel sur lequel on emmagasine des données en ue de leur exploitation ultérieure. **6.** *Math.* ***Support*** *'un vecteur glissant* : droite associée à ce vecteur. **.** Moyen de communication qui transmet un nessage publicitaire, une information. 1458 ; ☞ *supporter* (I) ; [sypɔʀ].

**SUPPORTABLE, adj.**
Qui peut être enduré, toléré, accepté. 1385 ; ☞ *supporter* (I) ; [sypɔʀtabl].

**SUPPORTER (I), verbe trans.** [3]
**.** Assurer (une charge, une responsabilité) : ***Supporter*** *les frais d'hospitalisation.* **2.** Porter, soutenir qqch.) : *Piédestal qui* ***supporte*** *une statue.* **3.** Résister : *Matériau qui* ***supporte*** *le feu.* **4.** Endurer (une hose pénible) avec courage : ***Supporter*** *une épreuve.* **.** Tolérer (qqn) ; empl. pronom. : *Ce couple se* ***upporte*** *à peine.* **6.** Trouver (qqn, qqch.) acceptable. 1385 ; bas lat. *supportare*, du lat. *supportare*, porter, transporter » ; [sypɔʀte].

**SUPPORTER (II), verbe trans.** [3]
Encourager (un athlète, une équipe) ; par ext., outenir (un candidat, un parti). V. 1960 ; angl. *o support* ; empl. critiqué ; [sypɔʀte].

**SUPPORTEUR, TRICE, subst.**
**.** Partisan d'un courant ou d'un homme politique. **.** Partisan d'une équipe ou d'un sportif. 1846 ; ngl. *supporter* ; var. *supporter* (anglic.) ; [sypɔʀtœʀ, tʀis].

**SUPPOSÉ, ÉE, adj.**
**.** Posé comme hypothèse ; considéré comme posible : *Fait* ***supposé*** ; *Vérifier le nombre* ***supposé*** *de ictimes.* **2.** Inauthentique, faux : *Nom* ***supposé***. XVII^e s. ; p. p. de *supposer* ; [sypoze].

**SUPPOSER, verbe trans.** [3]
**1.** Admettre (qqch.) par hypothèse ; juger probable, présumer : ***Supposer*** *l'existence de qqch.* ; ***Supposons*** *que nous ayons le choix* ; *Je* ***suppose*** *qu'il est parti.* ► Attribuer à (qqn) telle qualité : *Je le* ***suppose*** *loyal, égoïste.* **2.** Loc. ► *À* ***supposer*** *que* (+ subj.) : en admettant que. ► *En* ***supposant*** *que* : en admettant que (+ subj.) ; en posant comme principe que (+ ind.). **3.** Impliquer, rendre nécessaire : *Cela* ***suppose*** *du temps.* 1280 (mil. XII^e s., placer dessous) ; lat. *supponere*, « placer sous ; substituer » ; [sypoze].

**SUPPOSITION, subst. f.**
**1.** Action de supposer ; ce qui est supposé, l'hypothèse elle-même : *Des* ***suppositions*** *gratuites.* ► Loc. *Une* ***supposition*** *que* : en supposant que (fam.). **2.** *Dr.* ***Supposition*** *d'enfant* : attribution frauduleuse d'un enfant à une femme qui n'est pas sa mère. Fin XIV^e s. ; ☞ *supposer* ; [sypozisjɔ̃].

**SUPPOSITOIRE, subst. m.**
Médicament gén. ovoïde, qui s'administre par voie rectale et libère ses principes actifs en fondant (abrév. fam. : suppo). XIII^e s. ; lat. médiév. *suppositorium*, du lat. *supponere*, « placer sous » ; [sypozitwaʀ].

**SUPPÔT, subst. m.**
**1.** Vx. Subalterne. **2.** Partisan d'une personne, d'une cause nuisible (littér.). ► Loc. ***Suppôt*** *de Satan* : personne diabolique, néfaste. Fin XIII^e s. ; lat. *suppositus*, de *supponere*, « placer sous ; soumettre ; substituer » ; [sypo].

**SUPPRESSION, subst. f.**
**1.** Action de supprimer ; son résultat. **2.** *Dr.* ► ***Suppression*** *d'enfant* : délit consistant à ne pas signaler à l'état civil la naissance, l'existence d'un enfant, ou à le faire passer pour mort. ► ***Suppression*** *d'état* : délit consistant à priver qqn des preuves de son état civil. Fin XIV^e s. ; lat. *suppressio*, « appropriation frauduleuse, détournement ; oppression » ; [sypʀesjɔ̃].

**SUPPRIMER, verbe trans.** [3]
**1.** Mettre fin à (qqch.) : ***Supprimer*** *une subvention.* **2.** *Dr.* Abolir : ***Supprimer*** *la peine de mort.* **3.** Ôter, soustraire : ***Supprimer*** *un mot, une preuve.* **4.** Assassiner ; empl. pronom., se suicider. Fin XIV^e s. ; lat. *supprimere*, « arrêter ; faire disparaître », de *premere*, « presser, enfoncer » ; [sypʀime].

**SUPPURANT, ANTE, adj.**
Qui suppure : *Ulcère* ***suppurant***. 1800 ; p. pr. de *suppurer* ; [sypyʀɑ̃, ɑ̃t].

**SUPPURATION, subst. f.**
*Pathol.* Formation et écoulement de pus. Fin XIV^e s. ; lat. *suppuratio* ; [sypyʀasjɔ̃].

**SUPPURER, verbe intrans.** [3]
*Pathol.* Former du pus ; laisser s'écouler du pus : *Plaie infectée qui* ***suppure***. 1213 ; lat. *suppurare*, de *pus*, « pus » ; [sypyʀe].

**SUPPUTATION, subst. f.**
Action de supputer ; estimation : *Une* ***supputation*** *hasardeuse.* 1532 ; lat. *supputatio* ; [sypytasjɔ̃].

**SUPPUTER, verbe trans.** [3]
**1.** Évaluer (qqch.) par un calcul : ***Supputer*** *un gain.* **2.** Apprécier, évaluer empiriquement : ***Supputer*** *les dangers d'une aventure.* 1552 ; lat. *supputare*, de *putare*, « évaluer, estimer » ; [sypyte].

**SUPRA, adv.**
Ci-dessus ; plus haut dans le texte (anton. *infra*). 1828 ; mot lat. ; [sypʀa].

**SUPRACONDUCTEUR, TRICE, adj. et subst. m.**
*Phys.* Se dit d'un métal ou d'un alliage doué de supraconductivité. V. 1960 ; ☞ *conducteur* + *supra-* ; [sypʀakɔ̃dyktœʀ, tʀis].

***Supporteurs*** *italiens lors de la rencontre Italie-Espagne de la Coupe du monde de football 1994.*

**SUPRACONDUCTIVITÉ, subst. f.**
*Phys.* Propriété de certains métaux ou alliages dont la résistivité est proche de zéro pour des températures critiques très basses (synon. *supraconduction*). 1936 ; ☞ *conductivité* + *supra-* ; [sypʀakɔ̃dyktivite].

**SUPRANATIONAL, ALE, AUX, adj.**
*Dr.* Placé au-dessus des institutions nationales. 1911 ; ☞ *national* + *supra-* ; [sypʀanasjɔnal, o].

**SUPRANATIONALITÉ, subst. f.**
Caractère de ce qui est supranational. V. 1960 ; ☞ *supranational* ; [sypʀanasjɔnalite].

**SUPRASEGMENTAL, ALE, AUX, adj.**
*Ling.* Se dit des éléments phoniques, tels le rythme, l'intonation, la durée, qui remplissent certaines fonctions dans le discours, mais qui ne peuvent être analysés en unités comme le sont les phonèmes. V. 1970 ; ☞ *segmental* + *supra-* ; [sypʀasɛgmɑ̃tal, o].

**SUPRASENSIBLE, adj.**
Qui dépasse la réalité sensible, n'est pas accessible aux sens. 1883 ; ☞ *sensible* + *supra-* ; [sypʀasɑ̃sibl].

**SUPRATERRESTRE, adj.**
Qui a trait à l'au-delà. 1887 ; ☞ *terrestre* + *supra-* ; [sypʀateʀɛstʀ].

**SUPRÉMATIE, subst. f.**
**1.** Domination, hégémonie : ***Suprématie*** *économique.* **2.** Supériorité : ***Suprématie*** *de l'amour sur la haine.* 1722 (1651, droit reconnu au roi d'Angleterre d'être le chef de l'Église anglicane) ; angl. *supremacy*, de *supreme*, du fr. *suprême* ; [sypʀemasi].

**SUPRÉMATISME, subst. m.**
*B.-a.* L'un des courants les plus radicaux de l'art abstrait dans les années 1910-1920, rejetant toute représentation figurative, et dont le théoricien et chef de file a été le peintre Kazimir Malevitch. Déb. XX^e s. ; ☞ *suprématie* ; [sypʀematism].

**SUPRÊME, adj. et subst. m.**
**ADJ. 1.** Qui surpasse et domine tout ; au-dessus de quoi, de qui il n'y a pas d'autorité supérieure. ► *Cour* ***suprême*** : instance juridictionnelle la plus haute (en France, la Cour de cassation). **2.** Qui se manifeste avec une intensité extrême : *Beauté* ***suprême***. **3.** Qui survient en dernier lieu, qui marque la fin : *Adieu* ***suprême***. ► *Châtiment* ***suprême*** : la peine de mort. **4.** *Cuis.* *Sauce* ***suprême*** : velouté de volaille ou de veau à la crème. **SUBST.** *Cuis.* *Un* ***suprême*** *de volaille* : du blanc de volaille accommodé avec une sauce **suprême**. Mil. XV^e s. ; lat. *supremus*, « le plus au-dessus », de *superus*, « supérieur » ; [sypʀɛm].

**SUR (I), prép.**
**1.** Marque la position supérieure, avec ou sans contact, par rapport à ce qui se trouve au-dessous : *Le journal est* ***sur*** *la commode.* ► Au-dessus : *Les nuages s'amoncellent* ***sur*** *la vallée.* ► À la surface de : *Glisser* ***sur*** *la neige.* ► En direction de : *Allez* ***sur*** *la gauche* ; *Le jardin donne* ***sur*** *la rue.* ► Avec : *J'ai mes papiers* ***sur*** *moi.* ► Contre : *Il colla un poster* ***sur*** *le mur.* **2.** Marque divers rapports de sens abstrait. ► La raison, le motif, la conformité : *Juger* ***sur*** *les faits* ; *Croire* ***sur*** *parole.* ► Le sujet, le propos : *Un film* ***sur*** *la Révolution.* ► La manière, l'état : *Être* ***sur*** *la défensive,* ***sur*** *le qui-vive.* ► L'approximation, la proportionalité : *Il va* ***sur*** *ses vingt ans* ; *Une personne* ***sur*** *deux.* ► La supériorité : *Avoir l'avantage* ***sur*** *qqn.* ► La temporalité : ***Sur*** *l'heure* ; ***Sur*** *le coup* ; ***Sur*** *ce, à demain !* ► La répétition : *Commettre bévue* ***sur*** *bévue.* Mil. X^e s. ; lat. *super*, d'apr. *sus* ; [syʀ].

**SUR (II), SURE, adj.**
Qui est d'une saveur acide, aigre. Mil. XII^e s. ; anc. bas frq. °*sur* ; [syʀ].

**SÛR, SÛRE, adj.**
**1.** Où tout danger, tout risque est écarté : *Un endroit* ***sûr*** ; *Mettre en lieu* ***sûr***. ► Loc. *Le plus* ***sûr*** : la meilleure façon d'agir. **2.** Qui est digne de confiance, qui est fiable : *Une personne* ***sûre*** ; *De source* ***sûre*** ; *Un véhicule très* ***sûr***. ► Garanti : *Un placement* ***sûr***. ► Infaillible, juste : *Le geste* ***sûr*** ; *Un jugement* ***sûr***. ► Loc. *À coup* ***sûr*** : immanquablement. **3.** Qui est avéré, certain : *Il va pleuvoir, c'est* ***sûr***. ► Convaincu, assuré : *Il est* ***sûr*** *d'y arriver.* ► Loc. *Être* ***sûr*** *de soi* : avoir confiance en soi ; *Être* ***sûr*** *de son fait, de son coup* : être persuadé de réussir. **4.** Empl. adv. Sûrement (fam.) : ***Sûr*** *qu'à ta place je ferais attention.* ► Loc. *Bien* ***sûr*** : évidemment ; *Pour* ***sûr*** : certainement (vx ou fam.). Fin XI^e s. ; lat. *securus*, « libre de soucis », de *se*, anc. prép. privative, et de *cura*, « soin, souci » ; [syʀ].

**SURABONDANCE, subst. f.**
Excès d'abondance. Mil. XIII^e s. ; ☞ *abondance* + *sur-* ; [syʀabɔ̃dɑ̃s].

**SURABONDANT, ANTE,** adj.
Qui est en quantité très importante ou excessive. 📖 Fin XIIe s. ; ☞ *abondant* + *sur-* ; [syʀabɔ̃dɑ̃, ɑ̃t].

**SURABONDER,** verbe intrans. [3]
Être en trop grande quantité. 📖 Fin XIIe s. ; ☞ *abonder* + *sur-* ; [syʀabɔ̃de].

**SURACTIVÉ, ÉE,** adj.
*Chim.* Dont l'activité est augmentée par un traitement. 📖 V. 1940 ; p. p. de *activer* + *sur-* ; [syʀaktive].

**SURACTIVITÉ,** subst. f.
Activité très intense, supérieure à la normale. 📖 1837 ; ☞ *activité* + *sur-* ; [syʀaktivite].

**SURAH,** subst. m.
Étoffe de soie croisée, légère et souple. 📖 1879 ; topon. *Surat*, port de l'Inde ; [syʀa].

**SURAIGU, UË,** adj.
**1.** Très aigu : *Voix **suraiguë**.* **2.** Très intense : *Douleur **suraiguë**.* **3.** Très pénétrant : *Un regard **suraigu**.* 📖 1705 ; ☞ *aigu* + *sur-* ; [syʀegy].

**SURAJOUTER,** verbe trans. [3]
Ajouter (qqch.) à ce qui est achevé. 📖 1314 ; ☞ *ajouter* + *sur-* ; [syʀaʒute].

**SURAL, ALE, AUX,** adj.
*Anat.* Qui concerne le mollet. 📖 1701 (XIIIe s., mollet) ; anc. fr. *sure*, du lat. *sura*, « mollet » ; [syʀal, o].

**SURALIMENTATION,** subst. f.
**1.** Alimentation supérieure aux besoins normaux. **2.** *Techn.* Action de suralimenter un moteur. 📖 1891 ; ☞ *alimentation* + *sur-* ; [syʀalimɑ̃tasjɔ̃].

**SURALIMENTER,** verbe trans. [3]
**1.** Alimenter (qqn, un animal) au-delà des besoins normaux. **2.** *Techn.* Fournir une quantité de carburant supérieure à la normale à (un moteur). 📖 1896 ; ☞ *alimenter* + *sur-* ; [syʀalimɑ̃te].

**SURANNÉ, ÉE,** adj.
**1.** *Dr.* Qui n'est plus valable : *Un permis **suranné**.* **2.** Désuet (littér.) : *Mentalité **surannée**.* 📖 1340 (fin XIIe s., qui a plus d'un an) ; ☞ *an* + *sur-* ; [syʀane].

**SURARMEMENT,** subst. m.
Armement supérieur aux besoins légitimes d'un État. 📖 1910 ; ☞ *armement* + *sur-* ; [syʀaʀməmɑ̃].

**SURATE,** voir **SOURATE**

**SURBAISSÉ, ÉE,** adj.
**1.** *Archit. Dôme **surbaissé*** : dont la hauteur ne représente que la moitié de l'ouverture. **2.** Qui est d'une hauteur anormalement basse : *Voiture **surbaissée**.* 📖 1568 ; p. p. de *baisser* + *sur-* ; [syʀbese].

**SURBAISSEMENT,** subst. m.
*Archit.* Caractère d'un arc, d'une voûte, d'un dôme surbaissé. 📖 1691 ; ☞ *surbaissé* ; [syʀbɛsmɑ̃].

**SURBAISSER,** verbe trans. [3]
Réduire considérablement la hauteur de (qqch.). 📖 1690 ; ☞ *surbaissé* ; [syʀbese].

**SURBOUM,** subst. f.
Surprise-partie (fam. et vieilli). 📖 1947 ; crois. de *surprise-partie* et de *boum* (II), prob. var. de *boom*, « fête d'une grande école » ; [syʀbum].

**SURCAPACITÉ,** subst. f.
*Écon.* Capacité de production supérieure aux besoins. 📖 V. 1960 ; ☞ *capacité* + *sur-* ; [syʀkapasite].

**SURCAPITALISATION,** subst. f.
*Écon.* Attribution en capital supérieure à la valeur réelle d'une entreprise ; différence entre la valeur des titres en Bourse et la valeur réelle d'une société. 📖 V. 1900 ; ☞ *capitalisation* + *sur-* ; [syʀkapitalizasjɔ̃].

**SURCHARGE,** subst. f.
**1.** Charge supplémentaire ; poids en excédent par rapport à la normale, ou à ce qui est autorisé : ***Surcharge** de bagages.* ► *Pathol. **Surcharge** pondérale* : excès de poids corporel ; ***Surcharge** ventriculaire* : hypertrophie d'un ventricule, visible sur un électrocardiogramme. ► *Turf.* Poids supplémentaire imposé à un cheval (synon. *handicap*). **2.** Supplément de travail exigé d'une personne, d'une machine : *Tâches en **surcharge** ; **Surcharge** électrique d'un circuit.* **3.** Action de surcharger ; fait d'être surchargé : *La **surcharge** d'un âne.* **4.** Objet, élément ajouté qui surcharge un ensemble : ***Surcharge** de décorations.* ► Mot ou groupe de mots tracé par-dessus un autre et qui le remplace : ***Surcharges** qui invalident un document officiel.* ► *Peint.* Détail, coup de pinceau, épaisseur de peinture s'ajoutant à une œuvre déjà achevée. ► Surimpression typographique officielle faite sur un timbre-poste pour en modifier la valeur. 📖 Fin XIIIe s. ; ☞ *charge* + *sur-* ; [syʀʃaʀʒ].

**SURCHARGER,** verbe trans. [5]
**1.** Charger (qqch.) d'un trop grand poids. **2.** Fig. Imposer à (qqn) un surcroît de charge. **3.** Ajouter des éléments décoratifs, des mots, des inscriptions à (un décor, un texte, un tableau, un timbre-poste). 📖 Mil. XIIIe s. ; ☞ *charger* + *sur-* ; [syʀʃaʀʒe].

**SURCHAUFFE,** subst. f.
**1.** *Techn.* Opération consistant à chauffer la vapeur d'une machine pour en accroître le rendement. **2.** *Phys.* ► État hors équilibre d'un liquide à une température et une pression telles qu'il devrait être gazeux. ► Chauffage d'une pièce au-delà de la normale, sans atteindre la fusion. ► Élévation de la température d'un métal fondu au-dessus de son point de fusion. **3.** *Écon.* Situation de tension marquée par une demande excessive par rapport à l'offre, génératrice d'inflation. 📖 1877 ; ☞ *surchauffer* ; [syʀʃof].

**SURCHAUFFER,** verbe trans. [3]
**1.** Chauffer (qqch.) à l'excès. **2.** Fig. Exalter, agiter (qqn) à l'extrême ; empl. adj., qui est fortement excité : *Auditoire **surchauffé**.* 📖 1694 ; ☞ *chauffer* + *sur-* ; [syʀʃofe].

**SURCHAUFFEUR,** subst. m.
*Techn.* Appareil servant à surchauffer la vapeur. 📖 1873 ; ☞ *surchauffer* ; [syʀʃofœʀ].

**SURCLASSER,** verbe trans. [3]
**1.** *Sp.* Classer (un cheval de course, un sportif) dans une catégorie supérieure à la sienne. **2.** Dominer sans conteste, surpasser (qqn, qqch.). 📖 1899 ; ☞ *classer* + *sur-* ; [syʀklase].

**SURCOMPENSATION,** subst. f.
**1.** *Psychol.* Mode de comportement tendant à une exaltation du sentiment de personnalité chez un sujet souffrant d'un complexe d'infériorité. **2.** *Fin.* Reversement effectué par un organisme public excédentaire à un autre, déficitaire. 📖 1946 ; ☞ *compensation* + *sur-* ; [syʀkɔ̃pɑ̃sasjɔ̃].

**SURCOMPOSÉ, ÉE,** adj.
*Gramm.* Qualifie un temps composé dont l'auxiliaire est lui-même composé : *Dans « Dès qu'il a eu dîné, il est sorti », « a eu dîné » est un temps **surcomposé**.* 📖 1723 ; ☞ *composé* + *sur-* ; [syʀkɔ̃poze].

**SURCOMPRESSION,** subst. f.
*Techn.* Augmentation de la compression d'un gaz ou d'un mélange gazeux, spéc. dans un moteur à explosion. 📖 1927 ; ☞ *compression* + *sur-* ; [syʀkɔ̃pʀesjɔ̃].

**SURCOMPRIMER,** verbe trans. [3]
Augmenter le taux de compression de (un gaz) au-delà de la normale. 📖 1932 (1925, comprimé à l'extrême) ; ☞ *comprimer* + *sur-* ; [syʀkɔ̃pʀime].

**SURCONSOMMATION,** subst. f.
Consommation trop importante. 📖 V. 1950 ; ☞ *consommation* + *sur-* ; [syʀkɔ̃sɔmasjɔ̃].

**SURCONTRER,** verbe trans. [3]
*Jeux.* Au bridge, contrer (l'adversaire qui a lui-même contré). 📖 1913 ; ☞ *contrer* + *sur-* ; [syʀkɔ̃tʀe].

**SURCOT,** subst. m.
*Cost.* Vêtement porté sur la cotte, au Moyen Âge. 📖 Mil. XIIe s. ; ☞ *cotte* + *sur-* ; [syʀko].

**SURCOUPER,** verbe trans. [3]
Aux cartes, couper avec un atout supérieur à celui qui a été joué. 📖 1730 ; ☞ *couper* + *sur-* ; [syʀkupe].

**SURCOÛT,** subst. m.
Coût additionnel. 📖 V. 1980 ; ☞ *coût* + *sur-* ; [syʀku].

**SURCREUSEMENT,** subst. m.
*Géogr.* Approfondissement local d'un lit glaciaire ou fluvial (ombilic, mouille, etc.). 📖 1909 ; ☞ *creusement* + *sur-* ; [syʀkʀøzmɑ̃].

**SURCROÎT,** subst. m.
Ce qui vient en supplément, en surcharge ; augmentation : *Un **surcroît** de fatigue.* ► Loc. *De, par **surcroît*** : en plus, en outre. 📖 Fin XIIIe s. ; *surcroître* (vx), « croître au-delà de la mesure ordinaire » ; [syʀkʀwɑ].

**SURDENT,** subst. f.
Dent en trop ou irrégulière qui chevauche une autre. ► *Vétér.* Chez le cheval, dent plus longue que les autres. 📖 Mil. XVIe s. ; ☞ *dent* + *sur-* ; [syʀdɑ̃].

**SURDÉTERMINATION,** subst. f.
*Psychanal.* Caractère d'une production de l'inconscient (rêve, symptôme, lapsus, acte manqué) déterminée par une multiplicité de causes latentes. 📖 1956 (1931, caractère surdéterminé d'une conduite) ; ☞ *détermination* + *sur-*, d'apr. l'all. *Überdeterminierung* ; [syʀdetɛʀminasjɔ̃].

**SURDÉTERMINER,** verbe trans. [3]
Déterminer par une multiplicité de causes 📖 1928 ; ☞ *déterminer* + *sur-* ; [syʀdetɛʀmine].

**SURDIMENSIONNÉ, ÉE,** adj.
Dont les dimensions sont plus grandes qu'il n'es nécessaire ; démesuré. 📖 V. 1980 ; ☞ *dimensior* + *sur-* ; [syʀdimɑ̃sjɔne].

**SURDI-MUTITÉ,** subst. f.
*Pathol.* Mutité liée à une surdité congénitale ou acquise avant l'âge de cinq ans. 📖 1830 ; comp. de *surdité* et de *mutité*, d'apr. *sourd-muet* ; plur. *surdi-mutités* var. *surdimutité* ; [syʀdimytite].

**SURDITÉ,** subst. m.
*Pathol.* Perte partielle ou totale du sens de l'ouïe *Surdité congénitale, traumatique.* ► ***Surdité** verbale* trouble aphasique caractérisé par une incompréhension des mots entendus, sans atteinte de la perception des sons n'ayant pas de valeur linguistique. 📖 XIVe s. ; lat. *surditas*, de *surdus*, « sourd » [syʀdite].

**SURDORER,** verbe trans. [3]
*Orfèvr.* et *Reliure.* Appliquer une double couche d'o sur (un objet). 📖 1361 ; ☞ *dorer* + *sur-* ; [syʀdɔʀe]

**SURDOS,** subst. m.
Élément du harnais, formé d'une lanière de cuir ceinturant le dos du cheval et soutenant les traits 📖 1680 ; ☞ *dos* + *sur-* ; [syʀdo].

**SURDOSAGE,** subst. m.
Dosage excessif, en partic. d'un ingrédient, d'un médicament. 📖 V. 1960 ; ☞ *dosage* + *sur-* ; [syʀdozaʒ]

**SURDOSE,** subst. f.
Dose excessive, pouvant être mortelle, d'un produi médicamenteux, d'une drogue. 📖 V. 1980 ; ☞ *dos* + *sur-* ; [syʀdoz].

**SURDOUÉ, ÉE,** adj. et subst.
Se dit d'une personne dont les capacités intellectuelles sont très au-dessus de la moyenne. 📖 1932 ☞ *doué* + *sur-* ; [syʀdwe].

**SUREAU,** subst. m.
*Bot.* Arbuste de la famille des Caprifoliacées, don les fleurs blanches, les baies rouges ou noires e l'écorce sont utilisées, en partic. en pharmacologie 📖 1360 ; anc. fr. *seür*, du lat. *sabucus* ; [syʀo].

**SUREFFECTIF,** subst. m.
Effectif jugé excédentaire. 📖 V. 1980 ; ☞ *effect* + *sur-* ; [syʀefɛktif].

**SURÉLÉVATION,** subst. f.
Action de surélever ; son résultat. 📖 1847 ; ☞ *surélever* ; [syʀelevasjɔ̃].

**SURÉLEVER,** verbe trans. [10]
Élever au-dessus du niveau habituel ; rehausser ***Surélever** un pont, un mur.* 📖 Déb. XIIe s. ; ☞ *éleve* + *sur-* ; [syʀel(ə)ve].

**SURELLE,** subst. f.
Oseille (région.). 📖 XIIe s. ; ☞ *sur* (II) ; [syʀɛl].

**SÛREMENT,** adv.
**1.** Avec la sûreté, les précautions indispensables (vieilli ou littér.) : *Agir **sûrement**.* **2.** De façon sûre certaine. 📖 Fin XIe s. ; ☞ *sûr* ; [syʀmɑ̃].

**SURÉMISSION,** subst. f.
*Fin.* Émission excessive de papier-monnaie. 📖 1866 ☞ *émission* + *sur-* ; [syʀemisjɔ̃].

**SUREMPLOI,** subst. m.
*Écon.* Situation du marché du travail où l'offre d'emploi est excédentaire par rapport à la demande 📖 V. 1960 ; ☞ *emploi* + *sur-* ; [syʀɑ̃plwa].

**SURENCHÈRE,** subst. f.
**1.** *Dr.* Proposition d'un prix supérieur à celui d'une première enchère. **2.** Enchère plus élevée que la précédente, dans une vente aux enchères. **3.** Anal Action d'aller encore plus loin, en paroles ou en actes, que ce qui a déjà été fait : ***Surenchère** de violences ; **Surenchère** verbale.* 📖 1569 ; ☞ *enchère* + *sur-* ; [syʀɑ̃ʃɛʀ].

**SURENCHÉRIR,** verbe intrans. [19]
Procéder à une surenchère. 📖 Déb. XVIe s. ; ☞ *sur enchère* ; [syʀɑ̃ʃeʀiʀ].

**SURENCHÉRISSEMENT,** subst. m.
Action de surenchérir ; nouvel enchérissement 📖 1792 ; ☞ *surenchérir* ; [syʀɑ̃ʃeʀismɑ̃].

**SURENCHÉRISSEUR, EUSE,** subst.
*Dr.* Personne qui surenchérit. 📖 1804 ; ☞ *surenchérir* ; [syʀɑ̃ʃeʀisœʀ, øz].

**SURENDETTEMENT,** subst. m.
Endettement excessif d'une personne, d'un État 📖 V. 1980 ; ☞ *endettement* + *sur-* ; [syʀɑ̃dɛtmɑ̃].

**SURENTRAÎNEMENT,** subst. m.
Entraînement trop intensif qui surmène le sportif. 1887 ; ☞ *entraînement* + *sur-* ; [syʀɑ̃tʀɛnmɑ̃].

**SURÉQUIPEMENT,** subst. m.
Équipement excessif par rapport aux besoins. 1946 ; ☞ *équipement* + *sur-* ; [syʀekipmɑ̃].

**SURÉROGATION,** subst. f.
Ce que l'on fait en plus de ce que l'on est obligé de faire (littér.). 1610 ; bas lat. *supererogatio*, « action de donner en sus » ; [syʀeʀɔgasjɔ̃].

**SURÉROGATOIRE,** adj.
Fait en surérogation. Fin XVIe s. ; lat. scol. *supererogatorius* ; [syʀeʀɔgatwaʀ].

**SURESTARIE,** subst. f.
*Mar.* Indemnité due par l'affréteur à l'armateur pour compenser un délai supplémentaire, non prévu au contrat, dans le chargement ou le déchargement d'un navire ; par méton., ce délai. 1795 ; prov. *sobrestaria*, « inspection » ; [syʀɛstaʀi].

**SURESTIMATION,** subst. f.
Estimation excessive. 1867 ; ☞ *surestimer* ; [syʀɛstimasjɔ̃].

**SURESTIMER,** verbe trans. [3]
**1.** Estimer (qqch.) au-delà de sa valeur réelle : ***Surestimer** un coût de production.* **2.** Attribuer à (qqn, qqch.) une importance, un mérite excessif. 1620 ; ☞ *estimer* + *sur-* ; [syʀɛstime].

**SURET, ETTE,** adj.
Qui est un peu sur ; acidulé, aigrelet : *Des fraises **surettes**.* XVe s. ; ☞ *sur* (II) ; [syʀɛ, ɛt].

**SÛRETÉ,** subst. f.
**I. 1.** Certitude ; assurance, garantie : *Quelle **sûreté** a-t-on que la paix durera ?* **2.** *Dr.* Garantie que l'on donne pour l'acquittement d'une obligation, pour l'exécution d'un contrat. ▸ ***Sûreté** légale* : prévue par le législateur. ▸ ***Sûreté** réelle* : droit effectif du créancier sur les biens du débiteur. ▸ ***Sûreté** personnelle* : caution fournie par une tierce personne. **3.** *Hist. Place de **sûreté*** : accordée temporairement par un État à un autre en garantie de l'exécution d'un traité. **4.** Précaution (vieilli) : *Prendre des **sûretés**.* **II. 1.** État d'une personne qui n'a rien à craindre ; sécurité : *Craignant pour sa **sûreté**, il s'exila.* ▸ *Chaîne, verrou de **sûreté*** : qui garantit une protection optimale ; *Épingle de **sûreté*** (☞ *épingle*). ▸ Loc. *Prudence est mère de **sûreté*** (proverbe) ; *En **sûreté*** : à l'abri du danger. ▸ *Dr. **Sûreté** individuelle* : garantie donnée à toute personne contre l'arrestation, le jugement et la détention arbitraires (☞ *habeas corpus*). **2.** Situation de la société assurée contre tout ce qui menace l'intégrité de ses membres et de ses biens : *L'État veille à la **sûreté** publique.* ▸ *Dr. Peine, période de **sûreté*** : peine carcérale, période de détention ne comportant aucune réduction ni sortie. ▸ *Pol. **Sûreté** de l'État* : sécurité de l'État contre toute atteinte à son intégrité (complot, attentat, etc.). **3.** *Hist. Villes, places de **sûreté*** : accordées à une minorité à titre de refuge ; en partic., les 150 places accordées aux protestants par l'Édit de Nantes. **4.** *La **Sûreté** nationale* ou, par ell., *La **Sûreté*** : ancienne dénomination de la police nationale (jusqu'en 1966). **5.** *Milit.* Ensemble des mesures et des services assurant la sécurité d'une troupe. ▸ ***Sûreté** militaire* : police militaire. **III. 1.** Qualité d'une personne qui a confiance en soi (littér.) : *C'est vraiment trop de **sûreté** !* **2.** Qualité d'une personne ou d'une chose sûre, fiable : ***Sûreté** d'une piste skiable.* **3.** Qualité de ce qui n'est jamais défaillant : ***Sûreté** de main d'un chirurgien* ; ***Sûreté** de jugement.* 1135 ; ☞ *sûr* ; [syʀte].

**SURÉVALUATION,** subst. f.
Évaluation exagérée : ***Surévaluation** d'un loyer.* 1949 ; ☞ *surévaluer* ; [syʀevalɥasjɔ̃].

**SURÉVALUER,** verbe trans. [3]
Évaluer (qqch., qqn) au-delà de sa valeur réelle : ***Surévaluer** ses aptitudes.* 1931 ; ☞ *évaluer* + *sur-* ; [syʀevalɥe].

**SUREXCITATION,** subst. f.
Excitation extrême ; nervosité excessive, exaltation : ***Surexcitation** des enfants le soir de Noël.* 1822 ; ☞ *excitation* + *sur-* ; [syʀɛksitasjɔ̃].

**SUREXCITER,** verbe trans. [3]
**1.** Exciter à l'excès. **2.** Exacerber : ***Surexciter** la colère.* 1823 ; ☞ *exciter* + *sur-* ; [syʀɛksite].

**SUREXPLOITATION,** subst. f.
Action de surexploiter ; son résultat. 1935 ; ☞ *surexploiter* ; [syʀɛksplwatasjɔ̃].

**SUREXPLOITER,** verbe trans. [3]
Exploiter excessivement (qqch., qqn). 1918 ; ☞ *exploiter* + *sur-* ; [syʀɛksplwate].

**SUREXPOSER,** verbe trans. [3]
*Phot.* Exposer (une surface sensible) trop longtemps à la lumière. 1894 ; ☞ *exposer* + *sur-* ; [syʀɛkspoze].

**SUREXPOSITION,** subst. f.
Fait de surexposer une surface sensible ; son résultat. 1894 ; ☞ *surexposer* ; [syʀɛkspozisjɔ̃].

**SURF,** subst. m.
*Sp.* **1.** Sport nautique, d'origine polynésienne, consistant à affronter les vagues déferlantes en restant en équilibre sur une planche. **2.** Anal. *Surf des neiges* : descente d'une pente sur une planche spéciale. **3.** Méton. Planche utilisée dans ces sports. 1926 ; angl. *surf*, « vague déferlante » ; [sœʀf].

**SURFAÇAGE,** subst. m.
*Techn.* Opération de finition, d'égalisation d'une surface. 1927 ; ☞ *surfacer* ; [syʀfasaʒ].

**SURFACE,** subst. f.
**1.** Enveloppe, limite extérieure d'un corps, d'un liquide : *La **surface** de l'océan* ; *Faire **surface***, émerger. ▸ Loc. *Refaire **surface*** : reprendre conscience (fam.) ou refaire parler de soi après une période d'absence. **2.** Fig. Aspect superficiel des êtres et des choses ; apparence : *Courtoisie de **surface***, simulée. **3.** Aire, étendue mesurable, souvent délimitée et plane : ***Surface** cultivable* ; superficie : *Une **surface** de 40 m².* ▸ *Dr. **Surface** corrigée* : aire réelle d'un logement soumis à la loi de 1948, corrigée par certains coefficients (confort, situation, etc.), et qui sert de base au calcul du loyer. ▸ *Comm. Grande **surface*** : magasin en libre service dont la superficie dépasse 400 m². **4.** *Math.* Partie de l'espace $\mathbb{R}^3$ qui en chacun de ses points possède un voisinage homéomorphe à un ouvert d'un plan ou d'un demi-plan fermé (localement, c'est donc un morceau de plan continûment déformé). ▸ ***Surface** algébrique* : ensemble des points de l'espace dont les coordonnées (dans un repère donné) sont solutions d'une équation algébrique. **5.** *Phot. **Surface** sensible* : tout support photosensible. **6.** *Techn. **Surface** de chauffe* : partie d'une chaudière en contact avec le foyer. Fin XIVe s. ; ☞ *face* + *sur-* ; [syʀfas].

**SURFACER,** verbe [4]
TRANS. Procéder au surfaçage de. INTRANS. Effectuer un surfaçage. 1927 ; ☞ *surface* ; [syʀfase].

**SURFACEUSE,** subst. f.
Machine à surfacer. 1933 ; ☞ *surfacer* ; [syʀfasøz].

**SURFAIRE,** verbe trans. [57]
**1.** Exagérer la valeur marchande de (qqch.). **2.** Fig. Exagérer la qualité de (qqch.) : ***Surfaire** ses mérites.* Fin XIIe s. ; ☞ *faire* (I) + *sur-* ; [syʀfɛʀ].

**SURFAIT, AITE,** adj.
Qui n'a pas les qualités qu'on lui attribue ; surestimé : *Cette actrice est bien **surfaite*** ; *Une gloire **surfaite**.* 1690 ; p. p. de *surfaire* ; [syʀfɛ, ɛt].

**SURFAIX,** subst. m.
Lanière de cuir permettant de sangler une couverture ou une charge sur le dos d'un cheval ou d'une bête de somme. 1562 ; ☞ *faix* + *sur-* ; [syʀfɛ].

**SURFER,** verbe intrans. [3]
**1.** *Sp.* Pratiquer le surf. **2.** Fig. Manœuvrer avec aisance dans une situation donnée : ***Surfer** sur les fluctuations boursières* ; aller rapidement d'une chose à l'autre. V. 1960 ; ☞ *surf* ; [sœʀfe].

**SURFEUR, EUSE,** subst.
Personne qui pratique le surf. V. 1970 ; angl. *surfer* ; [sœʀfœʀ, øz].

**SURFIL,** subst. m.
Couture lâche et espacée faite sur le bord d'un tissu pour empêcher son effilochage. 1926 ; ☞ *surfiler* ; [syʀfil].

**SURFILAGE,** subst. m.
**1.** *Text.* Action de torsader davantage le fil pour le rendre plus fin. **2.** *Cout.* Action de faire un surfil ; son résultat. 1875 ; ☞ *surfiler* ; [syʀfilaʒ].

**SURFILER,** verbe trans. [3]
**1.** *Cout.* Faire un surfil sur (le bord coupé d'un tissu). **2.** *Text.* Procéder au surfilage de (un fil). 1873 ; ☞ *filer* + *sur-* ; [syʀfile].

DIFFÉRENTES SURFACES OU AIRES

*Pour le triangle équilatéral, le carré, le pentagone et l'hexagone, P est le périmètre et « a » la longueur de l'apothème.*
* $A = \alpha \cdot R^2/2$ (pour $\alpha$ en radians) $= \pi \cdot \alpha \cdot R^2/360$ (pour $\alpha$ en degrés) $= \pi/400$ (pour $\alpha$ en grades).

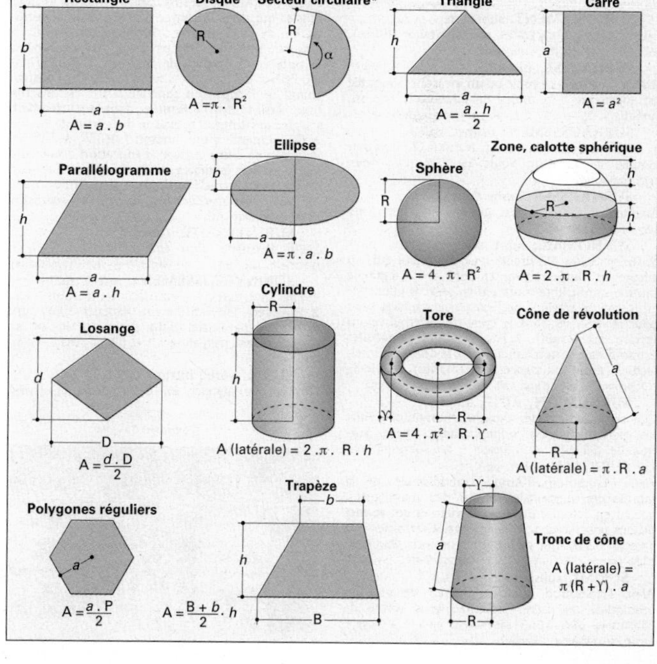

**SURFIN, INE,** adj.
Très pur, de la meilleure qualité : *Cacao* ***surfin.*** 1827 ; *fin* (II) + *sur-* ; [syʀfɛ̃, in].

**SURFONDU, UE,** adj.
Qualifie un corps en état de surfusion. 1867 ; *fondu* + *sur-* ; [syʀfɔ̃dy].

**SURFUSION,** subst. f.
*Phys.* Phénomène par lequel un corps se maintient à l'état liquide à une température où il devrait être solide. 1856 ; *fusion* + *sur-* ; [syʀfyzjɔ̃].

**SURGÉLATEUR,** subst. m.
Appareil de surgélation ; empl. adj. : *Cargo* ***surgélateur.*** V. 1970 ; *surgeler* ; [syʀʒelatœʀ].

**SURGÉLATION,** subst. f.
Congélation rapide, à très basse température, d'aliments frais. V. 1960 ; *surgeler* ; [syʀʒelasjɔ̃].

**SURGELÉ, ÉE,** adj. et subst. m.
Adj. Qui a été traité par surgélation. Subst. Produit alimentaire ainsi conservé : *Le rayon des* ***surgelés.*** V. 1960 ; p. p. de *surgeler* ; [syʀʒəle].

**SURGELER,** verbe trans. [11]
Traiter (un produit alimentaire) par surgélation. V. 1960 ; *geler* + *sur-* ; [syʀʒəle].

**SURGÉNÉRATEUR, TRICE,** adj. et subst. m.
Se dit d'un réacteur nucléaire fonctionnant sur le principe de la surgénération : *Le* ***surgénérateur*** *Superphénix.* V. 1970 ; *générateur* + *sur-* ; var. *surrégénérateur, trice* ; [syʀʒeneʀatœʀ, tʀis].

**SURGÉNÉRATION,** subst. f.
*Phys.* Réaction nucléaire par laquelle un mélange de matière fertile (nombre de masse pair) et de matière fissile (nombre de masse impair) produit par transmutation plus de matière fissile qu'il n'en a été consommé. V. 1960 ; *génération* + *sur-* ; var. *surrégénération* ; [syʀʒeneʀasjɔ̃].

**SURGEON,** subst. m.
*Bot.* Pousse qui naît du collet ou de la souche d'un arbre. Fin XIIIe s. (déb. XIIIe s., source) ; lat. *surgere*, « sourdre ; se lever » ; [syʀʒɔ̃].

**SURGIR,** verbe intrans. [19]
**1.** Apparaître soudainement, en jaillissant, en s'élevant de quelque part : *Une moto* ***surgit*** *du tunnel.* **2.** Se manifester subitement : *Un doute* ***avait surgi.*** 1553 ; lat. *surgere*, « s'élever » ; [syʀʒiʀ].

**SURGISSEMENT,** subst. m.
Fait de surgir, d'apparaître soudainement (littér.). 1863 ; *surgir* ; [syʀʒismɑ̃].

**SURHAUSSÉ, ÉE,** adj.
*Archit.* Qualifie une voûte ou un arc dont la montée est supérieure à la moitié de l'ouverture (anton. *surbaissé*). 1690 ; p. p. de *surhausser* ; [syʀose].

**SURHAUSSEMENT,** subst. m.
**1.** Action de surhausser ; son résultat. **2.** Élévation ajoutée à un arc, à une voûte. 1578 ; *surhausser* ; [syʀosmɑ̃].

**SURHAUSSER,** verbe trans. [3]
Augmenter la hauteur de. Déb. XIIIe s. ; *hausser* + *sur-* ; [syʀose].

**SURHOMME,** subst. m.
**1.** *Philos.* Selon Nietzsche, type d'homme qui, en adepte de l'immoralisme et doté de la « grande santé », donne libre cours à sa volonté de puissance et accepte le tragique de l'existence, sachant périr pour se dépasser dans le cycle de l'éternel retour (synon. *surhumain*). **2.** Homme doté de facultés extraordinaires, notamment dans le domaine intellectuel (génie, puissance de créativité). 1893 ; *homme* + *sur-*, d'apr. l'all. *Übermensch* ; [syʀɔm].

**SURHUMAIN, AINE,** adj.
Qui est au-dessus des capacités humaines : *Faire un effort* ***surhumain.*** ▸ Empl. subst. masc. Surhomme. 1555 ; *humain* + *sur-* ; [syʀymɛ̃, ɛn].

**SURICATE,** subst. m.
*Zool.* Mammifère d'Afrique méridionale, de la famille des Herpestidés, voisin des mangoustes, qui vit en colonies dans des terriers et qui se met debout pour scruter les alentours. Carnassier très agressif, il s'attaque même aux scorpions. 1765 ; d'une langue d'Afrique du Sud ; var. *surikate* ; [syʀikat].

**SURIMI,** subst. m.
*Alim.* Préparation à base de chair de poisson, aromatisée au crabe, présentée sous forme de bâtonnets. V. 1980 ; jap. *surimi*, de *suri*, « broyé », et de *mi*, « chair » ; [syʀimi].

**SURIMPOSER,** verbe trans. [3]
Soumettre à un supplément d'impôt ou à un impôt excessif. 1674 ; *imposer* + *sur-* ; [syʀɛ̃poze].

**SURIMPOSITION,** subst. f.
**1.** Imposition supplémentaire ou excessive. **2.** *Géogr.* Fait de s'ajouter à un relief initial. 1611 ; *surimposer* ; [syʀɛ̃pozisjɔ̃].

**SURIMPRESSION,** subst. f.
**1.** *Phot.* Impression de plusieurs images sur une même surface sensible. ▸ Ext. Synchronisation de sources sonores différentes (paroles, bruits, etc.). **2.** Fig. Superposition d'impressions, de perceptions. 1908 ; *impression* + *sur-* ; [syʀɛ̃pʀesjɔ̃].

© B. et J. Dupont-Explorer

*Surimpression en photographie.*

**SURIN (I),** subst. m.
Couteau (argot.). 1827 ; tsigane *churi* ; [syʀɛ̃].

**SURIN (II),** subst. m.
*Arboric.* Jeune pommier non encore enté. 1842 ; mot norm. ; [syʀɛ̃].

**SURINFECTION,** subst. f.
*Pathol.* Infection incidente due à un germe différent de celui qui infecte déjà le sujet malade. 1926 ; *infection* + *sur-* ; [syʀɛ̃fɛksjɔ̃].

**SURINTENDANCE,** subst. f.
Fonction, charge de surintendant. 1636 ; *surintendant* ; [syʀɛ̃tɑ̃dɑ̃s].

**SURINTENDANT, ANTE,** subst.
Masc. **1.** Vx. Intendant, régisseur d'un domaine ou d'une institution. **2.** *Hist.* Sous l'Ancien Régime, officier qui avait la charge d'une grande administration de la Couronne : ***Surintendant*** *général des Finances*, titre supprimé par Louis XIV en 1661, à la suite de la disgrâce de Fouquet. **3.** *Relig.* Dans les Églises de la confession d'Augsbourg, pasteur chargé de l'inspection générale d'une circonscription. Fém. **1.** *Hist.* ▸ Femme d'un **surintendant.** ▸ Dame qui dirigeait la maison de la reine de France. **2.** Gouvernante d'une maison (vieilli). **3.** Titre de la directrice d'une maison d'éducation accueillant les filles des membres de la Légion d'honneur. **4.** Assistante sociale en poste dans une usine. 1556 ; *superintendant* (vx), du bas lat. *superintendens* ; [syʀɛ̃tɑ̃dɑ̃, ɑ̃t].

**SURINTENSITÉ,** subst. f.
*Électr.* Intensité d'un courant supérieure à la normale. 1943 ; *intensité* + *sur-* ; [syʀɛ̃tɑ̃site].

**SURINVESTISSEMENT,** subst. m.
**1.** *Fin.* Investissement excédant les besoins réels. **2.** *Psychanal.* Investissement excessif dans une activité, dans l'objet d'un désir. Mil. XXe s. ; *investissement* (II) au sens 1 et (III) au sens 2 + *sur-* ; [syʀɛ̃vɛstismɑ̃].

**SURIR,** verbe intrans. [19]
Devenir sur, aigrelet. 1872 ; *sur* (II) ; [syʀiʀ].

*Suricates.*

© A. Degre-Jacana

**SURJALER,** verbe intrans. [3]
*Mar.* Être passé sous le jas et le serrer d'un tour, en parlant de la chaîne d'une ancre ; empl. adj. : *Ancre* ***surjalée.*** 1694 ; *jouail* (vx), du lat. *jugum*, « joug », + *sur-* ; [syʀʒale].

**SURJECTIF, IVE,** adj.
*Math. Application* ***surjective*** *d'un ensemble E vers un ensemble F* : application $f$ de E vers F dont l'image est égale à F, c.-à-d. que pour tout élément $y$ de F, il existe au moins un élément $x$ de E tel que $f(x) = y$. Mil. XXe s. ; *surjection* ; [syʀʒɛktif, iv].

**SURJECTION,** subst. f.
*Math.* Application surjective. Mil. XXe s. ; *injection* + *sur-* ; [syʀʒɛksjɔ̃].

**SURJET,** subst. m.
**1.** *Cout.* Point de côté serré fait à cheval sur les bords superposés de deux pièces de tissu à assembler. **2.** *Chir.* Technique de suture utilisant un fil unique. 1393 ; *surjeter* ; [syʀʒɛ].

**SURJETER,** verbe trans. [14]
*Cout.* Faire un surjet à. 1660 (XIIIe s., jeter par-dessus) ; lat. *subjicere* ; [syʀʒəte].

**SUR-LE-CHAMP,** adv.
Immédiatement, aussitôt. 1538 ; comp. de *sur* (I) et de *champ* ; [syʀləʃɑ̃].

**SURLENDEMAIN,** subst. m.
Lendemain du lendemain. 1714 ; *lendemain* + *sur-* ; [syʀlɑ̃d(ə)mɛ̃].

**SURLIGNER,** verbe trans. [3]
Mettre en valeur (un élément graphique) à l'aide d'un surligneur. V. 1980 ; *ligne* + *sur-*, d'apr. *souligner* ; [syʀliɲe].

**SURLIGNEUR,** subst. m.
Crayon feutre à pointe large et à encre transparente de couleur vive. V. 1980 ; *surligner* ; [syʀliɲœʀ].

**SURLONGE,** subst. f.
*Bouch.* Morceau d'échine situé au niveau des trois premières vertèbres dorsales du bœuf. Fin XIVe s. ; *longe* (II) + *sur-* ; [syʀlɔ̃ʒ].

**SURLOUER,** verbe trans. [3]
Louer à un prix anormalement élevé ; empl. adj. : *Studio* ***surloué.*** 1834 ; *louer* (II) + *sur-* ; [syʀlwe].

**SURLOYER,** subst. m.
Somme payée en sus du loyer contractuel. V. 1960 ; *loyer* + *sur-* ; [syʀlwaje].

**SURMENAGE,** subst. m.
Action de surmener, de se surmener ; son résultat. 1845 ; *surmener* ; [syʀmənaʒ].

**SURMENER,** verbe trans. [10]
**1.** Fatiguer (une bête de somme, un cheval) à l'excès. **2.** Anal. Imposer à (qqn) un surcroît de travail qui l'épuise ; empl. pronom. : *Elle détruit sa santé en se* ***surmenant*** *ainsi.* Fin XIIe s. ; *mener* + *sur-* ; [syʀməne].

**SURMOI,** subst. m. inv.
*Psychanal.* Instance de la seconde topique freudienne du psychisme, correspondant au déclin du complexe d'Œdipe, quand l'enfant intériorise les interdits parentaux imposés aux pulsions, aux désirs : *Le rôle du* ***surmoi*** *est de juger le moi.* 1923 ; *moi* + *sur-*, d'apr. l'all. *Überich* ; [syʀmwa].

**SURMONTABLE,** adj.
Qui peut être surmonté. Mil. XIIIe s. ; *surmonter* ; [syʀmɔ̃tabl].

**SURMONTER,** verbe trans. [3]
**1.** Vx. Triompher de (son adversaire). **2.** Vaincre (une difficulté), dominer, résoudre (qqch.) : ***Surmonter*** *sa douleur* ; empl. pronom., se maîtriser. **3.** Être situé au-dessus de : *Une tablette* ***surmonte*** *le radiateur.* Déb. XIIe s. ; *monter* + *sur-* ; [syʀmɔ̃te].

**SURMONTOIR,** subst. m.
Élément publicitaire qui surmonte un produit pour attirer l'attention du consommateur. V. 1970 ; *surmonter* ; [syʀmɔ̃twaʀ].

**SURMORTALITÉ,** subst. f.
*Démogr.* Dépassement d'un taux de mortalité de référence. 1964 ; *mortalité* + *sur-* ; [syʀmɔʀtalite].

**SURMOULAGE,** subst. m.
*Techn.* Moulage effectué à partir d'un autre moulage. 1787 ; *surmouler* ; [syʀmulaʒ].

**SURMOULE,** subst. m.
Moule pris sur un objet moulé dont on veut faire des copies. 1803 ; *surmouler* ; [syʀmul].

**SURMOULER,** verbe trans. [3]
Procéder au surmoulage de (un objet moulé). 1763 ; *mouler* + *sur-* ; [syʀmule].

**SURMULET, subst. m.**
*Zool.* Rouget, rouget-barbet ou rouget de roche des côtes atlantiques et de la Méditerranée. 1470 ; anc. fr. *sor mulet*, « mulet jaune-brun » ; [syʀmylɛ].

**SURMULOT, subst. m.**
*Zool.* Mammifère omnivore cosmopolite et prolifique de l'ordre des Rongeurs, commun dans les entrepôts, les décharges, les égouts, et mesurant de 35 à 50 cm, queue comprise (synon. *rat d'égout, rat gris*). 1760 ; ☞ *mulot + sur-* ; [syʀmylo].

**SURMULTIPLICATION, subst. f.**
Système d'un changement de vitesse au moyen duquel on peut obtenir une vitesse surmultipliée. 1932 ; ☞ *surmultiplié* ; [syʀmyltiplikasjɔ̃].

**SURMULTIPLIÉ, ÉE, adj.**
*Mécan.* Se dit du système d'une boîte de vitesses permettant une célérité de rotation de l'arbre de transmission qui dépasse celle du moteur : *Passer la vitesse* ***surmultipliée*** ou, empl. subst. fém., *Passer la* ***surmultipliée.*** 1911 ; p. p. de *multiplier + sur-* ; [syʀmyltiplije].

**SURNAGER, verbe intrans. [5]**
**1.** Demeurer à la surface d'un liquide. **2.** Fig. Subsister au milieu de ce qui disparaît. Fin XIVe s. ; ☞ *nager + sur-* ; [syʀnaʒe].

**SURNATALITÉ, subst. f.**
*Démogr.* Taux de natalité qui excède l'accroissement des biens de consommation. V. 1970 ; ☞ *natalité + sur-* ; [syʀnatalite].

**SURNATUREL, ELLE, adj. et subst. m.**
**Adj. 1.** Qui appartient à un univers supérieur à celui de la nature : *Êtres* ***surnaturels*** ; qui échappe à l'explication rationnelle : *Phénomène* ***surnaturel.*** **2.** Ext. Qui paraît ne pas appartenir au monde réel (littér.) : *Une douceur* ***surnaturelle.*** **3.** *Relig.* Qui procède ou relève de Dieu, du divin : *C'est par la foi que l'on accède aux vérités* ***surnaturelles.*** **Subst. 1.** Ce qui est au-dessus de la nature ; le monde de l'inexplicable, du fantastique : *Croire au* ***surnaturel.*** **2.** *Relig.* Le domaine du divin, du sacré. 1552 ; ☞ *naturel + sur-* ; [syʀnatyʀɛl].

**SURNOM, subst. m.**
**1.** Nom qui s'ajoute au nom patronymique de qqn ou qui le remplace. **2.** Dénomination familière d'une personne, attribuée par affection ou par dérision. Déb. XIIe s. ; ☞ *nom + sur-* ; [syʀnɔ̃].

**SURNOMBRE, subst. m.**
Excédent par rapport à un nombre prévu. ▸ Loc. *En* ***surnombre*** : en trop. 1857 ; ☞ *nombre + sur-* ; [syʀnɔ̃bʀ].

**SURNOMMER, verbe trans. [3]**
Attribuer un surnom à (qqn). Mil. XIIe s. ; ☞ *nommer + sur-* ; [syʀnɔme].

**SURNUMÉRAIRE, adj. et subst.**
**Adj.** Qui est en surnombre. **Subst.** *Admin.* Personne qui n'est pas titularisée (vieilli). 1630 ; bas lat. *supernumerarius* ; [syʀnymeʀɛʀ].

**SUROFFRE, subst. f.**
Offre qui enchérit sur celle qui est déjà faite. ▸ *Écon.* État d'un marché où l'offre dépasse la demande. 1810 ; ☞ *offre + sur-* ; [syʀɔfʀ].

**SUROÎT, subst. m.**
*Mar.* **1.** Sud-ouest ; par méton., vent de sud-ouest. **2.** Vareuse imperméable (vx). ▸ Chapeau imperméable au bord arrière très prolongé. 1484 ; norm. *surouet*, altér. de *sud-ouest*, d'apr. *noroît* ; [syʀwa].

**SUROS, subst. m.**
*Vétér.* Exostose du canon du cheval. Fin XIIe s. ; ☞ *os + sur-* ; [syʀo] ou [-ɔs].

**SUROXYGÉNÉ, ÉE, adj.**
*Chim.* Dont la teneur en oxygène est excessive. 1789 ; ☞ *oxygéné + sur-* ; [syʀɔksiʒene].

**SURPASSEMENT, subst. m.**
Action de surpasser ou de se surpasser. 1931 ; ☞ *surpasser* ; [syʀpasmɑ̃].

**SURPASSER, verbe trans. [3]**
**1.** Dépasser en hauteur, en longueur, en nombre : *Je le* ***surpasse*** *d'une tête.* **2.** Aller au-delà de, excéder : *Ce jeu* ***surpasse*** *mes possibilités.* **3.** Fig. L'emporter sur. **Pronom.** Aller au-delà de ses limites. 1509 (1340, passer par-dessus qqch. ; enfreindre) ; ☞ *passer + sur-* ; [syʀpase].

**SURPÂTURAGE, subst. m.**
*Élev.* Pâturage intensif entraînant l'appauvrissement des sols. V. 1960 ; ☞ *pâturage + sur-* ; [syʀpɑtyʀaʒ].

**SURPAYER, verbe trans. [15]**
**1.** Acheter (qqch.) trop cher. **2.** Payer très cher les services de (qqn). 1566 ; ☞ *payer + sur-* ; [syʀpeje].

**SURPÊCHE, subst. f.**
Pêche intensive qui entraîne le dépeuplement des fonds. ☞ *pêche* (II) *+ sur-* ; [syʀpɛʃ].

**SURPEUPLÉ, ÉE, adj.**
*Démogr.* Dont la population est excessive : *Région* ***surpeuplée*** ; par ext., dont les occupants sont en surnombre : *Une classe* ***surpeuplée.*** 1876 ; ☞ *peuplé + sur-*, prob. d'apr. l'angl. *overpopulated* ; [syʀpœple].

**SURPEUPLEMENT, subst. m.**
*Démogr.* État d'une zone géographique dont le peuplement est jugé excessif par rapport aux ressources disponibles. 1921 (1904, terme de biol.) ; ☞ *surpeuplé* ; [syʀpœpləmɑ̃].

**SURPIQUER, verbe trans. [3]**
Faire une surpiqûre le long de (une couture). ▸ Empl. adj. *Couture* ***surpiquée*** ; par méton. : *Veste, poche* ***surpiquée.*** Mil. XXe s. ; ☞ *piquer + sur-* ; [syʀpike].

**SURPIQÛRE, subst. f.**
*Cout.* Piqûre visible qui renforce ou souligne joliment une couture. V. 1970 ; ☞ *piqûre + sur-* ; [syʀpikyʀ].

**SURPLACE, subst. m.**
*Sp.* **Faire du surplace.** Rester immobile, en équilibre, au départ d'une course cycliste ; par ext., ne pas avancer ; au fig., stagner : *L'enquête fait du* ***surplace.*** XXe s. ; ☞ *place + sur-* ; [syʀplas].

**SURPLIS, subst. m.**
*Liturg.* Tunique de toile blanche à larges manches, souvent plissée, que les ecclésiastiques portent sur la soutane. Fin XIIe s. ; lat. médiév. *superpellicium*, « ce qui est sur la pelisse » ; [syʀpli].

**SURPLOMB, subst. m.**
Fait d'être en saillie par rapport à l'aplomb ; partie saillante d'une masse rocheuse. ▸ Loc. *En* ***surplomb*** : en saillie au-dessus des parties inférieures. 1676 ; ☞ *surplomber* ; [syʀplɔ̃].

**SURPLOMBER, verbe [3]**
**Intrans.** Faire saillie ; ne pas être d'aplomb : *Ce mur* ***surplombe,*** *il penche.* **Trans.** Être situé au-dessus de, dominer : *Des falaises de craie* ***surplombent*** *la plage d'Étretat.* 1691 ; ☞ *plomb + sur-* ; [syʀplɔ̃be].

**SURPLUS, subst. m.**
**1.** Ce qui est en plus : *Un* ***surplus*** *de personnel.* ▸ *Milit.* Matériel en excédent au terme d'une guerre (au plur.) : *Les* ***surplus*** *américains de 1939-1945* ; par méton., magasin qui vend ce matériel. **2.** Loc. *En* ***surplus*** : en excédent ; *Au* ***surplus*** : au reste. **3.** *Écon.* Dans une entreprise, différence positive ou négative constatée entre l'évolution des facteurs de production et celle des produits en fonction de la demande. Déb. XIIe s. ; ☞ *plus + sur-* ; [syʀply].

**SURPOPULATION, subst. f.**
*Démogr.* Population d'un territoire ou d'un lieu trop nombreuse par rapport à la surface disponible et aux moyens de subsistance. 1901 ; ☞ *population + sur-* ; [syʀpɔpylasjɔ̃].

**SURPRENANT, ANTE, adj.**
Qui surprend, étonne : *Phénomène* ***surprenant*** ; par hyperb., remarquable : *Paysage admirable et* ***surprenant.*** 1644 ; p. pr. de *surprendre* ; [syʀpʀənɑ̃, ɑ̃t].

**SURPRENDRE, verbe trans. [52]**
**1.** Tromper insidieusement (littér.) ; obtenir, gagner par artifice : *Il a* ***surpris*** *notre confiance.* **2.** Saisir soudainement (qqn), en parlant de qqch. (littér.) : *La mort le* ***surprit.*** **3.** Prendre sur le fait : ***Surprendre*** *un voleur* ; découvrir fortuitement : ***Surprendre*** *un secret* ; empl. pronom. : *Elle se* ***surprit*** *à parler toute seule.* **4.** Prendre au dépourvu : ***Surprendre*** *l'ennemi* ; *Un orage nous* ***surprit.*** **5.** Troubler, étonner ; empl. adj. : *Avoir l'air* ***surpris.*** Mil. XIIe s. ; ☞ *prendre + sur-* ; [syʀpʀɑ̃dʀ].

**SURPRESSION, subst. f.**
*Techn.* Pression supérieure à la normale. 1898 ; ☞ *pression + sur-* ; [syʀpʀɛsjɔ̃].

**SURPRIME, subst. f.**
Prime supplémentaire réclamée par un assureur, pour couvrir un risque particulièrement important. 1874 ; ☞ *prime* (II) *+ sur-* ; [syʀpʀim].

**SURPRISE, subst. f.**
**1.** Action de surprendre (vieilli) ; par anal., tactique de jeu visant à désarçonner l'adversaire. ▸ Loc. *Par* ***surprise*** : à l'improviste, inopinément. **2.** Fait d'être surpris, émotion, étonnement face à qqch. d'inattendu : *La* ***surprise*** *passée, il réagit.* **3.** Méton. ▸ Ce qui est inattendu : *Je te réserve une drôle de* ***surprise.*** ▸ Cadeau, plaisir inattendu que l'on fait à qqn. 1549 (fin XIIe s., impôt extraordinaire) ; p. p. de *surprendre* ; [syʀpʀiz].

**SURPRISE-PARTIE, subst. f.**
**1.** Réunion que l'on improvise chez qqn, chacun apportant des éléments du repas (vieilli). **2.** Après-midi, soirée dansante entre jeunes gens. 1882 ; angl. *surprise party* ; plur. *surprises-parties*, var. *surprise-party* (plur. *surprise-partys*) ; [syʀpʀizpaʀti].

**SURPRODUCTION, subst. f.**
*Écon.* Production excessive. 1846 ; ☞ *production + sur-* ; [syʀpʀɔdyksjɔ̃].

**SURPROTECTION, subst. f.**
Action de surprotéger qqn. V. 1970 ; ☞ *protection + sur-* ; [syʀpʀɔtɛksjɔ̃].

**SURPROTÉGER, verbe trans. [9]**
Protéger (qqn) de manière excessive, en partic. du point de vue affectif, psychologique. V. 1970 ; ☞ *protéger + sur-* ; [syʀpʀɔteʒe].

**SURRÉALISME, subst. m.**
Mouvement littéraire et artistique, né peu après la Première Guerre mondiale, qui, se démarquant de toute tradition artistique comme de toute convention, recherchа l'expression directe de la vie psychique inconsciente révélée par la psychanalyse, en se fondant sur divers procédés propres à la libérer. 1924 (1918, surnaturalisme) ; ☞ *réalisme + sur-* ; [syʀʀealism].

**ARTS et LITTÉRATURE** – Pressenti par Apollinaire dès 1917, le mouvement surréaliste est théorisé en 1924 par André Breton (premier *Manifeste du surréalisme*), fondateur d'un groupe qui réunira écrivains (Aragon, Soupault, Eluard) et peintres (Ernst, Arp, Man Ray, Dalí, Miró, Tanguy, Brauner, Magritte, Delvaux). Succédant au mouvement Dada, se réclamant de Lautréamont, de Rimbaud, des peintres Uccello, Moreau et De Chirico, le surréalisme est une nouvelle poétique centrée sur le refus du goût et de la raison, et sur l'exploitation de processus inconscients rendant compte du « fonctionnement réel de la pensée » dans sa dimension révolutionnaire. Diverses pratiques utilisant le hasard, l'insolite, les récits de rêves (écriture automatique, jeux, collages, etc.) étayent cette démarche. Le surréalisme connaît un retentissement important dans tous les pays. Son histoire sera émaillée de ruptures et de ralliements. Après un séjour aux États-Unis pendant la Seconde Guerre mondiale (où il influencera des artistes comme Matta, Calder), Breton fondera en 1947, avec Paulhan et Dubuffet, la Compagnie de l'art brut, apportant un nouveau souffle au surréalisme, qui s'intéresse aux créations d'artistes marginalisés (naïfs, malades mentaux, médiums). L'exposition internationale surréaliste de 1965, « L'écart absolu », sera la dernière grande manifestation du mouvement, qui s'essouffle peu après, à la mort de Giacometti, de Brauner et de Breton. *(Voir planche p. 1060.)*

**SURRÉALISTE, adj. et subst.**
**Adj. 1.** Qui appartient au surréalisme. **2.** Anal. Se dit de qqch. qui rappelle l'étrangeté du surréalisme. **Subst.** Peintre, poète, écrivain **surréaliste.** 1924 (1917, surnaturaliste) ; ☞ *réaliste + sur-* ; [syʀʀealist].

**SURRECTION, subst. f.**
*Géol.* Soulèvement local de l'écorce terrestre, gén. associé à la formation d'une chaîne de montagnes. 1886 (1119, résurrection) ; lat. *surrectio*, de *surgere*, « se lever, surgir » ; [syʀ(ʀ)ɛksjɔ̃].

**SURRÉEL, ELLE, adj.**
Qui se situe au-delà du réel ; empl. subst. masc., ce qui est **surréel.** 1924 ; ☞ *réel + sur-* ; [syʀʀeɛl].

**SURRÉGÉNÉRATEUR,**
**voir SURGÉNÉRATEUR**

**SURRÉGÉNÉRATION,**
**voir SURGÉNÉRATION**

**SURRÉNAL, ALE, AUX, adj.**
*Anat. Capsule, glande* ***surrénale*** ou, empl. subst. fém., *Une* ***surrénale*** : glande située sur le bord supérieur de chaque rein, dont la partie périphérique, ou corticosurrénale, sécrète la cortisone, et dont la partie centrale, ou médullosurrénale, synthétise l'adrénaline. 1762 ; ☞ *rénal + sur-* ; [syʀ(ʀ)enal, o].

**SURRÉSERVATION, subst. f.**
Réservation de places qui dépasse le nombre des places disponibles, dans l'hôtellerie, les spectacles ou les transports. V. 1970 ; ☞ *réservation* (II) *+ sur-* ; recomm. off. pour *overbooking* ; [syʀʀezɛʀvasjɔ̃].

1

2



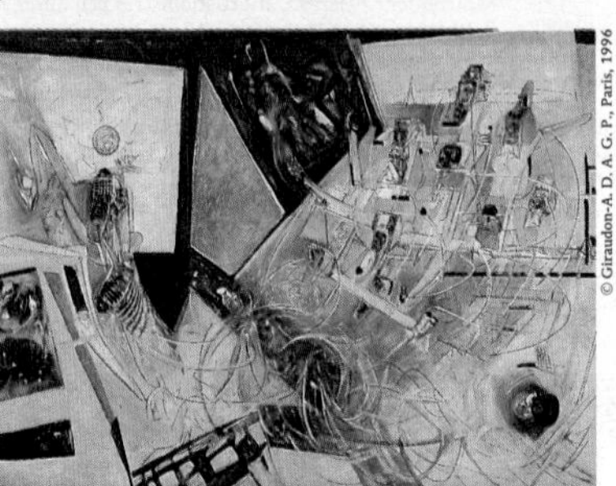

3

4



LE SURRÉALISME EN PEINTURE

1. Vision surréaliste *(1915), peinture de Léopold Survage (1879-1968). Musée des Beaux-Arts, Caen.*

3. Contra vosotros asesinos de palomas *(« Contre vous, assassins de palombes »), peinture (1950) de Roberto Matta (né en 1911). Musée Cantini, Marseille.*

2. La Mémoire II *(1948), peinture de René Magritte (1898-1967). Coll. de l'État belge.*

4. Le Palais aux rochers de fenêtres *(1942), peinture d'Yves Tanguy (1900-1955). Musée d'Art moderne, Paris.*

**SURSALAIRE, subst. m.**
Supplément au salaire convenu. 1925 ; ☞ *salaire + sur-* ; [syʀsalɛʀ].

**SURSATURATION, subst. f.**
*Chim.* État dans lequel la quantité de composés en dissolution est supérieure à celle de l'état de saturation. 1864 ; ☞ *sursaturer* ; [syʀsatyʀasjɔ̃].

**SURSATURER, verbe trans. [3]**
**1.** *Chim.* Amener (une solution) à sursaturation. **2.** Fig. ***Être sursaturé de*** : être saturé de, jusqu'au dégoût. 1787 ; ☞ *saturer + sur-* ; [syʀsatyʀe].

**SURSAUT, subst. m.**
**1.** Mouvement brusque et instinctif d'une personne, d'un animal qui se dresse, ou se redresse, sous l'effet de la surprise, de la peur, etc. ▸ Loc. **En sursaut.** D'une manière brusque : *Se réveiller en* ***sursaut.*** **2.** Fig. Réaction psychologique permettant de surmonter un état d'abattement, une difficulté, etc. : ***Sursaut*** *d'énergie.* **3.** *Astron.* Accroissement brutal du rayonnement d'un astre dans une certaine gamme de longueur d'onde : ***Sursaut*** *gamma.* Fin XIIe s. ; ☞ *saut + sur-* ; [syʀso].

**SURSAUTER, verbe intrans. [3]**
Avoir un sursaut. 1594 ; ☞ *sursaut* ; [syʀsote].

**SURSEMER, verbe trans. [10]**
*Agric.* Ensemencer une nouvelle fois (une terre). 1530 ; ☞ *semer + sur-* ; [syʀsəme].

**SURSEOIR, verbe trans. [47]**
TRANS. DIR. Vx. Différer (qqch.) : ***Surseoir*** *une décision.* TRANS. INDIR. **Surseoir à.** *Dr.* ou Littér. Remettre à plus tard (qqch.) : ***Surseoir*** *à un jugement.* 1347 (déb. XIIe s., s'abstenir) ; lat. *supersedere,* « être assis, posé sur ; s'abstenir » ; [syʀswaʀ].

**SURSIS, subst. m.**
**1.** Remise à une date ultérieure. ▸ *Dr.* ***Sursis*** *à statuer* : ajournement d'un jugement. ▸ ***Sursis*** *à l'exécution des peines* : suspension totale ou partielle de l'exécution d'une peine, qui peut devenir définitive après un certain délai écoulé sans incident ; empl. abs. : *Un an de prison avec* ***sursis.*** ▸ *Milit.* Report d'incorporation d'un appelé au service national. **2.** Ext. Délai, période de répit permettant de surseoir à qqch. 1690 (déb. XIIe s., au fém., manquement) ; p. p. de *surseoir* ; [syʀsi].

**SURSITAIRE, subst.**
Personne qui bénéficie d'un sursis, en partic. d'un sursis d'incorporation ; empl. adj. : *Étudiant* ***sursitaire.*** 1916 ; ☞ *sursis* ; [syʀsitɛʀ].

**SURTAUX, subst. m.**
*Dr.* Taux excessif. 1611 ; ☞ *taux + sur-* ; [syʀto].

**SURTAXE, subst. f.**
Majoration d'une taxe ; taxe qui s'ajoute à la taxe normale. ▸ ***Surtaxe*** *postale* : taxe supplémentaire que doit payer le destinataire d'une lettre quand l'expéditeur n'a pas ou n'a pas assez affranchi son envoi. 1798 ; ☞ *taxe + sur-* ; [syʀtaks].

**SURTAXER, verbe trans. [3]**
**1.** Vx. Taxer exagérément. **2.** Appliquer une surtaxe à (qqch.). 1559 ; ☞ *taxer + sur-* ; [syʀtakse].

**SURTENSION, subst. f.**
**1.** Tension extrême (littér.). **2.** *Électr.* Tension supérieure à la tension nominale apparaissant ou appliquée aux bornes d'un appareil. 1902 ; ☞ *tension + sur-* ; [syʀtɑ̃sjɔ̃].

**SURTITRE, subst. m.**
*Journ.* Titre complémentaire figurant au-dessus du titre principal d'un article. XXe s. ; ☞ *titre + sur-* ; [syʀtitʀ].

**SURTOUT (I), adv.**
**1.** Principalement, plus particulièrement : *Cet élève est remarquable,* ***surtout*** *en latin.* **2.** Avant tout, par-dessus tout : *Elle aime* ***surtout*** *les chocolats* ; *Ne bougez* ***surtout*** *pas !* **3.** Loc. conj. ***Surtout*** *que* : d'autant plus que (empl. critiqué). Fin XVe s. ; formé de *sur* (I) et de *tout* ; [syʀtu].

**SURTOUT (II), subst. m.**
**1.** Vx. Vêtement de dessus, ample et long. **2.** Pièce de vaisselle ou d'orfèvrerie ornant le milieu d'une table. 1690 ; formé de *sur* (I) et de *tout* ; [syʀtu].

**SURVEILLANCE, subst. f.**
Action, fait de surveiller qqn, qqch. : ***Surveillance*** *d'un chantier.* ▸ Loc. *Être sous* ***surveillance*** : être surveillé. 1768 ; ☞ *surveiller* ; [syʀvɛjɑ̃s].

**SURVEILLANT, ANTE, subst.**
Personne chargée d'assurer la surveillance de personnes ou de lieux. ▸ *Enseign.* Personne chargée de la discipline dans un établissement scolaire. 1535 ; p. pr. de *surveiller* ; [syʀvɛjɑ̃, ɑ̃t].

**SURVEILLER, verbe trans. [3]**
**1.** Observer avec attention (qqch., qqn) pour le contrôler, le protéger ou prévenir un danger : ***Surveiller*** *un suspect* ; ***Surveiller*** *des travaux* ; ***Surveiller*** *la mer.* **2.** Prêter une attention particulière à : ***Surveiller*** *son langage, sa santé.* PRONOM. Être attentif à son comportement. 1586 ; ☞ *veiller + sur-* ; [syʀveje].

**SURVENANCE, subst. f.**
*Dr.* ou Littér. Fait de survenir. Fin XVe s. ; ☞ *survenir* ; [syʀvənɑ̃s].

**SURVENIR, verbe intrans. [22]**
Arriver inopinément ou accidentellement, en parlant de qqch. ; arriver à l'improviste, en parlant de qqn. Déb. XIIe s. ; *venir + sur-* ; [syʀvəniʀ].

**SURVENTE, subst. f.**
Vente à un prix excessif. 1640 ; ☞ *vente + sur-* ; [syʀvɑ̃t].

**SURVENUE, subst. f.**
Action de survenir (littér.). Mil. XIIe s. ; p. p. de *survenir* ; [syʀvəny].

**SURVÊTEMENT, subst. m.**
Ensemble formé d'un blouson et d'un pantalon, que les sportifs portent sur leur tenue en dehors des épreuves ou à l'entraînement. 1939 (1606, vêtement mis sur un autre) ; formé de *sur* (I) et de *vêtement* ; [syʀvɛtmɑ̃].

**SURVIE, subst. f.**
**1.** *Dr.* Fait de survivre à qqn. ▸ *Gains ou droits de* ***survie*** : avantages que, lors de l'établissement d'un contrat (de mariage, par ex.) les contractants réservent au survivant. **2.** Existence au-delà de la mort, dans certaines croyances religieuses. **3.** Fait de se maintenir en vie : *Instinct de* ***survie*** ; *Combinaison de* ***survie*** ; au fig. : *La* ***survie*** *d'une institution.* ▸ *Démogr. Tables de* ***survie*** : qui indiquent, pour chaque année d'âge, la proportion des personnes en vie. ▸ *Biol.* État qui ne permet pas la poursuite durable du processus vital d'un organisme. XVIe s. ; ☞ *vie + sur-* ; [syʀvi].

**SURVIRER, verbe intrans. [3]**
*Autom.* Déraper par l'arrière vers l'extérieur de la courbe, dans un virage (anton. *sous-virer*). V. 1960 ; ☞ *virer + sur-* ; [syʀviʀe].

**SURVIREUR, EUSE, adj.**
Se dit d'un véhicule qui survire. Mil. XXe s. ; ☞ *survirer* ; [syʀviʀœʀ, øz].

**SURVITRAGE, subst. m.**
Vitrage supplémentaire doublant le vitrage d'une fenêtre. V. 1970 ; ☞ *vitrage + sur-* ; [syʀvitʀaʒ].

**SURVIVANCE, subst. f.**
**1.** Survie (littér.) : ***Survivance*** *de l'âme.* **2.** Ce qui reste de qqch. qui a disparu : *Une* ***survivance*** *du passé.* 1606 (1521, terme de droit) ; ☞ *survivre* ; [syʀvivɑ̃s].

**SURVIVANT, ANTE, adj. et subst.**
**1.** Se dit d'une personne qui survit à une autre ou, au fig., à un passé révolu : *Époux* ***survivant*** ; *Un* ***survivant*** *du tsarisme.* **2.** Se dit de qqn ayant échappé au sort des victimes : *Les* ***survivants*** *d'Hiroshima.* 1119 ; p. pr. de *survivre* ; [syʀvivɑ̃, ɑ̃t].

**SURVIVRE, verbe [63]**
TRANS. INDIR. **Survivre à. 1.** Continuer à vivre ou à exister après la mort de (qqn), la disparition de (qqch.) : ***Survivre*** *à ses enfants, à une époque.* **2.** Rester en vie après (ce qui aurait pu causer la mort) : ***Survivre*** *à un naufrage* ; par anal. : *Le bonapartisme* ***survécut*** *à la chute de l'Empire.* INTRANS. Rester en vie ; subsister : *Il a* ***survécu*** *un mois* ; *Cette tradition* ***survivra.*** PRONOM. Fig. **1.** Être

très diminué. **2.** *Se survivre dans* : perpétuer son souvenir dans. Fin XI^e s. ; ☞ *vivre* (I) + *sur-* ; [syʀviʀ].

**SURVOL, subst. m.**
Action de survoler. 1911 ; ☞ *survoler* ; [syʀvɔl].

**SURVOLER, verbe trans.** [3]
**1.** Vx. Surpasser. **2.** Voler au-dessus de (un lieu). **3.** Fig. Examiner superficiellement : ***Survoler** l'actualité.* Fin XV^e s. ; ☞ *voler* (I) + *sur-* ; [syʀvɔle].

**SURVOLTAGE, subst. m.**
**1.** *Électr.* Surtension. **2.** Fig. État d'extrême excitation. 1908 ; ☞ *voltage* + *sur-* ; [syʀvɔltaʒ].

**SURVOLTER, verbe trans.** [3]
**1.** *Électr.* Augmenter au-delà de la valeur normale la tension de. **2.** Fig. Exciter à l'extrême ; empl. adj. : *Public **survolté**.* 1908 ; ☞ *survoltage* ; [syʀvɔlte].

**SURVOLTEUR, subst. m.**
*Électr.* Dispositif servant à élever la tension d'un courant. 1900 ; ☞ *survolter* ; [syʀvɔltœʀ].

**SURVOLTEUR-DÉVOLTEUR, subst. m.**
*Électr.* Dispositif servant à réguler les variations de tension du courant. 1932 ; comp. de *survolteur* et de *dévolteur*, de *dévolter* ; plur. *survolteurs-dévolteurs* ; [syʀvɔltœʀdevɔltœʀ].

**SUS, adv.**
**1.** Vx. En haut, au dessus. **2.** *Courir **sus** à qqn* : le poursuivre pour l'attaquer, l'arrêter (vx). **3.** Loc. *En **sus** (de)* : en plus (de). Fin IX^e s. ; bas lat. *susum*, du lat. *sursum*, « vers le haut » ; [sy(s)].

**SUSCEPTIBILITÉ, subst. f.**
**1.** Disposition à être facilement affecté par qqch., sensibilité : ***Susceptibilité** aux virus.* **2.** Caractère d'une personne susceptible. **3.** *Phys.* ***Susceptibilité** magnétique* : facteur de proportionalité entre les vecteurs de champ magnétique et d'induction magnétique. 1752 ; ☞ *susceptible* ; [sysɛptibilite].

**SUSCEPTIBLE, adj.**
**1. Susceptible de.** ► Qui peut être affecté, modifié par (littér.) : *Politique **susceptible** d'infléchissement.* ► Qui est capable de, qui peut : *Cette difficulté est **susceptible** de le décourager.* **2.** Dont l'amour-propre est facilement atteint, qui s'offense pour un rien : *Comme tu es **susceptible** !* 1372 ; bas lat. *susceptibilis*, du lat. *suscipere*, « prendre par-dessous » ; [sysɛptibl].

**SUSCITER, verbe trans.** [3]
**1.** Vx. Ressusciter. **2.** Provoquer l'apparition de, créer, gén. en mauvaise part (littér.) : ***Susciter** des ennemis, des querelles à qqn.* **3.** Faire naître (une idée, un sentiment) : *Son courage **suscite** le respect.* ► Être la cause de, déterminer l'existence de : *La crise pétrolière **a suscité** l'essor de nouvelles énergies.* Fin X^e s. ; lat. *suscitare*, « soulever » ; [sysite].

**SUSCRIPTION, subst. f.**
**1.** Adresse d'une lettre inscrite sur le pli extérieur ou sur l'enveloppe. **2.** *Dr. Acte de **suscription*** : acte dressé par un notaire sur un testament mystique, constatant qu'il lui a été présenté. XV^e s. ; bas lat. *superscriptio* ; [syskʀipsjɔ̃].

**SUSDIT, ITE, adj.**
*Dr.* Mentionné précédemment ; empl. subst., personne **susdite**. 1219 ; ☞ *dit* + *sus-* ; [sysdi, it].

**SUS-DOMINANTE, subst. f.**
*Mus.* Sixième degré de la gamme diatonique. 1812 ; ☞ *dominante* + *sus-* ; [sysdɔminɑ̃t].

**SUS-HÉPATIQUE, adj.**
*Anat. Veines **sus-hépatiques*** : veines qui drainent le sang du foie, qu'elles conduisent vers la veine cave inférieure. 1843 ; ☞ *hépatique* + *sus-* ; [syzepatik].

**SUSHI, subst. m.**
*Cuis.* Mets japonais à base de poisson cru et de riz. V. 1980 ; jap. *sushi*, de *su*, « vinaigre », et de *shi*, « riz » ; [suʃi].

**SUS-JACENT, ENTE, adj.**
*Géol.* Qui s'étend au-dessus d'une formation préexistante : *Sables **sus-jacents**.* Déb. XX^e s. ; lat. *jacens*, de *jacere*, « être étendu », + *sus-* ; [syʒasɑ̃, ɑ̃t].

**SUS-MAXILLAIRE, adj.**
*Anat.* De la mâchoire supérieure. 1843 ; ☞ *maxillaire* + *sus-* ; [sysmaksilɛʀ].

**SUSMENTIONNÉ, ÉE, adj.**
*Admin.* Mentionné plus haut. XV^e s. ; p. p. de *mentionner* + *sus-* ; [sysmɑ̃sjɔne].

**SUSNOMMÉ, ÉE, adj. et subst.**
*Admin.* Se dit d'une personne nommée précédemment. 1514 ; ☞ *nommé* + *sus-* ; [sysnɔme].

**SUSPECT, ECTE, adj. et subst.**
Adj. Dont on se défie ; qui éveille le soupçon : *Individu **suspect** ; Mort **suspecte**.* ► Loc. ***Suspect** de* : soupçonné de. ► *Méd. Malade **suspect*** : dont les symptômes laissent présager une maladie latente, contagieuse. Adj. et Subst. Se dit d'une personne soupçonnée par la police d'être l'auteur d'une infraction. 1311 ; lat. *suspectus*, de *suspicere*, « regarder de bas en haut » ; [syspɛ(kt), ɛkt].

**SUSPECTER, verbe trans.** [3]
**1.** Tenir (qqn, qqch.) pour suspect : ***Suspecter** la bonne foi de qqn.* **2.** Pressentir l'existence de (qqch. de répréhensible) : ***Suspecter** une fraude.* 1532 ; ☞ *suspect* ; [syspɛkte].

**SUSPENDRE, verbe trans.** [51]
**I. 1.** Accrocher (qqch.) en hauteur de manière à le laisser pendre : ***Suspendre** des guirlandes.* ► Loc. ***Être suspendu** aux lèvres de qqn* : l'écouter très attentivement. **2.** Placer dans une position élevée (vx) : *L'aigle **suspend** son nid sur les cimes.* **II. 1.** Démettre provisoirement (qqn) de ses fonctions : ***Suspendre** un fonctionnaire.* **2.** Interrompre momentanément (une action) : ***Suspendre** les recherches.* **3.** Remettre à plus tard, ajourner : ***Suspendre** son départ ; **Suspendre** sa décision, son jugement.* **4.** Interdire temporairement (une activité, une publication) : ***Suspendre** un journal.* XII^e s. ; lat. *suspendere* ; [syspɑ̃dʀ].

**SUSPENDU, UE, adj.**
**1.** Accroché de manière à pendre : *Lampions **suspendus** au balcon ; Pont **suspendu**,* dont le tablier est maintenu par des câbles. **2.** Qui se situe sur une hauteur : *Vallée **suspendue**.* **3.** Provisoirement arrêté, différé : *Édition **suspendue**.* ► Démis temporairement de ses fonctions. **4.** *Mécan.* Se dit d'un véhicule pourvu d'une suspension : *Voiture bien **suspendue**.* XVI^e s. ; p. p. de *suspendre* ; [syspɑ̃dy].

**SUSPENS, adj. m. et subst. m.**
*Dr. canon.* Se dit d'un clerc frappé de suspense. Subst. Attente, indécision (littér.). ► Loc. **En suspens.** Provisoirement interrompu : *Laisser un travail en **suspens*** ; dans l'indécision : *Il hésitait, restait en **suspens**.* Mil. XIII^e s. ; lat. *suspensus*, de *suspendere*, « suspendre » ; [syspɑ̃].

**SUSPENSE (I), subst. f.**
*Dr. canon.* ***Suspense** « a divinis »* : peine, infligée à un clerc, interdisant la célébration des sacrements (moins lourde que l'interdit et l'excommunication). 1312 ; ☞ *suspendre* ; [syspɑ̃s].

**SUSPENSE (II), subst. m.**
**1.** Moment d'une œuvre dramatique, ou procédé, propre à créer un sentiment d'incertitude, d'attente anxieuse : *Roman policier à **suspense**.* **2.** Ext. Situation d'attente inquiète : *Le **suspense** des élections.* 1951 ; angl. *suspense*, du fr. *suspens* ; [syspɛns].

**SUSPENSEUR, adj. m. et subst. m.**
Adj. *Anat.* Qui soutient un organe : *Ligament **suspenseur** du foie.* Subst. *Bot.* Organe qui enfonce l'embryon dans les tissus nutritifs de la graine. 1561 ; bas lat. *suspensor* ; [syspɑ̃sœʀ].

**SUSPENSIF, IVE, adj.**
*Dr.* Qui suspend une action, un jugement : *Appel **suspensif**.* 1585 (mil. XIV^e s., qui interrompt le sens) ; lat. médiév. *suspensivus* ; [syspɑ̃sif, iv].

**SUSPENSION, subst. f.**
**I. 1.** Interdiction temporaire d'exercer une fonction, une activité. **2.** Cessation temporaire d'une action : ***Suspension** des travaux, de séance.* ► ***Suspension** de paiements* : impossibilité pour un débiteur de payer ce qu'il doit ; moratoire. **3.** *Gramm. Points de **suspension*** : signe de ponctuation (...) indiquant une interruption de l'énoncé, une réticence, un sous-entendu, ou remplaçant un énoncé. **II. 1.** Action, manière de suspendre qqch., de se suspendre : *La **suspension** d'un pendule.* **2.** Fait de se maintenir en l'air : *Poussières en **suspension**.* ► *Chim.* Mélange d'un fluide et de particules solides de très petite taille et n'interagissant pas. **3.** Appareil d'éclairage que l'on suspend au plafond. **4.** *Mécan.* Ensemble des organes assurant la liaison élastique entre un véhicule et ses roues, et entre les roues et le sol. Fin XII^e s. ; lat. *suspensio* ; [syspɑ̃sjɔ̃].

**SUSPENSOIR, adj. m. et subst. m.**
Adj. *Anat.* Suspenseur (vieilli). Subst. Bandage destiné à soutenir un organe, en partic. les testicules. 1314 ; lat. *suspensorium* ; [syspɑ̃swaʀ].

**SUSPENTE, subst. f.**
**1.** *Mar.* Cordage entourant un mât et supportant la basse vergue. **2.** *Aéron.* Chacune des cordes reliant le filet d'un ballon à la nacelle. ► Chacune des cordes reliant au harnais la voilure d'un parachute, d'un parapente ou d'un Deltaplane. **3.** Helv. Boucle permettant de suspendre un torchon, un vêtement. 1771 ; ☞ *suspendre* ; [syspɑ̃t].

**SUSPICIEUX, EUSE, adj.**
Qui dénote la suspicion : *Ton **suspicieux**.* 1340 ; lat. *suspiciosus* ; [syspisjø, øz].

**SUSPICION, subst. f.**
Sentiment de défiance, de doute, éprouvé à l'égard de qqn, de qqch. ► *Dr. **Suspicion** légitime* : crainte, exprimée par un plaideur, que la juridiction saisie soit partiale à son égard. Fin XIII^e s. (déb. XIII^e s., conjecture) ; lat. *suspicio* ; [syspisjɔ̃].

**SUSTENTATION, subst. f.**
Fait, action de soutenir, de maintenir en équilibre. ► *Aéron.* Force aérodynamique qui maintient un aéronef dans les airs : *Plan de **sustentation**,* voilure d'un avion. ► *Phys. Polygone de **sustentation*** : plus petite surface limitée par un polygone contenant ou reliant les points de contact d'un solide avec un plan horizontal. Déb. XIX^e s. (1236, fait de nourrir) ; lat. *sustentatio* ; [systɑ̃tasjɔ̃].

**SUSTENTER, verbe trans.** [3]
Soutenir les forces de (qqn) par des aliments (vieilli) ; empl. pronom., se nourrir (fam.). Fin XIII^e s. (déb. XII^e s., protéger) ; lat. *sustentare* ; [systɑ̃te].

**SUS-TONIQUE, subst. f.**
*Mus.* Deuxième degré de la gamme diatonique (en rapport de seconde avec la tonique). 1831 ; ☞ *tonique* (II) + *sus-* ; [systɔnik].

**SUSURREMENT, subst. m.**
Action de susurrer ; bruit, propos susurré. 1828 ; ☞ *susurrer* ; [sysyʀmɑ̃].

**SUSURRER, verbe** [3]
Intrans. Chuchoter ; produire un son ténu, légèrement sifflant. Trans. Dire tout bas, murmurer. 1539 ; lat. *susurrare*, d'orig. onomat. ; [sysyʀe].

**SUSVISÉ, ÉE, adj.**
*Admin.* Visé ci-dessus : *Les paragraphes **susvisés**.* V. 1960 ; p. p. de *viser* (II) + *sus-* ; [sysvize].

**SÛTRA, voir SOUTRA**

**SUTURAL, ALE, AUX, adj.**
Relatif à une suture. 1803 ; ☞ *suture* ; [sytyʀal, o].

**SUTURE, subst. f.**
**1.** *Chir.* Opération consistant à réunir, avec du fil ou des agrafes, les lèvres d'une plaie. **2.** *Anat.* Jointure de deux os dentelés : ***Suture** du crâne.* **3.** *Bot.* Ligne marquant la soudure entre deux carpelles. 1540 ; lat. *sutura*, de *suere*, « coudre » ; [sytyʀ].

**SUTURER, verbe trans.** [3]
*Chir.* Réunir (les lèvres d'une plaie) ou refermer (une plaie) par suture. 1865 ; ☞ *suture* ; [sytyʀe].

**SUZERAIN, AINE, subst. et adj.**
*Féod.* Subst. Seigneur qui possède un fief dont relèvent d'autres fiefs (rare au fém.). Adj. Relatif ou appartenant au **suzerain**. 1312 ; ☞ *sus*, d'apr. *souverain* ; [syz(ə)ʀɛ̃, ɛn].

**SUZERAINETÉ, subst. f.**
**1.** *Féod.* Qualité, droit du suzerain. ► Anal. Tutelle exercée par un État protecteur sur un autre. **2.** Fig. Suprématie (littér.). 1306 ; ☞ *suzerain* ; [syz(ə)ʀɛnte].

**SVASTIKA, subst. m.**
Croix à quatre bras égaux, coudés à angle droit et tournés vers la droite (symbole de bon augure) ou vers la gauche, rencontrée à diverses époques et chez divers peuples, notamment en Mésopotamie et chez certains Amérindiens, et toujours très représentée en Inde comme symbole sacré. Elle est aussi appelée croix gammée, en partic. lorsqu'elle désigne le **svastika** dextrogyre noir choisi par Hitler comme emblème de son parti. 1842 ; skr. *svastika*, de *su-*, « bien », et de *asti*, « qui est » ; var. *swastika* ; [svastika].

**SVELTE, adj.**
**1.** *B.-a.* Délié, élancé : *De **sveltes** arcades.* **2.** Mince et souple : *Taille **svelte**.* 1642 ; ital. *svelto*, de *svellere*, « arracher, dégager » ; [svɛlt].

**SVELTESSE, subst. f.**
Caractère de ce qui est svelte ; finesse, élégance. 1765 ; ital. *sveltezza*, de *svelto*, « svelte » ; [svɛltɛs].

**SWAHILI, IE, subst. m. et adj.**
Subst. Langue bantoue, parlée en Afrique orientale. C'est la langue officielle du Kenya et de la Tanzanie. Adj. Relatif à cette langue et aux peuples qui la parlent. 1873 ; ar. *sawāhilī*, « de la côte ; d'Afrique orientale » ; var. *souahéli, ie* ; [swaili].

**SWASTIKA, voir SVASTIKA**

**SWEATER, subst. m.**
Tricot utilisé pour l'entraînement sportif (vieilli) ; par ext., gilet à manches longues. 1902 ; angl. *sweater*, de *to sweat*, « transpirer » ; [swɛtœʀ] ou [swi-].

**SWEATSHIRT, subst. m.**
Pull-over de sport en tissu-éponge ou en coton molletonné. 1936 ; angl. *sweat shirt*, de *sweat*, « sueur », et de *shirt*, « chemise » ; [swɛtʃœʀt] ou [swit-].

**SWEEPSTAKE, subst. m.**
*Turf.* Loterie à laquelle participent les propriétaires des chevaux engagés dans une course ; par anal., loterie où les gains dépendent à la fois d'un tirage au sort et du résultat d'une course. 1776 ; angl. *sweepstake*, de *to sweep*, « balayer », et de *stake*, « enjeu » ; [swipstɛk].

**SWING, subst. m.**
**1.** *Sp.* ► En boxe, large crochet horizontal porté de l'extérieur vers l'intérieur. ► Au golf, balancement du joueur qui va frapper la balle. **2.** *Mus.* Style de jazz caractérisé par la volubilité de l'instrument et un tempo sans ralentissement ; rythme propre au jazz ; danse effectuée sur cette musique. 1895 (1887, balancement du corps du rameur) ; angl. *swing*, de *to swing*, « balancer » ; [swiŋ].

**SWINGUER, verbe intrans. [3]**
*Mus.* Jouer avec swing ; être rythmé. 1943 ; ☞ *swing* ; [swiŋge].

**SYBARITE, subst.**
Littér. Personne aimant le luxe et les plaisirs raffinés, voluptueux ; empl. adj. : *Esprit* **sybarite**. 1560 (déb. XVIe s., habitant de Sybaris) ; lat. *Sybarita*, du gr. *Subaritês*, « habitant de Sybaris », ville grecque célèbre pour la mollesse de ses mœurs ; [sibaʀit].

**SYBARITISME, subst. m.**
Vie, mœurs propres au sybarite (littér.). 1827 ; ☞ *sybarite* ; [sibaʀitism].

**SYCOMORE, subst. m.**
*Bot.* Espèce d'érable, de la famille des Acéracées, appelée aussi faux platane. 1600 (mil. XIIe s., figuier d'Égypte) ; lat. *sycomorus*, du gr. *sukomoros* ; [sikɔmɔʀ].

**SYCOPHANTE, subst. m.**
**1.** *Antiq.* À Athènes et dans d'autres cités grecques, celui qui faisait métier de dénoncer de riches citoyens. **2.** Littér. Délateur ; par ext., personne fourbe. Déb. XVIe s. ; lat. *sycophanta*, du gr. *sukophantês*, « dénonciateur des voleurs de figues » ; [sikɔfɑ̃t].

**SYCOSIS, subst. m.**
*Pathol.* Infection cutanée, bactérienne ou due à un champignon, le trichophyton, affectant la base des poils de la moustache et de la barbe. 1855 (1752, tumeur à l'anus) ; lat. *sycosis*, du gr. *sukôsis*, « tumeur », de *sukon*, « figue », par anal. de forme ; [sikozis].

**SYLLABAIRE, subst. m.**
**1.** Manuel, livre de lecture élémentaire où les mots sont découpés en syllabes. **2.** Système d'écriture où chaque signe correspond à une syllabe. 1765 (1752, relatif aux syllabes) ; ☞ *syllabe* ; [sil(l)abɛʀ].

**SYLLABATION, subst. f.**
*Phon.* Découpage en syllabes de la chaîne articulatoire. 1840 ; ☞ *syllabe* ; [sil(l)abasjɔ̃].

**SYLLABE, subst. f.**
*Ling.* Unité phonétique prononcée en une seule émission de voix, constituée d'une ou de plusieurs voyelles accompagnées ou non de consonnes : *« Auteur » compte deux* **syllabes**. Mil. XIIe s. ; lat. *syllaba*, du gr. *sullabê*, de *sullambanein*, « réunir » ; [sil(l)ab].

**SYLLABIQUE, adj.**
Relatif aux syllabes : *Chant* **syllabique**, qui a une seule note par syllabe ; *Vers* **syllabique**, dont la mesure dépend du nombre de syllabes ; *Écriture* **syllabique**, où chaque caractère correspond à une syllabe. 1529 ; ☞ *syllabe* ; [sil(l)abik].

**SYLLABUS, subst. m.**
*Cath.* **1.** *Le* **Syllabus** : document, publié en 1864, dans lequel Pie IX condamnait « les principales erreurs de notre temps » (le communisme et le rationalisme, par ex.). **2.** Recueil de questions tranchées par l'autorité ecclésiastique. 1865 ; lat. eccl. *syllabus*, « sommaire », du lat. *syllibus*, du gr. *sillubos*, « bande portant le titre d'un livre » ; [sil(l)abys].

**SYLLEPSE, subst. f.**
**1.** *Gramm.* Accord effectué non selon les règles mais selon le sens (par ex. : « La plupart sont présents »). **2.** *Rhét.* Figure consistant à employer un mot dans un sens à la fois propre et figuré (par ex. : « Je percerai le cœur que je n'ai pu toucher », de Racine). 1660 ; lat. *syllepsis*, du gr. *sullêpsis*, « action de prendre ensemble » ; [sil(l)ɛps].

**SYLLOGISME, subst. m.**
**1.** *Log.* Raisonnement déductif en trois propositions, dont la conclusion dérive nécessairement de la majeure par l'intermédiaire de la mineure (par ex. : « Tous les hommes sont mortels, tu es un homme, donc tu es mortel »). **2.** Ext. Raisonnement purement formel, sans lien avec le réel. Fin XIIIe s. ; lat. *syllogismus*, du gr. *sullogismos*, « raisonnement ; conclusion déduite de prémisses » ; [sil(l)ɔʒism].

**SYLLOGISTIQUE, adj.**
*Log.* Qui relève du syllogisme ; empl. subst. fém., théorie du syllogisme. 1576 ; lat. *syllogisticus* ; [sil(l)ɔʒistik].

**SYLPHE, subst. m.**
*Myth.* Génie des airs masculin, dans les légendes germaniques et celtiques. 1605 ; orig. obsc. ; [silf].

**SYLPHIDE, subst. f.**
*Myth.* Génie des airs féminin ; au fig., femme svelte, à la grâce éthérée. 1670 ; ☞ *sylphe* ; [silfid].

**SYLVAIN, subst. m.**
*Myth.* Divinité latine des forêts. 1488 ; lat. *Silvanus*, dieu des Forêts, de *silva*, « forêt » ; [silvɛ̃].

**SYLVANER, subst. m.**
*Vitic.* Cépage blanc cultivé en Alsace, en Allemagne, en Suisse et en Autriche ; par méton., vin blanc sec issu de ce cépage. 1852 ; all. *Silvaner* ; [silvanɛʀ].

**SYLVE, subst. f.**
**1.** Forêt, bois (littér.). **2.** *Géogr.* Forêt dense humide, en partic. tropicale. Déb. XIIe s. ; lat. *silva* ; [silv].

**SYLVESTRE, adj.**
**1.** Qui vit, qui pousse dans la forêt : *Menthe* **sylvestre**. **2.** Relatif, propre aux forêts (synon. *forestier*). 1351 ; lat. *silvestris*, de *silva*, « forêt » ; [silvɛstʀ].

**SYLVICOLE, adj.**
Relatif, propre à la sylviculture. 1865 (déb. XVIe s., qui habite la forêt) ; formé de *sylvi-* et de *-cole* ; [silvikɔl].

**SYLVICULTEUR, TRICE, subst.**
Personne qui pratique la sylviculture. 1872 ; formé de *sylvi-* et de *-culteur* ; [silvikyltœʀ, -tʀis].

**SYLVICULTURE, subst. f.**
Exploitation rationnelle des forêts (culture, entretien, reboisement). 1835 ; formé de *sylvi-* et de *-culture* ; [silvikyltyʀ].

**SYMBIOSE, subst. f.**
**1.** *Biol.* Interaction entre plusieurs organismes vivants d'espèces différentes, dont l'association constitue une condition de leur survie, chacune bénéficiant de substances nutritives ou de processus énergétiques de l'autre. **2.** Fig. Union étroite et harmonieuse. 1879 ; gr. *sumbiôsis*, de *sumbioun*, « vivre avec » ; [sɛ̃bjoz].

**SYMBIOTE, subst. m.**
Être vivant en symbiose avec un autre ; empl. adj. : *Champignon* **symbiote**. 1904 ; gr. *sumbiôtes*, « qui vit avec un autre » ; [sɛ̃bjɔt].

**SYMBIOTIQUE, adj.**
Qui concerne la symbiose. 1890 ; ☞ *symbiose* ; [sɛ̃bjɔtik].

**SYMBOLE, subst. m.**
**I.** *Cath.* Exposé des principaux articles de la foi : *Le* **Symbole** *de Nicée*, le Credo. **II. 1.** Figure, être ou objet, qui évoque de manière imagée et instantanée une idée, un concept : *La colombe,* **symbole** *de la paix.* ► Personne qui incarne de manière exemplaire qqch. **2.** Signe conventionnel. ► *Chim.* Représentation simplifiée d'un élément par une ou deux lettres : *Na est le* **symbole** *du sodium.* ► *Math.* Caractère graphique représentant une opération, une valeur, une relation, un objet : *Le signe* ∞ *est le* **symbole** *de l'infini.* Fin XIVe s. ; lat. *symbolum*, du gr. *sumbolon*, « signe de reconnaissance ; convention » ; [sɛ̃bɔl].

**SYMBOLIQUE, adj. et subst.**
**Adj. 1.** Qui constitue un symbole ; qui en a le caractère : *Objet, geste* **symbolique**. **2.** Qui procède par symbole : *Logique* **symbolique**. ► *Pensée* **symbolique** : qui procède par images, par analogies (par oppos. à *pensée logique*). **3.** Qui n'a pas de valeur en soi, mais celle d'un symbole : *Acheter qqch. pour le franc* **symbolique**. **4.** *Math. Calcul* **symbolique** : calcul algébrique portant sur certains objets mathématiques comme s'il s'agissait de monômes $X^n$ (dérivation des fonctions numériques de la variable réelle : $(f+g)^{(n)} = \sum_{k=0}^{n} C_n^k f^{(k)} g^{(n-k)}$). **5.** *Informat.* Qualifie les langages évolués de programmation utilisant des mots, des caractères qui facilitent la compréhension de la notion qu'ils représentent. **Subst. fém.** Ensemble de symboles qui encadrent ou gouvernent une pratique : **Symbolique** *religieuse, militaire* ; discipline qui étudie ces symboles. **Subst. masc.** Ce qui est **symbolique.** 1564 ; bas lat. *symbolicus*, du gr. *sumbolikos* ; [sɛ̃bɔlik].

**SYMBOLIQUEMENT, adv.**
D'une manière symbolique. 1831 (1561, d'une manière figurée) ; ☞ *symbolique* ; [sɛ̃bɔlikmɑ̃].

**SYMBOLISATION, subst. f.**
Action de symboliser qqch. ; fait d'être le symbole de qqch. 1834 (1374, rapport, affinité) ; ☞ *symboliser* ; [sɛ̃bɔlizasjɔ̃].

**SYMBOLISER, verbe trans. [3]**
**1.** Exprimer, représenter (qqch.) par un symbole : *Ici, le peintre a voulu* **symboliser** *la mort.* **2.** Être le symbole de : *La tour Eiffel* **symbolise** *Paris.* 1615 (1512, s'accorder) ; lat. médiév. *symbolizare*, du lat. *symbolum*, « symbole » ; [sɛ̃bɔlize].

**SYMBOLISME, subst. m.**
**1.** Figuration par symboles ; système de symboles : *Le* **symbolisme** *de l'art roman* ; ensemble des significations symboliques attachées à qqch. : *Le* **symbolisme** *du labyrinthe.* **2.** *Philos.* Doctrine voyant dans les symboles la base des croyances et des idées. **3.** *Psychanal.* Relation entre la signification affichée d'un comportement et son sens latent dans l'inconscient. **4.** *B.-a.* et *Litt.* Mouvement né à la fin du XIXe s., qui, s'opposant au formalisme parnassien et au naturalisme, a cherché à communiquer, par des moyens nouveaux, le mystère et l'essence symbolique et spirituelle de la réalité. 1827 ; ☞ *symbole* ; [sɛ̃bɔlism].

BEAUX-ARTS – Annoncé par certains peintres romantiques (Blake, Friedrich, Chassériau), le symbolisme pictural traduit, à travers plusieurs courants, un état d'esprit centré sur le goût de l'étrange, de l'onirique, de l'irréel. Au climat fantasmatique présent chez les préraphaélites (Hunt, Millais, Rossetti, Burne-Jones), qui fait référence à l'art photographique, vient s'opposer, par la facture et le choix des sujets, le symbolisme mythologique de Puvis de Chavannes, de Moreau, de Böcklin et de Redon. Gauguin, Bonnard, les nabis participent d'un symbolisme synthétique inspiré par les arts d'Extrême-Orient, qui tend à rompre avec l'illusion spatiale créée par la perspective, au profit de l'aplat, illustrant des thèmes oniriques, et qui aura des répercussions sur l'expressionnisme (Munch) et l'Art nouveau (Klimt, Beardsley).

**SYMBOLISTE, subst. et adj.**
*B.-a.* et *Litt.* **Subst.** Partisan du symbolisme. **Adj.** Qui appartient, qui est propre au symbolisme. 1885 (1856, celui qui s'exprime par des symboles) ; ☞ *symbolisme* ; [sɛ̃bɔlist].

**SYMÉTRIE, subst. f.**
**1.** Vx. Équilibre harmonieux entre les parties d'un ensemble. **2.** Correspondance exacte de forme et de position de plusieurs éléments par rapport à un point, à un axe, à un plan médian : **Symétrie** *des deux ailes d'un bâtiment.* **3.** *Géom.* ► Dans le plan ou dans l'espace, transformation ponctuelle qui, à tout point M, associe le point M' tel que le segment MM' a pour milieu un point fixe O (**symétrie** par rapport à O), ou a comme médiatrice une droite fixe D (**symétrie** orthogonale par rapport à D), ou a comme plan médiateur un plan fixe P (**symétrie** orthogonale par rapport à P). ► Dans un espace vectoriel, endomorphisme involutif ; dans un espace affine, application affine involutive. **4.** *Cristallographie.* Propriété intrinsèque à tout cristal défini par la géométrie de ses centres, plans et axes. 1529 ; lat. *symmetria*, du gr. *summettria*, « juste proportion » ; [simetʀi].

**SYMÉTRIQUE, adj. et subst. m.**
**Adj. 1.** Qui a de la symétrie ; régulier (vx ou littér.). **2.** Qui présente une symétrie : *Une façade* **symétrique** ; qui est semblable et opposé à autre chose : *Le pied droit est* **symétrique** *au pied gauche.* **3.** *Math. Figure* **symétrique** : globalement invariante dans une certaine symétrie. ► *Application* **symétrique** : étant donné deux ensembles E et F, une application de $E^n$ ($n \geqslant 2$) dans F est **symétrique** si, pour toute permutation $\sigma$ des entiers $\{1, 2, ..., n\}$ et tout $(x_1, x_2, ..., x_n)$ de $E^n$, on a $f(x_{\sigma(1)}, x_{\sigma(2)}, ..., x_{\sigma(n)}) = f(x_1,$

1

2

© Lauros-Giraudon

3

© Lauros-Giraudon

LE SYMBOLISME EN PEINTURE

1. Jeunes Filles au bord de la mer *(1879), peinture de Pierre Puvis de Chavannes (1824-1898). Musée d'Orsay, Paris.*

2. Jupiter et Sémélé *(1892-1893), peinture de Gustave Moreau (1826-1898). Musée national Gustave-Moreau, Paris.*

3. La Tentation de saint Antoine *(1883), peinture de Fernand Khnopff (1858-1921). Coll. A. M. Gillion Crouvet.*

$x_2, ..., x_n$) ; en partic., pour $n = 2$, on a $f(x_2, x_1) = f(x_1, x_2)$ pour tout $(x_1, x_2)$ de $E^2$. ▸ *Élément* ***symétrique*** *d'un élément a dans un ensemble muni d'une loi de composition interne * possédant un élément neutre e* : élément *b* tel que $a * b = b * a = e$ (cet élément est unique si la loi est associative). ▸ *Relation binaire* ***symétrique*** *sur un ensemble E* : relation $\mathcal{R}$ telle que, pour tout couple $(x, y)$ d'éléments de E, $x$ est relié à $y$ suivant $\mathcal{R}$ si et seulement si $y$ est relié à $x$ suivant $\mathcal{R}$ (c.-à-d. $x \mathcal{R} y \Leftrightarrow y \mathcal{R} x$). ▸ *Différence* ***symétrique*** *de deux ensembles A et B* : ensemble, noté A Δ B, des éléments appartenant à A ou à B mais pas à leur intersection. **Subst. 1.** *Géom.* ***Symétrique*** *d'une figure* : image de cette figure dans une symétrie. **2.** *Math.* ***Symétrique*** *d'un élément a dans un ensemble muni d'une loi de composition interne associative possédant un élément neutre* : unique élément **symétrique** de *a*. 1529 ; ☞ *symétrie* ; [simetʀik].

**SYMPATHIE, subst. f.**
**1.** Attirance spontanée, inclination : *Éprouver de la* ***sympathie*** *pour qqn.* **2.** Participation à la joie ou à la douleur d'autrui : *Des témoignages de* ***sympathie.*** 1409 ; lat. *sympathia*, du gr. *sumpatheia* ; [sɛ̃pati].

**SYMPATHIQUE, adj.**
**1.** Vx. Qui est en affinité avec un autre élément ; qui agit par affinité, à distance. ▸ *Encre* ***sympathique*** (☞ *encre*). **2.** *Anat.* ▸ *Système nerveux* ***sympathique*** ou, empl. subst. masc., *Le* ***sympathique*** : système neurovégétatif, antagoniste du parasympathique (synon. *orthosympathique*). ▸ Relatif à ce système : *Nerf* ***sympathique.*** **3.** Qui inspire la sympathie : *Je le trouve* ***sympathique.*** **4.** Agréable (fam.) : *Accueil* ***sympathique.*** 1599 ; ☞ *sympathie* ; abrév. fam. *sympa*, aux sens 3 et 4 ; [sɛ̃patik].

**SYMPATHISANT, ANTE, adj. et subst.**
Se dit de qqn qui partage les idées d'un parti sans y adhérer. 1928 ; p. pr. de *sympathiser* ; [sɛ̃patizɑ̃, ɑ̃t].

**SYMPATHISER, verbe intrans.** [3]
Ressentir des affinités pour qqn, avoir des goûts communs : ***Sympathiser*** *avec qqn* ; *Ils* ***ont*** *immédiatement* ***sympathisé.*** 1570 ; ☞ *sympathie* ; [sɛ̃patize].

**SYMPATHOLYTIQUE, adj. et subst. m.**
*Biol.* et *Méd.* Se dit de toute substance qui inhibe les effets de la stimulation sympathique : *Les adrénolytiques sont des* ***sympatholytiques.*** Mil. XX^e s. ; ☞ *sympathique* + *-lytique* ; [sɛ̃patɔlitik].

**SYMPATHOMIMÉTIQUE, adj. et subst. m.**
*Biol.* et *Méd.* Se dit de toute substance qui reproduit les effets de la stimulation des fibres nerveuses sympathiques. Mil. XX^e s. ; crois. de *sympathique* et de *mimétique* ; [sɛ̃patomimetik].

**SYMPHONIE, subst. f.**
**1.** Union, harmonie de sons (vx). **2.** *Mus.* Composition de vastes proportions, pour orchestre, gén. en quatre mouvements (allégro, andante ou adagio, menuet ou scherzo, final) : *Les* ***symphonies*** *de Mozart, de Beethoven, de Brahms.* **3.** Anal. Ensemble d'éléments qui produisent une forte impression d'harmonie : *Une* ***symphonie*** *de couleurs, de parfums.* 1357 (déb. XII^e s., instrument de musique) ; lat. *symphonia*, du gr. *sumphônia*, « accord de sons » ; [sɛ̃fɔni].

**SYMPHONIQUE, adj.**
Relatif à la symphonie : *Orchestre* ***symphonique***, qui réunit toutes les familles d'instruments. Fin XVII^e s. ; ☞ *symphonie* ; [sɛ̃fɔnik].

**SYMPHONISTE, subst.**
*Mus.* **1.** Compositeur (vx). **2.** Auteur de symphonies. 1690 ; ☞ *symphonie* ; [sɛ̃fɔnist].

**SYMPHORINE, subst. f.**
*Bot.* Arbuste à fleurs roses et à fruits blancs, de la famille des Caprifoliacées. 1845 ; gr. *sumphoros*, « qui accompagne » ; [sɛ̃fɔʀin].

**SYMPHYSE, subst. f.**
**1.** *Anat.* Synarthrose formée de cartilage et de tissu conjonctif. **2.** *Pathol.* Adhérence anormale de deux feuillets séreux : ***Symphyse*** *pleurale.* 1575 ; gr. *sumphasis*, « jonction naturelle (des os) » ; [sɛ̃fiz].

**SYMPOSIUM, subst. m.**
Colloque, réunion de spécialistes consacrée à un sujet particulier. 1955 (1857, banquet) ; gr. *sumposion*, « banquet », par allus. au *Banquet* de Platon ; [sɛ̃pozjɔm].

**SYMPTOMATIQUE, adj.**
**1.** *Méd.* Qui constitue un symptôme ; qui se rapporte aux symptômes d'une maladie : *Traitement* ***symptomatique***, qui porte sur les effets et non sur les causes d'une maladie. **2.** Fig. Qui est le signe révélateur ou avant-coureur de qqch. : *Une baisse de la consommation* ***symptomatique*** *de la crainte de l'avenir incertain, du chômage.* 1520 ; ☞ *symptôme* ; [sɛ̃ptɔmatik].

**SYMPTOMATOLOGIE, subst. f.**
*Méd.* Étude des symptômes des maladies ; ensemble des symptômes caractéristiques d'une affection. 1765 ; ☞ *symptôme* + *-logie* ; [sɛ̃ptɔmatɔlɔʒi].

**SYMPTÔME, subst. m.**
**1.** *Méd.* Manifestation morbide perçue par le malade, par oppos. au signe observé par le médecin. **2.** Anal. Signe avant-coureur ou révélateur d'une situation, d'un phénomène ; manifestation : *Les* ***symptômes*** *d'une crise sociale.* 1495 ; bas lat. méd. *symptoma*, du gr. *sumptôma* ; [sɛ̃ptom].

**SYNAGOGUE, subst. f.**
Édifice consacré au culte israélite. Fin XI^e s. ; bas lat. *synagoga*, du gr. *sunagôgê*, « réunion » ; [sinagɔg].

**SYNALÈPHE, subst. f.**
*Ling.* Fusion de deux ou plusieurs syllabes en une seule, par crase, élision ou synérèse. XV^e s. ; lat. *synaloepha*, du gr. *sunaloiphê* ; [sinalɛf].

**SYNALLAGMATIQUE, adj.**
*Dr.* Qualifie un contrat entraînant des obligations réciproques (anton. *unilatéral*). 1603 ; gr. *sunallagmatikos*, de *sunallagma*, « contrat » ; [sinalagmatik].

**SYNANTHÉRÉ, ÉE, adj.**
*Bot.* Qualifie une fleur dont les étamines sont soudées par leurs anthères. 1823 ; ☞ *anthère* + *syn-* ; [sinɑ̃teʀe].

**SYNAPSE, subst. f.**
*Physiol.* Zone de contact entre deux neurones : ***Synapse*** *neuro-musculaire*, zone de contact entre un neurone et une cellule musculaire. 1897 ; angl. *synapsis*, du gr. *sunapsis*, « lieu de jonction » ; [sinaps].

**SYNAPTIQUE, adj.**
Relatif à une synapse : *Potentiel* ***synaptique.*** 1935 ; ☞ *synapse* ; [sinaptik].

*Schéma d'une* ***synapse.***

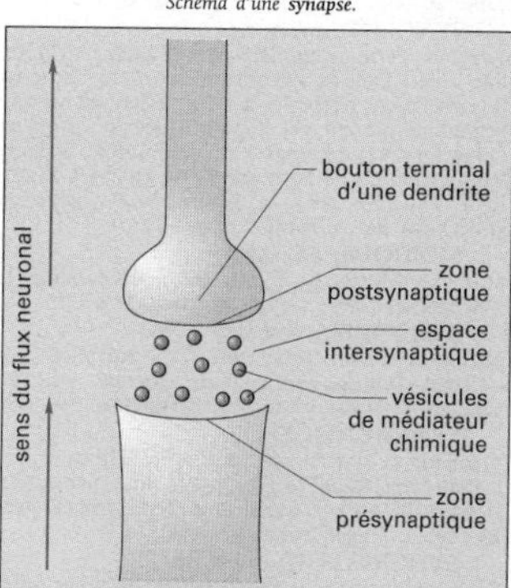


*Différentes* ***symétries.***

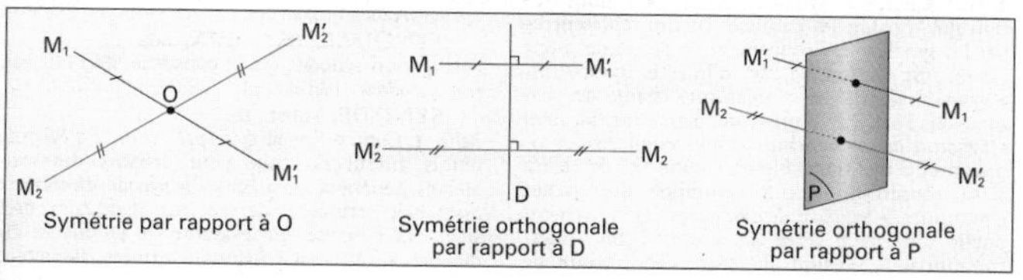

**SYNARCHIE,** subst. f.
Autorité, gouvernement exercé par un groupe de personnes. 1872 ; gr. *sunarkhia* ; [sinaʀʃi].

**SYNARTHROSE,** subst. f.
*Anat.* Jonction osseuse non mobile, telles les sutures des os du crâne. 1562 ; gr. *sunarthrôsis* ; [sinaʀtʀoz].

**SYNCHRONE,** adj.
**1.** Qui se produit dans le même temps qu'une autre chose ou à des intervalles de temps égaux ; simultané. ▸ *Horloges* ***synchrones*** : qui ont des oscillations identiques ; *Satellite terrestre* ***synchrone*** : dont la période de révolution est égale à celle de la Terre, d'où son apparente immobilité. **2.** *Moteur* ***synchrone*** : moteur de vitesse constante, tournant sur la fréquence du courant alternatif. 1743 ; bas lat. *synchronus*, du gr. *sunkhronos*, « contemporain » ; [sɛ̃kʀon].

**SYNCHRONIE,** subst. f.
**1.** Simultanéité de faits, d'évènements. **2.** *Ling.* État d'une langue à un moment donné, indépendamment de son évolution (par oppos. à *diachronie*). 1827 ; ☞ *synchrone* ; [sɛ̃kʀɔni].

**SYNCHRONIQUE,** adj.
**1.** Qui se produit dans le même temps. **2.** Qui présente ou étudie des faits survenus à la même époque. 1742 ; ☞ *synchrone* ; [sɛ̃kʀɔnik].

**SYNCHRONISATION,** subst. f.
Action de rendre synchrones ; fait d'être synchronisé : ***Synchronisation*** *de l'image et du son d'un film* ; par méton. : ***Synchronisation*** *d'un film.* 1881 ; ☞ *synchroniser* ; [sɛ̃kʀɔnizasjɔ̃].

**SYNCHRONISER,** verbe trans. [3]
Rendre synchrones (des phénomènes, des mécanismes) : ***Synchroniser*** *deux mouvements* ; empl. adj. : *Vitesses* ***synchronisées.*** ▸ *Cin.* Faire la synchronisation de (un film). 1890 (1865, établir un rapport d'évènements contemporains) ; ☞ *synchrone* ; [sɛ̃kʀɔnize].

**SYNCHRONISEUR,** subst. m.
*Techn.* Dispositif de synchronisation d'éléments mécaniques, électriques ; ce qui opère la synchronisation. 1933 ; ☞ *synchroniser* ; [sɛ̃kʀɔnizœʀ].

**SYNCHRONISME,** subst. m.
Caractère de ce qui est synchrone ; simultanéité. 1727 ; gr. *sunkhronismos* ; [sɛ̃kʀɔnism].

**SYNCHROTRON,** subst. m.
*Phys. part.* Appareil réalisant l'accélération des particules dans un système circulaire, dérivé du cyclotron, en les soumettant à un champ électrique de haute fréquence. 1953 ; crois. de *synchrone* et de *cyclotron* ; [sɛ̃kʀotʀɔ̃].

**SYNCINÉSIE,** subst. f.
*Pathol.* Mouvement réflexe involontaire se produisant dans les muscles d'un membre autre que celui dont l'action est commandée. 1890 ; gr. *kinêsis*, « mouvement », + *syn-* ; [sɛ̃sinezi].

**SYNCLINAL, ALE, AUX,** adj. et subst. m.
*Géol.* Se dit de couches formant un pli à courbure concave (anton. *anticlinal*). Subst. Pli **synclinal.** 1861 ; angl. *synclinal*, du gr. *sun*, « avec », et *klinein*, « incliner » ; [sɛ̃klinal, o].

**SYNCOPAL, ALE, AUX,** adj.
Relatif à la syncope ; qui s'accompagne d'une syncope. 1495 ; ☞ *syncope* ; [sɛ̃kɔpal, o].

**SYNCOPE,** subst. f.
**1.** *Pathol.* Perte de connaissance soudaine et brève, due à l'arrêt ou au ralentissement momentané de la circulation cérébrale. **2.** *Mus.* Effet de rupture rythmique produit par l'accentuation d'un temps faible lié à contretemps à un temps fort. **3.** *Ling.* Suppression d'une lettre ou d'une syllabe à l'intérieur d'un mot. 1314 ; bas lat. méd. *syncopa*, du gr. *sugkopê*, de *sugkoptein*, « briser » ; [sɛ̃kɔp].

**SYNCOPÉ, ÉE,** adj.
*Mus.* Qui forme une syncope ; qui emploie la syncope. 1690 ; p. p. de *syncoper* ; [sɛ̃kɔpe].

**SYNCOPER,** verbe [3]
*Mus.* Trans. Unir (une note à la suivante) par syncope. Intrans. Former une syncope. 1690 (déb. XIVe s., couper ; extirper) ; ☞ *syncope* ; [sɛ̃kɔpe].

**SYNCRÉTIQUE,** adj.
**1.** Relatif au syncrétisme. **2.** *Psychol.* Global : *Perception* ***syncrétique.*** ▸ Fondé sur une perception globale du monde extérieur : *Tests* ***syncrétiques.*** 1846 ; ☞ *syncrétisme* ; [sɛ̃kʀetik].

**SYNCRÉTISME,** subst. m.
**1.** Fusion de religions, de doctrines, de cultes différents ; par anal., fusion d'éléments culturels différents à l'intérieur d'un groupe social. **2.** *Psychol.* Perception globale, indifférenciée, du monde extérieur et d'autrui, propre au jeune enfant. 1687 (1611, union de deux ennemis contre un troisième) ; gr. *sugkrêtismos*, « union de deux Crétois », c.-à-d. de deux fourbes, vu leur réputation ; [sɛ̃kʀetism].

**SYNCYTIUM,** subst. m.
*Biol.* Cellule contenant plusieurs noyaux, sans division du cytoplasme. 1897 ; all. *Syncytium*, du gr. *kutos*, « cellule » ; [sɛ̃sitjɔm].

**SYNDACTYLIE,** subst. f.
*Pathol.* Malformation caractérisée par une soudure des doigts ou des orteils. 1827 ; formé de *syn-* et de *-dactylie* ; [sɛ̃daktili].

**SYNDERME,** subst. m.
Cuir synthétique fait de déchets de cuir et de latex. 1947 ; crois. de *synthétique* et de *derme* ; [sɛ̃dɛʀm].

**SYNDIC,** subst. m.
**1.** *Hist.* Dans une paroisse rurale, notable chargé de représenter et de défendre les intérêts des villageois. **2.** *Dr.* ▸ Mandataire chargé par le syndicat de copropriétaires d'un immeuble d'exécuter leurs décisions et de gérer les parties communes. ▸ *Syndic de faillite* : auxiliaire de justice désigné par le tribunal pour représenter les créanciers d'un débiteur, et pour gérer et liquider les biens de ce dernier (jusqu'en 1985). **3.** Helv. Président d'une municipalité des cantons de Vaud et de Fribourg. 1257 ; bas lat. *syndicus*, du gr. *sundikos*, « qui assiste qqn en justice » ; [sɛ̃dik].

**SYNDICAL, ALE, AUX,** adj.
**1.** Relatif à un syndicat. **2.** Relatif au syndicalisme : *Représentants* ***syndicaux.*** 1697 (1352, procès-verbal) ; ☞ *syndic* ; [sɛ̃dikal, o].

**SYNDICALISATION,** subst. f.
Action d'adhérer, de faire adhérer à un syndicat ; appartenance à un syndicat : *Taux de* ***syndicalisation.*** 1921 ; ☞ *syndicaliser* ; [sɛ̃dikalizasjɔ̃].

**SYNDICALISER,** verbe trans. [3]
**1.** Mettre en place une organisation syndicale dans (un secteur d'activité). **2.** Faire adhérer (qqn) à un syndicat. 1926 ; ☞ *syndical* ; [sɛ̃dikalize].

**SYNDICALISME,** subst. m.
**1.** Mouvement qui se propose de regrouper et d'organiser certaines catégories professionnelles pour défendre leurs intérêts : ***Syndicalisme*** *enseignant.* **2.** Activité exercée au sein d'un syndicat. 1894 ; ☞ *syndical* ; [sɛ̃dikalism].

SCIENCES POLITIQUES – Le syndicalisme, qui a pour objet la défense des intérêts professionnels, économiques et sociaux du monde ouvrier, a été reconnu par la loi Waldeck-Rousseau du 21 mars 1884. Dès lors, plusieurs mouvements idéologiques font leur apparition : la tendance anarcho-syndicaliste, inspirée de Proudhon et de Bakounine ; le syndicalisme révolutionnaire, dont se réclame la C. G. T., créée en 1895 ; le syndicalisme chrétien, qui aboutit à la création de la C. F. T. C., en 1919. En 1906, le mouvement ouvrier se déclare indépendant des partis politiques dans la charte d'Amiens, mais des dissensions d'ordre idéologique vont conduire à l'éclatement de plusieurs syndicats : en 1947 naît la C. G. T.-F. O. ; en 1964 a lieu une scission dans la C. F. T. C., dont est issue la C. F. D. T., de tendance socialisante. En 1944 est créée la C. G. C., qui représente les cadres. Face aux syndicats ouvriers, le patronat s'organise : les intérêts patronaux sont essentiellement défendus par le C. N. P. F., créé en 1946.

**SYNDICALISTE,** subst. et adj.
Se dit d'une personne qui joue un rôle actif au sein d'un syndicat. Adj. Relatif au mouvement syndical, au syndicalisme. 1880 ; ☞ *syndical* ; [sɛ̃dikalist].

**SYNDICAT,** subst. m.
**1.** *Hist.* Charge de syndic ; sa durée. ▸ Administration qui régissait les paroisses rurales représentées par les syndics. **2.** Groupement de personnes dont l'objet est la sauvegarde d'intérêts communs. ▸ *Syndicat d'initiative* : organisme chargé de promouvoir l'activité touristique dans une localité. ▸ *Syndicat de copropriétaires* : qui réunit les copropriétaires d'un immeuble et a pour but de veiller à sa conservation et à l'entretien des parties communes. ▸ *Syndicat de communes* : établissement public créé pour gérer un service public intercommunal. ▸ *Syndicat financier* : consortium de banques chargé d'étudier et de réaliser des opérations financières. **3.** Groupement constitué pour défendre des intérêts professionnels communs : *Syndicat patronal, de magistrats* ; en partic. : *Syndicat ouvrier*, ne regroupant que des salariés. Fin XVe s. (1409, critique, jugement) ; ☞ *syndic* ; [sɛ̃dika].

**SYNDICATAIRE,** subst. et adj.
Se dit d'une personne membre d'un syndicat de propriétaires ou financier. Adj. Relatif à un tel syndicat. 1868 ; ☞ *syndicat* ; [sɛ̃dikatɛʀ].

**SYNDIQUÉ, ÉE,** subst. et adj.
Se dit d'un adhérent à un syndicat. 1886 ; p. p. de *syndiquer* ; [sɛ̃dike].

**SYNDIQUER,** verbe trans. [3]
Regrouper (des personnes), organiser (une profession) en syndicat. Pronom. S'organiser en syndicat professionnel ; adhérer à un syndicat. 1783 (1546, demandez des comptes) ; ☞ *syndic* ; [sɛ̃dike].

**SYNDROME,** subst. m.
**1.** *Méd.* Ensemble de symptômes et de signes communs à plusieurs maladies et dont l'étude clinique constitue une étape du diagnostic. **2.** Fig. Ensemble de comportements communs à un groupe humain, déterminés par un même évènement traumatisant : *Le* ***syndrome*** *de Tchernobyl.* 1537 ; gr. *sundromê*, « réunion » ; [sɛ̃dʀom].

**SYNECDOQUE,** subst. f.
*Rhét.* Figure proche de la métonymie, procédant par élargissement ou restriction du sens d'un mot (la partie pour le tout, l'espèce pour le genre, etc., et inversement) : *« Revoir la Seine » pour « Revoir Paris » est une* ***synecdoque.*** XVe s. ; lat. *synecdoche*, du gr. *sunekdokhê*, « compréhension simultanée » ; [sinɛkdɔk].

**SYNÉCHIE,** subst. f.
*Pathol.* Adhérence de deux tissus, d'origine inflammatoire ou cicatricielle. 1814 ; gr. *sunekheia*, « suite, continuité » ; [sineʃi].

**SYNÉRÈSE,** subst. f.
**1.** *Phon.* Contraction en une seule syllabe vocale de deux voyelles qui se suivent (anton. *diérèse*) : *Fouet se prononce* [fwɛ] *par* ***synérèse.*** **2.** *Chim.* Regroupement des molécules d'un gel, dû à la dessiccation. 1533 ; lat. *syneresis*, du gr. *sunairesis*, « resserrement » ; [sineʀɛz].

**SYNERGIDE,** subst. f.
*Biol.* Cellule haploïde du sac embryonnaire, qui entoure le gamète femelle. 1904 ; gr. *ergon*, « travail », + *syn-* et *-ide* ; [sinɛʀʒid].

**SYNERGIE,** subst. f.
**1.** *Physiol.* Action coordonnée de plusieurs organes ou muscles, permettant d'exécuter un mouvement ou d'accomplir une fonction. **2.** Action simultanée et coordonnée de plusieurs choses ou personnes. 1778 ; gr. *sunergia*, « coopération » ; [sinɛʀʒi].

**SYNERGIQUE,** adj.
Relatif à la synergie ; qui procède d'une synergie. 1832 ; ☞ *synergie* ; [synɛʀʒik].

**SYNERGISTE,** adj.
*Physiol.* Qualifie un muscle qui participe, avec d'autres, à l'exécution d'un mouvement (anton. *antagoniste*). XXe s. ; ☞ *synergie* ; [sinɛʀʒist].

**SYNESTHÉSIE,** subst. f.
*Pathol.* Trouble de l'intégration sensitive, caractérisé par la perception de plusieurs sensations à la suite d'un stimulus unique. 1865 ; gr. *sunaisthêsis*, « perception simultanée » ; [sinɛstezi].

**SYNGNATHE,** subst. m.
*Zool.* Poisson téléostéen de la famille des Syngnathidés, apparenté aux hippocampes, pourvu d'un bouclier osseux assez épais (synon. *aiguille de mer*). 1803 ; formé de *syn-* et de *-gnathe* ; [sɛ̃gnat].

**SYNGNATHIDÉS,** subst. m. plur.
*Zool.* Famille de poissons téléostéens, gén. marins. Au sing. *L'hippocampe est un* ***syngnathidé.*** 1904 ; ☞ *syngnathe* ; [sɛ̃gnatide].

**SYNODAL, ALE, AUX,** adj.
Relatif à un synode ; qui le constitue. 1315 ; lat. eccl. *synodalis* ; [sinɔdal, o].

**SYNODE,** subst. m.
*Relig.* **1.** *Cath.* ▸ ***Synode*** *épiscopal* : conseil d'évêques réunis autour du pape pour débattre des problèmes généraux de l'Église. ▸ ***Synode*** *diocésain* : assemblée périodique de religieux et de laïcs, présidée par l'évêque, qui examine les problèmes du diocèse. **2.** Dans les religions réformées, assemblée

·gionale ou nationale de pasteurs et de laïcs. ꕥ Déb. XIVe s. ; lat. eccl. *synodus*, du gr. *sunodos*, « réunion » ; [sinɔd].

**SYNODIQUE, adj.**
. *Astron.* Relatif à un mouvement en longitude ·apporté à la ligne Terre-Soleil. **2.** *Relig.* Relatif à ·n synode ; empl. subst. masc., recueil des décisions ·s synodes (rare). ꕥ 1584 ; bas lat. *synodicus*, « qui ·rive en même temps » ; [sinɔdik].

**SYNONYME, adj. et subst. m.**
·ng. Se dit de mots ou de syntagmes qui ont le ·ême sens ou un sens très proche : *« Apaiser » et* ·*calmer » sont deux verbes* ***synonymes***, ou *des* ·***nonymes***. ꕥ Fin XIIIe s. ; bas lat. *synonymus*, du . *sunônumos* ; [sinɔnim].

**SYNONYMIE, subst. f.**
·ng. Relation entre des mots, des expressions ·nonymes ; fait linguistique constitué par l'exis·nce de synonymes. ꕥ 1582 ; bas lat. *synonymia*, du ·. *sunônumia* ; [sinɔnimi].

**SYNONYMIQUE, adj.**
·ng. Relatif ou propre aux synonymes, à la ·nonymie. ꕥ 1791 ; ☞ *synonyme* ; [sinɔnimik].

**SYNOPSE, subst. f.**
·elig. Ouvrage présentant en colonnes parallèles le ·xte des quatre Évangiles. ꕥ 1843 ; lat. *synopsis*, du ·. *sunopsis*, « vue d'ensemble » ; [sinɔps].

**SYNOPSIE, subst. f.**
·athol. Synesthésie associant la perception d'un son ·celle d'une couleur. ꕥ 1893 ; formé de *syn-* et de ·*psie* ; [sinɔpsi].

**SYNOPSIS, subst. m.**
·in. Récit succinct, schématique d'un scénario. ꕥ 1919 (1834, vue d'ensemble) ; anglo-amér. *synopsis*, ·ı gr. *sunopsis*, « vue d'ensemble » ; [sinɔpsis].

**SYNOPTIQUE, adj.**
·ui, par sa disposition logique et ordonnée, donne ·voir un ensemble et permet d'en saisir d'un seul ·oup d'œil les différentes parties : *Tableau* ***synop-*** ***que***. **Plur.** *Les Évangiles* ***synoptiques*** ou, empl. subst. ·asc., *Les* ***Synoptiques*** : les Évangiles de saint Matthieu, de saint Marc et de saint Luc, dont les contenus presque identiques permettent une lecture comparative d'un même évènement. ꕥ 1610 ; gr. *sunoptikos*, « qui embrasse d'un coup d'œil » ; [sinɔptik].

**SYNOSTOSE, subst. f.**
*Anat.* Synarthrose formée par une soudure. ꕥ 1858 ; formé de *syn-* et de *-ostose* ; [sinɔstoz].

**SYNOVECTOMIE, subst. f.**
*Chir.* Ablation totale ou partielle de la synoviale d'une articulation. ꕥ 1916 ; ☞ *synovie* + *-ectomie* ; [sinɔvɛktɔmi].

**SYNOVIAL, ALE, AUX, adj.**
Relatif à la synovie : *Liquide* ***synovial***. ► *Membrane* ***synoviale*** ou, empl. subst. fém., *La* ***synoviale*** : membrane séreuse qui tapisse les cavités des articulations mobiles et qui sécrète la synovie. ꕥ 1735 ; ☞ *synovie* ; [sinɔvjal, o].

**SYNOVIE, subst. f.**
*Anat.* Liquide jaune, transparent et visqueux, sécrété par la synoviale et qui facilite le mouvement des articulations. ꕥ 1694 ; lat. méd. *synovia* ; [sinɔvi].

**SYNOVITE, subst. f.**
*Pathol.* Inflammation de la synoviale. ꕥ 1833 ; ☞ *synovie* + *-ite* ; [sinɔvit].

**SYNTACTICIEN, IENNE, subst.**
Linguiste spécialiste de la syntaxe. ꕥ 1928 ; ☞ *syntaxe* ; [sɛ̃taktisjɛ̃, jɛn].

**SYNTAGMATIQUE, adj. et subst. f.**
**Adj. 1.** Qui est relatif au syntagme. **2.** Qualifie le type de rapport fondé sur l'enchaînement entre des unités linguistiques qui apparaissent dans un énoncé (par oppos. à *paradigmatique*). **Subst.** Étude des unités linguistiques du point de vue de leur succession dans le discours. ꕥ 1916 ; ☞ *syntagme* ; [sɛ̃tagmatik].

**SYNTAGME, subst. m.**
*Ling.* Groupe de mots formant une unité sémantique, qui a une fonction dans la phrase : *« Savoir gré » est un* ***syntagme*** *verbal, « chapeau melon » un* ***syntagme*** *nominal*. ꕥ 1916 (fin XIIIe s., traité) ; gr. *suntagma*, « chose rangée ; troupe » ; [sɛ̃tagm].

**SYNTAXE, subst. f.**
**1.** Partie de la grammaire qui décrit les règles régissant les relations entre les mots dans la phrase. ► Méton. L'ensemble de ces règles ; le manuel qui les contient. **2.** Ext. Ensemble de règles qui régissent un moyen d'expression donné : *Le cinéma a aussi sa* ***syntaxe***. **3.** *Log.* Ensemble des règles de formation des assemblages de signes dans un langage formel. ► *Informat.* Ensemble des règles d'écriture constituant la grammaire d'un langage de programmation. ꕥ 1572 ; bas lat. *syntaxis*, du gr. *suntaxis*, « disposition, composition » ; [sɛ̃taks].

**SYNTAXIQUE, adj.**
**1.** De la syntaxe ; relatif aux règles qui régissent les relations entre les unités linguistiques dans la phrase. **2.** *Log.* Relatif à l'aspect formel d'un langage (par oppos. à *sémantique*). ► *Informat.* Relatif à la syntaxe d'un programme ou d'un langage de programmation. ꕥ 1819 ; ☞ *syntaxe* ; [sɛ̃taksik].

**SYNTHÈSE, subst. f.**
**I. 1.** Opération intellectuelle qui consiste à réunir divers éléments en un tout unique, spéc. en allant du détail à l'ensemble, de propositions simples à des propositions complexes (anton. *analyse*) : *Esprit de* ***synthèse***. ► Méton. Résultat de cette opération : *Publier la* ***synthèse*** *d'une recherche*. **2.** *Philos.* Dernier terme qui, dans une triade dialectique hégélienne, réalise l'accord de la thèse et de l'antithèse par l'établissement d'un point de vue supérieur.
**II. 1.** *Chim.* Opération consistant à combiner des corps simples pour obtenir un corps composé. **2.** *Techn.* ***Synthèse*** *vocale* : reconstitution artificielle de la voix humaine ; *Musique de* ***synthèse*** : produite par un synthétiseur ; *Image de* ***synthèse*** : réalisée par programmation informatique. ꕥ 1576 (1541, vêtement que les Romains portaient pour les repas) ; lat. *synthesis*, du gr. *sunthesis*, « réunion, composition » ; [sɛ̃tɛz].

**SYNTHÉTIQUE, adj.**
**1.** Qui procède de la synthèse : *Exposé, esprit* ***synthétique***. ► *Philos.* *Jugement* ***synthétique*** : selon Kant, dont le prédicat n'est pas contenu dans le sujet (anton. *analytique*). **2.** *Chim.* Obtenu, produit par

**Les principales divisions de la systématique :**

Il existe d'autres divisions, moins usitées, comme la tribu ou le phylum, et des subdivisions du type sous-famille, superordre, sous-embranchement...

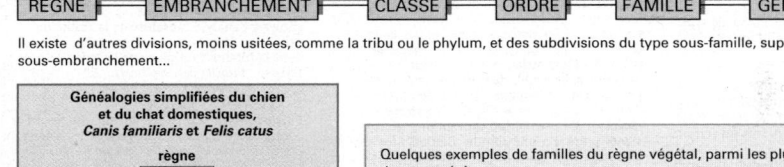

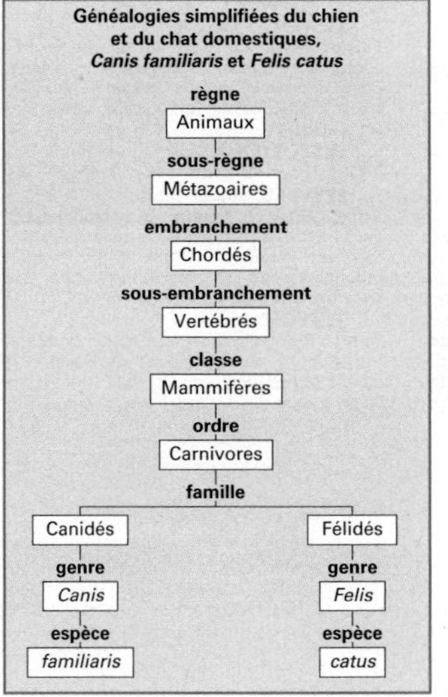


Quelques exemples de familles du règne végétal, parmi les plus courantes dans nos régions :

- **Apiacées** (synon. **Ombellifères**) : famille de plantes herbacées, annuelles ou vivaces caractérisées par une inflorescence en ombelle. La carotte, la coriandre sont des apiacées.

- **Astéracées** (synon. **Composées**) : famille de plantes dicotylédones, principalement herbacées ou vivaces, caractérisées par la disposition en capitule de leurs fleurs. L'artichaut, le dahlia, l'arnica sont des astéracées.

- **Brassicacées** (synon. **Crucifères**) : famille de plantes dicotylédones, herbacées ou vivaces, dont la fleur caractéristique possède quatre pétales disposés en croix. La giroflée, le choux, la moutarde sont des brassicacées.

- **Fabacées** (synon. **Légumineuses**) : famille de plantes dicotylédones comprenant des herbes, des arbustes et des arbres dont les fruits sont des gousses, fruits secs déhiscents à deux valves. Le haricot est une fabacée.

- **Poacées** (synon. **Graminées**) : famille de plantes monocotylédones, herbacées, vivaces ou annuelles dont les fleurs sont regroupées en épi ou en panicule. Les céréales sont des poacées.

synthèse : *Tissu, diamant **synthétique*** ; empl. subst. masc., matière **synthétique.** 1602 ; ☞ *synthèse* ; [sɛ̃tetik].

**SYNTHÉTISER,** verbe trans. [3]
**1.** Rapprocher, associer, ordonner (divers éléments abstraits) par une synthèse. **2.** *Chim.* Reproduire artificiellement (des composés). 1836 ; gr. *sunthetizesthai*, « arranger avec soin » ; [sɛ̃tetize].

**SYNTHÉTISEUR,** subst. m.
*Techn.* Dispositif électronique à clavier ou à rhéostats capable de reproduire ou de produire des sons, en partic. des timbres musicaux (abrév. fam. : synthé). ▸ ***Synthétiseur** d'images* : dispositif permettant le traitement électronique des images. V. 1970 ; ☞ *synthétiser* ; [sɛ̃tetizœʀ].

**SYNTHÉTISME,** subst. m.
*Peint.* Doctrine de Gauguin et de ses disciples tendant à synthétiser la forme et l'idée par l'emploi d'aplats de couleur cernés de noir. 1846 (1765, terme de chirurgie) ; ☞ *synthétique* ; [sɛ̃tetism].

**SYNTONE,** adj.
*Psychol.* Qualifie un sujet dont le psychisme est en harmonie avec le milieu environnant. 1922 ; gr. *suntonos*, « qui est d'accord avec » ; [sɛ̃tɔn].

**SYNTONIE,** subst. f.
**1.** *Phys.* État de plusieurs circuits électriques oscillants qui ont la même fréquence de résonance. **2.** *Psychol.* État d'un sujet syntone. 1900 ; gr. *suntonos*, « qui est d'accord avec » ; [sɛ̃tɔni].

**SYNTONISATION,** subst. f.
Action de syntoniser deux circuits électriques oscillants. 1902 ; ☞ *syntoniser* ; [sɛ̃tɔnizasjɔ̃].

**SYNTONISER,** verbe trans. [3]
*Phys.* Mettre en syntonie (des circuits électriques). 1903 ; ☞ *syntonie* ; [sɛ̃tɔnize].

**SYNTONISEUR,** subst. m.
Récepteur de radio utilisant la syntonisation pour sélectionner la fréquence désirée (recomm. off. pour *tuner*). V. 1990 ; ☞ *syntoniser* ; [sɛ̃tɔnizœʀ].

**SYPHILIDE,** subst. f.
Nom générique des manifestations cutanées de la syphilis. 1818 ; ☞ *syphilis* + *-ide* ; [sifilid].

**SYPHILIS,** subst. f.
*Pathol.* Maladie contagieuse vénérienne, due à la transmission d'un protozoaire, le tréponème pâle, et traitée par la pénicilline. 1659 ; mot lat. ; [sifilis].

**SYPHILITIQUE,** adj.
**1.** Relatif à la syphilis. **2.** Qui est atteint de syphilis ; empl. subst., personne **syphilitique.** 1664 ; ☞ *syphilis* ; [sifilitik].

**SYRIAQUE,** adj. et subst.
*Hist.* De l'ancienne Syrie. **Subst. masc.** Langue sémitique du groupe araméen, devenue langue liturgique de quelques Églises d'Orient (jacobite, maronite...). 1534 ; lat. *syriacus*, du gr. *suriakos* ; [siʀjak].

**SYRINGE,** subst. f.
*Archéol.* Tombeau souterrain de l'Égypte pharaonique, précédé d'un long et étroit couloir. 1765 ; lat. *syringae*, du gr. *surigx*, « tuyau » ; [siʀɛ̃ʒ].

**SYRINX,** subst. f.
**1.** *Mus.* Flûte de Pan, gén. à neuf tuyaux. **2.** *Zool.* Organe du chant chez les oiseaux. 1752 ; mot lat. ; var. *un syrinx* (rare) ; [siʀɛ̃ks].

**SYRPHE,** subst. m.
*Zool.* Mouche des jardins et des prairies, de la famille des Syrphidés, aux ailes irisées, au corps rouge ou rayé comme celui des guêpes. 1803 ; lat. sc. *syrphus*, du gr. *surphos*, « mouche » ; [siʀf].

**SYRPHIDÉS,** subst. m. plur.
*Zool.* Famille d'insectes de l'ordre des Diptères, regroupant différentes espèces de mouches de jardin. **Au sing.** *La volucelle est un **syrphidé**.* 1846 ; ☞ *syrphe* ; [siʀfide].

**SYRRHAPTE,** subst. m.
*Zool.* Oiseau colombiforme aux longues ailes pointues, dont les représentants d'une espèce orientale s'égarent parfois en Europe. 1846 ; gr. *surrhaptein*, « coudre ensemble » ; [siʀapt].

**SYRTES,** subst. f. plur.
Banc de sables mouvants (vx). Déb. XIVe s. ; lat. *Syrtes*, bas-fonds sur la côte nord de l'Afrique ; [siʀt].

**SYSTÉMATICIEN, IENNE,** subst.
Spécialiste de la systématique, de la taxinomie. 1936 ; ☞ *systématique* ; [sistematisjɛ̃, jɛn].

**SYSTÉMATIQUE,** adj. et subst. f.
**Adj. 1.** Fondé sur un système : *Opinion **systématique**.* **2.** Réalisé avec méthode, dans un ordre défini en fonction d'un but : *Inventaire **systématique**.* **3.** Qui agit davantage par goût du système, ou en se référant à un système, qu'en fonction des données de l'expérience (péj.). **4.** Radical ; habituel ; qui ne se dément pas : *Refus **systématique**.* **Subst. 1.** Partie de la biologie qui étudie la diversité des organismes et leur relation de parenté. *(Voir tableau p. 1065.)* **2.** Ensemble de principes, de méthodes qui se rapportent à un système. 1552 ; gr. *sustêmatikos* ; [sistematik].

**SYSTÉMATIQUEMENT,** adv.
D'une manière systématique. 1752 ; ☞ *systématique* ; [sistematikmɑ̃].

**SYSTÉMATISATION,** subst. f.
Organisation en système ; fait d'être systématisé. 1824 ; ☞ *systématiser* ; [sistematizasjɔ̃].

**SYSTÉMATISÉ, ÉE,** adj.
**1.** *Psych. Délire paranoïaque **systématisé*** : organisation délirante chronique caractérisée par le paralogisme de la pensée, se manifestant par des raisonnements qui n'admettent ni le doute ni la contradiction. **2.** Qui constitue un système. 1895 ; p. p. de *systématiser* ; [sistematize].

**SYSTÉMATISER,** verbe trans. [3]
**1.** Organiser en système. ▸ Abs. Juger a priori, sans tenir compte des données de l'expérience (péj.). **2.** Rendre habituel, systématique : ***Systématiser** les contrôles.* 1740 ; ☞ *système* ; [sistematize].

**SYSTÈME,** subst. m.
**I. 1.** Ensemble de principes et de propositions agencés de telle façon qu'ils se rapportent les uns aux autres pour former une vaste construction explicative : *Les **systèmes** cosmologiques de Ptolémée et de Copernic* ; *Le **système** philosophique de Hegel.* ▸ *Sc. nat.* Nomenclature taxinomique : *Le **système** de Linné.* **2.** Ensemble de codes, de lois, de concepts propres à une discipline déterminée : ***Système** juridique, fiscal, bancaire.* ▸ *Théorie des **systèmes*** (☞ *systémique*). **3.** Ensemble de conventions, de règles, de signes propres à une communication : ***Système** alphabétique* ; ***Système** morse.* **4.** Structure globale d'un type de société ou de gouvernement (avec ses codes, ses pratiques, ses rouages, etc.) : ***Système** totalitaire, parlementaire* ; ***Système** capitaliste, patriarcal* ; *Soutenir le **système** en place.* **5.** Ext. Ensemble de décisions, de mesures mises en pratique en fonction d'un objectif : ***Système** éducatif* ; moyen ingénieux de réussite (fam.) : *Trouver le bon **système*** ; ***Système** D*, débrouillardise. ▸ Loc. *Avoir pour **système** de* : avoir pour principe de (agir de telle manière) ; *Par **système*** : de parti pris ; *Esprit de **système*** : qui privilégie méthode et cohérence ou, par ext. et péj., étroitesse d'esprit. **6.** ***Système** économique* : modèle planifié adopté à l'échelle nationale ou internationale ; ***Système** monétaire européen (S. M. E.), international (S. M. I.)* : structures institutionnelles de régulation de la stabilité financière européenne internationale. **7.** *Métrol. **Système** internatio (S. I.)* : **système** décimal d'unités de mes remplaçant l'ancien C. G. S. et comprenant mètre, le kilogramme, la seconde, l'ampère, la mo la candela et le kelvin ; ***Système** M. K. S. A.*, mèt kilogramme, seconde, ampère. **8.** *Math. Systè d'équations* : famille finie d'équations ; *Résoudre **système*** : déterminer les solutions communes à équations. **II. 1.** Ensemble structuré formé d'é ments naturels : ***Système** solaire, atomique* ; *satellites du **système** jovien.* **2.** *Météor. Systè nuageux* : ensemble des différents types de nua que l'on peut rencontrer le long d'un front. **3.** *Gé* Ensemble de couches qui correspond à une pério donnée : ***Système** jurassique.* **4.** *Phys.* ▸ *Systè matériel* : ensemble de corps ou d'objets physiq dont les masses et les interactions défin sent l'évolution. ▸ Ensemble de corps liés par u ou plusieurs grandeurs physiques : *Le **système** sola est lié par la gravité.* **5.** *Physiol.* Ensemble organiq ou tissulaire de structure ou de fonction identiqu ***Système** cardio-vasculaire, nerveux, immunitai* ▸ Loc. *Courir, taper sur le **système** de qqn* : l'exaspé (fam.). **III. 1.** Agencement, dispositif comple dont les diverses pièces fonctionnent en int connexion en vue d'un rendement déterminé : ***système** de ventilation, d'alarme, de triage.* **2.** *Ar* ***Système** d'arme* : ensemble des équipements néc saires à la mise en œuvre d'une arme. **3.** *Inform* ▸ ***Système** d'exploitation* : logiciel gérant tous services disponibles d'un ordinateur (travaux, o rations d'entrée et de sortie sur les périphériqu accès aux bibliothèques de programmes et a fichiers). ▸ ***Système** expert* : ensemble de logici élaborés pour résoudre des problèmes spécifiqu en exploitant la somme des connaissances d' domaine spécialisé, et en proposant des stratég d'utilisation de ces connaissances. **4.** *Mar.* et Ensemble des tolets d'une embarcation à aviro **5.** *Mécan. **Système** articulé* : dispositif de solides l deux à deux pour assurer un mouvement rotatoi 1552 ; gr. *sustêma*, « réunion en un corps de plusie choses ou parties » ; [sistɛm].

**SYSTÉMIQUE,** adj. et subst. f.
**Adj. 1.** Relatif à un système pris dans son ense ble. ▸ *Agric. Insecticide **systémique*** : qui imprèg la totalité des tissus d'une plante. **2.** Relatif à **systémique.** **Subst.** Théorie se proposant de s stituer à l'analyse causaliste de la réalité une ex cation en termes de systèmes complexes, c.-à dont la totalité vaut plus que la somme des part (synon. *théorie des systèmes*). V. 1970 ; ar *systemic* ; [sistemik].

**SYSTOLE,** subst. f.
*Physiol.* Étape au cours de laquelle le cœur contracte et expulse le sang dans les artères ( oppos. à *diastole*). 1541 (fin XIVe s., réduction d' voyelle longue) ; bas lat. *systole*, du gr. *sustolê*, « contr tion » ; [sistɔl].

**SYSTOLIQUE,** adj.
Relatif à la systole. 1546 ; ☞ *systole* ; [sistɔl

**SYSTYLE,** adj. et subst. m.
*Archit.* **Adj.** Qui présente une ordonnance te que l'intervalle entre deux colonnes équivaut à de fois leur diamètre : *Temple **systyle**.* **Subst.** Ce ordonnance. 1547 ; lat. *systylos*, du gr. *sustul* « aux colonnes rapprochées » ; [sistil].

**SYZYGIE,** subst. f.
*Astron.* Dénomination commune à toutes conjonctions ou oppositions du Soleil et de Lune : *Marée de **syzygie**.* 1584 ; bas lat. *syzyg* du gr. *suzugia*, « assemblage, union » ; [siziʒi].

*Le temple d'Abu Simbel.* © Stock Image

**T, subst. m. inv.**
**1.** Vingtième lettre et seizième consonne de l'alphabet, qui note l'occlusive dentale sourde [t]. Devant un *i* suivi d'une voyelle, elle se prononce en gén. [s] si elle n'est pas précédée du son [s] : par ex. « tentation », [tɑ̃tasjɔ̃], « sacristie », [sakʀisti]. ► Le *t* euphonique permet d'éviter l'hiatus dans certaines constructions : *A-t-il parlé ?* **2.** Anal. *En T* : en forme de T majuscule. **3.** Abrév. et Symb. ► *Métrol.* t : tonne. ► *Phys.* T : tesla. [te].

**Ta, voir TANTALE (III)**

**TA, voir TON (I)**

**TABAC (I), subst. m. et adj. inv.**
**Subst. 1.** *Bot.* Plante annuelle de la famille des Solanacées. **2.** Produit obtenu par séchage et préparation des feuilles de cette plante, qui se prise, se chique ou se fume. **3.** *Bureau de* **tabac** ou, par ell., *Un* **tabac** : établissement où l'on vend du **tabac** au détail et des produits qui en sont dérivés ; en appos. : *Bar-***tabac** ; *Café-***tabac**. **4.** Loc. *Du même* **tabac** : du même genre (fam.). **Adj.** D'un brun roux : *Des pantalons* **tabac**. 1590 (1555, instrument pour fumer) ; esp. *tabaco*, d'orig. haïtienne ; [taba].

**Civilisation** – Introduite en Europe par Christophe Colomb, la « plante merveilleuse » (le diplomate Jean Nicot la conseille à Catherine de Médicis pour ses vertus apaisantes) y est aussitôt exploitée et devient un produit de luxe que l'on prise, chique, suce en petites quantités jusqu'au milieu du XIX^e s., époque où se développent le cigare puis la cigarette. De nos jours, 60 millions de personnes dans le monde vivent de sa culture et de son commerce. La plante exige une main-d'œuvre nombreuse et qualifiée pour les différentes phases de son exploitation (dessication, triage en manoques, fermentation, hachage en scaferlati, torréfaction, etc.). C'est à ses alcaloïdes, principalement à la nicotine, que le tabac doit son succès : sa double action stimulante et sédative procure un bien-être spécifique. Depuis le début du siècle, la médecine a identifié chez les consommateurs des risques graves d'accidents cardio-vasculaires et de cancers, mais les campagnes de dissuasion ne semblent guère efficaces. À l'accoutumance pharmacologique se mêle une dépendance psychologique liée, au-delà de la composante orale de cette toxicomanie, à la ritualisation de l'échange social.

**TABAC (II), subst. m.**
**1.** Bagarre (vieilli et pop.). ► Loc. *Passer à* **tabac** : rouer de coups (fam.). ► *Coup de* **tabac** : tempête violente et brève. **2.** Loc. *Faire un* **tabac** : remporter un vif succès (fam.). Déb. XIX^e s. ; ☞ *tabasser*, d'apr. *tabac* (I) ; [taba].

**TABAGIE, subst. f.**
**1.** Vx. Festin. **2.** Établissement où l'on pouvait boire et fumer (vx). **3.** Endroit où l'on fume beaucoup ; pièce imprégnée d'une forte odeur de tabac. **4.** Québ. Bureau de tabac. 1603 ; algonquin *tabaguia* ; [tabaʒi].

**TABAGIQUE, adj.**
**1.** Vx. Relatif à la tabagie. **2.** Relatif au tabagisme. 1846 ; ☞ *tabagie* ; [tabaʒik].

**TABAGISME, subst. m.**
Intoxication due à l'abus de tabac ; toxicomanie engendrée par le tabac. ► ***Tabagisme** passif* : fait, pour un non-fumeur, d'inhaler malgré lui la fumée du tabac d'autrui. 1891 ; ☞ *tabagie* ; [tabaʒism].

**TABARD, subst. m.**
*M. Â.* Manteau court et ample, à manches en ailerons, porté sur l'armure. XIII^e s. ; orig. obsc. ; var. *tabar* ; [tabaʀ].

**TABASSER, verbe trans. [3]**
Rouer (qqn) de coups (fam.). 1918 ; orig. onomat. ; [tabase].

**TABATIÈRE, subst. f.**
**1.** Petite boîte pour le tabac à priser. **2.** *Archit. Fenêtre à* ***tabatière*** ou, par ell., *Une* ***tabatière*** : fenêtre à charnière placée sur un toit et de même inclinaison ; lucarne. **3.** *Anat.* ***Tabatière** anatomique* : creux formé à la partie postéro-latérale du poignet par les tendons des muscles extenseurs du pouce lorsqu'ils sont contractés (on y dosait le tabac à priser). 1652 ; ☞ *tabac* (I) ; [tabatjɛʀ].

**TABELLAIRE, adj.**
*Typogr.* Qualifie l'impression qui se faisait avec des plaques de bois gravées, avant l'invention des caractères mobiles. 1828 ; lat. *tabellarius*, « relatif aux lettres » ; [tabɛlɛʀ].

**TABELLE, subst. f.**
Helv. Tableau, liste. 1726 (1688, mémoire qui contient un compte) ; lat. *tabella*, « tablette » ; [tabɛl].

**TABELLION, subst. m.**
**1.** *M. Â.* Officier public tenant lieu de notaire dans les juridictions subalternes. **2.** *Hist.* Sous l'Ancien Régime, fonctionnaire chargé de la copie des actes dressés par un notaire. **3.** Notaire (péj. ou iron.). 1265 ; lat. *tabellio*, « notaire », de *tabella*, « tablette » ; [tabɛljɔ̃].

**TABERNACLE, subst. m.**
**1.** *Antiq.* ► Tente qui servait d'habitation aux Hébreux. ► Sanctuaire portatif où étaient conservés l'Arche d'alliance et les objets du culte avant la construction du temple de Jérusalem. **2.** *Relig. Fête des* ***Tabernacles*** : célébrée après les moissons dans la liturgie hébraïque et commémorant la vie au désert pendant l'Exode (synon. *soukkhot*). **3.** *Cath.* Petite armoire, située gén. au milieu de l'autel, où sont rangées les hosties consacrées. Déb. XII^e s. ; lat. *tabernaculum*, « tente » ; [tabɛʀnakl].

**TABÈS, subst. m.**
*Pathol.* Lésion nerveuse de la moelle épinière provoquée par la syphilis, caractérisée par des troubles sensitifs, moteurs, articulaires et cutanés. 1752 ; lat. *tabes*, « putréfaction » ; [tabɛs].

**TABÉTIQUE, adj. et subst.**
*Méd.* **Adj.** Relatif au tabès ; qui est atteint du tabès. **Subst.** Personne qui est atteinte du tabès. 1878 ; ☞ *tabès* ; [tabetik].

**TABLA, subst. m.**
*Mus.* Instrument à percussion indien, composé d'un tambour à peau unique, couplé avec une timbale. Mil. XX^e s. ; hindi *tabalā* ; [tabla].

**TABLAR, subst. m.**
Helv. Étagère. 1926 ; franco-prov. *tabla*, de *table* ; var. *tablard* ; [tablaʀ].

**TABLATURE, subst. f.**
*Mus.* Principe de notation qui figure, au moyen de chiffres ou de lettres, la position des doigts sur un instrument : ***Tablature** de guitare.* 1529 ; lat. méd. *tabulatura*, du lat. *tabula*, « planchette » ; [tablatyʀ].

**TABLE, subst. f.**
**I. 1.** Meuble constitué d'un plateau horizontal reposant gén. sur un ou plusieurs pieds, à une hauteur permettant d'y prendre les repas : *Mettre la* **table**, la garnir de ce qui est nécessaire au repas. **2.** Loc. ► **À table**. Autour de la **table** : *Se mettre, passer à* **table**, s'asseoir devant un couvert mis ; au fig. : *Se mettre à* **table**, passer aux aveux (pop.). ► **De table**. Utilisé, servi lors du repas : *Serviette de* **table** ; *Raisin de* **table**, destiné à être mangé ; *Vin de* **table**, de qualité ordinaire. ► *Rouler sous la* **table** : être ivre mort (pop.). **3.** Méton. ► Nourriture, repas : *Les plaisirs de la* **table** ; *Une bonne* **table**, un bon restaurant. ► Tablée. **4.** ***Table** ronde* : **table** créée, selon la légende, par le roi Arthur pour éviter les querelles de préséance et autour de laquelle s'asseyaient les chevaliers dits de la **Table** ronde ; par méton., débat, réunion : *Organiser, animer une* ***table** ronde.* ► Loc. *Faire un tour de* **table** : donner la parole à chacun des participants d'une réunion. **II. 1.** Meuble à usages divers, dont le dessus forme un plateau horizontal : ***Table** de jeux* ; ***Table** de nuit ou de chevet*, petit meuble à tiroirs placé à côté du lit ; ***Table** de toilette* ; ***Table** à dessin, à repasser* ; ***Table** d'orientation*, sur laquelle sont dessinés et identifiés les détails d'un panorama. ► Loc. *Jouer cartes sur* **table** : parler en toute franchise, sans rien dissimuler. **2.** *Spéc.* ► *Cin.* ***Table** de montage* : pupitre permettant de visionner la pellicule à la vitesse voulue afin de sélectionner les plans. ► *Informat.* ***Table** traçante* : périphérique utilisé en conception assistée par ordinateur et permettant, par ex., d'imprimer des plans d'architecte (synon. *traceur*). ► *Chir.* ***Table** d'opération* : **table** articulée et de hauteur variable, utilisée pour les interventions chirurgicales. ► *Parapsychol.* ***Table** tournante* : dont les mouvements sont interprétés comme des messages venant des esprits. **III.** Plaque, surface plane. **1.** *Relig.* Partie supérieure de l'autel. ► *La sainte* **table** : l'autel. **2.** *Joaill.* Face supérieure d'une pierre taillée : *Diamant en* **table**. **3.** *Mus.* ***Table** d'harmonie* : partie supérieure de la caisse de résonance d'un instrument, au-dessus de laquelle sont tendues les cordes. **4.** *Géogr.* Surface plane naturelle : ***Table** de granite.* **5.** Plaque servant à divers usages : ***Table** de cuisson*, encastrée dans un élément de cuisine ; ***Table** de lancement*, support d'un véhicule spatial jusqu'à son lancement. **IV. 1.** Plaque utilisée jadis comme support d'écriture : ***Table** rase*, tablette de cire sur laquelle rien n'est écrit. ► Loc. *Faire* **table** *rase* : supprimer ce qui existe pour repartir de zéro. **2.** *Relig. Les* ***Tables** de la Loi* : selon la Bible, plaques de pierre rapportées du mont Sinaï par Moïse, sur lesquelles

TABLES DE VÉRITÉ

*P : proposition P.*
*P̄ : proposition non P.*
*Q : proposition Q.*
*∧ : conjonction « et ».*
*∨ : conjonction « ou ».*
*V : vrai. F : faux.*
*La 3e ligne du 2e tableau (*) se lit : si P est vrai et Q est faux, alors P ou Q est vrai.*

| P | Q | P∧Q |
|---|---|---|
| V | V | V |
| V | F | F |
| F | V | F |
| F | F | F |

Conjonction ∧

| P | Q | P∨Q |
|---|---|---|
| V | V | V |
| *V | F | V |
| F | V | V |
| F | F | F |

Disjonction ∨

| P | Q | ¬P∨Q |
|---|---|---|
| V | V | V |
| V | F | F |
| F | V | V |
| F | F | V |

Implication ⟹

étaient gravés les Dix Commandements. **3.** Inventaire récapitulatif : ***Table** des matières*, liste, avec la pagination correspondante, des parties et sous-parties d'un livre ; ensemble de données classées selon un ordre logique, facile à consulter ou à mémoriser : ***Tables** de multiplication, de logarithmes.* ▸ *Chim. Table de Mendeleïev* (☞ *élément*). ▸ *Log.* ***Table** de vérité* : où figurent, sur la première ligne, des symboles de propositions et leur composition avec des opérateurs et, en ordonnée, les valeurs vraies ou fausses de ces propositions. 1050 ; lat. *tabula*, « planche » ; [tabl].

**TABLEAU, subst. m.**
**I. 1.** Panneau servant à mentionner diverses informations : ***Tableau** des départs dans une gare, un aéroport.* ▸ *Enseign.* Panneau vertical sur lequel on écrit à la craie : *Aller au **tableau***, être interrogé. ▸ *Archit.* Chacun des deux pans verticaux d'une embrasure, entre la fenêtre ou la porte et la face extérieure d'un mur. ▸ *Mar.* Panneau situé en poupe et sur lequel était inscrit le nom du navire. ▸ *Jeux.* Partie de la table où l'on pose les mises ; au fig. : *Jouer, miser sur les deux **tableaux**, sur tous les **tableaux*** (☞ *miser*). ▸ Support d'instruments de même nature : ***Tableau** de fusibles, de clés ; **Tableau** de bord*, panneau présentant les commandes et les voyants de contrôle d'un véhicule. **2.** Liste établie selon certains critères : ***Tableau** d'honneur*, liste des élèves les plus méritants ; ***Tableau** d'avancement*, sur lequel figure le nom des personnes dont l'avancement hiérarchique est prévu. ▸ Liste des membres d'un corps professionnel : ***Tableau** des avocats.* ▸ Ensemble de données présentées clairement et simplement, gén. en colonnes, afin de mettre en évidence certaines équivalences : ***Tableau** chronologique, généalogique.* ▸ *Chim.* ***Tableau** périodique des éléments de Mendeleïev* (☞ *élément*). ▸ *Pharm.* ***Tableaux** A, B, C* : listes sur lesquelles étaient inscrites les substances vénéneuses utilisées en médecine. Les produits toxiques étaient classés au **tableau** A, les stupéfiants au **tableau** B et les produits dangereux au **tableau** C. Depuis 1988 la réglementation a été modifiée et on parle aujourd'hui de liste. **II. 1.** *B.-a.* Œuvre picturale réalisée sur un support rigide (toile, panneau, etc.) : ***Tableau** de chevalet*, de dimensions réduites. **2.** Scène réelle évoquant une œuvre picturale : *Le charmant **tableau** offert par ces enfants qui jouent.* ▸ **Tableau de chasse.** Exposition des animaux tués au cours d'une partie de chasse ; par méton., l'ensemble des animaux tués ; par anal., total des succès, des conquêtes : ***Tableau** de chasse d'un aviateur, d'un séducteur.* **3.** Fig. Description imagée : *Dickens a dressé un cruel **tableau** de la société anglaise.* ▸ Loc. *Noircir le **tableau*** : donner une vision pessimiste de qqch. **4.** *Théâtre.* Subdivision d'un acte correspondant à une unité de décor. ▸ ***Tableau** vivant* : disposition des acteurs sur une scène évoquant un **tableau** célèbre. 1328 (fin XIIe s., cible) ; ☞ *table* ; [tablo].

**TABLEAUTIN, subst. m.**
*B.-a.* Petit tableau. 1823 ; ☞ *tableau* ; [tablotɛ̃].

**TABLÉE, subst. f.**
Ensemble de personnes mangeant autour d'une même table. Fin XIIIe s. ; ☞ *table* ; [table].

**TABLER, verbe trans. indir.** [3]
**Tabler sur.** Compter sur (qqn, qqch.) ; escompter (qqch.). 1690 (fin XIIIe s., se mettre à table) ; ☞ *table* ; [table].

**TABLETIER, IÈRE, subst.**
Personne qui fabrique ou vend de la tabletterie. Mil. XIIIe s. ; anc. fr. *tables*, « jeu de trictrac » ; [tablətje, jɛʀ].

**TABLETTE, subst. f.**
**1.** Petite planche fixée à l'intérieur d'un meuble ou sur un mur, sur laquelle on range des objets : ***Tablettes** d'un secrétaire* ; plaque solide servant de support ou de décoration : ***Tablette** d'une cheminée.* **2.** *Antiq.* Petite plaque rectangulaire sur laquelle on écrivait à l'aide d'un poinçon : ***Tablette** d'argile.* ▸ Loc. *Noter qqch. sur ses **tablettes*** : prendre bonne note de qqch. **3.** Produit pharmaceutique ou alimentaire présenté sous forme de plaque rectangulaire : ***Tablette** de chocolat.* Déb. XIIIe s. ; ☞ *table* ; [tablɛt].

**TABLETTERIE, subst. f.**
**1.** Métier, commerce du tabletier. **2.** Fabrication de petits objets raffinés (en bois, jade, ivoire, etc.), en partic. pour les jeux ; par méton., ces objets (pièces d'échiquier, éventails, etc.). 1380 ; ☞ *tabletier* ; [tablɛtʀi].

**TABLEUR, subst. m.**
*Informat.* Progiciel permettant de traiter des données sous forme de tableaux. V. 1980 ; ☞ *tableau* ; [tablœʀ].

**TABLIER, subst. m.**
**I. 1.** Vx. Table de jeux (échecs, trictrac, etc.). **2.** Plate-forme constituant la chaussée d'un pont. **II. 1.** Vêtement de protection constitué d'une pièce de tissu, de cuir, etc., munie d'attaches, porté sur le devant du corps : ***Tablier** de maréchal-ferrant* ; par ext., blouse de protection : ***Tablier** d'écolier.* ▸ Loc. *Rendre son **tablier*** : démissionner (fam.). **2.** Rideau en tôle qui obture l'ouverture d'une cheminée. **3.** *Autom.* Cloison qui sépare le compartiment moteur de l'intérieur de la carrosserie. Fin XIIe s. ; ☞ *table* ; [tablije].

**TABLOÏD, subst. m.**
*Presse.* Publication de demi-format rectangulaire dont la hauteur correspond à la largeur du format normalisé d'un journal ; empl. adj. inv. : *Format **tabloïd**.* 1955 ; angl. *Tabloid* (n. déposé) ; var. *tabloïde* ; [tablɔid].

**TABOU, OUE, adj. et subst. m.**
**ADJ. 1.** Qui fait l'objet d'un interdit sacré : *Nourritures **taboues**.* **2.** Ext. Que l'on tait par crainte, respect ou pudeur : *L'argent était un sujet **tabou**.* **SUBST. 1.** *Anthropol.* Prohibition magico-religieuse dont la transgression est censée entraîner une punition surnaturelle. **2.** Ext. Interdit d'ordre culturel, social ou moral ; interdiction inspirée par la crainte ou la pudeur. 1782 ; angl. *taboo*, du samoan *tapu*, « interdit » ; l'adj. est parfois inv. ; [tabu].

ANTHROPOLOGIE – Les tabous sont des rites dont la fonction est de créer un état de séparation entre deux ordres de choses jugées incompatibles de par leur nature : le sacré et le profane, le pur et l'impur, par exemple. À la différence des actes de consécration, ils ne se limitent pas à élever les choses ou les êtres au-dessus de leur condition profane : ils visent à les protéger des contacts sacrilèges, et à protéger la communauté des désordres engendrés par de tels contacts. Le toucher, l'ingestion, mais également la vue, la parole et la simple association d'idées sont autant de manières possibles d'entrer en rapport avec les choses et les êtres tabous. D'où l'extrême complexité des prescriptions et des prohibitions dont s'entourent certaines cultures : le système de différences et d'oppositions que réalise la logique des tabous, plus qu'un simple dispositif religieux, apparaît alors comme un véritable instrument de classification, garant de l'ordre social et de la loi morale.

**TABOULÉ, subst. m.**
*Cuis.* Plat froid d'origine libanaise ou syrienne, à base de blé concassé ou de couscous, auquel on mélange tomates, oignons, persil, menthe fraîche, huile d'olive et jus de citron. V. 1970 ; ar. *tabbūleh* ; [tabule].

**TABOURET, subst. m.**
Siège sans dossier ni accoudoirs. 1525 (1422, pelote à épingles) ; *tabour* (vx), « tambour » ; [tabuʀɛ].

**TABULAIRE, adj.**
**1.** En forme de table. **2.** *Géol.* Plat. 1823 (mil. XIVe s., officier chargé de dresser les rôles d'imposition) ; lat. *tabula*, « table » ; [tabylɛʀ].

**TABULATEUR, subst. m.**
*Techn.* Dispositif d'arrêt automatique du chariot d'une machine à écrire, au même endroit à chaque ligne, afin que les caractères ou les chiffres soient alignés sur une même colonne. 1908 ; lat. *tabula*, « table » ; [tabylatœʀ].

**TABULATION, subst. f.**
**1.** Utilisation d'un tabulateur. **2.** Mise en page permettant d'obtenir une disposition en tableau. V. 1960 (1933, mode de fonctionnement dans une tabulatrice) ; ☞ *tabulatrice* ; [tabylasjɔ̃].

**TABULATRICE, subst. f.**
Machine utilisée pour le traitement des cartes perforées. 1921 ; lat. *tabula*, « table » ; [tabylatʀis].

**TABULÉ, subst. m.**
*Paléont.* Cœlentéré madréporaire fossile de l'ère primaire, caractérisé par la présence de planchers horizontaux (tabules) dans son squelette calcaire. Lat. *tabula*, « table » ; [tabyle].

**TAC, subst. m.**
**1.** Bruit sec. **2.** *Escr.* Bruit des lames qui s'entrechoquent. ▸ Loc. *Répondre du **tac** au **tac*** : riposter avec vivacité. Fin XVIe s. ; onomat. ; [tak].

**TACAUD, subst. m.**
*Zool.* Petit poisson osseux à dos brunâtre, de la famille des Gadidés, commun sur les côtes de l'Atlantique. 1769 ; breton *takohed* ; [tako].

**TACCA, subst. m.**
*Bot.* Genre de plante herbacée des régions intertropicales, à rhizome tuberculeux, dont une espèce a un bulbe qui produit une fécule alimentaire, l'arrow-root. 1827 ; malais *takah*, « dentelé » ; [taka].

**TACET, subst. m.**
*Mus.* Mot porté sur une partition par le compositeur pour notifier à l'exécutant qu'il doit garder le silence durant le passage. 1613 ; lat. *tacet*, « il se tait » ; [tasɛt].

**TACHE, subst. f.**
**I. 1.** Marque, trace laissée par une substance salissante : ***Tache** de sauce.* **2.** Fig. Ce qui porte atteinte à l'honneur, à la réputation. ▸ *Théol.* ***Tache** originelle* : péché originel. **II. 1.** Petite marque naturelle sur la peau, due à une altération locale de la pigmentation : ***Tache** de rousseur*, éphélide ; ***Tache** de vin*, angiome. **2.** Marque de couleur différente de celle du fond sur le pelage, le plumage, la peau d'un animal ou sur les feuilles, la tige d'une plante. **3.** *Anat.* ▸ ***Tache** jaune* : macula. ▸ ***Tache** auditive* : petite zone en saillie du saccule et de l'utricule de l'oreille interne, correspondant à la terminaison du nerf auditif. **4.** *Astron.* Structure caractéristique, isolée et permanente, présente dans l'atmosphère ou sur la surface des astres : ***Taches** solaires.* **5.** *Peint.* Petite surface de couleur tranchant sur le fond ; touche de couleur. ▸ Loc. *Faire **tache*** : contraster fâcheusement avec son environnement (fam.). Fin XIe s. ; ☞ *tacher* ; [taʃ].

**TÂCHE, subst. f.**
**1.** Travail que l'on doit exécuter sous certaines conditions. ▸ Loc. **À la tâche.** Pour un travail défini : *Être payé à la **tâche**.* **2.** Ce qu'il est de son devoir d'accomplir, mission : *Une noble **tâche**.* Fin XIIe s. ; lat. médiév. *tasca*, « redevance agricole », du lat. *taxare*, « taxer » ; [tɑʃ].

**TACHÉOMÈTRE, subst. m.**
*Topogr.* Appareil servant à lever rapidement des plans et à mesurer des dénivellations. 1875 ; formé de *tachéo-* et de *-mètre*[1] ; [takeɔmɛtʀ].

**TACHER, verbe trans.** [3]
**1.** Vx. Ternir (l'honneur, la réputation). **2.** Faire une tache, des taches sur ; empl. abs. : *Produit qui **tache**.* **PRONOM.** Se salir. Fin XIIe s. (fin XIe s., tacheter) ; p.-ê. lat. pop. °*tagicare*, du lat. *tangere*, « toucher » ; [taʃe].

**TÂCHER, verbe trans.** [3]
**TRANS. INDIR. Tâcher de** (+ inf.). Tenter de, fournir des efforts pour : ***Tâchez** de réussir.* **TRANS. DIR. *Tâcher que*** (+ subj.) : faire en sorte que. Mil. XIVe s. ; ☞ *tâche* ; [tɑʃe].

**TÂCHERON, ONNE, subst.**
**1.** Personne payée à la tâche. **2.** Personne qui ne fait qu'exécuter une besogne, en gén. ingrate (péj.). **MASC.** *Bât.* Entrepreneur engagé en sous-traitance. 1506 ; ☞ *tâcher* ; [tɑʃ(ə)ʀɔ̃, ɔn].

**TACHETER,** verbe trans. [14]
Parsemer de petites taches ; empl. adj. : *La robe tachetée du guépard.* 1538 ; ☞ *tache* ; [taʃ(ə)te].

**TACHETURE,** subst. f.
Ensemble de petites taches. 1611 ; ☞ *tacheter* ; [taʃ(ə)tyʀ].

**TACHINE,** subst. f.
*Zool.* Grosse mouche noire de l'ordre des Diptères, qui vit sur les fleurs et dont la larve parasite certaines chenilles. 1817 ; lat. *tachina*, du gr. *takinos*, « rapide » ; [takin].

**TACHISME,** subst. m.
*Peint.* **1.** Technique des peintres impressionnistes et néo-impressionnistes, qui peignaient par petites touches de couleur. **2.** Tendance de l'art non-figuratif accordant une grande place à la spontanéité et à la gestuelle, et recourant à des techniques telles que la projection, la coulure, etc. 1897 ; ☞ *tache* ; [taʃism].

**TACHISTE,** adj. et subst.
Se dit d'un peintre adepte du tachisme. ADJ. Relatif au tachisme. 1882 ; ☞ *tache* ; [taʃist].

**TACHISTOSCOPE,** subst. m.
*Techn.* Appareil émettant une succession d'images lumineuses et qui permet notamment de tester la rapidité d'identification visuelle. 1945 ; gr. *takhistos*, « très rapide », + *-scope* ; [takistɔskɔp].

**TACHYARYTHMIE,** subst. f.
*Pathol.* Arythmie cardiaque accompagnée de tachycardie. 1912 ; crois. de *tachycardie* et de *arythmie* ; [takiaʀitmi].

**TACHYCARDIE,** subst. f.
*Pathol.* Augmentation de la fréquence cardiaque au-delà de 100 battements par minute. 1871 ; prob. all. *Tachykardie*, du gr. *takhus*, « rapide », et *kardia*, « cœur » ; [takikaʀdi].

**TACHYGRAPHE,** subst. m.
*Techn.* Appareil enregistrant la vitesse, en partic. celle des véhicules automobiles. 1881 (1765, qui pratique la tachygraphie, système d'écriture rapide) ; formé de *tachy-* et de *-graphe* ; [takigʀaf].

**TACHYMÈTRE,** subst. m.
*Techn.* Appareil mesurant la vitesse angulaire de machines rotatives. 1811 ; formé de *tachy-* et de *-mètre*[1] ; [takimɛtʀ].

**TACHYON,** subst. m.
*Phys. part.* Particule élémentaire hypothétique, dont la vitesse de propagation dans le vide serait supérieure à celle de la lumière. V. 1970 ; gr. *takhus*, « rapide » ; [takjɔ̃].

**TACHYPHÉMIE,** subst. f.
*Pathol.* Augmentation du débit verbal, observée notamment dans la maladie de Parkinson. 1923 ; gr. *phêmê*, « parole », + *tachy-* ; [takifemi].

**TACITE,** adj.
Qui est sous-entendu entre plusieurs personnes : *Accord **tacite** ; Bail renouvelé par **tacite** reconduction.* 1286 ; lat. *tacitus*, de *tacere*, « se taire » ; [tasit].

**TACITEMENT,** adv.
Implicitement. 1474 ; ☞ *tacite* ; [tasitmɑ̃].

**TACITURNE,** adj.
Qui est d'un naturel peu bavard ; qui n'est pas d'humeur à parler, morose. 1530 (fin XVe s., où il n'y a pas de bruit) ; lat. *taciturnus* ; [tasityʀn].

**TACLE,** subst. m.
*Sp.* Au football, action de s'emparer du ballon en le bloquant du pied ou en effectuant une glissade. 1913 ; angl. *tackle*, de *to tackle*, « saisir » ; [takl].

**TACO,** subst. m.
*Cuis.* Petite crêpe de farine de maïs, remplie d'une garniture froide ou chaude, propre à la cuisine mexicaine. Mot nahuatl ; [tako].

**TACON (I),** subst. m.
Helv. Pièce de tissu utilisée pour raccommoder un vêtement. XIIe s. ; anc. bas frq. °*takko*, « languette ; pointe » ; [takɔ̃].

**TACON (II),** subst. m.
*Zool.* Nom donné au jeune saumon, durant les deux années qu'il passe dans les rivières avant de rejoindre la mer pour y terminer sa croissance. 1555 ; bas lat. *tecco*, prob. d'orig. gaul. ; [takɔ̃].

**TACOT,** subst. m.
Fam. **1.** Vieille voiture, qui fonctionne mal. **2.** Train lent, tortillard. 1905 (1802, pièce d'un métier à tisser) ; orig. onomat. ; [tako].

**TACT,** subst. m.
**1.** Vx. Sens du toucher. **2.** *Physiol.* Sensibilité spécifique de la peau au contact ou à la pression : *Le **tact** est un aspect du sens du toucher.* **3.** Fig. Délicatesse, doigté : *Avoir du **tact** ; Manquer de **tact**.* 1376 ; lat. *tactus*, de *tangere*, « toucher » ; [takt].

**TACTICIEN, IENNE,** subst.
**1.** Spécialiste de la tactique militaire. **2.** Ext. Personne experte en l'art d'arriver habilement à ses fins. 1757 ; ☞ *tactique* ; [taktisjɛ̃, jɛn].

**TACTILE,** adj.
**1.** Perçu au toucher. **2.** Qui concerne le sens du toucher : *Impressions **tactiles**.* ▸ *Techn. Écran **tactile*** : qui réagit au toucher. Déb. XVIe s. ; lat. *tactilis*, de *tangere*, « toucher » ; [taktil].

**TACTIQUE,** subst. f. et adj.
SUBST. **1.** *Milit.* Art de mettre en œuvre une stratégie en combinant divers moyens militaires lors d'un combat. **2.** Anal. Art de coordonner les divers moyens de parvenir à un résultat : *La **tactique** sportive* ; ensemble de ces moyens : *La nouvelle **tactique** d'un syndicat.* ADJ. Relatif à une **tactique** : *Repli **tactique**.* Fin XVIIe s. (déb. XIVe s., maître qui enseigne l'art de guerroyer) ; gr. *taktikê tekhnê*, « art de disposer » ; [taktik].

**TACTISME,** subst. m.
*Zool.* Réaction d'orientation d'un organisme vivant sous l'effet de divers facteurs physiques ou chimiques. Ce phénomène se divise en **tactisme** positif, ou attraction, et **tactisme** négatif, ou répulsion (vieilli). 1897 ; gr. *taktos*, « réglé, ordonné » ; [taktism].

**TADJIK,** adj. et subst.
Du Tadjikistan. SUBST. MASC. Langue de ce pays, variété de persan écrite en cyrillique. 1722 ; persan *tâjik*, « persanophone » ; [tadʒik].

**TADORNE,** subst. m.
*Zool.* Grand canard migrateur de la famille des Anatidés, à bec rouge et au plumage multicolore, qui niche dans des terriers. 1465 ; orig. inc. ; [tadɔʀn].

© Frédéric-Jacana

*Tadorne de Belon.*

**TAEKWONDO,** subst. m.
Art martial coréen proche du karaté. V. 1980 ; mot coréen ; [taekwɔ̃ndo] ou [tekwɔ̃do].

**TAEL,** subst. m.
Ancienne monnaie chinoise. 1664 ; port. *tael*, du malais *tahil* ; var. *taël* ; [taɛl].

**TÆNIA,** voir **TÉNIA**

**TAFFETAS,** subst. m.
Étoffe légère, gén. de soie, sans envers. 1314 ; persan *tâfta*, « tissé » ; [tafta].

**TAFIA,** subst. m.
Aux Antilles, eau-de-vie tirée des mélasses de canne à sucre. 1659 ; aphérèse de *ratafia* ; [tafja].

**TAG,** subst. m.
Graffiti, dessin réalisé dans un lieu public, gén. sur un mur et à la bombe de peinture. V. 1980 ; angl. *tag*, « insigne » ; [tag].

**TAGAL,** subst. m.
**1.** *Ling.* Tagalog. **2.** Fibre végétale provenant de certains palmiers : *Chapeau en **tagal**.* 1808 ; malais *taga*, « indigène » ; plur. *tagals* ; [tagal].

**TAGALOG,** subst. m.
*Ling.* Langue malayo-polynésienne parlée par les Tagals, peuple de l'île de Luçon, et officielle aux Philippines (abrév. : tagal). 1834 ; malais *tagalog*, de *taga*, « indigène », et de *ilog*, « rivière » ; [tagalɔg].

**TAGÈTE,** subst. m.
*Bot.* Plante ornementale de la famille des Astéracées, aussi appelée œillet d'Inde. 1765 ; lat. sc. *tagetes*, de *Tages*, divinité étrusque ; var. *tagette* ; [taʒɛt].

**TAGINE,** voir **TAJINE**

**TAGLIATELLE,** subst. f.
*Cuis.* Pâte alimentaire en forme de longue lamelle (gén. au plur.). 1875 ; ital. *tagliatelle*, de *tagliare*, « tailler » ; plur. *tagliatelle(s)* ; [taljatɛl].

**TAGUEUR, EUSE,** subst.
Personne qui fait des tags. V. 1990 ; ☞ *tag* ; [tagœʀ, øz].

**TAHITIEN, IENNE,** adj. et subst.
De Tahiti. SUBST. MASC. Langue de la Polynésie française. 1771 ; topon. *Tahiti* ; [taisjɛ̃, jɛn].

**TAÏAUT,** interj.
*Vèn.* Cri du veneur qui avertit que l'animal pourchassé est débusqué ; exhortation à la charge. Fin XIIIe s. ; onomat. ; var. *tayaut* ; [tajo].

**TAÏ-CHI-CHUAN,** subst. m.
*Sp.* Gymnastique chinoise faite de mouvements lents. V. 1980 ; chinois *taiji quan*, de *taiji*, « faîte suprême », et de *quan*, « boxe » ; [tajʃiʃwan].

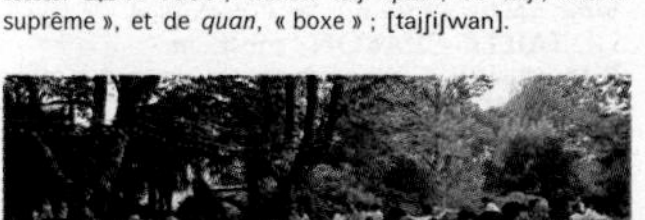

© W. Stevens-Gamma Sport

*Taï-chi-chuan à Shanghai.*

**TAIE,** subst. f.
**1.** Enveloppe de tissu dont on recouvre un oreiller. **2.** *Pathol.* Voile blanc recouvrant tout ou partie de la cornée, en partic. après un traumatisme. Mil. XIIe s. ; lat. *theca*, du gr. *thêkê*, « étui ; boîte » ; [tɛ].

**TAÏGA,** subst. f.
Forêt de conifères s'étendant au nord de l'Eurasie et de l'Amérique. 1905 ; russe *tajga* ; [taiga].

**TAIJI,** subst. m.
*Relig.* Dans la cosmogonie chinoise, symbole du principe premier de l'Univers, figurant l'équilibre des forces yin et yang. Var. *t'ai-ki* ; [tajdʒi].

**TAILLABLE,** adj.
**1.** *Hist.* Soumis à la taille. **2.** Loc. *Être **taillable** et corvéable à merci* (☞ *corvéable*). 1238 ; ☞ *taille* ; [tajabl].

**TAILLADE,** subst. f.
**1.** *Cout.* Ouverture allongée pratiquée dans un habit pour laisser voir la doublure ou le vêtement de dessous (vx). **2.** Coupure faite dans les chairs avec un instrument tranchant. 1512 (1420, épée utilisée pour frapper de taille) ; ital. *tagliata*, de *tagliare*, « tailler » ; [tajad].

**TAILLADER,** verbe trans. [3]
Couper par taillades, faire des entailles à ; empl. adj. : *Visage **tailladé**.* 1538 ; ☞ *taillade* ; [tajade].

**TAILLAGE,** subst. m.
*Mécan.* Action d'usiner une pièce métallique en lui enlevant de la matière avec un outil coupant. 1255 (fin XIIe s., perception de la taille) ; ☞ *tailler* ; [tajaʒ].

**TAILLANDERIE,** subst. f.
**1.** Ensemble des outils et instruments tranchants. **2.** Fabrication et commerce de ces objets. 1581 (1409, morceaux d'étoffes) ; ☞ *taillandier* ; [tajɑ̃dʀi].

**TAILLANDIER, IÈRE,** subst.
Artisan qui pratique la taillanderie. 1500 (1390, tailleur d'habits) ; ☞ *tailler* ; [tajɑ̃dje, jɛʀ].

**TAILLE,** subst. f.
**I.** *Hist.* Prélèvement seigneurial sur les roturiers, qui devint un impôt royal à partir du XVe s. **II. 1.** Côté tranchant d'une épée : *Frapper d'estoc et de **taille**.* **2.** Action de tailler ; manière de tailler ; son résultat. ▸ *Arboric.* Action de raccourcir les rameaux d'un arbre, d'un arbuste. ▸ *Bât. Pierre de **taille*** (☞ *pierre*). ▸ *Grav.* Mise en relief, par incision, du dessin d'une gravure avant encrage. ▸ *Joaill.* Façonnage d'une pierre brute. ▸ *Mines.* Galerie au front allongé, creusée simultanément sur toute sa longueur. **3.** *Mus.* Ténor (vx). **III. 1.** Hauteur du corps d'un individu : *Elle se redressa de toute sa **taille**.*

► Loc. *De* **taille** *à* : capable de ; *Un adversaire à sa* **taille** : de son niveau. **2.** Méton. Mesure standard d'un vêtement : *Une* **taille** *40.* **3.** Ext. Dimension d'un animal, d'un objet, d'une entité : *Brochet de belle* **taille**. ► Loc. *De* **taille** : d'importance. **4.** Partie du tronc comprise entre la poitrine et les hanches : *Elle a la* **taille** *fine* ; *Une* **taille** *de guêpe*, très fine. ► Portion de vêtement ceignant cette zone du corps : *Pardessus à* **taille** *cintrée.* ▣ Mil. XIIᵉ s. ; ☞ *tailler* ; [taj].

**TAILLÉ, ÉE, adj.**
**1.** Bâti, en parlant de qqn : **Taillé** *en athlète.* ► Loc. **Taillé** *pour* : fait pour, apte à. **2.** Coupé, élagué : *Ongles* **taillés** ; *Buisson* **taillé**. ► Loc. *Une cote mal* **taillée** (☞ *cote*). **3.** *Hérald.* Qualifie un écu divisé diagonalement en deux parties égales par une ligne joignant l'angle senestre du chef et l'angle dextre de la pointe ; empl. subst. masc. : *Un* **taillé**, un écu **taillé**. ▣ Fin XIIᵉ s. ; p. p. de *tailler* ; [taje].

**TAILLE-CRAYON, subst. m.**
Petit ustensile à lame tranchante, servant à tailler les crayons. ▣ 1828 ; comp. de *tailler* et de *crayon* ; plur. *taille-crayon(s)* ; [tajkʀɛjɔ̃].

**TAILLE-DOUCE, subst. f.**
*Grav.* **1.** Procédé de gravure en creux sur métal, en partic. au burin. **2.** Méton. Planche ainsi gravée ; estampe obtenue par ce procédé. ▣ 1561 ; comp. de *taille* et de *doux* ; plur. *tailles-douces* ; [tajdus].

**TAILLE-HAIE, subst. m.**
Sécateur électrique. ▣ V. 1980 ; comp. de *tailler* et de *haie* ; plur. *taille-haies* ; [taj(ə)ɛ].

**TAILLER, verbe trans.** [3]
**1.** Couper (qqch.) en morceaux, trancher. ► Loc. **Tailler** *en pièces une armée* : l'écraser. **2.** Façonner (un objet, une matière) à l'aide d'un instrument tranchant : **Tailler** *un crayon, un rubis* ; **Tailler** *en pointe.* ► *Arboric.* Couper les ramifications de (un végétal) pour l'entretenir ou lui donner une forme particulière. **3.** *Cout.* Découper dans une étoffe les pièces nécessaires à la confection de (un vêtement) ; empl. intrans. : *Ce pantalon* **taille** *grand.* PRONOM. **1.** Couper pour soi-même : *Se* **tailler** *une tranche de pain.* **2.** Ext. S'ouvrir un accès : *Se* **tailler** *un passage.* **3.** Fig. S'attribuer. ► Loc. *Se* **tailler** *la part du lion* (☞ *lion*). **4.** S'enfuir (pop.). ▣ Fin Xᵉ s. ; lat. pop. °*taliare*, du lat. *talea*, « bouture » ; [taje].

**TAILLERIE, subst. f.**
**1.** Atelier où l'on taille les pierres précieuses, les pierres fines. **2.** Art, activité de ceux qui taillent ces pierres. ▣ 1867 (1293, métier du tailleur d'habits) ; ☞ *tailler* ; [tajʀi].

**TAILLEUR, subst. m.**
**1.** Personne dont le métier est de tailler : **Tailleur** *de pierres.* **2.** *Cout.* Artisan qui confectionne des vêtements sur mesure. ► Loc. *Assis en* **tailleur** : jambes repliées et genoux écartés (par allus. à la position des anciens **tailleurs**). **3.** *Cost.* Tenue féminine composée d'une veste et d'une jupe coordonnées. ▣ Fin XIIᵉ s. ; ☞ *tailler* ; [tajœʀ].

**TAILLIS, subst. m.**
Partie d'un bois qui se compose d'arbres issus de souches et de drageons, coupés à intervalles réguliers. ▣ 1216 ; ☞ *tailler* ; [taji].

**TAILLOIR, subst. m.**
**1.** *Hist.* Plateau sur lequel on découpait les viandes. **2.** *Archit.* Plateau qui couronne le chapiteau d'une colonne. ▣ Fin XIIᵉ s. ; ☞ *tailler* ; [tajwaʀ].

**TAILLOLE, subst. f.**
Région. (Provence, Catalogne). Longue ceinture de laine, gén. rouge, enroulée plusieurs fois autour de la taille. ▣ 1665 ; anc. prov. *talhola*, du lat. pop. °*taliare*, « tailler » ; [tajɔl].

**TAIN, subst. m.**
Amalgame de métaux dont on enduit la face interne d'un miroir pour le rendre réfléchissant. ► *Glace sans* **tain** : réfléchissante d'un côté, transparente de l'autre, et qui permet de voir sans être vu. ▣ 1680 (déb. XIIIᵉ s., étain dont on recouvre les boucliers) ; ☞ *étain* ; [tɛ̃].

**TAIRE, verbe trans.** [59]
PRONOM. **1.** Cesser de parler ; garder le silence. **2.** Cesser de produire un cri, un son : *Les cloches se* **sont tues**. TRANS. Passer sous silence, garder secret : **Taire** *son identité* ; **Taire** *un sentiment.* ▣ Fin Xᵉ s. ; anc. fr. *taisir*, du lat. *tacere* ; [tɛʀ].

**TAISEUX, EUSE, adj. et subst.**
Belg. Se dit d'une personne taciturne : *Guillaume le* **Taiseux**, le Taciturne. ▣ XIVᵉ s. ; ☞ *taire* ; [tɛzø, øz].

**TAJINE, subst. m.**
*Cuis.* **1.** Plat en terre utilisé en Afrique du Nord. **2.** Méton. Mets à base de viande ou de légumes, préparé dans ce plat. ▣ 1903 ; ar. *ṭāǧin*, du gr. *tagênon*, « poêle à frire » ; var. *tagine* ; [taʒin].

**TAKE-OFF, subst. m. inv.**
Étape décisive de la croissance d'une économie (anglic.). ▣ V. 1960 ; angl. *take-off*, de *to take off*, « décoller » ; recomm. off. *décollage économique* ; [tɛkɔf].

**TALC, subst. m.**
**1.** *Minér.* Minéral monoclinique de la famille des phyllosilicates, tendre, au toucher savonneux (synon. *stéatite*). **2.** Ce minéral en poudre, utilisé notamment en dermatologie et en cosmétologie. ▣ 1553 ; ar. *ṭalq*, « mica, gypse » ; [talk].

**TALED, voir TALETH**

**TALENT, subst. m.**
**I.** *Antiq.* **1.** En Grèce, unité de poids variant de 20 à 27 kg. **2.** Ext. Unité monétaire équivalant à un **talent** d'or ou d'argent. **II. 1.** Don, disposition naturelle pour réussir qqch. **2.** Abs. Aptitude intellectuelle ou artistique remarquable : *Avoir du* **talent** ; par méton., personne qui a du **talent**. ▣ Fin XIIᵉ s. (fin Xᵉ s., état d'esprit) ; lat. *talentum*, du gr. *talenton*, « plateau de balance » ; [talɑ̃].

**TALENTUEUX, EUSE, adj.**
Qui fait preuve de talent ; qui le dénote. ▣ 1857 ; ☞ *talent* ; [talɑ̃tɥø, øz].

**TALER, verbe trans.** [3]
Marquer de meurtrissures ; empl. adj. : *Fruit* **talé**. ▣ 1418 ; germ. °*talôn*, « arracher » ; [tale].

**TALETH, subst. m.**
*Relig.* Châle blanc que les juifs revêtent pour la prière. ▣ 1674 ; hébreu *ṭallīṯ* ; var. *talith, tallith, talleth, taled* ; [talɛt].

**TALION, subst. m.**
Peine infligée à un condamné, identique à l'offense commise, selon la formule du Lévitique, « œil pour œil, dent pour dent » : *Loi du* **talion**. ▣ Fin XIVᵉ s. ; lat. *talio*, de *talis*, « tel » ; [taljɔ̃].

**TALISMAN, subst. m.**
**1.** Objet rituel auquel on attribue des vertus magiques. **2.** Ext. Porte-bonheur. ▣ 1592 ; persan *ṭelesm*, du gr. *telesma*, « rite religieux » ; [talismɑ̃].

**TALISMANIQUE, adj.**
Qui est inscrit sur un talisman ; qui a le pouvoir d'un talisman. ▣ 1592 ; ☞ *talisman* ; [talismanik].

**TALITH, voir TALETH**

**TALITRE, subst. m.**
*Zool.* Petit crustacé sauteur, arénicole, aussi appelé puce de mer. ▣ 1802 ; lat. sc. *talitrus*, du lat. *talitrum*, « chiquenaude » ; [talitʀ].

**TALKIE-WALKIE, subst. m.**
Émetteur-récepteur portatif, de faible portée (anglic.). ▣ 1949 ; anglo-amér. *talkie-walkie*, de *to talk*, « parler », et de *to walk*, « marcher » ; plur. *talkies-walkies*, var. *walkie-talkie* (plur. *walkies-talkies*) ; [tokiwoki].

**TALK-SHOW, subst. m.**
*Télév.* Émission présentant un animateur conversant avec des invités sur un sujet choisi (anglic.). ▣ V. 1990 ; anglo-amér. *talk show*, de l'angl. *to talk*, « parler », et de *show*, « spectacle » ; plur. *talk-shows* ; [tokʃo].

**TALLAGE, subst. m.**
*Bot.* **1.** Fait de taller. **2.** Ensemble des pousses d'une plante qui talle. ▣ 1843 ; ☞ *taller* ; [talaʒ].

**TALLE, subst. f.**
*Bot.* Tige secondaire munie de racines adventives, se développant à la base de la tige principale des Poacées. ▣ XVᵉ s. ; lat. *thallus*, du gr. *thallos*, « jeune pousse » ; [tal].

**TALLER, verbe intrans.** [3]
*Bot.* Donner naissance à une, à plusieurs talles. ▣ 1467 ; ☞ *talle* ; [tale].

**TALLETH, voir TALETH**

**TALLIPOT, subst. m.**
*Bot.* Palmier du sud de l'Inde. ▣ 1683 ; malayalam *tālipat* ou hindi *tālpāt*, du skr. *tālapattra*, de *tala*, « palmier », et de *pattra* « feuille » ; [talipo].

**TALLITH, voir TALETH**

**TALMOUSE, subst. f.**
*Cuis.* Tartelette nappée de sauce au fromage. ▣ Fin XIVᵉ s. ; orig. obsc. ; [talmuz].

**TALMUDIQUE, adj.**
*Relig.* Relatif, propre au Talmud. ▣ 1546 ; *Talmud*, recueil d'enseignements rabbiniques ; [talmydik].

**TALMUDISTE, subst. m.**
*Relig.* **1.** Auteur, compilateur du Talmud. **2.** Exégète, spécialiste du Talmud. ▣ 1532 ; *Talmud*, recueil d'enseignements rabbiniques ; [talmydist].

**TALOCHE (I), subst. f.**
Gifle (fam.). ▣ 1606 ; ☞ *taler* ; [talɔʃ].

**TALOCHE (II), subst. f.**
*Bât.* Planchette munie d'un manche, servant à étendre un enduit sur une surface. ▣ 1842 (1320, bouclier) ; anc. fr. *talevaz*, « petit bouclier » ; [talɔʃ].

**TALON, subst. m.**
**I. 1.** *Anat.* Partie postérieure du pied, dont le squelette est le calcanéum. ► *Hippol.* Partie du sabot des Équidés située en arrière de la fourchette. ► Loc. **Talon** *d'Achille* : point faible de qqn, de qqch. (par réf. à l'*Iliade*) ; *Avoir l'estomac dans les* **talons** (☞ *estomac*) ; *Être sur les* **talons** *de qqn* : le suivre de très près ; *Tourner les* **talons** : partir, s'en aller brusquement. **2.** Méton. ► Partie d'une chaussure, d'une chaussette, etc., qui correspond à cette partie du pied. ► Support rehaussant la partie postérieure d'une chaussure : **Talons** *plats* ; **Talons** *aiguilles*, hauts et fins. **II.** Anal. **1.** Extrémité de qqch. : **Talon** *d'un ski*, son extrémité arrière ; **Talon** *d'un pain, d'un jambon*, partie restante qu'on ne peut plus trancher. **2.** *Spéc.* ► *Archit.* Moulure formée d'une courbe convexe supérieure reliée à une courbe concave inférieure. ► *Jeux.* Ensemble des cartes, des dominos restant après la première distribution. ► *Mar.* **Talon** *de quille* : son extrémité postérieure. **3.** Partie non détachable d'un feuillet, dont l'ensemble constitue la souche d'un registre, d'un carnet, d'un chéquier. ▣ 1155 ; lat. pop. °*talo* ; [talɔ̃].

**TALONNAGE, subst. m.**
**1.** *Mar.* Fait de talonner. **2.** *Sp.* Action de talonner le ballon. ▣ 1783 ; ☞ *talonner* ; [talɔnaʒ].

**TALONNEMENT, subst. m.**
**1.** Action de talonner une monture. **2.** Fig. Harcèlement. ▣ 1559 ; ☞ *talonner* ; [talɔnmɑ̃].

**TALONNER, verbe** [3]
TRANS. **1.** Presser (sa monture) du talon ou de l'éperon ; au fig., harceler : **Être talonné** *par le fisc, par le malheur.* **2.** Suivre de très près. **3.** Frapper du talon. ► *Sp.* Au rugby, envoyer (le ballon) dans son camp d'un coup de talon. INTRANS. *Mar.* Heurter le fond avec le talon de la quille. ▣ Fin XIIᵉ s. ; ☞ *talon* ; [talɔne].

**TALONNETTE, subst. f.**
**1.** Partie renforcée du talon d'un bas (vieilli). **2.** Épaisseur de liège qu'on glisse dans la chaussure sous le talon. **3.** Pièce de tissu cousue au bas d'un pantalon pour en atténuer l'usure. ▣ 1824 ; ☞ *talon* ; [talɔnɛt].

**TALONNEUR, EUSE, subst.**
*Sp.* Joueur de rubgy chargé de talonner. ▣ 1906 ; ☞ *talonner* ; [talɔnœʀ, øz].

**TALONNIÈRE, subst. f.**
**1.** *Myth.* Chacune des deux ailes fixées aux talons de Mercure. **2.** Partie arrière d'une fixation de sécurité sur un ski. ▣ Déb. XVIᵉ s. (fin XIIIᵉ s., talon) ; ☞ *talon* ; [talɔnjɛʀ].

**TALPACK, subst. m.**
*Cost.* Coiffure des soldats turcs au XIVᵉ s., puis des chasseurs de l'armée française sous le second Empire. ▣ 1764 ; altér. du turc *kalpak* ; [talpak].

**TALUS (I), subst. m.**
**1.** Terrain en pente, formé naturellement ou du fait de travaux de terrassement : *Un* **talus** *longe la voie ferrée.* **2.** Face d'un mur ayant un fruit prononcé. **3.** *Océanogr.* **Talus** *continental* : zone de passage à pente modérée, entre le plateau continental et la plaine abyssale. ▣ Fin XVᵉ s. (mil. XIIᵉ s., étançon) ; prob. gaul. °*talutum*, « versant » ; [taly].

**TALUS (II), adj. m.**
*Pathol. Pied* **talus** : pied dont seul le talon touche le sol, l'autre partie formant avec la jambe un angle aigu. ▣ 1872 ; lat. *talus*, « talon » ; [taly].

**TALWEG, subst. m.**
*Géomorph.* **1.** Ligne de fond d'une vallée, sèche ou dotée d'un cours d'eau. **2.** Ext. Ligne médiane d'un cours d'eau : *Le* **talweg** *du Rhin.* **3.** *Météor.* Zone de dépression. ▣ 1804 ; all. *Talweg*, de *Tal*, « vallée », et de *Weg*, « chemin » ; var. *thalweg* ; [talvɛg].

**TAMANOIR, subst. m.**
*Zool.* Mammifère solitaire d'Amérique du Sud communément appelé grand fourmilier, qui peut mesurer 1,20 m et peser 50 kg. Sa langue mince,

couverte d'un mucus gluant, et ses griffes capables d'éventrer les fourmilières et les termitières lui permettent de capturer les insectes dont il se nourrit. 1756 ; langue des Caraïbes *tamanoa* ; [tamanwaʀ].

**TAMARIN (I),** subst. m.
**1.** Fruit du tamarinier. **2.** Tamarinier. $\text{XIII}^{e}$ s. ; lat. médiév. *tamarindus*, de l'ar. *tamr hindī* ; [tamaʀɛ̃].

**TAMARIN (II),** subst. m.
*Zool.* Petit singe d'Amérique du Sud, voisin du ouistiti. 1614 ; prob. orig. tupi ; [tamaʀɛ̃].

© Frédéric-Jacana

*Tamarin.*

**TAMARINIER,** subst. m.
*Bot.* Arbre tropical de la famille des Fabacées, dont une espèce fournit un fruit sucré aux propriétés laxatives. 1604 ; ☞ *tamarin* (I) ; [tamaʀinje].

**TAMARIS,** subst. m.
*Bot.* Arbuste ornemental des régions méditerranéennes et désertiques, à très petites feuilles et à grappes de fleurs roses. 1213 ; prov. *tamaris*, du bas lat. *tamariscus* ; [tamaʀis].

**TAMBOUILLE,** subst. f.
Fam. **1.** Plat grossier. **2.** Cuisine : *Faire la* **tambouille**. 1866 ; prob. aphérèse de *pot-en-bouille* ; [tɑ̃buj].

**TAMBOUR,** subst. m.
**I. 1.** Instrument à percussion constitué d'une caisse de forme cylindrique dont les fonds sont formés de peaux tendues que l'on fait résonner avec des baguettes. ► Loc. *Mener une affaire* **tambour** *battant* : rondement ; *Sans* **tambour** *ni trompette* (☞ *trompette*). **2.** Ext. Tout instrument à percussion muni d'une cavité résonante : **Tambour** *militaire, d'acier, à friction, africain.* ► **Tambour** *de basque* (☞ *basque*). **3.** Méton. Personne qui bat du **tambour** : *Un* **tambour** *de ville*, garde champêtre qui faisait des annonces à travers la ville. **II.** *Spéc.* **1.** *Archit.* ► Assise de pierre cylindrique d'un fût de colonne. ► Cylindre qui soutient une coupole. **2.** *Constr.* Système à double porte, sas placé à l'entrée de certains édifices afin d'en isoler l'intérieur ; par ext., enceinte circulaire comportant quatre vantaux disposés en croix, qui tournent autour d'un axe vertical. **3.** *Cout.* Petit métier utilisé pour broder à l'aiguille. **4.** *Horlog.* Cylindre sur lequel s'enroule la chaîne d'une horloge ; boîtier du ressort d'une montre. **5.** *Informat.* **Tambour** *magnétique* : cylindre métallique sur lequel on peut enregistrer des caractères (chiffres ou lettres) sous forme de points magnétiques. **6.** *Mécan.* **Tambour** *de frein* : pièce cylindrique solidaire de la roue, sur laquelle s'exerce le frottement du segment de frein. **7.** *Techn.* Cylindre d'un treuil. Fin $\text{XI}^{e}$ s. ; persan *tabir*, « tambourin » ; [tɑ̃buʀ].

**TAMBOURIN,** subst. m.
**1.** *Mus.* Instrument à percussion, au fût haut et étroit ; en partic., tambour provençal que l'on frappe d'une seule main. ► Ext. Tambour de basque. **2.** Méton. Danse provençale à deux temps, dont la mesure est marquée par le **tambourin**. **3.** Anal. Cercle tendu d'une peau, sur lequel on fait rebondir une balle ; jeu se pratiquant avec cet instrument. Mil. $\text{XV}^{e}$ s. ; ☞ *tambour* ; [tɑ̃buʀɛ̃].

**TAMBOURINAGE,** subst. m.
Action de tambouriner ; roulement, bruit qui en résulte. 1558 ; ☞ *tambouriner* ; [tɑ̃buʀinaʒ].

**TAMBOURINAIRE,** subst.
**1.** Joueur de tambourin, en Provence. **2.** Tambour de ville. **3.** Joueur de tambour, en Afrique subsaharienne. 1867 (1777, petit poisson) ; ☞ *tambourin* ; [tɑ̃buʀinɛʀ].

**TAMBOURINEMENT,** subst. m.
Roulement du tambour ; par ext., bruit dont le rythme est semblable à celui du tambour. 1870 ; ☞ *tambouriner* ; [tɑ̃buʀinmɑ̃].

**TAMBOURINER,** verbe [3]
**Trans. 1.** Jouer (un air) au tambour ou au tambourin. **2.** Annoncer (qqch.) au son du tambour ; au fig., répandre bruyamment ; empl. adj. : *Langage* **tambouriné**, codé et transmis par tambour ou tam-tam, en Afrique. **Intrans. 1.** Jouer du tambour, du tambourin. **2.** Anal. Frapper à coups répétés : **Tambouriner** *sur une porte* ; par ext. : *La grêle* **tambourine** *sur le toit.* 1528 ; ☞ *tambourin* ; [tɑ̃buʀine].

**TAMBOURINEUR, EUSE,** subst.
Personne qui joue du tambour ou du tambourin. 1514 ; ☞ *tambouriner* ; [tɑ̃buʀinœʀ, øz].

**TAMBOUR-MAJOR,** subst. m.
*Milit.* Sous-officier à la tête des tambours d'un régiment. 1651 ; comp. de *tambour* et de *major* ; plur. *tambours-majors* ; [tɑ̃buʀmaʒɔʀ].

**TAMIA,** subst. m.
*Zool.* Écureuil d'Amérique et d'Asie septentrionales, de l'ordre des Rongeurs, dont le poil jaune pâle est rayé dans le sens de la longueur. Fin $\text{XVIII}^{e}$ s. ; lat. sc. *tamia*, p.-ê. du gr. *tamias*, « économe » ; [tamja].

**TAMIER,** subst. m.
*Bot.* Plante de la famille des Discoréacées, dont le rhizome soignerait les contusions. 1791 ; m. fr. *tam*, « plante grimpante » ; [tamje].

**TAMIL,** voir **TAMOUL**

**TAMIS,** subst. m.
**1.** Ustensile dont le fond est fait d'un réseau plus ou moins serré de métal, de vannerie ou de textile, servant à passer des matières liquides, pulvérulentes ou en grains pour en retenir certains éléments : **Tamis** *à farine.* ► Loc. fig. *Passer au* **tamis** : examiner avec soin. **2.** Anal. Ensemble des cordes d'une raquette. 1197 ; p.-ê. lat. pop. °*tamisium* ; [tami].

**TAMISAGE,** subst. m.
Action de tamiser. 1356 ; ☞ *tamiser* ; [tamizaʒ].

**TAMISER,** verbe trans. [3]
**1.** Passer (qqch.) au tamis. **2.** Anal. Voiler, atténuer (la lumière) ; empl. adj. : *Éclairage* **tamisé**. Fin $\text{XII}^{e}$ s. ; ☞ *tamis* ; [tamize].

**TAMISERIE,** subst. f.
Fabrique, commerce de tamis, de sas, de cribles. 1872 ; ☞ *tamis* ; [tamizʀi].

**TAMISEUR, EUSE,** subst.
Personne qui tamise. **Masc.** Tamis grossier. **Fém.** Machine à tamiser. 1360 ; ☞ *tamiser* ; [tamizœʀ, øz].

**TAMISIER, IÈRE,** subst.
Fabricant, commerçant en tamiserie. 1422 ; ☞ *tamis* ; [tamizje, jɛʀ].

**TAMOUL, OULE,** adj. et subst.
Du peuple des Tamouls. **Subst. masc.** Langue dravidienne, parlée dans le sud-est de l'Inde et au Sri Lanka. 1700 ; topon. *Tamil* ; var. *tamil, ile* ; [tamul].

**TAMOURÉ,** subst. m.
Danse polynésienne. V. 1970 ; polynésien *tamuré* ; [tamuʀe].

**TAMPICO,** subst. m.
Fibre végétale d'un agave, utilisée en brosserie. 1876 ; topon. *Tampico* (Mexique) ; [tɑ̃piko].

**TAMPON,** subst. m.
**I. 1.** Vx. Opercule qui obture une bouche à feu. **2.** Pièce dure, gén. circulaire, servant à obturer une ouverture, à empêcher un liquide de s'écouler : **Tampon** *d'un tonneau de vin.* **3.** *Bât.* Cheville que l'on encastre dans un mur avant d'y fixer une vis. **4.** *Constr.* Dalle fermant un regard (d'égout, de puisard, etc.). **5.** *Mécan.* Calibre cylindrique que l'on adapte au trou d'une pièce pour en mesurer le diamètre. **II. 1.** Petite masse compacte (d'étoffe, de fils métalliques, etc.) dont on se sert pour imprégner, absorber ou frotter qqch. : **Tampon** *encreur* ; **Tampon** *buvard* ; **Tampon** *à récurer.* ► **Tampon** *périodique* : cylindre d'ouate qu'utilisent les femmes comme protection interne lors des règles. **2.** Petite plaque caoutchoutée qui permet, à l'aide d'un **tampon** encreur, d'imprimer le timbre d'une entreprise, d'une institution ; par méton., marque faite par ce timbre. **III. 1.** *Ch. de fer.* **Tampon** *(de choc)* : pièce métallique verticale montée sur un ressort et fixée à chacune des extrémités des locomotives ou des wagons pour amortir les chocs. **2.** Fig. Intermédiaire, médiateur : *Servir de* **tampon**. ► En appos. *Pol. État* **tampon** : qui se trouve entre deux États antagonistes, et leur évite un contact direct. **3.** *Chim. Solution* **tampon** : substance qui stabilise le pH d'une solution, même si on y ajoute une base ou un acide. 1388 ; var. de *tapon* ; [tɑ̃pɔ̃].

**TAMPONNAGE,** subst. m.
*Chim.* Action de tamponner ; son résultat. 1865 ; ☞ *tamponner* ; [tɑ̃pɔnaʒ].

**TAMPONNEMENT,** subst. m.
**1.** Action de tamponner. **2.** *Méd.* Action de placer un tampon sur une plaie ou dans une cavité naturelle, afin de stopper une hémorragie. **3.** Collision : **Tamponnement** *de deux wagons.* 1734 ; ☞ *tamponner* ; [tɑ̃pɔnmɑ̃].

**TAMPONNER,** verbe trans. [3]
**1.** Boucher au moyen d'un tampon (vieilli). **2.** *Bât.* Placer des chevilles dans (un mur). **3.** Éponger, nettoyer avec un tampon d'ouate, de gaze : **Tamponner** *une plaie.* ► *Ébén.* Vernir (un meuble) au tampon. **4.** Heurter violemment. **5.** Apposer un tampon sur : **Tamponner** *un certificat.* **6.** *Chim.* Ajouter une solution tampon à (un liquide) pour en maintenir le pH. **Pronom. 1.** Se heurter violemment, se télescoper. **2.** *S'en* **tamponner** : s'en moquer totalement (pop.). $\text{XV}^{e}$ s. ; ☞ *tampon* ; [tɑ̃pɔne].

**TAMPONNEUR, EUSE,** adj.
Qui tamponne. ► *Autos* **tamponneuses** : attraction foraine constituée de voiturettes électriques qui roulent sur une piste et se heurtent. 1897 ; ☞ *tamponner* ; [tɑ̃pɔnœʀ, øz].

**TAMPONNOIR,** subst. m.
*Bât.* Mèche servant à percer un mur pour y placer un tampon. 1904 ; ☞ *tamponner* ; [tɑ̃pɔnwaʀ].

**TAM-TAM,** subst. m.
**1.** Disque de métal suspendu, sur lequel on frappe avec un marteau ou une baguette, très répandu en Orient (synon. *gong chinois*). ► Instrument analogue d'un orchestre classique. **2.** Tambour africain servant à rythmer chants et danses ou à transmettre des messages. **3.** Fig. ► Publicité tapageuse. ► Tapage, grand bruit : *Faire du* **tam-tam** *autour d'une affaire.* 1769 ; angl. *tom-tom*, onomat. d'orig. créole ; plur. *tam-tams*, var. *tamtam* ; [tamtam].

© F. Varin-Explorer

*Tam-tam.*

**TAN,** subst. m.
Produit brun rougeâtre issu de l'écorce du chêne après broyage et servant au tannage des peaux. 1262 ; prob. gaul. °*tanno-*, « chêne » ; [tɑ̃].

**TANAGRA,** subst. f. ou m.
**1.** *Archéol.* Figurine en terre cuite, d'allure simple et gracieuse, fabriquée au nord d'Athènes à partir du $\text{IV}^{e}$ s. av. J.-C. **2.** Fig. Jeune femme fine et gracieuse (littér.). 1909 ; topon. *Tanagra*, village de Béotie (Grèce) ; [tanagʀa].

**TANAISIE,** subst. f.
*Bot.* Astéracée à fleurs jaunes des bords de chemins, possédant une odeur forte et dont les feuilles sont vermifuges. $\text{XII}^{e}$ s. ; lat. pop. °*tanacita* ; [tanezi].

**TANCER,** verbe trans. [4]
Littér. Morigéner, réprimander (qqn). Fin $\text{XIII}^{e}$ s. (fin $\text{XI}^{e}$ s., injurier) ; lat. pop. °*tentiare*, « tendre » ; [tɑ̃se].

**TANCHE,** subst. f.
*Zool.* Poisson osseux d'eau douce, de la famille des Cyprinidés, trapu et sombre, à la chair appréciée. 1230 ; bas lat. *tinca* ; [tɑ̃ʃ].

**TANDEM,** subst. m.
**1.** Vx. Voiture à deux chevaux attelés en flèche. **2.** Vélo conçu pour deux cyclistes. **3.** Fig. Collaboration étroite entre deux personnes. ► Loc. *En* **tandem** : en association. 1816 ; angl. *tandem*, du lat. *tandem*, « enfin » ; [tɑ̃dɛm].

**TANDIS QUE,** loc. conj.
**1.** Indique la simultanéité. Pendant que : *Il lit* **tandis que** *je dors.* **2.** Exprime une opposition. Alors que : *Elle en pleure,* **tandis qu'il** *en rit.* Mil. $\text{XII}^{e}$ s. ; lat. *tamdiu*, « aussi longtemps » ; [tɑ̃di(s)k(ə)].

**TANDOORI, adj.**
*Cuis.* Se dit d'une viande marinée dans une sauce épicée et cuite au four ; empl. subst. masc., plat indien préparé de cette façon. ⚜ Hindi *tamdūrī*, « préparé au four » ; var. *tandouri* ; [tɑ̃duʀi].

**TANGAGE, subst. m.**
**1.** *Mar.* Mouvement oscillatoire d'avant en arrière d'un bateau (par oppos. à *roulis*) ; par anal. : *Le **tangage** d'un avion.* **2.** *Astronaut.* Déplacement d'un engin spatial autour de son axe transversal. ⚜ 1667 ; ☞ *tanguer* ; [tɑ̃gaʒ].

**TANGARA, subst. m.**
*Zool.* Passereau d'Amérique du Sud au plumage très coloré. ⚜ 1614 ; mot tupi ; [tɑ̃gaʀa].

**TANGENCE, subst. f.**
*Géom.* Propriété de ce qui est tangent. ⚜ 1815 ; ☞ *tangent* ; [tɑ̃ʒɑ̃s].

**TANGENT, ENTE, adj. et subst. f.**
**Subst. 1.** *Géom.* ▶ ***Tangente** en un point M d'une courbe* : position limite des sécantes (MN) quand les coordonnées du point N de la courbe tendent vers celles de M. Si la courbe possède en M un vecteur **tangent** $\vec{v}$, la **tangente** en M est la droite passant par M de vecteur directeur $\vec{v}$. ▶ ***Tangente** à une surface* : **tangente** à une courbe tracée sur cette surface. ▶ *Fonction **tangente*** : fonction définie par $\tan x = \frac{\sin x}{\cos x}$ pour $x$ réel, $x \neq \frac{\pi}{2} + k\pi,\ k \in \mathbb{Z}$ (symb. : tan ou tg). ▶ ***Tangente** d'un angle ou d'un arc* : quotient du sinus par le cosinus de cet angle ou de cet arc. **2.** Loc. *Prendre la **tangente*** : s'esquiver, se dérober, ou éluder habilement qqch. d'embarrassant. **Adj. 1.** *Géom.* ▶ *Vecteur **tangent** en un point $M(t_o)$ d'une courbe paramétrée (I, f)* : vecteur dérivé non nul $\vec{f}^{(p)}(t_o)$ du plus petit ordre de dérivation (s'il existe) ; tout vecteur non nul colinéaire à ce vecteur est dit aussi **tangent**. ▶ *Courbes (ou surfaces) **tangentes** en un point* : qui admettent en ce point une **tangente** commune (ou un plan **tangent** commun). ▶ *Espace **tangent** à une surface en un point* : ensemble, réunion des **tangentes** en ce point à cette surface (c'est un plan si le point est régulier). **2.** Fig. Près de se réaliser ; qui se réalise de justesse (fam.) : *Il a réussi son année, mais c'était **tangent**.* ⚜ 1626 ; lat. *tangens*, de *tangere*, « toucher » ; [tɑ̃ʒɑ̃, ɑ̃t].

**TANGENTIEL, ELLE, adj.**
*Géom.* et *Phys.* Relatif aux tangentes, qui fait appel aux tangentes. ⚜ 1816 ; ☞ *tangente* ; [tɑ̃ʒɑ̃sjɛl].

**TANGENTIELLEMENT, adv.**
De façon tangentielle. ⚜ Fin XVIIIe s. ; ☞ *tangentiel* ; [tɑ̃ʒɑ̃sjɛlmɑ̃].

**TANGERINE, subst. f.**
Fruit de l'hybride de l'oranger et du mandarinier. ⚜ 1947 ; topon. *Tanger* (Maroc) ; [tɑ̃ʒ(ə)ʀin].

**TANGIBILITÉ, subst. f.**
Caractère de ce qui est tangible. ⚜ 1803 ; ☞ *tangible* ; [tɑ̃ʒibilite].

**TANGIBLE, adj.**
**1.** Palpable, matériel. **2.** Fig. Dont la réalité est indéniable. ⚜ Fin XIVe s. ; bas lat. *tangibilis* ; [tɑ̃ʒibl].

**TANGO, subst. m.**
**1.** Danse assez lente à deux temps, aux pas glissés, très répandue en Argentine ; par ext., musique qui l'accompagne. **2.** Demi de bière mêlée de grenadine. **3.** Couleur orange vif ; empl. adj. inv. : *Une robe **tango**.* ⚜ 1864 ; hisp.-amér. *tango*, « fête et danse des Noirs et des gens pauvres » ; [tɑ̃go].

**TANGON, subst. m.**
*Mar.* **1.** Poutre fixée perpendiculairement à la coque d'un navire à l'ancre, servant à amarrer des embarcations. **2.** Perche soutenant les lignes de pêche. **3.** Long espar servant à déployer un spinnaker. ⚜ 1778 ; p.-ê. néerl. *tange*, « tenailles » ; [tɑ̃gɔ̃].

**TANGUE, subst. f.**
*Géol.* Sédiment à quartz et à fins débris coquilliers, caractéristique de la baie du Mont-Saint-Michel, et qui, gorgé d'eau, donne des sables mouvants. La **tangue**, calcaire et riche en matière organique, est utilisée pour amender les sols. ⚜ 1552 ; lat. médiév. *tanga*, de l'anc. nord. *tang*, « varech » ; [tɑ̃g].

**TANGUER, verbe intrans.** [3]
**1.** *Mar.* Être animé d'un mouvement de tangage, en parlant d'un bateau ; par anal. : *Ce wagon **tangue**.* **2.** Fig. Vaciller, tituber. ⚜ 1654 ; p.-ê. frison *tüngeln* ; [tɑ̃ge].

**TANIÈRE, subst. f.**
**1.** Abri d'un animal sauvage. **2.** Anal. Logis misérable (littér.). **3.** Lieu où l'on s'isole. ⚜ Mil. XIIe s. ; anc. fr. *taisnière*, du gaul. *taxo*, « blaireau » ; [tanjɛʀ].

**TANIN, subst. m.**
**1.** Substance organique végétale produite par différentes espèces (chêne, châtaignier, etc.) et utilisée dans le tannage des peaux. **2.** ***Tanin** du vin* : substance issue des rafles du raisin. ⚜ 1798 ; ☞ *tan* ; var. *tannin* ; [tanɛ̃].

**TANISAGE, subst. m.**
Action de taniser ; son résultat. ⚜ 1877 ; ☞ *taniser* ; var. *tannisage* ; [tanizaʒ].

**TANISER, verbe trans.** [3]
**1.** Mêler du tan, du tanin à (une substance). **2.** *Œnol.* Ajouter du tanin à (un vin, un moût). ⚜ 1877 ; ☞ *tan* ; var. *tanniser* ; [tanize].

**TANK, subst. m.**
**1.** Réservoir à liquides, citerne. **2.** *Arm.* Char d'assaut (vieilli). ⚜ 1617 ; mot angl. ; [tɑ̃k].

**TANKER, subst. m.**
Bateau-citerne, pétrolier. ⚜ 1933 ; mot angl. ; [tɑ̃kœʀ].

**TANKISTE, subst.**
*Milit.* Soldat d'une unité de tanks, de chars d'assaut. ⚜ 1920 ; ☞ *tank* ; [tɑ̃kist].

**TANNAGE, subst. m.**
Action de tanner ; son résultat : *Le **tannage** des peaux.* ⚜ 1370 ; ☞ *tanner* ; [tanaʒ].

**TANNANT, ANTE, adj.**
**1.** *Techn.* Qui tanne. **2.** Fig. Lassant, fatigant (fam.). ⚜ 1762 ; p. pr. de *tanner* ; [tanɑ̃, ɑ̃t].

**TANNE, subst. f.**
**1.** *Pathol.* Petit kyste épidermique noirâtre, accompagnant souvent l'acné faciale et thoracique. **2.** *Techn.* Marque brune sur une peau, après tannage. ⚜ 1600 ; ☞ *tanner* ; [tan].

**TANNÉ, ÉE, adj. et subst. f.**
**Adj. 1.** *Techn.* Préparé par tannage. **2.** Anal. De la couleur du tan. ▶ Qui a pris l'aspect et la couleur d'un cuir **tanné** : *Visage **tanné** par le soleil et les embruns.* **Subst. 1.** *Techn.* Résidu du tan après utilisation. **2.** Fig. et Fam. Volée de coups ; défaite fracassante. ⚜ Déb. XIIIe s. ; p. p. de *tanner* ; [tane].

**TANNER, verbe trans.** [3]
**1.** Harceler (qqn) pour obtenir qqch., l'importuner (fam.) : *Il me **tanne** pour que je l'accompagne.* **2.** Brunir, hâler. **3.** *Techn.* Rendre (une peau) imputrescible et souple. ▶ Loc. ***Tanner** le cuir à qqn* : le rosser (fam.). ⚜ Fin XIIe s. ; ☞ *tan* ; [tane].

**TANNERIE, subst. f.**
*Techn.* **1.** Lieu où l'on tanne. **2.** Action de tanner. **3.** Industrie du tannage. ⚜ 1216 ; ☞ *tanner* ; [tanʀi].

**TANNEUR, EUSE, subst.**
**1.** Artisan, ouvrier qui tanne les peaux. **2.** Patron d'une tannerie. ⚜ 1226 ; ☞ *tanner* ; [tanœʀ, øz].

**TANNIN, voir TANIN**

**TANNIQUE, adj.**
Qui contient du tanin. ⚜ 1848 ; ☞ *tan* ; [tanik].

**TANNISAGE, voir TANISAGE**

**TANNISER, voir TANISER**

**TANREC, subst. m.**
*Zool.* Mammifère insectivore et prédateur de Madagascar et des Comores, apparenté au hérisson, au corps recouvert de piquants. ⚜ 1764 ; malgache *tandraka*, var. dial. de *trandraka* ; var. *tenrec* ; [tɑ̃ʀɛk].

**TAN-SAD, subst. m.**
Seconde selle pour passager, sur une motocyclette. ⚜ 1920 ; angl. *tan sad*, acron. de *tandem saddle*, « selle en tandem » ; plur. *tan-sads*, var. *tansad* ; [tɑ̃sad].

**TANT, adv.**
**I.** Marque l'intensité. **1.** Tellement ; en si grande quantité, en si grand nombre : *Il y a **tant** de choses que je ne sais laquelle choisir* ; *Vous y tenez **tant*** ; *Je ne peux sortir **tant** il pleut.* **2.** Loc. ***Tant** s'en faut* : il s'en faut de beaucoup ; ***Tant** soit peu* : si peu que ce soit ; ***Tant** et plus* : plus qu'il n'en faut. **II.** Marque la comparaison. **1.** Autant : *On n'a jamais vu **tant** de monde un lundi* ; *Rien ne me ravit **tant** que son sourire.* **2.** Loc. ▶ **Tant... que.** Aussi bien... que : *Les autorités **tant** civiles que militaires.* ▶ **En tant que.** Comme, en qualité de, dans la mesure où : *En **tant** que responsable, c'est à vous de décider.* ▶ **Tant bien que mal.** Ni bien ni mal, péniblement : *Il est arrivé **tant** bien que mal.* **III.** Employé nominalement, désigne une quantité non précisée : *Ce sera **tant** pour toi et **tant** pour moi* ; *Il veut **tant** par mois.* ▶ *Le **tant*** : tel jour. ▶ ***Tant** de* : une certaine quantité de. **IV. 1.** Loc. ***Tant** mieux* : c'est bien ; ***Tant** pis* : c'est regrettable, dommage. **2.** Loc. conj. **Tant que.** Pendant que, aussi longtemps que : *Continue, **tant** que tu y es* ; *Restez **tant** que vous voulez.* ▶ ***Tant** qu'à faire* : puisqu'il le faut (fam.). ▶ *Si **tant** est que* : à supposer que. ⚜ Xe s. ; lat. *tantum* ; [tɑ̃].

**TANTALE (I), subst. m.**
Personne qui nourrit une chimère (littér.). ⚜ 1623 ; *Tantale*, héros mythologique grec ; [tɑ̃tal].

**TANTALE (II), subst. m.**
*Zool.* Échassier voisin de la cigogne et de l'ibis, aux plumes blanches et roses parsemées de noir, répandu dans certaines régions chaudes du globe. ⚜ 1754 ; lat. sc. *tantalus* ; [tɑ̃tal].

**TANTALE (III), subst. m.**
*Chim.* Élément métallique peu réactif, n° 73 de la table de Mendeleïev (symb. : Ta) ; masse atomique : 180,95 ; point de fusion : 2 985 °C ; point d'ébullition : 5 425 °C ; masse volumique : 16,65 g/cm$^3$. Il est utilisé notamment pour fabriquer certains alliages et composants électroniques. ⚜ 1802 ; lat. sc. mod. *tantalum*, du lat. *Tantalus*, « Tantale » ; [tɑ̃tal].

**TANTE, subst. f.**
**1.** Sœur du père ou de la mère ; par ext., épouse de l'oncle. ▶ Loc. ***Tante** à la mode de Bretagne* : cousine germaine du père ou de la mère. **2.** *Ma **tante*** : mont-de-piété, auj. crédit municipal (fam. et iron.). **3.** Homosexuel (vulg. et péj.). ⚜ XIIe s. ; altér. enfantine de l'anc. fr. *ante*, du lat. *amita* ; [tɑ̃t].

**TANTIÈME, subst. m. et adj.**
**Subst. 1.** Pourcentage d'une quantité à répartir. **2.** *Fin.* Part des gains d'une société anonyme, qui rémunère les administrateurs (gén. au plur.). **Adj.** Qui représente une part déterminée, mais non précisée, d'une quantité. ⚜ 1559 ; ☞ *tant* ; [tɑ̃tjɛm].

**TANTINET, subst. m.**
**1.** *Un **tantinet*** : un peu. **2.** *Un **tantinet** de* : un rien de (vieilli). ⚜ 1380 ; ☞ *tant* ; [tɑ̃tinɛ].

**TANTÔT, adv.**
**1.** Bientôt (vieilli). **2.** Cet après-midi. **3.** Indique la succession : ***Tantôt** il marchait, **tantôt** il courait.* **4.** Belg. et Québ. ▶ Dans peu de temps. ▶ Il y a peu. ⚜ Mil. XIIe s. ; formé de *tant* et de *tôt* ; [tɑ̃to].

**TANTRA, subst. m.**
*Relig.* Ensemble de textes sacrés fixant la doctrine du tantrisme. ⚜ 1829 ; skr. *tantra*, « chaîne » ; [tɑ̃tʀa].

**TANTRIQUE, adj.**
Du tantrisme. ⚜ 1904 ; ☞ *tantra* ; [tɑ̃tʀik].

**TANTRISME, subst. m.**
*Relig.* Courant de l'hindouisme et du bouddhisme, en partic. tibétain, qui propose l'accès à l'éveil de la conscience – dans la fusion des principes complémentaires qu'il tient pour fondateurs, le féminin et le masculin – par des pratiques rituelles, spirituelles et physiques. ⚜ 1904 ; ☞ *tantra* ; [tɑ̃tʀism].

**TAO, subst. m.**
Dans le taoïsme et le confucianisme, principe souverain et ineffable, à l'origine de tout. ⚜ 1735 ; chinois *dao*, « la Voie » ; var. *dao* ; [tao].

**TAOÏSME, subst. m.**
Tradition philosophico-religieuse née en Chine, inspirée d'abord des textes attribués à Lao-Tseu, puis de croyances et de pratiques rituelles populaires. ⚜ 1886 ; ☞ *tao* ; [taɔism].

**TAOÏSTE, subst. et adj.**
Se dit d'un adepte du taoïsme. **Adj.** Relatif, propre au taoïsme. ⚜ 1892 ; ☞ *taoïsme* ; [taɔist].

*Détail d'une fresque dans un temple **taoïste** de Taiwan.*

**TAON, subst. m.**
*Zool.* Grosse mouche de l'ordre des Diptères, qui se nourrit du sang de l'homme et de certains mammifères, dont la piqûre est douloureuse. ⚜ Fin XIIe s. ; bas lat. *tabo*, du lat. *tabanus* ; [tɑ̃].

**TAPA,** subst. m.
Étoffe faite avec l'écorce interne de certaines plantes, dont le mûrier à papier et l'arbre à pain. ⚭ 1875 ; orig. polynésienne ; [tapa].

**TAPAGE,** subst. m.
1. Désordre bruyant : *Tapage nocturne.* 2. Fig. Éclat, scandale. ⚭ 1695 ; ☞ *taper* ; [tapaʒ].

**TAPAGEUR, EUSE,** adj.
1. Qui fait du tapage. 2. Fig. ▸ Scandaleux : *Déclaration* ***tapageuse.*** ▸ Criard, excessif : *Luxe* ***tapageur.*** ⚭ 1743 ; ☞ *tapage* ; [tapaʒœʀ, øz].

**TAPANT, ANTE,** adj.
*Trois heures* ***tapantes*** ou, empl. inv., ***tapant*** : à l'instant même où trois heures sonnent. ⚭ 1900 ; p. pr. de *taper* ; [tapɑ̃, ɑ̃t].

**TAPAS,** subst. m. plur.
*Cuis.* Assortiment de petites entrées servies à l'apéritif, en Espagne. ⚭ V. 1990 ; esp. *tapa*, « couvercle » ; [tapas].

**TAPE (I),** subst. f.
Claque, gifle. ⚭ Mil. XIVe s. ; ☞ *taper* ; [tap].

**TAPE (II),** subst. f.
1. Vx. Bouchon. 2. *Mar.* Plaque qui sert à obturer. ⚭ 1743 ; anc. prov. *tap*, « bouchon » ; [tap].

**TAPÉ, ÉE,** adj. et subst. f.
**Adj.** 1. Blet, pourri par endroits à la suite de coups : *Poires* ***tapées*** ; au fig., ridé, marqué par l'âge (fam.). 2. Bien dit, bien envoyé (fam.) : *Réplique bien* ***tapée.*** 3. Un peu fou (fam.) : *Il est* ***tapé.*** **Subst.** Grosse quantité (fam.). ⚭ 1694 ; p. p. de *taper* ; [tape].

**TAPE-À-L'ŒIL,** subst. m. inv. et adj. inv.
Fam. **Subst.** Ce qui vise à produire beaucoup d'effet, à éblouir : *C'est du* ***tape-à-l'œil.*** **Adj.** Criard, d'un luxe tapageur. ⚭ 1879 (1867, celui qui a une tache à l'œil) ; comp. de *taper* et de *œil* ; [tapalœj].

**TAPECUL,** subst. m.
1. *Mar.* Petite voile d'arrière, qui contre la dérive. 2. Bascule à contrepoids qui ferme une entrée. 3. Pièce de bois qui fait balançoire. 4. Voiture à cheval (ou, par anal., automobile) mal suspendue. 5. *Équit. Faire du* ***tapecul*** : sauter sur la selle, au trot assis. ⚭ 1678 (mil. XVe s., pont-levis) ; formé de *taper* et de *cul* ; var. *tape-cul* (plur. *tape-culs*) ; [tapky].

**TAPEMENT,** subst. m.
Action de taper ; bruit qui en résulte. ⚭ 1569 ; ☞ *taper* ; [tapmɑ̃].

**TAPENADE,** subst. f.
*Cuis.* Condiment provençal à base d'anchois, de câpres, d'olives noires écrasées et mêlés d'huile d'olive. ⚭ Prov. *tapeno*, « câpre » ; [tap(ə)nad].

**TAPER,** verbe [3]
**Trans.** 1. Frapper, donner un coup à (qqn), sur (qqch.). 2. Emprunter de l'argent à (fam.) : ***Taper*** *qqn de cent francs.* 3. Dactylographier, saisir (un texte) : ***Taper*** *une lettre* ; empl. abs. : ***Taper*** *à la machine.* 4. Loc. ***Taper*** *le carton* : jouer aux cartes (fam.). **Intrans.** 1. Donner une tape, un coup : ***Taper*** *dans le ballon* ; au fig. : ***Taper*** *sur qqn*, médire de lui. 2. Puiser, se servir (fam.) : ***Taper*** *dans la caisse.* 3. Fig. et Fam. ▸ Monter à la tête, en parlant d'un alcool. ▸ Chauffer intensément, en parlant du soleil. 4. Loc. fam. ▸ ***Taper*** *dans le mille* : réussir brillamment ; deviner juste. ▸ ***Taper*** *dans l'œil à qqn* : lui plaire. ▸ ***Taper*** *sur les nerfs* : agacer. ▸ ***Taper*** *sur le ventre de qqn* : se montrer familier avec lui. ▸ ***Taper*** *à côté* : rater. **Pronom.** 1. Se frapper mutuellement. 2. Manger, boire (fam.) : *Se* ***taper*** *une bière.* ▸ Ext. *Se* ***taper*** *qqn* : le posséder sexuellement (vulg. et péj.). 3. Fam. Faire (une corvée) ; supporter (qqn). 4. *S'en* ***taper*** : s'en moquer (fam.). 5. Loc. fam. *À se* ***taper*** *la tête contre les murs* : à rendre fou ; *À se* ***taper*** *le derrière par terre* : risible au plus haut point. ⚭ Fin XIIe s. ; orig. onomat. ; [tape].

**TAPETTE,** subst. f.
1. Petite tape, petite gifle. 2. Jeu de billes, de ballon qui se pratique contre un mur. 3. Ustensile en forme de raquette, qui sert à taper (insectes, tapis, etc.). 4. Piège à souris, dans lequel une planchette articulée munie d'un appât libère un levier qui étrangle l'animal. 5. Loquacité (fam.). 6. Homosexuel (vulg. et péj.). ⚭ 1845 (1562, palette à bouchonner) ; ☞ *taper* ; [tapɛt].

**TAPEUR, EUSE,** subst.
1. Vx. Médiocre joueur de piano. 2. Personne qui emprunte souvent de l'argent (fam.). ⚭ 1842 ; ☞ *taper* ; [tapœʀ, øz].

**TAPIN,** subst. m.
*Faire le* ***tapin*** : racoler, se prostituer (argot.). ⚭ 1906 (1745, taloche) ; ☞ *taper* ; [tapɛ̃].

**TAPINER,** verbe intrans. [3]
Racoler (argot.). ⚭ 1920 ; ☞ *tapin* ; [tapine].

**TAPINOIS (EN),** loc. adv.
En catimini, à la dérobée. ⚭ Mil. XVe s. ; *en tapin* (vx), « en secret », de *tapin* (vx), « mendiant » ; [ɑ̃tapinwa].

**TAPIOCA,** subst. m.
Fécule de manioc : *Potage au* ***tapioca.*** ⚭ 1651 ; port. *tapioca*, du tupi *tipioca*, « ce qui est caillé » ; [tapjɔka].

**TAPIR,** subst. m.
1. *Zool.* Mammifère ongulé type de la famille des Tapiridés. Omnivore et solitaire, il vit dans les forêts de l'Amérique tropicale et dans le Sud-Est asiatique. Son nez et sa lèvre supérieure forment une courte trompe mobile lui permettant de prélever sa nourriture. 2. Élève qui suit des cours particuliers (argot.). ⚭ 1558 ; tupi *tapira* ; [tapiʀ].

© P. Wild-Jacana

*Tapir d'Amérique.*

**TAPIR (SE),** verbe pronom. [19]
1. Se cacher en se blottissant. 2. Fig. Se cacher. ⚭ Mil. XIIe s. ; anc. bas frq. °*tappjan*, « fermer » ; [tapiʀ].

**TAPIS,** subst. m.
1. Ouvrage textile à face gén. veloutée, destiné à être posé sur un meuble, sur le sol, ou pendu à un mur, pour décorer, ou améliorer le confort : ***Tapis*** *d'Orient, de table.* ▸ *Jeux.* ***Tapis*** *de billard* : sur lequel roulent les boules ; ***Tapis*** *vert* : qui couvre une table de jeu ou de discussion ou, par ext., table de jeu. ▸ Loc. *Marchand de* ***tapis*** (☞ *marchand*) ; *Dérouler le* ***tapis*** *rouge* : recevoir de manière cérémonieuse ; *Se prendre les pieds dans le* ***tapis*** : être maladroit ; *Revenir sur le* ***tapis*** : être de nouveau le sujet de la conversation ; *Mettre qqch. sur le* ***tapis*** : en débattre. 2. Ext. Toute pièce de tissu ou tout autre revêtement que l'on étend sur le sol : ***Tapis*** *de bain* ; ***Tapis*** *de sol*, toile imperméable qui isole une tente de l'humidité du sol. ▸ *Sp. Aller au* ***tapis*** : en boxe, tomber au sol ; au fig. : *Rester au* ***tapis***, être vaincu, subir un échec. 3. Anal. Couche uniforme évoquant un **tapis** : ***Tapis*** *de neige, de mousse.* 4. *Techn.* ***Tapis*** *roulant* : surface plane qui se déplace, servant au transport de marchandises ou de personnes. ⚭ Mil. XIIe s. ; gr. *tapêtion* ; [tapi].

© J. Joffre-Explorer

*Exposition pour la fête du* ***tapis****, à Ouarzazate, dans le Sud marocain.*

**CIVILISATION** – Objet utilitaire pour les nomades, puis décoratif et cultuel, le tapis est connu en Orient depuis l'Antiquité. Le plus ancien, daté du Ve s. av. J.-C., provient des steppes d'Asie centrale. L'époque classique du tapis d'Orient (essentiellement persan) se situe entre le XVe et la fin du XVIIe s. Son velours (surface d'utilisation) est constitué d'une couche de fils ou de fibres textiles (laine de mouton, coton, soie). Il peut être exécuté à la main, par nouage du fil de trame autour des fils de chaîne, ou mécaniquement. Les tapis d'Orient se différencient par la technique de nouage : le nœud turc, utilisé en Asie Mineure, amène les chaînes sur un même plan, tandis que le nœud persan, utilisé en Perse, en Égypte et en Inde, présente un léger côtelage. Les thèmes décoratifs sont géométriques (art des nomades d'Asie centrale), floraux, symboliques (l'arbre de vie constitue le motif privilégié des tapis d'Iran) ; les coloris ont des significations variant selon les régions (à l'exception du vert, qui est la couleur du Prophète). Dès le XVe s., l'Europe imite les tapis du Levant. La Savonnerie, manufacture de tapis fondée par Henri IV, témoigne de la maîtrise française de l'art du tapis.

**TAPIS-BROSSE,** subst. m.
Petit tapis à poils très durs qui sert à s'essuyer les pieds, paillasson. ⚭ 1929 ; comp. de *tapis* et de *brosse* ; plur. *tapis-brosses* ; [tapibʀɔs].

**TAPISSER,** verbe trans. [3]
1. Couvrir (une surface) à la manière d'un tapis : *Le lierre* ***tapissait*** *le mur de la maison.* 2. Recouvrir (une surface) de tissu, de papier peint. ⚭ Déb. XVe s. ; ☞ *tapis* ; [tapise].

**TAPISSERIE,** subst. f.
1. *B.-a.* Ouvrage réalisé sur un métier à tisser, à partir d'un dessin tracé sur la chaîne, et servant de décoration murale : *Les* ***tapisseries*** *des Gobelins, d'Aubusson. (Voir planche p. 1074.)* ▸ Loc. *Faire* ***tapisserie*** : assister à une réunion sans y prendre part, à un bal sans y être invitée à danser. 2. Panneau d'ameublement, gén. tissé, tendu le long des murs. 3. Ext. Papier peint, tenture recouvrant un mur. 4. Anal. Ouvrage fait à l'aiguille sur un canevas, avec de la laine, de la soie, etc. ; art de réaliser un tel ouvrage. 5. Méton. Art du tapissier. ⚭ 1379 ; ☞ *tapis* ; [tapisʀi].

**TAPISSIER, IÈRE,** subst.
1. Artisan qui exécute des tapis, des tapisseries. 2. Poseur de papier peint, de tissu mural. 3. Personne qui vend et pose des tissus d'ameublement, qui recouvre les sièges, refait les matelas, etc. ⚭ 1220 ; ☞ *tapis* ; [tapisje, jɛʀ].

**TAPON,** subst. m.
Petite boule de tissu ou de papier chiffonné (vieilli). ⚭ 1690 (1383, bouchon) ; anc. bas frq. °*tappo* ; [tapɔ̃].

**TAPOTEMENT,** subst. m.
Action de tapoter ; bruit qui en résulte. ⚭ 1859 ; ☞ *tapoter* ; [tapɔtmɑ̃].

**TAPOTER,** verbe trans. [3]
1. Taper légèrement (qqch.) à petits coups répétés ; empl. intrans. : ***Tapoter*** *sur l'épaule de son voisin.* 2. Jouer (un air) mal ou avec négligence, au piano : ***Tapoter*** *une fugue* ; par ext., empl. intrans. : ***Tapoter*** *sur son ordinateur.* ⚭ 1690 ; ☞ *taper* ; [tapɔte].

**TAPURE,** subst. f.
*Métall.* Fissure d'une pièce de métal, due à un refroidissement trop rapide. ⚭ 1894 (1690, frisure du cheveu) ; ☞ *taper* ; [tapyʀ].

**TAPUSCRIT,** subst. m.
*Typogr.* Texte original dactylographié destiné à être envoyé à la composition. ⚭ V. 1980 ; crois. de *taper* et de *manuscrit* ; [tapyskʀi].

**TAQUAGE,** subst. m.
*Impr.* Action de taquer ; son résultat. ⚭ 1878 ; ☞ *taquer* ; [takaʒ].

**TAQUER,** verbe trans. [3]
1. *Typogr.* Égaliser la hauteur de (les caractères d'une composition) avec un taquoir (vieilli). 2. *Impr.* Superposer (des feuilles) en piles régulières. ⚭ 1723 (fin XIVe s., presser fortement) ; orig. onomat. ; [take].

**TAQUET,** subst. m.
1. *Mar.* Pièce de bois qui sert à tourner, à amarrer les cordages. 2. *Techn.* ▸ Bout de bois qui permet de maintenir une porte fermée. ▸ Ext. Pièce de bois fixant momentanément ou définitivement un objet dans une certaine position. ▸ Dispositif d'arrêt, butée. ⚭ 1384 ; norm. *estaque* ; [takɛ].

**TAQUIN, INE,** adj. et subst. m.
**Adj.** Qui aime à taquiner autrui ; par méton. : *Des yeux* ***taquins*** ; empl. subst., personne **taquine.** **Subst.** Jeu de patience en forme de carré ou de rectangle, dans lequel on fait glisser des plaques pour les remettre en ordre. ⚭ 1855 (1411, gueux) ; anc. fr. *taquehan*, « émeute », du néerl. °*takehan* ; [takɛ̃, in].

L'ART DE LA TAPISSERIE

1. *« L'attaque de Dinan », détail de la* Tapisserie de Bayeux, *broderie sur toile de lin (env. 70 m de long et 50 cm de large) relatant la conquête de l'Angleterre par les Normands (fin* XI*ᵉ s.). Centre Guillaume-le-Conquérant, Bayeux.*

2. Vie de la Vierge *(détail), tenture du* XV*ᵉ s. Église Notre-Dame, Beaune.*

3. *« Offrande à Bacchus », détail de l'une des six pièces des* Grotesques à fond jaune ou tabac d'Espagne *(1688-1696), tenture en basse lisse de Jean-Baptiste Monnoyer (1634-1699). Musée du Louvre, Paris.*

4. Les Feux sous la table *(1951), tapisserie de Jean Lurçat (1892-1966). Musée départemental de la Tapisserie, Aubusson.*

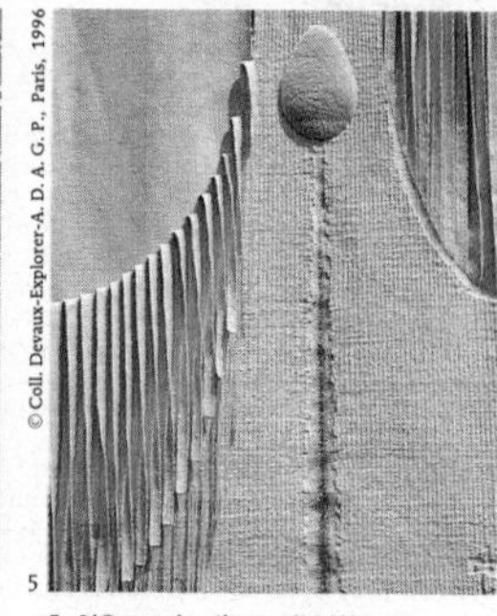


5. L'Orgue du silence *(1968), tapisserie de Pierre Daquin (né en 1936). Atelier de Saint-Cyr.*

**TAQUINER, verbe trans.** [3]
Ennuyer (qqn) par jeu, agacer gentiment. ▸ Loc. ***Taquiner** le goujon* : pêcher à la ligne ; ***Taquiner** la muse* : versifier sans prétention. 1790 (1660, lésiner) ; ☞ *taquin* ; [takine].

**TAQUINERIE, subst. f.**
**1.** Caractère taquin. **2.** Comportement taquin. **3.** Méton. Action ou parole taquine (souv. au plur.). 1819 (1553, avarice) ; ☞ *taquin* ; [takinʀi].

**TAQUOIR, subst. m.**
*Typogr.* Morceau de bois que l'on frappait pour taquer les caractères. 1723 ; ☞ *taquer* ; [takwaʀ].

**TARA, subst. m.**
Siège, lit bas fait de branchages tressés, en Afrique noire. 1881 ; mot d'une langue africaine ; [taʀa].

**TARABISCOT, subst. m.**
*Menuis.* **1.** Creux séparant une moulure d'une partie lisse ou d'une autre moulure. **2.** Ext. Rabot servant à creuser cette cavité. 1803 ; orig. obsc. ; [taʀabisko].

**TARABISCOTÉ, ÉE, adj.**
**1.** Garni de nombreux tarabiscots. **2.** Ext. Décoré, orné à l'excès. **3.** Fig. Compliqué, maniéré : *Intrigue **tarabiscotée**.* 1848 ; ☞ *tarabiscot* ; [taʀabiskɔte].

**TARABUSTER, verbe trans.** [3]
**1.** Harceler. **2.** Tracasser, contrarier (qqn). 1611 (mil. XVIᵉ s., secouer) ; crois. du rad. onomat. *tar-* et du m. fr. *tabuster*, « frapper » ; [taʀabyste].

**TARAGE, subst. m.**
*Comm.* Action de tarer, de peser un contenant vide. Mil. XIXᵉ s. ; ☞ *tarer* ; [taʀaʒ].

**TARAMA, subst. m.**
*Cuis.* Mets d'origine grecque fait d'un mélange d'œufs de poisson écrasés, de mie de pain, d'huile d'olive et de jus de citron. V. 1980 ; gr. *taramas*, du turc *tarama*, « laitance » ; [taʀama].

**TARARE, subst. m.**
*Agric.* Machine servant à nettoyer le grain après le battage. 1785 ; p.-ê. orig. onomat. ; [taʀaʀ].

**TARASQUE, subst. f.**
**1.** Monstre fabuleux du folklore provençal. **2.** Fig. Personne, chose monstrueuse. 1614 ; anc. prov. *tarasca*, du topon. *Tarascon* (Bouches-du-Rhône) ; [taʀask].

**TARATATA, interj.**
Mot qui marque le dédain, la méfiance, l'incrédulité (fam.). 1861 ; onomat. ; [taʀatata].

**TARAUD, subst. m.**
*Techn.* Outil à main, ou machine, servant à fabriquer des pas de vis. 1538 ; °*tareau* (vx), var. de *tarel*, « tarière » ; [taʀo].

**TARAUDAGE, subst. m.**
Action de tarauder ; son résultat. 1842 ; ☞ *tarauder* ; [taʀodaʒ].

**TARAUDER, verbe trans.** [3]
**1.** *Techn.* Fileter avec un taraud. **2.** Anal. Creuser, trouer, en partic. à l'aide d'une tarière. **3.** Fig. Lanciner, obséder. 1676 ; ☞ *taraud* ; [taʀode].

**TARAUDEUR, EUSE, subst. et adj.**
*Techn.* **Subst.** Personne qui taraude. **Subst. fém.** Machine-outil servant à tarauder. **Adj.** Qui taraude. 1787 ; ☞ *tarauder* ; [taʀodœʀ, øz].

**TARAVELLE, subst. f.**
*Vitic.* Plantoir (région). 1605 (mil. XVᵉ s., tarière) ; bas lat. *terebellum*, « tarière » ; [taʀavɛl].

**TARBOUCHE, subst. m.**
*Cost.* En Orient, bonnet masculin entouré d'un turban et orné d'un gland. 1673 ; ar. *ṭarbūš* ; var. *tarbouch* ; [taʀbuʃ].

**TARD, adv.**
**1.** Après un moment relativement long : *Il est arrivé trop **tard** pour le sauver.* ▸ Loc. *Tôt ou **tard*** : dans un futur indéterminé, mais inévitable ; *Au plus **tard*** : en dernier délai. **2.** À la fin d'une période ; à un moment avancé : *Il est, il se fait **tard*** ; empl. subst. masc. : *Sur le **tard***, à une heure tardive ou, au fig., à un âge avancé. Mil. XIᵉ s. ; lat. *tarde* ; [taʀ].

**TARDENOISIEN, IENNE, subst. m. et adj.**
*Préhist.* **Subst.** Culture mésolithique caractérisée par un outillage microlithique, l'apparition de cabanes circulaires et de la céramique. **Adj.** Relatif, propre à cette culture. Topon. *Tardenois* ; [taʀdənwazjɛ̃, jɛn].

**TARDER, verbe** [3]
**Intrans. 1.** Être lent à venir. **2.** Être lent à faire qqch. ▸ Loc. *Sans (plus) **tarder*** : sans délai. **Trans. indir. Tarder à.** Être lent à : *Ce médicament **tarde à** agir* ; *Il ne va pas (plus) **tarder à** arriver*, il va bientôt arriver. **Impers.** *Il me **tarde** de* (+ inf.), *que* (+ subj.) : j'attends impatiemment de, que. 1119 ; lat. *tardare* ; [taʀde].

**TARDIF, IVE, adj.**
**1.** Qui arrive trop tard : *Excuses **tardives**.* **2.** Qui a lieu tard : *Hommage **tardif*** ; *Repas **tardif**.* **3.** Dont l'évolution est plus lente que la moyenne : *Esprit, fruit **tardif**.* Déb. XIIIᵉ s. (déb. XIIᵉ s., lent à agir) ; bas lat. *tardivus* ; [taʀdif, iv].

**TARDIGRADE, adj. et subst. m. plur.**
*Zool.* **Adj.** Qui se déplace avec lenteur ; qui appartient aux **Tardigrades**. **Subst. 1.** Groupe d'animaux invertébrés microscopiques ou minuscules (pas plus de 1 mm), qui possèdent quatre paires de pattes pourvues de crochets, qui vivent en milieu aqueux ou humide et sont capables de survivre à une longue période de dessiccation. **2.** Ancienne division des mammifères de l'ordre des Édentés ; au sing. : *Le paresseux didactyle est un **tardigrade**.* 1615 ; lat. *tardigradus*, « qui marche lentement » ; [taʀdigʀad].

**TARDIVEMENT, adv.**
De manière tardive : *Comprendre **tardivement*** ; à une heure tardive. Déb. XIIIᵉ s. ; ☞ *tardif* ; [taʀdivmɑ̃].

**TARE,** subst. f.
**I.** Poids du contenant une fois son contenu retiré. ▸ Loc. *Faire la **tare*** : mettre dans un plateau de balance un poids égal à celui de l'emballage placé sur l'autre plateau pour calculer ensuite le poids net du contenu. **II. 1.** *Comm.* Imperfection qui affecte la valeur d'une marchandise. **2.** Anomalie gén. congénitale de l'organisme ou du psychisme, chez l'homme ou chez l'animal. **3.** Fig. Grave défaut entachant les mérites de qqn, d'un groupe, d'une institution. 1311 ; ital. *tara*, de l'ar. *ṭarḥ* ; [taʀ].

**TARÉ, ÉE,** adj.
**1.** Affecté d'une tare physique ou psychique. **2.** Fig. et Fam. Fou, idiot, imbécile ; empl. subst. : *Quel **taré** !* Déb. XVIe s. ; ☞ *tare* ; [taʀe].

**TARENTE,** subst. f.
Région. (Midi). Gecko. 1721 (fin XIIe s., araignée) ; prov. *taranto*, du topon. ital. *Taranto*, « Tarente » ; [taʀɑ̃t].

**TARENTELLE,** subst. f.
**1.** Danse de l'Italie du Sud, au rythme ternaire très vif. **2.** Ext. Musique qui l'accompagne. 1807 ; ital. *tarentella*, du topon. *Taranto*, « Tarente » ; [taʀɑ̃tɛl].

**TARENTULE,** subst. f.
*Zool.* Grosse araignée d'Europe méridionale, dont la piqûre est douloureuse (synon. *lycose de Tarente*). Fin XIIIe s. ; ital. *tarantola* ; [taʀɑ̃tyl].

**TARER,** verbe trans. [3]
*Comm.* Peser (un contenant vide) pour calculer ensuite le poids de son contenu. 1723 (1623, marquer d'une tare morale) ; ☞ *tare* ; [taʀe].

**TARET,** subst. m.
*Zool.* Mollusque bivalve de la classe des Lamellibranches, qui creuse, dans les bois immergés, des galeries qu'il consolide par une sécrétion calcaire. 1764 ; prob. *tarière* ; [taʀɛ].

**TARGE,** subst. f.
*M. Â.* Bouclier. Fin XIe s. ; anc. bas frq. °*targa* ; [taʀʒ].

**TARGETTE,** subst. f.
Petit verrou plat, commandé par un bouton. 1550 (1301, ornement) ; ☞ *targe* ; [taʀʒɛt].

**TARGUER (SE),** verbe pronom. [3]
Se targuer de. Se vanter de, se prévaloir de (qqch.). Mil. XVe s. ; ☞ *targe* ; [taʀge].

**TARGUI,** voir **TOUAREG**

**TARGUM,** subst. m.
*Relig.* Version araméenne de la Bible hébraïque, accompagnée de commentaires, introduite lorsque l'araméen supplanta l'hébreu, au VIe s. av. J.-C. Fin XVe s. ; hébreu *targûm*, « interprétation » ; [taʀgum].

**TARICHEUTE,** subst. m.
*Antiq.* Embaumeur, en Égypte. 1858 ; gr. *tarikheutês* ; [taʀikøt].

**TARIÈRE,** subst. f.
**1.** *Techn.* ▸ Vrille qui sert à percer des trous dans le bois : ***Tarière** de charpentier.* ▸ Sonde servant à forer le sol. **2.** *Chir.* Instrument servant à forer des trous dans les os. **3.** *Zool.* Organe permettant aux femelles de certains insectes de creuser une cavité dans laquelle elles déposent leurs œufs. Fin XIe s. ; bas lat. *taratrum*, d'orig. gaul. ; [taʀjɛʀ].

**TARIF,** subst. m.
**1.** Liste de droits à acquitter, de prix à payer pour des marchandises ou des services. **2.** Méton. Prix d'un service ou d'un produit. ▸ Loc. *À ce **tarif**-là* : si on considère les choses ainsi (fam.). 1572 ; ital. *tariffa*, de l'ar. *ta'rīf*, « notification » ; [taʀif].

**TARIFAIRE,** adj.
Qui se rapporte au tarif. 1919 ; ☞ *tarif* ; [taʀifɛʀ].

**TARIFER,** verbe trans. [3]
Fixer le tarif de. 1723 ; ☞ *tarif* ; [taʀife].

**TARIFICATION,** subst. f.
Action de tarifer ; son résultat. 1832 ; ☞ *tarifer* ; [taʀifikasjɔ̃].

**TARIN (I),** subst. m.
*Zool.* Petit oiseau passériforme de la famille des Fringillidés, au plumage jaune et vert rayé de noir, au bec conique et très pointu. 1342 ; orig. onomat. ; [taʀɛ̃].

**TARIN (II),** subst. m.
Nez (pop.). 1904 ; p.-ê. *tarin* (I) ; [taʀɛ̃].

**TARIR,** verbe [19]
**Intrans. 1.** Cesser de couler : *L'oued **tarit**.* **2.** Fig. Cesser : *Son inspiration a **tari**.* ▸ Loc. *Ne pas **tarir** sur* : être prolixe sur. **Trans. 1.** Assécher. **2.** Fig. Sécher ; consumer, anéantir : *Le chagrin a **tari** sa verve.* Fin XIIe s. ; anc. bas frq. °*tharrjan* ; [taʀiʀ].

**TARISSEMENT,** subst. m.
Fait de tarir ; état de ce qui est tari. Fin XVIe s. ; ☞ *tarir* ; [taʀismɑ̃].

**TARLATANE,** subst. f.
Mousseline de coton légère et apprêtée. 1699 ; p.-ê. topon. *Ternate*, île des Moluques ; [taʀlatan].

**TARMAC,** subst. m.
Piste d'un aéroport réservée à la circulation et au stationnement des avions. 1909 ; apocope de *tarmacadam* (vx), « macadam goudronné » ; [taʀmak].

**TARO,** subst. m.
*Bot.* Plante tropicale de la famille des Aracées à tubercule comestible ; par méton., ce tubercule. 1806 ; mot polynésien ; [taʀo].

**TAROT,** subst. m.
**1.** Grande carte à jouer, utilisée pour le jeu ou la divination ; ensemble des 78 cartes du jeu. ▸ Méton. Jeu qui se pratique avec ces cartes. **2.** ***Tarot** de Marseille* : ensemble de cartes utilisées en cartomancie. 1534 ; ital. *tarocchi* ; [taʀo].

*Le **tarot**, un des supports de la voyance.*

**TAROTÉ, ÉE,** adj.
*Cartes **tarotées*** : au dos orné de compartiments en grisaille. 1642 ; ☞ *tarot* ; [taʀɔte].

**TARPAN,** subst. m.
*Zool.* Cheval d'Asie occidentale, domestiqué puis redevenu sauvage. 1782 ; mot kirghiz ; [taʀpɑ̃].

**TARPON,** subst. m.
*Zool.* Gros poisson osseux téléostéen des mers chaudes de l'Atlantique. Il peut mesurer plus de deux mètres et fait l'objet d'une pêche sportive. 1907 ; mot angl. ; [taʀpɔ̃].

**TARSE,** subst. m.
**1.** *Anat.* ▸ Lame fibro-cartilagineuse formant l'armature de la paupière. ▸ Ensemble des sept os constituant le squelette du pied. **2.** *Zool.* Dernière partie des pattes articulées des insectes. Fin XIVe s. ; gr. *tarsos*, « orteils ; pied » ; [taʀs].

**TARSIEN, IENNE,** adj.
*Anat.* Relatif au tarse. 1792 ; ☞ *tarse* ; [taʀsjɛ̃, jɛn].

**TARSIER,** subst. m.
*Zool.* Petit mammifère primate du sous-ordre des Prosimiens, animal type de la famille des Tarsiidés, qui vit en Malaisie. Nocturne et arboricole, il se nourrit d'insectes. 1765 ; ☞ *tarse* ; [taʀsje].

**TARTAN (I),** subst. m.
**1.** *Text.* Étoffe de laine traditionnelle, en Écosse ; en partic., étoffe aux dessins et aux couleurs propres à un clan. **2.** Méton. Habit fait dans ce tissu. 1792 ; mot angl. ; [taʀtɑ̃].

**TARTAN (II),** subst. m. inv.
Aggloméré de plastique, d'amiante et de caoutchouc, utilisé pour recouvrir le sol des espaces sportifs (pistes d'athlétisme notamment). 1968 ; angl. *Tartan* ; n. déposé par la société 3M dont le produit est illustré par un Écossais en tartan ; [taʀtɑ̃].

**TARTANE,** subst. f.
*Mar.* En Méditerranée, bateau à voile utilisé pour la pêche et le cabotage. 1622 ; anc. prov. *tartana*, « buse » ; [taʀtan].

**TARTARE,** subst. et adj.
Des peuples turc et mongol d'Asie centrale : *« Le Désert des **Tartares** », roman de Dino Buzzati.* **Adj.** *Cuis. Sauce **tartare*** : mayonnaise aux câpres, aux herbes et à la moutarde ; *Steak **tartare*** ou, empl. subst. masc., *Un **tartare*** : bœuf haché, cru, servi avec divers condiments et un jaune d'œuf. 1268 ; lat. médiév. *tartarus*, de l'anc. turc *tatar*, « habitant des contrées au nord de la Chine » ; [taʀtaʀ].

**TARTARIN,** subst. m.
Vantard, fanfaron (fam.). 1938 ; *Tartarin*, héros de romans d'Alphonse Daudet ; [taʀtaʀɛ̃].

**TARTE,** subst. f. et adj.
**Subst. 1.** *Cuis.* Pâtisserie faite d'un fond de pâte rempli d'une garniture. ▸ Loc. ***Tarte** à la crème* : cliché, par réf. au gag du cinéma muet ; *C'est pas de la **tarte** !* : c'est difficile ! (fam.). **2.** Gifle, coup (fam.). **Adj.** Fam. Ridicule, niais ; laid : *Il est **tarte**.* Déb. XIIIe s. ; prob. var. de *tourte* ; [taʀt].

**TARTELETTE,** subst. f.
*Cuis.* Petite tarte. 1346 ; ☞ *tarte* ; [taʀtəlɛt].

**TARTEMPION,** subst. m.
Nom fantaisiste donné à qqn par ignorance de son vrai nom, ou par dérision (fam. et péj.). 1839 ; p.-ê. formé de *tarte* et de *pion* (I) ; [taʀtɑ̃pjɔ̃].

**TARTINE,** subst. f.
**1.** Tranche de pain garnie. **2.** Fig. Développement long et ennuyeux (fam.). 1596 ; ☞ *tarte* ; [taʀtin].

**TARTINER,** verbe [3]
**Intrans.** S'étendre sur un sujet sans intérêt (fam.). **Trans. 1.** Étaler (un aliment) sur du pain. **2.** Garnir (une tranche de pain) d'un aliment ; par ext. (fam.) : ***Tartiner** un visage de crème solaire.* 1839 ; ☞ *tartine* ; [taʀtine].

**TARTIR,** verbe intrans. [19]
Argot. Déféquer. ▸ Loc. *Faire **tartir** qqn* : l'agacer ; *Envoyer qqn **tartir*** : l'envoyer au diable ; *Se faire **tartir*** : s'ennuyer. 1827 ; ital. *tartire* ; [taʀtiʀ].

**TARTRATE,** subst. m.
*Chim.* Ester ou sel de l'acide tartrique. 1795 ; ☞ *tartre* ; [taʀtʀat].

**TARTRE,** subst. m.
**1.** *Œnol.* Dépôt laissé par le vin sur les parois et le fond d'un récipient. **2.** *Dent.* Dépôt blanchâtre se formant à la base des dents. **3.** Croûte calcaire apparaissant dans les appareils où circule de l'eau chaude. Fin XIVe s. ; bas lat. *tartarum*, d'orig. obsc. ; [taʀtʀ].

**TARTREUX, EUSE,** adj.
De la nature du tartre ; couvert de tartre. 1750 ; ☞ *tartre* ; [taʀtʀø, øz].

**TARTRIQUE,** adj.
*Chim. Acide **tartrique*** : acide carboxylique cristallin, de formule $(CHOH)_2{-}(COOH)_2$. 1787 ; ☞ *tartre* ; [taʀtʀik].

**TARTUFE,** subst. m. et adj.
Se dit d'un hypocrite. **Subst.** Faux dévot (vx). 1609 ; ital. *tartufo*, « truffe ; imposteur » ; var. *tartuffe* ; [taʀtyf].

**TARTUFERIE,** subst. f.
Conduite ou acte hypocrite. 1669 ; ☞ *tartufe* ; var. *tartufferie* ; [taʀtyfʀi].

**TARZAN,** subst. m.
Homme fort, musclé (iron.). 1953 ; *Tarzan*, personnage de roman créé par E. R. Burroughs ; [taʀzɑ̃].

**TAS,** subst. m.
**1.** Amas, plus ou moins conique, de matériaux, de choses : ***Tas** d'ordures, de sable.* **2.** Fig. et Fam. Grand nombre : *Un **tas** de gens entraient ; Des **tas** d'idées.* ▸ Loc. *Tirer dans le **tas*** : dans un groupe, sans viser qqn en partic. ; *Des **tas*** : beaucoup. **3.** *Archit.* Ouvrage en cours de réalisation, chantier. ▸ ***Tas** de charge* : assise de pierres, sur un pilier, un mur, servant de support à un arc, à une voûte. ▸ Loc. **Sur le tas.** Sur le lieu de travail : *Apprendre sur le **tas***, par la pratique. **4.** *Techn.* Petite enclume utilisée pour travailler les métaux. Mil. XIIe s. ; anc. bas frq. °*tas* ; [tɑ].

**TASSAGE,** subst. m.
Action de tasser. 1890 ; ☞ *tasser* ; [tɑsaʒ].

**TASSE,** subst. f.
Petit récipient à anse ou à oreille dans lequel on sert les boissons chaudes : *Une **tasse** à café* ; par méton., son contenu : *Finir sa **tasse** de café.* ▸ Loc. *Boire la **tasse*** : avaler de l'eau lors d'un bain ou, au fig., subir une perte financière, faire faillite (fam.). Mil. XIVe s. ; ar. *ṭāsa*, « coupe » ; [tɑs].

**TASSEAU,** subst. m.
Pièce de bois de petite section, gén. utilisée par paire, servant à caler, à soutenir une autre pièce. 1340 ; lat. pop. °*tassellus*, du lat. *taxillus*, « dé à jouer », et *tessela*, « cube » ; [tɑso].

**TASSEMENT,** subst. m.
**1.** Action de tasser ; fait de se tasser sous un poids excessif. **2.** Fig. Baisse, ralentissement : *Le **tassement** de la consommation.* 1801 ; ☞ *tasser* ; [tɑsmɑ̃].

**TASSER,** verbe [3]
**Trans. 1.** Vx. Mettre en tas. **2.** Comprimer au maxi-

mum : *Tasser de la terre* ; par anal., serrer dans un volume restreint. ► Empl. adj. *Café tassé* : fort (fam.). **3.** *Sp.* Pousser (un concurrent, un adversaire) au bord de la piste, contre d'autres coureurs. **Intrans.** Former une touffe compacte, en parlant de végétaux. **Pronom. 1.** S'affaisser, se voûter. **2.** Se serrer les uns contre les autres. **3.** Fig. S'arranger, s'apaiser (fam.) : *Espérons que l'affaire se **tasse**.* Mil. XIII^e s. ; ☞ *tas* ; [tɑse].

**TASSETTE, subst. f.**
*Hist.* **1.** Petite bourse. **2.** Pièce de l'armure protégeant les cuisses. 1342 ; anc. fr. *ta(s)che*, p.-ê. du germ. °*taska*, « poche » ; [tasɛt].

**TASSILI, subst. m.**
*Géogr.* Haut plateau gréseux, en Algérie. 1898 ; touareg *tasilé* ; [tasili].

**TASTE-VIN, voir TÂTE-VIN**

**TATA, subst. f.**
**1.** Tante (lang. enfantin). **2.** Homosexuel (pop.). 1793 ; ☞ *tante* ; [tata].

**TATAMI, subst. m.**
Tapis utilisé dans les sports de combat japonais. 1904 ; mot jap. ; plur. *tatami(s)* ; [tatami].

**TATANE, subst. f.**
Chaussure (pop.). 1916 ; var. de *titine* (vx), « bottine » ; [tatan].

**TATAR, ARE, adj. et subst.**
De Tatarie. **Subst. masc.** Langue des Tatars, appartenant au groupe ouralo-altaïque. 1815 ; lat. médiév. *tatarus*, du gr. *tartaros*, « Tartare » ; [tataʀ].

**TÂTER, verbe trans.** [3]
**Trans. dir. 1.** Explorer par le toucher, palper. **2.** Fig. Questionner (qqn) discrètement pour connaître ses intentions. ► Loc. ***Tâter** le terrain* : s'informer pour se faire une opinion avant d'agir (fam.). **Trans. indir.** **Tâter de. 1.** Faire l'expérience de. **2.** Fam. Se livrer temporairement à (une activité). **Pronom.** Se palper ; au fig., hésiter (fam.). Déb. XII^e s. ; lat. pop. °*tastare*, du lat. *taxare*, « toucher » ; [tɑte].

**TÂTEUR, subst. m. et adj. m.**
*Agric.* Se dit du mécanisme de contrôle d'une planteuse, d'une décolleteuse. V. 1960 (1372, personne qui tâte) ; ☞ *tâter* ; [tɑtœʀ].

**TÂTE-VIN, subst. m.**
*Œnol.* Tasse ou pipette d'un dégustateur. 1517 (1490, ivrogne) ; comp. de *tâter* et de *vin* ; plur. *tâte-vin(s)*, var. *taste-vin* (plur. *taste-vin[s]*) ; [tɑtvɛ̃].

**TATILLON, ONNE, adj. et subst.**
Se dit d'une personne attachée aux moindres détails, pointilleuse. 1695 ; ☞ *tâter* ; [tatijɔ̃, ɔn].

**TÂTONNANT, ANTE, adj.**
Qui tâtonne. 1846 ; p. pr. de *tâtonner* ; [tɑtɔnɑ̃, ɑ̃t].

**TÂTONNEMENT, subst. m.**
**1.** Action de tâtonner. **2.** Fig. Recherche empirique faite d'essais successifs : *Procéder par **tâtonnements**.* Fin XIV^e s. ; ☞ *tâtonner* ; [tɑtɔnmɑ̃].

**TÂTONNER, verbe intrans.** [3]
**1.** Avancer à l'aveuglette, en tâtant pour se repérer dans l'obscurité. **2.** Fig. Faire divers essais infructueux avant de trouver une solution. Mil. XV^e s. (mil. XII^e s., masser) ; ☞ *tâter* ; [tɑtɔne].

**TÂTONS (À), loc. adv.**
**1.** En tâtonnant. **2.** Fig. Sans méthode, au hasard. Fin XII^e s. ; ☞ *tâtonner* ; [atɑtɔ̃].

**TATOU, subst. m.**
*Zool.* Petit édenté insectivore d'Amérique tropicale, de la famille des Dasypodidés, qui se roule en boule pour se protéger. Son dos est recouvert d'une carapace, sa tête et ses épaules sont protégées par un bouclier. 1553 ; tupi *tatu* ; [tatu].

*Tatou à neuf bandes.*

**TATOUAGE, subst. m.**
**1.** Action de tatouer, de se faire tatouer. **2.** Méton. Dessin, signe tatoué : *Identifier un chat perdu grâce à son **tatouage**.* 1778 ; ☞ *tatouer* ; [tatwaʒ].

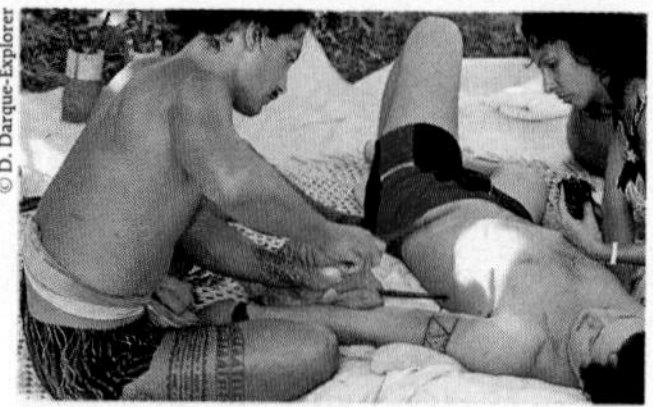


*Séance de **tatouage** traditionnel, à Tahiti.*

**TATOUER, verbe trans.** [3]
**1.** Décorer, marquer (une partie du corps) au moyen de pigments introduits avec une aiguille sous la peau ; empl. adj. : *Marin aux bras **tatoués**.* **2.** Exécuter (un dessin) par incision sur la peau : ***Tatouer** une ancre.* 1778 ; angl. *to tattoo*, du polynésien *tat-tow* ; [tatwe].

**TATOUEUR, EUSE, subst.**
Personne qui fait des tatouages. Fin XVIII^e s. ; ☞ *tatouer* ; [tatwœʀ, øz].

**TAU, subst. m. inv.**
**1.** Dix-neuvième lettre de l'alphabet grec ($\tau$, T), équivalant au *t* de l'alphabet français. **2.** *Hérald.* Figure en forme de T, aux extrémités pattées. 1732 (1451, marque imprimée par un ange sur le front des élus) ; mot gr. ; [to].

**TAUD, subst. m.**
*Mar.* **1.** Toile dont on couvre le pont d'une embarcation pour le protéger des intempéries. **2.** Étui qui protège une voile ferlée ou repliée. 1825 ; anglo-norm. *tialz*, « tente » ; var. *une taude* ; [to].

**TAUDIS, subst. m.**
**1.** Logement misérable et insalubre. **2.** Anal. Habitation mal tenue (fam.). 1611 (mil. XV^e s., abri en pierres) ; anc. fr. *se tauder*, « s'abriter », de l'anglo-norm. *tialz*, « tente » ; [todi].

**TAULARD, ARDE, subst.**
Détenu, détenue (argot.). 1940 ; ☞ *taule* ; var. *tôlard, arde* ; [tolaʀ, aʀd].

**TAULE, subst. f.**
**1.** Chambre, en partic. chambre d'hôtel (pop.). **2.** Prison (argot.). 1833 (1800, petite maison) ; ☞ *tôle* (II) ; var. *tôle* ; [tol].

**TAULIER, IÈRE, subst.**
Propriétaire ou gérant d'un hôtel (pop.). 1889 ; ☞ *taule* ; var. *tôlier, ière* ; [tolje, jɛʀ].

**TAUPE, subst. f.**
**I. 1.** *Zool.* Petit mammifère, essentiellement insectivore, de la famille des Talpidés. La **taupe** commune, au pelage sombre, est quasi aveugle et vit sous terre, dans des galeries qu'elle creuse avec ses membres antérieurs, dont les doigts servent de pelle. On repère ces galeries par les taupinières que forme la terre rejetée. ► Loc. *Myope comme une **taupe*** : très myope ; *Vieille **taupe*** : vieille femme acariâtre et sournoise (fam. et péj.). **2.** Méton. Fourrure de cet animal ; empl. adj. inv. : *Des vestes **taupe***, de couleur gris-brun. **II.** Anal. **1.** *Zool.* ***Taupe** de mer* : lamie. **2.** Fig. Espion infiltré dans un organisme, une institution (fam.). **3.** *Techn.* Engin employé au forage de tunnels. **4.** *Enseign.* Classe préparant aux concours des grandes écoles scientifiques (argot scol.). Mil. XIII^e s. ; lat. *talpa* ; [top].

**TAUPÉ, ÉE, adj. et subst. m.**
Se dit d'un feutre aux poils soyeux et brillants comme ceux d'une taupe. **Subst.** Chapeau en **taupé**. 1939 ; ☞ *taupe* ; [tope].

**TAUPE-GRILLON, subst. m.**
*Zool.* Courtilière. 1755 ; comp. de *taupe* et de *grillon* ; plur. *taupes-grillons* ; [topgʀijɔ̃].

**TAUPIER, IÈRE, subst.**
**Fém. 1.** Taupinière (vieilli). **2.** *Techn.* Piège à taupes. **Masc.** Personne qui a la charge de détruire les taupes. 1312 ; ☞ *taupe* ; [topje, jɛʀ].

**TAUPIN, subst. m.**
**1.** Vx. Soldat du Génie qui posait des mines sous terre. **2.** *Zool.* Coléoptère sauteur de la famille des Élatéridés. **3.** Élève de taupe (argot scol.). XV^e s. ; ☞ *taupe* ; [topɛ̃].

**TAUPINIÈRE, subst. f.**
**1.** Monticule de terre constitué des déblais qu'une taupe forme en creusant des galeries. **2.** Ext. Réseau de galeries où vit une taupe. **3.** Fig. Lieu étriqué ; piège. Mil. XV^e s. ; ☞ *taupe* ; [topinjɛʀ].

**TAURE, subst. f.**
Génisse (région.). XVI^e s. ; lat. *taura* ; [tɔʀ].

**TAUREAU, subst. m.**
**1.** Bovin domestique, mâle de la vache, élevé pour la reproduction. ► Loc. *Fort comme un **taureau*** : très fort ; *Prendre le **taureau** par les cornes* (☞ *corne*). **2.** *Astron.* Constellation de l'hémisphère boréal. ► *Astrol. Le **Taureau*** : deuxième signe du zodiaque (21 avril-20 mai) ; par méton. : *Un **Taureau***, personne née sous ce signe. Mil. XII^e s. ; lat. *taurus*, du gr. *tauros* ; [tɔʀo].

**TAURIDES, subst. f. plur.**
*Astron.* Groupe d'étoiles filantes qu'on peut observer dans la constellation du Taureau en novembre. 1877 ; ☞ *taureau* ; [tɔʀid].

**TAURILLON, subst. m.**
Jeune taureau. Déb. XIV^e s. ; ☞ *taureau* ; [tɔʀijɔ̃].

**TAURIN, INE, adj.**
Relatif au taureau, à la tauromachie. Déb. XVI^e s. ; lat. *taurinus* ; [tɔʀɛ̃, in].

**TAUROBOLE, subst. m.**
*Antiq.* Sacrifice expiatoire, dans le culte de Mithra ou celui de Cybèle, où l'on arrosait le prêtre ou le fidèle du sang d'un taureau immolé au-dessus de lui. 1721 ; bas lat. *taurobolium*, du gr. *taurobolos*, « qui immole un taureau » ; [tɔʀɔbɔl].

**TAUROMACHIE, subst. f.**
**1.** Vx. Course de taureaux. **2.** Méton. Art d'affronter les taureaux dans l'arène. 1830 ; lat. *taurus*, « taureau », + *-machie* ; [tɔʀɔmaʃi].

CIVILISATION – Issue de la tauromachie équestre pratiquée depuis le Moyen Âge par la noblesse espagnole, mais aussi de la tauromachie pédestre en faveur dans les classes populaires de Navarre, la tauromachie moderne, critiquée par certains, est née au XVIII^e s. de l'ascension des toreros à pieds, notamment de Costillares et de Pedro Romero, qui imposèrent le principe des trois *tercios* (« tiers ») : *tercio* des piques, *tercio* des banderilles, *tercio* de mort, avec emploi d'un leurre de couleur rouge, la *muleta*. Parachevée au début du XX^e s. par Francisco Montes, avec l'organisation des subalternes en *cuadrilla* au service du *matador* (le « tueur de taureaux ») et la codification du costume, la tauromachie n'a connu ensuite que des évolutions techniques, liées aux orientations prises par l'élevage, qui cherche à allier chez le taureau la « bravoure » traditionnelle et la « noblesse » pour accomplir une dimension esthétique dont Belmonte fut l'initiateur.

**TAUROMACHIQUE, adj.**
Relatif à la tauromachie. 1830 ; ☞ *tauromachie* ; [tɔʀɔmaʃik].

**TAUTOCHRONE, adj.**
*Phys.* Qui se déroule dans le même laps de temps. 1765 ; formé de *tauto-* et de *-chrone* ; [totɔkʀon].

**TAUTOLOGIE, subst. f.**
**1.** Répétition d'une idée, pléonasme. **2.** *Log.* Proposition vraie dans laquelle le prédicat dit la même chose que le sujet : *« Les affaires sont les affaires » est une **tautologie**.* 1521 ; bas lat. *tautologia*, du gr. *tautologia* ; [totɔlɔʒi].

**TAUTOLOGIQUE, adj.**
**1.** Qui a le caractère d'une tautologie. **2.** Qui se réduit à une tautologie. 1721 ; ☞ *tautologie* ; [totɔlɔʒik].

**TAUTOMÈRE, adj.**
*Chim.* Se dit d'un composé dont les isomères sont en situation d'équilibre. 1903 ; formé de *tauto-* et de *-mère*[1] ; [totɔmɛʀ].

**TAUTOMÉRIE, subst. f.**
Propriété des corps tautomères. 1904 ; formé de *tauto-* et de *-mérie*[1] ; [totɔmeʀi].

**TAUX, subst. m.**
**1.** Tarif fixé par l'État ou par une convention : ***Taux** salarial* ; ***Taux** de change*, cours d'une devise par rapport à une autre. **2.** Pourcentage, rapport : ***Taux** de participation* ; ***Taux** d'alcoolémie.* ► *Écon.* ***Taux** d'intérêt* : intérêt annuel pour cent francs ; ***Taux** de croissance* : croissance relative du produit national brut ; ***Taux** de chômage* : rapport entre le nombre de chômeurs et la population active. ► *Démogr.* ***Taux** de natalité, de mortalité* : rapport pour une période donnée entre le nombre de naissances, de décès, et l'effectif total de la population. ► *Techn.* ***Taux** de*

*compression* : rapport entre les volumes minimal et maximal de la chambre de combustion d'un moteur. 1283 ; anc. fr. *tauxer*, var. de *taxer* ; [to].

**TAUZIN, subst. m.**
*Bot.* Chêne à tronc court et tortueux, aux feuilles pubescentes, aussi appelé chêne des Pyrénées. XVI^e s. ; orig. inc. ; [tozɛ̃].

**TAVAÏOLLE, subst. f.**
*Liturg.* Linge fin orné de dentelles, utilisé pour la bénédiction du pain, la présentation d'un enfant au baptême. 1571 ; ital. *tovagliola*, « serviette » ; [tavajɔl].

**TAVELÉ, ÉE, adj.**
Marqué de petites taches : *Mains, fruits* ***tavelés.*** 1276 ; anc. fr. *tavel*, « carreau (d'un échiquier) », du lat. *tabella*, « petite planche » ; [tav(e)le].

**TAVELURE, subst. f.**
**1.** Tache que présente une peau, une surface tavelée. **2.** *Arboric.* Maladie cryptogamique des arbres fruitiers. 1546 ; ☞ *tavelé* ; [tav(e)lyʀ].

**TAVERNE, subst. f.**
**1.** Auberge (vieilli). **2.** Café-restaurant ; restaurant rustique. **3.** Québ. Café réservé aux hommes. Fin XII^e s. ; lat. *taberna*, « échoppe » ; [tavɛʀn].

**TAVERNIER, IÈRE, subst.**
Personne qui, autrefois, tenait une taverne. 1200 ; ☞ *taverne* ; [tavɛʀnje, jɛʀ].

**TAXACÉES, subst. f. plur.**
*Bot.* Famille de conifères tels que l'if. **Au sing.** *Une* ***taxacée.*** 1826 ; lat. *taxus*, « if » ; [taksase].

**TAXATEUR, TRICE, subst.**
Personne qui fixe une taxe, un prix. ► *Dr. Juge* ***taxateur*** : qui fixe les dépens. 1703 ; ☞ *taxer* ; [taksatœʀ, tʀis].

**TAXATION, subst. f.**
Action de taxer ; fait d'être taxé ; état qui en résulte. 1283 ; lat. *taxatio* ; [taksasjɔ̃].

**TAXE, subst. f.**
**1.** Prix officiel de certaines denrées, de certains services : *Vendre le pain au-dessus de la* ***taxe.*** **2.** Prélèvement obligatoire, assimilable à un impôt, effectué par l'État et les collectivités locales sur les entreprises et les particuliers, pour faire face aux dépenses publiques : ***Taxe*** *d'enlèvement des ordures ménagères* ; ***Taxe*** *d'habitation* ; ***Taxe*** *sur l'alcool* ; ***Taxe*** *professionnelle*, due par toute entreprise ou toute personne exerçant une activité professionnelle non salariée (a remplacé en 1975 la patente) ; ***Taxe*** *à la valeur ajoutée (T. V. A.)*, **taxe** payée par les personnes physiques ou morales à chaque stade de la production d'un bien ou d'un service, les entreprises récupérant la T. V. A. payée sur leurs achats. ► Loc. *Prix hors* ***taxes*** *(H. T.)* : qui ne comprend pas les taxes, par oppos. à *toutes* ***taxes*** *comprises (T. T. C.)*. **3.** *Dr.* Fixation du montant des dépens par un magistrat. 1378 ; ☞ *taxer* ; [taks].

**TAXER, verbe trans.** [3]
**1.** Fixer le prix de. **2.** Assujettir à une taxe. **3.** Fam. Extorquer qqch. à (qqn). **4.** Fig. Accuser, qualifier (qqn, qqch.) de : ***Taxer*** *qqn de négligence.* Fin XIII^e s. ; lat. *taxare*, du gr. *tassein*, « fixer » ; [takse].

**TAXI, subst. m.**
**1.** Automobile avec chauffeur, munie d'un taximètre et qu'un client loue pour un certain trajet. **2.** Méton. Chauffeur de **taxi** (fam.). 1907 (1905, véhicule) ; apocope de *taximètre* ; [taksi].

**TAXIDERMIE, subst. f.**
Art d'empailler les animaux tout en leur conservant l'apparence de vie. 1806 ; formé de *taxi-* et de *-dermie* ; [taksidɛʀmi].

**TAXIDERMISTE, subst.**
Personne qui pratique la taxidermie. 1818 ; ☞ *taxidermie* ; [taksidɛʀmist].

**TAXIE, subst. f.**
*Biol.* Phénomène inné de mobilité orientée par un facteur de l'environnement, caractérisant certains animaux. V. 1900 ; gr. *taxis*, « ordre » ; [taksi].

**TAXI-GIRL, subst. f.**
Entraîneuse de cabaret (anglic.). 1931 ; mot anglo-amér. ; plur. *taxi-girls* ; [taksigœʀl].

**TAXIMÈTRE, subst. m.**
**1.** Compteur qui calcule le prix d'une course en taxi. **2.** Méton. Taxi (vx). **3.** *Mar.* Appareil comportant une alidade pour prendre des relèvements. 1901 ; all. *Taxameter*, du lat. médiév. *taxa*, « taxe », + *-mètre*[1] ; [taksimɛtʀ].

**TAXINOMIE, subst. f.**
**1.** Science de la classification. **2.** Classification d'éléments. 1813 ; formé de *taxi-* et de *-nomie* ; var. *taxonomie* ; [taksinɔmi].

**TAXINOMISTE, subst.**
Spécialiste de la taxinomie. Fin XIX^e s. ; ☞ *taxinomie* ; var. *taxonomiste* ; [taksinɔmist].

**TAXODIUM, subst. m.**
*Bot.* Nom générique du cyprès chauve, grand conifère perdant ses feuilles en hiver. 1839 ; lat. sc. *taxodium*, du gr. *taxos*, « if » ; [taksɔdjɔm].

**TAXON, subst. m.**
*Sc. nat.* Nom générique de toute unité systématique d'une classification (ordre, famille, genre, espèce, etc.). V. 1960 ; gr. *taxis*, « ordre » ; [taksɔ̃].

**TAXONOMIE, voir TAXINOMIE**

**TAXONOMISTE, voir TAXINOMISTE**

**TAYAUT, voir TAÏAUT**

**TAYLORISATION, subst. f.**
Action de tayloriser ; application du taylorisme. V. 1920 ; ☞ *tayloriser* ; [tɛlɔʀizasjɔ̃].

**TAYLORISER, verbe trans.** [3]
Organiser selon le principe du taylorisme. V. 1920 ; ☞ *taylorisme* ; [tɛlɔʀize].

**TAYLORISME, subst. m.**
*Écon.* Mode de gestion scientifique du travail industriel, visant à optimiser le rendement, notamment par la parcellisation des tâches et l'utilisation maximale de l'outillage. 1918 ; anglo-amér. *taylorism*, de l'anthropon. *F. W. Taylor* ; [tɛlɔʀism].

**Tb, voir TERBIUM**

**Tc, voir TECHNÉTIUM**

**TCHADIEN, IENNE, adj. et subst.**
Du Tchad. **Adj.** *Langues* ***tchadiennes*** ou, empl. subst. masc., *Le* ***tchadien*** : groupe de langues chamito-sémitiques parlées au Tchad, au Cameroun et au Nigeria. 1954 ; topon. *Tchad* ; [tʃadjɛ̃, jɛn].

**TCHADOR, subst. m.**
Voile couvrant la tête et les épaules des femmes chiites, en partic. en Iran. 1819 ; persan *čādor*, « tente ; voile des femmes » ; [tʃadɔʀ].

**TCHAGA, subst. m.**
*Bot.* Champignon basidiomycète de la famille des Polyporacées. Prob. russe *čaga* ; [tʃaga].

**TCHAO, voir CIAO**

**TCHAPALO, subst. m.**
Bière de petit mil ou de sorgho, en Afrique. Orig. inc. ; [tʃapalo].

**TCHARCHAF, subst. m.**
Voile noir traditionnel dont les femmes turques se couvraient le visage. 1875 ; turc *çarşaf* ; [tʃaʀʃaf].

**TCHATCHE, subst. f.**
Grande loquacité (fam.). 1959 ; esp. *chacharear*, « bavarder » ; [tʃatʃ].

**TCHÈQUE, adj. et subst.**
De la République **tchèque**, ou Tchéquie, État formé de la Bohême et de la Moravie. **Subst. masc.** Langue du groupe slave occidental parlée dans ce pays. 1841 ; tchèque *Čech* ; [tʃɛk].

**TCHÉRÉMISSE, subst. m.**
Langue finno-ougrienne parlée dans la région de la Volga. 1701 ; russe *čeremis* ; [tʃeʀemis].

**TCHERNOZIOM, subst. m.**
Terre noire riche en humus, abondante en Ukraine et en Russie méridionale. 1876 ; russe *černozëm*, de *černo*, « noir », et de *zemlā*, « terre » ; [tʃɛʀnɔzjɔm].

**TCHÉTCHÈNE, adj. et subst.**
Du peuple des Tchétchènes, de la Tchétchénie. **Subst. masc.** Langue caucasienne parlée par les Tchétchènes. 1876 ; russe *čečen* ; [tʃetʃɛn].

**TCHIN-TCHIN, interj.**
Formule utilisée pour trinquer (fam.). 1902 ; prob. chinois *qing-qing* ; [tʃintʃin].

**TE, pron. pers.**
Pronom personnel des deux genres de la 2^e personne du singulier. ► Complément d'objet (direct ou indirect) ou d'attribution : *Je* ***te*** *crois* ; *Ça* ***te*** *plaît ?* ; *Je* ***t'****écrirai un mot.* ► Dans une construction pronominale : ***T'****en souviens-tu ?* ► Explétif (fam.) : *Je* ***te*** *le mettrai au pas !* X^e s. ; lat. *te*, de *tu* ; s'élide devant une voyelle et un *h* muet ; [tə].

**Te, voir TELLURE**

**TÉ (I), subst. m.**
Objet, instrument ou pièce présentant la configuration d'un T, ou dont la section est en T : ***Té*** *de raccordement.* ► Règle plate de dessinateur formant une double équerre. ► *Menuis.* Ferrure en T servant à consolider des assemblages. 1701 ; lettre *T* ; [te].

**TÉ (II), interj.**
Région. (Midi). Exclamation exprimant la surprise (fam.). 1872 ; prov. *té*, « tiens » ; [te].

**TECHNÈME, subst. m.**
Élément technique minimal. V. 1970 ; ☞ *technique*, d'apr. *phonème* ; [tɛknɛm].

**TECHNÉTIUM, subst. m.**
*Chim.* Métal radioactif artificiel, élément n° 43 de la table de Mendeleïev (symb. : Tc) ; masse atomique : 98,91 ; point de fusion : 2 172 °C ; point d'ébullition : 4 877 °C ; masse volumique : 11,5 g/cm³. 1937 ; gr. *tecknētos*, « artificiel » ; [tɛknesjɔm].

**TECHNICIEN, IENNE, subst. et adj.**
**Subst. 1.** Personne qui maîtrise parfaitement une technique particulière. **2.** Professionnel qualifié, spécialiste de l'application des sciences au domaine de la production ; en partic., agent spécialisé : ***Techniciens*** *et ingénieurs.* **Adj.** Relatif à la technique ; dominé par la technique. 1836 ; ☞ *technique* ; [tɛknisjɛ̃, jɛn].

**TECHNICISER, verbe trans.** [3]
Rendre technique ; équiper de moyens techniques. V. 1960 ; ☞ *technique* ; [tɛknisize].

**TECHNICITÉ, subst. f.**
Caractère de ce qui est technique : *Un ouvrage de haute* ***technicité.*** 1823 ; ☞ *technique* ; [tɛknisite].

**TECHNICO-COMMERCIAL, ALE, AUX, adj. et subst.**
Se dit d'un commercial ayant des connaissances techniques sur le produit qu'il vend. **Adj.** Qui relève du commerce et de la technique. V. 1960 ; comp. de *technique* et de *commercial* ; [tɛknikokɔmɛʀsjal, o].

**TECHNICOLOR, subst. m. inv.**
Procédé de cinéma en couleurs. 1917 ; angl. *Technicolor*, de *technic*, « technique », et de *color*, « couleur » ; n. déposé ; [tɛknikɔlɔʀ].

**TECHNIQUE, adj. et subst. f.**
**Adj. 1.** Qui se rapporte à un domaine spécialisé, requérant des connaissances particulières : *Terme, discussion* ***technique.*** **2.** Qui concerne le savoir-faire dans toute activité et, en partic., dans le domaine artistique : *Perfection* ***technique*** *d'une œuvre.* **3.** Relatif aux applications de la science dans le domaine de la production : *Progrès* ***technique*** ; *Enseignement* ***technique*** ou, empl. subst. masc., *Le* ***technique.*** ► Relatif au fonctionnement d'un appareil, d'une installation, etc. : *Incident* ***technique*** ; *Escale* ***technique.*** **Subst.** Ensemble des procédés utilisés dans une activité pour obtenir un résultat déterminé ; maîtrise de ces procédés. 1721 (fin XVII^e s., qui enseigne les principes d'un savoir) ; gr. *tekhnikos*, de *tekhnē*, « savoir pratique, métier » ; [tɛknik].

*Enseignement* ***technique*** *dans un lycée professionnel.*

**TECHNIQUEMENT, adv.**
Du point de vue technique. 1790 ; ☞ *technique* ; [tɛknikmɑ̃].

**TECHNO, adj. inv. et subst. f. inv.**
Se dit d'une musique d'origine américaine, issue des technologies nouvelles, rythmée et répétitive. Fin XX^e s. ; apocope de *technologie* ; [tɛkno].

**TECHNOCRATE, subst.**
Responsable politique ou haut fonctionnaire qui privilégie l'aspect technique, économique, au détriment des facteurs humains et sociaux (gén. péj.). 1945 ; formé de *techno-* et de *-crate* ; [tɛknɔkʀat].

**TECHNOCRATIE, subst. f.**
Système politique dominé par les technocrates (gén. péj.). 1934 ; formé de *techno-* et de *-cratie*, prob. d'apr. l'anglo-amér. *technocracy* ; [tɛknɔkʀasi].

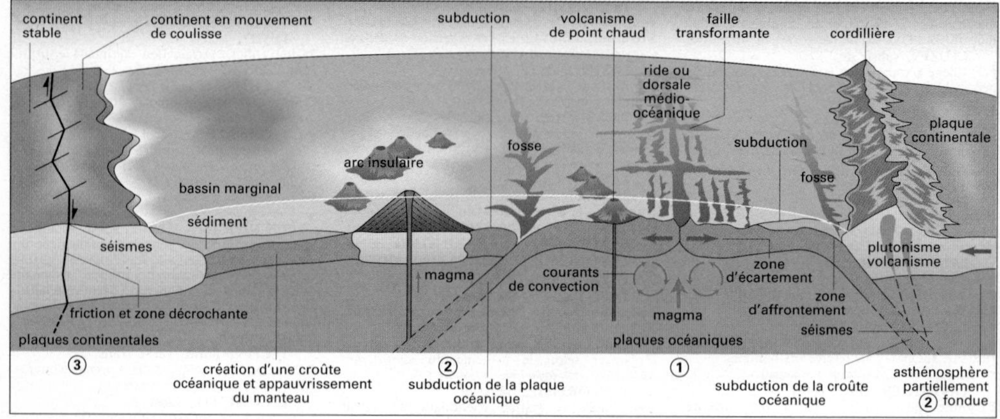


COUPE SCHÉMATIQUE ET SYNTHÉTIQUE MONTRANT LES PHÉNOMÈNES PRINCIPAUX DE LA **TECTONIQUE** DES PLAQUES
*1. Écartement des plaques. 2. Convergence des plaques. 3. Friction des plaques.*

**TECHNOCRATIQUE, adj.**
Qui relève de la technocratie, des technocrates (gén. péj.). 1933 ; ☞ *technocratie* ; [tɛknɔkʀatik].

**TECHNOCRATISER, verbe trans.** [3]
Rendre technocratique. V. 1960 ; ☞ *technocratie* ; [tɛknɔkʀatize].

**TECHNOCRATISME, subst. m.**
Comportement technocratique ; caractère d'un système technocratique. 1947 ; ☞ *technocratie* ; [tɛknɔkʀatism].

**TECHNOLOGIE, subst. f.**
**1.** Vx. Terminologie. **2.** Science des techniques ; étude des procédés et du matériel propres à une industrie, à un art, à une activité : *Institut universitaire de **technologie** (I. U. T.).* **3.** Méton. Ensemble des techniques relatives à un domaine ; en partic., technique moderne et sophistiquée (anglic. critiqué). 1656 ; gr. *tekhnologia* ; [tɛknɔlɔʒi].

**TECHNOLOGIQUE, adj.**
Propre, relatif à la technologie. 1795 ; ☞ *technologie* ; [tɛknɔlɔʒik].

**TECHNOLOGUE, subst.**
Spécialiste de la technologie. 1839 ; formé de *techno-* et de *-logue* ; var. *technologiste* ; [tɛknɔlɔg].

**TECHNOPOLE, subst. f.**
Zone urbaine regroupant des centres de formation et de recherche consacrés à l'industrie de pointe. V. 1980 ; formé de *techno-* et de *-pole* ; [tɛknɔpɔl].

**TECHNOPÔLE, subst. m.**
Site où sont concentrées des entreprises de haute technologie. V. 1990 ; ☞ *pôle + techno-* ; [tɛknopol].

**TECHNOSTRUCTURE, subst. f.**
Groupe de techniciens exerçant effectivement le pouvoir dans une société ou dans une administration. V. 1970 ; ☞ *structure + techno-* ; [tɛknostʀyktyʀ].

**TECK, subst. m.**
**1.** *Bot.* Arbre de la famille des Verbénacées, originaire d'Asie du Sud-Est. **2.** Méton. Bois de cet arbre, très dur et imputrescible. 1614 ; port. *teca*, du tamoul ou du malayalam *tēkku* ; var. *tek* ; [tɛk].

**TECKEL, subst. m.**
Basset allemand, de chasse ou de compagnie, au poil ras ou long. 1898 ; all. *Teckel*, de *Dackel*, « basset » ; [tekɛl].

**TECTITE, subst. f.**
*Astron.* Météorite vitreuse résultant d'une double fusion. 1933 ; gr. *têktos*, « fondu » ; [tɛktit].

**TECTONIQUE, subst. f. et adj.**
*Géol.* SUBST. **1.** Ensemble des déformations telles que plis, failles, etc., affectant la croûte terrestre. ► ***Tectonique** des plaques* : ensemble des mouvements et des dislocations agissant sur les plaques plus ou moins rigides qui constituent la lithosphère. **2.** Étude des mécanismes de déformation des terrains géologiques. ADJ. Relatif à la **tectonique**. 1894 ; all. *Tektonik*, du gr. *tektonikos*, « propre au charpentier » ; [tɛktɔnik].

**TECTRICE, subst. f.**
*Zool.* Chacune des grandes plumes protectrices qui couvrent le dos des oiseaux ; empl. adj. : *Penne **tectrice**.* 1803 ; lat. *tectus*, « couvert » ; [tɛktʀis].

**TEDDY-BEAR, subst. m.**
Ours en peluche (anglic.). 1910 ; anglo-amér. *Teddy bear*, de *Teddy*, dimin. de *Theodore (Roosevelt)*, et de *bear*, « ours », en réf. à la passion du président pour la chasse à l'ours ; plur. *teddy-bears* ; [tedibɛʀ].

**TE DEUM, subst. m. inv.**
*Cath.* Hymne solennelle de louange et d'action de grâces chantée en latin ; par méton., cérémonie qui l'accompagne. ► *Mus.* Œuvre composée pour cette cérémonie : *Le « **Te Deum** » de Berlioz.* Mil. XIVe s. ; lat. *te Deum laudamus*, « nous te louons Seigneur », premiers mots du cantique ; [tedeɔm].

**TEE, subst. m.**
*Sp.* Au golf, petit socle sur lequel on place la balle, au départ d'un trou. 1895 ; mot angl. ; [ti].

**TEEN-AGER, subst.**
Adolescent âgé de 13 à 19 ans (anglic. fam.). 1946 ; anglo-amér. *teenager*, de *-teen*, finale des nombres de 13 à 19, et de *age*, « âge » ; plur. *teen-agers*, var. *teenager* ; [tinɛdʒœʀ].

**TEE-SHIRT, subst. m.**
Maillot de coton à manches courtes, sans col et en forme de T. 1950 ; anglo-amér. *tee-shirt*, de *tee*, prononciation angl. de la lettre *T*, et de *shirt*, « chemise » ; plur. *tee-shirts*, var. *T-shirt* (plur. *T-shirts*) ; [tiʃœʀt].

**TEFILLIN, voir TÉPHILLIM**

**TÉGÉNAIRE, subst. f.**
*Zool.* Grande araignée sédentaire, à longues pattes, qui tisse une toile irrégulière dans les angles des caves et des greniers. 1805 ; lat. sc. *tegenaria*, du lat. *tegere*, « recouvrir » ; [teʒenɛʀ].

**TÉGUMENT, subst. m.**
**1.** Tissu différencié tel que peau, carapace, écailles, etc., recouvrant le corps de l'homme et celui des animaux. **2.** *Bot.* Enveloppe d'une graine. 1539 (1294, ce qui sert à recouvrir) ; lat. *tegumentum*, de *tegere*, « recouvrir » ; [tegymɑ̃].

**TÉGUMENTAIRE, adj.**
Qui concerne le tégument. 1835 ; ☞ *tégument* ; [tegymɑ̃tɛʀ].

**TEIGNE, subst. f.**
**1.** *Zool.* Nom commun de divers petits papillons, gén. de la famille des Tinéidés, dont les chenilles vivent sur les plantes cultivées, les denrées alimentaires ou les textiles, telle la mite. **2.** *Pathol.* Dermatose contagieuse du cuir chevelu, due à des champignons microscopiques, qui peut provoquer la chute des cheveux. **3.** Fig. Personne méchante et hargneuse (fam.). Déb. XIIe s. ; lat. *tinea* ; [tɛɲ].

**TEIGNEUX, EUSE, adj. et subst.**
**1.** Se dit d'une personne atteinte de la teigne. **2.** Fig. Se dit d'une personne hargneuse et rancunière (fam.). Fin XIIe s. ; lat. *tineosus* ; [tɛɲø, øz].

**TEILLAGE, subst. m.**
*Techn.* Action de teiller : ***Teillage** manuel, mécanique.* 1803 ; ☞ *teiller* ; var. *tillage* ; [tɛjaʒ].

**TEILLE, subst. f.**
*Bot.* **1.** Liber du tilleul. **2.** Écorce de la tige de chanvre. Fin XIIe s. ; lat. *tilia*, « tilleul ; écorce de tilleul » ; var. *tille* ; [tɛj].

**TEILLER, verbe trans.** [3]
Débarrasser (une plante textile) de ses parties ligneuses. Déb. XIIIe s. ; ☞ *teille* ; var. *tiller* ; [tɛje].

**TEILLEUR, EUSE, subst.**
Personne effectuant le teillage. FÉM. Machine à teiller. 1680 ; ☞ *teiller* ; var. *tilleur, euse* ; [tɛjœʀ, øz].

**TEINDRE, verbe trans.** [53]
Imprégner d'une substance colorante ; colorer ; empl. adj. : *Étoffe **teinte**.* PRONOM. Changer la couleur de ses cheveux, de sa moustache. Fin XIe s. ; lat. *tingere*, « mouiller, tremper » ; [tɛ̃dʀ].

**TEINT, subst. m.**
**1.** Vieilli. Manière de teindre un textile ; la couleur qui lui est ainsi donnée. ► *Tissu grand **teint*** : dont les couleurs ne s'altéreront pas. ► Loc. **Bon teint.** Qui est vraiment tel qu'on le désigne, dont les opinions sont solides : *Un monarchiste bon **teint**.* **2.** Coloration, carnation du visage : ***Teint** mat.* Mil. XIIe s. ; lat. *tinctus*, de *tingere*, « teindre » ; [tɛ̃].

**TEINTE, subst. f.**
**1.** Couleur faite d'un mélange de tons : ***Teinte** verdâtre* ; degré d'intensité d'une couleur : ***Teinte** vive.* **2.** Fig. Nuance, touche : *Une **teinte** d'amertume.* 1284 ; p. p. de *teindre*, d'apr. l'ital. *tinta* ; [tɛ̃t].

**TEINTER, verbe trans.** [3]
**1.** Donner une teinte, une légère couleur à (qqch.). **2.** Fig. Donner une nuance, un ton à (qqch.) ; empl. adj. : *Un discours **teinté** d'humour.* 1752 (1410, teindre) ; ☞ *teinte* ; [tɛ̃te].

**TEINTURE, subst. f.**
**1.** Substance utilisée pour teindre. **2.** Action de teindre ; son résultat. **3.** *Pharm.* Solution obtenue en macérant une substance (gén. desséchée) dans de l'alcool ou de l'éther : ***Teinture** d'iode.* **4.** Fig. Savoir superficiel. Fin XIIe s. ; lat. *tinctura* ; [tɛ̃tyʀ].

**TEINTURERIE, subst. f.**
**1.** Industrie de la teinture. **2.** Atelier, magasin où l'on nettoie ou teint les vêtements et les tissus. 1260 ; ☞ *teinturier* ; [tɛ̃tyʀʀi].

**TEINTURIER, IÈRE, subst.**
Personne qui travaille dans la teinturerie. Fin XIIe s. ; ☞ *teinture* ; [tɛ̃tyʀje, jɛʀ].

**TEK, voir TECK**

**TEL, TELLE, adj. et pron. indéf.**
ADJ. **1.** Marque la ressemblance. De cette sorte, pareil : *Je n'ai jamais rien vu de **tel** ; Une **telle** remarque est inconvenante ; **Telles** furent ses dernières paroles.* ► *Comme **tel**, en tant que **tel*** : à ce titre, en cette qualité. ► Loc. ***Tel** père, **tel** fils* : le fils est comme

e père. **2.** Marque la comparaison. Comme : *Elles jouaient **tels** des enfants ; Des plantes tropicales **telles** ue l'hibiscus.* ▸ *Tel quel* : dans cet état. **3.** Marque intensité. Si grand, si fort : *Je ne m'attendais pas un **tel** succès.* ▸ *Rien de tel* : rien de mieux. **.** Marque la conséquence : *Il y a un bruit **tel** que ne peux pas dormir.* ▸ Loc. conj. **De telle sorte, manière, façon que.** Introduit une proposition subordonnée de conséquence : *Il s'y prend de **telle** façon qu'il ne pourra pas réussir.* **ADJ. INDÉF.** Un certain, une certaine : *Telle personne, que je ne veux pas nommer ; Tel jour, telle heure, à tel endroit.* **PRON. 1.** Une personne indéterminée, qqn : *Tel s'est plaint des horaires, **tel** des salaires, **tel** des conditions de travail.* ▸ Loc. proverb. *Tel est pris qui croyait prendre* (La Fontaine). **2.** *Un tel* (☞ *Untel*). Mil. [e] s. ; lat. *talis* ; [tɛl].

**TÉLAMON, subst. m.**
*Antiq.* Statue masculine grecque servant à supporter une corniche (synon. *atlante*). 1547 ; lat. *telamon,* « cariatide », du gr. *telamôn,* « ce qui sert à porter », de *talân,* « supporter » ; [telamɔ̃].

**TÉLÉ, subst. f.**
Télévision ou téléviseur (fam.) : *Regarder la **télé**.* 1952 ; apocope de *télévision* ; [tele].

**TÉLÉACHAT, subst. m.**
Achat d'objets ou de services proposés en télévente. V. 1990 ; ☞ *achat* + *télé-*[2] ; [teleaʃa].

**TÉLÉAFFICHAGE, subst. m.**
Affichage télécommandé d'informations tels des horaires. V. 1970 ; ☞ *affichage* + *télé-*[1] ; [teleafiʃaʒ].

**TÉLÉALARME, subst. f.**
Alarme reliée au réseau téléphonique. XXe s. ; crois. de *téléphone* et de *alarme* ; [telealaʀm].

**TÉLÉBENNE, subst. f.**
Télécabine. V. 1920 ; crois. de *téléphérique* et de *benne* ; [telebɛn].

**TÉLÉCABINE, subst. f.**
Téléphérique à un seul câble servant à transporter des personnes dans des petites cabines. V. 1960 ; crois. de *téléphérique* et de *cabine* ; [telekabin].

**TÉLÉCARTE, subst. f. inv.**
Carte à mémoire contenant des unités prépayées, utilisable dans les cabines téléphoniques. V. 1980 ; crois. de *téléphone* et de *carte* ; n. déposé ; [telekaʀt].

**TÉLÉCINÉMA, subst. m.**
Appareil permettant de transformer en signaux télévisuels les images et les sons des films. 1935 (1898, cinématographie à distance) ; ☞ *cinéma* + *télé-*[2] ; [telesinema].

**TÉLÉCOMMANDE, subst. f.**
Commande à distance ; dispositif permettant cette opération : *La **télécommande** d'un téléviseur.* 1945 ; ☞ *commande* + *télé-*[1] ; [telekɔmɑ̃d].

**TÉLÉCOMMANDER, verbe trans. [3]**
**1.** Commander à distance, par télécommande. **2.** Fig. Inspirer, diriger de loin (une action). 1945 ; ☞ *commander* + *télé-*[1] ; [telekɔmɑ̃de].

**TÉLÉCOMMUNICATION, subst. f.**
Opération consistant à émettre et à recevoir des informations par le biais d'un faisceau hertzien, d'un réseau téléphonique, de fibres optiques, etc. **PLUR.** Ensemble des techniques permettant de communiquer à distance. 1904 ; ☞ *communication* + *télé-*[1] ; [telekɔmynikasjɔ̃].

*Station terrestre de **télécommunication** par satellite.*

© Bartholomew/Liaison-Gamma

**TÉLÉCONFÉRENCE, subst. f.**
Discussion entre des personnes situées dans des lieux différents et reliées par télécommunication. V. 1980 ; ☞ *conférence* + *télé-*[1] ; [telekɔ̃feʀɑ̃s].

**TÉLÉCOPIE, subst. f.**
**1.** Procédé de numérisation et de transmission de documents graphiques en fac-similé par le réseau téléphonique. **2.** Méton. Document ainsi transmis. V. 1970 ; crois. de *téléphone* et de *copie* ; synon. *fax* ; [telekɔpi].

**TÉLÉCOPIEUR, subst. m.**
Appareil d'émission et de réception de télécopies (synon. *fax*). V. 1970 ; ☞ *télécopie* ; [telekɔpjœʀ].

**TÉLÉDÉTECTION, subst. f.**
Ensemble des techniques permettant d'observer et d'analyser des phénomènes à distance. V. 1970 ; ☞ *détection* + *télé-*[1] ; [teledetɛksjɔ̃].

**TÉLÉDIAGNOSTIC, subst. m.**
Diagnostic effectué par télécommunication. XXe s. ; ☞ *diagnostic* + *télé-*[1] ; [teledjagnɔstik].

**TÉLÉDIFFUSER, verbe trans. [3]**
Procéder à la télédiffusion de (une émission). V. 1960 ; ☞ *diffuser* + *télé-*[2] ; [teledifyze].

**TÉLÉDIFFUSION, subst. f.**
Diffusion par télévision. V. 1960 ; ☞ *diffusion* + *télé-*[2] ; [teledifyzjɔ̃].

**TÉLÉDISTRIBUTION, subst. f.**
Diffusion de programmes de télévision par câble. V. 1960 ; ☞ *distribution* + *télé-*[2] ; [teledistʀibysjɔ̃].

**TÉLÉÉCRITURE, subst. f.**
Télécommunication permettant de transmettre des informations graphiques et de les recevoir au fur et à mesure de leur tracé sur un écran. V. 1980 ; ☞ *écriture* + *télé-*[1] ; [teleekʀityʀ].

**TÉLÉENSEIGNEMENT, subst. m.**
Enseignement à distance. V. 1960 ; ☞ *enseignement* + *télé-*[1] ; var. *télé-enseignement* (plur. *télé-enseignements*) ; [teleɑ̃sɛɲmɑ̃].

**TÉLÉFÉRIQUE, voir TÉLÉPHÉRIQUE**

**TÉLÉFILM, subst. m.**
Film de fiction conçu et réalisé pour la télévision. V. 1960 ; ☞ *film* + *télé-*[2] ; [telefilm].

**TÉLÉGA, subst. f.**
En Russie, charrette à quatre roues servant au transport des marchandises. 1812 ; russe *telega* ; var. *télègue* ; [telega].

**TÉLÉGÉNIQUE, adj.**
Qui fait bonne impression à la télévision : *Une personnalité **télégénique**.* 1947 ; formé de *télé-*[2] et de *-génique,* d'apr. *photogénique* ; [teleʒenik].

**TÉLÉGRAMME, subst. m.**
Message transmis par télégraphe ; par méton., feuille sur laquelle il est transcrit ; son contenu. 1859 ; formé de *télé-*[1] et de *-gramme* ; [telegʀam].

**TÉLÉGRAPHE, subst. m.**
Appareil, dispositif permettant de transmettre des messages à distance : ***Télégraphe** aérien de Chappe ; **Télégraphe** électrique de Morse.* 1792 ; formé de *télé-*[1] et de *-graphe* ; [telegʀaf].

**TÉLÉGRAPHIE, subst. f.**
Ensemble des techniques, des moyens de transmission par télégraphe. 1798 ; ☞ *télégraphe* ; [telegʀafi].

**TÉLÉGRAPHIER, verbe trans. [6]**
Communiquer (un message) par le télégraphe. 1842 ; ☞ *télégraphie* ; [telegʀafje].

**TÉLÉGRAPHIQUE, adj.**
**1.** Relatif au télégraphe. **2.** Fig. Très concis : *Style **télégraphique**.* 1796 ; ☞ *télégraphe* ; [telegʀafik].

**TÉLÉGRAPHISTE, subst.**
Personne chargée de transmettre les télégrammes. 1801 ; ☞ *télégraphe* ; [telegʀafist].

**TÉLÈGUE, voir TÉLÉGA**

**TÉLÉGUIDAGE, subst. m.**
Action de guider, de manœuvrer à distance un engin. 1948 ; ☞ *téléguider* ; [telegidaʒ].

**TÉLÉGUIDER, verbe trans. [3]**
**1.** Télécommander (un engin) ; empl. adj. : *Char **téléguidé**.* **2.** Fig. Diriger à distance, gén. de façon occulte. 1947 ; ☞ *guider* + *télé-*[1] ; [telegide].

**TÉLÉIMPRESSION, subst. f.**
Impression de messages à distance au moyen de la télématique. XXe s. ; ☞ *impression* + *télé-*[1] ; [teleɛ̃pʀesjɔ̃].

**TÉLÉIMPRIMEUR, subst. m.**
Appareil servant à la téléimpression. 1948 ; ☞ *imprimeur* + *télé-*[1] ; [teleɛ̃pʀimœʀ].

**TÉLÉINFORMATIQUE, subst. f.**
Exploitation automatisée de systèmes informatiques utilisant des réseaux de télécommunication. V. 1970 ; ☞ *informatique* + *télé-*[1] ; [teleɛ̃fɔʀmatik].

**TÉLÉKINÉSIE, subst. f.**
*Parapsychol.* Déplacement d'objets à distance, sans intervention physique observable. 1893 ; gr. *kinêsis,* « mouvement », + *télé-*[1] ; [telekinezi].

**TÉLÉMAINTENANCE, subst. f.**
Maintenance à distance d'un véhicule spatial grâce à des liaisons de télémesure et de télécommande. V. 1970 ; ☞ *maintenance* + *télé-*[1] ; [telemɛ̃t(ə)nɑ̃s].

**TÉLÉMANIPULATEUR, subst. m.**
Dispositif permettant de manipuler à distance des substances, des objets dangereux. V. 1960 ; ☞ *manipulateur* + *télé-*[1] ; [telemanipylatœʀ].

**TÉLÉMARK, subst. m.**
*Sp.* En ski alpin, virage en position fendue, le genou près du ski et le talon relevé. 1896 ; topon. *Telemark* (Norvège) ; [telemaʀk].

**TÉLÉMATIQUE, subst. f. et adj.**
**SUBST.** Ensemble des services et des techniques (Télétex, vidéographie, télécopie, etc.) alliant les télécommunications et l'informatique. **ADJ.** Relatif à ces techniques ou à ces services : *Réseaux **télématiques**.* V. 1980 ; crois. de *télécommunication* et de *informatique* ; [telematik].

**TÉLÉMESURE, subst. f.**
Transmission à distance d'un signal porteur d'un résultat de mesure. 1949 ; ☞ *mesure* + *télé-*[1] ; [teleməzyʀ].

**TÉLÉMÈTRE, subst. m.**
Instrument de télémétrie. 1832 ; formé de *télé-*[1] et de *-mètre*[1] ; [telemɛtʀ].

**TÉLÉMÉTRIE, subst. f.**
Mesure des distances par des procédés optiques, acoustiques ou radioélectriques. 1842 ; ☞ *télémètre* ; [telemetʀi].

**TÉLENCÉPHALE, subst. m.**
*Anat.* Partie du cerveau de l'embryon dont dérivent les hémisphères cérébraux. 1904 ; ☞ *encéphale* + *télo-* ; [telɑ̃sefal].

**TÉLÉOBJECTIF, subst. m.**
Objectif photographique à longue focale qui permet d'obtenir une image agrandie d'un sujet éloigné. 1903 ; ☞ *objectif* + *télé-*[1] ; [teleɔbʒɛktif].

**TÉLÉOLOGIE, subst. f.**
*Philos.* Étude de la finalité. ▸ Doctrine qui privilégie l'explication finaliste (anton. *mécanisme*). 1765 ; formé de *téléo-* et de *-logie* ; [teleɔlɔʒi].

**TÉLÉOLOGIQUE, adj.**
Relatif à la téléologie ; fondé sur l'idée de finalité. 1812 ; ☞ *téléologie* ; [teleɔlɔʒik].

**TÉLÉONOMIE, subst. f.**
*Sc.* Conception systémique selon laquelle ce qui vit est subordonné à la réalisation d'un but, et soumis à des mécanismes d'autorégulation. V. 1970 ; formé de *téléo-* et de *-nomie* ; [teleɔnɔmi].

**TÉLÉOSTÉENS, subst. m. plur.**
*Zool.* Superordre de poissons osseux, aux branchies recouvertes d'opercules, aux écailles plates, à la nageoire caudale à deux lobes égaux ou sans lobe, qui rassemble la majeure partie des poissons actuels. **AU SING.** *L'anguille est un **téléostéen** ;* empl. adj. : *Un poisson **téléostéen**.* 1845 ; lat. *teleostei,* du gr. *teleios,* « achevé », et *osteon,* « os » ; [teleɔsteɛ̃].

**TÉLÉPAIEMENT, subst. m.**
Paiement électronique à distance, en partic. par Minitel. V. 1990 ; ☞ *paiement* + *télé-*[1] ; [telepɛmɑ̃].

**TÉLÉPATHE, subst. et adj.**
Se dit d'une personne qui pratique la télépathie. 1913 ; ☞ *télépathie* ; [telepat].

**TÉLÉPATHIE, subst. f.**
*Parapsychol.* Communication extrasensorielle ; transmission de pensée. 1891 ; formé de *télé-*[1] et de *-pathie,* d'apr. l'angl. *telepathy* ; [telepati].

**TÉLÉPATHIQUE, adj.**
Qui relève de la télépathie. 1882 ; ☞ *télépathie* ; [telepatik].

**TÉLÉPÉAGE, subst. m.**
Péage autoroutier par repérage d'une carte électronique. XXe s. ; ☞ *péage* + *télé-*[1] ; [telepeaʒ].

**TÉLÉPHÉRAGE, subst. m.**
*Techn.* Procédé de transport par des véhicules suspendus à des câbles aériens. 1884 ; angl. *telpherage* ; [telefeʀaʒ].

© Nasa/Liaison-Gamma

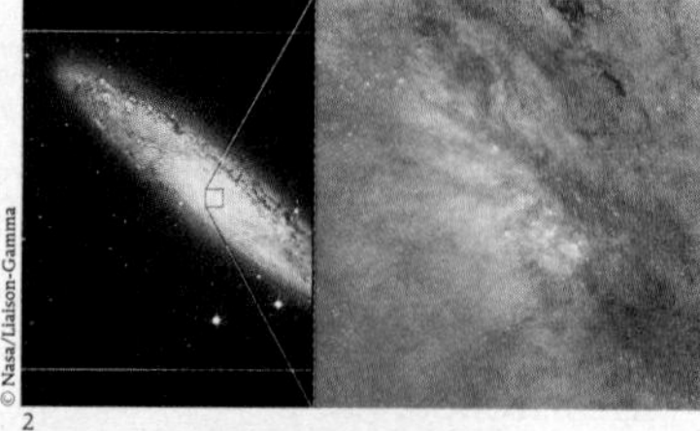

© Nasa/Liaison-Gamma

© Nasa/Liaison-Gamma

VU PAR LE TÉLESCOPE HUBBLE

1. *Maquette du télescope spatial Hubble mis en orbite en 1990.*
2. *Naissance d'étoiles dans la galaxie NGC253.*
3. *« Colonnes » gazeuses dans la nébuleuse M16.*

**TÉLÉPHÉRIQUE,** subst. m. et adj.
ADJ. Relatif au **téléphérique.** SUBST. Moyen de transport constitué d'une cabine suspendue à un câble, utilisé en montagne. ⚭ 1920 ; ☞ *téléphérage* ; var. *téléférique* ; [telefeʀik].

**TÉLÉPHONE,** subst. m.
Dispositif, qui transforme les sons en signaux électriques, permettant de correspondre par la voix à distance ; par ext., réseau téléphonique : *Abonné au* ***téléphone*** ; par méton., poste téléphonique : ***Téléphone*** *portable.* ▸ Fig. ***Téléphone*** *arabe* : transmission rapide de nouvelles par le bouche à oreille. ⚭ 1876 (1809, dispositif acoustique permettant de correspondre à distance) ; formé de *télé-*[1] et de *-phone* ; [telefɔn].

**TÉLÉPHONER,** verbe trans. [3]
TRANS. INDIR. **Téléphoner** à. Parler à, joindre (qqn) par téléphone ; empl. abs., utiliser le téléphone. TRANS. DIR. Transmettre (qqch.) par téléphone. ▸ Empl. adj. *Une plaisanterie* ***téléphonée*** : qui tombe à plat, par manque de spontanéité. ⚭ 1883 ; ☞ *téléphone* ; [telefɔne].

**TÉLÉPHONIE,** subst. f.
Transmission de sons à distance : ***Téléphonie*** *sans fil.* ⚭ 1836 ; ☞ *téléphone* ; [telefɔni].

**TÉLÉPHONIQUE,** adj.
Relatif au téléphone : *Central, appel, répondeur* ***téléphonique.*** ⚭ 1881 (1842, relatif à la téléphonie) ; ☞ *téléphone* ; [telefɔnik].

© S. Frances-Explorer

*Intégration d'une cabine* ***téléphonique*** *dans une colonne Morris. Mobilier urbain des Champs-Élysées, à Paris.*

**TÉLÉPHONISTE,** subst.
Personne chargée des transmissions téléphoniques. ⚭ 1880 ; ☞ *téléphone* ; [telefɔnist].

**TÉLÉPOINTAGE,** subst. m.
Pointage à distance des canons d'un navire de guerre. ⚭ V. 1940 ; ☞ *pointage* + *télé-*[1] ; [telepwɛ̃taʒ].

**TÉLÉPORT,** subst. m.
Ensemble d'installations de télécommunication mises à la disposition des utilisateurs d'un site d'activité. ⚭ V. 1990 ; crois. de *télécommunication* et de *port* (I) ; [telepɔʀ].

**TÉLÉRADAR,** subst. m.
Procédé permettant l'émission et la réception d'images radar par la télévision. ⚭ V. 1960 ; ☞ *radar* + *télé-*[2] ; [teleʀadaʀ].

**TÉLÉREPORTAGE,** subst. m.
Reportage télévisé. ⚭ V. 1950 ; ☞ *reportage* + *télé-*[2] ; [teleʀ(ə)pɔʀtaʒ].

**TÉLESCOPAGE,** subst. m.
Fait de télescoper, de se télescoper. ⚭ Fin XIXe s. ; ☞ *télescoper* ; [telɛskɔpaʒ].

**TÉLESCOPE,** subst. m.
Instrument d'observation astronomique composé de lentilles (système dioptrique, ou réfracteur), de miroirs (système catoptrique, ou réflecteur) ou d'un système mixte dit catadioptrique. ⚭ Déb. XVIIe s. ; ital. *telescopio* ; [telɛskɔp].

**TÉLESCOPER,** verbe trans. [3]
Percuter violemment (un obstacle, un véhicule) en s'y encastrant. PRONOM. Entrer en collision ; au fig., s'interpénétrer : *Souvenirs qui se* ***télescopent.*** ⚭ 1873 ; anglo-amér. *to telescope,* de *telescope,* « longue vue (formée de tubes emboîtés) » ; [telɛskɔpe].

**TÉLESCOPIQUE,** adj.
**1.** Relatif au télescope. **2.** Dont les différents éléments s'emboîtent les uns dans les autres : *Antenne* ***télescopique.*** ⚭ 1880 (1666, visible avec un télescope) ; ☞ *télescope* ; [telɛskɔpik].

**TÉLÉSCRIPTEUR,** subst. m.
Appareil d'écriture à distance, utilisé en partic. dans la presse pour l'envoi et la réception des dépêches d'agence. ⚭ 1898 ; lat. *scriptor,* « celui qui écrit », + *télé-*[1] ; [teleskʀiptœʀ].

**TÉLÉSIÈGE,** subst. m.
Remontée mécanique constituée de sièges suspendus à un câble. ⚭ 1948 ; crois. de *téléphérique* et de *siège* ; [telesjɛʒ].

**TÉLÉSIGNALISATION,** subst. f.
Signalisation à distance, par câbles ou par voie hertzienne. ⚭ V. 1960 ; ☞ *signalisation* + *télé-*[1] ; [telesiɲalizasjɔ̃].

**TÉLÉSKI,** subst. m.
Remonte-pente constitué d'un câble équipé d perches auxquelles s'accrochent les skieurs (synor fam. *tire-fesses*). ⚭ 1935 ; crois. de *téléphérique* et d *ski* ; [teleski].

**TÉLÉSOUFFLEUR,** subst. m.
Prompteur. ⚭ V. 1980 ; ☞ *souffleur* + *télé-*[2] ; recomm off. pour *prompteur* ; [telesuflœʀ].

**TÉLÉSPECTATEUR, TRICE,** subst.
Personne qui regarde la télévision. ⚭ 1947 ☞ *spectateur* + *télé-*[2] ; [telespɛktatœʀ, tʀis].

**TÉLÉSURVEILLANCE,** subst. f.
Système de surveillance à distance à l'aide d moyens électroniques. ⚭ V. 1970 ; ☞ *surveillanc* + *télé-*[1] ; [telesyʀvɛjɑ̃s].

**TÉLÉTEXTE,** subst. m.
Vidéographie dans laquelle les textes, les message sont transmis par un réseau télévisuel ou télé phonique. ⚭ V. 1980 ; ☞ *texte* + *télé-*[2] ; [teletɛkst]

**TÉLÉTRAITEMENT,** subst. m.
Mode de traitement informatique dans lequel le données sont émises ou reçues par des terminau éloignés de l'unité centrale. ⚭ V. 1950 ; ☞ *traite ment* + *télé-*[1] ; [teletʀɛtmɑ̃].

**TÉLÉTRANSMISSION,** subst. f.
Transmission à distance d'une information ⚭ 1947 ; ☞ *transmission* + *télé-*[1] ; [teletʀɑ̃smisjɔ̃].

**TÉLÉTRAVAIL,** subst. m.
Système d'organisation décentralisée du travai effectué à domicile, géré par la télématique. ⚭ V 1980 ; ☞ *travail* (I) + *télé-*[1] ; plur. *télétravaux* [teletʀavaj].

**TÉLÉTYPE,** subst. m. inv.
*Techn.* Téléimprimeur. ⚭ 1905 ; ☞ *type* + *télé-*[1] ; n déposé ; [teletip].

**TÉLÉVENTE,** subst. f.
Vente d'articles présentés à la télévision, qu s'effectue sur commande, par téléphone ou pa Minitel. ⚭ V. 1990 ; ☞ *vente* + *télé-*[2] ; [televɑ̃t].

**TÉLÉVISER,** verbe trans. [3]
Diffuser (des images, un film, etc.) par télévision empl. adj. : *Informations* ***télévisées,*** transmises pa la télévision. ⚭ 1930 ; ☞ *télévision* ; [televize].

**TÉLÉVISEUR,** subst. m.
Appareil récepteur de télévision (abrév. fam. : télé) ⚭ 1952 (1929, émetteur de télévision) ; ☞ *télévision* [televizœʀ].

**TÉLÉVISION,** subst. f.
**1.** Transmission à distance, par câble ou onde radioélectriques, d'images fixes ou animées pouvan être reproduites sur un écran au fur et à mesur de leur réception. **2.** Ensemble des services assuran la transmission d'émissions par **télévision. 3.** Télé viseur (fam.). ⚭ 1908 ; angl. *television* ; [televizjɔ̃]

COMMUNICATION – Depuis le pantélégraphe d Caselli (1862), le disque tournant de Nipkow (1884), les procédés électroniques (tube analyseu d'images de Zworykin en 1923), la transmission d'images par voie électrique se met au point. Aprè la démonstration de Baird (1928), des émission publiques sont diffusées par voie hertzienne : l télévision est née, avec la possibilité de converti une image en signaux électriques proportionnel à la brillance des points qui la constituent (un conversion inverse étant opérée pour la réception) Simultanément, intervient la transmission de l variation de la brillance et de la position de ce points, dans le plan de l'image, avec le mouvemen et le son correspondants. Les premiers récepteur sont commercialisés aux États-Unis dès 1941 ; l télévision en couleur y verra le jour en 1953 (e Europe, au début des années 1960). Des satellite relais assurent les transmissions à grande distance

**TÉLÉVISUEL, ELLE,** adj.
Propre à la télévision, en tant que moyen d'expression, de création : *Style* ***télévisuel.*** ⚭ 1949 ; ☞ *télé vision* ; [televizɥɛl].

**TÉLEX,** subst. m. inv.
Service de télécommunication permettant de télégraphier un texte saisi sur un clavier ; le message transmis. ⚭ 1946 ; acron. angl. *telex,* de *teleprinter exchange service* ; [telɛks].

**TÉLEXER,** verbe trans. [3]
Transmettre par télex. ⚭ XXe s. ; ☞ *télex* ; [telɛkse].

**TELL,** subst. m.
*Archéol.* Au Proche-Orient, relief artificiel constitué par la superposition, au fil des siècles, des ruines de villes ou de villages. ⚭ 1839 ; ar. *tall* ; [tɛl].

**TELLEMENT,** adv.
**1.** Si, tant, à un tel degré : *Il est **tellement** fier !* ► *Pas tellement* : pas très, pas beaucoup (fam.). ► *Plus tellement* : plus très, plus beaucoup (fam.). **2. Tellement... que.** À un point tel... que : *Il a eu **tellement** peur qu'il s'est enfui.* ► **Tellement de.** Tant de : *Elle a **tellement** de peine !* Fin XIIIe s. ; ☞ *tel* ; [tɛlmɑ̃].

**TELLIÈRE,** subst. m.
Format de papier (34 cm × 44 cm). 1723 ; anthropon. *Le Tellier*, qui imposa ce format ; [tɛljɛʀ].

**TELLURATE,** subst. m.
*Chim.* Sel ou ester de l'acide tellurique. 1832 ; ☞ *tellure* ; [tɛlyʀat].

**TELLURE,** subst. m.
*Chim.* Élément n° 52 de la table de Mendeleïev (symb. : Te) ; masse atomique : 127,6 ; point de fusion : 449,5 °C ; point d'ébullition : 989,4 °C ; masse volumique : 6,24 g/cm$^3$ ; c'est un métalloïde semi-conducteur, utilisé dans certains alliages. 1800 ; lat. *tellurium*, de *tellus*, « terre » ; [tɛlyʀ].

**TELLUREUX, EUSE,** adj.
*Chim.* Qualifie l'anhydride $TeO_2$ et l'acide $H_2TeO_3$ correspondant. 1835 ; ☞ *tellure* ; [tɛlyʀø, øz].

**TELLURHYDRIQUE,** adj.
*Chim.* Qualifie l'acide $H_2Te$, gaz incolore toxique. 1842 ; ☞ *tellure* + *-hydrique* ; [tɛlyʀidʀik].

**TELLURIQUE (I),** adj.
*Chim.* Qualifie l'anhydride $TeO_3$ et l'acide $H_2TeO_4$ correspondant. 1823 ; ☞ *tellure* ; [tɛlyʀik].

**TELLURIQUE (II),** adj.
**1.** *Géol.* Relatif à la Terre, au sol ou au sous-sol : *Secousse **tellurique***, tremblement de terre ; *Courant **tellurique***, courant électrique enregistré dans la partie superficielle de la lithosphère et créé par le champ magnétique naturel de la Terre (synon. *tellurien*). **2.** *Astron. Planète **tellurique*** : dotée d'un sol rocheux, par oppos. à *planète gazeuse*. 1839 ; lat. *tellus*, « terre » ; [tɛlyʀik].

**TELLURURE,** subst. m.
*Chim.* Combinaison du tellure avec l'hydrogène. 1826 ; ☞ *tellure* ; [tɛlyʀyʀ].

**TÉLOPHASE,** subst. f.
*Biol.* Dernière phase de la mitose, au cours de laquelle se forment les noyaux des deux cellules filles. 1897 ; ☞ *phase* + *télo-* ; [telɔfɑz].

**TÉLOUGOU,** subst. m.
Langue dravidienne parlée dans l'Inde du Sud. 1882 ; nom indigène de cette langue ; var. *telugu* ; [telugu].

**TELSON,** subst. m.
*Zool.* Dernier anneau de l'abdomen, chez les Arthropodes. 1890 ; angl. *telson*, du gr. *telson*, « borne, limite » ; [tɛlsɔ̃].

**TELUGU,** voir **TÉLOUGOU**

**TÉMÉRAIRE,** adj.
**1.** Hardi au point de prendre des risques : *Enfant **téméraire*** ; empl. subst. : *C'est un **téméraire**.* **2.** Marqué par une hardiesse excessive : *Projet **téméraire*** ; hasardeux : *Jugement **téméraire***, sans fondement. 1365 ; lat. *temerarius* ; [temeʀɛʀ].

**TÉMÉRITÉ,** subst. f.
Hardiesse imprudente ou excessive. Fin XIVe s. ; lat. *temeritas* ; [temeʀite].

**TÉMOIGNAGE,** subst. m.
**1.** Action de témoigner ; compte rendu de ce que l'on a vu ou entendu. ► *Dr.* Déposition sous serment, faite par un témoin. ► Loc. *Rendre, porter **témoignage** de* : témoigner en faveur de, reconnaître. **2.** Marque extérieure : *Témoignage de respect.* ► Loc. *En **témoignage** de* : en gage de. Fin XIIe s. ; ☞ *témoigner* ; [temwaɲaʒ].

**TÉMOIGNER,** verbe [3]
TRANS. DIR. **1.** Attester, certifier (+ « que » ou inf. passé) : *Je **témoigne** que je l'ai vu, ou l'avoir vu.* **2.** Exprimer : *Témoigner sa joie, sa peur.* TRANS. INDIR. **Témoigner de. 1.** Se porter garant de : *Nous **témoignerons** de sa bonne foi.* **2.** Faire preuve de : *Ce cheval **témoigne** d'un tempérament rétif.* ► Être le signe de, dénoter : *Ses traits tirés **témoignent** de sa lassitude.* INTRANS. Faire une déposition devant la justice : *Témoigner en faveur de, contre qqn.* Mil. XIIe s. ; ☞ *témoin* ; [temwaɲe].

**TÉMOIN,** subst. m.
**I. 1.** Vx. Témoignage. ► Loc. *Prendre qqn à **témoin*** : invoquer son témoignage. **2.** Ce qui atteste, constitue une preuve : *Stonehenge, **témoin** de l'art du Néolithique* ; *Je l'ai postée jeudi, **témoin** le cachet de la poste.* **II. 1.** Personne apte à rapporter ce qu'elle a vu ou entendu et à en attester l'authenticité. **2.** *Dr.* ► Personne qui témoigne en justice, sous serment : *Témoin à charge*, dont le témoignage est requis contre l'accusé ; *Faux **témoin***, dont la déposition se révèle mensongère. ► Personne désignée pour certifier l'exactitude des identités, des déclarations, dans l'établissement d'un acte officiel : *Être le **témoin** du marié.* **3.** Personne que choisissait un duelliste pour régler le déroulement de la rencontre. **4.** Ext. Personne qui assiste à un évènement : *Être **témoin** d'un vol.* **5.** Personne qui professe une croyance, atteste une vérité. ► *Les **Témoins** de Jéhovah* : secte millénariste, d'origine américaine. **6.** Fig. Artiste, auteur dont l'œuvre reflète une époque, une culture : *Saint-Simon, **témoin** du Grand Siècle.* **III. 1.** Échantillon ou sujet non soumis à une expérience ou à un traitement, qui sert de base de comparaison. ► En appos. *Appartement **témoin*** : dans un programme immobilier, appartement type décoré, visité par les clients ; *Lampe **témoin*** : qui permet de contrôler le fonctionnement d'un circuit ; *Son **témoin*** : enregistré lors des prises de vue et servant de repère pour la post-synchronisation. ► *Archit.* Repère placé sur une fissure pour en surveiller l'évolution. **2.** *Sp.* Bâton que les coureurs d'une équipe se passent dans une course de relais. Mil. XIIe s. ; lat. *testimonium* ; [temwɛ̃].

**TEMPE (I),** subst. f.
*Anat.* Partie latérale externe de la tête, comprise entre le coin de l'œil et le haut de l'oreille. Fin XIe s. ; lat. pop. *°tempula*, du lat. *tempora* ; [tɑ̃p].

**TEMPE (II),** subst. f.
*Bouch.* Morceau de bois servant à maintenir ouvert le ventre d'un animal abattu. 1812 (1765, règle avec laquelle on tend l'étoffe sur un métier) ; lat. *templum*, « traverse » ; [tɑ̃p].

**TEMPERA,** subst. f.
*B.-a.* Procédé de peinture à l'eau, utilisant comme liant un mélange à base d'œuf. ► Loc. *Peindre a **tempera**, à la **tempera*** : selon ce procédé. 1884 ; ital. *tempera*, « détrempe » ; [tɑ̃peʀa].

**TEMPÉRAMENT,** subst. m.
**1.** Ensemble des dispositions physiques et psychologiques d'une personne : *Tempérament bilieux, doux, sanguin.* ► Loc. *Avoir du **tempérament*** : un caractère très affirmé (fam.). **2.** *Mus. **Tempérament** égal* : méthode de division de l'octave en demi-tons égaux. **3.** *Vente à **tempérament*** : dont les paiements sont échelonnés. 1478 ; lat. *temperamentum* ; [tɑ̃peʀamɑ̃].

**TEMPÉRANCE,** subst. f.
**1.** Disposition à discipliner les désirs et les passions. ► *Théol.* L'une des quatre vertus cardinales. **2.** Modération dans les plaisirs de la table, en partic. dans la consommation d'alcool ; sobriété. Mil. XIIIe s. ; lat. *temperantia* ; [tɑ̃peʀɑ̃s].

**TEMPÉRANT, ANTE,** adj.
Qui fait preuve de tempérance ; sobre. 1553 ; lat. *temperans* ; [tɑ̃peʀɑ̃, ɑ̃t].

**TEMPÉRATURE,** subst. f.
**1.** Degré de chaleur de l'air ambiant, de l'atmosphère météorologique : *Une **température** clémente* ; *Baisse de **température**.* **2.** Chaleur du corps d'un être vivant : *Animaux à **température** fixe*, à sang chaud ; *Prendre sa **température*** ; empl. abs., fièvre : *Avoir de la **température**.* **3.** *Phys.* Phénomène se manifestant par la chaleur plus ou moins élevée d'un corps ou d'une substance et traduisant l'énergie cinétique de translation des molécules qui le composent ; la mesure de ce phénomène. 1547 (1538, constitution physique) ; lat. *temperatura* ; [tɑ̃peʀatyʀ].

**TEMPÉRÉ, ÉE,** adj.
**1.** Dont la température n'est ni très froide ni très chaude : *Climat **tempéré*** ; *Pays **tempérés**.* **2.** *Mus. Gamme **tempérée*** : divisée en demi-tons égaux. 1528 (1119, modéré, sage) ; p. p. de *tempérer* ; [tɑ̃peʀe].

**TEMPÉRER,** verbe trans. [8]
Atténuer, faire baisser l'intensité de (qqch.) : *Tempérer sa colère.* 1155 ; lat. *temperare* ; [tɑ̃peʀe].

**TEMPÊTE,** subst. f.
**1.** Perturbation atmosphérique génératrice de vents violents et de précipitations souv. en rafales, qui provoque l'agitation de la mer (houle) ou les déplacements de sable dans le désert. **2.** Anal. Phénomène soudain et violent, explosion : *Tempête de rires.* **3.** Fig. Violente agitation : *Tempête révolutionnaire.* Mil. Xe s. ; lat. pop. *°tempesta* ; [tɑ̃pɛt].

**TEMPÊTER,** verbe intrans. [3]
Exprimer bruyamment son mécontentement : *Tempêter contre qqn, qqch.* Mil. XIIe s. ; ☞ *tempête* ; [tɑ̃pɛte].

**TEMPÉTUEUX, EUSE,** adj.
Agité par la tempête (littér.) : *Flots **tempétueux**.* Déb. XIVe s. ; bas lat. *tempestuosus* ; [tɑ̃petɥø, øz].

**TEMPLE,** subst. m.
**1.** Édifice consacré à un culte spécifique : *Le **temple** de Poséidon, à Paestum.* ► *Hist. Le **temple** de Salomon* ou, empl. abs., *Le **Temple*** : consacré au culte de Yahvé, édifié par Salomon à Jérusalem, détruit en 587 av. J.-C., rebâti peu après et démoli à nouveau en 70 apr. J.-C. **2.** *Ordre du **Temple*** ou, empl. abs., *Le **Temple*** : ordre fondé en 1119 à Jérusalem pour la défense du Saint-Sépulcre et des pèlerins qui s'y rendaient. **3.** Lieu du culte protestant. Fin XIe s. ; lat. *templum* ; [tɑ̃pl].

ARCHITECTURE – Le temple grec est avant toute chose le lieu qui abrite la statue de la divinité. Il est constitué d'une enceinte sacrée (téménos), entourée d'une muraille (péribole). Sa partie centrale est le sanctuaire, réservé aux prêtres : elle contient le naos, où se trouve la statue de la divinité, flanqué d'un vestibule à l'avant, le pronaos, et d'un lieu de dépôt des offrandes, l'opisthodome, à l'arrière. Entourant le sanctuaire, le péristyle, auquel ont accès les fidèles, est garni d'une série de colonnes dont l'organisation permet de différencier les types de temples : temple prostyle (aux colonnes situées sur la seule façade antérieure), amphiprostyle (aux colonnes disposées symétriquement à l'avant et à l'arrière), périptère (avec un seul alignement de colonnes au long de son périmètre), diptère (avec un alignement double), aptère (sans colonnes latérales). L'architecture des temples grecs témoigne des recherches, influencées par l'école de Pythagore de Samos, de l'équilibre idéal. Les temples ioniques (Samos, Éphèse) ont été moins bien conservés que les temples doriques (temples d'Agrigente et de Sélinonte, en Sicile ; le Parthénon, à Athènes).

© G. Boutin-Explorer

© J. Brun-Explorer

1. ***Temple** dans l'enceinte du palais princier de Mysore.*

2. *Le **temple** d'Athéna à Delphes.*

**TEMPLIER,** subst. m.
Chevalier de l'ordre du Temple. Déb. XIIIe s. ; ☞ *temple* ; [tɑ̃plije].

**TEMPO,** subst. m.
**1.** *Mus.* Notation des mouvements dans lesquels un morceau est écrit ou exécuté (allégro, presto, adagio, andante, lento, etc.). ▸ Vitesse d'exécution d'une œuvre : *Un **tempo** lent.* ▸ *A **tempo*** : notation qui indique à l'interprète qu'il faut reprendre le **tempo** initial. **2.** Anal. Rythme du déroulement de l'action dans un récit. 1765 ; ital. *tempo*, « temps » ; plur. *tempi* ou *tempos* ; [tɛmpo], plur. [-pi].

**TEMPORAIRE,** adj.
**1.** Qui a une durée limitée ; provisoire : *Situation, travail **temporaire**.* **2.** Intérimaire : *Personnel **temporaire**.* 1589 (1562, qui concerne les phénomènes atmosphériques) ; lat. *temporarius* ; [tɑ̃pɔʀɛʀ].

**TEMPORAIREMENT,** adv.
De manière temporaire, pour un temps. 1792 ; ☞ *temporaire* ; [tɑ̃pɔʀɛʀmɑ̃].

**TEMPORAL, ALE, AUX,** adj.
*Anat.* Qui concerne les tempes : *Os **temporal*** ou, empl. subst. masc., *Le **temporal***, os du crâne formant la tempe, qui comporte le rocher, l'os tympanal et l'écaille. 1370 ; bas lat. *temporalis* ; [tɑ̃pɔʀal, o].

**TEMPORALITÉ,** subst. f.
Caractère de ce qui existe, se déroule dans le temps. Fin XIIe s. ; lat. chrét. *temporalitas* ; [tɑ̃pɔʀalite].

**TEMPOREL, ELLE,** adj. et subst. m.
**Adj. 1.** Qui se situe dans le temps, la durée, ou qui s'y réfère (par oppos. à *spatial*). **2.** Qui passe avec le temps (anton. *éternel*). **3.** Qui appartient au monde matériel (anton. *spirituel*). **4.** *Gramm.* Relatif au temps : *Subordonnée **temporelle**.* **Subst. 1.** *Le **temporel*** : ce qui relève des choses matérielles, terrestres. **2.** Revenu d'un bénéfice ecclésiastique. Fin XIIe s. ; lat. *temporalis* ; [tɑ̃pɔʀɛl].

**TEMPORISATEUR, TRICE,** adj. et subst. m.
**Adj.** Qui temporise. **Subst.** *Techn.* Appareil intégré à un dispositif électrique, qui déclenche son fonctionnement à un moment ou dans un intervalle de temps donné. Fin XVIe s. ; ☞ *temporiser* ; [tɑ̃pɔʀizatœʀ, tʀis].

**TEMPORISATION,** subst. f.
Fait de retarder volontairement une décision, une action. 1782 ; ☞ *temporiser* ; [tɑ̃pɔʀizasjɔ̃].

**TEMPORISER,** verbe intrans. [3]
Différer une action dans l'attente d'un moment plus favorable à son accomplissement. 1460 (1395, durer) ; lat. *tempus*, « temps » ; [tɑ̃pɔʀize].

**TEMPS,** subst. m.
**I.** Milieu immatériel, considéré comme durée indéfinie, où se situent et évoluent les êtres et les choses, où se succèdent les évènements dans un ordre irréversible : *Le **temps** et l'espace.* **1.** Durée continue, dans laquelle s'inscrit toute action : *Aurez-vous le **temps** de finir ?* ; *Perdre son **temps***, faire des choses inutiles, vaines ; *Prendre son **temps***, agir sans hâte. ▸ Cette durée, considérée dans son essence, symbole de fugacité ou d'anéantissement : *Les outrages du **temps*** ; *Ô **temps**, suspends ton vol !* (Lamartine). ▸ *Philos.* Selon Kant, intuition pure, telle qu'elle représente une forme universelle a priori de toute connaissance ou existence. **2.** Durée objective, considérée comme une grandeur mesurable : *L'unité de mesure du **temps** est la seconde* ; ***Temps** civil*, les jours mesurés de 0 h à 24 h, tels qu'ils sont divisés ordinairement ; ***Temps** universel (T. U.)*, **temps** civil du méridien d'origine ; ***Temps** sidéral (solaire)*, fondé sur les révolutions du Soleil (considéré comme une horloge naturelle), en partant de midi ; ***Temps** atomique*, mesuré par une horloge atomique qui se fonde sur les périodes de transitions quantiques (la seconde, par ex., est définie par 9 192 631 770 périodes d'une radiation de césium 133). ▸ La quatrième dimension, d'après la théorie de la relativité. **3.** Fragment déterminé de cette durée, limité par l'activité ou le fait qu'il renferme : *Le **temps** d'un trajet* ; *Le **temps** des moissons* ; *Marquer un **temps** d'arrêt* ; *Il est **temps** de se réveiller* ; *Travailler à **temps** partiel*, moins que le **temps** légal hebdomadaire. **4.** Portion de cette durée, considérée dans une succession chronologique, en référence à un passé et à un futur ; période à laquelle des évènements successifs, un état de la société confèrent une unité : *Au **temps** des Capétiens* ; *En **temps** de paix* ; *La fin des **temps***, la fin du monde. ▸ *Gramm.* Forme du verbe exprimant le moment où se déroule une action : ***Temps** passé, présent ou futur.* ▸ *Relig.* Période de l'année liturgique : *Le **temps** pascal.* ▸ Au plur. Époque imprécise : *Par les **temps** qui courent.* **5.** Loc. *Être de son **temps*** : se conformer aux habitudes de son époque ; *Dans le **temps*** : autrefois ; *De tout **temps*** : toujours ; *Avoir fait son **temps*** : être dépassé, être d'une autre époque ; *En même **temps*** : simultanément ; *De **temps** en **temps**, de **temps** à autre* : parfois ; *La plupart du **temps*** : le plus souvent ; *À **temps*** : au moment, à l'heure où on est attendu ; *Au **temps** pour moi !* : j'admets mon erreur (par réf. à l'ordre militaire de reprendre un enchaînement de mouvements à son début). **6.** *Spéc.* ▸ *Chorégr.* Chacune des phases d'un mouvement. ▸ *Informat.* ***Temps** réel* : intervalle pendant lequel le système fournit une réponse dans un délai fixé en fonction de l'application ; ***Temps** partagé* : technique qui permet à un ordinateur de partager son travail entre plusieurs utilisateurs simultanés. ▸ *Mécan.* Période décomposant le fonctionnement d'un moteur à pistons : *Moteur à deux **temps**.* ▸ *Mus.* Chacune des subdivisions unitaires de la mesure : *Une mesure à trois **temps**.* ▸ *Sp.* Performance exprimée par une durée mesurée : *Améliorer son **temps** sur 400 mètres.* **II.** *Météor.* État de l'atmosphère et de la température dans un lieu donné : *Beau **temps*** ; *Mauvais **temps**.* ▸ *Gros **temps*** : tempête, en partic. en mer. Fin Xe s. ; lat. *tempus* ; [tɑ̃].

**TENABLE,** adj.
**1.** Défendable : *Bastion **tenable**.* **2.** Où l'on peut demeurer : *Au soleil, ce n'est pas **tenable**.* **3.** Que l'on peut maîtriser ; sage. Fin XIIe s. ; ☞ *tenir* ; [tənabl].

**TENACE,** adj.
**1.** Qui tient, adhère solidement (vieilli) : *Colle **tenace**.* ▸ Anal. Persistant : *Une odeur **tenace**.* ▸ Fig. Difficile à chasser, à détruire : *Une fièvre **tenace**.* **2.** Qui est fermement attaché à ses convictions, à ses projets ; par méton. : *Une haine **tenace**.* 1530 (1501, qui retient bien et longtemps, en parlant de la mémoire) ; lat. *tenax*, de *tenere*, « tenir » ; [tənas].

**TÉNACITÉ,** subst. f.
Caractère d'une personne ou d'une chose tenace. 1489 (fin XIVe s., avarice) ; lat. *tenacitas* ; [tenasite].

**TENAILLE,** subst. f.
**1.** Pince faite de deux pièces de métal assemblées en croix autour d'un axe, servant à tenir, à serrer, à couper un objet (gén. au plur.). **2.** *Fortif.* Ouvrage à deux faces formant un angle rentrant, qui défend une courtine. Mil. XIIe s. ; bas lat. *tenacula* ; [tənaj].

**TENAILLER,** verbe trans. [3]
**1.** Vx. Supplicier avec des tenailles. **2.** Faire souffrir, physiquement ou moralement ; empl. adj., tourmenté : ***Tenaillé** par la faim, le doute.* 1549 ; ☞ *tenaille* ; [tənaje].

**TENANCIER, IÈRE,** subst.
**1.** *Féod.* Personne tenant en roture une terre dépendant d'un fief. **2.** Personne qui gère un établissement soumis à une autorisation administrative : ***Tenancier** de bar.* 1461 ; anc. fr. *tenance*, « possession », de *tenir* ; [tənɑ̃sje, jɛʀ].

**TENANT, ANTE,** adj. et subst.
**Adj. 1.** Vx. Qui tient bien, solide. **2.** Qui se continue, se poursuit : *Séance **tenante*** (☞ *séance*). **Subst. masc. 1.** *Féod.* Chevalier qui défiait quiconque voulait jouter contre lui. ▸ Fig. Personne qui soutient, défend une opinion (rare au fém.) : ***Tenant** du libéralisme.* **2.** Ce qui forme un ensemble. ▸ Loc. *D'un seul **tenant*** : d'une seule pièce. ▸ Au plur. *Les **tenants** et les aboutissants d'une terre* : les dépendances et les parcelles qui l'entourent ; au fig. : *Les **tenants** et les aboutissants d'une affaire*, le contexte, les détails qui permettent de la comprendre. **Subst.** *Sp. **Tenant, tenante** d'un titre* : personne ou équipe qui détient un titre. 1160 ; p. pr. de *tenir* ; [tənɑ̃, ɑ̃t].

**TENDANCE,** subst. f.
**1.** Vx. Inclination amoureuse. **2.** Ce qui conduit qqn à se comporter de telle ou telle manière : *Combattre sa **tendance** à la paresse* ; *Avoir **tendance** à*, être enclin à. ▸ *Psychol.* Principe dynamique qui dirige l'homme et le pousse à certains comportements dans des situations données. **3.** Orientation propre à un groupe, à un mouvement artistique, politique, etc. : *Journal de **tendance** marxiste* ; par méton., fraction de personnes organisées au sein d'un groupe. ▸ Ext. Évolution dans un sens déterminé : *La **tendance** des loyers est à la hausse* ; *Avoi **tendance** à*, tendre à, évoluer vers, en parlant de qqch. Fin XIIIe s. ; ☞ *tendre* (I) ; [tɑ̃dɑ̃s].

**TENDANCIEL, ELLE,** adj.
Qui marque une tendance : *Baisse **tendancielle*** 1874 ; ☞ *tendance* ; [tɑ̃dɑ̃sjɛl].

**TENDANCIEUX, EUSE,** adj.
Qui exprime, de manière insidieuse, une tendance idéologique, un parti pris non avoué (péj.) : *Des allégations mensongères et **tendancieuses**.* 1904 ☞ *tendance* ; [tɑ̃dɑ̃sjø, øz].

**TENDELLE,** subst. f.
Collet servant à piéger les grives. 1875 ; ☞ *tendre* (I) ; [tɑ̃dɛl].

**TENDER,** subst. m.
Wagon auxiliaire qui contient l'eau et le combustible nécessaires au fonctionnement d'une locomotive à vapeur, derrière laquelle il est placé. 1831 angl. *tender*, « serviteur » ; [tɑ̃dɛʀ].

**TENDERIE,** subst. f.
Chasse où l'on capture des oiseaux à l'aide de pièges ; terrain où l'on tend ces pièges. 1555 ; ☞ *tendre* (I) ; [tɑ̃dʀi].

**TENDEUR, EUSE,** subst.
Personne qui tend qqch., en partic. des pièges **Masc. 1.** Dispositif qui maintient la tension d'une chaîne, d'une courroie, etc. **2.** Courroie extensible servant à maintenir qqch. en place (synon. *Sandow*). Mil. XIIIe s. ; ☞ *tendre* (I) ; [tɑ̃dœʀ, øz].

**TENDINEUX, EUSE,** adj.
**1.** *Anat.* De la nature du tendon : *Fibres **tendineuses**.* **2.** Qui contient des fibres dures : *Viande **tendineuse**.* 1575 ; ☞ *tendon* ; [tɑ̃dinø, øz].

**TENDINITE,** subst. f.
*Pathol.* Inflammation d'un tendon. 1909 ; ☞ *tendineux* + *-ite* ; [tɑ̃dinit].

**TENDOIR,** subst. m.
*Text.* Perche sur laquelle on faisait sécher les étoffes. 1765 ; ☞ *tendre* (I) ; [tɑ̃dwaʀ].

**TENDON,** subst. m.
*Anat.* Faisceau de fibres albuginées situé à l'extrémité d'un muscle et permettant à ce dernier de s'insérer sur un os. 1536 (fin XIVe s., plante qui arrête la charrue) ; ☞ *tendre* (I) ; [tɑ̃dɔ̃].

**TENDRE (I),** verbe trans. [51]
**Trans. dir. 1.** Présenter (un objet) à qqn : ***Tendre** une clé.* **2.** Allonger, avancer (une partie du corps) : ***Tendre** le cou* ; au fig., concentrer (ses facultés, ses sens) : ***Tendre** l'oreille* ; ***Tendre** l'esprit.* **3.** Exercer une traction sur (qqch.) pour le raidir, l'étirer : ***Tendre** un ressort, un arc.* **4.** Ext. Déployer, disposer : ***Tendre** un auvent* ; au fig. : ***Tendre** un piège, une embuscade.* **5.** Recouvrir, tapisser : ***Tendre** les murs de toile.* **Trans. indir.** Tendre à, vers. **1.** Avoir comme but ; **2.** Évoluer de manière à : *Un usage qui **tend** à disparaître.* ▸ *Math.* S'approcher de (une valeur) sans jamais l'atteindre : ***Tendre** vers l'infini.* Fin Xe s. ; lat. *tendere* ; [tɑ̃dʀ].

**TENDRE (II),** adj. et subst. m.
**Adj. 1.** Jeune, délicat, fragile : *Âge **tendre**.* **2.** Qu'on peut facilement couper, entamer ; qui offre peu de résistance : *Bois, viande **tendre**.* **3.** Qui se montre affectueux, doux, aimant : *Un mari **tendre*** ; empl. subst., personne sensible, affectueuse, indulgente. **4.** Chargé d'affection, de tendresse : *Des mots **tendres**.* **5.** *Couleur **tendre*** : claire et douce. **Subst.** Penchant amoureux (vx). ▸ *Litt. Carte du **Tendre*** : carte du pays de Tendre, géographie symbolique des sentiments amoureux imaginée par le cénacle de Mlle de Scudéry. Mil. XIe s. ; lat. *tener* ; [tɑ̃dʀ].

**TENDREMENT,** adv.
Avec tendresse. Mil. XIe s. ; ☞ *tendre* (II) ; [tɑ̃dʀəmɑ̃].

**TENDRESSE,** subst. f.
Sentiment d'amitié ou d'amour empreint de douceur, d'affection, de délicatesse. **Plur.** Expressions, manifestations d'affection. Mil. XVIIe s. (mil. XIIIe s., tendreté) ; ☞ *tendre* (II) ; [tɑ̃dʀɛs].

**TENDRETÉ,** subst. f.
Qualité de ce qui est tendre, mou : ***Tendreté** d'une viande.* 1549 (mil. XIVe s., sensibilité à la compassion) ; ☞ *tendre* (II) ; [tɑ̃dʀəte].

**TENDRON,** subst. m.
**1.** *Bouch.* Partie cartilagineuse du thorax du bœuf et du veau située à l'extrémité des côtes. **2.** Très jeune fille (fam. et vieilli). Fin XIVe s. ; lat. pop. °*tenerumen* ; [tɑ̃dʀɔ̃].

**TENDU, UE,** adj.
Qui a subi une traction ; au fig., qui concentre ·s facultés sur qqch. : *Volonté* ***tendue.*** **2.** Qui est ıns un état de tension nerveuse : *Un étudiant* ***tendu*** *l'approche des examens.* **3.** Difficile, proche de la ıpture : *Situation* ***tendue*** ; *Rapports* ***tendus.*** **4.** *Ba-ıt. Tir* ***tendu*** : dont la trajectoire est presque en ʒne droite. XIe s. ; p. p. de *tendre* (I) ; [tɑ̃dy].

**TÉNÈBRES,** subst. f. plur.
. Obscurité profonde. **2.** *Relig.* Le domaine des mes damnées, l'enfer : *Le prince des* ***ténèbres****,* Satan. *Liturg. Office des* ***Ténèbres*** : au cours duquel a lieu extinction des lumières du chœur (les mercredi, udi et vendredi saints). **3.** Fig. Ignorance, incerti-ıde. Fin XIe s. ; lat. *tenebrae* ; [tenɛbʀ].

**TÉNÉBREUX, EUSE,** adj.
. Qui est plongé dans les ténèbres (littér.). **2.** Fig. ifficile à comprendre, obscur : *Un raisonnement ·nébreux.* **3.** Qui a l'air sombre, mélancolique et ıystérieux ; empl. subst. : *Un beau* ***ténébreux.*** Fin · s. ; lat. *tenebrosus* ; [tenebʀø, øz].

**TÉNÉBRION,** subst. m.
ɔol. Coléoptère brun foncé, vivant dans les lieux ɔscurs, dont la larve est le ver de la farine. 1762 546, lutin des ténèbres) ; lat. *tenebrio* ; [tenebʀijɔ̃].

**TÈNEMENT,** subst. m.
*ɛod.* Terre tenue d'un seigneur, moyennant rede-ınce. Fin XIIe s. ; lat. médiév. *tenementum* ; [tɛnmɑ̃].

**TÉNESME,** subst. m.
*athol.* Douleur constrictive au niveau du sphincter nal ou vésical, accompagnée d'une envie conti-uelle d'aller à la selle ou d'uriner. 1537 ; lat. *te-ɛsmos*, du gr. *teinesmos*, de *teinein*, « tendre » ; [tenɛsm].

**TENEUR (I),** subst. f.
. Contenu exact d'un texte ou d'une déclaration : *La ·neur d'un article, d'un accord.* **2.** *Chim.* Proportion 'un élément ou d'une matière dans une substance : ***eneur*** *en oxygène* ; ***Teneur*** *en or d'un minerai.* ▸ ***Teneur*** *ɔtopique* : pourcentage du nombre d'atomes d'un ɔtope d'un élément, par rapport au nombre total es atomes de cet élément contenus dans une ma-ıère. 1257 (fin XIIe s., continuité) ; lat. *tenor* ; [tənœʀ].

**TENEUR (II), EUSE,** subst.
***eneur, teneuse*** *de livres* : personne chargée de la ·nue des livres de comptabilité. 1680 (fin XIIe s., elui qui tient une terre) ; ☞ *tenir* ; [tənœʀ, øz].

**TÉNIA,** subst. m.
*ɔol.* Ver plat, parasite de l'intestin grêle de homme et de certains mammifères, dont le corps, ouvant atteindre plusieurs mètres de longueur, est ɔrmé d'anneaux et dont la tête est munie de rochets ou de ventouses suivant les espèces (synon. *er solitaire*). XVe s. ; lat *taenia*, « bandelette » ; var. *ɛnia* ; [tenja].

**TÉNICIDE,** adj.
*'harm.* Qui provoque la destruction des ténias ; mpl. subst. masc., médicament **ténicide.** ☞ *té-ıa* + *-cide* ; [tenisid].

**TÉNIFUGE,** adj.
*'harm.* Qui provoque l'expulsion des ténias ; empl. ubst. masc., médicament **ténifuge.** 1833 ; ☞ *té-ıa* + *-fuge* ; [tenifyʒ].

**TENIR,** verbe [22]
**'RANS. DIR. 1.** Vx. Occuper, posséder (une terre). **:.** Garder (qqch.) dans sa main : ***Tenir*** *un cartable* ; naintenir près de soi, porter : ***Tenir*** *un enfant sur es genoux* ; ***Tenir*** *qqn par la main* ; garder (qqch.) n main en le serrant : ***Tenir*** *la bride d'un cheval.* **ı.** Mettre la main sur ; maîtriser : *Les policiers* ***iennent*** *le coupable* ; au fig., avoir le contrôle de : *:e professeur ne* ***tient*** *plus sa classe.* **4.** Disposer de, ıvoir en sa possession : ***Tenir*** *la solution de l'énigme.* · Empl. subst. masc. *Un* ***tiens*** *vaut mieux que deux u l'auras* : il faut se satisfaire de ce que l'on possède ·ffectivement plutôt qu'espérer mieux ou plus. Empl. interj. ***Tiens !*** ***Tenez !*** : prends ! prenez ! ; ***'iens, tiens !*** : marque l'ironie, la surprise. **5.** Rece-ɔir, obtenir (qqch.) de qqn : *Je ne sais de qui il* ***:ient*** *cette information* ; *Je* ***tiens*** *cette bague de mon ɔère.* **6.** Occuper (un espace) : *Cette affiche* ***tient*** *:oute la hauteur du mur.* **7.** Maintenir, conserver (une direction déterminée) : ***Tenir*** *son cap* ; *(Bien)* ***:enir*** *la route*, rouler avec une stabilité, une ıdhérence parfaites sur la route, en parlant d'un ɹéhicule. ▸ Loc. ***Tenir*** *lieu de* : servir de, remplacer. ▸ *Mar.* ***Tenir*** *le large* : naviguer en haute mer. **3.** Entretenir, garder (qqch., qqn) dans une disposition, un état déterminé : ***Tenez*** *cette affaire secrète* ; ***Tenir*** *qqn en haleine*, le captiver. **9.** Avoir sous sa direction ; gérer : ***Tenir*** *une pharmacie* ; ***Tenir*** *ses comptes à jour.* ▸ Réunir, présider : ***Tenir*** *séance plénière.* ▸ Dire (telle chose) de telle manière : ***Tenir*** *des propos inadmissibles.* **10.** Respecter, remplir (un engagement) : ***Tenez*** *votre promesse.* **11.** Estimer (vx) : *Je* ***tiens*** *cet argument raisonnable.* ▸ Loc. ***Tenir*** *qqn, qqch. pour* : le considérer comme. **TRANS. INDIR. 1. Tenir à.** ▸ Être attaché à : ***Tenir*** *à ses privilèges* ; ***Tenir*** *aux siens.* ▸ Désirer absolument : *Il* ***tient*** *à vous parler en personne.* ▸ Provenir de, dépendre de : *Le krach boursier de 1929* ***tient*** *à plusieurs causes.* ▸ Empl. impers. *Il ne* ***tient*** *qu'à vous de* : cela ne dépend que de vous de ; *Qu'à cela ne* ***tienne*** *!* : que cela ne fasse pas obstacle ! **2. Tenir de.** ▸ Ressembler à (qqn, qqch.) : *Il* ***tient*** *de son grand-père.* ▸ Relever de : *Ce succès* ***tient*** *du prodige.* **INTRANS. 1.** Rester en équilibre dans une position déterminée : *Il* ***tient*** *à peine sur ses jambes.* ▸ Loc. ***Tenir*** *bon* : supporter qqch. de pénible sans faiblir (fam.). **2.** Résister : *Le crépi de ce mur ne* ***tient*** *plus* ; se maintenir : *Notre rendez-vous* ***tient*** *toujours.* **3.** Trouver place (dans un espace limité) : *Tous les bagages* ***tiennent*** *dans le coffre.* **PRONOM. 1.** S'agripper (à qqch.) pour ne pas tomber. **2.** Être (en tel lieu) : *Se* ***tenir*** *au sommet d'une colline.* **3.** Se dérouler (à tel moment, à tel endroit) : *Le colloque se* ***tiendra*** *mercredi.* **4.** Adopter (telle attitude physique ou mentale) : ***Tiens-toi*** *bien à table* ; *Se* ***tenir*** *tranquille.* **5. S'en tenir à.** Ne pas aller au-delà de : ***Tenons-nous*** *en aux instructions.* Fin Xe s. ; lat. pop. °*tenire*, du lat. *tenere* ; [təniʀ].

**TENNIS,** subst.
**MASC. 1.** Sport dans lequel deux ou quatre joueurs, situés de part et d'autre d'un filet, se renvoient une balle à l'aide de raquettes, dans les limites d'un terrain règlementaire ; par méton, ce terrain. ▸ ***Tennis*** *de table* : sport apparenté au **tennis**, où les échanges de balle se font sur une table munie d'un filet (synon. *ping-pong*). **2.** Flanelle finement rayée. **MASC.** ou **FÉM.** Chaussure de sport basse, à semelle caoutchoutée (souv. au plur.). 1877 (1824, jeu de paume) ; angl. *tennis*, du fr. *tenez !*, exclamation du joueur lançant la balle ; [tenis].

**TENNIS-ELBOW,** subst. m.
*Pathol.* Tendinite de l'épicondyle, fréquente chez les joueurs de tennis. V. 1960 ; angl. *tennis elbow*, de *tennis*, « tennis », et de *elbow*, « coude » ; plur. *tennis-elbows* ; [tenisɛlbo].

**TENNISMAN,** subst. m.
Joueur de tennis (faux anglic.). 1904 ; formé de *tennis* et de l'angl. *man*, « homme » ; plur. *tennismans* ou *tennismen* ; [tenisman], plur. [-man] ou [-mɛn].

**TENNISTIQUE,** adj.
Relatif, propre au tennis. 1922 ; ☞ *tennis* ; [tenistik].

**TENON,** subst. m.
Partie saillante d'une pièce, destinée à s'emboîter dans une partie creuse, la mortaise, qui lui correspond exactement. Fin XIIe s. ; ☞ *tenir* ; [tənɔ̃].

**TENONNER,** verbe trans. [3]
Façonner des tenons sur (une pièce de bois). 1872 ; ☞ *tenon* ; [tənɔne].

**TÉNOR,** subst. m.
**1.** *Mus.* Voix masculine de registre élevé, entre le baryton et le haute-contre (synon. ancien *taille*) : ***Ténor*** *lyrique, dramatique* ; par méton, chanteur qui a ce type de voix : *Caruso, le* ***ténor*** *du siècle.* **2.** Anal. Personne qui joue les premiers rôles dans l'activité qu'elle exerce : *Un* ***ténor*** *du barreau.* 1444 ; ital. *tenore*, du lat. *tenere*, « tenir » ; [tenɔʀ].

**TÉNORINO,** subst. m.
*Mus.* Ténor léger, qui utilise la voix de tête dans l'aigu. 1879 ; ital. *tenorino* ; [tenɔʀino].

**TÉNORISER,** verbe intrans. [3]
*Mus.* Chanter avec une voix de ténor, dans le registre du ténor. 1907 (1769, proclamer hautement) ; ☞ *ténor* ; [tenɔʀize].

**TÉNORITE,** subst. f.
*Minér.* Oxyde naturel de cuivre. 1848 ; anthropon. *Michele Tenore*, naturaliste italien ; [tenɔʀit].

**TÉNOTOMIE,** subst. f.
*Chir.* Section d'un tendon pratiquée pour remédier à certaines anomalies (strabisme, pied bot, etc.). 1836 ; gr. *tenôn*, « tendon », + *-tomie* ; [tenɔtɔmi].

**TENREC,** voir **TANREC**

**TENSEUR,** adj. m. et subst. m.
*Anat.* Se dit de tout muscle qui a pour fonction de produire une tension ou une extension. **SUBST.** *Math.* Élément d'un produit tensoriel (ses composantes ont des propriétés caractéristiques d'invariance par changement de bases). 1830 ; lat. *tensum*, de *tendere*, « tendre » ; [tɑ̃sœʀ].

**TENSIOACTIF, IVE,** adj. et subst. m.
*Chim.* Se dit d'une substance susceptible de modifier la tension superficielle d'une solution dans laquelle on l'introduit. Mil. XXe s. ; formé du lat. *tensio*, « tension », et de *actif* ; [tɑ̃sjoaktif, iv].

**TENSIOMÈTRE,** subst. m.
**1.** Appareil de mesure des déformations subies par un corps soumis à diverses forces. **2.** *Méd.* Appareil permettant de mesurer la pression artérielle (synon. *sphygmomanomètre*). 1925 ; lat. *tensio*, « tension », + *-mètre*¹ ; [tɑ̃sjɔmɛtʀ].

**TENSION,** subst. f.
**I. 1.** *Physiol.* État de ce qui est distendu : *Douloureuse* ***tension*** *de la paroi abdominale.* **2.** État d'une matière souple ou élastique, étirée par traction : *Régler la* ***tension*** *de la corde d'un arc.* **3.** Phase de contraction musculaire préalable à un mouvement, à un effort. **4.** *Spéc.* ▸ *Électr.* Différence de potentiel, mesurée en volts, entre les deux pôles d'un circuit : *Ligne à haute* ***tension.*** ▸ *Méd.* ***Tension*** *artérielle* : résistance que la paroi des artères oppose à la pression du flux sanguin ; empl. abs. : *Avoir, faire de la* ***tension****,* souffrir d'hypertension (fam.). ▸ *Phys.* ***Tension*** *de vapeur* : pression de vapeur saturante ; ***Tension*** *superficielle* : force nécessaire à l'expansion d'une surface liquide. **II. 1.** Concentration des facultés mentales, effort intellectuel. **2.** Dynamique interne d'une œuvre : *La* ***tension*** *dramatique est un ressort essentiel du théâtre.* **3.** État de nervosité, de crispation : *Ses gestes saccadés révèlent sa* ***tension*** ; climat de crise, proche du point de rupture, dans les relations entre deux personnes, deux États, etc. : ***Tensions*** *diplomatiques.* 1490 ; lat. *tensio* ; [tɑ̃sjɔ̃].

**TENSON,** subst. f.
*Litt.* Dialogue en vers, propre à la poésie du Moyen Âge, où les interlocuteurs s'affrontent sur un sujet donné. Fin XIIIe s. (mil. XIIe s., querelle) ; lat. pop. °*tentio*, « dispute », de °*tentiare*, « tancer » ; [tɑ̃sɔ̃].

**TENSORIEL, ELLE,** adj.
*Math.* Relatif aux tenseurs : *Calcul* ***tensoriel*** ; *Analyse* ***tensorielle.*** ▸ *Produit* ***tensoriel*** *des espaces vectoriels* $E_1, E_2, ..., E_n$ : couple constitué d'un espace vectoriel noté $E_1 \otimes E_2 \otimes ... \otimes E_n = \bigotimes_{i=1}^{n} E_i$ et d'une application multilinéaire $\varphi$ de $E_1 \times ... \times E_n$ dans $E_1 \otimes ... \otimes E_n$ tels qu'à toute application multilinéaire $f$ de $E_1 \times ... \times E_n$ dans un autre espace F est associée une unique application linéaire $g$ de $E_1 \otimes ... \otimes E_n$ dans F vérifiant $f = g \circ \varphi$. Mil. XXe s. ; ☞ *tenseur* ; [tɑ̃sɔʀjɛl].

**TENTACULAIRE,** adj.
**1.** *Zool.* Relatif aux tentacules. **2.** Fig. Qui se développe dans toutes les directions et de façon envahissante : *Une organisation* ***tentaculaire.*** 1822 (1797, parasite du foie) ; ☞ *tentacule* ; [tɑ̃takylɛʀ].

**TENTACULE,** subst. m.
*Zool.* Appendice allongé et flexible qui sert au tact et à la préhension chez certains animaux (mollusques, actinies, vers, etc.). Lorsque l'animal ne possède qu'un organe de ce type, cet organe est appelé trompe ; les bras munis de ventouses des Céphalopodes (poulpes, calmars) se nomment **tentacules.** 1767 ; lat. *tentare*, « toucher » ; [tɑ̃takyl].

**TENTANT, ANTE,** adj.
Qui attire ; qui suscite le désir, la tentation : *Gâteau* ***tentant.*** Mil. XVe s. ; p. pr. de *tenter* ; [tɑ̃tɑ̃, ɑ̃t].

**TENTATEUR, TRICE,** subst. et adj.
**SUBST. MASC.** *Relig. Le* ***Tentateur*** : Satan. **SUBST.** Personne qui cherche à séduire. **ADJ.** Qui éveille la tentation. 1495 ; lat. chrét. *temptator*, de *temptare*, « tenter » ; [tɑ̃tatœʀ, tʀis].

**TENTATION,** subst. f.
**1.** Impulsion qui porte à enfreindre une loi morale ou religieuse ; attrait pour ce qui est défendu. **2.** Ce qui attire fortement vers qqch. : *La* ***tentation*** *du pouvoir.* Déb. XIIe s. ; lat. chrét. *temptatio* ; [tɑ̃tasjɔ̃].

**TENTATIVE,** subst. f.
**1.** Action par laquelle on tente d'obtenir ou d'accomplir qqch. : *Faire une* ***tentative*** *d'approche.*

2. *Dr.* Commencement d'exécution d'un délit : ***Tentative** de meurtre.* 1636 (1552, épreuve de théologie) ; lat. médiév. *tentativa*, « épreuve universitaire » ; [tɑ̃tativ].

**TENTE, subst. f.**
**1.** Abri démontable et transportable, fait d'une toile tendue sur des supports, que l'on monte en plein air. ▸ Loc. *Se retirer sous sa **tente*** : renoncer, par dépit, à une cause, à un projet (par allus. au geste d'Achille boudant la cause des Grecs). ▸ *Méd. **Tente** à oxygène* : dispositif étanche permettant d'isoler un malade soumis à l'oxygénothérapie. **2.** *Anat. **Tente** hypophysaire* : repli de la dure-mère formant une lame qui recouvre l'hypophyse. Mil. XII$^{e}$ s. ; lat. pop. °*tenta*, du lat. *tendere*, « tendre » ; [tɑ̃t].

**TENTER, verbe trans.** [3]
**1.** Mettre à l'épreuve (qqn) : *Dieu a **tenté** Abraham.* ▸ Loc. ***Tenter** Dieu* : entreprendre qqch. qui va au-delà des limites humaines (littér.) ; ***Tenter** le diable* : prendre de grands risques. **2.** Inciter au mal en éveillant le désir, l'envie, l'ambition de (qqn) : *On le **tenta** par des pots-de-vin.* **3.** Solliciter le désir, l'intérêt de (qqn) : *Les voyages l'ont toujours **tenté**.* **4.** Entreprendre (qqch. dont le résultat est aléatoire), avec l'espoir de réussir : ***Tenter** une expérience.* Déb. XII$^{e}$ s. ; lat. *temptare* ; [tɑ̃te].

**TENTHRÈDE, subst. f.**
*Zool.* Insecte hyménoptère aux couleurs variées, dont la larve vit dans le bois ou les aiguilles des Conifères. Sa tarière en forme de scie lui vaut le nom commun de mouche à scie. 1800 ; lat. sc. *tentredo*, du gr. *tenthrêdon*, « sorte de guêpe » ; [tɑ̃tʀɛd].

**TENTURE, subst. f.**
**1.** Ensemble des pièces d'étoffe servant à décorer une pièce. **2.** Tapisserie ou ensemble de tapisseries qui servaient autrefois à orner ou à cacher les murs d'une habitation. **3.** Étoffe tendue sur une façade, dans une église, à certaines occasions : ***Tenture** funéraire.* 1538 ; ☞ *tendre* (I), d'apr. *tente* ; [tɑ̃tyʀ].

**TENU, UE, adj. et subst. m.**
**Adj. 1.** Entretenu, soigné : *Jardin bien **tenu**.* **2.** *Fin.* *Valeur **tenue*** : qui ne fluctue pas. **Subst.** Faute consistant à garder trop longtemps le ballon, dans certains sports d'équipe. 1283 ; p. p. de *tenir* ; [təny].

**TÉNU, UE, adj.**
Très mince, très fin. 1515 ; lat. *tenuis* ; [teny].

**TENUE, subst. f.**
**1.** Fermeté, persévérance. ▸ *Mus.* Fait de tenir un son en le prolongeant. ▸ *Fin.* Stabilité d'une valeur financière. ▸ *Hippisme.* Qualité d'un cheval qui soutient son effort à la course. **2.** Manière de se tenir ; manière d'être : *Un peu de **tenue** !* ; *Manque de **tenue***, laisser-aller. ▸ Fig. Qualité de ce qui manifeste un refus de la facilité, de la vulgarité : *Colloque d'une haute **tenue**.* **3.** Manière de se vêtir ; ensemble des vêtements que porte une personne dans certaines circonstances : *Une **tenue** négligée* ; ***Tenue** de soirée, de travail, de voyage.* **4.** Action de tenir séance : ***Tenue** d'un concile.* **5.** Action, manière de gérer, de prendre soin de qqch. : *La **tenue** d'une maison.* ▸ ***Tenue** des livres* : comptabilité. **6.** ***Tenue** de route* : capacité d'adhérence au sol d'un véhicule. XV$^{e}$ s. (mil. XII$^{e}$ s., tenure) ; p. p. de *tenir* ; [təny].

**TÉNUIROSTRE, adj.**
*Zool.* Qui a un bec pointu et fin. ▸ Empl. subst. masc. plur. Ancienne dénomination d'un sous-ordre des Passériformes ; au sing. : *Un **ténuirostre**.* 1800 ; lat. *tenuis*, « fin, tênu », + *-rostre* ; [tenɥiʀɔstʀ].

**TÉNUITÉ, subst. f.**
Caractère de ce qui est ténu (littér.). Fin XIV$^{e}$ s. ; lat. *tenuitas* ; [tenɥite].

**TENURE, subst. f.**
*Féod.* Terre concédée par un seigneur qui en conservait toutefois la propriété. Déb. XII$^{e}$ s. ; lat. médiév. *tenatura*, du lat. *tenere*, « tenir » ; [tənyʀ].

**TENUTO, adv.**
*Mus.* Mot placé au-dessus de certaines notes pour indiquer qu'elles doivent être soutenues pleinement, pendant toute la durée de leur valeur (abrév. : ten). 1788 ; ital. *tenuto*, « tenu » ; [tenuto].

**TÉOCALLI, subst. m.**
*Archéol.* Pyramide tronquée surmontée d'un temple et d'un autel, chez les Aztèques. 1816 ; nahuatl *teucalli*, « maison de Dieu » ; [teɔkali].

**TÉORBE, subst. m.**
*Mus.* Grand luth à deux chevilliers, en usage du XVI$^{e}$ au XVIII$^{e}$ s., au son plus grave que celui du luth. Déb. XVII$^{e}$ s. ; ital. *tiorba* ; var. *théorbe* ; [teɔʀb].

**TEPHILLIM, subst. m. plur.**
*Relig.* Phylactères. 1904 ; hébreu *tefillîn*, « prières » ; var. *téphillim*, *tefillin* ou *tephillin* ; [tefilim].

**TÉPHRITE, subst. f.**
*Pétrogr.* Roche volcanique basique, sombre, qui peut former des coulées de lave, comme sur le Vésuve. 1876 ; gr. *tephra*, « cendre » ; [tefʀit].

**TÉPHROSIE, subst. f.**
*Bot.* Plante fabacée, des régions chaudes, dont une espèce fournit un insecticide. 1827 ; lat. sc. *tephrosia*, du gr. *tephra*, « cendre » ; [tefʀozi].

**TEPIDARIUM, subst. m.**
*Antiq. rom.* Dans les thermes, pièce à la température modérée, servant de transition entre le caldarium et le frigidarium. 1765 ; lat. *tepidarium*, de *tepidus*, « tiède » ; var. *tépidarium* ; [tepidaʀjɔm].

**TEQUILA, subst. f.**
Eau-de-vie mexicaine fabriquée à partir de l'agave. 1954 ; topon. *Tequila* (Mexique) ; [tekila].

**TER, adv.**
**1.** *Mus.* Mot indiquant qu'un passage doit être joué ou chanté trois fois de suite. **2.** Mot placé après un numéro répété pour la troisième fois : *2, 2 bis, 2 **ter**.* 1842 ; lat. *ter*, « trois fois » ; [tɛʀ].

**TÉRATOGÈNE, adj.**
*Méd.* Qui entraîne des malformations embryonnaires : *Médicament **tératogène**.* 1904 ; formé de *térato-* et de *-gène* ; [teʀatɔʒɛn].

**TÉRATOGENÈSE, subst. f.**
*Embryol.* **1.** Processus spontané ou expérimental de production de malformations chez l'embryon. **2.** Étude de ce processus. 1897 ; formé de *térato-* et de *-genèse* ; synon. *tératogénie* ; [teʀatɔʒənɛz].

**TÉRATOLOGIE, subst. f.**
Science qui traite des diverses anomalies congénitales. 1752 ; formé de *térato-* et de *-logie* ; [teʀatɔlɔʒi].

**TERBIUM, subst. m.**
*Chim.* Élément n° 65 de la table de Mendeleïev (symb. : Tb) ; masse atomique : 158,92 ; point de fusion : 1 356 °C ; point d'ébullition : 3 123 °C ; masse volumique : 8,23 g/cm$^{3}$. C'est un métal du groupe des terres rares. 1843 ; topon. *Ytterby* (Suède) ; [tɛʀbjɔm].

**TERCER, voir TIERCER**

**TERCET, subst. m.**
*Versif.* Strophe de trois vers unis par la forme et le sens. Déb. XVI$^{e}$ s. ; ital. *terzetto* ; [tɛʀsɛ].

**TÉRÉBELLE, subst. f.**
*Zool.* Ver marin de l'embranchement des Annélides, qui vit dans les rochers, aux branchies rouges et aux filaments orangés. 1801 ; lat. sc. *terebella*, du lat. *terebra*, « tarière » ; [teʀebɛl].

**TÉRÉBENTHINE, subst. f.**
Résine semi-fluide, fortement odorante, recueillie sur certains végétaux, notamment les Conifères ou les Térébinthacées : ***Térébenthine** de Bordeaux* (pin), *de Venise* (mélèze), *de Chypre* (térébinthe). ▸ *Essence de **térébenthine*** : obtenue par distillation de **térébenthines** et utilisée pour la préparation de vernis et de solvants. Mil. XII$^{e}$ s. ; lat. *terebinthina resina*, « résine de térébinthe » ; [teʀebɑ̃tin].

**TÉRÉBINTHACÉES, subst. f. plur.**
*Bot.* Famille d'arbres et d'arbustes des régions chaudes, à canaux résinifères, comprenant des arbres fruitiers et certains autres arbres produisant des oléorésines (synon. *Anacardiacées*). **Au sing.** *Le manguier est une **térébinthacée**.* 1803 ; ☞ *térébinthe* ; [teʀebɛ̃tase].

**TÉRÉBINTHE, subst. m.**
*Bot.* Arbre méditerranéen du genre pistachier, dont une espèce possède une écorce qui produit la térébenthine. Fin XII$^{e}$ s. ; lat. *terebinthus*, du gr. *terebinthos* ; [teʀebɛ̃t].

**TÉRÉBRANT, ANTE, adj.**
**1.** *Zool.* Qui creuse des trous, des galeries dans un corps dur, en parlant d'un animal, notamment d'un insecte doté d'une tarière. **2.** *Pathol.* Qui lèse, détruit en profondeur les tissus : *Ulcère **térébrant*** ; *Douleur **térébrante***, qui semble déchirer les tissus. ▸ Fig. Aigu, extrême (littér.) : *Une angoisse **térébrante**.* 1823 ; lat. *terebrans*, de *terebrare*, « percer » ; [teʀebʀɑ̃, ɑ̃t].

**TÉRÉBRATULE, subst. f.**
*Zool.* Brachiopode marin de l'ordre des Articulés, à coquille ovale et lisse. 1769 ; lat. mod. *terebratula*, du lat. *terebra*, « tarière, vrille » ; [teʀebʀatyl].

**TÉRÉPHTALIQUE, adj.**
*Chim.* Qualifie un acide, de formule $C_8H_6O_4$, util[…] dans l'industrie textile. 1847 ; crois. de *térébenth[…]* et de *phtalique* ; [teʀeftalik].

**TERFÈS, subst. f.**
*Bot.* Champignon hypogé d'Afrique du No[…] ressemblant à une truffe, dont certaines espè[…] sont comestibles. Var. *terfesse* ou *terfèze* ; [tɛʀfɛ[…]

**TERGAL, subst. m. inv.**
*Text.* Fibre synthétique polyester de création fra[…]çaise ; par méton., tissu composé de polyester et coton. 1954 ; crois. de *acide téréphtalique* et *gallique* (vx), « gaulois » ; n. déposé ; [tɛʀgal].

**TERGIVERSATION, subst. f.**
Fait de tergiverser ; hésitation, atermoieme[…] Déb. XIV$^{e}$ s. ; lat. *tergiversatio* ; [tɛʀʒivɛʀsasjɔ̃].

**TERGIVERSER, verbe intrans.** [3]
Chercher des prétextes pour retarder autant q[…] possible le moment d'agir ; hésiter. 1532 ; l[…] *tergiversari*, « tourner le dos » ; [tɛʀʒivɛʀse].

**TERMAILLAGE, subst. m.**
*Fin.* Action de décaler les règlements des transa[…]tions internationales afin de tirer avantage des v[…]riations des taux de change. V. 1970 ; crois. [de] *terme* et de *maille* (I) ; [tɛʀmajaʒ].

**TERME, subst. m.**
**I. 1.** Délai au bout duquel doit avoir lieu qqch. *Une politique fructueuse à long **terme*** ; *À court **ter**[…] à brève échéance. ▸ *Comm. Règlement à **terme*** : [à] moyen d'effets payables à échéance. ▸ *Dr.* Expir[a]tion d'un délai ; date limite pour s'acquitter d'u[ne] obligation légale ; en partic., date à laquelle le loy[er] est exigible ; par méton., montant du loyer : *Il d[oit] deux **termes**.* ▸ *Écon. **Termes** de l'échange* : indicateu[r] permettant d'évaluer la situation du commer[ce] extérieur d'une nation par rapport à ses partenair[es]. ▸ *Fin. Opération, vente, achat à **terme*** : dont [le] règlement est reporté à une date convenue. **2.** Sta[de] ultime, fin : *Arriver, toucher à son **terme*** ; *Met[tre] un **terme** à*, faire cesser ; par ext., accomplisseme[nt,] aboutissement : *Mener à **terme** un projet* ; *Au **ter**[me] de mes réflexions.* **3.** Date présumée de la fin de [la] gestation : *Le prématuré naît avant **terme**.* **Plur.** *Ê[tre] en bons, en mauvais **termes** avec qqn* : avoir [de] bonnes, de mauvaises relations avec lui. **II. 1.** L[i]mite fixée dans l'espace : *La Terre promise, **ter**[me] de l'exode des Hébreux.* **2.** Borne (vx). ▸ *Sculpt.* St[a]tue sans bras ni jambes dont le tronc se prolon[ge] en gaine (par réf. aux effigies du dieu roma[in] Terminus, protecteur des bornes). **III. 1.** Mo[t,] expression ayant un sens défini : *Dans tou[te] l'acception du **terme*** ; ***Terme** employé au sens figur[é]*. **2.** Mot appartenant à un vocabulaire spécialisé, [à] un domaine bien défini : *Un **terme** technique.* ▸ Lo[c.] **En termes de.** Dans le langage de : *En **term**[es] d'héraldique.* **3.** *Log.* Chacun des éléments ent[re] lesquels on établit une relation : *Second **terme** d'u[ne] comparaison.* ▸ *Moyen **terme*** : troisième éléme[nt] d'un syllogisme, par l'intermédiaire duquel c[elui-ci] conclut au rapport entre les deux autres ; au fi[g.] solution intermédiaire, compromis : *Il faut trouv[er] un moyen **terme**.* **4.** *Math.* Chacun des élémen[ts] constituant une suite, une série, une somme, u[n] multiplet. **Plur.** Manière de s'exprimer. ▸ Loc. *A[ux] **termes** de* : ainsi qu'il est stipulé dans (un tex[te] officiel, un traité, un article de loi) ; *En **term**[es] choisis* : de manière recherchée ; *En d'autres **termes*** : autrement dit. Mil. XI$^{e}$ s. ; lat. *terminus*, « borne[,] fin » ; [tɛʀm].

**TERMINAISON, subst. f.**
**1.** *Ling.* Segment final d'un mot, qui se décline [ou] qui s'accole au radical. **2.** *Anat.* Partie terminale : ***Terminaisons** nerveuses.* XIV$^{e}$ s. (fin XII$^{e}$ s., détermin[a]tion) ; lat. *terminatio* ; [tɛʀminɛzɔ̃].

**TERMINAL (I), ALE, AUX, adj.**
**1.** Qui constitue la partie finale d'un ensemb[le] organique : *Bourgeon **terminal***, qui se forme [à] l'extrémité d'une tige. **2.** Qui forme la section, [la] période finale de qqch. : *Stade **terminal** d'u[ne] maladie.* **3.** *Enseign. Classe **terminale*** ou, empl. subs[t.] fém., *La **terminale*** : dernière classe de l'enseign[e]ment secondaire, où l'on prépare le baccalauréa[t.] 1763 (déb. XVI$^{e}$ s., limité dans le temps) ; bas la[t.] *terminalis*, du lat. *terminus*, « borne ; fin » ; [tɛʀminal, o]

**TERMINAL (II), subst. m.**
**1.** *Industr.* Ensemble d'installations bâti à l'extr[é]mité d'un oléoduc et où s'effectuent le chargemen[t,] le déchargement et le stockage des produits pétro[liers]

ers. **2.** *Informat.* Élément de matériel informatique, elié à l'unité centrale d'un ordinateur et permettant d'y intégrer ou d'en sortir des données à istance. **3.** Gare ou aérogare servant au départ ou l'arrivée de passagers. V. 1950 ; mot angl. ; plur. *erminaux* ; [tɛʀminal], plur. [-no].

**TERMINER, verbe trans.** [3]
**1.** Mettre un terme à ; mener à son terme : *Terminer un ouvrage, ses études ; Terminer son repas* ; empl. abs. : *Un instant, je **termine**.* **2.** Constituer la limite de (vieilli) : *Un haut mur **termine** la propriété.* **3.** Marquer, constituer la fin de : *Un cocktail **terminera** la soirée.* PRONOM. **1.** S'achever. **2. Se terminer par, en.** Avoir pour dernier élément, pour conclusion ; présenter (telle forme) à son extrémité : *Se **terminer** en pointe.* Mil. XIIe s. (mil. XIIe s., réserver à qqn) ; lat. *terminare*, de *terminus*, « fin » ; [tɛʀmine].

**TERMINOLOGIE, subst. f.**
**1.** Ensemble des termes propres à une discipline, à un art, à une science déterminée. **2.** Étude analytique du vocabulaire propre à une discipline, visant à le classer, à le préciser, à le codifier. Mil. XVIIIe s. ; ☞ *terme* + *-logie* ; [tɛʀminɔlɔʒi].

**TERMINOLOGIQUE, adj.**
Qui a trait à la, à une terminologie. 1832 ; ☞ *terminologie* ; [tɛʀminɔlɔʒik].

**TERMINOLOGUE, subst.**
Spécialiste de la terminologie. V. 1970 ; ☞ *terminologie* ; [tɛʀminɔlɔg].

**TERMINUS, subst. m.**
Dernière station d'une ligne de transport. 1840 ; angl. *terminus*, du lat. *terminus*, « borne, fin » ; [tɛʀminys].

**TERMITE, subst. m.**
*Zool.* Insecte xylophage de l'ordre des Isoptères, possédant des pièces buccales broyeuses et deux paires d'ailes égales, dont les métamorphoses sont incomplètes. Social, il vit surtout dans les régions chaudes, où il cause des dégâts aux constructions en bois ; quelques espèces sont cependant présentes en Europe. La société des **termites** est divisée en castes composées d'ouvriers, chargés de la construction et de l'approvisionnement, de soldats, qui assurent la défense, et de deux individus reproducteurs, une femelle à l'abdomen hypertrophié et un mâle ailé. 1797 ; angl. *termite*, du lat. *tarmes* ; [tɛʀmit].

© J.-P. Hervy-Jacana

*Un **termite** soldat, aux puissantes mandibules.*

**TERMITIÈRE, subst. f.**
Nid d'une colonie de termites, construit en terre ou en carton de bois, pouvant atteindre plusieurs mètres de hauteur et percé de nombreuses galeries se prolongeant dans le sol. 1830 ; ☞ *termite* ; [tɛʀmitjɛʀ].

**TERNAIRE, adj.**
Qui est constitué de trois unités. ▸ *Chim.* Qui contient trois éléments : *La soude, NaOH, est un composé **ternaire**.* ▸ *Mus.* et *Versif.* Qui se décompose en trois éléments rythmiques. Fin XIVe s. ; lat. *ternarius*, de *terni*, « trois par trois » ; [tɛʀnɛʀ].

**TERNE (I), subst. m.**
**1.** *Jeux.* Coup de dés donnant deux trois. ▸ Au loto, groupe de trois numéros sortant sur une même ligne. **2.** *Électr.* Ensemble de trois conducteurs d'un courant triphasé. 1155 ; lat. *ternas*, « trois » ; [tɛʀn].

**TERNE (II), adj.**
**1.** Qui manque de luminosité, de brillance, d'éclat : *Coloris **terne**.* **2.** Fig. Qui manque de vie, d'intérêt : *Récit **terne**.* Fin XVe s. ; ☞ *ternir* ; [tɛʀn].

**TERNIR, verbe trans.** [19]
**1.** Rendre (qqch.) moins éclatant, moins vif ; empl. pronom. : *Son teint s'est **terni**.* **2.** Fig. Porter atteinte à ; salir : ***Ternir** une renommée.* Fin XIIIe s. ; prob. anc. bas frq. °*tarnjan*, « cacher » ; [tɛʀniʀ].

**TERNISSURE, subst. f.**
État de ce qui est terni : *La **ternissure** d'un miroir.* Mil. XIVe s. ; ☞ *ternir* ; [tɛʀnisyʀ].

**TERPÈNE, subst. m.**
*Chim.* Hydrocarbure insaturé, liquide, de formule générale $(C_5H_8)_n$, que l'on trouve à l'état naturel dans certaines plantes. Les **terpènes** sont constitués d'unités de molécules d'isoprène de formule $CH_2{=}C(CH_3)CH{=}CH_2$. 1871 ; all. *Terpen*, de *Terpentin*, « térébenthine » ; [tɛʀpɛn].

**TERPÉNIQUE, adj.**
Qui se rapporte aux terpènes. 1878 ; ☞ *terpène* ; [tɛʀpenik].

**TERPINE, subst. f.**
*Chim.* Dialcool dérivant des terpènes, utilisé notamment en pharmacologie comme fluidifiant des sécrétions bronchiques. Mil. XIXe s. ; angl. *turpentine*, « térébenthine », du fr. *térébenthine* ; [tɛʀpin].

**TERPINÉOL, subst. m.**
*Chim.* Alcool obtenu par déshydratation de la terpine. 1872 ; ☞ *terpine* ; var. *terpinol* ; [tɛʀpineɔl].

**TERRAGE, subst. m.**
*Féod.* Redevance levée par le seigneur sur les produits de la terre, sur les moissons (synon. *champart*). 1225 ; ☞ *terre* ; [tɛʀaʒ].

**TERRAIN, subst. m.**
**1.** Surface de terre plus ou moins vaste, considérée du point de vue de sa configuration, de sa qualité : ***Terrain** plat, boisé ; Inclinaison d'un **terrain**.* ▸ *Géol.* Portion du sol considérée dans sa structure interne : *Strates d'un **terrain** plissé.* **2.** Superficie de terre considérée comme un bien, dont la valeur marchande dépend de son affectation, de son emplacement, etc. : *Prix du **terrain** à bâtir ; **Terrain** agricole.* **3.** Espace aménagé en fonction d'une activité déterminée : ***Terrain** de rugby, de camping, d'aviation.* **4.** Lieu où se déroule un combat ; en partic., théâtre d'opérations militaires : *Rester maître du **terrain**.* ▸ Loc. *Gagner, céder du **terrain*** : progresser, reculer ou, au fig., marquer des points, transiger ; *Se conduire comme en **terrain** conquis* : se comporter grossièrement, avec sans-gêne. ▸ Ext. Champ d'activité considéré dans sa réalité pratique, concrète : *Une enquête sur le **terrain** ; Homme de **terrain**,* qui a l'expérience du contact direct avec les réalités. ▸ Fig. Ensemble des conditions propres à une situation ; domaine, sujet : *Attendre que le **terrain** soit favorable pour lancer un projet ; La polémique est son **terrain** de prédilection ; Quitter un **terrain** brûlant.* ▸ Loc. *Tâter le **terrain*** : s'employer à bien connaître la situation, les dispositions de qqn avant d'agir ; *Battre qqn sur son propre **terrain*** : dans un domaine qu'il maîtrise parfaitement. **5.** *Méd.* Ensemble de facteurs aggravants, acquis ou congénitaux, qui entrent en ligne de compte dans l'établissement d'un pronostic : ***Terrain** diabétique.* 1155 ; lat. *terrenum*, de *terra*, « terre » ; [tɛʀɛ̃].

**TERRAMARE, subst. f.**
**1.** *Préhist.* Reste d'un habitat de l'âge de bronze, constitué d'un mélange de terre et de déchets formant une butte. **2.** *Géol.* Terre riche en ammoniac, autrefois utilisée comme engrais. 1865 ; ital. *terramara*, de *terra*, « terre », et de *amara*, « amère » ; [teʀamaʀ].

**TERRAQUÉ, ÉE, adj.**
Composé d'eau et de terre, en parlant de la planète Terre (littér.) : *Le globe **terraqué**.* 1747 ; prob. bas lat. *terraqueus*, du lat. *terra*, « terre », et *aquosus*, « aqueux » ; [teʀake].

**TERRARIUM, subst. m.**
Emplacement clos reproduisant le milieu naturel de certains animaux (batraciens, reptiles, etc.) pour en permettre l'élevage ou l'observation. 1873 ; ☞ *terre*, d'apr. *aquarium* ; [teʀaʀjɔm].

**TERRASSE, subst. f.**
**1.** Plate-forme formée de terre levée et aplanie, gén. soutenue par des murs d'appui : ***Terrasse** d'un jardin public.* **2.** Partie d'un restaurant, d'un café aménagée en plein air et garnie de tables et de sièges à l'usage des consommateurs : *Dîner à la **terrasse**.* **3.** *Spéc.* ▸ *Agric.* Chacune des bandes de terre cultivable disposées en paliers successifs : *Vignoble, culture en **terrasses**.* ▸ *Archit.* Surface en plein air ménagée en retrait sur l'étage inférieur ou formant la toiture d'un immeuble ; par ext., grand balcon. ▸ *Géogr.* Ancien lit d'un cours d'eau, matérialisé par un replat entaillé dans la roche ou par une couche d'alluvions, situé à une altitude supérieure à celle du cours actuel. ▸ *Joaill.* Taille en rectangle d'une pierre précieuse. ▸ *Sculpt.* Plat supérieur du socle sur lequel repose une statue. Mil. XIIIe s. (fin XIIe s., torchis) ; ☞ *terre* ; [tɛʀas] ou [te-].

**TERRASSEMENT, subst. m.**
**1.** Opération consistant à creuser, à déblayer et à remblayer un terrain en vue de le rendre propre à certains ouvrages de travaux publics. **2.** Ouvrage fait avec la terre déplacée ou mise en place de cette manière. 1543 ; ☞ *terrasser* (II) ; [teʀasmɑ̃].

**TERRASSER (I), verbe trans.** [3]
**1.** Maîtriser, vaincre (un adversaire) en le jetant à terre. **2.** Fig. Abattre, physiquement ou moralement ; accabler, rendre incapable de réagir : *La nouvelle le **terrassa**.* 1534 ; ☞ *terre* ; [teʀase].

**TERRASSER (II), verbe trans.** [3]
**1.** Vx. Soutenir par un amas de terre. **2.** *Trav. publ.* Renforcer, étayer par un terrassement : ***Terrasser** une route.* XVIe s. ; ☞ *terrasse* ; [teʀase].

**TERRASSIER, IÈRE, subst.**
Personne qui travaille à des opérations de terrassement. 1580 ; ☞ *terrasser* (II) ; [teʀasje, jɛʀ].

**TERRE, subst. f.**
**I. 1.** Milieu physique où vit l'être humain ; le monde : *Explorer, parcourir la **terre** ; Les damnés de la **terre**,* les déshérités ; par méton., l'humanité : *Être admiré, haï de la **terre** entière.* **2.** Cadre temporel de l'existence matérielle des hommes (par oppos. à *ciel, au-delà*) : *Mépriser les biens de la **terre** ; Sur **terre**,* ici-bas. **II. 1.** Surface sur laquelle les êtres se déplacent, les constructions reposent : *Mettre pied à **terre**,* descendre d'une monture. ▸ Loc. *Par **terre*** : sur le sol ; *Vouloir rentrer sous **terre*** : avoir extrêmement honte ; *Garder les pieds sur **terre*** : garder le sens des réalités ; *Traîner qqn, qqch. plus bas que **terre*** : le dénigrer violemment. **2.** Portion déterminée de cette surface ; contrée, pays : ***Terre** natale.* ▸ *Relig.* *La Terre **sainte*** : les lieux où le Christ a vécu. **3.** Terrain délimité, considéré comme un bien, et gén. exploité : *Hériter d'une **terre** ; Se retirer sur ses **terres**.* **4.** Ensemble des zones émergées du globe (par oppos. à *mer*) : *Toucher **terre**,* aborder ; *À l'intérieur des **terres**,* loin de la côte ; *Par voie de **terre**,* par la route. ▸ *Milit.* *Armée de **terre*** : dont les unités combattent au sol. **5.** *Électr.* Le sol en tant que masse conductrice quasi nulle. ▸ *Prise de **terre*** (☞ *prise*). **6.** *Géom.* *Ligne de **terre*** : intersection du plan vertical et du plan horizontal de projection, en géométrie descriptive. **III. 1.** Couche superficielle de la surface du globe, où croissent les végétaux ; en partic., sol cultivable : *Labourer la **terre** ; Motte de **terre** ; **Terres** fertiles, en friche ; Les métiers de la **terre**,* de l'agriculture. **2.** Sol où l'on ensevelit les morts : *Mise en **terre**,* inhumation. **3.** Matière, de composition et de texture variables, dont cette couche est constituée : ***Terre** glaise, siliceuse.* **4.** Substance particulière utilisée dans la fabrication d'objets ou en peinture : ***Terre** à porcelaine,* kaolin. ▸ ***Terre** cuite* : **terre** argileuse façonnée et durcie au four ; par méton., objet en **terre** cuite. ▸ ***Terre** de Sienne* : colorant ocre ; empl. adj. inv., de couleur ocre : *Des rideaux **terre** de Sienne.* **5.** *Alchim.* L'un des quatre éléments purs (avec le feu, l'eau et l'air). PLUR. *Chim.* *Terres rares* : groupe de seize éléments métalliques aux propriétés chimiques voisines (de numéro atomique allant de 57 à 71), dont les concentrations naturelles sont faibles, mais qui entrent dans la composition de nombreux minéraux et sont recherchés pour leurs utilisations industrielles (synon. *lanthanides*). **IV.** Corps céleste de forme sphérique, habité par l'humanité. ▸ *Astron.* Troisième planète du système solaire, dans l'ordre croissant des distances moyennes au Soleil, située entre Vénus et Mars, et dont le diamètre est de 12 757 km à l'équateur et de 12 714 km sur la ligne des pôles : *La **Terre** est animée d'un double mouvement, de rotation sur elle-même et de révolution autour du Soleil.* ▸ *Géol.* Planète tellurique (comme Mars, Vénus, ou Mercure), de composition hétérogène, constituée de couches concentriques séparées les unes des autres (discontinuités sismologiques). Fin Xe s. ; lat. *terra* ; [tɛʀ].

GÉOLOGIE – Née il y a 4,57 milliards d'années, la Terre s'est refroidie et a acquis une hydrosphère et une atmosphère qui permirent l'apparition d'organismes pluricellulaires et la diversification de la vie. De l'intérieur vers la surface, la Terre comprend :

la graine (fer, nickel ; densité supérieure à 12), le noyau (fer ; densité de 9,8 à 12), le manteau (de nature probablement péridotitique ; densité de 3,4 à 6) et la croûte (densité de 3,4 à 2,3), qui est de nature différente selon les continents (roches acides, sédiments) ou les océans (basaltes, serpentines, sédiments). Les flux de chaleur ont entraîné des mouvements de matière en surface (poussées et tractions s'exerçant sur les plaques lithosphériques qui se déplacent sur l'asthénosphère). Ces mouvements (tectonique des plaques ou tectonique globale) peuvent expliquer l'apparition des océans, des fosses océaniques ou les surrections de chaînes montagneuses, mais ne rendent pas compte de tous les changements intervenus au cours de l'histoire de la Terre, tels que les changements climatiques et magnétiques, ni des tremblements de terre intraplaques.

**TERRE À TERRE,** loc. adj. inv.
**1.** Qui est prosaïque, attaché à des préoccupations uniquement matérielles. **2.** *Chorégr.* Qualifie une danse dont les mouvements sont effectués près du sol. 1691 (1611, évoluant par petits sauts en parlant d'un cheval) ; ☞ *terre* ; var. *terre-à-terre* (inv.) ; [tɛʀatɛʀ].

**TERREAU,** subst. m.
**1.** Mélange de terre et de fumier fermenté, constituant un engrais naturel. **2.** Fig. Ce qui favorise le développement de qqch. : *Les injustices sociales sont le **terreau** des révolutions.* 1611 ; ☞ *terre* ; [teʀo].

**TERREAUTER,** verbe trans. [3]
*Hortic.* Amender (un sol, une terre) avec du terreau. 1732 ; ☞ *terreau* ; [teʀote].

**TERRE-NEUVAS,** voir **TERRE-NEUVIER**

**TERRE-NEUVE,** subst. m. inv.
Grand chien de sauvetage et de garde, originaire du Canada, à long pelage brun foncé à noir de jais. 1837 ; topon. *Terre-Neuve* (Canada) ; [tɛʀnœv].

**TERRE-NEUVIER,** subst. m.
**1.** Pêcheur qui pratique la pêche à la morue, notamment sur les bancs de Terre-Neuve. **2.** Navire équipé pour cette pêche. 1609 ; topon. *Terre-Neuve* (Canada) ; plur. *terre-neuviers*, var. *terre-neuvas* (inv.) ; [tɛʀnœvje].

**TERRE-PLEIN,** subst. m.
Levée de terre, surface plane peu surélevée et gén. étançonnée par un muret ; en partic., plate-forme séparant deux voies routières. 1561 ; ital. *terrapieno*, « rempli de terre » ; plur. *terre-pleins* ; [tɛʀplɛ̃].

**TERRER,** verbe trans. [3]
*Agric.* Déposer de la terre nouvelle autour du pied de (une plante) ; recouvrir de terre. **Pronom. 1.** Se retirer dans son terrier, s'enfouir sous terre, en parlant d'un animal. **2.** Fig. Se mettre à l'abri, se cacher, s'isoler. Fin XII^e s. ; ☞ *terre* ; [teʀe].

**TERRESTRE,** adj.
**1.** Qui vit, qui se produit sur la terre ; qui relève du monde sensible (par oppos. à *céleste, spirituel*) : *Le paradis **terrestre** ; Les plaisirs **terrestres**.* **2.** Qui appartient à la Terre : *Écorce **terrestre**.* **3.** Relatif aux terres émergées ; qui vit sur la terre ferme : *Animaux **terrestres*** ; qui s'y effectue : *Transports **terrestres**.* Mil. XI^e s. ; lat. *terrestris*, de *terra*, « terre » ; [teʀɛstʀ].

**TERREUR,** subst. f.
**1.** Sentiment d'effroi, de peur intense ; par méton., personne ou chose qui l'inspire, le provoque : *L'ogre est la **terreur** des petits enfants.* **2.** Recours méthodique à des moyens despotiques qui font régner la peur collective. ▸ *Hist.* *La **Terreur*** : régime d'exception, institutionalisé en système de gouvernement de septembre 1793 à juillet 1794, visant à éliminer toute opposition à la Révolution ; cette période. Mil. XIV^e s. ; lat. *terror* ; [teʀœʀ].

**TERREUX, EUSE,** adj.
**1.** De nature de la terre. **2.** Maculé de terre. **3.** De la couleur de la terre, sans éclat : *Un teint **terreux**.* Fin XIII^e s. ; lat. *terrosus*, « riche en terre » ; [teʀø, øz].

**TERRI,** voir **TERRIL**

**TERRIBLE,** adj.
**1.** Qui inspire la terreur : *Soyons **terribles** pour dispenser le peuple de l'être* (Danton) ; *Un danger **terrible**.* **2.** Ext. D'une grande intensité : *Une **terrible** canicule* ; extraordinaire, remarquable (fam.) : *Une idée **terrible**.* ▸ Loc. *Pas **terrible*** : sans intérêt, médiocre (fam.). **3.** Qui a un caractère difficile ; turbulent. ▸ Loc. *Enfant **terrible*** : personnalité turbulente et dérangeante, dans un groupe. Mil. XII^e s. ; lat. *terribilis* ; [teʀibl].

**TERRIBLEMENT,** adv.
De manière terrible. 1375 ; ☞ *terrible* ; [teʀibləmɑ̃].

**TERRICOLE,** adj.
*Zool.* Qui vit dans la terre ou dans la vase. 1836 ; lat. *terra*, « terre », + *-cole* ; [teʀikɔl].

**TERRIEN, IENNE,** adj. et subst.
**Adj. 1.** Qui possède des terres : *Propriétaire **terrien**.* **2.** Qui concerne la campagne (par oppos. à *citadin*). **Subst. 1.** Habitant de la planète Terre. **2.** Personne qui vit à l'intérieur des terres. Déb. XIII^e s. (1138, terrestre) ; ☞ *terre* ; [tɛʀjɛ̃, jɛn].

**TERRIER,** subst. m.
**1.** *Hist.* Sous l'Ancien Régime, registre civil où étaient recensées et décrites les terres d'un seigneur. **2.** Repaire de certains animaux, creusé dans la terre : ***Terrier** de renard, de lièvre.* **3.** Chien de petite taille dressé pour la chasse des animaux à **terrier**. 1241 (mil. XII^e s., territoire) ; ☞ *terre* ; [tɛʀje].

**TERRIFIANT, ANTE,** adj.
Qui terrifie : *Parole **terrifiante**.* 1538 ; lat. *terrificus*, de *terrere*, « effrayer », et de *facere*, « faire » ; [teʀifjɑ̃, ɑ̃t].

**TERRIFIER,** verbe trans. [6]
Inspirer une grande peur à, terroriser ; empl. adj. : *Un regard **terrifié**.* 1794 ; lat. *terrificare* ; [teʀifje].

**TERRIGÈNE,** adj.
*Géol.* Qualifie un sédiment contenant des fragments de roches ou des minéraux arrachés au continent par l'érosion. 1843 (fin XIV^e s., né de la Terre) ; lat. *terrigenae* ; [teʀiʒɛn].

**TERRIL,** subst. m.
Amas de déchets miniers, à proximité d'une mine. 1885 ; ☞ *terre* ; var. *terri* ; [tɛʀi(l)].

**TERRINE,** subst. f.
*Cuis.* **1.** Récipient, gén. de terre cuite, dans lequel on confectionne et conserve diverses préparations. **2.** Méton. Pâté cuit et servi dans ce plat. 1412 ; *terrin* (vx), « de terre », du lat. pop. °*terrinus* ; [teʀin].

**TERRITOIRE,** subst. m.
**1.** Portion de la surface terrestre occupée par un groupe humain ; espace dépendant d'un État, d'une ville : *La défense du **territoire***, du sol national ; *Politique d'aménagement du **territoire*** (☞ *aménagement*) ; ***Territoire** d'outre-mer (T. O. M.)*, partie du **territoire** français située outre-mer et régie par un statut spécial. ▸ Circonscription sur laquelle s'exerce une juridiction déterminée : ***Territoire** préfectoral.* **2.** *Zool.* Espace où vit un animal et qu'il protège des intrusions de ses semblables ; par ext. : *Sa chambre, c'est son **territoire**.* **3.** *Anat.* Zone de distribution d'un nerf ou d'un vaisseau dans l'organisme. 1278 ; lat. *territorium* ; [teʀitwaʀ].

**TERRITORIAL, ALE, AUX,** adj.
**1.** Qui concerne un territoire, qui appartient à un territoire : *Législation **territoriale**.* **2.** *Dr. internat.* *Eaux **territoriales*** : espace maritime bordant les côtes d'un État et sur lequel ce dernier exerce sa souveraineté. **3.** *Hist.* *Armée **territoriale*** ou, empl. subst. fém., *La **territoriale*** : jusqu'en 1914, partie de l'armée de réserve comprenant les classes les plus anciennes ; empl. subst. masc., soldat de cette armée (gén. au plur.). 1748 ; lat. *territorialis* ; [teʀitɔʀjal, o].

**TERRITORIALITÉ,** subst. f.
*Dr.* Caractère de ce qui s'applique à un territoire : *La **territorialité** de l'impôt.* 1852 ; ☞ *territorial* ; [teʀitɔʀjalite].

**TERROIR,** subst. m.
**1.** Région considérée du point de vue de sa production agricole ; en partic. : *Vin du **terroir**,* do[nt] les caractéristiques sont liées à la nature du sol [o]ù il est produit. **2.** Pays, contrée considérée du poi[nt] de vue de ses caractéristiques culturelles et hu[]maines : ***Terroir** breton.* 1283 (1212, territoire[) ;] lat. pop. °*terratorium*, du lat. *territorium* ; [tɛʀwaʀ].

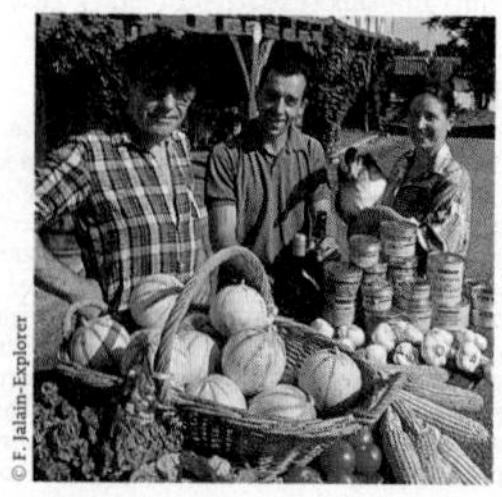

Producteurs présentant des produits du **terroir**.

© F. Jalain-Explorer

**TERRORISER,** verbe trans. [3]
**1.** Faire subir un régime de terreur à (une popul[ation], un pays). **2.** Frapper de terreur, d'effro[i]. 1796 ; ☞ *terreur* ; [teʀɔʀize].

**TERRORISME,** subst. m.
**1.** *Hist.* Politique de terreur pratiquée pendant [la] Révolution française, en 1793-1794. **2.** Recours [à] la violence visant à déstabiliser un régime, [à] s'emparer du pouvoir ; ensemble des actes comm[is] dans cette intention. 1794 ; ☞ *terreur* ; [teʀɔʀism].

**TERRORISTE,** subst. et adj.
**Subst. 1.** *Hist.* Personne qui organisa ou appliqu[a] la Terreur, sous la Révolution française. **2.** Memb[re] d'une organisation qui pratique le terrorisme. **Adj. 1.** *Hist.* Relatif à la Terreur. **2.** Relatif, prop[re] au terrorisme, ou qui l'évoque : *Des méthodes **terroristes**.* 1794 ; ☞ *terreur* ; [teʀɔʀist].

**TERSER,** voir **TIERCER**

**TERTIAIRE,** adj. et subst.
**Subst.** *Cath.* Membre d'un tiers ordre. **Adj. 1.** *Géo[l.]* ▸ *Ère **tertiaire*** ou, empl. subst. masc., *Le **Tertiaire*** : ère géologique commencée il y a 65 million[s] d'années, et ayant duré 63,5 millions d'année[s], intermédiaire entre les ères secondaire et quate[r]naire, pendant laquelle les Mammifères se so[nt] diversifiés en remplaçant les reptiles disparus et qu[i] vit l'apparition de l'homme. La stratigraphie mo[]derne regroupe les ères **tertiaire** et quaternaire sou[s] l'appellation de Cénozoïque. ▸ Relatif à cette ère : *Terrain **tertiaire**.* **2.** *Écon.* *Secteur **tertiaire*** ou, empl. subst. masc., *Le **tertiaire*** : secteur qui englob[e] l'ensemble des activités non liées à la productio[n] directe des biens de consommation (administra[]tion, armée, enseignement, banque, etc.). 1690[ ;] lat. *tertiarius*, de *tertius*, « troisième » ; [tɛʀsjɛʀ].

**TERTIARISATION,** subst. f.
*Écon.* Développement du secteur tertiaire. XX^e s. ; ☞ *tertiaire* ; var. *tertiairisation* ; [tɛʀsjaʀizasjɔ̃].

**TERTIO,** adv.
Troisièmement. 1419 ; mot lat. ; [tɛʀsjo].

**TERTRE,** subst. m.
Levée de terre aplatie en son sommet ; en partic. tumulus funéraire. Fin XI^e s. ; lat. pop. °*termes*, d[e] lat. *termen*, « borne » ; [tɛʀtʀ].

**TERZA RIMA,** subst. f.
*Litt.* Poème d'origine italienne, composé de tercet[s] dont le premier vers rime avec le troisième, l[e] deuxième vers fournissant les rimes extrêmes du ter[]cet suivant. 1844 ; ital. *terza rima*, « troisième rime » ; plur. *terza rima* ou *terze rime* ; [tɛʀdzaʀima] ou [-tsa-], plur [tɛʀdzeʀime] ou [-tse-].

**TES,** voir **TON (I)**

**TESLA,** subst. m.
*Phys.* Unité de mesure d'induction magnétiqu[e] (symb. : T), égale à l'induction uniforme qui répartie normalement sur une surface de 1 $m^2$ produit à travers cette surface un flux total d[e] 1 weber. 1904 ; anthropon. *N. Tesla* ; [tɛsla].

**TESSELLE,** subst. f.
*Techn.* Chacune des petites pièces de pierre, d[e] marbre, de céramique, etc., qui forment un[e] mosaïque, un pavement (synon. *abacule*). 1827 ; ital. *tessella*, du lat. *tessella*, de *tessera*, « dé » ; [tesɛl]

**TESSÈRE,** subst. f.
*Antiq. rom.* Petite pièce de bois, de métal, d'ivoire etc., que l'on échangeait contre des vivres ou qu[e] l'on utilisait comme bulletin de vote, billet d[e] théâtre ou signe de reconnaissance. 1765 (XVI^e s., ordre, dans l'armée) ; lat. *tessera*, « dé » ; [tesɛʀ].

**TESSITURE,** subst. f.
*Mus.* Échelle de sons, allant du grave à l'aigu, qu'une voix peut émettre avec aisance : ***Tessiture** d'un soprano* ; par anal. : *La **tessiture** d'un violon.* Fin XIX^e s. ; ital. *tessitura*, « tissage » ; [tesityʀ].

**TESSON,** subst. m.
Débris de verre, de poterie. 1283 ; ☞ *têt* (I) ; [tesɔ̃]

**TEST (I),** subst. m.
*Zool.* Enveloppe dure de certains animaux, en partic. des oursins. 1538 (déb. XIII^e s., coquille d'amande) ; lat. *testum*, « couvercle d'argile » ; [tɛst].

**TEST (II),** subst. m.
. *Psychol.* Épreuve d'évaluation qui permet de erner la personnalité de qqn, de mesurer ses aptiudes physiques, intellectuelles, etc., acquises ou nnées : *Test psychométrique*, destiné à mesurer le uotient intellectuel de qqn ; *Test sensoriel, de mémoire*. **2.** Anal. Mise à l'épreuve qui permet de vériier la réalité, l'efficacité de qqch. : *Faire le test de a force.* ▸ En appos. Qui sert de critère, constitue ne expérience : *Un produit test*. **3.** *Méd.* Procédé nécanique, chimique ou immunologique, permetant d'explorer une fonction de l'organisme ou de létecter une anomalie. **4.** *Stat. Test d'hypothèse* : néthode qui, à partir d'observations faites sur un u plusieurs échantillons de population, permet de lécider de la validité d'une hypothèse concernant ette population, sous réserve d'une marge d'erreur. 1893 ; angl. *test*, de l'anc. fr. *test*, « pot servant à soler les métaux précieux » ; [tɛst].

**TESTACÉ, ÉE,** adj.
*Zool.* Qui possède une coquille, un test ; de la nature lu test, de la coquille. ▸ Empl. subst. masc. plur. Ordre de mollusques, dans la classification de Cuvier ; au sing. : *Un testacé*. 1562 ; lat. *testaceus* ; tɛstase].

**TESTACELLE,** subst. f.
*Zool.* Mollusque gastéropode terrestre pulmoné qui ressemble à une limace mais porte une coquille minuscule, et qui se nourrit de vers. 1801 ; lat. sc. *testacella* ; [tɛstasɛl].

**TESTAGE,** subst. m.
*Vétér.* Méthode de sélection des reproducteurs mâles, par observation des qualités de leurs premiers descendants. V. 1950 ; ☞ *test* (II) ; [tɛstaʒ].

**TESTAMENT,** subst. m.
**I.** *Relig.* **1.** Vx. Alliance. **2.** *Ancien Testament* : recueil de textes bibliques relatant la genèse du monde et l'alliance de Dieu avec le peuple hébreu ; *Nouveau Testament* : recueil de textes bibliques relatant la Nouvelle Alliance entre Dieu et les hommes, scellée par Jésus-Christ. **II. 1.** *Dr.* Acte rédigé, unilatéral et solennel, réformable et révocable jusqu'au décès de son auteur, par lequel ce dernier signifie ses dernières volontés et dispose, pour le temps qui suivra son décès, de ses biens en faveur d'un ou de plusieurs héritiers : *Testament authentique*, dicté au notaire devant quatre témoins, ou bien à deux notaires. **2.** Anal. *Testament politique* : ouvrage dans lequel sont exposés, à l'intention de la postérité, les principes qui ont guidé la pensée et l'action d'un homme d'État. **3.** Fig. Œuvre ultime d'un artiste, d'un écrivain : *« Parsifal » est le testament de Wagner*. Déb. XIIe s. ; lat. *testamentum*, de *testari*, « prendre à témoin » ; [tɛstamɑ̃].

**TESTAMENTAIRE,** adj.
Dr. Relatif à un testament. ▸ *Exécuteur testamentaire* (☞ *exécuteur*). Mil. XVe s. ; lat. *testamentarius* ; [tɛstamɑ̃tɛʀ].

**TESTATEUR, TRICE,** subst.
Dr. Auteur d'un testament. XIIIe s. ; lat. *testator*, « celui qui teste » ; [tɛstatœʀ, tʀis].

**TESTER (I),** verbe intrans. [3]
Dr. Faire son testament. 1406 (1290, témoigner) ; lat. *testari*, « témoigner » ; [tɛste].

**TESTER (II),** verbe trans. [3]
Soumettre (qqn) à un examen, à un test d'aptitude ; par ext., éprouver, contrôler (qqch.) : *Tester un dispositif*. 1941 ; ☞ *test* (II) ; [tɛste].

**TESTEUR, EUSE,** subst.
Personne qui fait passer des tests. MASC. *Techn.* Appareil servant à effectuer certains contrôles. 1952 ; ☞ *tester* (II) ; [tɛstœʀ, øz].

**TESTICULAIRE,** adj.
Qui a trait aux testicules. 1805 ; ☞ *testicule* ; [tɛstikylɛʀ].

**TESTICULE,** subst. m.
*Anat.* Chacune des deux glandes génitales masculines contenues dans les bourses, qui produisent les spermatozoïdes et sécrètent la testostérone. 1304 ; lat. *testiculus* ; [tɛstikyl].

**TESTIMONIAL, ALE, AUX,** adj.
Qui est fondé sur un témoignage. 1274 ; bas lat. *testimonialis*, « qui atteste » ; [tɛstimɔnjal, o].

**TEST-MATCH,** subst. m.
*Sp.* Au rugby, rencontre entre une équipe en tournée et celle du pays où a lieu le match. XXe s. ; mot angl. ; plur. *test-match(e)s* ; [tɛstmatʃ].

**TESTON,** subst. m.
*Numism.* Monnaie d'argent frappée à l'effigie d'un monarque, qui fut en circulation en Italie puis en France pendant la Renaissance. Déb. XVIe s. ; ital. *testone* ; [tɛstɔ̃].

**TESTOSTÉRONE,** subst. f.
*Biol.* et *Biochim.* Hormone mâle contrôlant le développement des organes génitaux et des caractères sexuels secondaires (pilosité, par ex.). 1935 ; crois. de *testicule*, de *stérol* et de *hormone* ; [tɛstɔsteʀɔn].

**TÊT (I),** subst. m.
**1.** Vx. Tesson ; pot de terre. **2.** *Techn.* Coupelle utilisée en laboratoire pour oxyder ou calciner certaines substances : *Têt à gaz*, qui soutient une éprouvette à gaz. Déb. XIIe s. ; lat. *testum*, « couvercle d'argile » ; [tɛ(t)].

**TÊT (II),** subst. m. sing.
Premier jour de l'année vietnamienne : *Fête du Têt*. 1842 ; mot vietnamien ; [tɛt].

**TÉTANIE,** subst. f.
*Pathol.* Accès de contractures des extrémités musculaires, accompagnées de picotements péribuccaux et parfois de signes biologiques (hypocalcémie) et électromyographiques. 1852 ; ☞ *tétanos* ; [tetani].

**TÉTANIQUE,** adj.
Relatif au tétanos ou à la tétanie. 1830 (1555, malade atteint du tétanos) ; gr. *tetanikos* ; [tetanik].

**TÉTANISATION,** subst. f.
Action de tétaniser ; fait de se tétaniser. 1872 ; ☞ *tétaniser* ; [tetanizasjɔ̃].

**TÉTANISER,** verbe trans. [3]
**1.** *Méd.* Provoquer les contractures de (un muscle). **2.** Fig. Paralyser, rendre incapable d'agir : *Voir son rival le tétanise*. 1862 ; ☞ *tétanos* ; [tetanize].

**TÉTANOS,** subst. m.
**1.** *Pathol.* Grave maladie infectieuse non contagieuse et ne conférant pas d'immunisation, due à un germe anaérobie Gram– qui secrète une neurotoxine et dont les spores telluriques, très résistantes, constituent le réservoir. La maladie, transmise par l'intermédiaire d'une plaie souillée ou d'un instrument sale, se caractérise par de fortes contractures des muscles de la mâchoire (trismus), puis des muscles respiratoires, entraînant la mort par asphyxie. La vaccination en constitue le traitement préventif. **2.** *Physiol. Tétanos physiologique* ou, empl. abs., *Tétanos* : contraction des fibres musculaires. 1541 ; gr. *tetanos*, « tension d'un membre », de *teinein*, « tendre » ; [tetanɔs].

**TÊTARD,** subst. m.
**1.** *Zool.* Larve des amphibiens aquatiques de l'ordre des Anoures, dont le corps et la tête forment une masse globuleuse, qui respire grâce à des branchies, et qui est pourvue d'une longue queue régressant au cours de la métamorphose. **2.** Anal. *Arboric.* Arbre taillé de façon à favoriser la pousse massive des branches supérieures ; en appos. : *Saules têtards*. 1611 (1303, entêté) ; ☞ *tête* ; [tɛtaʀ].

*Arbres têtards.*

**TÊTE,** subst. f.
**I. 1.** Partie la plus haute du corps humain, de forme arrondie, siège du cerveau et des principaux organes des sens, et qui est unie au tronc par le cou : *Lever, secouer la tête* ; *Tout condamné à mort aura la tête tranchée* (loi du 6 octobre 1791) ; chez la plupart des animaux, partie qui constitue l'extrémité antérieure du corps. ▸ Loc. fam. *Être tombé sur la tête* : être devenu fou ; *Foncer tête baissée* : se précipiter de manière irréfléchie ; *(En) donner sa tête à couper* : être absolument certain de qqch. ; *En avoir par-dessus la tête* : en avoir assez ; *Sans queue ni tête* : embrouillé, confus. ▸ Belg. *Tête pressée* : fromage de tête (☞ *fromage*). **2.** Boîte crânienne ; cerveau : *Fracture de la tête* ; *Avoir la tête qui tourne*, avoir le vertige. ▸ *Tête de mort* : crâne d'un squelette ; par méton., sa représentation : *Drapeau à tête de mort*. **3.** Le visage ; son expression : *Avoir une bonne tête*, sembler sympathique. ▸ Loc. *Faire la tête* : bouder (fam.) ; *Avoir la tête de l'emploi* : l'apparence qui convient. **4.** Partie de la tête couverte du cuir chevelu : *Tête ébouriffée* ; *Se couvrir la tête*. **5.** Méton. Représentation d'une tête d'homme ou d'animal : *Tête en plâtre*. **6.** Mesure d'une tête humaine ou animale : *Le fils dépasse le père d'une tête*. **7.** *Spéc.* ▸ *Mus. Voix de tête* : voix de registre aigu (par oppos. à *voix de poitrine*) et, par ext., voix de fausset. ▸ *Sp.* Au football, coup donné dans le ballon avec le front. ▸ *Vén.* Pousse annuelle du bois d'un cervidé. **II. 1.** Siège de l'intelligence, des états psychologiques : *Avoir une idée en tête* ; *[...] qui eût plutôt la tête bien faite que bien pleine* (Montaigne). ▸ Loc. *Être une tête* : être très savant (fam.) ; *Perdre la tête* : perdre son sang-froid ; *Se monter la tête* : s'illusionner ; *Coup de tête* : action irréfléchie ; *Avoir la grosse tête* : être vaniteux (fam.). **2.** Capacité mentale ; réflexion, jugement : *Âgé, il garde toute sa tête*. ▸ Loc. *De tête* : mentalement, de mémoire. **3.** Tempérament volontaire : *Une femme de tête*. ▸ Loc. *Tête de bois* : personne obstinée ; *Tenir tête* : s'opposer, résister ; *N'en faire qu'à sa tête* : agir sans tenir compte de l'avis des autres. **III. 1.** Personne, individu : *Tête couronnée*, monarque ; *Les têtes blondes*, les enfants ; *Le dîner coûtera cent francs par tête*. ▸ Animal : *Une tête de bétail*. **2.** Personne qui dirige, fait agir les autres : *Arrêter les têtes d'une mutinerie*. ▸ Loc. *Être à la tête de* : être responsable de, ou présider. **3.** Personne qui occupe la première place dans un classement : *Ce brillant élève est la tête de sa classe* ; *Tête de liste*, candidat qui mène une liste, dans un scrutin par liste. ▸ *Sp. Tête de série* : compétiteur qualifié, désigné pour rencontrer en éliminatoire des concurrents plus faibles. **4.** Vie d'une personne : *Risquer sa tête* ; *Mettre à prix la tête de qqn*, offrir une somme d'argent pour le capturer mort ou vif ; *Demander la tête de qqn*, réclamer sa mise à mort et, au fig., son renvoi. **IV.** Anal. **1.** Extrémité supérieure de qqch. ; sommet : *Tête d'un peuplier, d'un mât*. **2.** Section terminale ou antérieure, souvent massive, de qqch. : *Tête d'une épingle* ; *Tête d'une comète*. **3.** Partie initiale d'un ensemble organisé, ou orienté dans un sens précis : *Tête d'une file de taxis* ; ensemble de personnes qui marchent à l'avant d'un groupe : *Tête d'une manifestation*. ▸ *Tête de ligne* : station de départ d'une ligne de transport public. ▸ Loc. *En tête* : à l'avant ou au début de qqch. **4.** *Arm. Fusée à tête chercheuse* : équipée d'un dispositif qui la téléguide sur son objectif ; *Tête nucléaire* : partie antérieure d'un engin ou d'un projectile d'artillerie, où est logée la charge nucléaire. **5.** *Milit. Tête de pont* : secteur stratégique le plus avancé qu'une force armée contrôle en territoire ennemi. **6.** *Pétrochimie. Produit de tête* : résultat de la première distillation du pétrole. **7.** *Techn.* Pièce d'un mécanisme, en gén. terminale et amovible : *Fraiseuse à têtes multiples* ; *Tête de lecture d'un magnétoscope*. Mil. XIe s. ; lat. *testa*, « coquille » ; [tɛt].

**TÊTE-À-QUEUE,** subst. m. inv.
Brutal changement de direction d'un véhicule faisant un demi-tour sur lui-même, notamment à la suite d'un dérapage. 1902 (1855, mouvement d'un cheval qui pivote brusquement) ; comp. de *tête* et de *queue* ; [tɛtakø].

**TÊTE-À-TÊTE,** subst. m. inv.
**1.** Situation, conversation réunissant deux personnes seule à seule. **2.** Méton. ▸ Canapé à deux places. ▸ Service à thé ou à café pour deux personnes. Mil. XVIe s. ; ☞ *tête* ; [tɛtatɛt].

**TÊTEAU,** subst. m.
*Hortic.* Extrémité d'une branche maîtresse. 1777 ; ☞ *tête* ; [tɛto].

**TÊTE-BÊCHE,** adv.
Dans la position de deux personnes étendues côte à côte mais en sens inverse, l'une ayant la tête au niveau des pieds de l'autre. 1820 ; altér. de *à tête béchevet*, de *béchevet* (vx), « à double tête » ; [tɛtbɛʃ].

**TÊTE-DE-CLOU,** subst. f. ou m.
*Archit.* Petit ornement pyramidal caractéristique de l'architecture romane. 1884 (1837, terme de

typographie) ; comp. de *tête* et de *clou* ; plur. *têtes-de-clou* ; [tɛtdəklu].

**TÊTE-DE-LOUP,** subst. f.
Balai à brosse ronde et à long manche, qui sert à nettoyer les plafonds. 1814 ; comp. de *tête* et de *loup* ; plur. *têtes-de-loup* ; [tɛtdəlu].

**TÊTE-DE-MAURE,** subst. f.
Fromage de Hollande à pâte cuite enrobée d'une cire protectrice d'un brun noir. Mil. XIXe s. ; comp. de *tête* et de *Maure* ; plur. *têtes-de-Maure* ; [tɛtdəmɔʀ].

**TÊTE-DE-MOINE,** subst. f.
Fromage de Suisse au lait de vache, à pâte cuite. Comp. de *tête* et de *moine* ; plur. *têtes-de-moine* ; [tɛtdəmwan].

**TÊTE-DE-NÈGRE,** adj. inv. et subst. f.
ADJ. D'un brun foncé. SUBST. **1.** *Bot.* Cèpe bronzé. **2.** *Cuis.* Meringue recouverte de chocolat et garnie de crème. 1829 ; comp. de *tête* et de *nègre* ; plur. du subst. *têtes-de-nègre* ; [tɛtdənɛgʀ].

**TÉTÉE,** subst. f.
**1.** Action de téter. **2.** Méton. Quantité de lait absorbée en un seul repas par le nourrisson ; repas du nourrisson. 1611 ; p. p. de *téter* ; [tete].

**TÉTER,** verbe trans. [8]
Sucer (le sein, la mamelle, la tétine d'un biberon) pour en aspirer le lait ; par méton. : ***Téter** sa mère* ; empl. abs. : *Cet enfant a deux ans et il **tète** encore.* Déb. XIIIe s. ; ☞ *tette* ; [tete].

**TÉTERELLE,** subst. f.
*Méd.* Petit appareil que l'on place sur le bout du sein pour aspirer le lait ou pour faciliter l'allaitement (synon. *tire-lait*). 1851 ; ☞ *téter* ; [tetʀɛl].

**TÊTIÈRE,** subst. f.
**1.** Partie de la bride d'un cheval qui passe derrière les oreilles et soutient le mors. **2.** Garniture fixée au dossier d'un siège, au niveau de la tête. **3.** *Mar.* Pièce, gén. métallique, renforçant le coin supérieur d'une voile et sur laquelle on fixe la drisse. Fin XIIe s. ; ☞ *tête* ; [tɛtjɛʀ].

**TÉTIN, INE,** subst.
MASC. Mamelon du sein (vx). FÉM. **1.** Extrémité de la mamelle de certains mammifères, en partic. de la vache et de la truie (synon. *pis*). **2.** Anal. Embout en caoutchouc, percé d'une fente, qui s'adapte au biberon du bébé. Fin XIVe s. (fin XIIe s., sein) ; ☞ *tette* ; [tetɛ̃, in].

**TÉTON,** subst. m.
**1.** Sein de femme (fam.). **2.** *Techn.* Petite saillie d'une pièce métallique conçue pour s'emboîter dans une autre pièce. 1480 ; ☞ *tette* ; [tetɔ̃].

**TÉTRACHLORURE,** subst. m.
*Chim.* Corps composé dont la molécule renferme quatre atomes de chlore : *Le perchloréthylène, de formule $CCl_2$=$CCl_2$, est un **tétrachlorure**.* 1871 ; ☞ *chlorure* + *tétra-* ; [tetʀaklɔʀyʀ].

**TÉTRACORDE,** subst. m.
*Mus.* **1.** Succession de quatre notes conjointes formant une quarte juste. **2.** Lyre à quatre cordes. Mil XIVe s. ; gr. *tetrakhordos*, « à quatre cordes » ; [tetʀakɔʀd].

**TÉTRACYCLINE,** subst. f.
*Biochim.* et *Bactériol.* Antibiotique qui inhibe la synthèse des protéines chez les bactéries. La **tétracycline** base s'obtient par culture d'actinomycètes. 1954 ; formé de *tétra-* et de *-cycle* ; [tetʀasiklin].

**TÉTRADACTYLE,** adj.
*Zool.* Qui possède quatre doigts. 1808 ; formé de *tétra-* et de *-dactyle* ; [tetʀadaktil].

**TÉTRADE,** subst. f.
Ensemble ou assemblage de quatre éléments. ▸ *Bot.* Ensemble des quatre cellules issues de la méiose d'une cellule mère. 1546 ; gr. *tetras*, « groupe de quatre » ; [tetʀad].

**TÉTRAÈDRE,** subst. m.
*Géom.* Polyèdre à quatre faces triangulaires : ***Tétraèdre** régulier*, dont les faces sont des triangles équilatéraux isométriques. 1542 ; gr. *tetraedron*, « pyramide » ; [tetʀaɛdʀ].

**TÉTRAÉDRIQUE,** adj.
Relatif au tétraèdre ; qui a la forme d'un tétraèdre. 1842 ; ☞ *tétraèdre* ; [tetʀaedʀik].

**TÉTRAGONE,** subst. f.
*Bot.* Plante herbacée de la famille des Aizoacées, originaire d'Australie, dont les feuilles sont consommées comme les épinards. Déb. XIXe s. (1370, tétraèdre) ; lat. sc. *tetragonia*, du gr. *tetragonos*, « quadrangulaire », par anal. de forme avec ses graines ; [tetʀagɔn].

**TÉTRALINE,** subst. f.
*Chim.* Hydrocarbure de formule $C_{10}H_{12}$ dérivé du naphtalène, utilisé comme solvant. 1949 ; contraction de *tétrahydronaphtalène*, de *naphtalène* + *tétra-* et *hydro-* ; [tetʀalin].

**TÉTRALOGIE,** subst. f.
**1.** *Antiq. gr.* Ensemble de quatre œuvres (trois tragédies et un drame satyrique) que les poètes présentaient aux concours dramatiques. **2.** *Litt.* et *Mus.* Ensemble de quatre œuvres liées par un même thème ; en partic. : *La **Tétralogie***, les quatre opéras de Wagner constituant *l'Anneau du Nibelung.* 1752 ; gr. *tetralogia* ; [tetʀalɔʒi].

**TÉTRAMÈRE,** adj. et subst. m.
ADJ. *Zool.* Qui est formé de quatre parties : *Insecte **tétramère**.* SUBST. *Biochim.* Molécule constituée de quatre monomères : *L'hémoglobine est un **tétramère**.* 1839 ; gr. *tetramerês* ; [tetʀamɛʀ].

**TÉTRAMÈTRE,** subst. m.
*Versif.* Vers composé de quatre mètres, dans la prosodie grecque. XVIe s. ; lat. des grammairiens *tetrametrus*, du gr. *tetrametros* ; [tetʀamɛtʀ].

**TÉTRAPLÉGIE,** subst. f.
*Pathol.* Paralysie des quatre membres, gén. consécutive à un traumatisme (synon. *quadriplégie*). 1904 ; formé de *tétra-* et de *-plégie* ; [tetʀapleʒi].

**TÉTRAPLÉGIQUE,** adj. et subst.
Se dit d'une personne atteinte de tétraplégie. ADJ. Relatif à la tétraplégie. Mil. XXe s. ; ☞ *tétraplégie* ; [tetʀapleʒik].

**TÉTRAPLOÏDE,** adj.
*Génét.* Qualifie un organisme dont le stock chromosomique est présent en quatre exemplaires, au lieu de deux (diploïde). L'état **tétraploïde** est gén. peu compatible avec une bonne fécondité, puisqu'il débouche sur la production de gamètes présentant un nombre anormal de chromosomes. 1931 ; gr. *tetraploos*, « quadruple », d'apr. *diploïde* ; [tetʀaplɔid].

**TÉTRAPODE,** adj. et subst. m. plur.
*Zool.* ADJ. Se dit d'un animal, mammifère ou non, pourvu de quatre membres. SUBST. Groupe de vertébrés qui possèdent deux paires de membres, soit apparents, soit atrophiés, marquant ainsi une adaptation ancienne à la marche : *Les Amphibiens, les Reptiles, les Oiseaux et les Mammifères font partie des **Tétrapodes*** ; au sing. : *Un lézard est un **tétrapode**.* 1803 ; gr. *tetrapous*, « quadrupède » ; [tetʀapɔd].

**TÉTRAPTÈRE,** adj. et subst. m.
*Zool.* Se dit des insectes qui possèdent deux paires d'ailes. 1762 ; gr. *tetrapteros* ; [tetʀaptɛʀ].

**TÉTRARCHAT,** subst. m.
Dignité, fonctions de tétrarque ; durée de ces fonctions. 1750 ; ☞ *tétrarque* ; [tetʀaʀka].

**TÉTRARCHIE,** subst. f.
*Antiq.* **1.** Territoire gouverné par un tétrarque. **2.** Mode de gouvernement collégial, institué par Dioclétien, mettant quatre empereurs à la tête de l'Empire romain (deux augustes et deux césars). Mil. XVe s. ; lat. *tetrarkhia*, du gr. *tetrarkhia* ; [tetʀaʀʃi].

**TÉTRARQUE,** subst. m.
*Antiq.* **1.** Gouverneur d'une des divisions d'une province divisée en quatre. **2.** Prince régnant sur un petit territoire vassal de Rome : ***Tétrarque** de Galilée.* 1213 ; lat. *tetrarches*, du gr. *tetrarkhes* ; [tetʀaʀk].

**TÉTRAS,** subst. m.
*Zool.* Oiseau de l'ordre des Galliformes, qui vit en groupes dans les régions montagneuses. On distingue le grand **tétras**, ou coq de bruyère, et le petit **tétras**, ou **tétras**-lyre. 1752 ; lat. médiév. *tetrax*, du gr. *tetraon*, « coq de bruyère » ; [tetʀa].

**TÉTRASTYLE,** subst. m. et adj.
*Archit.* Se dit d'un temple dont la façade aligne quatre colonnes. 1676 ; lat. *tetrastylus*, du gr. *tetrastulos* ; [tetʀastil].

**TÉTRASYLLABE,** adj. et subst. m.
*Versif.* Se dit d'un vers formé de quatre syllabes. 1611 ; lat. des grammairiens *tetrasyllabus*, du gr. *tetrasullabos* ; [tetʀasil(l)ab].

**TÉTRATOMIQUE,** adj.
*Chim.* Qualifie un corps dont la molécule est constituée de quatre atomes. 1869 ; ☞ *atome* + *tétra-* ; [tetʀatɔmik].

**TÉTRAVALENT, ENTE,** adj.
*Chim.* Quadrivalent. 1871 ; formé de *tétra-* et d *-valent* ; [tetʀavalɑ̃, ɑ̃t].

**TÉTRODE,** subst. f.
Tube électronique à quatre électrodes. 1948 ☞ *électrode* + *tétra-* ; [tetʀɔd].

**TÉTRODON,** subst. m.
*Zool.* Poisson téléostéen des mers chaudes, qu augmente de volume lorsqu'il est menacé (synon *poisson-globe*). 1803 ; lat. sc. *tetrodon*, du gr. *tetr* « quatre », et *odous*, « dent » ; [tetʀɔdɔ̃].

**TETTE,** subst. f.
Bout de la mamelle, chez les Mammifères. Déb XIIIe s. ; germ. occ. °*titta*, « sein de femme » ; [tɛt].

**TÊTU, UE,** adj. et subst. m.
ADJ. **1.** Vx. Qui a une grosse tête. **2.** Fig. Obstin qui renonce très difficilement à une opinion, à u projet ; qui dénote l'entêtement : *Un air **têtu*** ; emp subst., personne **têtue**. SUBST. *Techn.* Gros martea de tailleur de pierre, utilisé pour le dégrossissage 1237 ; ☞ *tête* ; [tety].

**TEUTON, ONNE,** subst. et adj.
D'un peuple de l'ancienne Germanie ; par ext d'Allemagne (péj.). SUBST. MASC. Langue germaniqu du haut Moyen Âge. 1654 ; lat. *Teutonus*, « peupl de Germanie » ; [tøtɔ̃, ɔn].

**TEUTONIQUE,** adj.
Relatif aux Teutons, à l'ancienne Germanie ▸ *Ordre **teutonique***, ou *des chevaliers **Teutoniques*** ordre religieux et militaire fondé en Terre saint au XIIe s. 1489 ; lat. *Teutonicus* ; [tøtɔnik].

**TEX,** subst. m.
*Text.* Unité de mesure utilisée pour les fils textile et correspondant à 1 g/km de fil. 1956 ; apocop de *textile* ; [tɛks].

**TEXTE,** subst. m.
**1.** Écrit authentique, original qui sert de référenc de fondement, à une religion, à une science, à un culture : *Le **texte** de la Bible.* ▸ *Lire les auteurs ancien dans le **texte*** : dans la langue d'origine (par oppos à une traduction). **2.** Œuvre, ou extrait, caractéris tique de la pensée, de l'art de son auteur : *Un choi de **textes** de Pascal.* **3.** Toute succession de terme lexicaux dont l'ensemble constitue un écrit *Dactylographier un **texte**.* **4.** Écrit considéré dans s stricte formulation autorisée : *Se reporter au text d'une loi.* **5.** Sujet d'un travail scolaire : *Le **texte** d'u devoir.* ▸ *Cahier de **textes*** : dans lequel les élève notent les devoirs à faire, les leçons à apprendre **6.** *Typogr.* Partie de la page comportant l'ensembl des caractères composés (par oppos. aux blancs, au illustrations, etc.). Déb. XIIIe s. (déb. XIIe s., volum qui contient les Évangiles) ; lat. *textus*, « tissu », de *texere* « tisser » ; [tɛkst].

**TEXTILE,** adj. et subst. m.
ADJ. **1.** Qui peut faire l'objet d'un tissage ; qui peu être réduit en filaments susceptibles d'être tissés *Le chanvre est **textile**.* **2.** Relatif à la préparation du fil de tissage, à la fabrication et à la distributio commerciale des produits tissés : *Industrie **textile*** SUBST. **1.** Matière **textile** : ***Textiles** naturels*, coton lin, chanvre, laine, etc. ; ***Textiles** artificiels*, cellulos et dérivés ; ***Textiles** synthétiques*, polyester, acrylique etc. **2.** Secteur économique de la production **textile** 1752 ; lat. *textilis*, « tissé » ; [tɛkstil].

**TEXTO,** adv.
Textuellement (fam.). Mil. XXe s. ; abrév. d *textuellement* ; [tɛksto].

**TEXTUEL, ELLE,** adj.
**1.** Qui provient d'un texte : *Passage **textuel**.* ▸ Qu concerne le texte, qui s'y rapporte : *Une synthès*

*Grand **tétras**.*

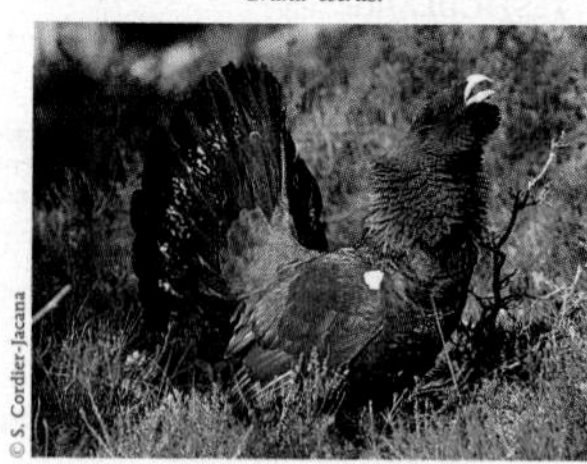

tuelle. **2.** Strictement conforme au texte ou, par ıl., à ce qui a été dit : *Copie **textuelle** d'un message.* Mil XVe s. ; lat. médiév. *textualis*, du lat. *textus*, exte » ; [tɛkstɥɛl].

**TEXTUELLEMENT, adv.**
manière conforme, strictement fidèle à ce qui écrit ou à ce qui a été dit. 1491 ; ☞ *textuel* ; ‹stɥɛlmɑ̃].

**TEXTURANT, subst. m.**
›duit ajouté à un aliment pour lui donner une ture, une consistance particulière. V. 1970 ; *texture* ; [tɛkstyʀɑ̃].

**TEXTURATION, subst. f.**
t. Opération qui vise à adapter les fibres thétiques à l'usage auquel elles sont destinées, ex. en leur donnant de l'élasticité. V. 1960 ; *texturer* ; var. *texturisation* ; [tɛkstyʀasjɔ̃].

**TEXTURE, subst. f.**
Manière dont les fils d'un tissu sont entrecroisés. Anal. Constitution, structure d'un élément orga- ıque : ***Texture** d'un muscle.* **3.** Fig. Agencement, ison des parties d'une œuvre de l'esprit : ***Texture** ne pièce de théâtre.* **4.** *Pétrogr.* Agencement des férents minéraux constitutifs d'une roche. Fin s. ; lat. *textura*, de *texere*, « tisser » ; [tɛkstyʀ].

**TEXTURER, verbe trans.** [3]
hn. Soumettre (un fil synthétique) à la textura- n. V. 1960 ; ☞ *texture* ; var. *texturiser* ; [tɛkstyʀe].

**TEXTURISATION, voir TEXTURATION**

**th, voir THERMIE**

**Th, voir THORIUM**

**THAÏ, THAÏE, adj. et subst. m.**
J. Relatif, propre aux Thaïs (Thaïlandais, Laotiens, pulations de Birmanie et du sud de la Chine). BST. Famille de langues tonales parlées en Thaï- ıde, au Laos, en Birmanie, en Chine, au Viêt Nam. 1826 ; mot siamois ; [taj].

**THALAMIQUE, adj.**
opre, relatif au thalamus. Déb. XXe s. (1842, me de botanique) ; ☞ *thalamus* ; [talamik].

**THALAMUS, subst. m.**
at. Amas de substance grise situé à la base du veau et servant de relais aux informations nsorielles. 1877 (1855, terme de botanique) ; lat. *thalamus*, du gr. *thalamos*, « lit » ; [talamys].

**THALASSÉMIE, subst. f.**
thol. Anémie hémolytique due à une anomalie l'hémoglobine. C'est une affection héréditaire mmune dans le bassin méditerranéen. 1959 ; mé de *thalasso-* et de *-émie* ; [talasemi].

**THALASSOCRATIE, subst. f.**
st. Contrôle des mers ; État dont la puissance est ndée sur ce contrôle. 1757 ; gr. *thalassokratia*, mpire de la mer » ; [talasokʀasi].

**THALASSOTHÉRAPIE, subst. f.**
éd. Traitement par l'eau de mer, le climat marin les algues : *Cure de **thalassothérapie**.* 1865 ; mé de *thalasso-* et de *-thérapie* ; [talasoteʀapi].

**THALER, subst. m.**
umism. Pièce d'argent de 29 g env., dont les pays rmaniques firent leur unité monétaire du XVIe au Xe s. 1556 ; all. *T(h)aler*, abrév. de *Joachimst(h)aler*, topon. *Joachimst(h)al*, auj. Jáchymov (République nèque) ; [talɛʀ].

**THALIDOMIDE, subst. f.**
ıarm. Hypnotique utilisé entre 1957 et 1962 ; retiré ı marché en raison de son effet fortement térato- ne, il est encore utilisé dans le traitement de la pre et du lupus. V. 1960 ; crois. de *acide phtalique*, *-ide* et de *imide*, dérivé de l'ammoniac ; [talidɔmid].

**THALLE, subst. m.**
ɔt. Appareil végétatif des algues et des champi- ons, dépourvu de racines, de tiges et de feuilles. 1815 ; lat. *thallus*, du gr. *thallos*, « pousse » ; [tal].

**THALLIUM, subst. m.**
him. Élément métallique n° 81 de la table de endeleïev (symb. : Tl) ; masse atomique : 204,3 ; oint de fusion : 303,5 °C ; point d'ébullition : 457 °C ; masse volumique : 11,85 g/cm³. Le **thal- ium** est utilisé notamment en électronique et dans fabrication de certains alliages expérimentaux. 1862 ; lat. *thallus*, du gr. *thallos*, « pousse », à cause la raie verte du spectre de ce métal ; [taljɔm].

**THALLOPHYTE, subst. f.**
ɔt. Plante dont l'appareil végétatif est un thalle. 1859 ; gr. *thallos*, « pousse », + *-phyte* ; [talɔfit].

**THALWEG, voir TALWEG**

**THANATOLOGIE, subst. f.**
Étude tant biologique que sociologique des diffé- rents aspects de la mort. Fin XIXe s. ; formé de *thanato-* et de *-logie* ; [tanatɔlɔʒi].

**THANATOPRAXIE, subst. f.**
Ensemble des techniques visant à conserver les cadavres. V. 1970 ; gr. *praxis*, « action », + *thanato-*, d'apr. *chiropraxie* ; [tanatopʀaksi].

**THANATOS, subst. m.**
*Psychanal.* Pulsion de mort, qui s'oppose à l'éros. XXe s. ; gr. *Thanatos*, « la Mort » ; nom du dieu de la Mort ; [tanatos].

**THANE, subst. m.**
*Hist.* Titre de noblesse anglo-saxon auquel le roi élevait certains hommes d'armes, assimilé plus tard à celui de baron. 1740 ; mot angl. ; [tan].

**THAUMATURGE, adj. et subst.**
**I.** *Relig.* Se dit d'une personne qui accomplit des miracles : *Élie, surnommé le prophète **thaumaturge**.* **II.** SUBST. Magicien. 1610 ; gr. *thaumatourgos*, de *thauma*, « merveille », et de *ergon*, « action » ; [tomatyʀʒ].

**THAUMATURGIE, subst. f.**
Pouvoir du thaumaturge. 1831 ; gr. *thaumatourgia* ; [tomatyʀʒi].

**THÉ, subst. m.**
**1.** *Bot.* Théier. **2.** Ext. Feuilles du théier qui, traitées, servent à préparer des infusions : ***Thé** vert, cueilli et immédiatement torréfié ; **Thé** noir, légèrement fermenté.* **3.** Infusion de **thé** : ***Thé** au lait, glacé.* ▸ Collation de l'après-midi où sont servis **thé** et pâtisseries. ▸ Empl. adj. inv. De la couleur du **thé** infusé : *Une rose **thé**.* ▸ Anal. ***Thé** des jésuites, du Brésil* : maté. **4.** Helv. Tisane : ***Thé** de camomille.* 1648 ; mot dial. du Fujian (Chine du Sud) ; [te].

**THÉATIN, subst. m.**
*Relig.* Membre de l'ordre fondé en 1524 par Gian Pietro Carafa, évêque de Teate (futur pape Paul IV), pour réformer les mœurs du clergé. 1611 ; topon. lat. *Teate*, anc. nom de *Chieti* (Italie) ; [teatɛ̃].

**THÉÂTRAL, ALE, AUX, adj.**
**1.** Relatif au théâtre : *Saison **théâtrale** ; Effet **théâtral**.* **2.** Fig. Outré, grandiloquent ; qui dénote l'artifice. 1520 ; lat. *theatralis* ; [teɑtʀal, o].

**THÉÂTRALEMENT, adv.**
**1.** Selon les règles du théâtre. **2.** Fig. Avec emphase. 1764 ; ☞ *théâtral* ; [teɑtʀalmɑ̃].

**THÉÂTRALISER, verbe trans.** [3]
Donner un aspect, une dimension théâtrale à (qqch.). 1927 ; ☞ *théâtral* ; [teɑtʀalize].

**THÉÂTRALISME, subst. m.**
**1.** *Psych.* Comportement caractérisé par une dramatisation verbale et gestuelle des affects, observé notamment dans l'hystérie (synon. *histrionisme*). **2.** Ext. Comportement spectaculaire, qui évoque le jeu d'un acteur. 1845 ; ☞ *théâtral* ; [teɑtʀalism].

**THÉÂTRALITÉ, subst. f.**
Qualité d'une œuvre qui respecte les exigences de la construction théâtrale. 1842 ; ☞ *théâtral* ; [teɑtʀalite].

**THÉÂTRE, subst. m.**
**I. 1.** *Antiq.* Construction à ciel ouvert où se donnaient des spectacles publics ; amphithéâtre : *Le **théâtre** de Delphes, de Syracuse.* **2.** Bâtiment destiné à la représentation d'œuvres dramatiques, lyriques ou chorégraphiques ; le spectacle présenté : *Un billet de **théâtre**.* ▸ Méton. La salle accueillant le public : *Le plafond du **théâtre*** ; la scène (vieilli). ▸ Anal. Lieu où l'on présente un spectacle sans acteurs : ***Théâtre** de marionnettes.* **3.** Fig. Cadre où se produit un évènement, une action notable. ▸ *Milit. **Théâtre** des opérations* : zone de combats. **4.** Ensemble des personnes, des services techniques et administratifs assurant le fonctionnement d'une entreprise de spectacles ; cette entreprise, gén. attachée à une salle : *Les **théâtres** nationaux.* **II. 1.** Ensemble des œuvres d'un auteur écrites pour la scène : *Le **théâtre** de Shakespeare* ; production dramatique propre à une nation, à une époque : *Le **théâtre** élisabéthain.* **2.** Art de composer un ouvrage qui sera représenté au **théâtre** ; genre littéraire correspondant : ***Théâtre** en vers, en prose ; La règle des trois unités du **théâtre** classique ; Une pièce de **théâtre**.* ▸ Art, activité du comédien : *Faire du **théâtre** ; École de **théâtre**.* ▸ Loc. *Coup de **théâtre*** : évènement brusque, imprévu qui modifie le cours d'une intrigue ou, au fig., d'une situation. 1213 ; lat. *theatrum*, du gr. *theatron* ; [teɑtʀ].

CULTURE – C'est en Grèce, vers le IVe s. av. J.-C., que sont construits les premiers théâtres en pierre, dont les gradins étaient gén. creusés dans la pente d'une colline. Face à cette enceinte (*kôilon*) destinée aux spectateurs s'étendait l'*orkhêstra*, espace circulaire occupé par les chœurs et l'autel de Dionysos, puis la scène, plate-forme fermée au fond par un mur (*skênê*) représentant un décor fixe, la partie antérieure (*proskênion*) étant réservée aux évolutions des acteurs. Adoptant le modèle grec, les Romains y apportèrent peu de modifications : division des gradins en portions concentriques, aménagement de couloirs, mur de scène de grandes dimensions, haute façade ornée de colonnades et de statues. Durant tout le Moyen Âge, les parvis des églises abritent les représentations des mystères sacrés, tandis que les foires accueillent farces et pantomimes. Si les architectes italiens de la Renaissance réinventent des théâtres à l'antique dans les palais, les troupes de Paris qui jouent des comédies ne disposent, à la fin du XVIe s., que de deux salles à l'aménagement des plus sommaire, alors qu'en Angleterre apparaît le théâtre élisabéthain, édifice en bois à galeries superposées entourant une scène à ciel ouvert, avec des décors symboliques, souvent réduits à de simples panneaux. Au XVIIe s., les décors uniques ou juxtaposés de la tragédie classique ne favorisent guère le développement de la mise en scène. L'impulsion viendra de l'opéra et du ballet, féeries qui exigent un cadre adapté. Ainsi naît la scène moderne, dont la partie visible n'est que le prolongement d'une machinerie complexe ; c'est celle du théâtre à l'italienne, qui se répand au XVIIIe s. dans toute l'Europe. La salle s'étage en loges, en corbeilles et en balcons ; les vastes halls, les foyers et promenoirs qui l'entourent indiquent que le théâtre est devenu un haut lieu de la vie sociale. Au XXe s., le modèle italien est peu à peu abandonné pour une salle en gradins qui fait entièrement face à la scène, offrant ainsi une excellente visibilité.

**THÉÂTREUX, EUSE, subst. et adj.**
SUBST. FÉM. Comédienne sans talent ; actrice demi-mondaine (vieilli et péj.). SUBST. Professionnel du théâtre (souv. péj.). ADJ. Relatif aux métiers du théâtre. 1896 ; ☞ *théâtre* ; [teɑtʀø, øz].

**THÉBAÏDE, subst. f.**
Lieu paisible, isolé, où l'on mène une vie austère. 1674 ; topon. lat. *Thebais*, désert de Haute-Égypte où vécurent en ascètes de nombreux chrétiens, de *Thebae*, « Thèbes » ; [tebaid].

**THÉBAÏNE, subst. f.**
*Biochim.* Alcaloïde très toxique contenu dans l'opium. 1835 ; ☞ *thébaïque* ; [tebain].

**THÉBAÏQUE, adj.**
Qui a trait à l'opium, qui en contient. 1833 (1776, *pierre thébaïque*, granite d'Égypte) ; lat. *thebaicus*, du gr. *thêbaikos*, « de Thèbes », où florissait le commerce de l'opium ; [tebaik].

**THÉERIE, subst. f.**
Plantation de théiers (rare). ☞ *théier* ; [teʀi].

**THÉIER, IÈRE, adj. et subst.**
SUBST. FÉM. Récipient muni d'un couvercle, d'une anse et d'un bec verseur, utilisé pour faire infuser et servir le thé. ADJ. Relatif au thé, à son commerce. SUBST. MASC. *Bot.* Plante arbustive d'Asie, qui est une espèce de camélia, cultivée pour ses feuilles (synon. *thé*). 1698 ; ☞ *thé* ; [teje, jɛʀ].

**THÉINE, subst. f.**
*Biochim.* Alcaloïde présent dans les feuilles de thé et identique à la caféine. 1842 ; ☞ *thé* ; [tein].

**THÉISME (I), subst. m.**
*Philos.* Doctrine qui affirme l'existence d'un Dieu un et personnel, cause transcendante du monde. 1745 ; angl. *theism*, du gr. *theos*, « dieu » ; [teism].

**THÉISME (II), subst. m.**
*Pathol.* Ensemble des troubles dus à une consommation excessive de thé. 1871 ; ☞ *thé* ; [teism].

**THÉISTE, adj. et subst.**
*Philos.* SUBST. Partisan du théisme. ADJ. Qui professe ou qui concerne le théisme. 1705 ; angl. *theist*, du gr. *theos*, « dieu » ; [teist].

**THÉMATIQUE, adj. et subst. f.**
ADJ. **1.** Qui a trait à un thème ; qui se construit selon des thèmes : *Répertoire **thématique** ; Critique **thématique**, fondée sur les thèmes récurrents d'une œuvre ou d'un auteur.* **2.** *Mus.* Qui découle du thème : *Variations **thématiques**.* **3.** *Ling.* Qualifie un

élément du lexique qui entre dans une terminologie. ▸ *Voyelle **thématique*** : qui s'ajoute au radical d'un mot pour en former le thème. **Subst.** Ensemble ordonné des thèmes explorés par un artiste, une école de pensée. 1572 ; gr. *thematikos* ; [tematik].

**THÈME, subst. m.**
**1.** Matière, idée, principe faisant l'objet d'une analyse, d'un développement dans un exposé, un ouvrage : ***Thème** d'un colloque* ; ***Thème** psychologique d'un roman.* ▸ *Log.* Matière d'un postulat (par oppos. à *prédicat*). **2.** Concept, sujet correspondant à une constante dans une pensée, une œuvre, un discours : ***Thème** du destin, de la mort.* **3.** Travail scolaire de traduction d'un texte dans la langue étudiée (par oppos. à *version*). ▸ Loc. *Un fort en **thème*** : un élève très doué, mais au savoir livresque. **4.** *Spéc.* ▸ *Astrol.* ***Thème** astral* : configuration particulière des astres à l'heure de la naissance de qqn, censée influer sur sa destinée. ▸ *Mus.* Motif mélodique et rythmique autour duquel est bâti un morceau. ▸ *Ling.* Partie d'un mot, formée de son radical et éventuellement d'une voyelle thématique, qui précède les désinences verbales ou casuelles. Mil. XIIIe s. ; lat. *thema*, du gr. *thema*, « ce que l'on pose » ; [tɛm].

**THÉNAR, subst. m.**
*Anat.* Éminence de la paume de la main, située à la base du pouce ; en appos. : *Éminence **thénar**.* 1555 ; gr. *thenar*, « paume de la main » ; [tenaʀ].

**THÉOBROMINE, subst. f.**
*Biochim.* Alcaloïde extrait du cacao, du thé ou du café, diurétique et faiblement vasodilatateur des coronaires. 1843 ; lat. sc. *theobroma*, « cacaoyer », du gr. *brôma*, « nourriture », et *theos*, « dieu » ; [teɔbʀɔmin].

**THÉOCENTRISME, subst. m.**
Conception qui place Dieu et les détenteurs de l'autorité religieuse au centre de toute vision du monde. ☞ *centre* + *théo-* ; [teɔsɑ̃tʀism].

**THÉOCRATIE, subst. f.**
Type de gouvernement dans lequel le pouvoir, censé émaner directement de Dieu, est exercé par les autorités religieuses ou par un souverain considéré comme le représentant de Dieu sur terre. 1679 ; gr. *theokratia* ; [teɔkʀasi].

**THÉOCRATIQUE, adj.**
Relatif, propre à la théocratie. 1701 ; ☞ *théocratie* ; [teɔkʀatik].

**THÉODICÉE, subst. f.**
*Philos.* Justification de la bonté de Dieu par la réfutation des arguments de l'athéisme fondés sur l'existence du mal. ▸ Théologie rationnelle, naturelle. 1710 ; gr. *dikê*, « justice », + *théo-* ; [teɔdise].

**THÉODOLITE, subst. m.**
Instrument de visée utilisé en géodésie et en astronomie pour mesurer les angles horizontaux et verticaux ou les coordonnées azimutales. 1732 ; angl. *theodolite* ; [teɔdɔlit].

**THÉOGONIE, subst. f.**
*Relig.* Récit de la naissance et de la généalogie des dieux, dans les religions polythéistes ; ensemble de ces divinités. 1556 ; gr. *theogonia* ; [teɔgɔni].

**THÉOLOGAL, ALE, AUX, adj.**
*Théol.* Qui a Dieu lui-même pour objet : *Les vertus **théologales** sont la foi, l'espérance et la charité.* 1375 ; ☞ *théologie* ; [teɔlɔgal, o].

**THÉOLOGIE, subst. f.**
**1.** *Relig.* Discipline ayant pour objet Dieu, ses attributs, son rapport à l'être humain et au monde, et l'étude des textes sacrés : ***Théologie** dogmatique, morale* ; ***Théologie** chrétienne*, élaboration doctrinale des données de la Révélation et de la Tradition en un corps de connaissances. ▸ ***Théologie** négative* : fondée sur l'expérience mystique du caractère indicible de Dieu, dont il n'est possible que de dire ce qu'il n'est pas. ▸ *Philos.* ***Théologie** rationnelle* ou *naturelle* : connaissance de Dieu par l'exercice de la raison. **2.** Cette discipline appliquée à tel domaine ou développée par tel penseur : *La **théologie** de la grâce* ; *La **théologie** de saint Anselme.* ▸ Ext. Enseignement ayant pour objet cette discipline. XIIIe s. ; lat. chrét. *theologia*, du gr. *theologia* ; [teɔlɔʒi].

**THÉOLOGIEN, IENNE, subst.**
Spécialiste en théologie : ***Théologien** scolastique.* 1280 ; ☞ *théologie* ; [teɔlɔʒjɛ̃, jɛn].

**THÉOLOGIQUE, adj.**
Relatif à la théologie. 1375 ; lat. eccl. *theologicus*, du gr. *theologikos* ; [teɔlɔʒik].

**THÉOPHANIE, subst. f.**
*Théol.* Toute manifestation divine ; en partic., la Transfiguration du Christ. 1732 ; gr. *theophania*, de *theos*, « dieu », et de *phainein*, « apparaître » ; [teɔfani].

**THÉOPHILANTHROPE, subst.**
Adepte de la théophilanthropie. 1797 ; ☞ *philanthrope* + *théo-* (formation critiquable) ; [teɔfilɑ̃tʀɔp].

**THÉOPHILANTHROPIE, subst. f.**
*Hist.* Mouvement déiste fondé sur l'amour de l'Être suprême, qui connut quelque succès entre 1797 et 1801. 1797 ; ☞ *théophilanthrope* ; [teɔfilɑ̃tʀɔpi].

**THÉOPHYLLINE, subst. f.**
*Biochim.* et *Pharm.* Alcaloïde des feuilles du théier, neurostimulant et diurétique, qui est utilisé comme bronchodilatateur. 1889 ; ☞ *thé* + *-phylle* ; [teɔfilin].

**THÉORBE, voir TÉORBE**

**THÉORÉMATIQUE, adj.**
Qui est de la nature du théorème. 1901 ; gr. *theôrêmatikos* ; [teɔʀematik].

**THÉORÈME, subst. m.**
*Log.* et *Math.* Énoncé démontrable à l'intérieur d'une théorie. 1539 ; lat. *theorema*, du gr. *theôrêma*, de *theôrein*, « observer, examiner » ; [teɔʀɛm].

**THÉORÉTIQUE, adj. et subst. f.**
*Philos.* **Adj.** Qui vise à la connaissance ; dont l'objet est la théorie. **Subst.** Théorie de la connaissance qui écarte les considérations ontologiques. 1721 ; bas lat. *theoreticus*, du gr. *theôrêtikos* ; [teɔʀetik].

**THÉORICIEN, IENNE, subst.**
**1.** Personne qui connaît la théorie d'une science, d'un art. **2.** Personne qui conçoit, enseigne et défend une théorie : ***Théoricien** du fouriérisme.* 1550 ; ☞ *théorique* ; [teɔʀisjɛ̃, jɛn].

**THÉORIE (I), subst. f.**
**1.** Savoir abstrait, spéculatif. ▸ Loc. *En **théorie*** : en principe (anton. *en pratique, en fait*) et, par ext., dans l'abstrait. **2.** Construction de l'esprit qui vise à synthétiser, à expliquer ou à interpréter un ordre particulier de faits ; ensemble ordonné d'énoncés qui en résulte : *La **théorie** de la relativité* ; *Une **théorie** économique* ; *Appliquer une **théorie**.* ▸ Loc. *Se faire une **théorie** de qqch.* : s'en faire une explication. 1380 ; bas lat. *theoria*, du gr. *theôria*, « examen, observation » ; [teɔʀi].

**THÉORIE (II), subst. f.**
**1.** *Antiq. gr.* Délégation envoyée aux festivités solennelles d'une cité. **2.** Anal. et Littér. Groupe de personnes avançant à la file ; par ext. : *Une **théorie** de chars.* 1788 ; gr. *theôria* ; [teɔʀi].

**THÉORIQUE, adj.**
**1.** Du domaine de la connaissance abstraite. **2.** Envisagé, conçu de manière abstraite, idéale. 1256 ; bas lat. *theoricus*, du gr. *theôrikos* ; [teɔʀik].

**THÉORIQUEMENT, adv.**
De manière théorique ; en principe, idéalement. 1557 ; ☞ *théorique* ; [teɔʀikmɑ̃].

**THÉORISATION, subst. f.**
Action de théoriser ; son résultat. 1891 ; ☞ *théoriser* ; [teɔʀizasjɔ̃].

**THÉORISER, verbe [3]**
**Intrans.** Établir, formuler une théorie. **Trans.** Mettre en théorie. 1829 ; ☞ *théorie* (I) ; [teɔʀize].

**THÉOSOPHE, subst.**
Adepte de la théosophie. 1704 ; lat. médiév. *theosophus*, du gr. *theosophos*, « instruit des choses divines » ; [teɔzɔf].

**THÉOSOPHIE, subst. f.**
Courant de pensée philosophico-religieux selon lequel l'accès à la sagesse de Dieu, à la connaissance des choses divines passe par l'approfondissement de la vie intérieure et par l'exercice des pouvoirs latents de l'homme, qui mettent en jeu des forces ordinairement soustraites à sa volonté. ▸ Doctrine métaphysique et morale, se présentant comme ayant des liens secrets avec le bouddhisme, fondée en 1875 par Helena Blavatsky. 1710 ; gr. *theosophia*, de *theos*, « dieu », et de *sophia*, « connaissance, sagesse » ; [teɔzɔfi].

**THÉOSOPHIQUE, adj.**
Relatif à la théosophie, aux théosophes : *La franc-maçonnerie est d'inspiration **théosophique**.* 1842 ; ☞ *théosophie* ; [teɔzɔfik].

**THÈQUE, subst. f.**
*Bot.* Réceptacle renfermant les spores, chez les champignons. 1834 ; gr. *thêkê*, « boîte » ; [tɛk].

**THÉRAPEUTE, subst.**
**1.** *Hist.* Membre d'une communauté d'ascètes juifs qui vivaient près d'Alexandrie au Ier s. av. J.-C. **2.** Ext. Médecin ; spéc., psychothérapeute. 170 gr. *therapeutês*, de *therapeuein*, « soigner » ; [teʀap

**THÉRAPEUTIQUE, subst. f. et adj.**
*Méd.* **Subst.** Spécialité qui étudie les moyens traiter les maladies. ▸ Application d'un traiteme **Adj.** Qui concerne le traitement des malad Fin XIVe s. ; gr. *therapeutikos* ; [teʀapøtik].

**THÉRAPIE, subst. f.**
**1.** *Méd.* Thérapeutique. **2.** *Psych.* et *Psychanal.* T tement des troubles psychiques comportementa d'un individu ou d'un groupe. 1669 ; gr. *the peia*, « traitement » ; [teʀapi].

**THÉRIAQUE, subst. f.**
*Pharmacol.* Mélange de nombreuses substanc autrefois utilisé comme antidote des poisons et venins. Fin XIIe s. ; lat. méd. *theriaca*, du gr. *thêri* « bête sauvage » ; [teʀjak].

**THERIDIUM, subst. m.**
*Zool.* Petite araignée aux couleurs vives, qui ti une toile irrégulière. 1810 ; gr. *thêridion*, dimin. *thêrion*, « bête sauvage » ; var. *théridion* ; [teʀidjɔm].

**THERMAL, ALE, AUX, adj.**
**1.** *Eau **thermale*** : qui a une température élevé sa sortie de terre et qui possède des ver thérapeutiques. **2.** Relatif aux eaux médicinale *Cure **thermale*** ; *Station **thermale***, aménagée pour curistes à proximité d'une source d'eau minéra 1625 ; ☞ *thermes* ; [tɛʀmal, o].

**THERMALISME, subst. m.**
Science relative aux applications des eaux th males. ▸ Ensemble des moyens mis en œuvre pc utiliser les eaux thermales à des fins thérapeutiqu 1845 ; ☞ *thermal* ; [tɛʀmalism].

**THERMALITÉ, subst. f.**
Nature, propriété d'une eau thermale. 183 ☞ *thermal* ; [tɛʀmalite].

**THERMES, subst. m. plur.**
**1.** *Antiq.* Établissement de bains publics. **2.** Étab sement thermal. 1213 ; lat. *thermae*, « ba chauds », du gr. *thermos*, « chaud » ; [tɛʀm].

**THERMICIEN, IENNE, subst.**
Spécialiste de la thermique. V. 1960 ; ☞ *ther que* ; [tɛʀmisjɛ̃, jɛn].

**THERMICITÉ, subst. f.**
*Phys.* Propriété d'un système ou d'une réacti physico-chimique ayant un effet thermiq V. 1950 ; ☞ *thermique* ; [tɛʀmisite].

**THERMIDOR, subst. m.**
Onzième mois du calendrier républicain (du 19 20 juillet au 17 ou 18 août). ▸ *Hist. Le 9 **Thermid** (an II)* : journée de la chute de Robespier marquant la fin de la Terreur. 1793 ; gr. *therm* « chaud », et *dôron*, « don » ; [tɛʀmidɔʀ].

**THERMIDORIEN, IENNE, subst. m. et adj.**
*Hist.* **Subst.** Député faisant partie de la coalition q renversa Robespierre. **Adj.** Relatif à cette coaliti et à la période qui suivit le 9 Thermidor : *Convention **thermidorienne**.* 1795 ; ☞ *thermid* [tɛʀmidɔʀjɛ̃, jɛn].

**THERMIE, subst. f.**
*Métrol.* Ancienne unité de mesure de quantité chaleur (symb. : th), valant $10^6$ calories. 192 gr. *thermos*, « chaud » ; [tɛʀmi].

**THERMIQUE, adj. et subst. f.**
*Phys.* **Adj.** Qui se rapporte à la chaleur. ▸ *Centr **thermique*** : centrale où l'énergie **thermique** convertie en énergie mécanique pour produire u énergie électrique. ▸ *Techn. Imprimante **thermiqu*** qui utilise un papier sensible aux élévations température. **Subst.** Branche qui traite de la produ tion et des échanges d'énergie sous forme chaleur. 1847 ; gr. *thermos*, « chaud » ; [tɛʀmik].

**THERMISTANCE, subst. f.**
*Phys.* Résistance électrique, constituée par d semi-conducteurs, dont la valeur varie en foncti de la température. V. 1960 ; crois. de *thermo-* et *résistance* ; [tɛʀmistɑ̃s].

**THERMITE, subst. f.**
*Techn.* Mélange d'aluminium pulvérisé et d'oxyd métalliques, qui est utilisé dans l'aluminotherm 1907 ; gr. *thermê*, « chaleur » ; [tɛʀmit].

**THERMOCAUTÈRE, subst. m.**
*Chir.* Cautère formé d'un fil de platine maintenu i candescent et servant à cautériser par la chale 1875 ; ☞ *cautère* + *thermo-* ; [tɛʀmɔkotɛʀ].

**THERMOCHIMIE, subst. f.**
*Chim.* Spécialité qui traite des échanges thermiques accompagnant les réactions chimiques. 🕮 1840 ; ☞ *chimie* + *thermo-* ; [tɛʀmɔʃimi].

**THERMOCLINE, subst. f.**
*Océanogr.* Couche d'eau marine ou lacustre dont la température diminue rapidement en profondeur avant de se stabiliser et dont la position varie selon les saisons, les courants, les régions : *En Méditerranée, la* ***thermocline*** *estivale se situe vers vingt mètres de profondeur.* 🕮 V. 1960 ; gr. *klinein*, « incliner », + *thermo-* ; [tɛʀmɔklin].

**THERMOCOUPLE, subst. m.**
*Phys.* Instrument de mesure des hautes températures par l'intermédiaire d'un couple thermoélectrique. 🕮 1905 ; ☞ *couple* + *thermo-* ; [tɛʀmɔkupl].

**THERMODURCISSABLE, adj.**
*Techn.* Se dit d'un matériau qui perd sa plasticité au-delà d'une certaine température. 🕮 1949 ; ☞ *durcir* + *thermo-* ; [tɛʀmɔdyʀsisabl].

**THERMODYNAMICIEN, IENNE, subst.**
Spécialiste de la thermodynamique. 🕮 V. 1970 ; ☞ *thermodynamique* ; [tɛʀmodinamisjɛ̃, jɛn].

**THERMODYNAMIQUE, subst. f. et adj.**
Subst. Domaine de la physique qui étudie l'évolution des systèmes soumis à des échanges thermiques conduisant à des transformations mécaniques. Adj. Se dit des grandeurs qui relèvent de la **thermodynamique**. 🕮 1864 ; ☞ *dynamique* + *thermo-* ; [tɛʀmodinamik].

**THERMOÉLECTRICITÉ, subst. f.**
**1.** Domaine de la physique qui a pour objet l'étude des relations entre les processus thermiques et électriques, et celle de leurs effets. **2.** Électricité produite dans les centrales thermiques. 🕮 1842 ; ☞ *électricité* + *thermo-* ; [tɛʀmoelɛktʀisite].

**THERMOÉLECTRIQUE, adj.**
Relatif à la thermoélectricité. 🕮 1823 ; ☞ *électrique* + *thermo-* ; [tɛʀmoelɛktʀik].

**THERMOÉLECTRONIQUE, adj.**
*Phys.* Se dit de l'effet résultant de l'émission d'électrons par un filament métallique chauffé à haute température (synon. *thermoïonique*). 🕮 1949 ; ☞ *électronique* + *thermo-* ; [tɛʀmoelɛktʀɔnik].

**THERMOFORMAGE, subst. m.**
*Techn.* Procédé permettant de mettre en forme, par chauffage, les matériaux thermoplastiques. 🕮 V. 1970 ; ☞ *formage* + *thermo-* ; [tɛʀmofɔʀmaʒ].

**THERMOGÈNE, adj.**
**1.** *Phys.* Qui génère de la chaleur. **2.** *Biol.* Se dit d'un tissu, comme la graisse brune des nouveau-nés de mammifères ou celle des mammifères hibernants adultes, qui produit de la chaleur. 🕮 1823 ; formé de *thermo-* et de *-gène* ; [tɛʀmɔʒɛn].

**THERMOGENÈSE, subst. f.**
*Biol.* Production de chaleur chez l'animal. 🕮 1890 ; formé de *thermo-* et de *-genèse* ; var. *thermogénèse* ; [tɛʀmɔʒənɛz].

**THERMOGRAPHIE, subst. f.**
*Méd.* Technique d'imagerie médicale qui, par l'enregistrement de la chaleur cutanée, permet de dépister des anomalies, notamment des tumeurs du sein. 🕮 1896 ; formé de *thermo-* et de *-graphie* ; [tɛʀmɔgʀafi].

**THERMOGRAVURE, subst. f.**
Technique d'impression en relief qui utilise une encre résineuse se solidifiant par chauffage. 🕮 ☞ *gravure* + *thermo-* ; [tɛʀmɔgʀavyʀ].

**THERMOÏONIQUE, adj.**
*Phys.* Thermoélectronique. 🕮 1933 ; ☞ *ionique* (II) + *thermo-* ; [tɛʀmojɔnik].

**THERMOLUMINESCENCE, subst. f.**
*Phys.* Luminescence provoquée par l'échauffement d'une substance excitée par irradiation. 🕮 1897 ; ☞ *luminescence* + *thermo-* ; [tɛʀmolyminɛsɑ̃s].

**THERMOLYSE, subst. f.**
*Biol.* Processus par lequel les êtres vivants perdent de l'énergie calorifique au profit de l'environnement. 🕮 1931 ; formé de *thermo-* et de *-lyse* ; [tɛʀmɔliz].

**THERMOMÈTRE, subst. m.**
**1.** Instrument qui sert à mesurer des températures, par dilatation d'un corps, gén. un liquide (alcool, mercure), contenu dans un réservoir : ***Thermomètre*** *centigrade*, ou *centésimal*, qui indique 0 °C pour la température de congélation de l'eau et 100 °C pour sa température d'ébullition ; ***Thermomètre*** *gradué en degrés Fahrenheit*, sur lequel 32 °F et 212 °F correspondent respectivement à 0 °C et 100 °C ; *Thermomètre à minimum et à maximum*, où les températures minimale et maximale restent indiquées. **2.** Fig. Élément qui permet d'évaluer qqch. : *Son appétit est le* ***thermomètre*** *de sa santé.* 🕮 1624 ; formé de *thermo-* et de *-mètre*[1] ; [tɛʀmɔmɛtʀ].

**THERMOMÉTRIE, subst. f.**
*Phys.* Technique de détermination des températures suivant des paramètres déterminés. 🕮 1842 ; ☞ *thermomètre* ; [tɛʀmɔmetʀi].

**THERMOMÉTRIQUE, adj.**
Relatif au thermomètre, à la mesure des températures. 🕮 1754 ; ☞ *thermomètre* ; [tɛʀmɔmetʀik].

**THERMONUCLÉAIRE, adj.**
*Phys. Réaction* ***thermonucléaire*** : réaction nucléaire de fusion de noyaux d'atomes légers portés à très haute température ; *Énergie* ***thermonucléaire*** : libérée par la réaction **thermonucléaire**. 🕮 1950 ; ☞ *nucléaire* + *thermo-* ; [tɛʀmonykleɛʀ].

**THERMOPLASTIQUE, adj.**
*Techn.* Se dit d'un matériau qui se ramollit sous l'effet de la chaleur et se durcit en se refroidissant. 🕮 1948 ; ☞ *plastique* + *thermo-* ; [tɛʀmoplastik].

**THERMOPOMPE, subst. f.**
*Techn.* Pompe génératrice de chaleur. 🕮 1875 ; ☞ *pompe* (II) + *thermo-* ; [tɛʀmopɔ̃p].

**THERMOPROPULSION, subst. f.**
*Phys.* Système de propulsion d'un corps ou d'un objet au moyen de l'énergie thermique. 🕮 1949 ; ☞ *propulsion* + *thermo-* ; [tɛʀmopʀɔpylsjɔ̃].

**THERMORÉCEPTEUR, subst. m.**
*Biol.* Organe sensoriel ou cellule capable de détecter les changements de température. 🕮 ☞ *récepteur* + *thermo-* ; [tɛʀmoʀesɛptœʀ].

**THERMORÉGULATEUR, TRICE, adj.**
Qui concerne la thermorégulation. 🕮 1862 ; ☞ *régulateur* + *thermo-* ; [tɛʀmoʀegylatœʀ, tʀis].

**THERMORÉGULATION, subst. f.**
**1.** *Phys.* Moyen de régulation de l'énergie thermique d'un système. **2.** *Biol.* Phénomène physiologique ou comportemental par lequel un animal homéotherme peut ajuster sa température interne à une valeur favorable. 🕮 1904 ; ☞ *régulation* + *thermo-* ; [tɛʀmoʀegylasjɔ̃].

**THERMORÉSISTANT, ANTE, adj.**
**1.** *Techn.* Se dit d'une matière qui ne se déforme pas sous l'effet de la chaleur. **2.** *Biol.* Qui résiste à des températures élevées, en parlant d'un organisme vivant. 🕮 1956 ; ☞ *résistant* + *thermo-* ; [tɛʀmoʀezistɑ̃, ɑ̃t].

**THERMOS, subst. f.**
Bouteille isolante, à double paroi séparée par un vide, qui permet de conserver un liquide à une température presque stable pendant plusieurs heures. 🕮 1907 ; gr. *thermos*, « chaud » ; n. déposé ; [tɛʀmos].

**THERMOSIPHON, subst. m.**
*Techn.* Système par lequel les différences de température et de niveau assurent la circulation de l'eau dans un circuit de chauffage. 🕮 1845 ; ☞ *siphon* + *thermo-* ; [tɛʀmosifɔ̃].

**THERMOSPHÈRE, subst. f.**
*Météor.* Couche de l'atmosphère située au-dessus de la mésosphère, caractérisée par une forte élévation de la température. 🕮 1956 (1894, aérostat thermique) ; ☞ *sphère* + *thermo-* ; [tɛʀmɔsfɛʀ].

**THERMOSTABLE, adj.**
*Techn.* Se dit d'une matière qui garde ses propriétés quand elle est chauffée. 🕮 1914 ; ☞ *stable* + *thermo-* ; [tɛʀmostabl].

**THERMOSTAT, subst. m.**
Dispositif servant à maintenir constante une température. 🕮 1890 (1842, sorte de thermomètre) ; formé de *thermo-* et de *-stat* ; [tɛʀmɔsta].

**THERMOSTATIQUE, adj.**
Qui permet de conserver la même température. 🕮 1872 ; ☞ *thermostat* ; [tɛʀmɔstatik].

**THÉSARD, ARDE, subst.**
Personne qui prépare une thèse de doctorat (fam.). 🕮 V. 1950 ; ☞ *thèse* ; [tezaʀ, aʀd].

**THÉSAURISATION, subst. f.**
**1.** Action de thésauriser, d'accumuler des richesses. **2.** *Écon.* Fait de détenir des valeurs improductives. 🕮 1719 ; ☞ *thésauriser* ; [tezɔʀizasjɔ̃].

**THÉSAURISER, verbe** [3]
Trans. Amasser (de l'argent) sans le faire circuler. Intrans. Amasser de l'argent sans le dépenser ni l'investir. 🕮 1350 ; lat. chrét. *thesaurizare* ; [tezɔʀize].

**THÉSAURISEUR, EUSE, adj. et subst.**
Se dit d'un personne qui thésaurise. 🕮 1571 ; ☞ *thésauriser* ; [tezɔʀizœʀ, øz].

**THÉSAURUS, subst. m.**
**1.** Recueil lexicographique de philologie ou d'archéologie. **2.** Répertoire de termes normalisés classés alphabétiquement et répartis en structures correspondant aux divers champs de la connaissance. 🕮 1904 ; lat. *thesaurus*, du gr. *thêsauros*, « trésor » ; var. *thesaurus* ; [tezɔʀys].

**THÈSE, subst. f.**
**1.** Position théorique que l'on s'engage à soutenir : *Avancer une* ***thèse***. ▸ Loc. *Film, pièce de théâtre, roman à* ***thèse*** : qui illustre une **thèse** (philosophique, morale, politique). **2.** *Enseign.* ▸ Proposition ou suite de propositions que le candidat à un grade universitaire s'engageait à soutenir. ▸ Ensemble des travaux universitaires effectués pour obtenir un doctorat : *Soutenance de* ***thèse*** ; l'ouvrage imprimé où figurent ces travaux. **3.** *Philos.* Premier membre de chacune des antinomies de la raison pure, chez Kant. ▸ Premier terme qui, dans la triade dialectique hégélienne, s'oppose à l'antithèse avant de s'y accorder dans la synthèse. 🕮 1579 ; lat. *thesis*, du gr. *thesis*, « action de poser ; proposition » ; [tɛz].

**THESMOPHORIES, subst. f. plur.**
*Antiq. gr.* Fêtes célébrées par les femmes en l'honneur de Déméter, la déesse des Moissons. 🕮 1721 ; lat. *thesmophoria*, du gr. *thesmophoria*, de *thesmophoros*, « qui civilise » ; [tɛsmɔfɔʀi].

**THESSALIEN, IENNE, adj. et subst.**
De Thessalie. Subst. masc. Ancien dialecte grec parlé en Thessalie. 🕮 1571 ; topon. *Thessalie* ; [tɛsaljɛ̃, jɛn].

**THÊTA, subst. m. inv.**
Huitième lettre de l'alphabet grec ($\theta$, $\Theta$), correspondant à *th* en français. 🕮 Mot gr. ; [tɛta].

**THÈTE, subst. m.**
*Antiq. gr.* À Athènes, citoyen de la dernière classe (ouvrier, petit agriculteur, mercenaire), dans la hiérarchie de la cité. 🕮 1765 ; gr. *thês* ; [tɛt].

**THÉTIQUE, adj.**
*Philos.* Relatif à une thèse. ▸ *Jugement* ***thétique*** : jugement qui pose qqch. en tant qu'absolu, chez Fichte, ou en tant qu'existant, chez Sartre. 🕮 1859 ; bas lat. *theticus*, du gr. *thetikos* ; [tetik].

**THÉURGIE, subst. f.**
Pratique magique ayant pour but de se concilier les esprits et d'utiliser leurs pouvoirs bienfaisants (synon. *magie blanche*). 🕮 1375 ; lat. chrét. *theurgia*, du gr. *theourgia* ; [teyʀʒi].

**THIAMINE, subst. f.**
*Biochim.* Vitamine $B_1$. 🕮 Mil. XXe s. ; ☞ *amine* + *thio-* ; [tjamin].

**THIBAUDE, subst. f.**
Molleton de toile grossière ou de feutre que l'on place sous les tapis, les moquettes. 🕮 1830 ; *Thibaud*, surnom des bergers ; [tibod].

**THIOALCOOL, subst. m.**
*Chim.* Mercaptan (analogue des alcools, dans lequel l'atome d'oxygène est remplacé par un atome de soufre). 🕮 1904 ; ☞ *alcool* + *thio-* ; var. *thiol* ; [tjoalkɔl].

**THIONINE, subst. f.**
*Chim.* Substance colorante qui sert de base au bleu de méthylène. 🕮 1897 ; gr. *theion*, « soufre » ; [tjɔnin].

**THIONIQUE, adj.**
*Chim.* Se dit des molécules d'acide de formule $S_nO_6H_2$. 🕮 1847 ; gr. *theion*, « soufre » ; [tjɔnik].

**THIOSULFATE, subst. m.**
*Chim.* Hyposulfite. 🕮 1876 ; ☞ *sulfate* + *thio-* ; [tjosylfat].

**THIOSULFURIQUE, adj.**
*Chim.* Se dit de l'acide de formule $H_2S_2O_3$. 🕮 1949 ; ☞ *sulfurique* + *thio-* ; [tjosylfyʀik].

**THIO-URÉE, subst. f.**
*Chim.* Composé solide cristallin de formule $H_2N{-}CS{-}NH_2$ (synon. *thiocarbamide*). 🕮 1903 ; ☞ *urée* + *thio-* ; plur. *thio-urées* ; [tjoyʀe].

**THIXOTROPIE, subst. f.**
*Chim.* Propriété qu'ont certaines substances de passer de l'état de gel à l'état liquide par simple agitation. 🕮 1933 ; gr. *thixis*, « action de toucher », + *-tropie* ; [tiksɔtʀɔpi].

**THLASPI, subst. m.**
*Bot.* Plante herbacée de la famille des Brassicacées, annuelle et vivace, à fleurs en grappes, appelée aussi

tabouret. 1533 ; lat. *thlaspi*, du gr. *thlaspis*, de *thlaô*, « meurtrir ; broyer » ; [tlaspi].

**THOLOS, subst. f.**
**1.** *Antiq. gr.* Temple circulaire. **2.** *Archéol.* Sépulture antique dont la chambre élevée est surmontée d'une coupole. 1876 (1547, clef de voûte) ; mot gr. ; [tɔlɔs].

**THOMISE, subst. m.**
*Zool.* Araignée nomade d'Europe, à l'abdomen large et au corps vert couvert de poils blancs, qui ne tisse pas de toile mais chasse à l'affût. 1810 ; lat. sc. *thomisus*, du lat. *thomix*, « corde de chanvre », du gr. *thômigx*, « corde d'arc ; fil de lin » ; [tɔmiz].

**THOMISME, subst. m.**
Philosophie et pensée théologique de saint Thomas d'Aquin ; ensemble des doctrines qui s'en inspirent. 1725 ; ☞ *thomiste* ; [tɔmism].

**THÉOLOGIE et PHILOSOPHIE** – Dans un cadre aristotélicien, le thomisme constitue une monumentale synthèse sur les rapports de la nature humaine à Dieu, réconciliant foi et rationalité, positivant le corps uni à l'âme, réhabilitant le monde sensible, au sein duquel l'homme s'épanouit, et fondant le Bien comme conforme à la Raison, et la Raison comme conforme à la volonté de Dieu. Le mystère de la nature divine dépasse en soi tout entendement, mais on peut établir ontologiquement l'existence de Dieu, qui est considéré comme « premier moteur », « première cause », « nécessité première », « Être premier » et « cause finale », déterminant tout ce qui est (doctrine des « cinq voies »). Doué d'une grande plasticité, le thomisme, d'abord annexé par la scolastique, n'a cessé d'être sollicité par la philosophie ultérieure. Officiellement remise en honneur par l'encyclique *Aeterni Patris* de Léon XIII (1879), la pensée thomiste continue d'être approfondie par la philosophie et la théologie contemporaines (néothomisme de Gilson, de Maritain, de Chenu, de Congar, de Lubac).

**THOMISTE, subst. et adj.**
*Philos.* **Subst.** Partisan du thomisme. **Adj.** Relatif, propre au thomisme. Fin XVIe s. ; anthropon. *saint Thomas d'Aquin* ; [tɔmist].

**THON, subst. m.**
*Zool.* Grand poisson téléostéen pélagique de la famille des Scombridés : ***Thon** rouge* ; ***Thon** blanc*, germon. Cosmopolite, il parcourt de grandes distances lors de ses migrations. On le pêche pour sa chair très estimée. 1393 ; anc. prov. *ton*, du lat. *thunnus*, du gr. *thunnos* ; [tɔ̃].

**THONAIRE, subst. m.**
Grand filet servant à pêcher le thon. 1680 ; ☞ *thon* ; [tɔnɛʀ].

**THONIER, subst. m.**
Bateau équipé pour la pêche au thon. Fin XIXe s. ; ☞ *thon* ; [tɔnje].

**THONINE, subst. f.**
*Zool.* Petit thon de la Méditerranée. Fin XIe s. ; ☞ *thon* ; [tɔnin].

**THORACENTÈSE, subst. f.**
*Chir.* Ponction pleurale effectuée à travers un espace intercostal. 1822 ; crois. de *thorax* et de *paracentèse* ; [tɔʀasɛ̃tɛz] ou [-sɑ̃-].

**THORACIQUE, adj.**
*Anat.* Relatif ou propre au thorax : *Capacité* ***thoracique*** ; *Cage* ***thoracique***. 1560 ; gr. *thôrakikos* ; [tɔʀasik].

**THORACOPLASTIE, subst. f.**
*Chir.* Résection d'une ou de plusieurs côtes, afin d'affaisser un poumon malade. 1890 ; formé de *thoraco-* et de *-plastie* ; [tɔʀakɔplasti].

**THORACOTOMIE, subst. f.**
*Chir.* Ouverture de la paroi thoracique. Fin XIXe s. ; formé de *thoraco-* et de *-tomie* ; [tɔʀakɔtɔmi].

**THORAX, subst. m.**
**1.** *Anat.* Partie du corps comprise entre le cou et le diaphragme, limitée par les côtes et la colonne vertébrale et contenant notamment le cœur et les poumons. **2.** *Zool.* Deuxième partie du corps des insectes, qui supporte les pattes et les ailes. 1314 ; lat. *thorax*, du gr. *thôrax*, « cuirasse ; torse » ; [tɔʀaks].

**THORIANITE, subst. f.**
*Minér.* Oxyde naturel de thorium et d'uranium. XIXe s. ; ☞ *thorium* ; [tɔʀjanit].

**THORITE, subst. f.**
*Minér.* Silicate naturel de thorium, de formule $ThSiO_4$. 1838 ; ☞ *thorium* ; [tɔʀit].

**THORIUM, subst. m.**
*Chim.* Élément métallique radioactif n° 90 de la table de Mendeleïev (symb. : Th), du groupe des actinides ; masse atomique : 232,03 ; point de fusion : 1 750 °C ; point d'ébullition : 4 790 °C ; masse volumique : 11,7 g/cm³. Le **thorium** est employé dans les réacteurs nucléaires. 1838 ; suédois *thorium*, de *thorjord*, « terre du dieu Thor » ; [tɔʀjɔm].

**THORON, subst. m.**
*Chim.* Isotope du radon. 1923 ; all. *Thoron*, de *thorium* ; [tɔʀɔ̃].

**THRÈNE, subst. m.**
*Antiq. gr.* Lamentation funéraire chantée. XIVe s. ; bas lat. *threnus*, du gr. *thrênos* ; [tʀɛn].

**THRÉONINE, subst. f.**
*Biochim.* Acide aminé alcool intervenant dans la synthèse des protéines. 1949 ; angl. *threonine* ; [tʀeɔnin].

**THRIDACE, subst. f.**
*Pharm.* Extrait de suc de laitue, aux propriétés calmantes. 1830 ; lat. *thridax*, du gr. *thridax* ; [tʀidas].

**THRILLER, subst. m.**
Roman ou film à suspense, policier ou fantastique, visant à procurer des sensations fortes (anglic.). 1927 ; angl. *thriller*, de *to thrill*, « faire frissonner » ; [sʀilœʀ] ou [tʀi-].

**THRIPS, subst. m.**
*Zool.* Minuscule insecte piqueur qui s'attaque aux jeunes feuilles, aux graines et aux fleurs, en partic. aux glaïeuls. 1765 ; mot gr. ; [tʀips].

**THROMBINE, subst. f.**
*Biochim.* Protéine enzymatique qui intervient dans la coagulation du sang en convertissant le fibrinogène en fibrine. 1903 ; gr. *thrombos*, « caillot » ; [tʀɔ̃bin].

**THROMBOCYTE, subst. m.**
*Biol.* Plaquette du sang. Fin XIXe s. ; formé de *thrombo-* et de *-cyte* ; [tʀɔ̃bɔsit].

**THROMBOÉLASTOGRAMME, subst. m.**
Enregistrement graphique chiffré de la viscosité du sang total ou du plasma au cours de la coagulation. XXe s. ; ☞ *élastique* + *thrombo-* et *-gramme* ; [tʀɔboelastɔgʀam].

**THROMBOEMBOLIQUE, adj.**
*Pathol.* Se dit d'un accident dû à une embolie provenant d'une thrombose veineuse. XXe s. ; ☞ *embolique* + *thrombo-* ; [tʀɔ̃boɑ̃bɔlik].

**THROMBOKINASE, subst. f.**
*Biochim.* Thromboplastine. 1953 ; ☞ *kinase* + *thrombo-* ; [tʀɔ̃bokinɑz].

**THROMBOLYSE, subst. f.**
*Méd.* Dissolution spontanée ou provoquée d'un caillot sanguin. XXe s. ; formé de *thrombo-* et de *-lyse* ; [tʀɔ̃bɔliz].

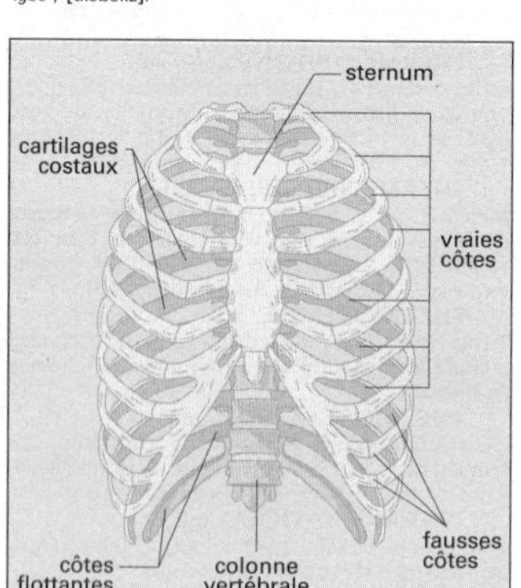


*Thorax osseux.*

**THROMBOPÉNIE, subst. f.**
*Pathol.* Diminution anormale du nombre des plaquettes sanguines. XXe s. ; formé de *thrombo-* et de *-pénie* ; [tʀɔ̃bopeni].

**THROMBOPHLÉBITE, subst. f.**
*Pathol.* Phlébite produite par une thrombose. 1933 ; ☞ *phlébite* + *thrombo-* ; [tʀɔ̃boflebit].

**THROMBOPLASTINE, subst. f.**
*Biochim.* Protéine enzymatique qui intervient dans la coagulation du sang en convertissant la prothror bine en thrombine, par protéolyse. Mil. XXe s formé de *thrombo-* et de *-plaste* ; [tʀɔ̃boplastin].

**THROMBOSE, subst. f.**
*Pathol.* Formation d'un caillot dans un vaisseau ( dans une cavité vasculaire. 1823 ; gr. *thrombôs* « coagulation (de lait) », de *thrombos*, « caillot » ; [tʀɔ̃bo.

**THROMBUS, subst. m.**
*Pathol.* Caillot formé dans une veine, une artère ( une cavité vasculaire. Mil. XIVe s. ; lat. *thrombus*, gr. *thrombos*, « caillot (de sang) » ; [tʀɔ̃bys].

**THULIUM, subst. m.**
*Chim.* Élément métallique n° 69 de la table Mendeleïev (symb. : Tm), du groupe des lanth nides ; masse atomique : 168,93 ; point de fusior 1 545 °C ; point d'ébullition : 1 947 °C ; mas volumique : 9,33 g/cm³. 1879 ; lat. *Thulé*, ar nom de la Scandinavie ; [tyljɔm].

**THUNE, subst. f.**
Pièce qui valait 5 francs (argot.) ; par ext., arge (fam.) : *Je n'ai plus une* ***thune***. 1800 (16 aumône) ; orig. obsc. ; var. *tune* ; [tyn].

**THURIFÉRAIRE, subst. m.**
**1.** *Liturg.* Personne chargée de porter l'encensoir la navette. **2.** Fig. Personne qui encense, flat (littér.). 1690 ; lat. médiév. *thuriferarius*, du la *thurifer*, « qui porte l'encens » ; [tyʀifeʀɛʀ].

**THURNE, voir TURNE**

**THUYA, subst. m.**
*Bot.* Conifère de la famille des Cupressacées, do l'espèce **thuya** de Chine, utilisée pour la confectic de haies, comprend plus de 60 variétés horticol 1553 ; gr. *thuia*, « bois parfumé », de *thein*, « offrir sacrifice aux dieux » ; [tyja].

*Thuya.*

**THYADE, subst. f.**
*Myth.* Femme qui célébrait le culte de Dionyso à Athènes et à Delphes. 1546 ; lat. *thyas*, du g *thuias* ; [tjad].

**THYLACINE, subst. m.**
*Zool.* Mammifère marsupial carnassier de Tasmani de la famille des Dasyuridés, de la taille d'un lou et qui chasse la nuit. 1827 ; lat. sc. *thylacinus*, d gr. *thulakos*, « poche, bourse » ; [tilasin].

**THYM, subst. m.**
*Bot.* Plante de la famille des Lamiacées, dont l espèces les plus connues sont le **thym** commu aromatique et médicinal, et le serpolet. XIIIe s. lat. *thymum*, du gr. *thumon* ; [tɛ̃].

**THYMIE, subst. f.**
*Psychol.* Humeur habituelle d'un sujet (rare) 1945 ; gr. *thumos*, « cœur ; affectivité » ; [timi].

**THYMINE, subst. f.**
*Biochim.* Base azotée pyrimidique impliquée dan la constitution de l'un des quatre désoxyribonu cléotides intervenant dans la composition d A. D. N., où elle est associée à de l'adénine du bri complémentaire. 1877 ; ☞ *thymus* ; [timin].

**THYMIQUE (I), adj.**
*Méd.* Qui concerne le thymus : *Hormone* ***thymique*** 1611 ; ☞ *thymus* ; [timik].

**THYMIQUE (II),** adj.
*Psychol.* Relatif aux thymies, à l'humeur : *Perturbations* ***thymiques***. 1953 ; ☞ *thymie* ; [timik].

**THYMOANALEPTIQUE,** adj. et subst. m.
*Pharm.* Se dit d'un médicament antidépresseur : *La clomipramine est un* ***thymoanaleptique***. 1957 ; crois. de *thymie* et de *analeptique* ; [timoanalɛptik].

**THYMOL,** subst. m.
*Chim.* et *Pharm.* Phénol présent dans certains végétaux, dont le thym, et employé comme antiseptique. 1857 ; ☞ *thym* ; [timɔl].

**THYMUS,** subst. m.
*Anat.* Glande située en avant de la trachée, qui involue après la puberté. Elle sécrète des lymphocytes qui participent aux défenses immunitaires. ▸ ***Thymus*** *du veau* : ris de veau. 1541 ; lat. *thymus*, du gr. *thumos*, « excroissance charnue » ; [timys].

**THYRATRON,** subst. m. inv.
*Phys.* Composant de type triode à gaz, dont le déclenchement est commandé par une grille. 1929 ; crois. du gr. *thura*, « porte », et de *électron* ; n. déposé ; [tiʀatʀɔ̃].

**THYRÉOSTIMULINE,** subst. f.
*Biochim.* Hormone thyréotrope. ☞ *stimuline* + *thyréo-* ; [tiʀeostimylin].

**THYRÉOTROPE,** adj.
*Physiol. Hormone* ***thyréotrope*** : hormone de l'antéhypophyse qui libère et régule les hormones thyroïdiennes. 1953 ; formé de *thyréo-* et de *-trope* ; [tiʀeotʀɔp].

**THYRISTOR,** subst. m.
*Électron.* Composant de type diode à semi-conducteur possédant une électrode de commande, bloquant ou autorisant le passage du courant. V. 1960 ; crois. de *thyratron* et de *transistor* ; [tiʀistɔʀ].

**THYROÏDE,** adj. et subst. f.
*Anat.* **Adj.** *Cartilage* ***thyroïde*** : principal cartilage du larynx, plus ou moins développé, formant, chez l'homme, la pomme d'Adam. **Subst.** Glande endocrine située en avant de la trachée, formée de deux masses en forme d'ailes de papillon réunies par un isthme. Elle sécrète des hormones qui jouent un rôle dans la croissance osseuse, la maturation du système nerveux, la thermorégulation, le métabolisme de base et la glycémie. 1560 ; gr. *thureoeidês*, « semblable à un bouclier long » ; [tiʀɔid].

**THYROÏDECTOMIE,** subst. f.
*Chir.* Ablation totale ou partielle de la thyroïde. 1890 ; ☞ *thyroïde* + *-ectomie* ; [tiʀɔidɛktɔmi].

**THYROÏDIEN, IENNE,** adj.
Qui concerne la thyroïde, qui lui appartient. 1765 ; ☞ *thyroïde* ; [tiʀɔidjɛ̃, jɛn].

**THYROÏDITE,** subst. f.
*Pathol.* Inflammation de la thyroïde. 1842 ; ☞ *thyroïde* + *-ite* ; [tiʀɔidit].

**THYROXINE,** subst. f.
*Biochim.* et *Biol.* La plus abondante des hormones thyroïdiennes, dont la molécule contient trois atomes d'iode. La **thyroxine** stimule le métabolisme cellulaire et a, de ce fait, une action thermogénique. 1925 ; mot angl. ; [tiʀɔksin].

**THYRSE,** subst. m.
**1.** *Antiq.* Bâton surmonté d'une pomme de pin, entouré de feuilles de lierre ou de vigne, emblème de Dionysos. **2.** *Bot.* Grappe de fleurs pyramidale : *Un* ***thyrse*** *de lilas, de marronnier.* Fin XVe s. ; lat. *thyrsus*, du gr. *thursos* ; [tiʀs].

**THYSANOPTÈRES,** subst. m. plur.
*Zool.* Ordre d'insectes suceurs qui compte quelque 5 000 espèces. Minuscules, ils ont des ailes étroites et ciliées et des pièces buccales perforatrices. **Au sing.** *Le thrips est un* ***thysanoptère***. 1849 ; gr. *thusanos*, « houppe, frange », + *-ptère* ; [tizanɔptɛʀ].

**THYSANOURES,** subst. m. plur.
*Zool.* Classe d'invertébrés de l'embranchement des Arthropodes comprenant 350 espèces, au corps lisse et aplati, avec de longues antennes et trois filaments à l'abdomen, et qui remplacent toute leur vie leur squelette externe. **Au sing.** *Le lépisme est un* ***thysanoure***. 1827 ; lat. sc. *thysanuros*, du gr. *thusanos*, « houppe, frange », et *oura*, « queue » ; [tizanuʀ].

**Ti,** voir **TITANE**

**TIAN,** subst. m.
Région. (Provence). Plat en terre cuite ; par méton., gratin de légumes cuit dans ce plat. 1940 ; anc. prov. *tian*, du gr. *têganon*, « poêle à cuire » ; [tjɑ̃].

**TIARE,** subst. f.
**1.** Haute coiffure à trois couronnes, portée par les papes jusqu'à Paul VI ; par méton., la dignité papale. ▸ Loc. *Ceindre, coiffer la* ***tiare*** : devenir pape. **2.** *Hist.* Coiffure conique symbolisant la souveraineté dans l'Orient ancien. 1374 ; lat. *tiara*, du gr. *tiara* ; [tjaʀ].

**TIARÉ,** subst. m.
*Bot.* Plante de Polynésie dont les fleurs entrent dans la composition du monoï. 1880 ; mot polynésien ; [tjaʀe].

**TIBÉTAIN, AINE,** adj. et subst.
Du Tibet. **Subst. masc.** Langue littéraire du groupe tibéto-birman. 1765 ; topon. *Tibet* ; [tibetɛ̃, ɛn].

**TIBIA,** subst. m.
**1.** *Anat.* Le plus gros des deux os longs de la jambe, l'autre étant le péroné, qui s'articule avec le fémur en haut et avec l'astragale en bas. **2.** *Zool.* Troisième article de la patte des insectes avant le tarse, ou cinquième article de la patte des arachnides. 1541 ; lat. *tibia*, « flûte » ; [tibja].

**TIBIAL, ALE, AUX,** adj.
Relatif au tibia. 1690 ; lat. *tibialis* ; [tibjal, o].

**TIC,** subst. m.
**1.** *Vétér.* Éructation spasmodique bruyante accompagnée de mouvements, affectant le cheval. **2.** Anal. Contraction brusque et involontaire de certains muscles, en partic. ceux du visage. **3.** Ext. Geste, comportement récurrent, manie : ***Tic*** *de langage.* 1611 ; onomat. ; [tik].

**TICHODROME,** subst. m.
*Zool.* Oiseau passériforme, au bec fin et au plumage gris et rouge, qui vit dans les rochers des hautes montagnes (synon. *échelette*). 1823 ; lat. sc. *tichodroma*, du gr. *teikhos*, « mur » ; [tikɔdʀom].

**TICKET,** subst. m.
**1.** Petit billet donnant accès à un lieu, à un service : ***Ticket*** *de métro, de vestiaire.* **2.** ***Ticket*** *modérateur* : part des frais médicaux laissée à la charge de l'assuré social. **3.** Loc. *Avoir un, le* ***ticket*** *avec qqn* : lui plaire (fam.). **4.** *Pol.* Couple formé par les candidats du même parti à la présidence et à la vice-présidence, aux États-Unis : *On donne gagnant le* ***ticket*** *démocrate.* 1727 ; angl. *ticket*, « étiquette », de l'anc. fr. *estiquet*, « petit écriteau » ; [tikɛ].

**TICTAC,** subst. m.
Bruit sec et régulier d'un mécanisme d'horlogerie. 1552 ; onomat. ; var. *tic-tac* (inv.) ; [tiktak].

**TIE-BREAK,** subst. m.
Jeu permettant de départager des joueurs à six jeux partout, au tennis (anglic.). V. 1970 ; angl. *tie-break*, de *tie*, « égalité », et de *to break*, « rompre » ; plur. *tie-breaks*, recomm. off. *jeu décisif* ; [tajbʀɛk].

**TIÉDASSE,** adj.
Dont la tiédeur est désagréable : *Une bière* ***tiédasse***. 1941 ; ☞ *tiède* ; [tjedas].

**TIÈDE,** adj. et subst. f.
**1.** Dont la température est modérée : *De l'eau* ***tiède*** ; empl. adv. : *Boire* ***tiède***. **2.** Fig. Qui montre peu d'ardeur, de zèle : *Des sentiments, des amis* ***tièdes*** ; empl. subst. : *Les* ***tièdes*** *du parti se sont abstenus.* **Subst.** Helv. Forte chaleur. Fin XIIe s. ; lat. *tepidus* ; [tjɛd].

**TIÉDEUR,** subst. f.
**1.** Caractère de ce qui est tiède : ***Tiédeur*** *de l'air.* **2.** Fig. Manque d'ardeur, de ferveur : ***Tiédeur*** *de la foi, des désirs.* 1538 ; ☞ *tiède* ; [tjedœʀ].

**TIÉDIR,** verbe [19]
**Intrans.** Devenir tiède. **Trans.** Rendre tiède (qqch.). 1380 ; ☞ *tiède* ; [tjediʀ].

**TIEN, TIENNE,** adj. poss., pron. poss. et subst.
**Adj.** À toi, de toi (vx ou littér.) : *Les* ***tiens*** *ouvrages* ; *Je suis* ***tien***. **Pron.** Précédé de « le », « la », « les ». Celui, celle, etc., qui est à toi : *C'est mon crayon, voici le* ***tien*** ; *J'ai pris mes clés, as-tu les* ***tiennes*** *?* **Subst. 1.** *Le* ***tien*** : ce qui est à toi (vieilli). **2.** Loc. ▸ *Mets-y du* ***tien*** : fais un effort ! ▸ *Tu as encore fait des* ***tiennes*** : des bêtises, des folies. ▸ *À la* ***tienne*** *!* : à ta santé ! (fam.). **Subst. masc. plur.** *Les* ***tiens*** : ta famille, tes amis, tes proches. XIe s. ; lat. *tuum* ; [tjɛ̃, tjɛn].

**TIERCE,** subst. f.
**1.** *Liturg.* Partie de l'office qui se récite à la troisième heure canoniale (9 heures du matin). **2.** *Imprim.* Ultime épreuve avant tirage. **3.** *Jeux.* Suite de trois cartes de même couleur. **4.** *Métrol.* Soixantième de seconde (vx). **5.** *Mus.* Troisième degré de la gamme diatonique (synon. *médiante*) ; intervalle de trois degrés. Déb. XIIe s. ; ☞ *tiers* ; [tjɛʀs].

**TIERCÉ, ÉE,** adj.
**1.** *Agric. Champ* ***tiercé*** : labouré trois fois. **2.** *Hérald.* Divisé en trois : *Écu* ***tiercé***. **3.** *Pari* ***tiercé*** ou, empl. subst. masc., *Le* ***tiercé*** : pari mutuel portant sur trois chevaux. 1283 ; p. p. de *tiercer* ; [tjɛʀse].

**TIERCEFEUILLE,** subst. f.
*Hérald.* Meuble figurant une fleur à trois pétales. 1254 ; formé de *tierce* et de *feuille* ; [tjɛʀsəfœj].

**TIERCELET,** subst. m.
*Fauconn.* Oiseau de proie mâle, plus petit d'un tiers que la femelle ; en partic., faucon ou épervier mâle. Mil. XIIIe s. ; anc. fr. *terçuel*, du lat. pop. °*tertiolus*, de *tertius*, « tiers » ; [tjɛʀsəlɛ].

**TIERCER,** verbe trans. [3]
Donner un troisième labour à : ***Tiercer*** *un champ.* 1549 (1257, terme de féodalité) ; lat. *tertiare* ; var. *tercer, terser* ; [tjɛʀse].

**TIERCERON,** subst. m.
*Archit.* Nervure reliant une lierne à l'angle d'une voûte, dans le gothique flamboyant. 1490 (mil. XIIIe s., tiers d'une quantité) ; ☞ *tiers* ; [tjɛʀsəʀɔ̃].

**TIERS, TIERCE,** adj. et subst. m.
**Adj. 1.** Vx. Troisième. ▸ Loc. *Une* ***tierce*** *personne* : une troisième personne et, par ext., une personne étrangère à un groupe, à une affaire. **2.** *Pathol. Fièvre* ***tierce*** : revenant tous les trois jours (vieilli). **3.** *Dr.* ***Tiers*** *arbitre* : appelé pour départager deux arbitres. ▸ ***Tierce*** *opposition* : exercée par une personne sur un jugement où elle n'a pas été appelée mais qui porte atteinte à ses droits. ▸ *Assurance* ***tierce*** *collision*, ou, empl. subst. masc., *au* ***tiers*** : qui ne rembourse que les dommages causés à autrui par l'assuré. **4.** *Hist. Le* ***tiers*** *état* : sous l'Ancien Régime, troisième ordre de la société comprenant tous ceux qui n'appartenaient ni au clergé ni à la noblesse. **Subst. 1.** Personne étrangère à un groupe : *Prendre l'avis d'un* ***tiers***. ▸ Dr. Personne étrangère à un jugement, à un contrat. **2.** Fraction d'un tout divisé en trois parties égales : *Un* ***tiers*** *de leurs employés sont des femmes.* ▸ ***Tiers*** *payant* : système dans lequel une partie des frais de santé est directement prise en charge par l'organisme assureur, l'assuré social n'ayant à payer que le ticket modérateur. ▸ *Fisc.* ***Tiers*** *provisionnel* : acompte versé au fisc, en février et en mai, équivalant au **tiers** de l'imposition de l'année précédente. **3.** *Log. Principe du* ***tiers*** *exclu*, ou *du milieu* (☞ *milieu*). Fin Xe s. ; lat. *tertius*, « troisième », de *tres*, « trois » ; [tjɛʀ, tjɛʀs].

**TIERS-MONDE,** subst. m.
Ensemble des pays dits sous-développés ou en voie de développement. 1952 ; comp. de *tiers* et de *monde* ; plur. *tiers-mondes* ; [tjɛʀmɔ̃d].

**GÉOPOLITIQUE** – Forgé à l'époque de la guerre froide et de la décolonisation, le concept de tiers-monde désignait, à l'origine, tout ce qui n'entrait pas sous l'enseigne des puissances industrielles à régime libéral ou socialiste, soit les trois quarts de l'humanité répartis sur les deux tiers du globe. À partir des années soixante-dix, l'appartenance au tiers-monde est devenue fonction du revenu annuel par habitant (en 1986, la Banque mondiale fixait le seuil du sous-développement à 300 dollars par an et par habitant). Aujourd'hui, les institutions internationales préfèrent retenir comme critère le taux de croissance annuel des pays. Une nouvelle nomenclature en résulte, qui distingue les pays dits émergents, dont la croissance annuelle, sinon la richesse, dépasse celle des pays industrialisés, les pays en voie de développement, foyers récents d'industrialisation, et les pays pauvres, dont la croissance est entièrement absorbée par la dette.

**TIERS-MONDISATION,** subst. f.
Appauvrissement et récession économique affectant un pays n'appartenant pas au tiers-monde. V. 1980 ; ☞ *tiers-monde* ; plur. *tiers-mondisations* ; [tjɛʀmɔ̃dizasjɔ̃].

**TIERS-MONDISME,** subst. m.
Ensemble de positions idéologiques, politiques et éthiques, gén. fondées sur la critique de l'impérialisme colonial ou néocolonial, solidaires des tentatives d'émancipation ou de développement des pays du tiers-monde. V. 1970 ; ☞ *tiers-monde* ; plur. *tiers-mondismes* ; [tjɛʀmɔ̃dism].

**TIERS-MONDISTE,** adj. et subst.
**Adj.** Qui a trait au tiers-monde ou au tiers-mondisme : *Messianisme* ***tiers-mondiste***. **Subst.** Personne se réclamant du tiers-mondisme. V. 1970 ; ☞ *tiers-monde* ; plur. *tiers-mondistes* ; [tjɛʀmɔ̃dist].

**TIERS-POINT, subst. m.**
**1.** *Archit.* Sommet d'un triangle équilatéral : *Arc en **tiers-point***, inscrit dans un tel triangle. **2.** *Techn.* Lime ou poinçon à section triangulaire. 1611 (1400, charpente) ; comp. de *tiers* et de *point* (I) ; plur. *tiers-points* ; [tjɛʀpwɛ̃].

**TIF, subst. m.**
Cheveu (fam.). 1883 ; orig. obsc. ; var. *tiffe* ; [tif].

**TIGE, subst. f.**
**1.** *Bot.* Chez les végétaux supérieurs, axe d'une plante parcouru par des vaisseaux conducteurs, sur lequel sont insérées des feuilles, et qui se termine par un bourgeon. ► Jeune plant d'un arbre. **2.** Fig. Ancêtre d'une lignée : *Faire **tige***, avoir une descendance. **3.** Anal. ► Objet long, droit et cylindrique : ***Tige** métallique*. ► Partie de la chaussure recouvrant le dessus du pied et, parfois, la cheville et la jambe. ► Cigarette (argot. et vieilli). **4.** *Techn.* ***Tige** de forage* : tube cylindrique amenant le trépan au fond d'un puits pétrolier. ► ***Tige** de culbuteur* : insérée entre le poussoir et les culbuteurs d'un moteur thermique, et qui commande les soupapes. Fin XIe s. ; lat. *tibia*, « flûte » ; [tiʒ].

**TIGELLE, subst. f.**
*Bot.* Dans l'embryon, première ébauche de tige portant les cotylédons. 1815 ; ☞ *tige* ; [tiʒɛl].

**TIGETTE, subst. f.**
*Archit.* Tige ornée de volutes du chapiteau corinthien. 1676 (1549, petite tige) ; ☞ *tige* ; [tiʒɛt].

**TIGLON, voir TIGRON**

**TIGNASSE, subst. f.**
Chevelure très fournie et mal peignée (fam.). 1680 ; ☞ *teigne* ; [tiɲas].

**TIGRE, subst. m.**
**I.** *Zool.* **1.** Mammifère carnivore d'Asie, de la famille des Félidés. Grand prédateur, au pelage jaune orangé marqué de rayures noires et au ventre blanc, il mesure 2 mètres, pèse 200 kilogrammes et peut vivre plus de 25 ans : *Le **tigre** feule, rauque ou râle*. ► Loc. *Jaloux comme un **tigre*** : très jaloux. **2.** ***Tigre** du poirier*, ou *Punaise **tigre*** : insecte hémiptère qui s'attaque aux feuilles des poiriers. **II.** Anal. **1.** Homme cruel, féroce. **2.** ***Tigre** de papier* : adversaire en apparence redoutable mais en réalité peu dangereux. Mil. XIIe s. ; lat. *tigris*, du gr. *tigris* ; [tigʀ].

**TIGRÉ, ÉE, adj.**
Marqué de taches ou de bandes foncées : *Chat **tigré***. 1718 ; ☞ *tigre* ; [tigʀe].

**TIGRESSE, subst. f.**
**1.** Femelle du tigre. **2.** Anal. Femme agressive et très jalouse. 1553 ; ☞ *tigre* ; [tigʀɛs].

**TIGRIDIE, subst. f.**
*Bot.* Plante ornementale de la famille des Iridacées, originaire d'Amérique intertropicale. Déb. XIXe s. ; lat. *tigris*, « tigre » ; var. *un tigridia* ; [tigʀidi].

**TIGRON, subst. m.**
*Zool.* Félin hybride issu du croisement d'un tigre et d'une lionne. XXe s. ; crois. de *tigre* et de *lion* ; var. *tiglon* ; [tigʀɔ̃].

**TILBURY, subst. m.**
Cabriolet hippomobile découvert, à deux places. 1819 ; angl. *tilbury*, de l'anthropon. *Tilbury*, carrossier ; [tilbyʀi].

**TILDE, subst. m.**
Signe diacritique (˜) qui, placé au-dessus du *n* en espagnol, indique une prononciation mouillée [ɲ] ou qui, placé au-dessus d'une voyelle en transcription phonétique, indique la nasalisation. 1834 ; esp. *tilde*, du lat. *titulus*, « ce qui signale » ; [tild(e)].

**TILIACÉES, subst. f. plur.**
*Bot.* Famille de plantes de l'ordre des Malvales, comprenant plus de 400 espèces. **Au sing.** *Le tilleul est une **tiliacée***. 1798 ; lat. sc. *tiliaceae*, du lat. *tilia*, « tilleul » ; [tiljase].

**TILLAC, subst. m.**
*Mar.* Pont supérieur d'un bateau (vx). 1382 ; prob. anc. nord. *thilja*, « planche » ; [tijak].

**TILLAGE, voir TEILLAGE**

**TILLANDSIE, subst. f.**
*Bot.* Plante de la famille des Broméliacées, épiphyte sans racine des forêts tropicales d'Amérique, dont une espèce est cultivée pour ses fleurs ornementales et dont une autre fournit un crin végétal. Mil. XIXe s. ; lat. sc. *tillandsia*, de l'anthropon. *Elias Tillands*, botaniste suédois ; var. *un tillandsia* ; [tijɑ̃dsi] ou [-lɑ̃-].

**TILLE, voir TEILLE**

**TILLEUL, subst. m.**
**1.** *Bot.* Arbre de la famille des Tiliacées, pouvant atteindre 25 à 30 m de hauteur, au bois blanc facile à travailler, aux inflorescences odorantes, très répandu en France. **2.** Méton. Fleurs de cet arbre, utilisées en infusion ; l'infusion elle-même. 1178 ; lat. pop. °*tiliolus*, du lat. *tilia*, « tilleul » ; [tijœl].

**TILLER, voir TEILLER**

**TILLEUR, voir TEILLEUR**

**TILT, subst. m.**
Au billard électrique, dispositif qui interrompt la partie quand un joueur secoue violemment l'appareil. ► Loc. **Faire tilt**. Déclencher ce dispositif ; au fig., frapper l'esprit, y faire surgir une inspiration soudaine (fam.) : *Un nom qui fait **tilt***. 1957 ; angl. *tilt*, de *to tilt* « renverser, faire basculer » ; [tilt].

**TIMBALE, subst. f.**
**1.** *Mus.* Instrument à percussion de forme hémisphérique, recouvert d'une peau que l'on frappe avec des baguettes, et qui rend une note déterminée. **2.** Gobelet de métal ; par méton., son contenu. ► Loc. *Décrocher la **timbale*** : remporter un franc succès (fam.). **3.** Anal. Moule de métal haut et rond ; mets en croûte cuisiné dans ce moule. Mil. XIIIe s. ; anc. prov. *tambala*, de l'ar. *ṭabla* ; [tɛ̃bal].

**TIMBALIER, IÈRE, subst.**
Personne qui joue des timbales. 1671 (1667, cavalier jouant des timbales) ; ☞ *timbale* ; [tɛ̃balje, jɛʀ].

**TIMBRAGE, subst. m.**
**1.** Action de timbrer un document, un envoi ; par méton., marque imprimée. **2.** Procédé d'impression en creux accompagnée d'un estampage. 1792 (1575, terme d'héraldique) ; ☞ *timbrer* ; [tɛ̃bʀaʒ].

**TIMBRE, subst. m.**
**I. 1.** Petite cloche semi-sphérique, sans battant, frappée par un marteau ; par ext., sonnette : ***Timbre** électrique* ; ***Timbre** d'une bicyclette*. ► Loc. *Avoir le **timbre** fêlé* : être un peu fou (fam. et vieilli). **2.** Anal. Partie du casque de l'armure médiévale. ► *Hérald.* Casque ou, par ext., autre ornement distinctif (couronne, mitre, etc.) surmontant l'écu. **3.** *Mus.* ► Membrane inférieure d'un tambour à deux peaux ; corde tendue en double sur cette membrane pour augmenter la résonance. ► Caractère particulier du son d'une voix, d'un instrument, lié à l'intensité relative de ses harmoniques : ***Timbre** cuivré, grave* ; empl. abs. : *Voix qui a du **timbre***, qui a une belle sonorité. **II. 1.** Marque, vignette apposée sur un document officiel et attestant le paiement d'une taxe au profit de l'État : *Droit de **timbre*** ; ***Timbre** fiscal* ; ***Timbre** de quittance*, ou ***Timbre**-quittance*, apposé sur une quittance ; ***Timbre**-amende*, vignette attestant le paiement d'une amende. ► Anal. Vignette attestant le paiement d'une cotisation ou vendue au profit d'une œuvre. **2.** Cachet de la poste (vx). ► Vignette servant à l'affranchissement d'une lettre ou d'un paquet : *Un **timbre**, un **timbre**-poste à 3 francs* ; *Une collection de **timbres**-poste*. **3.** Marque, vignette apposée sur un document ou un objet pour en garantir l'origine. **4.** Instrument servant à imprimer une marque, un cachet. **5.** *Mécan.* Plaque apposée sur un appareil à vapeur pour indiquer la pression maximale ; par méton., chiffre qui exprime cette pression. **6.** *Méd.* Pastille adhésive imbibée d'une substance médicamenteuse et qui, appliquée sur la peau, permet de la diffuser à travers l'organisme par voie percutanée, ou de tester la sensibilité d'un sujet à cette substance. 1374 (fin XIIe s., tambour) ; gr. *tumpanon*, « tambourin » ; [tɛ̃bʀ].

**TIMBRÉ, ÉE, adj.**
**I. 1.** Un peu fou (fam.). **2.** Qui a du timbre, en parlant d'une voix. **II.** Qui porte un timbre fiscal ou postal : *Enveloppe **timbrée***. ► *Papier **timbré*** : qui porte la marque de l'État et atteste le paiement d'une taxe, et dont l'usage est obligatoire pour la rédaction de certains actes. Mil. XVIe s. ; ☞ *timbre* ; [tɛ̃bʀe].

**TIMBRER, verbe trans.** [3]
Apposer un timbre, un cachet sur. 1680 (fin XIIe s., jouer du tambour) ; ☞ *timbre* ; [tɛ̃bʀe].

**TIMIDE, adj.**
**1.** Qui manque d'audace (vieilli). **2.** Qui manque d'aisance dans ses rapports avec autrui ; empl. subst. : *Un grand **timide***. 1528 (1518, craintif) ; lat. *timidus*, de *timere*, « craindre » ; [timid].

**TIMIDEMENT, adv.**
De manière timide : *Protester **timidement***. 1549 (1542, avec crainte) ; ☞ *timide* ; [timidmɑ̃].

**TIMIDITÉ, subst. f.**
**1.** Manque de hardiesse, d'audace (vieilli). **2.** Ma[nque] d'aisance, d'assurance. Déb. XV[e] s. ; lat. *ti[mi]ditas* ; [timidite].

**TIMING, subst. m.**
Détermination précise du temps nécessaire [à] l'exécution d'une tâche (anglic.). 1909 ; a[ngl.] *timing*, de *to time*, « régler le temps » ; [tajmiŋ].

**TIMON, subst. m.**
**1.** Longue pièce de bois ou de métal située à l'ava[nt] d'un véhicule ou d'une charrue, permettant d'at[te]ler de chaque côté un animal de trait. **2.** *M[ar.]* Gouvernail (vx). Mil. XII[e] s. ; lat. pop. *timo*, du l[at.] *temo* ; [timɔ̃].

**TIMONERIE, subst. f.**
**1.** *Mar.* ► Fonction, service du timonier. ► Ensem[ble] des timoniers. ► Lieu qui abrite les instrume[nts] de navigation et où se tient l'homme de bar[re]. **2.** *Mécan.* Ensemble des organes de transmissi[on] intervenant dans la commande de la directi[on] ou des freins d'une automobile, d'un train, d'[un] avion. 1791 ; ☞ *timon* ; [timɔnʀi].

**TIMONIER, subst. m.**
**1.** *Mar.* Homme qui manœuvrait le timon d'[un] navire (vieilli). ► Marin chargé de diriger un bate[au], de surveiller la route, le fonctionnement des [si]gnaux, la bonne transmission des ordres. **2.** Chac[un] des chevaux attelés de chaque côté du timo[n]. XIIIe s. ; ☞ *timon* ; [timɔnje].

**TIMORÉ, ÉE, adj.**
**1.** Vx. Qui craint Dieu. **2.** Exagérément scrupule[ux] dans l'exercice de ses devoirs. **3.** Qui redoute [le] danger, les risques, les responsabilités ; em[pl.] subst. : *C'est un **timoré***. 1578 ; lat. eccl. *timorat[us]*, du lat. *timor*, « crainte » ; [timɔʀe].

**TIN, subst. m.**
*Mar.* Pièce de bois soutenant la quille d'un bâtime[nt] en construction ou mis en cale sèche. 16[..] (1465, cale des tonneaux de vin) ; prov. *tin* ; [tɛ̃].

**TINAMOU, subst. m.**
*Zool.* Oiseau gallinacé de type primitif d'Amériq[ue] centrale et du Sud, aux ailes réduites et à la que[ue] courte, vivant et nichant au sol. 1741 ; caraï[b.] *tinamu* ; [tinamu].

**TINCAL, subst. m.**
Forme impure du borax. 1602 ; port. *tincal* ; pl[ur.] *tincals*, var. *tinkal* (plur. *tinkals*) ; [tɛ̃kal].

**TINCTORIAL, ALE, AUX, adj.**
**1.** Qui sert à teindre. **2.** Relatif à la teintur[e]. 1796 ; lat. *tinctorius* ; [tɛ̃ktɔʀjal, o].

**TINÉIDÉS, subst. m. plur.**
*Zool.* Famille de petits papillons, gén. appelés teign[es] ou mites. **Au sing.** *La mite des vêtements est u[ne] **tinéidé***. Mil. XIXe s. ; lat. *tinea*, « teigne » ; [tineide].

**TINETTE, subst. f.**
**1.** Baquet servant au transport du beurre (vx). **2.** Récipient profond servant à transporter l[es] matières fécales. **Plur.** Lieux d'aisances (fam. [et] vieilli). 1639 (fin XIIIe s., petite cuve) ; *tine* (v[x] « récipient ») ; [tinɛt].

**TINKAL, voir TINCAL**

**TINTAMARRE, subst. m.**
Grand bruit provoqué par des sons confus [et] discordants. 1554 ; ☞ *tinter* ; [tɛ̃tamaʀ].

**TINTEMENT, subst. m.**
**1.** Son que produit une cloche, une sonnette q[ui] tinte ; par ext., son clair et léger. **2.** ***Tinteme[nt]** d'oreilles* : bourdonnement d'oreilles. 1490 ☞ *tinter* ; [tɛ̃tmɑ̃].

**TINTER, verbe** [3]
**Intrans. 1.** Résonner en parlant d'une cloche, d'u[ne] sonnette. ► Loc. *Les oreilles lui **tintent*** : il ressent d[es] bourdonnements d'oreilles ou, au fig., on par[le] de lui en son absence (fam.). **2.** Produire des so[ns] clairs et aigus : *Verres qui **tintent***. **Trans.** Faire so[n]ner (une cloche) : ***Tinter** le tocsin*. Fin XII[e] s. (f[in] XI[e] s., dire, parler) ; bas lat. *tinnitare*, du lat. *tinnire* ; [tɛ̃te].

**TINTIN, subst. m. et interj.**
Fam. **Subst.** Loc. *Faire **tintin*** : ne rien obtenir être privé de qqch. **Interj.** ***Tintin !*** : rien du tout 1935 (XIIIe s., cliquetis) ; onomat. *tint*, exprimant u[n] bruit, un tintement, de *tinter* ; [tɛ̃tɛ̃].

**TINTINNABULER, verbe intrans.** [3]
Produire un son léger et cristallin (littér.). Mil. XIXe s. ; lat. *tintinnabulum*, « clochette », de *tinnire* « tinter » ; [tɛ̃tinabyle].

**TINTOUIN,** subst. m.
am. **1.** Tracas, souci : *Donner du **tintouin**.* **2.** Va-'arme, bruit irritant. 1507 ; prob. *tinter* ; [tɛ̃twɛ̃].

**TIPI,** subst. m.
'ente servant d'habitation aux Amérindiens du Nord. 1890 ; anglo-amér. *tepee,* d'une langue amérin-ienne ; [tipi].

**TIPULE,** subst. f.
*'ool.* Insecte, de l'ordre des Diptères, commun dans es jardins et inoffensif en dépit de sa ressemblance avec les moustiques. Déb. XVII^e s. ; lat. *tippula,* « araignée d'eau » ; [tipyl].

*Tipule du chou.*

**TIQUE,** subst. f.
Zool. Acarien mesurant 2 à 3 cm de long, parasite de certains animaux, et parfois de l'homme, auxquels il transmet des maladies (synon. *ixode*). 1464 ; prob. m. angl. *tike* ; [tik].

**TIQUER,** verbe intrans. [3]
**1.** *Vétér.* Avoir le tic, en parlant du cheval. **2.** Fig. Manifester sa désapprobation, son dépit par un signe, un mouvement bref. 1664 ; ☞ *tic* ; [tike].

**TIQUETÉ, ÉE,** adj.
Couvert de petites taches. 1680 ; néerl. *tik,* « légère piqûre » ; [tik(ə)te].

**TIQUEUR, EUSE,** adj. et subst.
*Vétér.* Se dit d'un cheval atteint du tic. 1664 ; ☞ *tiquer* ; [tikœʀ, øz].

**TIR,** subst. m.
**1.** Action, art ou manière d'envoyer un projectile au moyen d'une arme, en partic. d'une arme à feu : *Tir à l'arc* ; *Tir au pistolet* ; *Tir de missiles* ; *Ligne de **tir**,* direction de l'axe de la bouche à feu ; *Angle de **tir**,* angle que fait la ligne de **tir** avec le plan horizontal (synon. *angle de niveau*). **2.** Trajectoire que suit le projectile : *Tir plongeant* ; *Tir direct.* ▸ Fig. *Rectifier le **tir*** : modifier sa façon d'agir pour obtenir de meilleurs résultats. **3.** Série de projectiles tirés par une ou plusieurs armes : *Tir nourri* ; *Tir à blanc* (☞ *blanc*). **4.** Lieu aménagé pour s'exercer à tirer : *Tir forain.* **5.** *Sp.* Action d'envoyer une flèche, une boule, un ballon. ▸ ***Tirs au but*** : au football, série de penaltys tirés par les deux équipes en cas d'égalité après les prolongations. 1660 ; ☞ *tirer* ; [tiʀ].

*Jeunes femmes s'exerçant au **tir**.*

**TIRADE,** subst. f.
**1.** Longue digression plus ou moins emphatique. **2.** Longue suite de phrases prononcée d'une seule traite par un personnage dans une pièce de théâtre : *La **tirade** de don Diègue, dans « le Cid ».* 1610 (fin XV^e s., terme de chasse) ; ☞ *tirer* ; [tiʀad].

**TIRAGE,** subst. m.
**I. 1.** Action de tirer, de prélever qqch., en partic. le vin d'un tonneau. ▸ *Text. **Tirage** de la soie* : dévidage des cocons. **2.** Action de prélever au hasard un élément dans un ensemble : ***Tirage** de la loterie.* ▸ *Hist. **Tirage** au sort* : mode de recrutement des conscrits, astreints ou non au service militaire suivant le numéro qu'ils avaient tiré. **3.** *Fin.* Émission d'un chèque, d'une traite. **II. 1.** Action de tirer, de haler, d'entraîner : ***Tirage** d'une péniche, d'une pièce d'artillerie* ; *Cordon de **tirage** d'un store.* ▸ Loc. *Il y a du **tirage*** : il y a des difficultés, des contestations (fam.). **2.** Action d'étirer, d'allonger. ▸ *Métall.* et *Orfèvr.* Action de faire passer un métal dans une filière. ▸ *Text.* Traction exercée sur un tissu pour l'allonger. **3.** Appel d'air activant une combustion : *Régler le **tirage** d'un poêle.* **4.** *Pathol.* Dépression des espaces intercostaux et des creux sous-claviculaires lors de l'inspiration, due à un obstacle qui gêne l'entrée de l'air dans les poumons. **III. 1.** Action de mettre sous presse afin d'imprimer : *Faire un nouveau **tirage**.* ▸ Méton. Ce qui est imprimé ; nombre, ensemble d'exemplaires tirés en une seule fois : *Roman à gros **tirage**.* **2.** ▸ *Phot.* Opération par laquelle on obtient une épreuve ; cette épreuve : *Un **tirage** sur papier mat.* ▸ *Cin.* Duplication en positif d'un original négatif. ▸ *B.-a.* Reproduction, à plusieurs exemplaires, d'une gravure, d'une sculpture. Mil. XV^e s. ; ☞ *tirer* ; [tiʀaʒ].

**TIRAILLEMENT,** subst. m.
**1.** Action de tirailler ; son résultat. **2.** Sensation douloureuse due à des contractions dans une partie du corps : ***Tiraillement** d'estomac.* **3.** Fig. Déchirement moral résultant d'un désaccord, d'un conflit (gén. au plur.) : ***Tiraillements** familiaux.* 1625 ; ☞ *tirailler* ; [tiʀajmɑ̃].

**TIRAILLER,** verbe [3]
**Trans. 1.** Tirer dans tous les sens et de manière répétée : ***Tirailler** qqn par la manche.* **2.** Fig. Troubler, harceler (qqn) par des sollicitations contradictoires. **Intrans.** Tirer des coups de feu sporadiques. 1542 ; ☞ *tirer* ; [tiʀaje].

**TIRAILLEUR,** subst. m.
**1.** *Milit.* Soldat détaché à l'avant pour faire feu à volonté sur l'ennemi. ▸ *Hist.* Soldat d'infanterie recruté parmi les autochtones de territoires autrefois soumis à la domination française : ***Tirailleurs** sénégalais.* ▸ Loc. *En **tirailleurs*** : en ordre dispersé. **2.** Fig. Personne qui agit en franc-tireur. 1740 (1578, celui qui tiraille) ; ☞ *tirailler* ; [tiʀajœʀ].

**TIRAMISU,** subst. m.
*Cuis.* Dessert italien à base de crème et de biscuits imbibés de café, et saupoudré de cacao. Ital. *tira mi su,* « remonte-moi » ; [tiʀamisu].

**TIRANT,** subst. m.
**1.** *Bât.* Pièce d'une charpente, servant à en empêcher les écartements ou les poussées. **2.** Cordon d'une bourse. **3.** Morceau de cuir cousu sur une botte, une chaussure, sur lequel on tire pour la chausser plus facilement. **4.** *Bouch.* Tendon. **5.** *Mar. **Tirant** d'eau* : hauteur de la partie immergée, de la ligne de flottaison à la quille ; ***Tirant** d'air* : hauteur comprise entre la ligne de flottaison d'un navire et le sommet des superstructures. 1335 ; p. pr. de *tirer* ; [tiʀɑ̃].

**TIRASSE,** subst. f.
**1.** Filet servant à prendre les oiseaux au sol. **2.** *Mus.* Mécanisme permettant d'accoupler le pédalier d'un orgue à un clavier manuel, ou les claviers entre eux. 1379 ; ☞ *tirer* ; [tiʀas].

**TIRE,** subst. f.
**1.** Québ. Sirop d'érable épais. ▸ Friandise faite avec du sirop d'érable. **2.** Loc. *Vol à la **tire*** : effectué en tirant rapidement qqch. de la poche, du sac de qqn. **3.** Automobile (argot.). 1810 ; ☞ *tirer* ; [tiʀ].

**TIRÉ, ÉE,** adj. et subst. m.
**Adj.** Tendu, ajusté : *Cheveux **tirés**.* ▸ Loc. ***Tiré** à quatre épingles* : à la mise impeccable ; *Avoir les traits **tirés*** : avoir l'air fatigué ; ***Tiré** par les cheveux* : amené de manière forcée, peu convaincante. **Subst. 1.** Chasse au fusil ; par méton., gibier chassé au fusil. ▸ Taillis aménagé pour la chasse au fusil. **2.** *Impr. **Tiré** à part* : impression séparée d'une partie d'un ouvrage, d'un article. **3.** *Fin.* Personne qui reçoit du tireur l'ordre de payer une somme. 1534 ; p. p. de *tirer* ; [tiʀe].

**TIRE-AU-FLANC,** subst. inv.
Soldat ou, par ext., personne qui esquive les corvées (fam.). 1887 ; comp. de *tirer* et de *flanc* ; [tiʀoflɑ̃].

**TIRE-BONDE,** subst. m.
Outil servant à débonder un tonneau. 1836 ; comp. de *tirer* et de *bonde* ; plur. *tire-bondes* ; [tiʀbɔ̃d].

**TIRE-BOTTE,** subst. m.
**1.** Crochet de fer qu'on enfile dans le tirant d'une botte pour la chausser. **2.** Petite planche entaillée où l'on coince le talon pour se débotter. 1690 ; comp. de *tirer* et de *botte* (II) ; plur. *tire-bottes* ; [tiʀbɔt].

**TIRE-BOUCHON,** subst. m.
Instrument formé d'une spirale métallique et d'un manche, qui sert à déboucher les bouteilles : ***Tire-bouchon** à vis.* ▸ Loc. *En **tire-bouchon*** : en forme de spirale. 1718 ; comp. de *tirer* et de *bouchon* ; plur. *tire-bouchons,* var. *tirebouchon* ; [tiʀbuʃɔ̃].

**TIRE-BOUCHONNER,** verbe intrans. [3]
Avoir, prendre la forme d'une spirale. 1819 ; ☞ *tire-bouchon* ; var. *tirebouchonner* ; [tiʀbuʃɔne].

**TIRE-BRAISE,** subst. m.
Ringard utilisé par le boulanger pour sortir la braise du four. 1828 ; comp. de *tirer* et de *braise* ; plur. *tire-braise(s)* ; [tiʀbʀɛz].

**TIRE-CLOU,** subst. m.
Instrument formé d'une tige aplatie et dentée, qui sert à arracher les clous. 1676 ; comp. de *tirer* et de *clou* ; plur. *tire-clou(s)* ; [tiʀklu].

**TIRE-D'AILE (À),** loc. adv.
**1.** D'un vol rapide et ininterrompu. **2.** Anal. À toute vitesse. 1532 ; comp. de *tirer* et de *aile* ; [atiʀdɛl].

**TIRÉE,** subst. f.
Longue distance à parcourir (fam.). 1927 (1573, ligne qu'on tire) ; p. p. de *tirer* ; [tiʀe].

**TIRE-FESSES,** subst. m. inv.
Téléski (fam.). V. 1960 ; comp. de *tirer* et de *fesse* ; [tiʀfɛs].

**TIRE-FOND,** subst. m.
**1.** Longue vis munie d'un anneau pour suspendre un lustre. **2.** Grosse vis employée en charpenterie, ou pour fixer les rails de chemin de fer. 1470 ; comp. de *tirer* et de *fond* ; plur. *tire-fond(s)* ; [tiʀfɔ̃].

**TIRE-LAINE,** subst. m. inv.
Littér. Rôdeur qui attaquait les passants pour leur voler leur manteau (vx) ; par ext., voleur. Déb. XVII^e s. ; comp. de *tirer* et de *laine* ; [tiʀlɛn].

**TIRE-LAIT,** subst. m. inv.
Appareil servant à tirer le lait du sein. 1844 ; comp. de *tirer* et de *lait* ; [tiʀlɛ].

**TIRE-LARIGOT (À),** loc. adv.
En grande quantité (fam.) : *Dépenser **à tire-larigot**.* 1536 ; comp. de *tirer* et de *larigot* ; [atiʀlaʀigo].

**TIRE-LIGNE,** subst. m.
Instrument servant à tracer des lignes. 1679 ; comp. de *tirer* et de *ligne* ; plur. *tire-lignes* ; [tiʀliɲ].

**TIRELIRE,** subst. f.
Boîte munie d'une fente, dans laquelle on glisse des pièces de monnaie afin de faire des économies. ▸ Loc. *Casser sa **tirelire*** : dépenser ses économies (fam.). Déb. XIII^e s. ; orig. obsc. ; [tiʀliʀ].

**TIRER,** verbe [3]
**I. Trans. dir. 1.** Exercer une traction sur (qqch.), de manière à allonger, à tendre : ***Tirer** un câble* ; ***Tirer** les cheveux* ; ***Tirer** l'or, l'argent,* les étirer en fils déliés ; ***Tirer** les rideaux,* les fermer. ▸ Loc. ***Tirer** les ficelles* : manipuler secrètement (par réf. aux fils avec lesquels sont manœuvrées les marionnettes). **2.** Amener vers soi : ***Tirer** un tiroir* ; attirer (qqn) à soi : ***Tirer** qqn par la manche.* ▸ Loc. ***Tirer** la couverture à soi* (☞ *couverture*). **3.** Traîner derrière soi : *Chiens qui **tirent** un traîneau* ; ***Tirer** la jambe,* marcher avec difficulté. **4.** Fam. Passer (une durée) d'une manière pénible : ***Tirer** six mois de prison* ; empl. pronom. : *Ça se **tire**,* cela touche à sa fin. **5.** *Mar.* ▸ ***Tirer** des bords* (☞ *bord*). ▸ En parlant d'un navire qui avance, déplacer (telle quantité d'eau) ou s'enfoncer dans l'eau de (tant de mètres). **Trans. indir. Tirer sur. 1.** Exercer une traction sur : ***Tirer** sur un câble.* ▸ Loc. ***Tirer** sur la corde* (☞ *corde*). **2.** Aspirer fortement : ***Tirer** sur sa pipe.* **Intrans. 1.** Se déplacer, aller dans une certaine direction. ▸ ***Tirer** au flanc* : se dérober de côté, reculer, en parlant d'un cheval, ou, au fig. (fam.), chercher à échapper à une corvée. ▸ **Tirer sur, vers, à.** Se rapprocher de, ressembler à : *Bleu qui **tire** sur le vert.* ▸ Belg. ***Tirer** sur, après qqn* : lui ressembler. ▸ Loc. ***Tirer** à sa fin* : approcher de la fin ; ***Tirer** à conséquence* : avoir des conséquences importantes. **2.** Produire une sensation de tiraillement : *Peau qui **tire**.* **3.** Avoir du tirage, en parlant d'une cheminée, d'un poêle.

► Belg. et Helv. *Il* **tire**, *ça* **tire** : il y a un courant d'air. **4.** Avoir une certaine puissance, en parlant d'une voiture, d'un moteur. **II. TRANS. DIR. 1.** Faire sortir (qqch.) de l'endroit où il est : ***Tirer*** *le vin du tonneau* ; ***Tirer*** *la langue*. **2.** Faire sortir, délivrer (qqn) d'un état, d'un lieu : ***Tirer*** *qqn du sommeil, d'embarras*. **3.** Choisir au hasard dans un ensemble : ***Tirer*** *le bon numéro* ; ***Tirer*** *qqch. au sort* ; ***Tirer*** *à la courte paille* (☞ *paille*) ; ***Tirer*** *les cartes à qqn*, lui prédire l'avenir selon les méthodes de la cartomancie. **4.** Obtenir, extraire : ***Tirer*** *un film d'un roman* ; ***Tirer*** *des sons d'un instrument* ; ***Tirer*** *profit d'une situation* ; tenir (qqch.) de qqch. d'autre : ***Tirer*** *sa force de*. **5.** Déduire, conclure : ***Tirer*** *la morale de l'histoire*. **6.** Voler (pop.) : *Il s'est fait* **tirer** *sa moto*. **7.** *Fin.* Émettre (un chèque, une lettre de change). **PRONOM. 1. Se tirer de.** Se sortir de, réchapper de (un danger, une situation difficile) : *S'en* **tirer**, s'en sortir. **2.** S'en aller, s'enfuir (fam.). **III. TRANS. DIR. 1.** Lancer (un projectile) au moyen d'une arme : ***Tirer*** *une flèche* ; faire partir (le coup d'une arme à feu) : ***Tirer*** *un coup de fusil*. ► Loc. ***Tirer*** *un coup, son coup* : avoir un rapport sexuel, pour un homme (vulg.). **2.** Chercher à atteindre, à abattre avec un projectile, une arme à feu : ***Tirer*** *les oiseaux*. **TRANS. INDIR. Tirer sur.** Chercher à atteindre (qqn, qqch.) avec un projectile, une arme à feu. **INTRANS. 1.** Faire usage d'une arme à feu, d'une arme de trait : ***Tirer*** *au fusil, à l'arbalète*. **2.** *Sp.* Au jeu de boules, lancer la boule sur celle qu'on veut déplacer. ► ***Tirer*** *au but* : au football, envoyer le ballon vers le but. **IV. TRANS. DIR. 1.** Tracer : ***Tirer*** *un trait*. ► Loc. ***Tirer*** *des plans sur la comète* (☞ *comète*) ; ***Tirer*** *le portrait de qqn* : le dessiner, le peindre, le photographier. **2.** Imprimer : ***Tirer*** *un ouvrage à 5 000 exemplaires*. **3.** *Phot.* Exécuter le tirage de. **INTRANS.** Être imprimé, reproduit : *Journal qui* **tire** *à 200 000 exemplaires*. Fin XIe s. ; p.-ê. anc. fr. *martirier*, « torturer » ; [tiʀe].

**TIRET, subst. m.**
**1.** Petit trait horizontal qui sert à couper un mot à la fin d'une ligne, ou qui relie les deux termes d'un mot composé. **2.** Signe typographique indiquant le changement de locuteur dans un dialogue ou plaçant une proposition en incise. 1611 (1552, petit trait) ; ☞ *tirer* ; [tiʀɛ].

**TIRETAINE, subst. f.**
Étoffe ancienne faite de laine, de lin et de coton mélangés. Mil. XIIIe s. ; prob. anc. fr. *tiret*, « étoffe précieuse », du lat. *tyrius*, « de Tyr » ; [tiʀtɛn].

**TIRETTE, subst. f.**
**1.** Cordon servant à ouvrir ou à fermer qqch. **2.** Dispositif qui commande un mécanisme par tirage. **3.** Tablette coulissante d'un meuble. **4.** Belg. Fermeture à glissière. 1777 (1589, tiroir) ; ☞ *tirer* ; [tiʀɛt].

**TIREUR, EUSE, subst.**
**1.** Ouvrier qui étire en fils certains métaux. **2.** Personne qui tire avec une arme de trait ou une arme à feu : ***Tireur*** *d'élite*. ► Personne qui tire l'épée, qui pratique l'escrime. **3.** Personne qui effectue un tirage, en gravure, en photographie. **4.** ***Tireuse*** *de cartes* : cartomancienne. **MASC. 1.** *Fin.* Personne qui donne au tiré l'ordre de payer une somme à un bénéficiaire. **2.** *Sp.* ► Au jeu de boules, joueur chargé de tirer, par oppos. à *pointeur*. ► Au football, joueur qui tire au but. **FÉM. 1.** Appareil servant à remplir les bouteilles. **2.** Machine assurant le tirage des films, des phototypes. XIVe s. ; ☞ *tirer* ; [tiʀœʀ, øz].

**TIRE-VEILLE, subst. m.**
*Mar.* **1.** Corde pendant hors d'un bateau et permettant de monter à bord. **2.** Chacun des deux filins qui servent à manœuvrer le gouvernail. **3.** Sur une planche à voile, corde qui permet de sortir la voile de l'eau. Fin XVIIe s. ; altér. de *tire-vieille*, anc. plaisanterie de marins ; plur. *tire-veille(s)* ; [tiʀvɛj].

**TIRE-VEINE, subst. m.**
*Chir.* Instrument servant à l'ablation de veines variqueuses des membres inférieurs. V. 1970 ; comp. de *tirer* et de *veine* ; plur. *tire-veine(s)* ; [tiʀvɛn].

**TIROIR, subst. m.**
**1.** Compartiment coulissant d'un meuble. ► Loc. *Fond de* **tiroir** : objet de peu de valeur ; *Racler les fonds de* **tiroir** : utiliser ses dernières ressources (fam.) ; *Avoir un polichinelle dans le* **tiroir** : attendre un enfant (pop.). **2.** *Litt.* ► *Pièce à* **tiroirs** : pièce de théâtre composée de scènes sur le même thème, sans lien nécessaire. ► *Roman à* **tiroirs** : comprenant divers récits annexes au récit principal. **3.** *Techn.* Dispositif qui capte la vapeur d'une machine avant de la diffuser. 1530 (XIIIe s., membre d'une bête donné en pâture au faucon) ; ☞ *tirer* ; [tiʀwaʀ].

**TIROIR-CAISSE, subst. m.**
Tiroir qui contient la caisse d'un commerçant ; par méton., son contenu. 1889 ; comp. de *tiroir* et de *caisse* ; plur. *tiroirs-caisses* ; [tiʀwaʀkɛs].

**TISANE, subst. f.**
Boisson obtenue par infusion dans l'eau de plantes dotées de vertus médicinales. XIIIe s. ; bas lat. *tisana*, du lat. *ptisana*, du gr. *ptisane*, « orge mondé » ; [tizan].

**TISANIÈRE, subst. f.**
Pot dans lequel on prépare des tisanes. V. 1970 (1800, faiseuse de tisane) ; ☞ *tisane* ; [tizanjɛʀ].

**TISON, subst. m.**
Morceau incandescent de bois, de bûche, en partie consumé. Fin XIIe s. ; lat. *titio* ; [tizɔ̃].

**TISONNÉ, ÉE, adj.**
Qualifie un cheval à la robe semée de marques noires allongées. XVIe s. ; p. p. de *tisonner* ; [tizɔne].

**TISONNER, verbe trans.** [3]
Remuer les tisons de (un foyer) ; attiser (le feu). Mil. XIIIe s. ; ☞ *tison* ; [tizɔne].

**TISONNIER, subst. m.**
Longue tige de fer servant à attiser le feu. 1417 ; ☞ *tisonner* ; [tizɔnje].

**TISSAGE, subst. m.**
**1.** Action de tisser ; son résultat. **2.** Méton. Atelier, usine où l'on tisse. 1262 ; ☞ *tisser* ; [tisaʒ].

**TISSER, verbe trans.** [3]
**1.** Fabriquer (une étoffe), travailler (un textile) en entrelaçant des fils ; par anal. : *L'araignée* **tisse** *sa toile*. **2.** Fig. Élaborer (qqch.) en assemblant des éléments : ***Tisser*** *un réseau, des liens d'amitié, une intrigue*. Fin XIIe s. ; lat. *texere* ; [tise].

**TISSERAND, ANDE, subst.**
Artisan qui tisse les étoffes à la main ou sur une machine. 1224 ; *tistre* (vx), « tisser » ; [tisʀɑ̃, ɑ̃d].

**TISSERIN, subst. m.**
*Zool.* Oiseau passériforme d'Afrique équatoriale, habile à tisser, avec des fibres de palmier, des nids suspendus. 1817 ; ☞ *tisser* ; [tisʀɛ̃].

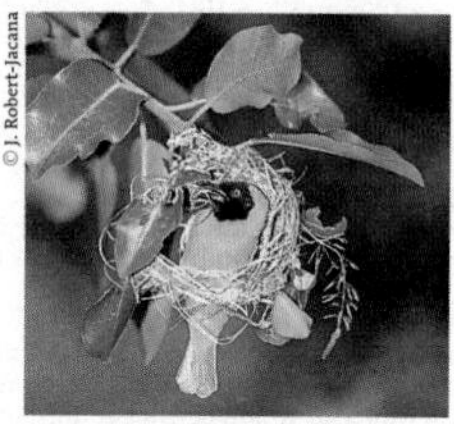
© J. Robert-Jacana

*Tisserin.*

**TISSEUR, EUSE, subst.**
Personne qui travaille sur un métier à tisser. Fin XIIe s. ; ☞ *tisser* ; [tisœʀ, øz].

**TISSU, subst. m.**
**1.** Matière obtenue par le croisement régulier des fils de chaîne et de trame : ***Tissu*** *de soie, transparent* ; ***Tissu*** *d'ameublement*. **2.** Fig. Enchevêtrement, enchaînement : *Un* **tissu** *de sottises, d'invraisemblances*. **3.** Éléments organisés constituant un tout cohérent : ***Tissu*** *culturel*. ► ***Tissu*** *urbain* : ensemble homogène formé par les éléments d'une ville. **4.** *Histol.* Association de cellules différenciées ayant un même territoire biologique et fonctionnel : ***Tissu*** *musculaire*. XIIIe s. ; *tistre* (vx), « tisser » ; [tisy].

**TISSULAIRE, adj.**
*Histol.* Qui concerne les tissus d'un organisme vivant. 1842 ; ☞ *tissu* ; [tisylɛʀ].

**TISSURE, subst. f.**
Texture, aspect d'un ouvrage tissé (vieilli). XIVe s. ; *tistre* (vx), « tisser » ; [tisyʀ].

**TITAN, subst. m.**
Personne d'une envergure exceptionnelle ; géant. ► Loc. **De titan.** Gigantesque, démesuré : *Travail, combat de* **titan**. 1752 ; gr. *Titan*, nom générique des fils de Gaïa, la Terre, et d'Ouranos, le Ciel ; [titɑ̃].

**TITANE, subst. m.**
*Chim.* Élément n° 22 de la table de Mendeleïev (symb. : Ti) ; masse atomique : 47,90 ; point de fusion : 1 660 °C ; point d'ébullition : 3 287 °C ; masse volumique : 4,54 g/cm$^3$. C'est un métal de transition extrait notamment du rutile, utilisé comme alliage dans des matériaux résistants, notamment dans l'industrie aérospatiale. 1800 ; lat. sc. *titanium*, du lat. *Titan*, « Titan » ; [titan].

**TITANESQUE, adj.**
Colossal, démesuré : *Entreprise, orgueil* **titanesque**. 1552 ; ☞ *titan* ; [titanɛsk].

**TITANIQUE, adj.**
*Chim.* Qualifie l'anhydride $TiO_2$, les acides correspondants et les composés du titane tétravalent. 1836 ; ☞ *titane* ; [titanik].

**TITI, subst. m.**
Gamin de Paris, déluré et farceur (pop.). 1830 ; p.-ê. dimin. de *petit* ; [titi].

**TITILLATION, subst. f.**
Action de titiller ; sensation qu'elle procure. 1495 ; lat. *titillatio*, de *titillare*, « titiller » ; [titijasjɔ̃].

**TITILLER, verbe trans.** [3]
**1.** Chatouiller de façon délicate et agréable. **2.** Fig. Exciter agréablement ; agacer en vue de provoquer une réaction. Fin XIIe s. ; lat. *titillare* ; [titije].

**TITISME, subst. m.**
Socialisme inspiré par Tito, mis en œuvre en Yougoslavie sous sa présidence. XXe s. ; anthropon. *Josip Broz* dit *Tito*, président de la Yougoslavie ; [titism].

**TITRAGE, subst. m.**
**1.** Action de donner un titre à une œuvre, un texte, un film. **2.** *Chim.* Méthode d'analyse volumétrique dans laquelle un volume déterminé de réactif est ajouté lentement à un volume connu d'un autre réactif afin d'étudier des réactions acido-basiques. **3.** *Text.* Opération servant à déterminer le titre d'un fil. 1841 ; ☞ *titre* ; [titʀaʒ].

**TITRE, subst. m.**
**I. 1.** Nom donné à un ouvrage, ou à l'une de ses parties, qui en indique le sujet, en annonce le contenu : ***Titre*** *courant*, rappel du **titre** à chaque page ; *Page de* **titre**, page portant le **titre**, le sous-titre, le nom de l'auteur ; *Grand* **titre**, frontispice. **2.** Nom donné à un poème ; par anal., nom d'une chanson, d'un film. **3.** Anal. Dans un journal, texte bref présentant le contenu de l'article : *Un* **titre** *sur cinq colonnes*. **4.** *Dr.* Subdivision d'un recueil juridique. **II. 1.** Désignation honorifique qui indique un rang ou une dignité : *Porter le* **titre** *de comte* ; *Donner son* **titre** *à qqn*, l'appeler par son **titre**. **2.** Ext. Nom qui qualifie qqn ou qqch. : *Il a droit au* **titre** *d'ami*. ► Loc. **À titre** (+ adj.). De manière (telle) : *À* **titre** *provisoire, exceptionnel* ; *À ce* **titre**, pour cette raison. ► Loc. prép. *À* **titre** *de* : en tant que. ► Loc. conj. *Au même* **titre** *que* : de la même manière que. **3.** Désignation d'une fonction ou d'une charge : *Le* **titre** *de directeur*. ► Loc. *Sur* **titres** : fondé sur les qualifications ; *En* **titre** : titulaire, et, par ext., attitré. **4.** *Sp.* Qualité de vainqueur, de champion : *Remporter un* **titre**. **III. 1.** Acte légitimant le droit à un **titre**, à une dignité. **2.** Document qui établit un droit : ***Titre*** *de propriété* ; par ext., billet délivré à un voyageur : ***Titre*** *de transport*. **3.** Certificat détenu par le propriétaire d'une valeur en bourse : ***Titre*** *de rente*. **4.** ***Titre*** *interbancaire de paiement (T. I. P.)* : document signé par un débiteur autorisant un prélèvement sur son compte bancaire, qui remplace un chèque. **5.** Ext. Qualité qui justifie une action : *Vous n'avez aucun* **titre** *à exiger cela de moi*. ► Loc. *À juste* **titre** : avec raison ; *À quel* **titre** *?* : de quel droit ? **6.** *Dr.* ***Titre*** *exécutoire* : écrit juridique autorisant à poursuivre un débiteur. **IV. 1.** Proportion d'or ou d'argent, exprimée en millièmes, contenue dans un alliage. **2.** *Chim.* Rapport de la masse d'un corps dissous au volume du solvant. **3.** *Text.* Valeur correspondant à la grosseur d'un fil. Déb. XIIIe s. (fin XIIe s., inscription sur un tombeau) ; lat. *titulus*, « inscription » ; [titʀ].

**TITRÉ, ÉE, adj.**
Qui porte un titre. Fin XIIIe s. ; p. p. de *titrer* ; [titʀe].

**TITRER, verbe trans.** [3]
**1.** Donner un titre à (une œuvre, un texte). **2.** Conférer un titre à (qqn). **3.** *Chim.* Réaliser le titrage de (une solution acido-basique). Fin XIIIe s. ; ☞ *titre* ; [titʀe].

**TITREUSE, subst. f.**
**1.** *Arts graph.* Machine servant à composer les titres. **2.** *Cin.* Appareil qui permet de filmer les titres et les sous-titres. XXe s. ; ☞ *titrer* ; [titʀøz].

**TITRISATION,** subst. f.
*Fin.* Opération par laquelle, en contrepartie de créances qui leur sont cédées par des institutions financières, les fonds communs de créance émettent sur le marché des parts représentatives de cette cession ; son résultat. V. 1990 ; ☞ *titre* ; [titʀizasjɔ̃].

**TITUBANT, ANTE,** adj.
Qui titube. 1580 ; p. pr. de *tituber* ; [titybɑ̃, ɑ̃t].

**TITUBER,** verbe intrans. [3]
Chanceler, marcher de façon incertaine, en zigzag. Fin XVe s. ; lat. *titubare* ; [titybe].

**TITULAIRE,** adj. et subst.
**1.** Se dit de qqn qui est nommé à une fonction, à une charge, qui en possède le titre. **2.** *Dr.* Se dit de qui jouit juridiquement d'un droit. 1516 ; lat. *titulus*, « titre » ; [titylɛʀ].

**TITULARISATION,** subst. f.
Action de titulariser qqn. 1921 ; ☞ *titulariser* ; [titylaʀizasjɔ̃].

**TITULARISER,** verbe trans. [3]
Rendre (qqn) titulaire d'une charge, d'une fonction : ***Titulariser** un employé vacataire.* 1857 ; ☞ *titulaire* ; [titylaʀize].

**TITULATURE,** subst. f.
Ensemble des titres portés par une personne, une famille, un souverain. 1872 ; lat. *titulus*, « titre », d'apr. *magistrature* ; [titylatyʀ].

**Tl,** voir **THALLIUM**

**Tm,** voir **THULIUM**

**TMÈSE,** subst. f.
*Rhét.* Intercalation, au sein d'un mot, d'un ou de plusieurs mots (par ex. : « *Lors* donc, Monsieur, *que...* »). Mil. XVIe s. ; lat. des grammairiens *tmesis*, du gr. *tmêsis*, de *temnein*, « couper » ; [tmɛz].

**TOARCIEN, IENNE,** adj. et subst. m.
*Géol.* **Subst.** Étage du Lias compris entre – 187 et – 180 millions d'années. **Adj.** Qui appartient à cet étage. Mil. XIXe s. ; topon. *Toarcium*, nom latin de Thouars (Deux-Sèvres) ; [toaʀsjɛ̃, jɛn].

**TOAST,** subst. m.
**1.** Action de lever son verre en invitant à boire en l'honneur de qqn ou de qqch., à la santé de qqn : *Porter un **toast**.* **2.** Tartine grillée. 1734 ; angl. *toast*, « tranche de pain grillée » ; [tost].

**TOASTEUR,** subst. m.
Grille-pain. 1926 ; angl. *toaster*, de *to toast*, « griller » ; var. *toaster* (anglic.) ; [tostœʀ].

**TOBOGGAN,** subst. m.
**1.** *Québ.* Traîneau de descente rapide ; par méton., piste aménagée pour pratiquer ce sport. **2.** Piste, rampe en pente aménagée pour s'amuser à descendre en glissant. **3.** Anal. Glissière servant à acheminer des marchandises. **4.** Viaduc, gén. démontable, installé au-dessus d'une voie, d'un carrefour, afin de faciliter la circulation (n. déposé). 1691 ; algonquin *otaban*, « traîneau léger » ; [tɔbɔgɑ̃].

**TOC,** interj., subst. m. et adj. inv.
**Interj.** Mot qui exprime un bruit sec. **Subst.** Imitation de peu de valeur d'une matière, d'un objet précieux : *Un bijou en **toc**.* **Adj.** Artificiel, prétentieux (fam.) : *Un décor **toc**.* 1496 ; onomat. ; [tɔk].

**TOCADE,** voir **TOQUADE**

**TOCANTE,** subst. f.
Montre (fam.). 1725 ; ☞ *toquer* ; var. *toquante* ; [tɔkɑ̃t].

**TOCARD, ARDE,** adj. et subst.
Fam. **Adj.** Laid, démodé, ridicule. **Subst. masc.** Cheval de course médiocre. **Subst.** Personne incapable, de peu de valeur. 1855 ; ☞ *toc* ; var. *toquard, arde* ; [tɔkaʀ, aʀd].

**TOCCATA,** subst. f.
*Mus.* Pièce instrumentale pour clavier, de style libre, proche de l'improvisation. Déb. XVIIIe s. ; ital. *toccata*, de *toccare*, « toucher » ; plur. *toccatas* ou *toccate* ; [tɔkata], plur. [-ta] ou [-te].

**TOCOPHÉROL,** subst. m.
*Biochim.* Substance correspondant à la vitamine E, dont les matières grasses végétales sont relativement riches. Vitamine de la fécondité, le **tocophérol** a un effet protecteur vis-à-vis des radicaux libres. Mil. XXe s. ; gr. *tokos*, « enfantement », et *pherein*, « transporter » ; [tɔkɔfeʀɔl].

**TOCSIN,** subst. m.
Sonnerie de cloche qui sert à donner l'alarme en tintant à coups répétés : *Sonner le **tocsin** pour un incendie.* 1379 ; anc. prov. *tocasenh*, de *tocar*, « frapper », et de *senh*, « cloche » ; [tɔksɛ̃].

**TOGE,** subst. f.
**1.** *Antiq. rom.* Vêtement des citoyens, d'un seul tenant, drapé sur le corps. **2.** Anal. Robe portée, dans l'exercice de leur fonction, par les membres de certaines professions : ***Toge** d'avocat.* 1213 ; lat. *toga*, de *tegere*, « couvrir » ; [tɔʒ].

**TOHU-BOHU,** subst. m. inv.
Confusion extrême ; en partic., vacarme, brouhaha. Fin XIIIe s. ; hébreu biblique *tohû wâbohû*, de *tohû*, « désert », de *wâ*, « et », et de *bohû*, « vide » ; [tɔybɔy].

**TOI,** pron. pers.
Pronom personnel de la 2e personne du singulier, qui représente celui ou celle à qui l'on s'adresse (il peut être sujet complément ou attribut). **1.** Sans prép. : *Regarde-**toi** ; **Toi** aussi, mon fils ?* (César) ; ***Toi** qui m'aimais jadis.* **2.** Avec prép. : *Prends garde à **toi** ! ; J'irai sans **toi**.* XIIe s. ; lat. *te* ; [twa].

**TOILAGE,** subst. m.
**1.** Toile sur laquelle se fait la broderie. **2.** Reliure toilée. 1836 ; ☞ *toile* ; [twalaʒ].

**TOILE,** subst. f.
**1.** *Text.* ▸ Tissu fabriqué selon l'armure la plus simple : ***Toile** de coton, de lin.* ▸ ***Toile** cirée* : imperméabilisée et servant de nappe. ▸ Tissu serré et résistant, à usage particulier : ***Toile** de tente.* ▸ *Litt. Chanson de **toile*** : poème médiéval chanté par les femmes qui tissaient. **2.** *B.-a.* Support sur lequel l'artiste peint ; par méton., l'œuvre peinte. ▸ ***Toile** de fond* : décor peint à l'arrière-plan d'une scène de théâtre ou, au fig., ce qui sert de cadre à qqch. ▸ *Cin.* Écran ; par méton., film (fam.). **3.** *Mar.* Voilure. **4.** Anal. Réseau de fils tissés par une araignée pour capturer des insectes. Mil. XIIe s. ; lat. *tela*, de *texere*, « tisser » ; [twal].

**TOILÉ, ÉE,** adj.
**1.** Recouvert d'une toile. **2.** *Papier **toilé*** : qui imite la toile. XXe s. (1582, tissé) ; ☞ *toile* ; [twale].

**TOILERIE,** subst. f.
**1.** Fabrication, commerce de la toile. **2.** Atelier où se fabrique, se vend la toile. 1409 ; ☞ *toile* ; [twalʀi].

**TOILETTAGE,** subst. m.
Action de toiletter. 1936 ; ☞ *toiletter* ; [twaletaʒ].

**TOILETTE,** subst. f.
**1.** Vx. Morceau de toile dans lequel les marchands ambulants emballaient leurs marchandises : *Revendeuse à la **toilette**.* **2.** Action de s'apprêter : *Faire **toilette**.* **3.** Meuble contenant les objets nécessaires à la parure. **4.** Ensemble des vêtements, des accessoires que porte une femme. **5.** Soins apportés à la propreté du corps : *Cabinet de **toilette***, lieu destiné à ces soins. **6.** Fait de nettoyer qqch. **Plur.** Lieux d'aisances. 1352 ; ☞ *toile* ; [twalɛt].

La **Toilette**, *pastel d'Edgar Degas (1834-1917). Christie's, Londres.*

**TOILETTER,** verbe trans. [3]
**1.** Donner des soins de propreté à (un animal), entretenir son pelage. **2.** Fig. Retoucher légèrement (un texte, une loi). 1949 (1831, *se toiletter*, faire sa toilette, en parlant d'un chat) ; ☞ *toilette* ; [twalete].

**TOILIER, IÈRE,** subst. et adj.
**Subst.** Personne qui fabrique ou qui vend de la toile. **Adj.** Qui concerne la fabrication de la toile. Fin XIIe s. ; ☞ *toile* ; [twalje, jɛʀ].

**TOISE,** subst. f.
**1.** *Métrol.* Ancienne unité de mesure valant six pieds. **2.** Tige verticale graduée servant à mesurer la taille des personnes. Mil. XIIe s. ; lat. pop. °*tensa*, du lat. *tendere*, « tendre » ; [twaz].

**TOISER,** verbe trans. [3]
**1.** Vx. Mesurer, en prenant comme unité la toise. **2.** Fig. ▸ Examiner (qqn) pour juger de ses mérites, de sa valeur (vieilli). ▸ Considérer, regarder (qqn) avec dédain. Mil. XIIIe s. ; ☞ *toise* ; [twaze].

**TOISON,** subst. f.
**1.** Laine des moutons ; par anal., pelage épais d'un animal. **2.** Ext. Chevelure très épaisse. Déb. XIIe s. ; bas lat. *tonsio*, du lat. *tondere*, « tondre » ; [twazɔ̃].

**TOIT,** subst. m.
**1.** *Archit.* Couverture d'un bâtiment, plate ou inclinée, reposant sur une armature ou sur une charpente : ***Toit** de tuiles, d'ardoises.* ▸ Loc. *Crier sur les **toits*** : répandre, divulguer sans discrétion ; *Le **toit** du monde* : le Pamir, le Tibet ou l'Himalaya. **2.** Méton. Abri, maison : *Avoir un **toit**.* **3.** *Mines.* Partie supérieure d'une galerie. **4.** Partie supérieure d'un véhicule, pouvant parfois coulisser : *Voiture à **toit** ouvrant.* 1175 (mil. XIIe s., étable) ; lat. *tectum*, « ce qui est couvert » ; [twa].

**TOITURE,** subst. f.
Ensemble des parties constituant un toit (armature et couverture). 1768 (1594, toit) ; ☞ *toit* ; [twatyʀ].

**TOKAJ,** subst. m.
Vin hongrois, jaune doré, liquoreux. 1701 ; topon. *Tokaj* (Hongrie) ; var. *tokay* ; [tɔkaj].

**TOKAMAK,** subst. m.
*Phys.* Appareil d'étude de la fusion thermonucléaire, qui force les atomes à interagir en les chauffant jusqu'à dissociation en plasma, et en les confinant dans un volume tonique par action d'un champ magnétique. V. 1970 ; mot russe ; [tɔkamak].

**TOKAY,** subst. m.
**1.** Tokaj. **2.** Pinot gris cultivé en Alsace ; vin issu de ce cépage. XVIIIe s. ; ☞ *tokaj* ; [tɔkɛ].

**TOKHARIEN,** subst. m.
Ancienne langue indo-européenne, parlée au Turkestan chinois. 1911 ; all. *tocharisch*, du gr. *Tokharoi*, nom d'un peuple d'Asie centrale ; [tɔkaʀjɛ̃].

**TOLAR,** subst. m.
Unité monétaire principale de la Slovénie. [tɔlaʀ].

**TÔLARD,** voir **TAULARD**

**TÔLE (I),** subst. f.
**1.** Mince plaque de fer ou d'acier obtenue par laminage. ▸ ***Tôle** ondulée* (☞ *ondulé*). **2.** Neige durcie. 1642 ; var. dial. de *table* ; [tol].

**TÔLE (II),** voir **TAULE**

**TÔLÉE,** adj. f.
*Neige **tôlée*** : qui a durci après un début de fonte, dangereuse pour le ski. 1924 ; ☞ *tôle* (I) ; [tole].

**TOLÉRABLE,** adj.
Qu'on peut tolérer. 1314 ; lat. *tolerabilis* ; [tɔleʀabl].

**TOLÉRANCE,** subst. f.
**1.** Fait d'accepter qqch. que l'on pourrait interdire : *Maison de **tolérance***, maison de prostitution, tolérée jusqu'en 1946. ▸ *Dr.* Permission accordée en dépit de la loi. ▸ *Gramm.* Possibilité, dans certains cas, de ne pas appliquer une règle. **2.** Faculté d'accepter une façon d'agir ou de penser autre que la sienne ; indulgence, respect. ▸ *Hist. Édit de **tolérance*** : qui permettait la pratique du culte protestant. **3.** *Biol.* ***Tolérance** immunitaire* : absence de réponse d'un organisme à un antigène. ▸ *Pharm.* Diminution rapide de l'effet d'un médicament qui peut entraîner une dépendance. **4.** *Techn.* Écart admis entre la qualité annoncée et la qualité réelle d'une pièce, d'un produit. Mil. XIVe s. ; lat. *tolerantia* ; [tɔleʀɑ̃s].

**TOLÉRANT, ANTE,** adj.
Qui fait preuve de tolérance. 1544 ; lat. *tolerans*, de *tolerare*, « tolérer » ; [tɔleʀɑ̃, ɑ̃t].

**TOLÉRER,** verbe trans. [8]
**1.** Supporter (qqch. de désagréable ou que l'on désapprouve) ; consentir à supporter (qqn). **2.** Ne pas empêcher (qqch. que l'on pourrait interdire) : ***Tolérer** l'indiscipline.* **3.** *Méd.* Accepter (un antigène, une greffe) sans réaction pathologique. 1393 ; lat. *tolerare* ; [tɔleʀe].

**TÔLERIE,** subst. f.
**1.** Fabrication, travail de la tôle. **2.** Méton. ▸ Atelier où l'on fabrique, où l'on vend la tôle. ▸ Ensemble des objets en tôle. 1771 ; ☞ *tôle* (I) ; [tolʀi].

**TOLET, subst. m.**
*Mar.* Tige enfoncée dans le plat-bord d'une embarcation, qui sert de point d'appui à l'aviron. 📖 1385 ; anc. nord. *thollr*, « arbre ; poutre » ; [tɔlɛ].

**TOLETIÈRE, subst. f.**
*Mar.* Morceau de bois fixé sur le plat-bord d'une embarcation, percé d'un trou pour recevoir un tolet. 📖 1679 ; ☞ *tolet* ; [tɔltjɛʀ].

**TÔLIER (I), IÈRE, subst.**
Personne qui exerce un métier relatif à la tôlerie. 📖 1636 ; ☞ *tôle* (I) ; [tolje, jɛʀ].

**TÔLIER (II), voir TAULIER**

**TOLITE, subst. f.**
Puissant explosif à base de trinitrotoluène. 📖 1923 ; ☞ *toluène* ; [tɔlit].

**TOLLÉ, subst. m.**
Cri, mouvement d'indignation collective. 📖 1477 ; lat. *tolle hunc*, « prends-le, enlève-le », cri attribué aux Juifs poussant Pilate à sacrifier Jésus-Christ ; [tɔl(l)e].

**TOLUÈNE, subst. m.**
*Chim.* Composé liquide incolore dérivé du benzène, de formule $CH_3C_6H_5$, souv. utilisé comme solvant ou comme carburant. 📖 1850 ; *(baume de) Tolú*, ville de Colombie ; [tɔlɥɛn].

**TOLUIDINE, subst. f.**
*Chim.* Composé aromatique servant à la fabrication de colorants. 📖 1855 ; ☞ *toluène* ; [tɔlɥidin].

**TOMAHAWK, subst. m.**
Hache de guerre des Amérindiens du Nord. 📖 1707 ; mot anglo-amér., d'orig. algonquine ; var. *tomawak* ; [tɔmaok].

**TOMAISON, subst. f.**
Indication d'un numéro de tome ; division d'un ouvrage en tomes. 📖 1829 ; ☞ *tome* (I) ; [tɔmɛzɔ̃].

**TOMAN, subst. m.**
Ancienne monnaie d'or de Perse. 📖 1678 (fin XIIIe s., dix mille unités) ; persan *tumân*, du turco-mongol ; [tɔmɑ̃].

**TOMATE, subst. f.**
**1.** *Bot.* Plante annuelle de la famille des Solanacées, d'origine américaine, cultivée pour ses fruits comestibles, rouges et charnus. **2.** Fruit de cette plante. **3.** Cocktail de Pastis et de sirop de grenadine. 📖 1598 ; esp. *tomata*, du nahuatl *tomatl* ; [tɔmat].

**TOMAWAK, voir TOMAHAWK**

**TOMBAC, subst. m.**
Sorte de laiton obtenu par un alliage de cuivre et de zinc. 📖 1733 (1664, alliage d'or et de cuivre) ; prob. siamois *tambac*, « cuivre » ; [tɔ̃bak].

**TOMBAL, ALE, ALS ou AUX, adj.**
Relatif à la tombe. 📖 1786 ; ☞ *tombe* ; [tɔ̃bal, o].

**TOMBANT, ANTE, adj.**
Qui descend ; qui s'affaisse ; qui pend. ▸ Loc. *À la nuit **tombante*** : au tout début de la nuit. 📖 1555 ; p. pr. de *tomber* (I) ; [tɔ̃bɑ̃, ɑ̃t].

**TOMBE, subst. f.**
Fosse où l'on ensevelit un mort ; pierre recouvrant cette fosse. ▸ Loc. *Se retourner dans sa **tombe*** : se dit d'un défunt qu'on imagine indigné par qqch. ; *Avoir un pied dans la **tombe*** : être proche de la mort ; *Muet comme une **tombe*** : qui sait garder un secret. 📖 XIIe s. ; lat. chrét. *tumba*, du gr. *tumbos* ; [tɔ̃b].

**TOMBÉ, subst. m.**
**1.** Vx. Tombée. **2.** Manière harmonieuse qu'a un tissu de tomber. **3.** *Chorégr.* Pas de pointes s'achevant sur une jambe fléchie (synon. *pas **tombé***). **4.** *Sp.* Fait de maintenir son adversaire au sol, à la lutte. 📖 Déb. XIIe s. ; p. p. de *tomber* (I) ; [tɔ̃be].

**TOMBEAU, subst. m.**
**1.** Monument élevé sur une tombe. ▸ *Le **tombeau** de qqn* : composition littéraire ou musicale à la mémoire d'un défunt. ▸ Loc. *Arracher du **tombeau*** : tirer de l'oubli ou de la mort ; *Descendre au **tombeau*** : mourir ; *À **tombeau** ouvert* : à une vitesse qui expose à un accident mortel. **2.** Anal. Lieu froid, désolé, lugubre. **3.** Fig. Disparition, fin de qqch. 📖 Mil. XIIe s. ; ☞ *tombe* ; [tɔ̃bo].

**TOMBÉE, subst. f.**
**1.** Chute (littér.) : *Des **tombées** de neige.* **2.** *La **tombée** du jour, de la nuit* : le crépuscule. 📖 1230 ; p. p. de *tomber* (I) ; [tɔ̃be].

**TOMBELLE, subst. f.**
*Archéol.* Petit tertre indiquant la présence d'une tombe. 📖 Mil. XIVe s. ; ☞ *tombe* ; [tɔ̃bɛl].

**TOMBER (I), verbe intrans.** [3]
**I. 1.** Être entraîné à terre par perte d'équilibre, faire une chute : ***Tomber** de tout son long* ; ***Tomber** sur les fesses* ; par exagér. : ***Tomber** de fatigue, de sommeil*, être épuisé. ▸ ***Tomber** aux pieds, aux genoux de qqn, à genoux devant qqn* : se jeter à ses pieds en signe d'amour, pour le supplier, etc. **2.** S'écrouler, s'abattre : *Voir un mur **tomber** sous la pioche.* **3.** Être tué, succomber dans un combat, à la guerre. ▸ Empl. trans. *Sp.* À la lutte, vaincre (l'adversaire) en le maintenant au sol ; par ext. (fam.), séduire (une femme). **4.** Perdre le pouvoir : *Le gouvernement est **tombé**.* ▸ Être arrêté, en parlant d'un malfaiteur (fam.) : ***Tomber** pour vol à main armée.* ▸ Être écarté, disparaître, en parlant de qqch. d'abstrait : *Théorie qui **tombe** d'elle-même.* ▸ Ne pas avoir de succès : *Spectacle qui **tombe** rapidement.* **5.** Diminuer, baisser ; cesser : *La fièvre est **tombée*** ; *Le vent est **tombé**.* **II. 1.** Être entraîné, précipité subitement vers un endroit plus bas : ***Tomber** d'une échelle.* ▸ Loc. ***Tomber** bien bas* : déchoir, matériellement ou moralement ; ***Tomber** de haut* : être très surpris. **2.** Descendre du ciel pour arriver au sol, en parlant des précipitations atmosphériques : *La pluie **tombe*** ; empl. impers. : *Il **tombe** de la neige.* **3.** Se détacher, en parlant de feuilles, de dents, de cheveux, etc. **4.** Venir du haut : *Cette obscure clarté qui **tombe** des étoiles* (Corneille) ; par ext. : *La nuit **tombe***, il va faire nuit. ▸ Paraître : *La dernière édition va **tomber**.* **5.** ***Tomber** sur qqn* : se précipiter sur lui par surprise ou, au fig., le critiquer violemment. **6.** *Laisser **tomber** qqch.* : le lâcher ; empl. trans. : ***Tomber** la veste*, l'enlever (fam.). ▸ Fig. et Fam. *Laisser **tomber** qqn, qqch.* : ne plus s'en occuper, ne plus s'y intéresser ; empl. abs. : *Laisse **tomber***, n'insiste pas, ne t'en mêle pas. **III. 1.** Pendre librement : *Cheveux qui **tombent** sur les épaules.* ▸ *Vêtement qui **tombe** bien, mal* : qui s'adapte bien, mal au corps. **2.** Pencher, s'incliner : *Sa tête **tombe** sur l'épaule de son voisin.* ▸ S'affaisser : *Avoir les seins, les épaules qui **tombent**.* **IV. 1. Tomber en, dans.** Se retrouver brusquement dans (une situation gén. fâcheuse) : ***Tomber** dans un piège* ; ***Tomber** dans l'oubli* ; ***Tomber** en panne, en ruine, en disgrâce.* ▸ ***Tomber** dans une erreur, un défaut, un excès* : s'en rendre coupable. **2.** Devenir (+ attribut) : ***Tomber** malade, amoureux, enceinte.* **V. 1.** Se retrouver à l'improviste dans une situation donnée : ***Tomber** bien, mal.* ▸ **Tomber sur.** Rencontrer (qqn), découvrir (qqch.) par hasard : ***Tomber** sur un vieil ami.* **2.** Arriver, se produire : *Proposition qui **tombe** à pic.* ▸ En parlant d'une date, d'un évènement, coïncider avec : *Cette année, Noël **tombe** un mercredi.* 📖 Fin XIIe s. ; anc. fr. *tumer*, « faire la culbute », de l'anc. bas. frq. °*tûmon*, d'orig. onomat. ; [tɔ̃be].

**TOMBER (II), subst. m.**
Tombée (littér.). 📖 1821 ; ☞ *tomber* (I) ; [tɔ̃be].

**TOMBEREAU, subst. m.**
**1.** Caisse munie de roues, dont le déchargement se fait par l'arrière ; par méton., son contenu. **2.** Fig. Grande quantité : *Déverser un **tombereau** d'injures.* **3.** *Techn.* Engin de terrassement à benne automotrice. 📖 Fin XIIIe s. ; ☞ *tomber* (I) ; [tɔ̃bʀo].

**TOMBEUR, subst. m.**
**1.** *Sp.* Lutteur qui immobilise son adversaire au sol. **2.** *Pol.* Personne qui fait tomber un gouvernement, qui vainc une personnalité à une élection. **3.** Séducteur (fam.). 📖 Mil. XIXe s. ; ☞ *tomber* (I) ; [tɔ̃bœʀ].

*Le **tombeau** de Philippe Pot (1428-1494), sénéchal de Bourgogne. Musée du Louvre, Paris.*

**TOMBOLA, subst. f.**
Loterie dotée de lots en nature. 📖 1836 ; ital. *tombola*, de *tombolare*, « culbuter, tomber » ; [tɔ̃bɔla].

**TOMBOLO, subst. m.**
*Géogr.* Cordon de sable, simple ou double, édifié par la mer entre une ancienne île et le continent. 📖 1909 ; ital. *tombolo*, « tumulus » ; [tɔ̃bɔlo].

**TOME (I), subst. m.**
Division d'un ouvrage, correspondant gén. à un volume. 📖 Mil. XVIe s. ; lat. *tomus*, du gr. *tomos*, « morceau » ; [tɔm].

**TOME (II), voir TOMME**

**TOMENTEUX, EUSE, adj.**
*Bot.* Duveteux, pelucheux : *Tige **tomenteuse**.* 📖 Déb. XIXe s. ; lat. *tomentum*, « bourre » ; [tɔmɑ̃tø, øz].

**TOMER, verbe trans.** [3]
Diviser (un ouvrage) en tomes ; inscrire leurs numéros sur (les feuilles). 📖 1801 ; ☞ *tome* (I) ; [tɔme].

**TOMETTE, voir TOMMETTE**

**TOMME, subst. f.**
**1.** Cantal, au premier stade de sa préparation. **2.** Fromage de Savoie à pâte pressée. 📖 1581 ; anc. prov. *toma*, p.-ê. du lat. pop. °*toma* ; var. *tome* ; [tɔm].

**TOMMETTE, subst. f.**
Petite brique de terre cuite, de couleur rouge vif, plate et hexagonale, servant au carrelage des sols. 📖 1821 ; dauphinois *tometa*, de *toma*, « fromage plat » ; var. *tomette* ; [tɔmɛt].

**TOMMY, subst. m.**
Soldat anglais (fam.). 📖 1901 ; angl. *Tommy*, dimin. de *Thomas Atkins*, nom donné traditionnellement au simple soldat ; plur. *tommys* ou *tommies* ; [tɔmi].

**TOMODENSITOMÈTRE, subst. m.**
Appareil utilisé en tomodensitométrie (synon. *scanographe*). 📖 V. 1980 ; formé du gr. *tomos*, « morceau coupé », de *densité* et de *-mètre*[1] ; [tɔmodɑ̃sitɔmɛtʀ].

**TOMODENSITOMÉTRIE, subst. f.**
*Méd.* Technique d'imagerie médicale assistée par ordinateur, ayant pour but de mesurer la capacité d'absorption par un organe des rayons X qui, émis en faisceaux très étroits, permettent d'en obtenir des coupes fines (synon. *scanographie*). 📖 V. 1980 ☞ *tomodensitomètre* ; [tɔmodɑ̃sitɔmetʀi].

**TOMOGRAPHIE, subst. f.**
**1.** *Méd.* Technique d'imagerie médicale, qui permet d'obtenir une image nette d'un seul plan en coupe d'un organe, à l'aide des rayons X ; l'image elle-même. **2.** *Géol.* Procédé d'exploration géophysique des profondeurs du sous-sol, permettant d'individualiser en trois dimensions des zones superposées de nature différente. 📖 V. 1930 ; gr. *tomos*, « morceau coupé », + *-graphie* ; [tɔmɔgʀafi].

**TOM-POUCE, subst. m. inv.**
Personne de très petite taille (fam.). 📖 1845 ; angl. *Tom Thumb*, nain des contes populaires ; [tɔmpus].

**TOM-TOM, subst. m. inv.**
*Mus.* Tambour à une ou à deux peaux, très utilisé dans le jazz et le rock (abrév. : tom). 📖 XXe s. ; angl. *tomtom*, d'une langue de l'Inde ; var. *tomtom* ; [tɔmtɔm].

**TON (I), TA, TES, adj. poss.**
**1.** Qui est à toi : ***Ton** chapeau* ; ***Ta** maison.* ▸ Dont tu es l'agent : ***Ton** œuvre peinte* ; ***Ta** responsabilité.* ▸ Qui t'est habituel, qui t'agrée : ***Tes** vacances* ; *C'est **ton** style.* ▸ À quoi tu appartiens : *Il est dans **ton** équipe ?* **2.** Marque un certain type de relation d'ordre affectif, social, de parenté, etc. : ***Ton** patron* ; ***Ta** famille.* 📖 Fin Xe s. ; lat. *tuum, tuam, tuos, tuas* ; *ton* remplace *ta* devant un subst. fém. commençant par une voyelle ou un *h* muet ; [tɔ̃, ta, te].

**TON (II), subst. m.**
**I. 1.** Hauteur de la voix : ***Ton** aigu, grave* ; par ext. qualité de la voix en hauteur, en intensité, en timbre : ***Ton** nasillard.* ▸ *Phon.* Variation de la hauteur de la voix permettant de distinguer des mots qui s'écrivent de la même façon : *Le chinois est une langue à **tons**.* **2.** Ext. Inflexion, volontaire ou non, que prend la voix et qui traduit l'état d'esprit du locuteur, ses intentions, etc. : ***Ton** agressif, enjoué.* ▸ Loc. *Hausser le **ton*** : parler plus fort, en laissant percer la colère dans sa voix. **3.** Fig. Manière d'écrire : ***Ton** piquant d'un article.* **4.** Manière d'être en société. ▸ Loc. *Donner le **ton*** : lancer un style, une façon d'être ; *De bon **ton*** : en accord avec les bonnes manières, le bon goût. **II.** *Mus.* **1.** Intervalle de seconde majeure, formé de deux demi-tons, qui sépare deux degrés conjoints : *Gamme par **tons***, comportant cinq **tons**. **2.** Tonalité d'un morceau ou d'un fragment musical : ***Ton** voisin*, qui ne comporte qu'une altération en plus ou en moins par rapport au **ton** principal, ou qui lui est relatif. **3.** Hauteur définie par rapport à un repère : *S'accorder au **ton** du diapason.* **III.** Nuance

d'une couleur : *Un* **ton** *criard.* ► Loc. *Dans le* **ton** : en harmonie ; **Ton** *sur* **ton** : de la même couleur, mais d'intensité différente. Fin XIIe s. ; lat. *tonus*, du gr. *tonos*, « tension de la corde sur l'instrument » ; [tõ].

**TONAL, ALE, ALS,** adj.
**1.** *Phon.* Relatif au ton. **2.** *Mus.* Relatif à la tonalité ; fondé sur la tonalité (anton. *modal* ou *atonal*) : *Harmonie* **tonale**. 1828 ; ☞ *ton* (II) ; [tɔnal].

**TONALITÉ,** subst. f.
**I.** *Mus.* **1.** Formation et organisation d'une échelle de sons (ou hauteurs) à partir d'une note fondamentale (tonique) ; son effet. ► Système harmonique circonscrit par l'emploi des modes majeur et mineur. **2.** Chacune des échelles majeure ou mineure, désignée par sa tonique : *Retour à la* **tonalité** *initiale après une modulation.* **3.** Ext. Effet produit par un son ou une voix, résultant de la hauteur, du timbre, de l'intensité : **Tonalité** *chaude du saxophone.* **II. 1.** Anal. Couleur dominante. ► *Phys.* Un des trois paramètres d'une sensation lumineuse, les deux autres étant la phonie et le degré de saturation. **2.** Fig. Impression d'ensemble qui se dégage de qqn ou de qqch. **3.** Signal sonore émis par un téléphone avant la composition d'un numéro : *Attendre la* **tonalité**. ► Zone de fréquence d'un appareil. 1821 ; ☞ *tonal* ; [tɔnalite].

**TONCA,** voir **TONKA**

**TONDAGE,** subst. m.
**1.** Action d'égaliser les poils de certains tissus, en partic. des draps. **2.** Action de tondre le poil de certains animaux. 1303 ; ☞ *tondre* ; [tõdaʒ].

**TONDAISON,** subst. f.
Tonte (vx). XIIIe s. ; ☞ *tondre* ; [tõdɛzõ].

**TONDEUR, EUSE,** subst.
Personne dont le métier est de tondre. **FÉM. 1.** Instrument servant à couper court les poils de certains tissus. **2.** **Tondeuse** *(à gazon)* : machine servant à tondre le gazon. **3.** Instrument servant à tondre les animaux, à raser les cheveux. 1229 ; ☞ *tondre* ; [tõdœʀ, øz].

**TONDRE,** verbe trans. [51]
**1.** Couper à ras : **Tondre** *le gazon, le poil d'un chien.* **2.** Méton. Couper à ras les poils, les cheveux de : **Tondre** *un mouton* ; *On lui a* **tondu** *le crâne.* **3.** Fig. Dépouiller (qqn) de son argent (fam.). Mil. XIIe s. ; lat. *tondere* ; [tõdʀ].

**TONDU, UE,** adj.
**1.** Qui a été coupé à ras : *Pelouse fraîchement* **tondue**. **2.** Dont les cheveux, les poils ont été coupés à ras ; empl. subst., personne **tondue** : *Le Petit* **Tondu**, surnom donné à Napoléon Ier (fam.). XIIIe s. ; p. p. de *tondre* ; [tõdy].

**TONÉTIQUE,** subst. f.
Partie de la phonétique qui étudie les tons. V. 1950 ; ☞ *ton* (II), d'apr. *phonétique* ; [tɔnetik].

**TONG,** subst. f.
Chaussure de plage légère, en cuir ou en plastique, composée d'une semelle et d'une bride en V qui passe entre le gros et le deuxième orteil. V. 1960 ; angl. *thong*, « lanière » ; [tõg].

**TONIC,** subst. m.
Anglic. Soda à base de quinquina et d'écorces d'oranges ; en appos. : *Un gin* **tonic**. V. 1960 ; angl. *tonic*, de *tonic water*, « eau tonique » ; [tɔnik].

**TONICARDIAQUE,** adj.
*Méd.* Qui augmente le tonus du cœur ; empl. subst. masc., médicament **tonicardiaque**. 1894 ; crois. de *tonique* (I) et de *cardiaque* ; [tɔnikaʀdjak].

**TONICITÉ,** subst. f.
**1.** *Physiol.* Propriété qu'ont les muscles de présenter un tonus. **2.** Caractère de ce qui est tonique, stimulant. 1803 ; ☞ *tonique* (I) ; [tɔnisite].

**TONIE,** subst. f.
*Phys.* Hauteur tonale, déterminée par la fréquence des sons. V. 1960 ; ☞ *ton* (II) ; [tɔni].

**TONIFIANT, ANTE,** adj. et subst. m.
**ADJ.** Qui tonifie. **SUBST.** Remède tonique. Mil. XIXe s. ; p. pr. de *tonifier* ; [tɔnifjɑ̃, ɑ̃t].

**TONIFIER,** verbe trans. [6]
**1.** *Physiol.* Rendre plus tonique, raffermir (un tissu organique) : *L'eau froide* **tonifie** *l'épiderme.* **2.** Ext. Revigorer, vivifier : *Climat marin qui* **tonifie**. 1837 ; ☞ *tonique* (I) ; [tɔnifje].

**TONIQUE (I),** adj.
**1.** *Physiol.* Relatif au tonus musculaire ; par ext., qui a du tonus : *Un bébé* **tonique**. **2.** Anal. Qui donne du tonus, de la vitalité, qui stimule : *Froid* **tonique**. ► *Lotion* **tonique** ou, empl. subst. masc., *Un* **tonique** : qui raffermit la peau. ► *Pharm. Remède* **tonique** ou, empl. subst. masc., *Un* **tonique** : qui stimule, qui fortifie l'organisme. **3.** Fig. Qui stimule l'esprit, qui redonne de l'énergie : *Un discours* **tonique**. 1538 ; gr. *tonikos*, « qui se tend » ; [tɔnik].

**TONIQUE (II),** subst. f. et adj.
**SUBST.** *Mus.* Note fondamentale et premier degré d'une échelle modale ou, en partic., tonale : *Le ton de « sol majeur » a pour* **tonique** *« sol ».* **ADJ.** *Phon.* Qui porte le ton : *Voyelle* **tonique** ; *Accent* **tonique**, accent qui marque l'intensité. 1762 (1722, *note tonique*) ; ☞ *ton* (II) ; [tɔnik].

**TONITRUANT, ANTE,** adj.
Qui sonne, retentit comme le tonnerre : *Une voix, une fanfare* **tonitruante**. 1866 ; lat. *tonitruans*, de *tonitruare*, « tonner » ; [tɔnitʀyɑ̃, ɑ̃t].

**TONITRUER,** verbe intrans. [3]
**1.** Faire un bruit retentissant. **2.** Parler, crier d'une voix tonitruante. 1884 ; lat. *tonitruare*, « tonner » ; [tɔnitʀye].

**TONKA,** subst.
**MASC.** *Bot.* Arbre d'Amérique tropicale, à bois jaune, dur et lourd. **FÉM.** Graine du **tonka**, riche en coumarine. 1816 ; mot guyanais ; var. *tonca* ; [tõka].

**TONLIEU,** subst. m.
*Féod.* Impôt sur les marchandises transportées ou exposées sur les marchés. Mil. XIe s. ; bas lat. *teloneum*, du gr. *telônion*, « bureau de perception » ; [tõljø].

**TONNAGE,** subst. m.
**1.** *Mar.* Capacité de transport d'un navire marchand, calculée en tonneaux. **2.** Anal. Capacité de transport d'un véhicule, d'un avion. **3.** Ext. Quantité exprimée en tonnes. 1656 (1300, droit payé pour le vin en tonneau) ; ☞ *tonneau* ; [tɔnaʒ].

**TONNANT, ANTE,** adj.
Qui tonne. XIIe s. ; p. pr. de *tonner* ; [tɔnɑ̃, ɑ̃t].

**TONNE,** subst. f.
**1.** Vaste tonneau ; par méton., son contenu. ► *Mar.* Grosse bouée, à l'orig. une **tonne** vide. **2.** Unité de mesure de masse équivalant à 1 000 kilogrammes (symb. : t). ► *Mar.* Cette unité, servant à évaluer le déplacement ou le port en lourd d'un navire. ► Mesure de poids des véhicules, en partic. des poids lourds : *Un camion de dix* **tonnes** ou, empl. subst. masc., *Un dix* **tonnes**. ► **Tonne** *kilométrique* : unité de calcul du prix du transport au kilomètre. **3.** Fam. Grande quantité : *Des* **tonnes** *de bonbons.* ► Loc. *En faire des* **tonnes** : beaucoup trop. Fin XIIIe s. ; bas lat. *tunna, tonna*, « outre, jarre », p.-ê. d'orig. celte ; [tɔn].

**TONNEAU,** subst. m.
**I. 1.** Grand récipient cylindrique, en bois, formé d'un assemblage de douves retenues par des cercles, et fermé par deux fonds plats ; par méton., son contenu : *Un* **tonneau** *de vin.* ► Loc. *Le* **tonneau** *des Danaïdes* : une tâche interminable ; *Du même* **tonneau** : du même genre (fam.). **2.** *Aéron.* Figure de voltige aérienne. ► Anal. Tour complet autour de son axe longitudinal que fait un véhicule lors d'un accident. **II.** *Mar.* Unité internationale de volume pour le jaugeage des navires, qui vaut 2,83 m$^3$. Mil. XIIe s. ; ☞ *tonne* ; [tɔno].

**TONNELAGE,** subst. m.
*Marchandises de* **tonnelage** : mises en tonneaux. 1730 (1334, droit payé pour la mise en tonneaux du vin) ; *tonnel*, anc. forme de *tonneau* ; [tɔnlaʒ].

**TONNELET,** subst. m.
Petit tonneau. Mil. XIIIe s. ; *tonnel*, anc. forme de *tonneau* ; [tɔnlɛ].

**TONNELIER,** subst. m.
Personne qui fabrique ou répare les tonneaux. Mil. XIIIe s. ; *tonnel*, anc. forme de *tonneau* ; [tɔnəlje].

**TONNELLE,** subst. f.
Abri constitué d'un treillage recouvert de plantes grimpantes. 1339 ; ☞ *tonne* ; [tɔnɛl].

**TONNELLERIE,** subst. f.
**1.** Fabrication et commerce des tonneaux. **2.** Lieu où on les fabrique. 1295 ; ☞ *tonnelier* ; [tɔnɛlʀi].

**TONNER,** verbe [3]
**INTRANS.** Faire un bruit de tonnerre. **TRANS. INDIR. Tonner contre.** Exprimer avec véhémence sa colère, fulminer contre (qqn, qqch.) : **Tonner** *contre les injustices.* **IMPERS.** Gronder, en parlant du tonnerre. Mil. XIIe s. ; lat. *tonare* ; [tɔne].

**TONNERRE,** subst. m.
**1.** Bruit provoqué par la foudre, plus ou moins fort et perçu plus ou moins longtemps après l'éclair, selon la distance qui sépare l'observateur du lieu de la décharge : *Grondement, coup de* **tonnerre**. ► Loc. *Coup de* **tonnerre** : évènement survenant brutalement ; *Faire l'effet d'un coup de* **tonnerre** : troubler d'un coup la quiétude générale. **2.** Anal. Bruit tonitruant, manifestation bruyante : *Un* **tonnerre** *d'applaudissements.* **3.** Loc. fam. *Du* **tonnerre** : formidable ou merveilleusement bien. ► Jurons : **Tonnerre** *!* ; *Mille* **tonnerres** *!* ; **Tonnerre** *de Brest !* Fin XIe s. ; lat. *tonitrus* ; [tɔnɛʀ].

**TONOGRAPHIE,** subst. f.
*Méd.* Mesure des variations de la pression interne de l'œil. Formé de *tono-* et de *-graphie* ; [tɔnɔgʀafi].

**TONOMÉTRIE,** subst. f.
**1.** *Méd.* Mesure de la pression interne de l'œil. **2.** *Phys.* Technique opératoire visant à déterminer la masse molaire de substances dissoutes, à l'aide d'un appareil appelé tonomètre. 1903 ; formé de *tono-* et de *-métrie* ; [tɔnɔmetʀi].

**TONSURE,** subst. f.
*Cath.* **1.** Petit cercle rasé au sommet du crâne, signe de la cléricature (jusqu'en 1972). **2.** Méton. Cérémonie d'entrée dans les ordres. Mil XIIIe s. ; lat. *tonsura*, « action de tondre » ; [tõsyʀ].

**TONSURER,** verbe trans. [3]
Conférer la tonsure, la dignité ecclésiastique à (un clerc). Fin XIVe s. ; ☞ *tonsure* ; [tõsyʀe].

**TONTE,** subst. f.
**1.** Action de tondre les moutons. ► Méton. La laine obtenue ; la période de **tonte**. **2.** Ext. Action de tondre un animal, une pelouse, une haie. 1387 ; ☞ *tondre* ; [tõt].

**TONTINE,** subst. f.
**1.** *Dr.* Association dans laquelle chaque épargnant place une somme pour se constituer une rente viagère, l'avoir commun pouvant, à échéance, être réparti entre les associés survivants. **2.** Ext. En Afrique, association de cotisants qui recevront à tour de rôle la totalité du montant versé dans une caisse commune ; ce montant. **3.** *Hortic.* Filet ou paillon qui maintient la terre autour des racines d'une plante en cours de transplantation. Mil. XVIIe s. ; anthropon. *L. Tonti*, financier napolitain ; [tõtin].

**TONTINER,** verbe trans. [3]
*Hortic.* Garnir d'une tontine (les racines d'une plante). Déb. XXe s. ; ☞ *tontine* ; [tõtine].

**TONTISSE,** adj. et subst. f.
*Text.* Se dit de la bourre provenant de la tonture des draps. 1290 ; ☞ *tondre* ; [tõtis].

**TONTON,** subst. m.
Oncle, dans le langage enfantin. 1712 ; altér. de *oncle*, d'apr. *tante* ; [tõtõ].

**TONTURE (I),** subst. f.
*Text.* Action de tondre un drap ; par méton., le poil ainsi éliminé. XIIIe s. ; ☞ *tonte* ; [tõtyʀ].

**TONTURE (II),** subst. f.
*Mar.* Courbure longitudinale du pont d'un navire. Fin XVIIe s. ; orig. obsc. ; [tõtyʀ].

**TONUS,** subst. m.
**1.** *Physiol.* Légère contraction présentée par un muscle au repos, participant à l'équilibre, à la posture et à la motricité. **2.** Fig. Vitalité, dynamisme : *Avoir du* **tonus**. 1865 ; lat. *tonus*, du gr. *tonos*, « tension » ; [tɔnys].

**TOP (I),** subst. m.
**1.** Signal sonore marquant le début ou la fin d'une action : *Donner le* **top**. **2.** *Télév.* Brève impulsion électrique servant à indiquer le synchronisme avec l'image. 1859 ; onomat. ; [tɔp].

**TOP (II),** subst. m. inv.
Fam. *Le* **top** : ce qu'il y a de mieux. ► Empl. adj. Supérieur, formidable : *Elle est* **top**, *ta voiture.* Ell. de *top niveau*, formé de l'angl. *top*, « sommet », et de *niveau* ; [tɔp].

**TOPAZE,** subst. f.
*Minér.* Pierre fine, de couleur jaune à bleu verdâtre ou incolore, qui provient de filons associés au granite. ► Ext. Pierre de couleur jaune. ► Empl. adj. inv. D'un jaune intense et translucide. Fin XIe s. ; lat. *topazus*, du gr. *topazos* ; [tɔpaz].

**TOPER,** verbe intrans. [3]
Accepter une proposition, un enjeu, en se tapant mutuellement dans la main : **Tope** *là !*, c'est d'accord. Mil. XVIIe s. (XIIe s., appliquer) ; mot d'orig. onomat. ; [tɔpe].

**TOPETTE,** subst. f.
Petite bouteille longue et étroite ; son contenu. Mil. XVIIIe s. ; anc. bas frq. °*toppin*, « pot » ; [tɔpɛt].

**TOPHUS,** subst. m.
*Pathol.* Concrétion de cristaux d'acide urique qui se développe sous la peau, sur le bord du pavillon de l'oreille et autour des articulations chez les malades atteints de la goutte. ▭ Mil. XVIe s. ; lat. *tofus, tophus,* « tuf » ; [tɔfys].

**TOPIAIRE,** adj. et subst. f.
Se dit de l'art de tailler les arbres, arbrisseaux et arbustes selon des formes recherchées. ▭ XVIe s. ; lat. *topiarius,* « jardinier » ; [tɔpjɛʀ].

**TOPINAMBOUR,** subst. m.
*Bot.* Plante vivace à gros capitule floral, de la famille des Astéracées, dont les racines comportent des tubercules comestibles ; le tubercule. ▭ Fin XVIe s. ; *Tupinamba,* anc. peuple du Brésil ; [tɔpinɑ̃buʀ].

**TOPIQUE,** subst. et adj.
SUBST. MASC. **1.** *Log.* Lieu commun : *« Les topiques » d'Aristote* ; empl. adj., relatif aux lieux communs : *Logique **topique**.* **2.** *Pharm.* Substance médicamenteuse qui agit à l'endroit du corps où elle est appliquée ; empl. adj. : *Un remède **topique**.* **3.** *Ling.* Sujet, thème du discours. SUBST. FÉM. **1.** *Rhét.* Théorie des lieux communs, des catégories générales. **2.** *Psychanal.* Représentation théorique des diverses parties de l'appareil psychique. ADJ. **1.** *Antiq.* Qui protège un lieu, en parlant d'une divinité. **2.** Qui est en adéquation avec ce dont on parle : *Remarque **topique**.* ▭ Fin XIVe s. ; lat. *topicus,* du gr. *topikos,* de *topos,* « lieu ; lieu commun » ; [tɔpik].

**TOPLESS,** adj. inv.
Qui a les seins nus (anglic.). ▭ V. 1970 ; anglo-amér. *topless,* de *top,* « haut », et de *-less,* « sans » ; [tɔplɛs].

**TOP-MODÈLE,** subst. m.
Mannequin-vedette. ▭ XXe s. ; angl. *top model,* de *top,* « sommet ; premier », et de *model,* « mannequin » ; plur. *top-modèles,* var. *top model* (plur. *top models*) ; [tɔpmɔdɛl].

**TOPO,** subst. m.
**1.** Plan (vieilli). **2.** Fam. Exposé. ► Loc. *Le même **topo*** : la même chose. ▭ Mil. XIXe s. ; apocope de *topographie* ; [tɔpo].

**TOPOGRAPHE,** subst.
Spécialiste de la topographie. ▭ XVIe s. ; ☞ *topographie* ; [tɔpɔgʀaf].

**TOPOGRAPHIE,** subst. f.
**1.** Vx. Description minutieuse d'un lieu. **2.** Technique d'établissement des cartes et des plans de terrains, comportant le relevé de toutes leurs caractéristiques essentielles ; par méton., transposition graphique d'un site. **3.** Configuration d'un lieu : *Guide qui connaît bien la **topographie** de sa région.* ▭ Fin XVe s. ; gr. *topographia* ; [tɔpɔgʀafi].

**TOPOGRAPHIQUE,** adj.
Relatif à la topographie. ▭ 1567 ; ☞ *topographie* ; [tɔpɔgʀafik].

**TOPOGUIDE,** subst. m.
Guide topographique de randonnée. ▭ 1910 ; ☞ *guide* + *topo-* ; var. *topo-guide* (plur. *topo-guides*) ; [tɔpogid].

**TOPOLOGIE,** subst. f.
Branche des mathématiques née de l'étude, sur les surfaces et dans l'espace, des propriétés conservées par une déformation continue ; les notions fondamentales de voisinage, de limite, de continuité y sont notamment définies. ► ***Topologie** sur un ensemble E* : ensemble $\mathcal{T}$ de parties de E, tel que E et l'ensemble vide appartiennent à $\mathcal{T}$, toute réunion d'éléments de $\mathcal{T}$ appartient à $\mathcal{T}$, l'intersection de deux éléments de $\mathcal{T}$ appartient à $\mathcal{T}$. Les éléments de $\mathcal{T}$ sont les parties ouvertes, ou les ouverts, de la **topologie.** ▭ 1933 (1876, connaissance des lieux) ; formé de *topo-* et de *-logie* ; [tɔpɔlɔʒi].

**TOPOLOGIQUE,** adj.
*Math.* Relatif à la topologie. ► *Espace **topologique*** : couple (E, $\mathcal{T}$) formé par un ensemble E et une topologie $\mathcal{T}$ sur E. ► *Groupe (anneau, corps, espace vectoriel) **topologique*** : groupe (anneau, par ex.) muni d'une topologie pour laquelle la ou les lois de composition est ou sont continues. ▭ 1948 (1846, relatif aux lieux) ; ☞ *topologie* ; [tɔpɔlɔʒik].

**TOPOMÉTRIE,** subst. f.
Ensemble des mesures prises sur le terrain pour effectuer un relevé métrique destiné à l'élaboration d'une carte. ▭ V. 1900 ; formé de *topo-* et de *-métrie* ; [tɔpɔmetʀi].

**TOPONYME,** subst. m.
*Ling.* Nom de lieu : *« Corbillard » est issu du **toponyme** « Corbeil ».* ▭ 1876 ; ☞ *toponymie* ; [tɔpɔnim].

**TOPONYMIE,** subst. f.
*Ling.* **1.** Dans une langue, ensemble des noms de lieux d'une région, d'un pays. **2.** Branche de la linguistique qui étudie les noms de lieux. ▭ Mil. XIXe s. ; formé de *topo-* et de *-onymie* ; [tɔpɔnimi].

**TOQUADE,** subst. f.
Engouement subit, gén. éphémère, pour qqch. ou qqn (fam.). ▭ Mil. XIXe s. ; ☞ *toquer* ; var. *tocade* ; [tɔkad].

**TOQUANTE,** voir **TOCANTE**

**TOQUARD,** voir **TOCARD**

**TOQUE,** subst. f.
**1.** Coiffe cylindrique sans bords, ou à très petits bords : ***Toque** d'astrakan* ; ***Toque** de cuisinier, de juge.* **2.** Casquette de jockey : *Casaque verte, **toque** cerise.* ▭ Mil. XVe s. ; esp. *toca* ou ital. *tocca* ; [tɔk].

**TOQUÉ, ÉE,** adj. et subst.
Se dit d'une personne qui a le cerveau dérangé ou qui a un comportement bizarre (fam.). ▭ 1829 ; p. p. de *toquer* (vx), « frapper discrètement » ; [tɔke].

**TOQUER (SE),** verbe pronom. [3]
***Se toquer** de* : éprouver une passion soudaine pour (fam.). ▭ 1642 ; ☞ *toque* ; [tɔke].

**TORANA,** subst. m.
*Archit.* En Inde, portique voûté orné de sculptures, surmontant une porte, un mur ou des piliers, en partic. d'un stupa. ▭ Skr. *toraṇa,* « arc, cintre, voûte » ; [tɔʀana].

**TORCHE,** subst. f.
**I. 1.** Bouchon de paille servant à protéger des objets transportés. ► Ext. Rouleau de linge que l'on place sur la tête pour porter des charges. **2.** *Se mettre en **torche*** : se mettre en torsade, en parlant d'un parachute qui ne se déploie pas et ne ralentit pas la chute. **3.** Brin d'osier servant à consolider un ouvrage de vannerie. **II. 1.** Bâton en corde tendue, enduit d'une matière inflammable, utilisé comme flambeau. ► ***Torche** électrique* : lampe de poche, à pile, de forme cylindrique. **2.** *Techn.* Dispositif servant à brûler les gaz non utilisés, dans une installation pétrolière (synon. *torchère*). ▭ XIIe s. ; lat. pop. °*torca,* du lat. *torques,* « collier » ; [tɔʀʃ].

**TORCHER,** verbe trans. [3]
**1.** Pop. Frotter (qqch.) pour le nettoyer : ***Torcher** un plat.* ► Essuyer le derrière de (un enfant) ; empl. pronom. : *Se **torcher** les fesses* ; au fig. : *S'en **torcher**,* s'en moquer. **2.** Recouvrir de torchis (un mur). **3.** Ext. Faire à la hâte, bâcler (fam.) : ***Torcher** un article.* ▭ XIIe s. ; ☞ *torche* ; [tɔʀʃe].

**TORCHÈRE,** subst. f.
**1.** Grand candélabre qui supporte des flambeaux de cire (vx). **2.** Grand récipient en métal contenant des matières combustibles, utilisé pour éclairer des lieux publics en certaines occasions (vieilli). **3.** *Techn.* Torche : *Les **torchères** d'un champ de pétrole.* ▭ 1653 ; ☞ *torche* ; [tɔʀʃɛʀ].

**TORCHIS,** subst. m.
Mélange de terre grasse et de paille hachée, utilisé comme mortier. ▭ 1265 ; ☞ *torcher* ; [tɔʀʃi].

**TORCHON,** subst. m.
**1.** Vx. Bouchon de paille. **2.** Pièce de toile utilisée pour essuyer la vaisselle. ► Fig. *Coup de **torchon*** : bagarre ; élimination, dans un groupe, des éléments indésirables. ► Belg. Serpillière. ► Loc. fam. *Ne pas mélanger les **torchons** et les serviettes* : faire des distinctions entre les personnes selon leur niveau social ; *Le **torchon** brûle (entre eux)* : il y a entre eux un sujet de querelle, de discorde. **3.** Écrit médiocre (fam.). **4.** *Papet. Papier **torchon*** : fabriqué avec certains chiffons, utilisé pour la gouache et l'aquarelle. ▭ Fin XIIe s. ; ☞ *torcher* ; [tɔʀʃɔ̃].

**TORCHONNER,** verbe trans. [3]
**1.** Vx. Nettoyer avec un torchon. **2.** Exécuter (une tâche) hâtivement et sans soin (fam.). ▭ 1852 (1452, rosser) ; ☞ *torchon* ; [tɔʀʃɔne].

**TORCOL,** subst. m.
*Zool.* Oiseau grimpeur au plumage brun, au cou très flexible, de la famille des Picidés. ▭ 1555 (1534, hypocrite) ; crois. de *tordre* et de *col,* « cou » ; [tɔʀkɔl].

**TORDAGE,** subst. m.
*Text.* Opération qui consiste à joindre les fils d'une chaîne terminée à ceux d'une nouvelle en les tordant. ▭ 1723 ; ☞ *tordre* ; [tɔʀdaʒ].

**TORDANT, ANTE,** adj.
Très comique, désopilant (fam.). ▭ 1896 ; p. pr. de *tordre* ; [tɔʀdɑ̃, ɑ̃t].

**TORD-BOYAUX,** subst. m. inv.
Eau-de-vie très forte, âcre au goût et de mauvaise qualité (fam.). ▭ 1855 ; comp. de *tordre* et de *boyau* ; [tɔʀbwajo].

**TORDEUR, EUSE,** subst.
*Text.* Personne chargée de tordre la laine, le fil ; personne qui installe les pièces de soie sur le métier. FÉM. **1.** *Zool.* Chenille de divers papillons de la famille des Tortricidés, qui roule en cornets des feuilles en les liant avec des fils de soie pour se construire un étui protecteur. **2.** *Techn.* Machine servant à tordre ensemble des fils métalliques pour en faire des câbles. ▭ XIVe s. ; ☞ *tordre* ; [tɔʀdœʀ, øz].

**TORD-NEZ,** subst. m. inv.
*Vétér.* Instrument servant à pincer le nez d'un cheval pour qu'il reste immobile pendant qu'on le soigne. ▭ 1837 ; comp. de *tordre* et de *nez* ; [tɔʀne].

**TORDOIR,** subst. m.
Bâton, appareil ou machine servant à tordre ou à serrer. ▭ 1259 ; ☞ *tordre* ; [tɔʀdwaʀ].

**TORDRE,** verbe trans. [51]
**1.** Soumettre à une torsion : ***Tordre** une serviette mouillée* ; torsader. **2.** Tourner plus ou moins fortement (une partie du corps) : ***Tordre** le bras de son adversaire* ; au fig. : *L'angoisse lui **tord** le ventre.* ► Loc. ***Tordre** le cou à qqn* : le tuer (fam.). **3.** Déformer en pliant, en courbant : ***Tordre** un clou, une fourchette* ; *Des rafales de vent **tordaient** les branches.* PRONOM. **1.** S'enrouler en torsade. **2.** Se contorsionner sous l'effet d'un choc : *Visage qui se **tord** de rage.* ► Loc. *Se **tordre** (de rire)* : rire sans retenue (fam.). **3.** Faire un mouvement qui plie violemment (un membre) : *Se **tordre** le poignet.* **4.** Être déformé, par pression, flexion, ondulation. ▭ XIIIe s. ; lat. pop. °*torcere,* du lat. *torquere* ; [tɔʀdʀ].

**TORDU, UE,** adj.
**1.** Dévié, déformé : *Roue **tordue*** ; *Bouche **tordue**.* **2.** Fig. Bizarre, compliqué à l'excès (fam.) : *Avoir l'esprit **tordu*** ; empl. subst. : *C'est une vraie **tordue** !* ▭ 1680 ; p. p. de *tordre* ; [tɔʀdy].

**TORE,** subst. m.
**1.** *Archit.* Moulure saillante, arrondie, qui entoure la base d'un pilier. **2.** *Géom.* Surface engendrée par un cercle tournant autour d'une droite située dans son plan et ne contenant pas son centre. ▭ XVIe s. ; ital. *toro,* du lat. *torus,* « renflement » ; [tɔʀ].

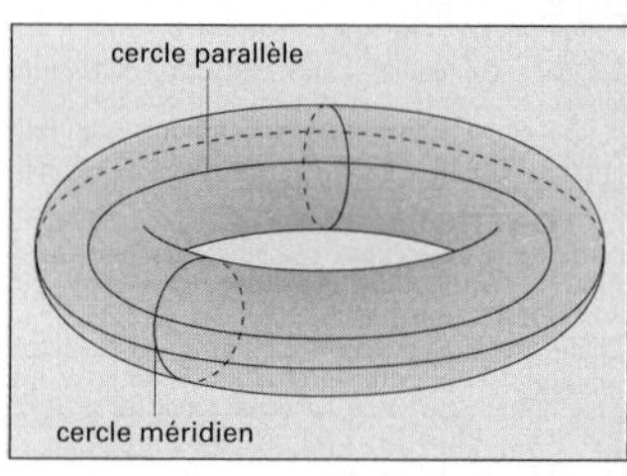


*Tore.*

**TORÉADOR,** subst. m.
Torero (vx). ▭ 1659 ; esp. *toreador* ; [tɔʀeadɔʀ].

**TORÉER,** verbe intrans. [7]
Affronter un taureau selon les règles de la tauromachie. ▭ 1926 ; esp. *torear* ; [tɔʀee].

**TORERO,** subst. m.
*Taurom.* Homme qui combat le taureau, dans une corrida. ▭ 1782 ; mot esp. ; var. conseillée *toréro* ; [tɔʀeʀo].

**TOREUTIQUE,** subst. f.
*B.-a.* Art de travailler en relief les matières dures (métaux, marbre, bois, etc.). ▭ 1812 ; gr. *toreutikê,* de *toreuein,* « ciseler, graver » ; [tɔʀøtik].

**TORGNOLE,** subst. f.
Gifle violente, coup (fam.) : *Sa grossièreté lui a valu une **torgnole**.* ▭ 1761 ; anc. fr. *tourniole,* de *tornoiier,* « tournoyer » ; [tɔʀɲɔl].

**TORII,** subst. m. inv.
*Archit.* Portique ornant l'entrée des temples shintoïstes japonais. ▭ 1893 ; mot jap. ; [tɔʀii].

**TORIL,** subst. m.
*Taurom.* Enceinte dans laquelle sont enfermés les taureaux avant une corrida. ▭ 1765 ; esp. *toril,* de *toro,* « taureau » ; [tɔʀil].

**TORMENTILLE,** subst. f.
*Bot.* Potentille à fleurs jaunes, de la famille des Rosacées. 🕮 Fin XIII^e s. ; lat. médiév. *tormentilla*, du lat. *tormentum*, « tourment », cette plante possédant des vertus curatives ; [tɔʀmɑ̃tij].

**TORNADE,** subst. f.
*Météor.* Très violent coup de vent tourbillonnant et localisé. ▶ Loc. *Comme une* ***tornade*** : brusquement. 🕮 1655 ; esp. *tornado*, de *tornar*, « tourner » ; [tɔʀnad].

**TOROÏDAL, ALE, AUX,** adj.
Qui est en forme de tore ; relatif au tore. 🕮 1908 ; ☞ *tore* + *-oïdal* ; [tɔʀɔidal, o].

**TORON,** subst. m.
Assemblage par torsion de fils textiles ou métalliques. 🕮 1677 ; lat. *torus*, « renflement ; corde » ; [tɔʀɔ̃].

**TORONNEUSE,** subst. f.
Machine servant à tordre les torons d'un câble. 🕮 1949 ; ☞ *toron* ; [tɔʀɔnøz].

**TORPÉDO,** subst. f.
Type d'automobile ancienne, décapotable, de forme allongée. 🕮 1910 ; angl. *torpedo*, du lat. *torpedo*, « poisson torpille » ; [tɔʀpedo].

**TORPEUR,** subst. f.
Engourdissement physique et psychique ; léthargie ; au fig. : *La* ***torpeur*** *d'une ville en été.* 🕮 1470 ; lat. *torpor*, de *torpere*, « être engourdi » ; [tɔʀpœʀ].

**TORPIDE,** adj.
**1.** Littér. Qui est dans un état de torpeur ; qui en présente les signes. **2.** *Pathol.* Qualifie une affection qui évolue de façon continue sans modification de ses signes cliniques : *Un ulcère* ***torpide***. 🕮 1823 (1531, engourdi) ; lat. *torpidus* ; [tɔʀpid].

**TORPILLAGE,** subst. m.
**1.** Action de torpiller ; son résultat. **2.** Fig. Action de faire échouer un plan, une idée, etc. : ***Torpillage*** *d'un projet.* 🕮 1915 ; ☞ *torpiller* ; [tɔʀpijaʒ].

**TORPILLE,** subst. f.
**1.** *Zool.* Poisson marin cartilagineux, au corps plat comme celui de la raie, mais circulaire, long de 1 mètre environ, qui possède, de part et d'autre de la tête, un organe produisant des décharges électriques (synon. *raie électrique*) ; en appos. : *Poisson* ***torpille***. **2.** *Arm.* Engin de guerre sous-marin chargé d'explosifs, lancé d'un navire, d'un sous-marin ou d'un avion sur des cibles maritimes ; par anal., bombe à ailettes lancée sur un objectif terrestre. 🕮 1538 ; prov. *torpio*, du lat. *torpedo* ; [tɔʀpij].

**TORPILLER,** verbe trans. [3]
**1.** Vx. Garnir de torpilles. **2.** Faire exploser au moyen de torpilles. **3.** Fig. Faire échouer (qqn, un projet...) par des manœuvres sournoises. 🕮 1872 ; ☞ *torpille* ; [tɔʀpije].

**TORPILLEUR,** subst. m.
**1.** Marin chargé de la manœuvre des torpilles (vx). **2.** Navire de faible tonnage, rapide, armé de torpilles (vieilli). 🕮 1872 ; ☞ *torpille* ; [tɔʀpijœʀ].

**TORQUE (I),** subst. m.
**1.** *Archéol.* Collier de métal rigide, d'origine celte, porté par les soldats romains. **2.** Anal. Collier rigide. 🕮 Déb. XIII^e s. ; lat. *torques* ; [tɔʀk].

**TORQUE (II),** subst. f.
**1.** *Techn.* Rouleau de fil de fer. **2.** *Hérald.* Tortil figurant sur le heaume ou le cimier. 🕮 1419 (1250, ballot de drap) ; var. pic. de *torche* ; [tɔʀk].

**TORR,** subst. m.
*Phys.* Unité de mesure de pression équivalant à 1 mm de mercure ou à 1/760 d'atmosphère. 🕮 1953 ; anthropon. *Evangelista Torricelli*, physicien italien ; [tɔʀ].

**TORRÉFACTEUR,** subst. m.
**1.** Appareil servant à la torréfaction. **2.** Commerçant qui torréfie lui-même le café qu'il vend. 🕮 Mil. XIX^e s. ; ☞ *torréfaction* ; [tɔʀefaktœʀ].

**TORRÉFACTION,** subst. f.
Action de torréfier. 🕮 1576 ; lat. *torrefacere*, « torréfier » ; [tɔʀefaksjɔ̃].

**TORRÉFIER,** verbe trans. [6]
Soumettre (des grains) à une grande chaleur jusqu'à un début de carbonisation ; griller. 🕮 Déb. XVI^e s. ; lat. *torrefacere* ; [tɔʀefje].

**TORRENT,** subst. m.
**1.** *Géogr.* Cours d'eau de montagne, à débit rapide et irrégulier, coulant sur une pente abrupte. **2.** Anal. Masse liquide qui se répand avec abondance : ***Torrent*** *de boue.* ▶ Loc. *Il pleut à* ***torrents*** : beaucoup. **3.** Fig. Déferlement : ***Torrent*** *d'injures.* 🕮 XII^e s. ; lat. *torrens*, de *torrere*, « brûler » ; [tɔʀɑ̃].

**TORRENTIEL, ELLE,** adj.
Relatif aux torrents ; par anal. : *Averse* ***torrentielle***. 🕮 1832 ; ☞ *torrent* ; [tɔʀɑ̃sjɛl].

**TORRENTUEUX, EUSE,** adj.
Littér. **1.** Qui forme un torrent : *Flots* ***torrentueux***. **2.** Fig. Impétueux, tel un torrent : *Vie* ***torrentueuse***. 🕮 1823 ; ☞ *torrent* ; [tɔʀɑ̃tɥø, øz].

**TORRIDE,** adj.
**1.** Où la chaleur est intense ; par ext. : *Soleil* ***torride***. **2.** Fig. Sensuel, érotique : *Aventure* ***torride***. 🕮 1495 ; lat. *torridus*, de *torrere*, « brûler » ; [tɔʀid].

**TORS, TORSE,** adj. et subst. m.
Adj. **1.** Tordu : *Fils* ***tors***. ▶ *Archit. Colonne* ***torse*** : dont le fût est en spirale. **2.** Difforme, tordu, en parlant d'une partie du corps : *Jambes* ***torses***. Subst. *Text.* Degré de torsion donné aux brins d'un fil ou d'un cordage. 🕮 XIII^e s. (fin XII^e s., torsades) ; anc. p. p. de *tordre* ; [tɔʀ, tɔʀs].

**TORSADE,** subst. f.
**1.** Rouleau de fils, de rubans tordus en hélice, servant d'ornement. **2.** Forme obtenue par torsion : ***Torsade*** *de cheveux.* ▶ *Tricot à* ***torsades*** : dont les mailles s'entrecroisent en **torsades**. **3.** *Archit.* Motif en spirale. 🕮 1818 ; ☞ *tors* ; [tɔʀsad].

**TORSADER,** verbe trans. [3]
Tordre, rouler en torsade : ***Torsader*** *de la laine.* 🕮 1845 ; ☞ *torsade* ; [tɔʀsade].

**TORSE,** subst. m.
**1.** Sculpure tronquée représentant un corps humain sans tête ni membres. **2.** Buste d'un être humain : *Être* ***torse*** *nu*, ne porter aucun vêtement sur le haut du corps. ▶ Loc. fig. *Bomber le* ***torse*** : se rengorger. 🕮 1676 ; ital. *torso*, du lat. *thyrsus*, « thyrse » ; [tɔʀs].

**TORSEUR,** subst. m.
*Math.* Couple $(\vec{R}, \vec{\mathcal{M}})$ où $\vec{R}$ est un vecteur de l'espace $\mathbb{R}^3$ (la résultante) et $\vec{\mathcal{M}}$ un champ de vecteurs de $\mathbb{R}^3$ (le champ de moments) tel que pour tout couple de points (A, B) de l'espace, $\vec{\mathcal{M}}(B) = \vec{\mathcal{M}}(A) + \vec{BA} \wedge \vec{R}$. Un **torseur** est entièrement déterminé par ses éléments de réduction en un point A, $(\vec{R}, \vec{\mathcal{M}}(A))$, où $\vec{\mathcal{M}}(A)$ est le moment en A du **torseur**. 🕮 1904 ; ☞ *tors* ; [tɔʀsœʀ].

**TORSION,** subst. f.
**1.** Action de tordre ; son résultat : ***Torsion*** *d'un câble, d'un membre.* **2.** *Arboric.* Action de tordre le tronc ou les branches d'un arbre pour empêcher la montée de la sève. **3.** *Géom. Fonction de* ***torsion*** *d'un arc géométrique gauche de l'espace (assez régulier, classe* $C^3$*) sans point stationnaire* : fonction définie sur l'arc, à valeurs numériques, caractérisant la non-planéité de l'arc (cette fonction est identiquement nulle si et seulement si l'arc est plan). **4.** *Pathol.* ***Torsion*** *de testicule* : accident aigu au cours duquel le pédicule testiculaire se tord sur lui-même. **5.** *Phys.* Déformation d'un solide possédant un axe de symétrie longitudinal et soumis partiellement à des forces d'action transversales. ▶ *Barre de* ***torsion*** : barre métallique tordue et élastique, qui agit comme un ressort. 🕮 1314 (XIII^e s., colique) ; bas lat. *torsio*, du lat. *torquere*, « tordre » ; [tɔʀsjɔ̃].

*Torrent de montagne.*

© P. Olivon-Jacana

**TORT,** subst. m.
**1.** Action ou état opposé à la raison, à la justice. ▶ Loc. *Avoir* ***tort*** : être dans l'erreur, se tromper ; *Avoir* ***tort*** *de faire, de dire qqch.* : commettre une erreur en le faisant, en le disant ; *Être en* ***tort*** : être fautif ; *Donner* ***tort*** *à qqn* : le désapprouver ; *À* ***tort*** : injustement ; *À* ***tort*** *et à travers* : inconsidérément ; *À* ***tort*** *ou à raison* : avec ou sans raison valable. **2.** Action ou état condamnable ; erreur, faute : *Avouer ses* ***torts***. **3.** Dommage, préjudice : *Faire du* ***tort*** *à qqn*, lui nuire. 🕮 Fin X^e s. ; lat. pop. *tortum*, « ce qui est tordu » ; [tɔʀ].

**TORTICOLIS,** subst. m.
**1.** *Pathol.* Torsion douloureuse du cou, souv. due à une contracture du sterno-cléido-mastoïdien. **2.** Ext. Gêne, raideur du cou résultant d'une mauvaise position. 🕮 1562 (1535, faux dévots) ; ital. *torti colli*, « cous tordus » ; [tɔʀtikɔli].

**TORTIL,** subst. m.
*Hérald.* **1.** Torsade de deux rubans entourant la tête, dont les bouts pendent sur la nuque. **2.** Cercle d'or entouré par un chapelet de perles, couronne des barons. 🕮 1582 ; ☞ *tortis* ; [tɔʀtil].

**TORTILLA,** subst. f.
**1.** Galette de maïs. **2.** Omelette aux pommes de terre et aux oignons. 🕮 1891 ; hisp.-amér. *tortilla*, de l'esp. *torta*, « tourte » ; [tɔʀtija].

**TORTILLAGE,** subst. m.
Action de tortiller, de se tortiller (vieilli). 🕮 1812 (1677, expression confuse) ; ☞ *tortiller* ; [tɔʀtijaʒ].

**TORTILLARD,** subst. m.
Petit train d'intérêt local au trajet sinueux (fam.). 🕮 1907 (1700, sens agricole) ; ☞ *tortiller* ; [tɔʀtijaʀ].

**TORTILLE,** subst. f.
Allée de parc ou de jardin étroite et sinueuse (vx). 🕮 1835 ; ☞ *tortiller* ; [tɔʀtij].

**TORTILLEMENT,** subst. m.
Action de tortiller ; fait de se tortiller. 🕮 1547 ; ☞ *tortiller* ; [tɔʀtijmɑ̃].

**TORTILLER,** verbe [3]
Trans. Tordre plusieurs fois : ***Tortiller*** *sa cravate.* Intrans. **1.** ***Tortiller*** *des hanches* : se dandiner. **2.** Loc. *Il n'y a pas à* ***tortiller*** : il ne faut pas hésiter (fam.). Pronom. Se tourner d'un côté, de l'autre, se trémousser : *Se* ***tortiller*** *sur sa chaise.* 🕮 Déb. XIII^e s. ; ☞ *entortiller* ; [tɔʀtije].

**TORTILLON,** subst. m.
**1.** Chose que l'on a tortillée : *Un* ***tortillon*** *de papier.* **2.** Bourrelet que l'on pose sur la tête pour porter un fardeau. **3.** *B.-a.* Estompe en papier roulé. 🕮 1402 ; ☞ *tortiller* ; [tɔʀtijɔ̃].

**TORTIONNAIRE,** subst.
Masc. *Hist.* Bourreau qui torturait les condamnés. Masc. et Fém. Personne qui inflige des tortures. 🕮 1832 (1412, intolérable) ; lat. médiév. *tortionarius*, du bas lat. *tortionare*, « torturer » ; [tɔʀsjɔnɛʀ].

**TORTIS,** subst. m.
Assemblage de fils tordus ensemble. 🕮 1740 (fin XII^e s., torche) ; anc. fr. *tortiz*, « tordu », du lat. *torquere*, « tordre » ; [tɔʀti].

**TORTORER,** verbe trans. [3]
Manger (argot. et vx). 🕮 1866 ; prov. *tourtoura*, « tordre », d'apr. *tortiller*, « manger vite » ; [tɔʀtɔʀe].

**TORTRICIDÉS,** subst. m. plur.
*Zool.* Famille de papillons aux ailes antérieures presque quadrangulaires, dont les chenilles de certaines espèces sont appelées tordeuses. Au sing. *La pyrale de la vigne est un* ***tortricidé***. 🕮 1876 ; lat. sc. *tortrix*, du lat. *tortor*, « celui qui fait tournoyer » ; [tɔʀtʀiside].

**TORTU, UE,** adj.
Littér. Tortueux, difforme ; au fig., retors. 🕮 1230 ; ☞ *tort* ; [tɔʀty].

**TORTUE,** subst. f.
**1.** *Zool.* Reptile de l'ordre des Chéloniens, qui se caractérise par une enveloppe osseuse dont la partie supérieure (carapace) est gén. couverte d'écailles cornées, par des pattes courtes (parfois des nageoires), par un bec corné et par une queue très courte. On distingue les **tortues** marines, les **tortues** d'eau douce et les **tortues** terrestres, aux déplacements très lents. ▶ Anal. Personne très lente. **2.** *Antiq. rom.* Abri de combat des soldats qui imbriquent leurs boucliers au-dessus d'eux pour se

Tortue éléphantine des Galapagos.

Tortue molle.

Tortue radiée de Madagascar.

protéger des projectiles ; machine de guerre utilisée pour donner l'assaut. Fin XIIe s. ; anc. prov. *tartuga*, du lat. pop. °*tartaruca*, « du Tartare, des Enfers » ; [tɔʀty].

**TORTUEUX, EUSE,** adj.
**1.** Sinueux, formé de courbes nombreuses : *Rivière **tortueuse**.* **2.** Fig. Qui use de détours : *Explication **tortueuse**.* 1314 (fin XIIe s., subtil, compliqué) ; lat. *tortuosus* ; [tɔʀtɥø, øz].

**TORTURANT, ANTE,** adj.
Qui torture. 1480 ; p. pr. de *torturer* ; [tɔʀtyʀɑ̃, ɑ̃t].

**TORTURE,** subst. f.
**1.** Souffrance physique ou morale intolérable. **2.** *Hist.* Châtiment grave, infligé par voie de justice, pouvant entraîner la mort (synon. *question*) : *Faire subir la **torture**.* ▶ Souffrance infligée à qqn, gén. pour lui faire avouer qqch. **3.** Loc. *Instruments de **torture*** : servant à torturer ou, au fig., qui font souffrir ; *Mettre qqn à la **torture*** : l'embarrasser au plus haut point. Fin XIIe s. ; bas lat. *tortura*, du lat. *torquere*, « tordre ; tourmenter » ; [tɔʀtyʀ].

**TORTURER,** verbe trans. [3]
**1.** *Hist.* Soumettre (qqn) à la torture. **2.** Faire subir des tortures à (qqn) pour le faire avouer. **3.** Anal. Faire souffrir physiquement ou moralement ; tourmenter : ***Torturer** un animal* ; *Le doute le **torture*** ; empl. adj., marqué par la souffrance, tourmenté : *Visage, sculpture, style **torturé**.* **4.** Fig. Déformer, dénaturer : ***Torturer** un texte de loi.* PRONOM. Loc. *Se **torturer** la cervelle* : réfléchir très intensément. 1480 ; ☞ *torture* ; [tɔʀtyʀe].

**TORVE,** adj.
*Œil **torve*** : au regard oblique, malveillant. 1532 ; lat. *torvus*, « qui se tourne de côté » ; [tɔʀv].

**TORY,** subst. m.
Membre du parti conservateur de Grande-Bretagne ; empl. adj. : *Le parti **tory**.* 1704 ; mot angl. ; plur. *torys* ou *tories* ; [tɔʀi].

**TOSCAN, ANE,** adj. et subst.
De Toscane. ADJ. *Archit. Ordre **toscan*** ou, empl. subst. masc., *Le **toscan*** : ordre romain d'origine étrusque, proche du dorique, mais d'un style plus dépouillé. SUBST. MASC. Dialecte ancien parlé en Toscane, base de l'italien. Mil. XIIIe s. ; ital. *toscano*, du lat. *tuscanus*, « étrusque, toscan » ; [tɔskɑ̃, an].

**TOSSER,** verbe intrans. [3]
*Mar.* Cogner fortement contre qqch. sous l'effet de la houle, en parlant d'un bateau. Orig. inc. ; [tɔse].

**TÔT,** adv.
**1.** Vx. Vite. ▶ Loc. *Avoir **tôt** fait de* : vite fait de. **2.** Dans un délai rapproché. ▶ Loc. *Le plus **tôt** possible* : dans les meilleurs délais ; *Ce n'est pas trop **tôt** !* : enfin ! (fam.). **3.** Avant le moment habituel (anton. *tard*) : *Plus **tôt** que prévu* ; *Se lever **tôt***, de bonne heure. ▶ Loc. *Au plus **tôt***, pas avant ; ***Tôt** ou tard* (☞ *tard*). Fin IXe s. ; lat. pop. °*tostum*, « chaudement ; vite », du lat. *torrere*, « brûler, griller » ; [to].

**TOTAL, ALE, AUX,** adj. et subst.
ADJ. **1.** À quoi il ne manque rien, absolu : *Confiance **totale*** ; qui concerne toutes les parties de qqch., complet : *Ruine **totale**.* **2.** *Math. Ordre **total** sur un ensemble E* : relation d'ordre sur E telle que deux éléments quelconques de E sont comparables. SUBST. MASC. Somme de plusieurs éléments, nombre **total** : *Faire le **total***, additionner. ▶ Loc. *Au **total*** : en tout ou, au fig., en fin de compte. SUBST. FÉM. Fam. **1.** *Chir.* Ablation de l'utérus et des ovaires. **2.** Loc. *C'est la **totale** !* : le comble des ennuis. 1361 ; lat. médiév. *totalis*, du lat. *totus*, « tout entier » ; [tɔtal, o].

**TOTALEMENT,** adv.
Entièrement, complètement : ***Totalement** détruit.* ▶ *Math. Ensemble **totalement** ordonné* : ensemble muni d'un ordre total. 1361 ; ☞ *total* ; [tɔtalmɑ̃].

**TOTALISANT, ANTE,** adj.
*Philos.* Qui tend à englober, à synthétiser l'ensemble des éléments d'un phénomène : *Pensée **totalisante**.* 1946 ; p. pr. de *totaliser* ; [tɔtalizɑ̃, ɑ̃t].

**TOTALISATEUR, TRICE,** adj. et subst. m.
Se dit d'un appareil, d'une machine qui enregistre, compte et donne le total d'une série d'opérations. 1869 ; ☞ *totaliser* ; [tɔtalizatœʀ, tʀis].

**TOTALISATION,** subst. f.
Action de totaliser. 1818 ; ☞ *totaliser* ; [tɔtalizasjɔ̃].

**TOTALISER,** verbe trans. [3]
**1.** Additionner. **2.** Compter au total : *Il **totalise** cinq victoires.* 1802 ; ☞ *total* ; [tɔtalize].

**TOTALITAIRE,** adj.
*Pol.* Qualifie un régime non démocratique interdisant toute opposition organisée, où tous les pouvoirs sont aux mains d'un parti unique, s'appuyant sur la coercition et soumettant les droits des individus à l'autorité de l'État. 1934 (1933, totalisant) ; ☞ *totalité* ; [tɔtalitɛʀ].

**TOTALITARISME,** subst. m.
Système politique des régimes totalitaires. 1936 ; ☞ *totalitaire* ; [tɔtalitaʀism].

POLITIQUE – La notion de totalitarisme ne se confond pas avec celles de dictature ou de despotisme, bien qu'il s'agisse là aussi d'antithèses de la démocratie, et bien que les conditions d'existence offertes par l'un et l'autre de ces régimes soient sensiblement les mêmes. Une dictature, despotique ou non, peut constituer ou non un régime totalitaire. Le fascisme en Italie, le nazisme en Allemagne, le communisme soviétique ou chinois sont des totalitarismes ; le Chili de Pinochet, la Grèce des colonels, le Zaïre de Mobutu sont des dictatures. À la différence de ces dernières, les régimes totalitaires n'incarnent pas seulement des formes de pouvoir monopolistiques et autoritaires ; ils se présentent comme de véritables projets de société. C'est pourquoi l'idéologie et la propagande y tiennent une place essentielle. Par elles, il ne s'agit pas seulement de soumettre les masses, mais de transformer, de remodeler l'individu afin d'en faire un rouage adapté à l'ordre social.

**TOTALITÉ,** subst. f.
**1.** Réunion des éléments ou des parties constitutives d'un ensemble ; unité organique qui en résulte : *La **totalité** des élèves d'une classe* ; *La cellule est une **totalité** biologique.* ▶ Loc. *En **totalité*** : intégralement. **2.** *Philos.* Chez Kant, catégorie de l'entendement qui assure la synthèse de l'unité et de la pluralité. 1375 ; ☞ *total* ; [tɔtalite].

**TOTEM,** subst. m.
*Anthropol.* Chez certains peuples, être mythique (animal, végétal, objet) vénéré en tant qu'ancêtre et protecteur du clan ; représentation de cet être (poteau de bois sculpté, en gén.). 1609 ; anglo-amér. *totem*, d'orig. algonquine ; [tɔtɛm].

Totem des Indiens Wakiutls de la côte nord-ouest du Canada.

**TOTÉMIQUE,** adj.
Qui est lié au totem ; relatif au totémisme. 1896 ☞ *totem* ; [tɔtemik].

**TOTÉMISME,** subst. m.
Organisation sociale fondée sur le culte du totem. 1833 ; ☞ *totem* ; [tɔtemism].

**TÔT-FAIT,** subst. m.
Pâtisserie que l'on exécute rapidement, faite de farine, d'œufs, de sucre, de lait et de beurre. 1843 comp. de *tôt* et du p. p. de *faire* (I) ; plur. *tôt-faits* ; [tofɛ].

**TOTIPOTENT, ENTE,** adj.
*Embryol.* Se dit de cellules embryonnaires ayant la capacité de se différencier en n'importe quel type de cellules. 1897 ; lat. *totus*, « tout entier », et *potens*, « puissant » ; [tɔtipɔtɑ̃, ɑ̃t].

**TOTO,** subst. m.
Pou (argot.). 1889 ; orig. onomat. ; [toto] ou [tɔ-].

**TOTON,** subst. m.
**1.** Dé traversé d'une tige, que l'on faisait tourner sur lui-même (vx). **2.** Petite toupie. 1611 ; lat. *totum*, « tout », dont le T initial figurait sur une face du dé ; [tɔtɔ̃].

**TOUAGE,** subst. m.
**1.** Système de traction par toueur. **2.** Remorquage à l'aide d'un toueur. Fin XIVe s. ; ☞ *touer* ; [twaʒ].

**TOUAILLE,** subst. f.
Essuie-mains continu, placé sur un rouleau de bois (vx). 1690 (fin XIe s., nappe, serviette) ; anc. bas frq. °*thwahlja*, « serviette » ; [twaj].

**TOUAREG, ÈGUE,** subst. et adj.
D'un peuple berbère nomade du Sahara. SUBST. MASC. Langue parlée par ce peuple. 1822 ; ar. *tawâriq* ; var. du sing. *targui, ie* (plur. *touareg[s]*) ; [twaʀɛg].

**TOUBAB,** subst. m.
En Afrique occidentale, Européen, Blanc. Mil. XXe s. ; mandingue *tubabu* ; [tubab].

**TOUBIB,** subst. m.
Médecin (fam.). 1617 ; ar. *tabib* ; [tubib].

**TOUCAN,** subst. m.
*Zool.* Oiseau grimpeur de l'ordre des Piciformes, au bec volumineux jaune orangé et au plumage éclatant, qui vit dans les régions montagneuses de l'Amérique tropicale. 1557 ; tupi *tucano* ; [tukɑ̃].

**TOUCHABLE,** adj.
**1.** Que l'on peut toucher (vx). **2.** *Fin.* Encaissable. **3.** Fig. Que l'on peut attaquer, sanctionner : *Il n'est pas **touchable**.* 1314 ; ☞ *toucher* (I) ; [tuʃabl].

**TOUCHANT (I),** prép.
Au sujet de, relativement à (littér.). Mil. XIIIe s. p. pr. de *toucher* (I) ; [tuʃɑ̃].

**TOUCHANT (II), ANTE,** adj.
Qui touche, qui émeut ; attendrissant : *Une scène **touchante**.* 1639 ; p. pr. de *toucher* (I) ; [tuʃɑ̃, ɑ̃t].

**TOUCHAU,** subst. m.
*Orfèvr.* Instrument en forme d'étoile sur lequel sont disposées de petites plaques d'alliage d'or ou d'argent de titres connus, servant à déterminer, par comparaison avec les traces laissées sur la pierre de touche, le titre d'un bijou. 1399 ; ☞ *toucher* (I) ; var. *touchaud* ; [tuʃo].

**TOUCHE,** subst. f.
**I. 1.** Vx. Bâtonnet servant à déplacer les pièces au jeu de jonchets. **2.** *Mus.* Chacun des leviers qui composent un clavier : ***Touche** noire, blanche* ; partie du manche d'un instrument à cordes où s'appliquent les doigts pour déterminer la longueur de corde vibrante. **3.** Anal. Chaque élément d'un clavier, bouton d'un dispositif, d'une machine sur lequel on appuie pour agir : ***Touches** d'une machine à écrire.* **4.** Belg. et Helv. Crayon d'ardoise. **II.** Action ou manière de toucher (qqch., qqn). **1.** *Escr.* Fait d'atteindre l'adversaire ; par méton., le point ainsi marqué. **2.** *Orfèvr.* Vérification du titre d'un métal précieux au moyen du touchau ou de la pierre de **touche**, variété de jaspe noir. ▶ Loc. fig. *Pierre de **touche*** : ce qui révèle la qualité, la valeur de qqn ou de qqch. **3.** *Pêche.* Action de mordre au leurre, en parlant du poisson. ▶ Loc. *Faire, avoir une **touche*** : être remarqué par qqn, lui plaire (fam.). **4.** *Peint.* Action, manière de poser la peinture sur la toile. ▶ Méton. Tache de couleur posée d'un coup de pinceau : *Une **touche** de bleu* ; par anal., détail qui complète ou met en valeur un ensemble : *Une **touche** d'ironie.* ▶ Fig. Manière, style propre à un auteur. **5.** Aspect général d'une personne, allure (fam.). **III.** Dans certains sports de ballon, partie du terrain située à l'extérieur des limites latérales du champ de jeu : *Ligne de **touche*** ; *Sortie en **touche**.* ▶ Loc. *Être, rester sur la **touche*** : être maintenu à l'écart de qqch. Mil. XIIe s. ; ☞ *toucher* (I) ; [tuʃ].

**TOUCHE-À-TOUT, subst. inv.**
1. Personne qui se disperse en activités multiples. 2. Personne, enfant qui a tendance à toucher à tout. 1835 ; comp. de *toucher* (I) et de *tout* ; [tuʃatu].

**TOUCHER (I), verbe trans. [3]**
TRANS. DIR. 1. Entrer en contact avec (qqn, qqch.) par l'intermédiaire d'un objet : *Toucher l'adversaire de la pointe de l'épée* ; *Toucher les bœufs*, les faire avancer avec un aiguillon ; atteindre avec un projectile : *Toucher la cible* ; *Feu !...Touché !* ▸ Fig. Entrer en communication avec (qqn) : *Toucher qqn par téléphone*. 2. Entrer en contact physique avec, porter les mains sur (qqn, qqch.) : *Toucher une étoffe* ; *Toucher du bout des doigts*, effleurer ; au fig. : *Toucher qqch. du doigt*, en avoir une perception claire. ▸ *Mus.* Porter la main sur (les touches, les cordes d'un instrument) : *Toucher le clavier* ; au fig. : *Toucher la corde sensible* (☞ *corde*). 3. Aborder, atteindre (un lieu) : *Toucher le port* ; *Toucher terre*, aborder ou atterrir. ▸ Loc. *Ne pas toucher terre* : ne pas avoir le sens des réalités (fam.). 4. Recevoir (une somme d'argent) : *Toucher une allocation* ; *Toucher un chèque*, l'encaisser ; gagner : *Toucher le gros lot*. 5. Fig. Faire impression sur (qqn) ; émouvoir ; affecter : *Sa délicatesse me touche* ; *Toucher qqn au vif*, le blesser. 6. Se trouver en contact avec, jouxter : *Sa longue traîne touchait le sol*. 7. Concerner : *Un sujet qui touche le grand public*. 8. *Toucher un mot de qqch.* : en parler brièvement. TRANS. INDIR. Toucher à. 1. Porter la main sur ; prendre, déplacer (qqch.) ; par ext., porter atteinte à (qqch., qqn) : *Toucher à un privilège*. ▸ Loc. *Avoir des airs de ne pas y toucher* : des airs faussement ingénus. 2. Modifier : *Toucher à un texte de loi*. 3. Prélever une partie de, entamer : *Toucher à ses économies* ; *Il n'a pas touché à son repas*. 4. Atteindre, arriver à (un point de l'espace ou du temps) : *Toucher au port* ; *Toucher à sa fin* ; au fig. : *Toucher au but*. 5. Aborder (un sujet) : *Nous touchons à un problème épineux*. 6. Être en contact avec, être contigu à : *Horloge qui touche au plafond*. 7. Concerner, être relatif à : *Il est imbattable sur les questions touchant au sport*. PRONOM. 1. Être en contact, être contigu : *Leurs jardins se touchent*. 2. Se masturber (fam. et vieilli). Fin XIe s. ; lat. pop. °*toccare*, d'orig. onomat. ; [tuʃe].

**TOUCHER (II), subst. m.**
1. *Physiol.* Sens par lequel le système nerveux central intègre les stimulations tactiles, thermiques et douloureuses, par l'intermédiaire de récepteurs cutanés spécifiques : *La peau est l'organe du toucher*. 2. Action, manière de toucher. ▸ *Mus.* Manière, propre à un musicien, de jouer d'un instrument à clavier ou à cordes. ▸ *Sp.* Manière de toucher, de frapper une balle, un ballon. 3. *Méd.* Mode d'examen d'une cavité naturelle qui consiste à y introduire un ou plusieurs doigts : *Toucher rectal, vaginal*. Mil. XIIe s. ; ☞ *toucher* (I) ; [tuʃe].

**TOUCHE-TOUCHE (À), loc. adv.**
En se touchant presque, en se suivant de très près (fam.) : *Des voitures à touche-touche sur le boulevard*. 1920 ; ☞ *toucher* (I) ; [atuʃtuʃ].

**TOUCHETTE, subst. f.**
*Mus.* Barrette incrustée dans le manche d'une guitare, servant à produire les demi-tons. 1844 (déb. XVIe s., pierre de touche) ; ☞ *touche* ; [tuʃɛt].

**TOUÉE, subst. f.**
1. Câble, chaîne permettant de touer. 2. Longueur du câble de remorque servant à haler un navire ; par ext., longueur de la chaîne déroulée pour le mouillage de l'ancre. 1415 ; p. p. de *touer* ; [twe].

**TOUER, verbe trans. [3]**
Faire avancer (une embarcation) en tirant sur une amarre ou sur une chaîne immergée. XIIIe s. ; prob. anc. bas frq. °*togôn*, « tirer » ; [twe].

**TOUEUR, subst. m.**
Remorqueur qui se déplace par traction sur une chaîne immergée s'enroulant sur le tambour d'un treuil porté par le bateau. 1639 ; ☞ *touer* ; [twœʀ].

**TOUFFE, subst. f.**
1. Assemblage naturel de plantes réunies par leur base ; par anal., partie dense et fournie d'un bois : *Une touffe d'arbres*. 2. *Bot.* Pied d'une plante pourvu de nombreuses tiges. 3. Ensemble de cheveux, de poils, rassemblés à leur base. 1352 ; além. °*topf*, « touffe de cheveux, toupet » ; [tuf].

**TOUFFEUR, subst. f.**
Atmosphère étouffante d'un lieu trop chaud (littér.). Déb. XVIIe s. ; aphérèse du dial. *étouffeur*, « chaleur étouffante », de *étouffer* ; [tufœʀ].

**TOUFFU, UE, adj.**
1. Qui est en touffe ; épais et fourni. 2. Anal. Qui présente des formes enchevêtrées. 3. Fig. Qui est trop dense, chargé : *Une œuvre touffue*. 1549 (1438, à houppe) ; ☞ *touffe* ; [tufy].

**TOUILLAGE, subst. m.**
Action de touiller (fam.). 1793 ; ☞ *touiller* ; [tujaʒ].

**TOUILLE, subst. f.**
Roussette, lamie (région.). 1285 ; orig. inc. ; [tuj].

**TOUILLER, verbe trans. [3]**
1. Remuer pour mélanger, brasser (fam.) : *Touiller la salade, les cartes*. 2. *Techn.* Agiter pour épurer : *Touiller la fécule*. Fin XIIe s. ; lat. *tudiculare*, « broyer, triturer » ; [tuje].

**TOUJOURS, adv.**
1. En permanence, invariablement : *Ainsi toujours poussés vers de nouveaux rivages* (Lamartine) ; *Pour toujours*, à jamais ; *Depuis toujours*, de tout temps ; *Des amis de toujours*, de très longue date. 2. De toute façon, quoi qu'il arrive, cependant : *C'est toujours mieux que rien* ; *C'est toujours ça de pris* (fam.) ; *Toujours est-il que...*, marque ce qui est certain, par oppos. à ce qui est hypothétique. 3. Encore maintenant : *Cet horaire est toujours en vigueur*. Fin XIe s. ; formé de *tout* et de *jour* ; [tuʒuʀ].

**TOULADI, subst. m.**
Québ. Grande truite d'eau douce. [tuladi].

**TOULOUPE, subst. f.**
*Cost.* Peau d'agneau ou de mouton retournée, utilisée comme vêtement d'hiver par les paysans russes. 1768 ; russe *tulup* ; [tulup].

**TOUNDRA, subst. f.**
*Géogr.* Formation végétale caractéristique des régions de climat froid, composée pour l'essentiel de mousses, de lichens et d'arbres nains : *Toundra sibérienne*. 1876 ; russe *tundra*, « steppe du nord », du lapon *tundar*, « montagne » ; [tundʀa].

**TOUNGOUSE, subst. m. et adj.**
*Ling. Langues toungouses* ou, par ell., *Le toungouse* : ensemble de langues parlées par les peuples de la Sibérie orientale, de l'extrême Nord-Est asiatique et de la Mandchourie. 1699 ; russe *tunguz* ; var. *toungouze* ; [tunguz].

**TOUPET, subst. m.**
1. Cheveux formant une touffe sur le sommet du crâne. 2. Fig. Aplomb, sans-gêne (fam.) : *Avoir du toupet*, du culot. Mil. XIIe s. ; anc. fr. *top*, de l'anc. bas frq. °*topp*, « pointe, sommet » ; [tupɛ].

**TOUPIE, subst. f.**
1. Jouet de forme conique, muni d'une pointe sur laquelle il doit rester en équilibre lorsqu'on le fait tourner. 2. Femme délurée ou désagréable (vieilli et péj.) : *Une vieille toupie*. 3. *Techn.* ▸ Machine utilisée pour tailler des moulures sur des pièces de bois. ▸ Outil de forme conique utilisé pour évaser des tuyaux. 1202 ; prob. anc. angl. *top* ; [tupi].

**TOUPILLER, verbe trans. [3]**
*Techn.* Travailler à la toupie. 1288 ; prob. anglo-norm. *topet*, « toupie » ; [tupije].

**TOUPILLEUR, EUSE, subst.**
*Techn.* Personne qui travaille à la toupie. FÉM. Machine servant à toupiller. 1904 ; ☞ *toupiller* ; [tupijœʀ, øz].

**TOUPILLON, subst. m.**
1. Vx. Petit toupet. 2. Pinceau de poils qui termine la queue des bovidés. 3. Bouquet de branches. 1414 ; ☞ *toupet* ; [tupijɔ̃].

**TOUPINER, verbe intrans. [3]**
Tourner sur soi comme une toupie (région.). Mil. XIIIe s. ; *toupin*, var. de *toupie* ; [tupine].

**TOUQUE, subst. f.**
Récipient métallique permettant de conserver et de transporter divers produits. 1927 (1470, récipient en terre) ; p.-ê. prov. *touco*, « vase en terre grossière », de *tuco*, « courge » ; [tuk].

**TOUR (I), subst. f.**
1. Construction massive, beaucoup plus haute que large, souv. édifiée à des fins défensives : *Tour d'un château fort*, donjon. ▸ Loc. *Se retirer, s'enfermer dans sa tour d'ivoire* : s'isoler. ▸ *Milit.* Construction mobile qui servait autrefois à attaquer des remparts.

© R. Mattes-Explorer

*La tour penchée (XIIe-XIVe s.) et la cathédrale romane (XIe-XIIe s.) de Pise.*

▸ *Jeux.* Pièce du jeu d'échecs qui avance en ligne droite, horizontale ou verticale. 2. Ext. Bâtiment rappelant une tour : *La tour Eiffel*. ▸ *Tour de Babel* : tour élevée à Babylone par les fils de Noé pour atteindre le ciel et, au fig., lieu où l'on parle toutes les langues. 3. Personne massive (fam.). 4. *Aéron. Tour de contrôle* : édifice dominant les bâtiments d'un aérodrome, d'où est contrôlée la circulation aérienne. 5. *Urban.* Immeuble de grande hauteur : *La tour Montparnasse*. Fin XIe s. ; lat. *turris* ; [tuʀ].

**TOUR (II), subst. m.**
1. Circonférence, contour de qqch. : *Tour de taille, de poitrine* ; *Tour de ville*, promenade bordant la ville ; par méton., accessoire se disposant autour de qqch. : *Un tour de cou*. 2. Mouvement, déplacement circulaire : *Faire trois tours de piste*. ▸ Loc. *Faire le tour de qqch.* : l'examiner à fond, sous tous les angles ; *Faire un tour de table* (☞ *table*) ; *Faire le tour du propriétaire* : visiter son logement, ses propriétés ; *Son sang n'a fait qu'un tour* : il a été saisi d'une vive peur, d'une vive colère ; *C'est reparti pour un tour* : il faut recommencer (fam.). 3. Promenade, déplacement : *Sortir faire un tour*. 4. Périple : *Faire le tour du monde*. ▸ *Sp.* Épreuve, cycliste, automobile, etc., se déroulant sur un parcours gén. en boucle : *Le Tour de France*. 5. Mouvement giratoire, rotation : *Un tour de roue* ; *Fermer la porte à double tour*. ▸ *Tour de rein* : lumbago. ▸ *Métrol.* Unité angulaire valant 360 degrés. ▸ Loc. *Tour d'horizon* : observation circulaire ou, au fig., examen complet ; *Faire le tour du cadran* : dormir douze heures d'affilée ; *Démarrer, comprendre au quart de tour* : très vite (fam.) ; *À tour de bras* : de toute la force du bras. 6. Exercice difficile demandant de l'adresse, du brio : *Tour de prestidigitation* ; *Tour de force*, exploit ; *Tour de main*, habileté manuelle. ▸ Loc. *En un tour de main* : habilement et très rapidement. 7. Action habile, malicieuse : *Jouer un tour à qqn* ; *Le tour est joué*, la mystification, la ruse a réussi. ▸ Loc. *Avoir plus d'un tour dans son sac* (☞ *sac*). 8. Manière d'être, d'évoluer : *Les évènements prennent un mauvais tour*. ▸ Manière de s'exprimer : *Un tour de phrase inhabituel*. ▸ Helv. *Donner le tour* : évoluer favorablement (pour une maladie) ou parachever un travail. 9. Moment d'accomplir qqch. : *Tour de parole* ; *Passer son tour* ; *Un scrutin à un, à deux tours* ; *Tour de chant*, ensemble des chansons interprétées par un artiste lors d'un spectacle. ▸ Loc. *À tour de rôle* : successivement ; *Tour à tour* : alternativement. ▸ *Sp.* et *Jeux.* Chacune des épreuves successives d'un tournoi. Déb. XIIe s. (fin XIe s., volte-face) ; ☞ *tourner* ; [tuʀ].

**TOUR (III), subst. m.**
1. Casier cylindrique sur pivot, autrefois encastré dans le mur d'un couvent, d'un hospice, pour recevoir des objets déposés du dehors, et qui servait aussi à recueillir, de façon anonyme, des nouveau-nés abandonnés (vx). 2. Dispositif permettant de façonner à la main des pièces de poterie tournant sur un plateau circulaire. 3. *Techn.* Dispositif d'usinage de pièces à symétrie de révolution, par action d'un outil de coupe fixe sur une pièce en rotation. XVIe s. (fin XIe s., treuil) ; lat. *tornus*, du gr. *tornos*, « tour de tourneur » ; [tuʀ].

**TOURAILLAGE, subst. m.**
Séchage à l'air chaud de l'orge germée, afin d'en arrêter la germination. 1880 ; ☞ *touraille* ; [tuʀɑjaʒ].

**TOURAILLE, subst. f.**
Étuve dans laquelle s'effectue le touraillage. Fin XIIIe s. ; lat. *torrere*, « sécher ; griller » ; [tuʀɑj].

**TOURANIEN, IENNE,** adj. et subst.
Se dit de peuples nomades du Turkestan, par oppos. aux Iraniens sédentarisés. SUBST. MASC. Ouralo-altaïque (vx). 1771 ; persan *Tūrān*, pays d'Asie centrale au nord de l'Iran ; [tuʀanjɛ̃, jɛn].

**TOURBE (I),** subst. f.
Foule de personnes jugées méprisables (vieilli et péj.). Mil. XI^e s. ; lat. *turba* ; [tuʀb].

**TOURBE (II),** subst. f.
*Pétrogr.* Roche sédimentaire riche en carbone, légère et brunâtre, utilisée comme combustible. C'est un charbon très peu évolué, connu uniquement dans les dépôts modernes et formé par l'accumulation de mousses et d'autres débris végétaux dans des marécages. 1200 ; frq. °*turba* ; [tuʀb].

**TOURBER,** verbe intrans. [3]
Extraire la tourbe. 1248 ; ☞ *tourbe* (II) ; [tuʀbe].

**TOURBEUX, EUSE,** adj.
Qui contient de la tourbe. 1752 ; ☞ *tourbe* (II) ; [tuʀbø, øz].

**TOURBIER, IÈRE,** subst. et adj.
SUBST. Ouvrier qui extrait la tourbe. SUBST. FÉM. Marécage aux eaux généralement acides, où se décomposent les débris végétaux qui fournissent la tourbe et d'où on l'extrait. ADJ. Qui contient de la tourbe. 1285 ; ☞ *tourbe* (II) ; [tuʀbje, jɛʀ].

**TOURBILLON,** subst. m.
**1.** Masse d'eau ou d'air animée d'un mouvement circulaire rapide formant une spirale, aux tendances aspirantes, capable d'entraîner des particules ou des objets en son centre. **2.** Ext. Tout mouvement tournoyant. **3.** Fig. Intense agitation dans laquelle on est irrésistiblement emporté (littér.) : *Le **tourbillon** des plaisirs.* Déb. XII^e s. ; anc. fr. *torbeil*, du lat. *turbo* ; [tuʀbijɔ̃].

**TOURBILLONNAIRE,** adj.
Qui forme un ou plusieurs tourbillons. 1842 ; ☞ *tourbillon* ; [tuʀbijɔnɛʀ].

**TOURBILLONNANT, ANTE,** adj.
**1.** Qui crée des tourbillons. **2.** Ext. Qui tournoie. **3.** Fig. Qui emporte dans un tourbillon. 1772 ; p. pr. de *tourbillonner* ; [tuʀbijɔnɑ̃, ɑ̃t].

**TOURBILLONNEMENT,** subst. m.
Mouvement de ce qui tourbillonne. 1767 ; ☞ *tourbillonner* ; [tuʀbijɔnmɑ̃].

**TOURBILLONNER,** verbe intrans. [3]
Être emporté dans un tourbillon ; former des remous ; par anal., tournoyer. Mil. XVI^e s. ; ☞ *tourbillon* ; [tuʀbijɔne].

**TOURD,** subst. m.
*Zool.* **1.** Vx. Variété de grive, telles la litorne et la musicienne. **2.** Poisson méditerranéen de l'ordre des Perciformes, à lèvres épaisses et à chair comestible. 1505 ; anc. prov. *tordre*, du lat. pop. °*turdulus*, du lat. *turdus*, « grive » ; [tuʀ].

**TOURDILLE,** adj.
Se dit de la robe d'un cheval de couleur gris-jaune. 1664 ; esp. *tordillo*, « couleur de grive », de *tordo*, du lat. *turdus*, « grive » ; [tuʀdij].

**TOURELLE,** subst. f.
**1.** Petite tour s'élevant du sol ou formant un encorbellement sur une façade : ***Tourelles** d'un château.* **2.** *Arm.* Coupole bétonnée ou blindée abritant une pièce d'artillerie : ***Tourelles** d'un cuirassé.* **3.** Anal. Tout dispositif orientable facilitant un montage et une utilisation rapides. 1238 ; ☞ *tour* (I) ; [tuʀɛl].

**TOURET,** subst. m.
**1.** Petit tour utilisé en partic. en orfèvrerie. **2.** Nom de divers instruments servant à fabriquer, à transporter, à dévider des câbles, des cordes, etc. **3.** Petite machine-outil à axe horizontal muni à ses extrémités de disques, de feutres, etc. : ***Touret** à meuler.* 1676 (mil. XII^e s., poulie) ; ☞ *tour* (III) ; [tuʀɛ].

**TOURIE,** subst. f.
*Techn.* Bonbonne de grès servant à transporter des liquides. 1773 ; orig. obsc. ; [tuʀi].

**TOURIER, IÈRE,** adj. et subst.
Se dit du religieux ou de la religieuse qui s'occupe du tour et, par ext., des relations avec l'extérieur du couvent. 1549 ; ☞ *tour* (III) ; [tuʀje, jɛʀ].

**TOURILLON,** subst. m.
**1.** *Techn.* Pièce cylindrique servant à guider un mouvement circulaire ; en partic., partie cylindrique d'un axe, pivotant dans ou sur une pièce : *Les **tourillons** d'un arbre de transmission.* **2.** *Menuis.* Cheville cylindrique utilisée pour assembler des pièces de bois. Déb. XIII^e s. ; ☞ *tour* (III) ; [tuʀijɔ̃].

**TOURILLONNER,** verbe intrans. [3]
*Techn.* Tourner autour d'un axe par l'intermédiaire de tourillons. 1908 ; ☞ *tourillon* ; [tuʀijɔne].

**TOURIN,** subst. m.
Potage du Sud-Ouest, à l'ail, gén. lié aux jaunes d'œufs (région.). 1899 ; béarnais *tourin*, de *torrer*, « cuire », du lat. *torrere*, « rôtir » ; [tuʀɛ̃].

**TOURISME,** subst. m.
**1.** Fait de voyager pour le plaisir que procure la découverte d'un site, d'un pays ou d'une culture. **2.** Secteur d'activité lié à ce type de déplacement : *Agence de **tourisme**.* **3.** Loc. **De tourisme.** À usage privé, par oppos. à *utilitaire* : *Voiture de **tourisme**.* 1841 ; angl. *tourism*, de *tour*, « voyage, circuit », du fr. *tour* (II) ; [tuʀism].

**TOURISTE,** subst.
Personne qui fait du tourisme ; empl. adj. : *Classe **touriste**,* classe à tarif réduit, dans les transports aériens. 1803 ; angl. *tourist*, de *tour*, « voyage, circuit », du fr. *tour* (II) ; [tuʀist].

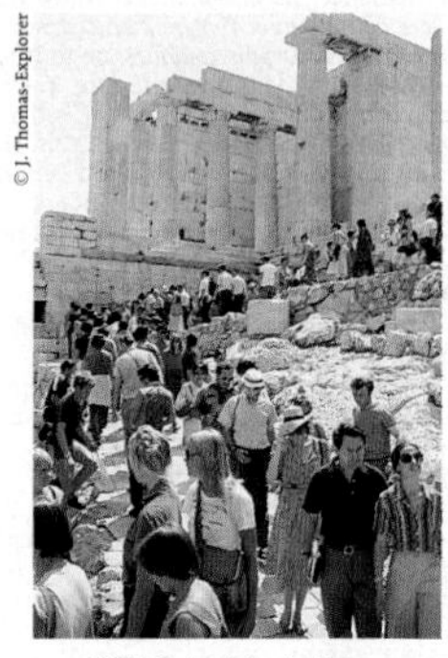
© J. Thomas-Explorer

*Défilé de **touristes** à Athènes.*

**TOURISTIQUE,** adj.
**1.** Propre au tourisme. **2.** Se dit d'un lieu qui attire les touristes. 1844 ; ☞ *touriste* ; [tuʀistik].

**TOURMALINE,** subst. f.
*Minér.* Silicate en cristaux prismatiques, de section triangulaire, de couleur sombre, dont certaines variétés, de couleur verte, rose, bleue, sont utilisées en joaillerie. Ce minéral rhomboédrique se trouve dans les roches acides plutoniques et métamorphiques. 1758 ; cinghalais *tōramalli* ; [tuʀmalin].

**TOURMENT,** subst. m.
**1.** Vx. Torture. **2.** Souffrance physique ou morale intense (littér.) : ***Tourment** de la maladie, de la jalousie.* Fin X^e s. ; lat. *tormentum* ; [tuʀmɑ̃].

**TOURMENTE,** subst. f.
**1.** Tempête brusque et violente (littér.). **2.** Fig. Troubles graves qui secouent un pays, une société. Déb. XII^e s. ; lat. *tormenta*, « tourments » ; [tuʀmɑ̃t].

**TOURMENTÉ, ÉE,** adj.
**1.** Soumis à des tourments ; par méton., qui exprime le tourment : *Visage **tourmenté**.* **2.** Anal. Mouvementé, tumultueux : *Mer **tourmentée*** ; qui a une forme irrégulière, un relief accidenté : *Un paysage **tourmenté**.* **3.** *B.-a.* Qui témoigne d'une recherche excessive ; surchargé : *Une œuvre baroque **tourmentée**.* 1273 ; p. p. de *tourmenter* ; [tuʀmɑ̃te].

**TOURMENTER,** verbe trans. [3]
**1.** Vx. Supplicier, torturer. **2.** Faire endurer à (qqn) des souffrances physiques ou morales (littér.) : ***Tourmenter** un esprit.* **3.** Exciter, agiter jusqu'à la souffrance (littér.) : *L'ambition le **tourmente**.* PRONOM. Se torturer l'esprit ; être en proie à une vive inquiétude. Déb. XII^e s. ; ☞ *tourment* ; [tuʀmɑ̃te].

**TOURMENTIN,** subst. m.
*Mar.* Petit foc résistant, utilisé par gros temps pour équilibrer la voilure. 1678 ; ☞ *tourmente* ; [tuʀmɑ̃tɛ̃].

**TOURNAGE,** subst. m.
**1.** Action de façonner au moyen d'un tour. **2.** *Cin.* et *Télév.* Action de tourner un film. 1842 (1501, fait de se retourner) ; ☞ *tourner* ; [tuʀnaʒ].

**TOURNAILLER,** verbe intrans. [3]
Fam. Tourner en tous sens, sans but apparent (autour de qqch. ou de qqn). 1743 (1595, tergiverser) ; ☞ *tourner* ; [tuʀnaje].

**TOURNANT, ANTE,** adj. et subst. m.
ADJ. **1.** Vx. Changeant. **2.** Qui peut tourner sur soi-même, autour d'un axe : *Plateau **tournant**.* **3.** Qui contourne. ▸ *Milit.* *Mouvement **tournant*** : visant à prendre l'ennemi à revers ou, au fig., stratagème pour faire tomber qqn dans un piège. **4.** *Grève **tournante*** : qui touche successivement divers secteurs économiques, divers services d'une société. SUBST. **1.** Lieu où une voie tourne ; virage. **2.** Fig. Moment décisif marquant une nouvelle orientation dans une vie ; par méton., l'évènement provoquant ce changement. **3.** Loc. *Attendre qqn au **tournant*** : attendre le moment venu pour prendre sa revanche sur lui (fam.). Fin XII^e s. ; p. pr. de *tourner* ; [tuʀnɑ̃, ɑ̃t].

**TOURNE,** subst. f.
**1.** Action de tourner, en parlant du lait ou du vin. **2.** Suite d'un article reportée à la page suivante ou plus loin, dans un journal. 1895 (fin XIV^e s., dédommagement) ; ☞ *tourner* ; [tuʀn].

**TOURNÉ, ÉE,** adj.
**1.** Fermenté, aigri : *Lait **tourné**.* **2.** Exprimé, conçu : *Compliment bien **tourné**.* **3.** Loc. *Avoir l'esprit mal **tourné*** : être disposé à interpréter les choses en mauvaise part ou de manière scabreuse. Fin XIII^e s. ; p. p. de *tourner* ; [tuʀne].

**TOURNEBOULER,** verbe trans. [3]
Fam. Bouleverser, troubler profondément (qqn). 1566 ; anc. fr. *tourneboeler*, « tourner la tête », de *tourneboele*, « culbute », de *tourner* et de *buele*, « entrailles » ; [tuʀnəbule].

**TOURNEBROCHE,** subst. m.
Mécanisme utilisé pour faire tourner une broche à rôtir. 1663 (1461, personne qui tourne la broche) ; formé de *tourner* et de *broche* ; [tuʀnəbʀɔʃ].

**TOURNE-DISQUE,** subst. m.
Appareil électrique permettant l'écoute de sons enregistrés sur un microsillon. 1936 ; comp. de *tourner* et de *disque* ; plur. *tourne-disques* ; [tuʀnədisk].

**TOURNEDOS,** subst. m.
Tranche de filet de bœuf épaisse, ronde et bardée. 1864 (1594, action de tourner le dos) ; formé de *tourner* et de *dos* ; [tuʀnədo].

**TOURNÉE,** subst. f.
**1.** Voyage officiel ou professionnel comprenant un itinéraire précis, des arrêts programmés ; en partic., voyage d'une troupe d'acteurs, d'un chanteur, etc., qui se produit en province ou à l'étranger. ▸ Loc. *Faire la **tournée** de* : visiter successivement (des lieux de même nature). **2.** Ensemble de consommations offertes dans un café par une personne (fam.). **3.** Volée de coups (pop.). 1719 (déb. XIII^e s., houe servant à défoncer la terre) ; p. p. de *tourner* ; [tuʀne].

**TOURNEMAIN (EN UN),** loc. adv.
En un tour de main, très rapidement. Fin XVI^e s. ; formé de *tourner* et de *main* ; [ɑ̃nœtuʀnəmɛ̃].

**TOURNE-PIERRE,** subst. m.
*Zool.* Oiseau de la famille des Charadriidés, au bec conique et au plumage noir, brun et blanc, qui vit le long des côtes et se nourrit de vers et de mollusques qu'il trouve sous les cailloux. 1780 ; comp. de *tourner* et de *pierre* ; plur. *tourne-pierres*, var. *tournepierre* ; [tuʀnəpjɛʀ].

**TOURNER,** verbe [3]
TRANS. **1.** Faire changer l'orientation de (qqch.), par un mouvement courbe : ***Tourner** la tête, les yeux* ; au fig., diriger : ***Tourner** ses pensées vers qqn ou qqch.* **2.** Mettre en sens inverse : ***Tourner** les talons*, faire demi-tour. ▸ ***Tourner** le dos à qqn* : partir dans la direction opposée ou, au fig., le dédaigner. **3.** Présenter l'autre côté de (qqch.), retourner : ***Tourner** les pages d'un livre.* ▸ Loc. ***Tourner** la page* (☞ *page*). ▸ ***Tourner** et retourner qqch.* : le manier en tous sens ; au fig., examiner : ***Tourner** et retourner la question.* **4. Tourner (qqn, qqch.) en, à.** Présenter (qqch., qqn) sous tel aspect différent : ***Tourner** qqn en ridicule* ; ***Tourner** la situation à son avantage.* **5.** Façonner (un objet) au tour : ***Tourner** un vase* ; au fig. : ***Tourner** des vers.* **6.** Donner un mouvement de rotation à : ***Tourner** une manivelle.* ▸ Remuer : ***Tourner** la salade.* ▸ Loc. ***Tourner** le(s) sang(s)* : émouvoir (fam.) ; ***Tourner** la tête à qqn* : l'étourdir ou, au fig., lui inspirer une passion. **7.** Longer (qqch.) en décrivant une courbe. ▸ Éviter (un obstacle) en le contournant ; au fig. : ***Tourner** la loi.* **8.** *Cin.* ***Tourner** un film* : le réaliser ; empl. abs. :

*Ça tourne !* **Intrans.** **1.** Accomplir un mouvement de rotation autour d'un axe. **2.** Se déplacer selon un mouvement rotatif : *La Terre **tourne** autour du Soleil.* ▸ Loc. ***Tourner** autour de qqn* : chercher à le séduire ; ***Tourner** autour du pot* : ne pas aborder directement une question ; ***Tourner** de l'œil* : s'évanouir (fam.). **3.** Fonctionner, en parlant d'un mécanisme dont certaines pièces sont animées d'un mouvement rotatif : *Les machines **tournent** encore* ; ***Tourner** rond* (☞ *rond*) ; au fig. : *Ne pas **tourner** rond,* aller mal (fam.). **4.** Changer de direction : ***Tourner** à gauche* ; ***Tourner** court,* cesser ; *Le vent **tourne**,* il change de secteur ou, au fig., la situation change. **5.** Fig. Évoluer : *Les choses **tournent** mal.* **6. Tourner à, en.** Évoluer vers : *Le temps **tourne** à la pluie* ; *Faire **tourner** qqn en bourrique* (☞ *bourrique*). **7.** Cailler spontanément : *Le lait **tourne*** ; fermenter, devenir sur : *La sauce **a tourné**.* **Pronom.** **1.** Se mettre dans une direction inverse ou différente : *Se **tourner** dans son lit* ; par anal. : *Tous les regards se **sont tournés** vers lui.* **2.** Fig. S'orienter : *Il **se tourna** vers l'écriture.* ◻ x^e^ s. ; lat. *tornare,* « façonner au tour » ; [tuʀne].

**TOURNESOL, subst. m.**
*Bot.* Plante de la famille des Astéracées, dont les graines fournissent une huile de table et des tourteaux pour l'alimentation du bétail. ◻ 1606 (1360, substance tinctoriale bleue) ; ital. *tornasole,* de *tornare,* « tourner », et de *sole,* « soleil » ; [tuʀnəsɔl].

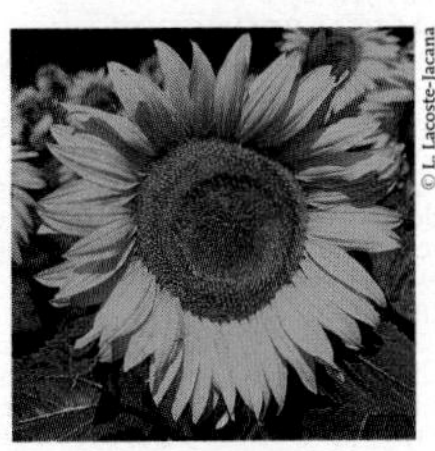

*Fleur de **tournesol**.*

**TOURNEUR, EUSE, subst. et adj.**
**Subst.** **1.** Personne qui façonne des ouvrages sur un tour. **2.** Ouvrier qui dévide la soie. **Adj.** Qui tourne sur lui-même : *Derviche **tourneur*** (☞ *derviche*). ◻ Déb. xiii^e^ s. ; ☞ *tourner* ; [tuʀnœʀ, øz].

**TOURNE-VENT, subst. m. inv.**
*Techn.* Tuyau coudé mobile placé au sommet d'une cheminée pour que la fumée ne soit pas refoulée dans le conduit. ◻ 1311 ; comp. de *tourner* et de *vent* ; [tuʀnəvɑ̃].

**TOURNEVIS, subst. m.**
Outil conçu pour visser et dévisser, composé d'un manche et d'une lame dont l'extrémité est adaptée aux têtes de vis. ◻ 1676 ; formé de *tourner* et de *vis* ; [tuʀnəvis].

**TOURNICOTER, verbe intrans.** [3]
Tourner en tous sens (fam.). ◻ 1936 ; ☞ *tourniquer* ; [tuʀnikɔte].

**TOURNIOLE, subst. f.**
Panaris autour de l'ongle (fam.). ◻ 1812 ; anc. fr. *tourniole,* « mouvement circulaire » ; [tuʀnjɔl].

**TOURNIQUER, verbe intrans.** [3]
Tourner sur place, aller et venir (fam.). ◻ 1866 ; ☞ *tourner,* d'apr. *tourniquet* ; [tuʀnike].

**TOURNIQUET, subst. m.**
**1.** Dispositif pivotant installé à une entrée pour laisser passer une seule personne à la fois. **2.** Pièce métallique, montée sur un axe scellé dans un mur, qui sert à immobiliser un volet ouvert. **3.** Petit meuble tournant sur un pivot vertical, présentant divers articles à vendre. **4.** Appareil d'arrosage pivotant en son centre et mû par échappement d'eau. **5.** *Chir.* Instrument servant à serrer un garrot en cas d'hémorragie. **6.** *Milit.* Tribunal militaire (fam.) : *Passer au **tourniquet**.* ◻ 1669 (1575, poutre armée de pointes de fer) ; ☞ *tourner* ; [tuʀnikɛ].

**TOURNIS, subst. m.**
*Zool.* Maladie des ruminants, notamment des agneaux, due à la présence de larves de ténia cénure dans l'encéphale, qui se manifeste par des troubles moteurs et des tournoiements. ▸ Loc. *Avoir, donner le **tournis*** : avoir, donner le vertige (fam.). ◻ 1812 ; ☞ *tourner* ; [tuʀni].

**TOURNOI, subst. m.**
**1.** *M. Â.* Fête au cours de laquelle les chevaliers s'affrontaient dans des joutes. **2.** Anal. Compétition sportive ou ludique qui comprend plusieurs tours. ◻ Mil. xii^e^ s. ; ☞ *tournoyer* ; [tuʀnwa].

**TOURNOIEMENT, subst. m.**
**1.** Action, mouvement de ce qui tournoie ; tourbillon. **2.** Sensation de vertige ; tournis. ◻ Fin xiii^e^ s. (mil. xii^e^ s., combat) ; ☞ *tournoyer* ; [tuʀnwamɑ̃].

**TOURNOIS, adj.**
*Numism.* Qualifie une monnaie frappée à Tours du ix^e^ au xiii^e^ s., et devenue ensuite monnaie royale : *Livre, denier **tournois**.* ◻ Fin xii^e^ s. ; lat. *turonensis,* « de Tours » ; [tuʀnwa].

**TOURNOYER, verbe intrans.** [17]
**1.** Décrire des cercles irréguliers (au-dessus ou autour de qqch.). **2.** Tourbillonner. **3.** Tourner sur soi-même. ◻ Mil. xii^e^ s. ; ☞ *tourner* ; [tuʀnwaje].

**TOURNURE, subst. f.**
**1.** Manière de s'exprimer ; expression : *La **tournure** d'une phrase.* **2.** Aspect général, allure d'une personne. **3.** Aspect sous lequel se présente une chose, une situation ; manière dont évolue qqch. ▸ Loc. *Prendre **tournure*** : évoluer en prenant la forme souhaitée ; *Prendre bonne, mauvaise **tournure*** : bien, mal évoluer. **4.** ***Tournure** d'esprit* : manière propre de penser, de réagir. **5.** *Spéc.* ▸ *Cost.* Rembourrage porté sous la jupe, au bas du dos. ▸ *Techn.* Résidu, fait de copeaux détachés d'une pièce travaillée au tour : ***Tournure** de fer.* ◻ Déb. xvi^e^ s. (1324, mécanisme qui fait tourner) ; ☞ *tourner* ; [tuʀnyʀ].

**TOURON, subst. m.**
*Confis.* Préparation d'origine espagnole, à base d'amandes pilées, de miel et de blancs d'œufs. ◻ 1595 ; esp. *turrón,* du lat. *torrere,* « griller » ; [tuʀɔ̃].

**TOUR-OPÉRATEUR, TRICE, subst.**
Personne, entreprise qui organise des voyages (anglic.). ◻ V. 1970 ; angl. *tour operator* ; plur. *tour-opérateurs, trices,* recomm. off. *voyagiste* ; [tuʀɔpeʀatœʀ, tʀis].

**TOURTE, subst. f.**
*Cuis.* Tarte ronde garnie de viandes variées, de légumes, de fruits, etc., recouverte d'une abaisse et servie chaude. ◻ Fin xiv^e^ s. (déb. xiii^e^ s., pain rond) ; bas lat. *torta panis,* « pain rond » ; [tuʀt].

**TOURTEAU (I), subst. m.**
**1.** *Agric.* Résidu de graines oléagineuses, utilisé comme engrais ou comme nourriture pour animaux. **2.** *Hérald.* Meuble circulaire et plat de couleur ou de fourrure. ◻ xiii^e^ s. (xii^e^ s., pain rond) ; ☞ *tourte* ; [tuʀto].

**TOURTEAU (II), subst. m.**
*Zool.* Crabe de la sous-classe des Malacostracés, vivant dans l'Atlantique, à carapace elliptique, pouvant mesurer jusqu'à 30 cm de large, à la chair très estimée (synon. *dormeur*). ◻ 1611 ; anc. fr. *tort,* « tordu » ; [tuʀto].

***Tourteau.***

**TOURTEREAU, subst. m.**
Jeune tourterelle qui n'a pas encore quitté le nid. **Plur.** Fig. Jeunes amoureux (fam.). ◻ 1694 (1170, tourterelle mâle) ; ☞ *tourterelle* ; [tuʀtəʀo].

**TOURTERELLE, subst. f.**
*Zool.* Oiseau columbiforme, voisin du pigeon : *La **tourterelle** gémit, roucoule.* La **tourterelle** des bois, migratrice, a la queue arrondie et des rayures noires et blanches au cou ; la **tourterelle** turque, sédentaire des bois et des jardins, a le corps rosâtre. ◻ Mil. xi^e^ s. ; bas lat. *turturella,* de *turtur,* « tourterelle » ; [tuʀtəʀɛl].

**TOURTIÈRE, subst. f.**
**1.** Ustensile qui sert à faire cuire des tourtes. **2.** Québ. Tourte. ◻ 1573 ; ☞ *tourte* ; [tuʀtjɛʀ].

**TOUSELLE, subst. f.**
*Agric.* Variété de blé dont l'épi est sans barbe. ◻ 1505 ; prov. *tosela,* du lat. *tonsus,* « tondu » ; [tuzɛl].

**TOUSSAINT, subst. f.**
*Cath.* *La **Toussaint*** : fête de tous les saints, célébrée le 1^er^ novembre. ◻ Mil. xii^e^ s. ; anc. fr. *feste de Toz Sainz* ; [tusɛ̃].

**TOUSSER, verbe intrans.** [3]
Avoir un accès de toux. ◻ Déb. xiii^e^ s. ; anc. fr. *to(u)ssir,* du lat. *tussire,* de *tussis,* « toux » ; [tuse].

**TOUSSOTEMENT, subst. m.**
Action de toussoter ; bruit émis en toussotant. ◻ 1845 ; ☞ *toussoter* ; [tusɔtmɑ̃].

**TOUSSOTER, verbe intrans.** [3]
Tousser faiblement, à plusieurs reprises. ◻ 1845 ; ☞ *tousser* ; [tusɔte].

**TOUT, TOUTE, TOUS, TOUTES, adj., pron., adv. et subst. m.**
**Adj.** **1.** Adj. qualificatif. ▸ Total, entier : *Il me donne **toute** satisfaction* ; *J'ai lu **tout** Victor Hugo et **toutes** « les Fleurs du mal »* ; ***Tout** le monde le sait.* ▸ Unique, seul : *C'est **toute** la question* ; *J'ai ce sac pour **tout** bagage.* **2.** Adj. indéfini. ▸ N'importe quel : ***Tout** homme aspire au bonheur* ; ***Toute** autre musique lui déplaît* ; *En **tout** cas* ; *De **tous** côtés.* ▸ L'ensemble, la totalité de : ***Tous** leurs enfants sont là* ; *Venez **tous** les cinq* ; ***Toutes** affaires cessantes.* ▸ Chaque (marquant la périodicité) : *Ils s'arrêtent **tous** les cent kilomètres* ; *Elle vient **tous** les vendredis.* **Pron.** L'ensemble des personnes, des choses : ***Toutes** sont là* ; *Il est aimé de **tous*** ; *Il a **tout** perdu au jeu* ; *Poules, poulets, chapons, **tout** dormait* (La Fontaine). ▸ Loc. *À **tout** prendre* : tout bien considéré ; *C'est **tout** ou rien* : il n'y a pas de demi-mesure ; *Avoir **tout** de qqn* : avoir les mêmes caractéristiques ; *Ce n'est pas **tout** de* : il ne suffit pas de ; *Comme **tout*** : très ; *Après **tout*** : en définitive ; ***Tout** compris* : sans supplément possible. **Adv.** **Tout.** (S'accorde devant un mot féminin commençant par une consonne ou un *h* aspiré.) Entièrement, complètement : *La ville **tout** entière* ; *Elle fut **toute** surprise* ; *Les **tout** derniers rangs* ; *Ils parlent **tout** bas* ; *Je pensais à **tout** autre chose.* ▸ Loc. ***Tout** à fait* : absolument, totalement ; ***Tout** d'un coup* : d'un seul coup ; ***Tout** à l'heure* : un peu plus tard ; ***Tout** de même* : pourtant, enfin. ▸ Loc. conj. **Tout... que.** Marque la concession (synon. *si... que, quelque... que*) : ***Tout** intelligente qu'elle est (ou soit), elle n'a pas trouvé.* **Subst.** **1.** Ensemble considéré dans sa totalité, par rapport aux parties qui le constituent : *J'achète le **tout*** ; *Cela forme des **touts** distincts.* ▸ ***Tout** ou partie de* : la totalité ou une partie de. **2.** L'essentiel, le plus important : *Le **tout** est de vouloir.* **3.** L'ensemble de **toutes** choses : *L'Univers, ou le grand **tout**.* ▸ Loc. *Du **tout** au **tout*** : radicalement, complètement ; *Du **tout*** : en aucune façon, nullement ; *Ce n'est pas le **tout*** : outre cela, il reste bien d'autres choses à faire ; *Risquer le **tout** pour le **tout*** : prendre le risque de **tout** perdre pour **tout** gagner. ◻ 881 ; bas lat. *tottus,* du lat. *totus,* « entier, tout entier » ; plur. du masc. *tous* (adj. et pron.), *touts* (subst.) ; [tu, tut, tu(s), tut], *tous* se prononce [tu] lorsqu'il est adj., [tus] lorsqu'il est pron.

**TOUT-À-L'ÉGOUT, subst. m. inv.**
Système de canalisations permettant d'évacuer dans l'égout les eaux usées. ◻ 1886 ; comp. de *tout* et de *égout* ; [tutalegu].

**TOUTE-ÉPICE, subst. f.**
**1.** Condiment à base de graines de nigelle. **2.** Fruit du piment ou poivre de Jamaïque. ◻ 1762 ; comp. de *tout* et de *épice* ; plur. *toutes-épices* ; [tutepis].

**TOUTEFOIS, adv.**
Cependant, néanmoins, mais, pourtant. ◻ 1284 (1180, chaque fois) ; formé de *tout* et de *fois* ; [tutfwa].

**TOUTE-PUISSANCE, subst. f.**
**1.** *Théol.* Attribut divin, pouvoir absolu sur toutes choses (synon. *omnipotence*). **2.** Ext. Pouvoir illimité ou considérable. ◻ 1377 ; comp. de *tout* et de *puissance* ; plur. *toute(s)-puissance(s)* ; [tutpɥisɑ̃s].

**TOUTIM, subst. m.**
Loc. *Et (tout) le **toutim*** : et tout le reste (argot.). ◻ 1596 ; ☞ *tout* ; var. *toutime* ; [tutim].

**TOUTOU, subst. m.**
Chien (lang. enfantin). ◻ 1640 ; onomat. ; [tutu].

**TOUT-PARIS, subst. m. sing.**
*Le Tout-Paris* : ensemble des personnalités connues qui sont régulièrement invitées aux réceptions parisiennes. ◻ 1852 (1668, tous les habitants de Paris) ; comp. de *tout* et de *Paris* ; [tupaʀi].

**TOUT-PETIT, subst. m.**
Très jeune enfant. 1936 ; comp. de *tout* et de *petit* ; plur. *tout-petits* ; [tupəti].

**TOUT-PUISSANT, TOUTE-PUISSANTE, adj.**
Qui a un pouvoir absolu, sans limites ; empl. subst. masc. : *Le **Tout-Puissant***, Dieu. Fin XIIe s. ; comp. de *tout* et de *puissant* ; plur. *tout-puissants, toutes-puissantes* ; [tupɥisɑ̃, tutpɥisɑ̃t].

**TOUT-TERRAIN, adj. inv. et subst.**
Se dit d'un véhicule apte à rouler sur toute sorte de terrain (pentu, rocailleux, boueux, etc.) : *Vélo **tout-terrain** (V. T. T.)*, vélo robuste conçu à cet usage. SUBST. MASC. Ext. Sport qui se pratique avec ces engins. V. 1970 ; comp. de *tout* et de *terrain* ; plur. du subst. *tout-terrains* ; [tutɛʀɛ̃].

**TOUT-VA (À), loc. adv.**
Sans aucune limite, sans retenue. V. 1960 ; comp. de *tout* et de *aller* (I) ; var. *à tout va* ; [atuva].

**TOUT-VENANT, subst. m. inv.**
**1.** Charbon, minerai non encore trié. **2.** Ensemble de choses, de personnes ordinaires. 1837 (1382, à la minute) ; comp. de *tout* et du p. pr. de *venir* ; [tuv(ə)nɑ̃].

**TOUX, subst. f.**
*Pathol.* Phénomène réflexe, dû à une irritation, par lequel l'air des poumons est brutalement expiré : ***Toux** sèche, grasse,* sans, avec expectoration. Fin XIe s. ; lat. *tussis* ; [tu].

**TOWNSHIP, subst. m. ou f.**
Ghetto noir à la périphérie des villes d'Afrique du Sud. V. 1980 ; angl. *township*, « commune » ; [tawnʃip].

**TOXÉMIE, subst. f.**
*Pathol.* Empoisonnement de l'organisme, en partic. par insuffisance d'épuration rénale ou hépatique. 1855 ; formé de *toxi-* et de *-émie* ; [tɔksemi].

**TOXICITÉ, subst. f.**
Propriété d'une substance toxique : ***Toxicité** de la nicotine.* 1865 ; ☞ *toxique* ; [tɔksisite].

**TOXICOLOGIE, subst. f.**
Science qui a pour objet l'étude des substances toxiques, de leurs effets et de leurs antidotes. 1803 ; formé de *toxico-* et de *-logie* ; [tɔksikɔlɔʒi].

**TOXICOLOGUE, subst.**
Spécialiste en toxicologie. 1842 ; ☞ *toxicologie* ; [tɔksikɔlɔg].

**TOXICOMANE, subst. et adj.**
Se dit d'une personne atteinte de toxicomanie (abrév. fam. : toxico). 1913 ; formé de *toxico-* et de *-mane*[2] ; [tɔksikɔman].

**TOXICOMANIE, subst. f.**
*Pathol.* Intoxication chronique associant une accoutumance et une dépendance physique ou psychique vis-à-vis des effets de substances toxiques (l'opium, la cocaïne, etc.) ou pharmaceutiques. Fin XIXe s. ; formé de *toxico-* et de *-manie* ; [tɔksikɔmani].

**TOXICOSE, subst. f.**
*Pathol.* Apparition brutale, chez un nourrisson, de troubles digestifs et de déshydratation aiguë. Déb. XXe s. ; formé de *toxico-* et de *-ose* ; [tɔksikoz].

**TOXIDERMIE, subst. f.**
*Pathol.* Dermatose, parfois grave, due à l'administration d'un médicament. Mil. XXe s. ; formé de *toxi-* et de *-dermie* ; [tɔksidɛʀmi].

**TOXI-INFECTION, subst. f.**
*Pathol.* Infection déclenchée par une toxine bactérienne, comme le tétanos, la diphtérie. 1903 ; ☞ *infection* + *toxi-* ; plur. *toxi-infections* ; [tɔksiɛ̃fɛksjɔ̃].

**TOXINE, subst. f.**
*Biol.* Molécule organique douée de propriétés délétères spécifiques, élaborée par des bactéries, des animaux ou des plantes et ayant une affinité particulière pour un tissu. 1889 ; ☞ *toxique* ; [tɔksin].

**TOXIQUE, adj. et subst. m.**
Se dit d'une substance qui entraîne l'intoxication d'un organisme vivant. XIIe s. ; lat. *toxicum*, du gr. *toxicon*, « poison dont on imprègne une flèche » ; [tɔksik].

**TOXOPLASME, subst. m.**
*Biol.* Parasite intracellulaire dont une espèce est responsable de la toxoplasmose chez l'être humain. 1908 ; formé de *toxo-* et de *-plasme* ; [tɔksɔplasm].

**TOXOPLASMOSE, subst. f.**
*Pathol.* Parasitose due à un toxoplasme, particulièrement grave chez le sujet immunodéprimé et le fœtus. 1952 ; ☞ *toxoplasme* + *-ose* ; [tɔksɔplasmoz].

**TRABE, subst. f.**
Hampe d'un drapeau. 1690 (déb. XVIe s., poutre, barre) ; lat. *trabs*, « poutre » ; [tʀab].

**TRABÉE, subst. f.**
*Antiq. rom.* Toge blanche ornée de bandes pourpres. 1611 ; lat. *trabea* ; [tʀabe].

**TRABOULE, subst. f.**
Région. (Lyon). Passage étroit, couvert, traversant un pâté de maisons. 1925 ; ☞ *trabouler* ; [tʀabul].

**TRABOULER, verbe intrans. [3]**
Région. (Lyon). Traverser un pâté de maisons d'une rue à l'autre, en parlant d'une traboule. Fin XIXe s. ; prob. lat. pop. °*trabulare*, du lat. *transambulare*, de *trans*, « à travers », et de *ambulare*, « aller » ; [tʀabule].

**TRAC, subst. m.**
Angoisse, peur qu'une personne ressent au moment de paraître en public, de passer une épreuve, etc. (fam.). 1830 ; orig. obsc. ; [tʀak].

**TRAC (TOUT À), loc. adv.**
De façon impromptue, sans détour (vieilli). 1549 (1483, *tout d'un trac*, sans s'arrêter) ; orig. onomat. ; [tutatʀak].

**TRAÇAGE, subst. m.**
Action de tracer (synon. *tracement*). ► *Techn.* Opération consistant à tracer les contours sur une pièce à usiner. 1873 ; ☞ *tracer* ; [tʀasaʒ].

**TRAÇANT, ANTE, adj.**
**1.** *Bot.* Qualifie une racine ou une tige qui s'étend horizontalement. **2.** *Arm.* Qualifie un projectile qui laisse derrière lui une trace lumineuse. 1694 ; p. pr. de *tracer* ; [tʀasɑ̃, ɑ̃t].

**TRACAS, subst. m.**
Souci causé en gén. par des préoccupations matérielles. Déb. XVIe s. ; ☞ *tracasser* ; [tʀaka].

**TRACASSER, verbe trans. [3]**
Donner du tracas à (qqn), tourmenter (qqn). PRONOM. Se faire du souci, se tourmenter. 1588 (XVe s., traquer les bêtes) ; ☞ *traquer* ; [tʀakase].

**TRACASSERIE, subst. f.**
Désagrément causé à qqn pour des motifs futiles. 1580 ; ☞ *tracasser* ; [tʀakasʀi].

**TRACASSIER, IÈRE, adj.**
Qui cause des tracasseries. 1680 ; ☞ *tracasser* ; [tʀakasje, jɛʀ].

**TRACASSIN, subst. m.**
Agitation, souci (fam. et vx). 1906 ; ☞ *tracasser* ; [tʀakasɛ̃].

**TRACE, subst. f.**
**1.** Empreinte ou série d'empreintes résultant du passage de qqn ou de qqch. : *Suivre un animal à la **trace**.* ► Loc. *Marcher sur les **traces** de qqn* : le prendre pour modèle. **2.** Ce qui reste d'une action ; marque laissée par qqch. : *Des **traces** de coups* ; *Les **traces** d'un outil.* ► Ce qui subsiste du passé : ***Traces** d'un peuplement néolithique* ; *Les **traces** d'une éducation stricte.* **3.** Quantité infime : *Des **traces** de poison.* **4.** *Géom.* Intersection d'une droite ou d'un plan avec un des plans de projection (**trace** horizontale ou frontale), en géométrie descriptive. ► ***Trace** d'une matrice* $A = (a_{ij})$ : somme de ses éléments diagonaux, $Tr(A) = a_{11} + a_{22} + ... + a_{nn}$. XIIe s. ; ☞ *tracer* ; [tʀas].

**TRACÉ, subst. m.**
**1.** Ensemble des lignes formant le plan d'un ouvrage à exécuter. **2.** Ligne représentant un parcours, un contour naturel : *Le **tracé** d'un chemin.* 1792 (1681, ombré) ; p. p. de *tracer* ; [tʀase].

**TRACEMENT, subst. m.**
Traçage (rare). 1636 (1476, action de rayer, d'effacer) ; ☞ *tracer* ; [tʀasmɑ̃].

**TRACER, verbe [4]**
TRANS. **1.** Vx. Suivre (qqn) à la trace. **2.** Marquer (un chemin) en faisant une trace ; empl. adj. : *Une vie bien **tracée**.* ► Fig. Indiquer (une voie, une direction) : ***Tracer** une ligne de conduite.* **3.** Fig. Décrire, dépeindre : ***Tracer** le portrait de l'homme moderne.* **4.** Former (une ligne) : ***Tracer** une droite* ; dessiner, écrire : ***Tracer** un cercle.* INTRANS. **1.** *Bot.* Se développer horizontalement : *Une racine qui **trace**.* **2.** Filer, aller vite (fam.). **3.** Helv. ***Tracer** après qqn* : le poursuivre. XIIe s. ; lat. pop. °*tractiare*, du lat. *trahere*, « tirer » ; [tʀase].

**TRACERET, subst. m.**
*Techn.* Poinçon à tracer. 1676 ; ☞ *tracer* ; [tʀasʀɛ].

**TRACEUR, EUSE, subst. et adj.**
SUBST. *Techn.* Personne chargée des opérations de traçage. SUBST. MASC. **1.** Appareil servant à tracer des lignes : ***Traceur** de courbes*, machine qui traduit des informations sous forme de graphiques. **2.** Substance présentant une propriété physique particulière (radioactivité, fluorescence) qui permet de repérer aisément sa distribution (dans l'organisme, par ex.). ADJ. Qui trace ; qui laisse une trace. 1582 (1558, chasseur) ; ☞ *tracer* ; [tʀasœʀ, øz].

**TRACHÉAL, ALE, AUX, adj.**
*Anat.* Qui appartient à la trachée, qui la concerne. 1765 ; ☞ *trachée* ; [tʀakeal, o].

**TRACHÉE, subst. f.**
**1.** *Anat.* Tube cylindrique membraneux et cartilagineux, situé en avant de l'œsophage, qui fait suite au larynx et se termine par la bifurcation bronchique ; il conduit l'air des voies aériennes supérieures vers les poumons (synon. *trachée-artère*). **2.** *Zool.* Chez les Insectes et certains arachnides, chacun des petits tubes rigides conduisant l'air des stigmates aux organes. **3.** *Bot.* Vaisseau conducteur de sève, dit aussi vaisseau parfait. Mil. XIIIe s. ; gr. *trakheia artêria*, « artère raboteuse » ; [tʀaʃe].

**TRACHÉEN, ÉENNE, adj.**
*Zool.* Relatif, propre à la trachée. 1805 ; ☞ *trachée* ; [tʀakeɛ̃, eɛn].

**TRACHÉITE, subst. f.**
*Pathol.* Inflammation de la trachée. 1822 ; ☞ *trachée* + *-ite* ; [tʀakeit].

**TRACHÉO-BRONCHITE, subst. f.**
*Pathol.* Inflammation de la trachée accompagnée d'une infection des bronches. 1855 ; ☞ *bronchite* + *trachéo-* ; plur. *trachéo-bronchites* ; [tʀakeobʀɔ̃ʃit].

**TRACHÉOTOMIE, subst. f.**
*Chir.* Incision de la trachée visant à assurer la ventilation pulmonaire en cas de blocage des voies aériennes supérieures. 1772 ; formé de *trachéo-* et de *-tomie* ; [tʀakeɔtɔmi].

**TRACHOME, subst. m.**
*Pathol.* Conjonctivite granuleuse pouvant entraîner une cécité. Le **trachome**, dû à une chlamydia, est une maladie contagieuse, endémique dans certains pays chauds. 1752 ; gr. *trakhôma*, « aspérité », de *trakhus*, « rude, raboteux » ; [tʀakom].

**TRACHYTE, subst. m.**
*Pétrogr.* Roche volcanique de couleur gris clair, formée de cristaux de biotite et d'amphibole pris dans une pâte vitreuse ou microcristallisée, plutôt rare. Les **trachytes**, peu fluides, forment des coulées, et surtout des pitons ou des dômes. 1823 ; gr. *trakhus*, « rude, raboteux » ; [tʀakit].

**TRAÇOIR, subst. m.**
Traceret. 1676 ; ☞ *tracer* ; [tʀaswaʀ].

**TRACT, subst. m.**
Feuille ou brochure distribuée à des fins publicitaires ou de propagande. 1835 ; angl. *tract*, du lat. *tractatus*, « discussion d'un sujet, traité » ; [tʀakt].

**TRACTABLE, adj.**
Qui peut être tracté. 1969 ; ☞ *tracter* ; [tʀaktabl].

**TRACTATION, subst. f.**
Négociation officieuse ou secrète (souv. au plur.). 1475 (1455, manière d'agir) ; lat. *tractatio*, « action de manier ; manière d'agir » ; [tʀaktasjɔ̃].

**TRACTER, verbe trans. [3]**
Remorquer (qqch.) à l'aide d'un véhicule ou d'un procédé mécanique. 1943 ; ☞ *tracteur* ; [tʀakte].

**TRACTEUR, TRICE, subst. m. et adj.**
SUBST. Véhicule automobile utilisé pour tracter des remorques, des machines agricoles, etc. ADJ. Qui tracte, qui peut tracter. 1876 (1711, courbe géométrique) ; lat. *tractum*, de *trahere*, « tirer » ; [tʀaktœʀ, tʀis].

**TRACTIF, IVE, adj.**
Qui exerce une traction. 1842 ; lat. *tractum*, de *trahere*, « tirer » ; [tʀaktif, iv].

**TRACTION, subst. f.**
**1.** Action de tirer, en amenant vers soi. ► *Sp.* Mouvement consistant à soulever son corps, en tirant sur les bras si l'on est suspendu à une barre ou à des anneaux, en poussant sur les bras si l'on est étendu à terre : *Faire vingt **tractions**.* **2.** Action de tracter qqch. ; son résultat. ► ***Traction** avant* ou, par ell., *Une **traction*** : véhicule dont la puissance du moteur est transmise aux roues avant. **3.** *Ch. de fer.* Service chargé de l'entretien et de la conduite des locomotives. 1515 ; bas lat. *tractio*, « action de tirer », du lat. *trahere*, « tirer » ; [tʀaksjɔ̃].

**TRACTUS, subst. m.**
*Anat.* Ensemble de faisceaux fibreux ou d'organes

à fonction spécifique : ***Tractus** gastro-intestinal.* 1867 ; lat. *tractus*, « traînée » ; [tʀaktys].

**TRADESCANTIA, subst. m.**
*Bot.* Plante herbacée vivace d'Amérique, à port retombant, aussi appelée misère. 1812 ; lat. sc. *tradescantia*, de l'anthropon. *J. Tradescant*, botaniste ; [tʀadɛskɑ̃sja].

**TRADE-UNION, subst. f.**
Syndicat ouvrier corporatiste, dans certains pays anglo-saxons, notamment en Grande-Bretagne. 1836 ; angl. *trade union*, de *trade*, « métier », et de *union*, « union » ; plur. *trade-unions* ; [tʀɛdynjɔn] ou [-du-].

**TRADITEUR, subst. m.**
*Hist.* Chrétien qui livrait les livres et vases sacrés aux autorités romaines pour échapper aux persécutions des premiers siècles. 1713 (1458, traître) ; lat. *traditor*, « traître » ; [tʀaditœʀ].

**TRADITION, subst. f.**
**1.** *Dr.* Transmission matérielle de la propriété d'un bien mobilier. **2.** Action de transmettre un savoir, concret ou abstrait, de génération en génération ; ce qui est transmis : *Civilisation de **tradition** orale.* **3.** Doctrine religieuse ou philosophique : *La **tradition** humaniste, islamique.* ▸ *Relig. La **Tradition*** : l'un des deux fondements de la doctrine catholique (l'autre étant la Révélation contenue dans les Saintes Écritures), constitué par les vérités de foi définies par les Pères de l'Église, les conciles, le pape et les évêques. ▸ ***Tradition** juive* : la Torah. **4.** Croyance largement répandue : *Une **tradition** populaire ; Selon la **tradition**.* **5.** Façon de faire ou de penser héritée du passé : ***Tradition** propre à une famille, à un métier.* 1268 ; lat. *traditio*, « action de remettre, de transmettre » ; [tʀadisjɔ̃].

© T. Anderson-Explorer

*Les **traditions** druidiques remises à l'honneur à Stonehenge.*

**TRADITIONALISME, subst. m.**
**1.** Attachement formaliste (réprouvé par l'Église) à certaines traditions religieuses. **2.** Ext. Conservatisme. 1859 (1850, doctrine selon laquelle l'homme ne peut rien connaître que par la tradition de l'Église) ; ☞ *traditionnel* ; [tʀadisjɔnalism].

**TRADITIONALISTE, adj. et subst.**
**Adj.** Propre au traditionalisme ; qui est attaché à une tradition. **Subst.** Partisan de la tradition. 1876 (1849, qui concerne la doctrine traditionaliste) ; ☞ *traditionnel* ; [tʀadisjɔnalist].

**TRADITIONNEL, ELLE, adj.**
**1.** Qui est fondé sur la tradition. **2.** Qui est passé dans les usages. 1722 ; ☞ *tradition* ; [tʀadisjɔnɛl].

**TRADITIONNELLEMENT, adv.**
Selon la tradition ; d'une manière traditionnelle. 1780 ; ☞ *traditionnel* ; [tʀadisjɔnɛlmɑ̃].

**TRADUCTEUR, TRICE, subst.**
Auteur d'une traduction : *Amyot, **traducteur** de Plutarque.* **Fém.** *Informat.* Petit dictionnaire électronique bilingue. **Masc. 1.** *Informat.* Programme permettant de traduire un langage informatique dans un autre langage, en gén. de niveau différent. **2.** *Techn.* Dispositif transformant des signaux électriques en impulsions sonores, et inversement. 1540 ; ☞ *traduire* ; [tʀadyktœʀ, tʀis].

**TRADUCTION, subst. f.**
**1.** Action de traduire une langue dans une autre ; le propos, le texte, l'ouvrage traduit : ***Traduction** littérale, fidèle ; **Traduction** simultanée d'une conférence internationale.* **2.** Fig. Transposition ; interprétation : ***Traduction** en chiffres.* 1540 (XIIIe s., blâme ; châtiment) ; ☞ *traduire* ; [tʀadyksjɔ̃].

**TRADUIRE, verbe trans. [69]**
**1.** *Dr.* Citer, appeler (qqn) à comparaître : ***Traduire** qqn en justice.* **2.** Faire passer d'une langue à une autre (un énoncé écrit ou oral) : ***Traduire** un roman* ; par méton. : ***Traduire** un auteur.* **3.** Anal. Transposer d'un système à un autre : ***Traduire** des statistiques par un graphique.* **4.** Ext. Interpréter : ***Traduire** la pensée de qqn* ; au fig., exprimer (un sentiment) : *Son attitude **traduit** la crainte.* 1480 ; lat. *traducere*, « conduire au-delà, faire passer » ; [tʀadɥiʀ].

**TRADUISIBLE, adj.**
Qui peut être traduit : *Calembour guère **traduisible**.* 1726 ; ☞ *traduire* ; [tʀadɥizibl].

**TRAFIC (I), subst. m.**
**1.** Vx. Commerce. **2.** Commerce illicite, clandestin : ***Trafic** de stupéfiants.* ▸ *Dr. **Trafic** d'influence* : fait d'offrir ou de recevoir des dons en vue d'obtenir de l'autorité publique un avantage (synon. *malversation, prévarication*). **3.** Manigances (fam.) : *Un drôle de **trafic**.* 1339 ; ital. *traffico* ; [tʀafik].

**TRAFIC (II), subst. m.**
**1.** *Ch. de fer.* Mouvement global ou fréquence des trains sur une ligne, un réseau. **2.** Anal. Circulation de navires, de véhicules. 1872 ; angl. *traffic*, de l'ital. *traffico*, « commerce » ; [tʀafik].

**TRAFICOTER, verbe [3]**
Fam. **Intrans.** Se livrer à un petit commerce plus ou moins légal. **Trans.** Manigancer (qqch.). 1933 ; ☞ *trafiquer* ; [tʀafikɔte].

**TRAFIQUANT, ANTE, subst.**
Personne qui se livre à un trafic, à un commerce illégal : ***Trafiquant** de drogue.* 1833 (1585, marchand, commerçant) ; p. pr. de *trafiquer* ; [tʀafikɑ̃, ɑ̃t].

**TRAFIQUER, verbe trans. [3]**
**Trans. dir. 1.** Faire un commerce illicite de : ***Trafiquer** des armes, de l'or* ; empl. intrans. : ***Trafiquer** avec l'ennemi.* **2.** Fam. Frelater, modifier (qqch.) de façon irrégulière : ***Trafiquer** un vin, un moteur* ; manigancer : *Qu'est-ce que tu **trafiques** ?* **Trans. indir. Trafiquer de.** Tirer profit de : ***Trafiquer** de sa notoriété.* 1581 (1441, faire un commerce lointain) ; ital. *trafficare*, « pratiquer le cabotage » ; [tʀafike].

**TRAGÉDIE, subst. f.**
**1.** *Antiq. gr.* Œuvre théâtrale lyrique et dramatique, interprétée par des acteurs et par un chœur et dont le sujet était emprunté à la mythologie ou à l'histoire. **2.** *Litt.* En France, aux XVIIe et XVIIIe s., œuvre dramatique en vers, obéissant à la règle des trois unités et dont les personnages, tirés de l'Antiquité, sont aux prises avec un destin tragique : ***Tragédies** de Racine.* ▸ Genre littéraire et théâtral auquel appartient cette œuvre. **3.** Fig. Drame : *La **tragédie** de la déportation.* Déb. XIVe s. ; lat. *tragoedia*, du gr. *tragôdia* ; [tʀaʒedi].

**TRAGÉDIEN, IENNE, subst.**
Acteur ou actrice interprétant des rôles tragiques ou dramatiques. Fin XIVe s. ; ☞ *tragédie* ; [tʀaʒedjɛ̃, jɛn].

**TRAGI-COMÉDIE, subst. f.**
**1.** *Litt.* Pièce de théâtre dont l'action est romanesque, l'intrigue tragique et le dénouement heureux. **2.** Fig. Situation, évènement à la fois grave et comique. 1527 ; lat. *tragicocomoedia* ; plur. *tragi-comédies* ; [tʀaʒikɔmedi].

**TRAGI-COMIQUE, adj.**
**1.** Propre à la tragi-comédie. **2.** Fig. Qui mêle le comique au tragique. 1610 ; ☞ *tragi-comédie* ; plur. *tragi-comiques* ; [tʀaʒikɔmik].

**TRAGIQUE, adj. et subst. m.**
**Adj. 1.** *Litt.* Relatif à la tragédie : *Auteur, pièce **tragique**.* **2.** Fig. Effroyable, désastreux : *Accident **tragique**.* **Subst. 1.** *Litt. Le **tragique*** : le genre de la tragédie. ▸ *Un **tragique*** : un auteur de tragédies. **2.** Fig. Caractère dramatique, funeste, d'un évènement, d'une situation : *Le **tragique** de la guerre.* ▸ Loc. *Prendre (qqch.) au **tragique*** : le dramatiser. 1414 ; lat. *tragicus*, du gr. *tragikos* ; [tʀaʒik].

**TRAGIQUEMENT, adv.**
D'une manière tragique. 1549 ; ☞ *tragique* ; [tʀaʒikmɑ̃].

**TRAGUS, subst. m.**
*Anat.* Saillie triangulaire cartilagineuse du conduit auditif externe. 1751 ; gr. *tragos* ; [tʀagys].

**TRAHIR, verbe trans. [19]**
**1.** Tromper, livrer avec perfidie : ***Trahir** son pays* ; empl. abs., passer à l'ennemi. **2.** Tromper la confiance de (qqn), manquer à (un engagement, une parole) : ***Trahir** un ami ; **Trahir** une cause.* **3.** Révéler (ce qui devait être dissimulé) : ***Trahir** un secret.* ▸ Faire connaître, être le signe de : *Son regard embué **trahissait** son émotion.* **4.** Faire brusquement défaut à : *Ses forces le **trahirent**.* **5.** Fig. Déformer, altérer (le sens, la nature de qqch.) : ***Trahir** l'esprit d'un texte.* **Pronom.** Dévoiler ses sentiments. Fin Xe s. ; lat. *tradere*, « transmettre, confier » ; [tʀaiʀ].

**TRAHISON, subst. f.**
**1.** Action de trahir qqn, son pays, une cause ; déloyauté. ▸ *Dr. Haute **trahison*** : manquement grave du président de la République aux devoirs de sa charge, jugé par la Haute Cour sur accusation du Parlement et, par ext., intelligence avec l'ennemi. **2.** Action de manquer à un devoir, à la parole donnée, à un engagement. **3.** Fig. Action de dénaturer, de déformer qqch. Fin XIe s. ; ☞ *trahir* ; [tʀaizɔ̃].

**TRAILLE, subst. f.**
Câble tendu entre deux rives pour assurer la traction d'un bac ; par méton., le bac lui-même. 1409 ; lat. *tragula*, « javelot » ; [tʀaj].

© F. Jalain-Explorer

*Train à grande vitesse (T. G. V.).*

**TRAIN, subst. m.**
**I. 1.** File d'animaux domestiques (vieilli). **2.** File de véhicules remorqués ou qui se suivent : ***Train** de péniches.* ▸ ***Train** de bois* : assemblage de troncs d'arbres transporté par flottage. **3.** *Milit. **Train** régimentaire* ou, empl. abs., ***Train*** : arme regroupant le personnel et le matériel affectés au transport d'une armée. **4.** *Phys. **Train** d'ondes* : série d'ondes successives qui se répètent à l'identique. **5.** *Techn.* Ensemble d'éléments de même nature et fonctionnant en même temps : ***Train** de pneus ; **Train** de laminage.* **6.** Fig. Série de dispositions à caractère officiel : ***Train** de mesures.* **II. 1.** Allure, mouvement : *Du **train** où vont les choses.* ▸ Loc. *À un **train** d'enfer* : à très vive allure ; *Ne pas être en **train*** : ne pas être en forme ; *Se mettre en **train*** : en action. ▸ Loc. prép. **Être en train de** (+ inf.). Indique que l'action est en cours, qu'elle est considérée dans sa durée : *Il était en **train** de dîner.* **2.** Manière de vivre eu égard aux revenus dont on dispose : ***Train** de vie.* ▸ Loc. *Mener grand **train*** : avoir un **train** de vie fastueux. **3.** Partie d'un véhicule qui porte les roues : ***Train** arrière ; **Train** d'atterrissage d'un avion.* **4.** Partie antérieure, postérieure du corps d'un quadrupède : *Avant-**train**.* ▸ Ext. et Fam. Postérieur humain : *Botter le **train** à qqn.* ▸ Loc. *Filer le **train** à qqn* : le suivre. **III.** *Ch. de fer.* Ensemble constitué d'une locomotive tirant une suite de wagons sur des rails : ***Train** auto-couchettes.* ▸ Loc. *Prendre le **train** en marche* : sauter sur l'occasion ou s'associer à une action déjà en cours. Mil. XIIe s. ; ☞ *traîner* ; [tʀɛ̃].

*Les **tragiques** grecs peints par Jean Auguste Ingres (1780-1867). Sur le rouleau, les titres d'œuvres marquantes d'Eschyle :* Prométhée enchaîné, les Sept contre Thèbes, les Perses, Agamemnon, les Choéphores, les Euménides... *Musée des Beaux-Arts, Angers.*

© Lauros-Giraudon

**TRAÎNAGE,** subst. m.
**1.** Action de traîner qqch. (rare). **2.** Transport en traîneau. 1531 ; ☞ *traîner* ; [tʀɛnaʒ].

**TRAÎNAILLER,** verbe intrans. [3]
Traîner, muser (fam.). 1877 (1839, être banal) ; ☞ *traîner* ; [tʀɛnaje].

**TRAÎNANT, ANTE,** adj.
**1.** Qui pend, traîne sur le sol. **2.** Lent, en parlant de l'élocution, d'une musique. XII^e s. ; p. pr. de *traîner* ; [tʀɛnɑ̃, ɑ̃t].

**TRAÎNARD, ARDE,** subst.
Personne qui s'attarde, reste en arrière ; personne trop lente dans son travail ; empl. adj. : *Allure **traînarde**.* Masc. *Techn.* Partie coulissant sur une glissière et qui porte les outils d'un tour. 1611 ; ☞ *traîner* ; [tʀɛnaʀ, aʀd].

**TRAÎNASSER,** verbe intrans. [3]
Fam. **1.** Traîner, être trop lent. **2.** Errer sans but : ***Traînasser** dans la rue.* 1840 ; ☞ *traîner* ; [tʀɛnase].

**TRAÎNE,** subst. f.
**1.** *Mar.* *Pêche à la **traîne*** : au moyen d'une ligne plombée garnie d'un leurre et d'hameçons, que l'on traîne à l'arrière d'un bateau. **2.** Bas d'un vêtement qui traîne au sol : ***Traîne** d'une robe.* **3.** Loc. *Être à la **traîne*** : s'attarder, être en arrière d'un groupe en marche. 1876 (fin XII^e s., *à traîne*, en traînées irrégulières) ; ☞ *traîner* ; [tʀɛn].

**TRAÎNEAU,** subst. m.
**1.** Véhicule à patins utilisé pour le transport du bois ou du charbon. **2.** Voiture à patins servant à se déplacer sur la neige et la glace. **3.** Filet de pêche. **4.** Filet de chasse, traîné en plaine pour la capture d'oiseaux. 1227 ; ☞ *traîner* ; [tʀɛno].

**TRAÎNÉE,** subst. f.
**1.** Trace laissée sur une surface par une substance répandue : *Une **traînée** de boue* ; au fig. : *Nouvelle qui se répand comme une **traînée** de poudre.* **2.** Anal. Longue trace laissée par un corps en mouvement dans l'espace ou dans l'eau : ***Traînée** d'une comète.* **3.** *Mar.* Ligne de fond pour la pêche à la traîne. **4.** *Phys.* Force qui s'oppose au mouvement d'un corps dans un fluide. **5.** Femme de mauvaise vie (pop.). Fin XIV^e s. ; p. p. de *traîner* ; [tʀene].

**TRAÎNER,** verbe [3]
Trans. **1.** Emmener (qqn) de force avec soi : ***Traîner** qqn chez le médecin.* **2.** Tirer (qqch.) derrière soi : ***Traîner** un matelas par terre* ; *Un percheron qui **traîne** une charrette* ; par ext. : ***Traîner** les pieds, la jambe.* ▸ Loc. ***Traîner** ses guêtres quelque part* (☞ *guêtre*) ; ***Traîner** qqn dans la boue* (☞ *boue*) ; ***Traîner** un boulet aux pieds* (☞ *boulet*). **3.** Amener partout avec soi : ***Traîner** une valise toute la journée.* **4.** Fig. Ne pouvoir se débarrasser de (qqch.) : ***Traîner** une mauvaise grippe* ; ***Traîner** son mal de vivre.* Intrans. **1.** Pendre jusqu'à terre : *Le rideau **traîne**.* ▸ Ext. Être répandu partout : *Vêtements qui **traînent*** ; au fig. : *Rumeur qui **traîne**.* **2.** Durer trop longtemps, s'éterniser : *Faire **traîner** une négociation.* **3.** Agir lentement ; s'attarder. **4.** Aller d'un endroit à un autre sans but précis : ***Traîner** dans les bistrots.* Pronom. **1.** Se déplacer avec difficulté. **2.** S'étirer en longueur : *La journée se **traîne**.* **3.** Fig. *Se **traîner** aux pieds de qqn* : le supplier. Mil. XII^e s. ; lat. pop. °*traginare*, du lat. *trahere*, « tirer » ; [tʀene].

**TRAÎNE-SAVATE(S),** subst.
Vagabond (fam.). 1794 ; comp. de *traîner* et de *savate* ; plur. *traîne-savates* ; [tʀɛnsavat].

**TRAÎNEUR, EUSE,** subst.
**1.** Personne qui traîne qqch. (vieilli). **2.** Personne qui flâne ou s'attarde. Mil. XIV^e s. ; ☞ *traîner* ; [tʀɛnœʀ, øz].

**TRAINGLOT,** subst. m.
*Milit.* Soldat du train (argot milit.). 1857 ; ☞ *train* ; var. *tringlot* ; [tʀɛ̃glo].

**TRAINING,** subst. m.
Anglic. **1.** *Sp.* Entraînement ; par méton., survêtement porté à l'entraînement. **2.** *Psychol.* ***Training** autogène* : méthode de relaxation par autosuggestion. 1854 ; mot angl. ; [tʀɛniŋ].

**TRAIN-TRAIN,** subst. m. inv.
Routine (fam.). 1830 (1611, sonnerie du cor) ; *trantran* (vx), « sonnerie du cor », d'orig. onomat. ; var. *traintrain* ; [tʀɛ̃tʀɛ̃].

**TRAIRE,** verbe trans. [58]
**1.** Vx. Tirer (qqch.). **2.** Tirer le lait des mamelles de (une vache, une brebis, etc.), manuellement ou mécaniquement. Mil. XI^e s. ; lat. pop. °*tragere*, du lat. *trahere*, « tirer » ; [tʀɛʀ].

**TRAIT,** subst. m.
**I. 1.** *Boire à grands, à longs **traits*** : à longues gorgées. ▸ *D'un **trait*** : sans interruption. **2.** Projectile lancé à la main ou à l'aide d'une arme (vieilli) : *Un **trait** d'arbalète.* **3.** *Animal, cheval de **trait*** : employé à tirer une charrette, une charrue, etc. **4.** Action de dessiner une, des lignes : *Dessin au **trait**,* constitué uniquement de lignes. ▸ Empl. abs. *Le **trait*** : le graphisme ; *Reproduire **trait** pour **trait**,* exactement. ▸ Loc. *Tirer un **trait** sur qqch.* : le considérer comme annulé ; *Rayer d'un **trait** de plume* : supprimer de façon expéditive. Plur. Lignes du visage : *Avoir de beaux **traits**, des **traits** fins, etc.* **II.** Fig. **1.** Particularité : ***Trait** de caractère.* ▸ *Ling.* ***Trait** distinctif d'un phonème* : propriété pertinente qui le distingue. **2.** Propos piquant ; expression heureuse, brillante : ***Trait** d'esprit.* ▸ *Mus.* Passage comportant des éléments de virtuosité : *Un **trait** périlleux.* **3.** Loc. *Avoir **trait** à* : se rapporter à, concerner. Fin XII^e s. ; lat. *tractus*, « action de traîner » ; [tʀɛ].

**TRAITABLE,** adj.
Arrangeant, conciliant (littér.). Fin XIII^e s. ; lat. *tractabilis*, « maniable » ; [tʀɛtabl].

**TRAITANT, ANTE,** adj.
**1.** *Médecin **traitant*** : qui suit habituellement un malade, par oppos. au médecin consultant. **2.** *Officier **traitant*** ou, empl. subst. masc., *Un **traitant*** : agent d'un service de renseignements, en contact avec un espion. 1628 ; p. pr. de *traiter* ; [tʀɛtɑ̃, ɑ̃t].

**TRAIT D'UNION,** subst. m.
**1.** *Gramm.* et *Typogr.* Tiret court qui joint notamment les éléments d'un mot composé, ou un verbe et un pronom postposé. **2.** Fig. Personne ou chose servant de lien avec une autre. 1754 ; comp. de *trait* et de *union* ; plur. *traits d'union* ; [tʀɛdynjɔ̃].

**TRAITE,** subst. f.
**I. 1.** Vx. Transport commercial. ▸ *Hist.* ***Traite** des Noirs* : trafic des esclaves africains, du XVI^e au XIX^e s. ▸ Anal. ***Traite** des Blanches* : trafic consistant à livrer à la prostitution des femmes blanches qu'on a enlevées. **2.** *Fin.* Lettre de change. **II.** Trajet que l'on fait sans s'arrêter : *Une courte **traite*** ; *D'une (seule) **traite**,* sans interruption. **III.** Action de traire (un animal). 1350 ; p. p. de *traire* ; [tʀɛt].

**TRAITÉ,** subst. m.
**1.** Ouvrage didactique dans lequel on traite un sujet de façon systématique : ***Traité** de géométrie* ; ***Traité** d'harmonie.* **2.** *Dr.* Acte signé entre des États : *Le **traité** de Maastricht.* Mil. XII^e s. ; lat. *tractatus*, « action de traiter un sujet » ; [tʀete].

**TRAITEMENT,** subst. m.
**I. 1.** Comportement à l'égard d'un être vivant : ***Traitement** de faveur* ; *Mauvais **traitements**,* sévices. **2.** Action et manière de soigner une maladie ; par ext., ensemble des moyens thérapeutiques utilisés pour soigner : *Suivre un **traitement**.* **3.** Rémunération d'un fonctionnaire. **II. 1.** Ensemble des procédés par lesquels on modifie la structure, l'aspect ou les propriétés de qqch. : *Un **traitement** de surface* ; ***Traitement** des déchets.* **2.** Manière de traiter, d'examiner un problème, de résoudre une question. **III. 1.** *Informat.* Suite d'opérations logiques servant à exploiter des données selon un programme. ▸ ***Traitement** de texte(s)* : progiciel permettant de saisir, de mettre en forme, de mémoriser et d'éditer un texte. **2.** *Cin.* Développement d'un synopsis. Déb. XVI^e s. (1255, négociation) ; ☞ *traiter* ; [tʀɛtmɑ̃].

**TRAITER,** verbe [3]
Intrans. Négocier : ***Traiter** avec un parti, un syndicat.* Trans. dir. **1.** Se comporter de telle ou telle manière envers (un être vivant) : ***Traiter** qqn avec égards* ; ***Traiter** qqn comme,* le considérer comme. ▸ Qualifier injurieusement : ***Traiter** qqn d'idiot.* ▸ Recevoir à sa table : ***Traiter** qqn royalement.* **2.** Appliquer des soins spécifiques à (un malade) ; par méton. : ***Traiter** un cancer.* ▸ *Agric.* Protéger (une culture) contre des maladies : ***Traiter** une vigne.* **3.** Soumettre (une substance) à des opérations de transformation : ***Traiter** un métal* ; empl. adj. : *Un tissu **traité**.* **4.** Analyser et développer l'étude de (qqch.) : ***Traiter** un sujet.* ▸ Représenter par la peinture : ***Traiter** un paysage.* ▸ *Informat.* Procéder au traitement de : ***Traiter** des données.* Trans. indir. **Traiter de.** Parler de, discuter de : ***Traiter** d'une question d'actualité.* Déb. XII^e s. ; lat. *tractare*, « manier » ; [tʀete].

**TRAITEUR,** subst. m.
**1.** Vx. Restaurateur. **2.** Professionnel de la restauration qui prépare des plats à emporter ou qui les livre à domicile. 1628 ; ☞ *traiter* ; [tʀɛtœʀ].

**TRAÎTRE, TRAÎTRESSE,** adj. et subst.
Adj. Qui trahit ; par ext., qui se révèle dangereux : *Un escalier **traître**.* ▸ Loc. *Pas un **traître** mot* : pas un seul mot. Subst. Personne qui trahit ; par ext., personne qui agit avec perfidie, hypocrisie. ▸ Loc. *En **traître*** : déloyalement. Fin XI^e s. ; lat. *traditor* ; [tʀɛtʀ, tʀɛtʀɛs].

**TRAÎTREUSEMENT,** adv.
Avec traîtrise, en traître. Fin XIII^e s. ; anc. fr. *traîtreux*, « perfide » ; [tʀɛtʀøzmɑ̃].

**TRAÎTRISE,** subst. f.
**1.** Manière d'agir du traître ; déloyauté. **2.** Danger que recèle ce qui est traître : *La **traîtrise** du verglas.* 1810 ; ☞ *traître* ; [tʀɛtʀiz].

**TRAJECTOGRAPHIE,** subst. f.
*Astronaut.* Étude de la trajectoire des missiles et des engins spatiaux. V. 1960 ; ☞ *trajectoire* + *-graphie* ; [tʀaʒɛktɔgʀafi].

**TRAJECTOIRE,** subst. f.
**1.** Ligne décrite par un corps en mouvement ; en partic., courbe que décrit un projectile dans l'espace. **2.** Fig. Parcours professionnel. 1727 ; lat. sc. *trajectoria*, du lat. *trajectus*, « trajet » ; [tʀaʒɛktwaʀ].

**TRAJET,** subst. m.
**1.** Fait de se déplacer d'un lieu à un autre ; chemin parcouru ; itinéraire : *Le **trajet** à pied dure une heure* ; *Le **trajet** de Paris à Lyon.* **2.** *Anat.* et *Pathol.* Parcours que suit un nerf, un vaisseau, une fistule. 1553 ; ital. *tragetto*, du lat. *trajectus*, « traversée » ; [tʀaʒɛ].

**TRALALA,** interj. et subst. m.
Interj. ***Tralala !*** : exprime la moquerie, l'indifférence ou la joie. Subst. Fam. Luxe voyant : *Recevoir en grand **tralala**.* ▸ Loc. *Et tout le **tralala*** : et tout le reste. 1860 (1790, refrain de chanson) ; orig. onomat. ; [tʀalala].

**TRAM,** subst. m.
Tramway. 1877 ; apocope de *tramway* ; [tʀam].

**TRAMAGE,** subst. m.
*Text.* Action de tramer ; son résultat. 1876 ; ☞ *tramer* ; [tʀamaʒ].

**TRAMAIL,** subst. m.
Filet de pêche constitué de trois nappes superposées. 1197 ; bas lat. *tremaculum*, « à trois mailles » ; plur. *tramails*, var. *trémail* (plur. *trémails*) ; [tʀamaj].

**TRAME,** subst. f.
**1.** *Text.* Ensemble des fils qui croisent transversalement les fils de la chaîne tendus sur le métier. **2.** Fig. Ce qui constitue la structure, le fond d'un ensemble ordonné, en partic. d'une œuvre littéraire : *La **trame** d'un roman.* **3.** Quadrillage d'un plan d'architecture ou d'urbanisme. **4.** *Impr.* Quadrillage plus ou moins serré sur un film transparent, utilisé en photogravure. **5.** *Informat.* Bloc de données formaté de manière à permettre les échanges entre les ordinateurs d'un réseau ; programme type sur la base duquel on développe des programmes spécifiques. **6.** *Télév.* Ensemble des lignes horizontales parcourues par le balayage vertical de l'image vidéo. XII^e s. ; lat. *trama* ; [tʀam].

**TRAMER,** verbe trans. [3]
**1.** *Text.* Former (un tissu) en entrecroisant les fils de la trame et les fils de la chaîne. **2.** *Impr.* Reproduire (un phototype) avec une trame. **3.** Fig. Préparer secrètement (une action), ourdir : ***Tramer** un complot.* Pronom. Se préparer secrètement, en parlant d'un complot. XIII^e s. ; lat. *trama*, « trame » ; [tʀame].

**TRAMINOT,** subst. m.
Employé d'une compagnie de tramways. 1930 ; ☞ *tramway*, d'apr. *cheminot* ; [tʀamino].

**TRAMONTANE,** subst. f.
Vent soufflant des montagnes vers la Méditerranée, dans le bas Languedoc. Déb. XIII^e s. ; ital. *tramontana stella*, « étoile Polaire », du lat. *transmontanus*, « au-delà des monts » ; [tʀamɔ̃tan].

**TRAMP,** subst. m.
*Mar.* Cargo naviguant au hasard des affrètements (anglic.). 1903 (1861, vagabond) ; angl. *tramp*, de *to tramp*, « marcher lourdement » ; [tʀɑ̃p].

**TRAMPING,** subst. m.
*Mar.* Mode d'exploitation d'un tramp (anglic.). Déb. XX^e s. ; ☞ *tramp* ; [tʀɑ̃piŋ].

**TRAMPOLINE,** subst. m.
*Sp.* Grande toile tendue par des ressorts sur un cadre horizontal, sur laquelle on effectue des sauts ; par

méton., sport ainsi pratiqué. V. 1960 ; prob. angl. *trampolin*, de l'ital. *trampolino*, « tremplin » ; [tʀɑ̃pɔlin].

**TRAMWAY, subst. m.**
Chemin de fer urbain, électrique, à rails plats ; véhicule qui circule sur ce type de rails. 1866 (1818, train dans une mine) ; mot angl. ; [tʀamwɛ].

© C. Delu-Explorer

*Tramway à Saint-Denis, en région parisienne.*

**TRANCHAGE, subst. m.**
**1.** *Techn.* Débit d'une bille de bois en feuilles minces destinées au placage ; découpage de métaux. **2.** Action de trancher (du pain ou un autre aliment). 1863 ; ☞ *trancher* ; [tʀɑ̃ʃaʒ].

**TRANCHANT, ANTE, adj. et subst. m.**
**Adj. 1.** Qui sert à couper ; qui coupe bien : *Couteau **tranchant**.* **2.** Anal. Qui est aigu, vif : *Froid **tranchant**.* **3.** Fig. Catégorique ; contrasté : *Ton **tranchant** ; Couleurs **tranchantes**.* **Subst. 1.** Le côté dur et effilé d'un instrument, qui sert à couper : *Le **tranchant** d'une épée* ; par anal. : *Le **tranchant** de la main.* ► Loc. *À double **tranchant*** : qui produit deux effets contraires. **2.** Fig. Caractère péremptoire, incisif : *Le **tranchant** d'une réplique.* Fin XI^e s. ; p. pr. de *trancher* ; [tʀɑ̃ʃɑ̃, ɑ̃t].

**TRANCHE, subst. f.**
**I. 1.** Morceau assez mince coupé à la surface ou dans l'épaisseur d'une matière comestible : ***Tranche** de viande, de melon.* ► Loc. *S'en payer une (bonne) **tranche*** : bien s'amuser (pop.). **2.** Bord fin d'un objet peu épais : *La **tranche** d'une pièce de monnaie.* **3.** *Reliure.* Chacun des trois côtés rognés d'un livre : *Livre doré sur **tranches**.* **4.** *Bouch.* Partie moyenne de la cuisse de bœuf, au-dessus du gîte. ► ***Tranche** grasse* : partie située en avant de la cuisse. **II. 1.** Chacune des phases successives d'un processus ou d'une opération : *Débloquer la première **tranche** d'un prêt ; **Tranches** horaires des programmes audiovisuels.* ► Loc. *Une **tranche** de vie* : description réaliste d'une brève période donnée de la vie de qqn. **2.** Quantité déterminée soumise à un traitement particulier : ***Tranches** de consommation d'électricité ; **Tranches** de l'impôt ; Répartir la population par **tranches** d'âge.* **3.** *Math.* Série de chiffres consécutifs, arbitrairement séparée d'une autre série dans l'écriture des nombres : *On divise les grands nombres en **tranches** de trois chiffres à partir de la droite.* 1213 ; ☞ *trancher* ; [tʀɑ̃ʃ].

**TRANCHÉ, ÉE, adj. et subst. f.**
**Adj. 1.** Qui est net, marqué, contrasté : *Des tons **tranchés*** ; au fig., sans nuances : *Un caractère **tranché**.* **2.** *Hérald.* Se dit d'un écu divisé en deux par une ligne allant de l'angle dextre du chef à l'angle sénestre de la pointe. **Subst. 1.** Excavation pratiquée en longueur, dans le sol ou dans un mur. **2.** *Milit.* Fossé profond creusé pour approcher l'ennemi et tirer à couvert : *Guerre de **tranchées**,* où le front est jalonné de **tranchées**. **Plur.** *Pathol.* Coliques violentes. ► ***Tranchées** utérines* : contractions douloureuses survenant quelques jours après un accouchement et assurant l'évacuation des lochies. Mil. XII^e s. ; p. p. de *trancher* ; [tʀɑ̃ʃe].

**TRANCHEFILE, subst. f.**
*Reliure.* Bourrelet tissé ou brodé, gén. de couleur vive, qui garnit le haut et le bas du dos d'un livre. 1611 (1411, sorte de corde) ; formé de *trancher* et de *filer* ; [tʀɑ̃ʃfil].

**TRANCHER, verbe [3]**
**Trans. 1.** Séparer en coupant, sectionner. **2.** Fig. Mettre fin à ; résoudre (une question) énergiquement : ***Trancher** un différend.* **Intrans. 1.** Être coupant, affilé. **2.** Fig. Prendre une décision catégorique. **3.** Former un contraste net ; se détacher : *Une tour moderne **tranchait** dans le vieux quartier.* Déb. XII^e s. ; orig. inc. ; [tʀɑ̃ʃe].

**TRANCHET, subst. m.**
*Techn.* Lame d'acier à bout biseauté servant à couper ou à parer le cuir. Fin XIII^e s. ; ☞ *trancher* ; [tʀɑ̃ʃɛ].

**TRANCHEUR, EUSE, subst.**
*Techn.* Personne chargée du tranchage d'une bille de bois. **Fém.** Engin servant à creuser des tranchées ; appareil servant à couper des aliments en tranches. XV^e s. (déb. XIII^e s., sapeur) ; ☞ *trancher* ; [tʀɑ̃ʃœʀ, øz].

**TRANCHOIR, subst. m.**
**1.** Plateau sur lequel on découpe la viande. **2.** Sorte de hachoir. **3.** *Zool.* Poisson téléostéen de la famille des Zanclidés, vivant dans les récifs coralliens de la région indo-pacifique, recherché par les aquariophiles pour sa forme discoïde, ses vives couleurs et les marques étonnantes ornant ses flancs (synon. *zancle*). 1206 ; ☞ *trancher* ; [tʀɑ̃ʃwaʀ].

**TRANQUILLE, adj.**
**1.** Qui est calme, paisible : *Une mer, un quartier **tranquille** ; Un enfant **tranquille**.* ► Loc. *Laisser qqn **tranquille*** : ne pas le déranger. **2.** Qui est sans inquiétude ni souci : *Je suis **tranquille** à son sujet.* ► Loc. *Avoir la conscience **tranquille*** : en paix. Mil. XV^e s. ; lat. *tranquillus* ; [tʀɑ̃kil].

**TRANQUILLEMENT, adv.**
D'une manière tranquille. 1541 ; ☞ *tranquille* ; [tʀɑ̃kilmɑ̃].

**TRANQUILLISANT, ANTE, adj. et subst. m.**
**Adj.** Qui rassure, qui apaise. **Subst.** *Pharm.* Substance qui dissipe les états d'anxiété. 1835 ; p. pr. de *tranquilliser* ; [tʀɑ̃kilizɑ̃, ɑ̃t].

**TRANQUILLISER, verbe trans. [3]**
Rendre (qqn) tranquille, le rassurer. **Pronom.** Recouvrer sa tranquillité ; se rassurer. 1420 ; ☞ *tranquille* ; [tʀɑ̃kilize].

**TRANQUILLITÉ, subst. f.**
**1.** État de ce qui est tranquille ; absence d'agitation. **2.** État d'une personne qui est sans inquiétude, que rien n'importune. Fin XII^e s. ; lat. *tranquillitas*, « calme de la mer, du vent » ; [tʀɑ̃kilite].

**TRANSACTION, subst. f.**
**1.** Acte par lequel on transige ; compromis. **2.** *Dr.* Contrat entre deux parties, qui prévient ou met fin à un litige en établissant des concessions réciproques. **3.** *Fisc.* Contrat par lequel une administration fiscale renonce aux poursuites contre qqn, moyennant une amende. **4.** *Comm.* Contrat passé entre un acheteur et un vendeur ; opération boursière. 1281 ; lat. jur. *transactio*, « accord » ; [tʀɑ̃zaksjɔ̃].

**TRANSACTIONNEL, ELLE, adj.**
**1.** Qui a le caractère d'une transaction ; relatif à une transaction : *Une difficulté **transactionnelle**.* **2.** *Psychanal.* *Analyse **transactionnelle*** : thérapie comportementale fondée sur la maîtrise du choix d'un des trois états possibles du moi (enfant, parent, adulte) lors de relations interpersonnelles. 1823 ; ☞ *transaction* ; [tʀɑ̃zaksjɔnɛl].

**TRANSAFRICAIN, AINE, adj.**
Qui traverse le continent africain. 1894 ; ☞ *africain* + *trans-* ; [tʀɑ̃zafʀikɛ̃, ɛn].

**TRANSALPIN, INE, adj.**
**1.** *Hist.* Qui est au-delà des Alpes, pour les Romains (par oppos. à *cisalpin*) : *Gaule **transalpine*** ou, empl. subst. fém., *La **Transalpine**.* **2.** Anal. Italien, pour les Français. Fin XIV^e s. ; lat. *transalpinus* ; [tʀɑ̃zalpɛ̃, in].

**TRANSAMINASE, subst. f.**
*Biochim.* Enzyme qui catalyse le transfert d'un groupement amine d'une molécule d'acide aminé sur une molécule d'acide organique. Le taux des **transaminases** est très faible dans le sang, et son élévation permet de diagnostiquer des lésions cellulaires (hépatiques ou musculaires). Mil. XX^e s. ; ☞ *amine* + *trans-* ; [tʀɑ̃zaminaz].

**TRANSANDIN, INE, adj.**
Qui traverse les Andes : *Chemin de fer **transandin**.* 1872 ; ☞ *andin* + *trans-* ; [tʀɑ̃zɑ̃dɛ̃, in].

**TRANSATLANTIQUE, adj. et subst.**
**Adj. 1.** Situé au-delà de l'océan Atlantique. **2.** Qui traverse l'Atlantique : *Ligne **transatlantique** ; Paquebot **transatlantique*** ou, empl. subst. masc., *Un **transatlantique**.* ► *Sp.* *Course **transatlantique*** ou, empl. subst. fém., *La **Transatlantique*** (abrév. : la Transat) : course de voiliers à travers l'océan Atlantique. **Subst. masc.** Chaise longue pliante constituée d'une toile tendue sur une armature (abrév : transat). 1818 ; ☞ *atlantique* + *trans-* ; [tʀɑ̃zatlɑ̃tik].

**TRANSBAHUTER, verbe trans. [3]**
Transporter (qqn ou qqch.) sans ménagement (fam.). 1883 ; ☞ *bahut* + *trans-* ; [tʀɑ̃sbayte].

**TRANSBORDEMENT, subst. m.**
Action de transborder ; son résultat. 1792 ; ☞ *transborder* ; [tʀɑ̃sbɔʀdəmɑ̃].

**TRANSBORDER, verbe trans. [3]**
Faire passer (des marchandises, des voyageurs) d'un navire à un autre ou, par ext., d'un engin de transport à un autre. 1792 ; ☞ *bord* + *trans-* ; [tʀɑ̃sbɔʀde].

**TRANSBORDEUR, EUSE, adj. et subst. m.**
**Adj.** Qui transborde : *Pont **transbordeur*** ou, empl. subst. masc., *Un **transbordeur**,* pont mobile utilisé pour le franchissement d'une baie, d'un fleuve ; *Chariot **transbordeur**,* servant à transporter les wagons et les locomotives d'une voie à une autre. **Subst.** Navire transportant des trains ou des véhicules avec leur chargement et leurs passagers. 1878 ; ☞ *transborder* ; [tʀɑ̃sbɔʀdœʀ, øz].

**TRANSCANADIEN, IENNE, adj.**
Qui traverse le Canada d'un océan à l'autre. 1891 ; ☞ *canadien* + *trans-* ; [tʀɑ̃skanadjɛ̃, jɛn].

**TRANSCAUCASIEN, IENNE, adj.**
**1.** Situé au-delà du Caucase. **2.** Relatif, propre à la Transcaucasie. 1837 ; ☞ *caucasien* + *trans-* ; [tʀɑ̃skokazjɛ̃, jɛn].

**TRANSCENDANCE, subst. f.**
**1.** Caractère de ce qui est transcendant. **2.** *Philos.* État de ce qui est transcendant, au-dessus du monde sensible (par oppos. à *immanence*). ► Ce qui est, selon Kant, au-delà de toute expérience possible. ► Mouvement par lequel, en phénoménologie, le sujet transcendantal saisit le sens du monde comme sens que la conscience donne au monde. **3.** Ext. Caractère de ce qui est supérieur (vieilli) : *La **transcendance** de son génie.* 1605 ; ☞ *transcendant* ; [tʀɑ̃sɑ̃dɑ̃s].

**TRANSCENDANT, ANTE, adj.**
**1.** *Philos.* Qui est d'une nature, d'un ordre supérieur (par oppos. à *immanent*). ► Qui s'élève, selon Kant, au-delà de toute expérience possible (par oppos. à *transcendantal*). ► Se dit, en phénoménologie, de tout objet que vise l'ego transcendantal. **2.** Ext. Qui se situe au-dessus d'un niveau moyen : *Un esprit **transcendant**.* **3.** *Math.* ► *Nombre **transcendant*** : nombre réel ou complexe qui n'est pas algébrique ($\pi$, e, ln 2, par ex.). ► *Courbe **transcendante*** : dont aucune équation n'est algébrique. ► *Fonction **transcendante*** : fonction qui n'est pas algébrique (ce n'est pas une fonction polynôme à coefficients entiers). 1405 ; lat. scol. *transcendens*, de *transcendere*, « surpasser » ; [tʀɑ̃sɑ̃dɑ̃, ɑ̃t].

**TRANSCENDANTAL, ALE, AUX, adj.**
*Philos.* ► Se dit, selon Kant, des conditions a priori de la connaissance, et de l'étude des concepts a priori (par oppos. à *empirique*) : *Sujet **transcendantal**,* qui unifie en une seule conscience toutes nos représentations ; *Esthétique **transcendantale**,* qui fait l'inventaire des éléments a priori de la sensibilité. ► Se dit, selon Husserl, de la conscience qui, prenant conscience d'elle-même comme conscience pure, fonde toute transcendance. ► Empl. subst. masc. plur. Se dit, pour les scolastiques, des attributs qui, dépassant les catégories, conviennent à tous les êtres : *L'Un, le Vrai et le Beau sont des **transcendantaux**.* 1503 ; lat. scol. *transcendentalis*, de *transcendens*, « transcendant » ; [tʀɑ̃sɑ̃dɑ̃tal, o].

**TRANSCENDANTALISME, subst. m.**
*Philos.* Doctrine qui admet des concepts a priori dominant l'expérience. ► Doctrine philosophique, fondée par Emerson, caractérisée par un certain mysticisme moral. 1801 ; ☞ *transcendantal* ; [tʀɑ̃sɑ̃dɑ̃talism].

**TRANSCENDER, verbe trans. [3]**
Dépasser (un certain niveau de connaissance) ; s'élever au-dessus de (sa condition d'humain) ; se situer au-delà de (un ordre de réalité). **Pronom.** Se dépasser. Mil. XIII^e s. ; lat. *transcendere*, « surpasser » ; [tʀɑ̃sɑ̃de].

**TRANSCODAGE, subst. m.**
Traduction, codage d'informations, de données, selon un code qui n'est pas celui d'origine. ► *Télév.* Passage d'un standard vidéo à un autre. V. 1970 ; ☞ *transcoder* ; [tʀɑ̃skɔdaʒ].

**TRANSCODER, verbe trans. [3]**
Effectuer le transcodage de. V. 1960 ; ☞ *code* + *trans-* ; [tʀɑ̃skɔde].

**TRANSCODEUR,** subst. m.
Appareil ou logiciel permettant d'effectuer un transcodage. V. 1960 ; ☞ *transcoder* ; [tʀɑ̃skɔdœʀ].

**TRANSCONTENEUR,** subst. m.
**1.** Conteneur conçu pour plusieurs moyens de transport successifs (par ex. d'un navire à un camion). **2.** Navire porte-conteneurs. V. 1960 ; ☞ *conteneur + trans-* ; [tʀɑ̃skɔ̃t(ə)nœʀ].

**TRANSCONTINENTAL, ALE, AUX,** adj.
Qui traverse un continent d'un bout à l'autre. 1872 ; ☞ *continental + trans-* ; [tʀɑ̃skɔ̃tinɑ̃tal, o].

**TRANSCRIPTEUR,** subst. m.
Personne ou appareil qui transcrit. 1538 ; lat. médiév. *transcriptor*, « copiste » ; [tʀɑ̃skʀiptœʀ].

**TRANSCRIPTION,** subst. f.
**1.** Action de transcrire ; son résultat. **2.** *Dr.* Copie sur les registres officiels de certains actes ou jugements. **3.** *Ling.* ***Transcription phonétique*** : représentation écrite de mots à l'aide de signes phonétiques conventionnels, permettant d'en retrouver la prononciation. **4.** *Biol.* et *Biochim.* Processus par lequel des séquences d'un brin d'A. D. N. sont copiées en molécules complémentaires d'A. R. N. 1518 ; ☞ *transcrire* ; [tʀɑ̃skʀipsjɔ̃].

**TRANSCRIRE,** verbe trans. [67]
**1.** Reproduire fidèlement par écrit. **2.** Reproduire (un texte) au moyen d'un autre système de notation. **3.** *Mus.* ***Transcrire*** *une symphonie pour le piano* : adapter l'orchestration pour cet instrument. 1234 ; lat. *transcribere*, « copier » ; [tʀɑ̃skʀiʀ].

**TRANSCULTUREL, ELLE,** adj.
Qui concerne les relations entre plusieurs cultures. Mil. XXe s. ; ☞ *culturel + trans-* ; [tʀɑ̃skyltyʀɛl].

**TRANSCUTANÉ, ÉE,** adj.
Se dit d'une substance qui peut traverser la peau. ☞ *cutané + trans-* ; [tʀɑ̃skytane].

**TRANSDUCTEUR,** subst. m.
*Techn.* Dispositif permettant de changer la nature physique d'un signal sans altérer l'information qu'il transmet : *L'écouteur téléphonique est un* ***transducteur.*** 1942 ; ☞ *conducteur + trans-* ; [tʀɑ̃sdyktœʀ] ou [tʀɑ̃z-].

**TRANSDUCTION,** subst. f.
**1.** *Phys.* Phénomène de traduction d'un signal par l'intermédiaire d'un transducteur. **2.** *Biol.* et *Génét.* Processus d'échange d'A. D. N. entre bactéries grâce à l'intervention de particules de bactériophages chez lesquels l'A. D. N. a été remplacé par de l'A. D. N. bactérien. ▸ Transformation, par les récepteurs sensoriels, des stimulus en activité électrique. 1925 ; ☞ *conduction + trans-* ; [tʀɑ̃sdyksjɔ̃] ou [tʀɑ̃z-].

**TRANSE,** subst. f.
**1.** Appréhension très vive, frayeur extrême (gén. au plur.) : *Vivre dans des* ***transes*** *perpétuelles.* **2.** *Parapsychol.* État de sensibilité exacerbée du médium. **3.** État d'excitation d'une personne qui se sent transportée hors d'elle-même et de la réalité ; en partic., état de l'artiste inspiré ; par ext. : *Être, entrer en* ***transe***, être hors de soi (fam.). Fin XIVe s. (mil. XIIe s., traversée de la mer) ; ☞ *transir* ; [tʀɑ̃s].

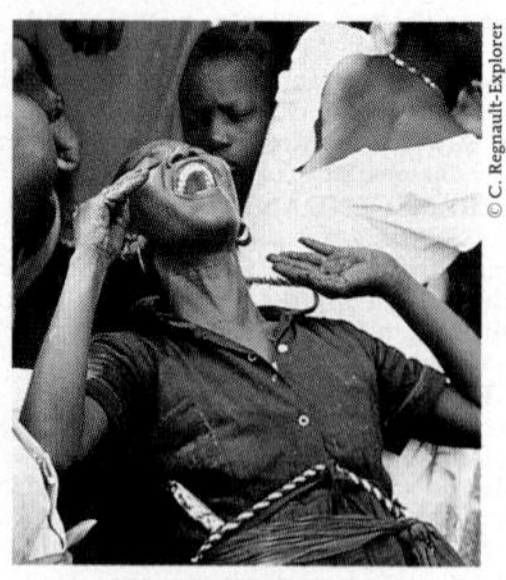
© C. Regnault-Explorer

*Adepte du vaudou en* ***transe.***

**TRANSEPT,** subst. m.
*Archit.* Dans une église en croix latine, nef transversale formant les bras de la croix. 1823 ; angl. *transept*, du lat. *saeptum*, « enclos » ; [tʀɑ̃sɛpt].

**TRANSFÉRABLE,** adj.
**1.** Qui peut être transféré. **2.** *Dr.* et *Fin.* Cessible, négociable. 1596 ; ☞ *transférer* ; [tʀɑ̃sfeʀabl].

**TRANSFÉRASE,** subst. f.
*Biochim.* Enzyme catalysant le transfert d'un fragment provenant d'un certain type moléculaire sur un autre. XXe s. ; ☞ *transférer* ; [tʀɑ̃sfeʀɑz].

**TRANSFÉRENTIEL, ELLE,** adj.
*Psychanal.* Relatif au transfert. 1955 ; ☞ *transfert*, d'apr. l'angl. *transferential* ; [tʀɑ̃sfeʀɑ̃sjɛl].

**TRANSFÉRER,** verbe trans. [8]
**1.** Faire passer d'un lieu dans un autre en respectant certaines modalités : ***Transférer*** *des détenus, des reliques.* **2.** *Dr.* Transmettre (un droit) d'une personne à une autre. **3.** *Psychol.* Étendre (un sentiment) à un objet différent de celui qui l'a suscité. Mil. XIVe s. ; lat. *transferre*, « porter d'un lieu dans un autre ; transporter ; transcrire » ; [tʀɑ̃sfeʀe].

**TRANSFERT,** subst. m.
**I.** *Dr.* Acte par lequel un droit est transmis d'une personne à une autre : ***Transfert*** *de propriété.* **II. 1.** Action de déplacer qqn ou qqch. selon des modalités précises : ***Transfert*** *de cendres.* ▸ ***Transfert*** *de population(s)* : déplacement collectif et forcé vers une autre région. **2.** Procédé de fixation, grâce à un adhésif, de motifs sur divers supports. **3.** *Fin.* Opération par laquelle on fait passer des valeurs d'un compte à un autre : ***Transfert*** *de capitaux.* **4.** *Industr.* ***Transfert*** *de technologie* : déplacement d'un savoir-faire technique d'un pays vers un autre, moins développé. **5.** *Informat.* Passage de données d'un registre de mémoire à un autre. **6.** *Sp.* Départ d'un joueur pour un autre club. **7.** *Techn.* ▸ Transport automatique de pièces d'un poste de travail au poste suivant. ▸ Rupture de charge : *Un poste de* ***transfert*** *d'ordures.* **III. 1.** *Psychol.* Phénomène d'association par lequel un sentiment éprouvé pour un objet est étendu à un autre. ▸ ***Transfert*** *d'apprentissage* : répercussion positive ou négative de l'apprentissage d'une activité donnée sur une autre de nature différente. **2.** *Psychanal.* Relation structurante et dynamisante vécue par l'analyste et le patient, ce dernier substituant la personne de l'analyste à la figure parentale liée au conflit infantile. 1715 ; lat. *transfert*, « il transfère » ; [tʀɑ̃sfɛʀ].

© Giraudon

*La* ***Transfiguration,*** *détail d'une miniature extraite d'évangiles arméniens (XIIIe s.). Musée arménien, Ispahan.*

**TRANSFIGURATION,** subst. f.
**1.** *Relig.* Apparition du Christ dans la gloire de sa divinité à trois de ses disciples sur le mont Thabor ; par méton., fête qui la célèbre, le 6 août. **2.** Action de transfigurer ; fait d'être transfiguré. 1231 ; lat. *transfiguratio*, « métamorphose » ; [tʀɑ̃sfigyʀasjɔ̃].

**TRANSFIGURER,** verbe trans. [3]
Transformer (qqn, qqch.) en lui donnant une beauté, un éclat, un rayonnement inhabituel. Mil. XIIe s. ; lat. *transfigurare* ; [tʀɑ̃sfigyʀe].

**TRANSFILER,** verbe trans. [3]
*Mar.* Joindre (deux toiles) bord à bord au moyen d'un bout de ligne passé alternativement dans des œillets. 1831 ; *tranchefiler* (vx), de *tranchefile* ; [tʀɑ̃sfile].

**TRANSFINI, IE,** adj.
*Math.* *Cardinal* ***transfini*** : cardinal d'un ensemble infini. Fin XIXe s. ; all. *Transfinitum*, du lat. *finitus*, « fini » ; [tʀɑ̃sfini].

**TRANSFO,** subst. m.
Transformateur (fam.). V. 1930 ; apocope de *transformateur* ; [tʀɑ̃sfo].

**TRANSFORMABLE,** adj.
Qui peut être transformé, qui peut être modifié. 1587 ; ☞ *transformer* ; [tʀɑ̃sfɔʀmabl].

**TRANSFORMANTE,** adj. f.
*Géol.* Qualifie une faille décrochante qui recoupe et déplace horizontalement une fracture d'ampleur régionale. Ce terme est surtout utilisé pour nommer les failles qui tronçonnent les dorsales du milieu des océans. P. pr. de *transformer* ; [tʀɑ̃sfɔʀmɑ̃t].

**TRANSFORMATEUR, TRICE,** adj. et subst. m.
**Adj.** Qui transforme : *Action, visée* ***transformatrice.*** **Subst.** *Électr.* Appareil utilisé pour transformer des grandeurs électriques et, en partic., pour modifier la tension et l'intensité du courant alternatif. 1575 ; ☞ *transformer* ; [tʀɑ̃sfɔʀmatœʀ, tʀis].

**TRANSFORMATION,** subst. f.
**I. 1.** Action de transformer ; son résultat. **2.** *Chim.* et *Phys.* Phénomène représentant l'évolution d'un corps ou d'un système et qui en exprime le changement suivant certaines conditions déterminées. **3.** *Électr.* Opération de modification de la tension, de l'intensité ou de la forme d'un courant. **4.** *Industr.* Ensemble des étapes de fabrication, allant de la matière première au produit fini. **5.** *Ling.* Modification de la structure grammaticale d'une phrase suivant certaines règles : ***Transformation*** *passive, interrogative.* **6.** *Math.* Application du plan (de l'espace, d'un ensemble) vers lui-même. ▸ *Groupe de* ***transformations*** : ensemble de **transformations** (bijectives) qui est un groupe pour la loi de composition des applications (groupe des translations, des rotations de centre donné, etc.). **7.** *Sp.* En rugby, action de transformer un essai. **II. 1.** Action de se transformer, métamorphose ; son résultat : *La* ***transformation*** *de la chrysalide en papillon.* **2.** Fig. Changement radical du comportement ou du caractère : *Sa* ***transformation*** *a surpris ses proches.* Fin XIVe s. ; lat. eccl. *transformatio* ; [tʀɑ̃sfɔʀmasjɔ̃].

**TRANSFORMÉE,** subst. f.
*Géom.* Image d'un élément, d'une figure, par une transformation. 1765 ; p. p. de transformer ; [tʀɑ̃sfɔʀme].

**TRANSFORMER,** verbe trans. [3]
**1.** Donner une autre forme, d'autres propriétés à (qqch.) : ***Transformer*** *un appartement ; Ce détail* ***transforme*** *l'ensemble.* ▸ Loc. **Transformer en.** Faire prendre la nature de, convertir : ***Transformer*** *le plomb en or.* **2.** Modifier l'état physique ou psychologique de (qqn) : *Le succès l'****a transformé.*** **3.** *Math.* ***Transformer*** *une équation* : la changer en une autre, équivalente, par certaines opérations. **4.** *Sp.* ***Transformer*** *un essai* : au rugby, augmenter de deux points le gain d'un essai par un tir au but. **Pronom.** Changer d'aspect, de caractère, de nature ; devenir autre : *Protée se* ***transformait*** *à sa guise.* ▸ Loc. *Se* ***transformer*** *en* : prendre l'apparence, la forme de (qqn, qqch. d'autre). Fin XIIIe s. ; lat. *transformare*, de *formare*, « former » ; [tʀɑ̃sfɔʀme].

**TRANSFORMISME,** subst. m.
**1.** *Biol.* Conception du monde vivant et de son histoire selon laquelle les espèces présentes et passées dérivent de formes toujours plus anciennes, en vertu de la variabilité génétique intrinsèque des organismes et des modifications, plus ou moins brusques, qui affectent leurs conditions de vie (anton. *fixisme*). **2.** Au music-hall, changement de personnalité, et spéc. de sexe, grâce au travestissement : *Un numéro de* ***transformisme.*** 1867 ; ☞ *transformer* ; [tʀɑ̃sfɔʀmism].

**TRANSFORMISTE,** adj. et subst.
**Adj.** Relatif au transformisme. **Subst. 1.** Partisan de cette théorie. **2.** Artiste pratiquant le transformisme. 1872 ; ☞ *transformisme* ; [tʀɑ̃sfɔʀmist].

**TRANSFRONTALIER, IÈRE,** adj.
Qui concerne deux pays frontaliers ou le franchissement d'une frontière : *Pacte, transports* ***transfrontaliers.*** V. 1980 ; ☞ *frontalier + trans-* ; [tʀɑ̃sfʀɔ̃talje, jɛʀ].

**TRANSFUGE,** subst.
**1.** Soldat qui déserte pour passer à l'ennemi. **2.** Anal. Personne qui quitte son parti pour un autre ; personne qui trahit une cause, un groupe ou, par ext., qui change de milieu, de domaine. 1355 ; lat. *transfuga* ; [tʀɑ̃sfyʒ].

**TRANSFUSER,** verbe trans. [3]
*Méd.* **1.** Injecter (du sang ou l'un de ses constituants) dans les veines de qqn. **2.** Soumettre à

une transfusion sanguine : ***Transfuser** un blessé.* 1668 ; lat. *transfus*, de *transfundere*, « transvaser » ; [tʀɑ̃sfyze].

**TRANSFUSION, subst. f.**
*Méd.* ***Transfusion** sanguine* : injection de sang ou de l'un de ses constituants, selon des règles précises de compatibilité, dans une veine d'un malade. 1667 (1307, modification d'un acte juridique) ; lat. *transfusio*, « transfert » ; [tʀɑ̃sfyzjɔ̃].

**TRANSGÉNIQUE, adj.**
*Génét.* Se dit d'un organisme dans lequel un gène d'origine différente de celle de son patrimoine génétique a été introduit : *Souris **transgénique**.* XX^e s. ; formé de *trans-* et de *-génique* ; [tʀɑ̃sʒenik].

**TRANSGRESSER, verbe trans. [3]**
Passer outre à (une obligation, une loi, un ordre) ; enfreindre, contrevenir à. 1385 ; lat. *transgressus*, de *transgredi*, « franchir » ; [tʀɑ̃sgʀese].

**TRANSGRESSION, subst. f.**
**1.** Action de transgresser. **2.** *Géol.* Submersion de terres par la mer, ou par les eaux d'un lac, à la suite d'un affaissement tectonique ou de la remontée du niveau de la mer ou du lac (anton. *régression*). Fin XII^e s. ; lat. *transgressio*, « faute » ; [tʀɑ̃sgʀesjɔ̃].

**TRANSHUMANCE, subst. f.**
**1.** *Élev.* Déplacement d'un troupeau afin d'exploiter les pâturages saisonniers, en partic. ceux de la montagne en été. **2.** Anal. *Apic.* Déplacement des ruches afin de tirer profit des diverses floraisons. 1818 ; ☞ *transhumer* ; [tʀɑ̃zymɑ̃s].

© E. Brissaud-Gamma

*Transhumance des moutons dans le Gard.*

**TRANSHUMER, verbe [3]**
*Élev.* TRANS. Mener (le bétail) en transhumance. INTRANS. Effectuer la transhumance. 1818 ; esp. *transhumar*, du lat. *trans*, « au-delà », et *humus*, « terre » ; [tʀɑ̃zyme].

**TRANSI, IE, adj. et subst. m.**
ADJ. **1.** Qui est pénétré, engourdi de froid. **2.** Fig. Paralysé par une émotion violente : ***Transi** de peur, de honte* ; *Amoureux **transi**.* SUBST. Au Moyen Âge et à la Renaissance, sculpture représentant un cadavre en décomposition. XIV^e s. ; p. p. de *transir* ; [tʀɑ̃zi].

**TRANSIGER, verbe intrans. [5]**
Régler un différend, un litige, par des concessions réciproques ; composer. ▸ Loc. ***Transiger** sur* : céder sur (un point donné) ; ***Transiger** avec un principe, avec sa conscience* : les trahir par manque de fermeté. 1342 ; lat. *transigere*, « mener à terme, régler une affaire » ; [tʀɑ̃ziʒe].

**TRANSIR, verbe trans. [19]**
**1.** Engourdir, en parlant d'un froid pénétrant ; faire frissonner : *La bise me **transit**.* **2.** Fig. Saisir et paralyser (littér.) : *Cet éloge le **transit** d'émotion.* Mil. XIV^e s. (mil. XII^e s., mourir) ; lat. *transire*, « partir » ; [tʀɑ̃ziʀ].

**TRANSISTOR, subst. m.**
**1.** *Électron.* Composant actif à semi-conducteur, pouvant assurer plusieurs fonctions électroniques, en partic. d'amplification et de modulation. **2.** Récepteur de radio portatif équipé de **transistors**. 1952 ; angl. *transistor*, crois. de *transfer*, « transfert », et de *resistor*, « résistance » ; [tʀɑ̃zistɔʀ].

**TRANSISTORISER, verbe trans. [3]**
*Techn.* Équiper (un appareil) de transistors ; empl. adj. : *Poste de radio **transistorisé**.* V. 1960 ; ☞ *transistor* ; [tʀɑ̃zistɔʀize].

**TRANSIT, subst. m.**
**1.** *Dr. comm.* Franchise douanière sur des marchandises qui ne font que traverser un pays. ▸ Passage, transport de marchandises ; par méton., marchandises transportées. **2.** Ext. Situation de voyageurs qui, dans un aéroport ou un port d'escale, ne franchissent pas les contrôles de douane et de police. ▸ *Cité de **transit*** : lieu de résidence provisoire pour les mal-logés, les immigrés ou les réfugiés. **3.** *Méd.* ***Transit** baryté* : examen radiologique du tube digestif soumis au passage d'une substance radio-opaque. **4.** *Physiol.* ***Transit** intestinal* : étape de la digestion au cours de laquelle les aliments passent du pylore au rectum. 1663 ; ital. *transito*, du lat. *transitus* ; [tʀɑ̃zit].

**TRANSITAIRE, subst. m. et adj.**
SUBST. *Comm.* Commissionnaire chargé de l'exportation et de l'importation de marchandises. ADJ. Relatif au transit ; qui s'effectue par transit. 1842 ; ☞ *transit* ; [tʀɑ̃zitɛʀ].

**TRANSITER, verbe [3]**
TRANS. Faire passer (des marchandises) en transit. INTRANS. Passer en transit dans un lieu. 1832 ; ☞ *transit* ; [tʀɑ̃zite].

**TRANSITIF, IVE, adj.**
**1.** *Gramm.* Se dit d'un verbe qui appelle un complément d'objet, direct ou indirect. **2.** *Math. Relation **transitive*** : relation binaire $\mathcal{R}$ sur un ensemble E telle que, pour tout triplet $(x, y, z)$ d'éléments de E, si $x$ est relié à $y$ et si $y$ est relié à $z$ suivant $\mathcal{R}$, alors $x$ est relié à $z$ suivant $\mathcal{R}$. **3.** *Philos. Cause **transitive*** : cause efficiente qui agit en produisant son effet sur autre chose qu'elle-même. 1550 (1310, changeant) ; lat. *transitivus* ; [tʀɑ̃zitif, iv].

**TRANSITION, subst. f.**
**1.** *Rhét.* et *Litt.* Procédé qui assure l'unité d'un discours en liant les idées, les arguments les uns aux autres. ▸ *Cin.* Passage d'un plan à un autre. ▸ *Mus.* Passage d'un ton à un autre. **2.** Passage, brusque ou graduel, d'une chose à une autre. ▸ Situation intermédiaire entre deux états successifs. ▸ Loc. **De transition.** Intermédiaire ; à titre provisoire : *Gouvernement de **transition**.* **3.** *Chim.* ▸ *Éléments de **transition*** : métaux dont les couches électroniques ne sont pas totalement remplies, ce qui leur confère des propriétés particulières (de dilution, de conduction, de paramagnétisme, par ex.). ▸ *Point de **transition*** : température à laquelle une substance change de phase. ▸ *État de **transition*** : bref état intermédiaire pendant lequel des atomes de haute énergie s'associent avant de former les produits. **4.** *Phys.* Étape intermédiaire correspondant au passage d'un état stationnaire à un autre. 1501 ; lat. *transitio* ; [tʀɑ̃zisjɔ̃].

**TRANSITIONNEL, ELLE, adj.**
**1.** Qui constitue une transition : *Phase **transitionnelle**.* **2.** *Psychanal. Objet, phénomène **transitionnel*** : selon D. W. Winnicott, objet ou phénomène qui sert d'intermédiaire, en permettant à l'enfant de passer de la réalité intérieure à la véritable relation d'objet. 1865 ; ☞ *transition* ; [tʀɑ̃zisjɔnɛl].

**TRANSITIVEMENT, adv.**
*Gramm.* D'une manière transitive, avec un complément d'objet. 1845 ; ☞ *transitif* ; [tʀɑ̃zitivmɑ̃].

**TRANSITIVITÉ, subst. f.**
**1.** *Gramm.* Caractère d'un verbe transitif. **2.** *Math.* Propriété de toute relation transitive. 1879 ; ☞ *transitif* ; [tʀɑ̃zitivite].

**TRANSITOIRE, adj.**
**1.** Qui est passager, provisoire : *Situation **transitoire**.* **2.** Qui constitue une transition : *Mesure **transitoire**.* Fin XII^e s. ; lat. *transitorius* ; [tʀɑ̃sitwaʀ].

**TRANSLATIF, IVE, adj. et subst. m.**
ADJ. *Dr.* Qui réalise un transfert. SUBST. *Gramm.* Cas de certaines langues à flexion (dont le finnois), indiquant un changement d'état. 1372 ; lat. *translativus*, « qui transporte ailleurs » ; [tʀɑ̃slatif, iv].

**TRANSLATION, subst. f.**
**1.** Action de transporter qqch. ou qqn d'un lieu à un autre. **2.** *Astron.* Mouvement d'une planète autour du Soleil. **3.** *Cath.* Report d'une fête. **4.** *Dr.* Fait de transférer un droit. **5.** *Math.* Transformation ponctuelle (dans un espace affine) qui à tout point M associe le point M′ tel que le vecteur $\overrightarrow{MM'}$ soit égal à un vecteur fixe. Fin XII^e s. ; lat. *translatio*, « transposition » ; [tʀɑ̃slasjɔ̃].

**TRANSLITTÉRATION, subst. f.**
*Ling.* Transposition d'un texte écrit dans un autre système d'écriture : ***Translittération** en caractères latins*, transcription dans l'alphabet latin, signe par signe, des mots d'un système d'écriture différent. 1874 ; lat. *littera*, « lettre », + *trans-*, d'apr. *transcription* ; [tʀɑ̃sliteʀasjɔ̃].

**TRANSLOCATION, subst. f.**
*Génét.* ▸ Résultat d'un accident chromosomique qui a pour effet d'associer un fragment d'un chromosome donné avec un autre chromosome, complet ou non. ▸ ***Translocation** réciproque* : échange d'une partie de chaque chromosome entre eux. Ce type d'accident ne conduit à aucune perte de matériel génétique. 1936 ; angl. *translocation*, du lat. *trans*, « au-delà de », et *locatio*, « disposition » ; [tʀɑ̃slɔkasjɔ̃].

**TRANSLUCIDE, adj.**
Qui laisse passer la lumière, mais à travers quoi l'on ne peut pas distinguer nettement les objets. 1556 ; lat. *translucidus* ; [tʀɑ̃slysid].

**TRANSMETTEUR, TRICE, adj. et subst.**
Se dit d'une personne qui transmet, qui travaille dans les transmissions. SUBST. MASC. **1.** Appareil servant à transmettre des signaux. **2.** *Biol.* Substance assurant la circulation d'une instruction d'un type cellulaire à un autre. 1860 (fin XV^e s., celui qui envoie une délégation) ; ☞ *transmettre* ; [tʀɑ̃smɛtœʀ, tʀis].

**TRANSMETTRE, verbe trans. [60]**
**1.** Faire passer (qqch.) d'une personne à une autre : ***Transmettre** une lettre* ; ***Transmettre** un savoir* ; ***Transmettre** un microbe* ; ***Transmettre** ses amitiés.* **2.** *Dr.* Faire acquérir par mutation : ***Transmettre** un héritage.* **3.** Permettre le passage de (qqch.) : *Les nerfs **transmettent** l'influx nerveux* ; faire parvenir d'un lieu à un autre : ***Transmettre** des signaux.* PRONOM. Se communiquer l'un à l'autre, les uns aux autres : *Se **transmettre** des informations* ; se propager : *Le son se **transmet** dans l'air.* Mil. XI^e s. ; lat. *transmittere*, « faire passer » ; [tʀɑ̃smɛtʀ].

**TRANSMIGRATION, subst. f.**
**1.** Action de transmigrer (rare). **2.** *Relig.* Réincarnation. Fin XII^e s. ; lat. *transmigratio*, « émigration » ; [tʀɑ̃smigʀasjɔ̃].

**TRANSMIGRER, verbe intrans. [3]**
**1.** Quitter un pays pour s'installer dans un autre (rare). **2.** *Relig.* Se réincarner, en parlant de l'âme. 1538 ; lat. *transmigrare*, « émigrer » ; [tʀɑ̃smigʀe].

**TRANSMISSIBLE, adj.**
Qui peut être transmis. 1583 ; lat. *transmissum*, de *transmittere*, « faire passer » ; [tʀɑ̃smisibl].

**TRANSMISSION, subst. f.**
**I. 1.** Action de transmettre ; son résultat : ***Transmission** par héritage* ; ***Transmission** du langage.* ▸ ***Transmission** de pensée* : télépathie. **2.** *Pathol.* et *Génét.* Fait de transmettre une maladie par contagion, un caractère par hérédité. **II. 1.** Propagation d'un phénomène physique ou physiologique : ***Transmission** de la lumière, de l'influx nerveux.* **2.** *Mécan.* Opération par laquelle un mouvement est transmis d'un organe moteur à un mécanisme récepteur ; organe ou ensemble d'organes servant à cette opération : *Courroie de **transmission*** ; ***Transmission** automobile*, ensemble des mécanismes assurant la liaison entre le moteur et les roues. **3.** *Télécomm.* Opération par laquelle un signal est acheminé d'un émetteur vers un récepteur. PLUR. *Milit.* ▸ *Service de **transmissions*** ou, empl. abs., *Les **transmissions*** : service spécialisé dans la mise en œuvre des moyens de liaison. ▸ *Agent de **transmissions*** : soldat chargé de porter des messages. Fin XVI^e s. ; lat. *transmissio*, « trajet » ; [tʀɑ̃smisjɔ̃].

**TRANSMODULATION, subst. f.**
Parasite de modulation résultant d'une interférence entre deux signaux radioélectriques voisins. 1934 ; ☞ *modulation + trans-* ; [tʀɑ̃smɔdylasjɔ̃].

**TRANSMUABLE, adj.**
Qui peut être transmué. 1370 ; ☞ *transmuer* ; var. *transmutable* ; [tʀɑ̃smɥabl].

**TRANSMUER, verbe trans. [3]**
**1.** Transformer (une substance) en changeant sa nature. **2.** Fig. Changer totalement (qqch.). Fin XIII^e s. ; lat. *transmutare*, « transporter » ; var. *transmuter* ; [tʀɑ̃smɥe].

**TRANSMUTABLE, voir TRANSMUABLE**

**TRANSMUTATION, subst. f.**
**1.** Changement d'une chose, d'une substance en une autre ; au fig., transformation importante, métamorphose (littér.). **2.** *Alchimie.* Transformation des matières viles en matières nobles. **3.** *Phys.* Transformation, spontanée ou provoquée, d'un corps chimique en un autre, différent du premier par la composition de son noyau. Fin XII^e s. ; lat. *transmutatio*, « transposition de lettres » ; [tʀɑ̃smytasjɔ̃].

**TRANSMUTER,** voir **TRANSMUER**

**TRANSNATIONAL, ALE, AUX,** adj.
Qui dépasse le cadre national ; relatif à plusieurs nations (vieilli). 1920 ; ☞ *national* + *trans-*, d'apr. *international* ; [tʀɑ̃snasjɔnal, o].

**TRANSOCÉANIEN, IENNE,** adj.
**1.** Qui se situe au-delà de l'océan : *Régions* ***transocéaniennes.*** **2.** Qui traverse l'océan : *Câble* ***transocéanien.*** 1846 ; ☞ *océanien* + *trans-* ; var. *transocéanique* ; [tʀɑ̃zɔseanjɛ̃, jɛn].

**TRANSPALETTE,** subst. m.
Chariot utilisé pour le transport des palettes. V. 1960 ; crois. de *transport* et de *palette* ; [tʀɑ̃spalɛt].

**TRANSPARAÎTRE,** verbe intrans. [73]
**1.** Paraître, se laisser voir à travers qqch. **2.** Fig. Se laisser deviner : *L'enthousiasme* ***transparut*** *dans sa voix.* 1671 ; ☞ *transparent*, d'apr. *paraître* (I) ; [tʀɑ̃spaʀɛtʀ].

**TRANSPARENCE,** subst. f.
**1.** Propriété d'un corps transparent : ***Transparence*** *du verre.* ► Loc. *Par* ***transparence*** : à travers un corps, un milieu transparent ou translucide. **2.** Ext. Propriété d'un corps transparent : ***Transparence*** *d'un camée* ; par anal. : ***Transparence*** *du teint, du ciel.* **3.** Fig. Qualité d'une personne, d'une chose qui se révèle totalement, sans rien dissimuler : *La* ***transparence*** *des rapports humains* ; qualité de ce qui est facilement intelligible : ***Transparence*** *d'un texte* ; accessibilité de l'information pour le public, en partic. dans le domaine économique : ***Transparence*** *des salaires.* **4.** *Cin.* Projection d'un décor sur un écran transparent devant lequel se joue la scène. 1380 ; ☞ *transparent* ; [tʀɑ̃spaʀɑ̃s].

**TRANSPARENT, ENTE,** adj. et subst. m.
Adj. **1.** Qui laisse passer la lumière, à travers quoi l'on peut voir nettement ce qui est derrière : *Vitre* ***transparente.*** **2.** Ext. Translucide : *Opale* ***transparente.*** **3.** Fig. ► Dont on devine facilement les intentions, les sentiments, ou le sens caché : *Sous-entendu* ***transparent.*** ► Qui ne dissimule rien, dont on peut aisément comprendre le fonctionnement : *Organisation* ***transparente.*** Subst. Document écrit sur feuille de plastique **transparent**, que l'on superpose à un dessin, à une carte, ou destiné à la projection ; papier calque. Fin XIVe s. ; lat. médiév. *transparens*, du lat. *parere*, « paraître » ; [tʀɑ̃spaʀɑ̃, ɑ̃t].

**TRANSPERCER,** verbe trans. [4]
**1.** Percer de part en part : ***Transpercer*** *une cloison* ; par anal., pénétrer : *Le froid nous* ***transperçait.*** **2.** Fig. ***Transpercer*** *le cœur* : faire souffrir. Déb. XIIIe s. ; ☞ *percer* + *trans-* ; [tʀɑ̃spɛʀse].

**TRANSPHRASTIQUE,** adj.
*Ling.* Se dit du niveau d'analyse du discours qui dépasse celui de la phrase. V. 1970 ; ☞ *phrastique* + *trans-* ; [tʀɑ̃sfʀastik].

**TRANSPIRATION,** subst. f.
**1.** Formation de la sueur à la surface de la peau ; la sueur elle-même : *Être en* ***transpiration.*** **2.** *Bot.* ***Transpiration*** *végétale* : évaporation de l'excès d'eau provenant de la sève brute. 1690 (1503, évaporation) ; ☞ *transpirer* ; [tʀɑ̃spiʀasjɔ̃].

**TRANSPIRER,** verbe [3]
Intrans. **1.** Suer. **2.** Fig. Paraître : *Rien n'a* ***transpiré*** *de son projet.* Trans. Fig. Laisser paraître (littér.) : ***Transpirer*** *la misère.* 1680 (1503, s'évaporer) ; lat. médiév. *transpirare* ; [tʀɑ̃spiʀe].

**TRANSPLANT,** subst. m.
*Chir.* Organe, tissu destiné à la greffe. 1898 (1572, greffon d'arbre) ; ☞ *transplanter* ; [tʀɑ̃splɑ̃].

**TRANSPLANTATION,** subst. f.
**1.** Action de transplanter. **2.** *Chir.* Transfert d'un organe d'un individu à un autre (synon. *greffe*). 1556 ; ☞ *transplanter* ; [tʀɑ̃splɑ̃tasjɔ̃].

**TRANSPLANTER,** verbe trans. [3]
**1.** Déraciner (un végétal) et le planter ailleurs. **2.** Anal. Faire passer (qqn, un animal) d'un lieu dans un autre ; empl. pronom. : *Se* ***transplanter***, quitter un lieu pour aller s'établir ailleurs. **3.** *Chir.* Greffer (un organe). Mil. XIIe s. ; bas lat. *transplantare*, du lat. *plantare*, « planter » ; [tʀɑ̃splɑ̃te].

**TRANSPOLAIRE,** adj.
Qui passe par le pôle. 1954 ; ☞ *polaire* + *trans-* ; [tʀɑ̃spɔlɛʀ].

**TRANSPONDEUR,** subst. m.
*Télécomm.* Émetteur-récepteur renvoyant automatiquement un signal à une impulsion provenant d'un radar. V. 1970 ; angl. *transponder* ; [tʀɑ̃spɔ̃dœʀ].

**TRANSPORT,** subst. m.
**I. 1.** *Dr.* ► Acte par lequel le détenteur d'un droit, d'une créance en fait la cession : ***Transport*** *d'une rente.* ► ***Transport*** *de justice* : action de se transporter sur les lieux du crime, lors d'une instruction. **2.** Action ou manière d'acheminer qqn ou qqch. d'un lieu à un autre : ***Transport*** *aérien, maritime, fluvial.* **3.** Méton. Ensemble des moyens et des services assurant l'acheminement des personnes, des marchandises à des fins commerciales : *Société de* ***transports.*** ► ***Transports*** *en commun* : véhicules publics destinés à transporter les voyageurs. **4.** Ext. Transmission d'un fluide, d'une énergie : ***Transport*** *du gaz.* **5.** *Géol.* Déplacement dans l'air, l'eau ou la glace, de particules sédimentaires. **II.** Fig. et Littér. Émotion violente, sentiment vif ; trouble causé par ces états, en partic. par la passion amoureuse : ***Transport*** *d'allégresse* ; *Des* ***transports*** *amoureux.* 1312 ; ☞ *transporter* ; [tʀɑ̃spɔʀ].

Civilisation – Durant des millénaires, l'homme a dû se contenter, pour se déplacer, de sa propre force ou des ressources de la nature. Dans son effort pour pouvoir aller toujours plus loin, il a su domestiquer le cheval, le bœuf, le chien de traîneau, l'éléphant... Il a appris à connaître les vents et à les utiliser pour naviguer sur les flots. Le XIXe s. va bouleverser cet état de choses : la machine à vapeur, qui fournit une nouvelle force motrice, et l'évolution des techniques vont permettre dès le début du siècle l'apparition du chemin de fer et de bateaux bien plus rapides que leurs prédécesseurs à voile. La seconde moitié du XIXe s. voit la mise au point de la bicyclette, qui procure une grande liberté de déplacement sur de courtes distances, mais voit également les prémices des moteurs électriques et à carburant. Cette évolution s'amplifie au XXe s. Les transports terrestres font un nouveau bond, grâce à l'adaptation des moteurs sur les cycles, à l'apparition d'automobiles à carburant, au développement de la traction électrique. Des moyens de locomotion spécifiques voient le jour : ascenseurs, escaliers roulants, téléphériques, etc. Sur mer, les performances sont accrues par la généralisation des coques métalliques et le remplacement de la vapeur par le diesel, voire, aujourd'hui, par l'énergie nucléaire. Et surtout, l'homme parvient à se déplacer dans les airs, à bord de ballons, d'abord, puis d'avions, d'hydravions et d'hélicoptères. Enfin, la mise au point des fusées va lui permettre, dès les années soixante, de conquérir de nouveaux espaces.

**TRANSPORTABLE,** adj.
Qui peut être transporté. 1556 ; ☞ *transporter* ; [tʀɑ̃spɔʀtabl].

**TRANSPORTATION,** subst. f.
*Dr.* ► Mesure consistant à expulser une personne indésirable hors du territoire. ► *Hist.* Loi stipulant que les condamnés aux travaux forcés devaient purger leur peine dans une colonie (abrogée en 1938). 1790 (1519, action de se transporter) ; ☞ *transporter* ; [tʀɑ̃spɔʀtasjɔ̃].

**TRANSPORTER,** verbe trans. [3]
**1.** Déplacer (qqn, qqch.) d'un lieu à un autre. **2.** Ext. Transmettre, propager : *Des câbles* ***transportent*** *le courant.* **3.** Fig. ► Mener ailleurs en imagination, dans un autre temps : *Elle me* ***transportait*** *dix ans en arrière.* ► Agiter (qqn) de sentiments violents, mettre hors de soi (littér.) : *La joie me* ***transportait.*** **4.** *Dr.* Transférer (un droit, un bien incorporel). Pronom. **1.** Se rendre en un lieu. **2.** Fig. S'imaginer être ailleurs : ***Se transporter*** *en pensée.* Fin XIIIe s. ; lat. *transportare* ; [tʀɑ̃spɔʀte].

**TRANSPORTEUR, EUSE,** adj. et subst. m.
Adj. Qui transporte. Subst. **1.** Celui qui dirige une entreprise de transports ; celui qui assure un transport : ***Transporteur*** *routier*, camionneur. **2.** Engin qui transporte des matériaux, des marchandises : ***Transporteur*** *automatique.* ► *Mar.* Navire de transport. Déb. XVIe s. (fin XIVe s., traducteur) ; ☞ *transporter* ; [tʀɑ̃spɔʀtœʀ, øz].

**TRANSPOSÉE,** adj. f. et subst. f.
*Math. Matrice* ***transposée*** ou, par ell., *La* ***transposée*** *d'une matrice M* : matrice, notée ${}^tM$, dont les lignes (resp. les colonnes) sont les colonnes (resp. les lignes) de M. V. 1970 ; p. p. de *transposer* ; [tʀɑ̃spoze].

**TRANSPOSER,** verbe trans. [3]
**1.** Déplacer (qqch.) ; intervertir : ***Transposer*** *un mot en recopiant un texte.* **2.** Faire passer (qqch.) dans un autre domaine, un autre contexte : ***Transposer*** *un roman à l'écran.* **3.** *Mus.* Transcrire, exécuter (un morceau) dans un ton différent de l'original. 1606 (fin XIIe s., traduire) ; lat. *transponere*, « transporter » ; [tʀɑ̃spoze].

**TRANSPOSITEUR,** adj. m. et subst. m.
*Mus.* Se dit d'un instrument à vent qui, lisant la gamme d'*ut*, fait entendre une autre gamme (sa partition s'écrit en fonction de cette transposition). 1834 ; ☞ *transposer* ; [tʀɑ̃spozitœʀ].

**TRANSPOSITION,** subst. f.
**1.** Action de transposer ; son résultat. **2.** *Math.* Sur un ensemble ordonné fini, permutation de cet ensemble échangeant deux de ses éléments et laissant tous les autres invariants. 1590 (fin XIIIe s., traduction, adaptation) ; ☞ *transposer* ; [tʀɑ̃spozisjɔ̃].

**TRANSPOSON,** subst. m.
*Génét.* Séquence d'A. D. N. gén. courte, capable de se disséminer dans l'ensemble de l'A. D. N. chromosomique tout en se dupliquant. V. 1980 ; ☞ *transposer* ; [tʀɑ̃spozɔ̃].

**TRANSPYRÉNÉEN, ÉENNE,** adj.
**1.** Situé au-delà des Pyrénées. **2.** Qui traverse les Pyrénées : *Tunnel* ***transpyrénéen.*** 1842 ; topon. *Pyrénées* + *trans-* ; [tʀɑ̃spiʀeneɛ̃, eɛn].

**TRANSSAHARIEN, IENNE,** adj.
Qui traverse le Sahara ; empl. subst. masc. : *Le* ***Transsaharien***, chemin de fer, jamais construit, qui devait relier l'Afrique du Nord à l'Afrique noire française. 1842 ; ☞ *saharien* + *trans-* ; [tʀɑ̃s(s)aaʀjɛ̃, jɛn].

**TRANSSEXUALISME,** subst. m.
Sentiment d'appartenir au sexe opposé, gén. accompagné du désir de changer de sexe. 1956 ; angl. *transsexualism* ; [tʀɑ̃s(s)ɛksɥalism].

**TRANSSEXUEL, ELLE,** adj. et subst.
**1.** Se dit d'une personne qui manifeste un transsexualisme. **2.** Se dit d'une personne qui a changé de sexe. Adj. Relatif au transsexualisme. V. 1970 ; angl. *transsexual* ; [tʀɑ̃s(s)ɛksɥɛl].

**TRANSSIBÉRIEN, IENNE,** adj.
**1.** Situé au-delà de la Sibérie. **2.** Qui traverse la Sibérie ; empl. subst. masc. : *Le* ***Transsibérien***, chemin de fer et train reliant Moscou à Vladivostok. 1889 ; ☞ *sibérien* + *trans-* ; [tʀɑ̃s(s)ibeʀjɛ̃, jɛn].

**TRANSSONIQUE,** adj.
*Phys.* Qualifie les vitesses avoisinant celle du son. 1947 ; ☞ *son* (II) + *trans-* ; [tʀɑ̃s(s)ɔnik].

**TRANSSUBSTANTIATION,** subst. f.
**1.** Transformation d'une substance en une autre (vx ou littér.). **2.** *Théol.* Chez les catholiques et les orthodoxes, dogme selon lequel, dans l'Eucharistie, la substance du pain et du vin se transforme en la substance réelle du corps et du sang de Jésus-Christ. 1374 ; lat. méd. *transsubstantiatio* ; [tʀɑ̃s(s)ypstɑ̃sjasjɔ̃].

**TRANSSUDAT,** subst. m.
*Pathol.* Liquide organique, gén. transparent et non poisseux, pauvre en albumine, qui transsude au niveau d'une muqueuse ou d'une séreuse. 1933 ; ☞ *transsudation* ; [tʀɑ̃s(s)yda].

**TRANSSUDATION,** subst. f.
Action de transsuder ; son résultat. 1714 ; ☞ *transsuder* ; [tʀɑ̃s(s)ydasjɔ̃].

**TRANSSUDER,** verbe [3]
Intrans. Pour un liquide, suinter d'un corps, d'un récipient poreux sous forme de gouttelettes. Trans. Laisser passer sous forme de fines gouttelettes. 1700 ; lat. *sudare*, « suer », + *trans-* ; [tʀɑ̃s(s)yde].

**TRANSURANIEN,** adj. m. et subst. m.
*Chim.* Se dit d'un élément de numéro atomique supérieur à celui de l'uranium. La plupart des **transuraniens** sont instables, donc radioactifs. 1940 ; ☞ *uranium* + *trans-* ; [tʀɑ̃zyʀanjɛ̃].

**TRANSVASEMENT,** subst. m.
Action de transvaser ; son résultat. 1611 ; ☞ *transvaser* ; [tʀɑ̃svazmɑ̃].

**TRANSVASER,** verbe trans. [3]
Faire passer, verser (un liquide) d'un récipient dans un autre. 1564 ; ☞ *vase* (I) + *trans-* ; [tʀɑ̃svaze].

**TRANSVERSAL, ALE, AUX,** adj. et subst. f.
Adj. **1.** Qui est situé, qui coupe en travers : *Chemin* ***transversal*** ; qui coupe qqch. perpendiculairement à sa plus grande dimension : *Section* ***transversale.*** **2.** Fig. Qui recoupe plusieurs domaines : *Analyse* ***transversale.*** Subst. **1.** Voie de communication qui relie des grands axes. **2.** *Sp.* ► Barre horizontale rejoignant les poteaux de but. ► Passe du ballon

dans l'axe de la largeur du terrain. 1377 ; lat. médiév. *transversalis* ; [tʀɑ̃svɛʀsal, o].

**TRANSVERSALEMENT, adv.**
Selon un axe transversal ; horizontalement. 1490 ; ☞ *transversal* ; [tʀɑ̃svɛʀsalmɑ̃].

**TRANSVERSALITÉ, subst. f.**
Caractère de ce qui est transversal. ▸ *B.-a.* Recherche d'un syncrétisme interdisciplinaire. Mil. XX^e s. ; ☞ *transversal* ; [tʀɑ̃svɛʀsalite].

**TRANSVERSE, adj.**
*Anat.* Qui est transversal par rapport à l'axe du corps : *Côlon* ***transverse***. Fin XIV^e s. ; lat. *transversus*, « oblique, transversal » ; [tʀɑ̃svɛʀs].

**TRANSVESTISME, voir TRAVESTISME**

**TRANSVIDER, verbe trans. [3]**
Faire passer (le contenu d'un récipient) dans un autre récipient. 1829 ; ☞ *vider* + *trans-* ; [tʀɑ̃svide].

**TRAPÈZE, subst. m.**
**1.** *Géom.* Quadrilatère plan dont deux côtés non consécutifs, appelés bases, sont parallèles. ▸ ***Trapèze*** *isocèle* : dont les deux côtés non parallèles sont égaux. ▸ ***Trapèze*** *rectangle* (☞ *rectangle*). **2.** *Anat.* ▸ Large muscle plat triangulaire du dos, élévateur et adducteur de l'épaule. ▸ Le plus externe des os de la deuxième rangée du carpe. **3.** *Sp.* Barre horizontale suspendue aux extrémités de deux cordes, utilisée pour des mouvements de gymnastique ou d'acrobatie. ▸ ***Trapèze*** *volant* : exercice de voltige consistant à passer d'un **trapèze** à un autre. **4.** *Mar.* Sur un voilier, harnais de sécurité qui permet de se maintenir à l'extérieur pour compenser la gîte. 1542 ; bas lat. *trapezium*, du gr. *trapezion*, de *trapeza*, « table à quatre pieds » ; [tʀapɛz].

**TRAPÉZISTE, subst.**
Gymnaste, acrobate spécialisé dans les exercices au trapèze. 1879 ; ☞ *trapèze* ; [tʀapezist].

*Trapézistes.*

**TRAPÉZOÏDAL, ALE, AUX, adj.**
Qui présente la forme d'un trapèze. 1779 ; ☞ *trapézoïde* ; [tʀapezɔidal, o].

**TRAPÉZOÏDE, adj.**
**1.** Qui ressemble à un trapèze. **2.** *Anat. Os* ***trapézoïde*** ou, empl. subst. masc., *Le* ***trapézoïde*** : situé entre le trapèze et le grand os du carpe. 1652 ; gr. *trapezoeidês*, « en forme de table » ; [tʀapezɔid].

**TRAPPE (I), subst. f.**
**1.** *Chasse.* Fosse recouverte de branchages ou d'une bascule servant à piéger les animaux ; par anal., piège à ressort. **2.** Panneau à charnières ou coulissant qui ferme une ouverture pratiquée dans un plancher afin d'accéder à la cave ou au grenier ; par méton., cette ouverture. ▸ Loc. fam. *Passer à la* ***trappe*** : être rejeté, oublié ; *Envoyer qqch. à la* ***trappe*** : le faire disparaître. **3.** Anal. Petite porte fermant une ouverture. ▸ ***Trappe*** *de visite* : panneau amovible donnant accès à qqch. de masqué à la vue. Fin XII^e s. ; anc. bas frq. °*trappa*, « piège » ; [tʀap].

**TRAPPE (II), subst. f.**
**1.** *La* ***Trappe*** : ordre monastique cistercien de la stricte observance, institué par l'abbé de Rancé au XVII^e s. ; maison mère de cet ordre. **2.** Couvent de trappistes : *Les lois d'une* ***trappe***. 1671 ; *La Trappe*, abbaye fondée en 1140 dans l'Orne ; [tʀap].

**TRAPPER, verbe [3]**
Québ. Chasser, au moyen de trappes. ☞ *trappe* (I) ; [tʀape].

**TRAPPEUR, subst. m.**
Chasseur faisant le commerce des fourrures, en Amérique du Nord. 1827 ; angl. *trapper*, de *to trap*, « piéger » ; [tʀapœʀ].

**TRAPPILLON, subst. m.**
*Théâtre.* Ouverture aménagée dans le plancher de la scène, permettant le passage des décors placés dans les dessous. 1772 ; ☞ *trappe* (I) ; [tʀapijɔ̃].

**TRAPPISTE, subst. m.**
Religieux cloîtré appartenant à l'ordre de la Trappe ; empl. adj. : *Monastère, moine* ***trappiste***. 1796 ; ☞ *trappe* (II) ; [tʀapist].

**TRAPPISTINE, subst. f.**
**1.** Religieuse cloîtrée appartenant à l'ordre de la Trappe. **2.** Liqueur fabriquée par les trappistes. 1844 ; ☞ *trappiste* ; [tʀapistin].

**TRAPU, UE, adj.**
**1.** Qui, par sa petite taille et sa carrure, présente un aspect massif et donne une impression de force : *Corps* ***trapu***. **2.** Argot scol. ▸ Calé : *Être* ***trapu*** *en maths*. ▸ Difficile à comprendre : *Chapitre* ***trapu***. 1555 ; m. fr. *trap(p)e* ; [tʀapy].

**TRAQUE, subst. f.**
**1.** *Chasse.* Action de traquer un animal. **2.** Anal. Poursuite (fam.). 1798 ; ☞ *traquer* ; [tʀak].

**TRAQUENARD, subst. m.**
**1.** Piège tendu à une personne : *Tomber dans un* ***traquenard***. **2.** *Chasse.* Piège à animaux nuisibles. **3.** Fig. Difficulté. 1623 (1534, amble) ; prob. occitan *tracanart*, d'orig. onomat. ; [tʀaknaʀ].

**TRAQUER, verbe trans. [3]**
**1.** *Chasse.* Rabattre (le gibier). **2.** Anal. Poursuivre, harceler (qqn) ; empl. adj. : *Un homme* ***traqué***. **3.** Fig. Rechercher (qqch.) avec opiniâtreté. 1726 (XV^e s., s'emparer de) ; p.-ê. anc. fr. *trac*, « piste », d'orig. onomat. ; [tʀake].

**TRAQUET, subst. m.**
*Zool.* Petit passereau insectivore, qui habite les friches, les prairies et les rocailles, au croupion blanc, d'où son nom de cul-blanc. 1555 (1538, pièce d'un moulin) ; orig. onomat. ; [tʀakɛ].

**TRAQUEUR, EUSE, subst.**
*Chasse.* Personne qui traque le gibier. 1798 ; ☞ *traquer* ; [tʀakœʀ, øz].

**TRATTORIA, subst. f.**
Petit restaurant bon marché, en Italie. 1846 ; ital. *trattoria*, du fr. *traiteur* ; [tʀatɔʀja].

**TRAUMA, subst. m.**
*Pathol.* Ensemble des lésions physiques causées par un accident, une violence extérieure. 1876 ; gr. *trauma*, « blessure » ; [tʀoma].

**TRAUMATIQUE, adj.**
Relatif à un traumatisme : *Lésions* ***traumatiques*** ; *Névrose* ***traumatique***, qui survient à la suite d'un choc émotionnel. 1806 (1549, qui guérit les blessures) ; bas lat. *traumaticus*, du gr. *traumatikos*, de *trauma*, « blessure » ; [tʀomatik].

**TRAUMATISANT, ANTE, adj.**
Qui peut traumatiser physiquement ou psychiquement. 1926 ; p. pr. de *traumatiser* ; [tʀomatizɑ̃, ɑ̃t].

**TRAUMATISER, verbe trans. [3]**
Provoquer un traumatisme chez (qqn). 1896 ; ☞ *traumatisme* ; [tʀomatize].

**TRAUMATISME, subst. m.**
**1.** *Pathol.* ▸ État général consécutif à un trauma. ▸ L'évènement qui induit un trauma. **2.** *Psychol.* et *Psychanal.* Violent choc émotionnel qui induit chez le sujet des troubles durables. 1855 ; ☞ *traumatique* ; [tʀomatism].

**TRAUMATOLOGIE, subst. f.**
*Méd.* et *Chir.* Étude et traitement des traumatismes. 1834 ; gr. *trauma*, « blessure », + *-logie* ; [tʀomatɔlɔʒi].

**TRAUMATOLOGISTE, subst.**
Spécialiste de traumatologie. V. 1970 ; ☞ *traumatologie* ; [tʀomatɔlɔʒist].

**TRAVAIL (I), subst. m.**
**I. 1.** Vx. Activité pénible ; fatigue ; tourment. **2.** *Physiol.* Ensemble des phénomènes mécaniques et dynamiques qui marquent le déclenchement de l'accouchement et accompagnent sa progression. **II. 1.** Toute activité humaine visant à la conception, à la production et à l'entretien d'idées, de choses, de biens : ***Travail*** *intellectuel, manuel* ; ***Travail*** *individuel, collectif* ; *Table, outil, méthode de* ***travail***. **2.** Action, manière de travailler une matière, d'utiliser un outil : *Le* ***travail*** *du verre, du cuir*. **3.** Effort, activité nécessaire à une tâche, à la réalisation d'un objectif : *Cela lui a demandé des années de* ***travail*** ; *Se mettre au* ***travail*** ; *Un* ***travail*** *de longue haleine* ; tâche que l'on doit exécuter, activité que l'on doit accomplir : *Être submergé de* ***travail***. ▸ *Camp de* ***travail*** : lieu de détention et de **travaux** forcés. **4.** Ouvrage réalisé ou à réaliser : *Rendre un* ***travail*** ; *Un intéressant* ***travail*** *historique*. **5.** Qualité d'exécution d'un ouvrage : ***Travail*** *irréprochable, hâtif* ; ***Travail*** *d'amateur*. **Plur. 1.** Actions difficiles et glorieuses (vx) : *Les douze* ***travaux*** *d'Hercule*. **2.** Ensemble de recherches, d'investigations productives réalisées dans un domaine de la connaissance : ***Travaux*** *universitaires*. **3.** Ensemble des délibérations d'une assemblée, d'une réunion : *Compte rendu des* ***travaux*** *du comité*. **4.** Ensemble d'opérations techniques, manuelles, réalisées en vue de la construction, de l'aménagement, de l'entretien de qqch. : ***Travaux*** *de réfection, d'urbanisme* ; ***Travaux*** *des champs, ménagers*. ▸ ***Travaux*** *publics* : travaux d'utilité générale effectués pour le compte d'une personne morale administrative. **5.** *Hist.* ***Travaux*** *forcés* : peine infamante, abolie en 1938, que le forçat purgeait dans un bagne. **III. 1.** Activité professionnelle rémunérée : *Trouver du* ***travail*** ; ***Travail*** *salarié* ; ***Travail*** *au noir*, non déclaré ; ***Travail*** *à temps partiel* ; *Partage du temps de* ***travail*** ; *Organisation scientifique du* ***travail*** (☞ *taylorisme*) ; *Médecine du* ***travail***. ▸ *Arrêt de* ***travail*** : cessation temporaire d'une activité professionnelle pour des raisons de santé ou pour fait de grève. ▸ *Droit du* ***travail*** : corps de lois qui régit les rapports entre salariés et employeurs. ▸ *Inspection du* ***travail*** : service public qui a pour mission de veiller à la stricte application de la législation et des conventions collectives. ▸ *Dr.* ***Travail*** *d'intérêt général (T. I. G.)* : peine de substitution à l'emprisonnement consistant en un **travail** non rémunéré au profit d'une collectivité publique, d'un établissement public ou d'une association. **2.** Exercice d'une activité professionnelle ; lieu où elle s'exerce : *Reprendre le* ***travail*** ; *Aller à son* ***travail***. **3.** Labeur humain considéré du point de vue économique : *Productivité du* ***travail*** ; ***Travail*** *et capital* ; *Force de* ***travail***. **4.** Ensemble des travailleurs : *Le monde du* ***travail***. **IV. 1.** Action continue d'un agent naturel produisant une modification ; cette modification : ***Travail*** *érosif de l'eau sur la pierre* ; ***Travail*** *d'une pièce de bois qui se gauchit*. ▸ Fig. Action, évolution progressive : *Le* ***travail*** *du temps*. ▸ *Psychanal.* ***Travail*** *de deuil* : activité psychique par laquelle une personne se détache peu à peu d'un objet d'amour perdu. **2.** Fonctionnement produisant un effet, un résultat utile : ***Travail*** *du muscle cardiaque*. **3.** *Phys.* ***Travail*** *d'une force* : produit scalaire de la force par le déplacement, lui-même produit de la vitesse par l'intervalle de temps. L'unité S. I. de **travail** est le joule. Déb. XII^e s. ; ☞ *travailler* ; plur. *travaux* ; [tʀavaj], plur. [-vo].

**TRAVAIL (II), subst. m.**
Appareil servant à immobiliser les grands animaux domestiques afin de les soigner. Déb. XIII^e s. ; bas lat. *trepalium*, « instrument de torture », du lat. *tripalis*, « à trois pieux » ; plur. *travails* ; [tʀavaj].

**TRAVAILLER, verbe [3]**
**Trans. dir. 1.** Vx. Torturer, tourmenter. ▸ Inquiéter vivement : *Tous ces soucis le* ***travaillent***. **2.** Soumettre (qqch., en partic. une matière) à une action : ***Travailler*** *la terre* ; ***Travailler*** *le bronze*. **3.** Influencer, exercer des pressions sur (qqn). **4.** Frapper (pop.). ▸ *Sp.* ***Travailler*** *qqn au corps* : en boxe, frapper son adversaire à la poitrine et à l'estomac. **5.** Étudier : ***Travailler*** *la géographie*. ▸ Chercher à perfectionner : ***Travailler*** *un morceau de piano, sa diction, un texte, son style au tennis*. **Trans. indir.** Travailler à. **1.** S'efforcer d'obtenir : ***Travailler*** *à la paix*. **2.** Se consacrer à, préparer : ***Travailler*** *à un nouveau roman*. **Intrans. 1.** Exercer un effort continu en vue de produire ou de modifier qqch. : ***Travailler*** *avec ardeur*. ▸ Étudier : *Va* ***travailler*** *!* ▸ Faire des recherches, des investigations : ***Travailler*** *sur des manuscrits anciens*. ▸ Loc. ***Travailler*** *du chapeau* : déraisonner (fam.). **2.** Exercer un métier, une profession : ***Travailler*** *dans l'enseignement* ; ***Travailler*** *comme salarié, pour son propre compte*. ▸ *Faire* ***travailler*** : employer, embaucher. **3.** Agir : *Le temps* ***travaille*** *en notre faveur*. **4.** Produire des intérêts : *Faire* ***travailler*** *son argent*. **5.** Subir une déformation, une modification sous l'action d'une force : *Le bois* ***travaille***. **6.** Fonctionner : *Cette machine* ***travaille*** *nuit et jour*. 1080 ; lat. pop. °*tripaliare*, « torturer » ; [tʀavaje].

**TRAVAILLEUR, EUSE,** subst. et adj.
SUBST. **1.** Personne qui s'adonne à une activité manuelle ou intellectuelle : *Travailleur infatigable.* **2.** Personne qui exerce une profession, en partic. ouvrier salarié : ***Travailleurs** agricoles, sociaux, intellectuels, etc.* ; ***Travailleurs** indépendants,* exerçant une profession libérale. SUBST. FÉM. Petite table à ouvrage munie de tiroirs. ADJ. **1.** Qui s'adonne volontiers au travail : *Élève **travailleur**.* **2.** Relatif au monde du travail, aux **travailleurs.** 1552 (XIIe s., bourreau) ; ☞ *travailler* ; [tʀavajœʀ, øz].

**TRAVAILLISME,** subst. m.
Doctrine du parti travailliste du Royaume-Uni. 1925 ; ☞ *travailliste* ; [tʀavajism].

**TRAVAILLISTE,** adj. et subst.
ADJ. *Parti **travailliste*** : parti socialiste britannique (Labour Party). SUBST. Membre de ce parti. 1923 (1907, socialiste russe) ; ☞ *travail* (I) ; [tʀavajist].

**TRAVÉE,** subst. f.
**1.** *Archit.* Partie d'un pont, d'une voûte comprise entre deux points d'appui principaux (piles, colonnes, etc.) ou entre deux arcades. ► Espace s'élevant entre deux supports : ***Travées** de la nef d'une cathédrale.* **2.** Rangée de chaises, de bancs : ***Travées** d'une église, d'un théâtre.* 1676 (1356, espace entre deux poutres) ; anc. fr. *tref*, du lat. *trabs*, « poutre » ; [tʀave].

**TRAVELAGE,** subst. m.
*Ch. de fer.* Traverses portant une voie ferrée ; nombre de traverses disposées sur 1 km de voie. 1894 ; *travel*, forme anc. de *travée* ; [tʀav(ə)laʒ].

**TRAVELLER'S CHÈQUE,** subst. m.
Anglic. Chèque de voyage (☞ *chèque*). 1925 ; anglo-amér. *traveller's check*, « chèque de voyageur » ; var. *traveller's cheque* ou *check*, abrév. *traveller*, recomm. off. *chèque-voyage* ; [tʀavlœʀ(s)ʃɛk].

**TRAVELLING,** subst. m.
Anglic. *Cin.* Mouvement de la caméra qui se déplace dans l'espace, gén. sur un chariot roulant sur des rails ; par méton., le dispositif utilisé pour ce mouvement. 1921 ; angl. *travelling camera*, « caméra mobile » ; var. *traveling* ; [tʀavliŋ].

**TRAVELO,** subst. m.
Travesti (fam.). V. 1970 ; ☞ *travesti* ; [tʀavlo].

**TRAVERS,** subst. m.
**I. 1.** Vx. Chemin de traverse. **2.** Largeur (vieilli) : *Un **travers** de main.* ► *Bouch.* ***Travers** de porc* : morceau découpé transversalement dans la partie haute des côtes. ► *Mar.* Flanc d'un navire : *Vent de **travers**,* perpendiculaire au cap suivi par le bateau. **3.** Ext. Obliquité, irrégularité : *Cette porte a du **travers**.* **4.** Fig. Défaut, imperfection d'une personne : *Corriger ses **travers**.* **II.** Loc. **1. En travers.** Dans une position transversale par rapport à un axe : *En **travers** du lit.* ► Fig. *Se mettre en **travers** de* : s'opposer à. **2. À travers, au travers de.** En traversant ; au fig. : *Passer à **travers** qqch., au **travers** de qqch.,* échapper, par chance ou par ruse, à qqch. de fâcheux. ► *Agir, parler à tort et à **travers*** (☞ *tort*). **3. De travers.** Dans une position oblique, déviée par rapport à la normale : *Miroir accroché de **travers*** ; *Avaler de **travers**.* ► *Raisonner, comprendre de **travers*** : de manière inexacte. ► *Tout va de **travers*** : les choses ne se passent pas comme on l'avait prévu ou souhaité. ► *Regarder qqn de **travers*** : avec hostilité. ► *Prendre qqch. de **travers*** : se fâcher, se froisser à cause d'un acte ou d'un propos mal interprété. XIIe s. ; lat. *traversus*, de *transversus*, « oblique, transversal » ; [tʀavɛʀ].

**TRAVERSABLE,** adj.
Qui peut être traversé. 1819 ; ☞ *traverser* ; [tʀavɛʀsabl].

**TRAVERSE,** subst. f.
**1.** Vx. ou Littér. *À la **traverse*** : en prenant un raccourci ; au fig. : *Se mettre à la **traverse** de qqch.,* y faire obstacle. **2.** Pièce de bois ou de métal disposée transversalement dans un ouvrage pour assembler des montants ou pour consolider une charpente. ► *Ch. de fer.* Chacune des pièces de bois disposées transversalement sur une voie ferrée, sur lesquelles reposent les rails. **3.** Loc. *Chemin de **traverse*** : raccourci. **4.** Québ. Traversée d'une étendue d'eau. XIIe s. ; lat. pop. °*traversa*, du lat. *transversus*, « oblique, transversal » ; [tʀavɛʀs].

**TRAVERSÉE,** subst. f.
**1.** Action de traverser la mer, une étendue d'eau. **2.** Action de traverser un espace quelconque ; par ext. : ***Traversée** de l'hiver* ; au fig. : ***Traversée** du désert,* période d'éclipse, en partic. en parlant d'un homme politique. **3.** *Ch. de fer.* Dispositif qui permet à deux voies de se croiser sans empêcher leur fonctionnement. 1678 ; p. p. de *traverser* ; [tʀavɛʀse].

**TRAVERSER,** verbe trans. [3]
**1.** Transpercer : *La balle lui **traversa** la jambe.* **2.** S'ouvrir un chemin au travers de (qqch.) : ***Traverser** la foule, un fourré.* **3.** Franchir, parcourir (un espace) d'un bout à l'autre : ***Traverser** un pays* ; ***Traverser** un pont, la route.* **4.** Passer par : ***Traverser** une période difficile.* **5.** Se présenter à (l'esprit) : *Un doute lui **traversa** l'esprit.* 980 ; lat. pop. °*traversare*, du lat. *transversus*, « oblique, transversal » ; [tʀavɛʀse].

**TRAVERSIER, IÈRE,** adj. et subst. m.
ADJ. **1.** Disposé en travers : *Une allée **traversière**.* **2.** *Mar.* ► Dont la direction est perpendiculaire à la route d'un navire : *Un courant **traversier**.* ► Qui permet de faire une traversée : *Une barque **traversière**.* **3.** *Mus.* *Flûte **traversière*** (☞ *flûte*). SUBST. Québ. Ferry-boat. XIIIe s. ; lat. *transversarius*, « transversal » ; [tʀavɛʀsje, jɛʀ].

**TRAVERSIN,** subst. m.
**1.** Oreiller de forme cylindrique occupant toute la largeur de la tête du lit (synon. fam. *polochon*). **2.** Traverse de bois qui renforce le fond d'un tonneau. **3.** *Mar.* Chacune des pièces transversales de la charpente d'un navire. 1368 (XIIIe s., trajet) ; ☞ *travers* ; [tʀavɛʀsɛ̃].

**TRAVERSINE,** subst. f.
Traverse d'une clôture, d'un grillage. 1832 (1690, (rue) transversale) ; ☞ *traversin* ; [tʀavɛʀsin].

**TRAVERTIN,** subst. m.
*Pétrogr.* Calcaire caverneux, formé par précipitation de calcite autour de débris végétaux. Le **travertin**, dont l'aspect vacuolaire est dû à la disparition progressive des restes végétaux, est utilisé en construction. 1611 ; ital. pop. *travertino*, de l'ital. *tivertino*, du lat. *tiburtinus*, « de Tibur (Tivoli) » ; [tʀavɛʀtɛ̃].

**TRAVESTI, IE,** adj. et subst. m.
ADJ. Qui a revêtu un déguisement. ► *Bal **travesti*** : costumé. ► *Rôle **travesti*** : tenu par un **travesti.** SUBST. **1.** Comédien qui se déguise afin d'interpréter un rôle du sexe opposé. **2.** Homosexuel **travesti** en femme. Mil. XVIe s. ; p. p. de *travestir* ; [tʀavɛsti].

**TRAVESTIR,** verbe trans. [19]
**1.** Revêtir (qqn) d'un déguisement. **2.** Fig. Altérer la nature de (qqch.), déformer : ***Travestir** la vérité.* PRONOM. Revêtir les vêtements de l'autre sexe ; se déguiser. XVIe s. ; ital. *travestire*, de *vestire*, « vêtir » ; [tʀavɛstiʀ].

**TRAVESTISME,** subst. m.
*Psych.* Fait d'adopter régulièrement les vêtements et les comportements du sexe opposé. 1845 ; ☞ *travesti* ; var. *transvestisme* ; [tʀavɛstism].

**TRAVESTISSEMENT,** subst. m.
**1.** Action de travestir, de se travestir ; par méton., déguisement. **2.** Fig. Déformation. 1651 ; ☞ *travestir* ; [tʀavɛstismɑ̃].

**TRAVIOLE (DE),** loc. adv.
De travers (pop.). 1866 ; altér. de *de travers* ; [dətʀavjɔl].

**TRAYEUR, EUSE,** subst.
Personne chargée de traire. FÉM. Machine qui sert à traire. Déb. XVe s. ; ☞ *traire* ; [tʀɛjœʀ, øz].

**TRAYON,** subst. m.
Bout du pis d'une femelle laitière : *La vache a quatre **trayons**.* Fin XIIIe s. ; ☞ *traire* ; [tʀɛjɔ̃].

La **Traversée** de Paris *(1956), film de Claude Autant-Lara (né en 1903). De gauche à droite : Bourvil, Louis de Funès, Jean Gabin.*

**TRÉBUCHANT, ANTE,** adj.
**1.** Chancelant ; hésitant : *Des pas **trébuchants**.* **2.** Se disait autrefois d'une pièce de monnaie ayant le poids requis. ► *Espèces sonnantes et **trébuchantes*** (☞ *sonnant*). 1538 (XIIe s., clôture qui s'écroule) ; p. pr. de *trébucher* ; [tʀebyʃɑ̃, ɑ̃t].

**TRÉBUCHER,** verbe [3]
TRANS. Vx. ***Trébucher** des pièces d'or* : les peser à l'aide d'un trébuchet. INTRANS. **1.** Perdre l'équilibre sans tomber : ***Trébucher** dans l'escalier, sur un obstacle.* **2.** Fig. Hésiter ; commettre une erreur : ***Trébucher** sur une difficulté.* XIe s. ; formé de l'anc. fr. *buc*, « tronc, corps », de l'anc. bas frq. °*būk*, et de *tres-*, « au-delà » ; [tʀebyʃe].

**TRÉBUCHET,** subst. m.
**1.** Piège à oiseaux. **2.** Petite balance de grande précision. Fin XIIe s. ; ☞ *trébucher* ; [tʀebyʃɛ].

**TRECENTO,** subst. m.
Le XIVe s. italien, du point de vue littéraire et artistique. 1895 ; mot ital. ; [tʀe(t)ʃento].

**TRÉCHEUR, voir TRESCHEUR**

**TRÉFILAGE,** subst. m.
*Métall.* Action de tréfiler ; son résultat. 1858 ; ☞ *tréfiler* ; [tʀefilaʒ].

**TRÉFILER,** verbe trans. [3]
*Métall.* Étirer (un métal) à travers une filière, pour le transformer en fil. 1800 ; ☞ *tréfilerie* ; [tʀefile].

**TRÉFILERIE,** subst. f.
*Métall.* **1.** Opération faite par l'ouvrier qui tréfile. **2.** Méton. Usine où l'on tréfile les métaux. 1260 ; anc. fr. *trefilier*, « ouvrier qui étire le métal », de *tres-*, « au-delà », et de *fil* ; [tʀefilʀi].

**TRÉFILEUR, EUSE,** subst.
*Métall.* Personne qui tréfile. FÉM. Machine à tréfiler. 1800 ; ☞ *tréfiler* ; [tʀefilœʀ, øz].

**TRÈFLE,** subst. m.
**1.** *Bot.* Plante fourragère annuelle, de la famille des Fabacées, portant des feuilles en gén. à trois folioles. ► ***Trèfle** à quatre feuilles* : porte-bonheur. **2.** *Archit.* Motif ornemental à trois lobes. **3.** *Jeux.* Une des deux couleurs noires du jeu de cartes, représentant un trèfle trilobé. **4.** Croisement autoroutier à voies superposées, en forme de trèfle à quatre feuilles. **5.** Argot. Tabac (vieilli) ; argent. 1314 ; gr. *triphullon*, de *triphullos*, « à trois feuilles » ; [tʀɛfl].

**TRÉFLÉ, ÉE,** adj.
En forme de trèfle. ► *Archit.* *Église à plan **tréflé*** : dont le chœur, composé de trois absides, a la forme d'une feuille de trèfle. 1629 ; ☞ *trèfle* ; [tʀefle].

**TRÉFLIÈRE,** subst. f.
*Agric.* Champ de trèfles. 1832 (1725, tabatière) ; ☞ *trèfle* ; [tʀeflijɛʀ].

**TRÉFONDS,** subst. m.
**1.** *Dr.* Sous-sol d'un terrain foncier. **2.** Littér. Ce qui constitue la partie la plus profonde, le fondement de qqch. : *Le **tréfonds** d'une affaire.* ► Fig. Ce qu'il y a de plus intime chez qqn : *Dans le **tréfonds** de sa conscience.* XIIIe s. ; formé de l'anc. fr. *tres-*, « au-delà », et de *fonds* ; [tʀefɔ̃].

**TRÉHALOSE,** subst. m.
*Biochim.* Dimère de glucose qu'utilisent les champignons pour le transport des glucides. 1857 ; *tréhala*, « galle du chardon », du turc *tigalah*, + *-ose* ; [tʀealoz].

**TREILLAGE,** subst. m.
**1.** Treillis. **2.** Clôture à claire-voie : ***Treillage** de jardin.* 1571 ; ☞ *treille* ; [tʀɛjaʒ].

**TREILLAGER,** verbe trans. [5]
Garnir (un mur) de treillage. 1767 ; ☞ *treillage* ; [tʀɛjaʒe].

**TREILLE,** subst. f.
**1.** Treillage en forme de berceau ou de tonnelle sur lequel poussent des plantes grimpantes (vieilli). **2.** Ceps de vigne que l'on fait pousser sur un treillage ou le long d'un mur : *Le jus de la **treille**,* le vin (fam.). Fin XIe s. ; lat. *trichila* ; [tʀɛj].

**TREILLIS (I),** subst. m.
**1.** Grosse toile écrue, très résistante. **2.** Méton. ► Vêtement de travail en toile écrue. ► Tenue militaire de combat. 1530 (fin XIIe s., qui est fait de mailles entrelacées) ; lat. pop. °*trilicus*, du lat. *trilix*, « à trois fils » ; [tʀɛji].

**TREILLIS (II),** subst. m.
**1.** Assemblage de lattes ou de fils métalliques entrecroisés, servant de support pour les plantes grimpantes ou formant une clôture (synon. *treillage*). **2.** *B.-a.* Armature en croisillons d'un vitrail

ou d'une verrière. **3.** *Constr.* Structure métallique rigide formée de poutrelles entrecroisées : *Pont en* **treillis**. **4.** *Math.* Ensemble ordonné dans lequel tout couple d'éléments possède toujours une borne supérieure et une borne inférieure. ⊠ XIIIe s. ; ☞ *treille* ; [tʀɛji].

**TREILLISSER, verbe trans.** [3]
Garnir (qqch.) d'un treillis. ⊠ 1374 ; ☞ *treillis* (II) ; [tʀɛjise].

**TREIZE, adj. num. inv. et subst. m. inv.**
**Adj. card.** Dix plus trois : *Être* **treize** *à table.* ► Loc. **Treize** *à la douzaine* (☞ *douzaine*). **Adj. ord. 1.** Treizième : *Louis XIII* ; *Page* **treize**. **2.** Qui porte le numéro treize : *Appartement* **treize** ou, empl. subst., *Le* **treize**. **Subst. 1.** Le nombre treize. **2.** Le numéro **treize**. ⊠ Fin XIIe s. ; lat. *tredecim*, de *tres*, « trois », et de *decem*, « dix » ; [tʀɛz].

**TREIZIÈME, adj.**
**Adj. num. ord.** Qui occupe le rang marqué par le nombre treize ; empl. subst. : *Le, la* **treizième**. **Adj.** Qui constitue une fraction d'un tout divisé également en treize : *La* **treizième** *partie* ou, empl. subst. masc., *Le* **treizième**. ⊠ XIIe s. ; ☞ *treize* ; [tʀɛzjɛm].

**TREIZIÈMEMENT, adv.**
En treizième lieu. ⊠ Mil. XVIIe s. ; ☞ *treizième* ; [tʀɛzjɛmmɑ̃].

**TREIZISTE, subst. m.**
Joueur de rugby à treize. ⊠ 1935 ; ☞ *treize* ; [tʀɛzist].

**TREKKING, subst. m.**
Randonnée pédestre de haute montagne (anglic.). ⊠ V. 1980 ; angl. *trekking*, de *to trek*, « voyager » ; [tʀɛkiŋ].

**TRÉLINGAGE, subst. m.**
*Mar.* Filin d'acier ou cordage servant à retendre les haubans. ⊠ 1677 ; ☞ *élingue* + *tri-* ; [tʀelɛ̃gaʒ].

**TRÉMA, subst. m.**
*Ling.* et *Typogr.* Signe consistant en deux points juxtaposés (¨) que l'on place sur les voyelles *e, i, u* pour indiquer que la voyelle qui précède doit se prononcer séparément (par ex. dans : « ambiguë », « coïnculpé »). ⊠ 1600 ; gr. *trêma*, « trou » ; [tʀema].

**TRÉMAIL, voir TRAMAIL**

**TRÉMATAGE, subst. m.**
*Mar.* Action de trémater : *Droit de* **trématage**, de priorité au passage d'une écluse. ⊠ 1872 ; ☞ *trémater* ; [tʀemataʒ].

**TRÉMATER, verbe trans.** [3]
*Mar.* Dépasser (un bateau) sur une voie navigable. ⊠ 1415 ; orig. inc. ; [tʀemate].

**TRÉMATODES, subst. m. plur.**
*Zool.* Classe de vers plats au corps non segmenté, qui parasitent certains vertébrés, surtout les poissons. **Au sing.** *La douve est un* **trématode**. ⊠ 1817 ; gr. *trêmatôdês*, « qui a un trou dans le conduit intestinal », de *trêma*, « trou » ; [tʀematɔd].

**TREMBLAIE, subst. f.**
Lieu planté de trembles. ⊠ 1294 ; ☞ *tremble* ; [tʀɑ̃blɛ].

**TREMBLANT, ANTE, adj. et subst. f.**
**Adj. 1.** Agité de tremblements : *Être* **tremblant** *de froid, de peur.* **2.** Chancelant : *Avoir les jambes* **tremblantes** ; vacillant : *Lueur, voix* **tremblante**. **Subst.** *Vétér.* Maladie virale des moutons, mortelle, caractérisée par des tremblements. ⊠ Fin XIIe s. ; p. pr. de *trembler* ; [tʀɑ̃blɑ̃, ɑ̃t].

**TREMBLE, subst. m.**
*Bot.* Peuplier d'Europe occidentale à écorce lisse, dont les feuilles bougent au moindre vent. ⊠ Mil. XIIe s. ; lat. *tremulus*, « qui tremble » ; [tʀɑ̃bl].

**TREMBLÉ, ÉE, adj.**
**1.** Tracé par une main qui tremble : *Une écriture* **tremblée**. **2.** Qui tremble, en parlant d'un son, de la voix. ⊠ 1765 ; p. p. de *trembler* ; [tʀɑ̃ble].

**TREMBLEMENT, subst. m.**
**1.** Succession de secousses, d'oscillations qui agitent qqch. : **Tremblement** *de terre*, séisme. **2.** Agitation convulsive du corps ou de l'une de ses parties. **3.** Loc. *Et tout le* **tremblement** : et tout ce qui va avec (fam.). ⊠ Fin XIVe s. ; ☞ *trembler* ; [tʀɑ̃bləmɑ̃].

**TREMBLER, verbe intrans.** [3]
**1.** Être agité de mouvements convulsifs, en parlant du corps ou de l'une de ses parties : **Trembler** *de froid, de fièvre, de peur.* **2.** Être agité de secousses successives, d'oscillations plus ou moins violentes et continues : *Bruit qui fait* **trembler** *les vitres* ; *La terre* **tremble**, est secouée par un séisme. **3.** Fig. Éprouver de la crainte, de l'appréhension : **Trembler** *devant, pour qqn* ; **Trembler** *à l'idée de...* ⊠ Déb. XIIe s. ; lat. pop. °*tremulare*, du lat. *tremere* ; [tʀɑ̃ble].

**TREMBLEUR, EUSE, adj. et subst.**
Se dit d'une personne qui tremble ou, au fig., craintive (rare). **Subst. masc. 1.** *Relig.* Quaker (vieilli). **2.** *Techn.* Dispositif qui vibre. ⊠ 1546 ; ☞ *trembler* ; [tʀɑ̃blœʀ, øz].

**TREMBLOTANT, ANTE, adj.**
Qui tremblote : *Mains* **tremblotantes**. ⊠ 1553 ; p. pr. de *trembloter* ; [tʀɑ̃blɔtɑ̃, ɑ̃t].

**TREMBLOTE, subst. f.**
Tremblement (fam.) : *Avoir la* **tremblote**. ⊠ 1888 ; ☞ *trembloter* ; [tʀɑ̃blɔt].

**TREMBLOTER, verbe intrans.** [3]
Trembler légèrement : *Flamme, lumière qui* **tremblote**, qui vacille. ⊠ 1553 ; ☞ *trembler* ; [tʀɑ̃blɔte].

**TRÉMELLE, subst. f.**
*Bot.* Champignon basidiomycète, orangé et gélatineux, poussant en hiver sur le bois mort. ⊠ 1765 ; lat. sc. *tremella*, du lat. *tremulus*, « qui tremble » ; [tʀemɛl].

**TRÉMIE, subst. f.**
**1.** Réservoir en forme de pyramide renversée, surmontant une machine, et dans lequel on déverse les substances ou les matériaux à traiter (broyage, concassage...). **2.** *Bât.* Ouverture pratiquée dans un plancher pour placer le foyer d'une cheminée, faire passer un escalier, etc. **3.** Mangeoire, petite auge pour les volailles, les oiseaux. ⊠ Fin XIe s. ; lat. *trimodia*, « récipient de trois muids », de *tres*, « trois », et de *modius*, « mesure » ; [tʀemi].

**TRÉMIÈRE, adj. f.**
*Bot. Rose* **trémière** : plante ornementale bisannuelle, de la famille des Malvacées. ⊠ 1581 ; altér. de *outremer* ; [tʀemjɛʀ].

**TRÉMOLITE, subst. f.**
*Minér.* Silicate du groupe des amphiboles, qui se rencontre surtout dans les carbonates métamorphiques. ⊠ Fin XVIIIe s. ; topon. *val Tremola*, dans le massif du Saint-Gothard ; [tʀemɔlit].

**TRÉMOLO, subst. m.**
**1.** *Mus.* Effet spécial produit par un frottement rapide et très serré de l'archet des instruments à cordes. **2.** Ext. Tremblement de la voix dû à une émotion, souv. feint et outré. ⊠ 1705 ; ital. *tremolo*, du lat. *tremulus*, « qui tremble » ; [tʀemɔlo].

**TRÉMOUSSEMENT, subst. m.**
Action de se trémousser ; son résultat. ⊠ 1573 ; ☞ *se trémousser* ; [tʀemusmɑ̃].

**TRÉMOUSSER (SE), verbe pronom.** [3]
S'agiter, se tortiller : *Tout heureux, il* **se trémoussait** *sur sa chaise.* ⊠ 1532 ; ☞ *mousse* (I) + *tré-*, anc. forme de *trans-* ; [tʀemuse].

**TREMPABILITÉ, subst. f.**
*Métall.* Aptitude d'un alliage à faire l'objet d'une trempe. ⊠ V. 1960 ; ☞ *tremper* ; [tʀɑ̃pabilite].

**TREMPAGE, subst. m.**
*Métall.* Action de tremper, de faire tremper (qqch.). ⊠ 1842 ; ☞ *tremper* ; [tʀɑ̃paʒ].

**TREMPE, subst. f.**
**1.** Opération qui consiste à plonger dans un bain froid un métal, un alliage, du verre à haute température, pour en augmenter la dureté. **2.** Fig. Qualité physique ou morale ; en partic., fermeté d'âme, vigueur : *Un homme d'une* **trempe** *exceptionnelle.* **3.** Correction (fam.) : *Prendre, donner une* **trempe**, un ou des coups. ⊠ Mil. XVe s. ; ☞ *tremper* ; [tʀɑ̃p].

**TREMPÉ, ÉE, adj.**
**1.** Imbibé d'eau, d'un liquide : *Sol* **trempé**. **2.** Très mouillé : **Trempé** *jusqu'aux os.* **3.** Qui a subi la trempe : *Acier, verre* **trempé**. **4.** Fig. Vigoureux, énergique : *Caractère bien* **trempé**. ⊠ Fin XIVe s. ; p. p. de *tremper* ; [tʀɑ̃pe].

**TREMPER, verbe** [3]
**Trans. 1.** Couper d'eau (vieilli) : **Tremper** *son vin.* **2.** Imbiber d'un liquide : **Tremper** *un mouchoir de larmes.* ► Loc. **Tremper** *la soupe* : en verser sur du pain (vx). **3.** Plonger (qqch.) dans un liquide pour l'en imbiber, l'en enduire : **Tremper** *son pain dans la sauce* ; **Tremper** *sa plume dans l'encrier* ; empl. pronom. : *Se* **tremper** *dans l'eau*, se baigner rapidement. **4.** Donner la trempe à (un métal, du verre...). ► Fig. et Littér. Endurcir (le caractère). **Intrans. 1.** Demeurer dans un liquide : *Faire* **tremper** *du linge.* **2.** Fig. Participer à une action malhonnête : **Tremper** *dans un complot.* ⊠ Fin XIVe s. ; altér. de l'anc. fr. *temprer*, du lat. *temperare*, « modérer » ; [tʀɑ̃pe].

**TREMPETTE, subst. f.**
Fam. **1.** Mouillette (vieilli). **2.** Loc. *Faire* **trempette** : prendre un bain rapide ou dans une eau peu profonde. ⊠ 1611 ; ☞ *tremper* ; [tʀɑ̃pɛt].

**TREMPEUR, EUSE, subst.**
Ouvrier qui procède à la trempe, au trempage. ⊠ 1846 ; *tremper* ; [tʀɑ̃pœʀ, øz].

**TREMPLIN, subst. m.**
**1.** *Sp.* ► Planche souple sur laquelle on prend son élan pour sauter, plonger : **Tremplin** *d'une piscine, d'un gymnase.* ► Plan incliné : **Tremplin** *de saut à skis, à ski nautique.* **2.** Fig. Ce qui aide à la réussite d'un projet. ⊠ 1680 ; ital. *trempellino*, d'orig. germ. ; [tʀɑ̃plɛ̃].

**TRÉMULATION, subst. f.**
*Pathol.* Tremblement non convulsif, en partic. du nouveau-né. ⊠ 1873 ; ☞ *trémuler* ; [tʀemylasjɔ̃].

**TRÉMULER, verbe intrans.** [3]
Être parcouru d'un tremblement (littér.). ⊠ 1801 ; lat. *tremulus*, « qui tremble » ; [tʀemyle].

**TRENAIL, subst. m.**
*Ch. de fer.* Cheville servant à fixer les tire-fonds dans les traverses. ⊠ 1843 ; angl. *treenail*, « cheville », de *tree*, « arbre », et de *nail*, « clou » ; plur. *trenails* ; [tʀənaj].

**TRENCH-COAT, subst. m.**
Imperméable croisé à ceinture, large col et rabats. ⊠ V. 1920 ; angl. *trench-coat*, de *trench*, « tranchée », et de *coat*, « manteau » ; plur. *trench-coats* ; [tʀɛnʃkot].

**TRENTAIN, subst. m.**
*Liturg.* Série de trente messes dites pour un défunt, au rythme de une par jour. ⊠ 1472 (fin XIVe s., mesure de vin) ; ☞ *trente* ; [tʀɑ̃tɛ̃].

**TRENTAINE, subst. f.**
**1.** Nombre de trente, d'environ trente. **2.** L'âge d'environ trente ans. ⊠ 1155 ; ☞ *trente* ; [tʀɑ̃tɛn].

**TRENTE, adj. num. inv. et subst. m. inv.**
**Adj. card.** Trois fois dix. **Adj. ord.** Qui porte le numéro **trente** : *Page* **trente** ; *Les années* **trente**. **Subst.** Le nombre ou le numéro **trente** : *Le* **trente** *du mois.* ⊠ Fin Xe s. ; lat. pop. °*trinta*, du lat. *triginta* ; [tʀɑ̃t].

**TRENTE-ET-QUARANTE, subst. m. inv.**
Jeu dans lequel le banquier aligne des cartes dont le total doit se situer entre 30 et 40 points. ⊠ 1648 ; comp. de *trente* et de *quarante* ; [tʀɑ̃tekaʀɑ̃t].

**TRENTE-ET-UN, subst. m. inv.**
**1.** Jeu où il faut totaliser 31 points avec 3 cartes. **2.** *Se mettre sur son* **trente-et-un** : s'habiller avec élégance, pour une occasion particulière (fam.). ⊠ 1464 ; comp. de *trente* et de *un* ; var. *trente et un* ; [tʀɑ̃teœ̃].

**TRENTENAIRE, adj. et subst.**
**Adj.** Qui dure trente ans : *Concession* **trentenaire**. **Subst.** Personne âgée de trente à trente-neuf ans (rare). ⊠ 1771 ; ☞ *trente* ; [tʀɑ̃tənɛʀ].

**TRENTE-SIX, adj. num. inv.**
**1.** Trente plus six : **Trente-six** *ans.* **2.** D'une quantité indéterminée (fam.) : *Il n'y a pas* **trente-six** *solutions* ; *Voir* **trente-six** *chandelles*, rester étourdi ; empl. subst. masc. : *Tous les* **trente-six** *du mois*, très rarement ; jamais. ⊠ 1306 ; comp. de *trente* et de *six* ; [tʀɑ̃tsis].

**TRENTIÈME, adj.**
**Adj. num. ord.** Qui occupe le rang marqué par le nombre trente ; empl. subst. : *Le, la* **trentième**. **Adj.** Qui forme une fraction d'un tout divisé également en trente : *La* **trentième** *partie* ou, empl. subst. masc., *Le* **trentième**. ⊠ 1119 ; ☞ *trente* ; [tʀɑ̃tjɛm].

**TRÉPAN, subst. m.**
**1.** *Chir.* Instrument qui sert à percer les os, en partic. ceux de la boîte crânienne. **2.** *Techn.* Instrument qui permet de forer par rotation. ⊠ XIIIe s. ; lat. médiév. *trepanum*, du gr. *trupanon* ; [tʀepɑ̃].

**TRÉPANATION, subst. f.**
*Chir.* Opération consistant à pratiquer, à l'aide du trépan, une ouverture dans un os, en partic. dans la boîte crânienne. ⊠ Fin XVe s. ; ☞ *trépaner* ; [tʀepanasjɔ̃].

**TRÉPANER, verbe trans.** [3]
*Chir.* Pratiquer une trépanation sur (qqn). ⊠ Fin XVe s. ; ☞ *trépan* ; [tʀepane].

**TRÉPANG, voir TRIPANG**

**TRÉPAS, subst. m.**
Décès (vieilli et littér.). ► Loc. *Passer de vie à* **trépas** : mourir. ⊠ XIIIe s. (1155, passage) ; ☞ *trépasser* ; [tʀepa].

**TRÉPASSER, verbe intrans.** [3]
Mourir (littér.). ⊠ Mil. XIIe s. (fin XIe s., dépasser) ; ☞ *passer* + *tré-*, anc. forme de *trans-* ; [tʀepase].

**TRÉPHONE,** subst. f.
*Biol.* Facteur protéique extrait de l'embryon de poulet et qui, introduit dans les milieux de culture, permet aux cellules de se multiplier in vitro (vx). 1929 ; gr. *trephein*, « nourrir » ; [tʀefɔn].

**TRÉPIDANT, ANTE,** adj.
**1.** Qui trépide. **2.** Agité, vif : *Rythme* ***trépidant.*** **3.** Fig. Très actif, très animé : *Existence* ***trépidante.*** 1876 ; p. pr. de *trépider* ; [tʀepidɑ̃, ɑ̃t].

**TRÉPIDATION,** subst. f.
**1.** Tremblement ; vibration. **2.** Fig. Grande agitation. 1290 ; lat. *trepidatio*, « tremblement (des nerfs) » ; [tʀepidasjɔ̃].

**TRÉPIDER,** verbe intrans. [3]
**1.** Être agité de petites secousses rapides et régulières ; vibrer. **2.** Fig. S'activer sans répit. 1531 ; lat. *trepidare*, « trembler, s'agiter » ; [tʀepide].

**TRÉPIED,** subst. m.
Meuble ou support à trois pieds. 1305 (XIIe s., ustensile de cuisine) ; lat. *tripes*, « à trois pieds » ; [tʀepje].

**TRÉPIGNEMENT,** subst. m.
Action, fait de trépigner. 1547 ; ☞ *trépigner* ; [tʀepiɲmɑ̃].

**TRÉPIGNER,** verbe intrans. [3]
Frapper nerveusement des pieds sur place : ***Trépigner*** *de joie.* 1534 (1481, tituber) ; anc. fr. *treper*, « frapper du pied », de l'anc. bas frq. °*trippôn*, « sauter » ; [tʀepiɲe].

**TRÉPOINTE,** subst. f.
Bande de cuir servant à consolider la couture d'une chaussure, d'un objet de bourrellerie. 1408 ; *trépoindre* (vx), « piquer à travers » ; [tʀepwɛ̃t].

**TRÉPONÉMATOSE,** subst. f.
*Pathol.* Affection vénérienne (syphilis) ou non (pian), due à un tréponème. V. 1960 ; ☞ *tréponème* + *-ose* ; [tʀepɔnematoz].

**TRÉPONÈME,** subst. m.
*Bactériol.* Bactérie Gram– du groupe des Spirochètes. 1909 ; gr. *trepein*, « tourner », et *nêma*, « fil » ; [tʀepɔnɛm].

**TRÈS,** adv.
Marque l'intensité, le degré élevé (devant un adjectif, un participe passé adjectivé, un adverbe ou dans une loc. verbale) : *Il est* ***très*** *riche ; Aller* ***très*** *vite ; Être* ***très*** *ennuyé ; Avoir* ***très*** *chaud ; Il fait* ***très*** *froid.* ▸ Devant un subst. : *Il est resté* ***très*** *enfant.* Mil. XIe s. ; lat. *trans*, « au-delà de, par-delà » ; [tʀɛ].

**TRÉSAILLE,** subst. f.
Pièce de bois horizontale qui maintient les ridelles d'une charrette. 1680 ; anc. fr. *teseiller*, de *teser*, « tendre » ; [tʀezaj].

**TRESCHEUR,** subst. m.
*Hérald.* Orle double, orné de fleurs de lis dirigées tour à tour vers le centre et les bords de l'écu. Fin XIIIe s. ; pic. *treceor*, « galon » ; var. *trécheur* ; [tʀɛʃœʀ].

**TRÉSOR,** subst. m.
**I. 1.** Ensemble d'objets précieux, amassés et souv. cachés. ▸ *Trouver un* ***trésor*** : découvrir par hasard un objet précieux dont nul ne peut justifier la propriété. Le **trésor** appartient pour moitié à son inventeur et pour moitié au propriétaire du fonds sur lequel il est trouvé. **2.** Ensemble d'œuvres d'art de grand prix (au plur.) : *Les* ***trésors*** *du Louvre.* ▸ Dans une église, lieu où sont gardés les objets d'art, les reliques. **3.** *Hist.* Ensemble des moyens financiers d'un souverain, d'un État. ▸ *Écon. Le* ***Trésor*** *public* ou, empl. abs., *Le* ***Trésor*** : l'administration qui assure la gestion du budget public. **II.** Fig. **1.** Ce que l'on considère comme très précieux ; personne d'un rare mérite, ou très aimée. ▸ Terme affectueux (fam.). **2.** Titre de certains ouvrages d'érudition, en partic. de dictionnaires et d'encyclopédies : *«* ***Trésor*** *de la langue française ».* **3.** Loc. *Un* ***trésor*** *de, des* ***trésors*** *de* : une abondance de. Fin XIe s. ; lat. *thesaurus* ; [tʀezɔʀ].

*Un* ***trésor*** *sous-marin : porcelaines provenant d'une jonque chinoise du XIVe s.*

© L. Chrix-Gamma

**TRÉSORERIE,** subst. f.
**1.** Administration des finances publiques, du Trésor ; par méton., ses locaux : ***Trésorerie*** *principale.* **2.** Charge de trésorier-payeur général. **3.** Ensemble des capitaux disponibles d'une entreprise, d'une banque, d'un club, etc. ; par ext., budget d'un particulier : *Bien gérer sa* ***trésorerie.*** Fin XIIIe s. ; ☞ *trésorier* ; [tʀezɔʀʀi].

**TRÉSORIER, IÈRE,** subst.
Personne chargée de gérer les biens, les finances d'un État, d'une institution, d'une association. ▸ ***Trésorier****-payeur général* : haut fonctionnaire qui dirige le Trésor public à l'échelle du département ou de la région. Fin XIe s. ; ☞ *trésor*, d'apr. le bas lat. *thesaurarius* ; [tʀezɔʀje, jɛʀ].

**TRESSAGE,** subst. m.
Action de tresser ; manière dont qqch. est tressé. 1856 ; ☞ *tresser* ; [tʀɛsaʒ].

**TRESSAILLEMENT,** subst. m.
Brusque secousse du corps due à une émotion vive, soudaine ; frémissement de qqch. : *Un* ***tressaillement*** *de joie.* 1572 (1561, contraction des muscles) ; ☞ *tressaillir* ; [tʀɛsajmɑ̃].

**TRESSAILLIR,** verbe intrans. [31]
Être agité d'un tressaillement, sursauter : ***Tressaillir*** *d'effroi.* Mil. XIIe s. (fin XIe s., franchir d'un bond) ; ☞ *saillir* + *tres-* ; [tʀɛsajiʀ].

**TRESSAUTER,** verbe intrans. [3]
**1.** Tressaillir fortement. **2.** Sauter sous l'effet de secousses : *Les cahots faisaient* ***tressauter*** *les voyageurs.* 1544 ; ☞ *sauter* + *tres-* ; [tʀɛsote].

**TRESSE,** subst. f.
**1.** Vx. Cordon de lin. **2.** Entrelacement à plat de trois longues mèches de cheveux (synon. *natte*). **3.** Anal. Tissage plat et étroit fait de fils, de cordons, de rubans entrelacés. ▸ *Milit.* Galon ornant un képi, servant à indiquer le grade. **4.** *Archit.* Ornement sculpté figurant des bandes, des cordons entrelacés. Fin XIe s. ; prob. lat. pop. °*trichia*, du gr. *trikhia*, de *thrix*, « poil, cheveu » ; [tʀɛs].

**TRESSER,** verbe trans. [3]
**1.** Assembler, mettre en tresses. **2.** Fabriquer (un objet) en entrelaçant des brins : ***Tresser*** *une corbeille.* ▸ Loc. ***Tresser*** *des couronnes à qqn* : le couvrir d'éloges. Fin XIe s. ; ☞ *tresse* ; [tʀɛse].

**TRESSEUR, EUSE,** subst.
Personne qui tresse : ***Tresseur*** *de paniers.* 1303 ; ☞ *tresser* ; [tʀɛsœʀ, øz].

**TRÉTEAU,** subst. m.
Support mobile fait d'une barre horizontale fixée à chaque extrémité sur deux pieds formant un V renversé : *Deux* ***tréteaux*** *et une planche, voilà une table !* PLUR. Estrade ; par ext., théâtre ambulant (vieilli). ▸ Loc. *Planter ses* ***tréteaux*** : s'installer pour donner un spectacle. Déb. XIIIe s. (déb. XIIe s., au plur., récipients, coupes) ; bas lat. *transtillum*, « petite poutre » ; [tʀeto].

**TREUIL,** subst. m.
*Techn.* Appareil servant à tirer ou à élever des charges, constitué d'un cylindre horizontal tournant sur un axe, sur lequel s'enroule une corde, un câble ou une chaîne. 1376 (1282, pressoir) ; lat. *torculum*, « pressoir » ; [tʀœj].

**TREUILLAGE,** subst. m.
*Techn.* Action d'utiliser un treuil pour lever ou tirer une charge. V. 1960 ; ☞ *treuil* ; [tʀœjaʒ].

**TREUILLER,** verbe trans. [3]
Soulever ou tirer (une charge) à l'aide d'un treuil. V. 1960 (1197, tourmenter) ; ☞ *treuil* ; [tʀœje].

**TRÊVE,** subst. f.
**1.** Suspension des hostilités convenue entre belligérants. ▸ *Hist.* ***Trêve*** *de Dieu* : règle, instituée par l'Église au XIe s., qui interdisait aux seigneurs féodaux de se faire la guerre du mercredi soir au lundi matin et à certaines périodes de l'année. **2.** Anal. Interruption dans un conflit quelconque. ▸ Loc. ***Trêve*** *des confiseurs* (☞ *confiseur*). **3.** Fig. Suspension d'une action, d'un processus, en partic. de ce qui est pénible, astreignant ; répit : *S'accorder une* ***trêve*** *;* ***Trêve*** *dans une maladie.* ▸ Loc. *Sans* ***trêve*** : sans cesse. ▸ Loc. prép. **Trêve de.** Assez de : ***Trêve*** *de plaisanterie(s).* Mil. XIIe s. ; anc. bas frq. °*treuwa*, « contrat, convention » ; [tʀɛv].

**TRÉVIRE,** subst. f.
*Mar.* Cordage fixé à un corps-mort, utilisé pour hisser ou faire descendre une charge cylindrique sur un plan incliné. 1776 ; ☞ *trévirer* ; [tʀeviʀ].

**TRÉVIRER,** verbe trans. [3]
Lever ou descendre (une charge cylindrique) à l'aide d'une trévire. 1831 (1228, détourner) ; ☞ *virer* + *tré-*, anc. forme de *trans-* ; [tʀeviʀe].

**TRÉVISE,** subst. f.
Chicorée rouge consommée en salade. V. 1980 ; topon. *Trévise* (Italie) ; [tʀeviz].

**TRI,** subst. m.
**1.** Action de trier ; son résultat. **2.** *Informat.* Classement, dans un certain ordre, des informations à traiter. 1764 (1344, choix) ; ☞ *trier* ; [tʀi].

**TRIACIDE,** subst. m.
*Chim.* Corps possédant trois fonctions acide. 1872 ; ☞ *acide* + *tri-* ; [tʀiasid].

**TRIADE,** subst. f.
**1.** Groupe de trois personnes ou de trois choses étroitement liées ; en partic., association de trois divinités : *Jupiter, Junon et Minerve formaient la* ***triade*** *capitoline.* **2.** Ensemble rythmique formé par la strophe, l'antistrophe et l'épode, dans l'ancienne métrique grecque. 1562 ; bas lat. *trias*, du gr. *trias* ; [tʀijad].

**TRIADIQUE,** adj.
**1.** Relatif, propre à une triade. **2.** *Math.* Se dit de l'écriture des nombres réels en base trois. ☞ *triade* ; [tʀijadik].

**TRIAGE,** subst. m.
Action de trier, de faire un choix, de répartir. ▸ *Gare de* ***triage*** (☞ *gare*). 1370 (1343, part de la forêt communale attribuée au seigneur) ; ☞ *trier* ; [tʀijaʒ].

**TRIAIRE,** subst. m.
*Antiq. rom.* Soldat combattant en troisième ligne, dans la légion. 1284 ; lat. *triarius* ; [tʀijɛʀ].

**TRIAL,** subst.
MASC. Sport motocycliste pratiqué en terrain difficile. FÉM. Méton. Moto conçue pour ce sport. 1924 ; angl. *trial*, « épreuve, essai » ; plur. *trials* ; [tʀijal].

© A.M. Louvet-Explorer

*Compétition de* ***trial*** *(juniors).*

**TRIALCOOL,** subst. m.
*Chim.* Corps possédant trois fonctions alcool. 1946 ; ☞ *alcool* + *tri-* ; var. *triol* ; [tʀialkɔl].

**TRIANDRIE,** subst. f.
*Bot.* Caractère d'une plante à trois étamines. 1800 (1783, fleur à trois étamines) ; formé de *tri-* et de *-andrie* ; [tʀi(j)ɑ̃dʀi].

**TRIANGLE,** subst. m.
**1.** *Géom.* Polygone à trois côtés : ***Triangle*** *scalène.* **2.** *Mus.* Instrument à percussion formé d'une tige d'acier recourbée en **triangle** non fermé, que l'on frappe avec une baguette du même métal. Fin XIIIe s. ; lat. *triangulum* ; [tʀijɑ̃gl].

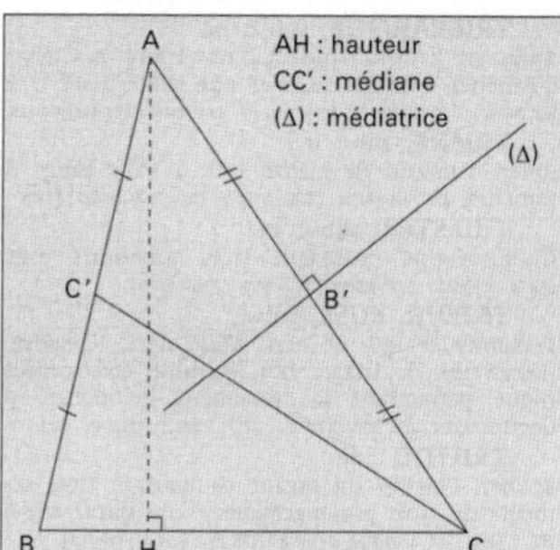


*Triangle quelconque.*

**TRIANGULAIRE,** adj.
**1.** Qui a trois angles ; qui a la forme d'un triangle. **2.** Dont la base ou la section forme un triangle : *Pyramide* ***triangulaire.*** **3.** Fig. Qui met conjointement en jeu trois personnes, groupes ou éléments : *Élection* ***triangulaire*** ou, par ell., *Une* ***triangulaire,*** qui met en lice trois candidats. Fin XIV$^e$ s. ; lat. *triangularis* ; [tʀijɑ̃gylɛʀ].

**TRIANGULATION,** subst. f.
Opération par laquelle on détermine la position d'une ligne de points géodésiques en traçant des triangles dont les sommets correspondent à ces points. 1818 ; bas lat. *triangulatio* ; [tʀijɑ̃gylasjɔ̃].

**TRIANGULER,** verbe trans. [3]
Effectuer la triangulation de. 1803 ; lat. *triangulus,* « triangle » ; [tʀijɑ̃gyle].

**TRIAS,** subst. m.
*Géol.* Première période de l'ère secondaire, entre 245 et 205 millions d'années ; terrain datant de cette période, composé de trois sortes de dépôts sédimentaires (le grès bigarré, le calcaire coquillier, les marnes irisées). 1845 ; bas lat. *trias,* « nombre de trois » ; [tʀijɑs].

**TRIATHLON,** subst. m.
*Sp.* Compétition composée de trois épreuves enchaînées (gén. natation, course à pied, course cycliste). 1929 ; gr. *athlon,* « combat », + *tri-,* d'apr. *pentathlon* ; [tʀiatlɔ̃].

**TRIATOMIQUE,** adj.
*Chim.* Qui est formé de trois atomes. 1872 ; ☞ *atomique* + *tri-* ; [tʀiatɔmik].

**TRIBAL, ALE, ALS ou AUX,** adj.
*Anthropol.* Relatif à la tribu : *Coutumes* ***tribales.*** 1872 ; ☞ *tribu* ; [tʀibal, o].

**TRIBALISME,** subst. m.
Organisation sociale par tribus. V. 1960 ; ☞ *tribal* ; [tʀibalism].

**TRIBALLE,** subst. f.
*Peauss.* Tringlette de fer servant à battre les peaux. 1757 (XV$^e$ s., cabaret où l'on buvait sans s'asseoir) ; ☞ *triballer* ; [tʀibal].

**TRIBALLER,** verbe trans. [3]
*Peauss.* Passer (les peaux) à la triballe pour les assouplir. 1757 (1542, agiter) ; p.-ê. altér. de l'anc. fr. *tribouler,* « danser » ; [tʀibale].

**TRIBART,** subst. m.
Entrave faite d'un ou de plusieurs bâtons attachés au cou d'un animal pour l'empêcher de traverser les haies (région.). 1752 (1534, gourdin) ; orig. obsc. ; [tʀibaʀ].

**TRIBOÉLECTRICITÉ,** subst. f.
*Phys.* Électricité statique produite par frottement. V. 1960 ; ☞ *électricité* + *tribo-* ; [tʀiboelɛktʀisite].

**TRIBOLOGIE,** subst. f.
*Phys.* Étude des effets et conséquences des frottements de pièces en mouvement relatif. V. 1970 ; formé de *tribo-* et de *-logie* ; [tʀibɔlɔʒi].

**TRIBOLUMINESCENCE,** subst. f.
*Phys.* Propriété qu'ont certains corps (gén. cristallins) d'émettre un rayonnement lumineux quand ils sont soumis à une contrainte mécanique (étirement, écrasement, friction, etc.). 1905 ; ☞ *luminescence* + *tribo-* ; [tʀibolyminɛsɑ̃s].

**TRIBOMÉTRIE,** subst. f.
*Phys.* Mesure des forces produites par frottement. 1922 ; formé de *tribo-* et de *-métrie* ; [tʀibometʀi].

**TRIBORD,** subst. m.
*Mar.* Côté droit d'un navire, quand on regarde vers la proue, par oppos. à *bâbord.* 1484 ; m. néerl. *stierboord,* « côté où se trouve le gouvernail » ; [tʀibɔʀ].

**TRIBORDAIS,** subst. m.
*Mar.* Matelot de la bordée de tribord. 1704 ; ☞ *tribord* ; [tʀibɔʀdɛ].

**TRIBOULET,** subst. m.
*Orfèvr.* Tronc de cône gradué servant à mesurer le diamètre des bagues. 1611 ; anc. fr. *triboler,* « remuer » ; [tʀibulɛ].

**TRIBU,** subst. f.
**1.** *Antiq.* ▸ Division de la cité romaine, constituée de curies. ▸ Division d'un peuple grec, constituée de phratries. ▸ Lignée de chacun des douze fils de Jacob : *Les douze* ***tribus*** *d'Israël.* **2.** *Anthropol.* Groupe social ayant en commun le système politique, les croyances religieuses et la langue, et s'attribuant le même ancêtre mythique. **3.** Fig. Famille nombreuse ; groupe nombreux (péj. ou iron.). **4.** *Sc. nat.* Taxon intermédiaire entre la famille et le genre. **5.** *Math.* ***Tribu*** *de parties d'un ensemble E* : ensemble non vide $\mathcal{T}$ de parties de E tel que, si A appartient à $\mathcal{T}$, son complémentaire aussi, et que, pour toute famille dénombrable $(A_n)_{n\geqslant 0}$ d'éléments de E, la réunion $\cup A_n$ appartient aussi à $\mathcal{T}$. 1355 ; lat. *tribus* ; [tʀiby].

**TRIBULATION,** subst. f.
Vx. Tourment, épreuve. PLUR. Suite d'aventures, péripéties. Déb. XII$^e$ s. ; lat. chrét. *tribulatio,* du lat. *tribulare,* « battre avec la herse, écraser » ; [tʀibylasjɔ̃].

**TRIBUN,** subst. m.
**1.** *Antiq. rom.* ▸ ***Tribun*** *de la plèbe* : magistrat élu pour défendre les droits des plébéiens. ▸ ***Tribun*** *militaire* : chacun des six officiers supérieurs qui, à tour de rôle, commandaient une légion. **2.** *Hist.* Membre du Tribunat. **3.** Anal. Orateur qui met son éloquence au service du peuple. Déb. XIII$^e$ s. ; lat. *tribunus,* de *tribus,* « tribu » ; [tʀibœ̃].

**TRIBUNAL,** subst. m.
**1.** Lieu où l'on rend la justice. **2.** Juridiction exercée par un ou plusieurs magistrats. ▸ Ensemble des magistrats formant un **tribunal.** ▸ ***Tribunal*** *administratif* : chargé d'examiner tous les contentieux en matière administrative. ▸ ***Tribunal*** *de commerce* (☞ *commerce*). ▸ ***Tribunal*** *pour enfants* : qui juge les crimes, délits et contraventions commis par les mineurs de moins de seize ans. ▸ ***Tribunal*** *de grande instance (T. G. I.)* : jugeant notamment les contraventions. ▸ ***Tribunal*** *d'instance (T. I.)* : jugeant les délits. **3.** Fig. Source de jugement (littér.) : *Le* ***tribunal*** *de l'histoire.* Fin XIII$^e$ s. (fin XII$^e$ s., siège d'un juge) ; lat. *tribunal,* de *tribunus,* « tribun » ; plur. *tribunaux* ; [tʀibynal], plur. [-no].

**TRIBUNAT,** subst. m.
**1.** *Antiq. rom.* Charge de tribun ; exercice de cette charge ; sa durée. **2.** *Hist.* *Le* ***Tribunat*** : assemblée instituée par la Constitution de l'an VIII pour discuter les projets de loi devant le corps législatif. Fin XIII$^e$ s. ; lat. *tribunatus,* de *tribunus,* « tribun » ; [tʀibyna].

**TRIBUNE,** subst. f.
**1.** *Archit.* Galerie pratiquée au-dessus du jubé ou des bas-côtés, dans une église. **2.** *Antiq.* Lieu élevé d'où les orateurs s'adressaient à la foule, en Grèce et à Rome. ▸ Anal. Estrade réservée à l'orateur : *Monter à la* ***tribune.*** **3.** Construction en gradins destinée aux spectateurs d'une épreuve sportive, d'une corrida, etc. (souv. au plur.) ; par méton. : *Louer une* ***tribune,*** une place dans les **tribunes.** **4.** Emplacement dans un journal, temps de parole dans une émission de radio, de télévision, réservé à l'expression libre des idées. Mil. XIII$^e$ s. ; lat. médiév. *tribuna* ; [tʀibyn].

**TRIBUT,** subst. m.
**1.** Contribution qu'un État vaincu devait payer à un État vainqueur, ou imposée par un peuple à un autre, en signe de soumission. **2.** Impôt levé par un seigneur féodal, un État. **3.** Fig. Ce qu'on est obligé d'accorder, d'endurer, de faire. ▸ Loc. *Payer un lourd* ***tribut*** *à* : subir de graves dommages du fait de. Déb. XIV$^e$ s. ; lat. *tributum,* « taxe », de *tribuere,* « répartir entre les tribus » ; [tʀiby].

**TRIBUTAIRE,** adj.
**1.** Vx. Qui paie un tribut. **2.** Dépendant de qqn, de qqch. : *Pays* ***tributaire*** *d'un autre pour ses besoins en pétrole.* **3.** *Géogr.* Se dit d'un cours d'eau qui se jette dans un autre plus important, dans un lac, dans la mer. Mil. XII$^e$ s. ; lat. *tributarius* ; [tʀibytɛʀ].

**TRIC,** voir **TRICK**

**TRICENNAL, ALE, AUX,** adj.
Qui dure trente ans ; qui se rapporte à une période de trente ans (rare). 1842 (1721, fêtes célébrées tous les trente ans) ; bas. lat. *tricennalis* ; [tʀisenal, o].

**TRICENTENAIRE,** subst. m. et adj.
SUBST. Troisième centenaire. ADJ. Qui a trois cents ans. 1922 ; ☞ *centenaire* + *tri-* ; [tʀisɑ̃tnɛʀ].

**TRICÉPHALE,** adj.
À trois têtes. 1803 ; gr. *trikephalos* ; [tʀisefal].

**TRICEPS,** adj. et subst. m.
*Anat.* Se dit d'un muscle composé de trois faisceaux distincts qui se terminent par un tendon commun. 1562 ; lat. *triceps,* « à trois têtes » ; [tʀisɛps].

**TRICÉRATOPS,** subst. m.
*Paléont.* Grand dinosaure, atteignant 7 m de long, doté d'un cou court et d'une tête formant une collerette hérissée de cornes, qui vivait en Amérique du Nord et en Eurasie à la fin du Crétacé. 1891 ; gr. *keras,* « corne », et *ôps,* « face », + *tri-* ; [tʀiseʀatɔps].

**TRICHE,** subst. f.
Fam. Action de tricher ; tricherie. 1660 (déb. XIII$^e$ s., tromperie) ; ☞ *tricher* ; [tʀiʃ].

**TRICHER,** verbe intrans. [3]
**1.** Transgresser les règles d'un jeu pour gagner : ***Tricher*** *au poker.* **2.** Enfreindre les règles, les conventions admises, en feignant de les respecter : ***Tricher*** *à un examen.* **3.** Dissimuler par un artifice un défaut de confection d'un ouvrage : ***Tricher*** *un peu pour reprendre une veste.* **4.** **Tricher sur.** Tromper sur la nature, la valeur de (qqch.) : ***Tricher*** *sur la qualité ;* ***Tricher*** *sur son âge.* 1155 ; lat. pop. °*triccare,* du bas lat. *tricare,* du lat. *tricari,* « chicaner » ; [tʀiʃe].

**TRICHERIE,** subst. f.
Action de tricher ; tromperie. Déb. XII$^e$ s. ; ☞ *tricher* ; [tʀiʃʀi].

**TRICHEUR, EUSE,** adj. et subst.
Se dit d'une personne qui triche, en partic. au jeu. Déb. XII$^e$ s. ; ☞ *tricher* ; [tʀiʃœʀ, øz].

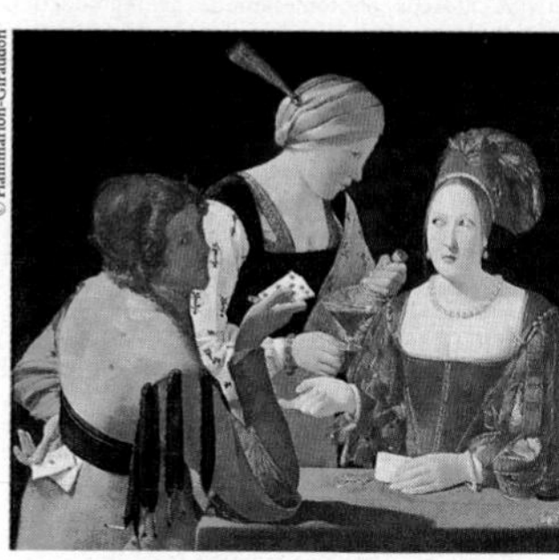
© Flammarion-Giraudon

Le **Tricheur** à l'as de carreau *(détail),*
*peinture de Georges de La Tour (1593-1652).*
*Musée du Louvre, Paris.*

**TRICHINE,** subst. f.
*Zool.* Ver filiforme de la classe des Nématodes, dont la forme adulte parasite l'intestin du porc, de l'ours, du rat, et dont la larve, transmissible à l'homme, s'enkyste dans les muscles striés. 1845 ; lat. sc. *trichina,* du gr. *trikhinos,* « fait de poils » ; [tʀikin].

**TRICHINÉ, ÉE,** adj.
*Pathol.* Se dit d'un organe parasité par des trichines. 1864 ; ☞ *trichine* ; [tʀikine].

**TRICHINEUX, EUSE,** adj.
*Pathol.* Se dit d'une personne ou d'un animal qui est atteint de trichinose. 1872 ; ☞ *trichine* ; [tʀikinø, øz].

**TRICHINOSE,** subst. f.
*Pathol.* Parasitose caractérisée par des troubles digestifs et musculaires, due à l'ingestion de viande trichinée. 1864 ; ☞ *trichine* + *-ose* ; [tʀikinoz].

**TRICHLORÉTHYLÈNE,** subst. m.
*Chim.* Composé liquide ininflammable, dérivé chloré de l'éthylène, utilisé comme solvant industriel. 1933 ; formé de *chlore* et de *éthylène* + *tri-* ; [tʀiklɔʀetilɛn].

**TRICHOCÉPHALE,** subst. m.
*Zool.* Ver hématophage de la classe des Nématodes, parasite intestinal de l'homme et de certains animaux. 1812 ; formé de *tricho-* et de *-céphale* ; [tʀikɔsefal].

**TRICHOGRAMME,** subst. m.
*Zool.* Insecte hyménoptère utilisé notamment pour la destruction du ver parasite de la pomme. V. 1970 ; formé de *tricho-* et de *-gramme* ; [tʀikɔgʀam].

**TRICHOLOME,** subst. m.
*Bot.* Champignon basidiomycète des bois et des prés, de la famille des Agaricacées : *Le* ***tricholome*** *de la Saint-Georges, ou mousseron, est comestible.* 1846 ; gr. *lôma*, « frange », + *tricho-* ; [tʀikɔlɔm].

**TRICHOMA,** subst. m.
*Pathol.* Accumulation de poussières, de graisse et de parasites dans une chevelure, due à un manque d'hygiène. 1808 ; gr. *trikhôma*, « chevelure épaisse » ; var. *trichome* ; [tʀikɔma].

**TRICHOMONAS,** subst. m.
*Zool.* Protozoaire flagellé transmis par voie digestive ou sexuelle, responsable, selon l'espèce, de colite, de diarrhée, de vaginite et d'urétrite. 1837 ; gr. *monas*, « unité », + *tricho-* ; [tʀikɔmɔnas].

**TRICHOPHYTON,** subst. m.
*Bot.* Champignon ascomycète, qui provoque des teignes du cuir chevelu et de la peau. 1855 ; gr. *phuton*, « plante », + *tricho-* ; [tʀikɔfitɔ̃].

**TRICHOPTÈRES,** subst. m. plur.
*Zool.* Ordre d'insectes à métamorphose complète, dont les larves vivent dans l'eau. Au sing. *La phrygane est un* ***trichoptère***. Formé de *tricho-* et de *-ptère* ; [tʀikɔptɛʀ].

**TRICHROME,** adj.
*Techn.* Relatif à un procédé utilisant trois couleurs ; obtenu par trichromie. 1902 ; gr. *trikhrômos* ; [tʀikʀom].

**TRICHROMIE,** subst. f.
*Techn.* Procédé photomécanique de reproduction des couleurs, qui utilise le jaune, le magenta et le cyan pour restituer toutes les teintes. 1898 ; formé de *tri-* et de *-chromie* ; [tʀikʀomi].

**TRICK,** subst. m.
*Jeux.* Levée qui suit la sixième, au whist et au bridge. 1773 ; angl. *trick*, « ruse, artifice frauduleux » ; var. *tric* ; [tʀik].

**TRICLINIQUE,** adj.
*Minér.* Se dit d'un système à prisme oblique et à base en parallélogramme. 1872 ; gr. *klinein*, « appuyer, pencher », + *tri-* ; [tʀiklinik].

**TRICLINIUM,** subst. m.
*Antiq. rom.* **1.** Lit incliné à trois places sur lequel les convives s'étendaient pour prendre leurs repas. **2.** Salle à manger à plusieurs lits disposés à angle droit autour d'une table. XIIIe s. ; lat. *triclinium*, du gr. *triklinon* ; [tʀiklinjɔm].

**TRICOISES,** subst. f. plur.
*Techn.* Tenailles de menuisier, de maréchal-ferrant ou de charpentier. 1363 (1314, tenailles servant à extraire des projectiles d'une blessure) ; altér. de *tenailles turcoises*, de *turcois* (vx), « turc » ; [tʀikwaz].

**TRICOLORE,** adj.
**1.** Qui possède trois couleurs : *Cravate* ***tricolore***. **2.** Des trois couleurs (bleu, blanc, rouge) adoptées en juillet 1789 pour être l'emblème de la nation française : *Le drapeau* ***tricolore*** ; *Écharpe, cocarde* ***tricolore***, insignes de certaines fonctions officielles. **3.** Français, en parlant d'un sportif, d'une équipe (dans le langage journalistique) ; empl. subst. masc. : *Performance des* ***tricolores***. 1695 ; bas lat. *tricolor* ; [tʀikɔlɔʀ].

**TRICORNE,** subst. m.
Chapeau aux bords relevés formant trois cornes ou pointes, porté du XVIIIe au XIXe s. 1832 ; lat. *tricornis*, « qui a trois cornes » ; [tʀikɔʀn].

**TRICOT,** subst. m.
**1.** Tissu à mailles montées à l'aide d'aiguilles. **2.** Action de tricoter ; ouvrage qu'on tricote. **3.** Vêtement fait de ce tissu. 1666 (1660, aiguille à tricoter) ; ☞ *tricoter* ; [tʀiko].

**TRICOTAGE,** subst. m.
Action, manière de tricoter. 1677 ; ☞ *tricoter* ; [tʀikɔtaʒ].

**TRICOTER,** verbe [3]
Trans. Réaliser à la main ou à la machine (un ouvrage, un vêtement de tissu à mailles). Intrans. **1.** Réaliser un tricot à la main ou à la machine : ***Tricoter*** *lâche, serré.* **2.** Fig. et Fam. ***Tricoter*** *(des jambes)* : courir ; pédaler. Fin XVIe s. (mil. XVe s., courir, sauter) ; *tricot* (vx), « bâton, gourdin », de *trique*, du frq. °*strikan*, « frotter » ; [tʀikɔte].

**TRICOTETS,** subst. m. plur.
Danse ancienne très enlevée ; musique qui l'accompagnait. 1651 ; ☞ *tricoter* ; [tʀikɔtɛ].

**TRICOTEUR, EUSE,** subst.
Personne qui fait du tricot. Fém. Métier, machine à tricoter. Fém. plur. *Hist.* Femmes qui assistaient en tricotant aux séances de la Convention, pendant la Révolution. 1585 ; ☞ *tricoter* ; [tʀikɔtœʀ, øz].

**TRICOURANT,** adj. inv.
*Électr.* Qui peut être alimenté par trois types de courant : *Locomotive* ***tricourant***. V. 1960 ; ☞ *courant* (II) + *tri-* ; [tʀikuʀɑ̃].

**TRICTRAC,** subst. m.
Jeu pratiqué à deux personnes avec des pions (dames) et des dés, sur une table à deux compartiments ; par méton., la table de jeu elle-même. Fin XVe s. ; onomat. ; [tʀiktʀak].

**TRICUSPIDE,** adj.
*Anat. Valvule* ***tricuspide*** : composée de trois valves, obturant l'orifice auriculo-ventriculaire droit du cœur lors de la systole. 1554 ; lat. *tricuspis*, « qui a trois pointes » ; [tʀikyspid].

**TRICYCLE,** subst. m.
**1.** Vélocipède doté de deux roues fixes à l'arrière et d'une roue directrice à l'avant. **2.** Engin motorisé à trois roues. **3.** Petit chariot à trois roues servant au transport des bagages. 1828 ; ☞ *cycle* (II) + *tri-* ; [tʀisikl].

**TRIDACNE,** subst. m.
*Zool.* Mollusque bivalve des mers tropicales, à la coquille épaisse, ridée, cannelée et dentelée, aussi appelé bénitier (la coquille de certaines espèces ayant souvent été utilisée comme bénitier). 1791 ; lat. *tridacna*, du gr. *tridaknos*, « dont on ne peut faire moins de trois bouchées » ; [tʀidakn].

**TRIDACTYLE,** adj.
Doté de trois doigts à chaque patte, à chaque membre. 1800 ; formé de *tri-* et de *-dactyle* ; [tʀidaktil].

**TRIDENT,** subst. m.
**1.** *Myth.* Fourche à trois dents, attribut de Neptune et plus gén. des divinités aquatiques. **2.** Fourche à trois pointes. **3.** Harpon à trois pointes. 1316 ; lat. *tridens*, « qui a trois dents » ; [tʀidɑ̃].

**TRIDI,** subst. m.
Troisième jour de la décade, dans le calendrier républicain. 1793 ; lat. *dies*, « jour », + *tri-* ; [tʀidi].

**TRIDIMENSIONNEL, ELLE,** adj.
Qui compte trois dimensions ; qui se développe dans les trois dimensions de l'espace. 1928 ; ☞ *dimensionnel* + *tri-* ; [tʀidimɑ̃sjɔnɛl].

**TRIÈDRE,** adj. et subst. m.
*Géom.* Adj. Qui présente trois faces. Subst. Donnée de trois demi-droites non coplanaires (les arêtes) de même origine (le sommet), chaque paire de ces demi-droites déterminant un secteur angulaire appelé face du **trièdre**. 1797 ; formé de *tri-* et de *-èdre* ; [tʀijɛdʀ].

**TRIEL,** subst. m.
*Gramm.* Nombre, distinct du singulier, du duel et du pluriel, utilisé dans certaines langues d'Australie et de Mélanésie pour désigner trois personnes ou trois choses. 1933 ; ☞ *duel* (II) + *tri-* ; [tʀijɛl].

**TRIENNAL, ALE, AUX,** adj.
**1.** Qui a lieu tous les trois ans. **2.** Qui dure trois ans. 1352 ; bas lat. *triennalis* ; [tʀijɛn(n)al, o].

**TRIER,** verbe trans. [6]
**1.** Prendre de préférence (une chose) parmi d'autres ; opérer une sélection dans : ***Trier*** *des candidatures.* ▸ Fig. ***Trier*** *sur le volet* : choisir avec grand soin, avec rigueur. **2.** Répartir, classer selon certains critères : ***Trier*** *le courrier* ; ***Trier*** *des papiers.* Fin XIIe s. ; bas lat. *tritare*, « broyer », du lat. *terere*, « battre le blé » ; [tʀije].

**TRIÉRARQUE,** subst. m.
*Antiq. gr.* **1.** Commandant d'une trière. **2.** Citoyen d'Athènes, astreint à armer une trière à ses frais. XIVe s. ; lat. *trierarchus*, du gr. *triêrarkhos* ; [tʀijeʀaʀk].

**TRIÈRE,** subst. f.
*Antiq.* Vaisseau de guerre grec à trois rangs de rameurs. Fin XIVe s. ; lat. *trieris*, du gr. *triêrês* ; [tʀijɛʀ].

**TRIESTER,** subst. m.
*Chim.* Corps possédant trois fonctions ester. V. 1960 ; ☞ *ester* (II) + *tri-* ; [tʀiɛstɛʀ].

**TRIEUR, EUSE,** subst.
Personne chargée de trier. Masc. *Agric.* Dispositif mécanique de triage. Fém. Machine électromécanique permettant le traitement de fiches, de documents. Mil. XVIe s. ; ☞ *trier* ; [tʀijœʀ, øz].

**TRIFIDE,** adj.
*Sc. nat.* Qualifie un organe comportant trois segments ou trois prolongements : *Une queue* ***trifide***. 1783 ; lat. *trifidus*, « qui a trois pointes » ; [tʀifid].

**TRIFOLIOLÉ, ÉE,** adj.
*Bot.* Qui se termine par trois folioles. 1872 ; ☞ *foliole* + *tri-* ; [tʀifɔljɔle].

**TRIFORIUM,** subst. m.
*Archit.* Ensemble des ouvertures qui font communiquer, dans une église, la galerie surplombant les bas-côtés avec la nef principale ; par méton., cette galerie. 1831 ; angl. *triforium*, du lat. médiév. *triforium*, de l'anc. fr. *trifoire*, « ciselure » ; [tʀifɔʀjɔm].

**TRIFOUILLER,** verbe [3]
Fam. Trans. Fouiller dans, remuer (qqch.) en créant du désordre. Intrans. Fureter en bouleversant. 1808 ; crois. de *fouiller* et de *tripoter* ; [tʀifuje].

**TRIGAME,** adj. et subst.
Se dit d'une personne mariée à trois autres en même temps. Adj. *Bot.* Se dit d'une plante qui porte à la fois des fleurs mâles, femelles et hermaphrodites : *Le frêne est* ***trigame***. Fin XIVe s. ; bas lat. *trigamus* ; [tʀigam].

**TRIGAMIE,** subst. f.
**1.** Fait d'être trigame. **2.** *Bot.* Propriété d'une plante trigame. 1872 ; ☞ *trigame* ; [tʀigami].

**TRIGÉMELLAIRE,** adj.
*Méd. Grossesse* ***trigémellaire*** : grossesse où se forment trois embryons. 1875 ; ☞ *gémellaire* + *tri-* ; [tʀiʒemɛl(l)ɛʀ].

**TRIGÉMINÉ, ÉE,** adj.
**1.** *Minér.* Qualifie une forme cristalline qui comporte trois éléments. **2.** *Pathol. Pouls* ***trigéminé*** : caractérisé par la succession de trois pulsations et d'une pause. 1842 ; ☞ *géminé* + *tri-* ; [tʀiʒemine].

**TRIGLE,** subst. m.
*Zool.* Rouget grondin. 1791 ; gr. *triglê* ; [tʀigl].

**TRIGLYCÉRIDE,** subst. m.
*Biochim.* Substance lipidique de réserve, constituée à partir d'une molécule de glycérol dont les trois fonctions alcool sont estérifiées par trois acides gras. Les **triglycérides** sont présents dans le sang (taux normal : de 0,25 à 1,50 g/l). V. 1960 ; ☞ *glycéride* + *tri-* ; [tʀigliseʀid].

**TRIGLYPHE,** subst. m.
*Archit.* Panneau orné de deux glyphes et de deux demi-glyphes, sur une frise dorique : *Les* ***triglyphes*** *alternent avec les métopes.* Mil XVIe s. ; lat. *triglyphus*, du gr. *trigluphos*, « à trois pointes » ; [tʀiglif].

**TRIGONE,** subst. m. et adj.
Adj. Qui possède trois angles (rare). Subst. *Anat.* ***Trigone*** *vésical* : triangle dont les deux orifices urétéraux et celui de l'urètre constituent les sommets. Fin XIVe s. ; lat. *trigonus* ; [tʀigon].

**TRIGONELLE,** subst. f.
*Bot.* Plante herbacée de la famille des Fabacées, des régions chaudes, dont l'espèce la plus connue est le fenugrec. 1765 ; lat. sc. *trigonella* ; [tʀigɔnɛl].

**TRIGONOCÉPHALE,** subst. m.
*Zool.* Serpent venimeux d'Amérique et d'Asie, à la tête triangulaire, de la famille des Vipéridés (synon. *mocassin d'eau*). 1817 ; lat. sc. *trigonocephalus*, du gr. *trigônos*, « triangulaire », et *kephalê*, « tête » ; [tʀigɔnɔsefal].

**TRIGONOMÉTRIE,** subst. f.
*Math.* Étude des propriétés des fonctions circulaires (sinus, cosinus, tangente), notamment de celles qui mettent en relation les angles et les longueurs des éléments d'un triangle (côtés, rayon du cercle circonscrit, etc.). 1613 ; lat. sc. *trigonometria*, du gr. *trigônon*, « triangle », et *metria*, « science de la mesure de » ; [tʀigɔnɔmetʀi].

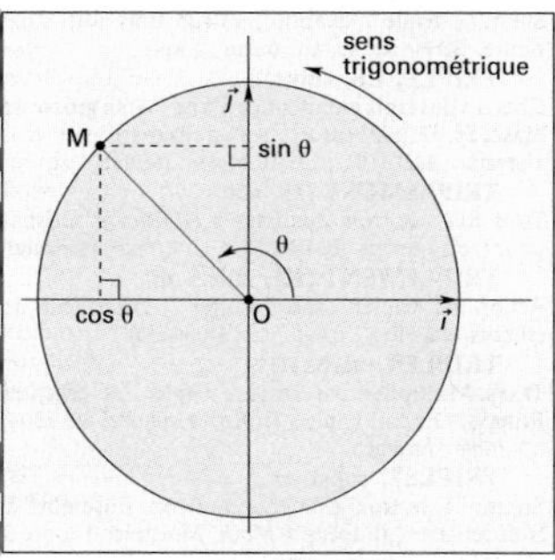


*Cercle **trigonométrique**.*

**TRIGONOMÉTRIQUE,** adj.
*Math.* Relatif à la trigonométrie. ▸ *Cercle **trigonométrique** dans le plan euclidien muni d'un repère orthonormé (O, $\vec{\imath}$, $\vec{\jmath}$)* : cercle de centre O et de rayon 1 ; il est d'usage qu'il soit orienté dans le sens contraire à celui des aiguilles d'une montre, le sens **trigonométrique.** 1718 ; ☞ *trigonométrie* ; [tʀigɔnɔmetʀik].

**TRIGRAMME,** subst. m.
**1.** Symbole chinois constitué d'une combinaison de trois signes. **2.** Mot de trois lettres. **3.** Sigle composé de trois caractères. 1832 ; formé de *tri-* et de *-gramme* ; [tʀigʀam].

**TRIJUMEAU,** adj. m. et subst. m.
*Anat.* Se dit du nerf crânien de la cinquième paire, à la fois sensitif et moteur, dont les trois branches principales sont les nerfs ophtalmique, maxillaire supérieur et maxillaire inférieur. 1765 (1572, triplé) ; ☞ *jumeau* + *tri-* ; [tʀiʒymo].

**TRILATÉRAL, ALE, AUX,** adj.
**1.** Vx. Qui a trois côtés. **2.** Qui engage trois parties : *Discussion **trilatérale** ; Accords **trilatéraux**.* 1721 ; ☞ *latéral* + *tri-* ; [tʀilateʀal, o].

**TRILINGUE,** adj.
**1.** Qui est écrit en trois langues. **2.** Qui lit, écrit, parle trois langues. 1535 ; lat. *trilinguis* ; [tʀilɛ̃g].

**TRILITÈRE,** adj.
*Ling.* Dans les langues sémitiques, se dit d'une racine constituée de trois consonnes. 1845 ; lat. *littera,* « lettre », + *tri-* ; [tʀilitɛʀ].

**TRILLE,** subst. m.
*Mus.* Ornement consistant dans l'alternance répétée et très rapide de deux notes à intervalle de seconde majeure ou mineure ; par anal. : *Trilles du rossignol.* 1753 ; ital. *trillo,* d'orig. onomat. ; [tʀij].

**TRILLER,** verbe [3]
TRANS. Orner (un air) de trilles. INTRANS. Exécuter un trille. 1817 ; ☞ *trille* ; [tʀije].

**TRILLION,** subst. m.
**1.** Jusqu'en 1948, un million de millions ($10^{12}$). **2.** Depuis 1948, un milliard de milliards ($10^{18}$). 1484 ; ☞ *million* + *tri-* ; [tʀiljɔ̃].

**TRILOBÉ, ÉE,** adj.
**1.** *Bot.* Qui a trois lobes. **2.** *Archit.* Qui est en forme de trèfle. 1783 ; gr. *trilobos* ; [tʀilɔbe].

**TRILOBITE,** subst. m.
*Paléont.* Crustacé fossile au corps divisé en trois lobes, datant de l'ère primaire. 1812 ; lat. sc. *trilobites,* du gr. *trilobos,* « trilobé » ; [tʀilɔbit].

**TRILOCULAIRE,** adj.
Qui est divisé en trois loges. 1797 ; lat. *loculus,* « loge », + *tri-* ; [tʀilɔkylɛʀ].

**TRILOGIE,** subst. f.
**1.** *Antiq. gr.* Ensemble de trois tragédies bâties sur un même thème : *L'« Orestie », **trilogie** d'Eschyle.* **2.** Anal. Ensemble de trois œuvres littéraires ou artistiques formant une unité. 1765 ; gr. *trilogia,* de *logos,* « discours ; œuvre en prose » ; [tʀilɔʒi].

**TRIMARAN,** subst. m.
Voilier à trois coques parallèles, les deux coques latérales, gén. plus courtes, étant reliées à la coque centrale par une armature transversale rigide. 1952 ; ☞ *catamaran* + *tri-* ; [tʀimaʀɑ̃].

**TRIMARD,** subst. m.
Route, chemin (pop. et vieilli) : *Faire le **trimard**,* vagabonder. Mil. XVIe s. ; ☞ *trimer* ; [tʀimaʀ].

**TRIMARDER,** verbe [3]
Pop. et Vieilli. INTRANS. Vagabonder, aller de ville en ville pour trouver du travail. TRANS. Transporter. 1628 ; ☞ *trimard* ; [tʀimaʀde].

**TRIMARDEUR,** subst. m.
Pop. et Vieilli. Vagabond ; personne qui trimarde. 1894 (1712, voleur de grand chemin) ; ☞ *trimarder* ; [tʀimaʀdœʀ].

**TRIMBALER,** verbe trans. [3]
Fam. Emporter, emmener partout avec soi (avec difficulté, sans plaisir) ; empl. pronom., se déplacer. ▸ Loc. *Qu'est-ce qu'il **trimbale** !* : qu'il est bête ! 1790 ; anc. fr. *tribaler,* « ballotter », prob. crois. de *baller,* « danser », et de *tribo(u)ler,* « s'agiter » ; var. *trimballer* ; [tʀɛ̃bale].

**TRIMER,** verbe intrans. [3]
Travailler durement (fam.). Déb. XVIIIe s. (1619, cheminer) ; p.-ê. anc. fr. *trumer,* « courir » ; [tʀime].

**TRIMÈRE,** adj. et subst. m.
ADJ. *Bot.* Qualifie une fleur qui possède une symétrie axiale d'ordre trois, telle la tulipe. SUBST. *Chim.* Composé polymère formé par la succession de trois monomères. 1839 (1810, coléoptère) ; formé de *tri-* et de *-mère*[1] ; [tʀimɛʀ].

**TRIMESTRE,** subst. m.
**1.** Période de trois mois consécutifs ; en partic., chacune des quatre périodes dont l'ensemble constitue l'année civile. **2.** Chacune des trois divisions de l'année scolaire, correspondant à environ trois mois. **3.** Méton. Somme que l'on paie ou que l'on reçoit tous les trois mois. 1718 (1564, qui pousse en trois mois, en parlant du blé) ; lat. *trimestris* ; [tʀimɛstʀ].

**TRIMESTRIEL, ELLE,** adj.
**1.** Qui dure trois mois. **2.** Qui se produit, qui paraît tous les trois mois : *Bulletin **trimestriel*** ; empl. subst. masc., publication paraissant chaque trimestre. 1831 ; ☞ *trimestre* ; [tʀimɛstʀijɛl].

**TRIMESTRIELLEMENT,** adv.
**1.** Tous les trois mois. **2.** Une fois par trimestre. 1845 ; ☞ *trimestriel* ; [tʀimɛstʀijɛlmɑ̃].

**TRIMÈTRE,** subst. m.
*Versif.* **1.** Vers antique composé de trois mètres. **2.** Anal. Vers composé de trois unités métriques. 1556 ; gr. *trimetron* ; [tʀimɛtʀ].

**TRIMMER,** subst. m.
Anglic. **1.** Dispositif de pêche constitué d'un disque flottant autour duquel est enroulée une ligne que le poisson déroule après avoir mordu à l'hameçon. **2.** *Techn.* Condensateur d'appoint, dans un circuit. 1877 ; angl. *trimmer,* de *to trim,* « border, garnir » ; [tʀimœʀ] ou [-mɛʀ].

**TRIMOTEUR,** adj. m. et subst. m.
Se dit d'un avion à trois moteurs. 1921 ; ☞ *moteur* + *tri-* ; [tʀimɔtœʀ].

**TRIN, TRINE,** adj.
*Théol.* Constitué de trois éléments, de trois personnes, en parlant de la Sainte Trinité. Déb. XIIIe s. ; lat. *trini,* « au nombre de trois » ; [tʀɛ̃, tʀin].

**TRINERVÉ, ÉE,** adj.
*Bot.* Qui comporte trois nervures. 1799 ; *nervé* (rare), « nervuré », + *tri-* ; [tʀinɛʀve].

**TRINGLE,** subst. f.
**1.** Baguette de métal utilisée pour suspendre des rideaux, ou pour maintenir le tapis d'un escalier.

*Le **trimaran** du navigateur Loïck Peyron.*

© N. Le Corre-Gamma Sport

**2.** Ext. Tige de métal employée à divers usages. 1611 (1459, baguette de bois plate utilisée en menuiserie) ; m. fr. *tingle,* du m. néerl. *tingel* ; [tʀɛ̃gl].

**TRINGLER,** verbe trans. [3]
**1.** *Techn.* Tracer une ligne droite à l'aide d'un fil enduit de craie sur (une pièce de bois, un tissu). **2.** Posséder sexuellement (vulg.). 1676 ; ☞ *tringle* ; [tʀɛ̃gle].

**TRINGLOT,** voir **TRAINGLOT**

**TRINITAIRE,** adj. et subst.
*Relig.* ADJ. **1.** Vx. Qui croit en la Trinité divine. **2.** Relatif au mystère de la Sainte Trinité. SUBST. MASC. Religieux de l'ordre de la Sainte-Trinité, fondé en 1198 pour racheter les chrétiens prisonniers des musulmans. SUBST. FÉM. Membre d'une des congrégations fondées sous l'invocation de la Trinité. 1541 ; ☞ *trinité* ; [tʀinitɛʀ].

**TRINITÉ,** subst. f.
**1.** *Théol. La Sainte **Trinité*** : union en un seul Dieu de trois Personnes distinctes et consubstantielles, le Père, le Fils et le Saint-Esprit. **2.** Anal. Groupe de trois personnages ou de trois éléments indissociables (rare). Fin Xe s. ; lat. eccl. *trinitas* ; [tʀinite].

© Bridgeman-Giraudon

**La Trinité,** *peinture flamande anonyme (v. 1500). Shickman Gallery, New York.*

**TRINITRINE,** subst. f.
*Pharm.* Dérivé de la nitroglycérine utilisé comme vasodilatateur, notamment pour traiter les crises d'angine de poitrine. 1906 ; ☞ *nitré* + *tri-* ; [tʀinitʀin].

**TRINITROTOLUÈNE,** subst. m.
*Chim.* Dérivé nitré du toluène, matière explosive de formule $C_7H_5(NO_2)_3$ (abrév. : T. N. T.). 1874 ; ☞ *toluène* + *tri-* et *nitro-* ; [tʀinitʀotɔlɥɛn].

**TRINÔME,** subst. m.
*Alg.* Polynôme, somme de trois monômes. 1554 ; ☞ *binôme* + *tri-* ; [tʀinom].

**TRINQUART,** subst. m.
*Mar.* Petit bateau utilisé pour la pêche au hareng. 1730 ; p.-ê. angl. *trinker-boat,* de *trink,* « filet de pêche », et de *boat,* « bateau » ; [tʀɛ̃kaʀ].

**TRINQUEBALLE,** voir **TRIQUEBALLE**

**TRINQUER,** verbe intrans. [3]
**1.** Vx. Boire. **2.** Choquer son verre contre celui d'une personne avec qui l'on s'apprête à boire : ***Trinquons** à notre succès.* **3.** Subir un dommage, une sanction (fam.). Fin XIVe s. ; all. *trinken,* « boire » ; [tʀɛ̃ke].

**TRINQUET (I),** subst. m.
*Mar.* Mât de misaine, légèrement incliné vers l'avant, des bâtiments gréés en voiles latines. Fin XVe s. ; ital. *trinchetto* ; [tʀɛ̃kɛ].

**TRINQUET (II),** subst. m.
*Sp.* Salle où l'on joue à la pelote basque ; par méton., ce sport lui-même. 1899 ; prob. esp. *trinquete,* du fr. *triquet* (vx), « batte », de *trique* ; [tʀɛ̃kɛ].

**TRINQUETTE,** subst. f.
*Mar.* Foc le plus proche du mât. Déb. XVIe s. ; ☞ *trinquet* (I) ; [tʀɛ̃kɛt].

**TRIO,** subst. m.
**1.** *Mus.* ▸ Œuvre écrite pour trois instruments ou trois voix. ▸ Groupe de trois musiciens. ▸ Section centrale du menuet ou du scherzo d'une symphonie, d'une sonate, etc. **2.** Anal. Groupe de trois personnes. 1582 ; ital. *trio,* de *tre,* « trois » ; [tʀijo].

**TRIODE, subst. f.**
*Phys.* Tube électronique comprenant trois électrodes (cathode, anode et grille), qui peut amplifier des signaux électriques, détecter des courants de haute fréquence ou produire et entretenir des oscillations électriques. 1923 ; ☞ *diode* + *tri-* ; [tʀijɔd].

**TRIOL, voir TRIALCOOL**

**TRIOLET, subst. m.**
**1.** *Versif.* Pièce de huit vers égaux, à deux rimes, dont les quatrième et septième sont identiques au premier. **2.** *Mus.* Groupe de trois notes qui doivent se jouer dans le temps de deux de même valeur, surmontées du chiffre 3 sur une partition. Fin XVe s. ; var. dial. de *trèfle* ; [tʀijɔlɛ].

**TRIOMPHAL, ALE, AUX, adj.**
**1.** Qui constitue une grande victoire, un triomphe : *Résultat* ***triomphal.*** **2.** Relatif au triomphe. **3.** Qui est construit, composé pour célébrer un triomphe : *Marche* ***triomphale.*** **4.** Qui déclenche des réactions enthousiastes : *Faire une entrée* ***triomphale.*** Déb. XIVe s. ; bas lat. *triumphalis* ; [tʀijɔ̃fal, o].

**TRIOMPHALEMENT, adv.**
De manière triomphale : *Être accueilli* ***triomphalement.*** Déb. XVIe s. ; ☞ *triomphal* ; [tʀijɔ̃falmɑ̃].

**TRIOMPHALISME, subst. m.**
Satisfaction exagérée manifestée envers ses propres succès. V. 1960 ; ☞ *triomphal* ; [tʀijɔ̃falism].

**TRIOMPHALISTE, adj.**
Empreint de triomphalisme : *Ton* ***triomphaliste.*** V. 1960 ; ☞ *triomphalisme* ; [tʀijɔ̃falist].

**TRIOMPHANT, ANTE, adj.**
**1.** Qui triomphe. **2.** Éclatant, magnifique. **3.** *Antiq. rom.* Qui a les honneurs du triomphe. **4.** Qui exprime la joie du succès : *Regard* ***triomphant.*** 1470 ; p. pr. de *triompher* ; [tʀijɔ̃fɑ̃, ɑ̃t].

*Neptune* ***triomphant*** *conduisant son char, détail d'une mosaïque romaine (IIIe s. apr. J.-C.). Musée archéologique, Sousse (Tunisie).*

**TRIOMPHATEUR, TRICE, subst. et adj.**
**SUBST.** Personne qui a remporté une victoire, un triomphe. **SUBST. MASC.** *Antiq. rom.* Général qui recevait les honneurs du triomphe. **ADJ.** Triomphant. Fin XIVe s. ; ☞ *triompher* ; [tʀijɔ̃fatœʀ, tʀis].

**TRIOMPHE, subst. m.**
**1.** Succès, victoire éclatante, en partic. militaire. **2.** *Antiq. rom.* Cérémonie solennelle en l'honneur d'un général victorieux : *Arc de* ***triomphe.*** **3.** Ext. Réussite éclatante suscitant un enthousiasme général : *Remporter, faire un* ***triomphe*** ; *Être porté en* ***triomphe***, être hissé sur les épaules de ses partisans pour se faire acclamer. **4.** Victoire, avènement d'une idée, d'une notion : *Le* ***triomphe*** *du bien sur le mal.* Fin XIIe s. ; lat. *triumphus* ; [tʀijɔ̃f].

**TRIOMPHER, verbe [3]**
**INTRANS. 1.** Remporter une victoire décisive. **2.** *Antiq. rom.* Obtenir les honneurs du triomphe. **3.** S'imposer : *La vérité* ***triompha.*** **4.** Manifester un sentiment de triomphe. **TRANS. INDIR. Triompher de.** Dominer, vaincre (qqn, qqch.) : ***Triompher*** *de ses ennemis, de la maladie.* Mil. XIIIe s. ; lat. *triumphare* ; [tʀijɔ̃fe].

**TRIONYX, subst. m.**
*Zool.* Tortue aquatique carnivore à carapace molle de l'ordre des Chéloniens. On connaît surtout le **trionyx** de l'est des États-Unis, qui se nourrit d'insectes et d'écrevisses et mesure jusqu'à 40 cm. 1827 ; gr. *onux*, « ongle », + *tri-* ; [tʀijɔniks].

**TRIP, subst. m.**
Anglic. fam. **1.** État dû à l'absorption de drogues hallucinogènes. **2.** Centre d'intérêt ; genre, style : *Le rock, c'est pas son* ***trip.*** V. 1970 ; angl. *trip*, « voyage » ; [tʀip].

**TRIPAILLE, subst. f.**
Amas de tripes, d'entrailles (fam.). 1458 ; ☞ *tripe* ; [tʀipaj].

**TRIPALE, adj.**
*Mécan.* Qui comporte trois pales. V. 1960 ; de *pale* (I), + *tri-* ; [tʀipal].

**TRIPANG, subst. m.**
*Zool.* Holothurie comestible d'Extrême-Orient. 1770 ; mot malais ; var. *trépang* ; [tʀipɑ̃].

**TRIPARTI, IE, adj.**
**1.** Qui est divisé en trois parties. **2.** *Pol.* Qui est constitué de trois partis, ou de trois parties. Mil. XVe s. ; lat. *tripartitus* ; var. *tripartite* ; [tʀipaʀti].

**TRIPARTISME, subst. m.**
*Pol.* Gouvernement constitué de trois partis politiques. 1937 ; ☞ *triparti* ; [tʀipaʀtism].

**TRIPARTITE, voir TRIPARTI**

**TRIPARTITION, subst. f.**
Division d'une quantité en trois parties égales. 1765 ; lat. *tripartitio* ; [tʀipaʀtisjɔ̃].

**TRIPATOUILLAGE, subst. m.**
Fam. Action de tripatouiller ; manœuvre frauduleuse. 1888 ; ☞ *tripatouiller* ; [tʀipatujaʒ].

**TRIPATOUILLER, verbe trans. [3]**
Fam. **1.** Défigurer (un texte original) en le remaniant d'une manière grossière, abusive. **2.** Truquer, falsifier. **3.** Tripoter (un objet). 1888 ; crois. de *tripoter* et de *patouiller* ; [tʀipatuje].

**TRIPE, subst. f.**
**PLUR. 1.** Intestins, boyaux d'animal. **2.** Anal. Ventre, entrailles de l'homme (fam.). ▸ Loc. *Manquer de* ***tripes*** : de courage ; *Prendre aux* ***tripes***, *remuer les* ***tripes*** : émouvoir fortement. **3.** *Cuis.* Estomac et intestin de ruminants, préparés et accommodés de diverses façons. **SING. 1.** Intérieur d'un cigare. **2.** Fig. Fibre (fam.) : *Avoir la* ***tripe*** *républicaine.* 1260 ; orig. obsc. ; [tʀip].

**TRIPERIE, subst. f.**
**1.** Boutique, commerce du tripier. **2.** Ext. Produits vendus par le tripier. Déb. XIVe s. ; ☞ *tripe* ; [tʀipʀi].

**TRIPETTE, subst. f.**
Petite tripe (vx). ▸ Loc. *Ça ne vaut pas* ***tripette*** : ça ne vaut rien (fam.). Mil. XVe s. ; ☞ *tripe* ; [tʀipɛt].

**TRIPHASÉ, ÉE, adj. et subst. m.**
*Électr.* Se dit d'un courant qui comporte trois phases. **ADJ.** Qui utilise ce courant : *Moteur* ***triphasé.*** 1892 ; ☞ *phase* + *tri-* ; [tʀifaze].

**TRIPHÉNYLMÉTHANE, subst. m.**
*Chim.* Hydrocarbure de formule $(C_6H_5)_3CH$, qui sert à la fabrication de certains colorants. 1876 ; ☞ *méthane* + *tri-* et *phényl-* ; [tʀifenilmetan].

**TRIPHTONGUE, subst. f.**
*Phon.* Phonème vocalique complexe constitué de trois sons prononcés dans la même syllabe. 1550 ; ☞ *diphtongue* + *tri-* ; [tʀiftɔ̃g].

**TRIPIER, IÈRE, subst.**
Commerçant qui vend des tripes, des abats. XIIIe s. ; ☞ *tripe* ; [tʀipje, jɛʀ].

**TRIPLACE, adj.**
Qui a trois places. 1917 ; ☞ *place* + *tri-* ; [tʀiplas].

**TRIPLAN, subst. m.**
*Aéron.* Avion qui comportait trois plans de sustentation. 1908 ; ☞ *plan* (I) + *tri-* ; [tʀiplɑ̃].

**TRIPLE, adj., adv. et subst.**
**ADJ. 1.** Qui contient trois éléments du même ordre. **2.** Qui vaut trois fois une valeur ou une quantité donnée. **3.** Fig. Grand (fam.) : ***Triple*** *crétin !* **4.** Qui est répété trois fois : *Document en* ***triple*** *exemplaire.* **5.** *Chim.* Se dit d'une liaison entre deux atomes, notée ≡, correspondant à la mise en commun de trois électrons. ▸ *Point* ***triple*** : point du diagramme de phases d'un corps où la température et la pression sont telles que les phases liquide, solide et gazeuse de ce corps sont en équilibre. **6.** *Sp. Le* ***triple*** *saut* : épreuve athlétique constituée de trois sauts en longueur consécutifs. **ADV.** Trois fois plus : *Dans ce jeu les cases rouges comptent* ***triple.*** **SUBST.** *Le* ***triple*** : quantité, valeur trois fois supérieure. Fin XIIe s. ; lat. *triplus* ; [tʀipl].

**TRIPLÉ, ÉE, subst.**
Chacun des trois enfants nés d'une même grossesse. **MASC.** *Sp.* Triple succès. ▸ Pari gagnant sur trois chevaux. 1916 ; p. p. de *tripler* ; [tʀiple].

**TRIPLEMENT (I), adv.**
Trois fois, de trois manières : ***Triplement*** *satisfait*, pour trois raisons. Déb. XIIe s. ; ☞ *triple* ; [tʀipləmɑ̃].

**TRIPLEMENT (II), subst. m.**
Action de tripler ; son résultat : ***Triplement*** *des effectifs.* 1515 ; ☞ *tripler* ; [tʀipləmɑ̃].

**TRIPLER, verbe [3]**
**TRANS.** Multiplier par trois : ***Tripler*** *ses bénéfices.* **INTRANS.** Devenir triple : ***Tripler*** *de volume.* 1304 ☞ *triple* ; [tʀiple].

**TRIPLET, subst. m.**
Ensemble de trois éléments. ▸ *Archit.* Ensemble de trois fenêtres groupées. ▸ *Math.* Multiplet d'ordre 3. 1872 ; ☞ *triple* ; [tʀiplɛ].

**TRIPLETTE, subst. f.**
**1.** Cycle à trois places (vieilli). **2.** Équipe composée de trois joueurs, à la pétanque. 1889 ; ☞ *triple* ; [tʀiplɛt].

**TRIPLEX, subst. m. et adj.**
**SUBST. 1.** *Techn.* Verre de sécurité constitué de trois feuilles (n. déposé). **2.** Appartement réparti sur trois étages. **ADJ.** Se dit d'un métal affiné trois fois. 1912 ; lat. *triplex*, « triple » ; [tʀiplɛks].

**TRIPLICATA, subst. m.**
Deuxième copie, troisième exemplaire d'un document original. 1758 ; lat. *triplicatus* ; plur. *triplicata(s)* ; [tʀiplikata].

**TRIPLOBLASTIQUE, adj.**
*Embryol.* Se dit d'un organisme chez lequel l'embryon s'organise selon trois feuillets : l'ectoderme, le mésoderme et l'endoderme. V. 1960 ; ☞ *triple* + *-blaste* ; [tʀiplɔblastik].

**TRIPLOÏDE, adj. et subst. m.**
*Biol.* et *Génét.* Se dit d'un organisme dont le stock chromosomique est présent en trois exemplaires (au lieu de deux chez les diploïdes) : *L'état* ***triploïde*** *est en général peu compatible avec une bonne fécondité.* 1824 ; ☞ *triple* + *-oïde* ; [tʀiplɔid].

**TRIPLOÏDIE, subst. f.**
Caractère d'un organisme triploïde. 1936 ; ☞ *triploïde* ; [tʀiplɔidi].

**TRIPLURE, subst. f.**
Tissu apprêté, placé entre un tissu et une doublure. 1636 ; ☞ *triple* ; [tʀiplyʀ].

**TRIPODE, adj. et subst. m.**
**ADJ.** Qui comporte trois pieds. ▸ *Mar. Mât* ***tripode*** : en forme de trépied. **SUBST.** Tourniquet à trois branches donnant accès au métro. 1904 (1562, trépied) ; gr. *tripodos* ; [tʀipɔd].

**TRIPOLI, subst. m.**
*Pétrogr.* Roche sédimentaire d'origine biologique, formée à partir de diatomées, au grand pouvoir absorbant (synon. *kieselguhr*). 1508 ; topon. *Tripoli* (Liban) ; [tʀipɔli].

**TRIPORTEUR, subst. m.**
Tricycle muni d'une caisse pour le transport de marchandises légères. 1900 ; crois. de *tricycle* et de *porteur* ; [tʀipɔʀtœʀ].

**TRIPOT, subst. m.**
**1.** Vx. Lieu où se pratiquait le jeu de paume. **2.** Maison de jeu mal famée. Mil. XVe s. (fin XIIe s., acte amoureux) ; anc. fr. *treper*, « sauter » ; [tʀipo].

**TRIPOTAGE, subst. m.**
**1.** Manœuvre louche (synon. *magouille*). **2.** Action de tripoter. Fin XVe s. ; ☞ *tripoter* ; [tʀipɔtaʒ].

**TRIPOTÉE, subst. f.**
Fam. **1.** Volée de coups. **2.** Grand nombre : *Une* ***tripotée*** *d'enfants.* 1843 ; ☞ *tripoter* ; [tʀipɔte].

**TRIPOTER, verbe [3]**
Fam. **INTRANS. 1.** S'occuper à manipuler des choses plus ou moins propres (vx). **2.** Se livrer à des opérations financières, à des affaires douteuses. **TRANS. 1.** Manipuler (qqch.) de façon répétée et distraite. **2.** Se livrer à des attouchements sur (qqn). **3.** Manipuler (des fonds) à son profit. 1694 (1546, jouer au jeu de paume) ; ☞ *tripot* ; [tʀipɔte].

**TRIPOTEUR, EUSE, subst.**
Personne qui tripote (fam.). 1582 ; ☞ *tripoter* ; [tʀipɔtœʀ, øz].

**TRIPOUX,** subst. m. plur.
Plat auvergnat fait de tripes et de pieds de mouton désossés, cuits au vin blanc. 1909 (1655, boudin) ; ☞ *tripe* ; var. *tripous* ; [tʀipu].

**TRIPTYQUE,** subst. m.
**1.** *Peint.* Tableau en trois panneaux dont celui du centre peut être recouvert par les deux autres. **2.** Ext. Œuvre, document en trois parties. 1842 ; gr. *triptukhos*, « formé d'une peau repliée trois fois » ; [tʀiptik].

**TRIQUE,** subst. f.
**1.** Bâton, gourdin. **2.** Érection (argot.). 1690 (1385, jeu) ; anc. bas frq. °*strikan*, « frotter » ; [tʀik].

**TRIQUEBALLE,** subst. m.
*Techn.* Chariot à deux grandes roues utilisé pour le transport d'objets longs suspendus sous l'essieu. 1701 (mil. XVe s., instrument de torture) ; orig. obsc. ; var. *trinqueballe* ; [tʀikbal].

**TRIQUE-MADAME,** subst. f.
*Bot.* Nom usuel de l'orpin réfléchi. 1543 ; altér. de *tripe-madame*, de l'anc. fr. *triper*, « sauter » ; plur. *trique-madame(s)* ; [tʀikmadam].

**TRIQUET,** subst. m.
**1.** Échafaudage de couvreur. **2.** Échelle double. 1676 ; ☞ *trique* ; [tʀikɛ].

**TRIRECTANGLE,** adj.
*Géom.* Qui comporte trois angles droits. 1875 ; ☞ *rectangle* + *tri-* ; [tʀiʀɛktɑ̃gl].

**TRIRÈGNE,** subst. m.
*Cath.* Tiare, triple couronne du pape, qui symbolise ses trois pouvoirs (impérial, royal, sacerdotal). 1690 ; ital. *triregno*, de *regno*, « pouvoir » ; [tʀiʀɛɲ].

**TRIRÈME,** subst. f.
*Antiq.* Vaisseau de guerre romain ou carthaginois, à trois rangs de rameurs. Mil. XIVe s. ; lat. *triremis* ; [tʀiʀɛm].

**TRISAÏEUL, EULE,** subst.
Père, mère du bisaïeul ou de la bisaïeule. 1555 ; ☞ *aïeul* + *tri-* ; [tʀizajœl].

**TRISANNUEL, ELLE,** adj.
**1.** Qui a lieu tous les trois ans. **2.** Qui dure trois ans. 1771 ; ☞ *annuel* + *tri-* ; [tʀizanɥɛl].

**TRISECTEUR, TRICE,** adj.
*Math.* Qui réalise une trisection. 1823 ; ☞ *secteur* + *tri-* ; [tʀisɛktœʀ, tʀis].

**TRISECTION,** subst. f.
*Géom.* Division en trois parties égales. ▸ *Problème de la* ***trisection*** *de l'angle* : construction à la règle et au compas d'un secteur angulaire ayant pour mesure le tiers de celle d'un angle donné. 1690 ; ☞ *section* + *tri-* ; [tʀisɛksjɔ̃].

**TRISKÈLE,** subst. m.
Ornement servant de thème décoratif aux Celtes, figurant trois jambes ou trois branches repliées sur elles-mêmes et disposées autour d'un centre, évoquant une rotation. 1933 ; lat. *triscelum*, « triangle », du gr. *triskelês*, « à trois jambes » ; [tʀiskɛl].

**TRISMUS,** subst. m.
*Pathol.* Contracture des muscles de la mâchoire, signe inaugural du tétanos. 1765 ; gr. *trismos*, « petit bruit aigu » ; var. *trisme* ; [tʀismys].

**TRISOC,** subst. m.
Charrue à trois socs. 1835 ; ☞ *soc* + *tri-* ; [tʀisɔk].

**TRISOMIE,** subst. f.
*Pathol.* Anomalie génétique caractérisée par la présence d'un chromosome supplémentaire (ou d'un fragment), et qui entraîne gén. des modifications morphologiques et un retard intellectuel : ***Trisomie*** *21*, mongolisme. 1936 ; formé de *tri-* et de *-some* ; [tʀizɔmi].

**TRISOMIQUE,** adj. et subst.
Se dit d'une personne atteinte de trisomie 21. V. 1960 ; ☞ *trisomie* ; [tʀizɔmik].

**TRISSER (I),** verbe intrans. [3]
Émettre son cri, en parlant de l'hirondelle. 1834 ; lat. *trissare*, du gr. *trizein*, « grincer » ; [tʀise].

**TRISSER (II),** verbe trans. [3]
Reprendre (un morceau, une scène) une troisième fois à la demande du public. 1853 ; ☞ *bisser* + *tri-* ; [tʀise].

**TRISSER (III),** verbe intrans. [3]
Pop. Partir. PRONOM. S'enfuir. 1905 ; p.-ê. all. *stritzen*, « jaillir » ; [tʀise].

**TRISTE,** adj.
**1.** Qu'une peine, un souci rend malheureux, abattu : *Je suis* ***triste*** *depuis votre départ* ; par méton., qui exprime la tristesse : *Un visage, un regard* ***triste***. ▸ Loc. *Faire* ***triste*** *mine* : avoir un air mécontent, chagrin. **2.** Qui, par nature, est mélancolique, sans gaieté : *Des gens* ***tristes***. **3.** Qui cause de l'affliction, qui est pénible : *Une nouvelle fort* ***triste***. **4.** Qui inspire de la tristesse, rend mélancolique ; austère, sévère : *Un chant, une couleur* ***triste***. **5.** Déplorable, pitoyable (gén. antéposé) : *Cette maison est dans un* ***triste*** *état*. ▸ Dont la médiocrité ou le caractère odieux est affligeant : *Une* ***triste*** *époque* ; *Un* ***triste*** *sire*, un individu méprisable. Fin Xe s. ; lat. *tristis* ; [tʀist].

**TRISTEMENT,** adv.
**1.** Avec tristesse. **2.** De manière triste. Mil. XIIe s. ; ☞ *triste* ; [tʀistəmɑ̃].

**TRISTESSE,** subst. f.
État d'affliction ou d'abattement, dû à la nature d'un individu ou aux épreuves qu'il traverse ; caractère de ce qui exprime ou induit cet état. Fin XIIe s. ; ☞ *triste* ; [tʀistɛs].

**TRISTOUNET, ETTE,** adj.
Un peu triste (fam.) : *La soirée fut* ***tristounette***. Mil. XXe s. ; ☞ *triste* ; [tʀistunɛ, ɛt].

**TRISYLLABE,** adj. et subst. m.
Se dit d'un mot, d'un vers de trois syllabes : *Le verbe « honorer » est un* ***trisyllabe***. 1529 ; lat. *trisyllabus*, du gr. *trisullabos* ; [tʀisil(l)ab].

**TRISYLLABIQUE,** adj.
Qui a trois syllabes. 1550 ; ☞ *trisyllabe* ; [tʀisil(l)abik].

**TRITICALE,** subst. m.
*Agric.* Hybride de blé et de seigle. V. 1970 ; lat. *triticium*, « blé », et *secale*, « seigle » ; [tʀitikal].

**TRITIUM,** subst. m.
*Chim.* Isotope radioactif de l'hydrogène (symb. : T), au nombre de masse égal à 3 et dont le noyau est appelé triton. 1937 ; gr. *tritos*, « troisième », d'apr. *deutérium* ; [tʀitjɔm].

**TRITON (I)** subst. m.
**1.** *Myth.* Divinité marine figurée par un homme barbu doté d'une queue de poisson, ayant la conque et le trident pour attributs. **2.** *Zool.* ▸ Mollusque gastéropode marin, à la coquille épaisse, pointue et souv. très décorée, surtout présent dans les mers chaudes. ▸ Amphibien aquatique à queue plate, de la famille des Salamandrites, commun dans les mares et les étangs de l'hémisphère Nord. Déb. XVIe s. ; lat. *Triton*, du gr. *Tritôn*, fils de Poséidon et d'Amphitrite ; [tʀitɔ̃].

© J.-M. Davenne-Jacana

*Tritons.*

**TRITON (II),** subst. m.
*Mus.* Tout intervalle de trois tons entiers ; en partic., quarte augmentée. 1629 ; lat. médiév. *tritonus*, du gr. *tritonos*, « de trois tons » ; [tʀitɔ̃].

**TRITON (III),** subst. m.
*Phys. nucl.* Noyau de l'atome de tritium, constitué d'un proton et de deux neutrons. 1959 ; ☞ *tritium*, d'apr. *électron* ; [tʀitɔ̃].

**TRITURATEUR,** subst. m.
*Techn.* Appareil servant à triturer certains matériaux. 1873 ; ☞ *trituration* ; [tʀityʀatœʀ].

**TRITURATION,** subst. f.
Action de triturer. XIIIe s. ; lat. *trituratio*, « battage du blé » ; [tʀityʀasjɔ̃].

**TRITURER,** verbe trans. [3]
**1.** Réduire en poudre ou en pâte, broyer ; malaxer. ▸ Loc. pronom. *Se* ***triturer*** *la cervelle, les méninges* : fournir un gros effort de réflexion (fam.). **2.** Ext. Manipuler en tordant dans tous les sens, souv. machinalement : *Il* ***triturait*** *sa casquette*. **3.** Fig. Mettre à mal en altérant, en modifiant ; manipuler : *Triturer les faits*. 1611 (1519, séparer le grain de la paille) ; bas lat. *triturare*, « battre le blé » ; [tʀityʀe].

**TRIUMVIR,** subst. m.
*Antiq. rom.* Chacun des trois membres d'un collège de magistrats, à l'époque de la république. 1507 ; lat. *triumvir*, de *trium*, « trois », et de *vir*, « homme » ; [tʀijɔmviʀ].

**TRIUMVIRAT,** subst. m.
**1.** *Antiq. rom.* Charge de triumvir ; par méton., durée de cette charge : *Le* ***triumvirat*** *de Pompée, de César et de Crassus*. **2.** Anal. Association de trois personnes qui détiennent un pouvoir, exercent une influence. 1556 ; lat. *triumviratus* ; [tʀijɔmviʀa].

**TRIVALENT, ENTE,** adj.
*Chim.* Qui possède la triple valence. 1876 ; formé de *tri-* et de *-valent* ; [tʀivalɑ̃, ɑ̃t].

**TRIVALVE,** adj.
*Sc. nat.* Qui possède trois valves. 1808 ; ☞ *valve* + *tri-* ; [tʀivalv].

**TRIVIAL, ALE, AUX,** adj.
**1.** Devenu banal, commun (vieilli ou littér.). ▸ *Math.* Évident : *L'équation à trois inconnues* $x^4 + y^4 = z^4$ admet la solution ***triviale*** $x = y = z = 0$. **2.** Bas et grossier ; inconvenant : *Langage* ***trivial***. 1545 ; lat. *trivialis*, de *trivium*, « carrefour de trois voies » ; [tʀivjal, o].

**TRIVIALEMENT,** adv.
**1.** De façon banale (vieilli ou littér.). **2.** De façon grossière. 1596 ; ☞ *trivial* ; [tʀivjalmɑ̃].

**TRIVIALITÉ,** subst. f.
**1.** Banalité (vieilli ou littér.). **2.** Caractère de ce qui est grossier, inconvenant ; par méton., parole grossière. 1611 ; ☞ *trivial* ; [tʀivjalite].

**TRIVIUM,** subst. m.
*M. Â.* Ensemble des trois arts libéraux (grammaire, rhétorique, dialectique) enseignés dans le premier cycle des études universitaires. 1797 ; lat. *trivium*, « carrefour de trois voies » ; [tʀivjɔm].

**TROC,** subst. m.
**1.** Échange direct d'un produit, d'un bien, contre un autre. **2.** Système économique qui n'utilise pas la monnaie. 1364 ; ☞ *troquer* ; [tʀɔk].

**TROCART,** subst. m.
*Chir.* Tige métallique qui, glissée dans une canule, sert à faire des ponctions, des paracentèses. 1694 ; altér. de *trois-quarts* ; [tʀɔkaʀ].

**TROCHAÏQUE,** adj. et subst. m.
*Versif.* Se dit d'un vers, d'un rythme dont le pied fondamental est le trochée. 1548 ; lat. *trochaicus*, de *trochaeus*, « trochée » ; [tʀɔkaik].

**TROCHANTER,** subst. m.
*Anat.* Chacune des deux apophyses situées à l'extrémité supérieure du fémur. 1541 ; gr. *trokhantêr*, de *trokhazein*, « courir » ; [tʀɔkɑ̃tɛʀ].

**TROCHE,** subst. f.
*Zool.* Coquillage de forme conique, recherché pour sa nacre. 1768 ; lat. sc. *trochus*, du gr. *trokhos*, « roue » ; var. *troque* ; [tʀɔʃ].

**TROCHÉE (I),** subst. m.
*Versif.* Pied composé de deux syllabes, une longue et une brève, dans les métriques gréco-romaine et classique. 1551 ; lat. *trochaeus*, du gr. *trokhaios* ; [tʀɔʃe].

**TROCHÉE (II),** subst. f.
*Arboric.* Gerbe de petites branches et de bourgeons qui poussent de la souche d'un arbre coupé. 1803 (1564, bouquet de fruits) ; ☞ *troches* ; [tʀɔʃe].

**TROCHES,** subst. f. plur.
*Vén.* Fumées à demi formées du cerf. 1561 ; lat. pop. °*traduca*, du lat. *tradux*, « sarment qu'on fait passer d'un cep à un autre » ; [tʀɔʃ].

**TROCHILE,** subst. m.
**1.** *Archit.* Bandeau ornemental concave ceignant une colonne, un pilier. **2.** *Zool.* Colibri, ou oiseau-mouche. Mil. XVIe s. ; lat. *trochilus*, du gr. *trokhilos*, « roitelet » ; [tʀɔkil].

**TROCHILIDÉS,** subst. m. plur.
*Zool.* Famille de très petits oiseaux d'Amérique, au plumage multicolore, comptant plus de trois cents espèces. AU SING. *Le colibri, ou oiseau-mouche, est un* ***trochilidé***. 1877 ; ☞ *trochile* ; [tʀɔkilide].

**TROCHIN,** subst. m.
*Anat.* Petite saillie de l'extrémité antéro-supérieure de l'humérus. Déb. XIXe s. ; gr. *trokhos*, « roue » ; [tʀɔʃɛ̃].

**TROCHITER,** subst. m.
*Anat.* Grosse saillie de l'extrémité supéro-externe de l'humérus. Déb. XIXe s. ; ☞ *trochanter* ; [tRɔkitɛR].

**TROCHLÉE,** subst. f.
*Anat.* Portion osseuse, en forme de poulie, d'une articulation où vient rouler un autre os : *La* ***trochlée*** *fémorale.* 1721 ; lat. *trochlea,* « poulie », du gr. *trokhos,* « roue » ; [tRɔkle].

**TROCHOPHORE,** adj.
*Zool. Larve* ***trochophore*** : larve en forme de toupie, caractéristique des Annélides. Gr. *trokhos,* « roue », + *-phore* ; [tRɔkɔfɔR].

**TROCHURE,** subst. f.
*Vén.* Quatrième andouiller des bois du cerf. 1376 ; ☞ *troches* ; [tRɔʃyR].

**TROÈNE,** subst. m.
*Bot.* Arbuste de la famille des Oléacées, à petites fleurs blanches, utilisé dans les jardins pour former des haies. Fin XIIIe s. ; anc. bas frq. °*trugil* ; [tRɔɛn].

**TROGLOBIE,** adj. et subst. m.
*Biol.* Se dit d'un animal ou d'une plante qui vit uniquement en milieu souterrain. 1907 ; gr. *trôglê,* « trou », + *-bie* ; [tRɔglɔbi].

**TROGLODYTE,** subst. m.
**1.** Habitant d'une grotte, d'une caverne naturelle, ou, par ext., d'une demeure creusée dans la terre, le roc. **2.** *Zool.* Passereau de petite taille, au corps ramassé et à la queue courte, qui nidifie dans les creux des murs et dans les broussailles. Déb. XIIe s. ; lat. *Troglodytae,* du gr. *Troglodutai,* nom d'un peuple d'Afrique, de *trôglê,* « trou », et de *dunein,* « s'enfoncer » ; [tRɔglɔdit].

**TROGLODYTIQUE,** adj.
Relatif, propre aux troglodytes. 1842 ; ☞ *troglodyte* ; [tRɔglɔditik].

© F. Jalain-Explorer

*Maison* ***troglodytique*** *en Anjou.*

**TROGNE,** subst. f.
Fam. Visage grotesque ou amusant ; en partic., visage rubicond de celui qui aime manger et boire. 1485 (1403, choses sans valeur) ; gaul. °*trugna* ; [tRɔɲ].

**TROGNON,** subst. m.
**1.** Ce qui reste d'un fruit, d'un légume, dont on a ôté la partie comestible. ▸ Loc. *Jusqu'au* ***trognon*** : complètement (fam.). **2.** Fam. Terme d'affection désignant un enfant, une jeune fille ; empl. adj. (inv. en genre), mignon : *Elles sont* ***trognons.*** Fin XIVe s. ; anc. fr. *estrogner,* « élaguer », du lat. *truncare,* « tronquer » ; [tRɔɲɔ̃].

**TROÏKA,** subst. f.
**1.** En Russie, groupe de trois chevaux attelés de front ; véhicule (traîneau, landau) tiré par cet attelage. **2.** Trio de personnalités, en partic. de dirigeants politiques. 1841 ; russe *trojka,* « le chiffre 3 ; ensemble de trois éléments » ; [tRɔika].

**TROIS,** adj. num. et subst. m.
**Adj. card.** Deux plus un : *Chandelier à* ***trois*** *branches.* **Adj. ord. 1.** Troisième : *Napoléon III.* **2.** Qui porte le numéro **trois** : *La cabine* ***trois*** ou, empl. subst., *La* ***trois.*** **Subst.** Le nombre ou le numéro **trois.** ▸ Carte à jouer portant ce numéro ; face d'un dé marquée de **trois** points. Fin Xe s. ; lat. *tres* ; [tRwa].

**TROIS-ÉTOILES,** subst. m. et adj.
**Subst.** Sert à désigner une personne qu'on ne veut pas nommer : *Madame* ***trois-étoiles*** *(Mme ***).* **Adj.** et **Subst.** Se dit d'un hôtel, d'un restaurant de luxe. 1694 ; comp. de *trois* et de *étoile* ; var. *trois étoiles* ; [tRwazetwal].

**TROIS-HUIT,** subst. m. inv.
*Mus.* Mesure à trois temps ayant la croche pour unité. **Plur.** Système de travail continu dans lequel se relaient trois équipes travaillant chacune huit heures. 1768 ; comp. de *trois* et de *huit* ; [tRwaɥit].

**TROISIÈME,** adj. et subst. f.
**Adj. num. ord.** Qui occupe le rang marqué par le nombre trois ; empl. subst. : *Le, la* ***troisième.*** **Adj.** Qui constitue une fraction d'un tout divisé également en trois : *La* ***troisième*** *partie* ou, empl. subst. masc., *Le* ***troisième*** (synon. *tiers*). **Subst.** Dernière classe du premier cycle de l'enseignement secondaire. Fin XIIe s. ; ☞ *trois* ; [tRwazjɛm].

**TROISIÈMEMENT,** adv.
En troisième lieu, tertio. 1584 ; ☞ *troisième* ; [tRwazjɛmmɑ̃].

**TROIS-MÂTS,** subst. m. inv.
*Mar.* Voilier à trois mâts : *Un* ***trois-mâts*** *goélette.* 1824 ; comp. de *trois* et de *mât* ; [tRwamɑ].

**TROIS-POINTS,** adj. inv.
*Les frères* ***trois-points*** : les francs-maçons, par réf. au symbole de la franc-maçonnerie, trois points disposés en triangle (fam.). 1933 ; comp. de *trois* et de *point* (I) ; [tRwapwɛ̃].

**TROIS-PONTS,** subst. m. inv.
*Mar.* Ancien navire de guerre doté de trois ponts. 1843 ; comp. de *trois* et de *pont* ; [tRwapɔ̃].

**TROIS-QUARTS,** subst. m. inv.
**1.** *Mus.* Violon d'étude pour enfant. **2.** *Sp.* Chacun des joueurs placés entre un demi et un arrière, au rugby. **3.** Manteau court. 1690 ; comp. de *trois* et de *quart* (II) ; [tRwakaR].

**TROIS-QUATRE,** subst. m. inv.
*Mus.* Mesure à trois temps ayant la noire pour unité. 1765 ; comp. de *trois* et de *quatre* ; [tRwakatR].

**TRÔLE, voir TROLLE**

**TROLL,** subst. m.
Lutin malveillant, dans la mythologie scandinave. 1832 ; mot suédois ; [tRɔl].

**TROLLE,** subst. f.
*Vén.* Façon de chasser au hasard du lancer, quand le limier n'a pu détourner le cerf. 1655 ; *troller,* « chasser au hasard » ; var. *trôle* ; [tRɔl].

**TROLLEY,** subst. m.
**1.** Dispositif constitué d'une longue tige reliant un véhicule électrique au câble aérien qui l'alimente en électricité ; chariot roulant le long d'un câble. **2.** Trolleybus (fam.). 1892 ; mot angl. ; [tRɔlɛ].

**TROLLEYBUS,** subst. m.
Autobus à trolley (abrév. fam. : trolley). 1921 ; angl. *trolley bus,* « bus à trolley » ; [tRɔlɛbys].

**TROMBE,** subst. f.
**1.** *Climatol.* Colonne liquide ou nuageuse animée d'un violent mouvement de rotation. **2.** Ext. ***Trombe d'eau*** : averse torrentielle. **3.** Loc. *En* ***trombe*** : très vite, soudainement. 1549 ; ital. *tromba,* de l'anc. prov. *tromba,* « trompette » ; [tRɔ̃b].

**TROMBIDION,** subst. m.
*Zool.* Acarien dont les larves sont les aoûtats. 1803 ; lat. sc. *trombidium* ; [tRɔ̃bidjɔ̃].

**TROMBIDIOSE,** subst. f.
*Pathol.* Dermatose très prurigineuse causée par les piqûres d'aoûtats. 1909 ; ☞ *trombidion* + *-ose* ; [tRɔ̃bidjoz].

**TROMBINE,** subst. f.
Tête, visage (fam.). 1859 ; orig. obsc. ; [tRɔ̃bin].

**TROMBINOSCOPE,** subst. m.
Petit ouvrage contenant le portrait des membres d'une assemblée, d'une école prestigieuse, etc. (fam.). 1873 ; ☞ *trombine* + *-scope* ; [tRɔ̃binɔskɔp].

**TROMBLON,** subst. m.
**1.** *Arm.* Ancienne arme à feu, au canon court et évasé en entonnoir. ▸ Pièce tubulaire adaptable au canon d'un fusil, permettant de tirer des grenades ou des fusées. **2.** Anal. *Cost.* Ancien haut-de-forme évasé au sommet. 1803 ; ital. *trombone,* « grande trompette » ; [tRɔ̃blɔ̃].

**TROMBONE,** subst. m.
**1.** *Mus.* Instrument à vent de la famille des cuivres, muni d'une coulisse permettant de modifier la longueur du tube et donc la hauteur du son (le **trombone** à pistons sert dans les fanfares). ▸ Méton. Musicien jouant du **trombone. 2.** Attache métallique servant à maintenir des feuillets ensemble. 1765 ; ital. *trombone,* « grande trompette » ; [tRɔ̃bɔn].

**TROMMEL,** subst. m.
*Techn.* Trieur cylindrique ou conique utilisé pour le criblage de minerais et de cailloux. 1872 (1845 cylindre servant au lavage des tubercules dans les féculeries) ; all. *Trommel,* « tambour » ; [tRɔmɛl].

**TROMPE,** subst. f.
**1.** *Mus.* Instrument à vent, recourbé, de la famille des cuivres. ▸ ***Trompe de chasse*** ou, par ell., ***Trompe*** : cor de chasse. ▸ Loc. *À son de* ***trompe*** : à grand bruit. **2.** Avertisseur d'automobile (vieilli). **3.** Organe buccal ou nasal allongé : ***Trompe*** *d'insecte, d'éléphant.* **4.** *Anat.* ▸ ***Trompe*** *d'Eustache* : conduit courbe et évasé reliant l'oreille moyenne au pharynx. ▸ ***Trompe*** *de Fallope* : qui relie les ovaires et l'utérus. **5.** *Archit.* Portion de voûte en saillie dans l'angle d'un bâtiment. **6.** *Techn.* ***Trompe*** *à eau, à mercure* : machine servant à faire le vide. Déb. XIIIe s. (1176 toupie) ; anc. bas frq. °*trumba* ; [tRɔ̃p].

**TROMPE-LA-MORT,** subst. m. inv.
Personne qui reste en vie, malgré des dangers mortels. 1868 (mil XIXe s., surnom d'un personnage de *la Comédie humaine,* de Balzac) ; comp. de *trompe* et de *mort* (I) ; [tRɔ̃plamɔR].

**TROMPE-L'ŒIL,** subst. m. inv.
**1.** *B.-a.* Peinture qui donne l'illusion de la réalité, en partic. du relief. **2.** Fig. Apparence trompeuse. 1800 ; comp. de *tromper* et de *œil* ; la loc. adj. *en trompe l'œil* s'écrit sans trait d'union ; [tRɔ̃plœj].

© J.-P. Nacivet-Explorer

***Trompe-l'œil*** *décorant une fenêtre murée, par E. Louvy.*

**BEAUX-ARTS** – Pratiqué dès l'Antiquité en architecture, le trompe-l'œil disparaît au Moyen Âge pour réapparaître avec la Renaissance italienne : Véronèse l'emploie dans la villa Barbaro, de Palladio, pour simuler des portes entrouvertes d'où sortent des enfants. Au XVIIe s., son usage devient l'un des caractères du style baroque. Si dans les décors du château de Fontainebleau les trompe-l'œil en grisailles imitent des bas-reliefs, à Versailles, des personnages semblent se pencher au-dessus des portes. Très souvent utilisée dans les natures mortes et vanités de cette époque pour donner l'illusion du relief et de l'éclat du verre, cette technique illusionniste, oubliée au XIXe s., renaît au début du XXe s. dans les collages cubistes de Picasso et de Braque, par le biais de papiers peints imitant notamment le bois. Le trompe-l'œil s'applique aux domaines de la sculpture, de l'architecture et de la peinture. En photographie, les œuvres actuelles de G. Rousse, par exemple, incluent de grandes peintures qui semblent prolonger l'espace architectural qui les entoure, jouant ainsi sur l'ambiguïté entre espace réel et espace fictif à l'intérieur de ses clichés.

**TROMPER,** verbe trans. [3]
**1.** Induire (qqn) en erreur en usant de mensonges, de dissimulation, d'artifices ; abuser : ***Tromper*** *un client sur la marchandise* ; *L'art de plaire est l'art de* ***tromper*** (Vauvenargues). ▸ Être infidèle à (qqn), dans une relation conjugale, amoureuse. **2.** Faire se méprendre : *Ce symptôme atypique* ***trompa*** *le médecin.* **3.** Apaiser par une satisfaction illusoire ou éphé-

mère : ***Tromper** son ennui, sa faim.* **4.** Décevoir : ***Tromper** un ami dans son attente.* **5.** Échapper à (qqn, une surveillance, etc.) : ***Tromper** la vigilance des douaniers.* **PRONOM. 1.** Commettre une erreur : *Se **tromper** dans une addition.* **2. Se tromper de** (+ subst.). Prendre une chose, une personne pour une autre : *Se **tromper** d'adresse.* 1420 (mil. XIVe s., être dans une situation délicate) ; *tromper* (vx), « jouer de la trompe » ; [tʀɔ̃pe].

**TROMPERIE, subst. f.**
Action de tromper, d'induire en erreur ; propos, acte trompeur. Fin XIVe s. ; ☞ *tromper* ; [tʀɔ̃pʀi].

**TROMPETER, verbe [14]**
**INTRANS. 1.** Jouer de la trompette (vx). **2.** Pousser son cri, notamment en parlant de l'aigle, du cygne, de la grue. **TRANS.** Divulguer à grand bruit. 1339 ; ☞ *trompette* ; [tʀɔ̃pete].

**TROMPETTE, subst.**
**FÉM. 1.** *Mus.* Instrument à vent de la famille des cuivres, constitué d'un tube cylindrique replié muni d'une embouchure et de pistons, au timbre éclatant : ***Trompette** de jazz.* **2.** Loc. *La **trompette** de la Renommée* : la rumeur publique (vieilli) ; *Nez en **trompette*** : retroussé ; *Sans tambour ni **trompette*** : avec discrétion. **3.** *Spéc.* ▸ *Autom.* Chacune des enveloppes d'un demi-essieu, allant du différentiel à la roue. ▸ *Zool.* ***Trompette** de mer* : poisson des eaux chaudes, à long rostre. **MASC.** Trompettiste. Fin XIIIe s. ; ☞ *trompe* ; [tʀɔ̃pɛt].

**TROMPETTE-DE-LA-MORT, subst. f.**
*Bot.* Craterelle. 1845 ; comp. de *trompette* et de *mort* (I) ; plur. *trompettes-de-la-mort* ; [tʀɔ̃pɛtdəlamɔʀ].

**TROMPETTISTE, subst.**
Musicien, musicienne jouant de la trompette. 1821 ; ☞ *trompette* ; [tʀɔ̃petist].

**TROMPEUR, EUSE, adj.**
**1.** Qui trompe ou aime à tromper ; fourbe, menteur ; empl. subst., personne **trompeuse**. **2.** Qui induit en erreur ; illusoire, fallacieux : *Un calme **trompeur** ; Un succès **trompeur**.* Fin XIVe s. ; ☞ *tromper* ; [tʀɔ̃pœʀ, øz].

**TRONC, subst. m.**
**1.** Partie d'un arbre comprise entre les racines et la naissance des branches principales ; par anal., fût d'une colonne. ▸ Méton. Boîte, en bois ou en métal, percée d'une fente, où l'on dépose l'argent des offrandes et des aumônes, dans une église. **2.** *Anat.* ▸ Partie principale d'un vaisseau ou d'un nerf. ▸ Partie du corps portant la tête et les membres, chez l'homme et les Vertébrés. **3.** ***Tronc** commun* : partie commune d'un ensemble complexe appelé à se différencier. ▸ *Enseign.* Programme unique dispensé au début d'un cycle d'enseignement à des élèves ou à des étudiants qui se destinent à des spécialisations différentes. **4.** *Géom.* ***Tronc** de cône (ou de prisme)* : partie d'un cône (ou d'un prisme) comprise entre deux plans parallèles coupant toutes les génératrices ; ***Tronc** de pyramide* : partie d'une pyramide comprise entre la base et une section plane parallèle à la base. 1155 ; lat. *truncus* ; [tʀɔ̃].

**TRONCATION, subst. f.**
*Ling.* Procédé qui permet d'abréger un mot en lui ôtant une ou plusieurs syllabes. 1552 (1495, mutilation) ; bas lat. *truncatio*, « mutilation » ; [tʀɔ̃kasjɔ̃].

**TRONCATURE, subst. f.**
**1.** Partie tronquée d'une chose. **2.** *Minér.* Remplacement d'une pointe ou d'une arête par une facette, sur un minéral. 1797 ; lat. *truncatus*, « tronqué » ; [tʀɔ̃katyʀ].

**TRONCHE, subst. f.**
**1.** Bûche grosse et courte (vx ou région.). **2.** Tête (fam.). 1298 ; lat. pop. °*trunca* ; [tʀɔ̃ʃ].

**TRONCHET, subst. m.**
*Techn.* Billot de bois à trois pieds, utilisé par les tonneliers. Mil. XIIIe s. ; ☞ *tronc* ; [tʀɔ̃ʃɛ].

**TRONÇON, subst. m.**
**1.** Partie coupée ou brisée d'un objet oblong : *Un **tronçon** de baguette.* ▸ Morceau coupé de certains animaux au corps allongé : *Un **tronçon** d'anguille.* ▸ *Archit.* Chacun des éléments formant le fût d'une colonne. **2.** Anal. Portion de route, de voie ferrée ou fluviale. Déb. XIIe s. ; anc. fr. *trons*, « morceau », du lat. pop. °*trunceus*, « tronqué » ; [tʀɔ̃sɔ̃].

**TRONCONIQUE, adj.**
Qui a la forme d'un tronc de cône. 1868 ; formé de *tronc* et de *conique* ; [tʀɔ̃kɔnik].

**TRONÇONNAGE, subst. m.**
Action de tronçonner ; son résultat. 1928 ; ☞ *tronçonner* ; synon. *tronçonnement* ; [tʀɔ̃sɔnaʒ].

**TRONÇONNER, verbe trans. [3]**
Couper en tronçons ; au fig. : ***Tronçonner** un film en épisodes.* Déb. XIIIe s. ; ☞ *tronçon* ; [tʀɔ̃sɔne].

**TRONÇONNEUSE, subst. f.**
*Techn.* Machine utilisée pour tronçonner du bois, du métal, de la pierre ; scie à bois motorisée, portative, équipée d'une chaîne coupante. 1920 ; ☞ *tronçonner* ; [tʀɔ̃sɔnøz].

**TRONCULAIRE, adj.**
*Anat.* Relatif à un tronc nerveux ou vasculaire. 1897 ; lat. *trunculus*, « petit tronc » ; [tʀɔ̃kylɛʀ].

**TRÔNE, subst. m.**
**1.** Siège élevé sur lequel prend place un souverain ou un dignitaire ecclésiastique à l'occasion d'un évènement solennel. ▸ Siège des toilettes (fam. et iron.). **2.** Méton. Pouvoir souverain : *Prétendant au **trône**.* **PLUR.** *Théol.* Troisième chœur de la première hiérarchie des anges : *Séraphins, chérubins et **trônes**.* Déb. XIIe s. ; lat. *thronus*, du gr. *thronos* ; [tʀon].

**TRÔNER, verbe intrans. [3]**
**1.** Régner (vx) ; être assis sur un trône (littér.). **2.** Occuper une place d'honneur ; faire l'important (iron.) : *Il **trônait** parmi ses élèves.* **3.** Être placé bien en vue : *Un horrible vase **trônait** sur le buffet.* 1801 ; ☞ *trône* ; [tʀone].

**TRONQUER, verbe trans. [3]**
**1.** Vx. Élaguer. **2.** Couper en ôtant une partie importante de : ***Tronquer** un arbre, une colonne.* **3.** Fig. Altérer (une chose abstraite, un texte) en en coupant une partie : ***Tronquer** une citation.* 1531 ; lat. *truncare*, de *truncus*, « tronc » ; [tʀɔ̃ke].

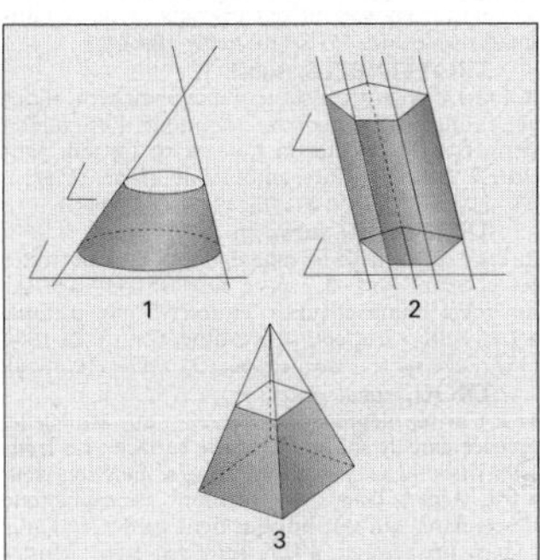


EXEMPLES DE TRONCS
*1. Tronc de cône. 2. Tronc de prisme. 3. Tronc de pyramide.*

**TROP, adv.**
**1.** Excessivement, plus qu'il ne faut : ***Trop** petit ; **Trop** cher ; **Trop** tard ; **Trop** peu ; **Trop** boire.* ▸ **Par trop.** Réellement **trop** (littér.) : *Ce discours est par **trop** subtil.* ▸ **Trop... pour.** Sert à exclure une conséquence : *Il est **trop** tôt pour se réjouir.* **2.** Très, bien, beaucoup : *Vous êtes **trop** aimable ; Je ne sais pas **trop** ce qu'il veut ; Tu n'as pas **trop** de chance en ce moment.* **3.** En quantité excessive (empl. nominal). ▸ Loc. *C'est **trop** !* : c'est excessif ! (en bien ou en mal) ; *C'en est **trop** !* : cela suffit, en voilà assez ! ; *Trop, c'est **trop*** : ce qui est excessif est préjudiciable. ▸ **De trop.** Importun, superflu : *Il s'est senti de **trop** ; Trois mois ne seront pas de **trop** pour mener cette enquête.* ▸ **Trop de.** Un excès de : ***Trop** d'amabilité est suspect ; Il a **trop** de soucis.* ▸ Empl. subst. Ce qui est en **trop** : *Il convient d'éviter le **trop** comme le **trop** peu.* Déb. XIIe s. ; frq. °*thorp*, « amas, agglomération » ; [tʀo].

**TROPE, subst. m.**
*Rhét.* Figure consistant à employer un mot ou une expression en les détournant de leur sens propre : *Les métonymies, les métaphores sont des **tropes**.* Fin XIVe s. ; lat. *tropus*, du gr. *tropos*, « tour, façon » ; [tʀɔp].

**TROPHALLAXIE, subst. f.**
*Zool.* Échange de nourriture entre insectes d'une même espèce sociale (fourmis, termites), qui renforce la cohésion entre individus. V. 1960 ; gr. *allassein*, « échanger », + *tropho-* ; [tʀɔfalaksi].

**TROPHÉE, subst. m.**
**1.** *Antiq.* Dépouille d'un ennemi vaincu. ▸ Ensemble des marques concrètes d'une victoire (armes, prises de guerre, etc.), servant à l'attester et à la célébrer. **2.** Objet, récompense témoignant d'un succès : ***Trophée** sportif ; **Trophée** de chasse*, tête empaillée d'un animal abattu. **3.** *B.-a.* ▸ Monument antique élevé en souvenir d'une victoire. ▸ Motif décoratif constitué d'armes et de drapeaux groupés autour d'un casque ou d'une armure. 1488 ; bas lat. *trophaeum*, du lat. *tropaeum*, du gr. *tropaion*, de *tropê*, « fuite » ; [tʀɔfe].

**Trophée** champêtre, *dessin de Jean-Charles Delafosse (1734-1791). Bibliothèque de l'École nationale des Beaux-Arts, Paris.*

**TROPHIQUE, adj.**
*Physiol.* Relatif à la nutrition des tissus vivants. 1830 ; gr. *trophê*, « nourriture » ; [tʀɔfik].

**TROPHOBLASTE, subst. m.**
*Embryol.* Enveloppe monocellulaire de l'embryon de mammifère placentaire, au niveau de laquelle ont lieu les échanges nutritifs entre l'embryon et le tissu utérin. Déb. XXe s. ; formé de *tropho-* et de *-blaste* ; [tʀɔfɔblast].

**TROPICAL, ALE, AUX, adj.**
Qui concerne les tropiques, les régions proches des tropiques, qui leur est propre : *Zone **tropicale** ; Climat **tropical**.* ▸ *Pathol.* ***Maladies tropicales*** : spécifiques aux régions des tropiques ou aux pays chauds. 1801 ; ☞ *tropique* (I) ; [tʀɔpikal, o].

**TROPICALISATION, subst. f.**
*Techn.* Traitement d'un matériel ou d'un matériau diminuant sa vulnérabilité à l'action du climat tropical, et en partic. à la chaleur et à l'humidité. Mil. XXe s. ; ☞ *tropicaliser* ; [tʀɔpikalizasjɔ̃].

**TROPICALISER, verbe trans. [3]**
Procéder à la tropicalisation de. 1954 ; ☞ *tropical* ; [tʀɔpikalize].

**TROPIQUE (I), subst. m. et adj.**
**SUBST.** *Géogr.* Nom de chacun des deux parallèles terrestres de 23° 27′ de latitude, qui délimitent la zone où le Soleil passe au zénith deux fois par an (aux solstices) : ***Tropique** du Cancer*, celui de l'hémisphère Nord ; ***Tropique** du Capricorne*, celui de l'hémisphère Sud. **SUBST. PLUR.** Méton. La zone intertropicale. **ADJ.** *Année **tropique*** : intervalle de temps entre deux passages consécutifs du Soleil à l'équinoxe de printemps. 1377 ; bas lat. *tropicus*, du gr. *tropikos*, « qui concerne le changement de saison » ; [tʀɔpik].

**TROPIQUE (II), adj.**
*Rhét.* Qui concerne les tropes. Fin XIVe s. ; bas lat. *tropicus*, du gr. *tropikos* ; [tʀɔpik].

**TROPISME, subst. m.**
**1.** *Biol.* Réaction de croissance orientée par un facteur de l'environnement. Les **tropismes** peuvent se traduire par la courbure d'une tige si un changement d'orientation du stimulus se produit en cours de croissance. La lumière est cause de phototropisme positif (pour les tiges) ou négatif (pour les racines) ; la pesanteur est à

l'origine de géotropisme positif ou négatif. **2.** Fig. Force incontrôlable qui pousse qqn à agir ; acte réflexe élémentaire. 1897 ; gr. *tropos*, « tour » ; [tʀɔpism].

**TROPOPAUSE, subst. f.**
*Météor.* Partie où se stabilise la température de l'air, vers - 60 °C, au-dessus de 10 000 m. 1936 ; gr. *pausis*, « cessation », + *tropo-* ; [tʀɔpopoz].

**TROPOSPHÈRE, subst. f.**
*Météor.* Zone inférieure de l'atmosphère, située entre le sol et la stratosphère, dans laquelle se produisent les circulations complexes qui déterminent l'état météorologique. 1909 ; formé de *tropo-* et de *-sphère* ; [tʀɔpɔsfɛʀ].

**TROP-PERÇU, subst. m.**
Ce qui a été perçu en trop. 1908 ; comp. de *trop* et de *perçu* ; plur. *trop-perçus* ; [tʀopɛʀsy].

**TROP-PLEIN, subst. m.**
**1.** Excès, surplus : *Avoir un* **trop-plein** *d'affection pour qqn.* **2.** Excédent de la capacité d'un contenant : *Le* **trop-plein** *d'une carafe.* **3.** *Techn.* Dispositif servant à évacuer un liquide excédentaire. 1671 ; comp. de *trop* et de *plein* ; plur. *trop-pleins* ; [tʀoplɛ̃].

**TROQUE,** voir **TROCHE**

**TROQUER, verbe trans.** [3]
**1.** Échanger selon le principe du troc ; *Troquer des billes contre des bonbons.* **2.** Ext. Abandonner (une chose) pour une autre : ***Troquer** sa jupe pour un pantalon.* 1280 ; orig. inc. ; [tʀɔke].

**TROQUET, subst. m.**
Café, bar (fam.). Fin XIX^e s. ; aphérèse de *mastroquet* ; [tʀɔkɛ].

**TROT, subst. m.**
**1.** Allure naturelle du cheval et de certains quadrupèdes, intermédiaire entre le pas et le galop, dans laquelle chacun des bipèdes diagonaux se soulève alternativement : ***Trot** assis, enlevé.* ► *Course de* **trot** : course hippique dans laquelle le cheval ne doit pas galoper. **2.** Loc. *Au (grand)* **trot** : vivement, rapidement (fam.). Fin XII^e s. ; ☞ *trotter* ; [tʀo].

**TROTSKISME, subst. m.**
*Pol.* Doctrine de la révolution permanente, développée par Trotski et adoptée par la IV^e Internationale. 1925 ; anthropon. *Trotski* ; var. *trotskysme* ; [tʀɔtskism].

POLITIQUE – Depuis son engagement dans la révolution des soviets (1905), Trotski n'a cessé de mener une activité théorique de premier plan. Pourtant, ce n'est qu'à la mort de Lénine et au moment de la confiscation des pouvoirs par Staline (1927) que le mot « trotskisme » fait son apparition dans le vocabulaire politique. Tirant les leçons de l'échec de la révolution en Allemagne, le trotskisme apparaît comme une radicalisation de la thèse marxiste de la révolution permanente, tout entière dressée contre le stalinisme et son mot d'ordre : « La révolution dans un seul pays. » Nées dans la dissidence, les idées trotskistes ont fait leur chemin dans nombre de mouvements de libération nationale, notamment en Amérique latine. Fondée en 1938, la IV^e Internationale fédère l'essentiel des organisations trotskistes actuelles.

**TROTSKISTE, adj. et subst.**
Se dit d'un partisan du trotskisme. ADJ. Relatif, propre au trotskisme. 1926 ; ☞ *trotskisme* ; var. *trotskyste* ; [tʀɔtskist].

**TROTTE, subst. f.**
Distance assez longue parcourue ou à parcourir à pied (fam.). 1680 ; ☞ *trotter* ; [tʀɔt].

**TROTTE-MENU, adj. inv.**
Qui marche à petits pas vifs (littér.) : *La gent* **trotte-menu** (La Fontaine), les souris. 1660 ; comp. de *trotter* et de *menu* (I) ; [tʀɔtməny].

**TROTTER, verbe intrans.** [3]
**1.** *Équit.* Aller au trot. **2.** Anal. Marcher vite et à petits pas ; faire beaucoup d'allées et venues : ***Trotter** d'un magasin à l'autre.* ► Loc. ***Trotter** dans la tête* : ne cesser de revenir à l'esprit, en parlant d'une idée, d'une chanson. PRONOM. Se sauver, partir (fam.). Mil. XII^e s. ; anc. bas frq. °*trottôn*, « courir » ; [tʀɔte].

**TROTTEUR, EUSE, subst.**
MASC. **1.** *Hippisme.* Cheval entraîné pour les courses de trot. **2.** Chaussure de femme adaptée à la marche en ville. FÉM. *Horlog.* Aiguille marquant les secondes, sur une montre, un chronomètre. Déb. XIII^e s. ; ☞ *trotter* ; [tʀɔtœʀ, øz].

*Lettre ornée du XII^e s. représentant un* **troubadour** *jouant de la lyre à bras. Bibliothèque nationale, Paris.*

© Coll. A. D. P. C.-Explorer

**TROTTINEMENT, subst. m.**
Action de trottiner ; la démarche qui en résulte. 1845 ; ☞ *trottiner* ; [tʀɔtinmɑ̃].

**TROTTINER, verbe intrans.** [3]
**1.** Avancer à petits pas pressés. **2.** Aller à un trot très court, en parlant des chevaux et de certains quadrupèdes. 1410 ; ☞ *trotter* ; [tʀɔtine].

**TROTTINETTE, subst. f.**
**1.** Jouet d'enfant constitué d'une planchette allongée montée sur deux roues et munie d'un guidon permettant d'orienter la roue avant (synon. *patinette*). **2.** Anal. Petite automobile (fam. et péj.). 1902 (1889, bottine) ; ☞ *trottiner* ; [tʀɔtinɛt].

**TROTTOIR, subst. m.**
**1.** Piste sur laquelle les maquignons faisaient trotter les chevaux (vx). **2.** Espace surélevé aménagé sur les côtés d'une chaussée et réservé aux piétons. ► Loc. *Faire le* **trottoir** : se prostituer (fam.). 1660 (1577, *être sur le trottoir*, en vue) ; ☞ *trotter* ; [tʀɔtwaʀ].

**TROU, subst. m.**
**I. 1.** Cavité, dépression naturelle ou artificielle, creusée dans le sol ou une autre surface : *Les* **trous** *d'un chemin ; La souris s'est réfugiée dans son* **trou**. ► Ext. *Aéron.* ***Trou** d'air* : courant atmosphérique descendant, qui fait brusquement perdre de l'altitude à un aéronef. ► Loc. *Faire son* **trou** : réussir socialement ; *Boire comme un* **trou** : boire trop, s'enivrer. **2.** Village, lieu isolé, retiré (fam.) : *Vivre dans un* **trou** *perdu.* **3.** Prison (fam.) : *Envoyer, mettre qqn au* **trou**. **4.** *Sp.* Au golf, petite cavité dans laquelle on doit envoyer sa balle : *Un parcours à dix-huit* **trous**. **II. 1.** Ouverture, perforation traversant un corps, une surface de part en part : ***Trous** d'une passoire ;* ***Trou** de serrure.* ► *Techn.* ***Trou** d'homme* : ouverture permettant le passage d'une personne dans une structure, dans une machine, en vue de l'entretien, des réparations, etc. **2.** Orifice anatomique (fam.) : ***Trous** de nez.* **III. 1.** Élément faisant défaut dans un ensemble ; vide laissé dans une continuité. ► Loc. ***Trou** de mémoire* : brève défaillance de la mémoire, sur un point particulier ; *Avoir un* **trou** *dans son emploi du temps* : un moment libre ; ***Trou** normand* : pause que l'on fait au milieu d'un repas copieux en absorbant un verre d'alcool (gén. de calvados) ; *Faire le* **trou** : en cyclisme, creuser l'écart entre soi et le peloton. **2.** Somme d'argent qui manque ou qui a disparu : *Un* **trou** *de cent francs dans la caisse.* ► Loc. *Boucher un* **trou** : combler un déficit financier. **3.** *Astron.* ***Trou** noir* : stade final d'une étoile extrêmement massive, parvenue à un niveau d'effondrement gravitationnel tel qu'aucun rayonnement ne peut s'en échapper. Le **trou** noir est par définition non observable, mais on décèle son existence indirectement par ses effets de gravitation sur des corps situés dans son voisinage et par l'émission de rayonnements de très haute énergie découlant de cette interaction. **4.** *Phys.* Place laissée vacante, dans un réseau cristallin, par le départ d'un électron, et considérée comme une charge positive. Fin XII^e s. ; lat. pop. °*traucum* ; [tʀu].

**TROUBADOUR, subst. m.**
Poète lyrique de langue d'oc, aux XII^e et XIII^e s. (☞ *trouvère*). ► Empl. adj. *Genre, style* **troubadour** : genre littéraire, style artistique du XIX^e s., d'inspiration médiévale, gothique. 1575 ; anc. prov. *trobador* ; [tʀubaduʀ].

**TROUBLANT, ANTE, adj.**
**1.** Qui cause un trouble physique ou psychique (vieilli). **2.** Qui rend perplexe, inquiet : *De* **troublantes** *similitudes.* **3.** Qui excite, affriolant : *Décolleté* **troublant**. 1581 ; p. pr. de *troubler* ; [tʀublɑ̃, ɑ̃t].

**TROUBLE (I), adj.**
**1.** Qui manque de limpidité, de transparence : *Eau, vin* **trouble**. **2.** Ext. Qui manque de netteté : *Image, souvenir* **trouble** ; empl. adv. : *Voir* **trouble**. **3.** Fig. Louche, équivoque, suspect : *Des menées* **troubles** ; *Personnalité* **trouble**. Déb. XII^e s. ; lat. pop. °*turbulus*, du lat. *turbidus*, « agité » ; [tʀubl].

**TROUBLE (II), subst. m.**
**I. 1.** État d'émotion, de confusion intérieure, causé par le désir, la gêne, la peur, etc. : *Ne pouvoir cacher son* **trouble**. **2.** *Pathol.* Manifestation anormale, organique ou psychique (souv. au plur.) : ***Troubles** urinaires ;* ***Troubles** de la personnalité.* **II. 1.** État d'agitation, désordre dans un groupe : *Jeter, semer le* **trouble** ; au plur., évènements qui dénotent une agitation politique ou sociale : *Fauteur de* **troubles**. **2.** *Dr.* Atteinte à la jouissance d'un bien : ***Troubles** de voisinage.* **3.** Absence de limpidité, de transparence : *Le* **trouble** *de l'atmosphère.* Fin XII^e s. ; ☞ *troubler* ; [tʀubl].

**TROUBLE (III),** voir **TRUBLE**

**TROUBLE-FÊTE, subst.**
Personne qui perturbe des réjouissances, qui dérange : *Jouer les* **trouble-fête(s)**. XIII^e s. ; comp. de *troubler* et de *fête* ; plur. *trouble-fête(s)* ; [tʀubləfɛt].

**TROUBLER, verbe trans.** [3]
**1.** Rendre moins limpide, moins transparent : ***Troubler** l'eau d'un étang en remuant la vase.* **2.** Créer de l'agitation dans, perturber : ***Troubler** l'ordre public ; Des révoltes* **troublèrent** *le royaume.* **3.** Faire cesser (un état paisible) : ***Troubler** le silence.* **4.** Interrompre le déroulement, le cours de : ***Troubler** une cérémonie.* **5.** Rendre moins lucide, perturber : *Le vin lui* **trouble** *l'esprit.* **6.** Provoquer une vive émotion, un désir amoureux chez (qqn) : *Elle l'***avait troublé** *dès la première rencontre.* PRONOM. **1.** Devenir trouble. **2.** Perdre ses moyens, sa contenance : *Il se* **trouble** *pour peu de chose.* Fin XI^e s. ; lat. pop. °*turbulare*, de °*turbulus*, « trouble » ; [tʀuble].

**TROUÉE, subst. f.**
**1.** Ouverture large, naturelle ou artificielle, faite dans une forêt, une haie, un ensemble urbain, etc. ; par anal., déchirure dans les nuages, découvrant une partie du ciel. **2.** *Milit.* Brèche faite dans les rangs ennemis. **3.** *Géogr.* Percée naturelle entre deux massifs montagneux : *La* **trouée** *de Belfort.* Fin XV^e s. ; p. p. de *trouer* ; [tʀue].

**TROUER, verbe trans.** [3]
Faire un, des trous dans (qqch.). ► Loc. *Se faire* **trouer** *la peau* : se faire tuer (fam.). Mil. XII^e s. ; ☞ *trou* ; [tʀue].

**TROUFIGNON, subst. m.**
Fam. Anus ; par méton., derrière. Déb. XVII^e s. ; formé de *trou* et de *fignon*, dimin. de *fin* (II) ; [tʀufiɲɔ̃].

**TROUFION, subst. m.**
Simple soldat (pop.). 1894 ; prob. altér. de *troupier*, d'apr. *fion* (II) ; [tʀufjɔ̃].

**TROUILLARD, ARDE, adj. et subst.**
Se dit d'une personne peureuse, qui a la trouille (fam.). Mil. XVIII^e s. ; ☞ *trouille* ; [tʀujaʀ, aʀd].

**TROUILLE, subst. f.**
Peur (fam.) : *Avoir la* **trouille**. 1886 (fin XV^e s., pétarade) ; p.-ê. anc. fr. *troillier*, « broyer » ; [tʀuj].

**TROUILLOMÈTRE, subst. m.**
*Avoir le* **trouillomètre** *à zéro* : avoir très peur (fam.). V. 1940 ; ☞ *trouille* + *-mètre*[1] ; [tʀujɔmɛtʀ].

**TROU-MADAME, subst. m.**
*Jeux.* Ancien jeu de salon consistant à faire passer treize billes sous treize arcades numérotées ; la table sur laquelle on y jouait. 1571 ; comp. de *trou* et de *madame* ; plur. *trous-madame* ; [tʀumadam].

**TROUPE, subst. f.**
**1.** Groupe d'animaux d'une même espèce vivant

ısemble. **2.** Groupe de personnes qui se déplacent, ›issent ensemble. **3.** Groupe de soldats. ► Méton. *troupe* : ensemble des simples soldats, par oppos. ıx officiers ; l'armée : *Faire appel à la* ***troupe***. ► *Les* ***oupes*** : les forces armées. **4.** Groupe de comédiens ıtachés à un théâtre ou jouant dans un même ›ectacle. 1178 ; ☞ *troupeau* ; [tʀup].

**TROUPEAU, subst. m.**
Groupe d'animaux domestiques élevés et nourris ısemble : ***Troupeau*** *de moutons* ; *Garder les* ***trou-aux***. **2.** Troupe d'animaux sauvages. **3.** Anal. Foule ıssive (péj.) : *Un* ***troupeau*** *de touristes*. ► Loc. *En* ***oupeau*** : en grand nombre, sans ordre. **4.** *Relig.* ɔmmunauté de fidèles réunis sous une même ıtorité spirituelle (littér.). Mil. XII^e s. ; anc. fr. *trop*, › l'anc. bas frq. °*thorp* ; [tʀupo].

**TROUPIALE, subst. m.**
ɔol. Passereau forestier d'Amérique, dit aussi loriot ı Nouveau Monde, qui vit en bandes : *Le* ***troupiale*** *ı Venezuela est un excellent chanteur.* 1760 ; ›ob. *troupe* ; [tʀupjal].

**TROUPIER, subst. m. et adj. m.**
ɪʙsᴛ. Soldat (vieilli). Aᴅᴊ. *Comique* ***troupier*** : chanır costumé en militaire, dont le répertoire évoıait la vie de caserne ; ce genre comique lui-même, ı vogue au début du siècle. 1821 ; ☞ *troupe* ; ʀupje].

**TROUSSAGE, subst. m.**
*Cuis.* Action de trousser une volaille. **2.** *Métall.* ıbrication de pièces par la méthode du trousseau. 1876 (fin XIV^e s., chose dont on est chargé) ; ☞ *trousser* ; [tʀusaʒ].

**TROUSSE, subst. f.**
. Botte, faisceau (vx) : ***Trousse*** *de chaume*. **2.** Poıette, étui où l'on range divers accessoires : ***Trousse*** *médecin, d'écolier* ; ***Trousse*** *de voyage, de toilette*. ɪᴜʀ. *Cost.* Chausses bouffantes que portaient les ıges. ► Loc. **Aux trousses (de).** À la poursuite (de ıqn) : *Avoir le feu, les créanciers aux* ***trousses***. Fin ^e s. ; ☞ *trousser* ; [tʀus].

**TROUSSEAU, subst. m.**
. Paquet, faisceau (vx). ► ***Trousseau*** *de clés* : réuıon de clés retenues par un anneau. **2.** Linge reçu ır une jeune fille à son mariage ou à son entrée ı religion. ► Linge, affaires qu'emporte un enfant ıi part en pension ou en colonie de vacances. *Métall.* Procédé de moulage au sable utilisé en ›nderie. Mil. XII^e s. ; ☞ *trousse* ; [tʀuso].

**TROUSSE-PIED, subst. m.**
ttache maintenant levé le pied d'un animal que ›on ferre ou que l'on soigne. 1812 ; comp. de *ousser* et de *pied* ; plur. *trousse-pieds* ; [tʀuspje].

**TROUSSE-QUEUE, subst. m.**
ıuit. Pièce du harnais qui passe sous la queue du ıeval pour la relever. 1553 ; comp. de *trousser* : de *queue* ; plur. *trousse-queues* ; [tʀuskø].

**TROUSSEQUIN, subst. m.**
ıuit. Partie arrière relevée de l'arçon d'une selle. 1677 ; ☞ *trousse* ; [tʀuskɛ̃].

**TROUSSER, verbe trans.** [3]
. Lier, fixer ensemble (vx) : ***Trousser*** *du foin*. ► *Cuis.* ***rousser*** *une volaille* : lui ficeler les membres sur : corps avant de la faire cuire. **2.** Vieilli. Relever, ›trousser (un vêtement) : ***Trousser*** *ses manches* ; ınpl. pronom., relever ses jupes. ► Loc. ***Trousser*** *une ımme* : la posséder sexuellement (fam.). **3.** Exéıter, composer vivement : ***Trousser*** *un compliment*. Déb. XII^e s. (fin XI^e s., charger une bête de somme) ; ıs lat. °*torsare*, « tordre » ; [tʀuse].

**TROUSSEUR, subst. m.**
***rousseur*** *de filles, de jupons* : coureur, débauché ‡am. et vieilli). 1879 ; ☞ *trousser* ; [tʀusœʀ].

**TROU-TROU, subst. m.**
›rnement de lingerie formé d'une succession de ›etits trous où l'on peut faire passer un ruban. 1894 ; ☞ *trou* ; plur. *trou-trous* ; [tʀutʀu].

**TROUVABLE, adj.**
›ui peut être trouvé : *Aucun moyen n'est* ***trouvable***. XIV^e s. ; ☞ *trouver* ; [tʀuvabl].

**TROUVAILLE, subst. f.**
. Découverte heureuse, souvent due au hasard : *ıire une* ***trouvaille*** *chez un bouquiniste*. **2.** Anal. ıdée, expression originale : *Un livre aux charmantes* ***rouvailles*** ; par iron., idée saugrenue : *En voilà une* ***ouvaille !*** Fin XII^e s. ; ☞ *trouver* ; [tʀuvaj].

**TROUVER, verbe trans.** [3]
. Découvrir, rencontrer (qqn, qqch.) par hasard : ***Trouver*** *un objet perdu* ; ***Trouver*** *la mort dans une catastrophe* ; ***Trouver*** *des coquilles dans une belle édition*. ► Loc. *Être comme une poule qui* ***a trouvé*** *un couteau* : être très embarrassé. Pʀᴏɴᴏᴍ. Se situer par hasard : *L'aventure* ***se trouve*** *au coin de la rue*. **II. 1.** Découvrir, rencontrer (qqn, qqch.) que l'on cherche : *Je vous* ***trouve*** *enfin !* ; ***Trouver*** *une pharmacie ouverte, du pétrole* ; ***Trouver*** *un emploi, du travail* ; ***Trouver*** *le sommeil*. ► Loc. ***Trouver*** *chaussure à son pied* (☞ *chaussure*). **2.** Se procurer : ***Trouver*** *de l'argent, un bon avocat* ; au fig., se ménager : *Il* ***a trouvé*** *le temps, l'occasion de lui parler*. **3.** Réussir à joindre (qqn) : *Vous le* ***trouverez*** *en fin de soirée*. Pʀᴏɴᴏᴍ. **1.** Se situer dans tel lieu : *« La Joconde »* ***se trouve*** *au Louvre*. **2.** Empl. impers. Se présenter : *Il ne* ***s'est trouvé*** *personne pour le contredire*. **III. 1.** Découvrir par la réflexion, inventer : ***Trouver*** *un stratagème, la clé des songes* ; ***Trouver*** *le coupable* ; ***Trouver*** *la solution*. **2.** Éprouver (un sentiment) : ***Trouver*** *du plaisir à épater la galerie*. ► Loc. ***Trouver*** *à redire à* (☞ *redire*). Pʀᴏɴᴏᴍ. (Empl. impers.) *Il* ***se trouve que*** : il apparaît que. ► Loc. *Si ça* ***se trouve*** : peut-être (fam.). **IV. 1.** Voir (qqn, qqch.) de telle ou telle manière, dans telle ou telle situation : *Je la* ***trouve*** *très belle* ; *Je* ***l'ai trouvé*** *encore au lit*. **2.** Attribuer (un caractère, une qualité) à qqn, à qqch. : *Je lui* ***trouve*** *mauvaise mine*. **3.** Juger, estimer : *Je* ***trouve*** *les journées trop courtes* ; *Je* ***trouve*** *qu'elle exagère*. Pʀᴏɴᴏᴍ. Se juger, s'estimer : *Je me* ***trouve*** *beau* ; empl. abs., reconnaître sa vraie personnalité : *Il ne* ***s'est*** *pas encore* ***trouvé***. ► Loc. ***Se trouver*** *bien, mal de qqch.* : en bénéficier, en pâtir. Fin X^e s. ; lat. pop. °*tropare*, « composer (une œuvre) » ; [tʀuve].

**TROUVÈRE, subst. m.**
Poète lyrique de langue d'oïl, aux XII^e et XIII^e s. (☞ *troubadour*). 1670 (mil. XII^e s., auteur) ; anc. fr. *troveor*, « trouveur » ; [tʀuvɛʀ].

**TROUVEUR, EUSE, subst.**
Personne qui découvre, invente (rare). XIII^e s. (mil. XII^e s., menteur) ; ☞ *trouver* ; [tʀuvœʀ, øz].

**TROYEN, ENNE, adj. et subst.**
**1.** *Antiq.* De Troie, cité d'Asie Mineure. **2.** De Troyes, ville de Champagne. Aᴅᴊ. *Astron. Planète* ***troyenne*** : chacun des astéroïdes dont l'ensemble est situé sur l'orbite de Jupiter, à égale distance de cette planète et du Soleil. XII^e s. ; lat. *trojanus*, du topon. *Troja*, « Troie » ; [tʀwajɛ̃, ɛn].

**TRUAND, ANDE, subst.**
**1.** Vx. Vagabond, mendiant. **2.** Anal. Malfaiteur appartenant au milieu (gén. au masc.). **3.** Ext. Individu malhonnête, escroc : *Ce promoteur est un* ***truand***. Mil. XII^e s. ; gaul. °*trugant* ; [tʀyɑ̃, ɑ̃d].

**TRUANDER, verbe intrans.** [3]
**1.** Vx. Vivre en mendiant. **2.** Fam. Tricher : ***Truander*** *aux examens* ; empl. trans. : ***Truander*** *qqn*, l'escroquer, le berner. Mil. XII^e s. ; ☞ *truand* ; [tʀyɑ̃de].

**TRUANDERIE, subst. f.**
**1.** Vx. Groupe de truands ; état du truand. **2.** Ext. Escroquerie (vieilli). Fin XIII^e s. ; ☞ *truand* ; [tʀyɑ̃dʀi].

**TRUBLE, subst. f.**
*Pêche.* Petit filet en forme de poche. Fin XII^e s. ; prob. gr. *trublê*, « bol » ; var. *trouble* ; [tʀybl].

**TRUBLION, subst. m.**
Agitateur, perturbateur. 1898 ; gr. *trublê*, « bol, écuelle », traduction de *Gamelle*, surnom donné à Philippe d'Orléans, chef de file des agitateurs pendant l'affaire Dreyfus ; [tʀyblijɔ̃].

**TRUC, subst. m.**
Fam. **1.** Astuce, procédé secret : *Il y a sûrement un* ***truc !*** ; *Un* ***truc*** *d'illusionniste*. **2.** Désigne ce que l'on ne peut ou ne veut nommer : *Qu'est-ce que c'est que ce* ***truc ?*** ► Loc. *Ce n'est pas mon* ***truc*** : je n'y connais rien ; je n'aime pas cela. XIII^e s. ; p.-ê. occitan *trucar*, « donner des coups » ; [tʀyk].

**TRUCAGE, subst. m.**
**1.** Action de truquer, de falsifier : *Le* ***trucage*** *des élections*. **2.** Procédé utilisé par un illusionniste. **3.** Procédé donnant l'illusion d'une réalité visuelle ou sonore. ► *Cin.* Effet spécial. 1872 ; ☞ *truc* ; var. *truquage* ; [tʀykaʒ].

**TRUCHEMENT, subst. m.**
**1.** Vx. Interprète. **2.** Porte-parole (littér.). ► Loc. *Par le* ***truchement*** *de* : par l'intermédiaire de (qqn, qqch.). Fin XII^e s. ; ar. *turğumān* ; [tʀyʃmɑ̃].

**TRUCIDER, verbe trans.** [3]
Tuer (fam.). Fin XVIII^e s. ; lat. *trucidare* ; [tʀyside].

**TRUCK, subst. m.**
Chariot ou wagon à plate-forme destiné au transport d'objets lourds. 1843 ; mot angl. ; [tʀyk].

**TRUCMUCHE, subst. m.**
Objet, personne que l'on ne veut ou ne peut nommer (pop.). V. 1910 ; ☞ *truc* ; [tʀykmyʃ].

**TRUCULENCE, subst. f.**
Caractère d'une personne, d'une œuvre, d'un style truculent : *La* ***truculence*** *de Cyrano*. 1594 ; lat. *truculentia*, « dureté » ; [tʀykylɑ̃s].

**TRUCULENT, ENTE, adj.**
**1.** Vx. Qui fait preuve de brutalité. **2.** Qui est haut en couleur, pittoresque : *Le comique* ***truculent*** *de Rabelais* ; *Un héros* ***truculent***. 1495 ; lat. *truculentus*, « menaçant, cruel » ; [tʀykylɑ̃, ɑ̃t].

**TRUELLE, subst. f.**
**1.** *Bât.* Outil de maçon constitué d'une lame triangulaire et d'un manche recourbé, utilisé pour étendre le mortier ou le plâtre. **2.** Anal. Spatule utilisée pour servir le poisson. **3.** *Peint. Travailler à la* ***truelle*** : par empâtements, au couteau. 1285 ; bas lat. *truella*, du lat. *trulla* ; [tʀyɛl].

**TRUELLÉE, subst. f.**
Quantité que l'on peut prendre avec une truelle : *Une* ***truellée*** *de mortier*. 1344 ; ☞ *truelle* ; [tʀyele].

**TRUFFE, subst. f.**
**1.** *Bot.* Champignon ascomycète de l'ordre des Tubérales, souterrain, qui croît au pied de certains arbres, en partic. des chênes, et qui est très recherché pour sa chair délicate et son goût parfumé. **2.** Anal. Extrémité du museau du chien, du chat ; par ext., nez gros et rond (fam.). **3.** *Confis.* Bouchée au chocolat enrichi de beurre, roulée dans le cacao. 1363 ; lat. pop. *tufera*, du lat. *tuber*, « tubercule » ; [tʀyf].

**TRUFFER, verbe trans.** [3]
**1.** Garnir (un mets) de truffes : ***Truffer*** *un pâté*. **2.** Fig. Émailler, remplir (qqch.) de : ***Truffer*** *son récit d'anecdotes* ; empl. adj. : *Une copie* ***truffée*** *de fautes*. 1832 (déb. XIII^e s., se moquer de) ; ☞ *truffe* ; [tʀyfe].

**TRUFFICULTURE, subst. f.**
Culture des truffes. 1875 ; ☞ *truffe* + *-culture* ; [tʀyfikyltyʀ].

**TRUFFIER, IÈRE, adj. et subst. f.**
Sᴜʙsᴛ. Terrain où se développent des truffes. Aᴅᴊ. Relatif aux truffes : *Chêne* ***truffier***, sous lequel poussent les truffes ; *Chien, cochon* ***truffier***, dressé pour trouver les truffes. 1749 ; ☞ *truffe* ; [tʀyfje, jɛʀ].

*Chien* ***truffier*** *avec son maître.*

**TRUIE, subst. f.**
*Zool.* **1.** Femelle du verrat, élevée pour la reproduction. **2.** ***Truie*** *de mer* : rascasse. Fin XII^e s. ; bas lat. *troja* ; [tʀɥi].

**TRUISME, subst. m.**
Vérité banale et évidente ; tautologie. 1828 ; angl. *truism*, de *true*, « vrai » ; [tʀyism].

**TRUITE, subst. f.**
*Zool.* Poisson osseux et carnivore de la famille des Salmonidés, à chair très appréciée, dont la plupart des espèces vivent en eau douce : ***Truite*** *saumonée*, à chair rose ; ***Truite*** *de mer*, espèce vivant dans les fleuves côtiers et qui se nourrit en mer ; ***Truite*** *arc-en-ciel*, originaire d'Amérique. Fin XII^e s. ; bas lat. *tructa* ; [tʀɥit].

**TRUITÉ, ÉE, adj.**
**1.** Parsemé de petites taches brunes ou noires : *Cheval à la robe* ***truitée***. **2.** *Techn.* Dont la surface comporte de très fines craquelures : *Porcelaine* ***truitée*** ; *Vernis* ***truité***. 1664 ; ☞ *truite* ; [tʀɥite].

**TRUITICULTURE,** subst. f.
Élevage des truites. V. 1970 ; ☞ *truite* + *-culture* ; var. *trutticulture* ; [tʀɥitikyltyʀ].

**TRULLO,** subst. m.
Construction à toit conique, typique des Pouilles, en Italie. 1899 ; mot ital. ; plur. *trullos* ou *trulli* ; [tʀylo], plur. [-li].

**TRUMEAU,** subst. m.
**1.** *Bouch.* Jarret de bœuf. **2.** *Archit.* Partie d'un mur située entre deux ouvertures. ► Glace ornant cette surface ou le dessus d'une cheminée ; panneau peint ou sculpté qui la domine. ► Pilier, gén. sculpté ou orné d'une statue, supportant le linteau d'un portail en son milieu. Fin XIVe s. (mil. XIIe s., pilier de château) ; prob. anc. bas frq. °*thrum*, « moignon » ; [tʀymo].

**TRUQUAGE,** voir **TRUCAGE**

**TRUQUER,** verbe [3]
TRANS. **1.** Modifier par fraude la nature, les règles de : ***Truquer*** *un bijou, un match* ; empl. adj. : *Jeu* ***truqué***. **2.** *Spectacle.* Réaliser grâce à des trucages : ***Truquer*** *un son, une image, un décor.* INTRANS. Tricher (vieilli). 1840 ; ☞ *truc* ; [tʀyke].

**TRUQUEUR, EUSE,** subst.
**1.** Tricheur, faussaire. **2.** *Cin.* Spécialiste du trucage (synon. *truquiste*). 1840 ; ☞ *truquer* ; [tʀykœʀ, øz].

**TRUQUISTE,** subst.
*Cin.* Truqueur. V. 1970 ; ☞ *truc* ; [tʀykist].

**TRUSQUIN,** subst. m.
*Techn.* Outil de menuisier ou de mécanicien, servant à tracer des lignes parallèles à une arête. 1676 ; wallon *cruskin*, du flam. *kruisken*, « petite croix » ; [tʀyskɛ̃].

**TRUSQUINER,** verbe trans. [3]
Tracer (des lignes) avec un trusquin. 1845 ; ☞ *trusquin* ; [tʀyskine].

**TRUST,** subst. m.
*Écon.* **1.** Groupement d'entreprises dirigé par une société : *Créer un* ***trust*** *par fusion ou par acquisition.* **2.** Société occupant une position dominante, voire monopolistique, dans son secteur d'activité : *Un* ***trust*** *pharmaceutique.* 1888 ; anglo-amér. *trust*, de *to trust*, « confier » ; [tʀœst].

**TRUSTE,** subst. f.
*M. Â.* **1.** Serment de fidélité et d'assistance militaire prêté au roi par ses compagnons, les antrustions, aux temps mérovingiens. **2.** La troupe ainsi formée. 1765 ; lat. médiév. *trustis* ; [tʀyst].

**TRUSTER,** verbe trans. [3]
**1.** Monopoliser (un marché, une activité). **2.** Fig. et Fam. Accaparer (qqch.) ; accumuler (les avantages). 1902 ; ☞ *trust* ; [tʀœste].

**TRUSTEUR, EUSE,** subst.
**1.** Personne qui organise un trust. **2.** Fig. Personne qui truste (fam.). 1905 ; ☞ *truster* ; [tʀœstœʀ, øz].

**TRUTTICULTURE,**
voir **TRUITICULTURE**

**TRYPANOSOME,** subst. m.
*Zool.* Protozoaire flagellé, transmis aux Vertébrés par divers insectes suceurs de sang. Chez l'homme, il est responsable, en Afrique, de la maladie du sommeil. 1843 ; formé de *trypano-* et de *-some* ; [tʀipanozom].

**TRYPANOSOMIASE,** subst. f.
*Pathol.* Parasitose des Vertébrés, due à un trypanosome présent dans le sang. 1904 ; ☞ *trypanosome* ; [tʀipanozomjaz].

**TRYPSINE,** subst. f.
*Biochim.* Enzyme pancréatique qui opère la dégradation des protéines alimentaires en peptides. 1881 ; gr. *tripsis*, « frottement » ; [tʀipsin].

**TRYPSINOGÈNE,** subst. m.
*Biochim.* Molécule protéique inactive produite par le pancréas et convertie en trypsine. 1904 ; ☞ *trypsine* + *-gène* ; [tʀipsinoʒɛn].

**TRYPTOPHANE,** subst. m.
*Biochim.* Acide aminé aromatique intervenant dans la synthèse des protéines. 1897 ; ☞ *trypsine* + *-phane* ; [tʀiptɔfan].

**TSAR,** subst. m.
Titre des anciens empereurs de Russie et des anciens souverains serbes et bulgares. 1561 ; russe *car'*, du lat. *Caesar*, « César » ; var. *tzar*, *czar* ; [tsaʀ].

**TSARÉVITCH,** subst. m.
Fils aîné du tsar de Russie. 1725 ; russe *carevič* ; var. *tzarévitch* ; [tsaʀevitʃ].

**TSARINE,** subst. f.
**1.** Femme du tsar. **2.** Impératrice de Russie. 1717 ; russe *carica* ; var. *tzarine* ; [tsaʀin].

**TSARISME,** subst. m.
Régime monarchique des tsars en Russie ; régime politique de la Russie jusqu'en 1917. 1851 ; ☞ *tsar* ; [tsaʀism].

**TSARISTE,** adj. et subst.
Se dit d'un partisan du tsar, du tsarisme. ADJ. Relatif, propre au tsar, au tsarisme, à la Russie des tsars : *Régime* ***tsariste***. 1918 ; ☞ *tsar* ; [tsaʀist].

**TSÉ-TSÉ,** subst. f. inv.
*Zool.* ***Tsé-tsé*** ou, en appos., *Mouche* ***tsé-tsé*** : glossine. 1853 ; mot d'orig. bantoue ; [tsetse].

**T-SHIRT,** voir **TEE-SHIRT**

**TSIGANE,** adj. et subst.
D'un peuple d'Europe centrale originaire de l'Inde, caractérisé par son nomadisme : *Musique* ***tsigane***, originaire de Bohême et de Hongrie et adaptée par les **Tsiganes**. SUBST. MASC. Langue indo-aryenne (romani) parlée par les **Tsiganes**. 1826 ; all. *Zigeuner*, du hongrois *czigány*, prob. du gr. byzantin *Atsinganos*, « qui ne touche pas », nom donné à une secte manichéenne ; var. *tzigane* ; [tsigan].

**TSUBA,** subst. m.
Garde du sabre japonais, souvent ouvragée. Mot jap. ; [tsyba].

**TSUNAMI,** subst. m.
Énorme vague isolée, déclenchée par un séisme ou une éruption volcanique, qui déferle violemment sur les côtes du Pacifique (synon. *raz-de-marée*). 1915 ; jap. *tsunami*, de *tsu*, « projeté », et de *nami*, « vague » ; [tsynami].

**TU,** pron. pers.
Pronom personnel sujet de la 2e personne du singulier des deux genres : ***Tu*** *as oublié de me prévenir* ; *Que me conseilles-****tu*** *de choisir ?* ; empl. subst. : *Dire* ***tu*** *à qqn*, le tutoyer. ► Loc. *Être à* ***tu*** *et à toi avec qqn* : avoir des relations familières, intimes avec lui (fam.). Fin Xe s. ; mot lat. ; l'élision devant une voyelle ou un *h* muet est fam. ; [ty].

**TUAGE,** subst. m.
Prix payé pour l'abattage des bestiaux ; abattage des bestiaux (rare). Déb. XIIIe s. ; ☞ *tuer* ; [tɥaʒ].

**TUANT, TUANTE,** adj.
Fam. **1.** Qui importune et ennuie : *Il est* ***tuant*** *à changer toujours d'avis !* **2.** Exténuant : *Un voyage* ***tuant***. 1638 ; p. pr. de tuer ; [tɥɑ̃, tɥɑ̃t].

**TUB,** subst. m.
Récipient large à fond plat où l'on peut prendre un bain sommaire ; par méton., ce bain. 1878 ; mot angl. ; [tœb].

**TUBA,** subst. m.
**1.** *Mus.* Basse des instruments à vent formant la famille des saxhorns. **2.** Tube respiratoire permettant de nager avec la tête sous l'eau. 1846 (1767, cor militaire romain) ; lat. *tuba*, « trompette » ; [tyba].

**TUBAGE,** subst. m.
**1.** *Techn.* Consolidation, à l'aide de tubes, des parois d'un puits de pétrole, d'un forage (synon. *cuvelage*). **2.** *Méd.* Introduction d'un tube dans un conduit (œsophagien, trachéal) pour nourrir un malade, faciliter la respiration, faire des prélèvements, etc. 1842 ; ☞ *tuber* ; [tybaʒ].

**TUBAIRE,** adj.
*Méd.* Relatif aux trompes de Fallope ou aux trompes d'Eustache. 1812 ; lat. *tuba*, « trompe » ; [tybɛʀ].

**TUBARD, ARDE,** adj. et subst.
Tuberculeux (pop.). 1927 ; ☞ *tuberculeux* ; [tybaʀ, aʀd].

**TUBE,** subst. m.
**I. 1.** Tuyau : *Tube de canalisation* ; ***Tube*** *métallique.* **2.** Appareil à section circulaire. ► *Arm.* Élément cylindrique d'une arme à feu : ***Tube*** *d'un canon* ; ***Tube*** *lance-torpilles.* ► *Autom.* ***Tube*** *de direction* : qui contient la colonne de direction. ► *Chim.* ***Tube*** *à essai* : éprouvette. ► *Électron.* et *Phys.* ***Tube*** *électronique* : enceinte en verre dans laquelle une électrode émet des électrons par effet thermoélectrique ; ***Tubes*** *de Crookes, de Coolidge* : appareils produisant des rayons X ; ***Tube*** *cathodique* : élément central des téléviseurs, convertissant, par modulation, des signaux électriques en images sur l'écran ; ***Tube*** *au néon* : dans lequel la lumière est produite par l'action d'un flux d'électrons sur un gaz rare. ► *Mécan.* L'un des cylindres constituant la chaudière tubulaire d'une machine à vapeur. ► Loc. fam. *À plein(s)* ***tube(s)*** : avec toute la puissance ou, au fig., de façon intensive. **II.** Anal. **1.** *Anat.* Canal naturel : ***Tube*** *digestif, neural.* **2.** *Bot.* ***Tube*** *pollinique* : filament issu de la germination d'un grain de pollen ; *Tu[be] criblé* : dans lequel circule la sève élabor[ée] ; *Champignon à* ***tubes*** : dont la surface est compos[ée] de petits tuyaux parallèles (par oppos. à *champign[on] à lamelles*). **3.** Conditionnement cylindrique rigid[e] : ***Tube*** *de rouge à lèvres.* **4.** Emballage long et soup[le] muni d'un bouchon, servant à contenir des produ[its] pâteux : ***Tube*** *de colle, de pâte dentifrice.* **III.** Chans[on] ou musique à succès (fam.). 1611 (1460, voût[e]) ; lat. *tubus* ; [tyb].

**TUBELESS,** adj. inv.
*Pneu* ***tubeless*** : sans chambre à air, revêtu intérie[u]rement de gomme synthétique imperméab[le]. Angl. *tubeless*, de *tube*, « chambre à air » ; [tybl[ɛs]].

**TUBER,** verbe trans. [3]
Garnir de tubes : ***Tuber*** *une cheminée, un trou* [de] *sonde.* 1842 ; ☞ *tube* ; [tybe].

**TUBÉRACÉ, ÉE,** adj.
Relatif à la truffe ; qui a son aspect. 1834 ; [lat.] *tuber*, « truffe » ; [tybeʀase].

**TUBÉRALES,** subst. f. plur.
*Bot.* Ordre de champignons ascomycètes. AU SIN[G.] *La truffe est une* ***tubérale***. Mil. XXe s. ; lat. *tub[er]*, « truffe » ; [tybeʀal].

**TUBERCULE,** subst. m.
**1.** *Anat.* Petite saillie osseuse : ***Tubercule*** *du s[capho]ïde.* ► *Pathol.* Papule ou nodule dermiq[ue] observé notamment dans la syphilis ou la lèp[re]. **2.** *Bot.* Excroissance d'une racine ou d'une ti[ge] constituant les réserves nutritives de la plan[te]. 1575 ; lat. méd. *tuberculum* ; [tybɛʀkyl].

**TUBERCULEUX, EUSE,** adj.
**1.** *Pathol.* Qui concerne la tuberculose : *Lési[on]* ***tuberculeuse*** ; qui est atteint de tuberculose ; em[pl.] subst., personne **tuberculeuse**. **2.** *Bot.* Pourvu [de] tubercules : *Racine* ***tuberculeuse***. 1765 (1569, [qui] forme un tubercule) ; ☞ *tubercule* ; [tybɛʀkylø, øz].

**TUBERCULINATION,** subst. f.
*Méd.* et *Vétér.* Injection de tuberculine. 190[.] ; ☞ *tuberculine* ; [tybɛʀkylinasjɔ̃].

**TUBERCULINE,** subst. f.
*Pharm.* Substance extraite de bacilles de Koch [en] culture, utilisée pour effectuer les tests tubercu[li]niques (notamment la cuti-réaction). 189[.] ; ☞ *tuberculeux* ; [tybɛʀkylin].

**TUBERCULINIQUE,** adj.
*Test* ***tuberculinique*** : test qui établit si un sujet a é[té] ou non en contact avec le bacille tuberculeu[x]. 1912 ; ☞ *tuberculine* ; [tybɛʀkylinik].

**TUBERCULISATION,** subst. f.
*Pathol.* Envahissement d'un organisme par le baci[lle] de Koch. 1840 ; ☞ *tubercule* ; [tybɛʀkylizasjɔ̃].

**TUBERCULOÏDE,** adj.
Qui présente des lésions semblables à celles q[ui] provoque la tuberculose : *Pathologie* ***tuberculoï[de]***. ☞ *tubercule* + *-oïde* ; [tybɛʀkyloid].

**TUBERCULOSE,** subst. f.
*Pathol.* Maladie infectieuse et contagieuse caus[ée] par le bacille de Koch. Le premier contact avec ce[tte] mycobactérie entraîne une primo-infection tub[er]culeuse, qui peut évoluer vers la maladie tub[er]culeuse, avec des signes cliniques généraux (fièv[re,] toux, asthénie...) et des lésions associées (pulm[o]naires, osseuses, urogénitales). Le traitement [est] long et comporte la prise d'antibiotiques an[ti]tuberculeux associés. 1860 (1854, formation [de] tubercules) ; ☞ *tubercule* + *-ose* ; [tybɛʀkyloz].

**TUBÉREUX, EUSE,** adj. et subst. f.
*Bot.* ADJ. Se dit d'une plante qui produit d[es] tubercules, comme la pomme de terre ou topinambour. SUBST. Plante à haute tige, originai[re] du Mexique, dont les fleurs blanches en épi so[nt] utilisées en parfumerie. 1478 ; lat. *tuberosus*, *tuber*, « excroissance » ; [tybeʀø, øz].

**TUBÉRISATION,** subst. f.
*Bot.* Formation de tubercules par la modificati[on] de certains tissus des tiges ou des racines. 189[.] ; lat. *tuber*, « excroissance » ; [tybeʀizasjɔ̃].

**TUBÉROSITÉ,** subst. f.
*Anat.* Saillie bombée de certains os ou de certai[ns] organes : *Les* ***tubérosités*** *de l'humérus, de l'estoma[c]*. 1478 ; lat. *tuberosus*, « tubéreux » ; [tybeʀozite].

**TUBICOLE,** subst. et adj.
*Zool.* Se dit d'un animal vivant dans un tube qu['il] a lui-même construit : *Le spirographe est* ***tubico[le]***. 1839 ; formé de *tubi-* et de *-cole* ; [tybikɔl].

**TUBIFEX, subst. m.**
·ol. Petit ver de vase tubicole. 1839 ; lat. *fex*, ·ui fait », + *tubi-* ; [tybifɛks].

**TUBIPORE, subst. m.**
·ol. Polypier corallien calcaire des mers chaudes ɔlonie d'invertébrés de l'ordre des Stolonifères), ·nt les tubes cylindriques juxtaposés ont l'aspect tuyaux d'orgue, d'où son surnom d'orgue de mer. 1791 ; ☞ *pore* + *tubi-* ; [tybipɔʀ].

**TUBISTE (I), subst.**
·chn. **1.** Personne travaillant dans un caisson, sous ·au. **2.** Personne qui fabrique des tubes. 1907 ; ☞ *tube* ; [tybist].

**TUBISTE (II), subst.**
·us. Joueur de tuba. 1907 ; ☞ *tuba* ; [tybist].

**TUBITÈLE, adj.**
·ol. *Araignée **tubitèle*** : qui tisse des toiles horizon- ·es comportant un tube d'où elle guette sa proie. 1839 ; lat. *tela*, « toile », + *tubi-* ; [tybitɛl].

**TUBULAIRE, adj.**
Qui ressemble à un tube : *Étui **tubulaire***. **2.** Qui ·fait de tubes métalliques : *Pont **tubulaire** ; Chau- ·re **tubulaire***. 1752 ; lat. *tubulus*, « petit tuyau » ; ·bylɛʀ].

**TUBULE, subst. m.**
·at. Partie d'un organe en forme de petit tube : ***bule** rénal*. 1963 (1564, petit conduit d'une fon- ·ne) ; lat. *tubulus*, « petit tuyau » ; [tybyl].

**TUBULÉ, ÉE, adj.**
·uni d'une ou de plusieurs tubulures. 1743 ; *. tubulatus* ; [tybyle].

**TUBULEUX, EUSE, adj.**
·ui a la forme d'un tube. 1763 ; lat. *tubulus*, ·etit tuyau » ; [tybylø, øz].

**TUBULIDENTÉS, subst. m. plur.**
·ol. Ordre de mammifères d'Afrique représenté ·r une espèce unique, l'oryctérope. ☞ *dent* ·*tubuli-* ; [tybylidɑ̃te].

**TUBULIFLORE, adj.**
·t. À fleurs tubuleuses. 1842 ; formé de *tubuli-* de *-flore* ; [tybyliflɔʀ].

**TUBULINE, subst. f.**
·ochim. Dimère protéique, principal constituant ·s microtubules. V. 1980 ; lat. *tubulus*, « petit ·oe » ; [tybylin].

**TUBULURE, subst. f.**
Ouverture ménagée dans un récipient et qui per- ·et de le raccorder à un autre récipient ou à un ·nduit : *Flacon de laboratoire à double **tubulure***. *Techn.* Chacun des tubes alimentant une ins- ·llation ; ensemble de ces tubes : ***Tubulure** d'une ·audière*. 1762 ; lat. *tubulus*, « petit tuyau » ; [tybylyʀ].

**TUDESQUE, adj.**
Vx. Propre, relatif aux Germains ou, par ext., aux ·lemands. **2.** Fig. Grossier, balourd (péj. et vieilli) : ·*yle **tudesque***. 1513 ; lat. médiév. *teutiscus*, du germ. ·*eudisk*, « germain » ; [tydɛsk].

**TUDIEU, interj.**
·ncien juron familier. 1537 ; aphérèse de *vertu-* ·*eu*, altér. par euphém. de *par la vertu de Dieu* ; [tydjø].

**TUE-CHIEN, subst. m.**
·olchique. 1544 ; comp. de *tuer* et de *chien* ; plur. ·*-chien(s)* ; [tyʃjɛ̃].

**TUE-DIABLE, subst. m. inv.**
·opât pour la pêche à la truite. Fin XIX^e s. ; comp. *tuer* et de *diable* ; [tydjabl].

**TUE-MOUCHE(S), adj. inv. et subst. m.**
·ɔj. Tue-mouches. **1.** *Bot.* Qualifie une espèce ·amanite toxique, dite aussi fausse oronge, au ·apeau rouge vif tacheté de blanc. **2.** *Papier ·e-mouches* : recouvert d'une substance collante insecticide, qui sert à capturer les mouches. ·BST. Tue-mouche(s). Tapette servant à tuer les ·ouches (région.). 1823 ; comp. de *tuer* et de ·*ouche* ; plur. du subst. *tue-mouches* ; [tymuʃ].

**TUER, verbe trans.** [3]
Faire mourir (un être vivant) de manière ·olente, volontairement ou non : ***Tuer** qqn d'un ·up de couteau, accidentellement* ; ***Tuer** un cochon*. Abs. Ôter la vie à qqn : *Il a volé, mais il n'a pas ·é*. ▸ Loc. ***Tuer** le veau gras* (☞ *veau*) ; ***Tuer** la poule ·x œufs d'or* : détruire par impatience ou cupidité ·ne source de richesses ; ***Tuer** le temps* : lutter contre ·nnui, l'inaction. **2.** Causer la mort de (un être ·vant) : *La foudre **a tué** deux campeurs* ; *Ce produit ·e les taupes* ; empl. abs. : *L'alcool **tue*** ; empl. subst. : *Le nombre de **tués** dans les accidents de la route*. **3.** Fig. Épuiser (qqn) : *Ce voyage l'**a tué*** ; accabler moralement : *L'inquiétude me **tue*** ; abasourdir (fam.) : *Sa réaction m'**a tué***. ▸ Détruire la qualité de : *Trop de sucre **tue** l'arôme du café* ; *La routine **tue** la passion*. ▸ Abs. *Des paroles qui **tuent*** : qui anéantissent, dont on ne se relève pas. PRONOM. **1.** Mourir accidentellement : *Se **tuer** à moto*. ▸ Se suicider : *Il s'**est tué** d'une balle dans la tête*. **2.** Fig. ▸ **Se tuer à** (+ subst.). S'épuiser à : *Se **tuer** à la tâche*. ▸ **Se tuer à** (+ inf.). S'évertuer en vain à : *Je me **tue** à vous le faire comprendre*. Mil. XII^e s. ; p.-ê. lat. pop. °*tutare*, du lat. *tutari*, « protéger » ; [tɥe].

**TUERIE, subst. f.**
**1.** Vx. Abattoir. **2.** Action de tuer massivement ; massacre : *Verdun a été une vraie **tuerie***. 1350 ; ☞ *tuer* ; [tyʀi].

**TUE-TÊTE (À), loc. adv.**
D'une voix puissante : *Chanter **à tue-tête***. 1589 ; comp. de *tuer* et de *tête* ; [atytɛt].

**TUEUR, TUEUSE, subst.**
**1.** Personne qui tue. ▸ ***Tueur** à gages* (☞ *gage*). **2.** Personne qui tue les animaux dans un abattoir. 1200 ; ☞ *tuer* ; [tɥœʀ, tɥøz].

**TUF, subst. m.**
*Pétrogr.* **1.** Roche sédimentaire calcaire caverneuse et légère, formée au débouché d'une source. **2.** Roche volcanique meuble, formée par accumulation des cendres de lapilli et de blocs lors d'une éruption. 1280 ; ital. *tufo*, du lat. *tofus* ; [tyf].

**TUFFEAU, subst. m.**
*Pétrogr.* Roche sédimentaire calcaire et détritique, à quartz, utilisée pour la construction car elle durcit à l'air. 1430 ; ☞ *tuf* ; var. *tufeau* ; [tyfo].

**TUFIER, IÈRE, adj.**
Qui a la nature du tuf (rare). 1694 (1407, carrière de tuf) ; ☞ *tuf* ; var. *tuffier, ière* ; [tufje, jɛʀ].

**TUILE, subst. f.**
**1.** Pièce de terre cuite utilisée pour couvrir les toits : *Toit de **tuiles***. **2.** Fig. et Fam. Circonstance fâcheuse ; contretemps : *J'ai perdu mes clés, quelle **tuile** !* **3.** *Cuis.* Petit gâteau sec, en forme de **tuile** ronde. Fin XII^e s. ; lat. *tegula*, de *tegere*, « couvrir » ; [tɥil].

**TUILEAU, subst. m.**
Fragment de tuile. 1322 ; ☞ *tuile* ; [tɥilo].

**TUILERIE, subst. f.**
**1.** Four où l'on cuit les tuiles. **2.** Fabrique de tuiles. 1221 ; ☞ *tuile* ; [tɥilʀi].

**TUILETTE, subst. f.**
**1.** Petite tuile. **2.** *Techn.* Plaquette de terre obturant l'ouverture d'un creuset, en cristallerie. Fin XII^e s. ; ☞ *tuile* ; [tɥilɛt].

**TUILIER, IÈRE, subst. et adj.**
SUBST. Personne qui fabrique des tuiles ou dirige une tuilerie. ADJ. Relatif aux tuiles, à leur fabrication : *Industrie **tuilière***. 1200 ; ☞ *tuile* ; [tɥilje, jɛʀ].

**TULARÉMIE, subst. f.**
*Pathol.* Maladie du gibier, infectieuse et bactérienne, transmise à l'homme par la piqûre d'un insecte porteur, et caractérisée par de la fièvre, une asthénie et parfois la suppuration des ganglions au point d'inoculation. 1933 ; lat. sc. *tularaemia*, du topon. *Tulare* (Californie) + *-émie* ; [tylaʀemi].

**TULIPE, subst. f.**
**1.** *Bot.* Plante bulbeuse herbacée de la famille des Liliacées, à grande fleur solitaire de couleur vive et en forme d'urne. **2.** Anal. Ornement, objet en forme de **tulipe**. 1593 ; turc *tulbent*, « turban » ; [tylip].

**TULIPIER, subst. m.**
*Bot.* Magnoliacée arborescente d'Amérique du Nord, dont les fleurs rappellent celle de la tulipe. 1745 ; ☞ *tulipe* ; [tylipje].

**TULLE, subst. m.**
**1.** Tissu léger et transparent, constitué d'un réseau de fils entrecroisés formant des alvéoles. **2.** *Méd.* *Tulle gras* : pansement de gaze, imprégné d'une substance antiseptique cicatrisante. 1765 ; topon. *Tulle* (Corrèze) ; [tyl].

**TULLERIE, subst. f.**
**1.** Industrie, commerce du tulle. **2.** Fabrique de tulle. 1844 ; ☞ *tulle* ; [tylʀi].

**TULLIER, IÈRE, adj.**
Relatif au tulle. 1844 ; ☞ *tulle* ; [tylje, jɛʀ].

**TULLISTE, subst.**
Personne qui fabrique, qui fait le commerce du tulle. 1842 ; ☞ *tulle* ; [tylist].

**TUMÉFACTION, subst. f.**
*Pathol.* Augmentation inflammatoire du volume d'un organe ou d'une partie du corps : ***Tuméfaction** parotidienne* ; par méton., la partie atteinte : *Appliquer une compresse sur une **tuméfaction***. 1552 ; lat. *tumefactio* ; [tymefaksjɔ̃].

**TUMÉFIER, verbe trans.** [6]
Causer la tuméfaction de (une partie du corps) ; empl. adj. : *Un visage **tuméfié** par les coups* ; empl. pronom., enfler : *Sa main **s'est tuméfiée***. 1575 ; lat. *tumefacere*, « gonfler » ; [tymefje].

**TUMESCENCE, subst. f.**
*Physiol.* Gonflement d'un organe ; turgescence, en partic. du pénis. 1834 ; ☞ *tumescent* ; [tymɛsɑ̃s].

**TUMESCENT, ENTE, adj.**
Qui enfle, qui se gonfle. 1834 ; lat. *tumescens*, de *tumescere*, « gonfler » ; [tymɛsɑ̃, ɑ̃t].

**TUMEUR, subst. f.**
*Pathol.* Néoformation due à une prolifération cellulaire, de nature bénigne ou maligne. 1398 ; lat. *tumor*, « enflure » ; [tymœʀ].

**TUMORAL, ALE, AUX, adj.**
Relatif à une tumeur. ▸ *Marqueur **tumoral*** : substance sécrétée par les cellules **tumorales**, dont le dosage permet de suivre l'évolution de la tumeur. 1929 ; ☞ *tumeur* ; [tymɔʀal, o].

**TUMULAIRE, adj.**
D'une tombe : *Pierre **tumulaire***. Fin XVIII^e s. ; lat. *tumulus*, « tombeau » ; [tymylɛʀ].

**TUMULTE, subst. m.**
**1.** Mouvement de foule ample et bruyant : ***Tumulte** d'une foire*. **2.** Ext. Agitation fébrile : *Le **tumulte** des villes* ; désordre. Mil. XII^e s. ; lat. *tumultus* ; [tymylt].

**TUMULTUEUX, EUSE, adj.**
Qui se fait avec tumulte ; bruyant, confus : *Vie **tumultueuse***. Mil. XIV^e s. ; ☞ *tumulte* ; [tymyltɥø, øz].

**TUMULUS, subst. m.**
*Archéol.* Grand amas de terre ou de pierres, élevé au-dessus d'une sépulture préhistorique ou protohistorique (synon. *tertre funéraire*). 1811 ; mot lat. ; plur. *tumulus* ou *tumuli* ; [tymylys], plur. [-li].

**TUNAGE, subst. m.**
*Trav. publ.* Ouvrage fait de couches de fascines traversées de piquets et de clayons recouverts d'un lit de gros graviers, bâti pour l'endiguement. 1765 ; m. néerl. *tuun*, « lieu entouré d'une palissade, d'une haie » ; [tynaʒ].

**TUNE, voir THUNE**

**TUNER, subst. m.**
Anglic. **1.** Amplificateur de hautes fréquences utilisé dans les récepteurs radio. **2.** Ext. Récepteur de modulation de fréquence. 1956 ; angl. *tuner*, de *tune*, « ton, tonalité » ; recomm. off. *syntoniseur* ; [tynœʀ].

**TUNGAR, subst. m.**
*Électr.* Redresseur de courants alternatifs. 1948 ; crois. de *tungstène* et de *argon* ; [tœ̃gaʀ].

**TUNGSTATE, subst. m.**
Sel d'un acide dérivé du tungstène : ***Tungstate** de calcium*. 1787 ; ☞ *tungstène* ; [tœkstat].

**TUNGSTÈNE, subst. m.**
*Chim.* Élément métallique de transition, n° 74 de la table de Mendeleïev (symb. : W) ; masse atomique : 183,85 ; point de fusion : 3 410 °C ; point d'ébullition : 5 660 °C ; masse volumique : 19,3 g/cm$^3$. Très résistant, il est utilisé en électricité et dans les alliages. 1765 ; suédois *tungsten*, de *tung*, « lourd », et de *sten*, « pierre » ; [tœkstɛn].

**TUNICIERS, subst. m. plur.**
*Zool.* Sous-embranchement d'invertébrés marins chordés, comprenant les classes des Ascidies, des Thaliacés et des Larvacés. Ces animaux marins, protégés par une tunique, respirent par des branchies et connaissent une forme larvaire. AU SING. *La salpe est un **tunicier***. 1824 ; lat. *tunica*, « tunique » ; [tynisje].

**TUNIQUE, subst. f.**
**1.** *Liturg.* Dalmatique que revêtent les évêques pour officier dans les cérémonies solennelles. **2.** *Antiq.* Sous-vêtement, chemise simple, plus ou moins longue, avec ou sans manches. **3.** Ext. Vêtement mi-long à porter sur une jupe, un pantalon ; veste d'uniforme à col droit, sans poches : *Une **tunique** à brandebourgs*. **4.** *Anat.* Membrane qui enveloppe un organe : *La **tunique** vaginale*, celle du testicule. **5.** *Bot.* Enveloppe membranaire des bulbes. Mil. XII^e s. ; lat. *tunica* ; [tynik].

**TUNNEL, subst. m.**
**1.** Galerie souterraine creusée pour permettre le passage sous un obstacle naturel : *Tunnel ferroviaire, routier* ; *Le* ***tunnel*** *sous la Manche.* **2.** Anal. Galerie naturelle ou artificielle : *Tunnel de verdure* ; passage creusé dans la terre par un animal : *Tunnel d'une taupe.* **3.** Fig. Période pénible, obscure. ▸ Loc. *Voir le bout du* ***tunnel*** : la fin prochaine d'une situation difficile. **4.** *Phys. Effet* ***tunnel*** : propriété qu'ont certaines particules de pouvoir franchir les barrières de potentiel d'autant plus facilement que leur masse est faible. 📖 1794 ; angl. *tunnel*, « piège à perdrix », du fr. *tonnelle* ; [tynɛl].

© Bassignac/Deville/Gaillard-Gamma

*Le chantier du* ***tunnel*** *sous la Manche.*

**TUNNELIER, subst. m.**
*Trav. publ.* Grande excavatrice rotative servant au forage des tunnels. 📖 V. 1970 ; ☞ *tunnel* ; [tynəlje].

**TUPAÏA, subst. m.**
*Zool.* Mammifère arboricole et insectivore du Sud-Est asiatique, au museau pointu, au pelage gris et roux et à la longue queue. 📖 Déb. XIXe s. ; mot d'orig. malaise ; var. *tupaja* ; [typaja].

**TUPI, adj. et subst.**
D'un groupe ethnique représenté au Brésil et au Paraguay : *Une Indienne* ***tupi***. **Subst. masc.** Famille linguistique affiliée au guarani. 📖 1822 ; mot indigène ; [typi].

**TUPINAMBIS, subst. m.**
*Zool.* Grand reptile saurien, carnassier, vivant en Amérique tropicale. 📖 1735 ; lat. sc. *tupinambis*, de *Tupinambas*, nom d'un ancien peuple indigène du Brésil ; [typinɑ̃bis].

**TUQUE, subst. f.**
Québ. Bonnet de laine à pompon. 📖 1726 ; var. de *toque* ; [tyk].

**TURBAN, subst. m.**
**1.** Coiffure orientale masculine faite d'une longue bande d'étoffe enroulée autour de la tête sur une calotte de drap. **2.** Anal. Coiffure de femme évoquant le **turban** oriental. 📖 1360 ; turc *tülbent*, du persan *dul-band*, « écharpe ; turban ; ceinture », de *dul*, « objet rond », et de *band*, « qui lie » ; [tyʀbɑ̃].

**TURBE, subst. f.**
*Dr. Enquête par* ***turbe(s)*** : faite autrefois auprès des habitants d'un lieu pour établir un point de droit coutumier. 📖 Fin XVe s. (mil. XIe s., foule) ; lat. *turba*, du gr. *turbê*, « confusion, tumulte » ; [tyʀb].

**TURBÉ, subst. m.**
*Archit.* Édifice funéraire musulman, constitué d'un cube surmonté d'une coupole. 📖 1624 ; turc *türbe*, de l'ar. *turba*, « tombeau » ; var. *turbeh*, *türbe* ; [tyʀbe].

**TURBELLARIÉS, subst. m. plur.**
*Zool.* Classe de vers plats, de l'embranchement des Plathelminthes, à épiderme cilié, qui vivent dans la terre humide et dans les eaux douces ou salées. **Au sing.** *La planaire est un* ***turbellarié***. 📖 1847 ; lat. sc. *turbellaria*, du lat. *turbella*, « petite foule » ; [tyʀbelaʀje].

**TURBIDE, adj.**
Tempétueux, trouble, en parlant d'un cours d'eau (littér.). 📖 1508 ; lat. *turbidus*, « agité » ; [tyʀbid].

**TURBIDIMÈTRE, subst. m.**
*Hydrol.* Appareil mesurant la turbidité d'un liquide. 📖 ☞ *turbidité* + *-mètre*¹ ; [tyʀbidimɛtʀ].

**TURBIDITÉ, subst. f.**
**1.** État d'un liquide trouble. **2.** *Hydrol.* Concentration de matières troublant un liquide. **3.** *Courant de* ***turbidité*** : puissant courant des profondeurs sous-marines, déplaçant massivement des particules en suspension. 📖 1910 ; ☞ *turbide* ; [tyʀbidite].

**TURBIN, subst. m.**
Pop. et Vieilli. **1.** Travail. **2.** Occupation illicite ; en partic., prostitution. 📖 1821 ; ☞ *turbiner* (I) ; [tyʀbɛ̃].

**TURBINAGE, subst. m.**
*Techn.* Action de turbiner un fluide. 📖 1872 ; ☞ *turbiner* (II) ; [tyʀbinaʒ].

**TURBINE, subst. f.**
*Techn.* **1.** Moteur entraîné par l'action d'un fluide sur une roue. **2.** Appareil utilisant la force centrifuge pour séparer le sucre du sirop. 📖 1822 (1532, tourbillon) ; lat. *turbo*, « ce qui tourne en rond » ; [tyʀbin].

**TURBINÉ, ÉE, adj.**
De forme conique : *Calice* ***turbiné***. 📖 1541 ; lat. *turbinatus* ; [tyʀbine].

**TURBINER (I), verbe intrans.** [3]
Travailler dur (pop. et vieilli). 📖 1800 ; p.-ê. dial. wallon *tourpiner*, « tournoyer » ; [tyʀbine].

**TURBINER (II), verbe trans.** [3]
**1.** Utiliser (un fluide) pour actionner une turbine. **2.** Faire passer (un fluide) dans une turbine pour le purifier. 📖 1891 ; ☞ *turbine* ; [tyʀbine].

**TURBITH, subst. m.**
*Bot.* Plante de la famille des Convolvulacées, aux racines purgatives. 📖 XIIIe s. ; ar. *turbid* ; [tyʀbit].

**TURBO, subst. et adj. inv.**
**Subst. masc.** *Techn.* Turbocompresseur. **Adj.** et **Subst.** ▸ *Autom.* Se dit d'un moteur suralimenté par un turbocompresseur ou d'une automobile équipée d'un tel moteur. ▸ *Informat.* Se dit d'un langage permettant une grande rapidité d'exécution. ▸ Loc. *Mettre le* ***turbo*** : agir rapidement ou en se dotant de moyens puissants. 📖 V. 1970 ; apocope de *turbocompresseur* ; [tyʀbo].

**TURBOALTERNATEUR, subst. m.**
*Techn.* Groupe électrogène constitué d'une turbine couplée à un alternateur, produisant du courant alternatif. 📖 1904 ; ☞ *alternateur* + *turbo-* ; var. *turbo-alternateur* (plur. turbo-alternateurs) ; [tyʀboaltɛʀnatœʀ].

**TURBOCOMPRESSÉ, ÉE, adj.**
*Moteur* ***turbocompressé*** : moteur équipé d'un turbocompresseur (abrév. : turbo). 📖 V. 1980 ; ☞ *turbocompresseur* ; [tyʀbokɔ̃pʀese].

**TURBOCOMPRESSEUR, subst. m.**
*Techn.* Appareil constitué d'une turbine et d'un compresseur, qui augmente le débit et la pression du gaz d'alimentation d'un moteur. 📖 1904 ; ☞ *compresseur* + *turbo-* ; [tyʀbokɔ̃pʀesœʀ].

**TURBOFORAGE, subst. m.**
*Techn.* Technique de forage pétrolier, où la rotation du trépan est assurée par une turbine actionnée par la circulation des boues. 📖 V. 1960 ; ☞ *forage* + *turbo-* ; [tyʀbofɔʀaʒ].

**TURBOMACHINE, subst. f.**
*Techn.* Système rotatif fournisseur d'énergie par l'association d'une turbine et d'un autre instrument. 📖 1900 ; ☞ *machine* + *turbo-* ; [tyʀbomaʃin].

**TURBOMOTEUR, subst. m.**
*Techn.* Appareil composé d'une turbine et d'un moteur utilisant un système rotatif. 📖 1890 ; ☞ *moteur* + *turbo-* ; [tyʀbomɔtœʀ].

**TURBOPOMPE, subst. f.**
*Techn.* Appareil composé d'une turbine et d'une pompe centrifuge, qui sert à augmenter la pression du fluide qui le traverse. 📖 1917 ; ☞ *pompe* (II) + *turbo-* ; [tyʀbopɔ̃p].

**TURBOPROPULSEUR, subst. m.**
*Aéron.* Moteur dont l'hélice est mue par une turbine et un système de propulsion. 📖 1910 ; ☞ *propulseur* + *turbo-* ; [tyʀbopʀɔpylsœʀ].

**TURBORÉACTEUR, subst. m.**
*Aéron.* Moteur à réaction utilisant une turbine à gaz qui aspire et comprime l'air à l'avant puis le propulse vers l'arrière, poussant ainsi l'avion vers l'avant. 📖 1946 ; ☞ *réacteur* + *turbo-* ; [tyʀboʀeaktœʀ].

**TURBOSOUFFLANTE, subst. f.**
*Techn.* Soufflante à grande vitesse de rotation, actionnée par une turbine à gaz ou à vapeur. 📖 1931 ; ☞ *soufflante* + *turbo-* ; [tyʀbosuflɑ̃t].

**TURBOT, subst. m.**
*Zool.* Grand poisson plat, de l'ordre des Pleuronectiformes, répandu dans l'Atlantique et en Méditerranée, se nourrissant de crustacés, de mollusques, de petits poissons, et dont la chair est très estimée. 📖 Mil. XIIe s. ; anc. nord. *°thorn-butr*, de *thorn*, « épineux », et de *butr*, « barbue » ; [tyʀbo].

**TURBOTIÈRE, subst. f.**
*Cuis.* Récipient utilisé pour cuire les turbots autres poissons plats. 📖 1742 ; ☞ *turbot* ; [tyʀbɔtjɛ

**TURBOTIN, subst. m.**
Jeune turbot. 📖 1694 ; ☞ *turbot* ; [tyʀbɔtɛ̃].

**TURBOTRAIN, subst. m.**
Train mû grâce à l'énergie fournie par des turbin à gaz. 📖 V. 1970 ; ☞ *train* + *turbo-* ; [tyʀbotʀɛ̃].

**TURBULENCE, subst. f.**
**1.** Agitation bruyante. **2.** Caractère d'une person turbulente. **3.** *Phys.* Phénomène d'agitation milieu dans certains systèmes en évolution, partic. dans un fluide en écoulement. 📖 1495 ; b lat. *turbulentia* ; [tyʀbylɑ̃s].

**TURBULENT, ENTE, adj.**
**1.** Porté à faire du bruit, à s'agiter ou à suscit l'agitation. **2.** *Phys.* Se dit d'un écoulement ou d'u fluide de caractère non laminaire subissant d fluctuations. 📖 Fin XIIe s. ; lat. *turbulentus* ; [tyʀbylɑ̃, ɑ̃

**TURC, TURQUE, adj. et subst.**
De Turquie : *Bain* ***turc***, hammam ; *Café* ***turc***, ser avec son marc. ▸ Loc. *S'asseoir à la* ***turque*** : tailleur ; *Toilettes à la* ***turque*** : sans siège, dont cuvette d'évacuation est au ras du sol ; *Fort comr un* ***Turc*** : très fort. **Subst. masc. 1.** *Hist. Le Gra* ***Turc*** : sultan ottoman. **2.** *Ling.* Une des langues groupe ouralo-altaïque, parlée en Turquie. 📖 De XIIe s. ; turc *türk* ; [tyʀk].

**TURCIQUE, adj.**
*Anat. Selle* ***turcique*** : fosse de la face supérieure l'os sphénoïde, qui contient l'hypophyse. 📖 16 (1601, turc) ; lat. *turcicus*, « turc » ; [tyʀsik].

**TURCOPHONE, adj. et subst.**
Se dit d'une personne qui parle le turc. 📖 Mil. XIXe s formé de *turco-* et de *-phone* ; [tyʀkɔfɔn].

**TURDIDÉS, subst. m. plur.**
*Zool.* Ancienne famille d'oiseaux passériformes, au limitée aux grives et aux traquets. Les autres espèc sont réunies dans la sous-famille des Turdine **Au sing.** *La grive musicienne est un* ***turdidé***. 📖 184 lat. *turdus*, « grive » ; [tyʀdide].

**TURF, subst. m.**
**1.** *Sp.* Champ de courses de chevaux (vx). **2.** Méto Ensemble des activités liées aux courses de chevau **3.** Fig. Prostitution (argot.) ; travail (pop.) : *Al au* ***turf***. 📖 1828 ; angl. *turf*, « piste gazonnée » ; [ty ou [tœʀf].

**TURFISTE, subst.**
Personne qui s'intéresse aux courses de chevau qui parie. 📖 1853 ; ☞ *turf* ; [tyʀfist] ou [tœʀ-].

**TURGESCENCE, subst. f.**
**1.** *Bot.* État physiologique de la cellule caractéri par une forte pression interne, liée à une pénétr tion d'eau dans le système vacuolaire, ce qui dister la paroi squelettique. **2.** *Physiol.* Augmentation volume d'une partie du corps, due à une réte tion de sang dans les vaisseaux. 📖 1741 ; lat. sc. *t gescentia*, du lat. *turgere*, « se gonfler » ; [tyʀʒɛsɑ̃s].

**TURGESCENT, ENTE, adj.**
*Physiol.* Se dit d'un organe ou d'une cellule en ét de turgescence. 📖 1812 ; lat. *turgescens*, de *turger* « se gonfler » ; [tyʀʒɛsɑ̃, ɑ̃t].

**TURGIDE, adj.**
Gonflé (littér.). 📖 1463 ; lat. *turgidus* ; [tyʀʒid].

**TURION, subst. m.**
*Bot.* Bourgeon qui se développe sur les tig souterraines de certains végétaux vivaces et qui e à l'origine de pousses parfois comestibles, comn celles de l'asperge. 📖 1486 ; lat. *turio* ; [tyʀjɔ̃].

**TURISTA, subst. f.**
Trouble digestif bénin, de type diarrhéique (fam. 📖 V. 1970 ; esp. du Mexique *turista*, « maladie touriste » ; [tuʀista].

**TURKMÈNE, adj. et subst.**
Du Turkménistan. **Subst. masc.** Langue du grou turc parlée au Turkménistan. 📖 1765 ; pers *torkaman* ou *torkamân* ; [tyʀkmɛn].

**TURLUPINER, verbe trans.** [3]
Fam. Préoccuper, tracasser (qqn). 📖 1790 (161 se moquer de) ; *Turlupin*, personnage de farce ; [tyʀlypine

**TURLUTTE, subst. f.**
Engin de pêche en mer, constitué d'une tige plomb munie d'hameçons en couronne. 📖 170 orig. obsc. ; [tyʀlyt].

**TURLUTUTU, interj.**
Exclamation ironique ou visant à interrompre u

bavard, à signifier un refus (fam.) : ***Turlututu**, chapeau pointu !* Fin XVe s. ; orig. onomat. ; [tyʀlytyty].

**TURNE, subst. f.**
Chambre sans confort ; chambre d'étudiant (argot scol.). 1882 (fin XVe s., maison) ; als. *Turn*, « prison » ; var. *thurne* ; [tyʀn].

**TURNEP, subst. m.**
*Agric.* Navet fourrager ou grosse rave. 1754 ; angl. *turnip*, de *to turn*, « tourner », et de l'anc. angl. *naep*, du lat. *napus*, « navet » ; var. *turneps* ; [tyʀnɛp].

**TURNOVER, subst. m.**
*Écon.* Taux de renouvellement du personnel (anglic.). V. 1970 ; angl. *turnover*, « rotation » ; var. *turn-over* (inv.), recomm. off. *rotation* ; [tœʀnɔvœʀ].

**TURONIEN, IENNE, adj. et subst. m.**
*Géol.* Se dit d'un étage du Crétacé supérieur, défini en Touraine, compris entre 91 et 88 millions d'années. ADJ. Propre, relatif à cet étage. 1842 ; topon. *Turonia*, nom latin de la Touraine ; [tyʀɔnjɛ̃, jɛn].

**TURPITUDE, subst. f.**
Littér. **1.** Caractère de bassesse, conduite indigne. **2.** Méton. Action, parole ou pensée infamante, basse, ignominieuse (souv. au plur.). Fin XIVe s. ; lat. *turpido*, « laideur » ; [tyʀpityd].

**TURQUERIE, subst. f.**
*B.-a., Litt.* et *Mus.* Caractère exotique d'une œuvre d'inspiration turque ou orientale, selon la mode du XVIIIe s ; par méton., cette œuvre. 1831 (1579, dureté de caractère) ; ☞ *turc* ; [tyʀk(ə)ʀi].

**TURQUETTE, subst. f.**
*Bot.* Plante de la famille des Caryophyllacées, poussant dans les lieux sablonneux, appelée aussi herniaire. 1635 ; ☞ *turc* ; [tyʀkɛt].

**TURQUIN, adj. m.**
Qui est d'un bleu foncé (littér.). 1447 ; ital. *turchino*, de *turco*, « turc » ; [tyʀkɛ̃].

**TURQUOISE, subst. f. et adj. inv.**
SUBST. *Minér.* Pierre fine formée d'un phosphate hydraté naturel d'aluminium et de cuivre, dont la couleur varie du bleu ciel au vert, utilisée en joaillerie. ADJ. De la couleur de la **turquoise** : *Des yeux **turquoise*** ; empl. subst. masc., cette couleur. Déb. XIIIe s. ; *turcois* (vx), « turc » ; [tyʀkwaz].

**TURRICULÉ, ÉE, adj.**
*Zool.* Se dit d'un coquillage ayant la forme d'une tourelle (synon. *turriforme*). 1805 ; lat. *turricula*, « petite tour » ; [tyʀikyle].

**TURRITELLE, subst. f.**
*Zool.* Mollusque gastéropode de la famille des Turritellidés, à coquille spiralée et pointue. 1800 ; lat. sc. *turritella*, du lat. *turritus*, « en forme de tour » ; [tyʀitɛl].

**TUSSAH, voir TUSSOR**

**TUSSILAGE, subst. m.**
*Bot.* Plante herbacée vivace de la famille des Astéracées, à fleurs jaunes, dont une espèce, le pas-d'âne, a des propriétés pectorales. 1671 ; lat. *tussilago*, de *tussis*, « toux » ; [tysilaʒ].

**TUSSOR, subst. m.**
Soie sauvage légère, d'origine indienne ; étoffe d'aspect brillant tissée avec cette soie. 1844 ; angl. *tussore*, du skr. *tasara*, « navette » ; var. *tussah* ; [tysɔʀ].

**TUTÉLAIRE, adj.**
**1.** Qui protège, en parlant d'une divinité (littér.) : *Déesse **tutélaire** ; Ange **tutélaire**,* ange gardien. **2.** *Dr.* Relatif à la tutelle : *Gestion **tutélaire**.* 1550 ; lat. *tutelaris* ; [tytelɛʀ].

**TUTELLE, subst. f.**
**1.** *Dr.* Régime de protection conférant à un tuteur, assisté d'un conseil de famille et d'un subrogé tuteur, le pouvoir de prendre soin, sous le contrôle d'un juge, d'un mineur ou d'un incapable majeur ; charge, autorité du tuteur : *Être en **tutelle**, hors **tutelle**.* ▸ *Tutelle administrative* : contrôle exercé par le gouvernement sur les collectivités territoriales et certains établissements d'intérêt public ; *Ministère de **tutelle**, autorité de **tutelle*** : qui exerce ce contrôle. ▸ *Dr. internat. Régime de **tutelle*** : par lequel un territoire jugé incapable de se gouverner est administré, sous contrôle de l'O. N. U., par une puissance tutrice dans le but de le mener à l'indépendance. **2.** Ext. Protection vigilante : *Prendre qqn sous sa **tutelle**.* **3.** Contrôle gênant imposé à une personne ou à une collectivité : *Maintenir qqn en **tutelle**.* 1332 ; lat. *tutella* ; [tytɛl].

**TUTEUR, TUTRICE, subst.**
**1.** *Dr.* Personne chargée de représenter les intérêts d'un mineur ou d'un incapable majeur et de veiller sur lui : ***Tuteur** datif*, nommé par le conseil de famille ; ***Tuteur** testamentaire*, désigné par testament. **2.** Ext. Personne qui assure un soutien ; en partic., enseignant chargé de suivre un élève ou un stagiaire se destinant à l'enseignement. MASC. *Hortic.* Tige servant à redresser ou à maintenir une plante. 1265 ; lat. *tutor*, de *tueri*, « surveiller » ; [tytœʀ, tytʀis].

**TUTEURAGE, subst. m.**
Action de tuteurer : *Le **tuteurage** des pois de senteur.* Déb. XXe s. ; ☞ *tuteurer* ; [tytœʀaʒ].

**TUTEURER, verbe trans. [3]**
*Hortic.* Munir (une plante) d'un tuteur. 1907 ; ☞ *tuteur* ; [tytœʀe].

**TUTHIE, subst. f.**
*Chim.* Composé provenant de l'oxydation du zinc, originaire de certains minerais de plomb. 1256 ; ar. *tūtiyā'*, prob. d'une langue de l'Inde ; var. *tutie* ; [tyti].

**TUTOIEMENT, subst. m.**
Action de tutoyer. 1636 ; ☞ *tutoyer* ; [tytwamɑ̃].

**TUTORAT, subst. m.**
*Dr.* et *Enseign.* Qualité, fonction de tuteur ; durée de cette fonction. V. 1980 ; ☞ *tuteur* ; [tytɔʀa].

**TUTOYER, verbe trans. [17]**
**1.** S'adresser à (qqn) en employant la seconde personne du singulier ; empl. pronom. : *Elles se **tutoient**.* **2.** *Équit.* ***Tutoyer** un obstacle* : le frôler sans le faire tomber, en parlant d'un cheval. 1394 ; ☞ *tu* ; [tytwaje].

**TUTTI, subst. m. inv.**
*Mus.* Ensemble de l'orchestre (par oppos. à *solo*). 1705 ; ital. *tutti*, « tous » ; [tut(t)i].

**TUTTI FRUTTI, loc. adj. inv.**
Composé de fruits variés : *Crème glacée **tutti frutti**.* 1899 ; ital. *tutti frutti*, de *tutti*, « tous », et de *frutti*, « fruits » ; [tutifʀuti].

**TUTTI QUANTI, loc. adv.**
*Et **tutti quanti*** : et tous les gens, ou toutes les choses, de cette espèce, à la fin d'une énumération (synon. *et cætera*). 1605 ; ital. *tutti quanti*, « tous tant qu'ils sont » ; [tutikwɑ̃ti].

**TUTU, subst. m.**
Costume de danseuse de ballet, comprenant une jupe faite d'une superposition de tulles et un corset. 1881 (mil. XIXe s., petit cul d'enfant) ; déformation enfantine de *cucu*, « petit cul » ; [tyty].

**TUYAU, subst. m.**
**1.** Tige creuse des Poacées. **2.** Conduit rigide ou souple, à section cylindrique, servant à l'écoulement d'un liquide ou au passage d'un gaz : ***Tuyau** d'arrosage* ; ***Tuyau** de poêle.* ▸ *Phys.* ***Tuyau** sonore* : tube, ouvert ou fermé, à l'intérieur duquel une colonne d'air est mise en vibration. **3.** Extrémité creuse de la plume d'un oiseau. **4.** Fam. ***Tuyau** de l'oreille* : conduit auditif. ▸ Loc. *Dire qqch. dans le **tuyau** de l'oreille* : tout bas, en secret (vieilli). **5.** Fig. Information confidentielle : *Donner un **tuyau** à qqn* ; *Un **tuyau** crevé*, une fausse indication, une information sans valeur. **6.** Anal. Pli en forme de tube ornant certaines pièces de linge : *Collerette à **tuyaux**.* Fin XIe s. ; anc. bas frq. *°thūta* ; [tɥijo].

**TUYAUTAGE, subst. m.**
Action de tuyauter. 1872 ; ☞ *tuyauter* ; [tɥijotaʒ].

**TUYAUTER, verbe [3]**
TRANS. **1.** Donner une façon plissée à (une étoffe) en la repassant avec un fer à **tuyauter**. **2.** Fig. Renseigner (qqn) discrètement (fam.). INTRANS. Développer sa tige, en parlant d'une céréale. 1822 ; ☞ *tuyau* ; [tɥijote].

**TUYAUTERIE, subst. f.**
**1.** Ensemble des tuyaux, des conduites d'une installation, d'une machine. **2.** Ensemble des tuyaux d'un orgue. 1845 ☞ *tuyau* ; [tɥijɔtʀi].

**TUYAUTEUR, EUSE, subst.**
**1.** Installateur de tuyauteries. **2.** Fig. Personne qui vend des tuyaux aux courses, qui fournit un tuyau à qqn (fam.). 1904 ; ☞ *tuyauter* ; [tɥijɔtœʀ, øz].

**TUYÈRE, subst. f.**
**1.** Ouverture pratiquée à la base d'un haut-fourneau, destinée à recevoir le tuyau ou le bec des souffleries ; tuyau conique qui s'y adapte. **2.** *Aéron.* Conduit terminal d'un propulseur où les gaz provenant de la combustion, préalablement comprimés, se détendent, produisant ainsi une poussée par réaction : ***Tuyère** orientable*, articulée autour d'un axe en vue de permettre le pilotage d'une fusée. 1389 ; ☞ *tuyau* ; [tɥijɛʀ].

**TWEED, subst. m.**
Étoffe de laine peignée, tissée sur une armure de toile ou de serge et mariant le plus souvent deux teintes. 1876 (1844, pardessus de tissu anglais) ; angl. *tweed*, altér. de l'écossais *tweel*, « étoffe croisée » ; [twid].

**TWEETER, subst. m.**
*Électron.* Haut-parleur reproduisant les fréquences aiguës (anglic.). 1954 ; angl. *tweeter*, de *to tweet*, « pépier » ; recomm. off. *haut-parleur d'aigus* ; [twitœʀ].

**TWIN-SET, subst. m.**
Ensemble formé d'un chandail et d'un cardigan. 1955 ; angl. *twin set*, de *twin*, « jumeau », et de *set*, « ensemble » ; plur. *twin-sets* ; [twinsɛt].

**TWIST, subst. m.**
Danse d'origine nord-américaine au rythme rapide, caractérisée par une rotation, sur place, des jambes et du bassin. V. 1960 ; anglo-amér. *twist*, de *to twist*, « tordre » ; [twist].

**TYLENCHUS, subst. m.**
*Zool.* Ver de l'embranchement des Némathelminthes, apparenté à l'anguillule, qui vit dans les matières végétales en décomposition, et dont certaines espèces causent la nielle du blé ou la maladie des bulbes. 1895 ; gr. *tulos*, « bosse ; durillon », et *egkhelus*, « anguille » ; [tilɛ̃kys].

**TYMPAN, subst. m.**
**1.** *Archit.* ▸ Espace triangulaire situé entre les corniches d'un fronton. ▸ Espace, gén. orné, compris entre l'archivolte et le linteau du portail d'une église. **2.** *Anat. Membrane du **tympan*** ou, par ell., *Le **tympan*** : membrane fibreuse élastique qui sépare le conduit auditif externe de l'oreille moyenne à laquelle il transmet les vibrations sonores. ▸ *Caisse du **tympan*** : cavité membraneuse de l'oreille moyenne. 1506 (fin XIIe s., tambourin) ; lat. *tympanum*, du gr. *tumpanon*, « tambour » ; [tɛ̃pɑ̃].

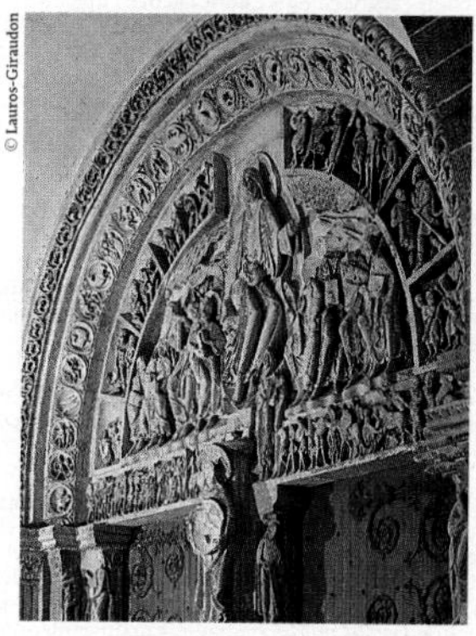

© Lauros-Giraudon

*Tympan du narthex de la basilique Sainte-Madeleine (v. 1120), à Vézelay.*

**TYMPANAL, ALE, AUX, adj. et subst. m.**
*Anat. Os **tympanal*** ou, par ell., *Le **tympanal*** : os du temporal qui sous-tend la membrane du tympan. 1865 ; ☞ *tympan* ; [tɛ̃panal, o].

**TYMPANIQUE (I), adj.**
*Anat.* Relatif au tympan : *Cavité **tympanique**.* 1814 ; ☞ *tympan* ; [tɛ̃panik].

**TYMPANIQUE (II), adj.**
*Son **tympanique*** : tympanisme. 1837 ; gr. *tumpanon*, « tambour » ; [tɛ̃panik].

**TYMPANISME, subst. m.**
*Pathol.* Son anormalement fort perçu à la percussion du thorax ou de l'abdomen, dû à la présence d'air ou de gaz. 1858 ; ☞ *tympan* ; [tɛ̃panism].

**TYMPANON, subst. m.**
*Mus.* Cymbalum. 1680 (mil. XIIe s., tambourin) ; gr. *tumpanon*, « tambour » ; [tɛ̃panɔ̃].

**TYMPANOPLASTIE, subst. f.**
*Chir.* Restauration du tympan et de la chaîne des osselets afin de traiter une surdité. Mil. XXe s. ; ☞ *tympan* + *-plastie* ; [tɛ̃panoplasti].

**TYNDALLISATION, subst. f.**
*Techn.* Méthode de stérilisation par chauffages et refroidissements répétés. 1901 ; anthropon. *John Tyndall*, physicien irlandais ; [tɛ̃dalizasjɔ̃].

**TYPE, subst. m.**
**1.** Objet sur lequel est gravée une forme d'après laquelle seront reproduites des empreintes identiques ; par méton., cette empreinte. ▸ *Typogr.* Caractère d'imprimerie (vx) ; famille de caractères, à la taille et au dessin particuliers. **2.** Fig. Modèle conceptuel, idéal ; ensemble de traits distinctifs permettant de classer des objets, des faits, des individus : ***Types** humains, sociaux* ; être ou chose représentant de manière exemplaire une catégorie ; en appos. : *Un individualiste **type**.* **3.** Genre : *Je n'ai pas ce **type** de problèmes.* **4.** Individu, homme (fam.) : *Un **type** louche.* Fin XIVe s. ; lat. eccl. *typus*, « figure mystique ; symbole », du gr. *tupos*, « coup ; empreinte » ; on rencontre parfois le fém. *typesse* au sens 4 ; [tip].

**TYPÉ, ÉE, adj.**
Qui présente les caractères d'un type : *Une physionomie très **typée**.* 1844 ; ☞ *type* ; [tipe].

**TYPER, verbe trans.** [3]
**1.** *Techn.* Marquer (qqch.) d'une empreinte. **2.** Fig. Donner à (qqn ou qqch.) les caractères d'un type. 1873 ; ☞ *type* ; [tipe].

**TYPHA, subst. m.**
*Bot.* Plante herbacée vivace des marécages et des bords des eaux, dite aussi massette, caractérisée par une inflorescence cylindrique terminale, dense et brune. 1784 ; lat. sc. *typha*, du gr. *tuphê* ; [tifa].

**TYPHIQUE, adj. et subst.**
**Adj.** *Pathol.* Relatif au typhus ou à la typhoïde : *Bacille **typhique***, bacille d'Eberth, responsable de la typhoïde. **Subst.** Malade atteint du typhus ou de la typhoïde. 1827 ; ☞ *typhus* ; [tifik].

**TYPHOÏDE, adj. et subst. f.**
*Pathol. Fièvre **typhoïde*** ou, par ell., *La **typhoïde*** : infection septicémique contagieuse due à une bactérie formant des toxines, le bacille d'Eberth, transmise par l'eau ou les aliments souillés au contact des selles d'un porteur de germes, et caractérisée par une fièvre, une éruption cutanée, des douleurs abdominales, etc. 1813 ; gr. *tuphôdês*, « qui s'accompagne de délire » ; [tifɔid].

**TYPHOÏDIQUE, adj.**
Relatif à la typhoïde. 1877 ; ☞ *typhoïde* ; [tifɔidik].

**TYPHON, subst. m.**
Cyclone tropical dévastateur qui prend naissance en dehors de la zone tropicale, sur l'océan Indien et l'océan Pacifique. 1504 ; port. *tufão*, de l'ar. *ṭūfān* « déluge, ouragan » ; [tifɔ̃].

**TYPHOSE, subst. f.**
*Vétér.* Maladie microbienne très contagieuse des oiseaux de basse-cour. 1904 ; gr. *tuphos*, « torpeur », + *-ose* ; [tifoz].

**TYPHUS, subst. m.**
*Pathol.* Nom donné à diverses affections contagieuses caractérisées par une forte fièvre et un état de torpeur. ▸ ***Typhus** exanthématique* ou, empl. abs., *Le **typhus*** : maladie contagieuse et épidémique dont l'agent pathogène, une rickettsie, est transmis par le pou. ▸ ***Typhus** murin* : maladie, encore endémique dans certaines régions du monde, transmise à l'homme par la puce du rat. 1667 ; lat. médiév. *typhus*, du gr. *tuphos*, « torpeur » ; [tifys].

**TYPICITÉ, subst. f.**
Œnol. ***Typicité** d'un vin* : qualité d'un vin aux caractéristiques (cépage, terre, mode de vinification) prononcées. V. 1980 ; ☞ *typique* ; [tipisite].

**TYPIQUE, adj.**
**1.** Qui marque ou définit l'appartenance à un type. **2.** Qui réunit les traits caractéristiques d'un type ; exemplaire : *Un cas **typique** ; Une réaction **typique**.* ▸ Loc. ***Typique** de...* : caractéristique de... **3.** *Biol.* Qui constitue un type. 1765 (1495, qui réalise un type de l'Ancien Testament) ; lat. chrét. *typicus*, du gr. *tupikos*, « qui représente » ; [tipik].

**TYPIQUEMENT, adv.**
De manière typique. Fin XVIIe s. ; ☞ *typique* ; [tipikmɑ̃].

**TYPOGRAPHE, subst.**
Professionnel de la typographie ; en partic., personne qui compose à la main. 1554 ; formé de *typo-* et de *-graphe* ; abrév. fam. *typo, ote* ; [tipɔgʀaf].

**TYPOGRAPHIE, subst. f.**
*Impr.* **1.** Ensemble des techniques d'impression mettant en œuvre des caractères en relief. **2.** Ext. Manière dont un texte est composé, mis en page. 1573 (1572, établissement d'imprimerie) ; formé de *typo-* et de *-graphie* ; abrév. fam. *typo* ; [tipɔgʀafi].

**TYPOGRAPHIQUE, adj.**
Relatif à la typographie (abrév. fam. : typo) : *Corrections **typographiques*** (par oppos. à *corrections d'auteur*). 1560 ; ☞ *typographie* ; [tipɔgʀafik].

© D'après P. Faucheux

MODERNISME
Préciosité
ÉLÉGANCE
FORCE
MONUMENTALITÉ
SIMPLICITÉ
FANTAISIE
Archaïsme
SÉRIEUX

*Le caractère **typographique** dans lequel on compose un mot peut, par son dessin et son mouvement, en renforcer le sens.*

**TYPOLOGIE, subst. f.**
Science qui a pour objet la description des éléments composant une réalité complexe, et leur classification, sous forme de types, en fonction de leurs singularités respectives : ***Typologie** des institutions.* 1841 ; formé de *typo-* et de *-logie* ; [tipɔlɔʒi].

**TYPOLOGIQUE, adj.**
Relatif à la typologie ; fondé sur une typologie. 1914 ; ☞ *typologie* ; [tipɔlɔʒik].

**TYPOMÈTRE, subst. m.**
*Typogr.* Règle divisée en cicéros et en fractions de cicéros, servant aux mesures typographiques. 1836 ; formé de *typo-* et de *-mètre*[1] ; [tipɔmɛtʀ].

**TYPON, subst. m. inv.**
*Impr.* Cliché sur film servant au montage d'une plaque offset. 1954 ; ☞ *type* ; n. déposé ; [tipɔ̃].

**TYPTOLOGIE, subst. f.**
*Occult.* Communication des esprits frappeurs. 1876 ; formé de *typto-* et de *-logie* ; [tiptɔlɔʒi].

**TYRAN, subst. m.**
**I. 1.** *Antiq. gr.* Chef politique qui usurpait le pouv et régnait par la force. **2.** Anal. Chef politiq jouissant d'un pouvoir absolu reposant sur l'ar traire et la violence. **3.** Ext. Personne qui abuse son autorité. **II.** *Zool.* Genre d'oiseaux compren 356 espèces d'insectivores, de l'ordre des Passé formes, dont certains sont bons chanteurs (sync *gobe-mouches américain*). Fin Xe s. ; lat. *tyrannus*, gr. *turannos* ; [tiʀɑ̃].

**TYRANNEAU, subst. m.**
Tyran de petite envergure ou subalterne (littér 1561 ; ☞ *tyran* ; [tiʀano].

**TYRANNICIDE (I), subst.**
Personne qui tue un tyran. 1487 ; lat. *tyrannici* de *tyrannus*, « tyran » ; [tiʀanisid].

**TYRANNICIDE (II), subst. m.**
Meurtre d'un tyran. Mil. XVIe s. ; lat. *tyrannicidiu* de *tyrannicida*, « personne qui tue un tyran » ; [tiʀanisi

**TYRANNIE, subst. f.**
**1.** *Antiq. gr.* Régime politique établi par un tyr **2.** Anal. Mode de gouvernement monocratiq reposant sur la terreur et l'arbitraire. **3.** E Domination autoritaire et brutale exercée par u personne ou un groupe de personnes ; au fig. : ***tyrannie** d'une passion.* Mil. XIIe s. ; lat. eccl. *tyr nia*, du gr. *turannia* ; [tiʀani].

**TYRANNIQUE, adj.**
Qui est propre à la tyrannie, au tyran ; au fig. : *l règles **tyranniques** de la grammaire.* 1365 ; l *tyrannicus*, du gr. *turannikos* ; [tiʀanik].

**TYRANNISER, verbe trans.** [3]
Soumettre (qqn, un groupe, un peuple) à tyrannie ; par ext., exercer une contrainte pénit sur (qqn). 1365 ; ☞ *tyran* ; [tiʀanize].

**TYRANNOSAURE, subst. m.**
*Paléont.* Grand dinosaurien carnivore, bipède, m surant jusqu'à 14 m de long, qui vivait au Créta supérieur. Fin XIXe s. ; ☞ *tyran* + *-saure* ; [tiʀanɔzɔ

**TYRIEN, IENNE, adj. et subst.**
De la ville antique de Tyr. **Adj.** *Rose **tyrien*** : fon tirant sur le mauve. 1876 ; topon. *Tyr*, ville Phénicie ; [tiʀjɛ̃, jɛn].

**TYROLIEN, IENNE, adj. et subst.**
Du Tyrol. **Subst. fém.** Chant typique des montagn du Tyrol, remarquable par ses modulations ent la voix de poitrine et la voix de tête ; danse à tr temps. Déb. XIXe s. ; topon. *Tyrol* ; [tiʀɔljɛ̃, jɛn].

**TYROSINASE, subst. f.**
Enzyme qui catalyse la conversion de la tyrosin point de départ de la synthèse des mélanin 1897 ; ☞ *tyrosine* ; [tiʀozinɑz].

**TYROSINE, subst. f.**
*Biochim.* Acide aminé aromatique intervenant da la synthèse des protéines et possédant une foncti phénol. 1855 ; gr. *turos*, « fromage » ; [tiʀɔzin].

**TYROTHRICINE, subst. f.**
*Pharm.* Antibiotique de la famille des polypeptid actif contre des germes Gram+ et contre les spir chètes buccaux. 1939 ; *turothrix*, nom d'une bactér du gr. *turos*, « fromage », et *thrix*, « cheveu » ; [tiʀɔtʀisi

**TYRRHÉNIEN, IENNE, adj. et subst.**
De l'ancienne Tyrrhénie, ou Étrurie (synon. *étru que*). **Adj.** et **Subst. masc.** *Géol.* Se dit d'un étage Pléistocène supérieur défini par des niveaux mari du dernier interglaciaire d'Italie et de Tunis 1583 ; topon. *Tyrrhénie* ; [tiʀenjɛ̃, jɛn].

**TZAR, voir TSAR**
**TZARÉVITCH, voir TSARÉVITCH**
**TZARINE, voir TSARINE**
**TZIGANE, voir TSIGANE**

*Ultraléger motorisé (U. L. M.).* © D. Boiteau-Explorer

**U,** subst. m. inv.
Vingt et unième lettre et cinquième voyelle de [a]lphabet. Le *u* est une voyelle antérieure, arrondie, [le]s haute, notée [y]. Elle entre dans de nombreux [di]grammes et trigrammes, tels que *au, eu, ou, um,* [qu], *gu, eau, œu* (☞ *a, e, o, m, n, g*) ; suivie d'une [vo]yelle prononcée [i] ou [ɛ], elle note gén. la [se]mi-voyelle [ɥ], comme dans « lui » [lɥi] ou [« me]nuet » [mənɥɛ]. **2.** Anal. *En U* : en forme de [U] majuscule. **3.** Abrév. et Symb. ▸ *Chim.* U : [ur]anium. ▸ *Électr.* U : tension électrique. ▸ *Phys.* [nu]cl. u : unité de masse atomique. [y].

**UBAC,** subst. m.
[Gé]ogr. Versant d'une montagne exposé à l'ombre [(a]nton. *adret*). 1907 ; prov. *ubac*, du lat. *opacus*, [« q]ui est à l'ombre » ; [ybak].

**UBIQUISME,** subst. m.
[Re]lig. Doctrine luthérienne selon laquelle la pré[se]nce réelle du corps et du sang du Christ dans [l'e]ucharistie est fondée sur l'ubiquité divine de [Jés]us-Christ. 1580 ; ☞ *ubiquiste* ; [ybikɥism].

**UBIQUISTE,** subst. et adj.
Se dit d'un partisan de l'ubiquisme. **2.** Se dit [d']une personne qui a le don d'ubiquité. **Adj.** *Biol.* [Q]ue l'on rencontre dans des régions du monde [trè]s diverses : *Espèce **ubiquiste**.* 1589 ; lat. *ubique*, [« p]artout » ; [ybikɥist].

**UBIQUITÉ,** subst. f.
*Relig.* Faculté propre à Dieu d'être présent partout [en] même temps (synon. *omniprésence*). **2.** Anal. [Fa]culté d'être présent partout à la fois. ▸ Loc. *Avoir [le] don d'**ubiquité*** : donner l'impression d'être partout [à l]a fois. 1548 ; lat. *ubique*, « partout » ; [ybikɥite].

**UBUESQUE,** adj.
[Di]gne d'Ubu, par sa cruauté, sa couardise, son [cy]nisme ou son absurdité. 1922 ; *Ubu*, héros d'une [pi]èce d'Alfred Jarry ; [ybyɛsk] ou [ybɥɛsk].

**UFOLOGIE,** subst. f.
[Ét]ude des ovnis et des phénomènes qui y sont [as]sociés. V. 1970 ; anglo-amér. *ufo*, acron. de *Un[id]entified Flying Object*, « objet volant non identifié », [+ ]*-logie* ; [yfɔlɔʒi].

**UHLAN,** subst. m.
[Hi]st. Cavalier lancier servant dans les anciennes [ar]mées de Pologne, d'Allemagne, de Prusse et d'Au[tri]che. 1748 ; all. *Uhlan*, du polonais *ułan*, du turc [og]*lan*, « jeune homme » ; ['ylɑ̃].

**UKASE,** voir **OUKASE**

**UKRAINIEN, IENNE,** adj. et subst.
[De l]'Ukraine. **Subst. masc.** Langue slave officielle de [ce] pays. 1731 ; topon. *Ukraine*, du russe *ukrajnyj*, [« f]rontalier » ; [ykʀɛnjɛ̃, jɛn].

**UKULÉLÉ,** subst. m.
[M]us. Petite guitare hawaiienne à quatre cordes. [◻] 1948 ; anglo-amér. *ukulele*, de l'hawaiien *uku*, « puce », [+ ]*lele*, « qui saute » ; [ukulele] ou [ju-].

**ULCÉRATIF, IVE,** adj.
[R]elatif à l'ulcération ; qui produit une ulcération. 1495 ; ☞ *ulcérer* ; [ylseʀatif, iv].

**ULCÉRATION,** subst. f.
*Pathol.* Formation d'un ulcère ; cet ulcère. 1314 ; lat. *ulceratio* ; [ylseʀasjɔ̃].

**ULCÈRE,** subst. m.
**1.** *Pathol.* Lésion épithéliale ou muqueuse accompagnée d'une perte de substance, qui ne cicatrise pas spontanément, souvent associée à d'autres lésions sous-jacentes : ***Ulcère** variqueux.* **2.** *Arboric.* Plaie du bois causée par une maladie. 1314 ; lat. *ulcus*, « plaie » ; [ylsɛʀ].

**ULCÉRER,** verbe trans. [8]
**1.** *Méd.* Provoquer une ulcération, un ulcère sur. **2.** Fig. Causer un vif ressentiment à : *Ta lettre l'a **ulcéré**.* 1314 ; lat. *ulcerare*, « blesser » ; [ylseʀe].

**ULCÉREUX, EUSE,** adj. et subst.
**Adj.** De la nature d'un ulcère ; couvert d'ulcères. **Adj.** et **Subst.** Se dit d'un malade atteint d'un ulcère. Mil. XIVe s. ; lat. *ulcerosus* ; [ylseʀø, øz].

**ULCÉROÏDE,** adj.
*Pathol.* Qui a l'aspect d'un ulcère. 1878 ; ☞ *ulcère* + *-oïde* ; [ylseʀɔid].

**ULÉMA,** subst. m.
Docteur et juriste de la loi musulmane. 1765 ; turc *ulema*, de l'ar. *'ulamā'*, plur. de *'ālim*, « savant » ; var. *ouléma* ; [ulema].

**ULIGINEUX, EUSE,** adj.
*Bot.* Qui vit dans les lieux humides. 1546 ; lat. *uliginosus*, de *uligo*, « humidité » ; [yliʒinø, øz].

**ULLUQUE,** subst. m.
*Bot.* Plante de la famille des Chénopodiacées, cultivée dans les Andes pour ses tubercules comestibles. 1842 ; esp. *ulluco*, du quechua *ullucu* ; var. *ulluco* ; [ylyk].

**ULMACÉES,** subst. f. plur.
*Bot.* Famille de plantes dicotylédones apétales dont le type est l'orme. **Au sing.** *Le micocoulier est une **ulmacée**.* 1828 ; lat. *ulmus*, « orme » ; [ylmase].

**ULMAIRE,** subst. f.
*Bot.* Plante médicinale de la famille des Rosacées, croissant dans les marécages, appelée aussi reine-des-prés. 1583 ; lat. sc. *ulmaria*, du lat. *ulmus*, « orme » ; [ylmɛʀ].

**ULNAIRE,** adj.
*Anat.* Cubital (rare). 1830 ; lat. *ulna*, « avant-bras » ; [ylnɛʀ].

**ULTÉRIEUR, EURE,** adj.
**1.** Qui est arrivé ou doit arriver après qqch. (anton. *antérieur*) : *Cérémonie remise à une date **ultérieure**.* **2.** *Géogr.* Qui est au-delà d'une certaine ligne (anton. *citérieur*) : *Poméranie **ultérieure***, au-delà de l'Oder, vue de Berlin. Fin XVe s. ; lat. *ulterior*, « qui est au-delà » ; [ylteʀjœʀ].

**ULTÉRIEUREMENT,** adv.
Plus tard. 1570 ; ☞ *ultérieur* ; [ylteʀjœʀmɑ̃].

**ULTIMA RATIO,** subst. f. sing.
Force qui emporte la décision ; ultime argument. 1876 ; loc. lat. *ultima ratio regum*, « dernier argument des rois », phrase de Richelieu que Louis XIV avait fait graver sur ses canons ; [ultimaʀatjo] ou [-sjo].

**ULTIMATUM,** subst. m.
**1.** *Diplom.* Injonction ultime d'accepter des conditions, adressée par un État à un autre, sous la menace de rupture des relations diplomatiques ou d'une déclaration de guerre. **2.** Mise en demeure, sommation. 1790 (1740, décision irrévocable) ; lat. *ultimatum*, de *ultimus*, « ultime » ; [yltimatɔm].

**ULTIME,** adj.
Dernier, final. Déb. XIIIe s. ; lat. *ultimus* ; [yltim].

**ULTIMO,** adv.
En dernier lieu (rare). 1842 ; mot lat. ; [yltimo].

**ULTRA,** subst.
*Pol.* Extrémiste. ▸ *Hist.* Farouche partisan de la monarchie absolue, sous la Restauration : *Les modérés et les **ultras**.* ▸ Empl. adj. Relatif aux ultras. 1793 ; lat. *ultra*, « outre » ; [yltʀa].

**ULTRABASIQUE,** adj.
*Pétrogr.* Se dit d'une roche magmatique très pauvre en silice (moins de 45 %), sans quartz, telle la péridotite. 1933 ; ☞ *basique* + *ultra-* ; [yltʀabazik].

**ULTRACENTRIFUGATION,** subst. f.
*Techn.* Centrifugation extrêmement rapide permettant le triage des macromolécules. 1949 ; ☞ *centrifugation* + *ultra-* ; [yltʀasɑ̃tʀifygasjɔ̃].

**ULTRACENTRIFUGEUSE,** subst. f.
Appareil servant à séparer des macromolécules (protéines, par ex.) ou des virus en suspension dans un liquide par ultracentrifugation. 1949 ; ☞ *centrifugeuse* + *ultra-* ; [yltʀasɑ̃tʀifyʒøz].

**ULTRACOURT, COURTE,** adj.
*Phys.* Qualifie les rayonnements électromagnétiques dont la longueur d'onde est comprise entre 0,1 et 1 dm : *Les ondes **ultracourtes** sont utilisées dans les radars.* 1933 ; ☞ *court* (I) + *ultra-* ; [yltʀakuʀ, kuʀt].

**ULTRAFILTRATION,** subst. f.
Filtration effectuée à travers un ultrafiltre. 1908 ; ☞ *filtration* + *ultra-* ; [yltʀafiltʀasjɔ̃].

**ULTRAFILTRE,** subst. m.
*Techn.* Dispositif de filtration sous pression, pouvant arrêter des particules de l'ordre du centième de micron. 1933 ; ☞ *filtre* + *ultra-* ; [yltʀafiltʀ].

**ULTRALÉGER, ÈRE,** adj.
Très léger ; empl. subst. masc. : *Un **ultraléger** motorisé (U. L. M.)*, petit avion de conception simplifiée. 1901 ; ☞ *léger* + *ultra-* ; [yltʀaleʒe, ɛʀ].

**ULTRAMARIN, INE,** adj.
**1.** De couleur bleu outremer (littér.). **2.** D'outremer. Mil. XIXe s. ; ☞ *marin* + *ultra-* ; [yltʀamaʀɛ̃, in].

**ULTRAMICROSCOPE,** subst. m.
*Techn.* Microscope optique muni d'un dispositif d'éclairement latéral qui permet de déceler des particules invisibles au microscope ordinaire. 1904 ; ☞ *microscope* + *ultra-* ; [yltʀamikʀɔskɔp].

**ULTRAMICROSCOPIQUE,** adj.
Qui ne peut être observé qu'à l'ultramicroscope. 1876 ; ☞ *microscopique* + *ultra-* ; [yltʀamikʀɔskɔpik].

**ULTRAMODERNE,** adj.
Très moderne : *Une usine, un appareil **ultramoderne**.* 1891 ; ☞ *moderne* + *ultra-* ; [yltʀamɔdɛʀn].

**ULTRAMONTAIN, AINE,** adj.
**1.** Vx. Qui se situe, qui habite au-delà des montagnes, en partic. des Alpes. **2.** Qui soutient résolument le pouvoir absolu du pape ; qui est hostile à l'autonomie des Églises nationales ; empl. subst. : *Les gallicans et les* ***ultramontains.*** 1323 ; lat. médiév. *ultramontanus* ; [yltʀamɔ̃tɛ̃, ɛn].

**ULTRAMONTANISME,** subst. m.
Position, idées des ultramontains. 1739 ; ☞ *ultramontain* ; [yltʀamɔ̃tanism].

**ULTRA-PETITA,** adv.
*Dr.* Au-delà de ce qui est demandé : *Statuer* ***ultra-petita***, sur une question qui n'a pas été soulevée ; empl. subst. masc. inv. : *Jugement entaché d'****ultra-petita***. 1846 ; mots lat. ; var. *ultra petita* ; [yltʀapetita].

**ULTRAPRESSION,** subst. f.
Pression très élevée, obtenue artificiellement, pouvant aller jusqu'à $10^5$ atmosphères. 1949 ; ☞ *pression + ultra-* ; [yltʀapʀesjɔ̃].

**ULTRAROYALISTE,** subst. et adj.
*Hist.* Se dit des partisans de la monarchie absolue et de droit divin (abrév. : ultra). 1817 ; ☞ *royaliste + ultra-* ; [yltʀaʀwajalist].

**ULTRASENSIBLE,** adj.
Extrêmement sensible. 1855 ; ☞ *sensible + ultra-* ; [yltʀasɑ̃sibl].

**ULTRASON,** subst. m.
*Phys.* Vibration sonore de fréquence supérieure à 20 kHz, qui n'est pas perceptible par l'être humain, mais qui l'est par certains animaux. 1926 ; ☞ *son* (II) *+ ultra-* ; [ultʀasɔ̃].

**ULTRASONIQUE,** adj.
Relatif aux ultrasons ; provoqué par des ultrasons. 1955 ; ☞ *ultrason* ; [yltʀasonik].

**ULTRAVIOLET, ETTE,** adj. et subst. m.
*Phys.* Se dit du rayonnement électromagnétique de fréquence comprise entre celles du rayonnement visible (lumière violette) et du rayonnement X (abrév. : U. V.). Les rayons **ultraviolets**, très énergétiques, ont un pouvoir ionisant important, ce qui leur confère des propriétés destructrices par rapport aux molécules biologiques. 1857 ; ☞ *violet + ultra-* ; [yltʀavjɔlɛ, ɛt].

**ULULEMENT,** subst. m.
**1.** Cri des oiseaux nocturnes. **2.** Anal. Son aigu et modulé. 1868 (1541, hurlement) ; ☞ *ululer* ; var. *hululement* ; [ˈylylmɑ̃].

**ULULER,** verbe intrans. [3]
Pousser son cri, en parlant d'un oiseau nocturne. 1512 (fin XIVe s., se lamenter) ; lat. *ululare*, « vociférer » ; var. *hululer* ; [ˈylyle].

**ULVE,** subst. f.
*Bot.* Algue verte dont une espèce est comestible. 1765 ; lat. *ulva*, « herbe des marais » ; [ylv].

**UMLAUT,** subst. m.
*Ling.* Inflexion vocalique indiquée, en allemand, par un tréma sur la voyelle ; ce tréma lui-même. 1849 ; all. *Umlaut* ; [umlawt].

**UN, UNE,** art. indéf., pron. indéf., adj. et subst.
**I. Art. 1.** Désigne une personne ou une chose de manière indéterminée : ***Une*** *femme vous demande* ; *J'ai trouvé* ***un*** *portefeuille.* ▸ N'importe quel : ***Une*** *girafe a un long cou.* **2.** S'emploie par emphase ou pour marquer une intensité : *Elle s'habille avec* ***une*** *élégance !* ; *Elle a été d'****une*** *grossièreté !* ; *Il fait* ***une*** *chaleur !* **3.** Devant un nom propre, désigne une personne comparable à une autre : *C'est* ***une*** *vraie Messaline !* ; une personne telle que : *Seul* ***un*** *Pagnol pouvait ainsi décrire la Provence* ; une personne de telle famille : *C'est* ***une*** *Durand* ; au masc., une œuvre de tel artiste : ***Un*** *Picasso de la période bleue.* **II. Pron. 1.** Représente une personne, une chose parmi d'autres de même nature : ***Un*** *de mes frères me l'a dit* ; *Venez* ***un*** *de ces jours.* **2.** En corrélation avec « autre », représente une ou des personnes, une ou des choses par oppos. à d'autres de même nature : *Les* ***uns*** *sont pour, les autres contre.* ▸ *Ni l'****un*** *ni l'autre* : aucun des deux ; *L'****un*** *l'autre* : mutuellement, réciproquement. ▸ Loc. *L'****un*** *dans l'autre* : tout bien considéré. ▸ Empl. subst. Une personne, qqn : *Encore* ***une*** *que l'on ne reverra plus.* **III. Adj. num. card.** Premier des nombres entiers, exprime l'unité (l'élision devant **un** ne se fait gén. que s'il est suivi de décimales) : ***Une*** *heure et demie* ; *Cinq pièces de* ***un*** *franc* ; *Ce mur d'****un*** *mètre dix est trop bas.* ▸ Loc. *Pas* ***un*** : aucun ; ***Un*** *par* ***un***, ***un*** *à* ***un*** : l'un après l'autre ; *Il était moins* ***une*** : il était temps (fam.). **Adj. num. ord.** Premier : *Chapitre* ***un*** ; *Page* ***un(e)***. **Adj.** Qui forme un tout : *La République est* ***une*** *et indivisible* ; *Que tous soient* ***un*** (Évangile). ▸ Loc. *C'est tout* ***un*** : c'est la même chose ; *Ne faire qu'****un*** *avec* : être uni avec, être parfaitement semblable à ; *Ne faire ni* ***une*** *ni deux* : agir sans hésiter (fam.). **IV. Subst. masc. 1.** Le chiffre qui exprime l'unité : *Trois* ***un*** *de suite font cent onze* ; *J'ai joué le* ***un***. **2.** *Philos. L'****Un*** : le principe, existant en lui-même et par lui-même, dont procèdent toute existence et toute pensée. **Subst. fém.** *La* ***une*** : la première page d'un journal. 881 ; lat. *unus* ; [œ̃, yn].

**UNANIME,** adj.
**Plur.** Qui ont, qui expriment tous le même avis : *Témoins, témoignages* ***unanimes***. **Sing.** Qui exprime un consensus, un accord général : *Approbation, sentiment* ***unanime***. Fin Xe s. ; lat. *unanimus*, de *unus*, « un seul », et de *animus*, « esprit » ; [ynanim].

**UNANIMEMENT,** adv.
À l'unanimité. 1467 ; ☞ *unanime* ; [ynanimmɑ̃].

**UNANIMISME,** subst. m.
**1.** *Litt.* Doctrine développée au début du XXe s. par Jules Romains, affirmant que l'écrivain doit s'attacher à exprimer l'âme collective, à décrire l'individu dans son contexte social. **2.** Attitude qui vise à obtenir le consensus, l'accord complet. 1905 ; ☞ *unanime* ; [ynanimism].

**UNANIMISTE,** subst. et adj.
*Litt.* Se dit d'un partisan de l'unanimisme. **Adj.** Relatif à cette doctrine littéraire. 1908 ; ☞ *unanimisme* ; [ynanimist].

**UNANIMITÉ,** subst. f.
Accord total d'opinion ou d'intention entre les membres d'un groupe. 1374 ; lat. *unanimitas*, « accord, harmonie » ; [ynanimite].

**UNAU,** subst. m.
*Zool.* Mammifère de l'ordre des Édentés, arboricole et herbivore, qui vit dans les forêts d'Amérique centrale (synon. *paresseux didactyle*). 1614 ; mot d'orig. tupi ; plur. *unaus* ; [yno].

© Dimijian/P. H. R.-Jacana

*Unaus de l'espèce dite d'Hoffmann.*

**UNCIFORME,** adj.
*Anat.* En forme de crochet. 1805 ; formé de *unci-* et de *-forme* ; [ɔ̃sifɔʀm].

**UNCINÉ, ÉE,** adj.
**1.** *Bot.* Qui se termine par un crochet. **2.** *Anat.* Dont l'extrémité est en forme de crochet. **3.** *Pathol. Crise* ***uncinée*** : hallucination olfactive ou gustative observée chez un sujet atteint d'une tumeur cérébrale siégeant près du crochet de l'hippocampe. 1808 ; lat. *uncus*, « crochet » ; [ɔ̃sine].

**UNDERGROUND,** subst. m. et adj. inv.
Anglic. **Subst.** Ensemble des activités artistiques d'avant-garde, en marge des courants commerciaux traditionnels. **Adj.** Propre à ces courants artistiques : *Cinéma, presse* ***underground***. V. 1970 ; anglo-amér. *underground*, « souterrain » ; [œndœʀgʀawnd].

**UNE,** voir **UN**

**UNETELLE,** voir **UNTEL**

**UNGUÉAL, ALE, AUX,** adj.
*Anat.* Relatif aux ongles : *Matrice* ***unguéale***, zone du derme où s'implante la racine d'un ongle. 1814 ; lat. *unguis*, « ongle » ; [ɔ̃gɥeal, o].

**UNGUIFÈRE,** adj.
*Anat.* Qui porte un ongle. 1824 ; formé de *ungui-* et de *-fère* ; [ɔ̃gɥifɛʀ].

**UNGUIS,** subst. m.
*Anat.* Petit os de la face situé sur le côté inte de l'orbite. 1721 ; lat. *unguis*, « ongle » ; [ɔ̃g

**UNI, UNIE,** adj.
**I. 1.** Lié à qqn, à qqch., par nature ou convention. ▸ *Pol.* Fédéré ou confédéré : *Les Ét Unis d'Amérique* ; lié par une structure commu *Les Nations* ***unies***. **2.** Joint, en communicat avec qqch. : *La mer Rouge,* ***unie*** *à la Méditerr par le canal de Suez.* **3.** Qui vit en bonne enten *Une famille* ***unie***. **II. 1.** Plat, sans aspérités : *terrain* ***uni***. **2.** D'une seule couleur : *Étoffe* ***u*** empl. subst. masc. : *De l'écossais et de l'****uni***. **3.** Sans diversité. Fin Xe s. ; p. p. de *unir* ; [yni].

**UNIATE,** adj.
*Relig.* Se dit de certaines Églises d'Orient qui, t en étant catholiques, conservent leur liturgie, discipline et leur droit canonique orientaux ; en subst., chrétien **uniate**. 1843 ; russe *uniâ*, du *unio*, « unité » ; [ynjat].

**UNIAXE,** adj.
*Minér.* Qualifie un cristal biréfringent qui n'a qu seul axe optique. 1908 ; ☞ *axe + uni-* ; [ynia

**UNICAULE,** adj.
*Bot.* Qui n'a qu'une tige. Mil. XIXe s. ; lat. *unica* de *caulis*, « tige » ; [ynikol].

**UNICELLULAIRE,** adj. et subst. m.
*Biol.* Se dit d'un organisme vivant constitué d' seule cellule : *Plantes* ***unicellulaires*** ; *Les bacté comme tous les procaryotes, sont des* ***unicellula*** 1838 ; ☞ *cellulaire + uni-* ; [ynisɛlylɛʀ].

**UNICITÉ,** subst. f.
Caractère de ce qui est unique : *L'****unicité*** *de l' humain.* 1740 ; ☞ *unique* ; [ynisite].

**UNICOLORE,** adj.
D'une seule couleur. 1842 ; lat. *unicolor* ; [yniko

**UNICORNE,** subst. m. et adj.
**Subst. 1.** Vx. Licorne. **2.** *Zool.* Narval (vieil **Subst.** et **Adj.** Se dit d'un animal qui ne poss qu'une seule corne. XIIe s. ; lat. *unicornis* ; [yniko

**UNIDIMENSIONNEL, ELLE,** adj.
Qui n'a ou ne prend en compte qu'une dimensi V. 1970 ; ☞ *dimensionnel + uni-* ; [ynidimɑ̃sjɔ

**UNIDIRECTIONNEL, ELLE,** adj.
Qui s'effectue ou se propage dans une seule di tion. 1953 ; ☞ *directionnel + uni-* ; [ynidiʀɛksjɔ

**UNIÈME,** adj. num. ord.
Qui occupe un rang supérieur d'une unité à dizaine, à la centaine, au millier (après un numé sauf dix, soixante-dix et quatre-vingt-dix) : *Vi et* ***unième***. Mil. XIIIe s. ; ☞ *un* ; [ynjɛm].

**UNIFICATEUR, TRICE,** adj.
Qui unifie ou contribue à unifier ; empl. subs *Bismarck, l'****unificateur*** *de l'Allemagne.* 18 ☞ *unifier* ; [ynifikatœʀ, tʀis].

**UNIFICATION,** subst. f.
Action d'unifier, de fusionner ; fait de s'unif 1842 ; ☞ *unifier* ; [ynifikasjɔ̃].

**UNIFIER,** verbe trans. [6]
**1.** Constituer un tout cohérent en assemblant ( éléments de même nature, mais disparates). **2.** R dre semblables (des éléments différents), unifor ser. **3.** Fig. Réaliser l'unité morale de (un grou une communauté) ; unir. **Pronom.** Se fondre en tout ; s'unir étroitement. Fin XIVe s. ; bas *unificare*, du lat. *unus*, « un », et *facere*, « faire » ; [ynif

**UNIFILAIRE,** adj.
*Techn.* Qui ne comprend qu'un seul fil électriq 1904 ; ☞ *fil + uni-* ; [ynifilɛʀ].

**UNIFLORE,** adj.
*Bot.* Se dit d'une plante qui ne porte qu'une fle 1778 ; lat. *flos*, « fleur », *+ uni-* ; [ynifloʀ].

**UNIFOLIÉ, ÉE,** adj.
*Bot.* Qui ne porte qu'une feuille. 1846 ; ☞ *f + uni-* ; [ynifɔlje].

**UNIFORME,** adj. et subst. m.
**Adj. 1.** Qui présente des éléments identiques perçus comme tels (synon. *similaire*). **2.** Qui varie pas ou varie peu (synon. *monotone*) : *Payso bruit* ***uniforme***. **3.** Pareil aux autres. **Subst. 1.** Ter règlementaire devant être portée par les milita d'une même unité : *Prestige de l'****uniforme*** ; *Endos quitter l'****uniforme***, entrer dans l'armée, la quit **2.** Ext. Vêtement professionnel règlementaire, tamment dans l'administration : *L'****uniforme*** *d'*

cteur, d'un steward. Fin XIVe s. ; lat. *uniformis*, de ɪus, « un », et de *forma*, « forme » ; [ynifɔʀm].

**UNIFORMÉMENT, adv.**
e manière uniforme. Fin XIVe s. ; ☞ *uniforme* ; nifɔʀmemɑ̃].

**UNIFORMISATION, subst. f.**
ction d'uniformiser ; son résultat. Déb. XIXe s. ; ☞ *uniformiser* ; [ynifɔʀmizasjɔ̃].

**UNIFORMISER, verbe trans.** [3]
. Rendre uniforme. **2.** Rendre semblable (synon. *andardiser*). 1728 ; ☞ *uniforme* ; [ynifɔʀmize].

**UNIFORMITÉ, subst. f.**
Caractère de ce qui est uniforme. **2.** Absence de ɪangement ; monotonie : *L'ennui naquit un jour l'**uniformité*** (La Motte-Houdar). Fin XIVe s. ; bas t. *uniformitas*, du lat. *uniformis* ; [ynifɔʀmite].

**UNIJAMBISTE, subst. et adj.**
e dit d'une personne qui n'a plus qu'une jambe. 1909 ; ☞ *jambe* + *uni-* ; [yniʒɑ̃bist].

**UNILATÉRAL, ALE, AUX, adj.**
. Qui ne concerne qu'un seul côté de qqch. : *tationnement **unilatéral***. **2.** Qui est le fait d'un seul quand deux personnes sont concernées) : *Décision **nilatérale***. ▸ *Dr.* Qui n'engage qu'une seule pare, sans qu'il y ait réciprocité. 1778 ; ☞ *latéral uni-* ; [ynilateʀal, o].

**UNILATÉRALEMENT, adv.**
De manière unilatérale. 1778 ; ☞ *unilatéral* ; nilateʀalmɑ̃].

**UNILINÉAIRE, adj.**
*nthropol. Filiation **unilinéaire*** : qui ne reconnaît u'une ligne, maternelle (filiation matrilinéaire) ou aternelle (filiation patrilinéaire). 1893 ; ☞ *linéaire* + *uni-* ; [ynilineɛʀ].

**UNILINGUE, adj.**
. Rédigé en une seule langue : *Ce dictionnaire est **nilingue***. **2.** Qui ne parle, ne connaît qu'une seule ngue. 1872 ; lat. *lingua*, « langue », + *uni-* ; [ynilɛ̃g].

**UNILOBÉ, ÉE, adj.**
*ot.* Qui n'a qu'un lobe : *Anthère **unilobée***. 1839 ; ☞ *lobé* + *uni-* ; [ynilɔbe].

**UNILOCULAIRE, adj.**
*ot.* Qui ne contient qu'une seule loge : *Un ovaire **niloculaire***. 1771 ; ☞ *loculaire* + *uni-* ; [ynilɔkylɛʀ].

**UNIMENT, adv.**
. De manière uniforme, régulière (littér.). **2.** *Tout **niment*** : avec simplicité, sans détour. XIIe s. ; ☞ *uni* ; [ynimɑ̃].

**UNINOMINAL, ALE, AUX, adj.**
Qui ne comporte qu'un seul nom. ▸ *Scrutin **uninominal*** : dans lequel on vote pour un seul canidat. 1870 ; ☞ *nominal* + *uni-* ; [yninɔminal, o].

**UNION, subst. f.**
. Réunion étroite, jonction intime entre des éléɪents formant un tout homogène : *Trait d'**union*** ; *e blanc résulte de l'**union** de toutes les couleurs*. *Théol.* ***Union** hypostatique* (☞ *hypostatique*). . Relation de concorde, d'harmonie affective entre es êtres ; en partic., fait de former un couple : *Jnion conjugale*. ▸ ***Union** libre* : vie maritale entre n homme et une femme hors des liens du mariage synon. *concubinage*). **3.** Alliance, entente solidaire ntre des personnes : *L'**union** des peuples*. ▸ Loc. *'**union** fait la force* : devise des armes de la Belgique. *Hist. L'**Union** sacrée* : rassemblement de la nation t de toutes les forces politiques françaises contre 'ennemi, à l'appel de Raymond Poincaré, en 1914. . Regroupement de personnes physiques ou moales ayant un but ou des intérêts communs : ***Union** uvrière*, syndicat ; *L'**Union** européenne*. **5.** *Pol.* Réunion d'États sous un même gouvernement entral : ***Union** soviétique*. ▸ ***Union** française* (1946-958) : la France métropolitaine, ses territoires 'outre-mer et ses anciennes colonies. ▸ ***Union** ersonnelle* : association d'États qui restent pleineɪent autonomes tout en ayant le même souveain. **6.** *Math.* Symbole de la réunion de deux ensemles (noté ∪). 1380 (déb. XIIIe s., unité de Dieu en rois Personnes) ; bas lat. *unio*, du lat. *unus*, « un » ; [ynjɔ̃].

**UNIONISME, subst. m.**
**1.** Doctrine des partisans d'une union politique, économique, etc. **2.** Doctrine préconisant la création d'unions ouvrières, de syndicats. 1835 ; ☞ *union* ; [ynjɔnism].

**UNIONISTE, subst. et adj.**
SUBST. **1.** Vx. Membre d'une union ouvrière. **2.** Parisan de l'unité politique dans un État. ADJ. *Éclaireur **unioniste*** : scout protestant. 1834 ; angl. *unionist* ; [ynjɔnist].

**UNIOVULÉ, ÉE, adj.**
*Bot.* Qualifie un carpelle qui ne possède qu'un seul ovule. 1876 ; ☞ *ovule* + *uni-* ; [yniɔvyle].

**UNIPARE, adj.**
**1.** *Zool.* Se dit d'une femelle de mammifère qui ne peut avoir qu'un petit par portée. **2.** Ext. Se dit d'une femme qui n'a eu qu'un enfant. **3.** *Bot.* Se dit d'une inflorescence en cyme présentant un seul rameau latéral. 1836 ; formé de *uni-* et de *-pare* ; [ynipaʀ].

**UNIPERSONNEL, ELLE, adj.**
**1.** *Ling.* Qualifie les verbes qui ne s'emploient qu'à la 3e personne du singulier (synon. *impersonnel*). **2.** *Dr.* Qualifie une société à responsabilité limitée dont les parts appartiennent à une seule personne. 1818 ; ☞ *personne* + *uni-* ; [ynipɛʀsɔnɛl].

**UNIPOLAIRE, adj.**
**1.** *Phys.* Relatif à un seul pôle électrique. **2.** *Biol.* Qualifie un neurone qui présente un seul prolongement. 1846 ; ☞ *polaire* + *uni-* ; [ynipɔlɛʀ].

**UNIQUE, adj.**
**1.** Qui répond seul à sa désignation : *La foi en un Dieu **unique***. **2.** Qui n'est pas accompagné par d'autres du même genre : *Un enfant **unique*** ; *Un prix **unique***. ▸ Qui est le même pour plusieurs : *Un commandement **unique***. **3.** Remarquable, incomparable : *Un comédien **unique***. ▸ Étonnant, extravagant (fam.) : *Tu es **unique** !* Fin XVe s. ; lat. *unicus* ; [ynik].

**UNIQUEMENT, adv.**
De manière unique ; à l'exclusion de toute autre chose. 1458 ; ☞ *unique* ; [ynikmɑ̃].

**UNIR, verbe trans.** [19]
**1.** Rapprocher, mettre ensemble (des éléments) afin de former un tout : ***Unir** deux territoires* ; ***Unir** les pièces d'un montage*. ▸ Mettre en commun : ***Unissons** nos efforts !* ▸ Mettre en communication, joindre. **2.** Créer un lien entre (des personnes) ; en partic., marier : *Le prêtre **a uni** les fiancés*. **3.** Présenter à la fois (deux qualités différentes) ; associer : *Savoir **unir** la prudence au courage*. PRONOM. Faire cause commune, s'allier ; en partic., se marier. Fin Xe s. ; lat. *unire*, de *unus*, « un » ; [yniʀ].

**UNISEXE, adj.**
Qui peut convenir à l'un ou à l'autre sexe. V. 1970 (1763, unisexué) ; ☞ *sexe* + *uni-* ; [ynisɛks].

**UNISEXUÉ, ÉE, adj.**
**1.** *Bot.* Qualifie une plante dont les fleurs ne portent que des organes mâles, ou étamines, ou que des organes femelles, ou carpelles (synon. *dicline*). **2.** *Biol.* Qui n'est pourvu que d'un sexe. 1845 ; ☞ *sexué* + *uni-* ; var. *unisexuel, elle* ; [ynisɛksɥe].

**UNISSON, subst. m.**
**1.** *Mus.* Émission simultanée d'une même note ou d'une même ligne mélodique par plusieurs voix ou plusieurs instruments au même moment. ▸ Loc. *Chanter à l'**unisson*** : à la même hauteur. **2.** Fig. Accord des pensées, des sentiments : *Esprits à l'**unisson***. Fin XIVe s. ; lat. médiév. *unisonus*, « de son uniforme, monotone » ; [ynisɔ̃].

**UNITAIRE, subst. et adj.**
SUBST. *Relig.* Protestant qui nie le mystère de la Trinité, ne reconnaissant en Dieu qu'une seule personne. ADJ. **1.** Qui forme une unité ; qui aspire ou tend à l'unité d'action : *Manifestation **unitaire***. **2.** Relatif à un seul élément d'un ensemble : *Prix **unitaire***. **3.** *Math.* ▸ *Vecteur **unitaire*** : dont la norme vaut 1. ▸ *Polynôme **unitaire*** : dont le coefficient du terme de plus haut degré est 1. ▸ *Anneau **unitaire*** : qui admet un élément neutre pour la multiplication. **4.** *Phys. Champ **unitaire*** : tentative de regroupement, sous un formalisme unique, des théories de la gravitation, des forces électromagnétiques et de la relativité générale. 1688 ; ☞ *unité* ; [ynitɛʀ].

**UNITARISME, subst. m.**
**1.** *Relig.* Doctrine des unitaires. **2.** *Pol.* Doctrine qui prône l'unité politique. 1861 ; ☞ *unitaire* ; [ynitaʀism].

**UNITÉ, subst. f.**
**I. 1.** Qualité de ce qui est un, dans sa substance et dans sa constitution, de ce qui forme un tout unique : ***Unité** et pluralité*. ▸ *Relig.* ***Unité** de Dieu* : caractère de Dieu un et unique, selon la foi monothéiste. **2.** Caractère de ce qui constitue un ensemble indivisible : ***Unité** d'un organisme vivant*. **3.** Caractère de ce qui est uni, rassemblé : *Cavour, artisan de l'**unité** italienne*. **4.** Caractère de ce qui est commun ou identique : ***Unité** de vues*. **5.** Équilibre, cohérence d'un ensemble structuré, notamment d'une œuvre artistique : ***Unité** de style et d'inspiration*. ▸ *Litt. Règle des trois **unités** (action, lieu, temps)* : règle du théâtre classique français selon laquelle une pièce doit développer une action (intrigue) unique se déroulant en un seul lieu et en une même journée. **II. 1.** ***Unité** de mesure (voir tableau p. 1134)* : grandeur ou quantité déterminée, abstraite ou matérielle, adoptée comme mesure de base pour la comparaison des grandeurs de même nature ; ***Unité** de longueur* : le mètre ; ***Unités** du système international* (☞ *système*). **2.** *Fin.* ***Unité** monétaire* : devise qui a cours dans un pays. **3.** *Math.* Successeur de zéro, engendrant l'ensemble des entiers naturels par additions successives. ▸ *Matrice **unité** d'ordre n* : matrice carrée dont tous les éléments diagonaux sont égaux à 1, ses autres éléments étant nuls. **III. 1.** Élément distinct d'un ensemble : *Le mot constitue une **unité** autonome du langage*. ▸ *Comm.* Exemplaire d'un produit fabriqué en série : *Prix d'une marchandise à l'**unité***. **2.** Structure fonctionnelle interne à un ensemble organisé plus vaste : ***Unités** de recherche d'un institut scientifique*. ▸ *Enseign.* ***Unité** de formation et de recherche (U. F. R.)* : chacun des départements, administrativement autonomes, constitutifs de l'université française ; ***Unité** d'enseignement* : enseignement universitaire, correspondant à une matière, optionnelle ou obligatoire, sanctionné par un contrôle des connaissances, encore appelé **unité** de valeur. ▸ *Industr.* Dispositif complexe (machines, installations, etc.) qui, dans une usine, un atelier accomplit une opération technique précise. **3.** *Informat.* ▸ ***Unité** centrale* : partie de l'ordinateur qui assure les fonctions de mémoire centrale et de calcul. ▸ ***Unité** périphérique* (☞ *périphérique*). ▸ ***Unité** d'échange* : organe de l'ordinateur qui assure la gestion des échanges de données avec l'extérieur. **4.** *Milit.* Formation militaire permanente et autonome dans l'armée de terre ou de l'air : *Grande **unité***, formation d'importance égale ou supérieure à la division ; *Petite **unité***, régiment, bataillon, compagnie ou section. ▸ *Mar.* Tout bâtiment de la flotte de guerre. XIIe s. ; lat. *unitas* ; [ynite].

**UNITIF, IVE, adj.**
*Relig. Vie **unitive*** : dans laquelle l'âme est en union mystique avec Dieu. Déb. XVe s. ; lat. médiév. *unitivus* ; [ynitif, iv].

**UNIVALENT, ENTE, adj.**
*Chim.* Monovalent (vieilli). 1879 ; formé de *uni-* et de *-valent* ; [ynivalɑ̃, ɑ̃t].

**UNIVALVE, adj.**
**1.** *Zool.* Se dit d'un mollusque dont la coquille est constituée d'une seule pièce. **2.** *Bot.* Se dit d'un fruit capsulaire d'une seule pièce ou dont le péricarpe ne s'ouvre que d'un côté. 1742 (1736, ancien nom des Gastéropodes) ; ☞ *valve* + *uni-* ; [ynivalv].

**UNIVERS, subst. m.**
**1.** La Terre, en partic. la terre habitée (littér.). **2.** L'humanité : *Je suis maître de moi comme de l'**univers*** (Corneille). **3.** Ensemble de tous les êtres et de toutes les choses qui existent. ▸ *Astron. L'**Univers*** : l'ensemble de l'espace-temps apparu vraisemblablement il y a 10 à 15 milliards d'années, comprenant des entités astronomiques telles que galaxies, étoiles, planètes, et dont l'évolution se poursuit selon un mouvement propre d'expansion. ▸ *Relig.* L'ensemble de la Création. **4.** Fig. Environnement, cadre de vie individuel : *Son laboratoire est son seul **univers***. ▸ Domaine abstrait formé par des choses de même nature : *L'**univers** des sons*. ▸ Domaine affectif, psychique : *L'**univers** des rêves*. 1543 (fin XIIe s., entier) ; lat. *universum*, de *unus*, « un », et de *vertere*, « tourner » ; [ynivɛʀ].

**UNIVERSALISATION, subst. f.**
Action d'universaliser ; son résultat. 1795 ; ☞ *universaliser* ; [ynivɛʀsalizasjɔ̃].

**UNIVERSALISER, verbe trans.** [3]
Rendre universel, commun à tous. 1755 ; lat. *universalis*, « universel » ; [ynivɛʀsalize].

**UNIVERSALISME, subst. m.**
**1.** Système fondé sur le principe du consentement universel. **2.** Caractère universaliste d'un système, d'une théorie. ▸ *Relig.* et *Philos.* Doctrine des universalistes. 1872 ; ☞ *universaliste* ; [ynivɛʀsalism].

**UNIVERSALISTE, adj. et subst.**
**1.** *Relig.* Se dit d'un partisan de la doctrine selon

## PRINCIPALES UNITÉS DE MESURE (système international)*

| GÉOMÉTRIE | |
|---|---|
| ⇒ *Longueur* | |
| km | kilomètre |
| hm | hectomètre |
| dam | décamètre |
| m | mètre |
| dm | décimètre |
| cm | centimètre |
| mm | millimètre |
| µm | micromètre |
| (a.l. | année de lumière) |
| ⇒ *Longueur d'onde* | |
| Å | angström |
| ⇒ *Superficie* | |
| km² | kilomètre carré |
| m² | mètre carré |
| ⇒ *Surface agraire* | |
| ha | hectare |
| a | are |
| ⇒ *Volume* | |
| m³ | mètre cube |
| dm³ | décimètre cube |
| cm³ | centimètre cube |
| hl | hectolitre |
| dal | décalitre |
| l (ou L) | litre |
| dl | décilitre |
| cl | centilitre |
| ⇒ *Angle* | |
| rad | radian |
| (tr | tour) |
| ° | degré |
| ′ | minute (d'angle) |
| ″ | seconde (d'angle) |
| **MASSE** | |
| t | tonne |
| q | quintal |
| kg | kilogramme |
| hg | hectogramme |
| dag | décagramme |
| g | gramme |

| TEMPS | |
|---|---|
| ⇒ *Durée* | |
| h | heure |
| min | minute |
| s | seconde |
| µs | microseconde |
| ⇒ *Fréquence* | |
| MHz | mégahertz |
| kHz | kilohertz |
| Hz | hertz |
| **MÉCANIQUE** | |
| ⇒ *Vitesse* | |
| m/s | mètre par seconde |
| (km/h | kilomètre par heure) |
| ⇒ *Force* | |
| kN | kilonewton |
| N | newton |
| ⇒ *Énergie* | |
| GJ | gigajoule |
| MJ | mégajoule |
| kJ | kilojoule |
| J | joule |
| eV | électronvolt |
| (kWh | kilowattheure) |
| (Wh | wattheure) |
| (kcal | kilocalorie) |
| (cal | calorie) |
| ⇒ *Puissance* | |
| MW | mégawatt |
| kW | kilowatt |
| W | watt |
| (ch | cheval-vapeur) |
| (CV | cheval fiscal) |
| ⇒ *Pression* | |
| Pa | pascal |
| bar | bar |
| mbar | millibar |

| ÉLECTRICITÉ | |
|---|---|
| ⇒ *Intensité* | |
| kA | kiloampère |
| A | ampère |
| ⇒ *Tension* | |
| V | volt |
| mV | millivolt |
| ⇒ *Résistance* | |
| MΩ | mégohm |
| Ω | ohm |
| ⇒ *Charge* | |
| C | coulomb |
| ⇒ *Capacité* | |
| F | farad |
| nF | nanofarad |
| ⇒ *Flux magnétique* | |
| Wb | weber |
| **TEMPÉRATURE** | |
| K | kelvin |
| °C | degré Celsius |
| **OPTIQUE** | |
| ⇒ *Intensité* | |
| cd | candela |
| ⇒ *Flux* | |
| lm | lumen |
| ⇒ *Éclairement* | |
| lx | lux |
| ⇒ *Vergence* | |
| δ | dioptrie |
| **RAYONNEMENT IONISANT** | |
| ⇒ *Activité* | |
| Bq | becquerel |
| ⇒ *Exposition* | |
| C/kg | coulomb par kg |
| ⇒ *Dose* | |
| Gy | gray |
| **SON** | |
| ⇒ *Intensité* | |
| B | bel |
| dB | décibel |

* Les unités entre parenthèses sont légales en France mais n'entrent pas dans le système officiel international.

laquelle le salut est promis à tous les hommes. **2.** *Philos.* Se dit d'un partisan de la doctrine selon laquelle l'individu n'a de valeur que comme élément du grand tout, la réalité ; empl. adj., relatif à cette doctrine. **Adj.** Qui embrasse l'humanité, s'adresse à tous les hommes. 1684 ; ☞ *universel* ; [yniveʀsalist].

**UNIVERSALITÉ, subst. f.**

**1.** *Log.* Qualité de ce qui est universel, en partic. de ce qui est indépendant des contingences : ***Universalité** d'une proposition.* **2.** Caractère de ce qui est commun à tous les hommes : *« Discours sur l'**universalité** de la langue française », œuvre d'A. Rivarol.* **3.** Caractère d'un esprit universel : *L'**universalité** de Pic de La Mirandole.* **4.** *Dr.* Ensemble des biens et des dettes considérés comme formant un tout. Déb. XIVᵉ s. ; bas lat. *universalitas* ; [yniveʀsalite].

**UNIVERSAUX, subst. m. plur.**

**1.** *Philos.* Idées générales, concepts dont usaient les scolastiques du Moyen Âge pour définir les différentes manières dont un prédicat convient au sujet : *Les cinq **universaux** sont le genre, l'espèce, la différence, le propre et l'accident.* **2.** *Ling.* Ensemble de concepts communs, ou supposés communs, à toutes les langues naturelles : *Les **universaux** du langage.* 1647 ; lat. médiév. *universalia* ; [yniveʀso].

**UNIVERSEL, ELLE, adj.**

**1.** Qui s'étend à la terre entière, à l'humanité : *Gloire, paix **universelle** ; La vocation **universelle** de l'Église.* **2.** Qui s'étend ou s'applique à la totalité des personnes ou des choses considérées : *Géographie **universelle** ; Suffrage **universel**,* système dans lequel tous les citoyens ont le droit de voter, sans distinction de classe ou de fortune ; *Exposition **universelle**,* où tous les pays sont invités à exposer ; *Donneur **universel**,* personne dont le groupe sanguin est compatible avec celui de tous les autres. ▸ Qui est commun à tous les hommes : *Langage **universel** de la musique.* ▸ *Techn.* Qualifie un instrument, un appareil servant à des usages multiples : *Pince, commande **universelle**.* **3.** Qui s'intéresse à de nombreuses sphères des connaissances humaines : *Un esprit **universel**.* **4.** *Log.* Qui convient à tous les individus d'une classe (anton. *particulier*) : *Proposition **universelle**,* qui énonce une relation vraie pour chacun des individus composant l'extension du sujet. ▸ Empl. subst. masc. Ce qu'exprime un terme général et qui peut donc être prédicat de différents sujets. **5.** *Dr.* ▸ *Légataire **universel*** : personne à [...] échoit par testament la totalité d'une successi[...] ▸ *Communauté **universelle*** : régime matrimor[...] stipulant la mise en commun des biens des épo[...] Déb. XIIIᵉ s. ; lat. *universalis* ; [yniveʀsɛl].

**UNIVERSELLEMENT, adv.**

D'une manière universelle. Mil. XIIIᵉ s. ; ☞ [...]*versel* ; [yniveʀsɛlmɑ̃].

**UNIVERSITAIRE, subst. et adj.**

**Subst. 1.** Enseignant ou chercheur d'une univers[...] **2.** Belg. Étudiant pourvu d'un diplôme universitai[...] **Adj.** Qui concerne l'enseignement supérieur, l'u[...]versité : *Un grade **universitaire** ; Restaurant **univer[...]taire**.* 1767 ; ☞ *université* ; [yniveʀsitɛʀ].

**UNIVERSITÉ, subst. f.**

**1.** *Hist.* Au Moyen Âge, fondation ecclésiastiq[...] (XIIᵉ s.), dépendant d'un siège épiscopal, chargée [...] dispenser un enseignement supérieur. **2.** *L'**Univ[...]sité*** : corps des professeurs de l'enseignement pub[...] des divers degrés. **3.** Institution d'enseigneme[...] supérieur constituée par un ensemble d'uni[...] d'enseignement et de recherche. ▸ ***Université** [...] troisième âge* : cycle de cours dispensé par u[...] **université** à l'intention des personnes retraité[...] **4.** Méton. Ensemble de bâtiments, de locaux u[...]versitaires : *Amphithéâtres de l'**université**.* **5.** *Pol.* ***U[...]versités** d'été* : assises rassemblant dirigeants [...] militants d'un parti politique, qui débattent penda[...] quelques jours des orientations de leur mouv[...]ment. 1246 (1214, communauté) ; bas lat. *unive[...]tas*, du lat. *universitas*, « universalité » ; [yniveʀsite].

© G. Boutin-Explorer

*Campus de l'**université** de Berkeley.*

**UNIVITELLIN, INE, adj.**

*Biol.* et *Embryol.* Se dit de jumeaux qui, provena[...] du clivage tardif d'un embryon unique, ont u[...] placenta commun. 1956 ; lat. *vitellus*, « jaune [...] l'œuf », + *uni-* ; [ynivitɛllɛ̃, in] ou [-telɛ̃].

**UNIVOCITÉ, subst. f.**

Caractère de ce qui est univoque. 1895 ; ☞ *u[...]voque* ; [ynivɔsite].

**UNIVOQUE, adj.**

**1.** *Philos.* Se dit d'un terme, d'un concept qui pe[...] s'appliquer à deux êtres différents en conserva[...] le même sens. **2.** *Math.* *Correspondance **univoq[...]** d'un ensemble E vers un ensemble F* : relation de [...] vers F telle que tout élément de E soit relié à un é[...]ment de F au plus (vieilli). Fin XIVᵉ s. ; bas lat. *uni[...]cus*, du lat. *unus*, « un », et *vox*, « voix, mot » ; [ynivɔ[...]

**UNTEL, UNETELLE, subst.**

Personne indéterminée ou que l'on ne veut p[...] nommer : *J'en ai parlé à **Untel** ; Mme **Unetelle**, M[...] **Untel** ; Les **Untel**.* 1609 ; ☞ *tel* ; var. *Un tel, U[...]telle, un tel, une telle* ; [œ̃tɛl, yntɛl].

**UPAS, subst. m.**

*Bot.* Plante de Malaisie de la famille des Moracée[...] dont le latex sert à empoisonner des flèches ; p[...] méton., ce latex. 1800 ; malais *ūpas*, « poison [...] [ypɑs].

**UPÉRISATION, subst. f.**

*Techn.* Méthode de stérilisation du lait et d[...] produits alimentaires liquides par injection [...] vapeur surchauffée (140 °C). V. 1960 ; contracti[...] de *ultrapasteurisation* ; [ypeʀizasjɔ̃].

**UPPERCUT, subst. m.**

*Sp.* En boxe, coup porté du bas vers le haut, le br[...] étant replié. 1895 ; angl. *uppercut*, de *upper*, « ve[...] le haut », et de *cut*, « coup » ; [ypɛʀkyt].

**UPSILON,** subst. m. inv.
Vingtième lettre de l'alphabet grec (υ, Y), qui équivaut au *u* français et qui, dans les mots français issus du grec, est transcrite par *y*. Déb. XVe s. ; gr. *u psilon*, « *u* simple » ; [ypsilɔn].

**UPWELLING,** subst. m.
*Océanogr.* Remontée en surface d'eaux profondes riches en éléments nutritifs. Ce phénomène de courant océanique entraîne une grande productivité biologique. V. 1960 ; angl. *upwelling*, de *up*, « vers le haut », et de *to well*, « jaillir » ; [œpweliŋ].

**URACILE,** subst. m.
*Biochim.* Base pyrimidique spécifique des acides ribonucléiques. 1932 ; ☞ *acétique* + *uro-*[1] ; [yʀasil].

**URAÈTE,** subst. m.
*Zool.* Grand aigle d'Australie, de la famille des Accipitridés, qui se nourrit d'oiseaux, de petits marsupiaux et de lapins. 1895 ; lat. sc. *uroaetus*, du gr. *oura*, « queue », et *aetos*, « aigle » ; [yʀaɛt].

**URÆUS,** subst. m.
*Antiq.* Représentation d'un cobra à la tête dressée, symbole divin et royal de l'Égypte ancienne, qui ornait en partic. la coiffure des pharaons. 1529 ; lat. *uraeus*, du gr. *ouraios*, « de la queue » ; [yʀeys].

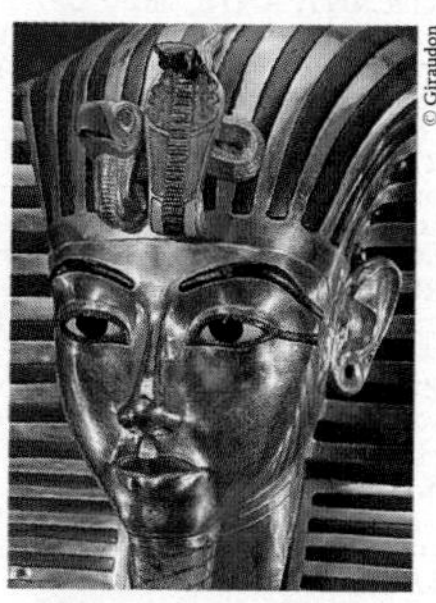


*Masque funéraire de Toutankhamon (XVIIIe dynastie), au front orné d'un* ***uræus.*** *Musée du Caire.*

**URANATE,** subst. m.
*Chim.* Nom générique des sels de l'acide uranique. 1842 ; ☞ *urane* ; [yʀanat].

**URANE,** subst. m.
*Chim.* Oxyde d'uranium, encore appelé oxyde uraneux, de formule $UO_2$. 1841 (1790, uranium) ; all. *Uran*, du nom de la planète *Uranus* ; [yʀan].

**URANEUX,** adj. m.
*Chim.* Qualifie un dérivé de l'uranium dans lequel ce dernier a la valence 4. 1872 ; ☞ *urane* ; [yʀanø].

**URANIE,** subst. f.
*Zool.* Papillon de la famille des Uraniidés, aux couleurs éclatantes, très répandu à Madagascar. 1810 ; lat. sc. *urania*, prob. du gr. *ouranios*, « céleste ; prodigieux » ; [yʀani].

**URANIFÈRE,** adj.
Qui contient de l'uranium : *Une roche, une région* ***uranifère.*** 1904 ; ☞ *urane* + *-fère* ; [yʀanifɛʀ].

**URANINITE,** subst. f.
*Minér.* Oxyde d'uranium, aussi appelé pechblende. 1843 ; ☞ *urane* ; [yʀaninit].

**URANIQUE,** adj.
*Chim.* **1.** Vx. Relatif à l'uranium : *Radiations* ***uraniques.*** **2.** Qualifie un sel dérivé du radical uranyle, dans lequel l'uranium a la valence 6. 1831 ; ☞ *urane* ; [yʀanik].

**URANISME,** subst. m.
Homosexualité masculine (littér.). 1894 ; all. *Uranismus*, du gr. *Ourania*, « la Céleste », surnom d'Aphrodite ; [yʀanism].

**URANIUM,** subst. m.
*Chim.* Élément n° 92 de la table de Mendeleïev (symb. : U) ; masse atomique : 238,03 ; point de fusion : 1 132,3 °C ; point d'ébullition : 3 818 °C ; masse volumique : 19,07 g/cm³. C'est un élément métallique radioactif, dont un des isotopes est utilisé comme combustible dans les réacteurs nucléaires. 1841 (1804, urane) ; ☞ *urane* ; [yʀanjɔm].

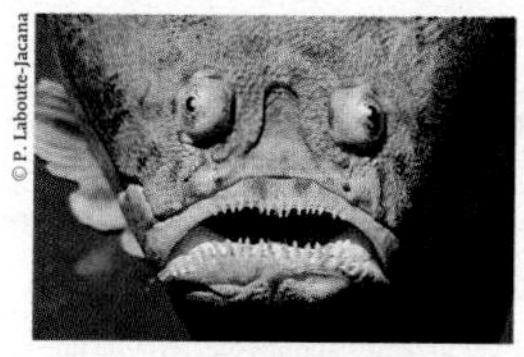


*Tête d'****uranoscope.***

**URANOSCOPE,** subst. m.
*Zool.* Poisson de la famille des Uranoscopidés, proche de la vive, commun en Méditerranée. Il vit enfoui dans le sable, ne laissant apparaître que ses yeux, situés sur le dessus de la tête (synon. *rascasse blanche*). 1546 ; gr. *ouranoskopos*, « qui observe le ciel » ; [yʀanɔskɔp].

**URANYLE,** subst. m.
*Chim.* Radical bivalent $UO_2$. 1888 ; ☞ *uranium* + *-yle* ; [yʀanil].

**URATE,** subst. m.
*Biochim.* Sel de l'acide urique. 1798 ; ☞ *urée* ; [yʀat].

**URBAIN, AINE,** adj.
**1.** *Antiq. rom.* De la ville (Rome). **2.** Relatif, propre à la ville (par oppos. à *rural*) : *Densité* ***urbaine*** ; *Commune* ***urbaine,*** de plus de 2 000 habitants. ▸ Assuré par la commune : *Éclairage* ***urbain.*** **3.** Qui fait preuve d'urbanité (littér.). Mil. XIVe s. ; lat. *urbanus*, de *urbs*, « ville » ; [yʀbɛ̃, ɛn].

**URBANISATION,** subst. f.
**1.** Action d'urbaniser ; son résultat. **2.** Concentration croissante de la population d'un pays, d'une région dans les villes. 1919 ; ☞ *urbaniser* ; [yʀbanizasjɔ̃].

**URBANISER,** verbe trans. [3]
Doter (une région) de structures urbaines : *Zone à* ***urbaniser*** *en priorité (Z. U. P.)* ; empl. pronom. : *Pays qui* ***s'urbanise*** *fortement* ; empl. adj. : *Département qui reste peu* ***urbanisé.*** 1873 (1785, faire acquérir de l'urbanité à qqn) ; ☞ *urbain* ; [yʀbanize].

**URBANISME,** subst. m.
Art de l'aménagement et de l'organisation de l'espace urbain ou rural en fonction de données démographiques, économiques, sociologiques, etc. 1900 (XVIIIe s., science de l'urbanité) ; ☞ *urbain* ; [yʀbanism].

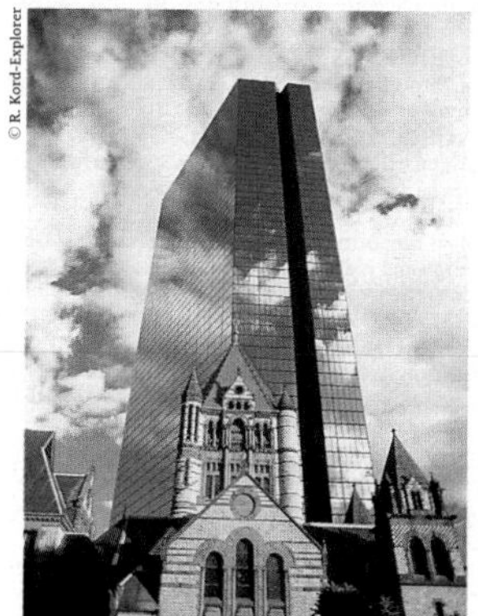


*Quand l'****urbanisme*** *produit le contraste : Trinity Church et, à l'arrière-plan, la Hancock Tower, à Boston.*

**URBANISTE,** subst.
Spécialiste de l'urbanisme ; en appos. : *Architecte* ***urbaniste.*** 1911 ; ☞ *urbanisme* ; [yʀbanist].

**URBANISTIQUE,** adj.
Relatif à l'aménagement urbain : *Étude* ***urbanistique.*** 1941 ; ☞ *urbanisme* ; [yʀbanistik].

**URBANITÉ,** subst. f.
**1.** Politesse raffinée, affabilité naturelle (littér.). **2.** Caractère de ce qui est relatif à la ville. 1454 (1370, relations sociales entre citadins) ; lat. *urbanitas*, de *urbanus*, « urbain » ; [yʀbanite].

**URBI ET ORBI,** loc. adv.
**1.** *Liturg.* Se dit de la bénédiction solennelle donnée par le pape, en tant qu'évêque, à sa ville de Rome et, en tant que souverain pontife, au monde entier. **2.** Fig. Partout : *Proclamer qqch.* ***urbi et orbi,*** sur tous les toits. 1834 ; lat. *urbi et orbi*, « à la ville (de Rome) et à l'univers » ; [yʀbiɛtɔʀbi].

**URCÉOLÉ, ÉE,** adj.
*Bot.* Qualifie un périanthe dont les pièces florales sont soudées en forme de grelot, comme celui de la fleur de muguet. 1803 ; lat. *urceolus*, « cruchon », de *urceus*, « pot, cruche » ; [yʀseɔle].

**URDU,** voir **OURDOU**

**URE,** voir **URUS**

**URÉDINALES,** subst. f. plur.
*Bot.* Ordre de champignons basidiomycètes, parasites des végétaux, chez lesquels ils provoquent des maladies, notamment la rouille. AU SING. *La puccinie est une* ***urédinale.*** 1823 ; lat. *uredo*, « charbon », de *urere*, « brûler » ; [yʀedinal].

**URÉDOSPORE,** subst. f.
*Bot.* Type de spore, élaboré par les Urédinales, et permettant la dissémination du champignon. Fin XIXe s. ; formé du lat. *uredo*, « charbon », et de *spore* ; [yʀedɔspɔʀ].

**URÉE,** subst. f.
*Biochim.* Substance élaborée principalement dans le foie à partir de l'excédent alimentaire d'acides aminés et de bases puriques et éliminée par l'urine et la sueur. Fin XIVe s. ; ☞ *urine* ; [yʀe].

**URÉIDE,** subst. m.
*Chim.* Composé dont la molécule dérive de celle de l'urée par remplacement d'un ou de plusieurs atomes d'hydrogène par autant de groupements acides. 1857 ; ☞ *urée* ; [yʀeid].

**URÉMIE,** subst. f.
*Pathol.* Taux anormalement élevé d'urée dans le sang, gén. dû à une insuffisance rénale. 1847 ; ☞ *urée* + *-émie* ; [yʀemi].

**URÉMIQUE,** adj.
**1.** Relatif à l'urémie. **2.** Atteint d'urémie ; empl. subst., personne **urémique.** 1858 ; ☞ *urémie* ; [yʀemik].

**URÉTÉRAL, ALE, AUX,** adj.
Qui concerne l'uretère : *Sonde* ***urétérale.*** 1904 ; ☞ *uretère* ; [yʀeteʀal, o].

**URETÈRE,** subst. m.
*Anat.* Chacun des deux canaux musculo-membraneux qui conduisent l'urine du rein à la vessie. 1538 ; gr. *ourêtêr* ; [yʀ(ə)tɛʀ].

**URÉTÉRITE,** subst. f.
*Pathol.* Inflammation des parois des uretères. 1803 ; ☞ *uretère* + *-ite* ; [yʀeteʀit].

**URÉTÉROSTOMIE,** subst. f.
*Chir.* Abouchement de l'uretère à la peau ou à un segment intestinal. XXe s. ; ☞ *uretère* + *-stomie* ; [yʀeteʀɔstɔmi].

**URÉTHANE,** subst. m.
*Chim.* Toute molécule de carbonate de groupement principal —NH—CO—O—. 1846 ; formé de *urée* et de *éthane* ; var. *uréthanne* ; [yʀetan].

**URÉTRAL, ALE, AUX,** adj.
Qui concerne l'urètre : *Sphincter* ***urétral*** ; *Affection* ***urétrale.*** 1796 ; ☞ *urètre* ; [yʀetʀal, o].

**URÈTRE,** subst. m.
*Anat.* Canal qui relie la vessie au méat urinaire et sert à évacuer l'urine. Chez la femme, il est très court ; chez l'homme, il est logé dans le pénis où il permet également le passage du sperme. 1667 ; bas lat. *urethra*, du gr. *ourêthra* ; [yʀɛtʀ].

**URÉTRITE,** subst. f.
*Pathol.* Inflammation de l'urètre, souvent due à une maladie sexuellement transmissible. 1803 ; ☞ *urètre* + *-ite* ; [yʀetʀit].

**URGEMMENT,** adv.
De manière urgente, d'urgence (rare). Déb. XIXe s. ; ☞ *urgent* ; [yʀʒamɑ̃].

**URGENCE,** subst. f.
**1.** Caractère de ce qui est urgent. **2.** Nécessité d'agir sans délai : *Il y a* ***urgence.*** ▸ Méton. Ce qui est urgent : *Service des* ***urgences*** ou, par ell., *Les ur-*

*gences*, service d'un hôpital destiné à accueillir des malades, des blessés dont l'état nécessite des soins immédiats. **3.** Loc. ► *D'urgence, de toute* **urgence** : sur-le-champ. ► *En* **urgence** : en priorité. **4.** *Dr. publ.* *État d'urgence* : régime restrictif des libertés publiques, prévu par la loi française en cas d'atteinte grave à l'ordre public. 1550 ; ☞ *urgent* ; [yʀʒɑ̃s].

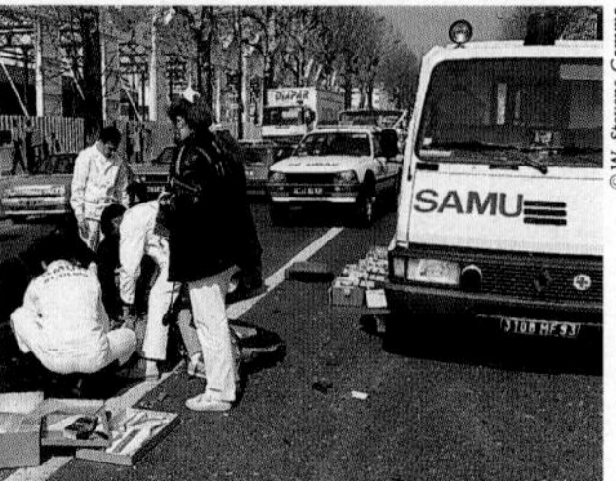


© W. Stevens-Gamma

*Le samu, service d'aide médicale d'urgence.*

**URGENT, ENTE, adj.**
Qui ne souffre, qui n'admet aucun retard ; qui doit être fait, accompli, résolu, etc., le plus vite possible. ► Loc. *Il est* **urgent** *d'attendre* : il convient de surseoir à toute décision (iron.). 1340 ; bas lat. *urgens* ; [yʀʒɑ̃, ɑ̃t].

**URGER, verbe intrans. [5]**
Être urgent, presser (fam.) : *Ça* **urge** *!* 1897 ; ☞ *urgent* ; empl. seulement à la 3ᵉ pers. du sing. ; [yʀʒe].

**URICÉMIE, subst. f.**
*Biol.* Teneur du sang en acide urique, normalement inférieure à 70 mg/l. 1868 ; ☞ *urique* + *-émie* ; [yʀisemi].

**URINAIRE, adj.**
Relatif à l'urine. ► *Voies* **urinaires** : uretères, vessie et urètre. 1564 ; ☞ *urine* ; [yʀinɛʀ].

**URINAL, subst. m.**
Récipient à col incliné qui permet à un homme alité d'uriner allongé. Fin XIVᵉ s. ; bas lat. *urinal*, du lat. *urina*, « urine » ; plur. *urinaux* ; [yʀinal], plur. [-no].

**URINE, subst. f.**
*Biol.* Liquide qui résulte du travail permanent d'épuration accompli par les reins, qui est collecté dans la vessie et périodiquement éliminé par la miction. Fin XIVᵉ s. ; lat. pop. °*aurina*, du lat. *urina*, « urine », et *aurum*, « or » ; [yʀin].

**URINER, verbe intrans. [3]**
Évacuer son urine ; empl. trans., évacuer dans l'urine : **Uriner** *du sang.* Fin XIVᵉ s. ; ☞ *urine* ; [yʀine].

**URINEUX, EUSE, adj.**
Relatif à l'urine ; de la nature de l'urine. 1611 ; ☞ *urine* ; [yʀinø, øz].

**URINIFÈRE, adj.**
*Anat.* Se dit d'un organe dans lequel circule l'urine. 1805 ; ☞ *urine* + *-fère* ; [yʀinifɛʀ].

**URINOIR, subst. m.**
Édicule, lieu public ou installation sanitaire permettant aux hommes d'uriner. 1854 (1754, urinal) ; ☞ *uriner* ; [yʀinwaʀ].

**URIQUE, adj.**
*Biochim. Acide* **urique** : substance faiblement acide provenant de la dégradation des bases puriques. Chez de nombreuses espèces, la dégradation de l'acide **urique** conduit à la formation d'urée. 1803 ; ☞ *urine* ; [yʀik].

**URNE, subst. f.**
**1.** *Antiq.* Vase à corps long et renflé, à col étroit. ► **Urne** *funéraire* : dans laquelle sont conservées les cendres d'un défunt. **2.** **Urne** *électorale* : caisse close, munie d'une fente, dans laquelle on dépose les bulletins de vote. **3.** *Bot.* ► Capsule du sporogone des Bryophytes. ► Chez certaines plantes carnivores, structure foliaire en gobelet, servant à piéger les insectes. 1374 ; lat. *urna* ; [yʀn].

**UROBILINE, subst. f.**
*Biochim.* Substance pigmentée issue de la dégradation des pigments biliaires par les bactéries commensales de l'intestin. 1877 ; ☞ *bile* + *uro-*¹ ; [yʀɔbilin].

**UROBILINURIE, subst. f.**
*Biol.* Quantité d'urobiline dans les urines, qui augmente lors de certaines affections, notamment hépatiques. 1890 ; ☞ *urobiline* + *-urie* ; [yʀɔbilinyʀi].

**UROCHROME, subst. m.**
*Biochim.* Pigment présent dans l'urine, qui lui donne sa couleur jaune. 1865 ; formé de *uro-*¹ et de *-chrome* ; [yʀɔkʀom].

**URODÈLES, subst. m. plur.**
*Zool.* Ordre d'amphibiens, gén. ovipares, se caractérisant par un corps allongé que termine une longue queue, et par des membres réduits. À l'état adulte, certains d'entre eux n'ont ni branchies ni poumons et respirent par la peau. Au sing. *La salamandre marbrée est un* **urodèle**. 1806 ; gr. *dêlos*, « apparent », + *uro-*² ; [yʀɔdɛl].

**UROGÉNITAL, ALE, AUX, adj.**
*Anat.* Qui concerne à la fois l'appareil urinaire et l'appareil génital. 1846 ; ☞ *génital* + *uro-*¹ ; var. *uro-génital, ale, aux* ; [yʀoʒenital, o].

**UROGRAPHIE, subst. f.**
*Méd.* Radiologie des voies urinaires, pratiquée après l'injection intraveineuse d'une substance qui, s'éliminant par les reins, rend les différentes parties de l'appareil urinaire opaques aux rayons X. V. 1940 ; formé de *uro-*¹ et de *-graphie* ; [yʀɔgʀafi].

**UROKINASE, subst. f.**
*Biochim.* Enzyme extraite de l'urine humaine, utilisée pour dissoudre les caillots sanguins, prévenant ainsi le risque d'embolie. XXᵉ s. ; ☞ *kinase* + *uro-*¹ ; [yʀokinaz].

**UROLAGNIE, subst. f.**
Déviation sexuelle liée à l'érotisation des fonctions urinaires (synon. *ondinisme*). V. 1960 ; lat. *lagneia*, « rapport sexuel », + *uro-*¹ ; [yʀɔlagni] ou [-ɲi].

**UROLOGIE, subst. f.**
Branche de la médecine consacrée à l'étude et au traitement des maladies des voies urinaires chez l'homme et la femme, et, par ext., de celles de l'appareil génital masculin. 1851 ; formé de *uro-*¹ et de *-logie* ; [yʀɔlɔʒi].

**UROLOGUE, subst.**
*Méd.* Spécialiste d'urologie. 1860 ; ☞ *urologie* ; [yʀɔlɔg].

**UROMÈTRE, subst. m.**
Appareil qui permet de mesurer la densité des urines. 1872 ; formé de *uro-*¹ et de *-mètre*¹ ; [yʀɔmɛtʀ].

**UROPODE, subst. m.**
*Zool.* Appendice abdominal, souvent aplati, qui tient lieu de nageoire aux Crustacés. 1904 ; formé de *uro-*² et de *-pode* ; [yʀɔpɔd].

**UROPYGE, subst. m.**
*Zool.* Croupion des oiseaux (rare). V. 1960 ; formé de *uro-*² et de *-pyge* ; [yʀɔpiʒ].

**UROPYGIAL, ALE, AUX, adj.**
Qui appartient au croupion des oiseaux. 1846 ; formé de *uro-*² et de *-pyge* ; [yʀɔpiʒjal, o].

**UROPYGIEN, IENNE, adj.**
Qui se rapporte au croupion des oiseaux. ► *Glande* **uropygienne** : située à la base du croupion, et dont la sécrétion sert à imperméabiliser les plumes. 1872 ; ☞ *uropygial* ; [yʀɔpiʒjɛ̃, jɛn].

**URSIDÉS, subst. m. plur.**
*Zool.* Famille de mammifères plantigrades de l'ordre des Carnivores, qui comprend une dizaine d'espèc d'ours. Elle est représentée partout sauf en Afriqu Au sing. *L'ours polaire est un* **ursidé**. 1876 ; lat. s *ursidae*, du lat. *ursus*, « ours » ; [yʀside].

*Urne funéraire polychrome d'époque maya postclassique (XVᵉ s.). Musée national, Guatemala City.* © Lauros-Giraudon

**URSULINE, subst. f.**
*Cath.* Religieuse de l'ordre de Sainte-Ursule vo à l'enseignement, fondé en 1535 à Brescia p sainte Angèle de Merici et introduit en France e 1612. 1630 ; anthropon. *sainte Ursule*, vierge marty sée à Cologne ; [yʀsylin].

**URTICACÉES, subst. f. plur.**
*Bot.* Famille de plantes dicotylédones apétales, tr picales et subtropicales, comme l'ortie, la ramie, et Au sing. *La pariétaire est une* **urticacée**. 1798 ; la *urtica*, « ortie » ; [yʀtikase].

**URTICAIRE, subst. f.**
*Pathol.* Affection dermatologique aiguë ou chron que, plus ou moins étendue, consécutive soit l'ingestion de certains aliments ou médicament soit à des piqûres d'insectes et caractérisée par d papules œdémateuses, très prurigineuses et a compagnées d'une sensation de brûlure, identiqu aux lésions créées par le contact des orties. 175 lat. méd. *urticaria*, du lat. *urtica*, « ortie » ; [yʀtikɛʀ].

**URTICANT, ANTE, adj.**
Dont le contact provoque une irritation cutanée des démangeaisons : *Les organes* **urticants** d *méduses.* 1845 ; *urtiquer* (vx), « flageller avec d orties », du lat. *urtica*, « ortie » ; [yʀtikɑ̃, ɑ̃t].

**URTICATION, subst. f.**
Réaction cutanée, sensation de brûlure et déma geaisons accompagnant l'urticaire. 1765 ; la méd. *urticatio*, du lat. *urtica*, « ortie » ; [yʀtikasjɔ̃].

**URUBU, subst. m.**
*Zool.* Petit vautour d'Amérique tropicale. 177 mot tupi ; [yʀyby].

**URUS, subst. m.**
*Zool.* Aurochs (rare). 1560 ; m. haut all. *ūr* ; v *ure* ; [yʀys].

**US, subst. m. plur.**
Vx. Usages. ► Loc. *Les* **us** *et coutumes* : les usag traditionnels. Mil. XIIᵉ s. ; lat. *usus*, « usage » ; [y

**USAGE, subst. m.**
**I. 1.** Pratique établie dans une société, un group habitude, coutume : *Des* **usages** *qui se perdent* ; *C'e l'***usage** *dans la famille* ; *L'***usage** *veut que*, il convie de. ► **D'usage.** Habituel : *Formalités* **d'usage**. **2.** E semble des règles conventionnelles commandant bienséance, le savoir-vivre : *Connaître les* **usage** *Conforme, contraire aux* **usages**. **II. 1.** Fait d'utilis qqch. (un objet, un procédé, une faculté), emplo *Un outil dont on n'a pas l'***usage** ; *L'***usage** *de la rou Perdre l'***usage** *de la parole.* ► *Dr.* **Usage** *de faux* infraction consistant à utiliser un document contr fait ou falsifié avec une intention délictueu **2.** Emploi que l'on peut faire de qqch. ; sa fonctio *Cet appareil a plusieurs* **usages**. **3.** Loc. *Faire bo mauvais* **usage** *de qqch.* : s'en servir bien, mal ; *l'***usage** : au fur et à mesure de l'utilisation ; *Ho d'***usage** : qui ne fonctionne plus. ► Loc. prép. *l'***usage** *de* : destiné à. **4.** *Ling.* Utilisation de la lang à une époque et dans un milieu déterminés : **Usa** *écrit, oral* ; *En* **usage**, usité ; *Le bon* **usage**, l'utilisatio selon les règles. **III.** *Dr. Droit* **d'usage** : qui perm de se servir d'une chose sans en être propriétai 1155 ; lat. *usus* ; [yzaʒ].

**USAGÉ, ÉE, adj.**
Qui a beaucoup servi, qui a fait de l'usage. 187 (1289, en usage) ; ☞ *usage* ; [yzaʒe].

**USAGER, subst. m.**
**1.** *Dr.* Personne qui a un droit d'usage. **2.** Person qui utilise un service, gén. public : *Les* **usagers** *la S. N. C. F.* **3.** Personne qui utilise une lang 1319 ; ☞ *usage* ; [yzaʒe].

**USANCE, subst. f.**
*Fin.* Délai imposé pour le paiement d'une lettre c change, d'un effet de commerce. 1653 (déb. XIIIᵉ coutume) ; ☞ *user* ; [uzɑ̃s].

**USANT, ANTE, adj.**
Qui fatigue, qui use, physiquement ou moraleme XXᵉ s. ; p. pr. de *user* ; [yzɑ̃, ɑ̃t].

**USÉ, ÉE, adj.**
**1.** Qui a trop servi, qui est détérioré par l'usage *Un manteau* **usé** ; *Eaux* **usées**, eaux de rejet d'origi domestique ou industrielle. **2.** Anal. Diminué, p l'âge ou par la fatigue. **3.** Fig. Qui a perdu de

'orce, éculé, rebattu : *Discours démagogique et **usé**.* 1508 (1165, accoutumé) ; p. p. de *user* ; [yze].

**USER, verbe trans.** [3]

**TRANS. DIR. 1.** Consommer, utiliser : *User de l'eau, de l'essence.* ► Loc. *User sa salive* : parler en vain (fam.). **2.** Détériorer peu à peu par un usage prolongé : *User ses chaussures.* **3.** Diminuer, affaiblir progressivement : *User ses forces.* **TRANS. INDIR.** User de. **1.** Se servir de : *User d'un appareil.* **2.** Avoir recours à : *User de son autorité, d'un stratagème.* **3.** Employer (un terme, une expression) : *User d'une formule de politesse.* **PRONOM. 1.** S'abîmer peu à peu, avec l'usage, le temps. **2.** S'épuiser : *S'user à convaincre qqn.* Déb. XIIe s. (fin XIe s., passer son temps à) ; lat. pop. °*usare*, du lat. *uti* ; [yze].

**USINAGE, subst. m.**

Action d'usiner, de façonner industriellement une pièce. 1876 ; ☞ *usiner* ; [yzinaʒ].

**USINE, subst. f.**

**1.** Établissement industriel où des machines sont utilisées pour la transformation de matières premières et de produits semi-finis en produits finis, ou pour la production d'énergie. **2.** Fig. Lieu où règne une activité comparable à celle d'une **usine** (fam.) : *Ce restaurant est une **usine**.* Mil. XVIIIe s., atelier utilisant la force hydraulique pour mouvoir des machines) ; lat. *officina*, « fabrique » ; [yzin].

**USINER, verbe trans.** [3]

**1.** Façonner (une pièce) au moyen d'une machine-outil. **2.** Fabriquer industriellement. **3.** Abs. Travailler dur, s'activer (fam.) : *Ça **usine**, ici !* 1859 (1773, travailler) ; ☞ *usine* ; [yzine].

**USINIER, IÈRE, adj.**

Relatif aux usines, industriel (vieilli) : *Ville **usinière**.* 1845 (1687, exploitant d'une brasserie) ; ☞ *usine* ; [yzinje, jɛʀ].

**USITÉ, ÉE, adj.**

*Ling.* Qui est en usage, dont on se sert couramment : *Une expression très **usitée**.* 1532 (fin XIVe s., exercé, habile) ; lat. *usitatus*, de *usitari*, « se servir souvent de » ; [yzite].

**USNÉE, subst. f.**

*Bot.* Lichen grisâtre qui pousse sur les vieux arbres. 1530 ; lat. médiév. *usnea*, de l'ar. *'ušna*, « mousse ; lichen » ; [ysne].

**USTENSILE, subst. m.**

Objet à usage domestique, utilisé surtout pour la cuisine. 1374 ; lat. *utensilia*, de *utensilis*, « dont on fait usage » ; [ystɑ̃sil].

**USTILAGINALES, subst. f. plur.**

*Bot.* Ordre de champignons basidiomycètes, parasites des végétaux, notamment des céréales, et responsables de certaines maladies comme le charbon du blé. **AU SING.** *Une ustilaginale.* 1876 ; lat. *ustilago*, « chardon sauvage » ; [ystilaʒinal].

**USUCAPION, subst. f.**

**1.** *Dr. rom.* Mode d'acquisition fondé sur la possession ininterrompue. **2.** *Dr.* Prescription acquisitive (☞ *prescription*). XIIIe s. ; lat. *usucapio*, de *usus*, « usage », et de *capere*, « prendre » ; [yzykapjɔ̃].

**USUEL, ELLE, adj. et subst. m.**

**ADJ.** Qui est utilisé habituellement : *Une expression usuelle*, courante. **SUBST.** Ouvrage de référence mis à libre disposition dans une bibliothèque, mais que l'on ne peut emprunter (dictionnaire, atlas, etc.). 1290 ; bas lat. *usualis*, « utile » ; [yzɥɛl].

**USUELLEMENT, adv.**

De manière usuelle. 1507 ; ☞ *usuel* ; [yzɥɛlmɑ̃].

**USUFRUCTUAIRE, adj.**

*Dr.* Usufruitier (vieilli). 1580 ; bas lat. *usufructuarius* ; [yzyfʀyktɥɛʀ].

**USUFRUIT, subst. m.**

*Dr.* Droit de jouissance d'un bien dont la nue-propriété appartient à qqn d'autre ; par ext., jouissance de ce droit ; par méton., le bien lui-même. 1276 ; lat. jur. *usu(s)fructus*, du lat. *usus*, « usage », et *fructus*, « fruit » ; [yzyfʀɥi].

**USUFRUITIER, IÈRE, subst. et adj.**

**SUBST.** Se dit d'une personne ayant l'usufruit d'un bien. **ADJ.** Qui concerne l'usufruit. 1411 ; ☞ *usufruit* ; [yzyfʀɥitje, jɛʀ].

**USURAIRE, adj.**

Relatif à l'usure ; qui a le caractère de l'usure : *Taux usuraire.* 1311 ; lat. jur. *usurarius* ; [yzyʀɛʀ].

**USURE (I), subst. f.**

**1.** Vx. Intérêt produit par l'argent prêté. **2.** Taux d'intérêt abusif ou illicite ; par ext., fait de prêter de l'argent à un tel taux. **3.** Fig. *Avec **usure*** : au-delà de ce que l'on a reçu (littér.). Mil. XIIe s. ; lat. *usura* ; [yzyʀ].

**USURE (II), subst. f.**

**1.** Dégradation d'un objet due à un usage prolongé ou intense, ou à des causes naturelles ; état d'une chose usée : *L'**usure** des pneus.* **2.** Action de ce qui use ; au fig. : *L'**usure** du temps.* **3.** Fig. ► Fatigue, altération, affaiblissement : *Usure de la vue ; L'**usure** des sentiments ; L'**usure** du pouvoir.* ► Fait d'user qqn, de le fatiguer : *Guerre d'**usure***, dans laquelle chaque adversaire tente d'épuiser l'autre, pour l'inciter à renoncer. ► Loc. *Avoir qqn à l'**usure*** : avoir raison de lui en l'épuisant, en lassant sa résistance (fam.). 1530 ; ☞ *user* ; [yzyʀ].

**USURIER, IÈRE, subst.**

Personne qui pratique l'usure, qui prête à un taux usuraire. Fin XIIe s. ; ☞ *usure* (I) ; [yzyʀje, jɛʀ].

**USURPATEUR, TRICE, subst.**

Personne qui usurpe un pouvoir, un titre, qui s'approprie un bien. ► *Hist. L'**Usurpateur*** : nom donné à Napoléon Ier par les royalistes. 1489 ; lat. jur. *usurpator* ; [yzyʀpatœʀ, tʀis].

**USURPATION, subst. f.**

Action d'usurper ; son résultat. ► *Dr.* Fait de s'arroger indûment une fonction, un titre, un domaine, etc. 1374 ; lat. jur. *usurpatio* ; [yzyʀpasjɔ̃].

**USURPATOIRE, adj.**

Qui a le caractère d'une usurpation. 1762 ; lat. jur. *usurpatorius* ; [yzyʀpatwaʀ].

**USURPER, verbe trans.** [3]

S'approprier de façon illégitime, par la ruse, la violence, etc. (un bien, un pouvoir, un titre, appartenant ou destiné à autrui) : ***Usurper** un nom, un droit* ; par ext. : *Sa réputation **est usurpée***, il ne la mérite pas. 1340 ; lat. *usurpare*, de *usus*, « usage », et de *rapere*, « enlever » ; [yzyʀpe].

**UT, subst. m. inv.**

*Mus.* Première note de la gamme (synon. *do*). ► *Clé d'« **ut** »* : clé déterminant la place de la note ***ut*** sur la portée. 1392 ; lat. *ut*, premier mot du vers *Ut queant laxis* de l'hymne à saint Jean-Baptiste choisi par Gui d'Arezzo pour solfier les notes de musique ; [yt].

**UTÉRIN (I), INE, adj.**

*Dr.* Se dit des frères et des sœurs nés de la même mère, mais d'un père différent (par oppos. à *consanguin*). ► *Noblesse **utérine*** : transmise par la mère. 1455 ; lat. jur. *uterinus* ; [yteʀɛ̃, in].

**UTÉRIN (II), INE, adj.**

Qui concerne l'utérus : *Le col **utérin** ; Contraction **utérine**.* 1573 ; ☞ *utérus* ; [yteʀɛ̃, in].

**UTÉRUS, subst. m.**

*Anat.* Partie des voies génitales de la femme et des mammifères femelles, comprise entre les trompes de Fallope et le vagin, destinée à accueillir l'œuf fécondé et à accompagner son développement jusqu'à maturité. 1573 ; lat. *uterus*, « ventre de la mère » ; [yteʀys].

**UTILE, adj.**

**1.** Dont l'usage est profitable ; qui est propre à satisfaire un besoin, en parlant de qqch. : *Cadeau **utile*** ; empl. subst. masc. : *Savoir joindre l'**utile** à l'agréable.* ► *Techn. Énergie, puissance, charge **utile*** : utilisable ; *Partie **utile** d'un outil* : qui opère directement. **2.** Qui rend service, en parlant de qqn : *Se rendre **utile**.* **3.** Loc. *En temps **utile*** : au moment opportun. 1260 ; lat. *utilis* ; [ytil].

**UTILEMENT, adv.**

De manière utile. XIVe s. ; ☞ *utile* ; [ytilmɑ̃].

**UTILISABLE, adj.**

Qui peut être utilisé. 1842 ; ☞ *utiliser* ; [ytilizabl].

**UTILISATEUR, TRICE, adj. et subst.**

**ADJ.** Qui utilise (rare). **SUBST.** Personne qui utilise qqch. (un service, un dispositif, etc.). 1932 ; ☞ *utiliser* ; [ytilizatœʀ, tʀis].

**UTILISATION, subst. f.**

Action ou manière d'utiliser, emploi. 1796 ; ☞ *utiliser* ; [ytilizasjɔ̃].

**UTILISER, verbe trans.** [3]

**1.** Tirer parti de (qqn, qqch.) : ***Utiliser** ses capacités.* **2.** Employer, faire usage de (qqch.) : *À n'**utiliser** qu'en cas d'urgence ; **Utiliser** le passé simple.* 1792 ; ☞ *utile* ; [ytilize].

**UTILITAIRE, adj.**

**1.** Qui est conçu pour être fonctionnel, pratique : *Un véhicule **utilitaire*** ou, empl. subst. masc., *Un **utilitaire**.* ► *Informat. Programme **utilitaire*** ou, empl. subst. masc., *Un **utilitaire*** : logiciel de gestion et d'exploitation. **2.** Ext. Qui ne considère les choses que du point de vue de l'utile : *Préoccupations **utilitaires**.* 1830 ; ☞ *utilité* ; [ytilitɛʀ].

*Le camion, un véhicule **utilitaire**.*

**UTILITARISME, subst. m.**

*Philos.* Doctrine morale de Bentham et de Stuart Mill, selon laquelle la bonté d'un acte se mesure à son utilité, c.-à-d. à sa capacité à nous procurer le maximum de plaisirs et le minimum de peines. 1831 ; ☞ *utilitaire* ; [ytilitaʀism].

**UTILITARISTE, adj.**

**1.** Relatif, propre à l'utilitarisme : *Argument **utilitariste**.* **2.** Qui prône l'utilitarisme ; empl. subst., partisan de l'utilitarisme. 1922 ; ☞ *utilitarisme* ; [ytilitaʀist].

**UTILITÉ, subst. f.**

**I. 1.** Intérêt, convenance de qqn : *Cela m'a été d'une grande **utilité**.* **2.** *Admin. **Utilité** publique* : avantage qu'une déclaration officielle de l'autorité publique reconnaît pouvoir être procuré soit au public, soit à un service public ; intérêt général. **II. 1.** Qualité de ce qui est utile, de ce dont on se sert : ***Utilité** d'un instrument.* **2.** *Écon.* Valeur d'usage d'un bien dans la théorie classique de l'offre et de la demande. ► ***Utilité** marginale* : degré d'importance qu'une personne, un agent économique attribue à un bien. **PLUR.** Loc. *Jouer les **utilités*** : jouer un petit rôle au théâtre ou, au fig., avoir un rôle insignifiant dans une affaire. Déb. XIIe s. ; lat. *utilitas* ; [ytilite].

**UTOPIE, subst. f.**

**1.** Construction de l'esprit décrivant un pays imaginaire, une cité parfaite : *« La République » de Platon doit-elle être lue comme une **utopie** ?* **2.** *Pol.* Conception d'une société idéale : *L'**utopie** communiste.* **3.** Fig. Idéal qui ne peut être réalisé, chimère. 1532 ; *Utopia*, « Nulle-Part », nom d'une île imaginaire inventée par Thomas More, du gr. *ou*, « non », et *topos*, « lieu » ; [ytɔpi].

SCIENCES POLITIQUES – À partir de Thomas More, qui décrit, dans son ouvrage *Utopia*, une société idéale fondée sur le bonheur de tous les individus dans un régime démocratique et social, l'Occident voit se multiplier les utopies, qui atteindront leur plein essor au XIXe s. Face aux excès de la révolution industrielle, les précurseurs du mouvement socialiste, qualifiés d'utopistes, ont développé des idées empreintes de générosité, de fraternité et de philanthropie. Robert Owen fit campagne pour l'amélioration des conditions de travail, la réduction des horaires et créa une usine modèle en Écosse. Saint-Simon prôna la réforme de la société industrielle par la prise en compte des réalités sociales conduisant à l'harmonie entre les classes obtenue, en partie, grâce aux progrès technologiques. Charles Fourier, hostile au mercantilisme et au profit capitaliste, créa les phalanstères, associations de producteurs et de consommateurs, générateurs d'un ordre social radicalement idéaliste. Pierre-Joseph Proudhon, considéré comme anarchiste, fustigea les injustices sociales et développa des idées ouvriéristes et fédéralistes. Enfin, Louis Blanc préconisa la création d'ateliers nationaux, financés par l'État, pour développer l'emploi. Les thèses utopistes n'eurent que peu d'audience dans la classe ouvrière, qui préféra se tourner vers le syndicalisme et les mouvements révolutionnaires. Le socialisme scientifique (marxiste) a succédé à ce mouvement idéaliste.

**UTOPIQUE, adj.**

**1.** Relatif à l'utopie, qui se fonde sur un idéal de perfection sociale : *Socialisme **utopique***, théorie politique de Fourier et de Saint-Simon, opposée au socialisme scientifique de Marx et d'Engels. **2.** Irréalisable, qui ne tient pas compte des réalités : *Projet **utopique***. 🕮 1839 ; ☞ *utopie* ; [ytɔpik].

**UTOPISME, subst. m.**

Attitude d'une personne utopiste. 🕮 1901 ; ☞ *utopie* ; [ytɔpism].

**UTOPISTE, subst. et adj.**

Subst. **1.** *Pol.* Adepte de l'utopie. **2.** Idéaliste, personne aux vues utopiques. Adj. Utopique. 🕮 1792 ; ☞ *utopie* ; [ytɔpist].

**UTRICULAIRE, subst. f.**

*Bot.* Plante aquatique herbacée, de la famille des Lentibulariacées, qui se nourrit en capturant des petits insectes dans ses utricules. 🕮 1808 ; lat. sc. *utricularia*, du lat. *utriculus*, « petite outre » ; [ytʀikylɛʀ].

**UTRICULE, subst. m.**

**1.** *Bot.* ▶ Petit organe foliaire, en forme d'urne, d'une plante carnivore. ▶ Enveloppe scarieuse entourant le fruit, chez les Cypéracées. **2.** *Anat.* Vésicule du vestibule de l'oreille interne, qui joue un rôle dans l'équilibration et dans lequel débouchent les trois canaux semi-circulaires. 🕮 1758 (déb. XVIIIe s., vésicule du tissu cellulaire des plantes) ; lat. *utriculus*, « petite outre » ; [ytʀikyl].

**UVAL, ALE, AUX, adj.**

Qui se rapporte au raisin : *Cure **uvale***, à base de raisin. 🕮 1874 ; lat. *uva*, « raisin » ; [yval, o].

**UVA-URSI, subst. m. inv.**

*Bot.* Espèce de busserole, appelée aussi raisin d'ours. Ce petit arbrisseau à port couché se développe sur les sols tourbeux et produit des baies rouges comestibles. 🕮 1765 ; lat. *uva ursi*, « raisin d'ours » ; [yvayʀsi].

**UVÉE, subst. f.**

*Anat.* Membrane oculaire comprenant le corps ciliaire, l'iris et la choroïde. 🕮 1855 (1495, choroïde) ; lat. médiév. *uvea*, « en forme de grappe », du *uva*, « raisin » ; [yve].

**UVÉITE, subst. f.**

*Pathol.* Inflammation de l'uvée. 🕮 1855 ; ☞ *u*[...] + *-ite* ; [yveit].

**UVULAIRE, adj.**

**1.** *Anat.* Relatif à la luette. **2.** *Phon.* Qualifie [...] phonème réalisé au niveau de la luette : *Conson[...] **uvulaire*** ou, empl. subst. fém., *Une uvulai[...]* 🕮 1735 ; ☞ *uvule* ; [yvylɛʀ].

**UVULE, subst. f.**

*Anat.* Luette. 🕮 Mil. XIIIe s. ; lat. médiév. *uvula*, « pe[...] grappe » ; var. *uvula* ; [yvyl].

**UXORILOCAL, ALE, AUX, adj.**

*Anthropol.* Qualifie le mode de résidence d'un co[...] ple marié qui vit chez l'épouse ou chez les pare[...] de l'épouse (par oppos. à *virilocal*). 🕮 V. 1970 ; a[...] *uxorilocal*, du lat. *uxor*, « épouse » ; [yksɔʀilɔkal, o].

**UZBEK, voir OUZBEK**

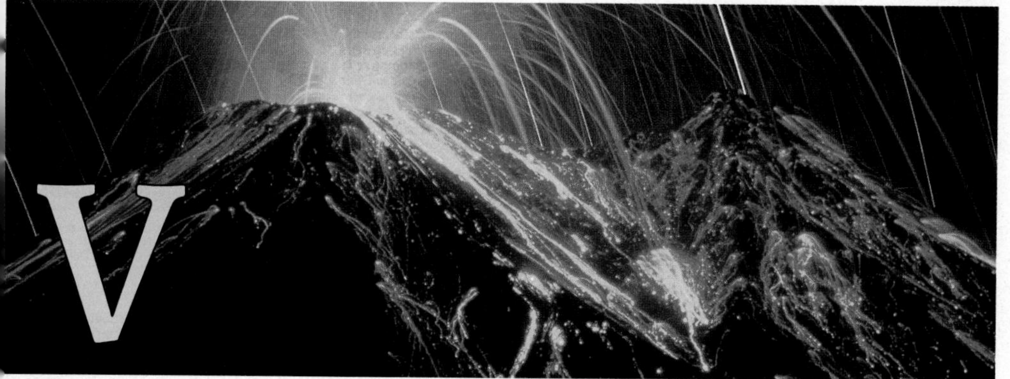

*Volcan en éruption.* © Comstock

**V, subst. m. inv.**
1. Vingt-deuxième lettre et dix-septième consonne de l'alphabet, qui note la fricative labiodentale sonore [v]. 2. Loc. *À la vitesse grand V* : à toute vitesse ; *Le V de la victoire* : geste formé en écartant le majeur et l'index. ▸ **En V.** En forme de *V* : *Un col en V* ; par ell. : *Pull en V.* 3. Abrév. et Symb. ▸ V : chiffre romain valant 5. ▸ *Chim.* V : vanadium. ▸ *Électr.* V : volt. ⊠ [ve].

**VA, interj.**
1. Exprime l'encouragement, l'acquiescement : *Va, je ne te hais point* (Corneille) ; *D'accord, va pour mille francs !* (fam.) ; souligne une insulte (fam.) : *Va donc, chauffard !* 2. Loc. *À la va-comme-je-te-pousse* : au petit bonheur, comme on peut (fam.). ⊠ 1610 ; impér. de *aller* (I) ; [va].

**VA, voir VOLTAMPÈRE**

**VACANCE, subst. f.**
État d'une charge, d'un poste vacant. ▸ *Dr. Vacance de succession* : caractère d'une succession qui n'est réclamée par personne. ▸ *Pol. Vacance du pouvoir* : période durant laquelle l'autorité de l'État n'est pas en mesure de s'exercer. **Plur.** 1. *Just. Vacances (judiciaires)* : période d'interruption des audiences. 2. Période d'interruption des activités scolaires, universitaires ou professionnelles : *Grandes vacances,* **vacances** scolaires d'été ; *Vacances de Noël.* 3. Congé rémunéré accordé légalement aux salariés. ⊠ Déb. XIVe s. ; ☞ *vacant* ; [vakɑ̃s].

**Vacances** *romaines, film de William Wyler (1902-1981), avec Audrey Hepburn et Gregory Peck.* © Pele-Stills

**VACANCIER, IÈRE, subst.**
Personne qui est en vacances, en villégiature : *L'arrivée des vacanciers.* ▸ Empl. adj. Relatif, propre aux vacances ; conçu pour les vacances. ⊠ 1928 ; ☞ *vacance* ; [vakɑ̃sje, jɛʀ].

**VACANT, ANTE, adj.**
1. Sans titulaire : *Poste* **vacant.** 2. *Dr.* Dépourvu de propriétaire : *Biens* **vacants.** 3. Disponible, inoccupé : *Logement* **vacant** ; au fig., vide : *Esprit* **vacant** (littér.). ⊠ 1207 ; lat. *vacans,* de *vacare,* « être vide, inoccupé » ; [vakɑ̃, ɑ̃t].

**VACARME, subst. m.**
Bruit assourdissant ; tumulte : *Le vacarme de la rue.* ⊠ Fin XIVe s. (1288, au secours !) ; néerl. *wacharme !,* « hélas ! pauvre de moi ! » ; [vakaʀm].

**VACATAIRE, adj. et subst.**
Qualifie ou désigne une personne chargée, à titre temporaire, d'une tâche déterminée, gén. auxiliaire, et rémunérée à la vacation. ⊠ V. 1960 ; ☞ *vacation* ; [vakatɛʀ].

**VACATION, subst. f.**
1. Temps passé à traiter un dossier, à accomplir une fonction précise, en parlant d'un notaire, d'un expert, d'un juge. ▸ Vente aux enchères. 2. Ext. Période durant laquelle un vacataire remplit une mission ; cette mission : *Être payé à la* **vacation** ; par méton., rémunération de ce temps de travail (gén. au plur.). **Plur.** *Just.* Vacances judiciaires. ⊠ 1402 (1355, dispense de charges publiques) ; lat. *vacatio,* « exemption, dispense », de *vacare,* « être libre, inoccupé » ; [vakasjɔ̃].

**VACCAIRE, subst. f.**
*Bot.* Plante herbacée annuelle de la famille des Caryophyllacées, adventice des terrains cultivés, appelée aussi saponaire des vaches. ⊠ 1859 ; lat. sc. *vaccaria,* du lat. *vacca,* « vache » ; [vakɛʀ].

**VACCIN, subst. m.**
1. *Méd.* Préparation antigénique obtenue à partir de virus, de bactéries ou de parasites (inactivés ou atténués) et qui est administrée par vaccination afin d'immuniser un organisme contre une maladie : *Vaccin antirabique* ; *Vaccins associés.* 2. Fig. Ce qui préserve de qqch : *La lecture, un* **vaccin** *contre l'ennui.* ⊠ 1852 (1801, substance organique propre à créer une réaction immunitaire contre la variole) ; lat. *vaccinus,* « de vache », d'apr. *vaccine* ; [vaksɛ̃].

**VACCINAL, ALE, AUX, adj.**
1. Relatif à la vaccine. 2. Relatif au vaccin, provoqué par un vaccin : *Pustule* **vaccinale.** ⊠ 1812 ; ☞ *vaccine* ; [vaksinal, o].

**VACCINATION, subst. f.**
*Méd.* 1. Action de vacciner : **Vaccination** *obligatoire, préventive.* 2. Méthode de stimulation de l'immunité contre une infection par l'administration d'un vaccin contenant un micro-organisme dont le pouvoir pathogène a été atténué. ⊠ 1801 ; ☞ *vaccine* ; [vaksinasjɔ̃].

**VACCINE, subst. f.**
1. *Vétér.* Maladie infectieuse des Équidés et des Bovidés, apparentée à la variole. 2. *Méd.* ▸ Virus vivant de la **vaccine** qui, cultivé en laboratoire, sert de vaccin contre le virus de la variole avec lequel il présente une immunité croisée. ▸ Ensemble des manifestations cliniques provoquées chez l'homme par une vaccination antivariolique. ⊠ 1799 ; lat. sc. *variola vaccina,* « variole de la vache » ; [vaksin].

**VACCINER, verbe trans. [3]**
1. *Méd.* ▸ Inoculer la vaccine à (qqn) pour l'immuniser contre la variole (vieilli). ▸ Administrer un vaccin à (une personne, un animal) : **Vacciner** *une personne âgée contre la grippe.* 2. Fig. Prévenir, préserver (qqn) des effets néfastes, désagréables de qqch. : **Être vacciné** *(contre qqch.),* en avoir fait l'expérience fâcheuse (fam.). ▸ Loc. *Être majeur et* **vacciné** : en âge de prendre ses responsabilités (fam.). ⊠ 1801 ; ☞ *vaccine* ; [vaksine].

**VACCINIDE, subst. f.**
*Pathol.* Réaction cutanée généralisée susceptible de survenir après une vaccination antivariolique. ⊠ 1872 ; ☞ *vaccine* + *-ide* ; [vaksinid].

**VACCINOSTYLE, subst. m.**
*Méd.* Lancette métallique à pointe triangulaire servant à effectuer, par scarification, une vaccination, une cuti-réaction. ⊠ 1907 ; ☞ *style* + *vaccino-* ; [vaksinostil].

**VACCINOTHÉRAPIE, subst. f.**
Traitement des maladies infectieuses par des vaccins administrés curativement. ⊠ 1909 ; formé de *vaccino-* et de *-thérapie* ; [vaksinɔteʀapi].

**VACHARD, ARDE, adj.**
Méchant (fam.) : *Un coup* **vachard.** ⊠ 1907 (1800, fainéant) ; ☞ *vache* ; [vaʃaʀ, aʀd].

**VACHE, subst. f. et adj.**
**Subst.** 1. *Zool.* Femelle d'un bovidé, en partic. d'un bovin domestique, le mâle étant le taureau : **Vache** *laitière* ; **Vache** *sacrée,* en Inde ; au fig. : **Vache** *à lait,* personne que l'on exploite parce qu'elle prête ou donne facilement son argent (fam.). ▸ Anal. **Vache** *marine* : dugong. ▸ *Vétér. Maladie de la* **vache** *folle* : encéphalopathie spongiforme bovine (☞ *spongiforme*). ▸ Loc. *Les sept* **vaches** *grasses et les sept* **vaches** *maigres* : périodes d'abondance alternant avec des périodes de pénurie (allus. biblique) ; *Montagne à* **vaches** : zone montagneuse de faible dénivelé ; *Manger de la* **vache** *enragée* : subir de dures privations (fam.) ; *Le plancher des* **vaches** : la terre ferme. 2. Peau de l'animal apprêtée en cuir : *Cartable en* **vache.** 3. **Vache** *à eau* : récipient en toile dans lequel les campeurs recueillent et conservent l'eau. 4. Fam. Agent de police (vieilli) : *Mort aux* **vaches !** ▸ Personne méchante, sévère (synon. *peau de* **vache**). ▸ *La* **vache !** : exclamation de dépit ou d'admiration. **Adj.** Fam. 1. Méchant, sévère : *Une remarque particulièrement* **vache.** 2. Dur, pénible, en parlant de choses, d'évènements : *C'est* **vache** *de le laisser tomber.* ⊠ Déb. XIIe s. ; lat. *vacca* ; [vaʃ].

**VACHEMENT, adv.**
Fam. 1. De manière vache, sévère. 2. Très, beaucoup : *C'est* **vachement** *bon.* ⊠ 1906 ; ☞ *vache* ; [vaʃmɑ̃].

*Vache sacrée parée pour une cérémonie, devant le palais du maharaja de Mysore, en Inde.*

© J.-L. Nou-Explorer

**VACHER, ÈRE,** subst.
Personne qui garde, soigne et mène paître les vaches. Déb. XIII^e s. ; lat. pop. °*vaccarius*, du lat. *vacca*, « vache » ; [vaʃe, ɛʀ].

**VACHERIE,** subst. f.
**1.** Étable (vieilli). **2.** Fig. et Fam. Perfidie : *Quelle* ***vacherie***, *cet examen.* ► Méton. Parole, action vache, méchante : *Faire une* ***vacherie*** *à qqn.* 1336 (déb. XIII^e s., troupeau de vaches) ; ☞ *vache* ; [vaʃʀi].

**VACHERIN,** subst. m.
**1.** Fromage de Franche-Comté et du Jura suisse, à pâte molle et à croûte lavée et cerclée d'écorce. **2.** Dessert fait de meringue, de glace et de crème fouettée. 1605 ; ☞ *vache* ; [vaʃʀɛ̃].

**VACHETTE,** subst. f.
**1.** Jeune vache, petite vache. **2.** Cuir de génisse : *Sac en* ***vachette***. Fin XII^e s. ; ☞ *vache* ; [vaʃɛt].

**VACILLANT, ANTE,** adj.
**1.** Qui vacille, qui est en équilibre instable : *Une démarche* ***vacillante*** ; *Un éclairage* ***vacillant***, qui menace de s'éteindre. **2.** Fig. Hésitant, incertain : *Une volonté* ***vacillante***. Fin XIV^e s. (fin XIV^e s., d'issue incertaine) ; p. pr. de *vaciller* ; [vasijɑ̃, ɑ̃t].

**VACILLEMENT,** subst. m.
**1.** Mouvement de ce qui vacille. **2.** Fig. Hésitation, incertitude. 1606 ; ☞ *vaciller* ; [vasijmɑ̃].

**VACILLER,** verbe intrans. [3]
**1.** Chanceler. **2.** Trembloter, menacer de s'éteindre, en parlant d'une source de lumière. **3.** Fig. Hésiter, devenir incertain (littér.) : *Son courage, sa raison* ***vacille***. Fin XII^e s. ; lat. *vacillare* ; [vasije].

**VACIVE,** subst. f.
Brebis de deux ans qui n'a pas encore porté. 1627 ; lat. *vacivus*, de *vacuus*, « vide » ; [vasiv].

**VACUITÉ,** subst. f.
**1.** État de ce qui est vide (rare). **2.** Fig. Vide intellectuel ou moral ; inconsistance : *La* ***vacuité*** *d'un discours, d'une pensée.* 1314 ; lat. *vacuitas*, de *vacuus*, « vide » ; [vakɥite].

**VACUOLAIRE,** adj.
*Biol.* Se dit d'une structure où de nombreux espaces sont seulement occupés par un liquide ou un gaz ; relatif aux vacuoles ; qui en renferme. 1849 ; ☞ *vacuole* ; [vakɥɔlɛʀ].

**VACUOLE,** subst. f.
**1.** *Biol.* Vésicule intracellulaire séparée de la substance cytoplasmique par une membrane interne. **2.** *Bot.* Enclave dans le cytoplasme des végétaux, contenant un suc dit vacuolaire. **3.** *Géol.* Petite cavité à l'intérieur d'une roche cohérente. 1736 ; lat. *vacuus*, « vide » ; [vakɥɔl].

**VACUOME,** subst. m.
*Biochim.* Ensemble du système vacuolaire d'une cellule. Mil. XX^e s. ; ☞ *vacuole* ; [vakɥom].

**VACUUM,** subst. m.
*Sc.* Espace dépourvu de toute matière. 1872 ; lat. *vacuum*, « vide » ; [vakɥɔm].

**VADE-MECUM,** subst. m. inv.
Ouvrage de poche condensant des informations sur un sujet, que l'on garde à portée de main pour le consulter. 1845 (1465, ce que l'on porte sur soi) ; lat. *vade me cum*, « va avec moi » ; [vademekɔm].

**VADROUILLE (I),** subst. f.
**1.** *Mar.* Faubert. **2.** Québ. Balai à franges. 1678 ; prob. dial. *drouilles*, « hardes » ; [vadʀuj].

**VADROUILLE (II),** subst. f.
Promenade sans but précis (fam.) : *Être, partir en* ***vadrouille***. 1908 (1887, fait d'errer en quête de débauche) ; ☞ *vadrouiller* ; [vadʀuj].

**VADROUILLER,** verbe intrans. [3]
Se promener sans but précis, flâner (fam.). 1904 (1881, errer en quête de débauche) ; ☞ *vadrouille* (I) ; [vadʀuje].

**VADROUILLEUR, EUSE,** subst. et adj.
Se dit d'une personne qui aime vadrouiller (fam.). 1878 ; ☞ *vadrouiller* ; [vadʀujœʀ, øz].

**VA-ET-VIENT,** subst. m. inv.
**1.** Mouvement alternatif d'une pièce entre deux points fixes : ***Va-et-vient*** *d'un piston, d'un balancier.* **2.** Dispositif permettant le mouvement ou la communication dans les deux sens. ► *Bât.* ***Va-et-vient*** *d'une porte* : gond à ressort permettant l'ouverture du battant dans les deux sens et son retour à la position d'équilibre. ► *Mar.* Système de double cordage : ***Va-et-vient*** *entre deux navires, entre deux rives.* ► *Électr.* Système de mise en marche et d'arrêt du courant au moyen d'interrupteurs inverseurs. **3.** Déplacement de personnes, de véhicules en sens opposés : *Le* ***va-et-vient*** *incessant des voitures, de la foule.* ► Allée et venue : *Sentinelle, passant qui fait le* ***va-et-vient***. 1765 ; comp. de *aller* (I) et de *venir* ; [vaevjɛ̃].

**VAGABOND, ONDE,** adj. et subst.
Adj. **1.** Qui mène une vie errante, qui se déplace sans cesse. **2.** Fig. Inconstant, instable : *Avoir l'esprit, l'humeur* ***vagabonde***. Subst. **1.** Aventurier (littér.). **2.** Personne sans domicile fixe ni véritables revenus, qui erre au hasard. 1382 ; bas lat. *vagabundus*, du lat. *vagari*, « errer » ; [vagabɔ̃, ɔ̃d].

**VAGABONDAGE,** subst. m.
**1.** Fait ou habitude de mener une vie errante. **2.** État d'une personne sans domicile fixe ni revenus : *Être arrêté pour* ***vagabondage***. **3.** Fig. État instable ou changeant de l'esprit. 1783 ; ☞ *vagabonder* ; [vagabɔ̃daʒ].

**VAGABONDER,** verbe intrans. [3]
**1.** Errer, se déplacer sans cesse. **2.** Fig. Être inconstant, instable : *Laisser sa pensée* ***vagabonder***. Fin XIV^e s. ; ☞ *vagabond* ; [vagabɔ̃de].

**VAGAL, ALE, AUX,** adj.
*Anat.* Relatif au nerf vague. 1926 ; ☞ *vague* (III) ; [vagal, o].

**VAGIN,** subst. m.
*Anat.* Conduit musculo-élastique des voies génitales féminines, inséré sur le col de l'utérus et qui s'ouvre dans la vulve, entre l'urètre et le rectum. 1676 ; lat. *vagina*, « gaine » ; [vaʒɛ̃].

**VAGINAL, ALE, AUX,** adj.
*Anat.* **1.** Relatif au vagin : *Muqueuse* ***vaginale***. **2.** Relatif à la tunique séreuse qui enveloppe le testicule. 1778 (déb. XVIII^e s., qui gaine) ; ☞ *vagin* ; [vaʒinal, o].

L'Arc de la **vague** au large de Kanagawa, *estampe de Hokusai (1760-1849) extraite de la suite des* Trente-Six Vues du mont Fuji. *Musée Guimet, Paris.*

© Pemo-Explorer

**VAGUE (I),** subst. f.
**1.** Mouvement d'ondulation périodique qui ap raît à la surface de la mer ou d'un lac sous l'e du vent, des courants, etc. : *Le bruit des vagu* *Vague déferlante.* **2.** Anal. Phénomène qui pre de l'ampleur puis s'apaise : *Une* ***vague*** *protestations* ; *Une* ***vague*** *de froid.* ► Loc. *Être d le creux de la* ***vague*** : connaître une mauva fortune momentanée ; *Faire des* ***vagues*** : provoq des réactions, scandaliser. **3.** Fig. Masse de p sonnes, d'animaux qui déferlent en même temp *Une* ***vague*** *d'estivants.* ► *La Nouvelle* ***Vague*** : grou de cinéastes de la fin des années cinquante, a idées novatrices. Mil. XII^e s. ; prob. anc. scand. *vá* « mer » ; [vag].

**VAGUE (II),** adj.
*Terrain* ***vague*** : terrain ni bâti ni entretenu, en zo urbaine. 1266 (déb. XIII^e s., vide de) ; lat. *vacu* « vide » ; [vag].

© Pele-Stills

Hiroshima mon amour *(1959), film d'Alain Resnais (né en 1922), avec Emmanuelle Riva et Eiji Okada.*

© Delange-Stills

Les Quatre Cents Coups *(1959), film de François Truffaut (1932-1984), avec Jean-Pierre Léaud.*

© Pele-Stills

À bout de souffle *(1960), film de Jean-Luc Godard (né en 193 avec Jean-Paul Belmondo et Jean Seb*

LA NOUVELLE **VAGUE**

**VAGINISME,** subst. m.
*Pathol.* Resserrement incontrôlable et douloureux du vagin, rendant les rapports sexuels impossibles. 1868 ; ☞ *vagin* ; [vaʒinism].

**VAGINITE,** subst. f.
*Pathol.* Inflammation de la muqueuse du vagin. 1833 ; ☞ *vagin* + *-ite* ; [vaʒinit].

**VAGIR,** verbe intrans. [19]
**1.** Pousser de petits cris, en parlant d'un nouveau-né. **2.** Pousser son cri, en parlant d'un crocodile ou d'un lièvre. 1555 ; lat. *vagire* ; [vaʒiʀ].

**VAGISSANT, ANTE,** adj.
Qui vagit. 1829 ; p. pr. de *vagir* ; [vaʒisɑ̃, ɑ̃t].

**VAGISSEMENT,** subst. m.
**1.** Cri du nouveau-né. **2.** Cri du lièvre ou du crocodile. 1536 ; ☞ *vagir* ; [vaʒismɑ̃].

**VAGOLYTIQUE,** adj. et subst. m.
*Biol.* et *Méd.* Se dit d'une substance naturelle ou synthétique qui inhibe l'activité du nerf vague. Mil. XX^e s. ; ☞ *vague* (III) + *-lytique* ; [vagɔlitik].

**VAGOTOMIE,** subst. f.
*Chir.* Section du nerf vague. 1923 ; ☞ *vague* (III) + *-tomie* ; [vagɔtɔmi].

**VAGOTONIE,** subst. f.
*Pathol.* Prédominance des effets du nerf vague, provoquant notamment des troubles cardiaques (bradycardie) ou respiratoires, une tendance aux syncopes et à l'anxiété. 1923 ; ☞ *vague* (III) + *-tonie* ; [vagɔtɔni].

**VAGOTONIQUE,** adj.
Qui concerne la vagotonie. 1916 ; ☞ *vague* (III) + *-tonique* ; [vagɔtɔnik].

**VAGUE (III),** adj. et subst. m.
Adj. **1.** Qui n'est pas clairement définissable, c manque de précision : *Des propos* ***vagues*** ; *Un vag malaise.* **2.** Qui est difficile à localiser, à percevo insignifiant, quelconque : *Une* ***vague*** *douleur* ; ***vague*** *parent.* **3.** Qui est ample, non ajusté, parlant d'un vêtement. **4.** *Anat. Le nerf* ***vague*** c empl. subst. masc., *Le* ***vague*** : nerf principal système parasympathique (synon. *pneumogast que*). Subst. Ce qui est imprécis, flou, mal défin *Rester dans le* ***vague***, ne pas expliciter sa pensé *Avoir les yeux dans le* ***vague***, laisser son regard perdre. ► Loc. *Avoir du* ***vague*** *à l'âme* : ressen une impression de tristesse sans cause apparen Déb. XIV^e s. (1213, vagabond) ; lat. *vagus* ; [vag].

**VAGUELETTE,** subst. f.
Petite vague. 1894 ; ☞ *vague* (I) ; [vaglɛt].

**VAGUEMENT,** adv.
De manière imprécise ou trop peu affirmée : *Ê* ***vaguement*** *au courant* ; *Nier* ***vaguement***. 14 (déb. XV^e s., en errant) ; ☞ *vague* (III) ; [vagmɑ̃].

**VAGUEMESTRE,** subst. m.
**1.** *Milit.* Sous-officier chargé du service post **2.** Employé préposé au courrier, dans une ent prise, une administration (vieilli). 1825 (16 officier chargé de veiller à la bonne marche des conv militaires) ; all. *Wagenmeister*, « maître des équipages [vagmɛstʀ].

**VAGUER,** verbe intrans. [3]
Littér. Aller au hasard, errer ; au fig. : *Laisser vagu ses pensées, son regard*, les laisser vagabond Mil. XIII^e s. ; lat. *vagari* ; [vage].

**VAHINÉ, subst. f.**
mme tahitienne. 1771 ; mot polynésien ; [vaine].

**VAIGRAGE, subst. m.**
ısemble des vaigres ; par méton., pose des vaigres. 1759 ; ☞ *vaigre* ; [vɛgʀaʒ].

**VAIGRE, subst. f.**
*ar.* Chacune des planches de bordage couvrant côté intérieur des membrures d'un navire. 1636 ; néerl. *weger* ; [vɛgʀ].

**VAILLAMMENT, adv.**
*r*ec vaillance. Mil. XII^e s. ; ☞ *vaillant* ; [vajamɑ̃].

**VAILLANCE, subst. f.**
Courage, bravoure du guerrier. **2.** Courage moral ns l'adversité. Mil. XII^e s. ; ☞ *vaillant* ; [vajɑ̃s].

**VAILLANT, ANTE, adj.**
Qui fait preuve de courage, dans la bataille ou ns l'adversité. **2.** Plein d'ardeur au travail. **3.** Vi-ureux, en bonne santé : *Malgré son âge, il est core* ***vaillant.*** **4.** Loc. *N'avoir pas un sou* ***vaillant*** : pas avoir d'argent. Fin XI^e s. (mil. XI^e s., de grande eur) ; anc. p. pr. de *valoir* ; [vajɑ̃, ɑ̃t].

**VAILLANTIE, subst. f.**
*t.* Plante herbacée de la famille des Rubiacées, fleurs blanches ou jaunâtres, poussant en terre ide. 1706 ; anthropon. *Sébastien Vaillant,* botaste ; [vajɑ̃ti].

**VAIN, VAINE, adj.**
Dépourvu de fondement ou de sens : *De vaines* *aintes* ; *Un vain mot* ; inutile, sans effet : *De vains* *forts.* ► Loc. *En* ***vain*** : inutilement. **2.** Qui maniste de la vanité, de la fatuité (littér.) : *Un être in.* Déb. XII^e s. ; lat. *vanus,* « vide » ; [vɛ̃, vɛn].

**VAINCRE, verbe trans. [56]**
Gagner une bataille contre (un ennemi) ; empl. s. : *Désir de* ***vaincre.*** ► Gagner une compétition ntre (un concurrent). **2.** Dominer, surmonter n état, une difficulté) : ***Vaincre*** *sa timidité* ; *aincre la maladie,* guérir. Fin XI^e s. (fin IX^e s., poser sa volonté à qqn) ; lat. *vincere* ; [vɛ̃kʀ].

**VAINCU, UE, subst. et adj.**
dit d'une personne, d'un groupe qui a perdu une taille, une compétition, etc. : *S'avouer* ***vaincu,*** pituler. **Adj.** Maîtrisé, dominé : *Timidité* ***vaincue.*** XII^e s. ; p. p. de *vaincre* ; [vɛ̃ky].

**VAINEMENT, adv.**
ı vain, sans résultat. Fin XIII^e s. (fin XII^e s., de anière frivole) ; ☞ *vain* ; [vɛnmɑ̃].

**VAINQUEUR, subst. m. et adj. m.**
dit d'une personne, d'un groupe qui a remporté ıe victoire : *Sortir* ***vainqueur*** *d'un combat, d'une reuve* ; *La foule acclama le* ***vainqueur.*** **Adj.** Victoeux : *Un sourire, un geste* ***vainqueur.*** Déb. XII^e s. ; ☞ *vaincre* ; [vɛ̃kœʀ].

**VAIR, subst. m.**
Fourrure de l'écureuil petit-gris (vx). **2.** *Hérald.* urrure de l'écu composée de petites cloches d'azur d'argent alternées. Mil. XII^e s. (fin XI^e s., gris-bleu) ; . *varius,* « bigarré » ; [vɛʀ].

**VAIRÉ, ÉE, adj.**
*éral*d. Chargé de vair. Déb. XIII^e s. (mil. XII^e s., garré) ; ☞ *vair* ; [veʀe].

**VAIRON (I), subst. m.**
*ol.* Petit poisson osseux de la famille des yprinidés, à dos vert foncé et à ventre clair, vivant ans les rivières à eau fraîche et courante. 1176 ; ob. lat. pop. °*vario,* du lat. *varius,* « bigarré » ; [vɛʀɔ̃].

**VAIRON (II), adj. m.**
*ux* ***vairons*** : de couleurs différentes. 1611 (fin s., cheval tacheté) ; ☞ *vair* ; [vɛʀɔ̃].

**VAISSEAU, subst. m.**
**1.** Récipient servant à contenir des liquides (vx). *Spéc.* ► *Anat.* Canal de calibre et de structure ariables dans lequel circule le sang ou la lymphe. *Bot.* Canal dans lequel circule la sève. **II. 1.** *Mar.* avire aux dimensions importantes (vieilli ou tér.) ; en partic., navire de combat. ► Loc. *Brûler s* ***vaisseaux*** : se mettre dans l'impossibilité retourner en arrière, de se rétracter. **2.** Anal. *aisseau spatial* : astronef habité. **3.** *Archit.* Espace ngitudinal situé sous une voûte : *Le* ***vaisseau*** *d'une thédrale.* Mil. XII^e s. (déb. XII^e s., engin de mort ; ait meurtrier) ; bas lat. *vascellum,* du lat. *vasculum,* etit vase » ; [vɛso].

**VAISSELIER, subst. m.**
eubIe servant à ranger, à exposer la vaisselle. 1376 ; ☞ *vaisselle* ; [vɛsəlje].

**VAISSELLE, subst. f.**
**1.** Ensemble des récipients et ustensiles servant à contenir, à présenter et à consommer les aliments : ***Vaisselle*** *d'or, de porcelaine.* **2.** Ensemble des plats, assiettes, etc., qui sont à laver ; par méton., action de les nettoyer : *Faire la* ***vaisselle.*** Mil. XII^e s. ; lat. pop. °*vascella* ; [vɛsɛl].

**VAISSELLERIE, subst. f.**
Industrie de la fabrication de la vaisselle et de divers récipients ; par méton., ensemble des objets ainsi fabriqués. 1838 ; ☞ *vaisselle* ; [vɛsɛlʀi].

**VAL, subst. m.**
**1.** Vallée : ***Val*** *de Loire.* ► Loc. *Par monts et par* ***vaux*** : de tous côtés. **2.** *Géol.* Dépression du relief inscrite dans l'axe d'une structure en forme de synclinal. Fin XI^e s. ; lat. *vallis* ; plur. *vals* ou *vaux* ; [val], plur. [vo].

**VALABLE, adj.**
**1.** Qui remplit les conditions nécessaires pour être accepté par une autorité : *Un passeport* ***valable.*** **2.** Dont la valeur ou la raison d'être est reconnue : *Un motif* ***valable.*** **3.** Qui a une valeur dans certaines circonstances : *Horaire* ***valable*** *les jours fériés.* **4.** Qui a des qualités appréciables (empl. critiqué) : *Un professeur, un travail* ***valable.*** Mil. XIII^e s. ; ☞ *valoir* ; [valabl].

**VALABLEMENT, adv.**
De façon valable : *Répondre* ***valablement*** *à la question.* XV^e s. ; ☞ *valable* ; [valabləmɑ̃].

**VALAQUE, adj. et subst.**
De Valachie. **Subst. masc.** Langue parlée dans le sud de la Roumanie. Mil. XV^e s. ; topon. *Valachie,* province de la Roumanie ; [valak].

**VALDÉISME, subst. m.**
*Relig.* Doctrine des vaudois. Anthropon. *Pierre Valdo* ; var. *valdisme* ; [valdeism].

**VALDINGUER, verbe intrans. [3]**
Fam. Tomber ; au fig. : *Envoyer* ***valdinguer*** *qqn,* l'éconduire sans ménagement. 1894 ; crois. de *valser* et de *dinguer* ; [valdɛ̃ge].

**VALDISME, voir VALDÉISME**

**VALENÇAY, subst. m.**
Fromage de chèvre pyramidal fabriqué dans le Berry. V. 1960 ; topon. *Valençay* (Indre) ; [valɑ̃sɛ].

**VALENCE (I), subst. f.**
Orange cultivée dans la région de Valence, en Espagne. 1839 ; topon. *Valence* (Espagne) ; [valɑ̃s].

**VALENCE (II), subst. f.**
**1.** *Chim.* Capacité d'un atome ou d'un radical à se combiner à d'autres atomes. ► Nombres d'atomes avec lesquels un atome déterminé peut se combiner. **2.** Anal. ► *Psych.* Attirance ou répulsion qu'une personne éprouve à l'égard de qqn, de qqch. ► ***Valence*** *écologique* : capacité d'une espèce animale ou végétale à coloniser des milieux différents. 1879 ; bas lat. *valentia,* « valeur », d'apr. *équivalence* ; [valɑ̃s].

**VALENCIENNES, subst. f.**
Dentelle fine à motifs floraux. 1761 ; topon. *Valenciennes* (Nord) ; [valɑ̃sjɛn].

**VALÉRIANACÉES, subst. f. plur.**
*Bot.* Famille de plantes dicotylédones gamopétales comprenant des espèces herbacées vivaces ou annuelles. **Au sing.** *La doucette est une* ***valérianacée.*** 1870 ; ☞ *valériane* ; [valeʀjanase].

**VALÉRIANE, subst. f.**
*Bot.* Plante herbacée de la famille des Valérianacées, à fleurs roses ou blanches, dont les racines ont des propriétés calmantes et antispasmodiques. Son odeur attirant les chats, elle est souvent appelée herbe-aux-chats. Fin XIII^e s. ; lat. médiév. *valeriana,* du topon. *Valeria,* autre nom de la province romaine de Pannonie ; [valeʀjan].

**VALÉRIANELLE, subst. f.**
*Bot.* Mâche, ou doucette. 1765 ; ☞ *valériane* ; [valeʀjanɛl].

**VALET, subst. m.**
**I. 1.** Vx. Jeune homme ; écuyer. ► Figure de carte à jouer représentant un écuyer : ***Valet*** *de cœur, de pique.* **2.** Domestique (vieilli) : ***Valet*** *de pied,* serviteur en livrée ; ***Valet*** *de chambre,* attaché au service personnel du maître de maison. ► Personne servile (péj.). **II.** Appareil, objet servant à faciliter un travail, à supporter qqch. **1.** *Menuis.* Instrument de fer servant à maintenir la pièce de bois sur l'établi. **2.** ***Valet*** *de nuit* : cintre sur pieds sur lequel on dispose ses vêtements pendant la nuit. Déb. XII^e s. ; lat. pop. °*vassellitus,* du lat. *vassalus* ; [valɛ].

**VALETAILLE, subst. f.**
Ensemble des valets, des domestiques d'une maison (péj.). Fin XVI^e s. ; ☞ *valet* ; [valtaj].

**VALÉTUDINAIRE, adj. et subst.**
Littér. Se dit d'une personne dont la santé est fragile : *Vieillard* ***valétudinaire.*** **Adj.** Fig. Chancelant, fragile : *Gouvernement* ***valétudinaire.*** 1346 ; lat. *valetudinarius* ; [valetydinɛʀ].

**VALEUR, subst. f.**
**I. 1.** Ensemble des qualités d'une personne, qui lui valent l'estime d'autrui : *Une femme de grande* ***valeur.*** **2.** Bravoure, courage (littér.) : *La* ***valeur*** *n'attend point le nombre des années* (Corneille). **3.** Importance accordée à qqch. : ***Valeur*** *sentimentale d'un bijou.* **4.** Qualité de ce qui est utile, efficace ; validité : *La* ***valeur*** *d'un argument.* **5.** Qualité de ce qui est jugé digne d'estime, d'intérêt : *La* ***valeur*** *littéraire d'une œuvre* ; *Jugement de* ***valeur,*** qui porte une appréciation positive ou négative. **6.** Ce qu'un individu, une société, une époque pose comme objectivement juste, beau, bien, et qui sert de référence, de principe : *L'honnêteté est pour lui une* ***valeur*** *primordiale* ; *Échelle de* ***valeurs,*** hiérarchie entre ces principes. **7.** *Philos.* Ce qui est objectivé comme référence et finalité de l'action humaine : ***Valeur*** *éthique, esthétique* ; ***Valeur*** *de vérité.* ► *Théorie des* ***valeurs*** : axiologie. **II. 1.** Prix estimé d'un objet en vue d'un échange ou d'une vente : *La* ***valeur*** *d'un terrain* ; ***Valeur*** *vénale.* ► **De valeur.** Estimé à un prix élevé : *Déposer dans un coffre ses objets de* ***valeur.*** ► **Mettre en valeur.** Valoriser, faire fructifier (qqch.) ; au fig., souligner les qualités de (qqn ou qqch.) : *Savoir se mettre en* ***valeur.*** **2.** *Écon.* ***Valeur*** *d'usage* : qualité d'un produit en fonction de son utilité ; ***Valeur*** *d'échange* : faculté que donne un bien d'en acquérir un autre ; ***Valeur*** *ajoutée* : différence entre le prix d'une marchandise sur le marché et le prix des matières premières et services utilisés pour sa production ; *Taxe à la* ***valeur*** *ajoutée* (☞ *taxe*) ; ***Valeur*** *intrinsèque d'une monnaie* : valeur du métal employé pour sa fabrication. **3.** *Fin.* ***Valeur*** *mobilière* ou, empl. abs., ***Valeur*** : titre négociable, coté ou non en Bourse (bon, action, obligation). **III. 1.** Mesure d'une grandeur ou d'un nombre. ► *Math.* ***Valeur*** *d'une fonction en un point a* : l'image $f(a)$ ; ***Valeur*** *propre d'un endomorphisme u d'un espace vectoriel E sur un corps K* : élément $\lambda$ de K tel qu'il existe un vecteur $x \in E$, non nul, pour lequel $u(x) = \lambda x$ ; ***Valeur*** *(colonne) propre d'une matrice carrée M* : scalaire $\lambda$ tel qu'il existe une matrice colonne $X \neq 0$ (colonne propre) pour laquelle $MX = \lambda X$. **2.** Mesure approximative d'une quantité : *Incorporer à la pâte la* ***valeur*** *d'un verre de lait.* **3.** *Ling.* Sens que prend un mot dans un contexte donné. **4.** *Mus.* Durée d'une note : *Une ronde a la* ***valeur*** *de quatre noires.* **5.** *Peint.* Degré d'intensité d'une couleur par rapport aux autres. Fin XI^e s. ; lat. *valor* ; [valœʀ].

**VALEUREUSEMENT, adv.**
Avec bravoure : *Défendre* ***valeureusement*** *son pays.* Mil. XV^e s. ; ☞ *valeureux* ; [valøʀøzmɑ̃].

**VALEUREUX, EUSE, adj.**
Qui fait preuve de bravoure (littér.). Déb. XV^e s. ; ☞ *valeur* ; [valøʀø, øz].

**VALGUS, adj. m.**
*Pathol.* Se dit d'un membre ou d'un segment de membre qui est dévié en dehors (anton. *varus*) : *Pied-bot* ***valgus*** ; *Pied* ***valgus*** ou, empl. subst. masc., *Un* ***valgus.*** 1839 ; lat. *valgus,* « qui a les jambes tournées en dehors, bancal » ; [valgys].

**VALIDATION, subst. f.**
Action de valider ; son résultat : ***Validation*** *d'un suffrage.* 1529 ; ☞ *valider* ; [validasjɔ̃].

**VALIDE, adj.**
**1.** Qui est en bonne santé, apte au travail. **2.** *Dr.* Légalement valable : *Un contrat, un passeport* ***valide.*** 1529 ; lat. *validus,* « fort, robuste » ; [valid].

**VALIDER, verbe trans. [3]**
Rendre ou déclarer valide : *Faire* ***valider*** *un diplôme.* 1411 ; bas lat. *validare,* « fortifier, rétablir » ; [valide].

**VALIDITÉ, subst. f.**
**1.** Caractère de ce qui est valide : ***Validité*** *d'un contrat, d'un visa.* **2.** Caractère de ce qui est justifié, recevable : ***Validité*** *d'une information.* **3.** *Log.* Qualité d'un raisonnement dont la forme est cohérente, indépendamment du fond. 1508 ; bas lat. *validitas,* « force physique ; solidité » ; [validite].

**VALINE, subst. f.**
*Biochim.* L'un des acides aminés indispensables à la synthèse des protéines. 1907 ; all. *Valin* ; [valin].

**VALISE, subst. f.**
**1.** Bagage rectangulaire équipé d'une poignée. ▸ Loc. *Faire ses* ***valises*** : s'en aller. **2.** *Dr. internat. Valise diplomatique* : courrier et bagage du corps diplomatique, jouissant d'une dispense de contrôle douanier. **3.** Anal. Poche, cerne sous les yeux (fam.). 1558 ; ital. *valigia*, « petite malle » ; [valiz].

**VALLÉE, subst. f.**
*Géogr.* **1.** Dépression creusée par un cours d'eau ou un glacier. **2.** Région arrosée par un cours d'eau : *La* ***vallée*** *de la Meuse.* Déb. XIIe s. ; ☞ *val* ; [vale].

**VALLEUSE, subst. f.**
*Géogr.* Petite vallée suspendue, creusée par la mer dans une falaise, sur la côte normande. 1848 ; norm. *avalleuse*, « descente de falaise » ; [valøz].

**VALLISNÉRIE, subst. f.**
*Bot.* Plante herbacée aquatique de la famille des Hydrocharidacées, dont le fruit mûrit sous l'eau. 1770 ; anthropon. *Antonio Vallisnieri*, naturaliste italien ; var. *vallisnère, vallisnaire* ; [valisneri].

**VALLON, subst. m.**
*Géogr.* Petite vallée. Mil. XVIe s. ; lat. *vallis* ; [valɔ̃].

**VALLONNÉ, ÉE, adj.**
Qui présente des vallons : *Campagne* ***vallonnée.*** 1845 ; ☞ *vallon* ; [valɔne].

**VALLONNEMENT, subst. m.**
Relief qui présente des vallons. 1880 (1863, ondulation du sol d'un jardin) ; ☞ *vallon* ; [valɔnmɑ̃].

**VALOIR, verbe [45]**
**INTRANS. 1.** Correspondre à (tel prix, telle valeur) : *Ce meuble* ***vaut*** *mille francs.* ▸ Loc. ***Valoir*** *son pesant d'or* (☞*pesant*) ; *Ça ne* ***vaut*** *pas un clou* (☞*clou*). **2.** Avoir telle valeur, telle qualité, tel mérite : *Prendre une chose pour ce qu'elle* ***vaut***, l'estimer à sa juste valeur ; *Démonstration qui ne* ***vaut*** *rien* ; empl. abs. : *Cela* ***vaut*** *pour vous aussi*, cela est valable pour vous aussi. ▸ Loc. *Cela ne me dit rien qui* ***vaille*** : cela ne me dit rien de bon ; ***Vaille*** *que* ***vaille*** : tant bien que mal ; *Faire* ***valoir*** : mettre en valeur ; *Se faire* ***valoir*** : se montrer à son avantage, se vanter ; *Faire* ***valoir*** *ses droits* : les exercer pour se défendre ; ***Valoir*** *la peine* : mériter. **3. Valoir mieux.** Être préférable, meilleur : *Un bon exemple* ***vaut mieux*** *qu'un long discours.* **IMPERS.** *Il* ***vaut*** *mieux* ; *Mieux* ***vaut*** (+ inf.) ; *Il* ***vaut*** *mieux que* (+ subj.) : il est préférable de, que. **TRANS. 1.** Être équivalent à, avoir la qualité de : *Sa parole* ***vaut*** *une signature* ; empl. pronom. : *Ces deux candidats se* ***valent.*** **2.** Avoir pour conséquence : *Sa distraction lui* ***a valu*** *un accident.* Mil. XIe s. ; lat. *valere*, « être vigoureux ; avoir de la valeur » ; [valwar].

**VALORISANT, ANTE, adj.**
Qui valorise : *Un emploi* ***valorisant.*** 1946 ; p. pr. de *valoriser* ; [valɔrizɑ̃, ɑ̃t].

**VALORISATION, subst. f.**
**1.** Fait de mettre en valeur qqch. ; fait de conférer plus de valeur à qqn : ***Valorisation*** *d'une région, d'un patrimoine* ; ***Valorisation*** *d'un élève.* **2.** *Écon.* Hausse de la valeur marchande d'une denrée provoquée par une mesure légale ou par une intervention sur le marché : ***Valorisation*** *du café.* 1909 ; ☞ *valoriser* ; [valɔrizasjɔ̃].

**VALORISER, verbe trans. [3]**
**1.** *Écon.* Accroître la valeur de (un terrain, un produit). **2.** Conférer une valeur, une importance accrue à (qqch., qqn) : ***Valoriser*** *un enfant en le responsabilisant.* 1925 ; ☞ *valeur* ; [valɔrize].

**VALSE, subst. f.**
**1.** Danse à trois temps, où un couple tourne sur lui-même en marquant le premier temps ; morceau de musique composé sur ce rythme : ***Valse*** *viennoise.* **2.** Fig. Changement périodique (iron.) : *La* ***valse*** *des ministres.* 1787 ; all. *Walzer* ; [vals].

**VALSER, verbe intrans. [3]**
**1.** Danser la valse. **2.** Fam. Être déplacé, projeté avec brutalité : *Vaisselle qui* ***valse.*** ▸ Loc. *Envoyer* ***valser*** *qqn* : le congédier sans ménagement, le rejeter (fam.). 1789 ; ☞ *valse* ; [valse].

**VALSEUR, EUSE, subst.**
Personne qui valse. 1802 ; ☞ *valser* ; [valsœr, øz].

**VALVAIRE, adj.**
*Bot.* Relatif aux valves. 1812 ; ☞ *valve* ; [valvɛr].

**VALVE, subst. f.**
**1.** *Zool.* Chacune des deux parties constituant la coquille de certains mollusques et crustacés : ***Valves*** *d'une moule.* **2.** *Anat.* ***Valves*** *cardiaques* : chacun des éléments constitutifs d'une valvule. **3.** *Bot.* Partie du péricarpe d'un fruit sec déhiscent, d'où s'échappent les graines. **4.** *Techn.* Système régulateur d'un courant liquide ou gazeux, assurant gén. le passage dans un seul sens. **5.** *Électr.* Appareil qui ne laisse passer le courant électrique que dans un seul sens et qui sert ainsi de détecteur ou de redresseur. 1752 (1560, battant de porte) ; lat. *valva* ; [valv].

**VALVÉ, ÉE, adj.**
*Bot.* Constitué de valves. 1812 ; ☞ *valve* ; [valve].

**VALVULAIRE, adj.**
*Anat.* Qui concerne les valvules, en partic. celles du cœur. 1882 (déb. XVIIIe s., qui présente des valvules) ; ☞ *valvule* ; [valvylɛr].

**VALVULE, subst. f.**
**1.** *Anat.* Repli d'un vaisseau ou d'un conduit creux empêchant le reflux du sang ou d'autres matières, et qui en régularise le cours. **2.** *Bot.* Petite valve. 1575 ; lat. sc. *valvula* ; [valvyl].

**VAMP, subst. f.**
Femme fatale, au charme ravageur. 1921 ; anglo-amér. *vamp*, de l'angl. *vampire*, « vampire » ; [vɑ̃p].

**VAMPER, verbe trans. [3]**
Séduire (un homme) en jouant la vamp (fam.). 1923 ; ☞ *vamp* ; [vɑ̃pe].

**VAMPIRE, subst. m.**
**1.** Selon une légende populaire, mort qui sort de sa tombe la nuit pour sucer le sang des vivants. **2.** Anal. Personne qui extorque de l'argent à autrui (vieilli). **3.** *Zool.* Chauve-souris d'Amérique tropicale qui suce le sang des animaux endormis. 1738 ; all. *Vampir*, du serbo-croate *vãmpīr* ; [vɑ̃pir].

Nosferatu le **vampire**,
*film de Murnau (1888-1931), avec Max Schreck.*

**VAMPIRIQUE, adj.**
Qui a trait ou qui ressemble aux vampires (littér.). 1790 ; ☞ *vampire* ; [vɑ̃pirik].

**VAMPIRISER, verbe trans. [3]**
Dominer (qqn) au point de lui ôter toute personnalité (fam.). 1795 ; ☞ *vampire* ; [vɑ̃pirize].

**VAMPIRISME, subst. m.**
**1.** Comportement propre aux vampires ; ensemble des superstitions qui les concernent. **2.** Fig. Avidité insatiable : *Le* ***vampirisme*** *des usuriers.* 1771 ; ☞ *vampire* ; [vɑ̃pirism].

**VAN (I), subst. m.**
*Agric.* Panier peu profond, à deux anses, qui sert à vanner le grain. XIIIe s. (1220, ce qui sépare le bon du mauvais) ; lat. *vannus* ; [vɑ̃].

**VAN (II), subst. m.**
**1.** Remorque fermée servant à transporter un ou deux chevaux de selle. **2.** Fourgonnette aménagée à cet usage. 1894 (1823, fourgon) ; mot angl. ; [vɑ̃].

**VANADIUM, subst. m.**
*Chim.* Élément métallique de transition n° 23 de la table de Mendeleïev (symb. : V) ; masse atomique : 50,94 ; point de fusion : 1 890 °C ; point d'ébullition : 3 380 °C ; masse volumique : 6,1 g/cm³. Il est utilisé dans la fabrication d'alliages, les aciers et les fontes en partic. 1831 ; lat. sc. *vanadium*, de *Vanadis*, surnom de la déesse scandina[ve] Freya ; [vanadjɔm].

**VANDA, subst. f.**
*Bot.* Orchidée épiphyte à grandes fleurs ble[ues] tachetées de pourpre. 1892 ; lat. sc. *vanda*, du hi[ndi] *vanda* ; [vɑ̃da].

**VANDALE, subst.**
Personne qui se livre, par ignorance ou violen[ce] gratuite, à des déprédations sur des biens privés [ou] publics, en partic. sur des œuvres d'art. 17[..] (1280, pillard, voleur) ; *Vandales*, nom d'un peu[ple] germanique des bords de la Baltique ; [vɑ̃dal].

**VANDALISER, verbe trans. [3]**
Détériorer, détruire gratuitement, de façon stupi[de]. V. 1980 ; ☞ *vandale* ; [vɑ̃dalize].

**VANDALISME, subst. m.**
Comportement de vandale : *Actes de* ***vandalism[e]*** 1794 ; ☞ *vandale* ; [vɑ̃dalism].

**VANDOISE, subst. f.**
*Zool.* Petit poisson blanc de la famille des Cyp[ri]nidés, vivant dans les rivières, qui ressemble à [un] petit chevesne. 1197 ; gaul. *vindisia*, « pois[son] blanc », du celte *vindos*, « blanc » ; [vɑ̃dwaz].

**VANESSE, subst. f.**
*Zool.* Papillon diurne, gén. très coloré, de la [fa]mille des Nymphalidés, dont les espèces les pl[us] connues sont le vulcain, le paon de jour et [le] morio. 1810 ; lat. sc. *vanessa*, p.-ê. du lat. *vaniti[as]* « frivolité » ; [vanɛs].

**VANILLE, subst. f.**
**1.** Fruit du vanillier : *Gousse de* ***vanille.*** **2.** *Méto[n].* Substance extraite de ce fruit, très utilisée [en] pâtisserie et en confiserie. 1672 ; esp. *vainilla*, *vaina*, du lat. *vagina*, « gaine, étui » ; [vanij].

**VANILLÉ, ÉE, adj.**
Parfumé à la vanille. 1845 ; ☞ *vanille* ; [vani[je]].

**VANILLIER, subst. m.**
*Bot.* Orchidée grimpante des régions tropicales [et] équatoriales, dont le fruit est la vanille. 176[.] ☞ *vanille* ; [vanije].

**VANILLINE, subst. f.**
*Chim.* Composé aux propriétés odorantes et arom[a]tiques, tiré de la vanille ou synthétisé à partir [de] l'eugénol. 1865 ; ☞ *vanille* ; [vanilin].

**VANILLON, subst. m.**
Vanille à petites gousses, qui pousse au Mexiq[ue] et aux Antilles. 1830 ; ☞ *vanille* ; [vanijɔ̃].

**VANITÉ, subst. f.**
**1.** Caractère de ce qui est vain, inconsistant [ou] frivole (vieilli) : *La* ***vanité*** *du monde.* **2.** Caract[ère] d'une personne prétentieuse, imbue d'elle-mêm[e] *Flatter la* ***vanité*** *de qqn* ; *Tirer* ***vanité*** *de qqch.*, s'[en] enorgueillir. Déb. XIIe s. ; lat. *vanitas* ; [vanite].

**VANITEUX, EUSE, adj.**
Qui est plein de vanité, fat ; empl. subst., person[ne] **vaniteuse.** 1735 ; ☞ *vanité* ; [vanitø, øz].

**VANITY-CASE, subst. m.**
Mallette conçue pour ranger des objets de toile[tte] féminins (anglic.). V. 1970 ; angl. *vanity case*, *vanity*, « vanité », et de *case*, « mallette » ; plur. *vani[ty] cases* ; [vanitikɛz].

**VANNAGE (I), subst. m.**
*Agric.* Action de vanner. 1293 ; ☞ *vanner* ([I]) [vanaʒ].

**VANNAGE (II), subst. m.**
Système, ensemble de vannes. 1375 ; ☞ *vanne* ([I]) [vanaʒ].

**VANNE (I), subst. f.**
*Techn.* Panneau mobile réglant le débit d'un fluid[e] *Ouvrir les* ***vannes*** *d'un barrage.* 1260 ; lat. médi[év.] *venna* ; [van].

**VANNE (II), subst. f.**
Fam. Plaisanterie ; farce. 1893 (1884, au mas[c.] mensonge) ; ☞ *vanner* (I) ; [van].

**VANNEAU, subst. m.**
*Zool.* Oiseau migrateur de la famille des Char[a]driidés, dont le type est le **vanneau** huppé, échassi[er] grégaire au plumage noir et blanc, à fine hup[pe] arquée et aux larges ailes, qui niche dans les zon[es] humides. 1229 ; ☞ *van* (I) ; [vano].

**VANNELLE, subst. f.**
Petite vanne. 1904 ; ☞ *vanne* (I) ; var. *vantel[le]* [vanɛl].

**VANNER (I), verbe trans. [3]**
**1.** *Agric.* Secouer (le grain) dans un van afin de

débarrasser de ses impuretés. **2.** Fam. Épuiser (qqn) ; empl. adj. : *Je suis rentré* ***vanné***. ☒ XIVe s. ; lat. pop. °*vannare*, du lat. *vannere* ; [vane].

**VANNER (II), verbe trans.** [3]
*Techn.* Équiper de vannes (un cours d'eau, un barrage, etc.). ☒ 1694 ; ☞ *vanne* (I) ; [vane].

**VANNERIE, subst. f.**
Fabrication d'objets tressés avec des fibres végétales de bambou, de raphia, de rotin, etc. ; par méton., ensemble des objets ainsi fabriqués. ☒ 1680 (XIVe s., nom de la rue où se fabriquent des objets tressés) ; ☞ *vannier* ; [vanʀi].

**VANNEUR, EUSE, subst.**
*Agric.* Personne qui vanne le grain. **Fém.** Machine à vanner. ☒ 1538 ; ☞ *vanner* (I) ; [vanœʀ, øz].

**VANNIER, IÈRE, subst.**
Personne qui travaille dans la vannerie. ☒ 1226 ; ☞ *van* (I) ; [vanje, jɛʀ].

**VANNURE, subst. f.**
Impuretés séparées du grain par le vannage (synon. *vannée*). ☒ 1291 ; ☞ *vanner* (I) ; [vanyʀ].

**VANTAIL, subst. m.**
Panneau mobile d'une porte ou d'une fenêtre (synon. *battant*). ☒ Mil. XIIIe s. ; ☞ *vent* ; plur. *vantaux* ; [vɑ̃taj], plur. [-to].

**VANTARD, ARDE, adj. et subst.**
Se dit d'une personne qui aime à se vanter. ☒ Fin XVIe s. ; ☞ *vanter* ; [vɑ̃taʀ, aʀd].

**VANTARDISE, subst. f.**
**1.** Caractère du vantard. **2.** Méton. Propos de vantard. ☒ 1841 ; ☞ *vantard* ; [vɑ̃taʀdiz].

**VANTELLE, voir VANNELLE**

**VANTER, verbe trans.** [3]
Louer, faire l'éloge de (qqn, qqch.) : ***Vanter** les mérites d'un produit.* **Pronom. 1.** Mettre ses qualités en évidence en les exagérant ou en déformant la vérité. **2.** *Se* ***vanter*** *de* : se glorifier de, se targuer de. ▸ Loc. *Il n'y a pas de quoi se* ***vanter*** : pas de quoi être fier. ☒ Fin XIe s. ; bas lat. *vanitare* ; [vɑ̃te].

**VA-NU-PIEDS, subst. inv.**
Personne misérable, dénuée de ressources (péj.). ☒ 1668 ; comp. de *aller* (I), de *nu* (I) et de *pied* ; [vanypje].

**VAPES, subst. f. plur.**
*Être dans les* ***vapes*** : hébété par la fatigue, l'alcool, etc. (fam.). ☒ 1935 ; abrév. argot. de *vapeur* (I) ; [vap].

**VAPEUR (I), subst. f.**
**1.** Fines gouttelettes d'eau de condensation en suspension. **2.** ***Vapeur** d'eau* ou, empl. abs., ***Vapeur*** : eau à l'état gazeux. ▸ Cette **vapeur**, utilisée comme énergie motrice : *Train, bateau à* ***vapeur***. ▸ *Fer (à repasser) à* ***vapeur*** : qui projette de la **vapeur** sur le linge. ▸ *Cuis. Cuisson à la* ***vapeur*** : à l'étouffée au-dessus d'une eau en ébullition. ▸ Loc. *Être, marcher à voile et à* ***vapeur*** : être bisexuel (fam.) ; *Renverser la* ***vapeur*** : inverser un processus qui s'était mal enclenché ; *À toute* ***vapeur*** : à toute allure. **3.** *Chim.* et *Phys.* Gaz obtenu par vaporisation d'un liquide ou sublimation d'un solide. La **vapeur** saturante est la phase gazeuse en équilibre avec la phase liquide, ou solide, d'une même substance. La **vapeur** sèche représente la phase gazeuse qui a perdu le contact avec la phase liquide, ou solide, d'une même substance. **Plur.** Étourdissement, malaise, autrefois attribué à l'exhalaison du sang ou des humeurs montant au cerveau (vieilli ou iron.) : *Avoir ses* ***vapeurs***. ☒ Fin XIIIe s. ; lat. *vapor* ; [vapœʀ].

**VAPEUR (II), subst. m.**
*Nav.* Bateau à vapeur (vieilli). ☒ 1828 ; ell. de *bateau à vapeur* ; [vapœʀ].

**VAPOCRAQUAGE, subst. m.**
*Techn.* Craquage d'un hydrocarbure en présence de vapeur. ☒ V. 1970 ; crois. de *vapeur* (I) et de *craquage* ; [vapokʀakaʒ].

**VAPOREUX, EUSE, adj.**
**1.** Qui contient de la vapeur ; voilé par des vapeurs : *Un ciel* ***vaporeux***. **2.** Léger et transparent ; flou : *Cheveux, tissu* ***vaporeux***. ☒ Fin XIVe s. ; lat. *vaporosus*, « plein de vapeurs » ; [vapɔʀø, øz].

**VAPORISAGE, subst. m.**
*Techn.* Action de soumettre des fils, des textiles à l'effet de la vapeur, afin d'en fixer la couleur. ☒ 1867 ; ☞ *vaporiser* ; [vapɔʀizaʒ].

**VAPORISATEUR, subst. m.**
Petit pulvérisateur. ☒ 1884 (1825, vase servant à l'évaporation d'un liquide) ; ☞ *vaporiser* ; [vapɔʀizatœʀ].

**VAPORISATION, subst. f.**
**1.** *Phys.* Passage d'une substance de l'état liquide à l'état gazeux. **2.** Action de vaporiser un liquide. ☒ 1756 ; ☞ *vaporiser* ; [vapɔʀizasjɔ̃].

**VAPORISER, verbe trans.** [3]
**1.** *Phys.* Faire passer (une substance) de l'état liquide à l'état gazeux sous l'action de la chaleur ; empl. pronom., subir cette transformation. **2.** Pulvériser (un liquide). ☒ 1756 ; lat. *vapor*, « vapeur » ; [vapɔʀize].

**VAQUER, verbe** [3]
**Intrans.** Vieilli. **1.** Être vacant, sans titulaire. **2.** Être en vacances : *Les bureaux* ***vaqueront*** *en août.* **Trans. indir.** Vaquer à. S'occuper de : ***Vaquer** à ses occupations, à ses affaires.* ☒ 1284 ; lat. *vacare* ; [vake].

**VAR, subst. m.**
*Phys.* Unité de puissance réactive d'un courant alternatif sinusoïdal. ☒ 1931 ; acron. de *volt ampère réactif* ; [vaʀ].

**VARAIGNE, subst. f.**
Ouverture par laquelle la mer pénètre dans un marais salant. ☒ 1580 ; p.-ê. dial. de l'Ouest *varennia*, de *varenne*, var. de *garenne*, « vivier » ; [vaʀɛɲ].

**VARAN, subst. m.**
*Zool.* Grand lézard carnivore et prédateur d'Afrique, d'Asie et d'Australie, au cou long et mobile, aux pattes puissantes. Certains **varans** atteignent 2 à 3 mètres de long ; celui de Komodo dépasse les 3 mètres et pèse plus de 1 quintal. ☒ Fin XIVe s. ; lat. sc. *varanus* ; [vaʀɑ̃].

© J. Poulard-Jacana

*Varan de Komodo, familièrement appelé dragon de Komodo.*

**VARANGUE, subst. f.**
*Mar.* Pièce assemblant avec la quille les deux moitiés d'un couple. ☒ 1379 ; anc. nord. *(v)rang* ; [vaʀɑ̃g].

**VARAPPE, subst. f.**
Escalade de parois rocheuses. ☒ 1896 (1876, réunion d'alpinistes qui descendirent le ravin de la Varappe) ; topon. *Varappe*, couloir rocheux du mont Salève ; [vaʀap].

**VARAPPER, verbe intrans.** [3]
Faire de la varappe. ☒ 1898 ; ☞ *varappe* ; [vaʀape].

**VARAPPEUR, EUSE, subst.**
Personne qui fait de la varappe. ☒ 1895 ; ☞ *varappe* ; [vaʀapœʀ, øz].

**VARECH, subst. m.**
*Bot.* Ensemble d'algues de natures diverses, déposées par la mer sur le littoral, utilisées pour amender les terres (synon. *goémon*). ☒ Déb. XIIe s. ; nord. *vágrek*, « ce qui est rejeté sur la côte » ; [vaʀɛk].

**VAREUSE, subst. f.**
*Cost.* **1.** *Mar.* Blouse courte en grosse toile, que portent les marins et les pêcheurs. **2.** Ext. Veste de certains uniformes. **3.** Anal. Veste ample. ☒ 1789 ; norm. *varer*, de *garer*, « protéger » ; [vaʀøz].

**VARIA, subst. m. plur.**
Recueil de textes courts ou d'articles variés. ☒ 1872 ; lat. *varia*, « choses variées » ; [vaʀja].

**VARIABILITÉ, subst. f.**
Caractère de ce qui est variable ; disposition à varier. ☒ Fin XIVe s. ; ☞ *variable* ; [vaʀjabilite].

**VARIABLE, adj. et subst. f.**
**Adj.** Qui varie ; changeant : *Ciel* ***variable*** ; *Quantité* ***variable***, dont la valeur peut changer. ▸ *Gramm. Mot* ***variable*** : dont la forme peut varier (en genre, en nombre, etc.). **Subst.** *Log.* et *Math.* ***Variable** d'une classe (ou d'un ensemble)* : symbole (souv. une lettre) susceptible d'être remplacé par un quelconque individu (ou élément) de la classe (ou de l'ensemble). ☒ Déb. XIIIe s. ; lat. *variabilis* ; [vaʀjabl].

**VARIANCE, subst. f.**
**1.** *Phys.* Nombre maximal de paramètres indépendants (température, pression, par ex.) définissant l'équilibre thermodynamique d'un système physicochimique, et déterminé par application de la règle des phases. La **variance** conditionne le maintien de cet équilibre malgré de faibles variations imposées aux paramètres. **2.** *Stat.* ***Variance** d'un caractère quantitatif discret* (ou *d'une variable aléatoire discrète*) : moyenne arithmétique des carrés des écarts à la moyenne des valeurs prises par le caractère (la variable aléatoire). ☒ 1904 (déb. XIIIe s., changement) ; ☞ *varier*, d'apr. *invariant*, *covariant* ; [vaʀjɑ̃s].

**VARIANTE, subst. f.**
**1.** Version d'un texte contenant des différences par rapport à l'original ; ces différences. **2.** Chacune des formes particulières propres à une même chose : *Les* ***variantes*** *dialectales d'une expression.* **Plur.** Pickles (région.). ☒ 1717 ; p. pr. de *varier* ; [vaʀjɑ̃t].

**VARIATEUR, subst. m.**
**1.** *Mécan.* ***Variateur** de vitesse* : dispositif permettant de transmettre un mouvement d'une pièce à une autre, en modifiant la vitesse de la pièce réceptrice. **2.** *Électr.* ***Variateur** d'intensité* : dispositif modifiant l'intensité du courant en fonction des besoins. ☒ 1904 ; ☞ *variation* ; [vaʀjatœʀ].

**VARIATION, subst. f.**
**1.** Changement qualitatif ou quantitatif, apparent ou caché, continuel ou épisodique de qqch. : ***Variations** de température, de climat, de population, d'humeur.* **2.** *Math. Calcul des* ***variations*** : détermination des extrêmes d'une fonction numérique définie dans un espace fonctionnel. **3.** *Mus.* Technique de composition consistant à exposer un thème puis à le transformer un certain nombre de fois, dans son rythme et dans son harmonie, le thème de base restant toujours discernable. ☒ 1314 ; lat. *variatio* ; [vaʀjasjɔ̃].

**VARICE, subst. f.**
*Pathol.* Dilatation permanente d'une veine, gén. des membres inférieurs. ☒ 1314 ; lat. *varix* ; [vaʀis].

**VARICELLE, subst. f.**
*Pathol.* Maladie infectieuse, contagieuse, bénigne et immunisante de l'enfant, due à un virus du groupe herpès, caractérisée par une éruption de vésicules évoluant par poussées et accompagnée d'un prurit important. ☒ 1764 ; ☞ *variole* ; [vaʀisɛl].

**VARICOCÈLE, subst. f.**
*Pathol.* Dilatation variqueuse des veines du scrotum et du cordon spermatique, pouvant entraîner une stérilité. ☒ 1707 ; ☞ *varice* + *-cèle* ; [vaʀikɔsɛl].

**VARIÉ, ÉE, adj.**
Dont les aspects sont multiples : *Un programme* ***varié***. **Plur.** Nombreux et différents : *Des odeurs* ***variées***. ☒ 1314 ; lat. *variatus* ; [vaʀje].

**VARIER, verbe** [6]
**Trans.** Donner des aspects, des caractères différents à (qqch.) : ***Varier** son alimentation, son style, son habillement* ; rendre (plusieurs choses) diverses : ***Varier** les plaisirs.* **Intrans.** Changer, se manifester sous des aspects différents : *Mes convictions n'ont jamais* ***varié*** ; *Les accents* ***varient*** *d'une région à l'autre.* ☒ 1155 ; lat. *variare* ; [vaʀje].

**VARIÉTAL, ALE, AUX, adj.**
*Sc. nat.* Relatif, propre à une variété. ☒ V. 1960 ; ☞ *variété* ; [vaʀjetal, o].

**VARIÉTÉ, subst. f.**
**1.** Caractère de ce qui est composé d'éléments variés ; diversité : *La* ***variété*** *des œuvres exposées* ; *Une grande* ***variété*** *de plats.* **2.** *Sc. nat.* Catégorie d'une espèce, dont les membres possèdent des caractéristiques propres : *Les valences sont une* ***variété*** *d'oranges.* **3.** *Math.* ***Variété** différentielle* : généralisation de la notion de courbe, de surface, de solide (à des dimensions supérieures à trois) en représentant ces objets localement par l'espace $\mathbb{R}^p$ avec des conditions de recollement de ces représentations. **Plur.** *Spectacle, émission de* ***variétés*** : comprenant des numéros variés, des chansons, des sketches ; au sing., musique populaire à grande diffusion : *Chanteur de* ***variété***. ☒ Fin XIIe s. ; lat. *varietas* ; [vaʀjete].

**VARIOLE, subst. f.**
*Pathol.* Maladie virale infectieuse caractérisée par la formation de vésicules puis de pustules laissant des cicatrices indélébiles (synon. vieilli *petite vérole*). Jadis souvent mortelle, elle est, depuis 1980, considérée par l'O. M. S. comme éradiquée. Le certificat de vaccination contre la **variole** n'est plus

exigé pour le passage des frontières. 1811 (déb. XVe s., pustule) ; lat. méd. *variola*, du lat. *varius*, « pustule », d'apr. *varius*, « tacheté » ; [vaʀjɔl].

**VARIOLÉ, ÉE, adj.**
Marqué par les cicatrices de la variole : *Un visage* ***variolé.*** 1842 ; ☞ *variole* ; [vaʀjɔle].

**VARIOLIQUE, adj.**
Relatif à la variole. 1764 ; ☞ *variole* ; [vaʀjɔlik].

**VARIOLISATION, subst. f.**
*Méd.* Procédé d'immunisation contre la variole, en usage avant la vaccination antivariolique, qui consistait à inoculer une forme mineure de la maladie. 1876 ; ☞ *variole* ; [vaʀjɔlizasjɔ̃].

**VARIOMÈTRE, subst. m.**
**1.** *Électr.* Instrument de mesure des inductances variables. **2.** *Aéron.* Instrument de mesure des vitesses verticales. 1884 ; ☞ *varier* + *-mètre*[1] ; [vaʀjɔmɛtʀ].

**VARIQUEUX, EUSE, adj.**
Dû aux varices ; qui présente des varices ; relatif aux varices. Fin XIVe s. ; lat. *varicosus* ; [vaʀikø, øz].

**VARLET, subst. m.**
**1.** *M. Â.* Jeune noble placé auprès d'un seigneur pour y faire l'apprentissage de la chevalerie. **2.** *Menuis.* Valet. Fin XIIe s. ; forme dial. de *valet* ; [vaʀlɛ].

**VARLOPE, subst. f.**
*Menuis.* Long rabot à poignée. Fin XVe s. ; néerl. *voorloper* ; [vaʀlɔp].

**VARLOPER, verbe trans.** [3]
Travailler (le bois) avec une varlope. 1552 ; ☞ *varlope* ; [vaʀlɔpe].

**VARON, voir VARRON**

**VARROA, subst. m.**
*Zool.* Minuscule acarien qui s'attaque aux larves et aux nymphes des abeilles, causant d'importants dégâts dans les ruches. [vaʀɔa].

**VARRON, subst. m.**
**1.** *Zool.* Larve d'un insecte de l'ordre des Diptères, qui vit en parasite sous la peau des bovins, provoquant des tumeurs purulentes. **2.** Ext. La tumeur causée par cette larve ; la perforation du cuir qu'elle entraîne. 1911 ; anc. prov. *varon*, du lat. *varus*, « bouton, pustule » ; var. *varon* ; [vaʀɔ̃].

**VARTINE, subst. f.**
Petite hutte de branchages qui servait autrefois d'affût pour la chasse au sanglier. Mil. XIVe s. (déb. XIIIe s., racine de serquin) ; anc. bas frq. °*wârtan* ; [vaʀtin].

**VARUS, adj. m.**
*Pathol.* Se dit d'un membre ou d'une partie de membre qui présente une déviation en dedans (anton. *valgus*) : *Pied* ***varus*** ou, empl. subst. masc., *Un* ***varus.*** 1839 ; lat. *varus*, « cagneux » ; avec un subst. lat., *varus* s'accorde en genre (*genu varum, coxa vara*) ; [vaʀys].

**VARVE, subst. f.**
*Géol.* Ensemble des feuillets de sédiments déposés progressivement sur le fond d'un lac glaciaire et qui permet des datations géologiques précises. 1943 ; suédois *varv*, « couche » ; [vaʀv].

**VASARD, ARDE, adj. et subst. m.**
Adj. Formé de vase mêlée de sable. Subst. Fond vaseux. 1687 ; ☞ *vase* (II) ; [vazaʀ, aʀd].

**VASCULAIRE, adj.**
**1.** *Anat.* et *Pathol.* Relatif aux vaisseaux (sanguins ou lymphatiques). **2.** *Bot.* Se dit des plantes pourvues de tissus conducteurs (bois, liber) bien différenciés. 1721 ; lat. *vasculum*, « petit vase » ; [vaskylɛʀ].

**VASCULARISATION, subst. f.**
*Anat.* et *Méd.* **1.** Disposition des vaisseaux sanguins dans un organe. **2.** Formation de nouveaux vaisseaux dans un tissu ou un organe. 1846 ; ☞ *vascularisé* ; [vaskylaʀizasjɔ̃].

**VASCULARISÉ, ÉE, adj.**
*Anat.* Se dit d'un organe qui contient des vaisseaux. 1846 ; ☞ *vasculaire* ; [vaskylaʀize].

**VASE (I), subst. m.**
**1.** Récipient de matière et de forme diverses, en partic. à valeur historique ou artistique : ***Vase*** *de Chine* ; ***Vase*** *en émail.* ► ***Vase*** *de nuit* : pot de chambre. **2.** Récipient destiné à contenir des fleurs coupées. **3.** *Liturg.* ***Vases*** *sacrés* : utilisés pour la messe. **4.** *Sc.* Récipient utilisé pour des expériences de chimie ou de physique. ► ***Vases*** *communicants* : qui communiquent entre eux par leurs bases et dans lesquels le liquide s'équilibre au même niveau. ► Loc. **En vase clos.** Sans communication avec l'extérieur : *Vivre, travailler en* ***vase*** *clos.* **5.** *Techn.* ***Vase*** *d'expansion* : réservoir absorbant les changements de volume d'eau dans une installation de chauffage. 1539 (XIIIe s., réceptacle moral) ; lat. *vas* ; [vɑz].

**VASE (II), subst. f.**
*Géol.* Dépôt de fines particules détritiques ou organiques qui se forme sous l'eau, par décantation, dans un site calme, lacustre ou marin. Fin XVe s. ; m. néerl. *wase* ; [vɑz].

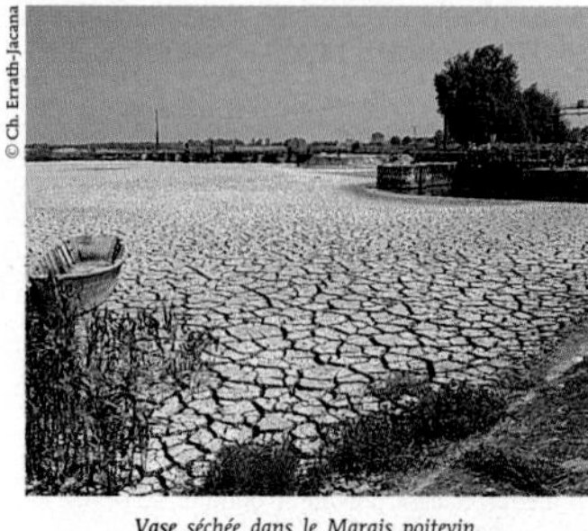
© Ch. Errath-Jacana

*Vase séchée dans le Marais poitevin.*

**VASECTOMIE, subst. f.**
*Chir.* Résection des canaux déférents de l'appareil génital masculin, soit pour éviter une infection ascendante après une prostatectomie, soit comme moyen de stérilisation. 1933 ; lat. *vas*, « canal », + *-ectomie* ; var. *vasotomie* ; [vazɛktɔmi].

**VASELINE, subst. f.**
Graisse blanche et onctueuse qui provient de la distillation du pétrole brut ; par ext., pommade à usage pharmaceutique ou cosmétique à base de cette graisse. 1878 ; angl. *vaseline*, de l'all. *Wasser*, « eau », et du gr. *elaion*, « huile » ; [vazlin].

**VASELINER, verbe trans.** [3]
Enduire de vaseline. 1894 ; ☞ *vaseline* ; [vazline].

**VASEUX, EUSE, adj.**
**1.** Qui est constitué de vase ; qui contient de la vase. **2.** Fig. et Fam. Fatigué, dans un état de malaise, de faiblesse : *Se sentir* ***vaseux.*** ► Flou, confus : *Discours* ***vaseux.*** ► Très médiocre : *Blague* ***vaseuse.*** 1484 ; ☞ *vase* (II) ; [vazø, øz].

**VASIÈRE, subst. f.**
**1.** *Techn.* Premier réservoir d'un marais salant où l'eau de mer est débarrassée de ses impuretés. **2.** Zone littorale déprimée et abritée des courants, où s'accumule la vase. 1415 ; ☞ *vase* (II) ; [vazjɛʀ].

**VASISTAS, subst. m.**
Vantail vitré mobile s'ouvrant dans une porte ou une fenêtre. 1760 ; all. *was ist das ?*, « qu'est-ce que c'est ? » ; [vazistas].

**VASOCONSTRICTEUR, TRICE, adj.**
**1.** *Physiol.* et *Pharm.* Qui réduit le calibre des vaisseaux sanguins : *Nerf* ***vasoconstricteur*** ; *Médicament* ***vasoconstricteur*** ou, empl. subst. masc., *Un* ***vasoconstricteur.*** **2.** Relatif à la vasoconstriction : *Activité* ***vasoconstrictrice.*** 1859 ; ☞ *constricteur* + *vaso-* ; [vazokɔ̃stʀiktœʀ, tʀis].

**VASOCONSTRICTION, subst. f.**
*Physiol.* Diminution du calibre d'un vaisseau sanguin. 1890 ; ☞ *constriction* + *vaso-* ; [vazokɔ̃stʀiksjɔ̃].

**VASODILATATEUR, TRICE, adj.**
*Physiol.* et *Pharm.* **1.** Qui augmente le calibre des vaisseaux sanguins : *Nerf* ***vasodilatateur*** ; *Médicament* ***vasodilatateur*** ou, empl. subst. masc., *Un* ***vasodilatateur.*** **2.** Relatif à la vasodilatation. 1859 ; ☞ *dilatateur* + *vaso-* ; [vazodilatatœʀ, tʀis].

**VASODILATATION, subst. f.**
*Physiol.* Augmentation du calibre d'un vaisseau sanguin. 1890 ; ☞ *dilatation* + *vaso-* ; [vazodilatasjɔ̃].

**VASOMOTEUR, TRICE, adj.**
Qui concerne la vasomotricité : *Nerfs* ***vasomoteurs*** ; *Troubles* ***vasomoteurs***, circulatoires. 1861 ; ☞ *moteur* + *vaso-* ; [vazomɔtœʀ, tʀis].

**VASOMOTRICITÉ, subst. f.**
*Physiol.* Capacité que possède l'organisme d'adapter le calibre des vaisseaux sanguins à ses besoins. 1943 ; ☞ *vasomoteur* ; [vazomɔtʀisite].

**VASOPRESSINE, subst. f.**
*Biochim.* Hormone posthypophysaire qui diminue le débit rénal et entraîne un léger effet vasoconstricteur (synon. *hormone antidiurétique*). V. 1950 ; ☞ *pression* + *vaso-* ; [vazopʀesin].

**VASOTOMIE, voir VASECTOMIE**

**VASOUILLER, verbe intrans.** [3]
Fam. **1.** S'embrouiller dans ses propos ; agir de manière confuse. **2.** Se passer mal, difficilement, en parlant de qqch. 1908 (1904, fainéanter) ; ☞ *vaseux* ; [vazuje].

**VASQUE, subst. f.**
**1.** Bassin arrondi dans lequel coule une fontaine. **2.** Coupe de table décorative, souvent remplie de fleurs ou de fruits ; bac ayant cette forme, dans lequel on cultive des fleurs. Mil. XVIe s. ; ital. *vasca* ; [vask].

**VASSAL, ALE, AUX, subst. et adj.**
Subst. *Féod.* Personne ayant juré foi et hommage à un seigneur en échange d'un fief. Subst. et Adj. Se dit de qqn, d'un pays, etc., subordonné à un autre. Fin XIIIe s. (fin XIe s., homme vaillant et brave) ; lat. médiév. *vassalus*, de *vassus*, « serviteur » ; [vasal, o].

**VASSALIQUE, adj.**
Relatif à la vassalité. XXe s. ; ☞ *vassal* ; [vasalik].

**VASSALISER, verbe trans.** [3]
Réduire à l'état de vassal, asservir. 1871 ; ☞ *vassal* ; [vasalize].

**VASSALITÉ, subst. f.**
**1.** *Féod.* État, condition de vassal. **2.** Anal. Soumission, dépendance. Mil. XVIIIe s. ; ☞ *vassal* ; [vasalite].

**VASTE, adj.**
**1.** Qui s'étend sur de grandes distances : *Un* ***vaste*** *pays.* **2.** Spacieux : *Une pièce* ***vaste*** *et claire.* **3.** De grande ampleur, en parlant de choses abstraites : *Une* ***vaste*** *question* ; *Un* ***vaste*** *programme.* 1611 (1495, désert) ; lat. *vastus*, « vide ; immense » ; [vast].

**VA-T-EN-GUERRE, subst. inv. et adj. inv.**
Se dit d'une personne belliqueuse, agressive (fam.). 1937 ; comp. de *aller* (I) et de *guerre* ; [vatɑ̃gɛʀ].

**VATICANE, adj. f.**
Relative, propre au Vatican : *La Bibliothèque* ***vaticane*** ou, empl. subst. fém., *La* ***Vaticane.*** 1586 ; topon. *Vatican* ; [vatikan].

**VATICINATEUR, TRICE, subst.**
Personne qui vaticine (littér.). 1512 ; lat. *vaticinator* ; [vatisinatœʀ, tʀis].

**VATICINATION, subst. f.**
Prédiction de l'avenir, prophétie (littér.). 1512 ; lat. *vaticinatio* ; [vatisinasjɔ̃].

**VATICINER, verbe intrans.** [3]
Littér. **1.** Prédire l'avenir, prophétiser. **2.** Fig. Se livrer à un délire verbal. 1481 ; lat. *vaticinari*, de *vates*, « devin » ; [vatisine].

**VA-TOUT, subst. m. inv.**
*Jeux.* Aux cartes, coup où l'on mise tout son argent. ► Loc. *Jouer son* ***va-tout*** : risquer le tout pour le tout, tenter sa dernière chance. 1671 ; comp. de *aller* (I) et de *tout* ; [vatu].

**VAU, subst. m.**
*Constr.* Pièce porteuse d'un cintre utilisée dans la construction d'une voûte. Mil. XXe s. ; var de *veau* (vx), terme de charpenterie ; plur. *vaux* ; [vo].

**VAUCHÉRIE, subst. f.**
*Bot.* Algue verte filamenteuse, de la classe des Xanthophycées, vivant dans les endroits humides ou en eau douce. 1805 ; anthropon. *Vaucher*, botaniste suisse ; [voʃeʀi].

**VAUCLUSIEN, IENNE, adj. et subst.**
Du Vaucluse. Adj. *Géol.* *Source* ***vauclusienne*** : source formée par la résurgence d'une eau souterraine, dans un sol karstique. 1824 ; topon. *Vaucluse* ; [voklyzjɛ̃, jɛn].

**VAUDEVILLE, subst. m.**
**1.** Vx. Chanson satirique sur un air populaire. **2.** Comédie légère, riche en quiproquos et en rebondissements ; par anal. : *Le congrès tourna au* ***vaudeville.*** 1507 ; prob. altér., d'apr. *ville*, de *vaudevire*, « val de Vire », région du Calvados ; [vodvil].

**VAUDEVILLESQUE, adj.**
Qui a le caractère d'un vaudeville : *Situation* ***vaudevillesque.*** 1891 ; ☞ *vaudeville* ; [vodvilɛsk].

**VAUDEVILLISTE, subst.**
Auteur de vaudevilles. 1735 ; ☞ *vaudeville* ; [vodvilist].

**VAUDOIS, OISE,** subst. et adj.
*Relig.* Subst. Membre d'une secte chrétienne fondée à la fin du XIIe s. par Pierre Valdo (excommunié en 1184), qui prônait un extrême rigorisme moral (ralliés au protestantisme, des groupes **vaudois** se maintiennent encore en Italie et en Amérique latine). Adj. Relatif, propre à cette secte. Fin XIIIe s. ; anthropon. *Pierre Valdo* ; [vodwa, waz].

**VAUDOU, OUE,** subst. m. et adj.
Subst. Culte animiste et magique originaire du Bénin et surtout implanté en Haïti ; par méton., divinité de ce culte. Adj. Relatif à ce culte. 1797 ; langue indigène du Bénin *vodu* ; [vodu].

RELIGION – Appelée vaudou uniquement par ceux qui y sont étrangers, cette religion, dénommée « l'Afrique » par ses fidèles, est surtout pratiquée en Haïti et dans les Antilles, mais elle est également présente au Congo, au Nigeria et au Bénin. Syncrétisme religieux, le vaudou mêle certains éléments de la foi et du rituel catholiques à des pratiques héritées de l'animisme : dialogue avec les esprits ancestraux, croyance au zombie, magie, sacrifice du chevreau blanc, possessions et transes collectives, etc. *Bokos* et *mambos* en sont les prêtres et les prêtresses. Le Dieu unique est adoré en association avec diverses divinités plus familières et plus anthropomorphes (Baron Samedi, dieu des cimetières, en haut-de-forme et cigare à la bouche, Maîtresse Erzulie, déesse de l'amour, etc.) et avec des esprits qui veillent sur l'homme, chacun ayant ici-bas son « maître-tête » protecteur.

© S. Frances-Explorer

*Festival mondial **vaudou** à Ouidah, ancien centre du trafic des esclaves (Bénin).*

**VAU-L'EAU (À),** loc. adv.
Au fil de l'eau (vx). ► Loc. *Aller à vau-l'eau* : aller à la dérive, péricliter. 1552 ; comp. de *vau*, var. de *val*, et de *eau* ; [avolo].

**VAURIEN, IENNE,** subst.
**1.** Personne malhonnête, dévoyée (vieilli). **2.** Enfant mal élevé, espiègle. Masc. Petite embarcation à deux places, communément utilisée pour l'initiation à la voile (n. déposé). 1558 ; formé de *valoir* et de *rien* ; [voʀjɛ̃, jɛn].

**VAUTOUR,** subst. m.
**1.** *Zool.* Grand oiseau rapace diurne de l'Ancien Monde, de la famille des Accipitridés. Excellent planeur, c'est un charognard qui détecte les cadavres à la vue ou à l'odeur. Il possède un bec crochu ; sa tête et son cou sont déplumés. **2.** Fig. Personne cupide, impitoyable, assoiffée de gains. XIIIe s. ; lat. *vultur* ; [votuʀ].

***Vautour** oricou à la volerie des aigles du château de Kintzheim, dans le Bas-Rhin.*

© S. Cordier-Explorer

**VAUTRAIT,** subst. m.
*Vèn.* Équipage important de chiens courants spécialisés dans la chasse au sanglier. 1405 ; *vautrier* (vx), « vautrer » ; [votʀɛ].

**VAUTRER (SE),** verbe pronom. [3]
**1.** Se coucher, se rouler (sur ou dans qqch.) avec complaisance. **2.** Fig. et Péj. Se complaire (dans une situation, un état). Fin XIIe s. ; lat. pop. °*volutulare*, du lat. *volutum*, de *volvere*, « rouler, faire rouler » ; [votʀe].

**VAVASSEUR,** subst. m.
*Féod.* Vassal d'un seigneur lui-même vassal d'un suzerain. 1150 ; lat. mérovingien *vassus vassorum* ; [vavasœʀ].

**VA-VITE (À LA),** loc. adv.
Trop rapidement, sans soin ni réflexion. V. 1930 ; comp. de *aller* (I) et de *vite* ; [alavavit].

**VEAU,** subst. m.
**1.** Petit de la vache. ► Loc. *Pleurer comme un veau* : abondamment, bruyamment ; *Tuer le **veau** gras* : faire un festin en l'honneur de qqn (allus. à la parabole de l'Enfant prodigue). ► *Le **veau** d'or* : idole en or que les Hébreux adorèrent en l'absence de Moïse retiré sur le Sinaï ou, au fig., culte de l'argent, des richesses. **2.** Méton. Viande de cet animal : *Une blanquette de **veau*** ; cuir provenant de sa peau : *Une reliure en **veau**.* **3.** Fig. et Fam. Personne lourde, lente et paresseuse ; véhicule qui manque de reprise. **4.** *Zool.* ***Veau** marin* : phoque de l'ordre des Pinnipèdes, des côtes de l'hémisphère Nord. Déb. XIIe s. ; lat. *vitellus* ; [vo].

**VECTEUR, TRICE,** subst. m. et adj.
Subst. **1.** *Math.* Élément d'un espace vectoriel. Dans le plan ou dans l'espace, classe modulo l'équipollence d'un bipoint, la classe de (A, B) étant notée $\overrightarrow{AB}$ (anciennement, (A, B) était dit **vecteur** lié d'origine A et d'extrémité B, $\overrightarrow{AB}$ était le **vecteur** libre associé). ► *Phys.* ***Vecteur** surface* : **vecteur** géométrique donnant des informations sur l'aire et l'orientation dans l'espace d'un élément de surface entourant un point ; ***Vecteur** axial* : **vecteur** géométrique défini par une convention d'orientation de l'espace. **2.** *Méd.* Agent, végétal ou animal, de la transmission à l'homme d'une maladie infectieuse. ► Fig. Ce qui transmet qqch. : *La sécheresse, **vecteur** de la famine.* **3.** *Milit.* Tout aéronef qui transporte une arme, en partic. une charge nucléaire. Adj. Qui porte, qui transmet : *L'anophèle femelle est le moustique **vecteur** du paludisme.* 1752 (1596, conducteur d'un bateau, d'une voiture) ; lat. *vector*, « celui qui transporte » ; [vɛktœʀ, tʀis].

**VECTORIEL, ELLE,** adj.
**1.** *Math.* Relatif aux vecteurs. ► *Calcul **vectoriel*** : ensemble des règles et méthodes de calcul dans un espace **vectoriel**. ► *Espace **vectoriel** sur un corps K* : ensemble E muni d'une loi de groupe commutatif notée additivement, et d'une loi de composition externe de domaine d'opérateurs K, qui aux éléments $\alpha$ de K et $\vec{u}$ de E associe l'élément $\alpha \cdot \vec{u}$ de E de façon que l'on ait, pour tout couple $(\alpha, \beta)$ d'éléments de K et tout couple $(\vec{u}, \vec{v})$ d'éléments de E, $\alpha \cdot (\beta \cdot \vec{u}) = (\alpha\beta) \cdot \vec{u}$, $(\alpha + \beta) \cdot \vec{u} = \alpha \cdot \vec{u} + \beta \cdot \vec{u}$, $\alpha \cdot (\vec{u} + \vec{v}) = \alpha \cdot \vec{u} + \alpha \cdot \vec{v}$, $1 \cdot \vec{u} = \vec{u}$. L'espace **vectoriel** est dit réel (resp. complexe) si $K = \mathbb{R}$ (resp. $K = \mathbb{C}$). ► *Fonction **vectorielle*** : fonction à valeurs dans un espace **vectoriel**. ► *Produit **vectoriel** de deux vecteurs $\vec{u}$, $\vec{v}$ non nuls dans l'espace $\mathbb{R}^3$ euclidien orienté* : vecteur noté $\vec{u} \wedge \vec{v}$, orthogonal au plan défini par $\vec{u}$ et $\vec{v}$, de norme euclidienne $\| \vec{u} \wedge \vec{v} \| = \| \vec{u} \| \cdot \| \vec{v} \| \cdot | \sin(\widehat{\vec{u}, \vec{v}}) |$ et tel que la base $(\vec{u}, \vec{v}, \vec{u} \wedge \vec{v})$ soit directe. **2.** *Informat. Calculateur, ordinateur **vectoriel*** : ordinateur adapté au calcul matriciel, pouvant traiter les données par blocs (lignes et colonnes d'une matrice, par ex.) et non élément par élément. 1899 ; ☞ *vecteur*, prob. d'apr. l'angl. *vectorial* ; [vɛktɔʀjɛl].

**VÉCU, UE,** adj. et subst. m.
Adj. Qui s'est réellement passé : *Une histoire **vécue**.* Subst. *Le **vécu*** : l'expérience de la vie. Fin XIXe s. ; p. p. de *vivre* (I) ; [veky].

**VEDETTARIAT,** subst. m.
**1.** État de vedette. **2.** Système fondé sur la promotion des vedettes. 1947 ; ☞ *vedette* ; [vədɛtaʀja].

**VEDETTE,** subst. f.
**1.** Guetteur, sentinelle (vx). **2.** Loc. *Mettre en **vedette*** : imprimer (un titre, un nom) sur une seule ligne et en gros caractères afin d'attirer l'attention ou, par ext., mettre en évidence, en valeur (qqn, qqch.). ► Méton. Artiste mis en **vedette**, qui a le premier rôle dans un spectacle ; par ext., artiste en renom ; par anal., personne célèbre, de premier plan : *Avoir, tenir la **vedette***, être au premier plan ; en appos. : *Produit **vedette** d'une marque.* **3.** *Mar.* Petite embarcation à moteur : *Une **vedette** de police.* 1584 (1573, tour de guet) ; ital. *vedetta*, « tour de guet » ; [vədɛt].

**VÉDIQUE,** adj. et subst. m.
Adj. Relatif aux Veda. Subst. Forme d'indo-aryen ancien dans laquelle ont été écrits les Veda. 1842 ; *Veda*, textes sacrés de l'hindouisme ; [vedik].

**VÉDISME,** subst. m.
Religion de l'Inde, ancêtre du brahmanisme. 1877 ; ☞ *védique* ; [vedism].

**VÉGÉTAL, ALE, AUX,** subst. m. et adj.
Subst. Organisme vivant qui, différent des formes animales, est caractérisé par sa quasi-immobilité, son mode de nutrition à partir d'éléments simples (autotrophie chlorophyllienne) et la présence d'un squelette pecto-cellulosique autour de ses cellules. Adj. **1.** Relatif aux plantes ; produit par les plantes : *Règne **végétal** ; Graisse **végétale**.* **2.** Qui représente des plantes : *Étoffe à motifs **végétaux**.* 1575 ; lat. médiév. *vegetalis*, du lat. *vegetare*, « vivifier » ; [veʒetal, o].

**VÉGÉTALISME,** subst. m.
Régime alimentaire n'autorisant que les produits d'origine végétale. 1890 (1836, conversion en végétal) ; ☞ *végétal* ; [veʒetalism].

**VÉGÉTARIEN, IENNE,** adj. et subst.
Adj. Relatif au végétarisme. Adj. et Subst. Se dit de qqn qui pratique ce régime. 1873 ; angl. *vegetarian*, de *vegetable*, « légume » ; [veʒetaʀjɛ̃, jɛn].

**VÉGÉTARISME,** subst. m.
Régime alimentaire interdisant la consommation de toute viande, mais autorisant les produits animaux dérivés (lait, fromage, œufs, miel). 1877 ; ☞ *végétarien*, d'apr. l'angl. *vegetarianism* ; [veʒetaʀism].

**VÉGÉTATIF, IVE,** adj.
**1.** Vx. Relatif au développement des plantes. **2.** Ext. ► *Anat.* et *Physiol. Système nerveux **végétatif*** : mécanisme régulateur des fonctions viscérales, composé des systèmes sympathique et parasympathique. ► *Pathol. État **végétatif*** : forme de coma, parfois prolongé sur plusieurs années, caractérisée par la conservation des grandes fonctions **végétatives** (respiration spontanée, battements cardiaques efficaces, certains réflexes), les fonctions de relation et la sensibilité à la douleur ayant disparu. **3.** Fig. Qui évoque le mode de vie passif des végétaux : *Il mène une existence **végétative**.* 1265 ; lat. médiév. *vegetativus*, « qui fait végéter » ; [veʒetatif, iv].

**VÉGÉTATION,** subst. f.
**1.** Ensemble des plantes qui se développent sur un territoire donné, en fonction de facteurs climatiques et pédologiques : ***Végétation** tropicale ; **Végétation** luxuriante.* **2.** *Pathol.* Excroissance cutanée, souvent multiple et exubérante. ► Au plur. ***Végétations** adénoïdes* ou, par ell., ***Végétations*** : hypertrophie des amygdales pharyngées chez l'enfant, gén. accompagnée de troubles respiratoires et d'infections fréquentes. 1749 (déb. XVIe s., développement) ; lat. médiév. *vegetatio*, « croissance » ; [veʒetasjɔ̃].

**VÉGÉTER,** verbe intrans. [8]
**1.** Se développer, en parlant d'une plante. **2.** Fig. Ne pas évoluer ; être peu actif : *L'affaire **végète** depuis des mois ; Il **végète** à ce poste.* 1375 ; lat. *vegetare*, de *vegetus*, « vif, bien vivant » ; [veʒete].

**VÉHÉMENCE,** subst. f.
Impétuosité, violence des sentiments ou de leur expression (littér.) : *La **véhémence** d'un discours.* 1491 ; lat. *vehementia* ; [veemɑ̃s].

**VÉHÉMENT, ENTE,** adj.
Qui manifeste de l'impétuosité (littér.) : *Un ton, un sermon **véhément**.* XIIe s. ; lat. *vehemens* ; [veemɑ̃, ɑ̃t].

**VÉHÉMENTEMENT,** adv.
Avec véhémence (littér.). 1363 ; ☞ *véhément* ; [veemɑ̃tmɑ̃].

**VÉHICULAIRE,** adj.
Se dit d'une langue de communication entre des groupes de langues maternelles différentes. 1935 (1842, relatif aux véhicules) ; ☞ *véhicule* ; [veikylɛʀ].

**VÉHICULE,** subst. m.
**1.** Ce qui transporte, transmet qqch. : *Le sang est le **véhicule** de virus.* ► *Peint.* Liquide qui permet de délayer les pigments colorants. ► *Opt.* Lentille ou prisme redressant l'image, dans une lunette. **2.** Fig. Tout moyen permettant de communiquer qqch. : *Les médias, **véhicule** de l'information.* ► *Relig.* Voie

du salut, dans le bouddhisme : *Le Grand* ***Véhicule*** *et le Petit* ***Véhicule***, le Mahayana et le Hinayana. **3.** Tout engin de transport, en partic. de transport routier : ***Véhicule hippomobile, automobile, spatial*** ; *Garer son* ***véhicule***. 🕮 Mil. XVI^e s. ; lat. *vehiculum*, « voiture », de *vehere*, « transporter » ; [veikyl].

**VÉHICULER, verbe trans.** [3]
**1.** Transporter avec un véhicule. **2.** Transmettre, communiquer. 🕮 1835 ; ☞ *véhicule* ; [veikyle].

**VÉHICULEUR, adj. m. et subst. m.**
*Text.* Se dit d'un produit chimique facilitant la diffusion des colorants dans les fibres textiles de polyester. 🕮 ☞ *véhiculer* ; [veikylœʀ].

**VEILLE, subst. f.**
**1.** Temps, normalement consacré au sommeil, durant lequel on ne dort pas : *J'écris durant mes* ***veilles***. ▸ Fait de ne pas dormir : *Une* ***veille*** *jusqu'à l'aube*. **2.** Garde de nuit. **3.** Jour qui précède celui dont on parle : *La* ***veille*** *de son mariage*. ▸ Loc. *Ce n'est pas demain la* ***veille*** (☞ *demain*) ; *À la* ***veille*** *de* : peu avant. 🕮 1145 ; lat. *vigilia*, « veille, insomnie », de *vigil*, « éveillé, vigilant » ; [vɛj].

**VEILLÉE, subst. f.**
**1.** Temps qui sépare le repas du soir de l'heure du coucher, durant lequel des personnes se réunissent pour se divertir ou converser. **2.** Action de veiller un malade, un mort ; nuit passée à le veiller : ***Veillée*** *funèbre*. **3.** *Hist.* ***Veillée*** *d'armes* : nuit précédant l'adoubement du futur chevalier ou, au fig., nuit qui précède une action importante, décisive. 🕮 1292 ; ☞ *veille* ; [veje].

**VEILLER, verbe** [3]
**Intrans. 1.** Rester sans dormir pendant un temps normalement destiné au sommeil. **2.** Être de garde. **3.** Être, rester vigilant. **Trans. dir.** ***Veiller*** *un malade, un mort* : passer la nuit auprès de lui. **Trans. indir. 1. Veiller à, à ce que.** Faire grande attention à : ***Veiller*** *au respect des lois* ; faire en sorte que : ***Veillez*** *à ce qu'ils soient à l'heure*. **2. Veiller sur.** Surveiller attentivement, protéger : ***Veillez*** *sur les enfants*. 🕮 Déb. XII^e s. ; lat. *vigilare* ; [veje].

**VEILLEUR, EUSE, subst.**
Personne qui veille. ▸ ***Veilleur*** *de nuit* : gardien en service la nuit. **Fém. 1.** Petite lampe de faible intensité qu'on laisse allumée la nuit. ▸ *Autom.* Feux de position. ▸ Loc. *En* ***veilleuse*** : au ralenti. **2.** Petite flamme d'un réchaud ou d'un chauffe-eau, allumée en permanence. 🕮 1200 ; ☞ *veiller* ; [vɛjœʀ, øz].

**VEINARD, ARDE, adj. et subst.**
Se dit d'une personne chanceuse, qui a de la veine (fam.). 🕮 1854 ; ☞ *veine* ; [vɛnaʀ, aʀd].

**VEINE, subst. f.**
**I.** *Anat.* Conduit musculo-membraneux muni de valvules qui ramène le sang qui n'est plus oxygéné vers le cœur. ▸ Loc. *Se saigner aux quatre* ***veines*** : faire de grands sacrifices financiers pour qqn ou qqch. **II.** Anal. **1.** *Géol.* Bande de substance minérale, parfois exploitée (charbon, argent), rencontrée dans une roche. **2.** Dessin fin et sinueux, apparaissant dans une roche homogène, dans le bois. **3.** *Bot.* Nervure saillante de certaines feuilles. **III.** Fig. **1.** Inspiration artistique : *La* ***veine*** *épique, lyrique*. **2.** Chance, hasard heureux (fam.) : *Avoir de la* ***veine*** ; par euphém. : *C'est bien ma* ***veine*** *!*, je n'ai pas de chance. 🕮 Mil. XII^e s. ; lat. *vena* ; [vɛn].

**VEINÉ, ÉE, adj.**
Dont les veines sont apparentes : *Front* ***veiné*** ; *Bois* ***veiné***. 🕮 1690 ; ☞ *veine* ; [vene].

**VEINER, verbe trans.** [3]
Orner de dessins sinueux, semblables à des veines. 🕮 Fin XVIII^e s. ; ☞ *veine* ; [vene].

**VEINETTE, subst. f.**
*Techn.* Brosse servant à veiner le faux bois, le faux marbre. 🕮 1904 (XII^e s., petite veine) ; ☞ *veine* ; [vɛnɛt].

**VEINEUX, EUSE, adj.**
**1.** *Anat.* Relatif aux veines : *Circulation* ***veineuse*** ; *Sang* ***veineux***, sang qui n'est plus oxygéné, et que les veines ramènent des organes vers le cœur. **2.** Marqué de nombreuses veines : *Bois* ***veineux***. 🕮 1549 ; ☞ *veine* ; [vɛnø, øz].

**VEINOSITÉ, subst. f.**
*Anat.* Petite veine apparente. 🕮 XX^e s. ; ☞ *veine* ; [vɛnozite].

**VEINULE, subst. f.**
*Anat.* Petite veine. 🕮 1615 ; lat. *venula* ; [vɛnyl].

**VEINURE, subst. f.**
Dessin formé par les veines du bois, du marbre. 🕮 V. 1920 ; ☞ *veine* ; [vɛnyʀ].

**VÊLAGE, subst. m.**
Parturition de la vache, naissance d'un veau (synon. *vêlement*). 🕮 1834 ; ☞ *vêler* ; [vɛlaʒ].

**VÉLAIRE, adj. et subst. f.**
*Phon.* Se dit d'un phonème articulé dans le voisinage du voile du palais (le *k*, par ex.). 🕮 1874 ; lat. sc. *velaris*, de *velum palatinum*, « voile du palais » ; [velɛʀ].

**VÉLANI, subst. m.**
*Bot.* Variété de chêne dont les cupules servent en teinturerie. 🕮 1553 ; gr. mod. *balanidi*, « gland » ; [velani].

**VÉLAR, subst. m.**
*Bot.* Sisymbre. 🕮 1549 ; lat. *vela* ; [velaʀ].

**VÉLARIUM, subst. m.**
*Antiq.* Toile tendue au-dessus d'un amphithéâtre romain pour abriter les spectateurs. 🕮 1829 ; lat. *velarium*, de *velum*, « voile » ; var. *velarium* ; [velaʀjɔm].

**VELCRO, subst. m. inv.**
Système de fermeture composé de deux bandes dont les fibres, tissées différemment, s'agrippent les unes aux autres : *Bandes (de)* ***Velcro***. 🕮 1958 ; crois. de *velours* et de *crochet* ; n. déposé ; [vɛlkʀo].

**VELD, subst. m.**
*Géogr.* Steppe des plateaux intérieurs de l'Afrique du Sud. 🕮 1903 ; afrikaans *veld*, du néerl. *veldt*, « champ » ; var. *veldt* ; [vɛlt].

**VÊLEMENT, subst. m.**
Vêlage. 🕮 1841 ; ☞ *vêler* ; [vɛlmɑ̃].

**VÊLER, verbe intrans.** [3]
Mettre bas, en parlant de la vache. 🕮 1328 ; *veel*, anc. forme de *veau* ; [vele].

**VÉLIE, subst. f.**
*Zool.* Insecte ptérygote qui vit à la surface des eaux ; araignée d'eau. 🕮 1804 ; lat. sc. *velia* ; [veli].

**VÉLIN, subst. m.**
**1.** Parchemin très fin, en peau de veau mort-né : *Manuscrit sur* ***vélin*** ; *Reliure en* ***vélin***. **2.** Ext. Papier très fin. 🕮 Mil. XIII^e s. ; *veel*, anc. forme de *veau* ; [velɛ̃].

**VÉLIPLANCHISTE, subst.**
*Sp.* Personne qui pratique la planche à voile (abrév. : planchiste). 🕮 V. 1980 ; formé du lat. *velum*, « voile », et de *planche* ; [veliplɑ̃ʃist].

**VÉLIQUE, adj.**
*Mar.* Relatif aux voiles : *Point* ***vélique***, point d'application de la résultante des actions du vent sur une voile. 🕮 1727 ; lat. *velum*, « voile » ; [velik].

**VÉLITE, subst. m.**
**1.** *Antiq. rom.* Soldat d'infanterie légère. **2.** *Hist.* Chasseur à pied de la garde napoléonienne. 🕮 1213 ; lat. *veles* ; [velit].

**VÉLIVOLE, adj. et subst.**
**Adj. 1.** Vx. Que la voile fait voler sur l'eau, en parlant d'une embarcation. **2.** Relatif au vol à voile. **Adj. et Subst.** Se dit de qqn qui pratique le vol à voile. 🕮 1848 ; lat. *velivolus* ; [velivɔl].

**VELLAVE, adj. et subst.**
D'un peuple gaulois installé dans le Velay. 🕮 Topon. *Velay*, dans le Massif central ; [vɛllav] ou [velav].

**VELLÉITAIRE, adj. et subst.**
Qui manque de résolution ; dont les intentions sont trop faibles pour aboutir à une action ; empl. subst., personne **velléitaire**. 🕮 1894 ; ☞ *velléité* ; [vɛlleitɛʀ] ou [vele-].

**VELLÉITÉ, subst. f.**
Intention, gén. passagère, hésitante, qui ne se concrétise pas. 🕮 1616 ; lat. scol. *velleitas*, du lat. *velle*, « vouloir » ; [vɛlleite] ou [vele-].

**VÉLO, subst. m.**
Bicyclette : ***Vélo*** *tout-terrain* (abrév. : V. T. T.) ; *Faire du* ***vélo*** ; par méton., cyclisme. 🕮 1879 (1837, postillon de voiture) ; apocope de *vélocipède* ; [velo].

**VÉLOCE, adj.**
Rapide, agile (littér.). 🕮 1505 ; lat. *velox* ; [velɔs].

**VÉLOCIFÈRE, subst. m.**
**1.** Vx. Voiture publique hippomobile. **2.** Ancêtre de la bicyclette, postérieur au célérifère et antérieur à la draisienne. 🕮 1803 ; lat. *velox*, « rapide », + *-fère* ; [velɔsifɛʀ].

**VÉLOCIMÈTRE, subst. m.**
Appareil servant à mesurer les vitesses. 🕮 1856 ; lat. *velox*, « rapide », + *-mètre*[1] ; [velɔsimɛtʀ].

**VÉLOCIPÈDE, subst. m.**
Forme primitive de la bicyclette, à deux ou trois roues, actionné par le mouvement des pieds sur le sol, puis par des pédales. 🕮 1818 (1804, voiture rapide) ; lat. *velox*, « rapide », + *-pède* ; [velɔsipɛd].

**VÉLOCISTE, subst.**
Marchand, réparateur de cycles. 🕮 V. 1970 ; ☞ *vélo* ; [velɔsist].

**VÉLOCITÉ, subst. f.**
Littér. Rapidité, vitesse ; agilité. 🕮 Fin XIII^e s. ; lat. *velocitas* ; [velɔsite].

**VÉLOCROSS, subst. m.**
Vélo tout-terrain sans garde-boue ni suspension ; sport pratiqué avec ce type de vélo. 🕮 XX^e s. ; formé de *vélo* et de *cross* ; [velokʀɔs].

**VÉLODROME, subst. m.**
Piste bordée de gradins, aménagée pour les courses cyclistes. 🕮 1879 ; ☞ *vélo* + *-drome* ; [velodʀom].

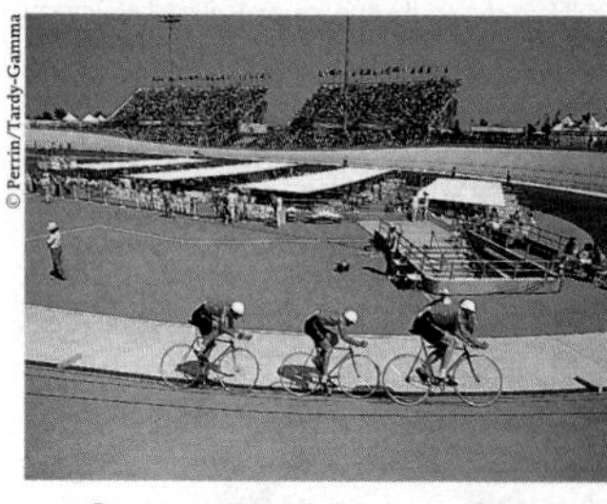


*Course-poursuite par équipes sur un* ***vélodrome***, *aux États-Unis.*

**VÉLOMOTEUR, subst. m.**
Motocyclette de petite cylindrée (de 50 à 125 cm$^3$). 🕮 1931 (1893, bicyclette à moteur auxiliaire) ; formé de *vélo* et de *moteur* ; [velomɔtœʀ].

**VÉLOSKI, subst. m.**
Engin de sport d'hiver semblable à un vélo, muni de skis à la place des roues (synon. *ski-bob*). 🕮 V. 1970 ; formé de *vélo* et de *ski* ; [veloski].

**VELOT, subst. m.**
Veau mort-né ; par méton, sa peau, utilisée pour la fabrication du vélin. 🕮 1785 (1611, petit veau) ; *veel*, anc. forme de *veau* ; [vəlo].

**VELOURS, subst. m.**
**1.** Tissu, doux au toucher, dont une face présente des poils dressés, très serrés, à l'aspect chatoyant : *Du* ***velours*** *de laine, de coton* ou, empl. abs., *Du* ***velours***. **2.** Anal. Ce qui rappelle l'aspect de ce tissu : *Le* ***velours*** *d'une peau* ; ce qui l'évoque en produisant une impression de douceur sur les sens : *C'est du* ***velours***, c'est délicieux. **3.** Loc. *Jouer sur du* ***velours*** : agir en ayant tout à gagner et rien à perdre ; *Une main de fer dans un gant de* ***velours*** (☞ *gant*) ; *Faire patte de* ***velours*** (☞ *patte*). 🕮 1377 ; anc. prov. *velos*, du lat. *villosus*, « velu » ; [vəluʀ].

**VELOUTÉ, ÉE, adj. et subst. m.**
**Adj.** Qui a l'aspect du velours ; qui évoque la douceur du velours, au toucher, à la vue, à l'ouïe, au goût. **Subst. 1.** Douceur dans l'aspect ou au toucher : *Le* ***velouté*** *d'une peau*. **2.** Potage onctueux : ***Velouté*** *de tomates*. 🕮 1439 ; ☞ *velours* ; [vəlute].

**VELOUTER, verbe trans.** [3]
**1.** Conférer à (une matière) l'apparence du velours. **2.** Rendre plus doux, plus onctueux. 🕮 1680 (1550, fabriquer du velours) ; ☞ *velouté* ; [vəlute].

**Vélocipèdes**, *gravure anonyme du XIX^e s. Musée Carnavalet, Paris.*

**VELOUTEUX, EUSE,** adj.
Qui, au toucher, a la douceur du velours : *Un pull-over* ***velouteux***. 1864 ; ☞ *velouté* ; [vəlutø, øz].

**VELOUTIER, IÈRE,** subst.
Fabricant de tissus de velours. 1530 ; *velous* (vx), « velours », d'apr. *velouté* ; [vəlutje, jɛʀ].

**VELOUTINE,** subst. f.
Tissu de coton gratté, à l'aspect velouté. 1876 (1875, poudre de toilette) ; ☞ *velouté* ; [vəlutin].

**VELTE,** subst. f.
**1.** Ancienne mesure de capacité (de 7 à 8 litres). **2.** Règle graduée servant à mesurer la capacité des tonneaux. 1679 ; all. *Viertel*, « quart » ; [vɛlt].

**VELU, UE,** adj.
Couvert de poils : *Torse* ***velu*** ; *Chenille* ***velue*** ; *Tige* ***velue***. Mil. XIIe s. ; bas lat. *villutus* ; [vəly].

**VÉLUM,** subst. m.
Toile servant à couvrir un espace sans toiture ou à filtrer la lumière. 1867 ; lat. *velum*, « tenture » ; var. *velum* ; [velɔm].

**VELVET,** subst. m.
Velours de coton uni, imitant le velours de soie. 1780 ; angl. *velvet*, « velours de soie » ; [vɛlvɛt].

**VELVOTE,** subst. f.
*Bot.* Nom commun des linaires. 1578 ; *velu* (vx), « velours » ; [vɛlvɔt].

**VENAISON,** subst. f.
Chair de gros gibier (sanglier, cerf, chevreuil, etc.). Mil. XIIe s. ; lat. *venatio*, « produit de la chasse » ; [vənɛzɔ̃].

**VÉNAL, ALE, AUX,** adj.
**1.** Qui s'obtient contre de l'argent : *Valeur* ***vénale***, estimée en argent. **2.** Méton. Qui se laisse acheter ; qui n'agit que pour l'argent : *Personne* ***vénale***. Déb. XIIIe s. ; lat. *venalis*, « à vendre » ; [venal, o].

**VÉNALITÉ,** subst. f.
**1.** *Hist.* ***Vénalité*** *des offices* : sous l'Ancien Régime, fait qu'une charge pût être vendue par son titulaire, qui en était propriétaire. **2.** Caractère d'une personne vénale. 1573 ; bas lat. *venalitas*, du lat. *venalis*, « qui se vend » ; [venalite].

**VENANT (À TOUT),** loc. adv.
À n'importe qui. 1380 ; comp. de *tout* et du p. pr. de *venir* ; var. *à tous venants* ; [atuvənɑ̃].

**VENDABLE,** adj.
Qui peut être vendu. 1249 ; ☞ *vendre* ; [vɑ̃dabl].

**VENDANGE,** subst. f.
**1.** Récolte du raisin destiné à la production de vin : *Faire la* ***vendange***, *ou les* ***vendanges*** ; par méton., le raisin récolté. **2.** Époque où se fait cette récolte (souv. au plur.). Fin XIIe s. ; lat. *vindemia*, de *vinum*, « vin », et de *demere*, « retrancher ; cueillir » ; [vɑ̃dɑ̃ʒ].

© J. Sutton-Gamma

*Vendanges dans le Médoc.*

**VENDANGEOIR,** subst. m.
Hotte, panier utilisé pour recueillir les raisins lors des vendanges (synon. *vendangerot*). 1611 ; ☞ *vendanger* ; [vɑ̃dɑ̃ʒwaʀ].

**VENDANGER,** verbe [5]
**Trans.** Récolter les raisins de (une vigne). **Intrans.** Faire les vendanges. Mil. XIIe s. ; lat. *vindimiare* ; [vɑ̃dɑ̃ʒe].

**VENDANGEROT,** subst. m.
Région. (Bourgogne). Vendangeoir. 1896 ; ☞ *vendanger* ; [vɑ̃dɑ̃ʒʀo].

**VENDANGETTE,** subst. f.
Grive (région.). 1791 ; ☞ *vendange* ; [vɑ̃dɑ̃ʒɛt].

**VENDANGEUR, EUSE,** subst.
Personne qui vendange. **Fém. 1.** *Bot.* Nom donné à certaines fleurs d'automne (aster, colchique, etc.). **2.** *Techn.* Machine utilisée pour vendanger. 1283 ; lat. *vindemiator* ; [vɑ̃dɑ̃ʒœʀ, øz].

**VENDÉEN, ÉENNE,** adj. et subst.
De Vendée. **Subst.** *Hist.* Sous la Révolution, insurgé royaliste de Vendée, de Loire-Inférieure, du Maine-et-Loire. 1793 ; topon. *Vendée* ; [vɑ̃deɛ̃, eɛn].

**VENDÉMIAIRE,** subst. m.
Premier mois du calendrier républicain (du 22 ou 23 septembre au 22 ou 23 octobre). 1793 ; lat. *vindemia*, « vendange » ; [vɑ̃demjɛʀ].

**VENDETTA,** subst. f.
En Corse, vengeance réciproque entre deux familles ennemies, se poursuivant sur des générations, et gén. réglée par des assassinats. 1805 ; ital. *vendetta*, du lat. *vindicta* « vengeance » ; [vɑ̃dɛtta] ou [-deta].

**VENDEUR, EUSE,** subst.
Personne dont le métier est de vendre ; empl. adj. : *Formule* ***vendeuse***, qui fait vendre. **Masc.** *Dr.* Signataire d'un acte de vente. Déb. XIIIe s. ; ☞ *vendre* ; fém. *venderesse* au sens jur. ; [vɑ̃dœʀ, øz].

**VENDRE,** verbe trans. [51]
**1.** Céder (un bien, une marchandise, un droit, etc.) contre de l'argent ; faire le commerce de ; empl. pronom. passif : *Ce roman se* ***vend*** *bien*. **2.** Trahir, sacrifier (qqn ou qqch.) en échange d'un avantage matériel : ***Vendre*** *un ami, son honneur*. **3.** Loc. ***Vendre*** *la peau de l'ours avant de l'avoir tué* : prétendre qu'un bien est déjà acquis alors qu'on ne le possède pas encore ou, par ext., se vanter d'une réussite avant d'avoir agi ; ***Vendre*** *chèrement sa peau* : se défendre avec acharnement ; ***Vendre*** *la mèche* (☞ *mèche*). **Pronom. 1.** Se mettre au service de qqn par cupidité. **2.** Faire valoir ses qualités pour obtenir un avantage, une promotion. Fin Xe s. ; lat. *vendere*, de *venum dare*, « donner en vue de la vente » ; [vɑ̃dʀ].

**VENDREDI,** subst. m.
Cinquième jour de la semaine, entre le jeudi et le samedi. ▸ *Relig.* ***Vendredi*** *saint* : qui précède le dimanche de Pâques, et qui commémore la Crucifixion. 1119 ; lat. *Veneris dies*, « jour de Vénus » ; [vɑ̃dʀədi].

**VENDU, UE,** adj. et subst.
**Adj. 1.** Qui a été cédé contre de l'argent. **2.** Qui trahit sans scrupule pour de l'argent : *Un politicien* ***vendu***. **Subst.** Personne vénale, corrompue : *Bande de* ***vendus*** *!* Fin XIIIe s. ; p. p. de *vendre* ; [vɑ̃dy].

**VENELLE,** subst. f.
Petite rue étroite. Mil. XIIe s. ; ☞ *veine* ; [vənɛl].

**VÉNÉNEUX, EUSE,** adj.
Qui contient du poison et qui empoisonne, en parlant d'un végétal ; au fig. (littér.) : *Ambiance* ***vénéneuse***. 1478 ; bas lat. *venenosus* ; [venenø, øz].

**VÉNÉRABLE,** adj. et subst.
**Adj.** Digne d'être respecté, vénéré : *Une famille* ***vénérable*** ; par méton. : *Un âge* ***vénérable***, respectable et, par ext., très avancé. **Subst.** *Cath.* Personne qui accède au premier degré de sainteté, dans la procédure de canonisation, avant celui de bienheureux puis de saint. **Subst. masc.** Président d'une loge maçonnique. XIIIe s. ; lat. *venerabilis* ; [veneʀabl].

**VÉNÉRATION,** subst. f.
**1.** *Relig.* Respect pieux et profond, voué à une personne ou à une chose sainte : *La* ***vénération*** *de la Vierge*. **2.** Ext. Respect mêlé d'affection et d'admiration. Mil. XIIe s. ; lat. *veneratio* ; [veneʀasjɔ̃].

**VÉNÉRER,** verbe trans. [8]
**1.** Rendre un culte à (un être, un objet sacré). **2.** Éprouver un respect admiratif et affectueux pour (qqn, qqch.). Mil. XVe s. ; lat. *venerari* ; [veneʀe].

**VÉNÉRICARDE,** subst. f.
*Zool.* Mollusque bivalve, commun en Méditerranée, à coquille côtelée en forme de cœur. 1803 ; lat. *venericardia*, « cœur de Vénus » ; [veneʀikaʀd].

**VÈNERIE,** subst. f.
**1.** Art de la chasse à courre. **2.** Service des chasses d'un souverain. Mil. XIIe s. ; *vener* (vx), « chasser à courre », du lat. *venari*, « chasser » ; var. *vénerie* ; [vɛnʀi].

**VÉNÉRIEN, IENNE,** adj.
Relatif aux rapports sexuels (vieilli). ▸ *Pathol. Maladies* ***vénériennes*** : sexuellement transmissibles. 1618 ; lat. *Venus*, « Vénus » ; [veneʀjɛ̃, jɛn].

**VENET,** subst. m.
Piège à poissons semi-circulaire formé de filets verticaux, utilisé à marée basse. 1423 ; anc. fr. *venne*, « engin de pêche » ; [vənɛ].

**VÉNÈTE,** subst. et adj.
De Vénétie. **Subst. masc.** Idiome de la Vénétie préromaine. Topon. *Vénétie* (Italie) ; [venɛt].

**VENETTE,** subst. f.
Peur, inquiétude (vx et pop.). 1662 ; m. fr. *vesne*, « vesse » ; [vənɛt].

**VENEUR, EUSE,** subst.
*Vèn.* Personne qui mène les chiens courants : *Grand* ***veneur***, officier qui dirigeait la vènerie. 1690 ; lat. *venator*, « chasseur » ; [vənœʀ, øz].

**VENGEANCE,** subst. f.
**1.** Action de se venger ; son résultat. ▸ Loc. proverb. *La* ***vengeance*** *est un plat qui se mange froid* : il faut savoir attendre pour se venger. **2.** Désir de se venger : *Esprit de* ***vengeance***. Fin XIe s. ; ☞ *venger* ; [vɑ̃ʒɑ̃s].

**VENGER,** verbe trans. [5]
**1.** Dédommager moralement (qqn) en châtiant son offenseur ; par ext. : ***Venger*** *l'honneur, la réputation de qqn*. **2.** Réparer (une offense, un affront) : ***Venger*** *une insulte*. **Pronom.** Se dédommager en châtiant son offenseur : ***Se venger*** *de qqn, d'un affront*. Fin XIe s. ; lat. *vindicare*, « revendiquer en justice » ; [vɑ̃ʒe].

**VENGERON,** subst. m.
Helv. Gardon. 1499 ; fr. de suisse romande *vengeron*, du lat. pop. °*vingarius* ; [vɑ̃ʒʀɔ̃].

**VENGEUR, ERESSE,** subst. et adj.
**Subst.** Personne qui se venge ou qui venge qqn. **Adj.** Qui venge, qui est inspiré par la vengeance (littér.) : *Épée* ***vengeresse*** ; *Cri* ***vengeur***. Déb. XIIe s. ; ☞ *venger* ; [vɑ̃ʒœʀ, əʀɛs].

**VENIAT,** subst. m. inv.
*Dr.* Convocation d'un juge supérieur à un juge inférieur afin que ce dernier explique sa conduite (vx). 1690 ; lat. *veniat*, « qu'il vienne » ; [venjat].

**VÉNIEL, ELLE,** adj.
**1.** *Relig. Péché* ***véniel*** : peu grave (par oppos. à *péché mortel*). **2.** Ext. Excusable : *Erreur* ***vénielle***. XIIIe s. ; lat. eccl. *venialis*, du lat. *venia*, « pardon » ; [venjɛl].

**VENIMEUX, EUSE,** adj.
**1.** Qui produit du venin : *Serpent* ***venimeux***. **2.** Fig. Très malveillant : *Un article* ***venimeux***. Fin XIIe s. ; ☞ *venin* ; [vənimø, øz].

**VENIN,** subst. m.
**1.** Substance toxique sécrétée par certains animaux, qui peut être inoculée par contact, morsure ou piqûre ; par anal., substance toxique produite par certaines plantes. **2.** Fig. Malveillance, méchanceté : *Cracher son* ***venin***, exprimer sa haine. Déb. XIIe s. ; lat. pop. °*venimen*, du lat. *venenum*, « philtre » ; [vənɛ̃].

**VENIR,** verbe intrans. [22]
**I. 1.** Se déplacer vers ou jusqu'à un lieu, une personne : *Aller et* ***venir*** ; *Il* ***vient*** *par la route* ; *Faire* ***venir*** *qqn*, le convoquer ; *Faire* ***venir*** *qqch.*, le faire apporter ; ***Venir*** *avec qqn*, l'accompagner ; ***Venir*** *chez qqn*, se rendre chez lui ; ***Venir*** *à qqn*, aller vers lui. ▸ Fig. ***Venir*** *à l'esprit de qqn* : se présenter, se manifester, en parlant d'idées, de sentiments ; empl. impers. : *Il ne m'est pas* ***venu*** *à l'esprit de...* ▸ Loc. *Faire* ***venir*** *l'eau à la bouche* : aiguiser fortement l'appétit, faire saliver. **2. Venir à.** Arriver à (un niveau), l'atteindre : *Il me* ***vient*** *à l'épaule* ; arriver, parvenir à (un aboutissement, un but) : ***Venir*** *à maturité* ; ***Venir*** *à bout de qqch.* **3. Y venir.** S'y résoudre : *Il y* ***viendra*** *tôt ou tard*. **4. En venir à.** Arriver à ; aborder : ***Venons-en*** *à l'essentiel* ; finir par recourir à : *En* ***venir*** *aux coups, aux mains*. ▸ *Où veux-tu en* ***venir*** *?* : quel est ton but ? **5. Venir de.** ▸ Arriver de : *Il* ***vient*** *de la ville* ; *Le vent* ***vient*** *du nord* ; être originaire, issu de : *Il* ***vient*** *du Midi* ; provenir de : *Ce vase* ***vient*** *de Chine* ; *Cette expression* ***vient*** *du latin*. ▸ Être la conséquence, l'effet de : *L'accident* ***vient*** *de cette erreur*. **II. 1.** Se produire,

*La meute et le piqueux, deux éléments essentiels de la vènerie.*

© H. Veiller-Explorer

survenir, arriver : *Cette réforme **vient** trop tard* ; *La nuit **vient*** ; *Le moment **est** enfin **venu*** ; ***Venir** au monde*, naître. ► Loc. **À venir.** Qui va arriver : *Les années à **venir**.* **2.** Se développer, croître, en parlant d'un végétal : *Le blé **vient** bien, cette année.* **3.** Se manifester : *L'inspiration tarde à **venir**.* **4.** *Techn.* Être réalisé : *Épreuve, tirage qui **vient** bien, mal.* **III.** Employé comme semi-auxiliaire. **1. Venir** (+ inf.). Se mettre à, se disposer à : *Ne **venez** pas vous plaindre.* **2. Venir à** (+ inf.). Se trouver dans le cas de : *Si l'argent **vient** à manquer.* **3. Venir de** (+ inf.). Avoir tout juste fini de : *Je **viens** de te le dire.* Fin IX^e s. ; lat. *venire* ; [vəniʀ].

**VENISE,** subst. m.
Verre très fin ciselé : *Un lustre en **venise**.* 1890 (1887, dentelle) ; topon. *Venise* (Italie) ; [vəniz].

**VÉNITIEN, IENNE,** adj. et subst.
De Venise. ADJ. *Blond **vénitien*** : tirant sur le roux. SUBST. MASC. Dialecte parlé à Venise et en Vénétie. Déb. XIII^e s. ; topon. *Venise* (Italie) ; [venisjɛ̃, jɛn].

**VENT,** subst. m.
**I. 1.** *Météor.* Déplacement naturel de l'air dû à des différences locales de température et de pression entre des régions de l'atmosphère : *Rafales de **vent**.* **2.** *Mar.* ***Vents** contraires* : qui s'opposent à la route prévue ; *Au **vent*** : dans la direction du **vent** ; *Sous le **vent*** : dans la direction opposée à celle du **vent**. ► Loc. *Bon **vent** !* : bonne route ou, par iron., bon débarras ! ; *Contre **vents** et marées* : malgré tous les obstacles ; *Avoir le **vent** en poupe* (☞ *poupe*) ; *En coup de **vent*** (☞ *coup*) ; *Le **vent** tourne* : la situation change ; *Prendre le **vent*** : adapter son comportement en fonction de la tendance dominante. **3.** *Vèn.* Odeur dégagée par un animal chassé (et portée par le **vent**) : *Chien qui a le nez au **vent***, qui flaire le gibier. ► Loc. *Avoir **vent** de qqch.* : le subodorer ou en entendre parler. **4.** *Géogr.* *Les quatre **vents*** : les quatre points cardinaux. ► Loc. *La rose des **vents*** : étoile à 32 divisions figurant les points cardinaux et leurs collatéraux ; *Aux quatre **vents*** : dans toutes les directions. **II. 1.** Anal. Déplacement d'air dû à des causes diverses : *Faire du **vent** avec une feuille, un ventilateur.* ► Loc. *Faire du **vent*** : faire l'important (fam.) ; *C'est du **vent*** : c'est insignifiant, vain, sans fondement. **2.** Gaz intestinal. **3.** *Mus.* *Instruments à **vent*** ou, par ell., *Les **vents*** : dont le son est produit par la vibration d'une colonne d'air (ils se répartissent en deux familles, les bois et les cuivres). **4.** Fig. Tendance, courant. ► Loc. *Dans le **vent*** : à la mode. Mil. XI^e s. ; lat. *ventus* ; [vɑ̃].

Fu-ten, dieu du **Vent**, *sculpture en bois peint. Art japonais d'époque Tokugawa (XVII^e s.). Musée Guimet, Paris.* © Bonora-Giraudon

**VENTAGE,** subst. m.
*Agric.* Nettoyage des grains au moyen d'un van (synon. *vannage*). 1783 ; ☞ *venter* ; [vɑ̃taʒ].

**VENTAIL,** subst. m.
*M. Â.* Partie de la visière d'un casque clos, laissant passer l'air. 1314 ; ☞ *venter* ; plur. *ventaux* ; [vɑ̃taj], plur. [-to].

**VENTE,** subst. f.
**1.** Action de céder une marchandise contre une somme d'argent ; activité, métier de celui qui vend : ***Vente** en gros, à perte* ; ***Vente** par correspondance (V. P. C.)* ; ***Vente** judiciaire* ; ***Vente** de charité* (☞ *charité*) ; *En **vente***, que l'on peut trouver dans le commerce. ► *Dr.* *Acte de **vente*** : contrat liant le vendeur et l'acheteur. ► *Salle des **ventes*** : où ont lieu les **ventes** aux enchères. **2.** *Sylvic.* Coupe de bois destinée à être vendue ; le lot d'arbres ainsi coupé. **3.** *Hist.* En Italie, réunion de carbonaros. Déb. XIII^e s. (mil. XII^e s., valeur, prix) ; lat. *vendita*, de *vendere*, « vendre » ; [vɑ̃t].

**VENTÉ, ÉE,** adj.
Exposé aux vents. XIX^e s. ; p. p. de *venter* ; [vɑ̃te].

**VENTEAU,** subst. m.
*Techn.* Ouverture dans un soufflet ou une soufflerie, par laquelle entre l'air. 1757 (1611, ventail) ; ☞ *vent* ; [vɑ̃to].

**VENTER,** verbe impers. [3]
Faire du vent : *Il **vente**.* ► Loc. *Qu'il pleuve ou qu'il **vente*** : par n'importe quel temps ou, au fig., quoi qu'il arrive. Mil. XII^e s. ; ☞ *vent* ; [vɑ̃te].

**VENTEUX, EUSE,** adj.
Où le vent souffle fort ou souvent : *Vallée **venteuse*** ; *Mois **venteux**.* 1389 (mil. XIII^e s., qui provoque la flatulence) ; lat. *ventosus* ; [vɑ̃tø, øz].

**VENTILATEUR,** subst. m.
*Techn.* Appareil brassant l'air, servant à renouveler l'air d'un lieu, à rafraîchir l'atmosphère ou à refroidir une machine, en partic. le moteur d'une automobile. 1744 ; angl. *ventilator*, du lat. *ventilator*, « vanneur » ; [vɑ̃tilatœʀ].

**VENTILATION,** subst. f.
**1.** Action de ventiler ; fait d'être ventilé. **2.** *Physiol.* ***Ventilation** pulmonaire* : circulation de l'air dans les poumons. 1819 (fin XIV^e s., révélation) ; lat. *ventilatio* ; [vɑ̃tilasjɔ̃].

**VENTILER,** verbe trans. [3]
**1.** Brasser, renouveler l'air dans (un lieu) : ***Ventiler** une cuisine.* **2.** *Comptab.* Répartir (une somme) entre différents postes. **3.** Répartir (des choses, des personnes) par groupes. 1820 (fin XI^e s., flotter au vent) ; lat. *ventilare* ; [vɑ̃tile].

**VENTILEUSE,** subst. f.
*Apic.* Abeille dont la fonction est de battre des ailes à l'entrée de la ruche pour en renouveler l'air. 1901 ; ☞ *ventiler* ; [vɑ̃tiløz].

**VENTIS,** subst. m. plur.
*Sylvic.* Arbres abattus par le vent. 1812 ; ☞ *vent* ; [vɑ̃ti].

**VENTÔSE,** subst. m.
Sixième mois du calendrier républicain (du 19, 20 ou 21 février au 20 ou 21 mars). 1793 ; lat. *ventosus*, « venteux » ; [vɑ̃toz].

**VENTOUSE (I),** subst. f.
**1.** *Méd.* Petite cloche de verre qu'on applique sur la peau après avoir raréfié l'air par combustion, afin de produire un effet révulsif. **2.** *Zool.* Organe de fixation ou de succion de certains animaux : ***Ventouses** d'un poulpe.* **3.** Anal. Petite rondelle de caoutchouc qui adhère par pression à une surface plane. Mil. XIII^e s. ; lat. méd. *ventosa cucurbita*, « courge pleine d'air » ; [vɑ̃tuz].

**VENTOUSE (II),** subst. f.
*Techn.* Orifice d'un conduit, d'un fourneau, ouverture pratiquée dans un mur, etc., permettant l'aération d'un lieu. 1676 ; lat. *ventus*, « vent » ; [vɑ̃tuz].

**VENTRAL, ALE, AUX,** adj.
**1.** Relatif au ventre. **2.** Qui se porte sur le ventre. Fin XIV^e s. ; lat. *ventralis* ; [vɑ̃tʀal, o].

**VENTRE,** subst. m.
**I. 1.** Siège de la gestation chez la femme : *Dans le **ventre** de sa mère.* **2.** *Anat.* Partie antérieure du corps, correspondant à l'abdomen : *Dormir sur le **ventre*** ; *Rentrer le **ventre*** ; *À plat **ventre***, allongé sur le **ventre** ; *Avoir du **ventre***, de l'embonpoint. ► Loc. *Se mettre à plat **ventre** devant qqn* : s'humilier pour parvenir à ses fins ; *Marcher, passer sur le **ventre** de qqn* : l'éliminer sans vergogne pour réussir (fam.) ; *Courir **ventre** à terre* : à toute allure ; *Le **ventre** mou de* : le point faible de (qqch.). **3.** Le siège de la digestion : *Avoir mal au **ventre**.* ► Loc. *Avoir le **ventre** creux* : avoir faim ; *Avoir les yeux plus gros que le **ventre*** : vouloir manger plus qu'on ne le peut ou, au fig., entreprendre plus qu'on ne peut assumer ; ***Ventre** affamé n'a pas d'oreilles* : la faim ou, au fig., le désir l'emporte sur tout raisonnement. **4.** Le siège des émotions : *Avoir la rage au **ventre**.* ► Loc. *Savoir ce que qqn a dans le **ventre*** : connaître ses intentions ; *Avoir qqch. dans le **ventre*** : être courageux et volontaire. **II.** Anal. **1.** Partie bombée d'un objet creux : *Le **ventre** d'une carafe.* **2.** *Mar.* Partie centrale des œuvres vives d'un navire. **3.** *Phys.* Dans un système d'ondes stationnaires, position où l'amplitude des résultantes est la plus grande. Mil. XI^e s. ; lat. *venter* ; [vɑ̃tʀ].

**VENTREBLEU,** interj.
Juron exprimant la surprise, l'indignation (vieilli). Mil. XV^e s. ; formé de *ventre* et de *bleu*, euphém. pour *Dieu* ; [vɑ̃tʀəblø].

**VENTRÉE,** subst. f.
Nourriture abondante qui remplit bien le ventre (fam.). Déb. XIII^e s. (fin XII^e s., l'enfant qu'une femme porte dans son ventre) ; ☞ *ventre* ; [vɑ̃tʀe].

**VENTRE-SAINT-GRIS,** interj.
Juron, attribué à Henri IV, exprimant la surprise ou l'indignation (vx). 1547 ; comp. de *ventre* et de *saint Gris*, nom fantaisiste ; [vɑ̃tʀəsɛ̃gʀi].

**VENTRICULAIRE,** adj.
*Anat.* Qui concerne les ventricules. 1819 ; ☞ *ventricule* ; [vɑ̃tʀikylɛʀ].

**VENTRICULE,** subst. m.
*Anat.* ► Chacune des quatre cavités de l'encéphale, contenant du liquide céphalo-rachidien. ► Chacune des deux cavités inférieures du cœur. 1478 ; lat. *ventriculus*, « petit ventre » ; [vɑ̃tʀikyl].

**VENTRIÈRE,** subst. f.
**1.** Pièce de toile passée sous le ventre d'un animal et servant à le soulever. **2.** *Constr.* Forte pièce de bois qui étaie en son milieu un assemblage de charpente. Fin XIV^e s. (fin XII^e s., ceinturon faisant partie de l'armure) ; ☞ *ventre* ; [vɑ̃tʀijɛʀ].

**VENTRILOQUE,** subst. et adj.
Se dit d'une personne qui peut parler sans remuer les lèvres et dont la voix semble venir du ventre. 1552 ; bas lat. *ventriloquus* ; [vɑ̃tʀilɔk].

**VENTRILOQUIE,** subst. f.
Technique, art du ventriloque. 1817 ; ☞ *ventriloque* ; [vɑ̃tʀilɔki].

**VENTRIPOTENT, ENTE,** adj.
Qui est gros, ventru (fam.). 1552 ; crois. de *ventre* et du lat. *potens*, « puissant » ; [vɑ̃tʀipɔtɑ̃, ɑ̃t].

**VENTRU, UE,** adj.
**1.** Qui a du ventre. **2.** Renflé : *Une commode **ventrue**.* 1490 ; ☞ *ventre* ; [vɑ̃tʀy].

**VENTURI,** subst. m.
*Phys.* Tube en forme d'entonnoir, qui sert à mesurer le débit d'un fluide ; en appos. : *Effet **Venturi***, diminution de la pression statique dans un écoulement fluide, concomitante de l'augmentation de la pression dynamique, en raison de la vitesse. 1949 ; anthropon. *Giovanni Battista Venturi*, physicien italien ; [vɑ̃tyʀi].

**VENU, UE,** adj. et subst.
SUBST. FÉM. **1.** Action de venir ; arrivée : *Attendre la **venue** de qqn* ; *La **venue** de l'hiver* ; *Allées et **venues*** (☞ *allée*). **2.** Naissance : *La **venue** d'un enfant.* **3.** Manière de se développer, d'être élaboré : *La belle **venue** d'une futaie.* ADJ. **1. Bien, mal venu.** Qui s'est bien, mal développé : *Arbre mal **venu*** ; qui arrive à propos, mal à propos : *Des réformes bien **venues**.* ► Loc. *Être mal **venu** de* (+ inf.) : ne pas être fondé à. **2.** Qui se présente, que l'on rencontre : *Choisir le premier hôtel **venu**.* SUBST. **1.** *Premier **venu**, première **venue*** : première personne rencontrée ou, par ext., n'importe qui. **2.** *Nouveau **venu**, nouvelle **venue*** : personne arrivée depuis peu. 1155 ; p. p. de *venir* ; [vəny].

**VÉNUS,** subst. f.
**1.** Femme très belle (littér.). **2.** *Zool.* Mollusque marin bivalve des fonds sableux, qui possède des siphons respiratoires à l'arrière du corps (palourde, praire). 1674 (1246, planète) ; lat. *Venus*, « Vénus », déesse de la Beauté ; [venys].

**VÉNUSIEN, IENNE,** adj.
Relatif à la planète Vénus ; de la planète Vénus. 1872 ; *Vénus*, nom de planète ; [venyzjɛ̃, jɛn].

**VÉNUSTÉ,** subst. f.
Grâce, beauté (littér.). Déb. XVI^e s. ; lat. *venustas*, de *Venus*, « Vénus », déesse de la Beauté ; [venyste].

**VÉPÉCISTE,** subst.
Entreprise ou personne spécialiste de la vente par correspondance. V. 1990 ; *V. P. C.*, sigle de *vente par correspondance* ; [vepesist].

**VÊPRÉE,** subst. f.
Soir, soirée (région. ou littér.). Fin XI^e s. ; anc. fr. *vespre*, du lat. *vesper* ; var. *vesprée* ; [vɛpʀe].

**VÊPRES,** subst. f. plur.
**1.** *Cath.* Heures de l'office, entre none et complies, que l'on récite ou que l'on chante l'après-midi (autrefois au coucher du soleil). **2.** *Hist.* **Vêpres** *siciliennes* : massacre des Français en Sicile en 1282, le lundi de Pâques, à l'heure des **vêpres**. Déb. XIII^e s. ; lat. *vespera*, « soir » ; [vɛpʀ].

**VER,** subst. m.
**1.** *Zool.* ► Larve de certains insectes : **Ver** *blanc*, larve du hanneton ; **Ver** *à soie*, larve du bombyx du mûrier ; **Ver** *luisant*, larve ou femelle du lampyre ; **Ver** *de viande*, asticot. ► Nom générique de divers embranchements d'invertébrés (Plathelminthes, ou **vers** plats, Némathelminthes, ou **vers** ronds, et Annélides, ou **vers** annelés), dépourvus de pattes, au corps mou et allongé, qui peuvent être libres ou parasites ; en partic. : **Ver** *de terre* ou, empl. abs., **Ver**, lombric. ► Loc. *Le* **ver** *est dans le fruit* : la situation est compromise, définitivement gâtée ; *Tirer les* **vers** *du nez à qqn* : lui faire dire ce qu'il cherche à taire par des questions habiles ou insistantes (fam.) ; *Nu comme un* **ver** : tout nu (fam.). **2.** Vermine, que l'on croyait ronger les morts (littér.). **3.** Parasite intestinal de l'homme et de certains animaux : **Ver** *solitaire*, ténia. Fin X^e s. ; lat. *vermis* ; [vɛʀ].

**VÉRACITÉ,** subst. f.
**1.** Caractère de ce qui exprime la vérité, de ce qui lui est fidèle : *La* **véracité** *d'un récit.* **2.** Attachement de qqn à la vérité (littér.) : *La* **véracité** *d'un auteur.* 1458 ; lat. *verax*, « véridique » ; [veʀasite].

**VÉRAISON,** subst. f.
*Agric.* État d'un fruit, en partic. du raisin, qui commence à mûrir. 1872 ; région. *vaira*, de *vairir*, « commencer à mûrir », de *vair*, « changeant » ; [veʀɛzɔ̃].

**VÉRANDA,** subst. f.
**1.** Dans certaines régions tropicales, galerie légère établie le long d'une façade, ou entourant une habitation. **2.** Anal. Espace vitré attenant à une maison. 1758 ; angl. *veranda*, du hindi *varãdã*, du port. *varanda*, « balcon » ; [veʀɑ̃da].

**VÉRATRE,** subst. m.
*Bot.* Plante vivace et vénéneuse, de la famille des Liliacées, poussant dans les prairies humides de montagne, dont une espèce, l'ellébore blanc, possède des racines aux propriétés émétiques et purgatives. 1564 ; lat. *veratrum*, « ellébore » ; [veʀatʀ].

**VERBAL, ALE, AUX,** adj.
**1.** Qui se fait de vive voix (par oppos. à *écrit*) : *Passer un accord* **verbal**. ► *Dr. internat. Note* **verbale** : note écrite résumant une conversation échangée entre un agent diplomatique et un ministère des Affaires étrangères. **2.** Qui relève des mots ; qui se fait par les mots, le langage : *Violence* **verbale**. **3.** *Ling.* Relatif au verbe ; du verbe : *Forme* **verbale** ; *Adjectif* **verbal**, participe présent employé comme adjectif (par ex. : « étoiles filantes »). 1337 ; bas lat. *verbalis*, « dérivé d'un verbe » ; [vɛʀbal, o].

**VERBALEMENT,** adv.
Oralement. 1337 ; ☞ *verbal* ; [vɛʀbalmɑ̃].

**VERBALISATEUR, TRICE,** adj. et subst.
*Admin.* Se dit d'une personne qui est habilitée à verbaliser. 1875 ; ☞ *verbaliser* ; [vɛʀbalizatœʀ, tʀis].

**VERBALISATION,** subst. f.
Action de verbaliser. 1842 ; ☞ *verbaliser* ; [vɛʀbalizasjɔ̃].

**VERBALISER,** verbe [3]
INTRANS. **1.** Dresser un procès-verbal. **2.** *Psychol.* S'exprimer au moyen du langage. TRANS. *Psychol.* Exprimer (qqch.) au moyen du langage. 1668 (XVI^e s., palabrer) ; ☞ *verbal* ; [vɛʀbalize].

**VERBALISME,** subst. m.
Importance excessive donnée aux mots au détriment des idées. 1909 (1876, méthode d'enseignement) ; ☞ *verbal* ; [vɛʀbalism].

**VERBE,** subst. m.
**I. 1.** Parole (vieilli). **2.** *Théol.* Dieu, en tant que deuxième hypostase de la Trinité, la Personne du Fils incarnée en Jésus-Christ : *Le* **Verbe** *s'est fait chair* (saint Jean). **3.** Ton de la voix. ► Loc. *Avoir le* **verbe** *haut* : parler fort ou, au fig., parler avec hauteur, avec morgue. **4.** Langage (littér.) : *Le* **verbe** *poétique.* **II.** *Ling.* Mot qui exprime une action, un état, un processus, et dont la forme varie selon le nombre, la personne, la voix, le mode et le temps. Mil. XI^e s. ; lat. *verbum* ; [vɛʀb].

**VERBÉNACÉES,** subst. f. plur.
*Bot.* Famille de plantes gamopétales, herbacées ou arbustives, de l'ordre des Lamiales. AU SING. *La verveine est une* **verbénacée**. 1806 ; lat. *verbena*, « verveine officinale » ; [vɛʀbenase].

**VERBEUX, EUSE,** adj.
Péj. Dont le discours est abondant en mots, mais pauvre en signification ; bavard, prolixe : *Un orateur* **verbeux** ; par ext. : *Un style* **verbeux**. Déb. XIII^e s. ; lat. *verbosus*, de *verbum*, « verbe » ; [vɛʀbø, øz].

**VERBIAGE,** subst. m.
Profusion de paroles plus ou moins dénuées de sens ou d'intérêt. 1671 ; anc. fr. *verbier*, de l'anc. bas frq. °*werbilôn*, « chanter en modulant » ; [vɛʀbjaʒ].

**VERBICRUCISTE,** subst.
Auteur de grilles de mots croisés. XX^e s. ; lat. *verbum*, « mot », et *crux*, « croix », d'apr. *cruciverbiste* ; [vɛʀbikʀysist].

**VERBIGÉRATION,** subst. f.
*Psych.* Énonciation de séries, gén. répétitives, de mots, de phrases incohérents, observée en partic. chez les schizophrènes. 1877 ; lat. *verbigerare*, « se disputer » ; [vɛʀbiʒeʀasjɔ̃].

**VERBOQUET,** subst. m.
*Techn.* Cordage qui sert à guider, à partir du sol, une charge que l'on hisse. 1676 ; crois. de *virer* et de *bouquet*, « faisceau » ; [vɛʀbɔkɛ].

**VERBOSITÉ,** subst. f.
Défaut d'une personne verbeuse ; caractère verbeux d'un discours. Fin XV^e s. ; bas lat. *verbositas*, du lat. *verbosus*, « verbeux » ; [vɛʀbozite].

**VERDAGE,** subst. m.
*Agric.* Engrais vert, constitué de plantes fourragères que l'on enterre. 1842 (1370, légume) ; anc. fr. *verd*, « vert » ; [vɛʀdaʒ].

**VERDÂTRE,** adj.
Qui tire sur le vert, qui est d'un vert trouble et sale. ► *Un teint* **verdâtre** : blafard. Mil. XIV^e s. ; ☞ *vert* ; [vɛʀdɑtʀ].

**VERDELET, ETTE,** adj.
**1.** D'un vert tendre (vieilli ou littér.). **2.** *Vin* **verdelet** : un peu acide, vert. 1348 ; ☞ *vert* ; [vɛʀdəlɛ, ɛt].

**VERDET,** subst. m.
Acétate de cuivre de couleur verte. ► **Verdet** *gris* : utilisé autrefois contre le mildiou de la vigne (synon. *vert-de-gris*). Fin XIV^e s. (déb. XIII^e s., verdoyant) ; ☞ *vert* ; [vɛʀdɛ].

**VERDEUR,** subst. f.
**1.** Couleur verte (vx). **2.** Acidité d'un fruit vert, d'un vin trop jeune. **3.** Vigueur juvénile, en partic. chez qqn qui n'est plus jeune. **4.** Fig. Liberté, truculence de langage. Déb. XII^e s. ; ☞ *vert* ; [vɛʀdœʀ].

**VERDICT,** subst. m.
**1.** *Dr. pénal.* Déclaration solennelle répondant, à l'issue de la délibération de la cour et du jury, aux questions du président d'une cour d'assises sur la culpabilité ou l'innocence de l'accusé. **2.** Anal. Jugement rendu par une autorité légitime ; décision. **3.** Fig. Jugement tranchant : *Le* **verdict** *de l'histoire.* 1669 ; angl. *verdict*, du lat. médiév. *veredictum*, « véritablement dit » ; [vɛʀdikt].

**VERDIER,** subst. m.
*Zool.* Oiseau passereau granivore de la famille des Carduélidés, au plumage vert et jaune et au bec conique. Fin XIII^e s. ; ☞ *vert* ; [vɛʀdje].

© M. Danegger-Jacana

*Verdier.*

**VERDIR,** verbe [19]
INTRANS. **1.** Devenir vert : *L'herbe* **verdit**. **2.** Blêmir : **Verdir** *de jalousie, de peur.* TRANS. Donner une couleur verte à (qqch.) : *De la mousse* **verdissait** *les rochers.* Fin XII^e s. ; ☞ *vert* ; [vɛʀdiʀ].

**VERDISSAGE,** subst. m.
Action de rendre vert, fait de devenir vert (rare). 1877 ; ☞ *verdir* ; [vɛʀdisaʒ].

**VERDISSANT, ANTE,** adj.
Qui devient vert : *La nature* **verdissante**. XVI^e s. ; p. pr. de *verdir* ; [vɛʀdisɑ̃, ɑ̃t].

**VERDISSEMENT,** subst. m.
Action, fait de verdir ; son résultat. 1859 ; ☞ *verdir* ; [vɛʀdismɑ̃].

**VERDOIEMENT,** subst. m.
Fait de verdoyer. 1549 ; ☞ *verdoyer* ; [vɛʀdwamɑ̃].

**VERDOYANT, ANTE,** adj.
Qui verdoie ; par ext., où la verdure abonde : *Pays* **verdoyant**. XII^e s. ; p. pr. de *verdoyer* ; [vɛʀdwajɑ̃, ɑ̃t].

**VERDOYER,** verbe intrans. [17]
**1.** Devenir vert, en parlant de végétaux ou des lieux où ils poussent (synon. *verdir*). **2.** Présenter une belle teinte verte. 1176 ; ☞ *vert* ; [vɛʀdwaje].

**VERDUNISATION,** subst. f.
Purification de l'eau par adjonction de chlore à très faible dose. 1928 ; topon. *Verdun* (Meuse), lieu où ce procédé a été utilisé pour la première fois, lors de la bataille de 1916 ; [vɛʀdynizasjɔ̃].

**VERDUNISER,** verbe trans. [3]
Traiter (des eaux polluées) par verdunisation. XX^e s. ; ☞ *verdunisation* ; [vɛʀdynize].

**VERDURE,** subst. f.
**1.** Couleur verte de la végétation ; par méton., cette végétation elle-même : *Tapis de* **verdure**. ► *Théâtre de* **verdure** : espace vert où alternent avec art **verdure** et pièces d'eau. **2.** *Cuis.* Plante potagère qu'on mange crue ; salade : *Des chèvres chauds présentés sur un lit de* **verdure**. Fin XII^e s. ; ☞ *vert* ; [vɛʀdyʀ].

**VÉRÉTILLE,** subst. f. ou m.
*Zool.* Invertébré marin, cnidaire de l'ordre des Pénatullidés (plumes de mer), constituant des colonies de polypes à huit tentacules, qui s'incrustent sur un axe charnu fixé dans les sables côtiers. 1798 ; lat. sc. *veretillum*, du lat. *veretrum*, « parties sexuelles » ; [veʀetij].

**VÉREUX, EUSE,** adj.
**1.** Qui est abîmé par des vers : *Fruit* **véreux**. **2.** Fig. Corrompu ; douteux, louche : *Banquier* **véreux** ; *Affaire* **véreuse**. 1372 ; ☞ *ver* ; [veʀø, øz].

**VERGE,** subst. f.
**1.** Vx. Baguette souple. ► Au plur. Poignée de tiges flexibles servant à châtier. ► Loc. *Donner des* **verges** *pour se faire battre* : des arguments allant contre son propre intérêt. **2.** Anal. ► *Anat.* Pénis. ► *Bot.* **Verge** *d'or* : solidago. ► *Mar.* Tige centrale de l'ancre. ► *Techn.* Tringle ou tige métallique. **3.** Québ. Au Canada, unité de longueur équivalant à 3 pieds. Fin XI^e s. ; lat. *virga* ; [vɛʀʒ].

**VERGÉ, ÉE,** adj.
**1.** *Text.* Étoffe renfermant des fils de grosseur ou de couleur différentes du reste (vx). **2.** *Papet. Papier* **vergé** ou, empl. subst. masc., *Du* **vergé** : papier à vergeures. 1244 (fin XI^e s, orné de bandes) ; lat. *virgatus*, « rayé », de *virga*, « branche souple » ; [vɛʀʒe].

**VERGENCE,** subst. f.
*Opt.* Inverse de la distance focale d'un système optique centré (si la distance est en mètre, la **vergence** est en mètre$^{-1}$ ou dioptrie). 1953 (1803, terme médical) ; d'apr. *convergence, divergence* ; [vɛʀʒɑ̃s].

**VERGEOISE,** subst. f.
Sucre fabriqué avec les déchets d'un premier raffinage. 1762 ; ☞ *verge* ; [vɛʀʒwaz].

**VERGER,** subst. m.
Terrain planté d'arbres fruitiers. Fin XI^e s. ; lat. *virid(i)arium*, « bosquet », de *viridis*, « vert » ; [vɛʀʒe].

**VERGETÉ, ÉE,** adj.
**1.** Marqué de traces formant des petites raies, des filets : *Peau* **vergetée**. **2.** *Hérald.* Divisé en vergettes. 1679 ; ☞ *verge* ; [vɛʀʒəte].

**VERGETTE,** subst. f.
**1.** Petite verge ; par ext., petite brosse (vx). **2.** *Hérald.* Pal étroit. Mil. XII^e s. ; ☞ *verge* ; [vɛʀʒɛt].

**VERGETURE,** subst. f.
*Pathol.* Strie cutanée évoluant du violet au blanc nacré, apparaissant à la suite d'une distension du tissu cutané, en partic. après la grossesse (gén. au plur.). 1767 ; ☞ *vergeté* ; [vɛʀʒətyʀ].

**VERGEURE,** subst. f.
*Papet.* Fil de cuivre ou de laiton, constituant le treillis de la forme, dans la fabrication à la main du papier ; ligne claire laissée par ce fil sur le papier ; par ext., chacune des marques parallèles en filigrane sur le papier vergé industriel. 1680 (1549, vergeture) ; ☞ *verge* ; [vɛʀʒyʀ].

**VERGLAÇANT, ANTE, adj.**
Qui provoque la formation de verglas : *Pluie **verglaçante**.* 1606 ; p. pr. de *verglacer* ; [vɛʀglasɑ̃, ɑ̃t].

**VERGLACÉ, ÉE, adj.**
Couvert de verglas : *Déraper sur une route **verglacée**.* 1521 ; p. p. de *verglacer* ; [vɛʀglase].

**VERGLACER, verbe impers.** [4]
Faire du verglas. 1381 (fin XIIe s., tomber à cause du verglas) ; ☞ *verglas* ; [vɛʀglase].

**VERGLAS, subst. m.**
*Météor.* Fine couche de glace qui se forme, par congélation des gouttes d'eau ou de pluie, sur une surface dont la température est proche de ou au-dessous de 0 °C. Fin XIIe s. ; crois. de *verre* et de *glas* (rare), « glace » ; [vɛʀgla].

**VERGNE, subst. m.**
Aulne (région.). Fin XIIe s. ; gaul. *verna* ; var. *verne* ; [vɛʀɲ].

**VERGOBRET, subst. m.**
*Hist.* Chez certains peuples gaulois, chef d'une cité, désigné pour une année par les druides. 1213 ; lat. *vergobretus*, « premier magistrat des Éduens », du celt. *vergo*, « efficace », et *breth*, « jugement » ; [vɛʀgɔbʀɛ].

**VERGOGNE, subst. f.**
Honte (vieilli ou région.). ► Loc. ***Sans vergogne*** : sans pudeur ni scrupule. Fin XIe s. ; lat. *verecundia*, « pudeur », de *vereri*, « craindre » ; [vɛʀgɔɲ].

**VERGUE, subst. f.**
*Mar.* Espar disposé en travers d'un mât pour soutenir et orienter la voile : *Vergue de misaine.* Fin XIIe s. ; forme norm. ou pic. de *verge* ; [vɛʀg].

**VÉRIDICITÉ, subst. f.**
Caractère véridique, fiable, d'une personne, d'une chose : ***Véridicité** d'un historien* ; ***Véridicité** d'un récit.* 1741 ; ☞ *véridique* ; [veʀidisite].

**VÉRIDIQUE, adj.**
**1.** Qui dit la vérité, qui rapporte les faits avec exactitude ; par ext. : *Homme **véridique**,* franc, sincère. **2.** Conforme à la vérité, à la réalité : *Histoire **véridique**.* 1456 ; lat. *veridicus*, de *verus*, « vrai », et de *dicere*, « dire » ; [veʀidik].

**VÉRIDIQUEMENT, adv.**
D'une manière conforme à la vérité ou à la réalité. 1845 ; ☞ *véridique* ; [veʀidikmɑ̃].

**VÉRIFIABLE, adj.**
Qui peut être vérifié : *Un alibi **vérifiable**.* 1791 (XIVe s., ratifié) ; ☞ *vérifier* ; [veʀifjabl].

**VÉRIFICATEUR, TRICE, subst.**
Personne chargée de vérifier : *Un **vérificateur** aux comptes* ; empl. adj., qui a pour fonction de vérifier. **Masc.** Appareil servant à vérifier : ***Vérificateur** de tension.* ► *Informat.* ***Vérificateur** orthographique* : correcteur orthographique. **Fém.** *Techn.* Machine qui vérifie les cartes perforées. 1631 ; ☞ *vérifier* ; [veʀifikatœʀ, tʀis].

**VÉRIFICATIF, IVE, adj.**
Qui sert à vérifier : *Analyse **vérificative**.* 1608 ; ☞ *vérification* ; [veʀifikatif, iv].

**VÉRIFICATION, subst. f.**
**1.** Action de vérifier, de contrôler la véracité, l'exactitude de qqch. : ***Vérification** d'un témoignage, d'une information, d'un calcul.* **2.** Action de contrôler qqch. pour s'assurer de son bon fonctionnement, de sa conformité à une norme, de sa légalité : ***Vérification** d'une machine* ; ***Vérification** de travaux* ; ***Vérification** d'identité.* **3.** Confirmation : ***Vérification** d'une hypothèse.* **4.** *Dr.* ► ***Vérification** d'écriture* : procédure permettant d'établir l'authenticité ou la fausseté d'un acte sous seing privé. ► ***Vérification** des pouvoirs* : examen par une assemblée de l'éligibilité de ses membres et de la régularité de leur élection. XVe s. (1388, enregistrement par le parlement) ; ☞ *vérifier* ; [veʀifikasjɔ̃].

**VÉRIFICATIONNISME, subst. m.**
*Philos.* Doctrine des positivistes logiques selon laquelle une proposition n'a de sens que si elle est vérifiable. ☞ *vérification* ; [veʀifikasjɔnism].

**VÉRIFIER, verbe trans.** [6]
**1.** S'assurer de l'exactitude de (qqch.) par sa confrontation avec des faits réels ou des critères préalablement définis : ***Vérifier** une nouvelle, une opération, l'orthographe d'un mot* ; ***Vérifiez** que la porte est bien fermée !* **2.** Contrôler l'état, le fonctionnement de : ***Vérifier** les freins.* **3.** Justifier, confirmer : *Cela **vérifie** mes soupçons* ; empl. pronom. : *Mes craintes se **sont** hélas **vérifiées** tous les jours.* 1402 (1296, homologuer) ; bas lat. *verificare*, « présenter comme vrai », du lat. *verus*, « vrai », et *facere*, « faire » ; [veʀifje].

**VÉRIFIEUR, EUSE, subst.**
*Techn.* Spécialiste chargé d'une vérification ; personne chargée du fonctionnement d'une vérificatrice. V. 1960 (1487, personne qui homologue) ; ☞ *vérifier* ; [veʀifjœʀ, øz].

**VÉRIN, subst. m.**
*Techn.* Appareil utilisé pour soulever de lourdes charges sur une faible hauteur : ***Vérin** hydraulique, télescopique.* 1463 (1389, grosse vis pour le pressoir) ; ital. *verrina*, « machine à forer », de *veru*, « dard » ; [veʀɛ̃].

**VÉRINE, subst. f.**
*Mar.* Filin muni d'un croc et servant à manœuvrer la chaîne d'une ancre. 1904 (1803, vis de charpentier) ; ☞ *vérin* ; var. *verrine* ; [veʀin].

**VÉRISME, subst. m.**
Mouvement littéraire et artistique italien de la fin du XIXe s. qui, rompant avec le romantisme, s'est attaché à décrire la réalité concrète, en partic. dans ses aspects sociaux : *Le **vérisme** de Puccini.* 1888 ; ital. *verismo*, de *vero*, « vrai » ; [veʀism].

**VÉRISTE, subst. et adj.**
**Subst.** Représentant ou partisan du vérisme. **Adj.** Relatif au vérisme. 1889 ; ital. *verista* ; [veʀist].

**VÉRITABLE, adj.**
**1.** Vx. Qui dit la vérité. **2.** Qui est conforme à l'idée qu'on s'en fait : *Un ami **véritable*** ; *Une **véritable** douleur.* **3.** Qui est bien ce qu'il paraît : *Or **véritable**.* **4.** Qui est vrai en dépit de l'apparence (gén. antéposé) : *Le **véritable** coupable.* **5.** Qui mérite le nom de (antéposé) : ***Véritable** chef-d'œuvre* ; *Je suis un **véritable** idiot.* XIIe s. ; ☞ *vérité* ; [veʀitabl].

**VÉRITABLEMENT, adv.**
Réellement, vraiment ; de fait. XIIe s. ; ☞ *véritable* ; [veʀitabləmɑ̃].

**VÉRITÉ, subst. f.**
**1.** Proposition reconnue pour vraie, de l'assentiment général ou par qqn qui la juge conforme à sa pensée ; conviction, certitude (anton. *erreur, illusion*) : ***Vérité** mathématique* ; *À chacun sa **vérité*** ; ***Vérité** première,* évidence ; ***Vérité** de La Palice* (☞ *lapalissade*), truisme. ► Loc. *Dire ses quatre **vérités** à qqn* : lui dire, de manière franche et brutale, ce qu'on lui reproche. **2.** Ce qui est vrai, ce qui est l'expression d'une conviction (anton. *mensonge*) : *La **vérité**, c'est que je ne sais pas quoi faire* ; *C'est l'entière **vérité**.* ► Authenticité, sincérité : *Accents de **vérité*** ; ***Vérité** d'un sentiment.* **3.** Justesse d'une création artistique, d'une interprétation (par oppos. à *académisme, conventionalisme*) : ***Vérité** d'un portrait, d'une description.* **4.** Loc. ***À la vérité*** : pour être tout à fait honnête ; ***En vérité*** : assurément. Fin Xe s. ; lat. *veritas*, de *verus*, « vrai » ; [veʀite].

**VERJUS, subst. m.**
Suc très acide extrait de raisins cueillis encore verts. XIIIe s. ; formé de *vert* et de *jus* ; [vɛʀʒy].

**VERJUTÉ, ÉE, adj.**
**1.** Préparé avec du verjus. **2.** Acide comme du verjus. 1694 ; ☞ *verjus* ; [vɛʀʒyte].

**VERLAN, subst. m.**
Argot codé formé en inversant les syllabes des mots et en ajoutant ou en retranchant éventuellement des lettres ou des syllabes (par ex. : « ripou » pour « pourri », « keum » pour « mec »). V. 1970 ; inversion de *l'envers*, dans *à l'envers* ; [vɛʀlɑ̃].

**VERMÉE, subst. f.**
Appât constitué de vers de terre enfilés sur un fil ; par méton., la pêche pratiquée avec cet appât. 1507 ; *verm*, anc. forme de *ver* ; [vɛʀme].

**VERMEIL, EILLE, adj. et subst. m.**
**Adj.** D'un rouge vif (littér.) : *Liqueur **vermeille**.* **Subst.** Argent doré : *Plat en **vermeil**.* Fin XIe s. ; bas lat. *vermiculus*, « cochenille ; couleur écarlate », du lat. *vermiculus*, « vermisseau » ; [vɛʀmɛj].

**VERMET, subst. m.**
*Zool.* Mollusque gastéropode prosobranche dont la coquille a la forme d'un tube irrégulier et qui se fixe aux rochers littoraux. 1764 ; *vermet* (vx), « petit ver », de *verm*, anc. forme de *ver* ; [vɛʀmɛ].

**VERMICELLE, subst. m.**
Pâte à potage, en forme de fil mince. 1553 ; ital. *vermicelli*, de *verme*, « ver » ; [vɛʀmisɛl].

**VERMICIDE, adj. et subst. m.**
Se dit d'un remède qui détruit les vers parasites (vx). 1872 ; formé de *vermi-* et de *-cide* ; [vɛʀmisid].

**VERMICULAIRE, adj.**
**1.** *Anat.* Dont la forme évoque celle d'un ver : *Un appendice **vermiculaire**.* **2.** *Pathol.* Qualifie des contractions irrégulières et involontaires d'un muscle, donnant l'impression de la progression d'un ver. 1559 (XVe s., nom usuel de l'orpin âcre) ; lat. *vermiculus*, « vermisseau » ; [vɛʀmikylɛʀ].

**VERMICULÉ, ÉE, adj.**
**1.** *B.-a.* et *Archit.* Orné de fins sillons évoquant des traces de vers. **2.** Ext. Dont la surface présente de petites stries contournées. Fin XIVe s. ; lat. *vermiculatus*, « en forme de ver » ; [vɛʀmikyle].

**VERMICULITE, subst. f.**
*Minér.* Minéral argileux utilisé comme isolant thermique et acoustique. 1875 ; ☞ *vermiculé* + *-lite* ; [vɛʀmikylit].

**VERMICULURE, subst. f.**
*B.-a.* et *Archit.* Motif ornemental fait d'un entrelacs de fines stries. 1835 ; ☞ *vermiculé* ; [vɛʀmikylyʀ].

**VERMIDIENS, subst. m. plur.**
*Zool.* Ancien embranchement dans lequel on regroupait les Rotifères, les Bryozoaires, les Brachiopodes et d'autres animaux que l'on croyait apparentés aux vers, en raison de leur forme. **Au sing.** *Un **vermidien**.* 1897 ; lat. *vermis*, « ver » ; [vɛʀmidjɛ̃].

**VERMIFORME, adj.**
Qui a la forme d'un ver. 1532 ; formé de *vermi-* et de *-forme* ; [vɛʀmifɔʀm].

**VERMIFUGE, adj. et subst. m.**
*Pharm.* Se dit d'un médicament provoquant l'expulsion des vers intestinaux. 1697 ; formé de *vermi-* et de *-fuge* ; [vɛʀmifyʒ].

**VERMILLE, subst. f.**
Ligne de fond utilisée pour pêcher des anguilles. 1842 ; prob. *vermée* ; [vɛʀmij].

**VERMILLER, verbe intrans.** [3]
*Vèn.* Fouiller la terre avec le groin, en parlant du sanglier ou du cochon à la recherche de vers, de racines. 1376 ; lat. pop. °*vermiculare*, du lat. *vermiculus*, « vermisseau » ; [vɛʀmije].

**VERMILLON, subst. m.**
**1.** Poudre de cinabre, d'une couleur rouge vif tirant sur le jaune, utilisée comme pigment en peinture. **2.** Couleur du cinabre : *Le **vermillon** des jeunes baies d'églantier* ; empl. adj. inv. : *Un hibiscus aux fleurs **vermillon**.* Mil. XIIe s. ; ☞ *vermeil* ; [vɛʀmijɔ̃].

**VERMILLONNER (I), verbe trans.** [3]
Couvrir d'une peinture ou d'une substance vermillon. Fin XIVe s. ; ☞ *vermillon* ; [vɛʀmijɔne].

**VERMILLONNER (II), verbe intrans.** [3]
*Vèn.* Fouiller la terre avec le museau, en parlant du blaireau. 1690 ; ☞ *vermiller* ; [vɛʀmijɔne].

**VERMINE, subst. f.**
**1.** Ensemble des parasites externes de l'être humain et des animaux. **2.** Fig. Personne ou ensemble de personnes jugées nuisibles ou méprisables. Déb. XIIe s. ; *verm*, anc. forme de *ver* ; [vɛʀmin].

**VERMINEUX, EUSE, adj.**
**1.** Couvert de vermine. **2.** *Pathol.* Provoqué par des vers intestinaux : *Fièvre **vermineuse**.* Déb. XIIIe s. ; ☞ *vermine* ; [vɛʀminø, øz].

**VERMIS, subst. m.**
*Anat.* Partie médiane du cervelet. 1838 ; lat. *vermis*, « ver » ; [vɛʀmis].

**VERMISSEAU, subst. m.**
**1.** Petit ver, larve vermiforme. **2.** Anal. Être malingre, misérable. Fin XIIe s. ; bas lat. *vermiscellus*, du lat. *vermiculus*, de *vermis*, « ver » ; [vɛʀmiso].

**VERMIVORE, adj.**
Qui se nourrit de vers. XVIIIe s. ; formé de *vermi-* et de *-vore* ; [vɛʀmivɔʀ].

**VERMOULER (SE), verbe pronom.** [3]
Devenir vermoulu (rare). 1531 ; ☞ *vermoulu* ; [vɛʀmule].

**VERMOULU, UE, adj.**
**1.** Rongé par des larves d'insectes, en parlant du bois ou de ce qui est en bois : *Plancher **vermoulu**.* **2.** Fig. Vieilli par le temps, caduc : *Un régime **vermoulu**.* Mil. XIIIe s. ; formé de *ver* et de *moulu* ; [vɛʀmuly].

**VERMOULURE, subst. f.**
Petite galerie creusée dans le bois par des vers ou des insectes xylophages ; par méton., fine poudre de bois provenant des trous creusés par ces vers ou ces insectes. 1283 ; ☞ *vermoulu* ; [vɛʀmulyʀ].

**VERMOUTH, subst. m.**
Apéritif obtenu par macération de plantes amères

et toniques dans du vin. 1798 ; all. *Wermut*, « absinthe » ; var. vieillie *vermout* ; [vɛʀmut].

**VERNACULAIRE, adj.**
1. Propre à un pays donné. 2. *Ling.* Qualifie une langue particulière à une ethnie, à un peuple, à une communauté : *Au Kenya, le swahili, langue véhiculaire, se superpose aux nombreuses langues* ***vernaculaires***. 3. *Biol.* et *Bot. Nom* ***vernaculaire*** : nom usuel d'un animal ou d'une plante dans leur région ou pays d'origine. 1765 ; lat. *vernaculus*, « relatif aux esclaves nés dans la maison » ; [vɛʀnakylɛʀ].

**VERNAL, ALE, AUX, adj.**
1. *Astron. Point* ***vernal*** : point d'intersection de l'équateur avec l'écliptique, noté point $\gamma$. Le passage du Soleil par ce point, dans le sens sud-nord, marque l'équinoxe de printemps. 2. Qui a trait au printemps, qui se produit au printemps (littér.). Déb. XIIe s. ; lat. *vernalis*, « du printemps », de *ver*, « printemps » ; [vɛʀnal, o].

**VERNALISATION, subst. f.**
1. *Bot.* Transformation physiologique des plantes, due à une période de froid, nécessaire à leur floraison. 2. *Agric.* Traitement de grains par le froid, pour accélérer leur développement et avancer leur germination. 1949 ; ☞ *vernal* ; [vɛʀnalizasjɔ̃].

**VERNATION, subst. f.**
*Bot.* Disposition des feuilles dans les bourgeons végétatifs (synon. *préfoliation*), ou des pièces florales dans les bourgeons floraux (synon. *préfloraison*). 1826 ; lat. *vernatio*, « mue », de *ver*, « printemps » ; [vɛʀnasjɔ̃].

**VERNE, voir VERGNE**

**VERNI, IE, adj.**
1. Enduit de vernis ; par anal., brillant. 2. Fig. Chanceux (fam.) : *Elle est vraiment* ***vernie*** *!* Fin XIIe s. ; p. p. de *vernir* ; [vɛʀni].

**VERNIER, subst. m.**
*Métrol.* Appareil de mesure de distance (linéaire ou angulaire) constitué d'une règle coulissant le long d'une autre règle, fixe. Les graduations des règles ont un espacement différent permettant, en déterminant les graduations en coïncidence, la lecture de fractions de division. 1795 ; anthropon. *Pierre Vernier*, son inventeur ; [vɛʀnje].

**VERNIR, verbe trans.** [19]
Recouvrir de vernis. 1311 ; ☞ *vernis* ; [vɛʀniʀ].

**VERNIS, subst. m.**
1. Solution transparente, gén. sans pigments, à base de gommes ou de résines naturelles ou synthétiques, qui laisse, sur la surface où on l'applique, une pellicule brillante destinée à la protéger ou à l'embellir : ***Vernis*** *à bois* ; ***Vernis*** *à ongles*. 2. Fig. Apparence flatteuse qui dissimule un manque de profondeur : *Un* ***vernis*** *d'élégance* ; *Un* ***vernis*** *de science*. 3. *Bot.* Végétal dont on tire une substance résineuse (sumac, par ex.). ▶ ***Vernis du Japon*** : ailante. 4. Glaçure plombifère appliquée sur la poterie. Déb. XIIe s. ; lat. médiév. *veronice*, « résine », du gr. *beronikê*, « soude » ; [vɛʀni].

**VERNISSAGE, subst. m.**
1. Action de vernir, de vernisser ; son résultat. 2. Inauguration privée d'une exposition artistique. 1849 ; ☞ *vernis* ; [vɛʀnisaʒ].

**VERNISSÉ, ÉE, adj.**
1. Recouvert de vernis : *Poteries* ***vernissées***. 2. Anal. Reluisant, brillant : *Feuillage* ***vernissé***. Fin XIIe s. ; ☞ *vernis* ; [vɛʀnise].

**VERNISSER, verbe trans.** [3]
Recouvrir (une poterie) d'une glaçure plombifère. 1323 ; ☞ *vernis* ; [vɛʀnise].

**VERNISSEUR, EUSE, subst.**
Ouvrier spécialiste du vernissage. 1669 (1402, outil servant à vernir) ; ☞ *vernisser* ; [vɛʀnisœʀ, øz].

**VERNIX CASEOSA, subst. m. inv.**
Enduit jaunâtre et gras, constitué de cellules desquamées et de sébum, qui recouvre le corps d'un nouveau-né. Lat. *vernix caseosa*, « vernis caséeux » ; [vɛʀnikskazeoza].

**VÉROLE, subst. f.**
*Pathol.* 1. Vx. Maladie éruptive laissant des marques sur la peau. ▶ *Petite* ***vérole*** : variole (vieilli). 2. Syphilis (fam.). Fin XIIe s. ; lat. médiév. *vayrola*, du bas lat. méd. *variola*, « variole » ; [veʀɔl].

**VÉROLÉ, ÉE, adj.**
Fam. 1. Qui porte les marques de la petite vérole. 2. Syphilitique. 1508 ; ☞ *vérole* ; [veʀɔle].

**VÉRONAL, subst. m. inv.**
*Pharm.* Barbiturique employé comme somnifère. 1903 ; n. déposé ; [veʀɔnal].

**VÉRONIQUE (I), subst. f.**
*Bot.* Plante herbacée à petites fleurs bleues, de la famille des Scrofulariacées. Mil. XVIe s. ; lat. sc. *veronica* ; [veʀɔnik].

**VÉRONIQUE (II), subst. f.**
*Taurom.* Passe exécutée par le torero avec la cape qu'il tient à deux mains devant lui pour attirer le taureau et qu'il rabat sur le côté pour dévier la charge de l'animal. 1926 ; esp. *verónica*, de *santa Veronica*, par allus. au geste que sainte Véronique fit avec son voile pour essuyer le visage du Christ ; [veʀɔnik].

**VERRANNE, subst. f.**
*Techn.* Fibre de verre discontinue, à brins de longueur variable. V. 1960 ; crois. de *verre* et de *fibranne* ; [vɛʀan].

**VERRAT, subst. m.**
Porc mâle reproducteur. 1334 ; anc. fr. *ver*, du lat. *verres* ; [vɛʀa].

**VERRE, subst. m.**
1. Substance solide, cassante et transparente, obtenue par la fusion d'un sable siliceux avec du carbonate de potassium ou de sodium : *Façonnage de la pâte de* ***verre*** ; ***Verre*** *à bouteilles* ; *Papier de* ***verre***, papier abrasif recouvert de poudre de **verre**. ▶ Fig. *Maison de* ***verre*** : lieu où rien n'est tenu secret. ▶ Anal. ***Verre*** *organique* : constitué d'un polymère transparent. 2. Plaque, morceau de **verre** servant à protéger, à isoler : *Le* ***verre*** *d'un réveil*. ▶ Loc. *Mettre sous* ***verre*** : recouvrir d'un **verre** (une photo, un dessin). 3. Récipient servant à boire, en **verre**, en cristal, etc. : ***Verre*** *à bière* ; ***Verre*** *à pied*. ▶ Loc. *Lever son* ***verre*** : porter un toast. 4. Méton. Contenu d'un **verre** : *Demander un* ***verre*** *d'eau* ; empl. abs., boisson, gén. alcoolique : *Prendre un* ***verre***. ▶ Loc. *Se noyer dans un* ***verre*** *d'eau* (☞ *noyer*) ; *Avoir un* ***verre*** *dans le nez* (☞ *nez*). 5. Lentille de **verre** minéral ou organique servant à corriger la vue : *Des* ***verres*** *grossissants* ; ***Verres*** *de lunettes* ; ***Verres*** *de contact*, lentilles de contact. 6. *Géol.* Roche volcanique effusive dont le refroidissement a été si rapide qu'il a empêché la formation de cristaux. L'obsidienne coupante et la pierre ponce bulleuse sont des **verres** volcaniques siliceux. XIIe s. ; lat. *vitrum* ; [vɛʀ].

TECHNOLOGIE – Même à l'état solide, la structure du verre continue à le rapprocher des liquides, mais le degré de viscosité alors atteint lui assure la rigidité nécessaire pour pouvoir être utilisé. Les opérations de façonnage sont effectuées pendant que le verre est plastique. On distingue notamment les verres plats (vitres, glaces...), les verres creux (gobeleterie, flaconnage, ampoules...), les fibres de verre (pour des usages textiles ou dans l'isolation), et les verres au fluor (utilisation scientifique, par ex. dans les lasers).

**VERRÉ, ÉE, adj. et subst. f.**
SUBST. 1. Vx. Contenu d'un verre. 2. Helv. Vin d'honneur. ADJ. *Techn.* Saupoudré de poudre de verre. 1553 (fin XIIe s., vitré) ; ☞ *verre* ; [vɛʀe].

**VERRERIE, subst. f.**
1. Art de fabriquer, de travailler le verre. ▶ Industrie et commerce du verre. 2. Fabrique où l'on travaille le verre. 3. Ensemble d'objets en verre. Fin XIIIe s. ; ☞ *verre* ; [vɛʀʀi].

*Atelier de verrerie à Saint-Just - Saint-Rambert.*

**VERRIER, IÈRE, subst. et adj.**
SUBST. FÉM. 1. Grand vitrage ; vitrail d'une cathédrale, d'une église. 2. Paroi ou toiture vitrée. 3. *Aéron.* Dôme transparent qui recouvre l'habitacle du pilote. SUBST. MASC. 1. Artisan, ouvrier qui fabrique, travaille le verre. 2. Artiste qui réalise des vitraux. ADJ. Relatif à la fabrication du verre. Mil. XIIe s. ; ☞ *verre* ; [vɛʀje, jɛʀ].

**VERRINE (I), subst. f.**
*Mar.* Lampe suspendue au-dessus des anciens compas. 1835 (déb. XIIe s., vitrail) ; anc. fr. *verrin*, « de verre », du lat. pop. °*vitrinus* ; [vɛʀin].

**VERRINE (II), voir VÉRINE**

**VERROTERIE, subst. f.**
Ensemble d'objets décoratifs en verre, de peu de valeur. 1657 ; p.-ê. *verrot* (rare), « petit ouvrage de verre coloré », de *verre* ; [vɛʀɔtʀi].

**VERROU, subst. m.**
1. Système de fermeture, fixé sur une porte ou un châssis, constitué d'un pêne métallique coulissant dans un crampon ou une gâchette : ***Verrou*** *de sûreté*. ▶ Loc. *Mettre qqn sous les* ***verrous*** : l'emprisonner. 2. *Techn.* Dispositif servant à bloquer des éléments mobiles. 3. *Géomorph.* Obstacle rocheux situé en travers d'une vallée glaciaire. 4. *Sp.* Au football, tactique consistant à se replier en défense. Déb. XIIe s. ; lat. pop. °*verruculum*, du lat. *veru*, « broche », d'apr. *ferrum*, « fer » ; [vɛʀu].

**VERROUILLAGE, subst. m.**
1. Action de verrouiller ; son résultat. 2. *Techn.* Dispositif servant à verrouiller un mécanisme. 1894 ; ☞ *verrouiller* ; [vɛʀujaʒ].

**VERROUILLER, verbe trans.** [3]
1. Fermer (une porte) à l'aide d'un verrou. ▶ Bloquer l'accès à. 2. Enfermer (qqn). 3. *Techn.* Bloquer (un mécanisme) dans la position de fonctionnement : ***Verrouiller*** *une arme*. 4. Fig. Bloquer l'évolution de : ***Verrouiller*** *une situation*. Déb. XIIIe s. ; *veroil*, anc. forme de *verrou* ; [vɛʀuje].

**VERROUILLEUR, subst. m.**
*Sp.* Joueur de rugby qui se place à l'extrémité de la file pour fermer l'alignement de la touche. ☞ *verrouiller* ; [vɛʀujœʀ].

**VERRUCAIRE, subst. f.**
*Bot.* Lichen crustacé se développant sur les roches calcaires. XIXe s. (XVIe s. qui guérit les verrues) ; lat. *herba verrucaria*, « herbe qui guérit les verrues » ; [veʀykɛʀ].

**VERRUCOSITÉ, subst. f.**
*Pathol.* Lésion cutanée superficielle, cornée, au relief irrégulier, pouvant être une verrue. 1908 ; lat. *verrucosus*, « verruqueux » ; [veʀykozite].

**VERRUE, subst. f.**
1. *Pathol.* Tumeur épidermique cornée, d'origine virale, contagieuse, siégeant notamment sur les mains ou la plante des pieds. 2. *Bot. Herbe aux* ***verrues*** : chélidoine. XIIIe s. ; lat. *verruca* ; [veʀy].

**VERRUQUEUX, EUSE, adj.**
1. Qui a la forme, l'aspect d'une verrue. 2. Qui présente des verrues. Fin XVe s. ; lat. *verrucosus* ; [veʀykø, øz].

**VERS (I), prép.**
1. Marque le lieu en direction duquel on se dirige : *Ils vont droit* ***vers*** *le nord* ; *Elle s'avança* ***vers*** *moi*. 2. Marque le terme d'une tendance : *Ils ont fait un grand pas* ***vers*** *la paix*. 3. Marque l'approximation dans le temps ou dans l'espace : *Il arrivera* ***vers*** *les huit heures* ; *Ils doivent se retrouver* ***vers*** *Lille*. 980 ; lat. *versus*, de *vertere*, « tourner » ; [vɛʀ].

**VERS (II), subst. m.**
1. *Versif.* Assemblage de mots cadencés et mesurés selon certaines règles (accentuation, quantité ou nombre des syllabes, coupe, rime, etc.), qui constitue l'unité rythmique de base d'un poème. ▶ ***Vers*** *métriques* : fondés sur la quantité (ou durée relative) des syllabes (poésies grecque et latine). ▶ ***Vers*** *syllabiques* : fondés sur le nombre des syllabes (poésie française). ▶ ***Vers*** *rythmiques* : fondés sur l'accentuation des syllabes (poésies allemande et anglo-saxonne). ▶ ***Vers*** *libres* : en poésie classique, **vers** réguliers d'inégale longueur et à rimes librement associées ; en poésie contemporaine, **vers** irréguliers et non rimés. ▶ ***Vers*** *blancs* : **vers** réguliers non rimés. 2. Poésie : *Faire des* ***vers*** ; *Le* ***vers*** *et la prose*. Déb. XIIe s. ; lat. *versus*, « ligne ; vers » ; [vɛʀ].

**VERSAILLAIS, AISE, subst. et adj.**
1. De Versailles. 2. *Hist.* Se dit des troupes lancées par Thiers contre les fédérés de la Commune de Paris, en avril et mai 1871, et des partisans du gouvernement de Thiers, alors installé à Versailles. 1871 ; topon. *Versailles* (Yvelines) ; [vɛʀsajɛ, ɛz].

**VERSANT, subst. m.**
**1.** Chacune des deux pentes d'une montagne ou d'une vallée ; par anal., pente d'un toit. **2.** Fig. Chacun des deux aspects antithétiques de qqch. : *Les deux* ***versants*** *de l'affaire.* 1800 ; p. pr. de *verser* ; [vɛʀsɑ̃].

**VERSATILE, adj.**
Inconstant, sujet à de brusques changements d'opinion : *On ne peut se fier à lui, il est trop* ***versatile****.* 1520 (déb. XIVe s., à deux tranchants, en parlant d'une épée) ; lat. *versatilis*, de *versare*, « tourner » ; [vɛʀsatil].

**VERSATILITÉ, subst. f.**
Caractère, comportement versatile. 1738 ; ☞ *versatile* ; [vɛʀsatilite].

**VERSE, subst. f.**
**1.** À verse. Abondamment : *Il pleut à* ***verse****.* **2.** *Agric.* État des céréales dont les tiges sont couchées au sol du fait de la pluie, du vent ou d'une maladie cryptogamique. 1640 ; ☞ *verser* ; [vɛʀs].

**VERSÉ, ÉE, adj.**
Qui a une connaissance approfondie d'un domaine (littér.) : *Un homme* ***versé*** *dans l'occultisme.* 1559 ; lat. *versatus*, de *versari*, « s'occuper de » ; [vɛʀse].

**VERSEAU (I), subst. m.**
**1.** *Astron.* Constellation de l'hémisphère austral. **2.** *Astrol. Le* ***Verseau*** : onzième signe zodiacal (20 janvier-19 février) ; par méton. : *Un* ***Verseau***, une personne née sous ce signe. Mil. XVIe s. ; formé de *verser* et de *eau*, la période de l'année correspondant à ce signe étant considérée comme pluvieuse ; [vɛʀso].

**VERSEAU (II), subst. m.**
*Archit.* Pente du dessus d'un entablement. 1872 ; ☞ *verser* ; [vɛʀso].

**VERSEMENT, subst. m.**
Action de verser de l'argent, paiement ; par méton., somme ainsi versée. 1695 (1273, action de verser un liquide) ; ☞ *verser* ; [vɛʀsəmɑ̃].

**VERSER, verbe [3]**
**Intrans. 1.** Se renverser sur le côté. ▸ *Agric.* S'aplatir à terre, en parlant des plantes à tige haute : *Blés qui ont* ***versé*** *sous la tempête.* **2.** Fig. **Verser dans.** Glisser vers, tomber dans : *Débat qui* ***verse*** *dans la polémique.* **Trans. 1.** Renverser (qqch.), le faire tomber sur le côté (vieilli). **2.** Faire couler (un liquide) hors d'un récipient qu'on incline : ***Verser*** *de l'eau dans un vase* ; ***Verser*** *à boire à qqn*, le servir. ▸ Loc. ***Verser*** *des larmes* : pleurer ; ***Verser*** *le sang* : blesser, tuer ; ***Verser*** *son sang* : faire le sacrifice de sa vie. **3.** Déverser (une matière non liquide) : ***Verser*** *du gravier dans une allée.* **4.** Transmettre (une somme d'argent) à qqn, à un organisme. **5.** Ajouter, annexer (un document) : ***Verser*** *un rapport au dossier.* **6.** Incorporer (qqn) dans une unité, un service. Fin XIe s. ; lat. *versare*, de *vertere*, « tourner » ; [vɛʀse].

**VERSET, subst. m.**
**1.** *Liturg.* Bref extrait des Écritures que l'on psalmodie à l'office ou à la messe. **2.** Petit passage numéroté subdivisant les chapitres de certains textes sacrés : ***Verset*** *de la Bible, du Coran.* **3.** *Versif.* Phrase ou suite de phrases constituant une unité rythmique. Fin XIIe s. ; ☞ *vers* (II) ; [vɛʀsɛ].

**VERSEUR, EUSE, subst. et adj.**
**Subst.** Personne qui verse. **Subst. masc.** Appareil servant à verser des matières solides. **Subst. fém.** Cafetière à poignée droite. **Adj.** Qui sert à verser : *Un bec* ***verseur****.* 1547 ; ☞ *verser* ; [vɛʀsœʀ, øz].

**VERSICOLORE, adj.**
**1.** Dont la couleur est changeante. **2.** Multicolore. 1513 ; lat. *versicolor* ; [vɛʀsikɔlɔʀ].

**VERSIFICATEUR, TRICE, subst.**
**1.** Personne qui pratique l'art des vers. **2.** Faiseur de vers dépourvu de talent (péj.). 1488 ; lat. *versificator* ; [vɛʀsifikatœʀ, tʀis].

**VERSIFICATION, subst. f.**
Technique de l'art poétique : *Traité de* ***versification****.* ▸ Technique du vers propre à un poète : *La* ***versification*** *de Paul Claudel.* 1548 ; lat. *versificatio* ; [vɛʀsifikasjɔ̃].

**VERSIFIER, verbe [6]**
**Intrans.** Composer des vers. **Trans.** Mettre en vers. Mil. XIIIe s. ; lat. *versificare* ; [vɛʀsifje].

**VERSION, subst. f.**
**1.** Traduction d'un texte liée à une interprétation particulière : ***Version*** *janséniste de la Bible.* ▸ Ext. Exercice scolaire consistant à traduire dans sa propre langue un texte en langue étrangère. **2.** Chacun des états successifs d'un texte : *Les quatre* ***versions*** *du « Faust » de Goethe.* **3.** Manière de raconter, de présenter : *Quelle est votre* ***version*** *de l'incident ?* **4.** *Cin.* ***Version*** *originale (v. o.)* : **version** d'un film dont la bande sonore n'est pas doublée, par oppos. à ***version*** *doublée* ou, en France, à ***version*** *française (v. f.).* 1548 ; lat. médiév. *versio* ; [vɛʀsjɔ̃].

**VERSO, subst. m.**
Envers d'une feuille, d'un document, par oppos. à *recto* : *Au* ***verso***, au dos. 1663 ; lat. *folio verso*, « à l'envers du feuillet » ; [vɛʀso].

**VERSOIR, subst. m.**
*Agric.* Pièce de la charrue qui rejette sur le côté la terre soulevée par le soc. 1751 ; ☞ *verser* ; [vɛʀswaʀ].

**VERSTE, subst. f.**
*Métrol.* Mesure itinéraire de l'ancienne Russie, valant 1 067 mètres. 1607 ; russe *versta* ; [vɛʀst].

**VERSUS, prép.**
Par opposition à, opposé à (abrév. : vs). V. 1960 ; mot lat. ; [vɛʀsys].

**VERT, VERTE, adj. et subst. m.**
**Adj. 1.** Qualifie la couleur du spectre solaire qui se situe entre le bleu et le jaune ; qui est de cette couleur : *Grenouille* ***verte*** ; *Yeux* ***verts*** ; *Être* ***vert*** *de peur, de rage*, livide (par exagér.) ; *Le billet* ***vert***, le dollar ; *Feu* ***vert***, signalant que la voie est libre pour la circulation. ▸ En partic. Se dit de la couleur des végétaux à chlorophylle : *Plante* ***verte*** ; *Salade* ***verte*** ; au fig. : *Avoir la main* ***verte***, être doué pour le soin des plantes. **2.** Qualifie un produit végétal qui n'est pas encore arrivé à maturité : *Des prunes trop* ***vertes*** ; *Vin* ***vert***, vin de l'année, au goût âpre. ▸ Fig. Acerbe : *Essuyer une* ***verte*** *semonce* ; cru, osé : *Une plaisanterie un peu* ***verte*** ; *La langue* ***verte***, l'argot. ▸ Loc. *En dire des* ***vertes*** *et des pas mûres* : dire des choses choquantes (fam.). **3.** Qualifie un produit végétal qui a encore de la sève, qui n'est pas sec : *Fourrage* ***vert*** ; *Le bois* ***vert*** *brûle mal* ; *Légumes* ***verts***, frais, par oppos. aux légumes secs. ▸ *Volée de bois* ***vert*** (☞ *volée*). ▸ Fig. Qui reste alerte : *Il est encore* ***vert*** *pour son âge.* **4.** Qui a trait à l'agriculture, au monde rural : *Europe* ***verte***, l'Union européenne agricole ; *Station* ***verte***, localité agréée pour le tourisme rural. **5.** Qui se rapporte au mouvement écologique : *Électorat* ***vert*** ; empl. subst. masc. : *Les* ***verts***, les écologistes. **6.** *Numéro* ***vert*** : numéro de téléphone permettant d'appeler gratuitement un organisme, une entreprise. **Subst. 1.** Couleur verte. **2.** Colorant **vert** : ***Vert*** *Véronèse*, **vert** intense obtenu avec de l'arséniate de cuivre ; ***Vert*** *anglais*, mélange d'arséniate de cuivre et de sulfate de chaux. **3.** Fourrage frais : *Mettre des chevaux au* ***vert****.* ▸ Loc. *Se mettre au* ***vert*** : aller se reposer à la campagne (fam.). Fin XIe s. ; lat. *viridis* ; [vɛʀ, vɛʀt].

**VERT-DE-GRIS, subst. m. inv. et adj. inv.**
**Subst. 1.** Dépôt d'hydrocarbonate de cuivre, de couleur gris verdâtre, qui se forme sur le cuivre et sur ses alliages au contact de l'humidité de l'air. **2.** *Techn.* Acétate de cuivre (synon. *verdet gris*). **Adj.** D'un gris verdâtre. XIIIe s. ; altér. de *vert de Grèce*, « verdet » ; [vɛʀdəgʀi].

**VERT-DE-GRISÉ, ÉE, adj.**
Recouvert de vert-de-gris : *Marmite* ***vert-de-grisée****.* 1829 ; ☞ *vert-de-gris* ; plur. *vert-de-grisés, ées* ; [vɛʀdəgʀize].

**VERTÉBRAL, ALE, AUX, adj.**
Relatif aux vertèbres : *La colonne* ***vertébrale***, l'axe squelettique qui s'étend de la tête jusqu'au bassin et composé d'éléments osseux appelés vertèbres ; *Trou* ***vertébral***, orifice dans lequel passe la moelle épinière. 1674 ; ☞ *vertèbre* ; [vɛʀtebʀal, o].

**VERTÈBRE, subst. f.**
*Anat.* Chacun des éléments osseux qui constituent la colonne vertébrale. Chez l'être humain, il existe 33 ou 34 vertèbres : 7 cervicales, 12 dorsales, 5 lombaires, 5 sacrées (soudées en un os, le sacrum) et 4 ou 5 coccygiennes (soudées en un os, le coccyx). Fin XIVe s. ; lat. *vertebra* ; [vɛʀtɛbʀ].

**VERTÉBRÉ, ÉE, adj. et subst. m. plur.**
*Zool.* **Adj.** Qui possède une colonne vertébrale. **Subst.** Embranchement des animaux qui possèdent une colonne vertébrale ; au sing. : *Le chat est un* ***vertébré****.* 1800 ; ☞ *vertèbre* ; [vɛʀtebʀe].

ZOOLOGIE – Les Vertébrés sont des métazoaires à symétrie bilatérale dont les téguments sont constitués d'un derme et d'un épiderme riche en organes protecteurs (écailles, plumes, poils). Leur corps est constitué d'une colonne vertébrale, osseuse ou cartilagineuse, qui renferme la moelle épinière, d'une tête contenant l'encéphale (protégé par le crâne) et les vésicules sensorielles, d'un tronc principalement viscéral et, le plus souvent, d'une queue musculaire. L'appareil circulatoire est clos et comporte un cœur musculeux, qui compte au moins deux cavités ; le sang contient de l'hémoglobine. Le système excréteur comprend une paire de reins, et l'urine est évacuée par les uretères jusqu'à la vessie. Classiquement, on divise les Vertébrés en Agnathes et en Gnathostomes (Poissons, Amphibiens et Amniotes, comprenant les Reptiles, les Mammifères et les Oiseaux).

**VERTÉBROTHÉRAPIE, subst. f.**
*Méd.* Traitement des douleurs vertébrales par des manipulations des vertèbres. Mil. XXe s. ; ☞ *vertèbre* + *-thérapie* ; [vɛʀtebʀoteʀapi].

**VERTEMENT, adv.**
**1.** Avec vigueur, sans ménagement : *Se faire tancer* ***vertement****.* **2.** De manière crue, sans souci des convenances. Fin XVe s. ; ☞ *vert* ; [vɛʀtəmɑ̃].

**VERTEX, subst. m.**
**1.** *Anat.* Sommet du crâne des Vertébrés ou de la tête des Insectes. **2.** *Astron.* Point de la voûte céleste vers lequel semblent se diriger les étoiles d'un amas stellaire en mouvement. 1575 ; mot lat. ; [vɛʀtɛks].

**VERTICAL, ALE, AUX, adj. et subst.**
**Adj. 1.** Qui suit la direction du fil à plomb, perpendiculaire au plan horizontal : *Mur* ***vertical****.* **2.** *Géom. Plan (droite)* ***vertical(e)*** : plan (droite) perpendiculaire au plan horizontal, en géométrie descriptive. **3.** Fig. Qui s'organise selon une hiérarchie : *La structure* ***verticale*** *d'une administration.* ▸ *Écon. Intégration* ***verticale*** : par absorption de sociétés situées en amont ou en aval de la chaîne. **Subst. fém. 1.** Droite, ou ligne, **verticale. 2.** Position **verticale. Subst. masc.** *Astron.* Grand cercle de la sphère céleste contenant la **verticale** du lieu considéré. 1545 ; lat. *verticalis*, de *vertex*, « sommet » ; [vɛʀtikal, o].

**VERTICALEMENT, adv.**
Selon une direction verticale. 1546 ; ☞ *vertical* ; [vɛʀtikalmɑ̃].

**VERTICALITÉ, subst. f.**
Caractère de ce qui est vertical. 1572 ; ☞ *vertical* ; [vɛʀtikalite].

**VERTICILLE, subst. m.**
*Bot.* Groupe d'organes identiques, disposés de façon rayonnante et insérés au même niveau sur un axe. 1694 (1622, peson de fuseau) ; lat. *verticillus*, de *vertex*, « sommet » ; [vɛʀtisil].

**VERTICILLÉ, ÉE, adj.**
Disposé en verticille : *Des feuilles* ***verticillées****.* 1694 ; ☞ *verticille* ; [vɛʀtisile].

**VERTIGE, subst. m.**
**1.** *Pathol.* Trouble de l'équilibre caractérisé par l'impression de voir tourner les objets autour de soi ou de tourner soi-même. **2.** Anal. Sensation angoissante d'être attiré par le vide. **3.** Fig. Égarement, étourdissement : ***Vertige*** *des sens.* 1611 ; lat. *vertigo*, de *vertere*, « tourner » ; [vɛʀtiʒ].

**VERTIGINEUX, EUSE, adj.**
**1.** Qui donne le vertige. **2.** Fig. Impressionnant : *Somme* ***vertigineuse****.* 1839 (1377, sujet au vertige) ; lat. *vertiginosus* ; [vɛʀtiʒinø, øz].

**VERTIGO, subst. m.**
**1.** Vx. Vertige. **2.** Grain de folie, fantaisie (vieilli). **3.** *Vétér.* Méningo-encéphalite du cheval, qui se manifeste par des mouvements désordonnés et tournoyants. 1478 ; mot lat. ; [vɛʀtigo].

**VERTU, subst. f.**
**1.** Courage, force d'âme (vieilli). **2.** Souci de se conformer au devoir moral. ▸ *Théol. Les quatre* ***vertus*** *cardinales* : force, justice, prudence, tempérance ; *Les trois* ***vertus*** *théologales* : foi, espérance, charité. **3.** Chasteté, fidélité (vieilli) : *Une femme de petite* ***vertu***, de mœurs légères. **4.** Qualité, propriété (de qqch.) : *La* ***vertu*** *réparatrice du sommeil.* ▸ Loc. *En* ***vertu*** *de* : au nom de, en raison de. Fin Xe s. ; lat. *virtus*, « mérite de l'homme » ; [vɛʀty].

**VERTUBLEU, interj.**
Juron marquant la surprise, l'indignation (vx). Mil. XVe s. ; euphém. pour *vertu Dieu* ; [vɛʀtyblø].

**VERTUEUSEMENT, adv.**
De manière vertueuse ; conformément à la vertu. Fin. XIe s. ; ☞ *vertueux* ; [vɛʀtɥøzmɑ̃].

**VERTUEUX, EUSE, adj.**
**1.** Vx. Courageux. **2.** Qui pratique la vertu ; chaste,

fidèle : *La* **vertueuse** *Pénélope.* **3.** Qui est inspiré par la vertu ou qui incite à la vertu : *Paroles* **vertueuses**, édifiantes. Fin XIe s. ; ☞ *vertu* ; [vɛʀtɥø, øz].

**VERTUGADIN, subst. m.**

**1.** *Cost.* Armature portée aux XVIe et XVIIe s. par les femmes pour faire bouffer leurs jupes ; par méton., robe munie d'une telle armature. **2.** *Hortic.* Suite de pelouses disposées en amphithéâtre, dans un jardin à la française. 1604 ; *vertugade* (vx), de l'esp. *verdugado*, de *verdugo*, « baguette » ; [vɛʀtygadɛ̃].

**VERVE, subst. f.**

**1.** Vx. Proverbe, discours. **2.** Ardeur, vivacité (vieilli). **3.** Inspiration, brio : *La* **verve** *truculente de Rabelais.* ▸ Loc. *Être en* **verve** : être inspiré, plus brillant qu'à l'ordinaire. 1176 ; prob. lat. pop. °*verva*, du lat. *verba* ; [vɛʀv].

**VERVEINE, subst. f.**

**1.** *Bot.* Plante de la famille des Verbénacées, dont une espèce, l'herbe aux sorciers, possède des propriétés antispasmodiques et fébrifuges. **2.** Méton. Infusion de cette plante. XIIe s. ; lat. *verbennae*, « rameaux réunis en faisceau » ; [vɛʀvɛn].

**VERVELLE, subst. f.**

**1.** Anneau de serrure. **2.** *Fauconn.* Anneau mis à la patte d'un faucon, portant le nom de son propriétaire. Fin XIIe s. ; lat. pop. °*vertibella* ; [vɛʀvɛl].

**VERVEUX (I), subst. m.**

Filet de pêche monté sur des cercles de bois, en forme d'entonnoir. 1315 ; lat. pop. °*vertibiculum*, de °*vertibellum*, « objet qui tourne » ; [vɛʀvø].

**VERVEUX (II), EUSE, adj.**

Qui manifeste de la verve, du brio (littér.) : *Orateur* **verveux** ; *Discours* **verveux**. 1584 (1559, capricieux) ; ☞ *verve* ; [vɛʀvø, øz].

**VÉSANIE, subst. f.**

Maladie mentale, folie (vx). Fin XVe s. ; lat. *vesania*, de *vesanus*, « fou » ; [vezani].

**VESCE, subst. f.**

*Bot.* Plante herbacée de la famille des Fabacées, à vrilles et à feuilles pennées, dont les fleurs rappellent celles du pois de senteur, cultivée pour ses graines et comme fourrage. Fin XIIe s. ; lat. *vicia* ; [vɛs].

**VÉSICAL, ALE, AUX, adj.**

Relatif à la vessie. 1814 (1478, en forme d'ampoule) ; bas lat. *vesicalis*, du lat. *vesica*, « vessie » ; [vezikal, o].

**VÉSICANT, ANTE, adj.**

*Pathol.* Qualifie un agent qui provoque l'apparition de vésicules cutanées. 1478 ; lat. *vesicans*, de *vesicare*, « former des ampoules » ; [vezikɑ̃, ɑ̃t].

**VÉSICATION, subst. f.**

Effet produit par un vésicatoire. 1478 ; lat. *vesicare*, « former des ampoules » ; [vezikasjɔ̃].

**VÉSICATOIRE, subst. m.**

*Méd.* Substance qui, appliquée sur la peau, entraîne la formation de vésicules. 1611 ; lat. *vesicare*, « former des ampoules » ; [vezikatwaʀ].

**VÉSICULAIRE, adj.**

**1.** En forme de vésicule. **2.** Relatif à une vésicule. 1743 ; ☞ *vésicule* ; [vezikylɛʀ].

**VÉSICULE, subst. f.**

**1.** *Anat.* Petit organe creux de forme oblongue : ***Vésicule** biliaire* ; ***Vésicules** séminales.* **2.** *Bot.* Petit sac plein d'air servant de flotteur aux plantes aquatiques. **3.** *Pathol.* Petite éminence creuse remplie de liquide, siégeant sur les muqueuses ou l'épiderme (synon. *phlyctène*) : ***Vésicule** de l'herpès.* 1541 ; lat. *vesicula*, de *vesica*, « vessie » ; [vezikyl].

**VÉSICULEUX, EUSE, adj.**

Qui concerne une vésicule ou qui a la forme d'une vésicule. 1752 ; ☞ *vésicule* ; [vezikylø, øz].

**VESOU, subst. m.**

Jus sucré obtenu par le broyage des cannes à sucre. 1667 ; mot créole des Antilles ; [vəzu].

**VESPA, subst. f. inv.**

Scooter. 1956 ; ital. *vespa*, du lat. *vespa*, « guêpe » ; n. déposé ; [vɛspa].

**VESPASIENNE, subst. f.**

Urinoir public. 1834 ; anthropon. *Vespasien*, empereur romain à qui l'on a attribué leur installation à Rome ; [vɛspazjɛn].

**VESPÉRAL, ALE, AUX, adj. et subst. m.**

**Adj.** Du soir (littér.). **Subst.** *Cath.* Livre de l'office divin contenant les prières du soir (vêpres et complies). 1812 ; bas lat. *vesperalis* ; [vɛspeʀal, o].

**VESPERTILION, subst. m.**

*Zool.* Chauve-souris insectivore de la famille des Vespertilionidés, de faible taille, aux oreilles développées et au museau pointu. Le **vespertilion**, cosmopolite, vit dans les lieux boisés. 1544 ; lat. *vespertilio*, de *vesper*, « soir » ; [vɛspɛʀtiljɔ̃].

**VESPIDÉS, subst. m. plur.**

*Zool.* Famille d'insectes ptérygotes de l'ordre des Hyménoptères. **Au sing.** *Le frelon est un* **vespidé**. 1852 ; lat. *vespa*, « guêpe » ; [vɛspide].

**VESPRÉE, voir VÊPRÉE**

**VESSE, subst. f.**

Gaz intestinal émis sans bruit par l'anus (pop. et vx). Déb. XVe s. ; anc. fr. *vessir*, « vesser » ; [vɛs].

**VESSE-DE-LOUP, subst. f.**

*Bot.* Lycoperdon. 1530 ; comp. de *vesse* et de *loup* ; plur. *vesses-de-loup* ; [vɛsdəlu].

**VESSER, verbe intrans. [3]**

Émettre une vesse (pop. et vx). 1608 ; lat. pop. °*vissire*, du lat. *visire* ; [vese].

**VESSIE, subst. f.**

**1.** Vx. Chose vaine. **2.** *Anat.* Réceptacle de l'urine, amenée par les uretères et évacuée par l'urètre. **3.** Vessie desséchée d'un animal, servant de sac, de récipient ; par ext., membrane gonflée d'air, de toute nature : ***Vessie** de ballon.* ▸ Loc. *Prendre des* **vessies** *pour des lanternes* (☞ *lanterne*). **4.** *Zool.* **Vessie** *natatoire* (☞ *natatoire*). Fin XIIe s. ; lat. pop. °*vessica*, du lat. *vesica* ; [vesi].

**VESTALE, subst. f.**

**1.** *Antiq. rom.* Prêtresse astreinte à la chasteté, qui était chargée d'entretenir le feu sacré dans le temple de la déesse Vesta. **2.** Fig. Femme d'une très grande chasteté (littér.). 1355 ; lat. *vestalis*, « de Vesta » ; [vɛstal].

**VESTE, subst. f.**

*Cost.* **1.** Vêtement ouvert sur le devant, avec ou sans manches (vieilli). **2.** Ext. Vêtement boutonné par devant, avec manches et couvrant le buste jusqu'aux hanches : ***Veste** croisée, de pyjama.* ▸ Loc. fam. *Retourner sa* **veste** (☞ *retourner*) ; *Enlever sa* **veste** : se mettre au travail avec ardeur ; *Prendre, ramasser une* **veste** : essuyer un échec ; *Tomber la* **veste** (☞ *tomber*). 1578 ; ital. *veste*, du lat. *vestis*, « vêtement » ; [vɛst].

**VESTIAIRE, subst. m.**

**1.** Vx. Espace où l'on range les habits religieux. **2.** Lieu où l'on dépose des vêtements d'extérieur, des objets, dans certains établissements publics ; lieu où l'on se change : *Le* **vestiaire** *d'une piscine.* ▸ Loc. *Mettre qqn, qqch. au* **vestiaire** : s'en désintéresser. **3.** Méton. Ensemble des vêtements d'une personne ; ensemble des vêtements et des objets déposés : *Attendre son* **vestiaire**. Déb. XIIIe s. ; lat. *vestiarium*, « garde-robe » ; [vɛstjɛʀ].

**VESTIBULAIRE, adj.**

*Anat.* Relatif à un vestibule, en partic. à celui de l'oreille interne. 1805 ; ☞ *vestibule* ; [vɛstibylɛʀ].

**VESTIBULE, subst. m.**

**1.** Antichambre, entrée d'un édifice, d'une maison. **2.** *Anat.* Dépression creusée dans un organe, osseux ou non : ***Vestibule** de l'oreille interne.* Fin XVe s. ; lat. *vestibulum* ; [vɛstibyl].

**VESTIGE, subst. m.**

Ce qui subsiste du passé : *Les* **vestiges** *d'un château* ; au fig. : ***Vestiges** de grandeur.* 1377 ; lat. *vestigium*, « trace du pied » ; [vɛstiʒ].

**VESTIMENTAIRE, adj.**

Qui a trait aux vêtements : *Élégance* **vestimentaire**. 1830 ; lat. *vestimentum*, « vêtement » ; [vɛstimɑ̃tɛʀ].

**VESTON, subst. m.**

*Cost.* **1.** Veste d'homme. **2.** Veste faisant partie d'un complet d'homme. 1769 ; ☞ *veste* ; [vɛstɔ̃].

**VÉSUVIEN, IENNE, adj.**

Relatif au Vésuve et à ses éruptions ou qui les évoque : *Une éruption de type* **vésuvien**. 1582 ; topon. *Vésuve*, volcan d'Italie ; [vezyvjɛ̃, jɛn].

**VÊTEMENT, subst. m.**

**1.** Toute pièce de tissu qui sert à couvrir, à parer ou à protéger le corps humain. **2.** *Hérald.* Pièce honorable formée de quatre triangles couvrant les quatre angles de l'écu. Fin Xe s. ; lat. *vestimentum* ; [vɛtmɑ̃].

**VÉTÉRAN, subst. m.**

**1.** *Antiq.* Soldat romain qui, ayant servi plus de vingt-cinq ans, était affecté à un corps spécial. **2.** Anal. Soldat à la longue carrière. **3.** Ext. Ancien combattant : *Les* **vétérans** *de 1914-1918.* **4.** Fig. Ancien, personne d'expérience. **5.** *Sp.* Sportif de la catégorie des plus de trente-cinq ans. 1520 ; lat. *veteranus*, de *vetus*, « ancien » ; [veteʀɑ̃].

**VÉTÉRINAIRE, adj. et subst.**

**Adj.** Qui a trait aux soins médicaux dispensés aux animaux. **Subst.** Spécialiste de la médecine animale (abrév. fam. : véto). 1563 ; lat. *veterinarius*, de *veterina*, « bêtes de somme » ; [veteʀinɛʀ].

*Vétérinaire auscultant un grand duc.*

**VÉTILLE, subst. f.**

Chose sans importance. 1528 ; ☞ *vétiller* ; [vetij].

**VÉTILLER, verbe intrans. [3]**

S'occuper de vétilles ; chicaner. Déb. XVIe s. ; anc. fr. *vette*, « ruban » ; [vetije].

**VÉTILLEUX, EUSE, adj.**

Qui s'attache à des choses sans importance. 1642 ; ☞ *vétiller* ; [vetijø, øz].

**VÊTIR, verbe trans. [24]**

Littér. **1.** Passer (un vêtement) sur soi. **2.** Mettre un, des vêtements à (une personne, une poupée). **3.** Fournir (qqn) en vêtements. **Pronom.** S'habiller. Mil. Xe s. ; lat. *vestire* ; [vetiʀ].

**VÉTIVER, subst. m.**

**1.** *Bot.* Poacée des Indes, ressemblant au chiendent à balais et dont les racines et les rhizomes renferment des essences odorantes utilisées en parfumerie. **2.** Méton. Parfum extrait de cette plante. 1824 ; tamoul *vettiveru* ; [vetivɛʀ].

**VETO, subst. m. inv.**

**1.** *Antiq. rom.* Droit des tribuns de s'opposer à une décision du sénat ou des consuls. **2.** *Hist. Liberum* **veto** : droit qu'avait chaque membre de la Diète polonaise (aux XVIIe et XVIIIe s.) de s'opposer à toute décision qui y était prise, et qui contribua au déclin du pays. **3.** Droit par lequel une autorité exécutive, en partic. un chef d'État, peut s'opposer à un acte du pouvoir législatif. ▸ *Monsieur, madame* **Veto** : surnom donné à Louis XVI et à Marie-Antoinette après l'institution du **veto** suspensif. **4.** Droit accordé aux membres permanents du Conseil de sécurité des Nations unies de s'opposer à l'adoption d'une résolution par cet organisme. **5.** Ext. Interdiction, opposition. 1718 ; lat. *veto*, « je m'oppose » ; [veto].

**VÊTU, UE, adj.**

**1.** Qui est habillé. **2.** Fig. Couvert : *Des sapins* **vêtus** *de neige.* Mil. XIIe s. ; p. p. de *vêtir* ; [vety].

**VÊTURE, subst. f.**

**1.** Vêtement (littér.). **2.** *Cath.* Cérémonie au cours de laquelle le postulant d'une congrégation revêt son habit de novice. Mil. XIIe s. ; ☞ *vêtir* ; [vetyʀ].

**VÉTUSTE, adj.**

**1.** Vieux, en mauvais état : *Engin* **vétuste**. **2.** Dépassé, obsolète. 1501 ; lat. *vetustus* ; [vetyst].

**VÉTUSTÉ, subst. f.**

Caractère, état de ce qui est vétuste ; délabrement. Mil. XVe s. ; lat. *vetustas*, « vieillesse » ; [vetyste].

**VEUF, VEUVE, adj. et subst.**

Se dit d'une personne dont le conjoint est décédé. **Subst. fém. 1.** *Zool.* ▸ Passereau d'Afrique, de la famille des Estrildidés, au plumage sombre et aux rectrices allongées. ▸ ***Veuve** noire* : araignée velue, noire à taches rouges, à la morsure très dangereuse. **2.** *La* **Veuve** : la guillotine (argot.). Mil. XIIe s. ; lat. *vidua*, « veuve » ; [vœf, vœv].

**VEUGLAIRE, subst. m.**

*Arm.* Canon court des XIVe et XVe s., qui se chargeait par la culasse. 1409 ; m. néerl. *vogelaer* ; [vœglɛʀ].

**VEULE, adj.**
1. Sans volonté ; lâche. 2. *Agric.* Qualifie une terre trop légère. ▣ 1202 ; prob. lat. pop. °*volus*, « volant ; léger » ; [vøl].

**VEULERIE, subst. f.**
Apathie ; lâcheté. ▣ 1815 ; ☞ *veule* ; [vølʀi].

**VEUVAGE, subst. m.**
Situation d'une personne veuve et non remariée. ▣ 1374 ; ☞ *veuf* ; [vøvaʒ].

**VEXANT, ANTE, adj.**
1. Agaçant, contrariant. 2. Désobligeant, blessant. ▣ 1842 ; p. pr. de *vexer* ; [vɛksɑ̃, ɑ̃t].

**VEXATION, subst. f.**
Action de vexer ; ce qui vexe. ▣ 1643 (1261, tourment, peine) ; lat. *vexatio* ; [vɛksasjɔ̃].

**VEXATOIRE, adj.**
Qui vexe, humilie. ▣ 1782 ; ☞ *vexer* ; [vɛksatwaʀ].

**VEXER, verbe trans.** [3]
Froisser la susceptibilité de, humilier ; empl. pronom. : *Il se vexe à la moindre remarque.* ▣ 1669 (1380, molester) ; lat. *vexare* ; [vɛkse].

**VEXILLAIRE, subst. m. et adj.**
Subst. *Antiq. rom.* Soldat chargé de porter le vexille. Adj. *Mar.* Relatif aux enseignes, aux pavillons : *Signal* ***vexillaire***. ▣ 1556 ; lat. *vexillarius* ; [vɛksil(l)ɛʀ].

**VEXILLE, subst. m.**
1. *Antiq.* Étendard romain. 2. *Zool.* Chacune des deux rangées de barbes d'une plume, situées de part et d'autre de la tige. ▣ 1527 ; lat. *vexillum*, de *velum*, « voile ; toile » ; [vɛksil].

**VEXILLOLOGIE, subst. f.**
Étude des drapeaux et des pavillons. ▣ V. 1960 ; lat. *vexillum*, « drapeau », + *-logie* ; [vɛksil(l)ɔlɔʒi].

**VIA, prép.**
En passant par. ▣ 1852 ; lat. *via*, « voie » ; [vja].

**VIABILISER, verbe trans.** [3]
Réaliser les travaux d'aménagement de (un terrain) avant construction. ▣ V. 1960 ; ☞ *viabilité* (II) ; [vjabilize].

**VIABILITÉ (I), subst. f.**
1. *Biol.* Aptitude à la survie d'un organisme naissant. 2. Caractère de ce qui peut se développer. ▣ 1803 ; ☞ *viable* (I) ; [vjabilite].

**VIABILITÉ (II), subst. f.**
1. État d'une voie carrossable. 2. Ensemble des travaux d'aménagement (voirie, eau, électricité, etc.) d'un terrain destiné à la construction. ▣ 1836 ; lat. *viabilis*, « où l'on peut passer » ; [vjabilite].

**VIABLE (I), adj.**
1. *Biol.* Apte à vivre. 2. Qui peut se développer, réussir, durer. ▣ 1537 ; ☞ *vie* ; [vjabl].

**VIABLE (II), adj.**
Carrossable. ▣ Mil. xx^e s. ; lat. *viabilis* ; [vjabl].

**VIADUC, subst. m.**
Ouvrage d'art, de longueur et de hauteur importantes, construit pour permettre à une route ou à une voie ferrée de franchir une vallée, une rivière : *Le* ***viaduc*** *de Garabit.* ▣ 1823 ; angl. *viaduct*, du lat. *via*, « voie », et *ductus*, « conduite » ; [vjadyk].

**VIAGER, ÈRE, adj. et subst. m.**
Adj. Se dit de qqch. dont on jouit sa vie durant : *Rente* ***viagère***. Subst. Revenu viager. ► Loc. *Vendre, acheter en* ***viager*** : en échange d'une rente à vie, avec droit au maintien dans les lieux. ▣ 1417 (1332, qui jouit d'une rente viagère) ; *viage* (vx), « durée de la vie », de *vie* ; [vjaʒe, ɛʀ].

**VIANDE, subst. f.**
1. Vx. Nourriture. 2. *Bouch.* Chair comestible des animaux, en partic. de mammifères et d'oiseaux : ***Viande*** *dure et filandreuse* ; ***Viande*** *rouge*, de bœuf, de cheval, de mouton ; ***Viande*** *blanche*, de veau, de porc, de lapin, de volaille ; ***Viande*** *noire*, de gibier. 3. Fam. Chair humaine. ► Loc. *Amener sa* ***viande*** : arriver ; *Boîte à* ***viande*** : cercueil ; *Marchand de* ***viande*** : souteneur ; ***Viande*** *froide* : cadavre. ▣ Mil. xi^e s. ; bas lat. *vivanda*, « ce qui sert à vivre » ; [vjɑ̃d].

**VIANDER, verbe intrans.** [3]
I. *Vèn.* Pâturer, en parlant du gros gibier. II. Pronom. Avoir un accident grave (pop.). ▣ Fin xiv^e s. ; ☞ *viande* ; [vjɑ̃de].

**VIATIQUE, subst. m.**
1. *Cath.* Sacrement de l'Eucharistie donné à un mourant. 2. Provision de route, argent de voyage (vieilli). 3. Fig. Soutien moral, permettant d'affronter une épreuve. ▣ Mil. xvi^e s. (fin xiv^e s., voie) ; lat. *viaticum*, de *via*, « voie, route » ; [vjatik].

**VIBICES, subst. f. plur.**
*Pathol.* Variété de purpura formant de longues ecchymoses linéaires. ▣ 1833 ; mot lat. ; [vibis].

**VIBORD, subst. m.**
*Mar.* Partie de la muraille d'un navire renfermant les gaillards. ▣ 1642 ; orig. obsc. ; var. *vibor* ; [vibɔʀ].

**VIBRAGE, subst. m.**
*Techn.* Opération consistant à soumettre une matière, un corps à des chocs répétés : ***Vibrage*** *du béton.* ▣ 1949 ; ☞ *vibrer* ; [vibʀaʒ].

**VIBRANT, ANTE, adj.**
1. Qui vibre : *Corde* ***vibrante***. 2. Ext. Sonore, passionné, émouvant : *Voix* ***vibrante***. 3. *Phon. Consonne* ***vibrante*** ou, empl. subst. fém., *Une* ***vibrante*** : dont la production est caractérisée par le battement de l'organe articulateur, gén. la pointe de la langue ou la luette. ▣ 1747 ; p. pr. de *vibrer* ; [vibʀɑ̃, ɑ̃t].

**VIBRAPHONE, subst. m.**
*Mus.* Instrument à percussion constitué de lames métalliques placées sur des tubes de résonance, à l'intérieur desquels un dispositif électrique permet d'obtenir un vibrato particulier. ▣ 1930 ; ☞ *vibrato* + *-phone* ; [vibʀafɔn].

**VIBRAPHONISTE, subst.**
Personne qui joue du vibraphone. ▣ 1949 ; ☞ *vibraphone* ; [vibʀafɔnist].

**VIBRATEUR, subst. m.**
Appareil qui produit ou transmet des vibrations. ▣ 1877 (1840, larynx) ; ☞ *vibrer* ; [vibʀatœʀ].

**VIBRATILE, adj.**
*Biol.* Qualifie un organite mobile, très fin, qui peut vibrer. ► *Cil* ***vibratile*** : organe de locomotion de certains protozoaires (les cils **vibratiles** ont une structure interne de flagelle mais sont plus courts). ▣ 1776 ; ☞ *vibrer* ; [vibʀatil].

**VIBRATION, subst. f.**
1. Mouvement d'oscillation plus ou moins rapide d'un corps, d'une substance ; par ext., tremblement : ***Vibrations*** *d'un moteur, de la voix.* 2. *Phys.* ► Oscillation mécanique rapide, à caractère périodique. ► Ensemble de mouvements des molécules dans une certaine gamme de longueurs d'onde. 3. Fig. Excitation, fébrilité consécutive à un état affectif : *Les* ***vibrations*** *d'une passion.* ▣ 1632 (déb. xvi^e s., action de brandir) ; lat. *vibratio* ; [vibʀasjɔ̃].

**VIBRATO, subst. m.**
*Mus.* Légère ondulation imprimée à la hauteur de son dans certains instruments ou dans la voix humaine. ▣ 1885 ; ital. *vibrato*, « vibration » ; [vibʀato].

**VIBRATOIRE, adj.**
1. Constitué d'une suite de vibrations. 2. Qui se fait par vibrations. ▣ 1750 ; ☞ *vibrer* ; [vibʀatwaʀ].

**VIBRER, verbe** [3]
Intrans. 1. Être en vibration. ► Loc. *Faire* ***vibrer*** *la corde sensible* : utiliser l'argument le plus apte à toucher son interlocuteur. 2. Fig. Manifester une vive émotion. Trans. *Techn.* Procéder au vibrage de : ***Vibrer*** *le béton.* ▣ 1752 (déb. xvi^e s., brandir) ; lat. *vibrare*, « brandir ; agiter » ; [vibʀe].

**VIBREUR, subst. m.**
*Phys.* Dispositif électronique comportant un électroaimant et une lame qui, lorsque l'aimant est alimenté en courant alternatif, est successivement attirée et repoussée, créant ainsi une vibration. ▣ 1903 ; ☞ *vibrer* ; [vibʀœʀ].

**VIBRION, subst. m.**
1. *Bactériol.* Bactérie Gram– en forme de virgule, qui possède des flagelles aux deux extrémités : *L'agent du choléra est un* ***vibrion***. 2. Fig. Personne agitée (fam.). ▣ 1795 ; ☞ *vibrer* ; [vibʀijɔ̃].

**VIBRIONNER, verbe intrans.** [3]
S'agiter sans cesse et en tous sens (fam.). ▣ 1941 (1934, se propager) ; ☞ *vibrion* ; [vibʀijɔne].

**VIBRISSE, subst. f.**
1. *Anat.* Poil de l'intérieur des narines. 2. *Zool.* ► Plume très fine située à la base du bec, chez certains oiseaux. ► Long poil tactile de certains mammifères (les moustaches du chat, par ex.). ▣ 1842 ; bas lat. *vibrissae* ; [vibʀis].

**VIBROMASSEUR, subst. m.**
Appareil électrique de massage par vibrations. ▣ 1912 ; ☞ *masseur* + *vibro-* ; [vibʀomasœʀ].

**VICAIRE, subst. m.**
1. Vx. Gouverneur d'un pays. 2. *Cath.* Prêtre exerçant dans une paroisse sous l'autorité d'un curé. ► *Grand* ***Vicaire*** ou ***Vicaire*** *général* : auxiliaire d'un évêque. ► *Le* ***vicaire*** *du Christ* : le pape. 3. *Hist.* Suppléant. ► ***Vicaire*** *du Saint Empire* : titre du comte palatin du Rhin et du duc de Saxe, qui gouvernaient en cas d'interrègne. ▣ Mil. xii^e s. ; lat. *vicarius*, « remplaçant », de *vicis*, « tour, succession » ; [vikɛʀ].

**VICARIAL, ALE, AUX, adj.**
Relatif au vicariat. ▣ 1570 ; ☞ *vicaire* ; [vikaʀjal, o].

**VICARIANCE, subst. f.**
*Physiol.* Relève fonctionnelle d'un organe déficient par un autre afin de sauvegarder l'homéostasie de l'organisme. ▣ 1904 ; ☞ *vicariant* ; [vikaʀjɑ̃s].

**VICARIANT, ANTE, adj.**
*Physiol.* Se dit d'un organe qui supplée ou remplace un organe déficient (vieilli). ▣ 1878 ; lat. *vicarius*, « remplaçant » ; [vikaʀjɑ̃, ɑ̃t].

**VICARIAT, subst. m.**
*Relig.* 1. Fonction de vicaire ; sa durée. 2. Territoire sur lequel s'exerce l'autorité d'un vicaire ; résidence d'un vicaire. ▣ Déb. xv^e s. ; ☞ *vicaire* ; [vikaʀja].

**VICE, subst. m.**
I. 1. Le vice. Propension à faire le mal ; conduite déviée par rapport à la morale, aux normes sociales (littér.) : *Le* ***vice*** *et la vertu.* 2. Mauvais penchant, défaut, manie : *Fumer est son seul* ***vice***. ► *Le* ***vice*** *solitaire* : la masturbation (vieilli). II. 1. Anomalie, défaut, malfaçon : ***Vice*** *de construction, de raisonnement.* ► ***Vice*** *caché* ou ***Vice*** *rédhibitoire* : inconnu de l'acheteur au moment de la vente et pouvant entraîner son annulation. 2. *Dr.* ***Vice*** *de procédure* : défaut d'une formalité obligatoire suffisant à entraîner la nullité d'un acte juridique. ▣ Déb. xii^e s. ; lat. *vitium* ; [vis].

**VICE-AMIRAL, subst. m.**
Officier dont le grade est immédiatement inférieur à celui d'amiral. ▣ 1339 ; ☞ *amiral* + *vice-* ; plur. *vice-amiraux* ; [visamiʀal], plur. [-ʀo].

**VICE-CONSUL, subst. m.**
Personne qui supplée un consul ou qui remplit ses fonctions dans un pays dépourvu de consulat. ▣ 1591 (1567, proconsul) ; ☞ *consul* + *vice-* ; plur. *vice-consuls* ; [viskɔ̃syl].

**VICE-CONSULAT, subst. m.**
Fonction de vice-consul ; lieu où s'exerce cette fonction. ▣ 1718 ; ☞ *vice-consul* ; plur. *vice-consulats* ; [viskɔ̃syla].

**VICELARD, ARDE, adj. et subst.**
Fam. Adj. 1. Retors, rusé. 2. Vicieux. Subst. Personne rusée ou vicieuse : *C'est un sacré* ***vicelard*** *!* ▣ 1928 ; ☞ *vicieux* ; [vis(ə)laʀ, aʀd].

**VICE-LÉGAT, subst. m.**
*Cath.* Prélat qui supplée le légat. ▣ 1568 ; ☞ *légat* + *vice-* ; plur. *vice-légats* ; [vislega].

**VICENNAL, ALE, AUX, adj.**
1. Qui se produit tous les vingt ans. 2. D'une durée de vingt ans. ▣ 1721 (1682, fête qui a lieu tous les vingt ans) ; bas lat. *vicennalis*, du lat. *vicies*, « vingt fois », et *annalis*, « relatif à l'année » ; [visenal, o].

**VICE-PRÉSIDENCE, subst. f.**
Fonction, dignité de vice-président. ▣ 1771 ; ☞ *vice-président* ; plur. *vice-présidences* ; [visprezidɑ̃s].

**VICE-PRÉSIDENT, ENTE, subst.**
Suppléant du président. ▣ 1479 ; ☞ *président* + *vice-* ; plur. *vice-présidents, entes* ; [vispʀezidɑ̃, ɑ̃t].

**VICE-RECTEUR, subst. m.**
Suppléant du recteur. ▣ 1868 ; ☞ *recteur* + *vice-* ; plur. *vice-recteurs* ; [visʀɛktœʀ].

**VICE-REINE, subst. f.**
1. Épouse d'un vice-roi. 2. Femme qui exerce les pouvoirs de vice-roi. ▣ 1671 ; ☞ *reine* + *vice-* ; plur. *vice-reines* ; [visʀɛn].

**VICE-ROI, subst. m.**
Gouverneur d'un territoire conquis, d'une province, à qui un roi a délégué ses pouvoirs. ▣ 1463 ; ☞ *roi* + *vice-* ; plur. *vice-rois* ; [visʀwa].

**VICÉSIMAL, ALE, AUX, adj.**
*Math.* Qui a pour base le nombre vingt. ▣ 1872 ; lat. *vicesimus*, « vingtième » ; [visezimal, o].

**VICE VERSA, loc. adv.**
Inversement, réciproquement. ▣ 1418 ; lat. *vice versa*, « à tour renversé » ; var. *vice-versa* ; [vis(e)vɛʀsa].

**VICHY, subst. m.**
1. Toile de coton à petits carreaux unis sur fond blanc : *Robe en* ***vichy***. 2. *Cuis. Carottes à la* ***Vichy*** ou, en appos., *Carottes* ***Vichy*** : cuites à l'eau et accommodées avec du beurre et du persil. ▣ 1877 ; topon. *Vichy* (Allier) ; [viʃi].

**VICHYSSOIS, OISE,** adj. et subst.
**1.** De Vichy. **2.** *Hist.* Vichyste. 1891 ; topon. *Vichy* (Allier) ; [viʃiswa, waz].

**VICHYSTE,** adj. et subst.
*Hist.* Se dit d'un partisan du régime de Vichy. **Adj.** Relatif, propre ou favorable à ce régime. 1942 ; topon. *Vichy* (Allier) ; [viʃist].

**VICIÉ, ÉE,** adj.
Impur, pollué : *Air **vicié*** ; au fig. : *Raisonnement **vicié**.* Mil. XIIIe s. ; p. p. de *vicier* ; [visje].

**VICIER,** verbe trans. [6]
**1.** *Dr.* Entacher d'un vice. **2.** Altérer la pureté de (qqch.), corrompre ; au fig., corrompre moralement. 1341 ; lat. *vitiare* ; [visje].

**VICIEUSEMENT,** adv.
De manière vicieuse. Déb. XIIIe s. ; ☞ *vicieux* ; [visjøzmɑ̃].

**VICIEUX, EUSE,** adj. et subst.
**Adj. 1.** Qui a ou qui dénote un vice, des vices ; en partic., dépravé sexuellement. **2.** Ext. Se dit d'un animal ombrageux, rétif. **3.** Qui est fait par ruse ou perfidie : *Un coup **vicieux**.* **4.** Qui comporte un vice ; défectueux. ▸ *Cercle **vicieux*** (☞ *cercle*). **Subst. 1.** Débauché, libertin. **2.** Personne aux goûts bizarres ; personne perverse. Déb. XIIIe s. ; lat. *vitiosus*, de *vitium*, « vice » ; [visjø, øz].

**VICINAL, ALE, AUX,** adj. et subst. m.
**Adj.** Se dit d'une voie qui relie des villages voisins. **Subst.** Belg. Tramway desservant la campagne. Mil. XVIe s. ; lat. *vicinalis*, « voisin » ; [visinal, o].

**VICISSITUDE,** subst. f.
Changement, succession (vx). **Plur.** Succession de bonheurs et de malheurs au cours d'une vie (littér.) ; par ext., aléas, épreuves. Fin XIVe s. ; lat. *vicissitudo* ; [visisityd].

**VICOMTE,** subst. m.
**1.** *Hist.* Lieutenant d'un comte ; plus tard, possesseur féodal d'une vicomté. **2.** Personne dont le titre de noblesse est inférieur à celui du comte. Fin XIe s. ; lat. médiév. *vicecomes* ; [vikɔ̃t].

**VICOMTÉ,** subst. f.
*Féod.* **1.** Titre de noblesse attaché à une seigneurie appartenant à un vicomte. **2.** Terre du vicomte. Fin XIIe s. ; ☞ *vicomte* ; [vikɔ̃te].

**VICOMTESSE,** subst. f.
**1.** Épouse d'un vicomte. **2.** Femme qui possédait une vicomté. Déb. XIIIe s. ; ☞ *vicomte* ; [vikɔ̃tɛs].

**VICTIME,** subst. f.
**1.** *Antiq.* Être humain ou animal offert en sacrifice à une divinité. **2.** Personne blessée ou tuée lors d'un accident, d'une catastrophe, d'une guerre : *Les **victimes** des bombardements* ; *Le meurtrier connaissait sa **victime**.* **3.** Personne qui pâtit de l'hostilité d'autrui ou de sa propre conduite : *Être (la) **victime** de son imprudence.* 1495 ; lat. *victima* ; [viktim].

**VICTIMOLOGIE,** subst. f.
Branche de la criminologie qui s'intéresse aux caractéristiques psychologiques et sociales des victimes de crimes et de délits. Mil. XXe s. ; ☞ *victime* + *-logie* ; [viktimɔlɔʒi].

**VICTOIRE,** subst. f.
**1.** Succès dans une guerre, un combat. ▸ Loc. ***Victoire** à la Pyrrhus* : si chèrement acquise qu'elle équivaut à une défaite. **2.** Issue favorable, succès dans une compétition, une lutte. ▸ Loc. *Crier, chanter **victoire*** : se glorifier d'un succès. Fin XIe s. ; lat. *victoria*, de *victor*, « vainqueur » ; [viktwaʀ].

**VICTORIA,** subst.
**Masc.** ou **Fém.** *Bot.* Nymphéacée, croissant en Amérique tropicale, caractérisée par des feuilles circulaires flottantes à bords relevés, de 2 mètres de diamètre. **Fém.** Ancienne voiture hippomobile découverte, à quatre roues. 1846 ; anthropon. *Victoria*, reine d'Angleterre ; [viktɔʀja].

**VICTORIEN, IENNE,** adj.
Qui se rapporte à la reine Victoria, à son règne, à son époque. 1913 ; anthropon. *Victoria*, reine d'Angleterre ; [viktɔʀjɛ̃, jɛn].

**VICTORIEUSEMENT,** adv.
De façon victorieuse. Mil. XIVe s. ; ☞ *victorieux* ; [viktɔʀjøzmɑ̃].

**VICTORIEUX, EUSE,** adj.
**1.** Qui a remporté une victoire militaire : *Troupes **victorieuses**.* ▸ Ext. Qui se solde par une victoire : *Combat **victorieux**.* **2.** Qui a remporté un succès : *Parti **victorieux**.* ▸ Ext. *Un air **victorieux*** : de triomphe. Mil. XIIIe s. ; bas lat. *victoriosus* ; [viktɔʀjø, øz].

**VICTUAILLE,** subst. f.
Aliment (vx). **Plur.** Vivres, provisions alimentaires. 1441 ; anc. fr. *vitaille*, du lat. chrét. *victualia*, du lat. *victus*, « vivres » ; [viktɥaj].

**VIDAGE,** subst. m.
Action de vider ; fait de se vider. 1230 ; ☞ *vider* ; [vidaʒ].

**VIDAME,** subst. m.
*Féod.* Officier représentant un évêque, un abbé dans ses fonctions temporelles, juridiques et militaires. Déb. XIIIe s. ; bas lat. *vice dominus* ; [vidam].

**VIDAMÉ,** subst. m.
Charge de vidame ; terre qui lui est attachée. Fin XIIe s. ; ☞ *vidame* ; var. *une vidamie* ; [vidame].

**VIDANGE,** subst. f.
**1.** Action de vider, pour les nettoyer, une fosse (en partic. une fosse d'aisances), un réservoir, etc. ; empl. abs. : *Faire la **vidange***, celle du réservoir d'huile d'un véhicule. **2.** Méton. Ensemble des matières ainsi enlevées. **3.** Mécanisme ou dispositif permettant l'écoulement d'un liquide : ***Vidange** d'une baignoire.* **4.** Belg. Bouteille, verre consigné ; au plur., bouteilles vides. 1362 (mil. XIIIe s., vacuité) ; ☞ *vider* ; [vidɑ̃ʒ].

**VIDANGER,** verbe trans. [5]
**1.** Évacuer par vidange (un liquide). **2.** Faire la vidange de (une fosse, un récipient, etc.). 1865 ; ☞ *vidange* ; [vidɑ̃ʒe].

**VIDANGEUR,** subst. m.
Personne qui vidange les fosses d'aisances. 1676 ; ☞ *vidange* ; [vidɑ̃ʒœʀ].

**VIDE,** adj. et subst. m.
**Adj. 1.** Qui ne contient rien, aucun corps (solide ou liquide) : *Enveloppe **vide*** ; qui n'a pas, ou n'a plus, son contenu : *Bouteille presque **vide**.* ▸ Loc. *Avoir le ventre **vide*** : ne pas avoir mangé. ▸ *Math.* *Ensemble **vide*** : ensemble noté $\varnothing$ et ne contenant aucun élément. **2.** Ext. Qui est inoccupé, désert, ou qui le semble : *Chaise **vide*** ; *Rues **vides**.* **3.** Fig. Qui n'est pas occupé par une activité : *Avoir la tête **vide*** ; *Des journées **vides**.* **4. Vide de.** Dépourvu de, dénué de : *Phrases **vides** de sens.* **Subst. 1.** Lieu, espace où il n'y a rien. ▸ Loc. *Faire le **vide** autour de soi* : faire fuir tout le monde par un comportement désagréable ou s'isoler ; *Faire le **vide** dans son esprit* : ne plus penser à rien ; *Regarder dans le **vide*** : sans voir ; *Parler dans le **vide*** : sans être écouté. ▸ Espace qui s'étend en profondeur : *Tomber dans le **vide*** ; *La peur du **vide**.* **2.** Espace entre deux objets : *Boucher, remplir les **vides**.* ▸ Partie creuse, évidée, d'un objet, d'une construction (anton. *plein*). ▸ ***Vide** sanitaire* : espace aménagé entre le sol et le plancher d'un bâtiment sans sous-sol. **3.** Manque, absence (de qqch., de qqn) : *Son départ crée un **vide**.* ▸ ***Vide** juridique* : absence de dispositions légales concernant une situation, un cas particulier. **4. À vide.** Sans rien contenir ; sans produire d'effet : *Le camion est rentré à **vide*** ; *Mécanisme qui tourne à **vide**.* ▸ Fig. *Passage à **vide*** (☞ *passage*). **5.** *Phys.* Milieu dont la caractéristique est l'absence totale (théorique) de toute particule, et donc de toute matière. Faire le **vide** dans une enceinte consiste à vider les gaz qu'elle contient. On évalue alors le degré de **vide** par la valeur de la pression du gaz résiduel. Le **vide** absolu ne peut pas être obtenu expérimentalement. Fin XIe s. ; lat. pop. °*vocitus*, du lat. *vacuus* ; [vid].

La **Victoire** *(esquisse pour le plafond de l'hôtel de ville), peinture d'Édouard Detaille (1848-1912). Musée des Beaux-Arts, Dunkerque.*

**VIDÉ, ÉE,** adj.
**1.** *Cuis.* Dont on a enlevé les entrailles : *Un poulet **vidé**.* **2.** Fig. Épuisé physiquement ou intellectuellement (fam.). Mil. XIIe s. ; p. p. de *vider* ; [vide].

**VIDÉASTE,** subst.
Réalisateur de films, de programmes en vidéo. V. 1980 ; ☞ *vidéo*, d'apr. *cinéaste* ; [videast].

**VIDE-BOUTEILLE,** subst. m.
Siphon qui permet de vider une bouteille sans la déboucher. 1845 (1553, ivrogne) ; comp. de *vider* et de *bouteille* ; plur. *vide-bouteilles* ; [vidbutɛj].

**VIDE-CAVE,** subst. m.
Pompe servant à évacuer l'eau d'un local inondé. V. 1950 ; comp. de *vider* et de *cave* (II) ; plur. *vide-cave(s)* ; [vidkav].

**VIDELLE (I),** subst. f.
*Mar.* Reprise faite à points croisés dans une voile. Déb. XIIIe s. ; ☞ *vis* ; [vidɛl].

**VIDELLE (II),** subst. f.
*Cuis.* **1.** Roulette à découper la pâte. **2.** Ustensile servant à vider les fruits. 1659 ; ☞ *vider* ; [vidɛl].

**VIDÉO,** subst. f. et adj. inv.
**Subst. 1.** Ensemble des techniques permettant l'enregistrement d'images et de sons sur un support magnétique et leur reproduction sur un écran de télévision : *Film tourné en **vidéo**.* **2.** Méton. Production obtenue par cette technique ; matériel utilisé pour la production d'images **vidéo**. **Adj.** Propre à cette technique : *Jeu **vidéo**.* 1958 (1949, télévision) ; angl. *video*, du lat. *video*, « je vois » ; [video].

**VIDÉOCASSETTE,** subst. f.
Cassette contenant une bande magnétique sur laquelle a été enregistré un film, un programme, ou permettant d'enregistrer des images et des sons. V. 1970 ; ☞ *cassette* + *vidéo-* ; [videokasɛt].

**VIDÉOCLIP,** subst. m.
Clip. V. 1980 ; ☞ *clip* (II) + *vidéo-* ; [videoklip].

**VIDÉOCLUB,** subst. m.
Boutique qui vend ou loue des vidéocassettes enregistrées. V. 1980 ; ☞ *club* (I) + *vidéo-* ; [videoklœb].

**VIDÉOCOMMUNICATION,** subst. f.
Mode de communication fondé sur le transfert à distance d'images télévisuelles. V. 1970 ; ☞ *communication* + *vidéo-* ; [videokɔmynikasjɔ̃].

**VIDÉOCONFÉRENCE,** subst. f.
Visioconférence. V. 1980 ; ☞ *conférence* + *vidéo-* ; [videokɔ̃feʀɑ̃s].

**VIDÉODISQUE,** subst. m.
Disque sur lequel sont enregistrés des images et des sons, reproductibles sur un téléviseur. V. 1970 ; ☞ *disque* + *vidéo-* ; [videodisk].

**VIDÉOFRÉQUENCE,** subst. f.
Fréquence correspondant à la bande spectrale utilisée dans l'audiovisuel. V. 1960 ; ☞ *fréquence* + *vidéo-* ; [videofʀekɑ̃s].

**VIDÉOGRAMME,** subst. m.
Support (cassette, disque, CD-ROM) qui permet l'enregistrement, la conservation et la reproduction d'un programme audiovisuel ; par méton., ce programme. V. 1970 ; formé de *vidéo-* et de *-gramme* ; [videɔgʀam].

**VIDÉOGRAPHIE,** subst. f.
**1.** Transmission des informations, sous forme graphique ou alphanumérique, sur un écran de visualisation : ***Vidéographie** diffusée*, télétexte ; ***Vidéographie** interactive*, vidéotex. **2.** Édition de programmes audiovisuels. V. 1970 ; formé de *vidéo-* et de *-graphie* ; [videogʀafi].

**VIDÉOLECTEUR,** subst. m.
Lecteur de vidéodisques. V. 1980 ; ☞ *lecteur* + *vidéo-* ; [videolɛktœʀ].

**VIDÉOPHONE,** subst. m.
Visiophone. V. 1970 ; formé de *vidéo-* et de *-phone* ; [videɔfɔn].

**VIDE-ORDURES,** subst. m. inv.
Conduit vertical permettant d'évacuer les ordures ménagères d'un immeuble ; par méton., chacun des

accès à ce conduit (synon. *vidoir*). 1934 ; comp. de *vider* et de *ordure* ; [vidɔʀdyʀ].

**VIDÉOSURVEILLANCE, subst. f.**
Surveillance d'un lieu, public ou privé, grâce à un réseau de caméras vidéo. V. 1980 ; ☞ *surveillance* + *vidéo-* ; [videosyʀvɛjɑ̃s].

**VIDÉOTEX, subst. m.**
Procédé de communication vidéo assuré par un réseau de télécommunication, spéc. le réseau téléphonique ; empl. adj. : *Terminal **vidéotex**.* V. 1980 ; angl. *videotex*, crois. de *video* et de *Teletex* ; [videotɛks].

**VIDÉOTHÈQUE, subst. f.**
Collection de vidéocassettes ; lieu public ou privé où elle est entreposée. V. 1970 ; formé de *vidéo-* et de *-thèque* ; [videɔtɛk].

**VIDÉOTRANSMISSION, subst. f.**
Diffusion de programmes vidéo sur grand écran. V. 1980 ; ☞ *transmission* + *vidéo-* ; [videotʀɑ̃smisjɔ̃].

**VIDE-POCHE(S), subst. m.**
**1.** Petit meuble ou, par ext., corbeille, coupe où l'on dépose les menus objets contenus dans les poches. **2.** *Autom.* Compartiment ouvert destiné à recevoir divers objets. 1749 ; comp. de *vider* et de *poche* (II) ; plur. *vide-poches* ; [vidpɔʃ].

**VIDE-POMME(S), subst. m.**
Couteau spécial servant à enlever les pépins et le cœur d'une pomme. 1814 ; comp. de *vider* et de *pomme* ; plur. *vide-pommes* ; [vidpɔm].

**VIDER, verbe trans.** [3]
**1.** Retirer le contenu de (un contenant) : ***Vider** un placard* ; verser, transvaser : ***Vider** une eau de cuisson dans l'évier* ; par anal. : ***Vider** un poulet*, lui enlever les entrailles avant de le cuisiner ; au fig. : *Ce match m'a **vidé***, épuisé (fam.). ▸ Loc. ***Vider** son sac* (☞ *sac*). **2.** Rendre vide (un lieu) : *La concurrence des grandes surfaces **vide** les petits commerces* ; empl. pronom. : *Les cafés se **vident** vers minuit.* ▸ Loc. ***Vider** les lieux* : partir. **3.** Retirer (le contenu) d'un contenant : ***Vider** les ordures.* **4.** Régler définitivement (un différend) : ***Vider** une vieille querelle.* **5.** Chasser (qqn) d'un lieu et, par ext., d'un emploi, d'une situation (fam.) : *Il s'est fait **vider** du bar.* XIIe s. ; lat. pop. °*vocitare*, de °*vocitus*, « vide » ; [vide].

**VIDEUR, EUSE, subst.**
Personne qui vide qqch. (rare). Masc. Personne chargée de débarrasser un lieu public des indésirables : ***Videur** de boîte de nuit.* 1332 (déb. XIIe s., bon mangeur) ; ☞ *vider* ; [vidœʀ, øz].

**VIDE-VITE, subst. m. inv.**
*Techn.* Dispositif de vidange rapide d'un bassin, d'un réservoir, etc. en cas de danger. 1933 ; comp. de *vider* et de *vite* ; [vidvit].

**VIDICON, subst. m.**
*Télév.* Tube analyseur d'images de télévision, transformant la lumière à analyser en impulsions électriques par effet photoconducteur. V. 1960 ; angl. *vidicon*, de *video* et de *iconoscope* ; [vidikɔ̃].

**VIDIMER, verbe trans.** [3]
*Dr.* Certifier conforme (la copie d'un acte original). 1463 ; ☞ *vidimus* ; [vidime].

**VIDIMUS, subst. m.**
*Dr.* Attestation certifiant que la copie d'un acte est conforme à son original. 1315 ; lat. *vidimus*, « nous avons vu » ; [vidimys].

**VIDOIR, subst. m.**
**1.** Cuvette dans laquelle on jette les eaux usagées. **2.** Trappe par laquelle on jette les ordures dans un vide-ordures. 1912 ; ☞ *vider* ; [vidwaʀ].

**VIDUITÉ, subst. f.**
Veuvage (vx). ▸ *Dr. Délai de **viduité*** : délai de trois cents jours pendant lequel une femme veuve ou divorcée ne peut se remarier. 1265 ; lat. *viduitas*, de *vidua*, « veuve » ; [vidɥite].

**VIDURE, subst. f.**
Ce qui a été vidé d'une volaille, d'un poisson, etc. Plur. Ordures. 1872 (1511, creux, vide) ; ☞ *vider* ; [vidyʀ].

**VIE, subst. f.**
**I. 1.** Fait de vivre, existence : *Être en **vie*** ; *Perdre la **vie**,* mourir ; *Donner la **vie**,* engendrer. ▸ Loc. *Donner signe de **vie*** : donner de ses nouvelles ; *Revenir à la **vie*** : reprendre connaissance ; *Question de **vie** ou de mort* : d'une extrême importance. **2.** Ensemble des phénomènes biologiques évoluant de la naissance à la mort, propres aux êtres vivants : ***Vie** cellulaire, organique, végétale, animale, humaine* ; *Les sciences de la **vie**.* **3.** Ext. Énergie, dynamisme : *Déborder de **vie*** ; *Quartier plein de **vie**,* très animé ; *Sculpture qui manque de **vie**,* de vigueur, de dynamisme. **4.** Existence de qqch. qui évolue : *La **vie** des galaxies, des belles-lettres, d'une civilisation.* **5.** *Théol.* ***Vie** éternelle* : qui se poursuit au-delà de la mort, pour celui qui a obéi à la loi divine ; *Le pain de **vie*** : l'Eucharistie. **II. 1.** Période qui s'étend de la naissance à la mort : *Espérance de **vie**,* durée moyenne de vie d'une population donnée ; par anal. : *La durée de **vie** d'une voiture.* ▸ Loc. *À **vie*** : jusqu'à la mort ; *Jamais de la **vie*** : jamais, en aucun cas. **2.** Ensemble des faits, des activités qui remplissent une existence : *Une **vie** réussie* ; *Raconter sa **vie*** ; par méton., biographie : *Écrire la **vie** de Gauguin.* **3.** Manière de vivre : *Une **vie** studieuse* ; par ext., manière de vivre propre à un groupe, à une époque : *La **vie** des Français sous l'Occupation.* ▸ Loc. *Mener la **vie** dure à qqn* : le traiter durement ; *Refaire sa **vie*** : se remarier ; *Faire la **vie*** : se livrer à tous les plaisirs. **4.** Part de l'existence de qqn, d'un groupe, caractérisée par un ensemble d'activités, d'occupations, de préoccupations : ***Vie** privée, professionnelle* ; *La **vie** politique d'un pays*, son activité politique. **5.** Ensemble des moyens de subsistance, d'existence : *Gagner sa **vie*** ; *Niveau de **vie**.* **6.** Condition humaine ; cours des choses : *Comparer la **vie** à une comédie.* ▸ Loc. *C'est la **vie** !* : c'est ainsi. Fin Xe s. ; lat. *vita* ; [vi].

**VIEIL, voir VIEUX**

**VIEILLARD, subst. m.**
Homme d'un âge avancé. Plur. Ensemble des personnes âgées. Mil. XIIe s. ; ☞ *vieil* ; le fém., *vieillarde*, est rare et péj. ou littér. ; [vjɛjaʀ].

**VIEILLE, voir VIEUX**

**VIEILLERIE, subst. f.**
**1.** Chose ancienne, défraîchie ou démodée. **2.** Idée surannée, obsolète ; œuvre d'un style désuet. **3.** Vieillesse (fam.). 1680 ; ☞ *vieil* ; [vjɛjʀi].

**VIEILLESSE, subst. f.**
**1.** Période de la vie succédant à la maturité, marquée par une altération des facultés physiques, parfois mentales ; en appos. : *Assurance **vieillesse**,* contractée par un salarié et lui permettant de toucher des indemnités à sa retraite. **2.** Fait d'être vieux ; par ext. : *La **vieillesse** d'un arbre* ; *La **vieillesse** d'un vin*, sa maturité avancée. **3.** Ensemble des personnes âgées. Mil. XIIe s. ; ☞ *vieil* ; [vjɛjɛs].

**VIEILLI, IE, adj.**
**1.** Qui est devenu vieux, qui porte les marques de l'âge. **2.** Démodé, obsolète. ▸ *Mot **vieilli*** : qui tend à tomber en désuétude, mais qui est encore compris. XVIIe s. ; p. p. de *vieillir* ; [vjeji].

**VIEILLIR, verbe** [19]
Intrans. **1.** Avancer en âge. **2.** Subir les effets du temps, être marqué par l'âge : *Il a beaucoup **vieilli** depuis la mort de sa femme* ; par anal. : *Un film, un roman qui a mal **vieilli**,* qui est dépassé, démodé. **3.** Ext. Rester longtemps (dans un état, un emploi) : ***Vieillir** dans l'enseignement.* **4.** Épanouir ses qualités avec le temps, en parlant d'un produit, en partic. d'un vin : *Le bordeaux **vieillit** bien.* Trans. Rendre plus vieux ; faire paraître plus vieux : *Cette coiffure vous **vieillit**.* Pronom. Se faire paraître plus vieux ; s'attribuer un âge plus avancé. Déb. XIIIe s. ; ☞ *vieil* ; [vjejiʀ].

**VIEILLISSANT, ANTE, adj.**
Qui vieillit. 1626 ; p. pr. de *vieillir* ; [vjɛjisɑ̃, ɑ̃t].

**VIEILLISSEMENT, subst. m.**
**1.** Fait de vieillir, de subir les atteintes de l'âge : *Les rides, premiers signes du **vieillissement*** ; *Le **vieillissement** de la population*, fait pour une population de voir sa moyenne d'âge augmenter. ▸ Fig. Fait de se démoder, obsolescence : ***Vieillissement** d'une institution.* **2.** Action de faire vieillir un produit, une substance en le soumettant aux effets du temps ou à un traitement adéquat : ***Vieillissement** d'un vin, d'un alliage.* 1564 ; ☞ *vieillir* ; [vjɛjismɑ̃].

**VIEILLOT, OTTE, adj.**
**1.** Qui est ou qui paraît un peu vieux (vieilli). **2.** Qui est passé de mode, désuet. 1668 (déb. XIIIe s., subst. fém., petite vieille) ; ☞ *vieil* ; [vjɛjo, ɔt].

**VIELLE, subst. f.**
*Mus.* Instrument à cordes et à archet, ancêtre de la viole, utilisé au Moyen Âge et jusqu'au XVIIIe s.

Le **vielleur** (au chapeau), *détail d'une peinture de Georges de La Tour (1593-1652). Musée des Beaux-Arts, Nantes.*



▸ ***Vielle** à roue* : dont les cordes sont frottées par une roue à manivelle. 1155 ; anc. prov. *viola* ; [vjɛl].

**VIELLER, verbe intrans.** [3]
Jouer de la vielle. Mil. XIIe s. ; anc. prov. *violar* ; [vjɛle].

**VIELLEUR, EUSE, subst.**
Personne qui joue de la vielle. Mil. XIIe s. ; ☞ *vielle* ; var. *vielleux, euse* ; [vjɛlœʀ, øz].

**VIENNOIS, OISE, adj. et subst.**
**1.** De Vienne, capitale de l'Autriche : *Café, chocolat **viennois**,* à la chantilly ; *Baguette **viennoise**,* briochée. **2.** De Vienne, ville de l'Isère ; de la Vienne. Fin XIe s. ; topon. *Vienne* ; [vjɛnwa, waz].

**VIENNOISERIE, subst. f.**
Ensemble des produits de boulangerie autres que le pain, à base de pâte fermentée enrichie de sucre, de lait et d'œufs (croissant, brioche, etc.). V. 1980 ; ☞ *viennois* ; [vjɛnwazʀi].

**VIERGE, adj. et subst. f.**
Adj. **1.** Qui n'a jamais eu de rapport sexuel. **2.** Qui est à l'état pur, originel, qui n'a pas été touché, utilisé, souillé : *Forêt **vierge*** ; *Cahier **vierge*** ; *Huile **vierge**,* extraite par pression à froid ; au fig. : *Casier judiciaire **vierge**,* sur lequel ne figure aucune condamnation. ▸ Loc. ***Vierge** de* : exempt de. Subst. **1.** Jeune fille qui n'a jamais eu de relation sexuelle. ▸ *Relig. La (Sainte) **Vierge*** : Marie, mère de Jésus-Christ, par laquelle, selon la foi chrétienne, le Verbe de Dieu a pris chair ; par méton., sa représentation : *Une **vierge** romane.* **2.** ▸ *Astron.* Constellation de l'hémisphère boréal. ▸ *Astrol.* Sixième signe du zodiaque (23 août-22 septembre) ; par méton. : *Une **Vierge**,* une personne née sous ce signe. Fin Xe s. ; lat. *virgo* ; [vjɛʀʒ].

**VIETNAMIEN, IENNE, adj. et subst.**
Du Viêt Nam. Subst. masc. Langue à six tons, parlée principalement au Viêt Nam et écrite avec un alphabet latin muni de signes diacritiques, le quôc-ngu. 1928 ; topon. *Viêt Nam* ; [vjɛtnamjɛ̃, jɛn].

**VIEUX, VIEIL, VIEILLE, adj. et subst.**
Adj. **1.** Qui existe, qui dure, qui est pratiqué depuis longtemps : *Le **vieux** continent*, l'Europe ; *Un débat **vieux** de dix ans* ; *De **vieilles** habitudes* ; usé : *Un **vieil** imperméable.* ▸ Qui appartient au passé : *Le bon **vieux** temps* ; qui est ancien, sorti de l'usage : *Le **vieux** français.* **2.** Avancé en âge ou qui le paraît (anton. *jeune*) ; par méton. : *Les **vieux** jours*, la vieillesse ; empl. adv. : *Faire **vieux***, le paraître ou, par ext., être démodé. ▸ Loc. *Ne pas faire de **vieux** os* : ne pas vivre longtemps (fam.). ▸ Âge (gén. au comparatif) : *Elle est plus **vieille** que lui.* ▸ Qui est depuis longtemps dans un état, un métier : *Un **vieux** client* ; *Un **vieux** couple.* Subst. **1.** Personne âgée (fam. et péj.) : *Un petit **vieux*** ; appellatif amical, quel que soit l'âge de l'interlocuteur : *Salut, (mon) **vieux** !* **2.** Père, mère (fam.) : *Mes **vieux**,* mes parents. Subst. masc. Ce qui est ancien : *Aimer le **vieux**.* ▸ Loc. *Prendre un coup de **vieux*** : vieillir subitement (fam.). Subst. fém. *Zool.* Labre (par allus. à sa tête ridée). Mil. XIe s. ; lat. *vetulus*, dimin. de *vetus* ; *vieil* devant un subst. masc. sing. commençant par une voyelle ou un *h* muet ; [vjø, vjɛj].

**VIEUX-, VIEILLE-CATHOLIQUE, adj. et subst.**
*Relig.* ADJ. *Église* ***vieille-catholique***, ou *d'Utrecht* : qui, favorable aux idées jansénistes, se sépara de Rome au XVIIIe s., tout en conservant les usages et les doctrines traditionnelles catholiques. ADJ. et SUBST. Se dit des catholiques rattachés à cette Église, notamment en raison de leur rejet des dogmes de l'Immaculée Conception (1854), de l'infaillibilité pontificale (1870) ou de l'Assomption (1950). 1876 ; comp. de *vieux* et de *catholique* ; plur. *vieux-, vieilles-catholiques* ; [vjø-, vjɛjkatɔlik].

**VIEUX-CROYANT, subst. m.**
*Relig.* Chrétien orthodoxe russe vivant en marge de l'Église depuis le schisme provoqué par les réformes du patriarche Nikon au XVIIe s. Comp. de *vieux* et de *croyant* ; plur. *vieux-croyants* ; [vjøkʀwajɑ̃].

**VIEUX-LILLE, subst. m. inv.**
Fromage fort de Maroilles, très longuement affiné. Mil. XXe s. ; comp. de *vieux* et du topon. *Lille* ; [vjølil].

**VIF, VIVE, adj. et subst. m.**
I. ADJ. 1. Qui est vivant (vieilli) : *Mort ou* ***vif***. ► Loc. *Être plus mort que* ***vif*** : paralysé par la peur ; *Dire qqch. à qqn de* ***vive*** *voix* : en sa présence. 2. Qui semble être doué de vie : *Eau* ***vive***, qui jaillit d'une source. ► *Informat. Mémoire* ***vive*** (☞ *mémoire*). ► *Mar. Œuvres* ***vives*** (☞ *œuvre*). 3. Qui est mis à nu, écorché : *Plaie* ***vive***. ► Anal. *Mur à joints* ***vifs*** : dont les pierres sont posées sans mortier ; *Arêtes* ***vives*** : qui forment des angles saillants. SUBST. 1. *Dr.* Personne vivante : *Donation entre* ***vifs***. 2. Chair d'un corps en vie. ► Loc. *Avoir les nerfs à* ***vif*** : être très irritable ; *Tailler, trancher dans le* ***vif*** : prendre une décision ferme et radicale ; *Entrer dans le* ***vif*** *d'un sujet* : en aborder l'essentiel sans détour. ► **Sur le vif.** D'après un modèle vivant : *Peindre sur le* ***vif*** ; au fig. : *Des propos pris sur le* ***vif***, tels qu'ils sont émis spontanément. 3. *Mar.* ***Vif*** *de l'eau* : marée de la nouvelle lune. 4. *Pêche.* Petit poisson vivant qui sert d'appât. II. ADJ. 1. Qui est intense, ardent : *Une* ***vive*** *affection* ; *Un* ***vif*** *succès* ; *Rouge* ***vif*** ; *Un vent* ***vif***. 2. Qui est plein de vitalité, alerte ; par méton. : *Esprit* ***vif***. 3. Rapide, précipité : *À* ***vive*** *allure*. 4. Qui s'emporte facilement ; qui dénote de l'agressivité : *Propos* ***vifs***. Fin Xe s. ; lat. *vivus* ; [vif, viv].

**VIF-ARGENT, subst. m. sing.**
Vx. Mercure. ► Fig. *C'est du* ***vif-argent*** : se dit d'une personne très vive. Mil. XIIe s. ; comp. de *vif* et de *argent* ; [vifaʀʒɑ̃].

**VIGIE, subst. f.**
*Mar.* 1. Vx. Guetteur chargé d'observer le large depuis la côte. 2. Surveillance effectuée à bord d'un navire par un homme d'équipage ; par méton., matelot assurant cette veille. 1686 ; p.-ê. port. *vigia*, de *vigiar*, du lat. *vigilare*, « veiller » ; [viʒi].

**VIGIL, adj. m.**
*Pathol. Coma* ***vigil*** : stade d'un coma où la réponse du sujet à une stimulation est possible. 1953 ; lat. *vigil*, « éveillé, vigilant » ; [viʒil].

**VIGILANCE, subst. f.**
1. Attention scrupuleuse et soutenue : *Redoubler de* ***vigilance*** *au volant*. 2. *Physiol.* Capacité du système nerveux à répondre à une situation nouvelle par une réponse nouvelle. 1530 (fin XIVe s., insomnie) ; lat. *vigilantia*, de *vigilare*, « veiller » ; [viʒilɑ̃s].

**VIGILANT, ANTE, adj.**
Qui fait preuve de vigilance. 1488 ; lat. *vigilans*, de *vigilare*, « veiller » ; [viʒilɑ̃, ɑ̃t].

**VIGILE (I), subst. f.**
*Cath.* Veille d'une fête importante ; office célébré ce jour-là. Déb. XIIe s. ; lat. *vigilia* ; [viʒil].

**VIGILE (II), subst. m.**
1. *Antiq.* Membre de l'une des sept cohortes créées par Auguste pour la surveillance nocturne de Rome. 2. Anal. Veilleur de nuit ; agent privé chargé de la sécurité. 1832 ; lat. *vigil*, « éveillé » ; [viʒil].

**VIGNE, subst. f.**
1. *Bot.* Arbrisseau sarmenteux de la famille des Vitacées, muni de vrilles. 2. Cette plante, cultivée, dont les fruits en grappes (le raisin) sont destinés à la consommation et, par fermentation de leur jus, à la production du vin : *Pied, plant de* ***vigne***. ► Méton. Terrain planté de **vignes** : *Vendanger sa* ***vigne***. ► Anal. ***Vigne*** *vierge* : plante grimpante ornementale dont les feuilles virent, en automne, au rouge intense ; ***Vigne*** *blanche* : clématite ; *Pêche de* ***vigne*** : fruit à chair rose foncé provenant de pêchers cultivés en plein vent. ► Loc. *Être dans les* ***vignes*** *du Seigneur* : être ivre. ► *B. a. Feuille de* ***vigne*** : ornement masquant le sexe d'une statue d'homme nu. Déb. XIIe s. ; lat. *vinea* ; [viɲ].

CIVILISATION – La vigne pousse en climat tempéré sur des sols variés, exigeant un minimum d'ensoleillement et une main-d'œuvre importante. Répandue dès l'Antiquité, sa culture connaît un essor, une intensification et une spécialisation considérables depuis le XIXe s., en Europe et en Amérique. On compte aujourd'hui 10 millions d'hectares de vigne dans le monde (dont 1 175 000 en France). La vigne, symbole de civilisation, est honorée chez les Égyptiens. De tout temps associée à la religion, elle est, en Grèce antique, incarnée par Dionysos (à Rome par Bacchus). Assimilée à la vie, à l'éternel retour des saisons, elle fournit le vin qui préside aux mystères, aux dionysies (bacchanales) célébrées en l'honneur du dieu de la poésie inspirée. Selon la Bible, elle fut plantée pour la première fois par Noé, après le Déluge ; son symbolisme passe de l'Ancien au Nouveau Testament, où elle représente le Royaume des Cieux : Jésus proclame qu'il est le vrai cep, dont la sève nourrit ceux qui lui sont fidèles, et que son sang est le vin de la nouvelle Alliance. L'Église œuvre au développement du vignoble, dès le Moyen Âge. Les grandes régions productrices françaises (Bourgogne, Provence, Aquitaine, Champagne) affirment leur spécificité. Les ravages de l'alcoolisme n'ont que peu entamé la vocation sociale et festive du fruit de la vigne.

**VIGNEAU, subst. m.**
Région. 1. *Zool.* Bigorneau. 2. Tertre dans un jardin, garni d'une treille. 1553 ; ☞ *vigne* ; var., au sens 1, *vignot* ; [viɲo].

**VIGNERON, ONNE, subst. et adj.**
SUBST. Personne qui cultive la vigne, produit du vin. ADJ. Relatif au **vigneron** ou à son activité. Déb. XIIIe s. ; ☞ *vigne* ; [viɲəʀɔ̃, ɔn].

**VIGNETAGE, subst. m.**
*Phot.* Assombrissement des angles ou des bords d'une image, dû à un défaut de l'objectif. V. 1960 ; ☞ *vignette* ; var. *vignettage* ; [viɲetaʒ].

**VIGNETTE, subst. f.**
1. Ornement figurant sur la première ou la dernière page du chapitre d'un livre, sur un papier à lettres, etc. 2. Anal. Illustration délimitée par un cadre ; petite image. 3. Ext. Étiquette prouvant le paiement d'une taxe, d'une redevance fiscale : ***Vignette*** *automobile* ; étiquette apposée sur un produit pharmaceutique, permettant son remboursement par la Sécurité sociale. 1454 (fin XIIIe s., ornement en forme de feuille de vigne) ; ☞ *vigne* ; [viɲɛt].

**VIGNETTISTE, subst.**
Artiste spécialisé dans le dessin, la gravure de vignettes, en partic. pour les livres. 1853 ; ☞ *vignette* ; [viɲetist].

**VIGNETURE, subst. f.**
Ornement de feuilles de vigne encadrant les miniatures d'un manuscrit. 1367 ; ☞ *vignette* ; [viɲətyʀ].

© H. Donnezan-Explorer

*Vignoble au pied du Canigou (Pyrénées-Orientales).*

**VIGNOBLE, subst. m.**
1. Terre plantée de vignes. 2. Ensemble des vignes d'un pays ou d'une région. Fin XIIe s. ; anc. prov. *vinhobre*, d'un lat. région. °*vineoporus* ; [viɲɔbl].

**VIGNOT, voir VIGNEAU**

**VIGOGNE, subst. f.**
1. *Zool.* Mammifère placentaire ongulé de la famille des Camélidés. La **vigogne** est un lama sauvage, au pelage jaune rougeâtre dessus, blanc dessous, qui vit en altitude au Pérou et en Bolivie. 2. Méton. Tissu très fin fait avec la laine de cet animal. 1598 ; esp. *vicuña*, du quechua *vikuña* ; [vigɔɲ].

© P. Wild-Jacana

*Vigognes.*

**VIGOUREUSEMENT, adv.**
De manière vigoureuse, avec force. Fin XIIe s. ; ☞ *vigoureux* ; [viguʀøzmɑ̃].

**VIGOUREUX, EUSE, adj.**
1. Qui témoigne d'une belle santé, d'une grande vigueur ; robuste. 2. Fig. Qui se manifeste avec force, énergie : *Un* ***vigoureux*** *rappel à l'ordre* ; *Un style* ***vigoureux***. Mil. XIIe s. ; ☞ *vigueur* ; [viguʀø, øz].

**VIGUERIE, subst. f.**
Fonction de viguier ; territoire de sa juridiction. 1311 ; anc. prov. *vegaria*, « droit du viguier » ; [vigʀi].

**VIGUEUR, subst. f.**
1. Force physique, énergie : *Perdre sa* ***vigueur*** *avec l'âge*. 2. Fig. Détermination, fermeté dans l'action, la pensée ou les sentiments (ou dans leur expression) : *Se défendre avec* ***vigueur*** ; ***Vigueur*** *de la pensée*. 3. Loc. **En vigueur.** En usage ; en application : *Cette loi entrera en* ***vigueur*** *l'an prochain*. Fin XIe s. ; lat. *vigor*, « vitalité ; validité » ; [vigœʀ].

**VIGUIER, subst. m.**
1. *Hist.* Dans le midi de la France, juge qui avait la fonction de prévôt royal, avant la Révolution. 2. En Andorre, chacun des deux magistrats représentant les coprinces dans la direction des affaires judiciaires et, le cas échéant, militaires. 1340 ; anc. prov. *veguier*, du lat. *vicarius*, « représentant » ; [vigje].

**VIKING, adj.**
Relatif aux Vikings et à leur civilisation. 1941 (1842, titre d'un prince scandinave qui commande une station maritime) ; mot scand. ; [vikiŋ].

**VIL, VILE, adj.**
1. Qui suscite le mépris (littér.) : *De* ***vils*** *propos*. 2. De basse condition (vx). 3. Loc. *À* ***vil*** *prix* : à bas prix. Fin XIe s. ; lat. *vilis*, « à bas prix » ; [vil].

**VILAIN, AINE, subst. et adj.**
SUBST. *Hist.* Paysan libre, dans le monde féodal ; manant, roturier. ADJ. 1. Qui pense ou qui agit de manière basse, immorale (vieilli) : *S'acoquiner avec de* ***vilaines*** *gens* ; par méton. : *De* ***vilains*** *propos*. 2. Se dit d'un enfant désobéissant ; empl. subst., enfant qui n'est pas gentil. 3. Laid : *De* ***vilaines*** *dents*. 4. Déplaisant, mauvais : *Un* ***vilain*** *temps* ; *Une* ***vilaine*** *fracture* ; empl. subst. masc. : *Il va y avoir du* ***vilain***, les choses vont mal tourner (fam.). Déb. XIIe s. ; bas lat. *villanus*, « villageois » ; [vilɛ̃, ɛn].

**VILAINEMENT, adv.**
De manière vilaine. Fin XIIe s. ; ☞ *vilain* ; [vilɛnmɑ̃].

**VILAYET, subst. m.**
*Hist.* Province de l'Empire ottoman. 1805 ; turc *vilâyet*, de l'ar. *wilāya* « circonscription administrative » ; [vilajɛ].

**VILEBREQUIN, subst. m.**
1. Manivelle à double coude, utilisée pour percer, serrer, visser. 2. *Mécan.* Arbre coudé qui transforme un mouvement rectiligne alternatif (piston-bielle) en un mouvement rotatif. Fin XVe s. ; m. fr. *wembelkin*, du m. néerl. °*wimmelkijn* ; [vilbʀəkɛ̃].

**VILEMENT, adv.**
De manière vile (vieilli). Mil. XIIe s. ; ☞ *vil* ; [vilmɑ̃].

**VILENIE, subst. f.**
Littér. 1. Caractère de ce qui est vil : *La* ***vilenie*** *de son âme*. 2. Méton. Action, propos vil. 1119 ; ☞ *vilain* ; var. *vilénie* ; [vil(ə)ni] ou [-le-].

**VILIPENDER, verbe trans. [3]**
Littér. Traiter avec mépris, dénoncer violemment (qqn ou qqch.) : *Être* ***vilipendé*** *dans la presse*. 1392 ; lat. médiév. *vilipendere* ; [vilipɑ̃de].

**VILLA,** subst. f.
**1.** Luxueuse demeure italienne : *La* **villa** *Borghèse, à Rome.* **2.** Maison individuelle de plaisance ; par méton., voie privée bordée de maisons particulières. **3.** *Hist.* Vaste domaine agricole, depuis l'Empire romain jusqu'à la Gaule mérovingienne ; résidence d'été des riches citoyens romains. 1743 ; ital. *villa*, du lat. *villa*, « ferme, maison de campagne » ; [villa].

**VILLAGE,** subst. m.
**1.** Petite agglomération, commune rurale : *Fête de* **village** ; par méton., ses habitants : *Tout le* **village** *assistait aux obsèques.* **2.** Anal. Lieu aménagé pour une utilisation particulière : **Village** *de toile* ; **Village**-*retraite* ; **Village** *olympique*, logement des athlètes pendant la durée des jeux Olympiques. 1385 ; lat. médiév. *villagium*, du lat. *villa*, « ferme, maison de campagne » ; [vilaʒ].

**VILLAGEOIS, OISE,** subst. et adj.
**Adj.** Relatif à un village, à ses habitants. **Subst.** Personne qui habite un village. Déb. XVIe s. ; ☞ *village* ; [vilaʒwa, waz].

**VILLANELLE,** subst. f.
Chanson pastorale et populaire sur laquelle on dansait, aux XVe et XVIe s. ; par ext., poème pastoral à forme fixe. Fin XVIe s. ; ital. *villanella*, « chanson paysanne », de *villano*, « paysan » ; [vilanɛl].

**VILLE,** subst. f.
**1.** Agglomération regroupant un nombre relativement important d'habitations, de bâtiments publics et d'activités professionnelles : *Grande* **ville** ; **Ville** *industrielle* ; *Hôtel de* **ville**, mairie ; **Ville** *nouvelle* ; **Ville**-*dortoir*, **ville** *champignon* (☞ *dortoir, champignon*) ; *La* **Ville** *lumière*, Paris ; *La* **Ville** *éternelle*, Rome ; **Ville** *d'eaux*, station thermale. **2.** Méton. Population d'une **ville** : *Toute la* **ville** *est en émoi.* ▸ Municipalité d'une **ville** : *Subvention accordée par la* **ville**. ▸ Cadre de vie urbain. **3.** Loc. ▸ **En ville.** Dans la **ville** ; hors de chez soi : *Dîner en* **ville**. ▸ **De ville.** *Gaz de* **ville** : distribué aux particuliers ; *Tenue de* **ville** : ni sportive ni habillée. ▸ *Impr. Travaux de* **ville** : imprimés courants (anton. *labeur*). Fin Xe s. ; lat. *villa*, « propriété rurale » ; [vil].

URBANISME – Expression spatiale du phénomème d'urbanisation, la ville désigne aujourd'hui le regroupement dense et permanent d'une population s'adonnant essentiellement aux activités industrielles et tertiaires (de la « petite ville », définie par son rôle de centre commercial d'une région, à la « capitale régionale », dont le rôle culturel peut être important, et à la « métropole », qui réunit des services de haut niveau et concentre les organismes ayant pouvoir de décision politique, financière, administrative). L'art urbanistique remonte à l'Antiquité ; la délimitation des cités fut, jusqu'au XVIIIe s., concrétisée par le mur d'enceinte qui les entourait et les protégeait. Les limites de l'espace urbain (avec ses extensions, faubourgs, banlieues) sont ensuite devenues moins nettes, du fait de l'industrialisation, du développement des moyens de circulation, de la prolétarisation. La nécessité d'une planification de l'architecture urbaine apparaît au XIXe s. : en témoignent à Paris les grands travaux de restructuration entrepris par Haussmann. Les courants utopistes (C. Fourier, R. Owen), les théorisations idéalistes sur la « cité humaine » (C. Sitte, E. Howard) ont nourri la réflexion sur les différentes fonctions de la ville. L'urbanisme progressiste de T. Garnier puis de Le Corbusier, qui rationalise la décomposition de la ville (hiérarchisation, séparation des fonctions), a été critiqué (L. Mumford, F. Choay) comme reflet sur la vie quotidienne de la domination des valeurs capitalistes.

**VILLÉGIATURE,** subst. f.
Séjour de détente, de repos : *Partir en* **villégiature** *au bord de la mer* ; par méton., le lieu de ce séjour. Déb. XVIIIe s. ; ital. *villeggiatura*, « séjour à la campagne » ; [vil(l)eʒjatyʀ].

**VILLEUX, EUSE,** adj.
**1.** *Anat.* Qui présente des villosités. **2.** *Bot.* Se dit d'un végétal couvert de poils. 1377 ; lat. *villosus*, « velu » ; [vilø, øz].

**VILLOSITÉ,** subst. f.
*Anat.* Chacun des fins cordons digitiformes qui tapissent la muqueuse de l'intestin et du placenta. 1775 ; ☞ *villeux* ; [vilozite].

**VIN,** subst. m.
**1.** Boisson alcoolique obtenue par fermentation du raisin : **Vin** *rouge, rosé, blanc, mousseux, doux* ; **Vin** *léger, corsé* ; *Sauce au* **vin** ; **Vin** *d'appellation contrôlée*, dont la qualité est garantie par le label A. O. C., propre à sa région d'élaboration ; **Vin** *de table*, de consommation courante ; **Vin** *nouveau*, qui se consomme dès la fin de la fermentation ; **Vin** *bouchonné*, qui a pris le goût du bouchon ; *Bar à* **vins**, où l'on consomme essentiellement du **vin**. **2.** Loc. ▸ *Avoir le* **vin** *triste, gai* : pleurer ou rire sans raison dès que l'on a un peu trop bu ; *Mettre de l'eau dans son* **vin** : se montrer plus conciliant. ▸ Méton. **Vin** *d'honneur* : réunion organisée en l'honneur de qqn, où l'on sert du **vin**, des apéritifs. **3.** Boisson à base de **vin** : **Vin** *de noix, d'orange.* **4.** Anal. Boisson alcoolique obtenue par fermentation d'un suc végétal ou d'un fruit autre que le raisin : **Vin** *de palme.* Fin Xe s. ; lat. *vinum* ; [vɛ̃].

**VINA,** subst. f. inv.
*Mus.* Cithare indienne à quatre cordes. 1876 ; skr. *viṇā* ; [vina].

**VINAGE,** subst. m.
*Œnol.* Addition d'alcool au vin ou au moût pour obtenir des vins doux, des liqueurs. 1867 ; ☞ *viner* ; [vinaʒ].

**VINAIGRE,** subst. m.
Liquide obtenu par la fermentation acétique du vin ou d'un autre liquide alcoolisé, utilisé dans l'alimentation, la chimie et la parfumerie : **Vinaigre** *de cidre.* ▸ Loc. fam. *Tourner au* **vinaigre** : prendre une mauvaise tournure, se gâter ; *Faire* **vinaigre** : se hâter. Déb. XIIIe s. ; formé de *vin* et de *aigre* ; [vinɛɡʀ].

**VINAIGRER,** verbe trans. [3]
Assaisonner avec du vinaigre. 1680 ; ☞ *vinaigre* ; [vinegʀe].

**VINAIGRERIE,** subst. f.
Fabrique de vinaigre ; commerce, industrie du vinaigre. 1723 ; ☞ *vinaigrier* ; [vinɛɡʀəʀi].

**VINAIGRETTE,** subst. f.
**1.** Sauce d'assaisonnement à base d'huile, de vinaigre, de sel, de condiments divers : *Poireaux (à la)* **vinaigrette**. **2.** *Hist.* Voiture à deux roues, tirée par un homme. Fin XIVe s. ; ☞ *vinaigre* ; [vinɛɡʀɛt].

**VINAIGRIER, IÈRE,** subst.
Personne qui fabrique ou qui vend du vinaigre, ou qui dirige une vinaigrerie. **Masc.** Flacon de table dans lequel est servi le vinaigre. 1493 ; ☞ *vinaigre* ; [vinɛɡʀije, jɛʀ].

**VINASSE,** subst. f.
**1.** *Techn.* Résidu de la distillation de liquides alcooliques. **2.** Mauvais vin. 1808 (1765, liquide trouble provenant d'un vin aigri) ; ☞ *vin* ; [vinas].

**VINBLASTINE,** subst. f.
*Pharm.* Un des alcaloïdes de la pervenche, dont les propriétés antitumorales sont utilisées dans le traitement de certains cancers. [vɛ̃blastin].

**VINCRISTINE,** subst. f.
*Pharm.* Alcaloïde de la pervenche *Vinca rosea*, dont les propriétés antimitotiques sont utilisées dans le traitement des leucémies aiguës. [vɛ̃kʀistin].

**VINDAS,** subst. m.
Petit treuil. Mil. XIIe s. ; anc. nord. *vindáss*, « cabestan » ; [vɛ̃das].

**VINDICATIF, IVE,** adj.
Animé d'un désir de vengeance, hargneux. Fin XIVe s. ; lat. *vindicare*, « venger » ; [vɛ̃dikatif, iv].

**VINDICTE,** subst. f.
**1.** *Dr.* Poursuite et sanction d'un crime par l'autorité judiciaire. **2.** Châtiment (littér.) : *Livrer qqn à la* **vindicte** *populaire.* 1523 ; lat. *vindicta*, « punition » ; [vɛ̃dikt].

**VINÉE,** subst. f.
*Vitic.* **1.** Récolte de vin, vendange (vx). **2.** Branche à fruits, dans la taille longue de la vigne. XIIIe s. ; ☞ *vin* ; [vine].

**VINER,** verbe trans. [3]
*Œnol.* Procéder au vinage de. 1864 (1325, débiter du vin) ; ☞ *vin* ; [vine].

**VINEUX, EUSE,** adj.
**1.** De la nature du vin ; relatif au vin : *Vapeur* **vineuse**. **2.** *Œnol. Vin* **vineux** : riche en alcool. **3.** Anal. Qui a le goût, l'odeur du vin ; qui est de la couleur d'un vin rouge. Fin XIIIe s. ; lat. *vinosus*, « rappelant le vin » ; [vinø, øz].

**VINGT,** adj. num. inv. et subst. m. inv.
**Adj. card.** Deux fois dix : **Vingt** *ans* ; **Vingt** *centimes.* **Adj. ord. 1.** Vingtième : *Il est* **vingt** *heures* ; *Le* **vingt** *juillet* ; *Les années* **vingt**, les années folles. **2.** Qui porte le numéro **vingt** : *La chambre* **vingt** ; empl. subst. : *Le, la* **vingt**. **Subst. 1.** Le nombre **vingt** : *Avoir un* **vingt** *en maths* ; *Dix-sept et trois font* **vingt**. **2.** Le numéro **vingt** : *Jouer le* **vingt**. **3.** Représentation graphique de ce nombre. Fin XIe s. ; bas lat. *vinti* du lat. *viginti* ; vingt prend un s dans *quatre-vingts* et *les Quinze-Vingts*, on écrit *vingt et un, vingt et unième*, mais *quatre-vingt-un* ; [vɛ̃], [vɛ̃t] devant les nombres de 22 à 29 et en liaison.

**VINGTAINE,** subst. f.
Groupe de vingt ou d'environ vingt unités : *Une* **vingtaine** *d'années.* Mil. XIIIe s. ; ☞ *vingt* ; [vɛ̃tɛn].

**VINGT-DEUX,** interj.
Signal d'alerte (pop.) : **Vingt-deux**, *v'là les flics* 1874 ; comp. de *vingt* et de *deux* ; [vɛ̃tdø].

**VINGT-ET-UN,** subst. m. inv.
Jeu de cartes, où il faut totaliser vingt et un points pour gagner. 1772 ; comp. de *vingt* et de *un* [vɛ̃teœ̃].

**VINGTIÈME,** adj. et subst. m.
**Adj. num. ord.** Qui occupe le rang correspondant au nombre vingt : *Le* **vingtième** *étage* ; empl. subst. *Le, la* **vingtième**. **Adj.** Qui constitue une fraction d'un tout divisé également en vingt : *La* **vingtième** *partie* ou, empl. subst. masc., *Le* **vingtième**. **Subst. 1.** *Antiq. rom.* Impôt sur les successions. **2.** *Hist.* Sous l'Ancien Régime, impôt représentant le **vingtième** du revenu. 1155 ; ☞ *vingt* ; [vɛ̃tjɛm].

**VINICOLE,** adj.
Relatif à la production du vin : *Industrie* **vinicole** 1831 ; formé de *vini-* et de *-cole* ; [vinikɔl].

**VINICULTURE,** subst. f.
Ensemble des activités liées à la production du vin 1834 ; formé de *vini-* et de *-culture* ; [vinikyltyʀ].

**VINIFÈRE,** adj.
Apte, favorable à la production du vin : *Sol* **vinifère** 1812 ; formé de *vini-* et de *-fère* ; [vinifɛʀ].

**VINIFICATION,** subst. f.
Ensemble des opérations nécessaires pour transformer le raisin en vin. 1791 ; ☞ *vin*, d'apr *panification* ; [vinifikasjɔ̃].

**VINIFIER,** verbe trans. [6]
Transformer (le jus de raisin) en vin. 1845 ☞ *vinification* ; [vinifje].

**VINOSITÉ,** subst. f.
*Œnol.* Caractère d'un vin vineux. XVe s. ; lat *vinositas*, « suc vineux » ; [vinozite].

**VINTAGE,** subst. m.
Vin de Porto d'une seule vendange, ayant vieilli plus de dix ans ; par anal., vin millésimé. V. 1960 angl. *vintage*, « vin millésimé » ; [vɛ̃taʒ].

**VINYLE,** subst. m.
**1.** *Chim.* Groupement de formule $CH_2{=}CH-$ **2.** Matière plastique issue d'un composé vinylique (empl. abusif). 1876 ; lat. *vinum*, « vin », + *-yle* [vinil].

**VINYLIQUE,** adj.
*Chim.* Se dit de composés, comme le chlorure ou l'acétate, renfermant le radical vinyle : *Enduit* **vinylique**. 1876 ; ☞ *vinyle* ; [vinilik].

**VIOC, VIOQUE,** adj.
Argot. Vieux ; empl. subst., vieil homme, vieille femme : *Mes* **viocs**, mes parents. 1815 ; ☞ *vieux* prob. d'apr. l'occitan *vieilloca*, « vieillard décrépit » ; [vjɔk]

**VIOL,** subst. m.
**1.** Rapport sexuel imposé par la force, crime jugé en France par la cour d'assises. **2.** Outrage transgression : *Le* **viol** *d'une loi.* **3.** Profanation d'un lieu : *Le* **viol** *d'une tombe.* 1647 ; ☞ *violer* ; [vjɔl]

**VIOLACÉ, ÉE,** adj. et subst. f. plur.
**Adj.** D'une teinte proche du violet. **Subst.** *Bot* Famille de plantes dicotylédones cosmopolites à fleurs zygomorphes ; au sing. : *La violette, comme la pensée, est une* **violacée**. 1810 ; lat. *violaceus* « de la couleur de la violette » ; [vjɔlase].

**VIOLACER,** verbe trans. [4]
Rendre violet ou violacé ; empl. pronom., devenir violet ou violacé. 1832 ; ☞ *violacé* ; [vjɔlase].

**VIOLAT,** adj. m.
Qui contient de l'extrait de violette : *Miel* **violat** Mil. XIIIe s. ; bas lat. *violatus* ; [vjɔla].

**VIOLATEUR, TRICE,** subst.
**1.** Personne qui viole, qui profane un lieu, une loi **2.** Violeur (vx). Fin XIVe s. ; lat. *violator* ; [vjɔlatœʀ, tʀis]

**VIOLATION,** subst. f.
**1.** Action de pénétrer par la force en un lieu sacré ou protégé par la loi : **Violation** *d'une église* ; **Violation** *de domicile.* **2.** Action de transgresser une

loi ou de trahir un engagement : ***Violation** d'un traité* ; ***Violation** du secret professionnel.* Mil. XIVe s. ; lat. *violatio*, « profanation » ; [vjɔlasjɔ̃].

**VIOLÂTRE, adj.**
Qui tire sur le violet (littér.). Fin XVe s. ; ☞ *violet* ; [vjɔlɑtʀ].

**VIOLE, subst. f.**
*Mus.* Instrument à cordes (5 à 7) et à archet, tenu sur un genou, entre les jambes (**viole** de gambe) ou à l'épaule (**viole** de bras), et dont les formes et les dimensions ont souvent varié du Moyen Âge au XVIIIe s. : ***Viole** d'amour*, dotée de 7 cordes que touche l'archet tandis que 7 autres non touchées vibrent par sympathie. Déb. XIIIe s. ; anc. prov. *viola*, du bas lat. °*viola*, d'orig. onomat. ; [vjɔl].

**VIOLEMMENT, adv.**
De manière violente ; ardemment. 1332 ; ☞ *violent* ; [vjɔlamɑ̃].

**VIOLENCE, subst. f.**
**1.** Force ou contrainte brutale à laquelle une personne (ou un groupe humain) recourt pour parvenir à ses fins : *Faire **violence** à qqn* ; *Aveux extorqués par la **violence**.* ▸ Loc. *Se faire **violence*** : dominer ou contrarier une inclination naturelle ; *Céder à une douce **violence*** : satisfaire une prière, un désir après avoir fait mine d'y résister. **2.** Méton. Acte agressif qui attente à l'intégrité physique ou morale d'une personne ou à ses biens (gén. au plur.) : *Être victime de **violences** répétées.* **3.** Propension à manifester ses sentiments de manière brutale, virulente ; expression de cette véhémence : *La **violence** du verbe hitlérien.* **4.** Puissance irrésistible, force non contenue d'une chose : *La **violence** dévastatrice de l'ouragan.* 1215 ; lat. *violentia*, « caractère violent » ; [vjɔlɑ̃s].

**VIOLENT, ENTE, adj.**
**1.** Dont le comportement est impulsif, brutal, sans retenue ; empl. subst., personne **violente**. ▸ Qui dénote ou qui traduit une nette propension à la véhémence : *Une **violente** discussion.* **2.** Qui recourt à la contrainte, à la force pour parvenir à ses fins. **3.** Très intense, puissant : *Une douleur **violente*** ; *Une **violente** explosion* ; *Des couleurs **violentes**.* **4.** Qui requiert une grande énergie physique : *Les sports **violents** sont déconseillés aux personnes cardiaques.* **5.** Loc. *Mourir de mort **violente*** : d'une manière brutale, non naturelle. 1213 ; lat. *violentus*, « emporté » ; [vjɔlɑ̃, ɑ̃t].

**VIOLENTER, verbe trans. [3]**
**1.** Vx. Contraindre (qqn) par la force. **2.** Violer (qqn). **3.** Faire violence à (littér.) : ***Violenter** la nature* ; ***Violenter** une œuvre*, la dénaturer. 1375 ; ☞ *violent* ; [vjɔlɑ̃te].

**VIOLER, verbe trans. [3]**
**1.** Forcer l'entrée de (un lieu sacré ou protégé par la loi), profaner : ***Violer** une sépulture* ; en partic., sur le plan militaire : ***Violer** un territoire.* **2.** Transgresser (une règle, un interdit, un engagement) : ***Violer** la loi, un secret.* **3.** Contraindre (qqn) à un rapport sexuel. Fin XIe s. ; lat. *violare*, de *vis*, « force, violence » ; [vjɔle].

**VIOLET, ETTE, adj. et subst. m.**
**Adj.** D'une couleur provenant d'un mélange de bleu et de rouge : *Écrire à l'encre **violette**.* **Subst. 1.** La couleur **violette**. **2.** *Zool.* Mollusque gastéropode comestible de la Méditerranée, de la famille des Janthinidés. 1228 ; ☞ *violette* ; [vjɔlɛ, ɛt].

**VIOLETTE, subst. f.**
*Bot.* **1.** Petite plante herbacée des bois et des talus, à fleurs très odorantes violettes ou blanches : ***Violettes** de Parme.* **2.** Parfum de cette plante. **3.** *Ébén. Bois de **violette*** : palissandre du Brésil. Déb. XIIe s. ; anc. fr. *viole*, du lat. *viola* ; [vjɔlɛt].

**VIOLEUR, EUSE, subst.**
Personne qui commet ou qui a commis un viol. Mil. XIVe s. ; ☞ *violer* ; [vjɔlœʀ, øz].

**VIOLIER, subst. m.**
*Bot.* Nom usuel de diverses giroflées, notamment la rouge et la jaune. 1361 ; anc. fr. *viole*, « violette » ; [vjɔlje].

**VIOLINE, subst. f. et adj.**
**Subst.** *Chim.* Substance qu'on extrait du rhizome de la violette. **Adj.** D'une couleur violet-pourpre. 1830 ; ☞ *violette* ; [vjɔlin].

**VIOLISTE, subst.**
Joueur de viole. 1695 ; ☞ *viole* ; [vjɔlist].

**VIOLON, subst. m.**
**1.** *Mus.* Instrument à quatre cordes accordées par quintes (*sol-ré-la-mi*) et dont on joue avec un archet, en plaçant la caisse de résonance entre l'épaule et le menton ; par méton., violoniste jouant dans un ensemble : *Premier **violon**.* ▸ Loc. ***Violon** d'Ingres* : activité, passion à laquelle on consacre ses loisirs ; *Accorder ses **violons*** : se mettre d'accord sur qqch. **2.** Prison d'un commissariat de police (fam.) : *Passer la nuit au **violon**.* Déb. XVIe s. ; ☞ *viole* ; [vjɔlɔ̃].

© Laforet-Gamma

*Orchestre à cordes : **violons** et violoncelles.*

**VIOLONCELLE, subst. m.**
*Mus.* Instrument à cordes graves accordées par quintes (*do-sol-ré-la*) de taille supérieure à celle du violon, dont on joue en le tenant entre les jambes ; par méton., violoncelliste d'orchestre (rare). 1709 ; ital. *violoncello*, de *violone*, « contrebasse » ; [vjɔlɔ̃sɛl].

**VIOLONCELLISTE, subst.**
Joueur de violoncelle. 1821 ; ☞ *violoncelle* ; [vjɔlɔ̃sɛlist].

**VIOLONÉ, ÉE, adj.**
*Arts déc.* Se dit d'un meuble ou d'un objet dont le galbe rappelle celui du violon (style Louis XV). XXe s. ; ☞ *violon* ; [vjɔlɔne].

**VIOLONEUX, EUSE, subst.**
**1.** Joueur de violon animant les fêtes de campagne. **2.** Violoniste médiocre (fam.). **3.** Québ. Violoniste amateur. 1729 ; ☞ *violon* ; [vjɔlɔnø, øz].

**VIOLONISTE, subst.**
Joueur de violon. 1811 ; ☞ *violon* ; [vjɔlɔnist].

**VIOQUE, voir VIOC**

**VIORNE, subst. f.**
*Bot.* Arbrisseau de la famille des Caprifoliacées, qui donne des fleurs blanches et des baies rouges : *Le laurier-tin, l'obier, la boule-de-neige sont des **viornes**.* Fin XIIe s. ; lat. *viburna*, « petits alisiers » ; [vjɔʀn].

**VIPÈRE, subst. f.**
**1.** *Zool.* Serpent de la famille des Vipéridés, au corps gén. ramassé et dont les couleurs sont adaptées au milieu, à tête lancéolée recouverte de petites écailles carénées, qui possède des crochets basculant vers l'avant pour lui permettre d'inoculer son venin aux proies qu'il pique. Les **vipères** habitent des endroits secs et ensoleillés. La **vipère** du Gabon peut mesurer jusqu'à 1,80 m et possède des crochets de 5 cm de long. **2.** Fig. Personne malfaisante, cruelle. ▸ *Langue de **vipère*** : personne médisante. Mil. XIIIe s. ; lat. *vipera* ; [vipɛʀ].

© R. Konig-Jacana

*Vipère péliade.*

ZOOLOGIE – La vipère tire son nom de son mode de reproduction : elle est ovovivipare (parfois vivipare). Différente de la couleuvre par sa taille et sa queue plus réduites, ses pupilles en fente, elle vit de préférence dans des lieux arides. Elle ne mord pas mais frappe au moyen de ses crochets, sortes de dents creuses contenant le canal par lequel s'écoule le venin, qui se dressent pour piquer et se rabattent au repos. Les espèces françaises sont l'aspic (régions du sud) et la péliade (régions du nord). Dès l'Antiquité on a attribué à la vipère des vertus médicales auxquelles se sont ajoutées des significations symboliques. Elle est l'emblème d'Esculape, dieu de la Médecine, dont elle incarne la prudence, la perspicacité et le don de rajeunissement. Ses organes sont utilisés pour la fabrication de la thériaque – drogue considérée comme une panacée –, puis de l'orviétan. Le bouillon de vipère (comme le rapporte Mme de Sévigné) était utilisé pour ses pouvoirs fortifiants. De nos jours, son venin continue d'être employé en médecine homéopathique.

**VIPEREAU, subst. m.**
Petit de la vipère. 1526 ; ☞ *vipère* ; var. *vipéreau*, *vipériau* ; [vipʀo] ou [-p(ə)-].

**VIPÉRIDÉS, subst. m. plur.**
*Zool.* Famille de serpents venimeux, de l'ordre des Squamates, sous-ordre des Ciphidiens, comprenant les vipères et les crotales. **Au sing.** *L'aspic est un **vipéridé**.* 1842 ; ☞ *vipère* ; [vipeʀide].

**VIPÉRIN, INE, adj. et subst. f.**
**Adj. 1.** Malveillant, haineux (vieilli). **2.** Relatif à la vipère ; dont l'aspect évoque la vipère : *Couleuvre **vipérine***, couleuvre aquatique. **Subst.** *Bot.* Plante de la famille des Borraginacées, qui pousse dans les lieux incultes. 1553 ; lat. *viperinus* ; [vipeʀɛ̃, in].

**VIRAGE, subst. m.**
**I. 1.** Portion courbe d'une route, d'une piste : ***Virage** en épingle à cheveux.* **2.** Mouvement tournant effectué par un véhicule qui change de direction : *Amorcer un **virage*** ; par anal. : ***Virage** à skis.* **3.** Fig. Changement radical de comportement, d'orientation (dans le domaine politique, idéologique, etc.). ▸ Loc. *Prendre le **virage*** : s'adapter aux circonstances. **II.** *Chim.* Modification de couleur d'un indicateur. ▸ *Phot.* Transformation chimique de la teinte d'une épreuve. ▸ *Méd.* Fait, pour une cuti-réaction, de devenir positive. 1858 (1773, espace nécessaire pour virer au cabestan) ; ☞ *virer* ; [viʀaʒ].

**VIRAGO, subst. f.**
Femme d'allure masculine à l'air autoritaire et revêche. Fin XIVe s. ; lat. *virago*, « femme courageuse comme un homme », de *vir*, « homme » ; [viʀago].

**VIRAL, ALE, AUX, adj.**
**1.** Qui se rapporte à un virus. **2.** Causé par un virus : *Hépatite **virale**.* 1950 ; ☞ *virus* ; [viʀal, o].

**VIRE, subst. f.**
*Géogr.* Plate-forme étroite et continue qui rompt la déclivité à flanc de montagne. 1877 (fin XIe s., trait d'une flèche qui tournoie en volant) ; ☞ *virer* ; [viʀ].

**VIRÉE, subst. f.**
Fam. Escapade, sortie que l'on fait pour se distraire ; voyage de courte durée. 1907 (1594, allées et venues) ; p. p. de *virer* ; [viʀe].

**VIRELAI, subst. m.**
**1.** Danse médiévale ; air qui l'accompagnait. **2.** Poème médiéval sur deux rimes, dont le refrain encadre des séries de trois strophes. 1263 ; prob. refrain de danse contenant *virer*, d'apr. *lai* (II) ; [viʀlɛ].

**VIREMENT, subst. m.**
**1.** *Fin.* Cession faite à un créancier d'une créance que l'on possède, correspondant à la somme qu'on lui doit (vx). ▸ ***Virement** bancaire, postal* : transfert d'une somme d'un compte à un autre. ▸ ***Virement** de crédit* : changement d'imputation d'un crédit d'un montant déterminé à l'intérieur d'une enveloppe budgétaire. **2.** *Mar.* Action de virer de bord. 1667 (1546, action de tourner en rond) ; ☞ *virer* ; [viʀmɑ̃].

**VIRER, verbe [3]**
**Trans. dir. 1.** Vx. Faire tourner ; retourner : ***Virer** la terre.* ▸ *Mar. **Virer** le cabestan* : le faire tourner sur son axe. **2.** Prélever par virement (une somme) sur un compte bancaire pour en créditer un autre. **3.** Fam. Se débarrasser de (qqch.) ; chasser (qqn) ; en partic., licencier, renvoyer (qqn). **4.** Loc. ***Virer** sa cuti* (☞ *cuti*). **5.** *Phot.* Modifier la couleur de (une épreuve) par virage. **Intrans. 1.** Tourner sur soi, pivoter. **2.** Infléchir sa direction : ***Virer** à gauche, à droite.* **3.** *Mar.* Changer d'amures, prendre le vent

sur le bord opposé : *Virer (de bord) au large* ; *Virer vent arrière, vent devant.* ▸ Loc. *Virer de bord* : changer radicalement d'opinion. **4.** S'altérer, en parlant de la couleur d'un tissu. **5.** *Phot.* Changer de teinte par virage, en parlant d'une épreuve. **6.** *Méd.* Devenir positive, en parlant d'une cuti-réaction. TRANS. INDIR. Virer à. **1.** Évoluer vers (telle couleur) : *Virer au rouge.* **2.** Prendre le caractère de, tourner à : *La discussion vira à la dispute.* 1155 ; lat. pop. °*virare*, du lat. *vibrare*, « faire tournoyer » ; [viʀe].

**VIRESCENCE,** subst. f.
*Bot.* Verdissement, d'origine souv. parasitaire, d'une partie non verte d'un végétal (les pétales, par ex.). 1855 ; lat. *virescere*, « verdir » ; [viʀesɑ̃s].

**VIREUR,** subst. m.
*Mécan.* Plateau circulaire fixé sur l'arbre d'une machine. 1861 (1364, tournebroche) ; ☞ *virer* ; [viʀœʀ].

**VIREUX, EUSE,** adj.
**1.** Fétide, à odeur forte : *Goût vireux.* **2.** Vénéneux : *Amanite vireuse.* Fin XIVe s. ; lat. *virosus* ; [viʀø, øz].

**VIREVOLTE,** subst. f.
**1.** Pivotement sur soi-même ; demi-tour soudain : *Les virevoltes d'un patineur* ; demi-tour effectué par un cheval. **2.** Fig. Revirement total d'opinion, de décision (synon. *volte-face*). 1548 ; anc. fr. *virevouste*, d'apr. l'ital. *giravolta* ; [viʀvɔlt].

**VIREVOLTER,** verbe intrans. [3]
**1.** Faire une, des virevoltes. **2.** Aller et venir en tous sens. 1552 ; ☞ *virevolte* ; [viʀvɔlte].

**VIRGINAL, ALE, AUX,** adj. et subst. m.
ADJ. **1.** Qui est propre aux vierges, qui en possède la pureté, l'innocence. **2.** Fig. D'une blancheur immaculée ; pur, sans tache. SUBST. *Mus.* Épinette rectangulaire surtout répandue en Angleterre aux XVIe et XVIIe s. Déb. XIIIe s. ; lat. *virginalis* ; plur. du subst. *virginals* ; [viʀʒinal, o].

**VIRGINIE,** subst. m.
Tabac produit à l'origine en Virginie. 1843 ; topon. *Virginie*, État du sud des États-Unis ; [viʀʒini].

**VIRGINITÉ,** subst. f.
**1.** État d'une personne vierge. **2.** Fig. Pureté, innocence. ▸ Loc. *Se refaire une virginité* : retrouver une réputation sans tache. 881 ; lat. *virginitas* ; [viʀʒinite].

**VIRGULE,** subst. f.
**1.** Signe de ponctuation (,) placé sur la ligne après un mot, pour marquer une faible pause, et servant à séparer les membres d'une phrase ou d'une proposition. ▸ Loc. *Ne pas changer une virgule* : n'apporter aucune modification (à un texte, à un propos). **2.** *Bactériol.* En appos. : *Bacille virgule*, vibrion du choléra. **3.** *Math.* Signe séparant, dans un nombre décimal, la partie entière de la partie décimale. ▸ *Informat. Virgule flottante* (☞ *flottant*). 1534 ; lat. *virgula*, « petite verge » ; [viʀgyl].

**VIRIL, ILE,** adj.
**1.** Qui est propre à l'homme, au sexe masculin : *Traits virils* ; *Membre viril* (☞ *membre*). **2.** Relatif à l'homme adulte : *Âge viril.* ▸ *Antiq. rom. Toge, robe virile* : que prenaient les jeunes Romains à leur majorité, en abandonnant la toge prétexte. **3.** Qui possède les caractères physiques et moraux prêtés traditionnellement à l'homme (force, vigueur, courage) : *Ton viril* ; *Allure virile.* XIVe s. ; lat. *virilis*, de *vir*, « homme » ; [viʀil].

**VIRILISANT, ANTE,** adj.
*Méd.* Qui entraîne l'apparition de caractères sexuels secondaires masculins chez un garçon impubère ou chez une femme : *Les androgènes sont des substances virilisantes.* XXe s. ; p. pr. de *viriliser* ; [viʀilizɑ̃, ɑ̃t].

**VIRILISER,** verbe trans. [3]
Donner un caractère viril à (qqn). 1801 (fin XVIIIe s., devenir homme) ; ☞ *viril* ; [viʀilize].

**VIRILISME,** subst. m.
*Pathol.* État d'une femme qui présente des caractères sexuels secondaires de type masculin. 1924 ; ☞ *viril* ; [viʀilism].

**VIRILITÉ,** subst. f.
**1.** Ensemble des caractères physiques de l'homme d'âge mur ; en partic., puissance sexuelle, capacité d'engendrer. **2.** Ensemble des qualités attachées à l'image de l'homme adulte : *Faire preuve de virilité.* 1482 ; lat. *virilitas* ; [viʀilite].

**VIRILOCAL, ALE, AUX,** adj.
*Anthropol.* Qualifie le mode de résidence d'un couple marié habitant le village des parents du mari (anton. *uxorilocal*). V. 1970 ; angl. *virilocal*, du lat. *vir*, « homme », d'apr. *patrilocal* ; [viʀilɔkal, o].

**VIRION,** subst. m.
*Biol.* Particule infectieuse métaboliquement inerte, responsable de la dissémination des espèces virales d'un hôte à l'autre. V. 1970 ; ☞ *virus* ; [viʀjɔ̃].

**VIROCIDE,** voir **VIRUCIDE**

**VIROÏDE,** subst. m.
*Biol.* Molécule formée d'A. R. N. sans protéine associée, qui manifeste un pouvoir infectieux sur certains végétaux. XXe s. ; ☞ *virus* + *-oïde* ; [viʀɔid].

**VIROLAGE,** subst. m.
Action de viroler. 1872 ; ☞ *viroler* ; [viʀɔlaʒ].

**VIROLE,** subst. f.
**1.** Cercle métallique garnissant l'extrémité d'un manche, qui en renforce la solidité et maintient ce qui y est assujetti : *Virole de canif, de canne.* **2.** *Techn.* Moule en forme d'anneau servant à réaliser la tranche des monnaies et permettant d'obtenir une rondeur parfaite. Fin XIIe s. ; lat. *viriola*, sorte de bracelet ; [viʀɔl].

**VIROLER,** verbe trans. [3]
**1.** Munir d'une virole. **2.** *Techn.* Introduire (les flans destinés à produire une monnaie) dans la virole. Fin XIIe s. ; ☞ *virole* ; [viʀɔle].

**VIROLIER, IÈRE,** subst.
*Techn.* Personne qui fabrique les viroles. 1292 ; ☞ *virole* ; [viʀɔlje, jɛʀ].

**VIROLOGIE,** subst. f.
Branche de la microbiologie qui étudie les virus. 1945 ; ☞ *virus* + *-logie* ; [viʀɔlɔʒi].

**VIROLOGUE,** subst.
Spécialiste de virologie. V. 1970 ; ☞ *virologie* ; var. *virologiste* ; [viʀɔlɔg].

**VIROSE,** subst. f.
*Pathol.* Affection causée par un ou des virus. 1952 ; ☞ *virus* + *-ose* ; [viʀoz].

**VIRTUALITÉ,** subst. f.
Caractère de ce qui est virtuel ; par ext., possibilité (gén. au plur.). 1674 ; ☞ *virtuel* ; [viʀtɥalite].

**VIRTUEL, ELLE,** adj.
**1.** Qui existe en puissance ; potentiel (anton. *actuel*) ; empl. subst. masc. : *Le possible, le probable et le virtuel.* **2.** *Phys.* Se dit d'objets, de déplacements, de processus ou de particules qui n'ont pas de réalité matérielle, mais qui permettent d'expliquer ou de visualiser des interactions (cas des particules) ou des trajectoires (lumineuses dans le cas de l'objet **virtuel**). **3.** *Réalité virtuelle* : simulation informatique d'un environnement imaginaire ou réel, restitué par un ensemble de périphériques sous la forme d'images en trois dimensions, de sensations tactiles et de sons donnant une impression de réalité. 1480 ; lat. médiév. *virtualis*, du lat. *virtus*, « vertu » ; [viʀtɥɛl].

**VIRTUELLEMENT,** adv.
De manière virtuelle. XVe s. ; ☞ *virtuel* ; [viʀtɥɛlmɑ̃].

**VIRTUOSE,** subst.
**1.** Vx. Personne très cultivée, mécène. **2.** Musicien qui domine parfaitement les difficultés techniques de l'instrument dont il joue ; empl. adj. : *Un violoniste virtuose.* **3.** Anal. Personne très habile dans une activité : *Une virtuose de la raquette.* 1649 ; ital. *virtuoso*, du lat. *virtus*, « vertu » ; [viʀtɥoz].

**VIRTUOSITÉ,** subst. f.
Talent, maîtrise de virtuose ; grande habileté. 1857 ; ☞ *virtuose* ; [viʀtɥozite].

**VIRUCIDE,** adj.
Qui détruit les virus ; empl. subst. masc., médicament **virucide**. V. 1970 ; ☞ *virus* + *-cide* ; var. *virocide*, *virulicide* ; [viʀysid].

**VIRULENCE,** subst. f.
Caractère virulent de qqch., de qqn. 1550 (fin XIVe s., pus) ; bas lat. *virulentia*, « infection » ; [viʀylɑ̃s].

**VIRULENT, ENTE,** adj.
**1.** *Méd.* Qui présente un effet pathogène notable, en parlant d'un micro-organisme. **2.** Fig. D'une violence âpre ; agressif. Fin XIVe s. ; bas lat. *virulentus*, « venimeux », du lat. *virus*, « venin, poison » ; [viʀylɑ̃, ɑ̃t].

**VIRULICIDE,** voir **VIRUCIDE**

**VIRURE,** subst. f.
*Mar.* Bande que constitue l'assemblage des bordages sur toute la longueur de la carène d'un navire. 1690 ; ☞ *virer* ; [viʀyʀ].

**VIRUS,** subst. m.
**1.** *Biol.* Parasite intracellulaire dénué de toute activité biologique à l'état libre. Le matériel génétique est constitué d'A. D. N. ou d'A. R. N. et, lors de l'infection d'une cellule hôte, cet acide nucléique viral détourne pour sa propre reproduction les systèmes biosynthétiques de la cellule qu'il infecte. **2.** Fig. Source de contagion morale : *Le virus de l'intolérance.* ▸ Loc. *Avoir le virus de* : un goût excessif pour (qqch.). **3.** *Informat.* Instruction parasite introduite dans un programme et pouvant perturber gravement le fonctionnement de l'ordinateur. 1478 ; lat. *virus*, « venin, poison » ; [viʀys].

**VIS,** subst. f.
**1.** Tige, gén. métallique et cylindrique, présentant un filetage hélicoïdal, le filet, lui permettant de s'enfoncer dans un matériau quand on lui imprime un effort de rotation. ▸ *Pas de vis* : profondeur à laquelle une **vis** s'enfonce lorsqu'elle fait un tour sur elle-même. ▸ *Vis d'Archimède* : appareil doté d'un filet de grande dimension formant une hélice dont le déplacement permet d'entraîner un matériau liquide, pâteux ou pulvérulent. ▸ *Vis sans fin* dont les filets s'emboîtent dans les dents d'une roue ou d'une plaque, lui imprimant un mouvement de rotation. ▸ *Autom. Vis platinée* : rupteur servant à provoquer une étincelle sur chacune des bougies d'allumage. ▸ *Vis micrométrique* : à pas très petit surmontée d'un large disque gradué permettant de repérer de faibles rotations et donc de mesurer des déplacements minuscules de la tige. **2.** Loc. *Serrer la vis à qqn* : agir à son égard avec sévérité ; *Donner un tour de vis à qqch.* : le rendre plus rigoureux. **3.** *Archit. Escalier en vis, à vis* : en colimaçon. Fin XIe s. ; lat. *vitis*, « vigne ; vrille de la vigne » ; [vis].

**VISA,** subst. m.
**1.** Mention portée sur un document pour le valider ou certifier le paiement d'un droit. ▸ *Visa d'un passeport* : cachet délivré par les services diplomatiques d'un pays et autorisant un étranger à y séjourner pour une durée déterminée. **2.** Fig. Approbation, accord. 1527 ; lat. *visa*, « choses vues », de *videre*, « voir » ; [viza].

**VISAGE,** subst. m.
**1.** Face de l'homme, partie antérieure de la tête ; par méton., personne caractérisée par sa physionomie : *Un visage connu.* **2.** Ext. Mine, air, expression de la face : *Un visage ouvert.* **3.** Fig. Apparence, aspect : *Voir les choses sous leur vrai visage.* **4.** Loc. *À visage découvert* : sans masque ni détour ; *Changer de visage* : d'expression ; *Montrer, révéler son vrai visage* : sa véritable nature ; *À visage humain* : à dimension humaine. Fin XIe s. ; anc. fr. *vis*, du lat. *visus*, « vue, apparence » ; [vizaʒ].

**VISAGISTE,** subst.
Spécialiste de la mise en valeur d'un visage par le maquillage, la coiffure. 1936 ; ☞ *visage* ; n. déposé ; [vizaʒist].

**VIS-À-VIS,** adv., loc. prép. et subst. m.
ADV. Face à face : *Fenêtres placées vis-à-vis, qui se font vis-à-vis.* LOC. PRÉP. Vis-à-vis de. **1.** En face de (vieilli) : *J'étais assis vis-à-vis d'elle.* **2.** Fig. En comparaison de : *Ma situation est enviable, vis-à-vis de la sienne.* **3.** Envers, à l'égard de (empl. critiqué) : *Se montrer méprisant vis-à-vis de qqn.* SUBST. **1.** Personne qui fait face à une autre : *Je l'ai eu pour vis-à-vis à ce dîner* ; empl. adv. : *Se placer, être en vis-à-vis*, face à face. ▸ Tête-à-tête : *Un vis-à-vis tendu.* **2.** Ce qui est en regard d'une façade : *Appartement sans vis-à-vis.* **3.** Petit canapé en S où deux personnes peuvent converser face à face. Déb. XIIIe s. ; anc. fr. *vis*, « visage », du lat. *visus*, « vue, apparence », de *videre*, « voir » ; [vizavi].

**VISCACHE,** subst. f.
*Zool.* Mammifère d'Amérique du Sud, de l'ordre des Rongeurs, de la famille des Chinchillidés, ayant la taille d'un lièvre et vivant dans les pampas, très recherché pour sa fourrure (synon. *lièvre des pampas*). 1765 ; esp. *viscacha*, d'orig. quechua ; [viskaʃ].

**VISCÉRAL, ALE, AUX,** adj.
**1.** Qui naît du plus profond de l'être, intime : *Une peur viscérale.* **2.** *Anat.* Qui se rapporte aux viscères. ▸ *Zool. Squelette viscéral* : chez les Poissons, ensemble des arcs issus de la colonne vertébrale et situés de part et d'autre du tube digestif, qui contribuent à l'édification d'une partie du crâne et qui soutiennent la bouche et les fentes branchiales. Mil. XVe s. ; bas lat. *visceralis*, « très cher, intime », du lat. *viscera*, « entrailles » ; [viseʀal, o].

**VISCÉRALEMENT,** adv.
De manière viscérale, instinctive. XVIe s. ; ☞ *viscéral* ; [viseʀalmɑ̃].

**VISCÈRE,** subst. m.
*Anat.* Chacun des organes contenus dans les cavités majeures du corps (boîte crânienne, thorax, abdomen) : *Le cerveau, le foie, le cœur sont des viscères.* PLUR. Les intestins. 1478 ; lat. *viscera,* « entrailles » ; [visɛʀ].

**VISCOÉLASTICITÉ,** subst. f.
*Phys.* Capacité de déformation élastique d'un matériau soumis à des contraintes ou à des sollicitations. V. 1970 ; crois. de *viscosité* et de *élasticité* ; [viskoelastisite].

**VISCOPLASTICITÉ,** subst. f.
*Phys.* Capacité de déformation plastique d'un matériau, inférieure à celle d'une déformation élastique. V. 1970 ; crois. de *viscosité* et de *plasticité* ; [viskoplastisite].

**VISCOSE,** subst. f.
Substance à base de cellulose et de soude, utilisée pour la fabrication de fibres synthétiques. 1898 ; angl. *viscose,* du lat. *viscum,* « gui ; glu » ; [viskoz].

**VISCOSIMÉTRIE,** subst. f.
*Phys.* Technique de mesure de la viscosité d'un fluide, en partic. d'un polymère. 1831 ; ☞ *viscosité* + *-métrie* ; [viskozimetʀi].

**VISCOSITÉ,** subst. f.
**1.** État de ce qui est visqueux, gluant. **2.** *Phys.* Propriété qu'a un fluide d'opposer une résistance à l'écoulement, et qui est due au frottement réciproque des molécules qui le composent. **3.** *Psych.* ***Viscosité** mentale* : ralentissement de la pensée, observé notamment chez les épileptiques. **4.** *Écon.* Lenteur dans une évolution : ***Viscosité** de la main-d'œuvre,* résistance des populations à la mobilité professionnelle. 1256 ; lat. médiév. *viscositas,* du bas lat. *viscosus,* « visqueux », du lat. *viscum,* « gui ; glu » ; [viskozite].

**VISÉ,** subst. m.
*Tirer, tir au **visé*** : avec une arme à feu (par oppos. à *au jugé*). 1907 ; p. p. de *viser* (I) ; [vize].

**VISÉE,** subst. f.
**1.** Action de diriger la vue, le regard vers un point donné ; par ext., action de braquer un instrument d'optique, de pointer une arme vers sa cible : *Ajuster sa **visée**.* **2.** Fig. Dessein, projet, prétention (gén. au plur.) : *Avoir des **visées** sur un logement.* XVe s. ; p. p. de *viser* (I) ; [vize].

**VISER (I),** verbe [3]
INTRANS. **1.** Diriger son regard vers un objectif afin de l'atteindre : ***Viser** juste* ; ***Viser** plus à gauche.* **2.** Fig. Avoir un but, une ambition : ***Viser** loin.* TRANS. DIR. **1.** Regarder (une cible) que l'on veut atteindre : ***Viser** un animal.* ▸ Regarder (fam.) : ***Vise** un peu le spectacle !* **2.** Fig. Ambitionner ; rechercher : ***Viser** un poste.* **3.** Concerner (qqn) : *Seuls les cadres sont **visés** par ces mesures.* TRANS. INDIR. **Viser à. 1.** Diriger un objet, une arme vers : ***Viser** à la tête.* **2.** Fig. Tendre vers : ***Viser** à la gloire, à la perfection.* XIIe s. ; lat. pop. °*visare,* du lat. *videre,* « voir » ; [vize].

**VISER (II),** verbe trans. [3]
Apposer un visa sur, valider (qqch.) : ***Viser** un certificat.* 1668 ; ☞ *visa* ; [vize].

**VISEUR,** subst. m.
Dispositif optique utilisé pour viser. ▸ *Milit.* Système servant à régler le tir. ▸ *Phot.* et *Cin.* Dispositif permettant le cadrage et la mise au point de l'image que reçoit l'objectif. 1904 (1222, éclaireur) ; ☞ *viser* (I) ; [vizœʀ].

**VISHNOUISME,** subst. m.
*Relig.* Un des cultes de l'hindouisme, consacré au dieu Vishnou, dieu majeur du panthéon hindou. 1876 ; *Vishnou* ; var. *vishnuisme* ; [viʃnuism].

**VISIBILITÉ,** subst. f.
**1.** Fait d'être visible. **2.** Possibilité de voir plus ou moins bien en fonction des conditions atmosphériques ou géographiques : *Naviguer au radar par manque de **visibilité**.* XIIIe s. ; bas lat. *visibilitas,* du lat. *visibilis,* « visible » ; [vizibilite].

**VISIBLE,** adj. et subst. m.
ADJ. **1.** Qui peut être vu, perçu par l'œil. ▸ *Phys.* Qualifie tout objet pouvant être observé et analysé dans le domaine des longueurs d'ondes du **visible**. **2.** Ext. Qui est manifeste, ostensible ; empl. impers. : *Il est **visible** que,* il est clair que. **3.** Fig. Qui est en état d'être vu, rencontré (fam.) : *Madame n'est pas **visible**.* SUBST. **1.** *Le **visible*** : le monde tangible, physique, tel qu'on le voit. **2.** *Phys.* Domaine électromagnétique des longueurs d'ondes comprises entre l'ultraviolet et l'infrarouge. Fin XIIe s. ; lat. *visibilis,* de *videre,* « voir » ; [vizibl].

**VISIBLEMENT,** adv.
De façon visible ; manifestement. XIIIe s. ; ☞ *visible* ; [viziblәmɑ̃].

**VISIÈRE,** subst. f.
**1.** *Arm.* Pièce mobile d'un casque, qui protégeait le visage ; par ext. : ***Visière** d'un casque de motard.* ▸ Loc. *Rompre en **visière** à, avec qqn* : l'attaquer, le prendre à partie (littér.). **2.** Anal. Partie d'une coiffe qui abrite le front et les yeux : ***Visière** d'une casquette, d'un képi.* XIIIe s. ; anc. fr. *vis,* « visage » ; [vizjɛʀ].

**VISIOCONFÉRENCE,** subst. f.
*Télécomm.* Conférence télévisuelle dont les participants, situés à des endroits différents, apparaissent en simultané à l'écran (synon. *vidéoconférence*). V. 1970 ; ☞ *conférence* + *visio-* ; [vizjokɔ̃feʀɑ̃s].

**VISION,** subst. f.
**I. 1.** Représentation surnaturelle ou hallucinatoire : ***Vision** prophétique* ; *Être sujet aux **visions**.* **2.** Personne, chose surnaturelle que l'on aperçoit : ***Visions** de Bernadette Soubirous.* **II. 1.** Faculté de perception par l'organe de la vue : ***Vision** floue.* **2.** Action de voir, de regarder qqch. ou qqn : ***Vision** d'un film* ; par méton., chose vue : *Une **vision** enchanteresse.* **3.** Ext. Manière de concevoir, d'appréhender qqch. : *Une **vision** pessimiste des choses.* XIIe s. ; lat. *visio,* « action de voir » ; [vizjɔ̃].

**VISIONNAGE,** subst. m.
Action de visionner un film, une émission, etc. V. 1980 ; ☞ *visionner* ; [vizjɔnaʒ].

**VISIONNAIRE,** adj. et subst.
ADJ. Halluciné ; prophétique. SUBST. **1.** Personne qui est sujette aux visions surnaturelles. **2.** Personne qui a des idées prémonitoires, qui anticipe l'avenir (littér.). Déb. XVIIe s. ; ☞ *vision* ; [vizjɔnɛʀ].

**VISIONNER,** verbe trans. [3]
**1.** *Cin.* Regarder (un film) en cours de tournage pour en vérifier les qualités techniques ; voir (un film) avant sa sortie publique. **2.** Regarder (des diapositives, des images) avec une visionneuse : ***Visionner** un microfilm.* 1925 (1894, percevoir mentalement) ; ☞ *vision* ; [vizjɔne].

**VISIONNEUSE,** subst. f.
Appareil équipé d'un dispositif d'agrandissement, qui permet la projection et l'examen de films, de diapositives, de microfilms ou de microfiches. V. 1950 ; ☞ *visionner* ; [vizjɔnøz].

**VISIOPHONE,** subst. m.
Téléphone à écran de télévision intégré, qui permet aux correspondants de se voir (synon. *vidéophone*). V. 1970 ; formé de *visio-* et de *-phone* ; [vizjɔfɔn].

**VISITANDINE,** subst. f.
*Cath.* Religieuse de l'ordre contemplatif de la Visitation. 1721 ; ☞ *visitation* ; [vizitɑ̃din].

**VISITATION,** subst. f.
*Relig.* **La Visitation.** Visite faite par la Vierge Marie à sainte Élisabeth, enceinte de saint Jean-Baptiste ; par méton., fête (le 31 mai) commémorant cet évènement ; tableau le représentant. ▸ *Cath. Ordre de la **Visitation*** : fondé en 1610 par saint François de Sales et sainte Jeanne de Chantal. 1611 (déb. XIIIe s., visite) ; lat. *visitatio,* « apparition » ; [vizitasjɔ̃].

**VISITE,** subst. f.
**1.** Examen attentif de qqch. ; inspection : ***Visite** d'un studio à louer* ; ***Visite** d'une cargaison.* **2.** Action d'aller chez qqn, pour un motif privé ou professionnel, et de rester un certain temps en sa compagnie : *Rendre **visite** à qqn* ; ***Visite** familiale* ; par méton., visiteur : *Attendre une **visite**.* **3.** Action de visiter un lieu : ***Visite** guidée d'un musée.* **4.** *Dr.* **Droit de visite.** ▸ Droit reconnu au conjoint divorcé de voir périodiquement son enfant mineur dont il n'a pas la garde. ▸ *Mar.* Droit en vertu duquel un navire de guerre peut arraisonner un bâtiment de commerce pour l'inspecter. **5.** *Relig.* ***Visite** pastorale* : tournée d'inspection d'un évêque dans les paroisses de son diocèse. **6.** *Méd.* Action, pour un médecin, de visiter un malade. ▸ ***Visite** médicale* : examen périodique obligatoire dans certains secteurs d'activité (à l'école, dans l'armée, etc.). 1350 ; ☞ *visiter* ; [vizit].

**VISITER,** verbe trans. [3]
**1.** *Relig.* Révéler sa présence à, en parlant de Dieu ; au fig., pénétrer (l'esprit), en parlant d'une idée, d'un sentiment, etc. **2.** Rendre visite à (qqn, un malade, un client). **3.** Aller à la découverte de (un lieu, un pays). **4.** Inspecter, examiner (un lieu, une chose). Xe s. ; lat. *visitare,* « voir souvent, visiter », de *visere,* « voir » ; [vizite].

**VISITEUR, EUSE,** subst.
**1.** *Cath.* Religieux qui visite les maisons de son ordre, de sa congrégation. **2.** Personne qui fait une visite à qqn. ▸ ***Visiteur** de prison* : bénévole rendant visite aux prisonniers. **3.** Démarcheur professionnel : ***Visiteur** médical.* **4.** Personne qui visite un lieu, un pays. XIIIe s. ; ☞ *visiter* ; [vizitœʀ, øz].

**VISNAGE,** subst. m.
Fenouil annuel. 1765 ; orig. inc. ; [visnaʒ].

© S. Krasemann-Jacana

*Vison d'Amérique.*

**VISON,** subst. m.
**1.** *Zool.* Petit mammifère carnassier brun foncé, de la famille des Mustélidés, vivant au bord des cours d'eau, et dont l'espèce américaine est recherchée pour sa fourrure. **2.** Méton. La fourrure de cet animal ; manteau fait à partir de cette fourrure. 1520 ; p.-ê. lat. pop. °*viso,* du bas lat. *vissio,* « puanteur » ; [vizɔ̃].

**VISONNIÈRE,** subst. f.
Élevage de visons. Déb. XXe s. ; ☞ *vison* ; [vizɔnjɛʀ].

© Giraudon

**La Visitation,** *détail de la prédelle de l'*Annonciation, *peinture sur bois de Fra Angelico (v. 1400-1455). Musée du Prado, Madrid.*

**VISQUEUX, EUSE,** adj.
**1.** Épais, sirupeux ; dont la surface est couverte d'un enduit gluant, collant : *Peau **visqueuse** du crapaud.* **2.** Fig. Dont le caractère doucereux, l'hypocrisie révulse : *Sourire **visqueux**.* **3.** *Phys.* Qui présente une viscosité élevée. ⊠ 1256 ; bas lat. *viscosus*, du lat. *viscum*, « gui ; glu » ; [viskø, øz].

**VISSAGE,** subst. m.
**1.** *Techn.* Défaut consistant en un sillon en spirale sur une poterie façonnée au tour. **2.** Action de visser ; son résultat : ***Vissage** d'un boulon.* **3.** *Math.* Déplacement hélicoïdal dans l'espace $\mathbb{R}^3$. ⊠ 1840 ; ☞ *visser* ; [visaʒ].

**VISSER,** verbe trans. [3]
**1.** Fixer (qqch.) au moyen d'une vis ; fermer (une chose munie d'un pas de vis) : ***Visser** un couvercle* ; empl. adj. : *Rester **vissé** sur sa chaise*, ne pas en bouger. **2.** Fig. et Fam. Traiter (qqn) avec sévérité (synon. *serrer la vis à*). ⊠ 1762 ; ☞ *vis* ; [vise].

**VISSERIE,** subst. f.
*Techn.* **1.** Ensemble des pièces métalliques (vis, écrous, etc.) dotées d'un pas de vis. **2.** Usine où l'on fabrique ces pièces. ⊠ 1871 ; ☞ *visser* ; [visʀi].

**VISSEUSE,** subst. f.
*Techn.* Machine, engin servant à visser. ⊠ V. 1970 ; ☞ *visser* ; [visøz].

**VISUALISATION,** subst. f.
**1.** Action de visualiser. **2.** *Cin.* Mise en images d'un sujet. **3.** *Informat.* Affichage d'informations sur un écran. ⊠ 1887 ; angl. *visualization* ; [vizɥalizasjɔ̃].

**VISUALISER,** verbe trans. [3]
**1.** Rendre visible (un phénomène invisible). **2.** Anal. Se représenter mentalement (une image visuelle qui n'est pas présente). **3.** *Informat.* Afficher sur un écran (les résultats d'un traitement). ⊠ 1887 ; angl. *to visualize* ; [vizɥalize].

**VISUEL, ELLE,** adj. et subst. m.
**Adj. 1.** Qui concerne la vue, les organes de la vue : *Troubles **visuels**.* **2.** Qui fait appel au sens de la vue : *Mémoire **visuelle*** ; empl. subst., personne possédant une mémoire **visuelle** meilleure que sa mémoire auditive. **Subst. 1.** *Informat.* Disposition d'affichage sur un écran ; cet écran. **2.** *Public.* Aspect **visuel** d'une publicité : *Le rédactionnel et le **visuel**.* ⊠ 1545 ; bas lat. *visualis*, du lat. *videre*, « voir » ; [vizɥɛl].

**VIT,** subst. m.
Pénis (vx ou littér.). ⊠ Fin XII^e^ s. ; lat. *vectis*, « levier, barre » ; [vi].

**VITACÉES,** subst. f. plur.
*Bot.* Famille de plantes sarmenteuses s'accrochant à leur support par des vrilles ou des ventouses (synon. *Ampélidacées*). **Au sing.** *La vigne vierge est une **vitacée**.* ⊠ 1849 ; lat. sc. *vitaceae*, du lat. *vitis*, « vigne » ; [vitase].

**VITAL, ALE, AUX,** adj.
**1.** Relatif à la vie ; qui constitue la vie : *Énergie **vitale**.* **2.** Dont dépend la vie ; indispensable à l'existence de qqn, d'un groupe : *Minimum **vital***, revenu minimal nécessaire à la vie d'une personne, d'une famille. **3.** Fig. Crucial, fondamental : *Question **vitale**.* ⊠ Fin XIII^e^ s. ; lat. *vitalis*, de *vita*, « vie » ; [vital, o].

**VITALISME,** subst. m.
Doctrine qui dote les êtres vivants d'une capacité d'animation propre, d'un principe vital à la fois distinct de l'âme pensante et irréductible à la matière inerte. ⊠ 1775 ; ☞ *vital* ; [vitalism].

**VITALISTE,** adj. et subst.
Se dit d'un partisan du vitalisme. **Adj.** Relatif, propre au vitalisme. ⊠ 1824 ; ☞ *vitalisme* ; [vitalist].

**VITALITÉ,** subst. f.
**1.** Manifestation de la vie. **2.** Caractère de ce qui est plein de vie, de vigueur. **3.** Anal. ▸ Capacité à créer, à se développer, à produire des résultats, en parlant d'un art, d'une entreprise, etc. ▸ Capacité à durer, à se perpétuer dans le temps. ⊠ XVI^e^ s. ; lat. *vitalitas* ; [vitalite].

**VITAMINE,** subst. f.
*Biol.* Molécule, présente dans les aliments, indispensable au fonctionnement de tous les organismes mais que les animaux sont incapables de synthétiser. La carence en **vitamines** peut entraîner des troubles graves. ⊠ 1913 ; angl. *vitamine*, du lat. *vita*, « vie » et de *amine*, « amine » ; [vitamin].

**VITAMINÉ, ÉE,** adj.
Qui contient des vitamines : *Lait **vitaminé**.* ⊠ 1933 ; ☞ *vitamine* ; [vitamine].

**VITAMINIQUE,** adj.
Qui se rapporte aux vitamines. ⊠ 1933 ; ☞ *vitamine* ; [vitaminik].

**VITAMINOTHÉRAPIE,** subst. f.
*Pharm.* Thérapie par les vitamines. ⊠ Mil. XX^e^ s. ; ☞ *vitamine* + *-thérapie* ; [vitaminoteʀapi].

**VITE,** adj. et adv.
**Adj.** Rapide (littér. ou lang. sportif). **Adv. 1.** Avec des mouvements rapides, d'une allure vive : *Il marche **vite** ; Un cœur qui bat **vite**.* ▸ Loc. *À la va **vite*** : sans soin. **2.** Sans perdre de temps, en grande hâte : *Venez **vite** !* **3.** Dans peu de temps, bientôt : *Vous aurez **vite** fini.* ⊠ Mil. XII^e^ s. ; orig. obsc. ; [vit].

**VITELLIN, INE,** adj.
Qualifie un organe qui stocke le vitellus : *Vésicule **vitelline**.* ⊠ 1832 (1256, qui ressemble au jaune d'œuf) ; lat. *vitellus*, « jaune d'œuf » ; [vitelɛ̃, in].

**VITELLUS,** subst. m.
*Biol.* Jaune d'œuf, constitué par un ensemble de substances protéiques et lipidiques. Le **vitellus** est particulièrement riche en cholestérol. ⊠ 1805 (fin XVIII^e^ s., cotylédon des graminées) ; mot lat. ; [vitelys].

**VITESSE,** subst. f.
**1.** Capacité à parcourir une grande distance en peu de temps : *Course de **vitesse**.* ▸ Loc. *À grande, à toute **vitesse*** : très vite ; *Gagner, prendre qqn de **vitesse*** : le devancer ou, au fig., agir plus vite que lui. **2.** Diligence, célérité que l'on met dans l'accomplissement de qqch. : *Une grande **vitesse** de travail.* ▸ Loc. *En **vitesse*** : sans délai. **3.** Action de se déplacer à une certaine allure ; cette allure : *En vue des côtes le navire ralentit sa **vitesse*** ; *Le moteur tourne à pleine **vitesse***, à plein régime ; *La **vitesse** du vent*, la force du vent. ▸ Loc. **À deux vitesses.** Qui fait coexister deux moyens, deux processus différents ; par ext., inégalitaire : *L'école à deux **vitesses**.* **4.** Temps nécessaire à l'obtention d'un certain résultat : ***Vitesse** de sédimentation du sang.* **5.** *Autom.* Chaque combinaison d'engrenages, qui fournit un certain rapport entre la vitesse de rotation de l'arbre moteur et celle des roues : *Boîte de **vitesses** ; Changement de **vitesse**.* ▸ Loc. *En quatrième **vitesse*** : très rapidement (fam.). **6.** *Phys.* Grandeur exprimée par le rapport de la trajectoire $(dx)$ parcourue par un corps au temps $(dt)$ utilisé pour effectuer cette trajectoire : $v = dx/dt$, et qui s'exprime en m/s. **7.** *Math. Vecteur **vitesse** d'un mobile ponctuel à l'instant* $t_o$ : si $[x(t), y(t), z(t)]$ sont les coordonnées à l'instant t du mobile $M(t)$ dans un repère fixé, le vecteur **vitesse** à l'instant $t_o$ est $\vec{V}(t_o) = [x'(t_o), y'(t_o), z'(t_o)]$. ⊠ 1538 (mil. XII^e^ s., agilité) ; ☞ *vite* ; [vitɛs].

**VITICOLE,** adj.
Qui concerne la vigne, son exploitation, la production du vin. ⊠ Mil XIX^e^ s. (1808, vigneron) ; formé de *viti-* et de *-cole* ; [vitikɔl].

**VITICULTEUR, TRICE,** subst.
Personne qui cultive la vigne pour produire du vin. ⊠ 1854 ; ☞ *viticulture* ; [vitikyltœʀ, tʀis].

**VITICULTURE,** subst. f.
Culture de la vigne. ⊠ Mil. XIX^e^ s. ; formé de *viti-* et de *-culture* ; [vitikyltyʀ].

**VITILIGO,** subst. m.
*Pathol.* Affection caractérisée par l'apparition sur la peau de plaques décolorées, et qui est due à un trouble de la pigmentation. ⊠ 1538 ; lat. *vitiligo*, « tache blanche sur la peau » ; [vitiligo].

**VITOULET,** subst. m.
Belg. Boulette de viande hachée. ⊠ V. 1900 ; altér. de *vitelot* (vx), « boulette de pâte » ; [vitulɛ].

**VITRAGE,** subst. m.
**1.** Ensemble des vitres d'un édifice, d'une pièce, d'un meuble. **2.** Châssis de fenêtre garni de vitres. ▸ *Rideau de **vitrage*** ou, par ell., ***Vitrage*** : rideau transparent, voile recouvrant une vitre. **3.** Action de poser des vitres. ⊠ 1611 ; ☞ *vitre* ; [vitʀaʒ].

**VITRAIL,** subst. m.
**1.** Décoration, en partic. d'église, faite de petits panneaux de verres colorés, assemblés par un lacis de plomb, et dont l'ensemble restitue une scène religieuse : *Les **vitraux** de la cathédrale de Chartres.* **2.** Art, technique d'élaboration des **vitraux**. ⊠ 1493 ; ☞ *vitre* ; plur. *vitraux* ; [vitʀaj], plur. [-tʀo].

**VITRE,** subst. f.
**1.** Vx. Verre. **2.** Panneau de verre servant à isoler de l'extérieur tout en laissant passer la lumière ; panneau de verre d'un véhicule. **3.** Anal. Panneau protecteur en verre. ⊠ Fin XIII^e^ s. ; lat. *vitrum* ; [vitʀ].

**VITRÉ, ÉE,** adj.
**1.** Transparent comme le verre. ▸ *Anat. Corps **vitré*** : l'un des milieux transparents de l'œil, constitué d'un liquide gélatineux, situé en arrière du cristallin. **2.** Garni de vitres : *Baie **vitrée***, fenêtre constituée d'un panneau de verre d'un seul tenant. ⊠ 1490 ; lat. *vitreus*, « de verre » ; [vitʀe].

**VITRER,** verbe trans. [3]
Garnir de vitres. ⊠ 1477 ; ☞ *vitre* ; [vitʀe].

**VITRERIE,** subst. f.
**1.** Fabrication, pose ou commerce des vitres. **2.** Ensemble des vitres d'un édifice. **3.** Ce que vend le vitrier. ⊠ 1338 ; ☞ *vitre* ; [vitʀəʀi].

**VITREUX, EUSE,** adj.
**1.** Qui ressemble au verre, qui en a les propriétés. ▸ *Phys.* Qualifie un solide dans un état non cristallin, qui présente des propriétés de continuités thermodynamiques lors de la transition liquide/solide. ▸ *Pétrogr.* Qualifie une roche volcanique partiellement ou totalement constituée de verre. **2.** Qui a perdu de sa transparence, dont l'éclat s'est terni : *Regard **vitreux**.* ⊠ 1256 ; ☞ *vitre* ; [vitʀø, øz].

**VITRIER, IÈRE,** subst.
Personne qui travaille dans la vitrerie ; personne qui pose des vitres. ⊠ 1370 ; ☞ *vitre* ; [vitʀije, jɛʀ].

**VITRIFIABLE,** adj.
Qui peut être vitrifié. ⊠ 1727 ; ☞ *vitrifier* ; [vitʀifjabl].

**VITRIFICATION,** subst. f.
Action de vitrifier ; son résultat. ⊠ 1563 ; ☞ *vitrifier* ; [vitʀifikasjɔ̃].

**VITRIFIER,** verbe trans. [6]
**1.** Transformer (une matière) en verre, par cuisson ou fusion. **2.** Anal. Revêtir (un sol) d'une couche plastique protectrice qui lui confère un aspect brillant. ⊠ Mil. XVI^e^ s. ; lat. *vitrum*, « verre » ; [vitʀifje].

**VITRINE,** subst. f.
**1.** Baie vitrée d'un magasin ; par méton., espace situé derrière cette baie vitrée, où sont exposés les objets destinés à la vente ; les objets exposés. ▸ Loc. *Faire du lèche-**vitrine**(s)* (☞ *lèche-vitrine(s)*). **2.** Anal. Meuble vitré abritant des bibelots. **3.** Fig. Ce qui donne une idée favorable d'un pays, d'une ville, etc. ; modèle : *La mode est la **vitrine** de la France.* ⊠ 1835 (1501, verre) ; altér. de *vérine*, d'apr. *vitre* ; [vitʀin].

**VITRIOL,** subst. m.
**1.** Vx. Sulfate. **2.** *Huile de **vitriol*** ou, empl. abs., ***Vitriol*** : acide sulfurique concentré, très corrosif. ▸ Loc. *Au **vitriol*** : incisif, virulent. ⊠ Fin XI^e^ s. ; lat. *vitreolus*, « vitreux » ; [vitʀijɔl].

**VITRIOLAGE,** subst. m.
Action de vitrioler ; son résultat. ⊠ 1873 ; ☞ *vitrioler* ; [vitʀijɔlaʒ].

**VITRIOLER,** verbe trans. [3]
**1.** *Techn.* Soumettre à l'action du vitriol (synon. *sulfater*). **2.** Lancer du vitriol sur (qqn) pour le défigurer. ⊠ 1876 ; ☞ *vitriol* ; [vitʀijɔle].

**VITRO (IN), voir IN VITRO**

**VITROCÉRAMIQUE,** subst. f.
*Techn.* Matière proche de la céramique, obtenue par cristallisation d'une masse vitreuse. ⊠ V. 1970 ; formé du lat. *vitrum*, « verre », et de *céramique* ; [vitʀoseʀamik].

**VITROPHANIE,** subst. f.
Étiquette que l'on colle sur une vitre et qui peut se lire par transparence. ⊠ XX^e^ s. ; lat. *vitrum*, « verre », et gr. *phainein*, « être visible » ; [vitʀofani].

**VITULAIRE,** adj.
*Vétér.* Qualifie la fièvre puerpérale, chez la vache. ⊠ 1872 ; lat. *vitulus*, « veau » ; [vitylɛʀ].

**VITUPÉRATION,** subst. f.
**1.** Action de vitupérer. **2.** Vif reproche (gén. au plur.) : *Se répandre en **vitupérations**.* ⊠ XII^e^ s. ; lat. *vituperatio*, « blâme » ; [vitypeʀasjɔ̃].

**VITUPÉRER,** verbe trans. [8]
**Trans. dir.** Blâmer vivement (littér.) : ***Vitupérer** les mœurs du temps.* **Trans. indir. Vitupérer contre.** Proférer des invectives, s'insurger contre (empl. critiqué) : *Ils **vitupèrent** contre le ministre.* ⊠ Fin XIV^e^ s. (X^e^ s., mutiler) ; lat. *vituperare* ; [vitypeʀe].

**VIVABLE,** adj.
Où l'on peut vivre ; qui est agréable, supportable, en parlant d'un lieu, d'une situation, d'une personne (fam.) : *Une atmosphère **vivable**.* ⊠ 1842 (fin XII^e^ s., qui donne la vie) ; ☞ *vivre* (I) ; [vivabl].

**VIVACE (I),** adj.
**1.** Tenace, persistant : *Un souvenir **vivace**.* **2.** Doué d'une grande vitalité. ▸ *Bot. Plante **vivace*** : qui vit plusieurs années. ⊠ 1496 ; lat. *vivax* ; [vivas].

2

4

L'ART DU **VITRAIL**

1. *Rose dite des litanies de la Vierge (fin XIII^e s.). Façade occidentale de la cathédrale Notre-Dame, Reims.*

2. Notre-Dame de la Belle-Verrière *(mil. XII^e s.), l'un des deux vitraux ayant survécu à l'incendie de 1194. Chœur de la cathédrale Notre-Dame, Chartres.*

3. Le Songe de Jacob et Moïse devant le buisson ardent, *vitraux conçus par Marc Chagall (1887-1985). Cathédrale Saint-Étienne, Metz.*

4. *Vitraux de la chapelle du Rosaire (1946-1950), conçue et décorée par Henri Matisse (1869-1954), à Saint-Paul-de-Vence.*

**VIVACE (II),** adj. inv.
*Mus.* Vif, rapide, enlevé : *Un mouvement en allegro vivace.* 1765 ; ital. *vivace,* « vif » ; [vivatʃe].

**VIVACITÉ,** subst. f.
1. Caractère vif de qqn, de qqch. : ***Vivacité** d'un enfant, d'un geste* ; au fig. : ***Vivacité** d'esprit,* rapidité à comprendre. **2.** Promptitude à s'emporter ; par méton., véhémence : ***Vivacité** d'un ton sans réplique.* **3.** Intensité, éclat : *La **vivacité** d'une couleur.* 1491 ; lat. *vivacitas,* de *vivax,* « vivace » ; [vivasite].

**VIVANDIER, IÈRE,** subst.
*Hist.* Personne qui vendait des vivres et des boissons aux armées en campagne. 1432 (fin XII^e s., homme hospitalier) ; anc. fr. *viandier,* « homme hospitalier, généreux », de *viande,* « nourriture » ; [vivɑ̃dje, jɛʀ].

**VIVANT, ANTE,** adj. et subst. m.
**Subst. 1.** Durée de la vie. ► Loc. *Du **vivant** de qqn* : au temps de la vie de qqn. **2.** Être doué de vie : *Les **vivants** et les morts* ; *Bon **vivant**,* personne gaie, qui aime les plaisirs de la vie. **Adj. 1.** Qui vit, qui est animé par la vie : *Les êtres **vivants**.* **2.** Anal. Qui est vif, plein de dynamisme : *Un enfant turbulent, **vivant*** ; *Un dialogue **vivant*** ; qui est plein de vie : *Un quartier **vivant**.* **3.** *Langue **vivante*** : parlée, à l'heure présente, par un groupe ethnique. Mil. XII^e s. ; p. pr. de *vivre* (I) ; [vivɑ̃, ɑ̃t].

**VIVARIUM,** subst. m.
Cage vitrée dans laquelle sont conservés vivants, dans des conditions proches de celles de leur milieu naturel, certains animaux (insectes, amphibiens, serpents, etc.) ; établissement où sont installées de telles cages : *Le **vivarium** du Jardin des Plantes.* 1894 ; lat. *vivarium,* de *vivus,* « vivant » ; [vivaʀjɔm].

**VIVAT,** interj. et subst. m.
**Interj.** Bravo (vieilli). **Subst.** Acclamation (gén. au plur.) : *Les **vivats** de la foule.* 1552 ; lat. *vivat,* « qu'il vive » ; [viva].

**VIVE,** subst. f.
*Zool.* Poisson de la famille des Trachinidés, au corps épais, allongé, qui se tient, le jour, enfoncé dans le sable des eaux littorales et dont les nageoires et la tête portent des épines venimeuses. Fin XIV^e s. ; altér. de *vivre* (vx), du lat. *vipera,* « vipère » ; [viv].

**VIVE, VIVENT,** interj.
S'emploie pour souhaiter longue vie, prospérité à qqn ou à qqch. : ***Vive** l'empereur !* ; par ext., s'emploie pour exprimer son contentement : ***Vive(nt)** les vacances !* Fin XIII^e s. ; ☞ *vivre* (I) ; [viv].

**VIVE-EAU,** subst. f.
Grande marée (région.) : ***Vives-eaux** et mortes-eaux.* 1678 ; comp. de *vif* et de *eau* ; plur. *vives-eaux* ; [vivo], plur. [vivzo].

**VIVEMENT,** adv.
**1.** Rapidement, promptement : *Sortir **vivement*** ; empl. interj., exprime un souhait que l'on aimerait voir se réaliser rapidement (fam.) : ***Vivement** l'été !* **2.** Fortement, beaucoup : ***Vivement** contrarié* ; *Remercier **vivement*** ; avec vivacité, irritation : *Répondre **vivement**.* 1155 ; ☞ *vif* ; [vivmɑ̃].

**VIVERRIDÉS,** subst. m. plur.
*Zool.* Famille de mammifères placentaires de l'ordre des Carnivores, comprenant les civettes et les genettes, habitant les régions boisées ou les zones humides, voire marécageuses. **Au sing.** *La mangouste est un **viverridé**.* 1843 ; lat. sc. *viverridae,* du lat. *viverra,* « furet » ; [viveʀide].

**VIVEUR, EUSE,** subst.
Personne (surtout un homme) qui mène une vie de plaisirs. 1831 ; ☞ *vivre* (I) ; [vivœʀ, øz].

**VIVIDITÉ,** subst. f.
*Psychol.* Intensité de l'image mentale de qqch., considérée comme substitut de l'objet du désir. Mil. XX^e s. ; lat. *vividus,* « vif » ; [vividite].

**VIVIER,** subst. m.
**1.** Bassin destiné à l'élevage des poissons, des crustacés. **2.** Réservoir servant à conserver le poisson vivant, sur un bateau de pêche, dans une poissonnerie, un restaurant. **3.** Fig. Milieu propice au développement de certaines idées, à la formation de certaines personnes : *Cette école est un **vivier** de talents.* Mil. XII^e s. ; lat. *vivarium,* de *vivus,* « vivant » ; [vivje].

**VIVIFIANT, ANTE,** adj.
Qui vivifie, qui stimule. XII^e s. ; p. pr. de *vivifier* ; [vivifjɑ̃, ɑ̃t].

**VIVIFICATEUR, TRICE,** adj.
Littér. Qui vivifie ; empl. subst., personne **vivificatrice.** XVI^e s. ; lat. *vivificator* ; [vivifikatœʀ, tʀis].

**VIVIFICATION,** subst. f.
Action de vivifier (rare). Fin XIV^e s. ; lat. chrét. *vivificatio,* « régénération » ; [vivifikasjɔ̃].

**VIVIFIER,** verbe trans. [6]
Donner de la vigueur, de la vitalité à. Déb. XIII^e s. (déb. XII^e s., donner la vie) ; bas lat. *vivificare,* « donner la vie » ; [vivifje].

**VIVIPARE,** adj. et subst.
*Zool.* Se dit d'un animal qui met au monde des petits déjà formés (par oppos. à *ovipare*). 1679 ; lat. *viviparus* ; [vivipaʀ].

**VIVIPARITÉ,** subst. f.
Mode de reproduction des vivipares, dont l'œuf reste dans le corps de la femelle jusqu'à l'achèvement de son développement embryonnaire. 1842 ; ☞ *vivipare* ; [vivipaʀite].

**VIVISECTION,** subst. f.
Opération pratiquée sur un animal vivant à des fins expérimentales : *Victor Hugo fut président de la Société française contre la **vivisection**.* 1765 ; formé du lat. *vivus,* « vivant », et de *section* ; [vivisɛksjɔ̃].

**VIVOIR,** subst. m.
Québ. Pièce de séjour. 1913 ; ☞ *vivre* (I) ; [vivwaʀ].

**VIVOTER,** verbe intrans. [3]
**1.** Vivre avec peine, chichement. **2.** Fonctionner au ralenti : *Son commerce **vivote**.* Déb. XV^e s. ; ☞ *vivre* (I) ; [vivɔte].

**VIVRE (I),** verbe [63]
**Intrans. 1.** Être en vie : *Cesser de **vivre**.* ► Loc. *Il n'y a pas âme qui **vive*** : il n'y a personne ; *Se laisser **vivre*** : prendre la vie comme elle vient. **2.** Mener un certain type de vie : ***Vivre** dans le luxe* ; ***Vivre** en ermite* ; ***Vivre** au jour le jour.* ► Loc. *Savoir **vivre*** : connaître les usages ou savoir profiter de la vie. **3.** Avoir une vie d'une certaine durée : ***Vivre** vieux* ; exister à une certaine époque : *Il **a vécu** avant la Révolution.* **4.** Habiter : ***Vivre** chez ses parents, à la campagne.* **5.** Assurer sa subsistance : ***Vivre** de peu* ; ***Vivre** de ses rentes.* ► Loc. ***Vivre** d'amour et d'eau fraîche* : sans se soucier des questions matérielles. **6.** Durer : *La renommée de ce grand homme **vivra** éternellement.* **Trans. 1.** Avoir, connaître (telles conditions d'existence) : ***Vivre** un calvaire, un conte de fées* ; traverser (tel moment, telle époque) : ***Vivre** une heure grave* ; *Vous n'avez pas **vécu** la guerre.* **2.** Traduire dans la réalité, réaliser : ***Vivre** son rêve.* X^e s. ; lat. *vivere* ; [vivʀ].

**VIVRE (II),** subst. m.
Ce qui est nécessaire pour vivre (vx) : *Le **vivre** et le couvert,* la nourriture et le logement. **Plur.** Provisions : *Manquer de **vivres**.* ► Loc. *Couper les **vivres** à qqn* : lui retirer toute aide financière. Mil. XII^e s. ; ☞ *vivre* (I) ; [vivʀ].

**VIVRÉ, ÉE,** adj.
*Hérald.* Qualifie une pièce dont les bords sont ondulés. 1611 ; *vivre* (vx), var. de *guivre* ; [vivʀe].

**VIVRIER, IÈRE,** adj.
Qui est destiné à l'alimentation : *Cultures **vivrières**.* 1846 (1768, fournisseur des vivres, à l'armée) ; ☞ *vivre* (II) ; [vivʀije, jɛʀ].

**VIZIR,** subst. m.
*Hist.* **1.** Haut dignitaire, dans les pays musulmans. **2.** Ministre ottoman, qui siège au Divan. ► *Grand **vizir*** : Premier ministre dans l'Empire ottoman. 1457 ; turc *vezir,* de l'ar. *wazīr,* « ministre » ; [viziʀ].

**VIZIRAT,** subst. m.
Titre, fonction de vizir ; durée de cette fonction. 1664 ; ☞ *vizir* ; [viziʀa].

**VLAN, interj.**
Accompagne ou imite un bruit fort et sec, un coup soudain, une agression morale imprévisible : ***Vlan !** dans les dents !* 1803 ; onomat. ; var. *v'lan* ; [vlɑ̃].

**VOCABLE, subst. m.**
**1.** Terme, mot considéré du point de vue de sa signification, de son emploi : ***Vocable** argotique.* **2.** *Cath.* Patronage : *Cette église est placée sous le **vocable** de saint Philibert.* XIIIe s. ; lat. *vocabulum* ; [vɔkabl].

**VOCABULAIRE, subst. m.**
**1.** Dictionnaire abrégé. **2.** Ensemble des mots dont dispose une personne ou qu'elle utilise : ***Vocabulaire** étendu.* ► Ensemble des mots propres à une science, à une profession : ***Vocabulaire** médical.* **3.** *Ling.* Ensemble des mots d'une langue. 1487 ; lat. médiév. *vocabularium* ; [vɔkabylɛʀ].

**VOCAL, ALE, AUX, adj.**
**1.** Relatif à la voix : *Cordes **vocales**.* ► *Échelle **vocale*** : registre complet des sons de la voix humaine. **2.** Relatif au chant. ► *Musique **vocale*** : écrite pour être chantée. ► *Ensemble **vocal*** : composé de chanteurs, de choristes. Déb. XVe s. ; lat. *vocalis*, « qui fait entendre un son », de *vox*, « voix » ; [vɔkal, o].

**VOCALIQUE, adj.**
*Phon.* Qui se rapporte aux voyelles. 1872 ; ☞ *vocal* ; [vɔkalik].

**VOCALISATION, subst. f.**
**1.** *Mus.* Action, art de vocaliser. **2.** *Phon.* Émission de voyelles ; changement d'une consonne en voyelle. 1821 ; ☞ *vocaliser* ; [vɔkalizasjɔ̃].

**VOCALISE, subst. f.**
**1.** *Mus.* Exercice de la voix, consistant à parcourir une échelle de sons sur une ou plusieurs voyelles. **2.** Ext. Morceau chanté de cette manière : *Les **vocalises** du chant grégorien.* 1821 ; ☞ *vocaliser* ; [vɔkaliz].

**VOCALISER, verbe [3]**
**Trans.** *Phon.* Changer (une consonne) en voyelle. **Intrans.** *Mus.* Faire des vocalises. 1611 ; ☞ *vocal* ; [vɔkalize].

**VOCALISME, subst. m.**
**1.** *Ling.* Système des voyelles d'une langue. **2.** *Phon.* Théorie des lois de la formation et des transformations des voyelles. 1864 ; ☞ *vocal* ; [vɔkalism].

**VOCATIF, subst. m.**
**1.** *Gramm.* Dans certaines langues à déclinaisons (grec ancien, latin), cas exprimant l'apostrophe. **2.** Procédé permettant d'interpeller directement qqn ; empl. adj. : *Le « ô » **vocatif** en français.* XIIIe s. ; lat. *vocativus*, de *vocare*, « appeler » ; [vɔkatif].

**VOCATION, subst. f.**
**1.** *Relig.* Dans la Bible, appel de Dieu à qqn : *La **vocation** d'Abraham.* ► Mouvement intérieur par lequel une personne se sent appelée à la vie religieuse : *Avoir la **vocation**.* **2.** Inclination pour un état, une profession : ***Vocation** artistique ; Il est médecin par **vocation**.* ► Loc. *Avoir **vocation** à* : être tout indiqué, qualifié pour. **3.** Destination : *Établissement à **vocation** scientifique.* Fin XIIe s. ; lat. *vocatio*, « action d'appeler » ; [vɔkasjɔ̃].

**VOCÉRATRICE, subst. f.**
Femme qui chante un vocéro. 1840 ; ☞ *vocéro* ; var. *voceratrice* ; [vɔseʀatʀis].

**VOCÉRO, subst. m.**
En Corse, chant funèbre improvisé par des pleureuses. 1840 ; corse *voceru*, de *voce*, « voix » ; var. *vocero* (plur. *voceri*) ; [vɔseʀo].

**VOCIFÉRATEUR, TRICE, subst.**
Personne qui vocifère (littér.) ; empl. adj. : *Ton **vociférateur**.* 1832 ; ☞ *vociférer* ; [vɔsifeʀatœʀ, tʀis].

**VOCIFÉRATION, subst. f.**
Parole forte ; exclamation de colère (gén. au plur.). XIIe s. ; lat. *vociferatio* ; [vɔsifeʀasjɔ̃].

**VOCIFÉRER, verbe [8]**
**Intrans.** S'exprimer avec colère, crier. **Trans.** Proférer, dire en hurlant (des injures, des menaces, etc.). Fin XIVe s. ; lat. *vociferare*, de *vox*, « voix », et de *fere*, « porter » ; [vɔsifeʀe].

**VOCODEUR, subst. m.**
*Informat.* Appareil qui analyse les sons et produit, en retour, des réponses vocales. V. 1970 ; angl. *voice coder*, « codeur de la voix » ; [vɔkɔdœʀ].

**VODKA, subst. f.**
Eau-de-vie de grain (blé, orge ou seigle) : ***Vodka** russe, polonaise.* 1829 ; russe *voda*, « l'eau » ; [vɔdka].

**VŒU, subst. m.**
**1.** *Relig.* Promesse faite à Dieu, à une divinité, à un saint, en remerciement d'un souhait exaucé. **2.** Engagement religieux : *Prononcer ses **vœux***, entrer en religion en prononçant les trois **vœux** (pauvreté, chasteté et obéissance) ; engagement pris envers soi-même. **3.** Souhait, désir profond : *Son **vœu** le plus cher ; Émettre un **vœu** ; Faire un **vœu**.* ► Loc. *Vœu pieux* : qui n'a aucune chance de se réaliser. **4.** Souhait que l'on adresse à qqn (gén. au plur.) : *Tous mes **vœux** vous accompagnent ; Carte de **vœux** ; Les **vœux** pour la nouvelle année.* **5.** Requête formulée par un fonctionnaire ou une assemblée n'ayant pas pouvoir de décision. XIIe s. ; lat. *votum* ; [vø].

**VOGOULE, subst. m. et adj.**
Se dit de la langue ougrienne parlée dans l'Oural. 1825 ; *Vogouls*, nom d'un peuple de Sibérie occidentale ; var. *vogoul* ; [vɔgul].

**VOGUE, subst. f.**
**1.** Succès, faveur, souv. provisoire, dont jouit qqn ou qqch. : *La **vogue** des minijupes.* ► Loc. *En **vogue*** : à la mode. **2.** Fête patronale annuelle, dans le Lyonnais, les Alpes, le Sud-Est (région.). 1466 ; ☞ *voguer* ; [vɔg].

**VOGUER, verbe intrans. [3]**
Avancer sur l'eau, naviguer. ► Loc. ***Vogue** la galère !* (☞ *galère*). Déb. XIIIe s. ; p.-ê. anc. bas all. °*wogon*, « balancer » ; [vɔge].

**VOICI, prép.**
**1.** Désigne ce qui est relativement proche dans le temps ou dans l'espace : ***Voici** Paul ; **Voici** venir l'été ; **Voici** qu'il va pleuvoir !* ► Loc. *Nous y **voici*** : nous arrivons, nous sommes arrivés au lieu prévu ou, au fig., à la question qui nous préoccupe. **2.** Annonce ce dont on va parler : ***Voici** ce que j'ai à vous dire.* **3.** Sert à présenter une action en cours, un état présent : *Les **voici** encore en train de se battre.* XIVe s. ; crois. de *voir* et de *ci* (I) ; [vwasi].

**VOIE, subst. f.**
**I. 1.** Chemin que l'on parcourt pour aller d'un point à un autre : *Suivre la bonne **voie**.* ► *Antiq.* Grande route construite par les Romains afin de faciliter les échanges : ***Voie** Appienne* ; par anal. : ***Voie** sacrée*, commémorant un itinéraire religieux, militaire. **2.** Route ou partie d'une route aménagée pour la circulation : *Route à deux **voies** ; **Voie** express*, à circulation rapide ; ***Voie** sans issue*, impasse ; ***Voie** publique*, faisant partie du domaine public (par oppos. à ***voie** privée*). **3.** Anal. ► ***Voie** lactée* (☞ *lacté*). ► *Ch. de fer.* ***Voie** ferrée* : ensemble des rails sur lesquels circulent les trains et, par ext., réseau ferroviaire ; ***Voie** de garage* (☞ *garage*). ► ***Voies** de communication* : ensemble de **voies** routières, ferrées, aériennes, fluviales ; par ext., mode de transport : *Par **voie** maritime, aérienne.* ► Loc. *La **voie** est libre* : on peut passer ou, au fig., agir librement. **4.** *Vèn.* Chemin par lequel le gibier est passé : *Mettre les chiens à la **voie**.* **II. 1.** Ligne de conduite ; façon de faire. ► Loc. *Être sur la bonne **voie*** : être en passe de réussir ; *Mettre qqn sur la **voie*** : lui donner des indications, des indices pour trouver qqch. ; *Chercher, trouver sa **voie*** : le genre de vie qui convient à sa nature ; *Ouvrir la **voie*** : créer un précédent. **2.** Moyen, intermédiaire employé pour atteindre un but : *Passer par la **voie** hiérarchique ; Obtenir qqch. par des **voies** détournées.* ► Loc. *Par **voie** de conséquence* : en conséquence ; ***Voie** royale* : moyen parfait, idéal pour parvenir au but. ► **En voie de.** En cours de : *Économie en **voie** d'expansion ; Espèce en **voie** de disparition.* **3.** *Relig.* ► *La **voie*** ou *La porte étroite* : celle du Bien, dans l'Évangile. ► Au plur. *Les **voies** du Seigneur sont impénétrables* : les desseins de Dieu, de la Providence sont insaisissables, insondables (par allus. à une lettre de saint Paul aux Romains). ► *La **Voie*** : le principe qui mène à la connaissance, dans le taoïsme. **III.** *Spéc.* **1.** *Anat.* Ensemble des conduits naturels correspondant à une fonction : ***Voies** respiratoires, digestives ; Administrer un médicament par **voie** orale, intramusculaire.* **2.** *Chim.* Mode opératoire choisi pour amener une réaction : ***Voie** sèche*, sans utilisation d'un milieu liquide ; ***Voie** humide*, avec utilisation de solvants. **3.** *Dr.* ► ***Voie** de droit* : recours légal à la justice. ► ***Voies** de fait* : violences exercées contre une personne. **4.** *Mar.* ***Voie** d'eau* : ouverture accidentelle de la coque par laquelle l'eau pénètre dans un navire. **5.** *Techn.* ► Traces parallèles laissées sur le sol par les roues d'une même voiture ; par ext., intervalle entre les roues d'un même essieu. ► ***Voie** d'une scie* : écartement latéral de ses dents. **6.** *Télécomm.* Dispositif servant à l'acheminement des messages : ***Voie** de transmission.* Fin XIe s. ; lat. *via* ; [vwa].

**VOÏÉVODE, voir VOÏVODE**

**VOÏÉVODIE, voir VOÏVODIE**

**VOILÀ, prép.**
**1.** Désigne, par oppos. à *voici*, ce qui est relativemen[t] éloigné dans le temps ou dans l'espace : *Le **voilà**, [j]e l'aperçois.* **2.** Renvoie à ce qui est passé, à ce dont [il] vient d'être question : ***Voilà** qui est fait ; **Voilà** de qu[oi] je voulais parler.* **3.** Il y a, depuis : ***Voilà** déjà un a[n] qu'il est parti.* **4.** Loc. ***Voilà** tout* : c'est tout ; *En **voil**[à] assez* : cela suffit ; *En veux-tu en **voilà*** : à profusion. 1342 ; crois. de *voir* et de *là* ; l'oppos. indiquée a[u] sens 1 n'est plus respectée par l'usage ; [vwala].

**VOILAGE, subst. m.**
**1.** *Phot.* Action de voiler, fait d'être voilé, en parlan[t] d'une surface sensible. **2.** *Techn.* Action de voiler[,] fait d'être voilé, en parlant d'une pièce ou d'un[e] surface plane. **3.** Rideau de tissu clair ou transpa[-]rent que l'on tend devant une baie (synon. *voile*). 1904 (1293, péage sur les bateaux) ; ☞ *voile* [vwalaʒ].

**VOILE, subst.**
**Fém. 1.** Pièce de toile servant à capter l'énergie d[u] vent et à faire avancer un bateau : ***Voile** de misaine[ ;] **Voile** latine.* ► ***Voile** verticale* : cylindre métalliqu[e] construit de façon à tourner sous l'effet du ven[t] et dont la rotation est transmise aux hélices d'u[n] bateau. **2.** Méton. ► Bateau à **voile** (littér.) : *Un[e] flotte de quarante **voiles**.* ► Navigation à la **voile** [:] *École, compétition de **voile**.* **3.** Loc. *Faire **voile** su[r,] vers, pour* : naviguer vers ; *Mettre les **voiles*** : s'e[n] aller (fam.) ; *Char, vol à **voile*** (☞ *char, vol*). **Masc. 1.** Pièce de tissu utilisée pour couvrir un[e] partie du corps, la tête ou le visage des femme[s,] en partic. pour des motifs religieux : ***Voile** de ma[-]riée, de deuil ; Musulmane portant le **voile**.* ► *Cath[.] Prendre le **voile*** : entrer au couvent. **2.** *Text.* Toil[e] légère et fine : *Rideaux de **voile**.* **3.** Anal. Ce qu[i] modifie l'apparence, ce qui cache : *Un **voile** d[e] brouillard.* **4.** Fig. Ce qui dissimule : *Sans **voile***, [à] visage découvert, sans intentions secrètes. ► Loc[.] *Jeter le **voile** sur* : cacher ; *Lever le **voile**, un coin d[u] **voile*** : faire connaître la vérité, une partie de l[a] vérité. **5.** *Pathol.* ***Voile** rouge, noir* : obscurcissemen[t] de la vision, qui peut être dû à une forte accélératio[n] (avion, fusée). ► ***Voile** au poumon* : diminution d[e] la transparence d'une partie du poumon à l[a] radioscopie, témoin d'une lésion peu importante[.] **6.** *Anat.* ***Voile** du palais* : cloison musculo-membra[-]neuse mobile qui sépare la partie nasale de la parti[e] buccale du pharynx et prolonge la voûte palatine[.] **7.** *Bot.* Enveloppe de certains champignons avan[t] la maturité. **8.** *Vinic.* *Vins de **voile*** : qu'on laiss[e] vieillir en fût sans toucher au **voile** opaque qui s[e] forme à leur surface, tels le xérès ou le vin jaune[.] **9.** *Phot.* Défaut d'une surface sensible voilée[.] **10.** *Constr.* Coque mince, gén. en béton. 1155[ ;] lat. *velum* ; [vwal].

**VOILÉ, ÉE, adj.**
**1.** Couvert d'un voile de tissu. **2.** Fig. Obscu[r,] dissimulé : *Parler à mots **voilés***, atténués. **3.** Qui [a] perdu son brillant, sa netteté : *Couleurs **voilées** ; Un[e] voix, un regard **voilé**.* **4.** *Phot.* Qui a subi un[e] exposition excessive à la lumière, en parlant d'un[e] épreuve. **5.** *Techn.* Affectée d'un voilage, en parlan[t] d'une pièce plane, d'une roue. Mil. XIIe s. ; p. p[.] de *voiler* ; [vwale].

**VOILEMENT, subst. m.**
*Techn.* Fait d'être voilé, en parlant d'un objet plan[,] d'une roue. V. 1950 ; ☞ *voiler* ; [vwalmɑ̃].

**VOILER, verbe trans. [3]**
**1.** Couvrir d'un voile : ***Voiler** une fenêtre* ; par anal. *La pluie **voile** le paysage ; **Voiler** sa pensée.* **2.** *Techn[.]* Gauchir dans son plan (une pièce, une roue)[.] **Pronom.** Mettre un voile ; par anal., s'obscurci[r,] perdre son brillant, sa clarté : *Son regard se **voila*** [;] au fig. : *Se **voiler** la face*, refuser d'admettre qqch[.] de déplaisant. 1155 ; ☞ *voile* ; [vwale].

**VOILERIE, subst. f.**
*Mar.* Atelier où l'on confectionne, répare, entrepos[e] les voiles. 1691 ; ☞ *voile* ; [vwalʀi].

**VOILETTE, subst. f.**
Petit voile en tulle ou en dentelle ornant un chapea[u] de femme et pouvant recouvrir les yeux ou tout l[e] visage. Fin XIIIe s. ; ☞ *voile* ; [vwalɛt].

**VOILIER, subst. m.**
**1.** Ouvrier, artisan qui fabrique ou qui répare de[s]

*Voiliers anciens dans la rade de Brest.*

oiles de bateau. **2.** Bateau à voile. **3.** Oiseau de mer e grande envergure. ◊ 1567 (déb. XVIe s., adj.) ; ☞ *voile* ; [vwalje].

**VOILURE (I),** subst. f.
. *Mar.* **1.** Vx. Façon de placer les voiles ; fabrication es voiles. **2.** Ensemble des voiles d'un bateau ; ırface de ces voiles. **II. 1.** *Aéron.* Ensemble des ırfaces portantes d'un aéronef : ***Voilure** tournante*, nsemble formé par les pales d'un giravion. **2.** Toile 'un parachute. ◊ 1678 ; ☞ *voile* ; [vwalyʀ].

**VOILURE (II),** subst. f.
*echn.* État d'une pièce, d'une roue voilée. ◊ 1845 ; ☞ *voiler* ; [vwalyʀ].

**VOIR,** verbe [36]
NTRANS. Pouvoir exercer le sens de la vue : ***Voir** bien, ıal* ; ***Voir** dans le noir* ; *Ne plus **voir***, perdre la vue. RANS. DIR. **1.** Percevoir par les yeux : *De là on **voit** ı mer* ; ***Voir** une silhouette* ; ***Voir** qqn passer* ; *Se ıire **voir***, se montrer en public ; au fig. : *Se faire ien **voir***, se faire apprécier ; *Va te faire **voir** !*, va ı diable ! (fam.). ► *Laisser **voir*** : permettre de egarder, ne pas cacher. ► *Faire **voir*** : montrer. ► Loc. ***oir** le jour*, naître ; ***Voir** venir* : attendre avant d'agir. . Être le témoin, le spectateur de : *Il **a vu** l'accient* ; ***Voir** un spectacle*, y assister ; ***Voir** un pays*, le isiter ; ***Voir** du pays*, voyager beaucoup ; ***Voir** une poque, un évènement*, vivre à cette époque, à époque où s'est produit cet évènement. ► Loc. *On ıra tout **vu** !* : c'est un comble ! (fam.) ; *En faire oir à qqn (de toutes les couleurs)* : lui causer toutes ortes d'ennuis. **3.** Rencontrer, fréquenter (qqn) : *l'**ai vu** hier* ; *Elle ne **voit** plus personne.* ► Loc. *Ne lus pouvoir **voir** qqn* : ne plus le supporter (fam.). . Se représenter, imaginer : *Je le **vois** bien avocat, ı avocat.* **5.** Constater, se rendre compte de : *Je **vois** ien qu'il n'a rien compris.* **6.** Examiner, étudier : *Il ıut **voir** ça de près.* ► Abs. *Je **verrai*** : je m'en ccuperai plus tard ; ***Voyons !*** : sert à rappeler qqn la raison, à l'ordre ; *Pour **voir*** : pour essayer. Après un verbe à l'impér., marque une insistance fam.) : *Dites **voir*** ; *Essaie **voir**.* **7.** Envisager, oncevoir, juger : *Je n'y **vois** aucune objection* ; *C'est ne façon de **voir** les choses* ou, empl. abs., *une façon e **voir**.* ► Comprendre : *Tu **vois** ce que je veux dire* ; mpl. abs. : *Je **vois**.* **8. Avoir qqch. à voir avec, dans.** voir un lien, un rapport avec : *Cela n'a rien à **voir** vec la situation* ; empl. abs. : *Ça n'a rien à **voir**.* RANS. INDIR. **Voir à.** Veiller à, s'arranger pour : *Nous errons à ce qu'il ne manque de rien* ; *Faudrait **voir** voir !*, attention à ne pas exagérer ! (fam.). RONOM. **1.** S'imaginer, se représenter : *Je me **vois** ıal dans ce rôle.* ► Être (dans tel état, dans telle ituation) : *Je me **vois** obligé de partir.* **2.** Être vu, ouvoir être vu, exister : *Ce genre de moteur se **voit** ès rarement de nos jours.* ◊ Fin Xe s. ; lat. *videre* ; vwaʀ].

**VOIRE,** adv.
. Vx. Oui, certes, certainement. **2.** Et même (littér.) : *Des opinions conservatrices, **voire** réactionaires.* ◊ Mil. XIIe s. ; lat. *vera*, de *verus*, « vrai » ; [vwaʀ].

**VOIRIE,** subst. f.
. Ensemble des voies publiques (terrestres, fluiales, aériennes ou maritimes). **2.** Partie de l'Adminiistration chargée de l'établissement et de l'entreien de ces voies ; l'entretien lui-même. **3.** Décharge 'ordures (vx). ► *Service de **voirie*** : en charge du ettoyage des rues, de l'enlèvement des ordures. ◊ 1260 (1170, basse jurdiction d'un seigneur) ; ☞ *voyer* ; [vwaʀi].

**VOISÉ, ÉE,** adj.
*hon.* Articulé avec vibration des cordes vocales : *Consonne **voisée**.* ◊ 1933 ; ☞ *voix* ; [vwaze].

**VOISEMENT,** subst. m.
*Phon.* Trait pertinent commun aux phonèmes voisés. ◊ V. 1960 ; ☞ *voisé* ; [vwazmɑ̃].

**VOISIN, INE,** subst. et adj.
SUBST. **1.** Personne qui habite à côté ou à proximité de qqn, de qqch. : ***Voisin** de palier* ; par ext. : *Les Suisses sont les **voisins** des Italiens* ; par anal. : ***Voisin** de table, de lit.* **2.** Fig. Autrui : *Critiquer les défauts du **voisin**.* ADJ. **1.** Qui se trouve, qui est placé, qui habite à côté, à une distance proche : *La pièce **voisine**.* **2.** Anal. Proche dans le temps : *Ils sont d'âges **voisins**.* **3.** Fig. Ressemblant, peu différent : *Couleurs **voisines**.* ◊ XIIe s. ; lat. pop. *°vecinus*, du lat. *vicinus*, de *vicus*, « bourg, village » ; [vwazɛ̃, in].

**VOISINAGE,** subst. m.
**1.** Ensemble des voisins, entourage. **2.** Fait d'être voisin (synon. *proximité*) : *Le **voisinage** de la forêt.* **3.** Espace proche (synon. *environs*) : *Les maisons du **voisinage**.* **4.** Relations entre personnes voisines, entre pays voisins : *Vivre en bon **voisinage**.* **5.** *Math.* ***Voisinage** d'une partie A d'un espace topologique E* : partie de E contenant un ouvert qui contient A. On peut définir une topologie à partir de la notion de **voisinage**. ◊ 1240 ; ☞ *voisin* ; [vwazinaʒ].

**VOISINER,** verbe [3]
INTRANS. Fréquenter ses voisins, se fréquenter entre voisins (vx ou fam.). TRANS. INDIR. **Voisiner avec. 1.** Avoir des relations de voisinage avec (vx). **2.** Être voisin de, être placé près de. ◊ 1508 (fin XIIe s., fréquenter qqn) ; ☞ *voisin* ; [vwazine].

**VOITURAGE,** subst. m.
Vieilli. Action de voiturer ; transport par voiture. ◊ 1358 ; ☞ *voiture* ; [vwatyʀaʒ].

**VOITURE,** subst. f.
**1.** Vx. Charge transportée. **2.** Véhicule à roues, servant au transport des voyageurs, des marchandises : ***Voiture** à cheval* ; ***Voiture** automobile* ; ***Voiture** d'enfant*, landau ou poussette. **3.** Automobile. **4.** *Ch. de fer.* Véhicule sur rails, tracté par une locomotive, servant au transport des voyageurs. ◊ Fin XIIe s. ; lat. *vectura*, « transport » ; [vwatyʀ].

**VOITURE-BALAI,** subst. f.
Voiture chargée de recueillir les coureurs cyclistes contraints à l'abandon. ◊ 1911 ; comp. de *voiture* et de *balai* ; plur. *voitures-balais* ; [vwatyʀbalɛ].

**VOITURE-BAR,** subst. f.
*Ch. de fer.* Voiture qui comporte un bar (synon. *wagon-bar*). ◊ V. 1970 ; comp. de *voiture* et de *bar* (II) ; plur. *voitures-bars* ; [vwatyʀbaʀ].

**VOITURÉE,** subst. f.
Contenu d'une voiture (rare). ◊ Mil. XIXe s. ; ☞ *voiture* ; [vwatyʀe].

**VOITURE-LIT(S),** subst. f.
*Ch. de fer.* Voiture à compartiments munis de lits et d'un coin toilette (synon. *wagon-lit(s)*). ◊ V. 1970 ; comp. de *voiture* et de *lit* ; plur. *voitures-lits* ; [vwatyʀli].

**VOITURER,** verbe trans. [3]
**1.** Transporter (vx). **2.** Transporter au moyen d'un véhicule roulant. ◊ 1543 (1270, aller en Terre sainte) ; ☞ *voiture* ; [vwatyʀe].

**VOITURE-RESTAURANT,** subst. f.
*Ch. de fer.* Voiture aménagée en restaurant (synon. *wagon-restaurant*). ◊ Fin XIXe s. ; comp. de *voiture* et de *restaurant* ; plur. *voitures-restaurants* ; [vwatyʀʀɛstɔʀɑ̃].

**VOITURETTE,** subst. f.
**1.** Petite voiture à bras ; voiture d'enfant ou d'infirme. **2.** Petite automobile, peu puissante, que l'on peut généralement conduire sans permis. ◊ Fin XIXe s. ; ☞ *voiture* ; [vwatyʀɛt].

**VOITURIER, IÈRE,** adj. et subst. m.
ADJ. **1.** Vx. Relatif au transport par voiture. **2.** Relatif à l'industrie automobile. SUBST. **1.** *Dr.* Transporteur. **2.** Employé chargé de garer les voitures des clients d'un hôtel, d'un restaurant. ◊ 1213 ; ☞ *voiture* ; [vwatyʀje, jɛʀ].

**VOÏVODAT,** subst. m.
Dignité de voïvode. ◊ 1829 ; ☞ *voïvode* ; [vɔjvɔda].

**VOÏVODE,** subst. m.
**1.** *Hist.* ► Chef militaire, gouverneur, dans certains pays slaves. ► Prince héréditaire en Roumanie ou en Bulgarie. **2.** En Pologne, chef d'une voïvodie, préfet. ◊ 1546 ; mot d'orig. slave ; var. *voïevode* ; [vɔjvɔd].

**VOÏVODIE,** subst. f.
**1.** *Hist.* Territoire soumis à l'autorité d'un voïvode. **2.** En Pologne, division territoriale équivalant à un département. ◊ 1846 ; ☞ *voïvode* ; var. *voïevodie* ; [vɔjvɔdi].

**VOIX,** subst. f.
**I. 1.** Ensemble des sons produits par l'appareil phonateur de l'être humain : *Avoir de la **voix***, une **voix** puissante ; *Faire la grosse **voix***, prendre un ton sévère, fâché ; *Élever la **voix***, parler plus fort ; *De vive **voix***, oralement ; *Donner de la **voix***, aboyer, en parlant d'un chien de chasse ; *Être sans **voix***, être aphone et, au fig., être ému ou outré, au point de ne plus pouvoir parler. ► *Relig. Entendre des **voix*** : recevoir un message mystique auditif ou, par iron., avoir des hallucinations auditives. **2.** Méton. Personne qui parle, qui chante : *C'est une **voix** d'or.* **3.** Anal. Son naturel ou artificiel (littér.) : *La **voix** du vent, du coucou, du violoncelle.* **4.** *Mus.* Chaque pupitre d'une œuvre polyphonique : *Fugue à quatre **voix**.* **II.** Fig. **1.** Possibilité d'exprimer son opinion : *Avoir **voix** au chapitre* ; expression d'une opinion : *La **voix** du peuple.* ► Suffrage, vote : *Motion adoptée par huit **voix** contre cinq.* **2.** Appel intérieur, inspiration : *La **voix** de la raison* ; *La **voix** du sang.* **III.** *Gramm.* Forme que prend le verbe selon que le sujet fait ou subit l'action : ***Voix** active, passive.* ◊ Fin Xe s. ; lat. *vox* ; [vwa].

MUSIQUE – Comme organe du chant, la voix est divisée en deux registres : la voix de poitrine, dont les résonances semblent issues de la poitrine, et la voix de tête, aux harmoniques plus réduites, située dans l'aigu chez l'homme et prédominante chez la femme (un exemple typique du passage entre ces deux types de voix est offert par le chant tyrolien). Les registres fondamentaux de voix – d'une tessiture moyenne de quatorze notes – sont, pour la femme, le soprano et le contralto, et, pour l'homme, le ténor, le baryton et la basse (le quatuor vocal et l'ensemble choral traditionnels font appel uniquement aux soprano, contralto, ténor et basse). Des registres intermédiaires et des nuances de timbre diversifient, de l'aigu vers le grave, ces voix de base : soprano colorature, lyrique, dramatique, mezzo-soprano ; ténor haute-contre, léger, dramatique (le « Heldentenor » wagnérien) ; baryton-basse, basse chantante, noble, profonde (dite noire, notamment dans le chant russe). Dans la musique française des XVIe et XVIIe s., on a parfois appelé haute-contre, taille, basse-taille et concordant les registres du ténor ; hormis celle de haute-contre, ces appellations sont aujourd'hui remplacées par celle de ténor.

**VOL (I),** subst. m.
**1.** Mode de locomotion aérienne animale à l'aide d'ailes ou d'organes aliformes permettant de développer une surface portante (nageoires, membranes alaires, etc.). Chez les oiseaux, on distingue le **vol** plané (sans mouvement d'ailes, tel le **vol** des vautours ou celui des albatros), le **vol** ramé ou battu (où les ailes sont animées de battements) et le **vol** bourdonnant (**vol** des colibris). **2.** Loc. ► *De haut **vol*** : de grande qualité, de haut niveau. ► *À **vol** d'oiseau* : en ligne droite. ► **Au vol.** En l'air : *Rattraper un objet au **vol*** ; au passage, rapidement : *Prendre le train au **vol*** et, au fig. : *Saisir la chance au **vol**.* **3.** Ext. Sustentation ou déplacement dans l'espace, en parlant d'un aéronef : ***Vol** plané*, effectué en arrêtant le moteur ; ***Vol** stationnaire*, sustentation immobile ; ***Vol** à voile*, **vol** en planeur ; ***Vol** libre*, avec un deltaplane ou un parapente. **4.** Méton. ► Distance parcourue sans se poser. ► Groupe d'animaux, d'aéronefs, qui volent ensemble. **5.** Anal. Déplacement rapide d'un objet dans l'air, dans l'espace : *Un **vol** de flèches.* **6.** Fig. Fuite (littér.) : *Ô temps, suspends ton **vol*** (Lamartine). ◊ Fin XIIe s. ; ☞ *voler* (I) ; [vɔl].

**VOL (II),** subst. m.
**1.** Action de voler le bien d'autrui. **2.** Méton. Chose volée (littér.). **3.** Fait de léser qqn : *Pratiquer de tels prix, c'est du **vol** !* ◊ 1606 ; ☞ *voler* (II) ; [vɔl].

**VOLAGE,** adj.
Inconstant, infidèle. ◊ Fin XIIe s. (fin XIe s., ailé) ; lat. *volaticus*, « changeant », de *volare*, « voler » ; [vɔlaʒ].

**VOLAILLE,** subst. f.
**1.** Vx. Ensemble des oiseaux. **2.** *La **volaille*** : ensemble des oiseaux de basse-cour, en partic. les gallinacés d'élevage (coq, poule, pintade, dindon, etc.). ► *Une **volaille*** : un oiseau de basse-cour. **3.** Méton. Viande de **volaille**. ◊ 1317 ; bas lat. *volatilia*, du lat. *volatilis*, « ailé » ; [vɔlaj].

**VOLAILLER, ÈRE,** subst.
Personne qui élève ou qui vend de la volaille. ◊ 1690 ; ☞ *volaille* ; var. *volailleur, euse* ; [vɔlaje, ɛʀ].

**VOLANT, ANTE,** adj. et subst. m.
ADJ. **1.** Qui vole, qui peut voler : *Poisson **volant***; *Soucoupe **volante*** (☞ *soucoupe*). ▸ *Personnel **volant*** ou, empl. subst., *Les **volants*** : le personnel navigant, dans l'aviation (par oppos. à *personnel rampant*). **2.** Qu'on peut déplacer ou démonter facilement : *Brigade **volante***; *Pont **volant***; *Feuille **volante***, feuille de papier indépendante. SUBST. **1.** Petit objet de liège ou de caoutchouc qu'on lance et qu'on rattrape avec une raquette ; jeu pratiqué avec cet objet (synon. *badminton*). **2.** *Ameubl.* et *Cout.* Bande de tissu rapportée servant d'ornement. **3.** *Mécan.* Dispositif permettant de réguler des vitesses par l'action de son moment d'inertie sur son axe de rotation : ***Volant** magnétique*, qui produit le courant d'allumage et d'éclairage sur un cyclomoteur. **4.** *Bât.* ***Volant** thermique* : masse de maçonnerie, d'eau, etc., capable d'emmagasiner de la chaleur et de la restituer lentement pendant les heures froides ; au fig. : ***Volant** de sécurité*, marge, réserve qui permet de faire face à l'imprévu. **5.** *Autom.* ***Volant** (de direction)* : organe circulaire qui sert à diriger un véhicule. ▸ *Prendre le **volant*** : conduire. XII^e s. ; p. pr. de *voler* (I) ; [vɔlɑ̃, ɑ̃t].

**VOLAPÜK,** subst. m. sing.
Langue auxiliaire internationale, créée en 1879 par Johann Martin Schleyer, supplantée par l'espéranto. 1879 ; volapük *vola*, « du monde », et *pük*, « parler » ; var. *volapuk* ; [vɔlapyk].

**VOLATIL, ILE,** adj.
**1.** *Phys.* et *Chim.* Qui passe facilement ou spontanément à l'état gazeux. **2.** Fig. Qui disparaît facilement, insaisissable (littér.). **3.** *Fin.* Se dit d'une valeur mobilière au cours fluctuant. **4.** *Informat.* *Mémoire **volatile*** : dont le contenu disparaît quand on coupe le courant. XII^e s. ; lat. *volatilis*, « qui vole, ailé » ; [vɔlatil].

**VOLATILE,** subst. m.
**1.** Oiseau (vieilli). **2.** Oiseau de basse-cour. 1568 (1380, qui peut voler) ; anc. fr. *volatilie* ; [vɔlatil].

**VOLATILISATION,** subst. f.
Action de volatiliser ; fait de se volatiliser. 1641 ; ☞ *volatiliser* ; [vɔlatilizasjɔ̃].

**VOLATILISER,** verbe trans. [3]
**1.** *Phys.* Faire passer (un corps) à l'état gazeux ; empl. pronom. : *Eau qui se **volatilise***. **2.** Fig. Faire disparaître, voler (qqch.) ; empl. pronom., disparaître, s'éclipser. 1611 ; ☞ *volatil* ; [vɔlatilize].

**VOLATILITÉ,** subst. f.
**1.** *Phys.* Caractère d'un corps volatil. **2.** *Fin.* Caractère fluctuant d'une valeur mobilière. 1641 ; ☞ *volatil* ; [vɔlatilite].

**VOL-AU-VENT,** subst. m. inv.
Croûte de pâte feuilletée garnie de viande, de poisson, de champignons, etc., liés par une sauce. 1750 ; comp. de *voler* (I) et de *vent*, à cause de la légèreté de la pâte ; [vɔlovɑ̃].

**VOLCAN,** subst. m.
**1.** *Géol.* Lieu d'émission de laves et de gaz chauds sous pression à la surface de la croûte terrestre ou sur d'autres planètes. Il en résulte le plus souvent un édifice de cendres volcaniques et de laves, aérien ou sous-marin, appelé cône volcanique, mais il existe aussi des **volcans** en dôme et des **volcans** réduits à une cheminée d'explosion. ▸ Loc. *Danser, être assis sur un **volcan*** : être dans une situation dangereuse. **2.** Fig. Personne au tempérament fougueux. 1575 ; esp. *volcan*, du lat. *Vulcanus*, « Vulcain », dieu du Feu ; [vɔlkɑ̃].

GÉOLOGIE – L'éruption d'un volcan connaît trois phases : une phase prévolcanique (caractérisée par des grondements et des séismes de faible intensité) précède la phase paroxysmique (l'éruption proprement dite), à laquelle succède la phase postvolcanique, où ont lieu des manifestations atténuées (apparition de sources d'eau chaude, de geysers, de fumerolles). Les produits émis par les volcans peuvent être de composante gazeuse (gaz carbonique, hydrogène, azote, anhydride sulfureux...), liquide (laves et magma, dont la température peut atteindre 1 300 °C, et qui se solidifient au contact de l'atmosphère) ou solide (lapilli, bombes). La forme des volcans est déterminée par leur mode d'éruption, qui est fonction de la fluidité et de la teneur en gaz de la lave. Le volcan de type hawaïien (ou effusif), où prédominent les laves basaltiques les plus fluides, se présente comme un vaste cône surbaissé. Parmi les volcans à forme conique, on distingue le volcan de type vulcanien (ou explosif), qui produit projections et explosions, et le volcan de type strombolien (ou mixte), caractérisé par des alternances de projections et de coulées de lave. En forme d'aiguille ou de dôme, le volcan de type péléen est le plus dangereux. Un bouchon de lave visqueuse bloquant l'écoulement provoque une explosion latérale et l'expulsion de gaz brûlants sur les flancs du volcan. La fertilité des terres volcaniques conduit les agriculteurs à braver le danger et à vivre par millions à l'ombre des volcans.

**VOLCANIQUE,** adj.
**1.** Qui concerne les volcans. **2.** Fig. Impétueux : *Passion **volcanique***. 1778 ; ☞ *volcan* ; [vɔlkanik].

**VOLCANISME,** subst. m.
*Géol.* Ensemble des phénomènes en relation avec l'activité des volcans, des profondeurs de la chambre magmatique aux manifestations de surface. 1842 ; ☞ *volcan* ; [vɔlkanism].

**VOLCANOLOGIE,** subst. f.
Science qui a pour objet l'étude des causes et des effets des manifestations volcaniques. 1860 ; ☞ *volcan* + *-logie* ; var. *vulcanologie* ; [vɔlkanɔlɔʒi].

**VOLCANOLOGUE,** subst.
Spécialiste de volcanologie. 1910 ; ☞ *volcanologie* ; var. *vulcanologue* ; [vɔlkanɔlɔg].

**VOLE,** subst. f.
*Jeux.* *Faire la **vole*** : aux cartes, remporter toutes les levées d'une manche. 1534 (1372, paume) ; ☞ *voler* (I) ; [vɔl].

**VOLÉ, ÉE,** adj. et subst.
Se dit de la victime d'un vol. ADJ. Dont on s'est emparé en fraude. 1732 ; p. p. de *voler* (II) ; [vɔle].

**VOLÉE,** subst. f.
**I. 1.** Fait de voler dans les airs ; distance parcourue en un seul vol. **2.** Méton. Bande d'oiseaux en vol : *Une **volée** de moineaux* ; par anal. : *Une **volée** d'enfants*. **3.** Fig. Rang social (vieilli). ▸ Loc. *De haute **volée*** : de haut rang, de haut niveau. **II. 1.** Mouvement d'un projectile ; ensemble de projectiles lancés simultanément : ***Volée** de plombs*. ▸ Mise en branle d'une cloche ; son ainsi produit : ***Volée** de cloches*. ▸ Loc. **À la volée.** En l'air, au vol : *Attraper à la **volée*** ; *Semer à la **volée***, en lançant les graines d'un geste large ; *Gifler qqn à la **volée**, à toute **volée***, d'un mouvement ample, puissant. **2.** *Sp.* Coup par lequel on renvoie la balle, le ballon avant qu'ils aient touché le sol : ***Volée** de revers*. **3.** ***Volée** de coups* : série de coups rapprochés. ▸ ***Volée** de bois vert* : volée de coups ou, au fig., sévère réprimande. **4.** *Techn.* Partie d'un dispositif permettant de transmettre un mouvement. ▸ Partie d'un canon située entre la bouche et les tourillons. **5.** *Bât.* Partie d'un escalier menant d'un palier à l'autre : *Une **volée** de marches*. XII^e s. ; p. p. de *voler* (I) ; [vɔle].

**VOLER (I),** verbe intrans. [3]
**1.** Se déplacer dans l'air ou l'espace, s'y maintenir : *Certains insectes **volent*** ; par ext., se déplacer en avion, en partic. en parlant d'un membre de l'équipage. ▸ *Fauconn.* Chasser, en parlant d'un oiseau de proie ; empl. trans. : ***Voler** la perdrix*. ▸ Loc. *On entend les mouches **voler*** : le silence est total ; ***Voler** de ses propres ailes* (☞ *aile*) ; *Ça **vole** bas* : c'est stupide ou vulgaire (fam.). **2.** Être projeté dans l'air : *Le ballon a **volé** sur le toit*. ▸ Loc. ***Voler** en éclats* : se détruire, se casser en projetant des éclats ou, au fig., être anéanti. **3.** Se déplacer avec rapidité : ***Voler** au secours de qqn* ; *Les injures **volaient**, elles fusaient*. Fin IX^e s. ; lat. *volare* ; [vɔle].

**VOLER, (II),** verbe trans. [3]
**1.** S'emparer frauduleusement de (qqch.) : ***Voler** une pomme* ; empl. abs. : *Ils en sont réduits à **voler** pour manger*. ▸ Loc. *Qui **vole** un œuf **vole** un bœuf* : les petits vols mènent aux grands ; ***Voler** un baiser à qqn* : l'embrasser par surprise ; *Ne pas l'avoir **volé*** : l'avoir bien mérité (fam.). **2.** S'emparer par la fraude d'un bien appartenant à (qqn) ; par ext., léser, escroquer (qqn). 1539 ; ☞ *voler* (I), utilisé en fauconnerie ; [vɔle].

**VOLERIE,** subst. f.
**1.** Chasse menée avec des oiseaux de proie. **2.** Lieu où l'on élève des oiseaux. XII^e s. ; ☞ *voler* (I) ; [vɔlʀi].

**VOLET,** subst. m.
**1.** Vx. Planchette servant à trier des graines ou de menus objets. ▸ Loc. *Trier sur le **volet*** : choisir avec le plus grand soin. **2.** Ext. Panneau mobile fixé à une fenêtre ou à une baie pour se protéger de la lumière : *Ouvrir, refermer les **volets***. **3.** Anal. Panneau latéral d'un triptyque, d'un retable ; parti[e] d'un document plié. **4.** Fig. Partie d'un ensemble : *Le second **volet** du projet*. **5.** *Techn.* ***Volet** de carbura[teur]* : plaquette mobile permettant le réglage d[e] l'arrivée de l'air ; ***Volet** de freinage* : partie de l'ai[le] ou de la gouverne qui sert à modifier l'aér[o]dynamisme d'un avion. 1306 ; ☞ *voler* (I) ; [vɔlɛ].

**VOLETER,** verbe intrans. [14]
**1.** Voler çà et là à petits coups d'ailes. **2.** Ana[l.] Flotter au vent. XII^e s. ; ☞ *voler* (I) ; [vɔl(ə)te].

**VOLEUR, EUSE,** subst. et adj.
SUBST. Personne qui a commis un vol ou qui [a] l'habitude de voler ; en partic., personne qui vit d[e] vols. ADJ. Qui a tendance à voler : *Une pie **voleus**[e]*. 1516 (fin XV^e s., faucon chassant au vol) ; ☞ *voler* (II) ; [vɔlœʀ, øz].

**VOLIÈRE,** subst. f.
**1.** Grande cage à oiseaux ; par méton., les oiseau[x] qui y vivent. **2.** Anal. Groupe de personnes agitée[s,] bruyantes. Fin XIV^e s. ; ☞ *voler* (I) ; [vɔljɛʀ].

**VOLIGE,** subst. f.
*Bât.* Latte sur laquelle on fixe les tuiles d'un toi[t]. 1694 ; *volisse* (XV^e), « légère », de *voler* (I) ; [vɔliʒ].

**VOLIGEAGE,** subst. m.
Action de voliger un toit ; armature qui en résult[e]. 1845 ; ☞ *voliger* ; [vɔliʒaʒ].

**VOLIGER,** verbe trans. [5]
Revêtir (un toit) de voliges. 1845 ; ☞ *volige* ; [vɔliʒe].

**VOLIS,** subst. m.
*Sylvic.* Cime d'un arbre brisée, emportée par [le] vent. 1766 (1320, adj.) ; ☞ *voler* (I) ; [vɔli].

**VOLITION,** subst. f.
*Psychol.* Acte de la volonté : *Vouloir, c'est agir ; **volition** est un passage à l'acte* (Ribot). 1486 ; la[t.] médiév. *volitio*, du lat. *voluntas*, « volonté » ; [vɔlisjɔ̃].

**VOLLEY-BALL,** subst. m.
Sport de ballon joué à la main, dans lequ[el] s'affrontent deux équipes de six joueurs placée[s] de part et d'autre d'un filet (abrév. : volley[)]. V. 1920 ; angl. *volleyball*, de *volley* « volée », et *ball*, « balle » ; plur. *volley-balls* ; [vɔlɛbol].

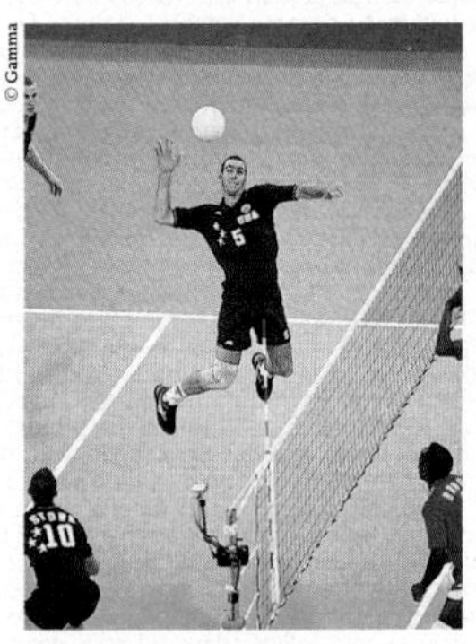

*Volley-ball.*

**VOLLEYER,** verbe intrans. [3]
*Sp.* Au tennis, jouer à la volée. 1925 ; angl. *volley* ; [vɔleje].

**VOLLEYEUR (I), EUSE,** subst.
Spécialiste de la volée, au tennis. 1935 ; ang[l.] *volley*, « volée » ; [vɔlɛjœʀ, øz].

**VOLLEYEUR (II), EUSE,** subst.
Joueur de volley-ball. 1951 ; ☞ *volley-ball* ; [vɔl[ɛ]jœʀ, øz].

**VOLNAY,** subst. m.
Vin rouge de Bourgogne. 1800 ; topon. *Volna[y]* (Côte-d'Or) ; [vɔlnɛ].

**VOLONTAIRE,** adj. et subst.
ADJ. **1.** Qui résulte de la volonté : *Acte, don **volontaire***. **2.** Qui agit par sa propre volonté : *Se port[er] **volontaire***. ▸ *Milit.* *Engagé **volontaire*** : personne q[ui] entre dans l'armée sans que la loi l'y oblige. **3.** Q[ui]

manifeste une ferme volonté. **Subst.** Personne qui offre bénévolement ses services. Fin XIIIe s. ; lat. *voluntarius*, de *voluntas*, « volonté » ; [vɔlɔ̃tɛʀ].

**VOLONTAIREMENT, adv.**
De manière volontaire. XIIIe s. ; ☞ *volontaire* ; [vɔlɔ̃tɛʀmɑ̃].

**VOLONTARIAT, subst. m.**
**1.** *Milit.* Engagement volontaire. **2.** Ext. Participation volontaire d'une personne à une mission, à une action. 1866 ; ☞ *volontaire* ; [vɔlɔ̃taʀja].

**VOLONTARISME, subst. m.**
**1.** *Philos.* Doctrine tenant la volonté pour un principe fondamental de l'être, auquel sont subordonnées les autres fonctions intellectuelles. **2.** Attitude de ferme détermination, alliée à un vif désir d'infléchir les évènements : *Agir avec* ***volontarisme.*** 1907 ; ☞ *volontariste* ; [vɔlɔ̃taʀism].

**VOLONTARISTE, adj. et subst.**
*Philos.* Se dit d'un adepte du volontarisme. **Adj. 1.** *Philos.* Relatif, propre au volontarisme. **2.** Qui fait montre de volontarisme : *Une décision* ***volontariste.*** 1902 ; ☞ *volontaire* ; [vɔlɔ̃taʀist].

**VOLONTÉ, subst. f.**
**I. 1.** Disposition à agir de telle ou telle manière : *Mettre de la bonne, de la mauvaise* ***volonté*** *à faire qqch.*, le faire volontiers, de mauvaise grâce. **2.** Décision, détermination de qqn, d'une collectivité à faire qqch. : *Imposer sa* ***volonté*** *;* ***Volonté*** *de paix.* ▸ *À* ***volonté*** : autant que l'on veut. **Plur. 1.** Désir, caprice : *Faire les quatre* ***volontés*** *de qqn*, céder à tous ses désirs. **2.** *Les dernières* ***volontés*** *de qqn* : les souhaits qu'il exprime sur son lit de mort. **II. 1.** *Philos.* Disposition à vouloir, conçue comme faculté autonome d'agir librement : *Le pouvoir de vouloir est appelé* ***volonté*** (Locke). ▸ ***Volonté*** *de puissance* : mouvement de conquête et de création défini par Nietzsche comme acte de se surmonter soi-même. ▸ ***Volonté*** *générale* : qui résulte des **volontés** individuelles conscientes et fonde, selon Rousseau, le contrat social. ▸ ***Volonté*** *bonne* : chez Kant, **volonté** qui obéit à la loi morale. **2.** Qualité morale consistant dans la fermeté du caractère, la constance dans la décision et l'exécution : *Avoir une* ***volonté*** *d'acier ; Manquer de* ***volonté.*** Mil. XIe s. (fin Xe s., passions, désirs) ; lat. *voluntas* ; [vɔlɔ̃te].

**VOLONTIERS, adv.**
**1.** Spontanément et de bon gré. **2.** Habituellement, d'ordinaire. Xe s. ; lat. *voluntarie*, de *voluntarius*, « volontaire » ; [vɔlɔ̃tje].

**VOLT, subst. m.**
*Phys.* Unité de mesure des tensions électriques (ou des différences de potentiel) et des forces électromotrices (symb. : V). Le **volt** exprime la différence de potentiel entre deux points d'un conducteur parcouru par un courant constant de 1 ampère, et qui dissipe une puissance de 1 watt entre ces deux points. 1874 ; anthropon. *Alessandro Volta*, physicien italien ; [vɔlt].

**VOLTAGE, subst. m.**
Tension électrique (empl. critiqué). 1890 ; ☞ *volt* ; [vɔltaʒ].

**VOLTAÏQUE (I), adj.**
*Phys.* Qualifie une pile de Volta et, par ext., l'électricité fournie par cette pile. Déb. XIXe s. ; anthropon. *Alessandro Volta*, physicien italien ; [vɔltaik].

**VOLTAÏQUE (II), adj. et subst.**
De la Haute-Volta (auj. Burkina Faso). **Adj.** Qualifie un groupe de langues d'Afrique noire occidentale. 1910 ; topon. *Haute-Volta* ; [vɔltaik].

**VOLTAIRE, subst. m.**
Fauteuil bas à dossier haut et incliné vers l'arrière ; en appos. : *Un fauteuil* ***voltaire.*** Mil. XIXe s. ; anthropon. *Voltaire*, écrivain français ; [vɔltɛʀ].

**VOLTAIRIEN, IENNE, subst. et adj.**
Se dit d'un partisan de Voltaire, de sa philosophie. **Adj. 1.** Propre à Voltaire, à sa pensée, à son style. **2.** Empreint d'un scepticisme railleur : *Esprit* ***voltairien.*** 1749 ; anthropon. *Voltaire*, écrivain français ; [vɔltɛʀjɛ̃, jɛn].

**VOLTAMÈTRE, subst. m.**
*Phys.* Cuve à électrolyse fournissant des mesures qualitatives ou quantitatives de l'électricité utilisée (synon. *électrolyseur*). 1843 ; anthropon. *Alessandro Volta*, physicien italien, + *-mètre*[1] ; [vɔltamɛtʀ].

**VOLTAMPÈRE, subst. m.**
*Phys.* Unité exprimant la puissance apparente dans des courants alternatifs (symb. : VA). 1885 ; formé de *volt* et de *ampère* ; [vɔltɑ̃pɛʀ].

**VOLTE, subst. f.**
*Équit.* Tour complet sur lui-même exécuté par un cheval. Mil. XVe s. ; ital. *volta*, « tour » ; [vɔlt].

**VOLTE-FACE, subst. f. inv.**
**1.** Demi-tour exécuté sur place : *Faire* ***volte-face.*** **2.** Fig. Changement subit et radical d'opinion, de comportement. 1654 ; ital. *volta faccia*, de *voltare*, « tourner », et de *faccia*, « face » ; [vɔltəfas].

**VOLTER, verbe intrans.** [3]
Exécuter une volte. Mil. XVe s. ; ital. *voltare*, du lat. pop. °*volvitare*, du lat. *volvere*, « tourner » ; [vɔlte].

**VOLTIGE, subst. f.**
**1.** Ensemble de figures d'acrobatie exécutées sur une corde, un trapèze volant, ou sur un cheval : *Haute* ***voltige.*** **2.** Fig. Entreprise délicate et risquée. **3.** *Aéron.* Ensemble de figures acrobatiques aériennes exécutées par un avion. 1634 (1544, incursion rapide) ; ☞ *voltiger* ; [vɔltiʒ].

**VOLTIGER, verbe intrans.** [5]
**1.** Faire de la voltige, sur une corde, un trapèze, un cheval ; au fig. : ***Voltiger*** *avec les chiffres.* **2.** Voler çà et là ; flotter au gré du vent : *Un courant d'air fit* ***voltiger*** *les papiers.* Déb. XVIe s. ; ital. *volteggiare*, de *volta*, « tour » ; [vɔltiʒe].

**VOLTIGEUR, EUSE, subst.**
Acrobate, écuyer pratiquant la voltige. **Masc.** *Milit.* **1.** Au XIXe s., fantassin appartenant à une compagnie d'élite dont la qualité première était la rapidité d'intervention. **2.** Soldat mobile d'un groupe de combat. 1534 ; ☞ *voltiger* ; [vɔltiʒœʀ, øz].

**VOLTMÈTRE, subst. m.**
*Phys.* Appareil permettant de mesurer la tension électrique entre deux points. 1883 ; ☞ *volt* + *-mètre*[1] ; [vɔltmɛtʀ].

**VOLUBILE, adj.**
**1.** Qui s'exprime avec abondance et rapidité ; par méton. : *Des propos* ***volubiles.*** **2.** *Bot.* Qui se développe en s'enroulant autour d'un support : *Le liseron est* ***volubile.*** Fin XVIIIe s. (1509, changeant) ; lat. *volubilis*, « qui tourne aisément » ; [vɔlybil].

**VOLUBILIS, subst. m.**
*Bot.* Plante ornementale de la famille des Convolvulacées, qui donne de grosses fleurs de couleurs variées, en forme d'entonnoir. Fin XIVe s. ; lat. *volubilis*, « qui tourne aisément » ; [vɔlybilis].

**VOLUBILITÉ, subst. f.**
**1.** Vx. Aisance à se mouvoir. **2.** Caractère d'une personne volubile ; loquacité. Fin XIVe s. ; lat. *volubilitas* ; [vɔlybilite].

**VOLUCELLE, subst. f.**
*Zool.* Insecte ptérygote de la famille des Syrphidés, au vol rapide, ressemblant, selon l'espèce, soit à un bourdon, soit à une abeille. Sa larve vit dans les nids de guêpes, où elle fait office d'éboueur. 1808 ; lat. sc. *volucella*, du lat. *volucer*, « ailé » ; [vɔlysɛl].

**VOLUCOMPTEUR, subst. m. inv.**
*Techn.* Compteur mesurant le volume débité par un distributeur d'essence. V. 1960 ; crois. de *volume* et de *compteur* ; n. déposé ; [vɔlykɔ̃tœʀ].

**VOLUME, subst. m.**
**I. 1.** *Antiq.* Manuscrit enroulé autour d'un bâton : *Les* ***volumes*** *de la bibliothèque d'Alexandrie.* **2.** Ext. Livre relié ou broché ; livre constituant une partie d'une œuvre : *Encyclopédie en dix* ***volumes.*** **II. 1.** Partie tridimensionnelle de l'espace, occupée par un corps ; mesure de cet espace. **2.** Ext. Quantité, masse : *Le* ***volume*** *des exportations.* ▸ Puissance sonore : *Baisser le* ***volume.*** **3.** *Spéc.* ▸ *B.-a.* Corps envisagé dans ses trois dimensions. ▸ *Math.* Partie de l'espace à trois dimensions délimitée par une surface bornée ; mesure d'une telle partie. *(Voir planche p. 1168.)* ▸ *Phys.* Grandeur à trois dimensions exprimée en mètre cube, qui mesure l'espace occupé par un corps ; capacité ou contenance d'un objet. Mil. XIIIe s. ; lat. *volumen*, « rouleau », de *volvere*, « rouler » ; [vɔlym].

**VOLUMÉTRIE, subst. f.**
**1.** *Phys.* Technique de mesure des volumes. **2.** *Chim.* Analyse quantitative d'une solution par versement progressif d'un réactif de concentration connue. 1904 ; ☞ *volume* + *-métrie* ; [vɔlymetʀi].

**VOLUMÉTRIQUE, adj.**
*Chim.* et *Phys.* Qui a trait à la mesure des volumes. 1854 ; ☞ *volume* + *-mètre*[1] ; [vɔlymetʀik].

**VOLUMINEUX, EUSE, adj.**
Dont le volume est important : *Un paquet* ***volumineux.*** 1765 (1676, en plusieurs volumes) ; bas lat. *voluminosus*, « qui se roule » ; [vɔlyminø, øz].

**VOLUMIQUE, adj.**
*Phys.* Qualifie une grandeur rapportée à l'unité de volume. 1926 ; ☞ *volume* ; [vɔlymik].

**VOLUPTÉ, subst. f.**
Littér. **1.** Plaisir sensuel ; en partic., jouissance charnelle. **2.** Plaisir moral ou intellectuel intense. 1404 ; lat. *voluptas* ; [vɔlypte].

**VOLUPTUAIRE, adj.**
**1.** Vx. Qui est conçu pour le plaisir, pour le luxe. **2.** *Dr. Dépenses* ***voluptuaires*** : consacrées au luxe, au plaisir. 1356 ; lat. *voluptuarius*, de *voluptas*, « volupté » ; [vɔlyptɥɛʀ].

**VOLUPTUEUSEMENT, adv.**
Avec volupté ; de manière voluptueuse. Déb. XIVe s. ; ☞ *voluptueux* ; [vɔlyptɥøzmɑ̃].

**VOLUPTUEUX, EUSE, adj.**
**1.** Qui procure de la volupté ou qui l'exprime. **2.** Qui recherche la volupté. Fin XIVe s. ; lat. *voluptuosus* ; [vɔlyptɥø, øz].

**VOLUTE, subst. f.**
**1.** *Archit.* Motif en spirale, ornant en partic. les chapiteaux ioniques et corinthiens. **2.** Anal. Ce qui évoque une spirale : *Des* ***volutes*** *de fumée.* 1545 ; ital. *voluta*, du lat. *volvere*, « tourner » ; [vɔlyt].

**VOLVAIRE, subst. f.**
*Bot.* Champignon basidiomycète de l'ordre des Agaricales, possédant une volve nette mais sans anneau, et dont plusieurs espèces sont comestibles. 1907 (1803, mollusque) ; lat. sc. *volvaria*, du lat. *volva*, « enveloppe » ; [vɔlvɛʀ].

**VOLVE, subst. f.**
*Bot.* Formation membraneuse gainant la base de certains champignons basidiomycètes et correspondant à la partie inférieure du voile : *Les amanites sont des champignons à* ***volve.*** Fin XVIIIe s. ; lat. *volva*, « enveloppe » ; [vɔlv].

**VOLVOCALES, subst. f. plur.**
*Bot.* Ordre d'algues vertes, flagellées et mobiles, comprenant des formes unicellulaires et des colonies pluricellulaires. **Au sing.** *Le volvox est une* ***volvocale.*** Mil. XXe s. ; lat. sc. *volvox*, « chenille » ; [vɔlvɔkal].

**VOLVOX, subst. m.**
*Bot.* Algue verte d'eau douce, formée d'une colonie pouvant contenir plus de 20 000 cellules. 1768 ; lat. sc. *volvox*, « chenille » ; var. *volvoce* ; [vɔlvɔks].

**VOLVULUS, subst. m.**
*Pathol.* Torsion d'un organe creux, gén. favorisée par une anomalie anatomique et s'accompagnant d'un risque d'ischémie : ***Volvulus*** *de l'intestin.* 1684 ; lat. sc. *volvulus*, du lat. *volvere*, « tourner » ; [vɔlvylys].

**VOMER, subst. m.**
*Anat.* Os constituant la partie postérieure de la cloison des fosses nasales. 1690 ; lat. *vomer*, « soc de la charrue » ; [vɔmɛʀ].

**VOMÉRIEN, IENNE, adj.**
Du vomer. 1805 ; ☞ *vomer* ; [vɔmeʀjɛ̃, jɛn].

**VOMI, subst. m.**
Vomissure (fam.). Fin XIXe s. ; p. p. de *vomir* ; [vɔmi].

**VOMIQUE (I), adj.**
*Noix* ***vomique*** : fruit du vomiquier, qui renferme de la strychnine. XIIIe s. ; lat. médiév. *vomica nux*, « noix qui fait vomir » ; [vɔmik].

**VOMIQUE (II), subst. f.**
*Pathol.* Expectoration d'une suppuration pulmonaire, s'accompagnant de toux et de nausées. 1375 ; lat. *vomica*, de *vomere*, « vomir » ; [vɔmik].

**VOMIQUIER, subst. m.**
*Bot.* Arbrisseau qui produit la noix vomique. 1808 ; ☞ *vomique* (I) ; [vɔmikje].

**VOMIR, verbe trans.** [19]
**1.** Rejeter par la bouche (le contenu de l'estomac) : ***Vomir*** *son dîner* ; par anal. : *Le volcan* ***vomit*** *de la lave.* **2.** Fig. Rejeter avec violence et dégoût (littér.). ▸ Loc. *À (faire)* ***vomir*** : répugnant, révoltant. Fin XIIe s. ; lat. pop. °*vomire*, du lat. *vomere* ; [vɔmiʀ].

**VOMISSEMENT, subst. m.**
**1.** Action de vomir. **2.** Méton. Matière vomie (souv. au plur.). Fin XIIe s. ; ☞ *vomir* ; [vɔmismɑ̃].

**VOMISSURE, subst. f.**
Matière vomie. XIIIe s. ; ☞ *vomir* ; [vɔmisyʀ].

**VOMITIF, IVE, adj. et subst. m.**
*Pharm.* Se dit d'une substance propre à provoquer le vomissement (synon. *émétique*). Fin XIVe s. ; lat. *vomitus*, de *vomere*, « vomir » ; [vɔmitif, iv].

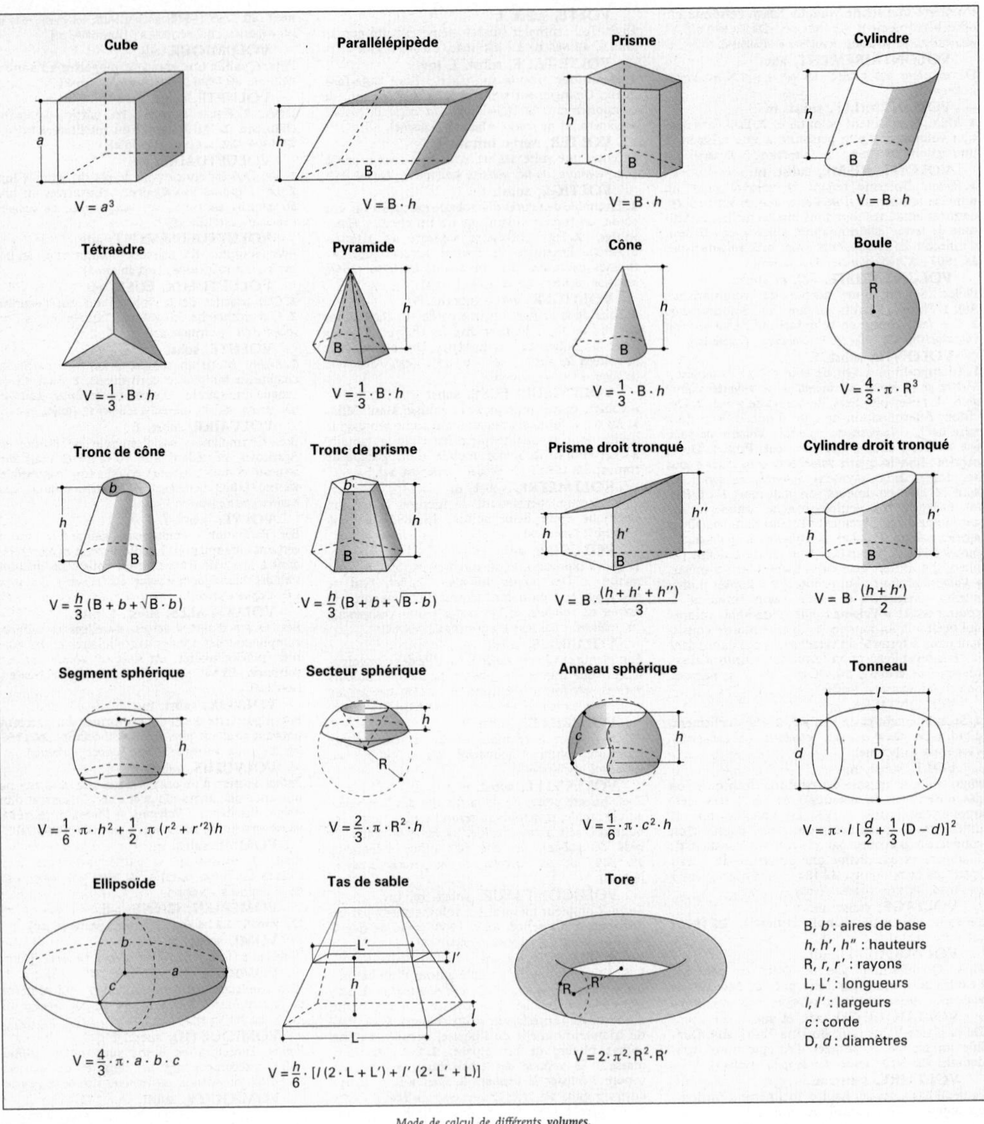


*Mode de calcul de différents* ***volumes****.*

**VOMITOIRE, subst. m.**
*Antiq.* Large passage permettant de circuler dans un théâtre ou un amphithéâtre, ou d'en sortir aisément. 📖 1636 ; lat. *vomitorium* ; [vɔmitwaʀ].

**VOMITO NEGRO, subst. m.**
*Pathol.* Hématémèse noire qui accompagne les formes graves de la fièvre jaune. 📖 Déb. XIXe s. ; esp. *vomito negro*, « vomissement noir » ; plur. *vomitos negros* ; [vɔmitonegʀo].

**VORACE, adj.**
**1.** Qui dévore goulûment ; par méton. : *Un appétit vorace.* **2.** Fig. Avide. 📖 Déb. XVe s. ; lat. *vorax*, de *vorare*, « dévorer » ; [vɔʀas].

**VORACITÉ, subst. f.**
Caractère, comportement d'une personne, d'un animal vorace. 📖 Fin XVe s. ; lat. *voracitas* ; [vɔʀasite].

**VORTEX, subst. m.**
Tourbillon creux, qui peut se produire dans un fluide qui s'écoule. 📖 1856 ; lat. *vortex*, de *vertere*, « tourner » ; [vɔʀtɛks].

**VORTICELLE, subst. f.**
*Zool.* Protozoaire cilié qui vit fixé par un pédoncule à des végétaux d'eau douce, mais qui peut aussi nager. 📖 Déb. XIXe s. ; lat. sc. *vorticella*, du lat. *vortex*, « tourbillon » ; [vɔʀtisɛl].

**VOS, voir VOTRE**

**VOTANT, ANTE, subst.**
Personne qui jouit du droit de vote ; personne qui vote. 📖 XVIIIe s. ; p. pr. de *voter* ; [vɔtɑ̃, ɑ̃t].

**VOTATION, subst. f.**
Québ. et Helv. Vote. 📖 1752 ; ☞ *voter* ; [vɔtasjɔ̃].

**VOTE, subst. m.**
**1.** Opinion exprimée par chacune des personnes appelées à voter : *Droit de vote* ; suffrage : *Compter les votes.* **2.** Méton. Procédure par laquelle un citoyen ou un membre d'une assemblée exprime son avis lors d'une élection, d'une prise de décision. ▸ *Vote bloqué* : qui contraint l'Assemblée à se prononcer en un seul **vote** sur tout ou partie

d'un texte en ne retenant que les amendements proposés ou acceptés par le gouvernement. 1702 ; angl. *vote*, du lat. *votum*, « vœu » ; [vɔt].

© Gamma

*Vote à main levée, en Suisse.*

**VOTER,** verbe [3]
**Intrans.** Exprimer son opinion par son suffrage. ▸ Loc. *Voter avec ses pieds* : manifester son désaccord en s'exilant. **Trans.** Adopter, décider par un vote. 1704 (1680, donner sa voix au chapitre) ; angl. *to vote*, du lat. *votum*, « vœu » ; [vɔte].

**VOTIF, IVE,** adj.
Qui est fait pour s'acquitter d'un vœu ou en commémorer l'accomplissement. ▸ *Fête* **votive** : fête religieuse, en l'honneur d'un saint patron. 1374 ; lat. *votivus* ; [vɔtif, iv].

**VOTRE, VOS,** adj. poss.
Adjectif possessif de la 2^e personne du pluriel, des deux genres, employé pour s'adresser à plusieurs personnes, ou à une seule (plur. de politesse). **1.** Qui est à vous, qui vous concerne : *Messieurs, je comprends* **votre** *inquiétude* ; *Madame, vous oubliez* **votre** *sac.* ▸ Dans les titres de civilité : **Votre** *Altesse.* **2.** Avec une valeur expressive : **Votre** *Rousseau a une personnalité complexe.* Mil. x^e s. ; lat. pop. °*voster*, du lat. *vester* ; [vɔtʀ, vo].

**VÔTRE,** adj. poss., pron. poss. et subst. m.
**Adj.** Adjectif possessif des deux genres, toujours attribut (littér.). Qui est à vous, de vous : *Ces biens sont* **vôtres** ; *Cette idée n'est-elle pas* **vôtre** *?* **Pron.** Précédé de « le », « la », « les ». Celui, celle, etc. qui vous appartient, qui vous concerne : *Ces clés sont-elles les* **vôtres** *?* **Subst. sing.** *Vous devriez y mettre du* **vôtre** : de la bonne volonté. **Subst. plur.** Vos parents, vos amis, vos proches : *Les* **vôtres** *pourraient dîner avec nous* ; *Puis-je être des* **vôtres** *?*, puis-je me joindre à vous ? Fin xi^e s. ; ☞ *votre* ; [votʀ].

**VOUER,** verbe trans. [3]
**1.** *Relig.* Promettre par vœu (vieilli) ; consacrer par un vœu, mettre sous la protection de Dieu, d'un saint. ▸ Loc. **Vouer** *un culte à qqn* (☞ *culte*). **2.** Fig. ▸ Témoigner (un sentiment) avec fidélité : **Vouer** *du respect à qqn.* ▸ Destiner inéluctablement, souv. à qqch. de négatif : *Il est* **voué** *à la médiocrité* ; empl. adj. : *Un projet* **voué** *à l'échec.* **Pronom. Se vouer à.** Se consacrer à. ▸ Loc. *Ne plus savoir à quel saint se* **vouer** (☞ *saint*). Déb. xii^e s. ; ☞ *vœu* ; [vwe].

**VOUGE,** subst. m.
**1.** Serpe à long manche servant à émonder les arbres. **2.** *M. Â.* Arme d'hast à lame tranchante. Fin xii^e s. ; bas lat. *vidubium*, du gaul. ; [vuʒ].

**VOUIVRE,** subst. f.
Serpent fabuleux, doué de pouvoirs fantastiques (région.). Mil. xii^e s. ; altér. de *guivre* ; [vwivʀ].

**VOULOIR (I),** verbe trans. [40]
**Trans. dir. 1.** Avoir la volonté, l'intention de (obtenir qqch.), souhaiter, désirer vivement (qqch., que qqch. se produise) : *Il* **veut** *réussir* ; *Il* **veut** *le pouvoir* ; *Il* **veut** *que je revienne* ; *On ne fait pas toujours ce que l'on* **veut**. ▸ Empl. abs. Faire preuve de volonté : **Vouloir**, *c'est pouvoir* ; *En* **vouloir** : être ambitieux, battant. ▸ Loc. *Sans le* **vouloir** : involontairement ; *Que* **veux**-*tu, que* **voulez**-*vous* : marque la résignation ; empl. abs. : *Si tu* **veux**, si cela te fait plaisir. **2.** Exiger, demander : *Ils* **veulent** *de l'argent* ; *Je* **veux** *que vous soyez à l'heure.* ▸ Attendre (qqch.) de qqn : *Qu'est-ce que tu* **veux** *de moi ?* ▸ Demander (tel prix) en échange d'une marchandise : *Combien* **voulez**-*vous de cette voiture ?* **3.** Désirer charnellement (qqn). **4.** Prétendre, affirmer : *Il* **veut** *à tout prix que les choses se soient passées comme ça.* **5.** Accepter, consentir à : **Voulez**-*vous m'embrasser ?* ; empl. abs. : *Je* **veux** *bien.* ▸ Empl. pour exprimer un ordre : **Voulez**-*vous vous taire !* **6.** Anal. En parlant de qqch., avoir pour conséquence, entraîner : *Le hasard* **a voulu** *que nous nous rencontrions* ; réussir à (en tournure négative) : *Cette machine ne* **veut** *pas fonctionner.* ▸ **Vouloir** *dire* : signifier. **Trans. indir. 1. Vouloir de.** Être disposé à accepter, à se satisfaire de (qqch., qqn) : *Je* **veux** *bien de lui comme ami.* **2. En vouloir à.** Désirer profiter de, avoir des visées sur (qqch.) ; avoir de la rancune à l'égard de (qqn) ; empl. pronom. : *S'en* **vouloir** *de qqch.*, se le reprocher. **Pronom.** Prétendre être : *Il se* **veut** *amusant.* Fin ix^e s. ; lat. pop. °*volere* ; [vulwaʀ].

**VOULOIR (II),** subst. m.
Volonté (littér.) : *Bon, mauvais* **vouloir**. Mil. xii^e s. ; ☞ *vouloir* (I) ; [vulwaʀ].

**VOULU, UE,** adj.
**1.** Délibéré. **2.** Imposé par les circonstances : *En temps* **voulu**. 1830 ; p. p. de *vouloir* (I) ; [vuly].

**VOUS,** pron. pers.
Pronom personnel de la 2^e personne du pluriel des deux genres, qui s'emploie comme sujet, complément d'objet direct et indirect, pronom réfléchi ou réciproque. **1.** Désigne les personnes à qui l'on parle : **Vous** *partez ?* ; *Il* **vous** *a entendus* ; *Je* **vous** *l'ai déjà dit* ; **Vous** *ne* **vous** *êtes donc jamais revus ?* **2.** S'emploie à la place de « tu » par politesse : *Passez Madame, je* **vous** *en prie* ; empl. subst. masc. : *Certains emploient encore le* **vous** *pour s'adresser à leurs parents.* **3.** S'emploie comme indéfini : *Quoi qu'on fasse, le temps* **vous** *rattrape toujours.* **4.** S'emploie comme explétif (fam.) : *Il* **vous** *l'a mis dehors en une seconde !* x^e s. ; lat. *vos* ; [vu].

**VOUSOIEMENT,** voir **VOUVOIEMENT**

**VOUSOYER,** voir **VOUVOYER**

**VOUSSOIEMENT,** voir **VOUVOIEMENT**

**VOUSSOIR,** subst. m.
*Archit.* Chacune des pierres taillées constituant un arc, une voûte. 1213 ; lat. pop. °*volsorium*, de °*volsus*, du lat. *volutus*, « roulé » ; [vuswaʀ].

**VOUSSOYER,** voir **VOUVOYER**

**VOUSSURE,** subst. f.
**1.** *Archit.* ▸ Cintre d'une voûte. ▸ Voûte surmontant une porte, une fenêtre. ▸ Chacun des arcs concentriques d'une archivolte. **2.** Anal. *Anat.* Exagération de la convexité du thorax. Mil. xii^e s. ; lat. pop. *volsura*, de °*volsus*, du lat. *volutus*, « roulé » ; [vusyʀ].

**VOÛTE,** subst. f.
**1.** *Archit.* Ouvrage cintré en maçonnerie, qui prend appui sur des murs ou des piliers, couvrant gén. un espace. **2.** Anal. ▸ *La* **voûte** *céleste* : le ciel. ▸ *Anat.* Partie concave d'un ensemble d'os : *La* **voûte** *crânienne* ; *La* **voûte** *palatine* ; *La* **voûte** *plantaire.* ▸ *Géogr.* Plafond d'une galerie souterraine : **Voûte** *mouillante*, galerie remplie d'eau jusqu'au plafond. ▸ *Géol.* Partie axiale, courbe, d'une structure anticlinale. ▸ *Mar.* Partie arrondie de la coque d'un navire, au-dessus du gouvernail. Mil. xii^e s. ; lat. pop. °*volvita*, de °*volvitus*, du lat. *volutus*, « roulé » ; [vut].

**VOÛTÉ, ÉE,** adj.
**1.** Couvert d'une voûte. **2.** Courbé, en parlant du dos ; par ext. : *Un vieillard* **voûté**. Déb. xiii^e s. ; ☞ *voûte* ; [vute].

**VOÛTER,** verbe trans. [3]
**1.** Couvrir par une voûte. **2.** Courber (le dos de qqn) ; empl. pronom. : *Il commence à se* **voûter**. 1437 ; ☞ *voûte* ; [vute].

**VOUVOIEMENT,** subst. m.
Fait de vouvoyer qqn. 1797 ; ☞ *vouvoyer* ; var. *vous(s)oiement* ; [vuvwamɑ̃].

**VOUVOYER,** verbe trans. [17]
Employer, par politesse, le pronom « vous » pour s'adresser à (une seule personne). 1796 ; ☞ *vous*, d'apr. *tutoyer* ; var. *vous(s)oyer* ; [vuvwaje].

**VOUVRAY,** subst. m.
Vin blanc de la Loire. 1904 ; topon. *Vouvray* (Indre-et-Loire) ; [vuvʀɛ].

**VOX POPULI,** subst. f. inv.
Opinion du plus grand nombre (littér.). 1830 ; lat. *vox populi*, « la voix du peuple » ; [vɔkspɔpyli].

**VOYAGE,** subst. m.
**1.** Action de se déplacer vers un lieu plus ou moins lointain ; le trajet, le séjour lui-même, notamment à l'étranger. ▸ *Les gens du* **voyage** : les forains. **2.** Trajet, allée et venue d'un endroit à un autre, en partic. pour transporter qqn ou qqch. **3.** Fig. État provoqué par l'usage d'une drogue (synon. fam. *trip*). Fin xi^e s. ; lat. *viaticum* ; [vwajaʒ].

**VOYAGER,** verbe intrans. [5]
**1.** Faire un voyage. **2.** Être acheminé, en parlant de qqch. 1385 ; ☞ *voyage* ; [vwajaʒe].

**VOYAGEUR, EUSE,** subst. et adj.
**Subst.** Personne qui voyage. ▸ **Voyageur** *de commerce* : représentant. **Adj.** Qui voyage, qui aime voyager. ▸ *Pigeon* **voyageur** (☞ *pigeon*). 1415 ; ☞ *voyager* ; [vwajaʒœʀ, øz].

**VOYAGISTE,** subst. m.
Entreprise, professionnel qui organise et vend des voyages. V. 1980 ; ☞ *voyage* ; [vwajaʒist].

**VOYANCE,** subst. f.
Faculté de lire dans le passé et de connaître l'avenir ; double vue. 1829 ; ☞ *voyant* ; [vwajɑ̃s].

**VOYANT, ANTE,** subst. et adj.
Se dit de qqn qui jouit du sens de la vue. **Subst.** Personne douée de double vue, qui pratique la voyance. **Subst. masc. 1.** *Mar.* Partie supérieure d'une balise, qui permet de l'identifier. **2.** Dispositif d'avertissement lumineux d'un appareil. **Adj.** Qui attire l'attention. Déb. xii^e s. ; p. pr. de *voir* ; [vwajɑ̃, ɑ̃t].

**VOYELLE,** subst. f.
**1.** Son du langage (phonème) produit par l'air qui, chassé des poumons, passe sur les cordes vocales en les faisant vibrer et s'écoule par les voies expiratoires supérieures, surtout la bouche. **2.** Lettre qui représente ce son : *L'alphabet français comporte six* **voyelles** *(a, e, i, o, u, y).* Fin xv^e s. ; anc. fr. *voieul*, du lat. *vocalis* ; [vwajɛl].

**VOYER,** subst. m.
Officier chargé des voies publiques (vx) ; empl. adj. : *Agent* **voyer**, ingénieur de la voirie. Fin xiii^e s. (fin xi^e s., officier de justice) ; lat. *vicarius*, « remplaçant » ; [vwaje].

**VOYEUR, EUSE,** subst.
**1.** Personne à la curiosité souv. malsaine. **2.** Personne qui prend plaisir à regarder une scène érotique à la dérobée. 1740 (mil. xii^e s., guetteur) ; ☞ *voir* ; [vwajœʀ, øz].

**VOYEURISME,** subst. m.
Comportement du voyeur. 1957 ; ☞ *voyeur* ; [vwajœʀism].

**VOYOU,** subst. m.
**1.** Jeune homme aux activités illicites. ▸ Enfant des rues, chenapan. **2.** Anal. Personne sans moralité. 1830 ; ☞ *voie* ; [vwaju].

**VRAC,** subst. m.
**1.** Loc. **En vrac.** ▸ Non arrimé ou non conditionné : *Charbon* **en vrac** ; *Thé* **en vrac**, vendu au poids. ▸ Ext. Pêle-mêle, en désordre. **2.** Marchandise non emballée : *Transporter du* **vrac**. 1730 (1435, mauvais, en parlant de harengs) ; néerl. *wrac*, « endommagé » ; [vʀak].

**VRAI, VRAIE,** adj., subst. m. et adv.
**Adj. 1.** Qui est conforme à la réalité, à la vérité (anton. *faux*) : *Une proposition* **vraie**. **2.** Qui est juste, réaliste, conforme à l'idée que l'on s'en fait. ▸ Loc. *Plus* **vrai** *que nature* : particulièrement ressemblant. **3.** Qui est authentique, véritable ou donné pour tel : *De* **vraies** *perles fines.* **Subst.** Ce qui est conforme à la réalité, à la vérité : *Dire le* **vrai**. ▸ Loc. *Être dans le* **vrai** : avoir raison ; *À dire* **vrai**, *À* **vrai** *dire* : franchement ; *Pour de* **vrai** : vraiment (fam.). **Adv.** Conformément à la réalité : *Faire* **vrai**. Fin xi^e s. ; lat. pop. °*veracus*, du lat. *verus* ; [vʀɛ].

**VRAIMENT,** adv.
**1.** Effectivement. **2.** Renforce une affirmation : **Vraiment**, *c'est idiot !* Déb. xii^e s. ; ☞ *vrai* ; [vʀɛmɑ̃].

**VRAISEMBLABLE,** adj.
Qui semble vrai, crédible ; empl. subst. masc. : *Les limites du* **vraisemblable**. 1346 ; formé de *vrai* et de *semblable* ; [vʀɛsɑ̃blabl].

**VRAISEMBLABLEMENT,** adv.
Probablement, selon toute vraisemblance. 1370 ; ☞ *vraisemblable* ; [vʀɛsɑ̃blabləmɑ̃].

**VRAISEMBLANCE,** subst. f.
Qualité de ce qui est vraisemblable. Mil. xiv^e s. ; formé de *vrai* et de *semblance* (vx), « apparence comparable » ; [vʀɛsɑ̃blɑ̃s].

**VRAQUIER,** subst. m.
*Mar.* Navire qui transporte des produits en vrac. V. 1970 ; ☞ *vrac* ; [vʀakje].

**VRILLAGE,** subst. m.
**1.** Défaut des fils textiles qui se tordent. **2.** Torsion des pales d'une hélice. 1873 ; ☞ *vriller* ; [vʀijaʒ].

**VRILLE,** subst. f.
**1.** Outil muni d'une vis métallique servant à percer le bois. ► Loc. *Des yeux en vrille* : pénétrants ; *Une voix en vrille* : aiguë. **2.** *Bot.* Organe aérien volubile, de la nature des feuilles ou des tiges, permettant à certaines plantes de s'accrocher à un support. **3.** Hélice, spirale. ► *Aéron.* Mouvement tournoyant d'un avion en piqué. 📖 1375 ; lat. *viticula*, « cep de vigne ; tige d'une plante grimpante » ; [vRij].

**VRILLÉ, ÉE,** adj.
**1.** *Bot.* Muni de vrilles. **2.** Tordu sur lui-même à la façon d'une vrille. 📖 1778 ; ☞ *vrille* ; [vRije].

**VRILLÉE,** subst. f.
*Bot.* Renouée, appelée aussi faux liseron. 📖 1750 ; ☞ *vrille* ; [vRije].

**VRILLER,** verbe [3]
**INTRANS.** Tournoyer vers le haut ou vers le bas. ► Se tordre sur soi-même. **TRANS.** Percer avec une vrille ; au fig., transpercer douloureusement, comme avec une vrille. 📖 1752 ; ☞ *vrille* ; [vRije].

**VRILLETTE,** subst. f.
*Zool.* Insecte ptérygote de l'ordre des Coléoptères, de très petite taille, qui s'attaque au bois des meubles, aux poutres, etc. Au moment de la reproduction, avant de sortir du bois, il fait entendre des tapotements rythmiques très caractéristiques (synon. *anobie*). 📖 1764 ; ☞ *vrille* ; [vRijɛt].

**VROMBIR,** verbe intrans. [19]
Produire un bourdonnement vibrant. 📖 1883 ; orig. onomat. ; [vRɔ̃biR].

**VROMBISSEMENT,** subst. m.
Bruit de ce qui vrombit : *Le* ***vrombissement*** *d'un moteur.* 📖 1891 ; ☞ *vrombir* ; [vRɔ̃bismɑ̃].

**VROUM,** interj.
Imite l'accélération d'un moteur. 📖 V. 1960 ; onomat. ; [vRum].

**VU (I),** prép.
**1.** Eu égard à. ► *Dr.* Après avoir considéré : ***Vu*** *l'article...* **2.** Loc. conj. ***Vu que*** : attendu que. 📖 Fin XIVe s. ; p. p. de *voir* ; [vy].

**VU (II), VUE,** adj.
**1.** Perçu par l'œil. ► Loc. *Ni* ***vu*** *ni connu* : sans que cela se sache ; empl. subst. masc. : *Au* ***vu*** *et au su de tous*, ouvertement. **2.** Fig. Compris : *Tu ne pars pas,* ***vu*** *?* **3.** Considéré. ► Loc. *Bien* ***vu****, mal* ***vu*** : bien, mal considéré ; *C'est tout* ***vu*** : inutile de discuter plus longtemps (fam.). 📖 XVe s. ; p. p. de *voir* ; [vy].

**VUE,** subst. f.
**I. 1.** Sens par lequel l'œil perçoit la lumière, les couleurs, les formes, les volumes ; par méton., cette perception : *Sa* ***vue*** *baisse.* **2.** Action de regarder ; regard, vision : *Détourner la* ***vue*** *de qqch. ou de qqn* ; *S'abîmer la* ***vue****.* ► Loc. *Payable à* ***vue*** : à la première présentation ; *À perte de* ***vue*** : très loin ; *À première* ***vue*** : au premier coup d'œil ; *À* ***vue*** *de nez, d'œil* : approximativement (fam.) ; *Connaître qqn de* ***vue*** : sans lui avoir parlé ; *En* ***vue*** : visible. **3.** Ce que l'on peut voir du lieu où l'on se trouve ; par méton., représentation de ce lieu : *Je t'envoie une* ***vue*** *de Paris.* **4.** Ouverture qui permet de voir : *Ouvrir, boucher une* ***vue****.* **II.** Fig. **1.** Action par laquelle l'esprit conçoit qqch. : *J'ai une* ***vue*** *plus large du problème.* ► *Seconde, double* ***vue*** : voyance. **2.** Idée, opinion : *Des* ***vues*** *nouvelles* ; *Point de* ***vue****.* ► Loc. *C'est une* ***vue*** *de l'esprit* : ce n'est pas réaliste. **3.** Intention, projet (gén. au plur.). ► Loc. *Avoir des* ***vues*** *sur qqn* : former des projets, en partic. de mariage, à son égard ; *Avoir qqch., qqn en* ***vue*** : envisager d'obtenir qqch., d'employer qqn ; *En* ***vue*** *de* : dans l'intention de. 📖 Fin XIe s. ; p. p. de *voir* ; [vy].

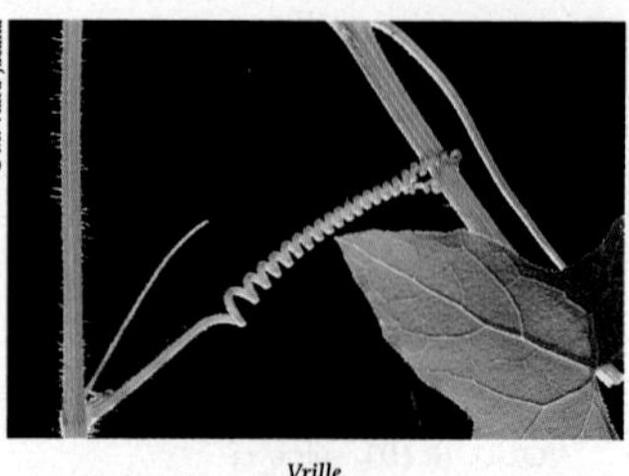


*Vrille.*

**VULCAIN,** subst. m.
*Zool.* Papillon diurne de la famille des Nymphalidés, brun-noir, aux ailes traversées par une bande rouge. Sa chenille vit sur les orties. 📖 1762 (1552, mari trompé) ; lat. *Vulcanus*, « Vulcain », dieu du Feu ; [vylkɛ̃].

**VULCANIEN, IENNE,** adj.
*Géol.* Qualifie une éruption volcanique caractérisée par l'émission de laves visqueuses et par la formation d'un cône dû aux produits d'explosion. 📖 1890 (1571, de Vulcain) ; topon. *Vulcano* (Italie) ; [vylkanjɛ̃, jɛn].

**VULCANISATION,** subst. f.
Opération par laquelle on incorpore du soufre au caoutchouc, afin d'en améliorer la résistance. 📖 1847 ; angl. *vulcanization* ; [vylkanizasjɔ̃].

**VULCANISER,** verbe trans. [3]
Traiter (le caoutchouc) par vulcanisation. 📖 1847 (1706, cocufier) ; angl. *to vulcanize* ; [vylkanize].

**VULCANOLOGIE,** voir **VOLCANOLOGIE**

**VULCANOLOGUE,** voir **VOLCANOLOGUE**

**VULGAIRE,** adj. et subst. m.
**ADJ. 1.** Admis, pratiqué par la majorité (vieilli). ► *Ling.* Usuel (anton. *littéraire, scientifique*) : *Le latin* ***vulgaire***, parlé à la basse époque dans les pays romans. **2.** Qui est ordinaire, commun, banal : *Un* ***vulgaire*** *passant.* **3.** Péj. Sans distinction ; grossier, trivial : *Sa minijupe la rendait* ***vulgaire*** ; *Un ton, des mots* ***vulgaires****.* **SUBST. 1.** Le commun des hommes (vieilli). **2.** Ce qui est **vulgaire** (littér.). 📖 1270 ; lat. *vulgaris*, de *vulgus*, « la foule » ; [vylgɛR].

**VULGAIREMENT,** adv.
**1.** Communément. **2.** De manière vulgaire, grossière (péj.). 📖 XIIIe s. ; ☞ *vulgaire* ; [vylgɛRmɑ̃].

**VULGARISATEUR, TRICE,** adj. et subst.
Se dit d'un spécialiste de la vulgarisation. **ADJ.** Qui a pour objet de vulgariser ; qui s'y montre apte. 📖 1836 ; ☞ *vulgariser* ; [vylgaRizatœR, tRis].

**VULGARISATION,** subst. f.
Action, fait de vulgariser. 📖 1846 ; ☞ *vulgariser* ; [vylgaRizasjɔ̃].

**VULGARISER,** verbe trans. [3]
**1.** Diffuser, propager (des produits, des idées) ; en partic., adapter (des ouvrages, des connaissances scientifiques ou techniques) pour les mettre à la portée du grand public. **2.** Rendre vulgaire, grossier (péj.). 📖 1512 ; ☞ *vulgaire* ; [vylgaRize].

**VULGARISME,** subst. m.
Expression populaire dont l'emploi n'est pas admis. 📖 1801 ; lat. *vulgaris*, « vulgaire » ; [vylgaRism].

**VULGARITÉ,** subst. f.
**1.** Caractère de ce qui est commun, banal, prosaïque (vieilli). **2.** Péj. Caractère de ce qui est vulgaire, trivial ; par méton., acte, propos vulgaire. 📖 XVIe s. (1495, masse du peuple) ; ☞ *vulgaire* ; [vylgaRite].

**VULGATE,** subst. f.
**1.** *Cath.* Version latine de la Bible adoptée par le concile de Trente. **2.** Anal. Texte faisant autorité. 📖 Fin XVIe s. ; lat. *vulgata*, de *vulgare*, « répandre dans le public » ; [vylgat].

**VULGO,** adv.
Dans la langue commune, non scientifique. 📖 1832 ; lat. *vulgo*, de *vulgus*, « la foule » ; [vulgo].

**VULGUM PECUS,** subst. m. inv.
Le commun des mortels (fam.). 📖 1843 ; lat. fautif *vulgum pecus*, « le troupeau de la foule » ; [vylgɔmpekys].

**VULNÉRABILITÉ,** subst. f.
Caractère de ce, de celui qui est vulnérable. 📖 1836 ; ☞ *vulnérable* ; [vylneRabilite].

**VULNÉRABLE,** adj.
**1.** Qui peut être blessé, atteint, physiquement ou moralement ; fragile. **2.** *Jeux.* Qualifie l'équipe de bridge susceptible d'encourir des pénalités doubles pour avoir gagné une première manche. 📖 1676 ; lat. *vulnerabilis*, de *vulnerare*, « blesser » ; [vylneRabl].

**VULNÉRAIRE,** adj. et subst. f.
**ADJ.** Vx. Qui guérit les blessures. **SUBST.** *Bot.* Plante de la famille des Fabacées, à fleurs jaunes, poussant gén. sur les falaises maritimes, parfois cultivée comme plante fourragère. 📖 1539 ; lat. *vulnerarius*, « relatif aux blessures » ; [vylneRɛR].

**VULNÉRANT, ANTE,** adj.
Qui blesse (vx ou littér.). 📖 1560 ; p. pr. de *vulnérer* (vx), « blesser » ; [vylneRɑ̃, ɑ̃t].

**VULPIN, INE,** adj. et subst. m.
**ADJ.** Qui est propre au renard. **SUBST.** *Bot.* Plante annuelle de la famille des Poacées, dont les panicules rappellent la forme d'une queue de renard. 📖 Fin XIVe s. ; lat. *vulpinus*, de *vulpes*, « renard » ; [vylpɛ̃, in].

**VULTUEUX, EUSE,** adj.
*Pathol.* Qui est bouffi et congestionné. 📖 1814 ; lat. *vultuosus*, de *vultus*, « expression » ; [vyltɥø, øz].

**VULVAIRE (I),** subst. f.
*Bot.* Chénopode fétide, autrefois utilisé en médecine. 📖 Mil. XVIIe s. ; lat. sc. *vulvaria*, du lat. *vulva*, « vulve » ; [vylvɛR].

**VULVAIRE (II),** adj.
Relatif à la vulve. 📖 1822 ; ☞ *vulve* ; [vylvɛR].

**VULVE,** subst. f.
*Anat.* Portion externe de l'appareil génital féminin, comprenant le vestibule, bordé par les grandes lèvres et les petites lèvres, dans lequel débouche l'urètre et s'ouvre le vagin. 📖 1304 ; lat. *vulva* ; [vylv].

**VULVITE,** subst. f.
*Pathol.* Inflammation de la vulve. 📖 Mil. XIXe s. ; ☞ *vulve* + *-ite* ; [vylvit].

**VUMÈTRE,** subst. m.
Appareil de mesure électrique du volume sonore. 📖 1958 ; angl. *VU*, abrév. de *volume unit*, « unité de volume », + *-mètre*[1], d'apr. l'angl. *VU meter* ; [vymɛtR].

*Zèbres à Amboseli (Kenya).* © Stock Image

**W**, subst. m. inv.
1. Vingt-troisième lettre et dix-huitième consonne de l'alphabet, prononcée [v] (« wagon ») ou, considérée comme semi-consonne, [w] (« whisky »). 2. Abrév. et Symb. ▸ *Chim.* W : tungstène. ▸ *Géogr.* W. : ouest (de l'angl. *west*, utilisé pour éviter la confusion du O. de ouest avec un zéro). ▸ *Phys.* W : watt. 📖 [dubləve].

**WAD**, subst. m.
*Minér.* Substance terreuse, noirâtre à brune, riche en oxyde de manganèse associé à d'autres oxydes métalliques, et qui constitue ce qu'on appelle les dendrites de manganèse. 📖 1876 ; mot angl. ; [wad].

**WADING**, subst. m.
Pêche de rivière que l'on pratique en entrant dans l'eau (anglic.). 📖 1952 ; angl. *wading*, de *to wade*, « avancer » ; [wɛdiŋ].

**WAGAGE**, subst. m.
Région. (Nord-Ouest). Alluvion limoneuse utilisée comme engrais. 📖 1875 ; liégeois *wak*, « spongieux », du m. néerl. *wac*, « humide » ; [wagaʒ].

**WAGNÉRIEN, IENNE**, adj. et subst.
*Mus.* Adj. Relatif à R. Wagner ou à ses œuvres. Subst. Spécialiste, admirateur de R. Wagner. 📖 1861 ; anthropon. *Richard Wagner* ; [vagneʀjɛ̃, jɛn].

**WAGNÉRISME**, subst. m.
*Mus.* Esthétique développée par R. Wagner. 📖 1869 ; anthropon. *Richard Wagner* ; [vagneʀism].

**WAGON**, subst. m.
1. Véhicule sur rails tracté par une locomotive, destiné au transport de personnes, de marchandises ou d'animaux. 2. *Ch. de fer.* Véhicule destiné aux marchandises ou aux animaux (par oppos. à *voiture*) ; par méton., wagonnée : *Un **wagon** de céréales.* 3. Anal. Une grande quantité (fam.). 📖 1826 (1698, chariot) ; mot angl. ; [vagɔ̃].

**WAGON-CITERNE**, subst. m.
*Ch. de fer.* Wagon équipé d'une citerne, destiné au transport des liquides (synon. vieilli *wagon-réservoir*). 📖 1864 ; comp. de *wagon* et de *citerne* ; plur. *wagons-citernes* ; [vagɔ̃sitɛʀn].

**WAGON-FOUDRE**, subst. m.
*Ch. de fer.* Wagon chargé de fûts destinés au transport des boissons, en partic. du vin. 📖 1925 ; comp. de *wagon* et de *foudre* (II) ; plur. *wagons-foudres* ; [vagɔ̃fudʀ].

**WAGON-LIT(S)**, subst. m.
*Ch. de fer.* Voiture-lit(s). 📖 1861 ; comp. de *wagon* et de *lit* ; plur. *wagons-lits* ; [vagɔ̃li].

**WAGONNÉE**, subst. f.
Contenu d'un wagon : *Une **wagonnée** de bovins.* 📖 XIXe s. ; ☞ *wagon* ; [vagɔne].

**WAGONNET**, subst. m.
Petit wagon servant au transport des matériaux dans les mines, les chantiers, etc. 📖 1867 ; ☞ *wagon* ; [vagɔnɛ].

**WAGONNIER, IÈRE**, subst.
*Ch. de fer.* Personne chargée de manœuvrer des wagons. 📖 1846 ; ☞ *wagon* ; [vagɔnje, jɛʀ].

**WAGON-POSTE**, subst. m.
*Ch. de fer.* Wagon réservé au tri et au transport du courrier. 📖 1864 ; comp. de *wagon* et de *poste* (I) ; plur. *wagons-poste* ; [vagɔ̃pɔst].

**WAGON-RESTAURANT**, subst. m.
*Ch. de fer.* Voiture-restaurant. 📖 1846 ; comp. de *wagon* et de *restaurant* ; plur. *wagons-restaurants* ; [vagɔ̃ʀɛstɔʀɑ̃].

**WAGON-SALON**, subst. m.
*Ch. de fer.* Voiture aménagée en salon, entrant dans la composition de trains de luxe. 📖 Mil. XIXe s. ; comp. de *wagon* et de *salon* ; plur. *wagons-salons* ; [vagɔ̃salɔ̃].

**WAGON-TOMBEREAU**, subst. m.
*Ch. de fer.* Wagon à bords hauts, muni de portes latérales permettant le déchargement de marchandises lourdes. 📖 1893 ; comp. de *wagon* et de *tombereau* ; plur. *wagons-tombereaux* ; [vagɔ̃tɔ̃bʀo].

**WAGON-TRÉMIE**, subst. m.
*Ch. de fer.* Wagon équipé d'une ou de plusieurs trémies pour le transport de matériaux en vrac. 📖 V. 1960 ; comp. de *wagon* et de *trémie* ; plur. *wagons-trémies* ; [vagɔ̃tʀemi].

**WAHHABISME**, subst. m.
*Relig.* Doctrine islamique puritaine instituée en Arabie en 1740, en vue du rassemblement des Arabes en un État unique régi par la seule charia islamique. Réprimée au début du XIXe s. par les Ottomans, elle a été restaurée au XXe s. dans l'actuelle Arabie Saoudite. 📖 1872 ; anthropon. *Muhammad ibn Abd al-Wahhab* ; [waabism].

**WAHHABITE**, adj. et subst.
*Relig.* Adj. Relatif, propre ou favorable au wahhabisme. Subst. Partisan de cette doctrine. 📖 ☞ *wahhabisme* ; [waabit].

**WALI**, subst. m.
*Admin.* En Algérie, fonctionnaire chargé de la gestion d'une wilaya. 📖 Mil. XXe s. ; ar. *wālī* ; [wali].

**WALKIE-TALKIE, voir TALKIE-WALKIE**

**WALKMAN**, subst. m. inv.
Poste portatif (lecteur de cassettes, de CD, etc.) relié à un casque d'écoute (anglic.). 📖 V. 1980 ; angl. *Walkman*, de *to walk*, « marcher », et de *man*, « homme » ; n. déposé, recomm. off. *baladeur* ; [wɔ(l)kman].

**WALK-OVER**, subst. m. inv.
1. *Turf.* Course disputée par un seul cheval, les autres ayant déclaré forfait. 2. Ext. Compétition remportée par un concurrent sans adversaires. 📖 1855 ; angl. *walk over*, de *to walk over*, « parcourir au pas » ; [wɔ(l)kɔvœʀ].

**WALKYRIE**, subst. f.
1. Dans la mythologie nordique, l'une des filles d'Odin (ou Wotan), déesses guerrières. ▸ *Mus. « La **Walkyrie** »* : deuxième volet de la Tétralogie de Wagner. 2. Anal. Femme robuste et martiale (iron.). 📖 1756 ; anc. nord. *valkyrja* ; [valkiʀi].

**WALLABY**, subst. m.
*Zool.* Petit marsupial arboricole de la famille des Macropodidés, ressemblant au kangourou, vivant dans le bush australien. 📖 1848 ; angl. *wallaby*, d'une langue indigène ; plur. *wallabys* ou *wallabies* ; [walabi].

**WALLINGANT, ANTE**, adj. et subst.
Belg. Qualifie ou désigne un Wallon luttant pour l'autonomie de la Wallonie. 📖 1912 ; ☞ *wallon*, d'apr. *flamingant* ; [walɛ̃gɑ̃, ɑ̃t].

**WALLON, ONNE**, adj. et subst.
De Wallonie. Subst. masc. Dialecte gallo-roman parlé en Wallonie. 📖 Fin XVe s. ; germ. °*walhoz*, « Celtes », du lat. *Volcae*, nom d'un peuple celte voisin des Germains ; [walɔ̃, ɔn].

**WALLONISME**, subst. m.
*Ling.* Trait de langue propre au wallon, passé dans le français parlé en Belgique. 📖 1565 ; ☞ *wallon* ; [walɔnism].

**WAPITI**, subst. m.
*Zool.* Grand cervidé d'Amérique du Nord, caractérisé par sa queue courte. 📖 1860 ; anglo-amér. *wapiti*, de l'algonquin *wapitik*, « daim blanc » ; [wapiti].

© T. et P. Leeson/P. H. R.-Jacana

***Wapiti** des montagnes Rocheuses, aux États-Unis.*

**WARGAME**, subst. m.
Jeu de stratégie simulant des conflits et mettant en œuvre des notions de tactique militaire (anglic.). 📖 V. 1980 ; angl. *wargame*, de *war*, « guerre », et de *game*, « jeu » ; [waʀgɛm].

***Wallaby** de Benett.*

© J. Cancalosi-Jacana

**WARNING,** subst. m.
*Autom.* Feux de détresse (anglic.). V. 1980 ; angl. *warning*, de *to warn*, « avertir » ; [waʀniŋ].

**WARRANT,** subst. m.
**1.** *Dr. comm.* Billet à ordre dont le règlement est garanti par la mise en gage de marchandises. **2.** *Fin.* Garantie attachée à un titre, donnant droit au souscripteur d'acquérir d'autres titres dans des conditions préalablement définies. 1836 (1625, autorisation) ; angl. *warrant*, « garantie », de l'anc. fr. *warrand*, var. dial. de *garant* ; [waʀɑ̃] ou [va-].

**WARRANTAGE,** subst. m.
*Dr. comm.* Action de warranter. 1894 ; ☞ *warranter* ; [waʀɑ̃taʒ] ou [va-].

**WARRANTER,** verbe trans. [3]
*Dr. comm.* Garantir (le paiement d'une dette) par un warrant. 1874 ; ☞ *warrant* ; [waʀɑ̃te] ou [va-].

**WASSINGUE,** subst. f.
Région. (Nord). Serpillière. 1895 ; flam. *wassching*, « lavage » ; [vasɛ̃g].

**WATER-BALLAST,** subst. m.
*Mar.* **1.** Dans un navire, réservoir d'eau douce, de combustible ou d'eau de mer, pouvant servir de lest. **2.** Réservoir d'eau de mer permettant la plongée d'un sous-marin. 1886 (1879, lest d'eau) ; comp. de l'angl. *water*, « eau », et de *ballast* ; plur. *water-ballasts* ; [watɛʀbalast].

**WATER-CLOSET,** subst. m.
Toilettes, lieux d'aisances (abrév. : waters, w.-c.). 1816 ; angl. *water closet*, de *water*, « eau », et de *closet*, « cabinet » ; var. *les water-closets* ; [watɛʀklozɛt].

**WATERGANG,** subst. m.
Région. (Flandres). Canal permettant le drainage d'un terrain. 1280 ; m. néerl. *waterganc*, « cours d'eau » ; [watɛʀgɑ̃g].

**WATERINGUE,** subst. m. ou f.
Région. (Flandres). **1.** Ensemble des travaux nécessaires pour assécher des terres humides. **2.** Méton. Groupement de propriétaires finançant ces travaux. 1298 ; m. néerl. *wateringe*, « terre entourée de digues » ; [watʀɛ̃g].

**WATER-POLO,** subst. m.
*Sp.* Jeu de ballon, analogue au hand-ball, qui oppose deux équipes de sept joueurs dans une piscine. 1891 ; angl. *water polo*, de *water*, « eau », et de *polo*, « polo » ; plur. *water-polos* ; [watɛʀpolo].

**WATERPROOF,** subst. m. et adj. inv.
Anglic. **Subst.** Imperméable (vx). **Adj. 1.** Étanche. **2.** Qui résiste à l'eau. 1775 ; angl. *waterproof*, « à l'épreuve de l'eau » ; [watɛʀpʀuf].

**WATERZOI,** subst. m.
Belg. *Cuis.* Poisson ou poulet cuit dans son bouillon auquel on ajoute de la crème ou du beurre. Flam. *waterzoi*, « eau qui bout » ; [watɛʀzɔj].

**WATT,** subst. m.
*Phys.* Unité de puissance, équivalant à la consommation de 1 joule par seconde (symb. : W). 1881 ; anthropon. *James Watt*, ingénieur britannique ; [wat].

**WATTHEURE,** subst. m.
*Phys.* Unité de travail, équivalant à l'énergie fournie en une heure par une puissance de un watt (symb. : Wh). 1888 ; formé de *watt* et de *heure* ; [watœʀ].

**WATTMAN,** subst. m.
Conducteur de tramways électriques (vieilli). 1895 ; formé de *watt* et de l'angl. *man*, « homme » ; plur. *wattmen* ou *wattmans* ; [watman], plur. [-mɛn].

**WATTMÈTRE,** subst. m.
*Électr.* Appareil de mesure de la puissance électrique d'un circuit en courant continu ou, le plus souvent, en courant sinusoïdal alternatif. 1883 ; ☞ *watt* + *-mètre*[1] ; [watmɛtʀ].

**WAX,** subst. m.
Tissu de coton à motifs, de très bonne qualité, d'origine africaine. Angl. *wax*, « cire » ; [waks].

**WAYANG,** subst. m.
Théâtre d'ombres et de marionnettes du Sud-Est asiatique et de l'Indonésie. 1820 ; javanais *wayong*, « drame » ; [wajɑ̃g].

**W.-C.,** subst. m. plur.
Water-closet. 1887 ; abrév. de l'angl. *water closet*, « cabinet d'eau » ; [vese] ou [dubləvese].

**WEBER,** subst. m.
*Électr.* Unité S. I. de flux d'induction magnétique (symb. : Wb). La force électromotrice d'induction est égale à la dérivée du flux d'induction par rapport au temps, et une variation de 1 **weber** par seconde produit une force électromotrice de 1 volt. 1880 anthropon. *W. Ed. Weber*, physicien allemand ; [vebɛʀ].

© Pele-Stills

1

© Coll. Delange-Stills

2

© Pele-Stills

3

© Ben Glass-Stills

4

CLASSIQUES
DU **WESTERN**

1. La Chevauchée fantastique *(1939), film de John Ford, avec John Wayne, Andy Devine, Claire Trevor.*

2. Le train sifflera trois fois *(1952), film de Fred Zinnemann, avec Grace Kelly et Gary Cooper.*

3. Il était une fois dans l'Ouest *(1968), film de Sergio Leone, avec Claudia Cardinale, Charles Bronson, Henry Fonda.*

4. Danse avec les loups *(1990), film de et avec Kevin Costner.*

**WEEK-END,** subst. m.
Congé de fin de semaine, gén. le samedi et le dimanche. 1906 ; angl. *weekend*, de *week*, « semaine », et de *end*, « fin » ; plur. *week-ends* ; [wikɛnd].

**WEHNELT,** subst. m.
*Phys.* Électrode qui règle le flux d'électrons dans un tube cathodique, par modification de son potentiel. Anthropon. *A. Wehnelt*, physicien allemand ; [venɛlt].

**WELLINGTONIA,** subst. m.
*Bot.* Séquoia. 1868 ; lat. sc. *wellingtonia*, de l'anthropon. *Arthur Wellesley, duc de Wellington* ; [weliŋtɔnja].

**WELTANSCHAUUNG,** subst. f.
*Philos.* Vision métaphysique qui sous-tend le regard porté sur le monde. 1924 ; all. *Weltanschauung*, de *Welt*, « monde », et de *Anschauung*, « intuition » ; plur. *weltanschauungen* ; [vɛltanʃauŋ], plur. [-gɛn].

**WELTER,** subst. m.
*Sp.* En boxe, catégorie des poids mi-moyens. 1909 ; apocope de l'angl. *welterweight* ; [vɛltɛʀ] ou [wɛltɛʀ].

**WERGELD,** subst. m.
*Hist.* Chez les Germains et les Francs, dédommagement pécuniaire versé par l'auteur d'un délit à sa victime ou à la famille de celle-ci pour éviter leur vengeance. 1842 ; anc. haut all. *wërgëlt* ; [vɛʀgɛld].

**WESTERN,** subst. m.
*Cin.* **1.** Film dont l'action se déroule dans l'ouest des États-Unis (Far West), au temps des pionniers et de la conquête des terres sur les Indiens. **2.** Genre constitué par l'ensemble de ces films. 1919 ; angl. *western*, de *west*, « ouest » ; [wɛstɛʀn].

CINÉMA – Bien plus qu'un folklore, l'avancée des pionniers dans les territoires de l'Ouest et leurs combats contre les Amérindiens constituent la culture de base de la jeune Amérique, lui fournissent ses racines mythologiques, ses références historiques, épiques et poétiques. D'où le succès rapide, dès les débuts du cinéma national, du western, moderne chanson de geste illustrant les grands moments de la conquête du pays. En 1903, *le Vol du Grand Rapide*, d'Edwin S. Porter, inaugure une série de productions populaires marquant les débuts de Hollywood. S'en détacheront James Cruze (*la Caravane vers l'Ouest*, 1923) et John Ford (*le Cheval de fer*, 1924), avant que le genre, avec le parlant, s'épanouisse et rallie la quasi-totalité des cinéastes de l'époque. À partir des années soixante, cette production diminue et s'oriente vers des voies plus intellectuelles et critiques : les mythes héroïques revus et corrigés, la réhabilitation des Amérindiens (chez G. Stevens, A. Penn, R. Altman, S. Pollack) témoignent de l'évolution des mentalités. Le genre s'épuise (après quelques tentatives de renouveau en Italie) autour des années soixante-dix.

**WESTPHALIEN, IENNE,** adj. et subst.
De Westphalie. **Adj.** *Géol. Étage* ***westphalien*** ou, empl. subst. masc., *Le* ***Westphalien*** : étage médian du Carbonifère supérieur. 1601 ; topon. *Westphalie* (Allemagne) ; [wɛstfaljɛ̃, jɛn] ou [vɛs-].

**Wh, voir WATTHEURE**

**WHARF,** subst. m.
*Mar.* Appontement perpendiculaire au rivage, des deux côtés duquel les navires s'amarrent. 1398 ; angl. *wharf*, « quai » ; [waʀf].

**WHIG,** subst. m.
*Hist.* **1.** Membre d'un parti créé à la fin du XVIIe s. en Angleterre pour s'opposer aux Stuarts. **2.** Membre du parti libéral de Grande-Bretagne aux XVIIIe et XIXe s. ; empl. adj., qui se rapporte ou appartient à ce parti. 1704 (1690, partisan de la cause presbytérienne) ; mot angl. ; [wig].

**WHIPCORD,** subst. m.
*Text.* Tissu anglais à trame très serrée, et côtelé obliquement. 1893 ; angl. *whipcord*, de *whip*, « fouet », et de *cord*, « corde » ; [wipkɔʀd].

**WHIPPET,** subst. m.
Chien de chasse et de course, d'origine anglaise, proche du lévrier. [wipɛt].

**WHISKY,** subst. m.
Eau-de-vie de grains (orge, seigle, avoine, maïs) obtenue par distillation des moûts fermentés ; par méton., un verre de cette boisson. 1770 ; angl. *whisky*, du gaélique *uiscebeathad* ; plur. *whiskies* ou *whiskys* ; [wiski].

**WHIST,** subst. m.
Jeu de cartes d'origine anglaise, ancêtre du bridge. 1714 ; mot angl. ; [wist].

**WHITE-SPIRIT,** subst. m.
Extrait de pétrole utilisé comme solvant et diluant de peinture. 1930 ; angl. *white spirit*, de *white*, « blanc », et de *spirit*, « essence » ; plur. *white-spirit(s)* ; [wajtspiʀit].

**WIGWAM,** subst. m.
Hutte, tente des Amérindiens du Nord. 1688 ; angl. *wigwam*, de l'algonquin *wikiwam* ; [wigwam].

**WILAYA,** subst. f.
*Admin.* Département, en Algérie. V. 1960 ; ar. *wilâya* ; [vilaja].

**WILLIAMS,** subst. f.
Variété de poire juteuse, originaire d'Angleterre. 1874 ; anthropon. *Williams*, premier distributeur de ce fruit ; [wiljams].

**WINCH,** subst. m.
*Mar.* Petit cabestan utilisé sur les bateaux de plaisance. 1953 ; angl. *winch*, du vieil angl. *wince*, « enrouleur » ; plur. *winch(e)s* ; [win(t)ʃ].

**WINCHESTER,** subst. f.
*Arm.* Carabine à répétition, utilisée notamment lors de la guerre de Sécession. 1885 ; anthropon. *O. F. Winchester*, fabricant d'armes américain ; [wintʃɛstɛʀ].

**WINDSURF,** subst. m. inv.
*Sp.* Planche à voile (anglic.). V. 1970 ; angl. *windsurf*, de *wind*, « vent », et de *surf* ; n. déposé ; [wintsœʀf].

**WINTERGREEN,** subst. m.
*Essence de* **wintergreen** : essence extraite de la gaulthérie ou de l'écorce de bouleau, utilisée en parfumerie. 1843 ; angl. *wintergreen*, « gaulthérie », de *winter*, « hiver », et de *green*, « vert » ; [wintɛʀgʀin].

**WISHBONE,** subst. m.
*Mar.* Vergue disposée en arc autour de la voile. 1858 ; mot angl. ; [wiʃbon].

**WISIGOTHIQUE,** adj.
Relatif aux Wisigoths. 1601 ; bas lat. *Visigothicus*, p.-ê. « Goth de l'ouest » ; [vizigɔtik].

**WITLOOF,** subst. f.
*Bot.* Chicorée sauvage dont la racine, après forçage dans l'obscurité, donne l'endive. 1890 ; flam. *witloof*, de *wit*, « blanc », et de *loof*, « feuille » ; [witlɔf].

**WITZ,** subst. m.
Helv. Boutade, plaisanterie. All. *Witz* ; [vits].

**WOLFRAM,** subst. m.
*Chim.* **1.** Ancien nom du tungstène. **2.** Wolframite. 1759 ; all. *Wolfram*, de *Wolf*, « loup », et de *Rahm*, « crème » ; [vɔlfʀam].

**WOLFRAMITE,** subst. f.
*Chim.* Tungstate monoclinique de fer et de manganèse, principal minerai du tungstène. 1892 ; ☞ *wolfram* ; [vɔlfʀamit].

**WOLOF,** adj. et subst.
Des Wolofs, peuple du Sénégal et de Gambie. SUBST. MASC. Langue de ce peuple. 1608 ; mot wolof ; var. *ouolof* ; [wɔlɔf].

**WOMBAT,** subst. m.
*Zool.* Petit marsupial australien de la famille des Wombatidés, trapu, aux dents de rongeur et aux pattes de fouisseur (synon. *phascolome*). 1802 ; angl. *wombat*, d'une langue indigène d'Australie ; [wɔ̃ba].

*Wombat.*

© Ch. d'Hotel-Jacana

**WOMBATIDÉS,** subst. m. plur.
*Zool.* Famille de marsupiaux d'Australie, ayant une dentition de rongeurs, des membres courts, une tête volumineuse et qui sont d'habiles fouisseurs. AU SING. *Le wombat des plaines est un* **wombatidé**. ☞ *wombat* ; [wɔ̃batide].

**WON,** subst. m.
Unité monétaire coréenne. V. 1960 ; mot coréen ; plur. *won(s)* ; [wɔn].

**WORLD MUSIC,** subst. f.
Terme qui désigne les différentes musiques du monde, d'influence traditionnelle. V. 1980 ; angl. *world music*, « musique du monde » ; plur. *world musics* ; [wœʀldmjuzik].

**WORMIEN,** adj. m.
*Anat. Os* **wormiens** : petits os surnuméraires situés sur les points d'ossification de la voûte crânienne. 1647 ; anthropon. *Worm*, médecin danois ; [vɔʀmjɛ̃].

**WU,** subst. m.
Dialecte parlé dans certaines provinces orientales de Chine. Chinois *Wu*, l'un des « Trois Royaumes » ; [vu].

**WÜRM,** subst. m.
*Géol.* Dernière période glaciaire du Quaternaire, comprise entre – 100000 et – 80000 ans, identifiée dans les Alpes. On lui préfère auj. les noms de Weichselien ou de Wisconsin. 1930 ; topon. all. *Würm*, lac bavarois ; [vyʀm].

**WÜRMIEN, IENNE,** adj.
Relatif au Würm. 1930 ; ☞ *würm* ; [vyʀmjɛ̃, jɛn].

**WYANDOTTE,** subst. f. et adj.
Se dit d'une poule de race américaine, obtenue par croisement, excellente pondeuse. 1886 ; anglo-amér. *wyandot(te)*, de *Wendat*, désignant un peuple amérindien du Nord qui fut nommé péjorativement Hurons par les colons français ; [vjɑ̃dɔt].

**X,** subst. m. et adj.
SUBST. **1.** Vingt-quatrième lettre et dix-neuvième consonne de l'alphabet, comptant cinq valeurs phonétiques : [ks] (« index ») ; [gz] (« exercer ») ; [k] (« excès ») ; [s] (« Bruxelles ») ; [z] (« sixième »). **2.** Loc. **En X.** En forme d'X : *Un carrefour en X.* **3.** Nom donné à qqn qui souhaite garder l'anonymat ou dont le patronyme est inconnu : *Monsieur X.* **4.** Abrév. et Symb. ▸ *L'X* : l'École polytechnique ; *Un, une X* : un, une de ses élèves. ▸ X : chiffre romain valant 10. ▸ *Math. x* : inconnue dans une équation ; *Axe des x* : axe des abscisses dans le système de coordonnées cartésien. ADJ. **1.** *Cin. Film (classé) X* : pornographique. **2.** *Génét. Chromosome X* : chromosome sexuel, présent en double (XX) chez la femme et les femelles homogamétiques. **3.** *Phys. Rayons X* : rayons électromagnétiques à faible longueur d'onde, capables de traverser la matière. [iks].

**XANTHÉLASMA,** subst. m.
*Pathol.* Forme de xanthome plan, bilatéral, atteignant l'angle nasal des paupières. Gr. *elasma*, « lame », + *xantho-* ; [gzɑ̃telasma].

**XANTHIE,** subst. f.
*Zool.* Papillon de nuit de la famille des Noctuidés, de coloration générale jaune et rousse, et aux ailes antérieures bigarrées. 1842 ; lat. sc. *xanthia*, du gr. *xanthos*, « jaune » ; [gzɑ̃ti].

**XANTHINE,** subst. f.
*Chim.* Base organique purique provenant de la dégradation oxydative de la guanine et de l'adénine. 1890 ; gr. *xanthos*, « jaune » ; [gzɑ̃tin].

**XANTHOGÉNIQUE,** adj.
*Chim.* Qualifie un acide dérivé d'un acide instable, de formule globale RO—CS—SH. Formé de *xantho-* et de *-génie* ; [gzɑ̃tɔʒenik].

**XANTHOME,** subst. m.
*Pathol.* Lésion dermique jaunâtre, plane ou saillante, siégeant parfois le long des tendons, témoignant le plus souvent d'un trouble du métabolisme lipidique. 1878 ; gr. *xanthos*, « jaune » ; [gzɑ̃tom].

**XANTHOPHYCÉES,** subst. f. plur.
*Bot.* Classe d'algues de couleur jaune-vert, comprenant six ordres. AU SING. *La vauchérie est une* **xanthophycée**. Formé de *xantho-* et de *-phycée* ; [gzɑ̃tofise].

**XANTHOPHYLLE,** subst. f.
*Biochim.* Pigment jaune des végétaux, dérivé des carotènes, localisé dans les plastes, et colorant les feuilles, les pétales et les fruits. 1812 ; formé de *xantho-* et de *-phylle*, d'apr. *chlorophylle* ; [gzɑ̃tɔfil].

**Xe,** voir **XÉNON**

**XÉNARTHRES,** subst. m. plur.
*Zool.* Ordre de mammifères placentaires d'Afrique tropicale, ne possédant pas de dents antérieures, et dont certaines vertèbres présentent des apophyses articulaires supplémentaires. AU SING. *Le tatou est un* **xénarthre**. 1830 ; gr. *arthron*, « articulation », + *xéno-* ; [ksenaʀtʀ] ou [gze-].

**XÉNÉLASIE,** subst. f.
**1.** *Antiq.* Expulsion des étrangers d'une cité grecque. **2.** *Dr. internat.* Droit reconnu à un État belligérant d'expulser les ressortissants d'une nation ennemie. 1759 ; gr. *xenelasia*, de *xenos*, « étranger », et de *elaunein*, « chasser » ; [gzenelazi].

**XÉNOGREFFE,** subst. f.
*Biol.* Greffe pratiquée sur une espèce différente de celle du donneur. V. 1970 ; ☞ *greffe* + *xéno-* ; [gzenɔgʀɛf].

**XÉNOMORPHE,** adj.
*Minér.* Qualifie un minéral dont les faces cristallines n'ont pas pu se réaliser et qui est irrégulièrement engrené dans les cristaux qui l'entourent. Formé de *xéno-* et de *-morphe* ; [gzenɔmɔʀf].

**XÉNON,** subst. m.
*Chim.* Élément n° 54 de la table de Mendeleïev (symb. : Xe) ; masse atomique : 131,3 ; point de fusion : – 111,9 °C ; point d'ébullition : – 107,1 °C ; masse volumique : 3,06 g/cm³. C'est un gaz rare, incolore et inodore, utilisé dans les lampes à fluorescence. 1907 ; gr. *xenos*, « étranger ; insolite » ; [gzenɔ̃].

**XÉNOPHILE,** adj. et subst.
Rare. Se dit d'une personne favorable aux étrangers. ADJ. Qui est favorable aux étrangers. 1906 ; formé de *xéno-* et de *-phile* ; [gzenɔfil].

**XÉNOPHILIE,** subst. f.
Attitude xénophile. 1907 ; ☞ *xénophile* ; [gzenɔfili].

**XÉNOPHOBE,** adj. et subst.
ADJ. Systématiquement hostile aux étrangers. SUBST. Personne qui est hostile aux étrangers ou à ce qui vient de l'étranger. 1901 ; formé de *xéno-* et de *-phobe* ; [gzenɔfɔb].

**XÉNOPHOBIE,** subst. f.
Attitude d'une personne xénophobe. 1906 ; ☞ *xénophobe* ; [gzenofɔbi].

**XÉRANTHÈME,** subst. m.
*Bot.* Plante herbacée de la famille des Astéracées, aux fleurs roses ou pourpres, qui, séchées, conservent leur forme et leur couleur, et dont une espèce est l'immortelle. 1723 ; lat. sc. *xeranthemum*, du gr. *xêros*, « sec », et *anthemon*, « fleur » ; [kseʀɑ̃tɛm] ou [gze-].

**XÉRÈS,** subst. m.
Vin liquoreux de Jerez. 1573 ; topon. *Jerez de la Frontera* (Andalousie) ; var. *jerez* ; [kseʀɛs], [gze-], [xe-].

**XÉRODERMIE,** subst. f.
*Pathol.* Ichtyose mineure. 1890 ; formé de *xéro-* et de *-dermie* ; [kseʀɔdɛʀmi] ou [gze-].

**XÉROPHILE,** adj.
*Bot.* Qualifie une plante capable de se développer dans des conditions de grande sècheresse. 1874 ; formé de *xéro-* et de *-phile* ; [kseʀɔfil] ou [gze-].

**XÉROPHTALMIE,** subst. f.
*Pathol.* Forme grave de sècheresse cornéenne et conjonctivale, due le plus souvent à une carence en vitamine A, et entraînant une cécité partielle ou totale. 1694 ; gr. *xêrophtalmia*, de *xêros*, « sec », et de *ophtalmos*, « œil » ; [kseʀɔftalmi] ou [gze-].

**XÉROPHYTE,** subst. f.
*Bot.* Plante adaptée à la sècheresse. 1819 ; formé de *xéro-* et de *-phyte* ; [kseʀɔfit] ou [gze-].

**XÉROPHYTIQUE,** adj.
*Bot.* Relatif, propre aux xérophytes. Déb. XIXe s. ; ☞ *xérophyte* ; [kseʀɔfitik] ou [gze-].

**XÉRUS,** subst. m.
*Zool.* Petit rongeur d'Afrique, de la famille des Sciuridés, proche de l'écureuil. Il vit en groupes gardés par des sentinelles qui poussent des cris stridents en cas de danger. 1893 ; lat. sc. *xerus*, du gr. *xêros*, « sec » ; [kseʀys] ou [gze-].

**XI,** subst. m. inv.
Quatorzième lettre de l'alphabet grec (ξ, Ξ), qui correspond au *x* français. Déb. XVe s. ; var. *ksi* ; [ksi].

**XIMÉNIE,** subst. f.
*Bot.* Arbuste tropical de la famille des Olacacées, aux fruits et aux graines riches en huile. 1765 ; anthropon. *Ximénès*, missionnaire espagnol ; var. *un ximenia* ; [ksimeni] ou [gzi-].

**XIPHOÏDE,** adj.
*Anat. Appendice* ***xiphoïde*** : appendice aminci, parfois cartilagineux, constituant l'extrémité inférieure du sternum. 1550 ; gr. *xiphoeidês*, « qui a la forme d'une épée » ; [ksifɔid] ou [gzi-].

**XIPHOÏDIEN, IENNE,** adj.
Qui concerne l'appendice xiphoïde. 1822 ; ☞ *xiphoïde* ; [ksifɔidjɛ̃, jɛn] ou [gzi-].

**XIPHOPHORE,** subst. m.
*Zool.* Petit poisson téléostéen d'Amérique centrale, vivant en eau douce, recherché pour l'élevage en aquarium, aussi appelé porte-glaive en raison de la forme de la queue des mâles (abrév. : xipho). 1955 ; lat. sc. *xiphophorus*, du gr. *xiphophoros*, « qui porte l'épée » ; [ksifɔfɔʀ] ou [gzi-].

**XOANON,** subst. m.
*Archéol.* Sculpture typique de la Grèce archaïque, représentant un personnage aux bras collés le long du corps, comme pris dans une gaine. V. 1980 ; gr. *xoanon*, « statue » ; plur. *xoana* ; [ksɔanɔn], plur. [-na].

**XYLÈME,** subst. m.
*Bot.* Tissu conducteur de la sève brute (synon. *bois*). Mil. XXe s. ; gr. *xulon*, « bois » ; [ksilɛm] ou [gzi-].

**XYLÈNE,** subst. m.
*Chim.* Hydrocarbure benzénique, de formule $C_6H_4(CH_3)_2$, entrant notamment dans la composition de colorants et utilisé comme solvant. 1854 ; gr. *xulon*, « bois » ; [ksilɛn] ou [gzi-].

**XYLIDINE,** subst. f.
*Chim.* Amine dérivée du xylène, utilisée dans la fabrication de colorants. 1877 ; ☞ *xylène* ; [ksilidin] ou [gzi-].

**XYLIN, INE,** adj.
Relatif au bois. Gr. *xulon*, « bois » ; [ksilɛ̃, in] ou [gzi-].

**XYLOCOPE,** subst. m.
*Zool.* Grosse abeille, de la famille des Apidés, gén. noire aux ailes bleutées, aussi appelée abeille charpentière, car elle creuse son nid dans le bois mort. 1802 ; gr. *xulokopos*, de *xulon*, « bois », et de *koptein*, « couper » ; [ksilɔkɔp] ou [gzi-].

**XYLOGRAPHE,** subst.
Personne pratiquant la xylographie. 1824 ; ☞ *xylographie* ; [ksilɔgʀaf] ou [gzi-].

**XYLOGRAPHIE,** subst. f.
*Grav.* et *Impr.* Impression au moyen de plaques gravées ; par méton., gravure ainsi obtenue. 1771 ; formé de *xylo-* et de *-graphie* ; [ksilɔgʀafi] ou [gzi-].

**XYLOGRAPHIQUE,** adj.
Relatif à la xylographie. 1802 ; ☞ *xylographie* ; [ksilɔgʀafik] ou [gzi-].

**XYLOL,** subst. m.
*Chim.* Mélange des trois isomères du xylène, aux propriétés pharmaceutiques. 1890 ; gr. *xulon*, « bois » ; [ksilɔl] ou [gzi-].

**XYLOLOGIE,** subst. f.
Étude du bois, visant à définir sa structure, ses propriétés, sa composition chimique et organique. 1812 ; formé de *xylo-* et de *-logie* ; [ksilɔlɔʒi] ou [gzi-].

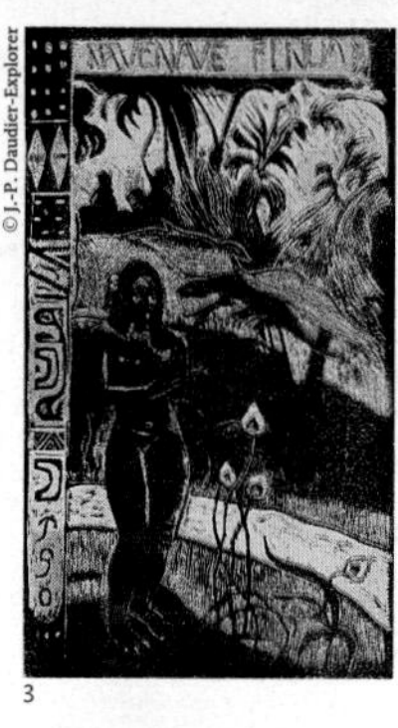

© Giraudon — © Lauros-Giraudon — © J.-P. Daudier-Explorer

L'ART DE LA **XYLOGRAPHIE**

1. *« La Femme de l'Apocalypse et le Dragon à sept têtes », extrait du recueil l'*Apocalypse *(1496-1498) d'Albrecht Dürer (1471-1528). Fonds Dutuit, Petit Palais, Paris.*

2. *Rois et dames, cartes de jeu éditées par Hector de Trois, à Paris (mil. XVIIe s.). Bibliothèque nationale, Paris.*

3. Nave-nave Mahana *(1896), de Paul Gauguin (1848-1903). Musée des Beaux-Arts, Lyon.*

**XYLOMÉTRIE,** subst. f.
*Sylvic.* Mesure volumique des arbres. Formé de *xylo-* et de *-métrie* ; [ksilɔmetʀi] ou [gzi-].

**XYLOPHAGE,** adj. et subst. m.
*Zool.* ADJ. Qui se nourrit de bois. SUBST. **1.** Insecte dont l'intestin abrite des bactéries qui digèrent le bois. **2.** Mollusque bivalve proche des pholades, vivant gén. dans les bois immergés. 1803 ; lat. *xylophagus*, du gr. *xulophagos*, de *xulon*, « bois », et de *phagein*, « manger » ; [ksilɔfaʒ] ou [gzi-].

**XYLOPHONE,** subst. m.
*Mus.* Instrument de percussion d'une tessiture de plusieurs octaves, à lattes fixées sur une caisse de résonance, et dont on joue avec des mailloches. 1868 ; formé de *xylo-* et de *-phone* ; [ksilɔfɔn] ou [gzi-].

**XYLOPHONISTE,** subst.
Personne qui joue du xylophone. XXe s. ; ☞ *xylophone* ; [ksilɔfɔnist] ou [gzi-].

**XYLOSE,** subst. m.
*Chim.* Pentose, dit aussi sucre de bois, utilisé pour les cultures microbiennes. 1904 ; ☞ *glucose* + *xylo-* ; [ksiloz] ou [gzi-].

**XYSTE,** subst. m.
*Antiq. gr.* Partie couverte d'un gymnase ; par méton., le gymnase lui-même. 1547 ; lat. *xystus*, du gr. *xustos* ; [ksist].

**XYSTOPHORE,** subst. m.
*Antiq. gr.* Nom donné à un soldat perse armé d'un court javelot. Gr. *xustoforos*, « qui porte une pique » ; [ksistɔfɔʀ].

**Y (I),** subst. m. inv.
**1.** Vingt-cinquième lettre et sixième voyelle de l'alphabet, qui servait aux Latins à transcrire l'upsilon grec. Elle se prononce [i] à l'initiale ou après une consonne (« ypréau », « paddy »), [j] devant une voyelle (« yeux », « caryopse »). Devant un *y* initial, il n'y a gén. ni élision ni liaison, sauf pour « yeux », « yèble », « yeuse ». **2.** Loc. **En Y.** En forme de Y : *Conduit en Y.* **3.** Abrév. et Symb. ▸ *Chim.* Y : yttrium. ▸ *Math.* *y* : seconde inconnue dans une équation (après *x*) ; *Axe des y* : axe des ordonnées, dans un système de coordonnées cartésien. ADJ. *Génét. Chromosome* Y : chromosome sexuel, présent uniquement chez les mâles hétérogamétiques où il est associé au chromosome X. [igʀɛk].

**Y (II),** adv. et pron. pers.
**I.** ADV. Marque le lieu. Dans cet endroit, là : *Nous y allons ; Je connais bien Lyon, j'y ai vécu ; J'y suis, j'y reste.* **II.** PRON. Représente un nom (de chose ou d'animal, plus rarement de personne), une proposition, une idée. À cela, à lui : *Nous partons demain, songez-y ; Un tel coup, je ne m'y attendais pas ! ; Il paraît gentil, mais ne t'y fie pas.* **III.** S'emploie dans de nombreuses expressions (il ne peut guère alors s'analyser) : *N'y voir goutte ; S'y prendre mal ; S'y connaître ; S'y entendre ; Il y a...* Fin Xe s. ; lat. *hic*, « ici » ; [i].

**Y (III),** pron. pers.
Notation de la prononciation populaire de « il » : *Voilà-t-y pas qu'y s'fâche !* Déb. XIXe s. ; ☞ *il* ; [i].

**YACHT,** subst. m.
*Mar.* Bateau de plaisance. 1831 (fin XVIe s., navire hollandais) ; néerl. *jacht*, « navire de guerre » ; ['jɔt].

**YACHT-CLUB,** subst. m.
Société regroupant des personnes qui pratiquent un sport nautique, notamment le yachting. 1855 ; mot angl. ; plur. *yacht-clubs* ; ['jɔtklœb].

**YACHTING,** subst. m.
Nautisme (vieilli). 1851 ; angl. *yachting*, de *to yacht*, « pratiquer la navigation de plaisance » ; ['jɔtiŋ].

**YACHTMAN,** subst. m.
Plaisancier (anglic. vieilli). 1858 ; angl. *yachtman*, de *yacht*, « yacht », et de *man*, « homme » ; plur. *yachtmans* ou *yachtmen*, le fém., *yachtwoman*, est rare ; ['jɔtman], plur. [-man] ou [-mɛn].

**YAK,** subst. m.
*Zool.* Gros mammifère ruminant de la famille des Bovidés, à fourrure épaisse et à bosse dorsale, qui vit dans les montagnes d'Asie, où il est domestiqué. 1791 ; angl. *yak*, du tibétain *gyak*, désignant le mâle castré ; var. *yack* ; ['jak].

**YAKUSA,** subst. m.
**1.** Société secrète de la pègre japonaise. **2.** Membre de l'une de ces sociétés. V. 1980 ; jap. *yakusa* « 8-9-3 », cette succession de chiffres étant considérée comme néfaste ; plur. *yakusa(s)* ; ['jakuza].

**YANG,** subst. m.
Principe complémentaire du yin dans le taoïsme symbole de chaleur, d'activité et de virilité. 1753 mot chinois ; ['jɑ̃g].

**YANKEE (I),** subst.
**1.** *Hist.* Sobriquet donné par les Anglais aux colons américains révoltés, puis, durant la guerre de

*Yak sur l'un des plateaux du Tibet.*

© Xinhua/Chine Nouvelle-Gamma

écession, aux Nordistes par les Sudistes. **2.** Améri-ain des États-Unis, en partic. de souche anglo-axonne (péj.) ; empl. adj. : *L'impérialisme* ***yankee.*** 1776 ; orig. obsc. ; ['jɑ̃ki].

**YANKEE (II),** subst. m.
*Mar.* Grand foc dont le coin inférieur est relevé. V. 1970 ; angl. *yankee jib*, de *yankee*, « américain », t de *jib*, « foc » ; ['jɑ̃ki].

**YAOURT,** subst. m.
ait fermenté non égoutté. Mil. XVe s. ; turc *oghourt* ; var. *yogourt, yoghourt* ; ['jauʀt].

**YAOURTIÈRE,** subst. f.
Appareil servant à la préparation domestique des aourts. 1950 ; ☞ *yaourt* ; ['jauʀtjɛʀ].

**YARD,** subst. m.
*Métrol.* Unité de mesure anglo-saxonne, valant 0,914 mètre. ▸ ***Yard carré*** : unité de surface, valant 0,836 mètre carré. 1669 ; mot angl. ; ['jaʀd].

**YASSA,** subst. m.
*Cuis.* En Afrique, ragoût de viande aromatisé au citron. Mot créole de Casamance ; ['jasa].

**YATAGAN,** subst. m.
*Arm.* Sabre à lame courbe jadis utilisé par les Turcs. 1787 ; turc *yatağan* ; ['jatagɑ̃].

**YAWL,** subst. m.
*Mar.* Voilier muni d'un mât supplémentaire à l'arrière de la barre. 1872 ; mot angl. ; ['jol].

**Yb,** voir **YTTERBIUM**

**YEARLING,** subst. m.
Pur-sang âgé d'un an (anglic.). 1861 ; angl. *yearling*, « qui a un an », de *year*, « an » ; ['jœʀliŋ].

**YÈBLE,** voir **HIÈBLE**

**YEN,** subst. m.
Unité monétaire principale du Japon. 1892 ; mot jap. ; ['jɛn].

**YEOMAN,** subst. m.
**1.** *Hist.* Propriétaire terrien d'origine roturière, dans l'Angleterre médiévale. **2.** Vétéran de la garde royale anglaise. 1614 ; angl. *yeoman*, du vieil angl. *youngman*, « jeune page » ; plur. *yeomans* ou *yeomen* ; ['jɔman], plur. [-man] ou [-mɛn].

**YESHIVA,** subst. f.
*Relig.* École juive spécialisée dans les études talmudiques. 1920 ; hébreu *yāšab*, « être assis » ; plur. *yeshivas* ou *yeshivot* ; ['jeʃiva], plur. [-va] ou [-vɔt].

**YÉTI,** subst. m.
Anthropoïde légendaire censé vivre dans le massif himalayen. 1956 ; mot tibétain ; var. *yeti* ; ['jeti].

*Le yéti comme on l'imaginait en 1960. Illustration de la revue* Radar.

© M. Evans-Explorer

**YEUSE,** subst. f.
*Bot.* Chêne vert. 1552 ; prov. *euze*, du lat. *elex* ; [jøz].

**YEUX,** voir **ŒIL**

**YÉ-YÉ,** subst. m. et adj. inv.
**Subst.** Nom donné aux jeunes amateurs de la musique, des succès venus des États-Unis, au début des années soixante. **Adj.** Relatif, propre à ce style musical, à la mode qui l'accompagnait. V. 1960 ; anglo-amér. *yeah*, altér. de *yes*, « oui » ; plur. du subst. *yé(s)-yé(s)*, var. *yéyé* ; [jeje].

**YIDDISH,** subst. m. et adj. inv.
**Subst.** Langue des Juifs ashkénazes, constituée d'un fonds lexical hébraïque et d'éléments du moyen haut allemand et du slave. **Adj.** Relatif à cette langue, à ses locuteurs : *Poète* ***yiddish.*** 1864 ; angl. *yiddish*, de l'all. *jüdisch Deutsch*, « judéo-allemand » ; ['jidiʃ].

**YIN,** subst. m.
Principe complémentaire du yang dans le taoïsme, symbole de la terre, de l'humidité et de la passivité. 1753 ; mot chinois ; ['jin].

**YLANG-YLANG,** voir **ILANG-ILANG**

**YOD,** subst. m.
**1.** Dixième lettre des alphabets phénicien et hébreu. ▸ Ancien phonème grec. **2.** *Phon.* Semi-voyelle palatale [j]. Mil. XIVe s. ; hébreu *yôd* ; inv. au sens 1 ; ['jɔd].

**YODLER,** voir **JODLER**

**YOGA,** subst. m.
Discipline originaire de l'Inde, par laquelle l'homme cherche à contrôler ses énergies par divers moyens (maîtrise de la respiration, pratiques ascétiques, méditation), afin de parvenir à sortir du cercle des existences. 1825 ; skr. *yoga*, « jonction » ; ['jɔga].

**YOGHOURT,** voir **YAOURT**

**YOGI,** subst. m.
Personne qui pratique le yoga. 1298 ; skr. *yogin*, « qui est lié » ; ['jɔgi].

**YOGOURT,** voir **YAOURT**

**YOHIMBEHE,** subst. m.
*Bot.* Arbre du Cameroun, de la famille des Rubiacées, dont l'écorce fournit un alcaloïde, la yohimbine, et dont le bois est utilisé dans la construction navale. 1894 ; mot bantou ; ['jɔimbe].

**YOHIMBINE,** subst. f.
*Biochim.* Alcaloïde extrait du yohimbehe. 1894 ; ☞ *yohimbehe* ; ['jɔimbin].

**YOLE,** subst. f.
Canot étroit et allongé, propulsé à l'aviron. 1702 ; néerl. *jol* ou danois *jolle* ; ['jɔl].

**YOM KIPPOUR,** subst. m. inv.
*Relig.* Fête juive célébrée dix jours après le nouvel an juif, dite fête du Grand Pardon. 1870 ; hébreu *yom kippūr*, « jour de l'expiation » ; ['jɔmkipuʀ].

**YORKSHIRE-TERRIER,** subst. m.
Petit chien de compagnie à poil long, d'origine anglaise (abrév. : yorkshire). 1933 ; mot angl. ; plur. *yorkshire-terriers* ; ['jɔʀkʃœʀtɛʀje].

**YOUP,** interj.
Marque l'entrain, la bonne humeur : ***Youp*** *là, c'est parti !* 1808 ; orig. onomat. ; ['jup].

**YOUPALA,** subst. m.
Cadre monté sur roulettes, servant à soutenir le corps d'un jeune enfant durant son apprentissage de la marche ; trotteur. 1952 ; orig. inc. ; ['jupala].

**YOUPI,** interj.
Exclamation de joie. 1947 ; ☞ *youp* ; ['jupi].

**YOURTE,** subst. f.
Tente de peau qui sert d'habitation aux populations nomades d'Asie centrale. 1765 ; russe *ūrt(a)*, « hutte de nomades », d'orig. turco-tatare ; var. *iourte* ; ['juʀt].

**YOUYOU (I),** subst. m.
Cri aigu, modulé, poussé par les femmes arabes dans certaines cérémonies. 1802 ; orig. onomat. ; ['juju].

**YOUYOU (II),** subst. m.
*Mar.* Canot de service, court et large, à voiles ou à rames. 1820 ; onomat. chinoise ; ['juju].

**YO-YO,** subst. m. inv.
Jouet composé de deux disques que l'on fait monter et descendre le long d'une ficelle enroulée sur l'axe qui les réunit. 1931 ; p.-ê. langue malayo-polynésienne ; n. déposé ; var. *yoyo* (plur. *yoyos*) ; ['jojo].

**YPÉRITE,** subst. f.
*Chim.* Composé dérivé du sulfure d'éthyle, qui a été utilisé comme gaz de combat (gaz moutarde). 1929 ; topon. *Ypres* (Belgique) ; [ipeʀit].

**YPONOMEUTE,** voir **HYPONOMEUTE**

**YPRÉAU,** subst. m.
*Bot.* Autre nom du peuplier grisard et du peuplier blanc (région.). 1432 ; topon. *Ypres* (Belgique) ; [ipʀeo].

**YPRÉSIEN, IENNE,** subst. m. et adj.
*Géol.* **Subst.** Étage de la base du Tertiaire inférieur (Éocène), commencé il y a 53 millions d'années et qui a duré 7 millions d'années. **Adj.** Relatif, propre à cet étage. Topon. *Ypres* (Belgique) ; [ipʀezjɛ̃, jɛn].

**YSOPET,** subst. m.
*Litt.* Recueil de fables médiéval. XIIIe s. ; anthropon. *Ésope* ; var. *isopet* ; [izɔpɛ].

**YTTERBINE,** subst. f.
*Chim.* Oxyde d'ytterbium. 1878 ; ☞ *ytterbium* ; [itɛʀbin].

**YTTERBIUM,** subst. m.
*Chim.* Élément n° 70 de la table de Mendeleïev (symb. : Yb) ; masse atomique : 173,04 ; point de fusion : 819 °C ; point d'ébullition : 1 194 °C ; masse volumique : 6,98 g/cm$^3$. C'est un élément métallique du groupe des lanthanides. 1878 ; topon. *Ytterby* (Suède) ; [itɛʀbjɔm].

**YTTRIA,** subst. m.
*Chim.* Oxyde naturel d'yttrium, de formule $Y_2O_3$. 1801 ; topon. *Ytterby* (Suède) ; [itʀija].

**YTTRIFÈRE,** adj.
Qui contient de l'yttrium. 1845 ; ☞ *yttrium* + *-fère* ; [itʀifɛʀ].

**YTTRIQUE,** adj.
Relatif aux composés de l'yttrium. 1831 ; ☞ *yttrium* ; [itʀik].

**YTTRIUM,** subst. m.
*Chim.* Élément n° 39 de la table de Mendeleïev (symb. : Y) ; masse atomique : 88,9 ; point de fusion : 1 522 °C ; point d'ébullition : 3 338 °C ; masse volumique : 4,47 g/cm$^3$. 1820 ; ☞ *yttria* ; [itʀijɔm].

**YUAN,** subst. m.
Unité monétaire chinoise. 1949 ; chinois *yuan*, « rond ; yuan » ; ['jɥan].

**YUCCA,** subst. m.
*Bot.* Plante arborescente d'Amérique, de la famille des Agavacées, dont les fleurs blanches en clochettes, disposées en panicule sur la hampe florale, sont pollinisées la nuit par un insecte. 1694 ; esp. *yuca*, d'une langue indigène d'Haïti ; ['juka].

**YUPPIE,** subst.
Jeune cadre ambitieux et dynamique, dans les pays anglo-saxons : *Les* ***yuppies*** *de Wall Street.* V. 1980 ; acron. de l'angl. *young urban professional*, « jeune professionnel citadin », d'apr. *hippie* ; ['jupi].

---

# Z

**Z,** subst. m.
**1.** Vingt-sixième lettre et vingtième consonne de l'alphabet, notant la fricative alvéolaire [z]. **2.** Loc. *De A à Z* : du début à la fin. **3.** Abrév. et Symb. *Math.* $\mathbb{Z}$ : symbole des entiers relatifs (c.-à-d. positifs, négatifs ou nul) ; $\mathbb{Z}^*$ : ensemble des entiers relatifs autres que zéro. [zɛd].

**ZABRE,** subst. m.
*Zool.* Coléoptère de la famille des Carabidés, qui ravage les cultures céréalières. 1842 ; lat. sc. *zabrus* ; [zabʀ].

**ZADRUGA,** subst. f.
*Hist.* **1.** Institution fondée sur l'exploitation indivise des terres d'une communauté, chez les Slaves du Sud, jusqu'en 1914 ; cette communauté. **2.** Dans la Yougoslavie de Tito, coopérative socialiste de travail et de production. 1885 ; mot serbo-croate ; [zadʀuga].

**ZAIN,** adj. m.
Se dit d'un cheval dont la robe, de couleur uniforme, ne présente aucun poil blanc ; par anal. : *Chien* ***zain.*** 1559 ; ital. *zaino* ; [zɛ̃].

**ZAKOUSKI,** subst. m.
*Cuis.* Assortiment de petits hors-d'œuvre, en Russie et en Pologne. 1881 ; russe *zakuska*, « collation », de *za-kusat'*, « mordre » ; plur. *zakouski(s)* ; [zakuski].

**ZAMIER,** subst. m.
*Bot.* Arbre tropical à port de palmier, de la famille des Cycadacées, dont la moelle comestible fournit le sagou. 1765 ; lat. sc. *zamia*, du lat. *azaniae nuces*, « pommes de pin desséchées » ; var. *un zamia* ; [zamje].

**ZANCLE,** subst. m.
*Zool.* Poisson osseux des mers chaudes au corps aplati, aux couleurs éclatantes, également appelé tranchoir. 1874 ; gr. *zagklon*, « faucille » ; [zɑ̃kl].

**ZANNI,** subst. m.
*Litt.* Bouffon dans la commedia dell'arte. 1558 ; *Zany*, nom vénitien d'un personnage de comédie, altér. de l'ital. *Giovanni*, « Jean » ; var. *zani* ; [dzani].

**ZANZIBAR, subst. m.**
Jeu de hasard qui se joue à trois dés ; coup le plus fort de ce jeu (abrév. : zanzi). 1884 ; topon. *Zanzibar* (Tanzanie) ; [zɑ̃zibaʀ].

**ZAOUÏA, voir ZAWIYA**

**ZAPATÉADO, subst. m.**
Danse andalouse, populaire au Mexique, caractérisée par un claquement rapide des talons. 1842 ; esp. *zapateado*, de *zapato*, « chaussure » ; var. *zapateado* ; [zapateado] ou [sa-].

**ZAPPER, verbe [3]**
Anglic. Intrans. **1.** Changer rapidement de chaîne de télévision au moyen d'une télécommande. **2.** Fig. Passer vite d'une activité à une autre. Trans. Anal. Faire disparaître (qqn, qqch.) de sa vue, de sa mémoire. V. 1980 ; angl. *to zap*, « éliminer » ; [zape].

**ZAPPING, subst. m.**
Action de zapper (anglic.). V. 1980 ; ☞ *zapper* ; [zapiŋ].

**ZARZUELA, subst. f.**
**1.** Pièce lyrique espagnole où alternent le chant et la déclamation. **2.** *Cuis.* Plat espagnol à base de poissons et de crustacés. 1904 ; topon. esp. *Zarzuela*, résidence royale madrilène ; [zaʀzwɛla] ou [saʀswɛ-].

**ZAWIYA, subst. f.**
*Relig.* **1.** Au Maghreb, école islamique. **2.** Ensemble des disciples d'un maître soufi. 1846 ; ar. *zāwiya* ; var. *zaouïa* ; [zawija].

**ZAZOU, OUE, adj. et subst.**
Subst. Dans les années quarante, jeune personne passionnée de jazz et à la mise excentrique. ▸ Ext. Personnage farfelu. Adj. Propre à cette mode. 1941 (1937, joli garçon) ; orig. onomat. ; [zazu].

**ZÈBRE, subst. m.**
**1.** *Zool.* Mammifère de la famille des Équidés, à la robe rayée de bandes noires ou brunes, qui vit en troupeaux dans la savane africaine. **2.** Individu étrange (fam.). 1610 ; port. *zebra*, prob. du lat. pop. *°eciferus*, du lat. *equiferus*, « cheval sauvage » ; [zɛbʀ].

**ZÉBRER, verbe trans. [8]**
Marquer de raies, de hachures ; empl. adj. : *Étoffe zébrée.* 1821 ; ☞ *zèbre* ; [zebʀe].

**ZÉBRURE, subst. f.**
**1.** Rayure du pelage d'un animal. **2.** Anal. Raie sur une surface. 1846 ; ☞ *zébrer* ; [zebʀyʀ].

**ZÉBU, subst. m.**
*Zool.* Bovidé domestique d'Inde, d'Asie et d'Afrique tropicale présentant une bosse graisseuse sur le garrot. 1754 ; tibétain *zeba*, « bosse du zébu, du chameau » ; [zeby].

© J.-P. Champroux-Jacana

*Zébu.*

**ZÉE, subst. m.**
*Zool.* Poisson au corps aplati et aux nageoires épineuses, portant une tache noire et ronde de chaque côté du corps, fréquent dans l'Atlantique et en Méditerranée, également appelé saint-pierre. 1805 ; lat. *zeus*, du gr. *zaios* ; [ze].

**ZÉLATEUR, TRICE, subst.**
Personne qui défend une cause ou qqn avec ferveur. 1398 ; lat. chrét. *zelator*, « jaloux » ; [zelatœʀ, tʀis].

**ZÈLE, subst. m.**
**1.** Vx. Ferveur religieuse. **2.** Empressement à servir une personne, une idée ; ardeur dans l'accomplissement d'une tâche : *Travailler avec zèle.* ▸ Loc. *Faire du zèle* : en faire trop ; *Grève du zèle* : application pointilleuse des règlements visant à paralyser une activité. Fin XIVe s. ; lat. *zelus*, du gr. *zêlos*, « jalousie » ; [zɛl].

**ZÉLÉ, ÉE, adj.**
Qui fait preuve de zèle. 1521 ; ☞ *zèle* ; [zele].

**ZELLIGE, subst. m.**
*B.-a.* Petit morceau de brique émaillée, utilisé comme élément décoratif dans l'art mauresque. 1849 ; ar. maghrébin *zulayğ*, p.-ê. de l'esp. *azulejo*, « carreau de faïence colorée » ; [zɛliʒ].

**ZÉLOTE, subst.**
*Hist.* Extrémiste patriote juif du Ier s. apr. J.-C., qui prônait une résistance violente à l'occupant romain. 1606 ; lat. chrét. *zelotes*, « zélé », du gr. *zêlôtês*, « admirateur fervent » ; [zelɔt].

**ZEMSTVO, subst. m.**
*Hist.* Assemblée territoriale qui assurait, de 1864 à 1917, l'administration locale des différents gouvernements de la Russie d'Europe. 1890 ; russe *zemstvo*, de *zemlâ*, « terre » ; [zjɛmstvo].

**ZEN, subst. m. et adj. inv.**
Subst. Secte bouddhique taoïsante du Japon, d'origine chinoise, pour laquelle seule l'absence de toute pensée permet d'atteindre l'illumination, c.-à-d. l'intuition immédiate de la nature et des perfections du Bouddha. Adj. Relatif, propre au zen : *Esprit zen* ; par ext., calme. 1889 ; jap. *zen*, du chinois *chan*, « quiétude », du skr. *dhyāna*, « méditation » ; [zɛn].

© N. Hicks-Gamma

*Jardin de pierres d'inspiration zen dans le temple Ryoan-ji (XVe s.), à Kyôto.*

**ZÉNANA, subst. m. ou f.**
**1.** Appartement des femmes musulmanes, en Inde. **2.** *Text.* Étoffe cloquée, en soie ou en coton, servant à confectionner des peignoirs, des robes de chambre, etc. 1812 ; hindi *zenānā*, du persan *zanāna*, « qui a rapport aux femmes ; féminin » ; [zenana].

**ZEND, ZENDE, subst. m. et adj.**
Subst. Langue dans laquelle est écrit l'Avesta. Adj. Relatif à cette langue. 1763 ; *Zend-Avesta*, bible du mazdéisme ; [zɛ̃d].

**ZÉNITH, subst. m.**
**1.** *Astron.* Point de la sphère céleste situé sur la verticale ascendante d'un lieu donné (par oppos. à *nadir*). **2.** Fig. Point culminant d'un état, d'un sentiment : *Il était au zénith de la joie.* 1338 ; lat. médiév. *zenit*, de l'ar. *samt al-ra's* ; [zenit].

**ZÉNITHAL, ALE, AUX, adj.**
Relatif ou situé au zénith. ▸ *Astron. Distance zénithale* : distance angulaire d'un point de la sphère céleste au zénith. ▸ *Archit. Éclairage zénithal* : éclairage naturel tombant à la verticale, par ex. d'une verrière. 1612 ; ☞ *zénith* ; [zenital, o].

**ZÉOLITE, subst. f.**
*Minér.* Aluminosilicate de sodium et de calcium hydraté, dont les cristaux se trouvent gén. dans les roches volcaniques, et qui bouillonne lorsqu'on le chauffe. 1756 ; lat. sc. *zeolithus*, du gr. *zein*, « bouillonner », et *lithos*, « pierre » ; var. *zéolithe* ; [zeɔlit].

**ZÉPHYR, subst. m.**
**1.** Vent léger et agréable (littér.). **2.** *Text.* Tissu de coton peigné, souple, utilisé pour confectionner des vêtements légers. Déb. XIVe s. ; lat. *zephyrus*, du gr. *zephuros*, « vent du nord-ouest » ; [zefiʀ].

**ZÉPHYRIEN, IENNE, adj.**
Doux, léger, tel le zéphyr (littér.). 1842 (1771, qualifie un œuf sans germe) ; ☞ *zéphyr* ; [zefiʀjɛ̃, jɛn].

**ZÉPHYRINE, subst. f.**
*Text.* Étoffe colorée autrefois fabriquée à Saint-Quentin. 1822 ; ☞ *zéphyr* ; [zefiʀin].

**ZEPPELIN, subst. m.**
*Aéron.* Dirigeable à carcasse métallique, construit en Allemagne jusqu'à la fin des années trente. 1907 ; anthropon. *Ferdinand von Zeppelin* ; [zɛplɛ̃].

**ZÉRO, subst. m. et adj. inv.**
Subst. **1.** *Math.* ▸ Cardinal de l'ensemble vide. ▸ Symbole numérique, noté 0, qui, dans les numérations de position, indique l'absence d'unité du rang (unités, dizaines...) où il figure. ▸ *Zéro d'un polynôme* : racine de ce polynôme. ▸ *Diviseur de zéro à gauche (resp. à droite) dans un anneau A* : élément *a* de A tel qu'il existe un élément *b* non nul de A vérifiant $a \cdot b = 0$ (resp. $b \cdot a = 0$). **2.** Fi... Personne absolument insignifiante : *Il est considé... comme un zéro par son père.* **3.** Néant. ▸ Loc. *Rédui... à zéro* : faire disparaître ; *Partir de zéro* : de rien ; *Repartir de zéro* : recommencer depuis le début ; *Avoir le moral à zéro* : au plus bas (fam.). **4.** *Métro...* Point initial de diverses échelles de graduation : *D... degrés au-dessous de zéro* ; *Zéro absolu*, températu... la plus basse que l'on puisse envisager (0 °K, so... – 273,15 °C). **5.** *Enseign.* Note la plus basse, q... n'attribue aucun point : *Un zéro en géographi...* Adj. num. card. Marque l'absence d'unité : *Zé... faute* ; *Zéro franc cinquante*, cinquante centimes ; *L'avion décolle à zéro heure*, à minuit. ▸ *Zéro deg... Celsius* (0 °C) : température à laquelle l'eau gèl... Adj. Nul : *C'est zéro*, c'est mauvais ; *Croissance zér...* nulle. ▸ *Presse. Numéro zéro d'un périodique* : numér... d'essai non diffusé. 1485 ; ital. *zero*, altér. de *zefir...* de l'ar. *ṣifr* ; [zeʀo].

**ZÉROTAGE, subst. m.**
*Métrol.* Fait de déterminer le zéro d'un instrumen... de mesure. 1872 ; ☞ *zéro* ; [zeʀotaʒ].

**ZEST, interj.**
Vieilli. Onomatopée rendant le bruit d'un cou... ▸ Empl. subst. masc. *Entre le zist et le zest* : entr... deux états, dans l'indécision ou mal défin... 1611 ; orig. onomat. ; [zɛst].

**ZESTE, subst. m.**
**1.** Partie externe de l'écorce des agrumes qui, râpé... ou découpée en lamelles, sert à aromatiser un... boisson ou un mets : *Un zeste de citron.* **2.** Fig. Petit... quantité, faible dose : *Un zeste d'ironie.* Mil. XVIe ... (1536, chose de peu de valeur) ; orig. onomat. ; [zɛst...

**ZESTER, verbe trans. [3]**
*Cuis.* Prélever le zeste de (un fruit). 1726 ; ☞ *zeste* ; [zɛste].

**ZÊTA, subst. m. inv.**
Sixième lettre de l'alphabet grec (ζ, Z), correspon... dant au son [dz]. 1356 ; var. *dzêta* ; [dzɛta].

**ZÉTÈTE, subst. m.**
*Antiq. gr.* Magistrat athénien élu pour mener le... enquêtes politiques et recouvrer les dettes de l'État. 1765 ; gr. *zêtêtês* ; [zetɛt].

**ZEUGITE, subst. m.**
*Antiq. gr.* Riche paysan membre de la troisièm... classe de citoyens à Athènes, recruté comme hoplit... en temps de guerre. 1876 ; gr. *zeugita*, de *zeugo...* « attelage » ; [zøʒit].

**ZEUGMA, subst. m.**
*Rhét.* Procédé stylistique qui consiste à assortir u... terme de compléments qui ne sont pas sur le mê... me plan sémantique (par ex. : « Enfermée dan... sa chambre et dans sa surdité », Martin du Gard). 1380 ; lat. *zeugma*, du gr. *zeugma*, « joug » ; va... *zeugme* ; [zøgma].

**ZEUZÈRE, subst. f.**
*Zool.* Lépidoptère nocturne, aux ailes blanche... mouchetées de noir ou de bleu, dont la chenill... creuse des galeries dans les troncs d'arbre. 1804 ; orig. obsc. ; [zøzɛʀ].

**ZÉZAIEMENT, subst. m.**
*Pathol.* Défaut de prononciation dû à un mauvai... appui lingual, qui fait émettre des consonne... sifflantes à la place des consonnes chuintantes. 1842 ; ☞ *zézayer* ; [zezɛmɑ̃].

**ZÉZAYER, verbe intrans. [15]**
Prononcer les lettres *j* et *g*, [ʒ], comme un *z*, [z] et articuler [s] pour [ʃ] (« ze sante » pour « je chante », par ex.). 1818 ; orig. onomat. ; [zezɛje].

**ZIBELINE, subst. f.**
**1.** *Zool.* Mammifère de l'ordre des Carnivores et de la famille des Mustélidés, espèce de martre sibé... rienne et japonaise, très recherché pour sa fourrure dense et soyeuse. **2.** Méton. Fourrure de cet animal. 1534 ; ital. *zibellino* ; [ziblin].

**ZIDOVUDINE, subst. f.**
*Pharm.* Antiviral actif sur les rétrovirus humains en partic. sur le V. I. H., utilisé dans le traitemen... du sida (synon. *A. Z. T.*). V. 1990 ; contraction de l'angl. *azidodeoxythymidine* ; [zidɔvydin].

**ZIEUTER, verbe trans. [3]**
Regarder (qqn, qqch.) de manière insistante (fam.). 1900 ; ☞ *yeux* ; var. *zyeuter* ; [zjøte].

**ZIG, subst. m.**
Individu, homme (pop.). 1835 ; altér. de *gigue* ; var. *zigue* ; [zig].

**ZIGGOURAT, subst. f.**
*Archéol.* Pyramide à étages des civilisations de la Mésopotamie ancienne, qui était utilisée comme sanctuaire et pour l'observation des astres : *La tour de Babel, **ziggourat** biblique.* 1874 ; akkadien *ziqquratu*, « élévation », de *zaqaru*, « être élevé » ; var. *ziggurat* ; [ziguʀat].

**ZIGOTO, subst. m.**
Homme farfelu (fam.). 1900 ; ☞ *zig* ; [zigoto].

**ZIGOUILLER, verbe trans. [3]**
Tuer (fam.). 1895 ; poitevin *zigue-zigue*, « mauvais couteau » ; [ziguje].

**ZIGUE, voir ZIG**

**ZIGZAG, subst. m.**
**1.** Ligne brisée en Z. **2.** Ext. Tracé sinueux : *Route en **zigzag** ; Marcher en **zigzag**.* **3.** Fig. Progression irrégulière : *Des résultats en **zigzag**.* 1718 (1662, ensemble de losanges articulés) ; orig. onomat. ; [zigzag].

**ZIGZAGANT, ANTE, adj.**
**1.** Qui fait des zigzags. **2.** Fig. Qui progresse en zigzag : *Une scolarité **zigzagante**.* 1881 ; p. pr. de *zigzaguer* ; [zigzagɑ̃, ɑ̃t].

**ZIGZAGUER, verbe intrans. [3]**
**1.** Avancer de travers. **2.** Former des zigzags : *Un sentier qui **zigzague**.* 1786 ; ☞ *zigzag* ; [zigzage].

**ZINC, subst. m.**
**1.** *Chim.* Élément n° 30 de la table de Mendeleïev (symb. : Zn) ; masse atomique : 65,37 ; point de fusion : 419,58 °C ; point d'ébullition : 907 °C ; masse volumique : 7,14 g/cm³. Le **zinc** est un métal brillant d'un blanc bleuâtre, bon conducteur, malléable et qui permet de composer de nombreux alliages (laiton, maillechort, etc.). **2.** Ce métal, une fois travaillé : *Toit, tuyau de **zinc**.* **3.** Méton. Objet en **zinc**. **4.** Fam. ▸ Comptoir de café ; petit bar. ▸ Avion. 1666 ; all. *Zink* ; [zɛ̃g].

**ZINCAGE, voir ZINGAGE**

**ZINCATE, subst. m.**
*Chim.* Sel d'hydroxyde de zinc. XIXᵉ s. ; ☞ *zinc* ; [zɛ̃kat].

**ZINCIFÈRE, adj.**
Qui contient du zinc (synon. *zincique*). 1831 ; ☞ *zinc* + *-fère* ; [zɛ̃sifɛʀ].

**ZINCOGRAPHIE, subst. f.**
*Arts graph.* Impression par gravure dont le support est en zinc. 1839 ; ☞ *zinc* + *-graphie* ; [zɛ̃kɔgʀafi].

**ZINGAGE, subst. m.**
*Bât.* et *Techn.* Action de zinguer ; son résultat. 1838 ; ☞ *zinguer* ; var. *zincage* ; [zɛ̃gaʒ].

**ZINGIBÉRACÉES, subst. f. plur.**
*Bot.* Famille de plantes monocotylédones, tropicales, herbacées et vivaces, dont les rhizomes et les racines renferment des principes toniques. Au sing. *Le gingembre est une **zingibéracée**.* 1808 ; lat. *zingiber*, « gingembre » ; [zɛ̃ʒibeʀase].

**ZINGUER, verbe trans. [3]**
**1.** *Bât.* Couvrir (un toit) de zinc. **2.** *Techn.* Galvaniser (du métal). 1839 ; ☞ *zinc* ; [zɛ̃ge].

**ZINGUEUR, EUSE, subst.**
Personne chargée du zingage ; en partic., couvreur. 1838 ; ☞ *zinguer* ; [zɛ̃gœʀ, øz].

**ZINJANTHROPE, subst. m.**
*Préhist.* Australopithèque exhumé par L. Leakey en 1959. V. 1960 ; topon. *Zinj* (Tanzanie) + *-anthrope* ; [zɛ̃ʒɑ̃tʀɔp].

**ZINNIA, subst. m.**
*Bot.* Astéracée herbacée annuelle d'Amérique, à fleurs de couleurs variées, cultivée comme plante ornementale. 1807 ; anthropon. *Zinn*, botaniste allemand ; [zinja].

*Fleur de **zinnia**.*

© G. Laurent-Jacana

**ZINZIN (I), subst. et adj.**
Subst. masc. **1.** *Milit.* Engin bruyant (vieilli). **2.** Ext. Objet en général, chose (fam.). Adj. et Subst. Se dit d'une personne à l'esprit dérangé (fam.) : *Elle est **zinzin**.* V. 1920 ; orig. onomat. ; [zɛ̃zɛ̃].

**ZINZIN (II), subst. m.**
*Fin.* Importante institution financière dont les opérations boursières ont un effet sensible sur l'évolution des cours (fam. et gén. au plur.). V. 1960 ; acron. (marquant les liaisons en *z*) de *les investisseurs institutionnels* ; [zɛ̃zɛ̃].

**ZINZINULER, verbe intrans. [3]**
Gazouiller (littér.). 1907 ; var. de *zinziluler* (rare), du lat. tardif *zinzilulare* ; [zɛ̃zinyle].

**ZINZOLIN, INE, adj. et subst. m.**
Adj. Rouge violacé. Subst. Couleur issue de la graine de sésame. 1599 ; ital. *giuggiolena*, de l'ar. *ǧulǧulān*, « sésame » ; adj. parfois inv. au fém. ; [zɛ̃zɔlɛ̃, in].

**ZIP, subst. m. inv.**
Fermeture à glissière (anglic.). V. 1960 ; orig. onomat. ; n. déposé ; [zip].

**ZIPPER, verbe trans. [3]**
Équiper (un vêtement, un accessoire) d'un Zip ; empl. adj. : *Robe **zippée**.* V. 1960 ; ☞ *zip* ; [zipe].

**ZIRCON, subst. m.**
*Minér.* Silicate de formule $Zr(SiO_4)$, minéral accessoire des roches éruptives et des roches métamorphiques, que l'on utilise en joaillerie. 1789 ; all. *Zirkon* ; [ziʀkɔ̃].

**ZIRCONE, subst. f.**
*Chim.* Dioxyde de zirconium aux propriétés réfractaires. 1801 ; ☞ *zircon* ; [ziʀkɔn].

**ZIRCONITE, subst. f.**
*Minér.* Variété de zircon. Déb. XIXᵉ s. ; ☞ *zircon* ; [ziʀkɔnit].

**ZIRCONIUM, subst. m.**
*Chim.* Élément n° 40 de la table de Mendeleïev (symb. : Zr) ; masse atomique : 91,22 ; point de fusion 1 852 °C ; point d'ébullition : 4 377 °C ; masse volumique : 6,5 g/cm³. Ce métal est utilisé dans les réacteurs nucléaires et dans certains alliages. 1816 ; ☞ *zircon* ; [ziʀkɔnjɔm].

**ZIZANIE, subst. f.**
**1.** Vx. Ivraie, mauvaise herbe. **2.** Fig. Discorde : *Semer la **zizanie**.* **3.** *Bot.* Plante aquatique d'Asie et d'Amérique, dont on tire une farine sucrée. 1291 ; lat. chrét. *zizania*, du gr. *zizanion* ; [zizani].

**ZIZI (I), subst. m.**
*Zool.* Bruant, oiseau commun en France, qui niche au sol. 1783 ; orig. onomat., d'apr. son cri ; [zizi].

**ZIZI (II), subst. m.**
Sexe, en partic. pénis, dans le langage enfantin. 1912 ; orig. onomat. ; [zizi].

**ZLOTY, subst. m.**
Unité monétaire principale de la Pologne. V. 1930 ; polonais *złoty*, de *złoto*, « or » ; [zlɔti].

**Zn, voir ZINC**

**ZODIAC, subst. m. inv.**
Canot en caoutchouc, souvent muni d'un moteur hors-bord. N. déposé ; [zɔdjak].

**ZODIACAL, ALE, AUX, adj.**
*Astron.* et *Astrol.* Du zodiaque ; qualifie les constellations traversées par l'écliptique. ▸ *Lumière **zodiacale*** : que l'on aperçoit dans le plan de l'écliptique, issue de la diffusion de la lumière du Soleil dans la zone du zodiaque. Déb. XVIᵉ s. ; ☞ *zodiaque* ; [zɔdjakal, o].

**ZODIAQUE, subst. m.**
**1.** *Astron.* et *Astrol.* Zone céleste située de part et d'autre de l'écliptique et où se déplacent le Soleil, la Lune et les planètes vues de la Terre. Le **zodiaque** empiète sur une vingtaine de constellations. ▸ *Signe du **zodiaque*** : partie de cette zone où le Soleil apparaît un mois par an. **2.** *B.-a.* Représentation symbolique des signes du **zodiaque**. Déb. XIIIᵉ s. ; gr. *zôdiakos*, de *zôdion*, « figurine d'animal » ; [zɔdjak].

ASTROLOGIE – La croyance en l'influence des astres sur les affaires humaines, déjà vivace en Mésopotamie, a été étayée par les travaux des astronomes grecs Hipparque et Ptolémée (*Tétrabiblos*). En correspondance avec le tour de l'écliptique accompli en douze mois par le Soleil, les Anciens avaient opéré la division de la zone du zodiaque, à partir d'un point (point gamma, ou point vernal, marquant l'équinoxe de printemps), en douze rectangles ou signes correspondant chacun à une constellation – et dont l'imagerie relève du monde animal et mythologique : Bélier, Taureau, Gémeaux, Cancer, Lion, Vierge, pour la partie nord de l'écliptique ; Balance, Scorpion, Sagittaire, Capricorne, Verseau, Poissons pour la partie sud. Cette configuration, établie trois siècles avant notre ère, sert encore de référence aux astrologues, mais elle n'est plus adéquate du fait de la rétrogradation du point vernal sur l'écliptique. Le savoir astrologique repose sur le postulat que l'état du ciel au moment de la naissance détermine la personnalité de l'individu. À chaque signe du zodiaque ont été associés un élément, une humeur, un pôle, etc., dont l'étude combinatoire permet une approche caractérologique à visée prédictive. Pratiquée jusqu'au XVIIᵉ s. par d'éminents savants au service des grands, l'astrologie survit aux nombreux démentis scientifiques qui lui sont apportés. Largement vulgarisée, elle nourrit une littérature abondante et un commerce prospère.

© Coll. A.D.P.C.-Explorer

*« Ciel et **zodiaque** », miniature extraite du livre* Propriété des choses, *de Barthélemy de Glanvil, dit Barthélemy l'Anglais (XIIIᵉ ou XIVᵉ s.). Bibliothèque nationale, Paris.*

**ZOÉ, subst. f.**
*Zool.* Forme larvaire, avec ébauche de carapace, de nombreux crustacés décapodes. Déb. XIXᵉ s. ; lat. sc. *zoea*, du gr. *zôê*, « vie » ; [zɔe].

**ZOÉCIE, subst. f.**
*Zool.* Chaque unité (loge et animal) d'une colonie de bryozoaires. 1845 ; gr. *zôon*, « animal », et *oikia*, « maison » ; [zɔesi].

**ZOÏLE, subst. m.**
Critique mesquin, dénigreur et envieux (littér.). 1536 ; lat. *Zoilus*, de l'anthropon. gr. *Zôilos*, détracteur alexandrin d'Homère ; [zɔil].

**ZOMBIE, subst. m.**
**1.** *Occult.* Mort aux ordres d'un sorcier vaudou. **2.** Ext. Personne sans force ni volonté, apathique. 1832 ; créole *zonbi*, d'un dial. africain *zambys*, « esprits » ; var. *zombi* ; [zɔ̃bi].

**ZONA, subst. m.**
*Pathol.* Maladie infectieuse due au virus zona-varicelle (V. Z. V.), caractérisée par une éruption vésico-bulleuse unilatérale accompagnée de douleurs intenses. 1810 ; lat. *zona*, « ceinture » ; [zona].

**ZONAGE, subst. m.**
**1.** *Urban.* Division d'un territoire en zones dont on a fixé l'affectation. **2.** *Informat.* Fait de classer des informations selon certains critères : ***Zonage** d'une base de données.* 1951 ; anglo-amér. *zoning* ; [zonaʒ].

**ZONAL, ALE, AUX, adj.**
*Géogr.* et *Météor.* Propre à une zone. 1842 ; ☞ *zone* ; [zonal, o].

**ZONARD, ARDE, subst. et adj.**
Fam. Subst. **1.** Habitant de la zone entourant Paris. **2.** Jeune, souv. marginal, issu en gén. des banlieues pauvres (péj.). Adj. De la zone, sordide (péj.). V. 1930 (1894, soldat de 1ʳᵉ classe) ; ☞ *zone* ; [zonaʀ, aʀd].

**ZONATION, subst. f.**
*Géogr.* **1.** Division du globe terrestre, d'un continent en zones présentant un trait particulier. **2.** Zonage de la végétation selon la continentalité, l'altitude ou la latitude. 1931 ; ☞ *zone* ; [zonasjɔ̃].

**ZONE, subst. f.**
**I.** Bande qui forme une ceinture. **1.** *Géogr.* Chacune des cinq parties du globe terrestre, délimitées par

les pôles, les tropiques et les cercles polaires, et qui présente un type de climat particulier : *Zone tempérée, tropicale* ; *Zone climatique*. **2.** Bande qui s'étend naturellement sur une surface plane ou sphérique : *Les zones concentriques d'un tronc d'arbre renseignent sur son âge*. ▸ *Géom.* *Zone sphérique* : portion d'une sphère limitée par deux plans parallèles qui la coupent. **II.** Surface ou partie d'une surface. **1.** *Géogr.* Région qui se distingue par un trait particulier : *Zone sismique* ; *Zone de marécages*. ▸ Étendue territoriale constituant un ensemble homogène par son type d'activités : *Zone houillère* ; *Zone industrielle (Z. I.)* ; *Zone cultivée*. ▸ *Anat.* Région d'un organisme qui présente un trait spécifique : *Zone douloureuse* ; en partic. : *Zone érogène*, qui, lorsqu'elle est stimulée, déclenche le plaisir sexuel. ▸ *Informat.* *Zone de mémoire* : portion de la mémoire réservée à une fonction déterminée. **2.** Secteur territorial doté d'un statut spécifique : *Zone libre et zone occupée* (lors d'un conflit) ; *Zone téléphonique*. ▸ *Écon.* *Zone monétaire* : groupe d'États liés par des accords, et dont les différentes monnaies sont rattachées à celle d'un pays dominant ; *Zone franche* : territoire frontalier ou portuaire qui bénéficie d'un régime fiscal particulier, notamment de la franchise douanière. ▸ *Pol.* *Zone d'influence* : secteur (territoires ou États) qu'une nation domine politiquement. **3.** *Milit.* Portion de territoire où se déploie l'activité de forces armées : *Zone de combat*. ▸ **La zone.** Espace réservé aux militaires, situé au-delà des anciennes fortifications de Paris et où s'étaient illégalement développés des quartiers misérables ; par anal., banlieue d'une grande ville où réside, dans un habitat rudimentaire, une population défavorisée. ▸ Loc. *C'est la zone* : tout va mal, c'est décourageant (fam.). **4.** *Urban.* Partie du territoire dont l'aménagement est soumis à une réglementation : *Zone résidentielle* ; *Zone d'aménagement concerté (Z. A. C.)* ; *Zone d'aménagement différé (Z. A. D.)* ; *Zone à urbaniser en priorité (Z. U. P.)*. **III.** Fig. **1.** Domaine défini où se déploie une activité : *Zone d'investigation* ; *Zone d'autorité*. **2.** Siège d'une activité psychologique ou mentale : *Zone de l'inconscient* ; *Zone du rêve*. **3.** Classe, rang. ▸ Loc. *De seconde zone* : de second ordre, de moindre qualité. 1119 ; lat. *zona*, du gr. *zônê*, « ceinture » ; [zon].

**ZONÉ, ÉE, adj.**
*Sc.* À zones structurelles différentes : *Bois, coquille, roche zonée*. 1817 ; ☞ *zone* ; [zone].

**ZONER, verbe [3]**
**Intrans.** Fam. Vivre en marginal. ▸ Ext. Flâner, ne rien faire. **Trans.** *Urban.* Procéder au zonage de. V. 1970 (1952, aller se coucher) ; ☞ *zone* ; [zone].

**ZONIER, IÈRE, subst. et adj.**
Vx. **Subst. 1.** Habitant de la banlieue de Paris. **2.** Habitant d'une zone frontière ou d'une zone franche. **Adj.** De la zone. Fin XIXe s. ; ☞ *zone* ; [zonje, jɛʀ].

**ZONING, subst. m.**
*Urban.* Zonage (anglic. déconseillé). 1912 ; angl. *to zone*, « établir des zones » ; [zoniŋ].

**ZONURE, subst. m.**
*Zool.* Lézard d'Afrique à queue annelée et à écailles épineuses. 1842 ; lat. sc. *zonurus*, du gr. *zônê*, « ceinture », et *oura*, « queue d'un animal » ; [zonyʀ].

**ZOO, subst. m.**
Parc aménagé pour montrer au public des animaux exotiques ou rares. 1895 ; abrév. de *jardin zoologique* ; [z(o)o].

**CIVILISATION** – Le premier parc zoologique remonte au temps des pharaons. Les Grecs, les Romains se sont plu à réunir des bêtes sauvages. Louis XIV rassemble, à Versailles, la collection d'animaux la plus prestigieuse d'Europe — divertissement pour le public et source d'observation pour les savants de l'époque. C'est sous la Révolution que sont créés, dans l'ancien jardin des plantes médicinales du roi, la ménagerie et le Muséum national d'histoire naturelle. Mais il faudra attendre le début du XXe s. pour que, grâce à l'initiative de l'importateur d'animaux Carl Hagenbeck, les animaux soient, dans certaines ménageries, libérés de leurs cages et présentés à l'air libre, sur des plates-formes entourées de fossés, en pseudo-liberté. Le zoo de Vincennes, fondé en 1934, témoigne de cette avancée. Outre un intérêt accru du public, cette évolution a favorisé la recherche scientifique (en éthologie, psychologie comparée, pathologie, parasitologie). La plupart des grandes villes du monde possèdent leur jardin zoologique.

**ZOOFLAGELLÉ, subst. m.**
*Biol.* Protozoaire pourvu d'un ou de plusieurs flagelles. V. 1960 ; ☞ *flagellé* + *zoo-* ; [zɔɔflaʒɛle].

**ZOOGAMÈTE, subst. m.**
*Biol.* Gamète flagellé des algues. V. 1970 ; ☞ *gamète* + *zoo-* ; [zɔɔgamɛt].

**ZOOGÉOGRAPHIE, subst. f.**
Étude de la répartition des animaux sur notre planète. 1904 ; ☞ *géographie* + *zoo-* ; [zɔɔʒeɔgʀafi].

**ZOOGLÉE, subst. f.**
*Biol.* Gelée, située sur la voie d'accès des zoogamètes, facilitant le déroulement de la fécondation. 1889 ; gr. *gloios*, « substance gluante », + *zoo-* ; [zɔɔgle].

**ZOOÏDE, adj.**
*Minér.* Qualifie une roche portant l'empreinte d'un animal fossile. 1842 ; gr. *zôoeidês*, « semblable à un animal » ; [zɔɔid].

**ZOOLÂTRE, subst. et adj.**
*Hist.* Se dit d'un adorateur des animaux divinisés. 1836 ; formé de *zoo-* et de *-lâtre* ; [zɔɔlɑtʀ].

**ZOOLÂTRIE, subst. f.**
**1.** *Hist.* Divinisation des animaux. **2.** Ext. Amour excessif des animaux. 1721 ; formé de *zoo-* et de *-lâtrie* ; [zɔɔlɑtʀi].

**ZOOLITE, subst. m.**
*Paléont.* Reste d'un animal fossile minéralisé, squelette ou contre-empreinte. 1762 ; formé de *zoo-* et de *-lite* ; var. *zoolithe* ; [zɔɔlit].

**ZOOLOGIE, subst. f.**
Branche des sciences consacrée à l'étude des animaux. 1750 ; formé de *zoo-* et de *-logie* ; [zɔɔlɔʒi].

**ZOOLOGIQUE, adj.**
Relatif à la zoologie, aux animaux. ▸ *Jardin zoologique* : zoo. 1754 ; ☞ *zoologie* ; [zɔɔlɔʒik].

**ZOOLOGISTE, subst.**
Spécialiste de la zoologie. 1734 ; formé de *zoo-* et de *-logiste* ; var. *zoologue* (rare) ; [zɔɔlɔʒist].

**ZOOM, subst. m.**
*Cin.* et *Phot.* **1.** Variation continue de la distance focale, du grand angle au téléobjectif. **2.** Objectif utilisé à cet effet. 1957 ; angl. *to zoom*, « faire un déplacement rapide » ; [zum].

**ZOOMER, verbe [3]**
**Intrans.** Faire un effet de zoom. **Trans. indir.** **Zoomer sur.** Faire un gros plan sur. V. 1960 ; ☞ *zoom* ; [zume].

**ZOOMORPHE, adj.**
Qui a la forme d'un animal. 1821 ; formé de *zoo-* et de *-morphe* ; var. *zoomorphique* ; [zɔɔmɔʀf].

**ZOOMORPHISME, subst. m.**
**1.** *B.-a.* Toute représentation sous une forme d'animal. **2.** *Psych.* Psychopathie présentée par une personne convaincue de sa métamorphose en un animal. 1800 ; formé de *zoo-* et de *-morphisme* ; [zɔɔmɔʀfism].

**ZOONOSE, subst. f.**
*Pathol.* Maladie contagieuse commune aux hommes et aux animaux vertébrés : *La rage est une zoonose*. 1953 ; gr. *nosos*, « maladie », + *zoo-* ; [zɔɔnoz].

**ZOOPATHIE, subst. f.**
**1.** Maladie animale. **2.** *Psych.* Délire durant lequel le sujet croit que son corps est habité par un animal. Mil. XXe s. ; formé de *zoo-* et de *-pathie* ; [zɔɔpati].

**ZOOPATHIQUE, adj.**
*Psych.* Qui concerne la zoopathie. Mil. XXe s. ; ☞ *zoopathie* ; [zɔɔpatik].

**ZOOPHAGE, subst. m. et adj.**
Se dit d'un animal, en partic. d'un insecte, qui se nourrit de proies animales. 1808 ; formé de *zoo-* et de *-phage* ; [zɔɔfaʒ].

**ZOOPHILE, adj.**
**1.** Relatif à la zoophilie. **2.** Atteint de zoophilie ; empl. subst., personne **zoophile**. 1859 ; formé de *zoo-* et de *-phile* ; [zɔɔfil].

**ZOOPHILIE, subst. f.**
**1.** Amour des animaux. **2.** *Psych.* Conduite déviante qui pousse à avoir des rapports sexuels avec des animaux. 1894 ; formé de *zoo-* et de *-philie* ; [zɔɔfili].

**ZOOPHOBIE, subst. f.**
*Psych.* Peur morbide de certains animaux (chats, serpents, araignées, etc.). 1897 ; formé de *zoo-* et de *-phobie* ; [zɔɔfɔbi].

**ZOOPHORE, subst. m.**
*Archit.* Frise animalière. Déb. XVIe s. ; lat. *zoophor*[…] du gr. *zôophoros*, « qui porte des animaux » ; [zɔɔf[…]

**ZOOPHYTE, adj. et subst. m.**
*Zool.* Vieilli. Se dit d'un animal à l'aspect proc[…] de celui d'une plante (synon. *phytozoaire*). 154[…] du gr. *zôophuton*, « hybride animal et plante » ; [zɔɔf[…]

**ZOOPLANCTON, subst. m.**
Plancton animal. Mil. XXe s. ; ☞ *plancton* + *zo*[…] [zɔɔplɑ̃ktɔ̃].

**ZOOPSIE, subst. f.**
*Psych.* Hallucination, observée notamment dans[…] delirium tremens, au cours de laquelle le sujet v[…] grouiller des petits animaux. 1894 ; formé de *z*[…] et de *-opsie* ; [zɔɔpsi].

**ZOOSÉMIOTIQUE, subst. f.**
Étude de la communication entre animaux ou e[…]tre l'homme et l'animal. V. 1970 ; ☞ *sémiotic*[…] + *zoo-* ; [zɔɔsemjɔtik].

**ZOOSPORANGE, subst. m.**
*Bot.* Sporange qui produit des zoospores. 18[…] ☞ *sporange* + *zoo-* ; [zɔɔspɔʀɑ̃ʒ].

**ZOOSPORE, subst. f.**
*Bot.* Spore mobile, cellule flagellée ou ciliée […] certaines algues et de certains champignon[…] 1847 ; ☞ *spore* + *zoo-* ; [zɔɔspɔʀ].

**ZOOTAXIE, subst. f.**
Taxinomie zoologique. 1829 ; formé de *zoo-* de *-taxie* ; [zɔɔtaksi].

**ZOOTECHNICIEN, IENNE, subst.**
Ingénieur spécialisé en zootechnie. 186[…] ☞ *zootechnie* ; [zɔɔtɛknisjɛ̃, jɛn].

**ZOOTECHNIE, subst. f.**
Étude technique et économique de l'élevage […] bétail. 1834 ; formé de *zoo-* et de *-technie* ; [zɔɔtɛkn[…]

**ZOOTECHNIQUE, adj.**
Propre, relatif à la zootechnie. 1842 ; ☞ *zo*[…] *technie* ; [zɔɔtɛknik].

**ZOOTHÈQUE, subst. f.**
Exposition de squelettes d'animaux ou d'anima[…] empaillés. Formé de *zoo-* et de *-thèque* ; [zɔɔtɛ[…]

**ZOOTHÉRAPEUTIQUE, adj.**
Vétérinaire (rare) : *Traitement **zoothérapeutiq**[…]* XIXe s. ; ☞ *thérapeutique* + *zoo-* ; [zɔɔteʀapøtik].

**ZOOTHÉRAPIE, subst. f.**
Médecine vétérinaire (vx). XIXe s. ; formé de *z*[…] et de *-thérapie* ; [zɔɔteʀapi].

**ZOREILLE, subst.**
Français de la métropole récemment instal[…] dans les D. O. M.-T. O. M. (fam.). V. 198[…] créole *zoreille*, « oreille » ; [zɔʀɛj].

**ZORILLE, subst. f.**
*Zool.* Mammifère africain de la famille des Must[…]lidés, à la fourrure noire rayée de bandes claire[…] qui dégage, pour se défendre, une odeur naus[…] abonde. 1765 ; esp. *zorillo*, « mouffette » ; [zɔʀ[…]

**ZOROASTRIEN, IENNE, subst. et adj.**
*Relig.* **Subst.** Adepte du zoroastrisme. **Adj.** Prop[…] à Zoroastre ou à sa religion. 1765 ; anthropo[…] *Zoroastre* ; [zɔʀɔastʀijɛ̃, jɛn].

**ZOROASTRISME, subst. m.**
*Relig.* Doctrine de Zoroastre et de ses continuateu[…] principale religion de l'Iran avant l'avènement […] l'islam (synon. *mazdéisme*). 1872 ; anthropo[…] *Zoroastre* ; [zɔʀɔastʀism].

**ZOSTÈRE, subst. f.**
*Bot.* Plante monocotylédone formant des prairi[…] sous-marines où les poissons se reproduise[…] 1615 ; lat. *zoster*, du gr. *zôstêr*, « ceinture » ; [zɔstɛ[…]

**ZOSTÉRIEN, IENNE, adj.**
*Pathol.* Relatif au zona. 1901 ; lat. *zoster*, du g[…] *zôstêr*, « ceinture ; zona » ; [zɔsteʀjɛ̃, jɛn].

**ZOU, interj.**
Vite : *Dehors ! zou !* 1792 ; onomat. ; [zu].

**ZOUAVE, subst. m.**
**1.** *Milit.* ▸ Vx. Fantassin kabyle. ▸ Fantassin fra[…]çais en Algérie française (de 1830 à 1962). ▸ An[…] *Zouave pontifical* : fantassin d'un corps des Éta[…] pontificaux au XIXe s. **2.** Loc. fam. *Faire le zouave* crâner ; faire l'idiot, l'imbécile. 1830 (1623, trib[…] kabyle) ; ar. *Zwâwa*, nom d'une tribu berbère ; [zwa[…]

**ZOZO, subst. m.**
Fam. **1.** Personne sotte, niaise. **2.** Ext. Individ[…] 1894 ; p.-ê. altér. du prénom *Joseph* ; [zozo].

**ZOZOTEMENT, subst. m.**
Zézaiement (fam.). 1933 ; ☞ *zozoter* ; [zɔzɔtmɑ̃].

**ZOZOTER, verbe intrans. [3]**
Zézayer (fam.). 1883 ; orig. onomat. ; [zɔzɔte].

**Zr, voir ZIRCONIUM**

**ZUCHETTE, subst. f.**
Variété de concombre. 1823 ; ital. *zucchetta*, « petite courge » ; var. *zucchette* ; [zyʃɛt] ou [-kɛt].

**ZUT, interj.**
Exclamation exprimant le refus, le dépit (fam.). 1813 ; prob. onomat ; [zyt].

**ZUTIQUE, adj.**
Propre aux zutistes. 1875 ; ☞ *zut* ; [zytik].

**ZUTISTE, subst.**
*Litt.* Membre d'un cercle fondé par des poètes, dans les années 1870, pour se divertir et tourner en ridicule les auteurs en place (Verlaine et Rimbaud le fréquentèrent). 1883 ; ☞ *zut* ; [zytist].

**ZWANZE, subst. f. ou m.**
Belg. Plaisanterie grasse, typiquement bruxelloise ; par méton., ce genre d'humour. 1908 ; flamand *zwans*, « blague », du néerl. *zwans*, « pénis » ; [zwɑ̃z].

**ZWANZER, verbe [3]**
Belg. **TRANS.** Jouer un bon tour à (qqn). **INTRANS.** Blaguer, plaisanter. V. 1910 ; ☞ *zwanze* ; [zwɑ̃ze].

**ZWIEBACK, subst. m.**
Helv. Biscotte peu sucrée. Dial. além. ; [tsɥibak].

**ZWINGLIANISME, subst. m.**
*Relig.* Protestantisme de Zwingli. Déb. XVIII^e s. ; ☞ *zwinglien* ; [zwɛ̃glijanism].

**ZWINGLIEN, IENNE, adj. et subst.**
*Relig.* Se dit d'un adepte de Zwingli. **ADJ.** Relatif à sa doctrine. 1526 ; anthropon. *Zwingli* ; [zwɛ̃glijɛ̃, jɛn].

**ZYDECO, subst. m. ou f.**
Musique populaire louisianaise, synthèse du blues et du folklore cajun. Altér. de *les haricots* ; [zideko].

**ZYEUTER, voir ZIEUTER**

**ZYGÈNE, subst. f.**
*Zool.* **1.** Requin-marteau. **2.** Lépidoptère aux antennes renflées en forme de massue et aux ailes noires mouchetées de rouge. 1572 ; lat. *zygaena*, du gr. *zugaina*, « marteau » ; [ziʒɛn].

© J.-P. Hervy-Jacana

*Zygène de la coronille.*

**ZYGNÉMA, subst. m.**
*Bot.* Algue verte d'eau douce, filamenteuse, voisine de la spirogyre. Gr. *zugon*, « paire », et *nêma*, « fil » ; [zignema].

**ZYGOMA, subst. m.**
*Anat.* Os malaire. 1561 ; gr. *zugôma*, « joint » ; [zigɔma].

**ZYGOMATIQUE, adj.**
Relatif au zygoma, à la pommette. ► *Muscles* ***zygomatiques*** ou, empl. subst. masc., *Les* ***zygomatiques*** : muscles qui s'insèrent sur le zygoma et s'étendent jusqu'à la commissure des lèvres, permettant de sourire. ► *Arcade* ***zygomatique*** : arc osseux formé par l'union du zygoma avec le segment antéro-postérieur du temporal. 1635 ; ☞ *zygoma* ; [zigɔmatik].

**ZYGOMORPHE, adj.**
*Bot.* Se dit d'une fleur qui présente une symétrie bilatérale, telle l'orchidée. 1907 ; formé de *zygo-* et de *-morphe* ; [zigɔmɔʀf].

**ZYGOMYCÈTES, subst. m. plur.**
*Bot.* Classe de champignons dont le mycélium est siphonné et qui ne possèdent pas de cellules mobiles. **AU SING.** *Le mucor, ou moisissure blanche, est un* ***zygomycète***. 1907 ; formé de *zygo-* et de *-mycète* ; [zigɔmisɛt].

**ZYGOPÉTALE, subst. m.**
*Bot.* Orchidée épiphyte des régions tropicales de l'Amérique, à grand labelle, cultivée en serre pour l'ornement. 1845 ; lat. sc. *zygopetalum* ; [zigɔpetal].

**ZYGOTE, subst. m.**
*Biol.* Embryon unicellulaire résultant de la réunion d'un gamète mâle et d'un gamète femelle. 1890 ; gr. *zugôtos*, « attelé » ; [zigɔt].

**ZYKLON B, subst. m.**
*Chim.* Mélange d'acide cyanhydrique liquide, de dérivés chlorés, bromés et de silice, qui se présente sous la forme de cristaux bleus devenant gazeux à température ambiante et qui fut le poison utilisé dans les chambres à gaz des camps d'extermination nazis. All. *Zyklon B* ; [ziklɔ̃be].

**ZYMASE, subst. f.**
*Biochim.* Ensemble des enzymes de levure impliquées dans la fermentation alcoolique du glucose (très vieilli). 1864 ; gr. *zumê*, « levain » ; [zimɑz].

**ZYMOTECHNIE, subst. f.**
Étude ou technique des procédés de fermentation. 1753 ; formé de *zymo-* et de *-technie* ; [zimɔtɛkni].

**ZYMOTIQUE, adj.**
Relatif ou semblable à une fermentation. 1855 ; gr. *zumôtikos*, « propre à faire fermenter » ; [zimɔtik].

**ZYTHUM, subst. m.**
*Antiq.* Bière à base d'orge des anciens Égyptiens. 1710 ; lat. *zythum*, du gr. *zuthos*, « bière » ; var. *zython* ; [zitɔm].

**ZYZOMYS, subst. m.**
*Zool.* Petit rongeur d'Australie, de la famille des Muridés, représenté par cinq espèces dont une est en danger de disparition. 1909 ; lat. sc. *zyzomys*, prob. crois. de *zyzel*, nom d'un rongeur de la famille des Sciuridés, et du gr. *mus*, « rat » ; [zizɔmis].

*Claude Fabre, seigneur de Vaugelas (1585-1650), l'un des fondateurs de la grammaire française. Institut de France, Paris.*

# TABLEAUX DES CONJUGAISONS

## 1. Verbe ÊTRE

| INFINITIF | CONDITIONNEL | INDICATIF | | SUBJONCTIF |
|---|---|---|---|---|
| *Présent*<br>être<br>*Passé*<br>avoir été | *Présent*<br>je serais<br>tu serais<br>il serait<br>nous serions<br>vous seriez<br>ils seraient | *Présent*<br>je suis<br>tu es<br>il est<br>nous sommes<br>vous êtes<br>ils sont | *Passé composé*<br>j' ai été<br>tu as été<br>il a été<br>nous avons été<br>vous avez été<br>ils ont été | *Présent*<br>que je sois<br>que tu sois<br>qu'il soit<br>que nous soyons<br>que vous soyez<br>qu'ils soient |
| **PARTICIPE**<br>*Présent*<br>étant<br>*Passé*<br>été ; ayant été | *Passé 1re forme*<br>j' aurais été<br>tu aurais été<br>il aurait été<br>nous aurions été<br>vous auriez été<br>ils auraient été | *Imparfait*<br>j' étais<br>tu étais<br>il était<br>nous étions<br>vous étiez<br>ils étaient | *Plus-que-parfait*<br>j' avais été<br>tu avais été<br>il avait été<br>nous avions été<br>vous aviez été<br>ils avaient été | *Imparfait*<br>que je fusse<br>que tu fusses<br>qu'il fût<br>que nous fussions<br>que vous fussiez<br>qu'ils fussent |
| **IMPÉRATIF**<br>*Présent*<br>sois, soyons, soyez<br>*Passé*<br>aie été, ayons et ayez été | *Passé 2e forme*<br>j' eusse été<br>tu eusses été<br>il eût été<br>nous eussions été<br>vous eussiez été<br>ils eussent été | *Passé simple*<br>je fus<br>tu fus<br>il fut<br>nous fûmes<br>vous fûtes<br>ils furent | *Passé antérieur*<br>j' eus été<br>tu eus été<br>il eut été<br>nous eûmes été<br>vous eûtes été<br>ils eurent été | *Passé*<br>que j' aie été<br>que tu aies été<br>qu'il ait été<br>que nous ayons été<br>que vous ayez été<br>qu'ils aient été |
| | | *Futur simple*<br>je serai<br>tu seras<br>il sera<br>nous serons<br>vous serez<br>ils seront | *Futur antérieur*<br>j' aurai été<br>tu auras été<br>il aura été<br>nous aurons été<br>vous aurez été<br>ils auront été | *Plus-que-parfait*<br>que j' eusse été<br>que tu eusses été<br>qu'il eût été<br>que nous eussions été<br>que vous eussiez été<br>qu'ils eussent été |

## 2. Verbe AVOIR

| INFINITIF | CONDITIONNEL | INDICATIF | | SUBJONCTIF |
|---|---|---|---|---|
| *Présent*<br>avoir<br>*Passé*<br>avoir eu | *Présent*<br>j' aurais<br>tu aurais<br>il aurait<br>nous aurions<br>vous auriez<br>ils auraient | *Présent*<br>j' ai<br>tu as<br>il a<br>nous avons<br>vous avez<br>ils ont | *Passé composé*<br>j' ai eu<br>tu as eu<br>il a eu<br>nous avons eu<br>vous avez eu<br>ils ont eu | *Présent*<br>que j' aie<br>que tu aies<br>qu'il ait<br>que nous ayons<br>que vous ayez<br>qu'ils aient |
| **PARTICIPE**<br>*Présent*<br>ayant<br>*Passé*<br>eu, eue ; ayant eu | *Passé 1re forme*<br>j' aurais eu<br>tu aurais eu<br>il aurait eu<br>nous aurions eu<br>vous auriez eu<br>ils auraient eu | *Imparfait*<br>j' avais<br>tu avais<br>il avait<br>nous avions<br>vous aviez<br>ils avaient | *Plus-que-parfait*<br>j' avais eu<br>tu avais eu<br>il avait eu<br>nous avions eu<br>vous aviez eu<br>ils avaient eu | *Imparfait*<br>que j' eusse<br>que tu eusses<br>qu'il eût<br>que nous eussions<br>que vous eussiez<br>qu'ils eussent |
| **IMPÉRATIF**<br>*Présent*<br>aie, ayons, ayez<br>*Passé*<br>aie eu, ayons et ayez eu | *Passé 2e forme*<br>j' eusse eu<br>tu eusses eu<br>il eût eu<br>nous eussions eu<br>vous eussiez eu<br>ils eussent eu | *Passé simple*<br>j' eus<br>tu eus<br>il eut<br>nous eûmes<br>vous eûtes<br>ils eurent | *Passé antérieur*<br>j' eus eu<br>tu eus eu<br>il eut eu<br>nous eûmes eu<br>vous eûtes eu<br>ils eurent eu | *Passé*<br>que j' aie eu<br>que tu aies eu<br>qu'il ait eu<br>que nous ayons eu<br>que vous ayez eu<br>qu'ils aient eu |
| | | *Futur simple*<br>j' aurai<br>tu auras<br>il aura<br>nous aurons<br>vous aurez<br>ils auront | *Futur antérieur*<br>j' aurai eu<br>tu auras eu<br>il aura eu<br>nous aurons eu<br>vous aurez eu<br>ils auront eu | *Plus-que-parfait*<br>que j' eusse eu<br>que tu eusses eu<br>qu'il eût eu<br>que nous eussions eu<br>que vous eussiez eu<br>qu'ils eussent eu |

## 3. ÔTER, verbe du 1er groupe*

### INFINITIF

***Présent***
ôter

***Passé***
avoir ôté

### PARTICIPE

***Présent***
ôtant

***Passé***
ôté, ôtée ; ayant ôté

### IMPÉRATIF

***Présent***
ôte, ôtons, ôtez

***Passé***
aie ôté, ayons et ayez ôté

### CONDITIONNEL

***Présent***

| | |
|---|---|
| j' | ôterais |
| tu | ôterais |
| il | ôterait |
| nous | ôterions |
| vous | ôteriez |
| ils | ôteraient |

***Passé 1re forme***

| | | |
|---|---|---|
| j' | aurais | ôté |
| tu | aurais | ôté |
| il | aurait | ôté |
| nous | aurions | ôté |
| vous | auriez | ôté |
| ils | auraient | ôté |

***Passé 2e forme***

| | | |
|---|---|---|
| j' | eusse | ôté |
| tu | eusses | ôté |
| il | eût | ôté |
| nous | eussions | ôté |
| vous | eussiez | ôté |
| ils | eussent | ôté |

### INDICATIF

***Présent***

| | |
|---|---|
| j' | ôte |
| tu | ôtes |
| il | ôte |
| nous | ôtons |
| vous | ôtez |
| ils | ôtent |

***Passé composé***

| | | |
|---|---|---|
| j' | ai | ôté |
| tu | as | ôté |
| il | a | ôté |
| nous | avons | ôté |
| vous | avez | ôté |
| ils | ont | ôté |

***Imparfait***

| | |
|---|---|
| j' | ôtais |
| tu | ôtais |
| il | ôtait |
| nous | ôtions |
| vous | ôtiez |
| ils | ôtaient |

***Plus-que-parfait***

| | | |
|---|---|---|
| j' | avais | ôté |
| tu | avais | ôté |
| il | avait | ôté |
| nous | avions | ôté |
| vous | aviez | ôté |
| ils | avaient | ôté |

***Passé simple***

| | |
|---|---|
| j' | ôtai |
| tu | ôtas |
| il | ôta |
| nous | ôtâmes |
| vous | ôtâtes |
| ils | ôtèrent |

***Passé antérieur***

| | | |
|---|---|---|
| j' | eus | ôté |
| tu | eus | ôté |
| il | eut | ôté |
| nous | eûmes | ôté |
| vous | eûtes | ôté |
| ils | eurent | ôté |

***Futur simple***

| | |
|---|---|
| j' | ôterai |
| tu | ôteras |
| il | ôtera |
| nous | ôterons |
| vous | ôterez |
| ils | ôteront |

***Futur antérieur***

| | | |
|---|---|---|
| j' | aurai | ôté |
| tu | auras | ôté |
| il | aura | ôté |
| nous | aurons | ôté |
| vous | aurez | ôté |
| ils | auront | ôté |

### SUBJONCTIF

***Présent***

| | |
|---|---|
| que j' | ôte |
| que tu | ôtes |
| qu'il | ôte |
| que nous | ôtions |
| que vous | ôtiez |
| qu'ils | ôtent |

***Imparfait***

| | |
|---|---|
| que j' | ôtasse |
| que tu | ôtasses |
| qu'il | ôtât |
| que nous | ôtassions |
| que vous | ôtassiez |
| qu'ils | ôtassent |

***Passé***

| | | |
|---|---|---|
| que j' | aie | ôté |
| que tu | aies | ôté |
| qu'il | ait | ôté |
| que nous | ayons | ôté |
| que vous | ayez | ôté |
| qu'ils | aient | ôté |

***Plus-que-parfait***

| | | |
|---|---|---|
| que j' | eusse | ôté |
| que tu | eusses | ôté |
| qu'il | eût | ôté |
| que nous | eussions | ôté |
| que vous | eussiez | ôté |
| qu'ils | eussent | ôté |

* Tous les verbes se terminant par -er appartiennent au 1er groupe, sauf **aller** (21) ; ils se conjuguent sur le modèle de **ôter**, certains présentant des particularités (voir ci-dessous).

## VERBES 4 à 18, cas particuliers du 1er groupe*

**4. -cer** (forcer)
le **c** devient **ç** devant un **a** ou un **o** :
[a] ** nous *laçons*
[b] je *laçais*

**5. -ger** (venger)
le **g** reste suivi du **e** devant un **a** ou un **o** :
[a] nous *rangeons*
[b] il *nageait*

**6. -ier** (prier)
un second **i** suit le **i** du radical aux 1re et 2e personnes du plur. dans :
[b] nous *niions*
[e] que vous *sciiez*

**7. -éer** (créer)
présence fréquente de deux **e** consécutifs (trois au participe passé fém. : *créée*) ;
le **é** de ces verbes reste toujours fermé

**8. -é(-)er** (céder)
[a] et [e] le **é** de l'avant-dernière syllabe se transforme en **è** quand la syllabe finale est muette :
[a] *j'espère*, nous *espérons*
[d] et [g] le **é** reste fermé car la syllabe muette n'est pas une finale*** : il *réglera*, vous *régneriez* ;
ainsi se conjuguent les verbes en : **-ébrer**, **-écer** (voir aussi la conjug. 4), **-écher**, **-écrer**, **-éder**, **-égler**, **-égner**, **-égrer**, **-éguer**, **-éler**, **-émer**, **-éner**, **-éper**, **-équer**, **-érer**, **-éser**, **-éter**, **-étrer**, **-évrer**, **-éyer**

**9. -éger** (siéger)
verbes cumulant les particularités des conjug. 5 et 8 :
[a] il *piège*, nous *piégeons*

**10. -e(-)er** (semer)
le **e** muet de l'avant-dernière syllabe de l'infinitif se transforme en **è** devant toutes les syllabes muettes :
[a] tu *pèses*, il *lève*
[d] nous *relèverons*
(mais : [a] vous *soulevez*) ;
ainsi se conjuguent les verbes en : **-ecer** (voir aussi la conjug. 4), **-emer**, **-ener**, **-eper**, **-erer**, **-eser**, **-ever**, **-evrer**

**11. -eler** (peler)
les verbes suivants ne doublent pas le **l** devant un **e** muet (☞ 12) ;
ils suivent la règle de la conjug. 10 (**è** devant une muette) : **celer (déceler, receler), ciseler, démanteler, écarteler, geler (congeler, dégeler, surgeler), harceler, marteler, modeler, peler**

**12. -eler** (appeler)
doublement du **l** devant un **e** muet :
[a] ils *chancellent* (mais : [b] nous *appelions*)
[d] *j'attellerai*
[j] *appelle* ;
ainsi se conjuguent les verbes autres que ceux suivant la conjug. 11

**13. -eter** (fureter)
verbes suivant la règle des conjug. 10 et 11 (le **t** ne double pas) : **acheter, bégueter, corseter, crocheter, fileter, fureter, haleter, racheter**

**14. -eter** (jeter)
doublement du **t** devant un **e** muet (☞ 12) :
[a] je *brevette*
[d] il *jettera* ;
ainsi se conjuguent les verbes autres que ceux suivant la conjug. 13

**15. -ayer** (rayer)
devant un **e** muet, on peut soit conserver l'**y**, soit le changer en **i** :
[d] vous *payerez* ou *paierez*
[e] qu'il *balaye* ou *balaie* ;
dans certains temps, et aux deux 1res personnes du plur., l'**y** est suivi d'un **i** :
[b] vous *pagayiez*
[e] que nous *payions* ;
mais les verbes en **-eyer** gardent toujours l'**y** et suivent la conjug. 3

**16. -uyer** (essuyer)
devant un **e** muet, l'**y** se change toujours en **i** :
[a] ils *appuient* ;
présence du **i** derrière l'**y** (☞ 15)

**17. -oyer** (noyer)
même règle que la conjug. 16

**18. -oyer** (envoyer et renvoyer)
futur et conditionnel irréguliers :
[d] *j'enverrai (-erras, -erra, -errons, -errez, -erront)*
[g] je *renverrais (-errais, -errait, -errions, -erriez, -erraient)* ;
les autres temps suivent la même règle que dans la conjug. 16

* La conjugaison de base reste celle du tableau no 3 ; pour les temps composés des verbes exigeant l'auxiliaire **être** à la forme active (**arriver**, par ex.), voir la conjugaison de **aller** (21).
** [a] ind. prés. [b] ind. imp. [c] ind. passé simple [d] futur simple [e] subj. prés. [f] subj. imp. [g] cond. prés. [h] part. prés. [i] part. passé [j] impératif.
*** L'Académie admet aujourd'hui la forme è, correspondant à la prononciation courante.

## 19. FINIR, verbe du 2e groupe*

### INFINITIF

*Présent*
finir

*Passé*
avoir fini

### PARTICIPE

*Présent*
finissant

*Passé*
fini, ie ; ayant fini

### IMPÉRATIF

*Présent*
finis, finissons, finissez

*Passé*
aie fini, ayons et ayez fini

### CONDITIONNEL

| *Présent* | | *Passé 1re forme* | | | *Passé 2e forme* | | |
|---|---|---|---|---|---|---|---|
| je | finirais | j' | aurais | fini | j' | eusse | fini |
| tu | finirais | tu | aurais | fini | tu | eusses | fini |
| il | finirait | il | aurait | fini | il | eût | fini |
| nous | finirions | nous | aurions | fini | nous | eussions | fini |
| vous | finiriez | vous | auriez | fini | vous | eussiez | fini |
| ils | finiraient | ils | auraient | fini | ils | eussent | fini |

### INDICATIF

| *Présent* | | *Passé composé* | | |
|---|---|---|---|---|
| je | finis | j' | ai | fini |
| tu | finis | tu | as | fini |
| il | finit | il | a | fini |
| nous | finissons | nous | avons | fini |
| vous | finissez | vous | avez | fini |
| ils | finissent | ils | ont | fini |

| *Imparfait* | | *Plus-que-parfait* | | |
|---|---|---|---|---|
| je | finissais | j' | avais | fini |
| tu | finissais | tu | avais | fini |
| il | finissait | il | avait | fini |
| nous | finissions | nous | avions | fini |
| vous | finissiez | vous | aviez | fini |
| ils | finissaient | ils | avaient | fini |

| *Passé simple* | | *Passé antérieur* | | |
|---|---|---|---|---|
| je | finis | j' | eus | fini |
| tu | finis | tu | eus | fini |
| il | finit | il | eut | fini |
| nous | finîmes | nous | eûmes | fini |
| vous | finîtes | vous | eûtes | fini |
| ils | finirent | ils | eurent | fini |

| *Futur simple* | | *Futur antérieur* | | |
|---|---|---|---|---|
| je | finirai | j' | aurai | fini |
| tu | finiras | tu | auras | fini |
| il | finira | il | aura | fini |
| nous | finirons | nous | aurons | fini |
| vous | finirez | vous | aurez | fini |
| ils | finiront | ils | auront | fini |

### SUBJONCTIF

| *Présent* | | *Imparfait* | |
|---|---|---|---|
| que je | finisse | que je | finisse |
| que tu | finisses | que tu | finisses |
| qu'il | finisse | qu'il | finît |
| que nous | finissions | que nous | finissions |
| que vous | finissiez | que vous | finissiez |
| qu'ils | finissent | qu'ils | finissent |

| *Passé* | | | *Plus-que-parfait* | | |
|---|---|---|---|---|---|
| que j' | aie | fini | que j' | eusse | fini |
| que tu | aies | fini | que tu | eusses | fini |
| qu'il | ait | fini | qu'il | eût | fini |
| que nous | ayons | fini | que nous | eussions | fini |
| que vous | ayez | fini | que vous | eussiez | fini |
| qu'ils | aient | fini | qu'ils | eussent | fini |

* Les verbes du 2e groupe se terminent par **-ir** et ont un participe présent en **-issant.** À noter : **bénir** a deux participes passés (*i, ie* ou *it, ite*), heure *bénie*, eau *bénite* (consacrée rituellement) ; **fleurir** a deux imparfaits de l'indicatif (*fleurissait* et *florissait*) et deux participes présents (*fleurissant* et *florissant*), la seconde forme ne s'employant que dans les sens figurés ; **maudire** se conjugue comme **finir** et non comme **dire** (65), sauf au participe passé (*maudit, ite*) ; **bruire**, verbe défectif (usité seulement à l'infinitif, aux 3es personnes et au participe présent), se conjugue comme **finir** et non comme **conduire** (69).

## 20. HAÏR, verbe du 2e groupe

Il conserve le ï partout, sauf aux trois personnes du sing. de l'indicatif présent et à l'impératif sing. (Je *hais*, tu *hais*, il *hait* ; *hais*) ; le ï remplace donc le î au passé simple de l'indicatif et à l'imparfait du subjonctif (nous *haïmes*, qu'il *haït*).

## 21. ALLER, verbe du 3e groupe*

### INFINITIF

*Présent*
aller

*Passé*
être allé

### PARTICIPE

*Présent*
allant

*Passé*
allé, ée ; étant allé

### IMPÉRATIF

*Présent*
va, allons, allez

*Passé*
sois allé, soyons et soyez allés

### CONDITIONNEL

| *Présent* | | *Passé 1re forme* | | | *Passé 2e forme* | | |
|---|---|---|---|---|---|---|---|
| j' | irais | je | serais | allé | je | fusse | allé |
| tu | irais | tu | serais | allé | tu | fusses | allé |
| il | irait | il | serait | allé | il | fût | allé |
| nous | irions | nous | serions | allés | nous | fussions | allés |
| vous | iriez | vous | seriez | allés | vous | fussiez | allés |
| ils | iraient | ils | seraient | allés | ils | fussent | allés |

### INDICATIF

| *Présent* | | *Passé composé* | | |
|---|---|---|---|---|
| je | vais | je | suis | allé |
| tu | vas | tu | es | allé |
| il | va | il | est | allé |
| nous | allons | nous | sommes | allés |
| vous | allez | vous | êtes | allés |
| ils | vont | ils | sont | allés |

| *Imparfait* | | *Plus-que-parfait* | | |
|---|---|---|---|---|
| j' | allais | j' | étais | allé |
| tu | allais | tu | étais | allé |
| il | allait | il | était | allé |
| nous | allions | nous | étions | allés |
| vous | alliez | vous | étiez | allés |
| ils | allaient | ils | étaient | allés |

| *Passé simple* | | *Passé antérieur* | | |
|---|---|---|---|---|
| j' | allai | je | fus | allé |
| tu | allas | tu | fus | allé |
| il | alla | il | fut | allé |
| nous | allâmes | nous | fûmes | allés |
| vous | allâtes | vous | fûtes | allés |
| ils | allèrent | ils | furent | allés |

| *Futur simple* | | *Futur antérieur* | | |
|---|---|---|---|---|
| j' | irai | je | serai | allé |
| tu | iras | tu | seras | allé |
| il | ira | il | sera | allé |
| nous | irons | nous | serons | allés |
| vous | irez | vous | serez | allés |
| ils | iront | ils | seront | allés |

### SUBJONCTIF

| *Présent* | | *Imparfait* | |
|---|---|---|---|
| que j' | aille | que j' | allasse |
| que tu | ailles | que tu | allasses |
| qu'il | aille | qu'il | allât |
| que nous | allions | que nous | allassions |
| que vous | alliez | que vous | allassiez |
| qu'ils | aillent | qu'ils | allassent |

| *Passé* | | | *Plus-que-parfait* | | |
|---|---|---|---|---|---|
| que je | sois | allé | que je | fusse | allé |
| que tu | sois | allé | que tu | fusses | allé |
| qu'il | soit | allé | qu'il | fût | allé |
| que nous | soyons | allés | que nous | fussions | allés |
| que vous | soyez | allés | que vous | fussiez | allés |
| qu'ils | soient | allés | qu'ils | fussent | allés |

* S'en **aller** se conjugue comme **aller**. L'auxiliaire **être** est placé entre **en** et **aller** aux formes composées (je *m'en suis allé*) et à l'impératif (*va-t'en, allons-nous-en, allez-vous-en*).

## 22. TENIR, verbe du 3e groupe en *-ir**

### INFINITIF

***Présent***
tenir

***Passé***
avoir tenu

### PARTICIPE

***Présent***
tenant

***Passé***
tenu, ue ; ayant tenu

### IMPÉRATIF

***Présent***
tiens, tenons, tenez

***Passé***
aie tenu, ayons et ayez tenu

### CONDITIONNEL

| ***Présent*** | | |
|---|---|---|
| je | tiendrais | |
| tu | tiendrais | |
| il | tiendrait | |
| nous | tiendrions | |
| vous | tiendriez | |
| ils | tiendraient | |
| ***Passé 1re forme*** | | |
| j' | aurais | tenu |
| tu | aurais | tenu |
| il | aurait | tenu |
| nous | aurions | tenu |
| vous | auriez | tenu |
| ils | auraient | tenu |
| ***Passé 2e forme*** | | |
| j' | eusse | tenu |
| tu | eusses | tenu |
| il | eût | tenu |
| nous | eussions | tenu |
| vous | eussiez | tenu |
| ils | eussent | tenu |

### INDICATIF

| ***Présent*** | | ***Passé composé*** | | |
|---|---|---|---|---|
| je | tiens | j' | ai | tenu |
| tu | tiens | tu | as | tenu |
| il | tient | il | a | tenu |
| nous | tenons | nous | avons | tenu |
| vous | tenez | vous | avez | tenu |
| ils | tiennent | ils | ont | tenu |
| ***Imparfait*** | | ***Plus-que-parfait*** | | |
| je | tenais | j' | avais | tenu |
| tu | tenais | tu | avais | tenu |
| il | tenait | il | avait | tenu |
| nous | tenions | nous | avions | tenu |
| vous | teniez | vous | aviez | tenu |
| ils | tenaient | ils | avaient | tenu |
| ***Passé simple*** | | ***Passé antérieur*** | | |
| je | tins | j' | eus | tenu |
| tu | tins | tu | eus | tenu |
| il | tint | il | eut | tenu |
| nous | tînmes | nous | eûmes | tenu |
| vous | tîntes | vous | eûtes | tenu |
| ils | tinrent | ils | eurent | tenu |
| ***Futur simple*** | | ***Futur antérieur*** | | |
| je | tiendrai | j' | aurai | tenu |
| tu | tiendras | tu | auras | tenu |
| il | tiendra | il | aura | tenu |
| nous | tiendrons | nous | aurons | tenu |
| vous | tiendrez | vous | aurez | tenu |
| ils | tiendront | ils | auront | tenu |

### SUBJONCTIF

| ***Présent*** | | |
|---|---|---|
| que je | tienne | |
| que tu | tiennes | |
| qu'il | tienne | |
| que nous | tenions | |
| que vous | teniez | |
| qu'ils | tiennent | |
| ***Imparfait*** | | |
| que je | tinsse | |
| que tu | tinsses | |
| qu'il | tînt | |
| que nous | tinssions | |
| que vous | tinssiez | |
| qu'ils | tinssent | |
| ***Passé*** | | |
| que j' | aie | tenu |
| que tu | aies | tenu |
| qu'il | ait | tenu |
| que nous | ayons | tenu |
| que vous | ayez | tenu |
| qu'ils | aient | tenu |
| ***Plus-que-parfait*** | | |
| que j' | eusse | tenu |
| que tu | eusses | tenu |
| qu'il | eût | tenu |
| que nous | eussions | tenu |
| que vous | eussiez | tenu |
| qu'ils | eussent | tenu |

* Les verbes en **-ir** du 3e groupe ont un participe présent en **-ant** (et non en **-issant**, comme ceux du 2e groupe). **Tenir**, **venir** et leurs dérivés suivent cette conjugaison. Seul varie l'emploi de l'auxiliaire : **venir** et ses dérivés se conjuguent avec l'auxiliaire **être** (sauf **circonvenir**, **prévenir**, **subvenir**). Attention à **convenir** (nous *sommes convenus* d'un rendez-vous, cette solution nous *a convenu*)!

## VERBES 23 à 35, cas particuliers du 3[e] groupe en *-ir**

**23. Mentir, partir, sentir, sortir...****
[a]*** je *mens*, il *sent*,
nous *sortons*
[b] je *partais*
[c] je *sortis*
[d] je *sentirai*
[e] que je *sorte*
[f] que je *sentisse*
[h] *partant, se départant*
(**départir** se conjugue comme **partir** et non comme **répartir**, du 2[e] groupe)
[i] *démenti, ie*
(mais *menti*, inv.)

**24. Vêtir...**
[a] je *vêts*, il *vêt*,
nous *vêtons*
[b] je *vêtais*
[c] je *vêtis*
[d] je *vêtirai*
[e] que je *vête*
[f] que je *vêtisse*
[h] *vêtant*
[i] *vêtu, ue*

**25. Courir...**
[a] je *cours*, il *court*,
nous *courons*
[b] je *courais*
[c] je *courus*
[d] je *courrai*
[e] que je *coure*
[f] que je *courusse*
[g] je *courrais*
[h] *courant*
[i] *couru, ue*

**26. Mourir**
voir conjug. 25, sauf :
[a] je *meurs*, tu *meurs*,
il *meurt*
[e] que je *meure*
[i] *mort, morte*
[j] *meurs* ;
il s'emploie avec l'auxil. **être**

**27. Couvrir, ouvrir, offrir, souffrir...**
[a] *j'ouvre*, il *offre*,
nous *offrons*
[b] je *couvrais*
[c] je *souffris*
[d] *j'ouvrirai*
[e] que *j'offre*
[f] que *j'ouvrisse*
[h] *couvrant*
[i] *ouvert, erte*

**28. Servir...**
[a] je *sers*, il *sert*,
nous *servons*
[b] je *servais*
[c] je *servis*
[d] je *servirai*
[e] que je *serve*
[f] que je *servisse*
[h] *servant*
[i] *servi, ie*
(**asservir** est du 2[e] groupe)

**29. Dormir...**
[a] je *dors*, il *dort*,
nous *dormons*
[b] je *dormais*
[c] je *dormis*
[d] je *dormirai*
[e] que je *dorme*
[f] que je *dormisse*
[h] *dormant*
[i] *dormi*
(mais *endormi, ie*)

**30. Cueillir...**
[a] je *cueille*, il *cueille*,
nous *cueillons*
[b] je *cueillais*
[c] je *cueillis*
[d] je *cueillerai*
[e] que je *cueille*
[f] que je *cueillisse*
[g] je *cueillerais*
[h] *cueillant*
[i] *cueilli, ie*

**31. Assaillir, défaillir, tressaillir**
[a] *j'assaille*, il *défaille*,
nous *tressaillons*
[b] *j'assaillais*
[c] *j'assaillis*
[d] *j'assaillirai*
[e] que *j'assaille*
[f] que *j'assaillisse*
[h] *assaillant*
[i] *assailli, ie* ;
**saillir** (« déborder ») fait :
[d] il *saillera*
[g] ils *sailleraient* ;
**faillir** est essentiellement employé à l'infinitif, aux temps composés et aux formes [c], [d], [g], [h], [i]

**32. Fuir, enfuir (s')**
[a] je *fuis*, il *fuit*,
nous *fuyons*
[b] je *fuyais*
[c] je *fuis*
[d] je *fuirai*
[e] que je *fuie*
[f] que je *fuisse*
[h] *fuyant*
[i] *fui, fuie*

**33. Quérir...**
[a] *j'acquiers*, il *acquiert*,
nous *acquérons*
[b] je *conquérais*
[c] je *conquis*
[d] *j'acquerrai*
[e] que *j'acquière*
[f] que *j'acquisse*
[h] *requérant*
[i] *acquis, ise*

**34. Bouillir**
[a] je *bous*, il *bout*,
nous *bouillons*
[b] je *bouillais*
[c] je *bouillis*
[d] je *bouillirai*
[e] que je *bouille*
[f] que je *bouillisse*
[h] *bouillant*
[i] *bouilli, ie*

**35. Ouïr**
rares emplois : infinitif, temps composés et
[i] *ouï, ouïe*
[j] *oyons, oyez* ;
[c] *j'ouïs*, [d] *j'ouïrai*
et [g] *j'ouïrais* sont archaïques

**Gésir**
seuls emplois :
[a] je *gis*, il *gît*,
nous *gisons*, etc.
[b] je *gisais*, etc.
[h] *gisant*

* Les personnes et les temps donnés permettent de reconstituer les conjugaisons, à partir de **tenir** (22) ; le conditionnel [g], comme l'impératif [j], se formant respectivement sur le futur [d] et le présent [a], sont rarement précisés.
** Les ... signifient : « et verbes dérivés ».
*** [a] ind. prés. [b] ind. imp. [c] ind. passé simple [d] futur simple [e] subj. prés. [f] subj. imp. [g] cond. prés. [h] part. prés. [i] part. passé [j] impératif.

## 36. VOIR, verbe du 3e groupe en *-oir**

### INFINITIF

***Présent***
voir

***Passé***
avoir vu

### PARTICIPE

***Présent***
voyant

***Passé***
vu, vue ; ayant vu

### IMPÉRATIF

***Présent***
vois, voyons, voyez

***Passé***
aie vu, ayons et ayez vu

* Se conjuguent comme **voir** : **entrevoir**, **revoir** et **prévoir** (mais ce dernier fait au futur simple et au conditionnel présent : je *prévoirai*, je *prévoirais*).

### CONDITIONNEL

| *Présent* | | *Passé 1re forme* | | | *Passé 2e forme* | | |
|---|---|---|---|---|---|---|---|
| je | verrais | j' | aurais | vu | j' | eusse | vu |
| tu | verrais | tu | aurais | vu | tu | eusses | vu |
| il | verrait | il | aurait | vu | il | eût | vu |
| nous | verrions | nous | aurions | vu | nous | eussions | vu |
| vous | verriez | vous | auriez | vu | vous | eussiez | vu |
| ils | verraient | ils | auraient | vu | ils | eussent | vu |

### INDICATIF

| *Présent* | | *Passé composé* | | |
|---|---|---|---|---|
| je | vois | j' | ai | vu |
| tu | vois | tu | as | vu |
| il | voit | il | a | vu |
| nous | voyons | nous | avons | vu |
| vous | voyez | vous | avez | vu |
| ils | voient | ils | ont | vu |

| *Imparfait* | | *Plus-que-parfait* | | |
|---|---|---|---|---|
| je | voyais | j' | avais | vu |
| tu | voyais | tu | avais | vu |
| il | voyait | il | avait | vu |
| nous | voyions | nous | avions | vu |
| vous | voyiez | vous | aviez | vu |
| ils | voyaient | ils | avaient | vu |

| *Passé simple* | | *Passé antérieur* | | |
|---|---|---|---|---|
| je | vis | j' | eus | vu |
| tu | vis | tu | eus | vu |
| il | vit | il | eut | vu |
| nous | vîmes | nous | eûmes | vu |
| vous | vîtes | vous | eûtes | vu |
| ils | virent | ils | eurent | vu |

| *Futur simple* | | *Futur antérieur* | | |
|---|---|---|---|---|
| je | verrai | j' | aurai | vu |
| tu | verras | tu | auras | vu |
| il | verra | il | aura | vu |
| nous | verrons | nous | aurons | vu |
| vous | verrez | vous | aurez | vu |
| ils | verront | ils | auront | vu |

### SUBJONCTIF

| *Présent* | | *Imparfait* | |
|---|---|---|---|
| que je | voie | que je | visse |
| que tu | voies | que tu | visses |
| qu'il | voie | qu'il | vît |
| que nous | voyions | que nous | vissions |
| que vous | voyiez | que vous | vissiez |
| qu'ils | voient | qu'ils | vissent |

| *Passé* | | | *Plus-que-parfait* | | |
|---|---|---|---|---|---|
| que j' | aie | vu | que j' | eusse | vu |
| que tu | aies | vu | que tu | eusses | vu |
| qu'il | ait | vu | qu'il | eût | vu |
| que nous | ayons | vu | que nous | eussions | vu |
| que vous | ayez | vu | que vous | eussiez | vu |
| qu'ils | aient | vu | qu'ils | eussent | vu |

## VERBES 37 à 50, cas particuliers du 3e groupe en *-oir**

**37. Pourvoir**
se conjugue comme **voir** (36) sauf :
[c] ** je *pourvus*
[d] je *pourvoirai*
[f] que je *pourvusse*
[g] je *pourvoirais*
(**dépourvoir** ne s'emploie guère qu'à l'infinitif, aux formes [c] et [i] et aux temps composés)

**38. Apercevoir, concevoir, décevoir, percevoir, recevoir**
devant un **o** ou un **u**, le **c** devient **ç** :
[a] je *reçois*, il *reçoit*, nous *recevons*, ils *reçoivent*
[b] je *recevais*
[c] je *reçus*
[d] j'*apercevrai*
[e] que je *déçoive*
[f] que je *perçusse*
[h] *recevant*
[i] *conçu, ue*

**39. Pouvoir**
[a] je *peux* ou je *puis*, tu *peux*, il *peut*, nous *pouvons*, ils *peuvent*
[b] je *pouvais*
[c] je *pus*
[d] je *pourrai*
[e] que je *puisse*
[f] que je *pusse*
[g] je *pourrais*
[h] *pouvant*
[i] *pu*
[j] pas d'impératif

**40. Vouloir**
[a] je *veux*, il *veut*, nous *voulons*, ils *veulent*
[b] je *voulais*
[c] je *voulus*
[d] je *voudrai*
[e] que je *veuille*, que nous *voulions*
[f] que je *voulusse*
[h] *voulant*
[i] *voulu, ue*
[j] *veuille* ou *veux*, *voulons*, *veuillez* ou *voulez*

**41. Devoir, redevoir**
[a] je *dois*, il *doit*, nous *devons*
[b] je *devais*
[c] je *dus*
[e] que je *doive*, que nous *devions*
[f] que je *dusse*
[h] *devant*
[i] *dû* (mais *dus*), *due*

**42. Savoir**
[a] je *sais*, il *sait*, nous *savons*
[b] je *savais*
[c] je *sus*
[d] je *saurai*
[e] que je *sache*, que nous *sachions*
[f] que je *susse*
[h] *sachant*
[i] *su, sue*
[j] *sache, sachons, sachez*

**43. Falloir**
verbe impersonnel
[a] il *faut*
[b] il *fallait*
[c] il *fallut*
[d] il *faudra*
[e] qu'il *faille*
[f] qu'il *fallût*
[i] *fallu*

**44. Pleuvoir**
verbe impersonnel
[a] il *pleut*
[b] il *pleuvait*
[c] il *plut*
[d] il *pleuvra*
[e] qu'il *pleuve*
[f] qu'il *plût*
[h] *pleuvant*
[i] *plu*
(au sens fig., on emploie aussi ce verbe à la 3e personne du plur. : les reproches *pleuvent*, *pleuvaient*, *plurent*)

**45. Valoir, équivaloir, prévaloir, revaloir**
[a] je *vaux*, il *vaut*, nous *valons*
[b] je *valais*
[c] je *valus*
[d] je *vaudrai*
[e] que je *vaille*, qu'il *vaille* (mais que je *prévale*, qu'il *prélave*)
[f] que je *valusse*
[h] *valant*
[i] *valu, ue*

**46. Asseoir**
[a] j'*assieds*, il *assied*, nous *asseyons*, ils *asseyent* ou j'*assois*, il *assoit*, nous *assoyons*, ils *assoient*
[b] j'*asseyais* ou j'*assoyais*
[c] j'*assis*
[d] j'*assiérai* ou j'*assoirai*
[e] que j'*asseye*, que nous *asseyions* ou que j'*assoie*, que nous *assoyions*
[f] que j'*assisse*, que nous *assissions*
[g] j'*assiérais* ou j'*assoirais*
[h] *asseyant* ou *assoyant*
[i] *assis, ise*
[j] *assieds, asseyons* ou *assois, assoyons*

**47. Surseoir**
[a] je *sursois*
[b] je *sursoyais*
[c] je *sursis*
[d] je *surseoirai*
[e] que je *sursoie*
[f] que je *sursisse*
[g] je *surseoirais*
[h] *sursoyant*
[i] *sursis, ise*
[j] *sursois, sursoyons*

**48. Seoir** (« convenir »), **messeoir**
ne se conjuguent qu'aux 3es personnes du sing. et du plur. et à certains temps simples :
[a] il *sied*, ils *siéent*
[b] il *seyait*
[d] il *siéra*, ils *messiéront*
[e] qu'il *siée*
[g] il *siérait*
[h] *séant* ou *seyant*, *messéant* (**seoir** au sens d'« être assis » ne s'emploie qu'au [h], *séant*, et au [i], *sis, sise*)

**49. Mouvoir, émouvoir, promouvoir**
[a] je *meus*, il *meut*, nous *mouvons*, ils *meuvent*
[b] je *mouvais*
[c] je *mus*
[d] je *mouvrai*
[e] que je *meuve*, que nous *mouvions*
[f] que je *musse*
[h] *mouvant*
[i] *mû* (mais *mus*), *mue* (mais *ému, émue* ; *promu, ue*) ▶

## Suite des verbes 37 à 50

**50. Choir, échoir** s'emploient avec l'auxil. **être** et ne se conjuguent qu'à certaines personnes et à certains temps simples

**choir**
[a] je *chois*, tu *chois*, il *choit*, ils *choient*
[c] je *chus*, il *chut*
[d] je *choirai* ou je *cherrai*
[e] qu'il *chût*
[g] je *choirais* ou je *cherrais*
[i] *chu, chue*

**échoir**
[a] il *échoit*, ils *échoient*
[c] il *échut*, ils *échurent*
[d] il *échoira*, ils *échoieront* ou il *écherra*, ils *écherront*
[e] qu'il *échoie*
[f] qu'il *échût*
[g] il *échoirait*, il *échoirait*, ils *échoiraient* ou il *écherrait*, ils *écherraient*
[i] *échu, ue*

**déchoir**
à toutes les personnes (avec **être** ou **avoir**)
[a] je *déchois*, nous *déchoyons*
[c] je *déchus*
[d] et [g] je *déchoirai(s)* ou je *décherrai(s)*
[e] que je *déchoie*
[f] que je *déchusse*
[i] *déchue, ue*

* Les personnes et les temps donnés permettent de reconstituer les conjugaisons, à partir de **voir** (36).
** [a] ind. prés. [b] ind. imp. [c] ind. passé simple [d] futur simple [e] subj. prés. [f] subj. imp. [g] cond. prés. [h] part. prés. [i] part. passé [j] impératif.

## 51. TENDRE, verbe du 3^e^ groupe en *-re**

### INFINITIF

***Présent***
tendre

***Passé***
avoir tendu

### PARTICIPE

***Présent***
tendant

***Passé***
tendu, ue ; ayant tendu

### IMPÉRATIF

***Présent***
tends, tendons, tendez

***Passé***
aie tendu, ayons et ayez tendu

### CONDITIONNEL

| *Présent* | | | *Passé 1^re^ forme* | | | *Passé 2^e^ forme* | | |
|---|---|---|---|---|---|---|---|---|
| je | tendrais | | j' | aurais | tendu | j' | eusse | tendu |
| tu | tendrais | | tu | aurais | tendu | tu | eusses | tendu |
| il | tendrait | | il | aurait | tendu | il | eût | tendu |
| nous | tendrions | | nous | aurions | tendu | nous | eussions | tendu |
| vous | tendriez | | vous | auriez | tendu | vous | eussiez | tendu |
| ils | tendraient | | ils | auraient | tendu | ils | eussent | tendu |

### INDICATIF

| *Présent* | | *Passé composé* | | |
|---|---|---|---|---|
| je | tends | j' | ai | tendu |
| tu | tends | tu | as | tendu |
| il | tend | il | a | tendu |
| nous | tendons | nous | avons | tendu |
| vous | tendez | vous | avez | tendu |
| ils | tendent | ils | ont | tendu |
| ***Imparfait*** | | ***Plus-que-parfait*** | | |
| je | tendais | j' | avais | tendu |
| tu | tendais | tu | avais | tendu |
| il | tendait | il | avait | tendu |
| nous | tendions | nous | avions | tendu |
| vous | tendiez | vous | aviez | tendu |
| ils | tendaient | ils | avaient | tendu |
| ***Passé simple*** | | ***Passé antérieur*** | | |
| je | tendis | j' | eus | tendu |
| tu | tendis | tu | eus | tendu |
| il | tendit | il | eut | tendu |
| nous | tendîmes | nous | eûmes | tendu |
| vous | tendîtes | vous | eûtes | tendu |
| ils | tendirent | ils | eurent | tendu |
| ***Futur simple*** | | ***Futur antérieur*** | | |
| je | tendrai | j' | aurai | tendu |
| tu | tendras | tu | auras | tendu |
| il | tendra | il | aura | tendu |
| nous | tendrons | nous | aurons | tendu |
| vous | tendrez | vous | aurez | tendu |
| ils | tendront | ils | auront | tendu |

### SUBJONCTIF

| *Présent* | | |
|---|---|---|
| que je | tende | |
| que tu | tendes | |
| qu'il | tende | |
| que nous | tendions | |
| que vous | tendiez | |
| qu'ils | tendent | |
| ***Imparfait*** | | |
| que je | tendisse | |
| que tu | tendisses | |
| qu'il | tendît | |
| que nous | tendissions | |
| que vous | tendissiez | |
| qu'ils | tendissent | |
| ***Passé*** | | |
| que j' | aie | tendu |
| que tu | aies | tendu |
| qu'il | ait | tendu |
| que nous | ayons | tendu |
| que vous | ayez | tendu |
| qu'ils | aient | tendu |
| ***Plus-que-parfait*** | | |
| que j' | eusse | tendu |
| que tu | eusses | tendu |
| qu'il | eût | tendu |
| que nous | eussions | tendu |
| que vous | eussiez | tendu |
| qu'ils | eussent | tendu |

* Se conjuguent comme **tendre** tous les verbes en **-endre**, **-andre**, **-ondre**, **-erdre** et **-ordre**, sauf **prendre** (52) et ses composés.
Même conjugaison pour les verbes en **-ompre** (seule différence, à la 3^e^ personne du sing. du présent de l'indicatif : il *rompt*).

## VERBES 52 à 80, cas particuliers du 3^e^ groupe en *-re**

**52. Prendre...****
[a]*** je *prends*, il *prend*, nous *prenons*, ils *prennent*
[b] je *prenais*
[c] je *pris*
[d] je *prendrai*
[e] que je *prenne*, que nous *prenions*
[f] que je *prisse*
[h] *prenant*
[i] *pris, prise*

**53. -eindre** (peindre)
[a] j'*atteins*, il *atteint*, nous *atteignons*
[b] je *peignais*, nous *peignions*
[c] j'*éteignis*
[d] je *feindrai*
[e] que je *teigne*
[f] que je *peignisse*
[h] *peignant*
[i] *atteint, einte*

**54. -aindre** (craindre)
[a] je *crains*, il *craint*, nous *plaignons*
[b] je *craignais*
[c] je *plaignis*
[h] *craignant*
[i] *craint, crainte*

**55. -oindre** (joindre)
[a] je *joins*, il *joint*, nous *joignons*
[b] je *joignais*
[c] je *joignis*
[h] *joignant*
[i] *joint, jointe*

**56. Vaincre, convaincre**
[a] je *vaincs*, tu *vaincs*, il *vainc*, nous *vainquons*
[b] je *vainquais*
[c] je *convainquis*
[d] je *vaincrai*
[e] que je *vainque*
[h] *vainquant*
[i] *convaincu, ue*

**57. Faire...**
[a] je *fais*, il *fait*, nous *faisons*, vous *faites*, ils *font*
[b] je *refaisais*
[c] je *fis*
[d] je *déferai*
[e] que je *fasse*, que nous *fassions*
[f] que je *fisse*
[h] *faisant*
[i] *fait, faite*

**58. Traire...**
[a] je *trais*, il *trait*, nous *trayons*, ils *traient*
[b] je *trayais*
[d] j'*extrairai*
[e] que je *traie*, que nous *trayions*
[h] *soustrayant*
[i] *trait, traite*
[c] et [f] n'existent pas

**59. Plaire...**
[a] je *plais*, il *plaît*, nous *plaisons*
[b] je *plaisais*
[c] je *plus*
[d] je *plairai*
[e] que je *déplaise*
[f] que je *complusse*
[h] *plaisant*
[i] *plu* ;

**taire**, même conjugaison, sauf :
[a] il *tait* (pas de î)
[i] *tu, tue*

**60. Mettre...**
[a] je *mets*, il *met*, nous *mettons*
[b] je *remettais*
[c] j'*omis*
[d] je *mettrai*
[e] que j'*admette*
[f] que je *permisse*
[h] *mettant*
[i] *transmis, ise*

**61. Battre...**
[a] j'*abats*, il *bat*, nous *débattons*
[c] je *battis*
[e] que j'*abatte* ▸

## Suite des verbes 52 à 80

[f] que je *battisse*
[h] *battant*
[i] *battu, ue*

**62. Suivre...**
[a] je *suis*, il *suit*, nous *suivons*
[b] je *suivais*
[c] je *poursuivis*
[d] je *suivrai*
[e] que je *suive*
[f] que je *suivisse*
[h] *suivant*
[i] *suivi, ie*
**s'ensuivre** s'emploie avec l'auxil. **être**

**63. Vivre...**
[a] je *vis*, il *vit*, nous *vivons*
[b] je *vivais*
[c] je *vécus*
[d] je *vivrai*
[e] que je *survive*
[f] que je *vécusse*
[h] *vivant*
[i] *vécu, ue*

**64. Confire, déconfire, suffire, frire, circoncire**
[a] je *confis*, il *confit*, nous *confisons*
[b] je *confisais*
[c] je *confis*
[d] je *confirai*
[e] que je *confise*
[f] que je *confisse*
[h] *confisant*
[i] *confit, ite*
(mais *suffi* ; *circoncis, ise*)

**65. Dire, redire**
[a] je *dis*, il *redit*, nous *disons*, vous *dites*
[b] je *disais*
[c] je *dis*
[d] je *redirai*
[e] que je *dise*
[f] que je *disse*
[h] *disant*
[i] *dit, dite*

**contredire, dédire, interdire, médire** et **prédire**, même conjugaison sauf :
[a] vous *médisez*
[j] *interdisez*
**maudire** se conjugue sur **finir** (☞ note, tableau 19)

**66. Lire, relire, élire, réélire**
[a] je *lis*, il *lit*, nous *lisons*
[b] j'*élisais*
[c] je *relus*
[d] je *lirai*
[e] que je *lise*
[f] que je *lusse*
[h] *lisant*
[i] *lu, lue*

**67. Écrire...** et verbes en **-scrire**
[a] j'*écris*, il *décrit*, nous *inscrivons*
[b] je *décrivais*
[c] j'*écrivis*
[d] je *récrirai*
[e] que j'*écrive*
[f] que j'*inscrivisse*
[h] *écrivant*
[i] *écrit, ite*

**68. Rire, sourire**
[a] je *ris*, il *rit*, nous *rions*
[b] je *riais*, nous *riions*
[c] je *ris*
[d] je *sourirai*
[e] que je *rie*, que nous *riions*
[f] que je *risse*
[h] *riant*
[i] *souri*

**69. -uire** (conduire)
[a] je *conduis*, il *nuit*, nous *cuisons*
[b] je *produisais*
[c] je *cuisis*
[d] je *nuirai*
[e] que je *luise*
[f] que je *luisisse*
[h] *instruisant*
[i] *cuit, cuite*
(mais *lui*, *relui* et *nui*, inv.)

**bruire** se conjugue sur **finir** (☞ note, tableau 19)

**70. Boire**
[a] je *bois*, il *boit*, nous *buvons*, ils *boivent*
[b] je *buvais*
[c] je *bus*
[d] je *boirai*
[e] que je *boive*, que nous *buvions*
[f] que je *busse*
[h] *buvant*
[i] *bu, bue*

**71. Croire**
[a] je *crois*, il *croit*, nous *croyons*, ils *croient*
[b] je *croyais*, nous *croyions*
[c] je *crus*
[d] je *croirai*
[e] que je *croie*, que nous *croyions*
[f] que je *crusse*
[h] *croyant*
[i] *cru, crue*
**accroire** n'existe qu'à l'infinitif

**72. Croître...**
présente un **î** ou un **û** dans les formes homonymes de **croire** et garde l'accent circonflexe sur l'i suivi d'un **t** :
[a] je *croîs*, tu *croîs*, il *croît*, nous *croissons*
[b] je *croissais*
[c] je *crûs*, ils *crûrent*
[d] je *croîtrai*
[e] que je *croisse*
[f] que je *crûsse*
[h] *croissant*
[i] *crû, crue*
**décroître, accroître, recroître**, même conjugaison, mais ils ne gardent l'î que devant un **t**
**recroître** donne toutefois au part. passé : *recrû, ue*

**73. Connaître, paraître**
gardent l'î devant le **t**
[a] je *connais*, il *connaît*, nous *connaissons*
[b] je *paraissais*
[c] je *parus*
[d] je *connaîtrai*
[e] que je *connaisse*
[f] que je *parusse*
[h] *paraissant*
[i] *connu, ue*

**74. Naître**
î devant **t** (☞ 73)
[a] je *nais*, il *naît*, nous *naissons*
[b] je *naissais*
[c] je *naquis*
[d] je *naîtrai*
[e] que je *naisse*
[f] que je *naquisse*
[h] *naissant*
[i] *né, née*
**renaître**, même conjug. mais [i] et les temps composés n'existent pas

**75. Paître**
pas de temps composés et seulement quelques temps simples :
[a] je *pais*, il *paît*, nous *paissons*
[b] je *paissais*
[d] je *paîtrai*
[e] que je *paisse*
[g] je *paîtrais*
[h] *paissant*
[j] *pais, paissez*
**repaître**, même conjug., plus tous les temps composés et :
[c] je *repus*
[f] que je *repusse*
[i] *repu, ue*

**76. Absoudre, dissoudre**
[a] j'*absous*, il *absout*, nous *absolvons*
[b] je *dissolvais*
[c] et [f] n'existent pas
[d] je *dissoudrai*
[e] que j'*absolve*
[h] *absolvant*
[i] *absous, oute*
**résoudre**, même conjugaison, sauf :
[c] je *résolus*
[f] que je *résolusse*
[i] *résolu, ue*

**77. Coudre, découdre, recoudre**
[a] je *couds*, il *coud*, nous *cousons*
[b] je *cousais*
[c] je *cousis*
[d] je *découdrai*
[e] que je *couse*
[f] que je *recousisse*
[h] *cousant*
[i] *cousu, ue*

**78. Moudre**
[a] je *mouds*, il *moud*, nous *moulons*
[b] je *moulais*
[c] je *moulus*
[d] je *moudrai*
[e] que je *moule*
[f] que je *moulusse*
[h] *moulant*
[i] *moulu, ue*

**79. Conclure, exclure, inclure, occlure**
[a] je *conclus*, il *exclut*, nous *incluons*
[b] je *concluais*
[c] j'*exclus*
[d] j'*exclurai*
[e] que je *conclue*, que nous *concluions*
[f] que j'*exclusse*
[h] *incluant*
[i] *conclu, ue* ; *exclu, ue* (mais *inclus, use* et *occlus, use*)
**reclure** s'emploie surtout à l'infinitif et aux temps composés ; attention au [i] *reclus, use*

**80. Clore**
[a] je *clos*, tu *clos*, il *clôt*, ils *closent* (pas de 1re ni de 2e personne du plur.)
[d] je *clorai*
[e] que je *close*, que nous *closions*
[h] *closant*
[i] *clos, close*
[j] *clos* (sing. uniquement)
[b], [c], [f] n'existent pas
**enclore**
[a] il *enclot*, nous *enclosons*, vous *enclosez*
[j] *enclosons, enclosez*
**éclore** s'emploie surtout à la 3e personne et **déclore** à l'infinitif et au [i]

* Les personnes et les temps donnés permettent de reconstituer les conjugaisons, à partir de **tendre** (51).
** Les ... signifient : « et verbes dérivés ».
*** [a] ind. prés. [b] ind. imp. [c] ind. passé simple [d] futur simple [e] subj. prés. [f] subj. imp. [g] cond. prés. [h] part. prés. [i] part. passé [j] impératif.

# L'ACCORD DU PARTICIPE PASSÉ

## SANS AUXILIAIRE

Le p. p. (participe passé) s'accorde, tel un adjectif, avec le nom ou le pronom auquel il se rapporte :
*Des hommes **corrompus** ; **Trahie**, la nation se rebella.*

S'il a valeur de préposition, le p. p. est invariable quand il est placé avant le nom auquel il se rapporte :
***Excepté** les enfants ; **Vu** la situation ; **Ci-joint** la clé.*
Placé après le nom, il s'accorde :
*La notice **ci-incluse** ; Les femmes y **comprises**.*

## AVEC L'AUXILIAIRE ÊTRE

Le p. p. (valeur attributive ou passive) s'accorde en genre et en nombre avec le sujet (ou l'objet) :
*La page est **déchirée** ; Jetez les fleurs qui sont **fanées** ; Nous avons été **étonnés**.*
L'accord se fait aussi aux temps composés des verbes intrans. exigeant l'auxil. **être** à la voix active :
*Nous sommes **venus** à pied.*
Attention au pluriel de majesté, ainsi qu'à l'emploi de « on » :
*Nous, roi de France, sommes **décidé** à abdiquer ; Alors, on est toujours **fâchées**, mesdemoiselles ?*

Cette règle ne s'applique pas aux verbes impersonnels (*Quelle étrange histoire il nous est **arrivé** !*) ou pronominaux (voir plus loin).

## AVEC L'AUXILIAIRE AVOIR

Le p. p. s'accorde avec le c. o. d. (complément d'objet direct) quand ce dernier, nom ou pronom, précède le participe :
*Quelle belle soirée tu as **organisée** !* (organisé **quoi** ? *la soirée*) ; *La soirée nous a **épuisés*** (épuisé **qui** ? *nous*).
Mais : *Cette soirée nous a **plu*** (plu **à qui** ? *à nous*, complément d'objet indirect) ; *Cette soirée a **épuisé** les enfants* (complément d'objet direct placé après).

L'accord du p. p. ne peut donc se faire qu'avec des verbes transitifs directs – les verbes transitifs indirects, intransitifs ou impersonnels n'ayant pas de c. o. d. :
*Les problèmes dont on a **parlé*** (mais : *que l'on a **réglés***) ; *Nous cherchons les personnes qui ont **disparu** ; Que de précautions il nous a **fallu** prendre !*

Une bonne compréhension du sens de la phrase et la recherche du véritable c. o. d. permettent d'éviter les erreurs d'accord du p. p., même en présence de cas particuliers, tels que ceux détaillés ci-après.

### VERBES TANTÔT PERSONNELS, TANTÔT IMPERSONNELS

À la forme impersonnelle, le p. p. est toujours invariable :
*La grande chaleur qu'il a **fait**.*
À la forme personnelle, le p. p. s'accorde avec le sujet : *La bêtise qu'il a **faite**.*

### VERBES TANTÔT TRANSITIFS, TANTÔT INTRANSITIFS

Ne pas confondre un complément circonstanciel (répondant à la question **combien ?**, **comment ?...**) et un c. o. d. (répondant à la question **qui** ? ou **quoi** ?). Dans le premier cas, le p. p. est invariable, et dans le second, il peut s'accorder :
*Les trois kilomètres que j'ai **couru*** (couru **combien** ?) ; *Les périls que j'ai **courus*** (couru **quoi** ?) ; *Les vingt kilos que cet enfant avait **pesé*** (pesé **combien** ?) ; *Les enfants que le médecin a **pesés*** (pesé **qui** ?) ; *Des paroles que j'ai bien **pesées*** (pesé **quoi** ?).

Attention donc au sens de verbes tels que *coûter, valoir, peser, courir, vivre, dormir*, etc.

Attention aussi à certains verbes transitifs, tantôt directs, tantôt indirects :
*La patrie qu'il a si bien **servie** ; Les omelettes que l'on nous a **servies** ; Les documents qui vous ont **servi**.*

### PARTICIPE PASSÉ + INFINITIF

Il y a accord du p. p. avec le c. o. d. (placé avant) si ce dernier fait l'action exprimée par l'infinitif ; si le c. o. d. subit l'action, le p. p. est invariable :
*L'actrice que j'ai **vue** jouer* (l'actrice joue) ; *La pièce que j'ai **vu** jouer* (la pièce ne joue pas, elle est jouée) ; *Les prisonnières qu'on a **laissées** partir* (les prisonnières partent) ; *Les prisonnières qu'on a **laissé** condamner* (les prisonnières sont condamnées).

**Fait** suivi d'un infinitif est toujours invariable :
*Les maisons qu'il s'est **fait** construire.*

Suivi d'un infinitif, le p. p. des verbes d'opinion ou de déclaration est toujours invariable :
*La solution que j'ai **voulu** adopter ; Les langoustes que je vous ai **dit** venir de Bretagne.*

Attention aux p. p. tels que *cru, dû, voulu, pensé*... ; ils sont invariables quand leur c. o. d. est un infinitif sous-entendu :
*Je n'ai pas fait les efforts que j'aurais **dû*** (faire).

### PARTICIPE PASSÉ + À ou DE + INFINITIF

Quand le c. o. d. (placé avant) se rapporte au p. p., ce dernier s'accorde :
*La voiture que j'ai **donnée** à réparer* (j'ai donné **quoi** ? *la voiture à réparer*).
Si le c. o. d. se rapporte à l'infinitif, le p. p. reste invariable :
*La solution que j'ai **eu** à trouver* (j'ai eu **quoi** ? pas *la solution* mais *à la trouver*).
Parfois, les deux règles peuvent s'appliquer :
*La dictée qu'il a **eu(e)** à refaire* (il a eu **quoi** ? *la dictée à refaire* ou *à refaire la dictée*..).

### PARTICIPE PASSÉ + QUE

Si la proposition introduite par **que** constitue le c. o. d. du p. p., ce dernier reste invariable :
*Quelle punition avais-tu **cru** que tu recevrais ?*

### LE ou L' (pronom neutre) + PARTICIPE PASSÉ

Le p. p. suivant un c. o. d. neutre reste invariable :
*Cette affaire est très délicate, comme je l'avais **prévu*** (pour vérifier que le pronom est bien neutre, mettre la phrase au pluriel : *Ces affaires sont... je l'avais **prévu***).
Mais on dira :
*Cette affaire est réglée, je l'aurais **crue** plus délicate* (car au pluriel : *Ces affaires... je les aurais **crues** plus délicates*).

### EN + PARTICIPE PASSÉ

Quand **en** joue le rôle de pronom à valeur partitive (et non d'adverbe), il constitue un c. o. d. neutre du p. p., qui reste donc invariable :
*J'ai cueilli des cerises et j'en ai **offert**.*

On reconnaît que **en** est un c. o. d. ne
quand on ne peut pas le supprimer de la phra
*Il a reçu des cadeaux mais il n'en a pas **fait*** (s
**en**, la phrase perd tout sens) ;
*Le site correspond à la description que vous en a
**faite*** (**en** n'est pas indispensable).

Attention à **en** complété par un adverbe
quantité ! Si l'adverbe précède **en**, le p. p. s'accor
*De ces tulipes, combien en avez-vous **cueillies** ?*
Si l'adverbe suit **en**, le p. p. reste invariable :
*De ces tulipes, j'en ai beaucoup **cueilli**.*

## VERBES PRONOMINAUX

Aux temps composés, les verbes pronomin
se conjuguent avec l'auxiliaire **être**. Ici enc
le bon sens et la logique aideront à trouver l'acc
du p. p.

### VERBES ESSENTIELLEMENT PRONOMINAUX

Le p. p. de ces verbes, qui n'existent qu'à la fo
pronominale (*s'écrier, s'évanouir, se méfier, s'ob
ner, se repentir, se souvenir*, etc.), s'accorde ave
sujet :
*Elles se sont **abstenues** ; Ils s'étaient **méfiés**.*

Une exception, *s'arroger*, qui est trans
direct ; son p. p. s'accorde donc avec le c. o
(quand ce dernier est placé avant) :
*La prérogative qu'il s'est **arrogée*** (mais : *Ils se s
**arrogé** une prérogative*).

### VERBES PRONOMINAUX PAR GALLICISME

Le p. p. de ces verbes, auxquels l'usage a retiré t
sens réfléchi ou réciproque (*s'apercevoir, s'atten
se douter, se jouer*, etc.), s'accorde aussi avec le su
*Les erreurs dont ils se sont **aperçus** ;
Elle s'est **jouée** de lui.*

### VERBES PRONOMINAUX DE SENS PASSIF

Leur p. p. s'accorde également avec le sujet :
*Cette année, les pommes se sont bien **vendues**.*

### VERBES ACCIDENTELLEMENT PRONOMINAUX

Quand ils ne sont pas employés à la for
pronominale, ces verbes se conjuguent avec l'au
liaire **avoir** ; il suffit donc d'imaginer leur p
construit avec **avoir** pour savoir s'il y a acc
ou non.
On verra ainsi qu'à la forme pronominale le p.
des verbes impersonnels, intransitifs ou transi
indirects est invariable, de même que le p. p.
verbes transitifs directs dont le c. o. d. est pl
après :
*Elle s'est **vue** dans la glace* (elle a vu **qui** ? *elle* –
pronom réfléchi s' est le c. o. d. placé avant) ;
*voiture qu'il s'est **achetée*** (il a acheté **quoi** ? *la voit*
c. o. d. placé avant) ; *Il s'est **acheté** une voiture*
c. o. d. est placé après) ; *Ils se sont **salués*** (ils
salué **qui** ? *eux* – le pronom réciproque **se** est
c. o. d. placé avant) ; *Ils se sont **parlé*** (ils ont p
**à qui** ? *à eux* – le pronom réciproque **se** est
complément indirect).

# PRÉFIXES, SUFFIXES, ÉLÉMENTS DE COMPOSITION

es préfixes et les suffixes (ou affixes) servent à la dérivation ou à la création d'unités lexicales nouvelles à partir du radical d'un mot. Ils sont dépourvus xistence autonome et constituent un inventaire clos.

e préfixe, placé au début du mot, n'entraîne que très rarement un changement de classe grammaticale du mot nouveau ; il implique en revanche une modification signification. La plupart des préfixes sont issus de prépositions ou d'adjectifs grecs ou latins.

e suffixe, pour sa part, entraîne un changement de classe grammaticale du mot à la fin duquel il est placé. En effet, les suffixes sont des morphèmes, st-à-dire des éléments à valeur grammaticale. La majorité d'entre eux sont d'origine latine.

utre procédé de formation des mots, la composition met en jeu des mots français ou des éléments issus de lexèmes (éléments à valeur lexicale, ayant une nification) latins ou, surtout, grecs. Ce sont ces éléments, également nommés interfixes, que nous avons répertoriés. Dépourvus d'existence autonome en nçais, ils peuvent être les uniques constituants d'un mot (par ex. dans « omni-vore »). Certains s'utilisent seulement au début de la formation (par ex. « cruci- », apparaît dans « cruciverbiste ») ou à la fin (par ex. « -cide », dans « régicide », « insecticide », etc.) ; d'autres peuvent occuper les deux positions (par ex. édi- » et « -pède », comme on le voit avec « pédicure » et « quadrupède »). Ces éléments de composition constituent un inventaire ouvert.

a répartition, dans ces tableaux, entre « préfixes et éléments de composition placés en début de mot », « éléments de composition placés en fin de mot » « suffixes » correspond à une distinction effectuée dans les étymologies du dictionnaire, où ne sont pas mentionnés les suffixes « purs ». En effet, les nents placés en début de mot, tout comme les préfixes et les éléments placés en fin de mot, modifient le sens du mot. Les suffixes proprement dits, en anche, en modifient la classe grammaticale, et non le sens. C'est pourquoi ils sont traités séparément.

## PRÉFIXES ET ÉLÉMENTS DE COMPOSITION PLACÉS EN DÉBUT DE MOT

| | |
|---|---|
| | lat. *ad.* Marque la direction, le but, l'augmentation. À côté de la forme *a-*, on trouve de nombreuses assimilations, souvent déjà présentes en latin : AC-, AD-, AF-, AG-, AL-, AN-, AP-, AR-, AS-, AT- (*amener, accrocher, adosser*). |
| | gr. *a-*. Exprime la privation, la négation, la séparation, l'absence. S'écrit *an-* devant une voyelle ou un *h*. |
| ANTHO- | gr. *akantha*, « épine ». |
| ÉPHALO- | gr. *akephalos*, « sans tête ». |
| ÉTO- | lat. *acetum*, « vinaigre ». |
| RO- | gr. *akros*, « qui est à l'extrémité ». |
| TINO- | gr. *aktis, aktinos*, « rayon ». |
| UTI- | lat. *acutus*, « pointu, aigu ». |
| ÉNO- | gr. *adên, adenos*, « glande ». |
| IPO- | lat. *adeps, adipis*, « graisse ». |
| RI-, AÉRO- | gr. *aêr, aeros*, « air ». |
| RO- | lat. *afer, afri*, « africain ». |
| RI-, AGRO- | gr. *agros* ou lat. *ager*, « champ ». |
| LO- | gr. *allos*, « autre, différent ». |
| IBI- | lat. *ambo*, « tous les deux ». |
| IBLY- | gr. *amblus*, « émoussé, affaibli ». |
| IÉRICANO- | américain. |
| IPHI- | gr. *amphi*, « autour de, de deux côtés ». |
| IPHO- | gr. *amphô*, « tous les deux ». |
| IYLO- | gr. *amulon*, « amidon ». |
| IA- | gr. *ana*, « de bas en haut ; en arrière ; à rebours ; en sens contraire ; de nouveau ». |
| IDRO- | gr. *anêr, andros*, « homme ». |

| | |
|---|---|
| ANÉMO- | gr. *anemos*, « vent ». |
| ANGIO- | gr. *aggeion*, « vaisseau ; capsule ». |
| ANGLO- | anglais. |
| ANKYLO- | gr. *agkulos*, « recourbé ». |
| ANTÉ-, ANTI- | lat. *ante*, « avant ». Marque l'antériorité (*antécambrien, antidater*). Ne pas confondre ce ANTI-, var. de ANTÉ-, avec le véritable ANTI-, « opposé à ». |
| ANTÉRO- | antérieur. |
| ANTHO- | gr. *anthos*, « fleur ». |
| ANTHRACO- | gr. *anthrax, anthrakos*, « charbon ». |
| ANTHROPO- | gr. *anthrôpos*, « homme ». |
| ANTI- | gr. *anti-*, « qui est en face de ; opposé ». Marque l'opposition, l'hostilité à (*anticlérical*), la lutte contre qqch. de nocif, la protection à l'égard de qqch. (*antiseptique, antirouille*), la contradiction (*antiroman*). |
| APO- | gr. *apo-*. Marque l'idée d'éloignement, d'écartement. |
| AQUI- | lat. *aqua*, « eau ». |
| ARBORI- | lat. *arbor*, « arbre ». |
| ARCHÉO- | gr. *arkhaios*, « premier, primitif ». |
| ARCHI- | gr. *arkhi-*, de *arkhos*, « le chef ». Marque la supériorité hiérarchique, le degré extrême. |
| ARGYRO- | gr. *arguros*, « argent ». |
| ARTÉRIO- | gr. *artêria*, « artère ». |
| ARTHRO- | gr. *arthron*, « articulation ». |
| ASCO- | gr. *askos*, « outre ». |
| ASTÉRO- | gr. *astêr, asteros*, « étoile ». |
| ASTRO- | lat. *astrum*, « astre ». |
| ATTO- | danois *atten*, « dix-huit ». Divise par $10^{18}$ l'unité de mesure qui suit. |
| AUDIO- | lat. *audire*, « entendre ». |
| AURICULO- | lat. *auricula*, « bout d'oreille ». |

| | |
|---|---|
| AUTO- | gr. *autos*, « de soi-même ». |
| BACTÉRIO- | gr. *baktêria*, « bâton ». |
| BARO- | gr. *baros*, « poids, pesanteur ». |
| BARY- | gr. *barus*, « lourd ». |
| BATHO-, BATHY- | gr. *bathos*, « profondeur », et *bathus*, « profond ». |
| BENZO- | benzène, acide benzoïque. |
| BI-, BIS- | lat. *bis*, « deux fois ». Marque la répétition, la duplication. |
| BIBLIO- | gr. *biblion*, « livre ». |
| BIO- | gr. *bios*, « vie ». |
| BIS-, voir BI- | |
| BLASTO- | gr. *blastos*, « germe, bourgeon ». |
| BLENNO- | gr. *blennos*, « humeur visqueuse ». |
| BLÉPHARI-, BLÉPHARO- | gr. *blepharis*, « cil », et *blepharon*, « paupière ». |
| BRACHY- | gr. *brakhus*, « court ». |
| BRONCHI-, BRONCHO- | gr. *brogkhia*, « bronches ». |
| CALCI-, CALCO- | lat. *calx, calcis*, « chaux », d'où « calcium ; calcaire ». |
| CALLI- | gr. *kallos*, « beauté ». |
| CALORI- | lat. *calor, caloris*, « chaleur ». |
| CANCÉRO- | cancer. |
| CARBO- | lat. *carbo*, « charbon ». |
| CARCINO- | gr. *karkinos*, « crabe ; chancre », d'où « cancer ». |
| CARDIO- | gr. *kardia*, « cœur ». |
| CARPO- | gr. *karpos*, « fruit ». |
| CARYO- | gr. *karuon*, « noix, noyau ». |
| CATA- | gr. *kata*, « de haut en bas, en dessous, en arrière ». |
| CAULI-, CAULO- | lat. *caulis* ou gr. *kaulos*, « tige ». |
| CENTI- | lat. *centum*, « cent ». Indique la division par cent de l'unité de mesure qui suit. |
| CENTRO- | lat. *centrum*, « centre ». |
| CÉPHALO- | gr. *kephalê*, « tête ». |
| CERCO- | gr. *kerkos*, « queue ». |

| | |
|---|---|
| CÉRÉBRO- | lat. *cerebrum*, « cerveau ». |
| CHALCO- | gr. *khalkos*, « cuivre ». |
| CHÉILO-, CHILO- | gr. *kheilos*, « lèvre ». |
| CHÉIRO-, CHIRO- | gr. *kheir, kheiros*, « main ». |
| CHÉLI-, CHÉLO- | gr. *khêlê*, « pince ». |
| CHÉLONO- | gr. *khelônê*, « tortue ». |
| CHÉNO- | gr. *khên*, « oie ». |
| CHERSO- | gr. *khersos*, « terre ferme ». |
| CHÉTO- | gr. *khaitê*, « chevelure ». |
| CHILO-, voir CHÉILO- | |
| CHIMIO- | chimique. |
| CHIRO-, voir CHÉIRO- | |
| CHLORO- | gr. *khlôros*, « vert ». |
| CHOANO- | gr. *khoanê*, « récipient en forme d'entonnoir ». |
| CHOLÉ- | gr. *kholê*, « bile ». |
| CHONDRO- | gr. *khondros*, « cartilage ». |
| CHROMATO-, CHROMO- | gr. *khrôma, khrômatos*, « couleur ». |
| CHRONO- | gr. *khronos*, « temps ». |
| CHRYSO- | gr. *khrusos*, « or ». |
| CINÉ-, CINÉMO-, CINÉMATO- | gr. *kinêma*, « mouvement ». |
| CINÉTO- | gr. *kinêtos*, « mobile ». |
| CIRCUM- | lat. *circum*, « autour ». |
| CIS- | lat. *cis*, « en deçà de ». |
| CLÉIDO- | gr. *kleis, kleidos*, « clé ; clavicule ». |
| CLINO- | gr. *klinein*, « incliner, être incliné ». |
| CO- | lat. *cum*, « avec, ensemble » (*coauteur*). Devant *l, m, n* et *r*, il y a assimilation (*collaborer, compère, concubin, correspondre*, mais *coreligionnaire*, de formation plus récente). |
| COCCI-, COCCO- | gr. *kokkos*, « graine, pépin ». |
| COCCY-, COCCYGIO- | gr. *kokkux, kokkugos*, « coucou », d'où, par anal. de forme avec son bec, « coccyx ». |
| CŒLIO- | gr. *koilia*, « cavité du ventre ». |
| CŒNO- | gr. *koinos*, « commun ». |
| COLI- | côlon. |
| COLPO- | gr. *kolpos*, « ventre, vagin ». |
| CONTRA- | lat. *contra*, « contre ». |
| COPRO- | gr. *kopros*, « excrément ». |
| CORDI- | lat. *cor, cordis*, « cœur ». |
| CORTICO- | lat. *cortex, -icis*, « écorce ». |
| COSMI-, COSMO- | gr. *kosmos*, « parure ; monde ». |
| CRANIO- | gr. *kranion*, « crâne ». |
| CRIO- | gr. *krios*, « bélier ». |
| CRISTALLO- | gr. *krustallos*, « cristal ». |
| CRUCI- | lat. *crux, crucis*, « croix ». |
| CRYO- | gr. *kruos*, « froid ». |
| CRYPTO- | gr. *kruptos*, « caché ». |
| CUPRI-, CUPRO- | lat. *cuprum*, « cuivre ». |
| CYANO- | gr. *kuanos*, « bleu sombre ». |
| CYCLO- | gr. *kuklos*, « cercle ». |
| CYNO- | gr. *kuôn, kunos*, « chien ». |
| CYSTO- | gr. *kustis*, « vessie ». |
| CYTO- | gr. *kutos*, « cavité, cellule ». |
| DACTYLO- | gr. *daktulos*, « doigt ». |
| DÉ-[1] | lat. *de-*, à valeur perfective. Marque l'intensité, le renforcement (*délaver, détremper, démanger*). |
| DÉ-[2] | lat. *dis-*. Exprime la séparation, la privation, l'absence, la cessation (*dénoyauter*). Il devient DÉS- devant une voyelle ou un *h* muet (*désabuser, déshonneur*) et DES- devant le *s* du radical (*dessaler*), sauf dans des néologismes (*déstructurer*). |
| DÉCA- | gr. *deka*, « dix ». Multiplie par dix l'unité de mesure qui suit. |
| DÉCI- | lat. *decimus*, « dixième ». Divise par dix l'unité de mesure qui suit. |
| DEMI- | adj. demi. |
| DÉMO- | gr. *dêmos*, « peuple ». |
| DENDRO- | gr. *dendron*, « arbre ». |
| DENTO- | lat. *dens, dentis*, « dent ». |
| DERMO-, DERMATO- | gr. *derma, dermatos*, « peau ». |
| DÉSOXY- | dés- + oxygène. |
| DEUTÉRO- | gr. *deuteros*, « deuxième ». |
| DEXTRO- | lat. *dexter*, « droite ». |
| DI- | gr. *di-*, « deux fois, double ». |
| DIA- | gr. *dia-*, « séparation, distinction » (*diastase, diastole*), mais le plus souvent « à travers, par » (*diamètre, diagonal, diaphane*). |
| DICHO- | gr. *dikho-*, de *dikha*, « en deux ». |
| DIGITI- | lat. *digitus*, « doigt ». |
| DIPLO- | gr. *diploos*, « double ». |
| DIS- | lat. *dis-*. Marque la séparation, l'éloignement et aussi le fait de répandre (*disjoindre, dispersion, disséminer*). Devant *f*, il y a assimilation (*diffraction*). Voir aussi DÉ-[2]. |
| DISCO- | gr. *diskos*, « disque ». |
| DODÉCA- | gr. *dodeka*, « douze ». |
| DOLICHO- | gr. *dolikhos*, « long, allongé ». |
| DORSO- | lat. *dorsum*, « dos ». |
| DYNAMO- | gr. *dunamis*, « force ». |
| DYS- | gr. *dus-*. Indique l'altération, la difficulté, le trouble (*dysfonctionnement, dyslexie*). |
| É-[1], EX-[1] | lat. *e-, ex-*. Marque l'action d'achever, d'atteindre un niveau supérieur (*élever, exalter*). |
| É-[2], EX-[2] | lat. *e-, ex-*, « hors de ». Marque la séparation, l'éloignement, la cessation d'un état (*édenter, émigrer, s'écouler, ex-ministre*). Devant *f* et *s*, il y a assimilation (*effeuiller, essorer*). |
| ÉCHINO- | gr. *ekhinos*, « oursin, hérisson ». |
| ÉCHO- | gr. *êkhô*, « écho ». |
| ÉCO- | gr. *oikos*, « maison, habitat ». |
| ECTO- | gr. *ektos*, « au-dehors ». |
| ÉLECTRO- | électricité. |
| EMBRYO- | gr. *embruon*, « embryon ». |
| EN-[1] | lat. *in*, « dans ». Marque l'idée d'entrer, l'acquisition d'un état (*encadrer, engraisser*). |
| EN-[2] | lat. *inde*, « à partir de ». Marque le point de départ, le mouvement (*enlever, s'enfuir*). Devant *m* et *p*, devient EM- (*emmener, emporter*). |
| ENCÉPHALO- | gr. *egkephalos*, « cerveau ». |
| ENDO- | gr. *endo-*, de *endon*, « en dedans ». |
| ENNÉA- | gr. *ennea*, « neuf ». |
| ENTÉRO- | gr. *enteron*, « intestin ». |
| ENTOMO- | gr. *entomon*, « insecte ». |
| ÉPI- | gr. *epi*, « sur ». |
| ÉQUI- | lat. *aequi-*, de *aequus*, « égal ». |
| ERGO- | gr. *ergon*, « action, travail ». |
| ÉRYTHRO- | gr. *eruthros*, « rouge ». |
| ESTHÉSIO- | gr. *aisthêsis*, « sensation, perception ». |
| ETHNO- | gr. *ethnos*, « peuple, race ». |
| EU- | gr. *eu*, « bien (adv.) ». |
| EURO- | européen. |
| EURY- | gr. *eurus*, « large ». |
| EX-[1], voir É-[1] | |
| EX-[2], voir É-[2] | |
| EXO- | gr. *exô*, « au-dehors ». |
| EXTRA- | lat. *extra*, « en dehors » (*extraconjugal*). C'est aussi un augmentatif formant une sorte de superlatif (*extraterrest*, *extra-fin*). |
| FERRI-, FERRO- | lat. *ferrum*, « fer ». |
| FIBRO- | fibre, fibreux. |
| FLORI- | lat. *flos, floris*, « fleur ». |
| FRANCO- | français. |
| FRIGO-, FRIGORI- | lat. *frigus, frigoris*, « froid ». |
| FRONTO- | front, frontal. |
| GALA-, GALACTO- | gr. *gala, galaktos*, « lait |
| GALLO- | gaulois. |
| GAMÉTO- | gamète. |
| GAMO- | gr. *gamos*, « mariage ». |
| GASTÉRO-, GASTRO- | gr. *gastêr, gastros*, « ventre, estomac ». |
| GAZO- | gaz. |
| GÉO- | gr. *gê*, « terre ». |
| GERMANO- | lat. *germanus*, « germai d'où « allemand ». |
| GÉRONTO- | gr. *gerôn, gerontos*, « vieillard ». |
| GIGA- | gr. *gigas*, « géant ». Multiplie par $10^9$ l'ur de mesure qui suit. |
| GIRO-, voir GYRO- | |
| GLOSSO- | gr. *glôssa*, « langue ». |
| GLUCO-, GLYCO- | gr. *glukus*, « doux, sucr |
| GLYPTO- | gr. *gluptos*, « gravé ». |
| GONIO- | gr. *gônia*, « angle ». |
| GONO- | gr. *gonos*, « germe, semence ». |
| GRAPHO- | gr. *graphein*, « écrire ». |
| GRÉCO- | lat. *graecus*, « grec ». |
| GYMNO- | gr. *gumnos*, « nu ». |
| GYNÉCO- | gr. *gunê, gunaikos*, « femme ». |
| GYRO- | gr. *guros*, « cercle ». |
| HALO- | gr. *hals, halos*, « sel ». |
| HAPLO- | gr. *haplous*, « simple ». |
| HECTO- | gr. *hekaton*, « cent ». Multiplie par cent l'unité de mesure qui s |
| HÉLI- | hélicoptère. |
| HÉLIO- | gr. *hêlios*, « soleil ». |
| HÉMA-, HÉMATO- | gr. *haima, haimatos*, « sang ». |
| HÉMI- | gr. *hêmi*, « à moitié ». |
| HENDÉCA- | gr. *hendeka*, « onze ». |
| HÉPATO- | gr. *hêpar, hêpatos*, « foi |
| HEPTA- | gr. *hepta*, « sept ». |
| HÉRÉDO- | lat. *heres, heredis*, « héritier ». |
| HÉTÉRO- | gr. *heteros*, « autre ». |
| HEXA- | gr. *hexa-*, de *hex*, « six » |
| HIDRO- | gr. *hidrôs, hidrôtos*, « sueur ». |
| HIÉRO- | gr. *hieros*, « sacré ». |
| HIPPO- | gr. *hippos*, « cheval ». |
| HISPANO- | lat. *hispanus*, « hispaniqu d'où « espagnol ». |
| HISTO- | gr. *histos*, « trame, tissu et *histion*, « voile, rideau ». |

ODO-, ODO- gr. *hodos*, « route ».
OLO- gr. *holos*, « entier ».
OMÉO- gr. *homoios*, « semblable à ».
OMO- gr. *homos*, « semblable ».
ORO- gr. *hôro-*, de *hôra*, « heure ».
UMÉRO- lat. *humerus*, « épaule ».
YDRO- gr. *hudro-*, de *hudôr*, « eau ».
YGRO- gr. *hugros*, « humide ».
YLÉ-, HYLO- gr. *hulê*, « bois, matière ».
YMÉNO- gr. *humên*, « membrane ».
YPER- gr. *huper*, « au-dessus, au-delà ».
YPNO- gr. *hupnos*, « sommeil ».
YPO- gr. *hupo*, « sous, au-dessous, en deçà ».
YPSO- gr. *hupsos*, « hauteur ».
YSTÉRO- gr. *hustera*, « matrice ».
ATRO- gr. *iatros*, « médecin ».
CHTYO- gr. *ikhthus*, « poisson ».
CONO- gr. *eikôn*, « image ».
DÉO- gr. *idea*, « idée ».
DIO- gr. *idios*, « propre à ».
GNI- lat. *ignis*, « feu ».
LÉO- iléon.
MMUNO- lat. *immunis*, « exempt ».
MPARI- lat. *impar, imparis*, « inégal, impair ».
N-[1] lat. *in-*, « dans, en ». Marque l'idée d'entrer, de pénétrer (*infiltrer*).
N-[2] lat. *in-*. Marque la négation, surtout l'impossibilité (*inacceptable*). Assimilation devant *m, l, r* (*illisible, impossible, irréversible*).
NDO- lat. *Indus*, « de l'Inde ».
NFRA- lat. *infra*, « inférieur, en dessous de ».
NTER- lat. *inter*, « entre ». Indique la répartition dans l'espace ou dans le temps.
NTRA- lat. *intra*, « à l'intérieur de ».
NTRO- lat. *intro*, « dedans ».
RIDO- gr. *iris, iridos*, « iris, de l'œil ».
SO- gr. *isos*, « égal ».
JDÉO- lat. *judaeus*, « juif ».
JXTA- lat. *juxta*, « à côté de ».
ÉRATO- gr. *keras, keratos*, « corne ».
ILO- gr. *khilioi*, « mille ». Multiplie par mille l'unité de mesure qui suit.
INÉSI- gr. *kinêsis*, « mouvement ».
ACRYMO- lat. *lacruma, lacrima*, « larme ».
ACTO- lat. *lac, lactis*, « lait ».
AMELLI- lat. *lamella*, « petite lame ».
ARYNGO- gr. *larugx, laruggos*, « gosier, gorge ».
ATÉRO- lat. *latus, lateris*, « côté ».
ÉPIDO- gr. *lepis, lepidos*, « écaille ».
EPTO- gr. *leptos*, « mince ».
EUCO- gr. *leukos*, « blanc ».
IMNI-, LIMNO- gr. *limnê*, « eau stagnante, étang ».
IPO- gr. *lipos*, « graisse ».
ITHO- gr. *lithos*, « pierre ».
OCO- lat. *locus*, « lieu ».
OGO- gr. *logos*, « parole, discours, science ».
OMBO- lombes, lombaire.
ONGI- lat. *longus*, « long ».

LOPHO- gr. *lophos*, « huppe, touffe ; colline, crête ».
LUCI- lat. *lux, lucis*, « lumière ».
LUSO- lusitanien, relatif au Portugal.
LYMPHO- lymphe.
LYSO- gr. *lusis*, « dissolution ; fin ».
MACRO- gr. *makros*, « grand, long ».
MAGNÉTO- magnétique, magnétisme.
MALACO- gr. *malakos*, « mou ».
MAMMO- lat. *mamma*, « sein, mamelle ».
MANO- gr. *manos*, « peu dense ».
MASTO- gr. *mastos*, « sein, mamelle ; sommet arrondi ».
MAXI- lat. *maximum*, « grand, très grand ».
MÉ-, MÉS- frq. *missi*. Indique l'échec, un mauvais résultat, une erreur (*méconnaître, mésaventure*).
MÉCANO- gr. *mêkhanê*, « machine ».
MÉDICO- lat. *medicus*, « médecin ».
MÉGA-, MÉGALO- gr. *megas, megalou*, « grand ».
MÉLANO- gr. *melas, melanos*, « noir ».
MÉLO- gr. *melos*, « chant accompagné de musique ».
MÉNINGO- gr. *mênigx, mêniggos*, « méninge ».
MÉS-, voir MÉ-
MÉSO- gr. *mesos*, « qui est situé au milieu ».
MÉTA- gr. *meta*, « au milieu de, après ».
MÉTALLO- gr. *metallon*, « mine, minerai ».
MÉTRO- gr. *metron*, « mesure ».
MI- lat. *medius*, « qui est au milieu » (*mi-bas, à mi-chemin*). Peut signifier également « à moitié, en partie » (*mi-clos, mi-carême*).
MICRO- gr. *mikros*, « petit, court ».
MILLI- lat. *mille*, « mille ». Divise par mille l'unité de mesure qui suit.
MINI- lat. *minimum*, de *minus*, « moins ». S'utilise pour qualifier ou désigner ce qui est petit, très court, sans importance.
MISO- gr. *misein*, « haïr ».
MNÉMO- gr. *mnêmê*, « mémoire ».
MONO- gr. *monos*, « seul, unique ».
MORPHO- gr. *morphê*, « forme ».
MOTO- moteur.
MULTI- lat. *multus*, « beaucoup, nombreux ».
MUSICO- lat. *musica*, « musique ».
MYCO- gr. *mukês, mukêtos*, « champignon ».
MYÉLO- gr. *muelos*, « moelle ».
MYI- gr. *muia*, « mouche ».
MYO- gr. *mus, muos*, « muscle ».
MYRIA-, MYRIO- gr. *murias*, « 10 000 ; très grand nombre ».
MYRMÉCO- gr. *murmêx, murmêkos*, « fourmi ».
MYTHO- gr. *muthos*, « fable ».
MYTILI-, MYTILO- lat. *mytilus*, du gr. *mutilos*, « moule, coquillage ».
MYXO- gr. *muxa*, « morve, mucosité ».

NANO- gr. *nannos*, « nain, très petit » (*nanoplancton*). Divise par $10^9$ l'unité de mesure qui suit.
NARCO- gr. *narkê*, « engourdissement ».
NÉCRO- gr. *nekros*, « mort, cadavre ».
NÉMATO- gr. *nêma, nêmatos*, « fil ».
NÉO- gr. *neos*, « nouveau ».
NÉPHÉLÉ-, NÉPHÉLO- gr. *nephelê*, « nuage, nuée ».
NÉPHRO- gr. *nephros*, « rein ».
NEURO-, NÉVRO- gr. *neuron*, « nerf ».
NIPPO- nippon.
NITRO- nitre.
NIVO- lat. *nix, nivis*, « neige ».
NOCTI- lat. *nox, noctis*, « nuit ».
NOMO- gr. *nomos*, « loi ».
NORMO- lat. *norma*, « norme ».
NOSO- gr. *nosos*, « maladie ».
NOTO- gr. *nôtos*, « dos ».
NUCLÉO- lat. *nucleus*, « noyau ».
NYCTO- gr. *nux, nuktos*, « nuit ».
OB- lat. *ob*, « devant, pour ».
OCTA-, OCTI-, OCTO- gr. *oktô* ou lat. *octo*, « huit ».
OCULI-, OCULO- lat. *oculus*, « œil ».
ODO-, voir HODO-
ODONTO- gr. *odous, odontos*, « dent ».
ŒNO- gr. *oinos*, « vin ».
OLÉI-, OLÉO- lat. *olea*, « olive, olivier » et *oleum*, « huile ».
OLIGO- gr. *oligos*, « en petit nombre ».
OMNI- lat. *omnis*, « tout ».
ONIRO- gr. *oneiros*, « rêve ».
ONTO- gr. *on, ontos*, « l'être, ce qui est ».
OO- gr. *ôon*, « œuf ».
OPHIO- gr. *ophis*, « serpent ».
OPHTALMO- gr. *ophthalmos*, « œil ».
OPISTHO- gr. *opisthen*, « derrière, en arrière ».
OPO- gr. *opos*, « suc ».
OPTO- gr. *optos*, « visible ».
ORGANO- organe.
ORNITHO- gr. *ornis, ornithos*, « oiseau ».
ORO-[1] lat. *os, oris*, « bouche ».
ORO-[2] gr. *oros*, « montagne ».
ORTHO- gr. *orthos*, « droit, correct ».
OSTÉO- gr. *osteon*, « os ».
OSTRACO- gr. *ostrakon*, « coquille, écaille, carapace ».
OSTRÉI- lat. *ostrea*, « huître ».
OTO- gr. *ous, ôtos*, « oreille ».
PACHY- gr. *pakhus*, « épais ».
PALÉO- gr. *palaios*, « ancien ».
PALIN- gr. *palin*, « en sens inverse ; de nouveau ».
PALMI- lat. *palma*, « palme ».
PAN-, PANTO- gr. *pan, pantos*, « tout ».
PAR- lat. *per-*, « jusqu'au bout ». Préfixe intensif exprimant l'idée d'achèvement.
PARA-[1] gr. *para*, « à côté de ».
PARA-[2] Élément tiré de divers mots d'origine italienne et exprimant l'idée de protection.
PARI- lat. *par, paris*, « égal, pair ».
PATHO- gr. *pathos*, « maladie ».
PÉDI- lat. *pes, pedis*, « pied ».
PÉDO-[1] gr. *pais, paidos*, « enfant ».
PÉDO-[2] gr. *pedon*, « sol ».
PÉLO- gr. *pêlos*, « boue, argile ».
PELVI- pelvien, pelvis.
PENTA- gr. *pente*, « cinq ».

| | |
|---|---|
| PER- | lat. *per-*, de *per*, « à travers » (*percutané*). Il exprime aussi, en chimie, un excès dans une quantité. |
| PÉRI- | gr. *peri*, « autour de ». |
| PÉTRO- | gr. *petros*, « pierre, roche ». |
| PHACO- | gr. *phakos*, « lentille, tache de rousseur ». |
| PHAGO- | gr. *phagein*, « manger ». |
| PHALLO- | gr. *phallos*, « phallus, pénis ». |
| PHANÉRO- | gr. *phaneros*, « apparent, visible ». |
| PHARMACO- | gr. *pharmakon*, « préparation (remède ou poison) ». |
| PHARYNGO- | gr. *pharugx, pharuggos*, « gorge ». |
| PHELLO- | gr. *phellos*, « liège ». |
| PHÉNO- | gr. *phainein*, « briller, éclairer ». |
| PHÉNYL- | phényle. |
| PHILO- | gr. *philos*, « ami », ou *philein*, « aimer ». |
| PHLÉBO- | gr. *phleps, phlebos*, « veine ». |
| PHONO- | gr. *phônê*, « langage, voix, son ». |
| PHOSPHO- | phosphore. |
| PHOTO-[1] | gr. *phôs, phôtos*, « lumière ». |
| PHOTO-[2] | photographie. |
| PHRÉNO- | gr. *phrên, phrenos*, « diaphragme ; esprit, âme, pensée ». |
| PHYCO- | gr. *phukos*, « algue ». |
| PHYLLO- | gr. *phullon*, « feuille ». |
| PHYSICO- | lat. *physicus*, du gr. *phusikos*, « de la nature ». |
| PHYSIO- | gr. *phusis*, « nature ». |
| PHYTO- | gr. *phuton*, « végétal, plante ». |
| PICRO- | gr. *pikros*, « amer ». |
| PIÉZO- | gr. *piezein*, « presser ». |
| PILI- | lat. *pilus*, « poil ». |
| PISCI- | lat. *piscis*, « poisson ». |
| PLACO- | gr. *plax, plakos*, « surface large et plate ». |
| PLAGIO- | gr. *plagios*, « oblique ». |
| PLANI- | lat. *planus*, « plan, uni ». |
| PLATY- | gr. *platus*, « plat et large ». |
| PLEURO- | gr. *pleuron*, « côté ». |
| PLOUTO- | gr. *ploutos*, « richesse ». |
| PLURI- | lat. *plures*, « plus nombreux, plusieurs ». |
| PNEUMATO- | gr. *pneuma, pneumatos*, « souffle, air ». |
| PNEUMO-, PNEUMONO- | gr. *pneumôn*, « poumon ». |
| PODO- | gr. *pous, podos*, « pied ». |
| POLARI-, POLARO- | gr. *polein*, « tourner ». |
| POLÉMO- | gr. *polemos*, « guerre ». |
| POLITICO- | gr. *politikos*, « politique ». |
| POLY- | gr. *polus*, « nombreux ». |
| POMI-, POMO- | lat. *pomum*, « fruit ». |
| POST- | lat. *post*, « après » (surtout dans le sens temporel). |
| POTAMO- | gr. *potamos*, « fleuve ». |
| POUR- | lat. *pro*, « pour ; en avant » (*pourvoir*). Dans certains mots, il a pris le sens intensif du lat. *per*, « à travers » (*pourfendre*). |
| PRÉ- | lat. *prae*, « devant, avant ». |
| PRIMI-, PRIMO- | lat. *primus*, « premier ». |
| PRO- | lat. ou gr. *pro*, « avant, devant ; partisan de ». |
| PROCTO- | gr. *prôktos*, « anus ». |
| PROTÉ-, PROTÉO- | protéine. |
| PROTO- | gr. *prôtos*, « premier ». |
| PSEUDO- | gr. *pseudês*, « faux, trompeur ». |
| PSYCHO- | gr. *psukhê*, « âme, esprit ». |
| PTÉRIDO- | gr. *pteris, pteridos*, « fougère ». |
| PTÉRO- | gr. *ptero-*, de *pteron*, « aile ». |
| PTÉRYGO- | gr. *pterux, pterugos*, « nageoire ». |
| PUBLI- | publicité. |
| PULSO- | lat. *pulsum*, de *pellere*, « pousser ». |
| PYCNO- | gr. *puknos*, « dru, serré ». |
| PYÉLO- | gr. *puelos*, « bassin ». |
| PYO- | gr. *puo-*, de *puon*, « pus ». |
| PYRÉTO- | gr. *puretos*, « fièvre ». |
| PYRO- | gr. *pur, puros*, « feu ». |
| QUADRI- | lat. *quadr-*, de *quattuor*, « quatre ». |
| QUASI- | lat. *quasi*, « pour ainsi dire, environ ; comme ». |
| QUINQUA-, QUINQUE- | lat. *quinque*, « cinq ». |
| RADIO-[1] | lat. *radius*, « rayon ». Introduit la notion de radiation, de radioactivité. |
| RADIO-[2] | élément de RADIO-[1]. Concerne les propriétés ou la transmission d'ondes électromagnétiques. |
| RE- | lat. *re-*. Marque le retour en arrière (*recommencer*), le retour à un état initial (*rempailler*), la répétition (*redire*). Il a aussi une valeur intensive (*raccourcir*). Il s'écrit R- ou RÉ- devant un *h* ou une voyelle. |
| RÉFLEXO- | lat. *reflexus*, « retour en arrière ». |
| RÉTICULO- | lat. *reticulum*, « réseau, résille ». |
| RÉTRO- | lat. *retro*, « en arrière ». |
| RHÉO- | gr. *rhein*, « couler ». |
| RHINO- | gr. *rhis, rhinos*, « nez ». |
| RHIZO- | gr. *rhiza*, « racine ». |
| RHODO- | gr. *rhodon*, « rose ». |
| RHOMBO- | gr. *rhombos*, « losange ». |
| RHYNCHO- | gr. *rhugkhos*, « groin, bec ». |
| RIBO- | ribose. |
| RUSSO- | russe. |
| SACCHARI-, SACCHARO- | lat. *saccharum*, du gr. *sakkharon*, « sucre ». |
| SACRO- | lat *sacer*, « sacré ». |
| SAPRO- | gr. *sapros*, « gâté, pourri ». |
| SARCO- | gr. *sarx, sarkos*, « chair ». |
| SAURO- | gr. *saura*, « reptile », et *sauros*, « lézard ». |
| SCAPULO- | lat. *scapulae*, « épaules ». |
| SCATO- | gr. *skôr, skatos*, « excrément ». |
| SCHISTO- | gr. *skhistos*, « fendu, fendable ». |
| SCHIZO- | gr. *skhizein*, « fendre ». |
| SCLÉRO- | gr. *sklêros*, « dur, sec ». |
| SCYPHO- | gr. *skuphos*, « coupe ». |
| SÉISMO-, voir SISMO- | |
| SÉLÉNO- | gr. *selênê*, « lune ». |
| SEMI- | lat. *semi-*, « demi, à moitié ». |
| SÉRICI- | lat. *sericus*, « de soie », ou gr. *sêrikos*, de *sêr*, « ver à soie ». |
| SÉRO- | lat. *serum*, « liquide séreux ». |
| SERVO- | lat. *servus*, « esclave ». |
| SESQUI- | lat. *sesqui*, « une fois et demie en plus ». |
| SIALO- | gr. *sialon*, « salive ». |
| SIDÉRO- | gr. *sidêros*, « fer ». |
| SILICI-, SILICO- | silicium, silicique. |
| SIMILI- | lat. *similis*, « semblable ». |
| SINO- | lat. médiév. *Sinae*, du gr. *Sinai*, nom d'un peuple d'Extrême-Orient. Sert à désigner ce qui est relatif à la Chine. |
| SISMO-, SÉISMO- | gr. *seismos*, « secousse ». |
| SOCIO- | social, société. |
| SOMATO- | gr. *sôma*, « corps ». |
| SONO- | lat. *sonus*, « son, bruit ». |
| SPECTRO- | lat. *spectrum*, « spectre, simulacre ». |
| SPÉLÉO- | gr. *spêlaion*, « caverne ». |
| SPERMATO-, SPERMO- | gr. *sperma, spermatos*, « sperme, semence ». |
| SPHÉRO- | gr. *sphaira*, « balle, sphère ». |
| SPHYGMO- | gr. *sphugmos*, « pouls, pulsation ». |
| SPIRI- | gr. *speira*, « spirale, enroulement ». |
| SPLÉNO- | gr. *splên, splênos*, « rate ». |
| SPORO- | gr. *sporos*, « semence ». |
| STANNI- | lat. *stannum*, « étain ». |
| STAPHYLO- | gr. *staphulê*, « grappe de raisin ; tumeur de la luette ». |
| STÉATO- | gr. *stear, steatos*, « graisse suif ». |
| STÉGO- | gr. *stegos*, « toit ». |
| STÉNO- | gr. *stenos*, « étroit ». |
| STÉRÉO- | gr. *stereos*, « solide ». |
| STOMATO-, STOMO- | gr. *stoma, stomatos*, « bouche ». |
| STRATO- | lat. *stratus*, « étendu ». |
| STREPTO- | gr. *streptos*, « tourné, tressé, recourbé ». |
| STROBO- | gr. *strobos*, « rotation, tournoiement ». |
| STYLO- | gr. *stulos*, « colonne, poteau ». |
| SUB- | lat. *sub*, « en dessous ». Indique aussi la proximit ou l'approximation. |
| SULFO-, SULFUR- | lat. *sulfur, sulfuris*, « soufre ». |
| SUPER- | lat. *super*, « au-dessus, par-dessus ». Marque surtout un degré (qualitatif ou quantitatif) très élevé, ou la supériorité. |
| SUPRA- | lat. *supra*, « au-dessus, au-delà ». |
| SUR- | lat. *super* (voir SUPER-). |
| SUS- | sus. Signifie « ci-dessus, plus haut ». |
| SYLVI- | lat. *silva*, « forêt ». |
| SYN- | gr. *sun*, « avec, en même temps ». Assimilation devant *l* et *m*. |
| SYNCHRO- | synchrone. |
| SYRINGO- | gr. *surigx, suriggos*, « canal, tuyau ». |
| TACHÉO-, TACHY- | gr. *takhus, takheos*, « rapide ». |
| TAUTO- | gr. *tauto*, « le même ». |
| TAXI-, TAXO- | gr. *taxis*, « disposition, mise en ordre ». |
| TECHNO- | gr. *tekhnê*, « métier, art ». |
| TÉLÉ-[1] | gr. *têle*, « loin, à distance ». |
| TÉLÉ-[2] | télévision. |
| TÉLÉO-, TÉLO- | gr. *telos*, « fin, but », et *teleos*, « achevé ». |
| TÉPHRO- | gr. *tephra*, « cendre », ou *tephros*, « gris, cendré ». |

| | |
|---|---|
| TÉRATO- | gr. *teras, teratos,* « monstre ». |
| TÉTRA- | gr. *tetra-*, de *tettares,* « quatre ». |
| THALASSO- | gr. *thalassa,* « mer ». |
| THANATO- | gr. *thanatos,* « mort ». |
| THÉO- | gr. *theos,* « dieu ». |
| THERMO- | gr. *thermos,* « chaud ». |
| THIO- | gr. *theion,* « soufre ». |
| THORACO- | gr. *thôrax, thôrakos,* « thorax ». |
| THROMBO- | gr. *thrombos,* « caillot ». |
| THYRÉO-, THYRO- | gr. *thureo-*, de *thura,* « porte ». |
| TONO- | gr. *tonos,* « tension ; ton ». |
| TOPO- | gr. *topo-*, de *topos,* « lieu, espace ». |
| TOXI-, TOXO-, TOXICO- | lat. *toxicum,* « poison ». |
| TRACHÉO- | gr. *trakhus,* « rude, raboteux ». |
| TRANS- | lat. *trans,* « par-delà, au-delà de, à travers ». Indique aussi un changement d'état. La vieille forme TRÉ- ou TRES- se retrouve dans *trépasser, tressauter.* |
| TRI- | gr. *treis* ou lat. *tres,* « trois ». |
| TRIBO- | gr. *tribein,* « frotter ». |
| TRICHO- | gr. *thrix, trikhos,* « poil, cheveu ». |
| TROPHO- | gr. *trophê,* « nourriture ». |
| TROPO- | gr. *tropos,* « tour ». |
| TRYPANO- | gr. *trupanon,* « instrument pour percer ». |
| TUBI- | lat. *tubus,* « tube ». |
| TUBULI- | lat. *tubulus,* « petit tube ». |
| TURBO- | lat. *turbo,* « tourbillon ». |
| TURCO- | turc. |
| TYPHO- | gr. *tuphos,* « fumée ; torpeur ». |
| TYPO- | gr. *tupos,* « marque, caractère ». |
| TYPTO- | gr. *tuptein,* « frapper ». |
| TYRO- | gr. *turos,* « fromage ». |
| ULTRA- | lat. *ultra,* « au-delà ». Marque l'excès, l'exagération. |
| UNCI- | lat. *uncus,* « crochet ». |
| UNGUI- | lat. *unguis,* « ongle ». |
| UNI- | lat. *unus,* « un ». Met l'accent sur l'unicité, par oppos. à MULTI-, POLY-. |
| URICO- | urique. |
| URO-[1] | gr. *oûron,* « urine ». |
| URO-[2] | gr. *our-*, de *oura,* « queue ». |
| VACCINO- | lat. *vaccinus,* « de la vache ». |
| VASO- | lat. *vas, vasis,* « vase, vaisseau ». |
| VENTRICULO- | ventricule. |
| VERMI- | lat. *vermis,* « ver ». |
| VIBRO- | lat. *vibrare,* « vibrer ». |
| VICE- | lat. *vice,* « à la place de, en guise de ». |
| VIDÉO- | lat. *videre,* « voir ». |
| VINI- | lat. *vinum,* « vin ». |
| VISIO- | lat. *visio,* « action de voir ». |
| VITI- | lat. *vitis,* « vigne ». |
| XANTHO- | gr. *xanthos,* « jaune ». |
| XÉNO- | gr. *xenos,* « étranger ». |
| XÉRO- | gr. *xeros,* « sec ». |
| XYLO- | gr. *xulo-*, de *xulon,* « bois ». |
| ZOO- | gr. *zôon,* « être vivant, animal ». |
| ZYGO- | gr. *zugon,* « joug ; paire ». |
| ZYMO- | gr. *zumê,* « levain, ferment ». |

# ÉLÉMENTS DE COMPOSITION PLACÉS EN FIN DE MOT

| | |
|---|---|
| -ACANTHE | gr. *akantha,* « épine ». |
| -ADELPHE | gr. *adelphos,* « frère ». |
| -AGOGUE, -AGOGIE, -AGOGIQUE | gr. *-agôgos, -agôgia,* de *agein,* « conduire, transporter ». |
| -ALGIE | gr. *-algia,* de *algos,* « douleur ». |
| -AMBULE | lat. *ambulare,* « marcher ». |
| -ANDRE, -ANDRIE | gr. *-andros, -andria,* de *anêr, andros,* « homme, mâle ». |
| -ANGE | gr. *aggeion,* « vaisseau ; capsule ». |
| -ANTHE, -ANTHÈME | gr. *anthos,* « fleur ». |
| -ANTHROPE, -ANTHROPIE, -ANTHROPIQUE | gr. *anthrôpos,* « homme ». |
| -ARCHIE, -ARQUE | gr. *-arkhia, -arkhos,* de *arkhein,* « commander ». |
| -BARE | gr. *baros,* « pesanteur, poids ». |
| -BATE | gr. *batein,* « marcher, s'appuyer ». |
| -BIE | gr. *bios,* « vie ». |
| -BLASTE | gr. *blastos,* « germe ; bourgeon ». |
| -BOLE | gr. *bolê,* « action de jeter ». |
| -CARDE, -CARDIE | gr. *kardia,* « cœur ». |
| -CARPE[1] | gr. *karpos,* « fruit ». |
| -CARPE[2] | gr. *karpos,* « poignet ». |
| -CAULE | lat. *caulis,* « tige ». |
| -CÈLE | gr. *kêlê,* « tumeur ». |
| -CÈNE | gr. *kainos,* « récent ». |
| -CENTÈSE | gr. *kentêsis,* « action de piquer ». |
| -CÉPHALE, -CÉPHALIE | gr. *kephalê,* « tête ». |
| -CÈRE | gr. *keras,* « corne ». |
| -CHONDRE | gr. *khondros,* « cartilage ». |
| -CHROME, -CHROMIE | gr. *khrôma,* « couleur ». |
| -CHRONE, -CHRONIQUE, -CHRONISME | gr. *khronos,* « temps ». |
| -CIDE | lat. *caedere,* « frapper, tuer ». |
| -CLASIE, -CLASTE | gr. *klasis,* « action de briser ». |
| -COCCIE, -COQUE | gr. *kokkos,* « grain ». |
| -COLE | lat. *colere,* « cultiver ; habiter ». |
| -COLORE | lat. *color,* « couleur ». |
| -COPE | gr. *koptein,* « couper ». |
| -COSME | gr. *kosmos,* « bon ordre, ordre de l'univers ». |
| -CRATE, -CRATIE, -CRATIQUE | gr. *kratos,* « force, puissance, domination ». |
| -CRINE | gr. *krinein,* « sécréter ». |
| -CULTEUR, TRICE, -CULTURE | lat. *cultor,* « qui cultive, qui élève », et *cultura,* « culture, agriculture ». |
| -CYCLE | gr. *kuklos,* « cercle ». |
| -CYSTE | gr. *kustis,* « vessie ; objet creux ». |
| -CYTE | gr. *kutos,* « cavité, cellule ». |
| -DACTYLE, -DACTYLIE | gr. *daktulos,* « doigt ». |
| -DERME, -DERMIE | gr. *derma,* « peau ». |
| -DIDACTE | gr. *didaskein,* « enseigner ». |
| -DOXE | gr. *doxa,* « opinion ». |
| -DROME, -DROMIE | gr. *dromos,* « course ». |
| -DYNAMIE, -DYNE | gr. *dunamis,* « force ». |
| -ÉCIE, voir -ŒCIE | |
| -ECTOMIE | gr. *ektomê,* « ablation ». |
| -ÈDRE | gr. *hedra,* « base ». |
| -ÉMIE | gr. *-aimia,* de *haima,* « sang ». |
| -ERGIE | gr. *ergon,* « travail, force ». |
| -ESTHÉSIE | gr. *aisthêsis,* « sensation, perception ». |
| -FÈRE | lat. *-fer,* de *ferre,* « porter, renfermer ». |
| -FORME | lat. *-formis,* de *forma,* « forme ». |
| -FUGE | lat. *-fuga, -fugus,* de *fugere,* « fuir », ou de *fugare,* « faire fuir ». |
| -GAME, -GAMIE | gr. *gamos,* « mariage ». |
| -GASTRE | gr. *gastêr, gastros,* « ventre ; estomac ». |
| -GÉE | gr. *gê,* « terre ». |
| -GÈNE | gr. *-genês,* de *genos,* « naissance ». |
| -GENÈSE (-GÉNÈSE), -GÉNÉSIE | gr. *genesis,* « génération, formation ». |
| -GÉNIE, -GÉNIQUE, -GÉNISME | gr. *-geneia,* « production, formation ». Les deux suffixes -GENÈSE et -GÉNIE, avec leurs dérivés, ont un sens très proche, le premier mettant l'accent sur le sens d'« engendrer », le second sur celui de « production ». |
| -GÈRE | lat. *-gerus,* de *gerere,* « porter ». |
| -GIRE, voir -GYRE | |
| -GLOSSE | gr. *glôssa,* « langue ». |
| -GNATHE, -GNATHIE | gr. *gnathos,* « mâchoire ». |
| -GNOSE, -GNOSIE, -GNOSTIQUE | gr. *gnôsis,* « connaissance ». |
| -GONE[1], -GONAL, ALE, AUX | gr. *gônia,* « angle ». |
| -GONE[2], -GONIE | gr. *gonos, gonia,* « production, formation ». |
| -GRADE | lat. *-gradus,* de *gradi,* « marcher ». |
| -GRAMME | gr. *gramma,* « lettre, écriture ». |
| -GRAPHE, -GRAPHIE, -GRAPHIER, -GRAPHIQUE, -GRAPHISME, -GRAPHISTE | gr. *-graphos, -graphia, -graphikos,* de *graphein,* « écrire ». |
| -GYNE | gr. *gunê,* « femme ». |
| -GYRE, -GIRE | gr. *guros,* « cercle ». |
| -HÉLIE | gr. *hêlios,* « soleil ». |
| -HYDRE, -HYDRIE, -HYDRIQUE | gr. *hudro-*, de *hudôr,* « eau ». |
| -IATRE, -IATRIE | gr. *iatros,* « médecin ». |
| -IDE, voir -OÏDE | |
| -ITE | gr. *-itis,* indiquant une maladie inflammatoire. |
| -LALIE | gr. *lalein,* « parler ». |
| -LATÈRE | lat. *latus, lateris,* « côté ». |
| -LÂTRE, -LÂTRIE | gr. *-latrês, -latreia,* de *latreuein,* « servir ». |
| -LEPTIQUE | gr. *lêptikos,* « qui prend, qui reçoit ». |

| | |
|---|---|
| -LINGUE | lat. *lingua*, « langue ». |
| -LIT(H)E, -LIT(H)IQUE | gr. *lithos*, « pierre ». |
| -LOGIE, -LOGIQUE, -LOGISME, -LOGISTE, -LOGUE | gr. *logos*, « discours, parole ». |
| -LOQUE | lat. *loqui*, « parler ». |
| -LYSE, -LYSIE, -LYTIQUE | gr. *lusis*, « libération ; dissolution ; fin ». |
| -MACHIE | gr. *-makhia*, de *makhê*, « combat ». |
| -MANCIE, -MANCIEN, IENNE | gr. *manteia*, « divination ». |
| -MANE[1] | lat. *manus*, « main ». |
| -MANE[2], -MANIE | gr. *-manês*, *-mania*, de *mania*, « folie ». |
| -MÉGALIE | gr. *megas*, *megalos*, « grand ». |
| -MÈLE, -MÉLIE | gr. *-mêles*, de *melos*, « membre ». |
| -MÈRE[1], -MÉRIE[1] | gr. *meros*, « partie ». |
| -MÈRE[2], -MÉRIE[2] | gr. *mêros*, « cuisse ». |
| -MESTRE | lat. *-mestris*, de *mensis*, « mois ». |
| -MÈTRE[1], -MÉTRIE | gr. *metrês*, « celui qui mesure », et *metron*, « mesure, instrument de mesure ». |
| -MÈTRE[2] | gr. *mêtra*, « matrice ». |
| -MIXIE | gr. *-mixia*, de *mixis*, « mélange ; relation sexuelle ». |
| -MNÈSE, -MNÉSIE, -MNÉSIQUE | gr. *-mnêsis*, *-mnêsia*, de *mimnêsko*, « je me souviens ». |
| -MOBILE | lat. *mobilis*, « mobile ». |
| -MORPHE, -MORPHIE, -MORPHIQUE, -MORPHISME, -MORPHOSE | gr. *morphos*, « qui a la forme de », *morphê*, « forme », et *morphôsis*, « action de donner une forme ». |
| -MYCE, -MYCÈTE | gr. *mukês*, « champignon ». |
| -MYÉLIE | gr. *muelos*, « moelle ». |
| -NAUTE, -NAUTIQUE | gr. *nautês*, « navigateur », et *nautikos*, « relatif à la navigation ». |
| -NECTE | gr. *nêktos*, « qui nage ». |
| -NOME, -NOMIE, -NOMIQUE | gr. *-nomos*, *-nomia*, *-nomikos*, de *nemein*, « partager, régler, administrer ». |
| -ODE | gr. *-odos*, de *odos*, « chemin ; manière de faire ». |
| -ODIE | gr. *-ôdia*, de *ôdê*, « chant ». |
| -ODONTE, -ODONTIE | gr. *odous*, *odontos*, « dent ». |
| -ODYNIE | gr. *-ôdunia*, de *odunê*, « douleur ». |
| -ŒCIE, -ÉCIE | lat. sc. *-oecia*, du gr. *oikos*, « maison ». |
| -OÏDE, -IDE, -OÏDAL, ALE, AUX | gr. *-eidês*, de *eidos*, « forme, aspect ». |
| -OME | gr. *-ôma*, apportant la notion de tumeur. |
| -ONYME, -ONYMIE, -ONYMIQUE | gr. *-onumos*, de *onoma*, « nom ». |
| -OPE, OPIE | gr. *-ôpos*, *-ôpia*, de *ôps*, *ôpos*, « vue ». |
| -OPSIE | gr. *opsis*, « vue, vision ». |
| -OPSONE | gr. *opson*, « aliment ». |
| -ORAMA, -RAMA | gr. *orama*, « spectacle, vue ». |
| -OSE | gr. *-ôsis*, apportant la notion de maladie non inflammatoire. |
| -OSMIE | gr. *osmê*, « odeur ». |
| -OSTOSE | gr. *-ostôsis*, de *osteon*, « os ». |
| -OSTRACÉS | gr. *ostrakon*, « coquille, écaille, carapace ». |
| -OTE | gr. *-ôtis*, de *ous*, *ôtos*, « oreille ». |
| -OURE | gr. *oura*, « queue ». |
| -PARE, -PARITÉ | lat. *-parus*, de *parere*, « engendrer ». |
| -PATHE, -PATHIE, -PATHIQUE | gr. *-pathês*, *-patheia*, de *pathos*, « maladie ; ce qu'on éprouve ». |
| -PÈDE | lat. *pes*, *pedis*, « pied ». |
| -PÉNIE | gr. *penia*, « pauvreté ». |
| -PEPSIE | gr. *pepsis*, « digestion ». |
| -PÉTALE | gr. *petalon*, « pétale ». |
| -PÈTE | lat. *petere*, « tendre vers ». |
| -PEXIE | gr. *-pêxia*, de *pêgnunai*, « fixer en enfonçant ». |
| -PHAGE, -PHAGIE, -PHAGIQUE | gr. *-phagos*, *-phagia*, de *phagein*, « manger ». |
| -PHANE, -PHANIE | gr. *-phanês*, *-phaneia*, de *phainein*, « paraître ». |
| -PHASIE | gr. *-phasia*, de *phanai*, « dire ». |
| -PHILE, -PHILIE | gr. *philos*, « ami ». |
| -PHOBE, -PHOBIE | gr. *-phobos*, *-phobia*, de *phobos*, « peur morbide ». |
| -PHONE, -PHONIE | gr. *-phônos*, *-phônia*, de *phônê*, « voix, son ». |
| -PHORE | gr. *-phoros*, de *pherein*, « porter, transporter ». |
| -PHOTE | gr. *phôs*, *phôtos*, « lumière ». |
| -PHRASE | lat. *phrasis*, « expression, locution ». |
| -PHRÈNE, -PHRÉNIE | gr. *-phrenia*, de *phrên*, « esprit ». |
| -PHYCÉES | gr. *phukos*, « algue ». |
| -PHYLLE | gr. *phullon*, « feuille ». |
| -PHYSE | gr. *phusis*, « croissance, production ». |
| -PHYTE | gr. *phuton*, « plante ». |
| -PITHÈQUE | gr. *pithêkos*, « singe ». |
| -PLASIE, -PLASIQUE, -PLASTE, -PLASTIE, -PLASTIQUE | gr. *plasis*, *-plastês*, de *plassein*, « façonner, modeler ». |
| -PLASME, -PLASMIQUE | gr. *plasma*, « chose façonnée ». |
| -PLÈGE, -PLÉGIE | gr. *-plêgia*, de *plêgê*, « coup ». |
| -PNÉE | gr. *pnein*, « respirer ». |
| -PODE | gr. *pous*, *podos*, « pied ». |
| -POLE, -POLITE | gr. *polis*, « ville, cité ». |
| -PONCTURE, voir -PUNCTURE | |
| -PTÈRE | gr. *-pteros*, de *pteron*, « plume, aile ». |
| -PTÉRIGIEN | gr. *pterugion*, « nageoire ». |
| -PTOSE | gr. *ptôsis*, « descente, chute ». |
| -PUNCTURE, -PONCTURE | lat. *punctura*, « piqûre ». |
| -PYGE, -PYGIE | gr. *-pugos*, de *pugê*, « fesse ». |
| -PYLE | gr. *pulê*, « porte, entrée ». |
| -RAMA, voir -ORAMA | |
| -RHIZE | gr. *-rhizos*, de *rhiza*, « racine ». |
| -ROSTRE | lat. *rostrum*, « bec ». |
| -RRAGIE, (vx -RRHAGIE) | gr. *-rragia*, de *rhêgnunai*, « briser ; couler, jaillir ». |
| -RR(H)ÉE | gr. *-rroia*, de *rhein*, « couler ». |
| -RRHINIENS | gr. *rhis*, *rhinos*, « nez ». |
| -RYNQUE | gr. *runkhos*, « groin, bec ». |
| -SAURE | gr. *saura* ou *sauros*, « lézard ». |
| -SCAPHE | gr. *skaphê*, « barque, bateau ». |
| -SCOPE, -SCOPIE, -SCOPIQUE | gr. *-skopos*, *-skopia*, de *skopein*, « observer, examiner ». |
| -SÉLÈNE | gr. *selênê*, « lune ». |
| -SÉMIE, -SÉMIQUE | gr. *sêma*, « signe ». |
| -SEPSIE, -SEPTIQUE | gr. *-sêpsia*, de *sêpsis*, « putréfaction », et *sêptikos*, « septique ». |
| -SOME | gr. *sôma*, « corps ». |
| -SOPHE, -SOPHIE | gr. *sophos*, « savant, spécialiste », et *sophia*, « science, sagesse ». |
| -SPERME | gr. *-spermos*, de *sperma*, « graine, semence ». |
| -SPHÈRE | lat. *sphaera*, du gr. *sphaira*, « sphère ». |
| -SPORE | gr. *spora*, « semence ». |
| -STASE, -STASIE | gr. *-stasis*, *-stasia*, de *stasis*, « stabilité ; arrêt ». |
| -STAT | gr. *-statês*, de *statos*, « stable ». |
| -STATIQUE | gr. *statikos*, de *istanai*, « placer, faire tenir ». |
| -STHÉNIE | gr. *sthenos*, « force, vigueur ». |
| -STICHE | gr. *stikhos*, « rangée, ligne d'écriture, vers ». |
| -STOME, -STOMIE | gr. *-stomos*, de *stoma*, « bouche ». |
| -TAXIE | gr. *taxis*, « disposition, mise en ordre ». |
| -TECHNIE, -TECHNIQUE | gr. *tekhnê*, « art, métier », et *tekhnikos*, « relatif à l'art de ». |
| -THÉE, -THÉISME, -THÉISTE | gr. *theos*, « dieu ». |
| -THÈQUE | gr. *thêkê*, « armoire, coffre ». |
| -THÉRAPIE | gr. *therapeia*, « soin, cure ». |
| -THÉRIUM | gr. *thêrion*, « bête sauvage ». |
| -THERMANE | gr. *thermainein*, « chauffer ». |
| -THERME, -THERMIE, -THERMIQUE | gr. *-thermos*, de *thermê*, « chaleur ». |
| -THYMIE | gr. *-thumia*, de *thumos*, « cœur, affectivité, humeur ». |
| -TOME, -TOMIE | gr. *-tomos*, *-tomia*, de *temnein*, « couper, découper ». |
| -TONE, -TONIE, -TONIQUE | gr. *tonos*, « tension ». |
| -TOPE | gr. *topos*, « lieu ». |
| -TRICHE | gr. *thrix*, *thrikhos*, « poil, cheveu ». |
| -TROPE, -TROPIE, -TROPISME | gr. *tropos*, « tour, direction ». |
| -TROPHE, -TROPHIE | gr. *-trophos*, *-trophia*, de *trophê*, « nourriture », et *trophein*, « alimenter, nourrir ». |
| -TYPE, -TYPIE | gr. *tupos*, « empreinte, modèle ». |
| -URE | lat. *-urus*, du gr. *-ouros*, de *oura*, « queue ». voir aussi -OURE. |
| -URÈSE, -URIE | gr. *ourêsis*, « action d'uriner », et *-ouria*, de *ourein*, « uriner ». |
| -URGE, -URGIE | gr. *-ourgos*, *-ourgia*, de *ergon*, « travail, œuvre ». |
| -VALENCE, -VALENT, ENTE | lat. *valens*, *valentis*, de *valere*, « valoir ». |
| -VOQUE | lat. *vox*, *vocis*, « son, mot ». |
| -VORE | lat. *-vorus*, de *vorare*, « avaler, dévorer ». |
| -XYLE, -XYLON | gr. *xulon*, « morceau de bois, arbre, tronc ». |
| -YLE | gr. *hulê*, « matière, substance ». |
| -ZOAIRE, -ZOÏDE, -ZOÏQUE | gr. *zôon*, « animal », *zôoeides*, « semblable à un animal », et *zôikos*, « relatif aux animaux ». |

# SUFFIXES

| FORME | SIGNIFIÉ, FONCTION | EXEMPLES |
|---|---|---|
| -ABLE (var. -IBLE, -UBLE) | Possibilité, propriété → adj. | *cyclable, éligible, soluble* |
| -ACE | Péj. → subst. f. | *populace* |
| -ACÉ, -ACÉE | Qualificatif → adj. | *violacé* |
| | -ACÉES : famille de plantes → subst. f. plur. | *Fabacées* |
| | -ACÉS : classe ou ordre d'animaux → subst. m. plur. | *Malacostracés* |
| -ADE | Action ou coll., souv. fam. et péj. → subst. f. | *empoignade, orangeade, peuplade* |
| -AGE | Action, résultat ; état ; coll. → subst. m. | *filtrage ; esclavage ; feuillage* |
| -AIE (var. -ERAIE) | Coll. (plantation de végétaux) → subst. f. | *hêtraie, châtaigneraie* |
| -AIL | Objet à usage déterminé → subst. m. | *éventail* |
| -AILLE | Coll. (souv. péj.) ; action, instrument ou résultat de l'action → subst. f. | *ferraille ; tenaille, épousailles, semailles* |
| -AILLER | Dimin., fréquentatif, gén. péj. → verbes | *tirailler, chamailler* |
| -AIN[1], AINE | Appartenance, relation → adj., subst. | *lorrain, châtelain, hautain* |
| -AIN[2], -AINE | Coll. dérivés de numéraux → subst. | *quatrain, dizaine* |
| -AIN[3] | Finale de significations diverses → subst. m. | *couvain* |
| -AIRE (var. -ATAIRE) | Agent, appartenance, relation → subst., adj. | *incendiaire, mandataire, publicitaire* |
| -AIS, -AISE (var. -OIS, -OISE) | Origine → subst., adj. | *français, bourgeois* |
| -AISON (var. -ISON, -OISON) | Action, résultat → subst. f. | *floraison, trahison, pâmoison* |
| -AL[1], -ALE, -AUX (var. -EL, -ELLE, -ELS) | Propriété, relation → adj. | *matinal, accidentel* |
| | -ALES : ordre de plantes → subst. f. plur. | *Géraniales* |
| -AL[2] | Aldéhyde → subst. m. | *méthanal* |
| -AMMENT, voir -MENT[2] | | |
| -AN, -ANE[1] | Appartenance, souv. ethnique → subst., adj. | *occitan* |
| -ANCE (var. -ENCE, -ESCENCE) | Action, résultat, qualité → subst. f. | *vengeance, violence, prestance, opalescence* |
| -ANE[2] | Hydrocarbure saturé → subst. m. | *butane* |
| -ANGE | Action → subst. f. | *vidange* |
| -ANT, -ANTE (var. -ENT, -ENTE, -ESCENT, -ESCENTE) | Qualité, action → subst., adj. | *habitant, imprimante, ambivalent, rubescent* |
| -AQUE (var. -IAQUE) | État pathologique → subst., adj. | *maniaque, insomniaque* |
| -ARD, -ARDE | Appartenance, relation ; péj. → subst., adj. | *montagnard ; chauffard* |
| -ARIAT, voir -AT[1] | | |
| -AS | Augmentatif ou péj. → subst. m. | *plâtras* |
| -ASE | Substance à action enzymatique → subst. f. | *amylase* |
| -ASSE | Augmentatif ou péj. → subst. f., adj. | *caillasse, mollasse* |
| -ASSER | Péj. et/ou fréquentatif → verbes | *traînasser, rêvasser* |
| -AT[1] (var. -ARIAT, -ORAT) | Qualité, propriété, fonction → subst. m. | *assistanat, notariat, doctorat* |
| -AT[2] | Résultat d'une action, produit → subst. m. | *agglomérat, distillat* |
| -AT[3], -ATE | Origine, appartenance → subst., adj. | *auvergnat* |
| -ATAIRE, voir -AIRE | | |
| -ATE | Sel, ester d'un acide → subst. m. | *carbonate* |

| FORME | SIGNIFIÉ, FONCTION | EXEMPLES |
|---|---|---|
| -ATEUR, -ATRICE, voir -EUR[2], -EUSE | | |
| -ATEUX, -ATEUSE, voir -EUX[1], -EUSE | | |
| -ATIF, -ATIVE, voir -IF, -IVE | | |
| -ATION, voir -TION | | |
| -ATIQUE, voir -IQUE | | |
| -ATOIRE, voir -OIRE[2] | | |
| -ÂTRE | Atténuation, approximation, dépréciation → adj., subst. | *douceâtre, verdâtre, bellâtre* |
| -ATURE, voir -URE[1] | | |
| -AUD, -AUDE | Péj. → adj., subst. | *lourdaud, salaud* |
| -CEAU, -CELLE, voir -EAU, -ELLE | | |
| -CULE, voir -ULE | | |
| -É, -ÉE | Propriété, relation → adj. | *cilié, azuré* |
| | -É : fonction, territoire attaché à une fonction → subst. m. | *curé, archevêché* |
| | -ÉE : contenu, mesure → subst. f. | *pelletée, matinée* |
| | -ÉE : action → subst. f. | *traversée* |
| | -ÉES : famille de plantes → subst. f. plur. | *Brassicacées* |
| | -ÉS : famille d'animaux → subst. m. plur. | *Félidés* |
| -EAU ou -ELLE (var. -CEAU, -CELLE, -EREAU, -ERELLE, -ETEAU) | Dimin. → subst. | *chevreau, tourelle, lionceau, lapereau, sauterelle, louveteau* |
| -ÉEN, -ÉENNE, voir -IEN, -IENNE | | |
| -EL, -ELLE, -ELS, voir -AL[1], -ALE, -AUX | | |
| -ELER | Dimin. ou fréquentatif → verbes | *ciseler, marteler* |
| -ELET, -ELETTE, voir -ET, -ETTE | | |
| -ELLE, voir -EL ou -EAU | | |
| -ÈME | Unité distinctive, en linguistique → subst. m. | *phonème* |
| -EMENT, voir -MENT[1] | | |
| -ÉMENT, voir -MENT[2] | | |
| -EMMENT, voir -MENT[2] | | |
| -ENCE, voir -ANCE | | |
| -ÈNE | Hydrocarbure ayant au moins une double liaison mais sans triple liaison, hydrocarbure aromatique → subst. m. | *éthylène, butadiène, benzène* |
| -ENT, -ENTE, voir -ANT, -ANTE | | |
| -ER, -ÈRE, voir -IER, -IÈRE | | |
| -ERAIE, voir -AIE | | |
| -EREAU, voir -EAU | | |
| -ERELLE, voir -EAU | | |
| -ERESSE, voir -EUR[2], -EUSE | | |
| -ERET, -ERETTE, voir -ET, -ETTE | | |
| -ERIE | Caractère, comportement, souv. dépréciatif ; | *bigoterie, tricherie, espièglerie ;* |
| | activité, lieu où se déroule l'activité ; coll. → subst. f. | *brasserie, orfèvrerie ; argenterie* |
| -EROLE, -EROLLE, voir -OL[2], -OLE | | |
| -ERON, -ERONNE, voir -ON[1], -ONNE | | |
| -ESCENCE, voir -ANCE | | |
| -ESCENT, -ESCENTE, voir -ANT, -ANTE | | |
| -ESQUE | Propriété, relation → adj. | *éléphantesque, ubuesque* |

| FORME | SIGNIFIÉ, FONCTION | EXEMPLES |
|---|---|---|
| -ESSE[1] | Qualité → subst. f. | *sagesse, bassesse* |
| -ESSE[2] | Marque du féminin → subst. f. | *maîtresse* |
| -ET, -ETTE (var. -ELET, -ELETTE, -ERET, -ERETTE) | Dimin. → adj., subst. | *propret, aigrelet, côtelette, collerette* |
| -ETÉ, voir -TÉ | | |
| -ETEAU, voir -EAU | | |
| -ETER | Dimin. ou fréquentatif → verbes | *caqueter, voleter* |
| -ETON, voir -ON[1] | | |
| -EUR[1] | Qualité → subst. f. | *rougeur* |
| -EUR[2], -EUSE ou -ERESSE (var. -TEUR, -TRICE, -ATEUR, -ATRICE) | Agent d'une action, instrument → subst., adj. | *coiffeur, vengeresse, donateur, bétonneuse* |
| -EUX[1], -EUSE (var. -ATEUX, -ATEUSE) | Qualité, propriété, relation → adj. | *courageux, montagneux, fibromateux* |
| -EUX[2], -EUSE | En chimie, qualifie des composés ou un élément ayant une valence plus faible que ceux en -IQUE → adj. | *ferreux, hypochloreux, chloreux* |
| -FIER (var. -IFIER) | Transformation → verbes | *simplifier, stratifier* |
| -IA | En botanique → subst. m. | *camélia, fuchsia* |
| -IAQUE, voir -AQUE | | |
| -IBLE, voir -ABLE | | |
| -ICHE | Dimin. ou péj. → subst., adj. | *barbiche, fortiche* |
| -ICHON, -ICHONNE, voir -ON[1], -ONNE | | |
| -ICULE, voir -ULE | | |
| -IDÉS | Famille d'animaux → subst. m. plur. | *Cervidés, Bovidés* |
| -IE | Qualité ; état pathologique ; dignité, fonction, territoire → subst. f. | *courtoisie ; maladie ; baronnie* |
| -IÈME | Indication de rang, division → adj., subst. | *deuxième* |
| -IEN, -IENNE (var. -ÉEN, -ÉENNE) | Origine, appartenance, agent → adj., subst. | *italien, terrien, européen, mécanicien* |
| -IER, -IÈRE (var. -ER, -ÈRE) | Agent, producteur ; qualité ; rapport contenu-contenant → subst., adj. | *laitier, fromager, poirier ; mensonger ; herbier, soupière* |
| -IF, -IVE (var. -ATIF, -ATIVE) | Propriété, relation, qualité, disposition → adj., parfois subst. | *portatif, éducatif, émotif, maladif* |
| -IFIER, voir -FIER | | |
| -IL | Lieu, logement → subst. m. | *chenil, fenil* |
| -ILE | Capacité, qualité → adj. | *fissile, gracile* |
| -ILLE | Dimin. → subst. f. | *brindille* |
| -ILLER | Dimin. → verbes | *fendiller, mordiller* |
| -ILLON, voir -ON[1], -ONNE | | |
| -IN, -INE | Origine, propriété, relation ; dimin. → subst., adj. | *alpin, argentin, enfantin ; diablotin, bottine* |
| -INÉES | Sous-ordre de plantes → subst. f. plur. | *Graminées* |
| -INER | Fréquentatif, gén. fam. → verbes | *trottiner* |
| -INÉS | Sous-famille d'animaux → subst. m. plur. | *Bovinés* |
| -ING | Activité, processus, installation (anglic.) → subst. m. | *jogging, parking* |
| -INGUE | Péj. et fam. → adj., parfois subst. | *sourdingue* |
| -IQUE (var. -AÏQUE, -ATIQUE, -TIQUE) | Propriété, relation → adj. substantivables | *cubique, alcoolique, hébraïque* |
| | Discipline → subst. f. | *linguistique ;* |
| | En chimie, qualifie des composés ou un élément ayant une valence plus élevée que ceux en -EUX, et des acides → adj. | *ferrique, perchlorique, acétique* |
| -IS | Action, résultat → subst. m. | *éboulis, semis* |
| -ISE | Qualité → subst. f. | *franchise, vantardise* |
| -ISER | Action, transformation → verbes | *ridiculiser, canaliser* |
| -ISME | Opinion, attitude, doctrine ; activité → subst. m. | *catholicisme, attentisme ; tourisme* |
| -ISON, voir AISON | | |
| -ISSIME | Superlatif → adj., subst. | *richissime, généralissime* |

| FORME | SIGNIFIÉ, FONCTION | EXEMPLES |
|---|---|---|
| -ISTE | Partisan d'une opinion, d'une attitude ; agent → subst., adj. | *socialiste, fataliste ; pianiste* |
| -ITE | Appartenance → subst., adj. | *israélite, chiite* |
| | Sel d'un acide, minerai → subst. | *sulfite, anthracite* |
| -ITÉ, voir -TÉ | | |
| -ITUDE (var. -TUDE, -UDE) | Qualité, état → subst. f. | *promptitude, inquiétude, certitude* |
| -MENT[1] (var. -EMENT) | Action, processus, état, résultat → subst. m. | *ravalement, logement, aboiement, sentiment* |
| -MENT[2] (voir -AMMANT, -ÉMENT, -EMMENT) | Façon → adv. | *subitement, méchamment, évidemment, intensément* |
| -O | Abrév. fam. → subst., adj. | *mécano, apéro, ramollo* |
| -OCHE | Langage pop. ou fam. → subst., adj. | *cinoche, fantoche* |
| -OCHER | Langage pop. ou fam. → verbes | *bavocher* |
| -OIR, -OIRE[1] | Instrument ; lieu → subst. | *arrosoir, rôtissoire ; fumoir, patinoire* |
| -OIRE[2] (var. -ATOIRE) | Relation, qualité → adj. | *méritoire, ondulatoire* |
| -OIS, -OISE, voir -AIS, -AISE | | |
| -OISON, voir -AISON | | |
| -OL[1] | Alcool, phénol → subst. m. | *glycol, naphtol, thymol* |
| -OL[2], -OLE (var. -EROLE, -EROLLE) | Origine ; dimin. → subst., adj. | *espagnol ; casserole, bestiole, banderole* |
| -ON[1], -ONNE (var. -ETON, -ERON, -ERONNE, -ICHON, -ICHONNE, -ILLON) | Dimin. ; origine ; activité → subst., adj. | *chaton, vermillon, sauvageonne, folichon ; bourguignon, beauceron ; bûcheron* |
| -ON[2] | En physique et chimie → subst. m. | *neutron, électron, néon* |
| -ONE | En chimie (cétones), biochimie, biologie → subst. f. | *acétone, cortisone, hormone* |
| -ONNER | Dimin. et/ou fréquentatif → verbes | *chantonner, mâchonner* |
| -ONS | Position du corps → loc. adv. | *à croupetons, à reculons* |
| -ORAT, voir -AT[1] | | |
| -OS | Dimin. pop. et argot. → adj., subst., adv. | *matos, rapidos* |
| -OSE | En chimie (sucres) → subst. | *glucose, cellulose* |
| -OT, -OTE ou -OTTE | Dimin. → subst., adj. | *îlot, bouillotte, vieillot* |
| -OTER ou -OTTER | Dimin. ou fréquentatif → verbes | *trembloter, grelotter* |
| -OUILLER | Dépréciatif ou dimin., parfois fréquentatif, pop. ou fam. → verbes | *scribouiller, gargouiller* |
| -OUSE (var. -OUZE) | Langage argot. ou pop. → subst. | *partouse, barbouze* |
| -OYER | Factitif → verbes | *verdoyer, tutoyer* |
| -SION, voir -TION | | |
| -TÉ (var. -ETÉ, -ITÉ) | Qualité, propriété → subst. f. | *bonté, méchanceté, subtilité* |
| -TEUR, -TRICE, voir -EUR[2], -EUSE | | |
| -TION (var. -ATION, -SION) | Action, résultat → subst. f. | *production, plantation, torsion* |
| -TIQUE, voir -IQUE | | |
| -TUDE, voir -ITUDE | | |
| -TURE, voir -URE[1] | | |
| -U, -UE | Propriété, qualité → adj., parfois subst. | *chevelu, poilu, bossu* |
| -UBLE, voir -ABLE | | |
| -UCHE | Dimin., parfois péj. → subst. f. | *capuche, paluche* |
| -UDE, voir -ITUDE | | |
| -ULE (var. -CULE, -ICULE, -USCULE) | Dimin. → subst. | *globule, animalcule, particule, groupuscule* |
| -URE[1] (var. -ATURE, -TURE) | Action subie, résultat ; coll. → subst. f. | *brûlure, pourriture, armature ; chevelure, ossature* |
| -URE[2] | Sel d'hydracide → subst. m. | *chlorure* |
| -USCULE, voir -ULE | | |
| -YLE | En chimie organique (radicaux) → subst. m. | *éthyle, vinyle* |
| -YNE | Hydrocarbure ayant au moins une triple liaison → subst. m. | *alcyne* |

# LES LIEUX ET LEURS GENTILÉS*

| *LIEU* | *GENTILÉ* |
|---|---|
| Abbeville | Abbevillois, oise |
| Abkhazie | Abkhaze |
| Abruzzes | Abruzzais, aise |
| Abyssinie | Abyssin, ine |
| Acadie | Acadien, ienne |
| Achaïe | Achéen, éenne |
| Acharnanie | Acharnanien, ienne |
| Açores | Açoréen, éenne |
| Afghanistan | Afghan, ane |
| Afrique | Africain, aine |
| Afrique du Nord | Nord-Africain, aine |
| Afrique du Sud | Sud-Africain, aine |
| Agde | Agathois, oise |
| Agen | Agenais, aise |
| Agrigente | Agrigentin, ine |
| Aigues-Mortes | Aigues-Mortais, aise |
| Aire-sur-l'Adour | Aturin, ine |
| Aire-sur-la-Lys | Airois, oise |
| Aisne | Axonais, aise |
| Aix-en-Provence | Aixois, oise ou Acquae-Sextien, ienne |
| Aix-les-Bains | Aixois, oise |
| Ajaccio | Ajaccien, ienne |
| Akkad | Akkadien, ienne |
| Albanie | Albanais, aise |
| Albe | Albain, aine |
| Albert | Albertin, ine |
| Albertville | Albertvillois, oise |
| Albi | Albigeois, oise |
| Alençon | Alençonnais, aise |
| Alep | Aleppin, ine |
| Alès | Alésien, ienne |
| Alexandrie | Alexandrin, ine |
| Alger | Algérois, oise |
| Algérie | Algérien, ienne |
| Allauch | Allaudien, ienne |
| Allemagne | Allemand, ande |
| Alpes | Alpin, ine |
| Alpes-de-Haute-Provence | Bas-Alpin, ine |
| ou Basses-Alpes | |
| Alsace | Alsacien, ienne |
| Altaï | Altaïque |
| Amazonie | Amazonien, ienne |
| Ambérieu-en-Bugey | Ambarrois, oise |
| Ambert | Ambertois, oise |
| Amboise | Amboisien, ienne |
| Amérique | Américain, aine |
| Amérique du Nord | Nord-Américain, aine |
| Amérique du Sud | Sud-Américain, aine |
| Amérique latine | Latino-Américain, aine |
| Amiens | Amiénois, oise |
| Amsterdam | Amstellodamois, oise |
| Anatolie | Anatolien, ienne |
| Ancenis | Ancenien, ienne |
| Ancône | Anconitain, aine |
| Andalousie | Andalou, ouse |
| Andelys (Les) | Andelisien, ienne |
| Andes | Andin, ine |
| Andorre | Andorran, ane |
| Angers | Angevin, ine |
| Anglet | Angloy, oye |
| Angleterre | Anglais, aise |
| Angola | Angolais, aise |
| Angoulême | Angoumoisin, ine |
| Anhalt | Anhaltin, ine |
| Anjou | Angevin, ine |
| Annam | Annamite |
| Annecy | Annécien, ienne |
| Annemasse | Annemassien, ienne |
| Annonay | Annonéen, éenne |
| Annot | Annotain, aine |

| *LIEU* | *GENTILÉ* |
|---|---|
| Antibes | Antibois, oise |
| Antilles | Antillais, aise |
| Antioche | Antiochéen, éenne |
| Antony | Antonien, ienne |
| Anvers | Anversois, oise |
| Anzin | Anzinois, oise |
| Aoste (Val d') | Valdôtain, aine |
| Appenzell | Appenzellois, oise |
| Apt | Aptésien, ienne |
| Apulie | Apulien, ienne |
| Aquitaine | Aquitain, aine |
| Arabie | Arabe |
| Arabie Saoudite | Saoudien, ienne |
| Aragon | Aragonais, aise |
| Arbois | Arboisien, ienne |
| Arcachon | Arcachonnais, aise |
| Arcadie | Arcadien, ienne |
| Ardèche | Ardéchois, oise |
| Ardennes | Ardennais, aise |
| Arezzo | Arétin, ine |
| Argentan | Argentanais, aise |
| Argentat | Argentaçois, oise |
| Argenteuil | Argenteuillais, aise |
| Argentine | Argentin, ine |
| Argenton-sur-Creuse | Argentonnais, aise |
| Argent-sur-Sauldre | Argentais, aise |
| Argolide | Argolique |
| Argos | Argien, ienne |
| Argovie | Argovien, ienne |
| Ariège | Ariégeois, oise |
| Arles | Arlésien, ienne |
| Arménie | Arménien, ienne |
| Armentières | Armentiérois, oise |
| Armorique | Armoricain, aine |
| Arnay-le-Duc | Arnétois, oise |
| Arras | Arrageois, oise |
| Ars-en-Ré | Arsais, aise |
| Artois | Artésien, ienne |
| Ascq | Ascquois, oise |
| Asie | Asiatique |
| Asnières-sur-Seine | Asniérois, oise |
| Assyrie | Assyrien, ienne |
| Asturies | Asturien, ienne |
| Athènes | Athénien, ienne |
| Athis-Mons | Athégien, ienne |
| Attique | Attique |
| Aube | Aubois, oise |
| Aubervilliers | Albertivillarien, ienne |
| Aubigny-sur-Nère | Albinien, ienne |
| Aubusson | Aubussonnais, aise |
| Auch | Auscitain, aine |
| Aude | Audois, oise |
| Audierne | Audiernais, aise |
| Audun-le-Roman | Audunois, oise |
| Auge (pays d') | Augeron, onne |
| Aulnay-sous-Bois | Aulnaisien, ienne |
| Aulnoye | Alnésien, ienne |
| Ault | Aultois, oise |
| Aumale | Aumalois, oise |
| Auneau | Alnélois, oise |
| Aunis | Aunisien, ienne |
| Auray | Alréen, enne |
| Aurillac | Aurillacois, oise |
| Australie | Australien, ienne |
| Austrasie | Austrasien, ienne |
| Autriche | Autrichien, ienne |
| Autun | Autunois, oise |
| Auvergne | Auvergnat, ate |
| Auxerre | Auxerrois, oise |
| Auxonne | Auxonnois, oise |
| Avallon | Avallonnais, aise |

| *LIEU* | *GENTILÉ* |
|---|---|
| Avesnes-sur-Helpe | Avesnois, oise |
| Aveyron | Aveyronnais, aise |
| Avignon | Avignonnais, aise |
| Avranches | Avranchinais, aise |
| Azerbaïdjan | Azerbaïdjanais, aise |
| Babylone | Babylonien, ienne |
| Baccarat | Bachâmois, oise |
| Bachkirie | Bachkir |
| Bade | Badois, oise |
| Bagnères-de-Bigorre | Bagnérais, aise |
| Bagnères-de-Luchon | Luchonnais, aise |
| Bahamas | Bahamien, ienne |
| Bahreïn | Bahreïnite |
| Bâle | Bâlois, oise |
| Baléares (îles) | Baléare |
| Bali | Balinais, aise |
| Balkans | Balkanique |
| Baltique | Balte |
| Bangladesh | Bangladais, aise |
| Banyuls-sur-Mer | Banyulenc, encque |
| Bapaume | Bapalmois, oise |
| Barbade | Barbadien, ienne |
| Barbezieux | Barbezilien, ienne |
| Barcelone | Barcelonais, aise |
| Barcelonnette | Barcelonnette |
| Bar-le-Duc | Barisien, ienne |
| Bar-sur-Aube | Baralbin, ine |
| Bar-sur-Seine | Barséquanais, aise |
| Basque (pays) | Basque |
| Bas-Rhin | Bas-Rhinois, oise |
| Basse-Terre | Basse-Terrien, ienne |
| Bastia | Bastiais, iaise |
| Bavière | Bavarois, oise |
| Bayeux | Bayeusain, aine ou Bajocasse |
| Bayonne | Bayonnais, aise |
| Béarn | Béarnais, aise |
| Beaucaire | Beaucairois, oise |
| Beauce | Beauceron, onne |
| Beaugency | Balgencien, ienne |
| Beaujeu | Beaujolais, aise |
| Beaune | Beaunois, oise |
| Beauvais | Beauvaisin, ine |
| Bédarieux | Bédaricien, ienne |
| Bélarus | Bélarussien, ienne |
| Belfort | Belfortin, ine |
| Belgique | Belge |
| Belgrade | Belgradois, oise |
| Bélize | Bélizais, aise ou Bélizien, ienne |
| Bellac | Bellachon, onne |
| Belle-Île | Bellilois, oise |
| Belley | Belleysan, ane |
| Bénévent | Bénéventin, ine |
| Bengale | Bengalais, aise |
| Bénin | Béninois, oise |
| Béotie | Béotien, ienne |
| Bergerac | Bergeracois, oise |
| Berlin | Berlinois, oise |
| Bernay | Bernayen, enne |
| Berne | Bernois, oise |
| Berry | Berrichon, onne |
| Besançon | Bisontin, ine |
| Bessarabie | Bessarabien, ienne |

* **Gentilé** : appellation de l'habitant ou de la personne originaire d'un lieu (synon. *ethnonyme*).
Sans majuscule, le gentilé devient l'adjectif correspondant au nom du lieu concerné. Par ex. : un Afghan (habitant), la musique afghane.

| LIEU | GENTILÉ |
|---|---|
| Bethléem | Bethléémite |
| Béthune | Béthunois, oise |
| Beyrouth | Beyrouthin, ine |
| Béziers | Biterrois, oise |
| Bhoutan | Bhoutanais, aise |
| Biarritz | Biarrot, ote |
| Biélorussie | Biélorusse |
| Birmanie | Birman, ane |
| Biscaye | Biscaïen, ïenne |
| Bithynie | Bithynien, ienne |
| Bizerte | Bizertin, ine |
| Blanc (Le) | Blancois, oise |
| Blaye | Blayais, aise |
| Blois | Blésois, oise |
| Bobigny | Balbynien, ienne |
| Bohême | Bohémien, ienne |
| Bolivie | Bolivien, ienne |
| Bologne | Bolonais, aise |
| Bône | Bônois, oise |
| Bonifacio | Bonifacien, ienne |
| Bonneville | Bonnevillois, oise |
| Bordeaux | Bordelais, aise |
| Borinage | Borain, aine |
| Bosnie | Bosniaque |
| Boston | Bostonien, ienne |
| Botswana | Botswanais, aise |
| Bouches-du-Rhône | Buccorhodanien, ienne |
| Boulay-Moselle | Boulageois, oise |
| Boulogne | Boulonnais, aise |
| Bourbonnais | Bourbonnais, aise |
| Bourg-en-Bresse | Burgien, ienne |
| Bourges | Berruyer, ère |
| Bourg-la-Reine | Réginaborgien, ienne |
| Bourg-Madame | Guinguettois, oise |
| Bourgogne | Bourguignon, onne |
| Bourg-Saint-Andéol | Bourguésan, ane |
| Bourg-Saint-Maurice | Borain, aine |
| Bouriatie | Bouriate |
| Brabant | Brabançon, onne |
| Brandebourg | Brandebourgeois, oise |
| Brême | Brémois, oise |
| Brésil | Brésilien, ienne |
| Bresse | Bressan, ane |
| Bressuire | Bressuirais, aise |
| Brest | Brestois, oise |
| Bretagne | Breton, onne |
| Briançon | Briançonnais, aise |
| Brie | Briard, arde |
| Brière | Briéron, onne |
| Briey | Briotin, ine |
| Brioude | Brivadois, oise |
| Brisgau | Brisgovien, ienne |
| Brive-la-Gaillarde | Briviste |
| Bruay-en-Artois | Bruaysien, ienne |
| Bruges | Brugeois, oise |
| Brunei | Brunéien, ienne |
| Brunswick | Brunswickois, oise |
| Bruxelles | Bruxellois, oise |
| Bulgarie | Bulgare |
| Burkina | Burkinabais, aise ou Burkinabé |
| Burundi | Burundais, aise |
| Byzance | Byzantin, ine |
| Cadix | Gaditan, ane |
| Caen | Caennais, aise |
| Cahors | Cadurcien, ienne |
| Caire (Le) | Cairote |
| Calabre | Calabrais, aise |
| Calais | Calaisien, ienne |
| Californie | Californien, ienne |
| Calvados | Calvadosien, ienne |
| Calvi | Calvais, aise |
| Camargue | Camarguais, aise |
| Cambodge | Cambodgien, ienne |
| Cambrai | Cambrésien, ienne |
| Cameroun | Camerounais, aise |
| Campanie | Campanien, ienne |

| LIEU | GENTILÉ |
|---|---|
| Canaan (pays de) | Cananéen, éenne |
| Canada | Canadien, ienne |
| Canaries | Canarien, ienne |
| Candie | Candiote |
| Cannes | Cannois, oise |
| Cantabrie | Cantabrique |
| Cantal | Cantalien, ienne |
| Canton | Cantonais, aise |
| Capoue | Capouan, ane |
| Cap-Vert | Capverdien, ienne |
| Caraïbe | Caraïbe |
| Carcassonne | Carcassonnais, aise |
| Carélie | Carélien, ienne |
| Carie | Carien, ienne |
| Carinthie | Carinthien, ienne |
| Carniole | Carniolien, ienne |
| Carpentras | Carpentrassien, ienne |
| Carthage | Carthaginois, oise |
| Casablanca | Casablancais, aise |
| Cassis | Cassidain, aine |
| Castellane | Castellanais, aise |
| Castelnaudary | Chaurien, ienne |
| Castelsarrasin | Castelsarrasinois, oise |
| Castille | Castillan, ane |
| Castres | Castrais, aise |
| Catalogne | Catalan, ane |
| Caucase | Caucasien, ienne |
| Causses | Caussenard, arde |
| Cayenne | Cayennais, aise |
| Centrafrique | Centrafricain, aine |
| Cerdagne | Cerdan, ane |
| Céret | Cérétan, ane |
| Cettigné | Cettignéen, éenne |
| Cévennes | Cévenol, ole |
| Ceylan | Ceylanais, aise |
| Chablais | Chablaisien, ienne |
| Chaldée | Chaldéen, éenne |
| Châlons-en-Champagne | Châlonnais, aise |
| Chalon-sur-Saône | Chalonnais, aise |
| Chambéry | Chambérien, ienne |
| Chamonix | Chamoniard, iarde |
| Champagne | Champenois, oise |
| Champagne-Ardenne | Champardennais, aise |
| Chantilly | Cantilien, ienne |
| Charente | Charentais, aise |
| Charente-Maritime | Charentais(e) maritime |
| Charleroi | Carolorégien, ienne |
| Charleville-Mézières | Carolomacérien, ienne |
| Charolles | Charollais, aise |
| Chartres | Chartrain, aine |
| Château-Arnoux | Jarlandin, ine |
| Châteaubriant | Castelbriantais, aise |
| Château-Chinon | Château-Chinonais, aise |
| Château-du-Loir | Castélorien, ienne |
| Châteaudun | Dunois, oise |
| Château-Gontier | Castrogontérien, ienne |
| Châteaulin | Châteaulinois, oise |
| Châteauneuf-du-Pape | Châteauneuvois, oise ou Castel-Papaux |
| Châteauneuf-sur-Charente | Castelnovien, ienne |
| Châteauroux | Castelroussin, ine |
| Château-Salins | Castelsalinois, oise |
| Château-Thierry | Castrothéodoricien, ienne |
| Châtellerault | Châtelleraudais, aise |
| Châtre (La) | Castrais, aise |
| Chaumont | Chaumontais, aise |
| Cherbourg | Cherbourgeois, oise |
| Chili | Chilien, ienne |
| Chine | Chinois, oise |
| Chinon | Chinonais, aise |
| Cholet | Choletais, aise |

| LIEU | GENTILÉ |
|---|---|
| Chypre | C(h)ypriote |
| Cilicie | Cilicien, ienne |
| Ciotat (La) | Ciotaden, enne |
| Circassie | Circassien, ienne |
| Cisjordanie | Cisjordanien, ienne |
| Clamecy | Clamecycois, oise |
| Clermont-Ferrand | Clermontois, oise |
| Cluses | Clusois, oise |
| Cochinchine | Cochinchinois, oise |
| Cognac | Cognaçais, aise |
| Colmar | Colmarien, ienne |
| Cologne | Colonais, aise |
| Colombie | Colombien, ienne |
| Colosses | Colossien, ienne |
| Commercy | Commercien, ienne |
| Comores | Comorien, ienne |
| Compiègne | Compiégnois, oise |
| Concarneau | Concarnois, oise |
| Condom | Condomois, oise |
| Confolens | Confolentais, aise |
| Congo | Congolais, aise |
| Constantine | Constantinois, oise |
| Constantinople | Constantinopolitain, aine |
| Corbeil-Essonnes | Corbeil-Essonnois, oise |
| Cordoue | Cordouan, ane |
| Corée | Coréen, éenne |
| Corfou | Corfiote |
| Corinthe | Corinthien, ienne |
| Cornouaille | Cornouaillais, aise |
| Corrèze | Corrézien, ienne |
| Corse | Corse |
| Corse-du-Sud | Corse du Sud |
| Corte | Cortenais, aise |
| Cosne | Cosnois, oise |
| Costa Rica | Costaricain, aine ou Costaricien, ienne |
| Côte d'Ivoire | Ivoirien, ienne |
| Côte-d'Or | Côte d'Orien, ienne |
| Côtes-d'Armor | Costarmoricain, aine |
| Coulommiers | Coulumérien, ienne |
| Courlande | Courlandais, aise |
| Courtrai | Courtraisien, ienne |
| Coutances | Coutançais, aise |
| Cracovie | Cracovien, ienne |
| Creil | Creillois, oise |
| Crète | Crétois, oise |
| Créteil | Cristolien, ienne |
| Creuse | Creusois, oise |
| Creusot (Le) | Creusotin, ine |
| Crimée | Criméen, éenne |
| Croatie | Croate |
| Cuba | Cubain, aine |
| Cyrénaïque | Cyrénaïque |
| Cyrène | Cyrénéen, éenne |
| Dacie | Dace |
| Dalmatie | Dalmate |
| Damas | Damascène |
| Danemark | Danois, oise |
| Dantzig | Dantzigois, oise |
| Danube | Danubien, ienne |
| Dauphiné | Dauphinois, oise |
| Dax | Dacquois, oise |
| Deauville | Deauvillais, aise |
| Délos | Délien, ienne |
| Delphes | Delphien, ienne |
| Denain | Denaisien, ienne |
| Deux-Sèvres | Deux-Sévrien, ienne |
| Die | Diois, Dioise |
| Dieppe | Dieppois, oise |
| Digne | Dignois, oise |
| Dijon | Dijonnais, aise |
| Dinan | Dinannais, aise |
| Dinant | Dinantais, aise |
| Djerba | Djerbien, ienne |
| Djibouti | Djiboutien, ienne |
| Dole | Dolois, oise |
| Dominique | Dominicain, aine |
| Dordogne | Dordognais, aise |

| LIEU | GENTILÉ |
|---|---|
| Douai | Douaisien, ienne |
| Douarnenez | Douarneniste |
| Doubs | Doubiste ou Doubien, ienne |
| Draguignan | Dracenois, oise |
| Dreux | Drouais, aise |
| Drôme | Drômois, oise |
| Dunkerque | Dunkerquois, oise |
| Écosse | Écossais, aise |
| Édimbourg | Édimbourgeois, oise |
| Égée | Égéen, éenne |
| Égypte | Égyptien, ienne |
| Élam | Élamite |
| Elbe (île d') | Elbois, oise |
| Elbeuf | Elbeuvien, ienne |
| Élée | Éléate |
| Éleusis | Éleusinien, ienne |
| Elne | Illibérien, ienne |
| El Salvador | Salvadorien, ienne |
| Embrun | Embrunais, aise |
| Émilie | Émilien, ienne |
| Épernay | Sparnacien, ienne |
| Éphèse | Éphésien, ienne |
| Épinal | Spinalien, ienne |
| Épire | Épirote |
| Équateur | Équatorien, ienne |
| Érythrée | Érythréen, éenne |
| Escaut | Scaldien, ienne |
| Espagne | Espagnol, ole |
| Essonne | Essonnien, ienne |
| Estonie | Estonien, ienne |
| Étampes | Étampois, oise |
| États-Unis | Américain, aine ou États-Unien, ienne |
| Éthiopie | Éthiopien, ienne |
| Étolie | Étolien, ienne |
| Étretat | Étretanais, aise |
| Étrurie | Étrusque |
| Eu | Eudois, oise |
| Eubée | Eubéen, éenne |
| Europe | Européen, éenne |
| Évian-les-Bains | Évianais, aise |
| Évreux | Ébroïcien, ienne |
| Évry | Évryen, enne |
| Èze | Ézasque |
| Fécamp | Fécampois, oise |
| Ferrare | Ferrarais, aise |
| Fez | Fassi, ie |
| Fidji (îles) | Fidjien, ienne |
| Figeac | Figeacois, oise |
| Finistère | Finistérien, ienne |
| Finlande | Finlandais, aise |
| Fiume | Fiumois, oise |
| Flandre | Flamand, ande |
| Flèche (La) | Fléchois, oise |
| Flers-de-l'Orne | Flérien, ienne |
| Florac | Floracois, oise |
| Florence | Florentin, ine |
| Foix | Fuxéen, éenne |
| Fontainebleau | Bellifontain, aine |
| Fontenay-le-Comte | Fontenaisien, ienne |
| Forbach | Forbachois, oise |
| Forcalquier | Forcalquiérien, ienne |
| Forez | Forésien, ienne |
| Forges-les-Eaux | Forgion, onne |
| Formose | Formosan, ane |
| Fort-de-France | Foyalais, aise |
| Fougères | Fougerais, aise |
| Fourmies | Fourmisien, ienne |
| France | Français, aise |
| Francfort | Francfortois, oise |
| Franche-Comté | Franc-Comtois, oise |
| Franconie | Franconien, ienne |
| Fréjus | Fréjusien, ienne |
| Fribourg | Fribourgeois, oise |
| Frioul | Frioulien, ienne |
| Frise | Frison, onne |
| Futuna | Futunien, ienne |
| Gabon | Gabonais, aise |

| LIEU | GENTILÉ |
|---|---|
| Galatie | Galate |
| Galice | Galicien, ienne |
| Galicie | Galicien, ienne |
| Galilée | Galiléen, éenne |
| Galles (pays de) | Gallois, oise |
| Gambie | Gambien, ienne |
| Gand | Gantois, oise |
| Gange | Gangétique |
| Gap | Gapençais, aise |
| Gard | Gardois, oise |
| Gascogne | Gascon, onne |
| Gaule | Gaulois, oise |
| Gênes | Génois, oise |
| Genève | Genevois, oise |
| Géorgie | Géorgien, ienne |
| Germanie | Germain, aine |
| Gers | Gersois, oise |
| Gévaudan | Gabalitain, aine |
| Gex | Gessien, ienne |
| Ghana | Ghanéen, éenne |
| Gien | Giennois, oise |
| Gironde | Girondin, ine |
| Gisors | Gisorsien, ienne |
| Givet | Givetois, oise |
| Gomorrhe | Gomorrhéen, éenne |
| Gourdon | Gourdonnais, aise |
| Grande-Bretagne | Britannique |
| Grasse | Grassois, oise |
| Gray | Graylois, oise |
| Grèce | Grec, Grecque |
| Grenade | Grenadin, ine |
| Grenoble | Grenoblois, oise |
| Grisons | Grison, onne |
| Groenland | Groenlandais, aise |
| Groix (île de) | Grésillon, onne |
| Guadeloupe | Guadeloupéen, éenne |
| Guatemala | Guatémaltèque |
| Gueldre | Gueldrois, oise |
| Guéret | Guérétois, oise |
| Guernesey | Guernesiais, iaise |
| Guinée | Guinéen, éenne |
| Guinée-Bissau | Bissauguinéen, éenne |
| Guinée équatoriale | Équatoguinéen, éenne |
| Guingamp | Guingampais, aise |
| Guyana | Guyanien, ienne |
| Guyane | Guyanais, aise |
| Haguenau | Haguenovien, ienne |
| Hainaut | Hennuyer, ère |
| Haïti | Haïtien, ienne |
| Halifax | Haligonien, ienne |
| Ham | Hamois, oise |
| Hambourg | Hambourgeois, oise |
| Hanovre | Hanovrien, ienne |
| Haute-Corse | Corse du Nord |
| Haute-Garonne | Haut-Garonnais, aise |
| Haute-Loire | Altiligérien, ienne |
| Haute-Marne | Haut-Marnais, aise |
| Hautes-Alpes | Haut-Alpin, ine |
| Haute-Saône | Haut-Saônois, oise |
| Hautes-Pyrénées | Haut-Pyrénéen, éenne |
| Haute-Vienne | Haut-Viennois, oise |
| Haut-Rhin | Haut-Rhinois, oise |
| Hauts-de-Seine | Alto-Séquanais, aise |
| Havane (La) | Havanais, aise |
| Havre (Le) | Havrais, aise |
| Hawaii | Hawaiien, iienne |
| Haye (La) | Haguenois, oise |
| Haye-du-Puits (La) | Haytillon, onne |
| Hellade | Hellène |
| Helvétie | Helvète |
| Hendaye | Hendayais, aise |
| Hennebont | Hennebontais, aise |
| Hérault | Héraultais, aise |
| Herzégovine | Herzégovinien, ienne |
| Hesse | Hessois, oise |

| LIEU | GENTILÉ |
|---|---|
| Himalaya | Himalayen, enne |
| Hirson | Hirsonnais, aise |
| Hispanie | Hispanique |
| Hollande | Hollandais, aise |
| Holstein | Holsteinois, oise |
| Honduras | Hondurien, ienne |
| Honfleur | Honfleurais, aise |
| Hongrie | Hongrois, oise |
| Hyères | Hyérois, oise |
| Iakoutie | Iakoute |
| Ibérie | Ibère |
| Île-de-France | Francilien, ienne |
| Ilion | Iliaque |
| Illyrie | Illyrien, ienne |
| Inde | Indien, ienne |
| Indochine | Indochinois, oise |
| Indonésie | Indonésien, ienne |
| Indre | Indrien, ienne |
| Ionie | Ionien, ienne |
| Iraq | Irakien, ienne |
| Iran | Iranien, ienne |
| Irlande | Irlandais, aise |
| Isère | Isérois, oise |
| Islande | Islandais, aise |
| Isle-Adam (L') | Adamois, oise |
| Isle-d'Abeau (L') | Lillot, ote |
| Isle-Jourdain (L') | Lislois, oise |
| Isle-sur-la-Sorgue (L') | Islois, oise |
| Israël | Israélien, ienne |
| Issoire | Issoirien, ienne |
| Issoudun | Issoldunois, oise |
| Issy-les-Moulineaux | Isséen, éenne |
| Istanbul | Istanbuliote |
| Istrie | Istrien, ienne |
| Italie | Italien, ienne |
| Ivry-sur-Seine | Ivryen, enne |
| Jamaïque | Jamaïcain, aine |
| Japon | Japonais, aise |
| Jargeau | Gergolien, ienne |
| Java | Javanais, aise |
| Jersey | Jersiais, iaise |
| Jérusalem | Hiérosolymite |
| Joinville | Joinvillois, oise |
| Jonzac | Jonzacais, aise |
| Jordanie | Jordanien, ienne |
| Judée | Judéen, éenne |
| Jura | Jurassien, ienne |
| Kabylie | Kabyle |
| Kalmoukie | Kalmouk, e |
| Kazakhstan | Kazakh, akhe |
| Kenya | Kenyan, ane ou Kénien, ienne |
| Kirghizistan | Kirghiz(e) |
| Kiribati | Kiribatien, ienne |
| Koweit | Koweiti(en), i(enn)e |
| Labrador | Labradorien, ienne |
| Lacédémone | Lacédémonien, ienne |
| Laconie | Laconien, ienne |
| Lamia | Lamiaque |
| Landerneau | Landernéen, éenne |
| Landes | Landais, aise |
| Landrecies | Landrecien, ienne |
| Langogne | Langonais, aise |
| Langon | Langonnais, aise |
| Langres | Langrois, oise |
| Languedoc | Languedocien, ienne |
| Lannion | Lannionnais, aise |
| Laon | Laonnois, oise |
| Laos | Laotien, ienne |
| Lapalisse | Lapalissois, oise |
| Laponie | Lapon, one |
| Lárissa | Larisséen, éenne |
| Latium | Latin, ine |
| Lausanne | Lausannois, oise |
| Laval | Lavallois, oise |
| Leipzig | Leipzigois, oise |

| *LIEU* | *GENTILÉ* |
|---|---|
| Lens | Lensois, oise |
| Léon | Léonard, arde |
| León | Léonais, aise |
| Lesbos | Lesbien, ienne |
| Lettonie | Letton, on(n)e |
| Levant | Levantin, ine |
| Liban | Libanais, aise |
| Liberia | Libérien, ienne |
| Libourne | Libournais, aise |
| Libye | Libyen, enne |
| Liechtenstein | Liechtensteinois, oise |
| Liège | Liégeois, oise |
| Ligurie | Ligurien, ienne |
| Lille | Lillois, oise |
| Lima | Liménien, ienne |
| Limbourg | Limbourgeois, oise |
| Limoges | Limougeaud, aude |
| Limousin | Limousin, ine |
| Limoux | Limouxin, ine |
| Lipari (île) | Lipariote |
| Lisbonne | Lisbonnin, ine ou Lisboète |
| Lisieux | Lexovien, ienne |
| Lituanie | Lituanien, ienne |
| Loches | Lochois, oise |
| Lodève | Lodévois, oise |
| Loire | Ligérien, ienne |
| Loire (Pays de la) | Ligérien, ienne |
| Loir-et-Cher | Loir-et-Chérien, ienne |
| Lombardie | Lombard, arde |
| Lomme | Lommois, oise |
| Londres | Londonien, ienne |
| Longjumeau | Longjumellois, oise |
| Longwy | Longovicien, ienne |
| Lons-le-Saunier | Lédonien, ienne |
| Loos | Loossois, oise |
| Lorient | Lorientais, aise |
| Lorraine | Lorrain, aine |
| Lot | Lotois, oise |
| Lot-et-Garonne | Lot-et-Garonnais, aise |
| Loudéac | Loudéacien, ienne |
| Loudun | Loudunais, aise |
| Louhans | Louhannais, aise |
| Louisiane | Louisianais, aise |
| Lourdes | Lourdais, aise |
| Louvain | Louvaniste |
| Louviers | Lovérien, ienne |
| Lozère | Lozérien, ienne |
| Lubeck | Lubeckois, oise |
| Lucanie | Lucanien, ienne |
| Lucerne | Lucernois, oise |
| Luçon | Luçonnais, aise |
| Lunel | Lunellois, oise |
| Lunéville | Lunévillois, oise |
| Lure | Luron, onne |
| Lusitanie | Lusitain, aine |
| Lutèce | Lutécien, ienne |
| Luxembourg | Luxembourgeois, oise |
| Lydie | Lydien, ienne |
| Lyon | Lyonnais, aise |
| Macédoine | Macédonien, ienne |
| Mâcon | Mâconnais, aise |
| Madagascar | Malgache |
| Madère | Madérien, ienne |
| Madrid | Madrilène |
| Maghreb | Maghrébin, ine |
| Maine | Manceau, elle |
| Maintenon | Maintenonnais, aise |
| Majorque | Majorquin, ine |
| Malaisie (Malaysia) | Malais, aise ou Malaisien, ienne |
| Maldives | Maldivien, ienne |
| Mali | Malien, ienne |
| Malines | Malinois, oise |
| Malte | Maltais, aise |
| Mamers | Mamertin, ine |

| *LIEU* | *GENTILÉ* |
|---|---|
| Man (île de) | Mannois, oise |
| Manche | Manchois, oise |
| Mandchourie | Mandchou, oue |
| Manitoba | Manitobain, aine |
| Manosque | Manosquin, ine |
| Mans (Le) | Manceau, elle |
| Mantes-la-Jolie | Mantais, aise |
| Mantes-la-Ville | Mantevillois, oise |
| Mantoue | Mantouan, ane |
| Marcq-en-Barœul | Marcquois, oise |
| Marennes | Marennais, aise |
| Marignane | Marignanais, aise |
| Marle | Marlois, oise |
| Marly-le-Roi | Marlychois, oise |
| Marmande | Marmandais, aise |
| Marne | Marnais, aise |
| Maroc | Marocain, aine |
| Mars | Martien, ienne |
| Marseille | Marseillais, aise |
| Marshall (îles) | Marshallien, ienne |
| Martigues | Martégaux, ales (plur.) |
| Martinique | Martiniquais, aise |
| Marvejols | Marvejolais, aise |
| Masevaux | Masopolitain, aine |
| Massy | Massicois, oise |
| Maubeuge | Maubeugeois, oise |
| Maurétanie | Maurétanien, ienne |
| Mauriac | Mauriacois, oise |
| Maurice | Mauricien, ienne |
| Maurienne | Mauriennais, aise |
| Mauritanie | Mauritanien, ienne |
| Mayence | Mayençais, aise |
| Mayenne | Mayennais, aise |
| Mayotte | Mahorais, aise |
| Mazamet | Mazamétain, aine |
| Mazovie | Mazovien, ienne |
| Meaux | Meldois, oise |
| Mecklembourg | Mecklembourgeois, oise |
| Médie | Mède |
| Méditerranée | Méditerranéen, éenne |
| Mégare | Mégarien, ienne |
| Mélanésie | Mélanésien, ienne |
| Melun | Melunais, aise |
| Mende | Mendois, oise |
| Menton | Mentonnais, aise |
| Mésie | Mésien, ienne |
| Mésopotamie | Mésopotamien, ienne |
| Messénie | Messénien, ienne |
| Metz | Messin, ine |
| Meudon | Meudonnais, aise |
| Meulan | Meulanais, aise |
| Meurthe | Meurthois, oise |
| Meuse (dép.) | Meusien, ienne |
| Meuse (fleuve) | Mosan, ane |
| Mexique | Mexicain, aine |
| Micronésie | Micronésien, ienne |
| Milan | Milanais, aise |
| Milet | Milésien, ienne |
| Millau | Millavois, oise |
| Milly-la-Forêt | Milliacois, oise |
| Minho | Minhote |
| Minorque | Minorquin, ine |
| Miramas | Miramasséen, éenne |
| Mirepoix | Mirapicien, ienne |
| Modane | Modanais, aise |
| Modène | Modenais, aise |
| Moissac | Moissagais, aise |
| Moldavie | Moldave |
| Monaco | Monégasque |
| Mongolie | Mongol, ole |
| Montaigu | Montacutain, aine |
| Montargis | Montargois, oise |
| Montauban | Montalbanais, aise |
| Montbard | Montbardois, oise |
| Montbéliard | Montbéliardais, aise |

| *LIEU* | *GENTILÉ* |
|---|---|
| Montbrison | Montbrisonnais, aise |
| Montceau-les-Mines | Montcellien, ienne |
| Mont-de-Marsan | Montois, oise |
| Montdidier | Montdidérien, ienne |
| Mont-Dore (Le) | Mont-Dorien, ienne |
| Montélimar | Montilien, ienne |
| Monténégro | Monténégrin, ine |
| Montereau | Monterelais, aise |
| Montluçon | Montluçonnais, aise |
| Montmartre | Montmartrois, oise |
| Montmorency | Montmorencéen, éenne |
| Montmorillon | Montmorillonnais, aise |
| Montpellier | Montpelliérain, aine |
| Montréal | Montréalais, aise |
| Montréjeau | Montréjeaulais, aise |
| Montreuil-sous-Bois | Montreuillois, oise |
| Moravie | Morave |
| Morbihan | Morbihannais, aise |
| Moret-sur-Loing | Morétain, aine |
| Morlaix | Morlaisien, ienne |
| Mortagne-au-Perche | Mortagnais, aise |
| Mortain | Mortainais, aise |
| Morteau | Mortuacien, ienne |
| Morvan | Morvandeau, elle |
| Moscou | Moscovite |
| Moselle | Mosellan, ane |
| Moulins | Moulinois, oise |
| Moûtiers | Moutiérain, aine |
| Mozambique | Mozambicain, aine |
| Mulhouse | Mulhousien, ienne |
| Munich | Munichois, oise |
| Murcie | Murcien, ienne |
| Mure (La) | Murois, oise |
| Muret | Muretain, aine |
| Mycènes | Mycénien, ienne |
| Namibie | Namibien, ienne |
| Namur | Namurois, oise |
| Nancy | Nancéien, ienne |
| Nanterre | Nanterrien, ienne |
| Nantes | Nantais, aise |
| Nantua | Nantuatien, ienne |
| Naples | Napolitain, aine |
| Narbonne | Narbonnais, aise |
| Nassau | Nassauvien, ienne |
| Nauru | Nauruan, ane |
| Navarre | Navarrais, aise |
| Nazareth | Nazaréen, enne |
| Némée | Néméen, éenne |
| Nemours | Nemourien, ienne |
| Népal | Népalais, aise |
| Nérac | Néracais, aise |
| Neuchâtel | Neuchâtelois, oise |
| Neuf-Brisach | Néo-Brisacien, ienne |
| Neufchâteau | Néocastrien, ienne |
| Neufchâtel-en-Bray | Neufchâtelois, oise |
| Neuilly-Plaisance | Nocéen, éenne |
| Neuilly-sur-Seine | Neuilléen, éenne |
| Neustrie | Neustrien, ienne |
| Neuves-Maisons | Néodomien, ienne |
| Nevers | Neversois, oise |
| New York | New-Yorkais, aise |
| Nicaragua | Nicaraguayen, enne |
| Nice | Niçois, oise |
| Nièvre | Nivernais, aise |
| Niger | Nigérien, ienne |
| Nigeria | Nigérian, iane |
| Nil | Nilotique |
| Nîmes | Nîmois, oise |
| Niort | Niortais, aise |
| Nioué | Niouéen, éenne |
| Nivelles | Nivellois, oise |
| Nogent | Nogentais, aise |
| Noirmoutier | Noirmoutrin, ine |
| Nolay | Nolaytois, oise |
| Nord | Nordiste |
| Normandie | Normand, ande |
| Norvège | Norvégien, ienne |
| Nouvelle-Calédonie | Néo-Calédonien, ienne |

| LIEU | GENTILÉ |
|---|---|
| Nouvelle-Écosse | Néo-Écossais, aise |
| Nouvelle-Zélande | Néo-Zélandais, aise |
| Noyon | Noyonnais, aise |
| Nubie | Nubien, ienne |
| Numidie | Numide |
| Nyons | Nyonsais, aise |
| Océanie | Océanien, ienne |
| Oise | Oisien, ienne |
| Oldenbourg | Oldenbourgeois, oise |
| Oléron | Oléronais, aise |
| Olympie | Olympien, ienne |
| Olynthe | Olynthien, ienne |
| Oman | Omanais, aise |
| Ombrie | Ombrien, ienne |
| Ontario | Ontarien, ienne |
| Oran | Oranais, aise |
| Orange | Orangeois, oise |
| Orléans | Orléanais, aise |
| Orly | Orlysien, ienne |
| Ornans | Ornanais, aise |
| Orne | Ornais, aise |
| Ossétie | Ossète |
| Ostende | Ostendais, aise |
| Ouessant | Ouessantin, ine |
| Ouganda | Ougandais, aise |
| Oural | Ouralien, ienne |
| Ouzbékistan | Ouzbek, èke |
| Oxford | Oxonien, ienne |
| Oyonnax | Oyonnaxien, ienne |
| Padoue | Padouan, ane |
| Paimbœuf | Paimblotin, ine |
| Paimpol | Paimpolais, aise |
| Pakistan | Pakistanais, aise |
| Palais (Le) | Palantin, ine |
| Palaiseau | Palaisien, ienne |
| Palatinat | Palatin, ine |
| Palerme | Palermitain, aine ou Panormitain, aine |
| Palestine | Palestinien, ienne |
| Palmyre | Palmyréen, éenne |
| Palmyrène | Palmyrénien, ienne |
| Pamiers | Appaméen, enne |
| Panamá | Panaméen, enne |
| Pannonie | Pannonien, ienne |
| Paphlagonie | Paphlagonien, ienne |
| Pâques (île de) | Pascuan, ane |
| Paraguay | Paraguayen, enne |
| Paray-le-Monial | Parodien, ienne |
| Paris | Parisien, ienne |
| Parme | Parmesan, ane |
| Parthenay | Parthenaisien, ienne |
| Parthie | Parthe |
| Pau | Palois, oise |
| Pauillac | Pauillacais, aise |
| Pavie | Pavesan, ane |
| Pays-Bas | Néerlandais, aise |
| Pecq (Le) | Alpicois, oise |
| Pékin | Pékinois, oise |
| Péloponnèse | Péloponnésien, ienne |
| Pennsylvanie | Pennsylvanien, ienne |
| Perche | Percheron, onne |
| Pergame | Pergaménien, ienne |
| Périgord | Périgourdin, ine |
| Périgueux | Périgourdin, ine |
| Péronne | Péronnais, aise |
| Pérou | Péruvien, ienne |
| Pérouse | Pérugin, ine |
| Perpignan | Perpignanais, aise |
| Perse | Persan, ane |
| Persépolis | Persépolitain, aine |
| Pézenas | Piscénois, oise |
| Phanar | Phanariote |
| Phénicie | Phénicien, ienne |
| Philadelphie | Philadelphien, ienne |
| Philippines | Philippin, ine |
| Phocée | Phocéen, éenne |
| Phocide | Phocidien, ienne |
| Phrygie | Phrygien, ienne |

| LIEU | GENTILÉ |
|---|---|
| Picardie | Picard, arde |
| Piémont | Piémontais, aise |
| Pierrefonds | Pétrifontain, aine |
| Pise | Pisan, ane |
| Pisidie | Pisidien, ienne |
| Pithiviers | Pithivérien, ienne |
| Plaisance | Placentin, ine |
| Platées | Platéen, éenne |
| Pô | Padan, ane |
| Podolie | Podolien, ienne |
| Pointe-à-Pitre | Pointois, oise |
| Poissy | Pisciacais, aise |
| Poitiers | Pictavien, ienne |
| Poitou | Poitevin, ine |
| Poitou-Charentes | Picto-Charentais, aise |
| Poix-de-Picardie | Poyais, aise |
| Poligny | Polinois, oise |
| Pologne | Polonais, aise |
| Polynésie | Polynésien, ienne |
| Poméranie | Poméranien, ienne |
| Pompéi | Pompéien, ienne |
| Pons | Pontois, oise |
| Pont | Pontique |
| Pont-à-Mousson | Mussipontain, aine |
| Pontarlier | Pontissalien, ienne |
| Pont-Audemer | Pont-Audemérien, ienne |
| Pont-Aven | Pontaveniste |
| Pont-d'Ain | Pondinois, oise |
| Pont-de-l'Arche | Archepontain, aine |
| Pontivy | Pontivyen, enne |
| Pont-l'Abbé | Pont-l'Abbiste |
| Pont-l'Évêque | Pontépiscopien, ienne |
| Pontoise | Pontoisien, ienne |
| Pont-Sainte-Maxence | Maxipontain, aine |
| Pont-Saint-Esprit | Spiripontain, aine |
| Porto-Rico | Portoricain, aine |
| Port-sur-Saône | Portusien, ienne |
| Portugal | Portugais, aise |
| Port-Vendres | Port-Vendrais, aise |
| Potsdam | Potsdamien, ienne |
| Prades | Pradéen, éenne |
| Prague | Pragois, oise |
| Presbourg | Presbourgeois, oise |
| Privas | Privadois, oise |
| Provence | Provençal, ale |
| Provins | Provinois, oise |
| Prusse | Prussien, ienne |
| Puget-Théniers | Pugétais, aise |
| Puy-en-Velay (Le) | Ponot, ote |
| Pyrénées | Pyrénéen, éenne |
| Pyrénées-Atlantiques | Pyrénéen, éenne-Atlantique |
| Qatar | Qatarien, ienne |
| Québec | Québécois, oise |
| Quercy | Quercinois, oise |
| Quesnoy (Le) | Quercitain, aine |
| Quillan | Quillanais, aise |
| Quillebeuf | Quillebois, oise |
| Quimper | Quimpérois, oise |
| Raguse | Ragusain, aine |
| Raismes | Raismois, oise |
| Rambervillers | Rambuvetais, aise |
| Rambouillet | Rambolitain, aine |
| Ravenne | Ravennate |
| Ré (île de) | Rhétais, aise |
| Redon | Redonnais, aise |
| Reims | Rémois, oise |
| Remiremont | Romarimontain, aine |
| Rennes | Rennais, aise |
| Réole (La) | Réolais, aise |
| Rethel | Rethélois, oise |
| Réunion | Réunionnais, aise |
| Rhénanie | Rhénan, ane |
| Rhétie | Rhétien, ienne |
| Rhin | Rhénan, ane |

| LIEU | GENTILÉ |
|---|---|
| Rhodes | Rhodien, ienne |
| Rhône | Rhodanien, ienne |
| Rhône-Alpes | Rhônalpin, ine |
| Rif | Rifain, aine |
| Rio de Janeiro | Carioca |
| Riom | Riomois, oise |
| Roanne | Roannais, aise |
| Rochefort | Rochefortais, aise |
| Rochelle (La) | Rochelais, aise |
| Roche-sur-Yon (La) | Yonnais, aise |
| Rodez | Ruthénois, oise |
| Romagne | Romagnol, ole |
| Romans | Romanais, aise |
| Rome | Romain, aine |
| Romilly-sur-Seine | Romillon, onne |
| Romorantin | Romorantinais, aise |
| Roquefort | Roquefortais, aise |
| Roubaix | Roubaisien, ienne |
| Rouen | Rouennais, aise |
| Rouergue | Rouergat, ate |
| Roumanie | Roumain, aine |
| Roumélie | Rouméliote |
| Roussillon | Roussillonnais, aise |
| Royan | Royannais, aise |
| Rueil-Malmaison | Ruellois, oise |
| Russie | Russe |
| Ruthénie | Ruthène |
| Rwanda | Rwandais, aise |
| Saba | Sabéen, éenne |
| Sables-d'Olonne (Les) | Sablais, aise |
| Sablé-sur-Sarthe | Sabolien, ienne |
| Saint-Affrique | Saint-Affricain, aine |
| Saint-Agrève | Saint-Agrévois, oise |
| Saint-Aignan-sur-Cher | Saint-Aignanais, aise |
| Saint-Amand-les-Eaux | Amandinois, oise |
| Saint-Amand-Montrond | Amandin, ine |
| Saint-André-de-Cubzac | Cubzaguais, aise |
| Saint-André-les-Alpes | Saint-Andréen, éenne |
| Saint-Brieuc | Briochin, ine |
| Saint-Calais | Calaisien, ienne |
| Saint-Céré | Saint-Céréen, éenne |
| Saint-Chamond | Saint-Chamonais, aise |
| Saint-Claude | Sanclaudien, ienne |
| Saint-Cloud | Clodoaldien, ienne |
| Saint-Cyr-l'École | Saint-Cyrien, ienne |
| Saint-Denis | Dionysien, ienne |
| Saint-Dié | Déodatien, ienne |
| Saint-Dizier | Bragard, arde |
| Saint-Domingue | Dominicain, aine |
| Sainte-Croix | Saint-Cris |
| Sainte-Foy (Canada) | Saint-Fidéen, éenne |
| Sainte-Foy-la-Grande | Foyen, enne |
| Sainte-Foy-lès-Lyon | Fidésien, ienne |
| Sainte-Lucie | Saint-Lucien, ienne |
| Sainte-Menehould | Ménehildien, ienne |
| Saintes | Saintais, aise |
| Saintes-Maries-de-la-Mer | Saintois, oise |
| Saint-Étienne | Stéphanois, oise |
| Saint-Étienne-du-Rouvray | Stéphanais, aise |
| Saint-Florentin | Florentinois, oise |
| Saint-Flour | Sanflorain, aine |
| Saint-Fons | Saint-Foniard, arde |
| Saint-Gall | Saint-Gallois, oise |
| Saint-Gaudens | Saint-Gaudinois, oise |
| Saint-Germain-des-Prés | Germanopratin, ine |
| Saint-Germain-en-Laye | Saint-Germanois, oise |
| Saint-Gilles | Saint-Gillois, oise |
| Saint-Gilles-Croix-de-Vie | Gillocrucien, ienne |

| LIEU | GENTILÉ |
|---|---|
| Saint-Girons | Saint-Gironnais, aise |
| Saint-Jean-Cap-Ferrat | Saint-Jeannois, oise |
| Saint-Jean-d'Angély | Angérien, ienne |
| Saint-Jean-de-Losne | Losnais, aise |
| Saint-Jean-de-Luz | Luzien, ienne |
| Saint-Jean-de-Maurienne | Mauriennais, aise |
| Saint-Jean-Pied-de-Port | Saint-Jeannais, aise |
| Saint-Julien-en-Genevois | Saint-Juliennois, oise |
| Saint-Junien | Saint-Juniaud, aude |
| Saint-Just-en-Chaussée | Saint-Justois, oise |
| Saint-Laurent-du-Pont | Laurentinois, oise |
| Saint-Lô | Saint-Lois, Loise |
| Saint-Maixent-l'École | Saint-Maixentais, aise |
| Saint-Malo | Malouin, ine |
| Saint-Marcellin | Saint-Marcellinois, oise |
| Saint-Marin | Saint-Marinais, aise |
| Saint-Martin-de-Ré | Martinais, aise |
| Saint-Martin-Vésubie | Saint-Martinois, oise |
| Saint-Mihiel | Sammiellois, oise |
| Saint-Nazaire | Nazairien, ienne |
| Saint-Omer | Audomarois, oise |
| Saintonge | Saintongeais, aise |
| Saint-Ouen | Audonien, ienne |
| Saint-Paul-de-Vence | Saint-Paulois, oise |
| Saint-Paul-Trois-Châteaux | Tricastin, ine |
| Saint-Péray | Saint-Pérollais, aise |
| Saint-Pétersbourg | Pétersbourgeois, oise |
| Saint-Pierre (Martinique) | Pierrotin, ine |
| Saint-Pierre-des-Corps | Corpopétrussien, ienne |
| Saint-Pierre-et-Miquelon | Saint-Pierrais, aise ou Miquelonnais, aise |
| Saint-Pierre-le-Moûtier | Saint-Pierrois, oise |
| Saint-Pol-de-Léon | Saint-Politain, aine |
| Saint-Pol-sur-Ternoise | Saint-Polois, oise ou Polopolitain, aine |
| Saint-Pons-de-Thomières | Saint-Ponais, aise |
| Saint-Pourçain-sur-Sioule | Saint-Pourcinois, oise |
| Saint-Quentin | Saint-Quentinois, oise |
| Saint-Rambert-d'Albon | Rambertois, oise |
| Saint-Sever | Saint-Severin, ine |
| Saint-Tropez | Tropézien, ienne |
| Saint-Valery-en-Caux | Valériquais, aise |
| Saint-Valery-sur-Somme | Valéricain, aine |
| Saint-Yrieix-la-Perche | Arédien, ienne |
| Salers | Sagranier, ière |
| Salies-de-Béarn | Salisien, ienne |
| Salins-les-Bains | Salinois, oise |
| Sallanches | Sallanchard, arde |
| Salm | Salmois, oise |
| Salomon (îles) | Salomonien, ienne |
| Salonique | Salonicien, ienne |
| Salzbourg | Salzbourgeois, oise |
| Samarie | Samaritain, aine |
| Samoa (îles) | Samoan, ane |
| Samoëns | Septimontain, aine |
| Samos | Samien, ienne |
| Sancerre | Sancerrois, oise |
| Saône-et-Loire | Saône-et-Loirien, ienne |

| LIEU | GENTILÉ |
|---|---|
| São Paulo | Pauliste |
| Saragosse | Saragossain, aine |
| Sardaigne | Sarde |
| Sarlat | Sarladais, aise |
| Sarre | Sarrois, oise |
| Sarrebruck | Sarrebruckois, oise |
| Sartène | Sarténais, aise |
| Sarthe | Sarthois, oise |
| Saskatchewan | Saskatchewanais, aise |
| Saulieu | Sédélocien, ienne |
| Saumur | Saumurois, oise |
| Sauveterre-de-Béarn | Sauveterrien, ienne |
| Savenay | Savenaisien, ienne |
| Saverne | Savernois, oise |
| Savoie | Savoyard, arde ou Savoisien, ienne |
| Saxe | Saxon, onne |
| Scandinavie | Scandinave |
| Sceaux | Scéen, éenne |
| Schleswig | Schleswigois, oise |
| Sedan | Sedanais, aise |
| Ségovie | Ségovien, ienne |
| Segré | Segréen, éenne |
| Seine | Séquanais, aise |
| Seine-et-Marne | Seine-et-Marnais(e) |
| Seine-Saint-Denis | Séquano-Dyonisien, ienne |
| Sélestat | Sélestadien, ienne |
| Semur-en-Auxois | Semurois, oise |
| Sénégal | Sénégalais, aise |
| Senlis | Senlisien, ienne |
| Sens | Sénonais, aise |
| Serbie | Serbe |
| Sète | Sétois, oise |
| Seurre | Seurrois, oise |
| Séverac-le-Château | Séveragais, aise |
| Séville | Sévillan, ane |
| Sèvres | Sévrien, ienne |
| Seychelles | Seychellois, oise |
| Siam | Siamois, oise |
| Sibérie | Sibérien, ienne |
| Sicile | Sicilien, ienne |
| Sidon | Sidonien, ienne |
| Sienne | Siennois, oise |
| Sierra Leone | Sierra-Léonais, aise |
| Silésie | Silésien, ienne |
| Singapour | Singapourien, ienne |
| Sisteron | Sisteronais, aise |
| Slovaquie | Slovaque |
| Slovénie | Slovène |
| Smyrne | Smyrniote |
| Sochaux | Sochalien, ienne |
| Sodome | Sodomite |
| Soignies | Sonégien, ienne |
| Soissons | Soissonnais, aise |
| Soleure | Soleurois, oise |
| Sologne | Solognot, ote |
| Somalie | Somalien, ienne |
| Sommières | Sommiérois, oise |
| Sospel | Sospellois, oise |
| Souabe | Souabe |
| Soudan | Soudanais, aise |
| Souillac | Souillagais, aise |
| Sousse | Soussien, ienne |
| Souterraine (La) | Sostranien, ienne |
| Spa | Spadois, oise |
| Sparte | Spartiate |
| Sri-Lanka | Sri-Lankais, aise |
| Strasbourg | Strasbourgeois, oise |
| Styrie | Styrien, ienne |
| Suède | Suédois, oise |
| Suisse | Suisse (une Suissesse) |
| Sully-sur-Loire | Sullylois, oise |
| Sumer | Sumérien, ienne |
| Surinam | Surinamien, ienne ou Surinamais, aise |
| Swaziland | Swazi |
| Syracuse | Syracusain, aine |

| LIEU | GENTILÉ |
|---|---|
| Syrie | Syrien, ienne |
| Tadjikistan | Tadjik |
| Tahiti | Tahitien, ienne |
| Taiwan | Taiwanais, aise |
| Tanzanie | Tanzanien, ienne |
| Tarare | Tararien, ienne |
| Tarascon | Tarasconnais, aise |
| Tarbes | Tarbais, aise |
| Tarentaise | Tarentais, aise |
| Tarente | Tarentin, ine |
| Tarn | Tarnais, aise |
| Tarn-et-Garonne | Tarn-et-Garonnais, aise |
| Tartas | Tarusate |
| Tasmanie | Tasmanien, ienne |
| Tatarie | Tatare |
| Tchad | Tchadien, ienne |
| Tchécoslovaquie | Tchécoslovaque |
| Tchéquie | Tchèque |
| Tchétchénie | Tchétchène |
| Tence | Tençois, oise |
| Tende | Tendasque |
| Tergnier | Ternois, oise |
| Terre-de-Feu | Fuégien, ienne |
| Terre-Neuve | Terre-Neuvien, ienne |
| Tessin | Tessinois, oise |
| Teste (La) | Testerin, ine |
| Texas | Texan, ane |
| Thaïlande | Thaïlandais, aise |
| Thann | Thannois, oise |
| Thèbes | Thébain, aine |
| Thessalie | Thessalien, ienne |
| Thessalonique | Thessalonicien, ienne |
| Thiers | Thiernois, oise |
| Thionville | Thionvillois, oise |
| Thouars | Thouarsais, aise |
| Thurgovie | Thurgovien, ienne |
| Thuringe | Thuringien, ienne |
| Tibet | Tibétain, aine |
| Togo | Togolais, aise |
| Tolède | Tolédan, ane |
| Tonga | Tongan, ane |
| Tonkin | Tonkinoise, oise |
| Tonnerre | Tonnerrois, oise |
| Toronto | Torontois, oise |
| Toscane | Toscan, ane |
| Toul | Toulois, oise |
| Toulon | Toulonnais, aise |
| Toulouse | Toulousain, aine |
| Touquet-Paris-Plage (Le) | Touquettois, oise |
| Touraine | Tourangeau, elle |
| Tourcoing | Tourquennois, oise |
| Tournai | Tournaisien, ienne |
| Tournus | Tournusien, ienne |
| Tours | Tourangeau, elle |
| Transylvanie | Transylvain, aine |
| Trappes | Trappiste |
| Tréguier | Trégorrois, oise |
| Trèves | Trévire |
| Trévise | Trévisan, ane |
| Trévoux | Trévoltien, ienne |
| Trieste | Triestin, ine |
| Tripoli | Tripolitain, aine |
| Troie | Troyen, enne |
| Trois-Rivières | Trifluvien, ienne |
| Trouville | Trouvillois, oise |
| Troyes | Troyen, enne |
| Tulle | Tulliste |
| Tunis | Tunisois, oise |
| Tunisie | Tunisien, ienne |
| Turin | Turinois, oise |
| Turkménistan | Turkmène |
| Turquie | Turc, Turque |
| Tuvalu | Tuvaluan, ane |
| Tyr | Tyrien, ienne |
| Tyrol | Tyrolien, ienne |
| Ugine | Uginois, oise |

| LIEU | GENTILÉ |
|---|---|
| Ukraine | Ukrainien, ienne |
| Union soviétique | Soviétique |
| Urbin | Urbinate |
| Uri | Uranais, aise |
| Uruguay | Uruguayen, enne |
| Ussel | Usselois, oise |
| Uzerche | Uzerchois, oise |
| Uzès | Uzétien, ienne |
| Vaison-la-Romaine | Vaisonnais, aise |
| Valachie | Valaque |
| Valais | Valaisan, ane |
| Val-de-Marne | Val-de-Marnais, aise |
| Val-d'Oise | Val-d'Oisien, ienne |
| Valençay | Valencéen, éenne |
| Valence (France) | Valentinois, oise |
| Valence (Espagne) | Valencien, ienne |
| Valenciennes | Valenciennois, oise |
| Valognes | Valognais, aise |
| Valréas | Valréassien, ienne |
| Valteline | Valtelin, ine |
| Vannes | Vannetais, aise |
| Vanuatu | Vanuatuan, ane |
| Var | Varois, oise |
| Varsovie | Varsovien, ienne |
| Vatican | Vatican, ane |
| Vaucluse | Vauclusien, ienne |
| Vaud | Vaudois, oise |
| Vence | Vençois, oise |
| Vendée | Vendéen, éenne |
| Vendôme | Vendômois, oise |

| LIEU | GENTILÉ |
|---|---|
| Venezuela | Vénézuélien, ienne |
| Venise | Vénitien, ienne |
| Verdun | Verdunois, oise |
| Vermand | Vermandois, oise |
| Verneuil-sur-Avre | Vernolien, ienne |
| Vernon | Vernonnais, aise |
| Vérone | Véronais, aise |
| Versailles | Versaillais, aise |
| Vertou | Vertavien, ienne |
| Vervins | Vervinois, oise |
| Vésinet (Le) | Vésigondin, ine |
| Vesoul | Vésulien, ienne |
| Vevey | Veveysan, ane |
| Vézelay | Vézelien, ienne |
| Vibraye | Vibraysien, ienne |
| Vicence | Vicentin, ine |
| Vichy | Vichyssois, oise |
| Vic-le-Comte | Vicomtois, oise |
| Vic-sur-Cère | Vicois, oise |
| Vienne | Viennois, oise |
| Vierzon | Vierzonnais, aise |
| Viêt Nam | Vietnamien, ienne |
| Vigan (Le) | Viganais, aise |
| Villedieu-les-Poêles | Sourdin, ine |
| Villefranche-de-Rouergue | Villefranchois, oise |
| Villefranche-sur-Saône | Caladois, oise |
| Villeneuve-la-Garenne | Villenogarennois, oise |
| Villeneuve-sur-Lot | Villeneuvois, oise |

| LIEU | GENTILÉ |
|---|---|
| Villeneuve-sur-Yonne | Villeneuvien, ienne |
| Villers-Cotterêts | Cotterézien, ienne |
| Vimoutiers | Vimonastérien, ienne |
| Vire | Virois, oise |
| Vitré | Vitréen, éenne |
| Vitry-le-François | Vitryat, ate |
| Vitry-sur-Seine | Vitriot, ote |
| Viviers | Vivarois, oise |
| Voiron | Voironnais, aise |
| Vosges | Vosgien, ienne |
| Vouillé | Vogladien, ienne |
| Vouziers | Vouzinois, oise |
| Wallis | Wallisien, ienne |
| Wallonie | Wallon, onne |
| Wassy | Wasséyen, enne |
| Westphalie | Westphalien, ienne |
| Winnipeg | Winnipegois, oise |
| Wurtemberg | Wurtembergeois, oise |
| Yémen | Yéménite |
| Yonne | Icaunais, aise |
| Yssingeaux | Yssingelais, aise |
| Yougoslavie | Yougoslave |
| Yvelines | Yvelinois, oise |
| Yvetot | Yvetotais, aise |
| Zaïre | Zaïrois, oise |
| Zambie | Zambien, ienne |
| Zélande | Zélandais, aise |
| Zimbabwe | Zimbabwéen, éenne |
| Zurich | Zurichois, oise |

# ABRÉVIATIONS ET SIGLES COURANTS

Le développement donné pour chaque sigle ou abréviation correspond à la manière dont il faudrait l'écrire dans le cours d'une phrase (en tête de phrase, ce développement prendrait naturellement une majuscule initiale). Les mots qui apparaissent en caractères gras dans certains développements ou dans la traduction renvoient aux entrées du dictionnaire où l'on trouvera une définition complète du sigle ou de l'abréviation en question.

**A. B. S.**
*Autom. Antiblockiersystem* (« système antiblocage » ; empl. redondant : système A. B. S.)
▷ Système de freinage optimal.

**ACTH** ou **A. C. T. H.**
*Physiol. adrenocorticotrophic hormone*
▷ Hormone sécrétée par l'hypophyse et ayant une action sur les corticosurrénales.

**A. D.**
*anno Domini* (« année du Seigneur »)
▷ Après Jésus-Christ.

**adac**
*Aéron.* avion à décollage et à atterrissage courts

**adav**
*Aéron.* avion à décollage et à atterrissage verticaux

**A. D. N.**
*Biol.* acide **désoxyribonucléique**

**ADP**
*Informat.* automatic data processing (« traitement automatique des données »)

**A. D. P.**
*Biochim.* **adénosine** diphosphate

**afat**
*Milit.* auxiliaire féminine de l'armée de terre (plur. : afats)

**A. G.**
assemblée générale

**AIDS**
*Pathol. acquired immune deficiency syndrome* (☞ sida)

**A. J.**
**auberge** de jeunesse

**A. L. S.**
allocation de logement social

**A. M.**
*ante meridiem* (« avant midi » ; anton. : P. M.)
▷ Utilisé dans les pays anglo-saxons pour préciser l'heure.

**A. O. C.**
*Comm.* appellation d'origine contrôlée
▷ Dont le lieu d'origine, le titre est garanti.

**A. P. I.**
allocation de parent isolé

**A. P. I.**
alphabet phonétique international

**A. P. L.**
aide personnalisée au logement

**A. R.**
**accusé** de réception

**ARC**
*Pathol. Aids related complex* (synon. : présida)
▷ Infection de l'organisme par le virus du sida, se traduisant par des symptômes mineurs.

**A. R. N.**
*Biochim.* acide **ribonucléique**

**ASA** ou **Asa**
*Phot.* American Standards Association (« Association américaine de normalisation »)
▷ Unité de mesure des indices de sensibilité d'une émulsion photographique.

**ASCII**
*Informat. American standard code for information interchange*
▷ Code américain de normalisation utilisé pour l'échange de données entre un périphérique et un ordinateur.

**ASDIC**
*Arm.* Allied Submarine Detection Investigation Committee
▷ Appareil de détection des sous-marins par ultrasons.

**ASIC**
*Électron. application specific integrated circuit*
▷ Circuit intégré regroupant l'ensemble des fonctions nécessaires à une application spécifique.

**astarte**
*Aéron.* avion-station relais de transmissions exceptionnelles

**A. T. P.**
*Biochim.* **adénosine** triphosphate

**B. A.**
bonne action

**B. A. T.** ou **B. à T.**
*Impr.* **bon** à tirer

**B. C. B. G.**
bon **chic** bon genre

**B. C. G.**
*Méd.* Bacille bilié de Calmette et Guérin (n. déposé)
▷ Vaccin antituberculeux.

**B. D.**
*Litt.* **bande** dessinée

**B. E. P.**
brevet d'études professionnelles

**B. E. P. C.**
brevet d'études du premier cycle (vieilli)
▷ Auj. remplacé par le brevet des collèges.

**B. F.**
basse fréquence

**B. P.**
**boîte** postale

**B. P. F.**
bon pour francs

**B. T.**
brevet de technicien

**B. T. P.**
bâtiment et travaux publics

B. T. S.
brevet de technicien supérieur
Btu
*Phys. british thermal unit*
▹ Unité de mesure calorifique anglo-saxonne égale à 1 055,06 joules.
B. Z. D.
*Pharm.* **benzodiazépine**

C. A.
**chiffre** d'affaires
C. A.
**conseil** d'administration
C. A. C. 40 ou Cac 40
*Fin.* Compagnie des agents de change (n. déposé)
▹ Indice établi sur la base de quarante titres cotés à la Bourse de Paris.
C. A. F.
*Mar.* coût, assurance, fret
▹ Se dit de la vente de marchandises destinées à être transportées par mer et dont l'exportateur prend en charge les frais de transport et d'assurance, l'importateur assumant les éventuels pertes et dommages.
C. A. G.
*Électron.* contrôle automatique de gain
▹ Dispositif permettant de pallier l'évanouissement d'un signal radioélectrique, lors de la réception.
C. A. O.
*Informat.* **conception** assistée par ordinateur
C. A. P.
certificat d'aptitude professionnelle
capa
certificat d'aptitude à la profession d'avocat
capes
certificat d'aptitude au professorat de l'enseignement du second degré
capet
certificat d'aptitude au professorat de l'enseignement technique
C. B.
*Citizens' Band*
▹ Bande de fréquence radio publique, utilisée en partic. par les automobilistes.
C. B.
carte **bleue** (synon. : carte bancaire)
C. C.
comité central
C. C.
corps consulaire
C. C. P.
**compte** courant postal ; **compte** chèques postal
C. D.
corps diplomatique
CD ou C. D.
*Informat.* **Compact Disc** (n. déposé)
C. D. D.
**contrat** à durée déterminée
C. D. I.
centre de documentation et d'information
C. D. I.
centre des impôts
C. D. I.
contrat à durée indéterminée
CD-I ou C. D.-I.
*Informat.* Compact Disc interactive (n. déposé)
▹ Disque compact audiovisuel autorisant des échanges avec la machine.
CD-ROM ou C. D.-R. O. M.
*Informat. Compact Disc read-only memory* (☞ D. O. C. ; graphie choisie par l'Acad. : cédérom)
▹ Disque qui stocke des images, des sons, du texte en mémoire morte.
CDV ou C. D. V.
*Compact Disc Video* (n. déposé)
▹ Disque compact audiovisuel.
C. E.
**comité** d'entreprise
C. E.
*Enseign.* cours **élémentaire**
Cedex
courrier d'entreprise à distribution exceptionnelle
▹ Système spécialisé de distribution du courrier aux entreprises ou aux administrations dans les villes importantes.
cégep
*Enseign.* Can. Collège d'enseignement général et professionnel
C. E. S.
collège d'enseignement secondaire (vieilli)

C. E. T.
collège d'enseignement technique
C. F. A.
centre de formation d'apprentis
C. F. A. (franc)
Communauté financière africaine
▹ Unité monétaire de certains pays d'Afrique économiquement liés à la France.
C. F. A. O.
*Informat.* **conception** et fabrication assistées par ordinateur
C. F. C.
*Chim.* chlorofluorocarbure
▹ Composé utilisé sous forme gazeuse ou liquide, notamment comme propulseur dans les aérosols, et qui pourrait être responsable de la destruction partielle de la couche d'ozone de la stratosphère.
C. G. S.
*Métrol.* centimètre, gramme, seconde
▹ Ancien **système** d'unités de mesure, abandonné au profit du système international (S. I.).
C. H. U.
centre hospitalier universitaire
▹ Hôpital où sont formés des étudiants en médecine.
CIF
*Mar. cost, insurance and freight* (☞ C. A. F.)
C. I. O.
centre d'information et d'orientation
C. M.
*Enseign.* cours **moyen**
c/o
*care of* (« aux bons soins de »)
▹ Mots ajoutés devant un nom de personne sur une enveloppe postale.
C. O. S.
coefficient d'occupation des **sols**
C. P.
*Enseign.* cours **préparatoire**
C. P. A.
*Enseign.* classe préparatoire à l'apprentissage
C. Q. F. D.
ce qu'il fallait démontrer
C. R. S.
**compagnies** républicaines de sécurité
C. S. G.
*Fisc.* contribution sociale généralisée
▹ Prélèvement fiscal sur les salaires, destiné à pallier le déséquilibre financier de la Sécurité sociale.
C. V.
**curriculum vitae**

DAT
*digital audio tape*
▹ Bande magnétique permettant l'enregistrement numérique du son.
D. B.
*Milit.* division **blindée**
D. B. O.
*Écol.* demande biochimique en oxygène
▹ Quantité d'oxygène nécessaire à la biodégradation des matières organiques dans l'eau.
D. C. A.
*Milit.* défense contre les aéronefs
D. D. T.
*Chim.* dichloro-diphényl-trichloréthane
▹ Insecticide organique très puissant.
D. E.
**diplôme** d'État
D. E. A.
**diplôme** d'études approfondies
D. E. S. S.
**diplôme** d'études supérieures spécialisées
deug
**diplôme** d'études universitaires générales
deust
diplôme d'études universitaires scientifiques et techniques
D. G.
**direction** générale
D. I.
*Milit.* division d'infanterie
D. J.
**disc-jockey** (recomm. off. : animateur)
D. O. C.
*Informat.* disque optique compact (recomm. off. pour CD-ROM)
D. O. M.
**département** d'outre-mer

D. O. M.-T. O. M.
départements et territoires d'**outre-mer**
D. O. N.
*Informat.* disque optique numérique
▹ Support d'enregistrement de grande capacité.
dopa
*Biochim.* dihydroxyphénylalanine
▹ Acide aminé dont l'isomère est un médicament utilisé dans le traitement de la maladie de Parkinson.
DOS
*Informat. disk operating system* (« système d'exploitation des disques »)
D. O. T.
*Milit.* défense opérationnelle du territoire
D. P.
**délégué** du personnel
D. P. L. G.
**diplômé** par le gouvernement
D. T. S.
*Fin.* droit de tirage spécial
▹ Monnaie de compte du Fonds monétaire international (F. M. I.), utilisée pour les prêts aux pays en difficulté.
D. T. T. A. B.
*Méd.* diphtérie, tétanos, typhoïde et paratyphoïdes A et B
▹ Vaccins associés.
D. U. T.
**diplôme** universitaire de technologie

E. A. O.
*Informat.* enseignement assisté par ordinateur
E. A. R. L.
exploitation agricole à responsabilité limitée
E. C. B. U.
*Méd.* examen cytobactériologique des urines
EPROM
*Informat. erasable programmable read-only memory*
▹ Mémoire morte programmable et effaçable, mais non manipulable.
E. U. R. L.
entreprise unipersonnelle à responsabilité limitée
▹ Société constituée par un seul individu.
E. V.
en ville (vieilli)
▹ Abréviation indiquant qu'une lettre n'a pas été mise à la poste, mais portée directement à son destinataire.

F. A. B.
*Mar.* franco à bord
▹ Sans frais de transport pour le destinataire jusqu'au navire.
f. c. é. m.
*Phys.* force **contre-électromotrice**
F. I. V.
*Méd.* fécondation **in vitro**
F. M.
*Phys. frequency modulation* (« **modulation** de fréquence »)
FOB
*Mar. free on board* (☞ F. A. B.)
F. P. A.
formation professionnelle pour adultes

GABA
*Biochim. gamma-aminobutyric acid*
▹ Substance dérivée de l'acide glutamique, médiateur chimique des neurones de la substance grise du cerveau, utilisé dans le traitement de certaines affections cérébrales.
G. I.
*Milit. Government Issue* (« fourniture du gouvernement » ; plur. : G. I. ou GIs)
▹ Soldat de l'armée américaine.
G. I. C.
grand invalide civil
G. I. E.
**groupement** d'intérêt économique
G. I. G.
grand invalide de guerre
GMT
*Greenwich Mean Time* (« temps moyen du **méridien** de Greenwich »)
G. P. L.
**gaz** de pétrole liquéfié
G. Q. G.
grand quartier général
G. R.
grande **randonnée** (sentier de)

H. C. H.
*Chim.* **hexachlorocyclohexane**
H. F.
*Phys.* haute fréquence
HI-FI ou **hi-fi**
*high fidelity* (« haute fidélité »)
HIV
*Pathol. human immunodeficiency virus* (☞ V. I. H.)
**HLA (système)**
*Physiol. human leucocyte antigens*
▷ Système de compatibilité tissulaire.
H. L. M.
habitation à loyer modéré
H. S.
hors **service**
H. S.
heure supplémentaire
H. T.
haute **tension**
H. T.
hors **taxes**

I. A. C.
*Méd.* insémination artificielle entre conjoints
I. A. D.
*Méd.* insémination artificielle avec donneur
ICBM
*Arm. intercontinental ballistic missile* (« missile balistique intercontinental »)
I. D. S.
*Milit.* **initiative** de défense stratégique
*i. e.*
*id est* (« c'est-à-dire »)
ILS
*Aéron. instrument landing system* (« système d'atterrissage avec instruments »)
▷ Méthode d'atterrissage utilisée en l'absence de visibilité.
I. M. A. O. ou **imao**
*Pharm.* **inhibiteur** de la monoamine-oxydase
I. M. C.
**infirme** moteur cérébral
INCOTERM
*Comm. international commercial terms* (« termes de commerce international »)
▷ Terme de commerce définissant les obligations respectives du vendeur et de l'acheteur (par ex. : C. A. F., F. A. B.)
IRBM
*Arm. intermediate range ballistic missile*
▷ Missile balistique à portée intermédiaire.
I. R. M.
*Méd.* **imagerie** par résonance magnétique
ISBN
*international standard book number*
▷ Numéro international d'identification attribué à chaque livre publié.
I. S. F.
*Fisc.* impôt de solidarité sur la fortune
ISO ou **Iso (échelle)**
*Phot.* International Standards Organization (« Organisation des normes internationales »)
▷ Échelle normalisée de sensibilité des émulsions.
ISSN
*international standard serial number*
▷ Numéro international d'identification attribué à chaque périodique.
I. U. F. M.
institut universitaire de formation des maîtres
▷ Institut où sont formés les professeurs des écoles, des collèges et des lycées.
I. U. T.
**institut** universitaire de technologie
I. V. G.
**interruption** volontaire de grossesse

K. O.
**knock-out**

LAV
*Pathol. lymphadenopathy associated virus*
▷ Premier nom donné au V. I. H.
L. E. P.
livret d'épargne populaire
LIDAR
*Techn. light detecting and ranging* (« détection et repérage par la lumière »)
▷ Appareil de détection d'un objet, de portée inférieure à celle du radar.
LISP
*Informat. list processing* (« traitement de liste »)
▷ Langage de programmation symbolique utilisé en intelligence artificielle.
LORAN
*Aéron.* et *Mar. long range aid to navigation* (« aide à la navigation à grande distance »)
▷ Procédé de radionavigation permettant de déterminer sa position par rapport à trois stations émettrices fixes.
L. P.
**lycée** professionnel
L. S. D.
*Lysergsaürediäthylamid* (« acide **lysergique** diéthylamide »)
MASER
*Techn. microwave amplification by stimulated emission of radiation* (« amplification de micro-ondes par émission stimulée de radiations »)
▷ Procédé s'apparentant au laser, mais concernant des ondes inférieures aux fréquences lumineuses.
**matif**
*Fin.* **marché** à terme international de France
MIRV
*Arm. multiple independently (targeted) reentry vehicle* (« missile à ogives à charges multiples et indépendantes »)
▷ Charge nucléaire multiple dont les divers éléments peuvent être dirigés contre des objectifs différents.
M. J. C.
**maison** des jeunes et de la culture
M. K. S. A.
*Métrol.* mètre, kilogramme, seconde, ampère.
▷ **Système** international d'unités de mesure.
MMPI
*Psychol. Minnesota multiphasic personality inventory*
▷ Test de personnalité d'origine américaine.
**monep**
*Fin.* marché des options négociables de Paris
MOS
*Électron. metal oxide semiconductor*
▷ Type de transistor utilisé dans les circuits intégrés.
MRBM
*Arm. medium range ballistic missile* (« missile balistique à moyenne portée »)
M. S. B. S.
*Arm.* mer-sol balistique stratégique
▷ Missile équipant les sous-marins nucléaires français.
M. S. T.
maladie sexuellement transmissible
M. S. T.
maîtrise de sciences et techniques
M. T. S.
*Métrol.* mètre, tonne, seconde (vx)

N. B.
**nota bene**
N. B. C.
*Arm.* nucléaire, biologique, chimique
▷ Se dit de certains types d'armes.
N. D. L. R.
note de la rédaction
N. F.
**normes** françaises
NTSC
*national television system committee*
▷ Système de télévision en couleurs anglo-saxon.

O. K.
*oll korrect* (altér. de *all correct* ; « d'accord, entendu »)
O. N. G.
**organisation** non gouvernementale
O. P.
**ouvrier** professionnel
O. P. A.
*Fin.* **offre** publique d'achat
O. P. E.
*Fin.* offre publique d'échange
▷ Procédure par laquelle une société offre des titres en échange des parts d'une société qu'elle désire contrôler.
O. P. V.
*Fin.* offre publique de vente
O. Q.
**ouvrier** qualifié
O.-R.-L. ou **O. R. L.**
**oto-rhino-laryngologie**
**orsec (plan)**
organisation des secours (**plan** d')
O. S.
**ouvrier** spécialisé
**ovni**
objet volant non identifié

P. A. F.
paysage audiovisuel français
▷ Ensemble des chaînes de télévision nationales.
PAL
*phase alternating line* (« changement de phase à chaque ligne »)
▷ Système de télévision d'origine allemande.
P. A. O.
*Informat.* **publication** assistée par ordinateur
P. A. P.
prêt pour l'accession à la propriété
P. A. S.
*Pharm.* (acide) para-amino-salicylique
▷ Médicament antituberculeux.
PC ou P. C.
*personal computer* (« ordinateur personnel »)
P. C.
poste de commandement
**p. c. c.**
pour copie conforme
P. C. V.
à percevoir
▷ Communication téléphonique payable par le destinataire, avec son accord.
P.-D. G.
**président**-directeur général
P. E. G. C.
professeur d'enseignement général des collèges
P. E. L.
plan d'épargne logement
P. E. P.
plan d'épargne populaire
P. G. C. D.
*Math.* plus grand commun **diviseur**
**pH**
*Chim.* potentiel hydrogène
▷ Coefficient de basicité ou d'acidité d'un milieu.
P. I. B.
**produit** intérieur brut
P. J.
police judiciaire
▷ Police dont le rôle est de rechercher les auteurs d'infractions afin de les livrer à la justice.
P. L. V.
*Comm.* publicité sur le lieu de vente
▷ Matériel publicitaire installé chez les détaillants.
P. M.
*post meridiem* (« après midi » ; anton. : A. M.)
▷ Utilisé dans les pays anglo-saxons pour préciser l'heure.
P. M. E.
petites et moyennes entreprises (n. déposé)
▷ Pour l'Insee, entreprise qui compte de 0 à 9 salariés (petite) et de 10 à 49 salariés (moyenne).
P. M. I.
petites et moyennes industries
▷ P. M. E. industrielle.
P. M. U.
**pari** mutuel urbain
P. N. B.
*Écon.* **produit** national brut
P. O. S.
plan d'occupation des **sols**
P. P. C. M.
*Math.* plus petit commun **multiple**
P. R.
**poste** restante
P.-S.
**post-scriptum**
P. S. V.
*Aéron.* Pilotage sans visibilité
▷ Méthode de pilotage au moyen des seuls instruments, utilisée quand le sol n'est pas visible directement.
P.-V.
**procès-verbal**
P. V. C.
*polyvinylchloride* (« polychlorure de vinyle »)
▷ Type de matière plastique.

Q. C. M.
**questionnaire** à choix multiple
Q. G.
**quartier** général

Q. H. S.
**quartier** de haute sécurité
Q. I.
**quotient** intellectuel
Q. S. P.
*Pharm.* quantité suffisante pour
▷ Sert à préciser le dosage nécessaire pour la préparation d'un médicament.
Q. S. R.
**quartier** de sécurité renforcée

RAM
*Informat. random access memory* (synon. : mémoire vive)
▷ Mémoire d'accès aléatoire autorisant la manipulation des informations.
R. A. S.
rien à signaler
R.-D.-C.
rez-de-chaussée
R. D. S.
remboursement de la dette sociale
▷ Prélèvement supplémentaire destiné à combler le déficit de la Sécurité sociale.
REM
*Métrol. Röntgen equivalent man*
▷ Ancienne unité de mesure de dose de radiation absorbée par un organisme vivant.
R. E. R.
réseau express régional
▷ Réseau géré conjointement par la R. A. T. P. et la S. N. C. F., desservant Paris et la région parisienne.
R. G.
**renseignements** généraux
Rh
(facteur) **rhésus**
R. I. B.
**relevé** d'identité bancaire
R. M. I.
**revenu** minimum d'insertion
R. M. N.
*Méd.* **résonance** magnétique nucléaire
R. N.
route nationale
R. N. I. S.
*Informat.* et *Télécomm.* **réseau** numérique à intégration de services
ROM ou R. O. M.
*Informat. read-only memory* (synon. : mémoire morte)
▷ Mémoire que l'on peut lire mais non manipuler.
R. S. V. P.
répondez, s'il vous plaît
R.-V.
**rendez-vous**

S. A.
**société** anonyme
SAE (classification)
*Techn.* Society of Automotive Engineers (« Société des ingénieurs motoristes »)
▷ Système de classification des huiles de moteur d'après leur viscosité.
samu
*Méd.* service d'aide médicale d'urgence
▷ Service constitué d'unités mobiles qui assurent les premiers soins aux personnes accidentées ou malades, la réanimation et le transport dans un hôpital.
S. A. R. L.
**société** anonyme à responsabilité limitée
S. A. V.
service **après-vente**
S. C.
**service** compris
S. D. F.
sans **domicile** fixe
Secam
*Télév.* séquentiel à mémoire
▷ Système français de télévision en couleurs.
S.-F.
**science-fiction**
S. G. B. D.
*Informat.* système de **gestion** de base de données
S. G. D. G.
sans garantie du gouvernement
▷ Qualifie un brevet dont la valeur n'est pas garantie.
S. I.
*Métrol.* **système** international
S. I.
**syndicat** d'initiative
sicav
*Fin.* société d'investissement à capital variable
▷ Portefeuille de titres divers géré pour les particuliers par un établissement spécialisé.
sida
syndrome immunodéficitaire acquis
S. L. B. M.
*Arm. submarine launched ballistic missile* (« missile balistique lancé d'un sous-marin »)
S. M. E.
**système** monétaire européen
S. M. I.
**système** monétaire international
smic
**Salaire** minimum (interprofessionnel) de croissance
smur
service mobile d'urgence et de réanimation (☞ samu)
S. N. C.
**service** non compris
S. O. S.
▷ Suite de trois lettres de l'alphabet Morse choisies pour la clarté du signal (trois points, trois traits, trois points) ; interprétation fantaisiste : *save our souls* (« sauvez nos âmes »).
Signal de détresse transmis par un avion ou un bateau ; au fig., appel au secours.
S. P.
**secteur** postal
S. R.
service de **renseignements**
S. S. B. S.
*Arm.* sol-sol balistique stratégique
▷ Missile français lancé depuis un site souterrain.
STOL
*short taking-off and landing* (☞ adac)
S. V. P.
s'il vous plaît

T. A. B.
*Méd.* typhoïde et paratyphoïdes A et B
▷ Vaccins associés.
T. A. B. D. T.
*Méd.* typhoïde, paratyphoïdes A et B, diphtérie et tétanos
▷ Vaccins associés.
TAT
*Psychol. thematic apperception test*
▷ Test projectif consistant à présenter des images à un sujet en lui demandant de raconter une histoire à partir de ce support.
T. D.
*Enseign.* travaux dirigés
T. E. C.
*Métrol.* tonne équivalent charbon
▷ Unité de mesure thermique correspondant à l'énergie dégagée par la combustion de 1 tonne de charbon.
T. E. P.
*Métrol.* tonne équivalent pétrole
▷ Unité de mesure thermique correspondant à l'énergie dégagée par la combustion de 1 tonne de pétrole brut.
T. G. V.
*Ch. de fer.* **train** à grande vitesse
T. I. G.
**travaux** d'intérêt général
T. I. P. ou TIP
**titre** interbancaire de paiement
T. I. R.
transport international routier
T. N. T.
**trinitrotoluène**
T. O. M.
**territoire** d'outre-mer
T. P.
*Enseign.* travaux pratiques
T. S. F.
télégraphie ou téléphonie sans fil (vieilli)
▷ Radio.
T. S. V. P.
tournez s'il vous plaît
▷ Abréviation écrite au bas d'un recto pour inviter à continuer au verso.
T. T. C.
toutes **taxes** comprises
T. U.
**temps** universel
T. U. C.
travaux d'utilité collective
▷ Emplois créés en France en 1984 à l'intention des jeunes sans emploi de seize à vingt et un ans, à visée sociale et rémunérés par l'État, progressivement remplacés dès 1990 par les contrats emploi-solidarité.
T. U. P.
titre universel de paiement
▷ Imprimé signé par un débiteur pour autoriser son créancier à effectuer un prélèvement sur son compte.
T. V.
télévision
T. V. A.
**taxe** à la valeur ajoutée
T. V. H. D.
télévision à haute **définition**

UFO
*unidentified flying object* (☞ ovni)
U. F. R.
**unité** de formation et de recherche
UHF
*Phys. ultra-high frequency*
▷ Se dit d'une onde de très haute fréquence.
UHT ou U. H. T.
*ultra heat treated* ou ultrahaute température
▷ Méthode de stérilisation utilisée en partic. pour le lait.
U. L. M.
ultraléger motorisé
▷ Petit avion monoplace ou biplace.
UTM
*Cartogr. universal transverse Mercator*
▷ Système de projection dérivé de celui de Mercator, où le cylindre s'enroule suivant un méridien.
U. V.
**ultraviolet**
U. V.
*Enseign.* **unité** de valeur

V. A. R.
*Phys.* volt ampère réactif
▷ Unité de puissance électrique réactive.
V. D. Q. S.
vin délimité de qualité supérieure
V. F.
*Cin.* **version** française
VHF
*Phys. very-high frequency*
▷ Se dit d'une onde de très haute fréquence.
VHS
*Techn. video home system*
▷ Système de vidéo domestique d'origine japonaise.
V. I. H.
virus d'immunodéficience humaine
▷ Agent du **sida**.
VIP ou V. I. P.
*very important person* (« personne très importante »)
V. O.
*Cin.* **version** originale
V. P. C.
vente par correspondance
▷ Vente où le client choisit sur catalogue des articles qui lui seront ensuite envoyés.
V. R. P.
**voyageur** de commerce, représentant et placier
V. S. N.
volontaire du service national
▷ Jeune Français accomplissant son service en coopération dans un pays d'Afrique noire.
VTOL
*Aéron. vertical taking-off and landing* (☞ adav)
V. T. T.
vélo tout-terrain

W.-C.
**water-closet**

Z. A. C.
**zone** d'aménagement concerté
Z. A. D.
**zone** d'aménagement différé
Z. I.
zone industrielle
Z. I. F.
zone d'intervention foncière
▷ Zone urbaine où l'État ou les collectivités locales peuvent établir des réserves foncières.
Z. U. P.
**zone** à urbaniser en priorité

**AA** (l') ~ Fl. côtier, tributaire de la mer du Nord, qui arrose l'Artois et la Flandre (Nord) ; 80 km.

**AALBORG** ~ Voir **Ålborg**.

**AALTO** (Alvar) ~ *1898, Kuortane, Finlande - 1976, Helsinki.* Architecte et dessinateur finlandais. De renommée internationale, son œuvre privilégie la courbe, l'oblique et l'asymétrie. Son souci constant de la dimension humaine, de l'harmonie avec le site et de la spécificité de l'ouvrage en font un tenant du fonctionalisme.

**AAR** ou **AARE** (l') ~ Princ. riv. de Suisse, affl. du Rhin (r. g.), issue de l'E. des Alpes bernoises ; 295 km. Elle passe à Berne et alimente les lacs de Brienz, de Thoune et de Bienne. Son bassin, entre Alpes et Jura, correspond au Mittelland.

**AARAU** ~ Voir **Argovie**.

**AARHUS** ~ Voir **Århus**.

**AARON** ~ Personnage biblique, frère aîné de Moïse et premier grand prêtre d'Israël.

**ABADAN** ~ V. d'Iran, sur le Chatt al-Arab, grand centre pétrolier (raff.) au fond du golfe Persique ; env. 295 000 h. En sept. 1980, la guerre Iran-Iraq (bombardements irakiens) interrompit son activité.

**ABAILARD** (Pierre) ~ Voir **Abélard**.

**ABAKAN** ~ Voir **Khakassie**.

**Abbadides** (les) ~ Dynastie arabe qui régna à Séville (XIe s.) après la division du califat de Cordoue.

**ABBADO** (Claudio) ~ *1933, Milan.* Chef d'orchestre italien. Il a succédé à Karajan, en 1990, à la tête de l'Orchestre philharmonique de Berlin.

**ABBAS** (Ferhat) ~ *1899, Taher - 1985, Alger.* Homme d'État algérien. Il milita pour l'autonomie algérienne, puis, gagné à la cause de l'indépendance, rejoignit le F. L. N. (1954). Il fut président du Gouvernement provisoire de la République algérienne (1958-1961), mais il désapprouva l'évolution du régime et fut, en 1963, exclu du F. L. N.

**ABBAS HILMI**, nom de deux souverains d'Égypte. ~ **Abbas Hilmi Ier** (*1813, Djeddah - 1854, Le Caire*), petit-fils de Méhémet-Ali, vice-roi d'Égypte (1848-1854). Il soutint la Turquie durant la guerre de Crimée. ~ **Abbas Hilmi II** (*1874, Alexandrie - 1944, Genève*), khédive d'Égypte (1892-1914). Hostile à la présence britannique, il ne put empêcher l'établissement du protectorat (1914) et fut déposé.

**Abbassides** (les) ~ Dynastie de califes arabes (750-1258) fondée par Abu al-Abbas Abdallah, descendant d'Abbas, oncle de Mahomet. Ils firent de Bagdad, leur capitale, le centre intellectuel du Proche-Orient.

**ABBEVILLE** ~ V. industrielle de Picardie, sur la Somme, au N.-O. d'Amiens (Somme) ; 23 787 h. Anc. capitale du Ponthieu. Église St-Wulfran (XVe-XVIIe s.), château de Bagatelle (XVIIIe s.).

**ABBON** (saint) ~ *v. 945 - 1004, La Réole.* Théologien et abbé de Fleury (auj. Saint-Benoît-sur-Loire). Il fut l'un des promoteurs de la réforme de Cluny.

**ABBOTT** (Berenice) ~ *1898, Springfield, Ohio - 1992, Manson, Maine.* Photographe américaine. Assistante de Man Ray, elle découvrit E. Atget, en 1927, et promut son œuvre. Elle photographia l'architecture new-yorkaise (1930-1968).

**ABD AL-AZIZ IBN AL-HASAN** ~ *1878, Marrakech - 1943, Tanger.* Sultan du Maroc à partir de 1894, il ne put s'opposer à l'influence française et fut déposé en 1908 par son frère Moulay Hafiz.

**ABDALLAH** ~ *v. 545, La Mecque - v. 570, Médine.* Père de Mahomet.

**ABD AL-MU'MIN** ~ *m. en 1163 à Salé.* Premier calife almohade (1130-1163). Il vainquit les Almoravides et conquit le Maghreb et le S. de l'Espagne.

**ABD AL-RAHMAN III** ~ *889 - 961, Cordoue.* Émir puis calife omeyyade d'Espagne (912-961). Il s'affranchit de la tutelle de Bagdad et tint à Cordoue une cour fastueuse.

**ABD EL-KADER** ~ *1808, près de Mascara, auj. Mouaskar - 1883, Damas.* Émir arabe d'Algérie. Il prit la tête de la résistance contre la conquête française et se fit proclamer sultan par ses troupes (1832). Organisateur d'un État musulman, il dut, après sa défaite (1843) et celle de son allié (1844) le sultan du Maroc, se rendre aux Français (1847).

**ABD EL-KRIM** ~ *1882, Ajdir, Haut-Rif - 1963, Le Caire.* Chef nationaliste marocain. Il combattit la présence espagnole et française, fut défait à l'issue de la guerre du Rif (1921-1926), puis déporté. Il s'évada et s'établit au Caire (1947), où il reprit la lutte pour l'indépendance de l'Afrique du Nord.

**ABDUH** (Muhammad) ~ *1849, en Égypte - 1905, Alexandrie.* Théologien et réformateur égyptien. Il se consacra à une critique des interprétations passéistes du Coran et à la modernisation de l'enseignement.

**ABDÜLAZIZ** ~ *1830, Istanbul - 1876, id.* Sultan ottoman (1861-1876). Il fut confronté à l'agitation nationaliste dans la partie balkanique de l'empire. Il dut abdiquer en 1876 et fut sans doute assassiné.

**ABDÜLHAMID**, nom de deux sultans ottomans. ~ **Abdülhamid Ier** (*1725, Istanbul - 1789, id.*), sultan de 1774 à 1789. Il abandonna aux Russes les territoires du N. de la mer Noire, par le traité de Kutchuk-Kaïnardji (1774) et la convention d'Andrinople (1784). ~ **Abdülhamid II** (*1842, Istanbul - 1918, id.*), sultan de 1876 à 1909. Il tenta de compenser le recul de l'empire dans les Balkans par l'exaltation du panislamisme, et ordonna le massacre des Arméniens (1894-1896). Il fut déposé en 1909.

**ABDULLAH** ou **ABD ALLAH** ~ *1882, La Mecque - 1951, Jérusalem.* Roi d'Iraq en 1920, détrôné par son frère Faysal en 1921, il se proclama roi de Transjordanie (1926) avec l'appui des Britanniques, puis roi de Jordanie (1949-1951) après l'annexion de la Cisjordanie. Considéré comme un traître à la cause palestinienne, il fut assassiné.

**ABDÜLMECID Ier** ~ *1823, Istanbul - 1861, id.* Sultan ottoman (1839-1861). Il mena une politique de réformes et reçut l'appui de la France et de la Grande-Bretagne lors de la guerre de Crimée.

**ABDUL RAHMAN** (Tunku) ~ *1903, Alor Setar, Kedah - 1990, Kuala Lumpur.* Homme politique malais. Premier ministre de 1957 à 1970, il négocia l'indépendance de son pays et fut l'artisan de la constitution de la Malaysia (1963).

**ABÉCHÉ** ~ Voir **Ouaddaï**.

**ABE Kôbô** (Abe Kimifusa, dit) ~ *1924, Tôkyô - 1993, id.* Écrivain japonais. Son œuvre associe le modernisme occidental et les croyances traditionnelles (*la Femme des sables*, 1962).

**ABEL** ~ Personnage biblique, fils d'Adam et Ève. Il fut tué par son frère Caïn, jaloux de la faveur que Dieu lui témoignait.

**ABEL** (Niels Henrik) ~ *1802, île de Finnøy, Norvège - 1829, Arendal.* Mathématicien norvégien. Il établit les bases de la théorie des intégrales elliptiques (en même temps que C. Jacobi) et du calcul infinitésimal (en même temps qu'A. Cauchy et C. Gauss) et démontra l'impossibilité de résoudre par radicaux les équations algébriques du 5e degré.

**ABÉLARD** ou **ABAILARD** (Pierre) ~ *1079, Le Pallet, près de Nantes - 1142, près de Chalon-sur-Saône.* Philosophe et théologien scolastique français. Ses amours avec Héloïse lui valurent d'être émasculé sur ordre du chanoine Fulbert. Il prit une part active à la querelle des universaux. Sa philosophie, fondée sur l'analyse du langage, refuse tout réalisme.

**ABELL** (Kjeld) ~ *1901, Ribe, Danemark - 1961, Copenhague.* Écrivain danois. Antifasciste, novateur, il s'éleva contre le conformisme bourgeois (*La mélodie qui disparut*, 1934 ; *Anna Sophie Hedvig*, 1939 ; *le Cri*, 1961).

**ABERDEEN** ~ 3e v. d'Écosse (N.-E.), 1er port pétr. du Royaume-Uni, à proximité des gisements offshore de la mer du Nord ; 205 000 h. Univ. fondée en 1494. Cathédrale commencée au XIIIe s. Pêche, agroalim., chim., constr. mécan., export. de granit.

**ABERDEEN** (George **Gordon**, comte D') ~ *1784, Édimbourg - 1860, Londres.* Homme politique britannique. Premier ministre en 1852, il fut rendu responsable, malgré son opposition, du début de la guerre de Crimée et dut se retirer (1855).

**ABETZ** (Otto) ~ *1903, Schwetzingen - 1958, Langenfeld.* Homme politique allemand. Ambassadeur à Paris en 1940, il mena dans les milieux intellectuels et artistiques une propagande active en faveur de la collaboration. Jugé et condamné en 1949, il fut libéré en 1954.

**ABHINAVAGUPTA** ~ *fin Xe - XIe s.* Poète indien du Cachemire (*Bharatiya*, traité de dramaturgie).

**ABIDJAN** ~ V. et port princ. de Côte d'Ivoire (cap. du pays jusqu'en 1983), l'un des princ. foyers écon. d'Afrique de l'Ouest, sur le golfe de Guinée ; 2 500 000 h. Croissance urbaine rapide, not. due à l'exode rural et à l'afflux d'immigrants depuis les pays voisins. Export. de produits tropicaux et de minerais. Raffinerie de pétrole, métallurgie.

**ABITIBI** (l') ~ Région minière et touristique (parc naturel) de l'O. du Québec, dans le bassin du **lac Abitibi** (932 km$^2$) et de la **rivière Abitibi** (550 km), tributaire de la baie James.

**ABKHAZIE** (l') ~ République autonome de Géorgie, baignée par la mer Noire, au S. du Grand Caucase ; 8 600 km$^2$, 537 000 h., cap. Soukhoumi. Riche région agricole (thé, agrumes, vigne). Tourisme balnéaire. En 1992, un conflit armé entre la nouvelle Géorgie indépendante et la minorité autochtone des **Abkhazes** (18 % de la popul.) s'est soldé par la proclamation d'une république indépendante d'Abkhazie, non reconnue par l'O. N. U.

**ABNER** ~ *XIe s. av. J.-C.* Général hébreu. Il servit sous Saül puis sous David. Sa rivalité avec Joab, neveu de David, conduisit à son assassinat.

**Abodrites** (les) ~ Voir **Obodrites**.

**ABOMEY** ~ V. du S. du Bénin ; 54 000 h. Anc. capitale d'un royaume fondé au XVIIe s. Vestiges de palais royaux, transformés en musée.

**ABONDANCE** ~ Localité du Chablais (Haute-Savoie) ; 1 251 h. Elle a donné son nom à une race bovine. Fromage (vacherin). Sports d'hiver.

**ABOUKIR** ~ Localité de Basse-Égypte. Victoire de l'amiral britannique Nelson sur la flotte française (1er août 1798) ; victoire de Bonaparte sur les Turcs (25 juill. 1799).

**ABOUT** (Edmond) ~ *1828, Dieuze, Moselle - 1885, Paris.* Écrivain français. Journaliste, romancier et dramaturge, il afficha des opinions anticléricales (*le Roi des montagnes*, 1857 ; *l'Homme à l'oreille cassée*, 1862). Acad.

**ABRAHAM (plaines d')** ~ Plateau proche de Québec. Victoire du général britannique Wolfe sur les Français, commandés par Montcalm (13 sept. 1759).

**ABRAHAM** ~ Patriarche biblique. Chef d'un clan araméen de la région d'Our, il émigra en Palestine. Il est l'ancêtre mythique des peuples juif et arabe par ses fils Isaac et Ismaël. Il est aussi un personnage majeur de la religion chrétienne.

**ABRAHAM** (Karl) ~ *1877, Brême - 1925, Berlin.* Psychiatre allemand. Disciple de S. Freud, il se spécialisa dans l'étude des conflits aux stades prégénitaux de la libido.

**ABRAHAMS** (Peter) ~ *1919, Vrededorp, près de Johannesburg.* Romancier sud-africain d'expression anglaise. Exilé pour échapper à l'apartheid, il a rendu compte du conflit douloureux opposant Noirs et Blancs (*Rouge est le sang des Noirs*, 1946 ; *Cette île entre autres*, 1966).

**ABRAMOVITZ** (Sholem Yankev) ~ Voir **Mendele Moïkher Sforim**.

**ABRUZZES** (les) ~ Massif calcaire de l'Apennin central (2 914 m au Gran Sasso), en Italie, entre la vallée du Tibre et l'Adriatique. La région administrative est peu peuplée, hormis la frange côtière (v. de Pescara, Chieti) ; 10 794 km$^2$, 1 256 000 h., cap. L'Aquila. Parc national.

**ABSALON** ~ *x*e *s. av. J.-C.* Personnage biblique. Prince hébreu, fils de David. Révolté contre son père, il fut arrêté dans sa fuite par sa chevelure, restée accrochée à un arbre, et fut tué par Joab, son cousin.

**ABSIL** (Jean) ~ *1893, Péruwelz, Hainaut - 1974, Uccle, Brabant.* Compositeur belge. Auteur lyrique et symphonique (*la Mort de Tintagiles*, 1931).

**Abstraction-Création** ~ Groupe d'artistes fondé à Paris en 1931 par Georges Vantongerloo et Auguste Herbin, auquel participèrent des constructivistes, et qui édita une revue jusqu'en 1936.

**ABU AL-ABBAS ABDALLAH**, dit **al-Saffah**, « le Sanguinaire » ~ *m. en 754.* Premier calife abbasside. Il commandita le massacre des Omeyyades (750).

**ABU BAKR** ~ *v. 573, La Mecque - 634, Médine.* Beau-père de Mahomet, premier calife musulman (632-634).

**ABU DHABI** ~ Le 1er des Émirats arabes unis par sa superf. (73 548 km²), sa popul. (670 000 h., dont 263 000 à **Abu Dhabi**, cap. fédérale) et ses richesses pétrolières. Agric. dans les oasis.

**ABU HANIFA** ~ *v. 696, Kufa - v. 767, Bagdad.* Théologien musulman. Il fonda le hanafisme, une école juridique sunnite.

**ABUJA** ~ Cap. fédérale du Nigeria depuis 1992, au centre du pays (plateau de Jos) ; 306 000 h.

**ABU NUWAS** ~ *v. 760, Ahvaz - v. 814, Bagdad.* L'un des plus grands poètes arabes. Il célébra avec réalisme les plaisirs et le vin.

**Abu Simbel** ~ Site archéol. de Haute-Égypte. Les deux temples consacrés à Amon-Râ et à Hathor, dotés en façade de statues colossales (XIIIe s. av. J.-C.), furent démontés et rebâtis en hauteur (1963-1968) de manière à ce qu'ils ne pâtissent pas de la montée du Nil provoquée par le haut barrage d'Assouan.

**Abwehr** (l'), en fr. « défense » ~ Nom des services de renseignements allemands de 1925 à 1944.

**Abydos** ~ Site archéol. de Haute-Égypte. Nécropole des premières dynasties vouée au culte d'Osiris, Abydos se couvrit d'édifices cultuels dont ne subsistent, tel le cénotaphe de Seti Ier, que ceux édifiés au Nouvel Empire (1580-1085 av. J.-C.).

**Abyla** ~ Nom donné par les Anciens à la Colonne d'Hercule de la côte africaine.

**ABYMES (Les)** ~ V. de la banlieue de Pointe-à-Pitre, la plus peuplée de la Guadeloupe ; 62 809 h.

**ABYSSINIE** (l') ~ Nom de l'Éthiopie avant 1941, encore donné aux hautes terres centrales.

**Académie** ~ Institution savante fondée par Platon, en 387 av. J.-C., dans les jardins d'Akadêmos, faubourg d'Athènes. Elle réunit, sur près de trois siècles, les grands noms de la philosophie grecque. Par Académie ancienne, moyenne et moderne, on distingue trois grands moments de l'Académie : la poursuite et l'achèvement du platonisme ; la mise en doute radicale de la raison ; l'avènement d'une conception probabiliste de la connaissance.

**Académie**, société savante qui regroupe les cinq subdivisions dont se compose l'Institut de France. ~ L'**Académie française** (40 membres), la plus ancienne et la plus célèbre, créée par Richelieu en 1634, a pour programme l'établissement du lexique de la langue française et la rédaction d'un *Dictionnaire de la langue française* (8 éditions de 1694 à 1932). ~ L'**Académie des inscriptions et belles-lettres**, fondée en 1663 par Colbert, réunit 45 membres autour de travaux historiques, archéologiques et philologiques. ~ L'**Académie des sciences**, fondée en 1666 par Colbert sous le nom d'Académie royale des sciences, rassemble 11 disciplines (sciences mathématiques, physiques, chimiques, naturelles, biologiques, médicales, et leurs applications). Le nombre de ses membres n'est pas fixe. ~ L'**Académie des beaux-arts**, créée en 1816 par le regroupement de l'Académie royale de peinture et de sculpture avec l'Académie royale d'architecture, est composée de 50 membres répartis en 7 sections. ~ L'**Académie des sciences morales et politiques** (40 membres), créée en 1795 par la Convention nationale, se consacre à des questions de philosophie, de sociologie, d'économie politique, de droit, d'histoire et de géographie.

**académie Goncourt** ~ Voir Goncourt.

**ACADIE** (l') ~ Anc. colonie française d'Amérique du Nord, au S.-E. de l'estuaire du Saint-Laurent. Cédée à l'Angleterre par le traité d'Utrecht (1713), elle forme, depuis le XXe s., les provinces canadiennes de la Nouvelle-Écosse et du Nouveau-Brunswick (env. 350 000 Acadiens francophones).

**ACAPULCO** ~ Port du Mexique, station balnéaire de renommée mondiale, sur la côte Pacifique, au S.-O. de Mexico ; 593 000 h.

**ACCIAIUOLI** ~ Famille florentine qui fonda une puissante compagnie marchande (1282) et qui fit fortune dans l'acier et le commerce des armes.

**ACCRA** ~ Cap. du Ghana et port sur le golfe de Guinée ; 949 000 h. (agglom. 1 696 000 h.). Université. Cacao. Raff. de pétrole.

**ACHAB** ~ Roi d'Israël de 874 à 853 av. J.-C., selon la Bible. Son idolâtrie l'opposa au prophète Élie.

**ACHAÏE** (l') ~ Région de la Grèce antique, au N. du Péloponnèse. Ses douze cités formèrent au Ve s. av. J.-C. la Ligue achéenne. Soumise par les Romains au IIe s. av. J.-C., la province d'Achaïe comprenait l'ensemble du Péloponnèse ; au XIIIe s., la principauté franque d'Achaïe (ou de Morée) fut créée après la 4e croisade par Guillaume Ier de Champagne.

**Achantis** ou **Ashantis** (les) ~ Peuple du groupe linguistique akan, qui constitua, aux XVIIIe et XIXe s., un puissant royaume au centre du Ghana (alors Côte-de-l'Or), dont la capitale était Koumassi, et qui s'opposa à l'expansion coloniale anglaise.

**ACHARD** (Marcel) ~ *1899, Sainte-Foy-lès-Lyon - 1974, Paris.* Dramaturge français. Son théâtre mêle poésie du quotidien et comique boulevardier (*Jean de la Lune*, 1929 ; *Patate*, 1957). Acad.

**ACHAZ** ~ *VIIIe s. av. J.-C.* Roi de Juda. Lors du siège de Jérusalem par les forces d'Israël et d'Aram, il reçut l'aide de Téglath-Phalasar III, roi d'Assyrie, dont il devint le vassal.

**ACHEBE** (Chinua) ~ *1930, Ogidi, près d'Onitsha.* Écrivain nigérian d'expression anglaise. Ses romans décrivent la décomposition des valeurs africaines au contact de l'Europe et critiquent la société postcoloniale (*Le monde s'effondre*, 1958).

**achéenne (Ligue)** ~ Alliance des douze cités d'Achaïe constituée au Ve s. av. J.-C. Au IIIe s. av. J.-C., elle s'étendit à tout le Péloponnèse et s'allia à la Ligue étolienne contre l'expansion de la Macédoine. Après un renversement d'alliance, elle soumit Sparte (188 av. J.-C.), avant d'être vaincue par les Romains en 146 av. J.-C.

**Achéens** (les) ~ Peuple appartenant à la famille linguistique indo-européenne, installé dans la péninsule hellénique au début du IIe mill. av. J.-C. Après avoir supplanté les Ioniens et les Pélasges, ils étendirent, à partir de l'Argolide, leur domination sur l'ensemble du bassin oriental de la Méditerranée. Leur civilisation, dite mycénienne, connut son apogée aux XIVe et XIIIe s. av. J.-C. Le nom d'Achéens est donné par Homère à tous les Grecs engagés dans la guerre de Troie.

**Achéménides** (les) ~ Dynastie qui régna sur l'Empire perse du VIe au IVe s. av. J.-C. et qui étendit sa domination sur l'Asie occidentale, l'Égypte, l'Asie Mineure et une partie de la Grèce. Son expansionnisme dans le monde hellénique provoqua les guerres médiques (Ve s. av. J.-C.). Le dernier de ses représentants, Darius III Codoman, fut vaincu par Alexandre le Grand (331 av. J.-C.).

**ACHÈRES** ~ V. des Yvelines, entre la Seine et la forêt de Saint-Germain-en-Laye ; 15 039 h. Gare de triage. Station d'épuration des eaux.

**ACHÉRON** (l') ~ Dans la mythologie grecque, fleuve des Enfers, dont il forme la limite.

**ACHESON** (Dean Gooderham) ~ *1893, Middletown, Connecticut - 1971, Sandy Spring, Maryland.* Homme politique américain. Démocrate, secrétaire d'État aux Affaires étrangères (1949-1953) de H. S. Truman, il fut l'artisan de la politique de *containment*, visant à combattre l'expansion du communisme.

**ACHILLE** ~ Héros de l'*Iliade*. Fils de Pélée et de Thétis. Sa mère, le tenant par le talon, le trempa dans le Styx pour le rendre invulnérable. Guerrier valeureux pendant la guerre de Troie, il tua Hector, meurtrier de Patrocle, mais périt d'une flèche qui l'atteignit au talon.

**ACHKHABAD** ou **ACHGABAT** ~ Cap. et princ. v. du Turkménistan, centre cult., au cœur d'une oasis près de la frontière iranienne ; 411 000 h. Université. Industries text., alim., mécanique.

**Acier (pacte d')** ~ Traité conclu entre l'Allemagne et l'Italie (22 mai 1939), qui s'engagèrent mutuellement à une assistance militaire et industrielle.

**ACIS** ~ Personnage de la mythologie grecque. Berger sicilien aimé de Galatée et rival du cyclope Polyphème.

**AÇOKA** ~ Voir **Ashoka**.

**ACONCAGUA** (l') ~ Point culminant des Andes et de l'Amérique (6 959 m), en Argentine, au N.-E. de Santiago du Chili.

**AÇORES** (les) ~ Archipel volcanique et montagneux (2 350 m) de l'Atlantique (partie émergée de la dorsale médio-atlantique), région autonome du Portugal, à 1 200 km de Lisbonne, au climat humide et doux ; 2 247 km², 242 000 h., cap. Ponta Delgada (21 000 h.). Élev. (viande), vigne, tabac. Découvert et colonisé au XVe s., l'archipel constitua une importante escale sur la route des Amériques. L'**anticyclone des Açores**, qui se forme dans la région de l'archipel, affecte l'Europe occidentale.

**ACQUAVIVA** (Claudio) ~ *1542, Atri - 1615, Rome.* Religieux italien. Général des Jésuites, il promulgua la *Ratio studiorum*, code d'enseignement en vigueur dans les collèges de l'ordre.

**ACRE** ou **AKKO** ~ Port d'Israël, au N. de la baie de Haïfa, en Galilée ; env. 37 000 h. Industries (text., métall., chim.). Fortifications arabes. Prise par les croisés en 1104, elle reçut le nom de Saint-Jean-d'Acre et devint en 1191 la capitale du royaume latin de Jérusalem. Reprise par les musulmans en 1291, elle fit partie de l'Empire ottoman (1517-1918) et fut assiégée par Bonaparte en 1799.

**ACRE** ~ État amazonien du Brésil (acquis en 1903), frontalier de la Bolivie et du Pérou ; 153 698 km², 417 000 h., cap. Rio Branco (197 000 h.). Caoutchouc, noix du Brésil. Région pionnière et forestière (grandes fermes d'élevage, bois), traversée par la Transamazonienne.

**Acropole** ~ Forteresse érigée sur une hauteur dominant Athènes qui rassemblait des palais et des temples surtout consacrés à Athéna. Au Ve s. av. J.-C. y furent édifiés le Parthénon, les Propylées et l'Érechthéion.

*L'Acropole d'Athènes.*

**Acte additionnel aux constitutions de l'Empire** ~ Constitution promulguée par Napoléon Ier le 22 avril 1815 et abrogée le 8 juillet 1815. D'inspiration libérale, elle fut en partie rédigée par B. Constant.

**ACTÉON** ~ Personnage mythologique. Chasseur changé en cerf par Artémis, qu'il avait surprise au bain, il fut dévoré par ses propres chiens.

**Acte unique européen** ~ Traité signé en 1985 par les pays membres de la C. E. E., prévoyant l'achèvement du marché unique pour le 1er janv. 1993.

**Action française** (l') ~ Quotidien français (1908-1944), organe du mouvement nationaliste, contre-révolutionnaire et antiparlementaire du même nom, animé par Ch. Maurras et L. Daudet.

**ACTIUM** ~ Promontoire dominant le golfe d'Arta (Grèce). Victoire décisive d'Octave sur Antoine et Cléopâtre, le 2 septembre 31 av. J.-C.

**AÇVIN** ~ Voir **Ashvin**.

**ADALBÉRON** ~ *v. 920, Basse-Lorraine - 989, Reims.* Archevêque de Reims. Il sacra roi Hugues Capet (987).

**ADAM** ~ Nom du premier homme, selon la Bible. Avec sa femme, Ève, il fut chassé du Paradis terrestre par Dieu, son créateur, pour avoir mangé la pomme, fruit de la connaissance du bien et du mal. Ce « péché originel » pèsera sur toute l'humanité.

**ADAM**, famille de sculpteurs lorrains. ~ **Lambert Sigisbert** (*1700, Nancy - 1759, Paris*), influencé par l'art baroque romain, laissa des sculptures monumentales animées d'un mouvement élégant (*Triomphe de Neptune et Amphitrite*, 1740) qui n'exclut pas le réalisme (*la Marne* ; *la Seine*). ~ **Nicolas Sébastien** (*1705, Nancy - 1778, Paris*) travailla avec son frère Lambert. Représentant du style rocaille français (hôtel Soubise à Paris, tombeau de la reine Catherine Opalinska à Nancy).

**ADAM** (Adolphe) ~ *1803, Paris - 1856, id.* Compositeur français, auteur de ballets (*Giselle*, 1841) et de nombreux opéras-comiques.

**ADAM** (Robert) ~ *1728, Kirkcaldy, Écosse - 1792, Londres.* Architecte, décorateur et archéologue britannique. Il élabora avec ses frères John, James et William l'**Adam's style**, élégant, raffiné, à l'origine d'un néoclassicisme pompéien.

**ADAM DE LA HALLE** ou **ADAM LE BOSSU** ~ *v. 1240, Arras - v. 1285, Naples.* Trouvère français. Influencé par l'école de Notre-Dame, il étendit la polyphonie au domaine profane (rondeaux) et enrichit le théâtre musical (*le Jeu de Robin et Marion*).

**ADAMAOUA** (l') ~ Hautes terres du N. du Cameroun (1 000-2 500 m), château d'eau régional (sources de la Bénoué, du Logone).

**ADAMI** (Valerio) ~ *1935, Bologne.* Peintre italien. Influencé par le pop art, il a peint par aplats de couleurs pures détourées de noir, introduisant parfois des messages dans ses toiles (*Portrait d'Isaac Babel*, 1972).

**ADAMOV** (Arthur) ~ *1908, Kislovodsk - 1970, Paris.* Auteur dramatique français d'orig. russo-arménienne. Influencé par le surréalisme, le marxisme et B. Brecht, il décrivit la condition absurde de l'homme du XX$^e$ s. (*le Professeur Taranne*, 1953 ; *le Ping-Pong*, 1955 ; *Off Limits*, 1969).

**ADAMS**, famille américaine dont sont issus plusieurs hommes d'État. ~ **John** (*1735, Quincy, Massachusetts - 1826, id.*) fut l'un des rédacteurs de la Déclaration d'indépendance américaine. Partisan des thèses fédéralistes, il succéda à G. Washington comme président des États-Unis (1797-1801). Son fils aîné, ~ **John Quincy** (*1767, Quincy - 1848, Washington*), fut le 6$^e$ président des États-Unis (1825-1829).

**ADAMS** (Ansel) ~ *1902, San Francisco - 1984, Monterey, Californie.* Photographe américain. Fondateur, avec E. Weston, du groupe f. 64 (1932), il est connu pour ses grands paysages de l'Ouest américain.

**ADAMS** (John Couch) ~ *1819, Laneast, Cornouailles - 1892, Cambridge.* Astronome britannique. Ses calculs lui permirent de déterminer, en même temps que Le Verrier, l'existence de Neptune.

**ADANA** ~ V. et centre admin. du S. de la Turquie (Cilicie) ; 1 430 000 h. Industr. (alim., coton).

**ADDA** (l') ~ Affl. du Pô (r. g.), en Lombardie (Italie), issu des Alpes rhétiques, qui alimente le lac de Côme ; 313 km. Sa haute vallée est appelée Valteline.

**ADDIS-ABEBA** ou **ADDIS-ABABA** ~ Cap. de l'Éthiopie, à 2 500 m d'alt. ; 1 700 000 h. Industries text., alim. (dont café). Université. Siège de l'O. U. A. Fondée par Ménélik II (1889), elle est reliée à Djibouti par voie ferrée depuis 1917.

**ADDISON** (Joseph) ~ *1672, Milston, Wiltshire - 1719, Londres.* Écrivain et journaliste anglais. Il publia en 1711 avec R. Steele le *Spectator*, quotidien à succès, qui fut imité dans l'Europe entière. Il fut membre du Parlement (1708) et secrétaire d'État (1717).

**ADÉLAÏDE** ~ Cap. et port de l'Australie-Méridionale, sur l'océan Indien, à l'O. de Melbourne ; agglom. 1 071 000 h. Université. Raff. de pétrole, industries textile, alim., métallurgique.

**ADÉLAÏDE** ou **ALIX DE SAVOIE** ~ *m. v. 1154 à Montmartre.* Reine de France, épouse de Louis VI, elle fonda l'abbaye de Montmartre.

**ADÈLE** ou **ALIX DE CHAMPAGNE** ~ *m. en 1206 à Paris.* Reine de France, 3$^e$ épouse de Louis VII, mère de Philippe Auguste.

**ADÉLIE (terre)** ~ Secteur français de l'Antarctique (350 000 km$^2$, de la côte au pôle S.), partie des T. A. A. F. Base scientifique Dumont-d'Urville.

**ADEN** ~ Port princ. du Yémen, au débouché de la mer Rouge, tradit. port d'escale et d'entrepôt sur le **golfe d'Aden**, partie de l'océan Indien séparant la Somalie du Yémen ; 365 000 h. Raff. de pétrole. Possession anglaise en 1839, Aden intégra la fédération de l'Arabie du Sud en 1963 et fut la capitale du Yémen du Sud (1968-1990).

**ADENAUER** (Konrad) ~ *1876, Cologne - 1967, Rhöndorf, Rhénanie-du-Nord-Westphalie.* Avocat, maire démocrate-chrétien de Cologne, il fut emprisonné sous le régime nazi (1934-1945). Cofondateur et président de la C. D. U., il fut chancelier de la R. F. A. entre 1949 et 1963 et mit en œuvre avec le général de Gaulle la politique de rapprochement entre la France et l'Allemagne.

**ADENET** ou **ADAM**, dit **le Roi** ~ *v. 1240 - v. 1305.* Trouvère originaire du Brabant. En remaniant des poèmes existants, il fit évoluer le genre épique vers la courtoisie romanesque (adaptation en vers de *Berthe au grand pied* ; *Cléomadès*).

**ADER** (Clément) ~ *1841, Muret - 1925, Toulouse.* Pionnier français de l'aviation. Ingénieur, il conçut un appareil propulsé par un moteur à vapeur, l'*Éole*, qui effectua, le 9 oct. 1890, le premier vol d'un engin plus lourd que l'air. Il forgea le mot « avion ».

**ADHERBAL** ~ *118 - 112 av. J.-C.* Roi de Numidie, vaincu et tué à Cirta par son cousin Jugurtha.

**ADIGE** (l') ~ 2$^e$ fl. d'Italie (410 m), issu des Alpes rhétiques, il draine le Trentin et entre dans la plaine du Pô à Vérone avant de rejoindre l'Adriatique.

**ADIRONDACK (monts)** ~ Massif cristallin (1 629 m au mont Marcy) du N.-E. des États-Unis, entre l'Hudson et le lac Ontario. Forêts. Tourisme.

**ADJARIE** (l') ~ République autonome du S.-O. de la Géorgie, baignée par la mer Noire, au N. de la Turquie ; 3 000 km$^2$, 382 000 h. (dont env. 26 % d'**Adjars**, Géorgiens islamisés par les Turcs au XVII$^e$ s.), cap. Batoumi.

**ADJMAN** ~ Voir **Émirats arabes unis.**

**ADLER** (Alfred) ~ *1870, Vienne - 1937, Aberdeen.* Psychologue autrichien. Collaborateur de S. Freud, il s'en éloigna pour fonder sa théorie du « sentiment d'insécurité et d'infériorité » comme fondement dynamique des névroses.

**ADLER** (Victor) ~ *1852, Prague - 1918, Vienne.* Homme politique autrichien. Leader du Parti social-démocrate (S. P. D.), il participa à la fondation de la II$^e$ Internationale.

**ADOLPHE DE NASSAU** ~ *v. 1255 - 1298.* Empereur germanique (1292-1298). Élu pour contrecarrer les ambitions des Habsbourg, il fut vaincu et tué par Albert I$^{er}$ de Habsbourg, qui lui succéda.

**ADOLPHE-FRÉDÉRIC** ~ *1710, Gottorp - 1771, Stockholm.* Roi de Suède (1751-1771). Son règne fut dominé par la rivalité opposant les « Bonnets », favorables à la Russie et à l'Angleterre, et les « Chapeaux », partisans de la France.

**ADONAÏ** ~ L'un des noms de Dieu dans la Bible hébraïque.

**ADONIS** ~ Dieu grec de la Végétation, d'origine phénicienne, célèbre pour sa beauté, aimé d'Aphrodite.

**ADOR** (Gustave) ~ *1845, Genève - 1928, Cologny, près de Genève.* Homme d'État suisse. Il fut président de la Confédération helvétique en 1919.

**ADORNO** (Theodor Wiesengrund) ~ *1903, Francfort-sur-le-Main - 1969, Viège, Suisse.* Philosophe et musicologue allemand. Membre de l'école de Francfort, il en développa la « théorie critique » en philosophie (*Dialectique des Lumières*, 1947), en sociologie (*la Personnalité autoritaire*, 1950), en musicologie (*Philosophie de la nouvelle musique*, 1949) et en esthétique (*Théorie esthétique*, 1970).

*La base Dumont-d'Urville en terre* ***Adélie.***

**ADOUA** ~ Localité d'Éthiopie ; 16 000 h. Le 1$^{er}$ mars 1896, l'armée du négus Ménélik II y écrasa les troupes italiennes d'Oreste Baratieri.

**ADOUR** (l') ~ Fl. du S.-O. aquitain (Béarn, Pays basque), issu des Pyrénées centrales, tribut. de l'Atlantique, qui arrose Tarbes et Bayonne ; 335 km. Son bassin s'étend entre la forêt landaise et les Pyrénées (affl. : gaves de Pau, d'Oloron, Nive).

**ADRETS** (François **de Beaumont**, baron DES) ~ *1513, La Frette, Dauphiné - 1587, id.* Homme de guerre français. À la tête des huguenots du Dauphiné, il se signala par sa cruauté pendant les guerres de Religion, puis se rallia au catholicisme.

**ADRIAN** (sir Edgar Douglas) ~ *1889, Londres - 1977, Cambridge.* Médecin britannique. Il travailla sur le fonctionnement et la physiologie du système nerveux. Prix Nobel de physiol. ou méd. 1932.

**ADRIATIQUE (mer)** ~ Dépendance de la Méditerranée (accès par le canal d'Otrante), entre l'Italie et le N.-O. des Balkans, au littoral frangé par l'archipel dalmate ; 131 000 km$^2$.

**ADRIEN**, nom de six papes. ~ **Adrien I$^{er}$**, pape de 772 à 795, fut l'allié de Charlemagne. ~ **Adrien II**, pape de 867 à 872, approuva la liturgie slavonne de Cyrille et de Méthode. ~ **Adrien IV** (Nicolas **Breakspear** ; *1100, Langley, Hertfordshire - 1159, Anagni*), pape de 1154 à 1159, sacra empereur Frédéric Barberousse (1155). ~ **Adrien VI** (Adriaan **Floriszoon** ; *1459, Utrecht - 1523, Rome*), pape de 1522 à 1523, échoua à enrayer les progrès de la Réforme et à réorganiser la curie.

**ADULA** (l') ~ Massif des Alpes suisses (Tessin, Grisons), culminant à 3 400 m, d'où est issu l'une des branches mères du Rhin (glaciers).

**ADY** (Endre) ~ *1877, Érmindszent - 1919, Budapest.* Poète hongrois. Il renouvela l'écriture poétique dans des vers lyriques, politiques et religieux (*Sang et Or*, 1907 ; *À la tête des morts*, 1918).

**ADYGUÉIE** (l') ~ République de la fédération de Russie, au N.-O. du Caucase, territoire officiel des **Adyguéens**, ou Tcherkesses occidentaux (22 % de la popul.) ; 7 600 km$^2$, 449 000 h., cap. Maïkop (149 000 h.).

**A.-E. F.** ~ Voir **Afrique-Équatoriale française.**

**ÆGATES (îles)** ~ Voir **Égates.**

**AEPINUS** (Franz Ulrich **Hoch**, dit) ~ *1724, Rostock - 1802, Dorpat.* Physicien et médecin allemand. Il aurait été le premier à avoir eu l'idée du condensateur électrique.

**AERTSEN** (Pieter) ~ *v. 1508, Amsterdam - 1575, id.* Peintre néerlandais, auteur d'œuvres religieuses et de scènes populaires d'un réalisme franc (*la Cuisinière* ; *Étal de boucher*).

**AETIUS** ~ *Durostorum, Mésie - m. en 454.* Général romain. Il fut l'un des derniers soutiens de l'empire romain d'Occident et triompha des Huns aux champs Catalauniques, grâce à ses auxiliaires germains, not. wisigoths. L'empereur Valentinien III, jaloux de sa gloire, le fit assassiner.

**Afars** ou **Danakils** (les) ~ Peuples d'éleveurs nomades de la région de Djibouti et du N.-E. de l'Éthiopie.

**AFARS ET DES ISSAS (Territoire français des)** ~ Voir **Djibouti.**

**AFGHANISTAN (État islamique d')** ~ Pays d'Asie centrale. ***Cap.*** Kaboul. ***Superf.*** 652 090 km$^2$. ***Popul.*** 16 560 000 h., dont Pachtouns (50 %), Tadjiks (20 %), Ouzbeks (10 %), Hazaras (10 %). ***Langues princ.*** Pachto, dari. ***Monn.*** Afghani. ***Relief.*** Montagneux (Hindou Kouch, Pamir), hautes plaines à la périphérie (Sistan au S.). ***Climat.*** Continental (aridité marquée). ***Écon.*** Essentiellement agricole (céréales, élev. ovin), désorganisée par la guerre civile. ***V. princ.*** Kaboul, Kandahar, Hérat, Mazar-e-Charif. **HIST.** – L'Afghanistan, intégré à l'Empire achéménide (VI$^e$ s. av. J.-C.), fut conquis par Alexandre le Grand (IV$^e$ s. av. J.-C.), puis partagé entre les Perses et les Huns hephtalites. L'islam y fut introduit par les Arabes (VII$^e$ s.), auxquels succédèrent les Turcs (dynastie ghaznavide), qui unifièrent le pays sous leur autorité (X$^e$-XIII$^e$ s.). Victime des invasions mongoles (Gengis Khan en 1220, Tamerlan en 1383), il passa sous la domination des Timurides (XIVe s.), partagé entre la dynastie de Baber établie à l'E., les Perses safavides à l'O., les Ouzbeks au N. Le pays ne fut véritablement unifié qu'à partir du XIXe s., avec Dost Muhammad, puis Abd al-Rahman Khan, malgré les tentatives des Britanniques qui, au terme des guerres anglo-afghanes, parvinrent à établir un semi-protectorat, mais durent reconnaître l'indépendance du pays en 1919. Les monarques qui se succédèrent (Aman Allah Khan, Nader Chah, Zaher Chah) préservèrent l'indépendance du pays mais ne purent imposer sa modernisation. La proclamation de la république par le prince Daoud (1973) fut suivie d'un coup d'État communiste (1978). Les luttes entre factions et le déclenchement de la guérilla islamiste déclenchèrent l'intervention des Soviétiques (1979), qui occupèrent le pays jusqu'en 1989. Depuis la chute du gouvernement communiste (1992), le pays est le théâtre d'affrontements entre groupes aux alliances fluctuantes qui s'opposent pour le contrôle du pays (prise de Kaboul par les *talibans*, « étudiants soldats » intégristes entraînés au Pakistan, en sept. 1996).

**African National Congress** (**A. N. C.**), en fr. « Congrès national africain » ~ Organisation politique sud-africaine créée en 1912. Après la Seconde Guerre mondiale, l'A. N. C. prit la tête de l'opposition à la politique d'apartheid menée par le Parti national unifié au pouvoir. Converti à la lutte armée sous l'impulsion de son leader, N. Mandela, il fut interdit à partir de 1960. Légalisé en 1990, il entama des négociations avec le pouvoir en vue de l'établissement d'une Constitution reconnaissant le fait multiracial, et remporta l'élection présidentielle de 1994.

**Afrikakorps** (l') ~ Troupes allemandes placées sous le commandement du maréchal Rommel et envoyées à partir de 1941 en Afrique du Nord pour soutenir les Italiens contre les Anglais. Battues à la bataille d'El-Alamein, elles capitulèrent en 1943.

**AFRIQUE** (l') ~ Continent baigné par les océans Indien et Atlantique, qui s'étend de part et d'autre de l'équateur, séparé de l'Europe par la Méditerranée au N., de la péninsule Arabique par la mer Rouge à l'E., communiquant avec l'Asie (Proche-Orient) par l'isthme de Suez et incluant, au S.-E., la grande île de Madagascar. ***Superf.*** Env. 30 300 000 km$^2$. ***Popul.*** Env. 677 000 000 d'h. ***Relief.*** La massivité en est le trait caractéristique, les plaines littorales et le plateau continental sont étroits. Des plateaux tabulaires dominent (alt. moyenne élevée : 750 m), plus bas au N. (Sahara, Afrique de l'Ouest) qu'au S. (Afrique australe), fréquemment relevés en bourrelets retombant à la périphérie par des escarpements. Le soubassement correspond à un socle précambrien rigide, tantôt altéré en glacis d'érosion bordant des reliefs résiduels, tantôt enfoui sous une épaisse et ancienne couverture sédimentaire (cuvettes intérieures). Les accidents majeurs résultent des grandes fractures du socle (les systèmes plissés de l'Atlas, au N.-O., et du Drakensberg, au S., en constituent les exceptions les plus notables) : Ruwenzori, volcans du Kilimandjaro, du mont Kenya, des Virunga, massif éthiopien (vaste épanchement volcanique), excédant tous 4 500 m, le long de la Rift Valley, jalonnée par quelques-uns des grands lacs d'Afrique de l'Est (Tanganyika, Malawi...) ; Tibesti, mont Cameroun, îles du golfe de Guinée à l'O. ***Climat et végétation.*** La latitude est le principal facteur des variations climatiques sur le continent. Au climat équatorial, chaud et humide toute l'année, correspond la forêt dense toujours verte (bassin du Zaïre). Au N. et au S. de cette zone, saisons sèche (hiver, repos des cult.) et humide (été) alternent, la durée de la saison sèche augmentant avec la latitude ; le type de végétation correspondant est la savane, arborée, herbeuse ou épineuse selon la longueur de l'été. Dans l'hémisphère Nord, on distingue une zone soudanienne, où les précipitations (plus de 600 mm/an) permettent l'agriculture pluviale, et une zone sahélienne, frange subdésertique où les cultures deviennent aléatoires. La zone désertique (Sahara, Kalahari) est particulièrement étendue. Le Maghreb et la région du Cap (Afrique du Sud) ont un climat méditerranéen, vite dégradé vers l'intérieur. D'importantes perturbations locales sont occasionnées par l'altitude (pluies de mousson en Éthiopie, absence de climat équatorial sur les hautes terres d'Afrique de l'Est, forte humidité des versants exposés aux influences océaniques, au N. du golfe de Guinée) ; le courant océanique froid de Benguela est responsable de la sécheresse des côtes S.-O. (désert côtier du Namib, not.). ***Hydrogr.*** Elle est le reflet des climats et de la structure du continent. L'incision et la pente des grands fleuves (Nil, Zaïre, Niger, Zambèze, Orange...) sont faibles dans les cuvettes intérieures sédimentaires (vastes étendues de zones inondables et marécageuses) ; le niveau de la mer est souvent atteint par de fortes ruptures de pentes (chutes, rapides, cataractes). Les cuvettes subdésertiques intérieures correspondent à des bassins endoréiques (Chari-Logone, tributaire du lac Tchad ; Okavango). L'hydrographie du Sahara est celle des oueds, au cours intermittent. ***Démogr.*** Berceau de l'humanité, l'Afrique n'en reste pas moins le continent de l'Ancien Monde le moins densément peuplé (22 h./km$^2$), notamment en raison de la faible extension des terres arables et de la dépopulation consécutive à l'ancien trafic des esclaves. Mais les traits démographiques actuels révèlent l'ampleur du sous-développement, aigu au S. du Sahara (l'Afrique du Sud exceptée) : croissance naturelle d'env. 3 % malgré des taux de mortalité (not. infantile) toujours élevés, faible espérance de vie, analphabétisme important, urbanisation accélérée et anarchique liée à un exode rural incontrôlé. ***Peuplement et langues.*** On distingue grossièrement l'Afrique blanche (Afrique du Nord), au N. du Sahara, associée à l'histoire de la Méditerranée depuis l'Antiquité (langues tradit. écrites) et l'Afrique noire subsaharienne (cultures orales tradit.), qui, malgré l'existence d'empires et de royaumes précoloniaux, a le plus souffert des influences extérieures. La singulière diversité des langues rend leur classification malaisée. Le N. du continent, jusqu'au S. et à l'E. du Sahara, est le domaine des langues chamito-sémitiques : l'arabe et les langues berbères (kabyle, chleuh, touareg, etc.) en Afrique du Nord, les langues éthiopiennes (tel l'amharique) et couchitiques (tel le somali). Les peuples qui les parlent ont été tôt christianisés (coptes d'Égypte et d'Éthiopie) et, plus tard, islamisés (conquête arabe de l'Afrique du Nord). Ailleurs, une mosaïque de langues (bantoues dominantes au S.) reflète la mosaïque des peuples, sans rapport avec les divisions politiques héritées de la colonisation. Quelques-unes sont toutefois un vecteur de communication (bambara, haoussa, swahili, etc.), à l'instar des langues européennes (anglais, français, portugais). Les minorités européennes d'Afrique australe sont anglophones ou néerlandophones (afrikaans). À signaler deux cas marginaux : le malgache, d'origine asiatique, et le groupe khoisan (Hottentots et Bochimans d'Afrique australe), antérieur au peuplement bantou. Les cultes traditionnels d'Afrique noire sont concurrencés par l'islam, diffusé par les anciens marchands arabes, et par le catholicisme et le protestantisme, introduits par les Européens. ***Écon.*** Techniques et productions agricoles traditionnelles distinguent encore l'Afrique du Nord (cult. méditerranéennes ou irriguées des oasis, élev. ovin) de l'Afrique subsaharienne (cult. sur brûlis supposant de longues jachères, travail superficiel de la terre, élev. bovin extensif des savanes sèches). L'Afrique tropicale a deux types de cultures vivrières : céréales (mil, sorgho, riz) là où la saison sèche est longue ; tubercules (manioc, igname) et plantations (bananier, palmier à huile) là où l'humidité le permet. Les modes de vie induits ont été bouleversés par l'introduction des cultures de plantation (arachide, café, cacao, coton), destinées, comme les ressources minières (pétrole et gaz, phosphates, diamants, or) à l'approvisionnement des pays industrialisés. Le continent est devenu au XXe s. un fournisseur de matières premières (rarement transformées sur place) très dépendant des fluctuations mondiales du prix des produits (monoproduction fréquente). L'investissement est aujourd'hui entravé par l'endettement des nouveaux États et par la faiblesse des infrastructures routières et ferroviaires, mais aussi par les conflits ethniques. Disettes, épidémies et corruption s'ajoutent à ces difficultés. **HIST.** – C'est en Afrique que les hominidés se seraient différenciés des autres primates et que l'on trouve les restes humains les plus anciens (l'australopithèque Lucy fut découverte en Éthiopie). *Env. 2 millions d'années av. J.-C.* : apparition d'*Homo habilis* ; il est omnivore et sait tailler les galets, comme le montrent certains sites en Afrique orientale et australe. *Env. 1,5 million d'années av. J.-C.* : apparition d'*Homo erectus*, qui conquiert toute l'Afrique, l'Asie et l'Europe ; il se sert d'outils, chasse et cueille. *Env. 400 000 ans av. J.-C.* : *Homo sapiens* succède à *Homo erectus* ; de nombreux foyers de population apparaissent, se développent et se diversifient. Ces populations laissent les premières traces de ce qu'on nommera plus tard « art » (peintures rupestres datant du Néolithique au Maghreb et au Sahara). *Vers 2500 av. J.-C.* : assèchement du Sahara qui coupe l'Afrique en deux zones dont le développement sera radicalement différent. Le Nord voit se développer une des plus précoces civilisations, en Égypte, puis suit le destin du monde méditerranéen : colonisation phénicienne (Carthage fondée en 814 av. J.-C.) et intervention perse, influence grecque (Égypte alexandrine), conquête romaine (IIe-Ier av. J.-C.), vandale (Ve s.), byzantine (VIe s.), arabe (VIIe s.). Le Sud voit se développer de très nombreux royaumes et cultures (Nok, Méroé, Aksoum, Sao, Ife, Ghana, Mali, Songhaï, Bornou, Bénin, Mossi, Bantou, Kongo, Monomotapa). *À partir du XIe s.* : l'islam progresse au sud du Sahara et sur la côte orientale. *XVe s.* : exploration des côtes africaines par les Portugais à la recherche des Indes (le cap de Bonne-Espérance est découvert en 1488 et doublé en 1497). *XVIe-XVIIIe s.* : colonisation des régions côtières par les Européens, qui convertissent certains royaumes (Congo au XVIe s.) et pratiquent la traite des Noirs. L'Afrique centrale et orientale demeure soumise aux trafiquants musulmans d'esclaves. Différents royaumes s'y développent ou s'y créent. *XIXe s.* : les Européens accroissent leur influence sur le continent africain tout entier : développement des liens commerciaux, campagnes d'exploration, expéditions militaires préparent l'instauration de liens politiques directs. Le trafic d'esclaves est interdit. Sauf cas particuliers, la colonisation couvre une période brève (fin du XIXe s.-3e quart du XXe s.). Ses formes varient de l'administration directe au simple protectorat. Le congrès de Berlin (1884-1885) ne met pas fin aux rivalités entre les différentes puissances qui se partagent le continent. La France étend sa domination sur le tiers N.-O. du continent et sur Madagascar. Le Royaume-Uni s'assure la maîtrise de l'axe Le Caire-Le Cap tout en s'implantant sur la côte guinéenne. *XXe s.* : renforcée par le partage de l'empire colonial allemand après la Première Guerre mondiale, leur prééminence n'empêche pas le maintien des positions portugaises, la création du Congo belge et les ambitions italiennes. Fragilisés par la Seconde Guerre mondiale, les empires coloniaux commencent à s'effriter dès les années 1950. Le mouvement s'accélère durant la décennie suivante (indépendance des colonies anglaises et françaises), ponctué d'épisodes violents (guerre d'Algérie, 1954-1962). La décolonisation s'achève avec la fin de la suprématie blanche dans la pointe S. du continent (transformation de la Rhodésie du Sud en Zimbabwe, 1980 ; fin de l'apartheid en Afrique du Sud et mise en place d'un régime multiracial, 1991-1994). Malgré la fin de la guerre froide, qui avait vu les grandes puissances s'affronter indirectement sur son territoire, l'Afrique, victime de la crise économique, d'une instabilité politique chronique et de pandémies meurtrières, demeure soumise à de nombreux conflits, politiques, ethniques et religieux. La démocratie y fait des progrès lents et toujours aléatoires.

**AFRIQUE DU NORD** (l') ~ Voir **Maghreb**.

**AFRIQUE DU SUD** (**république d'**), en angl. ***Republic of South Africa***, en afrikaans ***Republiek van Suid-Afrika*** ~ Pays d'Afrique australe bordé par les océans Indien (E. et S.) et Atlantique (O.), État fédéral formé depuis 1994 de 9 provinces (issues des anc. prov. du Cap, Natal, Transvaal, État libre d'Orange), des îles Marion et du Prince-Édouard. ***Cap.*** Pretoria (administrative), Le Cap (législative), Bloemfontein (judiciaire). ***Superf.*** 1 224 691 km$^2$. ***Popul.*** 40 440 000 h., dont Noirs (76 %), Blancs (13 %), métis (8,5 %), Asiatiques (2,5 %). ***Langues princ.*** Afrikaans, anglais, zoulou, xhosa. ***Monn.*** Rand.

1

2

3

4

5

6

7

ART ET TRADITIONS D'AFRIQUE

1. *Masques dogons (Mali).* © C. Lenars-Explorer
2. *Masque sénoufo (Côte d'Ivoire).* © Giraudon
3. *Masque yoruba (Nigeria).* © Giraudon
4. *Statuette symbolisant la fécondité (Côte d'Ivoire).* © J.-L. Nou-Explorer
5. *Fétiche kongo destiné à l'envoûtement (Zaïre).* © Giraudon
6. *Statuette féminine (Bénin).* © B. Gérard-Explorer

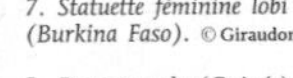

7. *Statuette féminine lobi (Burkina Faso).* © Giraudon
8. *Femme peule (Guinée).* © O. Martel-Explorer
9. *Préparation d'un masque cérémoniel makishi (Zambie).* © C. Lenars-Explorer
10. *Guerrier zailan (Afrique du Sud).* © S. Frances-Explorer
11. *Jeunes guerriers masaïs (Kenya).* © Y. Bertrand-Explorer
12. *Porte de palais à Abomey (Bénin).* © Giraudon

8

9

10

11

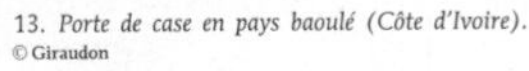

13. *Porte de case en pays baoulé (Côte d'Ivoire).* © Giraudon

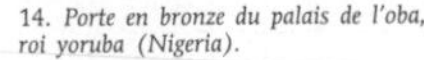

14. *Porte en bronze du palais de l'oba, roi yoruba (Nigeria).* © C. Lenars-Explorer

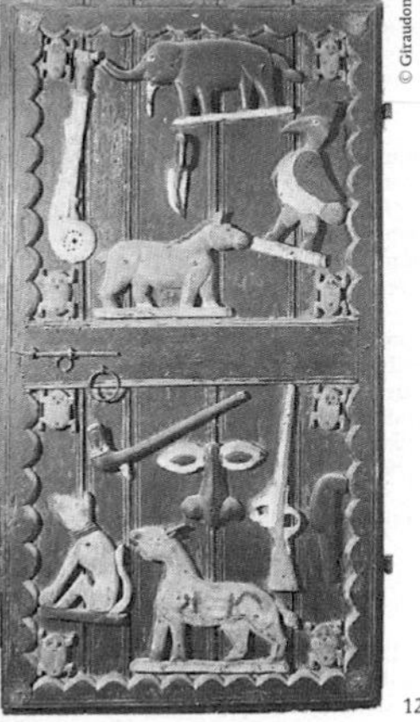

12

13

14

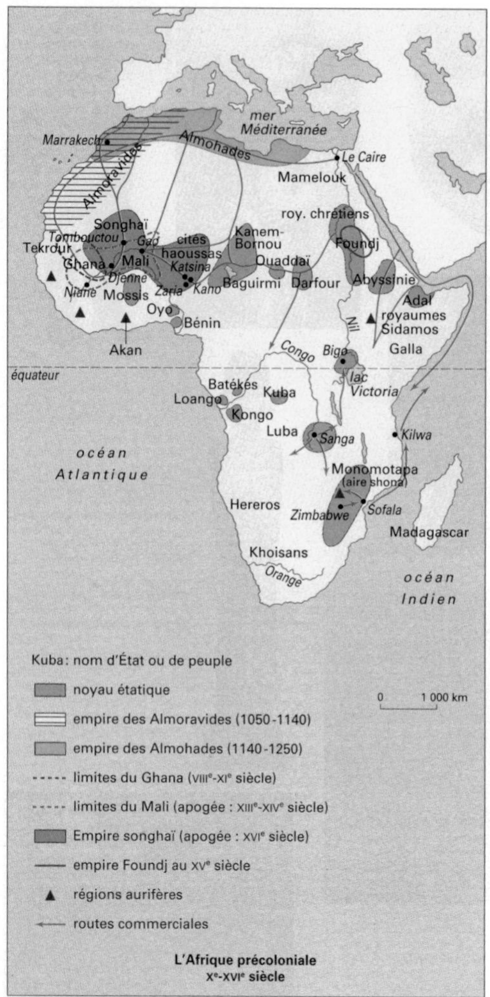


**L'Afrique précoloniale**
**X^e-XVI^e siècle**

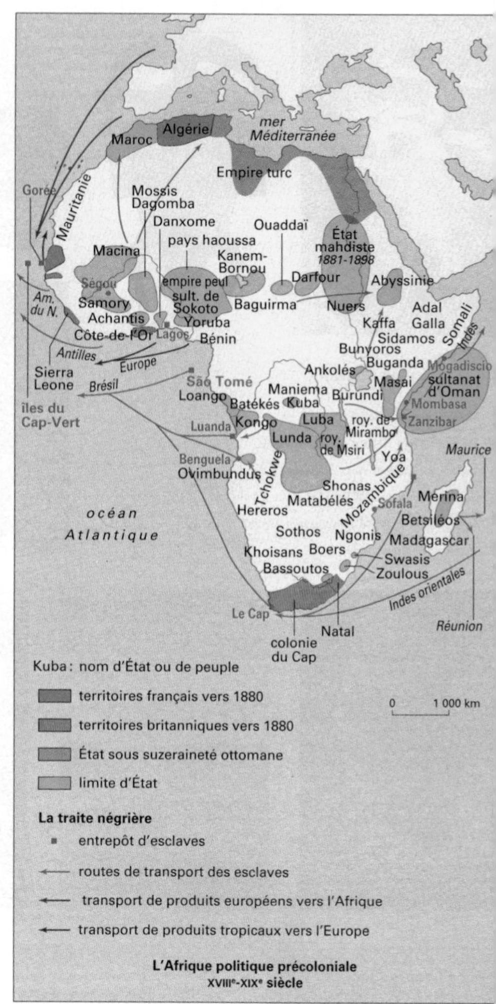


**L'Afrique politique précoloniale**
**XVIII^e-XIX^e siècle**

***Relief.*** Vaste plateau (Veld à l'E., Karroo au S.-O.) relevé à l'E. (Drakensberg) et au S. (Grand Escarpement), bordé d'étroites plaines littorales (O. et E.) et d'une côte rocheuse au S. ***Hydrogr.*** L'Orange, le Limpopo et leurs affluents drainent la majeure partie du pays. ***Climat.*** Tropical, tempéré par l'altitude, désertique au N. (Kalahari), méditerranéen au S. Précipitations décroissantes d'E. en O. (façade atlantique abritée). ***Écon.*** L'Afrique du Sud est le seul pays du continent à disposer d'un potentiel industriel important et diversifié, concentré dans le Transvaal (Witwatersrand) et les ports (Durban, Port Elizabeth, Le Cap). L'économie reste cependant très dépendante d'un secteur minier aux ressources considérables (charbon, or, diamants, chrome, manganèse, platine, cuivre, fer, uranium) mais peu pourvoyeur d'emplois. Malgré la sécheresse de l'E. du pays (vaste projet d'irrigation autour de l'Orange), le pays jouit de l'autosuffisance agricole : vigne, agrumes, produits tropicaux, élevage, céréales (not. maïs), bovin et ovin (laine). ***V. princ.*** Le Cap, Johannesburg, Durban, Pretoria, Port Elizabeth, Bloemfontein. **HIST.** – *XV^e s.* : à l'époque où les Européens explorent les côtes de l'Afrique du Sud (le cap de Bonne-Espérance est doublé en 1497), le pays est peuplé de Bochimans, de Hottentots et de Bantous. *XVII^e s.* : la Compagnie hollandaise des Indes orientales fonde un comptoir près du Cap ; des colons, hollandais (Boers), puis français, s'installent. *XVIII^e s.* : progression des colons vers l'intérieur du pays et heurts avec les Bantous (1^re guerre cafre, 1779-1780). *XIX^e s.* : le pays, occupé par les Anglais (Le Cap, 1795), passe sous administration britannique (traité de Paris, 1814). *1833* : l'abolition de l'esclavage provoque la migration des Boers vers l'intérieur (Grand Trek, 1834), où ils fondent le Natal, le Transvaal et l'Orange. *1877-1902* : la découverte de l'or, la politique expansionniste de Cecil Rhodes, gouverneur du Cap, et l'intransigeance de Paul Kruger (président du Transvaal, soutenu par Bismarck) entraînent un conflit armé (1899) qui se solde par la défaite des Boers et la mise sous tutelle anglaise des républiques boers. *1909* : création de l'Union sud-africaine, monarchie parlementaire intégrée au Commonwealth et composée des quatre provinces autonomes. *1912* : création de l'A. N. C., parti bantou exprimant les aspirations de la majorité noire de la population. *1924* : mise en place de la ségrégation qui se trouvera confirmée en 1948 par la politique d'apartheid, visant au développement séparé des races. L'opposition, souvent violente, à cette politique n'infléchit pas la détermination des premiers ministres successifs (Daniel Malan, Johannes Gerhardus Strijdom, Hendrik Verwoerd, Balthazar Johannes Vorster, Pieter Botha). *1961* : critiquée, l'Union devient la République sud-africaine et se retire du Commonwealth. *1977-1989* : intensification de la lutte de libération des Noirs et succession de sanctions internationales destinées à faire plier le régime. *1989* : Frederik De Klerk est élu à la présidence. *1990* : libération de l'opposant politique noir Nelson Mandela. *1991* : abolition de l'apartheid. *Avril 1994* : l'A. N. C. remporte les premières élections multiraciales. Mandela accède à la présidence et De Klerk à la vice-présidence. Les sanctions

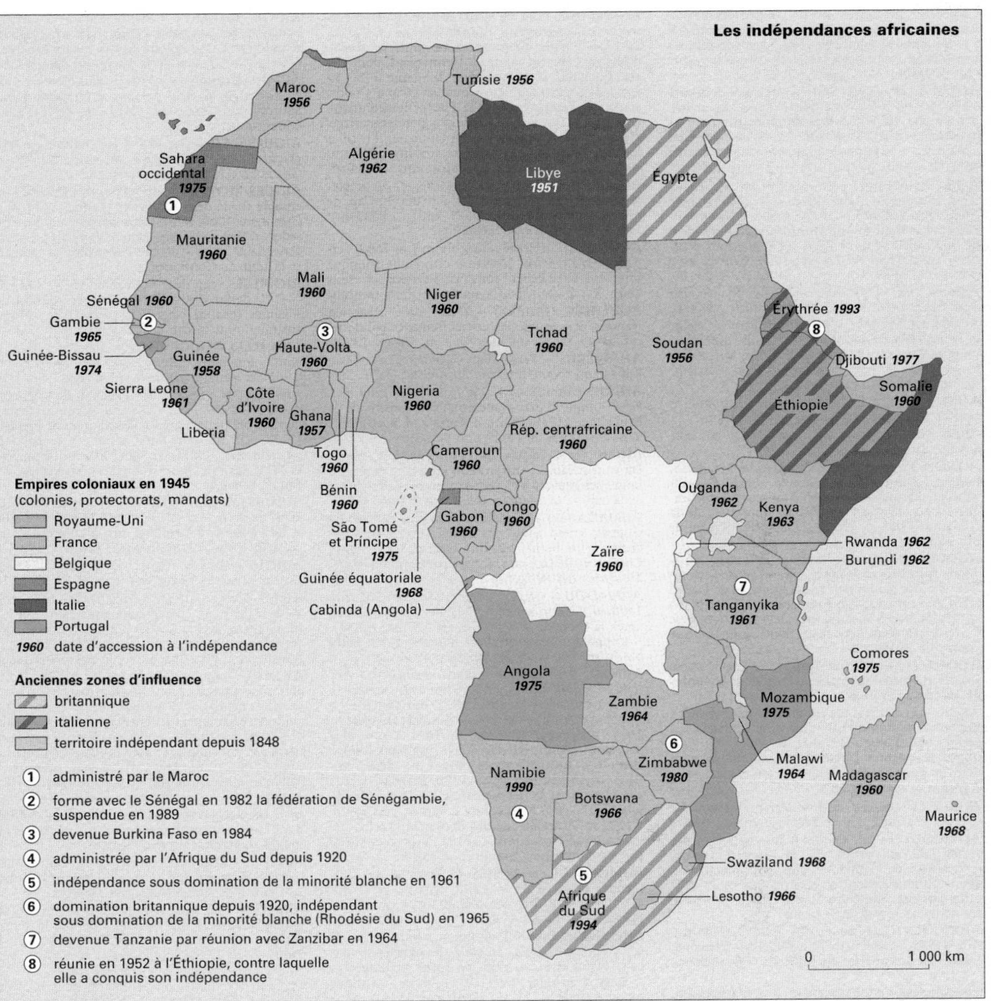


internationales contre l'économie du pays sont levées. *1994-1996* : partage du pouvoir entre l'A. N. C. et le parti de De Klerk. *1996* : après l'adoption d'une nouvelle Constitution et une large victoire de l'A. N. C. aux élections locales, De Klerk entre dans l'opposition.

**AFRIQUE-ÉQUATORIALE FRANÇAISE (A.-E. F.)** ~ Fédération de colonies françaises constituée en 1910 sur le modèle de l'Afrique-Occidentale française, regroupement de quatre territoires (Gabon, Congo, Oubangui-Chari, Tchad), qui furent intégrés à la Communauté en 1958 et devinrent indépendants en 1960.

**AFRIQUE-OCCIDENTALE FRANÇAISE (A.-O. F.)** ~ Fédération de colonies françaises constituée en 1895, qui regroupait, sous l'autorité d'un gouverneur général, la Côte d'Ivoire, la Guinée, le Sénégal et le Soudan français, auxquels s'ajoutèrent le Dahomey, le Niger, la Mauritanie et la Haute-Volta. Membres de l'Union française (1946), puis, à l'exception de la Guinée, de la Communauté (1958), les territoires de l'A.-O. F. accédèrent à la souveraineté en 1960.

**AGADEZ** ou **AGADÈS** ~ V. saharienne du Niger, dans les montagnes de l'Aïr ; 49 000 h. Centre caravanier. Artisanat. Archit. soudanaise de terre.

**AGADIR** ~ 1^er^ port de pêche du Maroc (S.), sur l'Atlantique, grande station balnéaire, ravagée par un séisme en 1960 ; 110 000 h. Exportation des fruits et primeurs de la plaine du Sous. **HIST.** - L'**incident d'Agadir** (1911), provoqué par l'envoi d'une canonnière allemande dans le port, ouvrit la voie aux négociations franco-allemandes qui confirmèrent le protectorat français sur le Maroc.

**AGAMEMNON** ~ Roi légendaire d'Argos et de Mycènes, fils d'Atrée. Père d'Oreste, d'Électre et d'Iphigénie, il offrit celle-ci en sacrifice pour favoriser les armées grecques qu'il conduisait pendant la guerre de Troie. Il fut assassiné par sa femme, Clytemnestre, aidée de son amant Égisthe.

**AGAR** ~ Personnage biblique. Esclave égyptienne d'Abraham, elle lui donna un fils, Ismaël. Sarah fit chasser Agar et son fils après la naissance d'Isaac.

**AGASSIZ** (Louis) ~ *1807, Môtier, canton de Fribourg - 1873, Cambridge, Massachusetts.* Naturaliste suisse. Il est l'auteur d'une importante histoire naturelle des poissons fossiles et, en géologie, il défendit l'hypothèse d'une époque glaciaire.

**AGATHOCLE** ~ *v. 361, Thermae - 289 av. J.-C., Syracuse.* Tyran de Syracuse (317-289 av. J.-C.). Il combattit le pouvoir de l'oligarchie. Il ne put triompher de l'hégémonie carthaginoise, malgré la campagne qu'il mena en Afrique.

**AGDE** ~ V. du bas Languedoc (Hérault), sur l'Hérault et le canal du Midi, au N. du **cap d'Agde**, promontoire volcanique de la côte languedocienne et site baln. ; 17 583 h. Vins. Cathédrale (XII^e^ s.). Anc. colonie phocéenne, puis romaine. Princ. port languedocien sous le second Empire.

**AGEN** ~ Préfect. du Lot-et-Garonne, sur la Garonne (r. dr.) ; 30 553 h. (agglom. 67 960 h.). Cour d'appel. Évêché. Industr. agroalim. (pruneaux), prod. pharmaceutiques. Technopôle (Agropolis).

Cathédrale St-Caprais (XIIe s.). Musée des Beaux-Arts. Cap. de l'**Agenais**, pays d'Aquitaine rattaché à la couronne de France en 1592, région de cultures maraîchères et fruitières (vallées) et de polyculture (bas plateaux).

**AGÉSILAS II** ~ *444 - 360 av. J.-C.* Roi de Sparte (399-360 av. J.-C.). Vainqueur des Perses (396), il triompha de la coalition dominée par Athènes à Coronée (394). Sa défaite devant Épaminondas à Mantinée (362) ruina le prestige militaire de sa cité.

**AGGÉE** ~ *VIe s. av. J.-C.* Petit prophète juif.

**AGHA KHAN**, titre porté par l'imam des ismaéliens nizarites. ~ **Agha Khan III** (Muhammad Chah ; *1887, Karachi - 1957, Versoix, Suisse*), fondateur de la Ligue musulmane (1906), fut président de la Société des Nations (1937). Son petit-fils ~ **Agha Khan IV** (Karim ; *1936, Genève*) lui a succédé en 1957.

**Agides** (les) ~ Dynastie spartiate fondée par Agis Ier et associée au pouvoir du VIe au IIIe s. av. J.-C.

**AGNÈS DE MÉRAN** ~ *m. en 1201 à Poissy.* Reine de France. Fille du duc de Méran (Tyrol), elle épousa Philippe Auguste (1196), qui dut s'en séparer sur les instances du pape pour reprendre sa deuxième femme, Isambour de Danemark.

**AGNI** ~ Divinité de l'Inde védique, personnification du Feu dans ses diverses manifestations.

**Agnis** (les) ~ Peuple d'Afrique, établi en Côte d'Ivoire et au Ghana.

**AGNON** (Samuel Joseph **Czaczkes**, dit) ~ *1888, Buczacz, Galicie - 1970, Rehovoth, Israël.* Écrivain israélien d'expression yiddish. Son œuvre romanesque évoque la tragique destinée du peuple de la Diaspora (*l'Hôte de passage*, 1930). Prix Nobel de litt. 1966.

**AGOULT** (Marie **de Flavigny**, comtesse D') ~ *1805, Francfort-sur-le-Main - 1876, Paris.* Écrivain français. Elle publia sous le pseudonyme de Daniel Stern une autobiographie romancée (*Nélida*, 1846) et des ouvrages historiques. De sa liaison avec Fr. Liszt naquirent deux filles, dont Cosima, future épouse de R. Wagner.

**AGOUT** (l') ~ Affl. du Tarn (r. g.) qui arrose Castres et sépare l'Espinouse et le Sidobre des monts de Lacaune ; 180 km.

**AGRA** ~ V. du N. de l'Inde (Uttar Pradesh), important centre industr., comm. et tourist. de la plaine du Gange ; 892 000 h. Ancienne ville impériale moghole (monuments indo-musulmans des XVIIe et XVIIIe s., Taj Mahal à proximité).

**AGRAM** ~ Voir **Zagreb**.

**AGRIATES (désert des)** ~ Région littorale de maquis, en Corse (O. de Saint-Florent).

**AGRICOLA**, en lat. ***Cnaeus Julius Agricola*** ~ *40, Forum Julii, auj. Fréjus - 93, id.* Général romain. Gouverneur de l'Aquitaine, puis de la Bretagne, il combattit les Calédoniens et développa les villes de cette province. Son éloge funèbre, *la Vie d'Agricola*, fut écrit par son gendre, Tacite.

**AGRICOLA** (Georg **Bauer**, dit) ~ *1494, Glauchau, Saxe - 1555, Chemnitz.* Minéralogiste allemand. Précurseur de l'analyse des minerais et des métaux.

© G. Thouvenin-Explorer

*Agrigente, le temple de la Concorde.*

**AGRIGENTE** ~ V. de la côte S.-O. de la Sicile, centre tourist. et comm. ; 55 000 h. Évêché. Anc. colonie grecque, fondée au VIe s. av. J.-C. par des Rhodiens, plusieurs fois ravagée par les Carthaginois et les Romains, qui l'annexèrent en 210 av. J.-C. Temples doriques (de Zeus, d'Héra, d'Héraclès).

**AGRIPPA**, en lat. ***Marcus Vipsanius Agrippa*** ~ *63 - 12 av. J.-C.* Général et homme politique romain. Compagnon d'armes et conseiller d'Auguste, il épousa la fille de celui-ci. L'empereur, sans héritier, adopta leurs fils, Caius et Lucius.

**AGRIPPINE**, nom de deux épouses d'empereurs romains. ~ **Agrippine l'Aînée** (*14 av. J.-C. - 33 apr. J.-C.*). Fille d'Agrippa et de Julie, petite-fille d'Auguste, elle fut mariée à Germanicus, dont elle eut Caligula, et ~ **Agrippine la Jeune** (*15 - 59 apr. J.-C.*). Cette dernière épousa en secondes noces son oncle, l'empereur Claude. Elle lui fit reconnaître comme successeur le fils né de son premier mariage, Néron, au détriment de Britannicus, l'héritier légitime. Elle assassina ensuite son mari. Devenu empereur, Néron, excédé par son autorité, la fit tuer.

**AGUASCALIENTES** ~ V. du Mexique, sur le plateau central (1 800 m d'alt.) ; 480 000 h. Cap. de l'État d'**Aguascalientes** (5 589 km², 720 000 h.). Évêché. Thermalisme. Métallurgie.

**AGUESSEAU** (Henri François D') ~ *1668, Limoges - 1751, Paris.* Magistrat et homme politique français. Chancelier sous la Régence et sous Louis XV, il contribua à unifier le droit français.

**AGULHON** (Maurice) ~ *1926, Uzès.* Historien français. Il a étudié les comportements politiques ruraux au XIXe s. (*la République au village*, 1970).

**AHASVÉRUS** ~ Personnage légendaire, assimilé au Juif errant, thème littéraire illustré not. par E. Sue.

**AHIDJO** (Ahmadou) ~ *1924, Garoua - 1989, Dakar.* Homme d'État camerounais. Président de la République (1960-1982), il réprima les oppositions avec le soutien de l'ancienne puissance coloniale.

**AHLIN** (Lars Gustav) ~ *1915, Sundsvall, Suède.* Écrivain suédois. D'inspiration prolétaire et protestante, ses œuvres s'élèvent contre le matérialisme de la culture occidentale (*Nuit sous la tente*, 1953).

**AHMADABAD** ~ V. de l'Inde, la plus peuplée du Gujerat, grand centre industriel (text.) sur l'ancienne route Bombay-Delhi ; agglom. 3 312 000 h. Communauté (ashram) fondée par Gandhi (1917). Mosquées des XVe-XVIe s.

**AHMADOU** ~ *1833, prov. de Sokoto, Nigeria - 1898, id.* Chef toucouleur. Il devint sultan de Ségou après la mort de son père El-Hadj Omar (1864). Il s'opposa à la pénétration française mais, battu par le général Louis Archinard, dut s'exiler.

**AHMED**, nom de trois sultans ottomans. ~ **Ahmed Ier** (*1590, Manisa - 1617, Istanbul*) succéda en 1603 à son père, Mehmed III. Il dut concéder la Mésopotamie aux Perses. ~ **Ahmed II** (*1643 - 1695, Andrinople*) succéda en 1691 à son frère Soliman II. Il dut faire face aux ambitions territoriales des Autrichiens et céda Chio aux Vénitiens. ~ **Ahmed III** (*1673 - 1736, Istanbul*) accéda au trône après la déposition de son frère Mustapha II (1703). Il lutta contre la Russie, puis contre Venise et l'Autriche qui lui imposèrent la signature du traité de Passarowitz (1718). Déposé en 1730 par les janissaires, il mourut en prison.

**AHMOSIS Ier** ou **AHMÈS Ier** ~ *XVIe s. av. J.-C.* Premier pharaon de la XVIIIe dynastie (v. 1580-1558 av. J.-C.). Il chassa d'Égypte les envahisseurs hyksos. Son fils Aménophis Ier lui succéda.

**AHO** (Juhani **Brofeldt**, dit Juhani) ~ *1861, Lapinlahti, Finlande - 1921, Helsinki.* Romancier finlandais. Naturaliste, il traita de sujets politiques et sociaux (*Copeaux*, 1891-1921) et de questions morales (*Juha*, 1911 ; *la Conscience*, 1914).

**AHRIMAN** ou **ANGRA-MAINYU** ~ Dieu, principe du Mal, dans la religion mazdéenne. [☞ **mazdéisme**.]

**AHURA-MAZDA** ou **ORMUZD** ~ Dieu, principe du Bien, opposé à son frère jumeau, Ahriman, dans la religion mazdéenne. [☞ **mazdéisme**.]

**AHVAZ** ~ V. mésopotamienne d'Iran, ch.-l. du Khouzistan, centre industriel proche des gisements pétroliers ; 580 000 h.

**AHVENANMAA**, en suéd. **Åland** ~ Archipel de la Baltique et prov. de Finlande, à l'entrée du golfe de Botnie ; 1 526 km², 25 000 h. Tourisme. Pêche.

**AICARD** (Jean) ~ *1848, Toulon - 1921, Paris.* Écrivain français. Auteur de l'épopée du braconnier provençal *Maurin des Maures* (1908). Acad.

**AÏCHA** ~ *v. 614, La Mecque - 678, Médine.* Fille d'Abu Bakr, épouse favorite de Mahomet. Elle tenta de s'opposer à l'accession d'Ali au califat après la mort du Prophète.

**AIGLE (L')** ~ V. du pays d'Ouche (Orne), sur la Risle ; agglom. 12 663 h. Métallurgie. Église St-Martin (XIIe et XVe-XVIe s.), château du XVIIe s. construit par J. Hardouin-Mansart.

**AIGOS-POTAMOS** ~ Riv. de Thrace. À son em bouchure, les Spartiates, commandés par Lysandr remportèrent une victoire navale sur les Athénier (405 av. J.-C.), lors de la guerre du Péloponnès

**AIGOUAL (mont)** ~ Massif le plus élevé du S. de Cévennes (1 565 m), très arrosé (2 300 mm/an Sources du Tarn, du Gard et de l'Héraul Observatoire.

**AIGUEBELETTE (lac d')** ~ Lac naturel (origir glaciaire) de l'avant-pays savoyard, à l'O. c Chambéry ; 7 km². Site touristique.

**AIGUES-MORTES** ~ Ancien port médiéval, au ensablé sur le delta du Rhône (Gard), à l'O. de Camargue, d'où Saint Louis partit pour les cro sades ; 4 999 h. Marais salants. Vignobles. Conse verie. Saint Louis y fit not. construire les rempart et la tour de Constance.

**AIGUILLES (cap des)** ~ Extrémité S. de l'Afriqu (34° 50 de lat. S.), à l'E. du Cap. Le **courant d Aiguilles** (chaud) baigne les côtes E. de l'Afriqu australe jusqu'au cap des Aiguilles.

**AIGUILLES-ROUGES** (les) ~ Massif des Alpes d Nord dominant l'Arve, face au Mont-Blanc 2 965 m. Réserve naturelle. Alpinisme.

**AIGUILLON** (Emmanuel Armand **de Vignero** duc D') ~ *1720, Paris - 1788, id.* Administrateur e homme politique français. Gouverneur de Bretagn (1753), il ne put faire accepter sa politiqu centralisatrice. Ministre des Affaires étrangère (1771), membre d'un triumvirat avec Maupeou e Terray, il entérina le partage de la Pologne.

**AIGUILLON-SUR-MER (L')** ~ Station balnéai du S. de la Vendée (2 175 h.), à l'O. de la **point** et de l'**anse de l'Aiguillon**, sur la côte du Mara poitevin (ostréiculture, mytiliculture).

**AIHOLE** ~ Anc. v. sainte de l'Inde, à l'O. d Deccan. Temples des VIe-VIIIe s.

**AILEY** (Alvin) ~ *1931, Rogers, Texas - 1989, Ne York.* Danseur et chorégraphe américain. Élève d M. Graham, il créa son propre style en exprimar ses racines afro-américaines (*Révélations*, 1960, un transposition chorégraphique de negro spirituals)

**AILLAUD** ~ **Émile** (*1902, Mexico - 1988, Paris*) architecte français. Pour ses logements sociaux utilisa la courbe, la diversification des formes et l couleur (Chanteloup-les-Vignes). Son fils ~ **Gille** (*1928, Paris*), peintre, représentant de la figuratio narrative, a collaboré avec Eduardo Arroyo e Antonio Recalcati dans des œuvres utilisant l bande dessinée (*Une passion dans le désert*, 1965)

**AILLY** (Pierre D') ~ *1350, Compiègne - 1420, Avignon.* Théologien et prélat français. Cardinal en 1411 il fut l'un des artisans du concile de Constance, qu mit fin au grand schisme d'Occident.

**AIN** (l') ~ Affl. du Rhône (r. dr.), issu du Jur (gorges, barrages), qui conflue en amont de Lyon 200 km. Il sépare le Bugey des Dombes.

**AIN** (l') ~ Dép. de la Région Rhône-Alpes, frontalier de la Suisse, limité au S. et à l'E. par le Rhôn partagé entre les bas pays, à l'O., qui bordent l Saône (S. de la Bresse, Dombes), et le S. du Jura à l'E. (Bugey, pays de Gex) ; 5 762 km², 471 019 h Les activités spécialisées animant les principale villes de l'Ain (Bourg-en-Bresse, la préfectur Oyonnax, Gex) contrebalancent l'attraction de l métropole lyonnaise. Hydroélectricité (Génissiat) centrale nucléaire du Bugey. Tourisme et villégiatur dans le Jura (Nantua, Divonne, Ferney-Voltaire)

**Aïnous** (les) ~ Peuple sibérien des îles du N.-C de l'océan Pacifique (Hokkaidô, Sakhaline).

**AÏNTAB** ~ Voir **Gaziantep**.

**AÏR** (l') ~ Massif du Sud saharien (N.-O. d Niger), en partie granitique et volcanique, culminant vers 2 000 m. Uranium (à Arlit).

**AIRE** (l') ~ Affl. de l'Aisne (r. dr.) ; 130 km. Ell longe le versant E. de l'Argonne.

**AIRE-SUR-L'ADOUR** ~ V. des Landes, march agric., au S.-E. de Mont-de-Marsan ; 7 517 h Constr. aéronautiques. Sarcophages (IVe s.) dan l'église romane Ste-Quitterie.

**AIRY** (sir George Biddell) ~ *1801, Alnwick, Northumberland - 1892, Londres.* Astronome britannique. Il théorisa l'isostasie et la formation de arcs-en-ciel.

**AISNE** (l') ~ Affl. de l'Oise (r. g.) issu d l'Argonne ; 280 km. Elle draine le Bassin parisie au N. de la Champagne et passe à Soissons.

**AISNE** (l') ~ Dép. de la Région Picardie, aux marges de l'Île-de-France et de la Champagne, constitué de plaines et plateaux limoneux (du S. au N. : Brie champenoise, Tardenois, Soissonnais, Laonnois, Vermandois) drainés par la Marne, l'Aisne et l'Oise, généralement voués à la grande culture céréalière ou betteravière, hormis les collines argileuses et herbagères de Thiérache au N.-O. (au contact de l'Ardenne belge) ; 7 378 km$^2$, 537 259 h., préfect. Laon. Industr. text. à Saint-Quentin (en déclin), tradition verrière et chimie (Saint-Gobain, Chauny), influence de Paris dans le S. (Soissons, Château-Thierry) et le long de l'Oise.

**AÏUN (El-)** ~ Princ. v. du Sahara occidental, près de l'Atlantique (export. de phosphate) ; 97 000 h. Anc. capitale du Sahara espagnol.

**AIX (île d')** ~ Île et station balnéaire du littoral charentais, à l'E. d'Oléron ; 1,2 km$^2$, 200 h. Anc. lieu de détention. Musée Napoléon.

**AIX-EN-PROVENCE** ~ V. des Bouches-du-Rhône, à l'O. de la montagne Sainte-Victoire, centre résidentiel, univ., admin., touristique et commercial en développement dans l'orbite de Marseille ; 123 842 h. Cour d'appel. Archevêché. La vieille ville (églises médiévales, hôtels des XVIIe et XVIIIe s., places et fontaines), coupée par le cours Mirabeau, constitue un vaste et bel ensemble architectural. Musée Granet (beaux-arts), atelier de Cézanne. Festival de musique (art lyrique). Ancienne capitale des comtes de Provence (foyer culturel, not. sous René d'Anjou, au XVe s.).

**AIX-LA-CHAPELLE**, en all. *Aachen* ~ V. d'Allemagne (Rhénanie-du-Nord-Westphalie), à proximité de la Ruhr et des frontières belge et néerlandaise, centre admin., univ. et industriel, station thermale réputée ; 245 000 h. Chapelle Palatine (IXe s.), cathédrale (XIVe-XVe s.), hôtel de ville (XIVe s.). **HIST.** - Résidence de Charlemagne à partir de 794 et centre de son empire. Les monarques germaniques y furent couronnés du Xe au XVIe s. Française en 1794, elle revint à la Prusse en 1814. Elle accueillit, en 1818, le congrès européen qui mit fin à l'occupation de la France.

**AIX-LES-BAINS** ~ Station therm. de Savoie, sur la rive E. du lac du Bourget ; 24 683 h. (agglom. 35 472 h.). Industrie électromécanique. Thermes. Vestiges romains, musée archéologique.

**AJACCIO** ~ Préfect. de la Corse du Sud et de la collectivité territoriale de Corse, port au fond de la **baie d'Ajaccio**, sur la côte O. de l'île ; 58 315 h. Tourisme. Citadelle et cathédrale (XVIe s.). Musée Bonaparte. Musée Fesch (peinture italienne).

**AJANTA (monts)** ~ Montagnes de l'Inde, au N.-O. du Deccan. Temples rupestres bouddhiques ornés de sculptures et de fresques (IIe s. av. J.-C.-VIIe s.).

**AJAR** (Émile) ~ Voir **Gary** (Romain).

**AJAX**, nom de deux héros de la légende homérique. ~ **Ajax**, roi de Salamine, fils de Télamon. N'ayant pu rentrer en possession des armes d'Achille, il devint fou et se transperça de son épée. ~ **Ajax**, roi de Locride, fils d'Oïlée. Athéna le fit périr dans un naufrage pour avoir enlevé Cassandre après la prise de Troie.

**AJJER (tassili des)** ~ Voir **Tassili**.

**AKABA** ou **AQABA (golfe d')** ~ Golfe étroit de la mer Rouge, entre les péninsules du Sinaï et d'Arabie. Au N., ports israélien d'Eilat et jordanien d'al-Akaba (62 000 h.).

**AKADEMGORODOK** ~ V. de Russie, proche de Novossibirsk (Sibérie), fondée en 1959 et vouée à la recherche scientifique ; env. 60 000 h.

**AKBAR** ~ *1542, Umarkot, Sind - 1605, Agra.* Empereur moghol des Indes (1556-1605). Il annexa le Gujerat et le Bengale, étendant son autorité sur l'Inde du Nord. Protecteur des arts et des lettres, il favorisa la coexistence des religions.

**AKHENATON** ~ Voir **Aménophis IV**.

**AKHMATOVA** (Anna Andreïevna **Gorenko**, dite Anna) ~ *1889, Odessa - 1966, Moscou.* Poétesse russe. Ses recueils postsymbolistes et lyriques (*le Soir*, 1912 ; *la Volée blanche*, 1917) en firent un auteur majeur dont l'inspiration a été magnifiée par les épreuves de la Révolution, de la guerre et de la répression stalinienne (*Requiem*, 1935-1940, publié en 1963).

**AKIHITO** ~ *1933, Tôkyô.* Empereur du Japon. Il a succédé en 1989 à son père, Hirohito.

**AKINARI** ~ Voir **Ueda** Akinari.

**AKITA** ~ V. du Japon, sur la côte N.-O. de Honshû, pôle de décentralisation industrielle ; 302 000 h.

**AKKAD** ~ Anc. ville de Mésopotamie (non identifiée) qui donna son nom à la région située au N. de la Babylonie. Sous le règne de Sargon (v. 2334-2279 av. J.-C.), elle fut le siège d'un empire s'étendant de la Perse à la Méditerranée.

**AKKAR** ou **AQQAR** ~ Localité du Liban, centre d'une riche plaine agricole (coton, arachide, tabac), à l'E. de Tripoli.

**AKKO** ~ Voir **Acre**.

**AKRON** ~ V. des États-Unis (Ohio), au S. de Cleveland et du lac Érié, grand centre de l'industrie du pneumatique ; 223 000 h. (en diminution).

**AKSOUM** ou **AXOUM** ~ V. d'Éthiopie, dans le Tigré ; 18 000 h. Elle fut, du Ier au Xe s., la capitale du premier royaume éthiopien, christianisé au IVe s.

**AKUREYRI** ~ Port du N. de l'Islande, 2e v. du pays ; 15 000 h. Lainages, pêche, produits laitiers.

**AKYAB** ~ Voir **Sittwe**.

**ALABAMA** (l') ~ État du S. des États-Unis ; 131 443 km$^2$, 4 187 000 h. (25 % de Noirs), cap. Montgomery. Il correspond au bassin agricole du **fleuve Alabama** (510 km) entre le S. des Appalaches (charbon et fer autour de Birmingham) et le golfe du Mexique (port de Mobile). Cédé par la France aux Anglais en 1763, l'Alabama, devenu le 22e État de l'Union en 1819, fit sécession de 1861 à 1868.

**ALAGNON** (l') ~ Affl. du haut Allier (r. g.) ; 80 km.

**ALAGOAS** (l') ~ État densément peuplé du Nordeste brésilien (S. du Pernambouc) ; 29 107 km$^2$, 2 513 000 h., cap. Maceió (agglom. 628 000 h.).

**ALAIN** (Émile **Chartier**, dit) ~ *1868, Mortagne-au-Perche - 1951, Le Vésinet.* Philosophe français. Dans le cadre d'un retour à la philosophie comme enseignement et sagesse (*Propos sur le bonheur*, 1928), sa pensée, qui se fonde sur un individualisme farouche, se caractérise par un humanisme cartésien, des convictions pacifistes et une critique inlassable du pouvoir.

**ALAIN** (Jehan) ~ *1911, Saint-Germain-en-Laye - 1940, près de Saumur.* Compositeur et organiste français. Élève de M. Dupré et de P. Dukas, il a laissé d'importantes partitions pour orgue (*Aria*, 1938), pour piano (*Suite*, 1934-1936), ainsi que des œuvres vocales.

**ALAIN-FOURNIER** (Henri Alban **Fournier**, dit) ~ *1886, La Chapelle-d'Angillon - 1914, bois de Saint-Rémy.* Auteur d'un unique roman, *le Grand Meaulnes* (1913), où il évoque la magie de l'enfance, ses mystères et ses amours impossibles.

**Alains** (les) ~ Nomades d'origine iranienne, établis en Asie Mineure. Vaincus par les Huns (IVe s.), ils se dispersèrent en Afrique, en Lusitanie et en Gaule. Ils disparurent au Ve s.

**Alamans** ou **Alémans** (les) ~ Peuple germanique, établi au début du IIIe s. entre le Main et le lac de Constance, puis au N. de l'Helvétie. Chassés par les Huns (406), ils s'établirent en Alsace et dans le Palatinat. Vaincus par Clovis à Tolbiac, ils passèrent sous domination franque.

**ALAMEIN (El-)** ~ Localité d'Égypte. Le 23 oct. 1942, Montgomery y remporta une victoire sur les forces germano-italiennes commandées par Rommel.

**ALAMO**, dit **Fort Alamo** ~ Site du Texas, sur la rivière San Antonio (Texas). Le 6 mars 1836, les Mexicains enlevèrent cette position aux Texans dirigés par Davy Crockett.

**ÅLAND** ~ Voir **Ahvenanmaa**.

**ALAOUITE (djebel)** ~ Voir **Ansariyya**.

**Alaouites** ou **Alawites** (les) ~ Dynastie régnant au Maroc depuis le XVIIe s. Nom donné à la secte chiite dissidente des Nusayri, fondée au IXe s., auj. représentée en Syrie.

**ALARCÓN Y ARIZA** (Pedro Antonio DE) ~ *1833, Guadix - 1891, Valdemoro, près de Madrid.* Écrivain espagnol. D'inspiration libérale puis conservatrice, il est l'auteur de la nouvelle picaresque *le Tricorne* (1874), dont M. de Falla tira une pantomime.

**ALARIC**, nom de deux rois des Wisigoths. ~ **Alaric Ier** (*v. 370, Perice, delta du Danube - 410, Cosenza*), roi de 395 à 410. Au service de Théodose Ier, il profita de la mort de ce dernier pour dévaster la Thrace et la Grèce. Il envahit l'Italie et pilla Rome (410). ~ **Alaric II**, roi de 484 à 507. Il domina une partie de l'Espagne et l'Aquitaine, et promulgua un recueil de lois, le *Bréviaire d'Alaric* (506).

**ALASKA** (l') ~ État le plus vaste et le plus septentrional des États-Unis, partie N.-O. de l'Amérique du Nord, bordé à l'E. et au S. par le Canada, séparé de la Sibérie, au N. des îles Aléoutiennes, par la mer et le détroit de Béring ; 1 530 700 km$^2$, 550 000 h. Le littoral pacifique, zone montagneuse sismique (chaînes côtières et de l'Alaska, où culmine, à 6 194 m, l'Amérique du Nord), pluvieux (forêts de conifères) et relativement tempéré (situation abritée, courant chaud nord-pacifique), concentre la population (Anchorage, ville princ., Juneau, capitale administrative). Le bassin inférieur du Yukon (seule ville : Fairbanks) et le littoral arctique, séparés par la chaîne de Brooks (2 800 m), au climat subpolaire (toundra), sont presque inhabités. Pêche (1er rang de l'Union), pétrole (terminal à Valdez), or, argent, cuivre, houille. Tourisme. Bases militaires (situation stratégique de premier plan). **HIST.** - Découvert par le Danois Vitus Behring en 1741, le territoire fut vendu aux États-Unis par la Russie en 1867, se développa avec la ruée vers l'or du Klondike (fin du XIXe s.) et devint le 49e État de l'Union en 1959.

© T. Walker-Jacana

*Alaska, le mont McKinley (6 194 m).*

**ÁLAVA** (l') ~ L'une des 3 provinces du Pays basque espagnol, sans façade maritime ; 3 047 km$^2$, 272 000 h., ch.-l. Vitoria.

**ALBACETE** ~ V. princ. et marché agric. de la Manche, en Espagne ; 129 000 h.

**ALBANE** (Francesco **Albani**, dit en fr. **l'**) ~ *1578, Bologne - 1660, id.* Peintre italien. Élève des Carrache, il est célèbre pour ses œuvres mythologiques.

**ALBANIE (république d')**, en alb. *Shqipëria* ~ Pays des Balkans bordé à l'O. par la mer Adriatique. ***Cap.*** Tirana. ***Superf.*** 28 748 km$^2$. ***Popul.*** 3 300 000 h. (en maj. musulmans). ***Langue princ.*** Albanais. ***Monn.*** Lek. ***Relief.*** Montagneux (Alpes albanaises, 2 694 m), découpé par des fleuves courts à caractère torrentiel ; plaines côtières. ***Climat.*** Méditerranéen, continental en altitude. ***Écon.*** Elle repose essentiellement sur l'agriculture (décollectivisée depuis 1991), pratiquée dans les vallées et les plaines irriguées (blé, coton, tabac, olives, fruits) ; élevage ovin sur les reliefs. L'industrie est obsolète. Important potentiel minéral (chrome, nickel, cuivre, hydrocarbures, lignite). Le P. N. B. par habitant est l'un des plus faibles d'Europe. ***V. princ.*** Tirana, Durrës, Shkodër, Elbasan. **HIST.** - Occupation illyrienne à l'âge du bronze. *VIe-IIe s. av. J.-C.* : l'Albanie est successivement intégrée à la Macédoine, à l'Épire, puis à l'Empire romain. *Ier-XIXe s.* : christianisée (Ier s.), elle subit les invasions germaniques (Ve s.), slaves (VIe-VIIe s.), avant d'être occupée par les Bulgares (IXe s.), les Byzantins (XIIe s.), les Serbes (XIVe s.) et les Vénitiens, puis elle passe sous la domination des Turcs ottomans, retardée par la résistance héroïque de Skanderbeg (1443-1468). Ali Pacha de Tebelen est vaincu par le sultan ottoman (prise de Ioánnina, 1822). *1912* : Ismaïl Qemal proclame l'indépendance à Vlorë, confirmée en 1920. *1922-1939* : dictature d'Ahmet Zogu, président de la République, puis roi (Zog Ier). *1939-1945* : annexion par l'Italie. *1946* : Enver Hoxha proclame une république populaire, strictement alignée sur Moscou jusqu'en 1961, puis sur Pékin jusqu'en 1978, avant de rechercher l'autarcie. *1985* : Ramiz Alia succède à E. Hoxha. *1991* : ouverture sur l'Occident. *1992* : élections législatives libres remportées par le parti démocratique. *1992-1995* : le président Sali Berisha fait face, avec l'aide occidentale, à une situation économique et sociale difficile (émigration vers l'Italie). Litiges avec la Grèce (Grecs d'Albanie) et la Serbie (Albanais du Kosovo), limitrophes. *1997* : violentes émeutes dans le S. (l'état d'urgence est instauré).

**ALBANY** ~ V. des États-Unis, cap. de l'État de New York, sur l'Hudson, centre commercial, industriel et universitaire ; 101 000 h. Fondée en 1614 par les Hollandais, la ville fut, en 1754, le siège du premier Congrès des colonies américaines.

**ALBE** (Fernando **Álvarez de Tolédo**, duc D') ~ *1507, Piedrahíta - 1582, Lisbonne.* Général et homme politique espagnol. Vice-roi de Naples, puis gouverneur des Pays-Bas (1567), il écrasa l'insurrection des partisans de Guillaume le Taciturne.

**ALBEE** (Edward) ~ *1928, Washington.* Dramaturge américain, auteur d'un théâtre de la tension psychologique et de l'absurde (*Qui a peur de Virginia Woolf ?*, 1962).

**ALBE LA LONGUE** ~ Anc. v. du Latium fondée, selon la légende, par Iule, fils d'Énée. Au cours de la guerre qui l'opposa à Rome eut lieu le combat des Horaces et des Curiaces. Elle fut détruite par Tullus Hostilius (665 av. J.-C.).

**ALBÉNIZ** (Isaac) ~ *1860, Camprodón - 1909, Cambo-les-Bains.* Compositeur et pianiste espagnol. Il ouvrit la voie à l'école espagnole moderne et s'inspira du folklore andalou (*Iberia*, 1906-1909).

**ALBÈRES (monts)** ~ Prolongement oriental (franco-espagnol) des Pyrénées, entre la Méditerranée et la haute vallée du Tech (alt. max. 1 256 m). Vignoble (Banyuls) et maquis à l'E., forêts à l'O.

**ALBERONI** (Giulio) ~ *1664, Fiorenzuola d'Arda - 1752, Plaisance.* Cardinal italien. Protégé d'Élisabeth Farnèse, Premier ministre (1716-1719) de Philippe V d'Espagne, il dut faire face à l'hostilité de la France, de l'Angleterre et de l'Autriche, qu'il voulut écarter de l'Italie.

**ALBERT (canal)** ~ Canal de Belgique, reliant la Meuse (Liège) à l'Escaut (Anvers).

**ALBERT (lac)**, auj. **lac Mobutu** ~ Lac africain de la vallée du haut Nil occidental, dans la Rift Valley, partagé entre le Zaïre et l'Ouganda ; 4 500 km², alt. 618 m.

**ALBERT** ~ V. industrielle de la Somme (N.-E.), dévastée en 1916 (bataille de la Somme) ; 10 010 h.

**ALBERT**, nom de deux rois de Belgique. ~ **Albert Ier** (*1875, Bruxelles - 1934, Marche-les-Dames*), roi des Belges (1909-1934), successeur de son oncle, Léopold II. Il acquit, par son action militaire et diplomatique, un prestige considérable pendant la Première Guerre mondiale. ~ **Albert II** (*1934, château de Stuyvenberg*), fils de Léopold III, a succédé à son frère Baudouin Ier en 1993.

**ALBERT** ~ *1819, Rosenau, Thuringe - 1861, Windsor.* Prince consort de Grande-Bretagne et d'Irlande, prince de Saxe-Cobourg-Gotha. Il épousa en 1840 la reine Victoria Ire, sa cousine.

**ALBERT DE HABSBOURG**, nom de deux empereurs germaniques. ~ **Albert Ier** (*v. 1255 - 1308, Brugg, Argovie*), empereur germanique (1298-1308). Fils de Rodolphe Ier. Il tua son rival, Adolphe de Nassau, et fut assassiné par son neveu, Jean de Souabe. ~ **Albert II** (*1397 - 1439, Neszmély, Hongrie*), duc d'Autriche (1404-1439) sous le nom d'Albert V, roi de Hongrie et de Bohême (1437-1439), empereur germanique (1438-1439). Il périt lors d'une campagne contre les Turcs.

**ALBERT Ier DE MONACO** ~ *1848, Paris - 1922, id.* Prince de Monaco (1889-1922). Il créa le Musée océanographique de Monaco.

**ALBERT LE GRAND** (saint) ~ *v. 1193, Lauingen, Souabe - 1280, Cologne.* Théologien et philosophe allemand. Maître de saint Thomas d'Aquin, il diffusa la pensée d'Aristote et fit connaître la philosophie arabe en Occident.

**ALBERT LE PIEUX** ~ *1559, Wiener Neustadt - 1621, Bruxelles.* Archiduc d'Autriche. Fils de Maximilien II. Il fut vice-roi de Portugal puis, après son mariage (1598) avec Isabelle, fille de Philippe II, gouverneur des Pays-Bas.

**ALBERTA** (l') ~ Prov. de l'O. du Canada (depuis 1905), partagée entre la Prairie (céréales, élev.) et les Rocheuses à l'O. (tourisme, parc national de Banff) ; 661 185 km², 2 565 000 h., v. princ. Edmonton (cap.), Calgary. Pétr., charbon. Industr. agroalimentaires et chimiques.

**ALBERTI** (Léon Battista) ~ *1404, Gênes - 1472, Rome.* Humaniste et architecte italien. Il fut l'un des premiers théoriciens de l'art de la Renaissance, prônant un idéal d'équilibre, not. dans l'architecture. Ses traités sur la perspective, écrits en langue vulgaire, eurent une influence considérable.

**ALBERTVILLE** ~ V. de Savoie, centre comm. au confluent de l'Isère et de l'Arly, réunie à l'anc. ville forte de Conflans ; 17 411 h. (agglom. 28 392 h.). La Maison Rouge (XIVe s.) abrite un musée savoyard. Site princ. des jeux Olympiques d'hiver 1992.

**ALBI** ~ Préfect. du Tarn, sur le Tarn, au S.-O. du Massif central ; 46 579 h. (agglom. 64 359 h.). Archevêché. Industries mécan., électron. électroménag., tall., text. en déclin. Centrale thermique. Cathédrale gothique Ste-Cécile (XIVe-XVe s.). Ancien palais épiscopal abritant le musée Toulouse-Lautrec. **HIST.** - Ancienne cité gallo-romaine, propriété de la maison de Toulouse, Albi fut rattachée à la couronne de France en 1284. Elle fut le centre historique des cathares aux XIIe et XIIIe s.

**albigeois (croisade des)** ~ Croisade lancée en 1208 par le pape Innocent III contre les albigeois (ou cathares), après l'assassinat du légat Pierre de Castelnau, et dont Simon de Montfort prit la tête. En dépit de l'appui de Raimond VI, comte de Toulouse, les albigeois furent battus, et le traité de Paris (1229) développa l'influence du roi de France en Languedoc. Malgré la prise de Montségur (1244), place forte des hérétiques, des églises cathares subsistèrent après 1250.

**ALBINONI** (Tomaso) ~ *1671, Venise - 1750, id.* Compositeur italien. Outre sa musique instrumentale, admirée par J. S. Bach et redécouverte au XXe s. (*Sonates à trois* ; *Trattenimenti armonici*), il composa de nombreux opéras (*Aminta*, 1704).

**ALBION**, du lat. ***albus***, « blanc » ~ Nom ancien désignant la Grande-Bretagne, inspiré par le blanc de ses falaises, que perpétue la locution péjorative **perfide Albion**.

**ALBION (plateau d')** ~ Site du plateau de Saint-Christol (N. du Vaucluse), à l'E. du Ventoux. Base de lance-missiles sol-sol de 1965 à 1996, composante de la force française de dissuasion nucléaire.

**ÅLBORG** ou **AALBORG** ~ Port comm. et industr. du Danemark, vieux centre régional du N. du Jylland ; 158 000 h. Cathédrale (XIVe s.), vieille ville. Musée d'art moderne.

**ALBORNOZ** (Gil **Álvarez Carrillo** DE) ~ *v. 1300, Cuenca - 1367, Viterbe.* Prélat espagnol. Fait cardinal par le pape d'Avignon Clément VI, il reconquit les États de l'Église (1360).

**ALBRET (maison d')** ~ Famille gasconne régnant sur le duché d'Albret, qui acquit les comtés de Béarn, du Périgord, de Foix et le royaume de Navarre. Henri IV, fils de Jeanne III d'Albret, rattacha le duché à la couronne de France en 1607.

**ALBUQUERQUE** (Alfonso DE) ~ *1453, Alhandra, près de Lisbonne - 1515, Goa.* Conquistador portugais. Vice-roi des Indes en 1509, il prit Goa et Malacca.

**ALBUQUERQUE** ~ V. princ. du Nouveau-Mexique (États-Unis), sur le rio Grande ; 398 000 h. Tourisme. Base militaire.

**ALCALÁ DE HENARES** ~ V. d'Espagne, près de Madrid (E.) ; 159 000 h. Anc. centre universitaire (XVIe-XIXe s.). Monuments des XVIe et XVIIe s.

**ALCAMÈNE** ~ *Ve s. av. J.-C.* Sculpteur athénien, élève et rival de Phidias (*Aphrodite aux jardins*).

**ALCÉE** ~ *v. 630, Lesbos - v. 580 av. J.-C.* Poète lyrique grec, proche de Sappho.

*Albert Ier de Belgique.*

D'Alembert (*détail*), *par Louis Tocqué (1696-1772). Musée Lambinet, Versailles.*

**ALCESTE** ~ Personnage de la mythologie grecque. Épouse d'Admète, elle consentit à mourir à la place de son mari, mais Héraclès la sauva des Enfers.

**ALCIAT** (Andrea **Alciato**, en fr. André) ~ *1492, Alzate, Milanais - 1550, Pavie.* Jurisconsulte italien. Ses études de la jurisprudence latine par l'éclairage de l'histoire et de la philologie sont à l'origine de l'école historique de droit (*Emblèmes*, 1531).

**ALCIBIADE** ~ *v. 450, Athènes - 404 av. J.-C., Phrygie.* Général et homme politique athénien. Descendant des Alcméonides, il fut élevé par Périclès et devint disciple de Socrate. Chef du parti démocratique, il dirigea l'expédition navale contre la Sicile (415 av. J.-C.) mais, accusé de sacrilège, passa au service de Sparte. Rappelé à la faveur d'un complot aristocratique, il remporta plusieurs victoires sur les Spartiates. Il dut s'exiler peu après, et fut assassiné.

**ALCINOOS** ~ Personnage de l'*Odyssée*. Roi des Phéaciens, père de Nausicaa, il accueillit Ulysse après son naufrage.

**ALCMAN** ~ *VIIe s. av. J.-C., Sardes.* Poète grec, éminent représentant du lyrisme choral à Sparte.

**ALCMÈNE** ~ Princesse légendaire, femme d'Amphitryon. Séduite par Zeus, qui prit les traits de son époux, elle donna naissance à Héraclès.

**Alcméonides** (les) ~ Famille athénienne d'origine messénienne, qui prétendait descendre de Nestor, roi légendaire de Pylos. Elle compta parmi ses membres Clisthène, Périclès et Alcibiade.

**ALCOFORADO** (Mariana) ~ *1640, Beja, Portugal - 1723, id.* Religieuse portugaise, auteur présumée des *Lettres portugaises* (1669).

**ALCUIN,** en lat. ***Albinus Flaccus*** ~ *v. 735, York - 804, Tours.* Moine et savant anglo-saxon. Appelé auprès de Charlemagne, il fonda l'école du palais à Aix-la-Chapelle puis à Tours, et favorisa le développement de l'enseignement dans l'empire.

**ALDAN** (l') ~ Riv. de Russie (Iakoutie), affl. de la Lena (r. dr.), aux confins de l'Extrême-Orient russe (monts de Verkhoïansk) et de la Sibérie centrale ; 2 242 km.

**ALDERNEY** ~ Voir **Aurigny**.

**Aldes** (les) ~ Voir **Manuce**.

**ALDRICH** (Robert) ~ *1918, Cranston, Rhode Island - 1983, Los Angeles.* Cinéaste américain. Ses films privilégient l'action au service de l'héroïsme (*Vera Cruz*, 1954 ; *En quatrième vitesse*, 1955).

**ALDRIN** (Edwin) ~ *1930, Monclair, New Jersey.* Astronaute américain. Deuxième homme, après N. Armstrong, à avoir marché sur la Lune (1969).

**ALECHINSKY** (Pierre) ~ *1927, Bruxelles.* Peintre et graveur belge. Il s'est intéressé aux techniques d'écriture automatique et a participé au mouvement Cobra (1948). Ses œuvres sont caractérisées par des formes tourmentées encadrées de graphismes.

**ALECSANDRI** (Vasile) ~ *1821, Bacău - 1890, Mirceşti.* Poète et homme politique roumain. Ses œuvres sont inspirées par le folklore moldave (*Romances et Fleurs de muguet*, 1863).

**ALEGRÍA** (Ciro) ~ *1909, Sartimbamba - 1967, Lima.* Écrivain péruvien. Il défendit la culture indienne (*Vaste est le monde*, 1941).

**ALEIJADINHO** (Antônio Francisco **Lisboa**, dit l') ~ *1738, Ouro Preto - 1814, id.* Architecte et sculpteur brésilien d'inspiration baroque.

**ALEIXANDRE Y MERLO** (Vicente) ~ *1898, Séville - 1984, Madrid.* Poète espagnol. Surréaliste (*la Destruction ou l'Amour*, 1934), son œuvre a ensuite évolué vers des préoccupations sociales. Prix Nobel de litt. 1977.

**ALEKSANDROPOL** ~ Voir **Gumri**.

**ALEMÁN** (Mateo) ~ *1547, Séville - 1614, Mexico.* Écrivain espagnol. Il est l'auteur du célèbre roman picaresque *Guzmán de Alfarache* (1599).

**Alémans** (les) ~ Voir **Alamans**.

**ALEMBERT** (Jean **Le Rond** D') ~ *1717, Paris - 1783, id.* Physicien, mathématicien, philosophe et écrivain français. Il intégra la méthodologie cartésienne aux conceptions newtoniennes, ouvrant la voie de la rationalité physico-mathématique moderne. Dans son *Traité de dynamique* (1743), il réalisa l'unification de la mécanique des corps solides et en énonça le théorème général, connu sous le nom de **principe de d'Alembert**. Le *Discours préliminaire de l'Encyclopédie* (1751) de ce philosophe réaliste et sceptique fut tenu pour le manifeste des Lumières. Méfiant à l'égard du pouvoir aristocratique, défenseur des valeurs d'égalité et de tolérance, il est par là même un penseur représentatif de la classe bourgeoise montante. Au centre de nombreuses controverses, il se lia avec Voltaire, Diderot et Rousseau. Acad. Voir **Encyclopédie**.

**ALENCAR** (José Martiniano DE) ~ *1829, Meceiana, Ceará - 1877, Rio de Janeiro.* Écrivain et homme politique brésilien. Auteur des premiers romans historiques nationaux (*le Guarani*, 1857), il fut député, puis ministre de la Justice (1868).

**ALENÇON** ~ Préfect. de l'Orne, sur la Sarthe, au cœur de la **Campagne d'Alençon** (élev. bovin, céréales) ; 29 988 h. (agglom. 42 471 h.). Dentelles, dites **point d'Alençon**. Église Notre-Dame (XVI$^{e}$ s.). Ancienne cité ducale.

**ALENTEJO** (l') ~ Partie méridionale du Portugal, au S. du Tage (Algarve exclu), région basse, sèche et chaude, surtout rurale (v. princ. Évora). Agric. extensive (céréales, olivier), cultures irriguées, élev. bovin et ovin, chêne-liège.

**ALÉOUTIENNES (îles)** ~ Arc insulaire volcanique du Pacifique N., au S. de la mer de Béring, entre l'Alaska (dont il dépend) et le Kamtchatka (Sibérie) ; env. 12 000 km$^2$, 13 000 h. (dont les **Aléoutes**, chasseurs-pêcheurs apparentés aux Inuits). Climat humide et brumeux. La **fosse des Aléoutiennes**, au S., atteint - 7 000 m.

**ALEP**, en ar. ***Halab*** ~ 2$^{e}$ v. de Syrie, métropole économique et culturelle du N.-O. du pays ; 1 494 000 h. Évêché maronite. Université. Souks couverts de 800 m de longueur. Citadelle, mosquées et madrasas (VIII$^{e}$-XVI$^{e}$ s.). Musée archéologique. **HIST.** - Sous domination hittite puis assyrienne (VIII$^{e}$ s. av. J.-C.), elle passa aux Séleucides, qui fondèrent une nouvelle ville au même emplacement (IV$^{e}$-I$^{er}$ s. av. J.-C.), puis aux Romains (64 av. J.-C.). Conquise par les musulmans, puis par les Turcs, elle prospéra jusqu'à sa destruction partielle par les séismes de 1822 et 1823.

**ALÉRIA (plaine d')** ~ Plaine côtière alluviale de l'E. de la Corse (Haute-Corse). Longtemps paludique et insalubre, elle a connu une mise en valeur agricole récente. Anc. site d'Alalia, cité phocéenne, puis carthaginoise, conquise par Rome en 259 av. J.-C., auj. **Aléria** (2 022 h.).

**ALÈS** ~ V. industr. de la bordure orientale des Cévennes (Gard), sur le Gardon d'Alès ; 41 037 h. (agglom. 76 856 h.). Anc. houillères et industr. sidér. en déclin. Industr. chimique. Cathédrale du XVIII$^{e}$ s., fort-prison érigé par Vauban, musée. **HIST.** - **L'édit de grâce d'Alès** (1629), signé par Louis XIII, accordait la liberté de culte aux protestants mais les privait de leurs privilèges militaires.

**ALÉSIA** ~ Oppidum de Gaule, qu'on situe auj. à proximité d'Alise-Sainte-Reine (Côte-d'Or) ou de Chaux-des-Crotenay (Jura). Vercingétorix, qui s'y était retranché, se rendit à César après un siège de deux mois (52 av. J.-C.).

**ÅLESUND** ~ Important port de pêche du S.-O. de la Norvège ; 36 000 h. Conserveries.

**ALEXANDER** (Franz) ~ *1891, Budapest - 1964, New York.* Psychiatre et psychanalyste américain d'orig. hongroise. Spécialiste de la médecine psychosomatique, il fut directeur de l'Institut de psychanalyse de Chicago.

**ALEXANDER** (Harold George), 1$^{er}$ comte **Alexander of Tunis** ~ *1891, Londres - 1969, Slough, Buckinghamshire.* Maréchal britannique. Il participa aux opérations dans le Moyen-Orient puis en Afrique du Nord, et fut nommé commandant en chef en Méditerranée (nov. 1944). Il fut gouverneur du Canada puis ministre de la Défense après la guerre.

**ALEXANDRA FIODOROVNA** ~ *1872, Darmstadt - 1918, Iekaterinbourg.* Impératrice de Russie (1894-1917). Mariée au tsar Nicolas II en 1894, elle fut exécutée par les bolcheviks.

**ALEXANDRE**, nom de douze papes. ~ **Alexandre I$^{er}$** (saint), pape de 105 à env. 115. ~ **Alexandre III** (Rolando **Bandinelli** ; *v. 1105, Sienne - 1181, Cirta Castellana*), pape de 1159 à 1181. Il lutta contre Frédéric Barberousse, qui lui opposa quatre antipapes successifs. Il réunit le III$^{e}$ concile du Latran (1179). ~ **Alexandre V** (Petros **Filargès** ; *1340, Candie - 1410, Bologne*), pape illégitime de 1409 à 1410. ~ **Alexandre VI** (Rodrigo **Borgia** ; *1431, Játiva, Espagne - 1503, Rome*), pape de 1492 à 1503. Père de plusieurs enfants illégitimes, dont César et Lucrèce Borgia, il fit scandale par sa vie de débauche et par les intrigues qui entourèrent son élection. Opposé à Charles VIII, puis allié de Louis XII, il présida à la signature du traité de Tordesillas (1494), partageant entre l'Espagne et le Portugal les territoires découverts en Amérique.

**ALEXANDRE**, nom de trois tsars de Russie. ~ **Alexandre I$^{er}$ Pavlovitch** (*1777, Saint-Pétersbourg - 1825, Taganrog*), tsar de 1801 à 1825. Petit-fils de Catherine II, il succéda à son père, Paul I$^{er}$. Bien qu'il fût animé de l'esprit de réforme (droit de propriété de la terre pour les roturiers), il ne vit pas couver la révolte des décabristes, favorables à une monarchie constitutionnelle. À l'extérieur, plongé dans le tourbillon des guerres napoléoniennes, il joua tour à tour l'alliance avec la France et avec l'Angleterre. ~ **Alexandre II Nikolaïevitch** (*1818, Moscou - 1881, Saint-Pétersbourg*), tsar de 1855 à 1881, successeur de Nicolas I$^{er}$, son père. Héritant d'une Russie défaite en Crimée, il s'allia avec l'Allemagne pour écraser l'insurrection polonaise de 1863, dut limiter ses ambitions face à la Turquie (traité de Berlin, 1878) et poursuivit l'expansionnisme russe dans le Caucase et en Asie centrale. À l'intérieur, sa tentative de forcer les étapes de la modernisation économique du pays (abolition de l'esclavage, 1861) se heurta à son propre autocratisme, contre lequel se leva le parti des populistes (*narodniki*), qui organisa son assassinat. ~ **Alexandre III Alexandrovitch** (*1845, Saint-Pétersbourg - 1894, Livadia*), tsar de 1881 à 1894, successeur d'Alexandre II, son père. Il assura la mainmise de la Russie sur les pays Baltes et passa une alliance avec la France (1892).

**ALEXANDRE FARNÈSE** ~ *1545, Rome - 1592, Arras.* Duc de Parme. Homme de guerre au service de l'Espagne, nommé gouverneur des Pays-Bas (1578), il lutta contre les provinces calvinistes regroupées autour de la maison d'Orange. Allié de la Sainte Ligue en France, il contraignit Henri IV à lever le siège de Paris (1590).

**ALEXANDRE LE GRAND** ~ *356, Pella, Macédoine - 323 av. J.-C., Babylone.* Roi de Macédoine (336-323). Élève d'Aristote, il succéda à son père, Philippe II. Nommé stratège des Hellènes (335), il soumit l'ensemble de la Grèce, puis entreprit la conquête de l'Empire perse (334). Maître de l'Asie Mineure, de la Syrie (333) puis de l'Égypte, où il fonda Alexandrie, il passa en Mésopotamie. Vainqueur de Darius III à Gaugamèles, près d'Arbèles (331), il occupa Babylone, Suse et Persépolis. Parvenu jusqu'en Inde, il battit le roi Poros (327), mais l'épuisement de ses troupes le contraignit à rentrer à Babylone. Son empire, qu'il avait tenté d'unifier en favorisant la fusion des peuples, fut partagé entre ses généraux après sa mort.

**ALEXANDRE NEVSKI** (Aleksandr **Iaroslavitch**, dit) ~ *1220, Vladimir - 1263, Gorodets.* Grand-duc de Novgorod (1236-1252). Vainqueur des Suédois (1240) près de la Neva puis des chevaliers Teutoniques au lac Peïpous (1242), il devint grand-prince de Vladimir en 1252.

**ALEXANDRE I$^{er}$ JAGELLON** ~ *1461, Cracovie - 1506, Vilnius.* Fils de Casimir IV. Grand-duc de Lituanie, roi de Pologne (1501-1506). Il réunit en un seul code les lois et coutumes polonaises.

**ALEXANDRE I$^{er}$ KARADJORDJEVIĆ** ~ Voir Karadjordjević.

**ALEXANDRE I$^{er}$ OBRENOVIĆ** ~ Voir Obrenović.

**ALEXANDRIE**, en ar. ***al-Iskandariyya*** ~ 1$^{er}$ port et 2$^{e}$ v. d'Égypte, sur la côte méditerranéenne, à l'O. du delta du Nil ; agglom. 3 170 000 h. C'est un grand centre comm., fin. (marché du coton), industriel (pétrochim., text., constr. navales) et universitaire. Station balnéaire. **HIST.** - Fondée par Alexandre le Grand en 332 av. J.-C., la ville fut la capitale de l'Égypte des Ptolémées et le centre du monde hellénistique. Célèbre pour sa bibliothèque et pour son phare (île de Pharos), la cité, devenue métropole de l'Orient romain, vit son rôle s'amenuiser à partir de la conquête arabe (642).

**ALEXIS** (saint) ~ *1293, Moscou - 1378.* Métropolite de Moscou, il favorisa l'expansion politique de sa cité.

**ALEXIS**, nom de cinq empereurs byzantins. ~ **Alexis I$^{er}$ Comnène** (*1048, Constantinople - 1118, id.*), empereur de 1081 à 1118. Fondateur de la dynastie des Comnènes, il lutta contre les Turcs, les Normands et les Petchenègues et entreprit le redressement de l'empire. ~ **Alexis III Ange** (*m. v. 1210*), empereur de 1195 à 1203. Il fut déposé au profit de son gendre Théodore I$^{er}$ Lascaris. ~ **Alexis V Doukas** (*m. en 1204 à Constantinople*), empereur en 1204. Il fut battu par les croisés, qui prirent Constantinople.

**ALEXIS MIKHAÏLOVITCH** ~ *1629, Moscou - 1676, id.* Tsar de Russie (1645-1676). Il étendit ses possessions vers l'O. au détriment de la Pologne, soumit les Cosaques d'Ukraine et poursuivit la conquête de la Sibérie. Il encouragea la réforme religieuse du patriarche Nikon et promulgua un nouveau code de lois qui entérina le servage.

**ALFIERI** (Vittorio) ~ *1749, Asti - 1803, Florence.* Poète et dramaturge italien. Ses tragédies font l'apologie de la liberté et de l'héroïsme de l'« homme libre » contre les tyrannies (*Philippe II*, 1775 ; *Saül*, 1782). Il influencera les générations du Risorgimento et les romantiques européens.

**ALFÖLD** (l') ~ Grande plaine agricole de l'E. de la Hongrie, drainée par la Tisza, conquise sur l'ancienne Puszta.

**ALFONSÍN** (Raúl) ~ *1926, Chascomus.* Homme d'État argentin. Président de la République de 1983 à 1989. Premier chef de l'État élu après sept ans de dictature militaire, il a mené une politique de réconciliation.

**ALFORTVILLE** ~ V. industr. de la banlieue S.-E. de Paris, au confluent de la Seine et de la Marne (Val-de-Marne) ; 36 119 h.

**ALFRED LE GRAND** ~ *v. 849, Wantage, Berkshire - 899.* Roi du Wessex (871-878) et des Anglo-Saxons (878-899). Il se rendit maître de la Northumbrie et reprit Londres aux Danois.

**ALFVÉN** (Hannes) ~ *1908, Norrköping - 1995, Stockholm.* Physicien suédois. Il a découvert l'existence, dans le plasma de la magnétosphère, des ondes qui portent son nom, expliquant ainsi les phénomènes d'aurores boréales, d'orages magnétiques et le rôle du champ magnétique dans le système solaire. Prix Nobel de phys. 1970.

**ALGARDE** (Alessandro **Algardi**, dit en fr. **l'**) ~ *1595, Bologne - 1664, Rome.* Sculpteur italien, élève des Carrache, au style proche de celui du Bernin.

**ALGARVE** (l') ~ Région correspondant à l'extrémité S. du Portugal, anc. prov. (auj. district de Faro). Légumes et fruits (olives, figues), cultures irriguées, pêche. Tourisme balnéaire. Partie N. d'un ancien royaume maure.

**ALGER**, en ar. ***al-Djaza'ir*** ~ Cap. et princ. port d'Algérie ; 1 500 000 h. Ch.-l. de wilaya (env. 1 690 000 h.) au débouché de la Mitidja, c'est la 2$^{e}$ agglom. d'Afrique du Nord, après Casablanca, à égale distance du Maroc et de la Tunisie sur la côte méditerranéenne, centre industriel (pétrochim., agroalim.) et universitaire. Vieille ville (*casbah*), mosquée malikite (XI$^{e}$ s.), mosquée de la Pêcherie (XVII$^{e}$ s.). Musée des Beaux-Arts. **HIST.** - Ancien comptoir punique, Alger occupe le site de la ville romaine d'Icosium. Les corsaires Barberousse s'en emparèrent et la placèrent sous suzeraineté ottomane (1518). Centre de la piraterie barbaresque en Méditerranée et résidence des deys (1671), la ville fut assiégée par Charles Quint (1541), bombardée par les Français (1683 et 1684) et par les Anglais (1816), puis conquise par les Français (1830). Siège des organes dirigeants de la France libre (1943-1944), elle fut le théâtre de la **bataille d'Alger** (1957), opération policière et militaire menée par le général Massu contre le F. L. N.

**ALGER (conférence arabe d')** ~ Conférence qui réunit les chefs d'État des pays arabes, à l'exception de ceux de l'Irak et de la Libye, du 26 au 28 nov. 1973, au lendemain du conflit israélo-arabe d'oct. 1973, et qui reconnut l'O. L. P. comme seul représentant du peuple palestinien.

**ALGÉRIE (république démocratique et populaire d')**, en ar. ***al-Djaza'ir*** ~ Pays d'Afrique du Nord baigné par la Méditerranée. ***Cap.*** Alger. ***Superf.*** 2 381 741 km$^2$. ***Popul.*** 26 600 000 h., dont arabophones (82 %), berbérophones (17 %). ***Langues princ.*** Arabe, berbère, français. ***Monn.*** Dinar. ***Relief.*** Du N. au S. se succèdent le Tell méditerranéen (forêts, polyculture des plaines côtières ou intérieures) et montagneux (Atlas), les Hautes Plaines steppiques (céréaliculture) parsemées de chotts, au climat continental, puis l'Atlas saharien et l'Aurès (à l'E.) plus arrosés, en bordure du Sahara (80 % du territoire), peuplé seulement dans les oasis. *Écon.* Après l'indépendance, l'Algérie a fait le choix d'un cadre de développement socialiste. L'explosion démographique (croissance : 2,5 % par an), l'urbanisation (env. 45 %), la mauvaise gestion des entreprises agricoles et industrielles et, depuis 1992, l'affrontement entre les islamistes et le pouvoir ont conduit l'Algérie à la ruine. Les revenus procurés par les hydrocarbures (gaz, pétrole) et par les salaires des émigrés servent à honorer la dette, à acheter des produits alimentaires et des armes. Le potentiel touristique est peu exploité. ***V. princ.*** Alger, Oran, Constantine, Annaba, Blida. **HIST.** – *Fin du IIe mill. av. J.-C.* : installation de comptoirs phéniciens sur les côtes de ce territoire occupé depuis des siècles par des populations berbères. *Ier mill. av. J.-C.* : domination phénicienne, puis carthaginoise. *IIe s. av. J.-C.* : après la destruction de Carthage, les divers royaumes de l'intérieur sont inféodés à Rome, non sans résistance. *40 apr. J.-C.* : annexé par l'Empire romain, le territoire algérien devient la province de Maurétanie césarienne et se convertit progressivement au christianisme (saint Augustin, évêque d'Hippone de 395 à 430). *Ve s.* : invasion du pays par les Vandales. *VIe s.* : conquête par Byzance de la partie orientale du territoire. *VIIe-XIe s.* : les Arabes venus d'Égypte prennent le contrôle du pays et l'islamisent. Les Berbères résistent en créant des royaumes indépendants ou en s'éloignant de l'orthodoxie musulmane. *XIe-XVe s.* : les dynasties berbères des Almoravides puis des Almohades imposent leur autorité à toute l'Afrique du Nord, mais, à partir du XIIIe s., celle-ci se désagrège. *XVIe s.* : l'Algérie passe sous domination ottomane, par le biais de corsaires barbaresques appelés à soutenir le pays face à l'Espagne. *1830-1857* : conquête difficile de l'Algérie par les Français qui se heurtent à la résistance de la population et à la détermination d'Abd el-Kader. Le Sahara est annexé à la fin du siècle. *XXe s.* : la résistance à la colonisation, qui n'a jamais cessé, reprend avec vigueur dès la fin de la Seconde Guerre mondiale. *1943* : Ferhat Abbas publie son *Manifeste du peuple algérien*. *1945* : répression sanglante des émeutes de Sétif et Guelma. *1947* : nouvelle organisation des départements algériens. *1954* : des militants nationalistes, parmi lesquels Hocine Aït Ahmed, Ahmed Ben Bella, Mohammed Boudiaf, créent le Front de libération nationale (F. L. N.). L'insurrection est déclenchée le 1er novembre (voir **Algérie**, guerre d'). *18-19 mars 1962* : les accords d'Évian prévoient l'indépendance de l'Algérie et décrètent le cessez-le-feu. *1962-1989* : l'Algérie est soumise à un régime présidentiel autoritaire soutenu par un parti unique, le F. L. N. *1965* : Houari Boumediene renverse le président Ben Bella, poursuit l'orientation socialiste de la politique intérieure, mais pratique en politique étrangère le non-alignement. *1979* : le colonel Chadli succède à Boumediene. La crise économique et l'augmentation du chômage entraînent des émeutes de la faim (oct. 1988) et la montée de l'intégrisme islamique. *1989-1995* : l'instauration d'une nouvelle Constitution démocratique aboutit en 1992 à une période de troubles et de violences, lors de la suspension du processus électoral et l'instauration de l'état d'urgence. Le Front islamique du salut (F. I. S.), probable vainqueur, se voit privé de sa victoire et mis hors la loi ; il lance une vague d'attentats terroristes. Après la démission de Chadli, un Haut Comité d'État (présidé par Mohammed Boudiaf, assassiné en juin 1992) est mis en place. Le général Liamine Zeroual est porté par l'armée à la présidence de la République (1994). Aucune des tentatives de négociation entre les différentes parties (conférence de Rome, janv. 1995 ; dialogue secret entre l'armée et le F. I. S.) ne semble aboutir. *Nov. 1995* : L. Zeroual est élu lors de la première élection présidentielle pluraliste. *Nov. 1996* : les pouvoirs du président sont renforcés par référendum.

**Algérie** (guerre d') ~ Conflit qui opposa la France aux mouvements nationalistes algériens fédérés autour du F. L. N. et de son armée, l'A. L. N. (1954-1962). La lutte fut engagée en novembre 1954 en Kabylie et dans les Aurès. Les gouvernements Mendès France, Pflimlin et Mollet entendaient « pacifier » avant de négocier (détournement en plein vol d'un avion transportant cinq dirigeants du F. L. N., dont Ben Bella, oct. 1956 ; bataille d'Alger, 1957). Cette stratégie purement militaire et ses excès (grand nombre de morts, tortures) furent un échec et conduisirent en 1958 à la création du gouvernement provisoire de la République algérienne (G. P. R. A.) et à l'arrivée au pouvoir du général de Gaulle. Dès 1959, ce dernier proclama l'autodétermination du peuple algérien et, en 1960, entama des négociations avec le G. P. R. A. Des Français d'Algérie et des militaires tentèrent de s'y opposer (« semaine des barricades », janv. 1960 ; putsch des généraux à Alger, avr. 1961 ; création de l'O. A. S., 1961). Les accords d'Évian (mars 1962), approuvés par référendum, entérinèrent l'indépendance du pays, provoquant le départ massif des Européens.

**ALGÉSIRAS** ~ V. d'Espagne (Andalousie), port de pêche, de commerce et de transit vers le Maroc, sur le détroit de Gibraltar ; 101 000 h. Pétrochimie. Lieu de débarquement des Arabes en 711. **HIST.** – La **conférence d'Algésiras** (1906) favorisa les visées françaises sur le Maroc aux dépens de celles de l'Allemagne.

**Algonquins** (les) ~ Groupe de peuples indiens (Cheyennes, Arapahos, Ojibwas, etc.) d'Amérique du Nord, qui parlent la même langue.

**Alhambra** (l') ~ Cité des rois nasrides de Grenade (XIIIe-XVe s.), sur un plateau dominant la ville. Deux palais subsistent, chefs-d'œuvre de l'architecture hispano-arabe.

**ALHAZEN** ~ Voir **Ibn al-Haytham**.

**ALI** ~ *v. 600, La Mecque - v. 661, Kufa.* Quatrième calife musulman (656-661). Cousin de Mahomet, dont il épousa la fille Fatima, et père de Hassan et de Hussein, il fut dépossédé du califat par Mu'awiya, et fut assassiné. Il est investi d'une puissance divine par les chiites.

**ALI** (Cassius **Clay**, puis Muhammad) ~ *1942, Louisville.* Boxeur américain. Champion du monde des poids lourds de 1964 à 1967, il s'est converti à l'islam, a pris position contre la ségrégation raciale et la guerre du Viêt Nam et refusé de faire son service militaire. Il a été alors déchu de son titre, qu'il a repris en 1974 et conservé jusqu'en 1978.

**ALICANTE** ~ Port d'Espagne, sur la côte méditerranéenne, au S. de Valence, centre admin. et comm. d'une région irriguée ; 261 000 h. Tourisme.

**ALICE SPRINGS** ~ V. d'Australie, au cœur du grand désert central (Territoire du Nord) ; 25 000 h. Centre minier. Liaison ferroviaire avec Adélaïde.

**Alides** (les) ~ Descendants du calife Ali, considérés par les chiites comme les seuls dépositaires de l'héritage spirituel du Prophète.

**ALIÉNOR D'AQUITAINE** ~ *1122 - 1204, Fontevrault.* Reine de France puis d'Angleterre. Femme de Louis VII, roi de France, qui la répudia (1152), elle épousa Henri II Plantagenêt, roi d'Angleterre, et eut pour fils Richard Cœur de Lion et Jean sans Terre.

© A. Thomas-Explorer

*Gisant d'**Aliénor d'Aquitaine** (détail) à l'abbaye de Fontevrault.*

**ALIGARH** ~ V. industrielle de l'Inde (Uttar Pradesh), dans la plaine du Gange, au S.-E. de Delhi ; 481 000 h. Université islamique.

**ALI PACHA DE TEBELEN** ~ *v. 1744, Tebelen, Albanie - 1822, Ioánnina.* Pacha de Ioánnina, il souleva les Albanais et les Grecs contre les Turcs. Il fut tué à la prise de Ioánnina par les Ottomans.

**ALI PACHA MEHMED EMIN** ~ *1815, Istanbul - 1871, Bebek, sur le Bosphore.* Homme politique turc. Président du Conseil du Tanzimat (assemblée réformatrice) en 1854, il fut l'un des principaux artisans de la modernisation des institutions de l'Empire ottoman.

**ALISE-SAINTE-REINE** ~ Village de la Côte-d'Or, au pied du mont Auxois ; 667 h. L'un des sites présumés d'Alésia.

**ALIX DE CHAMPAGNE** ~ Voir **Adèle**.

**ALIX DE SAVOIE** ~ Voir **Adélaïde**.

**ALKAN** (Charles Valentin **Morhange**, dit) ~ *1813, Paris - 1888, id.* Compositeur français. Pianiste virtuose, ami de Liszt et de Chopin, il a laissé des œuvres audacieuses (*Grande Sonate « Les Quatre Âges »*, 1848), et des études pour piano.

**ALKMAAR** ~ V. des Pays-Bas (Hollande-Septentrionale), au N.-O. d'Amsterdam, centre régional de services ; 93 000 h. Marché aux fromages. Église St-Laurent (XVe s.), hôtel de ville (XVIe s.).

**ALLAH** ~ Mot arabe désignant Dieu, unique et éternel, principe de toute création, dans la religion musulmane. Le Coran, livre sacré de l'islam, transmet sa parole, révélée par Mahomet.

**ALLAHABAD** ~ V. de l'Inde (Uttar Pradesh), centre industr. et comm. au confluent du Gange et de la Yamuna ; 806 000 h. Important centre de pèlerinage hindouiste. Fort d'Akbar (XVIe s.), pilier d'Ashoka (IIIe s. av. J.-C.).

**ALLAIS** (Alphonse) ~ *1854, Honfleur - 1905, Paris.* Écrivain français. Membre du club des Hydropathes et cofondateur du cabaret *le Chat noir*, il pratiqua l'humour noir et le *nonsense*, avec force fantaisie et jeux de mots (*l'Affaire Blaireau*, 1899 ; *le Captain Cap*, 1902).

**ALLAIS** (Maurice) ~ *1911, Paris.* Ingénieur et économiste français. De tendance néolibérale, il voit dans la concurrence le moyen d'obtenir le meilleur rendement social. Prix Nobel de sc. écon. 1988.

**ALLAUCH** ~ V. de la banlieue N.-E. de Marseille (Bouches-du-Rhône), au pied de la chaîne de l'Étoile ; 16 092 h. Église (XVIe-XVIIIe s.).

**ALLEGHANY (monts)**, en angl. ***Allegheny*** ~ Chaîne (alt. max. 1 480 m) et plateau (gisements houillers) des Appalaches centrales (Virginie-Occidentale, Pennsylvanie).

**ALLÉGRET** (Marc) ~ *1900, Bâle - 1973, Paris.* Cinéaste français, auteur de succès populaires (*Gribouille*, 1937 ; *Entrée des artistes*, 1938).

**ALLEGRI** (Gregorio) ~ *1582, Rome - 1652, id.* Compositeur italien d'œuvres sacrées (*Miserere*, motet pour 9 voix et 2 chœurs).

**ALLEMAGNE (république fédérale d')**, en all. ***Bundesrepublik Deutschland*** ~ Pays d'Europe centrale bordé au N. par la mer du Nord et par la mer Baltique, divisé en 16 länder (Bade-Wurtemberg, Bavière, Berlin, Brandebourg, Brême, Hambourg, Hesse, Mecklembourg-Poméranie-Antérieure, Rhénanie-du-Nord-Westphalie, Rhénanie-Palatinat, Sarre, Saxe, Basse-Saxe, Saxe-Anhalt, Schleswig-Holstein, Thuringe). ***Cap.*** Berlin. ***Superf.*** 356 959 km². ***Popul.*** 81 000 000 d'h. ***Langue princ.*** Allemand. ***Monn.*** Mark. ***Relief.*** Au N., une grande plaine (dépôts glaciaires) entre Ems et Oder ; au centre, une mosaïque de massifs hercyniens (Harz, Massif schisteux rhénan, forêt de Thuringe, Erzgebirge) ou volcaniques (Vogelsberg, Rhön) et de bassins (Souabe-Franconie) ; au S. les plateaux et Préalpes de Bavière ; au S.-O. le fossé du Rhin, que domine la Forêt-Noire. ***Hydrogr.*** Au N., Rhin, Ems, Weser et Elbe sont reliés par le Mittellandkanal ; au S., l'ensemble Rhin, Main, Neckar, Danube met en relation la mer du Nord et la mer Noire. ***Démogr.*** Le taux de natalité est faible (croissance naturelle négative), compensé par l'apport des communautés immigrées (2 000 000 de Turcs, 1 000 000 d'ex-Yougoslaves), la population dense (230 h./km²), le taux d'urbanisation très élevé (86,3 %). ***Écon.*** L'Allemagne est la 3e puissance économique mondiale et la 1re d'Europe. Le « miracle économique » s'est fondé après 1945 sur une monnaie dévaluée, l'apport de population des réfugiés allemands d'U. R. S. S., de Pologne et des Sudètes, la main-d'œuvre immigrée (not. turque), l'aide des États-Unis (plan Marshall), la faiblesse des dépenses militaires et l'intégration croissante à l'Europe (O. E. C. E., Ceca, C. E. E., Union européenne). L'industrie (36,3 % du P. I. B.), qui entraîne l'économie et assure les surplus de la balance commerciale, a subi une profonde mutation au détriment des secteurs traditionnels du Nord et de la Ruhr (charbonnages, sidér., constr. navales, text.) et au profit des industries à forte valeur ajoutée (chim., agroalim., constr. mécan., aéronautiques, électr. et électron.) du S. du pays. Le secteur tertiaire (62,5 % du P. I. B.) assure la majorité des emplois (commerce, banques, assurances, transports, recherche). L'agriculture (1,2 % du P. I. B., 5 % des actifs) garantit à l'Allemagne l'autosuffisance en produits traditionnels et se fait gardienne de l'environnement. L'Allemagne est confrontée à la difficile intégration économique des länder de l'Est et aux problèmes posés par le coût élevé de sa main-d'œuvre, qui entraîne délocalisations industrielles et chômage. ***V. princ.*** Berlin, Hambourg, Munich, Cologne, Francfort, Essen, Dortmund, Stuttgart. **HIST.** – L'occupation du territoire est très ancienne (homme de Mauer : 500 000 ans av. J.-C. ; homme de Neandertal : 50 000 ans av. J.-C.). *III^e-I^er mill. av. J.-C.* : occupation celte (civilisation des Tumulus, civilisation de Hallstatt). *III^e s. av. J.-C.* : d'autres peuples venus du Nord (Alamans, Angles, Burgondes, Cimbres, Frisons, Lombards, Marcomans, Saxons...) se mêlent aux Celtes. *I^er s. av. J.-C.* : César contient ces « Germains » sur le Rhin. *IV^e-V^e s.* : l'Empire romain est submergé par les invasions germaniques. *VI^e s.* : les Francs mérovingiens étendent leur autorité en Bavière, Thuringe et Alémanie. *VIII^e s.* : Charlemagne (768-814) soumet les Saxons et règne sur l'ensemble de l'actuelle Allemagne. Il favorise son évangélisation. En 744, Boniface fonde l'abbaye de Fulda. *843* : au traité de Verdun, la région située à l'E. du Rhin revient à Louis le Germanique. *919-1024* : dynastie saxonne, fondée par Henri l'Oiseleur. Otton I^er (936-973), vainqueur des Slaves et des Hongrois, impose son autorité aux féodaux allemands et au Saint-Siège. Son couronnement impérial (962) donne naissance au Saint Empire romain germanique. *1024-1125* : les empereurs de la dynastie franconienne entrent en conflit avec Rome. La querelle des Investitures (1075-1122), marquée par l'humiliation d'Henri IV à Canossa (1077), prend fin avec le concordat de Worms (l'investiture temporelle des évêques revient à l'empereur, leur investiture spirituelle, au pape). *1137-1250* : les Hohenstaufen (Frédéric I^er Barberousse, Henri VI, Frédéric II) s'opposent aux féodaux allemands (guelfes) et à la papauté. La querelle du Sacerdoce et de l'Empire se termine par l'excommunication de Frédéric II par Rome. *1250-1273* : pendant le Grand Interrègne, les principautés se renforcent au détriment du pouvoir impérial. *1356* : Charles IV promulgue la Bulle d'or, qui désigne sept Électeurs et écarte le pape de l'élection. À partir de 1438, les Habsbourg d'Autriche se succèdent sur le trône et, par une habile politique de mariage, constituent un immense empire (héritages bourguignon, espagnol, bohémien, hongrois), qui atteint son apogée avec Maximilien I^er (1493-1519) et Charles Quint (1519-1556). L'Allemagne, divisée par la Réforme religieuse (en 1517, Luther publie les thèses de Wittenberg ; en 1521, traduction de la Bible en allemand), est entraînée dans un interminable conflit avec la France et menacée d'étouffement. *1555* : la paix d'Augsbourg accorde la liberté religieuse aux princes allemands. *1556-1564* : Ferdinand I^er ne règne plus que sur la partie orientale de l'empire, divisé par Charles Quint. *XVII^e s.* : la politique de Contre-Réforme déclenche la guerre de Trente Ans (1618-1648), qui ravage toute l'Allemagne. Les traités de Westphalie consacrent l'émiettement de l'empire. La guerre de la ligue d'Augsbourg (1686-1697) contre la France favorise cependant la naissance d'un sentiment national allemand. *XVIII^e s.* : montée des Hohenzollern, dynastie protestante. Frédéric III de Hohenzollern devient Frédéric I^er, « roi en Prusse » en 1701. Frédéric-Guillaume I^er (Roi-Sergent) fait de la Prusse un État moderne et centralisé. Les guerres de la Succession d'Autriche et de Sept Ans consacrent son ascension en Allemagne. *XIX^e s.* : les ambitions napoléoniennes bouleversent la carte de l'Allemagne. *1806* : avec la formation de la Confédération du Rhin, le Saint Empire cesse d'exister. *1815* : les traités de Vienne donnent la Rhénanie à la Prusse, membre de la Confédération germanique. *1834* : la Prusse organise une union douanière, le *Zollverein*, dont l'Autriche est exclue. *1866* : le chancelier prussien Otto von Bismarck organise la confrontation avec l'Autriche, vaincue à Sadowa. *1867* : formation de la Confédération de l'Allemagne du Nord. *1871* : après la victoire sur la France, Guillaume I^er se fait proclamer empereur allemand à Versailles. L'industrialisation et le pangermanisme suscitent l'hostilité de ses voisins. *1882* : pour éviter l'encerclement, l'Allemagne signe la Triple-Alliance avec l'Autriche et l'Italie. *1914* : Guillaume II entraîne le pays dans la Première Guerre mondiale par le jeu de son alliance avec l'Autriche. *Nov. 1918* : abdication de l'empereur Guillaume II et proclamation de la république, à Weimar. *Janv. 1919* : le gouvernement fait appel à l'armée pour écraser l'insurrection spartakiste. Les « réparations » exigées par les Alliés, la misère et le refus du « Diktat de Versailles » provoquent une double agitation socialiste et nationaliste. *1923* : à Munich, un putsch conduit par Adolf Hitler échoue. *1924-1929* : appuyé par les Alliés (plans Dawes et Young), le chancelier Gustav Stresemann redresse la situation politique et économique. Le krach bancaire d'oct. 1929 anéantit tous les efforts et va permettre l'accession au pouvoir du parti national-socialiste (N. S. D. A. P.) et de son chef, Hitler. *1932* : le N. S. D. A. P. a 230 députés et 4 millions d'adhérents. *30 janv. 1933* : Hindenburg nomme Hitler chancelier. *27 févr.* : incendie du Reichstag. *Mars* : création des camps de concentration et inauguration du III^e Reich. *30 juin 1934* : Röhm est assassiné lors de la Nuit des longs couteaux. *1^er août* : Hitler devient chef suprême *(Führer)* et prépare son pays à la Seconde Guerre mondiale, dont l'Allemagne sort anéantie et divisée. *1949* : les dissensions entre occupants entraînent la formation de la république fédérale d'Allemagne (R. F. A.) et de la République démocratique allemande (R. D. A.), séparées par le « rideau de fer ». *1949-1989* : la R. F. A. des chanceliers Konrad Adenauer, Ludwig Erhard, Willy Brandt, Helmut Schmidt et Helmut Kohl devient la troisième puissance économique du monde. Chrétiens-démocrates (C. D. U.) et socialistes (S. P. D.) alternent au gouvernement. *1963* : la réconciliation franco-allemande est scellée par un traité de coopération. *1970* : la R. F. A. reconnaît la frontière de l'Oder-Neisse. *1989* : les difficultés économiques et sociales et l'esprit d'ouverture de Mikhaïl Gorbatchev mettent un terme à l'existence de la R. D. A. Le mur de Berlin est abattu. *1990* : réunification des deux Allemagnes et restauration des 16 länder. *1991* : le transfert du gouvernement et du Bundestag (Parlement) de Bonn (capitale de la R. F. A. depuis 1949) à Berlin est décidé. Des traités d'amitié et de coopération avec la Pologne sont signés. *1992* : traité d'amitié et de coopération avec la Tchécoslovaquie. *1994* : le chancelier Kohl est réélu pour un quatrième mandat. Roman Herzog (C. D. U.) est élu président de la République.

**ALLEMANDE (République démocratique)** ~ Partie orientale de l'Allemagne, constituée en 1949 à partir de la zone d'occupation soviétique et organisée jusqu'en 1990 suivant le modèle politique et économique de l'U. R. S. S. Cap. Berlin-Est. **HIST** – *7 oct. 1949* : constitution de la R. D. A. Wilhelm Pieck est président du Conseil d'État, Otto Grotewohl, Premier ministre. *1950* : Walter Ulbricht est élu premier secrétaire du Parti socialiste unifié (S. E. D.), le parti unique. Adhésion au Comecon. *1952* : abandonnant l'organisation fédérale des länder, la R. D. A. devient un État centralisé. *1953* : la mise en place du nouveau système économique inspiré du modèle soviétique débouche sur des émeutes ouvrières qui entraînent un assouplissement du régime au niveau économique et politique. *1955* : adhésion au pacte de Varsovie. *1960* : W. Ulbricht succède à W. Pieck. *1961* : pour endiguer la fuite des Allemands de l'Est vers l'Ouest, construction, à Berlin, d'un mur qui sépare la ville en deux. *1964* : Willi Stoph devient chef du gouvernement. *1971* : Erich Honecker devient premier secrétaire du S. E. D. *1972* : signature d'un traité de reconnaissance mutuelle avec la R. F. A. *1976* : E. Honecker devient également chef de l'État. *1989* : mouvements d'exode massifs vers l'Ouest, manifestations pour une démocratisation du régime ; démissions de W. Stoph et E. Honecker (oct.) ; ouverture du mur de Berlin et de la frontière avec la R. F. A. *1990* : victoire de l'Alliance pour l'Allemagne (dominance C. D. U.) lors des premières élections libres (mars) ; gouvernement de coalition formé par Lothar de Maizière ; reconstitution des länder ; réunification de l'Allemagne (3 oct.).

**ALLEN** (Allen Stewart **Konigsberg**, dit Woody) ~ *1935, New York.* Acteur et cinéaste américain. Ses nombreux films, où perce un regard ironique, prennent à contre-pied la morale bourgeoise (*Annie Hall*, 1977 ; *Alice*, 1990 ; *Ombres et brouillard*, 1992).

**ALLENBY** (Edmund Henry Hynman) ~ *1861, Brackenhurst, Nottinghamshire - 1936, Londres.* Maréchal britannique. À la tête des forces britanniques, il provoqua la capitulation de l'Empire ottoman (oct. 1918) et contribua au traité d'indépendance de l'Égypte (1922).

**ALLENDE** (Salvador) ~ *1908, Valparaíso - 1973, Santiago.* Homme d'État chilien. Élu président en 1970, il tenta d'instaurer un régime socialiste mais fut renversé par le général Pinochet, avec l'aide officieuse des États-Unis (juin 1973).

© Depardon-Gamma

*Salvador* ***Allende.***

**ALLIA** (l') ~ Affluent du Tibre (r. g.). Les Gaulois y furent vainqueurs des Romains en 390 av. J.-C.

**Alliance (Quadruple-)** ~ Pacte conclu le 20 nov. 1815 entre l'Angleterre, l'Autriche, la Prusse et la Russie, qui prolongea et précisa la Sainte-Alliance.

**Alliance (Sainte-)** ~ Pacte d'assistance mutuelle conclu le 26 sept. 1815 entre le tsar Alexandre I^er, l'empereur d'Autriche François I^er et le roi de Prusse Frédéric-Guillaume III, à l'instigation du chancelier Metternich.

**Alliance (Triple-)** ~ Pacte conclu à La Haye en 1668 entre les Provinces-Unies, l'Angleterre et la Suède, et dirigé contre Louis XIV, lors de la guerre de Dévolution.

**Alliance (Triple-)** ou **Triplice** ~ Alliance formée en 1882 entre l'Allemagne, l'Autriche-Hongrie et l'Italie. Conçue par Bismarck, elle avait pour ambition de rompre l'isolement de l'Allemagne.

**Alliance française** ~ Association créée en 1883, sous l'impulsion de Paul Cambon, pour promouvoir l'usage de la langue française dans le monde.

**ALLIER** (l') ~ Le plus long affl. de la Loire (410 km), issu du N.-E. de la Lozère. Principale rivière d'Auvergne, il draine les Limagnes et le Bourbonnais, reçoit la Dore puis la Sioule et arrose Brioude, Issoire, Vichy, Moulins (confluent en aval de Nevers).

**ALLIER** (l') ~ Dép. de la Région Auvergne, correspondant au Bourbonnais, au N. du Massif central, drainé par l'Allier (au centre) et le Cher (à l'O.) ; 7 381 km², 357 710 h. Région agricole (élev. bovin, vins de Saint-Pourçain) parsemée de foyers industriels anciens (bassin houiller et sidér. de Commentry), reconvertis (Montluçon) ou plus récents (Vichy et Moulins, la préfect.). Le principal axe de développement est la vallée de l'Allier.

**ALLIO** (René) ~ *1924, Marseille - 1995, Paris.* Cinéaste français. Il réalisa des films critiques sur la société (*la Vieille Dame indigne*, 1965 ; *Retour à Marseille*, 1980).

**Allobroges** (les) ~ Peuple celte établi en Gaule (Dauphiné et Savoie). Leurs territoires furent annexés par les Romains au II^e s. av. J.-C.

**ALMA** (l') ~ Fl. côtier de Crimée, qui se jette dans la mer Noire, au N. de Sébastopol. Le 20 sept. 1854, les forces franco-britanniques y battirent les Russes.

**ALMAGRO** (Diego DE) ~ *1475, Almagro, près de Tolède - 1538, Cuzco.* Conquistador espagnol. Il participa à la conquête du Pérou aux côtés de Pizarro. Entré en rébellion contre ce dernier, il fut étranglé dans sa prison.

**ALMATY**, anc. **Alma-Ata** ~ Cap. du Kazakhstan, v. industr. et univ., dans l'extrême S.-E. du pays, près de la frontière kirghize ; 1 200 000 h. Nœud ferroviaire (Turksib). Académie des sciences.

**ALMEIDA GARRETT** (João Baptista DE) ~ *1799, Porto - 1854, Lisbonne.* Écrivain et homme politique portugais. Défenseur des idées libérales, il fut aussi le précurseur du romantisme au Portugal (*Camões*, 1825 ; *Feuilles tombées*, 1853).

**ALMERÍA** ~ Port espagnol du S.-E. de l'Andalousie, centre admin., comm. et touristique d'une province peu peuplée ; 153 000 h. Forteresse mauresque, cathédrale fortifiée (XVI<sup>e</sup> s.).

**ALMODÓVAR** (Pedro) ~ *1949, Calzada de Calatrava, Espagne.* Cinéaste espagnol. Ses films satiriques et provocateurs ont renouvelé le cinéma espagnol des années 1980 (*Talons aiguilles*, 1991).

**Almohades** (les) ~ Dynastie berbère musulmane fondée au XII<sup>e</sup> s. par Mohammed Ibn Tumart, qui proclama la guerre sainte contre les Almoravides. Son successeur, Abd al-Mu'min, conquit l'Afrique du Nord et s'assura la maîtrise d'une partie de l'Espagne (1147). Après la perte des territoires espagnols (1212), la prise par les Marinides de sa capitale, Marrakech, marqua la fin de la dynastie (1269).

**Almoravides** (les) ~ Confrérie religieuse et militaire berbère fondée au Sénégal au XI<sup>e</sup> s. pour prêcher l'islam. Les Almoravides conquirent l'Afrique du Nord, où ils fondèrent Marrakech, et soumirent les royaumes musulmans d'Espagne. Ils furent renversés en 1147 par les Almohades.

**ALONG (baie d')** ~ Site pittoresque de la côte N. du Viêt Nam (N.-E. d'Haiphong), baie parsemée d'îlots calcaires.

**ALOXE-CORTON** ~ Village de la côte de Beaune (Côte-d'Or) ; 187 h. Vins réputés.

**ALPE-D'HUEZ (L')** ~ Station de sports d'hiver du massif de l'Oisans (commune d'Huez, Isère), à 1 900-3 300 m d'altitude.

**ALPES** (les) ~ Le plus étendu et le plus élevé des massifs montagneux d'Europe (env. 200 000 km$^2$, long. 1 200 km ; 4 807 m au mont Blanc), prolongé au S. par les Apennins et au S.-E. par les Alpes dinariques, partagé entre la France, l'Italie, la Slovénie, l'Allemagne, la Suisse et l'Autriche, ces deux derniers pays étant princ. alpins. Les fortes précipitations (not. neigeuses), décroissantes du N. au S. (moins exposé aux influences océaniques), en font l'un des premiers châteaux d'eau du continent : le Rhône, le Rhin, l'Aar, le Pô, les affluents du haut Danube (r. dr.) en sont issus et leurs bassins encadrent l'ensemble. La genèse des Alpes, solidaire et contemporaine de celle des Pyrénées, des Carpates, du Caucase et de l'Himalaya, s'échelonne de la fin du Secondaire à la fin du Tertiaire. On distingue trois régions géologiques parallèles. 1) La zone intra-alpine, formée la première par des sédiments océaniques soulevés et métamorphisés (schistes cristallins, flysch, gneiss), qui comprend not. : en France, le Queyras, le Briançonnais, le Chablais ; en Italie, les Dolomites ; plus à l'E., les **Alpes carniques**, austro-italiennes (au N. des **Alpes juliennes** calcaires, italo-slovènes). 2) Les massifs centraux, surtout cristallins et culminant à plus de 3 000 m, qui portent les glaciers actuels (env. 4 000 km$^2$), reliques de la glaciation quaternaire : en France, le Mercantour, les massifs du Pelvoux, de Belledonne, de Beaufort, du Mont-Blanc ; les **Alpes pennines**, italo-suisses (Valais, culminant au mont Rose et au Cervin), séparées par la haute vallée du Rhône de l'Aar-Gothard, partie sommitale des **Alpes bernoises** ; les **Alpes rhétiques** (S.-E. du haut Rhin), aux confins de la Suisse, de l'Autriche et de l'Italie (massifs de l'Albula, de la Bernina, de l'Ortler) ; les **Alpes autrichiennes** (Ötztal, Tauern). 3) Les Préalpes de la zone externe (O. et N.), plis calcaires régulièrement alignés, très étendues en Suisse (N. des Alpes bernoises) et en France (Alpes du Sud, Vercors, Grande-Chartreuse, Bauges, Bornes), séparées des massifs centraux par le fossé du Sillon alpin. La glaciation a façonné le relief : accumulation morainique (piémonts) et surtout érosion des vallées (en auge), dont les plus larges (Rhône, Rhin, Inn, Adige, Tessin, Doire Baltée, Doire Ripaire et, en France, Arve, Isère, Arc, Durance...) sont de grands axes de pénétration (accès aux cols transalpins) du peuplement et de l'activité. La végétation est étagée : aux bas versants cultivés succèdent les forêts de feuillus (chênes, hêtres, bouleaux) puis de conifères (sapins, épicéas, mélèzes), les alpages, dont la limite supérieure est d'env. 2 000 m au N., 3 000 m au S. L'économie alpine, autrefois autarcique (céréales, vigne, textile, travail du cuir et petite métall.) a été bouleversée au XIX<sup>e</sup> s. par l'ouverture de grandes voies de communication. Favorisant d'abord l'émigration, cette ouverture a suscité à long terme de nouvelles spécialisations : recentrage de l'agriculture autour de l'élevage (bovin au N., ovin au S.), renouveau industriel lié à l'équipement en hydroélectricité (électrométall., électrochim., modernisation des industries text., du bois, du bâtiment...) et, plus récemment, développement du tourisme de montagne (sports d'hiver, parcs nationaux).

**ALPES (Hautes-)** ~ Dép. du N. de la Région Provence-Alpes-Côte d'Azur, limitrophe de l'Italie ; 5 632 km$^2$, 113 300 h. (accroissement récent), préfect. Gap. Il s'étend aux confins des Alpes du Nord et du Sud : au N. et à l'E., Queyras, massifs du Pelvoux (barre des Écrins, 4 102 m), du Briançonnais ; à l'O., Préalpes d'alt. moyenne. Larges vallées glaciaires (haute Durance, Drac, Buëch). Cols élevés. Zone de passage et d'anc. places fortes (Briançon). Élev., polyculture. Tourisme : sports d'hiver (Serre-Chevalier), alpinisme, nautisme, parcs naturels (des Écrins, du Queyras).

**ALPES AUSTRALIENNES** (les) ~ Partie S. de la Cordillère australienne, la plus élevée (2 230 m), entre Melbourne et Canberra.

**ALPES-DE-HAUTE-PROVENCE** (les), anc. **Basses-Alpes** ~ Dép. de la Région Provence-Alpes-Côte d'Azur, limitrophe de l'Italie ; 6 925 km$^2$, 139 883 h., v. princ. Digne (préfect.), Manosque, Forcalquier, Barcelonnette. Grands massifs alpins au N., entaillés par les vallées de l'Ubaye, du Verdon, et Préalpes du Sud à l'E. et au S. (montagne de Lure, Luberon, plateau de Valensole). Cols élevés : Vars (2 109 m), Allos (2 240 m), la Cayolle (2 326 m). Élevage traditionnel du mouton (avec transhumance). Cultures méditerranéennes (vigne, olivier, lavande). Déclin démographique (20 h./km$^2$), sauf dans la vallée de la Durance (cult. maraîchères et fruitières irriguées). Tourisme en développement (parc régional du Luberon, gorges du Verdon, parc national du Mercantour, sports d'hiver).

**ALPES GRÉES ET PENNINES** (les) ~ Province romaine de l'anc. Gaule, créée en 14 av. J.-C.

**ALPES JAPONAISES** (les) ~ Nœud central du système montagneux japonais, excédant 3 000 m, au centre de Honshû, à l'O. du Fuji Yama.

**ALPES MANCELLES** (les) ~ Rebord E. du Massif armoricain, à l'O. d'Alençon, hautes collines (417 m aux Avaloirs) entaillées par les vallées.

**ALPES-MARITIMES** (les) ~ Dép. de l'E. de la Région Provence-Alpes-Côte d'Azur, limitrophe de l'Italie, réunion de l'ancien comté de Nice et de l'arrondissement de Grasse (1860) ; 4 298 km$^2$, 971 829 h., préfect. Nice. Drainé par le Var et ses affluents alpins (Tinée, Vésubie), il comprend principalement le massif cristallin du Mercantour, les Préalpes niçoises et la Côte d'Azur. Les hautes vallées peu peuplées (élev.), les basses vallées et plateaux (cult. florales et fruitières, vigne, blé) contrastent avec le littoral, urbanisé de Cannes à Menton (villégiature d'été et d'hiver). Industries alimentaire, mécanique, céramique (Vallauris). Centre de recherche de Sophia-Antipolis, près d'Antibes.

**ALPES NÉO-ZÉLANDAISES** (les) ~ Haute chaîne (3 764 m) qui borde la côte O. de l'île du Sud, en Nouvelle-Zélande. Relief glaciaire, climat alpin.

**ALPES SCANDINAVES** ou **SCANDES** (les) ~ Massif anc. (alt. max. 2 470 m), partie soulevée du socle primaire scandinave (Norvège, O. de la Suède), au relief glaciaire omniprésent (fjords, fjelds).

**ALPHONSE**, nom de cinq rois d'Aragon. ~ **Alphonse I<sup>er</sup> le Batailleur** (*v. 1073 - 1134, Fraga*), roi d'Aragon et de Navarre (1104-1134), roi de Castille en 1110 par son mariage avec Urraque, fille d'Alphonse VI. Il enleva Saragosse aux Maures en 1118, dont il fit sa capitale. ~ **Alphonse II le Chaste** (*1152, Barcelone - 1196, Perpignan*), roi d'Aragon (1162-1196), couronné en 1174. Il conquit le Roussillon et le Béarn. ~ **Alphonse V le Grand** ou **le Magnanime** (*1396, Medina del Campo - 1458, Naples*), roi d'Aragon et de Sicile (1416-1458). Il conquit le royaume de Naples, qu'il donna à son fils illégitime Ferdinand I<sup>er</sup>, et laissa l'Aragon à son frère Jean II.

**ALPHONSE**, nom de onze rois des Asturies, de Castille, de Galice et de León. ~ **Alphonse I<sup>er</sup> le Catholique** (*v. 693 - 757*), roi des Asturies (739-757). Il combattit les Maures et conquit une partie de la Galice et du León. ~ **Alphonse III le Grand** (*v. 838 - 910, Zamora*), roi des Asturies (866-910). Il conquit le León et une partie de la Vieille-Castille. ~ **Alphonse VI le Vaillant** (*v. 1042 - 1109, Tolède*), roi de León (1065-1109), de Castille (1072-1109) et de Galice (1073-1109). Il reprit Tolède aux Maures (1085) et en fit sa capitale, mais il fut battu par les Almoravides à Zalaca (1086). ~ **Alphonse VIII le Noble** (*1155, Soria - 1214, Ávila*), roi de Castille (1158-1214), sous la régence de son oncle Ferdinand II de León. Vaincu par les Maures à Alarcos (1195), il commanda l'armée chrétienne victorieuse des Almohades à Las Navas de Tolosa (1212). ~ **Alphonse X le Sage** (*1221, Tolède - 1284, Séville*), roi de Castille et de León (1252-1284). Élu empereur germanique en 1257, il ne put se faire couronner et s'effaça devant Rodolphe de Habsbourg (1272). Protecteur des lettres, il agrandit l'université de Salamanque (fondée en 1218). ~ **Alphonse XI le Vengeur** (*1311, Salamanque - 1350, Gibraltar*), roi de Castille (1312-1350) sous la régence de ses oncles. Il vainquit les Maures à Tarifa (1340).

**ALPHONSE**, nom de deux rois d'Espagne. ~ **Alphonse XII** (*1857, Madrid - 1885, id.*), roi d'Espagne (1874-1885), fils de la reine Isabelle II et du prince consort don Francisco d'Assise. Il suivit sa mère en exil après le soulèvement de 1868. Rappelé après l'échec de la I<sup>re</sup> République et le règne éphémère d'Amédée de Savoie, il tenta d'établir, avec son ministre Antonio Cánovas del Castillo, une monarchie constitutionnelle. ~ **Alphonse XIII** (*1886, Madrid - 1941, Rome*), fils posthume d'Alphonse XII, il fut placé sous la régence de sa mère, Marie-Christine d'Autriche, et devint roi en 1902. Sous son règne, l'Espagne perdit Cuba et les Philippines, mais renforça sa présence au Maroc. Il dut s'incliner en 1923 devant le coup d'État du général Primo de Rivera. Après la victoire des républicains aux élections de 1931, il partit en exil. Il est le grand-père du roi d'Espagne Juan Carlos I<sup>er</sup>.

**ALPHONSE**, nom de six rois de Portugal. ~ **Alphonse I<sup>er</sup> le Conquérant** (*1109, Guimarães - 1185, Coimbra*), roi de 1139 à 1185. Fils d'Henri de Bourgogne et de Thérèse de Castille, il fut proclamé roi après sa victoire sur les Maures à la bataille d'Ourique. Il fut le premier souverain du royaume qui régna sous la tutelle de la Castille. ~ **Alphonse IV le Brave** (*1291, Lisbonne - 1357, id.*), roi de 1325 à 1357. Allié au roi de Castille contre les Maures, il contribua à la victoire de Tarifa (1340). ~ **Alphonse V l'Africain** (*1432, Sintra - 1481, id.*), roi de 1438 à 1481 (sous tutelle jusqu'en 1449). Il prit Tanger aux Maures en 1471. Protecteur des lettres, il fonda la bibliothèque de Coimbra.

**ALPHONSE DE FRANCE** ~ *1220 - 1271.* Comte de Poitiers (1241-1271) et de Toulouse (1249-1271). Fils de Louis VIII, roi de France, il épousa Jeanne de Toulouse. À sa mort, le comté de Toulouse fut rattaché à la Couronne.

**ALPILLES** (les) ~ Chaînon calcaire qui sépare la Grande Crau et la basse Durance (N.-E. d'Arles) ; 493 m. Site des Baux-de-Provence.

**ALSACE** (l') ~ Région historique et admin. française (2 dép. : Haut-Rhin, Bas-Rhin) ; 8 308 km$^2$, 1 624 372 h., préfect. Strasbourg, entre le Rhin (frontière allemande), la crête des Vosges, la trouée de Belfort et la frontière suisse (Jura), ouvrant au N. sur la Rhénanie et la Lorraine (col de Saverne) en deçà de la Hardt. D'O. en E. se succèdent : le versant oriental des Vosges, aux vallées agricoles (élevage) et industrielles (exploit. du grès, métall., cristallerie) ; les collines sous-vosgiennes, couvertes de loess, pays de vignoble (sylvaner, riesling, gewurztraminer) ; le riche fossé rhénan traversé par l'Ill (origine du nom Alsace), cœur agricole (céréales, houblon, betterave à sucre) et industriel ; le Ried, plaine inondable bordée au S. par les collines du Sundgau. Le climat rhénan est plus continental (hivers froids et secs) que celui de la Lorraine proche, en raison de l'écran formé par les Vosges (très arrosées). L'industrie, jadis textile, auj. surtout mécanique et chimique, se concentre dans les princ. v. : Strasbourg, 2ᵉ port fluvial français et ville européenne (Parlement européen) ; Colmar, centre du commerce viticole, et Mulhouse, au S. L'Alsace fonde son dynamisme et son originalité (l'alsacien, parlé à l'égal du français et de l'allemand, est un dialecte germanique) sur sa position de région frontalière (les liens économiques avec l'Allemagne et la Suisse se traduisent not. par les mouvements quotidiens de travailleurs frontaliers). **HIST.** - Jusqu'au XVIIᵉ s., l'Alsace suivit le destin des régions rhénanes. Conquise par les Romains au Iᵉʳ s. av. J.-C., par les Francs au Vᵉ s., elle appartint à la Souabe et à l'ensemble germanique constitué au Xᵉ s. Aux XIIᵉ et XIIIᵉ s., sa prospérité économique et culturelle coïncida avec son morcellement politique ; les Habsbourg s'implantèrent. En 1354, dix villes impériales s'unirent dans la Décapole. Le XVIᵉ s. fut marqué par les luttes sociales (guerre des paysans, 1525) et religieuses (Réforme). Aux XVIIᵉ et XVIIIᵉ s., l'Alsace fut incorporée à la France. Les traités de Westphalie (1648) transférèrent au roi les droits des Habsbourg, celui de Nimègue (1678) lui donna la pleine souveraineté. Strasbourg fut réunie en 1681, Mulhouse en 1798. De 1815 à 1945, l'Alsace fut disputée entre la France et l'Allemagne. Enlevée à la France par le traité de Francfort (1871), elle forma, avec la Lorraine mosellane, une « terre d'empire » de sentiment protestataire, dotée de l'autonomie en 1911. De nouveau française en 1919, elle fut réannexée *de facto* par l'Allemagne nazie en 1940, puis libérée en février 1945.

**ALSACE (ballon d')** ~ Sommet du S. des Vosges, au N. de Belfort ; 1 250 m. Sports d'hiver.

**ALSACE (grand canal d')** ~ Canal latéral au Rhin (du N. de Bâle au N. de Strasbourg). Grande voie navigable, discontinue après le premier bief (il double ensuite le fleuve à hauteur des retenues), il est équipé de dix grandes centrales hydroélectriques.

**ALSACE-LORRAINE** ~ Nom donné aux territoires cédés par la France à l'Allemagne, en 1871, qu'elle récupéra en 1919.

**ALTAÏ** (l') ~ Système montagneux (alt. max. 4 506 m) d'Asie centrale, aux confins de la Russie (Sibérie), du Kazakhstan, de la Chine et de la Mongolie, d'où sont issus l'Ob et l'Irtych. Forêts et steppes. Berceau présumé des peuples turcs. La **république de l'Altaï**, république de la fédération de Russie (92 600 km², 198 000 h. ; cap. Gorno-Altaïsk, 40 000 h.), est le territoire des **Altaïens** (31 % de la popul.), communauté turcophone et bouddhiste d'origine mongole.

**Altamira (grottes d')** ~ Site préhistorique d'Espagne (Cantabrie). Ses peintures pariétales datant du Magdalénien (XIIIᵉ-XIIᵉ mill. av. J.-C.) représentent des animaux de 1,4 à 2 m de haut.

**ALTDORFER** (Albrecht) ~ *v. 1480, Ratisbonne - 1538, id.* Peintre et graveur allemand, initiateur de l'école du Danube. Sa minutie et ses couleurs rappellent la miniature (*la Bataille d'Alexandre*, 1529).

**ALTHUSSER** (Louis) ~ *1918, Birmandreis, Algérie - 1990, La Verrière.* Philosophe français. Il proposa une lecture exclusivement philosophique du marxisme (*Lire « le Capital »*, 1965-1968).

**ALTIPLANO** (l') ~ Haut plateau (3 500-6 000 m) endoréique et steppique (puna) des Andes centrales (Bolivie, S.-E. du Pérou).

**ALTMAN** (Robert) ~ *1925, Kansas City.* Cinéaste américain. Formé à l'école du documentaire, il s'est orienté vers la fiction et a brossé des portraits atypiques et non conformistes de la société américaine (*M. A. S. H.*, 1970 ; *Short Cuts*, 1993).

**ALTYNTAGH** (l') ~ Chaîne montagneuse de l'O. de la Chine, branche N.-E. des monts Kunlun (N. du Tibet) qui ferme au S. la dépression du Tarim (Xinjiang) et culmine à plus de 6 000 m.

**ALVAREZ** (Luis Walter) ~ *1911, San Francisco - 1988, Berkeley.* Physicien américain. Il découvrit le phénomène de capture électronique (1937) et des particules à durée de vie très brève, dites « résonances » (1960). Prix Nobel de phys. 1968.

**ÁLVAREZ BRAVO** (Manuel) ~ *1902, Mexico.* Photographe mexicain. Proche des artistes moralistes engagés, il a découvert le surréalisme en 1938. Son œuvre mêle mythes et réalité sociale, engagement politique et poésie, légendes et érotisme.

**ALVEAR** (Carlos María DE) ~ *1788, Santo Ángel, Uruguay - 1852, Washington.* Général argentin. Il fut l'un des chefs militaires durant la guerre d'indépendance de l'Argentine, menée contre l'Espagne.

**ALZETTE** (l') ~ Riv. du bassin de la Moselle, affl. de la Sûre (r. dr.), qui draine le Gutland luxembourgeois et passe à Luxembourg ; 65 km. Vallée industrielle (N. du bassin sidér. lorrain).

**ALZHEIMER** (Alois) ~ *1864, Marktbreit, Bavière - 1917, Breslau.* Neurologue allemand. Ses recherches en neuropathologie portèrent sur une forme de démence sénile dite **maladie d'Alzheimer**.

**AMADO** (Jorge) ~ *1912, Pirangi, Bahia.* Écrivain brésilien. Militant communiste, il a dénoncé avec vigueur l'exploitation du peuple brésilien (*Terre violente*, 1942 ; *Tocaia Grande*, 1984).

**Amalécites** (les) ~ Peuple nomade du désert du Sinaï. Issus, selon la Bible, d'Amalec, petit-fils d'Ésaü, ils ne cessèrent de s'opposer à Israël et menèrent plusieurs guerres contre Saül et David.

**AMALFI** ~ Station balnéaire d'Italie, sur la mer Tyrrhénienne, au S. de Naples (golfe de Salerne) ; env. 6 000 h. Cathédrale (IXᵉ-XIIIᵉ s.). Amalfi fut une république maritime libre du IXᵉ au XIᵉ s., avant le rattachement au royaume normand de Sicile.

**AMALTHÉE** ~ Dans la mythologie grecque, chèvre qui nourrit Zeus enfant.

**AMAN ALLAH KHAN** ~ *1892, Parghman - 1960, Zurich.* Roi d'Afghanistan (1919-1929). Il affirma l'indépendance de son pays contre les ambitions britanniques, mais sa politique favorable à la modernisation provoqua sa déposition.

**AMAPÁ** (l') ~ État du N. du Brésil, entre les bouches de l'Amazone et la Guyane française ; 142 359 km², 289 000 h., cap. Macapá (env. 180 000 h.).

**AMARAVATI** ~ V. de l'Inde (Andhra Pradesh). Cap. de la dynastie de Shatavahana (IIᵉ s. av. J.-C.-IIIᵉ s. apr. J.-C.), qui a donné son nom à une école de sculpture. Site bouddhique.

**AMATERASU** ~ Déesse shintoïste du Soleil et ancêtre supposée de l'empereur du Japon.

**AMAURY**, nom de deux rois de Chypre et de Jérusalem. ~ **Amaury Iᵉʳ** (*1135 - 1174*), roi de Jérusalem (1163-1174). Il fut vaincu à deux reprises par l'Égypte. ~ **Amaury II de Lusignan** (*v. 1144 - 1205, Saint-Jean-d'Acre*), roi de Chypre (1194-1205) et de Jérusalem (1197-1205). Il reprit Beyrouth aux musulmans.

**AMAYA** (Carmen) ~ *1909, Grenade - 1963, Bagur.* Danseuse et chorégraphe espagnole. Elle mit en scène, aux côtés du guitariste Juan Antonio Aguro, le *duende*, flamenco de pure tradition gitane.

**AMAZONAS** (l') ~ Le plus vaste État du Brésil (N.-O., bassin moyen de l'Amazone) ; 1 567 954 km², 2 089 000 h., cap. Manaus.

**AMAZONE** (l') ~ Fl. d'Amérique du Sud, le premier du monde par son débit, la superf. de son bassin (env. 7 000 000 de km²) et le volume de ses eaux ; env. 6 500 km. Issu des Andes péruviennes (Apurimac), formé par la réunion du Marañón et de l'Ucayali, il coule en plaine au Brésil sur plus de 4 000 km. Il y reçoit not. l'apport des rios Madeira, Tapajós, Xingu (r. dr.), Tocantins (sur l'embouchure) et Negro (r. g.), relié au bassin de l'Orénoque. Il rejoint l'Atlantique par un large estuaire ennoyé et ramifié (les « bouches »), prolongé par un delta sous-marin. Jalonné de quelques rares villes (Iquitos, Manaus, Santarém, Belém, port au S. des bouches), il est accessible aux navires de haute mer sur 1 600 km depuis l'océan.

**Amazones** (les) ~ Peuple légendaire de femmes guerrières, d'Asie Mineure ou du Caucase, qui se brûlaient un sein pour pouvoir mieux tirer à l'arc et tuaient leurs enfants mâles à la naissance. Elles comptèrent Hippolyte et Penthésilée parmi leurs reines.

**AMAZONIE** (l') ~ Région d'Amérique du Sud correspondant au bassin moyen et inf. de l'Amazone ; env. 6 000 000 de km², 20 000 000 d'h. C'est une vaste plaine alluviale et sédimentaire qui confine aux Andes, aux llanos colombiens et aux plateaux guyanais et brésiliens. Elle est recouverte par la forêt (équatoriale) la plus vaste et la plus riche en espèces du monde, correspondant, pour la plus grande part, au Nord brésilien. La difficile colonisation de ce front pionnier (Eldorado des premiers conquérants espagnols) commença avec le « boom » du caoutchouc, à la fin du XIXᵉ s. Reprise avec la mise en exploitation massive du bois, l'ouverture récente des routes transamazoniennes, la création de grandes fermes d'élevage et la prospection des ressources minières (not. le fer), elle menace la biodiversité de la forêt et les populations autochtones (Amérindiens pratiquant l'agriculture itinérante, la chasse, la cueillette).

**AMBARÈS-ET-LAGRAVE** ~ V. du Bordelais (Gironde), dans l'Entre-Deux-Mers ; 10 195 h. Industries pharmaceutiques.

**AMBATO** ~ V. de l'Équateur, dans les Andes, à 2 500 m d'alt., au pied du Chimborazo, centre admin. et marché horticole régional ; 124 000 h. Industrie textile.

**AMBÉRIEU-EN-BUGEY** ~ V. du bas Bugey (Ain), nœud routier et ferroviaire ; agglom. 12 235 h.

**AMBERT** ~ V. du Puy-de-Dôme, sur la Dore ; 7 420 h. Papeteries traditionnelles (moulin à papier du XIVᵉ s.). Fromages (fourme).

**AMBÈS (bec d')** ~ Pointe au-delà de laquelle la Garonne et la Dordogne confluent pour former la Gironde (raff. de pétrole, chimie).

**AMBOINE** ~ Petite île des Moluques, au S.-O. de Céram, en Indonésie ; 760 km², env. 650 000 h. (1/3 de la popul. des Moluques), ch.-l. **Amboine** (206 000 h.). Anc. grand comptoir aux épices hollandais (clou de girofle, noix de muscade).

*Le château d'Amboise.*

**AMBOISE** ~ V. de la vallée de la Loire, à l'E. de Tours (Indre-et-Loire) ; 10 982 h. (agglom. 15 391 h.). Château gothique et Renaissance où naquit et mourut Charles VIII ; manoir du Clos-Lucé, lieu de séjour de Léonard de Vinci. **HIST.** - Échec de la **conjuration d'Amboise** (1560), par laquelle le parti huguenot tentait de s'allier François II. Signature de l'**édit d'Amboise** (1563), qui tolérait l'exercice du culte protestant.

**AMÉDÉE DE SAVOIE** ~ *1845, Turin - 1890, id.* Roi d'Espagne (1870-1873), duc d'Aoste, second fils du roi d'Italie. Il fut élu roi d'Espagne à l'instigation du général J. Prim y Pratts ; confronté aux luttes des factions, il abdiqua et se retira en Italie.

**AMÉLIE-LES-BAINS-PALALDA** ~ Station thermale de la vallée du Tech (Pyr.-Orient.) ; 3 239 h.

**AMENEMHAT** ~ Nom de quatre pharaons de la XIIᵉ dynastie (XXᵉ-XVIIIᵉ s. av. J.-C.).

**Aménophis IV** *vu de profil (fragment d'un pilier colossal, provenant du temple d'Aton, à Karnak). Musée égyptien, Le Caire.*

**AMÉNOPHIS** ~ Nom porté par quatre pharaons de la XVIIIᵉ dynastie (XVIᵉ-XIVᵉ s. av. J.-C.), l'une des plus brillantes de l'Égypte antique. **Aménophis IV** ou **Akhenaton** (v. 1370-1350 av. J.-C.), fils d'Aménophis III et époux de Néfertiti, entreprit de substituer au polythéisme traditionnel le culte exclusif d'Aton, le dieu Soleil, en l'honneur duquel il fonda une nouvelle capitale, Akhetaton (auj. Tell el-Amarna). Sa réforme fut sans lendemain.

**AMÉRIQUE** (l') ~ Continent qui sépare l'océan Atlantique et l'océan Pacifique. « Nouveau Monde » entre l'Occident et l'Orient (« Indes occidentales » de Christophe Colomb), il s'étire en latitude d'une région polaire à l'autre, de l'océan Arctique à l'océan Antarctique. ***Superf.*** Env. 42 300 000 km$^2$. ***Popul.*** Env. 740 000 000 d'h. Trois ensembles distincts. 1) l'**Amérique du Nord**, la plus large (en moyenne 4 000 km aux États-Unis), se rétrécit du N. (archipel Arctique) au S. (isthme de Tehuantepec). Profondément échancrée par la baie d'Hudson au N. et le golfe du Mexique au S., elle comprend le Canada, les États-Unis et la majeure partie du Mexique. 2) L'**Amérique centrale** (isthme large de 80 km au niveau du canal de Panamá) englobe le Mexique méridional (péninsule de Yucatán, Chiapas) et sept petits États au S. (Guatemala, Belize, Honduras, Salvador, Nicaragua, Costa Rica, Panamá). L'arc des Antilles, partie insulaire de la Caraïbe, limite au N. et à l'O. la mer des Antilles. 3) L'**Amérique du Sud**, au S.-O. de l'isthme centre-américain, traversée par l'équateur, finit en pointe, au S., par le cap Horn (Terre de Feu). Elle comprend douze États souverains (Colombie, Venezuela, Guyana, Surinam, Brésil, Équateur, Pérou, Bolivie, Paraguay, Uruguay, Argentine, Chili) et une dépendance française (Guyane). Deux domaines linguistiques (et historico-économiques) principaux s'opposent : l'**Amérique latine** (env. 460 000 000 d'h.), hispanophone (de l'Argentine et du Chili au Mexique) et lusophone (Brésil), inclut l'ancienne aire d'extension des grandes civilisations précolombiennes (princ. aztèque, maya, inca) ; le N. du continent (env. 280 000 000 d'h.), essentiellement anglophone (États-Unis, Canada), francophone au Québec. ***Relief.*** Il présente trois grands domaines, du N. au S. 1) Les montagnes jeunes, zone volcanique et sismique de l'O. du continent : chaîne de l'Alaska, Rocheuses, chaîne des Cascades, sierra Nevada, sierra Madre du Mexique et sierra Madre du Guatemala, Antilles et Andes, dont les ramifications encadrent de hautes terres continentales (plateaux des fleuves Fraser et Columbia, Grand Bassin, hauts plateaux mexicains et guatémaltèques, Altiplano andin) et des bassins océaniques (mer des Antilles, golfe de Californie). 2) De vastes bassins fluviaux, surtout centraux (Yukon, Mackenzie, Saint-Laurent et Grands Lacs, Mississippi-Missouri, Amazone, Paraná-Paraguay-Uruguay...). 3) Les massifs anciens de l'E., affleurant dans le massif des Guyanes et le plateau brésilien, arasés (Bouclier canadien), plissés (dans les Appalaches) ou recouverts d'épaisses couches sédimentaires (plateau appalachien, Gran Chaco, Pampa), relevés à l'E. en bordure des plaines littorales (États-Unis) ou plongeant dans l'océan (serra do Mar, au Brésil). ***Climat.*** D'une grande variété par l'étirement en latitude et par la vigueur du relief, il est tempéré ou froid en Amérique du Nord, tropical du Mexique au Brésil. L'influence océanique est limitée, surtout à l'O., par l'obstacle du relief (large extension du climat continental, également due à l'ouverture aux influences polaire et subtropicale dans les régions tempérées). La sécheresse augmente vers l'intérieur d'E. en O., sauf en Amazonie (équatoriale humide) et dans le Nordeste brésilien sec près des côtes (steppes). L'étendue des hauts plateaux entre les tropiques (Mexique, Andes) est un facteur modérateur de la chaleur et de l'humidité. Le type méditerranéen est limité au Chili central et à une partie de la Californie. Les déserts continentaux sont beaucoup plus étendus dans la zone froide (Grand Nord canadien, Patagonie) que près des tropiques (déserts de Californie, du N.-O. du Mexique). Certains climats côtiers particuliers s'expliquent par l'influence des courants marins, froids (désert de l'Atacama) ou chauds (type tempéré océanique des côtes de l'Alaska). ***Peuplement et écon.*** Récemment occupée par l'homme, l'Amérique reste relativement peu peuplée. Les plus importantes concentrations se rencontrent surtout le long des côtes : d'abord sur la façade atlantique (N.-E. des États-Unis, Brésil, Río de La Plata) et à proximité (rives du Saint-Laurent, des Grands Lacs), puis du côté pacifique (Californie, Amérique centrale, pied des Andes), mais aussi sur les hauts plateaux intertropicaux (Mexique, Colombie, Bolivie) et dans les Antilles. Le centre du continent est sous-peuplé. L'urbanisation est rarement inférieure à 50 % (exode rural, hypertrophie des grandes villes). Les populations amérindiennes non métissées ne représentent que 7 % de la population totale, les communautés les plus importantes (plus de 20 %) se trouvant au Guatemala (Mayas), dans les Andes (Quechuas, Aymaras, Araucans), au Paraguay (Guaranis). Le métissage entre les Blancs, les Indiens et les Noirs (ces derniers étant princ. localisés aux États-Unis, dans la Caraïbe et au Brésil) est très fréquent en Amérique latine, plus rare dans l'Amérique anglo-saxonne, pourtant terre traditionnelle d'immigration (nombreux Latino-Américains) et « creuset » de communautés juxtaposées. Les minorités asiatiques (Chinois, Japonais, Indo-Pakistanais...) sont localement importantes. À partir du XIX$^e$ s., les États-Unis exercent sur l'Amérique latine et les Antilles une influence jusqu'alors réservée à l'Europe, grâce à l'abondance de leurs ressources naturelles, leur haut degré de développement industriel et leur puissance économique, politique et militaire. Les pays du S. du continent sont voués aux cultures de plantation, à l'élevage extensif et au régime du latifundium, ainsi qu'à l'exploitation et à l'exportation des ressources du sous-sol (métaux précieux puis pétrole, cuivre, fer, bauxite...), facteurs de dépendance contribuant largement à l'endettement des pays latino-américains et au ralentissement de leur développement (not. au S. du continent et au Mexique). **HIST.** – Venus d'Asie par le détroit de Béring il y a env. 25 000 ans, les hommes se dispersèrent sur tout le continent. Les civilisations précolombiennes connaissaient des développements inégaux. Au XV$^e$ s., les Aztèques, au Mexique, et les Incas, dans les Andes, édifièrent des systèmes politiques amples mais fragiles. Le débarquement de Christophe Colomb aux Antilles (1492) intégra l'Amérique aux circuits d'échanges mondiaux. La vague européenne submergea les cultures et les populations indigènes, tandis que les colonisateurs se disputèrent des territoires voués à l'exploitation économique ; ils y importèrent, le cas échéant, une main-d'œuvre servile. Espagnols et Portugais se partagèrent d'abord le Nouveau Monde (traité de Tordesillas, 1494) : les premiers conquirent les Empires aztèque (1521) et inca (1532), s'appropriant de vastes zones en Méso-Amérique et Amérique du Sud ; les seconds prirent pied au Brésil. À leur suite, Hollandais, Français (J. Cartier dans la vallée du Saint-Laurent, 1534) et Anglais (W. Raleigh en Virginie, 1584) s'implantèrent dans les régions moins convoitées (N. du continent et Antilles). Le traité de Paris (1763) consacra la victoire de l'Angleterre sur la France, qui fut contrainte d'abandonner le Canada. Entre 1776 et 1830, la plupart des colonies se séparèrent de leurs métropoles européennes. Le signal fut donné par les colonies anglaises de la côte nord-américaine, qui fondèrent les États-Unis. Les possessions ibériques suivirent à partir de 1811. Les nouvelles nations prirent des voies contrastées : l'Amérique hispanique morcelée, instable, stagna, tandis que le N. conjugua, malgré les à-coups, expansion territoriale, croissance démographique (immigration européenne) et progrès économique. Au XX$^e$ s., l'Amérique latine cherche sa voie entre démocratie, dictature et révolution, alors que les États-Unis, 1$^{re}$ puissance mondiale, symbolisent le succès du capitalisme et de la démocratie. Énoncée en 1823, la doctrine Monroe réservant « l'Amérique aux Américains » a souvent camouflé leur impérialisme. Quant aux efforts actuels d'intégration continentale, ils n'empêchent pas, au S. comme au N., la poussée de graves crises d'identité.

**AMERSFOORT** ~ V. industr. des Pays-Bas (E. de la prov. d'Utrecht) ; 110 000 h. Vieille ville entourée de canaux, tour Notre-Dame (XV$^e$ s.).

**Amharas** (les) ~ Peuple le plus nombreux de l'Éthiopie, parlant l'amharique, dont l'hégémonie politique et culturelle contribua à l'unification du pays (XIII$^e$-XVI$^e$ s.).

**AMHERST** (Jeffrey), baron ~ *1717, Sevenoaks, Kent - 1797, Montreal, id.* Maréchal britannique. Lors de la guerre entre l'Angleterre et la France (1756-1760), il se rendit maître du Canada et fut nommé, en 1761, gouverneur des possessions anglaises d'Amérique.

1 © C. & J. Lenars-Explorer

2 © P. Thomas-Explorer

INDIENS **D'AMÉRIQUE** AUJOURD'HUI

1. *Sioux en costumes traditionnels.*
2. *Folklore indien à Teotihuacán, au Mexique.*
3. *En Arizona, peinture rituelle sur sable, exécutée par un chaman navajo.*
4. *Indiens... et télévision en Amazonie.*

3 © Herbert-Explorer

4 © Gamma

**AMICI** (Giovanni Battista) ~ *1786, Modène - 1863, Florence.* Opticien, astronome et naturaliste italien. On lui doit l'objectif de microscope à immersion (1850).

**Ami du peuple** (l') ~ Journal du révolutionnaire J.-P. Marat, qu'il publia de septembre 1789 à sa mort, en juillet 1793.

**AMIEL** (Henri Frédéric) ~ *1821, Genève - 1881, id.* Écrivain suisse d'expression française. Son *Journal intime*, un des modèles du genre, est l'œuvre d'un diariste scrupuleux.

**AMIENS** ~ Préfect. de la Somme et de la Région Picardie, centre comm., industr. et de services, dans la vallée marécageuse de la Somme (hortillonnages) ; 131 880 h. (agglom. 156 120 h.). Cour d'appel. Évêché. Université. Pneumatiques, agroalimentaire. Tradition text. depuis le Moyen Âge (industr. du velours de coton aux XVIIIe et XIXe s.). Cathédrale gothique Notre-Dame (XIIIe s.). Musée de Picardie. La vieille ville a souffert des bombardements alliés en 1944. **HIST.** - Amiens fut réunie à la couronne de France en 1185, cédée au duc de Bourgogne en 1435 et reprise par Louis XI en 1471.

**AMIN** (Samir) ~ *1931, Le Caire.* Économiste égyptien. Il est l'un des spécialistes des problèmes du tiers-monde (*le Développement inégal*, 1973 ; *la Déconnexion*, 1986).

**AMIN DADA** (Idi) ~ *1925, Koboko.* Maréchal et homme d'État ougandais. Porté au pouvoir par un coup d'État (1971), il a gouverné par la terreur et a été renversé en 1979.

**AMIRAUTÉ (îles de l')** ~ Partie N.-O. de l'archipel Bismarck (Papouasie - Nouvelle-Guinée, prov. de Manus, l'île princ.) ; 2 100 km², 33 000 h.

**AMIS (îles des)** ~ Voir **Tonga** (royaume des).

**AMITABHA** ~ Bouddha de la Lumière éternelle, l'un des cinq bouddhas de contemplation du Grand Véhicule. Il est appelé Amida en Chine et au Japon.

**AMMAN** ~ Cap. de la Jordanie, au N.-E. de la mer Morte, sur la voie ferrée al-Akaba - Damas, centre écon. et univ. du pays ; 1 272 000 h. Croissance récente (réfugiés palestiniens d'Israël). Ruines romaines. Cap. des Ammonites (XIVe-XI[e] s. av. J.-C.), la ville fut prise au IIIe s. av. J.-C. et reconstruite par Ptolémée II sous le nom de Philadelphia.

**AMMANNATI** (Bartolomeo) ~ *1511, Settignano - 1592, Florence.* Sculpteur et architecte italien. Ses œuvres principales relèvent du goût maniériste et intellectuel (*Fontaine de Neptune*, à Florence, 1563-1577 ; *Vénus*, 1571).

**AMMON** ~ Personnage biblique, fils de Loth et ancêtre des Ammonites.

**Ammonites** (les) ~ Peuple sémite établi à l'E. de la mer Morte. Ils furent longtemps combattus par les Juifs, not. par David et Judas Maccabée.

**Amnesty International** ~ Organisation fondée à Londres en 1961. Elle mène des campagnes mondiales contre la torture, la peine de mort et l'emprisonnement pour délit d'opinion. Elle publie un rapport annuel sur les violations des droits de l'homme. Prix Nobel de la paix 1977.

**AMON** ~ Dieu égyptien adoré à Thèbes. Associé à la divinité solaire d'Héliopolis, Râ, il devint, sous le Nouvel Empire, le dieu suprême de la religion égyptienne. Son culte, auquel Aménophis IV substitua celui d'Aton, fut rétabli par Toutankhamon.

**Amorrites** (les) ~ Populations nomades sémitiques qui s'installèrent au début du IIe mill. av. J.-C. en Syrie, en Palestine et en Mésopotamie. Ils fondèrent une dynastie à Babylone (XIXe-XVI[e] s. av. J.-C.).

**AMOS** ~ *VIII[e] s. av. J.-C.* Prophète juif. Il s'éleva contre l'idôlatrie et l'injustice sociale.

**AMOU-DARIA** (l') ~ Fl. d'Asie centrale (Oxus des Anciens), issu du Pamir (Afghanistan), tribut. de la mer d'Aral, qui sépare les déserts du Karakoum (Turkménistan) et du Kyzylkoum (Ouzbékistan) ; 2 540 km. Après 1945, ses eaux furent en partie détournées pour l'irrigation (cult. industr. du coton).

**AMOUR** (l') ~ Fl. d'Asie orientale, tributaire de la mer d'Okhotsk (source à l'E. du lac Baïkal), dont le cours moyen forme la frontière entre la Chine (Heilongjiang) et la Russie (Extrême-Orient) ; 4 400 km (bassin 1 840 000 km²). Princ. affl. Argoun, Oussouri.

**AMOUR (djebel)** ~ Partie centrale de l'Atlas saharien, en Algérie, culminant à 1 977 m.

**AMPÈRE** (André Marie) ~ *1775, Lyon - 1836, Marseille.* Physicien. Il s'intéressa aux phénomènes électriques et fonda la théorie de l'électromagnétisme (1820). Il inventa le galvanomètre, l'électroaimant (avec Fr. Arago), et le principe du télégraphe électrique.

**AMPHION** ~ Poète et musicien de la mythologie grecque, fils de Zeus et d'Antiope. Il fortifia Thèbes en jouant d'une lyre dont le son suffit à mouvoir les pierres.

**AMPHIPOLIS**, auj. **Neokhóri** ~ Anc. ville de Macédoine. Site archéologique.

**AMPHITRITE** ~ Déesse de la Mer, épouse de Poséidon, mère de Triton.

**AMPHITRYON** ~ Roi légendaire de Tirynthe, époux d'Alcmène.

**AMRITSAR** ~ V. de l'Inde, à 380 km au N.-O. de Delhi, dans le Pendjab, à proximité du Pakistan ; 709 000 h. Cap. des sikhs au début du XIXe s., elle reste leur cité sainte, autour du Temple d'or (XVIe s.).

**AMSTERDAM** ~ Cap. politique des Pays-Bas, au débouché de l'Amstel dans l'IJsselmeer, reliée à la mer du Nord et au Rhin par des canaux, 2e port du pays, important centre comm., industr. (édition, taille du diamant, mécan.) et univ. ; 724 000 h. La vieille ville, construite pendant l'apogée commerciale des XVIIe et XVIIIe s. (elle est alors le 1er centre financier du monde) sur des îlots bordés de canaux, est un haut lieu du tourisme en Europe. Églises Oude Kerk (XIVe s.), Nieuwe Kerk (XVe s.), Palais royal (XVIIe s.), synagogue (XVIIe s.), Rijksmuseum (peinture hollandaise), musée Van-Gogh, Stedelijk Museum (art moderne), maisons de Rembrandt et d'Anne Frank. **HIST.** - Du XIVe au XVIe s., Amsterdam bénéficia de l'essor du commerce maritime avec les pays de la Baltique, puis les Indes, via l'Espagne et le Portugal. L'indépendance des Provinces-Unies (1579) lui assura prospérité commerciale et intellectuelle. Occupée par les Français (1795), elle fut proclamée 3e ville de l'Empire (1810-1813). Sa communauté juive fut anéantie par les occupants nazis (1940-1945).

*Amsterdam.*

**AMUNDSEN** (Roald) ~ *1872, Borge - 1928, dans l'Arctique.* Explorateur norvégien. Chef de la première expédition ayant franchi le passage du Nord-Ouest (1903-1906), il atteignit aussi le pôle Sud (1911).

**AMYNTAS** ~ Nom de trois rois de Macédoine. **Amyntas III** (IVe s. av. J.-C.) fut le père de Philippe II.

**AMYOT** (Jacques) ~ *1513, Melun - 1593, Auxerre.* Prélat et humaniste français. Avant d'être évêque d'Auxerre, il fut précepteur des fils d'Henri II et traduisit les *Vies parallèles* de Plutarque (1559).

**ANACLET II** (Pietro **Pierleoni**, devenu) ~ *m. en 1138.* Antipape de 1130 à 1138.

**ANACRÉON** ~ *2[e] moitié du VIe s. av. J.-C.* Poète grec originaire de Téos en Lydie. Chantre de l'amour et du vin (*Odes*), il inspira la poésie anacréontique de la Renaissance (Belleau, Ronsard).

**ANADYR** ~ Port de l'extrême N.-E. de la Sibérie, sur l'estuaire du fleuve **Anadyr** (1 145 km), tributaire de la mer de Béring (**golfe d'Anadyr**, libre de glaces deux mois sur douze) ; env. 17 000 h.

**Anastasie** ~ Nom satirique donné à la censure littéraire et journalistique.

**ANATOLIE** (l') ~ Autre nom de la Turquie d'Asie depuis 1923. Terme not. utilisé à l'époque byzantine. C'est l'Asie Mineure des Anciens.

**ANAXAGORE** ~ *v. 500, Clazomènes - v. 428 av. J.-C., Lampsaque.* Philosophe grec. Dans le cadre d'une conception mécaniste et matérialiste, il attribua l'origine du monde, de la diversité et du mouvement au *noûs*, l'Intelligence.

**ANAXIMANDRE** ~ *v. 610, Milet - v. 547, av. J.-C.* Philosophe grec. Il plaça l'infini, ou indéterminé, dans la matière primitive, mue par son propre mouvement et productrice permanente d'êtres nouveaux (traité *De la nature*).

**ANAXIMÈNE DE MILET** ~ *v. 550, Milet - v. 480.* Philosophe grec. Il fit de l'élément air, qualifié d'indéterminé, d'illimité, le principe primordial de toute chose, sur lequel il fonda sa cosmologie.

**A. N. C.** ~ Voir **African National Congress.**

**ANCENIS** ~ V. de la basse Loire (Loire-Atl.), entre Angers et Nantes, marché agricole ; 6 896 h. (agglom. 9 258 h.). **HIST.** - Le **traité d'Ancenis** (1468) entre Louis XI et le duc de Bretagne, François II, prépara l'union de la Bretagne à la France.

**ANCHISE** ~ Troyen légendaire, père d'Énée.

**ANCHORAGE** ~ La plus grande ville de l'Alaska (États-Unis), sur la côte S., au pied de la chaîne de l'Alaska, port pétrolier et minéralier, escale aérienne ; 226 000 h. Tourisme.

**Ancien Empire** ~ Voir **Égypte**.

**Ancien Régime** ~ Terme apparu après la Révolution française pour désigner le système politique, économique et social de la France des XVIIe et XVIIIe s. Régime caractérisé par la monarchie de droit divin, la division de la société en trois ordres ou états (noblesse, clergé, tiers état) et la multiplicité des privilèges, il disparut en 1789 avec l'avènement de la monarchie constitutionnelle et l'abolition de ces privilèges.

**Anciens (Conseil des)** ~ Assemblée politique créée sous le Directoire par la Constitution de l'an III (1795). Chargé de se prononcer sur les décisions du Conseil des Cinq-Cents, il fut supprimé après le 18 brumaire an VIII (9 nov. 1799).

**Anciens et des Modernes** (**querelle des**) ~ Débat relatif aux mérites respectifs des auteurs anciens et des écrivains modernes. Entamée en Italie par A. Tassoni, cette querelle gagna la France à la fin du XVIIe s., domina la vie littéraire de 1688 à 1715 et vit s'opposer N. Boileau et J. Racine, défenseurs des Anciens, à Ch. Perrault (*Parallèles des Anciens et des Modernes*, 1688-1697) et à Fontenelle. Elle prépara la révolution intellectuelle du XVIIIe s.

**ANCÔNE** ~ Port et station balnéaire d'Italie, sur l'Adriatique, cap. des Marches, centre industriel (pétrole, agroalim.) et universitaire ; 101 000 h. Ancône fit partie des États de l'Église de 1532 à 1860.

**ANCRE (le maréchal d')** ~ Voir **Concini**.

**ANCUS MARTIUS** ~ 4e roi légendaire de Rome (v. 640-616 av. J.-C.). Il aurait fondé le port d'Ostie.

**ANCYRE** ~ Voir **Ankara**.

**ANDALOUSIE** (l') ~ Communauté autonome et région du S. de l'Espagne, frontalière du Portugal, séparée du Maroc par le détroit de Gibraltar, la plus marquée par l'anc. présence arabe (patrimoine architectural, folklore andalou). Elle réunit les provinces de Jaén, Cordoue, Grenade, Séville (bassin du Guadalquivir), Almería, Málaga (littoral méditerranéen), Cadix, Huelva (littoral atlantique) ; 87 268 km², 6 941 000 h., cap. Séville. Aux zones montagneuses peu peuplées (sierra Morena steppique au N., cordillère Bétique au S.-E., incluant la sierra Nevada) s'opposent les axes de peuplement et régions agricoles : la basse plaine du Guadalquivir (céréales, olivier, coton, riz, vignoble de Jérez), le bassin de Grenade et les littoraux. Tourisme balnéaire (Costa del Sol) et culturel. **HIST** - Ancienne colonie phénicienne, puis carthaginoise, devenue province romaine (Bétique) en 206 av. J.-C., conquise par les Vandales, qui lui donnèrent son nom, l'Andalousie fut sous domination arabe du VIIIe au XIIIe s. (califat de Cordoue) et jusqu'au XVe s. pour le royaume de Grenade. Elle fut le principal foyer de la culture musulmane dans l'Occident médiéval.

**ANDAMAN (îles)** ~ Archipel de l'océan Indien (golfe du Bengale), prolongement de la chaîne birmane de l'Arakan ; 6 408 km², 240 000 h., cap. Port Blair (75 000 h.). Il forme avec les îles Nicobar (1 841 km², 39 000 h.), au S., un territoire de l'Union indienne, couvert par la forêt tropicale et peu peuplé. Des groupes tribaux de Négritos (not. les Onges) y vivent de la chasse et de la cueillette.

**ANDELLE** (l') ~ Affluent de la Seine (r. dr.) issu du pays de Bray, limite O. du Vexin normand ; 56 km.

**ANDELYS (Les)** ~ V. du Vexin normand (Eure), site touristique de la vallée de la Seine (r. dr.) ; agglom. 8 636 h. Forteresse en ruine du Château-Gaillard, église St-Sauveur (XIIe s.).

**ANDERLECHT** ~ V. de la banlieue de Bruxelles (O. de la Région urbaine) ; 88 000 h. Industr. manufacturière. Béguinage médiéval.

**ANDERS** (Władysław) ~ *1892, Błonie - 1970, Londres.* Général polonais. Il commanda les troupes polonaises qui combattirent les Allemands en Afrique en 1942 et en Italie de 1943 à 1945.

**ANDERSCH** (Alfred) ~ *1914, Munich - 1980, Berzona, Suisse.* Écrivain suisse d'orig. allemande. Cofondateur du Groupe 47, il pose dans ses romans le problème de l'engagement et de la solitude (*Efraïm*, 1967).

**ANDERSEN** (Hans Christian) ~ *1805, Odense - 1875, Copenhague.* Écrivain danois. Ses *Contes* (1835-1872) allient amour du merveilleux et ironie.

**ANDERSEN-NEXØ** (Martin) ~ *1869, Copenhague - 1954, Dresde.* Écrivain danois. Communiste, il est l'auteur de romans prolétariens (*Pelle le Conquérant*, 1910 ; *Morten le Rouge*, 1945).

**ANDERSON** (Carl David) ~ *1905, New York - 1991, San Marino, Californie.* Physicien américain. Il découvrit l'existence de positons dans le rayonnement cosmique (1932). Prix Nobel de phys. 1936.

**ANDERSON** (Poul) ~ *1926, New York.* Écrivain américain, auteur de romans de science-fiction (*la Patrouille du temps*, 1955-1959 ; *Conan le Rebelle*, 1968).

**ANDERSON** (Sherwood) ~ *1876, Camden, Ohio - 1941, Colón, Panamá.* Écrivain américain, auteur de nouvelles (*Winesburg, Ohio*, 1919) dénonçant le conformisme de son Midwest natal.

© D. Beltra-Gamma

*Labourage au pied du Huascarán, dans les Andes péruviennes.*

**ANDES (cordillère des)** ~ Système montagneux de trois cordillères (orientale, centrale et occidentale) qui borde les côtes pacifique et caraïbe de l'Amérique du Sud, du Venezuela à la Terre de Feu. Zone sismique et volcanique de contact des plaques océanique et continentale (subduction), c'est la plus longue chaîne du monde (env. 8 000 km) et l'une des plus hautes (Aconcagua, 6 959 m). Grand et ancien foyer de peuplement (Bogotá, Quito, Cuzco, La Paz ; Empire inca), les Andes centrales (Équateur, Pérou, Bolivie, N. du Chili et de l'Argentine), arides près des côtes (Atacama), formées de deux chaînes encadrant un vaste haut plateau (Altiplano) steppique, sont le domaine d'Amérindiens (princ. les Quechuas) qui pratiquent l'agriculture vivrière et l'élevage extensif (lamas, moutons). Le versant E., que dévalent not. les affluents de l'Amazone, est humide (café, thé, canne à sucre, coca) jusqu'aux latitudes tempérées (Chili central méditerranéen, forêt pacifique tempérée, Patagonie argentine sèche). Les Andes septentrionales (Équateur, Colombie, Venezuela), humides et chaudes (culture du café jusque vers 2 000 m), sont divisées par de profonds fossés et dépressions (vallées des ríos Magdalena, Cauca, lac de Maracaibo). Au S., les Andes de Patagonie, vides d'habitants, aux formes déchiquetées, sont très marquées par l'érosion glaciaire (côte à fjords).

**ANDHRA PRADESH** (l') ~ État de l'Inde, sur le golfe du Bengale, partagé entre les plaines deltaïques rizicoles des fl. Krishna, Godavari et le plateau du Deccan (forêt sèche), plus pauvre (millet) ; 275 045 km², 66 508 000 h., v. princ. Hyderabad (cap.), Vishakhapatnam (port industr.). Coton, tabac. Anc. royaume dravidien (langue princ. télougou).

**ANDIJAN** ~ V. industrielle d'Ouzbékistan, dans le bassin du Fergana (constr. mécaniques, pétrochim., coton) ; 298 000 h.

**ANDONG** ou **NGAN-TONG** ~ Port industriel (sidér., text.) de la Chine du N.-E., sur l'estuaire du Yalu (Liaoning) ; env. 420 000 h.

**ANDORRE (principauté d')** ~ Petit pays enclavé d'Europe occidentale, sur le versant S. des Pyrénées. ***Cap.*** Andorre-la-Vieille (22 000 h.). ***Superf.*** 453 km². ***Popul.*** 62 000 h. ***Langues princ.*** Catalan, français, espagnol. ***Monn.*** Franc français, peseta. ***Ress. princ.*** Tourisme et commerce (produits détaxés). **HIST.** - *IXe s.* : l'Andorre fait partie du comté d'Urgel. *1278* : suzeraineté partagée de l'évêque d'Urgel et du comte de Foix, coprinces. *1607* : le roi de France hérite des droits du comte de Foix (ce pouvoir sera transmis au président de la République française au XIXe s.). *1993* : nouvelle Constitution et indépendance, aboutissant à l'admission de la principauté à l'O. N. U.

**ANDRADE** (Oswald DE) ~ *1890, São Paulo - 1954, id.* Écrivain brésilien. Il a fondé l'exigence de modernité sur un retour aux sources « anthropophagiques » de la culture brésilienne (*Pau-Brasil*, 1925 ; *Marca zero*, 1943 et 1945).

**ANDRÁSSY** (Gyula), dit **l'Aîné** ~ *1823, Kassa, auj. Košice - 1890, Volosca.* Homme politique hongrois. D'abord opposé aux Habsbourg, il fut, après le compromis de 1867, président du Conseil hongrois (1867-1871), puis ministre des Affaires étrangères de l'Autriche-Hongrie (1871-1879). À ce titre, il négocia l'alliance de l'empire avec l'Allemagne (1879).

**ANDRAULT** (Michel) ~ *1926, Montrouge.* Architecte français. Il s'est efforcé, avec Pierre Parat, de diversifier le logement social (Sainte-Geneviève-des-Bois, 1970 ; gradins-terrasses d'Évry, 1971 ; Palais omnisports de Paris-Bercy, 1979).

**ANDRÉ** (saint) ~ Apôtre, frère de saint Pierre. Il aurait été crucifié sur une croix en forme de X (croix de Saint-André).

**ANDRÉ II** ~ *1175 - 1235.* Roi de Hongrie (1205-1235). À son retour de la croisade de Saint-Jean-d'Acre (1217-1218), il dut accorder la Bulle d'or (1222), qui renforçait les privilèges de la noblesse.

**ANDREA DEL CASTAGNO** ~ *1420, Castagno, près de Florence - 1457, Florence.* Peintre italien. Héritier de Donatello et de Masaccio, il peignit de larges fresques (*le Calvaire* ; *la Cène* de Sant'Apollonia, 1445-1450) d'une grande simplicité géométrique alliée à un réalisme vigoureux.

**ANDREA DEL SARTO** ~ *1486, Florence - 1530, id.* Peintre italien. Influencé par Léonard de Vinci et Raphaël, il est à la charnière de la Renaissance et du maniérisme florentin (*la Charité*, 1518).

**ANDREA PISANO** ~ *v. 1290, Pontedera, près de Pise - v. 1348, Orvieto.* Orfèvre, sculpteur et architecte italien. Sa porte de bronze sculpté (1330-1336) du baptistère de Florence est l'un des chefs-d'œuvre du gothique italien.

**ANDREAS-SALOMÉ** (Lou) ~ *1861, Saint-Pétersbourg - 1937, Göttingen.* Femme de lettres allemande. Amie de Nietzsche, de Rilke et de Freud, elle a écrit des biographies, des essais, des romans (*la Maison*, 1921), une autobiographie (*Ma vie*, posth., 1951) et une abondante correspondance.

**ANDREÏEV** (Leonid Nikolaïevitch) ~ *1871, Orel - 1919, Kuokkala, Finlande.* Écrivain russe, auteur de nouvelles réalistes (*Dans le brouillard*, 1902) et de drames symbolistes (*la Vie d'un homme*, 1907).

**ANDREOTTI** (Giulio) ~ *1919, Rome.* Homme politique italien. Député, plusieurs fois ministre et président du Conseil, il est l'une des figures marquantes de la démocratie-chrétienne. Soupçonné d'entretenir des liens avec la Mafia, il a été mis en accusation en 1995.

**ANDRÉSY** ~ Commune du N.-O. de l'agglom. parisienne (Yvelines), sur la Seine (r. dr.), au S. de Cergy-Pontoise ; 12 548 h. Église du XIIIe s.

**ANDREWS** (Thomas) ~ *1813, Belfast - 1885, id.* Physicien irlandais. Il étudia les changements d'état de la matière et leur température critique (1869).

**ANDRIĆ** (Ivo) ~ *1892, Dolac, Bosnie - 1975, Be[lgrade].* Écrivain yougoslave d'expression serbe. S[es] romans et ses nouvelles offrent une réflexion s[ur] l'histoire tragique de la Yougoslavie (*Il est un po[nt] sur la Drina*, 1945). Prix Nobel de litt. 1961.

**ANDRINOPLE** ~ Voir **Edirne**.

**ANDROMAQUE** ~ Princesse troyenne légendai[re]. Femme d'Hector, elle fut capturée par Pyrrhos lo[rs] du siège de Troie.

**ANDROMÈDE** ~ Héroïne grecque mythiqu[e]. Exposée par Poséidon à un monstre marin, elle f[ut] délivrée par Persée, qu'elle épousa.

**ANDRONIC**, nom de quatre empereurs byza[n]tins. ~ **Andronic Ier Comnène** (*1122, Constant[i]nople - 1185, id.*) fit étrangler Alexis II po[ur] s'emparer du trône (1183), mais en fut lui-mê[me] chassé par Isaac II Ange (1185). ~ **Andronic [II] Paléologue** (*1256, Nicée - 1332, Constantinople*) empereur de 1282 à 1328, protecteur des artist[es] de son royaume, combattit les Turcs en As[ie] Mineure. ~ **Andronic III Paléologue** (*129[5], Constantinople - 1341, id.*) détrôna son grand-pè[re] Andronic II en 1328. Il tenta, en vain, de s'oppos[er] aux Turcs. ~ **Andronic IV Paléologue** (*v. 1348 - v. 1385*) détrôna son père Jean V en 1376. Apr[ès] la perte de Gallipoli et de Ténédos, il dut restitu[er] le trône à Jean V en 1379.

**ANDROPOV** (Iouri Vladimirovitch) ~ *191[4], Nagoutskoïe, Caucase - 1984, Moscou.* Homm[e] d'État soviétique. Ambassadeur en Hongrie (195[3]-1957), membre du Politburo et président d[u] K. G. B. (1967-1982), il succéda à Brejnev e[n] 1982 à la tête du P. C. U. S. et fut élu chef [de] l'État en 1983.

**ANDROUET DU CERCEAU** ~ Voir **Du Cercea[u]**.

**ANDRZEJEWSKI** (Jerzy) ~ *1909, Varsovie - 198[3], id.* Écrivain polonais. Théoricien du réalisme soci[a]liste, puis adversaire du communisme, il souti[nt] Solidarność (*le Pourvoi*, 1968 ; *la Pulpe*, 1981).

**ANDUZE** ~ Vieux bourg pittoresque du Gar[d] sur le **Gardon d'Anduze**, porte des Cévennes ; 2 913 h. Céramique. Bambouseraie. Ancienne pla[ce] protestante.

**ANET** ~ Localité de l'Eure-et-Loir, au N. de Dreux ; agglom. 3 787 h. Château du XVIe s. (partielleme[nt] conservé) bâti par Ph. Delorme, à la deman[de] d'Henri II, pour Diane de Poitiers (tapisseries [de] *l'Histoire de Diane*).

**ANETO (pic d')** ~ Point culminant des Pyréné[es] (3 404 m), dans la Maladeta, en Espagne.

**ANGARA** (l') ~ Voir **Toungouska**.

**ANGARSK** ~ V. industr. (pétrochim., agroalim[.]) de Russie, sur l'Angara, en Sibérie ; 269 000 h.

**ANGÈLE MERICI** (sainte) ~ *1474, Desenzano, l[ac] de Garde - 1540, Brescia.* Religieuse franciscaine it[a]lienne, fondatrice de l'ordre des Ursulines (1507).

**ANGELES** ~ V. des Philippines, au N.-O. d[e] Manille, dans l'île de Luçon ; 236 000 h. Universit[é]. Base aérienne américaine.

**ANGELICO** (Guido ou Guidolino **di Pietro**, d[it] **Fra**) ~ *v. 1400, Vicchio di Mugello, Toscane - 145[5], Rome.* Peintre italien. Dominicain, il réalisa [la] synthèse de l'esprit gothique et du mouvement d[e] la Renaissance. Si les fresques du couvent Sa[n] Marco, à Florence, dénotent l'influence de Masac[cio], ses retables s'inspirent directement des paysag[es] toscans (*Déploration du Christ* ; *Jardin des Oliviers*). Il fut béatifié en 1982.

**ANGERS** ~ Préfect. du Maine-et-Loire, sur [la] Maine, à proximité de la Loire ; 141 404 h (agglom. 208 282 h.). Vieux et important march[é] agricole, c'est auj. le siège du Centre national d[e] l'industrie horticole et un pôle régional (décentrali[sation]) de l'industrie de pointe (électron., const[r.] électr. et autom.). Centre univ. et hospitalie[r]. Évêché. Château du XIIIe s. abritant le musée d[e] la Tapisserie (tenture de *l'Apocalypse*). Cathédral[e] (XIe-XIIIe s.). Demeures médiévales et Renaissanc[e]. Centre national de la danse contemporain[e]. Musées des Beaux-Arts, David-d'Angers et Jean Lurçat. **HIST.** - Cette ancienne cité romain[e] (Juliomagus) devint la capitale de l'Anjou féod[al] (IXe-XVe s.). Républicaine, elle repoussa les Vendéen[s] (3-4 décembre 1793).

**nges** (les) ~ Dynastie byzantine qui occupa le ône impérial à Constantinople (1185-1204) et à essalonique (1222-1230), et régna sur le despotat Épire (1205-1318).

**NGIOLIERI** (Cecco) ~ *v. 1260, Sienne - v. 1310.* ète italien. Ses sonnets s'opposent au *dolce stil iovo* par leur réalisme, leur ironie et leur violence.

**ngkor** ~ Site monumental du Cambodge, anc. p. des rois khmers (889-1431) et centre religieux ivaïte puis bouddhique. Il forme un ensemble omplexe (redécouvert au XIXe s.) de cités (**Angkor ıom**, construite v. 1200 par Jayavarman VII), de mples sculptés (**Angkor Vat**) et de bassins.

*Angkor, le bayon (XIIe s.), construit par Jayavarman VII.*

**NGLEBERT** (Jean Henri D') ~ Voir **Danglebert**.

**ngles** (les) ~ Peuple germanique originaire du :hleswig, qui envahit l'Angleterre au Ve s.

**NGLESEY** ~ Île basse et fertile de la côte N. du ıys de Galles, en Grande-Bretagne ; 676 km$^2$, env. ) 000 h. Élev. bovin. Vestiges néolithiques. Ancien yer de civilisation celtique (culte druidique), tôt ıristianisé (VIe s.).

**NGLET** ~ V. de l'agglomération de Biarritz-ıyonne (Pyrénées-Atlantiques), station balnéaire laisance, thalassothérapie) ; 33 041 h.

**NGLETERRE** (l') ~ Partie de la Grande-Bretagne tuée au S. de l'Écosse et à l'E. du pays de Galles ıire d'extension anglo-saxonne durant le haut loyen Âge, Cornouailles celtique exclue), la plus iste (130 423 km$^2$) et la plus peuplée 16 382 000 h.) du Royaume-Uni, l'une des plus rbanisées (env. 90 % de la popul.) et des plus ensément peuplées du monde (372 h./km$^2$), foyer un ancien et intense commerce maritime international, à l'origine de l'empire colonial britannique, erceau de la révolution industrielle au XVIIIe s. .ondres, Merseyside, Midlands...). **HIST.** - *43-83 ır. J.-C.* : occupée par les Celtes, la Bretagne sulaire est envahie par les Romains. *Ve-VIIIe s.* : les ngles, les Saxons et les Jutes, venus de Germanie, ondent sept royaumes (Heptarchie), bientôt christianisés. *IXe s.* : les Danois colonisent l'E. du pays, algré l'unification anglo-saxonne et la résistance Alfred le Grand. *1016-1035* : le Danois Knud le rand unit l'Angleterre, le Danemark et la Norvège. *066* : vainqueur à Hastings de son rival anglo-ıxon Harold II, Guillaume de Normandie est ouronné roi. *1154* : Henri II Plantagenêt, comte Anjou, hérite du trône et fonde une nouvelle ynastie ; son mariage avec Aliénor d'Aquitaine le et à la tête d'un empire anglo-français contesté ır les rois de France. *1215* : les barons imposent Jean sans Terre la Grande Charte, texte fondateur ı régime représentatif (organisation du Parlement ı 1294). *1277-1284* : Édouard Ier soumet le pays Galles, mais les Écossais battent les troupes de on fils Édouard II à Bannockburn (1314). *1337* : douard III revendique le trône de France, déclenhant la guerre de Cent Ans. *1347-1348* : Peste oire. *1377-1382* : révolte paysanne dirigée par Wat yler ; mouvement hérétique des Lollards inspiré par hn Wycliffe. *1399* : Richard II est renversé par on cousin Henri IV de Lancastre. *1420* : le traité Troyes assure au fils d'Henri V l'héritage du trône France au détriment du dauphin, le futur harles VII ; ce dernier reconquiert son royaume 1422-1453). *1455-1485* : la guerre des Deux-Roses ppose deux branches de la famille royale, York et ancastre. *1485* : Henri VII s'empare de la ouronne et fonde la dynastie des Tudors. *1509-547* : Henri VIII restaure l'autorité royale ; en 534, il se proclame chef de l'Église d'Angleterre anglicane) autonome. *1558-1603* : sous le règne d'Élisabeth Ire, la puissance maritime et industrielle anglaise commence à s'affirmer. *1603* : la dynastie écossaise des Stuarts monte sur le trône avec Jacques Ier. *1707* : l'Acte d'union, réunissant les deux Couronnes, lie les destins de l'Écosse et de l'Angleterre, créant le royaume de Grande-Bretagne. Voir **Royaume-Uni**.

**Angleterre (bataille d')** ~ Séries d'attaques aériennes menées par l'aviation allemande, la Luftwaffe, pour préparer l'invasion de la Grande-Bretagne (août-oct. 1940). Elles se heurtèrent à la résistance de la Royal Air Force.

**ANGLO-NORMANDES (îles)**, en angl. ***Channel Islands*** ~ Archipel britannique de la Manche, proche des côtes françaises (O. du Cotentin), au climat doux et ensoleillé, partie insulaire du vieux socle armoricain et de l'anc. duché de Normandie (depuis 933), qui comprend 4 îles princ. (Jersey, Guernesey, Aurigny, Sercq) ; 194 km$^2$, env. 144 000 h., v. princ. Saint-Hélier. Produits laitiers, cult. maraîchères, florales. Tourisme très actif, paradis fiscal (en raison d'une semi-autonomie découlant d'institutions jalousement préservées depuis l'époque féodale).

**Anglo-Saxons** (les) ~ Nom donné aux peuples (Angles, Jutes et Saxons) d'origine germanique qui envahirent l'Angleterre au milieu du Ve s.

**ANGOLA (république d')**, anc. **Afrique-Occidentale portugaise** ~ Pays de transition entre l'Afrique centrale et australe, bordé à l'O. par l'océan Atlantique, qui comprend le territoire, riche en pétrole, de Cabinda, enclavé dans le Zaïre. ***Cap.*** Luanda. ***Superf.*** 1 246 700 km$^2$. ***Popul.*** 10 900 000 h., dont Ovimbundus (37 %), Mbundus (23 %), Kongos (13 %). ***Langues princ.*** Portugais et langues bantoues. ***Monn.*** Nouveau kwanza. ***Relief.*** Pays essentiellement constitué par un vaste plateau, au rebord montagneux surplombant des plaines côtières. ***Hydrogr.*** Les fleuves et rivières, issus du plateau central, sont tributaires de l'Atlantique (Cuanza), du Zaïre (Kasaï), du Zambèze (Cuando), de l'Okavongo (Cubango). ***Climat.*** Équatorial au N., désertique au S., tropical ailleurs. ***Écon.*** L'Angola dispose d'importantes ressources minières (pétrole, gaz naturel, diamants, fer, cuivre, manganèse, phosphates) et de conditions propices à l'agriculture traditionnelle (maïs, manioc, bananes, huile de palme) ou commerciale (café, coton, sisal), à la pêche et à l'exploitation forestière. L'interminable guerre civile empêche tout développement rationnel. **HIST.** - L'occupation humaine date du Paléolithique. *Ier-XVe s. apr. J.-C.* : les Bantous colonisent la région et forment des royaumes puissants (Kongo). *À partir du XVe s.* : les Portugais occupent la côte et procèdent à la traite des esclaves, qui affaiblit le royaume Kongo. *1955* : l'Angola devient une province portugaise d'outre-mer. *1961* : début de la guerre de libération. *1975* : indépendance et début de la guerre civile entre le M. P. L. A. (Mouvement populaire de libération de l'Angola), appuyé par Cuba, et l'Unita (Union pour l'indépendance totale de l'Angola), soutenue par l'Afrique du Sud, les Occidentaux et le Zaïre. *1991-1996* : malgré deux accords (1991 et 1994), passés entre le président José Eduardo Dos Santos et Jonas Savimbi, chef de l'Unita, la paix ne parvient pas à s'installer.

**ANGORA** ~ Voir **Ankara**.

**ANGOSTURA** ~ Voir **Ciudad Bolívar**.

**ANGOULÊME** ~ Préfect. de la Charente, sur la Charente, carrefour au contact du Périgord, du Poitou et du Limousin, anc. cap. de l'Angoumois (élev. laitier, vignoble cognaçais) ; 42 876 h. (agglom. 102 908 h.). Évêché. Industries tradit. (papeteries, armement) et nées de la décentralisation (constr. mécan. et électr.). Cathédrale du XIIe s., restaurée au XIXe s. Festival de la bande dessinée.

**ANGOULÊME** ~ **Louis Antoine** D'ARBOIS, duc D' (*1775, Versailles - 1844, Goritz, Autriche*), dauphin de France. Fils du comte d'Artois, futur Charles X, il émigra en 1789. Sous la Restauration, il participa à l'expédition d'Espagne (1823), mais ne joua qu'un rôle politique effacé. Son épouse ~ **Marie-Thérèse Charlotte**, duchesse D' (*1778, Versailles - 1851, Goritz, Autriche*), surnommée Madame Royale, fille de Louis XVI et de Marie-Antoinette. Enfermée au Temple en 1792, elle fut autorisée à s'exiler, et épousa son cousin en 1799. Revenue en France en 1814, elle soutint la politique des ultras, not. en matière religieuse.

**ANGOUMOIS** (l') ~ Ancienne province de France, au N. du bassin d'Aquitaine, correspondant à l'actuel département de la Charente. Il se constitua autour du comté d'Angoulême, créé au IXe s., réuni à la Couronne en 1308, puis cédé à l'Angleterre (1360), avant de revenir à la France (1373). François Ier l'érigea en duché (1515), puis l'intégra au royaume (1531).

**ÅNGSTRÖM** (Anders Jonas) ~ *1814, Lögdö - 1874, Uppsala.* Physicien suédois. Étudiant le spectre solaire et celui de certains gaz, il définit l'unité de mesure qui porte son nom.

**ANGUIER**, nom de deux sculpteurs français, ~ **François** (*1604 - 1669*) et son frère ~ **Michel** (*1612 - 1686*), nés à Eu et morts à Paris, qui travaillèrent au mausolée d'Henri II de Montmorency (1651-1658).

**ANGUILLA** ~ Île basse et calcaire du N. des Petites Antilles (91 km$^2$), territoire autonome (155 km$^2$) sous tutelle britannique ; 9 000 h. Tourisme.

**ANHALT** (l') ~ Principauté allemande fondée au XIIIe s. (duché de 1807 à 1918).

**ANHUI** (l') ou **NGAN-HOUEI** ~ Prov. orientale de Chine, traversée par le Yangzi Jiang, montagneuse au S. (Huang Shan) ; 139 900 km$^2$, 52 300 000 h., cap. Hefei. Coton, thé, soie. Houille, cuivre, fer.

**ANICET** (saint) ~ *m. en 166 à Rome.* Pape de 155 à 166. Martyr, selon la tradition.

**ANIE (pic d')** ~ Sommet pyrénéen (Pyr.-Atl.) qui domine la vallée d'Aspe, au S.-O. du Béarn ; 2 504 m.

**ANJOU** (l') ~ Anc. province de France formée de l'actuel département de Maine-et-Loire et d'une partie de la Mayenne, de la Sarthe et de l'Indre-et-Loire. Activité horticole et viticole (vins du Saumurois) dans le Val d'Anjou. Élevage bovin à l'O., dans le Craonnais et les Mauges, pays de bocage. Princ. v. Angers, Cholet. **HIST.** - Habité par les Celtes andécaves, conquis par les Romains (Ier s. av. J.-C.), l'Anjou souffrit des invasions normandes au IXe s. Placé sous l'autorité d'un vicomte, dont le fils prit le titre de comte (929), l'Anjou s'agrandit des Mauges, du Saumurois et d'une partie de la Touraine sous Foulques III Nerra (987-1040), dont le fils, Geoffroi II Martel, annexa le Vendômois et une partie du Maine. Au XIIe s., le mariage de Geoffroi V Plantagenêt avec Mathilde d'Angleterre fit passer la Normandie sous domination angevine et permit l'accession au trône d'Angleterre du fils né de cette union, qui régna sous le nom d'Henri II. La puissance de cet empire constituant une menace pour la monarchie capétienne, Philippe II Auguste confisqua l'Anjou à Jean sans Terre (1202), et Louis IX donna le comté à son frère Charles. Échu en dot à sa petite-fille, mère de Philippe le Bel, le comté revint à la France, mais en fut à nouveau séparé par Jean II le Bon, qui l'érigea en duché en faveur de son fils Louis Ier, fondateur de la dynastie des Valois-Anjou (1360). Après la mort de René Ier le Bon, l'Anjou fut rattaché au royaume de France (1481). Pendant la Révolution française, la province fut l'un des foyers de la chouannerie.

**ANJOU (maisons d')** ~ Nom de trois dynasties d'origine française, qui régnèrent not. sur la province de ce nom. La **première maison d'Anjou**, issue d'Ingelger, vicomte d'Anjou, père de Foulques Ier le Roux, comte d'Anjou (929), donna plusieurs rois de Jérusalem au XIIe s. et fut à l'origine de la dynastie des Plantagenêts, qui régna sur l'Angleterre de 1154 à 1485. La **deuxième maison d'Anjou**, issue de Charles Ier d'Anjou, fils de Louis VIII, prit possession du comté de Provence par mariage (1246) et conquit le royaume de Naples (1266) ; une branche issue de cette maison régna sur la Hongrie (1308-1437) et sur la Pologne (fin du XIVe s.). La **troisième maison d'Anjou**, dite Valois-Anjou, issue de Louis Ier, duc d'Anjou, régna sur Naples et sur la Provence, et acquit le duché de Lorraine par alliance (1430). Plusieurs princes français portèrent le titre de duc d'Anjou, dont François (1554-1584), fils d'Henri II, et Philippe (1683-1746), devenu roi d'Espagne sous le nom de Philippe V.

**ANJOUAN** ~ Voir **Ndzouani**.

**ANKARA**, anc. **Ancyre**, puis **Angora** ~ Cap. de la Turquie (N.-O. du plateau anatolien), à env. 1 000 m d'altitude, 2e ville du pays, grand centre commercial et universitaire ; agglom. 3 022 000 h.

Industrie text. (laine angora). Vieille ville turque, ruines romaines, mosquée Arslanhane (XIIIe s.), musée hittite, mausolée d'Atatürk. **HIST.** - Capitale de la Galatie romaine au Ier s., la ville fut conquise par les Arabes puis par les Turcs, et vit la victoire de Tamerlan sur Bayezid Ier (1402). Elle devint capitale de la Turquie en 1923.

**ANNABA**, anc. **Bône** ~ 3e port d'Algérie, ch.-l. de wilaya, v. industr. (sidér.) proche de la frontière tunisienne, dans la **plaine d'Annaba** (polyculture) ; 348 000 h. Université. Site voisin du port romain d'Hippone.

**ANNA IVANOVNA** ~ *1693, Moscou - 1740, Saint-Pétersbourg.* Impératrice de Russie (1730-1740). Fille d'Ivan V, elle succéda à son oncle Pierre le Grand. Elle laissa gouverner son favori, Biron, qui engagea la Russie dans la guerre de la Succession de Pologne (1733-1735) et se rendit impopulaire en favorisant l'influence de la noblesse d'origine allemande.

**Annales (école des)** ~ École historique constituée en 1929 autour de L. Febvre et M. Bloch, fondateurs d'une revue, les *Annales d'histoire économique et sociale.* Contre la pratique, alors dominante, qui privilégiait l'histoire évènementielle, elle visait à ouvrir la discipline aux sciences humaines. Animée après 1945 par F. Braudel, promoteur de l'histoire quantitative, elle a donné naissance à une génération d'historiens (G. Duby, E. Le Roy Ladurie, J. Le Goff) qui a fait de l'histoire des mentalités le champ privilégié de son étude.

**ANNAM** (l'), en vietnamien ***Trung Bô*** ~ Partie centrale du Viêt Nam, entre la Cochinchine et le Tonkin, étroite plaine côtière surpeuplée dominée à l'O. par la **cordillère Annamitique** (2 598 m), domaine forestier et peu peuplé des Moïs. V. princ. Danang, Huê (anc. cap. impériale), Qui Nhon. Siège d'un empire de 1802 à 1945, l'Annam, placé sous protectorat français, fut intégré dans l'Union indochinoise en 1887.

**ANNAPOLIS** ~ Cap. du Maryland (États-Unis), port sur la baie de Chesapeake ; 33 000 h. Académie militaire.

**ANNAPURNA** (l') ~ Le premier sommet excédant 8 000 m (8 078 m) à avoir été gravi (expédition française de Maurice Herzog, 1950), dans l'Himalaya, au Népal (O. de l'Everest).

**ANN ARBOR** ~ V. industrielle et universitaire du Michigan (États-Unis), à l'O. de Detroit ; 110 000 h. (agglom. 283 000 h.).

**ANNE** (sainte) ~ Dans la tradition chrétienne, épouse de saint Joachim et mère de la Vierge Marie.

**ANNE BOLEYN** ~ *1507 - 1536, Londres.* Reine d'Angleterre. Elle épousa Henri VIII après le divorce de ce dernier (1533), malgré l'opposition du pape, et eut pour fille Élisabeth Ire. Accusée d'adultère, elle fut décapitée.

**ANNE COMNÈNE** ~ *1083, Byzance - 1148.* Princesse byzantine. Elle écrivit l'*Alexiade*, une histoire du règne d'Alexis Ier, son père.

**ANNE D'AUTRICHE** ~ *1601, Valladolid - 1666, Paris.* Reine de France. Fille de Philippe III d'Espagne, elle épousa Louis XIII en 1615. À la mort de ce dernier (1643), elle se fit proclamer régente et gouverna avec l'appui de Mazarin, jusqu'à l'avènement de son fils, Louis XIV, en 1661.

**ANNE DE BRETAGNE** ~ *1477, Nantes - 1514, Blois.* Duchesse de Bretagne (1488-1514) et reine de France (1491-1514). Fille du dernier duc de Bretagne, François II, elle fut mariée successivement à Charles VIII (1491) puis à Louis XII (1499).

**ANNE DE CLÈVES** ~ *1515, Düsseldorf - 1557, Londres.* Reine d'Angleterre. Elle fut la quatrième femme d'Henri VIII, qui la répudia.

**ANNE DE FRANCE**, dite **la Dame de Beaujeu** ~ *1461, Genappe, Brabant - 1522, Chantelle, Bourbonnais.* Fille de Louis XI et épouse de Pierre de Beaujeu, duc de Bourbon, elle assura la régence jusqu'à la majorité de son frère Charles VIII (1491). À la tête du royaume, elle triompha de la Guerre folle, révolte de grands féodaux conduite par le futur Louis XII, et imposa le mariage de son frère avec Anne de Bretagne.

**ANNE DE GONZAGUE**, dite **la princesse Palatine** ~ *1616, Paris - 1684, id.* Fille de Charles de Nevers, duc de Mantoue, elle épousa en 1645 Édouard de Bavière, fils de l'Électeur palatin Frédéric V. Elle participa à la Fronde.

**ANNE STUART** ~ *1665, Londres - 1714, id.* Reine d'Angleterre, d'Écosse et d'Irlande (1702-1714). Fille de Jacques II, elle succéda à son beau-frère, Guillaume III. Son règne, marqué par les victoires anglaises dans la guerre de la Succession d'Espagne, vit la réunion de l'Angleterre et de l'Écosse dans le royaume de Grande-Bretagne (1707). Anglicane zélée, elle désigna pour lui succéder l'Électeur de Hanovre, au détriment de son demi-frère, le catholique Jacques Édouard Stuart.

**ANNECY** ~ Préfect. de la Haute-Savoie à l'extrémité N. du **lac d'Annecy** (27 km², prof. moyenne 41 m) ; 49 644 h. (agglom. 126 729 h., incluant not. **Annecy-le-Vieux**, 17 520 h.). Évêché. Industr. mécan., électr., électromécan., text., agroalim. Station tourist., estiv. et clim., à 450 m d'alt. Château des comtes de Genève et des ducs de Savoie, cathédrale du XVIe s., maisons à arcades, église St-François du XVIIe s. Citadelle avancée de la Contre-Réforme aux XVIe et XVIIe s.

**ANNEMASSE** ~ V. de Haute-Savoie, partie française de l'agglom. de Genève ; 27 669 h. (agglom. 98 758 h.). Horlogerie, mécanique de précision, bijouterie.

**ANNENSKI** (Innokenti Fiodorovitch) ~ *1855, Omsk - 1909, Saint-Pétersbourg.* Poète russe. Traducteur et critique, il fut proche des symbolistes français (*Chants doux*, 1904 ; *le Coffret de cyprès*, posth., 1910).

**ANNOBÓN**, anc. **Pagalu** ~ Île volcanique du golfe de Guinée, à l'O. du Gabon, dépendance de la Guinée-Équatoriale ; 17 km², 2 000 h.

**ANNONAY** ~ V. de l'Ardèche, dans le Vivarais, vieux centre industr. (tanneries, papeteries) ; agglom. 25 865 h. Text., carrosseries, prod. pharmaceutiques. Musée Canson de la papeterie.

**ANOU** ~ Dieu du Ciel dans la cosmogonie sumérienne.

**ANOUILH** (Jean) ~ *1910, Bordeaux - 1987, Lausanne.* Dramaturge et metteur en scène français. S'inspirant de thèmes antiques (*Antigone*, 1944) ou historiques (*Becket ou l'Honneur de Dieu*, 1959), dans une dramaturgie classique et marquée par un pessimisme lucide, il s'attaqua avec une ironie dévastatrice au mensonge social et politique contemporain (*l'Arrestation*, 1975).

**ANQUETIL** (Jacques) ~ *1934, Mont-Saint-Aignan - 1987, Rouen.* Coureur cycliste français. Surnommé Maître Jacques en raison de son intelligence tactique, il remporta cinq Tours de France et deux Tours d'Italie.

**ANSARIYYA** ou **ALAOUITE (djebel)** ~ Chaîne littorale de Syrie, prolongement N. du mont Liban, qui domine le fossé de l'Oronte ; 1 580 m. Cultures méditerranéennes.

*Anne de Bretagne (détail), miniature (XVe s.). Bibliothèque nationale, Paris.*

**ANSBACH** ~ V. du N. de la Bavière (Allemagne) ; env. 37 000 h. Château du XVIIIe s. Festival Bach.

**Anschluss**, en fr. « réunion » ~ Terme allemand désignant le rattachement de l'Autriche à l'Allemagne. Interdit par le traité de Versailles (1919), il devint l'un des objectifs de Hitler, qui, après avoir imposé au chancelier autrichien Schuschnigg l'entrée au gouvernement du nazi Arthur Seyss-Inquart, profita de la passivité des démocraties occidentales pour envahir l'Autriche (10 mars 1938). Proclamé le 15 mars, l'Anschluss fut ratifié par référendum le 10 avril 1938.

**Ansea** ~ Voir **Association des nations du Sud-E asiatique.**

**ANSELME** (saint) ~ *1033, Aoste - 1109, Cante bury.* Théologien et philosophe, docteur de l'Églis Évêque de Canterbury, il fut l'un des fondateurs la scolastique.

**ANSERMET** (Ernest) ~ *1883, Vevey - 1969, G nève.* Chef d'orchestre et compositeur suisse, fond teur de l'Orchestre de la Suisse romande en 191

**ANSHAN** ou **NGAN-CHAN** ~ V. et 1er cent sidér. de Chine, dans le Liaoning ; 1 390 000

**ANTAKYA** ~ Voir **Antioche.**

**ANTALYA** ~ Port industr. et station baln. Turquie, sur la Méditerranée (Anatolie du Sud métropole écon. et univ. régionale ; 356 000 Minaret du XIIIe s. Elle fut fondée au IIe s. av. J.- par le roi de Pergame sous le nom d'Attaleia.

**ANTANANARIVO**, anc. **Tananarive** ~ Cap. Madagascar, grand centre commercial (marché d Zouma), sur les hautes terres centrales l'Imerina ; agglom. 1 053 000 h. Université. Arch vêché. Industries agroalim. et mécaniques. L'an palais de la Reine a brûlé en 1995.

**ANTARCTIQUE** ou **ANTARCTIDE** (l') ~ Cont nent presque entièrement compris entre le pôle S et le cercle polaire austral, couvert à 98 % par u immense calotte glaciaire, épaisse de 2 000 4 000 m, qui s'épanche au-delà des terres émergé (banquises de Ross, de Filchner...), au climat polai (sec), balayé par des vents violents (recor mondiaux : min. absolu de - 89 °C, max. moye côtier inférieur à 0 °C) ; 14 000 000 de km², p d'habitants permanents (bases scientifiques). A socle précambrien de l'Antarctique oriental, crista lin et massif, s'oppose l'Antarctique occident prolongement volcanique (mont Erebus) des And (arc insulaire et **péninsule Antarctique**, au S. de Terre de Feu) culminant au mont Vinson (5 140 m Flore (lichens, algues) et faune pauvres, espèc essentiellement littorales (manchots, phoques) marines (cétacés, crustacés). **HIST.** - J. Cook fut premier, en 1774, à atteindre la banquise antarct que, puis le continent fut exploré not. par J. Dumor d'Urville, R. Scott et J. Charcot. En 1911, Norvégien R. Amundsen atteignit le pôle Sud. **traité de l'Antarctique** (1959, prorogé en 1991 signé par 42 États, a décidé la non-militarisation l'internationalisation du continent.

**ANTARCTIQUE** ou **AUSTRAL (océan)** ~ Part froide des océans Atlantique, Pacifique et Indien q entoure le continent Antarctique au S. du 40e para lèle. Zone dépressionnaire soumise à des ven violents, il inclut quelques îles et archipels inh bités. Pêche industr. du krill.

**ANTÉE** ~ Personnage de la mythologie grecqu Géant, fils de Poséidon et de Gaïa, il fut étouf par Héraclès.

**ANTÉNOR** ~ *VIe s. av. J.-C.* Sculpteur athénie auteur d'une élégante korê, exposée au musée l'Acropole d'Athènes.

**ANTHÉMIOS DE TRALLES** ~ *né à Tralles, Lydie m. v. 534 à Constantinople.* Architecte et mathém ticien byzantin. Il conçut les plans de la basiliq Ste-Sophie de Constantinople.

**ANTI-ATLAS** ~ Voir **Atlas.**

**ANTIBES** ~ Port et station baln. de la Côte d'Azu au N.-E. de Cannes (Alpes-Mar.) ; 70 005 h. S région est un des centres européens de prod. d fleurs et de parfum. Château Grimaldi (XIIe-XVIe s abritant le musée Picasso. Festival de jazz.

**ANTICOSTI (île d')** ~ Île basse et boisée (con fères) du golfe du Saint-Laurent, dépendance d Québec (Canada) ; 7 941 km², env. 300 h.

**ANTIFER (cap d')** ~ Cap du pays de Ca (Seine-Mar.), au N. du Havre. Terminal pétrolie

**ANTIGONE** ~ Personnage de la mythologie gre que. Princesse thébaine, fille d'Œdipe et de Jocast elle rendit les devoirs funèbres à son frère Polynic enfreignant ainsi, au nom de la loi divine, les ordr du roi Créon, qui la condamna à mort.

**Antigonides** (les) ~ Dynastie qui régna en Macé doine et en Grèce de 306 à 168 av. J.-C., fondée p **Antigonos Ier Monophthalmos**, en fr. le Borgne.

**ANTIGONOS** ~ Voir **Antigonides.**

**ANTIGUA** ~ V. du S. du Guatemala, ancien capitale du pays ; 27 000 h. Architecture baroq d'époque coloniale.

**NTIGUA-ET-BARBUDA** ~ État de l'archipel des tites Antilles (îles du Vent), constitué de trois îles ntigua, Barbuda et Redonda). *Cap.* Saint John's 6 000 h.). *Superf.* 442 km². *Popul.* 66 000 h., nt Noirs (89 %), métis (10 %). *Langues princ.* glais. *Monn.* Dollar des Caraïbes orientales. ss. *princ.* Tourisme, raffinage du pétrole ; place ancière. Base militaire américaine. **HIST.** - Découtes par Christophe Colomb (1492), colonisées r l'Angleterre au XVIIe s., les îles devinrent un it associé à la Couronne britannique en 1967 accédèrent à l'indépendance en 1981.

**NTI-LIBAN** (l') ~ Chaîne de montagnes calire, aride et peu peuplée du Proche-Orient, entre Bekaa libanaise et le désert de Syrie (oasis de imas). Il culmine au mont Hermon (2 814 m), olongement méridional (sources du Jourdain) minant le Golan. Pâturages d'été (ovins).

**NTILLES** (les) ~ Arc insulaire montagneux de mérique tropicale, partie N.-O. de la Caraïbe, olongement septentrional des cordillères vénézuénnes, séparant la mer des Antilles de l'Atlantique ; v. 35 000 000 d'h. On distingue deux ensembles : s **Grandes Antilles**, système montagneux de type pin (3 175 m au pic Duarte, en République ominicaine), qui incluent Cuba, l'île d'Haïti, Porto co et la Jamaïque, soit 94 % de la superf. et 85 % la popul. des Antilles ; les **Petites Antilles**, à l'E. au S., principalement volcaniques, au-delà de rto Rico, parmi lesquelles les îles Sous-le-Vent (au rge du Venezuela et à l'intérieur de l'arc des îles erges à Montserrat) et les îles du Vent, très rosées (arc extérieur). Le climat, chaud et humide saison sèche (de mai-juin à nov.-déc.), est tempéré ır les alizés porteurs de pluies à caractère cyclo-que. Les versants abrités (canne à sucre) sont plus cs que les versants exposés (café, cacao, banes...). Les autochtones ont quasi disparu, vicmes de la colonisation. Le peuplement actuel mprend des Blancs, des Noirs (descendants des claves), des immigrants asiatiques et de nombreux étis. Les langues princ. sont l'anglais, le français les créoles. L'économie est traditionnellement urnée vers les cultures tropicales (grandes exploitions), la première étant la canne à sucre. Les veaux de vie vont de la richesse (zones franches, es touristiques) à l'extrême pauvreté (Haïti). olitiquement, les Antilles rassemblent treize États dépendants, dont trois sont issus, au XIXe s., des écolonisations espagnole (République dominiine, Cuba) et française (Haïti) ; les autres sont embres du Commonwealth (Jamaïque, Antigua, int-Kitts-et-Nevis, Sainte-Lucie, Saint-Vincent, renade, Barbade, Trinité-et-Tobago). Les territoires épendants sont les **Antilles françaises** (Guadeupe et dépendances, Martinique), britanniques (E. es îles Vierges, Montserrat, Anguilla, Caïmans), **méricaines** (Porto Rico, O. des îles Vierges), **éerlandaises** (Aruba, Curaçao, Bonaire, partie S. Saint-Martin, Saba, Saint-Eustache) et **vénézuéennes**, entre Bonaire et la Trinité. **HIST.** - Primitiveent peuplées d'Indiens Arawaks et Caraïbes et écouvertes par Christophe Colomb (1492), les ntilles furent colonisées par les Espagnols à partir u XVIe s. puis par les Français, les Anglais et les Hollandais, qui développèrent une économie à base icrière fondée sur l'esclavage des Noirs.

**NTILLES (mer des)** ou **CARAÏBES (mer es)** ~ Partie de l'Atlantique que bordent les ntilles, le Venezuela, la Colombie et l'Amérique entrale (côtes basses). Elle communique avec le olfe du Mexique par le détroit du Yucatán ; 500 000 km², prof. moyenne 4 000-6 000 m.

**ANTINOË** ou **ANTINOOPOLIS** ~ V. de l'anc. gypte (Thébaïde), fondée par l'empereur Hadrien n 130, en souvenir d'Antinoüs.

**ANTINOÜS** ~ *m. en 130, sur le Nil, Égypte.* Jeune rec, favori de l'empereur Hadrien, qui le divinisa près sa mort et l'imposa comme idéal esthétique.

**ANTIOCHE**, en turc *Antakya* ~ V. du S. de la urquie près de la frontière syrienne et de la côte u Levant, centre admin. et comm. ; env. 24 000 h. Musée archéol. (fresques romaines). **IST.** - Fondée par Séleucos Ier Nikatôr (IVe s. v. J.-C.), capitale de la dynastie des Séleucides, la ille, conquise par les Romains, devint la métropole le la province de Syrie. Important centre religieux le la chrétienté, siège d'un patriarcat de fondation apostolique, elle accueillit de nombreux conciles aux IIIe et IVe s. Prise par les Arabes (VIIe s.), reconquise par les Byzantins (969), elle fut, de 1098 à 1268, la capitale d'une principauté franque. Elle tomba au pouvoir des Ottomans au XVIe s.

**ANTIOCHE** ~ Nom donné à plusieurs villes de l'Antiquité par les Séleucides.

**ANTIOCHE (pertuis d')** ~ Détroit qui sépare les îles de Ré et d'Oléron (littoral charentais).

**ANTIOCHOS**, nom de treize rois séleucides de Syrie. ~ **Antiochos Ier Sôter** (*324 - 261 av. J.-C.*), fils et successeur de Séleucos Nikatôr. ~ **Antiochos III Mégas** (*242 - 187 av. J.-C.*). Il entreprit la reconquête des satrapies orientales et de l'Asie Mineure mais fut battu par Scipion l'Asiatique à Magnésie du Sipyle (189). ~ **Antiochos IV Épiphane** (*v. 215 - 163 av. J.-C.*). Le pillage du temple de Jérusalem qu'il avait ordonné déclencha la révolte des Juifs, conduite par Mattathias Maccabée et son fils Judas. ~ **Antiochos XIII Asiatikos** (*Ier s. av. J.-C.*). Sa défaite devant Pompée (64) fit passer la Syrie sous domination romaine.

**ANTIOPE** ~ Personnage de la mythologie grecque. Fille du roi de Thèbes Nyctée, elle eut de Zeus les jumeaux Amphion et Zéthos.

**ANTIPATER** ou **ANTIPATROS** ~ *v. 397 - 319 av. J.-C.* Général macédonien. Lieutenant de Philippe II de Macédoine, il fut régent de Macédoine pendant l'expédition d'Alexandre le Grand en Asie. À la mort de ce dernier, il dut lutter contre la coalition des cités grecques révoltées, qu'il vainquit à Crannon (322 av. J.-C.). En 321, il reçut la régence de l'empire, après l'assassinat de Perdiccas.

**ANTISTHÈNE** ~ *v. 444, Athènes - 365 av. J.-C., id.* Philosophe grec. Fondateur et théoricien du cynisme antique, il rejeta l'étude des sciences, voyant la vertu dans les actes et leur modèle chez les héros homériques. [☞ **cynisme.**]

**ANTI-TAURUS** ~ Voir **Taurus**.

**ANTOFAGASTA** ~ Port industriel et minéralier (cuivre) du N. du Chili, cap. de la **province d'Antofagasta**, acquise en 1893 au détriment de la Bolivie ; 227 000 h. Industr. mécan., chimie.

**ANTOINE** ou **MARC ANTOINE**, en lat. *Marcus Antonius* ~ *83 - 30 av. J.-C., Alexandrie.* Général et homme d'État romain. Principal lieutenant de César, il s'opposa, après la mort de ce dernier, à son fils adoptif, Octave, désigné comme successeur. Vaincu par Octave à Modène (43), il constitua avec Lépide et son ancien rival un triumvirat, qui défit les assassins de César à Philippes. Après avoir reçu l'Orient en partage au traité de Brindisi (40), il épousa Octavie, sœur d'Octave, mais s'éprit de Cléopâtre VII, reine d'Égypte, au profit de laquelle il fut accusé de sacrifier les intérêts de Rome. Défait par Octave à Actium (31) et assiégé dans Alexandrie, il se donna la mort.

**ANTOINE** (André) ~ *1858, Limoges - 1943, Le Pouliguen.* Acteur et directeur de théâtre français. Il fonda le Théâtre-Libre (1887), qui prônait une esthétique naturaliste.

**ANTOINE DE BOURBON** ~ *1518 - 1562, Les Andelys.* Roi de Navarre (1555-1562) par son mariage avec Jeanne d'Albret. Il prit part aux guerres de Religion, abandonnant le parti protestant pour le parti catholique. Père du futur roi Henri IV.

**ANTOINE DE PADOUE** (saint) ~ *v. 1195, Lisbonne - 1231, Padoue.* Franciscain portugais. Il prêcha en Afrique, en Italie et en France, où il s'opposa aux cathares.

**ANTOINE LE GRAND** (saint) ~ *251, Qeman, Haute-Égypte - 356, mont Golzim.* Anachorète égyptien. Il fut l'un des premiers ermites chrétiens.

**ANTONELLO DA MESSINA** ~ *v. 1430, Messine - v. 1479, id.* Peintre italien. Son œuvre est la première tentative de synthèse du naturalisme minutieux flamand et de la perfection plastique italienne (*Crucifixion*, 1456 ; *le Condotierre*, 1474).

**ANTONESCU** (Ion) ~ *1882, Pitești - 1946, Jilava, près de Bucarest.* Maréchal et homme d'État roumain. Avec l'appui de la Garde de fer fasciste, il prit le pouvoir en 1940 et gouverna sous l'autorité nominale du roi Michel Ier. Allié aux Allemands, il prit part à la guerre contre l'U. R. S. S. Arrêté par les Soviétiques en 1944, il fut jugé et exécuté.

**ANTONIN LE PIEUX**, en lat. *Titus Aurelius Fulvius Antoninus Pius* ~ *86, Lanuvium - 161, Lorium.* Empereur romain (138-161). Fils adoptif d'Hadrien, auquel il succéda, il s'attacha à renforcer les frontières de l'empire tout en maintenant la paix. Protecteur du peuple, il favorisa l'essor économique de Rome. Il adopta pour lui succéder après sa mort Marc Aurèle et Lucius Verus.

**Antonins** (les) ~ Nom donné aux empereurs romains (Nerva, Trajan, Hadrien, Antonin le Pieux, Marc Aurèle, Lucius Verus, Commode) qui se succédèrent de 96 à 192.

**ANTONIONI** (Michelangelo) ~ *1912, Ferrare.* Cinéaste italien. Il a traduit dans un style dépourvu d'effets et de convenances dramatiques l'incommunicabilité entre les êtres (*le Cri*, 1957 ; *l'Avventura*, 1960 ; *Blow up*, 1967 ; *Par-delà les nuages*, 1996).

**ANTONY** ~ V. de la banlieue S. de Paris (Hauts-de-Seine) ; 57 771 h.

**ANTSERANANA**, anc. **Diégo-Suarez** ~ Port (not. militaire) du N. de Madagascar, centre admin., sur la **baie d'Antseranana** ; env. 100 000 h. Industr. navale.

**ANTSIRABÉ** ~ V. thermale et industrielle de Madagascar, dans l'Imérina ; env. 120 000 h. Marché. Uranium, graphite, or.

**ANUBIS** ~ Dieu égyptien à tête de chacal, protecteur des morts. Il présidait aux rites de l'embaumement.

**ANVERS**, en néerl. *Antwerpen* ~ Ch.-l. de la prov. d'Anvers, 1er port de Belgique et 2e d'Europe, établi sur l'Escaut (voie navigable internationale), à 88 km de la mer du Nord ; 463 000 h. Reliée par canaux (Albert, Rhin-Escaut), voies ferrées et autoroutes à un vaste hinterland européen, la ville a une fonction industrielle (chimie, automobile, agroalimentaire, métallurgie, taille des diamants) et de redistribution. Vieille ville (XVIe-XVIIIe s.), cathédrale (XIVe-XVIe s.), hôtel de ville (XVIe s.), Grote Markt ; musée royal des Beaux-Arts (peintres flamands), musée Rubens, musée Plantin-Moretus (imprimerie, gravure), musée Mayer-Van-den-Bergh (sculpture). **HIST.** - Intégrée au Saint Empire au Xe s., passée sous la domination des ducs de Brabant puis des ducs de Bourgogne, la ville prit son essor commercial à partir du XVe s., supplantant Bruges et Gand. Métropole artistique, centre du commerce de la laine, des épices et du bois, principal port de commerce européen au XVIe s., Anvers, prise par les Espagnols en 1585, entama une période de décadence, accentuée par la paix de Westphalie (1648), fermant l'Escaut à la navigation. Chef-lieu d'un département français de 1795 à 1814, la ville renoua avec sa vocation maritime sous l'impulsion de Napoléon Ier, qui en fit le premier port militaire de l'Empire. Elle fut rattachée à la Belgique en 1832.

*Anvers.*

**ANVERS (province d')** ~ Province flamande de Belgique (3 arrondissements : Anvers, Malines, Turnhout) ; 2 867 km², 1 625 000 h. L'agriculture, intensive sur les polders de l'Escaut, herbagère dans la Campine, est largement éclipsée par l'activité industrielle et les services générés par Anvers.

**ANYANG** ou **NGAN-YANG** ~ V. industrielle (sidérurgie) de la Chine du N., dans le Henan ; 481 000 h. Anc. capitale de la dynastie Shang (XVIe-XIe s. av. J.-C.), correspondant à l'apogée de la civilisation du bronze en Chine du Nord.

**ANZIN** ~ V. de la banlieue de Valenciennes (Nord) ; 14 064 h. La métallurgie y a remplacé les houillères.

**ANZIO** ~ Port et station baln. du Latium (Italie), sur la mer Tyrrhénienne ; env. 32 000 h. Pétrochimie. Ancienne capitale des Volsques. Lieu de débarquement des Alliés en 1944.

**A.-O. F.** ~ Voir **Afrique-Occidentale française.**

**AOMORI** ~ Port du Japon, au N. d'Honshû, tête de ligne vers Hokkaidô ; 292 000 h.

**AOSTE (Val d')** ~ Région semi-autonome (depuis 1948) des Alpes italiennes (mont Rose, Cervin, Grand Paradis), au N.-O. de la plaine du Pô, correspondant à la haute vallée de la Doire Baltée, au climat doux relativement à l'alt. ; 3 264 km$^2$, 118 000 h., cap. région. Aoste (env. 36 000 h.). C'est un carrefour transalpin relié à la France et à la Suisse par les tunnels du Grand-Saint-Bernard et du Mont-Blanc. Tourisme. Élev. bovin, vigne. Industr. diversifiée. Usage local du français (en diminution). **HIST.** - Anc. partie du royaume de Bourgogne, possession de la maison de Savoie dès 1032 et jusqu'en 1861 (sauf brèves occupations françaises), date de l'unité italienne.

**août 1789 (nuit du 4)** ~ Nuit durant laquelle l'Assemblée constituante vota l'abolition des droits seigneuriaux et féodaux.

**août 1792 (journée du 10)** ~ Journée révolutionnaire marquée par la prise du château des Tuileries par les émeutiers parisiens. L'insurrection aboutit à la déchéance de Louis XVI, prononcée le 13 août.

**AOZOU (bande d')** ~ Territoire tchadien du Sahara (N. du Tibesti), au S. de la frontière avec la Libye, revendiqué et occupé militairement par cette dernière en 1973. En 1994, un jugement de la Cour internationale de justice de La Haye l'a restituée au Tchad.

**Apaches** (les) ~ Peuple amérindien nomade de l'Amérique du Nord, établi aux États-Unis (Arizona, Colorado, Nouveau-Mexique, Texas) et au Mexique, qui s'opposa aux Espagnols puis aux colons américains, not. sous la conduite de Cochise et de Geronimo, et fut définitivement vaincu en 1886.

**APAMÉE** ~ Nom commun à plusieurs villes de l'Asie ancienne. Les plus connues sont en Syrie et en Phrygie. À Apamée Kibotos, en Phrygie, fut signée la **paix d'Apamée** (188 av. J.-C.), consacrant la défaite du Séleucide Antiochos III face aux Romains.

**APCHÉRON (presqu'île d')** ~ Extrémité orientale du Caucase (Azerbaïdjan) qui s'avance dans la mer Caspienne, site de Bakou. Pétrole offshore.

**APELDOORN** ~ V. industrielle (chim., mécan.) des Pays-Bas, dans la Gueldre ; 149 000 h. Résidence d'été de la famille royale.

**APENNIN** (l') ou **APENNINS** (les) ~ Axe montagneux de la péninsule italienne, long d'env. 1 300 km, au S. de la plaine du Pô. Trois ensembles princ. : argilo-gréseux au N. (**Apennin ligure**, 1 800 m, et **Apennin toscan**, 2 160 m), calcaire au centre (Abruzzes, 2 914 m), massifs cristallins au S., en Calabre (Sila, 1 930 m ; Aspromonte, 1 956 m) et jusqu'en Sicile (N.-O.). Sismicité et volcanisme actif. Dépeuplement. Tourisme.

**APHRODITE** ~ Déesse grecque de la Grâce, de la Beauté et de l'Amour. Née de l'écume de la mer ou fille de Zeus et de Dioné, épouse d'Héphaïstos, elle eut de nombreuses liaisons avec des dieux (not. Arès) et des hommes (not. Anchise). Elle était principalement honorée à Cythère et à Chypre. Les Romains l'assimilaient à Vénus.

**APIA** ~ Capitale et port des Samoa occidentales, sur la côte N. de l'île d'Upolu ; 32 000 h.

**APICIUS** ~ *1re moitié du Ier s.* Gastronome romain. Il aurait laissé un livre de recettes célèbres, *les Dix Livres de cuisine.*

**APIS** ~ Dieu de l'ancienne Égypte, représenté sous la forme d'un taureau, symbole de fécondité. Il était adoré à Memphis.

**APOLLINAIRE** (Wilhelm Apollinaris **de Kostrowitzky**, dit Guillaume) ~ *1880, Rome - 1918, Paris.* Poète français. Auteur de nouvelles fantastiques et cruelles (*l'Enchanteur pourrissant*, 1909), il écrivit sur les avant-gardes (*les Peintres cubistes*, 1913) et renouvela la poésie en l'enrichissant de formes insolites comme les « poèmes conversations » et les « idéogrammes lyriques » (*Alcools*, 1913 ; *Calligrammes*, 1918). Il est considéré comme un précurseur du surréalisme.

**APOLLODORE DE DAMAS** ~ *v. 60, Damas - 129.* Architecte et ingénieur grec. Il construisit le forum de Trajan, à Rome.

**APOLLON** ~ Dieu grec de la Lumière, des Arts et de la Divination, fils de Zeus et de Léto, dont les oracles étaient rendus à Delphes par la Pythie. Chez les Romains, il était aussi nommé Phébus.

**APOLLONIOS DE PERGA** ~ *v. 262, Perga - v. 190 av. J.-C., Alexandrie.* Mathématicien grec. Son traité *les Coniques* reste l'une des œuvres maîtresses des mathématiques grecques.

**APOLLONIOS DE RHODES** ~ *v. 295, Alexandrie - v. 215 av. J.-C., Rhodes.* Poète et grammairien grec. Auteur du poème épique *les Argonautiques.*

**APPALACHES** (les) ~ Système montagneux de l'Amérique du N.-E., isolant les Grandes Plaines de l'influence atlantique, qui s'étend du N. de la Floride au S. du Saint-Laurent (États-Unis, S.-E. du Canada). Au S. de la Nouvelle-Angleterre, le Piémont (plateau plongeant sur la plaine côtière par la Fall Line) et l'axe central (partie la plus élevée, culminant dans le Blue Ridge : 2 037 m au mont Mitchell), cristallins, sont flanqués par une région sédimentaire, zone plissée coupée de cluses (type du relief appalachien). À l'O., le plateau appalachien (bassin houiller) est drainé par les affluents de la rive gauche du Mississippi (Ohio, Cumberland, Tennessee). Climat humide (grandes forêts de feuillus au S., de conifères au N.). La région agricole et industrielle la plus dynamique est le Piémont.

**APPENZELL** (l') ~ Canton (416 km$^2$) de Suisse alémanique (N.-E.), enclavé dans celui de Saint-Gall, entré dans la Confédération helvétique en 1513, divisé en 2 demi-cantons (1597), l'un à majorité protestante (Rhodes-Extérieures, 243 km$^2$, 48 000 h. ; ch.-l. Herisau, 16 000 h.), l'autre catholique (Rhodes-Intérieures, 173 km$^2$, 13 000 h. ; ch.-l. **Appenzell**, env. 5 000 h.). Élev. (fromage réputé), broderie. Tourisme.

**APPERT** (Nicolas) ~ *1749, Châlons-sur-Marne - 1841, Massy.* Industriel français, créateur de l'industrie des conserves alimentaires.

**APPIEN** ~ *v. 95, Alexandrie - v. 160.* Historien grec, auteur d'une *Histoire romaine* en 24 volumes.

**APPIENNE (voie)**, en lat. ***via Appia*** ~ Voie romaine reliant Rome à Brindisi. Commencée au IIIe s. av. J.-C., elle fut achevée sous Auguste (Ier s.).

**APPLETON** (sir Edward Victor) ~ *1892, Bradford - 1965, Édimbourg.* Physicien britannique. Il étudia l'ionosphère et ses diverses propriétés radioélectriques. Prix Nobel de phys. 1947.

**APPOMATTOX** ~ Village de Virginie (États-Unis). Le 9 avril 1865, le général Lee (sudiste) se rendit sans conditions au général Grant (nordiste), scellant la fin de la guerre de Sécession.

**APPONYI** (Albert, comte) ~ *1846, Vienne - 1933, Genève.* Homme politique hongrois. Il représenta son pays à la S. D. N.

Guillaume **Apollinaire** et Serge de Diaghilev dans les coulisses du Châtelet, *dessin de Mikhail Fiodorovitch Larionov (1881-1964). Coll. André Meyer, New York.*

**APT** ~ V. du Vaucluse, au pied du Lubere (versant N.) ; agglom. 14 381 h. Fruits confits (90 de la prod. française). Cathédrale (XIIe-XVIIIe s.).

**APULÉE** ~ *v. 125, Madaure, Numidie - v. 18 Carthage.* Écrivain latin. Auteur du roman *Métamorphoses* ou *l'Âne d'or.*

**APULIE** (l') ~ Anc. province du S.-E. de l'Ital constituant auj. la région des Pouilles. Elle f colonisée par les Grecs puis par les Romains.

**APURÍMAC** (l') ~ Rivière des Andes péruvienn (885 km), issue de la Cordillère occidenta affluent de l'Ucayali, branche mère de l'Amazo la plus éloignée des bouches du fleuve.

**APUSENI (monts)**, anc. **Bihor** ~ Massif de l' de la Roumanie (Transylvanie), séparé des Carpat méridionales par la vallée du Mureş ; 1 848 r Bauxite, cuivre, or.

**AQABA (golfe d')** ~ Voir **Akaba.**

**AQQAR** ~ Voir **Akkar.**

**AQUILA (L')** ~ V. d'Italie, capitale régionale d Abruzzes, près du Gran Sasso ; 68 000 h. Basiliqu des XIIIe et XVIe s., musée des Abruzzes.

**AQUILÉE**, en ital. ***Aquileia*** ~ Port d'Italie (Vén tie) sur l'Adriatique ; env. 3 000 h. Vestiges d'u cité romaine (nécropoles) détruite par Attila (452 Basilique romane (pavement mosaïque, 313).

**AQUINO** (Corazón, dite Cory) ~ *1933, Manil* Femme d'État philippine. Veuve du dirigea **Benigno** Aquino, assassiné sur ordre du préside Marcos, elle a été présidente de la Républiq (1986-1992).

**AQUITAIN (Bassin)** ~ Bassin sédimentaire c S.-O. de la France (env. 85 000 km$^2$, alt. moyenn 138 m), baigné par l'Atlantique à l'O. (plain charentaise et landaise), limité par le Massif centr (E.), les Pyrénées (S.) et le Massif armoricain (N. ouvrant sur le Bassin parisien par le seuil du Poitc et sur les régions méditerranéennes par le Lauraga Partagé entre les Régions Aquitaine, Midi-Pyréné Poitou-Charentes, il correspond aux bassins de Garonne, de l'Adour (S.-O.) et de la Charen (N.-O.). Les dépôts détritiques, dominants au (cailloutis fluvio-glaciaires du plateau de Lann mezan, champ d'épandage sableux des Landes) au centre, autour des vallées alluviales (collin molassiques, de la Lomagne au Bordelais), so bordés à l'E. et au N. par des formations calcair (Quercy, Périgord, plaine charentaise). Le climat e marqué par la rencontre des influences océaniqu méditerranéenne et continentale (pluies abo dantes près du littoral, longues sécheresses averses brutales dans l'intérieur). Blé, maïs, frui et légumes, tabac. Élev. (bovins, volailles). Vign bles du Bordelais, de l'Armagnac, du Cognaça Sylviculture (Landes). Les deux grands pôles u bains, Bordeaux et Toulouse, concentrent le activités industrielle et tertiaire.

**AQUITAINE** (l') ~ Région admin. du S.-O. de France, partie sud-atlantique de la région hist. et d Bassin aquitain (5 dép. : Dordogne, Gironde, Lo et-Garonne, Landes, Pyrénées-Atl.) ; 41 407 km 2 795 830 h., préfect. Bordeaux. Le grand pô économique est la région de Bordeaux (vignobl industr. aérospatiale et aéronautique, raffinage d pétr.), relayé au S. par Bayonne (Pays basque) et Pa dans le piémont pyrénéen. Tourisme le long d littoral atlantique. **HIST.** - L'Aquitaine romair s'étend des Pyrénées à la Loire. Au IIIe s., elle est div sée en trois provinces centrées sur Bourges, Bordeau et Eauze. Clovis en chasse les Wisigoths et l'intèg au royaume franc (507). Pépin le Bref refoule le musulmans (760-768). L'Aquitaine, devenue u duché, passe à la maison de Poitiers, dont le repr sentant le plus connu est Guillaume IX (1086 1127), l'un des premiers troubadours. Le mariage d la duchesse Aliénor avec Henri II Plantagenêt (1152 fait de l'Aquitaine (devenue Guyenne) un enjeu de conflits franco-anglais pour trois siècles.

**arabe (Ligue)** ~ Organisme de collaboration inte arabe réunissant, à partir de 1945, l'Égypte, l'Ira le Liban, la Syrie, la Transjordanie, l'Arabie Saoudi et le Yémen du Nord. Douze autres États y or adhéré de 1953 à 1993, ainsi que l'O. L. P.

**ARABE UNIE (République)** ~ État issu de l'unio formée entre la Syrie et l'Égypte (1958-1961).

**ARABES UNIS (Émirats)** ~ Voir **Émirats arabe unis.**

**ꝛABIE** (l') ou **PÉNINSULE ARABIQUE** (la) ~ ste péninsule du S.-O. de l'Asie (Moyen-Orient), tre la mer Rouge et le golfe Persique, au climat s chaud, généralement aride (grands ergs du Rub' Khali, Nefoud) ou semi-aride (plateau central du edjd) ; env. 3 000 000 de km², 34 000 000 d'h. agment de socle précambrien séparé de l'Afrique r le fossé d'effondrement de la mer Rouge, c'est ensemble de plateaux inclinés. Ils s'étendent de scarpement occidental (Hedjaz, Asir, Yémen et, S., le long de l'océan Indien, hauteurs de Hadramaout, du Dhofar et du djebel Akhdar) aux ords sédimentaires (premiers gisements de pétrole et de gaz exploités du monde) du golfe rsique. Au mode de vie traditionnel des Bédouins, abes du désert, s'oppose celui des agriculteurs dentaires, dans les oasis (Hedjaz, Nedjd) et sur hauteurs steppiques plus arrosées de la périphé- (cult. fruitières, café, qat). Politiquement, la ninsule est partagée entre l'Arabie Saoudite et les ats du pourtour littoral, tous pétroliers (Koweït, hreïn, Qatar, Émirats arabes unis, Oman), sauf Yémen, et musulmans (l'Arabie fut le premier yer de diffusion de l'islam).

**RABIE (mer d')** ~ Voir **Oman** (golfe d').

**RABIE DU SUD (fédération de l')** ~ Fédération États sous protectorat du Royaume-Uni (1959), venue le Yémen du Sud, indépendant en 1967.

**RABIE SAOUDITE (royaume d')** ~ Pays de la péninsule Arabique. ***Cap.*** Riyad. ***Superf.*** 2 200 000 km². ***)pul.*** 16 900 000 h., dont 95 % d'Arabes. ***Langue inc.*** Arabe. ***Monn.*** Riyal. ***Relief.*** Élevé à l'O. (Hedjaz Nedjd), plat à l'E. (plaine du Hassa). ***Climat.*** ésertique (déserts du Nefoud et du Rub' al-Khali). ***:on.*** Malgré le développement de l'agriculture riguée, de l'industrie (pétrochimie) et l'importance du tourisme (pèlerinage de La Mecque), le étrole reste la principale source de revenus (65 %). cheptel (chameaux, ovins, caprins) est la grande ssource des Bédouins. Stations de dessalement Dhiba, Wajh). **HIST.** – Dans l'Antiquité, le pays t parcouru par des Bédouins, éleveurs nomades et aïens. *VIᵉ s. apr. J.-C.* : La Mecque, habitée par les urayshites, est un important lieu d'échanges mmerciaux et religieux (sanctuaire de la Kaaba). *10-632* : Mahomet impose l'islam à la plus grande artie de la péninsule à partir de Médine. *650-750* : Arabie est gouvernée à partir de Damas (période meyyade). *VIIIᵉ-XVᵉ s.* : pendant la période abbasside 750-1258), l'Arabie est gouvernée à partir de agdad, mais, dès le Xᵉ s., le chérif de La Mecque t le plus souvent sous l'autorité du Caire, le reste l'Arabie échappant à tout contrôle central. *XVIᵉ s.* : s Ottomans maîtrisent le Hedjaz et la côte E. *VIIIᵉ s.* : Ibn Abd al-Wahhab, soutenu par la dynastie es Séoud (originaire de Dariya, dans le Nedjd), rêche le retour à un islam rigoureux. *XIXᵉ s.* : remière tentative d'unification de la péninsule risée (1818) par le pacha d'Égypte ; les Britanniques imposent leur protectorat sur la côte E. *902-1934* : Ibn Séoud instaure le royaume d'Arabie aoudite. *1933* : l'Aramco (Arabian American Oil ompany) obtient la concession de l'exploitation u pétrole. *1953-1995* : les monarques successifs bn Séoud IV, Faysal, Khaled, Fahd depuis 1982) pposent le panislamisme au panarabisme socialiste entretiennent des relations privilégiées avec les tats-Unis (guerre du Golfe, 1991). *1996* : Le roi ahd remet le pouvoir au prince Abdallah.

**ARABIQUE (désert)** ~ Partie orientale et montagneuse (2 187 m) du Sahara, qui s'étend entre le Nil et la mer Rouge. Champs pétrolifères.

**ARABIQUE (golfe)** ~ Voir **Rouge** (mer).

**ARABO-PERSIQUE (golfe)** ~ Voir **Persique**.

**ARACAJU** ~ Voir **Sergipe**.

**ARAFAT** (Yasser) ~ *1929, Jérusalem.* Homme politique palestinien. Fondateur du Fatah (1959), résident de l'O. L. P. (1969), il fit évoluer cette ernière vers des positions favorables à la négociation avec Israël. Signataire avec Sh. Peres, à Washington, en 1993, des accords de paix donnant 'autonomie aux territoires occupés, il a été élu en 996 président de l'Autorité palestinienne, chargée e les administrer. Prix Nobel de la paix 1994 avec h. Peres et Y. Rabin.

**ARAFURA (mer d')** ~ Partie de l'océan Indien qui épare l'Australie de la Nouvelle-Guinée.

© Figaro Magazine/Tixador-Gamma

1

© B. Gérard-Explorer

2

© Chr. Vioujard-Gamma

3

EN ARABIE

1. *Forteresse au pied du djebel Akhdar (sultanat d'Oman).*
2. *L'aéroport de Riyad (Arabie Saoudite).*
3. *Raffinerie de pétrole à Mina al-Fahal (sultanat d'Oman).*

**ARAGO** (François) ~ *1786, Estagel, Pyrénées-Orientales - 1853, Paris.* Physicien et homme politique français. Il fit des recherches dans les domaines de l'électromagnétisme, de la théorie ondulatoire et de la polarisation de la lumière. Député de 1830 à 1848, membre du gouvernement provisoire en 1848, il fut partisan de l'abolition de l'esclavage.

**ARAGON** (l'), en esp. ***Aragón*** ~ Communauté autonome du N.-E. de l'Espagne (prov. de Saragosse, Huesca, Teruel), qui s'étend des Pyrénées jusqu'au-delà des monts Ibériques, bordée à l'E. par la Catalogne, à l'O. par la Navarre et la Castille ; 47 669 km², 1 189 000 h., cap. Saragosse (seul centre industr.). La vallée de l'Èbre, seule zone fertile (cult. maraîchères, céréales, vigne...) et axe du peuplement, sépare des plateaux semi-arides. **HIST.** – Le comté pyrénéen d'Aragon s'érigea en royaume indépendant en 1035 et s'unit avec le comté de Barcelone en 1137. Aux XIIIᵉ et XIVᵉ s., il s'étend vers la Méditerranée (annexion des Baléares, de Valence, de la Sicile, de la Sardaigne...). En 1469, le mariage du futur roi Ferdinand II avec l'héritière de la Castille prélude à l'unification de l'Espagne.

**ARAGON** (Louis) ~ *1897, Paris - 1982, id.* Écrivain français. Il fonda avec A. Breton et Ph. Soupault le mouvement surréaliste. Romancier, essayiste, critique d'art, journaliste (*les Lettres françaises*), Aragon fut d'abord un poète maîtrisant à la perfection son art à la fois savant et populaire (*le Paysan de Paris*, 1926 ; *les Cloches de Bâle*, 1934 ; *Aurélien*, 1945). Il adhéra en 1927 au parti communiste français, rompit avec le surréalisme et s'attacha à défendre une conception militante de l'intellectuel au service de la révolution. Sa compagne, Elsa Triolet, lui inspira un monument de la poésie lyrique : *le Fou d'Elsa* (1963).

**ARAGUAIA** ~ Voir **Tocantins** (río).

*Rencontre entre Yasser **Arafat** et Shimon Peres à Cernobbio, en Italie (1ᵉʳ sept. 1995).*

© Olympia-Gamma

**ARAK**, anc. **Soltanabad** ~ V. industrielle d'Iran, centre admin. au S.-O. de Qom, au pied du Zagros ; 265 000 h. Tapis.

**ARAKAN** (l') ~ État (cap. Sittwe) et région montagneuse (alt. max. 3 050 m) de l'O. de la Birmanie, entre le golfe du Bengale et l'Irrawaddy.

**ARAKS** (l') ~ Voir **Araxe**.

**ARAL (mer d')** ~ Mer fermée d'Asie centrale (partagée entre le Kazakhstan et l'Ouzbékistan), à l'E. de la mer Caspienne, occupant le fond d'une dépression aride (52 m d'alt.) et peu accidentée (prof. max. 69 m). Le détournement de ses deux fleuves tributaires (Amou-Daria, Syr-Daria) pour l'irrigation (cult. du coton) entraîne son assèchement (en 1950 : 68 000 km² ; en 1990 : 40 000 km²) et l'augmentation du taux de salinité des eaux (extinction de la faune marine).

**ARAM** ~ Personnage biblique. Fils de Sem et ancêtre des Araméens.

**Araméens** (les) ~ Peuple sémite nomade, qui se sédentarisa au Xᵉ s. av. J.-C. et fonda des royaumes en Syrie. L'araméen fut la langue courante de l'Orient du VIIIᵉ s. av. J.-C. au VIIᵉ s. apr. J.-C.

**ARAN (val d')** ~ Haute vallée des Pyrénées espagnoles (Catalogne) où la Garonne prend ses sources, au pied de la Maladeta.

**ARANDA** (Pedro, comte D') ~ *1719, Huesca - 1798, Épila.* Général et homme politique espagnol. Ministre de Charles III, acquis aux idées des Lumières, il ordonna l'expulsion des Jésuites d'Espagne en 1767.

**ARANJUEZ** ~ V. d'Espagne, au S. de Madrid, sur le Tage, carrefour ferroviaire et centre industriel ; env. 36 000 h. Palais royal du XVIIIᵉ s.

**ARANY** (János) ~ *1817, Nagyszalonta, auj. Salonta, Roumanie - 1882, Budapest.* Poète hongrois. Auteur de poèmes épiques, historiques et populaires (*Toldi*, 1847 ; *la Mort de Buda*, 1863), il évolua vers une poésie plus intimiste (*Automnales*, 1877).

**ARARAT (mont)** ~ Massif volcanique de l'E. de la Turquie, aux confins de l'Arménie et de l'Iran ; 5 165 m. Noé y aurait accosté au terme du Déluge. Lieu saint pour les Arméniens.

**Araucans** ou **Mapuches** (les) ~ Nom donné aux Indiens du Chili central. Ils opposèrent une farouche résistance aux conquérants espagnols.

**ARAVALLI (monts)** ~ Massif ancien de l'Inde (Rajasthan), rebord N.-O. du Deccan ; 1 722 m. Carrières de marbre. Lieu sacré du jaïnisme.

**ARAVIS (chaîne des)** ~ Partie du massif des Bornes, dans les Préalpes savoyardes, qui domine la cluse de l'Arly ; 2 752 m. Fromage (reblochon). Sports d'hiver (La Clusaz, Megève). Le **col des Aravis** (1 498 m) relie Annecy au val d'Arly.

**Arawaks** (les) ~ Indiens d'Amérique dont les tribus ont essaimé de la Floride à l'Amazonie.

**ARAXE** ou **ARAKS** (l') ~ Riv. d'Asie occidentale, née en Turquie, tributaire de la mer Caspienne par la Koura, qui sépare le plateau anatolien du Petit Caucase (frontière Turquie-Arménie, Iran-Arménie et Azerbaïdjan) ; env. 1 000 km.

**ARBEAU** (Thoinot) ~ Voir **Tabourot** (Jehan).

**ARBOGAST** ~ *v. 340 - 394, en Vénétie.* Général d'origine franque. Au service de Théodose Ier, il fut nommé par ce dernier tuteur de Valentinien II, qu'il fit sans doute assassiner (392), et qu'il fit remplacer par Eugène. Vaincu par Théodose, il se suicida.

**ARBOIS** ~ Commune du Jura (N.-E. de Lons-le-Saulnier), dans le Vignoble jurassien (vins blancs secs, jaunes, rosés) ; 3 900 h. Anc. résidence des ducs de Bourgogne (château de Bontemps), église St-Just (XIIe s.) à dôme du XVIe s.

**ARBUS** (Diane) ~ *1923, New York - 1971, id.* Photographe américaine. Après une carrière dans la photo de mode, elle fixa en noir et blanc les souffrances humaines (marginaux, malades mentaux).

**ARC** (l') ~ Affl. de l'Isère (r. g.), dans le S. des Alpes de Savoie ; 150 km. Sa vallée, la Maurienne, est une voie d'accès à l'Italie (Piémont) par le tunnel de Fréjus, et à la Tarentaise par le col de l'Iseran. Axe industriel (hydroélectricité) et touristique (haute Maurienne, parc national de la Vanoise, au N.).

**ARCACHON** ~ Station balnéaire et climatique des Landes, dans la Gironde ; 11 770 h. (agglom. 47 141 h.). Le **bassin d'Arcachon** est une vaste baie ouverte sur l'Atlantique. Ostréiculture. Parc ornithologique du Teich.

**ARCADIE** (l') ~ Région historique de la Grèce, située au centre du Péloponnèse, qui forme aujourd'hui le **nome d'Arcadie** (ch.-l. Tripolis). Refuge des Achéens lors de l'invasion de la Grèce par les Doriens (XIIe s. av. J.-C.), la région résista à l'hégémonie spartiate et forma avec les Thébains une confédération ayant Megalopolis pour capitale (IVe s. av. J.-C.), puis elle fit partie de la Ligue achéenne (IIIe s. av. J.-C.), avant de tomber sous domination romaine (146 av. J.-C.). Théâtre de nombreux épisodes de la mythologie, elle fut représentée comme le lieu d'une vie pastorale idéalisée.

**ARCADIUS** ~ *377, en Espagne - 408.* Empereur romain d'Orient. Fils de Théodose Ier, il reçut en partage l'empire d'Orient, son frère Honorius recevant l'empire d'Occident. Incapable de gouverner, il fut dominé par les régents Rufin et Eutrope, et par sa femme, l'impératrice Eudoxie.

**ARC-ET-SENANS** ~ Localité du Doubs, sur la Loue ; 1 277 h. Saline royale construite par Cl. N. Ledoux entre 1774 et 1779.

**ARCHILOQUE** ~ *v. 712, Paros, Grèce - v. 664 av. J.-C., id.* Poète grec. Il est l'un des grands poètes lyriques monodiques ioniens et l'inventeur supposé de l'iambe.

**ARCHIMÈDE** ~ *v. 287, Syracuse - 212 av. J.-C., id.* Mathématicien et ingénieur grec. Il laissa des travaux sur le calcul des aires et des volumes curvilignes. Il obtint aussi la détermination approchée de la mesure du cercle et celle du centre de gravité. Fondateur de l'hydrostatique, il formula le théorème sur la poussée des fluides qui porte son nom (*Traité des corps flottants*) et découvrit le principe de la densité spécifique des corps. Il mit au point la vis hydraulique (**vis d'Archimède**) et améliora les machines de guerre pour la défense de Syracuse assiégée par les Romains. Il périt lors de la prise de la ville par le général romain Marcellus.

**ARCHIPENKO** (Alexander) ~ *1887, Kiev - 1964, New York.* Sculpteur et peintre américain d'orig. russe. Inspiré par le cubisme, il créa des sculptures géométriques aux volumes évidés (*la Boxe*, 1913).

**Archives nationales** ~ Service dépendant de la Direction des archives de France et chargé de conserver les documents provenant des organes centraux de l'État. Créées par l'Assemblée constituante en 1789, elles s'installèrent dans l'hôtel de Soubise, dans le quartier du Marais, à Paris, en 1808. L'hôtel de Rohan s'ajouta à leur domaine en 1927.

**ARCIMBOLDO** ou **ARCIMBOLDI** (Giuseppe) ~ *1527, Milan - 1593, id.* Peintre italien. Appelé à la cour de Prague, il s'illustra dans des « têtes composées », faites à partir de végétaux, de fruits, de poissons et de crustacés.

**ARCOAT** (l') ~ Voir **Argoat**.

**ARCOLE** ~ V. de Vénétie (Italie). En 1796, Bonaparte et P. Augereau prirent le **pont d'Arcole** (15 nov.) et y battirent les Autrichiens (17 nov.).

**ARCS** (les) ~ Station de sports d'hiver (Savoie), au-dessus de Bourg-Saint-Maurice (1 600-3 000 m).

**ARCTIQUE** (l') ~ Partie du monde qui s'étend du pôle Nord au cercle polaire boréal et comprend, autour de l'océan Glacial arctique (12 000 000 de km$^2$ avec ses dépendances), couvert à 60 % par la banquise, les régions continentales (N. de l'Alaska, du Canada, de la Scandinavie, de la Russie du N.-O. et de la Sibérie) et insulaires (Groenland et son inlandsis, îles Svalbard, archipels sibériens et canadien) périphériques, affectées au S. par le pergélisol et les inondations dues au dégel (toundra). Températures très froides (jamais supérieures à 0 °C au pôle, min. absolu - 70 °C en Sibérie), moins extrêmes que dans l'Antarctique ; faibles précipitations. Groupes humains clairsemés (Inuits, Lapons, Samoyèdes, Toungouzes...) vivant de la chasse (phoque, caribou...) ou de la pêche (faune marine riche grâce au plancton). Rares centres industriels (charbon, hydrocarbures) et portuaires (seul grand port : Mourmansk, en Russie). Centre d'essais nucléaires en Nouvelle-Zemble (Russie). **HIST.** - *XVIe s.* : premières recherches d'un passage maritime vers le N. *1831* : J. Ross atteint le pôle magnétique. *1895* : expédition Fr. Nansen. *1909* : R. Peary parvient au pôle. *1958* : le sous-marin américain *Nautilus* passe sous la banquise.

**ARCTIQUE CANADIEN (archipel)** ~ Vaste ensemble insulaire nord-américain de l'océan Arctique (îles principales : Baffin, Victoria, Ellesmere), quasi inhabité.

**ARCUEIL** ~ V. de la banlieue S. de Paris (Val-de-Marne) ; 20 334 h. Vestiges d'un aqueduc romain.

**ARDÉBIL** ou **ARDABIL** ~ V. du N.-O. de l'Iran (Azerbaïdjan) ; 282 000 h. Mausolée du cheikh Safi, fondateur de la dynastie safavide. Tapis renommés.

**ARDÈCHE** (l') ~ Affl. du Rhône (r. dr.) issu des monts du Vivarais, redoutable par l'ampleur de ses crues d'hiver, qui coule dans des gorges pittoresques en aval d'Aubenas ; 120 km.

**ARDÈCHE** (l') ~ Dép. de la Région Rhône-Alpes (S.-O.), correspondant à l'anc. province du Vivarais et limité à l'E. par le Rhône ; 5 511 km$^2$, 277 581 h. Bordure S.-E. du Massif central : monts du Vivarais au N. (mont Gerbier-de-Jonc, 1 551 m), Cévennes au S., prolongés par des plateaux descendant vers le Rhône : plateaux cristallins du Vivarais au N., coulée basaltique du Coiron au centre, plateaux calcaires du Gras au S. Il est parcouru par des rivières turbulentes (affl. de la r. dr. du Rhône), dont l'Ardèche. Céréales et élev. dans les hautes vallées ; châtaigniers sur les pentes des plateaux. Mûriers, arbres fruitiers, vignobles (Côte-Rôtie, Saint-Péray) sur les coteaux du Rhône. Petites v. industr. : Annonay, Privas (préfect.), Tournon, Aubenas. Centrale nucléaire à Cruas.

**ARDEN** (John) ~ *1930, Barnsley, Yorkshire.* Dramaturge britannique. Promoteur du « nouveau théâtre » anglais, il a été influencé par B. Brecht (*la Danse du sergent Musgrave*, 1959).

**ARDENNE** (l') ou **ARDENNES** (les) ~ Massif ancien des confins de la Belgique wallonne, du Luxembourg et de la France ; env. 10 000 km$^2$. Climat rigoureux, sols pauvres (landes, tourbières, vaste forêt). Aux hauteurs aplanies (694 m dans les Hautes-Fagnes) et désertes s'opposent les vallées encaissées et sinueuses (Meuse, Semois, Ourthe, Sûre...), voies de pénétration. L'activité est réduite (élevage, agroalim., industr. du bois). Solde migratoire négatif. **HIST.** - Des combats s'y sont déroulés au cours des deux guerres mondiales, not. en mai 1940 (trouée de Sedan) et de déc. 1944 à janv. 1945. La dernière contre-attaque allemande, commandée par G. von Rundstedt, bute alors sur la résistance des Alliés à Bastogne.

**ARDENNES** (les) ~ Dép. de la région Champagne-Ardenne (N.), limitrophe de la Belgique ; 5 234 km$^2$, 296 357 h. Il est occupé au N. par la bordure méridionale du plateau ardennais (350 m) et la dépression préardennaise drainée par la Meuse, encaissée. Entre la Meuse et l'Aisne s'étendent les plateaux de l'Argonne et du Porcien et, au S. de l'Aisne, l'extrémité N. de la Champagne crayeuse. Les plateaux sont le domaine de la forêt et des landes, les vallées (Meuse et Aisne) et la Champagne se consacrent aux activités agro-pastorale céréales, betteraves, protéagineux, élevage. La urbaine et la production industrielle (métall., te agroalim.) se concentrent dans la vallée de la Me autour des pôles de Charleville-Mézières (préfec et Sedan. Les villes de la vallée de l'Aisne (Vouzi Rethel) sont tournées vers Reims. Centrale r cléaire franco-belge à Chooz.

**Ardents (bal des)** ~ Bal masqué donné à Pa en l'hôtel St-Pol, en 1393. Un incendie se décla qui faillit coûter la vie au roi Charles VI.

**ARDRES** ~ Localité proche de Saint-Omer (P de-Calais). En 1520 s'y déroula l'entrevue du Car du Drap d'or entre François Ier et Henri VIII, cours de laquelle les deux souverains tentèrent constituer une alliance contre Charles Quint.

**ARECIBO** ~ V. de l'île de Porto Rico ; 93 000 Site du plus grand radiotélescope du monde.

**ARENDT** (Hannah) ~ *1906, Hanovre - 1975, N York.* Philosophe américaine d'orig. allemanc Élève de K. Jaspers et de M. Heidegger, juive émigr en France (1933) puis aux États-Unis (1941), e analysa la réalité totalitaire (*les Origines du tota tarisme*, 1951 ; *Du mensonge à la violence*, 197

**AREQUIPA** ~ V. du S. du Pérou, à 2 300 m d'a dans les Andes, centre économique et universita régional ; 620 000 h. Elle fut fondée en 1540 p Pizarro sur le site d'une ancienne cité inca.

**ARÈS** ~ Dieu grec de la Guerre, fils de Zeus d'Héra. Il correspond au dieu Mars des Romair

**ARÉTIN** (Pietro **Bacci**, dit **Aretino**, en fr. **l'**) *1492, Arezzo - 1556, Venise.* Écrivain érotique satirique italien, observateur de l'hypocrisie cour sane de son temps (*Ragionamenti*).

**AREZZO** ~ V. d'Italie, en Toscane, centre touris comm. et industr. (constr. ferroviaires), sur l'Arn env. 90 000 h. Cathédrale (XIIIe s.), palais (XIV XVIe s.), église San Francesco (fresques de Piero de Francesca).

**ARGELANDER** (Friedrich) ~ *1799, Meme 1875, Bonn.* Astronome allemand, auteur d'u catalogue d'étoiles (env. 324 000).

**ARGELÈS-SUR-MER** ~ V. de la côte du Roussillo (Pyrénées-Orientales), sur la Méditerranée, au S. de Perpignan ; 7 188 h. Vin doux naturel. Static balnéaire à **Argelès-Plage**.

**ARGENLIEU** (Georges Thierry D') ~ *188 Brest - 1964, carmel de Relecq-Kerhuon, Finistè* Amiral français. Il rejoignit le général de Gaulle Londres (1940) et fut nommé, après la guer haut-commissaire en Indochine (1945-1947).

**ARGENS** (l') ~ Fl. côtier de Provence, issu d monts de la Sainte-Baume et de la Sainte-Victoi qui sépare les Maures de l'Esterel ; 115 km.

**ARGENSON (de Voyer D')**, famille françai originaire de Touraine dont sont issus plusieu hommes politiques. ~ **Marc René**, marquis (*165 Venise - 1721, Paris*). Lieutenant général de polic président du Conseil des finances et garde d Sceaux sous la Régence, il démissionna po marquer son opposition au système de Law. ~ **Rer Louis**, marquis (*1694, Paris - 1757, id.*), fils c précédent. Secrétaire d'État aux Affaires étrangèr (1744-1747), il se signala par son attitude bel queuse pendant la guerre de la Succession d'Aut che. Ami de Voltaire, il est l'auteur d'écri favorables au despotisme éclairé. ~ **Marc Pierr** comte (*1696, Paris - 1764, id.*), frère du précéde Intendant de Touraine, ministre de la Guer (1742-1757), il fonda l'École militaire en 175

**ARGENTAN** ~ V. de Normandie, dans la **plai d'Argentan**, au contact du Bocage normand, d collines du Perche et de l'extrémité S. du pays d'Au (Orne) ; 16 413 h. (agglom. 17 233 h.). Tradition d dentelles. Industr. mécan. et métallurgique.

**ARGENTERA (massif de l')** ~ Voir **Mercantou**

**ARGENTEUIL** ~ V. de la banlieue parisien (N.-O.), sur la Seine (Val-d'Oise) ; 93 096 h. Li de séjour de peintres impressionnistes au XIXe

**ARGENTIÈRE (col de l')** ~ Voir **Larche**.

**ARGENTINA** (Antonia **Mercé y Luque**, di **la**) ~ *1888, Buenos Aires - 1936, Bayonne.* Da seuse espagnole. Interprète novatrice, elle fut u virtuose des castagnettes (*l'Amour sorcier*, d M. de Falla ; *Triana*, d'Albéniz).

**RGENTINE (république)**, en esp. ***República Argen-ia*** ~ État fédéral d'Amérique du Sud, s'étirant sur 800 km du N. au S., de la zone tropicale à la zone bpolaire, bordé au S.-E. par l'océan Atlantique et à ). par la cordillère des Andes (frontière avec le hili). ***Cap.*** Buenos Aires. ***Superf.*** 2 780 400 km². ***pul.*** 32 616 000 h., dont 85 % d'orig. européenne. ***ingue princ.*** Espagnol. ***Monn.*** Peso. ***Climat.*** Le N.-E. ı pays, subtropical, est occupé par la plaine du ıaco, le centre par la Pampa, tempérée, le S. par le ateau de Patagonie, froid et sec. ***Fl. princ.*** Paraná stuaire : Río de La Plata), qui draine tout le N. du ıys. ***Écon.*** Forte production de céréales (blé, maïs, rgho), de viande (bovins, ovins), de peaux, de laine, produits tropicaux (coton, canne à sucre, maté, bac) et de vin. Ressources énergétiques importantes étrole, gaz, uranium, hydroélectricité, charbon) et dustrie diversifiée (sidérurgique, automobile, électonique) très dépendante des firmes multinatioıles. L'adhésion au Mercosur devrait augmenter les :hanges sud-américains pour compenser l'étroisse du marché intérieur. ***V. princ.*** Buenos Aires, órdoba, Rosario, Mendoza, La Plata, toutes situées ıns le N. du pays. **HIST.** - *XVIᵉ s.* : l'Espagnol Juan Díaz Solís reconnaît les côtes. *XVIIᵉ-XVIIIᵉ s.* : le territoire, umis à l'autorité de Lima, devient la vice-royauté du o de La Plata (1776). *XIXᵉ s.* : le monopole commeral de Madrid et l'incurie administrative entraînent révolte des créoles (1810), les succès militaires de lanuel Belgrano et de José de San Martín et l'inépendance (1816). Le conflit entre « unitaires » de ıenos Aires et « fédéralistes » des Provinces amène dictature de Juan Manuel de Rosas (1835-1852). Constitution de 1853 établit une fédération. *1865-870* : guerre du Paraguay. *1876-1879* : « pacificaon » du territoire au détriment des Indiens (génode) et ouverture à la colonisation européenne. *916* : le parti radical impose son candidat Hipólito igoyen à la présidence. *1929-1946* : la crise éconoique et les problèmes sociaux facilitent l'accession s militaires au pouvoir. *1946-1955* : le colonel Juan erón devient président. Sa doctrine, le « justiciasme », est un mélange de nationalisme et de réforısme. *1955-1973* : l'instabilité politique est de règle. *ept. 1973* : retour de J. Perón. Après sa mort, sa mme, Isabel, lui succède. *1976-1983* : une junte ıilitaire réprime les opposants (30 000 disparus). La éfaite aux Malouines face au Royaume-Uni (1982) ıtraîne la chute de la dictature. *1983-1988* : le résident Raúl Alfonsín ne peut ni résoudre les problèmes économiques ni s'imposer aux militaires. *989-1994* : le président Carlos Menem parvient à ıguler l'inflation, au détriment de l'emploi. Il est éélu en 1995.

**RGENTON-SUR-CREUSE** ~ V. de l'Indre, au .-O. de Châteauroux, au contact de la Brenne et u Boischaut ; 5 193 h. Site gallo-romain à t-Marcel, église des XIIᵉ-XIVᵉ s.

**RGINUSES** (les) ~ Groupe d'îles de la mer Égée, ntre Lesbos et l'Asie Mineure. Victoire navale des théniens sur les Spartiates (406 av. J.-C.) durant ı guerre du Péloponnèse.

**RGOAT** ou **ARCOAT** (l') ~ Nom breton de la retagne intérieure (« pays des bois »), par opposion à l'Armor.

**RGOLIDE** (l') ~ Nome de Grèce (ch.-l. Nauplie). Région de la Grèce ancienne, au N.-E. du éloponnèse. Au IIᵉ mill. av. J.-C., Argos, Mycènes t Tirynthe étaient les centres de la culture ıycénienne.

**Argonautes** (les) ~ Héros grecs d'une expédition égendaire menée en Colchide par Jason, sur le avire *Argo*, à la conquête de la Toison d'or.

**RGONNE** (l') ~ Hauteurs boisées (alt. 300 m) ui limitent la Champagne au N.-E., entre les allées de l'Aisne et de l'Aire, obstacle naturel qui ut une grande importance stratégique durant la Révolution (Valmy, 1792) et la Première Guerre mondiale (1914).

**RGOS** ~ V. de Grèce, près du golfe de Nauplie, dans l'E. du Péloponnèse ; env. 20 000 h. Musée archéologique. La plus anc. ville de Grèce selon la égende, « fondée » par Danaos, elle étendit son ıégémonie sur tout le Péloponnèse au VIIᵉ s. av. J.-C., participa aux guerres contre Sparte (Vᵉ s. av. J.-C.) avant d'être conquise par Rome (146 av. J.-C.). En 1397, elle fut prise par Bayezid Iᵉʳ, qui réduisit ses 30 000 habitants en esclavage.

**ARGOS** ou **ARGUS** ~ Prince légendaire d'Argos, en Grèce, doté de cent yeux dont cinquante étaient ouverts le jour, et cinquante la nuit.

**ARGOUN** (l') ~ Riv. d'Asie orientale, frontière entre la Chine et la Russie, et l'une des branches mères de l'Amour ; 1 530 km.

**ARGOVIE** (l'), en all. ***Aargau*** ~ Canton alémanique du Mittelland suisse (O. de Zurich), drainé par l'Aar ; 1 404 km², 517 000 h., ch.-l. Aarau (16 000 h.). Domaine initial des Habsbourg, réuni à la Confédération helvétique en 1415, canton depuis 1803.

**ARGUEDAS** (José María) ~ *1911, Andahuaylas - 1969, Lima.* Écrivain péruvien. Il évoqua le destin tragique des communautés indiennes (*les Fleuves profonds*, 1958 ; *Tous sangs mêlés*, 1964).

**ARGYLL** (Archibald **Campbell**, 8ᵉ comte D') ~ *1607 - 1661, Édimbourg.* Seigneur écossais allié de Cromwell durant la guerre civile anglaise. Ses compatriotes presbytériens lui reprochèrent d'avoir laissé condamner à mort Charles Iᵉʳ Stuart ; il fut lui-même exécuté lors de la restauration de Charles II.

**ÅRHUS** ou **AARHUS** ~ Port industriel de la côte E. du Danemark, 2ᵉ v. du pays, cap. du Jylland, centre univ. ; 275 000 h. Cathédrale du XIIᵉ s. Musée ethnographique de plein air, musée de la Préhistoire (homme de Grauballe).

**ARIANE** ~ Héroïne de la mythologie grecque, fille du roi crétois Minos et de Pasiphaé. Elle donna à Thésée la pelote de fil qui le sauva du Labyrinthe.

**ARIANE** ~ Nom donné à des lanceurs européens d'engins spatiaux tirés depuis la base de Kourou (Guyane). Le 1ᵉʳ vol d'essai eut lieu le 24 déc. 1979.

**ARIAS SÁNCHEZ** (Óscar) ~ *1941, Heredia.* Homme d'État costaricain. Président du Costa Rica (1986-1990). Prix Nobel de la paix (1987) pour son action diplomatique en Amérique centrale.

**ARICA** ~ Port franc et oasis de l'extrême N. du Chili, débouché ferrov. de la Bolivie sur le Pacifique, station baln. ; 169 000 h. Cathédrale conçue par Eiffel. Anc. port péruvien cédé au Chili en 1884 après la guerre du Pacifique.

**ARIÈGE** (l') ~ Affl. pyrénéen de la Garonne (r. dr.) qui partage le Plantaurel, arrose Foix et Pamiers ; 170 km.

**ARIÈGE** (l') ~ Dép. de la Région Midi-Pyrénées (S.-O.), limitrophe de l'Espagne et de la principauté d'Andorre ; 4 902 km², 136 455 h. (dépeuplement). Sur la frontière, les Pyrénées ariégeoises élevées (pic du Montcalm, 3 078 m) s'opposent aux Petites Pyrénées et à la chaîne du Plantaurel (500 m à 900 m) s'abaissant vers le N. Économie surtout rurale : élevage, maïs, plantes fourragères. Les villes se concentrent dans la vallée de l'Ariège sur un axe S.-N. : Foix (préfect.), Pamiers (sidérurgie), Lavelanet (laine). Centrales hydroélectr., usines d'aluminium. Tourisme le long de la voie internationale du Puymorens. Thermalisme à Ax-les-Thermes, Ussat-les-Bains.

**ARIÈS** (Philippe) ~ *1914, Blois - 1984, Toulouse.* Historien français, spécialiste des études démographiques (*Histoire des populations françaises*) et pionnier de l'histoire des mentalités (*l'Enfant et la Vie familiale sous l'Ancien Régime*, 1960 ; *l'Homme devant la mort*, 1977).

**ARION** ~ *VIIᵉ s. av. J.-C., Lesbos.* Poète et musicien grec. Inventeur présumé du dithyrambe dont l'œuvre est entièrement perdue.

**ARIOSTE** (Ludovico **Ariosto**, en fr. l') ~ *1474, Reggio nell'Emilia - 1533, Ferrare.* Poète italien. Auteur de comédies (*les Quiproquos*, 1531) et de satires, il est surtout connu pour son immense poème *Roland furieux* (1532), constamment remanié, parodie du poème chevaleresque, qui montre la fin du Moyen Âge et l'avènement des valeurs de la Renaissance au travers de l'immense culture de son auteur.

**ARIOVISTE** ~ *Iᵉʳ s. av. J.-C.* Chef germain de la tribu des Suèves. Vainqueur des Éduens, il étendit sa domination sur une partie de l'Alsace. Battu par César (58 av. J.-C.), il dut repasser le Rhin.

**ARISTARQUE DE SAMOS** ~ *v. 310, Samos - 230 av. J.-C.* Astronome grec. Il tenta le premier de mesurer les distances de la Terre à la Lune et au Soleil. Précurseur de Copernic, il émit l'hypothèse de la rotation de la Terre sur elle-même et autour du Soleil.

**ARISTARQUE DE SAMOTHRACE** ~ *220 - 143 av. J.-C.* Grammairien et critique grec. Il est à l'origine de l'école philologique d'Alexandrie et fit des recherches critiques sur Homère.

**ARISTÉE** ~ Héros de la mythologie grecque, fils d'Apollon. Il s'éprit d'Eurydice, dont il provoqua la mort en la poursuivant. Divinité champêtre, il apprit aux hommes à élever les abeilles.

**ARISTIDE, dit le Juste** ~ *v. 550 - v. 467 av. J.-C.* Général et homme politique athénien. Stratège lors de la bataille de Marathon (490 av. J.-C.), il s'opposa à Thémistocle et dut s'exiler. Rappelé devant la menace perse, il fut, avec Pausanias, l'artisan de la victoire de Platées (479 av. J.-C.). Chargé d'administrer les finances d'Athènes, il se distingua par son honnêteté.

**ARISTIDE** (Jean-Bertrand) ~ *1953, Port-Salut, Haïti.* Homme d'État haïtien. Prêtre salésien, hostile à la dictature des Duvalier, il a été élu président de la République (déc. 1990). Chassé par un coup d'État militaire (sept. 1991), il est revenu au pouvoir après l'intervention armée des États-Unis (1994).

**ARISTOPHANE** ~ *v. 447, Athènes - v. 386 av. J.-C., id.* Poète comique grec. Représentant le plus célèbre de la comédie attique ancienne, il est l'auteur de comédies, dont onze ont été conservées, où se mélangent poésie et grossièreté, intention satirique et conservatisme extrême. Il fit l'apologie de la paix pendant la guerre contre Sparte dans *les Acharniens*, *Lysistrata*, *la Paix* et *les Cavaliers*, mit en cause l'enseignement de Socrate dans *les Nuées*, s'en prit à Euripide dans *les Thesmophories* et *les Grenouilles*, se moqua du système judiciaire athénien dans *les Guêpes*, et des solutions politiques utopiques dans *les Oiseaux*, *l'Assemblée des femmes* et *Ploutos*.

**ARISTOTE** ~ *384, Stagire, Chalcidique - 322 av. J.-C., Chalcis, Eubée.* Philosophe grec. Fils de Nicomaque, médecin d'Amyntas II de Macédoine, Aristote fit ses études à Athènes, où il devint disciple de Platon ; celui-ci désignant son neveu Speusippe à la tête de l'Académie, Aristote partit conseiller le tyran Hermias d'Atarnée, avant d'être appelé à la cour de Philippe II de Macédoine comme précepteur d'Alexandre le Grand. De retour à Athènes, il fonda le Lycée, ou école péripatéticienne. À la mort d'Alexandre, Aristote, accusé de macédonisme, se réfugia dans l'île d'Eubée. Son œuvre nous est parvenue titrée et ordonnée par Andronicos de Rhodes vers 60 av. J.-C. ; parmi de nombreux traités, *Organon*, *Physique*, *De l'âme*, *Métaphysique*, *Éthique à Nicomaque*, *Politique*, *Poétique*. [☞ **aristotélisme**.]

**ARIUS** ~ *v. 250 - 336, Constantinople.* Prêtre d'Alexandrie. Il fut le fondateur de l'hérésie chrétienne arianiste, niant la divinité du Christ, qui fut condamnée au concile de Nicée (325).

**ARIZONA** (l') ~ État du S.-O. des États-Unis, frontalier du Mexique ; 295 000 km², 3 665 000 h., cap. Phoenix. Région de hauts plateaux semi-désertiques au N. (Grand Canyon du Colorado), plaine semi-désertique au S., où l'agriculture irriguée (agrumes, coton, élev. bovin) dispute l'eau (rio Gila, Salt River) aux agglomérations (Phoenix, Tucson). Importantes ressources minières (cuivre, zinc, plomb). Tourisme (canyons). Réserves indiennes. **HIST.** - Enlevé au Mexique en 1848, l'Arizona fut le théâtre de violentes guerres avec les Apaches (1881-1886). Il devint le 48ᵉ État de l'Union en 1912.

**ARKANSAS** (l') ~ Affl. du Mississippi (r. dr.) issu des Rocheuses, qui draine avec ses affl. (Canadian River, Cimarron) le centre des Grandes Plaines, aux États-Unis ; 2 300 km.

**ARKANSAS** (l') ~ État du S. des États-Unis ; 137 754 km², 2 351 000 h., cap. Little Rock. Région montagneuse au N.-O. (monts Ozark et Ouachita), de plaine à l'E., traversée par l'Arkansas, bordée par le Mississippi à l'E. Agriculture (poulets, oies, coton, soja). Hydrocarbures, bauxite. **HIST.** - Partie de l'ancienne Louisiane française, l'Arkansas devint le 25ᵉ État de l'Union en 1836, fit sécession en 1861 et fut réintégré en 1868.

**ARKHANGELSK** ~ Port industr. du N. de la Russie, sur la mer Blanche, libre de glace 6 mois par an, fondé au XVIᵉ s. ; 416 000 h. Export. du bois.

**ARLAND** (Marcel) ~ *1899, Varennes-sur-Amance - 1986, Saint-Sauveur-sur-École.* Écrivain français, auteur de nouvelles (*Attendez l'aube*, 1970), de romans (*l'Ordre*, 1929) et d'essais. Acad.

**ARLANDES** (François, marquis D') ~ *1742, Anneyron, Drôme - 1809.* Aéronaute français. Il réalisa, avec François Pilâtre de Rozier, la première ascension en montgolfière (1783).

**ARLBERG (col de l')** ~ Col (1 800 m) qui relie les hauts bassins du Rhin et de l'Inn, dans l'O. des Alpes autrichiennes. Tunnels routier (13 km) et ferroviaire (10 km).

**ARLES** ~ V. des Bouches-du-Rhône, sur le Rhône (r. g.) ; 52 058 h. C'est la plus vaste commune de France (769 km²), incluant la plus grande partie de la Camargue. Vestiges gallo-romains (arènes, théâtre et thermes), nécropole des Alyscamps, église (XIIe-XIVe s.) et cloître roman de St-Trophime. Musée de l'Arles antique, musée Arlaten. École nationale de la photographie et festival annuel. **HIST.** - Colonie grecque de Marseille (Théliné) puis cap. des Celtes Saliens (Arelate). César y fonda une colonie romaine en 46 av. J.-C. Constantin y présida en 314 le concile qui condamna le donatisme. Autour de l'ancienne capitale politique des Gaules (Ve s.), le royaume d'Arles, réunissant la Bourgogne et la Provence en 934, fut légué en 1032 à l'empereur germanique. En 1178, Frédéric Barberousse y fut couronné roi. En 1251, la cité se soumit à Charles d'Anjou.

**ARLETTY** (Léonie **Bathiat**, dite) ~ *1898, Courbevoie - 1992, Paris.* Comédienne française. Elle joua au music-hall, au théâtre et au cinéma, not. dans les films de M. Carné (*Hôtel du Nord*, 1938).

*Alain Cuny et* **Arletty** *dans* les Visiteurs du soir *(1942), film de Marcel Carné (1906-1996).*

**ARLINGTON** ~ V. des États-Unis (Virginie), à l'O. de Washington ; env. 262 000 h. Cimetière militaire national.

**ARLIT** ~ V. minière du Niger, dans l'Aïr ; env. 28 000 h. Gisement d'uranium.

**ARLON** ~ V. de Belgique, ch.-l. de la province de Luxembourg (Wallonie) ; env. 24 000 h. Musée archéologique et ethnographique.

**Armada (Invincible)** ~ Flotte réunie en 1588 par Philippe II d'Espagne pour envahir l'Angleterre. Commandée par le duc de Medina Sidonia, elle fut dispersée par la tempête et tenue en échec par une flotte anglaise trois fois moins importante.

**ARMAGH** ~ V. du S.-E. de l'Irlande du Nord ; env. 14 000 h. Cap. religieuse de l'Ulster (deux archevêchés, l'un catholique, l'autre protestant).

**ARMAGNAC** (l') ~ Région agric. (céréales, vigne, élev.) du S. du Bassin aquitain (Gascogne), sillonnée par les riv. issues du plateau de Lannemezan (Gers, Baïse et affl. de l'Adour). Vins rouges et blancs, ces derniers servant à la fabrication de l'**armagnac**. **HIST.** - Partie de l'anc. comté d'Armagnac, érigé au Xe s., au faîte de sa puissance pendant la guerre de Cent Ans, annexé par Henri IV (1607).

**Armagnacs (faction des)** ~ Parti de la famille d'Orléans, pendant la guerre de Cent Ans, qui s'opposa aux Bourguignons, alliés des Anglais, jusqu'en 1435 (traité d'Arras). Son chef fut Bernard VII, comte d'Armagnac, beau-père de Charles Ier d'Orléans.

**ARMAN** (Armand **Fernandez**, dit) ~ *1928, Nice.* Artiste américain d'orig. française, l'un des fondateurs du nouveau réalisme. Par ses « destructions » et ses « accumulations », il poursuit une critique de la société de consommation et de l'art.

**ARMENIA** ~ V. de Colombie, centre caféier de la cordillère centrale des Andes ; 212 000 h.

**ARMÉNIE (république d')**, en arménien ***Hayastan*** ~ Pays enclavé d'Asie occidentale (Transcaucasie), partie N. de l'Arménie historique. ***Cap.*** Erevan. ***Superf.*** 29 800 km². ***Popul.*** 3 745 000 h., dont Arméniens (93 %) et Azéris (3 %). ***Langues princ.*** Arménien, russe. ***Monn.*** Dram. ***Relief.*** Hauts plateaux surmontés de massifs volcaniques (Aragatz, 4 090 m) ; importante activité sismique. ***Climat.*** Continental. ***Agric.*** Vigne, fruits, céréales, tabac dans la vallée de l'Araxe. ***Écon.*** Ruinée par l'effondrement de l'U. R. S. S. et par la guerre contre l'Azerbaïdjan, elle garde toutefois son potentiel touristique et minéral. ***V. princ.*** Erevan, Vanadzor, Kumairi. **HIST.** - *XIIIe-VIIe s. av. J.-C.* : formation de l'Arménie à partir du peuple d'Ourartou et d'envahisseurs indo-européens. *VIIe-IIe s. av. J.-C.* : la région est successivement soumise aux Mèdes, aux Perses et aux Séleucides. *190 av. J.-C.* : les gouverneurs Artaxias et Zariadis proclament l'indépendance des royaumes de Grande et de Petite Arménie. *95-55 av. J.-C.* : Tigrane le Grand constitue un empire avant d'accepter la suzeraineté de Rome. *301* : le christianisme devient religion d'État. *VIIe-XIe s.* : après la conquête arabe (634), l'Arménie devient terre d'affrontements entre Byzantins et Turcs Seldjoukides. *1080* : fondation, en Cilicie, d'un État de Petite Arménie. *XVe-XVIIIe s.* : partage du pays entre Perses et Ottomans. *XIXe s.* : les Russes occupent le N.-E. du pays (Erevan). Les Turcs refusent toute autonomie au reste du pays et massacrent la population en 1894-1896 et en 1909. *1915* : après l'insurrection de Van, les Turcs déportent la population et procèdent à un génocide. *1920-1936* : malgré l'indépendance, reconnue au traité de Sèvres, l'Arménie devient une république socialiste soviétique. *1989* : la proclamation de la république d'Arménie unifiée (avec le Haut-Karabakh) provoque un conflit avec l'Azerbaïdjan. *1990* : la région autonome de Nakhitchevan, peuplée d'Azéris, proclame son indépendance. *1991* : indépendance de l'Arménie et adhésion à la C. E. I. Levon Ter-Petrossian est élu à la présidence. *1992-1996* : enlisement du conflit entre Arméniens et Azéris. *1996* : réélection contestée de Ter-Petrossian.

**ARMENTIÈRES** ~ V. de la plaine de Flandre (Nord), sur la Lys, au N.-O. de Lille ; 25 219 h. (agglom. 57 738 h.). Centre industriel (mécanique, textile), brasserie.

**ARMINIUS** (Jakob **Harmensen**, dit Jacobus) ~ *1560, Oudewater - 1609, Leyde.* Théologien hollandais. Il fut à l'origine de la secte des arminiens, ou remontrants, qui contestaient l'importance accordée à la prédestination dans la doctrine calviniste. Les arminiens furent condamnés par les gomaristes lors du synode de Dordrecht (1618).

**ARMOR** ou **ARVOR** (l') ~ Nom issu du breton, désignant la Bretagne littorale (« pays de la mer »), par opposition à l'Argoat.

**ARMORICAIN (Massif)** ~ Région géologique de l'O. de la France, massif primaire (plissement hercynien). Le relief, aux formes émoussées, comporte quelques lignes de hauteurs modestes (monts d'Arrée, env. 380 m ; Bocage normand, Alpes mancelles, 417 m ; Gâtine vendéenne, 280 m), encadrant des bassins où coulent les fleuves (Aulne, Vilaine, Mayenne, Sarthe, Loire...).

**ARMORIQUE** (l') ~ Nom donné à la Bretagne jusqu'au haut Moyen Âge. Le **parc naturel régional d'Armorique** englobe l'archipel de l'Iroise, la presqu'île de Crozon et les monts d'Arrée.

**ARMSTRONG** (Louis, dit **Satchmo**) ~ *1901, La Nouvelle-Orléans - 1971, New York.* Trompettiste et chanteur de jazz américain. Il perfectionna le style Nouvelle-Orléans, fonda son orchestre et connut un succès mondial (*Shine*, 1931 ; *Hello Dolly*, 1963). [☞ **jazz.**]

**ARMSTRONG** (Neil) ~ *1930, Wapakoneta, Ohio.* Astronaute américain. Il a été le premier homme à poser le pied sur la Lune (21 juill. 1969).

**ARNAUD DE BRESCIA** ~ *v. 1090 - 1155, Rome.* Réformateur religieux italien. Élève d'Abélard, il s'éleva contre les abus de l'Église, proclama la république romaine et chassa le pape Eugène (1145). Il fut vaincu par l'empereur Frédéric Barberousse, qui le fit exécuter.

**ARNAULD** ou **ARNAUD**, famille française liée jansénisme. ~ **Antoine** (*1560, Paris - 1619, i*avocat au parlement de Paris, contribua à restauration du monastère de Port-Royal. Son fils **Antoine**, dit **le Grand Arnauld** (*1612, Par 1694, Bruxelles*), théologien, fut le chef du p janséniste en France (*Grammaire générale et rais née*, écrite avec Cl. Lancelot, 1660 ; *la Logique l'Art de penser*, 1662, écrit avec P. Nicole). ~ **J queline Marie Angélique** (*1591, Paris - 1661, i* abbesse de Port-Royal (1602-1636), y introdu le jansénisme. ~ **Jeanne Catherine Agnès** (*15 Paris - 1671, id.*), abbesse de Port-Royal (16 1642 et 1658-1661), fut emprisonnée après a refusé de reconnaître les condamnations papales la doctrine de Jansénius. [☞ **jansénisme.**]

**ARNDT** (Ernst Moritz) ~ *1769, Schoritz, île Rügen - 1860, Bonn.* Poète allemand. Patriote, composa des chants de guerre (*Poésies*) co Napoléon Ier. Il a laissé des Mémoires.

**ARNHEM** ~ V. des Pays-Bas, sur le Rhin, ch.-l. la Gueldre ; 134 000 h. Chimie industrielle. Mus Kröller-Müller et ethnographique. En sept. 19 siège d'une offensive manquée des parachutis alliés (**bataille d'Arnhem**).

**ARNHEM (terre d')** ~ Péninsule du N. de l'A tralie (Territoire du Nord), au climat tropi Réserve d'aborigènes. V. princ. Darwin.

**ARNIM** (Ludwig Joachim, dit **Achim** VON) ~ *17 Berlin - 1831, Wiepersdorf.* Écrivain allemand. A teur de contes fantastiques (*Contes bizarres*), recueillit et adapta avec Cl. Brentano des cha populaires dans *le Cor merveilleux de l'enfant.*

**ARNO** (l') ~ Princ. fl. de Toscane (Italie), arrose Florence et rejoint la Méditerranée en a de Pise ; 241 km.

**ARNOLD** (Matthew) ~ *1822, Laleham, Middlese 1888, Liverpool.* Écrivain, poète et critique littéra britannique. Son moralisme panthéiste jeta les ba d'un nouvel humanisme (*le Viveur égaré*, 1849).

**ARNOLFO DI CAMBIO** ~ *v. 1240, Colle di d'Elsa - 1302, Florence.* Sculpteur et archite italien. Élève de Nicola Pisano, il tenta une sy thèse de la sculpture antique et du gothique fr çais (façade de Santa Maria del Fiore).

**ARNOUL** (saint) ~ *v. 580, Lay-Saint-Christop près de Nancy - 640, Remiremont.* Évêque de M ancêtre des Carolingiens.

**ARON** (Raymond) ~ *1905, Paris - 1983, id.* P losophe et sociologue français. Professeur au C lège de France et directeur du Centre européen sociologie, il fut perçu, pour sa critique marxisme, comme un penseur de la droite libér française (*Introduction à la philosophie de l'histoi* 1938 ; *Dix-Huit Leçons sur la société industrie* 1963).

**AROUET** (François Marie) ~ Voir **Voltaire.**

**ARP** (Hans ou Jean) ~ *1887, Strasbourg - 19 Bâle.* Peintre et sculpteur français. Cofondateur mouvement dada, il rejoignit le surréalisme. collabora à la revue *De Stijl* et prôna un « spontané » jusque dans ses œuvres les p abstraites (« Concrétions »).

**ARPAJON** ~ V. du S. de l'agglom. parisien (Essonne), sur l'Orge, dans l'Hurepoix ; 8 713

**ARQUES-LA-BATAILLE** ~ Localité de Norma die, au S.-E. de Dieppe, dans le N. du pays

*Louis* **Armstrong.**

ux (Seine-Mar.) ; 2 546 h. Elle tire son nom de ictoire d'Henri IV sur le duc de Mayenne (1589).

**RABAL** (Fernando) ~ *1932, Melilla.* Écrivain et éaste espagnol d'expression française. Ses pièces *Grand Cérémonial*, 1965) et ses films (*Viva la erte*, 1971), conçus comme des moments « pani- » sado-masochistes, mêlent contestation liber- e et provocation sexuelle.

**RAS** ~ Préfect. du Pas-de-Calais, sur la Scarpe, S.-O. de Lille, dans l'Artois ; 38 983 h. (agglom. 607 h.). Évêché. Industries alim., text., constr. can., chimie. Places de style Renaissance fla- nde. Cathédrale et palais St-Vaast (XVIIe s.). usées. HIST. - Capitale des Atrébates, alors mmée Nemetocenna, elle fut prise par César en av. J.-C., puis dévastée par les Normands en 880. e devint au XVe s. la capitale de l'Artois, puis ffrit en 1493 à Maximilien d'Autriche, avant tre conquise, en 1640, par Louis XIII.

**ras (traités d')** ~ Traités de paix signés : en 14, entre Charles VI et Jean sans Peur pour tenter mettre un terme à la guerre des Armagnacs et Bourguignons ; en 1435, entre le roi de France arles VII et Philippe le Bon, duc de Bourgogne, 'igeant celui-ci à rompre son alliance avec ngleterre, et qui mit fin à la guerre des Armagnacs des Bourguignons ; en 1482, entre Louis XI et aximilien de Habsbourg, projetant le mariage du uphin Charles avec Marguerite d'Autriche ; en 79, entre Alexandre Farnèse et les délégués du inaut, d'Artois et des Flandres, consacrant la umission de ces trois provinces à l'Espagne, et scitant l'opposition des provinces protestantes, i formèrent l'union d'Utrecht.

**RRÉE (monts d')** ~ Hauteurs granitiques 34 m) de la Bretagne intérieure, au S. du Léon.

**RRHENIUS** (Svante) ~ *1859, près d'Uppsala - 27, Stockholm.* Physicien et chimiste suédois. établit la théorie de la dissociation électrolytique. x Nobel de chim. 1903. [☞ **chimie.**]

**RRIEN**, en lat. ***Flavius Arrianus*** ~ *v. 95, Nicomé- , Bithynie - v. 175, Athènes.* Historien et philoso- e grec. Élève d'Épictète, dont il recueillit l'ensei- ement, il publia le *Manuel* et les *Entretiens*.

**RROMANCHES-LES-BAINS** ~ Village du Cal- dos, sur la Manche, station balnéaire ; 409 h. Tête pont des Alliés en juin 1944 (musée du barquement).

**RROUX** (l') ~ Affluent bourguignon de la Loire dr.), qui arrose Autun ; 120 km.

**RROW** (Kenneth Joseph) ~ *1921, New York.* onomiste américain. Ses travaux tendent à montrer que, seule, l'économie ne peut maintenir quilibre social. Prix Nobel de sc. écon. 1972.

**RROYO** (Eduardo) ~ *1937, Madrid.* Peintre es- gnol. Membre de la nouvelle figuration, influencé r le cinéma et la bande dessinée, il a éé des œuvres à fort contenu social et politique *rente Ans après* ; *Toute la ville en parle*, 1982).

**RS (curé d')** ~ Voir **Jean Marie Vianney**.

**rsacides** (les) ~ Dynastie de souverains parthes de rois d'Arménie qui régna de 250 av. J.-C. env. 224 apr. J.-C.

**RSINOÉ** ~ Nom de princesses égyptiennes de dynastie des Ptolémées. **Arsinoé IV** (*m. en 41 . J.-C.*), sœur de Cléopâtre, régna sur Chypre ; e fut mise à mort par Antoine.

**RSONVAL** (Arsène D') ~ *1851, La Borie, Haute- enne - 1940, id.* Physicien français. Avec M. De- ez, il perfectionna le galvanomètre. Il a laissé son om à une application thérapeutique des courants de ute fréquence.

**RTA** ~ V. de l'O. de la Grèce, marché agric. ; env. ) 000 h. Ruines d'une forteresse byzantine ; églises monastères (XIIIe-XVIIe s.). Capitale de Pyrrhos II, uis de l'Épire byzantine aux XIIIe et XIVe s.

**RTABAN** ~ Nom des rois parthes de la dynastie sacide. Le dernier, **Artaban V** (*m. en 224*), fut nversé par le Sassanide Artaxerxès Ardachir.

**RTAGNAN** (Charles **De Batz**, comte **de Montes- iou**, seigneur D') ~ *1611, en Gascogne - 1673, aastricht.* Homme de guerre français. Capitaine s mousquetaires du roi, il servit Louis XIII et uis XIV et fut tué pendant la guerre de Hollande. Dumas en fit le héros des *Trois Mousquetaires*.

**RTAUD** (Antonin) ~ *1896, Marseille - 1948, ry-sur-Seine.* Écrivain français. Poète surréaliste (*l'Ombilic des limbes* ; *le Pèse-Nerfs*, 1925), il s'orienta vers le théâtre. Inséparables de la souffrance et de la folie, son œuvre et son travail théâtral tendent à démontrer que la scène n'est pas un lieu de divertissement mais le centre où se libèrent les instincts élémentaires qui donnent sens à la vie (*Manifeste du théâtre de la cruauté*, 1932 ; *le Théâtre et son double*, 1938).

**ARTAXERXÈS**, nom porté par quatre souverains perses. ~ **Artaxerxès Ier Makrocheiv**, roi de 465 à 424 av. J.-C. Battu par Cimon, il dut composer avec la Grèce. ~ **Artaxerxès II Mnémon**, roi de 404 à 358 av. J.-C. Il imposa à Athènes la paix d'Antalcidas (386) qui l'excluait d'Asie Mineure. ~ **Artaxerxès III Ochos**, roi de 358 à 338 av. J.-C. Il conquit l'Égypte et reprit Chypre et la Phénicie. ~ **Artaxerxès**, ou **Ardachir Ier**, roi de 224 à 240 apr. J.-C. Il fonda la dynastie sassanide après avoir vaincu l'Arsacide Artaban V.

**ARTÉMIS** ~ Déesse grecque de la Nature vierge, fille de Zeus et de Léto, sœur jumelle d'Apollon. Elle règne sur les nymphes et s'adonne à la chasse et à la danse. Les Romains l'identifièrent à Diane.

**ARTÉMISE II** ~ *IVe s. av. J.-C.* Reine d'Halicarnasse. Elle fit construire pour son époux Mausole un tombeau monumental, le Mausolée.

**ARTHUR** ou **ARTUS** ~ *Ve s. - VIe s.* Roi légendaire des Bretons. Il aurait rassemblé les Celtes pour mener la lutte contre les Saxons. Sa geste fut développée par les bardes gallois et les chroniqueurs du Moyen Âge, et fournit la matière du cycle de la Table ronde.

**ARTHUR Ier** ~ *1187, Nantes - 1203, Rouen.* Duc de Bretagne. Il tenta de prendre le trône d'Angleterre à son oncle Jean sans Terre, qui le fit assassiner.

**ARTHUR** (Chester Alan) ~ *1830, Fairfield - 1886, New York.* Homme d'État américain. Républicain, il fut le 21e président des États-Unis (1881-1885).

**ARTIGAS** (José Gervasio) ~ *1764, Montevideo - 1850, Ibiray.* Général uruguayen. Il lutta pour l'indépendance de l'Uruguay, qui fut proclamée en 1828.

**ARTIN** (Emil) ~ *1898, Vienne - 1962, Hambourg.* Mathématicien allemand, un des fondateurs de l'algèbre moderne.

**ARTOIS** (l') ~ Région française, au N. de la Picardie, ligne de collines (211 m) et partie S.-E. des Flandres (bassin houiller de Lens), entre le Pas-de-Calais et le seuil du Cambrésis. HIST. - Ancienne province de France (capitale Arras), correspondant à peu près au pays gaulois des Atrébates et à l'actuel département du Pas-de-Calais. Possession des comtes de Flandre échue au roi de France (1191), l'Artois fut érigé en comté (1237), passa à la maison de Bourgogne (1384), qui le transmit aux Habsbourg. Après sa reconquête par Louis XIII, son appartenance à la France fut reconnue en 1659. La région connut plusieurs batailles pendant la Première Guerre mondiale.

**arts et métiers (Conservatoire national des)** ~ Établissement technique d'enseignement supérieur public pour l'application des sciences à l'industrie, situé à Paris. À l'origine Cabinet des machines de Vaucanson, il fut institué par un décret de la Convention, en 1794, et abrite le Musée national des techniques, la Haute École d'application de la science au commerce et à l'industrie, ainsi qu'un laboratoire d'essais et une section de métrologie.

**ARUBA** ~ Île néerlandaise des Petites Antilles, la plus occidentale des îles Sous-le-Vent ; 193 km², 69 000 h., cap. Oranjestad. Raff. de pétrole. Tourisme. Communauté d'Indiens Caraïbes.

**ARUNACHAL PRADESH** (l') ~ État de l'Inde (N.-E.) depuis 1986, anc. territoire de l'Union, au N. de l'Assam, versant S. de l'Himalaya, que dévale le Brahmapoutre ; 83 743 km², 865 000 h., cap. Itanagar (17 000 h.). Forêts. Riziculture.

**ARVE** (l') ~ Affluent savoyard du Rhône (r. g.), qui arrose Chamonix et Sallanches, axe industriel (décolletage, électron.) ; 100 km. Sa haute vallée est un segment du Sillon alpin.

**Arvernes** (les) ~ Peuple gaulois fixé sur le territoire de l'actuelle Auvergne (cap. Gergovie).

**ARVOR** (l') ~ Voir **Armor**.

**Aryens** (les) ~ Populations indo-européennes qui s'installèrent, au cours du IIe mill. av. J.-C., sur le plateau iranien et dans l'Inde du N. Leur langue est à l'origine des langues iraniennes et indiennes.

**ARZACHEL** ~ Voir **Zarqali** (al-).

**ARZIW**, anc. **Arzew** ~ Port industr. et export. d'hydrocarbures d'Oran, en Algérie, terminal de l'oléoduc et du gazoduc sahariens ; 36 000 h.

**ASAD** (Hafiz al-) ~ *1928, près de Lattaquié.* Général et homme d'État syrien. Membre du parti Baas, il participa au coup d'État de 1970 et devint Premier ministre. Élu président de la République l'année suivante, il a mené une politique visant à accroître l'influence syrienne, not. au Liban.

**ASAHIGAWA** ou **ASAHIKAWA** ~ V. industr. de l'île d'Hokkaidô, dans le N. du Japon ; 360 000 h.

**Asahi Shimbun** ~ Quotidien japonais fondé en 1879, de tendance conservatrice.

**ASAM (les frères)**, artistes allemands. ~ **Cosmas Damian** (*1686, Benediktbeuren - 1739, Munich*), peintre, décorateur et architecte, et ~ **Egid Quirin** (*1692, Tegernsee - 1750, Mannheim*), sculpteur, stucateur et architecte, ont renouvelé les arts décoratifs par leur exubérance ornementale, une recherche de la lumière indirecte et des trompe-l'œil sculptés et peints.

**ASCAGNE** ~ Voir **Iule**.

**Ascaniens** (les) ~ Dynastie allemande originaire de Saxe, qui régna not. sur le Brandebourg, la Saxe électorale, le duché de Lauenburg et, jusqu'en 1918, sur l'Anhalt.

**ASCENSION (île de l')** ~ Île volcan. de l'Atlantique (8° lat. S.), entre l'Afrique et l'Amérique du Sud, possession britannique (base milit.) ; 88 km², env. 1 000 h. Climat aride.

**ASCLÉPIADE** ~ *v. 124, Prousa, Bithynie - v. 40 av. J.-C., id.* Médecin grec. Il introduisit la médecine grecque à Rome et combattit la doctrine d'Hippocrate.

**ASCLÉPIOS** ~ Dieu grec de la Médecine, fils d'Apollon. Il était adoré à Épidaure. Il fut identifié à Esculape par les Romains.

**ASCOLI PICENO** ~ V. d'Italie, dans les Marches, marché agricole ; env. 53 000 h. Cathédrale (XVe-XVIe s.).

**ASCOT** ~ Localité d'Angleterre proche de Windsor (Berkshire), célèbre pour ses réunions hippiques.

**Asean** ~ Voir **Association des nations du Sud-Est asiatique**.

**ASER** ~ Personnage biblique. Fils de Jacob, ancêtre éponyme d'une tribu d'Israël.

**Ases** (les) ~ Dieux de la mythologie scandinave.

**Ashantis** (les) ~ Voir **Achantis**.

**ASHDOD** ~ Port industriel d'Israël, sur la Méditerranée, au S. de Tel-Aviv, relié par oléoduc à Eilat, sur la mer Rouge ; env. 90 000 h. L'ancienne cité d'Ashdod fut un centre de la culture philistine du XIIe au IVe s. av. J.-C.

**ASHIKAGA** ~ Famille de shoguns japonais fondée par **Ashikaga Takauji** (*1305 - 1358*). Elle resta au pouvoir à Kyôto jusqu'en 1573.

**ASHKELON** ou **ASHQELON** ~ V. industrielle d'Israël, sur la Méditerranée ; 64 000 h.

**ASHOKA** ou **AÇOKA** ~ *273 - 237 av. J.-C.* Empereur indien de la dynastie des Maurya. Il favorisa la propagation du bouddhisme à travers l'Inde.

**ASHTART** ~ Voir **Ishtar**.

**ASHVIN** ou **AÇVIN** ~ Dieux védiques jumeaux, investis du pouvoir de guérir.

**ASIE** (l') ~ Partie orientale de l'Eurasie (4/5 de son étendue), entre l'océan Pacifique à l'E., l'océan Indien au S., l'océan Arctique au N. Prolongé à l'O. par l'Europe (limites : Oural, Caspienne, Caucase, mer Noire et les Détroits) et relié à l'Afrique par l'isthme de Suez, c'est le premier continent par la superf. (44 000 000 de km², 1/3 des terres émergées) et par la popul. (plus de 3 milliards d'h.). ***Relief.*** Six grands ensembles. 1) Des plaines et des bas plateaux au N. (déserts d'Asie moyenne, steppes kazakhes, Sibérie jusqu'à la Lena). 2) Des massifs et des hauts plateaux centraux, tronc unique de l'Anatolie à l'Hindou Kouch, divisé au-delà en deux branches : l'une, septentrionale, s'étend du Pamir au monts Stanovoï (Extrême-Orient russe), l'autre, méridionale, correspond au système himalayotibétain et à ses prolongements péninsulaires et insulaires encadrant les cuvettes arides du Tarim et de Gobi. 3) Un arc de montagnes jeunes (volcanisme actif), le long du Pacifique (du Kamtchatka aux Philippines en passant par le Japon). 4) Deux vastes péninsules au S. : l'Arabie et le Deccan, socles précambriens en partie enfouis sous une couverture sédimentaire et séparés des massifs centraux par de grands bassins fluviaux (Tigre et Euphrate, Indus, Gange, Brahmapoutre). 5) Des plaines alluviales (bassins du Yangzi Jiang, du Huang He, du Sông Hong). 6) Des reliefs appalachiens, ceux de la Chine de l'E. et du Viêt Nam. ***Climat.*** Quatre traits majeurs. 1) La grande extension des aires continentales arides, froides (Sibérie), chaudes (déserts d'Arabie, de Thar, en Inde), d'altitude (Tibet), de bassin (Xinjiang). 2) L'absence de climat océanique tempéré, y compris sur la façade pacifique (courants froids). 3) L'influence océanique dans les zones tropicale et subtropicale (de l'Inde au Japon), où domine le climat de mousson. 4) La zone équatoriale, périphérique, concerne principalement l'Insulinde. ***Popul.*** La concentration des foyers de peuplement résulte de différents facteurs géographiques (influence océanique, localisation le long des grands fleuves) ou historiques (existence d'anciennes et grandes civilisations fondées sur la riziculture intensive : Inde, Chine, Indochine, Java, toujours caractérisées par de très fortes densités rurales). ***Géopolitique.*** Quatre grands ensembles géoéconomiques. 1) L'Asie occidentale, sèche, héritière d'anciennes et riches civilisations (Mésopotamie, Perse, Turkestan, Empire ottoman) à la culture imprégnée par l'islam. L'économie pastorale et le nomadisme y jouèrent un grand rôle. Elle est aujourd'hui au centre de conflits religieux (entre Juifs et Arabes) ou économiques (pétrole du golfe Persique). 2) L'Asie tropicale, humide, surpeuplée et relativement peu urbanisée (hindouisme et bouddhisme dominants). 3) L'Asie industrialisée, ou en voie de l'être, qui s'urbanise de plus en plus (Corée du Sud, Taiwan, Hong Kong, Singapour et, dans une moindre mesure, toute l'Indochine), autour du noyau japonais. 4) Les pays communistes (Corée du Nord, Viêt Nam, Chine) ou ex-communistes (Russie orientale), dont l'ouverture économique sape les fondements idéologiques.

**ASIE CENTRALE** (l') ~ Partie continentale de l'Asie, entre la Caspienne et le rebord septentrional du Tibet (Altyntagh), qui correspond à l'ancien Turkestan, foyer d'anciennes civilisations musulmanes (turco-mongoles et persanes). Un ensemble de hautes chaînes (Pamir, Altaï, Tian Shan) y sépare dépressions et plateaux arides : bassin du Tarim (Xinjiang, en Chine), plateaux et cuvettes de l'**Asie moyenne**, sa partie occidentale, anciennement soviétique (dont le fond est occupé par la mer d'Aral).

**ASIE DU SUD-EST** (l') ~ Entité géographique regroupant l'Indochine et l'Insulinde.

**ASIE MÉRIDIONALE** (l') ~ Entité géographique regroupant le subcontinent indien (Pakistan, Inde, Sri Lanka, Bangladesh) et parfois l'Asie du Sud-Est.

**ASIE MINEURE** (l') ~ Région historique du Proche-Orient, correspondant à l'actuelle Anatolie (Turquie d'Asie). Carrefour de grandes civilisations durant l'Antiquité (Hittites, Mésopotamiens, Grecs, Perses), elle fut l'un des foyers de propagation du christianisme (royaume d'Arménie), puis de l'islam (Empire ottoman). Les Turcs en chassèrent les Byzantins entre le XI^e^ et le XV^e^ s.

**ASIE OCCIDENTALE** (l') ~ Autre nom du Moyen-Orient (d'emploi plus récent).

**ASIE ORIENTALE** (l') ~ Autre nom de l'Extrême-Orient (d'emploi plus récent).

**ASIMOV** (Isaac) ~ *1920, Petrovitchi - 1992, New York.* Écrivain américain d'orig. russe. Biochimiste, vulgarisateur scientifique, il est l'auteur de romans de science-fiction devenus des classiques du g (*Fondation*, 1942-1982 ; *les Robots*, 1950).

**ASIR** (l') ~ Région montagneuse (plus 3 000 m) d'Arabie Saoudite, sur la mer Rouge, N. du Yémen, avec lequel elle forme l'« Ar heureuse » (café, blé, coton sur les hautes te arrosées) ; env. 2 000 000 d'h.

**ASMARA** ~ Cap. de l'Érythrée, à 2 400 m d' reliée par voie ferrée (100 km) à Massao 367 000 h. Université. Industr. text. et alimenta

**ASMODÉE** ~ Démon qui, dans la Bible, person fie les désirs impurs et la volupté.

**Asmonéens** (les) ~ Famille sacerdotale j illustrée par les Maccabées. Elle gouverna la Ju de 141 à 37 av. J.-C.

**ASNAM (El-)** ~ Voir **Cheliff (Ech-)**.

**ASNIÈRES-SUR-SEINE** ~ V. de la banlieue N. de Paris (Hauts-de-Seine) ; 71 850 h. Co mécan., industr. alim. Cimetière des chiens.

**ASO (mont)** ~ Volcan actif de l'île de Kyûshû Japon (1 590 m), dont le cratère est l'un des grands du monde (long. 27 km, larg. 16 km)

**ASPASIE** ~ *V^e^ s. av. J.-C.* Femme grec Compagne de Périclès, elle exerça une gra influence sur la vie politique, intellectuelle artistique de son temps.

**ASPE (vallée d')** ~ Vallée du gave d'Aspe (Pyrén Atlantiques), affluent du gave d'Oloron. Accès Somport (tunnel et col).

**ASPIN (col d')** ~ Col routier (1 489 m) des Hau Pyrénées reliant Bagnères-de-Luchon à Tarbes.

**ASPLUND** (Erik Gunnar) ~ *1885, Stockhol 1940, id.* Architecte suédois. Issu du classicis il adhéra au fonctionalisme moderne en 193 en fut le chef de file actif dans son pays (pavil de l'Exposition de Stockholm, 1930).

**ASPROMONTE** (l') ~ Massif granitiq (1 956 m) du S. de la Calabre, en Italie, qui dom le détroit de Messine.

1

2

4

5



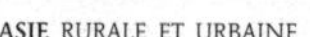

ASIE RURALE ET URBAINE

1. *Yourtes en Mongolie.*
2. *Sur la rivière Kinabatangan, à Bornéo.*
3. *Rizières en terrasses, à Bali.*
4. *Une artère commerçante à Shanghai.*
5. *Vue aérienne de Singapour.*
6. *Le Kinkaku-ji (« Pavillon d'or »), à Kyôto.*
7. *Temple sur le lac Batur, à Bali.*
8. *Marché rural, au Viêt Nam.*

6

7

8

**SQUITH** (Herbert) ~ *1852, Morley, Yorkshire - 928, Londres.* Homme politique britannique. hef du parti libéral. Premier ministre de 1908 à 916, il accorda un régime d'autonomie à l'Irlande Home Rule) et fit entrer la Grande-Bretagne ans la Première Guerre mondiale.

**SSAB** ~ Port d'Érythrée, sur la mer Rouge, à oximité de Djibouti ; 40 000 h. Raffinerie de trole.

**SSAM** (l') ~ État du N.-E. de l'Inde, correspon- ant princ. au bassin du bas Brahmapoutre, entre Himalaya et le delta (Bangladesh), région fertile hé, canne à sucre, riz, jute, coton), l'une des plus rosées du monde ; 78 438 $km^2$, 22 415 000 h., v. inc. Gauhati (env. 150 000 h.), cap. Dispur. trole (plus de 50 % de la prod. indienne). L'immi- ation (Népalais, Bangladais) est source de conflits.

**SSAS** (Nicolas Louis, chevalier D') ~ *1733, Le igan - 1760, Clostercamp, Rhénanie.* Capitaine ançais du régiment d'Auvergne. Sa mort héroïque, u cours de la guerre de Sept Ans, fut célébrée par oltaire dans son *Récit sur le siècle de Louis XV.*

**ssassins (secte des)** ~ Secte chiite ismaélienne société secrète née vers 1090, répandue en Perse en Syrie. Ses activités cessèrent après l'exécution son dernier chef, en 1256.

**ssemblée constituante** ~ Assemblée élue au uffrage universel masculin le 23 avr. 1848, après chute de Louis-Philippe Ier. Dominée par les publicains modérés, elle élabora la Constitution la IIe République.

**ssemblée européenne** ~ Voir **Parlement uropéen.**

**ssemblée législative** ~ Assemblée élue au ours de l'été 1791 au suffrage censitaire, et qui ccéda à l'Assemblée nationale constituante le er oct. 1791. Partagée entre une aile droite formée monarchistes constitutionnels (les Feuillants) et ne aile gauche constituée de membres des clubs es Jacobins et des Cordeliers, cette Assemblée éclara la guerre à l'Autriche (avr. 1792). Après la urnée du 10 août 1792, elle vota la suspension u roi et appela à la réunion d'une nouvelle ssemblée constituante, la Convention.

**ssemblée législative de 1849** ~ Assemblée ue au suffrage universel masculin le 13 mai 1849. ominée par les représentants du parti de l'Ordre, le fut dissoute après le coup d'État de Louis apoléon Bonaparte, le 2 déc. 1851.

**ssemblée nationale** ~ Assemblée élue le févr. 1871, après la chute du second Empire. ominée par les conservateurs et les monarchistes, lle s'opposa à la Commune de Paris et ratifia le raité de Francfort établissant la paix avec l'Alle- nagne. Elle vota les lois constitutionnelles de 1875 onnant naissance à la IIIe République, et fut issoute le 31 déc. 1875.

**ssemblée nationale** ~ Nom porté depuis la onstitution de 1946 par la Chambre basse du arlement français, appelée autrefois Chambre des éputés. Sous le régime de la Constitution de 1958, Assemblée nationale, élue au scrutin uninominal deux tours, peut renverser le gouvernement par ne motion de censure ; investie du pouvoir égislatif, elle a cependant vu ses prérogatives mitées par le rééquilibrage des institutions au rofit de l'exécutif.

**Assemblée nationale constituante** ~ Nom u'adoptèrent les états généraux le 9 juill. 1789. ette Assemblée vota not. l'abolition des privilèges éodaux (nuit du 4 août 1789), la Déclaration des roits de l'homme et du citoyen, la Constitution ivile du clergé, ainsi qu'un ensemble de réformes ortant sur l'organisation administrative et judi- iaire de la France. Elle adopta la Constitution de 791 et fut remplacée le 1er oct. 1791 par Assemblée législative.

**ASSEN** ~ Centre industriel et commercial du N. es Pays-Bas, ch.-l. de la Drenthe ; 52 000 h. Musée e la Préhistoire (mégalithes).

**ASSINIBOINE** (l') ~ Affl. de la Red River cana- ienne (1 000 km), qui draine l'une des principales égions céréalières de la Prairie et conflue à Winnipeg. Anc. route des fourrures.

**Assiniboins** (les) ~ Indiens de la famille sioux t du groupe de la vallée du Mississippi. Ils vivent ctuellement dans des réserves (Alberta et Montana).

**ASSIOUT** ou **ASYUT** ~ V. de Haute-Égypte, centre régional universitaire, haut lieu de la religion copte et de l'orthodoxie islamiste ; 273 000 h. Barrage d'irrigation sur le Nil.

**ASSISE** ~ V. de pèlerinage d'Italie (Ombrie), patrie de saint François, fondateur de l'ordre des Francis- cains ; env. 25 000 h. Basilique San Francesco (XIIIe s. ; fresques de Cimabue, de Giotto), cathédrale San Rufino (XIIe-XIIIe s.), église Santa Chiara (XIIIe s.).

**Assises de Jérusalem** ~ Assemblées des sei- gneurs croisés où fut élaboré le recueil des coutumes féodales qui régirent les royaumes latins de Jérusa- lem (XIIe-XIIIe s.) et de Chypre.

**Association des nations du Sud-Est asiati- que (Ansea)**, en angl. ***Association of South-East Asia Nations* (Asean)** ~ Organisation de coopéra- tion régionale créée en 1967 à Bangkok, composée de l'Indonésie, de la Malaysia, des Philippines, de Singapour, de la Thaïlande et de Brunei.

**ASSOUAN** ~ V. de Haute-Égypte, sur le Nil, à proximité de la 1re cataracte, centre tourist. et industr. (sidér., métall., chim.) ; 191 000 h. Le haut **barrage d'Assouan**, construit en 1970 avec l'aide de l'U. R. S. S., a donné naissance au lac Nasser.

**ASSOUR** ou **ASSUR** ~ Anc. cap. et centre religieux de l'Assyrie, sur la r. dr. du Tigre. Fondée avant le IIIe mill., elle fut détruite par les Mèdes en 614 av. J.-C. Fouilles archéologiques (1903-1914).

**ASSOUR** ou **ASSUR** ~ Dieu principal du pan- théon assyrien, représentant l'élément mâle de la Création.

**ASSOURBANIPAL** ~ Roi d'Assyrie (668 - v. 631 av. J.-C.). Ses généraux soumirent l'Égypte, l'Élam et Babylone révoltée.

**ASSUÉRUS** ~ Nom biblique du roi perse Xerxès Ier.

**ASSYRIE** (l') ~ Anc. royaume du N. de la Mésopo- tamie. Vassale de Sumer, l'Assyrie fut à l'origine d'un premier empire entre le XIXe et le XVIIe s. av. J.-C. Reprenant son essor au XIVe s. mais de façon éphémère, elle se déploya au IXe s. av. J.-C. Parvenu au plus haut niveau de civilisation de l'époque, l'empire atteignit sa plus grande exten- sion sous Assourbanipal, qui domina toute la ré- gion. L'Assyrie, succombant aux Mèdes, disparut en tant qu'État avant la fin du VIIe s. av. J.-C.

**ASTAIRE** (Frederick E. **Austerlitz**, dit Fred) ~ *1899, Omaha, Nebraska - 1987, Los Angeles.* Danseur et acteur américain. Interprète de comédies musicales, il fut un modèle d'élégance et de virtuosité (*Broadway Melody*, 1940).

**ASTARTÉ** ~ Voir **Ishtar.**

**ASTI** ~ V. du Piémont (Italie), au S.-E. de Turin, centre vinicole (vins d'Asti) ; 74 000 h. Baptistère (XIe s.), tour (XIIIe s.), cathédrale (XIVe s.), palais Alfieri.

**ASTON** (Francis William) ~ *1877, Harbone - 1945, Cambridge.* Physicien britannique. Il décou- vrit et étudia les isotopes. Prix Nobel de chim. 1922.

**ASTRAKHAN** ~ Port maritime et fluvial de Russie, proche de la mer Caspienne, sur le delta de la Volga ; 512 000 h. Pêcheries. Industries (constr. navales, textile, tanneries, raff. de pétrole). Églises du XVIIe s. Ancienne capitale d'un khanat tatar conquis par Ivan le Terrible en 1556.

**ASTRÉE** ~ Déesse grecque, fille de Zeus et de Thémis, qui quitta la Terre pour former la constella- tion de la Vierge.

**ASTRID** ~ *1905, Stockholm - 1935, Küssnacht am Rigi, Suisse.* Reine des Belges. Princesse suédoise, elle épousa Léopold III, roi des Belges, et fut la mère de Baudouin Ier et d'Albert II.

**ASTURIAS** (Miguel Ángel) ~ *1899, Guatemala - 1974, Madrid.* Écrivain guatémaltèque. Il opposa la splendeur de la culture maya à la rapacité du système capitaliste (*Légendes du Guatemala*, 1930 ; *le Pape vert*, 1954). Prix Nobel de litt. 1967.

**ASTURIES** (les) ~ Communauté autonome du N. de l'Espagne, entre le Pays basque et la Galice, région montagneuse (monts Cantabriques, 2 648 m) sur l'Atlantique, agricole (prod. laitiers, pommiers à cidre) et industrielle (bassins houillers, sidér. en reconversion) ; 10 565 $km^2$, 1 094 000 h., v. princ. Oviedo (cap.), Gijón, Avilés (ports). **HIST.** - Refuge des Wisigoths christianisés au VIIIe s., d'où partit la Reconquista (victoire de Pélage à Cova- donga, 718). Le royaume est intégré à celui de León en 913. Au XXe s., répression du soulèvement des mineurs (1934) et âpre résistance aux troupes franquistes (1937).

**ASTYANAX** ~ Personnage de l'*Iliade*. Fils d'Hector et d'Andromaque, il fut jeté du haut des murailles de Troie par Ulysse.

**ASUNCIÓN** ~ Cap. du Paraguay, port fluvial sur le río Paraguay, métropole comm. et industr., fondée par les Espagnols en 1537 ; 502 000 h. (agglom. 638 000 h.).

**ASYUT** ~ Voir **Assiout.**

**ATACAMA** (l') ~ Désert du N. du Chili, entre la côte et les Andes (long. 1 000 km). Climat frais, pluies presque nulles localement, cuvettes salines. Région minière (nitrate, fer, cuivre).

**ATAHUALPA** ~ *v. 1500 - 1533, Cajamarca.* Der- nier empereur inca. Vaincu par Pizarro, il fut condamné à mort et étranglé.

**ATAKORA** (l') ~ Région montagneuse (culmi- nant vers 640 m) et humide des confins du Bénin, du Togo et du Burkina Faso. Parcs nationaux.

**ATALANTE** ~ Princesse grecque légendaire. Elle épousa Hippomène, parce qu'il fut le seul à la vaincre à la course.

**ATATÜRK** (Mustafa Kemal Pacha, dit Kemal), en fr. « Père des Turcs » ~ *1881, Thessalonique - 1938, Istanbul.* Homme d'État turc. Officier natio- naliste, il prit la tête du mouvement de résistance turc au traité de Sèvres (1920). Ayant déposé le sultan, il proclama la république, dont il fut le premier président (1924-1938). Laïciste, il mena une politique volontariste destinée à moderniser la Turquie sur le modèle occidental.

**ATBARA** (l') ~ Dernier affluent du Nil (r. dr.), issu d'Abyssinie, au cours inférieur intermittent, qui conflue en Nubie ; 1 100 km.

**Ateliers nationaux** ~ Chantiers de travaux pu- blics destinés aux chômeurs créés par le gouverne- ment provisoire en février 1848. Ils furent sup- primés en juin par la Commission exécutive, ce qui déclencha une insurrection ouvrière.

**ATGET** (Eugène) ~ *1856, Libourne - 1927, Paris.* Photographe français. Il photographia les éven- taires, les rues et les parcs de Paris et de sa banlieue. Artisan inconnu travaillant à accumuler un fonds documentaire pour les peintres, il fut consacré par Man Ray et les surréalistes.

**ATHABASCA** ou **ATHABASKA** (l') ~ Riv. du Canada (Alberta), issue des Rocheuses, tributaire du **lac Athabasca** (11 500 $km^2$) et du fl. Mackenzie par la riv. et le Grand Lac de l'Esclave ; 1 200 km. Son bassin est riche en uranium et en pétrole.

**ATHALIE** ~ *IXe s. av. J.-C.* Reine de Juda (v. 842- 834 av. J.-C.). Elle monta sur le trône après avoir mis à mort tous les princes de la famille royale, et fut à son tour exécutée par le grand prêtre Joad.

**ATHANASE** (saint) ~ *v. 295, Alexandrie - 373, id.* Patriarche d'Alexandrie et docteur de l'Église, adversaire de l'arianisme.

**ATHÉNA** ~ Déesse grecque de la Guerre, de la Sagesse et des Arts. Sortie tout armée du crâne de Zeus, son père, qui avait avalé sa mère, Mêtis, elle devint la conseillère des dieux et des mortels. Protectrice éponyme d'Athènes, elle est assimilée à la Minerve des Romains.

**ATHÊNAGORAS** ~ *1886, Tsaraplana - 1972, Is- tanbul.* Prélat grec. Patriarche de Constantinople à partir de 1948, il mena une politique de rapproche- ment avec l'Église romaine (rencontre en 1964 avec Paul VI, à Jérusalem).

**ATHÉNÉE** ~ *IIe s., en Égypte - IIIe s.* Écrivain grec, auteur du *Banquet des sophistes*, qui contient des citations d'environ 1 500 textes perdus.

**ATHÈNES**, en gr. *Athinai* ~ Cap. de la Grèce, métropole économique et culturelle (univ.), dont l'agglomération rassemble le tiers de la population du pays (port du Pirée inclus), débordant largement la plaine de l'Attique ; 772 000 h. (agglom. 3 073 000 h.). Athènes regroupe 50 % des emplois industriels et l'essentiel de la richesse du pays. Importants problèmes de pollution. Les vestiges de la cité antique (Parthénon, Érechthéion, Ve s. av. J.-C., sur l'Acropole ; théâtre de Dionysos, IVe s. ; Théséion, Ve s., sur l'Agora ; bibliothèque d'Hadrien, IIe s., sur l'agora romaine ; églises byzantines, XI^e-XIV^e s.) et les riches musées (musées Benaki, de l'Acropole, de l'Agora, Musée byzantin, Musée national archéologique) animent un puissant courant touristique. **HIST.** – Fondée, selon la légende, par Cécrops et consacrée à Athéna, qui lui donne son nom, la cité athénienne, centre politique, économique et culturel de la Grèce classique, crée, au V^e s. av. J.-C., un des premiers modèles de démocratie. *594 av. J.-C.* : réformes de Solon. *561 av. J.-C.* : tyrannie de Pisistrate. *508 av. J.-C.* : réformes démocratiques de Clisthène. *490-479 av. J.-C.* : lors des guerres médiques, les Perses brûlent l'Acropole, mais les Grecs sont victorieux ; les Athéniens, conduits par Thémistocle, sont en première ligne. *477 av. J.-C.* : Aristide crée la ligue de Délos, fédération égéenne sur laquelle Athènes assoit son hégémonie. *461-429 av. J.-C.* : Périclès, stratège, domine la scène politique ; apogée de la cité. *447-438 av. J.-C.* : chargé des travaux de l'Acropole, Phidias construit le Parthénon. *431-404 av. J.-C.* : guerre du Péloponnèse ; Athènes s'effondre face à Sparte. *338 av. J.-C.* : elle est vaincue par Philippe de Macédoine à Chéronée et doit accepter son hégémonie. Privée de son indépendance, Athènes reste une des capitales de l'hellénisme, mais son histoire ne se distingue plus de celle de la Grèce. *146 av. J.-C.* : elle est romaine, puis byzantine. *1205* : la 4^e croisade en fait le siège d'un duché français, puis florentin (1385). *1458* : elle est soumise par les Turcs. *XIX^e s.* : tirant un trait sur les épreuves des conflits turco-vénitiens du XVII^e s. et de la guerre d'indépendance (1821-1832), le roi Otton y installe sa capitale (1834). Elle accueille en 1896 les premiers jeux Olympiques de l'ère moderne.

**ATHIS-MONS** ~ V. de la banlieue S. de Paris (Essonne), sur la Seine, au S. d'Orly ; 29 123 h.

**ATHOS (mont)** ~ Montagne du N. de la Grèce culminant à 2 033 m, et nom générique de la « montagne sainte », péninsule de Chalcidique constituée en république monastique autonome (rite orthodoxe grec ou slave). Ses monastères, bâtis du X^e (la Grande Lavra, 963, due à saint Athanase)

© Y. Cavaille-Explorer

*Monastères du mont Athos.*

au XV^e s., accueillent des moines venus de tout l'Orient orthodoxe (15 000 au XVI^e s., 1 500 auj.).

**ATITLÁN (lac)** ~ Lac des hauts plateaux (1 565 m) du Guatemala, résultant d'un barrage de laves volcaniques ; 128 km$^2$, prof. 320 m. Site touristique.

**ATLAN** (Jean-Michel) ~ *1913, Constantine - 1960, Meudon.* Peintre français. Son œuvre très coloré aux formes semi-abstraites s'inspire des arts primitifs.

**ATLANTA** ~ Cap. de la Géorgie (États-Unis), au pied des Appalaches, grande place financière et métropole régionale du S.-E. ; 394 000 h. (agglom. 2 834 000 h., dont 40 % de Noirs). Archevêché. 2^e aéroport du pays. Industr. text., chimique. Site des jeux Olympiques de 1996. Centre confédéré pendant la guerre de Sécession.

**ATLANTIC CITY** ~ V. de jeux et station balnéaire des États-Unis, au S.-E. de Philadelphie (New Jersey) ; env. 38 000 h. (agglom. env. 320 000 h.).

**ATLANTIDE** (l') ~ Île fabuleuse située, selon Platon (*Critias*), dans l'océan Atlantique. Elle fut engloutie par un cataclysme.

**ATLANTIQUE (océan)** ~ Océan qui sépare l'Europe et l'Afrique de l'Amérique. Il confine au N. à l'océan Arctique et au S. à l'océan Antarctique, communiquant au N. avec de vastes mers et dépendances (Méditerranée, mer du Nord, Baltique, baie d'Hudson, golfe du Mexique, région caraïbe) ; env. 100 000 000 de km$^2$. Quatre types de relief : plates-formes continentales, souvent étendues, parfois émergées (îles Britanniques, Falkland, Terre-Neuve) ; vastes bassins abyssaux encadrant la dorsale centrale où divergent les plaques océaniques (îles volcaniques sur son axe, dont l'Islande) ; fosses (prof. max. 9 000 m), zones de convergence tectonique, bordant les arcs insulaires (Antilles, îles Sandwich du Sud). Le climat diffère, à une même latitude, d'une façade littorale à l'autre, en fonction des différents courants (influence adoucissante du Gulf Stream ou desséchante des courants froids le long des déserts africains). Après la découverte du « Nouveau Monde » par Christophe Colomb et ses successeurs, l'ouverture de routes transocéaniques, liées à l'exploitation des ressources de l'Amérique et au trafic d'esclaves depuis l'Afrique vers les nouvelles colonies, fit de l'Atlantique l'océan le plus fréquenté au monde. La pêche industrielle (mer du Nord, bancs de Terre-Neuve) et les échanges entre les pays qu'il baigne au N. (ports de Rotterdam, Anvers, New York, Londres) y sont intenses.

**Atlantique (mur de l')** ~ Ensemble d'ouvrages défensifs de nature variée, construit par l'Allemagne nazie, du littoral norvégien à la côte basque, entre 1941 et 1944.

**Atlantique Nord (pacte de l')** ~ Voir **Organisation du traité de l'Atlantique Nord**.

**ATLAS** ~ Géant de la mythologie grecque. Il fut condamné par Zeus à porter la voûte du ciel sur ses épaules pour avoir défié les dieux.

**ATLAS** (l') ~ Ensemble constitué par les montagnes du Maghreb, domaine traditionnel des Berbères. Ses chaînes plissées forment une série de barrières climatiques entre la Méditerranée et l'Atlantique au N. et à l'O., le Sahara au S. Densément peuplé pour un milieu montagnard (forte émigration), il est riche en ressources minières (phosphates, manganèse, fer). Le Rif marocain, l'Aurès algérien et la Dorsale tunisienne s'y rattachent morphologiquement. On distingue, du N. au S. : au Maroc, le **Moyen Atlas** (plus de 3 000 m), le plus humide, au N. de l'oued Moulouya ; le **Haut Atlas**, le plus élevé (4 165 m au mont Toubkal), aux sommets enneigés, au N. de l'oued Sous ; l'**Anti-Atlas** présaharien (oasis de la vallée du Draa), culminant vers 2 500 m ; en Algérie, l'**Atlas tellien** (domaine méditerranéen), où alternent des plissements (Ouarsenis, Kabylie) et des plaines agricoles littorales ou intérieures compartimentées, séparé par les Hautes Plaines de l'**Atlas saharien**, ensemble discontinu (Ksour, djebel Amour, Ouled Naïl, Zab) sans écoulement vers la mer, limite S. des influences méditerranéennes.

**ATRÉE** ~ Personnage de la mythologie grecque, roi de Mycènes, fils de Pélops et d'Hippodamie. Ennemi de son frère, Thyeste, dont il tua deux de ses fils qu'il lui fit servir en festin.

**Atrides** (les) ~ Descendants d'Atrée, en particulier ses fils, Agamemnon et Ménélas, poursuivis par la malédiction divine en raison des crimes commis par le fondateur de leur lignée.

**ATTALE** ou **ATTALOS** ~ Nom de trois rois de Pergame, de la dynastie hellénistique des Attalides. **Attale III** (*171 - 133 av. J.-C.*) légua son royaume aux Romains (133 av. J.-C.).

**ATTAR** (Farid al-Din) ~ *1119, Nichapur, Iran - v. 1220, id.* Poète persan. Son poème allégorique *le Colloque des oiseaux* est caractéristique du soufisme iranien.

**ATTILA** ~ *v. 395 - 453.* Roi des Huns (434-453). Il s'attaqua d'abord à l'empire romain d'Orient (441-449) puis à ce qui subsistait de l'empire d'Occident. Évitant Lutèce, il fut battu par Aetius, allié au Wisigoth Théodoric, aux champs Catalauniques (451). Il dévasta l'Italie avant de mourir brusquement. Son empire ne lui survécut pas.

**ATTIQUE** (l') ~ Extrémité S.-E. de la Grèce continentale, à l'E. de la Béotie et du Péloponnèse, foyer de la culture ionienne (II^e mill. av. J.-C.) et territoire initial de l'Athènes antique.

**ATTIS** ou **ATYS** ~ Divinité antique de la Végétation. Originaire de Phrygie, son culte fut introduit en Grèce et à Rome. La légende en fit un berger, aimé de Cybèle, qui s'émascula dans un mome de folie après une violente colère de la déesse.

**ATWOOD** (Margaret) ~ *1939, Ottawa.* Femme lettres canadienne d'expression anglaise. Univer taire, elle a acquis une réputation internationale poète et de romancière (*Faire surface*, 1972).

**AUBAGNE** ~ V. industrielle de l'E. de l'agglo de Marseille (Bouches-du-Rhône) ; 41 100 h. Qu tiers et musée de la Légion étrangère.

**AUBANEL** (Théodore) ~ *1829, Avignon - 1886,* Poète français de langue d'oc. Avec Fr. Mistral, fonda le félibrige. Sa poésie lyrique exprime l'amo passionné, la sensualité et la mort (*la Grena ouverte*, 1860).

**AUBE** (l') ~ Affl. de la Seine (r. dr.), issu comr elle du plateau de Langres, qui coule en Champag et arrose Bar-sur-Aube ; 248 km.

**AUBE** (l') ~ Dép. du S.-O. de la Région Char pagne-Ardenne, aux confins orientaux du Bass parisien, drainé par la Seine et l'Aube ; 6 010 km 289 207 h. Il s'étend sur une partie de Champagne, limitée au S.-E. par la côte des Ba La préfecture, Troyes, regroupe 50 % de la popul tion. Agric. intensive au N. (céréales, betterave sucre, oléagineux), vigne (champagne). Bonneter agroalimentaire, verrerie (Bayel). Centrale nucléai (Nogent-sur-Seine).

**AUBENAS** ~ V. de l'Ardèche, au pied des mor du Vivarais ; 11 105 h. (agglom. 24 052 h Industries text. et alimentaire. Constructions m can. et électriques. Château (XII^e-XVII^e s.).

**AUBER** (Daniel François Esprit) ~ *1782, Caen 1871, Paris.* Compositeur français. Disciple L. Cherubini, il posa les bases du grand opé français (*la Muette de Portici*, 1828) et illust brillamment l'opéra-comique (*Fra Diavolo*, 183C

**AUBERGENVILLE** ~ V. de la grande banlieue de Paris (Yvelines), au S.-E. de Mantes-la-Joli 11 776 h. Construction automobile.

**AUBÉRON** ~ Voir **Oberon**.

**AUBERT** (Jean) ~ *m. en 1741.* Architecte frança Élève de J. Hardouin-Mansart, il conçut les Grand Écuries de Chantilly (1719-1735).

**AUBERVILLIERS** ~ V. industrielle (chim., métal et port fluvial du N. de l'agglom. parisien (Seine-Saint-Denis) ; 67 557 h.

**AUBIGNAC** (François **Hédelin**, abbé D') ~ *160 Paris - 1676, Nemours.* Écrivain français. Il théori dans sa *Pratique du théâtre* (1657) la dramaturg classique, dont la règle des trois unités.

**AUBIGNÉ** (Théodore Agrippa D') ~ *1552, près Pons, Saintonge - 1630, Genève.* Écrivain franca Son engagement dans la foi protestante et sa fidéli envers Henri IV, dont il fut le compagnon d'arme marquèrent autant son activité militante que s œuvre. Celle-ci comporte des poésies amoureus (*le Printemps*), les picaresques *Aventures du bar de Faeneste*, une *Histoire universelle* et *les Tragiqu* (1616-1620), « poème héroïque ». Son écritu violente, exacerbée, inaugura le style baroque.

**AUBISQUE (col de l')** ~ Col (1 710 m) de l'E. d Pyrénées-Atlantiques, reliant les vallées des gav de Pau (par le val d'Azun) et d'Ossau, sou emprunté par le Tour de France cycliste.

**AUBRAC** (l') ~ Haut plateau basaltique (1 00 1 200 m) du Massif central, au S. des monts d Cantal, pâturage estival (bovins à robe brune).

**AUBRIOT** (Hugues) ~ *m. en 1382.* Administr teur français. Prévôt de Paris (1367-1382), il faire dans la ville d'importants travaux (Bastill Petit Châtelet, pont Saint-Michel).

**AUBUSSON** ~ V. de la vallée de la Creuse, au S.- de Guéret, dans la Marche (Creuse) ; 5 097 h. Éco nationale des arts décoratifs, fondée en 188 Ateliers de tapisserie (XV^e s.), qui connaisse aujourd'hui un renouveau.

**AUCH** ~ Préfect. du Gers, marché agric., au cœ de la Gascogne ; 23 136 h. Archevêché. Cathédra (XV^e-XVII^e s.). Anc. capitale de l'Armagnac.

**AUCHEL** ~ V. de l'agglom. de Béthune, dans l'C de l'anc. bassin houiller du Nord - Pas-de-Calais 11 813 h. Reconversion dans l'industr. textile.

**AUCKLAND** ~ 1^re v. de Nouvelle-Zélande (N. c l'île du Nord), 1^er port et métropole écon. et uni du pays, au climat doux ; 910 000 h. Métall., sidé constr. mécan. et navales. Musée maori.

ᵀDE (l') ~ Fl. issu des Pyrénées (massif du ᵣlitte), tributaire de la Méditerranée, qui arrose ʳcassonne ; 220 km. Sa basse vallée (axe Nar-ᵢne-Toulouse, canal du Midi) sépare le S. du ıssif central des reliefs prépyrénéens (Corbières).

ᵀDE (l') ~ Dép. de la Région Languedoc-Roussil-ı, transition entre le Massif central (Montagne ıire) et l'avant-pays pyrénéen (Corbières, Cap-), formée par le seuil de Naurouze et la plaine ıviale de l'Aude ; 6 289 km$^2$, 298 712 h. Vigno-ˢs du Minervois et des Corbières, vins blancs ɔusseux (blanquette de Limoux), céréales, cult. itières, élevage. La vallée de l'Aude est un axe communications entre le littoral méditerranéen l'Aquitaine (carrefour de Narbonne). Carcas-nne (préfect.) et Castelnaudary, dans l'intérieur, partiennent à la zone d'influence toulousaine. ıtions balnéaires sur le littoral (Narbonne-Plage, 'uissan, Leucate).

JDEN (Wystan Hugh) ~ *1907, York - 1973, enne.* Écrivain américain d'orig. britannique. Son ıvre poétique, d'abord inscrite dans l'engagement cial des années 1930, releva ensuite d'une spiration chrétienne (*Pour aujourd'hui*, 1945).

JDENARDE ~ Voir **Oudenaarde**.

JDIBERTI (Jacques) ~ *1899, Antibes - 1965, Pa-*. Écrivain français. Ses romans et ses pièces de éâtre se caractérisent par le foisonnement, la hesse d'une écriture jubilatoire et colorée *braxas*, 1938 ; *Quoat-Quoat*, 1946).

JDIERNE (baie d') ~ Baie qui forme la façade de la Cornouaille bretonne (S. du Finistère), site Audierne, 2 746 h. (agglom. 9 181 h.), port de che et station balnéaire.

JDINCOURT ~ V. de la banlieue S.-E. de Mont-liard (Doubs) ; 16 361 h. Métallurgie. Église oderne (1949) : vitraux de F. Léger, J. Bazaine.

JDRAN, famille d'artistes français. ~ **Gérard II** *640, Lyon - 1703, Paris*), graveur, reproduisit des ıvres de peintres célèbres (Raphaël, Pous-ı...). ~ **Claude III** (*1657, Lyon - 1734, Paris*), corateur, fut l'un des créateurs du style rocaille.

UER (Carl), baron **von Welsbach** ~ *1858, enne - château de Welsbach, Carinthie, 1929.* Chi-iste autrichien, inventeur de la lampe à gaz dite c **Auer** (1885).

JERSTEDT ~ Village d'Allemagne (Saxe-An-ılt). Le 14 oct. 1806, L. Davout y remporta une ctoire contre l'armée prussienne.

**ıfklärung (Zeitalter der)**, en fr. « siècle des mières » ~ Mouvement de pensée rationaliste ractérisant la culture et la philosophie allemandes ı XVIII$^e$ s.

UGE (pays d') ~ Région herbagère de Norman-e, au S.-O. de l'estuaire de la Seine, drainée par Dives (vallée d'Auge) et la Touques. Prod. laitiers ont-l'évêque, livarot, camembert). Tourisme baln. Deauville, Trouville). V. princ. Lisieux.

UGEREAU (Pierre), duc **de Castiglione** ~ *1757, ris - 1816, La Houssaye.* Maréchal de France. Il illustra pendant la campagne d'Italie puis pendant s batailles de l'Empire. Duc de Castiglione (1806), se rallia à Louis XVIII en 1814.

UGIAS ~ Personnage de la mythologie grecque. ɔi d'Élide, il fit nettoyer ses écuries par Héraclès.

UGIER (Émile) ~ *1820, Valence - 1889, Paris.* ramaturge français. Son théâtre exalte les vertus la société bourgeoise (*les Lionnes pauvres*, 1858). ad.

UGSBOURG ~ V. de la Souabe bavaroise (Alle-agne), au N.-O. de Munich ; 262 000 h. Évêché. niversité. Industr. text. (depuis le Moyen Âge).

**ugsbourg (Confession d')** ~ Profession de foi otestante en 28 articles rédigée par Melanchthon présentée à la diète impériale réunie à Augsbourg ı 1530 par Charles Quint.

**ugsbourg (ligue d')** ~ Coalition (1686-1697) rmée sous l'impulsion de l'empereur germanique éopold I$^{er}$, qui réunit l'Angleterre, la Hollande et Suède contre les menées expansionnistes de la ance. Malgré les succès militaires de Louis XIV, ɔt. à Fleurus, à Steinkerque et à Staffarde, le traité e Ryswick (1697) ne reconnut à la France que prise de Strasbourg.

**ugsbourg (paix d')** ~ Traité signé en 1555 entre s princes protestants allemands et Charles Quint, ıi leur reconnaissait la liberté de conscience, le droit d'imposer leur religion à leurs sujets et la possession des biens d'Église sécularisés. Cet accord consacra la division religieuse entre le N. et le S. de l'Allemagne.

**AUGUSTE**, en lat. ***Caius Julius Caesar Octavianus Augustus*** ~ *63 av. J.-C., Rome - 14 apr. J.-C., Nole.* Empereur romain (27 av. J.-C.-14 apr. J.-C.). Petit-neveu de César, adopté par ce dernier, il forma un triumvirat avec Antoine et Lépide pour éliminer les assassins de son père adoptif, partisans comme Cicéron de l'ancienne république aristocratique, qui lui barraient l'accès au pouvoir. Il se retourna ensuite contre Antoine et le vainquit à Actium (31 av. J.-C.). Il restaura officiellement la république, tout en exerçant une dictature. Consul, prince du sénat, grand pontife, jouissant du pouvoir militaire (*imperium*) et de la puissance tribunicienne, il reçut le surnom d'*Augustus*, nimbé d'un prestige religieux (27 av. J.-C.) et devint après sa mort la seconde divinité civique de l'Empire après César. Il accomplit une œuvre considérable d'unification, de rationalisation et d'expansion : la Rome républicaine est ainsi devenue l'Empire romain. Mais une règle successorale mal définie, oscillant entre succession héréditaire, cooptation et coup d'État, sera jusqu'à la fin la faiblesse du régime.

**Auguste** (*20 av. J.-C.*) *de Prima Porta. Musée du Vatican.*

**AUGUSTE**, nom de plusieurs rois de Pologne. ~ **Auguste II** ou **Frédéric-Auguste I$^{er}$** (*1670, Dresde - 1733, Varsovie*), Électeur de Saxe (1694-1733) et roi de Pologne (1697-1733). Détrôné par Charles XII, roi de Suède, au profit de Stanislas I$^{er}$ Leszczyński, il reprit la Couronne après la victoire de Poltava (1709). Son fils ~ **Auguste III** ou **Frédéric-Auguste II** (*1696, Dresde - 1763, id.*), Électeur de Saxe (1733-1763), fut élu roi de Pologne avec l'appui de la Russie à la mort de son père.

**AUGUSTIN** (saint) ~ *354, Thagaste, auj. Souk-Ahras - 430, Hippone.* Citoyen romain d'Afrique, évêque et docteur de l'Église latine. Séduit un moment par le manichéisme, il découvrit dans le néoplatonisme une philosophie intégrale, susceptible d'armer rationnellement la foi. La lecture des *Ennéades* de Plotin signa sa conversion intellectuelle au christianisme. En 386, il se fit baptiser et entama une vie monacale consacrée essentiellement à l'étude. Sa carrière ecclésiastique ne débuta que trois ans plus tard, comme prêtre, puis comme évêque d'Hippone (395). Ses approfondissements subtils de la doctrine, son activité incessante de prédication et la correspondance qu'il entretint avec tout ce que la chrétienté comptait de penseurs ont laissé une œuvre immense, dominée par le souci de l'unité de l'Église (les *Confessions* ; *De Trinitate* ; *la Cité de Dieu*).

**AUGUSTIN** ou **AUSTIN** (saint) ~ *m. v. 604 à Canterbury.* Évêque de Canterbury, apôtre des Anglo-Saxons.

**Augustinus** ~ Traité théologique de Jansénius, publié en 1640. Ses thèses sur la grâce et la prédestination fondèrent le jansénisme.

**AULIS** ~ Port de la Grèce antique, en Béotie (face à l'Eubée). Rendez-vous, selon l'*Iliade*, des navires grecs en partance pour la conquête de Troie et lieu du sacrifice d'Iphigénie.

**AULNAY-SOUS-BOIS** ~ V. de la banlieue N.-E. de Paris (Seine-Saint-Denis), centre industriel (autom., chim.) ; 82 314 h. Gare routière de marchandises (Garonor).

**AULNE** (l') ~ Fl. côtier de Bretagne (Finistère) issu des monts d'Arrée, qui draine le bassin de Châteaulin et se jette dans la rade de Brest ; 140 km.

**AULNOYE-AYMERIES** ~ V. du Hainaut (Nord), nœud ferroviaire, sur la Sambre ; 9 882 h. (agglom. 20 812 h.). Métallurgie.

**AULU-GELLE**, en lat. ***Aulus Gellius*** ~ *v. 130.* Érudit latin. Il est l'auteur des *Nuits attiques*, document précieux sur les écrivains de l'Antiquité.

**AUMALE** ~ Localité de Normandie, sur la Bresle, en bordure du pays de Bray (Seine-Maritime) ; 2 690 h. La ville a donné son nom aux ducs d'Aumale (Charles de Lorraine, Henri d'Orléans).

**AUMALE** (Henri **d'Orléans**, duc D') ~ *1822, Paris - 1897, Zucco, Sicile.* Prince français, 4$^e$ fils de Louis-Philippe I$^{er}$. Il combattit en Algérie et s'empara de la smala d'Abd el-Kader. En exil après 1848, il rentra en France en 1871. Il se consacra à l'histoire, et légua à l'Institut le château de Chantilly, qu'il avait hérité des Condés. Acad.

**AUMANCE** (l') ~ Affl. du Cher (r. dr.), qui coule dans l'O. du Bourbonnais (Allier) ; 58 km. Vieux bassin houiller.

**AUNG SAN** ~ *1915, Natmauk - 1947, Rangoon.* Homme politique birman. Il tenta d'obtenir des Britanniques l'indépendance de son pays, mais fut assassiné. Sa fille ~ **AUNG SAN Suu Kyi** (*1945, Rangoon*) vit en résidence surveillée depuis 1989 pour avoir fondé la Ligue nationale pour la démocratie. Prix Nobel de la paix 1991.

**AUNIS** (l') ~ Région de l'O. de la France, entre la Sèvre Niortaise et la Charente (incluant l'île de Ré), plaine céréalière aux côtes en partie envasées (polders voués à l'élev.). Tradition de comm. maritime (port de La Rochelle, v. princ.). Pays d'Aquitaine réuni au domaine royal en 1271, il fut anglais de 1360 à 1373 et un foyer calviniste pendant la Réforme jusqu'en 1628 (siège de La Rochelle).

**AURANGABAD** ~ V. de l'Inde (Maharashtra), au N.-E. de Bombay ; 573 000 h. Site troglodytique bouddhique et hindou (II$^e$-VII$^e$ s.). Mausolée (XVII$^e$ s.). Capitale du Deccan sous Aurangzeb, qui en fit sa résidence et lui donna son nom actuel.

**AURANGZEB** ~ *1618, Dohad, dans le Gujerat - 1707, Ahmadnagar.* Empereur moghol (1658-1707). Musulman fanatique, il mena de nombreuses campagnes contre les princes hindous et étendit son autorité vers le S. du Deccan. C'est sous son règne que commença le déclin de l'Empire moghol.

**AURAY** ~ Port du Morbihan, sur l'estuaire de la **rivière d'Auray**, à l'O. de Vannes (golfe du Morbihan) ; 10 323 h. (agglom. 14 313 h.). La **bataille d'Auray** (1364), qui vit la victoire des Montfort sur Charles de Blois, marqua la fin de la guerre de la Succession de Bretagne.

**AURE (vallée d')** ~ Voir **Neste d'Aure**.

**AURÉLIEN**, en lat. ***Lucius Domitius Aurelianus*** ~ *v. 214, Sirmium, Illyrie - 275, Cénophrurion, Thrace.* Empereur romain (270-275). Proclamé empereur par l'armée après la mort de Claude II, il entreprit de restaurer l'unité de l'empire ; il réussit à contenir les Alamans et les Vandales, mais perdit la Dacie. Initiateur d'un culte consacré au Soleil, il fut divinisé de son vivant.

**Aurélienne (via)** ou **Aurelia (via)** ~ Principale voie romaine, qui reliait Rome à Arles.

**AURÈS** (l' ou les) ~ Massif d'Algérie (2 328 m), prolongement oriental de l'Atlas saharien au S. des Hautes Plaines constantinoises, îlot relativement arrosé (forêts, céréales, vergers, cult. irriguées). Refuge des Berbères (Chaouias) face aux colonisations arabe et française. Premiers foyers nationalistes de l'insurrection algérienne, en 1954.

**AURIC** (Georges) ~ *1899, Lodève - 1983, Paris.* Compositeur français, membre du groupe des Six. Son œuvre est remarquable pour la pureté et la transparence de son harmonie (*Sonate pour piano en « fa » majeur*, 1931 ; *Partita pour deux pianos*, 1955). Il a composé pour les Ballets russes.

**AURIGNAC** ~ Localité du plateau de Lannemezan (Haute-Garonne) ; 983 h. Site préhistorique. La ville a donné son nom à l'une des civilisations du Paléolithique supérieur (Aurignacien).

**AURIGNY**, en angl. ***Alderney*** ~ L'une des îles Anglo-Normandes, face au cap de la Hague ; 8 km², env. 2 000 h. Tourisme.

**AURILLAC** ~ Préfect. du Cantal, au pied des monts Cantal ; agglom. 36 069 h. Marché aux bestiaux, lait, fromages. Anc. cap. de la haute Auvergne.

**AURIOL** (Vincent) ~ *1884, Revel, Haute-Garonne - 1966, Paris.* Homme d'État français. Il fut ministre des Finances du Front populaire (1936-1937) et président de la IVᵉ République (1947-1954).

**AURON** (l') ~ Sous-affl. berrichon du Cher, qui rejoint l'Yèvre à Bourges ; 84 km.

**Aurore (l')** ~ Quotidien français fondé par Ernest Vaughan en 1897. Il publia pendant l'affaire Dreyfus le « J'accuse » d' É. Zola (1898) et servit à G. Clemenceau d'instrument de propagande de 1903 à mars 1906. Repris en 1944 pour défendre les valeurs libérales, le titre est devenu, depuis 1984, une édition parisienne du *Figaro*.

**Auschwitz** ~ Le plus grand complexe concentrationnaire nazi (une quarantaine de camps), en Pologne, où furent exterminées entre 1941 et 1945 plus de 1 million de personnes, en majorité juives.

**AUSONE**, en lat. ***Decimus Magnus Ausonius*** ~ *v. 310, Bordeaux - v. 395, id.* Poète latin. Habile versificateur, il a cherché son inspiration dans la réalité gallo-romaine (*la Moselle*).

**AUSTEN** (Jane) ~ *1775, Steventon, Hampshire - 1817, Winchester.* Romancière britannique. Elle dépeignit la bourgeoisie campagnarde du XVIIIᵉ s. (*Orgueil et Préjugés*, 1813).

**AUSTERLITZ** ~ Localité de Moravie (auj. en République tchèque). Le 2 déc. 1805, Napoléon Iᵉʳ y remporta une victoire sur les armées coalisées du tsar Alexandre Iᵉʳ et de l'empereur François II.

**AUSTIN** ~ Cap. du Texas (États-Unis), sur le Colorado, centre industr. (électron.), univ. et marché agric. ; 466 000 h.

**AUSTIN** (John Langshaw) ~ *1911, Lancaster - 1960, Oxford.* Philosophe britannique. Il étudia les énoncés du « langage ordinaire » dans le cadre de la théorie des actes du langage au fondement de certains courants de la philosophie analytique (*Quand dire, c'est faire*, posth., 1962).

**AUSTRAL (océan)** ~ Voir **Antarctique** (océan).

**AUSTRALASIE** (l') ~ Entité géographique regroupant, autour de l'Australie, la Nouvelle-Guinée, la Tasmanie et la Nouvelle-Zélande.

**AUSTRALES (îles)** ou **TUBUAÏ (îles)** ~ Archipel volcanique (pour les îles principales) et corallien de Polynésie française, à 500 km au S. de Tahiti ; 148 km², 6 500 h. Coprah, agrumes, café.

**AUSTRALES ET ANTARCTIQUES FRANÇAISES (terres)** ~ Territoires français des régions australes, insulaires (Saint-Paul, Nouvelle-Amsterdam, Kerguelen, Crozet) et continentales (terre Adélie), dépourvues d'habitat permanent. Abrév. T. A. A. F.

**AUSTRALIE** (l'), en angl. ***Commonwealth of Australia*** ~ État fédéral ou Commonwealth, constitué par les États d'Australie-Méridionale, d'Australie-Occidentale, de Nouvelle-Galles du Sud, du Queensland, de Tasmanie, de Victoria et des Territoires du Nord et de Canberra, membre du Commonwealth britannique. Continent massif (3 850 km sur 3 200 km), traversé par le tropique du Capricorne, baigné par l'océan Indien (O. et S.) et l'océan Pacifique à l'E. ***Cap.*** Canberra. ***Superf.*** 7 682 300 km². ***Popul.*** 17 746 000 h., dont Blancs (95 %), aborigènes (1,5 %). ***Langue princ.*** Anglais. ***Monn.*** Dollar australien. ***Relief.*** Plateau occidental (déserts), plaines du centre-E., Cordillère australienne (mont Kosciusko), île de Tasmanie. ***Climat.*** Aride et chaud (50 % du territoire), frange N.-E. tropicale, frange S.-E. océanique, extrémité S.-O. méditerranéenne. ***Fl. princ.*** Le Murray, le Darling, à l'O. de la Cordillère australienne. ***Écon.*** L'éloignement de l'Australie et l'étroitesse de son marché intérieur nuisent à son développement industriel (import. de produits finis, export. de produits agric. et de minerais). Elle oriente actuellement ses échanges vers les pays du Pacifique. ***Ress. princ.*** Blé, coton, laine, viande ; pétrole, gaz, charbon, uranium, bauxite, fer, cuivre, nickel, or, argent, diamants. ***V. princ.*** Sydney, Melbourne, Brisbane, Perth, Adélaïde, Canberra. **HIST.** – Le continent a été très anciennement peuplé par les aborigènes. *XVIIᵉ-XVIIIᵉ s.* : explorations européennes (Willem Jansz, Abel Tasman, William Dampier, Louis Antoine de Bougainville). *1770* : James Cook crée la Nouvelle-Galles du Sud. *XIXᵉ s.* : création des colonies de Tasmanie, d'Australie-Occidentale, de Victoria, d'Australie-Méridionale et du Queensland. *1850* : l'Australian Colony Act leur accorde un début d'autonomie. *1901* : formation du Commonwealth d'Australie. *XXᵉ s.* : l'Australie participe aux deux guerres mondiales aux côtés des Alliés et se rapproche des États-Unis. Depuis 1945, conservateurs libéraux et travaillistes alternent au pouvoir. L'Australie joue un rôle croissant dans le Pacifique Sud et s'oppose à la nucléarisation de la région. John Howard (conservateur) est Premier ministre depuis 1996.

**AUSTRALIE-MÉRIDIONALE** (l') ~ État du S. de l'Australie, bordé par l'océan Indien ; 984 000 km², 1 466 000 h., cap. Adélaïde. Région en grande partie basse et désertique. Le S.-E. (autour d'Adélaïde), plus accidenté, concentre l'activité humaine et agricole (ovins, céréales, citrons, vigne). Importantes ressources minières (opales, gaz naturel, pétrole, fer, cuivre, uranium, charbon).

**Australiens** (les) ~ Peuples originaires d'Australie. Se dit des aborigènes (autrefois les Arandas, les Murngins et les Karieras) vivant dans des réserves et dont le nombre est estimé à 170 000 environ.

**AUSTRALIE-OCCIDENTALE** (l') ~ État de l'O. de l'Australie (1/3 de la superf. totale) bordé par l'océan Indien ; 2 525 500 km², 1 687 000 h., cap. Perth. Région de plateaux désertiques riche en gisements miniers (Kalgoorlie). Agriculture (céréales, fruits) et élevage bovin dans le S.-O., au climat méditerranéen.

**AUSTRASIE** (l') ~ Royaume de la Gaule mérovingienne (royaume de l'Est), fruit du partage du royaume de Clovis, entre ses quatre fils, qui échut à Thierry.

La Bataille d'**Austerlitz**, 2 décembre 1805 *(1810 ; détail), peinture de François Gérard (1770-1837). Château de Versailles.*



**austro-prussienne (guerre)** ~ Conflit susc par la rivalité entre l'Autriche et la Prusse pour contrôle des affaires allemandes (1866). Écrasé Sadowa, l'Autriche fut évincée et perdit la Véné cédée à l'Italie, alliée à la Prusse.

**AUTANT-LARA** (Claude) ~ *1903, Luzarches.* néaste français. Son œuvre s'est inspirée des grar classiques de la littérature pour dénoncer conformisme et le tragique social (*Douce*, 1943 ; *Traversée de Paris*, 1956 ; *la Jument verte*, 195

**AUTHIE** (l') ~ Fl. côtier de Picardie, issu collines de l'Artois, limite N. du Ponthieu ; 100 k Son estuaire divise le Marquenterre.

**AUTHION** (l') ~ Affl. de la Loire (r. dr.), draine le Val d'Anjou parallèlement à la Loir 100 km.

**AUTRICHE (république d')**, en all. ***Repub Österreich*** ~ État fédéral enclavé d'Europe centra composé de 9 länder (Basse-Autriche, Burgenla Carinthie, Haute-Autriche, Salzbourg, Styrie, Tyr Vienne, Vorarlberg). ***Cap.*** Vienne. ***Superf.*** 83 859 kr ***Popul.*** 7 950 000 h. ***Langue princ.*** Allemar ***Monn.*** Schilling. ***Relief.*** Les Alpes (Tauern Préalpes), divisées par les grandes vallées (Ir Mur), couvrent 70 % du territoire. Les plaines sc réduites à la vallée du Danube, au N., et Burgenland, à l'E. Forêt de Bohême au N. ***Clim*** Continental ou alpin. ***Écon.*** Après la Secor Guerre mondiale, l'Autriche a construit une ind trie diversifiée (text., métall., mécan., chim alimentée en énergie par l'hydroélectricité. L'ag culture de montagne joue un rôle essentiel pc l'environnement, et le tourisme équilibre la balar des paiements. Depuis 1991, l'Autriche est bi placée pour jouer le rôle de plaque tournante ent l'E. et l'O. de l'Europe. ***V. princ.*** Vienne, Graz, Li Salzbourg, Innsbruck. **HIST.** – *Iᵉʳ mill. av. J.-C.* : région est le berceau de la civilisation de Hallst et un foyer de peuplement celte. *Iᵉʳ s. av. J.-C.-IIIᵉ apr. J.-C.* : l'occupation romaine précède les grand invasions (Huns, Ostrogoths, Lombards, Ava Slaves). *VIIIᵉ-Xᵉ s.* : marche de l'Empire carolingi la région devient en 956 l'*Österreich* (« royaume l'Est ») de l'Empire germanique. *1156* : les Babe berg font de l'Autriche un duché, avec Vienne pc capitale. *1278* : les Habsbourg s'emparent l'Autriche. *1438* : la succession des Habsbourg la tête du Saint Empire va lier le sort de l'Autric à celui de l'Allemagne. *XVᵉ s.* : l'empereur Frédéric (1452-1493), par une habile « politique des m riages », hérite de la Bourgogne et donne l'Autriche sa devise : *Austriae est imperare o universo* (« Il appartient à l'Autriche de gouverr le monde entier »). *1519-1556* : après les héritag espagnol, bohémien et hongrois, Charles Qui règne sur « un empire où le soleil ne se couc jamais ». *1556* : l'empereur de Vienne ne conser que les parties allemande, bohémienne et hongro de l'héritage. L'Autriche sert de bouclier à chrétienté contre les Turcs (sièges de Vienne, 1529 et en 1683) alors que l'hostilité des Habsbou à la Réforme l'entraîne dans d'interminab guerres religieuses attisées par la France, menac d'étouffement. *1618-1648* : la Contre-Réform appuyée par l'Autriche et par la Bavière, débouc sur la guerre de Trente Ans, le ravage de l'Euro centrale et la perte d'influence de l'Autriche da une Allemagne émiettée (traités de Westphali *XVIIIᵉ s.* : malgré la Pragmatique Sanction de 171 l'impératrice Marie-Thérèse (1740-1780) doit ass rer son héritage en livrant les guerres de Succession d'Autriche (1740-1748) et de Sept A (1756-1763), qui consacrent la perte de la Silé et la montée en puissance de la Prusse. Les réform centralisatrices de Joseph II (1780-1790) échouer *XIXᵉ s.* : l'engagement malheureux de François (1792-1806) contre Napoléon (bataille d'Auste litz, 1805 ; bataille de Wagram, 1809) se trad par la vassalisation de l'Autriche. La formation la Confédération du Rhin (1806) met un terme l'existence du Saint Empire romain germaniqu *1815-1848* : le chancelier Metternich redonne l'empire d'Autriche (Bohême, Hongrie, Italie Balkans du Nord) sa place en Europe. Présiden de la Confédération germanique, l'Autriche est bras armé de la Sainte-Alliance et de la réacti conservatrice. Les révolutions de Prague, de Vien et de Budapest, en 1848, sont écrasées. *1848-1867* : François-Joseph Ier (1848-1916) restaure un régime autoritaire, mais l'empire est ébranlé par la montée des nationalismes. Après la perte de la Lombardie (1859) et sa défaite à Sadowa (1866), l'Autriche est exclue des affaires allemandes, perd la Vénétie et doit accepter (1867) la séparation de la Hongrie d'avec l'Autriche et la constitution d'un empire dualiste austro-hongrois. *1867-1914* : dans les Balkans, Vienne doit contrer l'influence de la Serbie, soutenue par la Russie. *1908* : l'annexion de la Bosnie-Herzégovine par Vienne exacerbe les tensions. *28 juin 1914* : l'assassinat de l'archiduc François-Ferdinand déclenche la Première Guerre mondiale. *Nov. 1918* : Charles Ier renonce au pouvoir. *1919-1920* : les traités de Saint-Germain et de Trianon ramènent l'Autriche en deçà de ses frontières du XVe s. *1920-1938* : la République fédérale instituée en octobre 1920 est fragilisée par les problèmes économiques et sociaux. Les chanceliers chrétiens-sociaux (Mgr Seipel, Engelbert Dollfuss, Kurt von Schuschnigg) luttent contre les oppositions socialiste puis nationale-socialiste. *Mars 1938* : Hitler annexe l'Autriche (Anschluss), qui redevient la marche de l'Est du Reich, comme au Xe s. *1945-1995* : occupée par les Alliés, l'Autriche retrouve son indépendance en 1955. Neutralité et développement économique induisent une stabilité politique. Populistes et socialistes (Bruno Kreisky, 1970-1983) alternent au pouvoir. Le président Kurt Waldheim (1986-1992) est contesté sur le plan international à cause de son rôle pendant la guerre. Franz Vranitzky, socialiste, est réélu chancelier en déc. 1995. Le 1er janv. 1995, l'Autriche adhère à l'Union européenne.

**AUTRICHE (Basse-)**, en all. *Niederösterreich* ~ Le plus grand land d'Autriche, dans lequel est enclavé celui de Vienne ; 19 174 km$^2$, 1 505 000 h., cap. Sankt Pölten. Région montagneuse (forêt de Bohême, Alpes) du N.-E. du pays, traversée par la vallée du Danube. Économie diversifiée (pétrole, bois, élev. bovin, agric., industr., tourisme).

**AUTRICHE (Haute-)**, en all. *Oberösterreich* ~ Land d'Autriche (N.), industr. et touristique (forêt de Bohême, vallée du Danube, Préalpes) ; 11 980 km$^2$, 1 373 000 h., cap. Linz. Agriculture prospère dans la vallée du Danube. Mines de sel, de lignite. La production hydroélectrique a stimulé le développement industriel.

**AUTRICHE-HONGRIE** ~ Nom donné, de 1867 à 1918, à l'État composé de l'empire d'Autriche et du royaume de Hongrie. Le système de la « double monarchie » laissait à François-Joseph Ier un large pouvoir exécutif. Une dizaine de minorités nationales gravitaient autour des deux États, mais Tchèques, Slovaques, Slovènes, Serbes, Croates, Bosniaques, Ruthènes et Polonais aspiraient à plus d'autonomie. L'Autriche-Hongrie fut démembrée par les traités de Saint-Germain et de Trianon (1919-1920).

**AUTUN** ~ V. de Bourgogne (Saône-et-Loire), sur l'Arroux, dans l'**Autunois**, entre Morvan et monts du Charolais ; 17 906 h. Anc. cité romaine (théâtre, portes, temples). Cathédrale romane du XIIe s. (tympan du Jugement dernier).

**AUVERGNE** (l') ~ Région administrative française qui réunit le département de l'Allier (confins S.-E. du Bassin parisien) à l'ancienne province (et région géographique) d'Auvergne, partie centrale, la plus élevée, du Massif central, comprenant 3 départements (Puy-de-Dôme, Cantal, Haute-Loire) ; 26 180 km$^2$, 1 321 214 h., préfect. Clermont-Ferrand. Les fossés des Limagnes (vallées de l'Allier et de la Loire), axes principaux du peuplement et de l'activité (terres de labour, foyers industr.), partagent les régions montagneuses plus fraîches et humides : blocs cristallins (forestiers) bordés d'escarpements de faille (monts du Livradois, du Forez, de la Margeride) ; larges plateaux basaltiques (Cézallier, Aubrac, Devès) surmontés par des ensembles volcaniques (chaîne des Puys, monts Dore, monts du Cantal, mont Mézenc). Élevage laitier de montagne (fromages : cantal, fourme d'Ambert, saint-nectaire). L'industrie est auj. surtout localisée dans la région de Clermont-Ferrand, métropole régionale. Tourisme (thermalisme, not. à Vichy ; sports d'hiver ; parc régional des volcans d'Auvergne). La démographie est marquée par un exode rural séculaire vers les principales villes de la région, mais aussi vers

© Ph. Prigent-Jacana

*Cratère dans le parc régional des volcans d'Auvergne.*

Paris, le revenu agricole par exploitation restant l'un des plus faibles de France. **HIST.** - Domaine des Arvernes, la région dépendit de l'Aquitaine romaine. Elle se fragmenta à l'époque féodale en un comté, un Dauphiné (1155) et une Terre (1241, cap. Riom) d'Auvergne, érigée en duché en 1360. Ce dernier couvrit la majeure partie de la province : possession de la maison de Bourbon, il fut réuni à la couronne de France en 1531. En 1665-1666, les Grands Jours d'Auvergne, organisés par Louis XIV, calmèrent les troubles dus à la Fronde. La province donna en 1790 les départements du Puy-de-Dôme et du Cantal et le N.-O. de celui de la Haute-Loire.

**AUVERS-SUR-OISE** ~ V. de la grande banlieue N.-O. de Paris (Val-d'Oise), sur l'Oise (r. dr.) ; 6 129 h. Lieu de séjour de nombreux peintres, dont Van Gogh, qui y mourut en 1890.

**AUXERRE** ~ Préfect. de l'Yonne, dans l'**Auxerrois** (plateaux calcaires céréaliers), sur la rive gauche de l'Yonne, capitale de la basse Bourgogne ; 38 819 h. (agglom. 42 005 h.). Industries diversifiées. Anc. abbaye St-Germain, cathédrale gothique St-Étienne.

**AUXOIS** (l') ~ Région de Bourgogne, entre le Morvan et le plateau de Langres, plaine herbagère (élev. d'embouche), anc. viticole, surmontée de buttes calcaires (**mont Auxois**, 410 m, un des sites présumés d'Alésia), seuil aux confins des bassins de la Saône, de la Loire et du Bassin parisien.

**AUXONNE** ~ V. de la Côte-d'Or, dans la vallée de la Saône, au S.-E. de Dijon ; 6 781 h. Cultures maraîchères. Industries électriques et électroniques. Église des XIIe-XVIe s.

**AUZOUT** (Adrien) ~ *1622, Rouen - 1691, Rome.* Astronome français. Il perfectionna les premiers instruments d'astronomie (lunettes et micromètre à fils mobiles).

**AVALLON** ~ V. de Bourgogne (Yonne) bâtie sur un éperon dominant le Cousin, en bordure septentrionale du Morvan ; 8 617 h. Vestiges de fortifications. Collégiale de style roman.

**AVALOIRS (mont ou signal des)** ~ L'un des points culminants (417 m) du Massif armoricain, aux confins de la Normandie et du Maine (Alpes mancelles), à l'O. d'Alençon.

**AVALOKITESHVARA** ~ Bodhisattva de la doctrine du Grand Véhicule, personnification de la Compassion revêtant de multiples formes pour venir en aide aux humains.

**Avars** (les) ~ Peuples mongols qui envahirent l'Europe au VIe s. Ils attaquèrent les Byzantins et établirent leur khanat sur le Danube. Vaincus par Charlemagne, ils furent assimilés au IXe s.

**AVEDON** (Richard) ~ *1923, New York.* Photographe américain. Sa contribution aux magazines *Vogue* et *Harper's Bazaar* a marqué la photographie de mode des années 1950.

**AVEIRO** ~ Port de pêche du Portugal (plaine de Beira), au S. de Porto ; 35 000 h. Céramique.

**AVELLINO** ~ V. d'Italie (Campanie), dans l'Apennin, centre économique régional ; 56 000 h.

**AVENARIUS** (Richard) ~ *1843, Paris - 1896, Zurich.* Philosophe allemand. Avec E. Mach, il fonda l'empiriocriticisme, qui refuse l'opposition du psychisme et du physique unis dans l'expérience.

**AVENTIN** (l') ~ Une des sept collines de Rome, sur laquelle la plèbe, révoltée contre les patriciens, se retira en 494 et en 450 av. J.-C.

**AVERCAMP** (Hendrick) ~ *1585, Amsterdam - 1634, Kampen.* Peintre néerlandais. Ses paysages d'hiver rappellent la miniature (*les Plaisirs du patinage*).

**AVERNE (lac d')** ~ Lac d'Italie, près de Naples. Les Anciens y plaçaient l'entrée des Enfers.

**AVERROÈS** (Abu al-Walid ibn Ruchd, en fr.) ~ *1126, Cordoue - 1198, Marrakech.* Philosophe, médecin et juriste arabe. Élevant l'homme au niveau de l'intelligible pur, il assimila, sans sacrifier la foi coranique, la pensée d'Aristote, qu'il transmit à l'Occident médiéval chrétien (*De l'âme* ; *Découverte de la méthode*). [☞ **médecine.**]

**AVERSA** ~ V. du S. de l'Italie (Campanie), centre agricole et commercial ; 51 000 h. Cathédrale, en partie du XIe s. Premier établissement normand en Italie (XIe s.).

**AVERY** (Tex) ~ *1907, Dallas - 1980, Burbank.* Réalisateur américain de dessins animés. Son humour noir, ses envolées loufoques et l'originalité de ses personnages ont renouvelé le genre.

**Avesta** ~ Recueil des textes sacrés de la religion zoroastrienne fixés au IVe s. av. J.-C. Dispersé à la chute des Achéménides, il fut reconstitué au IVe s. apr. J.-C.

**AVEYRON** (l') ~ Riv. du Massif central et du Bassin aquitain, affluent du Tarn (r. dr.), qui traverse la région des Causses et le Rouergue, et arrose Rodez et Villefranche ; 250 km.

**AVEYRON** (l') ~ Dép. de la Région Midi-Pyrénées, sur la bordure méridionale du Massif central (Aubrac, Causses, Rouergue, Lévezou et Ségala), entaillé par les vallées de la Truyère, du Lot, de l'Aveyron et du Tarn ; 8 749 km$^2$, 270 141 h. (en diminution), préfect. Rodez. Dép. à dominante rurale, malgré des sols pauvres, mais rendus fertiles : élevage de brebis (roquefort), bovins, porcs, volailles, blé, fourrage. Grands barrages-réservoirs et centrales hydroélectriques sur la Truyère et le Lot (Brommat et Sarrans). Industrie en crise dans le bassin houiller de Decazeville et autour de Rodez. Mégisserie et ganterie de luxe à Millau. Tourisme dans les gorges du Tarn.

**AVICENNE** (Ibn Sina, en fr.) ~ *980, Afchana, près de Boukhara - 1037, Hamadan.* Médecin et philosophe iranien. Son œuvre est immense et encyclopédique. Tant en Orient qu'en Occident, son *Canon de la médecine* servit de base au savoir médical. Sa philosophie, d'inspiration aristotélicienne, influença saint Thomas d'Aquin, et sa mystique est au centre de l'ésotérisme islamique. [☞ **médecine.**]

**AVIGNON** ~ Préfect. du Vaucluse, sur l'axe rhodanien, centre admin. et tourist. ; 86 939 h. (agglom. 181 136 h.). Archevêché. Commerce des fruits et légumes du Comtat Venaissin. Palais des Papes (archit. gothique du XIVe s.), remparts du XIVe s., pont St-Bénezet à trois arches, dit « pont d'Avignon ». Musées. Festival de théâtre créé en 1947 par J. Vilar. **HIST.** - Colonie romaine sous Auguste, ville de consulat au Moyen Âge, elle appartint aux comtes de Toulouse puis aux comtes de Provence. Résidence des papes de 1309 à 1377, la ville fut administrée par des légats pontificaux puis vota son rattachement à la France (1790).

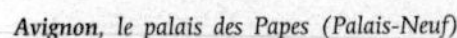
*Avignon, le palais des Papes (Palais-Neuf).*

© G. Bassignac-Gamma

**ÁVILA** ~ V. d'Espagne (Castille-León), au N.-O. de Madrid, centre admin. ; 46 000 h. « Ville des saints et des pierres », patrie de sainte Thérèse. Remparts du XIe s., églises et couvents médiévaux.

**AVILÉS** ~ Port d'Espagne (Asturies), au fond d'une ria, centre sidér. au N. d'Oviedo ; 85 000 h.

**AVION** ~ V. de la banlieue S. de Lens (Pas-de-Calais) ; 18 534 h.

**AVIT** ou **AVITUS** (saint) ~ *v. 450, en Auvergne - v. 518, Vienne, Dauphiné.* Évêque de Vienne. Adversaire de l'arianisme, il convertit au catholicisme Sigismond, roi des Burgondes.

**AVIZ** ~ V. du Portugal (prov. de Portalegre), qui a donné son nom à un ordre de chevalerie, fondé en 1145, et à une dynastie qui régna sur le Portugal de 1385 à 1580.

**AVIZE** ~ Localité de la Champagne crayeuse, au pied de la côte de l'Île-de-France, au S.-E. d'Épernay (Marne) ; 1 680 h. Vins de Champagne.

**AVOGADRO** (Amedeo **di Quaregna**, comte) ~ *1776, Turin - 1856, id.* Chimiste italien. Il formula la loi selon laquelle le nombre de molécules contenu dans deux volumes égaux de gaz à même température et à même pression est identique.

**AVOINE** ~ Localité d'Indre-et-Loire, au N.-O. de Chinon, en Touraine ; 1 664 h. Centrale nucléaire de Chinon. Musée du Nucléaire.

**AVON** ~ V. de la banlieue de Fontainebleau (Seine-et-Marne) ; 13 873 h.

**AVON (comté d')** ~ Comté du S.-O. de l'Angleterre, sur l'estuaire de la Severn, région agric. (élev. laitier, céréales) et tourist. (Bath), autour de Bristol, centre régional ; 1 332 km$^2$, 933 000 h.

**AVORIAZ** ~ Station de sports d'hiver (1 800-2 360 m d'alt.) de Haute-Savoie, dans les Préalpes du Nord (Chablais, commune de Morzine). Festival du film français.

**AVRANCHES** ~ V. du Cotentin (Manche), au N.-E. du Mont-Saint-Michel ; 8 638 h. (agglom. 14 575 h.). Les blindés américains y percèrent les défenses allemandes le 31 juill. 1944.

**AVRE** (l'), nom de deux riv. ~ Affl. de l'Eure (r. g.), en Normandie, dont les eaux alimentent Paris (aqueduc) ; 72 km. ~ Affl. de la Somme (r. g., confl. Amiens), en Picardie, qui draine le Santerre ; 59 km.

**AVRILLÉ** ~ V. industrielle de la banlieue N.-O. d'Angers (Maine-et-Loire) ; 12 878 h.

**AVVAKOUM** ~ *v. 1620, Grigorovo - 1682, Poustozersk.* Archiprêtre et écrivain russe. Opposé aux réformes du patriarche Nikon, il fut à l'origine du schisme des vieux-croyants et mourut sur le bûcher.

**Axe** ~ Alliance conclue entre l'Italie de Mussolini et l'Allemagne de Hitler (axe Rome-Berlin, oct. 1936), complétée par le pacte anti-Komintern avec le Japon puis renforcée par le pacte d'Acier (1939). L'expression **pays de l'Axe** fut utilisée par opposition à celle d'« Alliés » durant la Seconde Guerre mondiale.

**AX-LES-THERMES** ~ Station thermale et de sports d'hiver (sur le plateau du Saquet), dans les Pyrénées ariégeoises ; 1 489 h.

**AXOUM** ~ Voir **Aksoum**.

**AY** ~ V. de la Champagne crayeuse (Marne), au N.-E. d'Épernay ; 4 318 h. Vins de Champagne.

**AYACUCHO** ~ V. minière (plomb, argent) et touristique du Pérou, dans les Andes (2 700 m) ; 106 000 h. Université fondée au XVIIe s. Architecture coloniale. En 1824, le général Sucre y vainquit les Espagnols, ouvrant la voie à l'indépendance des colonies d'Amérique du Sud.

**AYDAT (lac d')** ~ Petit lac d'origine volcanique (barrage de laves) des environs de Clermont-Ferrand, lieu de villégiature dans les monts Dôme.

**AYERS ROCK** (l') ~ Rocher gréseux monolithique (haut. 335 m) du désert australien (S. des monts Macdonnell), sacré pour les aborigènes. Tourisme.

**AYLESBURY** ~ V. d'Angleterre, ch.-l. du Buckinghamshire, au N.-O. de Londres ; 146 000 h.

**AYLWIN AZÓCAR** (Patricio) ~ *1918, Viña del Mar.* Homme d'État chilien. Membre du Parti de la démocratie chrétienne, président de la République (1990-1993), il s'est attaché à restaurer le fonctionnement des institutions démocratiques après la dictature militaire.

**Aymaras** (les) ~ Indiens des Andes (Pérou et Bolivie), dont la langue s'est perpétuée jusqu'à nos jours. Ils furent vaincus par les Incas puis par les Espagnols.

**AYMÉ** (Marcel) ~ *1902, Joigny - 1967, Paris.* Écrivain français. D'inspiration réaliste, satirique ou fantastique, son œuvre comporte des romans (*la Vouivre*, 1943), des pièces (*Clérambard*, 1950), des nouvelles et des contes (*le Passe-Muraille*, 1943 ; *les Contes du chat perché*, 1934-1958).

© Bo-Giraudon

*Ayuthya, temples bouddhistes du XVIe s.*

**AYUTHYA** ~ V. de Thaïlande, sur la Chao Phraya, à 80 km au N.-O. de Bangkok ; 57 000 h. Anc. cap. d'un royaume thaï (XIVe-XVIIIe s.). Remparts, temples, stupas ; musée national Chao Phraya.

**Ayyubides** (les) ~ Dynastie musulmane, fondée par Saladin, qui régna en Égypte et en Syrie (XIIe-XIIIe s.).

**AZAÑA Y DÍAZ** (Manuel) ~ *1880, Alcalá de Henares - 1940, Montauban.* Homme d'État espagnol. Il fut président de la République (1936-1939) puis se réfugia en France.

**AZAY-LE-RIDEAU** ~ Localité de l'Indre-et-Loire, au S.-O. de Tours ; 3 053 h. Château Renaissance sur un îlot de l'Indre, édifié de 1518 à 1529 pour le financier Gilles Berthelot.

**AZERBAÏDJAN** (l'), off. **République azerbaïdjanaise** ~ Pays d'Asie occidentale situé en Transcaucasie, au N. de l'Azerbaïdjan iranien, bordé à l'E. par la mer Caspienne. Il inclut les républiques autonomes du Nakhitchevan et du Haut-Karabakh. ***Cap.*** Bakou. ***Superf.*** 86 600 km$^2$. ***Popul.*** 7 500 000 h., dont Azéris (83 %), Russes (6 %), Arméniens (6 %). ***Langue princ.*** Azéri. ***Monn.*** Rouble. ***Relief.*** Les chaînes du Caucase dominent le bassin de la Koura. ***Climat.*** Continental (faible pluviosité). ***Écon.*** Fondée sur les hydrocarbures de la mer Caspienne. L'industrie est peu diversifiée (métall., chim., text.), l'agriculture dépend de l'élevage ovin et de la culture irriguée du coton. **HIST.** - *1828* : occupation de la région par la Russie. *1920* : création de la république socialiste soviétique d'Azerbaïdjan, qui devient en 1936 une république fédérée. *1988* : heurts entre Azéris et Arméniens. *1991* : indépendance et adhésion à la C. E. I. *1993* : Gueïdar Aliev devient président de la République. L'Arménie occupe le S.-O. du territoire pour désenclaver le Haut-Karabakh, à majorité arménienne. *1994* : l'Azerbaïdjan esquisse un rapprochement avec la Turquie et les Occidentaux.

**Azéris** (les) ~ Peuple d'origine turque et musulmane habitant l'Azerbaïdjan, région partagée entre la République azerbaïdjanaise et le N.-O. de l'Iran (région de Tabriz).

**Azhar** (Al-) ~ Mosquée fondée au Caire en 973 par les Fatimides. Elle abrite l'une des plus prestigieuses universités du monde arabo-musulman.

**AZINCOURT** ~ Commune du Pas-de-Calais. Durant la guerre de Cent Ans, Henri V d'Angleterre y vainquit les Français (25 oct. 1415).

**AZNAVOUR** (Varenagh **Aznavourian**, dit Charles) ~ *1924, Paris.* Auteur, compositeur et chanteur français. La qualité de ses mélodies et de ses textes lui a valu un long succès populaire (*J'me voyais déjà* ; *la Mamma*).

**AZORÍN** (José **Martínez Ruiz**, dit) ~ *1873, Monóvar - 1967, Madrid.* Écrivain espagnol. Il interrogea l'âme de son peuple avec profondeur et délicatesse (*Castille*, 1912).

**AZOV (mer d')** ~ Dépendance peu profonde (max. - 14 m) et presque fermée de la mer Noire, peu salée (elle reçoit le Don), gelée en hiver, qui baigne l'Ukraine et la Russie ; 38 000 km$^2$.

**Aztèques** (les) ~ Peuple précolombien du Mexique, installé dans la région de l'actuelle Mexico au cours du XIVe s. Ils imposèrent leur domination aux peuples voisins, jusqu'à la destruction, en 1521, par les Espagnols de H. Cortés, de l'empire de Moctezuma, leur dernier souverain.

**AZUELA** (Mariano) ~ *1873, Lagos de Moreno - 1952, Mexico.* Écrivain mexicain. Il illustra dans *Ceux d'en bas* (1916) les drames et les grandeurs de la révolution mexicaine.

**BÂ** (Amadou Hampaté) ~ *1901, Bandiagara - 1991, Abidjan.* Écrivain malien de culture peule et d'expression française. Il publia des récits, des mémoires et des essais historiques sur les peuples du Mali (*l'Empire peul du Macina*, 1955).

**BAADE** (Walter) ~ *1893, Schröttinghausen - 1960, Göttingen.* Astronome américain d'orig. allemande. Il différencia deux types de populations stellaires (1944), ce qui entraîna une modification de l'échelle de mesure des distances des galaxies.

**BAAL** ~ Nom générique de plusieurs dieux dans les civilisations cananéenne, phénicienne et araméenne. Dans la Bible, il désigne les faux dieux.

**BAALBEK** ou **BALBEK** ~ V. du Liban, dans la plaine agricole de la Bekaa ; 18 000 h. Site archéologique (temples de Jupiter, de Bacchus, de Vénus). C'est l'ancien centre phénicien du culte de Baal et l'Héliopolis des Ptolémées.

© F. Jalain-Explorer

*Baalbek, le temple de Jupiter.*

**BAAS** ou **BAATH** ou **BA'TH** (le) ~ Parti socialiste de la « résurrection » arabe, fondé en 1952 par le Syrien Michel Aflak. Il a pour vocation de créer des partis identiques dans tous les États arabes. Il se développa en Syrie, où il joua un rôle politique essentiel dès 1954 et conquit la totalité du pouvoir en 1963, et en Iraq, où il prit le pouvoir en 1968.

**BAB** (Ali Mohammad, dit **el**) ~ *1819, Chiraz - 1850, Tabriz.* Chef religieux iranien. Il réforma l'islam dans un esprit d'ouverture, de tolérance et d'humanisme (**babisme**). Il fut fusillé.

**BAB AL-MANDAB** ou **BAB EL-MANDEB** ~ Détroit (30 km de large) reliant la mer Rouge et l'océan Indien (golfe d'Aden), important pour le trafic pétrolier.

**BABBAGE** (Charles) ~ *1792, Teignmouth - 1871, Londres.* Mathématicien britannique. Il imagina une machine à calculer à cartes perforées, préfigurant l'ordinateur, mais ne put la réaliser.

**BABEL** (Isaak Emmanouilovitch) ~ *1894, Odessa - 1941, Moscou.* Écrivain soviétique. Ses nouvelles (*Cavalerie rouge*, 1926 ; *Contes d'Odessa*, 1931) et son théâtre évoquent la communauté juive d'Odessa, la révolution et la guerre civile russe.

**Babel (tour de)** ~ Dans la Bible, tour que les hommes voulurent édifier jusqu'au ciel, à Babylone. Pour les punir de leur orgueil, Dieu leur donna des langues différentes, provoquant la division du genre humain.

**BABER** ou **BABUR** (Zaher al-Din Muhammad) ~ *1483, Andijan - 1530, Agra.* Roi de Kaboul, descendant de Tamerlan. Il conquit l'Inde et fonda l'Empire moghol (1526).

**BABEUF** (François Noël, dit Gracchus) ~ *1760, Saint-Quentin, Somme - 1797, Vendôme.* Révolutionnaire français. Dans son journal, *le Tribun du peuple*, il développa des théories égalitaristes et collectivistes qui font de lui un précurseur du communisme agraire (**babouvisme**). Impliqué dans la conjuration des Égaux, il fut exécuté pendant le Directoire.

**BABINGTON** (Anthony) ~ *1561, Dethick, Derbyshire - 1586, Londres.* Conspirateur britannique. Partisan de Marie Stuart, il organisa un complot pour assassiner Élisabeth Ire et fut exécuté.

**BABINSKI** (Joseph) ~ *1857, Paris - 1932, id.* Médecin français d'orig. polonaise. Il a décrit les syndromes de maladies de la moelle épinière, du cerveau et du cervelet (**signe de Babinski**).

**BABYLONE** ~ Anc. cité de basse Mésopotamie, sur l'Euphrate (ruines au S. de Bagdad). Siège d'une brillante civilisation qui étendit son influence sur le Proche-Orient antique, elle fut le centre de plusieurs empires. Le premier, sous la dynastie amorrite (établie vers 1894-1881 av. J.-C.), atteignit son apogée avec Hammourabi. Détruite par les Hittites (1595 av. J.-C.), Babylone tomba au pouvoir des Kassites, puis des rois d'Assyrie (VIIIe-VIIe s. av. J.-C.). Après leur chute (612 av. J.-C.), elle redevint le centre d'un empire qui s'étendait du golfe Persique à la Méditerranée et connut son apogée avec Nabuchodonosor II. Conquise en 539 av. J.-C. par Cyrus II, puis en 331 av. J.-C. par Alexandre le Grand qui la choisit pour capitale, elle déclina dès le IIIe s. av. J.-C.

**BACĂU** ~ V. industrielle de Roumanie, à l'E. des Carpates ; 205 000 h.

**BACCARAT** ~ V. de Lorraine, sur la Meurthe (Meurthe-et-Moselle), au pied des Vosges ; 5 022 h. Cristallerie depuis 1764. Église St-Remy (1957).

**BACCHUS** ~ Dieu du Vin chez les Romains, assimilé au dieu grec Dionysos.

**BACH**, famille de musiciens allemands. ~ **Johann Sebastian**, en fr. Jean-Sébastien (*1685, Eisenach, Thuringe - 1750, Leipzig*), perfectionna les formes que lui léguaient trois siècles de polyphonie profane et religieuse. Il donna à la basse continue une puissance et une prépondérance qui en font l'élément basique de l'architecture musicale et développa avec une maîtrise souveraine l'art de la fugue et la science contrapuntique dans l'optique baroque. Cantor à Leipzig (1723-1750), il évolua vers l'abstraction dans les *Variations Goldberg* (1744) ou *l'Art de la fugue* (1750). Sa ferveur religieuse trouva son expression dans la *Passion selon saint Matthieu* (1729), la *Messe en « si » mineur* (1733-1738) et dans ses quelque deux cents cantates d'église. Ses œuvres instrumentales (*Suites pour violoncelle seul*, 1720 ; *Concertos brandebourgeois*, 1721 ; etc.) témoignent de la richesse inventive de son inspiration. ~ **Wilhelm Friedemann** (*1710, Weimar - 1784, Berlin*), son fils aîné, laissa des pièces instrumentales novatrices qui firent l'admiration de Mozart. ~ **Carl Philipp Emanuel** (*1714, Weimar - 1788, Hambourg*), frère du préc., fut un théoricien important et un compositeur dont la sensibilité harmonique annonce le romantisme. ~ **Johann Christian** (*1735, Leipzig - 1782, Londres*), frère du préc., s'émancipa de l'influence de son père pour mener une carrière internationale et composa de nombreux opéras (*Amadis de Gaule*, 1779).

**BACHELARD** (Gaston) ~ *1884, Bar-sur-Aube - 1962, Paris.* Philosophe français. Il joignit l'épistémologie à la psychanalyse pour élucider le rapport à la fois rationnel, imaginaire et symbolique que l'être humain entretient avec le réel (*la Formation de l'esprit scientifique*, 1938 ; *l'Eau et les Rêves*, 1942).

**BACHKIRIE (république de)** ~ République de la fédération de Russie (1990), ancienne république autonome (1919) ; 143 600 km$^2$ (cap. Oufa), 4 000 000 d'h., dont Russes (39 %), Tatars (28 %), Bachkirs (22 %). Entre l'Oural et la Kama (S.-E. de la Russie d'Europe), à la limite de la forêt mixte et de la steppe (cult. céréalière intensive), la Bachkirie englobe une partie du Second-Bakou. C'est le territoire officiel des **Bachkirs**, musulmans turcophones colonisés au XVIIIe s. par la Russie, dont 40 % vivent hors des limites de la république.

**BACHMANN** (Ingeborg) ~ *1926, Klagenfurt - 1973, Rome.* Femme de lettres autrichienne. Influencée par M. Heidegger, elle est l'auteur de pièces radiophoniques, de romans (*Malina*, 1971) et de poèmes d'un lyrisme désespéré.

**BACK** (sir George) ~ *1796, Stockport, Greater Manchester - 1878, Londres.* Amiral britannique. Il explora l'Arctique, le Spitzberg et le N.-O. du Canada.

**BACOLOD** ~ V. des Philippines, dans le N.-O. de l'île de Negros, centre sucrier ; 364 000 h.

**BACON** (Francis), baron **Verulam** ~ *1561, Londres - 1626, id.* Philosophe et homme politique anglais. Prônant la méthode inductive et les sciences expérimentales, il réorganisa le savoir dans le dessein d'assurer à l'homme la maîtrise de la nature (*Novum Organum*, 1620 ; *la Nouvelle Atlantide*, 1627).

**BACON** (Francis) ~ *1909, Dublin - 1992, Madrid.* Peintre britannique. Il exprima, par des couleurs violentes et les déformations angoissantes des êtres, la férocité d'un monde hallucinatoire (série de portraits de George Dyer ; triptyques).

**BACON** (Roger) ~ *v. 1214, Ilchester, Somerset - 1294, Oxford.* Philosophe anglais, surnommé le Docteur admirable. L'un des premiers à s'affranchir de la scolastique, il appliqua la démarche expérimentale aux sciences de la nature. Il rectifia les erreurs du calendrier julien.

**BACTRIANE** (la) ~ Anc. contrée d'Asie centrale, dans l'actuel Turkestan (cap. Bactres, auj. Balkh). Satrapie de l'Empire perse, conquise par Alexandre le Grand en 329 av. J.-C., elle forma un royaume grec indépendant aux IIIe et IIe s. av. J.-C.

**BADAJOZ** ~ V. et centre admin. d'Estrémadure, en Espagne ; 122 000 h. Capitale d'un royaume maure au XIe s., place stratégique durant les guerres napoléoniennes (1808-1814) et la guerre civile (1936).

**Badami** ~ Site archéologique du S.-O. de l'Inde. Temples rupestres brahmaniques des VIe-VIIe s.

**BADE** (le), en all. ***Baden*** ~ Anc. État du S.-O. de l'Allemagne, sur le Rhin (cap. Karlsruhe). Érigé en margraviat au Xe s., le pays de Bade s'émancipa de la tutelle souabe avec la famille des Zähringen (XIIe s.), fut divisé, puis forma le noyau du grand-duché de Bade (1806-1918). En 1951, le pays de Bade a été réuni au Wurtemberg pour former le land de Bade-Wurtemberg.

**BADE** (Maximilien DE) ~ Voir **Maximilien de Bade**.

**BAD EMS** ~ Voir **Ems**.

**BADEN** ~ Station thermale d'Autriche, au S. de Vienne ; env. 25 000 h. Ancienne résidence d'été de la cour impériale.

**BADEN** ~ Station thermale de Suisse (Argovie), connue depuis l'époque romaine ; env. 16 000 h.

**BADEN-BADEN** ~ Station thermale d'Allemagne (Bade-Wurtemberg), au pied de la Forêt-Noire ; env. 50 000 h. Casino du XIXe s.

**BADEN-POWELL** (Robert, baron) ~ *1857, Londres - 1941, Nyeri, Kenya.* Général britannique. Il est le fondateur du scoutisme (1908).

**BADE-WURTEMBERG** (le) ~ Land du S.-O. de l'Allemagne (depuis 1951), entre le Rhin et la Bavière, comprenant not. l'O. de la Souabe, la Forêt-Noire et la vallée du Neckar ; 35 751 km$^2$, 10 234 000 h., cap. Stuttgart. Croissance économique supérieure à la moyenne nationale.

**BADINGUET** ~ Surnom de Louis Napoléon Bonaparte (du nom du maçon qui lui avait prêté des vêtements lors de son évasion du fort de Ham, en 1846).

**BADINTER** (Robert) ~ *1928, Paris.* Avocat et homme politique français. Ministre de la Justice (1981-1986), il a fait voter l'abolition de la peine de mort (9 oct. 1981). Il a été président du Conseil constitutionnel (1986-1995).

**BADOGLIO** (Pietro) ~ *1871, Grazzano Monferrato, Italie - 1956, id.* Maréchal italien. Nommé chef du gouvernement par le roi, après l'arrestation de Mussolini, il négocia l'armistice avec les Alliés (1943) et déclara la guerre à l'Allemagne.

**BAEDEKER** (Karl) ~ *1801, Essen - 1859, Coblence.* Libraire et éditeur allemand. Il créa une célèbre collection de guides touristiques.

**BAEKELAND** (Leo Hendrik) ~ *1863, Gand - 1944, Beacon, État de New York.* Chimiste américain d'orig. belge. Inventeur du papier photographique et découvreur de la **Bakélite** (1906).

**BAEZ** (Joan) ~ *1941, New York.* Chanteuse américaine. Auteur de ballades inspirées du folklore et de chansons engagées, elle milita contre la guerre du Viêt Nam (*We Shall Overcome* ; *If I Knew*).

**BAFFIN** (William) ~ *v. 1584, Londres - 1622, au large de l'île d'Ormuz.* Navigateur anglais. En 1616, il explora l'Arctique et découvrit la terre qui porte aujourd'hui son nom.

**BAFFIN (terre de)** ~ Île princ. de l'archipel Arctique canadien, séparée du Groenland par la **mer de Baffin** ; env. 500 000 km², env. 4 000 h.

**Bagandas** (les) ~ Voir **Gandas.**

**Bagaudes** (les) ~ Paysans gaulois qui se soulevèrent contre la domination romaine au IIIe s., et dont le mouvement connut une seconde vague au Ve s., not. en Espagne et en Armorique.

**BAGDAD** ou **BAGHDAD** ~ Cap. de l'Iraq, sur le Tigre, en Mésopotamie, princ. centre écon. et univ. du pays ; 3 840 000 h. Madrasa (XIIIe s.), palais des Abbassides, musées archéologiques. Fondée par le calife al-Mansur (v. 762), elle devint la capitale des Abbassides et le centre d'une brillante civilisation, not. sous Haroun al-Rachid. Prise par les Mongols (1258), détruite par Tamerlan (1401), elle fut placée sous domination ottomane (1534-1917).

*Bagdad.*

**BAGNÈRES-DE-BIGORRE** ~ Station therm. des Hautes-Pyrénées (Bigorre), sur l'Adour ; 8 424 h.

**BAGNÈRES-DE-LUCHON** ou **LUCHON** ~ Station therm. des Pyrénées centrales (Haute-Garonne), à 630 m d'alt. ; 3 094 h. Sports d'hiver.

**BAGNEUX** ~ V. de la banlieue S. de Paris (Hauts-de-Seine) ; 36 364 h. Cimetière parisien.

**BAGNOLES-DE-L'ORNE** ~ Station thermale de l'Orne, dans le Bocage normand ; 875 h.

**BAGNOLET** ~ V. de la banlieue E. (limitrophe) de Paris (Seine-Saint-Denis) ; 32 600 h.

**BAGNOLS-SUR-CÈZE** ~ V. du Languedoc (Gard), proche du Rhône ; 17 872 h. Métall., confection. Musée (impressionnistes, nabis, etc.).

**BAGOUET** (Dominique) ~ *1951, Angoulême - 1992, Montpellier.* Danseur et chorégraphe français. Ses ballets expérimentaux singuliers et raffinés firent de lui le chef de file de sa génération (*Saut de l'ange*, 1987 ; *So schnell*, 1991).

**BAGRATION** (Piotr Ivanovitch, prince) ~ *1765, Kizliar, Daguestan - 1812, Sima.* Général russe. Il participa aux campagnes contre Napoléon et fut tué à la bataille de la Moskova.

**BAHAMAS (Commonwealth des)**, anc. **îles Lucayes** ~ Pays et archipel (env. 300 îles basses et calcaires) de l'Atlantique Nord, au N. des Grandes Antilles. ***Cap.*** Nassau. ***Superf.*** 13 864 km². ***Popul.*** 264 000 h., dont Noirs (80 %), métis (10 %), Blancs (10 %). ***Langues princ.*** Anglais, créole. ***Monn.*** Dollar des Bahamas. ***Climat.*** Tropical modéré. ***Écon.*** Tourisme et activités financières. **HIST.** - Découvert par Christophe Colomb en 1492, l'archipel devint une colonie britannique en 1783. L'indépendance fut proclamée en 1973.

**BAHIA** ~ État du Brésil, le plus méridional, le plus vaste et le plus peuplé du Nordeste ; 566 979 km², 11 800 000 h., cap. Salvador. Cacao, canne à sucre, tabac (côte), élev. (intérieur), cult. irriguées. Pétrole (pétrochimie), cuivre. Importante communauté noire. La plus ancienne colonie portugaise.

**BAHIA** ~ Voir **Salvador.**

**BAHÍA BLANCA** ~ Port céréalier et pétrolier d'Argentine, au S. de la Pampa ; agglom. 255 000 h.

**BAHREÏN (État du)**, en ar. *al-Bahrayn* ~ Monarchie du golfe Persique (archipel composé de 33 îles). ***Cap.*** Manama. ***Superf.*** 688 km². ***Popul.*** 538 000 h. à majorité arabe. ***Langue princ.*** Arabe. ***Monn.*** Dinar. ***Climat.*** Chaud et aride. ***Écon.*** Services financiers, pétrole, commerce, pêche et tourisme. Développement récent de l'industr. (pétrochimie, aluminium, constr. navales, électron.). **HIST.** - *XVIIe s.* : place stratégique occupée par les Perses. *1782* : la famille Al-Khalifa s'empare du pouvoir. *1914* : protectorat britannique. *1971* : indépendance.

**BAHR EL-ABIAD** ou **NIL BLANC** (le) ~ Voir **Nil.**

**BAHR EL-ARAB** (le) ~ Voir **Bahr el-Ghazal.**

**BAHR EL-AZRAK** ou **NIL BLEU** (le) ~ Affl. majeur du Nil Blanc, né en Éthiopie (lac Tana, 1 830 m), qui conflue à Khartoum (Soudan) ; 1 600 km. Il modifie totalement le régime du Nil (crues d'été) par son apport.

**BAHR EL-DJEBEL** (le) ~ Voir **Nil.**

**BAHR EL-GHAZAL** (le) ~ Affl. du Nil (r. g.), dans le Soudan central (env. 240 km), cours inf. du Bahr el-Arab (800 km). Vaste cuvette marécageuse.

**BAIE-COMEAU** ~ Port céréalier et industr. du Québec (Canada) fondé en 1937 sur l'estuaire du Saint-Laurent ; env. 26 000 h. Aluminium, bois.

**BAIE-MAHAULT** ~ V. de la Guadeloupe (N.-E. de Basse-Terre) ; env. 16 000 h. Sucrerie, nautisme.

**BAÏF** ~ **Lazare** DE (*1496, Les Pins, près de La Flèche - 1547, Paris*). Diplomate et humaniste français. Il fut conseiller de François Ier, puis ambassadeur à Venise et en Allemagne. Son fils ~ **Jean Antoine** DE (*1532, Venise - 1589, Paris*) fut membre de la Pléiade. Auteur de poèmes aux thèmes pétrarquistes (*les Amours de Francine*, 1555), il tenta d'adapter au français le vers antique et proposa une réforme de l'orthographe.

**BAÏKAL (lac)** ~ Le plus vaste lac d'Eurasie, dans le S. de la Sibérie centrale (Russie) ; 31 500 km², long. 640 km, larg. max. 74 km, alt. 455 m. Pris par les glaces de janvier à mai, il constitue la plus profonde dépression lacustre (1 620 m) et l'un des plus grands réservoirs d'eau douce du globe.

**Baïkonour** ~ Base de lancement d'engins spatiaux et de missiles intercontinentaux de l'U. R. S. S. puis de la C. E. I., au Kazakhstan.

**BAILLY** (Jean Sylvain) ~ *1736, Paris - 1793, id.* Astronome et homme politique français. Il fut président de l'Assemblée nationale (1789) et le premier à prêter le serment du Jeu de paume. Maire de Paris, il ordonna la fusillade du Champ-de-Mars contre les manifestants venus exiger la déchéance de Louis XVI (1791). Il fut guillotiné.

**BAINVILLE** (Jacques) ~ *1879, Vincennes - 1936, Paris.* Historien français. Spécialiste des rapports franco-allemands, disciple de M. Barrès et de Ch. Maurras, il fut membre de l'Action française.

**BAIRD** (John Logie) ~ *1888, Helensburgh, Écosse - 1946, Bexhill, Sussex.* Physicien britannique. Pionnier de la télévision, il réussit la première transmission d'images (1926). [☞ **télévision.**]

**BAIRE** (René) ~ *1874, Paris - 1932, Chambéry.* Mathématicien français. Il étudia la théorie des fonctions en relation avec la théorie des ensembles.

**BAÏSE** (la) ~ Affl. de la Garonne (r. g.), issu du plateau de Lannemezan. Elle arrose l'Armagnac et passe à Condom et à Nérac ; 190 km.

**BAJAZET** ~ Voir **Bayezid Ier.**

**BA Jin** ou **PA Kin** (**Li** Feigan ou **Li** Fei-Kan, dit) ~ *1904, Chengdu, Sichuan.* Écrivain chinois. Il a écrit des romans critiquant la morale traditionnelle chinoise (*Famille*, 1933).

**BAKER** (Chesney H., dit Chet) ~ *1929, Yale, Oklahoma - 1988, Amsterdam.* Trompettiste et chanteur de jazz américain. Il accompagna les plus grands musiciens de jazz noirs.

**BAKER** (James Addison) ~ *1930, Houston.* Homme politique américain, secrétaire d'État au Trésor de R. Reagan (1985-1988), puis secrétaire d'État de G. Bush (1989-1993).

**BAKER** (Joséphine) ~ *1906, Saint Louis, Missouri - 1975, Paris.* Artiste de music-hall française d'orig. américaine. Vedette de la Revue nègre en 1925, à Paris, elle connut un succès mondial.

**BAKHTARAN** ~ Voir **Kermanchah.**

**BAKI** (Mahmud **Abdülbaki**, dit) ~ *1526, Istanbul - 1600, id.* Poète ottoman, auteur d'odes et d'oraisons funèbres, dont celle de Soliman le Magnifique.

**Bakongos** (les) ~ Voir **Kongos.**

**BAKONY (monts)** ~ Hautes collines boisées de Hongrie (700 m), entre le lac Balaton et le Danube.

**BAKOU** ~ Cap. de l'Azerbaïdjan et centre pétr., sur la Caspienne, au pied du Caucase ; 1 100 000 h. Palais persans, mosquées, forteresse (XIVe-XVe s.). Ancien khanat, longtemps sous influence turque, la ville fut annexée par la Russie en 1806.

**BAKOU (Second-)** ~ Région de Russie riche en pétrole et en gaz naturel, entre la Volga, la Kama et l'Oural, exploitée depuis 1930, auj. en déclin.

**BAKOUNINE** (Mikhail Aleksandrovitch) ~ *1814, Priamoukhino, Russie - 1876, Berne.* Anarchiste russe. Au cours d'une vie faite d'exils, d'emprisonnements, de déportations et d'évasions, il participa à la plupart des mouvements révolutionnaires européens. Membre de la Ire Internationale (1868-1872), il se heurta à K. Marx. Prônant l'athéisme, l'abolition des classes, l'égalité des sexes, la disparition de l'État, sa critique radicale du pouvoir fait de lui un théoricien de l'anarchisme (*l'État et l'Anarchie*, 1873).

**BAKR** (Ahmad Hasan **al-**) ~ *1912, Takrit - 1982, Bagdad.* Homme d'État irakien. Membre du Baas, Premier ministre en 1963, chef de l'État de 1968 à 1979. Sa politique se caractérisa par le durcissement du régime et le développement économique.

**BALAGNE** (la) ~ Région côtière de Corse, entre Calvi et L'Île-Rousse. Cult. fruitières.

**BALAGUER** (Joaquín) ~ *1907, Navarrete, prov. de Santiago.* Homme d'État dominicain. Président de la République de 1961 à 1962, de 1966 à 1978, et depuis 1986, il mène une politique conservatrice.

**BALAKIREV** (Mily Alekseïevitch) ~ *1837, Nijni-Novgorod - 1910, Saint-Pétersbourg.* Compositeur russe. Disciple de M. Glinka, il fonda le groupe des Cinq, favorisant la naissance d'un art musical national (œuvres pour piano, dont *Islamey*, 1860).

**BALANCHINE** (Gueorgui Melitonovitch **Balanchivadze**, dit George) ~ *1904, Saint-Pétersbourg - 1983, New York.* Danseur et chorégraphe américain d'orig. russe. Héritier des Ballets russes et suédois, chef de file de l'école néoclassique, il travailla, avec Serge Lifar, à élargir la codification académique (*l'Oiseau de feu*, 1949 ; *Agon*, 1957). [☞ **danse.**]

**BALANDIER** (Georges) ~ *1920, Aillevillers, Haute-Saône.* Ethnologue et sociologue français, spécialiste de l'Afrique noire (*Afrique ambiguë*, 1957).

**BALARD** (Antoine Jérôme) ~ *1802, Montpellier - 1876, Paris.* Chimiste français. Il découvrit le brome en 1826.

**BALASSI** ou **BALASSA** (Bálint) ~ *1554, Zólyom, Hongrie - 1594, Esztergom.* Poète hongrois. Il maria pétrarquisme et poésie traditionnelle.

**BALATON (lac)** ~ Lac de Hongrie, le plus étendu d'Europe centrale (596 km²), dominé au N. par les monts Bakony. Viticulture et tourisme.

**BALBEK** ~ Voir **Baalbek.**

**BALBO** (Cesare), comte **de Vinadio** ~ *1789, Turin - 1853, id.* Homme politique italien. Il servit la monarchie piémontaise et fut l'un des principaux théoriciens du Risorgimento.

**BALBOA** (Vasco Núñez DE) ~ *1475, Jerez, Estrémadure - 1517, Acla, Panamá.* Navigateur espagnol. Avec Fr. Pizarro, il découvrit en 1513 l'océan Pacifique par le détroit de Darién.

**BALDUNG** (Hans), dit **Baldung Grien** ~ *v. 1485, Gmünd, Souabe - 1545, Strasbourg.* Peintre et graveur allemand. Élève de Dürer, il a laissé un œuvre dominé par le fantastique (*la Beauté et la Mort*, 1509-1511).

**BALDWIN** (James) ~ *1924, New York - 1987, Saint-Paul-de-Vence.* Écrivain américain. Romancier, essayiste, dramaturge, il préconisa une révolution morale comme solution aux antagonismes raciaux (*les Élus du Seigneur*, 1953).

**BALDWIN** (Stanley) ~ *1867, Bewdley, Worcestershire - 1947, Stourport.* Homme politique britannique. Premier ministre conservateur (1923, 1924-1929, 1935-1937), il contribua au règlement de la crise qui précéda l'abdication d'Édouard VIII.

**BÂLE** ~ 2e v. et port fluvial de Suisse, aux frontières de la France et de l'Allemagne, centre industr. (pharmacie) et financier ; 176 000 h. Ch.-l. du **demi-canton de Bâle-Ville** (37 km², 197 000 h.), distinct (depuis 1831) du **demi-canton de Bâle-Campagne** (428 km², 234 000 h., ch.-l. Liestal). Université (XVe s.). Cathédrale romane et gothique.

Musée des Beaux-Arts. **HIST.** - Ville romaine au IVe s., intégrée au royaume de Bourgogne au Xe, puis au Saint Empire (1032), Bâle fut l'un des sièges du 17e concile (1431) qui, rompant avec Rome, tenta de s'unir à l'Église d'Orient. Haut lieu de l'humanisme, adhérente de la Confédération suisse (1501), elle s'enthousiasma pour la Réforme, accueillit Érasme et se débarrassa de la tutelle des évêques (1528).

**Bâle (traités de)** ~ Traités conclus en 1795 entre la France et la Prusse (4 avr.), et entre la France et l'Espagne (22 juill.). La Prusse entérinait à son détriment l'occupation par la France de la rive gauche du Rhin et reconnaissait la République française. L'Espagne cédait la partie orientale de Saint-Domingue contre la restitution des régions conquises par les armées révolutionnaires.

**BALÉARES** (les) ~ Archipel de la Méditerranée (îles princ. Majorque, Minorque, Ibiza, Formentera), communauté autonome d'Espagne ; 5 014 km², 710 000 h., cap. Palma de Majorque. Agrumes, céréales. Tourisme. **HIST.** - Passées de la domination arabe à la couronne d'Aragon au XIIIe s., les Baléares firent partie du royaume de Majorque, puis furent réintégrées à l'Aragon (1343). Minorque fut occupée par les Britanniques au XVIIIe s.

**BALENCIAGA** (Cristóbal) ~ *1895, Guetaria - 1972, Valence, Espagne.* Couturier espagnol. Ses créations marquèrent la mode des années 1950.

**BALFOUR** (Arthur James, 1er comte DE) ~ *1848, Whittingham, Écosse - 1930, Woking, Surrey.* Homme politique britannique. Secrétaire d'État aux Affaires étrangères (1916-1922), il est l'auteur de la **déclaration Balfour** (1917), qui envisageait la création d'un foyer national juif en Palestine.

**BALI** ~ L'une des îles de la Sonde (Indonésie), à l'E. de Java, montagneuse (3 140 m) mais fertile (rizières en terrasses, café, élev. bovin) ; 5 561 km², 2 780 000 h. Refuge, aux XVe et XVIe s., de Javanais hindouistes fuyant l'islamisation, c'est auj. un conservatoire des arts traditionnels (architecture, musique, danse). Tourisme.

**BALINT** (Michael) ~ *1896, Budapest - 1970, Londres.* Psychiatre et psychanalyste britannique d'orig. hongroise. Il fut l'initiateur des **groupes Balint**, qui réunissent des praticiens de la santé afin de permettre à ceux-ci d'élucider les relations psychologiques qu'ils établissent avec leurs patients.

**BALKAN (mont)**, en bulg. ***Stara Planina*** ~ Chaîne montagneuse de la Bulgarie centrale (2 376 m au pic Botev), au N.-E. de la péninsule des Balkans.

**BALKANS (péninsule des)** ou **BALKANIQUE (péninsule)** ~ Ensemble géogr. et hist., entre la Méditerranée au S. et la mer Noire à l'E., les vallées de la Save et du Danube au N.-O., la chaîne du Balkan au N.-E. ; 550 000 km², 58 000 000 d'h. Elle englobe les États de l'ex-Yougoslavie, l'Albanie, la Grèce, la Bulgarie et la Turquie d'Europe. Les Alpes dinariques, le Rhodope, les chaînes du Pinde et du Balkan forment un système montagneux dominant d'étroites plaines littorales (Albanie, Thessalie, Thrace) et des bassins périphériques (Danube) ou intérieurs (vallées de la Marica, de la Morava, du Vardar). Le climat, méditerranéen au S., devient continental à l'intérieur. **HIST.** - Vers 2000 av. J.-C., les Achéens et les Doriens s'y établirent, refoulant les Thraces et les Illyriens. Les vagues d'invasion, interrompues durant la colonisation romaine, reprirent avec le déclin de l'empire : Germains, Huns, Avars puis, surtout, Slaves à l'O. (Slovènes au VIe s., Serbes et Croates au VIIe s.), Bulgares à l'E. dès le VIe s., Hongrois au N. (IXe-Xe s.). Les Ottomans conquirent la région à la fin du XIVe s. et au XVe s. Au XIXe s., à la faveur du déclin ottoman et grâce au soutien des grandes puissances européennes, les nations des Balkans recouvrèrent l'indépendance (Grèce en 1830, Serbie en 1878, Bulgarie en 1908, Albanie en 1912), puis étendirent leur territoire aux dépens des Turcs ou de leurs voisins (guerres balkaniques, 1912-1913). Théâtre d'opérations pendant la Première Guerre mondiale, les Balkans virent le triomphe du panslavisme (création de la Yougoslavie) avec le démembrement de l'Autriche-Hongrie. L'éclatement de la Yougoslavie, sur fond d'effondrement du système soviétique (1989-1990), a entraîné le retour aux nationalismes ultras, ne proposant comme solution à l'ancestrale « question des Balkans » que la « purification ethnique » : l'expulsion du territoire des peuples minoritaires, leur massacre au besoin.

**BALKHACH (lac)** ~ Grande dépression lacustre, en partie saumâtre, de l'E. du Kazakhstan ; env. 18 000 km².

**BALLA** (Giacomo) ~ *1871, Turin - 1958, Rome.* Peintre futuriste italien. Il mena des recherches sur la décomposition de la lumière et du mouvement (*Ligne-Vitesse* ; *Tourbillon*, 1914). [☞ **futurisme.**]

**BALLADUR** (Édouard) ~ *1929, Smyrne, auj. Izmir.* Homme politique français. Membre du R. P. R., il a été ministre de l'Économie, des Finances et de la Privatisation de 1986 à 1988, et Premier ministre de 1993 à 1995.

**Ballets russes** ~ Voir **Diaghilev** (Serge de).

**BALMAT** (Jacques) ~ *1762, Chamonix - 1834, vallée de Sixt.* Guide français. Il réalisa la première ascension du mont Blanc, avec Michel Gabriel Paccard (1786).

**BALMER** (Johann Jakob) ~ *1825, Lausen - 1898, Bâle.* Physicien suisse. Ses travaux sont à l'origine de la spectroscopie atomique moderne.

**BALOUTCHISTAN** ou **BÉLOUTCHISTAN** (le) ~ Région aride, partagée entre l'Iran et le Pakistan, dans la partie S. du plateau iranien, baignée au S. par l'océan Indien ; env. 500 000 km², env. 5 500 000 h., v. princ. Quetta (Pakistan), Zahedan (Iran). Agrumes, céréales, coton, tabac dans les oasis. L'élevage est l'activité traditionnelle des **Baloutches**, majoritaires, également présents en Afghanistan, qui se réclament du sunnisme.

**BALTARD** (Victor) ~ *1805, Paris - 1874, id.* Architecte français. Il ouvrit la voie au fonctionnalisme architectural par l'emploi du fer (Halles centrales de Paris, 1851).

**BALTES (pays)** ~ Ensemble géogr. et hist. formé par la Lituanie, la Lettonie et l'Estonie, pays riverains de la Baltique, incluant les anciennes entités politiques de Prusse-Orientale, de Courlande, de Livonie et d'Ingrie. Climat humide, sols pauvres (podzols), côtes basses. Économie tradit. liée à l'activité portuaire. Deux groupes de langues, l'un finno-ougrien (live, ingrien et surtout estonien), l'autre indo-européen, apparenté à la famille slave (lituanien, letton et vieux prussien).

**BALTHAZAR** ~ L'un des trois Rois mages, selon la tradition chrétienne, qui le représente sous les traits d'un homme noir.

**BALTHUS** (Balthasar **Klossowski de Rola**, dit) ~ *1908, Paris.* Peintre français d'orig. polonaise. La construction de ses tableaux et son traitement des couleurs donnent à ses œuvres une dimension fantastique et savante. Les sujets intimistes mettent en scène des adolescentes à l'érotisme trouble (*le Peintre et son modèle*, 1980-1981).

**BALTIMORE** ~ Port des États-Unis (Maryland), fondé en 1729, centre industriel et universitaire du S. de la Megalopolis, sur la baie de Chesapeake ; 736 000 h. (agglom. 2 400 000 h.).

**BALTIQUE (mer)** ~ Dépendance presque fermée de l'Atlantique (mer du Nord), peu profonde et peu salée, parsemée d'îles basses, incluant les golfes de Botnie et de Finlande et baignant une grande partie de l'Europe du Nord ; 385 000 km². Le commerce maritime, ancien (Hanse), y a donné naissance à de grands ports (Copenhague, Lübeck, Gdansk, Riga, Helsinki, Stockholm, etc.).

**BALTRUSAÏTIS** (Jurgis) ~ *1903, près de Kaunas - 1988, Paris.* Historien d'art français d'orig. lituanienne. Médiéviste (*le Moyen Âge fantastique*, 1955-1981), il étudia la permanence des formes fantasmagoriques (*Aberrations*, 1957).

**BALUE** (Jean) ~ *v. 1421, Angles-sur-l'Anglin - 1491, près d'Ancône.* Cardinal français. Aumônier de Louis XI, qu'il trahit au profit de Charles le Téméraire, il fut emprisonné de 1469 à 1480.

**BALZAC** (Honoré DE) ~ *1799, Tours - 1850, Paris.* Écrivain français. Clerc de notaire puis imprimeur acculé à la faillite, il fait ses débuts littéraires en s'inspirant not. de Walter Scott. À partir de 1831 (publication de *la Peau de chagrin*), il mène une vie mondaine, littéraire et amoureuse très animée. En 1842, il lance le projet de *la Comédie humaine*, qui constitue l'essentiel de son œuvre et rassemble 91 romans. Pour décrire la société française, il s'appuie sur l'observation (rigueur du détail), l'imagination (goût du fantastique) et la construction (retour des personnages). Il peint la passion sous toutes ses formes (amour, argent, art, pouvoir, etc.). Les *Études de mœurs* se divisent en scènes de la vie privée (*le Père Goriot*), de campagne (*le Lys dans la vallée*), de province (*Eugénie Grandet*), parisienne (*la Cousine Bette*), politique (*Une ténébreuse affaire*), militaire (*les Chouans*). Les *Études philosophiques* lui donnent l'occasion de récits plus proches du fantastique (*le Chef-d'œuvre inconnu*).

**BALZAC** (Jean-Louis **Guez**, seigneur DE) ~ *1595, Angoulême - 1654, id.* Écrivain français. Par ses *Lettres* (1624-1654), il exerça une grande influence sur la formation de la prose classique. Acad.

**BAMAKO** ~ Cap. et foyer économique du Mali (S.-O.), sur le fl. Niger (r. g.) ; 646 000 h.

**Bambaras** (les) ~ Peuple de langue mandingue, vivant au Mali, entre les fleuves Niger et Sénégal. Agriculteurs, ils ont constitué, aux XVIIe et XVIIIe s., deux royaumes (Kaarta et Ségou).

**BAMBERG** ~ Port fluvial d'Allemagne (Bavière), sur le canal Rhin-Main-Danube ; env. 70 000 h. Cathédrale du XIIIe s., palais baroques.

**BAMBOCCIO (il)** ~ Voir **Van Laer** (Pieter).

**Bamilékés** (les) ~ Peuple de langue bantoue vivant dans le S.-O. du Cameroun.

**BAMIYAN** ~ V. d'Afghanistan, au pied de l'Hindou Kouch ; 8 000 h. Centre bouddhiste (IIe-VIIe s.), aux cellules monastiques rupestres accolées à deux colossales statues de Bouddha.

**BANCROFT** (George) ~ *1800, Worcester, Massachusetts - 1891, Washington.* Historien et diplomate américain. Antiesclavagiste pendant la guerre de Sécession, il est l'auteur d'une *Histoire des États-Unis* (1834-1874) en 12 volumes.

**BANDAR ABBAS** ~ Port pétrolier d'Iran qui commande l'entrée du golfe Persique ; 202 000 h.

**BANDAR SERI BEGAWAN**, anc. **Brunei** ~ Cap. du sultanat de Brunei ; 46 000 h.

**Bande des Quatre** ~ Nom donné au groupe qui chercha à prendre le pouvoir en Chine après la mort de Mao Zedong (1976), composé de Jiang Qing (la veuve de Mao), Wang Hongwen, Zhang Chunqiao et Yao Wenyuan. Accusés de complot, ils furent arrêtés en 1976.

**BANDELLO** (Matteo) ~ *1485, Castelnuovo Scrivia - 1561, Agen.* Écrivain italien. Il est l'auteur d'un *Chansonnier* et de *Nouvelles*, qui inspirèrent à Shakespeare le sujet de *Roméo et Juliette*.

**BANDIAGARA** ~ Localité du Mali, sur le **plateau de Bandiagara**, renommé pour les villages des Dogons situés au pied de la falaise qui le borde.

**BANDINELLI** (Baccio) ~ *1488, Florence - 1560, id.* Sculpteur italien. Il travailla not. pour les Médicis (*Hercule et Cacus*, 1534).

**BANDOL** ~ Station baln. de la Côte d'Azur (Var), à l'E. de Toulon ; 7 431 h. Vin.

**BANDUNG** ou **BANDOENG** ~ V. d'Indonésie (Java), centre admin. et univ. ; 2 027 000 h. En avril 1955, elle fut le siège d'une conférence réunissant 29 pays d'Asie et d'Afrique qui marqua l'émergence politique d'un tiers-monde anticolonialiste et neutraliste (mouvement des non-alignés).

**BANFF** ~ V. tourist. du Canada (Alberta), au cœur du **parc national de Banff** (créé en 1885), dans les montagnes Rocheuses ; env. 5 000 h.

**BANGALORE** ~ Grand pôle industr. et univ. du S. de l'Inde, cap. du Karnataka ; 3 302 000 h.

**BANGKA** ~ Île indonésienne de la mer de Java (env. 11 000 km², 400 000 h.), au S.-E. de Sumatra, centre d'extraction de l'étain avec l'île voisine de Belitung (env. 4 800 km², 160 000 h.).

**BANGKOK**, en thaï ***Krung Thep*** ~ Cap. de la Thaïlande, princ. port du pays, sillonné de canaux, sur la Chao Phraya, métropole industr. et culturelle ; 5 573 000 h. Siège d'organismes internationaux. Tourisme. Temples et statues bouddhiques.

**BANGLADESH (république populaire du)** ~ Pays d'Asie méridionale ouvert au S. sur le golfe du Bengale. ***Cap.*** Dacca. ***Superf.*** 148 393 km². ***Popul.*** 119 000 000 d'h., dont 98 % de Bengalis. ***Langues princ.*** Bengali, anglais. ***Monn.*** Taka. ***Relief.*** Plaine alluviale formée par le Gange et le Brahmapoutre. ***Climat.*** Tropical de mousson (cyclones fréquents). *Écon.* Essentiellement fondée sur l'agriculture (riz, fruits, thé, jute), l'élevage bovin et la pêche. Réserves de gaz naturel peu exploitées, industrie peu développée (textile, cuir). La survie du pays, l'un des plus pauvres du monde, est assurée par l'aide internationale et les salaires des travailleurs émigrés. *V. princ.* Dacca, Chittagong. **HIST.** - *III^e s. av. J.-C.-XIII^e s. apr. J.-C.* : la région est le plus souvent dans la mouvance des grands empires du N. de l'Inde (Ashoka, Gupta, sultanat de Delhi). *XVI^e s.* : le Bengale indépendant est annexé à l'Empire moghol par Akbar. *XVII^e s.* : établissement de comptoirs européens. *1757* : après la victoire du général Clive de Plassey, le Bengale passe sous autorité britannique. *1947* : la Ligue musulmane obtient la partition de l'Inde et la création du Pakistan, formé de deux provinces, dont le Bengale, qui constitue alors le Pakistan oriental. *1971* : avec l'aide de l'Inde, le Pakistan oriental fait sécession et devient l'État indépendant de la république du Bangladesh, sous la direction de Cheikh Mujibur Rahman. *1975* : coup d'État militaire dirigé par le général Zia ur-Rahman, qui sera président de la République de 1978 à 1981. *1982* : le général Husain Ershad est porté au pouvoir par l'armée. *1991* : la bégum Khaleda Zia devient Premier ministre et Abdul Rahman Biswas, président, dans un contexte marqué par la montée en puissance des islamistes. *1996* : Hasina Wajed, fille de Mujibur Rahman et proche des islamistes, est nommée Premier ministre après les élections de juin ; Shahabuddin Ahmed est élu président en octobre.

**BANGUI** ~ Cap. de la République centrafricaine, sur l'Oubangui ; 452 000 h.

**BANISADR** (Abol Hassan) ~ *1933, Hamadan.* Homme d'État iranien. Il a été le premier président de la république islamique d'Iran (1980-1981).

**BANJERMASSIN** ~ Port et princ. v. de Bornéo (Indonésie), sur la mer de Java ; 444 000 h.

**BANJUL**, anc. **Bathurst** ~ Cap. et port de la Gambie, à l'entrée de l'estuaire du fleuve Gambie ; env. 146 000 h. Ancien centre de la traite des esclaves.

**BANNOCKBURN** ~ V. d'Écosse. Victoire de Robert I^er Bruce sur Édouard II (24 juin 1314).

**Banque de France** ~ Organisme bancaire créé en 1800 par Bonaparte. La Banque de France obtint l'émission exclusive des billets pour Paris en 1803 et pour la France en 1848. Nationalisée en 1945, elle était la banque des banques jusqu'à ce que son nouveau statut (1994) lui confère plus d'indépendance en prévision de l'Union économique et monétaire européenne. Seule à décider des taux d'intérêt et de la politique monétaire du pays, elle s'assigne pour but la stabilité des prix.

**Banque européenne pour la reconstruction et le développement de l'Europe de l'Est (Berd)** ~ Organisme financier créé en 1990 pour faciliter la transition vers l'économie de marché des pays de l'ancien bloc soviétique.

**Banque mondiale** ~ Banque créée en 1944 dans le cadre du système monétaire international de Bretton Woods pour la reconstruction d'après-guerre. Composée aujourd'hui de la Banque internationale pour la reconstruction et le développement (Bird), créée en 1946, de l'Association internationale de développement (A. I. D.), créée en 1960, de la Société financière internationale (S. F. I.), créée en 1956, et de l'Agence multilatérale de garantie des investissements (A. M. G. I.), créée en 1988, la Banque mondiale a pour objectif de financer des programmes de développement dans les pays du Sud et de l'Est. Avec le F. M. I., elle est le vecteur des politiques de privatisation et de réduction des dépenses publiques dans ces pays.

**BANTING** (sir Frederick Grant) ~ *1891, Alliston, Ontario - 1941, Musgrave Harbor, Terre-Neuve.* Médecin canadien. Avec J. Macleod et C. H. Best, il découvrit l'insuline (1921). Prix Nobel de physiol. ou méd. 1923.

**Bantous** (les) ~ Ensemble de peuples africains habitant la zone équatoriale et le sud de l'Afrique.

**BANVILLE** (Théodore DE) ~ *1823, Moulins - 1891, Paris.* Poète français parnassien (*les Stalactites*, 1846 ; *Odes funambulesques*, 1857).

**BANYULS-SUR-MER** ~ Station baln. du Roussillon (Côte vermeille), proche de l'Espagne ; 4 662 h. Recherche océanographique. Vin doux.

**BANZER SUÁREZ** (Hugo) ~ *1926, Santa Cruz.* Homme d'État bolivien. Il a été président de la République de 1971 à 1978.

**BAO DAI** ~ *1913, Huê.* Empereur du Viêt Nam (1932-1945). Il a abdiqué en 1945 en faveur du Viêt-minh, mais, soutenu par la France, il a pris la tête d'un État du Viêt Nam anticommuniste (1949). Il a été déposé en 1955.

**BAOTOU** ou **PAO-T'EOU** ~ Centre industriel (sidér.) de la Mongolie-Intérieure (Chine), sur la grande boucle du Huang He ; 1 200 000 h.

**Baoulés** (les) ~ Peuple de langue kwa vivant dans les savanes de la Côte d'Ivoire.

**BAPAUME** ~ Village du Pas-de-Calais. Victoire de Faidherbe sur les Prussiens (2 et 3 janv. 1871).

**BAR (duché de)** ~ Voir **Barrois.**

**BARA** (Joseph) ~ *1779, Palaiseau - 1793, près de Cholet.* Soldat républicain français. Il fut tué par les Vendéens dans une embuscade. Les autorités révolutionnaires l'exaltèrent comme un martyr.

**BARABBAS** ~ Personnage des Évangiles. Il fut, par acclamation, gracié par Pilate à la place de Jésus.

**Barabudur** ~ Voir **Borobudur.**

**BARADÉE** ou **BARADAÏ** (Jacques) ~ *m. en 578 à Édesse.* Moine fondateur de l'Église monophysite jacobite de Syrie.

**BARBADE (La)**, en angl. *Barbados* ~ Pays des Caraïbes (île des Petites Antilles). ***Cap.*** Bridgetown. ***Superf.*** 430 km². ***Popul.*** 264 000 h. ***Langue princ.*** Anglais. ***Monn.*** Dollar de la Barbade. ***Climat.*** Tropical, adouci par les alizés. ***Ress. princ.*** Tourisme, agriculture (canne à sucre). Paradis fiscal. **HIST.** - Découverte par les Espagnols au XVI^e s., occupée par les Britanniques en 1627, l'île devint indépendante en 1966, dans le cadre du Commonwealth.

**BARBARA** (Monique **Serf**, dite) ~ *1930, Paris.* Auteur, compositeur et chanteuse française. Servie par un timbre rauque et par une présence sur scène d'une étonnante densité, elle interprète des chansons intimistes (*Nantes*), d'amour (*Dis, quand reviendras-tu ?*) ou engagées (*Göttingen*).

**Barbares** (les) ~ Nom donné par les Grecs à tous les peuples ne parlant pas leur langue, puis à tous ceux qui n'appartenaient pas à leur civilisation. Par la suite, les Romains appliquèrent ce terme aux peuples germaniques ou asiatiques qui déferlèrent sur l'empire à partir du III^e s.

**BARBARIE** (la) ou **ÉTATS BARBARESQUES** ~ Nom donné jusqu'au XIX^e s., du fait de sa population berbère, à une partie de l'Afrique du Nord (Maroc, Algérie, Tunisie et régence de Tripoli).

**BARBE** (sainte) ~ Vierge et martyre. Patronne des artilleurs, des pompiers et des mineurs.

**BARBERINI** ~ Famille romaine originaire de la région de Florence, qui donna un pape, Urbain VIII, et deux cardinaux.

**BARBEROUSSE** ~ Nom donné à deux frères corsaires turcs, Aroudj et Khayr al-Din, fondateurs de l'État d'Alger au XVI^e s.

**BARBEROUSSE** ~ Voir **Frédéric I^er**, empereur germanique.

**BARBÈS** (Armand) ~ *1809, Pointe-à-Pitre - 1870, La Haye.* Homme politique français. Figure de l'opposition républicaine sous la monarchie de Juillet, longtemps emprisonné, il fut député d'extrême gauche en 1848 et s'opposa à l'établissement du second Empire.

**BARBEY D'AUREVILLY** (Jules Amédée) ~ *1808, Saint-Sauveur-le-Vicomte - 1889, Paris.* Écrivain français. Aristocrate normand, dandy, catholique, légitimiste, vigoureux pamphlétaire, il fit du surnaturel satanique le sujet principal de son œuvre (*le Chevalier Des Touches*, 1864 ; *les Diaboliques*, 1874 ; *Une histoire sans nom*, 1882).

**BARBIZON** ~ Localité de Seine-et-Marne, à la lisière O. de la forêt de Fontainebleau ; 1 407 h. Lieu de séjour de peintres paysagistes du XIX^e s., tels Th. Rousseau, J.-Fr. Millet ou C. Corot (**école de Barbizon**).

**BARBUSSE** (Henri) ~ *1873, Asnières - 1935, Moscou.* Écrivain français. Son roman *le Feu, journal d'une escouade* (1916) retrace l'horreur de la guerre des tranchées. Pacifiste, il milita à partir de 1920 en faveur du communisme.

**BARCARÈS (Le)** ~ Station baln. (Port-Barcarès) du Roussillon (Pyrénées-Orientales) ; 2 422 h.

*Barcelone, église de la Sagrada Familia (commencée en 1883, inachevée), d'Antoni Gaudí (1852-1926).*

**BARCELONE** ~ Cap. de la Catalogne, 1^re v. industr. d'Espagne, grand port sur la Méditerranée, place fin. (Bourse) et cult. ; 1 625 000 h. (agglom. env. 3 000 000 d'h., englobant L'Hospitalet, Badalona, Sabadell). Promenade des Ramblas, cathédrale Santa Eulalia (XIV^e s.), palais baroques et classiques, œuvres de Gaudí (Sagrada Familia, Casa Milá, etc.). Musées d'Art de Catalogne, d'Art moderne, Picasso, fondation Miró. **HIST.** - Cité carthaginoise (III^e s. av. J.-C.), colonie romaine sous Auguste, elle fut la capitale de la marche d'Espagne (IX^e s.), puis le centre d'un puissant comté uni à l'Aragon (XII^e s.). Foyer républicain de la résistance au franquisme durant la guerre civile (1936-1939).

**BARCELONNETTE** ~ V. touristique des Alpes-de-Haute-Provence (1 132 m), sur l'Ubaye ; 2 976 h. Foyer d'émigration vers le Mexique au XIX^e s.

**BARCLAY DE TOLLY** (Mikhail Bogdanovitch, prince) ~ *1761, Luhde-Grosshoff, Livonie - 1818, Insterburg.* Maréchal russe. Il prit part aux campagnes contre Napoléon et commanda les troupes d'occupation russes en France (1814-1815).

**BARCO VARGAS** (Virgilio) ~ *1921, Cúcuta - 1997, Bogota.* Homme d'État colombien. Il fut président de la République (1986-1990).

**BARDEEN** (John) ~ *1908, Madison, Wisconsin - 1991, Boston.* Physicien américain. Il inventa le transistor à germanium avec Walter Houser Brattain et William Shockley (1948), puis établit une théorie de la supraconductivité avec Leon Cooper et John Schrieffer (1957). Prix Nobel de phys. 1956 et 1972.

**BARDEM** (Juan Antonio) ~ *1922, Madrid.* Cinéaste espagnol. Il a stigmatisé l'« infirmité intellectuelle » du cinéma à l'époque du franquisme (*Mort d'un cycliste*, 1955 ; *Grand-Rue*, 1956).

**BARDO (Le)** ~ V. de la banlieue de Tunis où fut signé en 1881 le traité instituant le protectorat français sur la Tunisie. Palais des beys (musée archéologique, mosaïques romaines).

**BARDOT** (Brigitte) ~ *1934, Paris.* Actrice française. Promue par R. Vadim dans *Et Dieu créa la femme* (1956), elle a symbolisé la féminité libérée des interdits de la morale (*la Vérité*, de H. G. Clouzot, 1960 ; *le Mépris*, de J.-L. Godard, 1963 ; *Viva Maria*, de L. Malle, 1965).

**BARENBOÏM** (Daniel) ~ *1942, Buenos Aires.* Pianiste et chef d'orchestre israélien. Il a dirigé l'Opéra-Bastille (1988-1989) et l'Orchestre de Chicago (1991) avant d'être nommé directeur artistique du Staatsoper de Berlin en 1992.

**BARENTIN** ~ V. industr. de Normandie (Seine-Mar.), au N.-O. de Rouen ; 12 721 h. (agglom. 20 777 h.). Textile, constr. électriques.

**BARENTS (mer de)** ~ Partie de l'océan Arctique, baignant au N. la Norvège et la Russie, entre le Svalbard et la Nouvelle-Zemble. Pêche industrielle.

**BARÈRE DE VIEUZAC** (Bertrand) ~ *1755, Tarbes - 1841, id.* Révolutionnaire français. Avocat à Toulouse, député aux États généraux (1789) et à la Convention (1792). Il dirigea le procès de Louis XVI, fut membre du Comité de salut public, mais contribua à la chute de Robespierre.

**BARFLEUR** ~ Station balnéaire de l'extrémité N.-E. du Cotentin (**pointe de Barfleur**) ; 600 h.

**Bargello** (le) ~ Palais du podestat (XIII^e - XIV^e s.) puis du chef de la police (*bargello*) de Florence. Auj. Musée national (sculptures).

**BARI** ~ Port industriel (pétrochimie) de l'Italie du Sud, sur l'Adriatique, capitale régionale des Pouilles ; 339 000 h. Archevêché. Basilique St-Nicolas (XI$^e$-XII$^e$ s.). Byzantine (IX$^e$ s.), prise par les Normands (1071), Bari fut un port actif au Moyen Âge.

**BARISAN (monts)** ~ Chaîne de l'O. de Sumatra (Indonésie), en bordure de l'océan Indien, culminant à 3 800 m au Kerinci. Volcans actifs.

**BARKLA** (Charles Glover) ~ *1877, Widnes, Lancashire - 1944, Édimbourg.* Physicien britannique. Ses recherches portèrent sur les propriétés des rayons X. Prix Nobel de phys. 1917.

**BAR KOKHBA**, en fr. « Fils de l'étoile » ~ Surnom de Simon Bar Kosiba, qui dirigea la deuxième révolte juive (132-135) menée contre Hadrien.

**BARLACH** (Ernst) ~ *1870, Wedel, Holstein - 1938, Rostock.* Sculpteur, dessinateur et écrivain allemand d'inspiration expressionniste.

**BAR-LE-DUC** ~ Préfect. de la Meuse, en Lorraine, centre comm. régional ; 17 545 h. (agglom. 21 388 h.). Noyau médiéval, monuments de la Renaissance. Anc. capitale du duché de Bar.

**BARLOW** (Peter) ~ *1776, Norwich - 1862, Woolwich.* Mathématicien et physicien britannique. Il mit au point le prototype du moteur électrique, dit **roue de Barlow**, en 1828.

**BARNABÉ** (saint) ~ *I$^{er}$ s.* Disciple de saint Paul. Un des premiers apôtres.

**BARNAOUL** ~ V. industrielle de Sibérie (Russie), sur l'Ob, au N. de l'Altaï ; 606 000 h.

**BARNARD** (Christian) ~ *1922, Beaufort West, Le Cap.* Chirurgien sud-africain. Il a réalisé en 1967 la première greffe du cœur.

**BARNAVE** (Antoine) ~ *1761, Grenoble - 1793, Paris.* Homme politique français. Député de 1789 à 1792, monarchiste constitutionnel, il fut exécuté sous la Terreur.

**BARNET** (Boris Vassilievitch) ~ *1902, Moscou - 1965, Riga.* Cinéaste soviétique. Il réalisa des comédies douces-amères (*la Jeune Fille au carton à chapeaux*, 1927 ; *Okraïna*, 1933).

**BARNUM** (Phineas Taylor) ~ *1810, Bethel, Connecticut - 1891, Bridgeport.* Entrepreneur de spectacles américain. Il fonda son cirque en 1871.

**BAROCCI** ou **BAROCCIO** (Federico **Fiori**, dit), en fr. le Baroche ~ *v. 1530, Urbino - 1612, id.* Peintre italien. D'un style maniériste, son œuvre annonce l'art baroque (*Circoncision*, 1590).

**BARODA** ~ Voir **Vadodara**.

**BAROJA** (Pío) ~ *1872, Saint-Sébastien - 1956, Madrid.* Écrivain espagnol. Enracinés dans les plus âpres réalités nationales et sociales, ses romans exaltent l'individualisme (*Mémoires d'un homme d'action*, 1913-1935).

**BARONNIES** (les) ~ Partie des Préalpes du Sud (Drôme), au N. du mont Ventoux, culminant à 1 606 m. Lavande.

**BARQUISIMETO** ~ 4$^e$ v. du Venezuela, fondée au XVI$^e$ s., centre commercial au N. de la cordillère de Mérida ; 603 000 h.

**BARR** ~ V. du Bas-Rhin, dans les collines sous-vosgiennes (viticulture) ; 4 839 h. Petites industries textiles et mécaniques. Hôtel de ville (XVII$^e$ s.).

**BARRANQUILLA** ~ 1$^{er}$ port et centre industr. de Colombie, sur la mer des Caraïbes, fondé en 1649 ; 1 019 000 h. Carnaval.

**BARRAS** (Paul, vicomte DE) ~ *1755, Fox-Amphoux, Var - 1829, Paris.* Homme politique français. Élu du Var à la Convention puis membre du Directoire, il s'opposa au coup d'État du 18 brumaire an VIII (9 nov. 1799).

**BARRAULT** (Jean-Louis) ~ *1910, Le Vésinet - 1994, Paris.* Acteur et metteur en scène français. Disciple de Ch. Dullin et fondateur avec son épouse, M. Renaud, de la Compagnie Renaud-Barrault, il monta et interpréta des œuvres d'auteurs classiques et contemporains (S. Beckett, P. Claudel, J. Genet, E. Ionesco) tout en s'imposant au cinéma (*les Enfants du paradis*, de M. Carné, 1945 ; *le Testament du docteur Cordelier*, de J. Renoir, 1960).

**BARRE** (Raymond) ~ *1924, Saint-Denis, la Réunion.* Économiste et homme politique français. Ministre du Commerce extérieur (1976), puis Premier ministre (1976-1981), il a défendu une « politique de rigueur ».

**BARRÈS** (Maurice) ~ *1862, Charmes, Vosges - 1923, Paris.* Écrivain français. Engagées dans un patriotisme individualiste et romantique, puis traditionaliste, son œuvre et sa vie politique en firent un chef charismatique de la droite nationaliste d'avant 1914 (*les Déracinés*, 1897 ; *la Colline inspirée*, 1913).

**Barricades (journées des)**, nom de deux insurrections parisiennes. ~ *12 mai 1588* : émeute fomentée par la Ligue catholique, conduite par Henri de Guise, contre Henri III. ~ *26 août 1648* : émeute qui obligea Mazarin à libérer le parlementaire Broussel, et qui marqua le début de la Fronde.

**BARRIE** (sir James Matthew) ~ *1860, Kirriemuir, Écosse - 1937, Londres.* Écrivain britannique, auteur de *Peter Pan* (1904).

**BARRIÈRE (Grande)** ~ Frange de récifs coralliens qui borde la côte N.-E. de l'Australie. Queensland.

**BARROIS** (le) ~ Plateau calcaire et marneux qui borde à l'E. la Champagne humide (Meuse et Haute-Marne). Au S., la côte des Bars est encore viticole. Au N., l'anc. comté (puis duché) de Bar est un pays d'élev. et de cult. céréalières, autour de Bar-le-Duc. Partagé entre les suzerainetés lorraine et française à partir de 1301, le Barrois fut unifié et intégré à la couronne de France en 1766.

**BARROT** (Odilon) ~ *1791, Villefort, Lozère - 1873, Bougival, Yvelines.* Homme politique français. Il fut l'un des chefs de l'opposition dynastique sous la monarchie de Juillet, puis fut ministre de la Justice (1849) de Louis Napoléon Bonaparte et président du Conseil d'État en 1872.

**BARRY** (Jeanne **Bécu**, comtesse DU) ~ *1743, Vaucouleurs - 1793, Paris.* Favorite de Louis XV. Manipulée par les ennemis de Choiseul, elle obtint son renvoi. Elle fut guillotinée sous la Terreur.

**BAR-SUR-AUBE** ~ V. de Champagne (Aube) ; 6 707 h. Foires au Moyen Âge. Églises, maisons anciennes.

**BAR-SUR-SEINE** ~ V. frontière entre la Champagne et la Bourgogne (Aube), en amont de Troyes ; 3 630 h. Église des XVI$^e$-XVII$^e$ s. Papeterie.

**BART** (Jean) ~ *1650, Dunkerque - 1702, id.* Corsaire puis officier de la marine royale française. Il fut anobli (1694) pour ses victoires face aux Anglais et aux Hollandais.

**BARTH** (Karl) ~ *1886, Bâle - 1968, id.* Théologien calviniste suisse. Il prôna le retour à la Bible et s'opposa au nazisme.

**BARTHÉLEMY** ou **BARTHOLOMÉ** (saint) ~ Un des apôtres du Christ. Évangélisateur de l'Inde.

**BARTHES** (Roland) ~ *1915, Cherbourg - 1980, Paris.* Écrivain et sémiologue français. Précurseur de la critique formaliste, il s'inspira, dans ses travaux, de la linguistique, de la psychanalyse et de l'anthropologie (*le Degré zéro de l'écriture*, 1953). Explorant les « possibles » du sens (*S/Z*, 1970), il examina les rapports profonds entre les signes et l'homme (*Mythologies*, 1957). Il récusa la tentation de « scientificité » pour exalter la jouissance que le texte procure au lecteur (*le Plaisir du texte*, 1973 ; *Fragments d'un discours amoureux*, 1977).

**BARTHOLDI** (Frédéric Auguste) ~ *1834, Colmar - 1904, Paris.* Sculpteur français. Il exécuta des œuvres monumentales, dont *le Lion* (Belfort, 1880) et *la Liberté éclairant le monde* (New York, 1886).

*Jean-Louis **Barrault** et Maria Casarès dans les Enfants du paradis (1945), film de Marcel Carné (1906-1996).*

© Pele-Stills

© P. Roy-Explorer

*La danse du coffre, une tradition du **Pays basque**.*

**BARTÓK** (Béla) ~ *1881, Nagyszentmiklós - 1945, New York.* Compositeur hongrois. L'étude des musiques populaires de son pays le conduisit à s'écarter du système tonal. Ses œuvres sont dominées par son génie du rythme et son sens de l'expression (*le Château de Barbe-Bleue*, 1911 ; *le Mandarin merveilleux*, 1919).

**BARTOLOMEO** (Baccio **Della Porta**, dit **Fra**) ~ *v. 1472, Florence - 1517, id.* Peintre italien. Dominicain, il mit sa connaissance des maîtres de la Renaissance au service de l'art sacré.

**BARUCH** ~ Personnage biblique, secrétaire du prophète Jérémie.

**BARYCHNIKOV** (Mikhail Nikolaïevitch) ~ *1948, Riga.* Danseur américain d'orig. russe. Classique virtuose, il excelle dans tous les styles de danse ; il a dirigé l'American Ballet Theatre (1980-1989).

**BARYE** (Antoine-Louis) ~ *1796, Paris - 1875, id.* Sculpteur et aquarelliste français. Il s'illustra dans les scènes animalières et mythologiques.

**BARZANI** (Mustafa al-) ~ *1903, Barzan - 1979, Washington.* Chef kurde. Il dirigea le soulèvement pour l'autonomie du Kurdistan irakien (1961-1975).

**Bas-Empire** ~ Terme, auj. contesté, désignant la période de décadence de la Rome impériale (du III$^e$ s. à la déposition du dernier empereur d'Occident en 476) marquée par la division de l'empire en deux et par l'institutionnalisation du christianisme.

**BASHÔ** (Matsuo **Munefusa**, dit) ~ *1644, Tsage, auj. Ueno - 1694, Ôsaka.* Écrivain japonais. L'un des maîtres du haïku.

**BASIE** (William Bill, dit Count) ~ *1908, Red Bank, New Jersey - 1984, Hollywood.* Pianiste et compositeur de jazz américain. Inspirateur du *middle jazz*, doué d'un jeu pianistique concis, il fut un des maîtres du swing (*One O'Clock Jump* ; *Tickle Toe* ; *The Kid from Red Bank*).

**BASILE**, nom de deux empereurs byzantins. ~ **Basile I$^{er}$ le Macédonien** (*v. 812, Andrinople - 886, id.*) fonda la dynastie macédonienne. ~ **Basile II le Bulgaroctone** (*v. 960 - 1025*) vainquit les Bulgares et annexa l'Arménie, le Caucase et la Géorgie.

**BASILE LE GRAND** (saint) ~ *v. 330, Césarée, Cappadoce - 379, id.* Père et docteur de l'Église. Évêque de Césarée, il combattit l'arianisme.

**BASILICATE** (la ou le), anc. **Lucanie** ~ Région du Mezzogiorno (Italie), au N.-E. de la Calabre ; 9 992 km$^2$, 610 000 h., cap. Potenza.

**BASQUE (Pays)**, en basque ***Euskadi***, en esp. ***País Vasco*** ~ Région des confins de l'Espagne et de la France, baignée par l'Atlantique, incluant l'O. des Pyrénées (2 000 m) et l'E. des monts Cantabriques, où se perpétue l'usage du basque, seule langue préindo-européenne d'Europe occidentale (env. 25 % de locuteurs dans les prov. basques d'Espagne). Climat doux, humide. Maïs, élev. bovin. Pêche. Le **Pays basque français** (Pyrénées-Atlantiques) réunit 3 anc. provinces : Soule, Labourd, Basse-Navarre. Voué not. à l'industrie agroalimentaire et au tourisme (Bayonne, Biarritz, St-Jean-de-Luz). Le **Pays basque espagnol** (communauté autonome depuis 1979, 7 261 km$^2$, 2 104 000 h., cap. Vitoria) réunit les provinces de Biscaye, Guipúzcoa, Álava (on y inclut fréquemment la Navarre, anc. royaume en partie bascophone). Industr. active depuis le XIX$^e$ s., not. à Bilbao, princ. métropole (sidér., chantiers navals), autour de Saint-Sébastien (papeterie, métall.). Importantes communautés émigrées (Amérique latine). **HIST.** - Intégré au royaume de Navarre, le Pays basque fut progressivement partagé entre la France et l'Espagne du XV$^e$ au XVII$^e$ s. Le Pays basque espagnol fut républicain pendant la guerre civile. Malgré le statut autonome de la province, une minorité séparatiste (E. T. A.) continue de s'opposer au pouvoir central.

**BASSANO** (Jacopo **da Ponte**, dit Jacopo) ~ *v. 1517, Bassano - 1592, id.* Peintre italien. Influencées par le maniérisme et Titien, ses œuvres évoluèrent des thèmes religieux aux scènes pastorales, préfigurant la peinture du XVII$^e$ s.

**BASSENS** ~ Avant-port industr. de Bordeaux, sur la r. dr. de la Garonne (Gironde) ; 6 472 h.

**BASSE-TERRE** ~ Port commercial de **l'île de Basse-Terre** (partie montagneuse de la Guadeloupe) et préfect. du département ; 14 100 h.

**BASSIGNY** (le) ~ Région argileuse de prairies et d'élev. (Hte-Marne), où la Meuse prend sa source.

**BASSOMPIERRE** (François DE) ~ *1579, Haroué - 1646, Provins.* Diplomate et maréchal de France. Mêlé à la journée des Dupes, il fut enfermé par Richelieu à la Bastille de 1631 à 1643.

**BASSORA,** en ar. ***al-Basra*** ~ Port industr. et 2e v. d'Iraq, au N. du Chatt al-Arab, anc. centre du commerce avec l'Orient fondé au VIIe s. par les Arabes ; env. 600 000 h. Raff. de pétr., chimie, agroalimentaire.

**BASSOV** (Nikolaï Guennadievitch) ~ *1922, Ousman.* Physicien soviétique. Il réalisa un maser à ammoniac avec son compatriote Aleksandr Prokhorov (en même temps que Ch. H. Townes). Prix Nobel de phys. 1964.

**BASTIA** ~ Préfect. de la Haute-Corse, cap. écon. de l'île (port, manufacture de tabac) ; 37 845 h. (agglom. 52 446 h.). Cour d'appel. Vieille ville pittoresque (citadelle, palais des Gouverneurs). Cité génoise et capitale de l'île jusqu'en 1767.

**Bastille** (la) ~ Forteresse royale construite à la porte Saint-Antoine (Paris), sous Charles V, de 1370 à 1382. Richelieu la transforma en prison d'État. Symbole de l'absolutisme royal, elle fut prise par les Parisiens le 14 juillet 1789, puis détruite.

**BASTOGNE** ~ V. de l'Ardenne belge ; env. 12 000 h. Eisenhower y arrêta la contre-offensive allemande de décembre 1944.

**BATA** ~ Port et 1re v. de Guinée-Équatoriale, ch.-l. de la partie continentale du pays ; 33 000 h.

**BATAILLE** (Georges) ~ *1897, Billom, Puy-de-Dôme - 1962, Paris.* Écrivain français. Ses récits, poèmes et essais mettent en œuvre une philosophie de la transgression où se nouent érotisme, mystique et fascination de la mort (*Histoire de l'œil*, 1928 ; *l'Expérience intérieure*, 1943).

**Bataks** (les) ~ Peuple indonésien (N. de Sumatra).

**BATAVE (République)** ~ Nom des Provinces-Unies de 1795 (après la conquête française) à 1806 (transformation en royaume de Hollande).

**Bataves** (les) ~ Peuple germanique qui habitait l'**île des Bataves,** à l'embouchure du Rhin (Ier s. av. J.-C.), et s'assimila aux Francs au IIIe s.

**BATAVIA** ~ Nom de Jakarta de 1619 à 1949.

**Bateau-Lavoir** (le) ~ Ensemble de logements à Montmartre (Paris), place Émile-Goudeau. Habité au début du siècle par des artistes (Picasso, Modigliani, Reverdy), il fut l'un des foyers d'éclosion du cubisme. Un incendie le détruisit en 1970.

**Batékés** (les) ~ Peuple congolais de langue bantoue, implanté à l'O. et au N. de Brazzaville.

**BATH** ~ Station therm. d'Angleterre (Somerset), sur l'Avon ; 80 000 h. Thermes romains, abbatiale (XVIe s.), demeures géorgiennes (XVIIIe s.).

**BATHILDE** (sainte) ~ *v. 635 - 680, abbaye de Chelles.* Épouse de Clovis II. Elle fonda les abbayes de Corbie et de Chelles.

**BÁTHORY** ~ Dynastie hongroise de princes de Transylvanie (Voir **Étienne Ier Báthory**).

**BATHURST** ~ Voir **Banjul.**

**BATISTA** (Fulgencio) ~ *1901, Banes, Cuba - 1973, Guadalmina, Espagne.* Homme d'État cubain. Président de la République cubaine de 1940 à 1944, il reprit le pouvoir en 1952 à la faveur d'un coup d'État. Il fut renversé par F. Castro en 1959.

**BATNA** ~ V. d'Algérie, ch.-l. de wilaya, au N. de l'Aurès ; 185 000 h. Vestiges romains à Timgad.

**BATON ROUGE** ~ Port industr. et pétr. des États-Unis, sur le bas Mississippi ; 220 000 h. Cap. de la Louisiane, fondée par les Français en 1719.

**BATOUMI** ou **BATOUM** ~ Port de Géorgie, sur la mer Noire, cap. de l'Adjarie ; 137 000 h. Export. et raff. du pétrole de Bakou (oléoduc).

**BATTAMBANG** ~ V. de l'O. du Cambodge, au centre de la région rizicole du pays ; env. 40 000 h. Vestiges khmers (VIIe-XIIIe s.).

**BATTANI (al-)** ~ *v. 858, Harran, Mésopotamie - 929, Qasr al-Djiss, près de Samarra.* Astronome arabe. Il réalisa des calculs calendaires précis (durée de l'année et des saisons, précession des équinoxes, mouvements apparents du Soleil).

**BATTHYÁNY** (Lajos) ~ *1806, Presbourg - 1849, Pest.* Homme politique hongrois. Président du Conseil (1848), il fut fusillé par les Autrichiens.

**BATU KHAN** ~ *v. 1202 - 1255.* Prince mongol. Petit-fils de Gengis Khan, fondateur de la Horde d'Or. Il étendit vers l'ouest l'Empire mongol.

**BATY** (Gaston) ~ *1885, Pélussin - 1952, id.* Metteur en scène de théâtre français. Cofondateur du Cartel (1927) avec Ch. Dullin, L. Jouvet et G. Pitoëff, il dirigea le Théâtre Montparnasse (1930-1947).

**BATZ (île de)** ~ Île bretonne de la Manche (Finistère), face à Roscoff ; 3,5 km², 746 h. Primeurs, pêche. Station balnéaire.

**BAUCIS** ~ Voir **Philémon.**

**BAUDELAIRE** (Charles) ~ *1821, Paris - 1867, id.* Écrivain français. Son œuvre, où domine une très haute exigence esthétique, fait de la figure du poète, en proie à la difficulté d'être au monde (le spleen), l'intercesseur entre l'idéal et le monde sensible, dont la vraie nature se révèle dans les catégories de l'insolite, du bizarre et du morbide. Observateur privilégié de la vie moderne, critique d'art attentif à ses contemporains (*l'Art romantique*, posth., 1868), Baudelaire exerça, par son souci de lier forme et sens dans une véritable postulation spirituelle, qu'on retrouve dans ses deux œuvres majeures, le recueil poétique *les Fleurs du mal* (1857), un temps condamné par la justice pour immoralité, et *les Petits Poèmes en prose* (posth., 1869), une influence profonde sur l'ensemble de la littérature moderne.

*Portrait de* ***Baudelaire*** *(1847), peinture de Gustave Courbet (1819-1877). Musée Fabre, Montpellier.*

**BAUDELOCQUE** (Jean-Louis) ~ *1746, Heilly, Picardie - 1810, Paris.* Médecin français. Il fit de l'obstétrique une discipline clinique à part entière.

**BAUDIN** (Alphonse) ~ *1811, Nantua - 1851, Paris.* Homme politique français. Député à l'Assemblée législative de 1849, il s'opposa au coup d'État du 2 décembre 1851 et fut tué sur une barricade.

**BAUDOUIN** ~ Nom de neuf comtes de Flandre et de six comtes de Hainaut (IXe-XIe s.).

**BAUDOUIN** ~ Nom de cinq souverains du royaume latin de Jérusalem au XIIe s.

**BAUDOUIN** ~ Nom de deux empereurs latins d'Orient qui régnèrent aux XIIe et XIIIe s.

**BAUDOUIN Ier** ~ *1930, Bruxelles - 1993, Motril, Espagne.* Roi des Belges (1951-1993). Il restaura l'équilibre de la monarchie belge après le règne contesté de son père, Léopold III.

**BAUDRICOURT** (Robert DE) ~ *XVe s.* Capitaine de Vaucouleurs, il aida Jeanne d'Arc à se rendre auprès de Charles VII, à Chinon, en 1429.

**BAUDRILLARD** (Jean) ~ *1929, Reims.* Sociologue français. Son œuvre est consacrée à l'analyse des mythes fondateurs de la société de consommation (*l'Échange symbolique et la Mort*, 1976) et aux transformations opérées par l'univers de la marchandise sur l'ensemble des rapports sociaux (*Simulacres et Simulation*, 1981).

**BAUGES** (les) ~ Massif boisé des Préalpes françaises (Savoie), entre les lacs du Bourget et d'Annecy, culminant à 2 217 m. Élevage bovin.

**Bauhaus** (le) ~ École d'architecture et d'art fondée en 1919 à Weimar par W. Gropius, transférée à Dessau en 1925, à Berlin en 1932, puis fermée par les nazis. Il préconisait une création collective unissant artistes (P. Klee, W. Kandinsky) et artisans, orientée par son utilité sociale dans la civilisation industrielle. Dominé par l'abstraction géométrique, le rationalisme et le fonctionalisme, il eut une influence majeure sur l'art contemporain.

**BAULE-ESCOUBLAC (La)** ~ Grande station balnéaire (Loire-Atlantique), sur l'Atlantique (Côte d'Amour), à l'O. de Saint-Nazaire ; 14 845 h.

**BAUME-LES-DAMES** ~ Localité du Doubs, dans le Jura ; 5 237 h. Fabrique artisanale de pipes. Vestiges d'une abbaye bénédictine (VIIIe s.).

**BAUR** (Harry) ~ *1880, Paris - 1943, id.* Acteur français. Il s'est illustré dans *les Misérables*, de Raymond Bernard (1934), et dans *Un grand amour de Beethoven*, d'Abel Gance (1936). Dans *la Tête d'un homme* (1933), il interpréta un célèbre Maigret.

**BAUSCH** (Philippine, dite Pina) ~ *1940, Solingen.* Danseuse et chorégraphe allemande. Directrice du Ballet de Wuppertal (1974) et créatrice du *Tanztheater* (« théâtre danse »), elle a développé un style expressionniste et grinçant (*Barbe-Bleue*, 1977 ; *Café Müller*, 1978 ; *Tanzabend II*, 1991).

**BAUTZEN** ~ V. d'Allemagne (Saxe), sur la Spree ; env. 52 000 h. Victoire de Napoléon Ier sur les Russes et les Prussiens (20-21 mai 1813).

**BAUWENS** (Liévin) ~ *1769, Gand - 1822, Paris.* Industriel belge. Il introduisit en France la mule-jenny, machine à filer le coton (1799).

**BAUX-DE-PROVENCE (Les)** ~ Village des Alpilles (Bouches-du-Rhône) ; 457 h. Extraction de bauxite. Demeures du XVIe s., vestiges de l'anc. cité médiévale. Au XIIe s., les seigneurs des Baux disputèrent la Provence aux comtes catalans. Louis XIII détruisit la citadelle, bastion protestant, en 1632.

**BAVIÈRE** (la), en all. ***Bayern*** ~ Land le plus vaste et l'un des plus peuplés d'Allemagne, le seul à avoir conservé ses frontières historiques ; 70 554 km², 11 770 000 h., cap. Munich. La Bavière comprend, du S. au N., un liseré alpin (élev., sports d'hiver), les plateaux fertiles de l'E. de la Souabe et de Bavière traversés par le Danube et par le Main (céréales, houblon, vigne, fruits, betterave sucrière), coupés ou bordés par des hauteurs (Jura franconien, forêts de Bavière, de Franconie). L'industrie se concentre dans les grandes agglomérations (Munich, Nuremberg, Augsbourg, Würzburg, Ratisbonne). Tourisme. La culture bavaroise, opposée à l'influence « prussienne », repose sur l'attachement aux traditions de la vieille Allemagne rurale (ici, le catholicisme et le conservatisme politique). **HIST.** - Ancien duché vassal des rois francs. En 1180, les Wittelsbach prirent le pouvoir et se partagèrent la Bavière. Le duc Albert IV la réunifia (1504). Ses successeurs, ennemis du protestantisme, élevés à la dignité d'Électeurs (1623), prirent part aux conflits européens du XVIIIe s. et revendiquèrent l'empire face aux Habsbourg (1742). Alliée de Napoléon Ier, qui l'agrandit et l'érigea en royaume (1806), dotée d'une Constitution (1818) et modernisée par des souverains actifs, la Bavière entra dans l'Empire allemand (1871). En 1923, Hitler tenta d'y organiser un coup d'État. Le nouvel État bavarois créé dans la zone américaine (1946) forme un land de la R. F. A. depuis 1949.

**BAVON** (saint) ~ *v. 590, près de Liège - v. 657, id.* Moine flamand. Il fonda un monastère à l'emplacement actuel de la ville de Gand.

**BAYARD** (Hippolyte) ~ *1801, Breteuil-sur-Noye, Oise - 1887, Nemours.* Photographe français. Il réalisa, dès 1839, des photographies positives sur papier. Membre fondateur de la Société héliographique, il est l'un des pionniers de la photographie.

**BAYARD** (Pierre **Terrail**, seigneur DE) ~ *1476, château de Bayard, près de Grenoble - 1524, Romagnano Sesia.* Homme de guerre français, surnommé « le Chevalier sans peur et sans reproche », qui s'illustra pendant les guerres d'Italie.

**BAYAZID Ier** ~ Voir **Bayezid Ier.**

**BAYER** (Herbert) ~ *1900, Haag, Haute-Autriche - 1985, Santa Barbara, Californie.* Artiste américain d'orig. autrichienne. Professeur au Bauhaus de Dessau, il se consacra, en 1928, à la photographie et l'introduisit dans la publicité. En 1938, il émigra aux États-Unis et devint directeur artistique dans des agences de publicité.

**BAYER** (Johann) ~ *1572, Rain, Bavière - 1625, Augsbourg.* Astronome allemand. Il classa les étoiles selon leur éclat apparent dans son *Uranometria* (1603), le premier atlas céleste imprimé.

**BAYEUX** ~ V. du Calvados, dans le Bessin, à l'O. de Caen ; 14 704 h. Évêché. Cathédrale (XIIe-XVe s.). Le musée abrite la broderie sur toile attribuée à tort à la reine Mathilde, dite **tapisserie de Bayeux** (long. 70 m), retraçant la conquête de l'Angleterre par les Normands. Lors de la Seconde Guerre mondiale, Bayeux fut la première ville française libérée (7 juin 1944).

**BAYEZID Ier** ou **BAYAZID Ier**, en fr. **Bajazet** ∼ *v. 1360 - 1403, Aksehir.* Sultan ottoman (1389-1402). Après avoir conquis l'Anatolie, il battit les croisés à Nicopolis (1396) et soumit une grande partie des Balkans. Il tenta de s'opposer à l'avancée mongole mais fut vaincu par Tamerlan à la bataille d'Ankara (1402).

**BAYLE** (Pierre) ∼ *1647, Le Carlat, Ariège - 1706, Rotterdam.* Philosophe et écrivain français. Son érudition au service d'une critique des dogmatismes et ses plaidoyers en faveur de la tolérance ont fait de lui un des précurseurs des Lumières (*Dictionnaire historique et critique*, 1696-1697).

**BAYONNE** ∼ Princ. v. du Pays basque français (Pyr.-Atl.), port au confluent de la Nive et de l'Adour ; 40 051 h. (agglom. 164 378 h.). Évêché. Export. de soufre (Lacq), de maïs, et import. de fer et de houille. Constr. aéronautiques, électron., chimie, métallurgie. Jambon réputé. Cathédrale gothique (cloître du XIVe s.). **HIST.** - Le mariage d'Aliénor d'Aquitaine avec Henri II Plantagenêt (1152) marqua le début de la domination anglaise. En 1451, la ville fut prise par la France.

**BAYREUTH** ∼ V. d'Allemagne (Bavière), sur un affl. du Main ; 71 000 h. Louis II y fit construire pour R. Wagner un théâtre réservé à ses opéras (festival annuel international).

**BAZAINE** (Achille) ∼ *1811, Versailles - 1888, Madrid.* Maréchal de France. Il participa à toutes les guerres du second Empire. Commandant en chef de l'armée de Lorraine (1870), il capitula à Metz (27 oct.) et fut condamné à mort pour trahison (1873). Il s'évada en Espagne.

**BAZAINE** (Jean) ∼ *1904, Paris.* Peintre français. Membre de l'école de Paris, il a peint des formes non figuratives denses et élémentaires.

**BAZILLE** (Frédéric) ∼ *1841, Montpellier - 1870, Beaune-la-Rolande.* Peintre français. Il fut l'un des initiateurs de l'impressionnisme (*Réunion de famille*, 1867).

**BAZIN** (Jean-Pierre **Hervé-Bazin**, dit Hervé) ∼ *1911, Angers - 1996, id.* Écrivain français. Son œuvre dresse un tableau féroce des rapports familiaux et de la société bourgeoise (*Vipère au poing*, 1948).

**BAZOIS** (le) ∼ Bas pays, fertile et humide, du Nivernais, à l'O. du Morvan. Élevage, céréales.

**BEAGLE (canal)** ∼ Détroit reliant le Pacifique et l'Atlantique à travers l'archipel de la Terre de Feu.

**BEARDSLEY** (Aubrey) ∼ *1872, Brighton - 1898, Menton.* Dessinateur britannique. Il illustra not. la *Salomé* d'O. Wilde. Ses dessins, souvent érotiques, aux lignes sinueuses, influencèrent l'Art nouveau.

**BÉARN** (le) ∼ Anc. province de France. Constitué en vicomté au IXe s., le Béarn entra dans la maison de Foix en 1290 (qui établit sa capitale à Pau en 1464), avant d'intégrer le royaume de Navarre (1607), qu'Henri IV réunit à la couronne de France. En 1790, il forme la majeure partie du département des Pyrénées-Atlantiques.

**Beat Generation** ∼ Mouvement littéraire, culturel et social apparu aux États-Unis dans les années 1950-1960, dont les adeptes, les beatniks, proclamèrent leur refus de l'*american way of life* et prônèrent un hédonisme fondé sur l'exaltation, le rêve, le voyage. A. Ginsberg, J. Kerouac, W. Burroughs en furent les principaux représentants.

**BEATLES** (les) ∼ Groupe de musique pop fondé en 1962 et composé de Ringo Starr, Paul McCartney, John Lennon et George Harrison. Leur art de la mélodie instantanée leur a valu un succès international qui a déclenché un véritable phénomène de société. Réussissant la synthèse entre héritage rock, influence orientale et instrumentation classique dans des albums comme *Sergeant Pepper's Lonely Hearts Club Band* ou *Revolver*, ils continuent à faire référence bien après leur séparation, en 1970.

*Les Beatles à leurs débuts.*

**BEATON** (sir Cecil) ∼ *1904, Londres - 1980, Broadchalke.* Photographe et décorateur britannique. Il travailla pour le magazine *Vogue*, de 1928 à 1950, et collabora à *Life* et à *Harper's Bazaar.*

**BEATON** ou **BÉTHUNE** (David) ∼ *1494, Saint Andrews - 1546, id.* Prélat et homme politique écossais. Il fut l'un des artisans de l'alliance avec la France sous Jacques V.

**BEATRIX Ire** ∼ *1938, Soestdijk.* Reine des Pays-Bas. Elle a succédé à sa mère, Juliana, en 1980.

**BEAUCAIRE** ∼ V. du Gard, sur le Rhône, face à Tarascon ; 13 400 h. Centrale hydroélectr., cimenterie. Château des XIIIe-XIVe s. Grandes foires du Moyen Âge au XIXe s.

**BEAUCE** (la) ∼ Plaine limoneuse du Bassin parisien (env. 6 500 $km^2$), entre l'agglom. parisienne, la Loire, le Perche et le Gâtinais, très riche région agricole (blé, maïs, betterave sucrière). V. princ. à la périphérie (Orléans, Chartres et, au S.-O., Vendôme, Blois, autour de la **Petite Beauce**).

**BEAUCHAMP** (Pierre) ∼ *1636, Paris - 1705, id.* Maître à danser et chorégraphe français, collaborateur de Lully et de Molière. Il définit les cinq positions de la technique classique. [☞ **danse.**]

**BEAU DE ROCHAS** (Alphonse) ∼ *1815, Digne - 1893, id.* Ingénieur français. Il établit la théorie du cycle à quatre temps applicable au moteur à explosion.

**BEAUFORT (massif de)** ou **BEAUFORTIN** (le) ∼ Massif des Alpes, en Savoie, au S.-O. du Mont-Blanc, culminant à 2 980 m. Fromage.

**BEAUFORT** (sir Francis) ∼ *1774, Nevar - 1857, id.* Amiral britannique. Il mit au point en 1805 une échelle mesurant la force du vent (**échelle de Beaufort**).

**BEAUFORT** (François **de Bourbon**, duc DE) ∼ *1616, Paris - 1669, Candie.* Petit-fils d'Henri IV et de Gabrielle d'Estrées. Allié au cardinal de Retz, il fut l'un des chefs de la Fronde. Très populaire dans Paris, il fut surnommé « le roi des Halles ».

**BEAUGENCY** ∼ V. du Loiret, sur la Loire, au S.-O. d'Orléans ; 6 917 h. Monuments des XIe-XVIe s., musée des Arts et Traditions populaires de l'Orléanais. Un concile y prononça la répudiation d'Aliénor d'Aquitaine par Louis VII en 1152.

**BEAUHARNAIS**, famille noble originaire de l'Orléanais. ∼ **Alexandre**, vicomte DE (*1760, Fort-Royal, Martinique - 1794, Paris*). Général français. Il participa à la guerre d'Indépendance américaine, puis fut, à Paris, élu député et présida l'Assemblée constituante. Il fut guillotiné après sa défaite à Mayence (1793). Sa femme ∼ **Joséphine**, née Marie-Josèphe **Tascher de la Pagerie** (*1763, Trois-Îlets, Martinique - 1814, Malmaison*), créole comme lui, épousa en secondes noces le général Bonaparte (1796). Devenu Napoléon Ier, ce dernier la sacra impératrice (1802), mais, n'ayant pas d'héritier d'elle, il la répudia en 1809. ∼ **Eugène** (*1781, Paris - 1824, Munich*), général, fils d'Alexandre et de Joséphine, devint vice-roi d'Italie en 1805. Sa sœur ∼ **Hortense** (*1783, Paris - 1837, Arenenberg, Suisse*), mariée contre son gré à Louis Bonaparte, frère de l'Empereur, monta avec lui sur le trône de Hollande et fut la mère du futur Napoléon III.

**BEAUJEU** ∼ Localité du Rhône, au N.-O. de Villefranche-sur-Saône, ancienne capitale du Beaujolais ; 1 874 h.

**BEAUJOLAIS** (le) ∼ Région du S. de la Bourgogne, partie du rebord oriental du Massif central, entre la Saône et la Loire, partagée entre la **côte beaujolaise** viticole à l'E. (vins jeunes et grands crus) et les **monts du Beaujolais** boisés (1 000 m) à l'O. (élev. bovin). Industrie textile à Tarare, ancien centre soyeux. V. princ. Villefranche-sur-Saône.

**BEAUJON** (Nicolas) ∼ *1718, Bordeaux - 1786, Paris.* Financier français. Riche négociant en grains, il fonda un hospice à Paris (1784), à l'origine de l'**hôpital Beaujon**.

**BEAUMANOIR** (Jean DE) ∼ *m. en 1366 ou 1367.* Maréchal de Bretagne. Partisan de Charles de Blois en lutte contre les Anglais, il participa au combat des Trente (1351).

**BEAUMARCHAIS** (Pierre Augustin **Caron** DE) ∼ *1732, Paris - 1799, id.* Écrivain français. Ses comédies d'intrigue (*le Barbier de Séville*, 1775 ; *le Mariage de Figaro*, 1784) mirent en scène pour la première fois des personnages du peuple contestant hiérarchie et privilèges, et préfigurèrent la Révolution.

**BEAUMES-DE-VENISE** ∼ Localité du Vaucluse, au N. de Carpentras ; 1 784 h. Vin muscat.

**BEAUMONT** (Christophe DE) ∼ *1703, La Roque, près de Sarlat - 1781, Paris.* Prélat français. Archevêque de Paris (1746-1754). Adversaire des jansénistes et des philosophes, il condamna l'*Émile* de J.-J. Rousseau en 1762.

**BEAUMONT** (Francis) ∼ *1584, Grace-Dieu, Leicestershire - 1616, Londres.* Dramaturge anglais. En collaboration avec J. Fletcher, il composa de nombreuses comédies d'intrigue et des tragédies.

**BEAUMONT-SUR-OISE** ∼ V. de la grande banlieue de Paris (Val-d'Oise) ; 8 151 h. (agglom. 30 622 h.). Église et château des XIIe-XIIIe s.

**BEAUNE** ∼ V. de la Côte-d'Or, en bordure de la **côte de Beaune**, cap. viticole de la Bourgogne ; 21 289 h. L'hôtel-Dieu, fondé en 1443, a été transformé en musée en 1971 (*Polyptyque du Jugement dernier*, de R. Van der Weyden, tapisseries de la Renaissance). Vente annuelle du vin des Hospices. Musée du Vin de Bourgogne.

*L'hôtel-Dieu de Beaune.*

**BEAUPERTHUY** (Louis Daniel) ∼ *1807, la Guadeloupe - 1871, Bartica Grove, Guyana.* Médecin français. Il démontra en 1854 que le vecteur de la fièvre jaune était un moustique.

**BEAUSOLEIL** ∼ Station baln. de la Côte d'Azur (Alpes-Maritimes), partie française de l'agglomération de Monte-Carlo ; 12 326 h.

**BEAUVAIS** ∼ Préfect. de l'Oise, centre écon. régional au S. du pays de Bray, cap. du **Beauvaisis** (S.-O. de la Picardie) ; 54 190 h. Évêché. Cathédrale gothique, inachevée (chœur le plus haut de France : 48 m). Galerie nationale de la tapisserie. Assiégée par Charles le Téméraire en 1472, la ville fut défendue par Jeanne Hachette.

**BEAUVILLIER** (Paul, duc DE) ∼ *1648, Saint-Aignan - 1714, Vaucresson.* Homme politique français. Ami de Fénelon et de Saint-Simon, précepteur des petits-fils de Louis XIV, il commanda aux intendants du royaume une enquête devenue un document très précieux sur l'histoire de la fin du XVIIe s.

**BEAUVOIR** (Simone DE) ∼ *1908, Paris - 1986, id.* Femme de lettres française. Une morale de l'authenticité, de la responsabilité et de l'engagement, partagée par le compagnon de sa vie, J.-P. Sartre, nourrit son œuvre d'essayiste féministe (*le Deuxième Sexe*, 1949), de romancière (*l'Invitée*, 1943 ; *les Mandarins*, 1954) et de mémorialiste (*Mémoires d'une jeune fille rangée*, 1958).

**BEBEL** (August) ∼ *1840, Cologne - 1913, Passugg, Suisse.* Homme politique allemand. Cofondateur du Parti ouvrier social-démocrate avec W. Liebknecht (1869), il y défendit des positions centristes.

**BECCARIA** (Cesare **Bonesana**, marquis DE) ∼ *1738, Milan - 1794, id.* Juriste italien. Son *Traité des délits et des peines* (1764) préconisait l'abolition de la torture et de la peine de mort.

**BÉCHAR**, anc. **Colomb-Béchar** ∼ V. du N.-O. du Sahara algérien, près du Maroc, ch.-l. de wilaya ; 107 000 h.

**BEC-HELLOUIN (Le)** ~ Village de l'Eure. Abbaye bénédictine, fondée par saint Helluoin au XIe s. Son école, dirigée par Lanfranc puis par saint Anselme, fut l'un des centres intellectuels du Moyen Âge. Dans des bâtiments des XVe, XVIIe et XVIIIe s. vit encore une communauté bénédictine.

**BECHET** (Sidney) ~ *1891 ou 1897, La Nouvelle-Orléans - 1959, Garches.* Musicien de jazz américain. Saxophoniste soprano, il devint l'un des plus fameux interprètes du style Nouvelle-Orléans (*Wild Cat Blue*; *Maple Leaf Rag*; *Really the Blues*).

**BECHUANALAND** (le) ~ Ancien nom du Botswana (de 1885 à 1966).

**BECKER** (Gary Stanley) ~ *1930, Pottsville, Pennsylvanie.* Économiste américain. Il a renouvelé la science économique en lui adjoignant l'étude des relations et des comportements humains. Prix Nobel de sc. écon. 1992.

**BECKER** (Jacques) ~ *1906, Paris - 1960, id.* Cinéaste français. Ancien assistant de J. Renoir, il réalisa des films d'un réalisme sobre et chaleureux sur la France d'après-guerre (*Casque d'or*, 1952; *Touchez pas au grisbi*, 1954; *le Trou*, 1960).

**BECKET** (saint Thomas) ~ Voir **Thomas Becket**.

**BECKETT** (Samuel) ~ *1906, Foxrock, près de Dublin - 1989, Paris.* Écrivain et dramaturge irlandais. Se fixant à Paris en 1937, un temps secrétaire de J. Joyce, il écrivit bientôt en français une œuvre romanesque (*Molloy*, 1951; *le Dépeupleur*, 1970) et théâtrale (*En attendant Godot*, 1953; *Fin de partie*, 1957; *Oh les beaux jours*, 1963), dont le minimalisme illustre, non sans humour, notre dérisoire humanité. Prix Nobel de litt. 1969.

**BECKMANN** (Max) ~ *1884, Leipzig - 1950, New York.* Peintre allemand. Héritier de l'expressionnisme, il traqua l'ennui comme la peur avec la même brutalité stylistique (*la Nuit*, 1918-1919).

**BECQUEREL**, famille de physiciens français. ~ **Antoine** (*1788, Châtillon-Coligny - 1878, Paris*) découvrit la piézoélectricité (1819) et inventa la pile impolarisable à deux liquides (1829). Son fils ~ **Alexandre Edmond** (*1820, Paris - 1891, id.*) étudia les propriétés magnétiques des minéraux et les phénomènes de luminescence. ~ **Henri** (*1852, Paris - 1908, Le Croisic*), fils du préc., découvrit la radioactivité spontanée (1896). Prix Nobel de phys. 1903 avec P. et M. Curie.

**BÉDARIEUX** ~ V. du haut Languedoc (Hérault), sur l'Orb; 5 997 h. Matériel vinicole, chimie.

**BÈDE LE VÉNÉRABLE** (saint) ~ *673, Wearmouth - 735, Jarrow.* Moine anglais, auteur de l'*Histoire ecclésiastique de la nation anglaise* (731).

**BEDFORD** ~ V. industr. d'Angleterre (74 000 h.), dans la vallée de l'Ouse, au N. de Londres, ch.-l. du **comté du Bedfordshire** (1 235 km², 524 000 h.).

**BÉDIER** (Joseph) ~ *1864, Paris - 1938, Le Grand-Serre, Drôme.* Médiéviste français. Il fit une adaptation de *Tristan et Yseut* (1900) et une édition critique de *la Chanson de Roland* (1921). Acad.

**Bédouins** (les) ~ Peuple arabe (musulman sunnite), à l'origine nomade, de la péninsule Arabique, d'Afrique du Nord et du Proche-Orient.

**BEECHER-STOWE** (Harriet Elizabeth), née **Beecher** ~ *1811, Litchfield, Connecticut - 1896, Hartford.* Femme de lettres américaine, auteur du roman antiesclavagiste *la Case de l'oncle Tom* (1851).

**BEERNAERT** (Auguste) ~ *1829, Ostende - 1912, Lucerne.* Homme politique belge. Premier ministre (1884-1894), il fit reconnaître l'État indépendant du Congo créé par Léopold II. Prix Nobel de la paix 1909.

**BEERSHEBA** ~ V. d'Israël, au N. du Néguev, centre d'une région d'agric. irriguée; 128 000 h.

**BEETHOVEN** (Ludwig VAN) ~ *1770, Bonn - 1827, Vienne.* Compositeur allemand. Sensible aux idées de la Révolution française, héritier du classicisme viennois (Haydn, Mozart) d'une part, ouvrant d'autre part la voie au romantisme en musique, Beethoven transcenda ces deux classifications pour exalter un idéal de liberté, de joie et de fraternité aux résonances universelles. Dominant son destin de musicien sourd, il réalisa une œuvre avec ses neuf symphonies, ses concertos (*l'Empereur*), ses quatuors, ses sonates pour piano (*Pathétique*; *Clair de lune*; *Appassionata*) et sa *Missa solemnis*.

*Anouar el-Sadate, Jimmy Carter et Menahem Begin, lors de la signature de la paix à Camp David (1978).*

**BEGIN** (Menahem) ~ *1913, Brest-Litovsk - 1992, Tel-Aviv - Jaffa.* Homme politique israélien. Combattant sioniste dans la Palestine sous protectorat britannique puis chef du Likoud, il fut Premier ministre de l'État d'Israël de 1977 à 1983 et signa la paix avec l'Égypte en 1979. Prix Nobel de la paix 1978 avec A. el-Sadate.

**BÈGLES** ~ V. industrielle de la banlieue S. de Bordeaux (Gironde); 22 604 h. Verrerie.

**BEHAIM** (Martin) ~ *1459, Nuremberg - 1507, Lisbonne.* Navigateur et cosmographe allemand, constructeur du plus ancien globe terrestre connu.

**BEHAN** (Brendan) ~ *1923, Dublin - 1964, id.* Écrivain irlandais. Nationaliste et progressiste, il est l'auteur d'autobiographies (*Un peuple partisan*, 1958) et de pièces de théâtre (*Deux Otages*, 1958).

**BEHANZIN** ~ *1844 - 1906, Alger.* Dernier roi du Dahomey (1889-1894). Après la conquête de son pays par la France, il fut déporté.

**Béhistoun** ou **Behistun (inscriptions de)** ~ Texte gravé sur une paroi rocheuse du Kurdistan iranien, datant des Babyloniens, qui permit le déchiffrement de l'écriture cunéiforme au XIXe s.

**BEHRENS** (Peter) ~ *1868, Hambourg - 1940, Berlin.* Architecte et dessinateur allemand. Prônant un fonctionalisme strict (usine de turbines, Berlin, 1909), il fut un pionnier du dessin industriel.

**BEHRING** ~ Voir **Béring** (détroit de).

**BEHRING** (Emil VON) ~ *1854, Hansdorf - 1917, Marburg.* Médecin et bactériologiste allemand. Précurseur de la sérothérapie antidiphtérique et antituberculinique, il découvrit, avec É. Roux, les antitoxines dans le sang. Prix Nobel de physiol. ou méd. 1901.

**BEIJING** ~ Voir **Pékin**.

**BEIRA** ~ Port du centre du Mozambique, débouché sur l'océan Indien des pays voisins enclavés; env. 300 000 h.

**BEJAIA**, anc. **Bougie** ~ Port pétr. d'Algérie, à l'E. de la Grande Kabylie, ch.-l. de wilaya; 124 000 h. Port carthaginois, cap. des Vandales (Ve s.) et de la dynastie berbère des Hammadides (XIe s.).

**BÉJART**, famille de comédiens français. ~ **Madeleine** (*1618, Paris - 1672, id.*), associée à la fondation de l'Illustre-Théâtre (1643), créa de nombreux rôles comiques. ~ **Armande** (*1642 - 1700, Paris*), sa fille, épousa Molière en 1662. Elle lui a inspiré le personnage de Célimène dans *le Misanthrope*.

**BÉJART** (Maurice Berger, dit Maurice) ~ *1927, Marseille.* Danseur et chorégraphe français. Fondateur du Ballet du XXe siècle en 1960, il a marqué la danse contemporaine en puisant son inspiration dans les grands mythes universels (*Symphonie pour un homme seul*, 1955; *le Sacre du printemps*, 1959; *Messe pour le temps présent*, 1967).

**BEKAA** ou **BEQAA** (la) ~ Haute plaine du Liban, entre les monts du Liban et de l'Anti-Liban (vigne, fruits, légumes, pavot). V. princ. Zahlé, Baalbek.

**Bektachi**, en turc *Bektaşi* ~ Ordre de derviches connu depuis le XVIe s., qui doit son nom à Hadjdji Wali Bektach, saint musulman du XIIIe s. Ses membres étaient les aumôniers du corps d'élite des janissaires, dissous en 1826.

**BÉLA** ~ Nom de quatre rois de la dynastie des Árpád, qui régnèrent sur la Hongrie du XIe au XIIIe s. **Béla IV** (*1206 - 1270, Buda*), roi de 1235 à 1270, fut battu en 1241 par les Mongols.

**BELAU** ~ Voir **Palau**.

**BELÉM**, anc. **Pará** ~ Port du Brésil équatorial, cap. de l'État de Pará, proche du delta de l'Amazone; 1 246 000 h. Anc. centre d'export. du caoutchouc.

**BELFAST** ~ Cap. et port industriel de l'Irlande du Nord; 284 000 h. Théâtre d'affrontements entre communautés catholique (30 %) et protestante (70 %) depuis 1969.

**BELFORT** ~ Préfect. du Territoire de Belfort (sur le site de l'anc. forteresse commandant la trouée de Belfort, rattachée à la France en 1648); 50 125 h. (agglom. 77 844 h.). Constr. mécan. et électriques. Fortifications de Vauban (1687), *Lion* monumental, sculpté par Bartholdi, célébrant la résistance de Denfert-Rochereau aux Allemands en 1871.

**BELFORT (Territoire de)** ~ Dép. (depuis 1922) de la Région Franche-Comté, au S. de l'Alsace (resté français après 1871); 609 km², 134 097 h. Entre les Vosges (versant S.) et le Jura, il constitue un seuil (dit **trouée de Belfort**, ou porte d'Alsace ou de Bourgogne), voie de passage entre les bassins du Rhin et de la Saône. Il fait partie d'une région d'industries diversifiées dont les pôles sont Belfort (préfect.) et Montbéliard (hors département).

**BELGIQUE (royaume de)**, en néerl. *België* ~ Pays d'Europe occidentale bordé au N.-O. par la mer du Nord. État fédéral formé de 3 régions (Flandre, Wallonie, Bruxelles-Capitale). ***Cap.*** Bruxelles. ***Superf.*** 30 528 km². ***Popul.*** 10 100 000 h. ***Langues princ.*** Néerlandais ou flamand (58 %), français (33 %), allemand (9 %). ***Monn.*** Franc belge. ***Relief.*** Le sillon de la Sambre et de la Meuse sépare le massif de l'Ardenne (694 m au signal de Botrange) des plaines limoneuses du Hainaut et du Brabant. Au N.-O., les plaines de Flandre sont bordées par une côte basse. ***Fl. princ.*** Escaut, Sambre, Meuse. ***Écon.*** Le secteur tertiaire procure les deux tiers des emplois et du P. I. B. L'industrie traditionnelle a abandonné une grande part de ses activités (charbonnages, sidér., métall., text.) au profit des industries chimique, agroalimentaire, automobile et électronique. L'agriculture (élev. bovin, céréales, betterave à sucre, lin, légumes, fleurs) ne fournit que 2 ou 3 % du P. I. B. Le réseau très étoffé des moyens de transport (autoroutes, canaux, chemins de fer, ports maritimes, transports aériens) permet à la Belgique de tenir un rôle de plaque tournante dans l'Union européenne. ***V. princ.*** Bruxelles, Anvers, Gand, Charleroi, Liège, Bruges, Namur. **HIST.** - *Xe-Ier s. av. J.-C.* : après les occupations celte et germanique, le territoire de l'actuelle Belgique est colonisé par Rome. *IVe s.* : les Francs Saliens s'installent en Flandre et dans le S. des Pays-Bas actuels. *VIe s.* : la Belgique est englobée dans le royaume mérovingien d'Austrasie. *VIIIe s.* : la maison de Herstal donne naissance à la dynastie carolingienne. *XIVe-XVe s.* : une importante activité commerciale et artisanale favorise le développement des villes. Les ducs de Bourgogne réalisent l'unité des Pays-Bas, qui incluent la Belgique, et qui passent en 1477 sous la domination des Habsbourg. Charles Quint organise les 17 provinces des Pays-Bas. *XVIe s.* : la lutte de Philippe II d'Espagne contre la Réforme protestante entraîne en 1579 la naissance de la Confédération des Provinces-Unies au N. et des Pays-Bas espagnols au S. *XVIIIe s.* : après le traité d'Utrecht (1713), les Pays-Bas deviennent autrichiens. Les réformes de l'empereur Joseph II provoquent une révolution (1789) et la naissance des « États belgiques unis ». *XIXe s.* : après l'occupation française, la Belgique et l'ensemble des Pays-Bas passent sous la domination de Guillaume d'Orange. À la suite de l'insurrection de Bruxelles, en 1830, la Belgique proclame son indépendance. Léopold de Saxe-Cobourg devient roi des Belges. La fin du siècle est marquée par des querelles religieuse, scolaire et linguistique. *XXe s.* : Léopold II (1865-1909) lègue le Congo, possession personnelle, à la Belgique. Malgré sa neutralité, reconnue en 1831, celle-ci est envahie en 1914 et en 1940 par l'Allemagne. *1951* : Léopold III (1934-1951) abdique en faveur de son fils Baudouin. *1960* : l'indépendance du Congo est proclamée. Le déclin économique de la Wallonie et l'essor de la Flandre renforcent les particularismes régionaux. La révision de la Constitution aboutit à la mise en place d'un État fédéral, en 1993, alors qu'Albert II succède à Baudouin Ier. Depuis 1945, la Belgique s'intègre résolument à l'Europe naissante (Ceca, C. E. E.).

**BELGRADE**, en serbe *Beograd* ~ Cap. de la Serbie et de la Fédération yougoslave, port fluvial et industr. au confluent du Danube et de la Save; 1 168 000 h. Patriarcat serbe orthodoxe. Le centre ancien, largement reconstruit, a beaucoup souffert des destructions de la Seconde Guerre mondiale. **HIST.** - Fondée par les Celtes, transformée en place forte par les Romains, Belgrade fut conquise par les Turcs en 1521. Les Autrichiens la leur disputèrent jusqu'à la fin du XVIII^e s.

**BÉLIAL** ~ Personnification du Mal dans la littérature biblique (synon. de Satan).

**BELIN** (Édouard) ~ *1876, Vesoul - 1963, Territet, Suisse.* Inventeur français. On lui doit le **bélinographe** (ancêtre du télécopieur, fabriqué en 1907).

**BELINSKI** ou **BIELINSKI** (Vissarion Grigorievitch) ~ *1811, Sveaborg, Finlande - 1848, Saint-Pétersbourg.* Critique littéraire russe. Favorable au réalisme, à l'Occident et au socialisme utopique, il marqua la pensée russe du XIX^e s.

**BÉLISAIRE** ~ *v. 500, en Thrace - 565, Constantinople.* Général byzantin. Sous Justinien, il battit les Vandales en Afrique du Nord et les Ostrogoths en Italie, et contribua à la reconquête byzantine de l'Afrique, de la Sicile et de l'Italie.

**BELITUNG** ~ Voir **Bangka**.

**BELIZE** (le), en esp. ***Belice*** ~ Pays d'Amérique centrale, bordé à l'E. par la mer des Antilles. ***Cap.*** Belmopan. ***Superf.*** 22 963 km². ***Popul.*** 230 000 h., dont métis (45 %), créoles (30 %), Mayas (10 %). ***Langues princ.*** Anglais, espagnol. ***Monn.*** Dollar de Belize. ***Relief.*** Plaines marécageuses au N., moyennes montagnes au S. (forêt dense). ***Climat.*** Tropical humide. ***Princ. ress.*** Exploit. forestière, agric. vivrière et comm. (agrumes, bananes, canne à sucre). **HIST.** - Colonisé par les Britanniques à partir du XVII^e s., le pays prend le nom de Honduras britannique en 1862, puis celui de Belize en 1973. Il accède à l'indépendance en 1981 dans le cadre du Commonwealth, mais son territoire est convoité par le Guatemala voisin.

**BELL** (Alexander Graham) ~ *1847, Édimbourg - 1922, Baddeck, Canada.* Inventeur et physicien américain d'orig. britannique. Ses recherches sur l'oreille artificielle pour les sourds aboutirent à l'invention du téléphone en 1876.

**BELL** (sir Charles) ~ *1774, Édimbourg - 1842, North Hallow.* Physiologiste britannique. Il décrivit la paralysie faciale périphérique (**signe de Bell**).

**BELLAVITIS** (comte Giusto) ~ *1803, Bassano, Vénétie - 1880, Tezze.* Mathématicien italien. Professeur de géométrie descriptive à l'université de Padoue, il formula la théorie des équipollences (forme de calcul vectoriel dans le plan).

**BELLAY** (Joachim DU) ~ *1522, Liré - 1560, Paris.* Poète français. Membre de la Pléiade, dont il rédigea le manifeste (*Défense et illustration de la langue française*, 1549), il introduisit le sonnet amoureux en France. Son œuvre passe de la mélancolie gracieuse ou amère à la satire (*les Regrets*, 1558) et le conduisit à une réflexion sur le temps (*les Antiquités de Rome*, 1558).

**BELLEAU** (Remi) ~ *1528, Nogent-le-Rotrou - 1577, Paris.* Poète français, membre de la Pléiade, auteur d'une pastorale raffinée (*la Bergerie*, 1565).

**BELLEDONNE (massif de)** ~ Massif des Alpes du Nord (N.-E. de Grenoble), culminant à 2 978 m.

**BELLEGAMBE** (Jean) ~ *v. 1470, Douai - v. 1534, id.* Peintre flamand, auteur de grandes compositions statiques aux couleurs délicates (*Polyptyque d'Anchin* ; *Adoration des bergers*).

**BELLEGARDE-SUR-VALSERINE** ~ V. industrielle du Jura (Ain), au confluent du Rhône et de la Valserine ; 11 153 h. Barrage de Génissiat au S.

**BELLE-ÎLE** ~ La plus grande île côtière bretonne, canton du Morbihan (ch.-l. Le Palais), au S. de Quiberon, plateau (alt. max. 60 m) bordé de falaises (Côte sauvage) du côté O. ; 90 km², 4 489 h. Agriculture, pêche, tourisme.

**BELLE-ISLE (détroit de)** ~ Détroit (larg. 20 km) qui relie l'Atlantique et le golfe du Saint-Laurent, entre Terre-Neuve et le Labrador.

**BELLE-ISLE** (Charles **Fouquet**, comte, puis duc DE) ~ *1684, Villefranche-de-Rouergue - 1761, Versailles.* Maréchal de France (1741). Petit-fils de N. Fouquet, il participa à la guerre de la Succession de Pologne, contre l'Autriche, et fut ministre de la Guerre (1758-1761). Acad.

**BELLÉROPHON** ~ Héros grec légendaire, fils de Poséidon. Grâce à son cheval ailé Pégase, il tua la Chimère et triompha des Amazones.

**BELLEY** ~ V. de l'Ain, au S.-E. de Bourg-en-Bresse ; 7 807 h. Évêché. Industrie du cuir. Palais épiscopal (XVIII^e s.) construit par G. Soufflot. Ancienne capitale du Bugey.

**BELLINI**, famille de peintres italiens, nés et morts à Venise. ~ **Jacopo** (*v. 1400 - v. 1471*), ancien élève de Gentile da Fabriano, dont l'œuvre se caractérise par un chromatisme empreint de gothique tardif (*Christ en croix* ; *Madones*). Son fils ~ **Gentile** (*v. 1429 - v. 1507*) est l'auteur de portraits fins et précis et de grandes toiles à la construction presque abstraite (*Procession sur la place Saint-Marc*). ~ **Giovanni**, dit **Giambellino** (*v. 1430 - v. 1516*), frère du précédent, montra une vigueur graphique proche de celle de Mantegna (*Crucifixion*) et passa à des compositions rigoureuses et géométriques (*Retable de saint Job*). À partir de 1500, il se renouvela dans la monumentalité, l'équilibre de la lumière et la souplesse du modelé (*Retable de saint Zaccharie*). Il influença Giorgione et Titien.

**BELLINI** (Vincenzo) ~ *1801, Catane - 1835, Puteaux.* Compositeur italien. Ses opéras, marqués par une sensibilité romantique, représentent l'apogée du bel canto lyrique (*Norma*, 1831 ; *la Somnambule*, 1831 ; *les Puritains*, 1835).

**BELLINZONA** ~ V. de Suisse, ch.-l. du Tessin, près de la frontière italienne ; 17 000 h. Châteaux de Schwyz, d'Uri et d'Unterwald.

**BELLMER** (Hans) ~ *1902, Katowice - 1975, Paris.* Peintre français d'origine allemande. Son œuvre, surréaliste, s'exprime dans un érotisme violent (*Poupées*).

**BELLONE** ~ Déesse romaine de la Guerre.

**BELLONTE** (Maurice) ~ *1896, Méru, Oise - 1984, Paris.* Aviateur français. Avec D. Costes, il battit le record du monde de distance (1929) et réalisa la première liaison aérienne Paris-New York (1930).

**BELLOW** (Saul) ~ *1915, Lachine, Québec.* Écrivain américain. Son œuvre s'enracine dans la communauté juive des États-Unis (*Herzog*, 1964). Prix Nobel de litt. 1976.

**BELMONDO** (Jean-Paul) ~ *1933, Neuilly-sur-Seine.* Acteur français. Il a tourné avec les cinéastes de la Nouvelle Vague (*À bout de souffle*, 1960, et *Pierrot le Fou*, 1965, de J.-L. Godard ; *le Doulos*, 1962, de J.-P. Melville), puis s'est tourné vers des films plus commerciaux.

**BELMOPAN** ~ Cap. du Belize depuis 1970, à 70 km des côtes, à l'abri des cyclones ; 4 000 h.

**BELO HORIZONTE** ~ V. minière (fer, métaux précieux) et industrielle du Brésil de création récente (fin du XIX^e), cap. du Minas Gerais ; 2 050 000 h. (agglom. 3 460 000 h.). Université.

**BELON** ou **BÉLON** (le) ~ Fl. côtier (25 km) de Bretagne (Cornouaille). Ostréiculture à son embouchure.

**BÉLOUTCHISTAN** ~ Voir **Baloutchistan**.

**BELPHÉGOR** ~ Divinité moabite mentionnée dans la Bible.

**BELSUNCE DE CASTELMORON** (Henri François-Xavier DE) ~ *1670, La Force, Périgord - 1755, Marseille.* Évêque de Marseille. Son dévouement lors de la peste de 1720-1721 fut exemplaire.

**BELT (Grand- et Petit-)** ~ Détroits qui relient le Kattegat à la Baltique, entre le Danemark insulaire (Sjaelland, Fionie) et le Jylland.

**BELTRAMI** (Eugenio) ~ *1835, Crémone - 1900, Rome.* Mathématicien italien. Il modélisa la géométrie non euclidienne de Lobatchevski.

**BELYÏ** (Andreï) ~ Voir **Bielyï**.

**BELZÉBUTH** ~ Divinité philistine. Les Juifs le considéraient comme le prince des démons.

**BEŁŻEC** ~ Camp d'extermination nazi (1942-1943), situé en Pologne, au S.-E. de Lublin.

**BEMBO** (Pietro) ~ *1470, Venise - 1547, Rome.* Cardinal et humaniste italien. Il codifia et popularisa les règles du dialecte toscan, ancêtre de l'italien.

**BEN** (Benjamin **Vautier**, dit) ~ *1935, Naples.* Artiste français d'orig. suisse. Émule de M. Duchamp, théoricien du « non-art », membre de Fluxus, il a érigé le nouveau en critère absolu et déclara que « tout est art ». Ses formules concises (*Écritures*) et ses activités multiples jouent un rôle déterminant dans l'école de Nice (*Dieu* ; *Regardez-moi, cela suffit*).

**BEN ALI** (Zine el-Abidine) ~ *1936, Sousse.* Homme d'État tunisien. Président de la République depuis 1987, il a accéléré la modernisation de son pays et mené une politique de fermeté à l'égard des mouvements intégristes.

**BÉNARÈS** ou **VARANASI** ~ V. de l'Inde (Uttar Pradesh), sur le Gange ; 932 000 h. Lieu saint de l'hindouisme, fondé au VI^e s. Université.

*Bénarès, ablutions rituelles dans le Gange.*

**BÉNAT (cap)** ~ Cap de la côte des Maures (Var), face aux îles d'Hyères.

**BENAVENTE** (Jacinto) ~ *1866, Madrid - 1954, id.* Auteur dramatique espagnol. Son répertoire varie du fantastique à la fantaisie et abonde en pièces (cent soixante ouvrages, dont la comédie satirique *Los Intereses creados*, 1909). Prix Nobel de litt. 1922.

**BEN BELLA** (Ahmed) ~ *1916, Maghnia.* Homme d'État algérien. L'un des chefs historiques du F. L. N., il fut le premier président de la République algérienne (1963). Renversé par le coup d'État de Boumediene (1965), il a été emprisonné jusqu'en 1980. Exilé en Europe, il est rentré en Algérie en 1990.

**BENDA** (Julien) ~ *1867, Paris - 1956, Fontenay-aux-Roses.* Écrivain français. Polémiste, il s'attaqua aux particularismes et à l'engagement partisan des intellectuels (*la Trahison des clercs*, 1927).

**BENELUX**, acron. de **Be**lgique, **Ne**derland, **Lux**embourg ~ Union économique et douanière formée par la Belgique, les Pays-Bas et le Luxembourg, créée par les accords de Londres en 1943 et 1944, effective depuis 1947, renforcée en 1960.

**BENEŠ** (Edvard) ~ *1884, Kožlany, Bohême - 1948, Sezimovo-Ústí.* Homme d'État tchécoslovaque. Avec T. Masaryk, il lutta pour l'indépendance de son pays et fut président de la République (1935-1938 et 1945-1948).

**BÉNÉVENT**, en ital. ***Benevento*** ~ V. d'Italie (Campanie) ; 63 000 h. Possession pontificale depuis 1052, la ville fut érigée en principauté par Napoléon I^er au profit de Talleyrand (1806-1814), puis annexée à l'Italie (1860).

**BÉNEZET** (saint) ~ *XII^e s.* Berger de la tradition provençale qui aurait construit, sur ordre céleste, avec l'aide de disciples, le pont d'Avignon.

**BENGALE** (le) ~ Région du sous-continent indien (N.-E.), divisée entre l'Inde (**Bengale-Occidental** ; 88 752 km², 68 078 000 h., hindouiste, cap. Calcutta) et le Bangladesh à l'E. (musulman), formée par le delta du Gange et du Brahmapoutre. La zone, humide et chaude, en partie inondable, est surpeuplée. Agriculture intensive (riz, jute, canne à sucre). **HIST.** - Un État musulman supplanta les royaumes bouddhiste et shivaïte (XIII^e-XIV^e s.). Conquis par les Moghols (1576), puis par les Britanniques (1757), il fut partagé entre l'Inde et le Pakistan (1947).

**BENGALE (golfe du)** ~ Partie de l'océan Indien qui baigne le Bengale au N. (delta du Gange) et les péninsules indienne et indochinoise.

**BENGHAZI** ~ Port et 2^e v. de Libye (Cyrénaïque) ; 485 000 h. Univ. Anc. Bérénice des Romains.

**BEN GOURION** (David) ~ *1886, Płońsk, Pologne - 1973, Tel-Aviv.* Homme politique israélien. Militant socialiste et sioniste, il travailla à l'organisation des Juifs de Palestine dès 1906. Il proclama la naissance de l'État d'Israël (1948), et fut Premier ministre (1948-1953 et 1955-1963).

**BENGUELA (courant de)** ~ Courant marin froid qui longe les côtes de la Namibie et de l'Angola (pêche côtière) jusqu'au S. du port de **Benguela** (41 000 h.). Dû à des remontées d'eaux profondes, il explique l'aridité du littoral namibien.

**BENIDORM** ~ Station baln. d'Espagne, au S. de Valence (Costa Blanca) ; env. 40 000 h.

**BÉNIN** (le) ~ Anc. royaume africain du golfe de Guinée, à l'O. du fl. Niger. Ses *obas* (rois et chefs religieux) régnaient sur une société très urbanisée. Partie prenante dans la traite des esclaves, le royaume atteignit son apogée au XVII^e s., puis devint protectorat britannique en 1892.

**BÉNIN (république du)**, anc. **Dahomey** ~ Pays d'Afrique occidentale bordé au S. par l'océan Atlantique. ***Cap.*** Porto-Novo. ***Superf.*** 112 622 km$^2$. ***Popul.*** 5 234 000 h., dont Fons (65 %), Baribas (10 %), Yoroubas (10 %). ***Langues princ.*** Français, fon, yorouba. ***Monn.*** Franc CFA. ***Relief.*** Massif de l'Atakora au N.-O. (640 m) et plaines au S. le long d'une côte basse (côte des Esclaves). ***Fl. princ.*** Ouémé. ***Climat.*** Équatorial au S., saison sèche au N. ***Écon.*** L'agriculture (manioc, igname, maïs, sorgho, huile de palme, élev. bovin) fournit les deux tiers des emplois. ***Autres ress.*** Pêche, pétrole, industrie agroalim. et textile. Le pays est très dépendant de l'aide internationale. ***V. princ.*** Cotonou, Porto-Novo, Parakou, Abomey. **HIST.** - *XVII^e s.* : fondation du royaume d'Abomey. *Fin XIX^e s.* : colonisation française et création de la colonie du Dahomey. *1904* : intégration à l'A.-O. F. *1960* : indépendance. *1972* : le colonel Mathieu Kérékou établit un régime marxiste-léniniste. *1975* : le Dahomey devient la république populaire du Bénin. *1990-1991* : après l'adoption d'une nouvelle Constitution, Nicéphore Soglo est élu président. *1996* : il est battu et remplacé par Kérékou lors d'une élection pluraliste.

**BENJAMIN** ~ Personnage biblique, 12^e fils de Jacob et de Rachel. Il devint chef d'une tribu d'Israël dont le territoire comprenait Jérusalem et Jéricho.

**BENJAMIN** (Walter) ~ *1892, Berlin - 1940, près de Port-Bou.* Philosophe allemand. Proche de l'école de Francfort, puisant dans la pensée talmudique et le marxisme, il développa une théorie matérialiste de l'art qui invite à sa politisation (*L'Œuvre d'art à l'époque de sa reproductibilité*, 1935 ; *Charles Baudelaire*, 1938-1939).

**BEN JELLOUN** (Tahar) ~ *1944, Fès.* Écrivain marocain de langue française. Ses romans et ses essais expriment le déracinement et le déchirement des êtres partagés entre deux cultures (*Moha le fou, Moha le sage*, 1978 ; *la Nuit sacrée*, 1987).

**BENN** (Gottfried) ~ *1886, Mansfeld, Prusse - 1956, Berlin.* Écrivain allemand. D'abord poète expressionniste (*Morgue*, 1912), influencé par Nietzsche, il s'efforça de dépasser le nihilisme par une écriture formelle (*Poèmes statiques*, 1948).

**BENNETT** (James Gordon) ~ *1795, New Mill, Écosse - 1872, New York.* Journaliste américain. Fondateur du *New York Herald* (1835), il fut un précurseur du journalisme moderne.

**BEN NEVIS** ~ Voir **Grampians** (monts).

**BÉNODET** ~ Station baln. de Bretagne (Finistère), au S. de Quimper, sur l'Odet ; 2 436 h. Casino.

**BENOÎT**, nom de quinze papes. ~ **Benoît XI** (Niccolo **Boccasini** ; *1240, près de Trévise - 1304*), pape de 1303 à 1304. Il accepta de renouer avec Philippe le Bel. ~ **Benoît XII** (Jacques **Fournier** ; *Saverdun - 1342, Avignon*), pape de 1334 à 1342. Il entreprit la construction du palais des Papes, à Avignon. ~ **Benoît XIII** (Pedro **de Luna** ; *v. 1328, Illueca, Espagne - 1423, Peñiscola*), antipape d'Avignon de 1394 à 1423. Déposé en 1417, il se réfugia en Espagne. ~ **Benoît XIII** (Pietro Francesco **Orsini** ; *1649, Gravina - 1730, Rome*), pape de 1724 à 1730. Il intervint dans la querelle du jansénisme. ~ **Benoît XIV** (Prospero **Lambertini** ; *1675, Bologne - 1758, Rome*), pape de 1740 à 1758. Érudit, il encouragea l'enseignement des sciences, et, conciliateur, il dialogua avec les jansénistes et les protestants. ~ **Benoît XV** (Giacomo **Della Chiesa** ; *1854, Gênes - 1922, Rome*), pape de 1914 à 1922. Il échoua dans son action pour la paix durant la Première Guerre mondiale.

**BENOIT** (Pierre) ~ *1886, Albi - 1962, Ciboure.* Écrivain français, un des maîtres du roman d'évasion (*Kœnigsmark*, 1918 ; *l'Atlantide*, 1919). Acad.

**BENOÎT DE NURSIE** (saint) ~ *v. 480, Nursie - v. 547, Mont-Cassin.* Moine fondateur de l'ordre monastique qui porte son nom (Bénédictins).

**BENOÎT DE SAINTE-MAURE** ~ *XII^e s.* Trouvère anglo-normand. Il composa *le Roman de Troie* (v. 1160), l'un des premiers romans courtois.

**BÉNOUÉ** (la) ~ Affl. principal du Niger (r. g.), bassin inférieur ; 1 400 km. Née dans l'Adamaoua, haut relief frontalier du Cameroun et du Nigeria, elle arrose ces deux pays.

**BENTHAM** (Jeremy) ~ *1748, Londres - 1832, id.* Jurisconsulte et philosophe britannique. Prônant l'utilitarisme social, sa philosophie devint rapidement l'une des bases de l'idéologie bourgeoise et de la vie politique britannique au XIX^e s.

**BENVENISTE** (Émile) ~ *1902, Alep - 1976, Paris.* Linguiste et sémioticien français. Ses travaux sur les langues indo-européennes firent autorité. Il développa une théorie sur la syntaxe du discours (*Problèmes de linguistique générale*, 1966-1974).

**BEN YEHUDA** (Eliezer **Perelman**, dit Eliezer) ~ *1858, Louchki, Lituanie - 1922, Jérusalem.* Écrivain hébraïque. Il se donna pour mission de ressusciter l'hébreu et publia un *Dictionnaire complet de la langue hébraïque ancienne et moderne*.

**BENZ** (Carl) ~ *1844, Karlsruhe - 1929, Ladenburg.* Ingénieur allemand. Il réalisa un véhicule à trois roues équipé d'un moteur à essence (quatre temps) à une vitesse (brevet en 1886).

**BÉOTIE** (la) ~ Nome actuel et anc. contrée de Grèce (cap. Thèbes), au N.-O. de l'Attique. Du VI^e au IV^e s. av. J.-C., ses cités se groupèrent en une ligue souvent dissoute et reconstituée, qui prit part aux guerres du Péloponnèse.

**BEOWULF** ~ Moine légendaire d'un poème épique anglo-saxon rédigé du VIII^e au X^e s.

**BEQAA** (la) ~ Voir **Bekaa**.

**BÉRANGER** (Pierre Jean DE) ~ *1780, Paris - 1857, id.* Chansonnier et poète français. Ses chansons anticléricales ou satiriques contribuèrent à la formation de la légende napoléonienne.

**BERBERA** ~ Port de Somalie, base militaire, sur le golfe d'Aden ; 70 000 h. Ancienne capitale de la Somalie britannique.

**Berbères** (les) ~ Ensemble des populations d'Afrique du Nord, parlant le berbère. Occupant l'Afrique du N. depuis la préhistoire, ils furent islamisés par l'occupation arabe à partir du VII^e s. Au XII^e s., ils résistèrent à une nouvelle invasion arabe, et établirent des dynasties (Almoravides, Almohades) qui s'étendirent sur tout le Maghreb et sur une partie de l'Espagne. Leur culture est essentiellement orale (contes, chansons), et leurs objets artisanaux (tapis, céramiques, orfèvrerie) sont décorés de motifs géométriques.

**BERBEROVA** (Nina Nikolaïevna) ~ *1901, Saint-Pétersbourg - 1993, Philadelphie.* Romancière américaine d'orig. russe. Son œuvre, en partie autobiographique, exprime les désarrois de l'exilé (*Sans déclin*, 1938 ; *C'est moi qui souligne*, 1969).

**BERCHTESGADEN** ~ V. d'Allemagne (Bavière) ; env. 8 000 h. Station climatique. Hitler en fit sa villégiature favorite, dans son « nid d'aigle », le Berghof, que la division Leclerc prit le 4 mai 1945.

**BERCK** ~ Station balnéaire et climatique du Pas-de-Calais, sur la Manche, au N. de la baie de Somme ; 14 167 h. (agglom. 19 693 h.).

**Berd** ~ Voir **Banque européenne pour la reconstruction et le développement**.

**BÉRÉGOVOY** (Pierre) ~ *1925, Déville-lès-Rouen - 1993, Nevers.* Homme politique français. Membre du parti socialiste, il fut ministre des Finances (1984-1986 et 1988-1992), puis Premier ministre (1992-1993). Il se suicida.

**BÉRÉNICE** ~ *v. 28 - 79.* Princesse juive. Titus l'emmena à Rome pour l'épouser, mais dut y renoncer devant l'opposition de son peuple.

Saint Benoît à Subiaco *(détail), école de Fra Angelico (XVI^e s.). Musée Condé, Chantilly.*

© Lauros-Giraudon

**BÉRÉZINA** (la) ~ Affl. du Dniepr (Biélorussie). La Grande Armée napoléonienne en retraite y perdit 30 000 hommes (26-29 nov. 1812).

**BERG** ~ Anc. duché, puis grand-duché (1806) de l'Allemagne rhénane (cap. Düsseldorf), annexé par la Prusse en 1815.

**BERG** (Alban) ~ *1885, Vienne - 1935, id.* Compositeur autrichien. Disciple d'A. Schönberg, il opéra une synthèse du postromantisme et du sérialisme dans ses opéras (*Wozzeck*, 1922 ; *Lulu*, 1935) et utilisa le dodécaphonisme dans *Suite lyrique pour quatuor à cordes* (1925-1926).

**BERGAME** ~ V. d'Italie (Lombardie), centre industriel au pied des Alpes ; 116 000 h. V. vénitienne fortifiée (piazza Vecchia, basilique Santa Maria Maggiore, chapelle Colleoni, du XV^e s.). Pinacothèque (peintures de Bellini, Pisanello, Mantegna).

**BERGEN** ~ 2^e v. de Norvège (S.-O.), port de pêche et de commerce, 213 000 h. Palais d'Haakon IV. Anc. capitale (XII^e-XIII^e s.), anc. ville de la Hanse.

**Bergen-Belsen** ~ Camp de concentration nazi, en Allemagne, près de Hanovre (1943-1945).

**BERGERAC** ~ V. et anc. capitale du Périgord (Dordogne), sur la Dordogne, centre viticole ; 26 899 h. Industrie agroalim., poudrerie nationale. Place protestante jusqu'au XVII^e s.

**BERGÈS** (Aristide) ~ *1833, Lorp, Ariège - 1904, Lancey, Isère.* Ingénieur français. Il eut l'idée d'exploiter, dès 1869, les hautes chutes d'eau pour produire de l'électricité (houille blanche).

**BERGMAN** (Ingmar) ~ *1918, Uppsala.* Cinéaste et metteur en scène suédois. Les grands thèmes métaphysiques et existentiels ont trouvé dans ses films une modernité brûlante (*le Septième Sceau*, 1957 ; *Cris et Chuchotements*, 1972 ; *Sonate d'automne*, 1978 ; *Fanny et Alexandre*, 1982). Il a porté *la Flûte enchantée* à l'écran (1973).

© Pele-Stills

Le Septième Sceau *(1957), d'Ingmar Bergman.*

**BERGMAN** (Ingrid) ~ *1915, Stockholm - 1982, Londres.* Actrice suédoise. Elle s'imposa à Hollywood grâce à sa finesse et à son naturel (*Hantise*, de G. Cukor, 1944 ; *les Enchaînés*, d'A. Hitchcock, 1946), et tourna en Italie avec R. Rossellini (*Voyage en Italie*, 1954), dont elle devint l'épouse.

**BERGSLAG** (le) ~ Région minière (fer) de Suède, au N.-O. de Stockholm. Métall. (à Falun).

**BERGSON** (Henri) ~ *1859, Paris - 1941, id.* Philosophe français. Ignorant l'histoire, son œuvre, qui se développe dans le sens d'un évolutionnisme spiritualiste, retrouve le goût du « sens intime » (*l'Évolution créatrice*, 1907 ; *l'Énergie spirituelle*, 1919 ; *Durée et Simultanéité*, 1922). Prix Nobel de litt. 1927. [☞ **bergsonisme.**]

**BERGUES** ~ V. de la Flandre maritime (Nord) ; 4 163 h. Enceinte du Moyen Âge et du XVII^e s.

**BERIA** (Lavrenti Pavlovitch) ~ *1899, Merkheouli, Géorgie - 1953, Moscou.* Homme politique soviétique. Chef de la police politique (N. K. V. D.) à partir de 1938 et ministre de l'Intérieur (1942-1946), il fut exécuté après la mort de Staline.

**BÉRING** ou **BEHRING (détroit de)** ~ Détroit (larg. 85 km) découvert par le Danois Vitus **Behring** (1681-1741), qui relie l'océan Arctique à la **mer de Béring**, partie N. du Pacifique, entre l'Alaska et la Sibérie. Durant les glaciations quaternaires, c'était un isthme reliant l'Asie et l'Amérique.

**BERIO** (Luciano) ~ *1925, Oneglia, Ligurie.* Compositeur italien. Délaissant la composition sérielle orchestrale (*Nones*, 1954), il a expérimenté la musique électro-acoustique, mêlée aux matériaux sonores vocaux et instrumentaux (*Thema omaggio a Joyce*, 1958 ; *Coro*, 1979-1984).

**BERKELEY** ~ V. de Californie (États-Unis), sur la baie de San Francisco ; 105 000 h. Célèbre université fondée en 1868.

**BERKELEY** (George) ~ *1685, Dysert - 1753, Oxford.* Philosophe et évêque irlandais. En lutte contre le scepticisme issu de la physique mécaniste, il forgea l'immatérialisme, mise en doute de l'existence de la substance matérielle dans un monde où « exister, c'est être perçu » (*Traité des principes de la connaissance humaine*, 1710).

**BERKSHIRE** (le) ~ Comté du S. de l'Angleterre ; 1 256 km², 734 000 h., ch.-l. Reading.

**BERLICHINGEN** (Götz ou Gottfried VON) ~ *v. 1480, Jagsthausen, Wurtemberg - 1562, Hornberg.* Chevalier allemand. Sa vie inspira Goethe et Sartre.

**BERLIER** (Jean-Baptiste) ~ *1843, Rive-de-Gier, Loire - 1911, Deauville.* Ingénieur français, inventeur d'un système de transmission pneumatique et précurseur du métropolitain.

**BERLIN** ~ Cap. de l'Allemagne, sur la Spree et la Havel, qui forme un land de 889 km² (réunion de l'anc. land de **Berlin-Ouest** et de la cap. de l'ex-R. D. A.) enclavé dans le Brandebourg ; 3 466 000 h. Métropole écon. et cult., carrefour entre Europe occidentale et orientale. Le transfert à Berlin d'une grande partie des institutions fédérales (Bundestag, gouv. fédéral, etc.) a été décidé en 1991. **HIST.** - Créée par les Électeurs de Brandebourg, qui y fixèrent leur résidence (1470), agrandie au XVIII^e^ s., Berlin fut la capitale de la Prusse, puis de l'Allemagne unifiée (1871). Théâtre de mouvements révolutionnaires en 1918-1919, elle forma en 1920 le Grand-Berlin avec les communes des environs et connut alors une intense activité culturelle et artistique. Capitale du III^e^ Reich, prise par les Soviétiques après une violente bataille (22 avr.-2 mai 1945), elle fut partagée par les Alliés en quatre zones d'occupation. La zone soviétique fut intégrée à la R. D. A., qui y installa sa capitale, **Berlin-Est**, séparée de l'O. par le **mur de Berlin**, construit en 1961. Berlin-Ouest formait une enclave en territoire est-allemand, rattachée par voies aériennes, routières et ferroviaires à la R. F. A. La destruction du mur (9 nov. 1989) marqua la fin de l'hégémonie soviétique en Europe de l'Est et préluda à la réunification de l'Allemagne.

**Berliner Ensemble** ~ Troupe théâtrale fondée par B. Brecht en 1949 à Berlin-Est.

**BERLINGUER** (Enrico) ~ *1922, Sassari - 1984, Padoue.* Homme politique italien. Secrétaire général du P. C. I. à partir de 1972, il fut l'un des initiateurs de l'« eurocommunisme » et du « compromis historique » (1977) avec la Démocratie chrétienne.

**BERLIOZ** (Hector) ~ *1803, La Côte-Saint-André, Isère - 1869, Paris.* Compositeur français. Principal représentant du romantisme en France, il poussa l'intensité dramatique à l'extrême et fut d'une grande inventivité rythmique et mélodique (*la Symphonie fantastique*, 1830 ; *Benvenuto Cellini*, 1838 ; *Requiem*, 1837 ; *les Troyens*, 1863).

**BERMUDES** (les), en angl. *Bermuda* ~ Archipel britannique (colonie en 1612, autonomie en 1968) du N.-O. de l'Atlantique ; 53 km², 60 000 h., cap. Hamilton. Tourisme. Paradis fiscal.

**BERNADETTE SOUBIROUS** (sainte) ~ *1844, Lourdes - 1879, Nevers.* Paysanne pyrénéenne dont les visions de la Vierge, en 1858, furent à l'origine du pèlerinage de Lourdes.

**BERNADOTTE** ~ Voir **Charles XIV**, roi de Suède.

**BERNANOS** (Georges) ~ *1888, Paris - 1948, Neuilly-sur-Seine.* Écrivain français. Catholique fervent, déchiré par la question du mal, il se démarqua des positions politiques de l'Église à travers romans et pamphlets (*Sous le soleil de Satan*, 1926 ; *le Journal d'un curé de campagne*, 1936).

**BERNARD** (Claude) ~ *1813, Saint-Julien, Rhône - 1878, Paris.* Physiologiste français. Ses découvertes – la glycogenèse animale, les fonctions vasodilatatrice et constrictrice du système nerveux (publiées à partir de 1848) –, fondatrices de la thérapeutique moderne, furent à la base de sa grande œuvre, restée inachevée, *Introduction à l'étude de la médecine expérimentale* (1865). Donnant à la physiologie son statut de science, définissant sa méthode, il y esquissa une philosophie des sciences expérimentales. Acad.

**BERNARD** (Jean) ~ *1907, Paris.* Médecin et chercheur français. Hématologiste, il fait autorité tant dans sa discipline (travaux sur la leucémie) qu'en matière d'éthique médicale. Acad.

**BERNARD** (Paul, dit Tristan) ~ *1866, Besançon - 1947, Paris.* Écrivain français. Son œuvre dramatique évolua du vaudeville à quiproquos à la comédie de mœurs, qui fit s'esclaffer la Belle Époque (*Triplepatte*, 1906).

**BERNARD DE CLAIRVAUX** (saint) ~ *1090, Fontaine-lès-Dijon - 1153, Clairvaux.* Docteur de l'Église. Moine cistercien, il établit les statuts de l'ordre du Temple, fonda l'abbaye de Clairvaux (1115) et prêcha la 2^e^ croisade (1146).

**BERNARD DE MENTHON** (saint) ~ *923, Menthon, près d'Annecy - 1008, id.* Prêtre, puis archidiacre d'Aoste. Il fonda les deux hospices du mont Saint-Bernard. Patron des alpinistes.

**BERNARD DE VENTADOUR** ~ *XII^e^ s.* Troubadour limousin. Ses poèmes d'amour dédiés à Aliénor d'Aquitaine marquèrent la poésie médiévale.

**BERNARDIN DE SAINT-PIERRE** (Henri) ~ *1737, Le Havre - 1814, Éragny-sur-Oise.* Écrivain français. Précurseur du romantisme et disciple de J.-J. Rousseau, inspiré par son séjour à l'île Maurice, il célébra dans son œuvre (*Études de la nature*, 1784-1788 ; *Paul et Virginie*, 1788) la vie champêtre, l'innocence et le bonheur dans la nature. Acad.

**BERNARDIN DE SIENNE** (saint) ~ *1380, Massa Marittima - 1444, L'Aquila.* Franciscain italien, premier prêcheur du culte du saint nom de Jésus.

**BERNARDIN DE SIENNE**, dit **Ochino** ~ *1487, Sienne - 1564, Slavkor, Moravie.* Prédicateur italien. Franciscain puis capucin, il se convertit au calvinisme.

**BERNAY** ~ V. du Lieuvin (Eure), à l'O. d'Évreux ; 10 582 h. Anc. abbatiale du XI^e^ s. Un « trésor » (vaisselle d'argent hellénistique) y fut exhumé en 1830. Foires au Moyen Âge.

**BERNE**, en all. *Bern* ~ Cap. fédérale de la Suisse, siège des pouvoirs exécutif et législatif, centre univ. et financier, à la frontière des pays francophone et alémanique, sur l'Aar, dans le Mittelland ; 136 000 h. (agglom. env. 300 000 h.). Cathédrale (XV^e^-XVI^e^ s.), château de Nydegg (XV^e^ s.), tour de l'Horloge (XV^e^ s.), vieux centre ancien. Le **canton de Berne**, 2^e^ de Suisse par sa superficie (6 050 km²) et sa population (957 000 h.), en maj. germanophone et protestant, est partagé entre le S. du Jura, le Mittelland et l'Oberland (Alpes). **HIST.** - Fondée en 1191, ville impériale en 1218, Berne entra en 1353 dans la Confédération helvétique. Elle adopta la Réforme en 1528. Cap. de la Suisse en alternance avec Zurich et Lucerne, puis seule (1799-1803 et depuis 1848). Le canton a été amputé du Jura suisse en 1979.

**BERNHARD** (Thomas) ~ *1931, Heerlen, Pays-Bas - 1989, Gmunden, Autriche.* Écrivain et dramaturge autrichien. Attaché à une thématique où dominent la mort et la maladie – dans des romans soumis au rythme de phrases infinies (*Corrections*, 1975 ; *le Neveu de Wittgenstein*, 1982) ou dans son théâtre d'une sécheresse brutale (*l'Ignorant et le Fou* ; *la Force de l'habitude*) –, il n'eut de cesse, entre ironie féroce et pessimisme lucide, de conspuer l'Autriche et ses contemporains.

**BERNHARDT** (Rosine **Bernard**, dite Sarah) ~ *1844, Paris - 1923, id.* Tragédienne française. Elle connut une renommée mondiale (*Phèdre* ; *l'Aiglon*).

**BERNHEIM** (Hippolyte) ~ *1837, Mulhouse - 1919, Paris.* Médecin français. Ses travaux sur les possibilités curatives de l'hypnotisme l'amenèrent à collaborer avec S. Freud (*De la suggestion et de ses applications à la thérapeutique*, 1886).

**BERNIER** (Étienne) ~ *1762, Daon, Anjou - 1806, Paris.* Prélat français. Ayant participé à l'insurrection vendéenne, il se rallia à Bonaparte (1800) et fut l'un des négociateurs du Concordat.

**BERNIN** (Gian Lorenzo **Bernini**, dit **le Cavalier Bernin** ou **le**) ~ *1598, Naples - 1680, Rome.* Sculpteur et architecte italien. Possédant la virtuosité technique des maniéristes, il rendit à la perfection la texture de la matière, atteignant au sommet de l'art baroque (*l'Extase de sainte Thérèse* ; *Apollon et Daphné*).

**BERNINA** (la) ~ Massif où culminent les Alpes rhétiques (4 050 m), entre les hautes vallées de l'Inn (Suisse, Grisons) et de l'Adda (Italie), reliées par le **col de la Bernina** (2 320 m).

**BERNOISES (Alpes)** ~ Voir **Alpes**.

**BERNOULLI**, famille de mathématiciens et physiciens suisses. ~ **Jacques** (*1654, Bâle - 1705, id.*), disciple de Leibniz, développa le calcul intégral et jeta les bases du calcul des variations (**théorème de Bernoulli**), du calcul des probabilités et du calcul exponentiel. Son frère ~ **Jean** (*1667, Bâle - 1748, id.*) contribua aux mêmes travaux et en approfondit les résultats. ~ **Daniel**, fils du préc. (*1700, Groningue - 1782, Bâle*), créa la première théorie cinétique des gaz et l'hydrodynamique.

**BERNSTEIN** (Eduard) ~ *1850, Berlin - 1932, id.* Écrivain et homme politique allemand. Il dirigea le Parti social-démocrate allemand avec K. Kautsky, l'orientant vers le socialisme réformiste (*les Présupposés du socialisme*, 1899).

**BERNSTEIN** (Leonard) ~ *1918, Lawrence, Massachusetts - 1990, New York.* Compositeur et chef d'orchestre américain. Éclectique, il a conduit et enseigné le répertoire classique et contemporain (G. Mahler, O. Messiaen) tout en composant des œuvres pleines de fougue (*Symphonie n^o^ 2*, 1949 ; *West Side Story*, 1961 ; *Chichester Psalms*, 1965).

**BÉROUL** ~ *XII^e^ s.* Trouvère anglo-normand. Auteur d'un *Tristan et Yseut* en vers octosyllabiques.

**BERR** (Henri) ~ *1863, Lunéville - 1954, Paris.* Historien et philosophe français, créateur de la *Revue de synthèse historique* (1900).

**BERRE (étang de)** ~ Étang des Bouches-du-Rhône (155 km²) qui communique avec la Méditerranée (golfe de Fos) par le canal de Caronte, vaste site industr. dans l'orbite de Marseille (raff. de pétrole, chimie, aéronautique sur ses rives).

**BERRE-L'ÉTANG** ~ V. industrielle (pétrochimie) située sur l'étang de Berre (Bouches-du-Rhône) ; 12 672 h. Base aéronavale.

**BERRUGUETE**, famille d'artistes espagnols. ~ **Pedro** (*1450, Paredes de Nava - 1504, id.*), peintre. On lui attribue les portraits d'hommes célèbres d'Urbino. Son style allie le mysticisme espagnol aux principes de composition de la Renaissance italienne (*Retable de la vie de la Vierge à Santa Eulalia*). Son fils ~ **Alonso** (*1488, Paredes de Nava - 1561, Tolède*), sculpteur, fut proche du maniérisme italien dans son expression de la douleur.

**BERRY** (le) ~ Région du centre de la France, entre la Sologne et le N. du Massif central, arrosée par l'Indre, le Cher et la Creuse. Aux marges – Brenne (sols pauvres), Boischaut (bocage herbager), Sancerrois (vignes) – s'oppose la Champagne berri-

1

© Grandadam-Explorer

2

© R. Kord-Explorer

3

© Lauros-Giraudon

1. **Berlin**, *la porte de Brandebourg.*

2. **Berne**, *la tour de l'Horloge.*

3. Hector **Berlioz** *(détail), peinture d'André Gosset de Guines, dit Gill (d'après une photographie de Nadar). Château de Versailles.*

chonne (plateau céréalier). Les villes (Bourges, Châteauroux, Vierzon) sont d'importance moyenne. **HIST.** – Le **duché de Berry**, créé en 1360, donné en apanage à divers princes de la famille royale, fut réuni à la Couronne en 1601.

**BERRY** (Charles Ferdinand **de Bourbon**, duc DE) ~ *1778, Versailles - 1820, Paris.* 2e fils du comte d'Artois, le futur Charles X. Il émigra en 1789 et rentra en France en 1815. Son assassinat par le républicain Louvel (13 févr. 1820) fournit un prétexte aux ultras pour renverser le ministère libéral de Decazes. Sa veuve, ~ **Marie-Caroline** DE BOURBON-SICILE, duchesse DE (*1798, Palerme - 1870, Brünnsee*), tenta de soulever la Vendée en faveur de son fils, le duc de Chambord (1832).

**BERRY** (Jean **de France**, duc DE) ~ *1340, Vincennes - 1416, Paris.* Prince capétien. 3e fils de Jean II le Bon, il partagea le pouvoir avec les ducs de Bourgogne et d'Orléans quand son neveu Charles VI devint fou. Protecteur des arts, il commanda les *Très Riches Heures du duc de Berry* aux frères de Limbourg.

**BERRY** (Jules **Paufichet**, dit Jules) ~ *1883, Poitiers - 1951, Paris.* Acteur français. Il excella à l'écran dans des rôles tout en cynisme et en insolence (*le Crime de M. Lange*, de J. Renoir, 1936 ; *Le jour se lève*, de M. Carné, 1939).

**BERRYER** (Pierre Antoine) ~ *1790, Paris - 1868, Augerville-la-Rivière, Loiret.* Avocat et homme politique français. Grande figure du légitimisme parlementaire sous la monarchie de Juillet, il défendit Chateaubriand et Lamennais. Acad.

**BERT** (Paul) ~ *1833, Auxerre - 1886, Hanoi.* Physiologiste et homme politique français. Ministre de l'Instruction publique (1880-1881), il prit part aux réformes pour l'obligation de l'instruction primaire, puis fut gouverneur de l'Annam et du Tonkin (1886).

**BERTAUT** (Jean) ~ *1552, Donnay, près de Bayeux - 1611, Séez.* Poète français. Il composa des poèmes d'amour, dans un style annonçant l'idéal classique (*Recueil de quelques vers amoureux*, 1602).

**Bertha (la grosse)** ~ Surnom donné aux canons allemands de grande portée qui tirèrent sur Paris de mars à août 1918.

**BERTHE** ou **BERTRADE**, dite **Berthe au grand pied** ~ *m. en 783 à Choisy-au-Bac.* Mère de Charlemagne et de Carloman.

**BERTHELOT** (Marcellin) ~ *1827, Paris - 1907, id.* Chimiste et homme politique français. Il réussit la synthèse de l'acétylène (1860), qui joua un rôle déterminant dans le débat contre le vitalisme. Il fut le fondateur de la thermochimie. Élu sénateur, il fut ministre de l'Instruction publique (1886-1887) puis des Affaires étrangères (1895-1896). Acad.

**BERTHIER** (Louis Alexandre), prince **de Neuchâtel** et **de Wagram** ~ *1753, Versailles - 1815, Bamberg.* Maréchal de France. Il participa à la campagne d'Italie et fut major général de la Grande Armée (1805-1814).

**BERTHOLLET** (Claude Louis, comte) ~ *1748, Talloires - 1822, Arcueil.* Chimiste français. Il a fait apparaître les propriétés décolorantes du chlore (1789) et énonça les lois sur la double décomposition des sels, acides et bases.

**BERTILLON** (Alphonse) ~ *1853, Paris - 1914, id.* Criminologue français. Il fut le créateur de l'anthropométrie, ou **bertillonnage**, méthode d'identification des criminels reposant sur les caractéristiques de leur constitution osseuse.

**BERTOLUCCI** (Bernardo) ~ *1941, Parme.* Cinéaste italien. Empreints de marxisme et de freudisme, ses drames psychologiques liés aux convulsions de l'histoire ne sont pas exempts d'esthétisme (*le Conformiste*, 1970 ; *le Dernier Tango à Paris*, 1972 ; *le Dernier Empereur*, 1987).

**BERTRAND** (saint) ~ *v. 1050, L'Isle-Jourdain - 1123, Comminges.* Prélat français, évêque de Comminges (1073), fondateur de la ville de Saint-Bertrand-de-Comminges.

**BERTRAND** (Henri, comte) ~ *1773, Châteauroux - 1844, id.* Général français. Il partagea l'exil de Napoléon et en laissa un témoignage, les *Cahiers de Sainte-Hélène.*

**BERTRAND** (Louis, dit Aloysius) ~ *1807, Ceva, Piémont - 1841, Paris.* Poète français. Ses poèmes en prose (*Gaspard de la nuit*, 1842), d'inspiration romantique, préfigurent le surréalisme.

**BERTRAND** (Marcel) ~ *1847, Paris - 1907, id.* Géologue français, un des fondateurs de la tectonique moderne.

**BERTRAN DE BORN** ~ *v. 1140 - v. 1215, abbaye de Dalon.* Troubadour périgourdin, compositeur et auteur en langue d'oc de poésies mordantes (*sirventès*) sur la guerre, l'amour et la société féodale.

**BÉRULLE** (Pierre DE) ~ *1575, Sérilly, Champagne - 1629, Paris.* Prélat français. Chef du « parti dévot » hostile aux protestants, il introduisit le Carmel en France avec Marie de l'Incarnation (1604), et fonda la société de l'Oratoire (1621).

**BERWICK** (James **Stuart Fitz-James**, duc DE) ~ *1670, Moulins - 1734, Philippsburg, Bade-Wurtemberg.* Fils naturel de Jacques II d'Angleterre, maréchal de France (1706), il vainquit les Anglais à la bataille d'Almansa (1707) et mena une campagne en Espagne contre les Anglais (1719). Il fut tué au siège de Philippsburg.

**BERZELIUS** (Jöns Jacob, baron) ~ *1779, Väversunda Sörgard, près de Linköping - 1848, Stockholm.* Chimiste suédois. Il établit la notation symbolique des éléments chimiques et élabora la théorie du dualisme électrochimique.

**BESANÇON** ~ Préfect. du Doubs et de la Région Franche-Comté, sur un méandre du Doubs, au pied du Jura ; 113 828 h. (agglom. 122 629 h.). Université. Cap. française de l'industr. horlogère depuis le XIXe s., imprimerie. Citadelle de Vauban, cathédrale St-Jean (XIe-XVIII[e] s.), demeures des XVIe et XVIIIe s. Musées. **HIST.** – Rattachée au duché de Bourgogne, puis ville libre impériale du XIe au XVIe s., elle fut occupée par les Espagnols (1649). Louis XIV s'en empara (1674) et en fit la capitale de la Franche-Comté après son rattachement définitif à la France (1678).

**BESKIDES** (les) ~ Chaîne boisée d'alt. moyenne (1 725 m) qui termine au N.-O. l'arc carpatique (N. des Tatras), partagée entre la Pologne, la République tchèque et la Slovaquie. Élev., tourisme.

**BESKRA**, anc. **Biskra** ~ Oasis du Zab algérien, au S. de l'Aurès, ch.-l. de wilaya ; 130 000 h. Palmeraie.

**BESSARABIE** (la) ~ Région hist. qui englobe la Moldavie et une partie de l'Ukraine (depuis 1940), entre le delta du Danube et le Prout à l'O., et le Dniestr à l'E. Conquise par les Turcs (1484), occupée par les Russes après 1878, elle fut rattachée à la Roumanie (1918) puis annexée par l'U. R. S. S. (1947).

**BESSARION** (Jean) ~ *1402, Trébizonde, Turquie - 1472, Ravenne.* Humaniste et théologien byzantin, partisan de la réunion des Églises grecque et latine.

**BESSE-ET-SAINT-ANASTAISE** ~ Station touristique du Puy-de-Dôme (1 050 m), dans les monts Dore ; 1 799 h. Sports d'hiver à Superbesse.

**BESSÈGES** ~ V. industr. (métallurgie) du Gard, dans l'anc. bassin houiller cévenol, sur la Cèze, au N. d'Alès ; 3 635 h. (agglom. 5 146 h.).

**BESSEL** (Friedrich Wilhelm) ~ *1784, Minden - 1846, Königsberg.* Astronome allemand. Il fut le premier à calculer précisément la constante de précession (1838) et introduisit les fonctions mathématiques qui portent son nom.

**BESSEMER** (sir Henry) ~ *1813, Charlton, Hertfordshire - 1898, Londres.* Ingénieur britannique. Il mit au point une méthode de production de l'acier par un convertisseur de fonte (1855).

**BESSENYEI** (György) ~ *1747, Berczel - 1811, Kovácsipuszta.* Écrivain hongrois. Il introduisit dans son pays les idées et les formes novatrices de la littérature occidentale (*le Philosophe*, 1771 ; *Buda*, 1773 ; *Laïs*, posth., 1889).

**BESSIN** (le) ~ Région côtière et herbagère de Normandie (E. du Contentin, Calvados). V. princ. Bayeux. Produits laitiers (Isigny).

**BEST** (Charles Herbert) ~ *1899, West Pembroke, Maine - 1978, Toronto.* Physiologiste canadien. Avec Fr. Banting et J. Macleod, il participa à la découverte de l'insuline (1921).

**BETANCOURT** (Rómulo) ~ *1908, Guatira, Miranda - 1981, New York.* Homme d'État vénézuélien. Porté une première fois (1945-1948) à la présidence de la République par un coup d'État, il le sera, de nouveau, par les élections (1958-1964).

**BÉTHANIE**, auj. **al-Azariyya** ~ Bourg de la Palestine ancienne, près de Jérusalem. Selon l'Évangile de saint Jean, Jésus y ressuscita Lazare.

**BETHE** (Hans Albrecht) ~ *1906, Strasbourg.* Physicien américain d'orig. allemande. Il a découvert le cycle de réactions thermonucléaires de fusion (1938) qui explique l'origine de l'énergie stellaire Prix Nobel de phys. 1967.

**BÉTHENCOURT** (Jean DE) ~ *v. 1360, pays de Caux - 1425, id.* Navigateur normand. Il fonda, aux Canaries, la première colonie européenne.

**BETHLÉEM** ~ V. de Cisjordanie, au S. de Jérusalem ; env. 25 000 h. Berceau de la famille de David et lieu de naissance de Jésus, selon les Évangiles. Pèlerinage (basilique de la Nativité).

**BETHSABÉE** ~ Personnage biblique. Femme d'Urie, enlevée par David, à qui elle donna quatre fils, dont Salomon.

**BÉTHUNE** ~ V. et anc. centre houiller du Pas-de-Calais, port fluvial sur le canal de la Lys à la Deûle ; 24 556 h. (agglom. 259 888 h.). Beffroi du XIVe s. Industries mécan., pneumatique.

**BETI** (Alexandre **Biyidi**, dit Mongo) ~ *1932, M'Balmayo, près de Yaoundé.* Écrivain camerounais. Exilé en France, il a publié des ouvrages critiquant la colonisation (*le Pauvre Christ de Bomba*, 1956) et la politique de son pays devenu indépendant.

**BÉTIQUE** (la) ~ Ancienne prov. romaine, auj. Andalousie, patrie de Trajan et d'Hadrien.

**BÉTIQUES (cordillères)** ~ Système montagneux du S. de l'Espagne (3 478 m dans la sierra Nevada).

**BETTELHEIM** (Bruno) ~ *1903, Vienne - 1990, Silver Spring, Maryland.* Psychiatre et psychanalyste américain d'orig. autrichienne. Spécialiste des psychoses infantiles, il étudia l'autisme (*les Blessures symboliques*, 1955 ; *la Forteresse vide*, 1967).

**BETTELHEIM** (Charles Oscar) ~ *1913, Paris.* Économiste français, marxiste, spécialiste de la planification et du sous-développement (*les Luttes de classes en U. R. S. S.*, 1974-1983).

**BETTIGNIES** (Louise DE) ~ *1880, Saint-Amand-les-Eaux - 1918, Cologne.* Agent de renseignements français pour l'armée britannique, elle fut arrêtée par les Allemands (1915) et mourut en captivité.

**BEUVE-MÉRY** (Hubert) ~ *1902, Paris - 1989, Fontainebleau.* Journaliste français. Il fonda le quotidien *le Monde* (1944).

**BEUVRAY (mont)** ~ L'un des sommets du Morvan (820 m), au S. du massif, site de Bibracte.

**BEUVRON** (le) ~ Affl. de la Loire (r. g.), qui coule en Sologne ; 125 km.

**BEUYS** (Joseph) ~ *1921, Clèves - 1986, Düsseldorf.* Peintre, sculpteur et théoricien allemand. Il utilisa des matériaux bruts (graisse, feutre, boue, sang, animaux vivants ou morts) dans des installations et des happenings contestataires.

**BEVEREN** ~ V. de Belgique (Flandre-Orientale), près d'Anvers, dans les polders de l'Escaut ; 42 000 h.

**BEVERIDGE** (William Henry, lord) ~ *1879, Rangpur - 1963, Oxford.* Économiste britannique. Partisan d'une protection sociale impulsée par l'État, il proposa un plan d'organisation des assurances sociales, puis un plan pour le plein-emploi.

**BEVIN** (Ernest) ~ *1887, Winsford, Somerset - 1951, Londres.* Syndicaliste, ministre du Travail de Churchill (1940-1945), puis ministre des Affaires étrangères (1945-1951), il contribua à l'élaboration du traité de l'Atlantique Nord (1949).

**BEYLE** (Henri) ~ Voir **Stendhal.**

**BEYNES** ~ V. de l'O. de la région parisienne (Yvelines), centre de stockage souterrain de gaz, au N. de Saint-Quentin-en-Yvelines ; 7 445 h.

**BEYROUTH**, en ar. *Bayrut* ~ Cap. et 1er port du Liban, sur la Méditerranée, adossée au mont Liban, anc. centre fin. et cult. du Proche-Orient, ruiné par la guerre civile (1975-1990) ; env. 1 500 000 h. Ancienne cité phénicienne (IIe mill. av. J.-C.), colonie romaine puis seigneurie franque à l'époque des croisades (1110-1291), elle bénéficia de l'afflux de réfugiés maronites après 1860.

**BÈZE** (Théodore DE) ~ *1519, Vézelay - 1605, Genève.* Écrivain et théologien français. Protestant, il participa aux guerres de Religion et succéda à Calvin à Genève. Son *Abraham sacrifiant* (1550) est considéré comme la première tragédie française.

**BÉZIERS** ~ Cap. languedocienne du commerce du vin, dans le Biterrois (Hérault) ; 70 996 h. (agglom. 76 304 h.). Industrie mécanique. Cathédrales (XIIe-XIV[e] s.). Un des centres cathares au XIIIe s.

**BEZONS** ~ V. de la banlieue N.-O. de Paris (Val-d'Oise), sur la Seine ; 25 680 h. Métall., chimie.

**BÉZOUT** (Étienne) ~ *1730, Nemours - 1783, près de Fontainebleau.* Mathématicien français. En 1771, il établit le théorème relatif aux points de rencontre de deux courbes.

**BHADGAUN** ou **BHATGAON**, anc. **Bhaktapur** ~ V. du Népal, proche de Katmandou ; 61 000 h. Anc. centre religieux. Temples et palais du XVII^e s.

**Bharhut** ~ Site archéologique indien. Son stupa du II^e s. av. J.-C. illustre la mythologie bouddhique.

**BHOPAL** ~ V. industrielle du N. de la péninsule indienne, cap. du Madhya Pradesh ; 1 063 000 h. Une fuite de gaz toxique provenant d'une usine chimique y fit 2 500 morts en 1984.

**BHOUTAN** ou **BHUTAN** **(royaume de)** ~ Pays d'Asie enclavé dans l'Himalaya oriental. ***Cap.*** Thimbu. ***Superf.*** 46 500 km$^2$. ***Popul.*** 1 600 000 h. (bouddhistes), dont Bothias (62 %), Népalais (18 %). ***Langue princ.*** Dzongka. ***Monn.*** Ngultrum. ***Climat.*** Tropical humide au S., d'altitude au N. ***Écon.*** Agric. d'autosubsistance. L'aide internationale (Inde, F. M. I.) fournit un complément de ressources. **HIST.** - Peuplé par des Tibétains, le pays passe sous protectorat britannique (1910) puis indien (1949). Après l'indépendance (1971), le roi Jigme Singye Wangchuk accède au trône (1972) et procède à une ouverture progressive du pays.

**BHUBANESHWAR** ~ Cap. de l'Orissa (Inde), au S.-O. de Calcutta ; 412 000 h. Vieux centre de pèlerinage hindou (culte de Shiva et de Vishnou). Temples du VII^e au XVI^e s.

**BHUMIBOL ADULYADEJ** ~ *1927, Cambridge, Massachusetts.* Roi de Thaïlande. Il règne sous le nom de Rama IX depuis 1946.

**BHUTTO** ~ **Zulfikar Ali** (*1928, Larkana - 1979, Rawalpindi*), homme d'État pakistanais. Président de la République de 1971 à 1973, puis Premier ministre, il fut renversé en 1977 par le général Zia ul-Haq et exécuté. Sa fille ~ **Benazir** (*1953, Karachi*) a été la première femme musulmane Premier ministre (1988-1990 et 1993-1996).

**BIAFRA (république du)** ~ État éphémère constitué en 1967 dans le S.-E. du Nigeria, peuplé en majorité d'Ibos (cap. Enugu). La sécession fut réduite en 1970, au terme d'une guerre meurtrière (1 000 000 de victimes).

**BIALIK** (Haïm Nahman) ~ *1873, Volhynie - 1934, Vienne.* Poète hébraïque. Son œuvre, synthèse de la tradition juive et de la littérature moderne, influença fortement le mouvement sioniste (*le Rouleau de feu*, 1905).

**BIAŁOWIEŻA** ~ Massif forestier (env. 1 200 km$^2$) de Pologne et de Biélorussie, réserve où subsistent les derniers bisons d'Europe.

**BIAŁYSTOK** ~ V. de Pologne orientale, près de la frontière Biélorusse ; 273 000 h. Industries textile, agroalimentaire.

**BIARRITZ** ~ Station baln. de la côte basque (Pyr.-Atl.), dans l'agglom. de Bayonne ; 28 742 h.

**BIBIENA** ~ *XVII^e - XVIII^e s., Bologne.* Surnom des Galli, famille d'architectes et scénographes italiens, maîtres du décor de théâtre baroque.

**Bible**, du lat. ***biblia***, repris du gr. ***ta biblia***, « les livres » ~ Recueil des textes sacrés des religions juive et chrétienne, divisé en deux parties : l'Ancien Testament, composé en hébreu et en araméen à partir du XIII^e s. av. J.-C., consacré au peuple juif et au récit de l'alliance qu'il conclut avec Dieu (Yahvé), comprend trois groupes de livres (Torah ou Pentateuque, Prophètes, Hagiographes) ; le Nouveau Testament, écrit en grec, retrace, à travers les Évangiles, les Actes des apôtres, les épîtres de saint Paul, les épîtres catholiques et l'Apocalypse de saint Jean, l'histoire du Christ et celle des premières Églises chrétiennes. La traduction de la Bible, rendue nécessaire pour en assurer la diffusion hors du monde hébraïque, fut entreprise dès le III^e s. av. J.-C. (version grecque de l'Ancien Testament dite des Septante), dont le canon élargi comprend des textes considérés comme apocryphes par la tradition juive. La volonté de revenir à la « vérité hébraïque » tout en permettant de faire connaître la Bible hors du monde grec inspira l'œuvre de saint Jérôme, la Vulgate, reconnue comme version officielle de l'Église catholique par le concile de Trente (1546), et qui reprend certains textes apocryphes reconnus comme valables (deutérocanoniques). La traduction de la Bible fut à nouveau entreprise par les humanistes et les réformateurs à partir du XVI^e s., dans le souci de favoriser le libre accès à la parole de Dieu. Après un travail de restauration des textes dans leur langue originale, la Bible fut retraduite en latin (Érasme, 1516) puis traduite en français (Lefèvre d'Étaples, 1524). La traduction allemande de Luther (1521-1534) a fondé pour sa part la langue allemande moderne.

**Bibliothèque nationale de France** ~ Établissement public qui a succédé à la Bibliothèque nationale (1994). Installée à Paris et présidée par Jean Favier, elle réunit l'ensemble des imprimés français, dont elle reçoit le dépôt légal. Son fonds doit être scindé entre le nouveau site de Tolbiac (bibliothèque Fr.-Mitterrand, livres et périodiques) et celui de la rue Vivienne (départements spécialisés : estampes, manuscrits, monnaies et médailles, etc.).

**BIBRACTE** ~ Site (oppidum) de la cap. des Éduens, sur le mont Beuvray (S.-O. d'Autun).

**BICÊTRE** ~ Voir **Kremlin-Bicêtre**.

**BICHAT** (Marie François Xavier) ~ *1771, Thoirette, Jura - 1802, Paris.* Médecin et anatomiste français. Fondateur de l'histologie, il fut l'un des théoriciens du vitalisme.

**BICHKEK**, anc. **Frounze** ~ Cap. du Kirghizistan, près de la frontière kazakhe, au pied des monts de Kirghizie ; 641 000 h. Croissance industr. récente.

**BICKFORD** (William) ~ *1774, Bickington, Devon - 1834, Camborne, Cornouailles.* Ingénieur britannique, inventeur d'une mèche de sûreté pour mineurs dite **cordeau Bickford** (1831).

**BIDASSOA** (la) ~ Riv. des Pyrénées espagnoles (Navarre) dont le cours inférieur sert de frontière avec la France au Pays basque ; 70 km.

**BIDAULT** (Georges) ~ *1899, Moulins - 1983, Cambo-les-Bains.* Homme politique français. Résistant, il présida le C. N. R. (1943). Cofondateur du M. R. P., il devint président du Gouvernement provisoire (1946). Président du Conseil (1949-1950) et plusieurs fois ministre des Affaires étrangères, il favorisa l'unité européenne. Partisan de l'Algérie française, il rejoignit l'O. A. S. et dut s'exiler (1962-1968).

**Biedermeier** (le) ~ Mouvement artistique (1815-1848) d'Allemagne et d'Autriche. Il doit son nom à la caricature « Papa Biedermeier », symbole du conformisme bourgeois.

**BIELEFELD** ~ V. et centre industriel d'Allemagne (Rhénanie-du-Nord - Westphalie) ; 323 000 h.

**BIELINSKI** ~ Voir **Belinski**.

**BIÉLORUSSIE (république de)**, en biélorusse ***Belarus*** ~ Pays enclavé et forestier d'Europe orientale. ***Cap.*** Minsk. ***Superf.*** 207 600 km$^2$. ***Popul.*** 10 400 000 h., dont Biélorusses (78 %), Russes (13 %), Polonais (4 %). ***Langues princ.*** Biélorusse, russe. ***Monn.*** Rouble. ***Relief.*** Collines morainiques, plaine marécageuse au S. (Polésie). ***Fl. princ.*** Dniepr, Dvina, Pripiat, Niémen. ***Climat.*** Continental humide. ***Écon.*** Fondée sur les céréales et l'élevage bovin et une importante industrie de transformation (agroalim., bois, textile, mécan., électronique). Forte dépendance à l'égard de la Russie. ***V. princ.*** Minsk, Gomel, Vitebsk. **HIST.** - *IX^e s.* : la région, peuplée par des Slaves, est rattachée à la principauté de Kiev avant de former la principauté indépendante de Polotsk. *XIV^e-XVI^e s.* : conquête lituanienne et rattachement à la Pologne. *1772-1795* : lors des partages de la Pologne, la Russie annexe la Biélorussie. *1919* : constitution en république socialiste soviétique (R. S. S.). *1921-1939* : la Pologne occupe la partie occidentale. *1941-1944* : occupation allemande. *1991* : proclamation de l'indépendance sous la direction de Stanislas Chouchkevitch. *Depuis 1994* : traité d'union douanière et monétaire avec la Russie. Aleksandr Loukachenko, élu président de la République en 1994, reçoit les pleins pouvoirs par référendum en nov. 1996.

**BIELYÏ** ou **BELYÏ** (Boris Nikolaïevitch **Bougaïev**, dit Andreï) ~ *1880, Moscou - 1934, id.* Écrivain symboliste russe. Auteur de romans où il allia réel et imaginaire (*Pétersbourg*, 1913-1922) et de poèmes en prose fondés sur un jeu avec le langage (*Symphonies*, 1902-1908), il influença futuristes et formalistes. Il se rallia à la révolution de 1917.

**Bien public (ligue du)** ~ Coalition dirigée contre Louis XI en 1465, constituée par de grands seigneurs féodaux, not. le frère du roi, Charles de Berry.

**BIENVENÜE** (Fulgence) ~ *1852, Uzel, Côtes-du-Nord - 1936, Paris.* Ingénieur français, concepteur du métro parisien.

**BIERCE** (Ambrose Gwinnett) ~ *1842, Meigs County, Ohio - 1914, Mexique.* Écrivain américain. Journaliste, nouvelliste, auteur du *Dictionnaire du Diable* (1906), chef-d'œuvre d'humour. À 71 ans, il partit lutter et mourut aux côtés de Pancho Villa.

**BIERUT** (Bolesław) ~ *1892, Lublin - 1956, Moscou.* Homme d'État polonais. Chef de l'État et du Parti des travailleurs de 1945 à 1956, il instaura le modèle soviétique dans son pays.

**BIÈVRE** (la) ~ Riv. d'Île-de-France (40 km) qui se jette dans la Seine (r. g.) à Paris, où son cours inférieur, auj. souterrain, se mêle aux égouts.

**BIGANOS** ~ V. de l'E. du bassin d'Arcachon (Gironde), en bordure de la forêt landaise (papeterie) ; 5 908 h.

**BIGORRE** (la) ~ Région du S.-O. de la France (O. des Hautes-Pyrénées), qui comprend les bassins supérieurs du gave de Pau et de l'Adour, du bas piémont jusqu'au Vignemale. V. princ. Tarbes, Lourdes, Bagnères, Cauterets. Anc. comté (IX^e s.) réuni avec le Béarn en 1425 à celui de Foix.

**BIHAR** (le) ~ État de l'Inde, au S. du Népal et au N.-O. du delta du Gange, l'un des plus pauvres de l'Union et le 2^e par sa population ; 173 877 km$^2$, 86 374 000 h. (très fortes densités rurales), cap. Patna. Céréalicult. intensive au N. (plaine du Gange), ressources minières (charbon, fer, cuivre) au S. (rebord du Deccan). **HIST.** - Pays où vécut Bouddha, le Bihar vit s'épanouir des royaumes indépendants à partir du IV^e s. av. J.-C. Il passa sous les dominations moghole en 1526 et britannique en 1765.

**BIHOR** ou **BIHAR** ~ Voir **Apuseni**.

**BIKINI** ~ Atoll du Pacifique, dépendance des îles Marshall, anc. site d'essais nucléaires américains.

**BILBAO** ~ 2^e port d'Espagne, au Pays basque (Biscaye), princ. centre industriel régional ; 369 000 h. (agglom. 800 000 h.). Université. Commerce florissant au XVIII^e s. avec l'Amérique.

**Bild Zeitung** ~ Quotidien allemand, le premier par son tirage (5 000 000 d'exemplaires).

**BILL** (Max) ~ *1908, Winterthur - 1994, Berlin.* Architecte, peintre et sculpteur suisse. Ancien élève du Bauhaus, qui prônait la synthèse des arts, continuateur des recherches de Mondrian et de Th. Van Doesburg, il fut l'un des fondateurs de l'art concret. Il utilisa dans ses œuvres les procédures mathématiques et systématiques (*Ruban sans fin*, 1935-1953 ; *Carré rouge* ; *Damiers*).

**BILLÈRE** ~ V. de la banlieue de Pau (Pyr.-Atl.) ; 12 570 h. Constructions électriques. Laiterie.

**BILLY-MONTIGNY** ~ V. de l'anc. bassin houiller du Pas-de-Calais, dans l'agglom. de Lens ; 8 126 h.

**BINCHE** ~ V. de Belgique (Hainaut) ; env. 33 000 h. Remparts (XIII^e-XIV^e s.), hôtel de ville gothique, collégiale du XII^e s. Carnaval (les Gilles).

**BINET** (Alfred) ~ *1857, Nice - 1911, Paris.* Physiologiste et psychologue français (*Introduction à la psychologie instrumentale*, 1894). Fondateur avec H. E. Beaunis en 1895 de *l'Année psychologique*, il fut à l'origine des tests d'évaluation de l'intelligence chez les enfants (**tests Binet-Simon**).

**BÍO-BÍO (río)** ~ Fl. du Chili qui passe à Concepción, frontière climatique (cult. méditerranéennes au N.) et historique (pays araucan au S.) ; 380 km.

**BIOKO**, anc. **Fernando Poó** ~ Île et province de la Guinée-Équatoriale, au fond du golfe de Guinée, où se trouve la cap., Malabo ; 2 017 km$^2$, env. 100 000 h. Café, cacao.

**BIOT** ~ V. et centre d'artisanat d'art (céramique, bijoux) et de cultures florales de l'arrière-pays antibois (Alpes-Mar.) ; 5 575 h. Musée Fernand-Léger.

**BIOT** (Jean-Baptiste) ~ *1774, Paris - 1862, id.* Physicien français. Il découvrit avec Félix Savart la loi d'interaction entre le courant électrique et le courant magnétique. Acad.

**BIOY CASARES** (Adolfo) ~ *1914, Buenos Aires.* Écrivain argentin. Influencé par J. L. Borges, il publia des romans au fantastique angoissant et minutieux (*l'Invention de Morel*, 1940 ; *Journal de la guerre au cochon*, 1970).

**BIRAGUE** (René DE) ~ *1506, Milan - 1583, Paris.* Cardinal et homme politique français, l'un des instigateurs de la Saint-Barthélemy.

**BIRATNAGAR** ~ Princ. v. industrielle (text., agroalim.) du Népal, dans la plaine du Teraï, à la frontière indienne ; 130 000 h.

**Bird** ~ Voir **Banque mondiale.**

**BIR HAKEIM** ~ Point d'eau du désert de Cyrénaïque à 60 km au S.-O. de Tobrouk (Libye). Bloc de résistance des Forces françaises libres (mai-juin 1942) contre les troupes de Rommel, permettant aux Britanniques de se retirer. La **bataille de Bir Hakeim** amorça la reconquête alliée en Libye.

**Birkenau** en polon. ***Brzezinka*** ~ Camp de concentration nazi à proximité de celui d'Auschwitz.

**BIRKENHEAD** ~ Port industriel d'Angleterre, sur l'estuaire de la Mersey, face à Liverpool ; 124 000 h.

**BIRMANIE**, off. **Union de Myanmar** depuis 1989 ~ Pays d'Asie du Sud-Est, bordé à l'E. par le golfe du Bengale et au S. par la mer d'Andaman. ***Cap.*** Rangoon. ***Superf.*** 676 577 km$^2$. ***Popul.*** 43 130 000 h. (densité faible pour la région), dont Birmans (70 %), Chans (8 %), Karens (6 %). ***Langue princ.*** Birman. ***Monn.*** Kyat. ***Relief.*** Dépression centrale (vallée de l'Irrawaddy) encadrée de reliefs montagneux (monts Arakan à l'O., Tenasserim au S.-E.). ***Climat.*** Tropical de mousson. ***Ress. princ.*** Agricoles (riz, canne à sucre, élevage bovin et porcin) et forestières, énergétiques (hydroélectr., pétrole, gaz) et minérales (zinc, plomb, étain, pierres précieuses, etc.). Contrebande de l'opium. ***Écon.*** Cinquante ans de conflits ont nui au développement d'un pays potentiellement riche (l'un des plus faibles P. N. B. d'Asie du Sud-Est). **HIST.** - *Premiers siècles apr. J.-C.* : peuplement à partir du N., constitutions des principautés Pyu, Môn et d'Arakan. *IX$^e$ s.* : les Birmans fondent le royaume de Pagan. Sous le règne d'Anoratha, le pays est unifié du Yunnan au golfe du Bengale. *XIII$^e$ s.* : invasion mongole. *XIV$^e$-XVI$^e$ s.* : domination des Chans (Thaïs). *XVI$^e$-XVIII$^e$ s.* : reconquête birmane par la dynastie des Toungoo. *XIX$^e$ s.* : la Birmanie devient une province de l'Empire britannique des Indes. *1942-1945* : occupation japonaise. *1948* : proclamation de l'indépendance. *1948-1962* : U Nu doit faire face aux rébellions (communistes et minorités). *1962-1988* : le général Ne Win prend le pouvoir et socialise l'économie. *1988* : après des émeutes, Ne Win démissionne, et les militaires instaurent une junte. *1990* : l'opposition, menée par Aung San Suu Kyi (fille d'un artisan de l'indépendance), remporte les élections législatives mais l'armée se maintient au pouvoir. *1992-1995* : le général Than Shwe devient Premier ministre et met fin aux rébellions des ethnies minoritaires. Il poursuit sa politique de répression, tout en favorisant les investissements étrangers.

**Birmanie (route de)** ~ Route reliant le Yunnan et la Birmanie, percée à partir de 1937 pour permettre à la Chine, envahie par le Japon, de communiquer avec le monde extérieur.

**BIRMINGHAM** ~ Métropole industr. des Midlands (Angleterre), centre univ. ; 961 000 h. (agglom. 2 600 000 h.). Le déclin des industries héritées du XIX$^e$ s. entraîne une difficile reconversion.

**BIRMINGHAM** ~ Princ. v. de l'Alabama (États-Unis), centre minier et métall. ; 266 000 h.

**BIROBIDJAN** (le) ~ Région autonome « juive » de l'Extrême-Orient russe, au N. de l'Amour ; 36 000 km$^2$, 218 000 h., dont Russes et Ukrainiens (90 %). Créée en 1934, c'est un vestige de la politique stalinienne des minorités, et les Juifs ne représentent que 5,4 % de la population.

**BIRON**, famille française originaire de Dordogne. ~ **Armand** DE **GONTAUT**, baron DE (*v. 1524 - 1592, Épernay*), maréchal de France, lutta aux côtés d'Henri IV à la bataille d'Arques et trouva la mort au siège d'Épernay. Son fils ~ **Charles**, duc DE (*1562-1602, Paris*), maréchal de France, fut d'abord favori d'Henri IV avant de conspirer contre lui, ce qui lui valut d'être décapité.

**BIRUNI (al-)** ~ *973, Kath, Kharezm - apr. 1050, Ghazni.* Savant et philosophe arabe d'orig. iranienne. Grand voyageur, il s'intéressa à tous les domaines, philosophie, religion, histoire et sciences (*Livre sur l'Inde* ; *Chronologie des anciens peuples*).

**BISCARROSSE** ~ V. des Landes, au N. de l'étang de Biscarosse et de Parentis ; 9 054 h. Base milit. du Centre d'essais des Landes. Forêt domaniale. Station baln. de Biscarrosse-Plage, au N.-O.

**BISCAYE** (la), en esp. ***Vizcaya*** ~ Prov. la plus peuplée et industrialisée du Pays basque espagnol, (E. de la Cantabrie), autour de Bilbao (ch.-l.) ; 2 217 km$^2$, 1 150 000 h.

**BISCHHEIM** ~ V. de la banlieue N. de Strasbourg (Bas-Rhin) ; 16 308 h.

**BISCHOF** (Werner) ~ *1916, Zurich - 1954, Pérou.* Photographe suisse. Reporter pour les magazines *Life, Picture Post* et *Observer*, il entra à l'agence Magnum en 1949. Il effectua de nombreux reportages en Orient et en Amérique du Sud.

**BISCHWILLER** ~ V. du N. de l'Alsace (Bas-Rhin) ; 10 969 h. Industrie textile (tradition drapière).

**BISKRA** ~ Voir **Beskra.**

**BISMARCK** (Otto, prince VON) ~ *1815, Schönhausen - 1898, Friedrichsruh.* Homme d'État allemand. Gentilhomme de Poméranie, il représenta la Prusse à la diète de Francfort (1851-1859). Appelé par Guillaume I$^{er}$ à la présidence du Conseil (1862), il battit l'Autriche (1866), entraîna l'ensemble des États allemands dans une guerre victorieuse contre la France (1870-1871), annexa l'Alsace-Lorraine et fit proclamer le roi « empereur allemand » (1871). Chancelier d'Empire, il voulut renforcer le nouvel État à l'intérieur (*Kulturkampf*, législation sociale développée) comme à l'extérieur (Entente des trois empereurs, puis Triplice). Guillaume II le contraignit à démissionner (1890).

**BISMARCK (archipel)** ~ Archipel volcanique et montagneux (2 438 m) du Pacifique, à l'E. de la Nouvelle-Guinée, qui forme 4 provinces de Papouasie - Nouvelle-Guinée : îles de la Nouvelle-Bretagne (Ouest et Est), de la Nouvelle-Irlande et Manus (îles de l'Amirauté) ; 48 200 km$^2$, 432 000 h., v. princ. Rabaul. Frangées de récifs coralliens, de climat équatorial (forêt dense), ces îles sont surtout peuplées de Mélanésiens. Coprah, cacao. **HIST.** - Colonie allemande de 1884 à 1914 (occupation par les Alliés), le territoire passa sous administration australienne en 1920. En 1975, il fut intégré à la Papouasie - Nouvelle-Guinée indépendante.

**BISSAU** ~ Princ. port et cap. de la Guinée-Bissau ; 127 000 h. Ancien comptoir portugais (1692).

**BISSIÈRE** (Roger) ~ *1886, Villeréal, Lot-et-Garonne - 1964, Boissiérette, Lot.* Peintre français. Proche du cubisme jusqu'en 1939, il évolua vers le non-figuratif, où couleur et lumière sont les véhicules de l'émotion (*Brun et Noir*).

**B. I. T.** ~ Voir **Bureau international du travail.**

**BITERROIS** (le) ~ Région de Béziers, dans le bas Languedoc, ensemble de plaines et collines viticoles arrosées par l'Orb et l'Hérault.

**BITHYNIE** (la) ~ Anc. contrée du N.-O. de l'Asie Mineure, au bord de la mer Noire (cap. Nicomédie). Royaume indépendant au III$^e$ s. av. J.-C., elle devint province romaine en 75 av. J.-C.

**BITOLA**, anc. **Monastir** ~ 2$^e$ v. de Macédoine, marché agricole ; 84 000 h. Tourisme.

**Bituriges** (les) ~ Peuple gaulois hostile à César, divisé en **Bituriges Cubi**, ayant pour capitale Avaricum (Bourges), et **Bituriges Vivisci**, installés autour de Burdigala (Bordeaux).

**BIZERTE** ~ Port du N. de la Tunisie, sur la Méditerranée (détroit de Sicile) ; 95 000 h. Raff. de pétrole. Ancienne cité punique puis romaine, base militaire française de 1881 à 1963.

**BIZET** (Georges) ~ *1838, Paris - 1875, Bougival.* Compositeur français. Mélodiste né, il a manifesté son génie coloré et lumineux dès sa *Symphonie en « ut » majeur* (1855), qui s'est épanouit dans *l'Arlésienne* (1872) et dans son opéra *Carmen* (1875).

**BJØRNSON** (Bjørnstjerne) ~ *1832, Kvikne - 1910, Paris.* Écrivain norvégien. Auteur de contes et de récits sur la vie paysanne et de drames historiques. Par son théâtre (*le Rédacteur*, 1875 ; *Au-delà des forces*, 1883), ses romans (*Poussière*, 1882) et ses articles politiques, il contribua à la réhabilitation de la culture norvégienne et à l'émancipation de son pays de la tutelle suédoise. Prix Nobel de litt. 1903.

**BLACK** (Joseph) ~ *1728, Bordeaux - 1799, Édimbourg.* Physicien et chimiste écossais. Il décela le gaz carbonique dans l'atmosphère et découvrit la magnésie. Il fonda la calorimétrie en distinguan le premier, température et quantité de chaleur.

**BLACKBURN** ~ V. industr. d'Angleterre (Lanca shire) ; 137 000 h. La *spinning jenny*, nouvel machine à filer, y fut inventée en 1764.

**Blackfoots** (les) ~ Indiens d'Amérique du Nor (Montana), du groupe linguistique algonquin.

**Black Muslims**, en fr. « Musulmans noirs » ~ Mouvement musulman séparatiste noir américair fondé en 1930 à Detroit.

**Black Panthers**, en fr. « Panthères noires » ~ Or ganisation radicale noire américaine fondée e 1966 par Huey Newton et Bobby Seale, militar pour un pouvoir noir (*black power*).

**BLACKPOOL** ~ Station baln. populaire d'Angle terre (Lancashire), sur la mer d'Irlande ; 146 000 h

**BLAGNAC** ~ V. de la banlieue N.-O. de Toulouse (Haute-Garonne) sur la Garonne ; 17 209 h Aéroport. Constructions aéronautiques.

**BLAGOVECHTCHENSK** ~ V. de l'Extrême Orient russe, centre admin. à la frontière chinoise 214 000 h. Agroalim., bois, constr. navales.

**BLAIR** (Tony) ~ *1953, Édimbourg.* Homme politi que britannique. Leader du parti travailliste rebap tisé *New Labour* en 1997. Nommé Premier minist le 2 mai 1997, suite à la victoire de son parti.

**BLAKE** (Robert) ~ *1599, Bridgwater - 1657, a large de Plymouth.* Amiral anglais. Il fut l'un de commandants de la flotte sous Cromwell combattit victorieusement les troupes royalistes, le Hollandais, les Espagnols et les pirates barbaresques

**BLAKE** (William) ~ *1757, Londres - 1827, id.* Poète, peintre et graveur britannique. Visionnaire il privilégia l'imaginaire poétique et l'énergi créatrice contre le réalisme et les dogmes. Il invent un procédé lui permettant de graver simultanémen ses poèmes et ses illustrations au symbolism paroxystique (*Chants d'innocence*, 1789).

**BLAKEY** (Art) ~ *1919, Pittsburgh - 1990, New York.* Batteur de jazz américain. Fondateur d groupe des Jazz Messengers, il a fait de la batteri un instrument directeur (*Straight Ahead*, 1981)

**BLANC (cap)**, nom de deux caps africains. ~ Extrémité N. de l'Afrique, en Tunisie (37° N.). ~ Cap de Mauritanie (port de Nouadhibou), doubl par les Portugais en 1441.

**BLANC (mont)** ~ Point culminant des Alpe (4 807 m), dans le **massif du Mont-Blanc**, partag entre la France, la Suisse et l'Italie. Premièr ascension en 1786. Sports d'hiver. Tunnel routie (11,6 km) entre Chamonix et Courmayeur (Italie)

**BLANC (Le)** ~ V. de l'Indre, sur la Creuse, au portes de la Brenne et du Poitou ; 7 361 h Confection. Abbaye de Fontgombault à proximité

**BLANC** (Louis) ~ *1811, Madrid - 1882, Cannes.* Homme politique et historien français. Théoricien socialiste, membre du gouvernement provisoir de février 1848, il s'exila à Londres après l'éche de son projet d'ateliers sociaux. Il fut él député d'extrême gauche à son retour en Franc (1871-1876). [☞ **utopie.**]

**BLANCHARD** ou **BLANCHART (raz)** ~ Détroi de la Manche entre le cap de La Hague (Cotentin et l'île anglo-normande d'Aurigny.

**BLANCHE (mer)** ~ Dépendance de l'océan Arc tique, en partie fermée par la presqu'île de Kol (Russie du N.-O.), libre de glaces en été 95 000 km$^2$. Site du port d'Arkhangelsk.

**BLANCHE DE CASTILLE** ~ *1188, Palencia 1252, Paris.* Reine de France. Régente à la mort d son mari, Louis VIII (1226), elle laissa un royaum en paix (1236) à Saint Louis, son fils. Elle repri la régence pendant la 7$^e$ croisade (1248-1252)

**BLANCHOT** (Maurice) ~ *1907, Quain, Saône-et Loire.* Écrivain français. Sa recherche de nouvelle voies littéraires l'a amené à considérer l'écritur comme inaccessible, absente comme la mort. Il tenté de traduire ce vide dans une langue transpa rente (*le Livre à venir*, 1959).

**BLANC-MESNIL (Le)** ~ V. de la banlieue N.-E de Paris (Seine-Saint-Denis) ; 46 956 h.

**BLANC-NEZ (cap)** ~ Avancée peu marquée d littoral de la Côte d'Opale (Pas-de-Calais), au S.-O de Calais (falaises de 130 m de haut).

**BLANDINE** (sainte) ~ Esclave chrétienne. Elle fu martyrisée à Lyon lors des persécutions de 177.

**BLANQUEFORT** ~ V. du haut Médoc (Gironde), au N. de Bordeaux ; 12 843 h. Industrie automobile, poudrerie nationale.

**BLANQUI** (Louis Auguste) ~ *1805, Puget-Théniers - 1881, Paris.* Théoricien socialiste et révolutionnaire français. Il séjourna quelque 36 ans en prison. Issue du carbonarisme, sa doctrine (le **blanquisme**) entendait dépasser le socialisme utopique et préconisait l'action révolutionnaire.

**BLANTYRE** ~ Princ. v. et centre économique du Malawi, au S. du lac Malawi ; 332 000 h.

**BLASCO IBÁÑEZ** (Vicente) ~ *1867, Valence - 1928, Menton.* Écrivain espagnol. Ses romans populistes connurent un immense succès (*Arènes sanglantes*, 1908 ; *les Quatre Cavaliers de l'Apocalypse*, 1916).

**Blaue Reiter (Der)**, en fr. **le Cavalier bleu** ~ Nom adopté par un groupe de plasticiens allemands, constitué à Munich en 1911 autour de Kandinsky et de Franz Marc. Ses membres puisèrent d'abord leur inspiration dans le mysticisme russe, la naïveté enfantine ou primitive et le monde visionnaire des aliénés. Sans définir de credo, ils promurent un nouveau langage pictural en réunissant les artistes de toutes les disciplines en rupture avec l'académisme. À ce titre, ils défendirent l'expressionnisme, le fauvisme, le cubisme ou l'art abstrait, et furent rejoints par Arp, Braque, Delaunay, Derain, Klee, Malevitch, Picasso, le Douanier Rousseau, Schönberg ou les membres du groupe Die Brücke. Le groupe mit fin à son expérience en 1914.

**BLAVET** (le) ~ Fl. de la Bretagne du Sud (S. des Côtes-d'Armor, Morbihan) qui rejoint l'Atlantique à Lorient par un large estuaire ; 140 km.

**BLAYE** ~ Port du Bordelais (Gironde), sur la Gironde (r. dr.) ; 4 286 h. Citadelle remaniée par Vauban. Sa région, le **Blayais**, est un anc. marais en partie asséché (canaux). Vins (Côtes de Blaye).

**BLÉONE** (la) ~ Affl. de la Durance (r. g.), dans les Alpes du Sud (haute Provence), qui arrose Digne-les-Bains ; 70 km.

**BLÉRIOT** (Louis) ~ *1872, Cambrai - 1936, Paris.* Aviateur et industriel français. Pionnier de la construction aéronautique, il fut le premier aviateur à traverser la Manche, le 25 juillet 1909. [☞ **aviation.**]

**BLEU (fleuve)** ~ Voir **Yangzi Jiang.**

**BLIDA** ~ Voir **Boulaïda (El-).**

**BLIER** ~ **Bernard** (*1916, Buenos Aires - 1989, Saint-Cloud*), acteur français. Figure familière, tour à tour joviale et bourrue, du cinéma français, il joua dans près de deux cents films, dont *Entrée des artistes*, de M. Allégret (1938), *Quai des Orfèvres*, d'H. G. Clouzot (1947) et *les Tontons flingueurs*, de G. Lautner (1963). Son fils ~ **Bertrand** (*1939, Boulogne-Billancourt*), cinéaste et romancier, a imposé un style sarcastique dans des fables provocatrices comme *les Valseuses* (1974), *Buffet froid* (1979) ou *Merci la vie* (1994).

**BLIN** (Roger) ~ *1907, Neuilly-sur-Seine - 1984, Paris.* Acteur et metteur en scène de théâtre français. Il monta et joua de nombreux textes d'auteurs contemporains (A. Adamov, S. Beckett, J. Genet).

**BLIXEN** (Karen) ~ *1885, Rungsted - 1962, id.* Femme de lettres danoise, auteur de contes fantastiques (*Contes d'hiver*, 1942) et de romans évoquant sa vie au Kenya (*la Ferme africaine*, 1937).

**Bloc des gauches** ou **Bloc républicain** ~ Coalition des radicaux et des socialistes créée en 1899 qui remporta les élections législatives de 1902 et amena les gouvernements Waldeck-Rousseau et Combes.

**BLOCH** (Ernst) ~ *1885, Ludwigshafen - 1977, Tübingen.* Philosophe allemand. Il théorisa l'utopie comme moteur historique du progrès social (*l'Esprit de l'utopie*, 1918).

**BLOCH** (Marc) ~ *1886, Lyon - 1944, Saint-Didier-de-Formans, Ain.* Historien français. Par ses travaux sur l'économie, la vie rurale et l'imaginaire, il renouvela les thèmes et les méthodes de l'histoire médiévale (*les Rois thaumaturges*, 1924 ; *la Société féodale*, 1939-1940). Il fonda, avec L. Febvre, les *Annales d'histoire économique et sociale* (1929). Résistant, il fut fusillé.

**Bloc national** ~ Coalition des partis conservateurs et modérés élue en 1919, et lesquels formèrent la chambre « bleu horizon ». Dominée par A. Millerand, A. Briand et R. Poincaré, cette alliance, affaiblie par le problème des réparations allemandes, fut battue par le Cartel des gauches en 1924.

**Blocus continental** ~ Ensemble des mesures adoptées par Napoléon Ier (1806-1808) pour riposter au blocus maritime décrété par les Britanniques contre l'Empire français. Napoléon, pensant ruiner l'économie du Royaume-Uni, fondée essentiellement sur le commerce, dut s'engager dans une politique d'expansion territoriale (Espagne, Russie) pour assurer l'efficacité du blocus.

**BLOEMAERT** (Abraham) ~ *1564, Gorinchem - 1651, Utrecht.* Peintre et graveur hollandais, il aborda tous les genres, de la scène mythologique au paysage, parfois non sans maniérisme. Ses quatre fils furent tous peintres ou graveurs.

**BLOEMFONTEIN** ~ Cap. de l'État libre d'Orange, en Afrique du Sud ; agglom. 300 000 h. Siège de la Cour suprême de la République. Université.

**BLOIS** ~ Préfect. du Loir-et-Cher, sur la Loire, centre agricole et comm. entre la Beauce et la Sologne ; 49 318 h. Évêché. Constr. mécan. et électr., imprimerie, céramique, chocolaterie. Château (XIIIe-XVIIe s.). Cathédrale (XVIe-XVIIe s.). **HIST.** - *XIe-XIIe s.* : siège d'un comté uni à la Champagne. *1391* : achat par Louis d'Orléans. *XVIe s.* : séjour favori des rois de France, qui embellirent le château. *1588* : Henri III y attira Henri de Guise et l'y fit assassiner.

**BLOK** (Aleksandr Aleksandrovitch) ~ *1880, Saint-Pétersbourg - 1921, id.* Poète russe. Il évolua du symbolisme religieux (*Vers à la Belle Dame*, 1903) à un réalisme pessimiste (*la Baraque foraine*, 1906), puis à un patriotisme mystique (*Patrie*). En 1917-1918, il prit parti pour les bolcheviks.

**BLONDEL** (François) ~ *1618, Ribemont - 1686, Paris.* Architecte français. Rejetant le baroque, il fut l'un des théoriciens du classicisme (arc de triomphe de la porte Saint-Denis, Paris).

**BLONDEL** (Jacques François) ~ *1705, Rouen - 1774, Paris.* Architecte français. Il défendit la régularité et la symétrie contre les abus du rococo (hôtel de ville de Metz).

**BLONDIN** (Antoine) ~ *1922, Paris - 1991, id.* Écrivain français. Désinvolte et individualiste, il conta l'errance dans des récits à mi-chemin entre la fiction et l'autobiographie (*l'Europe buissonnière*, 1949 ; *Un singe en hiver*, 1959 ; *Quat' Saisons*, 1975).

**BLOOMFIELD** (Leonard) ~ *1887, Chicago - 1949, New Haven.* Linguiste américain. Il établit la théorie d'une linguistique descriptive et fonctionaliste influencée par la psychologie comportementaliste (*le Langage*, 1933).

**BLOSSFELDT** (Karl) ~ *1865, Schielo, Allemagne - 1932, Berlin.* Photographe allemand. Entre 1900 et 1930, il réalisa des photographies de préparations végétales (*les Archétypes de l'art*, 1938).

**BLOY** (Léon) ~ *1846, Périgueux - 1917, Bourg-la-Reine.* Journaliste et écrivain français. Catholique, imprécateur mystique, il fustigea dans ses romans l'ignominie bourgeoise comme le matérialisme et le positivisme (*la Femme pauvre*, 1897).

**BLÜCHER** (Gebhard Leberecht), prince **Blücher von Wahlstatt** ~ *1742, Rostock - 1819, Krieblowitz, Silésie.* Maréchal prussien. Secondant Wellington dans l'armée des coalisés, il mena l'assaut final contre Napoléon à Waterloo (1815).

**BLUEFIELDS** ~ Port caraïbe du Nicaragua, anc. repaire de pirates ; 17 000 h.

**BLUE MOUNTAINS**, nom de trois massifs. ~ Partie de la Cordillère australienne proche de Sydney, plateau creusé de canyons (alt. max. 1 180 m). ~ Chaîne montagneuse (alt. max. 2 000 m) des États-Unis (Oregon, Washington), au S. de la Columbia. ~ Massif de l'E. de la Jamaïque (2 257 m, point culminant de l'île).

**BLUE RIDGE** ~ Chaîne boisée (long. 1 000 km) où culminent les Appalaches (2 037 m au mont Mitchell), aux États-Unis (S.-O. du Maryland).

**BLUM** (Léon) ~ *1872, Paris - 1950, Jouy-en-Josas.* Homme politique français. Socialiste proche de J. Jaurès jusqu'à son assassinat, il combattit le ralliement à la IIIe Internationale lors du congrès de Tours (1920) et devint l'un des dirigeants de la S. F. I. O., maintenue après la scission. Président du Conseil lors du Front populaire (1936-1937 et 1938), antimunichois, il refusa les pleins pouvoirs à Pétain (juill. 1940). Arrêté, il fut l'un des accusés du procès de Riom (1942). Déporté à Buchenwald en 1943, il fut libéré en 1945 et redevint président du Conseil pour quelques semaines (déc. 1946-janv. 1947).

**BLUMENAU** ~ V. du S. du Brésil (Santa Catarina), fondée par des colons allemands en 1852 ; env. 200 000 h. Industr. textile (coton).

**BOABDIL**, de l'arabe ***Abdillah*** ~ *m. en 1527.* Dernier roi arabe de Grenade. Il régna sous le nom de Muhammad XI de 1482 à 1483 et de 1486 à 1492. Après la prise de sa ville par Ferdinand II, il s'expatria au Maroc, où il mourut en combattant pour le sultan de Fès.

**BOAS** (Franz) ~ *1858, Minden, Westphalie - 1942, New York.* Anthropologue américain d'orig. allemande. Spécialiste des Amérindiens, il étudia leurs caractéristiques physiques et culturelles.

**BOA VISTA** ~ Voir **Roraima.**

**BOBADILLA** (Francisco DE) ~ *XVe s. - m. en 1502.* Militaire espagnol. Gouverneur des Indes occidentales (1500), chargé d'enquêter sur les activités de Christophe Colomb à Hispaniola, il le fit arrêter et ramener en Espagne.

**BOBBIO** ~ V. d'Italie (Émilie-Romagne) ; env. 4 000 h. Abbaye fondée par saint Colomban au VIIe s.

**BOBET** (Louis, dit Louison) ~ *1925, Saint-Méen-le-Grand, Ille-et-Vilaine - 1983, Biarritz.* Coureur cycliste français. Il remporta trois fois le Tour de France, et fut champion du monde.

**BOBIGNY** ~ Préfect. de la Seine-Saint-Denis, dans la banlieue N.-E. de Paris ; 44 659 h.

**BOBO-DIOULASSO** ~ 2e v. du Burkina Faso, centre régional du S.-O. du pays ; 231 000 h.

**BOCAGE** (le) ~ Nom donné à plusieurs régions agricoles du Massif armoricain (not. les **Bocages normand**, à l'O. de Caen, et **vendéen**, autour des hauteurs de Gâtine), au paysage rural cloisonné en petites parcelles par des haies vives, traditionnellement vouées à l'élevage, à l'habitat dispersé.

**BOCCACE** (Giovanni **Boccaccio**, en fr.) ~ *1313, Certaldo (Toscane) ou Florence - 1375, Certaldo.* Écrivain italien. Auteur de fables pastorales, d'idylles mythologiques et allégoriques, il a contribué, not. avec le *Décaméron*, à fixer la prose italienne.

**BOCCHERINI** (Luigi) ~ *1743, Lucques - 1805, Madrid.* Compositeur italien. Virtuose du violoncelle, il imposa à la cour d'Espagne un style élégant et riche en innovations instrumentales (nombreux quintettes, dont *la Musica notturna delle strade di Madrid*).

**BOCCIONI** (Umberto) ~ *1882, Reggio di Calabria - 1916, Vérone.* Peintre et sculpteur italien. Influencé par le symbolisme, l'expressionnisme, le divisionnisme et le cubisme, il posa les fondements du futurisme. En sculpture, il est le premier à parler de matériaux nouveaux.

**Bochimans** (les) ~ Peuple nomade du désert du Kalahari, dans le S.-O. africain.

**BOCHUM** ~ V. industr. d'Allemagne, dans la Ruhr (Rhénanie-du-Nord - Westphalie) ; 400 000 h. Université. Musée de la Mine.

**BÖCKLIN** (Arnold) ~ *1827, Bâle - 1901, Fiesole.* Peintre suisse. Héritier du romantisme, il se rattache au symbolisme par ses œuvres mythologiques et oniriques solidement composées (*le Dieu Pan dans les roseaux*, 1859). Il fut une référence pour les expressionnistes et les surréalistes.

**Bodh-Gaya** ~ Site religieux de l'Inde (Bihar), important lieu de pèlerinage où un temple fondé par Ashoka témoigne de l'« éveil » de Bouddha.

**BODIN** (Jean) ~ *1529 ou 1530, Angers - 1596, Laon.* Économiste, philosophe et magistrat français. Auteur de travaux théoriques sur le rôle de la monnaie, il défendit le principe de la monarchie absolue dans *la République* (1576).

**Bodléienne (bibliothèque)** ~ Bibliothèque d'Oxford réorganisée par l'érudit et diplomate anglais sir Thomas **Bodley** (*1545 - 1613*), haut lieu de la Renaissance anglaise.

**BODONI** (Giambattista) ~ *1740, Saluces - 1813, Padoue.* Imprimeur italien. Créateur des caractères romains de 143 types, il publia les classiques grecs, latins, italiens et français, et rédigea un *Manuel typographique* (posth., 1818).

**BODRUM** ~ Station baln. du S.-O. de la Turquie, sur la mer Égée ; env. 13 000 h. Anc. Halicarnasse des Doriens, patrie d'Hérodote.

**BOÈCE** ~ *v. 480, Rome - 524, près de Pavie.* Philosophe et homme politique romain. Consul puis maître des offices (522). Maître du palais sous Théodoric le Grand. Son œuvre fut décisive dans la transmission de la philosophie antique à l'Occident chrétien (*De la consolation de la philosophie*).

**BŒGNER** (Marc) ~ *1881, Épinal - 1970, Paris.* Pasteur français. Il fut président du Conseil œcuménique des Églises (1949-1961). Acad.

**Boers** (les), en fr. « paysans » ~ Nom donné aux colons européens, not. néerlandais, installés en Afrique du Sud à partir du XVIIe s. Lors de la conquête britannique, ils refluèrent massivement vers l'intérieur (Grand Trek) et formèrent dans le Transvaal, l'Orange et le Natal une société fondée sur l'exclusion des Noirs autochtones. Ils s'opposèrent à l'hégémonie britannique lors de la **guerre des Boers** (1899-1902).

**BOFILL** (Ricardo) ~ *1939, Tarragone.* Architecte espagnol. L'atelier qu'il a fondé en 1964 a opté pour un néoclassicisme monumental.

**BOGART** (Humphrey **DeForest Bogart**, dit Humphrey) ~ *1899, New York - 1957, Los Angeles.* Acteur américain. Son jeu économe et son sourire désenchanté ont marqué l'âge d'or du film noir américain (*le Faucon maltais*, de J. Huston, 1941 ; *le Grand Sommeil*, de H. Hawks, 1946 ; *la Comtesse aux pieds nus*, de J. Mankiewicz, 1954).

**BOGDAN Ier** ~ Prince de Moldavie (1359-1365). Il créa la principauté aux dépens de la Hongrie.

**BOGOR** ~ V. et station clim. d'Indonésie (Java), au S. de Jakarta ; 247 000 h. Jardin botanique.

**BOGOTÁ** ~ Cap. de la Colombie, 1re place industrielle, financière et universitaire du pays, dans les Andes orientales (env. 2 600 m), proche des llanos et bien reliée aux ports caraïbes ; 4 820 000 h. Églises et couvents des XVIe-XVIIe s. Musées de l'Or (art précolombien) et de l'Art colonial. Fondée par les Espagnols (1538) sur le site d'une cité chibcha (Bacatá), cap. de l'*audiencia* de Nouvelle-Grenade (1549) puis de la Grande-Colombie indépendante (1819).

**BOHAI** ou **PO-HAI (golfe du)** ~ Golfe de la Chine du Nord, au fond de la mer Jaune, où se jette le Huang He.

**BOHÊME** (la), en tchèque ***Čechy*** ~ Région occidentale de la République tchèque, la plus étendue (env. 53 000 km²) et la plus peuplée (env. 6 500 000 h.) du pays ; foyer politique, écon. et cult. (autour de Prague) de l'État actuel comme de l'anc. Tchécoslovaquie. C'est une cuvette en partie sédimentaire, drainée princ. par l'Elbe (riche vallée agric.), encadrée par des massifs anciens : monts Métallifères (N.-O.), Sudètes (N.), collines de Moravie, **forêt de Bohême** (env. 1 400 m) au S.-O. Houille, lignite ; industries automobile, textile, agroalim. (brasseries). V. princ. Prague, Plzeň. Thermalisme (Karlovy Vary, Mariánské Lázně). **HIST.** - Des Slaves (les Tchèques) s'installèrent en Bohême (VIe s.). L'État créé par Samo (VIIe s.) fut intégré au royaume de Grande-Moravie (IXe s.). La dynastie des Premyslides fit de la Bohême un duché (Xe s.), puis un royaume intégré à l'Empire germanique (XIe s.). Les conquêtes d'Otakar II furent confisquées par l'empereur Rodolphe de Habsbourg (1278). Sous la maison de Luxembourg (1311-1437), le roi Charles IV, élu empereur (1347), fit de Prague la capitale culturelle du Saint Empire et assura à ses successeurs la dignité électorale (1356). La crise religieuse provoquée par Jan Hus déboucha sur une guerre civile (1419-1436). L'élection du roi Ferdinand Ier (1526) plaça le pays sous la domination autrichienne, mais les conflits religieux entraînèrent une rébellion (Défenestration de Prague), début de la guerre de Trente Ans (1618). La Bohême élut un roi protestant, l'Électeur palatin Frédéric V (1619). Écrasés à la Montagne-Blanche (1620), les Tchèques perdirent leur autonomie ; le catholicisme leur fut imposé comme religion d'État ; la monarchie devint héréditaire dans la famille des Habsbourg (1627). Au XIXe s., le mouvement national s'affirma contre la domination austro-hongroise. En 1918, les Tchèques s'affranchirent et s'unirent aux Slovaques pour former la Tchécoslovaquie (dissoute en 1993).

**BOHÉMOND** ~ Nom de sept princes d'Antioche et comtes de Tripoli (1098-1287), d'une famille normande implantée en Italie du Sud.

**BÖHM** (Karl) ~ *1894, Graz - 1981, Salzbourg.* Chef d'orchestre autrichien. Il dirigea les œuvres de Mozart et de Wagner, et celles de ses contemporains (R. Strauss, P. Hindemith, K. Weill, I. Stravinski, A. Berg).

**BÖHME** (Jakob) ~ *1575, Altseidenberg - 1624, Görlitz.* Mystique et théosophe luthérien allemand. Auteur du *Mysterium magnum* (1623).

**BOHR** (Niels) ~ *1885, Copenhague - 1962, id.* Physicien danois. Son modèle de structure interne de l'atome (1913) permit de dépasser les concepts classiques. Il formula ensuite les principes de compatibilité entre les mécaniques classique et quantique et de complémentarité entre les conceptions corpusculaire et ondulatoire, principes admettant une probabilité d'erreur dans l'expérimentation même auxquels A. Einstein s'opposa, à tort. Fondateur de l'école de Copenhague, il fut l'un des physiciens les plus novateurs du XXe s. Prix Nobel de phys. 1922.

**BOIELDIEU** (François Adrien) ~ *1775, Rouen - 1834, Jarcy.* Compositeur français. Il est l'auteur d'opéras-comiques pleins d'esprit et de fraîcheur (*Jean de Paris*, 1812 ; *la Dame blanche*, 1825).

**BOILEAU** (Nicolas), dit **Boileau-Despréaux** ~ *1636, Paris - 1711, id.* Écrivain français. Auteur de *Satires* (1660-1668), d'*Épîtres* (1669-1695) et du *Lutrin* (1674-1683), poème héroï-comique et parodique. Il prit la tête du parti des Anciens dans la querelle des Anciens et des Modernes, et fixa, dans l'*Art poétique* (1674), les principes de l'idéal classique. Acad.

**BOILLY** (Louis Léopold) ~ *1761, La Bassée, Nord - 1845, Paris.* Peintre et graveur français, auteur de scènes de genre et de portraits.

**BOISCHAUT** (le) ~ Région bocagère du S. du Berry, traversée par l'Indre et le Cher. Élevage.

**BOIS-COLOMBES** ~ V. de la banlieue N.-O. de Paris (Hauts-de-Seine) ; 24 415 h. Constructions aéronautiques.

**BOIS-D'ARCY** ~ V. des Yvelines, à l'O. de Versailles ; 12 693 h. Établissement pénitentiaire. Service des Archives du film.

**BOISE** ~ V. minière des États-Unis, cap. de l'Idaho, sur la **Boise** (affl. de la Snake River) ; 126 000 h.

**BOISGUILBERT** (Pierre **Le Pesant** DE) ~ *1646, Rouen - 1714, id.* Économiste français. Il présenta à Louis XIV des rapports sur la misère rurale (*Factum de la France*, 1706).

**BOIS-LE-DUC**, en néerl. ***'s-Hertogenbosch*** ~ V. industr. des Pays-Bas, ch.-l. du Brabant-Septentrional ; 95 000 h. Cathédrale St-Jean (XIVe-XVIe s.).

**BOISMORTIER** (Joseph **Bodin** DE) ~ *1691, Perpignan - 1755, Paris.* Compositeur français. Son œuvre privilégie la flûte. Il fut le rival de Rameau dans l'opéra-ballet (*Daphnis et Chloé*, 1747).

**BOISROBERT** (François DE) ~ *1592, Caen - 1662, Paris.* Dramaturge français. Cofondateur de l'Académie française, il s'opposa à Corneille dans la querelle du *Cid*.

**BOISSY D'ANGLAS** (François Antoine, comte DE) ~ *1756, Saint-Jean-Chambre, Ardèche - 1826, Paris.* Homme politique français. Avocat, député aux États généraux, il fut président de la Convention après Thermidor et siégea au Conseil des Cinq-Cents. Il fut pair de France sous la Restauration.

**BOISSY-SAINT-LÉGER** ~ V. de la banlieue S.-E. de Paris (Val-de-Marne) ; 15 120 h. Horticulture. Château de Grosbois (XVIIe s.) à proximité.

**BOITO** (Enrico, dit Arrigo) ~ *1842, Padoue - 1918, Milan.* Compositeur et écrivain italien. Librettiste de G. Verdi pour *Otello* et *Falstaff*, il fit œuvre de novateur avec son *Mefistofele* (1868).

**BOJADOR (cap)** ~ Cap du Sahara occidental, au S. d'El-Aïun, doublé en 1434 par les Portugais.

**BOKASSA** (Jean-Bedel) ~ *Bobangui, 1921 - Bangui, 1996.* Homme d'État centrafricain. Il s'empara du pouvoir en 1966, se proclama président à vie (1972), puis empereur (1976). David Dacko mit fin à sa dictature en 1979.

**BOLBEC** ~ V. de Normandie (Seine-Maritime), au N.-E. du Havre, dans le pays de Caux ; 12 372 h (agglom. 16 376 h.). Industrie textile.

**BOLÍVAR** (Simón) ~ *1783, Caracas - 1830, Santa Marta, Colombie.* Général et homme d'État sud-américain. Il libéra du joug espagnol le Venezuela (1811) et la Nouvelle-Grenade (1819), qu'il érigea avec l'Équateur en république de Grande-Colombie, mais ne parvint pas à créer une confédération des pays latins d'Amérique du Sud.

**BOLIVIE (république de)**, en esp. ***Bolivia*** ~ Pays enclavé d'Amérique du Sud (Andes). ***Cap. constit.*** Sucre. ***Siège du gouv.*** La Paz. ***Superf.*** 1 098 581 km². ***Popul.*** 7 610 000 h., dont métis (30 %), Quechuas (25 %), Aymaras (17 %), Blancs (15 %). ***Langues princ.*** Espagnol, quechua, aymara. ***Monn.*** Peso. ***Relief.*** Le territoire s'étend pour un tiers sur les Andes (Sajama, 6 520 m) et l'Altiplano (lac Poopó), et pour deux tiers sur les *yungas* (région de vallées profondes) et les terres basses, drainées par les ríos Beni, Guaporé, Mamoré. ***Climat.*** Continental en altitude, il devient tropical humide à l'E. ***Écon.*** L'agriculture vivrière (riz, maïs, canne à sucre, élevage des bovins, ovins et lamas) est concurrencée par l'extension des plantations de coca. L'important potentiel minier (étain, fer, zinc, or, argent, charbon, gaz naturel) est difficile à exploiter. Depuis 1992 (accord avec le Pérou), la Bolivie dispose d'un libre accès au port d'Ilo, sur le Pacifique. ***V. princ.*** La Paz, Santa Cruz, Cochabamba, Potosí. **HIST.** - *XVe* : les Aymaras et les Quechuas sont soumis à la domination inca. *XVIe* : conquête espagnole (Pizarro, 1538) et exploitation des mines du Potosí. *XIXe-XXe s.* : après la victoire de Sucre à Ayacucho (1824), l'indépendance est proclamée (1825), le haut Pérou devenant la Bolivie. Les guerres contre le Chili, le Brésil et le Paraguay font perdre à la Bolivie son accès à la mer et les deux tiers de son territoire. Après la Seconde Guerre mondiale, la crise de l'étain favorise l'élection de Víctor Paz Estenssoro à la présidence (1952-1964). Les mines sont nationalisées et une réforme agraire promulguée. Les militaires s'emparent du pouvoir en 1964. Ils anéantissent la guérilla menée par Ernesto « Che » Guevara (1967). Les civils reviennent au pouvoir en 1982 mais aucun parti n'obtient la majorité. En 1993, Gonzalo Sánchez de Lozada succède à Jaime Paz Zamora à la présidence. Depuis 1985, le pays est sous la tutelle financière du F. M. I.

**BÖLL** (Heinrich) ~ *1917, Cologne - 1985, Bornheim-Merten.* Écrivain allemand. D'abord représentant de la « littérature des ruines », il décrit l'Allemagne de la défaite (*Où étais-tu, Adam ?*, 1951), puis la République fédérale de la « restauration », son miracle économique et son conformisme (*la Grimace*, 1963 ; *l'Honneur perdu de Katharina Blum*, 1974). Prix Nobel de litt. 1972.

**BOLLAND** (Jean) ~ *1596, Tirlemont - 1665, Anvers.* Jésuite brabançon. Il commença en 1643 la publication des *Acta sanctorum*, recueil des vies des saints dans l'ordre du calendrier.

**BOLOGNE** ~ V. d'Italie, cap. régionale de l'Émilie-Romagne, centre écon., cult. et tourist. au contact de l'Apennin et de la plaine du Pô ; 395 000 h. Églises, palais et demeures du Moyen Âge et de la Renaissance. Pinacothèque. La première université européenne y fut fondée en 1119. En 1513, Jules II annexa Bologne aux États pontificaux.

**Bologne (concordat de)** ~ Convention signée en 1516 entre le pape Léon X et François Ier après la victoire de Marignan. Elle renforça le gallicanisme en déléguant au roi de France la nomination des évêques et resta en vigueur jusqu'en 1790. [☞ **gallicanisme.**]

**BOLSENA (lac de)** ~ Lac de cratère (115 km²) de l'Italie centrale (Latium). Vestiges (VIIe av. J.-C.) de la cité étrusque riveraine de Volsinii.

**BOLTANSKI** (Christian) ~ *1944, Paris.* Artiste français. Sa recherche fantasmatique de l'enfance utilisant l'objet-souvenir, la photo d'amateur, la banalité du détail et le stéréotype l'a conduit à remettre en question le statut du peintre et celui du musée (*l'Album de famille D.*, 1971).

**BOLTON** ~ V. industr. d'Angleterre, rattachée au Grand Manchester ; 259 000 h. Samuel Crompton y inventa la mule-jenny (machine à filer) en 1779.

**BOLTZMANN** (Ludwig) ~ *1844, Vienne - 1906, Duino, près de Trieste.* Physicien autrichien. Il développa la théorie cinétique des gaz et proposa une approche probabiliste en physique.

**BOLYAI** (János) ~ *1802, Kolozsvár, auj. Cluj - 1860, Marosvásárhely, auj. Tirgu Mureş.* Mathématicien hongrois. En 1831, en même temps que

C. Gauss et N. Lobatchevski, il fonda la géométrie non euclidienne ou absolue.

**BOLZANO**, en all. *Bozen* ~ V. industr. et tourist. d'Italie (Trentin - Haut-Adige) ; 98 000 h.

**BOLZANO** (Bernhard) ~ *1781, Prague - 1848, id.* Mathématicien et philosophe tchèque d'orig. italienne. Connu pour ses travaux dans les domaines de la logique pure et de l'analyse mathématique, il initia, par ses recherches sur l'infini, la théorie des ensembles.

**BOMBARD** (Alain) ~ *1924, Paris.* Médecin français. En 1952, il a traversé l'Atlantique en solitaire à bord d'un canot pneumatique, pour étudier les possibilités de survie en mer.

**BOMBAY** ~ La plus grande ville de l'Inde, 1^er^ port, 1^re^ place fin. du pays, grand centre industr. (tradition text. ; raff. de pétr., chimie, sidér., constr. navales et mécan.), sur la mer d'Oman, dans le N.-O. du Deccan ; agglom. 12 600 000 h. **HIST.** - Comptoir portugais à partir de 1534, la ville devint possession anglaise (1661), fut cédée à la Compagnie anglaise des Indes orientales (1668) et rattachée à la Couronne (1783). Cap. de l'État de Bombay, puis, après la division de cet État (1960), du Maharashtra.

**BOMBELLI** (Raffaele) ~ *1526, Bologne - 1572, id.* Mathématicien italien. Il établit la méthode de calcul des nombres complexes.

**BON (cap)** ~ Péninsule du N.-E. de la Tunisie, à l'O. du détroit de Sicile. Arboriculture, tourisme.

**BONAIRE** ~ L'une des îles Sous-le-Vent néerlandaises (Petites Antilles), au climat sec ; 288 km², 11 000 h. Dépôt d'hydrocarbures. Tourisme.

**BONALD** (Louis, vicomte DE) ~ *1754, Millau - 1840, id.* Écrivain politique français. Un des plus virulents théoriciens contre-révolutionnaires (*Législation primitive*, 1802). Acad.

**Bonampak** ~ Site archéologique maya, dans le S.-E. du Mexique (État du Chiapas). Peintures murales polychromes (VIII^e^ s.).

**BONAPARTE**, famille française d'orig. lombarde établie en Corse au XVI^e^ s. dont certains membres régnèrent en France et dans plusieurs pays d'Europe au XIX^e^ s. ~ **Charles Marie** (*1746, Ajaccio - 1785, Montpellier*) prit part avec P. Paoli à la lutte pour l'indépendance de la Corse puis se rallia aux autorités françaises. ~ **Maria Letizia**, née **Ramolino** (*1750, Ajaccio - 1836, Rome*), épouse du préc., mère de 13 enfants dont 8 survécurent : ~ **Joseph** (*1768, Corte - 1844, Florence*), roi de Naples (1806-1808) puis d'Espagne (1808-1813) ; ~ **Napoléon** (voir **Napoléon I^er^**), père de **François Charles Joseph** (voir **Napoléon II**) ; ~ **Lucien** (*1775, Ajaccio - 1840, Viterbe*), président du Conseil des Cinq-Cents, favorisa l'accession au pouvoir de son frère Napoléon lors du 18 Brumaire ; ~ **Maria-Anna**, dite **Élisa** (*1777, Ajaccio - 1820, près de Trieste*), épouse de Félix Bacciochi, fut princesse de Lucques et de Piombino (1805) et grande-duchesse de Toscane (1809) ; ~ **Louis** (*1778, Ajaccio - 1846, Livourne*), roi de Hollande (1806-1810), père de ~ **Charles Louis Napoléon** (voir **Napoléon III**) ; ~ **Marie Paulette**, dite **Pauline** (*1780, Ajaccio - 1825, Florence*), épouse de Ch. Leclerc puis du prince Camille Borghèse, titrée duchesse de Guastalla (1806) ; ~ **Marie-Annonciade**, dite **Caroline** (*1782, Ajaccio - 1839, Florence*), épouse de J. Murat, reine de Naples (1808) ; ~ **Jérôme** (*1784, Ajaccio - 1860, château de Villegenis, Seine-et-Oise*), roi de Westphalie (1807-1813) et maréchal de France (1850), père de ~ **Mathilde** (*1820, Trieste - 1904, Paris*), qui tint sous le second Empire à Paris un salon littéraire ; ~ **Louis**, prince **Napoléon** (*1914, Bruxelles*), arrière-petit-fils de Jérôme, actuel chef de la maison impériale.

**BONAVENTURE** (saint) ~ *1221, Bagnorea, auj. Bagnoregio, Toscane - 1274, Lyon.* Théologien italien. Général des Franciscains, cardinal d'Albano (1273), il fut légat au concile de Lyon (1274). Sa philosophie, inspirée par la pensée de saint Augustin, fait une large part au mysticisme.

**BONCHAMPS** (Charles DE) ~ *1760, Châteauneuf, Anjou - 1793, Saint-Florent-le-Vieil, Maine-et-Loire.* Officier français. Il fut, sous les ordres de M. d'Elbée, l'un des chefs de l'insurrection militaire en Vendée. Blessé à la bataille de Cholet, il mourut après avoir obtenu la grâce des républicains faits prisonniers.

Maria Letizia **Bonaparte** *(détail), de François Gérard (1770-1837). Château de Versailles.*

Le Corsage à carreaux *(1892), de Pierre* **Bonnard**. *Musée d'Orsay, Paris.*



**BONDY** ~ V. de la banlieue N.-E. de Paris (Seine-St-Denis), sur le canal de l'Ourcq ; 46 676 h.

**BÔNE** ~ Voir **Annaba**.

**BONGO** (Omar) ~ *1935, Lewai.* Homme d'État gabonais. Président de la République depuis 1967, il a dû, devant les critiques suscitées par sa pratique personnelle du pouvoir, accepter en 1993 la démocratisation des institutions.

**BONHOEFFER** (Dietrich) ~ *1906, Breslau - 1945, camp de Flossenbürg.* Théologien protestant allemand. Développant une éthique de responsabilité de l'Église face au monde, il s'engagea dans le combat contre le nazisme et fut exécuté.

**BONIFACE** (Wynfrid, saint) ~ *v. 675, Kirton, Wessex - 754, près de Dokkum, Frise.* Missionnaire anglais. Archevêque de Mayence (751), il tenta d'évangéliser les Saxons.

**BONIFACE**, nom de neuf papes. ~ **Boniface VII** (Francon ; *m. en 985 à Rome*), antipape en 974 et de 984 à 985. Il fit étrangler Benoît VI dont il prit la place, fut chassé et excommunié par Benoît VII. De retour à Rome, il fit emprisonner Jean XIV. ~ **Boniface VIII** (Benedetto **Caetani** ; *v. 1235, Anagni, Latium - 1303, Rome*), pape de 1294 à 1303. Il tenta d'accroître les pouvoirs de la papauté et s'opposa à Philippe le Bel, qui fomenta l'attentat d'Anagni, au cours duquel le pape fut brutalisé. ~ **Boniface IX** (Pietro **Tomacelli** ; *v. 1355, Naples - 1404, Rome*), pape de 1389 à 1404. Refusant tout compromis, il retarda la fin du grand schisme d'Occident.

**BONIFACIO** ~ Port de Corse (Corse-du-Sud), sur les **bouches de Bonifacio**, séparant la Corse de la Sardaigne ; 2 683 h. Vieille ville haute et citadelle, sur une presqu'île calcaire abritant le port.

**BONIN (îles)**, en jap. ***Ogasawara*** ~ Archipel volcanique japonais du Pacifique, à 800 km au S. de Tôkyô ; 75 km², env. 2 000 h. La **fosse des Bonin**, à l'E., excède - 10 000 m.

**BONINGTON** (Richard Parkes) ~ *1802, Arnold - 1828, Londres.* Peintre britannique. Ses paysages aux tons lumineux ont influencé les impressionnistes.

**BONN** ~ V. d'Allemagne (Rhénanie-du-Nord - Westphalie), sur le Rhin ; 297 000 h. Université. Anc. résidence des princes électeurs de Cologne, devenue capitale de la R. F. A. en 1949, elle demeure, depuis la réunification (1990), le siège du Bundesrat. Musée Beethoven.

**BONNARD** (Pierre) ~ *1867, Fontenay-aux-Roses - 1947, Le Cannet.* Peintre français. Issu des nabis et influencé par l'impressionnisme, il se tint cependant hors des révolutions picturales de son temps, peignant son environnement quotidien avec un génie de coloriste et une composition vigoureuse (*Paysage de Saint-Tropez*, 1911 ; *Nu dans la baignoire*, 1933).

**BONNAT** (Léon) ~ *1833, Bayonne - 1922, Monchy-Saint-Éloi, Oise.* Peintre et collectionneur français. Portraitiste de la III^e^ République (*Adolphe Thiers*, 1877), il rassembla les toiles et dessins qui constituent auj. le fonds du musée Bonnat à Bayonne.

**BONNE-ESPÉRANCE (cap de)**, anc. **cap des Tempêtes** ~ Cap rocheux du S. de l'Afrique (extrémité S.-O. du continent), au S. de la ville du Cap. Il fut découvert en 1488 par Bartolomeu Dias et doublé par Vasco de Gama en 1497. Les Britanniques en prirent le contrôle en 1806 et y installèrent une base navale, auj. possession de l'Afrique du Sud.

**BONNEFOY** (Yves) ~ *1923, Tours.* Poète français. Par une écriture qui évoque sans imposer, il exprime l'espoir que seule la poésie puisse mettre le monde en mouvement (*Du mouvement et de l'immobilité de Douve*, 1953). Il est aussi critique d'art (*Alberto Giacometti*, 1991).

**BONNEUIL-SUR-MARNE** ~ Port fluvial de la banlieue S.-E. de Paris (Val-de-Marne) ; 13 626 h.

**BONNEVILLE** ~ V. industrielle (électronique) de la vallée de l'Arve (Haute-Savoie), 9 998 h. (agglom. 15 317 h.). Anc. capitale du Faucigny.

**BONNIEUX** ~ Village perché du Luberon (Vaucluse) ; 1 422 h. Remparts et demeures médiévales.

**Bonnot (la bande à)** ~ Nom donné à un groupe d'anarchistes spécialisé dans le grand banditisme. Son chef, **Jules Joseph BONNOT**, fut abattu en 1912 ; ses complices passèrent en jugement en 1913.

**BONTEMPS** (Pierre) ~ *v. 1507 - apr. 1563.* Sculpteur français. Proche de l'école de Fontainebleau, il excella dans la statuaire funéraire (tombeau de François I^er^).

**BOOLE** (George) ~ *1815, Lincoln - 1864, Ballintemple, près de Cork.* Mathématicien britannique. Il élabora une logique mathématique moderne et une algèbre qui porte son nom.

**BOORMAN** (John) ~ *1933, Shepperton, Surrey.* Cinéaste britannique. Il a réalisé des fictions fondées sur la nostalgie des âges mythiques et le sentiment du déclin des civilisations (*Leo the Last*, 1970 ; *Délivrance*, 1972 ; *Excalibur*, 1981).

**BOOTH** (William) ~ *1829, Nottingham - 1912, Londres.* Prédicateur évangélique britannique. Il fonda l'Armée du salut en 1878.

**BOOZ** ~ Personnage biblique, habitant de Bethléem. Époux de Ruth et bisaïeul de David.

**BORA BORA** ~ Atoll de la Polynésie française, dans le N.-O. de l'archipel de la Société ; 4 225 h. Tourisme (plaisance).

**BORÅS** ~ V. industrielle de la Suède méridionale ; 103 000 h. Textile.

**BORDA** (Charles DE) ~ *1733, Dax - 1799, Paris.* Mathématicien et marin français. Il contribua à la mesure de l'arc du méridien terrestre avec J.-B. Delambre et P. Méchain pour l'établissement du système métrique (1792-1799). [☞ **mètre.**]

**BÖRDE** (la) ~ Frange de limons fertiles qui forme, en Allemagne, une zone de transition entre les montagnes moyennes (Mittelgebirge) et les plaines du N., depuis la Rhénanie (O.) jusqu'à la Saxe (E.). Riche région agricole et industrielle, elle est jalonnée de villes anciennes, telles Hanovre, Magdebourg, Halle, Leipzig.

**BORDEAUX** ~ Préfect. de la Région Aquitaine et du dép. de la Gironde, sur la Garonne (r. g.), en amont de la Gironde, 5^e^ v. française ; 210 336 h. (agglom. 696 364 h.). Les avant-ports de l'aval (Bassens, Ambès, Blaye, Pauillac, Verdon) ont pris la relève de l'ancien port colonial. L'économie de la ville, au centre du Bordelais, repose sur le vin (Cité mondiale du vin), l'aéronautique, l'aérospatiale, la construction automobile et l'industrie électronique. Pôle univ. et technologique. Cour d'appel. Archevêché. Académie. Églises du XII^e^ au XV^e^ s. (St-Seurin, cathédrale St-André), tour St-Michel (114 m de haut), édifices datant des XVII^e^ (église Notre-Dame) et XVIII^e^ s. (place de la Bourse, Grand-Théâtre, quartier des Chartrons) ou de la

***Bordeaux**, le Grand-Théâtre.*

Restauration (esplanade des Quinconces). Festival Sigma de musique d'avant-garde (depuis 1965). **HIST.** - Florissante cité gallo-romaine, capitale de l'Aquitaine médiévale, Bordeaux fut un port anglais de 1154 à 1453. Siège d'un parlement (1462) et d'une intendance (1542), elle s'enrichit grâce au commerce des vins, à la traite des esclaves et au trafic avec les Antilles (XVIII^e s.). Ce fut une place girondine en 1793. Le gouvernement français s'y réfugia en 1870, 1914 et 1940.

**BORDELAIS** (le) ~ Région viticole commandée par Bordeaux, qui borde la Gironde (Médoc, Blayais), la basse Garonne et la basse Dordogne (not. Graves, Entre-Deux-Mers, Saint-Émilion).

**BORDERS** (les) ~ Région admin. du S.-E. de l'Écosse, frontalière de l'Angleterre, arrosée par la Tweed ; 4 713 km², 104 000 h. Industr. textile.

**BORDES** (Charles) ~ *1863, Vouvray - 1909, Toulon.* Compositeur français. Disciple de C. Franck, il redécouvrit la polyphonie du XVI^e s. et fonda la Schola cantorum en 1894.

**BORDET** (Jules) ~ *1870, Soignies, Hainaut - 1961, Bruxelles.* Médecin belge. Avec son compatriote Octave Gengou, il isola le bacille de la coqueluche (1906). Prix Nobel de physiol. ou méd. 1919.

**BORDIGHERA** ~ Station baln. d'Italie (Ligurie), sur la Riviera du Ponant ; env. 11 000 h.

**BORDJ BOU ARRERIDJ** ~ V. d'Algérie, dans les Hautes Plaines de Sétif, ch.-l. de wilaya ; 87 000 h.

**BORDUAS** (Paul Émile) ~ *1905, Saint-Hilaire, Québec - 1960, Paris.* Peintre canadien. D'abord surréaliste, il créa le groupe des « Automatistes » à Montréal (1948), puis évolua vers l'abstraction.

**BORÉE** ~ Dieu grec du Vent du nord.

**BOREL** (Émile) ~ *1871, Saint-Affrique, Aveyron - 1956, Paris.* Mathématicien français. Il est à l'origine de la théorie de l'intégration et de la théorie des jeux stratégiques.

**BOREL** (Pierre-Joseph **Borel d'Hauterive**, dit Pétrus) ~ *1809, Lyon - 1859, Mostaganem.* Écrivain français. Surnommé le Lycanthrope, ce romantique républicain et marginal est l'auteur de *Champavert, contes immoraux* (1833) et d'un roman, *Madame Putiphar* (1839).

**BORG** (Björn) ~ *1956, Södertälje, près de Stockholm.* Champion de tennis suédois des années 1970.

**BORGES** (Jorge Luis) ~ *1899, Buenos Aires - 1986, Genève.* Poète, nouvelliste et essayiste argentin. Ses récits jouent sur le paradoxe métaphysique pour mettre en abyme le lecteur, l'auteur et ses personnages (*Fictions*, 1944 ; *l'Aleph*, 1949 ; *le Livre de sable*, 1975).

**BORGHÈSE** ~ Famille noble italienne, originaire de Sienne, établie à Rome. Elle compta un pape (Paul V) et **Camille Borghèse**, époux de Pauline Bonaparte, sœur de Napoléon.

**Borghèse (palais)** ~ Palais construit (1590 - 1607) pour le pape Paul V à Rome. Il abrite d'importantes collections de peintures et de sculptures.

**Borghèse (villa)** ~ Vaste parc public, à Rome, qui abrite trois musées : la galerie Borghèse (peintures), le musée Borghèse (sculptures), et la villa Giulia (art étrusque).

**BORGIA**, famille italienne d'orig. espagnole qui joua un grand rôle à la Renaissance. Elle compta deux papes, ~ **Calixte III** (voir **Calixte**), et ~ **Alexandre VI** (voir **Alexandre**). ~ **César** (*v. 1475, Rome - 1507, Pampelune*), fils du préc., d'abord cardinal puis homme de guerre. Machiavel lui consacra quelques pages du *Prince*. ~ **François** (voir **François Borgia**). ~ **Lucrèce** (*1480, Rome - 1519, Ferrare*), sœur de César, fit de la cour d'Alphonse d'Este, son troisième mari, un centre de rayonnement artistique et intellectuel.

**BORINAGE** (le) ~ Vieux bassin houiller et industriel de Belgique (Hainaut).

**BORIS GODOUNOV** ~ *v. 1552 - 1605, Moscou.* Tsar de Russie (1598-1605). Il favorisa l'ouverture de la Russie à l'Occident et rendit l'Église russe indépendante de Constantinople. La fin de son règne fut marquée par la famine, qui entraîna de nombreux soulèvements.

**BORKOU** (le) ~ Région saharienne du Tchad formant avec le Tibesti et l'Ennedi une préfecture ; 600 350 km², 71 000 h., ch.-l. Faya-Largeau.

**BORMANN** (Martin) ~ *1900, Halberstadt, Saxe-Anhalt - 1945, Berlin.* Homme politique allemand. Il adhéra au parti nazi (1925), succéda à R. Hess à la tête de la chancellerie (1941) puis devint le secrétaire particulier de Hitler (1943). Il disparut à Berlin le 2 mai 1945.

**BORMES-LES-MIMOSAS** ~ Village pittoresque et station baln. du massif des Maures (Var), dominant la Méditerranée ; 5 083 h.

**BORN** (Max) ~ *1882, Breslau - 1970, Göttingen.* Physicien britannique d'orig. allemande. Il posa les fondements de l'interprétation probabiliste de la physique quantique. Prix Nobel de phys. 1954.

**BORNÉO** ~ Île de l'Insulinde, sur l'équateur, entre les mers de Java (au S.) et de Chine (au N.), l'une des plus étendues du monde, divisée entre l'Indonésie (Kalimantan), la Malaysia (Sarawak, Sabah) et le Brunei ; 743 385 km², 12 753 000 h. Des montagnes (4 100 m au Kinabalu) du centre rayonnent les fleuves, qui sillonnent en aval de vastes plaines marécageuses. Climat chaud et humide, forêt équatoriale, mangrove sur les côtes. Les Dayaks occupent l'intérieur (peu peuplé). La majeure partie de la population (sur le littoral) est d'origine javanaise, malaise ou chinoise. Riz, maïs, manioc ; hévéa, poivre, tabac, coprah. Gaz naturel et pétrole. Bois tropicaux (déforestation). **HIST.** - De peuplement ancien (vestiges du III^e s. av. J.-C.), l'île était divisée en sultanats musulmans lors de sa découverte par les Portugais au XVI^e s. Le découpage politique actuel résulte du partage colonial (au XIX^e s.) entre Néerlandais (implantés depuis le XVII^e s.) au S. et Britanniques au N.

**BORNES (massif des)** ~ Massif des Préalpes, en Haute-Savoie, entre le Rhône, le Fier, l'Arly et l'Arve (2 752 m dans les Aravis). Tourisme (La Clusaz).

**BORNHOLM** ~ Île danoise de la Baltique, au S.-E. de la Suède ; 588 km², 45 000 h. Pêche, faïences, poterie (kaolin). Tourisme.

**BORNOU** (le) ~ Anc. royaume africain, au S.-O. du lac Tchad. Uni au Kanem (XVI^e s.), il fut conquis par Rabah (1893).

**Borobudur** ou **Barabudur** ~ Grand monument bouddhique du centre de Java comptant plus de 500 statues du Bouddha (VIII^e s.).

**BORODINE** (Aleksandr) ~ *1833, Saint-Pétersbourg - 1887, id.* Compositeur russe. Membre du groupe des Cinq, il s'inspira du folklore russe (*Dans les steppes de l'Asie centrale* ; *le Prince Igor*).

**BORODINO** ~ Village de Russie, entre Moscou et Smolensk. Lieu d'une victoire de Napoléon sur les Russes (7 sept. 1812), qui préluda à la chute de Moscou (14 sept.), aussi nommée bataille de la Moskova.

**Bororos** (les) ~ Tribu indienne vivant dans la région du Mato Grosso, au Brésil. ~ Peuple peul nomade vivant principalement au Niger.

**BOROTRA** (Jean) ~ *1898, Arbonne - 1994, id.* Joueur de tennis français. Surnommé le Basque bondissant, il remporta de nombreux tournois de 1924 à 1932.

**BORROMÉE** ~ Voir **Charles Borromée**.

**BORROMÉES (îles)** ~ Groupe d'îlots du lac Majeur (Italie), renommés pour la beauté de leurs palais et jardins du XVII^e s.

**BORROMINI** (Francesco) ~ *1599, Bissone, près de Lugano - 1667, Rome.* Architecte italien. Il travailla essentiellement à Rome (St-Jean-de-Latran, St-Yves-de-la-Sapience). Maître du baroque, il préféra la grâce et la pureté à la puissance et la luxuriance.

**BORT-LES-ORGUES** ~ Petite v. touristique de Corrèze, aux confins du Limousin et de l'Auvergne ; 4 208 h. Barrage sur la Dordogne. Parois basaltiques en forme d'orgues, dites orgues de Bort.

**BORZAGE** (Frank) ~ *1893, Salt Lake City - 1962, Hollywood.* Cinéaste américain, chantre de l'amour rédempteur (*l'Heure suprême*, 1927 ; *la Femme au corbeau*, 1929).

**BOSCH** (Carl) ~ *1874, Cologne - 1940, Heidelberg.* Chimiste et industriel allemand. Il fut un pionnier des méthodes chimiques à haute pression. Prix Nobel de chim. 1931 avec Friedrich Bergues.

**BOSCH** (Hieronimus **Van Aeken** ou **Aken**, dit Jérôme) ~ *v. 1450, Bois-le-Duc - 1516, id.* Peintre flamand. Œuvres inclassables, puisant aux sources moralisatrices du christianisme médiéval pour aborder aux rives de la fantasmagorie païenne, qui mêlent symboles alchimiques et scènes érotiques et mortifères, les triptyques du *Chariot de foin* (1500-1502) et du *Jardin des délices* (1503-1504) révèlen[t] un maître de la technique picturale flamande et u[n] génie de la composition dont on ne connaît rie[n] de la vie que les trente tableaux qu'il a laissés.

**BOSCH** (Juan) ~ *1909, La Vega.* Homme d'Éta[t] et écrivain dominicain. Il fonda le Parti révolution[n]aire dominicain en 1939. Élu président de l[a] République en 1962, il fut renversé en 1963.

**BOSCO** (Henri) ~ *1888, Avignon - 1976, Nice.* Romancier français, chantre d'une Provence où l[e] le mystérieux se mêle au quotidien et à la traditio[n] (*l'Âne Culotte*, 1937 ; *le Mas Théotime*, 1945).

**BOSIO** (François Joseph) ~ *1768, Monaco - 1845, Paris.* Sculpteur français. Il fut sculpteur officie[l] sous l'Empire et la Restauration.

**BOSNIE-HERZÉGOVINE (république de)** ~ Pays de l'Europe du S.-E. situé dans les Balkans, avec u[n] infime débouché (sans port) sur l'Adriatique au N.-O de Dubrovnik. ***Cap.*** Sarajevo. ***Superf.*** 51 129 km² ***Popul.*** 4 366 000 h. (en 1991), dont Musulmans (44 %), Serbes (32 %), Croates (17 %). ***Langue princ.*** Serbo-croate. ***Monn.*** Dinar bosniaque. ***Relief.*** Les Alpes dinariques (S.-O.) sont compartimentées par les affluents de la Save (N.-E.). ***Climat.*** Méditerranéen à l'O., tendance continentale à l'intérieur. ***Écon.*** Fondée sur l'élevage et l'industrie, elle a été anéantie par la guerre. **HIST.** - *XVI^e-XIX^e s.* dominée par les Turcs, occupée (1878) puis annexée par l'Autriche (1908), la région, mosaïque ethnique et religieuse, est intégrée au royaume de Yougoslavie puis à la République yougoslave. *1991* : éclatement de la fédération yougoslave et proclamation de l'indépendance bosno-croate. *1992* : début de la guerre avec les Serbes de Bosnie. Siège de Sarajevo. Les nationalistes croates créent leur propre zone. *1993* : la Communauté européenne et l'O. N. U. proposent des plans de partage. *1994* : Croates et Musulmans forment une fédération. *1995* : intervention de l'Otan, retrait serbe devant l'offensive croato-musulmane. Les accords de Dayton maintiennent le principe d'un État unitaire tout en entérinant le partage du pays. *1996* : les élections de sept. portent à la tête de l'État le président musulman Alija Izetbegović et consacrent la partition ethnique.

**BOSPHORE (détroit du)**, anc. **détroit de Constantinople** ~ Détroit (long. 30 km, larg. 0,7 à 3 km) qui relie la mer Noire (sur laquelle il ouvre) et la Méditerranée par la mer de Marmara et les Dardanelles. Il sépare la Turquie d'Europe de la Turquie d'Asie (site d'Istanbul).

© Sidali-Djenidi-Gamma

*Le pont Bogazici-Köprüsü sur le* **Bosphore**, *à Istanbul.*

**BOSPHORE (royaume du)** ~ Royaume grec, fondé au V^e s. av. J.-C. en Crimée, où Mithridate IV, roi du Pont, régna au I^er s. av. J.-C., et qui fut sous protectorat romain de 63 av. J.-C. au IV^e s.

**BOSSE** (Abraham) ~ *1602, Tours - 1676, Paris.* Graveur français. Ses estampes offrent un tableau de la société française du milieu du XVII^e s.

**BOSSUET** (Jacques Bénigne) ~ *1627, Dijon - 1704, Paris.* Prélat, théologien et écrivain français. Éminent prédicateur, auteur de *Sermons* et d'*Oraisons funèbres*, il fut nommé précepteur du Grand Dauphin puis évêque de Meaux (1681). Défenseur du gallicanisme et de l'orthodoxie religieuse, il lutta contre le jansénisme, le protestantisme et le quiétisme. Dans le domaine politique, il se montra partisan de l'absolutisme, conséquence directe du droit divin, qui fait de la Providence la seule limite au pouvoir des rois. Acad.

**BOSTON** ~ Port du N.-E. des États-Unis, cap. du Massachusetts, cœur d'une importante conurbation ndustrielle, centre financier et cult. de la Nouvelle-Angleterre ; 574 000 h. (agglom. env. 2 871 000 h.). Univ. (Harvard, Massachusetts Institute of Technology). Capitole, Christ Church (XVIIIe s.). Musées des beaux-arts. **HIST.** - Fondée en 1630, centre du puritanisme, théâtre des troubles (1770, 1773) qui déclenchèrent la guerre de l'Indépendance.

**BOSWORTH** ~ Localité du Leicestershire (Angleterre). Le 22 août 1485, Henri Tudor y remporta sur Richard III (tué dans la bataille) la victoire qui mit fin à la guerre des Deux-Roses.

**BOTEV (pic)** ~ Voir **Balkan** (mont).

**BOTHA** (Louis) ~ *1862, Greytown - 1919, Pretoria.* Général et homme politique sud-africain. Il réorganisa l'armée boer, combattit les Britanniques et fut Premier ministre du Transvaal (1907-1910), puis de l'Union sud-africaine (1910-1919).

**BOTHA** (Pieter Willem) ~ *1916, État libre d'Orange.* Homme d'État sud-africain. Il fut Premier ministre (1978-1984) puis président de la République (1984-1989).

**BOTHE** (Walter) ~ *1891, Oranienburg - 1957, Heidelberg.* Physicien allemand. Inventeur de la méthode de coïncidence, il découvrit les rayonnements de neutrons (1930). Prix Nobel de phys. 1954.

**BOTNIE (golfe de)** ~ Bras septentrional de la Baltique, entre la Finlande et la Suède, presque fermé au S. par les îles Ahvenanmaa ; 117 000 km².

**BOTRANGE (signal de)** ~ Point culminant de la Belgique (Ardenne, Hautes Fagnes) ; 694 m.

**BOTSWANA (république du)**, anc. **Bechuanaland** ~ Pays enclavé d'Afrique australe. ***Cap.*** Gaborone. ***Superf.*** 581 730 km². ***Popul.*** 1 400 000 h., dont Tswanas (75 %), Bochinans. ***Langue princ.*** Anglais, tswana. ***Monn.*** Pula. ***Relief.*** Plateau en grande partie occupé par le désert du Kalahari, marécageux au N. ***Climat.*** Subtropical aride. ***Écon.*** L'élevage bovin et ovin constitue l'essentiel des ressources agricoles. Importantes ress. minières, charbon, diamant (3e rang mondial), nickel. **HIST.** - Peuplé initialement par les Bochimans et, à l'E., par les Bantous, le pays devint en 1885 un protectorat britannique et accéda à l'indépendance dans le cadre du Commonwealth (1966). Sous la présidence de Ketumilé Masiré, le Botswana apparaît comme un pôle de stabilité en Afrique australe.

**BOTTICELLI** (Sandro **Filipepi**, dit) ~ *v. 1445, Florence - 1510, id.* Peintre italien. Profanes ou religieuses, ses œuvres se caractérisent par leur composition harmonieuse, la perfection de la ligne, la grâce et la beauté des personnages, et l'élégance du geste. Elles ont embelli la Florence des Médicis (*le Printemps*, v. 1478 ; *la Naissance de Vénus*, v. 1484).

**BOTTIN** (Sébastien) ~ *1764, Grimonviller, Meurthe-et-Moselle - 1853, Paris.* Statisticien français. Il eut, le premier, l'idée de créer un annuaire, l'*Almanach du commerce de Paris, des départements et de l'étranger* (1797).

**BOTZARIS** ou **BÓTSARIS** (Márkos) ~ *v. 1786, Soúli, Albanie - 1823, Karpenísion.* Héros de la guerre d'Indépendance grecque. Il s'illustra lors du siège de Missolonghi (1822-1823).

**BOUAKÉ** ~ 2e v. de la Côte d'Ivoire, à 300 km au N. d'Abidjan, en pays baoulé, centre commercial et industriel ; 220 000 h. Université.

**BOUCHARDON** (Edme) ~ *1698, Chaumont - 1762, Paris.* Sculpteur français. Artiste néoclassique, sculpteur officiel, il s'opposa au style rocaille (fontaine des Quatre-Saisons, Paris, 1739-1750).

**BOUCHER** (François) ~ *1703, Paris - 1770, id.* Peintre et graveur français. Élève de François Lemoyne, il fut influencé par Watteau. Galante ou libertine, déesse ou bergère, la femme, dans l'œuvre de Boucher, incarne la frivolité du XVIIIe s. dans un décor foisonnant (*Diane chasseresse* ; *Diane au bain* ; *l'Odalisque brune*).

**BOUCHER** (Hélène) ~ *1908, Paris - 1934, Versailles.* Aviatrice française. Elle réalisa un raid audacieux en solitaire entre Le Bourget et Ramadi (Iraq), en 1931, et fut détentrice de sept records du monde.

**BOUCHER DE CRÈVECŒUR DE PERTHES** (Jacques) ~ *1788, Rethel - 1868, Abbeville.* Préhistorien français. Sa découverte d'outils paléolithiques l'amena à postuler la très grande ancienneté de l'homme. Il initia la science préhistorique.

**BOUCHES-DU-RHÔNE** (les) ~ Dép. de la Région Provence - Alpes - Côte-d'Azur, limité à l'O. par le petit Rhône, au N. par la Durance ; 5 247 km², 1 759 371 h., préfect. Marseille. Partie S.-O. de la Provence, il est partagé entre les plaines du bas Rhône à l'O. (Camargue dans le delta, Crau) et une succession de chaînes calcaires à l'E. (Alpilles, Estaque, Étoile, Saint-Cyr, Sainte-Victoire, Sainte-Baume), finissant dans la Méditerranée par les Calanques, qui isolent des bassins intérieurs, tels ceux d'Aubagne et d'Aix-en-Provence. Le rôle de l'agriculture (vigne, cult. maraîchères) est minime. La métropole marseillaise, avec ses annexes industrielles et portuaires (raff., pétrochim., sidér. du golfe de Fos), concentre la majeure partie de la population et de l'activité économique, s'étirant au N. vers Aix-en-Provence et Gardanne (charbonnages, bauxite), à l'E. jusqu'à Aubagne, à l'O. du tour de l'étang de Berre au Rhône. Autres v. importantes : Arles, Salon-de-Provence, Tarascon, La Ciotat.

**BOUCICAUT** (Aristide) ~ *1810, Bellême, Orne - 1877, Paris.* Commerçant et philanthrope français. Il fit du Bon Marché le plus grand magasin de Paris.

**BOUCICAUT** (Jean II) ~ *v. 1366, Tours - 1421, Londres.* Maréchal de France. Il défendit Constantinople contre les Turcs (1399). Fait prisonnier par les Anglais à Azincourt, il mourut en captivité.

**BOUCOURECHLIEV** (André) ~ *1925, Sofia.* Compositeur français d'orig. bulgare. Influencé par P. Boulez, il a développé des processus de composition aléatoires dans la série *Archipel* (1967-1973). Il est l'auteur d'un opéra, *le Nom d'Œdipe* (1978).

**BOUDDHA**, en fr. « l'Éveillé » ~ *v. 560 av. J.-C., N. de l'Inde - 480, Kashia, district de Govakhpur.* Né dans la tribu des Sakhyas dans une lignée princière, Siddharta Gautama prononça à Sarnath (N. de Bénarès) son premier sermon (v. 525), qui allait fonder le bouddhisme. [☞ **bouddhisme.**]

**BOUDIAF** (Mohammed) ~ *1919, M'Sila - 1992, Annaba.* Cofondateur du F. L. N., il s'opposa à Ben Bella et dut s'exiler au Maroc (1963). Il rentra en janvier 1992 et accepta de prendre la tête de l'État algérien, mais fut assassiné en juin.

**BOUDICCA** ou **BOADICÉE** ~ *Ier s.* Reine du peuple breton des Icènes. Elle dirigea la lutte des insulaires contre les Romains et, vaincue, se suicida.

**BOUDIN** (Eugène) ~ *1824, Honfleur - 1898, Deauville.* Peintre français. Précurseur de l'impressionnisme, il éclaira ses marines de tons clairs et vibrants de lumière (*la Jetée à Deauville*, 1869).

**BOUFARIK** ~ V. d'Algérie, dans la plaine de la Mitidja, marché agricole ; env. 50 000 h.

**BOUG** ou **BUG** (le) ~ Nom de deux cours d'eau nés en Ukraine, longs d'env. 800 km, dont l'un (tribut. de la mer Noire) coule vers le S. et l'autre (sous-affluent de la Vistule) vers le N., servant de frontière entre l'Ukraine puis la Biélorussie (r. dr.) et la Pologne (r. g.).

**BOUGAINVILLE** (Louis Antoine DE) ~ *1729, Paris - 1811, id.* Navigateur français. Après son expédition scientifique à bord de la *Boudeuse* (1766-1769), il publia en 1771 son *Voyage autour du monde.*

**BOUGAINVILLE (île)** ~ La plus grande des îles Salomon (Mélanésie), montagneuse et volcanique (2 740 m), dépendance de la Papouasie - Nouvelle-Guinée ; env. 10 000 km², 131 000 h. Production de cuivre. Découverte par Bougainville (1768).

**BOUGIE** ~ Voir **Bejaia**.

**BOUGLIONE** ~ Famille de banquistes français d'orig. italienne et gitane. Au début du XXe s., Sampion Bouglione et ses 4 fils (Alexandre, Joseph, Firmin et Sampion) fondèrent un cirque, puis, en 1934, prirent la direction du Cirque d'hiver, à Paris.

© F. Jalain-Explorer

La Vierge et l'Enfant *(v. 1487), de* ***Botticelli****. Musée du Petit-Palais, Avignon.*

© J.-L. Nou-Explorer

***Bouddha****. Musée de Delhi.*

**BOUGUENAIS** ~ Commune de l'agglom. nantaise (Loire-Atlantique), sur la Loire (r. g.) ; 15 099 h. Zone aéroportuaire, construction aéronautique.

**BOUILLON** ~ V. touristique de Belgique, sur la Semois (prov. du Luxembourg) ; env. 5 000 h. Château (XIe s.) des ducs de Bouillon.

**BOUILLON**, nom d'une famille française qui détint à partir de 1591 le duché de Bouillon. ~ **Henri** DE LA **TOUR** D'AUVERGNE, comte DE TURENNE, duc DE (*1555, Joze, Puy-de-Dôme - 1623, Sedan*), fut l'un des chefs du parti protestant aux côtés d'Henri de Navarre. Son fils aîné ~ **Frédéric Maurice** DE LA **TOUR** D'AUVERGNE, duc DE (*1605, Sedan - 1652, Pontoise*), conspira contre Richelieu, s'allia aux Espagnols contre les Français puis prit part à la Fronde avec son frère Turenne.

**BOUKHARA** ~ V. du S.-O. de l'Ouzbékistan, centre comm. et industr. (tapis) ; 250 000 h. Mausolée d'Ismaël (vers 907). **HIST.** - Conquise par les Arabes (712), capitale des Samanides et foyer de la culture islamique persane (IXe-Xe s.), elle fut occupée par les Ouzbeks (1500), qui y fondèrent un khanat, érigé en émirat en 1785. Cet État, diminué, fut soumis au protectorat de la Russie (1868), puis disparut après son partage entre l'Ouzbékistan, le Tadjikistan et le Turkménistan (1924).

**BOUKHARINE** (Nikolaï Ivanovitch) ~ *1888, Moscou - 1938, id.* Homme politique soviétique. Théoricien marxiste, membre du comité exécutif du Komintern, il s'opposa à Staline et fut exécuté.

**BOULAÏDA (El-)**, anc. **Blida** ~ V. du S. de la Mitidja, en Algérie, ch.-l. de wilaya, centre commercial et marché agricole ; 191 000 h.

**BOULANGER** (Georges) ~ *1837, Rennes - 1891, Ixelles.* Général et homme politique français. Ministre de la Guerre (1886-1887), il s'attira, par ses mesures hostiles à l'Allemagne, le soutien des milieux nationalistes et antiparlementaires. Élu dans quatre départements et à Paris (1889), il renonça à fomenter un coup d'État, fut accusé de complot et s'exila en Belgique, où il se suicida.

**BOULANGER** (Nadia) ~ *1887, Paris - 1979, id.* Compositrice française. Elle fut une remarquable pédagogue dans le domaine musical.

**BOULE** (Marcellin) ~ *1861, Montsalvy - 1942, id.* Paléontologue et géologue français. Il décrivit en 1911-1913 le squelette complet de l'homme néandertalien découvert à la Chapelle-aux-Saints et fonda l'Institut de paléontologie humaine (1920).

© Guis/Figaro magazine-Gamma

*Pierre Boulez.*

**BOULEZ** (Pierre) ~ *1925, Montbrison.* Compositeur et chef d'orchestre français. Influencé par le dodécaphonisme, il a étendu le principe de la série à tous les paramètres musicaux (timbres, rythmes). Du *Marteau sans maître* (1953) à *...explosante-fixe...* (1972), son œuvre domine la vie musicale contemporaine, dont il est l'un des principaux animateurs (fondateur du Domaine musical en 1954, directeur de l'Ircam de 1974 à 1991).

**BOULGAKOV** (Mikhail Afanassevitch) ~ *1891, Kiev - 1940, Moscou.* Écrivain soviétique. Devenu célèbre grâce à *la Garde blanche* (1925), il fut mis à l'index pour sa critique de la bureaucratie. Son œuvre maîtresse, *le Maître et Marguerite*, roman fantastique et satirique de la vie soviétique, écrit de 1928 à 1940, ne sera publiée qu'en 1966.

**BOULLE** (André Charles) ~ *1642, Paris - 1732, id.* Ébéniste français. Protégé de Colbert, il a laissé son nom à un style de meubles en bois précieux incrustés de cuivre et d'ivoire, ornés de bronze.

**BOULLE** (Pierre) ~ *1912, Avignon - 1994, Paris.* Romancier français, auteur de romans d'aventure (*le Pont de la rivière Kwaï*, 1952) et de science-fiction (*la Planète des singes*, 1963).

**BOULLONGNE** ou **BOULOGNE**, famille de peintres français établis à Paris, comme artistes officiels, parmi lesquels ~ **Louis**, dit **le Vieux** (*1609 - 1674*), et ses deux fils, ~ **Bon**, dit **l'Aîné** (*1649 - 1717*), et ~ **Louis**, dit **le Jeune** (*1654 - 1733*).

**BOULOGNE-BILLANCOURT** ~ Commune la plus peuplée de la banlieue parisienne, au S. du bois de Boulogne (Hauts-de-Seine) ; 101 743 h. Industr. à Billancourt (au S.). Anciennes usines Renault (île Seguin, sur la Seine). Jardins Albert-Kahn.

**BOULOGNE-SUR-MER** ~ 1er port de pêche français, centre industriel et commercial sur la Manche (Pas-de-Calais), dans le Boulonnais ; 43 678 h. (agglom. 91 249 h.). Export. de minerais, transit vers l'Angleterre. Remparts et château du XIIIe s. (ville haute).

**BOULONNAIS** (le) ~ Arrière-pays de Boulogne-sur-Mer (Pas-de-Calais), dépression argileuse (« boutonnière ») dans un plateau crayeux, pays herbager. Comté féodal de Boulogne (IXe s.), il fut réuni au domaine royal par Louis XI (XVe s.).

**BOUMEDIENE** (Mohammed **Boukharrouba**, dit Houari) ~ *1932, Guelma - 1978, Alger.* Militaire et homme d'État algérien. À la suite du coup d'État qui écarta Ben Bella du pouvoir, il fut président de la République (1965-1978).

**BOUNINE** (Ivan Alekseïevitch) ~ *1870, Voronej - 1953, Paris.* Écrivain russe. Admirateur de Tchekhov et de Tolstoï, il donna une vision corrosive de la Russie (*le Village*, 1910). Il émigra en France en 1920 et continua à publier nouvelles et romans (*les Allées sombres*, 1937-1949). Prix Nobel de litt. 1933.

**Bounty** ~ Navire britannique dont l'équipage se mutina (1789) en raison de l'attitude sévère de William Bligh, son capitaine.

**BOURASSA** (Robert) ~ *1933, Montréal - 1996, id.* Homme politique canadien. Chef du Parti libéral du Québec, il fut Premier ministre du Québec de 1970 à 1976 et de 1985 à 1993.

**BOURBAKI** (Nicolas) ~ Pseudonyme collectif de jeunes mathématiciens de l'E. N. S. (1933), coauteurs depuis 1940 d'un ouvrage de référence, *Éléments de mathématiques*, qui reprend l'ensemble de la mathématique moderne pour la clarifier, l'unifier et la codifier.

**BOURBINCE** (la) ~ Riv. de Bourgogne (72 km), sous-affl. de la Loire (r. dr.), longée par le canal du Centre. Elle traverse un vieux bassin houiller (Montceau-les-Mines).

**BOURBON (île)** ~ Voir **Réunion** (île de la).

**BOURBON** (Charles III DE) ~ *1490, Montpensier - 1527, Rome.* Homme de guerre français. Il battit les Vénitiens à Agnadel (1509), fut fait connétable (1514) et s'illustra à Marignan (1515). Son considérable héritage attirant la convoitise de la reine mère, il passa au service de Charles Quint. Il fut tué au siège de Rome.

**BOURBON (maison de)** ~ Famille française à l'origine de plusieurs lignées souveraines. Elle tire son nom du fief de **Bourbon-l'Archambault** (auj. dans l'Allier), échu à Robert (XIIIe s.), 6e fils de Saint-Louis, et érigé en duché en 1327. Par le jeu des alliances, la famille, divisée en trois branches (branche ducale et branche de Montpensier, réunies par mariage, branche de Vendôme), accrut ses possessions territoriales. La branche de Vendôme accéda au trône de Navarre par le mariage d'Antoine de Bourbon (frère de Louis, à l'origine des tiges de Condé et de Conti) avec Jeanne d'Albret, héritière du royaume (1548), puis au trône de France avec Henri IV, leur fils, devenu aîné des Capétiens à l'extinction des Valois (1589). De son fils Louis XIII est issue la branche qui régna en France jusqu'en 1830, et qui s'éteignit avec Henri, comte de Chambord, petit-fils de Charles X, et la branche cadette de **Bourbon-Orléans**, toujours représentée, qui occupa le trône de 1830 à 1848 avec Louis-Philippe Ier. La branche de **Bourbon-Anjou**, fondée par le petit-fils de Louis XIV, roi d'Espagne sous le nom de Philippe V, règne de nouveau sur ce pays depuis 1975 ; elle est à l'origine de la branche de **Bourbon de Naples** ou **Bourbon-Sicile**, souveraine de 1735 à 1860, et de la branche de **Bourbon-Parme**, ducs de Parme de 1748 à 1859.

**Bourbon (palais)** ~ Édifice parisien construit à partir de 1722 pour la duchesse de Bourbon. Siège depuis 1798 de l'une des assemblées parlementaires françaises (auj. l'Assemblée nationale, on écrit alors Palais-Bourbon), situé sur la rive gauche de la Seine, face à la place de la Concorde, il a été maintes fois agrandi et modifié.

**BOURBONNAIS** (le) ~ Plateau traversé par l'Allier, au N. du Massif central (Auvergne). V. princ. Moulins (anc. cap.), Montluçon, Vichy. **HIST.** - Ancien duché qui incluait l'ensemble de l'actuel département de l'Allier et une partie du Cher, possession de la maison de Bourbon, réuni à la couronne de France par François Ier (1527).

**BOURBONNE-LES-BAINS** ~ Station thermale de la Haute-Marne, au N.-E. de Langres ; 2 764 h. Vestiges gallo-romains (thermes).

**BOURBOULE (La)** ~ Station thermale des monts Dore (altitude 850 m), sur la Dordogne (Puy-de-Dôme) ; 2 113 h. Eaux arsenicales (traitement des affections respiratoires et des dermatoses infantiles). Casino.

**BOURDALOUE** (Louis) ~ *1632, Bourges - 1704, Paris.* Prédicateur français. Membre de la Compagnie de Jésus, il est considéré comme l'un des maîtres de l'éloquence religieuse au XVIIe s.

**BOURDELLE** (Antoine) ~ *1861, Montauban - 1929, Le Vésinet.* Sculpteur français. Des quelque 900 sculptures de ce disciple de Rodin se dégagent structures essentielles et effet de masse, rythmes puissants et lyrisme (*Héraclès archer*, 1909).

**BOURDIEU** (Pierre) ~ *1930, Denguin, Pyrénées-Atlantiques.* Sociologue français. Il s'est attaché à dévoiler les ressorts de la domination symbolique dans la sphère des activités politiques (*la Noblesse d'État*, 1989), culturelles (*la Distinction*, 1979) et linguistiques (*Ce que parler veut dire*, 1982).

**BOURG-DE-PÉAGE** ~ Commune de la Drôme, face à Romans, sur l'Isère (r. g.) ; 9 248 h. Industrie de la chaussure, chapellerie.

**BOURG-D'OISANS (Le)** ~ Localité touristique (randonnées, alpinisme) et commerçante de la vallée de la Romanche (Isère) ; 2 911 h.

**BOURG-EN-BRESSE** ~ Préfect. de l'Ain, v. princ. de la Bresse, à l'O. du Jura, marché agricole (poulet, beurre, fromage) et centre industriel ; 40 972 h. (agglom. 55 784 h.). Église et monastère de Brou (XVIe-XVIIe s.).

**BOURGEOIS** (Léon) ~ *1851, Paris - 1925, château d'Oger, Marne.* Homme politique français. Il contribua à la création de la S. D. N. Prix Nobel de la paix 1920.

**BOURGEOIS** (Louise) ~ *1911, Paris.* Sculpteur américain d'orig. française. Composées de textures très différentes (bois, pierre, verre, chiffon, latex), ses œuvres mettent en évidence la violence, l'acuité de la relation à soi et à l'autre (*l'Un et les Autres* ; *le Meurtre du père*).

**BOURGES** ~ Préfect. du Cher, dans la Champagne berrichonne, centre industriel (arsenal, pneumatiques, aéronautique) ; 75 609 h. (agglom. 94 731 h.). Cour d'appel. Archevêché. Cathédrale gothique St-Étienne (1195-1324), palais de Jacques Cœur (XVe s.), hôtel des Échevins (XVe-XVIIe s.), édifices de la fin du Moyen Âge. Festival musical (chanson) du Printemps de Bourges, créé en 1977. **HIST.** - Conquise par César en 52 av. J.-C., métropole de l'Aquitaine (Ier-IVe s.), elle fut la capitale du Berry (XIVe-XVe s.). Charles VII en fit le centre de son royaume au début de son règne et y édicta la Pragmatique Sanction de Bourges (1438).

**BOURGET (lac du)** ~ Lac naturel des Préalpes (Savoie), d'origine glaciaire, le plus vaste (45 $km^2$) et le plus profond (145 m) de France. Relié au Rhône par le canal de Savières, il baigne Aix-les-Bains. Site romantique célébré par un poème de Lamartine (*le Lac*).

**BOURGET (Le)** ~ V. de la banlieue industrielle (aéronautique) du N.-E. de Paris (Seine-Saint-Denis) ; 11 699 h. Aéroport de Paris (construit en 1914), auj. peu utilisé. Salon international et musée de l'Air et de l'Espace.

**BOURGET** (Paul) ~ *1852, Amiens - 1935, Paris.* Écrivain français. Ses romans et nouvelles illustrent un moralisme traditionnel (*le Disciple*, 1889). Acad.

**BOURG-LA-REINE** ~ V. résidentielle de la banlieue du S. de Paris (Hauts-de-Seine) ; 18 499 h.

**BOURG-LÈS-VALENCE** ~ V. industrielle de la banlieue de Valence (Drôme) ; 18 230 h. Usine hydroélectrique.

**BOURG-MADAME** ~ Station d'alt. (1 130 m), en Cerdagne (Pyrénées-Orientales), à la frontière espagnole ; 1 238 h.

**BOURGOGNE** (la) ~ Région hist. (anc. duché de Bourgogne et comté de Nevers) et admin. française (4 dép. : Yonne, Côte-d'Or, Nièvre, Saône-et-Loire) ; 31 592 $km^2$, 1 609 653 h., préfect. Dijon. Elle englobe le S.-E. du Bassin parisien et le N. du Massif central (Morvan), limitée au S.-O. par la Loire et à l'E. par la vallée de la Saône (Bresse incluse). L'ensemble est hétérogène : d'E. en O. se succèdent la vallée de la Saône et les prestigieux vignobles des côtes (Côtes d'Or, de Beaune, chalonnaise, mâconnaise) qui la bordent, les hauteurs forestières et rudes du plateau de Langres ou du Morvan, peu peuplées, comme le Nivernais plus à l'O. Région de passage (autoroute, T. G. V.) entre le N.-E. et les régions méditerranéennes, la Bourgogne s'est longtemps dépeuplée au profit des régions parisienne et lyonnaise voisines. Actuellement, le déclin industriel (pôles de Chalon-sur-Saône ou de Mâcon exceptés) n'est pas compensé par une progression suffisante des emplois tertiaires. **HIST.** - Fondé sur une partie de l'ancienne Burgondie, le royaume de Bourgogne, possession franque (534) puis carolingienne, forma le noyau du royaume de Bourgogne-Provence (couvrant le bassin du Rhône) passé aux empereurs germaniques (XIe s.). La partie située à l'O. de la Saône, devenue duché capétien par sa transmission à Robert, fils de Robert II le Pieux, fut le centre d'un intense rayonnement spirituel (Cluny, Cîteaux) et échut à une branche des Valois (1364), avec Philippe II le Hardi, qui y adjoignit par mariage la Franche-Comté, l'Artois et le comté de Flandre. Ses successeurs, Jean sans Peur et Philippe III le Bon accrurent leurs domaines, faisant de Dijon, leur capitale, une métropole administrative, économique et artistique. La mort de Charles le Téméraire entraîna le rattachement du duché à la France (1477), les autres possessions revenant aux Habsbourg. Pays d'états, la province garda une certaine autonomie jusqu'à la Révolution.

**BOURGOGNE (canal de)** ~ Canal construit entre 1775 et 1834 qui relie la Saône à l'Yonne (242 km). Navigation de plaisance.

**Bourgogne (théâtre de l'Hôtel de)** ~ Premier théâtre régulier de Paris, au XVIe s., qui donna les pièces de R. Garnier, de J. de Rotrou et de P. Corneille. La troupe fusionna en 1680 avec celle du théâtre Guénégaud pour former la Comédie-Française.

**BOURGOIN-JALLIEU** ~ V. industrielle (tradition textile : tissage, soieries, toiles imprimées ; chimie, métall.) du bas Dauphiné (Isère), entre Lyon et Grenoble ; 22 392 h. (agglom. 31 375 h.).

**BOURG-SAINT-ANDÉOL** ~ V. du S. de l'Ardèche, sur le Rhône ; 7 795 h. Vins, tannerie. Église romane, vestiges d'un hôtel Renaissance.

**BOURG-SAINT-MAURICE** ~ Station d'altitude de la haute Tarentaise (Savoie), sur l'Isère ; 6 056 h.

**BOURGUEIL** ~ Localité de Touraine (Indre-et-Loire) ; 4 001 h. Vin rouge (Val de Loire).

**BOURGUIBA** (Habib) ~ *1903, Monastir.* Homme d'État tunisien. Fondateur du Néo-Destour (1934), parti moderniste et laïc, il négocia avec la France l'indépendance de la Tunisie et fut élu président de la République (1959). Proclamé président à vie (1975), il fut destitué en 1987.

**Bourguignons (faction des)** ~ Parti du duc de Bourgogne, allié aux Anglais, qui s'opposa aux Armagnacs, favorables au duc d'Orléans, pendant la guerre de Cent Ans.

**Bouriates** (les) ~ Peuple mongol réparti entre la Mongolie et la Bouriatie.

**BOURIATIE (république de)** ~ République de la fédération de Russie (1992), anc. république autonome ; 351 300 $km^2$, 1 060 000 h., cap. Oulan-Oude. Elle borde le lac Baïkal à l'E. et s'étire le long de la frontière mongole. Territoire officiel des Bouriates (250 000), Mongols de Russie, à l'économie largement pastorale.

**BOURNEMOUTH** ~ V. et station balnéaire d'Angleterre (Dorset), sur la Manche ; 151 000 h.

**BOURVIL** (André **Raimbourg**, dit) ~ *1917, Pretot-Vicquemare, Normandie - 1970, Paris.* Acteur et chanteur français. Il incarna des personnages simples et tendres. Outre ses grands succès comiques (*la Grande Vadrouille*, 1966), il a révélé son talent dramatique dans *la Traversée de Paris* (1956) ou *le Cercle rouge* (1970).

**BOUSCAT (Le)** ~ V. de la banlieue de Bordeaux (Gironde) ; 21 538 h.

**BOUSQUET** (Joë) ~ *1897, Narbonne - 1950, Carcassonne.* Écrivain français. Une blessure de guerre (1918) l'obligea à rester alité jusqu'à sa mort. Par-delà le surréalisme, il retrouva l'esprit du romantisme allemand. Outre une correspondance importante (*Lettre à Poisson d'or*, 1967), il écrivit des recueils poétiques (*la Connaissance du soir*, 1944).

**BOUSSAADA** ou **BOU SAADA** ~ V. d'Algérie, oasis la plus proche d'Alger, au S. du chott el-Hodna ; env. 50 000 h. Ksar, mosquées.

**BOUTONNE** (la) ~ Affl. de la Charente (r. dr.), qui passe à Saint-Jean-d'Angély ; 92 km.

**BOUTROS-GHALI** (Boutros) ~ *1922, Le Caire.* Homme politique égyptien. Ministre des Affaires étrangères (1977-1991), il a été secrétaire général de l'O. N. U. (1992-1996).

**BOUTS** (Dirk ou Dieric) ~ *v. 1415, Haarlem - 1475, Louvain.* Peintre hollandais. Élève de R. Van der Weyden, il se distingua par l'excellence de sa perspective, la finesse de son trait et l'atmosphère contemplative de ses toiles (*Épreuve du feu*, v. 1473).

**BOUVERESSE** (Jacques) ~ *1940, Épenoy, Doubs.* Philosophe français. Sa pensée, qui prend source dans la lecture de Wittgenstein (*la Force de la règle*, 1987), constitue un effort de clarification et de synthèse de questions morales et épistémologiques contemporaines (*Rationalité et Cynisme*, 1985).

**BOUVET (île)**, en norv. ***Bouvetøya*** ~ Île volcanique et froide (calotte glaciaire) de l'Atlantique Sud (54° lat. S.) ; 50 km². Elle fut annexée par la Norvège en 1930.

**BOUVINES** ~ Localité du Nord. Victoire remportée par Philippe II Auguste, roi de France, sur l'empereur Otton IV et ses alliés, soutenus par le roi d'Angleterre Jean sans Terre (27 juill. 1214).

**BOUZIGUES** ~ Localité de l'Hérault, centre mytilicole et ostréicole languedocien, sur l'étang de Thau, près de Sète ; 907 h.

**BOUZY** ~ Localité de la Marne, centre viticole de Champagne, près d'Épernay ; 967 h.

**BOVET** (Daniel) ~ *1907, Neuchâtel - 1992, Rome.* Pharmacologue italien. Auteur d'importants travaux sur les antihistaminiques et les curarisants de synthèse. Prix Nobel de physiol. ou méd. 1957.

**Boxers** ou **Boxeurs** (les) ~ Nom donné à la société secrète chinoise Yihetuan fondée en 1770. Elle déclencha à partir de 1898 une révolte dirigée contre la pénétration occidentale, qui fut écrasée en 1900 par un corps expéditionnaire international.

**BOYACÁ** ~ V. de Colombie. Victoire de Bolívar sur les Espagnols, par laquelle naquit la Grande-Colombie indépendante (7 août 1819).

**BOYD** (William) ~ *1952, Accra.* Écrivain britannique. Auteur de romans de mœurs (*Un Anglais sous les tropiques* ; *les Nouvelles Confessions*).

**BOYER** (Charles) ~ *1897, Figeac - 1978, Phoenix.* Acteur américain d'orig. française. Il fut consacré dès les débuts du parlant comme le charmeur français emblématique de Hollywood (*Liliom*, de Fr. Lang, 1934 ; *Hantise*, de G. Cukor, 1944).

**BOYLE** (sir Robert) ~ *1627, Lismore Castle - 1691, Londres.* Physicien et chimiste irlandais. Il rejeta la théorie des éléments d'Aristote et définit les corps simples et primitifs et les corps composés, sans parvenir au concept d'élément chimique. Il découvrit aussi la loi de compressibilité des gaz.

**BOYNE** (le) ~ Fl. d'Irlande. Victoire de Guillaume III d'Orange sur l'armée franco-irlandaise conduite par Jacques II Stuart (1er juill. 1690).

**BRABANT** (le) ~ Région historique auj. partagée entre la Belgique (province d'Anvers, Brabant belge proprement dit) et les Pays-Bas, bas pays limoneux, entre les Flandres et le Limbourg. Le **Brabant belge** (3 197 km², 1 272 000 h.), partagé depuis 1993 entre les Régions flamande (partie N., cap. Louvain) et wallonne (partie S., cap. Waure) a une agriculture variée (blé, betterave à sucre, cult. maraîchères et florales), aux rendements élevés. L'agglomération (Région bilingue enclavée) de Bruxelles (moitié de la popul. du Brabant belge) est le foyer d'un réseau urbain très dense. L'industrie, fondée sur la tradition textile (lin), est auj. très diversifiée. Le **Brabant-Septentrional**, province du S. des Pays-Bas (5 081 km², 2 260 000 h.), connaît une forte urbanisation autour des villes de Breda, Tilburg, Eindhoven et Bois-le-Duc (capitale). **HIST.** - Duché formé au XIIe s., passé à la maison de Bourgogne (XVe s.) puis, par mariage, à la maison d'Autriche qui le céda à sa branche espagnole (XVIe s.). Sa partie N. fut abandonnée aux Provinces-Unies (1609). Annexé par la France sous la Révolution, il revint en totalité aux Pays-Bas (1815), avant d'être divisé lors de la création de la Belgique (1830).

**BRADBURY** (Raymond Douglas, dit Ray) ~ *1920, Waukegan, Illinois.* Écrivain américain. Ses récits de science-fiction, poétiques et inquiétants, ont renouvelé le genre (*Fahrenheit 451*, 1953).

**BRADFORD** ~ V. d'Angleterre (West Yorkshire), à l'E. des Pennines, centre traditionnel de l'industrie lainière ; 457 000 h. Université (1966).

**BRADLEY** (James) ~ *1693, Sherborne, Gloucestershire - 1762, Chalford, id.* Astronome britannique. Il découvrit l'aberration de la lumière stellaire (1727) et la nutation de l'axe terrestre (1748).

**BRADLEY** (Omar Nelson) ~ *1893, Clark, Missouri - 1981, New York.* Général américain. Il commanda les forces américaines lors du débarquement en Normandie en 1944 et conduisit le XIIe groupe d'armées jusqu'à l'Elbe.

**BRAGA** ~ V. du N. du Portugal (Minho), résidence royale au XIIe s. ; 90 000 h. Université (1973). Archevêché primatial. Métall., armement. Cathédrale (XIIe-XVIIIe s.).

**BRAGA** (Teófilo) ~ *1843, Açores - 1924, Lisbonne.* Homme d'État et écrivain portugais. Il fut président de la République en 1915.

**BRAGANCE**, en port. ***Bragança*** ~ Vieille v. fortifiée du N.-E. du Portugal (Trás-os-Montes) ; 17 000 h. Berceau de la dynastie de Bragance.

**BRAGANCE (maison de)** ~ Famille portugaise descendant de la branche bourguignonne des Capétiens et issue d'Alphonse Ier, duc de Bragance. Elle régna sur le Portugal (1640-1910) et sur le Brésil (1822-1889).

**BRAGG**, nom de deux physiciens britanniques. ~ Sir **William Henry** (*1862, Wigton, Cumberland - 1942, Londres*) et son fils ~ sir **William Lawrence** (*1890, Adélaïde, Australie - 1971, Ipswich, Queensland*) étudièrent les structures des cristaux au moyen de rayons X, ce qui leur valut le prix Nobel de phys. 1915.

**BRAHE** (Tycho) ~ *1546, Knudstrup - 1601, Prague.* Astronome danois. Il fut le premier astronome à tenir compte de la réfraction de la lumière. Ses observations sur le mouvement de la planète Mars permirent à Kepler d'énoncer ses lois.

**BRAHMA** ~ Divinité hindoue, premier être créé et créateur de l'Univers. [☞ **hindouisme.**]

**BRAHMAPOUTRE** (le), en tib. *Tsang Po* ~ Grand fl. d'Asie méridionale (2 900 km, bassin 900 000 km²), axe principal de peuplement et voie navigable au Tibet (d'où il est issu), qui dévale l'Himalaya, arrose l'Assam et atteint le golfe du Bengale par un delta commun avec le Gange.

**BRAHMS** (Johannes) ~ *1833, Hambourg - 1897, Vienne.* Compositeur allemand. Fidèle aux formes instrumentales héritées du classicisme et du romantisme, rythmicien original et d'une inspiration souvent élégiaque dans ses symphonies, ses concertos et ses trios, il se fit l'apôtre de la musique pure. Son *Requiem allemand* (1868) et ses lieder dénotent une sensibilité parfois tragique.

**BRĂILA** ~ Port industriel du bas Danube, en Roumanie ; 235 000 h. Chantiers navals.

**BRAILLE** (Louis) ~ *1809, Coupvray, Seine-et-Marne - 1852, Paris.* Pédagogue français. Il inventa une méthode de lecture et d'écriture destinée aux aveugles, le **braille**, universellement utilisée.

**BRAINE-L'ALLEUD** ~ V. industrielle (textile) du Brabant wallon (Belgique), au S. de Bruxelles ; env. 32 000 h.

**BRAMANTE** (Donato **di Angelo**, dit) ~ *1444, près d'Urbino - 1514, Rome.* Architecte et peintre italien. Il participa aux grands projets de la cour de Milan où il synthétisa l'enseignement de Brunelleschi et de Leon Battista Alberti, et l'héritage de l'architecture lombarde (coupole de Santa Maria delle Grazie). À Rome, il intégra l'héritage antique dans ses réalisations (*Tempietto* de San Pietro in Montorio, 1502 ; cloître de Santa Maria della Pace, 1500-1504) et dans le grand projet d'édifice en croix grecque pour la basilique Saint-Pierre.

**BRANCUSI** (Constantin) ~ *1876, Peştişani Gorj - 1957, Paris.* Sculpteur roumain de l'école de Paris. Son œuvre se caractérise par une stylisation menant à des formes pures qui captent la lumière pour ouvrir le volume (*le Commencement du monde*, 1920 ; *Oiseau dans l'espace*, 1940).

**BRANDEBOURG** (le), en all. ***Brandenburg*** ~ Land d'Allemagne, au S. du Mecklembourg, partie des plaines glaciaires de l'Europe du Nord, sableuse et lacustre ; 29 476 km², 2 543 000 h., v. princ. Potsdam (cap.), Cottbus, Francfort-sur-l'Oder, **Brandebourg** (env. 95 000 h.). **HIST.** - Anc. marche de l'empire de Charlemagne, la région passa aux Ascaniens (XIIe s.), aux Wittelsbach (XIVe s.), puis aux Hohenzollern (XVe s.) qui l'intégrèrent au royaume de Prusse (XVIIIe s.). Après 1945, sa partie E. fut réunie à la Pologne, sa partie O. forma un land de la R. D. A., devenu un land de l'Allemagne réunifiée (1990).

**BRANDO** (Marlon) ~ *1924, Omaha.* Acteur américain. Il a triomphé à l'écran sous la direction d'E. Kazan (*Un tramway nommé Désir*, 1951) et de J. L. Mankiewicz (*Jules César*, 1953). Après une éclipse, il retrouvera des rôles à sa mesure (*le Parrain*, de Fr. F. Coppola, 1972 ; *le Dernier Tango à Paris*, de B. Bertolucci, 1972 ; *Apocalypse Now*, de Fr. F. Coppola, 1979).

**BRANDT** (Bill) ~ *1904, Londres - 1983, id.* Photographe britannique. De 1931 à 1939, il collabora à *Verve* et à *Harper's Bazaar*. Il publia des reportages sociologiques sur les Anglais durant les bombardements de Londres. Après 1945, il réalisa des nus avec une chambre munie d'un grand angle.

**BRANDT** (Herbert Karl **Frahm**, dit Willy) ~ *1913, Lübeck - 1992, Unkel, près de Bonn.* Homme politique allemand. Antinazi réfugié en Norvège, il devint à son retour l'un des leaders du S. P. D. Bourgmestre de Berlin-Ouest (1957-1966), chancelier de la R. F. A. (1969-1974), il mena une politique de rapprochement avec l'Est (*Ostpolitik*). Prix Nobel de la paix 1971.

© P. Piel-Gamma

*Willy Brandt à la frontière polonaise.*

**BRANLY** (Édouard) ~ *1844, Amiens - 1940, Paris.* Physicien français. Il contribua à l'invention d'un radioconducteur (1890), organe déterminant des appareils de réception de la télégraphie sans fil.

**BRANT** ou **BRANDT** (Sebastian) ~ *1457 ou 1458, Strasbourg - 1521, id.* Poète alsacien. Sa *Nef des fous* (1494), écrite en langue allemande, fut le bréviaire moral des humanistes du Saint Empire.

**BRANTING** (Hjalmar) ~ *1860, Stockholm - 1925, id.* Homme politique suédois. Réformateur social, il dirigea trois gouvernements socialistes entre 1920 et 1925. Prix Nobel de la paix 1921.

**BRANTÔME** ~ Localité de Dordogne (Périgord blanc), sur la Dronne ; 2 080 h. Abbaye fondée en 769 par Charlemagne (clocher du XIe s., bâtiments des XVIIe et XVIIIe s.).

**BRANTÔME** (Pierre **de Bourdeille**, abbé et seigneur DE) ~ *v. 1540, Bourdeilles, Dordogne - 1614, Paris.* Mémorialiste français (*Vies des hommes illustres et des grands capitaines*).

**BRAQUE** (Georges) ~ *1882, Argenteuil - 1963, Paris.* Peintre français. Après sa découverte de Cézanne et sa rencontre avec Picasso, il fut, avec ce dernier, à l'origine du cubisme. Il privilégia la nature morte dans des bruns austères, aussi bien dans la période du cubisme analytique de 1908 à 1911 (*Nature morte avec instruments musicaux*) que dans celle du cubisme synthétique de 1911 à 1914 (*Verre et violon*), au cours de laquelle il introduisit des matériaux nouveaux et, en particulier, le papier collé. Après la guerre, il revint à la figure humaine et assouplit son dessin (*Chemins*).

**BRASÍLIA** ~ Cap. fédérale du Brésil (1960), conçue par L. Costa et O. Niemeyer, sur le plateau central brésilien (1 100 m) ; 1 596 000 h. dans le district fédéral (5 794 km$^2$), enclavé dans le Goiás. Villes satellites (20 % de la population, nombreuses favelas), non intégrées au plan directeur.

**BRASILLACH** (Robert) ~ *1909, Perpignan - 1945, Montrouge.* Journaliste et écrivain français. Chroniqueur de *l'Action française*, puis rédacteur en chef de *Je suis partout*, il soutint, pendant l'Occupation, la collaboration et le nazisme. Il fut condamné à mort et exécuté à la Libération.

**BRAŞOV** ~ V. industr. de Roumanie (Transylvanie), au pied des Carpates du Sud ; 324 000 h. Monuments médiévaux. Centre de la Réforme au XVIe s.

**BRASSAÏ** (Gyula **Halász**, dit) ~ *1899, Braşov - 1984, Nice.* Photographe français d'orig. hongroise. Il collabora à *Minotaure*, à *Verve* et à *Harper's Bazaar*, publia *Paris de nuit* (1933) et photographia les œuvres de Picasso (1940-1945).

**BRASSEMPOUY** ~ Commune de la Chalosse (S. des Landes), site préhist. (statuaire féminine datant de 25 000 ans) ; 279 h. Musée de la Préhistoire.

**BRASSENS** (Georges) ~ *1921, Sète - 1981, Saint-Gély-du-Fesc, Hérault.* Auteur, compositeur et interprète français. Il accompagna de sa guitare des textes anticonformistes d'une humanité profonde (*Chanson pour l'Auvergnat* ; *les Copains d'abord*) et chanta François Villon, Paul Fort et Victor Hugo.

**BRASSEUR** (Pierre Albert **Espinasse**, dit Pierre) ~ *1905, Paris - 1972, Brunico, Italie.* Acteur français. Il marqua de sa verve tour à tour ténébreuse et drolatique quelque 80 films (dont *Lumière d'été*, de J. Grémillon, 1943 ; *les Enfants du paradis*, de M. Carné, 1945).

**BRATISLAVA**, anc. **Presbourg** ~ Cap. de la Slovaquie, sur le Danube, près des frontières autrichienne et hongroise, centre comm., culturel et port fluvial au développement récent ; 440 000 h. Université Corvin (1467). Églises gothiques, résidences baroques, architecture de style viennois. Anc. capitale du royaume de Hongrie (1526-1848).

**BRATSK** ~ V. de Sibérie (Russie), centre industriel (hydroélectr., aluminium, papier) sur l'Angara, au N. d'Irkoutsk ; 259 000 h.

**BRAUDEL** (Fernand) ~ *1902, Luméville-en-Ornois, Meuse - 1985, Cluses, Haute-Savoie.* Historien français. Disciple de L. Febvre, professeur au Collège de France et collaborateur à la revue des *Annales*, il intégra les acquis de l'économie et de la géographie pour mettre en valeur la notion de longue durée dans l'étude des phénomènes historiques (*la Méditerranée et le Monde méditerranéen à l'époque de Philippe II*, 1949 ; *Civilisation matérielle, Économie et Capitalisme, XVe-XVIIIe siècle*, 1967-1979). Acad.

**BRAUN** (Wernher VON) ~ *1912, Wirsitz, auj. Wyrzysk, Pologne - 1977, Alexandria, Virginie.* Ingénieur américain d'orig. allemande. Concepteur de fusées, il mit au point les V2 en 1944. Il se livra à l'armée américaine, s'installa aux États-Unis et conçut les fusées *Jupiter-C* et *Saturne*.

**BRAUNER** (Victor) ~ *1902, Piatra Naemţ - 1966, Paris.* Peintre français d'orig. roumaine. Surréaliste, il fut sensible aux innovations picturales (*Strigoï la somnambule*, 1946).

**BRAVO (río)** ~ Nom mexicain du Rio Grande.

**BRAY (pays de)** ~ Région humide de Normandie, à l'E. du pays de Caux, dépression argileuse ouverte dans un bombement crayeux (type de la « boutonnière » ou « **bray** »). Sources de l'Epte.

**BRAZZA** (Pierre **Savorgnan** DE) ~ *1852, Rome - 1905, Dakar.* Explorateur français d'orig. italienne. Il explora l'Afrique équatoriale à partir de 1875 et colonisa le Congo (1879).

**BRAZZAVILLE** ~ Cap. du Congo, port fluvial sur le Zaïre (Malebo Pool, évasement du fl.), face à Kinshasa, terminus du chemin de fer Congo-Océan ; agglom. 938 000 h. Archevêché. Université. **HIST.** - Anc. cap. de l'A.-E. F. Lors de la **conférence de Brazzaville** (1944), de Gaulle proposa l'autonomie administrative aux colonies françaises. Son **discours de Brazzaville** (1958) fut le prélude de la décolonisation.

**BREA** (Louis) ~ *v. 1450, Nice - 1523, Gênes.* Peintre niçois. D'abord proche de l'école d'Avignon, il adopta le style monumental de l'école lombarde, traitant les volumes avec vigueur.

**BRECHT** (Bertolt) ~ *1898, Augsbourg - 1956, Berlin-Est.* Poète, romancier et dramaturge allemand. Avec le Berliner Ensemble, il inventa le théâtre dialectique, un système dramatique où le spectateur ne s'identifie pas aux personnages, où le jeu même des acteurs et la mise en scène recourent à l'« effet de distanciation », le renvoyant à un regard critique sur le monde, à sa responsabilité de sujet politique. Réaliste et allégorique, lyrique et chansonnier, son œuvre dramatique fut considérable : *l'Opéra de quat' sous* (1928), *Mère Courage et ses enfants* (1941), *la Vie de Galilée* (1943), *le Cercle de craie caucasien* (1948), *la Résistible Ascension d'Arturo Ui* (1959).

**BREDA** ~ V. industr. des Pays-Bas (Brabant-Septentrional) ; 129 000 h. Évêché. Château du XVIe s. **HIST.** - L'Espagne et les Provinces-Unies se la disputèrent de 1581 à 1648. En 1667 y fut signé un traité redistribuant les territoires nord-américains entre l'Angleterre, la France et les Provinces-Unies.

**Breendonk** ~ Camp de concentration nazi (1940-1944) situé en Belgique, à l'O. de Malines.

**Brégançon (fort de)** ~ Résidence d'été des présidents de la République française (depuis 1968), sur un îlot de la rade d'Hyères (Var).

**BREGENZ** ~ Voir **Vorarlberg**.

**BREGUET** (Louis) ~ *1880, Paris - 1955, Saint-Germain-en-Laye.* Aviateur et industriel français. Son « gyroplane » fut le premier appareil à voilure tournante à décoller du sol avec son pilote (1907).

**BRÉHAT (île de)** ~ Île de Bretagne (Côtes-d'Armor), face à la côte du Trégorrois ; 461 h. Tourisme.

**BREJNEV** (Leonid Ilitch) ~ *1906, Dnieprodzerjinsk - 1982, Moscou.* Homme d'État soviétique. Président du Soviet suprême (1960), il succéda à N. Khrouchtchev à la tête du P. C. U. S. (1964). Il favorisa une certaine détente avec l'Ouest mais renoua avec la guerre froide en se lançant dans la guerre d'Afghanistan en 1979.

**BREL** (Jacques) ~ *1929, Bruxelles - 1978, Bobigny.* Auteur, compositeur et interprète belge. Son talent scénique et ses chansons anticonformistes ont marqué l'histoire du music-hall français (*le Plat Pays* ; *Amsterdam* ; *Ne me quitte pas*).

**BRÊME**, en all. ***Bremen*** ~ Grand port industr. et comm. de l'Allemagne du Nord, sur la Weser ; 553 000 h. Il constitue avec **Bremerhaven** (131 000 h., avant-port pétr. et minéralier, sur la mer du Nord) un land urbain (404 km$^2$). Université. Cathédrale (XIe s.), vieille ville. **HIST.** - Siège d'un archevêché (845) chargé d'évangéliser la Scandinavie, la cité rejoignit la Hanse en 1358 et se rallia à la Réforme dès 1522. Ville impériale (1646), elle fut intégrée à l'Empire allemand (1871).

**BRENNE** (la) ~ Partie S.-O. du Berry, cuvette argilo-sableuse couverte de landes et de forêts, parsemée d'étangs (anc. marais), que traverse la Creuse. Parc naturel régional (réserve ornithologique).

**BRENNER (col du)** ~ Col des Alpes (1 370 m) à la frontière italo-autrichienne, entre Innsbruck (Tyrol) et Bolzano (Trentin - Haut-Adige).

**BRENNUS** ~ Nom d'un chef gaulois légendaire, qui aurait conquis Rome au IVe s. av. J.-C.

**BRENTANO** (Clemens) ~ *1778, Ehrenbreitstein, près de Francfort - 1842, Aschaffenburg.* Écrivain allemand. Ses contes et ses nouvelles en font une des figures majeures du romantisme (*le Cor enchanté de l'enfant*, avec A. von Arnim, 1806-1808).

**BRESCIA** ~ V. industr. et touristique d'Italie, en Lombardie (E.), au pied des Alpes ; 192 000 h. Église San Salvatore (VIIIe s.), deux cathédrales (XIIe, XVIIe s.), palais des XIIe et XVIe s.

**BRÉSIL (république fédérative du)**, en port. ***República federativa do Brasil*** ~ Pays composé de 26 États et du district fédéral de Brasília. Sur 4 320 km du N. au S. et 5 600 km dans sa partie la plus large, le Brésil, bordé à l'E. par l'Atlantique, occupe 47 % de l'Amérique du Sud. ***Cap.*** Brasília. ***Superf.*** 8 511 996 km$^2$. ***Popul.*** 146 200 000 h., dont Blancs (53 %), métis et mulâtres (34 %), Noirs (11 %), Indiens (0,1 %). ***Langue princ.*** Portugais. ***Monn.*** Real. ***Relief.*** Principalement constitué de plateaux, il est peu élevé. L'immense bassin drainé par l'Amazone et ses affluents (plaines alluviales et marécageuses) est bordé au S. par le plateau montagneux du Mato Grosso. De Fortaleza à Porto Alegre, des *serras* surplombent une étroite plaine côtière où se concentre l'essentiel de la population. ***Climat.*** Équatorial au N., tropical sur les plateaux, il est tempéré dans l'extrême S. ; le Nordeste est semi-aride ; l'essentiel du territoire se situe dans la zone tropicale. ***Écon.*** Le Brésil dispose d'énormes ressources minérales : fer (1er exportateur mondial), bauxite, étain, manganèse, minerais rares et précieux, dans le Minas Gerais et le bassin amazonien surtout, encore peu exploitées. Il est relativement pauvre en ressources énergétiques (charbon, pétrole, gaz), exception faite de l'hydroélectricité (barrage d'Itaipu). La distillation de la canne à sucre fournit d'importantes quantités de carburant. ***Agric.*** Employant 25 % de la population, elle privilégie les cultures d'exportation (café, cacao, sucre, tabac, fruits tropicaux, agrumes, soja, viande bovine), au détriment des cultures vivrières (maïs, manioc, riz, haricot). 65 % des exploitations agricoles font moins de 10 ha, ne couvrant que 3 % des terres, le reste étant concentré en latifundium (Roraima, Amapa, Mato Grosso). Face à des régions à l'avenir aléatoire (Nordeste sous-développé), les politiques d'aménagement tendent à favoriser les territoires à fort potentiel par le biais d'organismes régionaux, les superintendances. L'exploitation intensive de la forêt amazonienne menace sa pérennité. ***Industr.*** Elle s'est fortement développée et diversifiée depuis la Seconde Guerre mondiale, sous l'impulsion des gouvernements successifs : le « triangle du Sud » (São Paulo, Belo Horizonte, Rio de Janeiro) regroupe les grands centres de recherches en électronique, informatique et nucléaire. Mais l'appel à des capitaux étrangers a provoqué un très fort endettement. La création du Mercosur ne peut guère fournir de débouchés. Les importations de pétrole pèsent lourdement sur la balance des paiements. Le gouvernement a mis en place une politique ambitieuse de routes et d'autoroutes, en partie réalisée (Transamazonienne, 2 500 km ; Transbrasiliana, reliant Brasília à Belém, 2 198 km, etc.), facilitant l'extension du front pionnier et les migrations vers le N.-O. en provenance de la périphérie (Nordeste et S.). L'éloignement et une situation sociale dégradée nuisent au développement du tourisme. ***V. princ.*** São Paulo, Rio de Janeiro, Belo Horizonte, Salvador, Fortaleza, Brasília. **HIST.** - Reconnu par Pedro Álvares Cabral (1500), le pays fut colonisé par les Portugais qui, recourant à l'esclavage, assirent leur richesse sur la canne à sucre et l'extraction d'or et de diamants.

*Le centre administratif de Brasília.*

© G. Boutin-Explorer

*Georges Brassens.*

© Botti-Stills

*Jacques Brel.*

© Botti-Stills

XIX^e s. : vice-royauté érigée en royaume (1815), empire constitutionnel après la proclamation de l'indépendance (1822) par Pierre Ier, fils de Jean VI, le pays devient un État fédéral avec la révolution de 1888, provoquée par l'hostilité des grands propriétaires à la décision de l'empereur Pierre II d'abolir l'esclavage. *XX^e s.* : longtemps contrôlé par une oligarchie, dont la culture du café assure la puissance, le pays est affecté par la crise économique des années 1930, qui favorise l'élection de Getúlio Vargas ; ce dernier instaure un régime de type nationaliste et autoritaire apparenté au fascisme, l'*Estado Novo*. Après la guerre, la politique moderniste du président Juscelino Kubitschek de Oliveira (1956-1960) permet la mise en valeur de l'intérieur du pays autour d'une nouvelle capitale, Brasília. Par la suite, les projets de réforme agraire du président João Goulart suscitent l'opposition de l'armée, qui prend le pouvoir, instaurant l'état d'exception (1964). L'incapacité des régimes militaires successifs à enrayer la dégradation de l'économie provoque le retour au régime civil, avec l'élection du président José Sarney (1985), dont la lutte contre l'inflation fut toutefois un échec. La destitution pour corruption de son successeur, Fernando Collor de Mello (1992), remplacé par Itamar Franco puis par Fernando Henrique Cardoso (1994), et le vote en faveur du système républicain au référendum de 1993 prouvent la maturité politique d'un pays encore confronté au poids de sa dette extérieure et à la permanence des inégalités sociales.

**BRESLAU** ~ Voir **Wrocław**.

**BRESLE** (la) ~ Fl. côtier, limite entre la Normandie (pays de Caux) et la Picardie (Vimeu) ; 72 km.

**BRESSE** (la) ~ Région de l'E. de la France, entre la Saône et le Jura, plaine marneuse humide accidentée par les vallées (Seille). Aviculture, élev. bovin, maïs, industr. agroalim. V. princ. Bourg-en-Bresse.

**BRESSON** (Robert) ~ *1901, Bromont-Lamothe, Puy-de-Dôme.* Cinéaste français. Les thèmes du mal et de la rédemption, de la liberté et de la grâce se retrouvent dans ses films au style dépouillé (*le Journal d'un curé de campagne*, 1951 ; *l'Argent*, 1983).

**BRESSUIRE** ~ V. et marché agricole du haut Bocage vendéen (Deux-Sèvres) ; 17 827 h. Château féodal. Église romane et gothique.

**BREST** ~ V. de l'extrême O. de la Bretagne (Finistère), port militaire (arsenal, base de sous-marins lance-missiles de l'île Longue) et de commerce (agroalim.) à l'entrée de la **rade de Brest** ; 147 956 h. (agglom. 201 480 h.). Université. Écoles navales. Constructions navales, recherche océanologique (Océanopolis). Musée de la Marine, du Vieux Brest. **HIST.** - Brest devint un important port militaire après l'annexion de la Bretagne à la France, au XVI^e s. Base de sous-marins allemands durant la Seconde Guerre mondiale, la ville a été largement reconstruite à la suite des bombardements alliés.

**BREST**, anc. **Brest-Litovsk** ~ V. industr. de Biélorussie, à la frontière polonaise ; 277 000 h. Un traité de paix consacrant la défaite russe face à l'Allemagne et à ses alliés y fut signé le 3 mars 1918 par le gouvernement bolchevik qui abandonnait le glacis constitué à l'O., depuis le XVII^e s., par la Russie tsariste. La défaite allemande annula le traité.

**BRETAGNE** (la) ~ Extrémité O. de la France, péninsule baignée par la Manche et l'Atlantique (la Région administrative, qui exclut le pays nantais, comprend 4 départements : Ille-et-Vilaine, Côtes-d'Armor, Morbihan, Finistère ; 27 184 km², 2 795 638 h. ; préfect. Rennes). Partie avancée du Massif armoricain, c'est un pays de bas plateaux et de collines, encore largement bocager, cloisonné à l'O. (bassins séparés par des hauteurs, tels les monts d'Arrée), plus ouvert à l'E. Le littoral est rocheux, très découpé, les fleuves et rivières encaissés, finissant souvent en rias (Blavet, Odet, Rance, golfe du Morbihan, rade de Brest). Climat doux et humide (plus froid dans l'intérieur), sujet aux bourrasques. Au pourtour littoral (l'Armor) parsemé de ports (Saint-Malo, Saint-Brieuc, Morlaix, Brest, Quimper), voué à la pêche (Lorient, Concarneau, Douarnenez), aux cultures maraîchères (primeurs) et au tourisme, s'oppose l'Argoat intérieur, peu urbanisé, à l'agriculture différente : céréales, élevage (volailles, porcs, bovins), cultures fourragères. L'industrie, liée localement à la fonction portuaire (Brest, Nantes, Saint-Nazaire), est dominée par l'agroalimentaire. La Bretagne, longtemps isolée, a vu sa population diminuer au XX^e s. jusque vers 1950 (émigration vers Paris), mais la tendance s'est inversée depuis dans les villes et le long des côtes. Parallèlement, la langue (désormais enseignée) et la culture bretonnes, jadis victimes de la centralisation, sont peu à peu réhabilitées. **HIST.** - Colonisée à partir du V^e s. par des Celtes venus d'Angleterre (les Bretons), la Bretagne fut dominée jusqu'aux IX^e et X^e s. par les descendants d'un chef local, Nominoë, puis par la maison de Cornouaille, avant l'installation par la France d'une maison ducale, les Dreux (1213). Après la mort de Jean III (1341), la guerre de la Succession de Bretagne se conclut par la victoire des Montfort sur Charles de Blois (1364). En 1488, vaincu lors de la Guerre folle, le duc François II dut promettre le mariage de son héritière, Anne, avec Charles VIII, roi de France. Veuve de Charles VIII, Anne se remaria à son successeur, Louis XII. Leur fille Claude épousa François Ier, qui réunit la Bretagne à la France (1532). La province conserva jusqu'en 1789 ses états, réunis chaque année.

**BRÉTIGNY** ~ Lieu-dit, dans la Beauce. Un traité y fut conclu le 8 mai 1360 entre Jean II le Bon et les Anglais qui le maintenaient captif. Il prévoyait le versement d'une rançon et l'abandon par la France de l'Aquitaine.

**BRÉTIGNY-SUR-ORGE** ~ V. de l'Essonne, dans le S. de l'agglom. parisienne ; 19 671 h. Aérodrome militaire. Gare de triage.

**BRETON (pertuis)** ~ Bras de mer qui sépare l'île de Ré de la côte vendéenne.

**BRETON** (André) ~ *1896, Tinchebray, Orne - 1966, Paris.* Écrivain français. Il fonda, avec L. Aragon, P. Eluard et Ph. Soupault, le mouvement surréaliste, qu'il dirigea avec intransigeance (*les Champs magnétiques*, 1920 ; *Manifeste du surréalisme*, 1924). Proche des communistes, il rompit en 1935 et s'opposa au stalinisme. Ses œuvres célèbrent un véritable culte de l'amour dans un jaillissement d'écriture inentravée (*Nadja*, 1928 ; *l'Amour fou*, 1937). [☞ **surréalisme**.]

**BRETONNEAU** (Pierre) ~ *1778, Saint-Georges-sur-Cher, Loir-et-Cher - 1862, Passy.* Médecin français. Il décrivit la diphtérie et la fièvre typhoïde.

**Bretton Woods (accords de)** ~ Signés par 44 pays en juill. 1944 aux États-Unis, ils réformaient le système monétaire international, en confirmant le Gold Exchange Standard, qui assurait la domination du dollar et lui donnait un rôle équivalent à l'or comme unité de compte. Ils créèrent le Fonds monétaire international, chargé de défendre la parité des monnaies, et la Banque mondiale, pour aider à la reconstruction. Le système vola en éclats lorsque les États-Unis décrétèrent la non-convertibilité du dollar (1971).

**BREUER** (Marcel) ~ *1902, Pecs - 1981, New York.* Dessinateur et architecte américain d'orig. hongroise. Professeur au Bauhaus, il conçut un mobilier caractérisé par la clarté des structures et un fonctionalisme rigoureux (fauteuil à armature tubulaire et cuir, 1926). Exilé aux États-Unis, il se tourna vers l'architecture.

**BREUGHEL** ~ Voir **Bruegel**.

**BREUIL** (abbé Henri) ~ *1877, Mortain - 1961, L'Isle-Adam.* Paléontologue et préhistorien français. Professeur au Collège de France, il mena d'importants travaux sur l'art rupestre du Paléolithique.

**BREWSTER** (sir David) ~ *1781, Jedburgh, Écosse - 1868, Allerly, id.* Physicien britannique. Il découvrit les lois de la polarisation de la lumière par réflexion et inventa le kaléidoscope.

**BREYTENBACH** (Breyten) ~ *1939, Bonnieval, prov. du Cap.* Écrivain français d'orig. sud-africaine et d'expression afrikaans. Blanc, il combattit l'apartheid et fut emprisonné. Ses romans évoquent cette expérience douloureuse (*Mouroir*, 1984).

**BRÉZÉ** ~ Famille angevine comprenant des hommes de guerre et d'État, not. sous Charles VII.

**BRIANÇON** ~ V. des Hautes-Alpes, la plus haute de France (1 321 m), dans le **Briançonnais** (haute vallée de la Durance), sur la route Grenoble-Turin ; 11 041 h. Citadelle, vieille ville haute (fortifications de Vauban). Station climatique. Sports d'hiver (Serre-Chevalier, Montgenèvre).

**BRIAND** (Aristide) ~ *1862, Nantes - 1932, Paris.* Homme politique français. Ancien socialiste devenu indépendant, il fut à plusieurs reprises président du Conseil et ministre des Affaires étrangères. Il fut à l'origine de la S. D. N. (1920) et se consacra à la normalisation des rapports avec l'Allemagne et à la recherche d'un système de sécurité collective. Prix Nobel de la paix 1926.

**Briand-Kellogg (pacte)** ~ Traité condamnant la guerre signé le 27 août 1928 par 57 États, à l'initiative d'A. Briand et de Fr. B. Kellogg.

**BRIANSK** ~ V. industrielle de Russie sur la Desna, au S.-O. de Moscou, cap. d'une principauté indépendante aux XIII^e et XIV^e s. ; 461 000 h.

**BRIARE (canal de)** ~ Le plus ancien canal de France (1604-1642), joignant la Loire à la Seine par la vallée du Loing, relié au canal latéral à la Loire par un pont-canal qui franchit le fleuve à **Briare** (6 000 h.), à l'E. d'Orléans.

**BRIDGETOWN** ~ Cap. et port de l'île de la Barbade, centre universitaire ; 6 700 h.

**BRIDGMAN** (Percy Williams) ~ *1882, Cambridge, Massachusetts - 1961, Randolph, New Hampshire.* Physicien américain. Il étudia les effets des très hautes pressions sur la matière, travaux à l'origine de nombreuses applications industrielles (diamants industriels). Prix Nobel de phys. 1946.

**BRIE** (la) ~ Région d'Île-de-France, entre la Seine et la Marne, à l'E. de Paris. Plateau calcaire et siliceux (meulière) largement recouvert de limons fertiles. Grande culture céréalière, produits laitiers (brie de Melun, de Meaux, de Coulommiers). L'O. de la Brie est auj. gagné par l'agglom. parisienne.

**BRIE-COMTE-ROBERT** ~ V. du S.-E. de la région parisienne (Seine-et-Marne), anc. cap. de la Brie française ; 11 501 h. Église gothique du XIII^e s.

**BRIENNE** ~ Famille champenoise dont sont issus Jean, roi de Jérusalem et empereur de Constantinople (1231-1237), et deux ducs d'Athènes au XIV^e s.

**BRIENNE-LE-CHÂTEAU** ~ Localité du S.-E. de la Champagne (Aube), siège de l'école militaire (1776-1790) où étudia Bonaparte ; 3 752 h. Victoire de Napoléon en 1814 (campagne de France).

**BRIENZ (lac de)** ~ Lac de Suisse (canton de Berne) formé par l'Aar, en amont du lac de Thoune ; 30 km².

**BRIÈRE** (la) ~ Région marécageuse du S. de la Bretagne (Loire-Atlantique), sillonnée par d'anciens canaux. Anc. pays d'élevage et d'exploitation de la tourbe, aux chaumières typiques. Chasse, tourisme, parc naturel région. depuis 1970 (400 km²).

**Brigades internationales** ~ Formations de volontaires étrangers combattant aux côtés des forces républicaines pendant la guerre civile espagnole (1936-1939). Elles se distinguèrent not. à Teruel et à Brunete.

**BRIGHTON** ~ Grande station balnéaire et v. résidentielle d'Angleterre (East Sussex), sur la côte S., proche de Londres ; 143 000 h.

**BRIGITTE** (sainte) ~ *v. 1300, Hof Finstad - 1373, Rome.* Mystique suédoise, fondatrice de l'ordre du Saint-Sauveur (Brigittins).

1

2

1. *Brest, le port et le château.*

2. *Le pont-canal de Briare, sur la Loire.*

**BRIGNOLES** ~ V. de basse Provence (Var), au N. de Toulon, marché agric. ; 11 239 h. Bauxite. Palais d'été (XIIIe s.) des comtes de Provence (musée).

**BRILLAT-SAVARIN** (Jean Anthelme) ~ *1755, Belley - 1826, Paris.* Magistrat, homme politique et gastronome français (*Physiologie du goût*, 1825).

**BRINDISI** ~ Port industriel et commercial des Pouilles, en Italie, centre admin., sur l'Adriatique ; 96 000 h. Château de Frédéric II (XIIIe s.). Ancien port d'embarquement pour les croisades. Siège du gouvernement Badoglio en 1943-1944.

**BRINK** (André Philippes) ~ *1935, Vrede, État libre d'Orange.* Écrivain sud-africain. Son œuvre romanesque dénonce l'apartheid (*Au plus noir de la nuit*, 1974 ; *Une saison blanche et sèche*, 1979).

**BRINVILLIERS** (Marie-Madeleine **d'Aubray**, marquise DE) ~ *1630, Paris - 1676, id.* Courtisane française. Elle empoisonna des membres de sa famille et fut brûlée. Son procès révéla un trafic criminel compromettant des personnalités de la cour (affaire des Poisons).

**BRIOUDE** ~ V. du S. de l'Auvergne (Haute-Loire), proche de l'Allier, dans la Limagne de Brioude ; 7 285 h. Église romane (XIe-XIIIe s.) Saint-Julien. Anc. centre de pèlerinage (haut Moyen Âge).

**BRISBANE** ~ 3e port australien, sur la côte E., cap. du Queensland ; 1 422 000 h. Université. Anc. colonie pénitentiaire, fondée en 1824.

**BRISSAC**, famille française. ~ **Charles Ier** DE COSSÉ, comte DE (*v. 1505 - 1563, Paris*), maréchal de France (1550). Il reprit Le Havre aux Anglais (1563). Son second fils ~ **Charles II**, duc DE (*v. 1550 - 1621, Brissac*), se rallia à Henri IV, dont il négocia l'entrée dans Paris.

**BRISSOT DE WARVILLE** (Jacques Pierre **Brissot**, dit) ~ *1754, Chartres - 1793, Paris.* Journaliste et homme politique français. Dirigeant, à l'Assemblée législative puis à la Convention, des girondins ou **brissotins**, il s'opposa à Robespierre et fut guillotiné.

**BRISTOL** ~ Port du S.-O. de l'Angleterre, ch.-l. de l'Avon, au S. de l'estuaire de la Severn, centre écon. et univ. ; 376 000 h. Constr. navales. En 1497, les frères Cabot y embarquèrent pour le Canada.

**BRISTOL (canal de)** ~ Golfe qui sépare le pays de Galles (Glamorgan) du S.-O. de l'Angleterre.

**BRITANNICUS** (en lat. ***Tiberius Claudius Caesar***, dit) ~ *m. en 55.* Fils de Claude et de Messaline, héritier désigné du trône (41), il fut assassiné sur ordre de Néron.

**BRITANNIQUES (îles)** ~ Archipel qui comprend principalement la Grande-Bretagne et l'Irlande, divisé politiquement entre le Royaume-Uni et la république d'Irlande.

**British Museum** ~ Musée de Londres, fondé en 1753. Riches collections (antiquités orientales, grecques, romaines, etc.). Importante bibliothèque.

**BRITTEN** (Benjamin) ~ *1913, Lowestoft - 1976, Aldeburgh.* Compositeur britannique. Il recourut aux formes et aux styles anciens et modernes, les assimilant avec une grande liberté créatrice. Son art culmine dans l'opéra (*Peter Grimes*, 1945 ; *A Midsummer Night's Dream*, 1960) et dans ses œuvres instrumentales et vocales (*War Requiem*, 1962).

**BRIVE-LA-GAILLARDE** ~ Princ. v. de la Corrèze (S.-O.), carrefour région. au centre du bassin agric. de Brive ; 49 765 h. Demeures des XVIe et XVIIIe s.

**BRNO**, en all. ***Brünn*** ~ V. tchèque, centre écon., univ. et cap. hist. de la Moravie ; 391 000 h. Évêché. Églises gothiques et baroques, forteresse du Spielberg. Anc. résidence des margraves de Moravie.

**BROCA** (Pierre Paul) ~ *1824, Sainte-Foy-la-Grande - 1880, Paris.* Chirurgien français. Auteur de recherches sur les lésions des centres cérébraux de la parole. Fondateur de l'anthropologie physique.

**Brocéliande** ~ Forêt mythique de l'anc. Armorique, assimilée à la forêt de Paimpont (Ille-et-Vilaine), où se déroulent plusieurs épisodes des romans de la Table ronde.

**BROCH** (Hermann) ~ *1866, Vienne - 1951, New Haven.* Écrivain autrichien. Ses romans offrent un tableau de l'évolution de la société allemande (*les Somnambules*, 1931) et une méditation sur l'écriture (*la Mort de Virgile*, 1945).

**BROCKA** (Lino) ~ *1940, San José - 1991, Manille.* Cinéaste philippin. Il dénonça les inégalités dans des films souvent très violents (*Insiang*, 1976 ; *Jaguar*, 1979 ; *Bayan ko*, 1984).

**BROD** (Max) ~ *1884, Prague - 1968, Tel-Aviv.* Écrivain israélien d'orig. tchèque et de langue allemande. Ami, exécuteur testamentaire, éditeur et biographe de Fr. Kafka, il est l'auteur de romans réalistes et psychologiques.

**BRODSKY** (Joseph) ~ *1940, Leningrad - 1996, New York.* Poète américain d'orig. russe. Condamné pour « parasitisme » (1964), expulsé d'U. R. S. S. et réfugié aux États-Unis (1972), cet auteur d'expression russe et anglaise a livré une œuvre à la versification savante et novatrice (*Partie du discours*, 1977 ; *Uranie*, 1987). Prix Nobel de litt. 1987.

**BROGLIE**, famille française originaire du Piémont. ~ **François-Marie**, comte, puis duc DE (*1671, Paris - 1745, Broglie*), maréchal de France, vainquit les Autrichiens en Italie (1734). Son fils ~ **Victor-François** (*1718, Paris - 1804, Munster, Westphalie*), fait maréchal de France pendant la guerre de Sept Ans, commanda l'armée des émigrés en 1792. ~ **Albert** (*1821, Paris - 1901, id.*), député et président du Conseil après la crise du 16 mai 1877, fut l'un des partisans de la politique d'ordre moral de Mac-Mahon. ~ **Maurice** (*1875, Paris - 1960, Neuilly-sur-Seine*), petit-fils du préc., physicien, fut l'auteur de travaux sur les rayons X. Acad. Son frère ~ **Louis** (*1892, Dieppe - 1987, Louveciennes*), physicien, découvrit la nature ondulatoire des électrons, fondant la mécanique ondulatoire, qui permit le développement de la physique quantique. Prix Nobel de phys. 1929. Acad. [☞ **électron**.]

**BROMFIELD** (Louis) ~ *1896, Mansfield, Ohio - 1956, Columbus, id.* Romancier américain (*la Ferme*, 1933 ; *la Mousson*, 1937), également auteur de nouvelles (*Cela devait arriver*, 1938).

**BRON** ~ V. de la banlieue S.-E. de Lyon (Rhône) ; 39 683 h. Université. Aéroport.

**BRONGNIART** (Alexandre Théodore) ~ *1739, Paris - 1813, id.* Architecte néoclassique français. Il édifia des hôtels particuliers, l'actuel lycée Condorcet et la Bourse de Paris (1807).

**BRONTË**, famille d'écrivains britanniques de la région du Yorkshire. ~ **Charlotte** (*1816, Thornton - 1855, Haworth*) fut l'auteur de quatre romans en partie autobiographiques (dont *Jane Eyre*, 1847). Sa sœur ~ **Emily** (*1818, Thornton - 1848, Haworth*) écrivit *les Hauts de Hurlevent* (1847). Leur sœur ~ **Anne** (*1820, Thornton - 1849, Scarborough*) publia des romans (*Agnès Grey*, 1847), des poèmes et des nouvelles.

**BROOK** (Peter) ~ *1925, Londres.* Metteur en scène britannique. Dépouillement, travail de l'acteur, quête de l'au-delà des apparences caractérisent les pièces classiques et contemporaines qu'il a mises en scène (*le Mahabharata*, 1985 ; *L'homme qui prenait sa femme pour un chapeau*, 1993).

**BROOKS** (Louise) ~ *1906, Cherryvale, Kansas - 1985, Rochester, New York.* Actrice américaine. Elle joua not. pour G. W. Pabst (*Loulou*, 1929 ; *Journal d'une fille perdue*, 1929).

**BROOKS** (Richard) ~ *1912, Philadelphie - 1992, Beverly Hills.* Cinéaste américain. Ancien journaliste, il dénonça les tares de la société américaine (*Bas les masques*, 1952 ; *Graine de violence*, 1955).

**BROSSE** (Salomon DE) ~ *v. 1570, Verneuil-en-Halatte, Oise - 1626, Paris.* Architecte français. Son style maniériste annonce déjà le style classique (fontaine Médicis, palais du Luxembourg à Paris).

**BROSSOLETTE** (Pierre) ~ *1903, Paris - 1944, id.* Journaliste et militant socialiste. Conseiller du général de Gaulle à Londres en 1942, il est à l'origine du C. N. R. Torturé par la Gestapo, il se suicida pour ne pas parler.

**BROTONNE (forêt de)** ~ Forêt domaniale (hêtraie, chênaie) de Normandie (Seine-Mar.), dans une boucle de la basse Seine (r. g.) ; 74 km². Partie du parc naturel régional de Brotonne (580 km²).

**BROUAGE** ~ Anc. port commercial (sel), auj. ensablé, place forte royale (remparts de 1630-1640), au S. de Rochefort (Charente-Maritime), dans la commune de Hiers-Brouage (498 h.).

**BROUSSE**, en turc ***Bursa*** ~ V. de Turquie, centre industr. et univ. proche de la mer de Marmara ; agglom. 1 031 000 h. Tapis réputés. Mosquées et mausolées des sultans (XIVe-XVe s.). Anc. Prusa, cap. de la Bithynie, puis cap. ottomane au XIVe s.

**BROUSSE** (Paul) ~ *1844, Montpellier - 1912, Paris.* Homme politique et médecin français. D'abord anarchiste, lié avec Bakounine, il participa à la Commune de Paris. Puis il fut l'un des fondateurs du parti possibiliste qui prônait le socialisme par la réforme et non pas la révolution (1881).

**BROUSSEL** (Pierre) ~ *v. 1575 - 1654, Paris.* Conseiller au parlement de Paris. Son arrestation sur ordre d'Anne d'Autriche (1648) déclencha la Fronde.

**BROUWER** (Adriaen) ~ *v. 1605, Oudenaarde - 1638, Anvers.* Peintre flamand. Il s'illustra dans les scènes populaires truculentes et les paysages traduisant une vision sombre du monde.

**BROWN** (Charles Brockden) ~ *1771, Philadelphie - 1810, id.* Romancier américain. Premier écrivain professionnel de son pays, il est considéré comme le pionnier de la littérature américaine (*Wieland ou la Transformation*, 1798).

**BROWN** (John) ~ *1800, Torrington, Connecticut - 1859, Charlestown, Virginie.* Homme politique américain. Militant antiesclavagiste, il fut pendu à la suite d'une révolte et devint un symbole de l'abolitionnisme lors de la guerre de Sécession.

**BROWN** (Robert) ~ *1773, Montrose, Écosse - 1858, Londres.* Botaniste britannique. Il découvrit, en 1827, le mouvement désordonné des particules dans un liquide (**mouvement brownien**).

**BROWN** (Trisha) ~ *1936, Aberdeen, Washington.* Danseuse et chorégraphe américaine. Postmoderne, elle fut cofondatrice de la Judson Church dans les années 1960, et se distingue par son travail sur la duplication (*Accumulation*, 1971 ; *Set and Reset*, 1983).

**BROWNING**, couple d'écrivains britanniques. ~ **Elizabeth** (*1806, Coxhoe Hall, près de Durham - 1861, Florence*) s'illustra dans le registre de la poésie lyrique (*Sonnets de la Portugaise*, 1850) et du roman (*Aurora Leigh*, 1855). Son époux ~ **Robert** (*1812, Londres - 1889, Venise*) explora les profondeurs du passé et du moi dans une poésie aux rythmes haletants et aux sonorités rugueuses (*Hommes et femmes*, 1855 ; *L'Anneau et le Livre*, 1868).

**BROWNING** (Tod) ~ *1882, Louisville - 1962, Santa Monica.* Cinéaste américain. Il se spécialisa dans le cinéma fantastique et d'épouvante (*l'Inconnu*, 1927 ; *Dracula*, 1931 ; *Freaks*, 1932).

**BROWN-SÉQUARD** (Édouard) ~ *1817, île Maurice - 1894, Paris.* Médecin français. Physiologiste et précurseur de l'endocrinologie.

**BRUANT** (Aristide) ~ *1851, Courtenay - 1925, Paris.* Chansonnier français. Figure de la butte Montmartre immortalisée par Toulouse-Lautrec, il chanta les faubourgs et le Paris populaire (*Nini Peau d'chien* ; *À la Villette* ; *le Mirliton* ; *les Canuts*).

**BRUANT** (Libéral) ~ *1636, Paris - 1697, id.* Architecte français. Il conçut l'église de la Salpêtrière et l'hôtel des Invalides.

**BRUAT** (Armand Joseph) ~ *1796, Colmar - 1855, en mer.* Amiral français. Il instaura le protectorat français à Tahiti (1843), et commanda la flotte française en Crimée (1854).

**BRUAY-LA-BUISSIÈRE**, anc. **Bruay-en-Artois** ~ V. du Pas-de-Calais, anc. centre houiller, près de Béthune ; 24 927 h. Industr. mécan., textile.

**BRUAY-SUR-L'ESCAUT** ~ V. de la banlieue N. de Valenciennes (Nord) ; 11 771 h.

**BRUCE** ~ Famille écossaise descendant d'un chevalier normand, qui donna les rois Robert Ier et David II.

**Brücke (Die)**, en fr. « le Pont » ~ Groupe d'artistes fondé à Dresde en 1905 pour rompre avec l'académisme. Les arts primitifs, le romantisme, le subjectivisme, Van Gogh, Gauguin, les fauves et Munch constituent les références du mouvement qui représente la première affirmation de l'expressionnisme allemand (Erich Kirchner, Erich Heckel, Karl Schmidt-Rottluff, Emil Nolde).

**BRUCKNER** (Anton) ~ *1824, Ansfelden - 1896, Vienne.* Compositeur autrichien. Auteur de neuf symphonies et d'œuvres d'église (*Messe en « fa » mineur*, 1867), d'une sensibilité postromantique, et qui sont l'expression d'une foi ardente.

**BRUEGEL** ou **BREUGHEL**, famille de peintres flamands. ~ **Pieter l'Ancien** (*v. 1525, Bruegel, près de Breda - 1569, Bruxelles*). Avec un grand sens de la mise en scène et du détail et une palette subtile, il peignit avec verve la vie champêtre (*le Pays de Cocagne*, 1567), prétexte aux allégories morales, introduisant parfois une touche caustique (*les Mendiants*) où se lit l'influence de J. Bosch. ~ **Pieter le Jeune**, dit **d'Enfer** (*v. 1564, Bruxelles - 1638, Anvers*), fils du préc., afficha une prédilection pour le feu (*Enfer* ; *Purgatoire* ; *Intérieur d'alchimiste*). ~ **Jan**, dit **de Velours** (*v. 1568, Bruxelles - 1625, Anvers*), frère du préc., travailla avec Rubens, peignit des fleurs et des fruits mais aussi des scènes rustiques et des paysages (*Bataille d'Arbèles*, 1602).

© Giraudon

La Parabole des Aveugles (*1568 ; détail*), *de* **Bruegel** *l'Ancien. Galerie nationale de Capodimonte, Naples.*

**BRUGES**, en néerl. ***Brugge*** ~ V. de Belgique, ch.-l. de la Flandre-Occidentale, anc. cité marchande parcourue de canaux, reliée au port de Zeebrugge (pétr., trafic voyageurs), ouvert en 1907, qui constitue son annexe industrielle sur la mer du Nord ; 117 000 h. Univ. européenne. La ville historique est remarquable par son unité architecturale, ses monuments du XIIIe au XVe s. (beffroi, halle, hôtel de ville, béguinage, église Notre-Dame). Musée Memling de l'hôpital St-Jean (primitifs flamands), hôtel Gruuthuse (musée d'archéologie). **HIST.** - Résidence des comtes de Flandre (1093), riche cité marchande, centre industriel et artistique, Bruges atteignit son apogée au XIVe s., mais pâtit ensuite de l'ensablement de son port et de la concurrence de Gand.

**Brumaire an VIII (18)** ~ Date (du calendrier républicain alors en usage) et nom du coup d'État ayant porté Napoléon Bonaparte au pouvoir (9 nov. 1799).

**BRUMATH** ~ V. industrielle de la région de Strasbourg (Bas-Rhin) ; 8 182 h. Vestiges romains.

**BRUNDTLAND** (Gro Harlem) ~ *1939, Oslo.* Femme politique norvégienne. Chef du parti travailliste (1981-1992), trois fois Premier ministre de 1981 à 1996, elle préside à l'O. N. U. depuis 1983 la **commission Brundtland** (Commission mondiale pour l'environnement et le développement).

**BRUNE** (Guillaume) ~ *1763, Brive-la-Gaillarde - 1815, Avignon.* Maréchal de France. Général de l'armée d'Italie, puis de Hollande (1799), il commanda l'armée du Var pendant les Cent-Jours et fut assassiné lors de la Terreur blanche.

**BRUNEHAUT** ~ *v. 534, Espagne - 613, Renève, près de Dijon.* Reine d'Austrasie. Épouse de Sigebert, elle tenta d'administrer l'Austrasie sur le modèle romain et combattit Frédégonde, reine de Neustrie, puis le fils de celle-ci, Clotaire II, qui la fit périr.

**BRUNEI (sultanat de)** ~ Pays d'Asie du Sud-Est, sur la côte N. de Bornéo. ***Cap.*** Bandar Seri Begawan. ***Superf.*** 5 765 km². ***Popul.*** 268 000 h., dont Malais (70 %), Chinois (18 %). ***Langue princ.*** Malais. ***Monn.*** Dollar de Brunei. ***Écon.*** Fondée sur le pétrole et les revenus des investissements à l'étranger. **HIST.** - Sultanat dans l'orbite de l'Empire javanais de Majapahit au XIVe s., devenu indépendant au XVIe s., protectorat britannique en 1888. Indépendant depuis 1984.

**BRUNELLESCHI** (Filippo) ~ *1377, Florence - 1446, id.* Architecte et sculpteur italien. Il étudia les modèles de l'Antiquité à Rome, mit au point les principes de la perspective et fit de l'architecture un art à part entière (coupole de Santa Maria del Fiore, à Florence), intégrant son œuvre à la ville. Il annonçait ainsi la Renaissance.

**BRUNETIÈRE** (Ferdinand) ~ *1849, Toulon - 1906, Paris.* Critique littéraire français. Directeur de *la Revue des Deux Mondes*, il s'opposa aux courants de son temps (romantisme, symbolisme, naturalisme) au nom du classicisme.

**BRUNHES** (Jean) ~ *1869, Toulouse - 1930, Boulogne-sur-Seine.* Géographe français. Il développa la géographie humaine au Collège de France et réalisa des reportages photographiques et cinématographiques dans le monde entier.

**BRÜNN** ~ Voir Brno.

**BRUNNEN** ~ Localité de Suisse, dans le canton de Schwyz. Une alliance y fut conclue, le 9 déc. 1315, qui renforçait celle de 1291, entre les cantons de Schwyz, d'Uri et d'Unterwald.

**BRUNO** (saint) ~ *1035, Cologne - 1101, Serra San Bruno, Calabre.* Fondateur de l'ordre des Chartreux.

**BRUNO** (Giordano) ~ *1548, Nola, royaume de Naples - 1600, Rome.* Philosophe italien. Copernicien, panthéiste, il fut accusé d'hérésie et brûlé vif.

**BRUNOY** ~ V. de la banlieue S.-E. de Paris (Essonne), au N. de la forêt de Sénart ; 24 468 h.

**BRUNSCHVICG** (Léon) ~ *1869, Paris - 1944, Aix-les-Bains.* Philosophe français. Voyant dans les mathématiques la meilleure expression du rationalisme, il critiqua l'empirisme positiviste (*les Étapes de la philosophie mathématique*, 1912).

**BRUNSWICK**, en all. ***Braunschweig*** ~ V. d'Allemagne (Basse-Saxe), centre industr. et tourist. ; 258 000 h. Université. Cathédrale (XIIe s.). Anc. cité hanséatique et cap. du **duché de Brunswick**.

**BRUNSWICK** (Charles, duc DE) ~ *1735, Wolfenbüttel - 1806, Ottensen.* Général prussien. À la tête des armées austro-prussiennes coalisées contre la France révolutionnaire, il lança le **manifeste de Brunswick** (25 juill. 1792), qui exigeait de Paris le respect de l'intégrité de la famille royale, sous peine de représailles. Battu à Valmy (1792), il fut mortellement blessé à la bataille d'Auerstedt.

**BRUTUS**, en lat. ***Brutus Marcus Junius*** ~ *85, Rome - 42 av. J.-C.* Homme politique romain. Il organisa avec Cassius l'assassinat de César, son père adoptif (44 av. J.-C.).

**BRUXELLES**, en néerl. ***Brussel*** ~ Cap. de la Belgique et métropole économique, au cœur du Brabant, qui forme, depuis 1993, la Région Bruxelles-Capitale, (161 km², 952 000 h.), officiellement bilingue, comprenant, outre Bruxelles-Ville (136 000 h.), 18 communes de l'agglomération. Centre politique, industriel et culturel, au rôle européen (siège de la Commission des Communautés) et international (siège de l'Otan). Pôle tertiaire, siège de multinationales. Édifices gothiques (cathédrale St-Michel, tour de l'hôtel de ville, sur la Grand-Place), néoclassiques et baroques (place Royale, nombreuses églises), Art nouveau (maison de Horta). Musées riches en œuvres des maîtres flamands (Memling, Bosch, Bruegel l'Ancien, Rubens, Van Dyck). **HIST.** - Cité drapière, déjà prospère au XVe s., résidence des ducs de Brabant, elle devint au XVIe s. le siège du gouvernement des Pays-Bas espagnols. Chef-lieu du département de la Dyle sous le régime français (1795-1814), elle fut le centre d'où fut déclenchée, en août 1830, la révolution qui aboutit à l'indépendance de la Belgique.

© Photo News/D. Lebrun-Gamma

*Bruxelles, tapis de fleurs sur la Grand-Place.*

**BRY-SUR-MARNE** ~ V. de la banlieue E. de Paris (Val-de-Marne) ; 13 826 h. Institut national de l'audiovisuel (I. N. A.).

**BUBER** (Martin) ~ *1878, Vienne - 1965, Jérusalem.* Philosophe israélien d'orig. autrichienne. Son œuvre s'inscrit dans la lignée du hassidisme. Il prôna le dialogue avec les chrétiens comme avec les musulmans (*Gog et Magog*, 1941).

**BUCARAMANGA** ~ V. industrielle de Colombie, au N.-E. de Bogotá ; 350 000 h.

**BUCAREST**, en roum. ***București*** ~ Cap. et princ. centre écon., intellectuel (université, institut technique), religieux (orthodoxe et catholique) de Roumanie, dans la plaine de Valachie ; 2 351 000 h. Capitale de la Valachie dès le XVIIe s., de la Roumanie en 1862, la ville conserve des églises des XVe au XVIIIe s. Sous N. Ceaușescu, une partie du vieux Bucarest a été rasée pour faire place à de pompeux palais et de larges avenues. **HIST.** - Le **traité de Bucarest**, signé le 7 mai 1918 entre les empires centraux et la Roumanie vaincue, l'obligeait à céder de nombreux territoires. La défaite de l'Allemagne le rendit caduc.

**BUCÉPHALE** ~ Cheval d'Alexandre le Grand. Celui-ci fonda, en Inde, une ville à sa mémoire.

**BUCER** ou **BUTZER** (Martin **Kuhhorn**, dit Martin) ~ *1491, Sélestat - 1551, Cambridge.* Réformateur alsacien. Il est le fondateur de l'Église protestante à Strasbourg.

**BUCHANAN** (James) ~ *1791, près de Mercesburg, Pennsylvanie - 1868, Wheatland, id.* Homme d'État américain. 15e président des États-Unis (1857-1861), il ne parvint pas, malgré ses efforts, à empêcher la guerre de Sécession.

**Buchenwald** ~ Camp de concentration nazi (1937-1945) en Allemagne, au N.-O. de Weimar.

**BUCHEZ** (Philippe) ~ *1796, Matagne-la-Petite, Ardennes belges - 1865, Rodez.* Philosophe et homme politique français. Il fut l'un des fondateurs du socialisme chrétien.

**BUCHNER** (Eduard) ~ *1860, Munich - 1917, Focșani, Roumanie.* Chimiste allemand. Il découvrit le rôle des enzymes dans la fermentation. Prix Nobel de chim. 1907.

**BÜCHNER** (Georg) ~ *1813, Godelau, Hesse - 1837, Zurich.* Poète et dramaturge allemand, auteur de pièces révolutionnaires (*la Mort de Danton*, 1835 ; *Woyzeck*, commencée en 1836 et restée inachevée, inspira un opéra à A. Berg).

**BUCK** (Pearl) ~ *1892, Hillsboro, Virginie - 1973, Danby, Vermont.* Femme de lettres américaine. Ses romans ont pour cadre la Chine, où elle a longtemps vécu (*Vent d'Est, Vent d'Ouest*, 1923 ; *la Terre chinoise*, 1931). Prix Nobel de litt. 1938.

**BUCKINGHAM** (George **Villiers**, duc DE) ~ *1592, Brooksby - 1628, Portsmouth.* Homme politique anglais. Favori de Jacques Ier Stuart puis de Charles Ier, il soutint les insurgés huguenots de La Rochelle. Il mourut assassiné par le puritain John Felton.

**Buckingham Palace** ~ Palais londonien édifié en 1705 et acheté par George III en 1761. Résidence des souverains britanniques depuis 1837.

**BUCKINGHAMSHIRE** (le) ~ Comté d'Angleterre, au N.-O. de Londres, entre la Tamise et l'Ouse ; 1 877 km², 632 000 h., ch.-l. Aylesbury. Banlieues aisées au S. (Milton Keynes), pôle industriel au N.

**BUCOVINE** (la) ~ Région d'Europe orientale, entre le Dniestr (Ukraine) et les Carpates (Roumanie), noyau historique de la Moldavie. Cédée par l'Empire ottoman à l'Autriche en 1775, elle revint à la Roumanie en 1919, puis à l'U. R. S. S. en 1947.

**BUDAPEST** ~ Cap. de la Hongrie (depuis 1866), sur le Danube, au N. de la plaine pannonienne, métropole écon., universitaire et culturelle du pays ; 2 009 000 h. (20 % de la popul. hongroise). Le tertiaire y occupe env. 45 % des emplois. Industries lourdes et de construction. Foire internationale. Thermalisme. Forteresse de Buda, église de Mathias du XIIIe s., hôtel de ville du XVIIIe s., Opéra, musée des Beaux-Arts, dans le château royal. **HIST.** - Ancienne capitale de la Pannonie inférieure romaine, la ville devint résidence des rois de Hongrie à partir du XIVe s. Occupée par les Turcs en 1526, métropole de l'empire des Habsbourg (XVIIIe s.), elle acquit sa structure actuelle en 1873, par la réunion de Buda et de Pest, jusqu'alors communes distinctes.

**BUDÉ** (Guillaume) ~ *1467, Paris - 1540, id.* Humaniste français. Restaurateur des études grecques, il fit nommer des « lecteurs royaux », qui constituèrent le Collège de France, fondé en 1530.

**BUËCH** (le) ~ Affl. alpin (90 km) de la Durance (r. dr.), issu du Dévoluy, qui conflue à Sisteron.

**BUENAVENTURA** ~ 1er port commercial (café, sucre) colombien du Pacifique ; 193 000 h.

**BUENOS AIRES** ~ Cap. de l'Argentine (depuis 1880), mégapole industrielle, financière, universitaire et culturelle (musées, Opéra), grand port international en déclin et 3e ville d'Amérique latine, débouché traditionnel de la Pampa agricole établi sur la rive S. du Río de La Plata ; 2 965 000 h. (district fédéral), 11 662 000 h. dans le « Grand Buenos Aires » (env. 4 000 km$^2$), soit un tiers de la popul. du pays. La **province de Buenos Aires** (307 572 km$^2$, 12 595 000 h.) constitue l'arrière-pays agricole de la cap. au S. (ch.-l. La Plata). **HIST.** - Capitale de la vice-royauté de La Plata en 1776, la ville connut entre 1880 et 1930 une phase de prospérité due au développement des exportations (blé, viande, industr. manufacturière). La croissance urbaine, mal contrôlée, demeure importante en raison not. des apports migratoires.

**BUFFALO** ~ 1er port fluvial industr. des États-Unis (État de New York), à l'extrémité E. du lac Érié, relié par canal à l'Hudson ; 328 000 h. (agglom. 1 189 000 h.). Évêché. Université de l'État de New York. Musée Albright.

**BUFFALO BILL** (William Frederick **Cody**, dit) ~ *1846, Scott County, Iowa - 1917, Denver.* Aventurier américain. Éclaireur lors de la guerre de Sécession, il prit aussi une large part au massacre des bisons (*buffaloes*), puis dirigea un cirque.

**BUFFET** (Bernard) ~ *1928, Paris.* Peintre figuratif français. Son œuvre se caractérise par un étirement et une stylisation des formes, cernées de noir.

**BUFFON** (Georges Louis **Leclerc**, comte DE) ~ *1707, Montbard - 1788, Paris.* Naturaliste et philosophe français. Directeur du Jardin du roi dès 1738, il substitua à la classification rigide de Linné une continuité des espèces qui nuance la fixité dont il était toutefois partisan. Il dirigea une *Histoire naturelle* (1749-1804). Acad.

**BUG** ~ Voir **Boug.**

**BUGATTI** (Ettore) ~ *1881, Milan - 1947, Paris.* Industriel français d'orig. italienne. Il construisit des voitures de sport puis des automotrices.

**BUGEAUD** (Thomas), marquis **de La Piconnerie**, duc **d'Isly** ~ *1784, Limoges - 1849, Paris.* Maréchal de France. Il dirigea la conquête de l'Algérie et écrasa les forces marocaines à la bataille de l'Isly (1844).

**BUGEY** (le) ~ Partie S. du Jura français, entre le Rhône et l'Ain, plus rude au N. (**haut Bugey** de Nantua) qu'au S. (**bas Bugey** d'Ambérieu et de Belley). Élev., tourisme. Centrale électronucléaire. Anc. possession de la Savoie, cédée à la France en 1601.

**BUISSON** (Ferdinand) ~ *1841, Paris - 1932, Thieuloy-Saint-Antoine, Oise.* Pédagogue et homme politique français. Partisan de l'école laïque aux côtés de J. Ferry, il fut cofondateur de la Ligue des droits de l'homme. Prix Nobel de la paix 1927.

**BUJUMBURA**, anc. **Usumbura** ~ Cap. du Burundi, sur le lac Tanganyika, port relié par lac et voie ferrée à l'océan Indien ; env. 300 000 h. Archevêché. Université.

**BUKAVU** ~ V. du Zaïre, sur le lac Kivu, près du Rwanda, centre commercial d'une région minière ; 210 000 h. Parc national des monts Virunga voisins (gorilles).

**BUKOWSKI** (Charles) ~ *1920, Andernach, Allemagne - 1994, San Pedro, Californie.* Poète et romancier américain. Il décrivit ses errances de marginal alcoolique (*Contes de la folie ordinaire*, 1967).

**BULAWAYO** ~ 2e v. du Zimbabwe, grand centre industriel (sidérurgie) du Matabélé ; 621 000 h.

**BULGARIE (république de)**, en bulg. ***Bălgarija*** ~ Pays du S.-E. de la péninsule des Balkans bordé à l'E. par la mer Noire. ***Cap.*** Sofia. ***Superf.*** 110 994 km$^2$. ***Popul.*** 8 460 000 h., dont Bulgares (86 %), Turcs (10 %). ***Langue princ.*** Bulgare. ***Monn.*** Lev. ***Relief.*** Au centre, le mont Balkan sépare le bassin du Danube du bassin de la Marica. Au S., le massif du Rhodope forme la frontière avec la Grèce. ***Climat.*** Continental avec une influence méditerranéenne au S. et à l'E. ***Écon.*** Fondée sur l'agriculture (céréales et cult. industrielles dans les régions danubiennes ; cult. irriguées, coton, tabac, vigne, fruits, légumes, fleurs plus au S.) ; industrie peu performante (sidér., chimie, text., agroalim., informat.) construite sur le modèle soviétique, et tourisme (côte de la mer Noire). L'économie bulgare subit durement les bouleversements induits par la privatisation des terres et des entreprises et par la disparition du Comecon. Depuis 1994, adhérente du Partenariat pour la paix. ***V. princ.*** Sofia, Plovdiv, Varna, Burgas, Ruse. **HIST.** - Occupée par les Thraces (IIe mill. av. J.-C.), puis rattachée à la Macédoine, intégrée à l'Empire romain, la région subit l'invasion des Slaves (VIe s.), puis celle des Bulgares d'origine turque, qui s'installent dans la Dobroudja (VIIe s.). *681* : le khan Asparuh impose la reconnaissance d'un État bulgare à Byzance. *IX[e] s.* : la christianisation permet l'unité nationale, et le royaume bulgare connaît son apogée sous le règne de Siméon Ier (893-927). *X[e]-XVIII[e] s.* : affaibli par les luttes dynastiques et religieuses (hérésie des bogomiles), le royaume retombe sous la domination de Byzance (1018-1186), est ravagé par les Mongols, puis passe successivement sous le contrôle des Serbes et des Ottomans (1396). *XIX[e] s.* : la révolte de 1876 contre les Turcs provoque l'intervention de la Russie ; au congrès de Berlin (1878) est décidée la création des principautés de Bulgarie (autonome) et de Roumélie, rattachée à la Bulgarie en 1885. *1908* : Ferdinand de Saxe-Cobourg devient tsar des Bulgares, souverain d'une Bulgarie indépendante. *1919* : à l'issue des guerres balkaniques et de la Première Guerre mondiale, la Bulgarie, alliée des Empires centraux, perd son débouché sur la mer Égée, acquis en 1913. *1941* : elle s'engage aux côtés de l'Allemagne. *1946* : après sa libération par les Soviétiques, est instaurée une république populaire sous la direction de Georgui Dimitrov puis de Todor Zivkov. *1991* : l'effondrement de l'U. R. S. S. permet l'établissement d'un régime démocratique sous la présidence de Zelju Zelev. *1994* : victoire des anciens communistes aux élections législatives. *1996* : Petar Stoïanov, leader de l'opposition, est élu président de la République. *1997* : les anticommunistes remportent les élections législatives.

**Bulle d'or** ~ Acte administratif du Saint Empire romain germanique (25 déc. 1356) qui désignait les sept Électeurs des empereurs (3 ecclésiastiques et 4 laïcs) sans ingérence pontificale.

**BÜLOW** (Hans, baron VON) ~ *1830, Dresde - 1894, Le Caire.* Pianiste et chef d'orchestre allemand, élève de Wagner et de Liszt. Il fut le premier époux de la fille de ce dernier, Cosima.

**BULTMANN** (Rudolf) ~ *1884, Wiefelstede - 1976, Marbourg.* Théologien protestant allemand. Il mit en question le Nouveau Testament en tant que mythe dont il faut dégager le sens du monde et de l'être humain. Il puisa dans la pensée de Heidegger les outils conceptuels pour le réinterpréter.

**Bund** (le) ~ Union générale des travailleurs juifs de Lituanie, de Pologne et de Russie, instituée en 1897. Antisioniste et socialiste, le Bund ne survécut pas, en Russie, à la révolution d'Octobre. Il perdura en Pologne jusqu'en 1948.

**Bundesrat** (le), en fr. « Conseil fédéral » ~ Nom donné à la représentation des États de la Confédération de l'Allemagne du Nord (1866-1871), puis de l'Empire allemand (1871-1918), enfin des länder de la R. F. A. depuis 1949.

**Bundestag** (le), en fr. « Assemblée fédérale » ~ Une des deux chambres législatives de la R. F. A., élue pour quatre ans au suffrage universel direct. Elle élit le chancelier fédéral.

**Bundeswehr** (la) ~ Nom donné aux forces armées de la R. F. A. reconstituées en 1956.

**BUNSEN** (Robert Wilhelm) ~ *1811, Göttingen - 1899, Heidelberg.* Physicien allemand. Il inventa une pile électrique impolarisable à l'acide nitrique (1841), un bec à gaz de laboratoire dit **bec Bunsen**, et créa, avec G. R. Kirchhoff, l'analyse spectrale (1859).

**BUÑUEL** (Luis) ~ *1900, Calenda - 1983, Mexico.* Cinéaste mexicain d'orig. espagnole. Ses films, surréalistes et subversifs, pourfendent le conformisme bourgeois et religieux (*Un chien andalou*, 1928 ; *l'Âge d'or*, 1930 ; *El*, 1952 ; *Tristana*, 1970 ; *le Fantôme de la liberté*, 1974).

**BUNYAN** (John) ~ *1628, Elstow, près de Bedford - 1688, Londres.* Écrivain anglais. Prédicateur protestant, il est l'auteur du premier roman anglais, *Voyage du pèlerin* (1678-1684).

**BUONARROTI** ~ Voir **Michel-Ange.**

**BUONTALENTI** (Bernardo) ~ *1536, Florence - 1608, id.* Architecte, peintre et sculpteur italien, il conçut des villas et des jardins dans un esprit maniériste et ludique (grotte des jardins Boboli).

**BURCKHARDT** (Jacob) ~ *1818, Bâle - 1897, id.* Historien suisse germanophone, spécialiste de l'histoire de l'art de la Renaissance et de la Grèce antique (*la Civilisation de la Renaissance en Italie*, 1860).

**Bureau des longitudes** ~ Établissement scientifique sis à Paris, créé par la Convention nationale (1795), chargé de l'étude des diverses branches de l'astronomie et de ses applications.

**Bureau international du travail** (**B. I. T.**) ~ Secrétariat (sis à Genève) de l'Organisation internationale du travail, créée en 1919. Son but est, dans le cadre de l'O. N. U., l'amélioration des conditions de travail dans le monde.

**BUREN** (Daniel) ~ *1938, Boulogne-Billancourt.* Artiste français. Ses répétitions de bandes verticales (8,7 cm de largeur) s'adaptent au lieu d'exposition tout en le remettant en cause. Il a not. installé des colonnes rayées dans la cour d'honneur du Palais-Royal, à Paris (*Deux Plateaux*, 1985-1986).

**BURES-SUR-YVETTE** ~ V. de l'agglom. parisienne (Essonne), dans la vallée de Chevreuse ; 9 246 h. Institut des hautes études scientifiques (univ.).

**BURGAS** ou **BOURGAS** ~ V. de Bulgarie, sur la mer Noire, centre industr. (raff. de pétrole) et touristique, grand port de pêche ; 205 000 h.

**BURGENLAND** (le) ~ Land du S.-E. de l'Autriche, au contact des Alpes et des plaines de Hongrie ; 3 965 km$^2$, 273 000 h., cap. Eisenstadt.

**BURGESS** (Anthony) ~ *1917, Manchester - 1993, Londres.* Écrivain anglais. Son œuvre abondante compte not. *l'Orange mécanique* (1962), dénonciation de la violence moderne, *la Symphonie Napoléon* (1974), roman musical, et de grandes fresques historiques (*la Puissance des ténèbres*, 1980).

**Burgondes** (les) ~ Peuple d'orig. scandinave. Établis en Germanie puis divisés lors de l'invasion de la Gaule par Attila, ils fondèrent un royaume (457) autour de la vallée de la Saône et du Rhône, détruit par les Francs en 534.

**BURGOS** ~ V. du N. de l'Espagne (Castille-León), en Vieille-Castille ; 160 000 h. Archevêché. Édifices religieux (XIIe-XIV[e] s.). Cap. de la Castille (X[e]-XI[e] s.), elle fut le siège du gouvernement de Franco pendant la guerre civile (1936-1939).

**BURGOYNE** (John) ~ *1722, Sutton - 1792, Londres.* Général britannique. Il commanda les forces britanniques au Canada et fut battu par les troupes des insurgés américains à Saratoga (1777).

**BURIDAN** (Jean) ~ *v. 1300, Béthune - apr. 1358.* Philosophe scolastique français. On lui attribue à tort l'anecdote de l'âne qui, ayant autant faim que soif, se laissa mourir, incapable de choisir entre un sac d'avoine et un seau d'eau.

**BURKE** (Edmund) ~ *v. 1729, Dublin - 1797, Beaconsfield.* Écrivain et homme politique britannique. Libéral, il dénonça la répression dans les colonies d'Amérique mais, épris d'ordre, manifesta son hostilité à la Révolution dans ses *Réflexions sur la Révolution de France* (1790).

**BURKINA FASO (république démocratique et populaire du)**, anc. **Haute-Volta** ~ Pays enclavé d'Afrique occidentale. ***Cap.*** Ouagadougou. ***Superf.*** 274 122 km$^2$. ***Popul.*** 9 740 000 h., dont Mossis (48 %), Mandés (9 %), Peuls (9 %). ***Langues princ.*** Français, mossi, dioula. ***Monn.*** Franc CFA. ***Relief.*** Partie du socle ancien aux sols latéritiques. ***Climat.*** Tropical avec une saison sèche aggravée par l'harmattan. ***Hydrogr.*** La Volta noire est la seule rivière permanente. ***Écon.*** Fondée sur les cultures vivrières (sorgho, millet, riz, canne à sucre...), la culture du coton pour l'exportation et l'élevage bovin. L'important potentiel minéral (manganèse, or, fer, bauxite) est peu exploité. **HIST.** - Formé de petits royaumes créés not. par les Mossis à partir du XIIe s., le territoire est unifié à l'O. sous l'impulsion des Dioulas (XVIIIe-XIX[e] s.). *1898* : la conquête française entraîne la formation d'un protectorat. *XX[e] s.* : englobée dans le Soudan puis dans le Haut-Sénégal - Niger, démembrée enfin au profit de ses voisins, la Haute-Volta devient un territoire autonome (1947). *1960* : l'indépendance est proclamée, sous la présidence de Maurice Yaméogo ; son éviction (1966) ouvre la voie à une succession de coups d'État miliaires. *1983* : Thomas Sankara s'empare du ouvoir, baptise le pays Burkina Faso (« pays des ommes intègres »), et institue un régime de type ocialiste. *1987* : son éviction par Blaise Compaoré, lu chef de l'État après la promulgation d'une ouvelle Constitution (1991), s'est accompagnée 'une certaine libéralisation de la vie politique.

**BURNE-JONES** (sir Edward) ~ *1833, Birmingham - 1898, Londres.* Peintre préraphaélite britannique. es sujets bibliques ou légendaires et son goût des ormes sinueuses annoncent le symbolisme et l'Art ouveau (*l'Enchantement de Merlin*, 1874).

**BURNS** (Robert) ~ *1759, Alloway, Écosse - 1796, Dumfries, id.* Poète britannique. Ses poèmes n dialecte écossais chantent les vertus d'un iédonisme rustique et vigoureux.

**BURROUGHS** (Edgar Rice) ~ *1875, Chicago - 1950, Encino, Los Angeles.* Romancier américain. l créa la légende de *Tarzan* (1912).

**BURROUGHS** (William Seward) ~ *1914, Saint-Louis, Missouri.* Romancier américain. Dans une angue imaginative et argotique, il a décrit un inivers marginal et fantasmagorique où règnent 'errance, la drogue, la révolte et le sexe. Il est l'aîné le la Beat Generation (*le Festin nu*, 1959 ; *la Machine molle*, 1961 ; *les Garçons sauvages*, 1971).

**BURSA** ~ Voir **Brousse.**

**BURTON** (sir Richard) ~ *1821, Torquay - 1890, Trieste.* Voyageur britannique. Il mena deux expéditions en Afrique à la recherche des sources du Nil Blanc. Avec John Speke, il découvrit le lac Tanganyika (1858).

**BURTON** (Richard **Jenkins**, dit Richard) ~ *1925, Pontrhydfen, pays de Galles - 1984, Genève.* Acteur britannique. Il débuta à la scène, puis s'orienta vers le cinéma (*Corps sauvages*, de T. Richardson, 1959 ; *Cléopâtre*, de J. Mankiewicz, 1963).

**BURUNDI (république du)** ~ Pays enclavé d'Afrique de l'E. au relief escarpé, bordé par le lac Tanganyika. ***Cap.*** Bujumbura. ***Superf.*** 27 834 km². ***Popul.*** 5 800 000 h. ***Langues princ.*** Kirundi, français. ***Monn.*** Franc burundais. ***Climat.*** Subéquatorial nuancé par l'altitude. ***Écon.*** Fondée sur l'agriculture vivrière (haricot, maïs) et commerciale (bananes, thé, café) et sur l'exploitation forestière. **HIST.** - Fondé au XVIe s., le royaume hutu devient un protectorat, intégré à l'Afrique-Orientale allemande en 1903. *1919* : placé sous mandat belge, il forme avec son voisin le territoire du Rwanda-Urundi. *1962* : il accède à l'indépendance ; le pays est confronté depuis à la rivalité entre Hutus et Tutsis, qui provoque des massacres (1972 et 1993), ainsi que la fuite d'une partie de la population. *1994* : Sylvestre Ntibantuganya est élu président de la République. *1995* : début de la partition ethnique. *1996* : Pierre Buyoya, un Hutu, prend le pouvoir.

**BUSH** (George Herbert Walker) ~ *1924, Milton, Massachusetts.* Homme d'État américain. Vice-président de R. Reagan (1981-1989), il est devenu le 41e président des États-Unis (1989-1993). Son mandat fut marqué par une politique étrangère active (accords Start 1 de désarmement nucléaire avec l'U. R. S. S., intervention des forces américaines au Panamá et guerre du Golfe).

**BUSONI** (Ferruccio Benvenuto) ~ *1866, Empoli - 1924, Berlin.* Compositeur, pianiste (*24 préludes pour piano*, 1879-1880) et théoricien italien. Son opéra *Doktor Faust* (achevé par Philippe Jarnach) est un chef-d'œuvre d'invention fantastique.

**BUSSANG (col de)** ~ Col du S. des Vosges (731 m), franchi par la route Nancy-Mulhouse. Sources de la Moselle. Station thermale.

**BUSSOTTI** (Sylvano) ~ *1931, Florence.* Compositeur et metteur en scène italien. Il a mêlé dans ses œuvres la violence expressionniste et la tradition polyphonique italienne (*la Passion selon Sade*, 1963-1969). Il a dirigé à Venise le théâtre de La Fenice (1976-1980).

**BUSSY** (Roger **de Rabutin**, comte DE), dit **Bussy-Rabutin** ~ *1618, Épiry - 1693, Autun.* Lieutenant-général, cousin de Mme de Sévigné, libertin et auteur de l'*Histoire amoureuse des Gaules* (1665).

**BUTLER** (Samuel) ~ *1612, Strensham, Worcestershire - 1680, Londres.* Écrivain anglais. Son épopée burlesque *Hudibras* (1663-1678) dénonce l'hypocrisie puritaine.

**BUTLER** (Samuel) ~ *1835, Langar, Nottinghamshire - 1902, Londres.* Écrivain britannique. Auteur d'une utopie satirique, *Erewhon* (1872), et d'un roman autobiographique, *Ainsi va toute chair* (posth., 1903), où s'exprime sa haine du pharisaïsme victorien.

**BUTOR** (Michel) ~ *1926, Mons-en-Barœul.* Romancier, poète et essayiste français. Dans ses œuvres, l'espace et le temps commandent la structure du récit et modèlent l'évolution des personnages (*Passage de Milan*, 1954 ; *l'Emploi du temps*, 1956 ; *la Modification*, 1957). Il est également l'auteur de critiques littéraires et artistiques (*Répertoire I-V*, 1960-1982).

**BUXTEHUDE** (Dietrich) ~ *1637, Oldesloe - 1707, Lübeck.* Compositeur allemand. Organiste, il développa la cantate protestante et influença J. S. Bach.

**BUZZATI** (Dino) ~ *1906, Belluno - 1972, Milan.* Écrivain italien. Son œuvre allie le fantastique à un réalisme lucide et savoureux (*le Désert des Tartares*, 1940 ; *En ce moment précis*, 1963 ; *le K*, 1966).

**Byblos** ~ Site archéologique du Liban, au N. de Beyrouth. Port phénicien prospère, exportant le bois vers l'Égypte (IIIe-IIe mill. av. J.-C.). On y a trouvé la plus ancienne inscription alphabétique connue (sarcophage du roi Ahiram, v. 1000 av. J.-C.).

**BYDGOSZCZ**, en all. ***Bromberg*** ~ V. industrielle et port fluvial de Pologne, au N.-E. de Poznań, fondée par les Allemands au XIIIe s. ; 384 000 h.

**BYRD** (Richard Evelyn) ~ *1888, Winchester, Virginie - 1957, Boston.* Aviateur et explorateur américain. Il réalisa le premier vol au-dessus du pôle Nord en 1926, du pôle Sud en 1929.

**BYRD** (William) ~ *1543, Lincolnshire - 1623, Stondon Massey, Essex.* Compositeur anglais de tradition élisabéthaine. Homme de la Renaissance, il œuvra dans les genres les plus variés (motets, messes, madrigaux, pièces pour clavier et pour viole).

**BYRON** (George Gordon, lord) ~ *1788, Londres - 1824, Missolonghi.* Poète romantique britannique. Grand voyageur, ardent défenseur de la liberté, il entreprit d'aider les Grecs à secouer le joug turc, mais il fut terrassé par les fièvres. Outre les contes orientaux publiés de 1813 à 1814 (*le Giaour* ; *le Corsaire* ; *Lara*), ses poèmes les plus connus sont *Childe Harold* (1812-1818), où il se met en scène sous les traits d'un beau ténébreux en proie au « mal du siècle », et *Don Juan* (1819-1824), épopée satirique inachevée d'inspiration picaresque. Son influence fut considérable sur tout le romantisme européen dont il fut un emblème.

**BYTOM**, en all. ***Beuthen*** ~ V. industr. de Pologne, dans le bassin houiller de haute Silésie, au N.-O. de Katowice ; 232 000 h. Sidér. et mines (argent).

**BYZANCE** ~ Colonie puis cité grecque du Bosphore. L'empereur romain Constantin Ier y établit sa capitale et la rebaptisa Constantinople (330). ~ Nom donné, par extension, à l'Empire byzantin.

**BYZANTIN (Empire)** ~ Nom donné à l'empire romain d'Orient (395-1453), englobant, à l'époque de son extension maximale (VIe s.), les Balkans, l'Asie Mineure, la Syrie, la Libye, l'Égypte et une partie de l'Afrique du Nord. Issu de la division de l'Empire romain, après la mort de Théodose Ier (395), l'Empire byzantin, dont la position stratégique fondait la prospérité, survécut à l'effondrement de l'empire romain d'Occident (476). Après la tentative de reconquête de Justinien Ier (525-565), qui coïncida avec l'épanouissement de la civilisation byzantine — organisée selon un modèle féodal et bientôt dominée par l'hellénisme —, l'empire fut en proie, à partir du VIe s., aux ambitions des Barbares, des Slaves, des Perses et des Arabes. Il subit alors d'importantes pertes territoriales, profitant not. aux Lombards (568) et aux Arabes (VIIe s.). L'instabilité politique provoquée par les incessantes querelles de succession entre dynasties et les crises religieuses (querelle des images [☞ **iconoclasme.**], VIIIe-IXe s.) plongèrent l'empire dans la décadence, interrompue sous le règne de la dynastie macédonienne (IXe-XIe s.), qui vit le schisme d'Orient (1054). Malgré la volonté des Comnène (1081-1185) de maintenir l'unité, l'expansionnisme lié aux croisades provoqua le démembrement de l'empire au profit de l'empire latin de Constantinople (1204-1261). Les Paléologues entreprirent, à partir de 1261, de restaurer un empire diminué, dont la chute suivit de peu la prise de Constantinople par les Turcs (1453).

BYZANCE EN MÉDITERRANÉE

1. *La nef de Saint-Apollinaire-le-Neuf, à Ravenne (VIe s.).*

2. *Plaque d'orfèvrerie représentant la Crucifixion, avec la Vierge et saint Jean (Xe s.). Basilique Saint-Marc, Venise.*

3. Christ Pantocrator, *mosaïque du XIe s. Musée du Bargello, Florence.*

**CABALLÉ** (Montserrat) ~ *1933, Barcelone.* Soprano espagnole. Sa voix exceptionnelle lui a permis de s'illustrer dans le répertoire lyrique international (Rossini, Verdi, Mozart).

**CABALLERO** (Cecilia **Böhl von Faber**, dite Fernán) ~ *1796, Morges, Suisse - 1877, Séville.* Femme de lettres espagnole. Ses romans offrent un tableau réaliste des mœurs andalouses (*La Gaviota*, 1849).

**CABANIS** (Georges) ~ *1757, Cosnac, Limousin - 1808, Seraincourt, Seine-et-Oise.* Médecin et philosophe français. Il fit partie du groupe des idéologues, mais se sépara de Condillac en publiant les *Rapports du physique et du moral de l'homme* (1802). Acad.

**CABET** (Étienne) ~ *1788, Dijon - 1856, Saint Louis, Missouri.* Théoricien socialiste français. Auteur du *Voyage en Icarie* (1840), il tenta de réaliser son utopie en Amérique mais échoua.

**CABEZA DE VACA** (Alvar **Núñez**, dit) ~ *1507, Jerez de la Frontera, Andalousie - v. 1560, Séville.* Explorateur espagnol. Il traversa, seul, les territoires indiens de la Floride à la Californie (1529-1536). Il fut ensuite nommé gouverneur du Paraguay.

**CABINDA** ~ Enclave et prov. côtière de l'Angola, dont elle est séparée par le fl. Zaïre ; 7 270 km², 174 000 h., ch.-l. Cabinda (21 000 h.). Pétrole off-shore.

**Cabochiens** (les) ~ Nom donné à des partisans du duc de Bourgogne Jean sans Peur. Conduits par le boucher **Simon Caboche**, ils déclenchèrent au printemps 1413 de violentes émeutes dans Paris, mais furent écrasés par le parti armagnac.

**Cabora Bassa** ~ Voir **Zambèze**.

**CABOT** (Giovanni **Caboto**, en fr. Jean) ~ *v. 1450, Gênes ou Venise - v. 1500 en Angleterre.* Navigateur italien. Au service d'Henri VII, roi d'Angleterre, il découvrit Terre-Neuve et l'île du Cap-Breton. Avec son fils ~ **Sébastien** (*v. 1480, Venise - 1557, Londres*), il explora ensuite le Río de La Plata et le Paraná.

**CABOT (détroit de)** ~ Bras de mer reliant le golfe du Saint-Laurent et l'Atlantique, entre l'île du Cap-Breton et Terre-Neuve.

**CABOURG** ~ Station baln. du Calvados fondée sous le second Empire, sur la Manche, à l'embouchure de la Dives ; 3 355 h. Casino.

**CABRAL**, famille d'hommes politiques guinéens. ~ **Amilcar** (*v. 1925, Bafatá, Cap-Vert - 1973, Conakry*) fonda en 1956 le Parti africain pour l'indépendance de la Guinée portugaise et des îles du Cap-Vert (P. A. I. G. C.) ; il engagea la lutte armée et fut assassiné. Son frère ~ **Luís de Almeida** (*1931, Bissau*) fut le premier président de la Guinée-Bissau (1974-1980).

**CABRAL** (Pedro Álvares) ~ *v. 1460, Belmonte - 1525, Santarém, Portugal.* Navigateur portugais. Le 23 avril 1500, il découvrit le Brésil, dont il prit possession au nom du roi de Portugal.

**CABRERA INFANTE** (Guillermo) ~ *1929, Gibara.* Écrivain britannique d'orig. cubaine. Auteur remarqué de *Trois Tristes Tigres* (1965), il a rompu avec le régime castriste et adopté la langue anglaise (*Holy Smoke*, 1986).

**CÁCERES** ~ Voir **Estrémadure**.

**CACHAN** ~ V. de la banlieue S. de Paris (Val-de-Marne) ; 24 266 h. École normale supérieure (enseignement technique).

**CACHEMIRE** (le), en angl. ***Kashmir*** ~ Région montagneuse des confins de l'Himalaya et du Karakorum (haut Indus), partagée depuis 1949 entre le Pakistan (83 000 km², plus de 2 000 000 d'h.) et l'Inde (Jammu-et-Cachemire) qui se la disputent. Les deux cinquièmes en sont occupés par le Pakistan depuis 1947. La majorité musulmane (env. 75 % de la popul. totale) développe une tendance séparatiste, source des conflits indo-pakistanais. **HIST.** - De 725 à 1339, il forma un royaume hindou, conquis par les musulmans (1346), puis annexé (1586) à l'Empire moghol. En 1846, son maharaja accepta la suzeraineté britannique. En 1949, il fut partagé entre l'Inde et le Pakistan.

**CACHIN** (Marcel) ~ *1869, Paimpol - 1958, Choisy-le-Roi.* Homme politique français. Député à partir de 1914, puis sénateur (1935) et de nouveau député (1946), il fut directeur de *l'Humanité* (1918-1958) et membre du bureau politique du P. C. F. (1923-1958).

**CA' DA MOSTO** (Alvise) ~ *1432, Venise - 1488.* Navigateur italien. Il explora pour le compte du Portugal les îles Canaries et la côte du Sénégal avant de découvrir, en 1456, l'archipel du Cap-Vert.

**Cadarache** ~ Centre d'études nucléaires le plus vaste du C. E. A., en Provence (Bouches-du-Rhône), à proximité du **barrage de Cadarache**, au confl. de la Durance et du Verdon.

**CADILLAC** ~ Localité du Bordelais (Gironde), centre viticole (vins blancs liquoreux, premières côtes-de-bordeaux), sur la rive droite de la Garonne ; agglom. 4 482 h. Anc. bastide.

**CADIX**, en esp. *Cádiz* ~ Port du S. de l'Espagne (Andalousie), sur l'Atlantique ; 157 000 h. Export. de produits agricoles. Industr. portuaire. **HIST.** - Ancienne Gades romaine, elle fut enlevée aux Arabes par Ferdinand III de Castille (1262). Son essor, du XVᵉ au XVIIIᵉ s., fut assuré par le commerce avec l'Amérique. Elle fut, au début du XIXᵉ s., le bastion des libéraux espagnols.

**CADOUDAL** (Georges) ~ *1771, Kerléano, près d'Auray - 1804, Paris.* Chef chouan et conspirateur royaliste français. Après avoir participé à la guerre de Vendée et à la chouannerie (1793-1800), il organisa deux attentats contre le Premier consul (1800 et 1803). Il fut arrêté et exécuté.

**CAELIUS** (le) ~ Une des sept collines de Rome.

**Caem** ~ Voir **Comecon**.

**CAEN** ~ Préfect. du Calvados et de la Région Basse-Normandie, dans la **plaine** ou **campagne de Caen**, centre régional d'industries et de services au confluent de l'Orne et de l'Odon ; 112 846 h. (agglom. 191 490 h.). Port de mer et de plaisance par le canal de Caen à la mer. Centre universitaire. Cour d'appel. Sidér., constr. mécaniques, électr., papeterie. Abbayes fondées par Guillaume le Conquérant et la reine Mathilde, églises romanes et gothiques. Mémorial de la Seconde Guerre mondiale et musée de la Paix.

**CAERE** ~ Voir **Cerveteri**.

**CAFFIERI** (Jean-Jacques) ~ *1725, Paris - 1792, id.* Sculpteur français. Ses sculptures religieuses et sa série de bustes (*Molière, Corneille, Rotrou*, etc.) ont été influencées par le baroque romain.

**CAFRERIE** (la) ~ Ancien nom (d'orig. arabe) des régions de l'Afrique australe situées en bordure de l'océan Indien, au S. du Mozambique, peuplées de Bantous.

**CAGAYAN DE ORO** ~ Port des Philippines, au N. de l'île de Mindanao, marché agricole ; 340 000 h.

**CAGE** (John) ~ *1912, Los Angeles - 1992, New York.* Compositeur américain. Pionnier de la manipulation instrumentale et de la recherche électroacoustique (*Imaginary Landscape nº 1*, 1939), il voulut accorder ses travaux au chaos universel (*Études boréales pour violoncelle*, 1978) et laisser une large part à l'improvisation. Il collabora avec le chorégraphe M. Cunningham.

**CAGLIARI** ~ Port et cap. régionale de la Sardaigne (Italie), centre comm. et industr. (salines, pétrochimie) ; 178 000 h. Vestiges puniques et romains, musée archéologique.

**CAGLIOSTRO** (Giuseppe **Balsamo**, dit Alexandr
comte de) ~ *1743, Palerme - 1795, San Leo, pr
de Saint-Marin.* Aventurier italien. Guérisseur
occultiste, il fut mêlé à divers scandales, parm
lesquels l'affaire du Collier.

**CAGNES-SUR-MER** ~ Station baln. de la Cô
d'Azur (Alpes-Mar.), près de Nice ; 40 902 h
Château des Grimaldi (XIVᵉ-XVIIᵉ s.), transformé e
musée de l'Olivier et d'Art moderne méditerrané
Musée Renoir. Cultures florales.

**Cagoule** ~ Surnom donné au Comité secret d'ac
tion révolutionnaire (Csar), organisation d'extrêm
droite menant des actions violentes, créé en 193
et dirigé par Eugène Deloncle.

**CAHORS** ~ Préfect. du Lot, sur le Lot, au pied de
causses du Quercy ; 19 735 h. Évêché. Vins
produits régionaux (truffes, noix, tabac, foies gras)
Cathédrale romane à coupoles. Pont fortifié Valen
tré (XIVᵉ s.).

**CAICOS (îles)** ~ Voir **Turks et Caicos**.

**CAILLAUX** (Joseph) ~ *1863, Le Mans - 194
Mamers, Sarthe.* Homme politique français. Minis
tre des Finances, il fit voter l'impôt sur le reven
et fut président du Conseil (1911-1912). So
opposition à la guerre lui valut d'être arrêté su
ordre de Clemenceau (14 janv. 1918). Amnistié e
1925, sénateur (1925-1940), il fut l'un des artisan
de la chute du gouvernement Blum (1937).

**CAILLEBOTTE** (Gustave) ~ *1848, Paris - 1894
Gennevilliers.* Mécène et peintre impressionnist
français (*les Raboteurs de parquet* ; *le Père Magloire*)
il légua à l'État sa collection (67 tableaux).

**CAILLOIS** (Roger) ~ *1913, Reims - 1978, Paris*
Écrivain français. Son œuvre aborde la sociologi
l'ethnologie, l'esthétique, la littérature et s'intéress
en particulier à la notion du sacré (*l'Homme et l
Sacré*, 1939 ; *la Nécessité d'esprit*, 1981). Acad.

**CAÏMANS (îles)**, en angl. ***Cayman Islands*** ~ Ar
chipel britannique de la mer des Antilles, à l'O. d
la Jamaïque et au S. de Cuba ; 260 km², 31 000 h
cap. George Town. Tourisme.

**CAÏN** ~ Personnage biblique, fils d'Adam et Ève
Il tua son frère Abel et fut condamné à l'erranc
perpétuelle.

**CAÏPHE** ~ Grand prêtre juif (18-36). Il présida l
sanhédrin où fut condamné Jésus.

**CAIRE (Le)**, en ar. ***al-Qahira*** ~ Cap. de l'Égypte
la plus grande ville du monde arabe et d'Afrique
princ. centre industr. du pays, en amont du delt
du Nil ; 6 500 000 h. (agglom. 13 000 000 d'h.)
Foyer culturel et religieux (universités al-Azhar e
de Giza). Nombreux monuments : nilomètre (715)
églises byzantines (Saint-Serge, IVᵉ s.), mosquées Ibn
Tulun (879), al-Azhar (970), madrasa du sultan
Hassan (XIVᵉ s.), caravansérails, demeures otto
manes, mausolées. Musée islamique et musée d'Ar
égyptien. **HIST.** - Fondée en 969 lors de la conquête
fatimide, la ville fut prise par les Ottomans (1517)
puis par les Français (1798). Le Caire fut le siège
de la Ligue arabe (1945-1976).

© L. Girard-Explorer

*Le Caire, la mosquée Ibn Tulun.*

**CAIRNS** ~ Port et station tourist. d'Australie, sur
la côte N.-E. du Queensland, centre industriel et
agricole (canne à sucre) ; 76 000 h.

**CAJETAN** (Giacomo **de Vio**, dit Tommaso) ~ *1469,
Gaète - 1534, Rome.* Général des Dominicains et
cardinal italien. Il fut légat du pape Léon X en
Allemagne (1517), mais ne put convaincre Luther
de rester fidèle à l'Église romaine.

**CALABRE** (la) ~ Région d'Italie (Mezzogiorno),
extrémité S. de la péninsule séparée de la Sicile par

: détroit de Messine ; 15 080 km², 2 080 000 h. 'ays de montagnes (Sila, Aspromonte) au climat ec près des côtes. Céréales, olivier à l'E. (anc. atifundium auj. morcelé), agrumes (dont bergamote) et vigne à l'O. (cult. en terrasses). P. N. B. ar habitant inférieur à la moyenne nationale. '. princ. Reggio di Calabria, Catanzaro (cap.), Cosenza. Minorité albanaise. **HIST.** - Ancienne olonie grecque (Grande Grèce), Bruttium des omains, la Calabre fut conquise par les Normands u XIᵉ s. et intégrée au royaume de Sicile.

**CALAIS (pas de)** ~ Détroit (larg. 30-40 km) qui épare la France (Calais) de l'Angleterre (Folkestone, Douvres), reliant la Manche à la mer du Nord (trafic maritime intense). Un tunnel ferroviaire y concurrence aujourd'hui les transbordeurs.

**CALAIS** ~ 1er port français de voyageurs et port e commerce, sur le détroit du pas de Calais ; '5 309 h. (agglom. 101 768 h.). Centre des tulles t dentelles mécaniques. Musée des Beaux-Arts et e la Dentelle. **HIST.** - Lorsque Calais fut prise par Édouard III (1347), six de ses habitants s'offrirent n otage pour la sauver de la destruction (le groupe es *Bourgeois de Calais*, sculpté par Rodin, rappelle et épisode). Elle resta anglaise jusqu'en 1558.

**CALANQUES** (les) ~ Partie de la côte méditerranéenne située entre Marseille et Cassis (Bouches-du-Rhône), massif calcaire découpé par des criques étroites et escarpées.

**Calas (affaire)** ~ Affaire judiciaire et religieuse dans laquelle **Jean Calas**, négociant calviniste, accusé d'avoir tué son fils pour l'empêcher de se convertir au catholicisme, fut condamné à mort et supplicié par le parlement de Toulouse (1762). Voltaire mena une vigoureuse campagne qui aboutit à sa réhabilitation posthume (1765).

**CALCHAS** ~ Devin légendaire. Il prédit la durée de la guerre de Troie et conseilla les Grecs durant e conflit, ordonnant le sacrifice d'Iphigénie et la construction du cheval de Troie.

**CALCUTTA** ~ 1er port de l'Inde et cap. du Bengale-Occidental, sur le delta du Gange, export. de produits agricoles, place comm. et boursière ; 4 310 000 h. (agglom. 11 000 000 d'h.). Université. Industr. text. et mécan., raff. de pétrole. Fondée en 1690, Calcutta fut capitale des Indes britanniques de 1773 à 1912. Afflux massif de réfugiés depuis 1947 (vastes bidonvilles).

**CALDER** (Alexander) ~ *1898, Philadelphie - 1976, New York.* Sculpteur américain, auteur de structures abstraites animées (« mobiles ») ou statiques (« stabiles ») en métal brut ou peint.

**CALDERA RODRÍGUEZ** (Rafael) ~ *1916, San Felipe.* Homme d'État vénézuélien. Président de la République (1969-1974) démocrate-chrétien, il ne put enrayer la grogne populaire malgré une politique pétrolière nationale. Il a été réélu en 1993.

**CALDERÓN DE LA BARCA** (Pedro) ~ *1600, Madrid - 1681, id.* Dramaturge baroque espagnol. Auteur de comédies et de tragédies, idéologue de la Contre-Réforme dans ses *autos sacramentales* (pièces en un acte), il est un des maîtres du théâtre espagnol du Siècle d'or (*La vie est un songe*, 1635).

**CALDWELL** (Erskine Preston) ~ *1903, White Oak, Géorgie - 1987, Paradise Valley, Arizona.* Écrivain américain. Ses romans dépeignent la vie des modestes fermiers blancs du sud des États-Unis (*le Petit Arpent du Bon Dieu*, 1933).

**CALÉDONIE** (la) ~ Nom donné à l'Écosse par les Romains.

**CALÉDONIEN (canal)** ~ Voir **Glen More**.

**CALEPINO** (Ambrogio) ~ *v. 1440, Bergame - v. 1510, id.* Religieux et lexicographe italien. Il a laissé un *Dictionnaire de la langue latine* (1502) et donné son nom au **calepin** (gros livre à l'orig.).

**CALGARY** ~ V. de l'O. de la Prairie canadienne (Alberta), grand centre industr. ; 711 000 h.

**CALI** ~ 2e v. de Colombie, dans la vallée du río Cauca (S. du pays) ; 1 624 000 h. Industries agroalimentaire, textile, chimique.

**CALICUT** ~ Voir **Kozhikode**.

**CALIFORNIE** (la) ~ État du S.-O. des États-Unis, le plus peuplé du pays, baigné par le Pacifique, frontalier du Mexique ; 403 971 km², 32 000 000 d'h. (dont 25 % d'Hispano-Américains), cap. Sacramento. Les Coast Ranges et la sierra Nevada encadrent au N. la Grande Vallée (Sacramento et San Joaquin River), où le climat favorise les cultures méditerranéennes. Sa partie S.-E. est occupée par une zone aride (désert Mohave et Vallée de la Mort). L'essentiel de la population se concentre dans les grandes villes du littoral (Los Angeles, San Francisco, San Diego). La Californie est l'un des pôles principaux de l'économie américaine et mondiale, le premier pour les échanges avec l'Asie. **HIST.** - Enlevée au Mexique (1848) par les États-Unis, dont elle devint le 31e État (1850), elle connut la prospérité grâce à la découverte de l'or.

**CALIFORNIE (Basse-)** ~ Longue péninsule montagneuse (alt. max. 3 088 m) du N.-O. du Mexique, au S. des États-Unis (Californie), entre le **golfe de Californie** (160 000 km²) et le Pacifique, partagée en deux États (143 790 km², 1 978 000 h., cap. Mexicali et La Paz). En général désertique et torride, elle est plus peuplée au N. (v. frontalières de Tijuana et Mexicali) qu'au S. Café, coton.

**CALIFORNIE (courant de)** ~ Courant froid né au large de l'Alaska, qui longe les côtes de Californie. Eaux poissonneuses (sardines).

**CALIGULA** (en lat. ***Caius Caesar Augustus Germanicus***, dit) ~ *12, Antium - 41, Rome.* Empereur romain (37-41). Successeur de Tibère, fils de Germanicus et d'Agrippine, il se rendit impopulaire par ses extravagances et ses crimes, et fut assassiné.

**CALIXTE**, nom de trois papes. ~ **Calixte Ier** (saint ; *v. 155 - 222*), pape de 217 à 222. ~ **Calixte II** (Guy **de Bourgogne** ; *v. 1060 - 1124*), archevêque de Vienne, pape de 1119 à 1124. Il régla par le concordat de Worms (1122) la querelle des Investitures. ~ **Calixte III** (Alonso **de Borja** ; *1378, Játiva, Espagne - 1458, Rome*), pape de 1455 à 1458. Il tenta sans succès une croisade contre les Turcs et fut, avant son neveu Alexandre VI, le premier pape Borgia (italianisation de leur nom).

**CALLAGHAN** (James) ~ *1912, Portsmouth.* Homme politique britannique. Il a été Premier ministre travailliste (1976-1979).

**CALLAO (El)** ou **CALLAO** ~ 1er port du Pérou, dans l'agglom. O. de Lima ; 370 000 h. Pêche (anchois), industries alim., raff. de pétrole.

**CALLAS** (María **Kalogheropoúlos**, dite Maria) ~ *1923, New York - 1977, Paris.* Soprano grecque. Sa vie et son expression dramatique l'ont consacrée comme l'une des plus grandes artistes lyriques du XXe s. (*Tosca* ; *Norma* ; *la Traviata*).

**CALLES** (Plutarco Elías) ~ *1877, Guaymas, Sonora - 1945, Mexico.* Homme d'État mexicain. Président de la République (1924-1928), fondateur du Parti national révolutionnaire (1929), il mena une politique anticléricale qui provoqua le soulèvement des *cristeros* (paysans catholiques). Écarté du pouvoir, il s'exila aux États-Unis de 1936 à 1941.

**CALLIAS** ~ *né v. 511 av. J.-C.* Homme politique grec. Il négocia le traité qui mit fin aux guerres médiques et assura l'hégémonie athénienne sur la mer Égée (449 av. J.-C.).

**CALLICRATÈS** ~ *Ve s. av. J.-C.* Architecte grec. Avec Ictinos et Phidias, il éleva le Parthénon. [☞ **temple**.]

**CALLIMAQUE** ~ *v. 310, Cyrène - v. 240 av. J.-C., Alexandrie.* Érudit et poète alexandrin. Son art eut une immense influence sur la poésie latine.

**CALLIOPE** ~ Muse grecque de l'Éloquence et de la Poésie héroïque. Mère d'Orphée.

**CALLISTO** ~ Nymphe de la mythologie grecque. Elle fut changée en ourse par Héra, jalouse de l'amour que lui portait Zeus. Ce dernier en fit une constellation, la Grande Ourse.

**CALLOT** (Jacques) ~ *1592, Nancy - 1635, id.* Graveur français. Il traduisit avec réalisme la vie quotidienne, cruelle ou pittoresque, de son temps (*les Gueux* ; *les Misères et les Malheurs de la guerre*).

**CALLOWAY** (Cabell, dit Cab) ~ *1907, Rochester, New York - 1994, Hosckessin, Delaware.* Chanteur de jazz américain. Ses extravagances scéniques et ses onomatopées lui ont valu une célébrité internationale.

**CALMETTE** (Albert) ~ *1863, Nice - 1933, Paris.* Médecin bactériologiste français. Il découvrit avec C. Guérin le vaccin contre la tuberculose (B. C. G.).

**CALONNE** (Charles Alexandre DE) ~ *1734, Douai - 1802, Paris.* Homme politique français. Contrôleur général des Finances, successeur de Necker, il proposa des réformes financières et fiscales qui lui valurent l'hostilité de l'Assemblée des notables. Il fut disgracié (1787).

**Calpé** ~ L'une des Colonnes d'Hercule pour les Grecs anciens, sur le site de Gibraltar.

**CALPURNIUS PISON**, en lat. ***Caius Calpurnius Piso*** ~ *m. en 65.* Noble romain. Il prit la tête d'une conspiration contre Néron qu'il fit échouer par son indécision (65) et se suicida. Lucain, Pétrone et Sénèque périrent avec lui.

**CALUIRE-ET-CUIRE** ~ V. industr. de la banlieue N. de Lyon (Rhône), sur la Saône (r. g.) ; 41 311 h.

**CALVADOS** (le) ~ Dép. de la Région Basse-Normandie, baigné au N. par la Manche ; 5 692 km² ; 618 478 h. Il s'étend sur une partie du Massif armoricain à l'O. et du Bassin parisien à l'E. Les paysages de bocage (Bessin, Bocage normand, pays d'Auge), où domine l'élevage, encadrent la riche campagne de Caen, céréalière. De nombreuses stations balnéaires jalonnent la Côte fleurie (Honfleur, Trouville, Deauville, Cabourg) et la Côte de Nacre (Arromanches, Port-en-Bessin). La préfecture, Caen, est le principal centre urbain (bassin d'emploi local), loin devant Lisieux, à l'E.

**CALVAERT** ou **CALVART** (Denijs) ~ *v. 1540, Anvers - 1619, Bologne.* Peintre et graveur flamand de style maniériste. Il fonda à Bologne une académie où furent formés Guido Reni, le Guerchin et le Dominiquin.

**CALVI** ~ Port et station baln. de la Balagne, au N.-O. de la Corse (Haute-Corse) ; 4 815 h. Citadelle génoise. Pêche. Vins.

**CALVIN** (Jean **Cauvin**, dit) ~ *1509, Noyon, Picardie - 1564, Genève.* Théologien, réformateur et écrivain français. Passant de l'humanisme à la théologie, il adhéra à la Réforme en 1533. Forcé de quitter la France, il se réfugia à Bâle, où il publia *Institution de la religion chrétienne* (1536). Une première intervention dans les affaires religieuses et politiques de Genève échoua en 1538. Invité par M. Bucer, il s'installa à Strasbourg, où il enseigna la théologie et prit la tête de l'Église réformée de France. Rappelé à Genève en 1541, il y imposa, parfois par la force, mais aussi par son talent de grand prosateur, sa conception de la Réforme et fit de la ville un grand centre universitaire. [☞ **calvinisme**.]

**CALVIN** (Melvin) ~ *1911, Saint Paul, Minnesota - 1997, Berkeley.* Biochimiste américain. Ses recherches ont porté sur l'assimilation du gaz carbonique par les plantes. Prix Nobel de chim. 1961.

**CALVINO** (Italo) ~ *1923, Santiago de Las Vegas, Cuba - 1985, Sienne.* Écrivain italien. Du conte populaire au récit romanesque, de la critique littéraire à l'analyse politique, il s'imposa comme un maître du néoréalisme (*la Journée d'un scrutateur*, 1963 ; *les Villes invisibles*, 1972).

**CALVO SOTELO** (José) ~ *1893, Tuy - 1936, Madrid.* Homme politique espagnol. Il fut l'un des chefs du parti monarchiste (1934-1935). Son assassinat déclencha la guerre civile espagnole.

**CALYPSO** ~ Nymphe grecque. Homère raconte dans l'*Odyssée* qu'elle retint dix ans Ulysse sur son île d'Ogygie.

**CAM** (Diogo) ~ Voir **Cão**.

**CAMAGÜEY** ~ V. de l'intérieur de Cuba, centre commercial ; 283 000 h. Industrie alimentaire. Églises baroques du XVIIIe s.

**CÂMARA** (Hélder **Pessõa**) ~ *1909, Fortaleza.* Archevêque brésilien. Figure majeure du courant charismatique, il promut dans les années 1960 et 1970 les options tiers-mondistes.

**CAMARET-SUR-MER** ~ Port et station baln. de Bretagne, à l'extrémité O. de la presqu'île de Crozon (Finistère) ; 2 933 h. Pêche (langoustes). Fort Vauban (Musée naval).

**CAMARGUE** (la) ~ Région de l'O. des Bouches-du-Rhône, entre les Grand et Petit Rhône (delta du fl.), plaine alluviale en partie marécageuse ; env. 1 000 km², 10 000 h. Élevage de taureaux et de chevaux (à demi sauvages) dans le parc régional (130 km²), autour de l'étang de Vaccarès, également réserve ornithologique (flamants roses, aigrettes, ibis, etc.) et pôle touristique. Riz, vigne, cult. fruitières. Salines (Salins-de-Giraud).

**CA MAU** ~ Pointe S. du Viêt Nam, plaine basse et alluviale bordant le delta du Mékong. Côte à mangrove. Pêche, riz, industrie du bois.

**CAMBACÉRÈS** (Jean-Jacques DE), duc **de Parme** ~ *1753, Montpellier - 1824, Paris.* Juriste et homme politique français. Ministre de la Justice (1799), 2e consul, archichancelier de l'Empire (1804), il fut parmi les concepteurs du premier Code civil.

**CAMBAY (golfe de)** ~ Golfe de la côte du Gujerat, au N.-O. de la péninsule indienne, site du port de **Cambay** (mosquée du XIVe s.). Les marées y ont une amplitude très grande (12 m).

**CAMBODGE (royaume du)** ~ Pays d'Asie du S.-E., au centre de la péninsule indochinoise, bordé au S.-O. par la mer de Chine (golfe du Siam). ***Cap.*** Phnom Penh. ***Superf.*** 181 035 km$^2$. ***Popul.*** 9 300 000 h., dont Khmers (88 %), Chinois, Vietnamiens. ***Langues princ.*** Khmer, français. ***Monn.*** Riel. ***Relief.*** Cuvette entourée de reliefs (monts Dangrêk, Cardamomes) drainée par le Mékong et ses affluents. ***Climat.*** Tropical humide. ***Écon.*** Essentiellement fondée sur la riziculture, la production de caoutchouc, la sylviculture et la pêche. Le tourisme représente un potentiel très dégradé par vingt-cinq ans de guerre et de pillage. **HIST.** - Premiers peuplements au Néolithique. *Ier-VIe s.* : création par les Môns du royaume indianisé du Funan. *v. 550* : conquête du Funan par les Kambudjas, ancêtres des Khmers du Chenla ; la région se divise en multiples royaumes. *IXe s.* : Jayavarman II, rassemblant les principautés, ouvre la voie à l'empire d'Angkor, qui atteint son apogée au XIIe s. *XIIIe s.* : introduction du bouddhisme. *XVIIe-XIXe s.* : le Cambodge est tour à tour soumis au Siam et au Viêt Nam. *1863* : le roi Norodom Ier (1860-1904) place son pays sous protectorat français. *1941-1945* : occupation japonaise. *1949* : la France accorde l'autonomie interne. *1953* : le Cambodge accède à l'indépendance. *1955-1969* : le prince Norodom Sihanouk pratique une difficile politique de « neutralité active » entre le bloc socialiste et les États-Unis. *1970* : coup d'État du général Lon Nol, soutenu par les États-Unis. *1975* : les Khmers rouges s'emparent de Phnom Penh et établissent la dictature sanguinaire du Kampuchéa démocratique, dirigé par Khieu Samphan et Pol Pot. *1978* : invasion des troupes vietnamiennes qui établissent une république populaire dirigée par Heng Samrin. *1989* : le pays redevient officiellement l'État du Cambodge (avr.). Les troupes vietnamiennes se retirent (sept.). *1991* : formation d'un Conseil national suprême avec à sa tête Hun Sen (Premier ministre provietnamien) et N. Sihanouk. *1993* : élections législatives organisées par l'O. N. U., rétablissement de la monarchie (N. Sihanouk souverain).

**CAMBO-LES-BAINS** ~ Station clim. et therm. du Pays basque (Pyrénées-Atlantiques), sur la Nive ; 4 128 h. Villa Arnaga (musée Edmond-Rostand).

**CAMBON** (Joseph) ~ *1756, Montpellier - 1820, près de Bruxelles.* Homme politique français. Député montagnard à la Convention, président du Comité des finances (1793-1795), il institua le grand livre de la dette publique, registre des créanciers de la République.

**CAMBRAI** ~ V. du Nord, anc. cap. du Cambrésis, sur l'Escaut canalisé ; 33 092 h. Archevêché. Beffroi du XVe s., cathédrale et église du XVIIIe s., musée (archéol., tableaux des écoles italienne, flamande et française). Confiseries dites **bêtises de Cambrai**. **HIST.** - Siège d'une principauté ecclésiastique annexée à la France en 1678. La **paix de Cambrai** (ou paix des Dames) suspendit la seconde guerre entre la France et la maison d'Autriche (1529).

**CAMBRÉSIS** (le) ~ Plateau limoneux du N. de la France (Nord - Pas-de-Calais) voué à la grande culture industrielle (céréales, betterave à sucre), voie de passage entre les Flandres et le Bassin parisien (**seuil du Cambrésis**).

**CAMBRIDGE** ~ V. du S.-E. de l'Angleterre, ch.-l. du comté du **Cambridgeshire** (3 409 km$^2$, 645 000 h.) ; 92 000 h. Célèbre université constituée de 21 collèges autonomes, fondés pour la plupart entre les XIIIe et XVIe s. Ensemble médiéval et classique (chapelle de King's College, XVe s.).

**CAMBRIDGE** ~ V. de la banlieue N. de Boston (Massachusetts, États-Unis) ; 96 000 h. Université Harvard, Massachusetts Institute of Technology (M. I. T). Musées.

**CAMBRIENS (monts)** ~ Massif pénéplané du pays de Galles (Royaume-Uni), qui a donné son nom à un étage géologique de l'ère primaire.

**CAMBRONNE** (Pierre Jacques Étienne) ~ *1770, Nantes - 1842, id.* Général français. Fidèle de Napoléon Ier, il commanda une division de la Vieille Garde lors de la bataille de Waterloo et aurait répondu à une sommation de reddition par un mot sans équivoque : « merde ».

**CAMBYSE** ~ Nom de deux rois achéménides, dont **Cambyse II** (530-522 av. J.-C.), fils de Cyrus II, qui conquit l'Égypte (525 av. J.-C.).

**CAMEMBERT** ~ Localité de Normandie (Orne) dans le pays d'Auge, au S. de Lisieux ; 184 h. Elle a donné son nom, au XIXe s., au célèbre fromage.

**CAMERON** (Verney Lovett) ~ *1844, Radipole, Dorset - 1894, près de Leighton Buzzard, Bedfordshire.* Explorateur britannique. Il fut le premier Européen à traverser l'Afrique équatoriale de l'océan Indien à l'Atlantique (1873-1875).

**CAMERONE** ~ Localité du Mexique. Le 30 avr. 1863, pendant la guerre du Mexique, 64 légionnaires français résistèrent pendant neuf heures à 3 000 Mexicains.

**CAMEROUN (mont)** ~ Massif volcan. de l'O. du Cameroun qui domine le golfe de Guinée et atteint 4 070 m (point culminant de l'Afrique de l'Ouest). Très arrosés, densément peuplés, ses flancs sont intensément cultivés (bananes, hévéa, cacao).

**CAMEROUN (république du)** ~ Pays d'Afrique occidentale bordé au S.-O. par l'océan Atlantique. ***Cap.*** Yaoundé. ***Superf.*** 422 673 km$^2$. ***Popul.*** 12 240 000 h. ***Langues princ.*** Français, anglais, langues bantoues. ***Monn.*** Franc CFA. ***Relief.*** Le massif de l'Adamaoua sépare les plateaux du S. (bassin de la Sanaga) des plaines du N. (cours supérieur de la Bénoué). Le mont Cameroun domine la plaine côtière. ***Climat.*** Équatorial au S., tropical à saison sèche marquée au N., avec nuances intermédiaires. ***Écon.*** Agriculture vivrière (manioc, sorgho, arachide), exploitation forestière (bois, caoutchouc), produits d'exportation (café, cacao, coton, huile de palme). Les importantes ressources en énergie (hydroélectricité, pétrole, gaz naturel) et en minerais (bauxite, étain) alimentent une industrie locale (aluminium, agroalim., text.) et des exportations. Depuis une décennie, la baisse des cours des matières premières a profondément affecté l'économie. **HIST.** - *XIIIe s.* : peuplement du N. par les Saos. *XVe-XVIIIe s.* : le Portugais Fernando Póo reconnaît les côtes (1471) ; les Européens (Portugais, Britanniques, Allemands) fondent des comptoirs commerciaux. Le N. du pays (royaume du Mandara, fondé au XVe s.) est influencé par l'islam et s'émancipe de la tutelle bornoue qui s'exerce sur tout le territoire. *1884* : le Cameroun passe sous protectorat allemand. *XXe s.* : placé sous mandat français et britannique après la Première Guerre mondiale, le Cameroun, indépendant en 1960 avec pour président Ahmadou Ahidjo, devient une république fédérale en 1961 (rattachement de la partie anciennement britannique), puis une république unitaire en 1972. Paul Biya, président depuis 1982, réélu en 1992, doit faire face à une forte opposition.

*Le King's College de* **Cambridge.**

© Spooner-Gamma

**CAMOENS** ou **CAMÕES** (Luís Vaz DE) ~ *v. 152[illegible], Lisbonne - 1580, id.* Poète portugais. Ses voyages e[n] Afrique et en Extrême-Orient lui ont inspiré *les Lu[-]siades* (1572), évocation du périple de Vasco de Gam[a] et exaltation de la vocation universelle du Portuga[l].

**CAMPAGNE** ou **CHAMPAGNE** (la) ~ Nom d[e] certaines régions agricoles (souvent calcaires) d[e] France, qui opposent des paysages de champ[s] ouverts au bocage environnant : Campagne d'Alençon, de Caen, du Neubourg, en Normandie vignoble de la Champagne cognaçaise, en Cha[-]rente ; Champagne berrichonne.

**CAMPAN** (Jeanne Louise **Genet**, Mme) ~ *1752 Paris - 1822, Mantes.* Éducatrice française. Ell[e] obtint en 1805 la direction de la maison de l[a] Légion d'honneur à Écouen. Elle a écrit de[s] *Mémoires* sur Marie-Antoinette, dont elle fut l[a] confidente.

**CAMPANELLA** (Tommaso) ~ *1568, Stilo, Cala[-]bre - 1639, Paris.* Penseur et écrivain italien. Héri[-]tier de la Renaissance, il s'intéressa aux science[s] occultes et à la kabbale. Il défendit, en politique le partage des terres féodales, et, en science, l[a] suprématie de la méthode expérimentale. Ces thèse[s] lui valurent vingt-sept ans de prison, pendan[t] lesquels il rédigea son œuvre maîtresse, *la Cité d[u] Soleil*, où il expose son rêve d'une société égalitaire

**CAMPANIE** (la) ~ Région d'Italie du Sud (N[.] du Mezzogiorno), versant O. des Apennins 13 595 km$^2$, 5 709 000 h., cap. Naples. Les plaine[s] côtières sont séparées par la presqu'île de Sorrent[e] et limitées par des massifs volcaniques (Vésuve) Polyculture intensive (*coltura promiscua*), industr[ie] (Naples), pêche et tourisme (Naples, Sorrente Capri, Herculanum, Pompéi). **HIST.** - La région fu[t] occupée par les Grecs (VIIIe av. J.-C.) puis par le[s] Étrusques, avant d'être romanisée (IIIe av. J.-C.)

**Camp David** ~ Résidence du président des États[-]Unis, dans le Maryland. En septembre 1978, de[s] accords-cadres (signés en 1979) préparant un trait[é] de paix entre l'Égypte et Israël y furent négociés pa[r] J. Carter, M. Begin et A. el-Sadate.

**Camp du Drap d'or** ~ Voir Ardres.

**CAMPECHE** (le) ~ État du S. du Mexique, entr[e] le Guatemala et la **baie de Campeche** (partie d[u] golfe du Mexique qui baigne l'E. du Yuca[-]tán) ; 51 833 km$^2$, 535 000 h., cap. **Campeche** (174 000 h.). Pêche, hydrocarbures.

**CAMPIN** (Robert) ~ Voir **Flémalle** (Maître de)

**CAMPINE** (la), en flamand ***Kempen*** ~ Région de[s] confins de la Belgique et des Pays-Bas (Limbourg) plaine sableuse rendue fertile par drainage et amélio[-]ration des sols. L'exploitation de la houille a suscit[é] une industrie diversifiée, commandée par Anvers.

**CAMPOFORMIO** ~ Localité d'Italie, en Vénétie Le 18 oct. 1797, un traité y fut signé avec l'Autriche qui sanctionnait ses défaites devant Bonaparte, e[n] Italie. La France se saisit du Milanais, d'une partie d[e] la Vénétie, des îles Ioniennes ; elle obtint la Belgique et le droit de s'établir sur la rive gauche du Rhin.

**CAMPO GRANDE** ~ Voir **Mato Grosso.**

**CAMPRA** (André) ~ *1660, Aix-en-Provence - 1744, Versailles.* Compositeur français. Auteu[r] d'opéras-ballets (*l'Europe galante*, 1697), il apporta à la musique sacrée et à la tragédie lyrique (*Idoménée*, 1712) une sensibilité dramatique et u[n] goût de l'ornement qui annoncèrent Rameau.

**CAMUS** (Albert) ~ *1913, Mondovi, Algérie - 1960, Villeblevin, Yonne.* Écrivain français. Le sentiment de l'absurde, l'expérience de la révolte, la conscience des limites et de la mort posent leur problématique morale au centre d'une œuvre constituée de romans (*l'Étranger*, 1942 ; *la Peste*, 1947), de pièces de théâtre (*Caligula*, 1945 ; *les Justes*, 1949), d'essais (*le Mythe de Sisyphe*, 1942) et de nouvelles (*l'Exil et le Royaume*, 1957). Prix Nobel de litt. 1957.

**CANA** ~ V. de l'ancienne Palestine, en Galilée. Selon l'Évangile de saint Jean, Jésus y réalisa son premier miracle en changeant l'eau en vin.

**CANAAN** ~ Personnage biblique, fils de Cham et descendant de Noé qui le maudit. Il est l'ancêtre des **Cananéens**, peuple sémite qui occupa le pays de Canaan au IIIe mill., puis se replia en Phénicie après l'invasion des Hébreux (XIIe-XIe s. av. J.-C.).

**CANAAN** (**terre** ou **pays de**) ~ Nom biblique donné à la Phénicie-Palestine, Terre promise des Hébreux.

:ANADA (le) ~ Pays d'Amérique du Nord, 2ᵉ du ıonde après la Russie par sa superficie, bordé par : Pacifique à l'O., l'océan Glacial arctique au N., Atlantique à l'E. État fédéral composé de dix rovinces : Alberta, Colombie-Britannique, Île-du-rince-Édouard, Manitoba, Nouveau-Brunswick, ouvelle-Écosse, Ontario, Québec, Saskatchewan, erre-Neuve, et des Territoires du Nord-Ouest et u Yukon. *Cap.* Ottawa. *Superf.* 9 970 610 km$^2$. *opul.* 27 400 000 h. *Langues princ.* Anglais 60 %), français (25 %, surtout au Québec). *Ionn.* Dollar canadien. *Relief.* L'essentiel du erritoire, autour de la baie d'Hudson, correspond u Bouclier canadien, lacustre et mal drainé. Le .-E. (Provinces Maritimes) est appalachien. Les laines de la Prairie s'élèvent doucement jusqu'aux ıontagnes Rocheuses. La côte pacifique est ominée par une haute chaîne côtière (fjords), ulminant au mont Logan (6 050 m). *Climat.* 'roid, arctique ou subarctique (les 3/4 du erritoire), sauf au S., frais et tempéré. Influence céanique nettement plus marquée à l'O. qu'à l'E. ntérieur continental. *Hydrogr.* Fleuves princ. : Columbia, Fraser, Mackenzie, Yukon, Saint-Laurent elié aux Grands Lacs américano-canadiens, Grand .ac de l'Ours, Grand Lac de l'Esclave, lac Winnipeg. *Écon.* Le Canada dispose de ressources aturelles considérables : charbon, gaz naturel, étr., uranium, hydroélectr. ; minerais (fer, cuivre, rgent, or) ; bois (10 % du total des export.). 'agriculture est fondée sur la production de éréales (2ᵉ producteur mondial de blé) et l'élevage bovin et porcin). La pêche est pratiquée sur les ôtes E. et O. L'industrie, très diversifiée, dépend ortement des capitaux des États-Unis (matériel de ransport, agroalim.), avec lesquels les liens ont té renforcés par la signature en 1992 d'un accord le libre-échange (Aléna). *V. princ.* Toronto, Montréal, Vancouver, Ottawa, Edmonton, Calgary, Winnipeg, Québec. **HIST.** - Avant l'arrivée des Européens, le territoire était occupé par des tribus amérindiennes. *XIᵉ s.* : incursions des Vikings. *XVᵉ-XVIᵉ s.* : Jean Cabot explore les côtes E. pour e compte du roi d'Angleterre (1497). Mandatés par François Iᵉʳ, Jean de Verrazano baptise la région « Nouvelle-France » (1524) et Jacques Cartier poursuit l'exploration (1534-1542). *XVIIᵉ s.* : Samuel de Champlain fonde Québec (1608). Louis XIV intègre les territoires canadiens au domaine royal (1663) et la colonisation prend son véritable essor. *XVIIIᵉ s.* : entre 1713 (traité d'Utrecht) et 1763 (traité de Paris), la Nouvelle-France est abandonnée aux Britanniques. *1791* : le Royaume-Uni crée deux provinces, le Haut-Canada (Ontario actuel, à majorité anglaise) et le Bas-Canada (Québec actuel, à majorité française). *1840* : après la rébellion contre la Grande-Bretagne, l'Acte d'union rassemble les deux provinces dans le Canada-Uni, doté d'institutions propres. *1867* : l'Acte de l'Amérique britannique du Nord donne naissance à la Confédération canadienne regroupant l'Ontario, le Québec, le Nouveau-Brunswick, la Nouvelle-Écosse, à laquelle s'ajouteront le Manitoba (1870), la Colombie-Britannique (1871), l'Île-du-Prince-Édouard (1873), le Saskatchewan et l'Alberta (1905), Terre-Neuve (1949). *1931* : le statut de Westminster accorde la souveraineté totale au dominion du Canada dans le cadre du Commonwealth. Après la Seconde Guerre mondiale, faite aux côtés des Alliés, les différents gouvernements mèneront une politique de rapprochement avec les États-Unis. Parallèlement, à partir des années 1960, la revendication autonomiste du Québec, province francophone, domine la vie politique. *1969* : le gouvernement fédéral dirigé par le libéral Pierre Elliott Trudeau reconnaît le français et l'anglais langues officielles du Canada. *1980* : au Québec, le référendum sur la « souveraineté-association » est un échec. Les différents compromis (1982, 1987, 1992) sont refusés par le Québec ou par les provinces anglaises. *1993* : Jean Chrétien (Parti libéral) devient Premier ministre du gouvernement fédéral. *1994* : le Parti québécois de Jacques Parizeau remporte les élections au Québec. La question de l'indépendance reste posée. *Nov. 1995* : référendum sur la souveraineté du Québec qui voit le « non » l'emporter de justesse (50,4 %).

**CANADIEN (Bouclier)** ~ Socle précambrien nivelé, soubassement des plaines d'Amérique du Nord entre la baie d'Hudson, qu'il entoure, au N., et les Grands Lacs, au S. Il culmine à plus de 1 000 m dans le bombement du Labrador, à l'O.

**CANALETTO** (Giovanni Antonio **Canal**, dit il) ~ *1697, Venise - 1768, id.* Peintre et graveur italien. Par leur traitement de la lumière et leurs effets de perspective, ses tableaux confèrent à Venise une dimension poétique.

**Cananéens** (les) ~ Voir **Canaan**.

**Canaques** ou **Kanaks** ~ Peuple mélanésien autochtone de Nouvelle-Calédonie et des îles voisines.

**Canard enchaîné (le)** ~ Hebdomadaire satirique fondé en 1916 par Jeanne et Maurice Maréchal. D'esprit anticlérical et antimilitariste, il s'est spécialisé dans la mise au jour de scandales politiques et financiers.

**CANARIE (Grande)** ~ L'une des îles Canaries, la plus peuplée de la province orientale ; 1 533 km$^2$, env. 465 000 h., v. princ. Las Palmas (ch.-l.).

**CANARIES (courant des)** ~ Courant froid de l'Atlantique Nord qui atténue la chaleur saharienne des côtes de l'Afrique du Maroc au Sénégal.

**CANARIES (îles)** ~ Archipel de l'Atlantique, au large du S. marocain (communauté autonome d'Espagne ; 7 273 km$^2$, 1 494 000 h.), constitué de sept îles volcaniques et montagneuses, culminant au pic de Teide (3 710 m, à Tenerife), divisé en deux provinces, occidentale (Tenerife, La Palma, Gomera, Hierro ; ch.-l. Santa Cruz) et orientale (Grande Canarie, Fuerteventura, Lanzarote ; ch.-l. Las Palmas). Climat sec, adouci par les alizés et l'altitude, sauf au N.-E. Bananes, café, canne à sucre et, en altitude, primeurs, vigne. Tourisme actif, ports francs. **HIST.** - Les anciennes îles Fortunées, peuplées par les Guanches d'origine berbère, furent conquises en 1402 par J. de Béthencourt et cédées aux Espagnols en 1479.

© R. Harding-Explorer

*Tenerife, au cœur de l'archipel des **Canaries**.*

**CANARIS** (Konstandínos) ~ Voir **Kanáris**.

**CANARIS** (Wilhelm) ~ *1887, Aplerbeck - 1945, Flossenbürg.* Amiral allemand. Chef de l'Abwehr de 1935 à 1944, mais hostile à Hitler, il fut soupçonné de relations avec les Alliés et exécuté.

**CANAVERAL (cap)** ~ Site de la princ. base aérospatiale (Nasa) de lancement de fusées des États-Unis, sur le littoral atlantique de la Floride.

**CANBERRA** ~ Cap. fédérale de l'Australie (depuis 1927), entre Sydney et Melbourne, dans une haute plaine de la Cordillère australienne (325 000 h. avec Queanbeyan). Conçue selon un modèle préétabli, elle connaît depuis 1945 un développement constant (fonctions, extension). Le territoire fédéral compte 299 000 h. pour 2 400 km$^2$.

**CANCALE** ~ Port de pêche et station baln. de Bretagne (Ille-et-Vilaine), sur la rive O. de la baie du Mont-St-Michel ; 4 910 h. Ostréiculture.

**Cancer (tropique du)** ~ Ligne parallèle à l'équateur (23° 26′ N.) limitant au N. la zone tropicale.

**CANCHE** (la) ~ Fl. côtier du Pas-de-Calais qui borde au S. les collines de l'Artois et rejoint la Manche au Touquet ; 96 km.

**CANCÚN** ~ Grande station baln. du S.-E. du Mexique (Quintana Roo), sur l'Atlantique, créée en 1970 sur le site d'un ancien village maya.

**CANDIE** ~ Voir **Héraklion**.

**CANDOLLE** (Augustin Pyrame DE) ~ *1778, Genève - 1841, id.* Botaniste suisse. Auteur de la *Théorie élémentaire de la botanique* (1813), il fut l'un des fondateurs de la géographie botanique.

**CANDRAGUPTA** ~ Voir **Chandragupta**.

**CANÉE (La)** ~ Voir **Khaniá**.

**CANET-EN-ROUSSILLON** ~ V. du Roussillon, à l'E. de Perpignan (Pyrénées-Orientales) ; 7 575 h. Station baln. à **Canet-Plage**.

**CANETTI** (Elias) ~ *1905, Ruse, Bulgarie - 1994, Zurich.* Écrivain britannique d'orig. bulgare et de langue allemande. Ses romans (*Auto-da-fé*, 1935), ses essais (*Masse et puissance*, 1960) et ses œuvres biographiques (*Histoire d'une vie*, 1980) témoignent d'une lucidité parfois féroce sur ses contemporains. Prix Nobel de litt. 1981.

**CANGUILHEM** (Georges) ~ *1904, Castelnaudary - 1995, Paris.* Philosophe français. Sa thèse sur le normal et le pathologique inaugure une forme d'histoire des sciences qui met l'accent sur les soubassements idéologiques des représentations scientifiques (*le Normal et le Pathologique*, 1966).

**CANIGOU (mont)** ~ Le plus oriental des grands massifs pyrénéens (2 784 m), encadré par les vallées de la Têt et du Tech et dominant la plaine du Roussillon.

**CANNES** ~ Port de la Côte d'Azur (Alpes-Maritimes), à l'O. d'Antibes, station hivernale et estivale ; 68 676 h. Ports de plaisance. Festival internat. du film depuis 1946. Casino. Cult. florales.

**CANNES**, en lat. *Cannae* ~ Anc. v. d'Italie (Apulie). Théâtre d'une victoire des Carthaginois, dirigés par Hannibal, sur l'armée romaine, en 216 av. J.-C.

**CANNET (Le)** ~ Station tourist. du N. de Cannes (Alpes-Maritimes) ; 41 842 h. Parfums.

**CANNING** (George) ~ *1770, Londres - 1827, Chiswick.* Homme politique britannique. Conservateur modéré, il fut ministre des Affaires étrangères de 1807 à 1809 et de 1822 à 1827. Disciple du Second Pitt, il se montra radicalement hostile à l'Empire français.

**CANO** (Alonso) ~ *1601, Grenade - 1667, id.* Peintre, sculpteur et architecte espagnol. Auteur de scènes religieuses (*le Miracle du puits*), il fut surtout apprécié pour le lyrisme épuré de sa sculpture.

**CANOPE** ~ V. de l'anc. Égypte, dans le delta du Nil, près de l'actuelle Aboukir. Le temple de Sérapis a inspiré la partie S. de la villa d'Hadrien à Tivoli.

**CANOSSA** ~ Village d'Émilie (Italie). Le futur empereur germanique Henri IV y vint s'humilier devant le pape Grégoire VII (janv. 1077) lors de la querelle des Investitures.

**CANOVA** (Antonio) ~ *1757, Possagno, prov. de Trévise - 1822, Venise.* Sculpteur néoclassique italien. Son art est d'un style élégant et raffiné (*Psyché ranimée par le baiser de l'Amour* ; *Pauline Borghèse*).

**CANROBERT** (François Certain) ~ *1809, Saint-Céré, Lot - 1895, Paris.* Maréchal de France. Il commanda le corps expéditionnaire en Crimée (1854-1855).

**CANTABRIE** (la) ~ Communauté autonome du N. de l'Espagne, entre le Pays basque et les Asturies, région montagneuse baignée par l'Atlantique ; 5 289 km$^2$, 527 000 h., cap. Santander. Élev. bovin, pêche, exploit. minière, chimie. Tourisme.

**CANTABRIQUES (monts)** ~ Chaîne du N. de l'Espagne (Cantabrie, Asturies, Galice), prolongement occidental des Pyrénées basques, qui sépare les plateaux continentaux (Castille, León) du

*L'ostréiculture à **Cancale**.*

© B. Vivier-Explorer

littoral atlantique humide et culmine aux Picos de Europa (2 648 m). Forêts (hêtres, conifères). Exploitation du fer et de la houille (en déclin).

**CANTACUZÈNE** ~ Famille byzantine, dont certains membres régnèrent sur Byzance (1341-1357), sur Mistra (1348-1384), sur la Valachie et sur la Moldavie (XVIIe-XVIIIe s.).

**CANTAL** (le) ~ Dép. montagneux (Massif central) de la Région Auvergne, englobant, autour du massif du Cantal, les plateaux qui le prolongent (Cézallier, Aubrac) et, à l'O. ou à l'E. (Margeride), ceux que forme le socle cristallin ; 5 777 km$^2$, 158 723 h., v. princ. Aurillac (préfect.), Saint-Flour. Le Cantal, rural, auj. voué à l'élevage laitier (fromages : cantal, fourme d'Ambert), se dépeuple depuis le XIXe s. Le tourisme se développe dans le parc naturel régional d'Auvergne (sports d'hiver au Lioran, thermalisme, bourg médiéval de Salers).

**CANTAL (massif** ou **monts du)** ~ Massif volcanique d'Auvergne, au S.-O. de Clermont-Ferrand, qui culmine au **plomb du Cantal** (1 855 m) et au puy Mary (1 787 m). Son vaste cratère et les plateaux basaltiques sommitaux (planèzes) sont disséqués par l'érosion (vallées rayonnantes).

**CANTELEU** ~ V. industr. de la banlieue O. de Rouen (Seine-Mar.), sur la Seine (r. dr.) ; 16 090 h.

**CANTERBURY**, en fr. **Cantorbéry** ~ V. du S.-E. de l'Angleterre (Kent) ; env. 37 000 h. Christ Church Cathedral (XIe-XVIe s.), où l'archevêque Thomas Becket fut assassiné sur ordre d'Henri II. Ancienne capitale du royaume de Kent (Ve s.), siège du primat de l'Église d'Angleterre depuis 597 (début de l'évangélisation des Anglo-Saxons), aujourd'hui anglicane.

**CANTON**, en chin. ***Guangzhou*** ou ***Kouang-tcheou*** ~ Grand port et métropole écon. de la Chine du Sud, sur le delta du Xi Jiang, cap. du Guangdong, port franc depuis 1984 ; 3 560 000 h. (agglom. env. 5 700 000 h.). Avant-port de Huangpu, à 15 km en aval. Industr. lourdes. Raffinage du sucre, engrais, pesticides, biens d'équipement, textiles. Temple de Guangxiao (IVe s.). Musées. **HIST.** - Passage obligé du commerce chinois, la ville s'ouvrit tôt aux Européens (XVIe-XIXe s.). Elle fut le siège du gouvernement de Sun Yat-sen (1911) et la base du Guomindang.

**CANTONS DE L'EST** ~ Voir **Estrie**.

**CANTOR** (Georg) ~ *1845, Saint-Pétersbourg - 1918, Halle.* Mathématicien allemand. Fondateur de la théorie des ensembles, il révolutionna les mathématiques.

**CÃO** ou **CAM** (Diogo) ~ *XVe s.* Navigateur portugais. Il découvrit l'embouchure du fleuve Congo (1483) et explora les côtes de l'Angola et de la Namibie.

**CAO BANG** ~ Localité du N. du Viêt Nam, près de la frontière chinoise, site d'une défaite française pendant la guerre d'Indochine (oct. 1950).

**CAP (Le)**, en angl. ***Cape Town***, en afrikaans ***Kaapstad*** ~ Cap. législative de l'Afrique du Sud, ch.-l. de la prov. du Cap-Ouest, 2e port du pays, au N. du cap de Bonne-Espérance ; agglom. 2 350 000 h. (dont 25 % de Blancs). Université. Raff. de pétrole. Industrie agroalimentaire. **HIST.** - Ville fondée par les Hollandais (1652), elle donna son nom à la colonie cédée aux Britanniques (1814) et devenue province sud-africaine (1910).

**CAP (province du)** ~ Anc. province de l'Afrique du Sud, divisée en trois depuis 1994 (Cap-Ouest, Cap-Est, Cap-Nord), partie O. du pays, de climat méditerranéen au S. (région du Cap) ; env. 661 000 km$^2$, 10 807 000 h., v. princ. Le Cap, Port Elizabeth, East London, Kimberley. Polyculture sur le littoral, élevage sur les plateaux intérieurs. Mines (diamants, cuivre, fer, charbon).

**CAPA** (Andrei **Friedmann**, dit Robert) ~ *1913, Budapest - 1954, Thai Binh, Viêt Nam.* Photographe américain d'orig. hongroise. Il fonda, avec H. Cartier-Bresson, l'agence Magnum (1947). De l'Espagne à l'Indochine, il donna une dimension morale au reportage de guerre.

**CAP-BRETON (île du)** ~ Île du Canada, partie N. de la Nouvelle-Écosse ; 10 300 km$^2$, env. 173 000 h., v. princ. Sydney (26 000 h.). Forêts, pêche, tourisme (parc naturel). Anc. possession française, acquise par les Britanniques en 1763.

**CAPBRETON** ~ Station baln. et port de plaisance du S. des Landes ; 5 089 h. (agglom. 9 548 h.). Le **Gouf de Capbreton**, au large, est une vallée sous-marine (ancien cours de l'Adour).

**CAPCIR** (le) ~ Vallée supérieure de l'Aude (Pyr.-Orient.), au pied du massif du Carlitte. Élev. bovin.

**ČAPEK** (Karel) ~ *1890, Svatoňovice - 1938, Prague.* Écrivain tchèque. Il est l'auteur de pièces (*R. U. R.*, 1921) et de romans de science-fiction (*la Fabrique d'absolu*, 1922) sur la soumission de l'homme à la machine.

**ČAPEK-CHOD** (Karel Matěj) ~ *1860, Domažlice - 1927, Prague.* Écrivain tchèque. Son œuvre romanesque offre une immense fresque documentaire sur la société de son temps (*la Turbine*, 1916).

**CAPESTERRE-BELLE-EAU** ~ Port de la Guadeloupe, sur la côte S.-E. de la Basse-Terre ; 19 081 h. Pêche, sucreries. Eau minérale.

**CAPET** ~ Surnom du Robertien Hugues, roi de France en 987. Les révolutionnaires le donnèrent comme patronyme roturier à Louis XVI.

**Capétiens** (les) ~ Dynastie de rois de France nommée d'après Hugues Capet, monté sur le trône en 987. Aux Capétiens directs (987-1328) succédèrent les Valois (1328-1589) puis les Bourbons (1589-1792 et 1814-1830), qui furent remplacés par les Orléans (1830-1848).

**CAP-FERRET** ~ Station baln. de la Côte d'Argent (Gironde), à l'entrée du bassin d'Arcachon, sur la flèche de sable fermant la baie. Ostréiculture.

**CAP-HAÏTIEN** ~ Port du N. de la république d'Haïti (2e v. du pays) ; 92 000 h. Export. de café, sisal, fruits, raffinage de la canne à sucre. Fondé en 1670 sous le nom de Cap-Français, il fut la capitale de Saint-Domingue jusqu'en 1770.

**CAPHARNAÜM** ~ Anc. ville de Palestine, sur le lac de Tibériade, où prêcha Jésus.

**CAPITOLE** (le) ou **CAPITOLIN (mont)** ~ Une des sept collines de Rome. Ses deux sommets portaient la citadelle ainsi que les temples de Jupiter, de Junon et de Minerve. La roche Tarpéienne y dominait le Tibre. L'actuelle **place du Capitole**, conçue par Michel-Ange, est bordée de palais édifiés du XIIe au XVIIe s.

**CAPO D'ISTRIA** ou **CAPODISTRIA** (Jean, comte DE) ~ *1776, Corfou - 1831, Nauplie.* Homme d'État grec. Après avoir servi le tsar Alexandre Ier, il soutint l'insurrection grecque contre la Turquie (1821). Premier président de la Grèce indépendante (1827), il fut assassiné.

**CAPONE** (Alphonse, dit Al) ~ *1899, Brooklyn - 1947, Miami.* Gangster américain. La prohibition de l'alcool fit sa fortune dans le Chicago des années 1920.

**CAPORETTO** ~ Anc. village italien, sur l'Isonzo (auj. en Slovénie). Victoire des Austro-Hongrois sur les Italiens en octobre 1917.

**CAPOTE** (Truman) ~ *1924, La Nouvelle-Orléans - 1984, Los Angeles.* Romancier et journaliste américain. S'éloignant peu à peu de la description de son Sud natal (*la Harpe d'herbe*, 1951), il connut la célébrité avec des romans inspirés de faits réels (*De sang-froid*, 1966).

**CAPOUE** ~ V. d'Italie (Campanie), au N. de Naples ; env. 20 000 h. Vestiges étrusques et romains. Lieu d'hivernage des troupes d'Hannibal (215 av. J.-C.), qu'amollirent les « délices de Capoue ». Elle fut le siège d'une principauté lombarde, puis normande (Xe-XIIe).

*La ville du **Cap** et, à l'arrière-plan, la baie de la Table.*

© Renault/Rieger Illustration-Gamma

**CAPPADOCE** (la) ~ Région tourist. de Turqui au S.-E. d'Ankara, plateau de tuf volcanique sculp par l'érosion. L'habitat troglodytique, caractérist que de la région, avait une fonction de protectic face aux invasions. Nombreux sanctuaires décorés vallée de Göreme, ville souterraine de Derinkuye **HIST.** - La région forma un royaume hittite (IIe mi av. J.-C.) puis fut englobée dans différents empir successifs (perse, macédonien, romain, byzantin ottoman). La Cappadoce fut un important foyer c culture chrétienne (IVe s.).

© Ergun Cagatay-Gamma

*Habitations troglodytiques en **Cappadoce**.*

**CAPPIELLO** (Leonetto) ~ *1875, Livourne - 194 Grasse.* Affichiste et caricaturiste français d'ori italienne, auteur d'une œuvre vive et colorée.

**CAPRA** (Frank) ~ *1897, Palerme - 1991, Los An geles.* Cinéaste américain, un des maîtres de la come die américaine (*l'Extravagant M. Deeds*, 1936 ; *Ars nic et vieilles dentelles*, 1944 ; *La vie est belle*, 1956)

**CAPRI** ~ Île montagneuse (589 m) et touris d'Italie, au S. du golfe de Naples ; 10 km$^2$, env 7 000 h. *Grotta Azzurra*, dans les falaises. Résidenc favorite de l'empereur romain Tibère (Ier s.).

**Capricorne (tropique du)** ~ Ligne parallèle l'Équateur (23° 26′ S.) limitant au S. la zon tropicale.

**Capulets** (les) ~ Famille italienne, probablemer originaire de Vérone, qui rallia le parti gibelin s'opposa, au XIVe s., aux Montaigus. Ce confl inspira Shakespeare (*Roméo et Juliette*).

**CAP-VERT (république du)** ~ Pays africain d l'océan Atlantique, archipel volcanique au large d Sénégal. ***Cap.*** Praia. ***Superf.*** 4 030 km$^2$. ***Popul*** 350 000 h. (env. 600 000 émigrés). ***Langue princ.*** Portugais, créole. ***Monn.*** Escudo. ***Climat*** Aride. ***Écon.*** Agriculture vivrière. **HIST.** - Ancienn possession portugaise (1456), escale systématiqu du commerce portugais, le Cap-Vert est indépen dant depuis 1975.

**CAQUOT** (Albert) ~ *1881, Vouziers, Ardennes 1976, Paris.* Ingénieur français. Ses travaux ont no porté sur l'élasticité et la résistance de matériaux comme le béton armé. Il édifia le Christ géant d Corcovado, à Rio.

**CARABOBO** (le) ~ État du Venezuel (1 560 000 h., cap. Valencia), bassin maraîcher e laitier à l'O. de Caracas. Son nom vient du villag où S. Bolívar, victorieux des Espagnols le 24 jui 1821, établit l'indépendance de la Grande Colombie.

**CARACALLA** (en lat. ***Marcus Aurelius Antoninu Bassianus***, dit) ~ *188, Lyon - 217, Carrhae, auj Harran, Turquie.* Empereur romain (211-217), fil de Septime Sévère. Continuant la politique d conquête de son père (Gaule, Danube, Orient), i édifia un système bureaucratique et égalitaire, e généralisa la citoyenneté romaine à tous les sujet de l'empire (édit de 212). Il fut assassiné.

**CARACAS** ~ Cap. du Venezuela depuis 1829, à 1 000 m d'alt., dans un fossé de la Cordillère caraïbe, métropole industr., comm. et fin. qu produit près de la moitié du P. I. B. du pays 1 825 000 h. (agglom. 3 373 000 h.). Port de La Guaira à 20 km sur la mer des Antilles. Industrie pétrolière. Université, musées, cathédrale (1614)

**CARAGIALE** (Ion Luca) ~ *1852, Haimanale - 1912, Berlin.* Écrivain et journaliste roumain. Auteu de comédies à succès (*Une lettre perdue*, 1884), i s'imposa aussi comme un maître de la nouvelle (*Rome invaincue*, 1875 ; *la Calomnie*, 1890).

**ARAÏBE** (la) ~ Ensemble formé par les Guyanes les régions que baigne la mer des Antilles, domaine guistique des peuples caraïbes. La **Cordillère raïbe** (site de Caracas) est un prolongement nézuélien des Andes, culminant vers 2 750 m.
**araïbes** (les) ~ Indigènes vivant dans toutes les tites Antilles jusqu'à la conquête espagnole.
**ARAÏBES (mer des)** ~ Voir **Antilles** (mer des).
**ARAJÁS (serra dos)** ~ Région montagneuse du ésil (S. de l'Amazone), entre les rios Xingu et cantins, très riche en minerais (fer, manganèse).
**ARAMANLIS** (Constantin) ~ Voir **Karamanlís** onstandínos).
**ARAN D'ACHE** (Emmanuel **Poiré**, dit) ~ *1859, oscou - 1909, Paris.* Dessinateur français. Natioliste et antisémite, il commenta l'actualité dans s caricatures souvent féroces.
**ARAVAGE** (Michelangelo **Merisi**, dit **le**) ~ *1573, Caravaggio - 1610, Porto Ercole.* Peintre lien. Utilisant les contrastes de l'ombre et de la mière pour donner une tonalité dramatique et thétique à son œuvre (*la Conversion de saint ul*), il rompit, par son réalisme, avec les nceptions traditionnelles de la peinture religieuse lienne. Son influence, désignée sous le nom de **ravagisme**, s'est étendue à toute l'Europe Georges de La Tour, Rembrandt, Zurbarán).

© P. Tetrel-Explorer

Bacchus *(1596), peinture du* Caravage.

**ARCASSONNE** ~ Préfect. de l'Aude, sur le cours férieur de l'Aude et le canal du Midi ; 43 470 h. 'est la plus grande cité fortifiée d'Europe (XI$^{e}$-V$^{e}$ s.), sur un promontoire : double enceinte 38 tours) restaurée par Viollet-le-Duc au XIX$^{e}$ s., hâteau comtal. Ville basse en damier du XIII$^{e}$ s.
**ARCO** (François **Carcopino-Tusoli**, dit Frans) ~ *1886, Nouméa - 1958, Paris.* Écrivain franis, peintre des mœurs de la pègre parisienne et la bohème (*Jésus la Caille*, 1914).
**ARCOPINO** (Jérôme) ~ *1881, Verneuil-survre, Eure - 1970, Paris.* Historien et homme olitique français. Spécialiste de l'histoire romaine *César*, 1936), il fut ministre de l'Éducation et de Jeunesse (1940-1941). Acad.
**ARDAMOMES**, nom de 2 montagnes d'Asie: ~ lassif montagneux très humide du S.-O. du ambodge, culminant vers 2 000 m. ~ Partie S. es Ghats occidentaux (Inde), culminant vers 500 m.
**ARDAN** (Gerolamo **Cardano**, en fr. Jérôme) ~ *1501, Pavie - 1576, Rome.* Mathémacien, médecin et philosophe italien. Il donna ans son *Ars magna* (1545) la résolution de équation du 3$^{e}$ degré et inventa pour la marine n système de suspension qui porte son nom.
**ARDIFF**, en gallois *Caerdydd* ~ Port, cap. et re v. du pays de Galles, centre industr. diversifié ur le canal de Bristol (Glamorgan) ; 279 000 h. niversité. Stade de rugby (Arm's Park).
**ARDIJN** (Joseph) ~ *1882, Schaerbeek - 1967, ouvain.* Prélat belge. Prêtre, il fonda la Jeunesse uvrière chrétienne (J. O. C.) en 1924 et fut élevé la dignité de cardinal en 1965.

**CARDUCCI** (Giosuè) ~ *1835, Val di Castello, Toscane - 1907, Bologne.* Écrivain italien. Poète anticatholique et antiromantique, fidèle à la tradition classique et antique (*Iambes et Épodes*, 1867-1879 ; *Odes barbares*, 1877-1889). Prix Nobel de litt. 1906.
**CARÉLIE** (la) ~ République de la fédération de Russie (N.-O.), au relief marqué par l'empreinte glaciaire, lacustre et forestière (taïga), frontalière de la Finlande ; 172 400 km$^2$, 794 000 h., dont Russes (71 %), **Caréliens** de langue finnoise (11 %), Biélorusses (8 %), cap. Petrozavodsk. Exploitation du bois. **HIST.** - Zone tampon conquise et christianisée par les Suédois (XIII$^{e}$ s.), annexée par les Russes (XIV$^{e}$ et XVIII$^{e}$ s.) qui l'incorporèrent au grand-duché de Finlande. Sa partie O., finlandaise en 1918, fut annexée par l'U. R. S. S. en 1947.
**CARÊME** (Maurice) ~ *1899, Wavre - 1978, Anderlecht.* Poète belge d'expression française, auteur d'œuvres pour enfants (*Petites légendes*, 1949).
**CARENTAN** ~ V. du Cotentin (Manche), au fond de l'estuaire de la Douve ; 6 300 h. Église des XIV$^{e}$-XV$^{e}$ s. Produits laitiers. Port de plaisance.
**CARGÈSE** ~ Station baln. et centre tourist. de la côte O. de la Corse (Corse-du-Sud), au S. du golfe de Porto ; 915 h. Église grecque (icônes apportées par les colons grecs aux XVII$^{e}$ et XVIII$^{e}$ s.). Pêche.
**CARHAIX-PLOUGUER** ou **CARHAIX** ~ V. de Bretagne (Finistère), centre laitier et avicole, dans le bassin de Châteaulin ; 8 198 h. Église romane. Foires agricoles.
**CARIBERT** ou **CHARIBERT** ~ *m. en 567.* Roi franc (561-567). Son royaume correspondait à celui de Childebert I$^{er}$, avec Paris, plus l'Aquitaine.
**CARIE** (la) ~ Région S.-O. de l'anc. Asie Mineure, sur la mer Égée, colonisée par les Doriens. Site d'Halicarnasse.
**Carillon (fort)** ~ Place fortifiée de la Nouvelle-France, au S. du lac Champlain, aux États-Unis. Montcalm y battit les Britanniques le 8 juillet 1758.
**CARINTHIE** (la) ~ Land du S. de l'Autriche, région alpine tourist. (Tauern) traversée par la vallée de la Drave ; 9 533 km$^2$, 558 000 h., cap. Klagenfurt. **HIST.** - Anc. marche de l'Empire carolingien, la Carinthie, devenue duché, échut aux Habsbourg en 1335.
**CARISSIMI** (Giacomo) ~ *1605, Marino - 1674, Rome.* Compositeur italien. Il fut l'un des créateurs de l'oratorio italien (*Jephté*, v. 1640) et influença A. Scarlatti et M. A. Charpentier.
**CARJAT** (Étienne) ~ *1828, Fareins, Ain - 1906, Paris.* Photographe français. Il ouvrit un atelier spécialisé dans le portrait (1860) et photographia les intellectuels et les artistes (portrait de Rimbaud à 16 ans).
**CARLE** (Gilles) ~ *1929, Maniwaki, Québec.* Cinéaste canadien. Il a contribué à donner son identité au cinéma québécois (*les Mâles*, 1970 ; *la Mort d'un bûcheron*, 1973).
**CARLETON** (Guy), 1$^{er}$ baron **Dorchester** ~ *1724, Strabane, Irlande - 1808, Stubbings.* Général britannique. Gouverneur général du Canada, il signa avec les Canadiens francophones l'Acte de Québec (1774).
**CARLITTE** ou **CARLIT (massif du)** ~ Massif granitique des Pyrénées-Orientales qui domine la Cerdagne ; 2 921 m.
**CARLOMAN** ~ *749 - 771.* Roi des Francs (768-771) avec son frère aîné Charlemagne. À sa mort, Charlemagne prit possession de son territoire.
**CARLOMAN** ~ *v. 867 - 884.* Roi des Francs avec son frère Louis III (879-882) puis seul (882-884). Il ne put enrayer le déclin des Carolingiens.
**CARLSON** (Carolyn) ~ *1943, Fresno, Californie.* Danseuse et chorégraphe américaine. Elle dirigea le Groupe de recherche théâtrale de l'Opéra de Paris, s'imposant en Europe par ses qualités de soliste et ses chorégraphies oniriques (*Blue Lady*, 1983).
**CARLYLE** (Thomas) ~ *1795, Ecclefechan, Écosse - 1881, Londres.* Historien et écrivain britannique. Influencée par le romantisme allemand, sa pensée est antimatérialiste. Il est not. l'auteur d'une *Histoire de la Révolution française* (1837).
**CARMAUX** ~ V. du Tarn, anc. centre houiller, au N. d'Albi, au pied du Ségala ; 10 957 h. (agglom. 17 307 h.). Foyer du syndicalisme et du socialisme animé par J. Jaurès, élu député socialiste en 1893.

**CARMEL (mont)** ~ Petit massif d'Israël (546 m), dominant Haïfa. Séjour du prophète Élie dans la Bible, un ermitage y fut créé par un croisé qui donna son nom à l'ordre des Carmes.
**CARNAC** ~ Station baln. du S. de la Bretagne, sur la baie de Quiberon (Morbihan) ; 4 243 h. Ensemble mégalithique de 2 935 menhirs, dolmens, tumulus (Néolithique). Musée préhistorique.
**CARNAC** ~ Voir **Karnak**.
**CARNAP** (Rudolf) ~ *1891, Ronsdorf, auj. Wuppertal - 1970, Santa Monica.* Philosophe et logicien américain d'orig. allemande. Membre éminent du cercle de Vienne, dont il poursuivit l'œuvre aux États-Unis, où, exilé, il résida dès 1936. Ses travaux portent principalement sur l'unification du langage de la science (*Syntaxe logique du langage*, 1934 ; *Signification et Nécessité*, 1947).
**Carnavalet (musée)** ~ Musée historique de la Ville de Paris, installé en 1866 dans le quartier du Marais. Il occupe les hôtels Carnavalet (1545, remanié en 1660, résidence de Mme de Sévigné de 1677 à 1696) et Le-Peletier-de-Saint-Fargeau (1686).
**CARNÉ** (Marcel) ~ *1906, Paris - 1996, Clamart.* Cinéaste français. Influencé par l'expressionnisme allemand, il est le représentant majeur d'un réalisme poétique à la française (*Quai des brumes*, 1938 ; *Hôtel du Nord*, 1938 ; *Le jour se lève*, 1939 ; *les Enfants du paradis*, 1945).
**CARNEGIE** (Andrew) ~ *1835, Dunfermline, Écosse - 1919, Lenox, Massachusetts.* Industriel américain. Il fut à l'origine de nombreuses œuvres et fondations, dont certaines contribuèrent, après 1918, à la reconstruction européenne.
**CARNIOLE** (la) ~ Anc. province alpine des États autrichiens, dont la majeure partie est comprise dans l'actuelle Slovénie. Elle fut totalement rattachée à la Yougoslavie en 1945.
**CARNOT**, famille française qui s'illustra dans les sciences et la politique. ~ **Lazare** (*1753, Nolay, Bourgogne - 1823, Magdebourg*), ingénieur militaire, mathématicien et homme politique. Au Comité de salut public (1793), il fut chargé des questions militaires et fut surnommé l'Organisateur de la victoire. Directeur de 1795 à 1797, il se tint à l'écart sous l'Empire, mais fut pourtant ministre de l'Intérieur pendant les Cent-Jours puis banni comme régicide en 1816. Son fils aîné ~ **Nicolas Léonard Sadi** (*1796, Paris - 1832, id.*), physicien, fut l'un des fondateurs de la thermodynamique, dont il énonça les premier et deuxième principes. ~ **Marie François Sadi**, dit **Sadi** (*1837, Limoges - 1894, Lyon*), neveu du préc., élu président de la République en 1887, fut assassiné par l'anarchiste Sante Jeronimo Caserio.
**Carnutes** (les) ~ Peuple de Gaule, établi entre la Seine et la Loire. La **forêt des Carnutes** accueillait les réunions des druides qui donnèrent le signal du soulèvement de 52 av. J.-C. contre Jules César.
**CAROBERT** ~ Voir **Charles I$^{er}$**, roi de Hongrie.
**CAROL** ~ Voir **Charles**, rois de Roumanie.
**CAROLINE DU NORD** (la) ~ État du S.-E. des États-Unis, qui s'étend du versant E. des Appalaches (mont Mitchell, 2 037 m) au littoral atlantique ; 126 180 km$^2$, 6 629 000 h. (dont 20 % de Noirs), v. princ. Charlotte, Raleigh (cap.), Greensboro, Winston-Salem. Agriculture prospère, industrie modernisée en relation avec le Research Triangle Park (univ.). **HIST.** - Colonisée par Raleigh (XVI$^{e}$ s.), séparée de la Caroline du Sud en 1730, la Caroline du Nord, l'un des treize États fondateurs de l'Union (1789), fit sécession de 1861 à 1868.
**CAROLINE DU SUD** (la) ~ État du S.-E. des États-Unis, qui s'étend du piémont des Appalaches au littoral atlantique ; 77 988 km$^2$, 3 487 000 h. (30 % de Noirs), v. princ. Columbia (cap.), Charleston, Greenville. Niveau de vie inférieur à la moyenne nationale (exode rural). Tabac, soja, fruits, industr. en expansion, implantations étrangères. Tourisme (Charleston). **HIST.** - L'un des treize États fondateurs de l'Union (1788), elle fut la première à faire sécession en 1860 et fut réintégrée en 1868.
**CAROLINES (îles)** ~ Archipel de Micronésie, dans le Pacifique Ouest, ensemble d'atolls et d'îles volcaniques partagés entre les États fédérés de

Micronésie (depuis 1980) et Palau ; env. 1 000 km$^2$, 126 000 h. Coprah, phosphates. **HIST.** - Colonisé par l'Espagne au XVII$^e$ s., l'Allemagne (1899) et le Japon (1919), l'archipel passa sous administration des États-Unis en 1947.

**Carolingiens** (les) ~ Dynastie qui donna des empereurs d'Occident et des rois des Francs, fondée par Pépin le Bref. Les Carolingiens succédèrent aux Mérovingiens en 751 ; ils régnèrent sur la France jusqu'en 987, sur la Germanie jusqu'en 911, et sur l'Italie. Le partage de leur empire (traité de Verdun, 843) annonça l'émiettement territorial de la féodalité d'Europe.

**CARON** (Antoine) ~ *1521, Beauvais - 1599, Paris.* Peintre français. Disciple du Primatice et ordonnateur des fêtes de la cour, il est l'auteur de scènes allégoriques (*les Massacres du triumvirat*, 1566).

**CAROTHERS** (Wallace Hume) ~ *1896, Burlington, Iowa - 1937, Philadelphie.* Chimiste américain. Il inventa le Nylon et le caoutchouc synthétique (Néoprène).

**CARPACCIO** (Vittore) ~ *v. 1455, Venise - v. 1525, id.* Peintre italien, élève des Bellini. Auteur de scènes religieuses qu'il transposa dans de fastueux décors (*Saint Georges combattant le dragon* ; *Légende de sainte Ursule*), il relia, dans un arrangement pittoresque, Venise et l'Orient (*Prédication de saint Étienne*).

**CARPATES** (les) ~ Grand arc montagneux d'Europe centrale (Roumanie, Ukraine, confins de la Slovaquie, de la Pologne et de la République tchèque), barrière entre les plaines du N. de l'Europe et le bassin du Danube, qui le sépare des Alpes autrichiennes et du mont Balkan (Portes de Fer). Les Carpates culminent dans les Alpes de Transylvanie (2 543 m) et dans les Tatras (2 655 m). Forêts (hêtres, conifères). Hydrocarbures (Ukraine, Roumanie), minerais des monts Métallifères.

**CARPEAUX** (Jean-Baptiste) ~ *1827, Valenciennes - 1875, Courbevoie.* Peintre et sculpteur français. Les visages de ses personnages expriment une intense gaieté intérieure (*le Triomphe de Flore* ; *le Jeune Pêcheur à la coquille* ; *la Danse*, 1869).

**CARPENTARIE (golfe de)** ~ Golfe qui échancre la côte N. de l'Australie, entre la péninsule du cap d'York et la terre d'Arnhem.

**CARPENTIER** (Alejo) ~ *1904, La Havane - 1980, Paris.* Écrivain cubain. La diversité de ses thèmes et sa culture universelle en font l'un des plus grands romanciers latino-américains (*le Partage des eaux*, 1953 ; *le Siècle des lumières*, 1962 ; *le Recours de la méthode*, 1974).

**CARPENTIER** (Georges) ~ *1894, Liévin - 1975, Paris.* Boxeur français. Champion du monde des poids mi-lourds (1920), il échoua, en 1921, contre Jack Dempsey, pour le titre mondial toutes catégories.

**CARPENTRAS** ~ V. du Vaucluse, marché agricole de la plaine du Comtat Venaissin (Vaucluse) ; 24 212 h. (agglom. 40 673 h.). Conserveries. Vestiges de fortifications du XIV$^e$ s. Synagogue (XVIII$^e$ s.). Musées. Capitale du Comtat Venaissin de 1320 à 1791.

**CARQUEFOU** ~ V. du N.-E. de l'agglom. nantaise (Loire-Atlantique), centre commercial et industriel (électronique) ; 12 877 h.

**CARQUEIRANNE** ~ Station baln. de la Côte d'Azur (Var), entre Toulon et Hyères ; 7 118 h.

**CARRACHE**, famille de peintres italiens. ~ **Ludovico** (*1555, Bologne - 1619, id.*) est l'auteur de peintures religieuses et de paysages qui influencèrent Murillo (*Adoration des Mages*, 1616). Son cousin ~ **Annibal** (*1560, Bologne - 1609, Rome*) se distingua par ses compositions monumentales et son goût de l'antique qui annoncèrent le baroque. Il décora le palais Farnèse, à Rome, de fresques aux thèmes classiques (1595-1604).

**CARRARE** ~ V. de Toscane (Italie), à l'E. de La Spezia, renommée pour ses carrières de marbre ; 67 000 h. Ateliers de sculpteurs.

**CARREL** (Alexis) ~ *1873, Sainte-Foy-lès-Lyon - 1944, Paris.* Chirurgien et biologiste français. Pionnier des greffes d'organes et théoricien de l'eugénisme, il connut un succès de librairie avec *l'Homme, cet inconnu* (1936). Sa caution scientifique au régime de Vichy a fait l'objet de controverses. Prix Nobel de physiol. ou méd. 1912.

**CARRERA** (Rafael) ~ *1814, Guatemala - 1865, id.* Homme d'État guatémaltèque. Il prit le pouvoir en 1839 et se proclama président à vie en 1854.

**CARRERA ANDRADE** (Jorge) ~ *1903, Quito - 1978, id.* Poète équatorien. Enracinée dans le monde sud-américain, sa poésie cherche à atteindre à l'universel (*Lieu d'origine*, 1945 ; *Chronique des Indes*, 1965).

**CARRIER** (Jean-Baptiste) ~ *1756, Yolet, Cantal - 1794, Paris.* Conventionnel français. Représentant en mission à Nantes, il ordonna la mise à mort, par noyades et fusillades, de plusieurs milliers de prisonniers vendéens. Il fut jugé et guillotiné.

**CARRIÈRE** (Eugène) ~ *1849, Gournay-sur-Marne, Seine-et-Oise - 1906, Paris.* Peintre français. Jouant sur le fondu et la lumière, sa peinture est empreinte d'émotion et de spiritualité (*le Baiser*, 1903).

**CARRIÈRES-SOUS-POISSY** ~ V. de l'O. de l'agglom. parisienne (Yvelines), sur la Seine, en face de Poissy ; 11 353 h. Industr. automobile.

**CARRIÈRES-SUR-SEINE** ~ V. de l'O. de l'agglom. parisienne (Yvelines), au N. de Nanterre ; 11 469 h. Champignonnières.

**CARRILLO** (Santiago) ~ *1915, Gijón.* Homme politique espagnol. Il fut secrétaire général du parti communiste espagnol (1960-1982) et partisan de l'eurocommunisme.

**CARROLL** (Lewis Charles **Dodgson**, dit Lewis) ~ *1832, Daresbury, Cheshire - 1898, Guildford, Surrey.* Écrivain et mathématicien britannique. Auteur de traités de logique formelle, il créa un genre nouveau de contes et de fantaisies humoristiques destinés aux enfants (*Alice au pays des merveilles*, 1865 ; *De l'autre côté du miroir*, 1872).

**CARTAGENA** ~ Port du N. de la Colombie, sur la mer des Antilles ; 688 000 h. Terminal pétrolier, chimie, engrais, cimenterie. Archevêché. Université. Vieille ville coloniale (églises, couvents des XVII$^e$-XIX$^e$ s.). Fondée en 1533, elle fut le principal port d'exportation d'or et d'argent vers l'Europe.

**CARTAN**, famille de mathématiciens français. ~ **Élie** (*1869, Dolomieu, Isère - 1951, Paris*) travailla sur la théorie des groupes de Lie et sur la géométrie de B. Riemann. Son fils ~ **Henri** (*1904, Nancy*) a étudié la théorie des fonctions analytiques.

**Cartel des gauches** ~ Coalition (radicaux, socialistes) élue en 1924. Malgré la modération de ses dirigeants (Herriot, Painlevé, Briand), il se heurta à l'hostilité de la droite nationaliste, des catholiques et de la finance (« mur de l'argent »), et éclata en 1926.

**CARTER** (Bennet **Lester**, dit Benny) ~ *1907, New York.* Saxophoniste de jazz américain. Bien qu'issu du middle jazz, il a mené une brillante carrière en s'inspirant du be-bop puis du jazz cool des années 1950. [☞ **jazz**.]

**CARTER** (Elliott) ~ *1908, New York.* Compositeur américain. Marqué par les horreurs de la guerre, il a exprimé la violence du monde au travers de scénarios polyphoniques et polyrythmiques très élaborés (*Symphonie de trois orchestres*, 1976 ; *Concerto pour hautbois*, 1987).

**CARTER** (James Earl **Carter**, dit Jimmy) ~ *1924, Plains, Géorgie.* Homme d'État américain. Démocrate, président des États-Unis (1976-1980), il fut le maître d'œuvre des accords de Camp David entre l'Égypte et Israël (1978).

**CARTHAGE**, en phénicien *Qart Hadasht*, « ville nouvelle » ~ V. de la banlieue de Tunis, sur le golfe de Tunis. Archevêché. Vestiges phéniciens, ruines romaines (thermes d'Antonin, aqueduc, théâtre). **HIST.** - La ville aurait été fondée par des Phéniciens en 814 av. J.-C. Comptoir dynamique, elle créa des colonies au VII$^e$ s. av. J.-C., finit par dominer les comptoirs phéniciens de la Méditerranée occidentale et lança des expéditions dans l'Atlantique. D'abord royauté, elle devint une république aristocratique comparable à Rome, sa rivale, qu'elle combattit lors des guerres puniques (III$^e$-II$^e$ s. av. J.-C.). Vaincue, Carthage fut rasée par Scipion Émilien en 146 av. J.-C. César la fit reconstruire et l'érigea en capitale de l'Afrique romaine. Après avoir été soumise aux Vandales (439), puis aux Byzantins (534), elle fut anéantie par les Arabes en 698.

**CARTHAGÈNE**, en esp. *Cartagena* ~ V. d'Espag (prov. de Murcie), sur la Méditerranée, port mi et industr. (pétrochim., métall., constr. navales 167 000 h. Fondée par les Carthaginois (III$^e$ av. J.-C.), elle fut la principale ville de la péninsu à l'époque romaine.

**CARTIER** (sir Georges Étienne) ~ *1814, Sair Antoine-sur-Richelieu, Québec - 1873, Londr* Homme politique canadien, artisan de la Conféd ration canadienne (1867).

**CARTIER** (Jacques) ~ *1491, Saint-Malo - 1557,* Navigateur français. À la recherche du passage Nord-Ouest, il découvrit le Saint-Laurent (1534 puis l'explora (1535 et 1541). Ses voyages ont tra la voie de la colonisation française du Canad

**CARTIER-BRESSON** (Henri) ~ *1908, Chantelou Seine-et-Marne.* Photographe français. Élève c peintre A. Lhote, il étudia le cinéma aux États-Un avec P. Strand, devint assistant de J. Renc (1936-1939), et photographia la libération de Par Cofondateur de l'agence Magnum (1947), il travaillé en Extrême-Orient, en U. R. S. S. et Amérique du Sud.

**CARTOUCHE** (Louis Dominique **Bourguigno** dit) ~ *1693, Paris - 1721, id.* Brigand frança Chef d'une bande de voleurs, il fut condamné mort et subit le supplice de la roue.

**CARUSO** (Enrico) ~ *1873, Naples - 1921, i* Ténor italien. Artiste mythique, il fit une carriè internationale, not. au Metropolitan Opera New York.

**CARVIN** ~ V. du Pas-de-Calais (N.-E. de Lens dans le bassin houiller ; 17 059 h. Constructio mécaniques.

**CASABLANCA**, en ar. *al-Dar al-Bayda* ~ Métr pole écon. du Maroc, 1$^{re}$ ville et 1$^{er}$ port du pay sur l'Atlantique, au S.-O. de Rabat ; 2 140 000 (agglom. env. 3 000 000 d'h.). Elle concentre 80 du commerce extérieur et 50 % de l'industr nationale. Grande place financière. Extension r cente en partie due à l'afflux de ruraux (bidor villes). Mosquée Hassan-II (1993). **HIST.** - Lie d'émeutes anti-européennes réprimées par l'arm française (1907). Siège d'une conférence de prép ration du débarquement en Europe (janv. 194 entre W. Churchill et Th. Roosevelt.

**CASADESUS** (Robert) ~ *1899, Paris - 1972, i* Pianiste et compositeur français. Issu d'une illust famille de musiciens, il interpréta l'ensemble d répertoire classique, de Mozart à Ravel.

**CASALS** (Pablo) ~ *1876, Vendrell - 1973, San Ju de Porto Rico.* Violoncelliste et compositeur espagnc Il fonda, en 1905, un trio avec A. Cortot et J. Thibau Après la victoire du franquisme, il s'établit à Prade où il créa, en 1950, un festival musical.

**CASAMANCE** (la) ~ Région du S. du Sénéga bassin bien arrosé du fl. **Casamance** (320 km), ent la Gambie et la Guinée-Bissau ; 28 350 km$^2$, en 740 000 h., v. princ. Ziguinchor. Palmiers à huil raphia, riz, maïs, coton, arachide. Tourisme. Depu 1990, les Diolas y mènent une guérilla séparatis contre la domination des Ouolofs de Dakar.

**CASANOVA** (Giovanni Giacomo), dit **Casano de Seingalt** ~ *1725, Venise - 1798, Dux, Bohêm* Aventurier et mémorialiste italien. Ses deux livr (*Histoire de ma fuite des prisons de Venise*, 178 *Histoire de ma vie*, posth., 1820) racontent sa v aventureuse de poète, d'escroc et de libertin.

**CASARÈS** (Maria) ~ *1922, La Corogne - 1996, l Vergne.* Actrice française d'orig. espagnole. Cons crée au théâtre par les œuvres d'A. Camus ou c J. Genet, elle a su imposer sa personnalité c tragédienne à l'écran (*Orphée*, de J. Cocteau, 1950

**CASCADES (chaîne des)** ~ Chaîne boisée de l'C de l'Amérique du N., qui s'étend de la Colombi Britannique au N. de la Californie sur 1 100 kr (4 392 m au mont Rainier). Nombreux volcan

**CASERTE** ~ V. d'Italie (Campanie), au N. c Naples, centre admin. et agric. ; 71 000 h. Ci médiévale de **Caserta Vecchia**. Palais royal de Bourbons (XVIII$^e$ s.). Lieu de la capitulation de Allemands en Italie le 29 avril 1945.

**cash and carry** ~ Clause de dérogation à l neutralité américaine (1939) ayant permis la vent d'armes aux belligérants européens contre paiemer comptant et transport par l'acheteur.

**SIMIR** (saint) ~ *1458, Cracovie - 1484, Grodno.* ıce polonais, fils du roi Casimir IV Jagellon. ıonisé en 1521, il fut proclamé patron de la ɔgne et de la Lituanie.

**SIMIR**, nom de plusieurs rois de Pologne. ~ **Casimir IV Jagellon** (*1427, Cracovie - 92, Grodno*), roi de 1447 à 1492. Fils de Ladis-II, il succéda à son frère Ladislas III et reprit la sse-Occidentale aux chevaliers Teutoniques (paix Thorn, 1466). ~ **Casimir V** ou **Jean II Casimir** *609, Cracovie - 1672, Nevers*), roi de 1648 à 1668. rnier souverain de la famille des Vasa, il abdiqua 668) après avoir cédé la Livonie aux Suédois ité d'Oliwa, 1660) et l'Ukraine occidentale Russes (traité d'Androussovo, 1667).

**SIMIR-PERIER** (Auguste **Perier**, dit à partir de 74) ~ *1811, Paris - 1876, id.* Homme politique nçais, ministre dans le gouvernement Thiers 871-1872). Son fils ~ **Jean** (*1847, Paris - 1907,* , élu président de la République en 1894, fut ıtraint de démissionner dès janvier 1895 devant ɔposition de la gauche.

**SPIENNE (mer)** ~ La plus vaste mer fermée du nde (env. 371 000 km²), au fond d'une dépres-n (28 m au-dessous du niveau des océans), aux ıfins de la Russie (plaine deltaïque de la Volga), déserts d'Asie centrale, de l'Iran (Elbourz) et pays du Caucase. Déclin de la pêche (estur-n), lié à la baisse du niveau des eaux (évapora-n) et à la pollution (pétrole de Bakou).

**SSANDRE** ~ Princesse troyenne, fille de Priam d'Hécube. Ayant repoussé Apollon qui lui avait nné le don de prophétie, elle fut condamnée à tre jamais crue. Elle prédit la chute de Troie et, ɔtive d'Agamemnon, fut tuée avec lui par temnestre.

**SSANDRE** ~ *v. 358 - 297 av. J.-C.* Roi de ıcédoine (305-297). Fils d'Antipater, il participa x luttes pour la succession d'Alexandre le Grand, assinant la mère, la femme et le fils de ce dernier, obtint la plus grande partie de la Grèce.

**SSANDRE** (Adolphe **Mouron**, dit) ~ *1901, arkov - 1968, Paris.* Affichiste et décorateur fran-s. Son génie de la simplification graphique a rqué l'art publicitaire des années 1920-1930.

**SSATT** (Mary) ~ *1844, Pittsburgh - 1926, Le snil-Théribus, Oise.* Peintre et graveur américain. ɔche des impressionnistes, not. de Degas, elle a ssé des portraits au dessin ferme et délicat.

**SSAVETES** (John) ~ *1929, New York - 1989, Angeles.* Cinéaste et acteur américain. Dans un le très libre, alternant situations paroxystiques temps morts, il donna d'émouvantes chroniques ıne Amérique à la dérive (*Husbands*, 1970 ; *Une nme sous influence*, 1974 ; *Gloria*, 1980).

**SSEL** ~ Voir Kassel.

**SSIN** (René) ~ *1887, Bayonne - 1976, Paris.* iste français. Il fut l'un des rédacteurs de la claration universelle des droits de l'homme 948). Prix Nobel de la paix 1968.

**SSINI**, famille d'astronomes et de géodésiens ınçais. ~ **Jean Dominique** (*1625, Perinaldo, nté de Nice - 1712, Paris*), professeur en Italie, appelé en France par Colbert. Il dirigea Observatoire de Paris fondé en 1672. Son ~ **Jacques** (*1677, Paris - 1756, Thury, Beauvai-*) participa aux débats de son temps sur la forme la Terre. ~ **César François** (*1714, Thury - 1784, ris*), fils du préc., fut chargé par Louis XV de esser une carte de France et dirigea l'Observatoire Paris. ~ **Dominique** (*1748, Paris - 1845, Thury*) heva la carte de France entreprise par son père.

**ASSINO** ~ V. d'Italie (Latium) ; env. 33 000 h. baye de **Monte-Cassino**, fondée par saint Benoît ᵉ s.), détruite en 1944 par six mois de violents mbats entre les Allemands et les Alliés, puis èlement reconstruite.

**ASSIODORE** ~ *v. 490, Scylacium, Calabre - 575, varium.* Écrivain et homme politique romain. nateur, préfet du prétoire sous Théodoric le ;and, il fonda le monastère de Vivarium, s'y retira se consacra à l'élaboration d'une somme sur la térature antique.

**ASSIRER** (Ernst) ~ *1874, Breslau - 1945, New ork.* Philosophe allemand. Il s'attacha à l'étude de dynamique historique et épistémologique qui a imé les mathématiques, la biologie et l'histoire (*Problème de la connaissance dans la philosophie et la science des temps modernes*, 1906-1940). Il étendit cette enquête à l'analyse des formes symboliques qui fondent la culture européenne (*Philosophie des formes symboliques*, 1923-1929).

**CASSIS** ~ Petit port de pêche et station baln. des Bouches-du-Rhône, au fond de la **calanque de Cassis** ; 7 967 h. Vins blancs.

**CASTAGNICCIA** (la) ~ Région montagneuse du N.-E. de la Corse vouée à la cult. du châtaignier.

**CASTEL GANDOLFO** ~ Station estivale d'Italie (Latium), au S. de Rome ; env. 7 000 h. Résidence d'été du pape.

**CASTELLANE** ~ V. tourist. des Alpes-de-Haute-Provence, près des gorges du Verdon ; 1 349 h.

**CASTELLANE** (Victor Boniface, comte DE) ~ *1788, Paris - 1862, Lyon.* Maréchal de France. Il prit part aux campagnes de Napoléon Iᵉʳ et collabora au coup d'État de Napoléon III (1851).

**CASTELLET (Le)** ~ Localité du Var, au N.-O. de Toulon ; 3 084 h. Autodrome (circuit Paul-Ricard).

**CASTELLÓN DE LA PLANA** ~ V. du littoral méditerranéen espagnol, marché agric., au N.-E. de Valence ; 133 000 h. Raff. de pétr., chim., textile.

**CASTELNAU** (Édouard de **Curières** DE) ~ *1851, Saint-Affrique, Aveyron - 1944, Montastruc-la-Conseillère, Haute-Garonne.* Général français. Adjoint de Joffre (1915-1916), il commanda ensuite le groupe d'armées de l'Est. Élu député d'extrême droite en 1919, il fonda la Fédération nationale catholique.

**CASTELNAU** (Pierre DE) ~ *m. en 1208 à Saint-Gilles.* Cistercien français. Légat pontifical chargé de lutter contre l'hérésie cathare, il fut assassiné, ce qui déclencha la croisade des albigeois.

**CASTELNAUDARY** ~ V. du Lauragais (Aude), sur le canal du Midi ; 10 970 h. (agglom. 12 023 h.). Conserveries (cassoulet), faïences.

**CASTELO BRANCO** (Camilo) ~ *1825, Lisbonne - 1890, São Miguel de Ceide.* Écrivain portugais. Peintre cruel des mœurs de son temps, il est l'auteur d'*Amour de perdition* (1862) et des *Nouvelles du Minho* (1875-1877).

**CASTELSARRASIN** ~ V. de la vallée de la Garonne (Tarn-et-Garonne), marché agricole à l'O. de Montauban ; 11 317 h. Église du XIIIᵉ s.

**CASTERET** (Norbert) ~ *1897, Saint-Martory, Haute-Garonne - 1987, Toulouse.* Spéléologue français. Il découvrit plusieurs sites préhistoriques, reconnut la source de la Garonne (1931) et publia ses aventures souterraines dans de nombreux ouvrages.

**CASTIGLIONE** (Baldassare) ~ *1478, Casatico, Mantoue - 1529, Tolède.* Diplomate et écrivain italien. Dans *le Livre du courtisan* (1513-1518), il dépeint l'homme de cour accompli.

**CASTIGLIONE** (Giovanni Benedetto) ~ *v. 1616, Gênes - v. 1670, Mantoue.* Peintre et graveur italien. Son œuvre subit l'influence des peintres flamands du XVIIᵉ s. Il fut le premier graveur à utiliser le monotype.

**CASTILLE** (la), en esp. ***Castilla*** ~ Région centrale de l'Espagne, correspondant à la partie la plus haute et la plus étendue du plateau intérieur (Meseta), entre les monts Cantabriques, Ibériques et la sierra Morena. Les reliefs intérieurs (sierras de Gredos, de Guadarrama, monts de Tolède) encadrent les bassins fluviaux (Duero, Tage, Guadiana). Climat continental. Cult. sèches (céréales, olivier) et élev. ovin dominants, vigne et cult. irriguées dans les vallées. La densité rurale est faible, les grandes villes sont rares. La communauté autonome de **Castille-León** (94 147 km², 2 546 000 h., v. princ. Valladolid, la cap., Salamanque, Burgos, León) a remplacé, dans le nouveau découpage territorial, l'anc. **Vieille-Castille** (qui incluait les actuelles Cantabrie et Rioja, auj. détachées, mais pas le León). Celle de **Castille-La Manche** (79 226 km², 1 658 000 h., v. princ. Guadalajara, Tolède, la cap., Albacete) a remplacé celle de **Nouvelle-Castille** (qui incluait Madrid, mais pas la Manche). **HIST.** - Comté formé dans la lutte contre les Maures (IXᵉ s.), la Castille fut érigée en royaume (1036) et absorba le León. Son rôle dans la Reconquista (victoire de Las Navas de Tolosa, 1212) la porta au premier rang des États ibériques et en fit le moteur de l'Espagne unie par le mariage de sa reine Isabelle avec Ferdinand d'Aragon (1479).

**Castillo (mont)** ~ Site préhistorique espagnol proche de Puente Viesgo (Cantabrie). Grottes du Paléolithique décorées de peintures murales.

**CASTILLON-LA-BATAILLE** ~ Localité viticole du Bordelais (côtes-de-castillon) sur la rive droite de la Dordogne, près de Saint-Émilion (Gironde) ; 3 020 h. L'armée anglaise de Talbot y fut anéantie à la fin de la guerre de Cent Ans (1453). Spectacle-commémoration.

**CASTLEREAGH** (Robert **Stewart**, vicomte), marquis **de Londonderry** ~ *1769, Mount Stewart, Down - 1822, North Cray, Kent.* Homme politique britannique. Ministre de la Guerre puis des Affaires étrangères, il conduisit la politique contre Napoléon Iᵉʳ et joua un rôle important au congrès de Vienne (1814-1815).

**CASTOR** et **POLLUX** ~ Héros de la mythologie grecque. Fils jumeaux de Zeus et de Léda, inséparables, ils sont surnommés les Dioscures. Transformés en astres, ils forment la constellation des Gémeaux.

**CASTRES** ~ V. du Tarn, au S.-O. du Massif central, sur l'Agout, au pied du Sidobre ; 44 812 h. (agglom. 46 482 h.). Premier centre français du lainage cardé. Anciennes demeures de tisserands et teinturiers. Cathédrale baroque. Musées Goya, Jaurès.

**CASTRO** (Fidel) ~ *1927, Mayarí.* Homme d'État cubain. Opposant à la dictature de Batista, qu'il renversa en 1959, il devint Premier ministre. Face à l'hostilité américaine, il se rapprocha de l'U. R. S. S. et adhéra au communisme (1961). Après la « crise des fusées » (1962), qui provoqua le blocus (jamais suspendu depuis) de l'île par les Américains, il s'imposa comme l'un des principaux dirigeants du tiers-monde. Cumulant les fonctions de chef d'État et de premier secrétaire du parti communiste cubain depuis 1976, il accentua l'autoritarisme. Il a dû engager son pays dans la « période spéciale » dans le but d'amortir le choc économique qu'a représenté la disparition de l'U. R. S. S.

**CASTRO** (Josué DE) ~ *1908, Recife - 1973, Paris.* Économiste brésilien. Il fut président de l'Association mondiale contre la faim.

**CASTRO Y BELLVÍS** (Guilhem ou Guillén DE) ~ *1569, Valence - 1631, Madrid.* Auteur dramatique espagnol. Sa pièce *les Enfances du Cid* (1618) fournit à Corneille la matière du *Cid.*

**Catalauniques (champs)** ~ Plaine de la Champagne. En 451, une armée romaine, où les auxiliaires francs et surtout wisigoths jouèrent le rôle principal, dirigée par Actius, vainquit Attila.

**Çatal Höyük** ~ Site préhistorique d'Anatolie. Village néolithique avec maisons et fresques des VIIᵉ-VIᵉ mill. av. J.-C.

**CATALOGNE** (la), en esp. ***Cataluña***, en catalan ***Catalunya*** ~ Communauté autonome d'Espagne (N.-E.), région frontalière de la France (Roussillon) ; 31 930 km², 6 059 000 h., v. princ. Barcelone (cap.), Lérida, Tarragone, Gérone. Entre le versant S. des Pyrénées et la basse vallée de l'Èbre, au S., le littoral méditerranéen, au climat doux (chaud l'été), concentre l'essentiel de la population et de l'activité. L'intérieur (prov. de Lérida), au-delà des chaînes côtières, constitue la frange orientale du domaine aragonais, sec. L'agglomération de Barcelone regroupe la plupart des industries et services. Les stations du littoral attirent de nombreux touristes étrangers (Costa Brava, Costa Dorada). Le dynamisme économique, ancien, a nourri le courant autonomiste. Le catalan, langue proche de l'espagnol, est pratiqué par 63 % de la population. **HIST.** - Province romaine, conquise par les Wisigoths puis par les Arabes. Marche espagnole de l'Empire carolingien (801), la Catalogne s'organisa en État sous la direction des comtes de Barcelone (Xᵉ-XIᵉ s.). Montés sur le trône d'Aragon (1150), ces derniers récusèrent la suzeraineté des rois de France et bâtirent un empire méditerranéen qu'ils apportèrent à l'Espagne unifiée. Révoltée contre les Habsbourg (1640), elle s'allia à la France qui en annexa le N. (Roussillon) en 1659. Autonome de 1931 à 1939, elle perdit ce statut sous Franco et ne le retrouva qu'en 1979.

**CATAMARCA** ~ V. du N.-O. de l'Argentine, centre minier au pied des Andes, ch.-l. de la **province de Catamarca** (102 602 km² ; 264 000 h.) ; 110 000 h.

**CATANE**, en ital. *Catania* ~ 2e v. de Sicile, port industr. (raffinerie de soufre), sur la mer Ionienne ; 327 000 h. Université. Archevêché. La ville, plusieurs fois détruite par des séismes, recouverte par les laves de l'Etna (1669), a été reconstruite au XVIIIe s. Cathédrale, palais.

**CATANZARO** ~ Cap. régionale de la Calabre (Italie), centre commercial (huile d'olive) et industriel (engrais) ; 97 000 h.

**CATEAU-CAMBRÉSIS (Le)** ~ V. du Nord, aux confins du Cambrésis et de la Thiérache ; 7 703 h. (agglom. 8 027 h.). Industries textiles. Église baroque (XVIIe s.), beffroi (XVIIIe s.), musée Matisse. **HIST.** - En 1559, Henri II y signa deux traités. Par le premier (2 avr.), signé avec Élisabeth Ire d'Angleterre, Calais restait français. Le second (3 avr.), signé avec Philippe II d'Espagne, concluait les guerres d'Italie : la France conservait les Trois-Évêchés mais perdait la Savoie.

**CATHERINE D'ALEXANDRIE** (sainte) ~ *IVe s.* Vierge érudite, martyrisée à Alexandrie sous l'empereur Maxence, selon un récit légendaire.

**CATHERINE DE SIENNE** (sainte) ~ *1347, Sienne - 1380, Rome.* Religieuse italienne. Elle convainquit le pape Grégoire XI de quitter Avignon pour Rome et tenta d'empêcher le grand schisme d'Occident (*Dialogue*).

**CATHERINE LABOURÉ** (sainte) ~ *1806, Fain-lès-Moutiers, Côte-d'Or - 1876, Paris.* Religieuse française. Sa vision de la Vierge en 1830, au couvent des filles de la Charité, à Paris, fut à l'origine de la dévotion à la « médaille miraculeuse ».

**CATHERINE D'ARAGON** ~ *1485, Alcalá de Henares - 1536, château de Kimbolton.* Reine d'Angleterre (1509-1535). Fille de Ferdinand d'Aragon et d'Isabelle la Catholique, elle épousa Arthur, fils aîné d'Henri VII. De son remariage avec Henri VIII naquit Marie Tudor. Sa répudiation, en 1533, puis le remariage d'Henri VIII avec Anne Boleyn furent à l'origine du schisme anglican.

**CATHERINE DE MÉDICIS** ~ *1519, Florence - 1589, Blois.* Reine de France (1547-1589). Fille de Laurent II de Médicis, elle épousa le futur Henri II en 1533. Durant les règnes de son mari (qui lui préféra Diane de Poitiers) et de son fils aîné, François II, elle demeura à l'écart des affaires, mais assura la régence à l'avènement de Charles IX (1560). Pour maintenir l'autorité royale, elle tenta, avec l'aide du chancelier Michel de L'Hospital, de réconcilier protestants et catholiques (colloque de Poissy, 1561 ; paix de Saint-Germain, 1570 ; mariage de Marguerite de Valois, sa fille, avec le protestant Henri de Navarre, 1572). Mais, menacée par Coligny, elle laissa les Guises organiser le massacre de la Saint-Barthélemy. Son influence décrut sous le règne d'Henri III, son troisième fils.

**CATHERINE HOWARD** ~ *v. 1522 - 1542, Londres.* Reine d'Angleterre (1540-1542), 5e femme d'Henri VIII. Elle fut exécutée pour adultère.

**CATHERINE PARR** ~ *1512, Kendal, Cumbria - 1548, château de Sudeley.* Reine d'Angleterre (1543-1548), 6e femme d'Henri VIII. Luthérienne, elle plaida auprès de son époux en faveur de la liberté religieuse.

**CATHERINE II LA GRANDE** ~ *1729, Stettin, auj. Szczecin - 1796, Saint-Pétersbourg.* Impératrice de Russie (1762-1796). Fille du duc d'Anhalt-Zerbst, elle épousa Pierre III, qu'elle renversa par un coup d'État en 1762. Despote éclairé, amie de Diderot, elle reçut à sa cour artistes et philosophes, et embellit Saint-Pétersbourg. Elle réalisa l'unification législative et administrative de l'empire, mais aggrava le sort des paysans en généralisant le servage (révolte de Pougatchev durement réprimée, 1773-1774). Sous son règne, les partages de la Pologne et les guerres contre la Turquie assurèrent à l'empire la possession de la Crimée et le contrôle du littoral de la mer Noire jusqu'au Dniestr.

**CATILINA**, en lat. ***Lucius Sergius Catilina*** ~ *v. 108 - 62 av. J.-C., Pistoia.* Patricien romain. Il prit la tête d'une conspiration populiste, que Cicéron dénonça (*Catilinaires*). Il mourut au combat.

**CATINAT** (Nicolas) ~ *1637, Paris - 1712, Saint-Gratien.* Maréchal de France. Il s'illustra pendant la guerre de la ligue d'Augsbourg (Staffarde, 1690 ; La Marsaille, 1693).

**CATON D'UTIQUE**, en lat. *Marcus Porcius Cato* ~ *v. 93 - 46 av. J.-C., Utique.* Homme politique romain. Il défendit la république et se joignit aux ennemis de César. Leur défaite le contraignit, en stoïcien convaincu, au suicide.

**CATON L'ANCIEN**, en lat. *Marcus Porcius Cato* ~ *234, Tusculum, Latium - 149 av. J.-C., id.* Homme politique romain. Consul en 195 av. J.-C., censeur en 184, il s'opposa aux Scipions, défendit l'austérité romaine contre l'influence grecque et lutta contre Carthage.

**CATROUX** (Georges) ~ *1877, Limoges - 1969, Paris.* Général français. Gouverneur général de l'Indochine (1939), il rejoignit les Forces françaises libres (1940) et fut gouverneur général de l'Algérie (1943-1944). Il fut ambassadeur à Moscou (1945-1948).

**CATSKILL (monts)** ~ Massif des Appalaches, aux États-Unis (alt. max. 1 280 m), région tourist. (sports d'hiv.), à 120 km au N.-O. de New York.

**CATTÉGAT** ~ Voir **Kattegat**.

**CATTENOM** ~ Petite ville lorraine, sur la Moselle, près de la frontière luxembourgeoise (Moselle), au N.-E. de Thionville ; 2 190 h. Centrale nucléaire.

**CATULLE**, en lat. *Caius Valerius Catullus* ~ *v. 87, Vérone - v. 54 av. J.-C., Rome.* Poète latin. Initiateur de la poésie lyrique latine, il transposa à Rome les sujets et procédés des Alexandrins (*les Noces de Thétis et de Pélée*).

**CAUCA (río)** ~ Riv. andine de Colombie (1 250 km), issue de la Cordillère centrale, affl. du Magdalena (r. g.), qui arrose Cali. Sa vallée fertile (café) est un axe de communication.

**CAUCASE** (le) ~ Système montagneux qui s'étend sur 440 000 km$^2$ entre la mer Noire et la Caspienne, barrière naturelle entre l'Europe et l'Asie (Iran, Turquie). Il comprend les pays du Caucase du N. ou **Ciscaucasie** (piémont septentrional, en Russie), le **Grand Caucase** (Elbrouz, 5 642 m) et la Transcaucasie (bassins du Rioni et de la Koura, **Petit Caucase**). Refuge naturel, le Caucase est une mosaïque ethnique (Arméniens, Azéris, Géorgiens, Tchétchènes, Tcherkesses, Ossètes, Russes, etc.).

**CAUCHON** (Pierre) ~ *v. 1371, près de Reims - 1442, Rouen.* Évêque de Beauvais. Conseiller du duc de Bourgogne, partisan des Anglais, il refusa de reconnaître Charles VII comme roi (1429), puis il dirigea le procès de Jeanne d'Arc, apportant la caution religieuse à sa condamnation (1430-1431).

**CAUCHY** (baron Augustin) ~ *1789, Paris - 1857, Sceaux.* Mathématicien français. Il créa la théorie des fonctions d'une variable complexe, et influa par sa rigueur sur l'évolution des sciences exactes.

**Caudines (fourches)** ~ Défilé proche de la ville de Caudium. Les Romains y furent battus par les Samnites (321 av. J.-C.) et contraints de passer sous un joug qu'ils avaient dressé.

**CAUDRON**, famille d'aviateurs et d'ingénieurs français. ~ **Gaston** (*1882, Favières, Somme - 1915, Lyon*) et son frère ~ **René** (*1884, Favières - 1959, Vron, Somme*) créèrent en 1909 une société de construction aéronautique qui produisit des avions de guerre, de tourisme, de transport et qui fut nationalisée à la Libération (1945).

Catherine de Médicis *(détail), peinture (attribuée à) François Clouet (v. 1510-1572). Musée Carnavalet, Paris.*

Catherine II *de Russie (détail). Château de Versailles.*



**CAUDRY** ~ V. industrielle du Cambrésis (No au S.-E. de Cambrai ; 13 579 h. (agglo 14 273 h.). Dentelle mécan., cosmétiques.

**CAULAINCOURT** (Armand, marquis DE) ~ *17 Caulaincourt, Aisne - 1827, Paris.* Général et dip mate français. Ambassadeur en Russie, il fut ens ministre des Relations extérieures (1813-1814 1815).

**CAUS** (Salomon DE) ~ *v. 1576, pays de Ca 1626, Paris.* Ingénieur français. Auteur de la thé de l'expansion et de la condensation de la vap il imagina une machine permettant le pompage l'eau (1615).

**CAUSSES** (les) ~ Ensemble de plateaux calca sans écoulement superficiel du S. du Massif cent séparés par des gorges où coulent not. le Tarn, Jonte, l'Aveyron, la Dourbie et le Lot. Les **Gra Causses** (alt. de 900 à 1 200 m) de la Lozère de l'Aveyron (Sauveterre, Séverac, Comtal, Méje Noir, Larzac) sont dénudés, accidentés de vall sèches et de petites dépressions (dolines), se terres arables. Élev. ovin, fromage (bleu). Touris dans les vallées (gorges du Tarn). Les **Petits Caus** du Quercy, à l'E. (Tarn-et-Garonne, Aveyron), s plus boisés et moins élevés (alt. max. 600 m).

**CAUTERETS** ~ Station therm. des Hautes-Py nées (930 m), au N. du Vignemale ; 1 201 h. Spo d'hiver jusqu'à 2 300 m.

**CAUX (pays de)** ~ Plateau crayeux de Norman (O. de la Seine-Maritime), recouvert de limo (agric. intensive, élev. bovin). Il finit par de hau falaises dominant la Manche, entaillées par valleuses. Ports de Dieppe, Fécamp, Étretat.

**CAVAFY** (Konstandínos **Kaváfis**, dit Consta tin) ~ *1863, Alexandrie - 1933, id.* Poète grec. mêla, dans une langue sobre, l'évocation de la Gr antique et ses interrogations sur le monde moder.

**CAVAIGNAC** (Louis Eugène) ~ *1802, Par 1857, Ourne, Sarthe.* Général français. Nom ministre de la Guerre lors de la révolution de 18 il fut chargé de réprimer l'insurrection des ouvri parisiens en juin 1848. Candidat à la préside de la République, il fut battu par Louis Napolé (10 déc. 1848).

**CAVAILLÉ-COLL** (Aristide) ~ *1811, Montpelli 1899, Paris.* Facteur d'orgues français. Il réalisa orgues de Saint-Denis, de Saint-Sulpice, de Madeleine et de Notre-Dame de Paris.

**CAVAILLÈS** (Jean) ~ *1903, Saint-Maixent - 19 Arras.* Mathématicien et philosophe français. réalisa d'importants travaux en logique, en philo phie des mathématiques et en théorie des ensemb (*Sur la logique et la théorie de la science*, 194 Résistant, il fut tué par les nazis.

**CAVAILLON** ~ V. du Vaucluse, à l'O. du Lube marché agricole (melons, primeurs) ; 23 102 (agglom. 34 686 h.). Anc. cathédrale romane. romain (Ier s. apr. J.-C.). Synagogue du XVIIIe s.

**CAVALAIRE-SUR-MER** ~ Station balnéaire de côte des Maures (Var), au S.-O. de Saint-Trop 4 188 h. (agglom. 6 822 h.). Débarquement Américains le 15 août 1944.

**CAVALCANTI** (Guido) ~ *v. 1255, Floren 1300, id.* Poète italien. Après Dante, dont il l'ami, il est le plus illustre représentant du *dolce nuovo.*

**CAVALIER** (Jean) ~ *1680, Ribaute-les-Tavern 1740, Jersey.* Chef des camisards protestants Cévennes révoltés contre Louis XIV. Il se sour en 1704 et servit ensuite l'Angleterre.

**Cavalier bleu** (le) ~ Voir **Blaue Reiter** (De

**CAVALIERI** (Bonaventura) ~ *1598, Milan - 16 Bologne.* Prêtre et mathématicien italien. Il dé loppa la méthode d'intégration directe dans le calc intégral et popularisa l'usage des logarithmes Italie.

**CAVELIER DE LA SALLE** ~ Voir **La Salle**.

**CAVENDISH** (Henry) ~ *1731, Nice - 1810, L dres.* Physicien et chimiste britannique. On lui d la première analyse précise de l'air. Avec Ch. Co lomb, il fonda l'électrostatique moderne.

**CAVOUR** (Camillo **Benso**, comte DE) ~ *18 Turin - 1861, id.* Homme d'État italien. Partisan l'unité italienne, libéral, il fit connaître ses id dans son journal *Il Risorgimento* (1847). Dépu ıistre des Finances (1851), il devint président Conseil en 1852. Il modernisa le royaume de mont-Sardaigne, renforça son armée et négocia : alliance avec la France pour chasser les ɔsbourg de l'Italie du Nord. Le royaume d'Italie proclamé peu de temps avant sa mort.

**WNPORE** ~ Voir **Kanpur**.

**YATTE** (André) ~ *1909, Carcassonne - 1989, is.* Cinéaste français. Ancien avocat et journiste, il réalisa des films critiques (*Nous sommes s des assassins*, 1952) et pacifistes (*le Passage Rhin*, 1960).

**YENNE** ~ Préfect. de la Guyane française, sur :éan Atlantique, port de pêche (crevette) et de nmerce (bois) ; 41 659 h. (agglom. 66 094 h., ɔeuplement multiethnique). Ancien centre de ortation des condamnés aux travaux forcés.

**YLEY** (Arthur) ~ *1821, Richmond - 1895, nbridge.* Mathématicien britannique. Il inventa calcul matriciel, qui se révélera d'une grande portance pour la physique quantique.

**YLEY** (sir George) ~ *1773, Scarborough, York-re - 1857, Brompton Hall, id.* Inventeur britanni-:. Il mit au point, dès 1809, le premier planeur inventa le concept de l'avion moderne.

**ZOTTE** (Jacques) ~ *1719, Dijon - 1792, Paris.* ivain français. Son conte *le Diable amoureux* 772) en fait le précurseur du récit fantastique nçais.

**D. U.** ~ Voir **Christlich-Demokratische ion.**

**E. A.** ~ Voir **Commissariat à l'énergie mique.**

**ARÁ** (le) ~ État du Nordeste brésilien (N.) ; 5 700 km$^2$, 6 353 000 h., cap. Fortaleza. Coton, x de cajou, cultures irriguées.

**AUŞESCU** (Nicolae) ~ *1918, Scorniceşti - 39, Tîrgovişte.* Homme d'État roumain. Secrétaire parti communiste (1965), il fut président du nseil d'État (1967) et président de la République 974). Dictateur mégalomane, il fut renversé, nmairement jugé et exécuté.

**BU** ~ Île des Philippines, au centre de l'archipel Visayas ; 4 422 km$^2$, env. 1 630 000 h., v. princ. **bu** (610 000 h.), port comm. et archevêché. prah, tabac, canne à sucre. Charbon, cuivre.

**ca** ~ Voir **Communauté européenne du char- n et de l'acier.**

**ÉCILE** (sainte) ~ *IIIe s.* Martyre romaine. Mariée n païen, elle l'aurait converti et il aurait partagé n supplice.

**ÉCROPS** ~ Roi légendaire d'Attique et fondateur Athènes, à qui il aurait donné une organisation ɔnomique, politique, sociale et religieuse.

**ÉDRON** ~ Torrent de Palestine, dont la vallée ɔare Jérusalem du mont des Oliviers.

**E. E.**, sigle de la Communauté économique ropéenne ~ Voir **Europe**.

**E. E. A.** ~ Voir **Communauté européenne de nergie atomique.**

**EFALÙ** ~ V. d'Italie, station baln. et centre ırist. de la côte N. de la Sicile, à l'E. de Palerme ; v. 14 000 h. Cathédrale romane de style normand XIIe s. (mosaïques byzantines).

**E. I.** ~ Voir **Communauté des États indépen- nts.**

**ELA** (Camilo José) ~ *1916, Padrón, la Corogne.* rivain espagnol. Il a renouvelé le roman réaliste picaresque (*la Famille de Pascal Duarte*, 1942 ; *Ruche*, 1951). Prix Nobel de litt. 1989.

**ELAN** (Paul **Antschel**, dit Paul) ~ *1920, Tcher- vtsy - 1970, Paris.* Poète français d'orig. rou- aine et d'expression allemande. Hantée par le nocide du peuple juif, son œuvre confronte la ésie à l'expérience de la désolation et de l'exil *Rose de personne*, 1963).

**ÉLÉ** (le) ~ Affl. du Lot dont la vallée entaille le ut Quercy ; 102 km. Il arrose Figeac.

**ÉLÈBES** ou **SULAWESI** ~ Île d'Indonésie, à l'E. Bornéo, formée de quatre péninsules monta- euses (alt. max. 3 440 m), de climat équatorial ; 9 216 km$^2$, 12 020 000 h., v. princ. Ujungpan- ng, anc. Macassar (cap.), Palu (298 000 h.), anado (275 000 h.). Bois précieux (teck, santal), fé, coprah, épices, rotin, riz, nickel. Tourisme.

Progressivement occupée par les Hollandais dès le XVIIe s., l'île fut intégrée à l'Indonésie en 1950.

**CÉLESTIN V** (Pietro **Angeleri**, dit aussi **Pietro del Morrone**, saint) ~ *v. 1215, Isernia, Pouille - 1296, près de Ferentino.* Pape en 1294. Il fut le premier pape à abdiquer, après cinq mois d'un pontificat disputé par le futur Boniface VIII.

**CÉLINE** (Louis-Ferdinand **Destouches**, dit) ~ *1894, Courbevoie - 1961, Meudon.* Écrivain français. Médecin de banlieue, il fit paraître en 1932 *Voyage au bout de la nuit*, dénonciation de la société et de son hypocrisie, dans un style autobiographique mais romancé, voire allégorique, qui culmine dans *Mort à crédit* (1936), *Guignol's band* (1944), *Nord* (1960) et *Rigodon* (posth., 1969). Son écriture, violente et hachée, lyrique et argotique, l'imposa comme l'un des grands auteurs du XXe s. Ses pamphlets antisémites lui valurent la prison.

**CELLE** ou **ZELLE** ~ V. d'Allemagne (Basse-Saxe), au N.-E. de Hanovre ; env. 72 000 h. Équipements pour l'industrie pétrolière. Résidence des ducs de Brunswick-Lunebourg (XIVe-XVIIIe s.), elle a gardé son noyau ancien.

**CELLE-SAINT-CLOUD (La)** ~ V. de l'O. de l'agglom. parisienne (Yvelines), au N. de Versailles ; 22 834 h. Château du XVIIe s., remanié au siècle suivant pour Mme de Pompadour.

**CELLINI** (Benvenuto) ~ *1500, Florence - 1571, id.* Orfèvre et sculpteur italien. Son habileté, sa curiosité intellectuelle et sa vie aventureuse, complaisamment évoquées dans ses *Mémoires*, firent de Cellini une figure légendaire de la Renaissance italienne. Il est l'auteur du célèbre *Persée* (1545-1553), conservé à Florence.

**CELSE** ~ *IIe s.* Polémiste romain. Il attaqua la religion chrétienne, qu'il taxa de superstition dans ses écrits, réfutés par Origène.

**CELSIUS** (Anders) ~ *1701, Uppsala - 1744, id.* Astronome et physicien suédois. Il est l'inventeur de l'échelle thermométrique qui porte son nom (1742).

**Celtes** (les) ~ Populations nomades de langue indo-européenne qui conquirent une partie de l'Europe à partir de 1200 av. J.-C. Ils s'établirent en Espagne, en Italie, en Allemagne et dans les Balkans, et occupèrent la Gaule et les îles Britanniques. Leur dernière migration dévasta la Grèce et fonda la Galatie, en Asie Mineure. L'expansion germanique et l'impérialisme romain réduisirent la puissance celte, à l'exception de l'Irlande et de l'Écosse (Scots et Pictes).

© A. Thomas-Explorer

*Chaudron en argent de Gundestrup, art* **celte**. *Musée national de Copenhague.*

**Celtibères** (les) ~ Peuple celte d'Espagne du Nord, soumis par Carthage (IIIe s. av. J.-C.) puis par les Romains (IIe s. av. J.-C.).

**CELTIQUE** (la) ~ Nom sous lequel les Romains désignèrent toute la Gaule transalpine, puis la Gaule dite Lyonnaise.

**CEMAL PAŞA** ~ Voir **Djemal Pacha**.

**CENDRARS** (Frédéric **Sauser**, dit Blaise) ~ *1887, La Chaux-de-Fonds - 1961, Paris.* Écrivain français d'orig. suisse. Voyageur infatigable, il conjugua la passion de l'aventure et l'exaltation d'une vie dangereuse dans des reportages romancés et des poèmes qui appréhendent fiévreusement la totalité du monde (*la Prose du Transsibérien et de la petite Jehanne de France*, 1913 ; *l'Or*, 1925 ; *Moravagine*, 1926 ; *l'Homme foudroyé*, 1945).

**CENIS (Mont-)** ~ Massif des Alpes du N. (3 620 m), entre l'Arc et la Doire Ripaire, dominant le col routier (2 083 m) et la retenue du même nom.

**CENON** ~ V. de la banlieue E. de Bordeaux (Gironde), sur la Garonne (r. dr.) ; 21 363 h.

**Cent Ans (guerre de)** ~ Conflit aux enjeux multiples (dynastiques, territoriaux, économiques) qui opposa la France à l'Angleterre de 1337 à 1453. En 1328, Édouard III d'Angleterre, petit-fils de Philippe IV le Bel par sa mère, duc de Guyenne et donc vassal du Capétien, fut évincé du trône de France, au nom de la loi salique, par Philippe VI de Valois, neveu du même roi mais capétien en ligne masculine. Coupée de trêves et d'embellies (sous Charles V, aidé de Du Guesclin), la lutte fut marquée par les défaites françaises de Crécy (1346), de Poitiers (1356), d'Azincourt (1415), et par les traités de Brétigny (1360 : Jean II le Bon abandonne le S.-O. du royaume) et de Troyes (1420 : Charles VI reconnaît pour héritier Henri V d'Angleterre au détriment de son fils le dauphin Charles, réfugié à Bourges). Elle se compliqua par la lutte entre Armagnacs et Bourguignons, ces derniers alliés des Anglais (1410-1435). Mais Jeanne d'Arc l'ayant fait sacrer roi, Charles VII profita des divisions anglaises et reconquit son royaume. Il chassa les Anglais (Castillon, 1453), qui ne gardèrent sur le continent que Calais, ce qu'entérina le traité de Picquigny (1475).

**Cent-Associés** (Compagnie des) ou **Compagnie de la Nouvelle-France** ~ Compagnie commerciale et coloniale de cent actionnaires, fondée par Richelieu pour développer les échanges avec le Canada (1627-1645).

**Centaures** (les) ~ Êtres monstrueux de la mythologie grecque, mi-hommes, mi-chevaux, qui vivaient dans les montagnes de Thessalie, dont ils furent chassés par les Lapithes.

**Cent-Jours** ~ Période du 20 mars au 22 juin 1815 durant laquelle Napoléon revint au pouvoir, et qui s'acheva par sa seconde abdication.

**CENTRAFRICAINE (République)** ~ Pays enclavé de l'Afrique centrale. ***Cap.*** Bangui. ***Superf.*** 622 436 km$^2$. ***Popul.*** 3 068 000 h. ***Langues princ.*** Français, sango. ***Monn.*** Franc CFA. ***Relief.*** Plateau couvert par la savane arborée (forêt dense au S.), correspondant aux bassins du Chari-Logone (N.) et de l'Oubangui (S.). ***Climat.*** Les pluies décroissent du S. (subéquatorial) au N. (longue saison sèche). ***Écon.*** Fondée sur l'agriculture vivrière (mil, sorgho, manioc) et commerciale (café, coton, canne à sucre, huile de palme), l'élevage bovin et l'extraction des diamants. Importantes ressources de fer et d'uranium sous-exploitées. **HIST.** – Le pays est très anciennement peuplé (Pygmées, Bantous). *XVIIIe-XIXe s.* : il est ravagé par la traite des Noirs et par la variole ; des « sociétés concessionnaires » européennes s'attribuent de vastes exploitations (caoutchouc). *1905* : la France crée la colonie de l'Oubangui-Chari, intégrée en 1910 à l'Afrique-Équatoriale française. *1946-1960* : le territoire d'outre-mer, devenu République centrafricaine en 1958, acquiert l'indépendance (David Dacko président). *1966* : Jean-Bedel Bokassa accède au pouvoir par un coup d'État. *1976* : il se proclame empereur. *1979* : D. Dacko renverse Bokassa avec l'aide de la France et rétablit la république. *1981* : D. Dacko est renversé par le général André Kolingba, qui dote le pays d'une nouvelle Constitution (1985) et introduit le multipartisme. *1993* : il est battu à la présidentielle par Ange-Félix Patassé (Mouvement de libération du peuple centrafricain).

**Central Intelligence Agency** (**C. I. A.**), en fr. « Agence centrale de renseignements » ~ Agence américaine, créée en 1947 et chargée sous l'autorité du président des États-Unis des activités d'espionnage et de contre-espionnage.

**CENTRE** (le) ~ Région admin. française qui englobe les départements traversés par la Loire moyenne et ses affluents, au S. de l'Île-de-France (Loiret, Eure-et-Loir, Loir-et-Cher, Cher, Indre-et-Loire, Indre) ; 39 500 km$^2$, 2 371 036 h., préfect. Orléans. La proximité de Paris fait du Centre une Région dynamique (Orléans, Chartres, Tours, plus que Bourges, ont bénéficié de la décentralisation) mais subordonnée.

**CENTRE (canal du)** ~ Canal qui relie la Saône à la Loire. Il dessert Le Creusot et longe la Bourbince.

**Centre national de la recherche scientifique** (C. N. R. S.) ~ Établissement public français créé à Paris en 1939 (comprenant 12 délégations régionales depuis 1990). Il est chargé de développer et de coordonner la recherche publique en France et peut conclure des accords de partenariat avec le secteur privé.

**Centre national des études spatiales** (Cnes) ~ Établissement public français, créé en 1962, chargé de mettre en œuvre la politique spatiale.

**CÉPHALONIE** ~ La plus grande des îles Ioniennes, en Grèce ; 904 km², 32 000 h. (ch.-l. Argostoli). Tourisme balnéaire. Olivier, vigne.

**CÉRAM** ou **SÉRAM** ~ Île des Moluques (Indonésie), couverte par la forêt dense ; 17 000 km², env. 100 000 h. Bois, pétrole. Popul. métissées de Malais et de Papous dans l'intérieur.

**CERBÈRE** ~ Station baln. des Pyrénées-Orientales, à la frontière espagnole ; 1 461 h.

**CERBÈRE** ~ Chien à trois têtes et à queue de dragon, au dos hérissé de serpents, gardien des Enfers, dans la mythologie grecque. Fils de Typhon et d'Échidna, il fut dompté par Héraclès.

**CERDAGNE** (la) ~ Haut bassin (Têt, Sègre) des Pyrénées-Orientales (alt. moyenne 1 200 m), partagé depuis 1659 entre l'Espagne et la France. Élevage bovin. Sports d'hiver (Font-Romeu).

**CERDAN** (Marcel) ~ *1916, Sidi-Bel-Abbès - 1949, Açores.* Boxeur français. Il remporta le titre de champion du monde des poids moyens en 1948.

**CÈRE** (la) ~ Riv. d'Auvergne issue des monts du Cantal, affl. de la Dordogne (r. g.) ; 110 km.

**CÉRÈS** ~ Déesse romaine des Moissons et de la Fertilité, assimilée à Déméter.

**CÉRET** ~ V. du Vallespir (Pyr.-Orient.), sur le Tech, au S.-O. de Perpignan ; 7 285 h. Vergers (cerises). Musée d'Art moderne (toiles cubistes).

**CERGY-PONTOISE** ~ V. nouvelle du N.-O. de l'agglom. parisienne (159 162 h.), préfect. du Val-d'Oise, près du confluent de l'Oise et de la Seine, pôle industriel et tertiaire créé en 1965, qui regroupe 11 communes autour de **Cergy** (48 226 h., site actuel de la préfecture) et de **Pontoise.**

**Cern** ~ Voir **Conseil européen pour la recherche nucléaire.**

**CERNAY** ~ V. d'Alsace, au N.-O. de Mulhouse, dans les collines sous-vosgiennes (Haut-Rhin) ; 10 313 h. Industries text., mécan. et chimique.

**CERNAY-LA-VILLE** ~ Petite ville de l'Hurepoix, au N.-E. de Rambouillet (Yvelines) ; 1 757 h. À l'O., site et anc. abbaye (XIIᵉ s.) des Vaux-de-Cernay.

**CÉRULAIRE** (Michel) ~ Voir **Keroularios.**

**CERVANTÈS** (Miguel **de Cervantes Saavedra**, dit en fr.) ~ *1547, Alcalá de Henares - 1616, Madrid.* Écrivain espagnol. Il combattit à Lépante et fut prisonnier des Turcs. Son œuvre magistrale, *Don Quichotte* (publ. en 1605 et 1615), est une parodie ambiguë des romans de chevalerie où, sous l'apparence de la farce, s'exprime la nostalgie des valeurs héroïques et chrétiennes. Cervantès est également l'auteur des *Nouvelles exemplaires* (1613) et de pièces de théâtre (*Numance*, v. 1580).

**CERVETERI**, anc. **Caere** ~ V. d'Italie (Latium), au N.-O. de Rome ; env. 20 000 h. Nécropole étrusque (VIIᵉ-Iᵉʳ s. av. J.-C.) de l'ancienne Chisra.

**CERVIN (mont)**, en all. ***Matterhorn*** ~ Sommet alpin du Valais (4 478 m), de forme pyramidale, à la frontière italo-suisse. Alpinisme.

**CÉSAIRE** (saint) ~ *v. 470, Chalon-sur-Saône - 543, Arles.* Évêque d'Arles, réformateur de la discipline monastique et ecclésiastique.

**CÉSAIRE** (Aimé) ~ *1913, Basse-Pointe, Martinique.* Écrivain et homme politique français. Ses poèmes (*Cahier d'un retour au pays natal*, 1947), son théâtre (*la Tragédie du roi Christophe*, 1963) célèbrent le thème de la négritude dont il a été l'initiateur avec L. S. Senghor. Il est député de la Martinique depuis 1946.

**CÉSAR** ou **JULES CÉSAR**, en lat. ***Caius Julius Caesar*** ~ *v. 100, Rome - 44 av. J.-C., id.* Homme d'État et général romain. Patricien lié au parti plébéien, il entreprit sa marche vers le pouvoir à la mort de Sylla (78 av. J.-C.). Le premier triumvirat, qu'il forma avec Crassus et Pompée (60 av. J.-C.), lui permit d'accéder au consulat en 59. Puis, nommé proconsul pour cinq ans, il conquit la Gaule. Ayant vainement tenté de faire désarmer Pompée, son principal concurrent, par le Sénat, il franchit le Rubicon en janvier 49 et prit Rome, conquit l'Italie et l'Espagne, battit Pompée à Pharsale (48 av. J.-C.) et le poursuivit en Égypte, où ce dernier fut assassiné. Il installa Cléopâtre sur le trône des Ptolémées, décima les pompéiens en Afrique (Thapsus, 46 av. J.-C.) et en Espagne (Munda, 45 av. J.-C.), puis rentra à Rome auréolé de gloire. Monopolisant les pouvoirs des grandes magistratures d'une manière monarchique tout en maintenant le régime républicain, habile démagogue, il affaiblit le Sénat et les Comices, réforma le calendrier et se fit adorer comme un dieu. Il fut assassiné par des conjurés républicains (dont Brutus, son fils adoptif), lors des ides de mars 44. Ses *Commentaires* des deux guerres restent comme un modèle de classicisme latin.

**CÉSAR** (César **Baldaccini**, dit) ~ *1921, Marseille.* Sculpteur français, célèbre pour ses « compressions » d'automobiles et son travail sur les matières plastiques, dites « expansions ».

**CÉSARÉE** ~ Nom d'anc. villes romaines. Les plus connues sont les capitales de la Cappadoce (auj. Kayseri), de la Palestine (ruines sur la côte israélienne) et de la Maurétanie (auj. Cherchell).

**CESBRON** (Gilbert) ~ *1913, Paris - 1979, id.* Écrivain français. Les problèmes sociaux contemporains (délinquance, euthanasie) sont les sujets de prédilection de ses pièces et romans (*Les saints vont en enfer*, 1952 ; *Chiens perdus sans collier*, 1954).

**CESTAS** ~ V. du S.-O. de la banlieue de Bordeaux (Gironde) ; 16 768 h.

**CEUTA** ~ Port franc et princ. territoire espagnol au Maroc (18 km²), au N. du Rif, en face de Gibraltar ; 68 000 h. Le mont Acho (anc. roche Abyla), au centre de l'enclave, constituait pour les Grecs l'une des deux Colonnes d'Hercule.

**CÉVENNES** (les) ~ Bordure S.-E. du Massif central (alt. moyenne 800 m), qui domine la plaine du Languedoc (garrigues) et la vallée du Rhône au S. du Vivarais, partie de la ligne de partage des eaux Méditerranée-Atlantique. Les Grands Causses, au N. et à l'O., les blocs cristallins soulevés de l'Aigoual et du mont Lozère (1 700 m) bordent les « serres cévenoles », hauts plateaux schisteux découpés en crêtes parallèles par des vallées (Hérault, Gardons d'Anduze et d'Alès, Tarn, Cèze, Ardèche) jadis très peuplées. L'ancienne économie (mûrier, châtaignier, vigne, céréale) a disparu (exode rural). Élevage ovin, vergers. Forêts (not. résineux). Tourisme (parc naturel, villégiature). Foyer protestant, les Cévennes furent le théâtre de la guerre des camisards (1702-1710).

**CEYLAN** ~ Voir **Sri Lanka.**

**CÉZALLIER** (le) ~ Haut plateau basaltique d'Auvergne (alt. 1 555 m), entre les monts Dore et les monts du Cantal. Élevage bovin.

**CÉZANNE** (Paul) ~ *1839, Aix-en-Provence - 1906, id.* Peintre français. Formé à l'école classique, il découvrit l'impressionnisme avec Pissarro. Son art, qui privilégie la forme et le volume et accorde une importance particulière à la couleur (paysages de la montagne Sainte-Victoire), a exercé une grande influence sur la peinture contemporaine (*les Joueurs de cartes*, 1890-1892).

**CÈZE** (la) ~ Affluent cévenol du Rhône, né au pied du mont Lozère ; 100 km.

**C. F. D. T.** ~ Voir **Confédération française démocratique du travail.**

**C. F. E. - C. G. C.** ~ Voir **Confédération française de l'encadrement - Confédération générale des cadres.**

**C. F. T. C.** ~ Voir **Confédération française des travailleurs chrétiens.**

**C. G. C.** ~ Voir **Confédération générale des cadres.**

**C. G. T.** ~ Voir **Confédération générale du travail.**

**Chaalis (abbaye de)** ~ Ruines d'une anc. abbaye bénédictine (XIIᵉ s.), dans la forêt d'Ermenonville (Oise). Château du XVIIIᵉ s.

**CHABAN-DELMAS** (Jacques) ~ *1915, P*
Homme politique français. Grande figure de la R
tance, proche du général de Gaulle, maire de
deaux (1947-1995), il a été Premier ministre
G. Pompidou (1969-1972) et a présidé l'Assem
nationale (1958-1969, 1978-1981, 1986-1988

**CHABLAIS** (le) ~ Massif des Alpes du N
(Haute-Savoie), au S. du lac Léman, front
de la Suisse ; 2 466 m aux Hauts-Forts. Ther
lisme (Thonon-les-Bains, Évian). Sports d'h
(Morzine, Avoriaz). Élevage bovin (race d'Ab
dance). Fromage.

**CHABLIS** ~ Bourg viticole de l'Auxerrois, su
Serein (Yonne) ; 2 569 h. Vin blanc de Bourgo

**CHABRIER** (Emmanuel) ~ *1841, Ambert - 18*
*Paris.* Compositeur français. Wagnérien convai
et harmoniste raffiné, il écrivit pour l'orche
(*España*, 1882), le piano (*la Bourrée fantas*
1891) ou le théâtre (*le Roi malgré lui*, 1887).

**Chabrol (fort)** ~ Nom donné au local de la L
antisémite, rue de Chabrol, à Paris, où son c
Jules Guérin, actif antidreyfusard, résista à la po
pendant plus d'un mois, en 1899.

**CHABROL** (Claude) ~ *1930, Paris.* Cinéaste fr
çais. Chef de file de la Nouvelle Vague, il s
spécialisé dans une critique corrosive de la bourg
sie française (*les Bonnes Femmes*, 1960 ; *Vio*
*Nozières*, 1978 ; *la Cérémonie*, 1995).

**CHACO** ou **GRAN CHACO** (le) ~ Vaste pl
d'Amérique du Sud (env. 240 000 km²) part
entre l'Argentine (**province du Chaco**, 99 633 k
840 000 h., ch.-l. Resistencia) et le Parag
désertique à l'O., marécageuse au S. On y expl
le bois de quebracho et le maté. Élevage bo
**HIST.** - **La guerre du Chaco** (1932-1935), mot
par la présence supposée de gisements pétrol
opposa la Bolivie au Paraguay, qui l'emporta.

**CHADLI** (Chadli **Ben Djedid**, dit) ~ *1929, E*
*teldja, près d'Annaba.* Homme d'État algér
Président de la République en 1979, il
démissionner en 1992 sous la pression de l'arm
à la suite des succès électoraux du F. I. S.

**CHADWICK** (sir James) ~ *1891, Manchest*
*1974, Cambridge.* Physicien britannique. Ses trav
expérimentaux en physique nucléaire permi
de découvrir l'existence du neutron (1932).
Nobel de phys. 1935.

**CHAFARINAS** ou **ZAFFARINES (îles)** ~ Îlots
possession espagnole du littoral méditerranéen
Maroc, à l'E. de Melilla ; env. 200 h.

**CHAGALL** (Marc) ~ *1887, Vitebsk - 1985, Sa*
*Paul-de-Vence.* Peintre et graveur français d'o
russe. Après un séjour à Paris entre 1910 et 19
il s'installa définitivement en France en 1923.
œuvre onirique réalise une synthèse de l'image
juive, du folklore russe et des courants d'ava
garde (*les Mariés de la tour Eiffel*, 1928).

**CHAGOS (îles)** ~ Archipel corallien (60 km
dépendance britannique de l'océan Indien, au S.
Maldives. Base milit. (États-Unis) de Diego Gar

**CHAHINE** (Youssef) ~ *1926, Alexandrie.* Ciné
égyptien. Il apparaît comme le plus marquant

Autoportrait, *de Paul Cézanne. Coll. part., Tôkyô.*

génération par l'originalité poétique de ses ıges (*Gare centrale*, 1958 ; *la Terre*, 1968 ; *le* *ɔur du fils prodigue*, 1976).

'AH JAHAN ~ *1592, Lahore - 1666, Agra*. Souıin moghol de l'Inde (1628-1658). Son fils angzeb le déposa. Il bâtit le Taj Mahal.

**AHPOUR** ou **SHAHPUR**, en lat. *Sapor*, nom plusieurs rois sassanides de Perse. ~ **Chahır Ier**, roi de 241 à 272. Il lutta contre Rome ït prisonnier l'empereur Valérien, mais échoua s sa conquête de l'Asie Mineure. ~ **Chahır II**, roi de 310 à 379. Il combattit contre Rome Mésopotamie et obtint la suzeraineté sur ·ménie. ~ **Chahpour III**, roi de 383 à 388. Il ɔnnut par traité l'indépendance de l'Arménie.

**ıaillot (palais de)** ~ Édifice parisien construit ır l'Exposition universelle de 1937 à la place de ıcien palais du Trocadéro. Ses deux ailes encaınt une esplanade qui domine des fontaines et face à la tour Eiffel. Il abrite plusieurs musées, Cinémathèque française et un théâtre.

**ıAIN** (Ernst Boris) ~ *1906, Berlin - 1979, Castle-*, *Irlande*. Biochimiste britannique. Avec H. W. ·ey, il poursuivit les travaux d'A. Fleming sur la ıicilline. Prix Nobel de physiol. ou méd. 1945.

**ıAISE-DIEU (La)** ~ Localité de la Haute-Loire, ıs le Velay, à l'E. de Brioude ; 778 h. Grand centre nastique bénédictin au Moyen Âge. Abbatiale du s. (peinture murale de la *Danse macabre*, ısseries, tombeau de Clément VI). Festival de sique classique.

**ıALCÉDOINE** ~ Colonie grecque d'Asie, sur le ısphore, fondée v. 680 av. J.-C. Un concile y ıdamna le monophysisme en 451.

**ıALCIDIQUE** (la) ~ Presqu'île grecque de Maıoine (E. de Thessalonique) finissant dans la mer ·e par les péninsules de Kassandra, de Sithonia du mont Athos. Tourisme.

**ıALDÉE** (la) ~ Nom donné à la région O. de ner, puis à la Babylonie.

**ıALEURS (baie des)** ~ Baie canadienne qui are, dans le golfe du Saint-Laurent, la Gaspésie Nouveau-Brunswick. Pêche (maquereau).

**ıALGRIN** (Jean-François) ~ *1739, Paris - 1811*, Architecte français. Il illustra les principes du ɔclassicisme dans des monuments d'une grande ·eté, de l'église St-Philippe-du-Roule à l'arc de ɔmphe de l'Étoile, dont il dessina les plans.

**ıALIAPINE** (Fiodor) ~ *1873, Kazan - 1938, Pa-* Baryton-basse russe. Révélé en 1896, à Moscou, ıs *Boris Godounov*, il fut le plus grand interprète répertoire russe.

**ıALLANS** ~ V. et marché agricole (canards) de ıdée, sur la bordure E. du Marais breton ; 203 h.

**ıALLE** (Maurice) ~ *1905, Le Pontet - 1979*, ·is. Général français. Commandant en chef en ·érie (1959), il fut l'un des principaux auteurs putsch manqué d'Alger (1961). Gracié en 1966.

**ıALONNAISE (côte)** ~ Côte viticole de Bourıne (Saône-et-Loire), prolongement méridional la côte de Beaune. Vins (mercurey, givry).

**ıALON-SUR-SAÔNE** ~ V. de Bourgogne ıône-et-Loire), port fluvial sur la Saône (r. dr.) le canal du Centre, à l'O. de la Bresse, centre ıicole et commercial, aux foires réputées (peaux) ; 575 h. (agglom. 77 764 h.). Industries photoıphique, mécan., électr., métall., chim., verrerie. ıc. cathédrale (XIe-XVe s.) avec cloître (XIVe-XVe s.). ısée Nicéphore-Niépce (photographie).

**ıÂLONS-EN-CHAMPAGNE**, anc. **Châlons-** **ı-Marne** (jusqu'à nov. 1995) ~ Préfect. de la gion Champagne-Ardenne et du département de Marne, au S.-E. de Reims, nœud de communicans autoroutier, ferroviaire et fluvial ; 48 423 h. gglom. 61 452 h.). Industries électron., métall., écan., chim., sucrerie, vins de Champagne. Projet ıéroport de fret international. Évêché. Cathédrale thique (vitraux), églises (XIIe-XVIe s.).

**ıALOSSE** (la) ~ Région de collines du S. de dour (Landes). Élev. et cultures céréalières.

**ıAM** ~ Personnage biblique, fils de Noé, père de ınaan et ancêtre des Chamites (Égyptiens, Éthioıns, Somalis). Son irrévérence envers son père lui ıut d'être maudit.

**CHAM** (Amédée **de Noé**, dit) ~ *1819, Paris - 1879, id.* Dessinateur français. Caricaturiste à l'esprit incisif, il collabora notamment au *Charivari*.

**CHAMALIÈRES** ~ V. de la banlieue O. de Clermont-Ferrand (Puy-de-Dôme), au pied de la chaîne des Puys ; 17 301 h. Imprimerie de la Banque de France.

**CHAMBERLAIN**, famille d'hommes politiques britanniques. ~ **Joseph** (*1836, Londres - 1914, Birmingham*) fut l'un des chefs du parti libéral unioniste, regroupant les adversaires de l'autonomie irlandaise. Son fils ~ sir **Joseph Austen** (*1863, Birmingham - 1937, Londres*), chancelier de l'Échiquier (1903-1905 et 1919-1921), ministre des Affaires étrangères (1924-1929), fut l'un des négociateurs des accords de Locarno. Prix Nobel de la paix 1925. ~ **Arthur Neville** (*1869, Edgbaston, Birmingham - 1940, Heckfield, près de Reading*), demi-frère du précédent. Député conservateur, chancelier de l'Échiquier à partir de 1931, il mit en œuvre une rigoureuse politique financière pour lutter contre la crise économique. Premier ministre (1937-1940), il crut mener une politique d'apaisement face aux ambitions de Hitler et fut l'un des signataires des accords de Munich.

**CHAMBERS** (Ephraim) ~ *v. 1680, Kendal, Westmoreland - 1740, Islington, Middlesex*. Encyclopédiste britannique. C'est en traduisant sa *Cyclopaedia ou Dictionnaire universel des arts et des sciences* (publiée en 1728) que Diderot eut l'idée d'entreprendre l'*Encyclopédie*. [☞ **encyclopédie**.]

**CHAMBÉRY** ~ Préfect. de la Savoie, dans la **cluse de Chambéry**, entre les Bauges et la Grande-Chartreuse, carrefour routier et ferroviaire, au seuil des grandes vallées alpines ; 54 120 h. (agglom. 103 283 h.). Archevêché. Cour d'appel. Industr. (aluminium, fibre de verre, confection). Château des ducs de Savoie (XIVe-XVe s., remanié au XIXe s.), cathédrale St-François-de-Sales (XVe s.), fontaine des Éléphants, musée des Beaux-Arts, maison des Charmettes où séjourna J.-J. Rousseau.

**CHAMBIGES**, famille d'architectes français. ~ **Martin** (*Paris - 1532, Beauvais*) illustra le style gothique flamboyant tout en subissant l'influence italienne (transept de la cathédrale de Beauvais). Son fils ~ **Pierre Ier** (*Paris - 1544, id.*) participa not. aux chantiers du château de Chantilly et de l'Hôtel de Ville de Paris.

**CHAMBOLLE-MUSIGNY** ~ Village de la côte de Nuits (Côte-d'Or) ; 355 h. Vins de Bourgogne.

**CHAMBON (lac)** ~ Lac volcanique et site tourist. d'Auvergne (60 ha), sur le flanc oriental du Mont-Dore, à 877 m d'altitude.

**CHAMBON-FEUGEROLLES (Le)** ~ V. industrielle de la banlieue S.-O. de Saint-Étienne (Loire) ; 16 070 h.

**CHAMBONNIÈRES** (Jacques **Champion** DE) ~ *v. 1601, Chambonnières-en-Brie - 1672, Paris*. Compositeur et claveciniste français. Il fonda un style et la tradition française du clavecin.

**CHAMBORD** ~ Village du Loir-et-Cher. Château construit pour François Ier de 1519 à 1538, joyau de l'architecture Renaissance.

**CHAMBORD** (Henri **de Bourbon**, duc de Bordeaux, comte DE) ~ *1820, Paris - 1883, Frohsdorf, Autriche*. Fils posthume du duc de Berry, prétendant légitimiste au trône de France sous le nom d'Henri V. Sollicité par la majorité légitimiste en 1871, il se refusa à avaliser le drapeau tricolore comme emblème national et ne put accéder au trône.

*Château de Chambord.*

**CHAMBOURCY** ~ V. de l'agglom. parisienne (Yvelines), à l'O. de Saint-Germain-en-Laye ; 5 163 h. Parc du Désert de Retz (XVIIIe s.).

**Chambre des députés** ~ Assemblée parlementaire française élue au suffrage censitaire sous la Restauration et la monarchie de Juillet, au suffrage universel masculin direct sous la IIIe République. Elle prit le nom d'Assemblée nationale en 1946.

**Chambre introuvable** ~ Surnom donné à la Chambre des députés élue en oct. 1815. Dominée par les ultraroyalistes, elle fut dissoute par Louis XVIII en septembre 1816.

**CHAMFORT** (Sébastien Roch **Nicolas**, dit Nicolas DE) ~ *1740, près de Clermont-Ferrand - 1794, Paris*. Écrivain et moraliste français. Dans les *Maximes, pensées, caractères et anecdotes* (posth., 1795), il se livre à une satire de l'Ancien Régime et des Lumières, en accumulant historiettes et sentences. Poursuivi pendant la Terreur, il se suicida. Acad.

**CHAMIL** ~ *1797, Guimry, Daguestan - 1871, Médine*. Imam guerrier du Daguestan. Il fonda un État théocratique et résista à l'avance russe dans le Caucase jusqu'en 1859.

**CHAMONIX-MONT-BLANC** ~ Station tourist. et de sports d'hiver de la vallée de l'Arve, à 1 037 m d'alt., au pied du Mont-Blanc (Haute-Savoie) ; 9 701 h. (agglom. 11 648 h.). Grand centre d'alpinisme et d'excursions. Site des premiers jeux Olympiques d'hiver, en 1924.

**CHAMORRO** (Violeta **Barrios** DE) ~ *1929, Rivas*. Femme d'État nicaraguayenne. Elle a été présidente de la République de 1990 à 1996.

**CHAMOUN** (Camille) ~ *1900, Dayr el-Qamarr - 1987, Beyrouth*. Homme d'État libanais. Il fut président de la République (1952-1958). Chrétien maronite, il prit une part active à la guerre civile comme chef des milices chrétiennes.

**CHAMPAGNE** (la) ~ Voir **Campagne**.

**CHAMPAGNE** (la) ~ Région et anc. prov. française de l'E. du Bassin parisien, entre l'Île-de-France et la Lorraine, drainée par la Seine et ses affl. (Marne, Aube). D'O. en E. se succèdent les plateaux de la Brie champenoise bordés par la côte d'Île-de-France, qui porte les vignobles, puis les auréoles formées par les plaines de la **Champagne crayeuse** (anc. **pouilleuse**), jadis pauvre, auj. vouée à la grande culture mécanisée (céréalière et industrielle), et de la **Champagne humide**, argileuse et boisée, qui associe l'élevage aux cultures. Au-delà s'étendent les plateaux périphériques (côte des Bars, plateau de Langres, Argonne), pays d'élevage et de cultures fourragères. Les vins de Champagne (autour de Reims et d'Épernay) représentent un tiers de la valeur de la production agricole. Hormis Reims, les villes restent plus industrielles que tertiaires (bonneterie à Troyes, métall. à Saint-Dizier, constr. mécan. et électr. à Châlons-en-Champagne). **HIST.** - Au XIe s., la Champagne se constitua en puissant comté féodal sous la maison de Blois et connut une grande prospérité économique (foires) et culturelle (XIIe s.-XIIIe s.). Jeanne, héritière du comté, l'apporta en dot au roi Philippe le Bel (1284). En 1790, la province fut partagée en quatre départements (l'Aube, la Marne, la Haute-Marne, les Ardennes) comprenant des fractions des régions voisines (Bourgogne et Lorraine).

**CHAMPAGNE** (Adonaï **Desparois**, dit Claude) ~ *1891, Montréal - 1965, id.* Compositeur canadien. Auteur d'une œuvre influencée par la musique française et reprenant des thèmes folkloriques, il fut l'initiateur et le modèle de la musique canadienne contemporaine.

**CHAMPAGNE-ARDENNE** ~ Région admin. qui réunit les départements de la Champagne (Aube, Marne, Haute-Marne) et celui des Ardennes ; 25 740 km², 1 347 848 h., préfect. Châlons-en-Champagne. V. princ. Reims.

**CHAMPAGNOLE** ~ V. du Jura, sur l'Ain, au N.-E. de Lons-le-Saunier ; 9 250 h. (agglom. 10 749 h.). Métall., industr. du bois, horlogerie.

**CHAMPAIGNE** (Philippe DE) ~ *1602, Bruxelles - 1674, Paris*. Peintre français d'orig. flamande. Peintre officiel, il réalisa des œuvres pour Louis XIII et Richelieu. Sous l'influence du jansénisme, sa peinture adopta une tonalité plus austère (*Mère Angélique Arnauld*).

**Champ-de-Mars** ~ Esplanade située dans le VII^e arr. de Paris, entre l'École militaire et la Seine. Terrain d'exercice militaire au XVIII^e s., ses dimensions en firent un espace adapté aux grandes fêtes révolutionnaires (fête de la Fédération, 14 juillet 1790, fête de l'Être suprême, 1794), puis aux Expositions universelles.

**CHAMPFLEURY** (Jules **Husson**, dit **Fleury**, puis) ~ *1821, Laon - 1889, Sèvres.* Romancier et critique d'art français. Il fut un fervent défenseur du réalisme, en littérature et dans les arts plastiques.

**CHAMPIGNEULLES** ~ V. de Lorraine (Meurthe-et-Moselle), au N.-O. de Nancy, sur la Meurthe ; 7 541 h. Brasserie.

**CHAMPIGNY-SUR-MARNE** ~ V. de la vallée de la Marne (r. g.), dans la banlieue S.-E. de Paris (Val-de-Marne) ; 79 486 h. Chimie.

**CHAMPLAIN (lac)** ~ Lac de l'E. des États-Unis (Vermont, New York) et du Canada (Québec), voie de communication historique entre l'Hudson, le lac Érié et le Saint-Laurent ; 1 127 km². Tourisme (plaisance).

**CHAMPLAIN** (Samuel DE) ~ *v. 1570, Brouage, Saintonge - 1635, Québec.* Marin et colonisateur français. Il entreprit en 1603 un premier voyage au Canada. En 1608, il fonda Québec. En 1616, il découvrit les lacs Huron et Ontario. Il combattit les Iroquois et s'efforça de développer la colonie, mais, de 1629 à 1632, il dut abandonner Québec aux Anglais. Champlain est considéré comme le fondateur du Canada français.

**CHAMPMESLÉ** (Marie **Desmares**, dite **la**) ~ *1642, Rouen - 1698, Auteuil.* Tragédienne française. Elle créa les plus grands rôles du théâtre de Racine.

**Champmol (chartreuse de)** ~ Abbaye fondée en 1383, près de Dijon, pour abriter les tombes des ducs de Bourgogne. Elle subit d'importantes destructions pendant la Révolution. Aujourd'hui, elle est devenue un hôpital psychiatrique.

**CHAMPOLLION** (Jean-François) ~ *1790, Figeac - 1832, Paris.* Égyptologue français. Grâce à la pierre de Rosette, il déchiffra les hiéroglyphes (*Précis du système hiéroglyphique*, 1824 ; *Grammaire égyptienne*, posth., 1836).

**CHAMPSAUR** (le) ~ Massif des Hautes-Alpes, au S. de l'Oisans ; 3 163 m. Le Drac y prend sa source.

**Champs Élysées** ~ Dans la mythologie grecque, séjour réservé aux âmes des héros et des hommes méritants après la mort. L'été n'y finit jamais.

**Champs-Élysées (avenue des)** ~ Artère parisienne (1 800 m) reliant les places de la Concorde et Charles-de-Gaulle (Étoile).

**CHAMPS-SUR-MARNE** ~ V. de l'E. de l'agglom. parisienne (Seine-et-Marne), incluse dans la ville nouvelle de Marne-la-Vallée ; 21 611 h. Château du XVIII^e s. où résida Mme de Pompadour.

**CHAMROUSSE** ~ Station de sports d'hiv. du massif de Belledone (Isère), à 1 650 m d'alt. ; 544 h.

**CHAMSON** (André) ~ *1900, Nîmes - 1983, Paris.* Écrivain français. Il fut le chroniqueur des camisards et le témoin passionné de son siècle (*le Chiffre de nos jours*, 1954 ; *la Superbe*, 1967). Acad.

**CHAN (État)** ~ État montagneux de l'E. de la Birmanie ; 155 801 km², 3 719 000 h. Les **Chans**, ethnie dominante, sont bouddhistes et cultivent le riz dans les vallées. Un royaume chan domina la Birmanie centrale du XIV^e au XV^e s.

**CHANCELADE** ~ V. de Dordogne ; 3 718 h. Anc. abbaye (XII^e-XVIII^e s.). La ville a donné son nom à un type du Paléolithique supérieur (l'**homme de** Chancelade, squelette fossile découvert en 1888).

**Chanchán** ~ Site archéol. du Pérou, sur la côte du Pacifique. Cap. de l'Empire chimú (XIII^e-XV^e s.). Ses vestiges couvrent 18 km² : divisés en dix quartiers clos de murailles, ils comportent réservoirs, jardins irrigués, maisons et temples.

**CHANDERNAGOR** ~ V. de l'Inde (Bengale-Occidental), dans le N.-O. de l'agglom. de Calcutta, sur l'Hooghly ; env. 75 000 h. Comptoir français de 1686 à 1951.

**CHANDIGARH** ~ V. de l'Inde, territoire de l'Union, cap. commune du Pendjab et du Haryana, construite sur les plans de l'architecte français Le Corbusier à partir de 1951 ; 511 000 h. Université.

**CHANDLER** (Raymond) ~ *1888, Chicago - 1959, La Jolla, Californie.* Écrivain américain. L'un des maîtres du roman noir, il créa le personnage du détective Philip Marlowe (*le Grand Sommeil*, 1939).

**CHANDRAGUPTA** ou **CANDRAGUPTA**, nom de trois souverains de l'Inde. ~ **Chandragupta** (v. 320-v. 296 av. J.-C.) fonda la dynastie Maurya. ~ **Chandragupta I^er** (v. 320-v. 330 apr. J.-C.) fonda la dynastie Gupta. ~ **Chandragupta II** (v. 375-414) fut le plus grand roi de l'Inde classique.

**CHANDRASHEKHAR** (Subrahmanyan) ~ *1910, Lahore - 1995, Chicago.* Astrophysicien américain d'orig. indienne. Ses travaux ont largement contribué à l'élaboration de la théorie de la structure interne des étoiles. Prix Nobel de phys. 1983.

**CHANEL** (Gabrielle **Chasnel**, dite Coco) ~ *1883, Saumur - 1971, Paris.* Couturière française. Imposant dès 1916 matières fluides et lignes naturelles, elle révolutionna l'esthétique de la mode.

**CHANGCHUN** ou **TCH'ANG-TCH'OUEN** ~ V. industrielle et carrefour ferroviaire du N.-E. de la Chine, cap. du Jilin ; 2 400 000 h. Matériel ferroviaire, véhicules utilitaires. Ancienne capitale de l'État japonais du Mandchoukouo (1931-1945).

**CHANG-HAI** ~ Voir **Shanghai**.

**CHANG JIANG** (le) ~ Voir **Yangzi Jiang**.

**CHANGSHA** ou **TCH'ANG-CHA** ~ V. industr. de Chine, cap. du Hunan, sur un affl. du Yangzi Jiang ; 1 480 000 h. Ancienne capitale du royaume de Chu (V^e-III^e s. av. J.-C.).

**CHAN-SI** (le) ~ Voir **Shanxi**.

**CHANTEMESSE** (André) ~ *1851, Le Puy - 1919, Paris.* Médecin bactériologiste français. Il mit au point avec F. Widal un vaccin contre la dysenterie bacillaire (1889).

**CHAN-T'EOU** ~ Voir **Shantou**.

**CHANTILLY** ~ V. de l'Oise, en lisière de la forêt de Chantilly ; 11 341 h. (agglom. 34 474 h.). Château Renaissance, résidence des princes de Condé, restauré au XIX^e s. par le duc d'Aumale, qui le légua à l'Institut de France avec ses collections d'art médiéval (*Très Riches Heures du duc de Berry*) et Renaissance (française, italienne). Écuries du XVIII^e s. Hippodrome.

**CHAN-TONG** (le) ~ Voir **Shandong**.

**CHANTONNAY** ~ V. du Bocage vendéen, à l'E. de La Roche-sur-Yon (Vendée) ; 7 458 h. Industrie alimentaire.

**CHANUTE** (Octave) ~ *1832, Paris - 1910, Chicago.* Ingénieur américain d'orig. française. Ses recherches sur le contrôle et l'équilibre des plus-lourds-que-l'air influencèrent les frères Wright.

**CHAO PHRAYA** (la) ou **MÉNAM** (le) ~ Le plus grand fleuve de Thaïlande (env. 1 200 km, bassin 160 000 km²), qui arrose Bangkok avant de rejoindre le golfe de Thaïlande (delta). Riche vallée rizicole, réseau de canaux de navigation.

**CHAOUÏA** (la) ~ Région du Maroc occidental, arrière-pays de Casablanca. Céréales, vigne (basse Chaouïa). Phosphates (haute Chaouïa).

**CHAPARÉ** (le) ~ Vallée de Bolivie, sur le versant E. de la Cordillère orientale. Culture de la coca.

**CHAPELAIN** (Jean) ~ *1595, Paris - 1674, id.* Poète et critique français. Poète raillé par ses contemporains, il fut cependant l'un des plus actifs théoriciens de la doctrine classique (*la Pucelle ou la France délivrée*, 1656). Acad.

**Chapelle-aux-Saints (La)** ~ Site paléolithique de Corrèze où fut découvert (1908) le squelette d'un homme de Neandertal.

**CHAPELLE-SAINT-LUC (La)** ~ V. de la banlieue N. de Troyes (Aube) ; 15 815 h. Pneumatiques, constr. mécan., bonneterie.

**CHAPELLE-SUR-ERDRE (La)** ~ V. de Loire-Atlantique, au N. de Nantes ; 14 830 h. Château de la Gâcherie (XV^e s.).

**CHAPLIN** (Charles **Spencer**, dit Charlie) ~ *1889, Londres - 1977, Corsier-sur-Vevey, Suisse.* Cinéaste et acteur américain d'orig. britannique. Émigré aux États-Unis en 1912, il créa dès 1914 le personnage de Charlot, qui connaîtra un succès foudroyant. Devenu son propre réalisateur (*l'Émigrant*, 1917), il révéla son génie cinématographique dans des longs-métrages (*la Ruée vers l'or*, 1925 ; *les Temps modernes*, 1936 ; *Monsieur Verdoux*, 1947).
personnage de vagabond vindicatif et sentime
a constitué une réplique insolente à une civilisat
américaine dont il n'a cessé de stigmatiser
cruauté. En 1952, les campagnes maccarthyste
contraignirent à s'installer en Europe.

© Pele-Stills

*Charlie* **Chaplin**
*dans* le Dictateur *(1940).*

**CHAPOCHNIKOV** (Boris Mikhaïlovitch) ~ 18
*Zlatoust, Oural - 1945, Moscou.* Maréchal sovi
que. Chef d'état-major de 1937 à 1942, il réorgar
l'Armée rouge après les purges de 1937 et conse
Staline durant la guerre.

**CHAPPE** (Claude) ~ *1763, Brûlon, Sarthe - 18*
*Paris.* Ingénieur français. Il créa le télégraphe aé
(1793), qui transmettait des signaux à l'aide de b
articulés et montés sur des tours.

**CHAPTAL** (Jean Antoine), comte **de Chan**
**loup** ~ *1756, Nojaret, Gévaudan - 1832, Paris.* C
miste et homme politique français. Il créa
premières fabriques françaises de produits chi
ques et fonda la première école d'arts et méti
Il fut ministre de l'Intérieur de 1800 à 1804.

**CHAR** (René) ~ *1907, L'Isle-sur-la-Sorgue - 19*
*Paris.* Poète français. Influencée par le surréalis
son œuvre dresse l'inventaire des richesses
l'homme et de la nature (*le Marteau sans maî*
1934 ; *Fureur et Mystère*, 1945 ; *la Parole en archi*
1962). Homme d'engagement, il entra dans
Résistance dès le début de la Seconde Gu
mondiale (*Feuillets d'Hypnos*, 1946).

**CHARCOT** ~ **Jean Martin** (*1825, Paris - 18*
*près du lac des Settons*), neurologue français. Fon
teur de l'École de neurologie de la Salpêtrière, il
pour élèves S. Freud, A. Binet et P. Janet. Il étu
en particulier l'hystérie par la méthode
l'hypnose. [☞ **hystérie**.] Son fils ~ **Jean** (*18*
*Neuilly-sur-Seine - 1936, au large des côtes isl*
*daises*), savant et explorateur, étudia la médeci
se consacra à l'océanographie et mena des expé
tions dans l'Antarctique. Il trouva la mort lors
naufrage du *Pourquoi-Pas ?*

**CHARDIN** (Jean) ~ *1643, Paris - 1713, près*
*Londres.* Voyageur français. Il visita la Perse safavi
l'Inde moghole et séjourna à Ispahan. Il pub
*Voyages en Perse et aux Indes orientales* en 16

**CHARDIN** (Jean-Baptiste Siméon) ~ *1699, Par*
*1779, id.* Peintre français. Aux genres officiels
préféra la nature morte. Il est également l'aut
de scènes d'intérieur (*la Pourvoyeuse*, 1739 ;
*Bénédicité*, 1740) et de portraits au pastel.

**CHARDJA** ~ Voir **Émirats arabes unis**.

**CHARDONNE** (Jacques **Boutelleau**, dit J
ques) ~ *1884, Barbezieux - 1968, La Frette-s*
*Seine.* Écrivain français. Auteur d'essais et
romans intimistes sur l'amour conjugal (*l'Épit*
*lame*, 1921 ; *Claire*, 1931 ; *Demi-jour*, 1964).

**CHARDONNET DE GRANGE** (Hilaire **Ber**
**gaud**, comte DE) ~ *1839, Besançon - 1924, Pa*
Chimiste et industriel français, pionnier de l'ind
trie des textiles artificiels (**soie Chardonnet**).

**CHARENTE** (la) ~ Fl. de l'O. de la Fran
(360 km), issu de la bordure O. du Limousin,
draine l'Angoumois et la Saintonge, passe
Angoulême, Cognac, Saintes, Rochefort, et rejo
l'Atlantique par un estuaire envasé, face à l'
d'Oléron.

**CHARENTE** (la) ~ Dép. de la Région Poit
Charentes, aux confins N. du Bassin aquitai
5 956 km², 341 993 h. Il s'étend sur les plaines
l'Angoumois au N., les bas plateaux de la Sainto

S. et sur l'extrémité occidentale du Massif central E., le Confolentais. Céréales, élevage pour le lait pour la viande (Confolentais), vignoble autour Cognac. Les plus grandes villes, Cognac et goulême, préfecture et principal centre industriel ertiaire, se situent dans la vallée de la Charente.

**ARENTE-MARITIME** (la) ~ Dép. du littoral antique, dans la Région Poitou-Charentes, limité S. par la Gironde ; 6 864 km², 527 146 h., princ. La Rochelle (préfect.), Rochefort, Saintes. l'Aunis au N. à la Saintonge au S., le artement présente un doux relief de plaines et bas plateaux. On y produit des céréales, du lait, vin et des primeurs (sur les îles). La pêche et conchyliculture (Marennes-Oléron) sont deux vités essentielles du littoral. Les attraits touristi-s de la côte (îles d'Oléron et de Ré, Royan) tribuent à la croissance démographique, mais e-ci ne profite pas aux villes principales : le eloppement du port de La Rochelle est freiné par ntes.

**ARENTON-LE-PONT** ~ V. de la banlieue S.-E. Paris (Val-de-Marne), au confluent de la Seine de la Marne, limitrophe de la cap. ; 21 872 h. ancien hôpital psychiatrique dépend au-rd'hui de la commune de Saint-Maurice.

**ARETTE DE LA CONTRIE** (François DE) ~ 53, *Couffé - 1796, Nantes*. Chef vendéen. Ancien cier de marine, il devint l'un des chefs de armée catholique et royale ». Après avoir signé trêve avec la République (1795), il reprit les stilités, et fut exécuté.

**ARI** (le) ~ Fl. d'Afrique (zone sahélienne), issu l'Adamaoua (République centrafricaine), princ. out. du lac Tchad avec le Logone (qu'il rejoint N'Djamena) ; env. 1 200 km. C'est l'un des nds axes de peuplement du Tchad.

**ARIBERT** ~ Voir **Caribert**.

**ARISSE** (Tula Ellice **Finklea**, dite Cyd) ~ *1922, arillo, Texas*. Danseuse et actrice américaine. Elle té l'une des grandes vedettes féminines de la nédie musicale des années 1950 (*Chantons sous pluie*, 1952).

**arites** (les) ~ Voir **Grâces**.

**ARLEMAGNE** ou **CHARLES Iᵉʳ LE GRAND** ~ 2 - 814, *Aix-la-Chapelle*. Roi des Francs (768-4) et empereur d'Occident (800-814). Fils aîné Pépin le Bref, il réunifia le royaume à la mort son frère Carloman (771), conquit l'Italie nbarde dont il ceignit la couronne (774), soumit Bavarois et les Saxons, intervint en Espagne oncevaux, 778). Avec l'appui de l'Église, il ercha à protéger et à unifier le vaste ensemble si constitué ; il en organisa l'administration et nstalla dans un palais édifié à Aix-la-Chapelle. 25 décembre 800, à Rome, le pape Léon III le uronna empereur d'Occident. En 813, il associa n fils Louis le Pieux à l'empire. Héros de l'épopée édiévale, Charlemagne est resté une figure symbo-ue de l'unité européenne.

**HARLEROI** ~ V. de la Belgique wallonne ainaut), sur la Sambre, près de la frontière nçaise, centre d'un vieux bassin houiller et ér. en voie de reconversion ; 207 000 h. Verrerie, imie, électron., constr. mécan., cimenterie.

SAINT EMPIRE

**HARLES Iᵉʳ**, voir **Charlemagne**. ~ **Charles II le auve** (*823, Francfort - 877, Avrieux, Alpes*), roi des ncs (843-877) et empereur d'Occident (875-7). Il signa avec ses frères, Lothaire et Louis le rmanique, le traité de Verdun (843) qui partageait mpire de Charlemagne en trois. Il obtint la *Francia occidentalis* puis acquit la Provence. Son règne fut marqué par des raids vikings et le développement de la féodalité. ~ **Charles III le Gros** (*839, Neidingen - 888, id.*), empereur d'Occident (881-887), roi de Germanie (882-887), roi des Francs (884-887). Fils cadet de Louis le Germanique, il reconstitua l'empire de Charlemagne mais ne réussit pas à s'imposer aux Vikings ni aux féodaux. Il fut déposé à Tribur trois mois avant sa mort. ~ **Charles IV** (*1316, Prague - 1378, id.*), roi de Bohême (Charles Iᵉʳ ; 1346-1378), roi de Germanie (1346-1378) et empereur germanique (1355-1378). Il contribua à faire de Prague une capitale culturelle et promulgua la Bulle d'or (1356). ~ **Charles V**, dit **Charles Quint** (*1500, Gand - 1558, Yuste, Estrémadure*), empereur germanique (1519-1556), roi d'Espagne (Charles Iᵉʳ ; 1516-1556), roi de Naples et de Sicile (Charles IV ; 1516-1556), prince des Pays-Bas (1516-1555). Fils de Philippe le Beau d'Autriche et de Jeanne la Folle de Castille, il réunit les héritages des Habsbourg et des Rois Catholiques en un immense territoire, et profita des importantes ressources des colonies. Il se donna une triple tâche : lutter contre les protestants, contre les Turcs ottomans mais aussi contre les rois de France auxquels il voulut reprendre la Bourgogne. Il entama un long conflit en Italie contre les Valois François Iᵉʳ et Henri II, qui n'aboutit pas malgré certaines victoires (Pavie, 1525). Il dut accepter la paix d'Augsbourg (1555) avec les princes protestants, et fit face au siège de Vienne (1529) par Soliman, mais ne put soustraire la Méditerranée à l'hégémonie turque. Il abdiqua et se retira au monastère de Yuste en 1556, partageant ses États entre son frère Ferdinand et son fils Philippe II. ~ **Charles VI** (*1685, Vienne - 1740, id.*), empereur germanique (1711-1740) et roi de Hongrie (Charles III ; 1711-1740), roi de Naples (Charles VI ; 1714-1734) et de Sicile (1720-1734). Fils de l'empereur Léopold Iᵉʳ, il succéda à son frère Joseph Iᵉʳ après avoir eu des prétentions sur la couronne d'Espagne. Par la Pragmatique Sanction (1713), il réserva l'Autriche à sa fille Marie-Thérèse. Engagé dans la guerre de la Succession de Pologne, il perdit la Lorraine, Naples et la Sicile. En revanche, il remporta plusieurs victoires contre la Turquie (1736-1739). ~ **Charles VII Albert** (*1697, Bruxelles - 1745, Munich*), Électeur de Bavière (1726-1745), empereur germanique (1742-1745). Il fut couronné grâce au soutien français et espagnol contre Marie-Thérèse d'Autriche.

ANGLETERRE

**CHARLES Iᵉʳ** (*1600, Dunfermline, Écosse - 1649, Londres*), roi d'Angleterre, d'Écosse et d'Irlande (1625-1649), fils de Jacques Iᵉʳ Stuart. Son absolutisme fut encouragé par ses ministres Buckingham, Strafford et Laud, ainsi que par son épouse Henriette de France. Il provoqua un conflit avec le Parlement, qu'il renvoya en 1629. Menacé par l'Écosse et privé de moyens financiers, il convoqua les parlementaires mais rompit en 1642. Ce fut le début de la guerre civile qui opposa les Cavaliers, ses partisans, et les Têtes rondes, favorables au Parlement et au puritanisme, dirigées par Cromwell. Les troupes royales furent battues à Naseby (1645), puis à Preston (1648). Il fut condamné à mort et décapité. ~ **Charles II** (*1630, Londres - 1685, id.*), fils du précédent, roi d'Angleterre, d'Écosse et d'Irlande (1660-1685). Réfugié en France après la mort de son père, il fut rétabli sur le trône par Monk. Tolérant à l'égard des catholiques et fidèle à l'alliance avec Louis XIV, il en reçut des subsides et s'engagea contre la Hollande. Après l'austérité puritaine, il reconstitua une cour brillante.

AUTRICHE

**CHARLES Iᵉʳ** ~ *1887, Persenbeug - 1922, Funchal, Madère*. Empereur d'Autriche et roi de Hongrie (Charles IV ; 1916-1918). Petit-neveu de François-Joseph, il tenta secrètement de hâter la paix avec l'Entente. Il échoua et dut s'exiler lors de la proclamation de la république en Autriche (1918).

ESPAGNE

**CHARLES Iᵉʳ**, voir **Charles V**, empereur germanique. ~ **Charles II** (*1661, Madrid - 1700, id.*), roi d'Espagne (1665-1700) et roi de Sicile (Charles V ; 1665-1700). Marié à une fille de Philippe d'Orléans, il resta sans descendance. Dernier Habsbourg d'Espagne, il désigna comme son successeur Philippe d'Anjou, petit-fils de Louis XIV, ce qui entraîna la guerre de la Succession d'Espagne (1701-1714). ~ **Charles III** (*1716, Madrid - 1788, id.*), roi d'Espagne (1759-1788), duc de Parme (1731-1735), roi de Naples et de Sicile (Charles VII ; 1734-1759). Despote éclairé, aidé d'Aranda et de Floridablanca, il engaga de nombreuses réformes. Le pacte de Famille (1761) qu'il conclut avec la France l'entraîna dans la guerre de Sept Ans et dans celle de l'Indépendance américaine. Cette dernière lui donna Minorque et la Floride mais lui ôta Gibraltar. ~ **Charles IV** (*1748, Portici - 1819, Rome*), roi d'Espagne (1788-1808), fils de Charles III. Sous l'influence de son épouse, Marie-Louise de Parme, et du favori de celle-ci, Godoy, il accepta une alliance avec la France contre l'Angleterre. Il dut abdiquer à la suite de l'insurrection d'Aranjuez en faveur de son fils Ferdinand VII, puis dut céder le pouvoir à Joseph Bonaparte, sous la pression de Napoléon Iᵉʳ.

FRANCE

**CHARLES Iᵉʳ**, voir **Charlemagne**. ~ **Charles II le Chauve**, voir **Charles II**, empereur d'Occident. ~ **Charles III le Simple** (*879 - 929, Péronne*), roi de France (893-923). Fils posthume de Louis II le Bègue, il dut d'abord lutter contre Eudes, comte de Paris, élu roi en 888, qui finit par le choisir comme successeur. Par le traité de Saint-Clair-sur-Epte (911), il donna le pays de Caux à Rollon, chef normand. Détrôné en 923, il mourut captif. ~ **Charles IV le Bel** (*1294, Creil - 1328, Vincennes*), roi de France et de Navarre (Charles Iᵉʳ ; 1322-1328). Troisième fils de Philippe IV le Bel et dernier Capétien direct, il laissa son trône aux Valois. ~ **Charles V le Sage** (*1338, Vincennes - 1380, Nogent-sur-Marne*), roi de France (1364-1380). Régent pendant la captivité de son père Jean II le Bon (1356-1360), il dut réprimer la révolte d'Étienne Marcel à Paris, la jacquerie dans le nord du royaume, et conclut le traité de Calais (1360) avec les Anglais. Devenu roi, il contra les prétentions de Charles le Mauvais, roi de Navarre, reprit aux Anglais la plupart de leurs possessions, et débarrassa le royaume des Grandes Compagnies grâce à Du Guesclin. Il encouragea les arts, commanda la construction ou l'embellissement de plusieurs édifices (Louvre, hôtel St-Pol, Bastille). ~ **Charles VI le Bien-Aimé** ou **le Fou** (*1368, Paris - 1422, id.*), roi de France (1380-1422). Premier dauphin dès sa naissance, il gouverna d'abord sous la tutelle de ses oncles qui, multipliant les nouvelles taxes, provoquèrent de nombreuses révoltes (maillotins, 1382). Il les renvoya en 1388, les remplaça par les anciens conseillers de son père (les marmousets). En 1392, il fut frappé de folie. Le royaume fut livré à la guerre civile entre les Armagnacs et les Bourguignons, alliés des Anglais, qui remportèrent la victoire d'Azincourt (1415). Par le traité de Troyes (1420), Henri V d'Angleterre épousait la fille du roi de France et se proclamait régent. ~ **Charles VII** (*1403, Paris - 1461, Mehun-sur-Yèvre*), roi de France (1422-1461). Fils de Charles VI, chassé de Paris par les Bourguignons dès 1418 alors que le royaume était presque entièrement occupé par les Anglais, le « roi de Bourges » reçut le soutien de Jeanne d'Arc qui le fit sacrer à Reims (1429). Il reconquit le nord de la France, se réconcilia avec le duc de Bourgogne (traité d'Arras, 1435), reprit aux Anglais Paris (1436), la Normandie (à Formigny, 1450) puis l'ensemble du territoire (bataille de Castillon, 1453) sauf Calais. Dans le même temps, il réorganisa son royaume en instituant une armée

1. Autoportrait dit aux bésicles (*détail ; 1773*), *de Jean-Baptiste* **Chardin**. *Musée des Beaux-Arts, Orléans.*
2. **Charles Quint**.
3. Portrait de **Charles VII** (*détail*), *peinture de Jean Fouquet* (*v. 1415-v. 1480*). *Musée du Louvre, Paris.*

et des impôts permanents, en limitant le pouvoir du pape sur l'Église de France par la Pragmatique Sanction de Bourges (1438), en matant la Praguerie, révolte de seigneurs soutenue par son propre fils. ~ **Charles VIII** (*1470, Amboise - 1498, id.*), roi de France (1483-1498). Fils de Louis XI, il régna d'abord sous la régence de sa sœur Anne de Beaujeu. Il épousa Anne de Bretagne en 1491, préparant ainsi le rattachement du duché à la Couronne. Désireux de faire valoir les droits hérités de la maison d'Anjou sur le royaume de Naples, il mena l'une des guerres d'Italie (1494-1497), qui se solda par un échec. ~ **Charles IX** (*1550, Saint-Germain-en-Laye - 1574, Vincennes*), roi de France (1560-1574) à la mort de son frère François II. 3e fils d'Henri II et de Catherine de Médicis, qui assura la régence puis conserva sur lui une influence déterminante. Il tenta d'obtenir la pacification religieuse avec la paix de Saint-Germain (1570). L'influence grandissante de Coligny, chef du parti protestant, amena sa mère à laisser les Guises préparer le massacre de la Saint-Barthélemy (1572). ~ **Charles X** (*1757, Versailles - 1836, Görz, auj. Gorizia*), roi de France (1824-1830), frère de Louis XVI et de Louis XVIII. Alors comte d'Artois, il donna le signal de l'émigration le 16 juillet 1789. Très actif parmi les émigrés - dont il dirigea l'armée à Valmy -, il anima après la Restauration l'opposition ultra-royaliste à Louis XVIII. Il accéda au trône (sept. 1824) et se fit sacrer à Reims (mai 1825) ; il maintint le ministre ultra Villèle, qui fit adopter des lois impopulaires (milliard des émigrés, loi contre les sacrilèges, dissolution de la garde nationale). Le roi renvoya la Chambre en 1827, ce qui ne permit pas de maintenir Villèle à la tête du gouvernement, l'assemblée nouvellement élue étant plus libérale ; il accepta un ministère Martignac, qu'il remplaça en août 1829 par un ultra, Polignac. La dissolution de la Chambre et les élections en 1830 ne modifièrent pas la tendance. Le roi répliqua par un coup de force, et Paris se souleva les 27, 28 et 29 juillet (« Trois Glorieuses »). Charles X abdiqua et s'exila de nouveau.

#### HONGRIE

**CHARLES Ier ROBERT**, dit **Carobert** (*1288, Naples - 1342, Višegrad, près de Sarajevo*), roi de Hongrie (1308-1342), petit-fils de Charles II d'Anjou. ~ **Charles II**, voir **Charles III**, roi de Naples. ~ **Charles III**, voir **Charles VI**, empereur germanique. ~ **Charles IV**, voir **Charles Ier**, roi d'Autriche.

#### NAPLES ET SICILE

**CHARLES Ier D'ANJOU** (*1226 - 1285, Foggia*), roi de Naples et de Sicile (1266-1285), comte d'Anjou et du Maine (1232-1285), comte de Provence (1246-1285). Frère de Louis IX, il participa avec lui aux croisades et fut roi de Jérusalem (1277). Encouragé par le pape lors de sa conquête du royaume de Naples et de Sicile, il se heurta à la révolte des Vêpres siciliennes (1282) et dut céder l'île, ne conservant que Naples, ce qui provoqua la formation de deux royaumes de Sicile. ~ **Charles II le Boiteux** (*v. 1254 - 1309, Naples*), fils du préc., comte de Provence et roi de Naples (1285-1309). Il échoua dans sa tentative pour reconquérir la Sicile perdue par son père. ~ **Charles III**, dit **Charles de Duras** (*1345-1386, Kerber, près de Sarajevo*), roi de Naples (1381-1386) et roi de Hongrie (Charles II ; 1385-1386). ~ **Charles IV**, voir **Charles V**, empereur germanique. ~ **Charles V**, voir **Charles II**, roi d'Espagne. ~ **Charles VI**, voir **Charles VI**, empereur germanique. ~ **Charles VII**, voir **Charles III**, roi d'Espagne.

#### NAVARRE

**CHARLES Ier**, voir Charles IV le Bel, roi de France. ~ **Charles II le Mauvais** (*1332 - 1387*), roi de Navarre (1349-1387). Petit-fils de Louis X, roi de France, il prétendit au royaume de France contre Jean II le Bon puis contre Charles V, mais fut battu par Du Guesclin à Cocherel, près d'Évreux (1364). ~ **Charles III le Noble** (*1361, Mantes - 1425, Olite*), fils du préc., roi de Navarre (1387-1425). Il se réconcilia avec les Valois.

#### ROUMANIE

**CHARLES Ier** ou **CAROL Ier** (*1839, Sigmaringen - 1914, Sinaia*), prince (1866-1881) puis roi (1881-1914) de Roumanie. Il proclama l'indépendance du pays, mettant fin à la domination de l'Empire ottoman, ce que confirma le traité de San Stefano (1878). ~ **Charles II** ou **Carol II** (*1893, Sinaia - 1953, Estoril, Portugal*), neveu du préc., roi de Roumanie (1930-1940). Ayant abandonné le trône à son fils Michel (1926), il revint au pouvoir en 1930 et dut abdiquer en 1940.

#### SUÈDE

**CHARLES IX** (*1550, Stockholm - 1611, Nyköping*), roi de Suède (1607-1611), 3e fils de Gustave Vasa. Il accéda au trône après avoir écarté Sigismond, roi de Pologne et héritier légitime. Il eut pour fils Gustave II Adolphe. ~ **Charles X Gustave** (*1622, Nyköping - 1660, Gothenburg, auj. Göteborg*), roi de Suède (1654-1660), petit-fils de Charles IX. Il devint roi après l'abdication de sa cousine Christine. ~ **Charles XI** (*1655, Stockholm - 1697, id.*), fils du préc., roi de Suède (1660-1697). Engagé avec la France contre la Hollande et le Brandebourg, il fut battu à Fehrbellin en 1675. Il instaura la monarchie absolue. ~ **Charles XII** (*1682, Stockholm - 1718, Fredrikshald, auj. Halden, Norvège*), fils du préc., roi de Suède (1697-1718). Engagé dans la guerre du Nord, il vainquit les Russes à Narva (1700), se révéla un grand chef de guerre mais fut battu par les Russes à Poltava (1709) et se réfugia à Istanbul. Après la perte de Stralsund, sa dernière possession en Allemagne, il tenta de redresser la situation mais fut tué au siège de Fredrikshald. Il a inspiré à Voltaire son *Histoire de Charles XII* (1731). ~ **Charles XIII** (*1748, Stockholm - 1818, id.*), roi de Suède (1809-1818). Monté sur le trône grâce à la révolution de 1809, il accepta une Constitution, céda la Finlande à la Russie (1809) et acquit la Norvège (1814). Sans héritier, il adopta Bernadotte, qui lui succéda. ~ **Charles XIV** ou **Charles-Jean** (Charles Jean-Baptiste **Bernadotte** ; *1763, Pau - 1844, Stockholm*), roi de Suède et de Norvège (1818-1844). Sergent dans l'armée du roi, général sous la Révolution, il fut nommé maréchal sous l'Empire. Désigné en 1810 comme prince héritier par les États de Suède, il rompit avec Napoléon, qu'il combattit en Russie. Il fut le fondateur de l'actuelle dynastie. ~ **Charles XV** (*1826, Stockholm - 1872, Malmö*), roi de Suède et de Norvège (1859-1872). Il dota la Suède de deux Chambres élues au suffrage censitaire. ~ **Charles XVI Gustave** (*1946, Stockholm*), roi de Suède depuis 1973.

---

**CHARLES** (Ray **Robinson**, dit Ray) ~ *1930, Albany, Géorgie.* Chanteur et pianiste américain. Accompagnateur des plus grands musiciens de blues, il a créé sa propre formation et s'est imposé par une musique qui mêle gospel et variétés (*Hit the Road, Jack* ; *What I'd Say*).

**CHARLES BORROMÉE** (saint) ~ *1538, Château d'Arona, lac Majeur - 1584, Milan.* Archevêque de Milan et cardinal, il se consacra à l'application de la Contre-Réforme catholique dans son diocèse.

**CHARLES DE BELGIQUE** ~ *1903, Bruxelles - 1983, Ostende.* Second fils d'Albert Ier, il fut régent de Belgique de 1944 à 1950.

**CHARLES DE BOURBON** ou **DON CARLOS**, nom de trois prétendants au trône d'Espagne. ~ **Charles**, comte DE MOLINA (*1788, Madrid - 1855, Trieste*), revendiqua le trône contre Isabelle II, au nom de la loi salique, et provoqua la première guerre carliste (1833-1840). Son fils ~ **Charles**, comte DE MONTEMOLÍN (*1818, Madrid - 1861, Trieste*) provoqua la deuxième guerre carliste (1846-1849). ~ **Charles**, duc DE MADRID (*1848, Laibach, auj. Ljubljana - 1909, Varèse*), petit-fils du comte de Molina, fut à l'origine de la troisième guerre carliste (1872-1876).

**CHARLES ÉDOUARD STUART**, dit **le Prétendant** ~ *1720, Rome - 1788, id.* Petit-fils de Jacques II Stuart, il souleva l'Écosse en 1745, prit Édimbourg et avança jusqu'à Derby mais fut battu à Culloden par les troupes de George II.

**CHARLES-EMMANUEL**, nom de trois ducs de Savoie et de deux rois de Sardaigne. ~ **Charles-Emmanuel Ier** (*1562, Rivoli - 1630, Savigliano, Piémont*), duc de Savoie (1580-1630). Il tenta en vain de prendre Genève mais obtint le marqu de Saluces grâce à son accord avec Henri IV (tra de Lyon, 1601). En 1629, Louis XIII l'empê d'annexer le Montferrat. ~ **Charles-Emmanuel** (*1701, Turin - 1773, id.*), duc de Savoie et roi Sardaigne (1730-1773). Il succéda à son p Victor-Amédée II, combattit l'Autriche puis s'a à elle contre la France et l'Espagne, obtenant ai une partie du Milanais. Son règne fut marqué un essor économique important et par la publi tion d'un Code (*Corpus Carolinum*, 1770) réformait la justice. ~ **Charles-Emmanuel** (*1751, Turin - 1819, Rome*), roi de Sardaig (1796-1802). Chassé du Piémont par les Franç il abdiqua en faveur de son frère, Vict Emmanuel Ier.

**CHARLES LE TÉMÉRAIRE** ~ *1433, Dijon - 14 devant Nancy.* Duc de Bourgogne (1467-1477) voulut constituer un État puissant (Flandre Bourgogne), participa à la ligue du Bien pub contre le roi de France, Louis XI, agrandit s duché grâce aux traités de Conflans et Saint-Maur (1466) après la bataille de Montlh (1465). Il réprima la révolte de Liège encoura par Louis XI qu'il obligea à signer le traité Péronne (1468). Il envahit la Picardie, la Lorrai la Suisse mais fut vaincu à Grandson puis à Mo (1476). Il mourut l'année suivante lors du si de Nancy, laissant sans suite la tentative reconstruction d'un État entre la France et le Sa Empire.

**CHARLES MARTEL** ~ *v. 688 - 741, Quierzy-s Oise.* Maire du palais d'Austrasie (718-741), fils Pépin de Herstal. Il reconnut comme roi Thierry et vainquit les musulmans à Poitiers (732). À mort du roi (737), il gouverna seul puis régla propre succession en partageant le royaume en ses deux fils, Carloman et Pépin le Bref.

**CHARLESTON**, nom de deux villes des Éta Unis. ~ Port de Caroline du Sud, base aéronava université ; 80 500 h. (agglom. 507 000 h.). L'u des plus anciennes villes des États-Unis (quarti pittoresques), fondée en l'honneur de Charles d'Angleterre (1671), elle fut le principal foyer la résistance sudiste pendant la guerre de Séc sion. ~ Cap. de la Virginie-Occidentale, v. indus (charbon, hydrocarbures, chim.) du plateau appa chien ; 57 000 h. (agglom. 250 500 h.).

**CHARLEVILLE-MÉZIÈRES** ~ Préfect. des A dennes, sur la Meuse, aux confins de la Champag et de la Lorraine ; 57 008 h. (agglom. 67 213 h Industr. métall. et mécanique. Place Ducale et Vie Moulin (musées folklorique de l'Ardenne et Ri baud). École des arts de la marionnette. Charlevi fut fondée au XVIIe s. en face de la cité fortifiée Mézières. Les deux villes ont fusionné en 1966

**CHARLEVOIX** (François-Xavier DE) ~ *168 Saint-Quentin - 1761, La Flèche.* Explorateur fra çais. Jésuite envoyé au Canada (1720-1722), poursuivit l'exploration du Saint-Laurent et Mississippi. Auteur de l'*Histoire et descripti générale de la Nouvelle-France* (1744).

**CHARLOTTE** ~ Princ. v. de la Caroline du No (États-Unis), à l'E. des Appalaches, centre comr industr. (coton) et universitaire ; 396 000 h.

**CHARLOTTE DE BELGIQUE** ~ *1840, Laeke 1927, château de Bouchout, près de Bruxell* Impératrice du Mexique. Fille de Léopold Ier, e épousa en 1857 l'archiduc Maximilien d'Autrich empereur du Mexique en 1864. Elle sombra da la démence après l'exécution de son époux.

**CHARLOTTE DE SAVOIE** ~ *v. 1445 - 148* Reine de France. Seconde femme de Louis XI, e fut mère de Charles VIII et d'Anne de France.

**CHARLOTTE ÉLISABETH DE BAVIÈRE**, dite **princesse Palatine** ~ *1652, Heidelberg - 172 Saint-Cloud.* Seconde femme du duc d'Orléans, frè de Louis XIV, mère du Régent, Philippe d'Orléar Elle a laissé une correspondance riche en inform tions sur la cour et les mœurs de son temps.

**CHARLOTTETOWN** ~ Port du Canada, cap. l'Île-du-Prince-Édouard, centre commercial et i dustriel ; 15 000 h. Université.

**CHAROLAIS** (le) ~ Région herbagère du S. de Bourgogne (Saône-et-Loire), arrosée par l'Arroux la Bourbince. Élev. bovin (embouche).

**CHARON** ~ Personnage de la mythologie grecqu fils d'Érèbe et de la Nuit. Nocher des Enfers, il f

erser le Styx et l'Achéron, contre une obole, aux
s des morts dotés de sépulture.
**ɪRONTON, CHARRETON** ou **CHARTON**
guerrand) ~ Voir **Quarton**.
**ɪRPAK** (Georges) ~ *1924, Dąbrowica, Pologne.*
sicien français d'orig. polonaise. Il est l'inven-
de la chambre multifils et de la chambre à
ve, appareils de détection des particules. Prix
el de phys. 1992.
**ɪRPENTIER** (Gustave) ~ *1860, Dieuze, Mo-*
*- 1956, Paris.* Compositeur français. Attaché
idéaux démocratiques, il illustra ses convictions
*Louise* (1900), « roman » musical d'inspira-
populiste et montmartroise.
**ARPENTIER** (Marc Antoine) ~ *v. 1634, Paris -*
*4, id.* Compositeur français. Détesté des parti-
de Lully, qui lui reprochaient son style
anisant et ses audaces harmoniques, il écrivit
musiques de scène pour Molière (*le Malade*
*ginaire*, 1673), une tragédie lyrique d'après
Corneille (*Médée*, 1693), des cantates profanes
*phée*, 1683), des tragédies en musique (*David*
*onathas*, 1688), des oratorios (*le Jugement de*
*mon*, 1702) et des messes.
**ARPY** (Georges) ~ *1865, Oullins - 1945, Paris.*
énieur français. Il est l'un des fondateurs de la
allographie en France.
**ɪrtes (École nationale des)** ~ Institution créée
1821 pour former les responsables de la gestion
patrimoine documentaire de la France. Elle
erne le diplôme d'archiviste-paléographe.
**ARTIER** (Alain) ~ *v. 1385, Bayeux - v. 1435,*
Écrivain français. Auteur de poèmes courtois (*la*
*Dame sans merci*, 1424) et d'écrits politiques
*Quadrilogue invectif*, 1422).
**ARTRES** ~ Préfect. de l'Eure-et-Loir, sur l'Eure
g.), marché agricole de la Beauce ; 39 595 h.
glom. 85 933 h.). Équipements agric., engrais,
fumerie. Évêché. Centre de pèlerinage. Cathédrale
hique Notre-Dame : ensemble de vitraux des
XIII^e^ s. (« bleu de Chartres »), portail Royal
s.), sculpté de statues-colonnes, labyrinthe. Mai-
s des XV^e^ et XVI^e^ s. Églises St-Pierre (XI^e^-XIII^e^ s.),
André (XII^e^ s.) et St-Aignan (XVI^e^-XVII^e^ s.). Musée
Beaux-Arts dans l'ancien palais épiscopal.
**artres (école de)** ~ École philosophique, litté-
e et scientifique fondée par l'évêque Fulbert en
. Florissante aux XI^e^ et XII^e^ s., elle fut fréquentée
par Guillaume de Conches.
**ARTREUSE (massif de la Grande-)** ~ Massif
Préalpes limité par les cluses de Chambéry (N.)
e Grenoble (S.). Il culmine à 2 082 m (pic de
amechaude) et abrite le monastère de la Grande-
artreuse fondé au XI^e^ s. par saint Bruno.
**ARVIEU-CHAVAGNEUX** ~ V. de l'Isère, à l'E.
Lyon ; 8 126 h. (agglom. 21 342 h.).
**arybde** ~ Tourbillon du détroit de Messine
à l'écueil de Scylla dont la mythologie grecque
des êtres fabuleux.
**ɪASE** (René Brabazon **Raymond**, dit James
lley) ~ *1906, Londres - 1985, Corseaux-sur-Ve-*
*Suisse.* Écrivain britannique. Il est l'auteur de
nans policiers et d'espionnage qui mêlent vio-
ce et sexualité, humour et cynisme (*Pas d'orchi-*
*pour miss Blandish*, 1938 ; *Eva*, 1965).
**ɪASLES** (Michel) ~ *1793, Épernon, Eure-et-*
*e - 1880, Paris.* Mathématicien français. Il déve-
pa la théorie moderne de la géométrie projective.
**ɪASSAGNE-MONTRACHET** ~ Village de la
de Beaune (Côte-d'Or) ; 431 h. Vins blancs
utés. Carrières.
**ɪASSELAS** ~ Village viticole du Mâconnais
ône-et-Loire) ; 171 h. Son cépage donne un
in de table blanc réputé.
**ɪASSELOUP-LAUBAT** (Justin) ~ *1805, Alexan-*
*Italie - 1873, Versailles.* Homme politique
nçais. Il fut ministre de la Marine sous Napo-
n III et contribua à l'annexion de la Cochinchine
lu Cambodge.
**ɪASSÉRIAU** (Théodore) ~ *1819, Saint-Domin-*
*- 1856, Paris.* Peintre français, élève d'Ingres.
n style se caractérise par un exotisme empreint
romantisme (*Deux Sœurs*, 1843).
**assey-le-Camp** ~ Site préhist. de Saône-et-
re. Il a donné son nom à la culture **chasséenne**
éolithique moyen, v. 4000 à 3000 av. J.-C.).

**CHASTEL** (André) ~ *1912, Paris - 1990, id.* Historien et critique d'art français. Il est l'auteur d'études sur l'art de la Renaissance italienne et d'une somme sur *l'Art français* (posth., 1993).

**CHATEAUBRIAND** (François René, vicomte DE) ~ *1768, Saint-Malo - 1848, Paris.* Écrivain français. Issu de la vieille noblesse, il entama une brève carrière militaire, séjourna quelques mois aux États-Unis (1791), combattit à Thionville aux côtés des royalistes avant d'émigrer en Angleterre. À son retour (1800), il publia, avec succès, *Atala* (1801) puis *René* (1802), qui marquèrent toute la première génération romantique. Son *Génie du christianisme* (1802), vaste apologie religieuse favorable aux projets de Bonaparte, ouvrit son éphémère carrière diplomatique sous l'Empire, puis un pamphlet contre l'empereur déchu le porta, sous Louis XVIII, jusqu'au fauteuil des Affaires étrangères. Se retirant après la révolution de Juillet, il poursuivit ses *Mémoires d'outre-tombe* (1809-1841), portrait de toute une époque, qui firent de lui l'« enchanteur » d'une langue qu'il fit sortir du XVIII^e^ siècle. Acad.

**CHÂTEAUBRIANT** ~ V. de Loire-Atl., aux confins de la Bretagne, de l'Anjou et du Maine, entre Rennes et Nantes ; 12 783 h. Marché aux bestiaux depuis le Moyen Âge. Matériel agricole. Château en deux parties : vestiges du Vieux-Château (XI^e^-XV^e^ s.), construit par le seigneur de Briant, et Château-Neuf (Renaissance). Église romane St-Jean-de-Béré.

**CHÂTEAU-CHINON** ~ Localité du Morvan (Nièvre) ; 2 502 h. Musée du Septennat (de Fr. Mitterrand).

**CHÂTEAU-D'OLÉRON (Le)** ~ Station baln. et petit port du S.-E. de l'île d'Oléron (Charente-Mar.) ; 3 544 h. Ostréiculture. Citadelle du XVII^e^ s.

**CHÂTEAU-D'OLONNE** ~ V. de Vendée, à l'E. des Sables-d'Olonne ; 10 976 h.

**CHÂTEAUDUN** ~ V. des confins du Perche et de la Beauce (Eure-et-Loir), marché agric. sur le Loir ; 14 511 h. (agglom. 17 817 h.). Mécan. de précision et constr. électriques. Château (XII^e^ et XVI^e^ s.) et églises romanes et gothiques.

**Château-Gaillard (Le)** ~ Ruines d'une forteresse féodale, aux Andelys (Eure), bâtie par Richard Cœur de Lion en 1196-1197, sur une roche escarpée dominant la Seine. Prise par Philippe Auguste en 1204, elle fut démantelée par Henri IV (1603).

**CHÂTEAU-GONTIER** ~ V. du Bocage angevin (Mayenne), marché agric. ; 11 085 h. (agglom. 13 755 h.). Église romane St-Jean-Baptiste. Musée.

**CHÂTEAULIN (bassin de)** ~ Région agric. du Finistère, entre les monts d'Arrée (N.) et les montagnes Noires (S.), drainée par l'Aulne. Il abrite la petite ville de **Châteaulin** (4 965 h.).

**CHÂTEAUNEUF-DU-PAPE** ~ Village du Comtat Venaissin, près d'Avignon (Vaucluse) ; 2 062 h. Vins réputés.

**CHÂTEAUNEUF-LÈS-MARTIGUES** ~ V. des Bouches-du-Rhône, au N. de la chaîne de l'Estaque ; 10 911 h. Gisement préhistorique.

**CHÂTEAURENARD** ~ V. des Bouches-du-Rhône, au S. d'Avignon, marché de fruits et primeurs ; 11 790 h.

**CHÂTEAURENARD** ~ Localité du Gâtinais (Loiret) ; 2 302 h. Ruines d'un château (XI^e^-XIII^e^ s.).

**CHÂTEAUROUX** ~ Préfect. de l'Indre, sur l'Indre, centre industr. d'une région agric. (Champagne berrichonne) ; 50 969 h. (agglom. 67 090 h.).

*Charles le Téméraire.*

*François René de* **Chateaubriand.**



Fonderies, industr. pharmaceut. et aéronautique, manufacture de tabac. Château Raoul (XIV^e^-XV^e^ s.).

**CHÂTEAU-THIERRY** ~ V. de l'Aisne, au N. de la Brie champenoise, sur la Marne ; 15 312 h. (agglom. 23 870 h.). Biscuiterie. Église St-Crépin (XV^e^-XVI^e^ s.). Maison natale de Jean de La Fontaine.

**CHÂTELET** ~ V. de la Belgique wallonne (Hainaut), sur la Sambre, dans le bassin industriel de Charleroi ; env. 40 000 h.

**Châtelet** ~ Nom de deux anciens forts (**Grand** et **Petit Châtelet**), situés de part et d'autre de la Seine, qui abritaient la justice prévôtale de Paris et servaient de prison. Ces deux édifices sont à l'origine du nom de l'actuelle place du Châtelet.

**CHÂTELET** (Émilie **Le Tonnelier de Breteuil**, marquise DU) ~ *1706, Paris - 1749, Lunéville.* Femme de lettres française, amie de Voltaire.

**CHÂTELGUYON** ~ Station thermale de la Grande Limagne (Puy-de-Dôme), au N. de Clermont-Ferrand ; 4 743 h. Eaux minérales.

**CHÂTELLERAULT** ~ V. du Poitou (Vienne), sur la Vienne, entre Tours et Poitiers ; agglom. 36 298 h. Constructions mécaniques et électriques. Pont Henri-IV. Vieilles demeures (XIII^e^-XVI^e^ s.).

**CHÂTELPERRON** ~ Commune de l'Allier ; 189 h. Grotte préhistorique, qui donna son nom à un faciès du Paléolithique supérieur, le castelperronien.

**CHÂTENAY-MALABRY** ~ V. de la banlieue S. de Paris (Hauts-de-Seine) ; 29 197 h. Siège de l'École centrale. Église (XI^e^-XIII^e^ s.). Maison de Chateaubriand (domaine de la Vallée-aux-Loups).

**CHATHAM (îles)** ~ Archipel volcanique et calcaire du Pacifique, dépendance orientale de la Nouvelle-Zélande ; 963 km², env. 800 h. Élev. ovin.

**CHÂTILLON** ~ V. de la banlieue S. de Paris (Hauts-de-Seine) ; 26 411 h.

**CHÂTILLON-SUR-SEINE** ~ V. du plateau de Langres (Côte-d'Or), dans le Châtillonnais ; 6 862 h. Église St-Vorles (X^e^-XII^e^ s.). Musée archéol. (trésor de Vix). Siège de vains pourparlers, en 1814, entre Napoléon et les Alliés, pour faire rentrer la France dans ses frontières de 1792 (**congrès de Châtillon**).

**CHATOU** ~ V. de la banlieue O. de Paris (Yvelines), sur la Seine, près de Saint-Germain-en-Laye ; 27 977 h. Laboratoires de recherches. Lieu de séjour de peintres impressionnistes et fauvistes.

**CHATT AL-ARAB (le)** ~ Cours d'eau frontalier de l'Iraq et de l'Iran, bordé de marécages (env. 180 km), formé par la réunion du Tigre et de l'Euphrate. Bordé d'immenses palmeraies (dattes), il est l'unique débouché maritime de l'Iraq sur le golfe Persique.

**CHATTANOOGA** ~ V. des États-Unis (Tennessee), à l'O. des Appalaches, carrefour ferrov. et centre industriel (1^re^ usine de Coca-Cola) ; 153 000 h. En nov. 1863, le général Grant y remporta une victoire décisive sur les sudistes.

**CHATTERJI** (Bankim Chandra) ~ *1838, Kantalpara - 1894, Calcutta.* Écrivain indien d'expression bengali, père du roman populaire indien (*l'Arbre vénéneux*, 1873).

**CHATTERTON** (Thomas) ~ *1752, Bristol - 1770, Londres.* Poète britannique. Écrits dans une langue pseudo-médiévale, ses poèmes ont influencé W. Scott et J. Keats. Sa mort précoce (suicide par empoisonnement) fit de lui un symbole du génie incompris, célébré notamment par A. de Vigny dans son drame *Chatterton* (1835).

**CHATWIN** (Bruce) ~ *1940, Sheffield - 1989, Nice.* Écrivain et voyageur britannique. Son œuvre décrit l'errance érigée en mode de vie et de pensée (*En Patagonie*, 1977 ; *le Chant des pistes*, 1987).

**CHAUCER** (Geoffrey) ~ *v. 1340, Londres - 1400, id.* Poète anglais. Ses *Contes de Cantorbéry* (1387), fondateurs de la littérature anglaise, offrent une étude de mœurs dont le réalisme comique est inspiré par les fabliaux.

**CHAUDES-AIGUES** ~ Station therm. du Cantal (eaux les plus chaudes de France), dans le N. des monts d'Aubrac ; 1 110 h. Église du XV^e^ s. Chapelle des Pénitents.

**CHAUMETTE** (Pierre Gaspard) ~ *1763, Nevers - 1794, Paris.* Révolutionnaire français. Procureur-syndic de la Commune de Paris. il fit partie de la faction des Enragés, ou hébertistes, et fut guillotiné.

**CHAUMONT** ~ Préfect. de la Haute-Marne, carrefour ferroviaire et routier au S.-E. de Troyes ; agglom. 27 988 h. Constructions mécaniques, cuir, emballage. Basilique St-Jean-Baptiste (XIIIe-XVIe s.), donjon (XIIe s.), maisons anciennes, musée.

**CHAUMONT-SUR-LOIRE** ~ Village du Loir-et-Cher dominé par un château mariant les styles gothique et Renaissance ; 876 h.

**CHAUNU** (Pierre) ~ *1923, Belleville, Meuse.* Historien français. Pionnier de la méthode quantitative et historien des mentalités (*la Mort à Paris*, 1978).

**CHAUNY** ~ V. industr. de Picardie (Aisne), au S. de Saint-Quentin ; 12 926 h. (agglom. 19 663 h.). Industrie chimique, métallurgie.

**CHAUSEY (îles)** ~ Îlots rocheux de la Manche, au large de Granville. Pêche (crustacés).

**Chaussée des Géants** ~ Curiosité géologique (colonnes basaltiques) et site touristique d'Irlande du Nord.

**CHAUSSON** (Ernest) ~ *1855, Paris - 1899, Limay, Yvelines.* Compositeur français. Placée sous l'influence de C. Franck et de R. Wagner, son œuvre traduit une sensibilité mélancolique servie par une écriture rigoureuse (*le Roi Arthus*, 1893-1896 ; *Poème pour violon et orchestre*, 1896).

**CHAUTEMPS** (Camille) ~ *1885, Paris - 1963, Washington.* Homme politique français. Trois fois président du Conseil (1930, 1933-1934 et 1937-1938), radical-socialiste, il soutint Pétain et suggéra de négocier avec les Allemands (1940) mais quitta aussitôt le gouvernement.

**CHAUVEAU** (Auguste) ~ *1827, Villeneuve-la-Guyard, Yonne - 1917, Paris.* Physiologiste français. Précurseur de l'étude de l'énergétique dans l'organisme, il affirma, avant Pasteur, que les maladies infectieuses sont transmises par un virus.

**CHAUVELIN** (Germain Louis **DE**) ~ *1685, Paris - 1762, id.* Secrétaire d'État aux Affaires étrangères, sous l'autorité du cardinal de Fleury, de 1727 à 1737. Hostile à l'Autriche, il fut l'artisan de la guerre de la Succession de Pologne.

**CHAUX (forêt de)** ~ Forêt (princ. chênes) du bassin de la Saône (Jura), entre le Doubs et la Loue, l'une des plus vastes de France (200 km²). Parc animalier.

**CHAUX-DE-FONDS (La)** ~ V. de Suisse (canton de Neuchâtel), dans le Jura, à près de 1 000 m d'alt. ; env. 37 000 h. Industr. horlogère. Musées de l'Horlogerie et des Beaux-Arts (XIXe-XXe s.).

**CHAVAL** (Yvan **Le Louarn**, dit) ~ *1915, Bordeaux - 1968, Paris.* Dessinateur français. Le graphisme incisif et dépouillé de ses dessins de presse était l'expression ironique d'un pessimisme radical.

**CHAVILLE** ~ V. de la banlieue résidentielle du S.-O. de Paris (Hauts-de-Seine) ; 17 784 h.

**Chavín de Huantar** ~ Site archéol. du Pérou, dans la Cordillère occidentale. Ensemble de terrasses reliées par des rampes et des escaliers, il a donné son nom à la première civilisation andine (Ier mill. av. J.-C.), dévouée au culte d'un dieu félin.

**CHAZELLES-SUR-LYON** ~ Bourg des monts du Lyonnais (Loire), au N. de Saint-Étienne ; 4 895 h. Chapellerie. Musée du chapeau.

**CHÉBÉLI** ou **SHEBELI** (le) ~ Fl. de Somalie, né en Éthiopie, tribut. de l'océan Indien, qu'il ne rejoint qu'aux environs de l'embouchure du Djouba ; 1 900 km.

**CHEJU** ~ Île montagneuse et volcan. de la mer de Chine (Corée du Sud) ; 1 825 km², 515 000 h.

**CHE-KIA-TCHOUANG** ~ Voir **Shijiazhuang**.

**CHELIFF** ou **CHÉLIF** (le) ~ Le plus long fl. d'Algérie, pérenne en aval des Hautes Plaines ; 700 km. Sa vallée (site d'Ech-Cheliff) sépare les massifs de l'Ouarsenis et du Dahra.

**CHELIFF (Ech-)**, anc. **Orléansville** puis **El-Asnam** ~ V. d'Algérie, ch.-l. de wilaya, sur l'oued Cheliff, marché agric. régional ; 104 000 h. Fondée par Th. Bugeaud en 1843, elle fut dévastée en 1954 et 1980 par des séismes.

**CHELLES** ~ V. de la banlieue E. de Paris, au N.-O. de Marne-la-Vallée (Seine-et-Marne) ; 45 365 h. Église médiévale. Musée archéologique.

**Chełmno** ~ Camp d'extermination nazi (1941-1945), dans l'O. de la Pologne.

**Chemin des Dames** ~ Ancienne voie romaine située dans l'Aisne, théâtre du sanglant échec de l'offensive de G. Nivelle en avril 1917 et de la percée allemande en mai 1918.

**CHEMNITZ**, anc. **Karl-Marx-Stadt** (de 1949 à 1990) ~ V. industr. de l'E. de l'Allemagne (Saxe), au N. des monts Métallifères ; 286 000 h. (en diminution). Métallurgie, textile (en déclin), chimie, automobile.

**CHEMULPO** ~ Voir **Inchon**.

**CHENAB** (la) ~ Princ. affl. de l'Indus, issu de l'Himalaya (Zaskar), qui arrose le Cachemire (Inde et Pakistan) et le Pendjab (Pakistan) ; 1 210 km.

**CHENGDU** ou **TCH'ENG-TOU** ~ V. de Chine centrale, cap. du Sichuan, important centre industriel (électron., mécan., chim.) sur la route du Tibet ; 2 670 000 h. Vieille ville entourée de murailles. Anc. capitale des Shu au IIIe s.

**CHÉNIER**, nom de deux écrivains et hommes politiques français. ~ **André DE** (*1762, Istanbul - 1794, Paris*). Rousseauiste, il célébra une Antiquité mythique, symbole de pureté et de vérité, par le jeu d'une rhétorique se voulant « naturelle », mêlant harmonie et mélodie (*les Bucoliques* ; *Iambes*, posth., 1819). Poète engagé (*Ode sur le jeu de Paume*, 1791), il fut guillotiné sous la Terreur pour son antijacobinisme. Son frère ~ **Marie-Joseph DE** (*1764, Istanbul - 1811, Paris*) est l'auteur de la tragédie *Charles IX ou l'École des rois* (1789), et le parolier du *Chant du départ* (1794).

**CHENNEVIÈRES-SUR-MARNE** ~ V. de la banlieue S.-E. de Paris (Val-de-Marne), sur la Marne ; 17 857 h. Église du XIIIe s. remaniée.

**CHENONCEAUX** ~ Localité d'Indre-et-Loire. Château construit au début du XVIe s. par Thomas Bohier, pavillon carré complété d'une galerie enjambant le Cher.

*Château de Chenonceaux.*

**CHENÔVE** ~ V. de la banlieue S.-O. de Dijon, au pied de la Côte de Nuits (Côte-d'Or) ; 17 721 h. Industries mécan., chimique.

**CHEN-SI** (le) ~ Voir **Shaanxi**.

**CHEN-TCHEN** ~ Voir **Shenzhen**.

**CHEN Tcheou** ~ Voir **Shen** Zhou.

**CHEN-YANG** ~ Voir **Shenyang**.

**CHÉOPS** ~ Voir **Kheops**.

**CHÉPHREN** ~ Voir **Khephren**.

**CHER** (le) ~ Dép. de la Région Centre, dans le S. du Bassin parisien, limité à l'E. par la Loire et l'Allier, arrosé par le **Cher** (320 km) et ses affl. ; 7 227 km², 321 559 h., v. princ. Bourges (préfect.), Vierzon. Il est partagé entre l'E. de la Champagne berrichonne, voué à la culture céréalière au centre, des pays d'élevage au S. (Boischaut, val de Germigny), les collines viticoles du Sancerrois au N.-O. et les confins de la Sologne au N.-E.

**CHERBOURG** ~ Port comm. du N. du Cotentin (Manche) ; 27 121 h. (agglom. 92 045 h.). Constr. navales, arsenal (sous-marins nucléaires). Constr. mécan. et électroniques. Pôle nucléaire. Liaisons trans-Manche. Pêche. Abbaye du Vœu. Musée de peinture, musée de la Guerre et de la Libération.

**CHERCHELL** ~ Port d'Algérie, à l'O. d'Alger ; 37 000 h. Pêche. Ruines romaines, musée (mosaïques, sculptures). C'est l'ancienne Césarée, capitale de la Maurétanie romaine.

**CHÉREAU** (Patrice) ~ *1944, Lézigné.* Metteur en scène français. Partagé entre la mise en scène théâtrale (théâtre des Amandiers, Nanterre), la mise en scène lyrique (à Bayreuth) et la réalisatio films, il donne aux œuvres une dimension m que, une violence esthétique et émotionnelle bouleversent les codes traditionnels.

**CHÉRET** (Jules) ~ *1836, Paris - 1932, Nice.* chiste, décorateur et peintre français. Créateu l'affiche moderne, not. par l'utilisation industr de la lithographie, il a fixé l'esprit de la Belle Ép dans des compositions pleines de vivacité.

**Cherokees** (les) ~ Indiens d'Amérique du N (Iroquois du S. des Appalaches).

**Chéronée** ~ Site de Béotie (Grèce). Victoir Philippe II de Macédoine sur Athènes et Th (338 av. J.-C.). Victoire romaine de Sylla Mithridate le Grand (86 av. J.-C.).

**CHERUBINI** (Luigi) ~ *1760, Florence - 1842, ris.* Compositeur français d'orig. italienne. Forr la polyphonie italienne, il fit carrière en France il dirigea autoritairement le Conservatoire de 1 à sa mort. Il composa des opéras (*Médée*, 1797 des messes (*Requiem en « ut » majeur*, 1817).

**Chérusques** (les) ~ Peuple de Germanie sous la conduite d'Arminius, s'opposa à la péne tion romaine au début du Ier s., puis fut vaincu Germanicus en 16 apr. J.-C.

**CHESAPEAKE (baie de)** ~ Baie profonde d côte E. des États-Unis, qui baigne le Marylan la Virginie (ports de Baltimore, Hampton Roa

**CHESHIRE** (le) ~ Voir **Chester**.

**CHESNAY (Le)** ~ V. de la banlieue résident de l'O. parisien, près de Versailles (Yvelin 29 542 h. Centre commercial régional (Parly

**CHESTER** ~ V. industr. et tourist. du N.-O. l'Angleterre, au S. de Liverpool, ch.-l. du **comt Cheshire** (élev. bovin, fromage) ; 116 000 Remparts, noyau médiéval, cathédrale (XIVe s.)

**CHESTERFIELD** ~ V. des Midlands, en Anglet (Derbyshire) ; 99 000 h. Église du XIVe s.

**CHESTERFIELD** (Philip **Stanhope**, 4e co **DE**) ~ *1694, Londres - 1773, id.* Homme polit et écrivain britannique (*Lettres à mon fils*, 17

**CHESTERTON** (Gilbert Keith) ~ *1874, Lond 1936, Beaconsfield, Buckinghamshire.* Écrivain tannique, auteur de plus de cent ouvrages, recu de poèmes, essais, romans satiriques et nouv policières (*Histoires du Père Brown*, 1911-19

**CHE T'ao** ~ Voir **Shi** Tao.

**CHETUMAL** ~ Voir **Quintana Roo**.

**CHEVAL** (Ferdinand), dit le **Facteur Cheva** *1836, Charmes, Drôme - 1924, Hauterives.* Fact rural et architecte autodidacte français. Il const sit de 1879 à 1912 un *Palais idéal* de pierres e coquillages, décoré de figures symboliques, séduisit les surréalistes.

**CHEVALIER** (Maurice) ~ *1888, Paris - 1972,* Chanteur et acteur français. Interprète de chans inspirées par le Paris populaire, il fit égalem carrière à Hollywood.

**CHEVALIER** (Michel) ~ *1806, Limoges - 18 Lodève.* Économiste français. Théoricien du lil échange, il contribua, avec R. Cobden, à la signat du traité de commerce franco-britannique de 18

**CHEVALLEY** (Claude) ~ *1909, Johannesbu 1984, Paris.* Mathématicien français. Membre groupe N. Bourbaki, il est l'auteur de travaux la géométrie algébrique et les groupes de Lie.

**CHEVARDNADZE** (Edouard Ambroïssovitch *1928, Mamati, Géorgie.* Homme d'État géorgi Ministre des Affaires étrangères de l'U. R. S (1985-1990 et 1991), il est président de la Géo depuis 1992.

**CHEVERNY** ~ Localité du Loir-et-Cher ; 900 Château construit de 1604 à 1634 pour la fam Hurault. Musée de la Vènerie.

**CHEVILLY-LARUE** ~ V. de la banlieue S. de P (Val-de-Marne) ; 16 223 h. Marché de Rungis.

**CHEVIOT (monts)** ~ Chaîne de collines confins de l'Angleterre et de l'Écosse (mont Chev 816 m). Élev. ovin. Parc national.

**CHEVREUL** (Eugène) ~ *1786, Angers - 1889, ris.* Chimiste français. Ses recherches sur les co gras permirent la fabrication des bougies stéariq (1823). Son cercle chromatique servit aux peint impressionnistes.

EVREUSE (vallée de) ~ Vallée pittoresque de ette (Yvelines). Zone résidentielle (Chevreuse, ıt-Rémy-lès-Chevreuse, Gif-sur-Yvette), tourist. lons des Vaux-de-Cernay et de Saint-Lambert), e technol. et univ. d'Orsay. Parc naturel régional la haute vallée de Chevreuse. Abbaye de t-Royal-des-Champs.

IEVREUSE (Marie **de Rohan-Montbazon**, du-sse DE) ~ *1600, Paris - 1679, Gagny*. Veuve bert de Luynes, elle épousa Claude de Lorraine, de Chevreuse. Elle complota contre Richelieu, s participa à la Fronde.

IEVTCHENKO (Tarass Grigorievitch) ~ *1814, rintsy - 1861, Saint-Pétersbourg*. Poète ukrainien. riote et démocrate passionné, il est considéré mme l'écrivain national ukrainien.

IEYENNE ~ V. des États-Unis, au pied des cheuses, près de la frontière du Colorado, cap. princ. v. du Wyoming ; 50 000 h. Marché au ail. Tourisme.

eyennes (les) ~ Indiens d'Amérique du Nord gonquins de la région des Grands Lacs). Ils sont cantonnés dans les réserves du Montana et l'Oklahoma.

IEYNEY (Peter **Southouse-Cheyney**, dit Pe-) ~ *1896, Londres - 1951, id.* Écrivain britanni-, auteur de romans policiers (*la Môme Vert-de-is*, 1937).

IIANGMAI ou **CHIENGMAI** ~ Princ. v. du N. la Thaïlande, proche de la frontière birmane ; 2 000 h. Artisanat, tourisme. Nombreux temples e-XVIIIe s.). Capitale (fondée au XIIIe s.) de l'ancien aume du Lan Na.

IIANTI (le) ~ Région de collines, en Toscane alie), réputée pour sa production viticole.

IIAPAS (le) ~ État du S.-E. du Mexique bordé par Pacifique, frontalier du Guatemala ; 73 887 km², 11 000 h., cap. Tuxtla Gutiérrez (296 000 h.). gion tropicale où la forêt recule devant l'élevage es cultures (maïs, café). C'est un ancien centre de culture maya (Palenque, Bonampak). En 1994, les liens s'y sont révoltés (Armée zapatiste de libéra-n nationale) contre le gouvernement central.

IIBA ~ Port industriel du Japon (Honshû), dans baie de Tôkyô ; 834 000 h.

IICAGO ~ 3e v. des États-Unis (Illinois), mé-pole du Middle West et important port industriel le lac Michigan ; 2 784 000 h. (agglom. env. 000 000 d'h.). Carrefour ferroviaire, 1er aéroport monde, marché agricole d'intérêt mondial ourse). Université. Le « Loop » (le centre de la le) concentre de nombreux témoignages de rchitecture moderne. Art Institute (beaux-arts), usée des Sciences. Extension des quartiers pauvres ra-muros (Noirs, Hispaniques). HIST. - La ville, i connut une rapide expansion à partir de 1860, le berceau du syndicalisme américain. Sa anifestation de 1886, durement réprimée, est à rigine de la fête internationale du 1er mai.

ichén Itzá ~ Site archéol. du Mexique (Yuca-n), l'un des princ. centres de la civilisation maya e-Xe s.). Ses monuments (temple des Guerriers) flètent aussi l'influence toltèque.

HICLAYO ~ V. et centre admin. du N.-O. du rou, dans une oasis agric. au S. du désert de chura ; 412 000 h. Industr. agroalimentaire.

HICOUTIMI ~ V. du Québec, sur la Saguenay, ntre admin. et industr. qui forme, avec Jonquière, 3e agglom. de la province ; env. 63 000 h. gglom. 161 000 h.). Évêché.

HIENGMAI ~ Voir **Chiangmai**.

HIERS (la) ~ Riv. de Lorraine (112 km), qui end sa source au Luxembourg et rejoint la Meuse amont de Sedan. Les industries sidérurgiques de vallée (Longwy) sont sinistrées.

HIETI ~ V. d'Italie (Abruzzes), à proximité de la te Adriatique, centre industr. et universitaire ; 000 h. Musée archéologique.

HIGI, famille de banquiers italiens. ~ **Agostino** *1465, Sienne - 1520, Rome*), banquier de Léon X, construire la villa Farnésine à Rome. ~ **Fabio** *599, Sienne - 1667, Rome*) fut élu pape sous le om d'Alexandre VII (1655). Il acquit le **palais** higi, bâti de 1562 à 1630.

HIHUAHUA (le) ~ Le plus vaste État du Mexi-e, frontalier des États-Unis, qui s'étend sur la erra Madre occidentale et les hauts plateaux ; 247 087 km², 2 442 000 h., cap. **Chihuahua** (531 000 h.). Activité industrielle dynamique : expansion des *maquiladoras* (usines américaines d'assemblage délocalisées), exploit. minière (argent, plomb, zinc), élev. bovin.

**CHIKAMATSU Monzaemon** (**Sugimori** Nobu-mori, dit) ~ *1653, Kyôto - 1724, Ōsaka*. Drama-turge japonais. Auteur de kabuki (*les Batailles de Coxinga*, 1714) et de drames pour marionnettes.

**CHILDEBERT**, nom de trois rois francs. ~ **Childe-bert Ier** (*v. 495 - 558, Paris*), fils de Clovis et de Clotilde, roi de Paris (511-558). Il reçut en partage le N.-O. de la Gaule franque, avec Paris. ~ **Childe-bert II** (*v. 570 - 595*), fils de Sigebert Ier et de Brunehaut, régna sur l'Austrasie (575-595) et sur la Bourgogne (592-595). ~ **Childebert III** (*v. 683 - 711*) régna sur la Neustrie, l'Austrasie et la Bourgogne (695-711).

**CHILDÉRIC**, nom de trois rois francs. ~ **Childé-ric Ier** (*v. 436 - v. 481, Tournai*), fils de Mérovée, roi des Francs Saliens (457-v. 481), père de Clovis. ~ **Childéric II** (*v. 650 - 675*), fils de Clo-vis II, régna sur l'Austrasie (662-675), la Bourgogne et la Neustrie (673-675). ~ **Childéric III** (*m. en 755 à Sithiu, en Flandre*), dernier roi mérovingien (743-751), fut déposé par Pépin le Bref.

**CHILDS** (Lucinda) ~ *1940, New York*. Danseuse et chorégraphe américaine. Fondant ses chorégraphies sur la répétition, elle s'inscrit dans le courant de l'art minimal (*Einstein on the Beach*, 1976).

**CHILI (république du)**, en esp. ***República de Chile*** ~ Pays du S.-O. de l'Amérique du Sud, étiré sur 4 300 km du N. au S. (larg. moyenne 180 km). Le territoire comprend de nombreuses îles, dont l'île de Pâques. ***Cap.*** Santiago. ***Superf.*** 736 905 km². ***Popul.*** 13 440 000 h., dont métis (92 %), Indiens. ***Langues princ.*** Espagnol, mapuche. ***Monn.*** Peso. ***Relief.*** Au N., un haut plateau désertique et des bassins intérieurs (désert d'Atacama) sont dominés par les Andes. Au centre, entre les Andes (6 800 m), à l'E., et la Cordillère littorale, à l'O., s'étend la Vallée centrale, région la plus propice au peuple-ment. Au S., les Andes s'abaissent et se fractionnent en un dédale d'îles volcaniques et de fjords. ***Climat.*** Très variable, en fonction de la latitude et de l'altitude : désertique au N., froid et humide au S., il est méditerranéen dans la Vallée centrale, tempéré au S. du río Bio-Bio. ***Écon.*** Large éventail de productions agricoles (blé, vigne, riz, maïs, élev. bovin et ovin), à quoi s'ajoutent l'exploitation forestière et la pêche. Le potentiel énergétique est limité, mais le secteur minier (cuivre, fer, molyb-dène, or, nitrates) alimente les exportations. L'in-dustrie est l'une des plus développées d'Amérique latine, mais elle souffre de l'étroitesse du marché intérieur. Peu endetté, le Chili a l'une des écono-mies les plus saines du continent, mais la pauvreté affecte plus du tiers de sa population. ***V. princ.*** Santiago, Concepción, Valparaíso. HIST. - *1536-1560* : les Espagnols conquièrent le Chili à partir du Pérou. La résistance des Indiens araucans va durer jusqu'au XVIIe s. Pedro de Valdivia fonde Santiago en 1541. D'abord inclus dans la vice-royauté du Pérou, le Chili devient une capitainerie fédérale (1778). *XIXe s.* : insurrection commandée par Bernardo O'Higgins et José Miguel Carrera (sept. 1810). Les Espagnols, vaincus en 1817 à Chacabuco par José de San Martín, quittent définitivement le Chili après leur défaite à Maipù (1818). Une république indépendante est procla-mée (1818). Après la dictature d'O'Higgins (1823), conservateurs et libéraux alternent au pouvoir. À l'issue de la guerre du Pacifique (1879-1883) qui l'oppose au Pérou et à la Bolivie, le Chili adjoint la riche province minière du Nord à son territoire. *1891-1924* : l'instauration du régime parlementaire entraîne une forte instabilité politique. *1925* : une nouvelle Constitution établit un régime présiden-tiel. *1938-1970* : des gouvernements de Front popu-laire, de centre droit et démocrate-chrétien (Eduardo Frei Montalva) se succèdent. *1970* : le socialiste Salvador Allende est élu avec l'appui de la gauche. Ses réformes radicales (réforme agraire, nationalisations) dressent la droite contre lui. *1973* : il est renversé par une junte militaire appuyée par la C. I. A. et se suicide dans le palais présidentiel pris d'assaut. Le général Augusto Pinochet instaure une dictature militaire. *1988* : un plébiscite visant à assurer le maintien de son régime consacre son échec. *1989* : le candidat démocrate Patricio Aylwin Azócar est élu président, tandis que le général Pinochet reste chef des armées. *Déc. 1993* : Eduardo Frei Ruiz-Tagle, fils de l'ancien président et également démocrate-chrétien, lui succède ; il fait du Chili un candidat à l'intégration à l'Aléna.

**Chillon** ~ Château suisse du XIIIe s. (canton de Vaud), sur la rive N. du lac Léman. Anc. résidence des comtes et des ducs de Savoie.

**CHILLY-MAZARIN** ~ V. de la banlieue S. de Paris, dans la vallée de l'Yvette (Essonne) ; 16 939 h. Produits pharmaceutiques.

**CHILOÉ (île)** ~ Grande île du Chili méridional, au climat océanique frais. Pêche.

**CHILON** ~ *VIe s. av. J.-C.* Éphore et législateur de Sparte, un des Sept Sages de la Grèce.

**CHILPÉRIC**, nom de deux rois de Neus-trie. ~ **Chilpéric Ier** (*539 - 584, Chelles*), roi de 561 à 584, fils de Clotaire Ier, fut assassiné à la suite de violentes querelles familiales. ~ **Chilpé-ric II** (*670 - 721*), roi de 715 à 721, régna sous la férule de Charles Martel.

**CHIM** (David **Szymin** ou **Seymour**, dit) ~ *1911, Varsovie - 1956, canal de Suez*. Photographe améri-cain d'orig. polonaise. Il travailla pour des maga-zines d'actualité (*Vu* ; *Regards*) et couvrit la guerre d'Espagne. Cofondateur et président (1954-1956) de l'agence Magnum.

**CHIMAY** ~ V. de Belgique (prov. du Hainaut) ; env. 10 000 h. Agroalim., tourisme. Église du XIIIe s., château (XVIIe s.), hôtel de ville (XVIIIe s.). À proximité, l'abbaye de Scourmont produit une célèbre bière. Anc. principauté fondée au XVe s.

**CHIMBORAZO** (le) ~ Volcan éteint de la Cordil-lère occidentale andine, point culminant de l'Équa-teur (6 310 m).

**CHIMBOTE** ~ V. du N. du Pérou, important port de pêche, à l'embouchure du río Santa ; 287 000 h. Industr. sidérurgique. Farine de poisson.

**CHIMKENT** ~ Voir **Tchimkent**.

**Chimús** (les) ~ Ancien peuple de la côte N. du Pérou qui connut son apogée entre 1200 et 1440, avant d'être soumis par les Incas (v. 1470). Chanchán, capitale des Chimús, contient quelques joyaux d'art précolombien.

**CHIN (État)** ~ État montagneux de l'O. de la Bir-manie, frontalier de l'Inde (Assam) ; 36 019 km², 369 000 h. Les **Chins**, d'origine mongole, animistes et christianisés, qui parlent une langue tibéto-birmane, y cultivent le riz et le maïs.

**CHINE (république populaire de)**, en chin. ***Zhongguo*** ~ Pays d'Asie orientale bordé à l'E. et au S.-E. par l'océan Pacifique. ***Cap.*** Pékin (Beijing). ***Superf.*** 9 572 900 km² (avec Taiwan). ***Popul.*** 1 172 000 000 d'h. ***Langue princ.*** Chinois mandarin. ***Monn.*** Yuan. ***Climat et relief.*** Continen-tal, fortement influencé par l'alt., ou désertique (Gobi, Takla-Makan). Au N.-E. du Kunlun, le couloir du Gansu fait communiquer la Chine occidentale, région aride où de hautes montagnes (Himalaya, Karakorum, Altyntagh, Tian Shan) isolent de vastes plateaux (Tibet, Mongolie) et bassins (Tarim, Dzoungarie), avec la Chine orientale, ou « vraie Chine », qui regroupe environ 90 % de la population et se subdivise en deux régions, de part et d'autre des monts Qin Ling. Au N., la plaine du Huang He, le plateau du Shanxi, couvert de lœss, la plaine de Mandchourie ont des terres fertiles et un climat continental. Au S., une région au relief complexe de mon-tagnes, de collines (Yunnan, Nan Ling, Wuji Shan) et de vallées (Yangzi Jiang, Xi Jiang). Le climat, plus chaud, devient subtropical dans l'extrême Sud. Les côtes sont basses et sablon-neuses au N., découpées, plus élevées et bordées d'îles (Hainan) au S. ***Écon.*** Après 1950, la Chine connaît une métamorphose pour laquelle l'U. R. S. S. apporte sa contribution. En 1958, Mao Zedong impose le Grand Bond en avant pour accélérer le développement. Les « communes populaires » doivent apporter l'autosuffisance ali-mentaire et développer l'industrie dans les cam-pagnes. Parallèlement à la rupture avec l'U. R. S. S., l'échec et la famine entraînent dès 1960 le retour

ARTS DE LA CHINE ANCIENNE

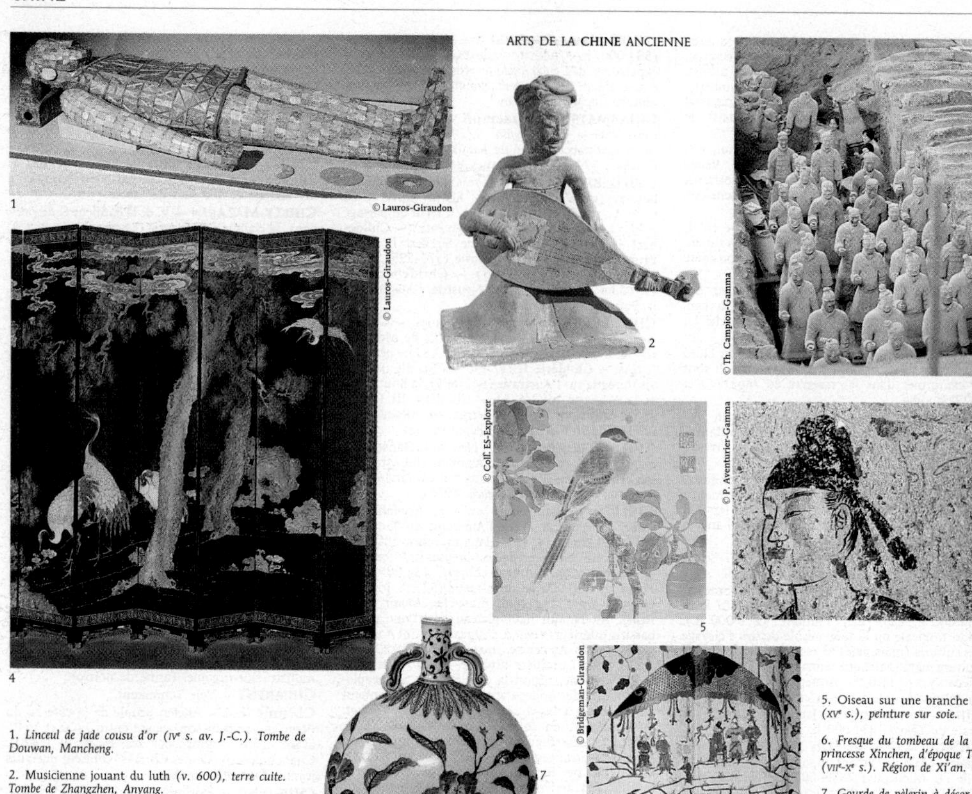

1. *Linceul de jade cousu d'or (IVe s. av. J.-C.). Tombe de Douwan, Mancheng.*

2. *Musicienne jouant du luth (v. 600), terre cuite. Tombe de Zhangzhen, Anyang.* © Lauros-Giraudon

3. *Soldats de l'armée en terre cuite de l'empereur Qin Shi Huangdi (v. 220 av. J.-C.). Nécropole de Lintong.*

4. *Paravent en laque d'époque Qing (1691). Musée Guimet, Paris.*

5. *Oiseau sur une branche (XVe s.), peinture sur soie.*

6. *Fresque du tombeau de la princesse Xinchen, d'époque Ta (VIIe-Xe s.). Région de Xi'an.*

7. *Gourde de pèlerin à décor floral, d'époque Ming (XVe s.). Musée Guimet, Paris.* © Lauros-Giraudon

8. *Personnages sous une tente, dans un décor fleuri. Broderie XVIIe s. Coll. part.*

© Lauros-Giraudon © Lauros-Giraudon © Th. Campion-Gamma © Coll. ES-Explorer © P. Aventurier-Gamma © Bridgeman-Giraudon

à un socialisme pragmatique, sous la direction de Liu Shaoqi et de Deng Xiaoping. À partir de 1966, la Révolution culturelle provoque une nouvelle catastrophe économique. Après la mort de Mao (1976), Deng Xiaoping conduit la libéralisation de l'économie (décollectivisation de l'agric., développement du secteur privé, autonomie des grandes entreprises, investissements étrangers, création de zones écon. spéciales où les productions destinées à l'exportation sont détaxées). La croissance est rapide (10 % par an), mais les problèmes sont considérables : vieillissement de la population, exode rural massif et chômage important, insuffisance des infrastructures, déséquilibres régionaux, destruction de l'environnement, inflation galopante. Les ressources agricoles (riz, maïs, blé, canne à sucre, coton, thé), l'élevage porcin et bovin, l'exploitation de la forêt sont menacés par l'exode rural et l'expansion urbaine. L'industrie est peu compétitive en dehors des zones économiques spéciales. Les ressources énergétiques et minérales, bien qu'abondantes (charbon, hydroélectricité), restent modestes en ce qui concerne les hydrocarbures. Depuis 1993, certains secteurs connaissent une croissance quasi incontrôlée. La Chine importe des biens d'équipement et des céréales, exporte des minerais, du textile et des produits alimentaires. Principaux partenaires : Japon, Taiwan, Hong Kong, Singapour, États-Unis. Le tourisme se développe rapidement. ***V. princ.*** Shanghai, Pékin, Tianjin, Shenyang, Wuhan, Canton, Chongqing, Harbin, Chengdu, Zibo. **HIST. –** Après un premier peuplement au Paléolithique (sinanthrope de Pékin, 400 000 ans av. J.-C.), plusieurs cultures coexistent au Néolithique (cult. de Yangshao, de Dapenkeng...). Vers 2200 av. J.-C., les Xia, souverains mythiques, auraient fondé une première dynastie. *XVIIIe-IIIe s. av. J.-C.* : la dynastie Shang (1770-1050 av. J.-C.) étend son autorité sur la Chine du Nord (cap. Anyang), avant d'être remplacée (1050-221 av. J.-C.) par celle des Zhou (cap. Hao puis Luoyang), dont le déclin entraîne une longue période de confusion politique (périodes des « Printemps et Automnes », des « Royaumes combattants »). La vie intellectuelle est cependant intense (Confucius, Mencius, Lao-tseu). *IIIe s. av. J.-C.-VIe s. apr. J.-C.* : Wang Zheng, roi de Qin (221-210 av. J.-C.) fonde un empire centralisé et prend le titre de Qin Shi Huangdi, « premier empereur originaire de Qin » (édification de la première Grande Muraille et du mausolée de Lintong). Après lui, les souverains de la dynastie des Han (206 av. J.-C.-220 apr. J.-C.) agrandissent l'empire, dominé par le confucianisme et le taoïsme, et ouvrent la route de la Soie, qui permet, au Ier s., l'introduction du bouddhisme. Les révoltes paysannes entraînent l'affaiblissement et l'écla ment de l'empire en 220 (période des « Tr Royaumes »). Le N. est submergé par les barba Xiongnu, Qiang, Xianbei (période des « S Royaumes des Cinq Barbares ») alors qu'au S. (c Jiankang, auj. Nankin) se succèdent des dynast chinoises. *VIIe-IXe s.* : les Sui (581-6 cap. Chang'an) réunifient S. et N. avant d'ê remplacés par les Tang (618-907), qui étend l'Empire jusqu'en Afghanistan et lui donnent grand rayonnement intellectuel et culturel, av d'être affaiblis par les révoltes paysannes et militair *907-960* : les Cinq Dynasties se succèdent au N., S. se divise en plusieurs royaumes. *960-1279* : Song rétablissent l'unité et développent une cult raffinée (littérature, porcelaine) mais doivent 1126 concéder le N. aux Nüzhen (Djurchet) Mandchourie (dynastie Jin, cap. Zhongdu – a Pékin – puis Kaifeng). À partir de 1206, la Ch est conquise par les Mongols (Gengis Khan, Kubi Khan), qui installent la dynastie des Yuan (12 1368) à Khanbalik (auj. Pékin). *XVe-XVIe s.* : à faveur de troubles populaires et nationalistes, aventurier, Zhu Yuanzhang, s'empare du pouv et fonde la dynastie des Ming (1368-1644) d la capitale, initialement à Nankin, est trans rée à Pékin par l'empereur Yongle (1403-142 À son apogée, l'empire Ming doit cependant, dè vi^e^ s., contrer les incursions japonaises, concéder es comptoirs aux Portugais (Macao) et contenir les landchous au Nord. *1644* : les Mandchous s'installent à Pékin, fondent la dynastie Qing (1644-911), qui connaît son apogée avec les empereurs angxi (1662-1722) et Qianlong (1736-1796), et rment la Chine aux intérêts étrangers. Les deux uerres de l'Opium et les « traités inégaux » de 1842 t de 1860 permettent aux Occidentaux d'obtenir es concessions commerciales et territoriales (Hong ong). La révolte des Taiping (1853-1864) est crasée avec l'aide des Occidentaux et des Japonais, ui dépècent l'Empire chinois (Viêt Nam, Corée, aiwan, Liaodong). Celle des Boxers (1898-1900) st suivie de l'asservissement de la Chine. *1911* : roclamation de la république, dont Sun Yat-sen est premier président. La république est confisquée ar le dictateur Yuan Shikai (1912-1916) et les seigneurs de la guerre ». *1927* : dirigés par Tchang aï-chek, les nationalistes du Guomindang s'emparent de Shanghai, puis se retournent contre leurs lliés communistes. *1928* : Tchang Kaï-chek onquiert le Nord de la Chine. Il contraint les rmées communistes paysannes de Mao Zedong à Longue Marche (1934-1935). Face à l'invasion aponaise (prise de Pékin en 1935), Tchang Kaï-chek e replie à Chongqing. *1945-1949* : après la apitulation japonaise, la guerre civile se termine par retraite des nationalistes à Taiwan et la proclamaon (oct. 1949) de la République populaire à Pékin. *950-1960* : la Chine entreprend de socialiser son conomie avec l'aide de l'U. R. S. S. Pour accélérer es transformations, Mao Zedong décide le Grand ond en avant (1958-1959). *1960-1976* : la Chine ompt avec l'U. R. S. S. En 1965, Mao Zedong lance Révolution culturelle pour briser le « révisionisme » politique. Les Gardes rouges instaurent la erreur. À partir de 1971, la Chine se rapproche des tats-Unis et entre à l'O. N. U. *1976* : succédant à Chou Enlai et à Mao Zedong, morts la même année, Hua Guofeng essaie de perpétuer un maoïsme nodéré. *1977* : après l'échec du coup d'État tenté ar la Bande des Quatre, Deng Xiaoping, vétéran de Révolution, est réhabilité et entreprend la libéraliation de l'économie. *1989* : des manifestations Printemps de Pékin) réclamant une ouverture olitique sont brutalement réprimées. La libéralisaon économique se poursuit et, en 1993, l'Assemlée inscrit dans la Constitution la notion « économie socialiste de marché ». Deng Xiaoping onne les grandes directives, Jiang Zemin est ecrétaire général du Parti communiste chinois epuis 1989 et président de la République depuis 993, Li Peng est Premier ministre depuis 1987.

**CHINE (mer de)** ~ Partie de l'océan Pacifique plus de 2 000 000 de km²) délimitée par la Corée, a Chine, les îles Ryûkyû (Japon), l'Indochine, la Malaisie, Bornéo et les Philippines. On distingue es mers de Chine orientale (mer Jaune incluse), u N. de Taiwan, et méridionale, au S. Active zone e pêche et de commerce (Shanghai, Hong Kong, ingapour).

**CHINON** ~ V. de la vallée de la Vienne (Indre-et-oire) ; 8 627 h. Vin réputé. Industr. agroalimenaire. Forteresse médiévale en partie détruite. Jeanne l'Arc rencontra Charles VII à Chinon en 1429.

**CHIO** ou **CHIOS** ~ Île grecque montagneuse de a mer Égée, proche de la côte turque. Agric., ourisme. L'île fut le théâtre de massacres perpétrés ar les Turcs en 1822.

**CHIPPENDALE** (Thomas) ~ *1718, Otley, Yorkhire - 1779, Londres.* Ébéniste britannique. Par son nobilier et, surtout, par son célèbre recueil de nodèles (1754), il a donné son nom à un style clectique, influencé, notamment, par la rocaille rançaise et la manière chinoise.

**Chiquitos** (les) ~ Indiens d'Amérique du Sud Bolivie, Paraguay).

**CHIRAC** (Jacques) ~ *1932, Paris.* Homme d'État rançais. Ministre de G. Pompidou, Premier ministre le V. Giscard d'Estaing (1974-1976), il démissionna et transforma l'U. D. R. en R. P. R., dont il devint le résident (1976). Maire de Paris (1977-1995), Premier ministre de la première cohabitation (1986-1988), il a été élu président de la République en 1995.

**CHIRAZ** ~ V. du S.-O. de l'Iran, ch.-l. du Fars, à 1 500 m d'alt., dans un bassin irrigué du Zagros, marché agric. et centre artisanal ; 848 000 h. Université. Industr. chim., tourisme. Réputée pour ses richesses architecturales, ses jardins, ses tapis, c'est l'un des foyers culturels de l'Iran musulman. Siège du puissant émirat des Bouyides (x^e^ s.), elle fut la capitale de la Perse de 1750 à 1792.

**CHIRON** ~ Un des Centaures, précepteur d'Héraclès et d'Achille.

**CHIROUBLES** ~ Village des monts du Beaujolais (Rhône) ; 379 h. Vin rouge réputé.

**CHIŞINĂU**, anc. *Kichinev* (1944-1991) ~ Cap. de la Moldavie, v. industr. et univ. ; 700 000 h.

**CHITTAGONG** ~ 2^e^ v. et 1^er^ port industr. et comm. du Bangladesh (E.), centre admin. d'une région agricole non inondable ; 1 364 000 h. (agglom. 2 041 000 h.). Textile, raff. de pétrole, constr. mécaniques.

**CHIUSI** ~ V. d'Italie (Toscane) ; env. 9 000 h. Site d'une des princ. cités étrusques (nécropole).

**Chleuhs** (les) ~ Population berbère sédentaire du Maroc.

**CHOA** ou **SHOA** (le) ~ Région d'Éthiopie (partie S. des hauts plateaux), peuplée d'Amharas, dont la v. princ. est Addis-Abeda, cap. du pays.

**CHODERLOS DE LACLOS** ~ Voir Laclos.

**CHOISEUL** (Étienne François, duc DE) ~ *1719, Nancy - 1785, Paris.* Homme politique français. Secrétaire d'État aux Affaires étrangères, à la Guerre et à la Marine, il exerça en réalité le pouvoir de 1758 à 1770. Il tenta de limiter les conséquences de la guerre de Sept Ans en renforçant les alliances autrichienne et espagnole (pacte de Famille) et réforma l'armée et la marine. Grâce à lui, la France obtint la Lorraine (1766) et la Corse (1768).

**CHOISY-LE-ROI** ~ V. et centre industr. de la banlieue S. de Paris (Val-de-Marne) ; 34 068 h. Importante usine de traitement des eaux.

**CHOLET** ~ V. et centre industr. des Mauges (Maine-et-Loire), à l'E. de Nantes ; 55 132 h. Constr. mécan., électr., text. (confection), chaussures, caoutchouc. Théâtre d'importants combats lors de la guerre de Vendée (1793).

**CHOLOKHOV** (Mikhail Aleksandrovitch) ~ *1905, Kroujiline - 1984, Vechenskaïa, Ukraine.* Écrivain soviétique. Il perpétua la tradition des romanciers russes en respectant le réalisme socialiste (*le Don paisible*, 1928-1940). Prix Nobel de litt. 1965.

**CHOLON** ~ Voir Hô Chi Minh-Ville.

**CHOLTITZ** (Dietrich VON) ~ *1894, Schloss Wiese, Silésie - 1966, Baden-Baden.* Général allemand. Gouverneur militaire de Paris, le 9 août 1944, il refusa l'ordre de Hitler de détruire la capitale et se rendit à Leclerc lors de la libération de Paris (25 août 1944).

**CHOMSKY** (Noam) ~ *1928, Philadelphie.* Linguiste et écrivain américain. Il a fondé le principe d'une linguistique générative qui, dès les années 1960, a fait l'effet d'une véritable révolution scientifique (*Structures syntaxiques*, 1957 ; *Aspects de la théorie syntaxique*, 1965). Parallèlement, il mène une activité d'écrivain militant contre l'impérialisme et les manipulations médiatiques.

**CHONGJIN** ~ 3^e^ v. de Corée du Nord, grand port sur la mer du Japon ; 754 000 h. Industr. lourdes.

**CHONGQING** ou **TCH'ONG-K'ING** ~ V. de Chine (la 1^re^ du Sichuan), port fluvial très industrialisé sur le Yangzi Jiang ; 3 780 000 h. Cap. du gouvernement nationaliste (1938-1946).

**CHO OYU** (le) ~ L'un des sommets de l'Himalaya (8 154 m), aux confins du Tibet et du Népal.

*Bill Clinton et Jacques* **Chirac.**

**CHOOZ** ~ Village des Ardennes, sur la Meuse ; 803 h. Centrale nucléaire.

**CHOPIN** (Frédéric) ~ *1810, Żelazowa Wola - 1849, Paris.* Compositeur et pianiste polonais. Il révolutionna l'écriture pianistique dans ses *Nocturnes*, ses *Études*, ses *Préludes*, ses *Polonaises*, ses *Mazurkas* et ses *Ballades*. S'inspirant souvent du folklore slave, son œuvre n'en constitue pas moins un prototype de musique pure, marqué d'une sensibilité et d'un intimisme uniques. Célébré par Liszt, il devint l'une des principales figures du Paris romantique et eut une longue liaison avec George Sand.

*Frédéric* **Chopin.**

**CHOSTAKOVITCH** (Dmitri Dmitrievitch) ~ *1906, Saint-Pétersbourg - 1975, Moscou.* Compositeur soviétique. Son œuvre est portée par une violence tragique qui atteint à une émouvante grandeur dans ses dernières symphonies et ses quatuors.

**chouannerie** ~ Insurrection paysanne qui se déclencha en 1793, parallèlement à l'insurrection de la Vendée, pour lutter contre la politique de la Convention nationale. Parti du Maine, le mouvement, conduit not. par les frères Cottereau, le comte de Frotté et le marquis de Rouërie, gagna l'Anjou, la Bretagne, la basse Normandie et une partie de la Touraine. Combattue sous l'autorité de Hoche à partir de 1794, la chouannerie ne disparut cependant qu'au début de l'Empire.

**CHOU En-lai** ~ Voir Zhou Enlai.

**CHOU Teh** ~ Voir Zhu De.

**CHRÉTIEN DE TROYES** ~ *v. 1135 - v. 1183.* Écrivain français. Ses romans de chevalerie en vers (*Lancelot ou le Chevalier à la charrette* ; *Perceval ou le Conte du Graal*), qui exaltent l'amour et l'aventure, font de lui l'initiateur de la littérature courtoise.

**CHRIST** (le) ~ Voir Jésus.

**CHRISTCHURCH** ~ V. de Nouvelle-Zélande, la plus grande de l'île du Sud (côte E.), centre industr. et port manufacturier (Lyttelton) d'une région agric. (plaine de Canterbury) ; 313 000 h. Université.

**CHRISTIAN**, nom de dix rois de Danemark et de Norvège. ~ **Christian III** (*1503, Gottorp - 1559, Kolding*), roi de Danemark et de Norvège (1534-1559). Il fit du protestantisme la religion officielle du royaume. ~ **Christian VII** (*1749, Copenhague - 1808, Rendsborg*), roi de Danemark et de Norvège (1766-1808). Il obtint l'intégration des duchés de Schleswig et de Holstein au Danemark (1773). ~ **Christian VIII** (*1786, Copenhague - 1848, Amalienborg*), roi de Danemark (1839-1848). Il dut renoncer, sous la pression extérieure, à la Norvège. ~ **Christian IX** (*1818, Gottorp - 1906, Copenhague*), roi de Danemark (1863-1906). La Prusse et l'Autriche lui enlevèrent le Schleswig et le Holstein en 1864. ~ **Christian X** (*1870, Charlottenlund - 1947, Copenhague*), roi de Danemark (1912-1947). Roi d'Islande en 1918, il lui accorda son indépendance en 1944. Il refusa de collaborer avec l'occupant nazi.

**CHRISTIANIA** ~ Voir Oslo.

**CHRISTIAN-JAQUE** (Christian **Maudet**, dit) ~ *1904, Paris - 1994, id.* Cinéaste français. Ses films ont été de grands succès populaires (*les Disparus de Saint-Agil*, 1938 ; *Fanfan la Tulipe*, 1951).

**CHRISTIE** (Agatha) ~ *1890, Torquay - 1976, Wallingford, Oxfordshire.* Écrivain britannique, auteur de romans policiers aux mécanismes narratifs ingénieux (*Dix Petits Nègres* ; *Mort sur le Nil*).

**Christie's** ~ La plus ancienne des salles de ventes aux enchères (consacrée au marché de l'art), fondée à Londres en 1766.

**CHRISTINE** ~ *1626, Stockholm - 1689, Rome.* Reine de Suède (1632-1654). Fille du roi Gustave II Adolphe, elle gouverna à partir de 1644, favorisa la conclusion des traités de Westphalie et attira à sa cour savants et philosophes (dont Descartes). Elle abdiqua en 1654 en faveur de son cousin Charles X Gustave pour se convertir au catholicisme. Elle voyagea ensuite en Europe.

**CHRISTINE DE FRANCE** ~ *1606, Paris - 1663, Turin.* Duchesse de Savoie (1637-1663). Fille d'Henri IV et de Marie de Médicis, mariée en 1619 à Victor-Amédée Ier de Savoie, elle assura la régence à sa mort et défendit âprement les intérêts du duché contre les ambitions de Richelieu.

**CHRISTINE DE PISAN** ~ *v. 1364, Venise - v. 1431, Poissy.* Poétesse et érudite française, fille de l'astrologue de Charles V. Elle est l'auteur d'une chronique du règne de Charles V.

**Christlich-Demokratische Union** (**C. D. U.**), en fr. « Union chrétienne-démocrate » ~ Parti politique allemand fondé en 1945, dont l'aile bavaroise est la C. S. U. (Christlich-Soziale Union). Au pouvoir en R. F. A. de 1949 à 1969 et depuis 1982, ce parti remporta les premières élections libres en R. D. A. en 1990 et mit aussitôt en œuvre la réunification de l'Allemagne.

**CHRISTMAS (île)** ~ Île tropicale de l'océan Indien (S. de Java), sous admin. australienne ; 135 km$^2$, 2 500 h. (majorité de Chinois). Phosphates.

**CHRISTO** (Christo **Javacheff**, dit) ~ *1935, Gabrovo.* Artiste américain d'orig. bulgare. Il réalise l'emballage d'objets ou de monuments pour les soustraire provisoirement à leur quotidienneté (Pont-Neuf à Paris, Reichstag à Berlin).

**CHRISTOPHE** (saint) ~ Personnage légendaire qui, selon la tradition chrétienne occidentale, aurait pris l'Enfant Jésus sur ses épaules pour lui faire franchir une rivière. Patron des voyageurs.

**CHRISTOPHE** (Henri) ~ *1767, île de Grenade - 1820, Milot.* Roi d'Haïti (1811-1820). Esclave noir affranchi, il combattit les Français. Nommé président du Nord d'Haïti en 1807, il fut proclamé roi en 1811 sous le nom d'Henri Ier.

**CHRYSIPPE** ~ *v. 281, Soli, Cilicie - v. 205 av. J.-C., Athènes.* Philosophe grec. À la tête du Portique, il fut, par son génie de dialecticien et sa rigueur doctrinale, l'un des grands théoriciens du stoïcisme. [☞ **stoïcisme.**]

**CHÛBU** (le) ~ Partie centrale de l'île de Honshû (Japon), région qui comprend not. les Alpes japonaises et la conurbation de Nagoya, entre le Kantô et le Kansai ; 66 775 km$^2$, 21 162 000 h.

**CHUQUET** (Nicolas) ~ *1445, Paris - 1500.* Mathématicien et médecin français. Précurseur du calcul logarithmique et auteur d'un traité d'algèbre.

**CHUQUICAMATA** ~ V. minière (cuivre) des Andes chiliennes (alt. 3 000 m), reliée par chemin de fer au port d'Antofagasta ; env. 25 000 h.

**CHUQUISACA** ~ Voir **Sucre**.

**CHURCHILL** ~ Port le plus septentrional du Canada, au débouché du fl. **Churchill** (1 600 km) dans la baie d'Hudson (côte O.) ; env. 1 300 h. Export. de céréales (terminus ferroviaire).

**CHURCHILL** (sir Winston Leonard **Spencer**) ~ *1874, Blenheim Palace, Oxfordshire - 1965, Londres.* Homme politique britannique. Député libéral puis conservateur, plusieurs fois ministre, il succéda à Chamberlain comme Premier ministre (mai 1940). À la tête d'un gouvernement de coalition, il symbolisa par sa détermination la résistance du peuple britannique au IIIe Reich et mena des opérations militaires en étroite coordination avec les États-Unis et l'Union soviétique. Il participa à la conférence de Yalta et, après son retrait du pouvoir (1945), dénonça l'expansion du communisme en Europe. Il fut de nouveau Premier ministre (1951 et 1955) et publia ses *Mémoires de guerre* (1948-1954). Prix Nobel de litt. 1953.

**CHURRIGUERA**, famille de sculpteurs et d'architectes espagnols. ~ **José Benito** DE (*1665, Madrid - 1725, id.*) dressa les plans du village de Nuevo Baztán. Son frère ~ **Joaquín** (*1674, Madrid - v. 1724, Salamanque*) édifia le collège de Calatrava à Salamanque. ~ **Alberto** (*1676, Madrid - v. 1740, près de Tolède*), frère des préc., conçut les plans de la Plaza Mayor de Salamanque. Leur style, dit **churrigueresque**, synonyme d'exubérance, apparaît comme le symbole du rococo espagnol.

**CHYPRE (république de)** ~ Île la plus à l'E. de la Méditerranée, auj. divisée (communautés grecque au S., turque au N.). ***Cap.*** Nicosie. ***Superf.*** 9 251 km$^2$. ***Popul.*** 725 000 h., dont Grecs (80 %), Turcs (18 %). ***Langues princ.*** Grec, turc. ***Monn.*** Livre cypriote. ***Relief.*** La plaine de Mésorée sépare les reliefs du N. et du S. (alt. max. 1 953 m). ***Climat.*** Méditerranéen (maquis). ***Écon.*** Fondée sur l'agriculture (fruits), un secteur minier (cuivre, amiante, chrome) dont l'exploitation a cessé depuis peu, l'industrie (agroalim. et chaussure), la flotte commerciale et le tourisme. ***V. princ.*** Nicosie, Limassol, Larnaka. **HIST.** - Carrefour de la Méditerranée, l'île, peuplée dès le Néolithique, est colonisée et hellénisée par les Achéens à partir du XVe s. av. J.-C. Elle est sous la domination successive des Assyriens, des Égyptiens, des Perses, des Macédoniens, des Romains et des Byzantins. *1192* : elle devient un royaume franc sous la domination des Lusignan. *1489* : l'île est vendue à Venise. *1571* : conquête turque. *1878* : les Turcs ottomans en cèdent l'administration aux Britanniques. *1914-1925* : ces derniers l'annexent et la transforment en colonie. *1930* : un mouvement en faveur du rattachement à la Grèce (Enôsis) se développe. *1959-1960* : indépendance et proclamation de la république sous la présidence de Mgr Makários. *1974* : coup d'État d'extrême droite contre Makários. Tentative de rattachement à la Grèce. Intervention de l'armée turque. Exode des populations et partition *de facto* de l'île. *1975* : proclamation unilatérale de l'indépendance de la république turque de Chypre du Nord, présidée par Rauf Denktaş, qui survit avec l'aide d'Ankara ; la république de Chypre, au sud, présidée par Ghlafkos Khiridhis depuis 1993, connaît une prospérité certaine.

**C. I. A.** ~ Voir **Central Intelligence Agency**.

**CIANO** (Galeazzo) ~ *1903, Livourne - 1944, Vérone.* Homme politique italien. Gendre de Mussolini, il fut ministre des Affaires étrangères (1936) et ambassadeur au Vatican (1943). Ayant œuvré pour la déposition de Mussolini, il fut exécuté.

**CIBOURE** ~ Station baln. du Pays basque (Pyrénées-Atlantiques), sur l'estuaire de la Nivelle, face à Saint-Jean-de-Luz ; 5 849 h. Bourg pittoresque.

**CICÉRON**, en lat. ***Marcus Tullius Cicero*** ~ *106, Arpinum, Latium - 43 av. J.-C., Formies.* Homme politique et orateur romain. Ses plaidoiries contre les malversations de Verres (*Verrines*), gouverneur de Sicile, ou contre la conspiration de Catilina (*Catilinaires*) lui valurent une grande notoriété. Consul en 63, il contribua à sauver la République. En butte aux attaques du parti « populaire », il s'opposa à César et rejoignit Pompée et les conservateurs, mais s'en démarqua à temps pour ne pas être entraîné dans leur chute. Ses plaidoiries, ses essais de philosophie politique et sa correspondance sont un modèle de la rhétorique latine.

**CIDAMBARAM** ~ Centre de pèlerinage de l'Inde du Sud (Tamil Nadu), sur la côte de Coromandel ; env. 80 000 h. Temple de Shiva (Xe-XVIIe s.).

**CID CAMPEADOR** (Rodrigo **Díaz de Vivar**, dit le) ~ *1043, Vivar - 1099, Valence.* Chevalier castillan. Les exploits guerriers de ce héros de la Reconquista injustement banni de Castille lui valurent le surnom de Sidi (« Seigneur »). Il inspira un grand nombre d'œuvres littéraires.

**CIENFUEGOS** ~ Port comm. et industr. cubain de la côte caraïbe ; 124 000 h.

**CILAOS** ~ Bourg agric. de la Réunion (5 867 h.), dans le **cirque de Cilaos** (partie d'une caldeira du volcan du piton des Neiges), au centre de l'île.

**CILICIE** (la) ~ Région hist. du S.-E. de la Turquie d'Asie, entre le Taurus (Cilicie Trachée) et la Méditerranée (plaine côtière agric. de la Cilicie Plane, v. princ. Adana, Mersin, Tarsus), ancien territoire de l'État de Petite Arménie (1080-1375), le plus tardif des États arméniens.

**CIMABUE** (Cenni di **Pepi**, dit) ~ *v. 1240, Florence - v. 1302, Pise.* Peintre et mosaïste italien. Son style, encore très influencé par l'art byzantin (personnages hiératiques sur fond or), annonce Giotto, qui fut son élève.

**CIMA DA CONEGLIANO** (Giovanni Battista **Cima**, dit) ~ *v. 1459, Conegliano, Vénétie - v. 1517, id.* Peintre italien. Influencé par les Bellini et resté fidèle à l'esprit d'harmonie du Quattrocento, il s'e révélé un coloriste délicat et un paysagiste au savants motifs architecturaux (*Madone à l'oranger*

**CIMAROSA** (Domenico) ~ *1749, Aversa - 180 Venise.* Compositeur italien. Admiré de Goethe de Stendhal, il renouvela l'opéra bouffe italien ( *Mariage secret*, 1792).

**Cimbres** (les) ~ Peuple germanique qui quitta Jylland à la fin du IIe s. av. J.-C., pénétra en Gau avec les Teutons, puis en Espagne et en Italie, c Marius les écrasa (101 av. J.-C.).

**Cimmériens** (les) ~ Peuple européen établi a N. de la mer Noire au IIe mill. av. J.-C. Ils passèrer en Asie Mineure au VIIe s. av. J.-C.

**CIMON** ~ *v. 510 - v. 450 av. J.-C.* Princip stratège athénien de la ligue de Délos formée cont les Perses. Chef du parti aristocratique, il fut exi par Périclès puis rappelé.

**CINCINNATI** ~ V. des États-Unis (Ohio), po charbonnier sur l'Ohio, centre industr. et univers taire ; 364 000 h. (agglom. 1 453 000 h.).

**CINCINNATUS**, en lat. ***Lucius Quinctius Cincin natus*** ~ *v. 519 - apr. 439 av. J.-C.* Homme politiq romain. Il sauva trois fois la République (en 46 comme consul ; en 458 et en 439 comme dictateur Son refus des honneurs et du pouvoir en fit le symbol de la vertu romaine.

**Cinecittà** ~ Complexe industriel édifié au S.- de Rome et destiné à la réalisation de film Inauguré en 1937 par Mussolini, il offrait alors le studios les plus modernes du monde.

© Cambi-Stills

*Tournage à Cinecittà.*

**Cinémathèque française** ~ Association fond en 1936 par Henri Langlois, Paul Auguste Harlé e Georges Franju pour la défense, la restauration e la promotion des films et des documents cinémato graphiques.

**CINNA**, en lat. ***Lucius Cornelius Cinna*** ~ *m. en 8 av. J.-C. à Ancône.* Homme politique romain. U des chefs du parti « populaire », partisan de Mariu et adversaire de Sulla, il fut consul de 87 jusqu' son assassinat par ses soldats.

**Cinq (groupe des)** ~ Groupe de musiciens form par Balakirev, Borodine, Cui, Moussorgski e Rimski-Korsakov, qui a farouchement défendu nationalisme musical russe (1857-1872).

**Cinq-Cents (Conseil des)** ~ Une des deux as semblées législatives créées par la Constitution d l'an III (1795). Elle fut dispersée et dissoute 18 brumaire an VIII (9 nov. 1799).

**CINQ-MARS** (Henri **Coiffier de Ruzé d'Effia** marquis DE) ~ *1620, Paris - 1642, Lyon.* Favori d Louis XIII, il conspira contre Richelieu qui le f décapiter. L'épisode a inspiré Alfred de Vigny.

**CINTO (monte)** ~ Massif et point culminant d la Corse (2 710 m, Haute-Corse), au S.-E. de Calv

**CINTRA** ~ Voir **Sintra**.

**C. I. O.** ~ Voir **Coubertin** (Pierre).

**Ciompi** (les) ~ Artisans de Florence qui se révol tèrent (juill. 1378) et imposèrent la participatio de la plèbe au gouvernement de la cité.

**CIORAN** (Émile Michel) ~ *1911, Răşinari 1995, Paris.* Philosophe roumain d'expressio française. Son œuvre, marquée par un nihilism d'inspiration nietzschéenne, constitue un réquis toire contre toute vision positive de l'homme e de la société (*Précis de décomposition*, 1949 ; *D l'inconvénient d'être né*, 1973).

**CIOTAT (La)** ~ Port des Bouches-du-Rhône, au S.-E. de Marseille ; 30 620 h. (agglom. 40 657 h.). Anc. chantiers navals, auj. fermés.

**CIPRIANI** (Amilcare) ~ *1844, Anzio - 1918, Paris.* Homme politique italien. Révolutionnaire et socialiste, il participa à la Commune de Paris (1871).

**CIRCASSIE** (la) ~ Ancienne région de Russie, au N. de la chaîne du Caucase.

**Circassiens** (les) ~ Voir **Tcherkesses.**

**CIRCÉ** ~ Magicienne dans l'*Odyssée* d'Homère. Elle change les compagnons d'Ulysse en pourceaux mais leur redonne forme humaine après avoir été séduite par le héros.

**CISALPINE (Gaule)** ~ Nom donné par les Romains à l'Italie du Nord conquise sur les Celtes (IIIe s. av. J.-C.).

**CISALPINE (République)** ~ État constitué par Bonaparte en 1797 (cap. Milan), qui unissait la République cispadane et la Lombardie ; elle devint République italienne (1802) puis royaume d'Italie (1805-1814) avec Napoléon comme souverain.

**CISJORDANIE** (la) ~ Région de Palestine, à l'O. du Jourdain. Elle fut annexée par la Jordanie (1948) puis occupée par Israël (1967) qui y favorisa l'implantation de colonies et la rebaptisa Judée-Samarie. En 1988, la Jordanie rompit les liens légaux avec la Cisjordanie et l'Intifada se développa jusqu'à l'accord signé entre Israël et l'O. L. P. (1993), ouvrant vers une autoadministration partielle du territoire par les Palestiniens.

**CISKEI** (le) ~ Ancien bantoustan (1981-1994) d'Afrique du Sud (E. de la prov. du Cap), princ. peuplé de Xhosas, bordé par l'océan Indien.

**C. I. S. L.** ~ Voir **Confédération internationale des syndicats libres.**

**CISLEITHANIE** (la) ~ Dénomination des États autrichiens de l'empire des Habsbourg après le compromis de 1867.

**CISNEROS** (Francisco **Jiménez** DE) ~ *1436, Torrelaguna, Castille - 1517, Roa, près de Burgos.* Prélat espagnol. Confesseur d'Isabelle Ire la Catholique, archevêque de Tolède en 1495, régent de Castille (1504), cardinal (1507), puis Grand Inquisiteur (1507), ce partisan de l'absolutisme royal fut l'artisan de la conversion forcée des mauresques au catholicisme. Il fonda l'université d'Alcalá de Henares.

**CISPADANE** (la) ~ Terme qui désigne la partie de la Gaule cisalpine située au S. du Pô à l'époque romaine, et la république créée par Bonaparte dans la même région (1796-1797).

**CITÉ (île de la)** ~ Île de la Seine et centre historique de Paris.

**Cîteaux (abbaye de)** ~ Abbaye fondée en 1098, près de Dijon (Côte-d'Or), par des moines dirigés par Robert de Molesmes et désirant se conformer strictement à la règle bénédictine. Maison mère de l'ordre cistercien.

**Cité interdite** ~ Partie de la ville « tartare » de Pékin. Anc. résidence de la famille impériale (XVe s.), devenue le siège du gouvernement chinois. Le palais des Mandchous abrite le musée Gugun.

**CITROËN** (André) ~ *1878, Paris - 1935, id.* Ingénieur et industriel français. Il créa en 1915 sa première usine, produisant 55 000 obus par jour. En 1919, il se lança dans la production d'automobiles en série. En 1934, il construisit la voiture à traction avant, mais dut déposer son bilan l'année suivante. Michelin prit alors le contrôle de la société, qui fut cédée à Peugeot en 1976.

**CIUDAD BOLÍVAR**, anc. **Angostura** ~ V. du Venezuela, centre admin. et débouché des Llanos, sur le bas Orénoque ; 226 000 h. Le congrès d'Angostura (1819) nomma S. Bolívar président de la Grande-Colombie.

**CIUDAD DEL ESTE** ~ 2e v. du Paraguay, sur le Paraná, centre comm. frontalier du Brésil ; 134 000 h.

**CIUDAD GUATEMALA** ~ Voir **Guatemala.**

**CIUDAD GUAYANA** ~ V. minière et industr. du Venezuela (sidérurgie, aluminium), port minéralier sur le bas Orénoque ; 453 000 h.

**CIUDAD JUÁREZ** ~ V. industr. du Mexique, sur le río Bravo (r. dr.), frontalière des États-Unis (conurbation avec El Paso, Texas) ; 798 000 h. Usines de sous-traitance pour l'industr. américaine.

**CIUDAD OBREGÓN** ~ V. du Mexique (Sonora), centre minier et commercial ; 311 000 h.

**CIUDAD REAL** ~ V. du S. de la Castille (Espagne), marché agricole, centre administratif, industriel et commercial ; env. 58 000 h. Cathédrale du XVIe s., Puerta de Toledo.

**CIUDAD VICTORIA** ~ V. minière et tourist. du Mexique, cap. de l'État de Tamaulipas ; 208 000 h.

**ÇIVA** ~ Voir **Shiva.**

**CIVILIS** ~ *Ier s. apr. J.-C.* Chef de guerre batave. Il mena la révolte gallo-germanique à la mort de Néron et fut vaincu (69).

**CIVITAVECCHIA** ~ Port industriel (pétr.) d'Italie (Latium), au N. de Rome, tête de ligne vers la Sardaigne ; 52 000 h. Évêché. Citadelle du XVIe s. Les Français y maintinrent une garnison de 1849 à 1870 pour empêcher l'annexion de Rome par Victor-Emmanuel II.

**CIXI** ou **TS'EU-HI** ~ *1835, Pékin - 1908, id.* Impératrice de Chine. Elle exerça un pouvoir autoritaire de 1875 à sa mort.

**CLAESZ** (Pieter) ~ *v. 1597, Burgsteinfurt, Westphalie - 1661, Haarlem.* Peintre hollandais, auteur de natures mortes à la composition rigoureuse.

**CLAIR** (René **Chomette**, dit René) ~ *1898, Paris - 1981, id.* Cinéaste français. Auteur de comédies satiriques et loufoques, il sut adapter son style au parlant (*le Million*, 1931). Après une période hollywoodienne (*Ma femme est une sorcière*, 1942), il renoua avec sa veine française (*les Grandes Manœuvres*, 1955). Acad.

Portrait de Paul **Claudel**, *peinture de Jacques-Émile Blanche (1861-1942). Musée des Beaux-Arts, Rouen.*



**CLAIRE** (sainte) ~ *v. 1193, Assise - 1253, id.* Religieuse italienne. Elle fonda en 1212 l'ordre des Clarisses.

**Clairvaux (abbaye de)** ~ Abbaye cistercienne fondée en 1115 par saint Bernard, sur l'actuelle commune de Ville-sous-la-Ferté (Aube), transformée en centre pénitentiaire depuis la Révolution.

**CLAISE** (la) ~ Affl. de la Creuse (r. dr.), né près de Châteauroux, qui draine la Brenne ; 86 km.

**CLAMART** ~ V. de la proche banlieue S.-O. de Paris (Hauts-de-Seine) ; 47 227 h. Bois de Clamart. Église des XIIIe-XVe s. Hôpital militaire Percy.

**CLAMECY** ~ V. industr. de la vallée de l'Yonne (Nièvre), au S. d'Auxerre, sur le canal du Nivernais ; 5 284 h. Église de style gothique flamboyant, musée.

**CLAPPERTON** (Hugh) ~ *1788, Annan, Écosse - 1827, Nigeria.* Explorateur écossais. Il fut le premier Européen à atteindre le lac Tchad (1822-1823).

**CLARENDON** (Edward **Hyde**, 1er comte DE) ~ *1609, Dinton, Wiltshire - 1674, Rouen.* Homme politique anglais. Partisan de Charles Ier Stuart, l'un des artisans de la Restauration en 1660, il fut Premier ministre (1660-1667).

**CLARK** (lord Kenneth) ~ *1903, Londres - 1983, id.* Historien d'art britannique. Spécialiste de l'art italien (*Piero della Francesca*, 1951), il popularisa ses travaux avec une remarquable pédagogie.

**CLARK** (Mark Wayne) ~ *1896, Madison Barracks - 1984, Charleston.* Général américain. Il signa un accord avec l'amiral Darlan en 1942, puis conduisit les Alliés à la victoire en Italie.

**CLARKE** (Henri), duc **de Feltre** ~ *1765, Landrecies, Hainaut - 1818, Neuwiller.* Maréchal de France. Il fut ministre de la Guerre sous l'Empire (1807-1814) puis sous la Restauration.

**CLARKE** (Kenneth **Spearman Clarke**, dit Kenny) ~ *1914, Pittsburgh - 1985, Paris.* Batteur de jazz américain. Venu de la tradition du middle jazz et du swing, il est le créateur du style moderne à la batterie.

**CLARKE** (Samuel) ~ *1675, Norwich - 1729, Leicestershire.* Philosophe et théologien anglais. Il est l'auteur d'une *Démonstration de l'existence et des attributs de Dieu* affirmant, contre Hobbes et Spinoza, que l'existence de Dieu peut être déduite a priori de l'idée d'un Être nécessaire.

**CLAUDE** (saint) ~ *VIIe s.* Évêque de Besançon. Il donna son nom à la ville de Saint-Claude, dans le Jura, fondée sur le site d'un monastère dont il fut l'abbé.

**CLAUDE** (Georges) ~ *1870, Paris - 1960, Saint-Cloud.* Physicien et industriel français. Il inventa le tube au néon.

**CLAUDE Ier**, en lat. ***Tiberius Claudius Caesar Augustus Germanicus*** ~ *10 av. J.-C., Lyon - 54 apr. J.-C., Rome.* Empereur romain (41-54). Il fut proclamé empereur par les prétoriens à la mort de Caligula, et tenta de tempérer l'absolutisme de ses prédécesseurs tout en renforçant la puissance de l'empire. Il fut dominé par sa femme Messaline, puis par Agrippine la Jeune, qui le fit assassiner.

**CLAUDE II LE GOTHIQUE**, en lat. ***Marcus Aurelius Claudius Gothicus*** ~ *v. 214 - 270, Sirmium.* Empereur romain (268-270). Il combattit les Goths en Pannonie.

**CLAUDE DE FRANCE** ~ *1499, Romorantin - 1524, Blois.* Reine de France (1515-1524). Fille de Louis XII et d'Anne de Bretagne, elle fut mariée en 1514 au futur François Ier.

**CLAUDEL**, nom de deux artistes français. ~ **Camille** (*1864, Fère-en-Tardenois - 1943, Montdevergues, près d'Avignon*), formée à la sculpture dans l'atelier de Rodin, révéla un talent original, que des troubles mentaux l'empêchèrent de pleinement exploiter (*la Valse*, 1893). Son frère ~ **Paul** (*1868, Villeneuve-sur-Fère - 1955, Paris*), écrivain et diplomate, influencé à la fois par la spiritualité chrétienne et un sens cosmique païen, s'exprima dans une œuvre constamment prise dans le conflit entre la chair et l'esprit, et magnifiée par un verbe somptueux et baroque (*Tête d'or*, 1889 ; *Partage de midi*, 1905 ; *l'Annonce faite à Marie*, 1912 ; *le Soulier de satin*, 1929).

**CLAUDIUS**, en lat. ***Appius Claudius Caecus*** ~ *IVe - IIIe s. av. J.-C.* Homme politique romain. Patricien conservateur, il s'allia aux plébéiens radicaux pour contrer les modérés (312-308). Il fit construire la **via Appia**, qui consacrait ses conquêtes dans l'Italie du Sud.

**CLAUS** (Hugo) ~ *1929, Bruges.* Écrivain belge d'expression néerlandaise. Poète, dramaturge et romancier, il mêle styles, formes, genres et registres dans une œuvre qui a reçu de nombreux prix (*le Signe du hamster* ; *le Chant de l'assassin* ; *la Honte*).

**CLAUSEWITZ** (Carl VON) ~ *1780, Burg - 1831, Breslau.* Général et théoricien militaire prussien. Adversaire de Napoléon Ier, il publia en 1831 *De la guerre*, qui exerça une influence durable sur la pensée militaire et politique.

**CLAY** (Cassius) ~ Voir **Ali** (Muhammad).

**CLAYE-SOUILLY** ~ V. de la grande banlieue N.-E. de Paris (Seine-et-Marne), sur le canal de l'Ourcq, à l'O. de Meaux ; 9 740 h.

**CLAYES-SOUS-BOIS (Les)** ~ V. de la grande banlieue O. de Paris (Yvelines), au N. de Saint-Quentin-en-Yvelines ; 16 819 h.

**CLEMENCEAU** (Georges) ~ *1841, Mouilleron-en-Pareds, Vendée - 1929, Paris.* Homme politique

*Georges* **Clemenceau**, *surnommé le Tigre.*

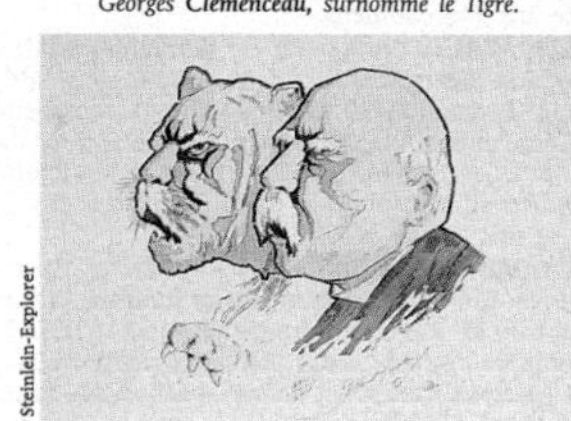

français. Militant républicain, député de 1871 à 1893, il fut l'un des pères du radicalisme. Éditorialiste dreyfusard à *l'Aurore*, il publia « J'accuse » de Zola. Sénateur (1902-1909), ministre de l'Intérieur puis président du Conseil (1906), il n'hésita pas à réprimer l'agitation ouvrière. De nouveau président du Conseil (1917), surnommé « le Tigre », et bientôt « le Père la Victoire », il jeta toutes les forces du pays dans la guerre. Son intransigeance (qui interdit toute solution viable lors du traité de Versailles) lui valut d'être battu à l'élection présidentielle de 1920. Acad.

**CLÉMENT**, nom de plusieurs papes. ~ **Clément Ier** (saint), pape de 88 à 97, auteur d'une lettre à l'Église de Corinthe et d'autres textes, réputés apocryphes. ~ **Clément III** (Paolo **Scolari** ; *m. en 1191 à Rome*), pape de 1187 à 1191. Il prêcha la 3e croisade. ~ **Clément IV** (Gui **Foulques** ; *v. 1200, Saint-Gilles, Languedoc - 1268, Viterbe*), pape de 1265 à 1268. Contre Manfred et Conradin, il soutint les prétentions de Charles II d'Anjou en Sicile. ~ **Clément V** (Bertrand **de Got** ; *Villandraut, Gascogne - 1314, Roquemaure*), pape de 1305 à 1314. Il fut le premier des papes installés en Avignon et supprima l'ordre des Templiers. ~ **Clément VI** (Pierre **Roger de Beaufort** ; *1291, Maumont, Limousin - 1352, Avignon*), pape de 1342 à 1352. Il embellit le palais des Papes et confirma la souveraineté du Saint-Siège sur Avignon. ~ **Clément VII** (Robert **de Genève** ; *1342, Genève - 1394, Avignon*), antipape d'Avignon de 1378 à 1394. Son élection contre Urbain VI déclencha le grand schisme d'Occident. ~ **Clément VII** (Jules **de Médicis** ; *1478, Florence - 1534, Rome*), pape de 1523 à 1534. Il fut l'allié de François Ier contre Charles Quint, qu'il dut couronner empereur après le sac de Rome. Son opposition au divorce d'Henri VIII d'Angleterre fut à l'origine du schisme anglican. ~ **Clément XI** (Gianfrancesco **Albani** ; *1649, Urbino - 1721, Rome*), pape de 1700 à 1721. Il publia la bulle *Unigenitus* condamnant le jansénisme. ~ **Clément XIV** (Giovanni Vincenzo **Ganganelli** ; *1705, Sant'Arcangelo di Romagna - 1774, Rome*), pape de 1769 à 1774. Il abolit l'ordre des Jésuites (1773).

**CLÉMENT** (Adolphe) ~ *1855, Pierrefonds - 1928, Paris.* Ingénieur et industriel français. Fabricant de bicyclettes puis de voitures avec le Britannique Talbot, il construisit en 1909 un dirigeable qui relia Compiègne à Londres.

**CLÉMENT** (Jacques) ~ *v. 1567, Sorbon, Ardennes - 1589, Saint-Cloud.* Dominicain acquis à la Ligue catholique, il assassina le roi Henri III, avant d'être lui-même abattu, le 1er août 1589.

**CLÉMENT** (René) ~ *1913, Bordeaux - 1996, Monte-Carlo.* Cinéaste français. Il est l'auteur de films au climat psychologique et sociologique intense (*la Bataille du rail*, 1946 ; *Jeux interdits*, 1952 ; *Plein Soleil*, 1959).

**CLÉMENT D'ALEXANDRIE**, en lat. ***Titus Flavius Clemens*** ~ *v. 150, Athènes - v. 215, en Asie Mineure.* Philosophe et Père de l'Église. Païen converti, il fut à Alexandrie le maître d'Origène et laissa une importante œuvre apologétique.

**CLEMENTI** (Muzio) ~ *1752, Rome - 1832, Evesham, Worcestershire.* Compositeur italien. Pédagogue célèbre, il posa dans ses sonates les bases du piano moderne (*Méthode pour le piano forte*, 1801).

**CLÉOBULE** ~ Tyran semi-légendaire de Lindos (Rhodes). L'un des Sept Sages de la Grèce.

**CLÉOMÈNE** ~ Nom de trois rois de Sparte. **Cléomène III** (*m. v. 219 av. J.-C.*) tenta de restaurer la puissance de Sparte, dont il fut roi de 235 à 222 av. J.-C., mais fut vaincu par la Ligue achéenne, alliée aux Macédoniens.

**CLÉOPÂTRE** ~ Nom porté par sept reines lagides. **Cléopâtre VII** (*69, Alexandrie - 30 av. J.-C., id.*), reine d'Égypte (51-30 av. J.-C.), fut la compagne de César puis d'Antoine, et tenta de constituer un empire oriental avec leur appui. Après la victoire d'Octave sur Antoine, à Actium (31 av. J.-C.), elle se suicida.

**CLÉRAMBAULT** (Louis Nicolas) ~ *1676, Paris - 1749, id.* Compositeur et organiste français. Maître de la cantate profane française (*Pyrame et Thisbé*), il composa également des pièces religieuses. Unissant les styles français et italien, il écrivit des *Suites* pour orgue (1710).

**CLERMONT** ~ V. du Beauvaisis (Oise), au N. de Creil ; 8 934 h. (agglom. 18 697 h.). Industries alimentaire et chimique. Hôpital psychiatrique. Hôtel de ville du XIVe s.

**CLERMONT** (Robert, comte DE) ~ *1256 - 1317, Vincennes.* Prince français. Sixième fils de Saint Louis, il devint le chef de la branche ducale des Bourbons en épousant Béatrice de Bourbon.

**CLERMONT-FERRAND** ~ Préfect. et cap. écon. de l'Auvergne, dans la Grande Limagne, au cœur du Massif central (Puy-de-Dôme) ; 136 181 h. (agglom. 254 416 h.). Univ. et écoles d'ingénieurs. Évêché. Industr. pneumatique (Michelin, depuis 1889), pharmaceutique, imprimerie, armement. Aéroport. Technopôle de la Pardieu. Cathédrale gothique achevée au XIXe s., basilique Notre-Dame-du-Port (art roman auvergnat), hôtels gothiques et Renaissance, musées. Festival du court-métrage.

**CLERMONT-TONNERRE** (Stanislas Marie Adélaïde, comte DE) ~ *1757, Harmonville - 1792, Paris.* Député de la noblesse aux États généraux de 1789. Rallié aux monarchistes, après avoir été favorable à l'abolition des privilèges, il fut tué par les émeutiers du 10 août 1792.

**CLEVELAND** ~ V. et port des États-Unis (Ohio), sur le lac Érié ; 506 000 h. (agglom. 1 831 000 h.). Sidér. (en déclin), industries mécan., chimique. Centres de recherche, universités. Musée.

**CLEVELAND** (Stephen Grover) ~ *1837, Caldwell, New Jersey - 1908, Princeton.* Homme d'État américain. Président démocrate des États-Unis en 1885-1889 et en 1893-1897.

**CLÈVES**, en all. ***Kleve*** ~ V. d'Allemagne (Rhénanie-du-Nord - Westphalie) ; env. 45 000 h. Anc. place stratégique aux confins de l'Allemagne et des Provinces-Unies. Siège d'un comté, érigé en duché (1417), dévolu à l'Électeur de Brandebourg (1614).

**CLICHY** ~ V. industr. de la banlieue N.-O. de Paris (Hauts-de-Seine) ; 48 030 h. Église reconstruite par saint Vincent de Paul (XVIIe s.).

**CLICHY-SOUS-BOIS** ~ V. du N.-E. de l'agglom. parisienne (Seine-Saint-Denis), en lisière de la forêt de Bondy ; 28 180 h.

**CLINTON** (William Jefferson, dit Bill) ~ *1946, Hope, Arkansas.* Homme d'État américain. Gouverneur démocrate de l'Arkansas, il a été élu président des États-Unis en 1992 et réélu en 1996.

**CLIO** ~ Dans la mythologie grecque, muse de l'Histoire, fille de Zeus et de Mnémosyne.

**CLIPPERTON** ~ Atoll inhabité du Pacifique, possession française située à env. 1 300 km des côtes du Mexique.

**CLISSON** (Olivier DE) ~ *v. 1336, Clisson - 1407, Josselin, Morbihan.* Seigneur breton et chef militaire français. Connétable de France (1380), il soutint les marmousets, mais tomba en disgrâce quand Charles VI devint fou (1392).

**CLISTHÈNE** ~ *VIe s. av. J.-C.* Homme d'État athénien, issu des Alcméonides. Archonte en 525 av. J.-C., puis exilé, il renversa le tyran Hippias en 510. Il fut l'initiateur d'une réforme démocratique des institutions d'Athènes.

**CLIVE DE PLASSEY** (Robert, baron) ~ *1726, Styche, Irlande - 1774, Londres.* Général britannique. Au service de la Compagnie des Indes, il fonda en 1757 la puissance du Royaume-Uni en Inde. Accusé de concussion, il se suicida.

**CLODION** (Claude **Michel**, dit) ~ *1738, Nancy - 1814, Paris.* Sculpteur français. Inspirées de motifs helléniques et alexandrins, ses terres cuites exaltent la mythologie avec sensualité.

**CLODION LE CHEVELU** ~ *m. v. 448.* Roi des Francs Saliens, il serait l'ancêtre de Clovis. Il conquit Tournai, mais Aetius le défit devant Hesdin.

**CLODIUS**, en lat. ***Appius Clodius Publius*** ~ *v. 93 - 52 av. J.-C.* Démagogue romain. Élu tribun en 58 av. J.-C., il fit exiler Cicéron. Il fut tué dans une rixe.

**CLOOTS** (Jean-Baptiste **du Val de Grâce**, baron **de Cloots**, dit Anacharsis) ~ *1755, Gnadenthal - 1794, Paris.* Révolutionnaire français d'orig. prussienne. Député à la Convention, anticlérical et extrémiste, il fut guillotiné avec les hébertistes.

**Clos-Vougeot** ~ Château et vignoble de Bourgogne, au cœur de la côte de Nuits, entre Beaune et Dijon (Côte-d'Or). Grands vins rouges.

**CLOTAIRE**, nom de quatre rois francs mérovingiens. ~ **Clotaire Ier** (*497 - 561*), roi de Neustrie (511-561). Fils de Clovis, il s'imposa comme seul maître du royaume en 558. ~ **Clotaire II** (*584 - 628*), roi de Neustrie (584-628), fils de Chilpéric. Son règne fut marqué par le conflit qui opposa sa mère, Frédégonde, à Brunehaut, reine d'Austrasie. Il reconnut l'hérédité de la charge de maire du palais. ~ **Clotaire III** (*m. en 673*), roi de Neustrie et de Bourgogne (657-673). ~ **Clotaire IV** (*m. en 719*), roi d'Austrasie (717-719).

**CLOTILDE** (sainte) ~ *v. 475 - 545, Tours.* Reine des Francs. Fille de Chilpéric, roi des Burgondes, elle obtint la conversion de son époux, Clovis Ier.

**CLOUET**, artistes français d'orig. flamande. ~ **Jean** (*v. 1480, Bruxelles - v. 1540, Paris*) fut peintre à la cour de François Ier. Son fils ~ **François** (*v. 1510, Tours - 1572, Paris*) fut portraitiste de François Ier et de ses successeurs.

**CLOUZOT** (Henri Georges) ~ *1907, Niort - 1977, Paris.* Cinéaste français. Il fut condamné en 1944 pour avoir donné, avec *le Corbeau* (1943), un tableau trop cynique de la société française. Après sa réhabilitation, il confirma la noirceur de sa vision dans des films dominés par la dérision (*le Salaire de la peur*, 1953 ; *les Diaboliques*, 1955).

**CLOVIS**, nom de plusieurs rois francs mérovingiens. ~ **Clovis Ier** (*v. 466 - 511, Paris*), roi des Francs Saliens de Tournai à la mort de son père Childéric Ier (481), unifia les tribus franques. Il vainquit les Romains (Soissons, 486), les Alamans (Tolbiac, 496), les Wisigoths (Vouillé, 507), et étendit son royaume à l'ensemble de la Gaule. Sous l'influence de son épouse, Clotilde, il se convertit au catholicisme (496) et réunit un concile à Orléans (511) pour réorganiser l'Église dans ses États. Son royaume fut partagé entre ses quatre fils. ~ **Clovis II**, roi des Francs (639-657), fils de Dagobert Ier. ~ **Clovis III**, roi d'Austrasie (691-695).

**CLUJ-NAPOCA**, en all. ***Klausenburg***, en hongr. ***Kolozsvár*** ~ V. de Roumanie (N.-O.), centre industr., anc. cap. de la Transylvanie (XVIe-XVIIe s.) ; 328 000 h. Univ. hongroise. Église du XIVe s., maison natale de Mathias Corvin (XVe s.), édifices baroques des XVIIe-XVIIIe s.

**CLUNY** ~ V. de Bourgogne, sur la Grosne, au pied des monts du Mâconnais (Saône-et-Loire) ; 4 430 h. Haras national. Marché de bétail. Célèbre abbaye bénédictine, dont l'abbatiale (entreprise au XIe s.), qui fut la plus grande église de la chrétienté avant la construction de la basilique Saint-Pierre de Rome, est un chef-d'œuvre de l'art roman. Fermée en 1790, elle a été en grande partie détruite sous la Révolution. Le musée Ochier en conserve le souvenir.

**Cluny (hôtel et musée de)** ~ Résidence parisienne des abbés de Cluny, édifiée de 1485 à 1500 sur les anciens thermes gallo-romains. L'hôtel abrite depuis 1844 le Musée national du Moyen Âge.

**CLUSAZ (La)** ~ Station estivale et de sports d'hiver (1 100-2 600 m) des Alpes du Nord, au pied de la chaîne des Aravis (massif des Bornes), à l'E. d'Annecy (Haute-Savoie) ; 1 845 h.

**CLUSES** ~ V. des Alpes du Nord (Haute-Savoie), centre industr. (décolletage) à l'entrée de la cluse de l'Arve (Faucigny) ; 16 358 h. École nationale d'horlogerie.

**CLYDE** (la) ~ Le plus long fl. d'Écosse (S.), issu des Southern Uplands, tribut. de la mer d'Irlande (large estuaire), qui arrose Glasgow ; 170 km. Sa basse vallée (**Clydeside**), est un ancien et grand bassin industriel (métall., chantiers navals).

**CLYTEMNESTRE** ~ Personnage de la mythologie grecque. Fille de Tyndare et de Léda et épouse d'Agamemnon, elle assassina son mari avec la complicité de son amant Égisthe pour venger le sacrifice de sa fille Iphigénie, et fut elle-même tuée par son fils Oreste. Sa légende a inspiré not. Eschyle, Sophocle et Euripide.

**Cnes** ~ Voir **Centre national des études spatiales.**

**CNIDE** ~ Anc. cité grecque d'Asie Mineure. Son temple abritait *l'Aphrodite* de Praxitèle.

**Cnil** ~ Voir **informatique et des libertés (Commission nationale de l').**

**Cnossos** ~ Site archéol. de Crète, près d'Héraklion. Centre de la civilisation minoenne (IIe mill. av. J.-C.). Les fouilles d'Arthur Evans, commencées en 1899, ont dégagé un palais remarquable comportant plus de 1 300 pièces.

**C. N. P. F.** ~ Voir **Conseil national du patronat français.**

**C. N. R.** ~ Voir **Conseil national de la Résistance.**

**C. N. R. S.** ~ Voir **Centre national de la recherche scientifique.**

**Cnuced** ~ Voir **Conférence des Nations unies pour le commerce et le développement.**

**COAHUILA** (le) ~ État du N.-E. du Mexique (hauts plateaux, sierra Madre orientale) ; 151 571 km², 1 972 000 h., princ. v. Torreón, Saltillo (cap. ; 441 000 h.). Mines, hydrocarbures.

**Coalitions** (les) ~ Nom donné à sept alliances militaires et politiques tournées contre la France de 1793 à 1815.

**COAST RANGES** (les) ~ Terme anglo-saxon qui désigne les chaînes côtières pacifiques de l'Amérique du Nord depuis la Colombie-Britannique (Canada) jusqu'à la Basse-Californie (Mexique), culminant à plus de 3 000 m. De larges dépressions les séparent, aux États-Unis, de la sierra Nevada et de la chaîne des Cascades. Forêts de séquoias rouges, au N. de San Francisco.

**COATZACOALCOS** ~ Port du S.-E. du Mexique (État de Veracruz), au fond de la baie de Campeche ; 233 000 h. Export. de pétrole.

**C. O. B.** ~ Voir **Commission des opérations de Bourse.**

**COBDEN** (Richard) ~ *1804, Dunford Farm, Sussex - 1865, Londres.* Économiste, industriel et homme politique britannique. Il fut l'instigateur avec Michel Chevalier du traité de commerce libre-échangiste entre le Royaume-Uni et la France, en 1860.

**COBLENCE**, en all. ***Koblenz*** ~ V. de l'O. de l'Allemagne (Rhénanie-Palatinat), au confluent de la Moselle et du Rhin ; 111 000 h. Commerce des vins. **HIST.** - En 1792, l'Électeur de Trèves y accueillit les émigrés de la noblesse française qui formèrent l'armée des Princes. La ville fut annexée par la France (ch.-l. du dép. Rhin-et-Moselle, 1798), puis par la Prusse (1815).

**Cobra**, acron. pour Copenhague, Bruxelles, Amsterdam ~ Mouvement artistique nord-européen (1948-1951), fondé en réaction contre l'hégémonie d'un art contemporain officiel par les peintres Asger Jorn, Pierre Alechinsky, Karel Appel, Constant et Corneille. Leurs œuvres exaltent le geste spontané et toutes les formes de création populaires.

**COBURN** (Alvin Langdon) ~ *1882, Boston - 1966, Colwyn Bay.* Photographe américain. Pictorialiste, il publia dans le magazine *Camera Work.* Ses cadrages et ses sujets annoncent la modernité des années 1920-1930.

**COCHABAMBA** ~ 3e v. de Bolivie, centre industr. et admin. d'une région agric., dans les Andes (Cordillère orientale), à 2 500 m d'alt. ; 404 000 h.

**COCHEREAU** (Pierre) ~ *1924, Saint-Mandé - 1984, Lyon.* Organiste français. Il fut titulaire des grandes orgues de Notre-Dame de Paris, où son génie de l'improvisation lui conféra un prestige international.

**COCHET** (Henri) ~ *1901, Villeurbanne - 1987, Saint-Germain-en-Laye.* Joueur de tennis français. Vainqueur deux fois à Wimbledon, cinq fois à Paris, six fois en coupe Davis.

**COCHIN** ~ Port du S. de l'Inde (Kerala), à l'abri d'une lagune, sur la côte de Malabar ; 565 000 h. Industr. (raffinerie, chimie, métall.). Tourisme. Ancien comptoir portugais (établi par Vasco de Gama en 1502), puis hollandais (XVIIe s.), le port fut occupé par les Britanniques (fin du XVIIIe s.).

**COCHIN** (Charles Nicolas) ~ *1715, Paris - 1790, id.* Dessinateur, graveur et ornemaniste français. Il collabora à l'*Encyclopédie.*

**COCHINCHINE** (la) ~ Anc. appellation du S. du Viêt Nam, plaine alluviale du delta du Mékong (riziculture). Partagée entre les États khmer et champa, devenue vietnamienne au XVIIIe s., elle fut colonisée par la France (1859-1867), puis intégrée à l'Indochine française avec l'Annam et le Tonkin (1887) jusqu'à l'indépendance du Viêt Nam (1949).

**COCHISE** ~ *1812 - 1874.* Chef apache de la tribu des Chiricahuas. Associé à Geronimo, il unifia les tribus apaches pour résister aux Blancs.

**COCKCROFT** (sir John Douglas) ~ *1897, Todmorden, Yorkshire - 1967, Cambridge.* Physicien britannique. Avec Ernest Th. S. Walton, il réalisa la première désintégration nucléaire par accélération artificielle des particules (1930). Prix Nobel de phys. 1951.

**COCOS** ou **KEELING (îles)** ~ Archipel corallien isolé de l'océan Indien (S. de Sumatra), sous admin. australienne ; 14 km², env. 550 h. Escale aérienne. Il fut observé par Darwin en 1836.

**COCTEAU** (Jean) ~ *1889, Maisons-Laffitte - 1963, Milly-la-Forêt.* Écrivain français. Romancier (*les Enfants terribles*, 1929), homme de théâtre (*la Machine infernale*, 1934), de cinéma (*la Belle et la Bête*, 1946), peintre et dessinateur, il fut un poète de l'insolite et de l'anachronisme. Acad.

**COCYTE** (le) ~ Un des fleuves des Enfers, dans la mythologie grecque.

**COD (cap)**, en angl. ***Cape Cod***, en fr. « cap des morues » ~ Péninsule sableuse du S. du Massachusetts (États-Unis). Pêche. Villégiature.

**COECKE VAN AALST** (Pieter) ~ *1502, Aalst - 1550, Bruxelles.* Peintre flamand. D'un séjour en Italie, il retira un romanisme ornemental dont témoignent ses meilleurs tableaux (*la Dernière Cène*, 1531) et ses cartons de tapisseries. Lettré, traducteur de Vitruve, il fut le maître de Bruegel l'Ancien.

**COËTQUIDAN** ~ Voir **Saint-Cyr.**

**COETZEE** (John Michael) ~ *1940, Le Cap.* Écrivain sud-africain d'expression anglaise. Ses romans traduisent la mauvaise conscience des Blancs devant l'apartheid (*Au cœur de ce pays*, 1977).

**CŒUR** (Jacques) ~ *v. 1395, Bourges - 1456, Chio, Grèce.* Commerçant, financier et homme politique français. Il noua des relations avec le Levant et implanta ses entreprises dans toute l'Europe de l'Ouest. Charles VII le nomma son argentier (1439), l'appela dans son Conseil (1442) et lui confia des missions diplomatiques. Accusé de malversations (1451), il s'enfuit et mourut au service du Saint-Siège.

**COËVRONS** (les) ~ Petite région de collines gréseuses (Mayenne), en bordure du Massif armoricain (E.), au S.-O. d'Alençon.

**COGNAC** ~ V. de l'O. de la Charente, sur la Charente, cap. de la Champagne cognaçaise ; agglom. 27 468 h. Eaux-de-vie (cognac). Verrerie. Église St-Léger, romane et gothique. Monuments et maisons des XVe-XVIe s. Musée du Cognac.

**COGOLIN** ~ Station baln. de la Côte d'Azur (Var), au S.-O. de Saint-Tropez ; 7 976 h. Artisanat (tapis, tissus, pipes de bruyère).

**COHEN** (Albert) ~ *1895, Corfou - 1981, Genève.* Écrivain suisse d'expression française. Haut fonctionnaire international, il fut lié au sionisme. Son œuvre portraiture le petit peuple de la diaspora séfarade et magnifie en un lyrisme solaire le sentiment de sa judéité (*Belle du Seigneur*, 1968).

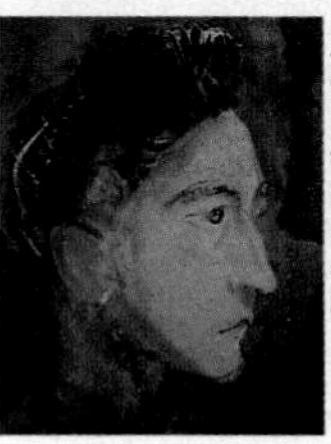

© Coll. part. J.-L. Charmet-Explorer

© P. Wysocki-Explorer-D. R.

© Coll. Antoine-Explorer

1. Jean **Cocteau** *(1927), par Christian Bérard (1902-1949).*

2. *Jean-Baptiste* **Colbert**. *Château d'Aunay-le-Vieil.*

3. **Colette**.

**COHL** (Émile **Courtet**, dit Émile) ~ *1857, Paris - 1938, Villejuif.* Cinéaste d'animation français. Ayant expérimenté la plupart des procédés d'animation, il influença les frères Fleischer et Walt Disney (*les Allumettes animées*, 1908 ; *les Aventures des Pieds nickelés*, 1918).

**COIHAIQUE** ~ V. du Sud chilien ; 43 000 h.

**COIMBATORE** ~ V. du S.-O. de l'Inde (Tamil Nadu), centre industr. (text., constr. mécan.) au pied des Ghats ; 816 000 h. À proximité, temple de Perur (XVIIIe s.), important lieu de pèlerinage. Elle fut prise par les Anglais en 1799.

**COIMBRA** ~ V. du Portugal, sur le Mondego, au S. de Porto, résidence royale jusqu'au XIIIe s. ; 96 000 h. Elle est réputée pour son univ. (fondée en 1307), la seule du pays jusqu'en 1911. Industr. text., faïences. Cathédrales Sé Velha (XIIe s.) et Sé Nova (XVIIe s.), anc. palais épiscopal (transformé en musée), monastère de Santa Cruz (XVIe s.).

**COIRON** (le) ~ Massif volcanique du bas Vivarais, table basaltique dominant la vallée du Rhône (1 061 m).

**COLA DI RIENZO** ~ *v. 1313, Rome - 1354, id.* Homme politique italien. Désireux de restaurer la République romaine, il instaura la dictature à Rome, où il se proclama tribun (1347). Chassé, il revint comme sénateur, envoyé par le pape Innocent VI (1354). Il fut tué dans une émeute.

**COLBERT** (Jean-Baptiste) ~ *1619, Reims - 1683, Paris.* Homme politique français. Issu d'une famille de négociants, il fut nommé conseiller d'État en 1648 et accéda à la noblesse. Chargé des affaires de Mazarin, il remplaça Fouquet après la disgrâce de ce dernier. Contrôleur général des Finances en 1665, secrétaire à la Maison du roi en 1668 et à la Marine en 1669, il devint le principal ministre de Louis XIV. Ses ordonnances et ses codes visèrent à établir l'unité législative, et il mit en œuvre une politique mercantiliste. Il créa des manufactures et favorisa les grands travaux, comme le percement du canal du Midi. Son œuvre fut importante dans le domaine maritime et colonial. Responsable du mécénat royal par ses fonctions de surintendant des Bâtiments, Arts et Manufactures, il fonda l'Académie des inscriptions et celle des sciences, l'Académie de Rome et l'Observatoire de Paris.

**COLCHIDE** (la) ~ Nom que donnaient les Anciens à une région fertile de Géorgie baignée par la mer Noire (vallée du Rioni). Les Grecs y situaient la légendaire Toison d'or.

**COLE** (Nathaniel Adams **Coles**, dit Nat King) ~ *1917, Montgomery, Alabama - 1965, Santa Monica.* Chanteur et pianiste de jazz américain. Il participa dans les années 1940 à l'essor des formes modernes du jazz.

**COLEMAN** (Ornette) ~ *1930, Fort Worth, Texas.* Saxophoniste, violoniste et trompettiste de jazz américain, figure majeure du free jazz. [☞ **jazz**.]

**COLERIDGE** (Samuel Taylor) ~ *1772, Ottery Saint Mary, Devon - 1834, Londres.* Poète britannique. Romantique, coauteur avec Wordsworth des *Ballades lyriques* (1798). Ses poèmes associent mystère, fantastique et métaphysique.

**COLETTE** (sainte) ~ *1381, Corbie - 1447, Gand.* Religieuse française, réformatrice de l'ordre des Clarisses.

**COLETTE** (Sidonie Gabrielle **Colette**, dite) ~ *1873, Saint-Sauveur-en-Puisaye - 1954, Paris.* Romancière française. Elle célèbre, autant qu'elle l'analyse, la saveur singulière des différents mondes que sa vie a traversés : la Bourgogne pauvre de son enfance, le Paris mondain de la Belle Époque, le milieu du music-hall puis celui de la presse (série des *Claudine*, 1900-1903 ; *Sido*, 1930).

**COLI** (François) ~ *1881, Marseille - 1927, en mer.* Aviateur français. Il disparut dans l'Atlantique nord, avec Ch. Nungesser, alors qu'ils tentaient une liaison Paris-New York sans escale.

**COLIGNY** (Gaspard **de Châtillon**, seigneur DE) ~ *1519, Châtillon-sur-Loing - 1572, Paris.* Amiral de France. Converti au calvinisme, il devint le chef militaire du camp protestant, et fut battu à Jarnac et à Moncontour (1569). Favori de Charles IX, il le poussa à la guerre contre l'Espagne. Il fut tué lors des massacres de la Saint-Barthélemy.

**COLIMA** (le) ~ Petit État agric. du Mexique central, sur le Pacifique ; 5 455 km², 429 000 h., cap. **Colima** (107 000 h.). Vestiges précolombiens.

**COLIN** (Paul) ~ *1892, Nancy - 1985, Nogent-sur-Marne.* Affichiste, peintre et décorateur français. Ses quelque 1 200 affiches au style dépouillé, très graphique, lui acquirent la célébrité dès 1925 (affiche de *la Revue nègre*).

**Colisée** (le) ~ Amphithéâtre édifié à Rome sous Vespasien et Titus, qui l'inaugura en 80 apr. J.-C. Il forme une ellipse longue de 188 m. Il pouvait accueillir 87 000 spectateurs.

**Collège de France** ~ Établissement d'enseignement créé à Paris par François Ier, à l'instigation de Guillaume Budé (1530), pour enseigner le latin, le grec et l'hébreu. Comprenant 52 chaires dont les professeurs sont élus, il dispense un enseignement libre et ne délivre pas de diplômes.

**Collier (affaire du)** ~ Scandale dans lequel furent compromis la reine Marie-Antoinette et le cardinal de Rohan à la suite d'une escroquerie montée par la comtesse de La Motte, en 1785-1786. Bien que l'innocence de la reine ait été prouvée, le scandale contribua à discréditer la monarchie à la veille de la Révolution.

**COLLINS** (Michael) ~ *1890, Clonakilty, Cork - 1922, Bandon, id.* Homme d'État irlandais. Il fut l'un des chefs du Sinn Féin. À la tête de l'État libre d'Irlande (1921), il périt durant la guerre civile.

**COLLINS** (Wilkie) ~ *1824, Londres - 1889, id.* Écrivain britannique. Son goût pour les intrigues complexes fait de lui un précurseur du roman policier (*la Dame en blanc*, 1860 ; *la Pierre de lune*, 1868).

**COLLINS** (William) ~ *1721, Chichester - 1759, id.* Poète britannique. Ses *Odes* préfigurent le romantisme.

**COLLIOURE** ~ Port de pêche (anchois) et station baln. de la Côte vermeille (Pyrénées-Orientales), au S.-E. de Perpignan ; 2 726 h. Église du XVIIe s. (retables baroques). Château royal fortifié.

**COLLOR DE MELO** (Fernando) ~ *1949, Rio de Janeiro.* Homme d'État brésilien. Élu président de la République en 1989, il a été destitué en 1992 pour corruption.

**COLLOT D'HERBOIS** (Jean-Marie) ~ *1750, Paris - 1796, Sinnamary, Guyane.* Révolutionnaire français. Conventionnel, membre du Comité de salut public, il fut envoyé en mission à Lyon, où il réprima l'insurrection (1793). Il fut déporté après Thermidor.

**COLMAN** (George) ~ *1762, Londres - 1836, id.* Dramaturge britannique (*John Bull*, 1803) et directeur du théâtre de Haymarket.

© P. Roy-Explorer

*Colmar, la « petite Venise ».*

**COLMAR** ~ Préfect. du Haut-Rhin, sur la Lauch, entre la plaine d'Alsace et les Vosges ; agglom. 83 816 h. Commerce des vins d'Alsace. Extension industr. et portuaire, à l'E., sur le Rhin. Musée d'Unterlinden, dans un couvent du XIIIe s. (*Retable de Schongauer* ; *Retable d'Issenheim* de Grünewald, du XVIe s.). Maisons anciennes. Églises. Musées.

**COLOGNE**, en all. ***Köln*** ~ V. de l'O. de l'Allemagne (Rhénanie-du-Nord - Westphalie), sur le Rhin, grand centre commercial, industr. (constructions mécan., chimie, aciéries), tertiaire (banques, assurances) et culturel (univ., théâtre) au S. de la Ruhr ; 959 000 h. **HIST.** - Ancienne colonie romaine, elle fut le centre économique et religieux de la Rhénanie médiévale. Électeur impérial, son archevêque fut chargé de couronner l'empereur. Prise par les Français en 1794, la ville fut incorporée à la Prusse en 1815. Son centre a été sévèrement endommagé par les bombardements de la Seconde Guerre mondiale. Néanmoins, la ville a conservé les églises des Sts-Apôtres des XIe-XIIIe s., St-Pantaléon (Xe s.), sa cathédrale gothique (Dom) et les vestiges des remparts du XIIIe s.

**COLOMB** (Christophe) ~ *v. 1450, Gênes - 1506, Valladolid.* Marin gênois. Il voyagea dans l'Atlantique, de l'Islande à la Guinée. Persuadé de pouvoir atteindre les Indes en traversant l'océan occidental, il obtint l'appui des Rois Catholiques d'Espagne. Parti de Palos en août 1492, il atteignit les Bahamas le 12 oct., touchant, sans le savoir encore, à un nouveau continent, bientôt nommé Amérique (1494). Il découvrit ensuite Cuba et Hispaniola (Haïti). Rentré en Espagne, nommé amiral et vice-roi des terres découvertes, il entreprit un deuxième, puis un troisième voyage (1493 et 1498) où il reconnut l'embouchure de l'Orénoque. Après sa quatrième expédition (1502), il retourna en Espagne, où la mort d'Isabelle la Catholique le priva de son principal soutien.

**COLOMBA** ou **COLUMBA** (saint) ~ *v. 521, comté de Donegal, Irlande - 597, île d'Iona, Écosse.* Religieux irlandais. Il fut le propagateur du catholicisme en Irlande et en Écosse.

**COLOMBAN** (saint) ~ *v. 540, dans le Leinster, Irlande - 615, Bobbio.* Religieux et prédicateur irlandais. Il fonda les monastères de Luxeuil (Bourgogne), de Bregenz (Autriche) et de Bobbio (Italie).

**COLOMB-BÉCHAR** ~ Voir **Béchar**.

**COLOMBE** (Michel) ~ *v. 1430, Bourges - v. 1512, Tours.* Sculpteur français. Caractérisées par la souplesse du modelé et la finesse des lignes, ses œuvres marquent la transition, dans les pays de la Loire, entre gothique international et italianisme (*Saint Georges combattant le dragon*).

**COLOMBES** ~ V. industr. et résidentielle du N.-O. de l'agglom. parisienne (Hauts-de-Seine) ; 78 513 h. Stade.

**COLOMBEY-LES-DEUX-ÉGLISES** ~ Village des marches orientales de la Champagne (Haute-Marne), à l'E. de Bar-sur-Aube ; 660 h. Musée dans l'ancienne résidence privée du général de Gaulle ; mémorial.

**COLOMBIE (république de)**, en esp. ***República de Colombia*** ~ Pays d'Amérique du Sud relié à l'isthme de Panamá, bordé par la mer des Antilles au N. et par le Pacifique à l'O. ***Cap.*** Bogotá. ***Superf.*** 1 141 748 km². ***Popul.*** 33 392 000 h., dont métis et mulâtres (72 %), Blancs (20 %), Indiens (1 %). ***Langue princ.*** Espagnol. ***Monn.*** Peso. ***Relief.*** Les plaines orientales (Llanos, 40 % du territoire), drainées par les affluents de la rive gauche de l'Amazone et de l'Orénoque, s'adossent aux trois Cordillères andines entrecoupées de hauts plateaux et séparées par les vallées des ríos Magdalena et Cauca. Au N., la sierra isolée de Santa Marta culmine à 5 780 m. ***Climat.*** Tropical, avec toutes les nuances dues à l'altitude et à l'exposition (forte pluviosité dans les grandes vallées andines et sur la côte O.). ***Écon.*** Malgré l'instabilité politique, elle connaît une forte croissance grâce à d'importantes ressources énerg. (hydroélectricité, charbon, pétr., gaz) et minières (or, pierres précieuses). ***Agric.*** Café, cacao, canne à sucre, fruits, fleurs, coton ; riz, maïs ; élev. bovin ; exploitation de la forêt ; pêche. ***Industr.*** Secteur manufacturier développé. Tourisme. La production et la vente de cocaïne représenteraient de 5 à 15 % du P. I. B. ***V. princ.*** Bogotá, Cali, Medellín, Barranquilla, Cartagena. **HIST.** - *XVIe s.* : les Indiens Chibchas qui occupent les hauts plateaux sont décimés par la colonisation espagnole, conduite par Gonzalo Jiménez de Quesada, qui fonde Bogotá (1538), cap. de la vice-royauté de Nouvelle-Grenade. *1819* : l'indépendance est proclamée après la victoire de Simón Bolívar à Boyacá. La république de Grande-Colombie (Colombie, Équateur, Panamá et Venezuela) est fondée, mais ne survit pas à la mort de Bolívar (1830). L'Équateur et le Venezuela font alors sécession. L'alternance des conservateurs centralisateurs et des libéraux fédéralistes ne peut empêcher la guerre civile (1899-1902). *1903* : sécession du Panamá, qui proclame son indépendance avec l'appui des États-Unis. La confrontation permanente des deux grands partis et les émeutes de 1948 amènent conservateurs et libéraux à se partager le pouvoir après la période de dictature du général Rojas Pinilla (1953-1957). L'accord d'alternance de 1957 bloque toute évolution politique, favorise la corruption et la naissance de mouvements d'opposition et de guérilla (Forces armées révolutionnaires de Colombie, Armée de libération nationale, Alliance démocratique M-19, légalisée en 1990). La « guerre totale » menée par le gouvernement depuis 1989 contre les cartels de la drogue aggrave le climat d'insécurité générale. *1994* : Ernesto Samper Pizano succède à César Gaviria Trujillo à la présidence.

**COLOMBIE-BRITANNIQUE** (la) ~ Prov. montagneuse (Coast Ranges, Rocheuses) de l'O. du Canada, au climat océanique tempéré, continental dans l'intérieur ; 952 263 km², 3 282 000 h., cap. Victoria. Popul. concentrée autour de Vancouver, sur la façade pacifique (essor du comm. transocéanien) et dans la vallée du Fraser. Hydroélectricité, hydrocarbures, minerais (fer, cuivre), bois, pêche, fourrures, tourisme. **HIST.** - Explorée à la fin du XVIIIe s. (J. Cook, A. Mackenzie), la région devint colonie britannique en 1866 après la ruée vers l'or de 1859.

**COLOMBO** ou **KOLAMBA** ~ Cap. du Sri Lanka, sur le littoral S.-O. de l'île ; 615 000 h. Ancien comptoir sous les colonisations portugaise (XVIe et XVIIe s.), hollandaise (XVIIe et XVIIIe s.) puis britannique (XIXe et XXe s.), elle reste un important port d'échange. Exportation de produits agricoles (thé, cacao, coprah).

**COLOMIERS** ~ V. de la banlieue de Toulouse (Haute-Garonne) ; 26 979 h. Aéronautique.

**COLÓN**, anc. **Aspinwall** ~ Port comm. du Panamá, au débouché du canal de Panamá sur la mer des Antilles ; 141 000 h.

**COLONNA** ~ Famille romaine (XIIIe-XVIIe s.) d'où sont issus un pape (Martin V), des cardinaux et plusieurs chefs de guerre.

**COLONNE** (Judas **Colonna**, dit Édouard) ~ *1838, Bordeaux - 1910, Paris.* Chef d'orchestre français. Il fut un ardent propagateur de Wagner et de la nouvelle musique française, de Bizet à Debussy.

**COLONNE (cap)** ~ Voir **Sounion**.

**Colonnes d'Hercule** ~ Nom donné par les anciens Grecs aux caps rocheux qui bornent le détroit de Gibraltar (mont Calpé, à Gibraltar, au N., roche Abyla, à Ceuta, au S.). Ils formaient, selon la légende, une montagne qu'ouvrit Hercule au terme de ses travaux.

**COLORADO** (le) ~ Fl. des États-Unis dont le bassin (637 000 km²) englobe le S.-O. aride du pays, tribut. du golfe de Californie (Mexique) ; 2 250 km. Il est utilisé pour l'irrigation, l'énergie et la consommation. Tourisme (Grand Canyon, Arizona).

**COLORADO** (le) ~ État des États-Unis, constitué par des hautes plaines à l'E., les Rocheuses (mont Elbert, 4 400 m) au centre, des plateaux à l'O., château d'eau régional (Platte Rivers, Arkansas, Colorado, Rio Grande, Green River), de climat continental ; 268 658 km², 3 566 000 h., v. princ. Denver (cap.), Colorado Springs. Minerais (charbon, argent, plomb), hydrocarbures. Agriculture irriguée, élevage extensif. Industries de pointe. Tourisme. **HIST.** - Possession espagnole (XVIIIe s.) puis mexicaine, le Colorado fut acquis et conquis au XIXe s. par les États-Unis. Il devint le 38e État de l'Union en 1876.

**COLORADO** (río) ~ Fl. d'Argentine issu des Andes et tribut. de l'Atlantique, limite entre la Pampa (N.) et la Patagonie (S.) ; env. 1 300 km.

**COLORADO SPRINGS** ~ V. tourist. et therm. des États-Unis (Colorado), au pied des Rocheuses (Pikes Peak, 4 300 m) ; 281 000 h. (agglom. 397 000 h.). Quartier général de l'armée de l'air.

**COLTRANE** (John) ~ *1926, Hamlet, Caroline du Nord - 1967, Huntington, New York.* Saxophoniste ténor et soprano de jazz américain. Il créa son quartette en 1960, évoluant du hard-bop vers le free jazz (*My Favorite Things*, 1960). [☞ **jazz**.]

**COLUCHE** (Michel **Colucci**, dit) ~ *1944, Paris - 1986, Opio, Alpes-Maritimes.* Humoriste et acteur français. Sa gouaille, son insolence, ses outrances langagières firent des ravages. Au cinéma, il toucha tous les publics (*Tchao Pantin*, 1983). Il fonda les Restaurants du cœur en 1985.

**COLUMBA** (saint) ~ Voir **Colomba**.

**COLUMBIA** (la) ~ L'un des plus puissants fleuves d'Amérique du Nord (États-Unis, Canada), issu des Rocheuses canadiennes, qui draine le **plateau de la Columbia**, basaltique et steppique, et franchit la chaîne des Cascades par des gorges avant de rejoindre le Pacifique (frontière Washington-Oregon) ; 2 000 km, bassin 668 000 km$^2$. Princ. affl. Snake River. Grand complexe hydroélectrique sur son cours (aluminium).

**COLUMBIA** ~ Cap. de la Caroline du Sud (États-Unis), centre industr. et univ. ; 98 000 h. (agglom. 453 000 h.). Musée des Arts et des Sciences.

**COLUMBIA (district de)** ou **WASHINGTON D. C.** ~ District fédéral (159 km$^2$, 607 000 h.) de Washington, cap. des États-Unis.

**COLUMBUS**, nom de deux villes des États-Unis. ~ Cap. de l'Ohio (N.-E.) ; 633 000 h. (agglom. 1 377 000 h.). Sidér., aéronautique, automobile. ~ V. de Géorgie, au S. des Appalaches ; 180 000 h. Industr. du coton, matériel agricole.

**Comanches** (les) ~ Indiens d'Amérique du Nord (Wyoming), regroupés auj. dans l'Oklahoma.

**Combarelles** (les) ~ Grotte située aux Eyzies-de-Tayac-Sireuil (Dordogne), explorée en 1901. Ses parois sont couvertes de gravures d'animaux de l'époque magdalénienne.

**COMBE DE SAVOIE** (la) ~ Segment du sillon alpin qui prolonge en amont le Grésivaudan (vallée de l'Isère) jusqu'à Albertville, entre les Bauges et la Vanoise cristalline.

**COMBES** (Émile) ~ *1835, Roquecourbe, Tarn - 1921, Pons, Charente-Maritime.* Homme politique français. Président du Conseil (1902-1905), radical, il mena une vigoureuse politique anticléricale qui aboutit à la loi de séparation de l'Église et de l'État (1905).

**COMBOURG** ~ V. de la Bretagne intérieure, au N. de Rennes (Ille-et-Vilaine) ; 4 843 h. Musée dans le château (XI$^e$-XV$^e$ s.) où Chateaubriand passa une partie de son enfance.

**COMBRAILLES** (les) ou **COMBRAILLE** (la) ~ Plateau cristallin du Massif central (altitude moyenne 500 m), au N.-O. de la chaîne des Puys. Élevage bovin.

**COMBS-LA-VILLE** ~ V. résidentielle du S.-E. de l'agglom. parisienne (Seine-et-Marne), sur l'Yerres (r. g.) ; 19 973 h.

**CÔME**, en ital. *Como* ~ V. du N. de l'Italie (Lombardie), au pied des Alpes, au S. du **lac de Côme** (146 km$^2$), sur le cours de l'Adda ; 86 000 h. Tourisme, villégiature. Industr. de la soie. Églises romanes, cathédrale (XIV$^e$-XVIII$^e$ s.).

**CÔME** et **DAMIEN** (saints) ~ *m. v. 295 à Cyr, Syrie.* Martyrs chrétiens. Frères d'origine arabe, tous deux médecins, ils auraient subi leur supplice en Syrie, sous Dioclétien.

**Comecon**, acron. de ***Council for Mutual Economic Assistance***, en fr. **Conseil d'assistance économique mutuelle (Caem)** ~ Organisme économique, créé en 1949, liant les républiques socialistes et l'U. R. S. S. Il a été dissous en 1991.

**Comédie-Française** ~ Société d'acteurs née en 1680 de la fusion, ordonnée par Louis XIV, des troupes de l'hôtel Guénégaud et de l'hôtel de Bourgogne.

**Comédie-Italienne** ~ Formation dramatique issue des troupes d'acteurs italiens qui importèrent en France, au XVI$^e$ s., le style de la commedia dell'arte. Elle s'installa à l'hôtel de Bourgogne, à Paris, en 1680, mais fut expulsée en 1779.

**COMENCINI** (Luigi) ~ *1916, Salo.* Cinéaste italien. Ses films exaltent avec délicatesse le monde de l'enfance (*Tu es mon fils*, 1957 ; *l'Incompris*, 1967 ; *Eugenio*, 1980).

**COMENIUS** (Jan Ámos **Komenský**, en lat.) ~ *1592, Nivnice, Moravie - 1670, Amsterdam.* Humaniste et écrivain tchèque. Contraint à l'exil à cause de ses opinions religieuses, il s'appliqua à réformer la pédagogie (*Didactica magna*, 1657).

**COMINES** (Philippe DE) ~ Voir **Commynes**.

**Comité de salut public** ~ Organe de gouvernement (9 membres) créé par la Convention le 6 avril 1793 à l'instigation de Danton et qui disparut en oct. 1795. Les factions révolutionnaires s'en disputèrent la direction.

**Comité de sûreté générale** ~ Organisme créé le 2 oct. 1792 et chargé par la Convention de diriger la répression policière. Devenu de fait le « ministère de la Terreur » à partir de juin 1793, il fut supprimé sous le Directoire (1795).

**Comité secret d'action révolutionnaire** (Csar) ~ Voir **Cagoule**.

**COMMANDEUR (îles du)** ~ Partie russe de l'arc insulaire des Aléoutiennes, à l'E. du Kamtchatka ; env. 1 850 km$^2$. Vitus Behring y mourut en 1741.

**COMMENTRY** ~ V. industr. et ancien centre houiller du N. du Massif central (Allier), dans le Bourbonnais, au S.-E. de Montluçon ; 8 021 h.

**COMMERCY** ~ V. de Lorraine (Meuse), sur la Meuse, au pied des côtes de Meuse ; 6 404 h. Métall. Spécialité de madeleines. Château (XVIII$^e$ s.).

**COMMINES** (Philippe DE) ~ Voir **Commynes**.

**COMMINGES** (le) ~ Anc. pays de France, autrefois divisé en haut Comminges (v. princ. Saint-Bertrand-de-Comminges) et bas Comminges (v. princ. Muret), qui occupe le piémont pyrénéen (r. g. de la haute vallée de la Garonne).

**Commissariat à l'énergie atomique (C. E. A.)** ~ Établissement public, créé en 1945, chargé de développer les recherches scientifiques liées à l'énergie nucléaire.

**Commission des opérations de Bourse (C. O. B.)** ~ Organisme de surveillance des opérations boursières fondé en 1967, également chargé de contrôler l'information destinée aux porteurs de valeurs immobilières.

**COMMODE**, en lat. *Marcus Aurelius Commodus* ~ *161, Lanuvium - 192, Rome.* Empereur romain (180-192). Fils de Marc Aurèle, il sombra dans la débauche et tyrannisa Rome. Il fut assassiné.

**Commonwealth** (le) ~ Fédération réunissant la plupart des anc. dominions et colonies du Royaume-Uni, régie par le statut de Westminster de 1931 et placée sous la tutelle purement morale de la Couronne britannique. La possibilité de quitter le Commonwealth a toujours été respectée ; bien que non prévue par le statut, la possibilité d'en être exclu existe aussi (Nigéria, en 1966). Le Commonwealth comprend 50 États membres : Afrique du Sud, Antigua-et-Barbuda, Australie, Bahamas, Bangladesh, Barbade, Belize, Botswana, Brunei, Canada, Chypre, Dominique, Gambie, Ghana, Grenade, Guyana, Inde, Jamaïque, Kenya, Kiribati, Lesotho, Malawi, Malaysia, Maldives, Malte, Maurice (île), Namibie, Nauru, Nouvelle-Zélande, Ouganda, Pakistan, Papouasie - Nouvelle-Guinée, Royaume-Uni, Saint-Kitts-et-Nevis, Sainte-Lucie, Saint-Vincent-et-les Grenadines, Salomon (îles), Samoa occidentales, Seychelles, Sierra Leone, Singapour, Sri Lanka, Swaziland, Tanzanie, Tonga (îles), Trinité-et-Tobago, Tuvalu, Vanuatu, Zambie et Zimbabwe.

**Communauté** ~ Association regroupant la France et ses anciennes colonies qui succéda à l'Union française (1958). L'indépendance des États africains (1960) la rendit caduque.

**Communauté des États indépendants (C. E. I.)** ~ Organisation écon. et stratégique, créée en 1991, regroupant 12 républiques de l'ex-U. R. S. S. : Arménie, Azerbaïdjan, Biélorussie, Géorgie (depuis 1993), Kazakhstan, Kirghizistan, Moldavie, Ouzbékistan, Russie (la plus influente), Tadjikistan, Turkménistan, Ukraine.

**Communauté économique européenne (C. E. E.)** ou **Marché commun** ~ Voir **Europe**.

**Communauté européenne de l'énergie atomique (C. E. E. A.)** ou **Euratom** ~ Organisation créée par le traité de Rome en 1957 afin de développer l'énergie atomique dans les pays signataires. Ses organes exécutifs ont fusionné avec ceux de la C. E. E. en 1967.

**Communauté européenne du charbon et de l'acier (Ceca)** ~ Institution créée par le traité du 18 avril 1951 visant l'établissement d'un marché commun du charbon et de l'acier. Elle a été réunie à la C. E. E. en 1967.

**Commune de Paris** ~ Gouvernement municipal de Paris (1789-1795), émanant d'abord des sections, qui devint, après le 10 août 1792, une Commune insurrectionnelle, fer de lance de la révolution jacobine. Elle fut dissoute par la Convention thermidorienne.

**Commune de Paris** ~ Gouvernement insurrectionnel formé le 18 mars 1871 dans Paris assiégé par l'armée prussienne. Les communards et patriotes intransigeants s'opposèrent à la politique du gouvernement de Thiers, établi à Versailles. Divisés entre eux, ils prirent des mesures qui effarouchèrent l'opinion provinciale et bourgeoise. Avec l'accord tacite des Prussiens, l'armée versaillaise pénétra dans Paris le 21 mai. Les combats de la Semaine sanglante se terminèrent par l'écrasement de la Commune, des massacres et une répression qui firent près de 50 000 tués, emprisonnés ou déportés. Après K. Marx, les communistes virent dans la Commune de Paris la première révolution prolétarienne de l'histoire.

**communes (Chambre des)** ~ Chambre basse du Parlement du Royaume-Uni créée au XIII$^e$ s. Elle est auj. formée des représentants élus au suffrage universel à un seul tour en Angleterre, au pays de Galles, en Écosse et en Irlande du Nord. Elle exerce le pouvoir législatif et un contrôle constant sur l'action du gouvernement.

**COMMUNISME (pic du)** ~ L'un des sommets du Pamir (7 495 m), au Tadjikistan, point culminant de l'ex-U. R. S. S.

**COMMYNES, COMMINES** ou **COMINES** (Philippe DE) ~ *v. 1447, Renescure, Flandres - 1511, Argenton.* Chroniqueur français. D'abord au service de Philippe le Bel et de Charles le Téméraire, il servit ensuite Louis XI, puis Charles VIII et Louis XII. Ses *Mémoires* (8 vol.) portent sur la période 1464-1498.

**COMNÈNE** ~ Famille byzantine originaire de Paphlagonie, dynastie d'empereurs d'Orient (1081-1185) et de Trébizonde (1204-1461).

**COMODORO RIVADAVIA** ~ Port pétr. (oléoduc vers Buenos Aires) du centre de la Patagonie (Argentine), sur l'Atlantique ; 124 000 h. Gisements d'hydrocarbures découverts au début du XX$^e$ s.

**COMOÉ** (la) ~ Fl. de Côte d'Ivoire utilisé pour l'irrigation, qui prend sa source au Burkina et rejoint l'Atlantique à Grand-Bassam ; 1 000 km.

**COMORE (Grande)** ~ Voir **Ngazidja**.

**COMORES (république fédérale islamique des)** ~ Pays de l'océan Indien composé de trois îles d'origine volcanique (Ndzouani, Ngazidja et Moili), entre le N. de Madagascar et le Mozambique. ***Cap.*** Moroni. ***Superf.*** 1 862 km$^2$. ***Popul.*** 536 000 h. ***Langues princ.*** Comorien, français. ***Monn.*** Franc comorien. ***Climat.*** Tropical de mousson. ***Écon.*** Fondée sur l'agriculture vivrière (manioc, riz) et commerciale (vanille, café, coprah, girofle, huiles essentielles). Tourisme encore peu développé. **HIST.** - *V$^e$-XVI$^e$ s.* : peuplement à partir de l'Afrique, du golfe Persique et de Madagascar. *XIX$^e$ s.* : achat de Mayotte (4$^e$ île, au S. de l'archipel) par la France (1841), qui annexera les autres îles. *1975* : proclamation de l'indépendance de l'archipel (Mayotte choisit de rester française). *1990* : élection du président Said Mohammed Djohar.

**COMORIN (cap)** ~ Extrémité S. de la péninsule indienne (8° lat. N.), dans le Tamil Nadu.

**Compagnie de Jésus** ~ Voir **Jésus** (Compagnie ou Société de).

**Compagnies** (Grandes) ~ Troupes de mercenaires licenciés après la paix de Brétigny (1360). Mués en pillards, ils ravagèrent les campagnes françaises. Du Guesclin les conduisit en Espagne et les mit au service d'Henri II le Magnifique (1366).

**COMPIÈGNE** ~ V. du N.-E. du Bassin parisien (Oise), aux confins de la Picardie et du Valois, sur l'Oise, au N. de la **forêt de Compiègne** ; agglom. 67 057 h. Industr. chimique. Univ. de technologie. Musée du second Empire, musée de la Voiture dans l'anc. résidence royale (construite pour Louis XV) puis impériale (Napoléon III y donna de fastueuses réceptions). **HIST.** - Les états généraux de 1358 se tinrent à Compiègne. En 1430, Jeanne d'Arc y fut capturée par les Bourguignon. Siège du quartier général français en 1917-1918.

**COMPOSTELLE (Saint-Jacques-de-)** ~ Voir **Saint-Jacques-de-Compostelle**.

**COMPTON** (Arthur Holly) ~ *1892, Wooster, Ohio - 1962, Berkeley, Californie.* Physicien américain. Ses travaux sur les rayons X lui permirent de mettre en évidence l'**effet Compton**, confirmant l'existence des photons. Prix Nobel de phys. 1927.

**COMPTON-BURNETT** (Ivy) ~ *1892, Pinner - 1969, Londres.* Romancière britannique. Ses romans dénoncent la cruauté de la gentry victorienne (*Une famille et son chef*, 1935).

**COMTAT VENAISSIN** (le) ~ Anc. pays du midi de la France (Vaucluse), entre Dauphiné et Provence, Rhône et Durance (princ. v. Avignon, Orange, Carpentras). Le roi Philippe III le céda aux papes en 1274. Il revint à la France en 1791.

**COMTE** (Auguste) ~ *1798, Montpellier - 1857, Paris.* Philosophe français. Diplômé de l'École polytechnique, il enseigna les mathématiques puis, très vite, consacra ses cours à l'exposition de sa propre doctrine, le positivisme. Son œuvre, dont la postérité a surtout retenu les *Cours de philosophie positive* (1830-1842), influença profondément Cl. Bernard et É. Durkheim. [☞ **positivisme.**]

**CONAKRY** ou **KONAKRY** ~ Cap. et port de la Guinée, sur l'océan Atlantique ; env. 950 000 h. Université. Export. (prod. agric., fer, bauxite), industr. légères (mécan., agroalim.).

**CONAN** ~ Nom d'un comte de Rennes (952-992) et de trois ducs de Bretagne (XI^e^-XII^e^ s.).

**CONCARNEAU** ~ 3^e^ port de pêche français et station baln. de Bretagne (Finistère), sur le littoral de la Cornouaille ; agglom. 24 760 h. Conserveries. Remparts. Musée de la Pêche. Marinarium du laboratoire maritime du Collège de France.

© P. Wysocki-Explorer

*Concarneau, la ville close.*

**CONCEPCIÓN** ~ V. du S. du Chili central, la 2^e^ du pays, sur le río Bío Bío ; 330 000 h. Industr. text., sidér., métall., 1^er^ port militaire.

**Conciergerie** ~ Partie du palais de justice de Paris, sur la façade N., vestige de l'anc. palais royal (XIV^e^ s.). Prison (1392), classée monument historique (1914).

**CONCINI** (Concino), marquis **d'Ancre**, dit **le maréchal d'Ancre** ~ *1575, Florence - 1617, Paris.* Aventurier et homme politique italien. Durant la régence de Marie de Médicis, dont il épousa la confidente, Leonora Galigaï, il joua un rôle de premier plan. Lieutenant général de Péronne, marquis d'Ancre, maréchal en 1613, il devint lieutenant général de Normandie en 1616. Influencé par Charles d'Albert de Luynes, le jeune Louis XIII commandita son assassinat.

**CONCORD** ~ Voir **New Hampshire.**

**Concordat de 1801** ~ Concordat signé entre Pie VII et Napoléon Bonaparte. Il réservait au chef de l'État le droit de nommer les évêques, le pape leur accordant l'institution canonique. Reconnu religion de la majorité des Français, le catholicisme retrouvait une existence légale et éminente.

**CONDÉ (maison de)**, branche de la maison de Bourbon. ~ **Louis I^er^** DE **BOURBON**, 1^er^ prince DE CONDÉ (*1530, Vendôme - 1569, Jarnac*). Oncle du futur Henri IV, il adhéra à la Réforme, dirigea le parti protestant et fut assassiné après la bataille de Jarnac. ~ **Louis II** DE **BOURBON**, 4^e^ prince DE CONDÉ, dit **le Grand Condé** (*1621, Paris - 1686, Fontainebleau*). Il remporta les victoires de Rocroi (1643), de Nördlingen (1645) et de Lens (1648). Chef de la Fronde nobiliaire en 1650, il fut battu par Turenne à Bléneau et au faubourg Saint-Antoine. Passé dans le camp espagnol, il reçut le pardon de Louis XIV après la paix des Pyrénées, conquit la Franche-Comté en 1668 et remporta la victoire de Seneffe en 1674. ~ **Louis Henri** DE **BOURBON**, 7^e^ prince DE CONDÉ (*1692, Versailles - 1740, Chantilly*). Bénéficiaire du système de Law, Premier ministre de Louis XV (1723), extrêmement impopulaire, il fut renvoyé en 1726. ~ **Louis Joseph** DE **BOURBON**, 8^e^ prince DE CONDÉ (*1736, Paris - 1818, id.*). Il donna le signal de l'émigration dès le 17 juillet 1789 puis commanda l'armée d'émigrés qui porta son nom.

**CONDÉ-SUR-L'ESCAUT** ~ V. industr. (Nord), sur l'Escaut, près de la frontière belge ; 11 289 h. Vestiges de remparts à la Vauban. Château (XV^e^ s.).

**CONDILLAC** (Étienne **Bonnot** DE) ~ *1715, Grenoble - 1780, abbaye de Flux, Beaugency.* Philosophe français. Influencé par Locke, il voyait dans les sensations l'origine de toutes les facultés humaines et, tenant la science pour une « langue bien faite », fondait la pensée analytique sur le langage (*Traité des sensations*, 1755 ; *la Langue des calculs*, posth., 1798). Acad.

**CONDOM** ~ V. de Gascogne (Gers), sur la Baïse, au N.-O. d'Auch, centre du commerce des eaux-de-vie d'Armagnac ; 7 717 h. Cathédrale et cloître gothiques, musée de l'Armagnac.

**CONDORCET** (Marie Jean Antoine Nicolas **de Caritat**, marquis DE) ~ *1743, Ribemont - 1794, Bourg-la-Reine.* Mathématicien, philosophe et homme politique français. Partisan de la Révolution, député à l'Assemblée législative et sous la Convention, il proposa une réforme de l'enseignement qui ne fut pas appliquée. Lié avec les Girondins, il fut traqué par les Montagnards. Il écrivit dans la clandestinité son *Esquisse d'un tableau historique des progrès de l'esprit humain.* Arrêté, il s'empoisonna dans sa cellule. Acad.

**CONDROZ** (le) ~ Plateau calcaire et région agricole (fruits, élev.) de Belgique qui borde l'Ardenne entre la Meuse et l'Ourthe.

**Confédération athénienne** ~ Regroupements de cités grecques autour d'Athènes. La première (477-404 av. J.-C.), dite ligue de Délos, fut constituée contre la Perse, et la seconde (378-338 av. J.-C.) contre Sparte. Elles furent progressivement dénaturées par l'impérialisme d'Athènes.

**Confédération du Rhin** ~ Union politique d'États allemands (1806-1813) dont Napoléon I^er^ se proclama le protecteur. Elle entérina la fin du Saint Empire romain germanique.

**Confédération française de l'encadrement - Confédération générale des cadres (C. F. E. - C. G. C.)** ~ Organisation syndicale fondée en 1944 sous le nom de Confédération générale des cadres, rebaptisée en 1981.

**Confédération française démocratique du travail** (C. F. D. T.) ~ Organisation syndicale fondée en 1964 par une majorité d'adhérents de la Confédération française des travailleurs chrétiens (C. F. T. C.) souhaitant abandonner l'étiquette confessionnelle du mouvement.

**Confédération française des travailleurs chrétiens (C. F. T. C.)** ~ Organisation syndicale à caractère confessionnel fondée en 1919.

**Confédération générale des cadres (C. G. C.)** ~ Voir **Confédération française de l'encadrement.**

**Confédération générale du travail (C. G. T.)** ~ Organisation syndicale fondée en 1895. Une scission intervint en 1921 et donna naissance à la Confédération générale du travail unitaire (C. G. T. U.). En 1936, la C. G. T. retrouva son unité mais, en 1947, une nouvelle scission provoqua la création de la C. G. T. - F. O., appelée couramment F. O. (Force ouvrière).

**Confédération germanique** ~ Union politique de 39 États allemands, inspirée par Metternich et formée en 1815 au congrès de Vienne pour assurer le maintien de la sécurité extérieure et intérieure de l'Allemagne, l'indépendance et l'inviolabilité des États confédérés. Elle fut dissoute en 1866 lors de la victoire de la Prusse sur l'Autriche.

**Confédération internationale des syndicats libres** (C. I. S. L.) ~ Organisation créée en 1949 par les syndicats désireux de quitter la Fédération syndicale mondiale (F. S. M.) dominée par les pays du bloc socialiste.

**Conférence des Nations unies pour le commerce et le développement** (Cnuced) ~ Division de l'O. N. U. fondée en 1964 pour développer le commerce international. Elle défend vigoureusement les intérêts des pays les plus pauvres.

**CONFLANS-SAINTE-HONORINE** ~ V. du N.-O. de l'agglom. parisienne (Yvelines), port fluvial centre de batellerie (musée), au confl. de la Seine et de l'Oise ; 31 467 h. Château féodal.

**CONFLENT** (le) ~ Moyenne vallée de la Têt (Pyr. Orient.), dominée par le Canigou et ouvrant sur le Roussillon. Vergers. Sites de Prades, Villefranche.

**CONFUCIUS**, en chin. ***Kongzi, K'ong-tseu, Kongfuzi*** ou ***K'ong-fou-tseu*** ~ *v. 551 - 479 av. J.-C.* Lettré et philosophe chinois. Celui que les Jésuites baptisèrent Confucius vécut pendant l'ère Zhou et enseigna dans la province de Shandong. La doctrine qu'il aurait cherché, en vain, à faire appliquer dans l'administration de l'État de Lu tient plus d'une morale sociale que d'une véritable philosophie. Il fut, après sa mort, rapidement investi d'attributs légendaires et sa pensée transformée en système. De son œuvre, on ne connaît que le *Lunyu*, compilation d'anecdotes, de maximes et de paraboles rassemblées par la deuxième génération de ses disciples. [☞ **confucianisme.**]

**CONGO** (le) ~ Voir **Zaïre.**

**CONGO (république du)** ~ Pays d'Afrique du Centre-Ouest, situé sur l'équateur, avec une étroite façade sur l'Atlantique. ***Cap.*** Brazzaville. ***Superf.*** 341 821 km². ***Popul.*** 2 690 000 h. (princ. urbains), dont Kongos (52 %), Tékés (17 %), Mboshis (12 %). ***Langues princ.*** Français, lingala, kikongo. ***Monn.*** Franc CFA. ***Relief.*** Essentiellement constitué par des plateaux (400-700 m) forestiers peu peuplés. ***Climat.*** Équatorial. ***Fl. princ.*** Zaïre, Oubangui, Sangha. ***Écon.*** Pétrole (offshore). Agric. vivrière (manioc), exploit. de la forêt et pêche. ***V. princ.*** Brazzaville, Pointe-Noire. **HIST.** - *I^er^ mil. av. J.-C.* : des populations bantoues peuplent le pays. *XV^e^ s.* : les Portugais explorent la côte. *1880-1883* : Pierre Savorgnan de Brazza et Cordier imposent le protectorat français sur les royaumes Batéké et Loango. *1891* : création de la colonie du Congo français. *1910* : le Congo est intégré à l'A.-E. F. *1930-1942* : contestation de l'ordre colonial menée par des mouvements prophétiques. *1960* : proclamation de l'indépendance et présidence de l'abbé Fulbert Youlou, renversé par une révolution populaire (1963). Alphonse Massamba-Débat devient chef de l'État. *1968* : coup d'État militaire du capitaine Marien N'Gouabi. *1970* : création d'une république populaire. *1992* : élection de Pascal Lissouba à la présidence. *1995* : formation d'un gouvernement comprenant des membres de l'opposition. *Juin 1997* : les affrontements sanglants entre milices de l'ancien président Sassou Nguesso et partisans du président en exercice, Pascal Lissouba, créent une situation de guerre civile.

**CONGO (république démocratique du)** ~ Nouveau nom du Zaïre après la prise de pouvoir par Laurent-Désiré Kabila en mai 1997.

**Congo-Océan (ligne)** ~ Voie ferrée reliant Brazzaville à son débouché maritime, Pointe-Noire, construite à l'initiative des Français et achevée en 1934, dans des conditions si dures qu'elle coûta, dit-on, « un homme par traverse ».

**Congrès (parti du)** ~ Parti politique indien fondé en 1885. Il fut, sous la direction de Nehru, le principal artisan de l'indépendance (1947), et domine depuis lors la vie politique indienne.

**CONGREVE** (William) ~ *1670, Bardsey, Yorkshire - 1729, Londres.* Dramaturge anglais. Il écrivit des comédies d'une grande liberté de ton (*Ainsi va le monde*, 1700) et un drame héroïque.

**CONI** ~ Voir **Cuneo.**

**CONJEEVARAM** ~ Voir **Kanchipuram.**

**CONNACHT** ou **CONNAUGHT** (le) ~ Prov. du N.-O. de l'Irlande ; 17 120 km², 423 000 h. V. princ. Galway. Élev. extensif sur la lande, tourisme dans le Connemara. Il fut l'un des cinq royaumes d'Irlande rattachés à l'Angleterre au XV^e^ s.

**CONNECTICUT** (le) ~ État du N.-E. des États-Unis (Nouvelle-Angleterre), région vallonnée, boisée, traversée par le fleuve **Connecticut** (550 km) et fortement urbanisée (industr. de pointe, activités tertiaires) ; 12 547 km², 3 277 000 h., cap. Hartford. Célèbre univ. Yale à New Haven. **HIST.** - Colonisé au XVII^e^ s. par la Grande-Bretagne, le Connecticut devint le 5^e^ État de l'Union en 1788.

**CONNEMARA** (le) ~ Région sauvage et touristique du N.-O. de l'Irlande (Connacht).

**CONNERY** (Thomas, dit Sean) ~ *1930, Édimbourg.* Acteur britannique. Il a incarné à l'écran le héros des romans de Ian Fleming (*James Bond 007 contre Dr No*, 1962). Sa carrière est cependant variée (*L'homme qui voulut être roi*, de J. Huston, 1975).

**CONNES** (Alain) ~ *1947, Draguignan.* Mathématicien français. Dans le droit fil de J. von Neumann, il a développé une géométrie adaptée à l'examen des espaces feuilletés et à certains modèles de la physique théorique. Médaille Fields 1982.

**CONON DE BÉTHUNE** ~ *v. 1160, Béthune - 1219 ou 1220, Constantinople.* Trouvère et compositeur français. Il participa à la 4e croisade et fut régent de l'empire latin de Constantinople.

**Conques (abbaye de)** ~ Anc. abbaye, étape sur la route de Compostelle (Aveyron). Église Ste-Foy (tympan du *Jugement dernier* du XIIe s., chef-d'œuvre de la sculpture romane ; trésor ; reliquaire dit Majesté de sainte Foy).

**CONQUET (Le)** ~ Port de pêche breton, à l'extrémité de la péninsule armoricaine (Finistère) ; 2 149 h. Centre radiomaritime.

**CONRAD**, nom de quatre souverains allemands. ~ **Conrad Ier** (*m. en 918*), roi de Germanie (911-918). ~ **Conrad II le Salique** (*v. 990 - 1039, Utrecht*), roi de Germanie (1024-1039), couronné empereur (1027). Fondateur de la dynastie franconienne, il incorpora le royaume de Bourgogne à l'empire (1032). ~ **Conrad III** (*1093 - 1152, Bamberg*). Élu roi en 1138, le premier des Hohenstaufen, il participa à la 2e croisade (1147-1148). ~ **Conrad IV** (*1228, Andria - 1254, Lavello*). Élu roi des Romains (1237), il succéda à son père, Frédéric II, en Allemagne et en Sicile (1250).

**CONRAD** ~ *1146 - 1192, Tyr.* Marquis de Montferrat. Défenseur de Tyr contre Saladin (1187), il fut assassiné par des ismaéliens la veille de son couronnement comme roi de Jérusalem.

**CONRAD** (Józef Konrad **Korzeniowski**, dit Joseph) ~ *1857, Berditchev, Ukraine - 1924, Bishopsbourne, Kent.* Écrivain britannique d'orig. polonaise. Il est l'auteur de romans d'aventures et d'exotisme (*Lord Jim*, 1900 ; *Nostromo*, 1904).

**CONRADIN** ~ *1252, Wolfstein - 1268, Naples.* Fils de Conrad IV et dernier des Hohenstaufen. Il disputa le royaume de Sicile à Charles d'Anjou, qui le battit à Tagliacozzo et le fit décapiter.

**CONRAD VON HÖTZENDORF** (Franz, comte) ~ *1852, Penzing - 1925, Bad Mergentheim.* Feld-maréchal autrichien, il commanda l'état-major austro-hongrois de 1914 à 1917.

**CONSALVI** (Ercole) ~ *1757, Rome - 1824, Anzio.* Cardinal italien. Il négocia le Concordat de 1801 et participa au congrès de Vienne (1815).

**CONSCIENCE** (Hendrik) ~ *1812, Anvers - 1883, Bruxelles.* Écrivain belge d'expression flamande. Son roman historique *le Lion de Flandre* (1838) inaugura le réveil de la littérature flamande en Belgique.

**Conseil constitutionnel** ~ Organe créé par la Constitution de la Ve République (1958). Il se prononce systématiquement sur la conformité des lois organiques à la Constitution, ainsi que sur celle des lois ordinaires lorsqu'il en est saisi. Il veille à la régularité des élections et des consultations référendaires et exerce un contrôle sur le règlement intérieur des assemblées parlementaires. Il est composé de 9 membres nommés pour 9 ans et des anciens présidents de la République, membres de droit.

**Conseil de la République** ~ Assemblée consultative instituée par la Constitution de 1946 en remplacement du Sénat de la IIIe République, qui fut rétabli sous le Ve République.

**Conseil de l'Europe** ~ Organisme de coopération politique et juridique créé en 1949 parallèlement à l'Organisation européenne de coopération économique (O. E. C. E., devenue l'O. C. D. E.).

**Conseil des Anciens** ~ Voir Anciens.

**Conseil des Cinq-Cents** ~ Voir Cinq-Cents.

**Conseil de sécurité** ~ Organe de l'Organisation des Nations unies chargé du maintien de la paix. Il comprend 15 membres (dont 5 permanents, qui peuvent exercer un droit de veto : Chine, États-Unis, France, Royaume-Uni, Russie).

**Conseil d'État** ~ Juridiction suprême de l'ordre administratif, composée de 200 membres. Il est juge d'appel ou de cassation de certaines décisions des juridictions administratives.

**Conseil économique et social** ~ Assemblée consultative instituée par la Constitution de 1958, composée de 231 membres représentant le gouvernement et les principaux acteurs économiques et sociaux.

**Conseil européen** ~ Organe supérieur de l'Union européenne qui se réunit périodiquement au niveau des chefs d'État ou de gouvernement.

**Conseil européen pour la recherche nucléaire** (Cern) ~ Organisme créé en 1952 à Meyrin (Suisse), plus tard appelé le Laboratoire européen de physique des particules. C'est le plus grand laboratoire scientifique du monde.

**Conseil national de la Résistance** (C. N. R.) ~ Organisme créé par Jean Moulin en 1943 qui fédéra les mouvements clandestins de la Résistance intérieure et formula les principaux choix politiques, économiques et sociaux de l'après-guerre.

**Conseil national du patronat français** (C. N. P. F.) ~ Association groupant la majorité des organisations patronales professionnelles.

**Conseil œcuménique des Églises** ~ Voir œcuménique des Églises.

**Conseil supérieur de la magistrature** ~ Organisme institué par la Constitution de 1946. Il a pour mission de garantir l'indépendance de l'autorité judiciaire. Présidé par le président de la République, il est composé du ministre de la Justice et de 9 membres nommés pour 4 ans, dont 7 sont des magistrats.

**Conseil supérieur de l'audiovisuel** (C. S. A.) ~ Organisme créé en 1989. Composé de 9 membres nommés par le chef de l'État, par le président du Sénat et par le président de l'Assemblée nationale, le C. S. A. a pour mission de contrôler l'exercice de la communication audiovisuelle.

**conservateur (parti)**, en angl. ***British Conservative Party*** ~ Parti politique britannique fondé en 1824 par Robert Peel. Le terme *conservative* se substitua à celui de *tory* en 1832. Depuis lors, ce parti a alterné au pouvoir avec le parti libéral ou le parti travailliste. Représentant d'abord l'aristocratie, il élargit progressivement son recrutement à la bourgeoisie industrielle et aux classes moyennes en défendant l'ordre établi, le libéralisme et la grandeur britannique.

**Conservatoire national des arts et métiers** ~ Voir arts et métiers.

**CONSIDÉRANT** (Victor) ~ *1808, Salins, Jura - 1893, Paris.* Philosophe et homme politique français. Disciple de Ch. Fourier, auteur de la *Théorie du droit de propriété et du droit au travail* (1848), il fut exilé après la révolution de 1848 et s'établit au Texas, où il tenta de créer une communauté socialiste.

**conspiration des Poudres** ~ Complot fomenté par les catholiques anglais contre le Parlement et le roi Jacques Ier en 1605. Ce projet échoua grâce à l'arrestation d'un des conjurés, Guy Fawkes, dont le nom reste attaché à une commémoration.

**CONSTABLE** (John) ~ *1776, East Bergholt, Suffolk - 1837, Londres.* Paysagiste romantique britannique. Ses œuvres, inspirées des artistes hollandais, influencèrent l'école française de Barbizon (*la Charrette de foin*, 1821).

**CONSTANCE (lac de)**, en all. ***Bodensee*** ~ L'un des plus grands lacs d'Europe (540 km²), situé aux confins de l'Autriche (Alpes), de l'Allemagne (plateau souabe) et de la Suisse. Formé par le Rhin, il est d'origine glaciaire.

**CONSTANCE**, en all. ***Konstanz*** ~ V. du S.-O. de l'Allemagne (Bade-Wurtemberg) enclavée le long de la rive suisse du lac de Constance, station baln. et de villégiature ; env. 75 000 h. Cathédrale des XIe-XVIe s., églises, couvent des dominicains du XIIIe s. Le concile qui s'y réunit de 1414 à 1418 mit fin au grand schisme d'Occident, proclama sa supériorité sur le pape et condamna Jan Hus.

**CONSTANCE**, nom de trois empereurs romains. ~ **Constance Ier Chlore**, en lat. ***Marcus Flavius Valerius Constantius*** (*v. 225 - 306, Eboracum, York*), empereur de 305 à 306. Il contribua à redresser la situation de l'empire et fit cesser la persécution des chrétiens. ~ **Constance II**, en lat. ***Flavius Julius Constantius*** (*317, Illyricum - 361, Mopsucrène, Cilicie*), empereur de 337 à 361. Fils de Constantin Ier le Grand, sensible à l'arianisme, il s'imposa à son concurrent Magnence (353) après la mort de ses deux frères et poursuivit l'œuvre de consolidation entreprise par son père. ~ **Constance III**, en lat. ***Flavius Constantius*** (*m. en 421 à Ravenne*), époux de la sœur de l'empereur Honorius, ne régna que quelques mois.

**CONSTANT** (Benjamin Henri Constant **de Rebecque**, dit Benjamin) ~ *1767, Lausanne - 1830, Paris.* Écrivain et homme politique français. Chef de l'opposition libérale sous la Restauration et redoutable pamphlétaire, il est considéré en littérature comme un maître de l'analyse psychologique (*Adolphe*, 1816). Il entretint une liaison avec Mme de Staël.

**CONSTANT** (Marius) ~ *1925, Bucarest.* Compositeur et chef d'orchestre français d'origine roumaine. Son œuvre, marquée par un souci de renouvellement formel et une recherche originale dans le domaine des timbres, va de la musique de chambre (*Trois Portraits*, 1958) à l'opéra (*Teresa*, 1995). Fondateur de l'ensemble Ars Nova en 1953, il a été cofondateur et directeur de France Musique de 1954 à 1966.

**CONSTANT Ier**, en lat. ***Flavius Julius Constans*** ~ *v. 323 - 350, Elena, Septimanie.* Empereur romain d'Occident (337-350). Fils de Constantin Ier le Grand, il régna conjointement sur l'Occident avec son frère Constantin le Jeune, jusqu'à la mort de ce dernier (340), puis seul.

**CONSTANȚA** ~ 1er port et 2e v. de Roumanie (S.-E.), sur la mer Noire, centre industr. (conserveries, chantiers navals) et comm. (export. de pétrole) de la Dobroudja ; 350 000 h. Pêche. Musées, théâtres. Vestiges romains (thermes). Tourisme (station balnéaire).

**CONSTANTIN**, nom de plusieurs empereurs romains et byzantins. ~ **Constantin Ier le Grand**, en lat. ***Caius Flavius Valerius Aurelius Constantinus*** (*v. 270, Naissus, auj. Niš - 337, Nicomédie*), succéda à son père, l'empereur romain Constance Chlore, en 306. Élevé à la cour de Dioclétien, il élimina Maxence en 312 (victoire du pont Milvius) et l'Auguste d'Orient Licinius en 324, combattit les Francs, les Alamans, les Sarmates, les Goths et les Perses. Il promulgua l'édit de Milan (313), instaurant la liberté religieuse, puis organisa le concile de Nicée (325) et associa l'Église chrétienne au pouvoir. Il renforça l'absolutisme, figea la hiérarchie sociale et réorganisa l'armée. En 330, il établit sa capitale à Byzance, rebaptisée par la suite Constantinople. À sa mort, l'empire fut partagé entre ses trois fils, ~ **Constantin II le Jeune** (*317 - 340, Aquilée*), qui régna sur l'Occident avec son frère Constant Ier, et Constance II, qui reçut l'empire d'Orient. Dix empereurs byzantins portèrent ce nom à partir de ~ **Constantin III Héraclius** (*612 - 641, Chalcédoine*).

© Giraudon
1

© M. Evans-Explorer
2

© Lauros-Giraudon
3

1. Le marquis de Condorcet. *Château de Versailles.*

2. *Joseph* **Conrad.**

3. **Constantin Ier le Grand**, *bronze du Ve s. Narodni Musej, Belgrade.*

**CONSTANTIN**, nom de deux rois de Grèce. ~ **Constantin Ier** (*1868, Athènes - 1923, Palerme*), fils de Georges Ier, roi en 1913. Il abdiqua en 1917 sous la pression des Alliés et de Venizélos. Revenu au pouvoir en 1920, il dut céder à nouveau son trône après l'échec de la campagne contre les Turcs (1922). ~ **Constantin II** (*1940, Psykhikón*), fils de Paul Ier, couronné en 1964. Il favorisa le coup d'État des colonels en 1967, puis s'opposa à eux. Contraint à l'exil, il a été déchu en 1973.

**CONSTANTINE** ou **QACENTINA** ~ V. du N.-E. de l'Algérie, la 3e du pays, ch.-l. de wilaya, centre comm. et industr. situé sur un haut plateau (monts du Constantinois) et entouré par les gorges profondes de l'oued Rummel ; 449 000 h. Université. Ancienne Cirta, cap. des rois numides, elle fut aussi une colonie romaine. Elle fut occupée par les Arabes, les Turcs et les Français (1837).

**CONSTANTINOPLE** ~ Capitale de l'Empire romain, inaugurée par Constantin sur le site de Byzance (330), puis cap. de l'empire d'Orient (395). Cité phare de la civilisation byzantine, elle fut la plus grande ville du monde médiéval (500 000 h. au VIe s.). Centre religieux de l'Orient orthodoxe et siège d'un patriarcat, elle accueillit quatre conciles (381, 553, 680, 869). Les croisés occidentaux s'en emparèrent, la pillèrent et y installèrent un Empire latin (1204). Reprise par les Grecs de Nicée (1261), elle succomba à l'assaut des Turcs malgré la résistance de Constantin XI (29 mai 1453). Rebaptisée Istanbul, elle fut alors choisie comme capitale par les sultans ottomans.

**CONSTANTIN PAVLOVITCH** ~ *1779, Saint-Pétersbourg - 1831, Vitebsk.* Grand-duc de Russie, vice-roi de Pologne (1815-1830), fils de Paul Ier. Il céda ses droits au trône à son frère Nicolas Ier.

**Constituante** ~ Voir **Assemblée nationale constituante.**

**Constitution civile du clergé** ~ Décret voté par l'Assemblée constituante le 12 juillet 1790 et sanctionné par Louis XVI en août. Libérale et gallicane, elle fut condamnée par le pape en 1791, ce qui provoqua un schisme de fait entre prêtres constitutionnels (ou jureurs) et réfractaires.

**Consulat** ~ Régime politique imposé par Bonaparte après son coup d'État du 18 brumaire (9-10 nov. 1799) et qui prit fin le 18 mai 1804 (début du premier Empire). Il prévoyait un triumvirat exécutif (avec Cambacérès et Lebrun) ; mais, très vite, Bonaparte, Premier consul, eut la prééminence.

**CONTAMINES-MONTJOIE (Les)** ~ Station estivale et de sports d'hiver du Haut-Val Montjoie (1 164-2 487 m), au pied du mont Joly, dans le massif du Mont-Blanc (Haute-Savoie) ; 994 h.

**CONTARINI** ~ Famille vénitienne qui fournit à Venise des diplomates et plusieurs doges.

**CONTÉ** (Nicolas Jacques) ~ *1755, Sées, Orne - 1805, Paris.* Chimiste et inventeur français. Il créa le Conservatoire des arts et métiers et inventa une mine de crayon à base d'argile et de graphite.

**CONTÉ** (Pierre) ~ *1891, Paris - 1971, id.* Chorégraphe, biomécanicien et musicien français. Il inventa, à partir de l'écriture musicale, un système de notation chorégraphique retranscrivant les composantes du mouvement (*Technique générale*, 1942).

**CONTI**, branche cadette de la maison de Bourbon-Condé. ~ **Armand de Bourbon**, prince DE (*1629, Paris - 1666, Pézenas*). Frère du Grand Condé et de la duchesse de Longueville, il fut emprisonné pour avoir participé à la Fronde. Son fils ~ **François Louis de Bourbon**, prince DE (*1664, Paris - 1709, id.*), fut élu roi de Pologne mais ne put entrer en possession de ce royaume.

**Contre-Réforme** ou **Réforme catholique** ~ Mouvement de réforme engagé au XVIe s. par l'Église catholique pour relever le défi du protestantisme. Réuni par le pape Paul III, le concile de Trente (1545-1563) précisait des points du dogme (la présence réelle du Christ dans l'Eucharistie), confirmait le culte de la Vierge, des saints et des images, et restaurait la discipline dans le clergé. La réorganisation de la curie romaine et celle de l'Inquisition, le rôle attribué à l'Index dans la surveillance des tendances hétérodoxes permirent le succès de l'entreprise, et l'expansion de la Réforme protestante fut enrayée. Pie IV, Sixte-Quint, Pie V et Grégoire XIII furent les grands papes de la Contre-Réforme, qui vit l'essor de nouveaux ordres religieux tels que Jésuites ou Carmélites. En insistant sur le rôle des images et de la liturgie dans l'édification des fidèles, la Contre-Réforme contribua à l'essor de l'art baroque.

**CONTREXÉVILLE** ~ Station hydrominérale et thermale (affections des reins et du foie) du S. de la Lorraine (Vosges), près de Vittel ; 3 945 h.

**Convention nationale** ~ Assemblée qui fonda la Ire République et gouverna la France du 22 sept. 1792 au 26 oct. 1795.

**COOK** (James) ~ *1728, Marton-in-Cleveland - 1779, Hawaii.* Navigateur britannique. Il découvrit les îles de la Société (1768-1771), les îles Sandwich (Hawaii, 1778), et explora les contours de l'océan Antarctique (1772-1775).

**COOK (détroit de)** ~ Bras de mer qui sépare les deux îles princ. de la Nouvelle-Zélande. Liaisons Wellington-Blenheim par transbordeurs.

**COOK (îles)** ~ Archipel de Polynésie, volcanique au S., corallien au N., territoire autonome associé à la Nouvelle-Zélande, entre les îles de la Société et Samoa ; 293 km², 19 000 h. (en maj. Maoris). Île princ. Rarotonga. Ananas, tomates, bananes, coprah. Forte émigration vers la métropole.

**COOK (mont)** ~ Point culminant de la Nouvelle-Zélande (3 764 m), dans les Alpes de l'île du Sud.

**COOK** (Thomas) ~ *1808, Melbourne, Derbyshire - 1892, Leicester.* Homme d'affaires britannique. Fondateur des agences de voyages qui portent son nom.

**COOLIDGE** (Calvin) ~ *1872, Plymouth, Vermont - 1933, Northampton, Massachusetts.* Homme d'État américain. Républicain, il fut le 30e président des États-Unis (1923-1929).

**COOPER** (Frank, dit Gary) ~ *1901, Helena, Montana - 1961, Los Angeles.* Acteur américain. Dans les comédies (*l'Extravagant M. Deeds*, 1936) comme dans les westerns (*Le train sifflera trois fois*, 1952), il incarna le héros américain, viril et loyal.

**COOPER** (James Fenimore) ~ *1789, Burlington - 1851, Cooperstown, État de New York.* Écrivain américain, auteur de romans d'aventures inspirés de la vie des Amérindiens (*le Dernier des Mohicans*, 1826 ; *la Prairie*, 1827).

**Copán** ~ Site maya du Honduras (250-950).

**COPEAU** (Jacques) ~ *1879, Paris - 1949, Beaune.* Écrivain et homme de théâtre français. Il fut l'un des fondateurs de *la Nouvelle Revue française*, en 1909. Avec la compagnie du Vieux-Colombier, qu'il créa en 1913, il renouvela l'art de la mise en scène.

**COPENHAGUE**, en danois ***København*** ~ Cap. et princ. port du Danemark, sur le Sund, à l'extrémité de l'île de Sjaelland et sur l'île d'Amager, vieux centre univ. (grandes écoles) ; agglom. 1 346 000 h. Aéroport (Kastrup). Industr. agroalim., brasseries, constr. navales, mécan., électroniques. Manufacture royale de porcelaine (1775). Nombreux monuments : Bourse (XVIIe s.), château de Charlottenborg (XVIIe s.), palais d'Amalienborg (XVIIIe s.), parc d'attractions (Tivoli), statue de la Petite Sirène sur la promenade de Langelinie. Musées national, des Beaux-Arts et Bibliothèque royale. **HIST.** - Fondée au XIIe s., la ville, résidence royale dès 1443, fortifiée aux XVIe et XVIIe s., devint, grâce à sa position stratégique, un nœud d'échanges pour toute l'Europe du Nord, notamment au XIXe s. Les Britanniques la bombardèrent en 1801 et en 1807.

**COPERNIC** (Mikołaj **Kopernik**, en fr. Nicolas) ~ *1473, Toruń - 1543, Frauenburg, auj. Frombork.* Astronome et chanoine polonais. Dans *De revolutionibus orbium coelestium libri VI* (1543), il affirma que la Terre et les planètes tournent autour du Soleil (héliocentrisme) ainsi que sur elles-mêmes. Son œuvre fut décisive pour l'histoire de la pensée et de la science, battant en brèche la théorie géocentrique de Ptolémée et la conception théologique qui faisait de l'homme le centre de l'Univers. Les idées de Copernic furent condamnées par l'Église (1616), bien qu'à dessein il n'ait publié son livre que quelques jours avant sa mort. Cependant, sa théorie ne fut confirmée et reconnue qu'au XVIIe s., par Kepler et Galilée, grâce à l'invention de la lunette.

**COPLAND** (Aaron) ~ *1900, Brooklyn - 1990, North Tarrytown, État de New York.* Compositeur américain. De sensibilité néoclassique, il exalta le folklore américain avec une constante finesse mélodique et rythmique (*Billy the Kid*, 1938).

**COPPÉE** (François) ~ *1842, Paris - 1908, id.* Poète français. Il fut le peintre du petit peuple parisien (*les Intimités*, 1868). Acad.

**COPPENS** (Yves) ~ *1934, Vannes.* Paléontologue français. Directeur du laboratoire d'anthropologie du Muséum national d'histoire naturelle, il participé à la découverte en Éthiopie (1974) du squelette de Lucy (australopithèque).

**COPPER BELT** ou **COPPERBELT** (la) ~ Grande région minière (cuivre) de Zambie (ch.-l. Ndola) au N. de Lusaka.

**COPPET** ~ Village de Suisse, sur le lac Léman (canton de Vaud), où Mme de Staël réunissait les grands écrivains de son temps ; env. 1 800 h.

**COPPI** (Fausto) ~ *1919, Castellania - 1960, Novi Ligure.* Coureur cycliste italien. Il battit le record du monde de l'heure (1942) et remporta deux Tours de France et cinq Tours d'Italie.

**COPPOLA** (Francis Ford) ~ *1939, Detroit.* Cinéaste et producteur américain. Libéré de l'emprise des grandes compagnies hollywoodiennes, il tourne des films ambitieux (*le Parrain*, 1972 ; *Apocalypse Now*, 1979 ; *Tucker*, 1988), dont le succès lui donne les moyens de produire et de distribuer d'autres œuvres personnelles et novatrices.

**COQUILLE** (Guy) ~ *1523, Decize - 1603, Nevers.* Jurisconsulte nivernais. Il fut porte-parole du tiers état aux états généraux d'Orléans (1560) et de Blois (1576 et 1588). Hostile à la Ligue, il parvint à préserver sa province des guerres civiles.

**COQUIMBO** ~ Voir **Serena** (La).

**CORAÏ** ou **KORAÍS** (Adhamándios) ~ *1748, Smyrne - 1833, Paris.* Écrivain et patriote grec. Il fit évoluer la langue grecque par une fusion entre l'expression classique et la langue populaire.

**CORAIL (mer de)** ~ Partie de l'océan Pacifique qui baigne les îles de Mélanésie, le S. de la Nouvelle-Guinée et le N.-E. de l'Australie (Grande Barrière). Les forces aéronavales anglo-américaines y arrêtèrent l'expansion japonaise en mai 1942.

**Coran** (le), de l'ar. ***al-Quran***, « récitation » ~ Livre saint de l'islam, parole divine révélée au prophète Mahomet par l'archange Gabriel. Transmises oralement à ses adeptes par le Prophète, ces révélations furent, à sa mort (632), notées par écrit par les fidèles, souvent sur des matériaux de fortune – pierres plates, feuilles de papyrus... Sous Uthman, le 3e calife (644-656), une recension officielle fut ordonnée et la version définitive du Coran fut établie. Divisé en 114 sourates (chapitres) classées par ordre de longueur décroissant, le Coran fonde le dogme de la religion islamique – l'unicité d'Allah – et les cinq obligations rituelles qui codifient la pratique de cette dernière – la profession de foi, la prière, l'aumône, le jeûne et le pèlerinage à La Mecque. Il est aussi la base, avec le recueil des traditions liées à la vie du Prophète, la sunna, de la civilisation islamique : théologie et droit musulmans, langue et littérature arabes. [☞ **islam.**]

**CORBEIL-ESSONNES** ~ V. industr. du S.-E. de l'agglom. parisienne (Essonne), voisine de la ville nouvelle d'Évry, sur la Seine ; 40 345 h. Cathédrale (XIIe-XVe s.).

**CORBIÈRE** (Édouard Joachim, dit **Tristan**) ~ *1845, près de Morlaix - 1875, Morlaix.* Poète français.

*Nicolas **Copernic**.*

« Poète maudit » révélé par Verlaine dix ans après la parution de ses *Amours jaunes* (1873), recueil de poèmes au style original et contrasté.

**CORBIÈRES** (les) ~ Région montagneuse du S. de la France (alt. max. 1 230 m), prolongement N.-E. des Pyrénées (Aude). Garrigues. Viticulture, élev. ovin, tourisme.

**CORDAY** (Charlotte **de Corday d'Armont**, dite Charlotte) ~ *1768, Saint-Saturnin-des-Ligneries, Orne - 1793, Paris*. Révolutionnaire française. Liée aux Girondins, elle poignarda Marat, qui les dénonçait, et fut guillotinée.

**Cordeliers (club des)** ~ Club révolutionnaire, fondé en 1790, où s'exprimaient not. Desmoulins, Danton, Marat ou Hébert. Il disparut en 1794.

**CORDES** ~ Village fortifié du Tarn ; 932 h. Maisons gothiques des XIIIe et XIVe s., église du XIIIe s., musées.

**CORDILLÈRE AUSTRALIENNE** ~ Alignement de hauteurs, relief princ. de l'Australie (alt. max. 2 230 m), qui domine du S. au N. les régions bordant le Pacifique.

**CÓRDOBA** ~ 2e v. et foyer industr. d'Argentine, au contact de la Pampa et du piémont andin, ch.-l. de la **province de Córdoba** (165 321 $km^2$, 2 767 000 h.) ; 1 179 000 h. Métall., constr. autom., aviation. Archit. coloniale (XVIIIe s.).

**CORDOBÉS** (Manuel **Benítez Pérez**, dit **El**) ~ *1937, Palma del Río*. Torero espagnol. Il a enthousiasmé les foules avec un style désinvolte qui horrifiait les puristes mais dénotait un courage incontestable.

**CORDOUAN** ~ Banc rocheux situé au débouché de la Gironde. Phare des XVIe-XVIIIe s.

**CORDOUE**, en esp. *Córdoba* ~ 3e v. d'Andalousie (Espagne), sur le Guadalquivir, centre admin. au pied de la sierra Morena ; 300 000 h. **HIST.** - Capitale de la Bétique romaine, puis de l'Espagne arabe, siège de l'émirat (756) puis califat (929) des Omeyyades, elle devint un des centres culturels les plus importants du Moyen Âge avant d'être reconquise par les Castillans (1236). Elle a gardé sa mosquée des VIIIe-Xe s., transformée en cathédrale. Patrie de Sénèque et d'Averroès.

**CORÉ** ~ Voir **Perséphone**.

**CORÉE** (la) ~ Péninsule d'Asie orientale située entre la mer Jaune et la mer du Japon. **HIST.** - *Paléolithique* : première occupation humaine à partir de la Chine ou de la Mandchourie. *XIIe s. av. J.-C.* : fondation probable du royaume de Choson par Kija, souverain légendaire. *IIe s. av. J.-C.* : fondation de commanderies chinoises par les Han dans le N. du pays. *Ier s. av. J.-C.-Ier s. apr. J.-C.* : naissance de trois États (Koguryo, Paikche, Silla). *VIIe-Xe s.* : unification, sous l'égide du royaume du Silla (allié à la dynastie des Tang), détruit en 935 par un royaume dissident, le Koryo (Corée). *1231-1392* : suzeraineté mongole. *1392* : le général rebelle Li Songgye fonde la dynastie des Li (1392-1910). *XVIe-XVIIe s.* : la Corée repousse les invasions japonaises mais reconnaît la suzeraineté mandchoue. *XIXe-XXe s.* : la Corée devient un enjeu pour la Russie et le Japon. Ce dernier l'annexe en 1910, instaurant un régime autoritaire. Les conférences du Caire (1943) et de Potsdam (1945) prévoient l'indépendance du pays mais, libérée par les armées américaine et soviétique, la Corée est coupée en deux en 1948 : au N., la république populaire démocratique de Corée ; au S., la république de Corée. *Juin 1950-juill. 1953* : après une guerre dévastatrice, la frontière reste fixée sur le 38e parallèle.

**CORÉE (détroit de)** ~ Bras de mer (larg. 175 km) qui relie les mers de Chine et du Japon, entre le S. de la Corée et le Japon (Kyûshû). La flotte russe y fut vaincue par les Japonais en mai 1905.

**Corée (guerre de)** ~ Conflit qui opposa la Corée du Nord à la Corée du Sud de 1950 à 1953. En juin 1950, en pleine guerre froide, la Corée du Nord, communiste, envahit la Corée du Sud pour réunifier le pays divisé depuis 1948. Des contingents de l'O. N. U. placés sous commandement américain intervinrent pour protéger la Corée du Sud. La Chine populaire décida un envoi de volontaires pour soutenir la Corée du Nord. En juillet 1953, un armistice mit un terme au conflit et consacra la partition de la Corée.

**CORÉE DU NORD** (la), off. **république populaire démocratique de Corée** ~ Pays d'Asie orientale né en 1948 de la partition de la péninsule coréenne. ***Cap.*** Pyongyang. ***Superf.*** 122 762 $km^2$. ***Popul.*** 23 030 000 h. ***Langue princ.*** Coréen. ***Monn.*** Won. ***Relief.*** Montagneux. ***Climat.*** Continental, froid l'hiver. ***Écon.*** Par une économie centralisée et planifiée, la Corée du Nord a pu développer une industrie lourde grâce à ses ressources minières. L'agriculture et la pêche ont été collectivisées. Depuis la fin des années 1980, une tendance à la libéralisation se dessine pour attirer les capitaux étrangers et mettre fin à un état quasi général de pénurie. **HIST.** - *1948-1994* : dictature de Kim Il-sung avec la mise en place d'un modèle de développement socialiste, fondé sur le culte de la personnalité et l'autoritarisme, visant à assurer l'indépendance politique et l'autosuffisance économique. *1989-1991* : l'effondrement de l'U. R. S. S. consacre la faillite économique du pays et son isolement diplomatique. La Corée du Nord est admise à l'O. N. U. et signe un pacte de réconciliation avec la Corée du Sud. La politique nucléaire de la Corée du Nord maintient le pays dans l'isolement. *1994* : décès de Kim Il-sung. Son fils Kim Jong-il lui succède.

**CORÉE DU SUD** (la), off. **république de Corée** ~ Pays d'Asie orientale né en 1948 de la partition de la péninsule coréenne. ***Cap.*** Séoul. ***Superf.*** 99 263 $km^2$. ***Popul.*** 45 080 000 h. ***Langue princ.*** Coréen. ***Monn.*** Won. ***Relief.*** Les plaines occupent l'O. et le S., les montagnes l'E. ***Climat.*** De mousson, à tendance continentale. ***Écon.*** Entre 1953 et 1980, la Corée du Sud s'est hissée au rang des nouveaux pays industriels en devenant l'un des « quatre dragons » de l'Asie, sur le modèle japonais. Elle a compensé l'absence de ressources énergétiques par le développement de l'énergie nucléaire. L'industrie (sidérurgie, constr. navales, autom., électronique, text.), dominée par quelques grands groupes, est la clef de voûte du pays. Pêche, riziculture, tourisme. ***V. princ.*** Séoul, Pusan, Taegu, Inchon, Kwangju, Taejon. **HIST.** - *1948-1992* : les gouvernements autoritaires des présidents Syngman Rhee (1948-1960), Park Chung-hee (1963-1979), Chun Doo-hwan (1980-1988) et Roh Tae-woo (1988-1993) ont permis le développement économique du pays dans le cadre d'un capitalisme d'État alimenté par des investissements étrangers. Kim Young-sam, élu président en 1992, poursuit la démocratisation du régime, entamée à la fin des années 1980. La Corée du Sud a été admise à l'O. N. U. en 1991 et a adhéré à l'O. C. D. E. en 1996. *Depuis 1996* : le gouvernement est confronté à un mouvement social sans précédent.

**CORELLI** (Arcangelo) ~ *1653, Fusignano - 1713, Rome*. Compositeur italien. Très grand violoniste, il a réalisé la fusion de l'héritage polyphonique et du nouveau style monodique. Ses sonates (*la Follia*, 1700) et ses concertos influencèrent la musique italienne du XVIIIe s.

**CORFOU**, en grec *Kérkyra*, anc. **Corcyre** ~ Île grecque de la mer Ionienne, face à l'Épire (Grèce, Albanie) ; 593 $km^2$, env. 100 000 h. Oliviers, vignes, agrumes. Tourisme. Citadelle vénitienne dans le port de **Corfou**, la v. princ. (env. 37 000 h.). **HIST.** - Turbulente colonie de Corinthe dans l'Antiquité, elle devint byzantine, normande, vénitienne, française, britannique, puis grecque (1864), et fut occupée par l'Italie de 1923 à 1944.

**CORINNE** ~ *VIe s. av. J.-C., Tanagra, Béotie*. Poétesse lyrique grecque, contemporaine de Pindare.

**CORINTH** (Lovis) ~ *1858, Tapiau, Prusse-Orientale - 1925, Zandwoort, Pays-Bas*. Peintre allemand. Chef de file de la Sécession berlinoise, il s'orienta vers un naturalisme exacerbé qui préfigurait l'expressionnisme (*le Golgotha*, 1911).

**CORINTHE**, en grec *Kórinthos* ~ Port de Grèce, sur l'**isthme de Corinthe**, reliant la Grèce centrale au Péloponnèse, proche du **canal de Corinthe**, reliant le **golfe de Corinthe** et le golfe d'Égine ; 23 000 h. Tourisme. Temple d'Apollon (550-525 av. J.-C.). Fortifications médiévales de l'Acrocorinthe. **HIST.** - *IXe-VIe s. av. J.-C.* : cité la plus riche de la Grèce archaïque, elle participe à la colonisation vers l'O. et fonde Syracuse. *431-404 av. J.-C.* : rivale d'Athènes, elle entraîne Sparte dans la guerre du Péloponnèse, puis se retourne contre son ancienne alliée. *IIIe s. av. J.-C.* : elle rejoint la Ligue achéenne, dont elle prend la tête. *146 av. J.-C.* : elle est saccagée par les Romains. *44 av. J.-C.* : César en fait la capitale de la Grèce romaine.

**CORIOLAN**, en lat. *Gnaeus Marcius Coriolanus* ~ *Ve s. av. J.-C.* Général romain. Jeune patricien, brillant militaire (prise de Corioles), il fut exilé par les plébéiens (490). Devenu stratège de l'ennemi (les Volsques), il voulut assiéger Rome. Sa mère et sa femme l'en dissuadèrent, mais il fut tué par les Volsques.

**CORIOLIS** (Gaspard) ~ *1792, Paris - 1843, id.* Mathématicien français. Il a montré l'existence de « forces centrifuges composées » (**force de Coriolis**, 1885) affectant tout corps en mouvement à la surface de la Terre.

**CORK**, en irlandais *Corcaigh* ~ Port et 2e v. de la république d'Irlande (S.), cap. de la prov. du Munster, grand centre industr. et comm. proche de l'Atlantique ; 283 000 h. Université. Évêchés catholique et protestant. Raffinerie de pétrole, industr. automobile, agroalimentaire.

**CORLISS** (George Henry) ~ *1817, Easton, New York - 1888, Providence*. Ingénieur américain. Il inventa une machine à vapeur et un système de distribution de la vapeur qui portent son nom.

**CORMACK** (Allan MacLeod) ~ *1924, Johannesburg*. Biophysicien américain d'orig. sud-africaine. Il mit au point le scanner avec G. N. Hounsfield. Prix Nobel de physiol. ou méd. 1979.

**CORMEILLES-EN-PARISIS** ~ V. du N.-O. de l'agglom. parisienne (Val-d'Oise), sur la Seine ; 17 417 h. Cimenterie.

**CORNE DE L'AFRIQUE** (la) ~ Péninsule de l'Est africain, baignée au N. par le golfe d'Aden. L'expression désigne spécialement l'ensemble Éthiopie-Érythrée-Somalie-Djibouti.

**CORNE D'OR** (la) ~ Baie turque du Bosphore qui divise Istanbul (vieille v. au S.).

**CORNEILLE**, nom de deux écrivains français. ~ **Pierre** (*1606, Rouen - 1684, Paris*), dramaturge. Avocat, il commença sa carrière littéraire avec des comédies (*Mélite*, 1629 ; *la Place royale*, 1633-1634 ; *l'Illusion comique*, 1635-1636). Il connut le succès pendant l'hiver 1636-1637 avec une tragi-comédie, *le Cid*, pièce baroque qui fit scandale et déclencha une querelle littéraire arbitrée par la toute jeune Académie française. De 1640 à 1642, il donna la représentation d'*Horace*, de *Cinna* et de *Polyeucte*, tragédies « régulières » qui remportèrent un succès sans partage. Membre de l'Académie en 1647, il publia des comédies héroïques (*Dom Sanche d'Aragon*, 1650), des pièces « à machines » (*Andromède*, 1650), des tragédies (*Rodogune*, 1644-1645 ; *Nicomède*, 1651), puis cessa d'écrire pour le théâtre après l'échec de *Pertharite*, en 1651. Il traduisit et adapta l'*Imitation de Jésus-Christ* pendant cette retraite, puis Fouquet lui commanda *Œdipe* (1659). Dans l'édition de 1660 de son œuvre, il intégra les *Examens* et trois *Discours*, qui sont des commentaires de son théâtre. Après une période très féconde (*Sertorius*, 1662 ; *Sophonisbe*, 1663 ; *Attila*, 1667 ; *Tite et Bérénice*, 1670 ; *Pulchérie*, 1672 ; *Suréna*, 1674), il vit son succès décliner au profit de son jeune rival, Racine. La tragédie cornélienne met en scène des héros « généreux », personnages historiques, mêlés à des affaires politiques, qui, au péril de leur vie, se trouvent aux prises avec l'honneur, le devoir et l'éthique amoureuse. Acad. Son frère ~ **Thomas** (*1625, Rouen - 1709, Les Andelys*), poète et dramaturge, fut l'auteur de tragédies, particulièrement jouées en son temps (*Timocrate*, 1656). Acad.

**CORNEILLE DE LYON** ~ *v. 1500-1510, La Haye - v. 1574, Lyon*. Peintre français d'orig. néerlandaise. Héritier de la tradition franco-flamande, il fut l'un des portraitistes les plus recherchés de la cour d'Henri II (*Clément Marot*, v. 1540).

**CORNELIA** ~ *v. 189 - v. 110 av. J.-C.* Fille de Scipion l'Africain, mère des Gracques, elle représente l'idéal de la dame romaine.

**Corn Laws**, en fr. « lois sur le blé » ~ Lois appliquées dans le Royaume-Uni de 1815 à 1849, qui visaient à protéger les céréaliers contre les importations. R. Cobden, fondateur de l'Anti Corn Law League, les dénonça.

**CORNOUAILLE** (la) ~ Partie S.-O. de la Bretagne (Finistère), région de Quimper, au littoral jalonné de ports (Concarneau, Douarnenez, Pont-Aven) voués à la pêche (sardine, langouste). Culture de primeurs. Tourisme.

**CORNOUAILLES** (la), en angl. *Cornwall* ~ Région et comté d'Angleterre (îles Scilly incluses), extrémité péninsulaire granitique du S.-O. du pays baignée par l'Atlantique ; 3 530 km², 468 000 h., ch.-l. Bodmin et Truro. Climat doux. Élev., cult. maraîchères, pêche. Tourisme balnéaire. Le **cornique** (langue celte britonnique) n'y est plus parlé depuis le XVIII^e^ s.

**COROGNE (La)**, en esp. *La Coruña* ~ V. d'Espagne, important port de Galice, sur l'Atlantique ; 245 000 h. Conserverie, raff. de pétrole, constr. navales. Tourisme.

**COROMANDEL (côte de)** ~ Plaine littorale du S.-E. de la péninsule indienne, entre les Ghats orientaux et le golfe du Bengale. Riz, coton, canne à sucre. V. princ. Madras.

**COROT** (Camille) ~ *1796, Paris - 1875, id.* Peintre français. Ses paysages brossés d'après nature, peuplés de petits personnages, mouillés de brumes ou baignés d'une luminosité dorée découverte lors de voyages en Italie (*Danse de bergers*), lui valurent une large notoriété. L'utilisation de petites touches colorées, déposées çà et là sur la toile, le fait considérer comme un des pères de l'impressionnisme.

**CORPUS CHRISTI** ~ Port du Texas (États-Unis), sur le golfe du Mexique ; 257 000 h. Université. Pétrochim., aluminium, verrerie, pêche. Tourisme.

**CORRÈGE** (Antonio **Allegri**, dit **il Correggio**, en fr. **le**) ~ *v. 1489, Correggio, près de Parme - 1534, id.* Peintre italien. Il allia la douceur des tons à la délicatesse des gestes. Influencé par Mantegna et Léonard de Vinci, il annonça, par sa virtuosité et la fluidité de son trait, la fin de la Renaissance et le style baroque (*Assomption de la Vierge* ; *l'Adoration des bergers*).

**CORRETTE** (Michel) ~ *1709, Rouen - 1795, Paris.* Compositeur, organiste et pédagogue français, auteur de nombreuses œuvres pour orgue et de musiques de vaudeville.

**CORRÈZE** (la) ~ Riv. du Massif central, issue du plateau de Millevaches, qui arrose Tulle, Brive-la-Gaillarde et se jette dans la Vézère ; 85 km.

**CORRÈZE** (la) ~ Dép. de la Région Limousin, à l'O. du Massif central ; 5 865 km², 237 908 h. Constitué de plateaux (dont celui de Millevaches au N.-E.), il est drainé au S. par la Dordogne, la Corrèze et la Vézère. Le bassin de Brive (S.-O.) est une transition vers le Bassin aquitain. Dans ce département rural peu peuplé, on produit de la viande (veau) et des fruits et légumes. Les villes principales, Brive-la-Gaillarde, Tulle (la préfect.) et Ussel, se situent dans la vallée de la Corrèze, princ. axe de communication. L'hydroélectricité, sur la Dordogne alimente les industries de Brive (constr. électr., métall., agroalim.) et de Tulle (armement). Tourisme vert.

**CORRIENTES** ~ V. et port fluvial du N.-E. de l'Argentine, sur le Paraná, ch.-l. de la **province de Corrientes** (88 199 km², 796 000 h.) ; 268 000 h. Université. Export. (coton, riz, citrons).

**Corriere della Sera (Il)** ~ Quotidien italien fondé en 1876. Son tirage, de 690 000 exemplaires, fait de ce journal de tendance démocrate-chrétienne le plus important d'Italie. Il est édité à Milan.

**CORSE** (la) ~ Grande île montagneuse de la Méditerranée, région la plus méridionale de France, plus proche de la Toscane italienne, à l'E., que de la Provence, au N., séparée au S. de la Sardaigne par les bouches de Bonifacio, divisée en 2 dép. : la **Corse-du-Sud**, 4 014 km², 118 174 h., préfect. (région. et dép.) Ajaccio ; la **Haute-Corse**, 4 555 km², 131 563 h., préfect. Bastia, princ. centre économique. L'île est dotée depuis 1982 d'une assemblée aux pouvoirs régionaux étendus et possède un statut de collectivité territoriale. Un sillon central peu marqué, sauf dans le bassin de Corte, sépare la Corse schisteuse et plissée, au N.-E. (Castagniccia, cap Corse), excédant 1 700 m, du socle cristallin faillé et basculé vers l'O. au Tertiaire (toute la partie occidentale), qui porte les plus hauts sommets (2 708 m au monte Cinto) et plonge abruptement dans la mer (côte découpée). La côte orientale, basse, sédimentaire et rectiligne, offre la seule véritable plaine (au N. et au S. d'Aléria), jadis paludéenne. Le régime des cours d'eau est torrentiel. Climat méditerranéen, à l'humidité renforcée par l'altitude et l'insularité. L'extension du maquis aux dépens de la forêt est auj. combattue dans le cadre du parc régional (intérieur du territoire). L'agriculture de montagne (élev. ovin, olivier, châtaignier, etc.), qui souffre depuis le XIX^e^ s. de l'ouverture de l'île aux échanges, contribue à la traditionnelle émigration vers le « continent » (les Corses de la diaspora sont plus nombreux que ceux de l'île). Un secteur agricole commercial (vigne, agrumes, légumes) est né de la mise en valeur du littoral oriental, not. par les rapatriés d'Algérie. L'industrie est peu développée. Une grande partie des revenus provient de l'extérieur : tourisme actif, traitements du service public, retraites. Les actuels mouvements autonomistes ou indépendantistes expriment l'affirmation d'une identité corse vivace, fondée sur l'attachement aux traditions sociales, à la langue, les influences extérieures étant souvent perçues comme attentant à ses valeurs propres. **HIST.** - Les premières traces de peuplement remontent au Néolithique. *565 av. J.-C.* : les Phocéens fondent la colonie d'Alalia. Les Étrusques puis les Carthaginois leur succèdent. *III^e^ s. av. J.-C.-IV^e^ s. apr. J.-C.* : conquête par les Romains (238-162 av. J.-C.), qui dominent l'île jusqu'à la fin de l'empire d'Occident. *VI^e^-VII^e^ s.* : la Corse est conquise par Byzance. *IX^e^ s.* : après avoir été envahie par les Lombards (725), l'île est donnée au pape. *1077* : le pape en confie l'administration aux Pisans qui, battus à la Meloria (1284), la laissent aux Génois. *XIV^e^ s.* : mouvements de résistance locaux contre Gênes. *1535-1559* : la Corse appartient à la France puis revient à Gênes après le traité du Cateau-Cambrésis. *1755* : Pascal Paoli organise la lutte pour l'indépendance. *1768* : Gênes abandonne ses droits à la France. *8 mai 1769* : Paoli, vaincu à Ponte-Novo, doit quitter la Corse pour la Grande-Bretagne d'où il poursuit la lutte. *1789* : l'île est rattachée à la France par la Constituante. *1793-1795* : Napoléon Bonaparte met fin à une ultime tentative indépendantiste de Paoli, soutenu par les Britanniques. *Sept.-oct. 1943* : après une brève période d'occupation italienne, puis allemande, la Corse est libérée par les troupes françaises d'Afrique du Nord. *1975* : après les violences d'Aléria, la revendication autonomiste et indépendantiste se radicalise (terrorisme). *1982* : la Corse est érigée en Région dans le cadre de la loi sur la décentralisation ; élection de la première assemblée régionale corse au suffrage universel. *1995* : une scission au sein du mouvement indépendantiste a relancé la violence.

**CORTÁZAR** (Julio) ~ *1914, Bruxelles - 1984, Paris.* Écrivain argentin naturalisé français. Ses romans (*Marelle*, 1963) et ses nouvelles (*les Armes secrètes*, 1959 ; *Octaèdre*, 1974) mêlent réalisme et fantastique. Le *Livre de Manuel* (1974) traduit ses convictions révolutionnaires.

**CORTE** ~ V. de Haute-Corse, au confluent du Tavignano, de la Restonica et de l'Orta, dans le sillon cortenais, au centre de l'île (600 m) ; 5 693 h. Université. Tourisme. Capitale de la Corse indépendante entre 1755 et 1769. Citadelle (XV^e^ s.).

**CORTÉS** (Hernán) ~ *1485, Medellín, Estrémadure - 1547, Castilleja de la Cuesta, près de Séville.* Conquistador espagnol. Il fonda Veracruz en 1519, s'empara de Tenochtitlán (auj. Mexico) en 1521 et détruisit l'Empire aztèque. Nommé gouverneur de la Nouvelle-Espagne par Charles Quint (1522) il dirigea le pays puis rentra en Espagne (1540) où il mourut disgracié.

**CORTINA D'AMPEZZO** ~ Station de sports d'hiver d'Italie (1 211 m), dans les Dolomites (Vénétie) ; env. 7 000 h. Patinoire olympique.

**CORTOT** (Alfred) ~ *1877, Nyon, Suisse - 1962, Lausanne.* Pianiste français. Il fut l'un des fondateurs, en 1919, de l'École normale de musique.

**CORVIN** (Mathias I^er^) ~ Voir **Hunyadi**.

**CORVISART** (Jean Nicolas, baron) ~ *1755, Dricourt, Ardennes - 1821, Paris.* Médecin français. Professeur de clinique interne au Collège de France, médecin du gouvernement, puis de Napoléon I^er^. Il fondait son diagnostic, pour les maladies cardiaques, sur la méthode de percussion.

**COS** ou **KÓS** ~ Île grecque du S.-E. de la mer Égée. On y honorait Asclépios. Patrie d'Hippocrate.

**Cosaques** (les) ~ Populations hétérogènes d'Asie centrale qui peuplèrent, dès le XV^e^ s., la Russie méridionale et la défendirent des invasions turques et tatares. Organisés en « démocraties militaires », les Cosaques s'allièrent tantôt aux tsars, tantôt à la Pologne ou à la Suède pour conserver une autonomie qu'ils perdirent au XVIII^e^ s., lorsque Catherine II en fit un corps d'élite de l'armée russe. Ils combattirent les bolcheviks en 1917.

**COSENZA** ~ 3^e^ v. de Calabre (Italie), au pied du massif de la Sila, centre administratif ; 84 000 h. Château normand et cathédrale romano-gothique.

**COSGRAVE** (William Thomas) ~ *1880, Dublin - 1965, id.* Homme d'État irlandais. Après avoir participé à la rébellion de 1916, il rompit avec l'aile républicaine du Sinn Féin. Il dirigea l'État libre d'Irlande (1922-1932) et, jusqu'en 1944, le Fine Gael, parti conservateur opposé au Sinn Féin.

**COSNE-COURS-SUR-LOIRE** ~ V. du N. du Nivernais (Nièvre), sur la Loire ; agglom. 13 184 h. Constr. mécan., imprimerie. Église romane.

**Cosquer (grotte)** ~ Une des plus anciennes grottes à peintures et gravures, découverte par Henri Cosquer en 1985, près de Marseille. Son entrée sous-marine (- 37 m) se trouvait à plus de 50 m au-dessus de l'eau lorsqu'elle a été décorée, à l'Aurignacien et au Solutréen.

**COSSIGA** (Francesco) ~ *1918, Sassari.* Homme d'État italien. Démocrate-chrétien, il a été président de la République de 1985 à 1992.

**COSTA** (Lúcio) ~ *1902, Toulon.* Architecte et urbaniste brésilien. Influencé par Le Corbusier, il a donné une impulsion décisive à l'architecture brésilienne dans les années 1930. On lui doit le plan de Brasília (1956).

**COSTA BRAVA** (la) ~ Côte rocheuse et tourist. du N.-E. de l'Espagne (Catalogne). Nombreuses stations baln. (Lloret de Mar, Palamós).

**COSTA DEL SOL** (la) ~ Côte tourist. du S. de l'Espagne (Andalousie), aux environs de Málaga. Stations baln. (Marbella, Torremolinos).

**COSTA-GAVRAS** (Konstantinos **Gavras**, dit) ~ *1933, Athènes.* Cinéaste français d'orig. grecque. Ses films dénoncent l'oppression politique sous toutes ses formes (*Z*, 1969 ; *l'Aveu*, 1970 ; *État de siège*, 1972 ; *Missing*, 1981).

**COSTA RICA (république du)** ~ Pays d'Amérique centrale bordé à l'O. par le Pacifique et à l'E. par la mer des Antilles. ***Cap.*** San José (Blancs 85 %). ***Superf.*** 51 100 km². ***Popul.*** 3 030 000 h. ***Langue princ.*** Espagnol. ***Monn.*** Colón. ***Relief.*** Cordillères en grande partie volcaniques (Irazú, 3 432 m) séparées par un haut plateau, princ. zone de peuplement ; plaines littorales. ***Climat.*** Tropical humide, tempéré par l'altitude. ***Écon.*** Agriculture d'exportation (café, banane, ananas), maïs, élevage bovin, exploitation forestière et tourisme. L'énergie hydroélectrique alimente l'industrie agroalimentaire et textile. ***V. princ.*** San José, Limón. **HIST.** - *XVI^e^* : découvert par Christophe Colomb en 1502, le pays passe sous contrôle de la capitainerie générale du Guatemala en 1569. *XIX^e^ s.* : indépendant en 1821, le Costa Rica fait partie des Provinces-Unies de l'Amérique centrale (1824-1838) avant de devenir un État souverain. La United Fruit Company (nord-américaine) s'installe en 1871 et domine l'économie du pays, sur la côte O. *XX^e^ s.* : après une période de guerre civile, une junte révolutionnaire dirigée par José Figueres Ferrer (président de la République de 1953 à 1958 et de 1970 à 1974) abolit l'armée et impose une législation sociale avancée. L'alternance des conservateurs et des libéraux au pouvoir fait du Costa Rica un modèle de démocratie en Amérique latine : le président Óscar Arias Sánchez (1986-1990) obtient le prix Nobel de la paix en 1987. En 1994, le fils de J. F. Ferrer, José María Figueres Olsen (social-démocrate), est élu à la présidence.

**COSTELEY** (Guillaume) ~ *v. 1530, Pont-Audemer - 1606, Évreux.* Compositeur français. Maître de la chanson polyphonique, il a laissé des œuvres pleines d'esprit et de verdeur. Il composa également les premières pièces pour clavier du XVI^e^ s.

**COSTER** (Laurens **Janszoon**, dit) ~ *v. 1405, Haarlem - v. 1484, id.* Imprimeur hollandais. Il aurait découvert avant Gutenberg l'impression en caractères mobiles.

**COSTES** (Dieudonné) ~ *1892, Septfonds, Tarn-et-Garonne - 1973, Paris.* Aviateur français. Il réalisa en 1930, avec M. Bellonte, la première liaison aérienne sans escale Paris-New York.

**COTEAU (Le)** ~ V. industrielle de la Loire, sur la Loire, en face de Roanne ; 7 469 h.

**CÔTE D'ALBÂTRE** (la) ~ Littoral de la Manche entre Le Tréport et Le Havre, bordé de hautes falaises crayeuses. Ports de Dieppe, Fécamp, Étretat.

**CÔTE D'AMOUR** (la) ~ Littoral breton des environs de La Baule (Loire-Atlantique).

**CÔTE D'ARGENT** (la) ~ Littoral atlantique aquitain (Landes, Pays basque).

**CÔTE D'AZUR** (la) ~ Littoral de la Provence à l'E. des Calanques de Cassis, façade maritime ensoleillée et sèche des Alpes, des Maures et de l'Esterel. L'ancien tourisme climatique d'hiver a été supplanté par celui d'été, balnéaire et massif.

**CÔTE DE GRANITE ROSE** (la) ~ Littoral breton du Trégorrois (Côtes-d'Armor).

**CÔTE-DE-L'OR** (la), en angl. *Gold Coast* ~ Nom du Ghana durant la colonisation anglaise.

**CÔTE D'ÉMERAUDE** (la) ~ Littoral du N.-E. de la Bretagne (environs de Saint-Malo, cap Fréhel).

**CÔTE DE NACRE** (la) ~ Voir **Calvados.**

**CÔTE D'IVOIRE (république de)** ~ Pays d'Afrique occidentale baigné au S. par l'Atlantique. ***Cap.*** Yamoussoukro. ***Superf.*** 320 783 km². ***Popul.*** 13 720 000 h. (princ. Baoulés, Bétés, Sénoufos). ***Langue off.*** Français. ***Monn.*** Franc CFA. ***Relief.*** Plateaux s'élevant à l'O. (monts Nimba, 1 752 m), bordés au S. par des plaines sédimentaires et une côte basse. Réseau de fleuves coulant N.-S. (Sassandra, Bandama, Comoé). ***Climat.*** Équatorial au S., tropical au N. (savane). ***Écon.*** Cultures d'exportation (café, cacao, arachide), exploitation forestière, pêche, industries agroalimentaire et textile. Entre 1960 et 1985, les cours élevés des produits exportés ont donné naissance au « miracle ivoirien ». La baisse des cours a ensuite plongé le pays dans le marasme et l'endettement. ***V. princ.*** Abidjan, Bouaké, Yamoussoukro. **HIST.** – Occupation du N. par les Sénoufos dès le XIe s., du S. par les Akans au XVe s., époque des premiers contacts avec les Portugais. *XVIIIe s.* : le pays est en partie occupé par le royaume dioula de Kong. *XIXe s.* : pénétration française. La colonisation s'achève en 1898 avec la capture de Samory Touré. Colonie française en 1893, la Côte d'Ivoire est intégrée à l'A.-O. F. (1896). *XXe s.* : territoire d'outre-mer (1946), le pays devient la république autonome de Côte d'Ivoire (1958) avant d'accéder en 1960 à l'indépendance sous la présidence (1960-1993) de Félix Houphouët-Boigny. *1993* : Henri Konan Bédié lui succède. *1995* : élection de Bédié au suffrage universel.

**CÔTE D'OPALE** (la) ~ Littoral de la Manche au N. de la baie de Somme (stations balnéaires du Crotoy, du Touquet).

**CÔTE D'OR** (la) ~ Escarpement calcaire (alt. max. 638 m) dominant la Saône à l'O., entre Dijon et Chagny, qui porte les plus célèbres vignobles bourguignons (côte de Nuits, côte de Beaune).

**CÔTE-D'OR** (la) ~ Dép. de la Région Bourgogne, dans le centre-est de la France ; 8 803 km² ; 493 866 h., préfect. Dijon. Les paysages y sont très contrastés : les hauts plateaux de Langres et du Morvan alternent avec des zones basses comme le Châtillonnais au N., l'Auxois à l'O. et les plaines de la Saône à l'E., dominées par les côtes de Nuits et de Beaune, qui portent les plus célèbres vignobles de Bourgogne (Aloxe-Corton, Gevrey-Chambertin, Pommard, etc.). C'est le long de ces côtes joignant Dijon au N. à Beaune au S. que sont concentrées les villes et les activités principales.

**CÔTE FLEURIE** (la) ~ Voir **Calvados.**

**COTENTIN** (le) ~ Péninsule de Normandie (N. du dép. de la Manche), extrémité septentrionale du Massif armoricain. C'est un pays de landes, de marécages et de bocage. Prod. laitiers, fruits et légumes. V. princ. Cherbourg, Saint-Lô.

**Côte-Rôtie** ~ Vignoble réputé des côtes du Rhône, entre Saint-Cyr-sur-le-Rhône et Condrieu.

**CÔTES-D'ARMOR** (les), anc. **Côtes-du-Nord** ~ Dép. du littoral N.-E. de la Bretagne ; 6 996 km², 538 395 h. Ce département du Massif armoricain présente un doux relief de hautes collines au S.-O. (bordure des monts d'Arrée, landes du Mené) et de bas plateaux au N., qui s'achèvent par une côte rocheuse très découpée (rias). Les terres intérieures sont consacrées à l'élevage bovin, ovin et porcin ainsi qu'aux cultures fourragères et céréalières. Le maraîchage (Trégorrois), la pêche et le tourisme estival (Côte de Granite rose) sont les principales activités du littoral. L'industrie, assez peu développée, est concentrée dans les v. princ., Saint-Brieuc (la préfect.), Lannion, Guingamp.

**CÔTE VERMEILLE** (la) ~ Littoral méditerranéen des Pyrénées françaises (monts Albères).

**COTMAN** (John Sell) ~ *1782, Norwich - 1842, Londres.* Peintre et graveur britannique. Ses paysages ont mis à la mode la technique de l'aquarelle.

**COTONOU** ~ Princ. port et 1re v. du Bénin, sur le golfe de Guinée ; 533 000 h. Siège de l'Assemblée nationale. Université. Industr. agroalimentaire et textile.

**COTOPAXI** (le) ~ Le plus haut volcan du monde en activité (5 897 m), dans la Cordillère orientale des Andes (Équateur).

**COTSWOLD HILLS** (les) ~ Région tourist. de collines calcaires d'Angleterre (N. de Bristol).

**COTTBUS** ~ V. d'Allemagne (S.-E. du Brandebourg), centre industriel sur la Spree ; 123 000 h.

**COTTE** (Robert DE) ~ *1656, Paris - 1735, id.* Architecte français. Disciple et beau-frère de J. Hardouin-Mansart, il resta attaché à l'esthétique versaillaise (palais épiscopal de Strasbourg) tout en contribuant à l'émergence du style Régence.

**COTTEREAU** (les quatre frères), dits **les Chouans** ~ Contre-révolutionnaires français. En 1793-1794, ils harcelèrent l'armée républicaine dans le bas Maine, à la tête des chouans (nommés ainsi par analogie avec le cri de la chouette, leur signal de ralliement).

**COTY** (René) ~ *1882, Le Havre - 1962, id.* Homme d'État français. Dernier président de la IVe République (1954-1958), il appela le général de Gaulle à la présidence du Conseil en 1958.

**COUBERTIN** (Pierre, baron DE) ~ *1863, Paris - 1937, Genève.* Éducateur français. Propagateur de l'idée sportive, il fonda en 1896 le Comité international olympique (C. I. O.), chargé d'organiser les jeux Olympiques modernes.

**COUBRE (pointe de la)** ~ Cap du littoral charentais qui limite l'estuaire de la Gironde au N.

**COUDEKERQUE-BRANCHE** ~ V. industr. de la banlieue S. de Dunkerque (Nord) ; 23 644 h. Métallurgie, huileries.

**COUËRON** ~ V. industr. (Loire-Atl.), sur l'estuaire de la Loire, en aval de Nantes ; 16 319 h.

**COUESNON** (le) ~ Petit fl. (90 km) des confins de la Normandie et de la Bretagne. Il se jette dans la baie du Mont-Saint-Michel.

**COULOMB** (Charles Augustin DE) ~ *1736, Angoulême - 1806, Paris.* Mécanicien et physicien français. En 1785, il vérifia la loi qui porte son nom (forces d'attraction et de répulsion électriques en raison inverse du carré de la distance).

**COULOMMIERS** ~ V. et marché agricole de la Brie champenoise (Seine-et-Marne), sur le Grand Morin, au S.-E. de Meaux ; 13 087 h. Industrie alimentaire (dont fromages). Commanderie des Templiers (XIIIe-XVIe s.).

**COUPERIN** (François), dit **Couperin le Grand** ~ *1668, Paris - 1733, id.* Compositeur français. Issu d'une importante dynastie de musiciens, il fut influencé par A. Corelli et publia les quatre *Livres de pièces pour clavecin* (1713-1730) alliant perfection classique et imagination poétique. Élégance et hauteur d'inspiration caractérisent ses œuvres d'église (*Trois Leçons de ténèbres*, 1715).

**Coupole du Rocher** ~ Dite aussi « mosquée d'Omar », bâtie à la fin du VIIe s. sur le site de l'ancien Temple de Salomon, à Jérusalem.

**COURBET** (Gustave) ~ *1819, Ornans - 1877, La Tour-de-Peilz, Suisse.* Peintre français. Sa conception réaliste de l'art (*Un enterrement à Ornans*, 1849), ses nus de paysannes robustes déplurent. Rompant avec tout académisme, sa manière annonçait, pourtant, un renouveau dans la peinture. Communard, il incita au renversement de la colonne Vendôme. Condamné à la relever à ses frais, emprisonné puis libéré, il s'exila en Suisse.

**COURBEVOIE** ~ V. du N.-O. de l'agglom. parisienne (Hts-de-Seine), centre industr. et de services sous l'influence du pôle de la Défense ; 65 389 h.

**COURCHEVEL** ~ Station de sports d'hiver (1 550-2 735 m) des Alpes du Nord, dans le massif de la Vanoise (Savoie).

**COURCOURONNES** ~ V. du S. de Paris, dans la v. nouvelle d'Évry (Essonne) ; 13 262 h.

**Cour de cassation** ~ Juridiction suprême devant laquelle peuvent se pourvoir les parties à l'encontre d'une décision de justice ayant été confirmée en appel. Instituée en 1804, elle est issue du Tribunal de cassation créé en 1790. La cassation d'une décision peut entraîner le renvoi devant un tribunal de même ordre que celui dont le jugement a été cassé, la Cour se prononçant sur le respect du droit, non sur le fond.

**Cour de justice de la République** ~ Issue de la Haute Cour de justice créée en 1791, elle est composée de députés, de sénateurs et de magistrats. L'Assemblée nationale, le Sénat et, depuis 1993, tout citoyen peuvent déférer devant elle les ministres et le président de la République pour tout crime ou délit commis dans l'exercice de leurs fonctions.

**Cour de justice des communautés européennes** ~ Organe international de justice, qui siège à Luxembourg et se charge du respect des traités constitutifs des communautés européennes.

**Cour des comptes** ~ Juridiction créée en 1807. Elle vérifie les comptes et contrôle la gestion des services et entreprises publics et de tout organisme ou entreprise bénéficiant de fonds de l'État. Ses rapports sont publiés. Les comptables reconnus coupables d'irrégularités peuvent être déférés devant la Cour de discipline budgétaire.

**cour des Miracles** ~ Quartier du IIe arr. de Paris où vivaient voleurs et mendiants jusqu'au XVIIe s. Il était surnommé ainsi car les infirmités par lesquelles les mendiants cherchaient à apitoyer les passants « disparaissaient » comme par enchantement.

**Cour européenne des droits de l'homme** ~ Juridiction créée en 1959 par les États signataires de la Convention européenne des droits de l'homme (1950). Elle peut être saisie par les États membres du Conseil de l'Europe ou par la Commission européenne des droits de l'homme.

**COURIER** (Paul-Louis) ~ *1772, Paris - 1825, Véretz.* Écrivain français. Polémiste et érudit, auteur de pamphlets contre la Restauration.

**Cour internationale de justice** ~ Juridiction créée en 1945. Composée de 15 membres élus pour 9 ans par l'Assemblée générale et par le Conseil de sécurité de l'O. N. U., elle siège à La Haye et règle les différends entre États.

**COURLANDE** (la) ~ Région historique des pays Baltes, en Lettonie (S. de Riga). V. princ. Liepaja. Peuplée de Baltes et de Lives (Finnois), acquise par l'ordre germanique des Porte-Glaive (XIIIe s.), duché vassal de la Pologne en 1561, elle connut alors un grand essor comme puissance maritime et fut annexée par la Russie en 1795.

**COURMAYEUR** ~ Station de sports d'hiver (alt. 1 224-3 456 m) du Val d'Aoste (Italie), au pied du massif du Mont-Blanc ; env. 2 000 h.

**COURNAND** (André Frédéric) ~ *1895, Paris - 1988, Great Barrington, Massachusetts.* Médecin américain d'orig. française. Avec W. Th. Forssmann et D. Richards, il mit au point le diagnostic des affections cardiaques par cathéter. Prix Nobel de physiol. ou méd. 1956.

**COURNEUVE (La)** ~ V. industr. du N. de l'agglom. parisienne, près de Saint-Denis (Seine-Saint-Denis) ; 34 139 h. Parc départemental.

**COURNON-D'AUVERGNE** ~ V. de la Grande Limagne, au S.-E. de Clermont-Ferrand, près de l'Allier (Puy-de-Dôme) ; 19 156 h. Église romane.

**COURRIÈRES** ~ V. industr. de l'Artois (Pas-de-Calais), dans l'agglom. de Lens, anc. centre minier ; 11 376 h. Une explosion de grisou, en 1906, y fit 1 200 victimes.

**COURSEULLES-SUR-MER** ~ Port ostréicole et station baln. du Calvados, sur la Manche ; 3 182 h. Les Canadiens y débarquèrent en juin 1944.

**Cour suprême des États-Unis** ~ Organe juridictionnel fédéral qui contrôle la constitutionnalité des lois et se compose de 9 membres nommés à vie par le président des États-Unis.

**COURTELINE** (Georges **Moinaux**, dit Georges) ~ *1858, Tours - 1929, Paris.* Écrivain français. Ses récits (*Messieurs les ronds-de-cuir*, 1892) et ses comédies (*Boubouroche*, 1893) épinglent la petite bourgeoisie et la bureaucratie.

**COURTENAY (maison de)** ~ Nom de deux familles seigneuriales dont la première donna des comtes d'Édesse (XIIe s.) et la seconde, issue des Capétiens, des empereurs latins d'Orient (XIIIe s.).

**COURTOIS** (Bernard) ~ *1777, Dijon - 1838, Paris.* Chimiste et pharmacien français. Il isola l'iode et découvrit, avec Armand Seguin, la présence de la morphine dans l'opium.

**COURTRAI**, en néerl. ***Kortrijk*** ~ V. de la Flandre-Occidentale (Belgique), sur la Lys ; 76 000 h. Tradition text. (lin). Monuments médiévaux. Le 11 juillet 1302, les Flamands y écrasèrent la chevalerie française de Philippe le Bel (bataille des Éperons d'or).

**COUSERANS** (le) ~ Région des Pyrénées (Ariège), anc. pays de Gascogne. V. princ. Saint-Girons.

**COUSIN** (Jean, dit **le Père**) ~ *v. 1490, Soucy, près de Sens - 1560, Sens.* Peintre et graveur français, proche de l'école de Fontainebleau. Il réalisa des vitraux pour la cathédrale de Sens.

**COUSIN** (Victor) ~ *1792, Paris - 1867, Cannes.* Philosophe et homme politique français. Introducteur de la philosophie allemande de Kant et de Hegel en France, il fut l'un des premiers à aborder l'histoire de la philosophie sous l'angle comparatif, baptisant son entreprise du nom d'« éclectisme » (*Du vrai, du beau et du bien*, 1853 ; *Histoire générale de la philosophie*, 1863). Acad. [☞ **éclectisme.**]

© Fondation Cousteau-Gamma

*Jacques-Yves* **Cousteau** *(en noir) avec Albert Falco (à l'extrême gauche) et d'autres membres de l'équipe.*

**COUSTEAU** (Jacques-Yves) ~ *1910, Saint-André-de-Cubzac - 1997, Paris.* Officier de marine, océanographe et cinéaste français. Il a conduit des campagnes océanographiques dans le monde entier à bord de la *Calypso* et réalisé de nombreux films. Acad.

**COUSTOU**, nom de trois sculpteurs français. ~ **Nicolas** (*1658, Lyon - 1733, Paris*) réalisa une *Pietà* pour Notre-Dame de Paris. ~ **Guillaume Ier** (*1677, Lyon - 1746, Paris*), frère du préc., est l'auteur des *Chevaux de Marly*. ~ **Guillaume II** (*1716, Paris - 1777, id.*), fils du préc., exécuta le mausolée du Dauphin (cathédrale de Sens).

**COUTANCES** ~ V. et marché agricole de la Manche, au S.-O. de Saint-Lô, dans le Bocage normand ; 9 715 h. Cathédrale (XIe-XIIIe s.), chef-d'œuvre du gothique normand, église gothique, vestiges d'un aqueduc. Musées.

**COUTHON** (Georges) ~ *1755, Orcet, Puy-de-Dôme - 1794, Paris.* Révolutionnaire français. Lié à Robespierre, il porta la Terreur à Lyon (1793) et fit voter la loi du 22 prairial qui instaurait la Grande Terreur. Il fut guillotiné le 10 thermidor an II.

**COUVE DE MURVILLE** (Maurice) ~ *1907, Reims.* Diplomate et homme politique français. Ministre des Affaires étrangères (1958-1968) puis de l'Économie et des Finances (mai-juill. 1968), il fut ensuite Premier ministre jusqu'au départ du général de Gaulle (1969).

**COUZA** (Alexandre-Jean Ier) ~ Voir **Cuza**.

**COVENTRY** ~ V. industr. et univ. des West Midlands (Angleterre) ; 294 000 h. Anéantie en 1940, elle fut reconstruite après la guerre.

**COWES** ~ Port de Grande-Bretagne, dans l'île de Wight ; env. 20 000 h. Régates internationales.

**COWPER** (William) ~ *1731, Great Berkhampstead - 1800, East Dereham.* Poète britannique, un des précurseurs du romantisme (*la Tâche*, 1785).

**COYPEL**, famille de peintres français, nés et morts à Paris. ~ **Noël** (*1628 - 1707*), élève de Lebrun, directeur de l'Académie de France à Rome. Son style est proche de celui des Carrache. Son fils ~ **Antoine** (*1661 - 1722*) fut nommé premier peintre du roi Louis XV (plafond de la chapelle de Versailles). Précurseur de l'art aimable, il fut aussi un théoricien. ~ **Noël Nicolas** (*1690 - 1734*), demi-frère du préc., émule de Rubens, annonce Boucher.

**COYSEVOX** ou **COYZEVOX** (Antoine) ~ *1640, Lyon - 1720, Paris.* Sculpteur français. Très apprécié de Louis XIV, il travailla à la décoration de Versailles sous la direction de Ch. Lebrun et réalisa de nombreuses œuvres (tombeau de Mazarin) et des bustes pour la Cour.

**CRABBE** (George) ~ *1754, Aldeburgh, Suffolk - 1832, Trowbridge.* Poète britannique. Rompant avec la poésie bucolique (*le Village*, 1783), il s'attacha à dépeindre avec un sombre réalisme la vie des marins et des paysans (*le Bourg*, 1810).

**CRACOVIE**, en polon. ***Kraków*** ~ 3e v. et cap. culturelle de la Pologne, dans le S. du pays, sur la Vistule ; 751 000 h. Archevêché et université Jagellon (1364). Évêché dès le XIe s., capitale de la Pologne (1320-1596). Métall., chim., text., constr. mécanique et électrique. Ses édifices témoignent de sa prospérité médiévale (château du Wawel). **HIST.** - République en 1815, annexée par l'Autriche (1846), Cracovie fut le siège d'un gouvernement général sous contrôle nazi de 1939 à 1944.

**CRAIG** (Edward Gordon) ~ *1872, Stevenage - 1966, Vence.* Homme de théâtre britannique. Théoricien de l'art dramatique, il est l'auteur d'une théorie sur le théâtre total (*l'Art du théâtre*, 1905).

**CRAIOVA** ~ V. industr. (métallurgie et chimie) de l'O. de la Valachie (Roumanie), centre admin. ; 304 000 h. Université.

**CRAMER** (Johann Baptist) ~ *1771, Mannheim - 1858, Londres.* Pianiste et compositeur allemand. Ses *Études* restent des modèles de technique.

**CRAMPTON** (Thomas Russell) ~ *1816, Broadstairs - 1888, Londres.* Ingénieur britannique. Il conçut un type de locomotive à grande vitesse.

**CRANACH**, peintres et graveurs allemands. ~ **Lucas**, dit **l'Ancien** (*1472, Kronach, près de Bamberg - 1553, Weimar*), ami de Luther, se consacra aux portraits, aux scènes bibliques et mythologiques et à des nus sensuels (*Ève*). Son dernier fils, ~ **Lucas**, dit **le Jeune** (*1515, Wittenberg - 1586, Weimar*), poursuivit son œuvre.

**CRANE** (Harold, dit Hart) ~ *1899, Garrettsville, Ohio - 1932, golfe du Mexique.* Poète américain. Visionnaire, il s'efforça, par sa poésie, de créer un mythe américain (*le Pont*, 1930).

**CRANE** (Stephen) ~ *1871, Newark, New Jersey - 1900, Badenweiler.* Écrivain américain. Iconoclaste et résolument moderne, son style est proche du naturalisme (*la Conquête du courage*, 1895).

**CRAN-GEVRIER** ~ V. de la banlieue industr. d'Annecy (Haute-Savoie) ; 15 566 h.

**CRANMER** (Thomas) ~ *1489, Aslacton, Nottinghamshire - 1556, Oxford.* Prélat anglais, archevêque de Canterbury, il servit Henri VIII dans l'installation de l'Église anglicane. Il fut exécuté sous le règne de Marie Tudor, lors de la réaction catholique.

**CRANS-SUR-SIERRE** ~ Station d'alt. (1 500 m) du Valais (Suisse) qui domine la vallée du Rhône au N. Sports d'hiver.

**CRAON** ~ V. de l'Anjou (Mayenne), marché agric., au S. de Laval ; 4 767 h. Élev. porcin (race craonnaise). Hippodrome. Château (XVIIIe s.), maison priorale (XVIe s.).

**CRAONNE** ~ Village de l'Aisne. Théâtre d'une victoire de Napoléon Ier contre l'armée prussienne, les 6 et 7 mars 1814, et de combats en 1917-1918 (Chemin des Dames).

**CRASSUS**, en lat. ***Marcus Licinius Crassus Dives*** ~ *115, Rome - 53 av. J.-C., Carres.* Homme d'État et général romain. Magnat plébéien vainqueur de Spartacus, il forma avec César et Pompée le premier triumvirat (60). Il fut tué par Suréna à Carres (Carrhae).

**CRAU** (la) ~ Plaine caillouteuse alluvionnaire de Provence (Bouches-du-Rhône), à l'E. du Grand Rhône. Cultures irriguées (fruits et légumes) au N. Site industriel de Fos sur la Méditerranée.

**CRAWLEY** ~ V. nouvelle d'Angleterre (West Sussex), au S. de Londres, proche de l'aéroport international de Gatwick ; 87 000 h.

**CRAXI** (Bettino) ~ *1934, Milan.* Homme politique italien. Il fut secrétaire général du Parti socialiste italien (1976-1993) et Président du Conseil (1983-1987). Il a été condamné à une peine d'emprisonnement pour corruption en 1994.

**CRÉBILLON**, nom de deux écrivains français. ~ **Prosper Jolyot**, sieur **de Crais-Billon**, dit **Crébillon** (*1674, Dijon - 1762, Paris*), multiplie dans ses tragédies les artifices dramatiques et privilégie les émotions fortes (*Sémiramis*). Acad. Son fils ~ **Claude**, dit **Crébillon fils** (*1707, Paris - 1777, id.*), est l'auteur de romans d'analyse, de récits licencieux (*l'Écumoire*, 1734) et de romans de mœurs (*les Égarements du cœur et de l'esprit*, 1736).

**CRÉCY-EN-PONTHIEU** ~ Localité de la Somme, au N. d'Abbeville ; 1 491 h. Forêt domaniale au S. Site d'une victoire anglaise (26 août 1346) au début de la guerre de Cent Ans, et qui vit la première utilisation des canons en Occident.

**CREIL** ~ V. industr. de l'Oise, sur l'Oise, au S.-E. de Beauvais ; 31 956 h. (agglom. 97 119 h.). Gare de triage et port fluvial. Métall., chimie. Musée (faïences fines et grès noirs).

**CRÉMIEUX** (Adolphe) ~ *1796, Nîmes - 1880, Paris.* Homme politique français. Ministre de la Justice (1848 et 1870), il fit adopter en 1870 les **décrets Crémieux**, qui accordaient la citoyenneté française aux Juifs d'Algérie.

**CRÉMONE** ~ V. de Lombardie (Italie du Nord) ; 73 000 h. Constr. mécan., agroalimentaire. Cathédrale romano-gothique, campanile (115 m). Stradivarius contribua au renom de sa lutherie.

**CRÉON** ~ Roi légendaire de Thèbes, frère de Jocaste. Il interdit l'enterrement de Polynice et condamna Antigone pour avoir transgressé ses ordres.

**CRÉPIN** ou **CRÉPINIEN** (saints) ~ *m. au IIIe s.* Martyrs, qu'une tradition du IXe s. présente comme deux frères romains, établis à Soissons comme cordonniers.

**CRÉPY-EN-VALOIS** ~ V. de l'Oise, à l'E. de Senlis, cap. des Valois du Xe au XIVe s. ; 13 222 h. Église gothique St-Denis (XIIe s.), abbaye St-Arnould (XIe-XVIe s.), château (XIIe-XVe s.) transformé en musée (archerie du Valois, art sacré).

**CRESPI** (Giuseppe Maria) ~ *1665, Bologne - 1747, id.* Peintre italien. Ses œuvres procèdent d'un naturalisme précis et savoureux (*la Chercheuse de puces*, 1707).

**CRESPIN** (Régine) ~ *1927, Marseille.* Soprano française. Grande interprète de R. Wagner et de R. Strauss, elle a créé, en 1957, *Dialogues des carmélites*, de Fr. Poulenc.

**CRESSENT** (Charles) ~ *1685, Amiens - 1768, Paris.* Ébéniste français. Fournisseur du Régent, il a assoupli le style Louis XIV par des formes curvilignes et une ornementation brillante qui annoncent le mobilier Louis XV.

**CRESSON** (Édith) ~ *1934, Boulogne-Billancourt.* Femme politique française. Socialiste, maire de Châtellerault, ministre de l'Agriculture (1981-1983), du Commerce extérieur (1983-1986) puis des Affaires européennes (1988-1990), elle fut la première femme française à devenir Premier ministre (1991-1992).

**CREST** ~ V. de la Drôme, sur la Drôme, à la limite du Diois et de la plaine de Valence ; 7 583 h. Agroalim. Donjon du XIIe s., musée de la Nature.

**CRÉSUS** ~ Roi de Lydie (v. 561-546 av. J.-C.). Célèbre pour les richesses considérables que lui fournissaient les sables aurifères du Pactole, il soumit l'Asie Mineure mais fut vaincu par Cyrus.

**CRÈTE** (la) ~ Grande île montagneuse de la Grèce, au S. de la mer Égée ; 8 336 $km^2$, 540 000 h., v. princ. Héraklion (cap.), Khania. Agric. (olivier, élev. ovin, agrumes) et tourisme balnéaire. **HIST.** - *2000 - 1450 av. J.-C.* : peuplée au Néolithique, l'île voit se développer une civilisation urbaine, dite minoenne (palais de Phaistos, Cnossos, Malia). *1450-1100 av. J.-C.* : la destruction de ces sites (invasion achéenne, séismes) et la conquête dorienne marquent la fin de la primauté crétoise dans le monde égéen. *827* : conquise par les musulmans, elle redevient byzantine en 961 et tombe aux mains des Vénitiens en 1204. *1669* : les Turcs s'en emparent au terme d'une longue guerre. *1821* : les Crétois se soulèvent, mais n'obtiennent l'autonomie qu'en 1898. *1913* : l'île est rattachée officiellement à la Grèce. *Mai 1941* : défendue par les Britanniques, elle est occupée par l'armée allemande, puis libérée à la fin de 1944.

**CRÉTEIL** ~ Préfect. du Val-de-Marne, dans le S.-E. de l'agglom. parisienne, centre moderne d'affaires ; 82 088 h. Université. Évêché. Hôpital.

**CREUS (cap de)** ~ Extrémité E. de l'Espagne (Catalogne), près de la frontière française.

**CREUSE** (la) ~ Riv. du centre de la France (255 km), issue du plateau de Millevaches, tribut. de la Vienne. Elle arrose Aubusson et Argenton. Hydroélectricité.

**CREUSE** (la) ~ Dép. de la Région Limousin, dans le N.-O. du Massif central ; 5 571 km², 131 349 h. Plateaux de Millevaches au S., de la Combraille et de la Marche au N., où s'encaisse la Creuse. L'élevage bovin est l'activité principale de ce département rural, malgré la progression de la céréaliculture au N. Les villes sont peu importantes (Guéret, la préfecture, ne compte que 14 706 h.) et la population est en baisse constante. Industrie et voies de communication sont peu développées. Tourisme vert en expansion.

**CREUSOT (Le)** ~ V. de l'Autunois (Saône-et-Loire), en Bourgogne ; 28 909 h. (agglom. 40 903 h.). Métall. (anc. bassin houiller) depuis le XVIII^e s. Écomusée. Centre de recherche sur la civilisation industrielle. Spécialité d'aciers spéciaux.

**CREUTZWALD** ~ V. de Lorraine (Moselle), à la frontière de la Sarre, anc. centre houiller et métall. ; 15 169 h. (agglom. 18 849 h.).

**CREVEL** (René) ~ *1900, Paris - 1935, id.* Écrivain français. Poète, romancier et essayiste surréaliste, il est l'auteur d'une œuvre de révolte contre la société et la « littérature » (*Babylone*, 1927 ; *Êtes-vous fous ?* 1929).

**Creys-Malville** ~ Site nucléaire du N. de l'Isère, sur le Rhône, en amont de Lyon.

**CRICK** (Francis Harry Compton) ~ *1916, Northampton.* Biochimiste britannique. Il a découvert, avec J. D. Watson et M. H. Wilkins, la structure en double hélice de l'A. D. N. (1953). Prix Nobel de physiol. ou méd. 1962.

**CRIMÉE** (la) ~ Presqu'île du S. de l'Ukraine qui sépare la mer Noire de la mer d'Azov (presqu'île de Kertch). La chaîne Taurique (1 545 m) domine abruptement la côte (S.-E.), réputée pour la douceur de son climat et jalonnée de stations balnéaires (dont Yalta). Cult. de type méditerranéen (fruits et légumes, vigne). Le N. est bas et steppique (céréaliculture irriguée) ; 25 881 km², 2 550 000 h., dont Russes (62 %), Ukrainiens (24 %), Tatars (10 %), v. princ. Simferopol, Sébastopol, Kertch. **HIST.** - *VI^e s. av. J.-C.* : la Tauride, occupée par les Cimmériens puis par les Scythes, est colonisée par les Grecs qui fondent le royaume du Bosphore cimmérien (480 av. J.-C.). *47 av. J.-C.* : les Romains établissent un protectorat sur la région, par la suite successivement envahie par les Goths, les Huns, les Khazars, les Russes, les Coumans. *1475* : les Tatars de Crimée se séparent de la Horde d'Or, créent un khanat indépendant et reconnaissent la suzeraineté ottomane, obligeant les Génois à quitter les comptoirs qu'ils avaient établis sur les côtes v. 1270. *1768-1774* : la première guerre russo-turque consacre l'indépendance de la Crimée. *1783* : la Russie annexe la Crimée. *1854-1856* : guerre de Crimée ; siège de Sébastopol. *1917-1921* : lors de la guerre civile, la région est le dernier refuge des armées blanches de Denikine et de Wrangel, avant de devenir une république autonome. *1941* : occupation allemande. *1944* : victoire soviétique, la population tatare est déportée en Sibérie par Staline. *1954* : rattachement à l'Ukraine. *1994* : élection du nationaliste russe Iouri Mechkov à la présidence de la république autonome, reconstituée en 1992. La Crimée est l'objet de dissensions géopolitiques entre l'Ukraine et la Russie. *Nov. 1995* : la nouvelle Constitution adoptée par le Parlement de Crimée définit la presqu'île comme une partie de l'Ukraine.

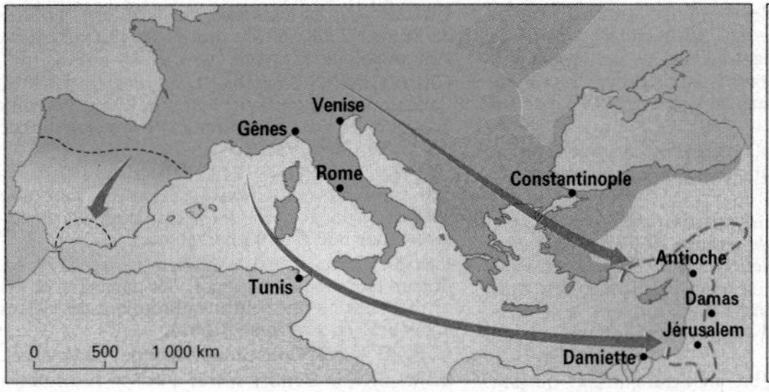


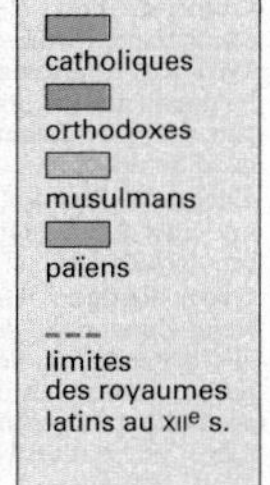


*Les croisades de 1099 à 1271 : leur direction.*

**Crimée (guerre de)** ~ Conflit qui opposa en 1854-1856 la France, le Royaume-Uni, le Piémont et l'Empire ottoman à la Russie. Après sa défaite à l'Alma et la chute de Sébastopol, la Russie signa le traité de Paris (30 mars 1856).

**CRISPI** (Francesco) ~ *1818, Ribera, Sicile - 1901, Naples.* Homme politique italien. Compagnon de Garibaldi, deux fois président du Conseil (1887-1891, 1893-1896), il fut partisan du renouvellement de la Triple-Alliance avec l'Allemagne et l'Autriche-Hongrie. Il engagea l'Italie dans la voie de l'expansion coloniale. Le désastre d'Adoua, en Éthiopie (1896), mit fin à sa carrière.

**CRITIAS** ~ *450 - 404 av. J.-C.* Homme politique athénien. Oncle de Platon, membre de l'oligarchie des Trente, il fut un tragédien et un écrivain audacieux inspiré par les sophistes.

**CROATIE (république de)**, en serbo-croate ***Republika Hrvatska*** ~ Pays de l'Europe du S.-E. situé dans la péninsule des Balkans et bordé à l'O. par l'Adriatique. ***Cap.*** Zagreb. ***Superf.*** 56 538 km². ***Popul.*** 4 837 000 h., dont Croates (78 %), Serbes (12 %), Bosniaques (8 %). ***Langue princ.*** Serbo-croate. ***Monn.*** Kuna. ***Relief.*** À l'O., les Alpes dinariques dominent la côte dalmate, très découpée ; à l'E. s'étendent les plaines de Podravina (Drave) et de Posavina (Save). ***Climat.*** Méditerranéen sur la côte, continental à l'E. ***Écon.*** Largement fondée sur l'agriculture (céréales) et le tourisme, elle est bouleversée depuis 1991 par l'éclatement de la fédération yougoslave et la guerre. ***V. princ.*** Zagreb, Split, Rijeka, Osijek. **HIST.** - *I^er s. apr. J.-C.* : la région, occupée par des Illyriens et des Celtes, est conquise par Rome (province de Pannonie). *IV^e-VII^e s.* : invasion des Avars et des Croates, peuple slave. *X^e-XI^e s.* : constitution d'un royaume indépendant sous l'impulsion du roi Tomislav (910-928). *XII^e s.* : la Croatie est dominée par les Hongrois, et le littoral dalmate par les Vénitiens. *XVI^e s.* : le pays passe sous l'autorité des Habsbourg, le Sud est conquis par les Ottomans (1527). *1809-1813* : Napoléon crée les éphémères Provinces Illyriennes. *1868* : rattachement à la Hongrie dans le cadre d'un compromis. *1918* : intégration dans le nouveau royaume des Serbes, des Croates et des Slovènes qui prend le nom de Yougoslavie en 1929. Développement d'une opposition au centralisme serbe de Pierre I^er. *1929* : Ante Pavelić crée l'organisation terroriste Oustacha responsable de l'assassinat d'Alexandre I^er. *1941-1945* : l'État indépendant croate de Pavelić, contrôlé par les Allemands, organise le génocide des Serbes, des Juifs et des Musulmans de la région. *1946* : la Croatie intègre la république fédérative de Yougoslavie, dirigée par le Croate Tito. *Juin 1991* : proclamation de l'indépendance, sous la direction de Franjo Tudjman (qui avait remporté les élections en 1990). La Krajina et la Slavonie occidentale, soit un quart de la Croatie, sont prises par les Serbes qui créent la République serbe de Krajina. *1994* : accord avec la Bosnie pour la création ultérieure d'une fédération croato-musulmane. *Été 1995* : reconquête de la Krajina. Exode de la population serbe. *1996* : normalisation des rapports avec Belgrade. La Croatie devient le 40^e membre du Conseil de l'Europe.

**CROCE** (Benedetto) ~ *1866, Pescasseroli, Abruzzes - 1952, Naples.* Philosophe, critique d'art, militant antifasciste et homme politique italien. Ministre de l'Instruction publique (1920-1921), député, sénateur, il fut l'un des principaux responsables du parti libéral en Italie.

**CROCKETT** (David, dit Davy) ~ *1786, Rogersville, Tennessee - 1836, Fort Alamo, Texas.* Pionnier et député américain, il fut tué, après une résistance héroïque, par les Mexicains.

**croisades** (les) ~ Expéditions militaires entreprises à l'appel du pape entre le XI^e et le XIII^e s. par les chrétiens d'Occident pour délivrer les Lieux saints occupés par les musulmans. Urbain II fut à l'origine de la **1^re croisade** (1096-1099). Elle fut menée, sans résultat, par Pierre l'Ermite et Gautier Sans Avoir, puis par des chevaliers qui, sous les ordres de Godefroi de Bouillon, prirent Jérusalem (11 juill. 1099) et fondèrent les États latins d'Orient. À la chute d'Édesse, Bernard de Clairvaux, mandaté par le pape Eugène III, prêcha (1146) la **2^e croisade**, conduite par le roi de France Louis VII et l'empereur Conrad III. Elle échoua en 1149 devant Damas. Le pape Grégoire VIII lança la **3^e croisade** (1189-1192) après la prise de Jérusalem par Saladin (1187). Y participèrent Frédéric Barberousse, Philippe Auguste et Richard Cœur de Lion, qui obtint une trêve de trois ans et l'accès pour les pèlerins au Saint-Sépulcre. Après la **4^e croisade** (1202-1204), qui fut détournée vers Constantinople par les Vénitiens, des milliers de jeunes pèlerins allemands et français (**croisade des enfants**, 1212) cheminèrent vers Jérusalem. Ils moururent d'épuisement ou furent réduits en esclavage. Conduite par Jean de Brienne, le roi de Chypre et le roi de Hongrie, la **5^e croisade** (1217-1221) fut un échec. À la tête de la **6^e croisade** (1229), l'empereur Frédéric II s'entendit avec le sultan d'Égypte, qui lui céda les Lieux saints et les routes pour y parvenir. 1244 vit la chute du royaume latin de Jérusalem et la destruction de l'armée franque. Saint Louis conduisit la **7^e croisade** (1248-1254). Il se rendit maître de Damiette mais fut capturé (1250). Libéré contre rançon, il fortifia la Syrie. Il dirigea encore la **8^e croisade** (1270), avant de mourir de la peste devant Tunis.

**CROISIC (Le)** ~ Port de pêche et station baln. du S. de la Bretagne (Loire-Atl.), sur la **pointe du Croisic**, entre la côte atlantique et les marais salants de Guérande, à l'O. de La Baule ; 4 428 h.

**CROISSANT FERTILE** ~ Région du Proche-Orient (Israël, Liban, Syrie, Jordanie, Iraq) qui s'étend en arc de cercle autour du désert de Syrie, de la mer Morte au golfe Persique. Malgré les faibles pluies, l'agriculture y est pratiquée depuis l'Antiquité grâce à l'irrigation (Jourdain, Tigre, Euphrate).

**Croissant-Rouge** (le) ~ Organisation remplissant les mêmes missions que la Croix-Rouge pour les pays musulmans, fondée en 1876 par la Turquie et reconnue en 1929. Depuis 1986, il fait partie du Mouvement international de la Croix-Rouge et du Croissant-Rouge.

**Croix** (la) ~ Quotidien français catholique. Fondé par les assomptionnistes en 1883, *la Croix-l'Événement* ouvrit ses colonnes aux débats, à la politique étrangère et aux questions religieuses et éthiques.

**CROIX** ~ V. du N.-E. de l'agglom. lilloise, dans la banlieue de Roubaix (Nord), centre industr. et de vente par correspondance ; 20 231 h.

**Croix-de-Feu** (les) ~ Association d'anciens combattants (fondée en 1927), dirigée à partir de 1931 par le lieutenant-colonel de La Rocque, qui lui donna une orientation nationaliste. Elle prit une part active à l'émeute du 6 février 1934. Elle fut dissoute en 1936.

**Croix du Sud** ~ Constellation australe formant une croix dont la branche la plus longue est orientée vers le pôle Sud.

**Croix-Rouge** ~ Organisation créée en 1863 par Henri Dunant afin de secourir les blessés de guerre. Elle a étendu son action aux victimes d'accidents ou de catastrophes en temps de paix et s'est unie en 1986 au Croissant-Rouge, formant le Mouvement international de la Croix-Rouge et du Croissant-Rouge.

**Cro-Magnon** ~ Abri préhistorique mis au jour en 1868 aux Eyzies-de-Tayac-Sireuil (Dordogne). Son nom a été donné à une race humaine vivant au Paléolithique supérieur (*Homo sapiens*).

**CROMMELYNCK** (Fernand) ~ *1886, Paris - 1970, Saint-Germain-en-Laye.* Dramaturge belge d'expression française, auteur de comédies mêlant bouffonnerie et poésie (*le Cocu magnifique*, 1920).

**CROMWELL** (Oliver) ~ *1599, Huntingdon - 1658, Londres.* Homme politique anglais. Parlementaire, il fut un opposant puritain au roi Charles Ier. Quand la guerre civile éclata, il révéla ses qualités militaires et battit les royalistes à Marston Moor (1644), Naseby (1645) et Preston (1648). Après l'exécution du roi et l'instauration, en 1649, de la République (Commonwealth), Cromwell joua un rôle prédominant au sein du Conseil d'État. Proclamé lord-protecteur (1653), il instaura une dictature puritaine.

**CROMWELL** (Thomas), comte **d'Essex** ~ *v. 1485, Putney - 1540, Londres.* Homme politique anglais. Chancelier de l'Échiquier (1533), il exécuta la politique religieuse d'Henri VIII. Artisan du mariage du roi avec Anne de Clèves, il tomba en disgrâce et périt sur l'échafaud.

**CRONIN** (Archibald Joseph) ~ *1896, Cardross - 1981, Montreux, Suisse.* Romancier britannique. Il puisa son inspiration dans son expérience de médecin (*la Citadelle*, 1937).

**CRONOS** ~ Dieu grec, le plus jeune des Titans, fils d'Ouranos et de Gaïa. Il émascule son père et devient roi des Immortels. Pour éviter d'être détrôné à son tour, il dévore ses enfants, à l'exception de Zeus. Devenu adulte, Zeus lui fait restituer ses frères et sœurs et le précipite dans le Tartare. Les Romains l'identifiaient à Saturne.

**CRONSTADT** ~ Voir **Kronstadt.**

**CROOKES** (sir William) ~ *1832, Londres - 1919, id.* Chimiste et physicien britannique. Il découvrit le thallium (1861) et inventa les tubes à cathode froide qui portent son nom.

**CROS** (Charles) ~ *1842, Fabrezan - 1888, Paris.* Poète et inventeur français. Il conçut un procédé de photographie des couleurs (1869) et un instrument proche du phonographe d'Edison (1877), le paléophone. Il est l'auteur de textes fantaisistes et de poèmes (*le Coffret de santal*, 1873) dont l'absurde a été célébré par Verlaine et les surréalistes.

**CROSNE** ~ V. du S.-E. de l'agglom. parisienne (Essonne), sur l'Yerres, près d'Orly ; 7 966 h. La ville a donné son nom à un tubercule comestible.

**CROSS** (Henri Edmond **Delacroix**, dit Henri) ~ *1856, Douai - 1910, Saint-Clair, Var.* Peintre français. Adepte du pointillisme, il annonce le fauvisme (*l'Excursion*, 1894).

**CROTONE** ~ V. industr. (chimie) de Calabre (Italie), sur la mer Ionienne ; 59 000 h. Colonie grecque (710 av. J.-C.), elle accueillit Pythagore et ses disciples v. 532 av. J.-C. Elle fut conquise par les Romains en 194 av. J.-C.

**CROTOY (Le)** ~ Port de pêche et de plaisance (Somme), station baln. sur l'estuaire de la Somme (r. dr.), à l'extrémité S. du Marquenterre ; 2 440 h.

**CROZET (îles)** ~ Archipel montagneux de l'océan Antarctique, à l'O. des îles Kerguelen, possession française (T. A. A. F.) ; 505 km². Base scientifique. Réserve d'oiseaux.

**CROZON (presqu'île de)** ~ Presqu'île de Bretagne (Finistère), entre Brest et Douarnenez.

**CRUAS** ~ V. de l'Ardèche, sur le Rhône, au S.-E. de Privas ; 2 200 h. Site nucléaire. Église romane avec mosaïque et crypte (XIe s.).

**CRUIKSHANK** (George) ~ *1792, Londres - 1878, id.* Caricaturiste britannique. Son trait a saisi hommes politiques et gens du commun. Il a aussi illustré des œuvres de Dickens.

**CRUMB** (Robert) ~ *1943, Philadelphie.* Dessinateur américain. Ses bandes dessinées sont une critique féroce et drôle des petits-bourgeois américains, mais aussi de l'underground.

**CRUZ** (Ramón DE LA) ~ *1731, Madrid - 1794, id.* Auteur dramatique espagnol. Ses zarzuelas et ses saynètes offrent une peinture pittoresque des classes populaires (*le Pré Saint-Isidore*).

**C. S. A.** ~ Voir **Conseil supérieur de l'audiovisuel.**

**Csar**, sigle de **Comité secret d'action révolutionnaire** ~ Voir **Cagoule.**

**CTÉSIAS** ~ *Ve s. av. J.-C., Cnide.* Historien grec. Médecin des Achéménides, il fut l'historien de la Perse et de l'Inde.

**CTÉSIPHON** ~ Anc. ville de Mésopotamie, sur le Tigre (face à Séleucie). Cap. des Parthes (Ier s. av. J.-C.), puis des Perses Sassanides (IIIe s.), elle fut ravagée par Héraclius (627) et par les Arabes (637).

**CUAUHTÉMOC** ~ *v. 1497 - Izancanac, 1525.* Dernier souverain aztèque. Il fut pendu sur l'ordre de Hernán Cortés.

**CUBA (république de)** ~ Pays situé dans la mer des Caraïbes, constitué par la plus grande île des Antilles, Cuba, par l'île de la Jeunesse et quelque 1 600 îlots. ***Cap.*** La Havane. ***Superf.*** 110 860 km². ***Popul.*** 10 980 000 h., dont Blancs (65 %), métis (22 %), Noirs (12 %). ***Langue princ.*** Espagnol. ***Monn.*** Peso cubain. ***Relief.*** Le S.-E. de Cuba est montagneux (sierra Maestra, 1 974 m) ; plaines et plateaux calcaires ailleurs. ***Climat.*** Tropical humide. ***Écon.*** Fondée sur la culture de la canne à sucre, du tabac, du riz et de la patate douce, sur la pêche, l'exploitation du nickel, le tourisme et l'aide des émigrés. Socialiste depuis 1960, l'économie souffre profondément de l'embargo commercial des États-Unis et, depuis 1990, de la dislocation du bloc formé par l'U. R. S. S. et ses alliés. L'ouverture progressive aux investissements étrangers permettra peut-être de mettre un terme à la pénurie actuelle. ***V. princ.*** La Havane, Santiago de Cuba, Camagüey, Holguín. **HIST.** - *1492* : Christophe Colomb découvre l'île, peuplée par les Arawaks. La colonisation espagnole entraîne la disparition des Indiens et la venue d'esclaves noirs ; mise en place d'une économie de plantation (tabac, canne à sucre). *1868-1878* : échec de la première guerre d'indépendance. *1895-1898* : la deuxième guerre d'indépendance, dont l'un des leaders est José Martí, est interrompue par la guerre hispano-américaine. *1901* : indépendance, avec l'aide des États-Unis, qui établissent un quasi-protectorat sur l'île, en soutenant les dictatures de Gerardo Machado (1925-1933) et de Fulgencio Batista (1940-1944, 1952-1959). *1959* : un mouvement de guérilla dirigé par Fidel Castro et Ernesto « Che » Guevara, qui avait commencé en 1956, renverse Batista. Le nouveau régime, qui doit faire face à l'embargo économique américain, et repousser une tentative de débarquement appuyée par les États-Unis (baie des Cochons, 1961), reçoit le soutien de l'U. R. S. S. L'installation de missiles soviétiques à Cuba provoque la « crise des fusées » (oct.-nov. 1962), d'ampleur internationale. Cuba devient un modèle pour les révolutionnaires latino-américains et tente d'orienter le mouvement des non-alignés vers la lutte anti-impérialiste (conférence Tricontinentale, 1963). *1972-1979* : durcissement du régime. *1980-1990* : malgré des succès dans les domaines social et éducatif, l'échec de sa politique économique et l'arrêt de l'aide soviétique poussent Castro à une certaine libéralisation du régime. *1994* : émigration massive vers les États-Unis ; un accord visant à limiter l'afflux des réfugiés est signé avec les États-Unis, mais l'embargo est maintenu.

**CÚCUTA** ~ V. de Colombie, sur le versant E. de la Cordillère orientale, centre admin. proche du Venezuela ; 450 000 h. Export. de café.

**CUENCA** ~ 3e v. de l'Équateur, marché agricole, à plus de 2 500 m d'alt., dans la cordillère des Andes ; 195 000 h.

**CUÉNOT** (Lucien) ~ *1866, Paris - 1951, Nancy.* Biologiste français. Ses travaux portèrent sur la génétique, sur l'évolution des espèces et leur adaptation au milieu.

**CUERNAVACA** ~ Cap. de l'État de Morelos, au Mexique, à 75 km au S.-E. de Mexico, marché agric. et centre de villégiature ; 281 000 h. Palais de Hernán Cortés (XVIe s.).

**CUEVAS** (George **de Piedrablanca de Guana**, marquis DE) ~ *1885, Santiago du Chili - 1961, Cannes.* Danseur américain d'orig. chilienne. Il dirigea une compagnie de danse qui fit des tournées internationales.

**CUGNAUX** ~ V. du S.-O. de l'agglom. toulousaine (Haute-Garonne), près de la base aérienne de Francazal ; 11 311 h.

**CUGNOT** (Joseph) ~ *1725, Void, Lorraine - 1804, Paris.* Ingénieur français. Il a construit la première voiture automobile à vapeur (1770).

**CUI** (Cesar Antonovitch) ~ *1835, Vilna, auj. Vilnius - 1918, Petrograd.* Compositeur russe. Membre modéré du groupe des Cinq, il a composé des opéras (*le Prisonnier du Caucase*, 1883), des mélodies et de la musique de chambre.

**CUIABÁ** ~ Cap. de l'État du Mato Grosso (Brésil), étape sur la route amazonienne ; 401 000 h.

**CUJAS** (Jacques) ~ *1522, Toulouse - 1590, Bourges.* Juriste et écrivain français. Il est le plus éminent représentant de l'École historique du droit romain.

**CUKOR** (George) ~ *1899, New York - 1983, Los Angeles.* Cinéaste américain. Après une carrière de metteur en scène à Broadway, il dirigea les plus grandes actrices de Hollywood dans des comédies (*Indiscrétions*, 1940) et des mélodrames (*Une étoile est née*, 1954).

**CUMANÁ** ~ Port comm. du N.-E. du Venezuela, sur la mer des Antilles, fondé en 1523 ; 212 000 h. Université.

**CUMBERLAND** (le) ~ Voir **Lake District.**

**CUMBERLAND** (le) ~ Partie du plateau appalachien (Tennessee, Kentucky), aux États-Unis, que draine la rivière **Cumberland** (1 105 km).

**CUMBERLAND** (William Augustus, duc DE) ~ *1721, Londres - 1765, id.* Homme de guerre britannique, fils du roi George II. Vaincu à Fontenoy (1745), il battit en 1746 le prétendant Charles Édouard Stuart à Culloden et infligea à l'Écosse une terrible répression. Il fut disgracié pour avoir capitulé au Hanovre (1757).

**CUMBRIA** ~ Comté du N.-O. de l'Angleterre, anc. région industr. sinistrée (sur la côte) ; 6 817 km², 483 000 h., ch.-l. Carlisle (73 000 h.). Région tourist. du Lake District dans l'intérieur.

**CUMES** ~ Anc. colonie grecque d'Italie du S. (VIIIe s. av. J.-C.), près de Naples. Antre de la Sibylle.

**CUNEO**, en fr. **Coni** ~ V. du Piémont (Italie), au N. du col de Tende ; 55 000 h. Évêché.

**CUNHA** (Tristão ou Tristan DA) ~ *1460, Lisbonne - 1540, en mer.* Navigateur portugais. Il découvrit l'île appelée depuis Tristan da Cunha, reconnut Madagascar, débarqua au Mozambique et prit l'île de Socotora.

**CUNNINGHAM** (Merce) ~ *1919, Centralia, Washington.* Chorégraphe et danseur américain. Élève de M. Graham, il a introduit, dès 1947, avec le musicien J. Cage, le hasard et les changements d'espace dans la danse (*Changing Steps* ; *Rondo*). [☞ **danse.**]

**CUPIDON** ~ Dieu romain de l'Amour, fils de Vénus et de Mars (Éros chez les Grecs).

**CURAÇAO (île)** ~ La plus grande des îles Sous-le-Vent néerlandaises des Antilles ; 444 km², 147 000 h., cap. Willemstad. Agrumes (liqueur dite curaçao). Raff. de pétrole (l'un des premiers ports du monde pour le tonnage).

**CURE** (la) ~ Affluent bourguignon de l'Yonne (112 km), issu du Morvan.

**CUREL** (François DE) ~ *1854, Metz - 1928, Paris.* Auteur dramatique français. Son théâtre (*l'Envers d'une sainte*, 1892) connut un grand succès au début du siècle (*Terre inhumaine*, 1922). Acad.

**Curiaces** (les) ~ Voir **Horaces** (les trois).

**CURIE**, nom de deux physiciens français. ~ **Marie** (*1867, Varsovie - 1934, Sallanches*), d'orig. polonaise, mena avec son mari Pierre des recherches sur la radioactivité, après les travaux de H. Becquerel, qui l'amenèrent à découvrir le polonium et le

© Explorer-Archives

*Pierre et Marie* **Curie** *dans leur laboratoire.*

radium (1898). Elle fut la première femme nommée professeur à la Sorbonne. Prix Nobel de phys. 1903 et de chim. 1911. ~ **Pierre** (*1859, Paris - 1906, id.*) découvrit la piézoélectricité (1880), étudia la formation des cristaux et énonça le principe de symétrie (1894). À l'issue des travaux sur la radioactivité menés avec sa femme, il découvrit, avec Laborde, le dégagement de chaleur produit par le radium (1903). Prix Nobel de phys. 1903.

**CURITIBA** ~ Cap. de l'État du Paraná (S. du Brésil) ; 1 290 000 h. (agglom. 1 976 000 h.). Université. Industr. du bois, agroalimentaire. Raff. de pétrole.

**CURTIUS** (Ernst) ~ *1814, Lübeck - 1896, Berlin.* Historien et archéologue allemand. Auteur d'une *Histoire de la Grèce* (1857-1861), il prépara les fouilles d'Olympie (1875-1881).

**CURTIZ** (Mihály **Kertész**, dit Michael) ~ *1888, Budapest - 1962, Hollywood.* Cinéaste américain d'orig. hongroise. Il réalisa des films d'aventures et des thrillers dont certains sont des classiques (*la Charge de la brigade légère*, 1936 ; *Casablanca*, 1943).

**Curzon (ligne)** ~ Frontière russo-polonaise proposée en 1919 par le diplomate lord Curzon of Kedleston. Son tracé fut repris en 1945.

**CURZON OF KEDLESTON** (George Nathaniel, lord) ~ *1859, Kedleston Hall - 1925, Londres.* Homme politique britannique. Secrétaire d'État aux Affaires étrangères (1919-1924), il participa aux négociations de paix. Il fut l'artisan du traité de Lausanne (1923).

**CUSHING** (Harvey) ~ *1869, Cleveland - 1939, New Haven.* Chirurgien américain. Pionnier de la neurochirurgie, il est l'auteur d'une classification des tumeurs intracrâniennes.

**CUSSET** ~ V. de la banlieue E. de Vichy (Allier) ; 13 567 h. Maisons anc. (XV^e s.), tourisme.

**CUSTINE** (Adam Philippe, comte DE) ~ *1740, Metz - 1793, Paris.* Général français. Il commanda l'armée du Rhin en 1792 et fut condamné à mort pour avoir perdu Mayence.

**CUSTOZA** ou **CUSTOZZA** ~ Village d'Italie, au S.-O. de Vérone, où les Autrichiens vainquirent les Italiens les 25 juill. 1848 et 24 juin 1866.

**CUVIER**, nom de deux scientifiques français. ~ **Frédéric** (*1773, Montbéliard - 1838, Strasbourg*), naturaliste, se consacra à une *Histoire des cétacés* et à une *Histoire des mammifères*. Son frère ~ **Georges**, baron (*1769, Montbéliard - 1832, Paris*), zoologiste et paléontologiste, fut le père de la biologie moderne, structurale et fonctionaliste. Il tenta d'établir une classification zoologique (vertébrés, mollusques, radiés et articulés), prouvant ainsi l'existence d'espèces disparues et fondant la paléontologie. Acad.

**CUVILLIÉS** (François DE) ~ *1695, Soignies - 1768, Munich.* Architecte allemand d'orig. wallonne. Maître du rococo bavarois, il s'est distingué par son exubérance ornementale (théâtre de la Résidence, Munich, 1750-1753).

**CUYP** (Albert) ~ *1620, Dordrecht - 1691, id.* Peintre néerlandais. Élégamment idéalisés, ses paysages sont souvent nimbés d'une lumière brumeuse.

**CUZA** ou **COUZA** (Alexandre-Jean I^er^) ~ *1820, Galaêti - 1873, Heidelberg.* Prince des principautés unies roumaines de Moldavie et de Valachie (1859-1866), il en entreprit la modernisation.

**CUZCO** ~ V. du Pérou, à 3 500 m d'alt., dans les Andes orientales ; 256 000 h. Ancienne capitale des Incas (forteresse de Sacsahuamán). Cathédrale de l'époque coloniale (XVI^e-XVII^e s.).

**CYAXARE** ~ *VII^e - VI^e s. av. J.-C.* Roi des Mèdes. En 625 av. J.-C., il soumit les Scythes et les peuples de l'Iran et, en 612, s'empara de Ninive.

**CYBÈLE** ~ Déesse de la Fertilité, d'origine phrygienne. Son culte, mêlant aspirations mystiques et rites orgiaques, gagna la Grèce et Rome, où il s'implanta en 204 av. J.-C.

**CYCLADES** (les) ~ Archipel grec de la mer Égée, en forme de cercle autour de Délos. Tourisme dans les îles princ. (Andros, Íos, Milo, Mýkonos, Náxos, Páros, Santorin, Sýros). Dès le III^e mill., les Cyclades connurent une civilisation originale, foyer de la culture égéenne.

**Cyclopes** (les) ~ Géants de la mythologie grecque, fils d'Ouranos et de Gaïa. Ils n'ont qu'un œil et travaillent comme forgerons avec Héphaïstos.

**CYNOSCÉPHALES** ~ Nom de deux sommets de Thessalie (Grèce), où l'armée romaine de Flamininus vainquit Philippe V de Macédoine (197 av. J.-C.).

**CYRANO DE BERGERAC** (Savinien DE) ~ *1619, Paris - 1655, id.* Écrivain français. Il fit passer dans ses essais (*Histoire comique des États et Empires de la Lune*, 1657) et dans ses pièces (*le Pédant joué*, 1654) des idées philosophiques audacieuses et nouvelles.

**CYRÉNAÏQUE** (la) ~ Région historique de Libye, à l'E. du golfe de Syrte. Elle englobe le littoral méditerranéen et le djebel Akhdar, relativement arrosé. V. princ. Benghazi. Nombreux vestiges de la colonisation grecque (Ptolémées) puis romaine (Pentapole cyrénaïque). La Cyrénaïque fut une contrée prospère jusqu'au II^e s. Elle fut conquise au VII^e s. par les Arabes.

**CYRÈNE** ~ Colonie grecque de Libye (VII^e s. av. J.-C.), cap. de la Pentapole cyrénaïque.

**CYRILLE** (saint) ~ *v. 380, Alexandrie - 444, id.* Patriarche d'Alexandrie, docteur de l'Église. Il combattit le nestorianisme et formula la doctrine de l'Incarnation.

**CYRILLE** (saint), dit **le Philosophe** ~ *v. 827, Thessalonique - 869, Rome.* Évangélisateur des Slaves. Mandaté avec son frère Méthode par l'empereur Michel II pour prêcher le christianisme dans les pays slaves, il fut l'inventeur de l'alphabet glagolitique, à l'origine de l'alphabet cyrillique.

**CYRUS**, nom porté par plusieurs princes achéménides. ~ **Cyrus II le Grand** (*m. v. 530 av. J.-C.*), fondateur de l'Empire perse achéménide (550 av. J.-C.), conquit la Lydie de Crésus, la Babylonie, et se rendit maître de tout le Moyen-Orient. ~ **Cyrus le Jeune** (*v. 424 - 401 av. J.-C., Counaxa*), fils cadet de Darius II, prit part à la fin de la guerre du Péloponnèse aux côtés des Spartiates et mourut dans une expédition contre son frère Artaxerxès II (retraite des Dix Mille).

**CYTHÈRE** ~ Île grecque, située au N.-O. de la Crète. Dans l'Antiquité, elle fut le siège d'un culte consacré à Aphrodite.

**CZARTORYSKI** (Adam Jerzy) ~ *1770, Varsovie - 1861, Montfermeil.* Prince polonais. Après avoir servi le tsar Alexandre I^er^, il chercha à constituer une Pologne indépendante. Il fut président du gouvernement provisoire de Varsovie en 1831.

**CZERNY** (Karl) ~ *1791, Vienne - 1857, id.* Pianiste autrichien. Élève de Beethoven puis professeur lui-même, il a laissé d'importants ouvrages pédagogiques (*l'École des virtuoses*).

**CZĘSTOCHOWA** ~ V. de haute Silésie (Pologne) ; 259 000 h. Pèlerinage marial (Vierge noire).

**CZIFFRA** (György, en fr. Georges) ~ *1921, Budapest - 1994, Longpont-sur-Orge.* Pianiste hongrois. Il fut l'un des plus brillants interprètes de l'œuvre de Liszt.

*Joueur de harpe. Marbre blanc de Paros, art des* **Cyclades** *(2700-2000 av. J.-C.).*

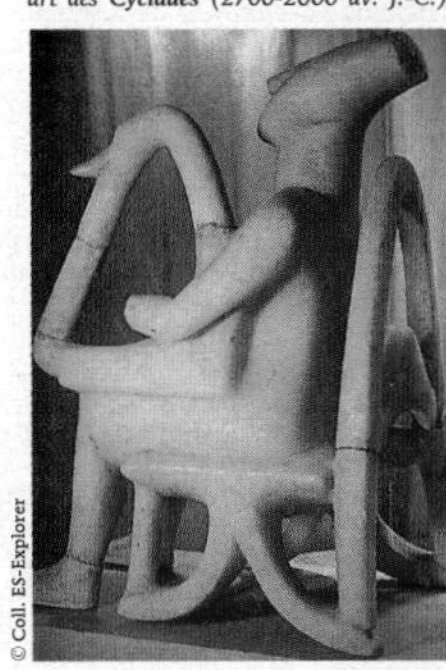
© Coll. ES-Explorer

**DABIT** (Eugène) ~ *1898, Paris - 1936, Sébastopol.* Écrivain français. Il fut un représentant du courant populiste (*Hôtel du Nord*, 1929).

**DĄBROWSKA** ou **DOMBROWSKA** (Maria) ~ *1889, Russów - 1965, Varsovie.* Auteur polonais. Ses romans analysent la société traditionnelle de son pays (*les Nuits et les Jours*, 1932-1934).

**DACCA** ou **DHAKA** ~ Cap. du Bangladesh, centre industriel (text.) sur le delta du Gange ; 3 397 000 h. (agglom. 6 105 000 h.). Université. Édifices moghols (XVII^e^-XVIII^e^ s.).

**DACHAU** ~ V. d'Allemagne (Bavière). Camp de concentration nazi de 1933 à 1945.

**DACIE** (la) ~ Anc. région d'Europe orientale (E. de la Roumanie actuelle), au N. du Danube, conquise par Trajan (101-107 apr. J.-C.). Les **Daces** romanisés sont les ancêtres des Roumains.

**DACIER** (Anne **Lefebvre**, dite Mme) ~ *1647, Preuilly-sur-Claise - 1720, Paris.* Philologue française. Traductrice d'Homère, elle relança la querelle des Anciens et des Modernes en s'opposant aux libres adaptations des œuvres de l'Antiquité.

**DADDAH** (Moktar Mohamedoun Ould) ~ *1924, Boutilimit.* Homme d'État mauritanien. Avocat, 1^er^ président de la république de Mauritanie (1960), il fut renversé par un coup d'État (1978).

**DAGERMAN** (Stig) ~ *1923, Älvkarleby - 1954, Enebyberg, près de Stockholm.* Écrivain suédois. Ses romans et son théâtre, empreints d'un profond pessimisme, ont subi l'influence de l'existentialisme (*le Serpent*, 1945).

**DAGHESTAN** (le) ~ Voir **Daguestan**.

**DAGOBERT**, nom de trois rois francs. ~ **Dagobert I^er^** (*début du VII^e^ s. - 639, Saint-Denis*), roi des Francs (629-639), fils de Clotaire II. Il rétablit l'unité du royaume mérovingien, aidé de ses ministres, les futurs saint Éloi et saint Ouen, et choisit Paris pour capitale. ~ **Dagobert II**, roi d'Austrasie (676-679), fils de Sigebert III. Il fut assassiné. ~ **Dagobert III**, roi de Neustrie et de Bourgogne (711-715), fils de Childebert III. Il régna sous la tutelle de Pépin de Herstal.

**DAGUERRE** (Louis Jacques) ~ *1787, Cormeilles-en-Parisis - 1851, Bry-sur-Marne.* Inventeur français. Il imagina le diorama (1822), s'associa au travail de N. Niépce, inventeur de la photographie, puis mit au point le **daguerréotype** (1838).

**DAGUESTAN** ou **DAGHESTAN** (le) ~ République de la fédération de Russie, bordée à l'E. par la mer Caspienne, sur le piémont N. du Grand Caucase ; 50 300 km², 1 953 000 h., cap. Makhatchkala (315 000 h.). Céréales, vigne, hydrocarbures. Tapis réputés. Pays refuge, le Daguestan compte environ trente nationalités (dont Avars, Russes). Rattaché aux empires perse, arabe, turc, il fut soumis par les Russes en 1859. Il devint une république socialiste soviétique autonome en 1921.

**DAHOMEY** (le) ~ Voir **Bénin**.

**Dahomeys** (les) ~ Voir **Fons**.

**Daily Mail** ~ Quotidien britannique conservateur fondé en 1896. Il eut le plus fort tirage du monde entre 1920 et 1930.

**Daily Mirror** ~ Quotidien britannique fondé en 1903, auj. le 2^e^ du pays par son tirage (env. 3 000 000 d'exemplaires).

**Daily Telegraph** (The) ~ Quotidien britannique conservateur fondé en 1855. Son tirage est de 1 000 000 d'exemplaires environ.

**DAIMLER** (Gottlieb) ~ *1834, Schorndorf, Wurtemberg - 1900, Stuttgart-Bad Cannstatt.* Ingénieur allemand. Il créa en 1883 un moteur à essence léger à haute vitesse de rotation, puis fonda une usine de construction automobile en 1890 qui fusionna avec Benz en 1926.

**DAIREN** ~ Voir **Dalian**.

**DAKAR** ~ Cap. du Sénégal, à l'extrémité de la presqu'île du Cap-Vert, port et princ. pôle industr. du pays, centre comm. et culturel ; 1 730 000 h. Université. Siège d'organismes internationaux. Fondée en 1857 par les Français, elle fut la capitale de l'A.-O. F. de 1902 à 1958.

**DAKHLA**, anc. **Villa Cisneros** ~ Port du Sahara occidental ; 18 000 h. Pêche, salines.

**DAKOTA** (le), nom de deux États des États-Unis, constituant une région de plaines et de plateaux (la Prairie) drainée par le Missouri. Climat continental. Céréales, élev. bovin. Hydrocarbures, extraction minière. Tourisme. ~ **Dakota du Nord** (le), 178 695 km², 635 000 h., cap. Bismarck (49 000 h.), 39^e^ État rattaché à l'Union en 1889. ~ **Dakota du Sud** (le), 196 576 km², 715 000 h., cap. Pierre (13 000 h.), 40^e^ État rattaché à l'Union en 1889.

**Dakotas** (les) ~ Voir **Sioux**.

**DALADIER** (Édouard) ~ *1884, Carpentras - 1970, Paris.* Homme politique français. Président du Parti radical, il fut président du Conseil en 1933 et dut démissionner après les émeutes du 6 févr. 1934. Nommé ministre de la Défense nationale du Front populaire (1936), puis appelé de nouveau à la présidence du Conseil (1938-1940), il signa les accords de Munich mais déclara la guerre à l'Allemagne après l'invasion de la Pologne par Hitler (1939). Démissionnaire en 1940, il comparut devant le tribunal de Riom (1942) et fut déporté. Il retrouva ses fonctions dans le Parti radical en 1945 et se retira en 1958.

**DALAT** ~ Station clim. du Viêt Nam du Sud (plateaux moïs) ; env. 105 000 h. Siège de trois conférences franco-vietnamiennes (mai et août 1946, févr. 1953).

**DALE** (sir Henry Hallett) ~ *1875, Londres - 1968, Cambridge.* Médecin britannique. Avec Otto Loewi, il découvrit le rôle joué par les échanges chimiques dans la transmission de l'influx nerveux. Prix Nobel de physiol. ou méd. 1936.

**DALÉCARLIE** (la), en suéd. ***Dalarna*** ~ Région et anc. prov. de la Suède centrale, au N.-E. de Stockholm, forestière et tourist., industr. au S.-E. (Bergslag). V. princ. Falun. Gustave Vasa y entreprit la reconquête de la Suède, alors danoise (1521).

**DALÍ** (Salvador) ~ *1904, Figueras - 1989, id.* Peintre, graveur et écrivain espagnol d'expression française. Installé à Paris en 1927, il devint l'une des figures les plus excentriques du groupe surréaliste. Il collabora avec Buñuel (*Un chien andalou*, 1928 ; *l'Âge d'or*, 1930), puis inventa l'activité « paranoïaque-critique », qu'il définit comme une « méthode spontanée de connaissance irrationnelle, basée sur l'objectivation critique des associations délirantes », méthode sur laquelle est fondé tout son œuvre, aux confins de la raison et de la folie (*le Grand Masturbateur*, 1931 ; *Métamorphose de Narcisse*, 1937 ; *le Christ de saint Jean de la Croix*, 1951).

**DALIAN** ou **TA-LIEN**, anc. **Dairen** ~ Port du N.-E. de la Chine (Liaoning), à laquelle il a été rattaché en 1954, dans la conurbation de Lüda (2 330 000 h., avec Lüshun). Industrie lourde et textile.

**DALILA** ~ Personnage biblique. Pour le livrer aux Philistins, elle séduisit Samson et lui coupa les cheveux (secret de sa force) pendant son sommeil.

**DALLAS** ~ V. des États-Unis, métropole écon. du Texas intérieur, centre comm., fin. et industr. (technologies de pointe) ; 1 007 000 h. (conurbation, dont Fort Worth, 3 800 000 h.). Aéroport international. Le président Kennedy y fut assassiné en 1963.

**DALLOZ** ~ **Désiré** (*1795, Septmoncel, Jura - 1869, Paris*), jurisconsulte et homme politique français. En 1824, il fonda à Paris, avec son frère ~ **Armand** (*1797 - 1867*), une maison d'édition spécialisée dans les ouvrages juridiques.

**DALMATE (archipel)** ~ Frange insulaire montagneuse (alt. max. 778 m) de la côte de Dalmatie et des Alpes dinariques, entre Rijeka et Dubrovnik.

**DALMATIE** (la) ~ Façade adriatique de la Croatie et des Alpes dinariques, entre l'Istrie et le Monténégro, région calcaire vouée aux cult. méditerranéennes. Tourisme balnéaire. Princ. ports : Split, Dubrovnik, Šibenik, Zadar. **HIST.** - Anc. colonie grecque puis romaine, vénitienne de 1420 à 1797, annexée à l'Autriche, la Dalmatie revint à la Yougoslavie en 1920.

**DALOU** (Jules) ~ *1838, Paris - 1902, id.* Sculpteur français. Son naturalisme a trouvé un accomplissement dans le *Triomphe de la République* (1899), place de la Nation, à Paris.

**DALTON** (John) ~ *1766, Eaglesfield, Cumberland - 1844, Manchester.* Physicien et chimiste britannique. Il fonda la théorie atomique moderne et étudia sur lui-même les troubles de la perception des couleurs (**daltonisme**).

**DAMAS**, en ar. ***Dimasq*** ~ Cap. de la Syrie, dans une oasis au contact de l'Anti-Liban et du désert, carrefour de communications, centre commercial ; 1 497 000 h. Industries text., mécanique. Artisanat. Citadelle, palais ottomans (XVIII^e^ s.), mosquée (VIII^e^ s.). Musées. **HIST.** - Un des plus vieux centres urbains de l'humanité (IV^e^ mill. av. J.-C.). Siège d'un royaume araméen (X^e^ s. av. J.-C.), cité grecque, puis romaine, elle fut conquise par les Arabes (635). Les califes omeyyades en firent leur capitale (660-750). En 1516, elle fut annexée à l'Empire ottoman. Au début du XX^e^ s., elle devint l'un des foyers du nationalisme arabe avant d'être placée sous mandat français, en 1920. Elle fut alors le lieu de nombreux heurts entre les autorités françaises et les mouvements nationalistes.

**DAMASCÈNE** (saint Jean) ~ Voir **Jean de Damas**.

**DAMASE I^er^** (saint) ~ *v. 305 en Espagne - 384, Rome.* Pape de 366 à 384, il incita saint Jérôme à entreprendre la traduction latine de la Bible connue sous le nom de Vulgate.

**DAMASKINOS** ou **DHAMASKINÓS** (Dhimítrios Papandhréou) ~ *1890, Dorvitsa - 1949, Athènes.* Prélat et homme politique grec. Archevêque d'Athènes, il s'opposa à l'occupation allemande et assura la régence de 1944 jusqu'au retour du roi Georges II, en 1946.

**Dames (paix des)** ~ Voir **Cambrai**.

**DAMIA** (Louise Marie **Damien**, dite) ~ *1889, Paris - 1978, id.* Chanteuse française. Son répertoire réaliste et son jeu de scène dramatique la consacrèrent « tragédienne de la chanson » (*Sombre Dimanche* ; *les Goélands*).

**DAMIEN** (saint) ~ Voir **Côme et Damien**.

**DAMIEN** (saint Pierre) ~ Voir **Pierre Damien**.

**DAMIENS** (Robert François) ~ *1715, La Thieulloye, Artois - 1757, Paris.* Auteur d'une agression contre Louis XV, il fut écartelé en place de Grève.

**DAMIETTE**, en ar. ***Dimyat*** ~ Port d'Égypte, sur le delta du Nil ; 113 000 h. Industrie du coton. Saint Louis s'empara de Damiette en 1249, mais dut la rendre en guise de rançon en 1250.

**DAMMAM** ~ 2^e^ port d'Arabie Saoudite (Hassa), sur le golfe Persique, centre d'une région pétrolifère ; 128 000 h.

**DAMMARIE-LES-LYS** ~ V. de la banlieue S.-O. de Melun (Seine-et-Marne), au S.-E. de Paris ; 21 148 h. Ruines de l'abbaye du Lys (XIII^e^ s.).

**DAMOCLÈS** ~ *IV^e^ s. av. J.-C.* Courtisan de Denys l'Ancien, tyran de Syracuse. Celui-ci lui fit servir un festin, après avoir fait suspendre au-dessus de sa tête une épée retenue par un crin de cheval, afin qu'il comprenne la précarité du bonheur des rois.

**DAMODAR** (la) ~ Riv. du N.-E. de l'Inde, affl. de l'Hooghly ; env. 550 km. Sa vallée, riche en charbonnages, est le principal foyer d'industries lourdes du pays.

**DAMPIER** (William) ~ *1652, East Coker, Somerset - 1715, Londres.* Navigateur anglais. Il explora le Pacifique, puis publia, en 1691, son *Voyage autour du monde*. En 1699, il reconnut les côtes de la Nouvelle-Guinée et du N. de l'Australie.

**DANAÉ** ~ Personnage de la mythologie grecque, fille d'Acrisios, roi d'Argos. Son père l'enferma dans une tour, mais Zeus la rejoignit, sous la forme d'une pluie d'or. De leurs amours naquit Persée.

**anaïdes** (les) ~ Personnages de la mythologie ecque. Les cinquante filles du roi d'Argos Danaos, cepté Hypermnestre, assassinèrent leurs époux la ıit de leurs noces. Elles furent condamnées, aux fers, à remplir éternellement un tonneau percé.

**anakils** (les) ~ Voir **Afars.**

**ANANG**, anc. **Tourane** ~ Princ. port de la côte ntrale (Annam) du Viêt Nam ; 371 000 h. dustr. textile. Musée d'art de la civilisation cham. onquis par la France en 1858, sous protectorat 1863 à 1954, Danang fut le théâtre de violents frontements durant la guerre du Viêt Nam.

**ANBY** (Thomas **Osborne**, lord) ~ *1632, Kiveton, rkshire - 1712, Easton Neston.* Homme politique glais. Premier ministre de Charles II de 1674 à 79, il soutint ensuite Guillaume III d'Orange-assau, devenu roi d'Angleterre à la suite de la volution de 1688. Accusé de corruption, il fut arté du pouvoir en 1699.

**ANDOLO**, famille patricienne de Venise. ~ **En-co** *(1108, Venise - 1205, Constantinople)*, doge en 92, profita de la 4e croisade afin d'obtenir pour enise des concessions territoriales et le monopole 1 commerce avec l'Orient. ~ **Andrea** *(1307, enise - 1354, id.)*, doge en 1342, est l'auteur d'une stoire de Venise.

**ANEMARK (royaume du)**, en dan. ***Danmark*** ~ at d'Europe du Nord bordé à l'O. par la mer du ord, à l'E. par la mer Baltique. ***Cap.*** Copenhague. ***perf.*** 43 075 km². ***Popul.*** 5 200 000 h. ***Langue fnc.*** Danois. ***Monn.*** Couronne danoise. ***Relief.*** Le ys est composé d'une péninsule peu accidentée, Jylland, et de quelque 500 îles, dont la Fionie, Sjaelland, le Lolland et Bornholm. Les îles Féroé 399 km²) et le Groenland (2 175 600 km²) sont s territoires autonomes. ***Climat.*** Océanique frais. ***on.*** L'agriculture, principalement tournée vers élevage (bovins, porcins, volailles) et la culture de orge, est fondée sur un système coopératif très oderne. L'industrie (agroalim., meubles, décora-on, pharmacie, équipement médical, électromé-ager) assure, avec la pêche, un large courant exportations vers les pays développés. Pétrole (mer Nord). Tourisme. ***V. princ.*** Copenhague, Århus, dense, Ålborg. **HIST.** - Les vestiges préhistoriques l'île de Sjaelland attestent l'ancienneté 0 000 ans av. J.-C.) du peuplement. *Ier s. ır. J.-C.* : la région est peuplée de Germains Cimbres, Angles, Jutes), qui cèdent la place à des andinaves participant aux expéditions vikings. *s.* : Gorm l'Ancien et Harald à la Dent bleue, n fils (qui se convertit au christianisme vers 965), ifient le Danemark. *XIe s.* : Svend Ier puis Knud Ier Grand, son fils, constituent un empire éphémère 018-1045) en conquérant l'Angleterre, la Nor-ge et le Schleswig. *XIIe-XIIIe s.* : Valdemar Ier le rand (1157-1182) puis Valdemar II le Victorieux 202-1241) fondent un nouvel empire, centré sur Baltique. *XIVe s.* : après un siècle de luttes testines, Valdemar IV (1340-1375) restaure autorité royale. Sa fille, la reine Marguerite 375-1412), réunit les trois pays scandinaves sous n autorité (1397, Union de Kalmar). *XVe s.* : avènement de la dynastie des Oldenbourg et les nflits d'intérêts avec la Hanse entraînent la fficile sécession de la Suède, consacrée en 1523. *Ie s.* : en 1536, le luthéranisme devient religion État. *XVIIe s.* : malgré les efforts désespérés de hristian IV (1588-1648), le Danemark ne peut npêcher la Suède d'accéder à la suprématie gionale, et il perd la Scanie. En 1665, la mo-archie devient absolue et héréditaire. *XVIIIe s.* : le déve-ppement des compagnies maritimes assure un gain de prospérité ; des ministres réformateurs ohann Harturig, Ernst Bernstorff, Johann Frie-ich Struensee et Andreas Peter Bernstorff) accrois-nt les libertés économiques et politiques. Durant règne de Frédéric VI (1808-1839), le servage est éfinitivement aboli et l'agriculture est restructurée. *Xe s.* : à l'issue des guerres napoléoniennes, le anemark perd la Norvège et reçoit le Lauenburg. uite à la guerre des Duchés (1864), la Prusse et Autriche annexent le Schleswig, le Holstein et le auenburg. Bien qu'amputé des deux cinquièmes son territoire, le Danemark connaît un vif éveloppement économique sous le règne de hristian IX (1863-1906). *1915* : adoption du uffrage universel et du vote des femmes. *1914-1939* : resté neutre pendant la Première Guerre mondiale, le Danemark récupère, à l'issue du conflit, le N. du Schleswig (1920). Entre les deux guerres, le parti social-démocrate met en place une législation sociale avancée. *1940-1945* : le Danemark de Christian X (1912-1947) est occupé par l'Allemagne. *1944* : l'Islande proclame son indépendance. *1945-1982* : prépondérance des sociaux-démocrates. *1972* : Marguerite II accède au trône. *1973* : le Danemark adhère à la C. E. E. *1979* : le Groenland devient autonome. *1982-1992* : la détérioration de la situation économique ramène les conservateurs au pouvoir, sous la direction de Poul Schlüter. *1993* : le Danemark ratifie le traité de Maastricht. Les sociaux-démocrates (Poul Nyrup Rasmussen) reviennent au pouvoir.

**DANGEAU** (Philippe **de Courcillon**, marquis DE) ~ *1638, Chartres - 1720, Paris.* Mémorialiste français. Aide de camp de Louis XIV, diplomate, il est l'auteur d'un *Journal de la cour de Louis XIV*, dont s'inspira Saint-Simon pour ses *Mémoires*. Acad.

**DANGLEBERT** ou **D'ANGLEBERT** (Jean Henri) ~ *1628, Paris - 1691, id.* Compositeur et claveciniste français. Successeur de Chambonnières, il adapta notamment des œuvres de Lully (*Pièces de clavecin*, 1689).

**DANGRÊK** ou **DANG REK (monts)** ~ Barrière montagneuse (alt. 300-700 m), gréseuse et boisée, séparant le N. du Cambodge de la Thaïlande.

**DANIEL** ~ Prophète biblique, héros du livre qui porte son nom.

**DANIELL** (John Frederic) ~ *1790, Londres - 1845, id.* Physicien britannique. Il inventa une pile électrique impolarisable.

**DANIEL-LESUR** (Daniel Jean-Yves **Lesur**, dit) ~ *1908, Paris.* Compositeur et organiste français. Il a été cofondateur du groupe Jeune-France en 1936 (*le Cantique des cantiques*).

**DANJON** (André) ~ *1890, Caen - 1967, Suresnes.* Astronome français. Spécialiste de l'astrophysique et de l'astronomie de position, il créa un astrolabe supprimant les erreurs de mesure dues à l'observateur.

**D'ANNUNZIO** (Gabriele) ~ *1863, Pescara - 1938, Gardone Riviera.* Écrivain italien. Dandy prônant une morale de condottiere et le culte de la beauté, il est l'auteur d'une œuvre aux accents virils et pathétiques, où s'expriment les influences de Nietzsche, de Baudelaire ou de Carducci (*l'Enfant de volupté*, 1889 ; *le Feu*, 1900).

**DANTE ALIGHIERI** ~ *1265, Florence - 1321, Ravenne.* Poète italien. Issu de la petite noblesse florentine, il fut marqué à neuf ans par sa rencontre avec Béatrice (Portinari), pour qui il composa des sonnets (*Canzoniere*) représentatifs du *dolce stil nuovo*. Cet amour, idéalisé après la mort de la jeune femme, lui inspire la *Vita nuova* (élaborée entre 1291 et 1295). Attaché au parti des guelfes blancs (modérés), il fut condamné à être brûlé vif en 1302 par les guelfes noirs. Contraint à l'exil, il rédigea le *Convivio* (v. 1307), essai philosophique, et *De vulgari eloquentia* (1303-1304), traité linguistique dans lequel il préconisa une unification de la langue italienne. Son œuvre majeure est la *Divine Comédie* (entre 1307 et 1321), épopée visionnaire de la condition humaine.

**DANTON** (Georges Jacques) ~ *1759, Arcis-sur-Aube - 1794, Paris.* Homme politique français. Avocat, il fut l'un des grands orateurs de la Révolution française. Il fonda le club des Cordeliers en 1790. Membre de la Commune de Paris (1791) puis ministre de la Justice et membre du Conseil exécutif provisoire après le 10 août 1792, il laissa perpétrer les massacres de Septembre. Député de Paris à la Convention, il siégea avec les Montagnards et joua un rôle actif dans l'organisation de la défense nationale. Il contribua à la création du Comité de salut public, qu'il présida, et à celle du Tribunal révolutionnaire. À partir de juillet 1793, devenu suspect à ses anciens alliés, il fut évincé du Comité. Il s'opposa alors à Robespierre et plaida pour la fin rapide de la Terreur. Accusé de concussion et de trahison, il fut exécuté le 5 avril 1794.

**DANTZIG** ~ Voir **Gdańsk.**

**DANUBE** (le) ~ Grand fl. d'Europe (le 2e après la Volga) ; 2 850 km (bassin 800 000 km²). Né dans la Forêt-Noire, en Allemagne, il se jette par un vaste delta (env. 4 000 km²) dans la mer Noire. Il arrose 9 pays (Allemagne, Autriche, Slovaquie, Hongrie, Croatie, Yougoslavie, Roumanie, Bulgarie, Ukraine) et 3 capitales (Vienne, Budapest, Belgrade). Navigable jusqu'à Ratisbonne, il relie la mer Noire à la mer du Nord, grâce au système canalisé Rhin-Main-Danube. Irrigation en Hongrie et en Roumanie, importants aménagements hydroélectriques (défilé des Portes de Fer). Frontière N. de l'Empire romain, il devint, au Moyen Âge, la grande voie de communication de l'Europe centrale.

**DAO** (**Nguyen** Thien Dao, dit) ~ *1940, Hanoi.* Compositeur français d'orig. vietnamienne. Élève de Messiaen, il s'inspire de la tradition orientale et de la musique électro-acoustique (*Symphonie pour pouvoir*, 1989).

**DAPHNÉ** ~ Nymphe de la mythologie grecque, fille du fleuve Pénée. Fuyant les ardeurs d'Apollon, elle fut métamorphosée en laurier.

**DA PONTE** (Emanuele **Conegliano**, dit Lorenzo) ~ *1749, Ceneda, auj. Vittorio Veneto - 1838, New York.* Librettiste italien, auteur de nombreux livrets d'opéra, not. pour Mozart (*les Noces de Figaro* ; *Don Juan* ; *Cosi fan tutte*).

**DAPSANG** ~ Voir **K2.**

**DAQING** ou **TA-K'ING** ~ V. de Chine (Heilongjiang), à l'O. de Harbin ; 657 000 h. Important centre pétrolier.

**DAR AL-BAYDA (al)** ~ Voir **Casablanca.**

**DARDANELLES (détroit des)**, anc. **Hellespont** ~ Détroit de Turquie, entre l'Asie et l'Europe, qui unit la mer Égée à la mer de Marmara. En 1915, une expédition franco-britannique contre les Turcs tenta, en vain, d'en prendre le contrôle.

**DARDANOS** ~ Personnage de la mythologie grecque, fils de Zeus et fondateur d'une des cités primitives qui furent à l'origine de Troie.

**DAR ES-SALAAM** ~ Port (export. de produits agricoles) et princ. v. (métropole écon.) de Tanzanie, anc. cap. du pays jusqu'au transfert à Dodoma (1973), au S. du détroit de Zanzibar ; 1 361 000 h. Tourisme.

**DARFOUR** (le) ~ Région de l'O. du Soudan central, frontalière du Tchad (Ouaddaï), plateau aride, sauf dans le djebel Marra volcanique (culminant à 3 087 m), plus arrosé (céréales, riz, fruits). Ancien royaume musulman (1640-1875) sur les routes caravanières vers l'Égypte.

**DARGOMYJSKI** (Aleksandr) ~ *1813, Dargomyz, auj. Troitskoïe - 1869, Saint-Pétersbourg.* Compositeur russe. Dans ses opéras, cet héritier de Glinka a réalisé une synthèse du chant et du récitatif aux accents réalistes (*Roussalka*, 1856).

**DARÍO** (Félix Rubén **García y Sarmiento**, dit Rubén) ~ *1867, Metapa - 1916, León.* Poète nicaraguayen. Esprit cosmopolite et raffiné, il fut l'initiateur de la poésie moderniste en Amérique latine (*Chants de vie et d'espérance*, 1905).

**DARIUS** ou **DARIOS**, nom de trois rois achéménides. ~ **Darius Ier le Grand** (*m. en 486 av. J.-C.*), roi de Perse (522-486 av. J.-C.), successeur de Cambyze. Il redressa la puissance achéménide, réforma et étendit considérablement l'Empire perse. Il chercha à conquérir la Grèce (494-490 av. J.-C.) mais échoua à la bataille de Marathon, fin de la première guerre médique (490 av. J.-C.). ~ **Darius II Ochos** (*m. en 404 av. J.-C.*), roi de Perse (423-404 av. J.-C.), fils naturel d'Artaxerxès Ier et successeur de Xerxès II. Il engagea la Perse dans la guerre du Péloponnèse aux côtés des Spartiates. ~ **Darius III Codoman** (*m. en 330 av. J.-C., Bactriane*), roi de Perse (336-330 av. J.-C.), vaincu par Alexandre. Il fut tué par un de ses satrapes.

**DARJEELING** ou **DARJILING** ~ Station d'alt. (2 185 m) de l'Inde (Bengale-Occidental), sur les flancs de l'Himalaya, centre de prod. du thé ; env. 60 000 h. Université. Fondée en 1816 par les Britanniques, elle fut la capitale d'été du Bengale.

**DARLAN** (François) ~ *1881, Nérac - 1942, Alger.* Amiral et homme politique français. Commandant de la flotte en 1939, ministre de la Marine en juin 1940, il devint chef du gouvernement en février 1941 et engagea la France dans une politique de collaboration avec les Allemands. Écarté en 1942, il se trouvait en poste à Alger lors du débarquement américain et tenta vainement de négocier un rapprochement avec les Alliés. Il fut assassiné.

**DARLING** (le) ~ Riv. d'Australie, princ. affl. du Murray ; env. 2 700 km. Son bassin (650 000 km²), dans la Nouvelle-Galles du Sud, est une région agricole (irrigation).

**DARMSTADT** ~ V. industr. d'Allemagne (Hesse) ; 141 000 h. Univ. technique. Édifices Renaissance et baroques : hôtel de ville, palais ducal (XVe s.). Musée. Institut international de musique. Cap. de l'ancien grand-duché de Hesse-Darmstadt.

**DARNLEY** (Henry **Stuart**, baron), comte **de Ross** et duc **d'Albany** ~ *1545, Temple Newsam - 1567, Édimbourg.* Gentilhomme écossais, 2e époux de Marie Stuart et père du futur Jacques Ier. Il fut assassiné en 1567 par Bothwell, l'amant de sa femme.

**DARRIEUX** (Danielle) ~ *1917, Bordeaux.* Actrice française. Elle joua not. sous la direction de M. Ophuls (*la Ronde*, 1950 ; *le Plaisir*, 1952), de J. L. Mankiewicz (*l'Affaire Cicéron*, 1952) et de Cl. Autant-Lara (*le Rouge et le Noir*, 1954).

**DARTMOOR** ~ Massif granitique peu élevé (618 m) du S.-O. de l'Angleterre (Devon), région tourist. couverte de landes. Parc national.

**DARWIN** ~ Cap. et port princ. du Territoire du Nord (Australie) ; 78 000 h. Export. de viande et de minerai.

**DARWIN** (Charles) ~ *1809, Shrewsbury - 1882, Down, Kent.* Naturaliste britannique. Il s'embarqua à 22 ans sur le *Beagle* pour une mission scientifique autour du monde (1831-1836). À son retour, il élabora la théorie qui le rendit célèbre : le monde vivant évolue sous l'effet de la sélection naturelle (*De l'origine des espèces au moyen de la sélection naturelle*, 1859). On lui doit, outre sa contribution à l'explication de la variété biologique, la première interprétation correcte de la formation des atolls et de la naissance des volcans. [☞ **darwinisme.**]

**DASSAULT** (Marcel **Bloch**, dit Marcel) ~ *1892, Paris - 1986, Neuilly-sur-Seine.* Constructeur d'avions français. Il créa en 1945 une société de construction aéronautique qui produisit des avions militaires et des avions d'affaires. L'État français en est l'actionnaire majoritaire depuis 1981.

**DASSIN** (Jules) ~ *1911, Middletown, Connecticut.* Cinéaste américain. Il réalisa des films noirs (*les Bas-Fonds de Frisco*, 1949 ; *les Forbans de la nuit*, 1950), puis, contraint à l'exil par le maccarthysme, il poursuivit sa carrière en Europe (*Jamais le dimanche*, 1960).

**DATONG** ou **TA-T'ONG** ~ V. de Chine (Shanxi) au S.-E. de la Mongolie-Intérieure, centre industriel (matériel de mines, locomotives) à proximité d'un gisement houiller ; 1 110 000 h.

**DAUBENTON** (Louis Jean-Marie **d'Aubenton**, dit) ~ *1716, Montbard - 1800, Paris.* Naturaliste français. Il collabora à l'*Histoire naturelle* de Buffon pour la description des mammifères et importa le mouton mérinos espagnol en France (1786).

**DAUBIGNY** (Charles François) ~ *1817, Paris - 1878, id.* Peintre, graveur et illustrateur français. Formé à l'école de Barbizon, il annonce l'impressionnisme par sa sensibilité aux variations de lumière dans ses paysages.

**DAUDET**, nom de deux écrivains français. ~ **Alphonse** (*1840, Nîmes - 1897, Paris*), romancier naturaliste, mêla fantaisie et réalité (*le Petit Chose*, 1868 ; *Tartarin de Tarascon*, 1872). Dramaturge (*l'Arlésienne*, 1872), il fut aussi un conteur dont le petit peuple et la Provence furent les thèmes de prédilection (*Lettres de mon moulin*, 1866 ; *Contes du lundi*, 1873). Son fils ~ **Léon** (*1867, Paris - 1942, Saint-Rémy-de-Provence*), romancier, polémiste et mémorialiste, fut député monarchiste de Paris (1919-1924) et fonda *l'Action française* avec Ch. Maurras.

**DAUGAVPILS**, anc. **Dvinsk** ~ 2e v. de Lettonie, port fluvial sur la Dvina ; 129 000 h. Commerce de produits agricoles.

**DAUMESNIL** (Pierre) ~ *1776, Périgueux - 1832, Vincennes.* Général français. Il fut gouverneur de Vincennes, qu'il refusa de livrer aux Alliés en 1814.

**DAUMIER** (Honoré) ~ *1808, Marseille - 1879, Valmondois.* Peintre, lithographe et sculpteur français. Il se fit connaître dans *le Charivari* par ses caricatures politiques féroces, au service de ses idées républicaines. En peinture, la liberté et la violence de son trait annoncent l'expressionnisme.

**DAUNOU** (Pierre Claude François) ~ *1761, Boulogne-sur-Mer - 1840, Paris.* Homme politique et historien français. Député modéré à la Convention, il fut nommé conservateur des Archives de France, puis professeur d'histoire au Collège de France (1819), où il se consacra à la recherche.

**DAUPHINÉ** (le) ~ Anc. prov. de France (v. princ. Grenoble) qui englobe les départements actuels de l'Isère, des Hautes-Alpes et de la Drôme. Le **haut Dauphiné** (Alpes centrales) s'étend de la Savoie à la Provence, le **bas Dauphiné** (Préalpes et basses vallées) entre l'Isère et le Rhône. Tourisme, agric. (vigne, légumes, fruits) et industrie (électrométallurgie, chimie) dans les vallées du Rhône et de l'Isère. **HIST.** – État féodal créé par les comtes du Viennois (XIe s.), qui vendirent leurs possessions au roi de France (1349), le Dauphiné devint l'apanage de l'héritier du trône, puis fut divisé en trois départements à la Révolution.

**DAURAT** (Didier) ~ *1891, Montreuil-sous-Bois - 1969, Toulouse.* Aviateur français. Pilote de chasse (1914-1918), directeur de Latécoère, de l'Aéropostale puis d'Air France, il contribua à l'essor de l'aviation commerciale en France.

**DAUSSET** (Jean) ~ *1916, Toulouse.* Médecin français. Il a découvert les groupes tissulaires et leucocytaires. Prix Nobel de physiol. ou méd. 1980.

**DAVAO** ~ Port des Philippines, princ. v. de l'île de Mindanao, centre d'une région agric. ; 850 000 h. Travail du bois, export. de coprah et de chanvre.

**DAVID** ~ *v. 1010 - v. 970 av. J.-C.* Deuxième roi hébreu. Berger proclamé roi à la mort de Saül, qu'il apaisait par sa musique, David libéra les tribus d'Israël de la domination philistine et fit de Jérusalem sa capitale. Il est célèbre pour avoir vaincu le géant Goliath. En islam, il est vénéré comme un prophète sous le nom de Daoud.

**DAVID**, nom de plusieurs rois d'Écosse. ~ **David Ier** (*1084 - 1153, Carlisle*), roi de 1124 à 1153, renforça l'unité du royaume. ~ **David II Bruce** (*1324, Dunfermline - 1371, Édimbourg*), roi de 1329 à 1371, fut battu par l'Angleterre et emprisonné.

**DAVID** (Gérard) ~ *v. 1460, Oudewater - 1523, Bruges.* Peintre flamand d'origine hollandaise, dernier grand maître de la peinture brugeoise (*la Vierge entre les vierges*, 1509).

**DAVID** (Jacques Louis) ~ *1748, Paris - 1825, Bruxelles.* Peintre français. Il s'imposa comme le maître du néoclassicisme en France (*le Serment des Horaces*, 1784). Noblesse du sujet antique ou contemporain, effets dramatiques, rigueur de la composition et du dessin, richesse de la couleur caractérisent les œuvres de ce peintre officiel de la Révolution et de l'Empire (*Marat assassiné*, 1793 ; *les Sabines*, 1799 ; *le Sacre de Napoléon Ier*, 1805-1807). Excellent portraitiste (*Mme Récamier*, 1800), il fut le maître de Gérard, Girodet, Gros et Ingres.

**DAVID D'ANGERS** (Pierre Jean **David**, dit) ~ *1788, Angers - 1856, Paris.* Sculpteur français. Auteur de monuments néoclassiques (fronton du Panthéon, à Paris), il est célèbre pour ses portraits en médaillon.

**DAVID-NEEL** (Alexandra) ~ *1868, Saint-Mandé - 1969, Digne.* Exploratrice et orientaliste française. Elle fut la première femme occidentale à pénétrer à Lhassa (1924) et publia une œuvre documentaire et ethnographique très riche (*Mystiques et magicie[ns] du Tibet*, 1929).

*James* **Dean** *avec Elizabeth Taylor dans son dernier film,* Géant *(sorti en 1956), de George Stevens.*

**Davis (coupe)** ~ Épreuve internationale annue[l] de tennis. Créée par **Dwight F. Davis** en 190[0] elle oppose des équipes nationales en 5 matc[h] (4 simples et 1 double).

**DAVIS (détroit de)** ~ Prolongement méridion[al] de la mer de Baffin ouvrant sur l'Atlantique, ent[re] le Groenland et la terre de Baffin.

**DAVIS** (Jefferson) ~ *1808, Fairview, Kentucky [-] 1889, La Nouvelle-Orléans.* Officier et homm[e] politique américain. Il présida la Confédératio[n] sudiste pendant la guerre de Sécession.

**DAVIS** (John) ~ *1550, Sandridge, Devon - 160[5], Malacca.* Navigateur anglais. Il découvrit (1587[)] entre l'Atlantique et la mer de Baffin, le détroit q[ui] porte son nom.

**DAVIS** (Miles) ~ *1926, Alton, Illinois - 199[1], Santa Monica.* Trompettiste de jazz américain. [S]a sonorité voilée et feutrée, son œuvre singulière fo[nt] date dans la musique moderne (*Kind of Blue* ; *[In] a Silent Way*). [☞ **jazz.**]

**DAVIS** (Ruth Elizabeth, dite Bette) ~ *1908, Lowe[ll], Massachusetts - 1989, Paris.* Actrice américaine. El[le] incarna des héroïnes hors du commun : *l'Insoumi[se]* (1938) et *la Vipère* (1941), de W. Wyler ; *È[ve]* (1950), de J. L. Mankiewicz.

**DAVISSON** (Clinton Joseph) ~ *1881, Bloomin[g]ton, Illinois - 1958, Charlottesville, Virginie.* Phys[i]cien américain. Il découvrit, avec G. P. Thomso[n] la diffraction des électrons par les cristaux, vérifia[nt] ainsi les thèses de L. de Broglie sur la mécaniq[ue] ondulatoire. Prix Nobel de phys. 1937.

**DAVOS** ~ Station climatique (depuis le XIXe s.) [et] de sports d'hiver des Grisons (Suisse), à 1 550 [m] d'alt. ; env. 10 000 h. Centre de conférences.

**DAVOUT** (Louis Nicolas), duc **d'Auerstadt**, prin[ce] **d'Eckmühl** ~ *1770, Annoux - 1823, Paris.* Mar[é]chal de France. Après s'être illustré dans l[es] campagnes révolutionnaires, il fut l'un des gran[ds] maréchaux de l'Empire.

**DAWES** (Charles Gates) ~ *1865, Marietta, Ohio [-] 1951, Evanston, Illinois.* Homme politique amér[i]cain. Il fixa, en 1923, les modalités d'applicatio[n] du traité de Versailles pour le règlement d[es] réparations dues par l'Allemagne (**plan Dawes**[)]. Prix Nobel de la paix 1925.

**DAWHA (al-)** ~ Voir **Doha**.

**DAWSON**, anc. **Dawson City** ~ Localité touri[s]tique du Canada (N.-O.), anc. centre admin. [du] Yukon (1898-1953), sur le fl. Yukon ; 1 900 [h.] Dawson comptait plus de 30 000 h. lors de la ru[ée] vers l'or du Klondike, en 1898.

**DAX** ~ Station therm. des Landes, sur l'Adour, [au] N. de la Chalosse ; 19 309 h. (agglom. 35 701 h.). Cathédrale du XVIIe s., remparts gallo-romains.

**Dayaks** (les) ~ Peuple de Bornéo. Chasseurs [et] pêcheurs, ils forment plusieurs ethnies de lang[ue] malayo-polynésienne.

**DAYAN** (Moshe) ~ *1915, Deganya - 1981, Ram[at] Gan.* Général et homme politique israélien. Artisa[n] de la victoire israélienne lors de la guerre d[es] Six-Jours (1967), il fut ministre de la Défen[se] (1967, 1969-1974), puis des Affaires étrangèr[es] (1977-1979).

**DAYTONA BEACH** ~ Station baln. du N.-E. [de] la Floride (États-Unis) ; env. 62 000 h. Course[s] automobiles.

**DEAN** (James) ~ *1931, Marion, Indiana - 195[5], route de Salinas.* Acteur américain. Découvert p[ar] E. Kazan (*À l'est d'Éden*, 1955), il tourna avec N. Ra[y] (*la Fureur de vivre*, 1955) et G. Stevens (*Géant*, so[rti] en 1956). Sa mort brutale en fit le symbo[le] mythique d'une jeunesse révoltée.

**DÉAT** (Marcel) ~ *1894, Guérigny - 1955, Sa[n] Vito, Piémont.* Homme politique français. Dépu[té] socialiste, il quitta la S. F. I. O. en 1933, fonda [le] Parti socialiste de France, puis le Rassembleme[nt] national populaire (1941) et devint l'un d[es] principaux collaborateurs pendant l'Occupation. [Il] fut condamné à mort par contumace après [la] Libération.

**DEATH VALLEY** ~ Voir **Mort** (vallée de la).

**DEAUVILLE** ~ Station baln. du Calvados (Cô[te] fleurie), sur la Manche ; 4 261 h. Hippodrom[e], casino, thalassothérapie. Festival du film américai[n]

**DÉBORAH** ~ Prophétesse d'Israël. Son cantique, l'un des textes hébraïques les plus anciens, chante la victoire des Israélites sur les Cananéens.

**DEBORD** (Guy-Ernest) ~ *1931, Paris - 1994, Bellevue-la-Montagne, Haute-Loire.* Écrivain et cinéaste français. Membre de l'Internationale situationniste, il fit une critique radicale de la vie quotidienne dans une « société spectaculaire marchande » (*la Société du spectacle*, 1967 ; film en 1973).

**DEBRÉ** ~ **Michel** (*1912, Paris - 1996, Montlouis-sur-Loire, Indre-et-Loire*), homme politique français. Gaulliste, élu sénateur en 1948, garde des Sceaux en 1958, il contribua à la rédaction de la Constitution de la Vᵉ République. Premier ministre (1959-1962), il mena à bien la décolonisation de l'Algérie malgré son attachement à l'Algérie française. Il fut ministre de l'Économie et des Finances (1966-1968), des Affaires étrangères puis de la Défense (1968-1973). Acad. Son frère ~ **Olivier** (*1920, Paris*), peintre, réalise des toiles de très grand format, presque monochromes, rehaussées de coulées vives et épaisses, qui expriment son émotion devant la nature (*Signes-paysages*).

**DEBRECEN** ~ Princ. v. de l'E. de la Hongrie, centre commerçant d'une région agric. (anc. Puszta) ; 217 000 h. Industr. agroalimentaire. Édifices médiévaux, collège réformé du XVIᵉ s. Siège de la Diète qui proclama l'indépendance, en avr. 1849, et du gouvernement provisoire lors de la libération du pays, en 1944.

**DEBREU** (Gérard) ~ *1921, Calais.* Économiste américain d'origine française. Il fit des recherches en économie mathématique, dans le cadre du langage des ensembles (*Théorie de la valeur*, 1959). Prix Nobel de sc. écon. 1983.

**DEBURAU**, nom de deux mimes français. ~ **Jean Gaspard**, dit **Jean-Baptiste** (*1796, Kolín, Bohême - 1846, Paris*), créa le personnage de Pierrot et fut immortalisé à l'écran par J.-L. Barrault dans *les Enfants du paradis*, de M. Carné (1945). Son fils ~ **Jean-Charles** (*1829, Paris - 1873, Bordeaux*) prit sa relève.

**DEBUSSY** (Claude) ~ *1862, Saint-Germain-en-Laye - 1918, Paris.* Compositeur français. Son œuvre, par le recours aux gammes exotiques (pentatoniques, par tons entiers, etc.), par l'effacement de l'opposition dissonance-concordance, bouleversa les conceptions traditionnelles du temps musical (*Prélude à l'après-midi d'un faune*, 1894 ; *la Mer*, 1905 ; *Jeux*, 1913). Avec *Pelléas et Mélisande* (1902), il a donné naissance à l'opéra moderne.

**DEBYE** (Petrus) ~ *1884, Maastricht - 1966, Ithaca, État de New York.* Chimiste et physicien américain d'orig. néerlandaise. Il étudia les propriétés thermiques des solides et détermina les structures moléculaires par interférences des rayons X et des photons. Prix Nobel de chim. 1936.

**DÉCAPOLE** ~ Nom dans l'Antiquité d'une confédération de dix villes palestiniennes situées à l'E. du Jourdain (Iᵉʳ s. av. J.-C.-IIᵉ s. apr. J.-C.). ~ Nom d'une ligue de dix villes alsaciennes fondée en 1354, rattachée à la France en 1679.

**DECAUVILLE** (Paul) ~ *1846, Petit-Bourg, Évry - 1922, Neuilly.* Industriel français. Il est l'inventeur de chemins de fer transportables à voie étroite, utilisés dans les mines et sur les chantiers.

**DECAUX** (Alain) ~ *1925, Lille.* Historien français. Il a su se servir des médias pour populariser l'histoire évènementielle. Il a été ministre délégué chargé de la Francophonie (1988-1991). Acad.

**DECAZES ET DE GLÜCKSBERG**, famille d'hommes politiques français. ~ **Élie**, duc (*1780, Saint-Martin-de-Laye - 1860, Decazeville*), ministre de la Police (1815), puis président du Conseil (1819) sous Louis XVIII. Partisan d'un régime libéral, il dut démissionner après l'assassinat du duc de Berry (1820). Son fils ~ **Louis**, duc (*1819, Paris - 1886, château de la Grave, Gironde*), fut ministre des Affaires étrangères de 1873 à 1877.

**DECAZEVILLE** ~ V. du Rouergue, au N.-O. de Rodez (Aveyron) ; 7 754 h. (agglom. 19 170 h.). Anc. houillères. La ville doit son nom à Élie Decazes.

**DECCAN** ou **DEKKAN** (le) ~ Plateau qui forme la péninsule indienne (alt. moyenne 600 m), au S. de la plaine Indo-Gangétique, socle précambrien dont les rebords montagneux (Ghats) dominent les plaines côtières. C'est l'aire principale d'extension des langues dravidiennes.

**DÈCE**, en lat. *Caius Messius Quintus Valerianus Traianus Decius* ~ *v. 200, Pannonie - 251, Thrace.* Empereur romain (249-251). Il renversa l'empereur Philippe l'Arabe (249), puis, soucieux de rétablir l'unité impériale, persécuta les chrétiens. Il fut tué en combattant les Goths.

**DE CHIRICO** (Giorgio) ~ *1888, Vólos, Grèce - 1978, Rome.* Peintre italien. Il fut le créateur à Paris (1911-1914) d'une peinture « métaphysique » qui recueillit les suffrages des surréalistes, en raison de son caractère mystérieux et inquiétant.

**DÉCINES-CHARPIEU** ~ V. industr. du N.-E. de la communauté urbaine de Lyon (Rhône) ; 24 564 h.

**Déclaration du clergé de France** ou **des quatre articles** ~ Déclaration préparée par Bossuet et approuvée par l'Assemblée du clergé de France (19 mars 1682). Elle affirme les droits du roi et de l'Église de France face à l'autorité du pape, posant ainsi les principes du gallicanisme. [☞ **gallicanisme.**]

**Déclaration universelle des droits de l'homme** ~ Voir **droits de l'homme.**

**DE COSTER** (Charles) ~ *1827, Munich - 1879, Ixelles.* Écrivain belge d'expression française. Il est l'auteur de *la Légende et les Aventures d'Ulenspiegel et de Lamme Goedzak* (1867).

**DECOUX** (Jean) ~ *1884, Bordeaux - 1963, Paris.* Amiral français. Gouverneur de l'Indochine de 1940 à 1945, nommé par le gouvernement de Vichy, il réussit à maintenir la souveraineté française face aux Japonais.

**DECROLY** (Ovide) ~ *1871, Renaix - 1932, Uccle.* Médecin et psychologue belge. Ses conceptions (méthode des centres d'intérêt) ont réformé les méthodes d'enseignement en Belgique et sont appliquées dans des écoles expérimentales en France.

Claude **Debussy** *(détail), portrait de Jacques-Émile Blanche (1861-1942). Musée municipal de Saint-Germain-en-Laye.*

**DÉDALE** ~ Personnage de la mythologie grecque. Architecte et inventeur, il construisit le Labyrinthe pour Minos, roi de Crète. Y étant enfermé pour avoir donné à Ariane le fil qui permit à Thésée de retrouver son chemin après avoir tué le Minotaure, il fabriqua des ailes de cire et de plumes et s'envola avec son fils Icare.

**DEDEKIND** (Richard) ~ *1831, Brunswick - 1916, id.* Mathématicien allemand. Il laissa d'importants travaux en théorie des nombres et en analyse mathématique, dont la théorie des ensembles.

**Défense nationale** (**gouvernement de la**) ~ Gouvernement qui succéda au Second Empire. Il proclama la république le 4 septembre 1870. Présidé par le général Trochu, comptant parmi ses membres L. Gambetta et J. Ferry, il tenta de freiner l'avance prussienne. Le 12 février 1871, il remit ses pouvoirs à l'Assemblée nationale, alors à Bordeaux.

**DEFFAND** (Marie, marquise DU) ~ *1697, château de Chamrond, Bourgogne - 1780, Paris.* Femme de lettres française, célèbre pour son salon littéraire et philosophique.

**DEFFERRE** (Gaston) ~ *1910, Marsillargues, Hérault - 1986, Marseille.* Homme politique français. Maire socialiste de Marseille (1944-1945, 1953-1986), ministre de la France d'outre-mer (1956-1957), ministre de l'Intérieur (1981-1984), il fut l'instigateur des lois de décentralisation (1982).

**DEFOE** ou **DE FOE** (Daniel) ~ *v. 1660, Londres - 1731, Moorfields.* Écrivain anglais. Commerçant, mercenaire, agent secret, auteur de romans réalistes, il s'inspira de l'aventure d'un matelot écossais, Alexander Selkirk, pour le roman qui lui valut la célébrité, *Robinson Crusoé* (1719).

**DEGAS** (Hilaire Germain Edgar **de Gas**, dit Edgar) ~ *1834, Paris - 1917, id.* Peintre, sculpteur et graveur français. Il orienta l'espace selon des points de vue inédits : décentrements, vues en plongée ou en contre-plongée, avec beaucoup de liberté dans la facture. Danse, vie quotidienne et chevaux furent ses thèmes favoris (*la Classe de danse*, 1874 ; *la Sortie de bain*, 1885).

**DE GASPERI** (Alcide) ~ *1881, Pieve Tesino, Trentin - 1954, Sella di Valsugana.* Homme politique italien. Chef historique de la Démocratie chrétienne, président du Conseil (1945-1953), il fut l'artisan de la reconstruction économique et politique de l'Italie. Sur le plan extérieur, il adopta une politique européenne et atlantiste.

**DE GAULLE** (Charles) ~ Voir **Gaulle** (Charles DE).

**DE GRAAF** (Reinier) ~ *1641, Schoonhoven, près d'Utrecht - 1673, Delft.* Médecin et physiologiste hollandais. Il découvrit les follicules ovariens.

**DEGRELLE** (Léon) ~ *1906, Bouillon - 1994, Málaga.* Homme politique belge. Fondateur du mouvement catholique Rex, il prôna la collaboration avec l'Allemagne et commanda les Waffen S. S. wallons. Il dut s'exiler en 1944.

**DE HAVILLAND** (sir Geoffrey) ~ *1882, Haslemere, Surrey - 1965, Londres.* Industriel britannique. Parmi les nombreux appareils qu'il construisit, le Comet (1952) fut le premier avion commercial à réaction.

**DE HOOCH, HOOGHE** ou **HOOGH** (Pieter) ~ *1629, Rotterdam - v. 1684, Amsterdam.* Peintre flamand. Il excella dans des scènes intimistes (*les Joueurs de cartes*) qui rappellent celles de Vermeer.

**Deir el-Bahari** ~ Site archéologique de haute Égypte, sur la rive gauche du Nil, en face de Karnak. Temple funéraire à terrasses de la reine Hatshepsout (XVᵉ s. av. J.-C.).

**DÉJANIRE** ~ Héroïne légendaire grecque. Épouse d'Héraclès, elle provoqua sa mort en lui faisant revêtir une tunique imprégnée de poison offerte par le centaure Nessos.

**DEKKAN** (le) ~ Voir **Deccan.**

**DEKKER** (Thomas) ~ *v. 1572, Londres - v. 1632, id.* Écrivain anglais. Ses romans, drames et comédies dépeignent avec verve le peuple londonien des bas-fonds (*le Jour de fête des cordonniers*, 1599).

**DE KLERK** (Frederik Willem) ~ *1936, Johannesburg.* Homme d'État sud-africain. Président de la République en 1989, il négocia l'abolition de l'apartheid avec Nelson Mandela, qui lui succéda en 1994. Prix Nobel de la paix 1993.

**DE KOONING** (Willem) ~ *1904, Rotterdam - 1997, New York.* Peintre américain d'orig. néerlandaise. Influencée par les avant-gardes européennes, puis par la peinture gestuelle américaine, son œuvre, d'un chromatisme lyrique et violent, est proche de l'abstraction. [☞ **expressionnisme.**]

**DELACROIX** (Eugène) ~ *1798, Saint-Maurice - 1863, Paris.* Peintre et lithographe français. Chef de l'école romantique, il réalisa de vastes compositions (*Scènes des massacres de Scio*, 1824 ; *Mort de Sardanapale*, 1827 ; *la Liberté guidant le peuple*, 1830). On lui doit, à Paris, des peintures murales dans la chapelle des Saints-Anges à l'église Saint-Sulpice (1850-1861) et dans les bibliothèques du Palais-Bourbon et du Sénat. [☞ **orientalisme.**]

**DELAGE** (Louis) ~ *1874, Cognac - 1947, Le Pecq.* Ingénieur et industriel français. Inventeur de plusieurs types de moteur, il construisit des voitures de grand luxe, puis de course.

**DELALANDE** (Michel Richard) ~ *1657, Paris - 1726, Versailles.* Compositeur français. Il porta à son apogée l'art du grand motet et composa des œuvres profanes influencées par la musique italienne (*Symphonies pour les soupers du Roy*).

**DE LA MADRID HURTADO** (Miguel) ~ *1934, Colima.* Homme d'État mexicain. Président de la République (1982-1988), il dut faire face à une grave crise économique et engagea un vaste programme de réformes impopulaires.

**DELAMARE-DEBOUTTEVILLE** (Édouard) ~ *1856, Rouen - 1901, Montgrimont, Seine-Maritime.* Industriel français. Avec Léon Malandin, le mécanicien en chef de sa filature, il mit au point le moteur à explosion à quatre temps et réalisa (1883) la première automobile capable de rouler sur route.

**DELAMBRE** (Jean-Baptiste, dit **le chevalier**) ~ *1749, Amiens - 1822, Paris.* Astronome et géodésien français. Associé à P. Méchain et avec l'aide de Ch. de Borda, il mesura l'arc de méridien terrestre entre Dunkerque et Barcelone (1792-1799). [☞ **mètre.**]

**DELANNOY** (Jean) ~ *1908, Noisy-le-Sec.* Cinéaste français. Réalisateur de *l'Éternel Retour* (1943) et de *la Symphonie pastorale* (1946), il est l'un des représentants de l'académisme français.

**DELAUNAY**, nom de deux artistes français. ~ **Robert** (*1885, Paris - 1941, Montpellier*), peintre d'abord inspiré par Cézanne, apporta au cubisme un jeu de contrastes chromatiques et lumineux propre à briser et à recomposer les formes (séries des « Tour Eiffel », 1909-1910, et des « Fenêtres », 1912). Il alla jusqu'à l'abstraction pure dans certains tableaux (*Formes circulaires*; *Rythmes*). Sa femme ~ **Sonia** (*1885, Odessa - 1979, Paris*), peintre et décoratrice d'orig. russe, travailla la couleur et la composition géométrique (*Bal Bullier*, 1913).

**DELAUNE** (Étienne) ~ *v. 1518, Orléans - 1583.* Orfèvre, graveur et dessinateur ornemaniste français. Ses allégories érudites ont fait de lui un représentant de l'école de Fontainebleau.

**DE LAVAL** (Gustaf) ~ *1845, Orsa, Dalécarlie - 1913, Stockholm.* Ingénieur suédois. Il inventa la turbine à vapeur qui porte son nom (1883).

**DELAWARE** (la) ~ Fl. des États-Unis, issu des monts Catskill (Appalaches), qui arrose Philadelphie et rejoint l'Atlantique par la baie du même nom (basse vallée ennoyée) ; 450 km.

**DELAWARE** (le) ~ État agric. et industr. de l'E. des États-Unis au S. de la Megalopolis ; 5 133 km², 700 000 h., cap. Dover (28 000 h.). **HIST.** - Établissement hollandais, puis suédois, pris par les Anglais en 1664, il forma une colonie autonome en 1704. Il fut le premier des treize États fondateurs de l'Union (1787).

**DELBRÜCK** (Max) ~ *1906, Berlin - 1981, Pasadena.* Biophysicien américain d'orig. allemande. Il travailla, en biologie moléculaire, sur l'A. D. N. et son rôle génétique, et proposa une analyse du phénomène de réplication du virus. Prix Nobel de physiol. ou méd. 1969.

**DELCASSÉ** (Théophile) ~ *1852, Pamiers - 1923, Nice.* Homme politique français. Membre du Parti radical, devenu ministre des Affaires étrangères (1898-1905), il contribua au rapprochement de la France avec l'Italie (1898), au renforcement de l'alliance avec la Russie (1900), et fut l'un des principaux artisans de l'Entente cordiale avec le Royaume-Uni (1904).

**DEL COSSA** (Francesco) ~ *v. 1436, Ferrare - v. 1478, Bologne.* Peintre italien. Maître de l'école ferraraise du XVᵉ s., il peignit not. les fresques de la salle du palais Schifanoia (*les Mois*).

**DELERUE** (Georges) ~ *1925, Roubaix - 1992, Los Angeles.* Compositeur français. Élève de Darius Milhaud, il composa un opéra d'après Boris Vian, *le Chevalier de neige*, et des musiques de film (*Jules et Jim*, de François Truffaut, 1962 ; *Platoon*, d'Oliver Stone, 1986).

**DELESSERT** (Benjamin), baron ~ *1773, Lyon - 1847, Paris.* Industriel et financier français. L'un des premiers industriels à produire du sucre de betterave, il fonda la première caisse d'épargne (1818).

**DELESTRAINT** (Charles) ~ *1879, Biache-Saint-Vaast - 1945, Dachau.* Général français. Chef de l'Armée secrète (1942), il organisa la résistance dans la région lyonnaise. Arrêté par les Allemands en 1943, il mourut en déportation.

**DELEUZE** (Gilles) ~ *1925, Paris - 1995, id.* Philosophe français. Sa réflexion sur le sens et le désir l'amena à s'opposer aux institutions, aux systèmes et à la philosophie occidentale (*Logique du sens*, 1969 ; *l'Anti-Œdipe*, en collaboration avec F. Guattari, 1972).

**DELFT** ~ V. des Pays-Bas (Hollande-Méridionale), au S.-E. de La Haye ; 92 000 h. Univ. technique. Industries mécan. et électrique. Tourisme. Canaux, maisons du XVIᵉ s., hôtel de ville du XVIIᵉ s., beffroi gothique. Musées (Lambert-Van-Meerten). Renommée pour ses faïences (bleu de Delft), elle connut son apogée au XVIIIᵉ s.

**DELHI** ~ V. du Pendjab indien, territoire fédéral frontalier de l'Haryana et de l'Uttar Pradesh, sur la Yamuna, comprenant la cité ancienne, **Old Delhi**, et la ville moderne, **New Delhi**, cap. fédérale ; 7 207 000 h. (agglom. 8 149 000 h.). C'est un grand centre de communications (routier et ferrov.) et de commerce. Artisanat traditionnel (bijoux), industries récentes (alim., text., chim.). Université. Tourisme. La cité ancienne témoigne de la domination musulmane et de la période moghole : mosquée de la Perle (vers 1600), Grande Mosquée (XVIIᵉ s.).

**DELIBES** (Léo) ~ *1836, Saint-Germain-du-Val - 1891, Paris.* Compositeur français. La fraîcheur de ses mélodies ont assuré la célébrité de ses ballets (*Coppélia*, 1870 ; *Sylvia*, 1876) et de ses opéras-comiques (*Lakmé*, 1883).

**DELL'ABATE** (Nicolo) ~ *v. 1509, Modène - v. 1571, Fontainebleau.* Peintre italien. Il fut le principal collaborateur du Primatice à Fontainebleau (*l'Enlèvement de Proserpine*).

**DELLA PORTA** (Giacomo) ~ *v. 1540, Rome - 1602, id.* Architecte italien. Successeur de Michel-Ange, il acheva les édifices entrepris par ce dernier, à Rome, not. la coupole de Saint-Pierre.

**DELLA ROBBIA** (Luca) ~ *1400, Florence - 1482, id.* Sculpteur et céramiste italien. Il réalisa la *Cantoria* (« tribune des chantres ») de la cathédrale de Florence et fit de la terre cuite vernissée un art majeur.

**DELLA ROVERE** ~ Famille italienne originaire de Savone, détentrice du duché d'Urbino (1508-1631), de laquelle sont issus les papes Sixte IV et Jules II.

**DELLA VALLE** (Lorenzo) ~ Voir **Valla**.

**DELLER** (Alfred) ~ *1912, Margate - 1979, Bologne.* Chanteur britannique. Fondateur du Deller Consort, il fit redécouvrir au public la musique élisabéthaine et le registre de haute-contre.

**DELLUC** (Louis) ~ *1890, Cadouin, Dordogne - 1924, Paris.* Cinéaste et critique français. Il initia la critique cinématographique et fonda les ciné-clubs. Le **prix Louis-Delluc** fut créé en 1936 en hommage à ce réalisateur inventif et audacieux (*Fièvre*, 1921 ; *la Femme de nulle part*, 1922).

**DEL MONACO** (Mario) ~ *1915, Florence - 1982, Trévise.* Chanteur italien. Il renouvela l'image du ténor lyrique en donnant à l'expression dramatique la primauté sur la virtuosité.

**DELON** (Alain) ~ *1935, Sceaux.* Acteur, producteur et cinéaste français. Vedette populaire, célèbre not. pour ses rôles de « dur », il a tourné avec L. Visconti (*le Guépard*, 1963), M. Antonioni (*l'Éclipse*, 1962), J. Losey (*Monsieur Klein*, 1970) et J.-L. Godard (*Nouvelle Vague*, 1990).

**DELORME** ou **DE L'ORME** (Philibert) ~ *v. 1515, Lyon - v. 1570, Paris.* Architecte français. Influencé par l'Antiquité romaine, il préfigura à certains égards le classicisme français dans ses constructions (château d'Anet, 1547-1555) et dans ses écrits.

**DELORS** (Jacques) ~ *1925, Paris.* Homme politique français. Membre du parti socialiste, il fut ministre de l'Économie et des Finances (1981-1984), puis, à la tête de la Commission européenne de 1985 à 1995, il fut l'un des artisans de la relance de la construction européenne (traité de Maastricht, 1992).

**DÉLOS** ~ Île grecque de l'archipel des Cyclades. On y vénérait Apollon et Artémis. Premier siège de la ligue dirigée par Athènes au Vᵉ s. av. J.-C., port franc à l'époque romaine, l'île a conservé un important patrimoine architectural.

**DELPHES** ~ V. et centre religieux de la Grèce ancienne, en Phocide, site archéol. proche du golfe de Corinthe, sur le flanc S.-O. du Parnasse. Apollon y disposait d'un sanctuaire et rendait ses oracles par la voix de la Pythie. Tous les quatre ans, les jeux Pythiques étaient organisés en l'honneur d'Apollon. Les fouilles commencées au XIXᵉ s. ont permis de mettre au jour de nombreux monuments et des objets d'art qu'abrite un musée créé en 1903.

*Delphes, tholos du sanctuaire d'Athéna Pronaia sur le site de la Marmaria (390-380 av. J.-C.).*

**DELSARTE** (François) ~ *1811, Solesmes, Nord - 1871, Paris.* Danseur, chanteur et comédien. Il étudia les rapports entre le geste et la voix, et élabora les principes fondamentaux de la modern dance.

**Delta (plan)** ~ Nom donné au programme de construction de digues et de barrages réalisé de 1958 à 1968 et destiné à protéger la Zélande et la Hollande-Méridionale des inondations, et à créer des réserves d'eau douce et des polders.

**DELUMEAU** (Jean) ~ *1923, Nantes.* Historien français. Il a étudié l'histoire des mentalités (*la Peur en Occident, XIVᵉ-XVIIIᵉ s.*, 1978 ; *le Jardin des Délices*, 1992).

**DELVAUX** (Paul) ~ *1897, Antheit, prov. de Liège - 1994, Furnes.* Peintre belge. Quasi irréelles, ses figures féminines confèrent une dimension onirique à des décors symboliques de facture néoclassique (*l'Âge du fer*, 1951).

**DEMACHY** (Robert) ~ *1859, Saint-Germain-en-Laye - 1936, Hennecqueville, Calvados.* Photographe français. Membre du Photo-Club de Paris il fut le chef de file du pictorialisme (1890-1914).

**DÉMADE** ~ *v. 384 - v. 320 av. J.-C.* Orateur et homme politique athénien. Porte-parole, contre Démosthène, des intérêts macédoniens à Athènes il signa avec la Macédoine le traité de paix qui porte son nom (338).

**DEMAVEND** (le) ~ Point culminant de l'Iran (5 600 m), volcan éteint, dans l'Elbourz.

**DÉMÉTER** ~ Déesse grecque des Moissons (identifiée à la Cérès romaine), fille de Cronos et de Rhéa. Hadès ayant enlevé sa fille Perséphone, elle entra comme nourrice au service du roi d'Éleusis. On célébrait en son honneur les thesmophories et les éleusinies, à l'origine des mystères d'Éleusis.

**DÉMÉTRIOS** ~ Nom porté dans l'Antiquité par plusieurs rois des dynasties antigonides et séleucides (Syrie). **Démétrios Iᵉʳ Poliorcète** (*336 - 283 av. J.-C.*), fils d'Antigonos Monophthalmos, roi de Macédoine (294-288 av. J.-C.), domina le monde égéen puis fut fait prisonnier par Séleucos Iᵉʳ (286).

**DE MILLE** (Cecil Blount) ~ *1881, Ashfield - 1959, Hollywood.* Cinéaste américain. Il se consacra aux films à grand spectacle (*les Dix Commandements*, 1923 puis 1956 ; *Sous le plus grand chapiteau du monde*, 1952).

**DEMIREL** (Süleyman) ~ *1924, Islâmköy, près d'Isparta.* Homme d'État turc. Plusieurs fois Premier ministre entre 1965 et 1980, il a été écarté du pouvoir après le coup d'État militaire de 1980. De nouveau Premier ministre en 1991, il a été élu président de la République en 1993.

**démocrate (parti)** ~ Parti politique américain, fondé en 1830 sous la présidence d'Andrew Jackson. Il a bouleversé le système électoral et politique américain (institution de la Convention nationale et du *spoils system*, qui permet à chaque président de renouveler les fonctionnaires). Il se distingue du parti républicain par une politique économique et sociale plus dirigiste, et par une politique étrangère plus interventionniste, not. sous les mandats de Fr. D. Roosevelt, de J. F. Kennedy, de J. Carter et de B. Clinton.

**Démocratie chrétienne** (D. C.) ~ Parti politique italien. Fondée en 1944, la D. C. reprend l'héritage du Parti populaire italien (P. P. I.), fondé en 1919, afin de défendre la doctrine sociale de l'Église catholique. La D. C., qui a dominé la vie politique italienne depuis 1945, a éclaté et disparu en tant que parti politique au début des années 1990, à la suite des scandales et des procès impliquant des centaines de ses responsables. Une de ses fractions a repris depuis 1994 l'ancien nom de Parti populaire italien.

**DÉMOCRITE** ~ *v. 460, Abdère, Thrace - v. 370 av. J.-C., id.* Philosophe grec. Il est, avec Leucippe, l'auteur d'une conception matérialiste et atomiste de l'Univers.

**DE MORGAN** (Augustus) ~ *1806, Madurai, Inde - 1871, Londres.* Mathématicien et logicien britannique. Il développa la théorie des classes et des relations et fut, avec G. Boole, l'un des fondateurs de la logique mathématique.

**DÉMOSTHÈNE** ~ *384, Athènes - 322 av. J.-C., Calaurie.* Homme politique et orateur athénien. Il fut le défenseur de la liberté athénienne contre les ambitions de Philippe de Macédoine (*Philippiques* ; *Olynthiennes*). Au pouvoir entre 340 et 338, il ne put empêcher la défaite des Athéniens et des Thébains devant Philippe à Chéronée (338). Exilé, il encouragea les cités à la révolte après la mort d'Alexandre. Mais après leur défaite, condamné à mort, il préféra s'empoisonner.

**DEMPSEY** (William **Harrison**, dit Jack) ~ *1895, Manassa, Colorado - 1983, New York.* Boxeur américain. Il fut champion du monde des poids lourds de 1919 à 1926.

**DEMY** (Jacques) ~ *1931, Pontchâteau - 1990, Paris.* Cinéaste français. Il a créé un style original, entre opérette française et comédie musicale américaine (*Lola*, 1961 ; *les Parapluies de Cherbourg*, 1964 ; *les Demoiselles de Rochefort*, 1967 ; *Une chambre en ville*, 1982).

**DENAIN** ~ V. industr. du S.-O. de l'agglom. de Valenciennes (Nord), sur l'Escaut ; 19 544 h. Métall., verrerie. Le 24 juillet 1712, le maréchal de Villars y remporta sur le Prince Eugène une victoire qui marqua la fin de la guerre de la Succession d'Espagne.

**Dendérah** ~ Site archéol. de haute Égypte, au N. de Thèbes. Temple d'Hathor (époque ptolémaïque).

**DENEUVE** (Catherine **Dorléac**, dite Catherine) ~ *1943, Paris.* Actrice française. Révélée dans *les Parapluies de Cherbourg* (1964), de J. Demy, elle a imposé son charme et son élégance dans de nombreux films (*Répulsion*, de R. Polanski, 1965 ; *Belle de jour*, de L. Buñuel, 1967 ; *le Dernier Métro*, de Fr. Truffaut, 1980).

*Catherine Deneuve dans* Peau d'Âne *(1970), film de Jacques Demy.*

**DENFERT-ROCHEREAU** (Pierre Philippe) ~ *1823, Saint-Maixent - 1878, Versailles.* Colonel français. La résistance qu'il opposa aux Prussiens à Belfort (1870-1871) permit aux Français de conserver la ville lors du traité de paix avec l'Allemagne en 1871.

**DENG Xiaoping** ou **TENG Siao-p'ing** ~ *1904, Guang'an - 1997, Pékin.* Homme politique chinois. Il fut le compagnon de lutte de Zhou Enlai dès 1922 et de Mao Zedong dès 1933. Ses positions en faveur d'une politique économique pragmatique lui valurent d'être écarté plusieurs fois du pouvoir, not. en 1966, lors de la Révolution culturelle. Installé solidement au pouvoir à partir de 1977, il mena une politique de réforme économique, sans concéder la moindre libéralisation politique (massacre des étudiants en 1989). Il renonça à ses fonctions officielles en 1987, mais resta l'homme fort du régime.

**DENGYÔ DAISHI** ~ *767, Kyôto - 822, mont Hiei.* Nom posthume du religieux japonais Saichô, fondateur de la secte bouddhiste du Tendai.

**DENIKINE** (Anton Ivanovitch) ~ *1872, près de Varsovie - 1947, Ann Arbor, Michigan.* Général russe. Chef des armées russes blanches, il combattit contre les bolcheviks, not. en Ukraine en 1919, mais dut céder devant l'Armée rouge.

**DE NIRO** (Robert) ~ *1943, New York.* Acteur américain. Acteur fétiche de M. Scorsese (de *Mean Streets*, 1973, à *Casino*, 1996), il a également tourné dans des films d'E. Kazan (*le Dernier Nabab*, 1976) ou de Fr. F. Coppola (*le Parrain II*, 1974) et a réalisé *Il était une fois le Bronx* (1994).

**DENIS** ou **DENYS** (saint) ~ *IIIe* s. Premier évêque de Paris (v. 250) et évangélisateur de la Gaule, d'après Grégoire de Tours. Selon une légende du IXe s., il aurait été décapité à Montmartre et aurait porté sa tête jusqu'à son lieu de sépulture, Saint-Denis, où une basilique fut édifiée par Dagobert pour perpétuer son souvenir.

**DENIS** (Maurice) ~ *1870, Granville - 1943, Saint-Germain-en-Laye.* Peintre français. Théoricien du mouvement des nabis, il tenta de rénover la peinture religieuse tout en conservant un style symboliste et décoratif (plafond du théâtre des Champs-Élysées, Paris, 1912-1913).

**DENIS LE LIBÉRAL** ~ *1261, Lisbonne - 1325, Odivelas.* Roi de Portugal (1279-1325). Il favorisa l'essor économique et culturel du pays et fonda l'université de Coimbra (1308).

**DENJOY** (Arnaud) ~ *1884, Auch - 1974, Paris.* Mathématicien français. Il travailla sur la théorie de l'intégration.

**DENNERY**, puis **D'ENNERY** (Adolphe **Philippe**, dit) ~ *1811, Paris - 1899, id.* Dramaturge français, auteur de mélodrames (*les Deux Orphelines*, 1874) et librettiste de Gounod et de Massenet.

**DENON** (Dominique **Vivant**, baron) ~ *1747, Givry - 1825, Paris.* Graveur et administrateur français. Il fut directeur général des Musées sous Napoléon Ier.

**DENVER** ~ V. des États-Unis, cap. du Colorado, au pied des Rocheuses (1 600 m), carrefour ferrov., routier et aérien, centre financier ; 468 000 h. (agglom. 1 623 000 h.). Université. Constr. mécan., aérospatiale, industr. agroalimentaire. Marché du bétail. Installations militaires. Tourisme (sports d'hiver). Musée d'art.

**DENYS**, nom de deux tyrans grecs de Syracuse. ~ **Denys l'Ancien** (*v. 430, Syracuse - 367 av. J.-C., id.*), tyran de Syracuse (405-367 av. J.-C.). Il chassa les Carthaginois de Sicile et établit plusieurs colonies en Italie. Protecteur des lettres (il avait appelé Platon près de lui), il fit de Syracuse un important centre économique. Son fils ~ **Denys le Jeune** (*v. 397 - 344 av. J.-C.*) lui succéda en 367 et poursuivit son œuvre de mécène. Il perdit une première fois le pouvoir en 356, puis en 344, et dut s'exiler définitivement à Corinthe.

**DENYS L'ARÉOPAGITE** (saint) ~ *Ier s.* Premier évêque d'Athènes et martyr, selon les Actes des Apôtres. Il aurait été converti par saint Paul. La tradition, qui le confondit souvent avec saint Denis, lui attribua plusieurs écrits datant du Ve s.

**DENYS D'HALICARNASSE** ~ *m. v. 8 av. J.-C.* Historien grec, auteur des *Antiquités romaines*.

**DÉON** (Michel) ~ *1919, Paris.* Écrivain français. Lié au mouvement littéraire des Hussards, il a exalté dans ses romans la magie des lieux restés en marge de la civilisation moderne (*les Poneys sauvages*, 1970 ; *Un taxi mauve*, 1973). Acad.

**DEPARDIEU** (Gérard) ~ *1948, Châteauroux.* Acteur français. Lancé par B. Blier (*les Valseuses*, 1974), il s'est imposé dans des rôles où se révèle son exceptionnelle présence dramatique. Il a tourné not. avec A. Resnais (*Mon oncle d'Amérique*, 1980), Fr. Truffaut (*le Dernier Métro*, 1980), M. Pialat (*Sous le soleil de Satan*, 1987).

**DEPESTRE** (René) ~ *1926, Jacmel.* Écrivain haïtien. En lutte contre l'hégémonie américaine, ce chantre de la négritude caraïbe s'est exilé à Cuba, puis à Paris (*Un arc-en-ciel pour l'Occident chrétien*, 1967).

**DEPRETIS** (Agostino) ~ *1813, Mezzana Corti, près de Pavie - 1887, Stradella.* Homme politique italien. Plusieurs fois président du Conseil, il négocia l'alliance avec l'Allemagne et l'Autriche-Hongrie (Triple-Alliance, 1882).

**DEPREZ** (Marcel) ~ *1843, Aillant-sur-Milleron, Loiret - 1918, Vincennes.* Physicien français. Il mit au point, avec A. d'Arsonval, le galvanomètre à cadre mobile et réalisa le premier transport industriel d'énergie électrique (1883).

**DE QUINCEY** (Thomas) ~ *1785, Manchester - 1859, Édimbourg.* Écrivain britannique. Son œuvre comprend des essais historiques et littéraires, des romans et des récits autobiographiques, dont les *Confessions d'un mangeur d'opium anglais* (1821).

**DER** (le) ~ Région de l'E. de la Champagne, au S.-O. de Saint-Dizier. La **forêt du Der** (env. 120 km²) a été partiellement ennoyée par le barrage de régularisation de la Marne (**lac du Der** ou **du Der-Chantecoq**).

**DERAIN** (André) ~ *1880, Chatou - 1954, Garches.* Peintre français. Après avoir été l'un des créateurs du fauvisme, il subit l'influence de Cézanne puis restaura les principes de la plénitude classique (*Vue de Cadaquès*, 1910). Son génie éclectique se manifesta aussi après 1939, dans la sculpture, le décor de théâtre et l'illustration.

**DERBY** ~ V. du centre de l'Angleterre (Derbyshire), sur la Derwent, important carrefour de communication ; 219 000 h. L'industrie s'y est développée dès le XVIIIe s. (porcelaine, soie, coton). Constr. aéronautiques et ferroviaires.

**DERBY** (Edward George **Stanley**, 14e comte DE) ~ *1799, Knowsley, Lancashire - 1869, id.* Homme politique britannique. Trois fois Premier ministre (en 1852, 1858 et 1866), partisan du protectionnisme, il s'opposa avec les conservateurs au libre-échange défendu par Robert Peel.

**DERBYSHIRE** (le) ~ Comté industr. et agric. des Midlands (Angleterre) ; 2 629 km², 929 000 h., ch.-l. Matlock. Au N.-O., parc national du Peak District (Pennines). V. princ. Derby, Chesterfield.

**DÉROULÈDE** (Paul) ~ *1846, Paris - 1914, Nice.* Homme politique et écrivain français. Apologiste de la revanche contre l'Allemagne, il soutint Boulanger. Fondateur de la Ligue des patriotes, il tenta de soulever l'armée contre la République en 1899 et, après son échec, il fut banni pour cinq ans.

**DERRIDA** (Jacques) ~ *1930, El-Biar, Algérie.* Philosophe français. Affirmant que rien n'échappe au texte, son œuvre se veut déconstruction de toute parole (*l'Écriture et la différence*, 1967 ; *Politiques de l'amitié*, 1994 ; *Apories*, 1996).

**DESAIX** (Louis Charles Antoine **des Aix**, dit) ~ *1768, château d'Ayat, près de Riom - 1800, Marengo.* Général français. Brillant tacticien, il s'illustra lors de la conquête de la haute Égypte, qu'il administra avec équité, d'où son surnom de Sultan juste. Il joua un rôle décisif dans la bataille de Marengo, au cours de laquelle il trouva la mort.

**DESBORDES-VALMORE** (Marceline) ~ *1786, Douai - 1859, Paris.* Actrice et femme de lettres française, auteur de poésies élégiaques (*Élégies et Romances*, 1819 ; *les Pleurs*, 1833).

René Descartes, *peinture de Frans Hals (v. 1580-1666). Musée du Louvre, Paris.*

**DESCARTES** (René) ~ *1596, La Haye, auj. Descartes, Indre-et-Loire - 1650, Stockholm.* Philosophe, mathématicien et physicien français. En 1619, il imagina les fondements d'une « science admirable », à laquelle il décida de se consacrer entièrement. Insatisfait par deux années d'une vie mondaine et scientifique à Paris, il s'installa en Hollande, où il rédigea l'essentiel de son œuvre. Si la condamnation de Galilée par l'Église (1633) lui fit garder secret son *Traité du monde et le Monde ou Traité de la lumière*, ses premières publications, en 1637 (*Discours de la méthode* et les trois essais *Dioptrique*, *Météores* et *Géométrie*), suscitèrent de nombreuses polémiques autour de ses travaux et réflexions (*Méditations métaphysiques*, 1641 ; *Principes de la philosophie*, 1644 ; *les Passions de l'âme*, 1649).

Voyageur infatigable, il mourut à Stockholm, où il avait été invité par la reine Christine. [☞ **cartésianisme.**]

**DESCHAMPS** (Eustache), dit Eustache **Morel** ~ *v. 1346, Vertus, Champagne - v. 1407, id.* Poète français. Il fut le premier théoricien de la poésie : *l'Art de dictier* (« composer ») *et de faire des chansons* (1392).

**DESCHANEL** (Paul) ~ *1855, Schaerbeeck, Belgique - 1922, Paris.* Homme d'État français. Élu président de la République en janvier 1920 face à Clemenceau, il dut démissionner en septembre, souffrant de troubles mentaux. Acad.

**DESÈZE** ou **DE SÈZE** (Romain, comte) ~ *1748, Bordeaux - 1828, Paris.* Avocat et magistrat français. Il défendit Louis XVI devant la Convention. Acad.

**DE SICA** (Vittorio) ~ *1901, Sora - 1974, Neuilly-sur-Seine.* Cinéaste et acteur italien. Vedette populaire de la scène et de l'écran dans les années 1930, il s'imposa dans les années 1940 comme l'un des créateurs majeurs du néoréalisme (*le Voleur de bicyclette*, 1948 ; *le Jardin des Finzi Contini*, 1971).

**DÉSIRADE (La)** ~ Île corallienne qui dépend de la Guadeloupe (10 km à l'E. de Grande-Terre), ancienne léproserie ; 70 km$^2$, 1 600 h., ch.-l. Grande-Anse.

**DÉSIRÉE** ~ *1777, Marseille - 1860, Stockholm.* Reine de Suède. Fille du négociant François Clary, elle épousa en 1798 le général Bernadotte, qui devint roi de Suède, sous le nom de Charles XIV, en 1818.

**DE SITTER** (Willem) ~ *1872, Sneek - 1934, Leyde.* Astronome et mathématicien néerlandais. Il fit sienne la théorie de la relativité mais, contre Einstein, il postula un univers en expansion constante.

**DESJARDINS** (Martin **Van den Bogaert**, dit Martin) ~ *1640, Breda - 1694, Paris.* Sculpteur français d'orig. néerlandaise. Son style vivant et pittoresque lui valut d'importantes commandes, notamment à Versailles.

**DESMARETS** (Nicolas), seigneur **de Maillebois** ~ *1648, Paris - 1721, id.* Homme politique français. Neveu de Colbert, contrôleur général des Finances (1708-1715), il créa un nouvel impôt, le « dixième » (1710), inspiré des théories de Vauban.

**DES MOINES** ~ V. des États-Unis, cap. de l'Iowa ; 196 000 h. Collèges et université. Commerce et industr. agroalim. (Corn Belt), matériel agricole. Édition. Musée de l'agriculture.

**DESMOULINS** (Camille) ~ *1760, Guise - 1794, Paris.* Publiciste et homme politique français. Il participa aux journées insurrectionnelles des 12, 13 et 14 juillet 1789 puis fut un membre influent du club des Jacobins et de celui des Cordeliers. Il apparut comme l'un des plus brillants journalistes de la Révolution. Député montagnard, lié avec Danton, il s'opposa à Hébert puis à la Terreur menée par Robespierre, qui le fit condamner à mort. Sa femme ~ **Lucile** (*1771, Paris - 1794, id.*) connut le même sort pour avoir protesté contre cette décision.

**DESNA** (la) ~ Affl. du Dniepr (r. g.), né en Russie, à l'E. de Smolensk, qui passe à Briansk, arrose l'Ukraine et conflue en amont de Kiev ; 1 130 km.

**DESNOS** (Robert) ~ *1900, Paris - 1945, Terezín, Tchécoslovaquie.* Poète français. D'abord surréaliste, il évolua vers une poésie onirique plus libre (*la Liberté ou l'Amour*, 1927 ; *Fortunes*, 1942).

**DESPIAU** (Charles) ~ *1874, Mont-de-Marsan - 1946, Paris.* Sculpteur français. En réaction au lyrisme de Rodin, il développa dans ses figures (*le Réalisateur*, 1930) un style très épuré.

**DESPORTES** (François) ~ *1661, Champigneulle, Ardennes - 1743, Paris.* Peintre français. Auteur de portraits, de paysages, de natures mortes, il fut nommé peintre des vèneries de Louis XIV et de Louis XV.

**DESPORTES** (Philippe) ~ *1546, Chartres - 1606, abbaye de Bonport, Normandie.* Poète français. Ses poésies destinées à la cour des Valois furent critiquées par Malherbe, qui les trouva souvent obscures.

**DESPOTAT DE MORÉE** ~ Voir Mistra.

**DESROSIERS** (Léo-Paul) ~ *1896, Berthierville - 1967, Montréal.* Écrivain canadien d'expression française, auteur de récits historiques teintés de régionalisme (*les Opiniâtres*, 1941).

**DESSALINES** (Jean-Jacques) ~ *av. 1758, en Guinée - 1806, Jacmel, Haïti.* Empereur d'Haïti. Esclave noir, il combattit l'esclavage avec Toussaint Louverture. Proclamant l'indépendance de l'île en 1804, il prit le titre d'empereur et régna sous le nom de Jacques Ier. Sa politique autoritaire l'opposa à Christophe et à Pétion, anciens alliés, qui l'assassinèrent.

**DESSAU** ~ V. de l'E. de l'Allemagne (Saxe-Anhalt), port fluvial sur la Mulde, près de son confluent avec l'Elbe ; 93 000 h. Industr. mécan., chimique. Anc. demeure des ducs d'Anhalt (jusqu'en 1918). Musée, château (XVIIIe-XIXe s.), école d'architecture du Bauhaus (1925-1933).

**Destour** (le) ~ Parti politique tunisien. Fondé en 1920, il réclama une Constitution, la fin du protectorat français et l'émancipation du peuple tunisien. En 1934, des conflits internes aboutirent à la formation du **Vieux Destour** et du **Néo-Destour**, dirigé par H. Bourguiba. En 1964, il devint le Parti socialiste destourien, puis, en 1988, le Rassemblement constitutionnel démocratique.

**DESTRÉE** (Jules) ~ *1863, Marcinelle - 1936, Bruxelles.* Homme politique et écrivain belge. Député socialiste, défenseur de la langue française, il lutta pour la reconnaissance de la spécificité wallonne contre l'influence flamande.

**DESTUTT DE TRACY** (Antoine Louis Claude, comte DE) ~ *1754, Paris - 1836, id.* Philosophe français. Chef des idéologues, influencé par les empiristes anglais, il fit de la sensation le principe de toute connaissance, et étendit ce principe à la volonté et au jugement (*Traité de la volonté*, 1815). Acad.

**DETROIT** ~ Port des États-Unis, 1re v. du Michigan, entre le lac Huron et le lac Érié, centre comm., industr. (automobile) et culturel ; 1 028 000 h. Sa population (maj. noire) diminue au profit de la périphérie (Ann Arbor). Fondée en 1701 par un commerçant français (A. de La Mothe Cadillac), elle devint américaine en 1796 et fut à plusieurs reprises le siège de tensions raciales.

**DÉTROITS** (les) ~ Voie maritime reliant la mer Noire à la Méditerranée, formée par le Bosphore, la mer de Marmara et les Dardanelles. Source de multiples conflits internationaux, ils font l'objet depuis la fin du XVIIIe s. de traités successifs visant à en garantir le libre accès.

**DÉTROITS (établissement des)**, en angl. ***Straits Settlements*** ~ Anc. colonie britannique d'Asie du Sud-Est, constituée not. de Singapour, Malacca et Penang. Ces territoires furent intégrés à la fédération de Malaisie de 1948.

**DE TROY**, famille de peintres français. ~ **François** (*1645, Toulouse - 1730, Paris*) est l'auteur de portraits de l'aristocratie et d'artistes de son temps. Son fils ~ **Jean-François** (*1679, Paris - 1752, Rome*) a laissé d'ambitieux cartons de tapisseries bibliques et des tableaux de genre (*le Déjeuner d'huîtres*, 1735).

**DEUCALION** ~ Personnage de la mythologie grecque, fils de Prométhée et roi de Thessalie. Deucalion et sa femme, Pyrrha, furent les seuls rescapés du déluge envoyé par Zeus. Ils repeuplèrent le monde en jetant par-dessus leur épaule des pierres qui se transformèrent en hommes et en femmes.

**DEUIL-LA-BARRE** ~ V. résidentielle du N. de l'agglom. parisienne (Val-d'Oise) ; 19 062 h.

**DEUTSCH DE LA MEURTHE** (Henri) ~ *1846, Paris - 1919, Ecquevilly, Yvelines.* Industriel français. Il encouragea l'essor de l'automobile et de l'aviation et fut l'un des fondateurs de l'Aéro-Club de France.

**DEUX-PONTS**, en all. ***Zweibrücken*** ~ V. de l'O. de l'Allemagne (Rhénanie-Palatinat), près de Sarrebruck ; 33 000 h. Industr. mécanique. Monuments baroques.

**Deux-Roses (guerre des)** ~ Guerre civile qui divisa l'Angleterre de 1455 à 1485. Elle opposa, pour la possession de la Couronne, la maison d'York (rose blanche) à celle de Lancastre (rose rouge). Henri Tudor, de la maison de Lancastre, vainquit Richard III d'York à la bataille de Bosworth et monta sur le trône sous le nom d'Henri VII.

**DEUX-SÈVRES** ~ Voir **Sèvres (Deux-)**.

**DEUX-SICILES (royaume des)** ~ Nom pris entre 1442 et 1458, puis entre 1816 et 1861 par l'ensemble constitué du S. de la péninsule italienn[e] et de la Sicile. Le royaume fut intégré en 1861 a[u] nouveau royaume d'Italie.

**DE VALERA** (Eamon) ~ *1882, New York - 1975 Dublin.* Homme d'État irlandais. Instigateur de l'in[]surrection de 1916 et chef du Sinn Féin, il rejeta l[e] traité de 1921, qui créait l'État libre d'Irlande tout e[n] instaurant la partition du pays. Fondateur du Fianna Fáil, il s'opposa à la politique anglophile de Cosgrave Il lui succéda au pouvoir en 1932, et fit voter la Constitution républicaine en 1937. Il imposa la neu[]tralité de l'Irlande pendant la Seconde Guerre mon[]diale et fut président de la République (1959-1973)

**DEVAUX** (Paul) ~ *1801, Bruges - 1880, Bruxelles* Homme politique belge. Il fut l'un des négociateur[s] du traité de Londres (1830-1831), qui entérinai[t] l'indépendance de la Belgique.

**DEVEREUX** (Georges) ~ *1908, Lugos - 1985, Pa[]ris.* Psychanalyste américain d'origine hongroise. I[l] fut l'un des fondateurs de l'ethnopsychiatrie et u[n] représentant éminent de l'anthropologie culturell[e] (*Essai d'ethnopsychiatrie générale*, 1970).

**DEVÉRIA**, nom de deux peintres français. ~ **Achill[e]** (*1800, Paris - 1857, id.*), auteur de portraits litho[]graphiés des célébrités de son époque (Hugo Lamartine, Liszt), fut un témoin de la vie romanti[]que. Son frère ~ **Eugène** (*1805, Paris - 1865, Pau*) connut une brève renommée pour sa *Naissanc[e] d'Henri IV* (1827).

**DEVÈS** (le) ~ Haut plateau volcanique du Vela[y] (Haute-Loire), dans l'E. du Massif central, culmi[]nant à 1 423 m, entre l'Allier et la Loire. Élevage

**DEVILLE** (Michel) ~ *1931, Boulogne-sur-Seine* Cinéaste français. Auteur de comédies dramatique[s] (*Adorable Menteuse*, 1962), il aborde des sujet[s] sérieux en les traitant sous une forme raffinée (*L[e] Mouton enragé*, 1974 ; *la Lectrice*, 1988).

**DE VISSCHER** (Charles) ~ *1884, Gand - 1973 Bruxelles.* Juriste belge. Juge à la Cour permanent[e] de justice internationale (1937), il est l'auteur d[e] *Théories et réalités en droit international public* (1953 1955, 1960).

**Dévolution (guerre de)** ~ Guerre menée e[n] 1667-1668, à la mort de Philippe IV d'Espagne, pa[r] Louis XIV, qui, se prévalant d'une coutume fla[]mande, dite droit de dévolution, voulut faire valoi[r] les droits de sa femme, Marie-Thérèse, fille aîné[e] du roi d'Espagne, née d'un premier mariage, su[r] ceux de Charles II, fils cadet. Malgré les succès d[e] Turenne et de Condé en Flandre et en Franche-Comté espagnoles, Louis XIV dut renoncer à se[s] prétentions et accepter la paix d'Aix-la-Chapell[e] (2 mai 1668) : la France restitua les territoire[s] conquis, à l'exception de douze places fortes e[n] Flandre, parmi lesquelles Douai et Lille.

**DÉVOLUY** (le) ~ Région peu peuplée des Alpes d[u] Sud (Isère, Hautes-Alpes), au S. de la vallée du Dra[c] et du Trièves, dépression encadrée d'escarpement[s] calcaires (alt. max. 2 790 m à l'Obiou).

**DEVON** ou **DEVONSHIRE** (le) ~ Comté d[u] S.-O. de l'Angleterre, région de collines granitique[s] (Dartmoor) au climat doux, entre la Manche et l[e] canal de Bristol ; 6 703 km$^2$, 1 010 000 h., ch.-l. Exe[]ter. V. princ. Plymouth. Élevage, tourisme balnéaire

**DE VOS** (Cornelis) ~ *1584, Hulst - 1651, Anvers* Peintre flamand. Proche de Van Dyck, il fut u[n] portraitiste rigoureux, à la palette toujours sobre

**DE VOS** (Maarten) ~ *1532, Anvers - 1603, id* Peintre flamand. Ses compositions profuses trahis[]sent l'influence du maniérisme italien.

**DEVOS** (Raymond) ~ *1922, Mouscron.* Artiste d[e] variétés français d'orig. belge. Il est le créateu[r] inspiré d'un « théâtre de l'absurde » poétique, o[ù] le langage, à travers calembours et mises en abyme tient le premier rôle.

**Devotio moderna** ~ Mouvement spiritue[l] d'inspiration mystique apparu aux Pays-Bas à la fi[n] du XIVe s., dont les enseignements, prônant un[e] méditation quotidienne sur la Passion du Christ furent réunis dans l'*Imitation de Jésus-Christ.*

**DEWEY** (John) ~ *1859, Burlington, Vermont - 1952, New York.* Philosophe américain. Pragmatist[e] teinté d'hégélianisme, il développa une théori[e] de la connaissance qu'il appliqua à la pédagogi[e] (*Essai sur l'éducation*, 1910 ; *Essai de logique expérimentale*, 1916).

**DE WITTE** (Emmanuel) ~ *v. 1615, Alkmaar - 1691 ou 1692, Amsterdam.* Peintre flamand. Il sut « animer » l'espace intérieur des églises, par ses décors et ses fresques.

**DHAHRAN**, en ar. ***al-Zahran*** ~ V. d'Arabie Saoudite, près du golfe Persique (Hassa) ; env. 20 000 h. Centre admin. de l'Aramco (Compagnie pétrolière arabo-américaine). Base aérienne américaine, utilisée lors de la guerre du Golfe (1991).

**DHAKA** ~ Voir **Dacca**.

**DHAMASKINÓS** ~ Voir **Damaskinos**.

**DHAULAGIRI** (le) ~ Massif de l'Himalaya central (8 172 m), au Népal, gravi pour la première fois en 1960 par une expédition suisse.

**DHOFAR** (le) ~ Prov. montagneuse (2 000 m) et agric. (pluies de mousson) du S.-O. du sultanat d'Oman. Conquise par le sultan de Mascate (1879), elle fut le théâtre d'une guérilla indépendantiste de 1963 à 1975.

**DHORME** (Édouard) ~ *1881, Armentières - 1966, Roquebrune-Cap-Martin.* Orientaliste français. Directeur de l'École biblique et archéologique française de Jérusalem, il déchiffra les textes en alphabet phénicien de Ras Shamra Ougarit.

**DIABLERETS** (les) ~ Massif des Alpes suisses (alt. max. 3 210 m) qui domine la vallée du Rhône aux environs de Sion.

**DIACRE** (Paul) ~ Voir **Paul Diacre**.

**DIAGHILEV** (Serge DE) ~ *1872, Perm - 1929, Venise.* Imprésario et mécène russe. Il créa les Ballets russes en 1911, qui réunirent danseurs et chorégraphes du Théâtre impérial de Saint-Pétersbourg pour des tournées mondiales autour d'un répertoire classique que Nijinski ouvrit à la danse contemporaine. [☞ **danse**.]

**DIAMIR** (le) ~ Voir **Nanga Parbat**.

**DIANE** ~ Déesse romaine des Bois et de la Chasse, protectrice de la procréation et des accouchements, identifiée avec l'Artémis grecque.

**DIANE DE POITIERS**, duchesse **de Valentinois** ~ *1499, Anet - 1566, id.* Dame française. Veuve de Louis de Brézé, elle devint la maîtresse du roi Henri II, qui lui offrit le château d'Anet.

**DIANE DE VALOIS** ou **DIANE DE FRANCE** ~ *1538, en Piémont - 1619, Paris.* Princesse française. Fille naturelle d'Henri II et de Diane de Poitiers, elle épousa en secondes noces le maréchal François de Montmorency. Favorable à un rapprochement entre catholiques et protestants, elle joua un grand rôle durant les guerres de Religion.

**DIAS** (Bartolomeu) ~ *v. 1450, en Algarve - 1500, au large du cap de Bonne-Espérance.* Navigateur portugais. Il découvrit en 1488 le cap des Tempêtes, rebaptisé peu après cap de Bonne-Espérance.

**Diaspora** (la) ~ Terme d'orig. grecque désignant l'ensemble des communautés juives vivant hors de Palestine. L'exil des Juifs débuta en 721 av. J.-C. lors de la destruction du royaume d'Israël, et se poursuivit avec la chute du Temple de Jérusalem (587 av. J.-C.) et la destruction du second Temple (70). Ils s'installèrent en Orient, puis, à partir du Moyen Âge, en Europe.

**DÍAZ** (Porfirio) ~ *1830, Oaxaca - 1915, Paris.* Général et homme d'État mexicain. Vainqueur de l'empereur Maximilien, président de la République en 1876, il instaura un régime autoritaire tout en réformant l'économie mexicaine. Renversé en 1911, il s'exila à Paris.

**DIAZ DE LA PEÑA** (Narcisse Virgile) ~ *1807, Bordeaux - 1876, Menton.* Peintre français d'orig. espagnole. Influencé tour à tour par Delacroix et par Th. Rousseau, il peignit des sujets exotiques, puis des paysages et des sous-bois à Barbizon.

**DIB** (Mohammed) ~ *1920, Tlemcen.* Écrivain algérien d'expression française. Il témoigna des bouleversements entraînés par la colonisation, puis par la décolonisation (*la Grande Maison*, 1952 ; *Habel*, 1977) avant de se tourner vers une littérature plus hermétique, proche du Nouveau Roman.

**DICK** (Philip Kindred) ~ *1928, Chicago - 1982, Santa Ana, Californie.* Écrivain américain, auteur de romans et de nouvelles de science-fiction (*le Maître du Haut-Château*, 1962 ; *Substance mort*, 1977).

**DICKENS** (Charles) ~ *1812, Landport, Portsmouth - 1870, Gadshill, près de Rochester.* Écrivain britannique. Sa jeunesse malheureuse marqua toute son œuvre et fit de lui l'ennemi de l'idéal victorien du profit (*les Temps difficiles*, 1854) et un ardent réformateur prônant l'altruisme social. Goût du mélodrame, sens de l'humour, passion de la démesure caractérisent ses romans (*les Aventures de M. Pickwick*, 1837 ; *Oliver Twist*, 1838 ; *David Copperfield*, 1849 ; *les Grandes Espérances*, 1861).

**DICKINSON** (Emily) ~ *1830, Amherst, Massachusetts - 1886, id.* Poétesse américaine. Ses poèmes au style dépouillé offrent une méditation sur les paradoxes de la vie et de la nature.

**DIDEROT** (Denis) ~ *1713, Langres - 1784, Paris.* Écrivain et philosophe français. Fils d'un coutelier, il étudie le droit et la théologie, mène à Paris une vie de bohème, rencontre J.-J. Rousseau et Condillac. À partir de 1747, il se consacre à l'*Encyclopédie*, qu'il dirige avec d'Alembert, puis seul. Il apprend vite à dissimuler ses audaces (sa *Lettre sur les aveugles* lui vaut six mois de prison), publiant anonymement *les Bijoux indiscrets* (1748). Il expose ses conceptions philosophiques (*le Rêve de d'Alembert*, 1769) et écrit pour le théâtre (*Paradoxe sur le comédien*, 1773-1778). Ses *Salons* (1759-1781) font de lui l'un des inventeurs de la critique d'art. Libéré de l'*Encyclopédie*, il voyage (1773-1775), séjourne chez Catherine II de Russie. Ses œuvres majeures seront connues par les traductions de Goethe et de Schiller (*le Neveu de Rameau*, 1760-1772, posth., 1805 ; *Jacques le Fataliste et son maître*, v. 1773, posth., 1796). Son œuvre s'élève contre tout esprit de système, sa pensée ne s'appuie que sur l'expérience, et l'exposé philosophique croise la création littéraire. Voir **Encyclopédie**.

**DIDIER** ~ *m. apr. 774.* Dernier roi des Lombards d'Italie (757-774). Il fut renversé par Charlemagne.

**DIDON** ou **ÉLISSA** ~ Princesse de la légende et de la littérature romaines, fondatrice de Carthage et sœur de Pygmalion. Éprise d'Énée, qui l'abandonna sur ordre de Jupiter, elle se donna la mort. Sa passion fut décrite par Virgile dans l'*Énéide*.

**DIDOT**, famille de libraires et imprimeurs français. ~ **François Ambroise** (*1730, Paris - 1804, id.*) créa le caractère et la mesure (le point) typographiques qui portent son nom. ~ **Firmin** (*1764, Paris - 1836, Le Mesnil-sur-l'Estrée, Eure*) inventa la stéréotypie.

**DIDYMES** ~ Anc. cité grecque d'Asie Mineure, près de Milet, en Ionie. Elle abritait un temple et un oracle d'Apollon réputés. Vestiges du sanctuaire.

**DIE** ~ V. du Diois (Drôme), sur la Drôme ; 4 230 h. Vins blancs champagnisés (clairette de Die). Vestiges gallo-romains. Anc. cathédrale romane, reconstruite au XVI^e^ s.

**DIEFENBAKER** (John George) ~ *1895, Newstadt, Ontario - 1979, Ottawa.* Homme politique canadien. Premier ministre conservateur de 1957 à 1963, il lutta contre l'emprise économique américaine.

**DIEGO GARCIA** ~ La plus grande des îles Chagos ; 44 km². Base milit. américaine.

**DIÉGO-SUAREZ** ~ Voir **Antseranana**.

**Diên Biên Phu** ~ Site du N. du Viêt Nam, près de la frontière du Laos. Du 13 mars au 7 mai 1954 s'y déroula une bataille qui vit la défaite de l'armée française face au Viêt-minh, ce qui entraîna la signature des accords de Genève (juill.).

**DIEPPE** ~ Port de pêche, de comm. et de voyageurs (vers l'Angleterre) du pays de Caux (Seine-Maritime), à l'embouchure de l'Arques ; 35 894 h. (agglom. 43 348 h.). Constructions navales et électriques. Églises (XIII^e^-XVII^e^ s.). Musée de l'Ivoire. Casino.

**DIESEL** (Rudolf) ~ *1858, Paris - 1913, en mer.* Ingénieur allemand. Il conçut (1893) et réalisa (1897) un moteur à combustion sans carburateur ni allumage, appelé **moteur Diesel**.

**DIETRICH** (Maria Magdalena, dite Marlene) ~ *1901, Berlin - 1992, Paris.* Actrice américaine d'orig. allemande. Révélée par *l'Ange bleu* (1930), de J. von Sternberg, elle gagna Hollywood, où elle incarna le type de la femme fatale (*la Femme et le Pantin*, de J. von Sternberg, 1935 ; *l'Ange des maudits*, de Fr. Lang, 1952 ; *la Soif du mal*, d'O. Welles, 1958).

**DIETRICH** (Philippe Frédéric, baron DE) ~ *1748, Strasbourg - 1793, Paris.* Homme politique français, maire de Strasbourg. C'est chez lui que Rouget de Lisle chanta pour la première fois *la Marseillaise*. Partisan de la monarchie constitutionnelle, il fut guillotiné sous la Terreur.

**DIEUDONNÉ** (Jean) ~ *1906, Lille - 1992, Paris.* Mathématicien français. Membre du groupe Bourbaki, il est l'auteur de travaux d'analyse fonctionnelle, de topologie, de théorie des groupes et de géométrie algébrique.

**DIEZ** (Friedrich) ~ *1794, Giessen - 1876, Bonn.* Linguiste allemand. Il appliqua les principes de la grammaire comparée à l'étude des langues romanes (*la Grammaire des langues romanes*, 1836-1838).

**DIGNE-LES-BAINS** ~ Préfect. des Alpes-de-Haute-Provence, sur la Bléone (r. g.), au pied des Préalpes de Digne ; 16 087 h. Marché de la lavande. Cathédrale (XV^e^ s.) et église romane.

**DIJON** ~ Préfect. de la Bourgogne et du dép. de la Côte-d'Or, sur l'Ouche et le canal de Bourgogne, carrefour ferroviaire et autoroutier, centre universitaire et d'industr. agroalimentaires ; 146 703 h. (agglom. 230 451 h.). Cour d'appel. Constructions mécan., électr. et électroniques. Cathédrale Saint-Bénigne (XIII^e^-XIV^e^ s.), églises du XIII^e^ au XVIII^e^ s., palais des ducs de Bourgogne (auj. hôtel de ville et musée des Beaux-Arts), vestiges de la chartreuse de Champmol.

**DILI** ~ Port d'Indonésie, ancienne capitale et ville princ. du Timor oriental ; 60 000 h.

**DILLON** (John) ~ *1851, Blackrock - 1927, Londres.* Homme politique irlandais. Il s'illustra dans la lutte pour l'indépendance de son pays et devint le chef du Parti national irlandais (1918).

**DILTHEY** (Wilhelm) ~ *1833, Biebrich - 1911, Seis, Tyrol.* Philosophe et historien allemand. Défenseur de l'historicisme, il opposa à la philosophie hégélienne de l'histoire une conception relativiste du devenir historique.

**DIMITRI DONSKOÏ** ~ *1350, Moscou - 1389, id.* Grand-prince de Moscou (1362-1389). Il battit les Mongols à Koulikovo (1380).

**DIMITROV** (Georgi) ~ *1882, Kovačevci, près de Pernik - 1949, Moscou.* Homme politique bulgare. Il fut durant l'entre-deux-guerres l'un des principaux dirigeants de l'Internationale communiste. Impliqué par les Allemands dans l'incendie du Reichstag, il fut acquitté (1933). Secrétaire général du Komintern, il fut le premier président du Conseil de la république de Bulgarie (1946-1949).

**DINAN** ~ V. tourist. des Côtes-d'Armor, au fond de l'estuaire de la Rance ; 11 591 h. (agglom. 23 416 h.). Nombreux édifices médiévaux : remparts, château de la duchesse Anne, église St-Malo, basilique romane et gothique St-Sauveur. Ancienne place forte du duché de Bretagne.

**DINANT** ~ V. de la prov. de Namur (Belgique), sur la Meuse (r. dr.), à l'O. de l'Ardenne ; 12 000 h. Industrie traditionnelle de la chaudronnerie de cuivre (**dinanderie**). Tourisme. Collégiale Notre-Dame (XIII^e^ s.), citadelle.

1. **Diane de Poitiers** *(détail), peinture du Primatice (1504-1570). Château d'Anet.*

2. *Charles* **Dickens**.

3. Denis **Diderot** *(détail), peinture de Barthélemy Jean Simon (1743-1811). Musée Carnavalet, Paris.*

**DINARD** ~ Station baln. d'Ille-et-Vilaine, face à Saint-Malo, à l'entrée de l'estuaire de la Rance ; 9 918 h. (agglom. 23 714 h.). Casino.

**DINARIQUES (Alpes)** ~ Système montagneux calcaire et granitique du N.-O. des Balkans, entre l'Adriatique et les vallées de la Save et de la Morava, qui culmine dans le Monténégro (Durmitor, 2 522 m). Les régions littorales, marquées par le relief karstique (poljés, vallées sèches), s'opposent à l'intérieur humide et boisé, arrosé par les affluents de la Save. Bauxite, plomb, zinc, fer, lignite. Importante émigration.

**Dinkas** (les) ~ Peuple nilotique du Soudan.

**DIOCLÉTIEN**, en lat. ***Caius Aurelius Valerius Diocles Diocletianus*** ~ *245, près de Salone, Dalmatie - 313, id.* Empereur romain. Officier dalmate, proclamé empereur en 284, il établit un système de gouvernement décentralisé, dans lequel quatre empereurs se répartirent territorialement les tâches (tétrarchie) : en 293, l'Empire fut gouverné par deux augustes – Dioclétien en Orient et Maximien (auguste depuis 286) en Occident –, secondés par deux césars – Galère et Constance Chlore. La tétrarchie permit une défense efficace de l'Empire sur le front extérieur. Sur le front intérieur, Dioclétien lutta à partir de 302 contre la diffusion du christianisme par une politique de persécution. Il abdiqua en 305.

**DIODORE DE SICILE** ~ *Ier s. av. J.-C., Agyrion.* Historien grec. Auteur d'une *Bibliothèque historique* en 40 livres, somme de l'histoire universelle des origines jusqu'à 60 av. J.-C., il reste une source d'informations privilégiée sur le monde antique.

**DIOGÈNE LAËRCE** ou **DE LAËRTE** ~ *IIIe s. apr. J.-C., Laërte, Cilicie.* Écrivain grec. Il est l'auteur de *Vies, doctrines et sentences des philosophes illustres*, importante source doxographique pour la reconstitution des philosophies grecques perdues.

**DIOGÈNE LE CYNIQUE** ~ *413, Sinope - v. 327 av. J.-C.* Philosophe grec, le plus célèbre des cyniques antiques. Moraliste, il s'attaqua violemment à tous les conformismes ; physicien, il plaçait dans l'air infini le principe de toute chose. [☞ **cynisme**.]

**DIOIS** (le) ~ Massif des Préalpes du Sud (Drôme), entre le Vercors et les Baronnies. V. princ. Die.

**Diolas** (les) ~ Peuple d'agriculteurs christianisés de Casamance (Sénégal).

**DIOMÈDE** ~ Personnage de la mythologie grecque. Roi de Thrace, il nourrissait ses montures de chair humaine. Il fut vaincu par Héraclès, qui le fit dévorer par ses propres juments.

**DION** (Albert, marquis DE) ~ *1856, Nantes - 1946, Paris.* Industriel français. Avec Bouton et Trépardoux, il construisit un véhicule à moteur à vapeur (1884), puis, avec Bouton, les célèbres **De-Dion-Bouton**, voitures avec moteur à explosion.

**DION CASSIUS** ~ *v. 155, Nicée - v. 235, id.* Historien grec. Il est l'auteur d'une *Histoire romaine* des origines à 229 apr. J.-C.

**DION CHRYSOSTOME** ~ *v. 30, Pruse, Bithynie - 120, Rome.* Philosophe grec. Il emprunta la plupart de ses thèmes à la tradition cynique. Ses discours ont surtout valeur de document sur la civilisation hellénistique à l'époque impériale.

**DIONYSOS** ~ Dieu grec de l'Ivresse et du Vin (Bacchus des Romains). Fils de Zeus et de Sémélé, persécuté par Héra, il fut initié aux mystères orgiaques par Cybèle, qui l'avait recueilli. Les fêtes organisées en son honneur au printemps (grandes **dionysies**), not. à Athènes, étaient l'occasion de représentations théâtrales où s'illustrèrent Eschyle, Sophocle, Aristophane et Euripide.

**DIOP** (Birago) ~ *1906, Ouakam, Dakar - 1989, id.* Écrivain sénégalais. Militant de la négritude, il a restitué en français les récits de la tradition orale africaine (*les Contes d'Amadou Koumba*, 1947).

**DIOPHANTE** ~ *IIIe* ou *IVe s.* Mathématicien grec. Il laissa une *Arithmétique*, qui est le premier traité d'algèbre connu.

**DIOR** (Christian) ~ *1905, Granville - 1957, Montecatini, Italie.* Couturier français. Il s'imposa en 1947 avec un style novateur, dit new-look.

**DIORI** (Hamani) ~ *1916, Soudouré - 1989, Rabat.* Homme d'État nigérien. Président de la république du Niger en 1960, il fut renversé en 1974 par un coup d'État militaire qui le contraignit à l'exil.

**Dioscures** (les) ~ Voir **Castor et Pollux**.

**DIOUF** (Abdou) ~ *1935, Louga.* Homme d'État sénégalais. Il succéda à L. S. Senghor à la présidence de la République en 1981.

**DIRAC** (Paul) ~ *1902, Bristol - 1984, Tallahassee.* Physicien britannique. Il est l'auteur de la théorie quantique relativiste de l'électron, unifiant ainsi la théorie de la relativité et la mécanique quantique. Prix Nobel de phys. 1933 avec E. Schrödinger.

**Direction de la surveillance du territoire (D. S. T.)** ~ Service de la police nationale créé en 1944 et chargé de lutter, sur le territoire national, contre des menées étrangères susceptibles de nuire à la sécurité de la France.

**Directoire** (le) ~ Régime politique français qui fit la transition entre le gouvernement révolutionnaire et le Consulat (26 oct. 1795-9 nov. 1799). Le pouvoir exécutif fut confié à un Directoire composé de cinq membres. Confronté à de graves difficultés financières et au mécontentement de la population, menacé par une coalition européenne, le régime fut renversé par Bonaparte à son retour d'Égypte (coup d'État du 18 brumaire).

**DIRICHLET** (Gustav **Lejeune-**) ~ *1805, Düren - 1859, Göttingen.* Mathématicien allemand. Il fit d'importantes recherches sur les séries trigonométriques, la théorie des nombres et les fonctions.

**DISDÉRI** (André Adolphe Eugène) ~ *1819, Paris - 1889, id.* Photographe français. Il fut portraitiste officiel de Napoléon III et dans la plupart des cours d'Europe. Inventeur de la carte de visite photographique, il fit entrer la photographie dans le domaine de la production industrielle.

**DISNEY** (Walter Elias, dit Walt) ~ *1901, Chicago - 1966, Burbank, Californie.* Cinéaste d'animation et producteur américain. Il créa Mickey Mouse en 1928, puis la série des *Silly Symphonies* dès les débuts du parlant. Il fonda sa société et produisit en 1937 le premier long métrage d'animation en couleurs, *Blanche-Neige et les sept nains.* À la tête d'un véritable empire commercial, il réalisa aussi des fictions (*Vingt Mille Lieues sous les mers*, 1954 ; *Mary Poppins*, 1964), des documentaires, et créa en 1955 un premier parc d'attraction, Disneyland, en Californie. Après sa mort, ses successeurs ont développé ses activités.

*Djenné, la grande mosquée.*

**DISRAELI** (Benjamin), comte **de Beaconsfield** ~ *1804, Londres - 1881, id.* Homme politique et écrivain britannique. Membre puis chef du parti conservateur, il fut Premier ministre en 1868, puis de 1874 à 1880. Il défendit l'impérialisme britannique, et fit proclamer la reine Victoria impératrice des Indes (1876). Au congrès de Berlin (1878), il contra l'avance russe dans les Balkans.

**DIVES** (la) ~ Fl. côtier de Normandie (100 km) issu du Perche, qui arrose l'O. du pays d'Auge (Calvados) et rejoint la Manche à **Dives-sur-Mer**, port de pêche et station balnéaire (5 344 h.).

**DIVISIA** (François) ~ *1889, Tizi Ouzou, Algérie - 1964, Paris.* Économiste français, auteur d'ouvrages sur la monnaie, l'un des fondateurs de l'économétrie.

**Dix (Conseil des)** ~ Tribunal secret créé à Venise en 1310, destiné à veiller à la sûreté de l'État.

**DIX** (Otto) ~ *1891, Untermhaus bei Gera, Thuringe - 1969, Singen, Bade-Wurtemberg.* Peintre et graveur allemand. D'abord proche de l'expressionnisme puis de dada, son style devint réaliste et sa peinture dénota une idéologie critique à l'égard de la société bourgeoise (*Sylvia von Harden*, 1926). [☞ **expressionnisme**.]

**Dix Mille (retraite des)** ~ Retraite, de la Babylonie à Pergame, des mercenaires grecs de Cyrus le Jeune après la défaite de Counaxa (401 av. J.-C.). Elle fut conduite par Xénophon, qui l'a décrite dans l'*Anabase*.

**DIYARBAKIR** ~ V. industr. du S.-E. de la Turquie (Anatolie), sur le haut Tigre ; agglom. 560 000 h. (importante popul. kurde). Remparts (citadelle du IVe s.), Grande Mosquée médiévale. Romaine (298), perse (359), puis arabe (640), elle fut intégrée à l'Empire ottoman en 1517.

**DJAHIZ** (Abu Uthman Amr ibn Bahr **al-**) ~ *v. 776, Bassora - v. 868, id.* Écrivain arabe. Il laissa un traité de rhétorique et des œuvres d'inspiration scientifique.

**DJAKARTA** ~ Voir **Jakarta**.

**DJALAL AL-DIN RUMI** ~ *1207, Balkh, Khorassan - 1273, Konya.* Poète mystique persan, fondateur de l'ordre des derviches tourneurs. Sa poésie est empreinte des principes du soufisme.

**DJAMAL AL-DIN AL-AFGHANI** ~ *1838, Asadabad - 1897, Istanbul.* Penseur persan musulman. Il contribua au regain de l'islam au XIXe s.

**DJAMILA**, anc. **Djemila** ~ V. d'Algérie, au N.-E. de Stif ; env. 25 000 h. Ruines de l'anc. colonie romaine de Cuicul (thermes, arc de triomphe, théâtre).

**DJARIR** ~ *m. v. 728 à Uthayfiyya.* Poète arabe, maître du panégyrique et de la satire, l'un des fondateurs de la poésie arabe classique.

**DJEDDA** ou **DJEDDAH** ~ 3e v. et port princ. de l'Arabie Saoudite, sur la mer Rouge (Hedjaz) ; 1 500 000 h. Centre de transit des pèlerins vers les villes saintes. Industries agroalim., métall., chimique. Services bancaires.

**DJEM (el-)** ~ V. de Tunisie, entre Sousse et Sfax ; 28 000 h. Artisanat. Vestiges de la ville romaine de Thysdrus (amphithéâtre, mosaïques des IIe et IIIe s.). Tourisme.

**DJEMAL PACHA** (Ahmad) ou **CEMAL PAŞA** (Ahmed) ~ *1872, Mytilène - 1922, Tiflis.* Général et homme politique turc. L'un des chefs des Jeunes-Turcs, il fut l'artisan de l'entrée en guerre de l'Empire ottoman aux côtés de l'Allemagne en 1914. Il fut assassiné.

**DJENNÉ** ~ V. du Mali, au S. de la plaine de Macina (env. 10 000 h.), anc. centre comm. et religieux musulman, annexé par le Songhaï (1473).

**DJERBA** ~ Grande île touristique de Tunisie, au S. du golfe de Gabès ; 514 km², env. 100 000 h. Pêche.

**DJERID (chott el-)** ~ Grande dépression fermée (5 000 km²) du S. de la Tunisie, partiellement occupée par des eaux salées, bordée au N.-O. par des oasis (Tozeur, Nefta).

**DJÉZIREH** (la) ~ Plateau semi-aride qui sépare le Tigre et l'Euphrate, au N. de Bagdad (Syrie, Iraq). Cult. irriguées, céréales au N. (zone déjà mise en valeur par les Assyriens).

**DJIBOUTI (république de)** ~ Pays de la Corne de l'Afrique, à l'entrée de la mer Rouge. ***Cap.*** Djibouti (353 000 h.), port d'escale et exportateur. ***Superf.*** 23 200 km². ***Popul.*** 695 000 h., dont Issas (50 %), Afars (35 %). ***Langues princ.*** Arabe, français, afar, issa. ***Monn.*** Franc de Djibouti. ***Climat.*** Désertique et torride. ***Écon.*** Élev. (ovin, caprin), comm. portuaire. **HIST.** - Le territoire fut initialement occupé par les Oromos et les Afars. *1896* : la Côte française des Somalis est créée. *1898* : le port de Djibouti devient le débouché de l'Éthiopie (voie ferrée). *1946-1977* : la colonie devient territoire d'outre-mer – le territoire français des Afars et des Issas (1967) –, puis république indépendante (1977), sous la présidence d'Hassan Gouled Aptidon, réélu depuis. *1991-1994* : essor, puis échec d'un mouvement de guérilla chez les Afars, écartés du pouvoir.

**DJIDJELLI** ~ Voir **Jijel**.

**DJOSER** ou **ZOZER** ~ Roi égyptien. Fondateur de la IIIe dynastie (v. 2700 av. J.-C.), il fit construire la première pyramide à degrés, à Saqqarah.

**DJOUBA** (le) ~ Fl. d'Afrique de l'Est, issu des hauts massifs éthiopiens, seul cours d'eau pérenne de Somalie, au S. du pays ; 1 000 km. Sa vallée forme un étroit couloir cultivé (céréales, fruits).

**DJOUNGARIE** (la) ~ Voir **Dzoungarie.**

**DJURDJURA** ou **JURJURA** (le) ~ Massif de Kabylie (Algérie) où culmine l'Atlas tellien (2 308 m), à env. 100 km d'Alger. Sports d'hiver.

**DNIEPR** (le) ~ L'un des fl. les plus longs d'Europe (le 3e après la Volga et le Danube) ; 2 200 km (bassin 500 000 km²). Né en Russie (plateau du Valdaï), il draine l'E. de la Biélorussie, draine le centre de l'Ukraine et rejoint la mer Noire par un delta. Hydroélectricité (barrage du **Dnieprogues**).

**DNIESTR** (le) ~ Fl. d'Europe orientale ; 1 352 km. Né en Ukraine, il forme en partie la frontière avec la Moldavie et rejoint la mer Noire par un delta.

**DÖBLIN** (Alfred) ~ *1878, Stettin - 1957, Emmendingen.* Écrivain allemand. Son roman le plus connu, *Berlin Alexanderplatz* (1929), est une suite d'évènements racontés selon un point de vue objectif excluant toute dimension psychologique.

**DOBROUDJA** (la) ~ Région d'Europe orientale située essentiellement en Roumanie, entre la mer Noire et le Danube (delta), plateau calcaire aux sols fertiles ; 14 485 km², v. princ. Constanța. Agric. irriguée (céréales, fruits, vin). Sur le littoral, pêche, tourisme et industries. **HIST.** - La Roumanie reçut des Ottomans le Nord (1878). Elle enleva à la Bulgarie (1913) le Sud, qu'elle dut lui restituer en 1940.

**DOBZHANSKY** (Theodosius) ~ *1900, Nemirov, Russie - 1975, Davis, Californie.* Généticien américain d'orig. russe. Ses travaux sur la génétique des populations ont fait progresser les théories néodarwiniennes.

**DODDS** (Alfred) ~ *1842, Saint-Louis, Sénégal - 1922, Paris.* Général français. Il vainquit le roi Behanzin et prit possession du Dahomey (1893).

**DODÉCANÈSE** (le) ou **SPORADES DU SUD** (les), en gr. *Dodekánissa*, « les douze îles » ~ Archipel grec de la mer Égée (île princ. Rhodes), proche de la Turquie. Possession ottomane, il fut conquis par les Italiens (1912) puis rattaché à la Grèce (1947).

**DODERER** (Heimito VON) ~ *1896, Weidlingau, près de Vienne - 1966, Vienne.* Écrivain autrichien. Il a décrit la société viennoise et l'effondrement des valeurs héritées de la tradition austro-hongroise (*le Secret de l'Empire*, 1930 ; *les Démons*, 1956).

**DODOMA** ~ Nouvelle cap. de la Tanzanie (elle remplace Dar es-Salaam), à l'intérieur du pays, à 1 135 m d'alt. ; 204 000 h. Marché agricole.

**DODONE** ~ Ville de la Grèce antique, en Épire, siège d'un des plus anciens oracles de Zeus.

**Dogons** (les) ~ Peuple d'agriculteurs animistes d'orig. mandingue réfugié sur les falaises de Bandiagara, au Mali.

**DOHA** ou **DAWHA (al-)** ~ Cap. et port du Qatar, sur le golfe Persique ; agglom. 314 000 h. (3/5 de la popul. du pays). Industr. liées au pétrole.

**DOIRE**, en ital. *Dora* ~ Nom de deux riv. italiennes (Piémont) aux larges vallées alpines, affl. du Pô (r. g.) : la **Doire Baltée** (160 km), formant le Val d'Aoste, et la **Doire Ripaire** (125 km).

**DOISNEAU** (Robert) ~ *1912, Gentilly - 1994, Paris.* Photographe français. Sensible à la culture populaire, il a laissé d'émouvants et savoureux témoignages de Paris et de sa banlieue.

**DOISY** (Edward) ~ *1893, Hume, Illinois - 1986, Saint Louis.* Biochimiste américain. Il synthétisa la vitamine K et mena des travaux sur les hormones (insuline, œstrogènes). Prix Nobel de physiol. ou méd. 1943 avec Henrik Dam.

**DOL-DE-BRETAGNE** ~ V. de Bretagne (Ille-et-Vilaine), au S.-E. de Saint-Malo ; 4 629 h. Le **marais de Dol**, petite région fertile, forme la partie colmatée de la baie du Mont-Saint-Michel.

**DOLE** ~ V. industr. et comm. du Jura, sur le Doubs inférieur et le canal du Rhône au Rhin ; 26 577 h. (agglom. 31 904 h.). Collégiale Notre-Dame (XVIe s.). Maisons des XVe-XVIIIe s. Musées. Anc. capitale de la Franche-Comté et siège d'une université avant l'annexion à la France (1678).

**DOLET** (Étienne) ~ *1509, Orléans - 1546, Paris.* Imprimeur et humaniste français. Défenseur de la tolérance religieuse et éditeur d'ouvrages jugés hérétiques, il périt sur le bûcher.

**DOLGOROUKOV** ou **DOLGOROUKI** ~ Famille princière russe. Plusieurs de ses membres jouèrent un rôle politique sous les règnes de Pierre le Grand, de Catherine Ire et de Pierre II.

**DOLIN** (Patrick **Healey-Kay**, dit Anton) ~ *1904, Slinford, Sussex - 1983, Neuilly-sur-Seine.* Danseur et chorégraphe britannique. Il débuta dans les Ballets russes (1921), puis fonda sa propre compagnie (1935-1938). Chorégraphe de *Rhapsody in Blue* (1928), il contribua au renouvellement des ballets anglais et américains.

**DOLLARD DES ORMEAUX** (Adam) ~ *1635, Les Ormeaux - 1660, Long-Sault, Canada.* Officier français. Il fut tué par les Iroquois avec seize de ses compagnons, après une résistance héroïque.

**DOLLFUSS** (Engelbert) ~ *1892, Texing - 1934, Vienne.* Homme politique autrichien. Chancelier en 1932, il instaura un régime autoritaire et corporatiste inspiré du fascisme. Il s'opposa à l'Anschluss et fut assassiné par les nazis.

**DÖLLINGER** (Johann Ignaz VON) ~ *1799, Bamberg - 1890, Munich.* Prêtre et historien allemand. Adversaire de l'ultramontanisme et du dogme de l'infaillibilité pontificale, il fut excommunié en 1871 et fonda l'Église schismatique des « vieux-catholiques ».

**DOLOMIEU** (Dieudonné ou Déodat **de Gratet** DE) ~ *1750, Dolomieu - 1801, Châteauneuf.* Géologue français. Il étudia les volcans, classa les laves, décrivit les basaltes et les calcaires, et donna son nom à la **dolomie** et au **massif des Dolomites.**

**DOLOMITES** (les) ~ Massif calcaire des Alpes italiennes (Trentin - Haut-Adige), entre les vallées de la Piave et de l'Adige, qui culmine à 3 342 m (Marmolada). Ses paysages ruiniformes (tours, pentes d'éboulis) attirent alpinistes et touristes. Sports d'hiver (Cortina d'Ampezzo).

**DOLTO** (Françoise) ~ *1908, Paris - 1988, id.* Psychanalyste française. Privilégiant l'observation du rapport du sujet à son corps (*le Cas Dominique*, 1971), elle se spécialisa dans la psychanalyse de l'enfant et communiqua son expérience au grand public.

**DOMAGK** (Gerhard) ~ *1895, Lagow, Brandebourg - 1964, Burgberg, Forêt-Noire.* Médecin allemand, précurseur de la chimiothérapie par les sulfamides. Prix Nobel de physiol. ou méd. 1939.

**DOMAT** (Jean) ~ *1625, Clermont-Ferrand - 1696, Paris.* Jurisconsulte français. Janséniste et ami de Pascal, il est l'auteur de travaux raisonnés sur les lois françaises et le droit romain.

**DOMBES** (la) ~ Plateau sableux et argileux (dépôts morainiques) du S.-O. de l'Ain, parsemé d'étangs. Élev. bovin, cult. maraîchères.

**DOMBROWSKA** (Maria) ~ Voir **Dąbrowska.**

**DÔME (monts)** ou **CHAÎNE DES PUYS** ~ Ensemble de volcans éteints d'Auvergne, datant du Quaternaire. Situés sur la bordure occidentale de la Grande Limagne (1 465 m au **puy de Dôme**), ils se prolongent au S. par le Mont-Dore (parc naturel régional des volcans d'Auvergne).

**DOMENICO VENEZIANO** ~ *v. 1405, Venise - 1461, Florence.* Peintre italien. Proche de Fra Angelico et maître de Piero della Francesca, il fut l'un des premiers à travailler les rapports de la couleur et de la lumière.

**DOMINGO** (Plácido) ~ *1941, Madrid.* Ténor espagnol. Révélé en 1966 à New York, il a joué dans des films d'opéra (*Carmen* ; *la Traviata* ; *Otello*) et s'est imposé dans un répertoire varié, des *Troyens* à *Tannhäuser*, des *Contes d'Hoffmann* à la *Tosca.*

**DOMINGUÍN** (Luis Miguel **González Lucas**, dit) ~ *1926, Madrid - 1996, Andojar.* Torero espagnol. Il acquit une réputation internationale dans les années 1940-1950.

**DOMINICAINE (République)** ~ État des Grandes Antilles qui occupe la partie E. de l'île montagneuse d'Haïti. ***Cap.*** Saint-Domingue. ***Superf.*** 48 442 km². ***Popul.*** 7 770 000 h., dont mulâtres (70 %), Blancs (15 %), Noirs (15 %). ***Langue princ.*** Espagnol. ***Monn.*** Peso. ***Climat.*** Tropical, tempéré par l'alt. et les alizés. ***Écon.*** Agric. d'export. (café, cacao, sucre, tabac), exploit. du nickel, tourisme. ***V. princ.*** Saint-Domingue, Santiago de los Caballeros. **HIST.** - *1492* : Christophe Colomb découvre l'île et la nomme Hispaniola. *XVIe-XVIIe s.* : colonisation espagnole et extermination des indigènes. *1697* : partage de l'île entre l'Espagne (Saint-Domingue) et la France (Haïti) lors des traités de Ryswick. *1795* : l'Espagne cède sa colonie à la France par le traité de Bâle. *1801* : après la révolte des esclaves, Toussaint Louverture prend possession de l'île. *1814* : l'Espagne récupère la partie orientale de l'île. *1821* : Saint-Domingue est annexée par Haïti. *1844* : insurrection et proclamation de la république indépendante de Saint-Domingue. *1861-1865* : nouvelle occupation espagnole. *1916-1924* : occupation américaine. *1930-1961* : dictature du général Rafael Leónidas Trujillo, assassiné en 1961. *1963* : l'armée renverse le président libéral Juan Bosch ; début de la guerre civile. *1965* : intervention armée des États-Unis pour contrer le « danger communiste ». *1966* : élection de Joaquín Balaguer, qui gouverne avec l'appui de l'armée et des États-Unis. *1978-1986* : présidences de gauche (Antonio Guzmán Fernández, Jorge Blanco). *1986* : réélection de J. Balaguer, qui conserve la présidence en 1990 et 1994. *1996* : Leonel Fernández est élu président.

**DOMINIQUE (commonwealth de)** ~ Île volcanique montagneuse et État des Petites Antilles. ***Cap.*** Roseau. ***Superf.*** 751 km². ***Popul.*** 74 000 h., dont Noirs (90 %). ***Langue princ.*** Anglais, créole. ***Monn.*** Dollar des Caraïbes orientales. ***Climat.*** Humide et chaud. ***Écon.*** Banane, noix de coco, élev., pêche, tourisme. **HIST.** - *1493* : découverte par Christophe Colomb de l'île, peuplée d'Indiens Caraïbes. *XVe-XVIIIe s.* : occupations française et britannique. *1978* : indépendance dans le cadre du Commonwealth.

**DOMINIQUE** (saint) ~ *v. 1170, Caleruega, prov. de Burgos - 1221, Bologne.* Religieux castillan. Pour endiguer les progrès de l'hérésie cathare, il fonda en 1215 l'ordre mendiant des Frères prêcheurs (ou Dominicains), approuvé en 1216 par Honorius III.

**DOMINIQUIN** (Domenico **Zampieri**, dit **il Domenichino**, en fr. **le)** ~ *1581, Bologne - 1641, Naples.* Peintre italien. Disciple d'A. Carrache, il travailla à Rome un style très classique, face au baroque triomphant (*Chasse de Diane*, 1616-1620).

**DOMITIEN**, en lat. ***Titus Flavius Domitianus*** ~ *51, Rome - 96, id.* Empereur romain (81-96). Fils de l'empereur Vespasien et successeur de son frère Titus, bon administrateur, il renforça la frontière fortifiée du N. de l'Empire et la prolongea jusqu'au Danube. Confronté à d'incessants problèmes financiers, il accentua la centralisation du pouvoir et suscita l'hostilité de l'aristocratie sénatoriale, à laquelle il répondit par l'instauration d'un régime de terreur, qui conduisit à son assassinat.

**DOMODOSSOLA** ~ V. du N. de l'Italie (Piémont), à la sortie du tunnel du Simplon (nœud ferrov. entre Milan et Lausanne) ; env. 20 000 h.

**DOMRÉMY-LA-PUCELLE** ~ Village du plateau lorrain (Vosges), au S.-O. de Nancy ; 182 h. Maison natale de Jeanne d'Arc (musée).

**DON** (le), anc. **Tanaïs** ~ Fl. de Russie né en Russie centrale, tribut. de la mer d'Azov (1 870 km, bassin 420 000 km²). Princ. affl. Donetz. Relié par canal à la Volga, navigable jusqu'à Voronej, c'est un grand axe du trafic commercial. Hydroélectricité.

**DONAT** ~ *m. v. 355 en Gaule ou en Espagne.* Évêque de Casae Nigrae, en Numidie. Fondateur du donatisme, il fut déposé et exilé par l'empereur Constantin Ier.

**DONATELLO** (Donato **di Betto Bardi**, dit) ~ *1386, Florence - 1466, id.* Sculpteur italien. Il emprunta d'abord au gothique international la grâce féminine de ses lignes (*David vainqueur de Goliath*, 1408). Son *Saint Marc* (1412) rompit avec cette manière et amorça la série, plus massive et plus abrupte, de ses prophètes. Bien avant les sculpteurs de sa génération, il assimila la perspective, qu'il appliqua à ses décorations d'églises. Si elles doivent beaucoup à l'Antiquité, la tribune des chantres du Dôme de Florence (1433-1439) et la statue équestre du condottiere Gattamelata à Padoue (bronze, 1453) ouvrirent la voie aux artistes de la Renaissance.

**DONBASS** (le) ~ Bassin houiller (60 000 km²) partagé entre l'Ukraine (rives du Donetz) et la Russie. Exploité depuis le XVIIIe s., il a donné naissance dès le XIXe s. à une importante industrie lourde (métallurgique, chimique, mécanique) et à une quinzaine de villes de plus de 100 000 h. (Donetsk, Rostov-sur-le-Don).

**DON CARLOS** ~ Voir **Charles de Bourbon**.

**DONEGAL** (le) ~ Comté isolé du N.-O. de la république d'Irlande (prov. d'Ulster), région montagneuse aux côtes déchiquetées ; 4 830 km$^2$, 128 000 h., ch.-l. Lifford. Élev. ovin. Tourisme.

**DONEN** (Stanley) ~ *1924, Columbia.* Cinéaste et chorégraphe américain. Il a réalisé, avec G. Kelly, des comédies musicales (*Chantons sous la pluie*, 1952 ; *Beau fixe sur New York*, 1955), puis, seul, de pétillantes comédies (*Arabesque*, 1966).

**DONETSK**, anc. **Stalino** (de 1924 à 1961) ~ V. du S. de l'Ukraine, princ. centre industr. du bassin houiller du Donbass ; 1 121 000 h. Sidér., métallurgie, constr. mécaniques.

**DONETZ** (le) ~ Riv. de Russie et d'Ukraine, affl. du Don (r. dr.), limite N.-E. du Donbass ; 1 016 km.

**DONGES** ~ Port pétrolier annexe du port autonome de Nantes - Saint-Nazaire (Loire-Atlantique), sur l'estuaire de la Loire ; 6 377 h.

**Dongs** (les) ~ Peuple du S. de la Chine.

**DÔNG SON** ~ Village et site archéol. du Viêt Nam (Tonkin). Il donna son nom à une brillante civilisation de l'âge du bronze (IVe-IIIe s. av. J.-C.).

**DONGTING** ou **TONG-T'ING** (le) ~ Grand lac du Hunan (Chine centrale), régulateur naturel du Yangzi Jiang ; env. 5 000 km$^2$.

**DONG Yuan** ou **TONG Yuan** ~ *Xe s., Zhongling, auj. Nankin.* Peintre chinois. Sa virtuosité dans l'usage de l'encre monochrome fait de lui l'un des maîtres du paysage chinois et de l'école du Sud.

**DÖNITZ** (Karl) ~ *1891, Berlin - 1980, Aumühle, près de Hambourg.* Amiral allemand. Commandant de la flotte sous-marine (1935) puis de la marine allemandes (1943), il fut désigné par Hitler comme son successeur en mai 1945. Il tenta de négocier une paix séparée à l'Ouest, mais dut accepter la capitulation. Il fut condamné à dix ans de prison au procès de Nuremberg.

**DONIZETTI** (Gaetano) ~ *1797, Bergame - 1848, id.* Compositeur italien. Il composa 71 opéras d'une grande intensité dramatique (*l'Elixir d'amour*, 1832 ; *Lucia di Lammermoor*, 1835), ainsi que des opéras bouffes (*Don Pasquale*, 1843).

**DONN** (Jorge) ~ *1947, Buenos Aires - 1992, Lausanne.* Danseur argentin. Il inspira les chorégraphies de M. Béjart (*Messe pour le temps présent*, 1967 ; *Bakti*, 1969 ; *Nijinski, clown de Dieu*, 1971).

**DONNE** (John) ~ *1572, Londres - 1631, id.* Poète et prédicateur anglais, principal représentant de la poésie métaphysique (*Satires* ; *Sonnets sacrés*).

**DONNEAU DE VISÉ** (Jean) ~ *1638, Paris - 1710, id.* Écrivain français. Il fonda en 1672 *le Mercure galant*, gazette littéraire qui connut le succès.

**DONSKOÏ** (Mark) ~ *1901, Odessa - 1981, Moscou.* Cinéaste soviétique. Élève d'Eisenstein, il délivra une vision généreuse de la condition humaine dans une trilogie adaptée de Gorki (*l'Enfance de Gorki*, 1938 ; *En gagnant mon pain*, 1939 ; *Mes universités*, 1940).

**DONZÈRE** ~ V. de la vallée du Rhône (r. g.), au S. de Montélimar (Drôme) ; 4 265 h. Le canal de dérivation du Rhône, dit de **Donzère-Mondragon**, alimente la première usine hydroélectrique française, à Bollène.

**DOPPLER** (Christian) ~ *1803, Salzbourg - 1853, Venise.* Mathématicien et physicien autrichien. Il découvrit la variation de fréquence d'un son perçu en fonction de la distance entre sa source et l'observateur (**effet Doppler**, 1842).

**DORAT** (Jean **Dinemandi**, dit) ~ *1508, Limoges - 1588, Paris.* Humaniste français. Auteur de poèmes en latin et en grec, il eut pour élèves Ronsard et du Bellay, et appartint à la Pléiade.

**DORDOGNE** (la) ~ L'un des princ. affl. de la Garonne (r. dr.), issue des flancs du puy de Sancy, qui coule dans le Limousin et en Aquitaine, arrose Bergerac et Libourne et conflue au bec d'Ambès pour former la Gironde ; 472 km. Aménagements hydroélectriques.

**DORDOGNE** (la) ~ Dép. le plus septentrional de la Région Aquitaine, transition entre la frange occidentale du Massif central et le Bassin aquitain, correspondant aux plateaux du Périgord (moins de 300 m), drainés par la Dronne, l'Isle et l'Auvézère au N., la Dordogne et la Vézère au S. ; 9 222 km$^2$, 386 365 h. Activité agropastorale traditionnelle sur les plateaux (châtaignes, noix, truffes), élev. laitier. Cultures spécialisées dans les vallées (vergers, tabac, fraises, vigne : vins de Bergerac et de Monbazillac). Élevage d'oies et de canards (foie gras). Quelques industries (agroalim. surtout) se concentrent dans les vallées autour des villes principales, Périgueux (préfect.) et Bergerac. Vestiges préhist. dans des grottes et abris-sous-roche de la vallée de la Vézère (Lascaux, Les Eyzies). Tourisme.

**DORDRECHT** ~ Port fluvial de Hollande-Méridionale (Pays-Bas), au S.-E. de Rotterdam ; agglom. 113 000 h. Métall., chim., constructions navales. Maisons anc., église du XIVe s. **HIST.** - Importante place commerciale dès le Moyen Âge (ville hanséatique) et lieu de résidence des comtes de Hollande, la ville devint au XVIe s. un centre du calvinisme néerlandais (synode de 1618-1619).

**DORE** (la) ~ Affl. de l'Allier (r. dr.), issu des monts du Livradois (Auvergne), qui arrose Ambert et conflue en amont de Vichy ; 140 km.

**DORE (monts)** ~ Voir **Mont-Dore** (massif du).

**DORÉ** (Gustave) ~ *1832, Strasbourg - 1883, Paris.* Peintre, dessinateur et graveur français. Il fut un maître de l'illustration d'œuvres littéraires (Dante, Rabelais, Cervantès, Balzac).

**DORGELÈS** (Rolland **Lécavelé**, dit Roland) ~ *1885, Amiens - 1973, Paris.* Écrivain français. Auteur de chroniques montmartroises et d'un roman sur la Première Guerre mondiale, *les Croix de bois* (1919).

**DORIA** ~ Famille patricienne de Gênes. Elle fut à la tête de la faction gibeline de la ville pendant le Moyen Âge, et compta parmi ses membres des marins, des hommes d'État et des savants.

**Doriens** (les) ~ Peuple de guerriers indo-européens venus des régions danubiennes. Formant la seconde vague hellénique, ils conquirent une grande partie de la Grèce, détruisirent la civilisation mycénienne et repoussèrent les Achéens (vers 1200 av. J.-C.).

**DORIOT** (Jacques) ~ *1898, Bresles, Oise - 1945, près de Sigmaringen, Bade-Wurtemberg.* Homme politique français. Membre du comité central du parti communiste (1923), député-maire de Saint-Denis, il fut exclu du Parti (1934) puis évolua vers l'extrême droite. Fondateur du Parti populaire français (1936). Il fut, sous l'Occupation, l'un des artisans de la collaboration avec l'Allemagne : il créa, avec M. Déat, la L. V. F., et combattit aux côtés des Allemands sur le front russe.

**DORMOY** (Marx) ~ *1888, Montluçon - 1941, Montélimar.* Homme politique français. Député puis sénateur socialiste de l'Allier, ministre de l'Intérieur du Front populaire (1936-1938), il fut assigné à résidence par le gouvernement de Vichy et assassiné sur ordre de la Cagoule.

**DORNIER** (Claude, dit Claudius) ~ *1884, Kempten, Bavière - 1969, Zoug, Suisse.* Industriel allemand. Il créa 150 types d'avions pour la firme qui porte son nom.

**DORPAT** ~ Voir **Tartu**.

**DORSALE GUINÉENNE** ~ Plateau granitique de l'Afrique de l'Ouest (Guinée, Sierra Leone, Liberia, Côte d'Ivoire), prolongé au N. par le Fouta-Djalon. Elle culmine au mont Loma (1 948 m).

*Ossuaire de* **Douaumont** *(Meuse) : monument français qui commémore les massacres de la Première Guerre mondiale.*

© G. Chazot-Explorer

**DORSALE TUNISIENNE** ~ Ensemble de chaînes montagneuses de l'intérieur de la Tunisie, qui s'abaissent d'O. en E. (cap Bon), prolongement oriental de l'Aurès et de l'Atlas saharien.

**DORSET** (le) ~ Comté du S. de l'Angleterre, bordé par la Manche ; 2 653 km$^2$, 645 000 h., ch.-l. Dorchester (14 000 h.). Région agric. de collines crayeuses, au climat doux et au littoral varié (rochers ou falaises). Stations balnéaires de Bournemouth et de Weymouth.

**DORTMUND** ~ V. de l'O. de l'Allemagne (Rhénanie-du-Nord - Westphalie), dans le bassin de la Ruhr ; 601 000 h. Rattachée au canal **Dortmund-Ems**, elle est devenue un important port fluvial. Sidérurgie, industrie chim., agroalimentaire, brasseries. Secteur tertiaire très développé. Université. Détruite en grande partie pendant la Seconde Guerre mondiale, elle a conservé des églises médiévales (Marienkirche).

**DOS PASSOS** (John Roderigo) ~ *1896, Chicago - 1970, Baltimore.* Écrivain américain. Ses romans décrivent l'Amérique comme une terre d'oppression minée par le capitalisme. Ils procèdent par découpage et juxtaposition de modes divers d'écritures (*Manhattan Transfer*, 1925 ; *42e Parallèle*, 1930 ; *la Grosse Galette*, 1936).

**DOS SANTOS** (José Eduardo) ~ *1942, Luanda.* Homme d'État angolais. Président de la République depuis 1979, il signa les accords d'Estoril (1991) pour le retour à la paix civile.

**DOSSO DOSSI** (Giovanni **di Luteri**, dit) ~ *v. 1490, Ferrare - v. 1542, id.* Peintre italien. Dans ses tableaux mythologiques et religieux, il allia le chromatisme vénitien au classicisme romain.

**DOST MUHAMMAD** ~ *1793 - 1863, Herat.* Émir de Kaboul. Il combattit les Britanniques, qu'il parvint à repousser en 1843.

**DOSTOÏEVSKI** (Fiodor Mikhaïlovitch) ~ *1821, Moscou - 1881, Saint-Pétersbourg.* Écrivain russe. Fils d'une mère profondément chrétienne et d'un médecin major, il fréquenta le cercle fouriériste de Saint-Pétersbourg, où, arrêté en 1839, il fut condamné à mort, puis gracié et envoyé au bagne — les *Souvenirs de la maison des morts* (1861) en donnent un portrait saisissant. Après sa libération, sa passion pour le peuple russe, sa compassion pour les pauvres gens et sa foi dans le christianisme affermies, il défendit une modernisation de la Russie dans le respect des traditions. C'est l'époque des *Mémoires écrits dans un souterrain* (1864), fulgurante attaque contre les lois de la raison et les valeurs occidentales, qu'il poursuivit avec *le Joueur* et *Crime et Châtiment* (1866). Il fuit les créanciers en Occident (1867-1871) et, contre l'immoralisme capitaliste et l'athéisme socialiste, il dressa la figure christique du prince Mychkine dans *l'Idiot* (1868). Ce furent ensuite *l'Éternel Mari* (1870), *les Possédés* (1872) et le *Journal d'un écrivain* (1873-1881), mais son art culmina avec *les Frères Karamazov* (1880). Mettant sa psychologie au service de sa métaphysique, revenant sans cesse aux relations fondamentales entre l'homme, Dieu, le mal et la liberté, Dostoïevski renouvela profondément le roman.

**DOU** (Gérard) ~ *1613, Leyde - 1675, id.* Peintre flamand. Influencé par Rembrandt, dont il fut l'élève, il s'imposa par la minutie de ses scènes de genre et la subtilité de sa lumière (*le Médecin*, 1653 ; *la Femme hydropique*, 1663).

**DOUAI** ~ V. de l'anc. bassin houiller du Nord - Pas-de-Calais, sur la Scarpe (Nord) ; 42 175 h. (agglom. 199 562 h.). Cour d'appel. Industries métall., chimique. C'est un carrefour fluvial (canal Dunkerque-Valenciennes, canal du Nord), ferrov. et autoroutier. Beffroi des XIVe-XVe s. Musée de la Chartreuse.

**DOUALA** ~ V. et port princ. du Cameroun, au fond du golfe de Guinée, métropole écon. (industr. text. et agroalim., pêche, comm. d'import-export) ; env. 1 000 000 d'h.

**DOUARNENEZ** ~ Port de pêche du Finistère S., au N.-O. de Quimper, en Cornouaille ; 16 457 h. Conserveries de poisson. Musée du Bateau.

**DOUAUMONT** ~ Village de la Meuse, sur les Hauts de Meuse. Français et Allemands se disputèrent son fort (févr.-oct. 1916) au cours de la bataille de Verdun. Les restes d'env. 300 000 soldats y ont été recueillis dans un ossuaire.

**DOUBAÏ** ~ Voir **Dubay**.

**DOUBLE** (la) ~ Région argileuse et marécageuse du Bassin aquitain, à l'O. de Périgueux (Dordogne), entre les cours de l'Isle et de la Dronne.

**DOUBS** (le) ~ Riv. de l'E. de la France, qui coule princ. dans le Jura, d'où il est issu ; 430 km. Son cours sinueux suit les plis parallèles du massif, formant des lacs (Saint-Point) et des chutes (**saut du Doubs**). Il pénètre en Suisse, revient en France, où il traverse Besançon et Dole, avant de rejoindre la Saône (r. g.).

**DOUBS** (le) ~ Dép. de la Région Franche-Comté, limitrophe de la Suisse et limité à l'O. par l'Ognon ; 5 228 km$^2$, 484 770 h. Relief étagé du S.-E. au N.-O. : montagne jurassienne le long de la frontière (1 300-1 500 m), plateaux au centre (800-900 m) et avant-pays jurassien (env. 600 m) s'abaissant vers la trouée de Belfort. Le réseau hydrographique du Doubs enserre l'ensemble du département. Exploitation forestière et production laitière (comté). Industrie montagnarde dispersée et en crise (horlogerie, bois, textile). Les deux principaux pôles industriels (horlogerie, outillage, automobiles) sont Besançon (préfect.) et Montbéliard (usines Peugeot).

**DOUCHANBE,** anc. **Stalinabad** (de 1929 à 1961) ~ Cap. du Tadjikistan ; 592 000 h. Industr. textile (coton, soie), agroalim., construction de machines agricoles.

**DOUDART DE LAGRÉE** (Ernest) ~ *1823, Saint-Vincent-de-Mercuze, Isère - 1868, Dongchuan, Yunnan.* Officier de marine français. Il prépara par ses repérages géographiques l'établissement de la France en Chine du Sud et en Indochine.

**DOUÉ-LA-FONTAINE** ~ V. angevine, au S.-O. de Saumur (Maine-et-Loire) ; 7 260 h. Horticulture (roses). Arènes (XV$^e$-XVII$^e$ s.) dans d'anciennes carrières de falun. Vestiges médiévaux. Habitat troglodytique. Combats durant l'insurrection vendéenne de 1793.

**DOUGLAS** ~ Port, v. princ. et ch.-l. de l'île de Man, sur la côte E. (Grande-Bretagne), en mer d'Irlande ; 22 000 h. Tourisme.

**DOUGLAS** ~ Famille d'Écosse rivale des Stuarts, opposée à l'autorité anglaise (XIII$^e$-XV$^e$ s.).

**DOUGLAS-HOME** (sir Alexander Frederick) ~ *1903, Londres - 1995, Coldstream, Borders.* Homme politique britannique. Il présida le parti conservateur (1963-1965), fut Premier ministre (1963-1964), puis ministre des Affaires étrangères d'E. Heath (1970-1974).

**DOUGLASS** (Frederick) ~ *v. 1817, Turkahoe, Maryland - 1895, Washington.* Journaliste noir américain. Il milita pour l'abolition de l'esclavage et fut conseiller du président Lincoln pendant la guerre de Sécession.

**DOUKAS** ~ Famille byzantine, dont sont issus les empereurs d'Orient Constantin X (1059-1067), Michel VII (1071-1078) et Alexis V (1204).

**DOUMER** (Paul) ~ *1857, Aurillac - 1932, Paris.* Homme d'État français. Membre du parti radical, il fut deux fois ministre des Finances et gouverneur général de l'Indochine (1897-1902). Élu président de la République en 1931, il fut assassiné par un exilé russe.

**DOUMERGUE** (Gaston) ~ *1863, Aigues-Vives, Gard - 1937, id.* Homme d'État français. Il fut président du Conseil en 1913-1914, du Sénat en 1923, puis président de la République (1924-1931). Rappelé à la présidence du Conseil après le 6 février 1934, il constitua un gouvernement d'« Union nationale ». La gauche s'opposant à ses projets de réforme constitutionnelle, il démissionna en novembre et se retira de la vie politique.

**Doura-Europos** ~ Site archéologique de Syrie, sur l'Euphrate. Ancienne ville mésopotamienne, rebâtie par les Séleucides vers 300 av. J.-C.

**DOURBIE** (la) ~ Riv. du S. du Massif central ; 80 km. Elle coule en gorges entre le causse Noir et le causse du Larzac et rejoint le Tarn (r. g.) à Millau.

**DOURDAN** ~ V. de la vallée de l'Orge, au S.-O. de l'agglom. parisienne (Essonne), en lisière de la **forêt domaniale de Dourdan** ; 9 043 h. Ancienne capitale du Hurepoix. Donjon (XIII$^e$ s.), église gothique remaniée, hôtel-Dieu (XVII$^e$-XVIII$^e$ s.).

**DOURO** (le), en esp. ***Duero*** ~ Fl. de la péninsule Ibérique, issu des monts Ibériques, qui draine le N. de la Castille et traverse le Portugal en gorges (retenues) ; 850 km. Il rejoint l'Atlantique après Porto.

**DOUVE** (la) ~ Fl. côtier qui draine la presqu'île du Cotentin (Manche) ; 64 km. Son estuaire (marais de la baie des Veys) échancre la côte est.

Sir Francis **Drake**, *miniature d'Isaac Olivier (v. 1556-1617). Victoria and Albert Museum, Londres.*
© Bridgeman-Giraudon

**DOUVRES**, en angl. ***Dover*** ~ V. du S.-E. de l'Angleterre (Kent), sur le pas de Calais, au S.-E. de Londres, important port de voyageurs vers la France, la Belgique et les Pays-Bas ; env. 35 000 h. Station balnéaire. Château du XII$^e$ s. sur les falaises. **HIST.** - Un traité secret y fut conclu entre la France et l'Angleterre (22 mai 1670), dans lequel Charles II d'Angleterre s'engageait à se convertir au catholicisme et à apporter son soutien à Louis XIV.

**DOUZE** (la) ~ Voir **Midouze**.

**Douze Tables (loi des)** ~ Première législation écrite de Rome (v. 450 av. J.-C.), gravée sur douze tables de bronze.

**DOVJENKO** (Aleksandr Petrovitch) ~ *1894, Sosnitsa, Ukraine - 1956, Moscou.* Cinéaste soviétique. Il réalisa deux des plus beaux films muets soviétiques, *Arsenal* (1929) et *la Terre* (1930), dont le propos didactique n'excluait pas une grande poésie charnelle. Il fut censuré par Staline.

**DOWDING** (sir Hugh) ~ *1882, Moffat, Écosse - 1970, Tunbridge Wells.* Maréchal de l'air britannique. Il joua un rôle décisif dans la bataille d'Angleterre (juin 1940).

**DOWLAND** (John) ~ *1563, Londres - 1626, id.* Luthiste et compositeur anglais. Ses *ayres* (airs) à une ou plusieurs voix ainsi que ses pièces pour luth et ensemble de violes sont des chefs-d'œuvre de la musique élisabéthaine.

**DOWNS** (les) ~ Double alignement de collines crayeuses (alt. max. 270 m) du S.-E. de l'Angleterre, limitant le Weald au N. et au S. Il domine la côte entre Portsmouth et Eastbourne. Élevage ovin.

**DOYLE** (sir Arthur **Conan**) ~ *1859, Édimbourg - 1930, Crowborough, Sussex.* Écrivain britannique, créateur du détective Sherlock Holmes, héros de ses nombreux romans policiers (*le Chien des Baskerville*, 1902).

**DRAA** ou **DRA (oued)** ~ Oued du Sud marocain, issu du Haut Atlas, intermittent après Ouarzazate, qui contourne au S. l'Anti-Atlas ; 1 000 km. Oasis sur son cours (palmiers dattiers). Segment contesté de la frontière algéro-marocaine.

**DRAC** (le) ~ Affl. de l'Isère, issu du Champsaur, qui conflue à Grenoble ; 150 km. Sa vallée constitue la partie S. du Sillon alpin. Hydroélectricité.

**DRACON** ~ *VII$^e$ s. av. J.-C.* Législateur athénien. Il donna à Athènes ses premières lois écrites, réputées pour leur sévérité (**lois draconiennes**).

**DRAGUIGNAN** ~ V. du Var, en bordure des contreforts des Alpes du Sud ; 30 183 h. (agglom. 37 419 h.). École d'application de l'artillerie. Confection, chaussures. Tour de l'Horloge (XVII$^e$ s.), palais épiscopal (XVIII$^e$ s.). Musée de Provence.

**DRAIS** (Karl Friedrich), baron **von Sauerbronn** ~ *1785, Karlsruhe - 1851, id.* Ingénieur allemand. En 1816, il expérimenta à Paris la **draisienne**, ancêtre de la bicyclette.

**DRAKE** (sir Francis) ~ *v. 1540, Tavistock, Devon - 1596, au large de Portobelo, Panamá.* Navigateur anglais. Il mena plusieurs expéditions contre les colonies espagnoles et effectua, de 1577 à 1580, un tour du monde au cours duquel il atteignit les côtes du Chili et du Pérou. Il prit part, en 1588, à la victoire sur l'Invincible Armada.

**DRAKE (détroit de)** ~ Partie de l'océan Antarctique qui sépare la Terre de Feu de la péninsule Antarctique.

**DRAKENSBERG** (le) ~ Chaîne montagneuse et escarpement formant le rebord méridional et oriental du Veld sud-africain (3 480 m à la frontière du Lesotho et du Natal). Tourisme.

**DRANCY** ~ V. de la banlieue N.-E. de Paris (Seine - Saint-Denis) ; 60 707 h. Constr. mécan. et électroniques. Un camp de transit y fut établi en août 1941, d'où partirent jusqu'en 1944 plusieurs milliers de Juifs déportés.

**DRAPER** (Henry) ~ *1837, Prince Edward County, Virginie - 1882, New York.* Astronome américain. Le premier, il photographia les spectres stellaires (1872) et en dressa un catalogue (*Draper Catalogue*, 1890), ancêtre de l'actuelle classification de Harvard.

**DRAVE** (la) ~ L'un des princ. affl. du Danube (r. dr.), issu des Alpes carniques, qui arrose la Carinthie autrichienne, le N. de la Slovénie et de la Croatie (frontière avec la Hongrie) ; 720 km.

**DRAVEIL** ~ V. de la banlieue S. de Paris (Essonne), sur la Seine, près d'Évry ; 27 867 h. Industries alim., électrique.

**Dravidiens** (les) ~ Populations fixées dans le S. de l'Inde, présentes aussi au Sri Lanka. Parlant des langues non indo-européennes, elles comptent plus de cent millions d'individus.

**DRAYTON** (Michael) ~ *1563, Hartshill, Warwickshire - 1631, Londres.* Poète anglais, auteur de récits tragiques et de poésies historiques (*la Ballade d'Azincourt*, 1606).

**DREISER** (Theodore) ~ *1871, Terre Haute, Indiana - 1945, Hollywood.* Écrivain américain. Ses romans inaugurent le naturalisme américain (*Sister Carrie*, 1900).

**DRENTHE** (la) ~ Province du N.-E. des Pays-Bas, aux sols pauvres et sablonneux voués à l'élev. ; 2 680 km$^2$, 451 000 h., ch.-l. Assen (52 000 h.), v. princ. Emmen. Industrialisation récente. La province fut acquise par Charles Quint en 1536.

**DRESDE**, en all. ***Dresden*** ~ V. de l'E. de l'Allemagne, sur l'Elbe, cap. du land de Saxe, centre industriel (mécan. de précision, électron., chim.) et culturel (Gemäldegalerie, musées, théâtres) ; 483 000 h. Université technique. **HIST.** - Ville baroque embellie par les souverains saxons (XVII$^e$-XVIII$^e$ s.), elle fut presque anéantie par un bombardement allié (13-14 févr. 1945).

**DREUX** ~ V. industr. de l'Eure-et-Loir, au confluent de la Blaise et de l'Eure ; 35 230 h. (agglom. 48 191 h.). Industrie pharmaceut., constr. électr. et électroniques. Église (XIII$^e$-XVI$^e$ s.), beffroi (XVI$^e$ s.), chapelle royale St-Louis (XIX$^e$ s.).

**DREUX-BRÉZÉ** (Henri Évrard, marquis DE) ~ *1766, Paris - 1829, id.* Gentilhomme français. Grand maître des cérémonies du roi de France, il tenta, sur l'ordre de Louis XVI, de disperser les députés du tiers état le 23 juin 1789.

**DREYER** (Carl Theodor) ~ *1889, Copenhague - 1968, id.* Cinéaste danois. Son thème de prédilection fut celui de la liberté individuelle face au bien et au mal. Le réalisme dépouillé de son style s'affirme dans ses œuvres muettes (*le Maître du logis*, 1925 ; *la Passion de Jeanne d'Arc*, 1928) et parlantes (*Dies irae*, 1943 ; *Gertrud*, 1964).

**DREYER** (Johan) ~ *1852, Copenhague - 1926, Oxford.* Astronome danois, auteur d'un catalogue, le N. G. C., qui répertorie plus de 10 000 nébuleuses et galaxies observées visuellement (1888).

**DREYFUS** (Alfred) ~ *1859, Mulhouse - 1935, Paris.* Officier français. Issu d'une famille juive alsacienne, il fut accusé d'espionnage (sur la base de preuves trafiquées) au profit de l'Allemagne, dégradé et condamné à la déportation en Guyane (1894). Mais l'affaire rebondit en 1896, lorsque le commandant Picquart, chef du service de renseignements de l'armée, informé des relations de l'officier Esterházy avec l'Allemagne, fit traduire ce dernier en conseil de guerre, où il fut cependant acquitté (janv. 1898). Quelques mois plus tard, le suicide du colonel Henry, convaincu d'être l'auteur des faux ayant entraîné la condamnation de Dreyfus, ouvrit la voie au procès en révision (Rennes, 1899), à l'issue duquel Dreyfus fut condamné à dix ans de réclusion, avant d'être gracié par le président de la République, É. Loubet, à la demande du gouvernement. Il faudra attendre 1906 (avec l'avènement du Bloc des gauches) pour voir le procès de Rennes cassé et Dreyfus réhabilité et réintégré dans l'armée, décoré de la Légion d'honneur et promu chef de bataillon (juillet). L'**affaire Dreyfus** constitua l'une des crises politiques majeures de la IIIe République. Divisant l'opinion en deux camps (dreyfusards et antidreyfusards), elle opposa la gauche, qui devait formuler à cette occasion ses thèmes fondateurs (défense des droits de l'homme, laïcité, antimilitarisme), à la droite nationaliste et autoritaire, obsédée par la revanche sur l'Allemagne, regroupée autour de la Ligue de la patrie française puis du comité de l'Action française. Ce fut l'occasion de la première apparition dans le débat public des intellectuels, généralement dreyfusards (not. Zola, auteur de la célèbre lettre ouverte au président de la République « J'accuse », publiée dans *l'Aurore* en 1898).

**DRIEU LA ROCHELLE** (Pierre) ~ *1893, Paris - 1945, id.* Écrivain français. Hanté par la décadence, thème central de ses romans (*Gilles*, 1939) et de ses nouvelles (*le Feu follet*, 1931), il adopta des positions fascistes pendant la Seconde Guerre mondiale et se suicida à la Libération.

**droits (Déclaration des)**, en angl. ***Bill of Rights*** ~ Texte fondateur de la nouvelle monarchie anglaise après la révolution de 1688. Élaborée par le Parlement et acceptée par Guillaume III et Marie II (févr. 1689), elle réaffirmait les pouvoirs du Parlement face au roi.

**droits de l'homme (Déclaration universelle des)** ~ Déclaration adoptée par l'Assemblée générale des Nations unies le 10 déc. 1948. Elle confirme et étend les droits fondamentaux reconnus dans les déclarations antérieures.

**droits de l'homme (Ligue des)** ~ Association fondée en 1898 par le sénateur dreyfusard Ludovic Trarieux, pour faire respecter les principes de la Déclaration des droits de l'homme et du citoyen. Apolitique à l'origine, elle est en fait associée à l'histoire de la gauche française.

**droits de l'homme et des libertés fondamentales (Convention européenne de sauvegarde des)** ~ Convention signée en 1950, entrée en vigueur en 1953 et ratifiée par les États membres du Conseil de l'Europe. Elle protège les libertés et prévoit un droit de recours individuel devant la Cour européenne des droits de l'homme.

**droits de l'homme et du citoyen (Déclaration des)** ~ Déclaration adoptée le 26 août 1789 par l'Assemblée nationale constituante. Composée d'un préambule et de dix-sept articles, elle s'inspire des grands textes américains et britanniques et des principes de la philosophie des Lumières pour proclamer l'existence des droits inaliénables et universels de l'homme (l'égalité politique, le respect de la propriété, la liberté d'expression et de croyance), ainsi que la souveraineté de la nation et l'autorité de la loi.

**DRÔME** (la) ~ Affl. méridional du Rhône (r. g.), issu des Préalpes du Diois, qu'il sépare du Vercors, au N. ; 110 km. La Drôme arrose Die.

**DRÔME** (la) ~ Dép. méridional de la Région Rhône-Alpes, limité à l'O. par le Rhône sur 150 km ; 6 576 km$^2$, 414 072 h. Enclave du Vaucluse au S., autour de Valréas. La moitié E. appartient aux Préalpes (Vercors, Diois, Baronnies), la moitié O. à la plaine rhodanienne. La Drôme est drainée par les affl. de la r. g. du Rhône descendus des Alpes (Isère, Drôme). Un déséquilibre s'observe entre l'E. voué à la forêt, à l'élev. (ovin et bovin) et aux cult. méditerranéennes (lavande, olivier) et le bas pays, axe économique du dép. : cult. maraîchères irriguées, fruitières, vignobles (crus de l'Hermitage et de Crozes-Hermitage dans le N.). Complexe nucléaire du Tricastin, barrages hydroélectr. sur le Rhône, industries (agroalimentaire, chimie, mécanique, électronique, cartonnage, confection) dans les villes princ. : Valence (préfect.), Romans, Montélimar.

**DRONNE** (la) ~ Riv. du Bassin aquitain, issue du Limousin, affl. de l'Isle (r. dr.) et sous-affl. de la Dordogne, qui arrose Brantôme ; 189 km.

**DROPT** (le) ~ Affl. périgourdin de la Garonne (r. dr.) ; 125 km.

**DROUAIS** (François Hubert) ~ *1727, Paris - 1775, id.* Peintre français. Portraitiste habile, il eut la faveur des grands de son temps (*la Comtesse du Barry en Flore*, 1771).

**DROUET** (Jean-Baptiste) ~ *1763, Sainte-Menehould - 1824, Mâcon.* Homme politique français. Fils du maître de poste de Sainte-Menehould, il reconnut Louis XVI, en fuite, et le fit arrêter à Varennes le 21 juin 1791.

**DROUET** (Julienne **Gauvain**, dite Juliette) ~ *1806, Fougères - 1883, Paris.* Comédienne française. Elle entretint, de 1833 à sa mort, une liaison avec Victor Hugo.

**DROUOT** (Antoine) ~ *1774, Nancy - 1847, id.* Général français. Artilleur surnommé le Sage de la Grande Armée, il participa à toutes les campagnes de l'Empire et accompagna Napoléon à l'île d'Elbe.

**Drouot (hôtel)** ~ Hôtel des ventes et siège de la Compagnie des commissaires-priseurs de Paris, dans le IXe arrondissement.

**DRTIKOL** (František) ~ *1883, Příbam, Bohême - 1961, Prague.* Photographe tchèque. Portraitiste pictorialiste, elle évolua vers l'expressionnisme et les avant-gardes (1920-1930). Elle publia à Paris *les Nus de Drtikol* (1929).

**DRU (aiguilles du)** ~ Ensemble de deux pics rocheux pyramidaux (**Grand Dru** et **Petit Dru**) du massif du Mont-Blanc, à l'E. de Chamonix.

**DRUMEV** (Vasil) ~ *v. 1838, Šumen - 1901, Tărnovo.* Prélat et écrivain bulgare. Fondateur de l'Académie bulgare, auteur d'un drame historique (*Ivanko*, 1872), il lutta pour l'indépendance de la Bulgarie.

**DRUMONT** (Édouard) ~ *1844, Paris - 1917, id.* Homme politique et journaliste français. Théoricien de l'antisémitisme, il publia *la France juive, essai d'histoire contemporaine* (1886), et fonda *la Libre Parole* (1892-1910), journal nationaliste antidreyfusard.

**DRUON** (Maurice) ~ *1918, Paris.* Écrivain français. Auteur de chroniques (*les Grandes Familles*, 1948), de romans historiques (*les Rois maudits*, 1955-1977) et de pièces de théâtre, il composa, avec J. Kessel, le *Chant des partisans* (1943). Il fut ministre des Affaires culturelles (1973-1974). Acad.

**DRUZE (djebel)** ~ Massif volcan. du S. de la Syrie, culminant à 1 800 m, entre le Hauran et le désert de Syrie. Céréaliculture, vigne.

**Druzes** ou **Druses** (les) ~ Minorité musulmane du Proche-Orient (Liban, Syrie, Israël), issue au XIe s. du schisme ismaélien. Dominés durant quatre siècles par les Ottomans (1516-1918), ils conservèrent néanmoins une certaine autonomie, et continuent à jouer un rôle politique important au Liban, sous la direction de leur chef, W. Joumblatt.

**DRYDEN** (John) ~ *1631, Aldwinkle, Northamptonshire - 1700, Londres.* Écrivain anglais. Auteur de drames héroïques (*Aureng-Zebe*, 1675) et de poèmes satiriques (*Absalon et Achitophel*, 1681), il fut l'initiateur du classicisme anglais.

**D. S. T.** ~ Voir **Direction de la surveillance du territoire.**

**DUARTE** (José Napoleón) ~ *1925, San Salvador - 1990, id.* Homme d'État salvadorien. Démocrate-chrétien, président de la République (1980-1982 et 1984-1989), il tenta de négocier la paix avec la guérilla révolutionnaire.

**DUBAY** ou **DOUBAÏ** ~ Émirat de la fédération des Émirats arabes unis, le 2e par sa superf. (3 900 km$^2$), par sa popul. (419 000 h.) et par ses ressources en pétrole, au N.-E. d'Abu Dhabi. Cap. **Dubay**, port sur le golfe Persique (266 000 h.).

**DUBČEK** (Alexander) ~ *1921, Uhrovec, Slovaquie - 1992, Prague.* Homme politique tchécoslovaque. Premier secrétaire du parti communiste en 1968, il engagea son pays dans la voie des réformes démocratiques (Printemps de Prague), mais fut chassé du pouvoir la même année par l'intervention militaire des forces du pacte de Varsovie. Après l'effondrement du bloc communiste, il fut élu président de l'Assemblée fédérale (1989-1992).

**DUBLIN**, en gaél. ***Baile Átha Cliath*** ~ Cap. de la république d'Irlande depuis 1922, sur la côte E., 1er port du pays pour le commerce et la pêche ; agglom. 916 000 h. Université. Archevêchés catholique et protestant. Industr. agroalim., électr., électron., confection. Cathédrale Saint Patrick (XIIIe-XIVe s.), cathédrale protestante de Christ Church (XIIe-XIVe s.), maisons géorgiennes (XVIIIe s.). **HIST.** - Cité norvégienne fondée en 831, elle devint la base de l'implantation anglaise en Irlande (fin du XIIe s.). Foyer nationaliste, Dublin fut le théâtre de nombreuses révoltes (insurrection de Pâques, 1916).

**DUBOIS** (Ambrosius **Bosschaert**, dit Ambroise) ~ *1543, Anvers - 1614, Fontainebleau.* Peintre français d'orig. flamande. Influencé par le Primatice, il fut l'un des représentants du maniérisme (*Histoire de Tancrède et Clorinde*).

**DUBOIS** (Guillaume) ~ *1656, Brive-la-Gaillarde - 1723, Versailles.* Cardinal et homme politique français. Il fut le précepteur du duc d'Orléans, qui, devenu régent, l'appela aux Affaires étrangères, où il œuvra en faveur de la Quadruple-Alliance (1717). Il se fit nommer archevêque de Cambrai (1720), puis cardinal et enfin, en 1722, Premier ministre. Acad.

**DU BOIS** (William Edward **Burghardt**) ~ *1868, Great Barrington, Massachusetts - 1963, Accra.* Écrivain ghanéen d'orig. américaine. Il milita en faveur des Noirs aux États-Unis, à travers ses activités journalistiques et politiques.

**DUBOIS DE CRANCÉ** ou **DUBOIS-CRANCÉ** (Edmond Louis Alexis) ~ *1747, Charleville - 1814, Rethel.* Général et homme politique français. Membre de l'Assemblée nationale constituante, il contribua à l'unification de l'armée républicaine en proposant de mêler dans un même régiment soldats confirmés et nouvelles recrues. Il abandonna la vie politique au lendemain du coup d'État du 18 brumaire.

**DU BOIS-REYMOND** (Emil) ~ *1818, Berlin - 1896, id.* Physiologiste allemand, l'un des fondateurs de la physiologie expérimentale.

**DU BOS** (Charles) ~ *1882, Paris - 1939, La Celle-Saint-Cloud.* Écrivain français. Il est l'auteur d'un *Journal* et d'études critiques, not. sur les auteurs anglais et sur Tolstoï (*Approximations*, 1922-1937).

**DUBOUT** (Albert) ~ *1905, Marseille - 1976, Saint-Aunès, Hérault.* Dessinateur français. Caricaturiste de tradition gauloise, il a illustré avec verve Villon, Rabelais ou Pagnol.

**DUBROVNIK**, anc. **Raguse** ~ Port tourist. de Dalmatie (Croatie) ; 50 000 h. Fortifications, palais des Recteurs, église St-Sauveur, palais Sponza. **HIST.** - Fondée au VIIe s., vassale de Byzance, puis vénitienne (1205) et hongroise (1358), la ville fut une métropole commerciale jusqu'au XVIe s. Les troupes napoléoniennes l'occupèrent de 1806 à 1813. Autrichienne (1815), puis yougoslave (1918), elle fut bombardée par les Serbes (1991-1992).

**DUBUFFET** (Jean) ~ *1901, Le Havre - 1985, Paris.* Peintre, sculpteur et écrivain français. Son œuvre se situe en marge des instances culturelles reconnues, comme l'attestent ses séries (*Métro*, 1943 ; *Portraits*, 1947) et ses écrits, qui sont autant de manifestes en faveur de l'art brut (*Notes pour les fins lettrés*, 1946 ; *Asphyxiante Culture*, 1968).

**DUBY** (Georges) ~ *1919, Paris - 1996, Aix-en-Provence.* Historien médiéviste français. Il a contribué au renouvellement de l'histoire en s'inscrivant dans la filiation de l'école des Annales (*le Temps des cathédrales*, 1976). Acad.

**DU CAMP** (Maxime) ~ *1822, Paris - 1894, Baden-Baden.* Écrivain français, ami de Flaubert, infatigable voyageur et photographe remarquable (*Souvenirs littéraires*, 1882-1883 ; *Par les champs et par les grèves*, 1885). Acad.

**DUCCIO DI BUONINSEGNA** ~ *v. 1255, Sienne - v. 1319, id.* Peintre italien. Il s'affranchit de l'influence byzantine, par sa souplesse et sa sensibilité (*Maestà*, retable de la cathédrale de Sienne).

**DU CERCEAU**, famille d'architectes français. ~ **Jacques Ier Androuet** (*v. 1510, Paris - v. 1585, Annecy*) affirma un goût pour la courbe et l'abonance du décor (château de Verneuil-en-Halatte, 565-1575). Son fils ~ **Baptiste Androuet** (*v. 1545 - 590*) succéda à P. Lescot en 1578 au Louvre. ~ **Jacques II Androuet** (*v. 1550 - 1614*), frère du préc., cheva la Grande Galerie du Louvre et le pavillon de ore, aux Tuileries. ~ **Jean Ier Androuet** (*1585 - 649*), fils de Baptiste, construisit l'escalier en fer à cheval du château de Fontainebleau.

**DUCHAMP** (Marcel) ~ *1887, Blainville, Seine-Maritime - 1968, Neuilly-sur-Seine*. Artiste français. arti de l'impressionnisme, il s'inspira de Cézanne : mena des recherches apparentées au cubisme (*Nu escendant l'escalier*, 1912). Son non-conformisme amena à une désacralisation complète de l'art et il nventa des « ready made », objets manufacturés xposés tels quels, et sa célèbre *Mariée mise à nu par es célibataires, même* (1915). Sa remise en cause adicale de la fonction de l'art dès 1914 en fit le récurseur du dadaïsme et joua un rôle essentiel dans a réflexion esthétique au XXe s., not. pour le surréasme, le pop art et le nouveau réalisme.

**DUCHAMP-VILLON** (Pierre Maurice Raymond **Duchamp**, dit Raymond) ~ *1876, Damville, ure - 1918, Cannes*. Sculpteur français. Frère de Marcel Duchamp et de Jacques Villon, il étudia la ynthèse du mouvement dans des œuvres d'inspiraon cubiste (*Cheval*, 1914).

**DUCHARME** (Réjean) ~ *1941, Saint-Félix-de-Vaois, Québec*. Écrivain canadien d'expression franaise. Ses romans, d'une grande inventivité verbale, xpriment un pessimisme révolté (*l'Avalée des valés*, 1966).

**DUCHÂTEL** (Tanneguy) ~ *v. 1368, Tremazan - 458, Beaucaire*. Officier breton. Prévôt de Paris 1413), chef des Armagnacs, il fut l'instigateur upposé du meurtre de Jean sans Peur.

**DUCHENNE DE BOULOGNE** (Guillaume) ~ *806, Boulogne-sur-Mer - 1875, Paris*. Neurologue rançais. Il utilisa le courant faradique dans un essein diagnostique et thérapeutique et décrivit atrophie musculaire progressive (1849).

**Duchés (guerre des)** ~ Conflit qui opposa, en 864, le Danemark à la Prusse et à l'Autriche. Vaincu, le Danemark dut céder les duchés de Schleswig et de Lauenburg à la Prusse, et le duché e Holstein à l'Autriche.

**DUCHESNE** (Ernest) ~ *1874, Paris - 1912, Amélie-les-Bains*. Médecin français. Il fut l'un des ionniers des traitements antibiotiques.

**DUCLAUX** (Émile) ~ *1840, Aurillac - 1904, Paris*. Biochimiste français. Il succéda à Pasteur à la tête le l'Institut Pasteur (1895) et fut l'un des ondateurs de la Ligue des droits de l'homme.

**DUCLOS** (Charles **Pinot**) ~ *1704, Dinan - 1772, Paris*. Écrivain français, auteur de romans libertins et d'essais (*Considérations sur les mœurs de ce siècle*, 1751). Acad.

**DUCLOS** (Jacques) ~ *1896, Louey, Hautes-Pyrénées - 1975, Montreuil-sous-Bois*. Homme politique rançais. Élu député en 1926, membre du comité central du parti communiste, il resta à la tête de 'appareil clandestin du Parti durant l'Occupation. l fut, après la guerre, l'un des chefs de l'opposition parlementaire communiste et fut candidat à l'élection présidentielle de 1969.

**DUCOMMUN** (Élie) ~ *1833, Genève - 1906, Berne*. Journaliste suisse, fondateur du journal radical *le Progrès*. Son engagement pacifiste et européen lui valut le prix Nobel de la paix en 1902.

**DUCOS** ~ V. de Martinique, au S.-E. de Fort-de-France ; 12 536 h. Canne à sucre.

**DUCOS** (Roger) ~ *1747, Montfort-en-Chalosse - 1816, près d'Ulm*. Homme politique français. Conventionnel montagnard puis membre du Directoire, il soutint le coup d'État du 18 brumaire.

**DUCOS DU HAURON** (Louis) ~ *1837, Langon - 1920, Agen*. Physicien et photographe français. Il inventa, en même temps que Ch. Cros, la photographie en couleurs (1868).

**DUCRETET** (Eugène) ~ *1844, Paris - 1915, id*. Industriel français, inventeur du premier appareil français de télégraphie sans fil (T. S. F.), en 1897.

**DUCROT** (Auguste) ~ *1817, Nevers - 1882, Versailles*. Général français. Il s'illustra durant la guerre franco-prussienne, notamment lors du siège de Paris (1870-1871).

**DUDELANGE** ~ V. du S. du grand-duché de Luxembourg, proche de la frontière française ; 14 700 h. Industries sidér. et métallique.

**DUDLEY** (John), comte de **Warwick**, duc de **Northumberland** ~ *v. 1502, Londres - 1553, id*. Homme politique anglais. Beau-père de Jeanne Grey, petite-nièce d'Henri VIII, il tenta de persuader le roi Édouard VI de la désigner comme seule héritière du royaume. Marie Tudor ayant fait reconnaître ses droits, il fut exécuté, ainsi que sa belle-fille.

**DUERO** ~ Voir **Douro**.

**DU FAY** (Charles François **de Cisternay**) ~ *1698, Paris - 1739, id*. Chimiste et physicien français. Il reconnut l'existence de deux types d'électricité, plus tard dites positive et négative.

**DUFAY** (Guillaume) ~ *v. 1400, Hainaut - 1474, Cambrai*. Compositeur franco-flamand. Il fut chanoine de Cambrai et l'auteur d'une œuvre importante, tant profane que sacrée.

**DUFOUR** (Guillaume Henri) ~ *1787, Constance - 1875, Genève*. Général et géographe suisse. Il réprima la révolte catholique du Sonderbund (1847). Il contribua également à la réorganisation de l'armée helvète et s'attacha au développement des études géographiques. Le plus haut sommet suisse porte son nom (4 638 m).

**DU Fu** ou **TOU Fou** ~ *712, Duling, Shaanxi - 770, Leiyang, Hunan*. Poète chinois. Surnommé le Sage de la poésie, il mena une vie errante et misérable, dont il s'inspira pour composer une poésie de tradition confucéenne.

**DUFY** (Raoul) ~ *1877, Le Havre - 1953, Forcalquier*. Peintre français. D'abord proche du fauvisme, il appliqua son talent de coloriste aux sujets les plus divers, de la scène de courses au portrait. Il réalisa les bois gravés du *Bestiaire* (1911) d'Apollinaire ainsi que l'immense panneau (60 m × 10 m) de *la Fée Électricité* (pavillon de l'Électricité, 1937). [☞ **fauvisme**.]

**DUGOMMIER** (Jacques François **Coquille**, dit) ~ *v. 1736, Basse-Terre - 1794, fort de Bellegarde, Pyrénées-Orientales*. Général français. Député à la Convention (1792), il commanda les troupes qui reprirent Toulon (1793-1794).

**DUGUAY-TROUIN** (René) ~ *1673, Saint-Malo - 1736, Paris*. Corsaire français. À la tête de sa flotte, pour son propre compte d'abord, puis pour celui de la royauté, il lutta contre les Anglais, les Hollandais, les pirates barbaresques et les Portugais, auxquels il enleva Rio de Janeiro (1711).

**DU GUESCLIN** (Bertrand) ~ Voir **Guesclin (Du)**.

**DUHAMEL** (Georges) ~ *1884, Paris - 1966, Valmondois, Val-d'Oise*. Écrivain français. Auteur de romans où s'exprime un humanisme bourgeois (*Chronique des Pasquier*, 1933-1945). Acad.

**DÜHRING** (Karl Eugen) ~ *1833, Berlin - 1921, près de Potsdam*. Philosophe et économiste allemand. Reprenant les thèses matérialistes de L. Feuerbach, il improvisa, dans *Dialectique naturelle* (1865), une critique de Marx et d'Engels qui lui fut retournée par ce dernier dans *l'Anti-Dühring*.

**DUISBOURG** ~ V. d'Allemagne (Rhénanie-du-Nord - Westphalie), sur le Rhin, l'un des premiers ports fluviaux du monde (pétrolier, minéralier, céréalier), centre industriel majeur au débouché de la Ruhr ; 538 000 h. Université.

**DUJARDIN** (Félix) ~ *1801, Tours - 1860, Rennes*. Naturaliste français. Ses recherches sur les protozoaires l'ont conduit à décrire le cytoplasme cellulaire.

**DUJARDIN** (Karel) ~ *v. 1622, Amsterdam - 1678, Venise*. Peintre et graveur néerlandais, auteur de pastorales et de scènes populaires.

**DUKAS** (Paul) ~ *1865, Paris - 1935, id*. Compositeur français. Génie de l'orchestration, il a laissé une œuvre peu abondante mais d'une grande exigence formelle (*l'Apprenti sorcier*, 1897 ; *Ariane et Barbe-Bleue*, 1907).

**DULAC** (Germaine) ~ *1882, Amiens - 1942, Paris*. Cinéaste française. Elle réalisa plusieurs œuvres avant-gardistes, dont *la Coquille et le Clergyman* (1927), d'après un scénario d'A. Artaud, et fonda la Fédération française des ciné-clubs (1924).

**DULLES** (John Foster) ~ *1888, Washington - 1959, id*. Homme politique américain. Secrétaire d'État aux Affaires étrangères (1953-1959), il dirigea la politique extérieure des États-Unis pendant la guerre froide.

**DULLIN** (Charles) ~ *1885, Yenne, Savoie - 1949, Paris*. Comédien, metteur en scène et directeur de théâtre français. Fondateur de l'École nouvelle du comédien (1921) puis du théâtre de l'Atelier (1922), il créa le Cartel des quatre, en 1927, avec G. Baty, L. Jouvet et G. Pitoëff.

**DULONG** (Pierre Louis) ~ *1785, Rouen - 1838, Paris*. Physicien français. Il détermina la loi des chaleurs spécifiques (1819), qui permit d'évaluer les masses atomiques.

**DULUTH** ~ V. du N. des États-Unis (Minnesota), port industr. à l'extrémité O. du lac Supérieur ; 86 000 h. (en diminution). Les ressources régionales (minerai de fer, blé) alimentent le trafic. Industries agroalim., sidér., raff. de pétrole.

**DUMARSAIS** (César **Chesneau**) ~ *1676, Marseille - 1756, Paris*. Grammairien français, auteur d'un *Traité des tropes* (1730) et d'articles de l'*Encyclopédie*.

**DUMAS**, nom de deux écrivains français. ~ **Alexandre** (*1802, Villers-Cotterêts - 1870, Puys, près de Dieppe*) puisa dans l'histoire ses sujets hauts en couleur. Plusieurs collaborateurs l'aidèrent à écrire ses quelque trois cents œuvres (*Henri III et sa Cour* ; *Kean* ; *les Trois Mousquetaires* ; *la Reine Margot* ; *le Comte de Monte-Cristo*). Son fils naturel ~ **Alexandre**, dit **Dumas fils** (*1824, Paris - 1895, Marly-le-Roi*), dressa dans ses comédies de mœurs un tableau impitoyable de la société parisienne (*la Dame aux camélias*, 1852). Acad.

© Giraudon

Alexandre **Dumas** père, *portrait anonyme italien du XIXe s. Museo di San Martino, Naples.*

**DUMAS** (Georges) ~ *1866, Lédignan, Gard - 1946, id*. Médecin et psychologue français, auteur du *Traité de psychologie* (1923-1924), l'un des fondateurs de la psychologie expérimentale en France.

**DUMAS** (Jean-Baptiste) ~ *1800, Alès - 1884, Cannes*. Chimiste français. Il réalisa de nombreux travaux en chimie organique, isola l'anthracène (1832) ainsi que l'alcool méthylique (1835).

**DUMBARTON OAKS** ~ Localité des États-Unis proche de Washington, où des délégués américains, soviétiques, britanniques et chinois élaborèrent un plan esquissant la Charte des Nations unies.

**DUMÉZIL** (Georges) ~ *1898, Paris - 1986, id*. Historien français. Spécialiste des religions indo-européennes et des langues du Caucase, il mit en évidence leur structuration en fonctions hiérarchisées, inaugurant l'étude comparative des religions et des mythes (*Idéologie tripartite des Indo-Européens*, 1958). Acad.

**DUMONSTIER**, **DUMOUSTIER** ou **DUMOÛTIER**, famille de peintres français. ~ **Geoffroy** (*m. en 1573 à Paris*) fut un enlumineur réputé. Ses trois fils ~ **Étienne** (*v. 1520, Fontainebleau - 1603, Paris*), ~ **Pierre** (*1524 - 1600*), ~ **Cosme** (*m. en 1605*), et son petit-fils ~ **Daniel** (*1574, Paris - 1646, id.*) furent portraitistes de cour.

**DU MONT** (Henry **de Thier**, dit) ~ *1610, Villers-l'Évêque, près de Liège - 1684, Paris*. Compositeur et organiste français d'orig. wallonne. Il rénova la musique religieuse sous Louis XIV (cinq messes dites *royales*, 1669).

**DUMONT** (Louis) ~ *1911, Thessalonique*. Anthropologue français. Fondée sur l'étude du système des castes en Inde (*Homo hierarchicus*, 1966), sa réflexion s'est élargie à la société occidentale (*Homo aequalis*, 1977).

**DUMONT** (René) ~ *1904, Cambrai*. Agronome français. Expert en problèmes agronomiques et économiques, il a notamment dénoncé la responsabilité des pays riches dans l'appauvrissement du tiers-monde (*l'Afrique étranglée*, 1980).

**DUMONT D'URVILLE** (Jules) ~ *1790, Condé-sur-Noireau, Calvados - 1842, Meudon.* Navigateur français. Il explora le Pacifique et les régions antarctiques, où il découvrit les terres Louis-Philippe et Joinville (1839) et la terre Adélie (1840).

**DUMOULIN** (Charles) ~ *1500, Paris - 1566, id.* Jurisconsulte français. Converti au calvinisme puis au luthéranisme, il critiqua l'autorité papale. Dans son œuvre juridique, il posa les bases de l'unification du droit civil français.

**DUMOURIEZ** (Charles François **du Périer**, dit) ~ *1739, Cambrai - 1823, Turville-Park, Angleterre.* Général français. Ministre girondin des Affaires étrangères (1792), il commanda l'armée du Nord et remporta les victoires de Valmy et de Jemmapes. Battu à Neerwinden, fortement contesté, il déserta et passa à l'ennemi.

**DUNANT** (Henri) ~ *1828, Genève - 1910, Heiden, Appenzell.* Philanthrope suisse. Il fut l'initiateur de la Convention de Genève (1864), faisant obligation aux belligérants de soigner les blessés de guerre. Il est à l'origine de la Croix-Rouge. Prix Nobel de la paix 1901.

**DUNBAR** (William) ~ *v. 1460, East Lothian - v. 1520.* Poète écossais. Satiriste et poète de cour, émule de G. Chaucer (*le Chardon et la Rose*).

**DUNCAN I^er^** ~ *m. en 1040.* Roi d'Écosse (1034-1040). Il fut assassiné par Macbeth, son général.

**DUNCAN** (Isadora) ~ *1878, San Francisco - 1927, Nice.* Danseuse américaine. Au travers d'une gestuelle fondée sur l'improvisation, l'expression personnelle et le souci de l'épanouissement du corps, elle revendiqua un art de la danse pour tous.

**DUNDEE** ~ Port de l'E. de l'Écosse, sur l'estuaire de la Tay, ch.-l. du Tayside ; 166 000 h. Industries d'équipement électr. et électron., appareils de forage (pétrole en mer du Nord). Agroalimentaire.

**DUNEDIN** ~ Port du S. de la Nouvelle-Zélande, 2^e^ v. de l'île du Sud (côte E.), centre admin. et univ. ; 111 000 h. Export. (prod. de l'élevage).

**Dunes (bataille des)** ~ Victoire française remportée par Turenne sur les Espagnols près de Dunkerque (14 juin 1658). Elle les contraignit à signer la paix des Pyrénées (1659).

**DUNGENESS (cap)** ~ Cap sableux d'Angleterre (Kent), qui fait face au cap Gris-Nez (France), au N. du pas de Calais. Centrale nucléaire.

**DUNHAM** (Katherine) ~ *1912, Chicago.* Danseuse et chorégraphe américaine. Ses recherches sur les racines des danses traditionnelles des différentes ethnies (pas et rythmes africains) favorisèrent l'épanouissement de la danse moderne.

**DUNHUANG** ou **TOUEN-HOUANG** ~ V. de Chine (Gansu), aux confins du Xinjiang et du désert de Gobi, dernière étape chinoise sur la route de la Soie. Centre bouddhique (pèlerinage) du IV^e^ au XIII^e^ s. Nombreuses grottes ornées de peintures murales (V^e^-XI^e^ s.). Un riche ensemble de manuscrits, de peintures sur soie et de gravures sur bois y fut découvert en 1900.

© Baumgartner-Explorer

*Dunhuang, les célèbres grottes de Mogao (province du Gansu).*

**DUNKERQUE** ~ 3^e^ port français, sur la mer du Nord (Nord), à l'O. de la plaine de Flandre, proche de la frontière belge ; 70 331 h. (agglom. 190 879 h.). Industr. lourdes. Centrale nucléaire à Gravelines. Canal Dunkerque-Lille-Valenciennes. Musées des Beaux-Arts et d'Art contemporain. **HIST.** - Réunie définitivement à la France en 1659 (traité des Pyrénées), Dunkerque fut, entre le 28 mars et le 4 juin 1940, le lieu de l'évacuation vers l'Angleterre de 340 000 soldats britanniques et français encerclés par les Allemands.

**DUNLOP** (John Boyd) ~ *1840, Dreghorn, Écosse - 1921, Dublin.* Vétérinaire et ingénieur britannique, inventeur, en 1887, du premier pneumatique.

**DUNOIS** (Jean **d'Orléans**, comte DE), dit **le Bâtard d'Orléans** ~ *1403, Paris - 1468, château de L'Hay, près de Bourg-la-Reine.* Prince capétien. Fils naturel de Louis I^er^ d'Orléans, compagnon d'armes de Jeanne d'Arc, il participa à la reconquête de la Normandie et de la Guyenne (1449-1451).

**DUNOYER DE SEGONZAC** (André) ~ *1884, Boussy-Saint-Antoine - 1974, Clichy.* Peintre et graveur français. Il est l'auteur d'une œuvre d'inspiration naturaliste (*Baigneur assis*, 1927) et de nombreuses illustrations de livres.

**DUNS SCOT** (John) ~ *v. 1266, Maxton, Écosse - 1308, Cologne.* Théologien écossais. Franciscain, il enseigna à Oxford, à Cambridge, puis à Paris. Critiquant le rationalisme thomiste au nom du réalisme, il mit l'accent sur l'indétermination de la volonté divine, à laquelle répond la liberté de l'homme, et sur l'importance de la Révélation.

**DUNSTABLE** (John) ~ *v. 1400 - 1453, Londres.* Compositeur anglais. Il composa des œuvres polyphoniques religieuses (motets à trois voix, messes), qui dénotent une influence française.

**DUNSTAN** (saint) ~ *924, près de Glastonbury - 988, Canterbury.* Archevêque de Canterbury, réformateur de la vie monastique en Angleterre.

**DUPANLOUP** (Félix) ~ *1802, Saint-Félix, Haute-Savoie - 1878, château de Lacombe, id.* Prélat français. Évêque d'Orléans (1849), il soutint les catholiques libéraux et la liberté de l'enseignement. Partisan du gallicanisme, il s'opposa aux ultramontains et jugea inopportune la définition du dogme de l'infaillibilité pontificale. Adversaire de Renan et de Littré, il démissionna de l'Académie française (1871) lorsque ce dernier y fut élu.

**DUPARC** (Henri **Fouques-Duparc**, dit Henri) ~ *1848, Paris - 1933, Mont-de-Marsan.* Compositeur français. Au terme d'une carrière écourtée par une maladie mentale, il laissa treize mélodies (1868-1883) d'une grande richesse harmonique et lyrique (*l'Invitation au voyage*).

**DUPERRÉ** (Victor Guy, baron) ~ *1775, La Rochelle - 1846, Paris.* Amiral et pair de France. Il commanda l'expédition d'Alger (1830) et fut ministre de la Marine sous la monarchie de Juillet.

**DU PERRON** (Jacques **Davy**) ~ *1556, Saint-Lô ou dans le canton de Berne, Suisse - 1618, Paris.* Prélat et écrivain français. Fils de pasteur, il abjura le protestantisme, et fut nommé évêque d'Évreux, cardinal puis archevêque de Sens. Il obtint du pape Clément VIII l'absolution d'Henri IV.

**Dupes (journée des)** ~ Journée du 10 nov. 1630, marquée par la victoire décisive de Richelieu sur ses adversaires politiques. Regroupés autour de Marie de Médicis et d'Anne d'Autriche, ceux-ci crurent avoir obtenu le renvoi de Richelieu. Mais ce dernier sut faire se raviser Louis XIII et retourner la situation à son avantage.

**DUPETIT-THOUARS,** famille d'officiers de marine français. ~ **Aristide Aubert** (*1760, près de Saumur - 1798, Aboukir*), commandant du *Tonnant*, trouva la mort pendant la campagne d'Égypte. Son neveu ~ **Abel Aubert** (*1793, près de Saumur - 1864, Paris*), amiral, établit le protectorat français sur les îles Marquises et sur Tahiti.

**DUPIN** ~ **André**, dit **Dupin aîné** (*1783, Varzy, Nièvre - 1865, Paris*), homme politique français. Député libéral, président de la Chambre (1832-1840), puis de l'Assemblée législative (1849-1851), il se rallia à Louis Napoléon Bonaparte. Son frère ~ **Charles**, baron (*1784, Varzy - 1873, Paris*), économiste et mathématicien, prolongea par de nombreuses applications pratiques ses travaux de géométrie.

**DUPLEIX** (Joseph François) ~ *1697, Landrecies, Nord - 1763, Paris.* Administrateur français. Directeur général des comptoirs de la Compagnie des Indes, il tenta de prolonger l'influence commerciale française aux Indes par une domination territoriale, ce qui entraîna un conflit avec les Britanniques. Les projets de Dupleix furent très vite contes et lui-même fut rappelé (1754), ce qui mit aux ambitions françaises aux Indes.

**DUPLESSIS** (Maurice **Le Noblet**) ~ *1890, Tro Rivières - 1959, Schefferville.* Homme politique nadien. Il fonda le parti conservateur québécois l'Union nationale (1935) et fut Premier minis du Québec (1936-1939 et 1944-1959).

**DUPLESSIS-MORNAY** ~ Voir **Mornay** (Philip DE).

**DUPLOYÉ** (abbé Émile) ~ *1833, Notre-Dame- Liesse, Aisne - 1912, Saint-Maur-des-Fossés.* Ecc siastique français, inventeur d'un système sténographie.

**DUPOND** (Patrick) ~ *1959, Paris.* Danseur fra çais. Plus jeune danseur étoile de l'Opéra de Pa en 1980, il a not. créé *Vaslav*, de J. Neumei Depuis 1990, il est directeur de la danse à l'Opé de Paris.

**DUPONT** (Pierre) ~ *1821, Lyon - 1870, id.* Poè et chansonnier français, auteur de chants militan (*le Chant des ouvriers*) et de chansons rustiqu

**DUPONT DE L'EURE** (Jacques Charles **Dupor** dit) ~ *1767, Le Neubourg, Eure - 1855, Rou Perriers, id.* Avocat et homme politique franç Membre du Conseil des Cinq-Cents sous Directoire, député d'opposition sous la Restauratic et sous la monarchie de Juillet, il devint préside du Gouvernement provisoire (févr. 1848).

**DUPONT DE NEMOURS** ~ **Pierre Samu** (*1739, Paris - 1817, Eleutherian Mills, Delawar*) économiste français. Inspiré par les physiocrat il proposa dans ses ouvrages des réformes fina cières. Son fils ~ **Éleuthère Irénée DU PONT NEMOURS** (*1771, Paris - 1834, Philadelphie*), ch miste et industriel français, fut l'élève de Lavoisi Il fonda une poudrerie aux États-Unis, origine la firme DuPont de Nemours.

**DUPONT DES LOGES** (Paul) ~ *1804, Rennes 1886, Metz.* Évêque français. Après l'annexion l'Alsace et de la Lorraine par l'Allemagne, il souti la cause française, comme évêque de Metz et comm député au Reichstag (1874-1877).

**DUPONT-SOMMER** (André) ~ *1900, Marnes-l Coquette - 1983, Paris.* Orientaliste français. Spéci liste des civilisations araméenne et hébraïque ain que de l'histoire de l'Orient antique (*Livre d hymnes découverts près de la mer Morte*, 1957).

**DU PORT** ou **DUPORT** (Adrien) ~ *1759, Paris 1798, dans l'Appenzell.* Homme politique françai Député aux états généraux, il contribua à réorganisation de la justice. Fondateur du club d Feuillants, il dut s'exiler après le 10 août 1792.

**DUPRAT** (Antoine) ~ *1463, Issoire - 1535, Na touillet.* Homme politique et prélat français. Cha celier de France sous François I^er^, négociateur concordat de Bologne (1516), il devint cardin (1527).

**DUPRÉ** (Guillaume) ~ *v. 1574, Sissonne, près Laon - 1647.* Sculpteur français. Il a gravé l monnaies sous le règne d'Henri IV et pendar la minorité de Louis XIII.

**DUPRÉ** (Jules) ~ *1811, Nantes - 1889, L'Isl Adam.* Peintre français. Influencé par Constable, fut l'un des paysagistes de l'école de Barbizon.

**DUPRÉ** (Louis) ~ *1697, Rouen - 1774, Pari* Danseur français. Créateur des ballets de Ramea à l'Opéra de Paris, il fut l'un des maîtres d Noverre et l'ultime représentant du style issu d ballets de cour.

**DUPRÉ** (Marcel) ~ *1886, Rouen - 1971, Meudo* Compositeur et organiste français. Titulaire d l'orgue de St-Sulpice, à Paris (1934), il écrivit *Symphonie-Passion* (1924) et l'*Offrande à la Vier* (1944). Il fut également directeur du Conservatoir

**DUPUY DE LÔME** (Henri) ~ *1816, Ploemeu Morbihan - 1885, Paris.* Ingénieur françai constructeur du *Napoléon*, premier bâtiment guerre à hélice (1848-1852), et de la *Gloi* (1858-1859), premier cuirassé français.

**DUQUESNE** (Abraham) ~ *1610, Dieppe - 168 Paris.* Marin français. Protestant qui resta fidèle sa foi, il servit le roi de Suède, puis celui de Franc pour le compte duquel il combattit avec succès l Hollandais en Méditerranée, puis les Espagnols.

ena des expéditions punitives contre les ports ırbaresques de Tripoli et de Gênes (1681-1684).

**UQUESNOY** (François), dit **Francesco Fiamingo** ~ *1597, Bruxelles - 1643, Livourne.* Sculpur flamand. Il travailla à Rome une statuaire ıssique, se libérant de l'influence du Bernin *Concert d'anges*, 1642). Son père ~ **Jérôme**, dit **Vieux**, est l'auteur du *Manneken-Pis* de Bruxelles 619).

**URANCE** (la) ~ L'un des princ. affl. du Rhône g.), dont le bassin (incluant l'Ubaye, le Buëch, Bléone, le Verdon) englobe la majeure partie des pes françaises du Sud ; 305 km. La Durance arrose riançon, Sisteron, Cavaillon et conflue près d'Avinon. Son cours a été régularisé par la construction canaux de dérivation (centrales E. D. F., irrigaon) et de barrages (dont Serre-Ponçon).

**URAND-RUEL** (Paul) ~ *1831, Paris - 1922, id.* archand de tableaux français, mécène des impresonnistes.

**URANGO** ~ État des hauts plateaux steppiques Mexique central ; 119 648 km², 1 349 000 h, ıp. Victoria de Durango (414 000 h.). Importantes ssources minières (argent, or, plomb, fer, cuivre, harbon) dans la sierra Madre occidentale.

**URANTY** (Louis Edmond) ~ *1833, Paris - 1880,* . Écrivain français. Auteur de romans réalistes (*le alheur d'Henriette Gérard*, 1860) et critique d'art, rédigea les premières études sur l'impressionisme naissant (*la Nouvelle Peinture*, 1876).

**URAS**, famille de militaires français. ~ **Jacques enri de Durfort**, duc DE (*1625, Duras - 1704, aris*), participa à la Fronde, puis servit en Italie, ıx Pays-Bas et en Franche-Comté, dont il fut ouverneur. Son frère ~ **Louis**, comte **de Feverıam** (*1638 - 1709*), servit les rois d'Angleterre harles II et Jacques II. Il fut vice-roi d'Irlande.

**URAS** (Marguerite **Donnadieu**, dite Marguete) ~ *1914, Gia Dinh, Cochinchine française, auj. iêt Nam - 1996, Paris.* Femme de lettres et cinéaste ançaise. Après *Un barrage contre le Pacifique* 1950), elle exprima dans ses romans l'incommuicabilité (*Moderato Cantabile*, 1958 ; *Détruire, t-elle*, 1969 ; *l'Amant*, 1984). Sa réflexion sur la arole la conduisit au théâtre (*le Square*, 1962 ; avannah Bay, 1982) et au cinéma (*India Song*, 974 ; *le Navire Night*, 1979).

**URBAN** ~ 1er port d'Afrique du Sud (Natal), sur océan Indien, débouché du Witwatersrand minier, étropole industr. (prod. manufacturés) et place nancière ; 982 000 h. (agglom. Durban-Pinetown 137 000 h., dont 40 % d'Indiens). Popul. noires zoulouesı) localisées dans le Kwazulu (anc. banoustan) voisin.

**ÜRER** (Albrecht) ~ *1471, Nuremberg - 1528, id.* eintre et graveur allemand. Il travailla avec son ère, orfèvre, puis s'imprégna de la tradition en evenant l'apprenti du peintre-graveur Michaël Volgemut (1486-1489). Après maintes pérégrinaons, où il s'appropria les techniques flamandes et es découvertes italiennes, il installa un atelier à Nuremberg (1495). Là, il pratiqua la peinture à huile (*la Fête du rosaire*), le dessin et l'aquarelle, gravure enfin, qui allait lui apporter la célébrité. on œuvre gravé est encore médiéval (*l'Apocalypse*, 5 planches, 1498) ; ses burins sont tournés avantage vers l'art de la Renaissance (*la Grande ortune*, v. 1500 ; *Saint Jérôme et la Mélancolie*, 514). À la fin de sa vie, il exposa ses théories sur art (*Traité des proportions du corps humain*, posth., 528). [☞ **gravure.**]

**URHAM** ~ V. du N.-E. de l'Angleterre ; 26 000 h. h.-l. du **comté de Durham**, entre la Tees et la yne, pays houiller en déclin (2 429 km², 93 000 h. ; industries text. et métall.). Ensemble onumental médiéval (cathédrale des XIe-XIIIe s., hâteau, monastère).

**URHAM** (John George **Lambton**, lord) ~ *1792, ondres - 1840, Cowes.* Homme politique britanniue. Gouverneur du Canada en 1838, il jeta les ases de la future Confédération canadienne.

**URKHEIM** (Émile) ~ *1858, Épinal - 1917, Paris.* ociologue français. Dans la lignée d'A. Comte, il onda le projet d'une science de l'homme susceptible de répondre à la crise morale et sociale née le l'industrialisation massive de la société. Il créa la revue *l'Année sociologique* (1896) et publia *De la division du travail social* (1893), *le Suicide* (1897) et *les Formes élémentaires de la vie religieuse* (1912). [☞ **sociologie.**]

**DUROC** (Géraud Christophe Michel), duc de **Frioul** ~ *1772, Pont-à-Mousson - 1813, Markersdorf, Silésie.* Général français. Nommé grand maréchal du palais de Napoléon Ier, il participa aux campagnes napoléoniennes et s'illustra not. à Austerlitz et à Wagram.

**DURRELL** (Lawrence George) ~ *1912, Jullundur, Inde - 1990, Sommières, Gard.* Écrivain britannique. Passionné par la culture méditerranéenne, il la célébra dans des romans où l'hédonisme se mêle à la finesse d'analyse psychologique (*le Quatuor d'Alexandrie*, 1957-1960).

**DÜRRENMATT** (Friedrich) ~ *1921, Konolfingen, Berne - 1990, Neuchâtel.* Écrivain suisse d'expression allemande, auteur de drames (*les Physiciens*, 1962) et de romans policiers (*Justice*, 1985).

**DURRËS**, en ital. ***Durazzo*** ~ 2e v. et 1er port d'Albanie, débouché de Tirana, proche de la cap. ; 87 000 h.

**DURRUTI** (Buenaventura) ~ *1896, province de León - 1936, Madrid.* Anarchiste espagnol. Animateur du syndicalisme anarchiste espagnol, il dirigea le front libertaire de l'Aragon pendant la guerre civile, à la tête de la **colonne Durruti**, et trouva la mort lors de la défense de Madrid contre les franquistes.

**DURUFLÉ** (Maurice) ~ *1902, Louviers - 1986, Louveciennes, Yvelines.* Compositeur et organiste français. Titulaire de l'orgue de St-Étienne-du-Mont, à Paris, il composa des pièces pour orgue et un *Requiem* (1947).

**DURUY** (Victor) ~ *1811, Paris - 1894, id.* Homme politique et historien français. Ministre de l'Instruction publique (1863-1869), il entreprit un vaste mouvement de réforme de l'enseignement et fut not. le créateur d'un enseignement secondaire pour jeunes filles et de l'École pratique des hautes études (1868). Acad.

**DUSE** (Eleonora) ~ *1858, Vigevano - 1924, Pittsburgh, Pennsylvanie.* Actrice italienne. Elle interpréta Ibsen et D'Annunzio, qui écrivit des rôles pour elle.

**DÜSSELDORF** ~ Cap. de la Rhénanie-du-Nord - Westphalie (Allemagne), sur le Rhin (r. dr.) ; 577 000 h. Métropole économique de la Ruhr, c'est un centre financier (Bourse), industriel (constructions mécaniques, électrotechniques, confection) et culturel (Opéra, musées). Ancienne capitale du duché de Berg.

Albrecht Dürer *(1492 ; détail), autoportrait. Musée du Louvre, Paris.*

**DUTERT** (Ferdinand Charles Louis) ~ *1845, Douai - 1906, Paris.* Architecte français. Virtuose de l'architecture métallique, il conçut, pour l'Exposition universelle de 1889, la Galerie des machines (48 000 m², 45 m de haut).

**DUTILLEUX** (Henri) ~ *1916, Angers.* Compositeur français. Subtil équilibre entre lignes thématiques qui se construisent progressivement, ses œuvres sont des merveilles de finesse et d'intériorité (*le Double*, 1959 ; *Tout un monde lointain...*, 1970).

**DUTOURD** (Jean) ~ *1920, Paris.* Écrivain français. Polémiste à l'humour caustique, il a brocardé tous les conformismes (*Au bon beurre*, 1952 ; *les Horreurs de l'amour*, 1963). Acad.

**DUTRA** (Enrico) ~ *1885, Cuiabá - 1974, Rio de Janeiro.* Général et homme d'État brésilien. Ministre de la Guerre (1936-1945), puis président de la République (1946-1951), il engagea durant la Seconde Guerre mondiale un corps expéditionnaire brésilien aux côtés des Alliés.

**DUTROCHET** (René) ~ *1776, château de Néons, Poitou - 1847, Paris.* Biologiste français. Il étudia la structure cellulaire et la physiologie des végétaux, et découvrit not. l'osmose et la diapédèse.

**DUUN** (Olav) ~ *1876, Fosna, près de Trondheim - 1939, Tønsberg, près d'Oslo.* Écrivain norvégien, auteur de romans sur la vie paysanne dans les fjords (*Ceux de Juvik*, 1918-1923).

**DUVAL** (Émile Victor, dit **le général**) ~ *1840, Paris - 1871, Clamart.* Homme politique français. Chef militaire de la Commune de Paris, il fut fusillé par les troupes versaillaises.

**DUVALIER**, nom de deux hommes d'État haïtiens. ~ **François**, dit **Papa Doc** (*1907, Port-au-Prince - 1971, id.*), ancien médecin, élu président de la République en 1957, puis proclamé président à vie en 1964, régna en dictateur jusqu'à sa mort. Son fils ~ **Jean-Claude** (*1951, Port-au-Prince*) lui a succédé en 1971, mais a été renversé et contraint à l'exil par les États-Unis en 1986.

**DUVERGER** (Maurice) ~ *1917, Angoulême.* Juriste et sociologue français. Auteur de nombreux ouvrages de droit et de sociologie politique, il a contribué au développement de cette dernière discipline au sein de l'Université française.

**DU VERGIER DE HAURANNE** (Jean), abbé **de Saint-Cyran** ~ *1581, Bayonne - 1643, Paris.* Théologien français. Maître spirituel et directeur de conscience des jansénistes, il fut persécuté par Richelieu, qui le fit emprisonner à Vincennes.

**DUVET** (Jean), dit **le Maître à la Licorne** ~ *v. 1485, Langres - v. 1570, id.* Graveur, médailleur et orfèvre français. Orfèvre de François Ier et d'Henri II, il réalisa, au burin, les gravures fantastiques de *l'Apocalypse figurée* (1546-1555).

**DUVEYRIER** (Henri) ~ *1840, Paris - 1892, Sèvres.* Explorateur français, not. dans le Sahara. Il publia, en 1864, *Touaregs du Nord.*

**DUVIVIER** (Julien) ~ *1896, Lille - 1967, Paris.* Cinéaste français. Ancien assistant de L. Feuillade et de M. L'Herbier, il illustra le romantisme populaire des années 1930 (*la Belle Équipe*, 1936 ; *Pépé le Moko*, 1937). Ses films d'après-guerre confirmèrent son sens des atmosphères équivoques (*Voici le temps des assassins*, 1956 ; *Chair de poule*, 1963).

**DVINA**, nom de deux fleuves de l'ex-U. R. S. S. ~ La **Dvina occidentale**, issue du Valdaï, coule en Russie, en Biélorussie et en Lettonie et arrose Vitebsk, Daugavpils, rejoignant la Baltique à Riga ; 1 020 km. ~ La **Dvina septentrionale** (N.-E. de la Russie d'Europe), tributaire de la mer Blanche (Arkhangelsk sur l'estuaire), est reliée par ses affluents à la Volga et à la Baltique ; 744 km.

**DVINSK** ~ Voir **Daugavpils.**

**DVOŘÁK** (Antonín, dit Antón) ~ *1841, Nelahozeves, Bohême - 1904, Prague.* Compositeur tchèque. Influencé par Brahms et par Wagner, mais aussi par le folklore tchèque, il a laissé neuf symphonies (dont la *Symphonie no 9, dite du Nouveau Monde*), des pièces religieuses (*Requiem, Te Deum*), des œuvres concertantes (*Concerto pour violoncelle*), des opéras et de la musique de chambre. Il fut directeur des conservatoires de New York puis de Prague.

**DWAN** (Joseph Aloysius, dit Allan) ~ *1885, Toronto - 1981, Los Angeles.* Cinéaste américain d'orig. canadienne. Réalisateur d'un *Robin des Bois* (1922), avec D. Fairbanks, il tourna entre 1911 et 1961 env. 1 800 films.

**DYLAN** (Robert **Zimmerman**, dit Bob) ~ *1941, Duluth, Minnesota.* Chanteur et auteur-compositeur américain de la Beat Generation, contestataire et adversaire de la violence (*Blowin' in the Wind* ; *Mr Tambourine Man*).

**DZERJINSK** ~ V. de Russie, sur l'Oka, à l'O. de Nijni-Novgorod ; 287 000 h. Pétrochimie.

**DZERJINSKI** (Feliks Edmoundovitch) ~ *1877, Dzerjinovo - 1926, Moscou.* Homme politique soviétique d'orig. polonaise. Il fut l'un des organisateurs de la révolution d'Octobre, et dirigea la Tcheka (1917-1922) puis la Guepeou.

**DZOUNGARIE** ou **DJOUNGARIE** (la) ~ Région du N.-O. de la Chine (N. du Xinjiang), dépression endoréique et semi-aride, entre les monts Tian Shan et l'Altaï. Siège d'un État mongol (XVIIe s.) conquis par les Chinois, qui massacrèrent la population (1757).

**EANES** (Antonio **Dos Santos Ramalho**) ~ *1935, Alcains.* Général et homme d'État portugais. Il participa à la révolution des Œillets (1974), puis fut élu président de la République (1976-1986).

**ÉAQUE** ~ Héros de la mythologie grecque, roi des Myrmidons et juge des Enfers avec Minos et Rhadamanthe.

**EAST ANGLIA** (l') ~ Région agric. de l'E. de l'Angleterre. Industrie agroalim., pêche. V. princ. Ipswich, Norwich, Cambridge. **HIST.** – Ancien royaume anglo-saxon fondé en 571, il fut successivement soumis aux royaumes de Mercie et du Wessex après une occupation danoise (IXᵉ s.).

**EASTBOURNE** ~ Station balnéaire du Sussex (Angleterre), sur la Manche ; 78 000 h.

**EAST LONDON** ~ Port d'Afrique du Sud (prov. du Cap.), sur l'océan Indien ; 194 000 h. Constr. navales. Export. (prod. agric.).

**EASTMAN** (George) ~ *1854, Waterville, État de New York - 1932, Rochester, id.* Industriel américain. Il fut le fondateur de la maison Kodak (1880) et l'inventeur du film photographique en nitrocellulose (1889).

**EASTWOOD** (Clint) ~ *1930, San Francisco.* Acteur et cinéaste américain. Révélé par les westerns de S. Leone (*Pour une poignée de dollars*, 1964) et par les thrillers de Don Siegel (*l'Inspecteur Harry*, 1971), il confirme comme réalisateur une personnalité individualiste (*Honkytonk Man*, 1982).

**EAUBONNE** ~ V. du N. de l'agglom. parisienne (Val-d'Oise), près de Montmorency ; 22 153 h.

**EBBINGHAUS** (Hermann) ~ *1850, Barmen, près de Bonn - 1909, Halle.* Psychologue allemand. Pionnier de la psychologie expérimentale, il étudia les processus de la mémoire.

**EBBON** ~ *v. 778 - 851, Hildesheim.* Archevêque de Reims, il participa aux luttes politiques sous les règnes de Louis Iᵉʳ le Pieux et de Lothaire Iᵉʳ.

**EBERT** (Friedrich) ~ *1871, Heidelberg - 1925, Berlin.* Homme d'État allemand. Dirigeant du S. P. D., il devint chancelier après l'abdication de Guillaume II (nov. 1918). Chef du gouvernement provisoire, secondé par Gustav Noske, il réprima l'insurrection spartakiste. Il fut le premier président de la République allemande (1919-1925).

**EBERTH** (Karl) ~ *1835, Würzburg - 1926, Berlin.* Bactériologiste allemand. Il découvrit et étudia le bacille de la typhoïde (**bacille d'Eberth**, 1881).

**ÉBLA** ~ Anc. v. de Syrie, au S.-O. d'Alep. Siège d'un royaume dont on a exhumé les archives (tablettes cunéiformes du IIIᵉ mill. av. J.-C.) en 1975.

**ÉBLÉ** (Jean-Baptiste, comte) ~ *1758, Saint-Jean-Rohrbach, Moselle - 1812, Königsberg.* Général français. En 1812, lors de la retraite de Russie, il fit jeter des ponts sur la Bérézina, permettant ainsi de sauver une partie la Grande Armée.

**ÉBOUÉ** (Félix) ~ *1884, Cayenne - 1944, Le Caire.* Administrateur français. Premier Noir à accéder à de hautes fonctions administratives, il fut nommé gouverneur de la Guadeloupe (1936), puis du Tchad (1938) et rallia la France libre dès 1940. Gouverneur de l'A.-E .F. nommé par de Gaulle, il fut l'un des principaux instigateurs de la conférence de Brazzaville (janv. 1944).

**ÈBRE** (l') ~ Fl. du N.-E. de l'Espagne, issu des monts Cantabriques, qui passe à Saragosse et rejoint la Méditerranée par un delta (S. de la Catalogne) ; 930 km. Son bassin (85 000 km²), pauvre et peu peuplé hormis l'étroit couloir irrigué de sa vallée, s'étend entre les Pyrénées et les monts Ibériques.

**ÉBROÏN** ~ *m. v. 683.* Maire du palais de Neustrie et de Bourgogne. Il fut l'artisan de la domination de la Neustrie sur l'Austrasie et battit Pépin de Herstal à Leucofao (680). Son assassinat ouvrit la voie à la domination des Pippinides.

**Éburons** (les) ~ Peuple de la Gaule Belgique exterminé par les Romains après sa rébellion contre César (53 av. J.-C.).

**ECBATANE** ~ Voir **Hamadan.**

**ECHEGARAY Y EIZAGUIRRE** (José) ~ *1832, Madrid - 1916, id.* Écrivain espagnol. Son théâtre lui valut le prix Nobel de littérature (1904). Il mena aussi une carrière scientifique et politique.

**ÉCHIROLLES** ~ V. industr. de la banlieue S. de Grenoble (Isère) ; 34 435 h.

**ÉCHO** ~ Nymphe des Sources et des Forêts, condamnée, pour avoir dissimulé à Héra les infidélités de Zeus, à répéter indéfiniment les dernières paroles de quiconque l'interrogerait.

**ECK** (Johann **Maier**, dit Johann) ~ *1486, Egg an der Günz, Souabe - 1543, Ingolstadt.* Théologien et prédicateur allemand, adversaire de la Réforme et de Luther.

**ECKHART** ou **ECKART** (Johann, dit **Maître**) ~ *v. 1260, Hochheim, près de Gotha - v. 1327, Cologne ou Avignon.* Théologien dominicain allemand. Suspecte d'hérésie, sa doctrine, à l'origine du courant mystique rhénan, fut condamnée par le pape Jean XXII (1329).

**ECKMÜHL** ~ Village de Bavière, au S. de Ratisbonne. La bataille qui s'y déroula les 21 et 22 avril 1809 fut remportée par Napoléon et Davout sur les Autrichiens.

**ÉCLUSE** (L'), en néerl. ***Sluis*** ~ V. des Pays-Bas (Zélande). En 1340, la flotte anglaise d'Édouard III remporta au large de la ville une bataille navale sur la flotte française commandée par Philippe VI (début de la guerre de Cent Ans).

**ECO** (Umberto) ~ *1932, Alessandria.* Sémiologue et écrivain italien. Après avoir publié plusieurs ouvrages sur les conditions de libre interprétation de la lecture (*l'Œuvre ouverte*, 1962 ; *Lector in fabula*, 1979 ; *la Guerre du faux*, 1985), il a connu un succès international avec des romans érudits à caractère policier (*le Nom de la rose*, 1980) ou ésotérique (*le Pendule de Foucault*, 1988).

**École nationale d'administration** (E. N. A.) ~ Établissement public d'enseignement créé en 1945. Il assure la formation des membres de la haute fonction publique.

**École normale supérieure** (E. N. S.) ~ Établissement public d'enseignement créé en 1794 (1881 pour l'E. N. S. des jeunes filles). Il assure la formation des professeurs de l'enseignement supérieur.

**ÉCOSSE** (l'), en angl. ***Scotland*** ~ Partie N. et région historique de la Grande-Bretagne, située entre la mer du Nord et l'Atlantique, au N. de l'Angleterre (monts Cheviot), qui inclut les archipels des Hébrides à l'O., des Orcades et des Shetlands au N. ; 77 167 km², 5 120 000 h., v. princ. Glasgow, Édimbourg (cap.), Aberdeen, Dundee. Le relief, le plus montagneux des îles Britanniques, est constitué de chaînes plissées de formation ancienne, dites calédoniennes, soulevées et fracturées au Tertiaire (fjords, lochs). Au centre, les Lowlands (Basses-Terres) regroupent 75 % de la population (Glasgow, bassins de la Clyde et du Forth, de la Tay à l'E.), entre les Hautes-Terres du Sud (Southern Uplands) et du Nord (Highlands, dont les monts Grampians, culminant à plus de 1 300 m, à l'E. du Glen More), régions tourbeuses (landes à bruyère) et peu peuplées. Climat océanique brumeux, moins marqué à l'E. Élev. (ovin, bovin), pêche, travail du bois, textile (vallée de la Tweed), céréales (Clyde, côte E.). Les anciennes industries (exploitation de la houille) sont not. supplantées par les secteurs électronique et pétrolier (gisements de la mer du Nord). Tourisme. Le particularisme écossais se fonde sur la religion (calvinisme presbytérien), les traditions et la langue gaélique (moins répandue que l'anglais). **HIST.** – *IIᵉ-IIIᵉ s.* : ses premiers habitants connus, les Pictes, résiste aux Romains qui tentent de les contenir au N. d murs construits par Hadrien (121) et par Anton (142). *Vᵉ-VIᵉ s.* : invasion des Angles et des Sco progressivement christianisés par Colomba. *843* le Scot Kenneth MacAlpin unit les Scots et les Pict en un royaume. *Xᵉ-XIIᵉ s.* : les successeurs du Kenneth poursuivent l'extension du royaum *XIIIᵉ s.* : l'Écosse est périodiquement en conflit av l'Angleterre, contre laquelle elle parvient à assur définitivement son indépendance en 1314 grâce la victoire de Bannockburn. *XIVᵉ-XVᵉ s.* : en dépit l'avènement des Stuarts (1371), l'Écosse somb peu à peu dans l'anarchie. *1560* : alors que monarchie reste catholique, le Parlement impo au pays la réforme presbytérienne. *XVIIᵉ-XIXᵉ s.* devenu roi d'Angleterre sous le nom de Jacques (1603), Jacques VI d'Écosse réalise l'union d deux royaumes, confirmée en 1707 par le vote l'Acte d'union et consolidée lors de la révolutic industrielle par une interdépendance économiq croissante. *XXᵉ s.* : achèvement de l'intégratic économique et culturelle de l'Écosse à la Grand Bretagne.

**ÉCOUEN** ~ V. du N. de l'agglom. parisienne (Va d'Oise), au N.-E. de la forêt de Montmorency ; 4 846 Musée national de la Renaissance, dans le châte du connétable Anne de Montmorency (XVIᵉ s.).

**ÉCOUVES (forêt d')** ~ Massif forestier (140 km du S. de l'Orne, dans les collines de bas Normandie (417 m au **signal des Écouves**, l'un d sommets du Massif armoricain).

**ÉCRINS (barre des)** ~ Point culminant (4 102 m du massif du Pelvoux (dit aussi **massif des Écrins** dans l'E. de l'Oisans (Hautes-Alpes).

**ÉCULLY** ~ V. de la proche banlieue O. de Lyc (Rhône) ; 18 360 h. Huilerie. École centrale.

**EDAM** ~ V. du N. de la Hollande (Pays-Bas), s l'IJsselmeer ; env. 25 000 h. (Edam-Volendam Comm. du fromage. Anc. port de mer (tourisme

**EDDINGTON** (sir Arthur Stanley) ~ *1882, Kendal, Cumbria - 1944, Cambridge.* Astrophysicie britannique. Pionnier de la dynamique stellaire, est l'auteur d'une *Théorie mathématique de relativité* (1923).

**EDE** ~ V. des Pays-Bas (Gueldre), au N.-O. d'Arnhem ; 98 000 h. Musée Van-Gogh.

**ÉDÉA** ~ V. du Cameroun, sur la Sanaga ; 31 000 h Hydroélectr. et usine d'aluminium.

**ÉDEN** ~ Lieu où se situe le paradis terrestre, selo la Bible.

**EDEN** (Anthony), 1ᵉʳ comte **d'Avon** ~ *189 Windlestone Hall, Durham - 1977, Alvediston, Wiltshire.* Homme politique britannique. Déput conservateur et ministre des Affaires étrangères trois reprises, il succéda à Churchill comme Premie ministre (1955) mais dut se retirer (1957) aprè l'échec de l'expédition de Suez.

**ÉDESSE**, auj. **Urfa**, en Anatolie (Turquie) ~ An cité du N.-O. de la Mésopotamie. Capitale d'u État christianisé dès le IIᵉ s., annexé par Rom en 215. Le Perse Chahpour Iᵉʳ y vainquit l'empe reur Valérien en 260. Les croisés y fondèrent u comté (1098-1144).

**E. D. F. - G. D. F.** ~ Voir **Électricité de France Gaz de France.**

**EDFOU** ou **IDFU** ~ V. de l'anc. Égypte, au S. d Thèbes. Temple d'Horus (époque lagide).

**EDGAR L'ATHELING** ~ *v. 1050, Hongrie v. 1125, Écosse.* Prince anglo-saxon. Prétendar malheureux au trône d'Angleterre, il se rallia Guillaume le Conquérant, puis s'exila en Écoss

**EDGAR LE PACIFIQUE** ~ *v. 943 - 975.* Roi d Mercie et du Northumberland (957-959), roi de Anglo-Saxons (959-975). Il pacifia les relation entre Saxons et Danois, consolida l'unité du pay et renforça l'autorité monarchique par des réforme administratives.

**ÉDIMBOURG**, en angl. ***Edinburgh*** ~ Cap. admin (depuis 1437) et 2ᵉ v. d'Écosse (S.-E.), sur l'estuair du Forth, princ. centre culturel du pays ; 419 000 h Univ., édition, festival (musique, théâtre), musées Château des XIVᵉ-XVIIIᵉ s., cité médiévale, palais roya de Holyrood du XVIIᵉ s., cathédrale St-Gilles des XIV et XVᵉ s. (ville haute) ; ensemble monumental d XVIIIᵉ s. (ville basse). **HIST.** – Fondée par Edwin d Northumbrie (VIIᵉ s.), la cité fut conquise par le rois d'Écosse (962), qui y fixèrent leur résidence

**DIRNE**, anc. **Andrinople** ~ V. de la Turquie Europe, centre admin. (Thrace) ; 102 000 h. Nombreuses mosquées, dont celles de Selimiye XVI^e^ s.), œuvre de Sinan, et de Bayezid II (XV^e^ s.). **IST.** – Ancienne ville grecque baptisée Hadrianapos par Hadrien. Valens y fut vaincu par une oalition de Goths et d'Alains en 378. Murad I^er^ empara de la ville en 1362 et en fit la capitale e l'Empire ottoman jusqu'en 1458. En 1829, le sar Nicolas I^er^ y signa le traité russo-turc reconnaissant l'indépendance de la Grèce. Attribuée à la Grèce en 1920, elle fut rendue à la Turquie en 1923.

**DISON** (Thomas) ~ *1847, Milan, Ohio - 1931, West Orange, Texas.* Inventeur américain. Autodidacte, il fonda en 1876 une usine où il mit au point le télégraphe duplex, le phonographe, la ampe électrique à incandescence, le kinétoscope, t où il étudia l'émission thermoélectronique.

© Explorer-Archives

*Thomas **Edison** dans son laboratoire.*

**EDMOND I^er^** ~ *v. 922 - 946, Pucklechurch, Gloucestershire.* Roi d'Angleterre (940-946). Père d'Edgar e Pacifique, il réprima la révolte du Northumberland et soumit la Mercie.

**EDMOND RICH** (saint) ~ *v. 1170, Abingdon, près d'Oxford - 1240, Soisy, près de Provins.* Prélat anglais. Archevêque de Canterbury, il entra en conflit avec Henri III à propos des bénéfices ecclésiastiques, puis se réfugia en France.

**EDMONTON** ~ La plus septentrionale des villes de la Prairie canadienne, cap. de l'Alberta, à l'E. des montagnes Rocheuses ; 617 000 h. (agglom. 840 000 h.). Raff. de pétrole, chimie, métallurgie, agroalimentaire (viande).

**EDO** ou **YEDO** ~ Nom de Tôkyô jusqu'en 1868.

**ÉDOM** ou **IDUMÉE** ~ Région de l'ancienne Palestine, a l'O. de la mer Morte.

**Édomites** ou **Iduméens** (les) ~ Peuple sémitique descendant d'Ésaü selon la Bible. Avant l'arrivée des Hébreux en Canaan, les Édomites constituèrent un royaume uni au S.-E. de la mer Morte. Soumis par David, ils se convertirent à la religion israélite.

**ÉDOUARD (lac)** ~ Lac de la Rift Valley, en Afrique équatoriale, entre l'Ouganda et le Zaïre, en amont du lac Albert ; 2 500 km$^2$.

**ÉDOUARD**, nom de six rois d'Angleterre et de deux rois de Grande-Bretagne et d'Irlande. ~ **Édouard I^er^** (*1239, Westminster - 1307, Burgh by Sands, près de Carlisle*), roi d'Angleterre (1272-1307), fils d'Henri III. Victorieux de Simon de Montfort, il réprima la révolte des barons, soumit le pays de Galles (1277-1284) et annexa l'Écosse (1296). Il rétablit l'autorité monarchique, tout en reconnaissant les prérogatives financières du Parlement en 1295. ~ **Édouard II** (*1284, Caernarvon, pays de Galles - 1327, Berkeley, estuaire de la Severn*), roi d'Angleterre (1307-1327), fils du préc. Son règne fut marqué par les luttes contre l'aristocratie anglaise (soulèvements des barons en 1312 et 1321) et par la bataille de Bannockburn (1314), qui rendit son indépendance à l'Écosse. Forcé d'abdiquer par sa femme, Isabelle de France, et par l'amant de celle-ci, Roger Mortimer (1327), il fut ensuite assassiné. ~ **Édouard III** (*1312, Windsor - 1377, Sheen*), roi d'Angleterre (1327-1377), fils du préc. Petit-fils de Philippe IV le Bel, il revendiqua la couronne de France (1337), déclenchant ainsi la guerre de Cent Ans. Il remporta les victoires de L'Écluse (1340), de Crécy (1346), prit Calais (1347) et imposa à Jean II le Bon le traité de Londres (1359), ratifié à Brétigny, par lequel la France cédait à l'Angleterre un tiers de son territoire. Il créa l'ordre de la Jarretière. ~ **Édouard IV** (*1442, Rouen - 1483, Westminster*), roi d'Angleterre (1461-1483), fils de Richard d'York. Il lutta pour la Couronne durant la guerre des Deux-Roses et mit fin à la guerre de Cent Ans (traité de Picquigny, 1475). ~ **Édouard V** (*1470, Westminster - 1483, Londres*), roi d'Angleterre (1483), fils du préc. Il fut assassiné, avec son frère Richard d'York, par son oncle, le régent Richard III de Gloucester. ~ **Édouard VI** (*1537, Hampton Court - 1553, Greenwich*), roi d'Angleterre et d'Irlande (1547-1553), fils d'Henri VIII. Il laissa gouverner Edward Seymour, puis John Dudley. Son règne fut marqué par le renforcement du protestantisme. ~ **Édouard VII** (*1841, Londres - 1910, id.*), roi de Grande-Bretagne et d'Irlande (1901-1910), fils de Victoria I^re^. Il œuvra en faveur de l'Entente cordiale avec la France (1904). ~ **Édouard VIII** (*1894, Richmond, auj. Richmond-upon-Thames - 1972, Paris*), roi de Grande-Bretagne et d'Irlande du Nord (1936), fils de George V. Il abdiqua afin d'épouser Wallis Simpson, une Américaine divorcée. Il porta dès lors le titre de duc de Windsor.

**ÉDOUARD**, en port. ***Duarte*** ~ *1391, Lisbonne - 1438, Tomar.* Roi de Portugal (1433-1438). Fils de Jean I^er^, il combattit les musulmans mais échoua devant Tanger en 1437. Il a laissé un recueil de lois.

**ÉDOUARD**, dit **le Prince Noir** ~ *1330, Woodstock - 1376, Westminster.* Fils d'Édouard III. Il remporta la bataille de Poitiers et y captura Jean II le Bon, roi de France (1356). Son père lui confia en 1363 le gouvernement de l'Aquitaine.

**ÉDOUARD L'ANCIEN** ~ *m. en 924 à Farndon.* Roi des Anglo-Saxons (899-924). Il vainquit les Danois.

**ÉDOUARD LE CONFESSEUR** (saint) ~ *v. 1002, Islip, Oxfordshire - 1066, Westminster, Londres.* Roi d'Angleterre de 1042 à 1066. Il restaura la dynastie anglo-saxonne contre les Danois.

**Éduens** (les) ~ Peuple gaulois établi dans le Nivernais et en Bourgogne. Ils rompirent leur alliance avec les Romains pour soutenir Vercingétorix, mais furent vaincus par César.

**EDWARDS** (William Blake **McEdwards**, dit Blake) ~ *1922, Tulsa.* Cinéaste américain. Auteur de comédies brillantes (*Diamants sur canapé*, 1961 ; *Victor Victoria*, 1982), il a connu son plus grand succès avec *la Panthère rose* (1964).

**EEKHOUD** (Georges) ~ *1854, Anvers - 1927, Bruxelles.* Écrivain belge d'expression française. Dans ses romans, il dressa des tableaux sociaux d'un réalisme souvent brutal mais empreint de psychologie et de tendresse pour ses personnages, gens simples (*Kermesses*, 1885 ; *Escal Vigor*, 1899).

**EFFEL** (François **Lejeune**, dit Jean) ~ *1908, Paris - 1982, id.* Dessinateur et caricaturiste français. Polémiques, tendres, poétiques, ses dessins et caricatures ont traqué les mœurs politiques et morales de son temps (*la Création du monde*, 1951).

**EGAS** (Enrique) ~ *v. 1455 - v. 1534, Tolède.* Architecte espagnol. Il illustra le style plateresque (hôpital royal de Saint-Jacques-de-Compostelle, chapelle funéraire de Grenade).

**ÉGATES** ou **ÆGATES (îles)** ~ Archipel de l'O. de la Sicile ; 40 km$^2$, env. 5 000 h. Pêche. En 241 av. J.-C., une victoire navale des Romains sur les Carthaginois, au large de ces îles, mit fin à la première guerre punique.

**Égaux (conjuration des)** ~ Conspiration menée en 1796 par Babeuf, Buonarroti, Darthé et Maréchal contre le Directoire pour instaurer une société égalitaire. Après l'arrestation des conjurés, Babeuf et Darthé furent guillotinés.

**EGBERT LE GRAND** ~ *m. en 839.* Roi de Wessex (802-839). Il conquit la totalité de l'Angleterre et lutta contre les invasions scandinaves.

**ÉGÉE** ~ Roi légendaire d'Athènes. Il se jeta dans la mer qui porte son nom, croyant que son fils Thésée avait été dévoré par le Minotaure.

**ÉGÉE (mer)** ~ Partie de la Méditerranée qui baigne la Grèce, la Crète et la Turquie ; env. 180 000 km$^2$. Important trafic maritime, tourisme insulaire (îles Cyclades, Sporades).

**Égéens** (les) ~ Peuples préhelléniques (III^e^-II^e^ mill. av. J.-C.) des rives de la mer Égée (Chypre, Crète, Péloponnèse, Troie), de culture minoenne.

**EGER** ~ V. du N.-E. de la Hongrie, au pied des monts Mátra ; 63 000 h. Thermes. Vins renommés. Monuments et vestiges turcs médiévaux, églises baroques du XVIII^e^ s.

**ÉGÉRIE** ~ Nymphe romaine, déesse des Femmes et des Esclaves, dont le culte était lié à celui de Diane.

**ÉGINE**, en grec ***Aíghina*** ~ Île grecque de la mer Égée (banlieue d'Athènes), dans le golfe d'Égine ; 83 km$^2$. Sites archéol. (colonne d'Apollon, temple d'Aphaia). La puissance de cette cité commerçante (dès le VI^e^ s. av. J.-C.) inquiétait les Athéniens, qui la détruisirent durant la guerre du Péloponnèse.

**ÉGINHARD** ou **EINHARD** ~ *v. 770, Maingau, Franconie - 840, Seligenstadt.* Chroniqueur franc. Historiographe et homme de confiance de Charlemagne, il fut le précepteur de Lothaire.

**ÉGISTHE** ~ Roi légendaire de Mycènes, membre de la famille des Atrides. Pour venger son père, il tua son oncle Atrée ; amant de Clytemnestre, il assassina Agamemnon et mourut lui-même de la main d'Oreste.

**Église catholique** ou **romaine** ~ Assemblée des fidèles partageant la même foi en la divinité de Jésus-Christ et reconnaissant l'autorité du pape. [☞ **catholicisme ; christianisme ; église.**]

**Église constitutionnelle** ~ Église regroupant les ministres du culte ayant prêté serment à la Constitution civile du clergé, adoptée en 1790. Placée sous l'autorité de l'abbé Grégoire, cette institution disparut avec le Concordat de 1801.

**Églises orientales** ~ Ensemble des Églises chrétiennes constituées en dehors de la sphère d'influence de l'Église romaine et ne reconnaissant pas l'influence doctrinale du pape. Elles sont divisées en trois groupes (Églises orthodoxes, majoritaires, Églises monophysites, Église nestorienne), auxquels il convient d'ajouter les Églises catholiques orientales (dont les Églises dites uniates) revenues dans l'obédience romaine (not. aux XVI^e^ et XVII^e^ s.). [☞ **christianisme ; église ; orthodoxie.**]

**Églises protestantes** ~ Ensemble des confessions chrétiennes issues de la Réforme (XVI^e^ s.). Elles n'admettent comme seule autorité que celle de l'Écriture sainte et forment trois courants principaux (luthérien, réformé ou presbytérien, anglican), eux-mêmes divisés en plusieurs Églises, mouvements ou communautés. [☞ **christianisme ; église ; protestantisme.**]

**EGMONT** (Lamoral, comte D'), prince **de Gavre** ~ *1522, La Hamaide, Hainaut - 1568, Bruxelles.* Homme de guerre des Pays-Bas. Il fut nommé en 1559 gouverneur du Brabant et de l'Artois, membre du conseil d'État et commandant des troupes espagnoles dans les Pays-Bas. Opposé au cardinal Granvelle, il défendit, quoique catholique, les dissidents protestants et soutint Guillaume I^er^ le Taciturne. Son exécution entraîna un soulèvement général des Pays-Bas. Sa vie a inspiré Goethe et Beethoven.

**ÉGYPTE (république arabe d')**, en ar. ***Misr*** ~ Pays de l'Afrique du N.-E. (Proche-Orient) qui englobe la péninsule du Sinaï (en Asie), bordé au N. par la Méditerranée, à l'E. par la mer Rouge. ***Cap.*** Le Caire. ***Superf.*** 1 001 449 km$^2$. ***Popul.*** 61 000 000 d'h. ***Langue princ.*** Arabe. ***Monn.*** Livre égyptienne. ***Relief.*** La vallée du Nil, longue de 1 300 km, et le Delta constituent l'axe fertile (35 000 km$^2$) du pays. Il est bordé à l'O. par l'immense désert de Libye, parsemé d'oasis (Fayyoum, Dakhla, Kharguèh), et à l'E. par le désert Arabique, plus montagneux (chaîne Arabique), qui se prolonge dans la péninsule du Sinaï. ***Climat.*** Désertique avec une nuance méditerranéenne au N. ***Écon.*** L'économie est fondée sur l'agriculture irriguée (blé, riz, coton, canne à sucre, agrumes, légumes), qui ne subvient qu'à 50 % des besoins alimentaires du pays, sur l'industrie (sidér., chim., agroalim., text., armement), concentrée au Caire et à Alexandrie, sur l'extraction de pétrole et de gaz, les droits de passage sur le canal de Suez et les revenus des expatriés. Le surpeuplement de la vallée du Nil (croissance forte) est à l'origine des grands travaux d'aménagement du fleuve. ***V. princ.*** Le Caire, Alexandrie, Gizeh. **HIST.** – L'Égypte connaît un premier peuplement dès le Paléolithique. *VI^e^ mill.* : diverses peuplades, poussées vers la vallée du Nil par l'assèchement des contrées voisines, forment la population égyptienne. *V^e^ mill.* : développement des

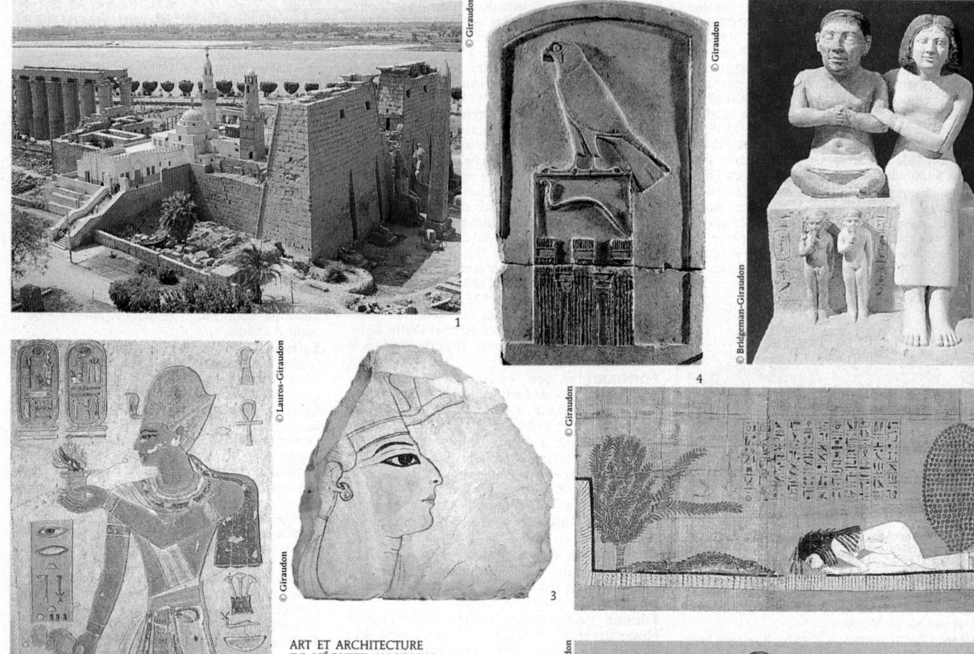


ART ET ARCHITECTURE
DE L'ÉGYPTE ANCIENNE

1. *Vue aérienne du temple de Louqsor (XVe s.-XIIIe s. av. J.-C.).*

2. Ramsès III en costume de guerre (*XIIe s. av. J.-C.), peinture murale. Vallée des Rois, Thèbes.*

3. Tesson portant un profil royal, *calcaire peint (XVIe s.-XIVe s. av. J.-C.). Musée du Louvre, Paris.*

4. Stèle du roi serpent, époque thinite (v. 3000 av. J.-C.). *Musée du Louvre, Paris.*

5. Groupe du nain Seneb et sa famille *(v. 2475 av. J.-C.), calcaire peint, nécropole de Gizeh. Musée égyptien du Caire.*

6. Défunte prosternée devant un crocodile *(XIe s. av. J.-C.), papyrus funéraire. Musée égyptien du Caire.*

7. Cuiller à fard du type dit à la nageuse *(Nouvel Empire, XVIe s.-XIVe s. av. J.-C.), bois et ivoire. Musée du Louvre, Paris.*

cultures du Fayyoum, de Tasa, de Merimdèh. *IVe mill.* : la civilisation gerzéenne, qui utilise le cuivre, essaime dans toute la vallée du Nil. *3150-2700 av. J.-C.* : période thinite. Règne de Narmer (3150-3125), qui unifie l'Égypte. *2700-2190 av. J.-C.* : Ancien Empire (IIIe et IVe dynasties) ; construction des pyramides de Djoser (Saqqarah), Kheops, Khephren et Mykérinos (Gizeh). *2200-2061 av. J.-C.* : première période intermédiaire, caractérisée par des troubles politiques et sociaux. *2061 av. J.-C.* : Montouhotep II, roi de Thèbes, réunifie le pays et inaugure la période du Moyen Empire (XIe et XIIe dynasties), période d'expansion en Nubie, Palestine et Phénicie. *1800-1600 av. J.-C.* : deuxième période intermédiaire, qui voit les Hyksos envahir le Delta. *1580-1085 av. J.-C.* : Nouvel Empire (XVIIIe à XXe dynastie) ; Ahmès Ier chasse les Hyksos et fonde la XVIIIe dynastie ; règnes de Thoutmosis III et d'Aménophis IV. L'instauration du culte d'Aton oppose le clergé aux pharaons et affaiblit l'Égypte. *XIIIe-XIIe s. av. J.-C.* : l'invasion des Peuples de la Mer est difficilement repoussée par Ramsès III, et l'Égypte, épuisée, se contracte sur la vallée du Nil. *1069-715 av. J.-C.* : troisième période intermédiaire ; les pharaons tanites dominent le N. d'une Égypte divisée. *715-525 av. J.-C.* : renaissance éthiopienne et saïte (XXVe et XXVIe dynasties), marquée par la tutelle assyrienne (672-612 av. J.-C.). *525 av. J.-C.-642 apr. J.-C.* : le pays passe successivement sous les dominations perse (525-332 av. J.-C.), gréco-macédonienne (332-30 av. J.-C.), romaine (30 av. J.-C.) et enfin byzantine (395 apr. J.-C.). *640-642* : les Arabes conquièrent l'Égypte. *VIIe-XIIe s.* : l'Égypte passe successivement sous la domination des Omeyyades, des Abbassides et des Fatimides. *1171* : Saladin s'empare du pouvoir et fonde la dynastie des Ayyubides, qui combat les États latins du Levant avec succès. *1250* : les Ayyubides sont renversés par les Mamelouks, qui restaurent l'influence de l'Égypte sur le monde arabe. *Fin du XVe-début du XVIe s.* : l'Égypte des Mamelouks connaît une période de déclin économique qui facilite sa conquête par le Turc Sélim Ier (1517). *XVIe-XVIIIe s.* : désormais province ottomane, l'Égypte est gouvernée par un pacha nommé chaque année par Istanbul. *1798-1801* : l'Égypte est occupée par les troupes françaises commandées par Bonaparte puis par Kléber. *1805-1849* : envoyé par Istanbul pour rétablir l'ordre au lendemain du départ des Français, Méhémet-Ali s'émancipe très vite de l'autorité ottomane et se fait reconnaître comme pacha à vie. Sous son règne, l'Égypte se modernise et, par la conquête du Soudan, étend son influence sur toute la vallée du Nil. *1869* : ouverture du canal de Suez, qui compromet la situation financière de l'Égypte et va permettre l'ingérence étrangère. *1882* : la mainmise étrangère sur le pays suscite le développement d'un mouvement nationaliste aboutissant à une révolte, écrasée par les Britanniques, qui occupent alors l'Égypte. *1914* : Londres impose son protectorat. *1922-1952* : l'Égypte obtient une indépendance qui demeure fictive et qui nourrit les revendications nationalistes. *1952* : au lendemain de la défaite infligée aux armées arabes par Israël (1948-1949), le « groupe des officiers libres », dirigé par Gamal Abdel Nasser et Mohammed Néguib renverse le roi Farouk, prend le pouvoir et proclame l'année suivante la république. *1954-1956* : Nasser élimine Néguib, les Frères musulmans et l'opposition communiste. *1956* : partisan du non-alignement Nasser se rapproche de l'U. R. S. S. pour financer le barrage d'Assouan et, en dépit d'une intervention unissant Français, Britanniques et Israéliens, nationalise le canal de Suez. *1967* : l'Égypte est vaincue par Israël lors de la guerre des Six-Jours. *1970* : à la mort de Nasser, Anouar el-Sadate lui succède. *1970-1981* : après l'échec du rapprochement avec la Libye (1972) et les demi-succès de la guerre du Kippour (1973), Sadate rompt avec les Soviétiques (1976), se rapproche des Occidentaux et signe la paix avec Israël (1979). Il est assassiné par des extrémistes islamistes (1981). *1981* : Hosni Moubarak lui succède. Il poursuit la politique pro-occidentale de Sadate, favorise l'évolution de l'O. L. P. vers la reconnaissance d'Israël et tente de contenir un mouvement islamiste de plus en plus influent.

**Égypte (campagne d')** ~ Expédition engagée en 1798 par Bonaparte pour contrecarrer l'influence britannique en Méditerranée. Victorieuse contre les Mamelouks à la bataille des Pyramides, l'armée française occupa l'Égypte, mais Nelson la coupa de la Méditerranée en coulant sa flotte à Aboukir. À leur tour, les Turcs déclarèrent la guerre à la France (févr. 1799), mais ils furent battus au mont Thabor (avr. 1799). Après le départ brusqué de Bonaparte et l'assassinat de Kléber (1800), le corps expéditionire, mal commandé, dut se rendre et fut rapatrié 801). Pour l'Égypte comme pour la France, le oc culturel fut considérable. Les Égyptiens découvrent les modes de pensée et les technologies de urope ; les Français étudièrent l'Égypte antique.

**RENBOURG** (Ilya Grigorevitch) ~ *1891, ev - 1967, Moscou.* Écrivain soviétique. Chantre socialisme, militant antifasciste, il couvrit mme journaliste les guerres en Espagne et en ance (*la Guerre*, 1942-1944), puis dénonça le gime stalinien dans *le Dégel* (1954-1956).

**RLICH** (Paul) ~ *1854, Strehlen, Silésie - 1915, d Homburg.* Médecin allemand. Fondateur de nmunologie, il mena des travaux décisifs sur la berculose et sur l'action des arsénobenzènes contre syphilis. Prix Nobel de physiol. ou méd. 1908.

**CHENDORFF** (Joseph, baron VON) ~ *1788, châu de Lubowitz, Haute-Silésie - 1857, Neisse, auj. ysa.* Écrivain allemand. Poète romantique, il est ssi l'auteur de romans (*Scènes de la vie d'un propre rien*, 1826).

**CHMANN** (Karl Adolf) ~ *1906, Solingen - 62, Ramla, Israël.* Policier allemand. Membre du rti nazi et de la S. S., il organisa l'extermination s Juifs dans 13 pays européens de 1938 à 1945. apturé en Argentine par les Israéliens (1960), il t jugé et exécuté.

**FEL** (l') ~ Partie du Massif schisteux rhénan, ns l'O. de l'Allemagne (Rhénanie-Palatinat), prolongement boisé de l'Ardenne belge borné par le Rhin .) et par la Moselle (S.), surmontée de formations lcaniques (Hohe Acht, 747 m). Cultures comm. ns les vallées (tabac, orge, vignes).

**FFEL** (Gustave) ~ *1832, Dijon - 1923, Paris.* génieur français. Pionnier de l'architecture métallique, il bâtit de nombreux ponts et viaducs (viaduc Garabit, 1882), et la **tour Eiffel** (320 m) pour Exposition universelle de Paris (1889).

**GER** (l') ~ L'un des sommets des Alpes bernoises, la limite du Valais ; 3 970 m.

**JKMAN** (Christiaan) ~ *1858, Nijkerk - 1930, trecht.* Physiologiste néerlandais. Spécialiste des itaminoses, il fit des recherches déterminantes sur béribéri. Prix Nobel de physiol. ou méd. 1929.

**LAT** ou **ELATH** ~ Seul port israélien de la mer ouge (golfe d'Akaba), à l'extrême S. du désert du éguev ; env. 25 000 h. Station baln. Point de part d'un oléoduc.

**NAUDI** (Luigi) ~ *1874, Carru, Piémont - 1961, ome.* Économiste et homme d'État italien. Opponnt au fascisme, il fut, après la guerre, ministre s Finances (1947), avant d'être élu président de République (1948-1955).

**NDHOVEN** ~ V. du S. des Pays-Bas (Brabant-ptentrional), l'un des princ. centres industriels pays ; 196 000 h. (agglom. 393 000 h.). Induses électr. et électron. dominantes, automobile, xt., tabac. Université technique.

**NHARD** ~ Voir **Éginhard**.

**NSTEIN** (Albert) ~ *1879, Ulm - 1955, Princeton.* nysicien d'orig. allemande naturalisé suisse puis néricain. En 1905, il établit l'existence d'un antum d'énergie lumineuse (plus tard appelé noton), puis élabora la relativité restreinte et la rmule E = $mc^2$ de l'équivalence entre masse ($m$) énergie (E), $c$ étant la vitesse de la lumière dans vide. Il poursuivit ses travaux avec la théorie de relativité générale (1916) et la recherche d'une éorie unitaire des forces gravitationnelles et ectromagnétiques. Juif, il fuit le nazisme et s'exila ux États-Unis en 1933. Craignant que l'Allemagne azie ne parvienne à maîtriser l'énergie nucléaire, incita le président Roosevelt à construire la emière bombe atomique, sans y participer. Il lutta nsuite contre la prolifération des armes nucléaires. fut l'un des principaux initiateurs de la nouvelle onception scientifique de l'espace et du temps. Prix obel de phys. 1921. [☞ **relativité**.]

**INTHOVEN** (Willem) ~ *1860, Semarang, Java - 927, Leyde.* Physiologiste néerlandais. Il découvrit électrocardiographie. Prix Nobel de physiol. ou néd. 1924.

**IRE** ~ Voir **Irlande** (république d').

**ISENACH** ~ V. industr. de l'Allemagne moyenne, n Thuringe, à l'O. d'Erfurt, anc. cap. d'un duché axon (XVI$^e$-XVIII$^e$ s.) ; 47 000 h. Château de la Wartburg, résidence des landgraves de Thuringe dès le XI$^e$ s. Palais ducal (XVIII$^e$ s.). Musées Luther et J.-S.-Bach.

**EISENHOWER** (Dwight David) ~ *1890, Denison, Texas - 1969, Washington.* Général et homme d'État américain. Organisateur du débarquement allié en Normandie (1944) et artisan de la victoire contre la Wehrmacht (1945), il fut élu président des États-Unis en 1953, sous l'étiquette républicaine, et fut réélu en 1956.

**EISENSTADT** ~ V. d'Autriche, ch.-l. du Burgenland ; 10 000 h. Château Esterházy. Musée Haydn.

**EISENSTEIN** (Sergueï Mikhaïlovitch) ~ *1898, Riga - 1948, Moscou.* Cinéaste soviétique. Théoricien du langage filmique et auteur de chefs-d'œuvre du cinéma muet (*le Cuirassé « Potemkine »*, 1925), il fut taxé de formalisme et évolua vers un style épique plus conforme à l'idéologie stalinienne (*Alexandre Nevski*, 1938 ; *Ivan le Terrible*, 1942-1946).

**EKATERINBOURG** ~ Voir **Iekaterinbourg**.

**EKELÖF** (Gunnar) ~ *1907, Stockholm - 1968, Sigtuna.* Poète suédois. D'abord surréaliste, il évolua vers le mysticisme, tentant de dominer l'absurdité du destin (*Guide pour les Enfers*, 1966).

**EKELUND** (Vilhelm) ~ *1880, Stehag - 1949, Saltsjöbaden.* Poète suédois. Il est l'auteur d'une œuvre où s'exprime l'influence des symbolistes français (*Élégies*, 1903).

**Ekofisk** ~ Gisement d'hydrocarbures des eaux norvégiennes de la mer du Nord.

**ÉLAGABAL** ou **HÉLIOGABALE**, en lat. ***Marcus Aurelius Antoninus***, dit ***Elagabalus*** ~ *204 - 222, Rome.* Empereur romain (218-222). Proclamé empereur à quatorze ans par l'armée syrienne, il voulut imposer son dieu, le Baal solaire, et laissa gouverner sa mère. Il fut assassiné avec cette dernière par les prétoriens.

**ÉLAM** (l') ~ Contrée de l'Iran antique (à l'E. du Tigre), siège d'une civilisation née au V$^e$ mill. av. J.-C. Son histoire vit alterner indépendance et soumission aux voisins mésopotamiens. Au XII$^e$ s. av. J.-C., les **Élamites** s'imposèrent à la Babylonie, mais les Assyriens détruisirent leur État et sa capitale, Suse (639 av. J.-C.). Les Achéménides firent de l'Élam un des centres de leur pouvoir (VI$^e$ s. av. J.-C.).

**ÉLANCOURT** ~ V. de la grande banlieue parisienne (Yvelines), au S.-O. de Versailles ; 22 584 h.

**ELATH** ~ Voir **Eilat**.

**ELBASAN** ~ L'une des princ. villes d'Albanie, au centre du pays, marché agric. bien relié à Tirana et à la côte (Durrës) ; 83 000 h. Ancien foyer de résistance aux Ottomans.

**ELBE** (l'), en tchèque ***Labe*** ~ L'un des princ. fleuves d'Europe centrale (République tchèque, Allemagne), issu des monts des Géants (qu'il sépare en aval des monts Métallifères), tributaire de la mer du Nord, qui draine la Bohême et arrose la Saxe ; 1 165 km (bassin 144 000 km$^2$). L'Elbe, qui passe à Dresde, Magdebourg, Hambourg (sur l'estuaire), est reliée par canaux à la Ruhr, à Berlin et à la Baltique. Elle forma la limite N.-E. de l'Empire carolingien au IX$^e$ s. Point de jonction (Torgau) des armées américaines et soviétiques en avril 1945.

**ELBE (île d')** ~ La plus vaste des îles côtières italiennes, face à la Maremme toscane ; 223 km$^2$, env. 30 000 h., v. princ. Portoferraio (env. 10 000 h.). Viticulture, pêche, tourisme. Lieu d'exil de Napoléon I$^{er}$ en 1814-1815.

*Gustave* **Eiffel.**

© Coll. Devaux-Explorer

*Albert* **Einstein.**

© J.-L. Charmet-Explorer

**ELBÉE** (Maurice **Gigost** D') ~ *1752, Dresde - 1794, Noirmoutier.* Général français. Il succéda à Cathelineau à la tête de l'armée vendéenne. Capturé par les républicains, il fut exécuté.

**ELBEUF** ~ V. industr. de Seine-Maritime, sur la Seine, au S. de Rouen ; 16 604 h. (agglom. 53 886 h.). Industr. text. (en déclin), chim. et électrique.

**ELBOURZ** (l') ~ La plus haute chaîne montagneuse d'Iran (5 600 m au Demavend), rebord septentrional des hauts plateaux intérieurs, qui domine abruptement l'étroit littoral de la Caspienne (versant N. humide).

**ELBROUZ** (l') ~ Volcan éteint et point culminant du Caucase, dans le N.-O. du Grand Caucase (frontière Russie-Géorgie) ; 5 642 m. Tourisme.

**ELCANO** (Juan Sebastián) ~ *v. 1476, Guetaria - 1526, dans l'océan Pacifique.* Navigateur espagnol. Il commanda le navire de l'expédition de Magellan qui termina le premier tour du monde (1522).

**ELCHE** ~ V. du S.-O. de l'Espagne, au S.-O. d'Alicante ; 182 000 h. Première palmeraie d'Europe. On y découvrit en 1897 le buste d'une femme dite **Dame d'Elche**.

© Giraudon

*Buste de femme dite* Dame d'**Elche**, *art ibère (V$^e$-III$^e$ s. av. J.-C.). Musée du Prado, Madrid.*

**ELDORADO** (l'), en fr. « le Doré » ~ Région légendaire d'Amérique latine, riche en or. Les conquistadors le situaient entre l'Amazone et l'Orénoque.

**ÉLECTRE** ~ Personnage de la mythologie grecque. Fille d'Agamemnon et de Clytemnestre, elle sauva son frère Oreste après le meurtre de leur père, puis s'associa à sa vengeance contre leur mère et l'amant de celle-ci, Égisthe. Sa légende inspira not. Eschyle, Sophocle et Euripide.

**Électricité de France - Gaz de France** (**E. D. F. - G. D. F.**) ~ Établissement public créé en 1946, chargé de produire, de transporter et de distribuer l'électricité et le gaz naturel domestique en France.

**ÉLÉE** ~ Colonie grecque d'Italie du Sud, fondée par les Phocéens v. 536 av. J.-C.

**ELEPHANTA** ~ Île de l'Inde, dans le golfe de Bombay. Temple shivaïte rupestre du VII$^e$ s.

**ÉLÉPHANTINE (île)** ~ Île du Nil (en face d'Assouan), centre militaire et commercial de l'ancienne Égypte.

**ÉLEUSIS** ~ Port de la région d'Athènes (Grèce), au fond du golfe d'Égine ; 23 000 h. Sidér., raff. de pétrole. Dans l'Antiquité, la cité était célèbre pour ses rites initiatiques liés au culte de Déméter : les **mystères d'Éleusis**. Ruines de l'époque classique et romaine (*Mission de Triptolème*).

**ELGAR** (sir Edward) ~ *1857, Broadheath - 1934, Worcester.* Compositeur britannique. De tempérament postromantique, il ouvrit la musique anglaise à la modernité européenne (*le Songe de Gérontius*, 1900 ; *Enigma variations*, 1899 ; *Concerto pour violoncelle*, 1919).

**ELGIN** ~ Thomas BRUCE, comte D' (*1766, Londres - 1841, Paris*), diplomate britannique. Ambassadeur en Turquie, il enleva de nombreux décors sculptés du Parthénon, auj. exposés au British Museum. Son fils ~ **James** (*1811, Londres - 1863, Dharmsala*) fut successivement gouverneur du Canada, puis premier vice-roi des Indes (1862).

**ÉLI** ~ Voir **Héli**.

**ELIADE** (Mircea) ~ *1907, Bucarest - 1986, Chicago.* Historien et romancier roumain. Spécialiste d'histoire des religions, il y introduisit les méthodes de mythologie comparée (*Traité d'histoire des religions*, 1949). *La Nuit bengali* (1933) est son roman le plus célèbre.

**ELIAS** (Norbert) ~ *1897, Breslau, auj. Wrocław - 1990, Amsterdam.* Sociologue allemand. Il poursuivit le projet de Max Weber d'une science sociale tournée vers l'exploration de processus sociaux à long terme qui, mêlant phénomènes économiques, rapports de pouvoir et dynamique des connaissances, sont au cœur de la civilisation occidentale (*la Société de cour*, 1969 ; *Qu'est-ce que la sociologie ?*, 1970).

**ÉLIDE** (l'), en gr. **Êleia** ~ Région du N.-O. du Péloponnèse (Grèce) baignée par la mer Ionienne. Agric. irriguée dans la plaine littorale. Dans l'Antiquité, elle avait pour capitale Élis et pour centre de culte Olympie.

**ÉLIE** ~ *IXe s. av. J.-C.* Prophète hébreu. Il défendit le monothéisme contre Jézabel et contre les cultes cananéens. La tradition juive en fait l'annonciateur du Messie.

**ÉLIE D'ASSISE** ou **FRÈRE ÉLIE** ~ *v. 1171, Castel Britti - 1253, Cortone.* Religieux et architecte italien. Compagnon de François d'Assise, il commença l'édification de la basilique d'Assise et fut nommé ministre général des Franciscains (1232), mais tomba en disgrâce.

**ÉLIE DE BEAUMONT** (Léonce) ~ *1798, Canon, Calvados - 1874, id.* Géologue français. Il dressa, avec Pierre Armand Petit Dufrénoy, la carte géologique générale de la France au 1/500 000.

**ELIOT** (John) ~ *1604, Widford, Hertfordshire - 1690, Roxbury, Massachusetts.* Missionnaire anglais. Rallié au puritanisme, il se consacra à l'évangélisation des indigènes de Nouvelle-Angleterre. Il traduisit la Bible en algonquin.

**ELIOT** (Mary Ann **Evans**, dite George) ~ *1819, Chilvers Coton, Warwickshire - 1880, Londres.* Femme de lettres britannique. À travers la description de la vie sociale de son temps, elle défendit les idées de tolérance, de dévouement et d'amour (*le Moulin sur la Floss*, 1860 ; *Middlemarch*, 1872).

**ELIOT** (Thomas Stearns) ~ *1888, Saint Louis, Missouri - 1965, Londres.* Écrivain britannique d'orig. américaine. Son poème *la Terre désolée* (1922) condamne la civilisation occidentale qui s'est coupée de Dieu. Drame liturgique, *Meurtre dans la cathédrale* (1935) relate l'assassinat de Thomas Becket. Prix Nobel de litt. 1948.

**ÉLISABETH** (sainte) ~ Personnage biblique. Épouse stérile de Zacharie, elle donna miraculeusement naissance à Jean-Baptiste.

**ÉLISABETH** ~ *1876, Possenhofen, Bavière - 1965, Bruxelles.* Reine des Belges. Fille de Charles Théodore, duc de Bavière, elle épousa en 1900 le futur roi Albert Ier.

**ÉLISABETH**, nom d'une reine d'Angleterre et d'Irlande et d'une reine du Royaume-Uni. ~ **Élisabeth Ire** (*1533, Greenwich - 1603, Richmond*), reine d'Angleterre et d'Irlande (1558-1603), fille d'Henri VIII et d'Anne Boleyn. Elle fut enfermée à la tour de Londres par Marie Tudor pour s'être compromise dans une insurrection protestante. Reine à la mort de celle-ci, elle rétablit l'Église anglicane en 1559. Elle persécuta les catholiques à partir de 1571 et fit exécuter sa rivale, Marie Stuart, en 1587. Elle soutint les protestants des Pays-Bas, s'opposant ainsi à l'Espagne. La défaite de l'Invincible Armada (1588) inaugura l'ère de la domination maritime anglaise. ~ **Élisabeth II** (*1926, Londres*), reine du Royaume-Uni de Grande-Bretagne et d'Irlande du Nord et chef du Commonwealth. Fille de George VI et épouse de Philippe de Grèce, duc d'Édimbourg, elle a été couronnée en 1952.

*Élisabeth II d'Angleterre.*

**ÉLISABETH D'AUTRICHE** ~ *1554, Vienne - 1592, id.* Reine de France. Fille de Maximilien II, elle fut mariée à Charles IX en 1570.

**ÉLISABETH DE FRANCE**, nom de deux reines d'Espagne. ~ **Élisabeth** (*1545, Fontainebleau - 1568, Madrid*), reine d'Espagne (1559-1568), fille d'Henri II et de Catherine de Médicis, épousa le roi Philippe II en 1559, à la suite de la paix du Cateau-Cambrésis. ~ **Élisabeth** (*1602, Fontainebleau - 1644, Madrid*), reine d'Espagne (1621-1644), fille d'Henri IV et de Marie de Médicis, épousa en 1615 le futur Philippe IV.

**ÉLISABETH DE FRANCE** (Philippine Marie Hélène), dite **Madame Élisabeth** ~ *1764, Versailles - 1794, Paris.* Sœur de Louis XVI, elle fut guillotinée.

**ÉLISABETH DE WITTELSBACH**, dite **Sissi** ~ *1837, Possenhofen, Bavière - 1898, Genève.* Impératrice d'Autriche. Petite-fille de Maximilien Ier, roi de Bavière, elle épousa l'empereur François-Joseph en 1854. Après la mort de son fils, l'archiduc Rodolphe, Sissi se tint à l'écart de la cour. Elle fut assassinée par un anarchiste italien.

**ÉLISABETH FARNÈSE** ~ *1692, Parme - 1766, Madrid.* Reine d'Espagne (1714-1746). Fille du duc de Parme, 2e femme de Philippe V, elle contribua, avec le cardinal Alberoni, à restaurer la domination espagnole sur l'Italie.

**ÉLISABETH PETROVNA** ~ *1709, Kolomenskoïe, près de Moscou - 1762, Saint-Pétersbourg.* Impératrice de Russie (1741-1762). Fille de Pierre Ier le Grand, elle accéda au pouvoir à la suite d'un coup d'État qui détrôna Ivan VI en 1741, et gouverna en despote éclairé. Durant la guerre de Sept Ans, elle s'allia à l'Autriche et à la France contre la Prusse.

**ÉLISABETHVILLE** ~ Voir **Lubumbashi**.

**ÉLISÉE** ~ *IXe s. av. J.-C.* Prophète biblique, disciple et successeur d'Élie.

**ÉLISSAGARAY** ~ Voir **Renau d'Élissagaray**.

**ELKINGTON** (George Richards) ~ *1801, Birmingham - 1865, Pool Park, pays de Galles.* Inventeur britannique. Il mit au point l'utilisation des procédés d'argenture et de dorure par l'électrolyse.

**ELLESMERE** (**île** ou **terre d'**) ~ Île la plus septentrionale d'Amérique, dans l'archipel Arctique canadien (elle atteint 83° de lat. N.) ; 196 236 km².

**ELLICE** (**îles**) ~ Voir **Tuvalu**.

**ELLINGTON** (Edward **Kennedy**, dit Duke) ~ *1899, Washington - 1974, New York.* Pianiste et compositeur de jazz américain. Avec son orchestre (1927-1931), au Cotton Club de Harlem, il créa le style « jungle ». Fidèle au blues et au swing, inventeur de l'esthétique du grand orchestre, il connut un succès mondial. [☞ **jazz**.]

**ELLISON** (Ralph) ~ *1914, Oklahoma City - 1994, New York.* Écrivain américain, auteur de nombreuses nouvelles et d'un unique roman, *l'Homme invisible pour qui chantes-tu* (1952).

**ELLORA** ~ Localité de l'Inde (Maharashtra), près d'Aurangabad. Lieu sacré de l'hindouisme, site archéol. (temples rupestres et sculptures, VIe-IXe s.).

**ELLROY** (James) ~ *1948, Los Angeles.* Écrivain américain, un des grands noms actuels du roman policier (*Lune sanglante*, 1984 ; *le Dahlia noir*, 1987). Face à des criminels pathologiques et à des victimes à la dérive, l'enquête sert d'exorcisme dans une société malade de sa violence.

**ÉLOI** (saint) ~ *v. 588, près de Limoges - 660, Noyon.* Évêque de Noyon. Orfèvre, auteur du mausolée de saint Denis, il fut le conseiller de Dagobert Ier.

**ELOUNQ** (**djebel**), anc. **djebel Onk** ~ Petit massif de l'E. de l'Algérie (1 338 m). Phosphates.

**EL PASO** ~ V. du Texas (États-Unis), sur la r. g. du Rio Grande, centre industr., favorisé par sa situation frontalière avec le Mexique ; agglom. 515 000 h.

**ELSENEUR**, en dan. *Helsingør* ~ Port industr. et comm. de l'île de Sjaelland (Danemark), sur l'Øresund ; 57 000 h. À 2 km au N. se trouve le château de Kronborg (XVIe s.), où Shakespeare a placé l'action de *Hamlet*.

**ELSEVIER** ~ Voir **Elzévir**.

**ELSHEIMER** (Adam) ~ *1578, Francfort-sur-le-Main - 1610, Rome.* Peintre et graveur allemand. Ses paysages historiques, mythologiques et religieux petit format, où se mêlent conception flamand style italien, inspirèrent Rubens et Claude Lorr

**ELSKAMP** (Max) ~ *1862, Anvers - 1931, id.* Po belge d'expression française. Symboliste, popul et mystique (*Louange de la vie*, 1898), son œu se teinta de pessimisme (*Chanson désabusée*, 192

**ELSTER**, nom de deux riv. d'Allemagne, tributa de l'Elbe. ~ L'**Elster Blanche**, issue des mo Métallifères, affl. de la Saale (r. dr.), aux con de la Thuringe et de la Saxe, arrose Leipz 257 km. ~ L'**Elster Noire**, affl. de l'Elbe (r. d est issue des monts de la Lusace ; 188 km.

**ELTSINE** ou **IELTSINE** (Boris Nikolaïevitch *1931, Sverdlovsk.* Homme d'État russe. Membre P. C. U. S., où il exerça d'importantes fonction s'en sépara peu à peu et fut élu premier prési de Russie au suffrage universel en juin 1991 s'opposa à la tentative de putsch contre M. Gorb chev en août 1991 et imposa alors la dissolut de l'U. R. S. S. et le transfert de ses compétenc la Russie. Il a inauguré la transition vers l'écono de marché, maintenant face aux assemblées él un pouvoir fort, et a réprimé les mouveme séparatistes menaçant l'intégrité de la fédération Russie. Il a été réélu en 1996.

**ELUARD** (Eugène **Grindel**, dit Paul) ~ *18 Saint-Denis - 1952, Charenton-le-Pont.* Poète fr çais. Après une période dadaïste, il partic activement au surréalisme, lui donnant trois de plus beaux recueils, dont *Capitale de la doul* (1926). Solidaire des idéaux de justice, le poète l'amour et du rêve s'engagea dans la Résista (*Poésie et Vérité*, 1942). Il rejoignit le P. C. F. et consacra à une poésie engagée réunissant l'am et la politique, sous le signe de l'évidence poéti et de la transparence (*Poésie ininterrompue*, 194

Paul **Eluard** *(1936), par Magritte. Coll. privée, Bruxell*

**Élysée** (**palais de l'**) ~ Résidence officielle d présidents de la République française (1848-18 et depuis 1873), dans le VIIIe arr. de Paris. Hô édifié pour le comte d'Évreux (1718), il appart à la marquise de Pompadour (1753), au financ Beaujon (1773), à la duchesse de Bourbon (178 puis à Joachim Murat (1805).

**ÉLYTIS** (Odhysséas **Alepoudhélis**, dit Odhysséas) *1911, Héraklion - 1996, Athènes.* Poète grec. S œuvre unit lyrisme, surréalisme et engageme social (*Soleil, le premier*, 1943 ; *Axion esti*, 195 Prix Nobel de litt. 1979.

**ELZÉVIR** ou **ELSEVIER** ~ Famille de libraires d'imprimeurs hollandais installés à Leyde, La Ha Utrecht et Amsterdam aux XVIe-XVIIe s. [☞ **elzévi**

**EMBRUN** ~ V. de la vallée de la Durance, da l'**Embrunais** (Hautes-Alpes) ; 5 793 h. Touris (lac de barrage de Serre-Ponçon, le plus grand pl d'eau de France). Anc. archevêché. Église roma et gothique (XIIe s.).

**EMDEN** ~ Port industriel de Basse-Saxe (Al magne), près de l'embouchure de l'Ems ; en 50 000 h. Terminal du gazoduc d'Ekofisk.

**EMERSON** (Ralph Waldo) ~ *1803, Boston - 188 Concord, Massachusetts.* Philosophe et écriva américain. Fondateur du transcendantalisme, il l dans sa philosophie religieuse, individualisme r mantique et panthéisme mystique (*les Représentan de l'humanité*, 1845).

**MERY** (Jacques André) ~ *1732, Gex - 1811, Issy-s-Moulineaux.* Prêtre français. Supérieur de la ompagnie de Saint-Sulpice (1782), il s'efforça de aintenir l'unité de l'Église pendant la Révolution contribua à sa réorganisation sous l'Empire.

**MERY** (Michel **Particelli**, seigneur D') ~ *1596, yon - 1650, Paris.* Financier français d'orig. ita-enne. Il servit Richelieu puis Mazarin.

**MÈSE** ~ Voir **Homs**.

**MILIE-ROMAGNE** ~ Région du N. de l'Italie, au ontact de l'Apennin toscan et des plaines de la dr. du Pô, bordée à l'E. par la mer Adriatique ; 2 124 km², 3 920 000 h., cap. Bologne. Plaine gric., région industr. (agroalim. et mécan.) et tou-stique (patrimoine urbain et stations baln.). Gise-ents de gaz naturel (Cortemaggiore). V. princ. : lodène, Parme, Ferrare, Ravenne, Reggio nell'Emi-a, Rimini, Plaisance. **HIST.** - Morcelés depuis le IIe s. entre possessions pontificales et duchés in-épendants, les territoires qui forment cette région urent réunis en 1860 au sein du royaume d'Italie.

**MINESCU** (Mihail **Eminovici**, dit Mihai) ~ *850, Ipoteşti - 1889, Bucarest.* Écrivain roumain. est l'auteur de poésies et de nouvelles populaires iêlant réel et imaginaire qui font de ce romantique grand poète de son pays.

**MIRATS ARABES UNIS (fédération des)** ~ Fé-ération de 7 émirats : Abu Dhabi, Dubay, Chardja 314 000 h.), Ras al-Khayma (130 000 h.), Fud-ayra (63 000 h.), Umm al-Qaywayn (27 000 h.), djman (76 000 h.), situés sur la côte orientale e la péninsule Arabique, en bordure du golfe ersique. ***Cap.*** Abu Dhabi. ***Superf.*** 83 657 km². ***opul.*** 2 100 000 h., dont 87 % d'Arabes. ***Langue rinc.*** Arabe. ***Monn.*** Dirham. ***Écon.*** Fondée sur exploitation du pétrole (85 % à Abu Dhabi), activité financière et commerciale, le tourisme et élevage ovin et caprin. **HIST.** - *XIXe-XXe s.* : la Côte es Pirates, devenue États de la Trêve, passe sous rotectorat britannique. *1971* : constitution de la édération des Émirats, dirigée par un Conseil uprême (7 émirs) présidé par le cheikh Zayed, 'Abu Dhabi.

**MMANUEL** (Maurice) ~ *1862, Bar-sur-Aube - 938, Paris.* Compositeur français. L'étude des nodes grecs et hindous l'a éloigné du système tonal *Salamine,* 1921-1928).

**MMANUEL** (Pierre Noël **Mathieu**, dit Pierre) ~ *916, Gan, Pyrénées-Atlantiques - 1984, Paris.* Écri-ain français. Son œuvre, d'inspiration chrétienne, onstituée de poèmes et d'essais, offre une réflexion ur le projet poétique confronté à la réalité istorique (*Tu,* 1978). Acad.

**EMMANUEL-PHILIBERT**, dit **Tête de Fer** ~ *1528, Chambéry - 1580, Turin.* Duc de Savoie (1553-1580). Il combattit aux côtés de Charles Quint les princes protestants allemands et contribua à la ictoire des Espagnols sur les Français à la bataille le Saint-Quentin, en 1557.

**EMMAÜS** ~ Village palestinien cité par l'Évangile de Luc (Jésus y apparut à deux disciples le soir de sa résurrection).

**EMMEN** ~ V. industrielle du N.-E. des Pays-Bas (Drenthe) ; 93 000 h.

**EMMENTAL** ou **EMMENTHAL** (l') ~ Vallée de la Grande Emme, dans les Préalpes bernoises, en Suisse. Sylviculture et élevage (fromage).

**EMPÉDOCLE** ~ *v. 500, Agrigente - v. 430 av. J.-C.* Philosophe grec. Il concevait le monde comme un équilibre des contraires, né et se maintenant sous les actions opposées mais convergentes des deux principe Amour et Haine.

**EMPIRE (premier)** ~ Régime politique de la France (18 mai 1804-4 avr. 1814, puis 20 mars-22 juin 1815) institué au profit du Premier consul Napoléon Bonaparte, sacré empereur (Napoléon Ier) le 2 décembre 1804. Il fut marqué par un puissant mouvement de transformation de la société et des institutions françaises (centralisation, Code civil, organisation de l'Université), et par une suite de guerres qui étendirent la domination française sur les deux tiers de l'Europe. La coalition des puissances européennes (Prusse, Autriche, Russie, Royaume-Uni) opposée à la France obligea Napoléon Ier à abdiquer en avril 1814, déterminant le retour des Bourbons sur le trône (première Restauration). En mars 1815, l'Empire fut rétabli pendant les Cent-Jours, mais, dès le 22 juin, après la défaite de Waterloo, il laissa place à la seconde Restauration.

**EMPIRE (second)** ~ Régime politique de la France institué en novembre 1852, à la suite du coup d'État du 2 décembre 1851 par Louis Napoléon Bonaparte, président de la IIe République, sacré empereur sous le nom de Napoléon III, le 2 décembre 1852. Il fut marqué par le développement industriel, la poussée urbaine et l'expansion coloniale. Les revers subis dans la guerre contre la Prusse précipitèrent sa chute (4 sept. 1870) et l'avènement de la IIIe République.

**EMS**, auj. **Bad Ems** ~ Station therm. de Rhénanie-Palatinat, près de Coblence (Allemagne) ; 12 000 h. La publication par Bismarck de la **dépêche d'Ems** (13 juill. 1870), résumant d'une manière volontairement déformée les négociations franco-prussiennes qui s'y étaient déroulées, incita la France à déclarer la guerre à l'Allemagne.

**E. N. A.** ~ Voir **École nationale d'administration**.

**ENCINA** (Juan DEL) ~ *1468, Salamanque - v. 1529, León.* Poète et compositeur espagnol. Auteur de chansons polyphoniques, il fut, avec ses *Eglogas* (poèmes dramatiques) d'inspiration latine, l'un des créateurs du théâtre profane espagnol.

**Encyclopédie ou Dictionnaire raisonné des sciences, des arts et des métiers** (1751-1772) ~ Ouvrage entrepris par le libraire Le Breton, sur le principe de la *Cyclopaedia* de Chambers, et dirigé par Diderot et d'Alembert. Dès son premier volume, l'*Encyclopédie* fut l'objet d'attaques qui ne cessèrent d'en menacer la parution. Les collaborateurs (plus de 150) comptaient, outre de nombreux artisans, Rousseau, Voltaire, Montesquieu, Buffon, d'Holbach, Jaucourt, de Prades, Morellet, Barthez, Quesnay et Turgot. Devant la mobilisation des forces conservatrices, et sur les conseils de Voltaire, d'Alembert cessa d'y collaborer en 1759. Diderot, qui désormais menait seul la direction de l'entreprise, découvrit trop tard le travail de censure auquel Le Breton, inquiet de l'arrêt royal d'interdiction, avait soumis les derniers tomes. Annoncés en 1750 par le *Prospectus* de Diderot, lancés par une souscription qui reçut un large accueil, les 17 volumes d'articles illustrés de 11 tomes de planches mêlaient sciences, histoire et philosophie, et faisaient une large place aux arts mécaniques et à l'exposé des métiers, tout en dissimulant une critique hardie de la religion et du pouvoir royal. L'*Encyclopédie* porte ainsi tout le projet des Lumières : les progrès de l'esprit humain dans une nouvelle philosophie de l'histoire, celle de l'humanisme. [☞ **encyclopédie**.]

**ENDYMION** ~ Personnage de la mythologie grecque. Berger d'une grande beauté, il fut aimé de Séléné, la Lune, qui obtint de Zeus qu'il jouisse d'un sommeil éternel, afin de conserver sa jeunesse.

**ÉNÉE** ~ Prince troyen légendaire dont Virgile (*Énéide*) fit le précurseur de Rome. Durant la guerre de Troie, il fuit la ville livrée à l'incendie et s'établit dans le Latium, où il fonda la ville de Lavinium.

**ENESCO** ou **ENESCU** (George) ~ *1881, Liveni - 1955, Paris.* Violoniste et compositeur roumain. Il forma de nombreux virtuoses (dont Y. Menuhin) et composa, entre autres, un opéra (*Œdipe,* 1932).

**ENFANTIN** (Barthélemy Prosper), dit **le père Enfantin** ~ *1796, Paris - 1864, id.* Ingénieur et théoricien de l'économie, il donna au saint-simonisme une tournure mystique et communautaire.

**ENGADINE** (l') ~ Haut bassin de l'Inn, dans les Alpes des Grisons (Suisse), au relief glaciaire marqué (auges, verrous). L'**engadinois**, dialecte romanche, y survit. Stations climatiques depuis le XIXe s. (Saint-Moritz), sports d'hiver.

**ENGELS** (Friedrich) ~ *1820, Barmen, Rhénanie - 1895, Londres.* Philosophe et homme politique allemand. Issu d'une famille d'industriels rhénans établie pour partie en Angleterre, il mena les enquêtes qui lui permirent d'étayer la théorie marxiste de la lutte des classes (*la Situation de la classe laborieuse en Angleterre,* 1845). Ami et collaborateur de K. Marx, il rédigea avec lui le *Manifeste du parti communiste* (1848) et travailla à l'organisation du mouvement ouvrier au sein de la Ire Internationale. Père du matérialisme historique, il en exposa les principes dans l'*Anti-Dühring* (1878), ouvrage qui demeure l'un des plus lus et des plus commentés de la littérature marxiste. À la mort de K. Marx (1883), il se consacra à la publication des tomes II et III du *Capital* sans parvenir à son terme. [☞ **matérialisme ; marxisme.**]

**ENGHIEN** (Louis Antoine Henri **de Bourbon-Condé**, duc D') ~ *1772, Chantilly - 1804, Vincennes.* Dernier représentant de la famille de Condé, il émigra dès 1789. Soupçonné par Bonaparte de préparer un complot pour favoriser la restauration des Bourbons, il fut enlevé dans le margraviat de Bade et conduit à Vincennes, où il fut exécuté après un simulacre de procès.

**ENGHIEN-LES-BAINS** ~ Station thermale, sur le lac d'Enghien, dans la banlieue N.-O. de Paris (Val-d'Oise) ; 10 077 h. Casino, hippodrome.

**Engómi** ou **Enkomi** ~ Site archéol. de Chypre, au N. de Famagouste. Ville prospère aux XIVe et XIIIe s. av. J.-C. (âge du bronze récent).

**ENIWETOK** ~ Atoll des îles Marshall (Micronésie) ; 700 h. Site d'essais nucléaires américains (1re bombe thermonucléaire en 1948).

**ENNIUS**, en lat. **Quintus Ennius** ~ *239, Rudiae, Calabre - 169 av. J.-C., Rome.* Poète latin. Auteur de poèmes didactiques et d'une épopée, les *Annales,* œuvre retraçant l'histoire de Rome.

**ENNS** (l') ~ Affl. autrichien du Danube (r. dr.) qui sépare Préalpes et Basses Tauern ; 254 km.

**E. N. S.** ~ Voir **École normale supérieure**.

**ENSCHEDE** ~ Princ. v. de l'E. des Pays-Bas (Overijssel), formant avec Hengelo une agglom. industrielle ; 148 000 h.

**ENSÉRUNE (montagne d')** ~ Site archéol. sur la commune de Nissan-lez-Ensérune (Hérault), au S.-O. de Béziers. Oppidum ibère et celte, occupé du VIe au Ier s. av. J.-C.

**ENSOR** (James) ~ *1860, Ostende - 1949, id.* Peintre et graveur belge. Marqué par les impressionnistes, attiré par les thèmes symbolistes, il évolua vers un réalisme annonciateur de l'expressionnisme (*l'Entrée du Christ à Bruxelles,* 1888).

L'Intrigue *(détail), peinture de James Ensor. Musée royal des Beaux-Arts, Anvers.*

**ENTEBBE** ~ Anc. capitale de l'Ouganda, au S. de Kampala (auj. son aéroport), sur le lac Victoria ; 42 000 h. Parc botanique.

**Entente (Petite-)** ~ Alliance conclue entre la Roumanie, la Yougoslavie et la Tchécoslovaquie, avec l'appui de la France (1920-1922). Destinée à préserver les frontières fixées lors des traités de 1919-1920, elle ne put s'opposer à l'invasion de la Tchécoslovaquie par Hitler (1938).

**Entente (Triple-)** ~ Alliance diplomatique et militaire unissant le Royaume-Uni, la Russie et la France, de 1907 au traité de Brest-Litovsk (1918).

**Entente cordiale** ~ Nom attribué par Guizot aux bonnes relations qu'entretinrent la France et le Royaume-Uni pendant la monarchie de Juillet. Le terme fut repris en 1904 pour désigner le nouveau rapprochement entre les deux puissances.

**ENTRECASTEAUX** (Antoine **Bruni**, chevalier D') ~ *1737, Entrecasteaux, Var - 1793, en mer, près de Java.* Navigateur français. Il disparut lors de l'expédition lancée à la recherche de La Pérouse.

**ENTRECASTEAUX (archipel d')** ~ Petit archipel de Papouasie - Nouvelle-Guinée (S.-O. de la Nouvelle-Guinée) ; 3 142 km², env. 35 000 h.

**ENTRE-DEUX-MERS** (l') ~ Région du Bordelais (Gironde) comprise entre les cours inf. de la Dordogne et de la Garonne, en partie urbanisée à l'O. (agglom. de Bordeaux). Vigne, fruits, élev. laitier, céréales.

**ENTREMONT** (l') ~ Vallée des Alpes du Valais (Suisse), accès au Val d'Aoste par le Grand-Saint-Bernard, où coule la Drance d'Entremont.

**Entremont (plateau d')** ~ Site archéol. français, près d'Aix-en-Provence. Vestiges de la capitale des Saliens (IIIe-IIe s. av. J.-C.), détruite par les armées romaines.

**ENTRE RÍOS** ~ Province agricole du N.-E. de l'Argentine, région de plaines entre les fl. Uruguay et Paraná ; 78 781 km$^2$, 1 020 000 h., ch.-l. Paraná.

**ENUGU** ~ V. industr. du Nigeria équatorial, à l'E. du Niger ; 286 000 h. Anc. capitale de l'éphémère république du Biafra (1967-1970).

**ENVER PACHA** ~ *1881, Istanbul - 1922, près de Douchanbe.* Général et homme politique turc. Ministre de la Guerre, fidèle à l'alliance allemande, il fit entrer l'Empire ottoman dans le conflit européen (nov. 1914).

**ÉOLE** ~ Dieu des Vents, dans la myth. grecque.

**ÉOLIE** ou **ÉOLIDE** (l') ~ Ancienne région grecque de la côte égéenne de l'Asie Mineure, qui comprenait l'île de Lesbos.

**ÉOLIENNES** ou **LIPARI (îles)** ~ Archipel de sept petites îles volcaniques (Italie), dont Lipari, Vulcano, Stromboli, au N.-E. de la Sicile.

**ÉON** (Charles **de Beaumont**, chevalier D') ~ *1728, Tonnerre - 1810, Londres.* Officier et agent secret français. Il servit en Russie et à Londres, et est resté célèbre pour son travestissement féminin.

**Éoués** (les) ~ Voir **Éwés**.

**ÉPAMINONDAS** ~ *v. 418, Thèbes - 362 av. J.-C., Mantinée.* Général et homme politique thébain. Il fut l'artisan, avec Pélopidas, de l'hégémonie béotienne au détriment de Sparte et d'Athènes.

**ÉPARGES (Les)** ~ Localité des côtes de Meuse, théâtre de sanglants combats en 1914-1915.

**ÉPÉE** (Charles Michel, abbé DE L') ~ *1712, Versailles - 1789, Paris.* Il consacra sa vie à l'éducation des sourds-muets et inventa un langage gestuel.

**ÉPERNAY** ~ V. de la côte champenoise, sur la Marne, au S. de Reims (Marne) ; 26 682 h. (agglom. 34 038 h.). Commerce des vins de Champagne. Caves.

**ÉPERNON** (Jean-Louis **de Nogaret de La Valette**, duc D') ~ *1554, Caumont - 1642, Loches.* Homme politique et amiral français. Il fut l'un des favoris d'Henri III et contribua à asseoir la régence de Marie de Médicis.

**ÉPHÈSE** ~ Anc. cité grecque d'Asie Mineure (Ionie). Centre commercial (VIIIe s. av. J.-C.) et religieux (temple d'Artémis, une des Sept Merveilles du monde, incendié en 356 av. J.-C. et rebâti). Saint Paul y prêcha. La ville accueillit le concile qui condamna Nestorius et Pélage (431).

*Fronton du temple d'Hadrien (IIe s.), à Éphèse (Turquie).*

**ÉPHIALTÈS** ~ *v. 495, Athènes - v. 461 av. J.-C., id.* Homme politique athénien. Chef du parti démocratique, il tenta de limiter le pouvoir de l'aristocratie et fut assassiné. Périclès lui succéda.

**ÉPHRAÏM** ~ Personnage biblique, deuxième fils de Joseph, ancêtre de l'une des douze tribus d'Israël.

**ÉPHRUSSI** (Boris) ~ *1901, Moscou - 1979, Gif-sur-Yvette.* Généticien français d'orig. russe. Ses travaux en biologie moléculaire sur la génétique des levures ont permis la découverte de l'A. D. N.

**ÉPICTÈTE** ~ *v. 50, Hiérapolis, Phrygie - v. 130, Nicopolis, Épire.* Philosophe antique. Esclave affranchi, il enseigna à Rome avant d'être chassé par Domitien. Fidèles au stoïcisme ancien, ses *Entretiens* et son *Manuel* furent rédigés par son disciple Arrien, futur haut fonctionnaire de l'Empire. Son enseignement est essentiellement moral : la maîtrise des biens et des maux humains s'acquiert par une discipline qui doit s'appliquer avant tout à la passion, principale origine de nos désordres et obstacle majeur à la raison. Il influença Marc Aurèle puis le néoplatonisme tardif et le christianisme. [☞ **stoïcisme.**]

**ÉPICURE** ~ *341, Samos ou Athènes - 270 av. J.-C., Athènes.* Philosophe grec. Parce qu'il enseignait que l'homme est fait pour le bonheur, Épicure fut l'un des maîtres les plus appréciés de la Grèce antique. Son école du Jardin, fondée à Athènes en 306, fut conçue comme une alternative à l'Académie de Platon et au Lycée d'Aristote ; en ce sens, elle ne fut ni un centre de recherche, ni le laboratoire de la Cité idéale, mais une sorte de monastère. De son œuvre, que l'on sait considérable, il ne reste que *Lettre à Hérodote sur la physique, Lettre à Pythoclès sur les météores* et *Lettre à Ménécée sur la morale.* [☞ **épicurisme.**]

**ÉPIDAURE** ~ Anc. ville de Grèce (Argolide). Temple d'Asclépios et théâtre du IVe s. av. J.-C.

**ÉPINAL** ~ Préfect. des Vosges, sur la Moselle, centre de commerce et de services ; 36 732 h. (agglom. 62 140 h.). Industr. textile, alim., meubles, caoutchouc. École supérieure des industr. textiles. Basilique Saint-Maurice (XIe-XIVe s.). Musée (imagerie populaire).

**ÉPINAY** (Louise **Tardieu d'Esclavelles**, marquise D') ~ *1726, Valenciennes - 1783, Paris.* Femme de lettres française, liée à J.-J. Rousseau.

**ÉPINAY-SUR-SEINE** ~ V. de la banlieue N. de Paris, sur la Seine (Seine-Saint-Denis) ; 48 762 h. Industr. diverses. Studios de cinéma.

**ÉPIPHANE** (saint) ~ *v. 315, Éleuthéropolis, Palestine - 403, en mer.* Évêque de Salamine de Chypre, adversaire d'Origène et de l'arianisme.

**ÉPIRE** (l') ~ Région montagneuse des Balkans, partagée entre l'Albanie (district de Gjirokastër, 1 137 km$^2$, 67 000 h.) et la Grèce (région d'Épire, ch.-l. Ioánnina, 9 203 km$^2$, 340 000 h.). Unifiée par les Molosses en un royaume puissant qui atteint son apogée sous Pyrrhos II, au IIIe s. av. J.-C., elle fut conquise par Rome en 168 av. J.-C. Les Byzantins y formèrent un despotat (1205-1318). Lors du reflux de la puissance turque, le N. fut attribué à l'Albanie (1913), ce qui créa une source de conflit avec la Grèce.

**EPSOM** ~ V. d'Angleterre, au S. de Londres, célèbre pour ses eaux et ses courses hippiques (le Derby) ; env. 70 000 h.

**EPSTEIN** (sir Jacob) ~ *1880, New York - 1959, Londres.* Sculpteur britannique d'orig. américaine. Influencé par les arts primitifs, il évolua vers l'expressionnisme à travers des œuvres surtout religieuses. Ses portraits (Einstein, Menuhin, Nehru) furent mieux accueillis par le public.

**EPSTEIN** (Jean) ~ *1897, Varsovie - 1953, Paris.* Cinéaste français. Ses films ont gardé leur force de suggestion grâce à l'intelligence de leur écriture et à leur poésie visuelle (*la Chute de la maison Usher*, 1928 ; *Finis Terrae*, 1929).

**EPTE** (l') ~ Affl. de la Seine (r. dr.), issu du pays de Bray, qui sépare le Vexin normand et le Vexin français et arrose Gisors ; 100 km.

**ÉQUATEUR (république de l')**, en esp. ***República del Ecuador*** ~ Pays andin du N.-O. de l'Amérique du Sud. ***Cap.*** Quito. ***Superf.*** env. 272 000 km$^2$. ***Popul.*** 11 200 000 h., dont Indiens (40 %), métis (40 %), Blancs (15 %), Noirs (5 %). ***Langues princ.*** Espagnol, quechua. ***Monn.*** Sucre. ***Relief.*** Deux cordillères, surmontées de massifs volcaniques (Chimborazo, 6 310 m), encadrent une région de hauts plateaux. Elles sont bordées à l'E. par un large plateau creusé par les affluents de l'Amazone et à l'O. par une plaine littorale. À 970 km au large, l'archipel des Galápagos est une réserve naturelle. ***Climat.*** Équatorial, nuancé par l'altitude. ***Écon.*** Agriculture commerciale (café, cacao, bananes, fleurs) et vivrière (maïs). Pêche, hydrocarbures, hydroélectricité et minerais (or). ***V. princ.*** Guayaquil, Quito, Cuenca. **HIST.** - *XVIe s.* : la région, incluse dans l'Empire inca, est conquise par l'Espagnol Francisco Pizarro (1532). *XIXe s.* : après avoir proclamé son indépendance en 1822 et intégré la fédération de Grande-Colombie, l'Équateur choisit en 1830 de faire sécession et connaît dès lors une grande instabilité politique (rivalités entre partis conservateur et libéral). *XXe s.* : tandis qu'à l'extérieur la période est marquée par le conflit avec le Pérou (1941-1942), à l'intérieur le pouvoir s'organise difficilement autour de José María Velasco Ibarra, élu président à cinq reprises de 1934 à 1960 et renversé quatre fois. *1972-1978* : les militaires prennent le pouvoir. *Depuis 1978* : le retour à la démocratie s'accompagne d'une alternance entre parti social-démocrate et parti libéral. Différend frontalier avec le Pérou (1995). Après la destitution du président populiste Abdala Bucaram (déb. 1997), Fabian Alarcon est élu président de la République par intérim.

**ÉQUEURDREVILLE-HAINNEVILLE** ~ V. de la banlieue de Cherbourg (Manche) ; 18 256 h. Métallurgie.

**Équipe (l')** ~ Quotidien sportif français créé à Paris en 1946. Il tire à env. 300 000 exemplaires.

**ÉRAGNY** ~ V. du N.-O. de l'agglom. parisienne (Val-d'Oise), dans la vallée de l'Oise, partie de la v. nouvelle de Cergy-Pontoise ; 16 941 h.

**ÉRASME** (Didier), en lat. ***Desiderius Erasmus*** ~ *v. 1469, Rotterdam - 1536, Bâle.* Homme de lettres hollandais d'expression latine. Esprit cosmopolite, considéré comme le prince de l'humanisme, cet ami de Thomas More passa sa vie à voyager en Europe. Son œuvre, qui oscille entre littérature (*Adages*, 1500) et théologie (*Manuel du soldat chrétien*, 1503), entre finalité éthique et évangélique, trouva une gloire immédiate avec l'*Éloge de la Folie* (1511), dénonciation ironique des folies humaines.

**ÉRATO** ~ Une des neuf Muses de la mythologie grecque. Fille de Zeus et de Mnémosyne, elle est la muse de la Poésie lyrique.

**ÉRATOSTHÈNE** ~ *v. 280, Cyrène - v. 194 av. J.-C., Alexandrie.* Astronome, mathématicien et philosophe grec. Il calcula la valeur approchée du méridien terrestre, inventa le crible (qui porte son nom), permettant de trouver les nombres premiers, et le mésolabe, instrument de calcul permettant de résoudre le problème de la moyenne proportionnelle et de la duplication du cube.

**ERCILLA Y ZÚÑIGA** (Alonso DE) ~ *1533, Madrid - 1594, id.* Poète épique espagnol. Il fut membre d'une expédition contre les Araucans au Chili, qui lui inspira l'épopée *la Araucana* (1569-1589), premier poème né de la découverte de l'Amérique.

**ERCKMANN-CHATRIAN**, nom sous lequel ont publié deux écrivains français : ~ **Émile** ERCKMANN (*1822, Phalsbourg - 1899, Lunéville*) et ~ **Alexandre** CHATRIAN (*1826, près d'Abreschviller - 1890, Villemomble*). Pendant quarante ans, ils ont composé en commun des contes et des romans populaires et humoristiques sur les mœurs de l'ancienne Alsace (*l'Ami Fritz*, 1864 ; *Histoire d'un homme du peuple*, 1865).

**ERDRE** (l') ~ Affl. de la Loire (r. dr.) qui conflue à Nantes ; 105 km.

**EREBUS (mont)** ~ Volcan actif de l'Antarctique dans l'île de Ross ; 3 794 m.

**Érechthéion** (l') ~ Temple édifié sur l'Acropole d'Athènes (421-406 av. J.-C.). De style ionique, il est célèbre pour les cariatides soutenant son portique sud. [☞ **temple.**]

**EREVAN** ~ Cap. de l'Arménie (1 040 m d'alt.), sur un affl. de l'Araxe, riche marché agric., centre industriel ; 1 200 000 h. Archevêché.

**ERFURT** ~ Cap. du land de Thuringe (Allemagne) centre industriel (chimie, métall., électr.) et vieille cité commerçante, nœud ferroviaire ; 203 000 h. Entre le 27 sept. et le 14 oct. 1808, Napoléon Ier et Alexandre Ier de Russie s'y rencontrèrent en présence des princes allemands. En 1891, le S. P. D. y adopta son programme.

**ERHARD** (Ludwig) ~ *1897, Fürth - 1977, Bonn.* Économiste et homme politique allemand. Député chrétien-démocrate, ministre de l'Économie (1949-1963), puis chancelier (1963-1966), il fut l'artisan de l'essor économique de la R. F. A.

**ERICE** ~ V. de Sicile (Italie) ; 28 000 h. L'ancienne Eryx fut un centre religieux de l'Antiquité (culte d'Aphrodite).

**ERICSSON** (John) ~ *1803, Långsbanshyttan - 1889, New York.* Ingénieur américain d'orig. suédoise. Il inventa une hélice pour navires et un moteur à énergie solaire.

**ÉRIDAN** (l') ~ Fleuve de la mythologie grecque, identifié au Pô.

**ÉRIDOU** ~ Ancienne cité sumérienne (IV^e^ mill. av. J.-C.), au S. d'Our (Iraq).

**ÉRIÉ (lac)** ~ L'un des cinq Grands Lacs d'Amérique du Nord (26 000 km², 174 m au-dessus du niveau des océans, prof. 64 m), entre les lacs Huron et Ontario (auquel il est relié par le Niagara, doublé pour la navigation par le canal de Welland). Ports de transbordement (r. dr.) de Cleveland et de Buffalo (charbon, fer, produits agric.). Trafic intense en direction des lacs de l'amont.

**ERIK** ou **ÉRIC**, nom de sept rois de Danemark et de quatorze rois de Suède. ~ **Erik IX Jedvardsson**, dit **le Saint** (*m. en 1160 à Uppsala*), roi de Suède (1156-1160). Il fonda la dynastie des Erik et tenta de christianiser les Finnois. Le jour anniversaire de sa mort est fête nationale en Suède (le 18 mai). ~ **Erik XIII de Poméranie** (*v. 1382 - 1459, Rügenwalde, Pologne*), roi de Norvège (1389-1442), de Danemark et de Suède (1396-1439), couronné roi des trois pays à l'Union de Kalmar (1397). ~ **Erik XIV** (*1533, Stockholm - 1577, Orbyhus*), roi de Suède (1560-1568). Fils de Gustave Vasa, il lutta contre une coalition du Danemark, de la Pologne et de Lübeck (1563-1570).

**ERIK LE ROUGE** ~ *v. 940, Jaeren - v. 1010.* Explorateur norvégien. Banni par les clans vikings à la suite d'un meurtre, il aborda les côtes islandaises, puis le Groenland (« pays vert »), qu'il baptisa ainsi pour y attirer les colons.

**ERIKSON** (Erik) ~ *1902, Francfort-sur-le-Main - 1994, Harwick, Massachusetts.* Psychanalyste américain d'orig. allemande. Il a laissé des travaux sur l'adolescence dans une perspective culturaliste (*Enfance et Société*, 1950).

**ÉRIN** ~ Nom poétique de l'Irlande.

**Érinyes** (les) ~ Divinités de la Vengeance, dans la mythologie grecque. Filles de Gaïa et d'Ouranos, Mégère, Alecto et Tisiphone correspondent aux Furies des Romains.

**ERLANGEN** ~ V. industr. de Bavière (Allemagne), au N. de Nuremberg, entre la Regnitz et le canal Rhin-Main-Danube ; 103 000 h. Université.

**ERLANGER** (Joseph) ~ *1874, San Francisco - 1965, Saint Louis.* Physiologiste américain. Il étudia la différenciation fonctionnelle des fibres nerveuses. Prix Nobel de physiol. ou méd. 1944.

**ERMENONVILLE** ~ Localité de l'Oise, au S.-E. de Senlis ; 782 h. Parc paysager où est enterré le philosophe J.-J. Rousseau. Tourisme (forêt).

**Ermitage** (l') ~ Musée de Saint-Pétersbourg, au bord de la Neva. Ses importantes collections sont installées dans un ensemble de style baroque formé du palais d'Hiver (1754-1762) et de pavillons construits sous Catherine II.

**ERMITAGE (l')** ~ Voir **Hermitage.**

**ERMONT** ~ V. du N.-O. de l'agglom. parisienne (Val-d'Oise), au S. de la forêt de Montmorency ; 27 947 h.

**ERNEST-AUGUSTE I^er^** ~ *1771, Londres - 1851, Herrenhausen.* Roi de Hanovre (1837-1851), fils de George III d'Angleterre. Il lutta contre le libéralisme.

**ERNST** (Max) ~ *1891, Brühl, Rhénanie - 1976, Paris.* Peintre français d'orig. allemande. Animateur du mouvement Dada en Allemagne, il rejoignit dès 1921 le groupe surréaliste, dont il devint l'un des membres les plus inventifs, recourant à diverses techniques (collage, grattage, etc.) et abordant de nombreux domaines (sculpture, illustration, etc.). Il donna au surréalisme une coloration humoristique, poétique et inquiétante. Ses « romans-collages » (*la Femme 100 têtes*, 1929) traduisent une vision cruelle et ironique du monde. [☞ **surréalisme.**]

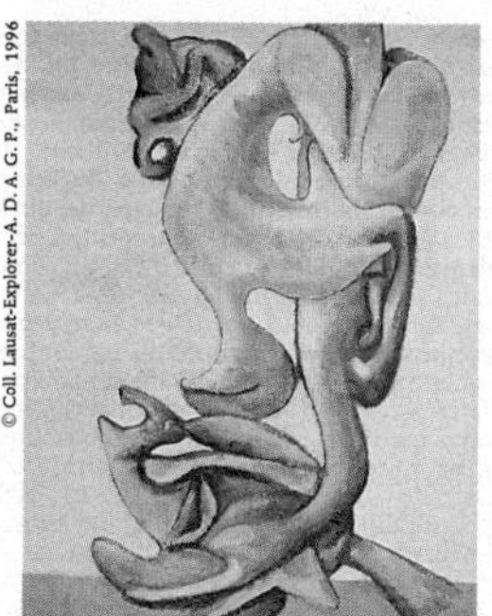



Figure humaine, *peinture de Max Ernst. Galerie A. Petit, France.*

**ÉROS** ~ Dieu grec de l'Amour, fils d'Arès et d'Aphrodite. Figuré sous les traits d'un enfant ailé, il fut aimé de Psyché. Il a été assimilé à Cupidon par les Romains.

**ÉROSTRATE** ~ Éphésien célèbre pour avoir incendié le temple d'Artémis à Éphèse, en 356 av. J.-C., dans l'espoir que son nom passe à la postérité. Il fut condamné au feu, et son nom proscrit.

**ERSHAD** (Husain Mohammed) ~ *1930, Rangpur.* Général et homme d'État du Bangladesh. Porté en 1983 par l'armée à la présidence de la République, il a démissionné en 1990 à la suite de violentes contestations. Il est en prison depuis 1991.

**ERWIN**, dit **de Steinbach** ~ *m. en 1318, Strasbourg.* Architecte alsacien. Il fut l'un des maîtres d'œuvre de la cathédrale de Strasbourg.

**ÉRYMANTHE** (l') ~ Mont de l'ancienne Arcadie. Selon la mythologie grecque, Héraclès y accomplit l'un de ses douze travaux : attraper un sanglier et le ramener vivant à Mycènes.

**ÉRYTHRÉE (république d')** ~ Pays d'Afrique orientale bordé par la mer Rouge. ***Cap.*** Asmara. ***Superf.*** 93 679 km². ***Popul.*** 3 500 000 h. ***Langues princ.*** Tigrigna, arabe. ***Monn.*** Birr. ***Relief.*** L'Érythrée se compose d'un haut plateau longé par la plaine côtière aride des Danakils (Afars). ***Climat.*** Désertique et toride. ***Écon.*** Élevage. Réserves pétrolières offshore. Potentiel touristique. **HIST.** - Province éthiopienne, l'Érythrée devint une colonie italienne à la fin du XIX^e^ s. Rattachée à l'Éthiopie en 1952, elle accéda à l'indépendance en 1993.

**ERZBERGER** (Matthias) ~ *1875, Buttenhausen - 1921, près de Griesbach.* Homme politique allemand. Il négocia l'armistice du 11 novembre 1918, puis devint ministre des Finances. Il fut assassiné par des nationalistes.

**ERZGEBIRGE** ~ Voir **Métallifères** (monts).

**ERZURUM** ou **ERZEROUM** ~ V. de Turquie orientale (1 800 m d'alt.), près des sources de l'Euphrate ; 298 000 h. (agglom. 410 000 h.). Grand bazar sur l'axe commercial reliant l'Asie à l'Europe. Cité arméno-byzantine (Théodosiopolis) conquise par les Turcs Seldjoukides (XI^e^ s.). Les Ottomans et les Perses y conclurent un traité précisant leurs frontières (1847). Mustafa Kemal y réunit le premier Congrès national turc (1919).

**ÉSAÏE** ~ Voir **Isaïe.**

**ÉSAÜ** ~ Personnage biblique, fils d'Isaac et de Rébecca. Il abandonna son droit d'aînesse à son frère Jacob pour un plat de lentilles.

**ESBJERG** ~ 1^er^ port de pêche du Danemark (Jylland), abrité par l'archipel frison ; 83 000 h.

**ESCANDORGUE** (l') ~ Étroit plateau basaltique (Hérault) qui prolonge au S. le causse du Larzac, à la bordure S. du Massif central (alt. max. 866 m).

**ESCAUT** (l'), en néerl. ***Schelde*** ~ Princ. fl. de Flandre (France, Belgique, Pays-Bas) ; 430 km. Né en France (Aisne), il arrose Cambrai, Valenciennes, Gand, et se jette par un estuaire (**bouches de l'Escaut**) dans la mer du Nord (Belgique). Raccordé au réseau navigable européen, l'Escaut est l'axe naturel qui relie le grand port d'Anvers, sur l'estuaire, à l'intérieur du continent.

**ESCHINE** ~ *v. 390, Athènes - 314 av. J.-C., Rhodes.* Orateur athénien. Il fut partisan de la paix avec Philippe de Macédoine et combattit Démosthène. Ses plaidoyers (*Sur l'ambassade* ; *Contre Ctésiphon*) illustrent la rhétorique attique.

**ESCH-SUR-ALZETTE** ~ V. du S. du Luxembourg, vieux centre industriel (métallurgie) ; 24 000 h.

**ESCHYLE** ~ *525, Éleusis - 456 av. J.-C., Gela.* Poète tragique grec. Il introduisit dans le théâtre grec le dialogue et l'action (au détriment du chœur) tout en respectant les règles rigoureuses de la tragédie. Qu'elles traitent de l'actualité (*les Perses*), du passé légendaire (*l'Orestie*) ou des mythes anciens (*Prométhée enchaîné*), les sept pièces qui nous sont parvenues sont fondées sur l'affrontement de l'homme et du divin et plaident pour un triomphe de la liberté, de la justice et de l'esprit humain sur l'arbitraire, la vengeance et la violence aveugle.

**ESCLANGON** (Ernest) ~ *1876, Mison, Alpes-de-Haute-Provence - 1954, Eyrenville, Dordogne.* Astronome français. Il réalisa l'horloge parlante de l'Observatoire de Paris (1932).

**ESCLAVE (Grand Lac de l')** ~ Lac du S. des Territoires du Nord-Ouest (Canada) ; 29 000 km². Rejoint par la **rivière de l'Esclave**, issue du lac d'Athabasca, il a le Mackenzie pour émissaire.

**ESCLAVES (côte des)** ~ Nom donné jadis à la partie E. de la côte du golfe de Guinée.

**ESCOFFIER** (Auguste) ~ *1846, Villeneuve-Loubet - 1935, Monte-Carlo.* Cuisinier français. Auteur d'un ouvrage de référence, *le Guide culinaire*, il créa, entre autres mets, la pêche Melba.

**ESCRIVÁ DE BALAGUER** (Mgr José María) ~ *1902, Barbastro - 1975, Rome.* Prélat espagnol. Fondateur de l'Opus Dei (1928), il fut béatifié (1992).

**ESCUDERO** (Vicente) ~ *1892, Valladolid - 1980, Barcelone.* Danseur et chorégraphe espagnol. Défenseur des traditions de l'art flamenco, il créa, avec la danseuse la Argentina, *l'Amour sorcier* (1925).

**ESCULAPE** ~ Dieu romain de la Médecine, fils d'Apollon, assimilé à l'Asclépios grec.

**Escurial** (l') ~ Anc. résidence royale espagnole, sur le versant S. de la sierra de Guadarrama, monastère de granit édifié (1563-1584) pour Philippe II. Sa forme de gril rappelle le martyre de saint Laurent.

**ESDRAS** ou **EZRA** ~ *V^e^ s. av. J.-C.* Prêtre juif. Après l'exil de Babylone, il fut l'artisan de la restauration du judaïsme à Jérusalem.

**ESHKOL** (Levi) ~ *1895, Oratov, Ukraine - 1969, Jérusalem.* Homme politique israélien. Membre du parti travailliste, il fut Premier ministre (1963-1969).

**Eskimos** (les) ~ Voir **Esquimaux.**

**ESKIŞEHIR** ~ V. industr. d'Anatolie (Turquie), au S.-O. d'Ankara ; 416 000 h. (agglom. 455 000 h.). Sources thermales.

**ESMERALDAS** ~ Port pétr. de l'Équateur, à l'embouchure du fleuve du même nom ; 98 600 h.

**ESNAULT-PELTERIE** (Robert) ~ *1881, Paris - 1957, Nice.* Ingénieur français. Il inventa le moteur d'avion en étoile à nombre impair de cylindres ainsi que le manche à balai (levier de commande).

**ESNÈH** ou **ISNA** ~ V. et site archéol. de Haute-Égypte. Temple ptolémaïque dédié à Khnoum.

**ÉSOPE** ~ *VII^e^ - VI^e^ s. av. J.-C.* Fabuliste grec. La tradition attribue à cet esclave affranchi des fables moralistes, recueillies deux siècles après sa mort.

**ESPAGNE (royaume d')**, en esp. ***España*** ~ Pays d'Europe occidentale (S.-O.) formé par la plus grande partie de la péninsule Ibérique, les îles Baléares et Canaries, et les territoires africains de Ceuta et de Melilla. ***Cap.*** Madrid. ***Superf.*** 504 750 km². ***Popul.*** 39 140 000 h. ***Langues princ.*** Castillan, catalan, galicien, basque. ***Monn.*** Peseta. ***Relief.*** Pays de hautes terres (57 % au-dessus de 600 m), formé d'un immense plateau, la Meseta (plateau de Castille), bordé au N. par la chaîne Cantabrique et les Pyrénées, au S. par la sierra Morena et la chaîne Bétique. Au S., la sierra Nevada culmine au pic Mulhacén (3 480 m). Les plaines sont limitées aux vallées de l'Èbre, du Tage et du Guadalquivir et aux huertas de Valence et de Murcie. ***Climat.*** Océanique au N.-O., continental au centre et méditerranéen à l'E. et au S. ***Écon.*** L'Espagne s'est largement modernisée depuis son entrée dans la C. E. E. (1986). Les ressources naturelles sont faibles (hydroélectricité, charbon, mercure et autres minerais en faibles quantités). L'agriculture joue un rôle important (céréales et élev. ovin à l'intérieur, agrumes, olivier, fruits et légumes dans les régions irrigables). L'industrie traditionnelle (sidér., métall., constr. navales, text.) a connu une vive régression au profit de l'agroalimentaire, du matériel de transport, de la chimie et de l'électronique. Les quotas de pêche ont été réduits par les nouveaux règlements européens. Le tourisme, importante source de devises, anime l'économie des côtes E. et S., des Baléares et des Canaries. Depuis le début des années 1990, l'Espagne souffre d'un déficit pluviométrique considérable dans sa moitié sud. ***V. princ.*** Madrid, Barcelone, Valence, Séville, Saragosse, Málaga. **HIST.** - Peuplement de la Péninsule au Paléolithique et développement des civilisations ligure et ibère au Néolithique. *Ier mill. av. J.-C.* : les Phéniciens fondent leurs premiers établissements commerciaux, suivis des Grecs, des Carthaginois et des Celtes. *IIIe s. av. J.-C.* : conquête carthaginoise. *IIe-Ier s. av. J.-C.* : conquête romaine. *Ve s. apr. J.-C.* : l'Espagne subit les invasions des Vandales, des Suèves et des Alains. *Fin du Ve-VIIe s.* : les Wisigoths conquièrent l'Espagne et font de leur monarchie la plus puissante d'Europe occidentale. *VIIIe-Xe s.* : le gouverneur de Tanger, Tariq ibn Ziyad, défait les armées wisigothiques et commence la conquête musulmane de la Péninsule (711). Les Maures se heurtent à la résistance chrétienne dans les Asturies et en Galice (718). Le calife de Damas, détrôné, s'établit à Cordoue et se proclame émir (756). Tandis que la Reconquista, commencée en 722, se poursuit et que se constitue au N. de l'Èbre une Marche carolingienne d'Espagne, le califat de Cordoue, sous l'autorité d'Abd al-Rahman III (929-961), jouit d'une grande prospérité. *Fin du Xe s.* : al-Mansur parvient provisoirement à repousser les chrétiens. *XIe s.* : l'Espagne du Sud se divise en petits royaumes musulmans indépendants qui doivent faire face à une Espagne du Nord elle aussi morcelée entre différents États chrétiens (royaumes de León et d'Aragon, de Navarre, comté puis royaume de Castille et comté de Barcelone) mais qui s'unissent contre l'adversaire musulman. *XIIe-XIVe s.* : après avoir marqué un temps d'arrêt, les chrétiens, emmenés par les rois de Castille, reprennent leur offensive et réduisent les possessions musulmanes au royaume de Grenade. *1469* : le mariage de Ferdinand II d'Aragon et d'Isabelle de Castille réalise l'union des deux royaumes. *1474-1516* : tout en achevant l'œuvre de la Reconquista (prise de Grenade, 1492) et en s'affirmant comme Rois Catholiques (expulsion des Juifs, 1492), Ferdinand et Isabelle s'emploient à restaurer l'unité royale et à étendre leur influence sur le reste du monde (expédition de Christophe Colomb, 1492). *1519* : Charles Ier d'Espagne, en devenant empereur germanique sous le nom de Charles Quint, se trouve à la tête d'un immense domaine tant en Europe qu'en Amérique du Sud, continent dont l'Espagne conquiert la plus grande partie. *1556-1598* : Philippe II règne sur la seule partie espagnole de l'héritage des Habsbourg et contribue à faire du XVIe s. le Siècle d'or espagnol. *XVIIe s.* : Philippe III (1598-1621) et Philippe IV (1621-1665) laissent gouverner leurs favoris Lerma et Olivares, qui échouent à enrayer le déclin de la monarchie espagnole. *XVIIIe s.* : Philippe d'Anjou, monté sur le trône espagnol sous le nom de Philippe V (1700-1746), inaugure le règne des Bourbons, qui place l'Espagne sous influence française. *1808-1814* : profitant d'une situation intérieure troublée, Napoléon tente de conquérir l'Espagne mais le soulèvement de la population l'oblige à reculer et permet le retour au pouvoir de Ferdinand VII. *1814-1833* : Ferdinand VII restaure la monarchie absolue mais ne peut rétablir l'autorité espagnole sur les colonies d'Amérique, qui obtiennent peu à peu leur indépendance. *1833-1868* : Isabelle II parvient à faire reconnaître ses droits sur la Couronne après une guerre civile qui l'opposa aux partisans de son oncle don Carlos de Bourbon (guerre carliste, 1834-1840). *1869-1873* : durant le règne d'Amédée de Savoie, élu par les Cortés en 1870, l'Espagne connaît une nouvelle période de troubles qui conduisent à la proclamation de la république. *1874* : rétablissement de la monarchie sous l'autorité d'Alphonse XII. *1898* : à l'issue de la guerre contre les États-Unis, le traité de Paris consacre la perte par l'Espagne de ses dernières colonies d'Amérique et d'Asie. *1923-1930* : dictature de Miguel Primo de Rivera en accord avec Alphonse XIII, au pouvoir depuis 1902. *1931* : la pression des républicains lors des élections municipales contraint le roi à l'exil et permet la proclamation de la république. *1936-1939* : à la victoire du Front populaire aux élections répond le soulèvement du général Franco, qui marque le début de la guerre civile entre républicains et nationalistes. *1939-1975* : la victoire des nationalistes permet à Franco, qu'on appelle le Caudillo, d'instaurer une dictature qui durera plus de trente ans. *1975* : à la mort du dictateur, Juan Carlos Ier, petit-fils d'Alphonse XIII, devient roi d'Espagne et entreprend la démocratisation du pays. *1978* : l'Espagne adopte une Constitution démocratique qui prévoit d'accorder une large autonomie aux différentes provinces (Catalogne, provinces basques, Galice). *1982* : le gouvernement socialiste de Felipe González succède au gouvernement centriste d'Adolfo Suárez, démissionnaire en 1981. *1986* : l'Espagne entre dans la C. E. E. *1996* : entaché par plusieurs scandales et dans un contexte de crise économique persistante, le parti socialiste perd les élections législatives face au parti populaire (droite et centre) de José María Aznar, qui, n'ayant qu'une majorité relative, doit s'appuyer sur les députés régionalistes catalans pour constituer un gouvernement.

**Espagne (guerre civile d')** ~ Conflit qui opposa, de 1936 à 1939, les républicains espagnols du Frente Popular (Front populaire), vainqueur aux élections législatives de février 1936, aux militaires nationalistes soulevés le 17 juillet, dirigés par le général Franco. Les militaires, qui bénéficièrent du soutien matériel de l'Allemagne et de l'Italie, vainquirent progressivement (Bilbao, juin 1937 ; Barcelone, janv. 1939 ; Madrid, mars 1939) les républicains, divisés sur la stratégie à suivre (socialistes et communistes face aux anarchistes et au Parti ouvrier d'unification marxiste, antistalinien), dépourvus de l'aide qu'ils attendaient de la France et du Royaume-Uni et soutenus uniquement par les Brigades internationales et l'U. R. S. S. Les combats firent 600 000 morts.

**ESPINEL** (Vicente) ~ *1550, Ronda - 1624, Madrid.* Écrivain et musicien espagnol. Poète et guitariste réputé, il est auj. connu pour son roman *Marcos de Obregón* (1618) dont s'inspira Lesage.

**ESPINOUSE (monts de l')** ~ Massif de la bordure méridionale du Massif central (Hérault), entre les vallées du Jaur et de l'Agout (alt. max. 1 124 m).

**ESPÍRITO SANTO** (l') ~ Petit État côtier du S.-E. du Brésil ; 45 733 km², 2 598 000 h., cap. Vitória (258 000 h.). Café, bois, minerai de fer (sidér.).

**ESPRIU** (Salvador) ~ *1913, Santa Coloma de Farnés - 1985, Barcelone.* Écrivain espagnol d'expression catalane. Ses poèmes sont consacrés à la Catalogne (*Livre de Sinère*, 1963).

**ESPRONCEDA Y DELGADO** (José DE) ~ *1808, Almendralejo - 1842, Madrid.* Poète espagnol. Il fut une figure majeure du romantisme espagnol (*le Diable-Monde*, 1839-1841).

**ESQUILIN** (l') ~ Une des sept collines de Rome. Thermes de Trajan.

**Esquimaux** ou **Eskimos** (les) ~ Terme autrefois employé pour désigner les Inuits.

**ESQUIROL** (Jean Étienne Dominique) ~ *1772, Toulouse - 1840, Paris.* Médecin français. Il est l'instigateur des institutions psychiatriques en France et l'un des fondateurs de la psychiatrie moderne.

**ESSAOUIRA**, anc. **Mogador** ~ Station baln. du Sud marocain, sur l'Atlantique, centre admin. ; 42 000 h. Pêche et conserverie. Ancienne place forte portugaise (citadelle), palais impérial.

**ESSEN** ~ V. d'Allemagne (Rhénanie-du-Nord-Westphalie), centre tertiaire et industr. (métall.) du bassin de la Ruhr ; 628 000 h. Siège des usines Krupp. Anc. abbatiale (IXe-XIe s.). Musée Folkwang (peintures des XIXe et XXe s., photographies).

**ESSENINE** ou **IESSENINE** (Sergueï Aleksandrovitch) ~ *1895, Konstantinovo, près de Riazan - 1925, Leningrad.* Poète russe. Auteur de poèmes lyriques d'inspiration paysanne, il fut l'un des représentants de l'école imaginiste. Il célébra la révolution d'Octobre, puis, opposé à l'industriali[sa]tion forcée, il devint hostile aux dogmes comm[u]nistes et se suicida (*Confession d'un voyou*, 192[1]).

**ESSEQUIBO** (l') ~ Fleuve d'Amérique du S (Guyana) issu du massif des Guyanes, qui rejo[int] l'Atlantique au N. de Georgetown ; env. 900 k[m].

**ESSEX** (l') ~ Comté du S.-E. de l'Angleter[re], traditionnelle région agricole gagnée au S.-O. p[ar] l'agglom. de Londres, bordée au S. par la Tam[ise] et à l'E. par la mer du Nord ; 3 675 km[²], 1 529 000 h., v. princ. Chelmsford (158 000 h., ch.-l.), Southend-on-Sea. Royaume saxon fondé [au] VIe s. avec Lunden (Londres) pour capitale, l'Ess[ex] fut annexé par le Wessex au IXe s.

**ESSEX**, nom de deux hommes politiques anglais. **Robert** DEVEREUX, 2e comte D' (*1567, Netherwo[od], Herefordshire - 1601, Londres*), favori d'Élisabeth Ire. Tombé en disgrâce, il complota avec Jacques [VI] d'Écosse. La reine le fit exécuter. Son fils ~ **Rob[ert]** DEVEREUX, 3e comte D' (*1591, Londres - 1646, id.*) commanda l'armée parlementaire en lutte cont[re] Charles Ier.

**ESSLING** ~ Localité d'Autriche, près de Vienn[e]. Les 21 et 22 mai 1809, les armées de Napoléon y défirent les Autrichiens.

**ESSONNE** (l') ~ Riv. du S. de l'Île-de-France, a[ffl.] de la Seine (r. g.), qui conflue au S. d'Évry ; 90 km.

**ESSONNE** (l') ~ Dép. de la Région Île-de-Franc[e] correspondant à la périphérie S. de la régi[on] parisienne ; 2 284 km², 1 084 824 h., préfect. Év[ry] (ville nouvelle). Il englobe la majeure partie [du] Hurepoix, découpé par les affluents de la rive gauc[he] de la Seine (Bièvre, Yvette, Orge), entre les confi[ns] de la Beauce au S.-O. et la vallée de la Seine [au] N.-E. Le Nord est urbanisé (l'une des princ. zon[es] d'extension de l'agglom. parisienne), industriali[sé] le long de la Seine, plus résidentiel à l'O., où [la] vallée de l'Yvette concentre, autour d'Orsay, nom[bre] bre d'organismes de recherche scientifique. Le S[ud] est encore agricole et semi-rural.

**ESTAING** (Charles Henri Jean-Baptiste, comte D') *1729, Ravel, Puy-de-Dôme - 1794, Paris.* Ami[ral] français. Il participa à la guerre de l'Indépendan[ce] américaine. Bien que rallié à la Révolution, il f[ut] guillotiné sous la Terreur.

**ESTAQUE** (l') ~ Prolongement calcaire de [la] chaîne de l'Étoile, à l'O. de Marseille, entre l'éta[ng] de Berre et la Méditerranée (alt. max. 250 m). Calanques. Pêche, tourisme baln. (Carry-le-Rouet).

**ESTE (maison d')** ~ Famille princière d'Italie. El[le] régna sur Ferrare (1240-1598) et sur Modèn[e] (1288-1796). Les ducs d'Este attirèrent à Ferra[re] de nombreux artistes et hommes de lettr[es] (l'Arioste, le Tasse, Marot).

**Este (villa d')** ~ Palais construit à Tivoli (Itali[e]) pour le cardinal Hippolyte d'Este (1550). Ses jardi[ns] sont ornés de statues et de fontaines.

**ESTEREL** ou **ESTÉREL** (l') ~ Massif cristallin [de] la Côte d'Azur, entre Saint-Raphaël et Cannes (al[t.] max. 618 m), séparé des Maures par la vallée [de] l'Argens. Petites stations balnéaires.

**ESTERHÁZY** ou **ESZTERHÁZY** ~ Famille nob[le] hongroise qui joua un rôle important, not. ent[re] le XVIIe et le XIXe s. Elle compta de nombreux mécèn[es] et protégea Haydn et Beethoven.

**ESTÈVE** (Maurice) ~ *1904, Culan, Cher.* Peint[re] français. Influencé par le cubisme, il s'est éloig[né] de la figuration en faveur d'un univers plastiqu[e] où sa palette, très riche, reste gouvernée par u[n] souci d'équilibre formel.

**ESTHER** ~ Personnage biblique, héroïne du liv[re] qui porte son nom. Jeune femme juive exilée e[n] Perse, elle épousa le roi Assuérus et sauva ainsi so[n] peuple d'un massacre.

**ESTIENNE**, famille d'écrivains, d'éditeurs et d'im[primeurs] primeurs français, dont ~ **Robert Ier** (*1503, Paris - 1559, Genève*), auteur d'un *Dictionnaire latin-français* (1538) puis *français-latin* (1539) et adept[e] de la Réforme, et son fils ~ **Henri II** (*v. 153[1], Paris - 1598, Lyon*), helléniste et auteur du *Proje[t] du livre intitulé : « De la précellence du langa[ge] français »* (1579). [☞ **dictionnaire**.]

**ESTIENNE** (Jean-Baptiste) ~ *1860, Condé-en-Barrois - 1936, Paris.* Général français, créateur e[n] 1916-1917 des chars d'assaut français.

**ESTIENNE D'ORVES** (Honoré D') ~ *1901, Verrières-le-Buisson, Essonne - 1941, mont Valérien* cier de marine français. Organisateur d'un au de résistance, il fut fusillé par les Allemands.

**ONIE (république d')** ~ Le plus petit et le septentrional des pays Baltes. *Cap.* Tallinn. *rf.* 45 100 km². *Popul.* 1 600 000 h., dont niens (62 %), Russes (30 %). *Langues princ.* Esen (proche du finnois), russe. *Monn.* Coune. *Relief.* Plaines et collines, sols pauvres. *nat.* Continental tempéré par la Baltique. *Écon.* dée sur l'agric. (orge, pomme de terre), l'élev. n et porcin, la pêche et la sylviculture. Énergie nie par le sous-sol (schistes bitumineux). str. agroalim. et chimique. L'Estonie oriente ses nges vers les autres pays Baltes, la Finlande et rope occidentale. *V. princ.* Tallinn, Tartu, Narva. . – *XIIIe s.* : christianisation des Estoniens, ple païen d'origine finno-ougrienne, par les mands, puis par les Danois qui établissent leur ination sur le pays. *XIVe-XVe s.* : l'Estonie est due aux chevaliers Teutoniques, qui la tiennent leur coupe. *XVIe s.* : occupation par les pays ns (Suède, Danemark, Pologne). *XVIIe s.* : ination suédoise. *1721* : annexion par la sie. *XIXe s.* : abolition du servage et russification la population. *XXe s.* : après la révolution ctobre (1917), l'Estonie fait l'objet de la voitise des Soviétiques et des Allemands. *0-1940* : elle constitue une république indépente, membre de l'Entente baltique (avec la onie et la Lituanie). *1940* : elle est de nouveau exée par l'U. R. S. S. *1941-1944* : occupation mande. *1944-1991* : libérée par l'Armée rouge, tonie devient l'une des républiques soviétiques. *1* : proclamation de l'indépendance. *1992* : tion de Lennart Merri à la présidence de la ublique. Le problème des « non-citoyens », en iculier d'origine russe, posé depuis l'indépence, n'est toujours pas résolu.

**ORIL** ~ Station baln. du Portugal, à l'O. de onne ; 8 000 h. Circuit automobile de formule 1.

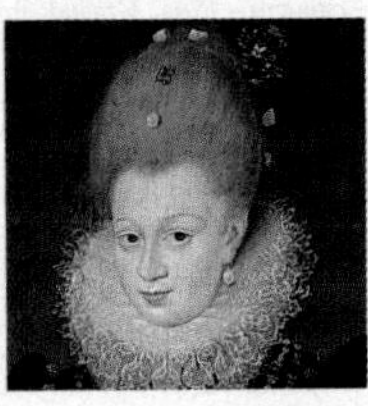
© Lauros-Giraudon

*Portrait présumé Gabrielle d'Estrées ail), école française du XVIe s. Musée Condé, Chantilly.*

**RÉES (maison D')**, famille d'Artois. ~ Gaelle D'ESTRÉES (*1571, Cœuvres, Aisne - 1599, s*), favorite d'Henri IV. Elle lui donna trois ants, légitimés, dont César de Vendôme. Son e ~ **François Annibal Ier** D'ESTRÉES (*1572 - 0, Paris*), maréchal de France, fut ambassadeur ome. ~ **Jean II** D'ESTRÉES (*1624, Soleure, Suisse - 7, Paris*), fils du préc., amiral et maréchal de nce, reprit Cayenne aux Hollandais (1676).

**RELA (serra da)** ~ Massif montagneux du cendu Portugal, le plus haut du pays (alt. max. au nt Torre, 1 991 m). Tourisme et sports d'hiver.

**RÉMADURE** (l'), nom de deux régions de la insule Ibérique (en fr. « terre extrême »), respondant aux marches reprises par les chréns aux Arabes, durant le Moyen Âge. ~ Communté autonome et région de l'Espagne intérieure sse Meseta), entre l'Andalousie, le Portugal, le n et la Castille ; 41 602 km², 1 062 000 h. (en ninution), cap. Mérida. V. princ. et ch.-l. de v. Badajoz et Cáceres (72 000 h.). De climat sec, s'étend sur les bassins moyens du Tage (forêt re, élev. extensif), peu peuplé, au N., et du adiana, où l'agriculture a bénéficié de travaux rigation (céréales, vigne, olivier). Régime de fundium dominant au N., petite propriété au L'émigration, ancienne, reste importante, le mage est chronique, l'industrie peu développée. dépendance financière envers l'État est grande. be dès 711, royaume maure au Xe s., l'Estrémare fut annexée au royaume du León en 1227-30. ~ Région hist. du Portugal (conquise sur les abes au XIIe s.), entre Lisbonne et Coimbra, formée de bas plateaux peu arrosés dominant le Tage et l'Atlantique. Cult. sèches (céréales), élev. extensif. Pèlerinage à Fátima.

**ESTRIE** (l') ou **CANTONS DE L'EST** ~ Région du Québec (v. princ. Sherbrooke) affectée à la colonisation britannique (1796), à l'E. de Montréal, au S. du Saint-Laurent.

**E. T. A.**, sigle d'*Euskadi ta Askatasuna*, en fr. « le Pays basque et sa liberté » ~ Mouvement indépendantiste basque créé en 1959 par l'aile radicale du parti nationaliste basque.

**établissement (Acte d')**, en angl. *Act of Settlement* ~ Loi votée par le Parlement en 1701. Écartant du trône d'Angleterre tout prince non protestant, il visait à évincer les Stuarts au profit de la maison de Hanovre.

**Établissements français dans l'Inde** ~ Anciennes possessions françaises (cap. Pondichéry) constituées à partir du XVIe s. Agrandis par Dupleix, ils furent transférés (à l'issue de la guerre de Sept Ans), par le traité de Paris de 1763, au Royaume-Uni, qui les restitua à la France (traité de Versailles de 1783). L'ensemble de ces établissements revint définitivement à l'Inde en 1954.

**ÉTAMPES** ~ V. beauceronne du S. de l'Essonne, marché agricole ; agglom. 25 981 h. Hôtels Renaissance et nombreuses églises. Elle fut résidence royale au XIIe s.

**ÉTAMPES** (**Anne de Pisseleu**, duchesse D') ~ *1508, Fontaine-Lavaganne, Oise - 1580, Heilly, Somme.* Dame française. Maîtresse de François Ier, elle fut la rivale de Diane de Poitiers.

**ÉTAPLES** ~ Port de pêche pittoresque de la Manche, sur l'estuaire de la Canche, dans le Pas-de-Calais ; 11 305 h. (agglom. 23 412 h.). Conserverie, industr. automobile. Musée archéologique.

**État français** ~ Nom donné au régime politique de la France après le vote du 10 juillet 1940 accordant les pleins pouvoirs au maréchal Pétain. L'État français fut abrogé par l'ordonnance du 20 août 1944 rétablissant la république.

**ÉTATS BARBARESQUES** ~ Voir **Barbarie.**

**ÉTATS DE L'ÉGLISE** ou **ÉTATS PONTIFICAUX** ~ Ensemble des territoires de l'Italie centrale soumis à la papauté (756-1870). Constitués à l'origine par le « Patrimoine de Saint-Pierre », pris par Pépin le Bref aux Lombards, ils furent annexés au royaume d'Italie en 1870. Seule subsiste la cité du Vatican, depuis les accords du Latran (1929).

**ÉTATS-UNIS D'AMÉRIQUE**, en angl. ***United States of America (U. S. A.)*** ~ Pays d'Amérique du Nord bordé à l'O. par le Pacifique, à l'E. par l'Atlantique, au S. par le golfe du Mexique (50 États + 1 district fédéral). Territoires extérieurs : Guam, Mariannes du Nord, Porto Rico, Samoa américaines, îles Vierges. *Cap.* Washington. *Superf.* 9 373 000 km². *Popul.* 260 660 000 h., dont Blancs (71 %), Noirs (12 %), Hispaniques (9 %), Asiatiques (3 %), Amérindiens. *Langues princ.* Anglais, espagnol. *Monn.* Dollar. *Relief.* Il est divisé d'E. en O. en grands ensembles : plaines côtières de l'E. et du S.-E., chaîne des Appalaches, plaine centrale occupée au N. par les Grands Lacs et drainée par le Mississippi, s'élevant doucement vers les montagnes Rocheuses, hauts plateaux (Colorado, Grand Bassin, Columbia), chaîne des Cascades surplombant la dépression du Puget Sound, sierra Nevada (mont Whitney, 4 418 m) surplombant la Grande Vallée et les Coast Ranges qui bordent le Pacifique. *Fl. princ.* Missouri-Mississippi, Columbia, Colorado. *Climat.* Tempéré dans son ensemble, il connaît de nombreuses nuances (continentale, océanique, subtropicale, désertique, méditerranéenne) en fonction du relief et de la situation géographique. *Écon.* 1re puissance écon. du monde. L'abondance des richesses naturelles (sources d'énergie, minerais, bois), malgré une exploitation déjà ancienne et désordonnée, est facilitée par l'infrastructure (routes, chemins de fer, canaux, oléoducs, gazoducs) reliant régions de production et régions de consommation (N.-E. et Californie). Le système agro-industriel, fondé sur une production massive (blé, maïs, riz, coton, soja, tournesol, agrumes, bovins, ovins, volailles), est performant à l'échelle mondiale. L'industrie, très concentrée (firmes multinationales), s'appuie sur le plus vaste et le plus riche marché intérieur du monde. Concurrencée par le Japon, par les nouveaux pays industriels et par l'Europe pour ses productions les plus classiques (sidér., text., constr. navales, autom., électroménager), elle domine les secteurs de la haute technologie (aérospatiale, électron., informatique, biogénétique, pharmacie, armement). Le secteur des services (transports, finances, télécommunications, ingénierie, médias) assure une part grandissante du P. I. B. et des exportations. Bénéficiant d'une monnaie privilégiée, les États-Unis vivent néanmoins au-dessus de leurs moyens, accumulant déficits commerciaux et dette extérieure. *V. princ.* New York, Los Angeles, Chicago, Houston, Philadelphie, San Diego. **HIST.** - *Env. 10 000 ans av. J.-C.* : installation de peuples venus d'Asie par le détroit de Béring. *1497* : exploration des côtes du Nord par Jean Cabot. *XVIe s.* : exploration des côtes du Sud par les Espagnols qui fondent Saint Augustine, en Floride (1565). *XVIIe s.* : fondation de La Nouvelle-Amsterdam (future New York) par les Hollandais et de Jamestown (Virginie) par les Anglais. Débarquement des colons du *Mayflower* (1620) et fondation de la Nouvelle-Angleterre. Les treize colonies anglaises occupent la côte E. (voir carte p. 1330) ; les Espagnols sont établis en Floride, au Texas et sur la côte pacifique ; les Français sont implantés en Louisiane et dans la région des Grands Lacs. *XVIIIe s.* : la rébellion persistante des colons contre la tutelle anglaise débouche sur la déclaration d'Indépendance (4 juill. 1776) et sur la guerre de l'Indépendance entre les insurgés (soutenus par les Français) et les Britanniques, qui capitulent à Yorktown en 1781. Le 17 sept. 1787, la Constitution de la république fédérale des États-Unis est adoptée ; George Washington est le premier président. *XIXe s.* : achat de la Louisiane (1803) et de la Floride (1819), entrée du Texas dans l'Union (1845), conquête du Nouveau-Mexique, de l'Arizona et de la Californie lors de la guerre contre le Mexique (1846-1848). La conquête de l'Ouest, par des immigrés venus de la côte E. ou de l'Europe, et sa mise en valeur aboutissent à la décroissance rapide de la population autochtone : les Indiens sont massacrés ou parqués dans des réserves. L'opposition des États du Nord à l'esclavage des Noirs, pratiqué par les États du Sud, puis l'élection d'Abraham Lincoln provoquent la guerre de Sécession (1861-1865), qui s'achève par la défaite des fédérés et l'abolition de l'esclavage. Essor de l'activité économique, mise en place des réseaux de communication. Interventions à Cuba, à Porto Rico, aux Philippines (1898). *XXe s.* : intervention à Panamá (1903). Entrée en guerre tardive (2 avril 1917) contre l'Allemagne, sous l'impulsion de Thomas de Woodrow Wilson, puis repli sur une position neutraliste (refus par le Sénat de signer le traité de Versailles, refus de participer à la Société des Nations). Prospérité euphorique fondée sur l'industrie mais fragilisée par la spéculation. Le krach boursier de Wall Street (24 oct. 1929) est suivi d'un effondrement de l'économie américaine et d'un chômage massif. Élu en 1933, le démocrate Franklin D. Roosevelt met en place une politique dirigiste et inédite, le New Deal, pour arrêter la crise. Le 7 déc. 1941, l'attaque japonaise contre la base américaine de Pearl Harbor entraîne l'entrée en guerre des États-Unis contre les puissances de l'Axe. Leur intervention est décisive, tant sur le théâtre européen qu'en Asie (bombardement d'Hiroshima et de Nagasaki, 1945). L'engagement international des États-Unis, à partir de la présidence de Harry Truman (1945-1953), se traduit par la mise en place de l'O. N. U. et par la guerre froide engagée contre l'U. R. S. S. : application du plan Marshall pour l'Europe occidentale, création de l'Otan, stratégie de *containment* (« endiguement ») face à l'expansionnisme soviétique (guerre de Corée, 1950-1953). Orientation anticommuniste, sous la présidence du général Dwight Eisenhower (1953-1960), tant en politique internationale qu'à l'intérieur du pays (interdiction du parti communiste, maccarthysme). Vient ensuite le temps de la « coexistence pacifique » entre Soviétiques et Américains, symbolisée par la conquête de l'espace, puis, avec John F. Kennedy (1960-1963), celui d'une véritable « détente » malgré différentes crises (affaire de Cuba, engagement au Viêt Nam).

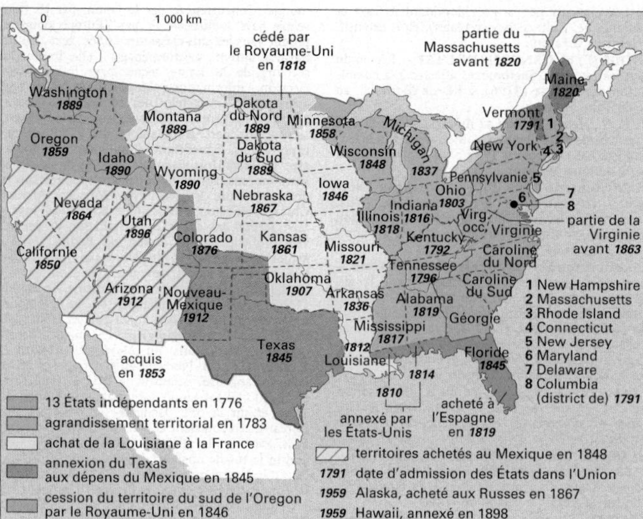


*États-Unis : entrées des États dans l'Union.*

Émergence des revendications politiques des Noirs, qui prennent au fil du temps une importance toujours plus grande. Lyndon B. Johnson (1963-1968), successeur de Kennedy, poursuit sa politique en matière sociale, économique et internationale : le conflit vietnamien s'enlise et la contestation de la jeunesse américaine s'amplifie. Richard Nixon (1968-1974) ordonne le retrait progressif des troupes américaines du Viêt Nam et entame des négociations qui aboutissent au cessez-le-feu de 1973. Rapprochement avec la Chine et négociations sur le désarmement avec l'U. R. S. S. Crise monétaire mondiale qui entraîne l'abandon de la convertibilité en or du dollar et des dévaluations (fin des accords de Bretton Woods). En 1974, Nixon démissionne à la suite de l'affaire d'espionnage politique du Watergate. Après Gerald R. Ford (1974-1976), le démocrate Jimmy Carter (1976-1980) ne parvient pas à juguler la crise économique. Il n'est pas réélu malgré des succès en politique étrangère (accords de Camp David pour le Proche-Orient, 1978). Outre quelques opérations extérieures (Grenade, 1983 ; Libye, 1986), l'aide à la Contra nicaraguayenne et les négociations avec l'U. R. S. S. sur le désarmement, la présidence du républicain ultralibéral Ronald W. Reagan (1980-1988) voit la reprise économique, stimulée par des investissements militaires massifs, une dérégulation radicale de l'économie et l'accroissement du déficit budgétaire. Son successeur, George Bush (1988-1992), réagit à l'effondrement de l'U. R. S. S. par l'ouverture du dialogue, intervient avec succès dans le golfe Persique (guerre du Golfe, janv.-févr. 1991). De graves émeutes raciales éclatent en avril 1992 à Los Angeles. La même année, le démocrate Bill Clinton est élu. Sa politique économique et sociale est entravée par le Sénat puis par la Chambre des représentants, devenue républicaine (1994). Il connaît des succès en politique internationale (Proche-Orient, ex-Yougoslavie, Irlande). Son mandat marque une reprise économique et une baisse du chômage. B. Clinton est réélu en novembre 1996.

**ÉTÉOCLE** ~ Prince thébain de la mythologie grecque, fils d'Œdipe et de Jocaste. Après la mort de son père, il s'entendit avec son frère Polynice pour régner alternativement sur Thèbes, mais il ne respecta pas sa parole. Les deux frères s'entretuèrent en combat singulier. Voir **Antigone**.

**ÉTHIOPIE (république d')**, anc. **Abyssinie** ~ Pays enclavé d'Afrique orientale constitué de hauts plateaux surmontés de massifs volcaniques. ***Cap.*** Addis-Abeba. ***Superf.*** 1 098 000 km². ***Popul.*** 55 000 000 d'h., dont Amharas (38 %), Oromos (35 %). ***Langue princ.*** Amharique. ***Monn.*** Birr. ***Relief.*** La Rift Valley, occupée par des lacs et le cours de l'Aouach, coupe le pays en deux parties. L'Éthiopie est un château d'eau régional (Nil Bleu, Omo, Chébéli). ***Climat.*** Tropical, modifié par le relief. ***Écon.*** Mise à mal par une expérience marxiste malheureuse, par la guerre civile et par les disettes, elle est fondée sur l'agriculture (maïs, sorgho, coton, café, élev. bovin, ovin et caprin). L'énergie est fournie par le bois et l'hydroélectricité. L'industrie reste agroalimentaire et textile. L'aide internationale est indispensable à ce pays. ***V. princ.*** Addis-Abeba, Diré Daoua, Nazret. **HIST.** - *VIIIᵉ-IIᵉ s. av. J.-C.* : développement de la civilisation dite sabéenne (visite légendaire de la reine de Saba au roi d'Israël, Salomon, dont elle aurait eu un fils, Ménélik). *Iᵉʳ s. apr. J.-C.* : fondation du royaume d'Aksoum, gouverné par le « roi des rois ». *IVᵉ s.* : conversion progressive au christianisme. *VIᵉ s.* : conquête par les Éthiopiens puis perte de territoires en Arabie du Sud. *À partir du VIIᵉ s.* : l'islam se propage le long des côtes éthiopiennes ; le royaume se recentre vers le sud ; la capitale est plus tard transférée à Roha (après le XIIIᵉ s., Lalibela). *1270* : installation de la dynastie salomonide (remontant au roi Salomon). *XIVᵉ-XVᵉ s.* : lutte entre le royaume chrétien et les populations islamisées. *1445* : le roi Zara Yacoub bat le sultan d'Ifat. *XVIᵉ s.* : tentative d'invasion musulmane contenue grâce au soutien des Portugais. Invasion du Sud par les Oromos. Lent déclin du pays. *XIXᵉ s.* : le négus Théodoros réduit les féodaux et lutte contre l'influence britannique. Johannès IV, son successeur, repousse l'attaque de l'Égypte au nord et affronte le soulèvement d'al-Mahdi, l'« imam voilé », au sud. *1889* : couronnement de Ménélik II, qui, jusqu'à sa mort (1907), maintient l'unité du pays, réduisant les Oromos, contenant les ambitions italiennes, conquérant le Harar. *1930* : Hailé Sélassié Iᵉʳ succède à sa tante Zaoditou, fille de Ménélik II. *1935* : invasion italienne, exil de l'empereur, qui ne recouvre son titre qu'en 1941, après la libération du pays par les Britanniques. *1952* : l'Érythrée, intégrée à l'Éthiopie, s'engage dans une lutte longue et violente pour l'indépendance à partir de 1962. Les Somalis de l'Ogaden, région revendiquée par la Somalie voisine, commencent une guérilla contre le pouvoir d'Addis-Abeba. *1974* : Hailé Sélassié est déposé ; un gouvernement provisoire, d'inspiration communiste, est mis en place, soutenu par l'U. R. S. S. ; l'économie est collectivisée. *1987* : Hailé Mariam Mengistu, au pouvoir depuis 1977, est chef de l'État. *1991* : effondrement du régime du fai l'affaiblissement de l'U. R. S. S. et de Cuba. M Zenawi devient alors chef de l'État. *199* indépendance de l'Érythrée. *1994* : élection d' Assemblée constituante à laquelle l'opposi refuse de participer.

**ÉTIEMBLE** (René) ~ *1909, Mayenne.* Écrivai universitaire français. Sa thèse, *le Mythe de Rimb* (1952-1957), inaugure une nouvelle mar d'écrire l'histoire littéraire, qui emprunte à G. mézil son comparatisme. Il œuvre également p la diffusion de la littérature orientale (*le Nou Singe pèlerin*, 1958) et pour la défense de la lar française (*Parlez-vous franglais ?*, 1964).

**ÉTIENNE** (saint) ~ *m. v. 37 à Jérusalem.* Di et membre de la communauté chrétienne de J salem, considéré comme le premier martyr chré

**ÉTIENNE Iᵉʳ** (saint) ~ *v. 977, Esztergom - 10 Buda.* Premier roi de Hongrie (1000-1038), ca nisé en 1083. Combattant l'aristocratie païenn imposa le christianisme. Allié à Byzance, il défe l'indépendance de la Hongrie contre les Bulga

**ÉTIENNE II** (saint) ~ *m. en 757 à Rome.* Pap 752 à 757. Il se vit confirmer par Pépin le Br possession du duché de Rome et de l'exarcha Ravenne (756), origine des États de l'Église.

**ÉTIENNE**, nom de trois souverains de Serbi **Étienne Nemanja** (*1114, Ribnica - 1200, n Athos*), prince de Serbie (v. 1170-v. 1196). F dateur de la dynastie des Nemanjić, il unifia pays serbes (Bosnie exceptée) contre Byzanc **Étienne Iᵉʳ Nemanjić** (*m. en 1228*), fils du p prince (1196-1217) puis roi de Serbie (1217-12 Il fonda l'Église serbe indépendante. ~ **Étienne Uroš IV Dušan** (*v. 1308 - 1355, Diavoli*), roi, p empereur de Serbie (1331-1355). Son règne l'apogée de la Grande Serbie, avec la conquête la Bulgarie, de l'Épire, de la Thessalie et de Macédoine (sauf Thessalonique).

**ÉTIENNE Iᵉʳ BÁTHORY** ~ *1533, Szilágysom Roumanie - 1586, Grodno.* Roi de Pologne (15 1586). Prince de Transylvanie, époux d'A Jagellon, il fut élu au trône polonais. Vainqu d'Ivan IV le Terrible, il conquit la Livonie encouragea la Contre-Réforme en Pologne.

**ÉTIENNE DE BLOIS** ~ *v. 1097 - 1154, Dou* Roi d'Angleterre (1135-1154). Petit-fils de G laume le Conquérant, il succéda à Henri Iᵉʳ co l'héritière désignée, Mathilde. Il accepta com successeur le fils de Mathilde, Henri II.

**ÉTIENNE III LE GRAND** ~ *1433, Borzești - 15 Suceava.* Prince de Moldavie (1457-1504). Il l contre les Turcs, les Hongrois et les Polonais.

**ÉTIENNE-MARTIN** (Étienne **Martin**, dit) ~ *19 Loriol-sur-Drôme - 1995, Paris.* Sculpteur franç Usant de matériaux les plus divers, il élabora structures labyrinthiques (*Demeures*) qui form sent les hantises primordiales de l'enfance.

**ETNA** (l') ~ Plus grand et plus haut volcan a d'Europe, en Sicile (Italie) ; 3 345 m.

**ÉTOILE (chaîne de l')** ~ Petit massif calcaire ( max. 781 m) qui domine Marseille au N., sépar la ville du bassin d'Aix.

**ÉTOLIE** (l'), en grec ***Aitolía*** ~ Région du cer de la Grèce, au N.-O. du golfe de Corint 5 461 km², 228 000 h. La **Ligue étolienne** s'opp à la Ligue achéenne pour le contrôle de la Gr mais fut vaincue au IIIᵉ s. av. J.-C.

**ETON** ~ V. d'Angleterre, à l'O. de Londres, su Tamise ; 4 000 h. Collège fondé au XVᵉ s.

**ÉTRETAT** ~ Station baln. de Normandie (Sei Maritime), sur la Manche, dans le pays de Ca au N. du Havre ; 1 565 h. Église Notre-Da (XIIᵉ-XIIIᵉ s.). Célèbres falaises.

**ÉTRURIE** (l') ~ Région de l'Italie antique, cor pondant à l'actuelle Toscane. Foyer de la civilisat étrusque, elle fut soumise par Rome en 265 av. J. Bonaparte constitua un royaume d'Étrurie bénéfice des Bourbons de Parme (1801-1807), r réunit le royaume à l'Empire français. Il consti en 1808 un grand-duché de Toscane, sur leq régna sa sœur Élisa.

**Étrusques** (les) ~ Peuple d'origine incertai apparu vers 700 av. J.-C. en Toscane. La langue ce peuple est peu connue et ne s'apparente à auc autre branche linguistique. Constitués en fédération de cités indépendantes, les Étrusq

© Coll. ES-Explorer

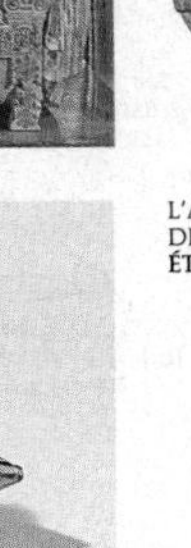

© Giraudon

2

L'ART
DES
ÉTRUSQUES

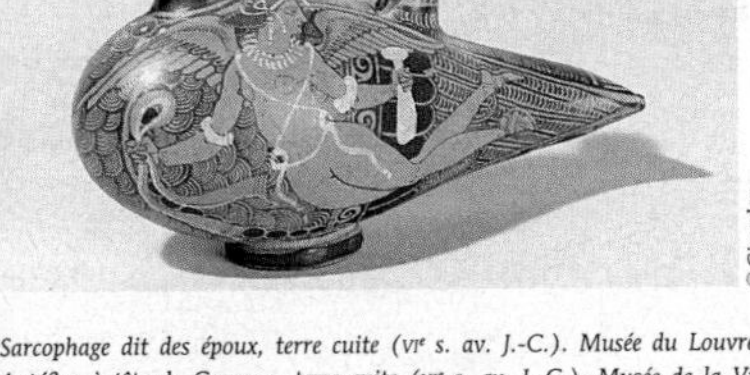

© Giraudon

© Giraudon

4

*Sarcophage dit des époux, terre cuite (VI^e^ s. av. J.-C.). Musée du Louvre, Paris.*
*Antéfixe à tête de Gorgone, terre cuite (VI^e^ s. av. J.-C.). Musée de la Villa Giulia, Rome.*
*Vase en forme de canard, terre cuite (IV^e^ s. av. J.-C.). Musée du Louvre, Paris.*
*Rhyton en forme de tête féminine, terre vernissée (fin du IV^e^ s. av. J.-C.).*
*ısée de la Villa Giulia, Rome.*

ıminèrent un espace qui, incluant le Latium et ıme où régnèrent les Tarquins (rois étrusques), ait de la plaine du Pô à la Campanie. Cet apogée ıv. 620-500 av. J.-C.) a laissé des témoignages ıtistiques (nécropole de Cerveteri, de Tarquinia, :.). Du V^e^ s. au milieu du IV^e^ s. av. J.-C., Rome nquit l'Étrurie, dont elle hérita les pratiques reli-ıuses (not. celles des aruspices) et architecturales.

J ~ V. de Normandie, sur la Bresle (Seine-aritime) ; agglom. 20 195 h. Château et collège ı XVI^e^ s. (mausolée de Henri de Guise). Forêt.

**JBÉE**, anc. **Négrepont** ~ Île grecque monta-ıeuse de la mer Égée, séparée de la côte béotienne r le canal d'Euripe ; 4 167 km², 208 000 h. ıurisme balnéaire. Ses riches cités, dont Chalcis, ıuèrent un rôle important dans l'expansion grec-ıe (VIII^e^-VI^e^ s. av. J.-C.).

**UCLIDE** ~ *III^e^ s. av. J.-C., Alexandrie.* Mathémati-ın grec. Il fonda ses théories mathématiques sur ıs définitions et des démonstrations rigoureuses, non plus sur l'expérience sensible. Ses *Éléments géométrie*, dans lesquels il développa axiomes, ıstulats et théorèmes en géométrie comme en ithmétique, restèrent la base de la réflexion ıathématique pendant plus de deux mille ans.

**UDES** ou **EUDE** ~ *v. 860 - 898, La Fère.* Comte ı Paris et de Troyes, puis roi des Francs (888-898). ls de Robert le Fort, il défendit victorieusement ıris contre les Normands (885-887). À l'abdica-ın de Charles III le Gros, il fut élu roi par les ıands (888). Il reconnut Charles III le Simple ımme successeur après l'avoir combattu.

**UDOXE DE CNIDE** ~ *v. 406, Cnide - v. 355 ı. J.-C.* Astronome, mathématicien et philosophe ıec. Afin de rendre compte du mouvement des astres, élabora un système de sphères homocentriques ıconforme aux théories de Platon) qui fit autorité ısqu'à Copernic. Il postula qu'une année comportait 65 jours 1/4, théorie reprise par le calendrier julien.

**UDOXIE**, nom de deux impératrices d'Orient. ~ **udoxie** (*m. en 404 à Constantinople*), épouse 'Arcadius, participa au gouvernement de l'empire. ıritiquée par saint Jean Chrysostome, elle obtint ın bannissement (403). ~ **Eudoxie** (*Athènes - 60, Jérusalem*), épouse de Théodose II, exerça une grande influence sur son mari. Accusée d'infidélité, elle s'exila à Jérusalem.

**EUGÈNE**, nom de quatre papes. ~ **Eugène II** (*né à Rome - 827, id.*), pape de 824 à 827. Il signa avec Louis le Pieux la Constitution de 824, accordant à l'empereur un droit de regard sur les affaires pontificales. ~ **Eugène III** (Bernardo **Paganelli di Montemagno** ; *né à Pise - 1153, Tivoli*), pape de 1145 à 1153. Il fut lié à Bernard de Clairvaux, qu'il chargea de prêcher la 2^e^ croisade. ~ **Eugène IV** (Gabriele **Condulmer** ; *1383, Venise - 1447, Rome*), pape de 1431 à 1447. Il tenta de réaliser l'union entre Rome et les Églises orientales.

**EUGÈNE DE SAVOIE-CARIGNAN**, dit le **Prince Eugène** ~ *1663, Paris - 1736, Vienne.* Homme de guerre autrichien. Brouillé avec Louis XIV, il passa au service de l'empereur d'Autriche. Il fut victorieux des Turcs à Zenta (1697) et des Français à Höchstädt (1704) et à Malplaquet (1709).

**EUGÉNIE** (Eugenia María **de Montijo de Guzmán**) ~ *1826, Grenade - 1920, Madrid.* Impératrice des Français (1853-1870). Exerçant une grande influence politique sur son mari, Napoléon III, elle soutint le catholicisme ultramontain et encouragea le déclenchement de la guerre contre l'Allemagne. Après une courte régence (23 juill.-4 sept. 1870), elle dut s'exiler en Grande-Bretagne.

**EULER** (Leonhard) ~ *1707, Bâle - 1783, Saint-Pétersbourg.* Mathématicien suisse. Élève et collaborateur des Bernoulli, il développa l'analyse autour du concept de fonction et travailla dans tous les domaines des mathématiques et de la physique mathématique.

**Eupatrides** (les) ~ Clan aristocratique rural d'Attique qui exerça le pouvoir à Athènes aux VIII^e^ et VII^e^ s. av. J.-C. Il fut supplanté par Pisistrate.

**EUPEN**, anc. **Néau** ~ Station therm. de Belgique (prov. de Liège), proche des Hautes Fagnes et d'Aix-la-Chapelle ; 17 000 h. Barrage. Église du XVIII^e^ s. La ville fut annexée aux États prussiens de 1815 à 1919, puis intégrée à la Belgique par le traité de Versailles.

**EUPHRATE** (l') ~ Fl. du Moyen-Orient issu de l'E. de l'Anatolie, tribut. du golfe Persique, qui coule en Turquie, en Syrie et en Iraq ; 2 780 km. Après le passage de l'Anti-Taurus, il entre dans la zone aride en Syrie (où il reçoit son princ. et dernier affluent, le Khabur), puis s'étale dans les basses plaines de Mésopotamie, étroite oasis continue, axe de très anciennes civilisations, formant avec le Tigre le Chatt al-Arab en aval de Bassora.

**EUPHRONIOS** ~ *fin du VI^e^ s. - début du V^e^ s. av. J.-C.* Peintre athénien. Ses recherches anatomiques et ses raccourcis rigoureux, caractéristiques de ses vases à figures rouges, ont fait qualifier son style de sévère.

**EUPHROSYNE** ~ Une des trois Grâces.

**EURASIE** (l') ~ Ensemble formé par la masse continentale Europe-Asie et ses dépendances insulaires ; env. 54 millions de km² (2/5 des terres émergées) et 4 milliards d'h. (2/3 de la popul. mondiale).

**Euratom** ~ Voir **Communauté européenne de l'énergie atomique.**

**EURE** (l') ~ Affl. de la Seine (r. g.), issu du Perche, qui longe la Beauce (N.-O.) et arrose Chartres et Dreux ; 225 km.

**EURE** (l') ~ Dép. du S. de la Région Haute-Normandie, où dominent de bas plateaux limoneux (moins de 200 m), drainé par la Seine, l'Eure, la Risle (affl. de la r. g.) ; 6 037 km², 513 818 h. Vocation agricole marquée : à l'E. (Vexin normand, plaine du Neubourg et de Saint-André), paysage de campagne (céréales, betterave sucrière, plantes fourragères) ; à l'O. (Roumois, Lieuvin, pays d'Ouche), paysage de bocage (élev. laitier). Récent développement industriel et démographique lié à la proximité de Paris et de Rouen (agroalim., constr. mécan., électr., aéronautique). Réseau urbain dense et bien hiérarchisé, autour d'Évreux (préfect.) : Vernon, Louviers, Pont-Audemer, Bernay.

**EURE-ET-LOIR** ~ Dép. du N. de la Région Centre, qui jouxte la Normandie ; 5 939 km², 396 073 h. Drainé par le Loir au S. et par l'Eure au N., il comprend surtout des plaines céréalières ouvertes (Beauce, Thymerais), que bordent à l'O. les collines du Perche. Chartres (préfect.) et Dreux, au N.-E., sont les principaux foyers urbains et industriels, dans l'orbite de Paris.

**Eurêka** ~ Programme européen de recherche technologique regroupant vingt pays européens, lancé par la France en 1985.

**EURIPE (canal de l')** ~ Étroit bras de mer séparant la Grèce continentale de l'île d'Eubée, connu pour la violence de ses courants de marée. Un pont le franchissait déjà dans l'Antiquité (V^e^ s. av. J.-C.), reliant Chalcis à la Béotie.

**EURIPIDE** ~ *v. 480, Salamine - 406 av. J.-C., Pella, Macédoine.* Poète tragique grec. Marqué par l'affaiblissement d'Athènes, qui, en pleine guerre du Péloponnèse, remettait en cause ses traditions, ses institutions et ses croyances, le théâtre d'Euripide porte l'empreinte du caractère tourmenté et du pessimisme de son auteur. Ce dernier renouvela autant la technique tragique et les ressorts dramatiques (peinture des caractères, importance du pathétique) que la façon d'aborder les thèmes et les mythes traditionnels (*Médée* ; *Iphigénie à Aulis* ; *Alceste* ; *Ion* ; *Électre* ; *Andromaque* ; *les Troyennes* ; *Hélène*). Il a exercé une influence profonde sur l'évolution du genre, notamment sur la tragédie classique en France.

**EUROPE** (l') ~ Un des cinq continents, délimité au N. et à l'O. par les océans Arctique et Atlantique, au S. par la Méditerranée, prolongé à l'E. par l'Asie (limites : Oural, mer Caspienne, Caucase, mer Noire et les Détroits). ***Superf.*** env. 10 500 000 km². ***Popul.*** env. 700 000 000 d'h. C'est le continent le plus morcelé politiquement (46 États dont 2, la Russie et la Turquie, ont une vaste partie asiatique). ***Relief.*** L'Europe septentrionale est une zone de grandes plaines, de vieux massifs érodés et de grands fleuves. L'Europe méridionale est plus montagneuse, et les plaines y sont réduites à des bassins plus ou moins exigus. ***Climat.*** En général tempéré, mais l'altitude, les barrières montagneuses, la plus ou moins grande proximité de la mer et la latitude introduisent des nuances climatiques et botaniques sensibles. La situation géographique et le climat ont facilité un peuplement très dense caractérisé par la diversité ethnique et linguistique. **HIST.** - *II^e^ s. apr. J.-C.* : tandis que l'Europe orientale et septentrionale reste à l'écart de la civilisation romaine, l'Europe occidentale, intégrée à l'Empire romain, forme pour la première fois un ensemble politique, culturel et

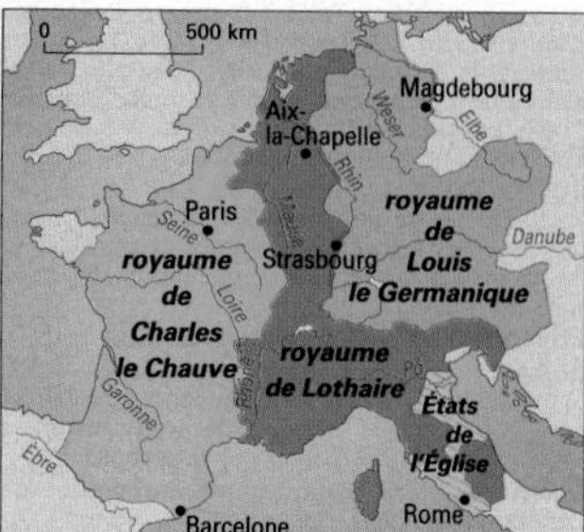


*Traité de Verdun (843).*

économique cohérent. *476-843* : à l'Empire romain d'Occident succède une mosaïque de royaumes barbares dont une partie est progressivement fédérée sous l'autorité des Francs pour former l'Empire carolingien. *843* : après le partage de l'Empire carolingien en États rivaux lors du traité de Verdun, l'Église représente le seul élément d'unité européenne non seulement religieux mais également politique, comme en témoigne la constitution du Saint Empire romain germanique. *IXe-XVIIe s.* : le christianisme étend peu à peu son influence à l'ensemble de l'Europe, mais échoue à maintenir son unité puisque ont lieu, en 1054, le schisme qui oppose l'Occident catholique à l'Orient orthodoxe, puis, au XVIe s., le mouvement de la Réforme, qui divise l'Europe occidentale entre protestants et catholiques. La prise de Constantinople par les Ottomans, en 1453, fait passer une partie de l'Europe orientale sous leur contrôle tandis que les différentes puissances européennes – l'Espagne de Charles Quint et de Philippe II d'abord, la France de Louis XIV ensuite – s'efforcent d'établir leur suprématie sur le reste du continent. En 1683, les Ottomans sont contraints de lever le siège de Vienne et d'abandonner progressivement leurs conquêtes européennes. La France de Napoléon et ses États satellites dominent l'Europe jusqu'en 1815. Le congrès de Vienne, qui règle l'héritage de Napoléon, dessine une nouvelle carte de l'Europe. De 1850 à 1914, l'Europe connaît un développement des nationalismes qui suscite l'unification des nations morcelées (Italie, Allemagne) ainsi qu'une croissance économique et un mouvement de colonisation sans précédent qui lui permettent d'étendre son influence au monde entier. Mais les autres grandes puissances continentales (Autriche et Russie) répriment les tendances à l'émancipation des peuples qui les composent. *1914-1945* : l'exacerbation des nationalismes débouche sur deux guerres mondiales qui donnent un nouveau visage à l'Europe (dislocation des empires multinationaux austro-hongrois et ottoman, constitution de nouveaux États) en 1919 et qui, au lendemain de la conférence de Yalta et de la défaite de Hitler (1945), affaiblissent le continent, divisé entre une Europe occidentale sous influence américaine et une Europe orientale sous influence soviétique. *1946* : Winston Churchill lance l'idée d'États unis d'Europe. *1947-1957* : tandis que les pays d'Europe de l'Est, à l'initiative de l'U. R. S. S., renforcent leurs liens, le plan Marshall et la création de l'Organisation européenne de coopération économique (O. E. C. E.) en 1948, puis le traité de Paris et la création de la Communauté européenne du charbon et de l'acier (Ceca) en 1951 amorcent en Europe de l'Ouest un processus de coopération économique et monétaire. *1957* : le traité de Rome, qui institue entre la France, le Benelux, l'Italie et la R. F. A. la Communauté économique européenne (C. E. E. ou Marché commun) et la Communauté européenne de l'énergie atomique (C. E. E. A.), confirme ce mouvement d'intégration économique croissante. *1957-1989* : la C. E. E. s'étend aux autres pays d'Europe occidentale (intégration du Royaume-Uni, de l'Irlande et du Danemark en 1973, de la Grèce en 1981, de l'Espagne et du Portugal en 1986) et se voit progressivement investie d'un projet politique (Acte unique de 1986 fixant à 1993 l'ouverture complète d'un grand marché intérieur). *1986-1996* : en dépit des difficultés économiques et des critiques suscitées par le traité de Maastricht (1992), l'effondrement de l'U. R. S. S., la conversion des pays d'Europe orientale au libéralisme et l'intégration de l'Autriche, de la Suède et de la Finlande (1995) encouragent l projets d'extension et de renforcement de l'intégr tion européenne, comme le prouve l'abandon, d puis 1993, du terme de « Communauté » au pro de celui d'« Union » européenne (U. E.).

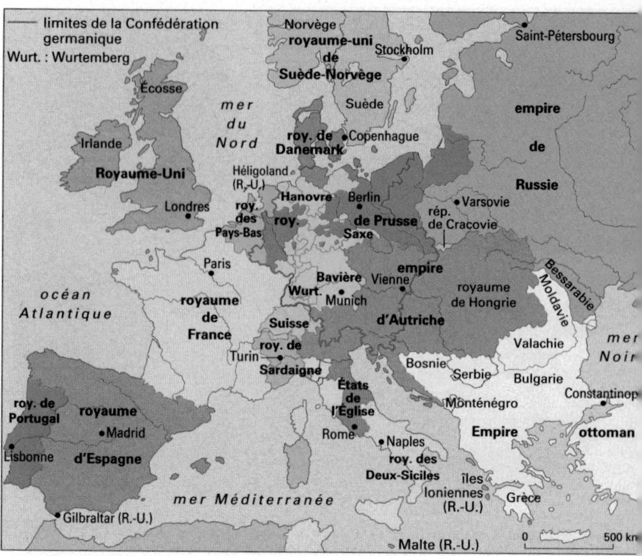


*L'Europe de 1815. Au congrès de Vienne, les vainqueurs de Napoléon sacrifient les aspirations nationales des peuples. La Russie s'empare de la Finlande, de la Bessarabie et de la plus grande partie de la Pologne. La Prusse, qui étend ses possessions en Allemagne rhénane, en Pologne et en Saxe, peut disputer à l'Autriche, présidente de la Confédération germanique, l'hégémonie sur les 39 États allemands. L'Autriche devient maîtresse de l'Italie du Nord et de la côte Adriatique, et étend son influence sur l'Italie entière, tandis que le Royaume-Uni impose, contre la France, la création d'un royaume unissant la Belgique aux Pays-Bas.*

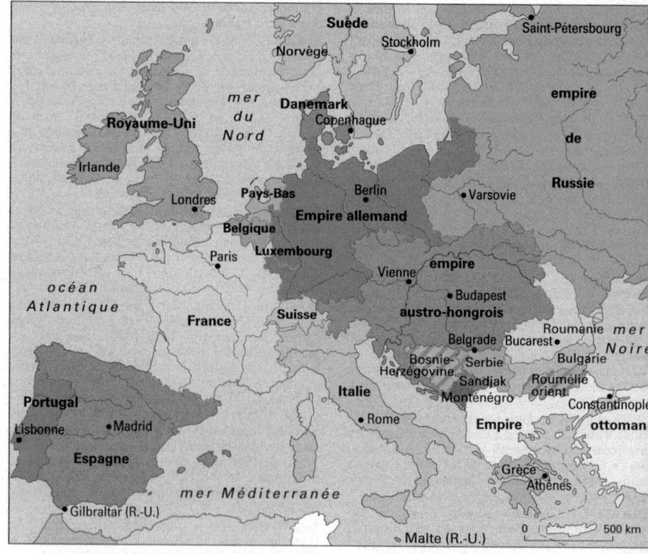


*L'Europe de 1880. L'Allemagne et l'Italie se sont constituées en États nationaux, mais la Pologne reste partagée entre les puissances voisines. L'Autriche-Hongrie réunit de nombreux peuples sous sa double couronne. Le recul de l'Empire ottoman permet l'émergence de nouveaux États comme la Grèce ou la Serbie.*

**ROPE** ~ Personnage de la mythologie grecque. e d'Agénor, roi de Phénicie, elle fut enlevée par us métamorphosé en taureau et donna le jour Minos, à Rhadamante et à Sarpédon.

**rovision** ~ Organisme créé en 1954 et destiné coordonner la réalisation et la diffusion de grammes de télévision communs à différents s d'Europe. Son siège est à Genève.

**RYDICE** ~ Dryade, épouse d'Orphée. Piquée un serpent, elle descendit aux Enfers. Orphée ta de la ramener, mais échoua.

**RYMÉDON**, en turc *Köprü* ~ Fl. côtier du de l'Asie Mineure. L'Athénien Cimon anéantit flotte perse (468 av. J.-C.) près de son bouchure.

**rypontides** ou **Proclides** (les) ~ Une des ux familles royales de Sparte (avec les Agides), gouverna la cité du VI^e^ au III^e^ s. av. J.-C.

**RYSTHÉE** ~ Roi légendaire de Mycènes et de ynthe. Parce qu'il le craignait, il imposa douze vaux à Héraclès.

**SÈBE DE CÉSARÉE** ~ *v. 265, Palestine - v. 338,* Évêque et écrivain grec. Il est l'auteur du *Recueil anciens martyrs*, d'un traité de géographie lique et d'une *Histoire ecclésiastique*, qui retrace istoire du christianisme jusqu'en 323.

**skaldunak** ~ Nom des Basques dans leur gue (euskara).

**STACHE** (saint) ~ Soldat romain. Selon la ende, il se serait converti à la vue d'un cerf dont bois enserraient une croix lumineuse. Il est le tron des chasseurs.

**STACHE** (Jean) ~ *1938, Pessac - 1981, Paris.* néaste français. Adepte d'une écriture dépouillée, est l'auteur de films d'une rare intransigeance *Maman et la Putain*, 1973 ; *Mes petites amoueses*, 1974) et de reportages.

**STACHE DE SAINT-PIERRE** ~ *v. 1287, Saint-rre-lès-Calais - 1371, id.* Membre de la délégation s six bourgeois de Calais qui se livrèrent en otages Édouard III d'Angleterre afin d'épargner leur ville 347). Ils furent graciés.

**TERPE** ~ Une des neuf Muses de la mythologie ecque. Elle présidait à la Musique.

**TYCHÈS** ~ *av. 378 - v. 454.* Moine hérésiarque zantin. Il soutint la doctrine monophysite selon quelle le Christ n'a qu'une seule nature, la nature vine. Il fut condamné au concile de Chalcédoine 51) puis exilé en Égypte.

**vangiles** (les) ~ Voir **Bible**.

**VANS** (sir Arthur John) ~ *1851, Nash Mills - 41, Youlbury.* Archéologue britannique. Les uilles qu'il mena à Cnossos ont permis la couverte de la civilisation crétoise préhellénique.

**VANS** (Oliver) ~ *1755, Newport - 1819, New rk.* Ingénieur américain. Après avoir inventé le rdage mécanique de la laine et du coton (1777), fut l'un des premiers utilisateurs des machines vapeur à haute pression.

**VANS** (Walker) ~ *1903, Saint Louis, Missouri - 75, New Haven.* Photographe américain. Dès 28, il s'orienta vers la photographie sociale. Il rticipa aux travaux de la Farm Security Administion (1935-1938).

**VANS** (William John, dit Bill) ~ *1929, Plainfield, ew Jersey - 1980, New York.* Pianiste et compositur de jazz américain. Accompagnateur de Miles avis, il n'intégra aucune école mais influença de ombreux musiciens de jazz.

**VANS-PRITCHARD** (Edward) ~ *1902, Crowbough, Sussex - 1973, Oxford.* Anthropologue britanque. Il étudia l'organisation sociale, politique et ligieuse de peuples africains (*les Nuers*, 1940).

**VARISTE** (saint) ~ *m. en 105.* Cinquième pape 7-105). Il est supposé avoir été un martyr.

**VE** ~ Nom de la première femme, selon la Bible. ée de la côte d'Adam, elle est la mère du genre umain. Tentée par le serpent, elle incita Adam à oûter au fruit de la connaissance.

**EVEREST (mont)**, en tib. *Chomolungma*, « Déesse mère du Monde » ~ Plus haut sommet du monde (8 846 m), dans l'Himalaya, à la frontière du Népal et du Tibet chinois. L'Everest, du nom du géomètre britannique qui l'a découvert en 1841 (sir George **Everest**), a été escaladé pour la première fois en 1953 par Edmund Hillary et Tensing Norgay.

**EVERGLADES** (les) ~ Région marécageuse du S. de la Floride (États-Unis), dont la végétation subtropicale est en partie sauvegardée dans un parc national.

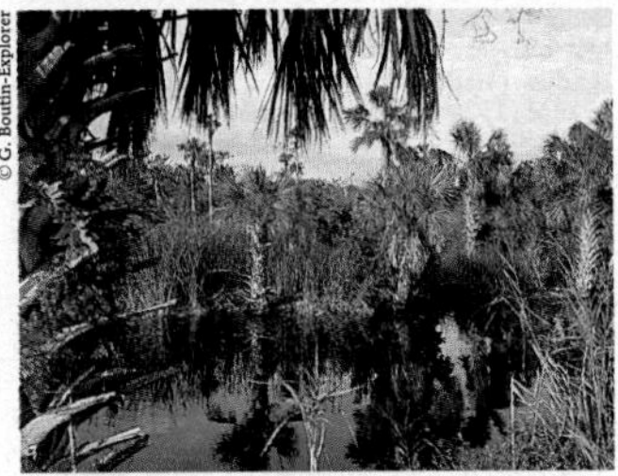

© G. Boutin-Explorer

*Les Everglades.*

**EVERT LLOYD** (Chris) ~ *1954, Fort Lauderdale, Floride.* Joueuse de tennis américaine. Elle remporta plusieurs grands tournois, dans les années 1970 (Flushing Meadow, Roland-Garros, Wimbledon).

**Evhés** (les) ~ Voir **Éwés**.

**ÉVHÉMÈRE** ~ *v. 340 - v. 260 av. J.-C.* Historien grec. Sa révision des mythes religieux, où les dieux n'étaient que des rois défunts, fut systématisée en une doctrine rationaliste.

**ÉVIAN-LES-BAINS** ~ Station therm. et clim. de la rive S. du lac Léman (Haute-Savoie) dans le Chablais ; 6 895 h. Eau minérale. **HIST.** - Signés le 18 mars 1962 entre le gouvernement français et le gouvernement provisoire de la République algérienne, les **accords d'Évian** reconnaissaient l'indépendance de l'Algérie et fixaient les conditions du transfert de souveraineté au profit du nouvel État algérien.

**ÉVORA** ~ V. du Portugal, cap. historique et économique de l'Alentejo ; 39 000 h. Industr. agroalim. Temple de Diane du II^e^ s., cathédrale (XII^e^-XIII^e^ s.) et monuments du XV^e^ s.

**ÉVREUX** ~ Préfect. de l'Eure, dans la vallée de l'Iton ; 49 103 h. (agglom. 57 968 h.). Industr. automobile et aéronautique, constructions électriques, produits pharmaceutiques, imprimerie. Base aérienne. Cathédrale (XII^e^-XVII^e^ s., vitraux des XIII^e^ et XIV^e^ s.), tour de l'Horloge, église St-Taurin (XI^e^-XV^e^ s.).

**ÉVRY**, anc. **Évry-Petit-Bourg** ~ Préfect. de l'Essonne, sur la Seine, dans la banlieue S. de Paris, centre admin. et industr. (constr. mécan. et électr., agroalim.) ; 45 531 h. Cathédrale construite en 1995 par l'architecte suisse Mario Botta. **Évry-ville-nouvelle**, créée en 1965, ensemble urbanistique avoisinant Corbeil-Essonnes, compte 73 372 h.

**EVTOUCHENKO** ou **IEVTOUCHENKO** (Evgueni Aleksandrovitch) ~ *1933, Zima, Sibérie.* Poète soviétique. Dès son premier recueil (*les Éclaireurs de l'avenir*, 1952), il a été le chroniqueur de l'actualité de son pays (*la Chaussée des enthousiastes*, 1956).

**Éwés**, **Éoués** ou **Evhés** (les) ~ Peuple du Togo, du Bénin et du Ghana.

**EWING** (sir James Alfred) ~ *1855, Dundee, Écosse - 1935, Cambridge.* Physicien britannique. Il découvrit le phénomène d'hystérésis magnétique (1882).

**EXÉKIAS** ~ *fin du VI^e^ s. av. J.-C.* Peintre et potier grec. Ses décors à figures noires sont caractérisés par une intensité dramatique et un dépouillement graphique novateurs.

**EXELMANS** (Remy Joseph Isidore, comte) ~ *1775, Bar-le-Duc - 1852, Sèvres.* Maréchal de France. Il servit Napoléon I^er^ et remporta la dernière victoire de l'Empire, en 1815, à Rocquencourt, où il défit les Prussiens.

**EXETER** ~ V. d'Angleterre, ch.-l. du Devon (S.), sur l'Exe ; 98 000 h. Cathédrale St-Pierre de style gothique anglais (XIII^e^-XIV^e^ s.).

**EXMOOR** ~ Plateau granitique (520 m) du S.-O. de l'Angleterre (Devon). Couvert de landes, il domine le canal de Bristol par des falaises abruptes. Parc national.

**Exodus** ~ Nom d'un navire dont les passagers, 4 500 Juifs rescapés d'Europe, furent empêchés par les Britanniques de débarquer en Palestine (1947). Cette tragédie inspira un film à Otto Preminger (*Exodus*, 1960).

**Expansion (l')** ~ Bimensuel économique français créé en 1967 par Jean-Louis Servan-Schreiber et Jean Boissonnat. Devenu un groupe de presse par création ou achat de nouveaux titres, il a été intégré en 1994 au groupe C. E. P. Communication.

**Express (l')** ~ Hebdomadaire fondé en 1953 par Jean-Jacques Servan-Schreiber et Françoise Giroud. Soutenant P. Mendès France et opposé à la guerre d'Algérie, il devint en 1964 un magazine d'information sur le modèle anglo-saxon de tendance gauche libérale, puis de tendance droite libérale dans les années 1970, après le rachat de 45 % des parts du journal par James Goldsmith. Depuis janv. 1996, il appartient au groupe C. E. P. Communication.

**EXTRÊME-ORIENT** ~ Ensemble des pays d'Asie ouvrant sur le Pacifique. Il comprend les Corées, la Chine, le Japon, les États d'Indochine et d'Insulinde. L'**Extrême-Orient russe** s'étend de la Lena au Pacifique, depuis les régions arctiques jusqu'à la frontière chinoise (bassin de l'Amour).

**EYADÉMA** (Étienne, puis Gnassingbé) ~ *1935, Pya, Togo.* Homme d'État togolais. À la suite d'un coup d'État (1963) auquel il participa, il devint en 1967 président de la République et chef du gouvernement.

**EYLAU**, auj. **Bagrationovsk** ~ V. de l'anc. Prusse-Orientale (Russie). Théâtre d'une bataille livrée par Napoléon I^er^ contre les Russes et les Prussiens (7 et 8 févr. 1807) au cours de laquelle périrent 40 000 hommes.

**EYRE** (l') ou **LEYRE** (la) ~ Princ. fl. côtier des Landes, tribut. du bassin d'Arcachon ; env. 100 km.

**EYRE** (Edward John) ~ *1815, Hornsea, Yorkshire - 1901, près de Tavistock, Devon.* Administrateur colonial britannique. Il découvrit le lac Eyre, en Australie, puis fut gouverneur de la Jamaïque.

**EYRE (lac)** ~ Grand lac salé de l'intérieur de l'Australie-Méridionale, alimenté par des rivières temporaires, qui constitue la plus profonde dépression d'Australie (alt. - 12 m) ; 9 583 km$^2$ (bassin : plus de 1 000 000 de km$^2$). Sa région, très inhospitalière, est steppique ou désertique.

**EYSINES** ~ V. de la banlieue N.-O. de Bordeaux (Gironde) ; 16 391 h.

**EYSKENS** (Gaston) ~ *1905, Lier, Anvers - 1988, Louvain.* Homme politique belge. Membre du parti social-chrétien, il fut Premier ministre (1949-1950 ; 1958-1961 ; 1968-1972), et s'employa à résoudre les antagonismes entre Wallons et Flamands.

**EYZIES-DE-TAYAC-SIREUIL (Les)** ~ Commune de Dordogne, sur la Vézère. Sur son territoire ont été localisés plusieurs sites préhistoriques (abris de Cro-Magnon et du Cap-Blanc, grottes de Font-de-Gaume et des Combarelles, gisements de Laugerie-Haute). Musée de la Préhistoire.

**ÈZE** ~ Village médiéval restauré, perché sur un rocher dominant la Méditerranée, à l'E. de Nice (Alpes-Mar.) ; 2 446 h. Station baln. à Èze-sur-Mer.

**ÉZÉCHIEL** ~ *VI^e^ s. av. J.-C.* Prophète biblique. Il accompagna et soutint le peuple juif lors de l'exil à Babylone.

**EZRA** ~ Voir **Esdras**.

**FABERGÉ** (Carl) ~ *1846, Saint-Pétersbourg - 1920, Lausanne.* Orfèvre russe. Créateur de bijoux et d'objets d'orfèvrerie, dont ses célèbres œufs de Pâques, il fut le fournisseur attitré de la cour impériale de Russie.

**FABERT** (Abraham DE) ~ *1599, Metz - 1662, Sedan.* Maréchal de France. Au cours de la guerre de Trente Ans, il prit Arras (1640) et Stenay (1654).

**Fabian Society** ~ Association socialiste britannique fondée à Londres en 1884. Regroupant des écrivains (G. B. Shaw, H. G. Wells), des intellectuels et des artistes désireux de réformer la société dans une voie différente de celle du marxisme, elle fut à l'origine du parti travailliste.

**FABIOLA DE MORA Y ARAGÓN** ~ *1928, Madrid.* Reine des Belges (1960-1993). Elle a épousé le roi Baudouin I^er^ en 1960.

**FABIUS** (Laurent) ~ *1946, Paris.* Homme politique français. Député socialiste, il a été ministre du Budget (1981-1983), de l'Industrie et de la Recherche (1983-1984), Premier ministre (1984-1986), président de l'Assemblée nationale (1988-1992) et premier secrétaire du Parti socialiste (1992-1993).

**FABIUS**, en lat. ***Quintus Fabius Maximus Verrucosus***, dit **Cunctator**, en fr. « le Temporisateur » ~ *v. 275 - 203 av. J.-C., Rome.* Homme politique romain. Nommé dictateur après la défaite de Trasimène (217 av. J.-C.), il mena une guerre d'usure contre Hannibal pendant la deuxième guerre punique.

**FABRE** (François-Xavier Pascal, baron) ~ *1766, Montpellier - 1837, id.* Peintre français. Disciple de David, il acquit une importante collection qu'il légua à la ville de Montpellier (musée Fabre).

**FABRE** (Henri) ~ *1882, Marseille - 1984, Le Touvet.* Ingénieur français. Le premier, il réussit à voler en hydravion (28 mars 1910, étang de Berre).

**FABRE** (Jean Henri) ~ *1823, Saint-Léons, Aveyron - 1915, Sérignan-du-Comtat, Vaucluse.* Entomologiste français. Il popularisa ses travaux dans des *Souvenirs entomologiques* (10 vol., 1879-1907).

**FABRE D'ÉGLANTINE** (Philippe **Fabre**, dit) ~ *1750, Carcassonne - 1794, Paris.* Poète et homme politique français. Auteur de romances populaires (*Il pleut, il pleut, bergère*), député montagnard à la Convention (1792), il créa le calendrier républicain. Il fut guillotiné en même temps que Danton.

**FABRE D'OLIVET** (Antoine) ~ *1767, Ganges, Hérault - 1825, Paris.* Poète français de langue occitane, précurseur des félibres.

**FABRICIUS** (Johann Christian) ~ *1745, Tønder - 1808, Kiel.* Entomologiste danois. Élève de Linné, il est l'auteur de nombreux ouvrages et de descriptions d'insectes, qu'il classifia en se fondant sur leur structure buccale.

**FABRY** (Charles) ~ *1867, Marseille - 1945, Paris.* Physicien français. Il inventa, avec Alfred Pérot, un interféromètre et découvrit l'ozone de la haute atmosphère (1913).

**FACHES-THUMESNIL** ~ V. de la banlieue S. de Lille (Nord) ; 15 774 h. Constructions mécaniques, électron., industries textile et alimentaire.

**FACHODA**, auj. **Kodok** ~ V. du Soudan. En 1898, la mission française de Jean-Baptiste Marchand s'y opposa au corps expéditionnaire britannique conduit par Herbert Kitchener. Sommée de se retirer, la France s'inclina et conclut, le 21 mars 1899, l'accord qui consacrait l'autorité britannique sur le bassin du Nil.

**FADEÏEV** (Aleksandr Aleksandrovitch) ~ *1901, Kimry, région de Tver - 1956, Moscou.* Écrivain soviétique. Il contribua à promouvoir la révolution soviétique (*la Défaite*, 1927 ; *la Jeune Garde*, 1945). Pionnier du réalisme socialiste, il présida l'Union des écrivains soviétiques.

**Fades (viaduc des)** ~ Le plus haut viaduc de France (132 m, construit en métal de 1901 à 1908), au-dessus de la Sioule (Auvergne).

**FAENZA** ~ V. d'Italie (Émilie-Romagne) à l'O. de Ravenne ; 54 000 h. Céramique (**faïence**) depuis le XIV^e^ s. Industr. text., agroalim. Palais du Moyen Âge, cathédrale du XV^e^ s. Pinacothèque.

**FAGNES (Hautes)** ~ Plateau où culmine l'Ardenne (694 m au signal de Botrange), en Belgique, région tourbeuse et désolée (landes). Parc national des **Hautes-Fagnes - Eifel**, allemand et belge.

**FAHD**, en ar. ***Fahd ibn Abd al-Aziz al Sa'ud*** ~ *Riyad, 1923.* Roi d'Arabie Saoudite (depuis 1982). Il a été l'un des protagonistes de la guerre du Golfe (1991).

**FAHRENHEIT** (Daniel Gabriel) ~ *1686, Dantzig - 1736, La Haye.* Physicien allemand. Il inventa des aréomètres, des thermomètres et l'échelle thermométrique qui porte son nom.

**FAIDHERBE** (Louis Léon César) ~ *1818, Lille - 1889, Paris.* Général français. Gouverneur du Sénégal de 1854 à 1861 et de 1863 à 1865, il favorisa la création de la Banque du Sénégal et du port de Dakar. Il fut à l'origine de l'expansion française vers la Mauritanie et la Guinée, posant les bases de la future Afrique-Occidentale française. En 1870, nommé à la tête de l'armée du Nord, il contint l'offensive allemande.

**FAIRBANKS** ~ V. du centre de l'Alaska (États-Unis), la plus septentrionale d'Amérique ; 31 000 h.

**FAIRBANKS** (Douglas **Ullman**, dit Douglas) ~ *1883, Denver - 1939, Santa Monica.* Acteur américain (*Robin des Bois*, 1922 ; *le Voleur de Bagdad*, 1924).

**FAISALABAD**, anc. **Lyallpur** ~ V. du Pakistan (Pendjab), marché agricole au S.-O. de Lahore ; 1 105 000 h. Industries agroalim. et textile.

**FAKHR AL-DIN** ou **FICARDIN** ~ *v. 1572 - 1635, Istanbul.* Émir libanais. Après avoir fédéré les tribus druzes, il réalisa l'unité d'une grande partie du Liban avec l'aide des maronites. Vaincu par les Ottomans à la bataille de Safad (1633), il fut décapité.

**Falachas** ou **Falashas** (les) ~ Juifs noirs d'Éthiopie, descendants, selon un mythe, de la reine de Saba.

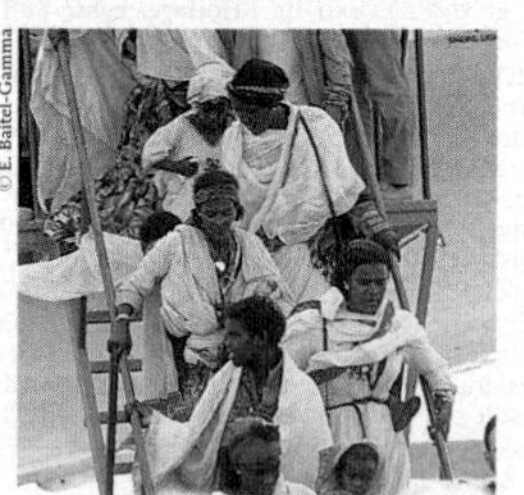

© E. Baitel-Gamma

*Falachas arrivant en Israël.*

**FALAISE** ~ V. du Calvados, au S.-E. de Caen ; 8 119 h. Château ducal des XI^e^-XIII^e^ s., remparts (XIII^e^ s.), églises de la Ste-Trinité (XIII^e^-XVI^e^ s.) et St-Gervais (XI^e^-XVI^e^ s.). Foire importante au Moyen Âge. La ville fut en grande partie détruite en 1944.

**FALCONET** (Étienne) ~ *1716, Paris - 1791, id.* Sculpteur français. Artiste favori de Mme de Pompadour, qui le fit nommer à la tête de la manufacture de Sèvres. Oscillant entre maniérisme et baroque, son œuvre est restée célèbre pour le *Monument à Pierre le Grand* exécuté à Saint-Pétersbourg.

**FALÉRIES** ~ Cité étrusque du Latium détru[...] par les Romains en 241 av. J.-C. Sur son site [...] bâtie la ville italienne de Civita Castellana (a[...] citadelle des États pontificaux).

**Falerne** ~ Vignoble italien de Campanie (a[...] environs de Naples), réputé dans l'Antiquité.

**FALIERO** ~ Famille vénitienne qui don[...] trois doges à la république de Venise entre le [...] et le XIV^e^ s. Le troisième, **Marino** (*1274, Venis[...] 1355, id*), élu doge en 1354, fomenta l'ann[...] suivante une conspiration contre les patriciens [...] fut arrêté et décapité. Sa fin tragique a inspiré Byr[...]

**FALKENHAYN** (Erich VON) ~ *1861, Burg E[...] chau - 1922, Potsdam.* Général allemand. Chef [...] l'état-major général après la bataille de la Ma[...] (1914), il démissionna après sa défaite à Verdu[...]

**FALKLAND (îles)**, en fr. **Malouines**, en e[...] ***Malvinas*** ~ Archipel de l'Atlantique S., britanniq[...] depuis 1832, au climat frais et venteu[...] 12 000 km², 2 000 h., cap. Port Stanley (1 500 h[...] Élev. ovin. Escale des pêcheurs malouins au XVII^e^ [...] En 1982, la **guerre des Malouines** se solda par [...] défaite de l'Argentine, qui revendiquait le territoi[...]

**FALLA** (Manuel DE) ~ *1876, Cadix - 1946, A[...] Gracia, Argentine.* Compositeur espagnol. Il s'in[...] pira du *cante jondo* andalou et d'anciennes po[...] phonies espagnoles (*l'Amour sorcier*, 1915 ; [...] *Tricorne*, 1919 ; *Nuits dans les jardins d'Espag[...]* 1916).

**FALLIÈRES** (Armand) ~ *1841, Mézin, Lot-et-G[...] ronne - 1931, id.* Homme d'État français. Dép[...] en 1876, président du Conseil en 1883, il occu[...] plusieurs postes ministériels. Candidat de la gauc[...] il fut élu à la présidence de la Républiq[...] (1906-1913) mais n'y joua qu'un rôle discret. [...]

**FALL LINE** (la) ~ Escarpement des Appalach[...] aux États-Unis, limite entre le Piémont et la plai[...] littorale, franchi par les fleuves en rapides (éner[...] hydroélectrique) et jalonné de villes (dont Ch[...] lotte, Columbus), entre le New Jersey et la Géorg[...]

**FALLOPE** (Gabriele **Falloppia** ou **Falloppio**, en [...] Gabriel) ~ *1523, Modène - 1562, Padoue.* Chir[...] gien et anatomiste italien. Il découvrit not. l'**aqu[...] duc de Fallope** (dans l'oreille interne) et [...] **trompes de Fallope** (reliant les ovaires et l'utéru[...]

**FALLOUX** (Frédéric, comte DE) ~ *1811, Anger[...] 1886, id.* Homme politique français. Ministre [...] l'Instruction publique (1848-1849), il prépara u[...] loi sur la liberté de l'enseignement favorisa[...] l'enseignement confessionnel votée en 1850. Ac[...]

**FAMAGOUSTE**, en gr. ***Ammókhostos*** ~ Port de [...] côte E. de Chypre (partie turque), au débouché [...] la Mésorée, anc. cap. de l'île ; 39 000 h. Expo[...] d'agrumes. **HIST.** - Principale place commerciale [...] évêché latin (cathédrale gothique du XIV^e^ s.) so[...] les Lusignan, elle fut prise par les Génois (137[...] par les Vénitiens (1489), puis par les Turcs (157[...]

**Famille (pacte de)** ~ Traité négocié par Choise[...] en 1761 entre les branches régnantes des Bourbo[...] de France, d'Espagne et de Parme pour combatt[...] l'hégémonie navale britannique. La France d[...] céder la Louisiane à l'Espagne pour la dédommag[...] de la perte de la Floride, annexée par l'Angleter[...]

**Famine (pacte de)** ~ Nom donné à un acco[...] qu'aurait passé Louis XV avec les marchands [...] grains, vers 1765, afin de provoquer une haus[...] des prix.

**FANFANI** (Amintore) ~ *1908, Pieve Santo Stefar[...] Arezzo.* Homme politique italien. Secrétaire géné[...] de la Démocratie chrétienne (1954-1959 et 197[...] 1975), il a été à plusieurs reprises président [...] Conseil entre 1954 et 1987.

**FANGATAUFA** ~ Atoll des Tuamotu (Polynés[...] française). Anc. site d'expérimentations nucléair[...]

**FANGIO** (Juan Manuel) ~ *1911, Balcarce - 199[...] Buenos Aires.* Coureur automobile argentin. Il f[...] cinq fois champion du monde entre 1951 et 195[...]

**Fangs, Fans** ou **Pahouins** (les) ~ Peuple bant[...] vivant dans le N. et dans l'O. du Gabon, en Guin[...] et dans le S. du Cameroun.

**FAN Kuan** ou **FAN K'ouan** ~ *v. 950 - v. 103[...]* Peintre chinois. Il produisit une œuvre fondatri[...] de la peinture des Song du Nord d'un réalisr[...] puissant (paysages enneigés).

**FANON** (Frantz) ~ *1925, Fort-de-France - 196[...] Washington.* Psychiatre et théoricien politique fra[...]

çais. Il se joignit au F. L. N. en Algérie, étudia les phénomènes de dépersonnalisation liés à la colonisation en Afrique, puis s'engagea aux côtés des mouvements de libération des pays du tiers-monde. Auteur de *Peau noire, Masques blancs* (1952) et des *Damnés de la terre* (1961).

**FANTE** (John) ~ *1909, Boulder, Colorado - 1983, Malibu, Californie.* Écrivain et scénariste américain, auteur de nouvelles et de romans autobiographiques (*Bandini*, 1938 ; *Demande à la poussière*, 1939).

**FANTIN-LATOUR** (Henri) ~ *1836, Grenoble - 1904, Buré, Orne.* Peintre français. Bien qu'ami des impressionnistes, il a laissé des portraits individuels et collectifs (*Hommage à Delacroix*, 1864) de style réaliste, ainsi que de délicates natures mortes (*Fleurs et Fruits*, 1869) et des lithographies.

© Lauros-Giraudon

Coin de table *(1872 ; détail), peinture d'Henri* **Fantin-Latour**. *De gauche à droite : Paul Verlaine, Arthur Rimbaud et Léon Valade. Musée d'Orsay, Paris.*

**Fantis** (les) ~ Peuple du Ghana de langue kwa.

**FAO**, en ar. ***al-Faw*** ~ Port irakien, au débouché du Chatt al-Arab sur le golfe Persique, terminal pétrolier d'Abadan, en eau profonde.

**F. A. O.** ~ Voir **Organisation des Nations unies pour l'alimentation et l'agriculture.**

**FARABI** (Abu Nasr **al-**) ~ *v. 870, Wasidj, Turkestan - 950, Damas.* Philosophe musulman. Traducteur et commentateur d'Aristote, dont il adopta le système cosmogonique, et des néoplatoniciens, auxquels il emprunta la théorie de l'émanation à partir de l'« Unique », il est considéré comme un précurseur de la scolastique.

**FARADAY** (Michael) ~ *1791, Newington, Surrey, auj. Southwark - 1867, Hampton Court.* Physicien et chimiste britannique. Il découvrit le benzène (1824) et liquéfia presque tous les gaz connus à l'époque (vers 1823-1825). Il inventa le moteur électromagnétique et le générateur à courant continu, découvrit l'induction électromagnétique (1831) et le diamagnétisme (1845), énonça les lois de l'électrolyse (**lois de Faraday**, 1833-1834). La **cage de Faraday** est une enceinte métallique fermée constituant un écran pour les actions électrostatiques.

**FARAZDAQ (al-)** ~ *v. 641, Yamama, Arabie orientale - v. 728, Bassora.* Poète arabe, auteur de panégyriques et de satires au langage parfois cru.

**FAREL** (Guillaume) ~ *1489, Les Fareaux, près de Gap - 1565, Neuchâtel.* Réformateur français, disciple de Lefèvre d'Étaples puis de Zwingli. Persécuté, il se réfugia en Suisse. Il favorisa l'expansion de la Réforme à Genève et y fit venir Calvin (1536).

**FAREWELL (cap)** ~ Extrémité S. du Groenland.

**FARGUE** (Léon-Paul) ~ *1876, Paris - 1947, id.* Poète français. Solitaire, il traduisit dans une langue riche les souvenirs mélancoliques de sa ville natale (*le Piéton de Paris*, 1939).

**FARINA** (Giovanni Maria) ~ *1685, Crana, prov. de Novare - 1766, Cologne.* Chimiste et négociant italien. Installé à Cologne, il fabriqua l'eau de Cologne selon une recette de Gian Paolo Feminis, marchand ambulant.

**FARINELLI** (Carlo **Broschi**, dit) ~ *1705, Andria - 1782, Bologne.* Castrat italien. Il connut un grand succès dans toute l'Europe (1724-1759).

**Farines (guerre des)** ~ Désordres provoqués en 1775 par la promulgation de l'édit de Turgot sur la liberté du commerce des grains.

**FARNBOROUGH** ~ V. d'Angleterre, au S.-O. de Londres ; env. 40 000 h. Abbaye St-Michel (tombeaux de Napoléon III et d'Eugénie). Expositions et meetings aériens.

**FARNÈSE** ~ Famille princière italienne, connue dès le XII^e^ s. et originaire d'Orvieto. Elle détint not. les duchés de Parme et de Plaisance de 1545 à 1731. Le faîte de sa puissance fut atteint au milieu du XVI^e^ s. grâce à **Alessandro Farnèse** qui devint le pape Paul III. Voir aussi **Élisabeth Farnèse** et **Alexandre Farnèse.**

**Farnèse (palais)** ~ Palais de Rome construit au XVI^e^ s. pour le cardinal Alessandro Farnèse. Commencé par Sangallo le Jeune et G. Della Porta, il fut achevé par Michel-Ange. Il abrite aujourd'hui l'ambassade de France.

**Farnésine** (la) ~ Villa de Rome construite par B. Peruzzi (1508-1511) pour A. Chigi et décorée par Raphaël. Elle devint propriété des Farnèse.

**FARO** ~ Port et centre régional de l'Algarve (Portugal) ; 32 000 h. Pêche, salines. Tourisme.

**FAROUK** ou **FARUQ** ~ *1920, Le Caire - 1965, Rome.* Roi d'Égypte (1936-1952). Il fut renversé par la révolution nationaliste.

**FARS** (le) ~ Prov. intérieure de l'Iran, dans le S. du Zagros, berceau de la langue persane ; 120 006 km$^2$, 3 194 000 h., ch.-l. Chiraz. Fruits, coton, tabac (vastes oasis). Élevage. Vestiges de Persépolis.

**FAR WEST** (le) ~ Territoires de l'Ouest américain progressivement annexés par les États-Unis au XIX^e^ s.

**FASSBINDER** (Rainer Werner) ~ *1945, Bad Wörishofen - 1982, Munich.* Cinéaste, acteur et dramaturge allemand. Dénonçant la décomposition de la société allemande et le triomphe de l'individualisme bourgeois, il dirigea une quarantaine de films qui participent au renouveau du cinéma allemand (*le Marchand des quatre saisons*, 1971 ; *le Mariage de Maria Braun*, 1979).

**FASTNET** ~ Îlot irlandais de l'océan Atlantique qui a donné son nom à une compétition de yachting.

**FATEHPUR-SIKRI** ~ Anc. ville de l'Inde (Uttar Pradesh), fondée par Akbar comme capitale de son empire (1569) et vite abandonnée (1586). Ses palais et mosquées figurent parmi les chefs-d'œuvre de l'architecture moghole.

**FÁTIMA** ~ V. du Portugal, sur les plateaux d'Estrémadure ; 8 000 h. La Vierge y serait apparue à trois jeunes bergers (1917). Pèlerinages.

**FATIMA** ~ *v. 616, La Mecque - 633, Médine.* Fille du prophète Mahomet et de Khadidja. Elle épousa son cousin Ali et eut deux fils, Hassan et Hussein.

**Fatimides** (les) ~ Dynastie chiite fondée par Ubayd Allah, qui régna sur l'Afrique du Nord (909-1048) et sur l'Égypte (969-1171). Les califes, d'une richesse immense, perdirent peu à peu leur pouvoir et furent renversés par Saladin en 1171.

**FAUCIGNY** (le) ~ Région du N. des Alpes françaises (Hte-Savoie), au S. du Chablais, où coulent l'Arve et le Giffre. V. princ. Bonneville, Cluses. Forêts, élev., vallées industrielles.

**FAUCILLE (col de la)** ~ Col du Jura, entre la vallée de la Valserine et le pays de Gex (alt. 1 320 m).

**FAULKNER** (William Harrison **Falkner**, dit William) ~ *1897, New Albany - 1962, Oxford, Mississippi.* Écrivain américain. Dans ses romans, où son Sud natal apparaît comme un univers mythique, il brisa les moules narratifs traditionnels et ouvrit des voies nouvelles au roman moderne (*le Bruit et la Fureur*, 1929 ; *Sanctuaire*, 1931 ; *Absalon ! Absalon !*, 1936). Prix Nobel de litt. 1949.

*William* **Faulkner**.

© F. P. G. Int.-Explorer

**FAUNE** ~ Dieu romain protecteur des troupeaux et des bergers, assimilé au Pan des Grecs.

**FAURE** (Edgar) ~ *1908, Béziers - 1988, Paris.* Homme politique français. Député radical-socialiste et président du Conseil (1952 et 1955-1956), il se rallia à de Gaulle et fut ministre de l'Éducation nationale (1968-1969), puis président de l'Assemblée nationale (1973-1978). Acad.

**FAURE** (Élie) ~ *1873, Sainte-Foy-la-Grande - 1937, Paris.* Historien de l'art français. Son *Histoire de l'art* (1909-1921) présente une analyse humaniste et pédagogique des arts de tous les pays et de toutes les époques.

**FAURE** (Félix) ~ *1841, Paris - 1899, id.* Homme d'État français. Républicain modéré, il fut président de la République de 1895 à 1899 et développa l'alliance franco-russe. Il se prononça contre la révision du procès Dreyfus.

**FAURÉ** (Gabriel) ~ *1845, Pamiers - 1924, Paris.* Compositeur français. L'originalité de ses innovations harmoniques (enchaînements d'accords dissonants atténués et non résolus) l'a préservé de tout académisme. Ses œuvres majeures allient finesse de l'écriture et puissance de l'expression (*Élégie pour violoncelle et piano*, 1884 ; *Requiem*, 1887).

**FAUST**, en all. ***Faustus*** ~ Personnage légendaire qui aurait vécu en Allemagne au XVI^e^ s. Il vendit son âme au diable en échange de biens terrestres et de connaissances intellectuelles. Il a inspiré des écrivains (Marlowe, G. E. Lessing, Goethe, Th. Mann), des musiciens (Berlioz, Liszt) et des peintres (Delacroix).

**FAUSTIN I^er^** ~ Voir **Soulouque.**

**FAUTRIER** (Jean) ~ *1898, Paris - 1964, Châtenay-Malabry.* Peintre français, l'un des principaux représentants de l'art informel (séries des « Otages », 1943-1945, et des « Partisans », 1957).

**FAVART** (Charles Simon) ~ *1710, Paris - 1792, Belleville.* Auteur dramatique et librettiste français. Il fit évoluer l'opéra-comique avec des vaudevilles et des comédies entrecoupées d'ariettes.

**Favorite (la)** ~ Château d'Italie (Lombardie), près duquel Bonaparte vainquit les Autrichiens (16 janv. 1797), ce qui lui permit d'entrer dans Mantoue.

**FAVRE** (Jules) ~ *1809, Lyon - 1880, Versailles.* Homme politique et avocat français. Ministre des Affaires étrangères pendant la guerre de 1870, il dut signer avec Bismarck l'armistice du 28 janv. 1871 et le traité de Francfort le 10 mai suivant. Acad.

**FAWCETT** (Millicent Garrett) ~ *1847, Aldeburgh, Suffolk - 1929, Londres.* Femme politique britannique. Elle fit reconnaître les droits électoraux des femmes (lois de 1918 et de 1928).

**FAYA-LARGEAU** ~ V. du Tchad saharien (Borkou), au S. du Tibesti ; 5 200 h. C'est une oasis et un centre d'échanges des nomades du désert.

**FAYDHERBE** ou **FAYD'HERBE** (Luc) ~ *1617, Malines - 1697, id.* Sculpteur et architecte flamand. Imprégnées des conceptions de Rubens, ses sculptures sont caractéristiques du baroque flamand. Il fut l'architecte de Notre-Dame d'Hanswijk.

**FAYOL** (Henri) ~ *1841, Istanbul - 1925, Paris.* Ingénieur français. Dans son ouvrage *Administration industrielle générale* (1917), il énonça la nécessité d'une organisation hiérarchique des fonctions dans l'entreprise.

**FAYOLLE** (Émile) ~ *1852, Le Puy - 1928, Paris.* Maréchal de France. Il joua un rôle décisif sur la Somme (1916), puis sur le front italien (1917), et enfin lors de l'ultime offensive, en 1918.

**FAYSAL I^er^** ~ *1883, Taif, Arabie Saoudite - 1933, Berne.* Premier roi d'Iraq (1921-1933). Prince hachémite, il conduisit la révolte arabe contre l'Empire ottoman pendant la Première Guerre mondiale. Il participa à la prise de Damas mais se heurta à l'opposition des Français pour le trône de Syrie (1920). Grâce au soutien du Royaume-Uni, il devint roi d'Iraq en 1921 et obtint la fin du protectorat britannique sur son pays en 1930.

**FAYSAL I^er^** ~ *1906, Riyad - 1975, id.* Roi d'Arabie Saoudite (1964-1975). Il accéda au pouvoir après avoir déposé son frère Séoud. Il fut assassiné par l'un de ses neveux.

**FAYYOUM** (le) ~ Prov. d'Égypte, au S.-O. du Caire ; 1 827 km$^2$, 1 805 000 h., ch.-l. Madinat al-Fayyoum (227 000 h.). Formant une dépression irriguée par les eaux du Nil, surnommée le verger de l'Égypte (olivier, figuier), la région est célèbre pour ses vestiges archéologiques, ses monastères et les portraits peints sur les sarcophages des chrétiens coptes (Iᵉʳ-Vᵉ s.).

**F. B. I.**, sigle de ***Federal Bureau of Investigation*** ~ Organisme chargé, aux États-Unis, d'enquêter sur les affaires judiciaires fédérales.

**FEBVRE** (Lucien) ~ *1878, Nancy - 1956, Saint-Amour, Jura.* Historien français. Il fonda, avec M. Bloch, la revue *Annales d'histoire économique et sociale* (1929) et créa la VIᵉ section de l'École pratique des hautes études, ferment du renouveau de l'historiographie française (*le Problème de l'incroyance au XVIᵉ siècle*, 1942 ; *Combats pour l'histoire*, 1951).

**FÉCAMP** ~ Port français de pêche lointaine (morue), dans le pays de Caux (Seine-Maritime) ; agglom. 22 488 h. Industr. alim., constr. navales, fabrique de liqueur (Bénédictine). Plaisance, station balnéaire. Église de la Trinité, abbatiale du XIIᵉ s.

**FECHNER** (Gustav Theodor) ~ *1801, Gross-Särchen - 1887, Leipzig.* Philosophe et savant allemand. Fondateur avec Ernst Weber de la psychophysique, il tenta d'établir une formule mathématique mesurant la relation entre les phénomènes physiques et psychiques (*Éléments de psychophysique*, 1860).

**FÉDALA** ~ Voir **Mohammedia**.

**Federal Reserve** ~ Banque centrale américaine, dont le président est nommé pour quatre ans par le président des États-Unis avec l'aval du Sénat.

**Fédération nationale des syndicats d'exploitants agricoles (F. N. S. E. A.)** ~ Organisation syndicale agricole française, créée en 1946.

**Fédérés (mur des)** ~ Mur du cimetière du Père-Lachaise, à Paris, devant lequel les derniers défenseurs de la Commune furent fusillés le 28 mai 1871 par les versaillais.

**FEDINE** (Konstantin Aleksandrovitch) ~ *1892, Saratov - 1977, Moscou.* Écrivain soviétique. Chantre de la révolution, il reçut le prix Staline pour sa trilogie *Premières Joies* (1945), *Un été exceptionnel* (1947-1948) et *le Bûcher* (1961-1965).

**FÉDOR** ~ Voir **Fiodor**.

**FEHLING** (Hermann VON) ~ *1811, Lübeck - 1885, Stuttgart.* Chimiste allemand. Sa découverte du réactif des aldéhydes (**liqueur de Fehling**) permit de déceler et de doser le glucose.

**FEININGER** (Lyonel) ~ *1871, New York - 1956, id.* Peintre et dessinateur américain d'orig. allemande. Il exposa avec le Blaue Reiter et enseigna au Bauhaus de 1919 à 1933.

**FELDBERG (mont)** ~ Voir **Forêt-Noire**.

**FÉLIBIEN** (André) ~ *1619, Chartres - 1695, id.* Architecte et historiographe français. Ses *Entretiens sur les vies et sur les ouvrages des plus excellents peintres anciens et modernes* (1666-1688) contribuèrent à l'élaboration du classicisme français.

**FELLETIN** ~ Localité de la Marche (Creuse), au S. d'Aubusson ; 1 985 h. Tapisserie de basse lisse depuis le début du XVᵉ s.

© Stills

*Scène du Satiricon (1969), film de Federico* ***Fellini***.

**FELLINI** (Federico) ~ *1920, Rimini - 1993, Rome.* Cinéaste italien. D'abord influencé par le néoréalisme (*I Vitelloni*, 1953), il acquit rapidement un style plus personnel tout en conservant une réflexion sur la question sociale (*la Strada*, 1954 ; *la Dolce Vita*, 1960). Après une période plus intimiste et introspective (*Huit et demi*, 1963 ; *Juliette des esprits*, 1965), il laissa libre cours à son imaginaire, à ses inspirations visionnaires et à ses nostalgies (*Fellini Roma*, 1972 ; *Amarcord*, 1973 ; *Et vogue le navire*, 1983).

**FÉNELON** (François **de Salignac de La Mothe-**) ~ *1651, château de Fénelon, Périgord - 1715, Cambrai.* Prélat et écrivain français. Après son *Traité de l'éducation des filles* (1687), il devint le précepteur du duc de Bourgogne. Élu en 1693 à l'Académie française, il adhéra au spiritualisme professé par Mme Guyon et publia une *Explication des maximes des saints* (1697), aussitôt réfutée par Bossuet, qui lui valut d'être démis de ses charges. Réhabilité, il affronta la censure de Louis XIV pour les *Aventures de Télémaque* (1699), ouvrage d'éducation politique où le roi crut déceler une caricature de son régime. Retiré dans son diocèse, il rédigea la *Lettre sur les occupations de l'Académie française* (posth., 1716), qui constitue son testament littéraire.

**FÉNÉON** (Félix) ~ *1861, Turin - 1944, Châtenay-Malabry.* Critique français. Éditeur de poètes symbolistes, il se fit le défenseur des peintres postimpressionnistes.

**fenians** (les) ~ Voir **Fraternité républicaine irlandaise**.

**FENS** (les), en fr. « marais » ~ Région marécageuse de l'E. de l'Angleterre (N. de Cambridge), autour du golfe du Wash. Élevage et maraîchage.

**FENSCH** (la) ~ Affl. de la Moselle ; 42 km. Vallée industr. (sidér.) en difficulté (O. de Thionville).

ARAGON ET SICILE

**FERDINAND Iᵉʳ LE JUSTE** (*1380, Medina del Campo - 1416, Igualada*), roi d'Aragon et de Sicile (1412-1416). Régent du royaume de Castille à la mort de son frère Henri III, il triompha des Maures de Grenade (1410). ~ **Ferdinand II le Catholique** (*1452, Sos, Aragon - 1516, Madrigalejo*), roi de Sicile (1468-1516) et d'Aragon (1479-1516), roi de Castille sous le nom de Ferdinand V (1474-1504), puis roi de Naples sous celui de Ferdinand III (1504-1516). Son mariage avec Isabelle de Castille (1469) scella l'unité de l'Espagne. Il soutint l'Inquisition et expulsa les Juifs de son royaume (1492).

BULGARIE

**FERDINAND**, prince **de Saxe-Cobourg-Gotha** ~ *1861, Vienne - 1948, Cobourg.* Choisi comme prince souverain par les Bulgares (1887-1908), il s'affranchit de l'autorité du sultan et se proclama tsar des Bulgares (1908-1918). Partie prenante dans les guerres balkaniques, il s'allia aux empires centraux en 1915, puis dut abdiquer en faveur de son fils Boris en 1918.

CASTILLE ET ESPAGNE

**FERDINAND Iᵉʳ LE GRAND** (*m. en 1065 à León*), roi de Castille (1035-1065) et de León (1037-1065). Il agrandit son royaume avec le Léon et la Navarre. ~ **Ferdinand III le Saint** (*v. 1201 - 1252, Séville*), roi de Castille (1217-1252) et de León (1230-1252). Il fit faire à la Reconquista des progrès décisifs. ~ **Ferdinand IV** (*1285, Séville - 1312, Jaén*), roi de Castille et de León (1295-1312). ~ **Ferdinand V**, voir **Ferdinand II le Catholique**, roi d'Aragon. ~ **Ferdinand VI**, dit **le Sage** (*Madrid, 1713 - Villaviciosa, 1759*), roi d'Espagne (1746-1759). Fils de Philippe V et de Marie-Louise de Savoie, il gagna Parme et Plaisance lors de la guerre de la Succession d'Autriche. ~ **Ferdinand VII** (*1784, Escurial - 1833, Madrid*), roi d'Espagne (1808, puis 1814-1833), fils de Charles IV. Contraint par Napoléon d'abdiquer l'année de son avènement, puis emprisonné, il retrouva son trône en 1814. Il gouverna en despote, provoquant une révolution qu'il réprima avec l'aide de Louis XVIII en 1823. Durant son règne, les colonies d'Amérique proclamèrent leur indépendance.

DEUX-SICILES

**FERDINAND Iᵉʳ DE BOURBON** (*1751, Naples - 1825, id.*), roi de Naples (Ferdinand IV ; 1759-1816) puis roi des Deux-Siciles (1816-1825). Chassé de Naples par les Français (1799), il se réfugia en Sicile. Rétabli en 1815, il fonda le royaume des Deux-Siciles en réunissant ses deux États, et mena une politique réactionnaire. ~ **Ferdinand II de Bourbon** (*1810, Palerme - 1859, Caserte*), roi des Deux-Siciles (1830-1859), réprima les insurrections déclenchées par les carbonaros.

EMPIRE D'AUTRICHE

**FERDINAND Iᵉʳ** ~ *1793, Vienne - 1875, Prague.* Empereur d'Autriche (1835-1848), roi de Bohême et de Hongrie (1830-1848). Faible d'esprit, il laiss le pouvoir aux mains d'un conseil de régenc présidé par Metternich. Il dut abdiquer lors de l révolution de 1848.

NAPLES

**FERDINAND Iᵉʳ** ou **FERRANTE** (*1423, Va lence - 1494, id.*), roi de 1458 à 1494, il vainqui René d'Anjou et chassa les Turcs d'Otrante (1481) Son petit-fils ~ **Ferdinand II**, dit **Ferrandin** (*1467, Naples - 1496, id.*), roi de 1495 à 1496, lutt contre Charles VIII de France avec l'aide d Gonzalve de Cordoue. ~ **Ferdinand III**, voir **Ferdinand II le Catholique**, roi d'Aragon. ~ **Ferdinand IV**, voir **Ferdinand Iᵉʳ de Bourbon**, roi de Deux-Siciles.

ROUMANIE

**FERDINAND Iᵉʳ** ~ *1865, Sigmaringen - 1927, Si naia.* Roi de Roumanie (1914-1927). Héritier d son oncle Charles Iᵉʳ de Roumanie, il combatti l'Allemagne aux côtés des Alliés.

SAINT EMPIRE

**FERDINAND Iᵉʳ DE HABSBOURG** (*1503, Alcal de Henares, Espagne - 1564, Vienne*), roi de Bohêm et de Hongrie (1526-1564), roi des Romain (1531-1564), empereur germanique (1556-1564) après l'abdication de son frère aîné Charles Quint Élu roi de Hongrie, il défendit Vienne contre le Turcs en 1529. Il adopta une attitude modéré vis-à-vis des protestants. ~ **Ferdinand II de Habsbourg** (*1578, Graz - 1637, Vienne*), petit-fils d préc., roi de Bohême (1617-1637) et de Hongri (1618-1637), empereur germanique (1619-1637) Il dut faire face à la révolte de la Bohême qui fu à l'origine de la guerre de Trente Ans. Vainqueu des rebelles à la bataille de la Montagne Blanch (1620), il imposa en 1629 la paix de Lübeck a roi du Danemark, chef de file de la caus protestante. Il affronta ensuite la menace suédoise conjurée après la mort de Gustave Adolphe. ~ **Ferdinand III de Habsbourg** (*1608, Graz - 1657 Vienne*), fils du préc., roi de Hongrie (1625-1657) et de Bohême (1627-1657), empereur germaniqu (1637-1657). Il poursuivit la guerre de Trente An jusqu'au traité de Westphalie (1648).

TOSCANE

**FERDINAND**, nom de trois grands-ducs de Toscane nés et morts à Florence. ~ **Ferdinand Iᵉʳ de Médici** (*1549 - 1609*), grand-duc de 1587 à 1609, maria s nièce Marie au roi de France, Henri IV. ~ **Ferdinand II de Médicis** (*1610 - 1670*), grand-duc d 1621 à 1670, fonda l'Accademia del Cimento, l première académie de sciences naturelles d'Europe. ~ **Ferdinand III** (*1769 - 1824*), archiduc d'Autriche, grand-duc de Toscane en 1790, perdit se États (1799), devint Électeur de Salzbourg (1803) puis grand-duc de Würzburg (1806) et revint régne en Toscane (1815).

---

**FERDINAND DE PORTUGAL**, dit **Ferrand** ~ *1186, Douai - 1233.* Comte de Flandre et d Hainaut (1211-1233). Fils de Sanche Iᵉʳ, roi d Portugal, il épousa Jeanne de Flandre. Vassal d Philippe Auguste, il prêta hommage au roi d'Angleterre. Capturé à Bouvines (1214), il dut céder Lille Douai et L'Écluse à son suzerain français.

**FERDINAND D'ESPAGNE**, dit le **Cardinal-Infant** ~ *1609, Madrid - 1641, Bruxelles.* Fils d Philippe III. Archevêque puis cardinal de Tolèd (1619), il devint gouverneur des Pays-Bas (1634).

**FERDOWSI** ou **FIRDUSI** (Abol Qasem) ~ *v. 932, Tous, Khorassan - 1020, id.* Poète persan. Auteur d *Livre des rois* (994), épopée nationale iranienne, qu consacra la langue persane et cimenta l'unit spirituelle et politique de cet empire.

**FÈRE (La)** ~ V. du Laonnois (Aisne), sur l'Oise au S. de Saint-Quentin ; 2 930 h. Anc. place fort plusieurs fois assiégée. Musées (peinture, histoire)

**FERENCZI** (Sándor) ~ *1873, Miskolc - 1933, Budapest.* Médecin et psychanalyste hongrois. Discipl de S. Freud, il établit des parallélismes entre le développements affectif et biologique (*Thalassa psychanalyse des origines de la vie sexuelle*, 1924)

**FERGANA** ou **FERGHANA** (le) ~ Vaste foss d'effondrement d'Asie centrale (Ouzbékistan, Kirghizistan, Tadjikistan), encadré de montagnes (proongement du Tian Shan) et drainé par le Syr-Daria ; env. 22 000 km². L'irrigation à partir du leuve y permet la culture du coton ; les ressources pétr. et hydroélectr.) ont favorisé le développement ndustriel des villes de Namangan, Andijan, Och, 'ergana (226 000 h.), Kokand.

**ERLO** (le) ~ Région semi-désertique du centre-st du Sénégal, entre les fleuves Sénégal et Gambie, errain de parcours des pasteurs peuls.

**ERMAT** (Pierre DE) ~ *1601, Beaumont-de-Lomagne - 1665, Castres.* Mathématicien français. Précurseur le la géométrie analytique, du calcul différentiel t intégral et, avec Pascal, du calcul des probabilités, il indiqua, en théorie des nombres, divers ésultats sans les démontrer.

**ERMI** (Enrico) ~ *1901, Rome - 1954, Chicago.* Physicien italien. Il élabora une statistique quantique xpliquant les propriétés des électrons dans les méaux, préconisa l'emploi des neutrons pour la transmutation des atomes lourds, puis opéra la première fission de l'uranium. Opposé à Mussolini, c'est ux États-Unis qu'il construisit la première pile atomique à uranium (1942). Il fut un des initiateurs de a physique des particules. Prix Nobel de phys. 1938.

**ERNANDEL** (Fernand **Contandin**, dit) ~ *1903, Marseille - 1971, Paris.* Acteur français. Il se spécialisa dans la farce gauloise et le comique troupier *les Dégourdis de la onzième,* 1937). M. Pagnol fut e seul à tirer parti de son potentiel dramatique *Angèle,* 1934 ; *la Fille du puisatier,* 1940). Sa popularité ne cessa de croître après la guerre (série les *Don Camillo*).

**ERNÁNDEZ** (Gregorio) ~ Voir **Hernández.**

**ERNÁNDEZ** (Juan) ~ *v. 1536, Carthagène - v. 1599, Santiago du Chili.* Navigateur espagnol. Il xplora les côtes du Chili et découvrit les **îles Juan Fernández.**

**FERNANDO POO** ~ Voir **Bioko.**

**FERNEY-VOLTAIRE** ~ V. du Jura (pays de Gex), près de la frontière suisse (Ain) ; 6 408 h. Château du XVIIIᵉ s., où vécut Voltaire.

**FÉROÉ (îles),** en dan. ***Færøerne*** ~ Archipel danois de l'Atlantique N., au relief montagneux (volcanique) et au climat océanique frais ; 1 399 km², 45 000 h., ch.-l. Thorshavn (14 000 h.). Pêche, élevage ovin. Les îles sont autonomes depuis 1948.

**FERRANTE** ~ Voir **Ferdinand Iᵉʳ,** roi de Naples.

**FERRARE,** en ital. *Ferrara* ~ V. d'Italie (Émilie-Romagne), sur le cours inf. du Pô, centre comm. et ndustr. (pétrochim.) ; 137 000 h. Université (XIVᵉ s.). Vestiges de l'enceinte médiévale, cathédrale de style lombard (XIIᵉ-XVIᵉ s.), château d'Este (XIVᵉ-XVIᵉ s.). Nombreux palais Renaissance abritant des musées : palais des Diamants (pinacothèque), Schifanoia (fresque des Mois), de Ludovic le More (musée gréco-étrusque). **HIST.** - La maison d'Este s'assura la seigneurie de la ville (1240), l'érigea en duché (1471) et en fit un centre intellectuel et artistique. Le pape l'annexa aux États de l'Église à l'extinction de la branche aînée des Este (1598). Occupée par les Français (1796) et par les Autrichiens, elle fut intégrée au royaume d'Italie en 1860.

**FERRARI** (Enzo) ~ *1898, Modène - 1988, id.* Pilote et constructeur automobile italien, fondateur de la marque qui porte son nom.

**FERRARI** (Luc) ~ *1929, Paris.* Compositeur français. Il procéda avec humour à des hybridations acoustiques (*Hétérozygote,* 1963-1964 ; *l'Escalier des aveugles,* 1991).

**Ferrassie** (la) ~ Site paléolithique de la Dordogne (grotte, sépultures).

**FERRAT (cap)** ~ Presqu'île de la côte méditerranéenne, à l'E. de Nice. Station baln. (Saint-Jean).

**FERRAT** (Jean **Tenenbaum,** dit Jean) ~ *1930, Vaucresson.* Auteur, compositeur et interprète français. Son répertoire alterne chansons d'amour et d'engagement politique (*Nuit et Brouillard* ; *la Montagne*). Proche du P. C. F., il a composé sur des poèmes d'Aragon (*Que serais-je sans toi ?*).

**FERRÉ,** dit **le Grand Ferré** ~ *v. 1330, Rivecourt, Picardie.* Paysan picard, célèbre pour ses exploits contre les Anglais pendant la guerre de Cent Ans.

**FERRÉ** (Léo) ~ *1916, Monte-Carlo - 1993, Castellina in Chianti, Toscane.* Auteur, compositeur et interprète français. Libertaire, il a chanté l'amour et la rébellion dans une langue tantôt réaliste et populaire, tantôt recherchée et lyrique (*Jolie Môme* ; *les Anarchistes*). Il a aussi interprété Apollinaire, Aragon, Baudelaire, Rimbaud et Verlaine.

**FERRERI** (Marco) ~ *1928, Milan - 1997, Paris.* Cinéaste italien. Humoriste impitoyable, il développa jusqu'à l'absurde une violente satire des mythes de la société occidentale (*le Lit conjugal,* 1963 ; *la Grande Bouffe,* 1973).

**FERRIÉ** (Gustave) ~ *1868, Saint-Michel-de-Maurienne - 1932, Paris.* Général et savant français. Il mit au point un important réseau militaire de télégraphie sans fil, dont il fut l'un des pionniers.

**FERRIER** (Kathleen) ~ *1912, Higher Walton, Lancashire - 1953, Londres.* Contralto britannique. Révélée en 1946 dans *le Viol de Lucrèce,* de B. Britten, puis par son interprétation des lieder de G. Mahler, elle fit une brève carrière de concertiste.

**FERRIÈRE** (Adolphe) ~ *1879, Genève - 1960, id.* Pédagogue suisse. Il expérimenta dans diverses écoles, puis théorisa dans ses livres ses idées pédagogiques réformatrices (*Transformons l'école,* 1920).

**FERROL (El)** ~ Port du N.-O. de la Galice (Espagne), près de La Corogne ; 86 000 h. Constructions navales, arsenal.

**FERRY** (Jules) ~ *1832, Saint-Dié - 1893, Paris.* Avocat et homme politique français. Plusieurs fois ministre de l'Instruction publique, des Affaires étrangères et président du Conseil sous la IIIᵉ République, il fit voter la loi instituant l'obligation, la gratuité et la laïcité de l'enseignement primaire. Il fut aussi à l'origine de la loi sur la liberté de la presse (1881). Enfin, il mena une active politique coloniale (protectorat sur la Tunisie, 1881 ; conquête de Madagascar et du Bas-Congo), mais les revers subis au Tonkin l'amenèrent à démissionner.

**FERSEN** (Hans Axel, comte DE) ~ *1755, Stockholm - 1810, id.* Maréchal suédois. Au service de la France, il se lia avec Marie-Antoinette et organisa la fuite à Varennes de la famille royale en 1791.

**FERTÉ-ALAIS (La)** ~ V. de l'Essonne, sur l'Essonne ; 3 211 h. Musée volant, meetings aériens.

**FERTÉ-BERNARD (La)** ~ V. du Perche (Sarthe), sur l'Huisne, ancienne cité fortifiée ; 9 355 h. (agglom. 11 269 h.). Industrie agroalim., constr. électriques. Église (XVᵉ-XVIᵉ s.).

**FERTÉ-MILON (La)** ~ V. du S. de l'Aisne, sur l'Ourcq ; 2 208 h. Château du XIVᵉ s.

**FERTÉ-SOUS-JOUARRE (La)** ~ V. de l'E. de la Seine-et-Marne, au confluent de la Marne et du Petit Morin ; 8 236 h. (agglom. 12 108 h.).

**FERTÖ (lac)** ~ Voir **Neusiedl.**

**FÈS** ou **FEZ,** en ar. ***Fas*** ~ V. du Maroc, sur un affl. de l'oued Sebou, centre religieux, univ. et tourist. ; 449 000 h. Mosquée Qarawiyyin (IXᵉ s.), anc. remparts, nombreux édifices hispano-mauresques. **HIST.** - Fès fut fondée en 807 par les Idrisides puis se développa sous les Almoravides (XIᵉ s.). Entre le XIIIᵉ et le XVᵉ s., les Marinides y fixèrent leur capitale et l'enrichirent de nombreux monuments. En 1911, Fès fut occupée par les Français, et le 30 mars 1912, la **convention de Fès** établit le protectorat français sur le Maroc.

**FESCH** (Joseph) ~ *1763, Ajaccio - 1839, Rome.* Prélat français. Oncle de Napoléon Iᵉʳ, il décida Pie VII à se rendre à Paris pour le sacre de son neveu, qui en fit son grand aumônier en 1805.

**FESSENHEIM** ~ V. du Haut-Rhin, au S.-E. de Colmar ; agglom. 2 629 h. Usine hydroélectrique sur le grand canal d'Alsace, centrale nucléaire.

**FESTINGER** (Leon) ~ *1919, New York - 1989, id.* Psychosociologue américain. On lui doit la théorie de la dissonance cognitive, selon laquelle un individu s'efforcera d'accorder ses éléments de connaissance qui ne s'accordent pas a priori.

**FÉTIS** (François Joseph) ~ *1784, Mons - 1871, Bruxelles.* Musicologue belge. Précurseur de l'ethnomusicologie, il écrivit une *Biographie universelle des musiciens* (1835-1844, 2ᵉ éd. 1874-1889).

**FEUERBACH** (Ludwig) ~ *1804, Landshut - 1872, Rechenberg, près de Nuremberg.* Philosophe allemand. Formé à la philosophie de Hegel, alors triomphante en Allemagne, il fut le premier à en fournir une critique radicale (*Critique de la philosophie hégélienne,* 1839). Dans *l'Essence du christianisme* (1841), il s'emploie à montrer que la philosophie n'a été jusque-là que la servante de la théologie.

**FEUERBACH** (Paul Johann Anselm VON) ~ *1775, Hainichen, près d'Iéna - 1833, Francfort-sur-le-Main.* Juriste allemand. Il soutint, en matière de criminalité, la thèse de la contrainte psychologique et rédigea le Code pénal bavarois (1813).

**FEUILLADE** (Louis) ~ *1873, Lunel - 1925, Nice.* Cinéaste français. Il réalisa not. *Fantômas* (1913-1914), *les Vampires* (1915), *Judex* (1916).

**Feuillants (club des)** ~ Club révolutionnaire créé à Paris (1791-1792) où s'exprimèrent les partisans de la monarchie constitutionnelle. Il doit son nom à l'ancien couvent où il siégeait. Parmi ses membres figuraient La Fayette, Bailly, Sieyès et Barnave.

**FEUILLÈRE** (Caroline **Cunati,** dite Edwige) ~ *1907, Vesoul.* Actrice française. Elle triompha au théâtre (*l'Aigle à deux têtes,* de J. Cocteau, 1946) comme au cinéma (*Lucrèce Borgia,* d'A. Gance, 1935).

© Delange-Stills

*Edwige **Feuillère** et Jean Gabin dans* En cas de malheur *(1958), film de Claude Autant-Lara (né en 1903).*

**FEUILLET** (Raoul Auger) ~ *v. 1660-1675 - v. 1730.* Danseur, maître de ballet et compositeur de ballets français. Il publia un système de notation des pas de danse (1700) qui fit référence pour la constitution des danses des XVIIIᵉ et XIXᵉ s.

**FÉVAL** (Paul) ~ *1816, Rennes - 1887, Paris.* Écrivain français. Feuilletoniste, il est l'auteur de récits fantastiques et de romans de mœurs et d'aventures (*le Bossu,* 1858).

**février 1848** (journées des 22, 23 et 24) ~ Voir **révolution française de 1848.**

**février 1934** (le 6) ~ Journée d'émeute provoquée par l'affaire Stavisky et par l'éviction du préfet de police Jean Chiappe. Des associations d'anciens combattants de droite (Croix-de-Feu) et des ligues d'extrême droite (Action française) se heurtèrent à Paris aux forces de l'ordre, entraînant la chute du gouvernement Daladier et les réactions unitaires des partis de gauche, à l'origine de la coalition du Front populaire.

**FEYDEAU** (Georges) ~ *1862, Paris - 1921, Rueil-Malmaison.* Dramaturge français. Auteur de vaudevilles riches en péripéties et en quiproquos (*la Puce à l'oreille,* 1907 ; *Occupe-toi d'Amélie,* 1908).

1

© J. Chatin-Gamma

2

© Delange-Stills

3

© J.-C. Dupin-Stills

1. *Jean **Ferrat**.*

2. ***Fernandel** dans* Topaze *(1950), film de Marcel Pagnol.*

3. *Léo **Ferré**.*

**FEYERABEND** (Paul) ~ *1924, Vienne - 1994, Genolier, Suisse.* Philosophe autrichien. Sa réflexion épistémologique, critique de la science d'État et du positivisme, a évolué d'une conception ouverte de la rationalité à un plaidoyer en faveur d'une théorie anarchiste de la connaissance (*Contre la méthode*, 1975 ; *Adieu la raison*, 1987).

**FEYNMAN** (Richard Phillips) ~ *1918, New York - 1988, Los Angeles.* Physicien américain. Il est l'auteur de travaux sur l'électrodynamique quantique (interactions entre électrons et photons). Prix Nobel de phys. 1965.

**FEYZIN** ~ V. de la banlieue S. de Lyon ; 8 520 h. Raffinage du pétrole, chimie.

**FEZ** ~ Voir Fès.

**FEZZAN** (le), en ar. ***Al-Fazzan*** ~ Région de Libye, vaste cuvette saharienne au S. de la Tripolitaine. Rares oasis (Sebha). Palmiers dattiers. Travaux d'irrigation utilisant la nappe phréatique. **HIST.** - La colonne Leclerc le conquit en 1941-1942, et la France y établit des garnisons, évacuées après le traité franco-libyen de 1955.

© E. Bonnier-Gamma

*Roches érodées dans le* **Fezzan**.

**F. F. C.** ~ Voir **Forces françaises combattantes.**

**F. F. I.** ~ Voir **Forces françaises de l'intérieur.**

**F. F. L.** ~ Voir **Forces françaises libres.**

**FIACRE** (saint) ~ *v. 610 - v. 670.* Ermite scot établi en Gaule, patron des jardiniers.

**FIANARANTSOA** ~ V. de Madagascar, dans le S. des hauts plateaux, centre admin. et agric. relié par chemin de fer à la côte E. ; 124 000 h.

**Fianna Fáil** (le) ~ Parti politique irlandais fondé en 1926 par Eamon De Valera et regroupant les membres du Sinn Féin qui, bien qu'hostiles à la partition de l'Irlande, désiraient poursuivre leur activité parlementaire.

**Fiat** ~ Société industrielle italienne fondée en 1899 à Turin par Giovanni Agnelli. Elle fabrique des automobiles, du matériel ferroviaire, des machines-outils et des engins de travaux publics.

**FIBONACCI** (Leonardo), dit **Léonard de Pise** ~ *v. 1175, Pise - v. 1240, id.* Mathématicien italien. Il introduisit en Europe les connaissances mathématiques des Arabes et les chiffres arabes (*Liber abbaci*, 1202), établit la suite mathématique dite **de Fibonacci**, et traita de l'analyse et de la géométrie.

**FICARDIN** ~ Voir **Fakhr al-Din.**

**Fiches (affaire des)** ~ Scandale politique entraîné par la découverte, en 1904, d'un fichier constitué depuis 1901 par le général Louis André, ministre de la Guerre, permettant d'identifier les officiers catholiques et conservateurs afin de retarder leur promotion. Ce scandale provoqua la chute du ministère Combes (1905).

**FICHET** (Guillaume) ~ *1433, Le Petit-Bornand, Savoie - v. 1480, Rome.* Théologien et érudit français. Professeur de rhétorique, il fut recteur de la Sorbonne (1467), où il établit le premier atelier français de typographie.

**FICHTE** (Johann Gottlieb) ~ *1762, Rammenau, Saxe - 1814, Berlin.* Philosophe allemand. Dans *Théorie de la science* (1794), il s'interrogea sur la possible adéquation entre la réalité des choses, conçue par l'entendement, et la liberté humaine. Il prononça, à Berlin, ses *Discours à la nation allemande* (1807-1808), réflexions sur l'organisation de ce pays et appel à un sursaut national. Sa méthode, qui annonce la dialectique hégélienne, est un héritage de l'idéalisme kantien.

**FICIN** (Marsilio **Ficino**, en fr. Marsile) ~ *1433, Figline Valdarno, Toscane - 1499, Careggi, près de Florence.* Philosophe italien. Figure dominante de l'humanisme, il fut le grand artisan de la redécouverte de la philosophie antique, qu'il tenta de concilier avec la tradition chrétienne (*Théologie platonicienne*, 1482).

**FIDJI (république des)** ~ Archipel volcan. et corallien du S.-O. de la Mélanésie, dont les îles princ., Viti Levu et Vanua Levu, rassemblent 90 % de la population. ***Cap.*** Suva. ***Superf.*** 18 333 km². ***Popul.*** 771 000 h., dont Fidjiens mélanésiens (50 %), Indiens (45 %). ***Langues princ.*** Fidjien, anglais. ***Monn.*** Dollar fidjien. ***Écon.*** Tourisme, agriculture (canne à sucre). **HIST.** - Découvertes par Tasman au XVII^e^ s., les îles deviennent colonie britannique au XIX^e^ s. *1970* : indépendance au sein du Commonwealth. *1987* : république hors du Commonwealth. La vie politique est dominée par l'opposition entre Fidjiens d'origine et Indiens. *1994* : élection de Ratu Sir Kamisese Mara à la présidence.

**FIELD** (Cyrus West) ~ *1819, Stockbridge, Massachusetts - 1892, New York.* Industriel américain. On lui doit le premier câble sous-marin reliant l'Amérique à l'Europe (1858-1866).

**FIELD** (John) ~ *1782, Dublin - 1837, Moscou.* Compositeur et pianiste irlandais. Ses nocturnes pour piano influencèrent Chopin.

**FIELDING** (Henry) ~ *1707, Sharpham Park, Somersetshire - 1754, Lisbonne.* Écrivain et journaliste britannique. Il est l'auteur de pièces satiriques et de romans renouant avec la tradition du picaresque (*Histoire de Tom Jones, enfant trouvé*, 1749).

**FIELDS** (John Charles) ~ *1863, Hamilton - 1932, Toronto.* Mathématicien canadien. Il est l'auteur de travaux sur les fonctions d'une variable complexe. La **médaille Fields** est une récompense accordée (à l'instigation de J. C. Fields, en 1924), depuis 1936 et en principe tous les quatre ans, à des mathématiciens de moins de quarante ans pour des travaux de qualité exceptionnelle ; c'est, dans cette discipline (qui n'est pas récompensée par le Nobel), la plus haute distinction mondiale.

**FIER** (le) ~ Affl. alpin (Haute-Savoie) du Rhône (r. g.), issu de la chaîne des Aravis ; 66 km. Gorges aménagées au XIX^e^ s., en aval d'Annecy.

**FIESCHI** ~ Famille de l'aristocratie génoise dont sont issus les papes Innocent IV et Adrien V. **Gian Luigi Fieschi** (*v. 1522, Gênes - 1547, id.*) fomenta une conjuration contre Andrea Doria. Il inspira un drame à Schiller.

**FIESCHI** (Giuseppe) ~ *1790, Murato, Corse - 1836, Paris.* Conspirateur français. Il tenta d'assassiner Louis-Philippe, le 28 juillet 1835. Il fut arrêté et exécuté.

**FIESOLE** ~ V. de Toscane (Italie), au N.-E. de Florence ; env. 15 000 h. Remparts étrusques et théâtre romain, cathédrale (XI^e^-XIV^e^ s.), musées.

**Figaro (le)** ~ Quotidien français. Baptisé sous ce titre en hommage au héros de Beaumarchais, il fut créé sous la forme d'un hebdomadaire satirique (1854) avant de devenir un quotidien (1866). Fleuron du groupe Hersant (1975), il est aujourd'hui le principal organe de la droite conservatrice.

**FIGEAC** ~ V. du haut Quercy (Lot), sur le Célé (r. dr.), au N.-E. de Cahors ; 9 549 h. Constr. aéronautiques. Hôtel de la Monnaie (XIII^e^ s.), anc. église abbatiale (XI^e^ s.).

**FIGNON** (Laurent) ~ *1960, Paris.* Coureur cycliste français. Vainqueur du Tour de France (1983 et 1984) et du Tour d'Italie (1989).

**FIGUIG** ~ Oasis de l'E. du Maroc, dans l'Atlas saharien ; 15 000 h. Villages fortifiés.

**FIJT** (Jan) ~ Voir **Fyt.**

**Filitosa** ~ Site archéologique (1200-700 av. J.-C.) de la Corse-du-Sud (mégalithes).

**FILLASTRE** (Guillaume) ~ *v. 1348, La Suze-sur-Sarthe, Maine - 1428, Rome.* Prélat et savant français. Archevêque et cardinal, il œuvra, lors des conciles de Pise (1409) et de Constance (1414-1418), pour la réduction du schisme d'Occident. Il élabora une carte de l'Europe où figurait pour la première fois le Groenland.

**FILLIOZAT** (Jean) ~ *1906, Paris - 1982, id.* Médecin français. Il fut le pionnier des études contemporaines sur la civilisation indienne.

**Fine Gael** ~ Parti politique irlandais de tendanc conservatrice, fondé en 1933 par William Tho mas Cosgrave et issu de l'éclatement du Sinn Féin Il est, avec le Fianna Fáil, le principal parti de l république d'Irlande.

**FINI** (Léonor) ~ *1908, Buenos Aires - 1996, Paris* Peintre italien d'orig. argentine. Sa peinture et se dessins, empreints de sensualité et d'onirisme, son marqués par le surréalisme.

**FINIGUERRA** (Maso) ~ *v. 1426, Florence - 1464 id.* Orfèvre, nielleur et dessinateur italien. Parc qu'il pratiqua l'estampage pour conserver le patro de ses nielles, Vasari lui attribua, à tort, l'inventio de la gravure sur cuivre.

**FINISTÈRE** (le) ~ Dép. de l'O. de la Régio Bretagne, baigné par la Manche au N. et pa l'Atlantique au S., prolongé à l'O. par les îles d la mer d'Iroise (dont Ouessant) ; 6 785 km² 838 687 h. Les hauteurs du Massif armoricain forment deux branches (monts d'Arrée, Montagn Noire) encadrant la vallée de l'Aulne, au centre et retombant au N. sur le Léon (autour de Morlaix), au S. sur la Cornouaille (autour de Quimper, l préfecture). Le littoral est très échancré (rade d Brest, baie de Douarnenez). L'agriculture (cult maraîchères, de plus en plus diversifiées) et la pêch (ports de Concarneau, Douarnenez) restent impor tantes dans l'économie, ainsi que l'élevage (prod laitiers) dans l'intérieur. Industr. agroalim. (sau à Brest, ville princ.), tourisme très actif (station baln., not. sur la côte S. ; parc région. d'Armorique).

**FINISTERRE (cap)** ~ Extrémité N.-O. de la pénin sule Ibérique, en Galice (Espagne).

**FINLANDE (golfe de)** ~ Golfe peu profond (enva sement) de l'E. de la mer Baltique, entre la Finlande la Russie et l'Estonie. Long de 400 km, il baign Helsinki, Vyborg, Saint-Pétersbourg, Tallinn.

**FINLANDE (république de),** en finnois ***Suomi*** ~ Pays du N. de l'Europe orientale, baigné par la Baltique au S. et à l'O. ***Cap.*** Helsinki. ***Superf.*** 338 115 km². ***Popul.*** 5 078 000 h. ***Langues princ.*** Finnois, suédois. ***Monn.*** Markka. ***Relief*** Plateau bordé de hauteurs en Laponie, au N.-O (Haltiatunturi, 1 324 m) et couvert d'immense forêts (conifères, bouleaux) et d'innombrable cuvettes lacustres au S. ***Climat.*** Frais et humide froid au N. ***Écon.*** La Finlande a très duremen ressenti l'effondrement de l'U. R. S. S., avec laquelle elle pratiquait de 15 à 20 % de son commerce. La réorientation de ses échanges vers l'Ouest a permi de limiter le déséquilibre commercial, au prix d'un chômage élevé. ***Ress. princ.*** Bois, élev. bovin, pêche tourisme. L'industrie est concentrée sur les secteur du bois-papier, de l'électronique, de la construction navale. ***V. princ.*** Helsinki, Tampere, Turku. **HIST.** - Peuplement finnois au début de notre ère. *XII^e^-XVI^e^ s.* : occupation suédoise et création d'un grand-duché. *1721* : la Suède cède la Carélie à la Russie (traité de Nystad). *1809* : la Russie annexe toute la Finlande mais garantit son identité. *1917* indépendance. *Nov. 1939-mars 1940* : la guerre finno-soviétique se solde par la perte de la Carélie et d'une partie de la Laponie. *1947* : après s'être battue aux côtés de l'Allemagne, la Finlande perd ses débouchés maritimes au N. (traité de Paris). *1948* : traité d'assistance, d'amitié et de collabora tion avec l'U. R. S. S. (renouvelé en 1970 et en 1983). *1961* : adhésion à l'Association européenne de libre-échange. *Févr. 1994* : Martti Ahtisaari (social-démocrate) est élu président de la Républi que. *1995* : adhésion à l'Union européenne.

**FINNMARK** (le) ~ Comté le plus septentrional de Norvège, frontalier de la Russie et de la Finlande 48 637 km², 76 000 h., v. princ. Hammerfest, Vadsø (ch.-l., 6 000 h.). Pêche active. Tourisme. Des Lapons vivent dans l'intérieur.

**FINSEN** (Niels Ryberg) ~ *1860, Thorshavn, îles Féroé - 1904, Copenhague.* Médecin danois. On lui doit les applications thérapeutiques des rayons lumineux (**finsenthérapie** ou photothérapie). Prix Nobel de physiol. ou méd. 1903.

**FINSTERAARHORN** ou **FINSTERHORN** (le) ~ Sommet le plus élevé des Alpes bernoises, en Suisse 4 274 m.

**FIODOR** ou **FÉDOR** ~ Nom de trois tsars de Russie, dont **Fiodor I^er^ Ivanovitch** (*1557, Moscou -*

598, *id.*), tsar en 1584, fils d'Ivan IV le Terrible. céda le pouvoir en 1587 à son beau-frère Boris odounov.

**IONIE** (la), en dan. *Fyn* ~ Île méridionale du Danemark, région fertile entre le Jylland et l'île de aelland ; 3 486 km², 467 000 h., ch.-l. Odense. ruits, céréales, élevage, pêche, tourisme.

**IRDUSI** ~ Voir **Ferdowsi**.

**IRMINY** ~ V. du S.-O. de l'agglom. de Saint-tienne (Loire) ; 23 123 h. Industr. métall., mécan. : textile. Édifices de Le Corbusier.

**. I. S.** ~ Voir **Front islamique du salut**.

**ISCHER** (Emil) ~ *1852, Euskirchen, Prusse-Rhé-ane - 1919, Berlin.* Chimiste allemand. Il étudia es sucres simples, les protéines et les amino-acides, : réalisa la synthèse de nombreux composés iochimiques. Prix Nobel de chim. 1902.

**ISCHER** (Franz) ~ *1877, Fribourg-en-Brisgau - 948, Munich.* Chimiste allemand. Il inventa, avec Hans Tropsch, un procédé de production d'hydro-arbures légers (1926).

**ISCHER** (Johann Michael) ~ *1692, Burglengen-eld, Haut-Palatinat - 1766, Munich.* Architecte alle-nand. Il allia des structures architectoniques imples à de subtils jeux de lumière et à un décor ococo (abbatiales d'Ottobeuren, de Zwiefalten).

**ISCHER-DIESKAU** (Dietrich) ~ *1925, Berlin.* aryton allemand. Son interprétation de Schubert, e Schumann et du répertoire lyrique (Mozart, . Strauss) reste inégalée.

**ISCHER VON ERLACH** (Johann Bernhard) ~ *656, Graz - 1723, Vienne.* Architecte autrichien. aisant la synthèse du baroque italien et du lassicisme français, il bâtit des édifices monumen-aux pour les possessions de la maison d'Autriche église St-Charles-Borromée, Vienne).

**ISHER** (Irving) ~ *1867, Saugerties, État de New ork - 1947, New York.* Économiste américain. uteur d'une théorie quantitative de la monnaie.

© Redfern-Stills

Ella **Fitzgerald**.

**ITZGERALD** (Ella) ~ *1918, Newport News, Virgi-ie - 1996, Beverly Hills, Californie.* Chanteuse méricaine. Son répertoire couvre l'ensemble de la hanson américaine et du jazz (*Lady Be Good*, 1946 ; *orgy and Bess*, 1958).

**ITZGERALD** (Francis Scott) ~ *1896, Saint Paul, Minnesota - 1940, Hollywood.* Écrivain américain. l dépeint dans ses romans la Génération perdue t la fin du rêve américain (*Gatsby le Magnifique*, 925 ; *le Dernier Nabab*, posth., 1941).

**ITZ-JAMES** ~ Famille française d'orig. anglaise. on fondateur **James Stuart**, duc DE BERWICK et DE ITZ-JAMES (*1670, Moulins - 1734, Philippsburg*), fils aturel de Jacques II, servit la France et remporta a victoire d'Almansa (1707), en Espagne.

**IUME** ~ Voir **Rijeka**.

**IZEAU** (Hippolyte) ~ *1819, Paris - 1896, près de a Ferté-sous-Jouarre.* Physicien français. Il déter-mina la vitesse de la lumière par la méthode de la oue dentée (1849). Indépendamment de Doppler, l découvrit l'effet selon lequel le mouvement d'une ource de vibrations se traduit par un déplacement les fréquences (1848), lequel connut de nom-reuses applications en astrophysique et en radio-diagnostic. Il observa le spectre infrarouge.

**FLACHAT** (Eugène) ~ *1802, Nîmes - 1873, Arca-hon.* Ingénieur français. Il construisit, avec Sté-phane Mony, le premier chemin de fer français 1835-1837), de Paris à Saint-Germain-en-Laye.

**FLAGSTAD** (Kirsten) ~ *1895, Hamar - 1962, Oslo.* Soprano norvégienne. La plénitude et la noblesse de son chant l'a imposée comme l'une des plus grandes interprètes de R. Wagner.

**FLAHAUT DE LA BILLARDERIE** (Auguste, comte DE) ~ *1785, Paris - 1870, id.* Officier et diplomate français, fils supposé de Talleyrand. Il fut aide de camp de Napoléon et eut une liaison avec la reine Hortense, dont il eut un fils, le duc de Morny.

**FLAMANVILLE** ~ Localité du N.-O. du Cotentin (Manche) ; 1 781 h. Centrale nucléaire.

**FLAMEL** (Nicolas) ~ *v. 1330, Pontoise - 1418, Paris.* Écrivain public et libraire français. La légende attribue à ses talents d'alchimiste l'origine de sa richesse — dont il fit profiter de nombreuses églises et œuvres de charité parisiennes.

**FLAMININUS**, en lat. ***Titus Quinctius Flamininus*** ~ *228 - 174 av. J.-C.* Consul romain. Il battit Philippe V, roi de Macédoine (Cynoscéphales, 197 av. J.-C.), et plaça la Grèce sous influence romaine.

**FLAMMARION** (Camille) ~ *1842, Montigny-le-Roi, Haute-Marne - 1925, Juvisy-sur-Orge.* Astronome français. Auteur d'ouvrages de vulgarisation, dont l'*Astronomie populaire* (1879), il fonda l'observatoire de Juvisy (1883) et la Société astronomique de France (1887).

**FLAMSTEED** (John) ~ *1646, Denby - 1719, Greenwich.* Astronome anglais. Premier directeur de l'observatoire de Greenwich, il améliora les instruments et les méthodes d'observation astronomique et dressa un catalogue d'étoiles resté célèbre (*Historia caelestis britannica*, posth., 1725).

**FLANDRE** (la) ou **FLANDRES** (les), en flam. (néerl.) ***Vlaanderen*** ~ Plaine du N.-O. de l'Europe, comprise entre l'Artois, en France (Nord - Pas-de-Calais), et les bouches de l'Escaut, aux Pays-Bas (Zélande), comprenant principalement l'O. de la Belgique, confinant à l'E. aux régions de Bruxelles et d'Anvers. À la Flandre maritime, plate, au littoral bordé de dunes, succède la Flandre intérieure, accidentée de collines basses (176 m au mont Cassel, en France). La population est très dense, y compris dans les zones rurales. Agric. intensive (céréales, betterave à sucre, lin, tabac, houblon, fruits et légumes, fleurs), élev. bovin, avicole. Industries et commerce anc. (textile depuis le Moyen Âge), relancés au XIXe s. par l'exploitation de la houille (au S.). Auj., sidérurgie, raffinage du pétrole, chimie et agroalimentaire prédominent. Trafic maritime (marchandises et voyageurs) intense à Calais, Dunkerque, Zeebrugge. Autres grands noyaux urbains : Lille-Roubaix-Tourcoing, Ostende, Bruges, Gand, Courtrai. En Belgique, la Flandre est divisée en deux prov. : la **Flandre-Occidentale** (3 134 km², 1 119 000 h., ch.-l. Bruges) et la **Flandre-Orientale** (2 982 km², 1 347 000 h., ch.-l. Gand). L'aire d'extension de la langue flamande (et de la Région flamande) en Belgique comprend également l'O. du Brabant, le Limbourg et la prov. d'Anvers. **HIST.** - Au Ier s. av. J.-C., la Flandre fut conquise par César, puis, au Ve s. apr. J.-C., par les Francs. Au IXe s. fut formé le comté de Flandre, grand fief de la couronne de France. Avec Bruges, puis Gand pour capitale, il profita de l'essor de son industrie (draps) et de la croissance urbaine pour tenter de s'affranchir de la tutelle française (bataille de Courtrai, 1302). En 1384, il passa aux mains des Valois de Bourgogne. Les Habsbourg en prirent possession en 1477, et le comté suivit le sort des Pays-Bas espagnols. À la fin du XVIIe s., Louis XIV réussit à en détacher le S.-O., qui constitua la province française de Flandre (ch.-l. Lille). Intégrée au département du Nord en 1790, la Flandre forma deux provinces du royaume de Belgique en 1830. Elle obtint le statut d'autonomie partielle (1970) puis celui de Région de l'État fédéral de Belgique (1993).

**FLANDRIN** (Hippolyte) ~ *1809, Lyon - 1864, Rome.* Peintre français. Élève d'Ingres, il fut le portraitiste officiel de Napoléon III.

**FLAUBERT** (Gustave) ~ *1821, Rouen - 1880, Croisset, près de Rouen.* Écrivain français. Fils d'un médecin, élevé à Rouen dans l'émulation de la première génération romantique, il abandonna ses études de droit pour raisons de santé. Il se retira dès lors dans la maison familiale, qu'il ne quitta que pour voyager avec Maxime Du Camp, en Bretagne puis en Orient (1849-1851), et pendant sa liaison avec la poétesse Louise Colet. Après quelques textes de jeunesse, il se lança dans *la Tentation de saint Antoine* (1849, 1856, 1874), poème lyrique rassemblant en un chaos splendide tout son questionnement métaphysique. De son premier chef-d'œuvre, *Madame Bovary* (1857), portrait chirurgical du romantisme sentimental que revendiqua le naturalisme, il retrouva la veine avec *l'Éducation sentimentale* (1869), procès-verbal des idéaux révolutionnaires de la jeunesse de 1848. Épopée romantique domptée, *Salammbô* (1862) ressuscite dans tous ses raffinements la Carthage antique. Les *Trois Contes* (1877) concentrent les grands thèmes de son œuvre : l'évocation tendre et réaliste d'*Un cœur simple*, l'épreuve mystique de *la Légende de saint Julien l'Hospitalier* et l'imagination archéologique d'*Hérodias*. Inachevé, *Bouvard et Pécuchet* (posth., 1881) poursuit la bêtise en germe dans l'érudition encyclopédique. Flaubert disait partir du réalisme pour aller jusqu'à la beauté ; son obsession documentaire, la concentration de son style et la précision de sa langue (qu'il mettait à l'épreuve du « gueuloir ») ont fait du roman le genre littéraire majeur.

**FLAVIEN** (saint) ~ *v. 390 - v. 449, Hypaepa, Lydie.* Patriarche de Constantinople. Adversaire du monophysisme professé par Eutychès, il fut déposé lors du synode de 449 (qui resta sous le nom de « brigandage d'Éphèse »).

**Flaviens** (les) ~ *69 - 96.* Dynastie romaine représentée par Vespasien (fondateur), Titus et Domitien.

**FLAVIUS JOSÈPHE** ~ *v. 37, Jérusalem - v. 100, Rome.* Général et historien juif. Il se rallia à Rome pendant la révolte de 66-70. Ses ouvrages, en grec, ont valeur de témoignage (*la Guerre des Juifs*).

**FLAXMAN** (John) ~ *1755, York - 1826, Londres.* Sculpteur et dessinateur néoclassique britannique. Il réalisa de nombreux modèles pour la manufacture de porcelaine de J. Wedgwood.

**FLÈCHE (La)** ~ V. du Maine (Sarthe), sur le Loir, au S.-O. du Mans ; 14 953 h. Imprimerie, emballage. Prytanée national militaire (1808) installé dans l'ancien collège jésuite fondé par Henri IV.

**FLEISCHER (les frères)** ~ **Max** *(1883, Vienne - 1972, Los Angeles)* et ~ **Dave** *(1894, New York - 1979, Los Angeles)*. Cinéastes d'animation américains. Ils créèrent le personnage de Betty Boop (1932), soubrette aux rondeurs aguichantes, puis celui du marin Popeye (1933).

**FLÉMALLE (Maître de)** ~ *fin du XIVe s. - début du XVe s.* Peintre flamand dont l'identité est controversée. Il s'agirait de **Robert Campin** (*v. 1380, Valenciennes - 1444, Tournai*) ou de R. Van der Weyden. Encore influencé par le gothique international, son œuvre reflète la réalité quotidienne et un soin du détail dans une construction spatiale rigoureuse. Il est, avec J. Van Eyck, l'un des fondateurs de la peinture flamande (*Annonciation*, 1430).

**FLEMING** (sir Alexander) ~ *1881, Darvel, Écosse - 1955, Londres.* Médecin britannique. Étudiant une moisissure du genre *penicillium*, il découvrit la pénicilline et ses propriétés antistreptococques (1928), permettant sa synthèse chimique ultérieure par H. W. Florey et E. B. Chain (1939). Prix Nobel de physiol. ou méd. 1945.

© Bridgeman-Giraudon

Sir Alexander **Fleming**.

**FLEMING** (Ian) ~ *1908, Londres - 1964, Canterbury.* Écrivain britannique, créateur de James Bond.

**FLEMING** (sir John Ambrose) ~ *1849, Lancaster - 1945, Sidmouth, Devon.* Ingénieur britannique, pionnier de la radiotélégraphie. Utilisant l'effet Edison, il inventa la diode (**valve de Fleming**, 1904), qui permit l'emploi des lampes en radio communication.

**FLEMING** (Victor) ~ *1883, Pasadena - 1949, Los Angeles.* Cinéaste américain. Metteur en scène éclectique, il réalisa not. *le Magicien d'Oz* (1939) et *Autant en emporte le vent* (1939).

**FLERS** ~ V. du Bocage normand (Orne), à l'O. d'Argentan ; 17 888 h. (agglom. 24 357 h.). Industries textile, constr. mécan. et électriques.

**FLETCHER** (John) ~ *1579, Rye, Sussex - 1625, Londres.* Auteur dramatique anglais. Il écrivit des comédies et des tragi-comédies avec divers collaborateurs (*le Pèlerin*, 1621), dont certaines avec Fr. Beaumont (*Philaster*, 1608), et fut en son temps un rival de Shakespeare.

**FLEURUS** ~ V. de Belgique (Hainaut), au N.-E. de Charleroi ; 23 000 h. Théâtre de plusieurs batailles, dont les victoires françaises sur les Austro-Hollandais (1690) et sur les Autrichiens (1794).

**FLEURY** (André Hercule, cardinal DE) ~ *1653, Lodève - 1743, Issy-les-Moulineaux.* Prélat et homme politique français. Précepteur de Louis XV (1716), ministre d'État et cardinal (1726), il gouverna jusqu'à sa mort. Il stabilisa la monnaie, apaisa les querelles religieuses, rechercha la paix, mais fut cependant entraîné dans les guerres de la Succession de Pologne et d'Autriche. Acad.

**FLEURY** (Claude) ~ *1640, Paris - 1723, id.* Prêtre français, confesseur de Louis XV. Il rédigea en 20 vol. une *Histoire ecclésiastique* (1691-1720). Acad.

**FLEURY-LES-AUBRAIS** ~ V. du N. de l'agglom. d'Orléans (Loiret) ; 20 673 h. Nœud ferroviaire.

**FLEURY-MÉROGIS** ~ V. du S. de l'agglom. parisienne (Essonne), à l'O. d'Évry ; 9 677 h. Centre pénitentiaire.

**FLEVOLAND** (le) ~ Province agric. des Pays-Bas gagnée sur l'IJsselmeer (3 des nouveaux polders) ; 2 412 km², 254 000 h., ch.-l. Lelystad.

**FLIESS** (Wilhelm) ~ *1858, Arnswalde, auj. Choszczno, Pologne - 1928, Berlin.* Médecin allemand. Auteur de travaux sur la bisexualité qui influencèrent la théorie psychanalytique, il échangea avec S. Freud une riche correspondance dans laquelle celui-ci rendit compte de son auto-analyse.

**F. L. N.** ~ Voir **Front de libération nationale**.

**FLOIRAC** ~ V. de la banlieue E. de Bordeaux (Gironde), dans l'Entre-deux-Mers ; 16 834 h. Commerce du vin.

**FLOQUET** (Charles) ~ *1828, Saint-Jean-Pied-de-Port - 1896, Paris.* Homme politique français. Radical, président du Conseil (1888-1889), il s'opposa au général Boulanger, qu'il blessa en duel.

**FLORAC** ~ Bourg touristique de Lozère (Lozère), au pied du causse Méjean ; 2 065 h.

**FLORE** ~ Déesse italique et romaine, protectrice de la Végétation. Les Romains organisaient en son honneur les jeux Floraux.

**FLORENCE**, en ital. ***Firenze*** ~ V. et cap. régionale (comm., artisanat) de la Toscane (Italie), sur l'Arno, grand centre culturel international ; 393 000 h. Université. Palais Renaissance (Palazzo Vecchio, palais Médicis, Strozzi, Pitti). Cathédrale Santa Maria del Fiore, églises Santa Maria Novella, Santa Croce. Galerie des Offices, San Marco (riches collections de peinture italienne du Moyen Âge et de la Renaissance). Ponte Vecchio. **HIST.** - Du XIIe au XIVe s., Florence, pourtant dominée par les grandes familles et déchirée par la lutte des factions, s'assura une difficile primauté sur les cités rivales de Toscane. En 1405, elle conquit Pise. Les Médicis établirent leur pouvoir héréditaire sur la ville (1434), qui devint une puissance maritime et connut son apogée artistique et économique. [☞ **renaissance.**] Florence fut la capitale du grand-duché de Toscane (1569-1859) puis celle de l'Italie unifiée (1864-1870).

*Florence, le ponte Vecchio, sur l'Arno.*

**FLORES** ~ Île montagneuse et volcanique des petites îles de la Sonde (Indonésie) ; 14 725 km², env. 1 250 000 h. Importante communauté catholique.

**FLOREY** (sir Howard Walter) ~ *1898, Adélaïde - 1968, Oxford.* Médecin britannique. Il est, avec E. B. Chain, à l'origine de la fabrication de la pénicilline, découverte par A. Fleming. Prix Nobel de physiol. ou méd. 1945.

**FLORIAN** (Jean-Pierre **Claris** DE) ~ *1755, Sauve, Gard - 1794, Sceaux.* Écrivain français, petit-neveu de Voltaire. Auteur de comédies pour le Théâtre-Italien, de romans au sentimentalisme moralisateur, de chansons (*Plaisir d'amour*), de poèmes, il est surtout connu pour ses *Fables* (1792), d'une naïveté malicieuse. Acad.

**FLORIANÓPOLIS** ~ Voir **Santa Catarina**.

**FLORIDABLANCA** (José **Moñino**, comte DE) ~ *1728, Murcie - 1808, Séville.* Homme politique espagnol. Premier ministre de Charles III et de Charles IV, il prôna le despotisme éclairé.

**FLORIDE** (la) ~ État du S.-E. des États-Unis, péninsule basse et marécageuse (30 000 lacs, marais des Everglades), entre le golfe du Mexique et l'Atlantique, prolongée vers le S. par l'archipel corallien des Florida Keys ; 139 697 km², 13 834 000 h., cap. Tallahassee. Agrumes, canne à sucre. Industr. de haute technologie. Pôle financier. Tourisme massif (plages, Disneyland). Agglom. princ. Tampa, Miami, Orlando. **HIST.** - Découverte par Juan Ponce de León (1513), puis colonisée par les huguenots français, elle fut reprise par les Espagnols (1565). Finalement vendue aux États-Unis (1819), elle devint le 27e État de l'Union (1845).

**FLORIS DE VRIENDT** (Cornelis) ~ *1514, Anvers - 1575, id.* Architecte et sculpteur flamand. Il fit connaître les ornements italiens sans abandonner les motifs flamands. Il construisit dans cet esprit l'hôtel de ville d'Anvers (1561-1565).

**FLOTE** ou **FLOTTE** (Pierre) ~ *2e moitié du XIIIe s., en Languedoc - 1302, Courtrai.* Juriste français. Chancelier de Philippe le Bel (1295), il fut l'un des plus farouches partisans de l'indépendance du roi vis-à-vis du pape.

**Fluxus** ~ Courant esthétique apparu au début des années 1960 en Europe et aux États-Unis. Il est caractérisé par un esprit de démystification des pratiques artistiques et musicales, not. par le mélange des genres, le détournement des traditions instrumentales et picturales et le happening. John Cage, Nam June Paik, Wolf Vostell et Ben en furent les principaux représentants.

**FLYNN** (Errol) ~ *1909, Hobart - 1959, Los Angeles.* Acteur américain. Il fut l'acteur fétiche de M. Curtiz (*les Aventures de Robin des bois*, 1938) et de R. Walsh (*Gentleman Jim*, 1942).

**F. M. I.** ~ Voir **Fonds monétaire international**.

**F. N.** ~ Voir **Front national**.

**F. N. S. E. A.** ~ Voir **Fédération nationale des syndicats d'exploitants agricoles**.

**F. O.** ~ Voir **Confédération générale du travail**.

**FOCH** (Ferdinand) ~ *1851, Tarbes - 1929, Paris.* Maréchal de France, de Grande-Bretagne et de Pologne. Il participa de manière décisive à la première victoire de la Marne (sept. 1914). Chef d'état-major en 1917, généralissime des armées alliées en 1918, il fut l'artisan de la seconde victoire de la Marne (juillet-août 1918). Acad.

**FOCILLON** (Henri) ~ *1881, Dijon - 1943, New Haven.* Historien d'art français. Spécialiste not. du Moyen Âge, il est l'auteur d'essais (*Art d'Occident*, 1938 ; *la Vie des formes*, 1939).

**FOGAZZARO** (Antonio) ~ *1842, Vicence - 1911, id.* Écrivain italien. L'inspiration catholique de ses romans suscita de vives polémiques. Il accepta de se soumettre à l'Église, qui le jugea trop moderniste et le mit à l'Index (*le Saint*, 1905).

**FOGGIA** ~ V. du S. de l'Italie, marché agric., dans la plaine des Pouilles ; 156 000 h. Automobile.

**FOIX** ~ Préfect. de l'Ariège, sur l'Ariège, dans le Plantaurel ; agglom. 10 624 h. Château fort (XIIe-XVe s.). Musée de l'Ariège. Ancienne capitale du comté de Foix.

**FOIX (comté de)** ~ Anc. comté de France, correspondant à peu près à l'actuel département de l'Ariège. Érigé en comté (v. 1050) au profit des comtes de Carcassonne, il se rangea du côté des albigeois (1210). Uni au Béarn (1290), passé à la maison de Navarre puis à celle d'Albret, il fut rattaché à la Couronne par Henri IV (1607).

**FOKINE** (Michel) ~ *1880, Saint-Pétersbourg - 1942, New York.* Danseur et chorégraphe russe. Influencé par Isadora Duncan, il participa aux Ballets russes de Diaghilev, puis renouvela le ballet moderne par des chorégraphies insistant sur l'expression dramatique (*l'Oiseau de feu*, 1910 ; *Schéhérazade*, 1911 ; *la Valse*, 1931). [☞ **danse.**]

**FOKKER** (Anthony) ~ *1890, Kediri, Java - 1939, New York.* Aviateur et industriel néerlandais. Il fonda l'une des plus importantes compagnies aéronautiques allemandes, célèbre pour ses avions de chasse.

**FOLENGO** (Teofilo), dit **Merlin Cocai** ~ *1491, Mantoue - 1544, Bassano.* Poète italien. Avec *Baldus*, chef-d'œuvre de l'*Opus maccaronicum* (publié entre 1517 et 1552), ce bénédictin révéla le genre macaronique.

**FOLKESTONE** ~ Port de voyageurs et station baln. du S.-E. de l'Angleterre (Kent), au débouché du tunnel sous la Manche ; env. 45 000 h.

**FOLLAIN** (Jean) ~ *1903, Canisy, Manche - 1971, Paris.* Poète français. Ses œuvres sont des tableaux vifs et concis arrachés à la grisaille du quotidien (*Chef-lieu*, 1950 ; *Objets*, 1955).

**FOLLEREAU** (Raoul) ~ *1903, Nevers - 1977, Paris.* Avocat et journaliste français. Il fonda en 1966 la Fédération internationale des associations de lutte contre la lèpre.

**FOLON** (Jean-Michel) ~ *1934, Bruxelles.* Peintre belge. Auteur de films d'animation, il a également signé de nombreuses affiches publicitaires.

**FONCK** (René) ~ *1894, Saulcy-sur-Meurthe - 1953, Paris.* Officier aviateur français. Héros de l'aviation française, il remporta 75 victoires pendant la Première Guerre mondiale.

**FONDA** (Henry) ~ *1905, Grand Island, Nebraska - 1982, Los Angeles.* Acteur américain. Son allure réservée et son regard clair en firent un parangon des vertus démocratiques dans les films de J. Ford (*Vers sa destinée*, 1939 ; *la Poursuite infernale*, 1946). A. Hitchcock lui donna l'un de ses plus grands rôles avec *le Faux Coupable* (1957).

**Fonds monétaire international** (**F. M. I.**) ~ Organisme fondé en 1944 dans le cadre des accords de Bretton-Woods, pour assurer le fonctionnement du système monétaire international. Il se consacre depuis 1976 à l'octroi de prêts destinés à financer des réformes structurelles en matière économique. Il compte 127 États membres.

**Fons** ou **Dahomeys** (les) ~ Peuple du Bénin méridional (ex-Dahomey) parlant une langue kwa. Ils constituèrent trois royaumes, dont Porto-Novo et Dan-Homé.

**FONSECA** (Pedro DA) ~ *1528, Cortiçada - 1599, Lisbonne.* Théologien portugais. Jésuite, il professa une doctrine conciliant le libre arbitre et la prédestination, qui fut reprise par L. Molina.

**FONTAINE** ~ V. de la banlieue N.-O. de Grenoble (Isère) ; 22 853 h. Métall., chaudronnerie.

**FONTAINE** (Hippolyte) ~ *1833, Dijon - 1910, Hyères.* Ingénieur français. Il découvrit la réversibilité de la machine de Gramme et réussit, à Vienne, le premier transport d'énergie électrique (1873).

**FONTAINE** (Pierre) ~ *1762, Pontoise - 1853, Paris.* Architecte français. Ses principales réalisations sont l'arc de triomphe du Carrousel (1806-1808), la Chapelle expiatoire (1816-1826) et l'ouverture de la rue de Rivoli.

**FONTAINEBLEAU** ~ V. résidentielle et touristique du S.-E. de l'agglom. parisienne (Seine-et-Marne), dans la forêt de Fontainebleau ; 15 714 h. (agglom. 35 706 h., avec Avon). Palais (ou château) commencé sous François Ier et agrandi jusqu'au règne de Napoléon Ier. La **forêt de Fontainebleau** (chênes, hêtres, pins), qui occupe des sols sableux parsemés de chaos rocheux (grès), est la première d'Île-de-France par son étendue (250 km², dont

200 domaniaux). **HIST.** - En 1685, Louis XIV y signa la révocation de l'édit de Nantes. En 1814, Napoléon y signa sa première abdication.

**Fontainebleau (écoles de)** ~ Écoles de peinture, d'architecture et de sculpture. À la première école, créée autour d'artistes italiens (le Primatice, B. Cellini, le Rosso) venus à Fontainebleau à l'appel de François I^er^, se joignirent des Français (Fr. Clouet, G. Pilon, Ph. Delorme), qui allaient peu à peu assimiler l'apport de la Renaissance italienne. Elle représente l'âge d'or du maniérisme. La seconde école, qui rassemblait Ambrosius Bosschaert, Toussaint Dubreuil et Martin Fréminet, fut active sous le règne d'Henri IV.

**FONTAINE-DE-VAUCLUSE** ~ Localité touristique du Vaucluse, à l'E. d'Avignon ; 580 h. La **fontaine de Vaucluse** est une résurgence de la Sorgue et constitue le type des sources dites vauclusiennes.

**FONTANA**, famille d'architectes italiens. ~ **Domenico** (*1543, Melide - 1607, Naples*) est l'auteur de la façade du palais du Latran à Rome (1587) et de la bibliothèque Vaticane. Il s'imposa également comme urbaniste (voirie romaine) et par ses travaux hydrauliques (élévation de l'obélisque devant Saint-Pierre de Rome). Son cousin ~ **Carlo** (*1634, Brusata - 1714, Rome*), assistant du Bernin, fut très influent par ses écrits théoriques.

**FONTANA** (Lucio) ~ *1899, Rosario - 1968, Varèse.* Peintre et sculpteur italien. Influencé par le futurisme et par Abstraction-Création, il fonda, en 1947, le spatialisme, qui veut créer de nouveaux espaces artistiques par l'utilisation de la technique moderne (néon, télévision).

**FONTANE** (Theodor) ~ *1819, Neuruppin, Brandebourg - 1898, Berlin.* Écrivain allemand. Romancier naturaliste, il décrivit les divers milieux de l'Allemagne avec humour et scepticisme (*Errements et tourments*, 1880 ; *Effi Briest*, 1895).

**Fontenay** ~ Abbaye cistercienne de la Côte-d'Or, fondée en 1119 par Bernard de Clairvaux et dont l'abbatiale fut construite de 1139 à 1147.

**FONTENAY-AUX-ROSES** ~ V. de l'agglom. parisienne (Hauts-de-Seine) ; 23 322 h. Centre d'études nucléaires. École normale supérieure.

**FONTENAY-LE-COMTE** ~ V. du Marais poitevin (Vendée), au N.-O. de Niort ; agglom. 16 246 h. Église des XV^e^ et XVI^e^ s., château de Terre-Neuve (fin XVI^e^ s.). Anc. place forte des ducs d'Aquitaine.

**FONTENAY-SOUS-BOIS** ~ V. de la banlieue S.-E. de Paris (Val-de-Marne) ; 51 868 h.

**FONTENELLE** (Bernard **Le Bovier** DE) ~ *1657, Rouen - 1757, Paris.* Écrivain et philosophe français. Des *Entretiens sur la pluralité des mondes* (1686) aux *Éloges des académiciens* (1715), il exposa brillamment la science de son temps. Secrétaire perpétuel de l'Académie des sciences de 1699 à 1740, il fut un précurseur des Lumières (*Histoire des oracles*, 1687). Acad.

**FONTENOY** ~ Site du Hainaut (Belgique) où, pendant la guerre de la Succession d'Autriche, le maréchal de Saxe remporta une victoire sur les forces coalisées du duc de Cumberland (11 mai 1745), ce qui permit à la France de conquérir la majeure partie des Pays-Bas autrichiens.

**FONTEVRAUD-L'ABBAYE**, anc. **Fontevrault** ~ Localité du Maine-et-Loire, près de Saumur ; 1 108 h. Une abbaye y fut fondée par Robert d'Arbrissel (v. 1100), réunissant deux communautés (hommes et femmes) et gouvernée par une abbesse. L'ordre fut supprimé en 1792 et l'abbaye servit de prison de 1804 à 1963. L'église, romane, abrite les gisants des Plantagenêts ; le cloître est gothique.

**FONTEYN** (Margaret **Hookham**, dite Margot) ~ *1919, Reigate, Surrey - 1991, Panamá.* Danseuse britannique. Interprète du répertoire classique (*le Lac des cygnes*), elle créa les œuvres de Frederick Ashton (*Ondine* ; *Symphonic Variations*).

**Fontfroide** ~ Ancienne abbaye cistercienne des Corbières (Aude), fondée en 1093, occupée jusqu'en 1905. Bâtiments des XII^e^ et XIII^e^ s.

**FONT-ROMEU-ODEILLO-VIA** ~ Station climatique de Cerdagne (Pyrénées-Orientales) ; 1 857 h. Sports d'hiver. Four et centrale solaires à Odeillo.

**FONTVIEILLE** ~ Localité des Bouches-du-Rhône, au pied des Alpilles ; 3 642 h. Moulin célébré par Alphonse Daudet.

**FONVIZINE** (Denis Ivanovitch) ~ *1745, Moscou - 1792, Saint-Pétersbourg.* Auteur dramatique russe. Ses deux comédies, *le Brigadier* (1768) et *le Mineur* (1782), fondèrent le théâtre moderne russe.

**FORAIN** (Jean-Louis) ~ *1852, Reims - 1931, Paris.* Peintre, dessinateur et graveur français. Influencé par Daumier, il excella dans la caricature, souvent féroce, des mœurs politiques et sociales de son temps.

**FORBACH** ~ V. du bassin houiller lorrain (Moselle), à l'E. de Metz ; 27 076 h. (agglom. 98 758 h.). Constr. mécan. Défaite française le 6 août 1870.

**FORCALQUIER** ~ V. des Alpes-de-Haute-Provence, au pied de la montagne de Lure ; 3 993 h. Anc. cathédrale romane et gothique. Couvent des Cordeliers (XII^e^-XIII^e^ s.). Tourisme.

**Force (la)** ~ Ancienne prison parisienne, dans le Marais. Elle fut détruite en 1845.

**Force ouvrière** (F. O.) ~ Voir **Confédération générale du travail.**

**Forces françaises combattantes** (F. F. C.) ~ Nom donné en 1942 à l'organisation des agents de la France libre.

**Forces françaises de l'intérieur** (F. F. I.) ~ Forces militaires formées en 1944, visant à l'unification des groupements de la Résistance.

**Forces françaises libres** (F. F. L.) ~ Ensemble des forces militaires qui continuèrent le combat après l'armistice de juin 1940.

**FORCLAZ (col de la)**, nom de deux cols des Alpes. ~ L'un, dans le massif des Bornes (Haute-Savoie), à 1 157 m, offre une vue panoramique sur le lac d'Annecy. ~ L'autre, en Suisse (Valais), à 1 527 m, relie les vallées de l'Arve et du Rhône, entre le massif du Mont-Blanc et le Chablais.

**FORD** (Gerald Rudolf) ~ *1913, Omaha.* Homme d'État américain. Vice-président choisi par R. Nixon après la démission de Spiro Agnew (1973), il accéda à la présidence après le scandale du Watergate (1974). Républicain, il fut battu aux élections de 1976 par J. Carter.

**FORD** (Henry) ~ *1863, Wayne County, près de Dearborn - 1947, id.* Industriel américain. Pionnier de l'industrie automobile, il institua dès les années 1910 la construction en série, par la standardisation des pièces, et une politique de hauts salaires pour favoriser la consommation (**fordisme**).

**FORD** (John) ~ *1586, Ilsington, Devon - apr. 1639, Devon.* Dramaturge anglais. Le dernier et le plus moderne des représentants de la tragédie élisabéthaine (*Dommage qu'elle soit une putain*, 1626 ; *le Cœur brisé*, 1629).

*Scène de* l'Homme tranquille *(1952), film de John* Ford *avec Maureen O'Hara et John Wayne.*

**FORD** (Sean Aloysius **O'Fearna** ou **O'Feeney**, dit John) ~ *1895, Cape Elizabeth, Maine - 1973, Palm Desert, Californie.* Cinéaste américain. Ses westerns constituent une réflexion sur la démocratie américaine, fondée sur la dialectique de la liberté individuelle et de l'appartenance communautaire (*la Chevauchée fantastique*, 1939 ; *la Charge héroïque*, 1949 ; *le Convoi des braves*, 1950).

**Foreign Office** (le) ~ Nom donné au ministère des Affaires étrangères britannique.

**FOREL**, famille de scientifiques suisses. ~ **François** (*1841, Morges - 1912, id.*), médecin et naturaliste, fondateur de la limnologie, étudia les glaciers et les lacs. Son cousin ~ **Auguste** (*1848, La Gracieuse, près de Morges - 1931, Yvorne*), psychiatre et entomologiste, laissa des travaux sur les fourmis.

**FOREST** (Fernand) ~ *1851, Clermont-Ferrand - 1914, Monaco.* Ingénieur français. Pionnier du moteur à combustion interne, il appliqua ses inventions à la navigation (canot le *Volapük*, 1887) puis à l'automobile. On lui attribue la fabrication du premier moteur à quatre cylindres en ligne.

**FORÊT-NOIRE** (la), en all. ***Schwarzwald*** ~ Massif hercynien du S.-O. de l'Allemagne (Bade-Wurtemberg), séparé des Vosges par la plaine d'Alsace. Versants abrupts à l'O., en pente douce à l'E., sommets arrondis (1 493 m au mont Feldberg). Fortes précipitations. Forêts (feuillus, sapins en altitude), pâturages, vergers. Sources du Danube, du Neckar. Horlogerie. Tourisme (Baden-Baden).

**FOREZ** (le) ~ Région du N.-E. du Massif central (Puy-de-Dôme, Loire), partagée entre les **monts du Forez** à l'O. (alt. max. 1 640 m), très boisés, et le bassin du Forez, entre Saint-Étienne et Roanne, où coule la Loire, à l'E. Élev. (fromage), vigne, fruits. V. princ. Thiers, Ambert.

**FORLI** ~ V. d'Italie (Émilie-Romagne), marché agric., centre admin. et industr. au contact des Apennins et de la plaine de Romagne ; 109 000 h. Forteresse des Sforza (XV^e^ s.).

**FORMAN** (Miloš) ~ *1932, Čáslav.* Cinéaste américain d'orig. tchèque. Après l'intervention soviétique en Tchécoslovaquie (1968), il émigra aux États-Unis, où il confirma la virtuosité de son talent (*Vol au-dessus d'un nid de coucou*, 1975 ; *Amadeus*, 1984 ; *Valmont*, 1989).

**FORMENTERA** ~ Île des Baléares, proche d'Ibiza ; 115 km$^2$, 4 500 h. Vigne, pêche. Tourisme.

**FORMIGNY** ~ Localité du Calvados. Le 15 avril 1450, le connétable de Richemont et le comte de Clermont y remportèrent une victoire sur les Anglais, qui durent évacuer la Normandie.

**FORMOSA** ~ V. du Chaco argentin, sur le Paraná, frontalière du Paraguay, ch.-l. de la **province de Formosa** (72 066 km$^2$, 398 000 h.) ; 154 000 h.

**FORMOSE** ~ Voir **Taiwan.**

**FORMOSE** ~ *v. 816 - 896, Rome.* Pape de 891 à 896. D'abord favorable aux prétentions à la couronne impériale de Lambert de Spolète, il se rallia à Arnoul de Carinthie, qu'il sacra empereur. Après sa mort, les partisans de la maison de Spolète déterrèrent et mutilèrent son cadavre, puis le jetèrent dans le Tibre.

**FORQUERAY** (Antoine) ~ *1672, Paris - 1745, Mantes.* Compositeur français. Rival de Marin Marais, il transposa pour la viole les innovations de la musique italienne pour violon. Il écrivit également des pièces pour le clavecin.

**FORSSMANN** (Werner Theodor) ~ *1904, Berlin - 1979, Schopfheim, Bade-Wurtemberg.* Médecin allemand. Il fut l'inventeur du cathétérisme (1929). Prix Nobel de physiol. ou méd. 1956.

**FORSYTHE** (William) ~ *1949, New York.* Danseur et chorégraphe américain. Réalisant toute sa carrière en Allemagne, il a réformé le ballet de Francfort et bouleversé la danse contemporaine (*Artefact*, 1984 ; *Quintet*, 1993).

**FORT** (Paul) ~ *1872, Reims - 1960, Argenlieu, près de Montlhéry.* Poète français. Il est l'auteur d'une poésie aux thèmes simples et d'une aimable fraîcheur (*Ballades françaises*).

**FORTALEZA** ~ La 5^e^ ville du Brésil et la 3^e^ du Nordeste, port et cap. de l'État de Ceará ; 1 758 000 h. (agglom. 2 295 000 h.). Université. Archevêché. Pêche (agroalim.). Églises baroques.

**FORT-ARCHAMBAULT** ~ Voir **Sarh.**

**FORT-DE-FRANCE** ~ Préfect. de la Martinique, princ. v. et port commercial des Antilles françaises, sur la **baie de Fort-de-France** ; 101 540 h. (près du tiers de la popul. de l'île). Export. de rhum (distilleries), cacao. Sa prééminence date de la destruction de Saint-Pierre, en 1902.

**FORTH** (le) ~ Fl. de l'E. de l'Écosse issu des Grampians, dont l'embouchure (**Firth of Forth**) abrite l'agglom. d'Édimbourg ; 106 km.

**FORT-LAMY** ~ Voir **N'Djamena.**

**FORTUNAT** (saint Venance) ~ Voir **Venance Fortunat.**

**FORTUNE** ~ Divinité romaine du Hasard et de la Chance, identifiée avec la Tyché des Grecs.

**FORTUNÉES (îles)** ~ Anc. nom des îles Canaries.

**FORT WAYNE** ~ V. de l'Indiana (États-Unis) ; 173 000 h. Industries de sous-traitance pour Detroit et Chicago.

**FORT WORTH** ~ V. du N.-E. du Texas (États-Unis), centre univ. formant une conurbation avec Dallas ; 448 000 h. Abattoirs, électron. et aéronautique.

**FOSBURY** (Richard, dit **Dick**) ~ *1947, Portland.* Athlète américain. Il est devenu champion olympique en 1968 en inventant le saut en hauteur en position dorsale (**fosbury flop**).

**FOSCARI** (Francesco) ~ *1373, Venise - 1457, id.* Doge de Venise (1423-1457). Il renforça l'influence de sa cité par ses victoires sur Padoue et Milan, et par l'annexion de Brescia et de Bergame.

**FOSCOLO** (Ugo) ~ *1778, Zante, Grèce - 1827, Turnham Green, près de Londres.* Poète italien. Chantre de l'héroïsme (*les Tombeaux*, 1807), il influença le Risorgimento par ses *Dernières Lettres de Jacopo Ortis* (1802), patriotiques et sentimentales.

**FOSSE** (Bob) ~ *1925, Chicago - 1987, New York.* Cinéaste, chorégraphe et danseur américain. Provocateur hors norme à Hollywood, il signa des films qui renouvelèrent le genre de la comédie musicale (*Cabaret*, 1972 ; *All That Jazz*, 1980).

**FOS-SUR-MER** ~ Port minéralier et pétrolier, complexe industriel, à l'O. de Marseille (Bouches-du-Rhône), sur le **golfe de Fos** ; 11 605 h. Raffinerie de pétrole, gaz, chimie, sidérurgie.

**FOSTER** (Norman) ~ *1935, Manchester.* Architecte britannique. Spécialisé dans l'architecture métallique et high-tech, il a réalisé notamment le terminal d'aéroport de Stansted (1980-1981) et le Carré d'art de Nîmes (1984-1993).

**FOUAD I^er^** ~ Voir **Fu'ad I^er^.**

**FOUCAULD** (Charles, vicomte DE, dit le père DE) ~ *1858, Strasbourg - 1916, Tamanrasset.* Explorateur et missionnaire français. Officier dans le Sud marocain, il perdit puis retrouva la foi et fut ordonné prêtre (1901). Il s'établit dans le Sahara algérien, où il fut ermite missionnaire, et publia des travaux sur la langue des Touaregs. Il fut assassiné par des guerriers senousis.

**FOUCAULT** (Léon) ~ *1819, Paris - 1868, id.* Physicien français. Il détermina la vitesse de la lumière par la méthode des miroirs tournants (1850) et établit l'existence de courants induits dans les masses métalliques. Il démontra la rotation de la Terre au moyen d'un pendule (1851) et inventa le gyroscope (1852).

**FOUCAULT** (Michel) ~ *1926, Poitiers - 1984, Paris.* Philosophe et historien français. Ses travaux sur l'enfermement et l'exclusion (*Histoire de la folie à l'âge classique*, 1961 ; *Surveiller et punir*, 1975), sur la généalogie des sciences (*Naissance de la clinique*, 1963 ; *les Mots et les Choses*, 1966) et sur la sexualité (*Histoire de la sexualité*, 1976-1984) montrent le lien étroit entre le projet d'une connaissance de l'homme et l'essor des technologies du pouvoir.

**FOUCHÉ** (Joseph), duc **d'Otrante** ~ *1759, Le Pellerin, près de Nantes - 1820, Trieste.* Homme politique français. Ancien oratorien, il fut élu député montagnard à la Convention. Envoyé en mission à Lyon, il se signala par son extrême rigueur et ordonna plusieurs massacres. Rallié à Napoléon, il fut ministre de la Police (1799-1802 et 1804-1810). Il passa au service de Louis XVIII en 1814, mais dut s'exiler comme régicide en 1816.

**FOU-CHOUEN** ~ Voir **Fushun.**

**FOUCQUET** ~ Voir **Fouquet.**

**FOUESNANT** ~ Bourg et station baln. de Bretagne (Finistère), au S.-E. de Quimper (Cornouaille) ; 6 524 h. (agglom. 8 893 h.). Cidre réputé.

**FOUGÈRES** ~ V. de l'E. de la Bretagne (Ille-et-Vilaine), anc. place forte frontalière (bretonne, puis normande) et centre français de la chaussure, au N.-E. de Rennes ; agglom. 27 389 h. Industr. text., faïencerie. Château et enceinte (tour Mélusine) XII^e^-XV^e^ s. Églises et maisons anciennes.

**FOUJITA** (**Fujita** Tsuguharu, baptisé Léonard) ~ *1886, Tôkyô - 1968, Zurich.* Peintre français d'orig. japonaise. Familier des peintres de Montparnasse, il réalisa une synthèse gracieuse du réalisme français et du graphisme oriental.

Jean Rostand dans sa maison de Ville-d'Avray *(1955), par* ***Foujita.*** *Musée Carnavalet, Paris.*

**FOU-KIEN** ~ Voir **Fujian.**

**Foulbés** (les) ~ Voir **Peuls.**

**FOULD** (Achille) ~ *1800, Paris - 1867, Laloubère, Hautes-Pyrénées.* Homme politique et banquier français. Ministre des Finances (1849-1852 et 1861-1867), cofondateur du Crédit mobilier (1852), il fut un partisan du libéralisme économique et se montra favorable au libre-échange.

**FOULLON** (Joseph François) ~ *1717, Saumur - 1789, Paris.* Contrôleur général des Finances, il fut pendu par des émeutiers parisiens le 22 juill. 1789.

**FOULQUES** ~ *v. 840 - 900.* Prélat franc. Archevêque de Reims, il y couronna Charles le Simple. Baudouin de Flandre le fit assassiner.

**FOULQUES**, nom de plusieurs comtes d'Anjou. ~ **Foulques III Nerra**, dit **le Noir** (*972 - v. 1040, Metz*), battit les Bretons de Conan I^er^, duc de Bretagne. ~ **Foulques IV le Réchin** (*1043, Château-Landon - 1109, Angers*) disputa le Maine à Guillaume le Conquérant et enleva la Touraine à son frère Geoffroi III. ~ **Foulques V le Jeune** (*1095 - 1143, royaume de Jérusalem*), fils du préc., succéda à son beau-père, Baudouin II, sur le trône du royaume de Jérusalem (1131-1143).

**FOULQUES DE NEUILLY** ~ *m. en 1202 à Neuilly-sur-Marne.* Religieux français. À la demande du pape Innocent III, il prêcha la 4^e^ croisade (1198).

**FOUQUET** ou **FOUCQUET** (Jean) ~ *v. 1415, Tours - v. 1480, id.* Peintre et miniaturiste français. Initié en Italie aux règles de la Renaissance, il réalisa une synthèse personnelle avec le réalisme empirique franco-flamand (*Vierge à l'Enfant*, 1450 ; *Livre d'heures d'Étienne Chevalier*, v. 1460).

**FOUQUET** ou **FOUCQUET** (Nicolas) ~ *1615, Paris - 1680, Pignerol.* Homme politique et administrateur français. Protégé de Mazarin, il fut nommé surintendant des Finances (1653). La fortune qu'il avait acquise dans l'exercice de ses fonctions lui permit d'entreprendre la construction du château de Vaux, mais sa puissance lui valut de nombreux ennemis, notamment Colbert, qui le discrédita auprès de Louis XIV. Arrêté en 1661, il fut jugé et condamné à la détention à perpétuité.

**FOUQUIER-TINVILLE** (Antoine Quentin) ~ *1746, Hérouel, Picardie - 1795, Paris.* Magistrat et homme politique français. Accusateur public du Tribunal révolutionnaire de Paris, il se montra impitoyable durant toute la Terreur. Il fut jugé et exécuté après la chute de Robespierre.

**FOURASTIÉ** (Jean) ~ *1907, Saint-Bénin, Nièvre - 1990, Douelle, Lot.* Économiste français. Il chercha à démontrer l'importance des progrès techniques dans l'évolution économique et sociale des sociétés industrielles (*les Trente Glorieuses ou la Révolution invisible*, 1979).

**FOURCROY** (Antoine François, comte DE) ~ *1755, Paris - 1809, id.* Chimiste français. Il participa à l'élaboration d'une nomenclature chimique rationnelle (1787).

**FOUREAU** (Fernand) ~ *1850, Saint-Barbant, Haute-Vienne - 1914, Paris.* Explorateur français. Il effectua plusieurs missions au Sahara, de 1888 à 1900, dont une traversée nord-sud.

**FOURIER** (saint Pierre) ~ Voir **Pierre Fourier.**

**FOURIER** (Charles) ~ *1772, Besançon - 1837, Paris.* Philosophe et économiste français. À l'instar de Saint-Simon et d'A. Comte, il chercha dans la définition d'un système social et productif rationnel une solution à la crise de la civilisation industrielle. Il proposa l'utopie des phalanstères, petites sociétés juxtaposées, autonomes sur le plan économique et fortement structurées sur le plan des relations sociales (*le Nouveau Monde industriel et sociétaire*, 1829). [☞ **utopie.**]

**FOURIER** (baron Joseph) ~ *1768, Auxerre - 1830, Paris.* Mathématicien et physicien français. L'étude de la propagation de la chaleur lui fit découvrir les séries trigonométriques dites **séries de Fourier** (1812). Acad.

**FOURMIES** ~ V. industr. (tradition text.) du Nord, au S. de Maubeuge ; agglom. 18 049 h. Théâtre d'une manifestation d'ouvriers grévistes durement réprimée, le 1^er^ mai 1891, l'un des évènements fondateurs du socialisme français.

**FOURNAISE (piton de la)** ~ Volcan actif de la Réunion (2 630 m).

**FOURNEAU** (Ernest) ~ *1872, Biarritz - 1949, Paris.* Pharmacologiste français. Auteur de travaux sur les sulfamides et les antipaludéens, il participa aux débuts de la chimiothérapie.

**FOURNEYRON** (Benoît) ~ *1802, Saint-Étienne - 1867, Paris.* Ingénieur français. Il inventa en 1827 la turbine hydraulique (brevetée en 1832) et en développa l'exploitation industrielle.

**FOURNIER** ~ Voir **Alain-Fournier.**

**FOURNIER** (Pierre) ~ *1906, Paris - 1986, Genève.* Violoncelliste français. Il fonda un trio avec Wilhelm Kempff et Henryk Szeryng, et créa nombre d'œuvres modernes (Roussel, Honegger, not.).

**FOURONS** (les), en néerl. ***Voeren*** ~ Commune de Belgique ; env. 5 000 h. Transférée en 1962 de la province wallonne de Liège à la province flamande du Limbourg, elle est le symbole du conflit qui oppose les deux communautés de Belgique.

**FOUTA-DJALON** (le) ~ Massif du N.-O. de la Guinée, partie N. de la Dorsale guinéenne (alt. max. 1 515 m). Sources de la Gambie et du Sénégal, région d'élevage parcourue par les Peuls. Bauxite. Noyau d'un puissant royaume Peul aux XVIII^e^-XIX^e^ s.

**FOWLES** (John) ~ *1926, Leigh on Sea, auj. Southend on Sea, Essex.* Écrivain britannique. Ses romans d'analyse sont caractérisés par les thèmes du mensonge et de l'illusion (*Sarah et le lieutenant français*, 1969).

**FOX** (Charles) ~ *1749, Londres - 1806, Chiswick, près de Londres.* Homme politique britannique. Porte-parole des whigs, il fut à plusieurs reprises à la tête des Affaires étrangères, où il se montra partisan de l'indépendance américaine. Favorable à la Révolution française, il s'opposa au Second Pitt.

**FOX** (George) ~ *1624, Drayton, Leicestershire - 1691, Londres.* Mystique anglais, fondateur de la Société des Amis (ou quakers).

**FOY** (Maximilien Sébastien) ~ *1775, Ham - 1825, Paris.* Général français. Il participa aux campagnes de l'Empire, puis devint député libéral (1819). Ses obsèques furent l'occasion d'une manifestation réunissant les opposants au régime de Charles X.

**FRA ANGELICO** ~ Voir **Angelico.**

**FRACHON** (Benoît) ~ *1893, Le Chambon-Feugerolles, Loire - 1975, Les Bordes, Loiret.* Syndicaliste français. Secrétaire général de la C. G. T. U. (1933-1936), puis de la C. G. T. (1936-1939 et 1944-1967), il fut l'un des dirigeants du parti communiste clandestin sous l'Occupation.

**FRAENKEL** (Adolf Abraham) ~ *1891, Munich - 1965, Jérusalem.* Mathématicien israélien d'orig. allemande. Il révisa en 1922 la théorie axiomatique des ensembles d'E. Zermelo (**système de Zermelo-Fraenkel**, 1908).

**FRAGONARD** (Jean Honoré) ~ *1732, Grasse - 1806, Paris.* Peintre et graveur français. Élève de Chardin et surtout de Boucher, il garda de ce dernier la joie de vivre et les jeux de l'amour dans des scènes galantes (*le Verrou* ; *la Chemise enlevée*). La rapidité et la fougue de sa touche sont annonciatrices des changements du XIXe s.

Les Petites Curieuses,
*peinture de Jean Honoré* ***Fragonard.***
*Musée du Louvre, Paris.*

**FRANCASTEL** (Pierre) ~ *1900, Paris - 1970, id.* Historien d'art français. Il élabora une sociologie de l'art (peinture et architecture) comme langage d'une époque et de sa pensée (*Peinture et Société*, 1952 ; *Art et Technique aux XIXe et XXe siècles*, 1956 ; *Histoire de la peinture française*, avec Galienne Francastel, 1955).

**FRANCE** (la), off. **République française** ~ Pays d'Europe occidentale. La France est divisée en 22 Régions (dont la Corse, au statut de collectivité territoriale). Le territoire métropolitain est divisé en départements (96), arrondissements, cantons et communes (36 551). Les dernières possessions d'outre-mer sont organisées en 4 départements (Guadeloupe, Martinique, Réunion, Guyane), 4 territoires (Polynésie française, Nouvelle-Calédonie, Wallis-et-Futuna, terres Australes et Antarctiques) et 2 collectivités territoriales (Mayotte, Saint-Pierre-et-Miquelon). ***Cap.*** Paris. ***Superf.*** 543 965 km$^2$ (métropole). ***Popul.*** 56 630 000 h. ***Langue princ.*** Français. ***Monn.*** Franc. ***Situation.*** La France est le plus grand pays d'Europe après la Russie. Sa forme évoque celle d'un hexagone. Sa situation entre le 42e et le 51e degré de latitude N. et son ouverture atlantique lui permettent de bénéficier de conditions climatiques privilégiées. Le climat océanique, contrarié à l'intérieur et à l'E. par le relief et l'influence continentale, intéresse la plus grande partie du territoire au N. de la frange méditerranéenne, au S.-E. Les précipitations sont modérées (de 500 à 2 000 mm par an) et autorisent généralement une activité agricole. Les mers (mer du Nord, Manche, océan Atlantique, Méditerranée), qui bordent le pays au N., à l'O. et au S.-E., sur 3 100 km, favorisent les échanges commerciaux et suscitent une intense activité touristique. Les eaux territoriales s'étendent sur 12 milles marins, voire 200 pour une éventuelle exploitation des ressources sous-marines. ***Relief.*** Plus des deux tiers du territoire se situent au-dessous de 250 m d'altitude. Au N. et à l'O., la France des plaines et des collines (Flandre, Bassin parisien, Massif armoricain, Bassin aquitain) communique par des seuils (Lauragais, Bourgogne) avec les plaines du S. et de l'E., dominées par les grands massifs montagneux (Massif central, Pyrénées, Alpes, Jura, Vosges, Ardenne). La plaine d'Alsace, le Sillon rhodanien et le Languedoc facilitent les relations entre l'Europe du Nord, l'Europe centrale et l'Europe méditerranéenne. ***Hydrogr.*** Les fleuves sont nombreux, et les plus importants (Seine, Loire, Garonne, Rhône, Rhin) jouent un rôle économique considérable pour les villes (adduction d'eau potable), l'agriculture, l'industrie, l'énergie (hydroélectricité, refroidissement des centrales nucléaires) et la navigation (Seine, Rhin, Rhône). L'Escaut, la Meuse, le Rhin, qui n'ont en France qu'une partie de leur cours, sont de grands axes européens. ***Démogr.*** La situation de la France à l'extrémité occidentale du continent européen et les facilités de communication avec les régions voisines (plaine du Nord, bassin méditerranéen) ont contribué depuis le IIIe millénaire av. J.-C. à la formation d'une population faite de vagues successives et perpétuellement brassée (Celtes, Grecs, Latins, Germains, Arabes, Normands, etc.). Pour compenser le vieillissement (tendance déjà anc.) et les pertes humaines dues à la Première Guerre mondiale, la France accueille depuis le début du XXe s. des immigrants du monde entier (Européens de Russie, d'Italie, de Pologne, d'Espagne, du Portugal, Africains des anciennes colonies, Indochinois, Antillais). Malgré une brève reprise de la natalité entre 1945 et 1970, la population vieillit (taux de mortalité : 9 ‰ ; taux de natalité : 12,2 ‰ en 1993) et le renouvellement des générations n'est plus assuré. La densité est relativement faible (106 h./km$^2$) ; sur 20 % du territoire, des Ardennes aux Cévennes, elle est inférieure à 20 h./km$^2$, tandis que les villes rassemblent, sur seulement 16 % du territoire, 74 % des Français. Paris, seule ville multimillionnaire, regroupe plus de 1/6 de la population totale. En 1995, la France comptait 25 400 000 actifs, dont 40 % de femmes. 4,8 % des actifs travaillent dans le secteur primaire (agriculture), 26,9 % dans le secteur secondaire (industrie, bâtiment et travaux publics) et 68,3 % dans le secteur tertiaire (services, administration, commerce). ***Écon.*** Après la Seconde Guerre mondiale, l'économie française se modernise, se restructure (nationalisations, planification, aménagement du territoire) et s'intègre à l'économie européenne (Ceca, C. E. E., U. E.). Depuis 1973, la France souffre de la mondialisation de l'économie (suppression des barrières commerciales, émergence de nouveaux concurrents en Asie). Les industries traditionnelles, pourvoyeuses d'emplois (sidérurgie, constr. navales, text.), sont abandonnées au profit des services et des industries faisant appel à des technologies avancées. Les industries liées au transport (T. G. V., aéronautique) sont les fleurons d'une économie qui dépend à 70 % de la production d'électricité d'origine nucléaire. Le chômage touchait 12,4 % de la population active en 1995. **HIST.** - *La préhistoire et la Gaule* : la première occupation du territoire remonte à environ 1,5 million d'années (site de Chilhac, en Haute-Loire). Au Paléolithique moyen (90000-40000 av. J.-C.), l'homme de Neandertal s'est doté d'un habitat structuré et pratique le culte des morts. Au Paléolithique supérieur (40000-10000 av. J.-C.), *Homo sapiens* décore la grotte de Lascaux. Au Néolithique (6000-4000 av. J.-C.), l'agriculture et la poterie apparaissent en Bretagne, en Corse, dans le Massif central. Aux époques de Hallstatt et de La Tène (IXe-Ier s. av. J.-C.), des Celtes originaires d'Europe centrale s'installent par vagues successives sur le sol gaulois. Vers 200 av. J.-C., 90 tribus, dont les Arvernes et les Éduens, vivent en Gaule. Organisées en sociétés dirigées par de grands propriétaires et des druides, aux fonctions religieuses et politiques, elles connaissent l'usage de la monnaie. Sur la côte méditerranéenne, des colonies de peuplement grecques ont déjà donné naissance à des cités (Massalia, auj. Marseille, fondée par les Phocéens au VIIe av. J.-C.). Les Romains conquièrent le S.-E. de la Gaule et fondent une province dont Narbonne est la capitale (118 av. J.-C.). *La Gaule romaine* : de 58 à 52 av. J.-C., la conquête de la Gaule par Jules César prend fin avec la défaite de Vercingétorix, chef arverne des peuples gaulois, à Alésia. Sous Auguste, la Gaule est divisée en quatre provinces (Aquitaine, Lyonnaise, Belgique, Narbonnaise) ; une brillante civilisation gallo-romaine se développe. Dès le IIe s., la Gaule subit les premières incursions barbares (Francs, Alamans) et l'autorité romaine s'effrite. En 313, la religion chrétienne est autorisée dans tout l'empire (édit de Milan). *Les Francs et les Mérovingiens (481-751)* : à partir de 406, les Barbares franchissent massivement le Rhin et traversent le territoire (Vandales, Wisigoths). Les Huns sont encore contenus par Aetius en 451 (bataille des champs Catalauniques), mais l'empire romain d'Occident disparaît en 476. Les Francs se construisent un vaste royaume en Gaule : leur chef Clovis se convertit au catholicisme, s'alliant le clergé, et choisit Paris pour capitale ; il est le fondateur de la dynastie mérovingienne. À sa mort (511), le royaume, partagé entre ses héritiers en Neustrie, Austrasie et Bourgogne, traverse une grave crise politique. Après Dagobert (629-639), la réalité du pouvoir appartient moins aux « rois fainéants » qu'à l'aristocratie et aux maires du palais. Pépin de Herstal, l'un d'entre eux, réunifie le royaume (687), et son fils Charles Martel arrête les Sarrasins à Poitiers (732). En 751, après avoir éliminé le dernier Mérovingien, Pépin le Bref se fait couronner roi des Francs et fonde la dynastie carolingienne. *Les Carolingiens (751-987)* : Charlemagne, roi des Francs et des Lombards, soumet la Saxe et la Bavière, bat les Avars et se fait couronner empereur d'Occident à Rome par le pape Léon III (800) ; sous son règne s'opère un renouveau artistique et culturel. Une guerre de succession oppose les fils de Louis Ier le Pieux (814-840), et le traité de Verdun (843) divise définitivement l'empire en trois royaumes. Charles II le Chauve, premier roi de France (843-877), hérite de la France occidentale. Alors que les raids vikings minent le pouvoir royal, les nobles remettent le trône à l'empereur Charles III le Gros (884-887) puis au comte de Paris, Eudes (888-898). Charles III le Simple (898-923) règle le problème normand en cédant la Basse-Seine aux envahisseurs (911). À la mort de Louis V le Fainéant (987), le dernier Carolingien, Hugues Capet (987-996) fonde une nouvelle dynastie. *Les Capétiens (987-1328)* : les règnes de Robert II le Pieux (996-1031), d'Henri Ier (1031-1060) et de Philippe Ier (1060-1108) sont marqués par l'expansion normande. Les rois ne dominent en réalité qu'un petit domaine autour de leur capitale. En 1066, Guillaume de Normandie conquiert l'Angleterre, mais reste vassal du roi de France pour son duché de Normandie. Le XIIe s. est propice à un développement économique et urbain (communes, émergence d'une bourgeoisie), à un renouveau artistique et culturel (art gothique), à un éveil religieux (1re croisade, prêchée en 1095 ; développement des ordres monastiques ; rayonnement de l'abbaye de Cluny). Louis VI le Gros (1108-1137) et Louis VII le Jeune (1137-1180) agrandissent le domaine royal et affermissent leur pouvoir, mais leurs règnes marquent le début d'un long conflit avec l'Angleterre, dont Henri Plantagenêt, duc de Normandie et comte d'Anjou, devient roi en 1154. Philippe II Auguste (1180-1223) reconquiert la Normandie, la Touraine et l'Anjou et affermit la monarchie en nommant des baillis, ses représentants, dans les provinces. En 1214, la victoire de Bouvines sur les troupes coalisées de l'empereur, du roi d'Angleterre et du comte de Flandre fait naître en France un premier sentiment d'unité nationale. Après le très bref règne de Louis VIII le Lion (1223-1226), Louis IX, futur Saint Louis (1226-1270), participe à la 7e croisade et signe une paix avec l'Angleterre (1259, traité de Paris) assurant le prestige de sa monarchie. Son souci de justice ne s'étend cependant pas aux affaires religieuses : les juifs sont brimés et les albigeois exterminés (1208-1244). L'annexion du Languedoc ouvre le royaume sur la Méditerranée. Philippe IV le Bel (1285-1314) renforce la monarchie en s'appuyant sur le droit romain et en réunissant les « États du royaume » pour approuver ses décisions. Il conteste le pouvoir universel de l'Église et obtient la dissolution de l'ordre des Templiers et la confiscation de leurs biens. Après le règne éphémère de Louis X le Hutin (1314-1316), une assemblée de notables exclut les femmes de la succession royale, offrant le trône à Philippe V le Long (1316-1322) puis à Charles IV le Bel (1322-1328), le dernier Capétien. *Les Valois (1328-1589)* : l'accession au trône de Philippe VI de Valois, au détriment d'Édouard III d'Angleterre, déclenche la guerre de Cent Ans (1337-1453). Les règnes de Philippe VI (1328-1350) et de Jean II le Bon (1350-1364) se déroulent dans un contexte économique et social difficile (famines, jacquerie, épidémie de peste). Les armées royales sont battues en 1346 à Crécy et en 1356 à Poitiers, où le roi est fait prisonnier. Paris se soulève sous l'impulsion d'Étienne Marcel (1357), qui tente d'imposer au dauphin une monarchie

# LA FRANCE ADMINISTRATIVE

## 1. Départements de la France métropolitaine

**01** Ain
**02** Aisne
**03** Allier
**04** Alpes-de-Haute-Provence
**05** Hautes-Alpes
**06** Alpes-Maritimes
**07** Ardèche
**08** Ardennes
**09** Ariège
**10** Aube
**11** Aude
**12** Aveyron
**13** Bouches-du-Rhône
**14** Calvados
**15** Cantal
**16** Charente
**17** Charente-Maritime
**18** Cher
**19** Corrèze
**2A** Corse-du-Sud
**2B** Haute-Corse
**21** Côte-d'Or
**22** Côtes-d'Armor
**23** Creuse
**24** Dordogne
**25** Doubs
**26** Drôme
**27** Eure
**28** Eure-et-Loir
**29** Finistère
**30** Gard
**31** Haute-Garonne
**32** Gers
**33** Gironde
**34** Hérault
**35** Ille-et-Vilaine
**36** Indre
**37** Indre-et-Loire
**38** Isère
**39** Jura
**40** Landes
**41** Loir-et-Cher
**42** Loire
**43** Haute-Loire
**44** Loire-Atlantique
**45** Loiret
**46** Lot
**47** Lot-et-Garonne
**48** Lozère
**49** Maine-et-Loire
**50** Manche
**51** Marne
**52** Haute-Marne
**53** Mayenne
**54** Meurthe-et-Moselle
**55** Meuse
**56** Morbihan
**57** Moselle
**58** Nièvre
**59** Nord
**60** Oise
**61** Orne
**62** Pas-de-Calais
**63** Puy-de-Dôme
**64** Pyrénées-Atlantiques
**65** Hautes-Pyrénées
**66** Pyrénées-Orientales
**67** Bas-Rhin
**68** Haut-Rhin
**69** Rhône
**70** Haute-Saône
**71** Saône-et-Loire
**72** Sarthe
**73** Savoie
**74** Haute-Savoie
**75** Paris
**76** Seine-Maritime
**77** Seine-et-Marne
**78** Yvelines
**79** Deux-Sèvres
**80** Somme
**81** Tarn
**82** Tarn-et-Garonne
**83** Var
**84** Vaucluse
**85** Vendée
**86** Vienne
**87** Haute-Vienne
**88** Vosges
**89** Yonne
**90** Territoire de Belfort
**91** Essonne
**92** Hauts-de-Seine
**93** Seine-Saint-Denis
**94** Val-de-Marne
**95** Val-d'Oise

## 2. Départements d'outre-mer

**971** Guadeloupe
**972** Martinique
**973** Guyane
**974** Réunion

## 3. Collectivités territoriales

**975** Saint-Pierre-et-Miquelon
**985** Mayotte

## 4. Territoires d'outre-mer

**984** Polynésie française, Nouvelle-Calédonie, Terres australes et antarctiques françaises et diverses îles
**986** Wallis-et-Futuna

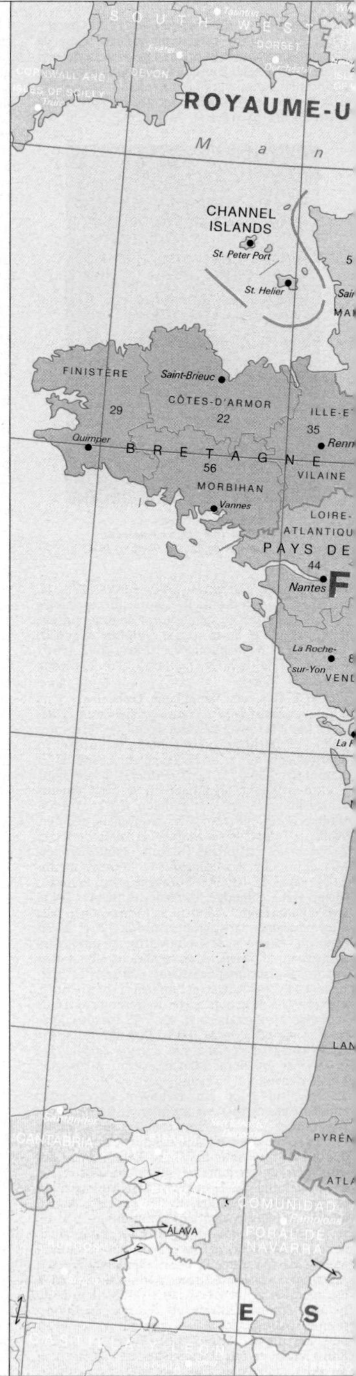

BELGIQUE
ALLEMAGNE
SUISSE
ITALIE
AUTRICHE
LUX.
MONACO
ANDORRE
F R A N C E
NORD-PAS-DE-CALAIS
PICARDIE
HAUTE-NORMANDIE
ÎLE-DE-FRANCE
CHAMPAGNE-ARDENNE
LORRAINE
ALSACE
CENTRE
BOURGOGNE
FRANCHE-COMTÉ
LIMOUSIN
AUVERGNE
RHÔNE-ALPES
PROVENCE-ALPES-CÔTE D'AZUR
LANGUEDOC-ROUSSILLON
MIDI-PYRÉNÉES
CORSE
62 PAS-DE-CALAIS
59 NORD
80 SOMME
02 AISNE
60 OISE
76 SEINE-MARITIME
27 EURE
95 VAL D'OISE
78 YVELINES
91 ESSONNE
77 SEINE-ET-MARNE
08 ARDENNES
51 MARNE
10 AUBE
52 HAUTE-MARNE
55 MEUSE
57 MOSELLE
54 MEURTHE-ET-MOSELLE
88 VOSGES
67 BAS-RHIN
68 HAUT-RHIN
28 EURE-ET-LOIR
45 LOIRET
41 LOIR-ET-CHER
37 INDRE-ET-LOIRE
36 INDRE
18 CHER
89 YONNE
21 CÔTE-D'OR
58 NIÈVRE
71 SAÔNE-ET-LOIRE
70 HAUTE-SAÔNE
90 BELF
25 DOUBS
39 JURA
86 VIENNE
87 HAUTE-VIENNE
23 CREUSE
03 ALLIER
63 PUY-DE-DÔME
42 LOIRE
69 RHÔNE
01 AIN
74 HAUTE-SAVOIE
73 SAVOIE
16 CHARENTE
19 CORRÈZE
15 CANTAL
43 HAUTE-LOIRE
38 ISÈRE
24 DORDOGNE
07 ARDÈCHE
26 DRÔME
05 HAUTES-ALPES
46 LOT
48 LOZÈRE
12 AVEYRON
04 ALPES-DE-HAUTE-PROVENCE
06 ALPES-MARITIMES
84 VAUCLUSE
47 LOT-ET-GARONNE
82 TARN-ET-GARONNE
81 TARN
30 GARD
34 HÉRAULT
13 BOUCHES-DU-RHÔNE
83 VAR
32 GERS
31 HAUTE-GARONNE
65 HAUTES-PYRÉNÉES
09 ARIÈGE
11 AUDE
66 PYRÉNÉES-ORIENTALES
2B HAUTE-CORSE
2A CORSE-DU-SUD
72 SARTHE
Lille
Arras
Amiens
Rouen
Beauvais
Laon
Charleville-Mézières
Évreux
Pontoise
PARIS
Versailles
Évry
Melun
Châlons-en-Champagne
Bar-le-Duc
Metz
Nancy
Strasbourg
Colmar
Épinal
Troyes
Chaumont
Chartres
Alençon
Le Mans
Orléans
Blois
Tours
Auxerre
Dijon
Vesoul
Belfort
Besançon
Lons-le-Saunier
Bourges
Nevers
Châteauroux
Poitiers
Moulins
Mâcon
Bourg-en-Bresse
Annecy
Guéret
Limoges
Clermont-Ferrand
Lyon
Chambéry
Saint-Étienne
Angoulême
Tulle
Périgueux
Aurillac
Le Puy-en-Velay
Grenoble
Valence
Privas
Gap
Cahors
Mende
Rodez
Digne-les-Bains
Agen
Montauban
Albi
Avignon
Nîmes
Nice
Toulouse
Auch
Montpellier
Marseille
Toulon
Tarbes
Carcassonne
Foix
Perpignan
Bastia
Ajaccio
ANDORRA LA VELLA
NORDRHEIN-WESTFALEN
RHEINLAND-PFALZ
SAARLAND
BADEN-WÜRTTEMBERG
Hessen
Bayern
VALLE D'AOSTA
PIEMONTE
LOMBARDIA
LIGURIA
VALAIS
VAUD
BERN
GRAUBÜNDEN
TICINO
CATALUNYA
E S P A G N E

LA FORMATION TERRITORIALE DE LA **FRANCE**

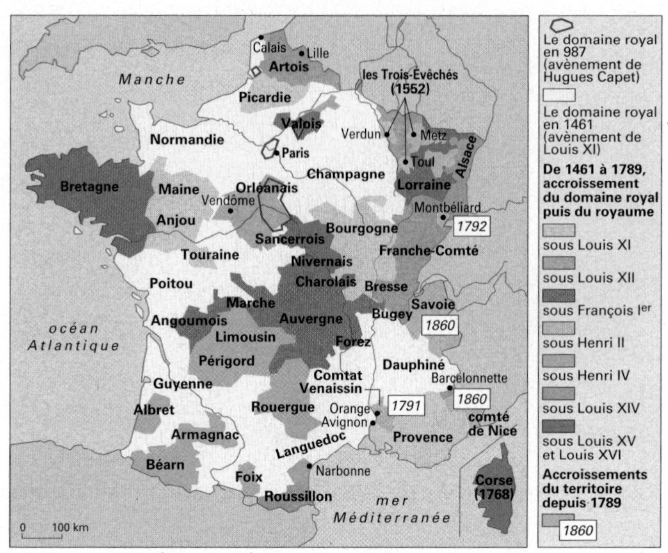


LA **FRANCE** D'OUTRE-MER

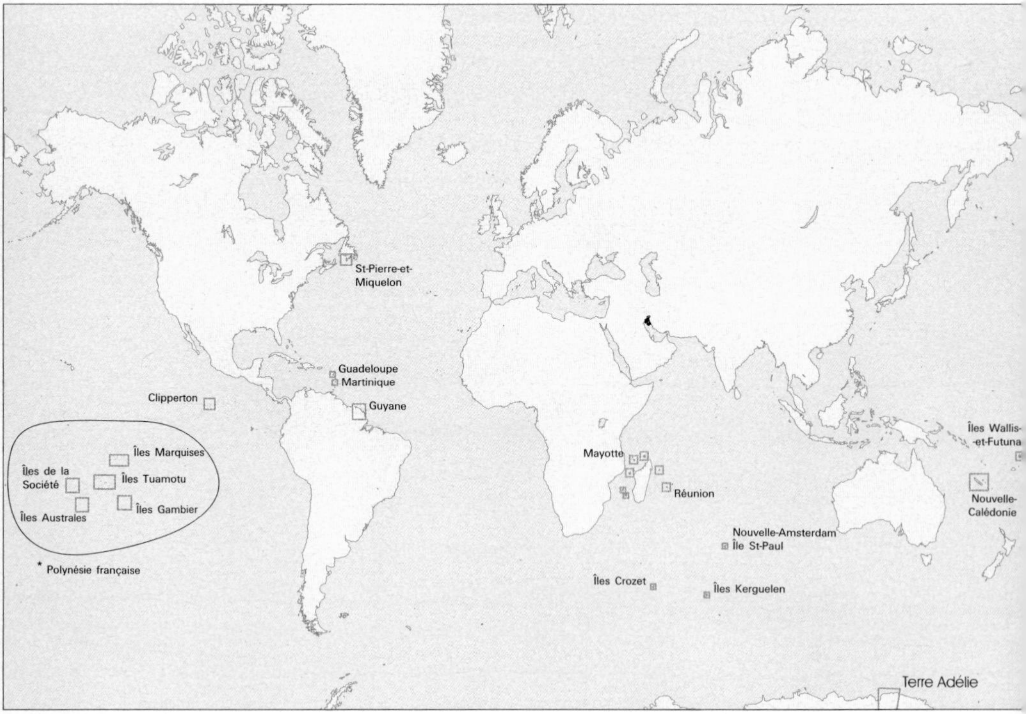

St-Pierre-et-Miquelon
Guadeloupe
Martinique
Guyane
Clipperton
Îles Marquises
Îles de la Société
Îles Tuamotu
Îles Australes
Îles Gambier
* Polynésie française
Mayotte
Réunion
Nouvelle-Amsterdam
Île St-Paul
Îles Crozet
Îles Kerguelen
Îles Wallis-et-Futuna
Nouvelle-Calédonie
Terre Adélie

parlementaire, et, en 1360, la paix de Brétigny enlève au royaume le Sud-Ouest et la côte picarde. Le règne de Charles V le Sage (1364-1380) constitue une embellie ; Du Guesclin procède à une reconquête du royaume et le grand schisme d'Occident (1378-1417) n'intéresse guère la population. La démence de Charles VI le Bien-Aimé (1380-1422) déclenche la guerre civile entre les Bourguignons alliés à l'Angleterre et les Armagnacs. Les troupes royales sont écrasées à Azincourt (1415). Le dauphin Charles (futur Charles VII, 1422-1461), chassé de Paris (1418), se réfugie à Bourges ; le traité de Troyes (1420) menace la monarchie française de disparition au profit de l'Angleterre. L'intervention de Jeanne d'Arc permet de délivrer Orléans et de faire sacrer Charles VII à Reims (1429). En 1435, ce dernier signe le traité d'Arras avec Philippe le Bon ; en 1450, la Normandie est libérée et, en 1453, la victoire de Castillon met fin à la guerre de Cent Ans. Louis XI (1461-1483) rattache au royaume la Picardie et la Bourgogne (victoire sur Charles le Téméraire, 1477), l'Anjou, le Maine et la Provence (1481). Anne de France, régente (1483-1491), tient tête aux féodaux (1485-1488, Guerre folle) et le mariage, en 1491, de Charles VIII avec Anne de Bretagne prépare le rattachement définitif au royaume de France du dernier grand fief indépendant. Charles VIII (1483-1498) et Louis XII (1498-1515) se lancent dans les guerres d'Italie, cédant le Roussillon à l'Aragon, l'Artois et le comté de Bourgogne à l'empereur pour avoir les mains libres. Leurs successeurs François Ier (1515-1547) et Henri II (1547-1559) veulent recueillir en Italie les héritages de la maison d'Anjou (Naples) et des Visconti (Milanais), et lutter contre l'hégémonie des Habsbourg, le plus souvent alliés à l'Angleterre. Henri II met un terme à soixante-cinq ans (1495-1559) de luttes (victoire de Marignan, 1515 ; désastre de Pavie, 1525), de traités non respectés (traité de Blois, 1504 ; traité de Madrid, 1526) et d'alliances (avec les princes protestants allemands, en 1531 ; avec le sultan musulman d'Istanbul, en 1536). Désireux de se consacrer, à l'intérieur, à la lutte contre le protestantisme, il signe avec Philippe II d'Espagne et Élisabeth Ire d'Angleterre les traités du Cateau-Cambrésis (1559). Durant cette période, la renaissance des arts et des lettres est pourtant favorisée et la prospérité économique du pays (développement du commerce maritime avec le Nouveau Monde) permet aux souverains de financer leurs campagnes et d'imposer une centralisation croissante du pouvoir. En 1516, le concordat de Bologne assure au roi de France le pouvoir temporel sur l'Église ; en 1532, la Bretagne est rattachée à la France ; en 1539, l'édit de Villers-Cotterêts impose le français dans les actes officiels. Pendant la seconde moitié du XVIe s., François II (1559-1560), Catherine de Médicis (1560), Charles IX (1560-1574) et Henri III (1574-1589) s'engagent dans la lutte contre le protestantisme. En 1540, l'édit de Fontainebleau marque le début de la répression. Après la conjuration manquée d'Amboise (1560), le massacre des réformés à Wassy (1562) déclenche les guerres de Religion (1562-1598), guerre civile marquée par le massacre de la Saint-Barthélemy (23-24 août 1572), à Paris. *Les Bourbons (1589-1789)* : Henri IV (1589-1610), qui a hérité de la couronne après l'assassinat d'Henri III, rétablit l'autorité royale un temps menacée par les féodaux, pacifie la France, assurant la liberté de culte aux protestants (édit de Nantes, 1598), et restaure l'économie et les finances avec l'aide de son ministre Sully. Louis XIII le Juste (1610-1643) et son ministre Richelieu préparent le triomphe du principe de la monarchie absolue, de droit divin. Les oppositions sont durement réprimées (exécutions de Biron en 1602, de Montmorency en 1632, de Cinq-Mars en 1642), mais les régences de Marie de Médicis (1610-1617) et d'Anne d'Autriche (1643-1661), assistée de Mazarin, seront encore propices aux soulèvements des nobles (la Fronde, 1648-1652). En 1661, l'accession au pouvoir de Louis XIV, dit le Roi-Soleil (1643-1715), marque le début de l'affirmation de l'absolutisme. Le problème religieux hérité du XVIe s. reste entier : Louis XIV interdit le culte protestant par l'édit de Fontainebleau (1685) et provoque la dure insurrection des camisards dans les Cévennes. La lutte contre les Habsbourg domine la politique extérieure. Les traités de Westphalie (1648), des Pyrénées (1659) et de Nimègue (1678) consacrent la suprématie de la France en Europe. Le pays s'agrandit des Trois-Évêchés, de l'Artois, du Roussillon, de la Franche-Comté, d'une partie de la Flandre et de la région de Strasbourg. Mais les difficiles guerres de la ligue d'Augsbourg (1688-1697) et de la Succession d'Espagne (1701-1714) ruinent la France et entraînent la perte des territoires américains au profit de la Grande-Bretagne. La régence de Philippe d'Orléans (1715-1723), les règnes de Louis XV (1723-1774) et de Louis XVI (1774-1792) sont marqués par les difficultés financières. Malgré l'expansion démographique et économique de la France, l'opposition des privilégiés et du parlement ne permet pas aux ministres successifs (Machault d'Arnouville, Turgot, Calonne, Necker) d'établir des impôts plus justes. Les critiques des philosophes des Lumières (Voltaire, Montesquieu, Rousseau, Diderot) fragilisent l'ordre établi alors qu'une coûteuse et vaine politique extérieure (guerres de la Succession de Pologne et d'Autriche, guerres de Sept Ans et de l'Indépendance américaine) met le Trésor en état de banqueroute et contraint Louis XVI à convoquer les états généraux (mai 1789). *La Révolution (1789-1799)* : réunis en juin, les états généraux se proclament Assemblée nationale constituante (juill. 1789-sept. 1791). La prise de la Bastille (14 juill. 1789) met un terme symbolique à la monarchie absolue et l'Assemblée procède à une véritable révolution de la société : abolition des privilèges, Déclaration des droits de l'homme et du citoyen, confiscation des biens de l'Église et proclamation d'une Constitution civile du clergé, adoption d'une Constitution instituant la monarchie parlementaire. L'Assemblée législative (oct. 1791-sept. 1792) s'oppose à Louis XVI, déconsidéré par sa fuite à Varennes (juin 1791), et ne peut éviter la guerre avec l'Autriche. La Convention nationale (sept. 1792-oct. 1795) déclare la patrie en danger (victoires de Valmy et de Jemmapes), proclame la république (22 sept. 1792), fait exécuter le roi (21 janv. 1793) et instaure la Terreur (10 oct.) pour faire face aux dangers intérieurs et extérieurs. La dictature du Comité de salut public (Grande Terreur, juin-juill. 1794), ayant repoussé la coalition ennemie et maté l'insurrection vendéenne, prend fin avec la chute de Robespierre. Succédant à la Convention, le Directoire (oct. 1795-nov. 1799), dépassé par la situation intérieure et extérieure malgré les succès militaires de Bonaparte en Italie et en Égypte, ne survit qu'avec l'appui de l'armée. Le traité de Campoformio (18 oct. 1797) met fin à la guerre contre l'Autriche. Le 18 brumaire (9 nov. 1799), Bonaparte organise un coup d'État qui instaure le Consulat. *Le Consulat et l'Empire (1799-1815)* : le général Bonaparte concentre rapidement la totalité des pouvoirs entre ses mains. Les Constitutions de l'an VIII, de l'an X et de l'an XII débouchent sur la proclamation de l'Empire. Sacré empereur sous le nom de Napoléon Ier (2 déc. 1804), Bonaparte entreprend une réorganisation de la France dans les domaines administratif (préfectures, départements), éducatif (lycées, grandes écoles), législatif (Code civil), financier (Banque de France) et religieux (Concordat), posant ainsi les bases d'un État fort et centralisé. La politique expansionniste de l'Empereur entraîne la formation de nouvelles coalitions contre la France. Après des succès initiaux (Austerlitz, 1805 ; Iéna, 1806 ; Wagram, 1809), la France, affaiblie par la perte de sa flotte (Aboukir, 1798 ; Trafalgar, 1805) et par la résistance rencontrée en Espagne, est vaincue en Russie (1812), à Leipzig (1813) et à Waterloo (1815), après le bref épisode des Cent-Jours. Napoléon est exilé à Sainte-Hélène, et la France ramenée à ses frontières de 1790. *La Restauration, la monarchie de Juillet et la IIe République (1815-1852)* : la restauration des Bourbons (Louis XVIII : 1815-1824), sur la base de la Charte promulguée en 1814, entraîne la mise en place d'une monarchie constitutionnelle fondée sur un suffrage censitaire très restreint. Charles X (1824-1830) s'appuie sur une minorité ultraroyaliste pour pratiquer une politique réactionnaire, qui débouche sur l'émeute parisienne des Trois Glorieuses (27, 28 et 29 juill. 1830) et sur l'abdication du souverain. Louis-Philippe Ier (1830-1848), roi des Français, est soutenu par la grande bourgeoisie libérale. Malgré dix ans d'instabilité politique et sociale (révolte des canuts, attentat de Fieschi), Guizot, chef effectif du gouvernement entre 1840 et 1848, bloque toute évolution politique pour conserver le pouvoir à la bourgeoisie. La France ne compte que 240 000 électeurs pour 34 000 000 d'habitants. Après une période d'agitation (campagne des Banquets) et de crise économique, la révolution de février 1848 entraîne l'abdication de Louis-Philippe et la proclamation de la IIe République. Entre 1815 et 1848, la France, qui a repris sa place au sein des grandes nations européennes, reste prudente face à la prépondérance de la Grande-Bretagne. Elle entame la difficile conquête de l'Algérie, mais soutient les politiques d'indépendance en Grèce, en Belgique et en Italie. Une Assemblée constituante formée en majorité de républicains modérés est élue en avril 1848. Après la mise en place de mesures démocratiques (suffrage universel, liberté de la presse et de réunion), l'insurrection organisée en juin par les socialistes est réprimée par le général Cavaignac, et, en décembre, Louis Napoléon Bonaparte, porté par le mythe napoléonien, est élu président de la République au suffrage universel pour quatre ans. Mais, le 2 décembre 1851, il s'impose par un coup d'État et, après un plébiscite favorable, rétablit l'Empire, devenant Napoléon III (2 déc. 1852). *Le second Empire (1852-1870)* : la prospérité économique (développement des chemins de fer), la politique de grands travaux (Haussmann à Paris), les succès extérieurs (Crimée, Roumanie, Italie), la poursuite de la colonisation (Sénégal, Cochinchine, Nouvelle-Calédonie) permettent à Napoléon III d'asseoir une politique autoritaire. À partir de 1860, le retour d'une conjoncture économique difficile, aggravée par les effets du traité de libre-échange signé avec la Grande-Bretagne, et les déboires de la politique extérieure au Mexique et en Italie obligent l'empereur à libéraliser le régime (droits de grève et de coalition, droit d'interpellation, droit d'association). Imprudemment engagé dans une guerre contre l'Allemagne à laquelle il est mal préparé, Napoléon III capitule à Sedan (1er sept. 1870). *La IIIe République (1870-1940)* : le gouvernement de la Défense nationale qui succède au second Empire proclame la république (4 sept. 1870), mais ne peut empêcher le siège de Paris et doit signer un armistice avec l'Allemagne. Le succès des monarchistes aux élections législatives (févr. 1871) provoque la formation d'une Commune insurrectionnelle à Paris (mars-mai 1871). Le traité de Francfort (10 mai 1871), négocié par Thiers, chef de l'exécutif, aboutit à la perte de l'Alsace-Lorraine et au paiement d'une lourde indemnité à l'Allemagne. Pendant la Semaine sanglante (21-28 mai 1871), les troupes du gouvernement siégeant à Versailles écrasent les communards et décapitent le mouvement ouvrier. Après l'échec d'une tentative de restauration des Bourbons en 1873, l'amendement Wallon (janv. 1875), assorti de lois constitutionnelles, organise le mode de gouvernement qui va prévaloir jusqu'en 1940. Le président Mac-Mahon, légitimiste, qui a succédé à Thiers en 1873, doit se démettre en 1879 après s'être opposé aux deux Chambres (députés et sénateurs), à majorité républicaine. Sous la présidence de Jules Grévy (1879-1887), la démocratisation et la laïcisation de l'enseignement sont largement réalisées par Jules Ferry entre 1879 et 1882. La loi Waldeck-Rousseau (1884) permet l'essor des syndicats. Les libertés fondamentales sont rétablies et garanties. Sous l'impulsion de J. Ferry, la France colonise la Tunisie, Madagascar (1896) et le Tonkin. En Europe, pour contrer la Triple-Alliance formée par l'Allemagne, l'Autriche et l'Italie, la France se rapproche de la Russie. Entre 1882 et 1899, la République est assez forte pour résister aux « affaires » (krach de l'Union générale, 1882 ; scandale de Panamá, 1892), aux oppositions de droite (boulangisme) et de gauche (anarchisme, assassinat du président Sadi Carnot en 1894). Malgré la répression (fusillade de Fourmies, 1er mai 1891), le mouvement ouvrier se renforce, 50 députés socialistes, dont Jules Guesde et Jean Jaurès, sont élus en 1893, et la C. G. T. est constituée en 1895. À partir de 1894, l'affaire Dreyfus divise la France tout en soudant les républicains. La politique anticléricale des ministères de Pierre Waldeck-Rousseau (1899-1902) et d'Émile Combes (1902-1905) aboutit à la séparation de l'Église et de l'État (déc. 1905). La fondation de la S. F. I. O. (1905), la politique sociale répressive de Georges Clemenceau (1906-1909) et d'Aristide Briand (1909-1911) provoquent la désunion de la gauche et l'instabilité ministérielle. À l'extérieur, l'Entente cordiale avec l'Angleterre compense la tension croissante avec l'Allemagne (crise de Tanger, 1905 ; Agadir, 1911). Après l'annexion de la Bosnie-Herzégovine par l'Autriche (1908) et les guerres balkaniques (1912-1913), Raymond Poincaré, élu président de la République en 1913, prépare la France à la guerre. L'assassinat de Jean Jaurès (31 juill. 1914), l'agression allemande en Belgique et la déclaration de guerre à la France suscitent l'Union sacrée des partis autour du gouvernement de René Viviani. Le jeu des alliances entraîne la France dans la Première Guerre mondiale, qui se terminera par l'armistice du 11 nov. 1918 ; le traité de Versailles (1919) rend à la France l'Alsace et la Lorraine et oblige l'Allemagne à payer des réparations aux vainqueurs. La France, champ de bataille de la guerre, connaît pourtant un redressement économique. Après une période d'exercice du pouvoir par la droite (Chambre bleu horizon), le Cartel des gauches est vainqueur aux législatives en mai 1924. Le gouvernement d'Édouard Herriot (radical) se heurte à l'opposition des ligues et des catholiques et à la spéculation contre le franc. Raymond Poincaré forme un gouvernement d'union nationale (réduit à la droite et aux radicaux) et procède à la dévaluation du franc (1926-1929). Le pays, frappé tardivement par la crise économique mondiale, connaît une grande instabilité ministérielle et doit faire face à une vague d'antiparlementarisme (émeute du 6 févr. 1934) et de grèves. Les politiques mises en place (déflation) sont des échecs. En mai 1936, la gauche, regroupée dans le Front populaire, remporte les élections. Léon Blum, chef du gouvernement, met en place une importante législation sociale dont les bénéfices seront anéantis par la dévaluation du franc et par la politique antisociale de Paul Reynaud, ministre des Finances du cabinet d'Édouard Daladier (1938-1940). Face à la montée en puissance de Hitler, les accords de Munich (sept. 1938) sont un échec, et la France déclare la guerre à l'Allemagne (sept. 1939), qui a envahi la Pologne. *Le régime de Vichy (1940-1944)* : après les dix mois de la « drôle de guerre » et la percée allemande, l'armistice est signé avec l'Allemagne le 22 juin 1940. À Londres, le général de Gaulle lance un appel à la résistance le 18 juin 1940. Le maréchal Pétain devient chef de l'État français (juill. 1940) et, après l'entrevue de Montoire avec Hitler (oct. 1940), admet le principe d'une collaboration. Devenu chef du gouvernement en avr. 1942, Pierre Laval intensifie la politique antisémite. En nov. 1942, à la suite du débarquement allié en Afrique du Nord, l'Allemagne occupe tout le territoire. Après les débarquements alliés en Normandie et en Provence (juin et août 1944), Charles de Gaulle installe le Gouvernement provisoire de la République française à Paris. L'Allemagne capitule le 8 mai 1945. *Le Gouvernement provisoire et la IVe République (1944-1958)* : le gouvernement de Charles de Gaulle (juin 1944-janv. 1946) engage de profondes réformes (nationalisations, planification, Sécurité sociale, vote des femmes). Le plan Marshall facilite la reconstruction et la modernisation de la France, lui permettant ainsi d'adhérer à la Ceca (1951) et à la C. E. E. (1957). En janv. 1946, en désaccord avec les partis (P. C. F., M. R. P., S. F. I. O., modérés, radicaux), de Gaulle démissionne. La Constitution d'oct. 1946 établit la IVe République mais introduit une instabilité ministérielle (18 gouvernements en treize ans), aggravée par les conflits coloniaux (guerre d'Indochine, 1946-1954 ; guerre d'Algérie, 1954-1962). En déc. 1954, René Coty succède à Vincent Auriol à la tête de l'État. Le gouvernement de Pierre Mendès France (juin 1954-févr. 1955) négocie les accords de Genève, qui mettent fin à la guerre d'Indochine ; celui de Guy Mollet (févr. 1956-mai 1957) engage la décolonisation de l'Afrique noire (loi Defferre), accorde l'indépendance au Maroc et à la Tunisie, mais ne parvient pas à trouver une solution au conflit algérien. L'insurrection d'Alger (13 mai 1958) provoque le retour du général de Gaulle, qui obtient les pleins pouvoirs. *La Ve République (depuis 1958)* : la Constitution d'oct. 1958 instaure la Ve République et renforce le pouvoir présidentiel. En déc. 1958, de Gaulle est élu chef de l'État. Le plan Pinay-Rueff et la dévaluation du franc (nouveau franc au 1er janv. 1960) permettent de relancer l'économie. Les accords d'Évian (18-19 mars 1962) concluent la guerre d'Algérie. Georges Pompidou (1962-1968) remplace Michel Debré (1959-1962) à la tête du gouvernement, et un référendum (oct. 1962) décide de l'élection du président de la République au suffrage universel. La politique extérieure est fondée sur le renforcement de l'axe franco-allemand, sur l'affirmation de l'indépendance nationale (retrait de l'Otan en 1966) et sur le refus des hégémonies soviétique et américaine. En 1965, de Gaulle est réélu à la tête de l'État devant le candidat de la gauche, François Mitterrand. Une récession économique, en 1967, assortie d'un malaise universitaire et social, provoque la crise de mai 1968. Le 28 avr. 1969, le non l'ayant emporté lors du référendum sur la régionalisation, de Gaulle démissionne. Sous la présidence de Georges Pompidou (1969-1974), la priorité est accordée à l'expansion industrielle et commerciale ; son successeur Valéry Giscard d'Estaing (1974-1981) accentue l'ouverture européenne. Les gouvernements de Jacques Chirac (mai 1974-août 1976) et de Raymond Barre hésitent entre relance et rigueur pour contenir les effets de la crise économique mondiale. En mai 1981, la division de la droite facilite l'élection à la tête de l'État du socialiste François Mitterrand, qui sera réélu en 1988. Ses septennats sont marqués par des réformes institutionnelles (régionalisation), sociales (relèvement du smic et des prestations sociales, 39 heures de travail hebdomadaires, 5e semaine de congés payés, retraite à soixante ans), économiques (nationalisations) et culturelles (politique des grands travaux). Après une tentative de relance par la consommation, les gouvernements de Pierre Mauroy (mai 1981-juill. 1984) et de Laurent Fabius (juill. 1984-mars 1986) adoptent une politique de rigueur, ce qui provoque la démission des ministres communistes. Le gouvernement de cohabitation de Jacques Chirac (mars 1986-mai 1988), mis en place après la victoire de l'opposition lors des élections législatives, revient en partie sur les avantages acquis. Michel Rocard (mai 1988-mai 1991) lui succède, instaurant, pour pallier les effets de la crise, un revenu minimum d'insertion (R. M. I.) et une contribution sociale généralisée (C. S. G.). Les gouvernements d'Édith Cresson (mai 1991-avr. 1992) et de Pierre Bérégovoy (avr. 1992-mars 1993) jugulent l'inflation mais pas le chômage. En mars 1993, la victoire de la droite aux élections législatives entraîne la formation d'un nouveau gouvernement de cohabitation, dirigé par Édouard Balladur (mars 1993-mai 1995). En mai 1995, J. Chirac est élu à la tête de l'État. La France entre dans le processus de réintégration à l'Otan. Le gouvernement d'Alain Juppé est remplacé en mai 1997 par celui de Lionel Jospin, après la victoire de la gauche aux élections législatives.

**France (campagne de)** ~ Opérations militaires qui suivirent l'offensive allemande du 10 mai 1940 et qui disloquèrent le dispositif défensif français. La défaite des forces alliées conduisit à la signature de l'armistice, le 22 juin suivant à Rethondes, entre la France et l'Allemagne.

**FRANCE (île de)** ~ Voir **Maurice** (république de).

**FRANCE** (Anatole François **Thibault**, dit Anatole) ~ *1844, Paris - 1924, Saint-Cyr-sur-Loire.* Écrivain français. Il exprima son culte de la sagesse antique et de la philosophie des Lumières dans des romans historiques et de mœurs (*le Crime de Sylvestre Bonnard*, 1881 ; *Les dieux ont soif*, 1912). Acad. Prix Nobel de litt. 1921.

**FRANCE** (Henri DE) ~ *1911, Paris - 1986, id.* Ingénieur français. Pionnier de la télévision, il inventa le procédé de télévision en couleurs Secam (présenté en 1956 et mis en service en 1966).

**France libre** ~ Nom donné à l'ensemble des forces structurées autour du général de Gaulle, après l'appel du 18 juin 1940. L'appellation s'appliqua peu à peu à tous les mouvements en lutte contre l'Allemagne ainsi qu'aux territoires de l'Empire français qui échappaient à la domination de cette dernière. Ce nom fut remplacé par celui de « France combattante » à partir de 1942.

**FRANCESCA** (Piero DELLA) ~ Voir **Piero della Francesca**.

**France-Soir** ~ Quotidien national français du soir, issu de la Résistance, fondé en 1941. En 1945, Pierre Lazareff en devint le directeur général. Dès 1953, son tirage dépassa le million d'exemplaires. Il a été vendu en 1976 au groupe Hersant.

**FRANCEVILLE** ~ Voir **Masuku**.

**Francfort (école de)** ~ Courant de pensée né en 1923 à l'université de Francfort-sur-le-Main. Représentée not. par Horkheimer et Marcuse, puis par Adorno et Habermas (1950), elle a procédé à une relecture de Marx à la lumière de la sociologie et de la psychanalyse, et à une critique radicale des formes totalitaires que revêt la société bourgeoise dans ses dimensions tant politiques et sociales que culturelles.

**FRANCFORT-SUR-LE-MAIN**, en all. *Frankfurt am Main* ~ V. d'Allemagne, v. princ. du land de Hesse, métropole financière (Bundesbank, Bourse, Institut monétaire européen) et industrielle (industr. mécan. et électrotechnique) ; 661 000 h. Université. 2e aéroport d'Europe. Foire annuelle internationale du livre. Cathédrale et hôtel de ville gothiques, églises et couvent des carmélites (XIIIe-XVIIe s.). Musée Städel (riches coll. de primitifs allemands et hollandais). **HIST.** - Ville libre (1254), siège de l'élection des empereurs dès le XIIe s., puis de leur couronnement (1562-1792), capitale d'un grand-duché créé par Napoléon (1810), de nouveau ville libre (1815), capitale de la Confédération du Rhin puis de la Confédération germanique, elle fut annexée par la Prusse en 1866. Elle accueillit l'Assemblée nationale de 1848 et les signataires du traité qui mit fin à la guerre franco-allemande.

*Francfort-sur-le-Main, le quartier des banques.*

**FRANCFORT-SUR-L'ODER**, en all. *Frankfurt an der Oder* ~ V. de l'E. de l'Allemagne (Brandebourg), proche de la frontière polonaise ; 84 000 h. Industr. électromécan. et text., travail du bois.

**FRANCHE-COMTÉ** (la) ~ Région admin. et hist. de l'E. de la France (4 dép. : Haute-Saône, Territoire de Belfort, Doubs, Jura) ; 16 190 km², 1 097 276 h., préfect. Besançon. Le territoire est partagé entre les plateaux drainés par la Saône et par ses affluents (N.-O.) et les massifs du Jura et des Vosges (extrémité S.), séparés par la trouée de Belfort, accès au fossé rhénan. Climat continental (hivers rudes). La population se concentre à Besançon et dans la région de Belfort. Forêts, élev. bovin, vignoble à l'O. du Jura (coteaux). Industr. automobile, haute technologie héritière d'une vieille tradition industrielle (horlogerie). Tourisme dans le Jura. **HIST.** - La province constitua le comté de Bourgogne, à la suite du morcellement du royaume du même nom (Xe s.), puis fut réunie à la Bourgogne ducale (1384). Elle passa ensuite aux Habsbourg (1477) et connut une période de prospérité sous Charles Quint (1506-1555). Objet des visées françaises, elle fut conquise par Louis XIV, qui s'en fit reconnaître la possession au traité de Nimègue (1678). Sa capitale fut alors déplacée de Dole à Besançon.

**FRANCHET D'ESPEREY** (Louis) ~ *1856, Mostaganem - 1942, château de St-Amancet, Tarn.* Maréchal de France. Il contribua à la victoire de la Marne (1914), commanda les armées de l'Est puis du Nord, avant d'intervenir sur le front balkanique, où il battit les Bulgares (1918).

**FRANCIS** (James Bicheno) ~ *1815, Southleigh, Devon - 1892, Lowell, Massachusetts.* Ingénieur américain d'orig. britannique. Il conçut la turbine hydraulique à réaction qui porte son nom (1849).

**FRANCIS** (Samuel **Lewis**, dit Sam) ~ *1923, San Mateo, Californie - 1994, Santa Monica.* Peintre américain. Son œuvre vise à la création d'un espace pur, les taches de couleur déterminant le déploiement de la lumière.. Il est l'un des principaux représentants de l'abstraction lyrique.

**FRANCK** (César) ~ *1822, Liège - 1890, Paris.* Compositeur et organiste français d'orig. belge. Par son enseignement et ses œuvres (*les Béatitudes,* 1869-1879 ; *Symphonie en « ré » mineur,* 1888), il a préparé l'avènement de la musique française moderne.

**FRANCK** (James) ~ *1882, Hambourg - 1964, Göttingen.* Physicien américain d'orig. allemande. Il étudia l'excitation des atomes et la luminescence. Prix Nobel de phys. 1925.

**franco-allemande (guerre)** ~ Conflit opposant la France et la totalité des États allemands conduits par la Prusse (1870-1871). La guerre fut déclenchée par la candidature d'un Hohenzollern au trône d'Espagne mais procédait de l'opposition française aux tentatives de Bismarck de réaliser l'unité allemande. Après la publication de la dépêche d'Ems, la France, le 19 juillet 1870, déclara la guerre à la Prusse, laquelle fut immédiatement rejointe par tous les États allemands. Inférieure sur les plans numérique et matériel, l'armée française fut rapidement battue en Alsace et en Lorraine. Succédant au second Empire, le gouvernement de la Défense nationale s'efforça de continuer la guerre, avec de nouvelles armées qui se battirent dans la Loire pendant que Paris était assiégé. Battue sur tous les fronts, la France signa le traité de Francfort (10 mai 1871), qui lui fit perdre l'Alsace (moins Belfort) et une partie de la Lorraine (Metz). La victoire allemande permit la proclamation de l'empire d'Allemagne, le 18 janvier 1871.

**FRANCO BAHAMONDE** (Francisco) ~ *1892, El Ferrol - 1975, Madrid.* Général et homme politique espagnol. Il se distingua lors de la guerre du Rif au Maroc et obtint le grade de général. En 1936, il prit la tête du soulèvement nationaliste et se fit nommer généralissime et chef du gouvernement par la junte de Burgos. Avec le concours de l'Allemagne nazie et de l'Italie fasciste, il remporta la guerre civile (1936-1939) aux dépens des républicains. Chef suprême de l'Espagne sous le nom de *Caudillo* (« guide »), il instaura un régime dictatorial s'appuyant sur les forces traditionnelles du pays (l'Église not.), mais permit une certaine modernisation du pays. En 1969, il désigna Juan Carlos de Bourbon pour lui succéder après sa mort, rétablissant ainsi la monarchie en Espagne.

**FRANÇOIS (Le)** ~ V. de la côte E. de la Martinique ; 17 065 h.

**FRANÇOIS**, nom de deux empereurs germaniques. ~ **François Ier de Habsbourg-Lorraine** (*1708, Nancy - 1765, Innsbruck*), empereur germanique (1745-1765), fondateur de la maison des Habsbourg-Lorraine et duc de Lorraine (1729-1736). Ayant épousé Marie-Thérèse en 1736, il dut, à l'issue de la guerre de la Succession d'Autriche, échanger le duché de Lorraine contre le grand-duché de Toscane. ~ **François II** (*1768, Florence - 1835, Vienne*), dernier empereur germanique (1792-1806) et premier empereur héréditaire d'Autriche (François Ier ; 1804-1835), titre qu'il conserva après la dissolution du Saint Empire par Napoléon (1806). Il rejoignit en 1813 la coalition anti-française puis prit la tête de la Confédération germanique (1815) pour lutter contre les libéraux italiens et allemands.

**FRANÇOIS**, nom de deux ducs de Bretagne. ~ **François Ier** (*1414 - 1450, près de Vannes*), duc de 1442 à 1450. ~ **François II** (*1435 - 1488, Couëron*), duc de 1458 à 1488, père d'Anne de Bretagne. Il participa à la Guerre folle.

**FRANÇOIS**, nom de deux rois des Deux-Siciles. ~ **François Ier** (*1777, Naples - 1830, id.*), roi de 1825 à 1830. ~ **François II** (*1836, Naples - 1894, Arco*), fils de Ferdinand II, roi de 1859 à 1860.

**FRANÇOIS**, nom de deux rois de France. ~ **François Ier** (*1494, Cognac - 1547, Rambouillet*), roi de 1515 à 1547. Fils de Charles de Valois, comte d'Angoulême, et de Louise de Savoie, il épousa en 1514 Claude de France, fille de Louis XII, à qui il succéda. Il poursuivit la politique de ses prédécesseurs en Italie (victoire de Marignan, 1515) mais, rival malheureux de Charles Quint pour le trône impérial (1519), il chercha en vain l'alliance de l'Angleterre, perdit le Milanais (1523) et subit la défaite de Pavie (1525). Prisonnier, il fut contraint de signer le traité de Madrid (1526). Il poursuivit cependant la lutte et s'allia aux Ottomans contre les Habsbourg. Son règne fut marqué à l'intérieur par un renforcement de l'administration royale. Il introduisit en France la Renaissance italienne, attira des artistes italiens à la Cour et fit construire de nombreux châteaux, dont ceux de Chambord et de Saint-Germain-en-Laye, fonda le Collège de France (1530) et l'Imprimerie nationale, tandis que les marins dieppois et malouins conduisaient outre-mer les premières entreprises de colonisation française. ~ **François II** (*1544, Fontainebleau - 1560, Orléans*), roi de 1559 à 1560. Fils aîné d'Henri II et de Catherine de Médicis, il épousa Marie Stuart. Son règne, éphémère, fut marqué par la persécution des protestants.

**FRANÇOIS BORGIA** (saint) ~ *1510, Gandia, royaume de Valence - 1572, Rome.* Général des Jésuites. Vice-roi de Catalogne, il entra en religion et favorisa le développement des missions.

**FRANÇOIS D'ASSISE** (saint) ~ *v. 1182, Assise - 1226, id.* Religieux italien. Issu d'une famille de riches marchands, il vécut en ermite après sa conversion. Prônant le détachement et la pauvreté, il fonda une confrérie, érigée en ordre des Frères mineurs (ou Franciscains) par le pape Innocent III (1210), puis en 1212, avec sainte Claire d'Assise, l'ordre des Pauvres Dames (ou Clarisses). Retiré à l'ermitage de la Portioncule après un voyage en Terre sainte, il aurait reçu les stigmates de la Passion (1224). Sa vie inspira le recueil des *Fioretti* (XIVe s.) et les fresques de l'église d'Assise (attribuées à Giotto).

**FRANÇOIS DE NEUFCHÂTEAU** (Nicolas, comte **François**, dit) ~ *1750, Saffais, Lorraine - 1828, Paris.* Homme politique français. Il joua un rôle important sous le Directoire, not. en matière d'instruction, et se rallia à la Restauration.

**FRANÇOIS DE PAULE** (saint) ~ *1416, Paola, Calabre - 1507, Plessis-lez-Tours.* Religieux italien. Franciscain, il se sépara de l'ordre pour vivre en ermite et fonda l'ordre des Frères minimes. Sa réputation de thaumaturge le fit appeler au chevet du roi Louis XI (1482).

**FRANÇOIS DE SALES** (saint) ~ *1567, château de Sales, Savoie - 1622, Lyon.* Prélat français. Évêque de Genève, il favorisa le renouveau du catholicisme en pays calviniste et fut le fondateur, avec sainte Jeanne de Chantal, de l'ordre de la Visitation. Auteur de l'*Introduction à la vie dévote* (1609).

**FRANÇOIS-FERDINAND DE HABSBOURG** ~ *1863, Graz - 1914, Sarajevo.* Archiduc d'Autriche. Neveu de François-Joseph Ier, héritier du trône depuis 1889, il fut assassiné à Sarajevo, le 28 juin 1914. Cet attentat précipita l'Europe dans la Première Guerre mondiale.

**FRANÇOIS-JOSEPH Ier** ~ *1830, Schönbrunn - 1916, id.* Empereur d'Autriche (1848-1916) et roi couronné de Hongrie (1867-1916). Son très long règne fut marqué par une suite de revers militaires en Italie et contre la Prusse (Sadowa, 1866). En 1867, il signa le compromis austro-hongrois, qui créait la double monarchie austro-hongroise. Malgré l'agitation périodique des minorités de l'empire, il annexa encore la Bosnie-Herzégovine en 1908. Allié de l'Allemagne depuis 1879, il déclara la guerre à la Serbie après l'attentat de Sarajevo, déclenchant ainsi la Première Guerre mondiale.

François Ier *(détail), peinture de Joos Van Cleve. Château royal de Varsovie.*

© P. Wysocki-Explorer

© M. Evans-Explorer

*Benjamin* Franklin *(détail), peinture de J.-A. Duplessis.*

**FRANÇOIS-JOSEPH (archipel)** ~ Archipel englacé qui constitue le territoire le plus septentrional de la Russie (N. de la Sibérie occidentale) ; env. 16 000 km².

**FRANÇOIS XAVIER** (saint) ~ *1506, château de Javier, Navarre - 1552, île de Sancian, auj. Shangchuan, au S. de Canton.* Missionnaire jésuite espagnol. L'un des premiers disciples d'Ignace de Loyola, il évangélisa l'Inde portugaise et le Japon.

**FRANCONIE** (la), en all. *Franken* ~ Région hist. d'Allemagne, anc. duché au haut Moyen Âge, qui s'étendait entre le Danube et le Main et, à l'O., jusqu'au Rhin. Noyau du royaume franc de l'Est (843), puis de la Germanie (Xe s.), la région fut morcelée en principautés au XIIe s. (Nassau, Hesse, Palatinat, évêché de Mayence) et revint en majeure partie à la Bavière en 1814.

**Francs** (les) ~ Peuple germanique de la famille linguistique indo-européenne. Originaires d'Europe orientale et divisés en plusieurs branches, ils envahirent l'Empire romain du IVe au VIe s. (Grandes Invasions), après avoir joué pendant près d'un siècle le rôle de gardien des frontières du Nord.

**Francs-tireurs et partisans français (F.-T. P. F.)** ~ Organisation militaire de la Résistance créée en 1942, proche du P. C. F.

**FRANJU** (Georges) ~ *1912, Fougères - 1987, Paris.* Cinéaste français. Cofondateur de la Cinémathèque française (1936), il réalisa des documentaires accusateurs (*le Sang des bêtes,* 1949) puis des longs métrages insolites (*les Yeux sans visage,* 1960).

**FRANK** (Annelies Marie, dite Anne) ~ *1929, Francfort-sur-le-Main - 1945, camp de concentration de Bergen-Belsen.* Victime juive allemande de la politique raciale des nazis. Elle a laissé un émouvant *Journal* (1942-1944).

**FRANK** (Robert) ~ *1924, Zurich.* Photographe américain d'orig. suisse. Il a émigré aux États-Unis (1947) et a collaboré aux revues *Life* et *Harper's Bazaar.* Il a publié à Paris *les Américains* (1958), archétype du reportage subjectif.

**Frankfurter Allgemeine Zeitung** ~ Quotidien allemand fondé en 1949. Journal de référence des conservateurs et des milieux économiques allemands.

**FRANKLIN** (Benjamin) ~ *1706, Boston - 1790, Philadelphie.* Journaliste, savant et homme politique américain. Rédacteur en chef de *la Gazette de Pennsylvanie,* inventeur du paratonnerre (1752), il participa en 1776 à la rédaction de la Déclaration d'indépendance américaine avec Th. Jefferson et J. Adams puis à celle de la Constitution (1787), et vint à Paris négocier l'alliance avec la France.

**FRANKLIN** (sir John) ~ *1786, Spilsby, Lincolnshire - 1847, en mer.* Navigateur britannique. Il explora les côtes arctiques du Canada et périt en recherchant le passage du Nord-Ouest.

**FRANTZ** (Joseph) ~ *1890, Beaujeu - 1979, Paris.* Aviateur français. Il fut le premier à remporter une victoire en combat aérien (5 oct. 1914).

**FRASCATI**, anc. **Tusculum** ~ V. d'Italie, au S.-E. de Rome (Latium), dans les monts Albains, réputée pour ses vins ; env. 20 000 h. Lieu de villégiature depuis le XVIe s. (villas Aldobrandini, Conti). Cathédrale (XVIIe s.). Église des Capucins. Centre de recherches nucléaires.

**FRASER** (le) ~ Fl. du Canada (Colombie-Britannique), issu des montagnes Rocheuses, qui rejoint le Pacifique à Vancouver ; 1 360 km. Bassin agric. (**plateau du Fraser**), pêche (saumon).

**FRATELLINI**, famille de clowns français d'orig. italienne. ~ **Paul** (*1877, Catane - 1940, Le Perreux*), ~ **François** (*1879, Paris - 1951, id.*), ~ **Albert** (*1885, Moscou - 1961, Épinay-sur-Seine*) et ~ **Annie** (*1932, Alger*) renouvelèrent l'art du cirque et y apportèrent fantaisie et poésie. Avec Pierre Étaix, son mari, Annie Fratellini a créé, en 1972, l'École nationale du cirque.

**Fraternité républicaine irlandaise**, en angl. ***Irish Republican Brotherhood*** ~ Organisation nationaliste irlandaise fondée aux États-Unis en 1858.

Oscillant entre la voie légale et l'action révolutionnaire, ses membres, les fenians, furent à l'origine de plusieurs mouvements politiques et culturels, dont le Sinn Féin (1902).

**FRAUNHOFER** (Joseph VON) ~ *1787, Straubing, Bavière - 1826, Munich.* Physicien allemand. Précurseur de la spectroscopie, il étudia le spectre solaire (**raies de Fraunhofer**).

**FRAYSSINOUS** (Denis, comte DE) ~ *1765, Salles-la-Source, Rouergue - 1841, Saint-Geniez-d'Olt, Aveyron.* Prélat français, évêque d'Hermopolis et aumônier du roi. Ministre des Affaires ecclésiastiques et de l'Instruction publique (1824-1828), il se signala par sa politique réactionnaire. Acad.

**FRAZER** (sir James George) ~ *1854, Glasgow - 1941, Cambridge.* Ethnologue britannique. Auteur de travaux sur les mythes et les croyances, il associa, dans son champ d'études, les sociétés primitives et les sociétés développées (*le Rameau d'or*, 1890-1915 ; *la Croyance en l'immortalité et le Culte des morts*, 1913-1924).

**FRÉCHET** (Maurice) ~ *1878, Maligny - 1973, Paris.* Mathématicien français. Auteur de travaux en analyse (topologie, calculs différentiel et intégral) et en théorie des probabilités, il a défini les espaces métriques (1906).

**FRÉCHETTE** (Louis Honoré) ~ *1839, Lévis, Québec - 1908, Montréal.* Poète canadien d'expression française. Il est l'auteur de *la Légende d'un peuple* (1887), épopée retraçant l'histoire de son pays.

**FRÉDÉGONDE** ~ *v. 545, Montdidier - 597, Paris.* Reine de Neustrie. Épouse de Chilpéric Ier qu'elle avait poussé à assassiner sa femme Galswinthe, elle s'opposa à Brunehaut, sœur de cette dernière, dont elle fit assassiner le mari, Sigebert.

**FRÉDÉRIC**, nom de trois empereurs germaniques. ~ **Frédéric Ier Barberousse** (*1122, Waiblingen, près de Stuttgart - 1190, en Cilicie*), empereur germanique (1155-1190). Chef de la famille des Hohenstaufen, il entreprit de rétablir l'autorité impériale en Allemagne et en Italie, et tenta de limiter la puissance pontificale au domaine spirituel. Vaincu à Legnano (1176) par la Ligue lombarde soutenue par le pape Alexandre III, il dut signer la paix de Venise (1177). Lors de la 3e croisade, il se noya dans le Selef (antique Cydnos). ~ **Frédéric II de Hohenstaufen** (*1194, Iesi, marche d'Ancône - 1250, Fiorentino, près de Foggia*), roi de Sicile (Frédéric Ier Roger ; 1197-1250) et empereur germanique (1220-1250). Fils d'Henri VI le Cruel et de Constance de Sicile, protégé par le pape Innocent III, il fut proclamé roi des Romains en 1215. Il se consacra surtout à la partie méditerranéenne de son empire, lutta contre la Ligue lombarde et obtint du sultan d'Égypte le libre accès des pèlerins chrétiens aux Lieux saints. Il fit de Palerme, sa capitale, un centre intellectuel et artistique. ~ **Frédéric III de Styrie** (*1415, Innsbruck - 1493, Linz*), successeur d'Albert II, roi des Romains (1440), empereur germanique (1452-1493). Par le mariage de son fils Maximilien Ier avec Marie de Bourgogne en 1477, il entama une politique d'alliances qui aboutira à la constitution de l'empire de Charles Quint.

**FRÉDÉRIC V** ~ *1596, Amberg - 1632, Mayence.* Électeur palatin (1610-1623), roi de Bohême (1619-1620). Chef de l'Union évangélique, hostile aux Habsbourg au début de la guerre de Trente Ans (1620), il fut battu à la Montagne Blanche par Ferdinand II.

**FRÉDÉRIC**, nom de neuf rois de Danemark et de Norvège. ~ **Frédéric Ier** (*1471, Copenhague - 1533, Gottorp*), roi de Danemark et de Norvège (1523-1533). Il introduisit le luthéranisme dans ses États. ~ **Frédéric II** (*1534, Haderslev - 1588, Antvorskov*), roi de Danemark et de Norvège (1559-1588). Il mena une guerre malheureuse contre la Suède (1563-1570). ~ **Frédéric III** (*1609, Haderslev - 1670, Copenhague*), roi de Danemark et de Norvège (1648-1670). Il fut vaincu par la Suède et contraint d'accepter la paix de Roskilde (1658). ~ **Frédéric IV** (*1671, Copenhague - 1730, Odense*), roi de Danemark et de Norvège (1699-1730). Il s'allia à Pierre le Grand contre Charles XII de Suède. ~ **Frédéric V** (*1723, Copenhague - 1766, id.*), roi de Danemark et de Norvège (1746-1766). Despote éclairé, il favorisa les sciences et l'enseignement, développa le commerce et tenta d'affranchir les paysans. ~ **Frédéric VI** (*1768, Copenhague - 1839, id.*), roi de Danemark (1808-1839) et roi de Norvège (1808-1814). Il abolit définitivement le servage. Il dut céder la Norvège à la Suède (1814). ~ **Frédéric VII** (*1808, Copenhague - 1863, Glücksborg*), roi de Danemark (1848-1863). Il mit fin à la monarchie absolue. ~ **Frédéric VIII** (*1843, Copenhague - 1912, Hambourg*), roi de Danemark (1906-1912). ~ **Frédéric IX** (*1899, château de Sorgenfri - 1972, Copenhague*), roi de Danemark (1947-1972).

**FRÉDÉRIC**, nom de deux rois de Prusse. ~ **Frédéric Ier** (*1657, Königsberg - 1713, Berlin*), Électeur de Brandebourg, puis premier roi en Prusse (1701-1713). ~ **Frédéric II le Grand** (*1712, Berlin - 1786, Potsdam*), roi de Prusse (1740-1786). Il renforça l'organisation administrative de ses États et modernisa l'armée. Il conquit la Silésie à l'issue de deux guerres (1740-1745) et sut la conserver pendant la guerre de Sept Ans. Au premier partage de la Pologne, il acquit la Prusse occidentale (1772). Lettré (*Anti-Machiavel*, 1739), musicien, mécène et protecteur des lettres, il invita Voltaire et des savants français à sa cour au château de Sans-Souci (Potsdam). Surnommé le roi-philosophe, il fut l'archétype du despote éclairé.

**FRÉDÉRIC**, nom de quatre rois de Sicile. ~ **Frédéric Ier Roger**, voir **Frédéric II**, empereur germanique. ~ **Frédéric II** (*1272, Palerme - 1337, id.*), roi de Sicile insulaire (1296-1337). Il conserva son royaume face à la coalition de la France, de l'Aragon et de Naples. ~ **Frédéric III le Simple** (*1342, Catane - 1377, Messine*), roi de Sicile insulaire (1355-1377). Il lutta contre la maison d'Anjou. ~ **Frédéric Ier** (*1452, Naples - 1504, Tours*), roi de Sicile péninsulaire (1496-1501). Successeur de son neveu Ferdinand II, il dut céder son royaume au roi de France Louis XII en échange du duché d'Anjou.

**FRÉDÉRIC Ier** ~ *1676, Kassel - 1751, Stockholm.* Roi de Suède (1720-1751). Successeur de Charles XII, il mit fin à la guerre du Nord (traités de Stockholm et de Nystad).

**FRÉDÉRIC-AUGUSTE Ier LE JUSTE** ~ *1750, Dresde - 1827, id.* Électeur de Saxe (1763-1806), roi de Saxe (1806-1827). Allié de Napoléon Ier, il reçut de ce dernier le grand-duché de Varsovie (1807).

**FRÉDÉRIC-GUILLAUME**, dit **le Grand Électeur** ~ *1620, Berlin - 1688, Potsdam.* Électeur de Brandebourg et duc de Prusse (1640-1688). Il fut à l'origine de la puissance prussienne. Il accueillit par l'édit de Potsdam (1685) les protestants chassés de France et étendit ses possessions au détriment de la Pologne et de la Suède.

**FRÉDÉRIC-GUILLAUME**, nom de quatre rois de Prusse. ~ **Frédéric-Guillaume Ier**, dit **le Roi-Sergent** (*1688, Berlin - 1740, Potsdam*), roi de 1713 à 1740, fils de Frédéric Ier. Il réforma l'administration, assainit les finances et s'efforça de constituer une armée puissante. Il conquit la Poméranie antérieure et Szczecin (1720). ~ **Frédéric-Guillaume II** (*1744, Berlin - 1797, id.*), roi de 1786 à 1797, neveu et successeur de Frédéric II le Grand. Il fut vaincu par la France révolutionnaire, à qui il dut céder la rive gauche du Rhin par le traité de Bâle (1795). ~ **Frédéric-Guillaume III** (*1770, Potsdam - 1840, Berlin*), roi de 1797 à 1840. Après sa défaite face à Napoléon Ier (1807), il s'attacha à restaurer la puissance prussienne avec ses conseillers Stein puis Hardenberg. ~ **Frédéric-Guillaume IV** (*1795, Berlin - 1861, château de Sans-Souci*), roi de 1840 à 1861. Il accorda une Constitution libérale en 1848 puis, frappé de démence, laissa la régence à son frère Guillaume Ier en 1858.

**FRÉDÉRIC III LE SAGE** ~ *1463, Torgau - 1525, Lochau.* Électeur de Saxe (1468-1525). Il soutint Luther contre le pape et l'empereur.

**FREDERICTON** ~ Cap. du Nouveau-Brunswick (Canada), sur la rivière Saint-Jean ; 45 000 h. Évêché anglican. Université. Industr. du bois et du cuir.

**FREDHOLM** (Erik Ivar) ~ *1866, Stockholm - 1927, Mörby.* Mathématicien suédois. Il étudia la théorie des équations intégrales.

**FREETOWN** ~ Cap. et seule grande v. de la Sierra Leone, port commercial (café, cacao, huile de palme) et industriel (diamants) sur l'Atlantique ; 470 000 h. La ville fut fondée en 1787 par un abolitionniste britannique pour accueillir les esclaves affranchis ou marrons.

**FREGE** (Gottlob) ~ *1848, Wismar - 1925, Bad Kleinen, Mecklembourg.* Philosophe et logicien allemand. Ses travaux ont porté sur les fondements des mathématiques, en particulier sur la construction de l'arithmétique par la raison pure et sur l'introduction, en logique, du calcul axiomatique (*les Lois fondamentales de l'arithmétique*, 1884). La distinction qu'il opère entre le « sens » d'un concept et sa « dénotation » donna naissance à la philosophie analytique (*Über Sinn und Bedeutung*, 1892).

**FRÉHEL (cap)** ~ Cap de Bretagne (Côtes-d'Armor), entre Saint-Malo et Saint-Brieuc. Site touristique (falaises hautes de 70 m).

**FRÉHEL** (Marguerite **Boulch**, dite) ~ *1891, Paris - 1951, id.* Chanteuse française. Figure du music-hall de l'entre-deux-guerres, elle incarna la chanson réaliste (*Du gris*).

**FREI**, nom de deux hommes d'État chiliens. ~ **Eduardo FREI MONTALVA** (*1911, Santiago - 1982, id.*), figure historique du parti démocrate-chrétien, fut président de la République de 1964 à 1970. S. Allende lui succéda. Son fils ~ **Eduardo FREI RUIZ-TAGLE** (*1940, Santiago*) a été élu président de la République en 1993.

**FREINET** (Célestin) ~ *1896, Gars, Alpes-Maritimes - 1966, Vence.* Instituteur et pédagogue français. Il expérimenta des méthodes pédagogiques actives nouvelles, fondées not. sur le développement de l'activité collective à l'école (*l'Éducation du travail*, 1947).

**FREIRE** (Paulo) ~ *1921, Recife - 1997, São Paulo.* Pédagogue brésilien. Sa méthode d'alphabétisation s'appuie sur la prise de conscience sociale de celui qui apprend (*Pédagogie des opprimés*, 1969).

**FRÉJUS** ~ V. de la Côte d'Azur (Var), anc. port entre les Maures et l'Esterel, sur l'Argens ; 41 486 h. (agglom., dont Saint-Raphaël, 73 927 h.). Vestiges romains. Cathédrale gothique. Hôtel de ville (anc. palais épiscopal).

**FRÉJUS (col de)** ~ Col des Alpes (2 542 m), en Savoie (frontière franco-italienne), qui relie les vallées de l'Arc et de la Doire Ripaire. Le **tunnel de Fréjus** (alt. 1 200 m, long. 13,6 km), ferroviaire et routier, reliant Grenoble à Turin, est le premier ouvrage alpin de ce type (1857-1871).

**FREMANTLE** ~ V. d'Australie-Occidentale, débouché portuaire de Perth, à l'embouchure de la rivière Swan, sur l'océan Indien ; 24 000 h. Export. (minerais, produits agric.). Pêche industrielle.

**FRÉMIET** (Emmanuel) ~ *1824, Paris - 1910, id.* Sculpteur français. Élève et neveu de Fr. Rude, il est célèbre pour sa statue équestre de Jeanne d'Arc (Paris, 1874).

**FRENCH** (John), 1er comte **d'Ypres** ~ *1852, Ripple, Kent - 1925, Deal Castle, id.* Maréchal britannique. Il prit part à la guerre des Boers puis commanda les troupes britanniques débarquées en France (1914-1915). Il fut vice-roi d'Irlande (1918-1921).

**FRÈRE** (Aubert) ~ *1881, Grévillers, Pas-de-Calais - 1944, camp du Struthof.* Général français. Chef de l'Organisation de résistance de l'armée (O. R. A.) en 1942, il fut arrêté et déporté en 1943.

*Freetown, capitale de la Sierra Leone.*

© G. Boutin-Explorer

**FRÈRE-ORBAN** (Walthère) ~ *1812, Liège - 1896, Bruxelles.* Homme politique belge. Député de Liège, chef du parti libéral, il fut président du Conseil de 1878 à 1884. Il obligea les communes à ériger une école neutre et laïque, ce qui provoqua une rupture diplomatique de la Belgique avec le Vatican (1880).

**Frères musulmans** ~ Mouvement politico-religieux sunnite égyptien créé en 1928, visant à l'instauration d'un régime fondé sur la loi coranique. Hostile au nationalisme laïque de Nasser et du Baas, il a étendu son influence dans l'ensemble du Proche-Orient.

**FRÉRON** (Élie) ~ *1718, Quimper - 1776, Montrouge.* Journaliste et critique français. Adversaire des philosophes, et surtout de Voltaire, il fonda en 1754 *l'Année littéraire.*

**FRESCOBALDI** (Girolamo) ~ *1583, Ferrare - 1643, Rome.* Compositeur italien. Rénovateur de la musique de clavier, précurseur de la fugue baroque, il eut une influence déterminante sur l'école allemande avec ses *Fiori musicali* (1635).

**FRESNAY** (Pierre **Laudenbach**, dit Pierre) ~ *1897, Paris - 1975, Neuilly-sur-Seine.* Acteur français. Sa sévérité un peu sèche fut bien utilisée par M. Pagnol (*Marius*, 1929), J. Renoir (*la Grande Illusion*, 1937) et H. G. Clouzot (*le Corbeau*, 1943). Il adapta P. Valéry à la scène (*Mon Faust*, 1962).

**FRESNEAU** (François) ~ *1703, Marennes - 1770, id.* Ingénieur français. En mission en Guyane, il identifia l'*Hevea brasiliensis* comme l'arbre à caoutchouc (1747), découvrant ses propriétés et celles de la térébenthine comme dissolvant (1763). Il cultiva, avant Parmentier, la pomme de terre (1762).

**FRESNEL** (Augustin) ~ *1788, Chambrais, auj. Broglie, Normandie - 1827, Ville-d'Avray.* Physicien français. À la suite de Th. Young, il postula la nature ondulatoire de la lumière et étudia la polarisation. Il inventa les lentilles à échelons pour les phares.

**FRESNES** ~ V. de la banlieue S. de Paris (Val-de-Marne) ; 26 959 h. Prison construite en 1899.

**FRESNO** ~ V. de Californie (États-Unis), sur le fleuve San Joaquin (Grande Vallée), marché viticole et agricole (coton, céréales, produits laitiers, canne à sucre) ; agglom. 453 000 h. Université.

*Sigmund **Freud** et sa fille Sophie (1919).*

**FREUD** ~ **Sigmund** (*1856, Freiberg, auj. Příbor, Moravie - 1939, Londres*), neurologue autrichien, fondateur de la psychanalyse. En 1885, l'enseignement de Charcot le conduisit à se spécialiser dans le traitement des hystériques, sur lesquelles il pratiqua l'hypnose. Il publia les *Études sur l'hystérie* en 1895, avec Josef Breuer. Insatisfait de ses résultats thérapeutiques, Freud remplaça l'hypnose par la technique de l'association libre pour accéder au matériel psychique refoulé dans l'inconscient. Cette technique, qu'il nomma psycho-analyse, lui confirma l'étiologie sexuelle des névroses (théorie de la libido). Il l'appliqua à l'étude des rêves (*l'Interprétation des rêves*, 1900), des actes manqués et lapsus (*Psychopathologie de la vie quotidienne*, 1901). En 1902, Freud mit fin à sa correspondance avec Wilhelm Fliess, qui lui avait permis de mener son auto-analyse, fondamentale dans l'élaboration de sa théorie, dont l'objet s'étend de l'individu (*Trois Essais sur la théorie de la sexualité*, 1905 ; *Introduction à la métapsychologie*, 1915 ; *Au-delà du principe de plaisir*, 1920) à l'art, à la religion et à l'anthropologie (*Totem et Tabou*, 1912 ; *Malaise dans la civilisation*, 1930). Son dernier ouvrage, *Moïse et le monothéisme*, parut après sa mort, en 1939, à Londres, où il s'était réfugié en 1938 pour fuir le nazisme. [☞ **psychanalyse** ; **inconscient**.] Sa fille ~ **Anna** (*1895, Vienne - 1982, Londres*), psychanalyste britannique d'orig. autrichienne, se spécialisa dans la psychanalyse des enfants, s'opposant aux conceptions de M. Klein. ~ **Lucian** (*1922, Berlin*), petit-fils de Sigmund, peintre britannique, est l'auteur de portraits proches de l'expressionnisme et de la Nouvelle Objectivité.

**FREUND** (Gisèle) ~ *1912, Berlin.* Photographe française d'orig. allemande. Fuyant le nazisme (1933), elle s'installa à Paris et réalisa, en couleurs, des portraits des écrivains notoires des années 1930 (Joyce, Colette, Gide, Malraux).

**FREYCINET** (Charles **de Saulces** DE) ~ *1828, Foix - 1923, Paris.* Homme politique français. Ancien collaborateur de L. Gambetta, président du Conseil à quatre reprises entre 1879 et 1892, il attacha son nom à un programme de grands travaux publics et réorganisa l'armée. Acad.

**FREYMING-MERLEBACH** ~ V. du bassin houiller lorrain (Moselle) ; 15 224 h. (agglom. de Forbach).

**FREYSSINET** (Eugène) ~ *1879, Objat, Corrèze - 1962, Saint-Martin-Vésubie.* Ingénieur français. Il imagina la compacité par vibrations (1917) et la précontrainte (1926) du béton.

**FRIA** ~ V. de Guinée (env. 12 000 h), princ. centre d'extraction de bauxite du pays.

**FRIBOURG** ~ V. industr. et univ. de Suisse (Mittelland), sur la Sarine, ch.-l. du **canton de Fribourg**, à majorité francophone (1 671 km², 218 000 h.) ; 33 000 h. Centre médiéval, cathédrale St-Nicolas. (XIII^e s.), églises (XIII^e et XVI^e s.), hôtel de ville (XVI^e s.). La Paix perpétuelle entre la France et les cantons y fut signée en 1516.

**FRIBOURG-EN-BRISGAU**, en all. ***Freiburg im Breisgau*** ~ V. du S.-O. de l'Allemagne (Bade-Wurtemberg), au pied de la Forêt-Noire, centre commercial (vins), industriel et culturel (édition) ; 195 000 h. Archevêché. Université (1457). Cathédrale gothique (XIII^e-XVI^e s.). **HIST.** - Acquise par les Habsbourg en 1368, la ville fut le centre administratif des possessions extérieures de l'Autriche de 1648 à 1805.

**FRIEDEL** (Charles) ~ *1832, Strasbourg - 1899, Montauban.* Chimiste et minéralogiste français. Fondateur de l'Institut de chimie (Paris) et introducteur de la notation atomique, il élabora avec James Mason Crafts une méthode de synthèse organique des carbures benzéiques (**réaction de Friedel et Crafts**).

**FRIEDLAND** ~ Localité de l'anc. Prusse-Orientale (Russie). Victoire de Napoléon I^er sur les troupes russes commandées par Leonti Leontievitch Bennigsen (14 juin 1807).

**FRIEDLANDER** (Lee) ~ *1934, Aberdeen, Washington.* Photographe américain. Hanté par l'univers des rues, il participa à l'exposition « New Documents » (1967) et publia *The American Monument* (1976).

**FRIEDMAN** (Milton) ~ *1912, Brooklyn, New York.* Économiste américain. Leader de l'école de Chicago, il s'oppose aux théories de J. M. Keynes et développe une conception monétariste de l'économie (*Studies in the Quantity Theory of Money*, 1956). Prix Nobel de sc. écon. 1976.

**FRIEDRICH** (Caspar David) ~ *1774, Greifswald - 1840, Dresde.* Peintre romantique allemand. Ses paysages mélancoliques, précis et froids, illustrent la révélation à l'homme du caractère divin de la nature (*le Moine au bord de la mer*, 1809).

**FRIESZ** (Othon) ~ *1879, Le Havre - 1949, Paris.* Peintre français. Il évolua du fauvisme (*Portrait de Fernand Fleuret*, 1907) vers un classicisme toujours expressif et vigoureux.

**FRIOUL-VÉNÉTIE JULIENNE** ~ Région du N.-E. de l'Italie, alpine au N., aux plaines bordées par l'Adriatique, récemment drainées et bonifiées ; 7 844 km², 1 195 000 h. Udine et Trieste (port et cap. région.) concentrent l'industrie. **HIST.** - Duché lombard au VI^e s., la région fut partagée entre l'Autriche et la Vénétie au XVI^e s. Elle fut rattachée au royaume d'Italie en 1866. En 1947, le Frioul oriental, sauf Trieste, fut cédé à la Yougoslavie.

**FRISCH** (Karl VON) ~ *1886, Vienne - 1982, Munich.* Éthologiste autrichien. Il étudia les modes de communication des abeilles et le système sensoriel des invertébrés. Prix Nobel de physiol. ou méd. 1973 (avec K. Lorenz et N. Tinbergen).

**FRISCH** (Max) ~ *1911, Zurich - 1991, id.* Écrivain suisse d'expression allemande. Dramaturge influencé par B. Brecht, il questionna la théâtralité de l'existence (*Andorra*, 1961). Ses romans (*Homo faber*, 1957) ou son *Journal* (1946-1949 ; 1966-1971) posent la question de la réalité de l'identité.

**FRISCH** (Ragnar) ~ *1895, Oslo - 1973, id.* Économiste norvégien, théoricien des cycles économiques (*Propagation Problems in Dynamic Economics*). Prix Nobel de sc. écon. 1969.

**FRISE** (la) ~ Partie des régions littorales de la mer du Nord comprise entre l'IJsselmeer, aux Pays-Bas, et la Weser, en Allemagne. Frangée d'îles sableuses (îles Frisonnes), c'est une plaine très basse, en partie gagnée sur la mer (landes, tourbes, marécages). Élevage (vache frisonne). Le frison, langue germanique la plus proche de l'anglais, y subsiste (300 000 locuteurs aux Pays-Bas). La **Frise-Occidentale** (*Friesland*), province néerlandaise, borde l'IJsselmeer à l'O. de la province de Groningue ; 5 740 km², 607 000 h., ch.-l. Leeuwarden. **HIST.** - Les **Frisons**, peuple de marins et de commerçants, occupaient, au début du Moyen Âge, tout le littoral de la mer du Nord, du Rhin à la Weser.

**FRISONNES (îles)** ~ Archipel de la mer du Nord partagé entre les Pays-Bas, l'Allemagne et le Danemark. Tourisme, réserve ornithologique.

**FRÖBEL** (Friedrich) ~ *1782, Oberweissbach, Thuringe - 1852, Marienthal.* Pédagogue allemand. Partisan d'une pédagogie libérale, créateur des jardins d'enfants (*Kindergarten*), il fut en butte à l'hostilité des autorités de son pays.

**FROBENIUS** (Leo) ~ *1873, Berlin - 1938, Biganzolo, lac Majeur.* Ethnologue allemand. Spécialiste de l'Afrique, auteur de travaux s'appuyant sur la notion d'aires culturelles, il tenta d'établir des liens de filiation entre les différentes civilisations.

**FROBERGER** (Johann Jakob) ~ *1616, Stuttgart - 1667, Héricourt, Haute-Saône.* Compositeur et organiste allemand. Synthétisant les styles italien, français et allemand, sa musique exerça une influence durable (not. sur J. S. Bach et G. F. Händel).

**FROBISHER** (sir Martin) ~ *v. 1535, Altofts, Yorkshire - 1594, Plymouth.* Navigateur anglais. Recherchant un passage maritime au N. de l'Amérique, il atteignit en 1576 la baie qui porte son nom (S. de la terre de Baffin).

**FRŒSCHWILLER** ~ Voir **Reichshoffen.**

**FROISSART** (Jean) ~ *v. 1335, Valenciennes - v. 1404, Chimay.* Poète et écrivain français. Ses *Chroniques* relatent les évènements qui se déroulèrent entre 1325 et la fin du XIV^e s.

**FROMENT** (Nicolas) ~ *v. 1425, Uzès - v. 1483, Avignon.* Peintre français. Maître de l'école d'Avignon, il subit l'influence des peintres flamands et bourguignons tout en intégrant celle de l'art toscan (*le Buisson ardent*, 1475-1476).

**FROMENTIN** (Eugène) ~ *1820, La Rochelle - 1876, id.* Peintre et écrivain français. Paysagiste romantique de l'Afrique du Nord, il est aussi l'auteur d'un important ouvrage de critique d'art (*les Maîtres d'autrefois*, 1876), de récits de voyages et, surtout, de *Dominique* (1863), chef-d'œuvre du roman d'analyse.

**FROMENTINE (goulet de)** ~ Détroit qui sépare l'île de Noirmoutier de la côte vendéenne (larg. min. 700 m), franchi par un pont achevé en 1971.

**FROMM** (Erich) ~ *1900, Francfort-sur-le-Main - 1980, Muralto, Tessin.* Psychanalyste américain d'orig. allemande. Il tenta d'associer des éléments socio-économiques à l'étude des névroses (*Essais sur Freud, Marx et la psychologie*, 1971).

**Fronde** ~ Crise qui, durant la minorité de Louis XIV, dressa contre Mazarin les adversaires du pouvoir absolu, décidés à remettre en cause l'œuvre de Richelieu. En 1648, l'opposition des cours souveraines aux nouveaux impôts voulus par le ministre et l'arrestation du conseiller Broussel déclenchèrent la **Fronde parlementaire**, qui obligea la régente Anne d'Autriche et son ministre à se réfugier à Saint-Germain. L'intervention de Condé contraignit les opposants à accepter la paix de Rueil (1649). Mais, hostile à Mazarin, Condé prit ensuite la tête de la **Fronde des princes**, encouragée par l'Espagne, à laquelle participèrent Gaston d'Orléans, le prince de Conti, le duc de Beaufort, la duchesse de Longueville et Turenne (lequel devait finalement se rallier à Louis XIV). Une véritable guerre civile s'engagea, marquée par les combats de Bléneau et de la porte Saint-Antoine. Isolé, en rivalité avec Gondi, l'autre chef du mouvement, Condé se rangea dans le camp espagnol et Mazarin sortit finalement vainqueur de la crise (1653). L'échec de cette révolte prépara l'affirmation de la monarchie absolue.

**FRONSAC** ~ Localité de la Gironde, près de Libourne ; 1 067 h. Vins rouges.

**Front de libération nationale** (F. L. N.) ~ Parti nationaliste algérien formé lors de l'insurrection de novembre 1954. Après l'indépendance (1962), il devint le parti unique et gouverna jusqu'à l'instauration du multipartisme en 1989.

**FRONTENAC** (Louis **de Buade**, comte **de Palluau** et DE) ~ *v. 1620, Saint-Germain-en-Laye - 1698, Québec.* Gouverneur français de la Nouvelle-France (1672-1682 et 1689-1698), il contribua à l'expansion de la colonie canadienne.

**FRONTIGNAN** ~ V. de la plaine littorale languedocienne (Hérault), sur le canal du Rhône à Sète ; 16 245 h. Vins (muscats).

**Front islamique du salut** (F. I. S.) ~ Parti islamiste algérien fondé en 1989. Il fut dissous après l'annulation des élections législatives de 1992.

**Front national** ~ Mouvement de résistance française à l'occupation allemande. Fondé en mai 1941 par les communistes, il chercha à unir les divers mouvements et tendances de la Résistance, jusqu'à la Libération.

**Front national** (F. N.) ~ Parti politique français d'extrême droite, nationaliste, fondé en 1972. Son président est Jean-Marie Le Pen.

© R. Dazy-Explorer

*Les premiers congés payés (1936) furent instaurés par le* **Front populaire**.

**Front populaire** ~ Coalition de partis de gauche qui accéda au pouvoir en France en juin 1936. La crise économique mondiale, la montée du fascisme et du nazisme en Europe, relayée par l'ascension des ligues d'extrême droite en France, amenèrent les partis de gauche (communistes, socialistes et radicaux), les syndicats (C. G. T. et C. G. T. U.) et des organisations d'intellectuels à constituer le Front populaire en 1935. La victoire de la coalition à l'élection de mai 1936 amena Léon Blum à former un gouvernement auquel les communistes refusèrent de participer, tout en lui apportant leur soutien. À la suite des grèves de l'été 1936 furent conclus les accords de Matignon (reconnaissant les droits syndicaux et accordant des hausses de salaires), suivis par un ensemble de mesures économiques et sociales (création des congés payés, fixation de la semaine de travail à 40 heures, nationalisation des chemins de fer), complétées par des mesures en faveur de l'éducation populaire et des loisirs. L'hostilité des milieux d'affaires, les critiques des communistes sur la politique de non-intervention dans la guerre d'Espagne conduisirent Blum à démissionner (juin 1937). Remplacé par Chautemps, il revint brièvement au pouvoir (mars-avr. 1938). Sa démission, suivie par la nomination de Daladier, marqua la fin du Front populaire.

**FROST** (Robert Lee) ~ *1874, San Francisco - 1963, Boston.* Poète américain. Sa poésie célèbre avec un lyrisme discret la vie rurale de la Nouvelle-Angleterre (*Arbre des ancêtres*, 1942).

**FROUDE** (William) ~ *1810, Darlington, Devon - 1879, Simonstown, Afrique du Sud.* Ingénieur britannique. Spécialiste de la mécanique des fluides, il inventa un frein hydraulique (1858) pour mesurer les couples moteurs.

**FROUNZE** ~ Voir **Bichkek**.

**fructidor an V (coup d'État du 18)** ~ Coup d'État organisé le 4 septembre 1797 par les membres républicains du Directoire, soutenus not. par Bonaparte, et qui permit à Barras d'éliminer la majorité royaliste qui avait pris le contrôle du Conseil des Anciens et du Conseil des Cinq-Cents.

**FRY** (Christopher) ~ *1907, Bristol.* Poète et dramaturge britannique. Il est l'auteur de pièces en vers, d'inspiration religieuse ou mythologique (*le Faux Jour*, 1954).

**F.-T. P. F.** ~ Voir **Francs-tireurs et partisans français.**

**FU'AD I**er ou **FOUAD I**er ~ *1868, Le Caire - 1936, id.* Roi d'Égypte. Sultan en 1917, il fut couronné en 1922. Il tenta de moderniser l'Égypte sans heurter les intérêts britanniques.

**FUCHS** (Immanuel Lazarus) ~ *1833, Moschin, près de Poznań - 1902, Berlin.* Mathématicien allemand, auteur de recherches sur les équations différentielles linéaires.

**FUDJAYRA** ~ Voir **Émirats arabes unis.**

**Fuégiens** (les) ~ Peuples (Alakalufs, Yamanas) vivant sur les rives des fjords de la Terre de Feu et qui furent décimés par les maladies au contact des Européens.

**FUENTES** (Carlos) ~ *1928, Mexico.* Écrivain mexicain. Influencé par Joyce et par Faulkner, il a donné dans ses romans une vision critique très originale de la société mexicaine (*la Mort d'Artemio Cruz*, 1962 ; *Terra nostra*, 1975).

**FUERTEVENTURA** ~ Île de l'E. des Canaries (Espagne), au climat aride ; 1 730 km², env. 30 000 h. Tourisme balnéaire.

**FUGGER** ~ Famille de banquiers allemands d'Augsbourg dont **Jacob** (*1459 - 1525*), son représentant le plus célèbre, fut le financier de Maximilien Ier et de Charles Quint.

**FUJIAN** ou **FOU-KIEN** (le) ~ Prov. montagneuse et boisée du S.-E. de la Chine, bordée par la mer de Chine orientale, face à Taiwan ; 123 100 km², 30 610 000 h., cap. Fuzhou (1 290 000 h.). Climat subtropical. Agric. et pêche sur les côtes, extraction minière (charbon, fer, argent, or).

**FUJIMORI** (Alberto) ~ *1938, Lima.* Homme d'État péruvien. Élu président de la République en 1990 puis en 1995, il a consacré son action à la lutte contre le Sentier lumineux, mouvement d'inspiration maoïste, et mène une politique ultralibérale.

**FUJIWARA** ~ Famille noble japonaise qui fournit à la cour impériale la plupart de ses ministres et hommes d'État du IXe au XIIe s.

**FUJI YAMA** ou **FUJI SAN** (le) ~ Volcan du centre de Honshû, point culminant du Japon et lieu sacré ; 3 776 m.

**FUKUOKA** ~ Port du Japon, dans une baie de l'île de Kyûshû, sur le détroit de Corée ; 1 237 000 h. Ancienne cité féodale, centre culturel, près de la conurbation industrielle de Kita-Kyûshû.

**FULBERT** ~ *v. 960, Italie - 1028, Chartres.* Théologien français. Évêque de Chartres, il fit commencer la cathédrale et ouvrit une école qui possédait une importante bibliothèque d'histoire et de poésie.

**FULDA** ~ V. d'Allemagne (Hesse) ; env. 55 000 h. Anc. abbaye bénédictine de Hesse (fondée en 744), foyer religieux de l'Allemagne médiévale.

**FULGENCE** (saint) ~ *v. 467, Télepte, auj. en Tunisie - 533, Ruspe, près de Sfax.* Prélat romain d'Afrique, évêque de Ruspe. Théologien de l'école de saint Augustin, il fut un adversaire de l'arianisme.

**FULLER** (Marie-Louise, dite Loïe) ~ *1862, Fullersburg, près de Chicago - 1928, Paris.* Danseuse et chorégraphe américaine. Elle introduisit, dans ses spectacles, des effets de lumière jouant sur les voiles des danseuses (*Danse serpentine*).

**FULLER** (Richard Buckminster) ~ *1895, Milton, Massachusetts - 1983, Los Angeles.* Ingénieur et architecte américain. Son principe de répétition d'une structure élémentaire, fonctionnelle, légère et peu coûteuse l'a amené à utiliser toutes les ressources de la préfabrication industrielle dans ses maisons « dymaxion » (1927) comme dans ses « coupoles géodésiques » à usages multiples.

**FULTON** (Robert) ~ *1765, Little Britain, auj. Fulton, Pennsylvanie - 1815, New York.* Mécanicien américain. Il créa le premier sous-marin à hélice (1800) et promut industriellement la propulsion des bateaux par la vapeur.

**FUNCHAL** ~ Cap. et port commercial de l'île portugaise de Madère ; 44 000 h. Tourisme.

**FUNDY (baie de)** ~ Baie du S.-E. du Canada (côtes du Nouveau-Brunswick et de la Nouvelle-Écosse) et des États-Unis, où l'amplitude des marées est la plus forte du monde (record : 21 m).

**FUNÈS** (Louis **de Funès de Galarza**, dit Louis DE) ~ *1914, Courbevoie - 1983, Nantes.* Acteur français. Petit, nerveux, grimaçant et perpétuellement agité, il connut un succès populaire immense (*le Gendarme de Saint-Tropez*, 1964 ; *le Corniaud*, 1964 ; *la Grande Vadrouille*, 1966).

**FURET** (François) ~ *1927, Paris.* Historien français, membre de la revue des *Annales* et spécialiste du XVIIIe s. (*Penser la Révolution française*, 1978).

**FURETIÈRE** (Antoine) ~ *1619, Paris - 1688, id.* Écrivain et lexicographe français, auteur de romans satiriques (*le Roman bourgeois*, 1666). Accusé de plagiat pour son *Essai d'un dictionnaire universel*, il fut exclu de l'Académie française (1684). Son *Dictionnaire* parut en 1690 en Hollande. [☞ **dictionnaire.**]

**Furies** (les) ~ Voir **Érinyes.**

**FURKA (col de la)** ~ Col des Alpes centrales (2 431 m), en Suisse (Valais-Uri), franchi par les voies ferrée et routière reliant les hauts bassins du Rhône et du Rhin (Reuss).

**FURNES** ~ Voir **Veurne.**

**FÜRSTENBERG** ~ Famille princière allemande d'orig. souabe, dont est issu **Wilhelm Egon** (*1629, Heiligenberg - 1704, Paris*), évêque de Strasbourg (1682), cardinal (1686), fidèle allié de Louis XIV.

**FURTWÄNGLER** (Wilhelm) ~ *1886, Berlin - 1954, Baden-Baden.* Chef d'orchestre et compositeur allemand. Interprète de Beethoven, de Brahms ou de Wagner, il dirigea l'Orchestre philharmonique de Berlin (1932), le festival de Bayreuth (1931) et l'Opéra de Berlin (1933).

**FUSHUN** ou **FOU-CHOUEN** ~ V. de Chine (Liaoning), à l'E. de Shenyang, centre minier exploitant des gisements de schistes bitumineux à ciel ouvert et des mines de charbon ; 1 350 000 h.

**FÜSSLI** (Johann Heinrich) ~ *1741, Zurich - 1825, Londres.* Peintre suisse. Installé en Angleterre, il adhéra aux théories néoclassiques mais, par sa vision onirique et hallucinée, son goût du dramatique et du sublime, il est l'un des grands peintres préromantiques (*le Cauchemar*, 1781).

**FUST** (Johann) ~ *v. 1400, Mayence - 1466, Paris.* Imprimeur allemand. Associé à Gutenberg, puis à Schöffer, il publia en 1457 le Psautier de Mayence, premier livre portant la date de son impression.

**FÜST** (Milán) ~ *1888, Budapest - 1967, id.* Écrivain hongrois. Collaborateur de la revue *Nyugat*, poète (*Rue des Fantômes*, 1948), philosophe et dramaturge, il est surtout connu comme romancier (*l'Histoire de ma femme*, 1942).

**FUSTEL DE COULANGES** (Numa Denis) ~ *1830, Paris - 1889, Massy.* Historien français. Auteur de *la Cité antique* (1864), il a défini une méthode rigoureuse qui repose sur l'exploitation approfondie des sources écrites.

**FUTUNA** ~ Voir **Wallis-et-Futuna.**

**FUX** (Johann Joseph) ~ *1660, Hirtenfeld - 1741, Vienne.* Compositeur et théoricien autrichien. Il maintint la tradition polyphonique et posa les bases du classicisme viennois. Outre ses œuvres religieuses et profanes, on lui doit un traité de contrepoint (*Gradus ad Parnassum*, 1725).

**FUZHOU** ~ Voir **Fujian.**

**FUZULI** (Mehmed Süleyman) ~ *v. 1480, Karbala - 1556, id.* Poète ottoman d'orig. kurde, auteur de recueils de poèmes en arabe, en turc et en persan.

**FYT** ou **FIJT** (Jan) ~ *1611, Anvers - 1661, id.* Peintre flamand. Ses sujets de prédilection furent les natures mortes et les scènes de chasse.

**G 7** ~ Voir **Groupe des 7.**

**G 77** ~ Voir **Groupe des 77.**

**GABÈS** ~ Port industr. et centre régional du S. de la Tunisie, à l'O. de l'île de Djerba, au fond du **golfe de Gabès** ; 92 000 h. Oasis. Pêche. Tourisme.

**GABIN** (Jean **Moncorgé**, dit Jean) ~ *1904, Paris - 1976, Neuilly-sur-Seine.* Acteur français. Il fut l'un des mythes masculins du cinéma français (*Pépé le Moko*, de J. Duvivier, 1937 ; *la Grande Illusion*, de J. Renoir, 1937 ; *Quai des brumes*, de M. Carné, 1938 ; *Touchez pas au grisbi*, de J. Becker, 1954).

**GABLE** (Clark) ~ *1901, Cadiz, Ohio - 1960, Los Angeles.* Acteur américain. Dans *New York-Miami* (1934) et *Autant en emporte le vent* (1939), il forgea l'image du séducteur viril et non conformiste que devaient parachever les films de R. Walsh (*les Implacables*, 1955 ; *l'Esclave libre*, 1957).

**GABO** (Naum) ~ Voir **Pevsner.**

**GABON** (le) ~ Estuaire formé par plusieurs rivières, sur la côte O. de l'Afrique, qui abrite Libreville.

**GABON** (le), off. **République gabonaise** ~ Pays d'Afrique équatoriale, bordé à l'O. par l'Atlantique. ***Cap.*** Libreville. ***Superf.*** 267 667 km². ***Popul.*** 1 012 000 h., dont Fangs (35 %). ***Langue princ.*** Français. ***Monn.*** Franc CFA. ***Relief.*** Le vieux socle pénéplané, surmonté par des reliefs granitiques excédant 1 000 m, encadre le bassin de l'Ogooué. ***Climat.*** Équatorial (forêt dense). ***Écon.*** Pétrole, uranium, manganèse, bois (okoumé). Pêche. ***V. princ.*** Libreville, Port-Gentil, Masuku (près de 50 % de la popul.). **HIST.** - Les Pygmées furent les premiers habitants connus du pays, qui recèle des vestiges néolithiques. La côte fut explorée par les Portugais au XVᵉ s., puis l'intérieur, par les Français aux XIXᵉ et XXᵉ s. En 1910, le Gabon devint l'une des colonies de l'A.-E. F. En 1960, l'indépendance fut proclamée sous la présidence de Léon M'Ba. Président depuis 1967 et instaurateur d'un régime de parti unique, Omar Bongo, réélu en décembre 1993, est auj. obligé de composer avec l'opposition, en vue d'instaurer un gouvernement d'unité nationale.

**GABOR** (Dennis) ~ *1900, Budapest - 1979, Londres.* Physicien britannique d'orig. hongroise. Inventeur de l'holographie (1948), il contribua à la théorie de l'information. Prix Nobel de phys. 1971.

**GABORIAU** (Émile) ~ *1832, Saujon - 1873, Paris.* Écrivain français. Il est l'auteur not. de *l'Affaire Lerouge* (1866), œuvre considérée comme l'un des premiers romans policiers à énigme.

**GABORONE** ~ Cap. du Botswana (S. du pays) ; 138 000 h. Musée (archéol., préhist.).

**GABRIEL** ~ L'un des trois archanges, dans la tradition biblique. Dans la tradition chrétienne, il annonça la naissance de Jean-Baptiste et de Jésus. Dans la tradition musulmane, il transmit à Mahomet la parole divine.

**GABRIEL**, famille d'architectes français. ~ **Jacques V** (*1667, Paris - 1742, id.*), premier architecte du roi, à qui l'on doit not. l'hôtel de ville de Rennes, la place Royale (auj. de la Bourse), à Bordeaux, et l'hôtel Biron (auj. musée Rodin), à Paris. Son fils ~ **Jacques Ange** (*1698, Paris - 1782, id.*), dont le classicisme est illustré, entre autres, par la place Louis-XV (auj. la Concorde) et l'École militaire, à Paris, conçut les plans de l'Opéra et du Petit Trianon, à Versailles.

**GABRIELI** (Giovanni) ~ *1557, Venise - 1612, id.* Compositeur italien. Mettant en valeur les spécificités de couleurs et de timbres, il fut l'un des tout premiers à donner leur indépendance à divers instruments, jusqu'alors voués à l'accompagnement (*Concerti*, 1587 ; *Sacrae Symphoniae*, 1597).

**GABRIEL LALEMANT** (saint) ~ *1610, Paris - 1649, Saint-Ignace, Canada.* Missionnaire jésuite français. Établi au Canada en 1646, il fut supplicié par les Iroquois.

**GACE BRULÉ** ~ *v. 1160, en Champagne - apr. 1213.* Poète et compositeur français. Il fut l'un des trouvères les plus influents de son temps. Dante cite l'une de ses chansons (*Ire d'amour*).

**GADDA** (Carlo Emilio) ~ *1893, Milan - 1973, Rome.* Écrivain italien. Ses romans, écrits dans une langue burlesque, sont une critique sarcastique — parfois féroce — de la société italienne à l'époque du fascisme puis de l'après-guerre (*la Madone des philosophes*, 1931 ; *le Château d'Udine*, 1934 ; *l'Affreux Pastis de la rue des Merles*, 1957).

**GADDI**, famille de peintres italiens nés et morts à Florence. ~ **Taddeo** (*v. 1300 - 1366*), disciple et continuateur de Giotto, influença l'art florentin par son style puissant (fresques de la *Vie de la Vierge* et de l'*Histoire de Job*). Son fils ~ **Agnolo** (*v. 1345 - 1396*) fit montre d'un talent plus décoratif.

**GADES** ~ Voir **Cadix.**

**GADÈS** (Antonio) ~ *1936, Alicante.* Danseur et chorégraphe espagnol. Danseur de flamenco andalou, disciple de V. Escudero, il créa *Noces de sang* (1981) et *Carmen* (avec C. Saura, 1983).

**Gaëls** (les) ~ Peuple celte. Au Iᵉʳ mill. av. J.-C., ils colonisèrent l'Irlande et le N. de l'Angleterre.

**GAÉTAN DE THIENE** (saint) ~ *1480, Vicence - 1547, Naples.* Religieux italien, fondateur de l'ordre des Clercs réguliers, ou Théatins (1524).

**GAÈTE** ~ Port de pêche et station baln. d'Italie (Latium), sur la mer Tyrrhénienne, au N.-O. de Naples ; env. 22 000 h. Cathédrale (campanile du XIᵉ s.). Les Bourbons de Naples y capitulèrent en février 1861, ce qui mit fin au royaume des Deux-Siciles.

**GAFSA** ~ V. et oasis présaharienne de la Tunisie, centre administratif ; 61 000 h. Phosphates. Artisanat (tapis).

**GAGARINE** (Iouri Alekseïevitch) ~ *1934, Klouchino, auj. Gagarine, près de Smolensk - 1968, région de Vladimir.* Pilote militaire et cosmonaute soviétique. Il fut le premier homme à accomplir un vol spatial (12 avr. 1961).

**GAGNY** ~ V. de la banlieue E. de Paris (Seine-Saint-Denis) ; 36 059 h. Musée de spéléologie.

**GAÏA** ou **GÊ** ~ Déesse personnifiant la Terre, dans la mythologie grecque. Mère et épouse d'Ouranos (le Ciel), à l'origine des races divines et des monstres, elle est not. la mère des Titans et des Cyclopes, des Géants et des nymphes.

**GAILLAC** ~ V. du Tarn, à l'O. d'Albi ; agglom. 11 742 h. Vins. Églises des XIIᵉ-XIVᵉ s., musées.

**GAINSBOROUGH** (Thomas) ~ *1727, Sudbury, Suffolk - 1788, Londres.* Peintre et dessinateur britannique. Influencé par Van Dyck et rival de Reynolds, il peint une société aristocratique aux airs affectés (*Portrait de Mr et Mrs Andrews*, v. 1748-1749). Ses paisibles paysages s'inscrivent dans l'âge d'or de la peinture anglaise (*Paysage du Suffolk*).

**GAINSBOURG** (Lucien **Ginsburg**, dit Serge) ~ *1928, Paris - 1991, id.* Auteur, compositeur et interprète français. Provocateur et sensible, il est l'auteur de nombreuses chansons (*le Poinçonneur des Lilas* ; *la Javanaise* ; *Melody Nelson* ; *Marilou*), et composa des musiques de films.

**GALÁPAGOS (îles)** ~ Archipel volcan. de l'océan Pacifique, dépendance de l'Équateur depuis 1832 ; 8 010 km², env. 10 000 h. Climat sec. Pêche (langoustes). Parc national (tortues géantes, iguanes, phoques). Darwin y conçut la théorie de la sélection naturelle en étudiant la faune endémique.

**GALATÉE** ~ Nymphe marine de la mythologie grecque, fille de Nérée. Éprise du berger Acis, elle repoussa le cyclope Polyphème, qui écrasa son rival sous un rocher. Poséidon, à sa prière, changea Acis en un fleuve de Sicile. Galatée est aussi la statue sculptée par Pygmalion et animée par Aphrodite.

**GALAȚI** ~ V. et port fluvial de Roumanie, à l'O. du delta du Danube, lieu de transit (produits miniers et sidér.) ; 326 000 h. L'armée allemande en retraite y massacra la moitié de la population (1944).

**GALATIE** (la) ~ Région de Phrygie conquise en 270 av. J.-C. par les Celtes de Leonnarios (Galates pour les Grecs). Adversaire de Pergame au IIᵉ s. av. J.-C., la Galatie hellénisée devint prov. romaine en 25 av. J.-C. (langue celte jusqu'au Vᵉ s.).

**GALBA**, en lat. ***Servius Sulpicius Galba*** ~ *5 av. J.-C., Terracina - 69 apr. J.-C., Rome.* Empereur romain (68-69), successeur de Néron. Il fut assassiné par les prétoriens.

**GALBRAITH** (John Kenneth) ~ *1908, Iona Station, Ontario.* Économiste américain. À partir du concept de technostructure, il a analysé la prise du pouvoir dans l'entreprise par l'encadrement supérieur fonctionnant collégialement et lié avec le pouvoir politique (*le Nouvel État industriel*, 1967).

**GALÈRE**, en lat. ***Caius Galerius Valerius Maximianus*** ~ *v. 250, Illyrie - 311, Rome.* Empereur romain. L'empereur Dioclétien l'adopta, lui fit épouser sa fille et le nomma en 293 césar avec autorité sur l'Illyrie, l'Achaïe et le Danube. Galère persécuta les chrétiens à partir de 303. Empereur (305-311), il abandonna sa politique passée et promulgua un édit de tolérance (311).

**GALIBIER (col du)** ~ Col des Hautes-Alpes (2 645 m) emprunté par un tunnel routier reliant le Briançonnais à la Maurienne.

**GALICE** (la) ~ Communauté autonome (depuis 1981) du N.-O. de l'Espagne. Région de hautes collines baignée par l'Atlantique, aux côtes très découpées (rias) ; 29 434 km², 2 732 000 h., v. princ. Vigo, La Corogne, Saint-Jacques-de-Compostelle (cap.). Climat océanique. Cult. maraîchères, céréales. Pêche (53 % du tonnage du pays). Le dialecte galicien est apparenté au portugais. **HIST.** - Pays celtique envahi par les Suèves puis par les Wisigoths, la Galice fut réunie au royaume des Asturies (IXᵉ s.), puis à celui de Castille (XIIᵉ-XIIIᵉ s.).

**GALICIE** (la) ~ Région d'Europe orientale, au N. des Carpates. Anc. Ruthénie rouge, polonaise depuis le XIVᵉ s., elle fut annexée par l'Autriche de 1772 à 1918 (cap. Lemberg, auj. Lvov). Rendue à la Pologne (1923), elle fut amputée de sa partie orientale, qui fut rattachée à l'Ukraine (1945).

**GALIEN** (Claude) ~ *v. 131, Pergame - v. 201, id. ou Rome.* Médecin grec. Son œuvre, qui est restée une référence dans le monde occidental jusqu'au XVIIᵉ s., est fondée sur la théorie des humeurs.

**GALIGAÏ** (Leonora **Dori**, dite Leonora) ~ *1568, Florence - 1617, Paris.* Favorite de Marie de Médicis. Accusée de sorcellerie, elle fut décapitée et brûlée après l'assassinat de son mari, Concini.

**GALILÉE** (la) ~ Région du N. d'Israël, à l'O. du lac de Tibériade. Agrumes, olivier, vigne. Refuge tradit. des Juifs face aux invasions. Pays natal de Jésus, où se déroulent la Transfiguration et les épisodes de la prédication, avant l'entrée à Jérusa-

© Pele-Stills

*Jean* **Gabin** *avec Michèle Morgan dans* Remorques *(1940), film de Jean Grémillon (1901-1959).*

© F. P. G.-Explorer

*Clark* **Gable** *et Marilyn Monroe dans* The Misfits *(les Désaxés ; 1961), film de John Huston (1906-1987).*

lem. Au XIIe s., les croisés y créèrent une principauté. Partagée par l'O. N. U. entre Juifs et Arabes, elle fut conquise entièrement par Israël lors de la première guerre israélo-arabe (1948).

**GALILÉE** (Galileo **Galilei**, dit) ~ *1564, Pise - 1642, Arcetri.* Physicien et astronome italien. L'importance qu'il donna aux mathématiques dans la formalisation des connaissances naturelles ainsi que l'intérêt qu'il prit à l'expérimentation et à la mesure des phénomènes font de lui le premier physicien moderne (loi de la chute des corps). Il mit au point une lunette astronomique (1609) qui lui permit de décrire les mouvements du Soleil et de confirmer ainsi la théorie de Copernic sur l'héliocentrisme. Condamné par l'Inquisition (1633), il dut abjurer devant le Saint-Office. Il fit l'exposé de ses recherches dans *Discours concernant deux sciences nouvelles* (1638).

**GALITZINE** ~ Voir **Golitsyne**.

**GALL** (Franz Josef) ~ *1758, Tiefenbronn, grand-duché de Bade - 1828, Montrouge.* Médecin allemand, créateur de la phrénologie.

**GALLAND** (Antoine) ~ *1646, Rollot, Picardie - 1715, Paris.* Orientaliste français. Sa traduction des contes des *Mille et Une Nuits* suscita un vif engouement pour l'Orient au XVIIIe s.

**GALLA PLACIDIA** ~ *388 - 450, Rome.* Impératrice romaine. Fille de Théodose Ier, elle épousa Athaulf (414), roi des Wisigoths, puis Flavius Constantius (417), le futur Constance III. Mère de Valentinien III, elle gouverna l'empire d'Occident pendant sa minorité. Elle soutint le pape Léon Ier dans sa lutte contre l'hérésie. Les mosaïques de son mausolée, à Ravenne, sont célèbres.

**GALLE** ~ Port du Sri Lanka, centre commercial sur la côte S.-O. ; 77 000 h. Fondé par les Portugais (1597), puis capitale des possessions hollandaises (XVIIe s.), il déclina avec l'émergence de Colombo.

**GALLE** (Johann Gottfried) ~ *1812, Pabsthaus - 1910, Potsdam.* Astronome allemand. Il découvrit la planète Neptune (1846), dont l'existence avait été anticipée par les calculs de Le Verrier.

**GALLÉ** (Émile) ~ *1846, Nancy - 1904, id.* Verrier, céramiste et ébéniste français. Fondateur de l'école de Nancy, il fut l'un des maîtres de l'Art nouveau. [☞ **nouveau.**]

**GALLEGOS** (Rómulo) ~ *1884, Caracas - 1969, id.* Écrivain et homme d'État vénézuélien. Peintre réaliste de la pampa (*Doña Bárbara*, 1929), il fut président de la République (1947-1948).

**GALLES (pays de)**, en angl. ***Wales*** ~ Région péninsulaire de l'O. de l'Angleterre ; 20 766 km², 2 835 000 h., cap. Cardiff. Les monts Cambriens, plateaux étagés, s'étendent sur la majeure partie du pays (1 085 m au mont Snowdon). Climat hyper-océanique. Élevage ovin, cultures fourragères. Stations baln. sur la côte N. (Bangor). 75 % des Gallois vivent dans le Sud urbanisé (Glamorgan), industrialisé au XIXe s. (houille, métallurgie). L'activité s'est déplacée des vieux bassins houillers aux centres industriels (Milford Haven, Swansea) de la côte. Le **gallois**, issu du celte britonnique, est aujourd'hui langue officielle à l'égal de l'anglais. **HIST.** - Peuplé de Celtes qui maintinrent leur indépendance face aux Anglo-Saxons, aux Scandinaves et aux Normands, le pays fut unifié au XIIIe s. par les princes de Gwynned, puis conquis (1277-1284) par Édouard Ier d'Angleterre, qui donna à son fils le titre de prince de Galles, désignant désormais l'héritier du trône anglais (1301). Henri VIII l'unit définitivement à l'Angleterre (1536-1542).

**GALLI** ~ Voir **Bibiena**.

**GALLIEN**, en lat. ***Publius Licinius Egnatius Gallienus*** ~ *v. 218 - 268, Milan.* Empereur romain (253-268), fils de Valérien. Tolérant, philhellène, ami de Plotin, Gallien mit fin aux persécutions contre les chrétiens et défendit l'Italie contre les menaces barbares. Il fut assassiné par ses officiers.

**GALLIENI** (Joseph) ~ *1849, Saint-Béat, Haute-Garonne - 1916, Versailles.* Général et administrateur français. Il soumit Madagascar et devint gouverneur général de l'île (1896-1905). Gouverneur de Paris en 1914, il contribua à la victoire de la Marne. Ministre de la Guerre (1915-1916), il fut fait maréchal de France à titre posthume.

**Galliera (palais)** ~ Édifice bâti à la fin du XIXe s. par L. Ginain, dans le XVIe arr. de Paris. Il abrite le musée municipal de la Mode et du Costume.

**GALLIFFET** (Gaston DE) ~ *1830, Paris - 1909, id.* Général français. Il réprima la Commune de Paris. Il fut nommé ministre de la Guerre (1899-1900).

**GALLIMARD** (Gaston) ~ *1881, Paris - 1975, Neuilly-sur-Seine.* Éditeur français, cofondateur des Éditions de la Nouvelle Revue française (1911), devenues en 1919 les Éditions Gallimard, qui ont contribué à faire connaître de nombreux auteurs contemporains français et étrangers.

**GALLIPOLI**, en turc ***Gelibolu*** ~ Port de pêche de Turquie, sur la rive occidentale du détroit des Dardanelles (**péninsule de Gallipoli**) ; env. 18 000 h. Le 25 mars 1915, les Alliés débarquèrent dans la péninsule, mais durent l'évacuer en août.

**GALLOTTA** (Jean-Claude) ~ *1950, Grenoble.* Danseur et chorégraphe français. Fondateur du groupe Émile-Dubois, il devint le porte-parole de toute sa génération (*Daphnis et Chloé*, 1982 ; *les Survivants*, 1983).

**GALLUP** (George Horace) ~ *1901, Jefferson, Iowa - 1984, Tschingel, canton de Berne.* Journaliste et statisticien américain. Il est le fondateur d'un des premiers instituts de sondages d'opinion (1935). On désigne parfois ces sondages par le nom de **gallup**.

**GALOIS** (Évariste) ~ *1811, Bourg-la-Reine - 1832, Paris.* Mathématicien français. Il fonda la théorie des groupes en algèbre.

**GALSWINTHE** ~ *v. 540 - 568.* Reine de Neustrie. Elle fut étranglée à l'instigation de son époux, Chilpéric Ier, et de la maîtresse de celui-ci, Frédégonde.

**GALSWORTHY** (John) ~ *1867, Coombe, Surrey - 1933, Londres.* Écrivain britannique. Il donna une critique de la bourgeoisie affairiste en brossant une galerie de portraits emblématiques, *la Saga des Forsythe* (1906-1921). Prix Nobel de litt. 1932.

**GALTON** (sir Francis) ~ *1822, près de Birmingham - 1911, près de Londres.* Physiologiste britannique. Il appliqua les statistiques à l'étude de l'hérédité et des différences individuelles et fut l'un des fondateurs de l'eugénique.

**GALUPPI** (Baldassare), dit **il Buranello** ~ *1706, Burano, près de Venise - 1785, Venise.* Compositeur italien. Maître de l'opéra bouffe vénitien, il collabora avec C. Goldoni (*Il Filosofo di campagna*, 1754) et composa des oratorios et des motets.

**GALVANI** (Luigi) ~ *1737, Bologne - 1798, id.* Médecin et physicien italien. Sa théorie de l'électricité d'origine animale (1786) fut infirmée par Volta. Cette controverse fut à l'origine de la pile électrique. Il laissa son nom au procédé de **galvanisation**.

**GALWAY**, en gaél. ***Gaillimh*** ~ V. et port princ. de l'O. de l'Irlande, dans la **baie de Galway**, cap. région. du Connacht ; 51 000 h. Pêche. Tourisme.

**GAMA** (Vasco DE) ~ *v. 1469, Sines, Alentejo - 1524, Cochin, Inde.* Navigateur portugais. Il franchit le cap de Bonne-Espérance et atteignit l'Inde (1498), où il fonda des comptoirs (1502), notamment à Cochin et à Calicut. Jean III le nomma vice-roi des Indes portugaises (1524).

*Le maréchal* ***Gallieni.***

© Coll. Soazig-Explorer

**GAMBETTA** (Léon) ~ *1838, Cahors - 1882, Sèvres.* Avocat et homme politique français. Hostile au second Empire, il contribua à la proclamation de la république, le 4 sept. 1870. Ministre de la Guerre dans le gouvernement de la Défense nationale, il quitta Paris assiégé en ballon afin d'organiser l'effort militaire des provinces. Élu député de Belleville à l'Assemblée nationale (1871-1875), il s'opposa aux partisans de la restauration monarchique et fit voter les lois constitutionnelles de 1875 qui fondèrent la IIIe République. Président de la Chambre après la démission de Mac-Mahon (1879), il fut, en tant que président du Conseil (nov. 1881-janv. 1882), combattu par J. Grévy.

**GAMBIE** (la) ~ Fl. d'Afrique de l'Ouest ; 1 120 km. Issu du Fouta-Djalon (Guinée), il arrose le S.-E. du Sénégal et forme en aval l'axe navigable de l'État de Gambie. Vallée agricole (riz, arachide).

**GAMBIE (république de)** ~ État d'Afrique occidentale enclavé dans le territoire sénégalais, le long de la vallée du fleuve Gambie. ***Cap.*** Banjul. ***Superf.*** 11 295 km². ***Popul.*** 1 026 000 h. ***Langue princ.*** Anglais. ***Monn.*** Dalasi. ***Climat.*** Tropical. ***Écon.*** Arachide, pêche, bois. Tourisme. **HIST.** - La Gambie fit partie des empires du Ghana et du Mali ; explorée par les Portugais au XVe s., elle devint colonie britannique en 1888. Indépendante dans le cadre du Commonwealth depuis 1965, elle s'unit avec le Sénégal dans la confédération de Sénégambie (1982), présidée par Abdou Diouf et dissoute en 1989. En 1996, Yayah Jammeh, qui a pris le pouvoir en 1994, est élu président.

**GAMBIER (îles)** ~ Archipel volcan. et corallien du S.-E. de la Polynésie française (S. des Tuamotu) ; 30 km², env. 600 h. Pêche, coprah.

**GAMELIN** (Maurice) ~ *1872, Paris - 1958, id.* Général français. Commandant des forces alliées en sept. 1939, il échoua face à l'offensive allemande de mai 1940 et fut remplacé par Weygand.

**GAMOW** (George Anthony) ~ *1904, Odessa - 1968, Boulder, Colorado.* Physicien et astrophysicien américain d'orig. russe. Il expliqua l'effet tunnel permettant au rayonnement $\alpha$ de franchir la barrière de potentiel du noyau d'un atome (**barrière de Gamow**). En cosmologie, on lui doit l'hypothèse de l'existence d'un rayonnement thermique d'origine cosmique, témoin d'une explosion primitive.

**GANCE** (Abel) ~ *1889, Paris - 1981, id.* Cinéaste français. Son tempérament épique s'exprima surtout à l'époque du muet, dans des symphonies visuelles aux techniques novatrices (*J'accuse*, 1919 ; *la Roue*, 1923 ; *Napoléon*, 1927).

**GAND**, en néerl. ***Gent*** ~ 2e port de Belgique, au confluent de l'Escaut et de la Lys, ch.-l. de la Flandre-Orientale, centre text. depuis le Moyen Âge ; 228 000 h. Métall. et chim., horticulture (floralies gantoises). Le travail du coton succéda à l'industrie drapière au XIXe s. Cathédrale gothique St-Bavon (polyptyque de l'*Agneau mystique* de Van Eyck), beffroi (XIVe s.), château des Comtes (XIe-XIIIe s.). Musées. **HIST.** - Aux XIIe et XIIIe s., l'industrie du drap et le commerce céréalier enrichirent la cité, qui s'érigea en commune. Aux XIVe et XVe s., les comtes de Flandre conservèrent la mainmise sur la ville malgré des révoltes populaires (gouv. révolutionnaire de J. Van Artevelde, 1337). En 1540, Charles Quint supprima ses privilèges par la « concession Caroline ». Annexée par la France en 1795, Gand fut intégrée à la Belgique en 1830.

**Gandas** ou **Bagandas** (les) ~ Peuple bantou établi sur la rive ougandaise du lac Victoria.

**GANDHARA** (le) ~ Anc. province de l'Inde. Une école de sculpture gréco-bouddhique s'y développa du Ier au IVe s.

**GANDHI**, nom de deux Premiers ministres indiens. ~ **Indira** (*1917, Allahabad - 1984, Delhi*), fille de Nehru, dirigea le parti du Congrès (1959). Premier ministre (1967-1977 et 1980-1984), elle combattit les revendications nationalistes et fut assassinée par un commando sikh. Son fils ~ **Rajiv** (*1944, Bombay - 1991, Sriperumbudur*), Premier ministre de 1984 à 1989, fut assassiné par une extrémiste tamoule.

**GANDHI** (Mohandas Karamchand), dit **le Mahatma**, en fr. « la Grande Âme » ~ *1869, Porbandar - 1948, Delhi.* Philosophe et homme politique indien. D'abord avocat à Bombay, influencé par le jaïnisme, la Bible et Tolstoï, il forgea la doctrine e l'action non violente lors de son séjour en frique du Sud, où il lutta contre les discriminations raciales dont les Indiens faisaient l'objet. De retour en Inde en 1917, il organisa des mouvements de désobéissance civile et prit en 1920 la ête du mouvement pour l'indépendance (parti du Congrès), dont il laissa la direction politique à Nehru en 1928. Autorité morale, figure charismatique, il poursuivit la lutte contre la domination britannique (marche d'opposition au monopole du el, 1930 ; motion *Quit India*, 1942). Entre ses éjours en prison, il se consacra à l'enseignement e sa doctrine, à la défense des intouchables et enta d'apaiser les tensions entre hindous et musulmans (1946-1947). Il fut assassiné par un anatique hindou.

*Le Mahatma* ***Gandhi****.*

**GANDJA**, anc. **Ielizavetpol** (de 1804 à 1918) et **Kirovabad** (de 1935 à 1990) ~ V. industr. d'Azerbaïdjan située dans une région agric. ; 282 000 h. Centre culturel et politique de la Transcaucasie.

**GANESHA** ~ Dieu hindou à tête d'éléphant (symbole de sagacité), fils de la déesse Parvati. Sa monture est le rat (symbole de ténacité).

**GANGE** (le) ~ Princ. fleuve du subcontinent ndien, issu de l'Himalaya et tribut. du golfe du Bengale, qu'il rejoint par un vaste delta commun avec le Brahmapoutre (75 000 km$^2$) ; 3 090 km$^2$ ancien centre soyeux). Son bassin (env. 1 000 000 e km$^2$) forme avec celui de l'Indus la plaine ndo-Gangétique. Ses eaux sont utilisées pour irrigation et l'hydroélectricité. Fleuve sacré des hindous, il traverse Allahabad et Bénarès.

**GANGES** ~ V. du N. de l'Hérault, sur l'Hérault, u pied des Cévennes ; agglom. 5 375 h. Industrie extile.

**GANGTOK** ~ V. du N.-E. de l'Inde, cap. du Sikkim, dans l'Himalaya (alt. 1 700 m) ; 25 000 h. Point de passage entre l'Inde et le Tibet. Centre eligieux bouddhiste (40 monastères).

**GANIVET** (Ángel) ~ *1865, Grenade - 1898, Riga.* crivain espagnol. Ami de M. de Unamuno, il est auteur de romans réalistes (*la Conquête du royaume e Maya*, 1897) et d'essais critiques (*Idearium spañol*, 1897).

**GANSU** ou **KAN-SOU** (le) ~ Prov. montagneuse u N. de la Chine, au S.-E. de la Mongolie-Intérieure ; 366 500 km$^2$, 22 930 000 h., cap. Lanzhou. Région radit. de passage et de migration (Grande Muraille, oute de la Soie), riche en minerais (fer, cuivre) et ess. énerg. (charbon, pétrole).

**GANYMÈDE** ~ Personnage de la mythologie grecque, prince troyen d'une beauté légendaire, fils de Tros. Zeus, s'étant épris de lui, se changea en aigle our l'enlever.

**GAO** ~ V. du Mali, sur le Niger ; 55 000 h. Export. peaux, laine, viande). Anc. capitale de l'Empire onghaï (XIe-XVIe s.).

**GAOXIONG** ~ Voir **Kaohsiung**.

**GAP** ~ Préfect. des Hautes-Alpes, centre admin. et omm., à 700 m d'alt. ; 33 444 h. Évêché. Industr. lim., travail du bois. **HIST.** - Camp militaire Vapincum) fondé par Auguste en 14 av. J.-C. Siège 'un évêché au Xe s., annexée à la France en 1512, lle fut dévastée par les guerres de Religion.

**Garabit (viaduc de)** ~ Viaduc ferrov. qui franchit la Truyère au S.-E. de Saint-Flour, œuvre de G. Eiffel (1882-1884) ; long. 564 m, haut. 122 m.

**GARBO** (Greta Lovisa **Gustafsson**, dite Greta) ~ *1905, Stockholm - 1990, New York.* Actrice américaine d'orig. suédoise. Révélée par M. Stiller dans *la Légende de Gösta Berling* (1924) et par G. W. Pabst dans *la Rue sans joie* (1925), elle fut appelée à Hollywood, où sa beauté mystérieuse marqua mélodrames et comédies de mœurs (*Anna Karénine*, 1935 ; *Marie Walewska*, 1937).

**GARCHES** ~ V. de la banlieue O. de Paris (Hauts-de-Seine) ; 17 957 h. Hôpital.

**GARCÍA CALDERÓN** (Ventura) ~ *1886, Paris - 1959, id.* Écrivain et diplomate péruvien. Pétri de culture française, il fut un maître de la nouvelle (*la Vengeance du condor*, 1925).

**GARCÍA LORCA** (Federico) ~ *1898, Fuente Vaqueros - 1936, Víznar.* Écrivain espagnol. Ses poèmes (*Romancero gitano*, 1928) et ses pièces de théâtre (*Noces de sang*, 1933) concilient enracinement populaire et modernité. Il fut fusillé par les franquistes.

**GARCÍA MÁRQUEZ** (Gabriel) ~ *1928, Aracataca.* Écrivain colombien. Ses romans et nouvelles révèlent une imagination puissante, alliée à un humanisme intransigeant (*Cent Ans de solitude*, 1967). Prix Nobel de litt. 1982.

**GARCILASO DE LA VEGA** (Sebastián) ~ *1495, Badajoz - 1559, Cuzco.* Conquistador. Après avoir participé à la conquête du Pérou aux côtés de Pizarro, il fut nommé gouverneur de Cuzco en 1548. Il fit preuve d'humanité envers les indigènes.

**GARD** (le) ~ Affl. du Rhône (r. dr.) formé par la réunion des Gardons cévenols, qui traverse les Garrigues par des gorges ; 130 km.

**GARD** (le) ~ Dép. de la Région Languedoc-Roussillon, limité à l'E. par le Rhône et le Petit Rhône, jusqu'à la Méditerranée, dominé à l'O. par les Cévennes (Aigoual, 1 565 m) ; 5 848 km$^2$, 585 049 h., préfect. Nîmes. Il est occupé en majeure partie par les plateaux calcaires des Garrigues, que traversent la Cèze et le Gard. La plaine du Rhône s'étale au S., formant la partie N. de la plaine littorale languedocienne (dont la Petite Camargue). La monoculture de la vigne recule au profit d'une polyculture maraîchère et fruitière irriguée. Déclin des activités industrielles liées au petit bassin houiller d'Alès.

**Gard (pont du)** ~ Pont-aqueduc romain alimentant Nîmes (Ier s. apr. J.-C.), formé de trois rangs d'arcades (long. 275 m, haut. 49 m).

**GARDAFUI (cap)** ~ Voir **Guardafui**.

**GARDANNE** ~ V. industrielle des Bouches-du-Rhône, au S. d'Aix-en-Provence ; 17 864 h. Lignite, centrale thermique, traitement de la bauxite.

**GARDE (La)** ~ V. du Var, à l'E. de Toulon ; 22 412 h. Église romane.

**GARDE (lac de)** ~ Lac glaciaire, le plus vaste et le plus à l'E. des Alpes d'Italie, entre la Lombardie et la Vénétie, au seuil de la plaine du Pô ; 370 km$^2$. Climat ensoleillé. Tourisme, villégiature.

**GARDEL** (Charles Romuald **Gardès**, dit Carlos) ~ *1890, Toulouse - 1935, Medellín.* Auteur-compositeur et interprète argentin d'orig. française. Il a donné au tango une audience internationale.

**GARDEL**, nom de deux danseurs et chorégraphes français. ~ **Maximilien**, dit **Gardel l'Aîné** (*1741, Mannheim - 1787, Paris*), maître de ballet à l'Opéra de Paris, fut le premier à paraître sur scène sans masque ni perruque et s'illustra dans la production de ballets-pantomimes. Son frère ~ **Pierre** (*1758, Nancy - 1840, Paris*) lui succéda à la tête de l'Opéra de Paris.

**GARDINER** (Stephen) ~ *v. 1482, Bury Saint Edmunds - 1555, Londres.* Prélat et homme politique anglais. Partisan de la suprématie royale, il défendit Henri VIII contre le pape. Lord-chancelier sous Marie Tudor (1553), il persécuta les protestants, dans le souci de conserver des liens avec Rome.

**GARDNER** (Ava) ~ *1922, Smithfield, Caroline du Nord - 1990, Londres.* Actrice américaine. Elle fut révélée dans *les Tueurs* (1946), de R. Siodmak, et confirma son talent dans de nombreux films, dont *Pandora* (1951), d'A. Lewin, et *la Comtesse aux pieds nus* (1954), de J. L. Mankiewicz.

*Greta* ***Garbo*** *dans la Reine Christine (1933), film de Rouben Mamoulian (1898-1987).*

**GARENNE-COLOMBES (La)** ~ V. de la banlieue N.-O. de Paris (Hauts-de-Seine) ; 21 754 h. Industr. mécan. (automobile).

**GARGALLO** (Pablo) ~ *1881, Maella - 1934, Reus.* Sculpteur espagnol. Influencé par le cubisme, il créa des sculptures en fer découpé qui révèlent un grand sens de l'expression et du décoratif (*l'Arlequin à la flûte*, 1927-1932).

**GARGANO** ~ Presqu'île montagneuse (1 060 m au mont Calvo) du S.-E. de l'Italie, baignée par l'Adriatique et séparée de l'Apennin par la plaine des Pouilles. Agrumes, olivier. Bauxite.

**GARGES-LÈS-GONESSE** ~ V. du Val-d'Oise, près du Bourget ; 42 144 h.

**GARIBALDI** ~ **Giuseppe** (*1807, Nice - 1882, Caprera*), révolutionnaire italien. Patriote ardent, il consacra sa vie à l'unité de la péninsule. En 1859, il combattit contre l'Autriche puis, en 1860, mena une expédition — dite des Mille — avec ses Chemises rouges afin de renverser les Bourbons de Naples. Après avoir échoué contre les États pontificaux (1867), il mit son épée au service de la France, en 1870-1871. Il fut élu député par quatre départements français. Son fils ~ **Ricciotti** (*1847, Montevideo - 1924, Rome*), général italien, commanda en France une légion italienne, appelée « légion garibaldienne » (1914). Il se rallia au fascisme.

**GARIGLIANO** (le) ~ Fl. côtier d'Italie, entre le Latium et la Campanie. Les Français, malgré la présence de Bayard, y furent battus par les Espagnols en 1503. Le 11 mai 1944, le corps expéditionnaire français, sous les ordres du général Juin, y remporta une victoire décisive.

**GARIZIM (mont)** ~ Montagne de l'anc. Palestine, lieu sacré des Samaritains.

**GARLAND** (Frances **Gumm**, dite Judy) ~ *1922, Grand Rapids - 1969, Londres.* Actrice et chanteuse américaine. Parmi ses principaux films : *le Magicien d'Oz*, de V. Fleming (1939) ; *le Chant du Missouri*, de V. Minnelli (1944) ; *Une étoile est née*, de G. Cukor (1954).

**GARMISCH-PARTENKIRCHEN** ~ Station de sports d'hiver des Alpes bavaroises (Allemagne), au pied de la Zugspitze ; env. 27 000 h. Jeux Olympiques d'hiver (1936).

**GARNEAU** (François-Xavier) ~ *1809, Québec - 1866, id.* Historien canadien d'expression française, auteur d'une *Histoire du Canada* (1845-1852).

**GARNEAU** (Hector **de Saint-Denys**) ~ *1912, Montréal - 1943, Sainte-Catherine-de-Fossambault.* Poète canadien d'expression française. Ses poèmes, au vocabulaire dépouillé, traduisent une intense recherche spirituelle (*Regards et jeux dans l'espace*, 1937).

**GARNERIN**, nom de deux aéronautes français. ~ **André** (*1770, Paris - 1823, id.*) effectua, le premier, un saut en parachute, à partir d'une montgolfière (1797). Son épouse, ~ **Jeanne Labrosse** (*1775 - 1847*), fut la première femme aéronaute et parachutiste.

**GARNIER** (Charles) ~ *1825, Paris - 1898, id.* Architecte français. Fondé sur des structures classiques, son brillant éclectisme décoratif a culminé avec l'Opéra de Paris (**palais Garnier**, 1862-1874).

**GARNIER** (Jacques) ~ *1940, Nantes - 1989, Paris.* Danseur et chorégraphe français. Ancien danseur à l'Opéra de Paris, figure emblématique du passage de la danse classique à la danse contemporaine, il fonda en 1980 le Groupe de recherche chorégraphique de l'Opéra de Paris (G. R. C. O. P.).

**GARNIER** (Marie Joseph François, dit Francis) ~ *1839, Saint-Étienne - 1873, Hanoi.* Marin français. Il explora le Mékong et la vallée du Yangzi Jiang, et conquit le Tonkin, où il fut tué par les Pavillons-Noirs, des irréguliers chinois.

**GARNIER** (Robert) ~ *1544 ou 1545, La Ferté-Bernard - 1590, Le Mans.* Auteur français de tragédies (*Antigone*, 1580) et d'une tragi-comédie (*Bradamante*, 1582).

**GARNIER** (Tony) ~ *1869, Lyon - 1948, Carnoux-en-Provence.* Architecte et urbaniste français. Pionnier du rationalisme urbanistique et adepte du béton armé, il conçut un projet de cité industrielle (1901-1904) et réalisa not. le stade olympique de Lyon (1913-1916).

**GARNIER-PAGÈS**, nom de deux hommes politiques français. ~ **Étienne** (*1801, Marseille - 1841, Paris*), chef du parti républicain sous la monarchie de Juillet, lutta en faveur de l'instauration du suffrage universel. Son frère ~ **Louis Antoine** (*1803, Marseille - 1878, Paris*) fut maire de Paris en 1848 et participa au gouvernement de la Défense nationale en 1870.

**GARONNE** (la) ~ Fl. du S.-O. de la France, issu des Pyrénées espagnoles (Maladeta), où il forme le val d'Aran, qui draine à sa sortie des Pyrénées (Comminges) la majeure partie du Bassin aquitain et rejoint l'Atlantique par l'estuaire de la Gironde après Bordeaux ; 575 km (bassin 56 000 km$^2$). Ses principaux affluents sont issus des Pyrénées (Ariège), du plateau de Lannemezan (Save, Gers, Baïse) et du Massif central (Tarn, Lot, Dordogne). Sujet à des crues violentes (printemps), le cours a été régularisé en aval de Toulouse grâce aux aménagements hydroélectriques et aux canaux, destinés à l'irrigation et à la navigation (canal latéral, relié à l'E. au canal du Midi).

**GARONNE (Haute-)** ~ Dép. de la Région Midi-Pyrénées, limitrophe de l'Espagne (Pyrénées centrales), drainé par la Garonne du S. au N. (collines molassiques du Comminges, puis plaine alluviale comprenant aussi le bassin de l'Ariège) ; 6 309 km$^2$, 925 962 h., préfect. Toulouse. Élev. bovin, céréales, colza, fruits et légumes, vigne. Hydroélectricité et thermalisme (Bagnères-de-Luchon), sports d'hiver (Superbagnères) dans les Pyrénées. Une seule grande ville : Toulouse, dont l'agglomération regroupe plus de la moitié de l'industrie et de la population du département.

**GAROUA** ~ Port fluvial du N. du Cameroun, sur la Bénoué (transport de matières premières vers le Nigeria) ; 142 000 h. Coton, industr. textile.

**GARRETT** (Almeida) ~ Voir **Almeida Garrett**.

**GARRIGUES** (les) ~ Plateaux du Languedoc (Hérault et Gard), au pied des Cévennes, à la végétation méditerranéenne dégradée.

**GARROS** (Roland) ~ *1888, Saint-Denis, la Réunion - 1918, près de Vouziers.* Aviateur français. Premier pilote à traverser la Méditerranée (1913), il mit au point, pendant la Première Guerre mondiale, le procédé de tir à travers l'hélice. Il périt au combat.

**GARTEMPE** (la) ~ Affl. de la Creuse (r. g.), issu de la Marche (Haute-Vienne), qui arrose le Limousin et le Poitou ; 190 km.

**GARY** ~ V. des États-Unis (Indiana), sur la rive S. du lac Michigan (E. de la conurbation de Chicago) ; 117 000 h. (80 % de Noirs). Métallurgie.

**GARY** (Romain **Kacew**, dit Romain) ~ *1914, Vilnius - 1980, Paris.* Écrivain français. Engagé dans son époque (il fut résistant, diplomate), il ne cessa d'en dénoncer l'hypocrisie et les faux-semblants (*les Racines du ciel*, 1956 ; *la Promesse de l'aube*, 1960). Auteur d'une supercherie littéraire sous le pseudonyme d'Émile Ajar, il publia not. *la Vie devant soi* (1975), qui lui valut un second prix Goncourt, avant de se donner la mort.

**GASCOGNE** (la), du lat. ***Vasconia***, « Basque » ou « Gascon » ~ Région historique du S.-O. du Bassin aquitain, entre la Garonne, les Pyrénées et le Pays basque (exclu), qui correspond à l'aire des anciens parlers gascons (variantes de l'occitan). Formant un duché (VIII$^e$ s.) uni à l'Aquitaine (1052), émiettée en de nombreux fiefs, elle fut rattachée au domaine royal à partir du XV$^e$ s.

**GASCOGNE (golfe de)** ~ Rentrant de l'océan Atlantique qui baigne les côtes d'Aquitaine et du N. de l'Espagne. La plaine abyssale de Biscaye réduit l'étendue du plateau continental.

**GASCOIGNE** (George) ~ *v. 1525, Cardington - 1577, Bernack.* Poète et dramaturge anglais. Il est l'auteur de la première comédie en prose de langue anglaise (*les Supposés*, 1566) et de la première satire anglaise (*le Miroir du gouvernement*, 1575).

**GASHERBRUM** ~ Massif montagneux du Karakorum (Pakistan), culminant au **Gasherbrum I**, ou Hidden Peak (8 068 m).

**GASPAR** ou **GASPARD** ~ Un des trois Rois mages de la tradition chrétienne. Il est représenté comme un jeune homme de type asiatique.

**GASPARIN** (Adrien, comte DE) ~ *1783, Orange - 1862, id.* Agronome et homme politique français. Ministre sous la monarchie de Juillet, puis directeur de l'Institut agronomique de Versailles, il étudia l'apport des sciences à l'agriculture.

**GASPERI** (Alcide DE) ~ Voir **De Gasperi**.

**GASPÉSIE** (la) ~ Péninsule du S.-E. du Québec, entre l'estuaire et le golfe du Saint-Laurent, prolongement boisé des Appalaches (1 268 m au mont Jacques-Cartier). Parcs naturels (flore alpine, caribous). Pêche (saumon). Les ports, dont **Gaspé** (env. 17 000 h.), où J. Cartier débarqua en 1534, concentrent la population.

**GASSENDI** (Pierre **Gassend**, dit) ~ *1592, Champtercier, près de Digne - 1655, Paris.* Philosophe et savant français. Il soutint Galilée lors de son procès. Enseignant les mathématiques au Collège de France, il opposa au cartésianisme un atomisme, un sensualisme et une morale directement inspirés de Lucrèce (*Objections aux « Méditations »*, 1644).

**GASSMAN** (Vittorio) ~ *1922, Gênes.* Acteur et cinéaste italien. Figure omniprésente du cinéma italien, il a tourné not. avec M. Monicelli (*le Pigeon*, 1958), D. Risi (*les Monstres*, 1963 ; *Parfum de femme*, 1974) et E. Scola (*la Terrasse*, 1980), et a réalisé des films, dont *l'Alibi* (1969).

**GASTON III DE FOIX**, dit **Gaston Phébus** ~ *1331 - 1391, Orthez.* Comte de Foix et vicomte de Béarn de 1343 à 1391. Amateur de belles-lettres et mécène, il conserva une relative neutralité vis-à-vis de la France et de l'Angleterre pendant la guerre de Cent Ans, ce qui assura la prospérité de son comté. Il légua ses domaines au roi de France, Charles VI.

**GATIEN** (saint) ~ *III$^e$ s.* Apôtre de la Gaule, il fut le premier évêque de Tours.

**GÂTINAIS** (le) ~ Dépression du Bassin parisien, entre la Beauce et la Champagne, drainée par le Loing. V. princ. Montargis. Grande cult. céréalière (O. et N.), élev., apiculture, forêts (E.).

**GÂTINE**, nom de deux régions distinctes de l'O. de la France. ~ La **Gâtine tourangelle**, plateau vallonné et argileux dominant la Loire et le Loir (landes parsemées d'étangs et prairies d'élev. pour la production de lait). ~ La **Gâtine vendéenne**, ou **de Parthenay**, anc. pays de landes (hauteurs de Vendée, 288 m au puy Crapaud) auj. bocager.

**Gatt**, sigle de ***General Agreement on Tariffs and Trade*** ~ Accords signés à Genève (1947) qui ont servi de cadre aux négociations internationales sur les tarifs douaniers. Depuis 1995, le contrôle des accords relève de l'Organisation mondiale du commerce (O. M. C.).

**GATTAMELATA** (Erasmo **da Narni**, dit le) ~ *v. 1370, Narni - 1443, Padoue.* Condottiere italien, au service du Saint-Siège puis de Venise. Sa statue équestre, à Padoue, fut réalisée par Donatello en 1453.

**GAUDÍ Y CORNET** (Antoni ou Antonio) ~ *1852, Reus - 1926, Barcelone.* Architecte et sculpteur espagnol. Influencé par les styles gothique et byzantin, il développa une esthétique d'une grande originalité structurelle et décorative. Commencée en 1883, l'église de la Sagrada Familia, à Barcelone, est restée inachevée.

**GAUDIN** (Martin Charles), duc **de Gaète** ~ *1756, Saint-Denis - 1841, Gennevilliers.* Financier et homme politique français. Ministre des Finances de 1799 à 1814, il établit un corps de fonctionnaires chargés de lever l'impôt direct ; il créa le cadastre et la Banque de France.

**GAUDRY** (Albert) ~ *1827, Saint-Germain-en-Laye - 1908, Paris.* Paléontologue français. On lui doit un tableau de l'évolution des formes organiques (*Essai de paléontologie philosophique*, 1896).

Arearea (Joyeusetés ; *1892*), *peinture de Paul* **Gauguin**. *Musée d'Orsay, Paris.*

**GAUGUIN** (Paul) ~ *1848, Paris - 1903, Atuona, îles Marquises.* Peintre français. Il peignit avec le impressionnistes (1876-1885), puis à Pont-Ave (1885-1890) et tenta de travailler avec Van Gog (1888) avant de partir pour la Polynésie (1891) Ayant synthétisé ces apports, il réalisa, au traver d'une quête spirituelle constante, des composition monumentales dans des aplats de couleurs fran ches. Son intérêt pour les arts primitifs, s technique mettant en cause la perspective, so utilisation de la couleur en font l'un des précurseur de l'art moderne au-delà de l'influence directe qu' exerça sur les symbolistes, les nabis et les fauves

**GAUHATI** ~ Voir **Assam**.

**GAULE** (la) ~ Nom donné par les Romains à un vaste région de l'Europe antique, limitée par le Rhir les Alpes, la Méditerranée, les Pyrénées et l'Atlant que. Elle comprenait la France actuelle mais aus la Belgique, la Suisse et les régions de la rive gauch du Rhin. **HIST.** - Les Celtes s'installèrent sur c territoire au début du I$^{er}$ mill. av. J.-C., refoulant ver le S. les Ibères et les Ligures. Soucieux d'assurer l communication avec l'Espagne, les Romain conquirent le S.-E. méditerranéen de la Gaule en 12 av. J.-C. et créèrent la province de Narbonnaise ; l reste de la Gaule, dit **Gaule chevelue**, fut soumis pa César (58-51). Vercingétorix, le chef arverne qu dirigeait les peuples gaulois, fut vaincu et capturé e 52 av. J.-C. à Alésia. Sous l'autorité romaine, l Gaule découvrit le développement urbain, les route les aqueducs. Auguste créa trois provinces romaine supplémentaires : l'Aquitaine, la **Gaule Celtique** e la **Gaule Belgique** (27 av. J.-C.). À partir du I$^{er}$ s le christianisme pénétra en Gaule. Au III$^e$ s. eurer lieu les premières invasions germaniques. De 48 à 511, Clovis, roi des Francs, bâtit un royaum indépendant sur les ruines de la Gaule.

**GAULLE** (Charles DE) ~ *1890, Lille - 1970, Colombey-les-Deux-Églises.* Homme d'État français Officier d'infanterie, il se distingua pendant l Première Guerre mondiale. Général de brigade e 1940, membre du cabinet Reynaud (juin), il refus l'armistice. De Londres, il lança, le 18 juin, un app à poursuivre la lutte contre l'occupant et fu

*Le général de* **Gaulle** *sur la place de l'Étoile après la libération de Paris (août 1944).*

condamné à mort par contumace. Non sans difficultés, il s'imposa comme chef de la France libre auprès des Alliés et rassembla la Résistance sous son autorité. Chef du Gouvernement provisoire en 1944, opposé à la Constitution de la IVe République naissante et partisan d'un pouvoir exécutif fort, il démissionna (janv. 1946), créa l'éphémère Rassemblement du peuple français (1947-1953) puis, convaincu de l'impuissance du « régime des partis », se consacra à la rédaction de ses *Mémoires*. Revenu au pouvoir à la suite de la crise algérienne de mai 1958, de Gaulle fonda la Ve République, dont il fut le premier président (21 déc. 1958). Il conclut la guerre d'Algérie (1962) et la décolonisation de l'Afrique noire française. À l'extérieur, il mena une politique de « grandeur nationale », dégagée de l'influence américaine et fondée sur la force nucléaire française. À l'intérieur, l'accent fut mis sur la modernisation du pays et la pérennité d'un pouvoir exécutif renforcé par l'élection du président de la République au suffrage universel. Réélu en 1965 mais ébranlé par Mai 68, de Gaulle fut désavoué et battu lors d'un référendum sur la régionalisation. Il démissionna en avril 1969.

**GAUMONT** (Léon) ~ *1863, Paris - 1946, Sainte-Maxime.* Inventeur et industriel français. Il fonda la société Gaumont et Compagnie puis, en 1906, les établissements Gaumont, qui produisirent des œuvres majeures du cinéma muet.

**GAUSS** (Carl Friedrich) ~ *1777, Brunswick - 1855, Göttingen.* Mathématicien et physicien allemand. Il étudia la mécanique céleste et la géodésie. En mathématiques, il travailla sur la théorie des nombres et pressentit la géométrie non euclidienne hyperbolique (1799), la théorie des erreurs (1821) et la méthode des moindres carrés. En physique, il s'intéressa à l'électromagnétisme et à l'optique, établissant l'explication mathématique du magnétisme.

**GAUSSEN** (Henri) ~ *1891, Cabrières-d'Aigues, Vaucluse - 1981, Toulouse.* Botaniste et géographe français. On lui doit des travaux de géographie et de cartographie botaniques et climatiques.

**GAUTENG** ~ Voir **Transvaal**.

**GAUTIER** (Théophile) ~ *1811, Tarbes - 1872, Neuilly-sur-Seine.* Écrivain français. Il fut un romantique engagé avant de prôner l'art pour l'art (*Émaux et Camées*, 1852) et de devenir l'initiateur du mouvement parnassien. Il publia un roman historique, *le Capitaine Fracasse* (1863).

**GAUTIER DE COINCY** ~ *1177, Coincy, près de Soissons - 1236, Soissons.* Poète et bénédictin français. Ses *Miracles de Notre-Dame* (1218) célèbrent le culte de la Vierge.

**GAVARNI** (Sulpice Guillaume **Chevalier**, dit Paul) ~ *1804, Paris - 1866, id.* Dessinateur, lithographe et peintre français. Ses caricatures, vivantes et caustiques, témoignent de la vie parisienne sous Louis-Philippe.

**GAVARNIE (cirque de)** ~ Amphithéâtre naturel des Htes-Pyrénées (pourtour 14 km, alt. 1500 m), près du Vignemale ; chutes du gave de Pau, 422 m.

**GAVRINIS** ~ Îlot du golfe du Morbihan. Un cumulus y renferme un dolmen orné de motifs en relief (IVe mill. av. J.-C.).

**GAVROCHE** ~ Personnage romanesque créé par Victor Hugo (*les Misérables*). Il incarne le gamin brave et railleur, issu du petit peuple de Paris.

**GAXOTTE** (Pierre) ~ *1895, Revigny, Meuse - 1982, Paris.* Historien et journaliste français. Membre de l'Action française, fondateur de l'hebdomadaire *Candide* (1924) et directeur de *Je suis partout*, il fut également l'auteur d'ouvrages historiques sur la France et l'Allemagne (*Frédéric II*). Acad.

**GAY** (Francisque) ~ *1885, Roanne - 1963, Paris.* Homme politique et journaliste français. Disciple de M. Sangnier, il fut l'un des animateurs de la Démocratie chrétienne. Il participa à la fondation du M. R. P. et fut ministre d'État en 1945.

**GAYA** ~ Voir **Bodh-Gaya**.

**GAY-LUSSAC** (Louis Joseph) ~ *1778, Saint-Léonard-de-Noblat - 1850, Paris.* Chimiste et physicien français. Il découvrit la loi de dilatation des gaz (1802) et les lois volumétriques des combinaisons gazeuses qui portent son nom (1808).

**GAZA** ~ V. de Palestine, cap. d'un territoire autonome palestinien (**bande de Gaza**, 363 km², 724 000 h.) bordant la Méditerranée ; env. 120 000 h. **HIST.** - Cité ancienne, elle fut le siège d'un État philistin à la fin du IIe mill. av. J.-C. Lorsque prit fin le mandat britannique (1920-1948), le territoire échappa aux Israéliens et forma la bande de Gaza, administrée par l'Égypte. Israël l'occupa (1967), se heurtant à la résistance de la population, qui déclencha l'Intifada (1987). Gaza a accédé à l'autonomie le 4 mai 1994.

**Gazette (la)** ~ Premier journal français, fondé par Th. Renaudot en 1631 avec l'appui de Richelieu. Devenue *la Gazette de France* en 1762, puis *la Gazette nationale de France* sous la Révolution, avec une parution quotidienne, elle disparut en 1914.

**GAZIANTEP**, anc. **Aïntab** ~ V. du S. de la Turquie, à 100 km au N. d'Alep (Syrie), important centre industr. (constr. mécan., textile) et agric. (vins, pistaches) ; agglom. 760 000 h. Vestiges d'une forteresse du VIe s. Située sur les anciennes routes de commerce, elle a longtemps joué un rôle stratégique.

**GDAŃSK**, en all. ***Danzig***, en fr. **Dantzig** ~ 1er port de Pologne, centre industr. (chantiers navals), sur la mer Baltique ; 466 000 h. (conurbation d'env. 800 000 h. avec Sopot et Gdynia). Université. Hôtel de ville des XIVe et XVe s., arsenal du XVIIe s. **HIST.** - Polonaise (1295), conquise par l'ordre Teutonique (1309), et ville hanséatique de 1360 à 1454, elle repassa sous la suzeraineté de la Pologne grâce à Casimir IV (1466). Annexée par la Prusse en 1793, elle recouvra le statut de ville libre grâce à Napoléon Ier (de 1807 à 1814) puis au traité de Versailles (1919). Son rattachement (1939) à l'Allemagne et la perte du « corridor de Dantzig » ouvrant la Pologne sur la Baltique déclenchèrent la Seconde Guerre mondiale. Redevenue polonaise (1945), elle fut le théâtre d'émeutes qui entraînèrent la démission de Gomułka (1970). De la grève des chantiers navals, animée par Lech Wałęsa, est né le syndicat Solidarność (1980).

**G. D. F.** ~ Voir **Électricité de France - Gaz de France**.

**GDYNIA** ~ Port industr. et comm. de Pologne (conurbation de Gdańsk) ; 252 000 h. Constr. navales, agroalim., export. de céréales.

**GÊ** ~ Voir **Gaïa**.

**GÉANTS (monts des)**, en all. ***Riesengebirge***, en tchèque ***Krkonoše***, en pol. ***Karkonosze*** ~ Partie la plus élevée des Sudètes, au N. de la Bohême (alt. max. 1 603 m), frontière entre la République tchèque et la Pologne (Silésie), à l'E. de l'Elbe.

**GÉDYMIN** ou **GÉDYMINAS** ~ *v. 1275 - 1341.* Grand-duc de Lituanie (1316-1341). Grâce à son habileté politique, il fut le véritable fondateur de l'État lituanien, qu'il étendit jusqu'à la Biélorussie. Il fit de Vilnius sa capitale.

**GEELONG** ~ Port céréalier et industr. (pétrole, laine, constr. navales, agroalim.) d'Australie, près de Melbourne (Victoria) ; 152 000 h. Université.

**GEIGER** (Hans) ~ *1882, Neustadt - 1945, Potsdam.* Physicien allemand. Il inventa (1913) et mit au point, avec E. Rutherford puis avec Müller, le compteur de particules radioactives **Geiger-Müller**.

**GEISÉRIC** ou **GENSÉRIC** ~ *m. en 477.* Premier roi vandale d'Afrique (428-477). Il conquit l'Afrique du Nord, les Baléares, la Corse, la Sicile et la Sardaigne, et devint le maître d'un puissant empire. Il pilla Rome (455).

**GEISSLER** (Heinrich) ~ *1815, Igelshieb - 1879, Bonn.* Mécanicien et physicien allemand. Il étudia les décharges électriques dans les gaz raréfiés (**tubes de Geissler**, 1856).

**GELA** ~ Port industr. (extraction et raff. de pétrole, chim.) du S. de la Sicile (Italie) ; 74 000 h. Ancienne cité grecque fondée au VIIe s. av. J.-C. et détruite par Hamilcar au IIIe s. av. J.-C.

**GELLÉE** (Claude) ~ Voir **Lorrain**.

**GELL-MANN** (Murray) ~ *1929, New York.* Physicien américain. Précurseur de la classification des particules fondamentales à interactions fortes, il établit la notion d'« étrangeté », charge de type nouveau, et émit l'hypothèse de l'existence des quarks. Prix Nobel de phys. 1969.

**GÉLON** ~ *540, Gela - 478 av. J.-C., Syracuse.* Tyran de Gela et de Syracuse. Il vainquit les Carthaginois à Himère, en Sicile (480).

**GELSENKIRCHEN** ~ V. d'Allemagne (Rhénanie-du-Nord - Westphalie), au cœur de la Ruhr ; 295 000 h. Métall., chim., mécan., raff. de pétrole.

**GEMAYEL**, famille d'hommes politiques libanais. ~ **Pierre** (*1905, Mansourah - 1984, Bikfaya*), maronite, fondateur des Phalanges libanaises (1936), dirigea la droite chrétienne face au Baas, puis face aux réfugiés palestiniens. L'un de ses fils, ~ **Béchir** (*1947, Beyrouth - 1982, id.*), dirigea les milices chrétiennes à partir de 1976. Élu président en 1982, il fut assassiné peu avant son entrée en fonctions. ~ **Amine** (*1942, Bikfaya*) fut président à la suite de son frère jusqu'en 1988.

**GÉMIER** (Firmin **Tonnerre**, dit Firmin) ~ *1869, Aubervilliers - 1933, Paris.* Acteur et directeur de théâtre français. Il dirigea l'Odéon et, soucieux de toucher un large public, fut à l'origine du T. N. P. qu'il dirigea de 1920 à sa mort.

**GEMINIANI** (Francesco) ~ *1687, Lucques - 1762, Dublin.* Compositeur italien. Élève de Corelli, il s'établit en Angleterre et en Irlande, où il fit œuvre de pédagogue et de théoricien (*Art de toucher le violon*, 1731).

**Génération perdue** ~ Expression attribuée à Gertrude Stein et désignant un groupe d'écrivains américains, parmi lesquels E. Hemingway, J. Dos Passos, F. S. Fitzgerald et E. Pound, venus distraire leur trouble existentiel et intellectuel d'après-guerre dans l'Europe des années folles (autour de 1920).

**GÊNES**, en ital. ***Genova*** ~ 1er port d'Italie, 3e centre industr. du N. du pays, cap. régionale de la Ligurie, sur le **golfe de Gênes**, au pied de l'Apennin ; 660 000 h. (agglom. env. 1 000 000 d'h.). Constructions navales, raffinerie de pétrole, pétrochim., métallurgie. Palais Bianco, Rosso (XIVe s.) et Spinola (XVIe-XVIIIe s.) transformés en musées. **HIST.** - Cité indépendante à partir du XIIe s., Gênes édifia du XIIe au XIVe s. un empire commercial maritime qui s'étendait jusqu'à la mer Noire. En rivalité avec Pise et Venise, elle battit Pise en 1284 mais fut vaincue par Venise lors de la guerre maritime de Chioggia (1378-1381). Instable politiquement, affaiblie dans ses comptoirs, Gênes passa successivement des rois de France aux Visconti, puis aux Sforza. Son empire fut détruit par les Turcs au XVe s. Capitale de la République ligurienne (1797), elle fut annexée par la France (1805), puis par le Piémont (1815).

*Gênes.*

**GÉNÉSARETH (lac de)** ~ Voir **Tibériade** (lac de).

**GENET** (Jean) ~ *1910, Paris - 1986, id.* Écrivain français. Dans ses récits (*Notre-Dame-des-Fleurs*, 1944 ; *Journal du voleur*, 1949) comme dans son théâtre (*les Bonnes*, 1947 ; *les Paravents*, 1961), il dénonce le mensonge social et, par un renversement des valeurs, prône une esthétique du mal dont les criminels sont les maîtres.

**GENÈVE** ~ V. de Suisse, à la pointe S.-O. du lac Léman, ch.-l. du **canton de Genève** (282 km², 387 000 h.), centre financier et commercial ; 170 000 h. Université fondée par Calvin. **HIST.** - Oppidum des Allobroges, colonie romaine, la ville fut conquise par les Burgondes (Ve s.) et les Francs (VIe s.). Les habitants profitèrent de la rivalité entre comtes et évêques pour s'ériger en commune (XIIIe s.) et assurèrent leur indépendance face à la Savoie (1530 et 1602). Elle se rallia à la Réforme (1536) et Calvin en fit la citadelle du protestantisme. Chef-lieu du département français du Léman

(1798-1814), elle adhéra à la Confédération helvétique en 1815. À partir du XIX$^{e}$ s., elle devint une capitale diplomatique mondiale, siège d'organisations internationales (B. I. T., Croix-Rouge).

**Genève (conférence de)** ~ Réunion internationale (26 avr.-21 juill. 1954) destinée à régler les conflits coréens et indochinois. P. Mendès France y obtint le cessez-le-feu au Laos, au Cambodge et au Viêt Nam (ce dernier fut partagé en deux zones).

**GENÈVE (lac de)** ~ Partie S.-O. du lac Léman.

**GENEVIÈVE** (Genovefa, sainte) ~ *v. 420, Nanterre - v. 502, Paris.* Sainte patronne de Paris. Elle aurait sauvé la ville par ses prières lors de l'invasion d'Attila en 451, et devint conseillère de Clovis.

**GENEVOIX** (Maurice) ~ *1890, Decize - 1980, Alsudia-Cansades, Espagne.* Écrivain français. Son œuvre comprend des souvenirs de guerre (*Sous Verdun*, 1916) et des récits qui évoquent la vie rurale sur un mode empreint de tendresse et de poésie (*Raboliot*, 1925 ; *la Forêt perdue*, 1967). Acad.

**GENGIS KHAN**, titre de **Temüdjin** ~ *v. 1167, Delün Boldaq, près du lac Baïkal - 1227, Qingshui, Gansu.* Chef suprême des Mongols en 1206, il constitua en vingt ans un empire allant de Pékin à la Volga.

**GENIL** (le) ~ Affl. princ. du Guadalquivir (r. g.), en Andalousie (Espagne), issu de la sierra Nevada, qui arrose la huerta de Grenade ; env. 300 km.

**GENK** ~ V. de Belgique (Limbourg), à l'O. de Maastricht ; 62 000 h. Montage autom., aciéries.

**GENLIS** (Stéphanie Félicité **du Crest de Saint-Aubin**, comtesse DE) ~ *1746, Champcéri, Saône-et-Loire - 1830, Paris.* Femme de lettres française, préceptrice des enfants du duc d'Orléans, not. du futur Louis-Philippe, elle écrivit de nombreux ouvrages pédagogiques et des mémoires (*Théâtre d'éducation*, 1779).

**GENNES** (Pierre-Gilles DE) ~ *1932, Paris.* Physicien français. Il a montré que les méthodes élaborées pour décrire l'ordre des systèmes simples peuvent être étendues à la description de formes plus complexes de matières. Prix Nobel de phys. 1991.

**GENNEVILLIERS** ~ V. industr. du N. de l'agglom. parisienne (Hauts-de-Seine), 1$^{er}$ port fluvial d'Île-de-France, sur la Seine ; 44 818 h.

**gens de lettres (Société des)** ~ Association fondée en 1838 pour défendre les intérêts matériels et moraux des écrivains.

**GENSÉRIC** ~ Voir Geiséric.

**GENSONNÉ** (Armand) ~ *1758, Bordeaux - 1793, Paris.* Homme politique français. Député à l'Assemblée législative puis à la Convention, il fut guillotiné comme Girondin.

**GENTIL** (Émile) ~ *1866, Volmunster, Moselle - 1914, Bordeaux.* Explorateur et administrateur colonial français. Il reconnut les régions du Chari et du lac Tchad et défit le sultan Rabah. Il commanda ensuite les territoires du Congo.

**GENTILE DA FABRIANO** ~ *v. 1370, Fabriano, prov. d'Ancône - 1427, Rome.* Peintre italien. Maître du gothique international, il intégra à son style précieux des traits empruntés aux écoles de Venise, de Brescia, de Florence et de Rome (*Adoration des mages*, 1423).

**GENTILESCHI**, surnom de deux peintres italiens. ~ **Orazio** LOMI (*1563, Pise - 1639, Londres*), propagea, de Gênes à Londres en passant par Paris, un style caravagesque aux accents familiers et mélancoliques (*Joueuse de luth*). Sa fille ~ **Artemisia** LOMI (*1593, Rome - apr. 1651, Naples*) a peint, d'une manière assez proche, portraits et scènes bibliques.

**GENTILLY** ~ V. de la banlieue S. de Paris (Val-de-Marne) ; 17 093 h. Prod. pharmaceutiques.

**GENTZEN** (Gerhard) ~ *1909, Greifswald - 1945, Prague.* Philosophe allemand. Il tenta de poser les bases d'une logique non axiomatique.

**GEOFFRIN** (Marie-Thérèse **Rodet**, dite Mme) ~ *1699, Paris - 1777, id.* Mécène française. Dans son salon se retrouvaient artistes, savants, écrivains et philosophes ; elle subventionna l'*Encyclopédie*.

**GEOFFROI V LE BEL** ~ *1113 - 1151, Le Mans.* Comte d'Anjou et du Maine (1129-1151), fils de Foulques V le Jeune. Surnommé Plantagenêt (une branche de genêt ornait son casque), il épousa (1128) Mathilde, fille d'Henri I$^{er}$ d'Angleterre, qui lui apporta en dot la Normandie (1135). Père d'Henri II d'Angleterre.

**GEOFFROY SAINT-HILAIRE**, famille de naturalistes français. ~ **Étienne** (*1772, Étampes - 1844, Paris*), fondateur de l'embryologie et de la tératologie expérimentale. Ses travaux d'anatomie comparée et de paléontologie l'amenèrent, dans une perspective évolutionniste et transformiste, à établir la théorie d'un plan unique d'organisation des êtres vivants. Son fils ~ **Isidore** (*1805, Paris - 1861, id.*) poursuivit ses travaux en tératologie et fonda la Société d'acclimatation de France.

**GEORGE**, nom de six rois de Grande-Bretagne et d'Irlande. ~ **George I$^{er}$** (*1660, Hanovre - 1727, Osnabrück*), roi de Grande-Bretagne et d'Irlande (1714-1727) et Électeur de Hanovre (1698-1727). Il monta sur le trône à la mort d'Anne Stuart en vertu de l'Acte d'établissement, mais résida le plus souvent en Allemagne, laissant la direction des affaires du royaume aux chefs du parti whig, Stanhope et Walpole. ~ **George II** (*1683, Herrenhausen, près de Hanovre - 1760, Londres*), fils du préc., roi de Grande-Bretagne et d'Irlande et Électeur de Hanovre (1727-1760). Il battit les Stuarts à Culloden (1746) et engagea la Grande-Bretagne dans la guerre de Sept Ans en 1756. ~ **George III** (*1738, Londres - 1820, Windsor*), petit-fils du préc., roi de Grande-Bretagne et d'Irlande (1760-1820), Électeur (1760-1815) puis roi de Hanovre (1815-1820). Commencé par le victorieux traité de paix de 1763, son règne vit la perte des colonies américaines (guerre d'Indépendance, 1783). En proie à des accès de folie, il laissa la régence en 1810 à son fils, le futur George IV. ~ **George IV** (*1762, Londres - 1830, Windsor*), roi de Grande-Bretagne et d'Irlande et roi de Hanovre (1820-1830). Durant sa régence et son règne, les catholiques d'Irlande obtinrent leur émancipation. ~ **George V** (*1865, Londres - 1936, Sandringham*), fils d'Édouard VII, empereur des Indes et roi de Grande-Bretagne et d'Irlande (1910-1936). Il sut rendre sa dynastie populaire (il abandonna le nom de Saxe-Cobourg pour celui de Windsor pendant la Première Guerre mondiale). Il accorda l'indépendance à l'Irlande (sauf l'Ulster) en 1921. ~ **George VI** (*1895, Sandringham - 1952, id.*), fils cadet du préc. et successeur de son frère Édouard VIII, fut roi de Grande-Bretagne et d'Irlande du Nord (1936-1952) et empereur des Indes (jusqu'en 1947). Son règne fut marqué par la Seconde Guerre mondiale et par l'indépendance de l'Inde et du Pakistan.

**GEORGE** (Stefan) ~ *1868, Büdesheim, Rhénanie - 1933, Minusio, près de Locarno.* Poète allemand. D'inspiration symboliste et mystique (*le Septième Anneau*, 1907 ; *le Nouvel Empire*, 1928), il devint le prophète d'une communauté spirituelle à la morale aristocratique.

**GEORGES** (saint) ~ *IV$^{e}$ s.* Martyr chrétien. La légende en fit un chevalier terrassant un dragon pour sauver une princesse.

**GEORGES**, nom de deux rois de Grèce. ~ **Georges I$^{er}$** (*1845, Copenhague - 1913, Salonique*). Fils de Christian IX de Danemark, il fut élu roi en 1863 par les députés grecs avec le soutien de la Grande-Bretagne, de la France et de la Russie. Il contribua à développer la démocratie et à agrandir la Grèce, aux dépens de l'Empire ottoman. Il fut assassiné. ~ **Georges II** (*1890, Athènes - 1947, id.*) succéda à Constantin I$^{er}$ en 1922, fut détrôné en 1924 par le Parlement (proclamation de la république), et retrouva sa couronne en 1935. Après l'invasion allemande, il forma un gouvernement libre à Londres. En 1946, il fut rétabli sur le trône.

**GEORGES DE PODĚBRADY** ~ *1420, Poděbrady - 1471, Prague.* Roi de Bohême (1458-1471). Hussite modéré, lieutenant de Ladislas le Posthume, il lui succéda et défendit avec succès son trône contre Mathias Corvin.

**GEORGETOWN** ~ Cap. et port du Guyana, fondée à la fin du XVIII$^{e}$ s. ; 200 000 h. Export. de produits tropicaux et de bauxite.

**GEORGE TOWN** ~ V. du N.-O. de la Malaysia créée par les Britanniques en 1786, cap. de l'État de Pulau Pinang, sur le détroit de Malacca ; 250 000 h. Port de transit du caoutchouc et de l'étain.

**GÉORGIE (république de)**, en géorgien *Sakartvelos Respublika* ~ Pays de Transcaucasie, bordé par la mer Noire, qui comprend les territoires autonomes d'Abkhazie, d'Adjarie et d'Ossétie du Sud. ***Cap.*** Tbilissi. ***Superf.*** 69 700 km$^2$. ***Popul.*** 5 460 000 h., dont Géorgiens (70 %), Arméniens (8 %), Russes (6 %). ***Langues princ.*** Géorgien, russe. ***Monn.*** Lari. ***Relief.*** Chaînes du Grand Caucase au N. (5 047 m) et du Petit Caucase au S. Plaines limitées à la côte de la mer Noire (anc. Colchide) et aux vallées du Rioni (O.) et de la Koura (E.). ***Climat.*** Subtropical à l'O., continental à l'E. ***Écon.*** Fondée sur l'agriculture (vigne, thé, agrumes, riz, maïs, légumes), l'élevage ovin, une industrie diversifiée (métall., agroalim., chim.) et le tourisme, elle a souffert des années de guerre civile. ***V. princ.*** Tbilissi, Koutaïssi, Roustavi, Batoumi, Soukhoumi. **HIST.** - Peuplée dès le Paléolithique, la région se divisa en deux États (VI$^{e}$-IV$^{e}$ s. av. J.-C.) : la Colchide (légende de la Toison d'Or), conquise par les Grecs de Milet vers 600 av. J.-C., puis par les Romains en 65 av. J.-C. et l'Ibérie, à l'E., sous domination sassanide. *IV$^{e}$-VII$^{e}$ s. apr. J.-C.* : christianisée vers 330, la région devient un enjeu entre Perses et Byzantins ; elle est occupée vers 650 par les Arabes (califat de Tiflis). *VIII$^{e}$-XIII$^{e}$ s.* : réunifié par la dynastie bagratide, le pays devient un puissant royaume, qui atteint son apogée avec la reine Thamar (1184-1213). *XV$^{e}$-XIX$^{e}$ s.* dévastée par Tamerlan, disputée par les Turcs et les Perses, la Géorgie est annexée par la Russie (1801). *XX$^{e}$ s.* : indépendante en 1918, elle intègre la République fédérative socialiste soviétique de Russie en 1921, puis devient une république socialiste soviétique en 1936. Agitée par des courants séparatistes et nationalistes, elle proclame son indépendance le 9 avril 1991. La guerre civile qui éclate en 1990 prend fin avec l'élection d'Édouard Chevardnadze (mars 1992). Mais la Géorgie reste diminuée par la sécession de l'Abkhazie et a dû se soumettre aux volontés de Moscou.

**GÉORGIE** (la), en angl. *Georgia* ~ État du S.-E. des États-Unis, incluant le S. des Appalaches ; 152 576 km$^2$, 6 478 000 h., cap. Atlanta. V. princ. Columbus, Savannah. Tabac, oléagineux, aviculture. **HIST.** - L'un des treize États fondateurs en 1788, la Géorgie fit sécession en 1861 et réintégra l'Union en 1870.

**GÉORGIE DU SUD** (la) ~ Île montagneuse et subantarctique (glaciers et toundra) du S. de l'océan Atlantique ; 3 756 km$^2$. Possession britannique dépendant des Falkland, elle fut occupée par l'Argentine durant la guerre des Malouines (1982).

**GERA** ~ V. industr. de Thuringe, au centre de l'Allemagne, sur l'Elster blanche ; 126 000 h.

**GÉRARD** (Étienne Maurice, comte) ~ *1773, Damvillers - 1852, Paris.* Maréchal de France. Sa longue carrière lui permit de servir la I$^{re}$ République, l'Empire, les deux Bourbons et Louis-Philippe, qui le fit maréchal (1830). Il se distingua not. à Ligny (1815) et lors du siège d'Anvers (1832).

**GÉRARD** (François, baron) ~ *1770, Rome - 1837, Paris.* Peintre français. Élève de David et portraitiste officiel sous l'Empire et la Restauration, il exécuta des portraits d'une facture élégante (*Madame Récamier*, 1802). Il a également peint des scènes historiques (*la Bataille d'Austerlitz*, 1810).

**GÉRARDMER** ~ Station clim. (alt. 700 m) et de sports d'hiver des Vosges, à l'E. du **lac de Gérardmer** ; agglom. 10 366 h. Industries textiles et du bois. Fromages. Festival du film fantastique.

**GERBAULT** (Alain) ~ *1893, Laval - 1941, Dili, île de Timor.* Navigateur français. Sur un cotre, le *Firecrest*, il fit le tour du monde en solitaire (1923-1929).

**GERBIER-DE-JONC (mont)** ~ L'un des sommets du Vivarais, dans l'Ardèche ; alt. 1 551 m. Source de la Loire.

**GERDT** (Pavel Andreïevitch) ~ *1844, Saint-Pétersbourg - 1917, Vommola, Finlande.* Pédagogue et danseur russe. Il fut une grande figure du Ballet impérial de Saint-Pétersbourg.

**GERGOVIE** ~ Oppidum arverne dans le Massif central, près de Clermont-Ferrand. En 52 av. J.-C. l'armée romaine de César y fut vaincue par les guerriers de Vercingétorix.

**GERHARD** (Roberto) ~ *1896, Valls, Tarragone - 1970, Cambridge.* Compositeur espagnol. Discipl d'A. Schönberg, il intégra la tradition espagnole à la modernité européenne (*Don Quixote*, 1941).

**GERHARDT** (Charles Frédéric) ~ *1816, Strasbourg - 1856, id.* Chimiste français. Créateur, avec A. Laurent, de la notation atomique en chimie.

**GÉRICAULT** (Théodore) ~ *1791, Rouen - 1824, Paris.* Peintre français. Influencé par Rubens et par Gros, il se révéla un génie romantique précoce dans des œuvres d'une puissante énergie dramatique. Son art réaliste et novateur fit scandale avec *le Radeau de la Méduse* (1818).

**GERLACHOVKA** (la) ~ Point culminant des Carpates (2 655 m), dans les Hautes Tatras (Slovaquie).

**GERMAIN** (saint) ~ *v. 378, Auxerre - 448, Ravenne.* Évêque d'Auxerre. Il fut envoyé en Angleterre pour combattre le pélagianisme.

**GERMAIN** (saint) ~ *v. 496, près d'Autun - v. 576, Paris.* Évêque de Paris. L'église St-Vincent, devenue St-Germain-des-Prés, lui fut dédiée.

**GERMAIN**, famille d'orfèvres français nés et morts à Paris, dont ~ **Pierre** (*v. 1645 - 1684*) et son fils ~ **Thomas** (*1673 - 1748*), qui travailla pour le Régent et réalisa la célèbre toilette d'or de Marie Leszczyńska. Le fils de Thomas, ~ **François Thomas** (*1726 - 1791*), qui laissa une abondante production, influença l'art de la vaissellerie du XVIIIe s.

**GERMAIN** (Sophie) ~ *1776, Paris - 1831, id.* Mathématicienne française. Elle est l'auteur d'importants travaux sur les surfaces élastiques.

**Germains** (les) ~ Peuple indo-européen originaire de la Scandinavie méridionale. Progressant sur le continent européen vers le sud au Ier mill. av. J.-C., les Germains (Goths, Vandales, Francs), contenus par les Romains, se stabilisèrent aux Ier et IIe s. apr. J.-C. dans le centre et le nord de l'Europe. Au IIIe s., ils attaquèrent la Gaule, l'Espagne, l'Italie du Nord et les côtes de la Bretagne. Les royaumes fondés par ces peuples aux dépens de l'empire ne durèrent pas, à l'exception de celui créé par les Francs.

**GERMANICUS**, en lat. ***Caius Julius Caesar*** ~ *15 av. J.-C., Rome - 19 apr. J.-C., Antioche.* Général romain. Il s'illustra en Germanie (16). Son oncle Tibère, jaloux de ses succès, l'envoya en Orient, où il mourut, peut-être empoisonné.

**GERMANIE** (la) ~ Territoire des Germains. Au Ier mill. av. J.-C., elle se situait entre le Rhin, le Danube, la Transylvanie, la Galicie et la Vistule.

**GERMANIE (royaume de)** ~ Nom donné à l'État issu d'une partie de l'Empire carolingien et attribué en 843 à Louis II le Germanique.

**germano-soviétique (pacte)** ~ Traité de non-agression signé le 23 août 1939 à Moscou par Ribbentrop (Allemagne) et Molotov (U. R. S. S.). Une clause secrète déterminait les zones d'influence soviétique (Finlande, Estonie, Bessarabie) et allemande (Lituanie), et prévoyait le partage de la Pologne. Hitler rompit le pacte par surprise en juin 1941.

**germinal an III (journée du 12)** ~ Soulèvement des faubourgs parisiens contre la Convention, le 1er avril 1795.

**GERNSBACK** (Hugo) ~ *1884, Luxembourg - 1967, New York.* Ingénieur et écrivain américain d'orig. luxembourgeoise. Pionnier de la radio et de la télévision, il exposa le principe du radar en 1911.

**GÉRÔME** (Jean Léon) ~ *1824, Vesoul - 1904, Paris.* Peintre et sculpteur français. Son œuvre, d'un académisme grandiloquent, traite de sujets orientalistes et historiques (*les Ambassadeurs de Siam*, 1864 ; *la Mort de César*, 1865).

**GÉRONE**, en esp. ***Gerona*** ~ V. industr. du N.-E. de la Catalogne, centre administratif ; 71 000 h. Industries laitière et textile dominantes, constructions mécan., chim., édition. Cathédrale fondée par Charlemagne et reconstruite au XIVe s.

**GERONIMO** ~ *1829, No-Doyohn Canyon, auj. Clifton, Arizona - 1908, Fort Sill, Oklahoma.* Chef apache. Il participa au soulèvement apache contre les Mexicains en 1858. Emprisonné dans la réserve de San Carlos en 1874, il s'échappa avec 4 000 guerriers et mena pendant douze ans une guérilla incessante contre les colons américains. Il obtint pour sa tribu un territoire dans l'Oklahoma.

**GERS** (le) ~ Affl. de la Garonne (r. g.) issu du plateau de Lannemezan, qui arrose Auch et Lectoure ; 178 km.

**GERS** (le) ~ Dép. de la Région Midi-Pyrénées, entre les Pyrénées et la vallée de la Garonne, au cœur de la Gascogne, qui correspond à l'ancien comté d'Armagnac ; 6 291 $km^2$, 174 587 h., préfect. Auch. Plateau molassique s'abaissant du N. au S., découpé par les vallées divergentes des affluents de la Garonne (Save, Gimone, Gers, Baïse). Économie à dominante rurale : riche polyculture associant vigne (eaux-de-vie d'Armagnac), céréales (blé irrigué au N.-E., extrémité O. de la Lomagne), élev. de porcs et de volailles (oies et canards). Industr. agroalimentaire.

**GERSHWIN** (George) ~ *1898, Brooklyn - 1937, Hollywood.* Compositeur américain. Auteur de chansons à succès (*Swanee*, 1917), il a conservé l'originalité de son inspiration populaire dans des œuvres plus ambitieuses (*Rhapsodie in Blue*, 1924 ; *Un américain à Paris*, 1928 ; *Porgy and Bess*, 1935).

**GERSON** (Jean **Charlier**, dit Jean DE) ~ *1363, Gerson, Ardennes - 1429, Lyon.* Théologien et philosophe français, représentant de l'école mystique. Grand chancelier de l'université de Paris, il participa aux conciles de Paris (1413-1414) et de Constance (1414-1418), s'efforçant de mettre fin au grand schisme d'Occident.

**GERTRUDE LA GRANDE** (sainte) ~ *v. 1256, Eisleben - v. 1302, Helfta, Saxe.* Moniale allemande, auteur présumé d'écrits mystiques (*Exercices* et *le Héraut de l'amour divin*).

**GERVAIS** et **PROTAIS** (saints) ~ Frères martyrs. La découverte miraculeuse de leurs reliques par saint Ambroise en 386, à Milan, ville dont ils sont les saints patrons, fut à l'origine d'un culte populaire.

**GÉRYON** ~ Géant de la mythologie grecque à trois têtes et à trois troncs, habitant sur l'île d'Érythie, au large de l'Espagne. Il fut tué par Héraclès, qui s'empara de son troupeau de bœufs.

**Gês** (les) ~ Groupe ethno-linguistique établi au Brésil et au Paraguay.

**GESELL** (Arnold Lucius) ~ *1880, Alma, Wisconsin - 1961, New Haven, Connecticut.* Psychologue américain. Il étudia la maturation psychologique et neurologique des enfants d'âge préscolaire et établit des échelles de développement de leur intelligence.

**GESSNER** (Salomon) ~ *1730, Zurich - 1788, id.* Poète suisse d'expression allemande. Connu par ses *Idylles* (1756), il chanta le retour à la vie champêtre.

**Gestapo** (la), abrév. de ***Geheime Staatspolizei***, en fr. « police secrète d'État » ~ Police politique du parti national-socialiste créée par Goering en 1933, la Gestapo devint un organisme d'État sous la direction de Himmler en 1934. Dotée de pouvoirs illimités, elle fit régner la terreur en Allemagne et dans les pays occupés jusqu'en 1945.

**GESUALDO** (Carlo), prince **de Venosa** ~ *v. 1560, Naples - 1613, id.* Compositeur italien. Sa vie tourmentée trouva un écho dans les harmonies audacieusement dissonantes et les ruptures rythmiques de ses six livres de madrigaux polyphoniques.

**GETA**, en lat. ***Publius Septimius Geta*** ~ *189 - 212.* Empereur romain (211-212). Son frère Caracalla, avec qui il partagea le pouvoir, le fit assassiner.

**Gethsémani** ~ Jardin de Jérusalem, au pied du mont des Oliviers, où, selon les Évangiles, Jésus passa ses derniers moments avant d'être arrêté. Une basilique y fut bâtie au IVe s.

*Geronimo (3e en bas à partir de la droite) et ses Apaches après leur reddition en 1886.*

© F. P. G. Int.-Explorer

**GETTY** (Jean, dit Paul) ~ *1892, Minneapolis - 1976, Sutton Place, Surrey.* Industriel et collectionneur américain. Sa collection d'œuvres d'art, de l'Antiquité au XVIIIe s., devint en 1974 le fonds du musée Paul-Getty (Malibu, Californie).

© Gaillarde/Francolon-Gamma

*Le musée Paul-Getty, à Malibu.*

**GETTYSBURG** ~ V. des États-Unis. Pendant la guerre de Sécession, les nordistes y remportèrent une victoire (juill. 1863) qui marqua l'arrêt de l'avancée du général Lee en Pennsylvanie.

**GETZ** (Stanley, dit Stan) ~ *1927, Philadelphie - 1991, Malibu.* Compositeur de jazz américain. Chef de file du cool jazz, ce maître du saxophone ténor évolua entre bossa-nova et jazz.

**GÉVAUDAN** (le) ~ Ancien comté épiscopal, province de France rattachée au Languedoc, auj. compris dans la Lozère (N.). On y attribua la disparition d'une cinquantaine de personnes entre 1765 et 1768 à une bête non identifiée (la **bête du Gévaudan**), probablement un loup.

**GEVREY-CHAMBERTIN** ~ Bourg de la côte de Nuits (Côte-d'Or), au S. de Dijon ; 2 825 h. (agglom. 4 242 h.). Vins de Bourgogne réputés.

**GEX** ~ V. du Jura (versant E.), au débouché du col de la Faucille (Ain) ; 6 615 h. (agglom. 8 378 h.). Le **pays de Gex** fut cédé à la France par les comtes de Genève (1601).

**GEZELLE** (Guido) ~ *1830, Bruges - 1899, id.* Poète belge d'expression flamande. Son inspiration lyrique le porta à célébrer la beauté de la nature (*Collier de rimes*, 1897).

**GEZIREH** (la) ~ Plaine irriguée et princ. région agric. (coton, canne à sucre, tabac, céréales) du Soudan, entre le Nil Blanc et le Nil Bleu, en amont de leur confluent, au S. de Khartoum.

**GHAB** ou **RHAB** (le) ~ Dépression de l'O. de la Syrie, drainée par l'Oronte (cours moyen), entre le djebel Ansariyya méditerranéen et les plateaux steppiques continentaux. Élev. ovin, cult. irriguées.

**GHADAMÈS** ou **RHADAMÈS** ~ Oasis de Libye (S. de la Tripolitaine), à la frontière avec l'Algérie et la Tunisie ; env. 50 000 h. Anc. carrefour de routes caravanières transsahariennes. Vestiges romains et byzantins. Remparts, rues couvertes.

**GHANA** (le) ~ Ancien empire d'Afrique de l'O., auj. intégré au Mali. Enrichi par l'or et le commerce (VIIIe-XIIIe s.), il connut son apogée au XIe s.

**GHANA (république du)** ~ Pays d'Afrique occidentale, baigné au S. par l'Atlantique (golfe de Guinée). ***Cap.*** Accra. ***Superf.*** 238 540 $km^2$. ***Popul.*** 15 510 000 h. (dont Achantis, Fantis, Éwés). ***Langue princ.*** Anglais. ***Monn.*** Cedi. ***Relief.*** Peu marqué : plateaux dominant la large vallée de la Volta. Côte basse. ***Climat.*** Tropical (forêt dense, savane, littoral plus sec). ***Écon.*** Maïs, manioc. Export. de cacao. Pêche. Exploitation forestière et minière (bauxite, manganèse, or, diamants). Énergie hydroélectrique et potentiel en hydrocarbures. Industries agroalimentaire et textile. ***V. princ.*** Accra, Kumasi.
**HIST.** - Les royaumes du Dagomba et du Gondja, héritiers d'un empire fondé au milieu du Ier mill. av. J.-C., peuplèrent l'intérieur du pays et entrèrent en contact dès la fin du XVe s. avec les Européens, qui établirent sur la côte de nombreux comptoirs (traite des Noirs et commerce de l'or). *À partir du XVIIIe s.* : les Achantis dominent l'intérieur des terres et ne tardent pas à s'opposer à la pénétration étrangère. *Fin XIXe s.* : les Britanniques évincent leurs concurrents et établissent un protectorat sur la

région ; ils forment la colonie de la Côte-de-l'Or ou Gold Coast (1874). *XX^e s.* : en 1956, la partie britannique du Togo voisin est intégrée à la Côte-de-l'Or, qui obtient son indépendance l'année suivante. Kwame Nkrumah, Premier ministre (1957) puis président (1960), échoue dans ses tentatives d'indépendance économique et est renversé en 1966 par un coup d'État militaire qui marque le début d'une ère d'instabilité politique, jusqu'à la prise du pouvoir (1981) par le capitaine Jerry John Rawlings. Ce dernier entreprend de restaurer l'économie et la démocratie. Président de la République élu en 1992, il proclame une nouvelle Constitution et la fin du régime militaire en 1993. Il est réélu en 1996.

**GHARB** ou **RHARB** (le) ~ Plaine agric. du Maroc (N.-O.) baignée par l'Atlantique, entre le Rif et la Meseta, formée par le bassin marécageux de l'oued Sebou. Agrumes, betterave à sucre.

**GHARDAÏA** ~ Oasis du N. du Sahara algérien, ch.-l. de wilaya, capitale historique du Mzab ; 63 000 h. Palmiers dattiers. Artisanat. Vieux quartiers fortifiés (ksars). Tourisme.

**GHATS** (les) ~ Chaînes périphériques de la péninsule indienne qui forment le rebord soulevé du Deccan. Les **Ghats occidentaux**, forestiers (alt. max. 2 694 m), dominent d'étroites plaines côtières. Les **Ghats orientaux**, discontinus, sont plus en retrait, plus secs et moins élevés.

**Ghaznavides** (les) ~ Dynastie turque qui régna pendant deux siècles (X^e-XII^e s.) sur l'Afghanistan, une partie de l'Iran et le Pendjab. Vassaux des Samanides, ils s'affranchirent de cette tutelle en 999.

**GHELDERODE** (Adémar Louis Michel **Martens**, dit Michel DE) ~ *1898, Ixelles - 1962, Schaerbeek.* Auteur dramatique belge d'expression française. Son théâtre allie bouffonnerie et lyrisme mystique (*Barabbas*, 1929 ; *Hop Signor !*, 1938).

**GHEORGHIU-DEJ** (Gheorghe) ~ *1901, Bîrlad - 1965, Bucarest.* Homme d'État roumain. Membre du parti communiste dès 1930 et secrétaire général en 1945, il fut Premier ministre de 1952 à 1955, puis chef de l'État de 1961 à sa mort.

**GHERARDESCA** (Ugolino DELLA), dit **Ugolin** ~ *m. en 1288 à Pise.* Tyran de Pise. Après avoir instauré un régime de terreur à Pise, il fut renversé par l'archevêque Ruggiero degli Ubaldini, et enfermé avec ses fils et ses neveux dans une tour où il mourut de faim. Dante en tira un épisode de la *Divine Comédie*.

**GHIBERTI** (Lorenzo) ~ *1378, Florence - 1455, id.* Sculpteur, peintre, architecte et orfèvre italien. Il est l'auteur des 2^e et 3^e portes de bronze sculpté (*Vie de Jésus* ; *Scènes de l'Ancien Testament*) du baptistère de Florence qui mêlent style gothique et techniques de la Renaissance (not. la perspective).

**GHIRLANDAIO** (Domenico di Tommaso **Bigordi**, dit) ~ *1449, Florence - 1494, id.* Peintre italien. Excellent portraitiste, il représenta ses commanditaires florentins dans des fresques religieuses qui allient un élégant décor architectural à un réalisme inspiré de l'art nordique, et collabora à la décoration de la chapelle Sixtine.

**GHISONACCIA** ~ Localité et commune agricole de la plaine d'Aléria (Haute-Corse) ; 3 270 h.

**GHOR** (le) ~ Fossé tectonique de Palestine (Jordanie à l'E.), où s'écoule le Jourdain, du lac de Tibériade à la mer Morte. Vergers irrigués.

**Ghurides** (les) ~ Dynastie d'origine iranienne. Durant le XII^e s. et jusqu'au début du XIII^e s., elle régna sur le N. de l'Inde et l'Afghanistan.

**GHÝTION** ~ Voir **Gytheion**.

**GIACOMELLI** (Mario) ~ *1925, Senigallia.* Photographe italien. Amateur, il photographie les vieillards, les handicapés. Ses photographies de paysages l'ont rendu célèbre.

**GIACOMETTI** (Alberto) ~ *1901, Stampa, Grisons - 1966, Coire.* Sculpteur et peintre suisse. Après une période surréaliste (*la Cage*, 1931), il créa dans un univers lacunaire des personnages filiformes en bronze, rivés à de puissantes assises (*Homme qui marche, I* et *II*, 1959-1960).

**GIA LONG** ~ *1762, Huê - 1820, id.* Empereur du Viêt Nam (1802-1820). Allié des Français, il fonda la dynastie des Nguyên et donna à son royaume réunifié le nom de Viêt Nam.

**GIAMBOLOGNA** (Jean **Boulogne** ou **Bologne**, dit) ~ *1529, Douai - 1608, Florence.* Sculpteur flamand de l'école italienne. Ses œuvres, prisées des ducs toscans, contribuèrent à développer un maniérisme élégant au-delà de l'Italie (*Mercure volant*).

**GIAP** (Vô Nguyên) ~ Voir **Vô Nguyên Giap**.

**GIBBON** (Edward) ~ *1737, Putney, près de Londres - 1794, Londres.* Historien britannique. Il est l'auteur d'une *Histoire du déclin et de la chute de l'Empire romain* (1776-1788) et d'une histoire de l'Empire byzantin.

**GIBBONS** (Orlando) ~ *1583, Oxford - 1625, Canterbury.* Compositeur anglais. Dernier grand polyphoniste élisabéthain et auteur de madrigaux, il s'est illustré dans la musique religieuse anglicane.

**GIBBS** (James) ~ *1682, Aberdeen - 1754, Londres.* Architecte britannique. Auteur not. de l'église St. Martin in the Fields (Londres) et de la bibliothèque Radcliffe (Oxford), il développa une synthèse du style palladien et du baroque romain.

**GIBBS** (Josiah Willard) ~ *1839, New Haven, Connecticut - 1903, id.* Physicien américain. Il fonda la chimie physique en y intégrant la thermodynamique, et la physique théorique moderne par ses recherches sur l'analyse vectorielle et la mécanique statistique. Il énonça la loi des phases, fondement de l'étude des équilibres physico-chimiques.

**GIBRALTAR**, de l'ar. ***Djabal Tariq*** ~ Territoire britannique, à l'extrémité S. de la péninsule Ibérique (6,5 km$^2$, 28 000 h.), séparé de l'Afrique (Maroc) par le **détroit de Gibraltar** (larg. min. 14 km), qui relie l'Atlantique à la Méditerranée. Base militaire aéronavale. **HIST.** - Les conquérants musulmans, menés par Tariq ibn Ziyad, y débarquèrent en 711. Repris par les Espagnols (1462), le rocher passa ensuite aux mains des Britanniques (traité d'Utrecht, 1713), leur assurant ainsi le contrôle de l'accès à la Méditerranée.

**GIBRAN** (Gibran Khalil) ~ *1883, Bcharré - 1931, New York.* Écrivain libanais. Écrivain visionnaire, il a renouvelé la thématique de la littérature arabe, dont il a initié la renaissance (*le Prophète*, 1923).

**GIBSON (désert de)** ~ Désert du centre de l'Australie-Occidentale. Réserve naturelle.

**GIDE** (André) ~ *1869, Paris - 1951, id.* Écrivain français. À la recherche d'un humanisme moderne, il s'attacha à l'écriture des sensations de la vie (*les Nourritures terrestres*, 1897 ; *l'Immoraliste*, 1902 ; *Si le grain ne meurt*, 1924), prôna la liberté de l'« acte gratuit » (*les Caves du Vatican*, 1914), puis l'engagement politique (*Voyages au Congo*, 1927 ; *Retour de l'U. R. S. S.*, 1936), ouvrant la voie à une littérature conciliant sincérité et lucidité intellectuelle. Prix Nobel de litt. 1947.

© Lauros-Giraudon-A. D. A. G. P., Paris, 1996

*André Gide, détail d'une peinture de Jacques-Émile Blanche (1861-1942). Musée des Beaux-Arts, Rouen.*

**GIEN** ~ V. du Loiret (E. de la Sologne), sur la Loire ; agglom. 19 765 h. Faïencerie. Château du XV^e s., abritant le musée international de la Chasse.

**GIENS (presqu'île de)** ~ Anc. île rocheuse de la Côte d'Azur (Var), à l'O. des îles d'Hyères, rattachée au continent par un isthme sableux. Salines.

**GIER** ~ Voir **Rive-de-Gier**.

**GIESEKING** (Walter) ~ *1895, Lyon - 1956, Londres.* Pianiste allemand. Il est célèbre pour ses interprétations de Mozart, de Ravel et de Debussy.

**GIFFRE** (le) ~ Riv. des Alpes du Nord (Haute-Savoie), affl. de l'Arve (r. dr.), dans le Faucigny ; 50 km. Le Giffre arrose Samoëns et Taninges.

**GIF-SUR-YVETTE** ~ V. de la grande banlieue S. de Paris (Essonne), dans la vallée de Chevreuse ; 19 754 h. Laboratoires du C. N. R. S. et École supérieure d'électricité.

**GIFU** ~ V. du Japon (Honshû), au N. de Nagoya ; 405 000 h. Papeterie. Pêche nocturne au cormoran sur la rivière Nagara, attraction locale.

**GIGLI** (Beniamino) ~ *1890, Recanati - 1957, Rome.* Ténor italien. Révélé en 1918 par Toscanini, il triompha dans les œuvres de Verdi et de Puccini.

**GIGONDAS** ~ Village du Comtat Venaissin (Vaucluse), au N. de Carpentras ; 612 h. Vin rouge (côtes-du-rhône).

**GIJÓN** ~ Port industr. des Asturies (Espagne), au N.-E. d'Oviedo ; 259 000 h. Métall., sidér. ; pêche.

**GILBERT (îles)** ~ Voir **Kiribati** (république de).

**GILBERT** (William) ~ *1544, Colchester - 1603, Colchester ou Londres.* Médecin et physicien anglais. Il énonça une théorie du magnétisme terrestre et introduisit des notions fondamentales dans l'étude de l'électrostatique.

**GILDAS** (saint) ~ *v. 500, Dumbarton, Écosse - 570, île d'Houat, Bretagne.* Missionnaire anglais. Il prêcha dans le N. de l'Angleterre et en Irlande, et fonda le monastère de Rhuys en Bretagne.

**GILGAMESH** ~ Roi légendaire d'Ourouk, héros d'épopées suméro-akkadiennes rassemblées en une chronique datant des XVIII^e et XVII^e s. av. J.-C.

**GILLES** (saint) ~ *VIII^e s.* Ermite, peut-être d'origine athénienne, fondateur du monastère de Saint-Gilles (près de Nîmes), autour duquel se développa la ville de Saint-Gilles-du-Gard.

**GILLES** (Jean) ~ *1668, Tarascon - 1705, Toulouse.* Compositeur français. Expression d'une foi intense, son *Requiem* fut joué durant tout le XVIII^e s.

© E. Saillet-Explorer

*Dizzy* **Gillespie**.

**GILLESPIE** (John **Birks**, dit Dizzy) ~ *1917, Cheraw, Caroline du Sud - 1993, Englewood, New Jersey.* Trompettiste et chanteur de jazz américain. Ayant débuté dans l'orchestre de Cab Calloway, il devint l'un des créateurs du be-bop (1943) en s'associant avec Charlie Parker.

**GILLOT** (Claude) ~ *1673, Langres - 1722, Paris.* Peintre, graveur et décorateur français. Inspiré par la commedia dell'arte, il fut le maître de Watteau et travailla pour l'Opéra de Paris.

**GILOLO** ~ Voir **Halmahera**.

**GILSON** (Étienne) ~ *1884, Paris - 1978, Cravant, Yonne.* Philosophe et historien français. Ses études de la pensée médiévale, centrées sur saint Thomas d'Aquin, en ont montré toute l'actualité philosophique (*l'Esprit de la philosophie médiévale*, 1932). Acad.

**GIMONE** (la) ~ Affl. de la Garonne (r. g.), issu du plateau de Lannemezan, qui draine l'E. de la Gascogne et la Lomagne ; 120 km.

**GINASTERA** (Alberto Evaristo) ~ *1916, Buenos Aires - 1983, Genève.* Compositeur argentin. Il sut concilier enracinement national et universalité ; ses dernières œuvres sont caractérisées par un sérialisme libre et raffiné (*Concerto pour violon*, 1963).

**GINSBERG** (Allen) ~ *1926, Paterson, New Jersey - 1997, New York.* Poète américain. Il fut une figure majeure de la Beat Generation, tant par ses écrits (*Howl*, 1956 ; *Kaddish*, 1961) que par la quête hédoniste, mystique et militante dont témoigna sa vie.

**GIOBERTI** (Vincenzo) ~ *1801, Turin - 1852, Paris.* Prêtre, philosophe et homme politique italien. Il défendit jusqu'en 1848 l'idée d'une fédération italienne sous la direction du pape. Il présida le gouvernement piémontais en 1848-1849.

**GIOLITTI** (Giovanni) ~ *1842, Mondovi - 1928, Cavour.* Homme politique italien. Il fut président du Conseil à cinq reprises entre 1892 et 1921 et domina la vie politique avant 1914. Ferme face aux grèves (1904), il fit adopter des lois sociales et élargit le droit de vote. Son habileté tactique échoua à neutraliser Mussolini, auquel il s'opposa en 1924.

**GIONO** (Jean) ~ *1895, Manosque - 1970, id.* Écrivain français. Puisant son inspiration dans la haute Provence, qu'il ne quitta guère, il exprima d'abord dans son œuvre un lyrisme païen (*Colline*, 1928 ; *Regain*, 1930). Son pacifisme militant, associé à une apologie de la vie paysanne (*Que ma joie demeure*, 1935) et jugé proche de l'idéologie vichyssoise, lui valut six mois d'emprisonnement à la Libération. Il évolua ensuite vers des chroniques réalistes et classiques (*Un roi sans divertissement*, 1947) aux accents parfois héroïques (*le Hussard sur le toit*, 1951).

**GIORGI** (Giovanni) ~ *1871, Lucques - 1950, Castiglioncello.* Physicien italien. Il élabora en 1901 le système d'unités rationnelles dit M. K. S. A. (mètre, kilogramme, seconde, ampère), à l'origine du système international (S. I.).

**GIORGIONE** (Giorgio **da Castelfranco**, dit) ~ *v. 1477, Castelfranco Veneto - 1510, Venise.* Peintre italien. Il travailla dans l'atelier des Bellini et, plus tard, avec Titien. La lumière subtile de ses paysages a influencé les artistes vénitiens (*la Tempête*, v. 1505 ; *Trois Philosophes*, 1510).

**GIOTTO DI BONDONE** ~ *1266, Colle di Vespignano, Mugello - 1337, Florence.* Peintre et architecte italien. Élève de Cimabue, il libéra le corps humain du hiératisme byzantin, bannit les ors et introduisit le volume et l'espace, s'affirmant comme le maître de la fresque (*Vie de la Vierge et du Christ* à la chapelle Scrovegni de Padoue). Par le renouvellement de sa conception picturale et chromatique de l'art, il s'imposa comme l'un des précurseurs de nombre d'artistes de la Renaissance.

**GIOVANNI DA UDINE** (Giovanni di Francesco **Ricamador**, dit) ~ *1487, Udine - 1564, Rome.* Peintre et stucateur italien. Collaborateur de Raphaël au Vatican, il réalisa des grotesques en stuc inspirées de motifs antiques et caractéristiques du courant maniériste.

**GIOVANNI PISANO** ~ Voir **Nicola Pisano**.

**GIRARD** (René) ~ *1923, Avignon.* Essayiste français. Son œuvre, qui associe critique littéraire et anthropologie, analyse le sacré, la violence originelle (*la Violence et le Sacré*, 1972 ; *le Bouc émissaire*, 1982) et le désir mimétique comme sources de violence (*Shakespeare, les feux de l'envie*, 1990).

**GIRARDIN** (Émile DE) ~ *1806, Paris - 1881, id.* Journaliste français. Avec son journal *la Presse*, fondé en 1836 et financé en partie par la publicité, il est considéré comme le père de la presse moderne.

**GIRARDON** (François) ~ *1628, Troyes - 1715, Paris.* Sculpteur français. Maître incontesté du classicisme, collaborateur de Ch. Lebrun, il est l'auteur de la statue de Richelieu à la Sorbonne et de nombreuses œuvres du parc de Versailles, not. le groupe d'*Apollon servi par les nymphes* (1666-1675).

**GIRAUD** (Henri) ~ *1879, Paris - 1949, Dijon.* Général français. Commandant la VII^e^ puis la IX^e^ armée en 1940, fait prisonnier, il fut, après son évasion (1942), soutenu par les Américains pour tenter de supplanter de Gaulle à la tête du Comité français de libération nationale, constitué à Alger en juin 1943. Il démissionna en nov. 1943.

**GIRAUDOUX** (Jean) ~ *1882, Bellac - 1944, Paris.* Écrivain français. Le romancier brosse un monde précieux, où se mêlent humour et fantaisie (*Siegfried et le Limousin*, 1922). Sans renoncer à son univers, le dramaturge témoigne des incertitudes de son époque (*La guerre de Troie n'aura pas lieu*, 1935 ; *Électre*, 1937 ; *Ondine*, 1939 ; *la Folle de Chaillot*, posth. 1945).

**GIRODET-TRIOSON** (Anne Louis **Girodet de Roucy**, dit) ~ *1767, Montargis - 1824, Paris.* Peintre français. Élève de David, il illustra, dans un style néoclassique, des thèmes d'inspiration lyrique (*les Funérailles d'Atala*, 1808).

**GIRONDE** (la) ~ Estuaire formé par la Garonne et la Dordogne ; 75 km. Elle baigne le Médoc (r. g.), le Blayais, la Saintonge (r. dr.). Trafic maritime important, not. pétrolier (Pauillac), accès aux annexes portuaires de Bordeaux.

**GIRONDE** (la) ~ Dép. de la Région Aquitaine, sur l'Atlantique (Côte d'Argent), le plus vaste de France (10 725 km$^2$), fortement peuplé (1 213 499 h.). Plaine basse, parcourue par les cours inférieurs de la Garonne et de la Dordogne puis par l'estuaire de la Gironde. Le littoral est rectiligne, un cordon dunaire isolant de vastes étangs (Hourtin, Lacanau) de l'Atlantique, le bassin d'Arcachon faisant seul exception. Le tiers N.-E. est occupé par le vignoble du Bordelais, aux crus renommés (saint-émilion, entre-deux-mers, côtes-de-blaye, médoc, graves et sauternes). Forêt landaise (pins) au S. Cultures maraîchères (vallées), polyculture et élev. au S. Tourisme balnéaire, ostréiculture (bassin d'Arcachon). Industries concentrées dans l'agglom. de Bordeaux (préfect.) et au bec d'Ambès.

**Girondins** (les) ~ Groupe de députés qui siégèrent à l'Assemblée législative et à la Convention de 1791 à juin 1793. Plusieurs d'entre eux étaient députés de la Gironde, comme Vergniaud, Gensonné ou Condorcet. Le plus en vue était Brissot (d'où, également, le nom de Brissotins). Républicains convaincus, partisans de la guerre contre la maison d'Autriche, les Girondins, pour la plupart issus de la province, représentaient les intérêts d'une haute bourgeoisie hostile au centralisme jacobin. Ils se heurtèrent aux Montagnards et aux sans-culottes parisiens, qui les chassèrent de la Convention et qui obtinrent l'exécution de vingt et un d'entre eux en octobre 1793.

**GIRSOU**, auj. **Tello** ~ Anc. cité sumérienne (III^e^ mill. av. J.-C.) auj. en Iraq, près de Lagash.

**GISCARD D'ESTAING** (Valéry) ~ *1926, Coblence.* Homme d'État français. Fondateur des Républicains indépendants (1962), ministre des Finances (1962-1966 et 1969-1974), il fut président de la République de 1974 à 1981. Son septennat fut marqué par un certain nombre de réformes (abaissement de la majorité électorale, légalisation de l'interruption volontaire de grossesse). Il présida l'U. D. F. de 1988 à 1996.

© D. Simon-Gamma

*Valéry **Giscard d'Estaing** avec Leonid Brejnev.*

**GISH** (Lillian **de Guiche**, dite Lilian) ~ *1896, Springfield, Ohio - 1993, New York.* Actrice américaine (*Naissance d'une nation*, de D. W. Griffith, 1915 ; *la Nuit du chasseur*, de Ch. Laughton, 1955). Ses mémoires (*le Cinéma, M. Griffith et moi*, 1969) sont un précieux document sur la naissance du cinéma américain.

**GISORS** ~ V. du Vexin normand (Eure), anc. place forte sur l'Epte ; agglom. 11 270 h. Vestiges d'un château fort (XI^e^-XII^e^ s.). Église (XII^e^-XVI^e^ s.).

**GIULIANO DA MAIANO** ~ *v. 1432, Maiano - v. 1490, Naples.* Architecte et sculpteur italien. Maître de l'école florentine, il développa les principes architectoniques fondés par Brunelleschi et Michelozzo. Il est l'auteur du palais Spannocchi à Sienne. Son frère ~ **Benedetto** (*1442, Maiano - 1497, Florence*) a laissé des bustes en marbre.

**GIUNTA, GIUNTI, JUNTE** ou **ZONTA** ~ Famille d'imprimeurs florentins du XV^e^ s. Établie à travers toute l'Europe (Gênes, Venise, Lyon, Madrid), elle compta aussi des éditeurs.

**GIVERNY** ~ Localité tourist. de l'Eure, sur l'Epte ; 548 h. Maison et jardin du peintre Monet.

**GIVET** ~ Port fluvial des Ardennes, sur la Meuse, près de la frontière belge ; agglom. 10 017 h. Métall.

**GIVORS** ~ V. industr. de la banlieue S. de Lyon (Rhône), sur le Rhône ; 19 777 h. Verrerie.

**GIVRY** ~ Bourg de la Côte chalonnaise (Saône-et-Loire), à l'O. de Chalon-sur-Saône ; 3 340 h. Vins. Église du XVIII^e^ s.

**GIZEH** ou **GUIZÈH**, en ar. ***al-Djiza*** ~ V. d'Égypte formant un faubourg du Caire, sur la r. g. du Nil ; 2 156 000 h. Nécropole comprenant trois pyramides : Kheops, Khephren et Mykérinos, et un sphinx de 57 m de long et 20 m de haut.

© J. G. Ross-Explorer

***Gizeh** : le grand sphinx et la pyramide de Kheops.*

**GJELLERUP** (Karl) ~ *1857, Roholte - 1919, Klotzsche, près de Dresde.* Écrivain danois. La recherche spirituelle qui traverse toute son œuvre le guida vers un retour au christianisme (*le Moulin*, 1896). Prix Nobel de litt. 1917.

**GLACE (mer de)** ~ Glacier du massif du Mont-Blanc (long. env. 14 km), qui descend vers l'Arve (N.-E. de Chamonix), en régression depuis le XIX^e^ s.

**GLADSTONE** (William Ewart) ~ *1809, Liverpool - 1898, Hawarden.* Homme politique britannique. Chef du parti libéral, il fut Premier ministre à trois reprises (1868-1874, 1880-1885, 1892-1894). Réformiste et libre-échangiste, il accomplit d'importantes réformes touchant l'enseignement, la liberté syndicale et la loi électorale ; il chercha à résoudre la question irlandaise par l'instauration du Home Rule, mais ne fut pas suivi dans la voie de l'autonomie par une fraction de son parti, les unionistes.

**GLÅMA** (le) ~ Fl. du S. de la Norvège, le plus long du pays, tributaire du Skagerrak ; 570 km. Flottage. Centrales hydroélectriques.

**GLAMORGAN** (le) ~ Région du S. du pays de Galles, sur le canal de Bristol, la plus peuplée et industrialisée (anc. bassin houiller et sidér., auj. raff. du pétrole, constr. mécan. et électr.) ; 2 241 km$^2$ (3 comtés : **South Glamorgan**, **Mid Glamorgan**, **West Glamorgan**), 1 329 000 h., v. princ. Cardiff, Swansea.

**Glanum** ~ Site archéol. de Provence (près de Saint-Rémy-de-Provence). Ancienne cité gauloise, puis romaine, détruite en 270.

**GLARIS**, en all. *Glarus* ~ V. de la Suisse orientale, sur la Linth (6 000 h.), ch.-l. du **canton de Glaris** (685 km$^2$, 39 000 h., germanophones et majoritairement protestants), région alpine rattachée à la Confédération helvétique en 1352. Élev. et industrie textile. Stations d'altitude.

**GLASER** (Donald Arthur) ~ *1926, Cleveland.* Physicien américain. Il a conçu la chambre à bulles permettant de détecter les particules élémentaires (1952). Prix Nobel de phys. 1960.

**GLASGOW** ~ Métropole commerciale et industrielle (anc. sidérurgie) de l'Écosse (Grande-Bretagne), port sur la Clyde (Lowlands) ; 765 000 h. Université. Musées (Art Gallery). Son essor au XVIII^e^ s. est lié au commerce (rhum, sucre, tabac, coton) avec les Indes occidentales.

**GLASHOW** (Sheldon Lee) ~ *1932, New York.* Physicien américain. On lui doit la théorie unifiée de l'interaction électromagnétique et de l'interaction faible (1967). Prix Nobel de phys. 1979.

**GLASS** (Philip) ~ *1937, Chicago.* Compositeur américain. Figure de proue de la postmodernité musicale, il a développé des structures rythmiques et mélodies répétitives. Ses opéras ont recueilli de grands succès (*Einstein on the Beach*, 1975).

**GLAUBER** (Johann Rudolf) ~ *1604, Karlstadt - 1668, Amsterdam.* Chimiste et pharmacien allemand. Il découvrit les propriétés thérapeutiques du sulfate de sodium (**sel admirable de Glauber**) et isola l'acide chlorhydrique.

**GLAZOUNOV** (Aleksandr Konstantinovitch) ~ *1865, Saint-Pétersbourg - 1936, Paris.* Compositeur russe. De tradition académique, il composa des poèmes symphoniques (*Stenka Razine*, 1889), des ballets (*les Saisons*, 1900) et des concertos.

**GLEIZES** (Albert) ~ *1881, Paris - 1953, Saint-Rémy-de-Provence.* Peintre français. Il est l'auteur, avec Metzinger, du célèbre essai *Du cubisme* (1912). Son art évolua ensuite vers une abstraction teintée de mysticisme.

**GLÉNAN (îles de)** ~ Groupe d'îlots de la Bretagne (Finistère), au large de Bénodet. Centre nautique.

**GLEN MORE** (le) ~ Étroite dépression tectonique du N. de l'Écosse (long. 100 km), entre les monts Grampians et les Highlands du Nord. Liaison mer du Nord-Atlantique par les lochs (Lingh, Ness) et le canal Calédonien depuis 1822.

**GLIÈRES (plateau des)** ~ Partie du massif des Bornes (Haute-Savoie). En 1944, un groupe de résistants y fut anéanti par les Allemands et les miliciens français (monument national de la Résistance, d'Émile Gilioli).

**GLINKA** (Mikhail Ivanovitch) ~ *1804, Novospasskoïe - 1857, Berlin.* Compositeur russe. Puisant leur inspiration dans la musique populaire, ses opéras sont à l'origine de l'école nationale russe (*la Vie pour le tsar*, 1836 ; *Rousslan et Liudmila*, 1842).

**GLIWICE** ~ V. industr. de Haute-Silésie (Pologne), dans la conurbation de Katowice ; 216 000 h.

**GLOUCESTER** ~ V. de l'O. de l'Angleterre, sur la Severn (102 000 h.), ch.-l. du comté agric. du **Gloucestershire** (2 653 km², 528 000 h.). Industrie aéronautique. Cathédrale du XIe s. **HIST.** - Capitale du royaume saxon de Mercie, elle se développa au Moyen Âge avec le commerce du drap, du fer, du blé et du vin.

**GLUCK** (Christoph Willibald, chevalier VON) ~ *1714, Erasbach, Haut-Palatinat - 1787, Vienne.* Compositeur allemand. Avec le librettiste Ranieri de' Calzabigi, il réforma l'opéra en concentrant l'action autour de personnages-symboles, en intensifiant l'expression dramatique et en développant le rôle des chœurs (*Orfeo ed Euridice*, 1762 ; *Alceste*, 1767 ; *Iphigénie en Aulide*, 1774 ; *Iphigénie en Tauride*, 1778). [☞ **opéra.**]

**GNEISENAU** (August, comte **Neidhardt** VON) ~ *1760, Schildau, Saxe - 1831, Posen, auj. Poznań.* Maréchal prussien. Il participa à la reconstitution de l'armée prussienne (1808) et fut chef d'état-major de Blücher (1813-1814). Son intervention à Waterloo fut décisive.

**GNIEZNO** ~ V. de Pologne, au N.-E. de Poznań ; 70 000 h. Première cap. du pays, siège des primats de Pologne depuis le début du XVe s.

**GOA** ~ Ville-État de la côte occidentale de l'Inde, au S. de Bombay, au pied des Ghats ; 3 702 km², 1 235 000 h., cap. Panaji (nouv. Goa). Mines de fer, de bauxite, de manganèse. Tourisme. **HIST.** - L'ancienne ville de Goa fut enlevée par Albuquerque au sultan de Bijapur (1510). Capitale des Indes portugaises, elle fut remplacée au XVIIIe s. par Nova Goa. Le Portugal quitta Goa en 1961.

**Gobelins (Manufacture des)** ~ Manufacture royale de meubles et de tapisseries de la Couronne, créée par Colbert en 1662 et placée sous la direction de Ch. Lebrun, à qui succédèrent P. Mignard puis R. de Cotte. Son nom vient d'une famille de teinturiers installés sur les bords de la Bièvre, dans le faubourg Saint-Marceau, depuis le XVe s. Dispersée sur plusieurs sites, auj. Manufacture nationale de tapisseries, elle travaille toujours pour l'État.

L'Enlèvement de la belle Hélène, *tapisserie des* **Gobelins**. *Château de Cheverny.*

**GOBI (désert de)** ~ Grand désert des confins de la Mongolie et de la Chine (Mongolie-Intérieure, Xinjiang et Gansu), dunaire ou pierreux ; env. 1 300 000 km² (alt. 800-1 200 m). Parcouru de vents violents, il est torride l'été et glacial l'hiver.

**GOBINEAU** (Joseph Arthur, comte DE) ~ *1816, Ville-d'Avray - 1882, Turin.* Diplomate et écrivain français. Il exposa dans son *Essai sur l'inégalité des races humaines* (1853-1855) des doctrines qui inspirèrent divers théoriciens racistes.

**GODARD** (Eugène) ~ *1827, Clichy, Seine - 1890, Bruxelles.* Aéronaute français. Il effectua plus de 2 500 ascensions, dont la plus célèbre en compagnie du photographe Nadar (1863), à bord du *Géant*. Pendant le siège de Paris (1870-1871), il organisa la poste aérienne.

**GODARD** (Jean-Luc) ~ *1930, Paris.* Cinéaste français. Dès son premier long-métrage, *À bout de souffle* (1960), il s'impose comme l'un des principaux représentants de la Nouvelle Vague. Il ne cesse depuis d'expérimenter d'autres façons de faire des films, où l'élaboration d'une esthétique nouvelle procède toujours d'un questionnement sur la société et ses codes idéologiques (*le Mépris*, 1963 ; *Pierrot le Fou*, 1965 ; *For ever Mozart*, 1996).

**GODAVARI** (la) ~ L'un des sept fleuves sacrés de l'Inde ; 1 500 km. Elle traverse le Deccan d'O. en E., forme un vaste delta (région rizicole) et rejoint le golfe du Bengale par un vaste delta rizicole.

**GODBOUT** (Jacques) ~ *1933, Montréal.* Écrivain et cinéaste canadien d'expression française. Il a poursuivi dans son œuvre une réflexion sur la condition de l'homme et de l'écrivain (*l'Aquarium*, 1962 ; *l'Écrivain de province*, 1991).

**GODDARD** (Robert Hutchings) ~ *1882, Worcester, Massachusetts - 1945, Baltimore.* Ingénieur américain. Pionnier de l'astronautique, il lança la première fusée à ergols liquides (1926).

**GODEFROI DE BOUILLON** ~ *v. 1061, Baisy, Brabant - 1100, Jérusalem.* Homme de guerre français. Duc de Basse-Lorraine (1089-1095), il fut l'un des chefs de la 1re croisade. Élu roi par ses chevaliers après la prise de Jérusalem (1099), il préféra le titre d'avoué du Saint-Sépulcre.

**GÖDEL** (Kurt) ~ *1906, Brünn - 1978, Princeton.* Logicien et mathématicien américain d'orig. autrichienne. Il énonça le procédé d'arithmétisation de la syntaxe, et deux théorèmes de mathématiques qui portent son nom (1931) et mettent en évidence les limites de formalisation d'un système non contradictoire.

**GODESCALC D'ORBAIS** ~ Voir **Gottschalk**.

**GODOY ÁLVAREZ DE FARIA** (Manuel) ~ *1767, Badajoz - 1851, Paris.* Homme politique espagnol. Amant de la reine d'Espagne, Marie-Louise de Parme, il fut le Premier ministre de Charles IV de 1792 à 1798 et de 1800 à 1808. Il entraîna l'Espagne dans l'alliance française contre la Grande-Bretagne. Le désastre de Trafalgar (1805), l'adhésion au Blocus continental, l'occupation française dressèrent l'opinion contre le roi et son ministre. Godoy rédigea, à Bayonne, l'acte d'abdication de Charles IV en faveur de Joseph Bonaparte (1808), puis s'exila à Paris.

**GODTHÅB** ~ Voir **Nuuk**.

**GODWIN** (William) ~ *1756, Wisbech, Cambridgeshire - 1836, Londres.* Écrivain britannique. Ses essais et ses romans (*les Aventures de Caleb Williams*, 1794) traitent de questions sociales.

**GOEBBELS** (Joseph Paul) ~ *1897, Rheydt, Rhénanie-du-Nord - Westphalie - 1945, Berlin.* Homme politique allemand. Idéologue nazi, responsable de l'information et de la propagande du IIIe Reich (1933-1945), il fut chargé de la direction de la guerre totale (1944). Il se suicida avec toute sa famille.

**GOËLE** (la) ~ Plateau céréalier du N.-E. de la région parisienne (Val-d'Oise, Oise).

**GOERING** ou **GÖRING** (Hermann) ~ *1893, Rosenheim, Bavière - 1946, Nuremberg.* Maréchal et homme politique allemand. Aviateur pendant la guerre de 1914-1918, nazi dès 1922, il accéda à la présidence du Reichstag en 1932. Successeur désigné de Hitler (1939), il fut discrédité par les échecs de la Luftwaffe, démis de toutes ses fonctions et arrêté (1945). Prisonnier des Alliés, condamné à mort par le tribunal de Nuremberg, il se suicida.

**GOETHE** (Johann Wolfgang VON) ~ *1749, Francfort-sur-le-Main - 1832, Weimar.* Écrivain allemand. Issu d'une famille bourgeoise cultivée, il étudia sans succès le droit à Leipzig puis à Strasbourg. La publication des *Souffrances du jeune Werther* (1774) le fit connaître dans toute l'Europe comme un représentant du Sturm und Drang. Invité par le duc de Weimar, anobli en 1782, il fut conseiller, puis ministre de cette province, dont il fit le point de mire de l'Europe romantique. Il étudia la minéralogie, la botanique et la zoologie, mais l'artiste se sentait prisonnier de l'homme politique. Voyageant en Italie (1786-1788), il s'exalta au contact du monde latin. De retour à Weimar, il mena à terme ses drames (*Iphigénie en Tauride*, 1786 ; *le Comte d'Egmont*, 1787 ; *Torquato Tasso*, 1789), publia les *Élégies romaines* (1790) et *les Années d'apprentissage de Wilhelm Meister* (1796), critiqua les excès de la Révolution française et organisa ses œuvres complètes. Il publia le premier *Faust* (1806), *les Affinités électives* (1809), poursuivit ses recherches (*la Métamorphose des plantes*, 1790 ; *Théorie des couleurs*, 1810), évolua avec *Pandora* (1808) et le second *Faust* (1832) vers des idéaux intemporels. Fondateur avec Schiller du classicisme allemand, homme des Lumières par son cosmopolitisme et la diversité de ses intérêts, il symbolisa l'universalité du génie allemand.

**Goethe** dans la campagne romaine *(détail)*, *peinture de Johann Tischbein (1722-1789). Städisches Kunstinstitut, Francfort-sur-le-Main*

**GOFFMAN** (Erving) ~ *1922, Manville, Alberta - 1982, Philadelphie.* Psychosociologue canadien. Il travailla sur la notion de totalitarisme social, et sur celle d'interaction (*les Rites d'interaction*, 1967).

**GOG** et **MAGOG** ~ Désignation, dans l'Apocalypse, des nations révoltées à la fin des temps, et, plus largement, des forces du mal.

**GOGOL** (Nikolaï Vassilievitch) ~ *1809, Sorotchintsy - 1852, Moscou.* Écrivain russe. Auteur de nouvelles (*le Manteau* ; *le Journal d'un fou*), d'une comédie (*le Revizor*), il exerça, not. avec *les Âmes mortes* (1842), récit au réalisme sombre, une influence déterminante sur la littérature russe.

**GOHELLE** (la) ~ Plaine du N. de la France, anc. bassin houiller, autour de Lens et de Liévin. Métall., industr. chimique.

**GOIÂNIA** ~ V. du Brésil central, créée en 1930, cap. de l'État de Goiás, au S.-O. de Brasília ; 921 000 h. Universités.

**GOIÁS** ~ État du centre du Brésil où est enclavé le district fédéral de Brasília ; 340 166 km², 4 024 000 h., cap. Goiânia. Agric. (café, coton, riz, soja), élev. extensif, mines (nickel, amiante).

**Gois (passage du)** ~ Chaussée (4,5 km) reliant à marée basse Noirmoutier à la côte depuis le XIXe s.

**GOLAN** (le) ~ Plateau basaltique du S.-O. de la Syrie (alt. 1 000 m), château d'eau régional, qui domine la vallée du Jourdain, princ. peuplé de Druzes. Occupé par Israël depuis la guerre des Six-Jours (1967) et annexé en 1981 (implantation de colonies), il est toujours revendiqué par la Syrie.

**GOLCONDE** ~ Anc. ville forte de l'Inde (Andhra Pradesh), au centre du Deccan, célèbre pour ses diamants. Siège d'un sultanat musulman détruit par Aurangzeb, qui prit Golconde en 1687.

**GOLDING** (William) ~ *1911, Saint Columb Minor, Cornouailles - 1993, Tulimar, id.* Écrivain britannique. Son œuvre dépeint l'homme aux prises avec ses pulsions barbares (*Sa Majesté des mouches*, 1954). Prix Nobel de litt. 1983.

**GOLDMANN** (Nahum) ~ *1895, Wisznewo, Lituanie - 1982, Bad Reichenhall, Allemagne.* Dirigeant sioniste qui eut successivement la nationalité polonaise, allemande, américaine, israélienne et suisse. Il voua son existence à la cause sioniste, fondant le Congrès juif mondial (1936) et présidant l'Organisation sioniste mondiale (1956-1968).

**GOLDONI** (Carlo) ~ *1707, Venise - 1793, Paris.* Auteur comique italien. Rompant avec la commedia dell'arte, son théâtre de caractères et de mœurs présente des comédies populaires, écrites en italien (*la Veuve rusée*, 1748 ; *le Menteur*, 1750) et en français (*le Bourru bienfaisant*, 1771).

**GOLDSMITH** (Oliver) ~ *1728, Pallasmore, Irlande - 1774, Londres.* Écrivain britannique. Il fonda le journal *The Bee* (« l'Abeille »). Son roman *le Vicaire de Wakefield* (1766) le rendit célèbre, et son poème rustique *le Village abandonné* (1770) lui valut l'admiration de Goethe.

**GOLDSTEIN** (Kurt) ~ *1878, Kattowitz, auj. Katowice - 1965, New York.* Neurologue américain d'orig. allemande. Il est l'auteur d'une conception globaliste et unitaire de la neurologie, l'organisme fonctionnant selon lui comme un tout que la maladie modifie dans sa totalité (*la Structure de l'organisme*, 1934). Il travailla aussi sur l'aphasie.

**GOLÉA (El-)** ~ Voir **Menia (El-)**.

**Golfe (guerre du)** ~ Conflit qui opposa l'Iraq à une coalition d'une trentaine de pays dirigée par les États-Unis, sous l'égide de l'O. N. U. (17 janv.-21 févr. 1991). Devant le refus de S. Hussein de libérer le Koweït (envahi en août 1990), l'O. N. U. autorisa l'intervention de forces internationales. Au terme de l'opération « Tempête du désert », menée principalement par l'armée américaine déployée depuis l'Arabie Saoudite, l'Iraq fut contraint au cessez-le-feu.

**GOLFECH** ~ Village du bas Quercy (Tarn-et-Garonne), sur la Garonne ; 555 h. Centrale nucléaire.

**GOLFE-JUAN** ~ Station balnéaire et port de plaisance (commune de Vallauris), entre Cannes et Antibes. Napoléon y débarqua à son retour de l'île d'Elbe (1815).

**GOLGI** (Camillo) ~ *1843 ou 1844, Corteno - 1926, Pavie.* Médecin et histologiste italien. Étudiant le système nerveux, il découvrit la granulation du cytoplasme (**appareil de Golgi**, 1898). Prix Nobel de physiol. ou méd. 1906.

**GOLGOTHA** (le) ~ Colline de Jérusalem où, selon les Évangiles, eut lieu la crucifixion du Christ.

**GOLIATH** ~ Géant philistin tué par le jeune David, d'après la Bible.

**GOLITSYNE** ou **GALITZINE** ~ Famille princière russe. À la fin du XVII^e^ s. et au XVIII^e^ s., elle donna à la Russie nombre de chefs militaires et d'hommes politiques.

**GOLO** (le) ~ Fl. de la Corse (N.), le plus long de l'île (75 km), tribut. de la mer Tyrrhénienne, au sud de Bastia.

**GOLTZIUS** (Hendrick) ~ *1558, Mühlbracht - 1617, Haarlem.* Peintre et graveur néerlandais. Au maniérisme de ses débuts succéda un classicisme qui influença le paysage hollandais du XVII^e^ s.

**GOMAR** (François), en lat. ***Francescus Gomarus*** ~ *1563, Bruges - 1641, Groningue.* Théologien protestant néerlandais. Contre Arminius, il affirma que la prédestination est antérieure au péché originel. Ses thèses prévalurent au synode calviniste de Dordrecht (1618-1619).

**gombette (loi)**, en lat. ***lex jundobada*** ~ Code rédigé en latin à Lyon v. 502 sur l'ordre du roi burgonde Gondebaud, mariant coutume germanique et droit romain.

**GOMBRICH** (Ernst Hans) ~ *1909, Vienne.* Historien d'art britannique d'orig. autrichienne. Ses principaux ouvrages (*Histoire de l'art*, 1950 ; *l'Art et l'Illusion*, 1960) sont une contribution capitale à la psychologie de la perception esthétique.

**GOMBROWICZ** (Witold) ~ *1904, Małoszyce - 1969, Vence.* Écrivain polonais. Son roman *Ferdydurke* (1937) révéla ses inventions de style et sa verve corrosive. La guerre l'exila en Argentine. Il revint en Europe en 1963. Son théâtre (*Opérette*, 1967) comme ses romans (*la Pornographie*, 1960 ; *Cosmos*, 1965) dénoncent la toute-puissance de la bêtise humaine et la cruauté de l'Histoire.

**GOMEL** ~ Port fluvial du S.-E. de la Biélorussie, 2^e^ v. du pays, sur un affl. du Dniepr, près de la frontière russe ; 503 000 h. Industries mécan., text. et du bois.

**GOMERA (île de)** ~ Île du groupe O. de l'archipel des Canaries ; 378 km², env. 25 000 h. Tourisme.

**GÓMEZ DE LA SERNA** (Ramón) ~ *1888, Madrid - 1963, Buenos Aires.* Écrivain espagnol. Dans ses romans (*la Veuve blanche et noire*, 1917 ; *l'Homme au melon gris*, 1928) et dans ses *greguerías*, métaphores ironiques et mélancoliques, il filtra le réel au prisme d'un humour déroutant.

**GOMORRHE** ~ Voir **Sodome**.

**GOMPERS** (Samuel) ~ *1850, Londres - 1924, San Antonio, Texas.* Syndicaliste américain, fondateur de l'A. F. L. (American Federation of Labor, 1886).

**GOMUŁKA** (Władysław) ~ *1905, Krosno, Galicie - 1982, Varsovie.* Homme politique polonais. Secrétaire général du parti communiste à partir de 1943, partisan d'un socialisme à la polonaise, il fut victime de la stalinisation du régime (1948-1949). Rappelé au pouvoir à la suite du mouvement d'octobre 1956, il fut destitué en 1970.

**GONÂVE (île de la)** ~ Île haïtienne du **golfe de Gonâve** (O. de Port-au-Prince) ; 700 km², 30 000 h.

**GONÇALVEZ** (Nuno) ~ *XV^e^ s.* Peintre portugais. Il fut peintre du roi Alphonse V de 1450 à 1467. De son œuvre ne subsiste que le *Polyptyque de São Vicente*, imprégné de réalisme flamand.

**GONÇALVEZ DIAS** (Antônio) ~ *1823, Caxias, Maranhão - 1864, en mer.* Poète brésilien. De sensibilité romantique (*Os Timbiras*, 1857), il inspira le mouvement indianiste (*Dicionário da lingua Tupi*, 1858).

**GONCOURT**, nom de deux écrivains français. ~ **Edmond** HUOT DE (*1822, Nancy - 1896, Champrosay, Essonne*) et son frère ~ **Jules** HUOT DE (*1830, Paris - 1870, id.*) sont les auteurs de romans dont le style évolua du réalisme vers un impressionnisme raffiné. Ils tinrent un *Journal* qui offre un tableau de la vie littéraire de 1851 à 1896. Le petit cénacle d'amis qu'Edmond réunissait chaque dimanche dans sa maison d'Auteuil est à l'origine de l'**académie Goncourt**, société chargée, en exécution du testament d'Edmond, de couronner chaque année une œuvre littéraire par un prix.

**GONDAR** ~ V. du N.-O. de l'Éthiopie, au N. du lac Tana ; 77 000 h. Palais et églises (XVII^e^-XVIII^e^ s.). Anc. capitale amharique (XVI^e^-XIX^e^ s.), elle fut occupée par les troupes italiennes de 1936 à 1941.

**GONDEBAUD** ~ *m. en 516 à Genève.* Généralissime d'Olybrius puis roi romanophile des Burgondes (v. 480-516). Il institua la loi gombette.

**GONDI** ~ Famille florentine de diplomates et de banquiers. Installés en France à la suite de Catherine de Médicis, ils eurent une grande influence politique, not. grâce à **Jean-François Paul** DE GONDI, cardinal de Retz. La famille s'éteignit à la fin du XVII^e^ s.

**GONDWANA** (le) ~ Région de l'Inde, dans le N.-E. du Deccan, éponyme d'un supercontinent qui, selon la théorie de la dérive des continents (étayée par l'observation), regroupait au Mésozoïque le Deccan, l'Arabie, l'Afrique, l'Amérique du Sud, l'Australie et l'Antarctique.

**GONESSE** ~ V. du N.-E. de l'agglom. parisienne (Val-d'Oise) ; 23 152 h.

**GONFREVILLE-L'ORCHER** ~ V. de l'agglom. du Havre (Seine-Maritime), sur le canal de Tancarville ; 10 202 h. Raff. de pétrole et pétrochimie.

**GÓNGORA Y ARGOTE** (Luis DE) ~ *1561, Cordoue - 1627, id.* Poète espagnol. On a donné le nom de **gongorisme** au style hermétique et baroque auquel il a donné naissance (*les Solitudes*, 1613).

**GONTCHAROV** (Ivan Aleksandrovitch) ~ *1812, Simbirsk - 1891, Saint-Pétersbourg.* Romancier russe. Il fut parmi les premiers à introduire le réalisme en Russie (*Oblomov*, 1859).

**GONTCHAROVA** (Natalia Sergueïevna) ~ *1881, Ladychkino - 1962, Paris.* Peintre russe. Tout en s'inspirant de l'art populaire russe, elle participa avec son mari, Larionov, à toutes les recherches artistiques de son temps. Elle réalisa des décors et des costumes pour les Ballets russes (1923).

**GONTRAN** (saint) ~ *v. 545 - 592, Chalon-sur-Saône.* Roi de Bourgogne et d'Orléans (561-592), fils de Clotaire I^er^. Il protégea l'Église. Son neveu Childebert II lui succéda.

**GONZAGUE** ~ Famille italienne qui régna sur Mantoue de 1328 à 1708. Elle noua des alliances avec plusieurs maisons souveraines d'Europe. La branche de Nevers succéda à la branche aînée en 1627. Charles II de Nevers vendit toutes ses possessions françaises à Mazarin en 1659.

**GONZAGUE** (Anne DE) ~ Voir **Anne de Gonzague**.

**GONZÁLEZ MÁRQUEZ** (Felipe) ~ *1942, Séville.* Homme politique espagnol. Secrétaire du Parti socialiste ouvrier espagnol (1974) et Premier ministre depuis la victoire électorale de son parti en 1982 jusqu'en 1996, il fut l'artisan de l'intégration de l'Espagne dans l'Union européenne.

**GOODMAN** (Benjamin **David**, dit Benny) ~ *1909, Chicago - 1986, New York.* Clarinettiste de jazz américain. Surnommé le Roi du swing, il sut s'adjoindre des musiciens de talent qu'il révéla au grand public.

**GOODYEAR** (Charles) ~ *1800, New Haven, Connecticut - 1860, New York.* Inventeur américain. Il mit au point la vulcanisation du caoutchouc (1839) et l'ébonite.

**GORBATCHEV** (Mikhail Sergueïevitch) ~ *1931, Privolnoïe, près de Stavropol.* Homme d'État soviétique. Secrétaire général du parti communiste (mars 1985-août 1991), président du praesidium du Soviet suprême (oct. 1988-mars 1990), puis président de l'U. R. S. S. (mars 1990), il mit en œuvre une politique visant à la restructuration (*perestroïka*) et à la transparence (*glasnost*) du régime. Il annonça le retrait des troupes soviétiques d'Afghanistan (1988), reprit le dialogue avec l'Ouest, favorisa dans son pays la liberté d'expression et la libéralisation de la vie politique. Ayant accepté la réunification de l'Allemagne (1990), il ne put s'opposer aux revendications nationalistes qui précipitèrent la dissolution de l'U. R. S. S. En butte à l'hostilité conjuguée des conservateurs et des libéraux, il dut démissionner au lendemain d'une tentative de putsch dirigée contre lui (août 1991). Prix Nobel de la paix 1990.

*Mikhail* ***Gorbatchev.***

**GORDES** ~ Village tourist. des monts du Vaucluse, à l'O. d'Apt ; 2 031 h. Château du XVI^e^ s. (musée Vasarely). À proximité, abbaye cistercienne de Sénanque.

**GORDIEN** ~ Nom de trois empereurs romains qui régnèrent aux II^e^ et III^e^ s.

**GORDIMER** (Nadine) ~ *1923, Springs.* Romancière et nouvelliste sud-africaine d'expression anglaise. Elle exalte dans son œuvre la beauté des paysages de son pays tout en analysant les problèmes de l'apartheid (*Ceux de July*, 1981). Prix Nobel de litt. 1991.

**GORDION** ~ V. d'Asie Mineure, anc. cap. de la Phrygie. Alexandre le Grand y trancha de son épée celui le **nœud gordien**, dont un oracle disait que celui qui le dénouerait s'assurerait la possession de l'Asie.

**GORDON** (Charles), dit **Gordon Pacha** ~ *1833, Woolwich - 1885, Khartoum.* Officier britannique. Il fut placé par son gouvernement au service de la Chine puis de l'Égypte. Gouverneur du Soudan, il périt lors de la prise de Khartoum par al-Mahdi.

**GÓRECKI** (Henryk Mikołaj) ~ *1933, Czernica.* Compositeur polonais. Adepte de la simplicité d'écriture, il a cultivé une inspiration religieuse (*Symphonie n° 3*, 1976 ; *Miserere*, 1981).

**GORÉE (île de)** ~ Îlot de la rade de Dakar (Sénégal), centre français d'embarquement des esclaves pour l'Amérique aux XVII^e^ et XVIII^e^ s.

**GORGIAS** ~ *v. 487, Leontium, Sicile - v. 380 av. J.-C., Lárissa.* Sophiste grec. Venu en ambassadeur à Athènes en 427 av. J.-C., il y resta pour enseigner la rhétorique.

**Gorgones** (les) ~ Monstres de la mythologie grecque à la chevelure de serpents. Au nombre de trois (Sthéno, Euryalé et Méduse), elles sont représentées selon les récits comme des créatures d'une grande beauté ou comme des êtres hideux.

**GORGONZOLA** ~ V. d'Italie (Lombardie), à l'E. de Milan ; 16 000 h. Fromage renommé.

**GÖRING** (Hermann) ~ Voir **Goering**.

**GORIZIA**, en all. *Görz* ~ V. d'Italie (Vénétie), à la frontière slovène ; 38 000 h. Autrichienne du XVIe s. à 1918, elle accueillit Charles X, exilé.

**GORKI** ~ Voir **Nijni-Novgorod**.

**GORKI** (Alekseï Maksimovitch **Pechkov**, dit Maxime) ~ *1868, Nijni-Novgorod - 1936, Moscou.* Écrivain russe. Romancier et dramaturge, il retraça son enfance et ses débuts difficiles (*Enfance*, 1913-1914 ; *Mes universités*, 1923). Il décrivit les marginaux et les déclassés (*les Bas-Fonds*, 1902), tout en exprimant ses idéaux révolutionnaires et socialistes (*les Ennemis*, 1906 ; *la Mère*, 1906).

**GORKY** (Vosdanig **Adoian**, dit Arshile) ~ *1904, Hayotz Dzore, Arménie turque - 1948, Sherman, Connecticut.* Peintre américain d'orig. arménienne. Passant du cubisme au surréalisme, il réalisa des œuvres violentes et désespérées (*Last Painting*, 1948).

**GORNO-ALTAÏ** ~ Voir **Altaï**.

**GÖRRES** (Johann Joseph VON) ~ *1776, Coblence - 1848, Munich.* Écrivain allemand. Il fut l'un des représentants catholiques du mouvement romantique et se fit le défenseur du patriotisme allemand (*Mystique chrétienne*, 1836-1842).

**GORT** (John **Vereker**, vicomte) ~ *1886, Londres - 1946, id.* Maréchal britannique. Commandant du corps expéditionnaire britannique en France, il organisa la retraite de Dunkerque en 1940, puis défendit victorieusement Malte contre les forces de l'Axe. Il fut haut-commissaire en Palestine (1944-1945).

**GORTCHAKOV** (Aleksandr Mikhaïlovitch, prince) ~ *1798, Haspal, Estonie - 1883, Baden-Baden.* Homme politique russe. Ministre des Affaires étrangères, il noua une politique de rapprochement avec la Prusse. Au congrès de Berlin (1878), il dut renoncer aux avantages consentis à la Russie après sa victoire sur la Turquie.

**GORTYNE** ~ Anc. cité de la Crète centrale, cap. de la province romaine comprenant la Cyrénaïque et la Crète (Ier s. av. J.-C.). Ruines romaines.

**GOSAINTHAN** ou **XIXABANGMA** (le) ~ L'un des sommets de l'Himalaya (Tibet), près de la frontière indienne ; 8 046 m.

**GOSIER (Le)** ~ Station baln. de la Guadeloupe, au S.-E. de Pointe-à-Pitre ; 20 708 h.

**GOSSART** (Jean) ou **GOSSAERT** (Jan), dit **Mabuse** ~ *v. 1478, Maubeuge - 1532, Middelburg* ou *Breda.* Peintre flamand. Il séjourna à Rome (1508) et introduisit l'art de la Renaissance dans son pays (*les Enfants de Christian II de Danemark*).

**GOSSEC** (François Joseph) ~ *1734, Vergnies, Hainaut - 1829, Paris.* Compositeur français. Influencé par l'école de Mannheim, il fut l'un des premiers symphonistes français et composa de la musique d'église (*Dernière Messe des vivants*, 1813).

**GÖTALAND** (le) ~ Partie S. de la Suède (la plus cultivée). Probable pays d'origine des Goths.

**GÖTEBORG** ~ 2e v. et princ. port de Suède, au S.-O. du pays, reliée par canal à Stockholm, pôle intellectuel, univ. et industr. (automobile, mécan., text., papeterie, alim.) ; 437 000 h. La ville fut fondée au XVIIe s. par Gustave II Adolphe, selon un plan inspiré de celui d'Amsterdam.

**GOTHA** ~ V. d'Allemagne (Thuringe), à l'O. d'Erfurt ; 57 000 h. Château de Friedenstein (XVIIe s.), musées, collections de l'Institut de géographie. Ancienne cap. d'une principauté unie au duché de Saxe-Cobourg (1826). Le congrès d'unification des socialistes allemands s'y réunit en 1875.

**Gotha (Almanach de)** ~ Almanach publié en français et en allemand, à Gotha, entre 1763 et 1944, répertoriant la généalogie des grandes familles princières et nobles d'Europe.

**Goths** (les) ~ Peuple germanique de la famille linguistique indo-européenne. Venus d'Europe du Nord, les Goths s'établirent en Europe centrale au Ier s. av. J.-C. et au N.-O. de la mer Noire au IIIe s. apr. J.-C. Convertis à l'arianisme, ils se divisèrent, sous la pression des Huns, en Goths de l'Est (Ostrogoths) et Goths de l'Ouest (Wisigoths) au IVe s.

**GOTLAND** ~ Île et comté suédois de la Baltique, à l'E. du Götaland, plateau calcaire bordé de falaises, au climat doux ; 3 140 km², 58 000 h., ch.-l. Visby. Élevage. Cult. florales et maraîchères. Tourisme. L'un des centres du commerce hanséatique jusqu'à la conquête danoise (1361).

**GOTTFRIED DE STRASBOURG** ~ *fin du XIIe s. - début du XIIIe s.* Poète d'expression allemande. Il reprit la légende de Tristan et Yseut.

**GÖTTINGEN** ~ V. d'Allemagne (Basse-Saxe), au S. de Hanovre ; 128 000 h. Université fondée en 1737. Optique, mécanique de précision. Maisons à colombage et édifices des XIVe et XVe s.

**GOTTSCHALK** ou **GODESCALC D'ORBAIS** ~ *v. 805, près de Mayence - v. 868, Hautvillers, Champagne.* Théologien allemand. Ses thèses sur la prédestination et la grâce, inspirées de saint Augustin, furent condamnées au concile de Mayence (848).

**GOTTWALD** (Klement) ~ *1896, Dědice - 1953, Prague.* Homme d'État tchécoslovaque. Chef du parti communiste (1929), président du Conseil (1946), il organisa le coup d'État communiste de 1948 (« coup de Prague ») et, en remplacement de Beneš, devint président de la République.

**GOUBAIDOULINA** (Sofia Asgatovna) ~ *1931, Kazan.* Compositrice russe. Elle a forgé son style au confluent de la tonalité, du sérialisme et de la tradition chorale russe (*Offertorium*, 1980 ; *Hommage à T. S. Eliot*, 1987).

**GOUBERT** (Pierre) ~ *1915, Saumur.* Historien français. Proche de l'école des Annales, il a tenté d'appréhender toutes les composantes (démographiques, économiques, géographiques, sociales) de la France de l'Ancien Régime (*Louis XIV et vingt millions de Français*, 1966).

**GOUDA** ~ V. de Hollande-Méridionale (Pays-Bas), au N.-E. de Rotterdam ; 70 000 h. Céramiques. Fromages. Église St-Jean (XVIe s.), vitraux.

**GOUGES** (Marie **Gouze**, dite Olympe DE) ~ *1755, Montauban - 1793, Paris.* Femme de lettres française. Publiciste, elle se battit pour l'émancipation des femmes. Ayant pris la défense de Louis XVI, elle fut guillotinée.

**GOUJON** (Jean) ~ *v. 1510, en Normandie - v. 1566, Boulogne.* Sculpteur et architecte français. Son style, influencé par les artistes italiens de l'école de Fontainebleau, se traduit par la délicate ciselure de divinités inspirées des modèles antiques. Il fut le collaborateur de P. Lescot dans la construction et la décoration du Louvre (*Cariatides*).

**GOULD** (Glenn) ~ *1932, Toronto - 1982, id.* Pianiste canadien. Il a parfois surpris par ses interprétations très personnelles de J. S. Bach. Son répertoire s'est étendu de la musique élisabéthaine à Webern.

**GOULD** (Stefen Jay) ~ *1941, New York.* Paléontologue américain. Par opposition aux thèses néodarwinistes, il professe que l'évolution des espèces est une succession de périodes stables entrecoupées de phases brusques de spéciation.

**GOUNOD** (Charles) ~ *1818, Paris - 1893, Saint-Cloud.* Compositeur français. Parfait connaisseur des coloris orchestraux, il substitua à la grandiloquence du grand opéra un art mélodique limpide (*Faust*, 1859 ; *Roméo et Juliette*, 1867).

**GOURAUD** (Henri Eugène) ~ *1867, Paris - 1946, id.* Général français. Vainqueur de Samory Touré au Soudan (1898), puis collaborateur de Lyautey au Maroc, il se distingua pendant la Première Guerre mondiale. Nommé haut-commissaire en Syrie (1920-1923), il réprima la révolte de Damas.

**GOURGAUD** (Gaspard, baron) ~ *1783, Versailles - 1852, Paris.* Général français. Ayant suivi Napoléon Ier à Sainte-Hélène en 1815, il rédigea sous sa dictée des *Mémoires* consacrés à l'histoire de son règne.

**GOURMONT** (Remy DE) ~ *1858, Bazoches-au-Houlme, Orne - 1915, Paris.* Écrivain français. Collaborateur du *Mercure de France*, critique éclairé du groupe symboliste (*Promenades littéraires*, 1904-1913), il est l'auteur de romans unissant scepticisme et hédonisme (*Une nuit au Luxembourg*, 1905).

**Gouros** (les) ~ Peuple de la Côte d'Ivoire, parlant une langue du groupe mandingue.

**GOUSSAINVILLE** ~ V. de la grande banlieue N.-E. de Paris (Val-d'Oise) ; agglom. 28 324 h.

**GOUTHIÈRE** (Pierre) ~ *1732, Bar-sur-Aube - 1813, Paris.* Ornemaniste français. Maître ciseleur du bronze doré, il contribua à la renommée du mobilier Louis XVI.

**Gouvernement provisoire de la République française** ~ Nom du gouvernement de la France (juin 1944-oct. 1946) qui succéda au Comité français de libération nationale. Dirigé successivement par Ch. de Gaulle, F. Gouin, G. Bidault et L. Blum, il se donna pour mission de restaurer la légalité républicaine après l'abolition du régime de Vichy, de participer à la libération de la France, d'encadrer l'épuration, de mettre en place la politique de reconstruction et les nouvelles institutions (Constitution de la IVe République).

**GOUVION-SAINT-CYR** (Laurent, marquis DE) ~ *1764, Toul - 1830, Hyères.* Maréchal de France. Il participa à toutes les campagnes de la Révolution et de l'Empire. Ministre de la Guerre sous Louis XVIII (1815-1817), il fit adopter une loi (1818) pour réorganiser l'armée.

**GOYA Y LUCIENTES** (Francisco DE) ~ *1746, Fuendetodos, Saragosse - 1828, Bordeaux.* Peintre et graveur espagnol. Portraitiste de la famille royale, il n'épargna ni les travers, ni la dégénérescence de ses personnages. Il dénonça tous les fanatismes dans des visions poignantes (*Dos de mayo* et *Tres de mayo*). Par une observation pénétrante de l'humanité, il en restitua le tragique destin (*le Temps ou les Vieilles*), préparant la voie à l'expressionnisme. C'est avec la même verve qu'il peignit le caractère picaresque du petit peuple ou les charmes et la grâce de *la Maja desnuda*.

Le Temps ou les Vieilles *(v. 1810 ; détail), de Francisco de Goya. Musée des Beaux-Arts, Lille.*

**GOYTISOLO** (Juan) ~ *1931, Barcelone.* Écrivain espagnol. Son œuvre allie une conscience historique et sociale douloureuse à des préoccupations formelles d'avant-garde (*Pièces d'identité*, 1966 ; *Don Julian*, 1971 ; *Paysages après la bataille*, 1982).

**GOZO** ~ Île de l'archipel maltais ; 67 km², env. 25 000 h. Sites mégalithiques.

**GOZZI** (Carlo) ~ *1720, Venise - 1806, id.* Écrivain italien. Défenseur de la commedia dell'arte contre la comédie réaliste de Goldoni, il est l'auteur de féeries dramatiques (*Turandot*, 1762).

**GOZZOLI** (Benozzo **di Lese**, dit Benozzo) ~ *1420, Florence - 1497, Pistoia.* Peintre italien. Élève de Fra Angelico, il reste un « gothique » par son goût de l'anecdote et son sens de la féerie, même s'il a assimilé les innovations de son temps (*le Cortège des Rois mages*, 1459).

**G. P. U.** ~ Voir **Guepeou**.

**GRAAF** (Reinier DE) ~ Voir **De Graaf**.

**Graal** (le) ~ Coupe sacrée dont Jésus se serait servi lors de la Cène, et qui aurait reçu son sang après sa crucifixion. La tradition médiévale, représentée not. par Robert de Boron et Chrétien de Troyes, fit de la quête du Graal l'objet d'un thème littéraire initiatique.

**GRACCHUS**, en fr. **les Gracques**, nom d'une amille romaine (de la gens Sempronia) à laquelle ppartinrent ~ **Tiberius Sempronius** (*m. v. 150 v. J.-C.*), général romain, préteur en 180 av. J.-C., t ses fils ~ **Tiberius Sempronius** (*162, Rome - 133 v. J.-C., id.*) et ~ **Caïus Sempronius** (*154, ome - 121 av. J.-C., id.*). Tribuns de la plèbe, ils entèrent d'imposer une réforme agraire, mais érirent, victimes de l'opposition des grands propriétaires patriciens.

**Grâces** (les) ~ Divinités de la mythologie grécoomaine, appelées également Charites. Filles de eus, au nombre de trois (Aglaé, Thalie et Euphroyne), elles président à tous les agréments de la vie.

**GRACIÁN Y MORALES** (Baltasar) ~ *1601, Belmonte de Calatayud - 1658, Tarazona.* Philosophe spagnol. Il illustra le cynisme social dans des essais 'une extrême rigueur morale (*l'Homme de cour*, 647 ; *l'Homme détrompé*, 1651).

**GRACQ** (Louis **Poirier**, dit Julien) ~ *1910, Saint-Florent-le-Vieil.* Écrivain français. Marqué par le omantisme allemand et par le surréalisme, il a éveloppé les thèmes de l'attente et de la fascination ans une prose exigeante (*Au château d'Argol*, 1938 ; *Rivage des Syrtes*, 1951).

**Gracques** (les) ~ Voir **Gracchus**.

**GRADIGNAN** ~ V. de la banlieue S. de Bordeaux Gironde) ; 21 727 h. Vins des Graves.

**GRAF** (Steffi) ~ *1969, Brühl.* Joueuse de tennis allemande. Plusieurs fois vainqueur des tournois de Roland-Garros, Wimbledon, Flushing Meadow et les Internationaux d'Australie entre 1987 et 1993. Championne olympique en 1988.

**GRAF** (Urs) ~ *v. 1485, Soleure - v. 1527, Bâle.* Graveur et dessinateur suisse. Soldat de métier, l a laissé de vigoureuses figures de soudards, de prostituées et de vagabonds.

**GRAHAM (terre de)** ~ Autre nom de la péninsule antarctique ou de Palmer.

**GRAHAM** (Martha) ~ *1894, Pittsburgh, Pennsylvanie - 1991, New York.* Danseuse et chorégraphe américaine. Sa technique, utilisant les contraires qui xistent en tout mouvement, et son œuvre — plus l'une centaine de chorégraphies marquées par une nspiration archaïque et le sens du rituel — font l'elle un pionnier de la modern dance (*Letter to he World*, 1940 ; *Night Journey*, 1947 ; *Phaedra*, 962). [☞ **danse**.]

**GRAHAM** (Thomas) ~ *1805, Glasgow - 1869, Londres.* Chimiste britannique. Il établit la loi sur a diffusion des gaz (**loi de Graham**).

**GRAILLY** (DE) ~ Famille noble de Gascogne dont e représentant le plus illustre fut **Jean III** (*1321 - 1376, Paris*), captal de Buch, capitaine de Charles e Mauvais, vaincu par Du Guesclin à Cocherel 1364), qui combattit ensuite pour le compte des Anglais lors de la guerre de Cent Ans.

**GRAISIVAUDAN** ~ Voir **Grésivaudan**.

**GRAM** (Hans Christian Joachim) ~ *1853, Copenhague - 1938, id.* Médecin et bactériologiste danois. l mit au point la **coloration de Gram**, procédé consistant à faire agir sur des micro-organismes liverses solutions, dont la **liqueur de Gram**, qui permet de distinguer les micro-organismes **Gram positif** et **Gram négatif**.

**GRAMAT (causse de)** ~ L'un des Petits Causses du Quercy, entre le Lot et la Dordogne. Sites de Rocamadour et du gouffre de Padirac.

**GRAMME** (Zénobe) ~ *1826, Jehay-Bodegnée, prov. de Liège - 1901, Bois-Colombes.* Inventeur belge. Il élabora le « collecteur », qui permit de réaliser des machines électriques à courant continu (1869) et fabriqua la première dynamo industrielle (**machine de Gramme**, 1871).

**GRAMONT** (Antoine, duc DE) ~ *1604, Hagetmau, Chalosse - 1678, Bayonne.* Maréchal de France et diplomate. Il se distingua au cours de la guerre de Trente Ans, fut ministre d'État (1653) et participa à la campagne de Flandre (1667).

**GRAMONT** (Antoine Agénor, duc DE) ~ *1819, Paris - 1880, id.* Diplomate français. Ministre des Affaires étrangères en 1870, il fut favorable à la déclaration de guerre contre la Prusse.

**GRAMPIANS (monts)** ~ Partie orientale des Highlands (Écosse), où culmine la Grande-Bretagne (1 343 m au Ben Nevis), entre la dépression du Glen More et les Lowlands urbanisés. Faible peuplement. Élevage, tourisme.

**GRAMSCI** (Antonio) ~ *1891, Ales, Sardaigne - 1937, Rome.* Philosophe et homme politique italien. Issu d'une famille bourgeoise, il fit des études à l'université de Turin, adhéra au parti socialiste (1913) et contribua à la fondation du journal *Ordine Nuovo* (1919). Membre fondateur du Parti communiste italien, partisan inconditionnel de Lénine, il fut secrétaire général du P. C. I. en 1924. Son orthodoxie marxiste et son idéal politique d'une démocratie ouvrière et pluraliste lui donnèrent une place à part parmi les idéologues et les dirigeants officiels de la IIIe Internationale. Chef de file de l'antifascisme, il fut arrêté en 1926 et mourut peu après sa sortie de captivité, laissant une œuvre fragmentaire dont une partie importante fut écrite en prison (*Scritti politici*, 1913-1926 ; *Cahiers de prison*, traduit en fr. en 1975).

**GRANADOS Y CAMPIÑA** (Enrique) ~ *1867, Lérida - 1916, en mer.* Compositeur espagnol. Il cultiva dans ses œuvres pianistiques un style ornemental aux colorations raffinées (*Goyescas*, 1911). On lui doit également des œuvres symphoniques (*Suite Elisenda*, 1910) et des zarzuelas (*María del Carmen*, 1898).

**GRAN CHACO** ~ Voir **Chaco**.

**GRAND BALLON** ~ Voir **Guebwiller** (ballon de).

**GRAND BASSIN** (le) ~ Vaste région de l'O. des États-Unis, semi-aride, montagneuse et endoréique (Humboldt River, Grand Lac Salé), entre les monts Wasatch (Rocheuses) et la sierra Nevada ; env. 490 000 km$^2$, alt. max. 3 980 m. V. princ. Salt Lake City, Reno. Cultures irriguées (piémonts). Élevage extensif. Ress. minières (cuivre, or, argent, plomb, zinc, métaux précieux). Au XIXe s., il fut un obstacle à la colonisation anglo-saxonne du littoral pacifique.

**GRAND-BORNAND (Le)** ~ Station de sports d'hiver (alt. 950-2 100 m) du massif des Bornes (Haute-Savoie) ; 1 925 h.

**GRAND CANAL** ou **CANAL IMPÉRIAL** (le), en chin. *Da Yunhe* ~ Voie navigable reliant Pékin à Hangzhou (1 747 km), construite à partir du Ve s. av. J.-C. et jusqu'au XIIIe s.

**GRAND-COURONNÉ** (le) ~ Collines de Lorraine, au N. de Nancy. Du 5 au 12 sept. 1914, É. de Castelnau y arrêta l'avance allemande en direction de Nancy.

**GRANDE (Rio)**, au Mexique **río Bravo** ~ Fl. d'Amérique du Nord issu des Rocheuses (Colorado), frontière entre les États-Unis (Texas) et le Mexique, de Ciudad Juárez jusqu'à son embouchure, dans le golfe du Mexique ; env. 3 000 km.

**GRANDE-BRETAGNE** (la) ~ La plus grande des îles Britanniques (228 356 km$^2$), composante principale du Royaume-Uni de Grande-Bretagne et d'Irlande du Nord (elle désigne souvent celui-ci, par ellipse), formée par la réunion des anciens royaumes d'Angleterre, du pays de Galles et de l'Écosse ; 54 156 000 h. Voir **Angleterre**, **Irlande**, **Royaume-Uni**.

**GRANDE COMORE** (la) ~ Voir **Ngazidja**.

**GRANDE-GRÈCE** (la) ~ Voir **Grèce d'Occident**.

**GRANDE-MOTTE (La)** ~ Station baln. de la côte languedocienne (Hérault), au S.-E. de Montpellier, créée en 1968 dans un style moderniste (immeubles pyramides) ; 5 016 h.

**GRANDES PLAINES** (les) ~ Partie occidentale des plaines du Middle West (États-Unis), à l'O. du Mississippi. L'altitude s'élève doucement jusqu'à plus de 1 000 m au contact des Rocheuses. Grande culture céréalière mécanisée.

**GRANDES ROUSSES** (les) ~ Voir **Rousses** (Grandes).

**GRANDE-SYNTHE** ~ V. de la banlieue industr. de Dunkerque (Nord) ; 24 362 h. Métallurgie.

**GRANDE-TERRE** ~ Île basse et fertile (canne à sucre) qui forme la Guadeloupe avec Basse-Terre, dont elle est séparée par la rivière Salée.

**GRANDE VALLÉE** (la) ~ Large fossé tectonique de Californie, entre la sierra Nevada et les chaînes côtières, drainé par les riv. Sacramento et San Joaquin, ouvrant au centre sur le Pacifique (baie de San Francisco). Riche région agricole (vigne, fruits, agrumes, riz, coton, cult. maraîchères).

**GRANDIER** (Urbain) ~ *1590, Rovère, près de Sablé - 1634, Loudun.* Prêtre français. Confesseur au couvent des ursulines de la ville de Loudun, il fut accusé d'avoir envoûté les religieuses et périt sur le bûcher.

**GRAND LAC SALÉ** (le), en angl. ***Great Salt Lake*** ~ Zone marécageuse et salée de l'E. du Grand-Bassin (3 000-5 000 km$^2$), dans le N. de l'Utah (États-Unis), au pied des monts Wasatch.

**GRAND-LIEU (lac de)** ~ Lac marécageux du S.-O. de Nantes (Loire-Atlantique) ; 40 km$^2$ en été, 80 km$^2$ en hiver. Halte d'oiseaux migrateurs.

**GRAND-QUEVILLY (Le)** ~ V. de la banlieue S.-O. de Rouen (Seine-Maritime) ; 27 658 h. Papeterie, chim., métallurgie.

**GRAND RAPIDS** ~ V. des États-Unis (Michigan), à l'E. de Detroit, centre comm. et industr. (meubles) ; 189 000 h. (agglom. 668 000 h.).

**GRANDS LACS** (les) ~ Ensemble lacustre le plus vaste du monde (lacs Supérieur, Michigan, Huron, Érié, Ontario), partagé entre les États-Unis et le Canada ; 246 500 km$^2$. Navigables, ils sont reliés au Saint-Laurent (leur émissaire naturel), à l'Hudson et au Mississippi. Leurs rives abritent plusieurs grands ports (Chicago, Detroit, Cleveland, Buffalo, Toronto).

**GRANDSON** ou **GRANSON** ~ Localité de Suisse (canton de Vaud), sur le lac de Neuchâtel. Les Suisses y remportèrent une victoire décisive sur Charles le Téméraire le 2 mars 1476.

**GRANDVILLE** (Jean Ignace Isidore **Gérard**, dit) ~ *1803, Nancy - 1847, Vanves.* Graveur et dessinateur français. Ses caricatures zoomorphes parurent dans *la Caricature* et *le Charivari*. Il illustra également des œuvres de La Fontaine et de Swift.

La France livrée aux corbeaux de toutes espèces *(1831 ; détail), gravure de* **Grandville**. *Musée Carnavalet, Paris.*

**GRANET** (François) ~ *1775, Aix-en-Provence - 1849, id.* Peintre français. Il est l'auteur de nombreux tableaux de petit format représentant des intérieurs d'église ou des temples en ruine. Ses aquarelles annoncent l'art de Corot.

**GRANIQUE** (le) ~ Fl. d'Asie Mineure où Alexandre le Grand vainquit les généraux de Darius III en 334 av. J.-C.

**Granja de San Ildefonse (La)** ~ Palais inspiré de celui de Versailles, construit à partir de 1721, sur la sierra de Guadarrama, près de Ségovie, pour Philippe V d'Espagne.

**GRAN SASSO D'ITALIA** (le) ~ Massif des Abruzzes où culmine l'Apennin, à 2 914 m.

**GRANSON** ~ Voir **Grandson**.

**GRANT** (Archibald Alexander **Leach**, dit Cary) ~ *1904, Bristol, Grande-Bretagne - 1986, Davenport.* Acteur américain d'orig. britannique. Son élégance et son humour ont inspiré G. Cukor (*Indiscrétions*, 1941), Fr. Capra (*Arsenic et vieilles dentelles*, 1944) ou H. Hawks (*Chérie, je me sens rajeunir*, 1952). L'ambiguïté dont il était capable fut exploitée par A. Hitchcock (*la Mort aux trousses*, 1959).

**GRANT** (Ulysses Simpson) ~ *1822, Point Pleasant, Ohio - 1885, Mount McGregor, État de New York.* Général et homme d'État américain. Il commanda l'armée fédérale à la fin de la guerre de Sécession (1864-1865) ; après la victoire des fédéraux il fut nommé secrétaire à la Guerre puis fut élu par deux fois (1868 et 1872) président, républicain, de l'Union.

**GRANVELLE (DE)**, nom de deux hommes politiques francs-comtois. ~ **Nicolas PERRENOT** (*1486, Ornans - 1550, Augsbourg*), avocat, puis conseiller au Parlement, chancelier de Charles Quint (1530), présida les diètes de Worms et de Ratisbonne. Il éleva un palais à Besançon. Son fils ~ **Antoine** (*1517, Besançon - 1586, Madrid*), évêque d'Arras à 23 ans, puis cardinal et archevêque de Besançon, servit Philippe II d'Espagne comme Premier ministre des Pays-Bas, vice-roi de Naples (1571-1575) et ministre des Affaires étrangères.

**GRANVILLE** ~ Station baln. et port du S.-O. du Cotentin (Manche) ; 12 413 h. (agglom. 17 390 h.). Remparts du XVIII^e s., église des XVI^e et XVII^e s.

**GRAPPELLI** (Stéphane) ~ *1908, Paris.* Violoniste, pianiste et compositeur de jazz français. Improvisateur hors du commun, il a fondé en 1934 avec D. Reinhardt le quintette du Hot Club de France.

**GRASS** (Günter) ~ *1927, Dantzig.* Écrivain allemand. Auteur de poèmes et de pièces de théâtre, il s'est fait connaître par *le Tambour* (1959), roman qui met en accusation le « nazisme ordinaire » sur un mode épique et truculent que l'on retrouve dans *le Turbot* (1977) ou *la Ratte* (1986), écrits après une période d'engagement politique actif auprès de W. Brandt.

**GRASSE** ~ V. de la Côte d'Azur, au N.-O. de Cannes (Alpes-Mar.), station clim. ; 41 388 h. Industr. des parfums liée à la floriculture. Anc. cathédrale du XII^e s. Musées d'Art et d'Histoire de Provence et de la Parfumerie ; musée Fragonard.

**GRASSET** (Bernard) ~ *1881, Chambéry - 1955, Paris.* Fondateur, en 1905, des Éditions Grasset, il publia durant l'entre-deux-guerres nombre d'écrivains majeurs (Mauriac, Montherlant, Proust) et lança la collection des « Cahiers verts » (1920).

**GRASSMANN** (Hermann Günther) ~ *1809, Stettin - 1877, id.* Mathématicien et linguiste allemand. Un des fondateurs des algèbres multilinéaires et des géométries à plusieurs dimensions, il établit les notions de base du calcul vectoriel appliquées aux espaces à plusieurs dimensions (1844) et introduisit le concept de matrice. En linguistique, il étudia les rapports entre le grec et le sanskrit.

**GRATIEN**, en lat. ***Flavius Gratianus*** ~ *359, Sirmium, Pannonie - 383, Lyon.* Empereur romain d'Occident. Durant son règne (375-383), il mit fin au paganisme comme religion d'État, parallèlement à Théodose I^er en Orient. Il fut assassiné.

**GRATIEN**, en lat. ***Gratianus*** ~ *fin XI^e s., Chiusi, Toscane - v. 1160, Bologne.* Moine italien. Il est l'auteur du *Décret* (v. 1140), première compilation raisonnée du droit canonique, fondement de la législation canonique jusqu'en 1918.

**GRATRY** (Alphonse) ~ *1805, Lille - 1872, Montreux.* Prêtre et philosophe français. Avec le chanoine Pététot, il rétablit l'Oratoire de France (1852). Acad.

**GRAU-DU-ROI (Le)** ~ Station baln. languedocienne (Gard) ; 5 253 h. Pêche.

**Graufesenque** (la) ~ Site archéol. de l'Aveyron (poterie gallo-romaine).

**GRAULHET** ~ V. du Tarn, au S.-O. d'Albi ; 13 523 h. Mégisserie, maroquinerie.

**GRAUN** (Carl Heinrich) ~ *1701, Wahrenbrück, Brandebourg - 1759, Berlin.* Compositeur allemand. Il introduisit l'opéra italien à Berlin et composa des cantates (*Der Tod Jesu*, 1760). Son opéra *Montezuma* (1755) préfigure la réforme de Gluck.

**GRAUNT** (John) ~ *1620, Londres - 1674, id.* Statisticien et économiste anglais. Ses travaux statistiques sur la population londonienne sont à l'origine de la démographie.

**GRAVE (pointe de)** ~ Cap qui marque la limite entre la Gironde (r. g.) et l'Atlantique.

**GRAVELINES** ~ V. du Nord, sur l'Aa, dans l'agglom. de Dunkerque ; 12 336 h. Centrale nucléaire. Remparts des XVI^e et XVII^e s.

**GRAVELOT** (Hubert François **Bourguignon**, dit) ~ *1699, Paris - 1773, id.* Dessinateur, graveur et peintre français. À Londres, il fonda une école de dessin (1732-1755) et contribua à introduire le style rocaille en Angleterre. Il illustra de nombreuses œuvres littéraires (Richardson, Shakespeare, Rousseau, Marmontel).

**GRAVELOTTE** ~ Village de la Moselle. De violents combats y opposèrent Français et Prussiens en 1870.

**GRAVES** (les) ~ Région de la Gironde, au S. de Bordeaux (sols de graviers roulés, propices à la viticulture), berceau hist. des vins du Bordelais.

**GRAY** ~ V. du S.-O. de Vesoul (Haute-Saône) ; 6 916 h. (agglom. 12 017 h.). Électron., textile. Hôtel de ville du XVI^e s. Musée.

**GRAY** (Stephen) ~ *v. 1670 - 1736, Londres.* Physicien anglais. Il démontra que les conducteurs isolés peuvent être électrisés (1727) et découvrit l'électrisation par influence (1729).

**GRAY** (Thomas) ~ *1716, Londres - 1771, Cambridge.* Poète britannique. Il est le précurseur de la mélancolie romantique (*Élégie écrite dans un cimetière de campagne*, 1751).

**GRAZ** ~ 2^e v. d'Autriche et cap. de la Styrie, sur la Mur ; 238 000 h. Université. Édifices des XVI^e-XVIII^e s., dont la tour de l'Horloge. Musées.

**GRAZIANI** (Rodolfo), marquis **de Neghelli** ~ *1882, Filettino, Latium - 1955, Rome.* Maréchal italien. Vice-roi d'Éthiopie (1936-1937), battu par les Britanniques en Libye (1941), il fut ministre de la Guerre de Mussolini dans le gouvernement de la République de Salo (1943).

**GREAT YARMOUTH** ou **YARMOUTH** ~ Port et station baln. d'Angleterre (Norfolk) ; env. 53 000 h. Pêche (hareng).

**GRÈCE** (la), off. **République hellénique**, en grec ***Hellas*** ou ***Ellás*** ~ Pays du S. de l'Europe (Balkans), dans la partie orientale du bassin méditerranéen, formé d'une partie péninsulaire (80 % du territoire) et d'îles (Ioniennes, Crète, Cyclades, Eubée, Sporades du Nord et du Sud, ou Dodécanèse). ***Cap.*** Athènes. ***Superf.*** 131 950 km². ***Popul.*** 10 300 000 h. ***Langue princ.*** Grec. ***Monn.*** Drachme. ***Relief.*** Montagneux sur 75 % du territoire (mont Olympe, 2 917 m), plaines rares à l'E. et au N.-O. (Thessalie, Macédoine, Thrace). ***Climat.*** Méditerranéen avec une nuance continentale au N. ***Hydrogr.*** Fl. et rivières courts à régime torrentiel. ***Écon.*** Fondée sur l'agriculture (blé, vigne, olivier, tabac, agrumes, coton), l'élevage (bovin et ovin) et la pêche. Importante flotte marchande (3^e rang mondial). Hydroélectricité, centrales thermiques et quelques ressources minières (bauxite, fer, lignite). Soustraitance. Tourisme. Pays d'émigration entre 1920 et 1975 (importante diaspora), mais auj. d'immigration, en provenance d'Europe centrale et balkanique. ***V. princ.*** Athènes - Le Pirée, Thessalonique Patras. Le P. N. B. est l'un des plus faibles d l'Union européenne. **HIST.** – *Néolithique* : première traces de peuplement (Cyclades, Crète). *II^e mil av. J.-C.* : les invasions indo-européennes (Ioniens Achéens) donnent naissance à la civilisation mycé nienne (Mycènes, Corinthe, Argos, Athènes), pre mière civilisation hellénique, tandis qu'en Crète l brillante civilisation minoenne aurait été anéanti par un gigantesque séisme. *V. 1200 av. J.-C.* : le Doriens (Indo-Européens) occupent la Grèce mycé nienne, provoquant un recul de la civilisation (Moyen Âge hellénique) et une migration de l population vers l'Attique, les îles et l'Asie Mineure Mais un patrimoine commun à toute la Grèce fondé sur la langue, l'écriture, la religion, exist désormais. *776 av. J.-C.* : la création des jeu Olympiques, véritable fête panhellénique, marqu le début de la chronologie officielle. *750-500 av. J.-C.* : époque dite archaïque. La confiscation de la monarchie par une aristocratie qui s'appropri pouvoirs et terres provoque une nouvelle vagu d'émigration (Grande-Grèce) et la fondation d colonies commerciales (Marseille fondée par Phocée ; Byzance par Mégare, etc.). Les troubles sociau favorisent l'arrivée au pouvoir des tyrans (Pisistrat et ses fils) et des législateurs (Dracon, Solon Clisthène). *V^e s. av. J.-C.* : début de la périod classique, siècle d'or de la civilisation grecque L'impérialisme perse en Asie Mineure aboutit à u conflit avec la Grèce (guerres médiques). La victoir des Athéniens consacre leur hégémonie militair (Thémistocle) et politique (Périclès). Les arts atteignent leur apogée : tragédie (Eschyle, Sophocle Euripide), sculpture (Myron, Polyclète), architecture (Phidias, Callicratès, Ictinos). Les autres cité grecques (Corinthe, Delphes, Sparte, Thèbes) s'inquiètent de la puissance d'Athènes, ce qui condui à la guerre du Péloponnèse (431-404 av. J.-C.) qu scelle la défaite des Athéniens. Le délabremen politique et l'absence d'unité permettent au roi d Macédoine, Philippe II, de dominer la Grèce. *IV^e s av. J.-C.* : son fils Alexandre le Grand conquier d'immenses territoires et propage la civilisation hellénistique. À sa mort, ses lieutenants se partagent les territoires de l'empire. *II^e s. av. J.-C. - VI^e s apr. J.-C.* : début de la conquête romaine de la Grèce qui aboutit en 86 av. J.-C. à la prise d'Athènes pa Sylla. L'instauration de la *pax romana* favoris une renaissance de la civilisation grecque, qui es

*La Grèce au V^e siècle av. J.-C.*

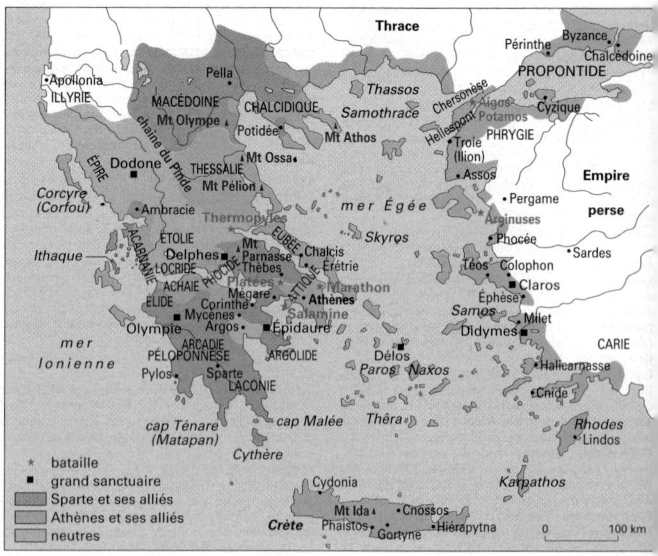

L'ART
DE LA GRÈCE ANTIQUE

1. Tête d'homme, *dite du Cavalier Rampin (v. 550 av. J.-C. ; détail), marbre provenant du Parthénon d'Athènes. Musée du Louvre, Paris.*

2. Jeune Pan *(IVe-IIIe s. av. J.-C.), bronze. Musée du Louvre, Paris.* © Giraudon

3. *Amphore en céramique d'époque archaïque (v. 520-512 av. J.-C.), du potier Pamphaios. Sur la panse : ménade et satyre ; sur le col : femme nue assise en train de se chausser. Musée du Louvre, Paris.*

4. Cassandre poursuivie par Ajax et se réfugiant près de l'effigie d'Athéna *(v. 550 av. J.-C.), coupe en céramique attribuée au peintre de Codros. Musée du Louvre, Paris.* © Lauros-Giraudon

5. Tête de cavalier, *dite de la Coulonche (Ve s. av. J.-C.), marbre provenant du Parthénon d'Athènes. Musée du Louvre, Paris.* © Giraudon

6. Zeus et l'aigle *(v. 550 av. J.-C.), coupe en céramique. Musée du Louvre, Paris.*



diffusée dans tout l'Empire romain ; pourtant, en 393, la dernière célébration des jeux Olympiques marque symboliquement la fin de l'Antiquité grecque, et, en 395, la Grèce est intégrée à l'empire romain d'Orient, partageant désormais les destinées de cet État chrétien (Empire byzantin) qui connaît une hellénisation rapide. *VIIe-XIIe s.* : la Grèce subit de multiples invasions (Slaves, Arabes, Bulgares, Normands). *XIIIe-XIVe s.* : la Grèce continentale se trouve morcelée en principautés tenues par les Francs, vassaux des Byzantins, tandis que la majorité des îles est dominée par Venise. *XVe-XIXe s.* : la conquête ottomane submerge l'Empire byzantin (chute de Constantinople en 1453) et, en 1460, Mistra est la dernière place prise en Grèce. Les quatre siècles de domination turque sont jalonnés de nombreuses révoltes ; les Grecs gardent leur autonomie religieuse (patriarcat de Constantinople) et la diaspora forme à l'étranger des minorités actives et prospères, encourageant l'émergence d'un sentiment national, que les difficultés (guerres russo-turques) de l'Empire ottoman favorisent. Cette agitation se concrétise dans les activités de plusieurs sociétés secrètes, dont la Société amicale, fondée à Odessa en 1814, et celle de Konstandínos Rhígas, chantre de l'unité balkanique. *1821* : insurrection du Péloponnèse. *1822-1829* : proclamation de l'indépendance à Épidaure. L'intérêt des Européens pour la question d'Orient (contrôle des Détroits) et les sentiments philhellènes de certains d'entre eux (lord Byron) amènent les grandes puissances à intervenir en Grèce, ravagée par la guerre civile, les exactions des Turcs (massacres de Chio). *1830* : le protocole de Londres, signé sous l'égide de la Russie, de la France et de la Grande-Bretagne, donne naissance à un État grec indépendant (Péloponnèse, Grèce centrale et Eubée), reconnu par les Turcs en 1832. D'abord placée sous l'autorité d'un gouverneur (Capo d'Istria, 1827-1831), la Grèce, soumise à l'influence des grandes puissances, devient une monarchie dominée par des souverains étrangers : un Bavarois, Otton Ier (1832-1862), puis un Danois, Georges Ier (1863-1913), et ses descendants. *XXe s.* : après les îles Ioniennes (1864) et la Thessalie (1881), le royaume s'adjoint pacifiquement la Crète ; les guerres balkaniques contre les Ottomans (1912-1913) lui permettent d'intégrer l'Épire, la Macédoine et toutes les îles de la mer Égée, excepté celles du Dodécanèse. Après la Première Guerre mondiale, faite aux côtés des Alliés, le territoire s'agrandit de la Thrace occidentale, grâce à l'action du ministre Éleuthérios Venizélos. *1922* : la Grèce, qui s'est vu confier l'administration de la région de Smyrne, en application du traité de Sèvres, rencontre une farouche résistance de la part du gouvernement de Mustafa Kemal et doit renoncer à la Thrace orientale et aux débouchés sur le Bosphore. *1924* : la proclamation de la république inaugure une période d'instabilité politique. Les problèmes sociaux, liés notamment à la réforme agraire et à la pression démographique, resurgissent avec plus d'intensité pendant la crise des années 1930. *1935* : le roi Georges II, qui avait abdiqué en 1924, revient au pouvoir, puis laisse le général Ioánnis Metaxás instaurer une dictature (1936-1941). *1941-1949* : entrée en guerre aux côtés des Alliés ; la Grèce subit l'occupation des forces de l'Axe dès 1941. Organisée par le parti communiste, la Résistance libère la totalité du pays. Puis une guerre civile (1946-1949) oppose les communistes aux forces gouvernementales, qui triomphent. En 1947, le Dodécanèse est rattaché à la Grèce, qui s'intègre progressivement au camp occidental. *1952* : la Grèce entre dans l'Otan. *1963* : elle noue ses premiers contacts avec la C. E. E. (entrée officielle en 1981). *21 avr. 1967* : un coup d'État porte les militaires au pouvoir. *1973* : le général Gheórghios Papadhópoulos abolit la monarchie, proclame la république et se nomme président. *1974* : le « régime des colonels » s'effondre. *1975-1995* : après le rétablissement de la démocratie, les gouvernements conservateurs (Konstandínos Karamanlís, Konstandínos Mitsotákis) et socialistes (Andhréas Papandhréou) alternent. La vie politique est dominée par les problèmes économiques, les scandales et les conflits larvés avec des pays voisins (Macédoine, Albanie, Turquie). *1995* : Kostis Stefanópoulos, conservateur soutenu par le Pasok, parti socialiste, est élu à la présidence de la République. *1996* : le socialiste Kostas Simitis succède à A. Papandhréou comme Premier ministre.

**GRÈCE D'OCCIDENT** ou **GRANDE-GRÈCE** (la) ~ Ensemble formé par les colonies grecques établies en Italie du Sud et en Sicile du VIIIe au VIe s. av. J.-C. L'hellénisme y subsista jusqu'au Moyen Âge.

**GRECO** (Dhomínikos **Theotokópoulos**, dit le) ~ *1541, Candie - 1614, Tolède.* Peintre espagnol d'orig. crétoise. Il passa quelque temps en Italie, où il découvrit Titien et le Tintoret, avant de s'installer en Espagne. Toute son œuvre est imprégnée du maniérisme de Raphaël, où spiritualité et réalisme se mêlent. L'allongement et la torsion des corps, le contraste des couleurs, souvent sombres, expriment la quête mystique de ses personnages (*l'Enterrement du comte d'Orgaz*, 1586 ; *le Baptême du Christ*, 1600).

**GRÉCO** (Juliette) ~ *1927, Montpellier.* Chanteuse et comédienne française. Égérie des existentialistes de Saint-Germain-des-Prés, elle a interprété Prévert, Ferré, Queneau sur un mode désinvolte et sensuel (*les Feuilles mortes* ; *Jolie Môme* ; *Si tu t'imagines*).

**GREDOS (sierra de)** ~ Prolongement occidental de la sierra de Guadarrama (Espagne), qui culmine à 2 592 m.

**GREEN** (Julien) ~ *1900, Paris.* Écrivain américain d'expression française. Ses romans (*les Épaves*, 1932 ; *Moïra*, 1950), ses pièces de théâtre (*Sud*, 1953), ses essais (*le Langage et son double*, 1983), son *Journal* et son importante *Autobiographie* témoignent d'un itinéraire spirituel difficile et exigeant. Acad.

**GREENAWAY** (Peter) ~ *1942, Londres.* Cinéaste britannique. Il a créé un univers singulier, où l'extrême préciosité de la forme est au service de fables insolites et morbides (*Meurtre dans un jardin anglais*, 1982 ; *The Pillow Book*, 1997).

**GREENE** (Graham) ~ *1904, Berkhamsted, Buckinghamshire - 1991, Vevey.* Romancier britannique.

Ses nombreux voyages, sa foi catholique marquent son œuvre (*la Puissance et la Gloire*, 1940 ; *Un Américain bien tranquille*, 1955).

**GREENOCK** ~ Port de l'O. de l'Écosse (estuaire de la Clyde) ; env. 70 000 h. Base des F. F. I. durant la Seconde Guerre mondiale.

**Greenpeace** ~ Mouvement écologiste et pacifiste international, fondé en 1971 à Vancouver pour lutter contre les essais nucléaires et l'extermination par l'homme des espèces animales.

**GREENSBORO** ~ V. des États-Unis (Caroline du Nord) ; 184 000 h. Industrie textile. Assurances.

**GREENWICH** ~ V. du Grand Londres (E.) ; 208 000 h. Musée national de la Marine. C'est par l'ancien observatoire, fondé en 1675 par Charles II, que passe le **méridien de Greenwich**, internationalement adopté comme méridien d'origine.

**GRÉGOIRE**, nom de plusieurs papes. ~ **Grégoire Ier le Grand** (saint ; *v. 540, Rome - 604, id.*), pape de 590 à 604. Docteur de l'Église, élu pape malgré lui, il fut l'artisan de l'affirmation du pouvoir pontifical et de la vocation universelle de l'Église. Il conclut la paix avec les Lombards, lutta contre les hérésies, relança l'effort missionnaire, not. en Angleterre, et rénova la liturgie. ~ **Grégoire VII** (**Hildebrand**, saint ; *v. 1015-1020, Soana, Toscane - 1085, Salerne*), pape de 1073 à 1085. Il fut le promoteur de la réforme dite grégorienne. Son attitude déclencha la querelle des Investitures opposant la papauté au pouvoir temporel. Il reçut la soumission de l'empereur Henri IV à Canossa (1077). ~ **Grégoire IX** (Ugolino, comte de **Segni** ; *v. 1170, Anagni - 1241, Rome*), pape de 1227 à 1241. Protecteur de l'ordre franciscain, il organisa l'Inquisition et s'opposa aux ambitions territoriales de Frédéric II de Hohenstaufen, roi de Sicile. ~ **Grégoire XII** (Angelo **Correr** ; *v. 1325, Venise - 1417, Recanati, près d'Ancône*), pape de 1406 à 1415. Opposé à l'antipape Benoît XIII, avec lequel il ne put parvenir à une solution de conciliation, il démissionna en 1415 au concile de Constance, qui élit Martin V. ~ **Grégoire XIII** (Ugo **Boncompagni** ; *1502, Bologne - 1585, Rome*), pape de 1572 à 1585. Il favorisa les Jésuites pour promouvoir la Contre-Réforme catholique après le concile de Trente et promulgua le calendrier grégorien. ~ **Grégoire XV** (Alessandro **Ludovisi** ; *1554, Bologne - 1623, Rome*), pape de 1621 à 1623. Il fonda la Congrégation de la propagation de la foi (ou Propagande). ~ **Grégoire XVI** (Bartolomeo Alberto **Cappellari** ; *1765, Belluno, Vénétie - 1846, Rome*), pape de 1831 à 1846. Adversaire résolu des mouvements démocratiques de son siècle, il condamna les doctrines libérales en matière religieuse (encyclique *Mirari vos*, 1832).

**GRÉGOIRE** (Henri, dit **l'abbé**) ~ *1750, Vého, près de Lunéville - 1831, Paris*. Ecclésiastique et révolutionnaire français. Député à la Constituante, évêque constitutionnel de Blois élu à la Convention, il fit voter l'abolition de l'esclavage et fit accorder les droits civils et politiques aux Juifs (1794).

**GRÉGOIRE DE TOURS** (saint) ~ *v. 538, Clermont-Ferrand - v. 594, Tours*. Prélat et historien français. Évêque de Tours (573), il s'attacha à renforcer la position de l'Église et laissa une monumentale *Histoire des Francs*.

**GREGORY** (James) ~ *1638, Drumoak, près d'Aberdeen - 1675, Édimbourg*. Mathématicien et astronome écossais. Il conçut un télescope à miroir secondaire concave, qui porte son nom. Il étudia les méthodes infinitésimales de calcul des aires et des volumes et précéda Newton dans l'étude des développements en série.

**GRÉMILLON** (Jean) ~ *1901, Bayeux - 1959, Paris*. Cinéaste français. Son œuvre au réalisme sobre et exigeant (*Gardiens de phare*, 1929) se distingue par quelques grands succès (*Le ciel est à vous*, 1944).

**GRENADE**, en esp. ***Granada*** ~ Ville d'Andalousie (Espagne), au pied de la sierra Nevada, dominant un bassin irrigué ; 254 000 h. Tourisme. Patrimoine prestigieux : palais mauresque de l'Alhambra (XIIIe-XIVe s.), jardins du Generalife, cathédrale (XVe s.) de Diego de Siloé (tombeaux de Ferdinand d'Aragon et d'Isabelle la Catholique). **HIST.** - Fondée par les Arabes en 756, elle fut prise par les Rois Catholiques (2 janvier 1492). Le royaume de Grenade, gouverné par les Nasrides (XIIIe-XVe s.), siège d'une brillante civilisation, fut le dernier État maure de la péninsule Ibérique.

**GRENADE** (la), en angl. ***Grenada*** ~ Pays du S. des Petites Antilles, formé par l'île volcanique de Grenade et le S. de l'archipel des Grenadines. ***Cap.*** Saint George's (36 000 h.). ***Superf.*** 345 km². ***Popul.*** 95 000 h. ***Langue princ.*** Anglais. ***Monn.*** Dollar des Caraïbes orientales. ***Climat.*** Tropical. ***Ress. princ.*** Agric. d'export. (noix de muscade). Pêche. Tourisme. **HIST.** - Découverte par Christophe Colomb, l'île, d'abord colonisée par les Français, devint britannique en 1783. L'indépendance fut proclamée en 1974 dans le cadre du Commonwealth. Les États-Unis intervinrent en 1983 pour mettre fin à l'expérience révolutionnaire liée à Cuba.

**GRENADE (Nouvelle-)** ~ Voir **Colombie**.

**GRENADINES (îles)** ~ Archipel tourist. des Petites Antilles, partagé entre les États de Saint-Vincent (Bequia) et de la Grenade (Carriacon).

**Grenelle (accords de)** ~ Accords négociés du 25 au 27 mai 1968 entre le gouvernement, le patronat et les organisations syndicales ouvrières, dans les locaux du ministère des Affaires sociales, rue de Grenelle, à Paris. Acquis sous la pression de la grève générale et des occupations d'usines, auxquelles ils permirent de mettre fin, ces accords, signés le 7 juin 1968, prévoyaient notamment des augmentations de salaires, le smic et la promesse de reconnaissance de la section syndicale dans l'entreprise, instituée par la loi de décembre 1968.

**GRENOBLE** ~ Préfect. de l'Isère, au confluent de l'Isère et du Drac, au S.-E. de Lyon ; 150 758 h. (agglom. 404 733 h.). La ville, entourée par les massifs de Belledonne, de la Chartreuse et du Vercors, est un point de passage commandant l'entrée des Alpes (Grésivaudan). L'industrie d'équipement hydroélectrique, développée au début du XXe s., est auj. relayée par les secteurs de pointe (électronique, nucléaire, informatique). Pôle de recherche scientifique et technique (nombreux laboratoires, universités). Cour d'appel. Évêché. Cathédrale Notre-Dame (XIIe-XIIIe s.), églises (XIe et XIIe s.). Nombreux musées (Dauphinois, des Beaux-Arts, Stendhal et d'Art contemporain, inauguré en 1994). Site des jeux Olympiques d'hiver en 1968.

**GRENVILLE**, nom de deux hommes politiques britanniques. ~ **George** (*1712, Wotton Hall, Buckinghamshire - 1770, Londres*), Premier ministre de 1763 à 1765. Sa politique fiscale (Stamp Act, 1765) fut à l'origine de la révolte des colonies d'Amérique. Son fils ~ **William** (*1759, Londres - 1834, Dropmore*), à la tête du Foreign Office (1791-1801), puis Premier ministre (1806-1807), abolit la traite des Noirs (1807).

**GRÈS** (Germaine **Czerekow**, née **Krebs**, dite Mme) ~ *1903, Paris - 1993, La Valette-du-Var*. Couturière française. Elle est célèbre pour ses drapés sculpturaux.

**GRESHAM** (sir Thomas) ~ *1519, Londres - 1579, id.* Financier anglais. Il créa la Bourse de Londres (1571) et restaura la monnaie. Son nom est attaché à la loi économique selon laquelle, quand deux monnaies circulent dans un pays, « la mauvaise chasse la bonne ».

**GRÉSIVAUDAN** ou **GRAISIVAUDAN** (le) ~ Partie du Sillon alpin où coule l'Isère en amont de Grenoble, entre les massifs de la Chartreuse et de Belledonne, région industr. et agric. très active.

**GRÉTRY** (André Ernest Modeste) ~ *1741, Liège - 1813, Montmorency*. Compositeur français d'orig. wallonne. Une sensibilité délicate et une grande fraîcheur d'inspiration marquent ses opéras-comiques (*l'Amant jaloux*, 1778 ; *Richard Cœur-de-Lion*, 1784).

**GREUZE** (Jean-Baptiste) ~ *1725, Tournus - 1805, Paris*. Peintre français. Son œuvre moralisatrice sacrifie au goût de l'époque (*l'Accordée de village*, 1761) mais excelle à rendre le caractère ingénu de ses modèles (*la Cruche cassée*, 1789).

**Grève (place de)** ~ Anc. place de Paris, en bordure de la Seine, devenue en 1806 la place de l'Hôtel-de-Ville. La population y célébrait la Saint-Jean et y assistait aux exécutions capitales.

**Grévin (musée)** ~ Établissement créé en 1882 à Paris (boulevard Montmartre). Il présente une galerie de personnages illustres en cire.

**GREVISSE** (Maurice) ~ *1895, Rulles - 1980, La Louvière*. Grammairien belge, auteur du *Bon Usage* (1936), grammaire établie dans l'esprit de Vaugelas.

**GRÉVY** (Jules) ~ *1807, Mont-sous-Vaudrey, Jura - 1891, id.* Homme d'État français. Républicain modéré, élu président de la République en 1879, réélu en 1885, il dut démissionner dès 1887, à la suite du scandale provoqué par un trafic de décorations dans lequel était impliqué son gendre, Daniel Wilson.

**GREY** (Charles, comte) ~ *1764, Fallodon, Northumberland - 1845, Howick House, id.* Homme politique britannique. Premier ministre whig (1830-1834), il réforma la loi électorale et abolit l'esclavage dans les colonies (1833).

**GRIAULE** (Marcel) ~ *1898, Aisy-Armançon, Yonne - 1956, Paris*. Ethnologue français. Spécialiste de l'Afrique et initiateur des études sur le terrain, il s'est intéressé particulièrement aux Dogons (*Dieu d'eau*, 1949).

**GRIBEAUVAL** (Jean-Baptiste **Vaquette** DE) ~ *1715, Amiens - 1789, Paris*. Ingénieur militaire français. Créateur d'un nouveau modèle de canon, il fut inspecteur général de l'artillerie.

**GRIBOÏEDOV** (Aleksandr Sergueïevitch) ~ *1795, Moscou - 1829, Téhéran*. Diplomate et auteur dramatique russe. Sa comédie satirique en vers *le Malheur d'avoir trop d'esprit* (1822) est devenue un classique. Chargé de négocier la paix avec la Perse, il fut assassiné.

**GRIEG** (Edvard Hagerup) ~ *1843, Bergen - 1907, id.* Compositeur norvégien. Romantique, il exalta le folklore norvégien dans de poétiques pièces musicales (*Concerto pour piano*, 1868 ; *Peer Gynt*, 1874-1875).

**GRIERSON** (John) ~ *1898, Kilmadock, comté de Perth - 1972, Bath*. Cinéaste et théoricien du cinéma britannique. Chef de file de l'école documentariste britannique, il réalisa peu de films (*Drifters*, 1929), mais ses théories sur le réalisme influencèrent toute une génération de cinéastes.

**GRIFFITH** (Arthur) ~ *1872, Dublin - 1922, id.* Homme d'État irlandais. Fondateur du Sinn Féin (1902), il signa le traité de Londres (1921) et devint président de l'État libre d'Irlande.

**GRIFFITH** (David Wark) ~ *1875, Floydsfork, auj. Creastwood, Kentucky - 1948, Hollywood*. Cinéaste américain. Auteur de fresques grandioses (*Naissance d'une nation*, 1915 ; *Intolérance*, 1916), il fut un novateur dans l'utilisation du travelling, du montage parallèle ou du flash-back.

**GRIFFUELHES** (Victor) ~ *1874, Nérac - 1922, Saclas*. Syndicaliste français. Secrétaire général de la C. G. T. (1901-1909), il fut l'un des principaux représentants du syndicalisme révolutionnaire.

**GRIGNION DE MONTFORT** ~ Voir **Louis-Marie Grignion de Montfort**.

**GRIGNY** ~ V. de la banlieue S. de Paris, sur la Seine (Essonne) ; 24 920 h. Grand ensemble de la Grande-Borne.

**GRIGNY** ~ V. du S. de l'agglomération lyonnaise (Rhône), sur le Rhône ; 7 498 h. Industr. chimique.

**GRIGNY** (Nicolas DE) ~ *1672, Reims - 1703, id.* Compositeur français. La beauté harmonique de son *Livre d'orgue* (1699) et le raffinement de son contrepoint influencèrent J. S. Bach.

**GRIGORESCU** (Nicolae) ~ *1838, Pitaru - 1907, Cimpina*. Peintre roumain. Influencé par les peintres de Barbizon, puis par les impressionnistes, il contribua au renouveau de l'école roumaine.

**GRIMALDI** ~ Localité d'Italie (Ligurie), près de Menton. Dans les neuf **grottes de Grimaldi**, on releva la présence de squelettes humains fossiles du début du Paléolithique supérieur, proches de Cro-Magnon. On mit également au jour des statuettes féminines en pierre, datées du Gravettien (entre 27000 et 19000 av. J.-C.). Ces découvertes sont à l'origine de la race dite de Grimaldi.

**GRIMALDI** ~ Famille d'origine génoise régnant sur Monaco depuis le XIIIe s. L'actuelle maison Grimaldi est issue du mariage en 1920 de la princesse Charlotte, fille de Louis II, prince de Monaco, et du comte Pierre de Polignac.

**GRIMAULT** (Paul) ~ *1905, Neuilly-sur-Seine - 1994, Le Mesnil-Saint-Denis*. Cinéaste d'animation

...nçais. En collaboration avec J. Prévert, il réalisa *Petit Soldat* (1947) et *la Bergère et le Ramoneur* (1953), dont il donna la version intégrale en 1980 ...us le titre *le Roi et l'Oiseau*.

**...RIMM**, nom de deux écrivains allemands. ~ **Ja...b** (*1785, Hanau - 1863, Berlin*), auteur d'une ...*stoire de la langue allemande* (1848), réunit et ...blia avec son frère ~ **Wilhelm** (*1786, Hanau - ...59, Berlin*) des contes inspirés des mythes et ...gendes germaniques.

**...RIMM** (Melchior, baron DE) ~ *1723, Ratis...nne - 1807, Gotha.* Écrivain allemand. Ami des ...cyclopédistes, il fut le rédacteur, à la suite de ...bbé Raynal, de la *Correspondance littéraire, philo...phique et critique* (posth., 1812-1813).

**...RIMMELSHAUSEN** (Hans Jakob Christoffel ...N) ~ *1622, Gelnhausen, Hesse - 1676, Renchen, ...de.* Romancier allemand. Son roman baroque *la ... de l'aventurier Simplicius Simplicissimus* (1669) ...oque la guerre de Trente Ans, à laquelle il ...rticipa.

**...RIMOD DE LA REYNIÈRE** (Alexandre Balthasar ...urent) ~ *1758, Paris - 1838, Villiers-sur-Orge, ...sonne.* Gastronome français. Auteur de *l'Alma...ch des gourmands* (1803-1812), qui fit de lui ...nitiateur de la presse gastronomique.

**...RIMSBY** ~ Grand port de pêche du N. de ...Angleterre (Humberside), sur la mer du Nord ; ... 000 h. Conserveries. Trafic voyageurs vers ...urope du Nord.

**...RIMSEL** (le) ~ Col routier (2 165 m) des Alpes ...rnoises qui relie les vallées de l'Aar et du Rhône.

**...RINGORE** ou **GRINGOIRE** (Pierre) ~ *v. 1475, ...ury-Harcourt, près de Caen - v. 1538, Lorraine.* ...ète dramatique français. Auteur de mystères et ... sotties (*Jeu du prince des sots*, 1512), il inspira ...V. Hugo un personnage romantique dans *Notre-...ame de Paris*.

**...RIS** (José Victoriano **González**, dit **Juan**) ~ *1887, ...adrid - 1927, Boulogne-sur-Seine.* Peintre espa...ol. Admirateur de Cézanne, proche de Picasso, ... Matisse et de Braque, il fut l'un des principaux ...tistes cubistes. Utilisant parfois le collage, il ...veloppa la géométrisation des formes (*Guitares ...feuillet de musique*, 1926).

**...RISI** (Carlotta) ~ *1819, Visinada, Istrie - 1899, ...int-Jean, près de Genève.* Danseuse italienne. ...éatrice du ballet *Gisèle* (1841), elle fut l'une des ...us grandes danseuses romantiques d'Europe.

**...RIS-NEZ (cap)** ~ Extrémité des collines de ...Artois surplombant le pas de Calais, point du ...rritoire français le plus rapproché de l'Angleterre.

**...RISONS** (les), en all. ***Graubünden*** ~ Canton ...iental de la Suisse, le plus vaste et le plus ...ontagneux (Alpes rhétiques), traversé par les ...llées de l'Inn (Engadine) et du Rhin, de part et ...autre des Alpes Grisons ; 7 105 km², 182 000 h. ...rilinguisme : allemand, italien, romanche), ch.-l. ...oire (31 000 h.). Élevage (viande séchée des ...risons). Tourisme (Saint-Moritz, Davos). **HIST.** - ...rtie de l'ancienne Rhétie dont les fiefs et ...mmunes se réunirent en ligues, fédérées en 1472 ... victorieuses des Habsbourg en 1499, les Grisons ...rment un canton suisse depuis 1803.

**...ROCK** (Adrien **Wettach**, dit) ~ *1880, Reconvi...r, canton de Berne - 1959, Imperia, Italie.* Artiste ... cirque suisse. Il a influencé des générations de ...ltimbanques.

**...RODDECK** (Walter Georg) ~ *1866, Bad Kösen, ...xe - 1934, Zurich.* Médecin allemand. Il énonça ...ue les maladies organiques ont leur origine dans ... psychisme (*le Livre du ça*, 1923).

**...RODNO** ~ V. de Biélorussie, près de la frontière ...olonaise ; 285 000 h. Centre industr. (chimie). ...uccessivement lituanienne, polonaise, russe (se...nd partage de la Pologne).

**...ROENLAND** (le), en fr. « pays vert » ~ Im...ense île arctique, la plus septentrionale du monde ...59° - 83° lat. N.), à l'E. de l'archipel Arctique ...nadien, dépendance danoise dotée d'un gouver...ement autonome depuis 1979 ; 2 175 600 km², ...5 000 h. (maj. Inuits, Danois 12 %), cap. Nuuk. ... territoire est recouvert à 85 % par un inlandsis, ... socle, montagneux (alt. max. 3 700 m), n'appa...issant que sur les franges côtières, découpées par ...s fjords. La côte S.-O. est de loin la plus peuplée. ...s Inuits (traditionnellement chasseurs-pêcheurs, ...ablis depuis le Xe s.) sont de plus en plus urbanisés. La pêche (morue, saumon, crabes, crevettes) souffre de la surexploitation. **HIST.** - Découvert par Erik le Rouge en 982, le Groenland fut colonisé par les Danois au XVIIIe s. Les bases militaires américaines (dont Thulé) ont perdu de leur importance depuis la fin de la guerre froide.

**GROIX (île de)** ~ Île de Bretagne (Morbihan), plateau bordé de falaises, au large de Lorient ; 15 km², 2 472 h. Pêche, tourisme.

**GROMAIRE** (Marcel) ~ *1892, Noyelles-sur-Sambre - 1971, Paris.* Peintre et graveur français. Admirateur de Matisse et de Léger, il subit l'influence du cubisme, puis élabora des formes expressionnistes d'inspiration populaire et humaniste (*la Loterie foraine*, 1923 ; *la Guerre*, 1925). Avec J. Lurçat, il participa au renouveau de la tapisserie.

**GROMYKO** (Andreï Andreïevitch) ~ *1909, Starye Gromyki, Biélorussie - 1989, Moscou.* Homme politique soviétique. Il fut ministre des Affaires étrangères (1957-1985) et président du praesidium du Soviet suprême (1985-1988).

**GRONINGUE**, en néerl. ***Groningen*** ~ Princ. v. et port fluvial du N.-E. des Pays-Bas, ch.-l. de la **province de Groningue** (2 967 km², 557 000 h.), partie E. de la Frise néerl., riche en gaz naturel ; agglom. 210 000 h. Université fondée en 1614. Industr. agroalim., chim., imprimerie. Bibliothèque académique (incunables). Églises des XIIIe et XVe s., enceinte médiévale. **HIST.** - Associée à la ligue de la Hanse (1284), la ville lutta pour conserver son indépendance avant d'être rattachée aux Provinces-Unies en 1594.

**GROOTE** (Geert), en lat. ***Gerardus Magnus*** ~ *1340, Deventer - 1384, id.* Prédicateur et mystique néerlandais. Il fonda la fraternité des Frères de la vie commune en 1381 et fut à l'origine du mouvement spirituel de la Devotio moderna.

**GROPIUS** (Walter) ~ *1883, Berlin - 1969, Boston.* Architecte, urbaniste, théoricien et enseignant allemand. Il prôna et réalisa une architecture rationaliste fondée sur l'utilisation du béton armé, de l'acier, du verre et des éléments de construction produits industriellement (usine Fagus à Alfed an der Leine, 1911). Très préoccupé de questions sociales, il étendit ses conceptions à l'urbanisme (quartier Siemensstadt à Berlin, 1929). Il fonda et dirigea le Bauhaus de 1919 à 1928 et en conçut les nouveaux bâtiments à Dessau (1925-1926). Exilé en 1934 en Grande-Bretagne puis aux États-Unis, il travailla avec M. Breuer. Ses réalisations et son enseignement en font l'un des plus influents architectes et urbanistes du XXe s.

**GROS** (Antoine, baron) ~ *1771, Paris - 1835, Meudon.* Peintre français. Par sa force expressive et ses coloris, il fut un précurseur du romantisme tout en affirmant son attachement aux principes néoclassiques de son maître David. Il fut le grand témoin de l'épopée napoléonienne (*les Pestiférés de Jaffa*, 1804 ; *le Champ de bataille d'Eylau*, 1808).

**GROSEILLIERS** (Médard **Chouart** DES) ~ *1618, Charly-sur-Marne - v. 1698, Canada.* Explorateur et négociant français. Il reconnut, de 1658 à 1663, les terres comprises entre le Saint-Laurent et la baie d'Hudson et créa avec Radisson la Compagnie anglaise de la baie d'Hudson (1670).

**GROSSETO** ~ V. d'Italie (Toscane), centre d'une région céréalière du S. de la Maremme ; 72 000 h. Remparts (XVIe s.), cathédrale (XIIIe s.). Musée archéologique et d'art sacré.

**GROSSGLOCKNER** (le) ~ Point culminant des Alpes autrichiennes (3 796 m), dans les Tauern.

**GROSZ** (Georg) ~ *1893, Berlin - 1959, id.* Peintre et dessinateur américain d'orig. allemande. Proche des milieux spartakistes, il caricatura la bourgeoisie allemande dans un style d'une puissante trivialité. Il émigra aux États-Unis en 1933.

**GROTEWOHL** (Otto) ~ *1894, Brunswick - 1964, Berlin.* Homme d'État allemand. Issu de la social-démocratie, il fonda en 1946 le Parti socialiste unifié (S. E. D.), à dominante communiste, et fut le chef du gouvernement de la R. D. A. de 1949 à sa mort.

**GROTHENDIECK** (Alexander) ~ *1928, Berlin.* Mathématicien français d'orig. allemande. Il a entrepris une généralisation de la géométrie algébrique. Médaille Fields 1966.

**GROTIUS** (Hugo **de Groot**, dit) ~ *1583, Delft - 1645, Rostock.* Historien, théologien et juriste hollandais, créateur d'un code de droit international (1625). Partisan d'Arminius, il dut se réfugier à Paris, et devint ambassadeur de Suède (1634-1645).

**GROTOWSKI** (Jerzy) ~ *1933, Rzeszów.* Metteur en scène et directeur de théâtre polonais. Animateur du théâtre-laboratoire de Wrocław, il multiplie les expériences, prônant un « théâtre pauvre », où le jeu des acteurs est dépouillé et le rapport au spectateur essentiel.

**GROUCHY** (Emmanuel, marquis DE) ~ *1766, Paris - 1847, Saint-Étienne.* Maréchal de France. Il contribua à la défaite française à Waterloo.

**Groupe 47**, en all. ***Gruppe 47*** ~ Cercle littéraire (1947-1977) fondé à Munich par Hans Werner Richter et A. Andersch. Cette « société amicale », composée d'écrivains de langue allemande (not. H. Böll et G. Grass), se voulait la garante de toutes les formes de liberté artistique contre les séquelles du nazisme.

**Groupe des 7 (G 7)** ~ Groupe réunissant depuis 1975 les dirigeants des sept pays les plus industrialisés du monde (Allemagne, Canada, États-Unis, France, Grande-Bretagne, Italie et Japon). Les sommets du G 7, auxquels sont associées la Russie et l'Union européenne, traitent des questions politiques, économiques et monétaires internationales.

**Groupe des 77 (G 77)** ~ Groupe fondé en 1964 dans le cadre de la Cnuced. Il réunit la plupart des pays en voie de développement de l'hémisphère Sud (77 à l'origine).

**GROZNY** ~ Cap. de la Tchétchénie (Russie), sur le versant N. du Caucase ; 401 000 h. (en 1989). Importantes destructions consécutives aux bombardements russes en 1995-1996.

**GRUBER** (Francis) ~ *1912, Nancy - 1948, Paris.* Peintre français. Son œuvre réaliste fut à l'origine du nouveau courant figuratif français, dit de la jeune peinture (B. Buffet, P. Rebeyrolle).

**GRUISSAN** ~ Station balnéaire languedocienne, au S.-E. de Narbonne (Aude) ; 2 170 h.

**GRUMIAUX** (Arthur) ~ *1921, Villers-Perwin, Charleroi - 1986, Bruxelles.* Violoniste belge. Interprète raffiné du grand répertoire, de J. S. Bach à A. Schönberg, il fut un partenaire de la pianiste virtuose Clara Haskil.

**GRUNDTVIG** (Nikolaï Frederik Severin) ~ *1783, Udby - 1872, Copenhague.* Écrivain et évêque luthérien danois. Ses théories pédagogiques, exaltant les vertus civiques et le passé scandinave, contribuèrent à la renaissance culturelle de la Scandinavie moderne.

**GRÜNEWALD** (Mathis **Nithart** ou **Gothart**, dit Matthias) ~ *v. 1460 ou v. 1475, Würzburg - 1528, Halle.* Peintre allemand. Il traduisit par un graphisme tourmenté et une large gamme chromatique un mysticisme exalté et tragique (*le Christ outragé*, 1604 ; *Retable d'Issenheim*, 1516). Il incarne un courant gothique tardif allemand influencé par Holbein l'Ancien et Dürer.

**GRUNWALD** ~ Voir **Tannenberg**.

**GRÜTLI** (le) ~ Voir **Rütli**.

**GRUYÈRE** (la) ~ Pays et ancien comté de Suisse, dans le canton de Fribourg, qui a donné son nom à un fromage.

**GSTAAD** ~ Station d'altitude et de sports d'hiver des Alpes bernoises (Suisse), sur la Sarine ; 1 700 h.

Selbstmörder *(« Suicides », 1918 ; détail), aquarelle et encre, de Georg* **Grosz**. *Coll. Florian Karsch, Berlin.*

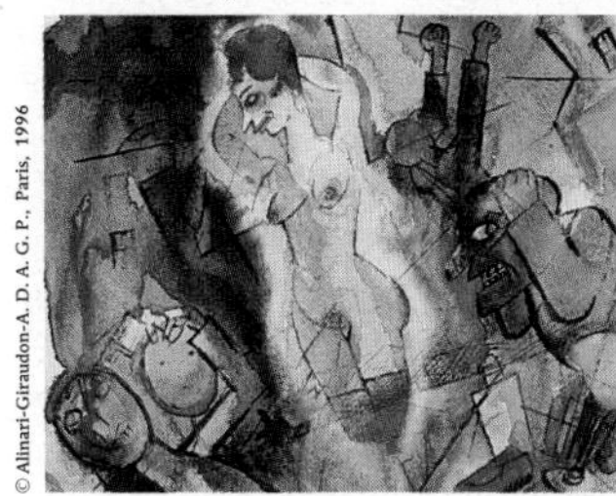

**GUADALAJARA** ~ Cap. de l'État du Jalisco et 2e v. du Mexique, centre culturel (univ.), comm. et industriel (alim., text., chim.), au cœur d'une vallée fertile, à 1 567 m d'alt. ; agglom. 1 650 000 h. Architecture de style colonial (cathédrale du XVIe s., palais gouvernemental du XVIIIe s., places). Musée Orozco. Marché artisanal.

**GUADALCANAL** ~ Île de l'archipel des Salomon. D'août 1942 à février 1943, les Américains y remportèrent contre les Japonais leur premier vrai succès dans le Pacifique.

**GUADALQUIVIR** (le) ~ Fl. du S. de l'Espagne, qui draine la majeure partie de l'Andalousie ; 660 km. Issu des cordillères Bétiques, qu'il sépare de la sierra Morena (cours moyen), il arrose Cordoue, Séville et rejoint l'Atlantique par un estuaire marécageux. Bassin agricole (cultures irriguées).

**GUADALUPE (sierra de)** ~ Chaîne de montagnes (alt. max. 1 600 m) qui sépare les vallées du Guadiana et du Tage, en Estrémadure (Espagne).

**GUADARRAMA (sierra de)** ~ Chaîne montagneuse d'Espagne, culminant à 2 430 m, qui sépare la Vieille-Castille et la Nouvelle-Castille. Forêts, pâturages d'altitude. Région de villégiature, au N. de Madrid. Site de l'Escurial (N.-O.).

**GUADELOUPE** (la) ~ Dép. français d'outre-mer, dans les Petites Antilles (N.), formé par l'île volcanique de Basse-Terre (Soufrière, 1 467 m) et l'île plate (calcaire) de Grande-Terre, séparées par le chenal de la rivière Salée, auxquelles s'ajoutent les îles (et dépendances) Marie-Galante, la Désirade, les Saintes, Saint-Barthélemy et, pour partie, Saint-Martin (soit 270 km², 52 000 h.) ; 1 780 km², 328 400 h., v. princ. Pointe-à-Pitre, Basse-Terre (préfect.). Agriculture (banane, canne à sucre). Tourisme. Forte dépendance vis-à-vis de la métropole. **HIST.** - Christophe Colomb découvrit l'île en 1493. Colonisée par les Français (1635), la Guadeloupe passa sous administration de la Couronne (1674). Elle fut convoitée par les Britanniques, qui l'occupèrent à la faveur des troubles révolutionnaires (1794), puis revint à la France en 1816. L'esclavage y fut définitivement aboli en 1848. Dotée du statut de département d'outre-mer depuis 1946, elle constitue une région administrative depuis 1982.

**GUADIANA** (le) ~ Fl. d'Espagne et du Portugal tribut. de l'Atlantique, qui arrose Mérida et Badajoz ; 780 km. Barrages (hydroélectr., irrigation).

**GUAIRA (La)** ~ Port de Caracas (Venezuela), à 20 km au N. de la ville ; env. 25 000 h.

**GUAM** ~ Île volcan. du Pacifique (Micronésie), la plus grande et la plus méridionale de l'archipel des Mariannes ; 1 478 km², 140 000 h., cap. Agana. Agric., pêche, tourisme. Base militaire. **HIST.** - Probablement découverte par Magellan en 1521, colonie espagnole à partir du XVIIe s., l'île fut cédée aux États-Unis en 1898 à l'issue de la guerre hispano-américaine. Après l'occupation japonaise (1941-1944), elle obtint le statut de « territoire américain non incorporé » (1950).

**GUANABARA (baie de)** ou **RIO (baie de)** ~ Baie de la côte brésilienne, parsemée d'îlots rocheux et dominée par des pitons abrupts (Pain de Sucre, Corcovado), qui abrite Rio de Janeiro.

**GUANAJUATO** ~ État du Mexique central, montagneux au N., agricole au S. (céréales) ; 30 589 km², 4 000 000 d'h., cap. Guanajuato, vieille cité coloniale. V. princ. León.

**GUANGDONG** ou **KOUANG-TONG** (le) ~ Province montagneuse et tropicale du S. de la Chine bordée par la mer de Chine méridionale ; 197 100 km², 63 200 000 h., cap. Canton.

**GUANGXI** ou **KOUANG-SI** (le) ~ Région autonome du S. de la Chine, frontalière du Viêt Nam ; 220 400 km², 42 530 000 h. (dont Zhuangs, Miaos et Yaos), cap. Nanning. Riziculture (double récolte). Étain.

**GUANGZHOU** ~ Voir **Canton**.

**GUAN Hanqing** ou **KOUAN Han-k'ing** ~ *v. 1210, Pékin - v. 1298.* Dramaturge chinois. Il fixa les formes du théâtre chinois classique à l'époque des Yuan.

**GUANTÁNAMO** ~ V. du S.-E. de Cuba, centre d'une région agric. ; 216 000 h. Industr. agroalim., tanneries. Sa baie abrite, depuis 1903, une base navale américaine revendiquée par Cuba.

**GUAPORÉ** (le) ~ Riv. du bassin de l'Amazone, affluent du río Mamoré, frontière entre le Brésil et la Bolivie ; 1 750 km.

**Guaranis** (les) ~ Peuple indien d'Amérique du Sud (nord de l'Argentine, Brésil et Paraguay). Ils forment une branche des Tupis-Guaranis.

**GUARDAFUI** ou **GARDAFUI (cap)** ~ Extrémité orientale de l'Afrique (Somalie), sur l'océan Indien.

**GUARDI**, famille de peintres vénitiens. ~ **Francesco** (*1712, Venise - 1793, id.*) est le peintre de la cité des Doges, de ses monuments baignés d'une lumière dorée, de sa lagune sillonnée de gondoles (*Régates sur le Grand Canal*, v. 1770). Son frère ~ **Giovanni Antonio** (*1699, Vienne - 1760, Venise*) dirigeait l'atelier familial.

**Guardian (The)** ~ Quotidien britannique fondé en 1821 par John E. Taylor. De tendance libérale, il bénéficie d'une audience internationale.

**GUARINI** (Guarino) ~ *1624, Modène - 1683, Milan.* Architecte italien. Moine théatin, mathématicien et théologien, il est l'auteur de constructions civiles et religieuses (palais de Carignan, 1679, et église San Lorenzo à Turin, 1668-1680). Le principe de ses églises baroques, coiffées de coupoles reposant sur un réseau d'arcs entrecroisés, sera adopté jusqu'en Bohême.

**GUARNERI** ou **GUARNERIUS**, famille de luthiers italiens établie à Crémone. ~ **Pietro Giovanni** (*1655, Crémone - 1720, Mantoue*) fut violoniste à la cour de Mantoue. ~ **Giuseppe Antonio**, dit **Guarneri del Gesù** (*1698, Crémone - 1744, id.*), est connu pour la qualité de ses violons, comparables à ceux de Stradivarius.

**GUARRAZAR** ~ Localité d'Espagne, près de Tolède. On y a trouvé des couronnes votives wisigothes, auj. exposées au musée archéol. de Madrid.

**GUATEMALA (république du)** ~ Pays d'Amérique centrale, bordé au S. par le Pacifique, doté d'un débouché sur la mer des Antilles à l'E. ***Cap.*** Ciudad Guatemala. ***Superf.*** 108 889 km². ***Popul.*** 9 740 000 h., dont environ la moitié d'autochtones (Mayas). ***Langue princ.*** Espagnol. ***Monn.*** Quetzal. ***Relief.*** Chaîne d'origine volcanique (Tajumulco, 4 200 m) et hauts plateaux au S.-O., plaines (jungle du Petén) au N.-O. ***Climat.*** Tropical, nuancé par l'altitude et les alizés. ***Écon.*** Fondée sur l'agriculture vivrière (maïs, blé) et d'exportation (café, bananes, canne à sucre), la pêche (crevettes), l'exploitation forestière, et, depuis peu, la culture du pavot et de la coca. Important potentiel touristique (Tikal, Antigua, lac Atitlán). ***V. princ.*** Ciudad Guatemala, Quezaltenango, Puerto Barrios. **HIST.** - *250-950* : apogée de la civilisation des Mayas. *1523* : colonisation par les Espagnols ; instauration de la capitainerie générale de Guatemala, qui gouverne toute l'Amérique centrale. *1821* : proclamation de l'indépendance et formation des Provinces-Unies d'Amérique centrale en 1824. *1839* : constitution des États indépendants du Guatemala, du Salvador, du Honduras, du Costa Rica et du Nicaragua. Les dictateurs qui se succèdent (Rafael Carrera, Rufino Barrios, Cabrera) ouvrent le pays aux intérêts étrangers, not. nord-américains (United Fruit Company). *1945-1954* : le gouvernement du colonel Jacobo Arbenz Guzmán, qui tente une réforme agraire, est renversé avec l'aide de la C. I. A. Série de coups d'État militaires au début des années 1960 et début d'une guérilla rurale chronique. Des villages sont rasés. Nombreuses personnes déplacées ou disparues. *1985* : retour au pouvoir des civils avec l'élection du président démocrate-chrétien Vinicio Cerezo. *1992* : Rigoberta Menchú, qui milite pour le respect des droits des Mayas, reçoit le prix Nobel de la paix. *1994* : Ramiro de León Carpio, président de la République, tente de négocier avec la guérilla et de réformer la Constitution. *Déc. 1996* : le président Alvaro Alzu signe un accord de paix avec les dirigeants de la guérilla.

**GUATEMALA** ou **CIUDAD GUATEMALA** ~ Cap. du Guatemala, sur un plateau volcanique (alt. 1 500 m) ; env. 2 000 000 d'h. Fondée en 1776 après la destruction de l'ancienne capitale (Antigua) par un séisme, la ville est devenue un pôle commercial et assure 50 % de la production industrielle du pays (agroalim. et text.). Archevêché. Université. Musée d'archéologie (art maya).

**GUATTARI** (Félix) ~ *1930, Villeneuve-lès-Sablons, Oise - 1992, La Borde, Loir-et-Cher.* Psychanalyste français. Promoteur de la psychiatrie institutionnelle, mise en œuvre à la clinique de La Borde, il est l'auteur de réflexions critiques sur la psychanalyse (*l'Anti-Œdipe*, 1972, avec G. Deleuze).

**GUAYAQUIL** ~ Métropole écon., fin. et industr. (chimie, électroménager) de l'Équateur et princ. port d'export. (café, cacao, banane) du pays, sur le Pacifique, au fond du golfe du même nom ; 1 508 000 h. Archevêché. Université.

**GUBBIO** ~ V. d'Italie (Ombrie), au N.-E. de Pérouse ; 30 000 h. Cathédrale du XIIIe s. Anc. ville étrusque puis romaine où l'on découvrit, en 1444, les sept « tables Eugubines » (200-70 av. J.-C.). Fabrication de majoliques au XVIe s.

**GUDERIAN** (Heinz) ~ *1888, Kulm, auj. Chełmno, Pologne - 1954, Schwangau, Bavière.* Général allemand. Créateur des divisions blindées, écarté après son échec devant Moscou (1941), il fut rappelé en 1944 comme chef d'état-major de l'armée de terre.

**GUEBWILLER** ~ Ville des collines sous-vosgiennes (Haut-Rhin), au S. de Colmar ; 10 942 h. (agglom. 26 020 h.). Industrie textile. Vins. Tourisme. Églises des XIe, XIVe et XVIIIe s., hôtel de ville du XVIe s. Musée régional.

**GUEBWILLER (ballon de)** ou **GRAND BALLON** ~ Point culminant du massif des Vosges (Haut-Rhin) ; 1 424 m.

**GUÉHENNO** (Marcel, dit Jean) ~ *1890, Fougères - 1978, Paris.* Écrivain français. Marqué par la notion de lutte des classes, il témoigna de son expérience dans des essais (*Journal d'une révolution* 1936-1938) qui prirent parfois la forme d'un véritable réquisitoire (*Journal des années noires* 1940-1944). Acad.

**GUELDRE** (la), en néerl. *Gelderland* ~ Prov. de l'E des Pays-Bas, au S.-E. de l'IJsselmeer, partagée entre les plaines du Rhin et de l'IJssel ; 5 143 km² 1 851 000 h., v. princ. Apeldoorn, Nimègue, Arnhem (ch.-l.). Fruits et légumes, élevage. Annexe industr. et tertiaire de la Randstad Holland. **HIST.** - Comté (1079) érigé en duché (1339) et acquis par Charles Quint en 1543, la Gueldre fut partagée en 1578, le Nord se joignant aux Provinces-Unies tandis que le Sud restait espagnol. Il fut rattaché à son tour aux Pays-Bas en 1814-1815.

**GUELMA** ~ V. de l'E. de l'Algérie, ch.-l. de wilaya marché agric. ; 85 000 h. Constr. mécaniques Vestiges romains. En 1945, des émeutes nationalistes furent réprimées par l'armée française.

**GUÉMENÉ-SUR-SCORFF** ~ Bourg de la Bretagne intérieure, à l'O. de Pontivy (Morbihan) ; 1 332 h. Spécialité d'andouilles.

**Guepeou** ou **G. P. U.** (la), abrév. de ***Gossoudarstvennoïe Polititcheskoïe Oupravlenie***, en fr. « administration politique de l'État » ~ Administration politique chargée de la sécurité de l'État soviétique qui succéda en 1922 à la Tcheka et fut intégrée au N. K. V. D. en 1934. Chargée à l'origine de combattre la contre-révolution, la Guepeou s[e] mua en police politique du régime stalinien.

**GUÉPRATTE** (Émile) ~ *1856, Granville - 1939, Brest.* Amiral français. Il commanda en 1915 la flotte chargée d'assurer le blocus des Dardanelles.

**GUÉRANDE** ~ V. du S. de la Bretagne (Loire-Atlantique), au N. de La Baule ; 11 665 h. Marais salants (**presqu'île de Guérande**). Remparts du XVe s., collégiale St-Aubin (XIIe-XVIe s.). Tourisme.

**GUÉRANGER** (dom Prosper) ~ *1805, Sablé - 1875, Solesmes.* Religieux français. Il réorganisa l'ordre bénédictin, fit de Solesmes l'abbaye mère de la Congrégation de France et œuvra à la restauration de l'ordre liturgique romain.

**GUERCHIN** (Giovanni Francesco **Barbieri**, dit Guercino, en fr. le) ~ *1591, Cento, Ferrare - 1666, Bologne.* Peintre italien. Marqué par des influences diverses (les Carrache, les Vénitiens, le Caravage, les Bolonais), il s'en affranchit par sa palette raffinée et lumineuse (*Martyre de saint Pierre*, 1619 ; *le Mariage mystique de sainte Catherine*, 1650).

**GUÉRET** ~ Préfect. de la Creuse, ancienne capitale de la Marche ; 14 706 h. Mobilier, bijouterie.

**GUERICKE** (Otto VON) ~ *1602, Magdebourg - 1686, Hambourg.* Physicien allemand. Il conçut la pompe pneumatique (1650) et réalisa des expériences sur le vide, dont celle des hémisphères de Magdebourg, qui mit en évidence la pression atmosphérique (1654).

**·UÉRIN** (Camille) ~ *1872, Poitiers - 1961, Paris.* ·étérinaire et microbiologiste français. Il mit au ·oint, avec A. Calmette, le vaccin contre la ·berculose, le B. C. G.

**·UÉRIN** (Gilles) ~ *1606, Paris - 1678, id.* Sculp-·ur français. Fidèle à l'esthétique naturaliste du ·ébut du XVII^e s. français, il a notamment travaillé ·our le parc du château de Versailles.

**·UÉRIN** (Maurice DE) ~ *1810, château du Cayla, ·ès d'Albi - 1839, id.* Poète français. Il fut l'un des ·itiateurs du poème en prose (*le Centaure*, 1840) · l'auteur d'un journal (*le Cahier vert*, 1861). Ses ·uvres ne furent jamais publiées de son vivant.

**·UÉRIN** (Pierre Narcisse, baron) ~ *1774, Paris - ·833, Rome.* Peintre français. Auteur de tableaux ·histoire à la manière de David, il fut le maître · Géricault et Delacroix.

**·UERNESEY**, en angl. *Guernsey* ~ La plus occi-·entale des îles Anglo-Normandes, sur la Manche, ·rmant un bailliage avec Aurigny et Sercq ; 63 km², ·000 h., ch.-l. Saint-Pierre. Paradis fiscal. Tourisme. Victor Hugo y vécut en exil, à Hauteville-House (musée).

**GUERNICA Y LUNO** ~ V. du Pays basque espagnol, au N.-E. de Bilbao ; env. 15 000 h. Ville symbole des libertés basques, elle fut bombardée par les avions allemands et italiens pendant la guerre civile (avr. 1937). Le drame inspira à Picasso une toile fameuse.

**Guerre folle** ~ Révolte des grands féodaux contre la régente Anne de Beaujeu durant la minorité du roi de France Charles VIII (1485). Ses principaux chefs, Louis, duc d'Orléans (futur Louis XII), et François II de Bretagne, furent battus à Saint-Aubin-du-Cormier (1488).

**guerre froide** ~ Nom donné à la période de tension qui, de 1945 à 1990, opposa le bloc soviétique aux États-Unis et à leurs alliés. Elle fut marquée par une course permanente aux armements et par un certain nombre de crises graves (blocus de Berlin, 1948-1949 ; affaire des missiles de Cuba, 1962 ; affaire des missiles en Europe et initiative de défense stratégique de R. Reagan, années 1980) et de conflits locaux (guerre de Corée, 1950-1953 ; guerre du Viêt Nam, 1964-1975 ; guerre d'Afghanistan, 1979-1989). Elle ne s'acheva réellement qu'avec l'effondrement de l'U. R. S. S. à la fin des années 1980.

**Guerre mondiale** (**Première**) ~ Conflit qui éclata en 1914, entre l'Allemagne, l'Autriche-Hongrie, l'Empire ottoman, puis la Bulgarie (1915) d'une part, et la Serbie, la Russie, la France, la Grande-Bretagne, la Belgique et le Japon, puis l'Italie (1915), la Roumanie, le Portugal (1916), les États-Unis, la Grèce, la Chine et divers États d'Amérique latine (1917). ***Origines.*** Les tensions et les alliances diplomatiques divisent l'Europe. Un premier groupe de pays, autour de la France et du Royaume-Uni, alliés depuis 1904, inclut la Russie à partir de 1907 (Triple-Entente) ; l'axe Berlin-Vienne a un maillon faible vers Rome (Triplice) ; les Balkans sont en effervescence ; l'Empire ottoman est plus que jamais « l'homme malade de l'Europe ». Alors que la France veut retrouver

**Première Guerre mondiale 1914-1918.**

*·1914* : déclarations de guerre de l'Autriche à la ·erbie (28 juill.) et à la Russie (5 août) ; de l'Alle-·magne à la Russie (1^er août) et à la France (3 août) ; ·du Royaume-Uni (4 août) et du Japon (23 août) à ·'Allemagne. La Turquie ferme les Détroits ·29 sept.) puis déclare la guerre aux Alliés (12 nov.).

*·ront ouest.* Les Allemands envahissent la Belgique ·3-25 août) et avancent jusqu'à Senlis. La victoire ·rançaise de la Marne (6-9 sept.) débouche sur ·a course à la mer. Fin de l'offensive allemande ·17 nov.) et stabilisation du front.

*·ront est.* Offensives russes (août-oct.) en Prusse-·Orientale, stoppées à Tannenberg (27-30 août) et ·n Galicie (retraite austro-allemande sur les ·Carpates et stabilisation du front).

*·utres fronts.* Les Autrichiens prennent puis ·erdent Belgrade (déc.). Débarquement britanni-·que dans le golfe Persique (oct.-déc.).

*·1915* : entrées en guerre de l'Italie contre ·'Autriche (23 mai) et de la Bulgarie contre les ·Alliés (5 oct.). Blocus naval des Empires centraux ·par les Alliés (5 oct.), auquel l'Allemagne répond ·par la guerre sous-marine (18 nov.).

*·ront ouest.* Premier emploi des gaz par les Alle-·mands (avr.). Échec des offensives alliées en Artois ·(mai-juin) et en Champagne (sept.-oct.).

*·ront est.* Repli russe face aux Austro-Allemands ·qui reprennent la Galicie et conquièrent la Pologne ·usse et la Lituanie (févr.-sept.).

*·alkans.* Échec allié dans les Dardanelles (févr.-·avr.). Débarquement allié à Salonique (5 oct.).

*1916* : soulèvement de l'Arabie contre la Turquie. ·Accords franco-britanniques sur le Proche-Orient. ·Déclaration de guerre de la Roumanie à l'Autriche ·et de l'Italie à l'Allemagne (28 août).

*·ront ouest.* Bataille de Verdun (21 févr.-déc.). ·Offensive alliée sur la Somme (1^er juill.-23 oct.). ·Premier emploi de chars par les Britanniques ·(15 sept.).

*·utres fronts.* Nouvelles offensives russes en ·Arménie (févr.), en Galicie (juin-sept.). Bataille ·navale du Jütland (31 mai-1^er juin). Offensive ·alliée en Macédoine (oct.-déc.).

*1917* : guerre sous-marine à outrance décidée par ·'Allemagne (1^er févr.). Révolution russe (mars-·nov.). Rupture de l'« Union sacrée » en France. ·Entrée des États-Unis dans la guerre aux côtés des ·Alliés (2 avr.).

*·ront ouest.* Échec des offensives Nivelle en Artois et ·en Champagne (9-19 avr.). Mutineries dans l'ar-·mée française (mai-juin) et dans la flotte allemande.

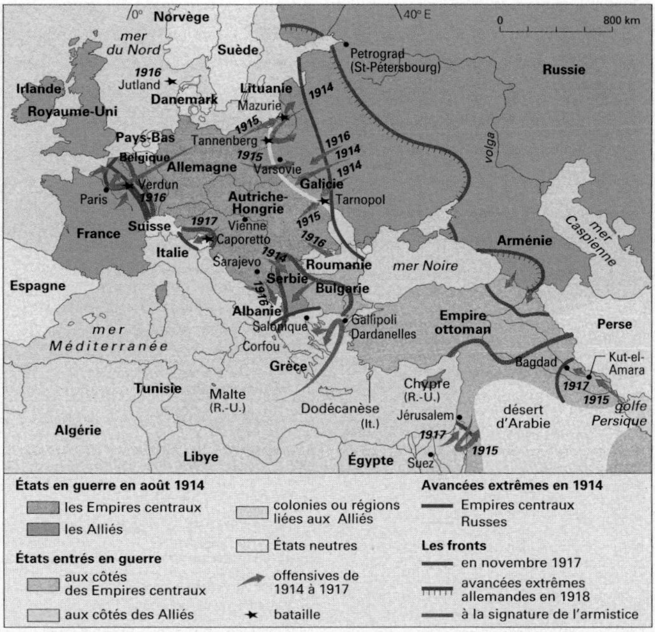

*Les fronts de 1914 à 1918. Figé dans une guerre de position à l'ouest, le conflit est plus mouvant à l'est.*

*Autres fronts.* Défaite italienne de Caporetto (24 oct.). Les Britanniques prennent Bagdad (11 mars) et Jérusalem (9 déc.).

*1918* : traités de Brest-Litovsk entre l'Allemagne, l'Ukraine et la Russie (9 févr.-3 mars). Abdication de Guillaume II (9 nov.). Insurrection en Allemagne et dislocation de l'Empire austro-hongrois.

*Front ouest.* Attaques allemandes sur la Somme (21 mars) et la Marne (15 juill.). Contre-offensive alliée dès le 18 juillet. Retraite allemande. Armistice de Rethondes (11 nov.).

*Autres fronts.* Offensives française en Macédoine et britannique en Palestine (sept.-oct.). Victoire italienne de Vittorio Veneto (30 oct.). Armistice de Moúdhros avec la Turquie (30 oct.) et de Padoue avec l'Autriche (3 nov.).

**Pertes humaines.** Environ 8 millions de morts, dont France : 1 400 000 ; Allemagne : 1 800 000 ; Autriche-Hongrie : env. 950 000 ; Belgique : 45 000 ; Canada : 62 000 ; États-Unis : 114 000 ; Grande-Bretagne : 780 000 ; Italie : 530 000 ; Roumanie : env. 700 000 ; Russie : env. 1 700 000 ; Serbie : 400 000 ; Turquie : 400 000.

**Traités de paix conclus par les Alliés.** Versailles, avec l'Allemagne (28 juin 1919). Saint-Germain, avec l'Autriche (10 sept. 1919). Neuilly, avec la Bulgarie (27 nov. 1919). Trianon, avec la Hongrie (4 juin 1920). Sèvres, avec la Turquie (10 août 1920). Traité italo-yougoslave de Rapallo (12 nov. 1920). Riga, entre la Pologne et la Russie soviétique (18 mars 1921). Lausanne, avec la Turquie (24 juill. 1923).

### Seconde Guerre mondiale 1939-1945.

De septembre 1939 à septembre 1940, l'Allemagne mène une série de guerres éclair en Pologne, en Norvège, puis aux Pays-Bas, en Belgique, en France. Elle échoue face au Royaume-Uni, mais conquiert les Balkans. Jusque-là circonscrit à l'Europe, le conflit devient mondial en 1941 avec l'invasion de l'U. R. S. S. et l'entrée en guerre des États-Unis, qui établissent la jonction entre la guerre en Europe et celle menée depuis 1937 par le Japon en Chine. Le tournant de la guerre intervient en 1942-1943 quand, après avoir étendu leurs conquêtes en Europe, en Afrique et en Asie, les puissances de l'Axe reculent sur tous les fronts devant les Alliés qui mobilisent une puissance humaine et industrielle immense.

*1939* : Invasion de la Pologne par l'Allemagne (1er sept.) ; déclarations de guerre britannique et française à l'Allemagne (3 sept.) ; entrée des troupes soviétiques en Pologne orientale (17 sept.). Attaque de la Finlande par l'U. R. S. S. (30 nov.). À l'O., « drôle de guerre » jusqu'en mai 1940.

*1940* : Déclaration de guerre de l'Italie au Royaume-Uni et à la France (10 juin). Pétain demande l'armistice (17 juin). De Londres, appel de Ch. de Gaulle à la résistance (18 juin). Armistices franco-allemand (22 juin) et franco-italien (24 juin). Pacte à trois : Allemagne, Italie, Japon (27 sept.). Entrevues de Montoire (22-24 oct.).

*Ouest*. Campagne de Norvège (9 avr.-10 juin) ; défaite alliée. Campagne de France (10 mai-25 juin). Capitulations néerlandaise et belge (15 et 28 mai). Bataille de Dunkerque (28 mai-4 juin). Entrée des Allemands à Paris (14 juin). Bataille d'Angleterre (août-oct.) ; échec de la Luftwaffe.

*Est*. Occupation par l'U. R. S. S. des pays Baltes, de la Bessarabie, de la Bucovine (15 juin-2 juill.). Entrée de la Wehrmacht en Roumanie (7 oct.). Offensive italienne en Grèce (28 oct.).

*Afrique*. Affaire de Mers el-Kebir (3 juill.).

*1941* : Loi prêt-bail (11 mars). Pacte de non-agression nippo-soviétique (13 avr.). Charte de l'Atlantique (14 août). Création du Comité national français à Londres (24 sept.). Déclarations de guerre des États-Unis au Japon et de l'Allemagne et de l'Italie aux États-Unis (11 déc.).

*Balkans*. Échec italien (janv.) puis intervention allemande en Grèce (avr.). Campagne de Yougoslavie (6-18 avril). Bataille de Crète (mai). Attaque allemande contre l'U. R. S. S. (22 juin) ; série de défaites soviétiques ; bataille de Moscou (nov.-déc.).

*Extrême-Orient*. Attaque japonaise sur Pearl Harbor et débarquement en Malaisie et à Bornéo (7 déc.).

*Afrique*. Offensives allemande puis britannique en Libye. Échec des Italiens en Éthiopie.

*1942* : Déclaration des Nations unies par 26 pays affirmant l'objectif d'une victoire totale et le refus d'une paix séparée avec l'Axe (1er janv.). Retour de Laval au pouvoir (18 avr.) ; intensification de la collaboration ; occupation de la zone libre (11 nov.). Le Reich met en œuvre l'extermination des Juifs et la déportation massive des résistants dans toute l'Europe.

*Front russe*. Offensives allemandes en Crimée, en Ukraine, vers la Volga. Début de la bataille de Stalingrad (sept.). Contre-offensives soviétiques et encerclement des Allemands à Stalingrad (19-23 nov.).

*Les offensives allemandes de 1941 à 1942.*

*Afrique*. Attaque de l'Afrikakorps en Libye (janv.-juill.). Victoire alliée d'El-Alamein (23 oct.) et offensive en Égypte. Débarquement allié au Maroc et en Algérie (8-11 nov.).

*Extrême-Orient*. Prise de Manille par les Japonais (7 janv.), de Singapour (15 févr.), de la Birmanie (mai). Bombardement de Tôkyô par les Américains (18 avr.). Bataille de la mer de Corail (mai). Défaite japonaise aux Midway (4-6 juin). Bataille de Guadalcanal (août 1942-févr. 1943).

*France*. Sabordage de la flotte à Toulon (27 nov.).

*1943* : Guerre totale. Conférence de Casablanca (14-24 janv.). Constitution du Conseil national de la résistance française (C. N. R., 15 mai). Formation à Alger du Comité français de libération nationale (C. F. L. N., 3 juin). Déposition de Mussolini (24 juill.), remplacé par Badoglio, qui déclare la guerre à l'Allemagne (13 oct.). Conférence Roosevelt-Churchill-Staline à Téhéran (28 nov.-2 déc.).

*Italie*. Débarquement allié en Sicile (10 juill.) et en Calabre (3 sept.). Capitulation italienne (3 et 8 sept.). Résistance des Allemands face à la progression alliée.

*Front russe*. Victoire de Stalingrad (2 févr.). Échec d'une contre-offensive allemande sur Koursk, qui marque le déclin de la Wehrmacht. Libération d'Orel (5 août), de Smolensk (25 sept.) et de Kiev (6 nov.).

*Afrique*. Prise de Tripoli par les Britanniques (23 janv.) ; libération de Bizerte et de Tunis (7 mai). Capitulation des forces de l'Axe encore en Tunisie (12 mai).

*Extrême-Orient*. Victoire américaine aux îles Salomon (évacuation de Guadalcanal par les Japonais, 5-6 févr.) et Gilbert, offensive en Nouvelle-Guinée.

*1944* : L'Allemagne prend le contrôle de la Hongrie (19 mars). Le C. F. L. N. devient, à Alger, le Gouvernement provisoire de la République française (3 juin). Échec d'une conspiration contre Hitler en Allemagne (20 juill.). Armistices avec la Bulgarie (11 sept.), la Roumanie (12 sept.), la Finlande (19 sept.), qui rejoignent les Alliés. Le gouvernement français est transféré d'Alger à Paris (31 août).

*Italie*. Batailles sur la ligne Gustav (Monte-Cassino, févr.-mai). Prise de Rome (4 juin).

*Front ouest*. Débarquement de Normandie (6 juin), percée d'Avranches (31 juill.). Débarquement de Provence (15 août). Libération de Paris (25 août). Échec de l'opération aéroportée alliée sur Arnhem (17-25 sept.). Libération de Strasbourg (23 nov.). Échec de la contre-offensive allemande dans les Ardennes (16 déc.-16 janv. 1945).

*Front est*. Offensives soviétiques sur le Dniepr et le Dniestr (fév.-avr.) ; prise de Minsk (3 juill.), Vilna (13 juill.), Bucarest (31 août), Sofia (15 sept.) et, avec les partisans de Tito, de Belgrade (20 oct.). Insurrection de Varsovie (1er août) réprimée le 2 oct. par les Allemands. Débarquement britannique en Grèce (oct.).

xtrême-Orient. Victoires américaines aux îles ‍Iarshall, aux îles Mariannes (juin) et à Leyte 23-26 oct.). Offensive britannique en Birmanie ;ept.-déc.).

945 : Armistice avec la Hongrie (20 janv.). onférence de Yalta (4-11 févr.). Conférence des lations unies à San Francisco (25 avr.). Suicide e Hitler (30 avr.). Capitulations générales de Allemagne à Reims (7 mai) et à Berlin (8 mai). raités d'alliance entre l'U. R. S. S. et la Bulgarie, ı Hongrie, la Roumanie, la Tchécoslovaquie, la ougoslavie (9 juill.). Conférence de Potsdam 17 juill.-2 août). L'U. R. S. S. déclare la guerre au ıpon (8 août) et lance une offensive en Mand-hourie. Le Japon signe solennellement l'acte de apitulation (2 sept.).

ront ouest. Ultimes offensives allemandes en orraine et en Alsace (janv.). Les Alliés franchis-ent le Rhin (mars), pénètrent jusqu'en Autriche : en Bohême (avr.).

ront est. Offensive d'hiver soviétique ; prise de arsovie (17 janv.), Budapest (févr.), Vienne 12 avr.), Berlin (2 mai). Les forces alliées et oviétiques opèrent leur jonction à Torgau 25 avr.).

xtrême-Orient. Débarquement américain à Luçon 9 janv.) et prise de Manille (25 févr.). Prise de ‌angoon par les Britanniques (3 mai), victoires méricaines à Iwo Jima (févr.), Okinawa (avr.-‌iin). Bombardements atomiques d'Hiroshima 6 août) et de Nagasaki (9 août). Hiro-Hito rdonne l'arrêt des combats (15 août).

**ertes humaines.** Entre 40 et 60 millions de norts, y compris les victimes civiles.

**raités de paix.** Traités de Paris entre les Nations ‌nies, l'Italie, la Roumanie, la Bulgarie, la Hongrie t la Finlande (10 févr. 1947). Traité de San rancisco entre les Nations unies (sauf U. R. S. S.) et le Japon (8 sept. 1951). Traité 'État rétablissant l'indépendance de l'Autriche 15 mai 1955).

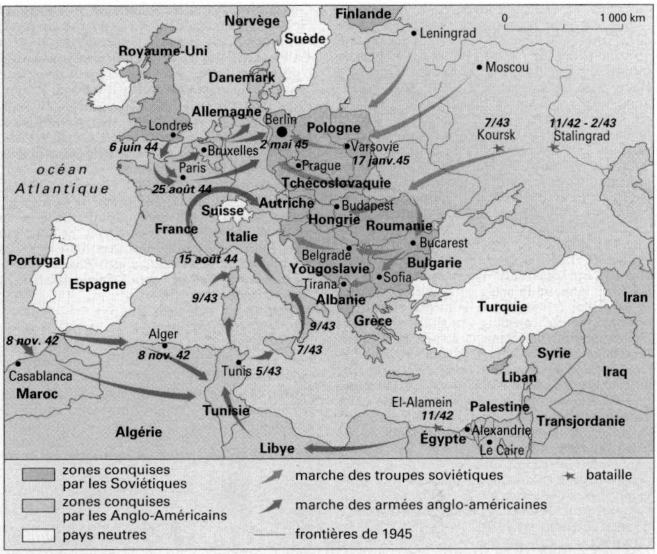

*Les offensives alliées de 1942 à 1945.*

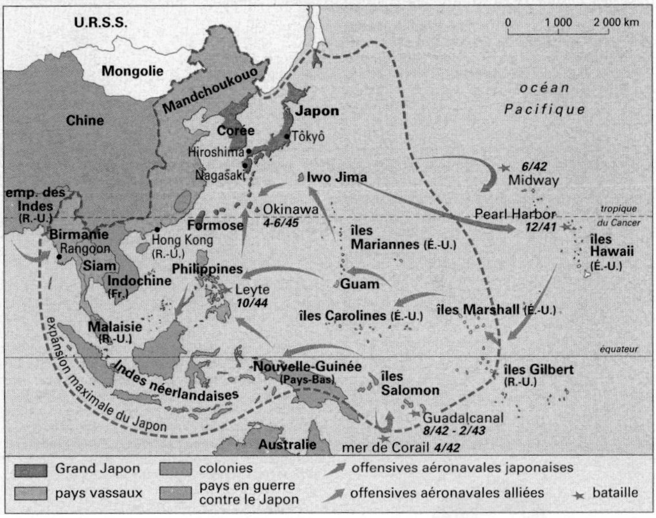

*La guerre dans le Pacifique.*

‌Ilsace-Lorraine, elle s'inquiète avec le Royaume-‌ni des ambitions colonialistes des Allemands en ‌rique et au Proche-Orient. Les Russes, eux, s'oppo-‌nt à l'Autriche-Hongrie qui vise l'annexion des ‌lkans et cherche à briser le nationalisme slave. La ‌nsion croît sur le plan diplomatique (crise de ‌nger, incident d'Agadir, guerres balkaniques) ‌mme sur le plan intérieur (poussées communiste ‌ Allemagne et nationaliste en Autriche-Hongrie, ‌ppositions au tsarisme en Russie). Les États se ‌ncent dans « la folie des armements ». L'assassinat Sarajevo, le 28 juin 1914, de l'héritier de l'Empire ‌stro-hongrois déclenche, par le jeu des alliances, ‌ne cascade de déclarations de guerre, tandis que les ‌pposants, dans chaque pays, rejoignent le parti ‌lliciste, ce qui suspend les affrontements sociaux.

*Conséquences.* Le coût humain et économique de la guerre affaiblit une Europe désormais endettée auprès des États-Unis. La disparition des Empires austro-hongrois et ottoman permit à de nombreuses nations d'accéder à la souveraineté, mais eut pour corollaire l'affirmation de nationalismes souvent opposés. La Russie, devenue bolchevique, constitua dès lors un abcès dans une Europe en proie aux problèmes sociaux, dans laquelle la propagande socialiste allait trouver un terrain favorable. Les clauses du traité de Versailles ne réglèrent aucun problème de fond et, en humiliant l'Allemagne, conduisirent au second conflit mondial. La guerre accéléra les mutations technologiques, leurs retombées industrielles, et révéla l'essor des États-Unis, alors que les puissances européennes avaient amorcé leur déclin.

**Guerre mondiale** (Seconde) ~ Conflit opposant de 1939 à 1945 les puissances alliées (Pologne, France, Royaume-Uni, Chine, U. R. S. S., États-Unis, ainsi que la plupart des pays de l'Amérique latine) aux puissances de l'Axe (Allemagne, Italie, Japon et leurs satellites, dont la Hongrie et la Slovaquie). ***Origines.*** Dans l'Europe durablement marquée par les effets de la crise économique de 1929, le réarmement de l'Allemagne après 1933 sous prétexte de révision du traité de Versailles (1919), l'Anschluss, l'occupation des Sudètes, la passivité des démocraties occidentales illustrée par les accords de Munich (1938), puis l'invasion du reste de la Tchécoslovaquie (1939) conduisirent à un conflit généralisé, auquel l'armée allemande s'était préparée par son intervention en Espagne aux côtés de Franco. L'invasion de la Pologne (1939) eut pour conséquence l'entrée en guerre de la France et du Royaume-Uni, tandis que le pacte germano-soviétique (1939) garantissait à Hitler la sécurité sur son flanc est. En Extrême-Orient, le Japon, lié à l'Allemagne et à l'Italie (Axe Berlin-Rome-Tôkyô), présent en Mandchourie (1931) et en Chine littorale (1937), orienta sa volonté hégémonique sur les pays du Pacifique, ce qui le conduisit à l'affrontement avec son concurrent direct dans la région, les États-Unis. *Conséquences.* Le monde issu de la guerre est totalement remodelé. Ravagée, ruinée et endettée, l'Europe perdit sa suprématie au profit des États-Unis, qui sortirent du conflit considérablement enrichis, avec une industrie stimulée par les commandes militaires, et dont les armées victorieuses avaient testé l'arme atomique sur deux villes japonaises. L'U. R. S. S., qui avait supporté le poids de la guerre, y gagna la possibilité d'étendre son influence en Europe orientale, qu'elle constitua en glacis protecteur. L'Allemagne fut durablement divisée et le Japon longtemps maintenu sous tutelle américaine. Les empires coloniaux français et britanniques sortirent du conflit profondément ébranlés, et la participation des peuples colonisés à l'effort de guerre servit de base à certaines revendications d'indépendance. La guerre fut le moteur d'innovations qui, appliquées à l'industrie, provoquèrent les grandes révolutions technologiques à l'origine de la longue période d'essor économique qui suivit. L'ordre mondial issu de la victoire de 1945, marqué par l'affrontement Est-Ouest, a perduré jusqu'à la chute du mur de Berlin en 1989.

**GUERTSEN** ~ Voir **Herzen**.

**GUESCLIN** (Bertrand **Du**) ~ *v. 1320, La Motte-Broons, Bretagne - 1380, Châteauneuf-de-Randon, Auvergne.* Connétable de France. Il servit Charles de Blois lors de la guerre de la Succession de Bretagne, ainsi que le roi de France à partir de 1357. En 1364, il vainquit le roi de Navarre à Cocherel mais fut fait prisonnier à la bataille d'Auray ; Charles V paya sa rançon et le chargea de débarrasser la France des Grandes Compagnies. Il les conduisit jusqu'en Espagne en 1366 et y remporta une victoire qui assura le trône de Castille à Henri de Trastamare (Montiel, 1369). Fait connétable en 1370, il dirigea les opérations menées contre les Anglais (guerre de Cent Ans) et les chassa du Poitou, de Normandie et de Guyenne.

**GUESDE** (Jules **Basile**, dit Jules) ~ *1845, Paris - 1922, Saint-Mandé.* Homme politique français. Adepte du marxisme, il s'efforça de propager ses thèses dans les milieux ouvriers. Il créa le parti ouvrier (1882) puis, avec Jaurès, la S. F. I. O. (1905). Au congrès d'Amsterdam (1904), il soutint une ligne politique qui rejetait toute alliance avec les partis réformistes. Rallié à l'Union sacrée, il entra au gouvernement (1914-1916).

**GUÉTHARY** ~ Station baln. du Pays basque (Pyrénées-Atlantiques), au S. de Biarritz ; 1 105 h.

**GUEVARA** (Ernesto, dit **Che**) ~ *1928, Rosario, Argentine - 1967, La Higuera, Bolivie.* Révolutionnaire cubain d'orig. argentine. Médecin, compagnon de Fidel Castro (1956-1959) dans la guérilla, puis ministre de l'Industrie, il quitta Cuba (1965) pour se faire le propagateur de la révolution (Congo, puis Amérique latine). Théoricien de la guérilla, il soutint une conception humaniste du marxisme (*le Socialisme et l'homme à Cuba*, 1966).

*Che* Guevara.

**Guggenheim (musée Solomon R.)** ~ Musée de New York. Construit par F. L. Wright, de forme hélicoïdale, il est consacré à la peinture du XX^e s.

**GUI** ou **GUY** (saint) ~ La légende en fit un enfant d'origine sicilienne, martyrisé à l'âge de douze ans, sous Dioclétien, pour n'avoir pas renoncé à sa foi.

**GUICHARDIN** (Francesco **Guicciardini**, dit François) ~ *1483, Florence - 1540, Arcetri.* Historien et homme politique italien. Il servit Clément VII et Laurent de Médicis et écrivit une *Histoire de l'Italie* (1537-1540) très documentée.

**GUI D'AREZZO** ~ *v. 990, Arezzo - v. 1050, Sainte-Croix d'Avellano.* Théoricien de la musique italien. Il créa la notation musicale moderne en fixant les intervalles et en désignant les notes par les premières syllabes de sept vers d'un hymne à saint Jean-Baptiste (Ut *queant laxis/Resonare fibris/Mira gestorum/Famuli tuorum/Solve polluti/Labii reatum/Sancte Iohannes*).

**GUIDE (le)** ~ Voir **Reni** (Guido).

**GUI DE DAMPIERRE** ~ *1225 - 1305, Pontoise.* Comte de Flandre (1278-1305). Il s'allia à l'Angleterre contre Philippe IV le Bel. Fait prisonnier, il mourut en captivité.

**GUIL (le)** ~ Torrent des Alpes du Sud, affluent de la Durance (r. g.) ; 56 km. Son bassin englobe le Queyras.

Yvette **Guilbert** saluant le public *(1894 ; détail), peinture d'Henri de Toulouse-Lautrec (1864-1901). Musée Toulouse-Lautrec, Albi.*

**GUILBERT** (Yvette) ~ *1867, Paris - 1944, Aix-en-Provence.* Chanteuse française. Reine du café-concert (*Madame Arthur* ; *le Fiacre*), elle fut immortalisée par Toulouse-Lautrec.

**GUILDFORD** ~ V. d'Angleterre (Surrey), à 45 km au S.-O. de Londres ; 122 000 h. Édifices du XII^e s.

**GUILIN** ou **KOUEI-LIN** ~ V. et port fluvial de la Chine du S. (Guangxi), à 400 km au N.-O. de Canton ; env. 350 000 h. Université. Important centre bouddhiste au VII^e s., capitale provinciale sous les dynasties Ming et Qing. Nombreux sites renommés ayant inspiré les peintres paysagistes chinois (formations karstiques, falaises gravées, grottes, bouddhas sculptés des VII^e-IX^e s.).

**GUILLAIN** (Simon) ~ *1581, Paris - 1658, id.* Sculpteur et graveur français. Membre fondateur de l'Académie royale de peinture et sculpture (1642). Il réalisa les statues royales en bronze du Pont-au-Change (v. 1643), auj. au Louvre.

**GUILLAUMAT** (Louis) ~ *1863, Bourgneuf-en-Retz, Charente-Maritime - 1940, Nantes.* Général français. Commandant de la II^e armée à Verdun (1916), il fut à la tête des troupes françaises d'occupation en Allemagne de 1924 à 1930.

**GUILLAUME**, nom de plusieurs rois de Prusse et empereurs d'Allemagne. ~ **Guillaume I^er** *(1797, Berlin - 1888, id.)*, roi de Prusse (1861-1888) et empereur allemand (1871-1888). Conseillé par Moltke puis par Bismarck à partir de 1862, il entreprit une politique visant à la reconstitution du Reich. Le Danemark puis l'Autriche furent écartés des affaires allemandes (Sadowa, 1866). Après être sorti victorieux de la guerre contre la France, Guillaume I^er fut proclamé empereur allemand à Versailles, le 18 janvier 1871. ~ **Guillaume II** *(1859, Potsdam - 1941, Doorn, Pays-Bas)*, petit-fils du préc., roi de Prusse et empereur allemand (1888-1918). Il fut à l'origine d'une ambitieuse politique d'expansion coloniale et ma[...]time, et développa l'influence allemande da[...] l'Empire ottoman, dont il réorganisa l'arm[...] Il fut plus hésitant vis-à-vis des grandes pu[...]sances européennes (France, Royaume-Uni et R[...]sie), avec lesquelles il chercha d'abord [...] accommodements, avant de se rapprocher défin[...]vement de l'Autriche-Hongrie. Il gouverna [...] s'appuyant sur les forces conservatrices, mais ne [...] empêcher l'essor d'une opposition socialiste [...] syndicale. Assumant mal son autorité sur l'ét[...] major pendant la Première Guerre mondi[...] incapable de redresser la situation militaire [...] 1918, il abdiqua le 9 novembre alors que la c[...] révolutionnaire éclatait en Allemagne.

**GUILLAUME**, nom de quatre rois d'Angleterre [...] de Grande-Bretagne. ~ **Guillaume I^er le Conqu[...]rant** ou **le Bâtard** (*v. 1028 - 1087, Rouen*), d[...] de Normandie (1035-1087) et roi d'Anglete[...] (1066-1087). Fils illégitime du duc de Norman[...] Robert I^er, il s'imposa comme son successeur gr[...] à la protection du roi de France Henri I^er, av[...] lequel il se brouilla par la suite, et qu'il vainq[...] (1054). À la mort de son cousin Édouard [...] Confesseur, il revendiqua le trône d'Anglete[...] passa la Manche avec son armée et battit son ri[...] Harold II à la bataille d'Hastings (1066). Recon[...] roi, il introduisit le système féodal en Anglete[...] créa une administration puissante et fit réali[...] le *Domesday Book*, inventaire des fiefs [...] royaume. ~ **Guillaume II le Roux** (*v. 1056 - 11[...] près de Lyndhurst*), roi d'Angleterre (1087-110[...] Deuxième fils de Guillaume le Conquérant, il [...] préféré par son père à son frère Robert Courtehe[...] pour occuper le trône. Il dut faire face à plusie[...] révoltes fomentées par les barons du royaume. **Guillaume III d'Orange** (*1650, La Haye - 17[...] Kensington, Londres*), stathouder de Hollar[...] (1672-1702), roi d'Angleterre, d'Écosse et d'Irlar[...] (1689-1702). Fils posthume de Guillaume II [...] Nassau et petit-fils de Charles I^er d'Angleterre, [...] fut élevé sous la tutelle de Jean de Witt. [...] repoussant l'invasion des Provinces-Unies [...] Louis XIV (1672), il apparut comme le champi[...] du protestantisme contre les princes catholiqu[...] Gendre de Jacques II, il accéda au trône d'Ang[...]terre avec sa femme Marie II Stuart après [...] révolution anglaise (1689). Par la Déclaration [...] droits (1689), il reconnut le régime constitution[...] anglais. Préoccupé surtout de politique étrangè[...] il fut l'artisan de la coalition formée con[...] Louis XIV lors de la guerre de la ligue d'Augsbo[...] et au début de la guerre de la Successi[...] d'Espagne. ~ **Guillaume IV** (*1765, Londres - 18[...] Windsor*), roi de Grande-Bretagne et d'Irlande, [...] de Hanovre (1830-1837). Successeur de son fr[...] George IV, il appuya la réforme électorale de 18[...] mais intervint peu dans la vie politique. Sa ni[...] Victoria lui succéda en Grande-Bretagne, son fr[...] Ernest-Auguste au Hanovre.

**GUILLAUME**, nom de plusieurs souverains [...] Hollande et des Pays-Bas. ~ **Guillaume I^er [...] Nassau, dit le Taciturne** (*1533, Dillenburg, Pala[...]nat - 1584, Delft*). Prince d'Orange (1544), s[...]thouder de Hollande (1559-1567), il prit la t[...] de l'opposition à l'Espagne. Stathouder des P[...]vinces-Unies (1576-1584), il fut assassiné par [...] catholique franc-comtois. ~ **Guillaume II de Na[...]sau** (*1626, La Haye - 1650, id.*), stathouder [...] Hollande (1647-1650). Il fit consacrer l'indépe[...]dance des Provinces-Unies lors des traités [...] Westphalie (1648). ~ **Guillaume III de Nass[...]** voir **Guillaume III**, roi d'Angleterre. ~ **Gu[...]laume I^er** (*1772, La Haye - 1843, Berlin*), roi [...] Pays-Bas et grand-duc de Luxembourg (181[...] 1840). Il perdit la Belgique en 1830 et dut abdiq[...] en 1840. ~ **Guillaume II** (*1792, La Haye - 18[...] Tilburg*), fils du préc., roi des Pays-Bas et grand-d[...] de Luxembourg (1840-1849). Il accorda u[...] Constitution parlementaire aux Pays-Bas [...] 1848. ~ **Guillaume III** (*1817, Bruxelles - 18[...] château de Loo*), fils du préc., roi des Pays-Bas [...] grand-duc du Luxembourg (1849-1890). Lorsqu[...] mourut, l'union personnelle du Luxembourg av[...] les Pays-Bas prit fin.

**GUILLAUME** (Charles Édouard) ~ *1861, Fle[...]rier - 1938, Sèvres.* Physicien suisse. Travaillant s[...] les alliages au nickel, il inventa l'Invar, l'Élinv[...]

la platinite, puis accéda en 1915 à la direction
Bureau international des poids et mesures.
ix Nobel de phys. 1920.

**UILLAUME** (Gustave) ~ *1883, Paris - 1960, id.* nguiste français. Il a élaboré une théorie qui appuie sur les rapports entre la structure de la ngue et celle de la pensée, la psychosystématique. **guillaumisme** a influencé de nombreux linguistes *emps et verbe*, 1929).

**UILLAUME DE CHAMPEAUX** ~ *1070, Champaux, près de Melun - v. 1121.* Philosophe français. êque de Châlons-sur-Marne et maître de l'école iscopale de Paris, il eut pour disciple Abélard, qui opposa à lui dans la querelle des universaux.

**UILLAUME DE CONCHES** ~ *1080, Conches, re - v. 1154.* Philosophe français. Élève de Berrd de Chartres, précepteur d'Henri II Plantagenêt, participa à la rénovation du platonisme chrétien r un retour à des explications naturalistes spirées de Lucrèce.

**UILLAUME DE LORRIS** ~ *v. 1200-1210, Lorris-Gâtinais - v. 1240.* Poète français, auteur de la emière partie du *Roman de la Rose* (v. 1236), rminé par Jean de Meung.

**UILLAUME DE MACHAUT** ou **DE MAHAULT** ~ *v. 1300, Machault, près de Reims - 377, Reims.* Musicien et poète français. Chanoine Reims, il renouvela l'art lyrique et forgea des gles musicales et littéraires pour le lai, le virelai, ballade, le rondeau et le chant royal. Ses motets it inauguré les messes polyphoniques françaises *Aesse Notre-Dame*).

**UILLAUME DE NANGIS** ~ *m. v. 1302.* Chroniqueur et moine français de Saint-Denis. Il composa s ouvrages historiques en latin (dont des vies de uis IX et de Philippe III) et une *Chronique iverselle* (des origines à 1301).

**UILLAUME DE SAINT-AMOUR** ~ *1202, Saint-nour, Franche-Comté - 1272, id.* Théologien frans. Il enseigna à la Sorbonne, où il s'opposa solument aux ordres mendiants. Condamné par ome, il fut exilé en 1257.

**UILLAUME DE TYR** ~ *v. 1130-1150, Syrie - 85, Rome.* Prélat et chroniqueur. Archevêque de r, régent de Baudoin IV, roi de Jérusalem, il est auteur d'une histoire des croisades.

**UILLAUME D'OCCAM** ou **D'OCKHAM** ~ *1285, Ockham, Surrey - v. 1349, Munich.* Philosoe anglais. Formé à Oxford, il fut le plus important s nominalistes. Il plaça les universaux non pas ans les choses ou les mots, mais dans la gnification d'un mot ; critique du réalisme, il lui oposa son fameux principe du « rasoir » (« il ne ut pas multiplier les êtres sans nécessité »). anciscain, il dénonça la théocratie pontificale ns ses pamphlets et fut excommunié. L'influence sa doctrine grandit jusqu'à préparer la Réforme. [☞ **nominalisme.**]

**UILLAUME LE GRAND** (saint) ~ *v. 755 - 812, ellone, Languedoc.* Comte de Toulouse et duc Aquitaine. Petit-fils de Charles Martel, il fut uverneur de la Marche d'Espagne sous Charleagne. Il fonda l'abbaye bénédictine de Gellone uj. Saint-Guilhem-le-Désert).

**UILLAUME LE LION** ~ *1143 - 1214, Stirling, owlands.* Roi d'Écosse (1165-1214). Il fut vassal roi d'Angleterre Henri II de 1174 à 1189.

**UILLAUME TELL** ~ *XIVᵉ s.* Héros légendaire de istoire suisse. Hostile à la domination autriienne sur son pays, il fut mis au défi par le bailli essler de percer d'une flèche une pomme placée r la tête de son propre fils. Ayant réussi, il fut nprisonné mais s'évada et tua Gessler.

**UILLAUMIN** (Armand) ~ *1841, Paris - 1927,* . Peintre français. Impressionniste, il privilégia les tes urbains avant d'aborder des paysages de la euse dans un style proche du fauvisme.

**UILLEM** (Sylvie) ~ *1965, Paris.* Danseuse franise. Étoile du ballet de l'Opéra de Paris à vingt ns, elle a rejoint le Royal Ballet de Londres et mène, appuyant sur des chorégraphies de M. Béjart, une rrière en solo.

**UILLEMIN** (Roger) ~ *1924, Dijon.* Médecin néricain d'orig. française. Il a identifié et analysé s hormones présentes dans l'hypothalamus et a olé les endomorphines. Prix Nobel de physiol. ou éd. avec Andrew Schally 1977.

**GUILLEVIC** (Eugène) ~ *1907, Carnac - 1997, Paris.* Poète français. Son œuvre, en un style elliptique et dense, évoque not. la Bretagne (*Terraqué*, 1942 ; *Trouées*, 1981) et illustre son engagement politique (*Trente et Un Sonnets*, 1954).

**GUILLOTIN** (Joseph Ignace) ~ *1738, Saintes - 1814, Paris.* Médecin français. Député à l'Assemblée nationale, il y proposa le 10 oct. 1789, pour les exécutions capitales, une machine que la Législative n'adopta que le 20 mars 1792 et qui fut bientôt surnommée la **guillotine**.

**GUILLOUX** (Louis) ~ *1899, Saint-Brieuc - 1980, id.* Écrivain français. Ses romans décrivent les difficultés et la révolte des milieux populaires (*le Sang noir*, 1935 ; *Coco perdu*, 1978).

**GUILVINEC (Le)** ~ Station baln. de Cornouaille (Finistère), l'un des premiers ports de pêche français (thon, langouste, sardine), sur la presqu'île de Penmarch ; 5 698 h.

**GUIMARÃES** ~ V. du Portugal (Braga), au N.-E. de Porto ; 22 000 h. Industrie text. et artisanat (coutellerie, cuir). Donjon (Xᵉ s.), palais des ducs de Bragance (XVᵉ s.), musée Alberto-Sampaio (couvent du XIVᵉ s.). Ancienne capitale du Portugal, point de départ de la Reconquista.

**GUIMARD** (Hector) ~ *1867, Lyon - 1942, New York.* Architecte français. Il illustra l'Art nouveau par des formes ornementales exubérantes. Il réalisa les entrées du métro parisien. [☞ **nouveau.**]

**Guimet (musée)** ~ Musée national des arts asiatiques, dans le XVIᵉ arr. de Paris. Fondé à Lyon en 1879 par l'industriel **Émile Guimet** *(1836-1918)*, il fut transféré à Paris en 1885, lorsque celui-ci céda ses collections à l'État.

**GUINÉE (golfe de)** ~ Partie de l'océan Atlantique qui forme un grand rentrant des côtes d'Afrique de l'Ouest, de l'E. du Liberia au Gabon. Côtes généralement humides, basses et lagunaires.

**GUINÉE (république de)** ~ Pays d'Afrique occidentale bordé par l'Atlantique. ***Cap.*** Conakry. ***Superf.*** 245 857 km². ***Popul.*** 7 300 000 h., dont Peuls (45 %), Malinkés (25 %). ***Langue princ.*** Français. ***Monn.*** Franc guinéen. ***Relief.*** Hautes terres (Fouta-Djalon et Dorsale guinéenne, d'où sont issus la Gambie et le Niger) ; plaine littorale à l'O. ***Climat.*** Tropical (harmattan pendant la saison sèche). ***Écon.*** Agriculture vivrière (riz, arachide, manioc), pêche, extraction de la bauxite et de diamants. Important potentiel hydroélectrique. ***V. princ.*** Conakry, Kankan. **HIST.** - *XVᵉ s.* : les Portugais explorent les côtes de la Guinée. *XVIᵉ s.* : les Européens y établissent des comptoirs (traite des Noirs, épices). *XVIIIᵉ s.* : les Peuls musulmans fondent un État dans le Fouta-Djalon (N.-E.). *XIXᵉ s.* : tout comme les chefs locaux, ils s'opposent à la colonisation française. La Guinée devient pourtant une colonie française en 1893, intégrée à l'A.-O. F. en 1895. *XXᵉ s.* : l'indépendance est proclamée (1958) sous la direction d'Ahmed Sékou Touré, fondateur du parti démocratique de Guinée, qui rompt avec la France et met en place un régime dictatorial. Le colonel Lansana Conté, au pouvoir depuis 1984 et élu président en 1993, engage le pays sur la voie de l'ouverture, sous l'égide du F. M. I.

**GUINÉE-BISSAU (république de)**, anc. **Guinée portugaise** ~ Pays d'Afrique occidentale, bordé par l'Atlantique. ***Cap.*** Bissau. ***Superf.*** 36 125 km². ***Popul.*** 1 058 000 h. (30 % de musulmans). ***Langue princ.*** Portugais. ***Monn.*** Peso guinéen. ***Relief.*** Plaine littorale (mangrove) découpée par des estuaires et bordée d'îles (archipel des Bissagos). ***Climat.*** Tropical humide (forêt, savane). ***Écon.*** Agriculture (riz, arachide, millet, noix de cajou), pêche et élevage. ***Ress. potentielles.*** Pétr. offshore, bauxite, phosphate, tourisme dans les Bissagos. ***V. princ.*** Bissau. **HIST.** - *milieu du XVᵉ-XIXᵉ s.* : les Portugais explorent les côtes et se heurtent à l'hostilité de la population locale ; ils implantent une colonie en 1879. *XXᵉ s.* : la lutte pour l'indépendance débute en 1962. En 1974, la république est proclamée sous la direction de Luís de Almeida Cabral, qui instaure un régime marxiste. João Bernardo Vieira, au pouvoir depuis 1980, introduit le multipartisme en 1991 et est réélu président en 1994.

**GUINÉE ÉQUATORIALE (république de)**, anc. **Guinée espagnole** ~ Pays d'Afrique équatoriale composé d'une partie continentale, le Mbini, et d'une partie insulaire (îles de Bioko et d'Annobón). ***Cap.*** Malabo. ***Superf.*** 28 051 km². ***Popul.*** 420 000 h., dont 72 % de Fangs. ***Langue princ.*** Espagnol. ***Monn.*** Franc CFA. ***Relief.*** La partie continentale est formée d'un plateau (monts de Cristal, 1 000 m) et d'une plaine côtière, baignée par l'Atlantique ; les îles ont un relief volcanique (alt. max. 3 000 m). ***Climat.*** Équatorial. ***Écon.*** Agriculture (cacao, café), pêche, exploitation forestière (okoumé). Modestes ress. pétrolières et aurifères. **HIST.** - *XVᵉ s.* : l'archipel est découvert par les Portugais. *1778* : donné à l'Espagne, il forme, avec le Río Muni (auj. Mbini) qui ouvrait à ce pays un accès au continent africain, la Guinée équatoriale. *XXᵉ s.* : après l'indépendance (1968), Macías Nguema instaure une dictature qui ruine le pays. Il est renversé en 1979 par le colonel Obiang Nguema M'Basogo, qui conserve le système du parti unique et renoue avec l'Espagne.

**GUINEGATTE**, auj. **Enguinegatte** ~ Localité du Pas-de-Calais, site de deux défaites françaises : face à Maximilien d'Autriche (14 août 1479) et à Henri VIII d'Angleterre (16 août 1513, journée des Éperons).

**GUINGAMP** ~ V. du Penthièvre (Côtes-d'Armor), à l'O. de Saint-Brieuc, centre comm. et industr. ; 7 905 h. (agglom. 17 725 h.). Machines agric., matériel électron., agroalim. Basilique (XIVᵉ-XVIᵉ s.).

**GUINNESS** (sir Alec) ~ *1914, Londres.* Acteur britannique. Après une brillante carrière théâtrale, not. dans le répertoire shakespearien, il se fait remarquer au cinéma, où son sens de la composition et son humour lui assurent le succès (*Noblesse oblige*, de Robert Hamer, 1949 ; *le Pont de la rivière Kwaï*, de David Lean, 1957).

**GUIPAVAS** ~ V. de la banlieue N.-E. de Brest (Finistère) ; 11 956 h. Aéroport de Brest-Guipavas.

**GUIPÚZCOA** (le) ~ Province maritime du Pays basque espagnol, frontalière de la France ; 1 997 km², 676 000 h., capitale San Sebastián. Tourisme.

**GUISCARD** (Robert) ~ Voir **Robert Guiscard**.

**GUISE (maison de)**, branche cadette de la maison de Lorraine, issue du duc René II. Elle joua un rôle politique considérable en France au XVIᵉ s. et s'éteignit en 1675. ~ **Claude Iᵉʳ** (*1496, Condé-Northen, Moselle - 1550, Joinville*) servit François Iᵉʳ (contre Charles Quint), qui érigea en sa faveur le comté de Guise en duché (1527). Son fils ~ **François Iᵉʳ** (*1519, Bar - 1563, Saint-Mesmin*), 2ᵉ duc DE GUISE, lieutenant-général du royaume, prit le commandement des catholiques au début des guerres de Religion, et fut tué par un protestant. Son frère ~ **Charles** DE GUISE ou DE LORRAINE (*1524, Joinville - 1574, Avignon*), archevêque de Reims (1538) et cardinal (1547), fut ministre de François II. ~ **Henri Iᵉʳ**, dit **le Balafré** (*1549 - 1588, Blois*), duc DE GUISE, neveu du préc., fut l'initiateur de la Saint-Barthélemy. Chef de la Ligue catholique (1576), très populaire à Paris, il fut assassiné sur l'ordre d'Henri III. Son frère ~ **Louis II** DE GUISE (*1555, Dampierre - 1588, Blois*), cardinal de Lorraine, fut assassiné peu après lui.

**GUITRY** (Sacha) ~ *1885, Saint-Pétersbourg - 1957, Paris.* Acteur, auteur dramatique et cinéaste français, fils du comédien **Lucien Guitry** (*1860, Paris - 1925, id.*). Il est l'auteur de comédies dont la trame constante fut l'adultère bourgeois (*Faisons un rêve*, 1916) et de films (*le Roman d'un tricheur*, 1935 ; *Si Versailles m'était conté*, 1953) riches en mots d'esprit.

**GUITTON** (Jean) ~ *1901, Saint-Étienne.* Philosophe français. Catholique, il développe une philosophie œcuménique qui tente de concilier foi et raison, théologie et science (*Ce que je crois*, 1971). Il a participé à Vatican II. Acad.

**GUIYANG** ou **KOUEI-YANG** ~ V. du S. de la Chine, cap. du Guizhou, à 400 km de la frontière vietnamienne, nœud routier et ferroviaire, centre industr. (métall., matériel roulant, électron., chimie) et minier (bauxite) ; 1 070 000 h.

**GUIZÈH** ~ Voir **Gizeh**.

**GUIZHOU** ou **KOUEI-TCHEOU** (le) ~ Province montagneuse, enclavée et peu développée du S. de la Chine ; 174 000 km², 32 730 000 h. (nombreuses minorités : Bouyeis, Zhuangs), cap. Guiyang. Céréales (riz, maïs, blé), tabac. Charbon, bauxite, phosphate, mercure. Industr. du bois.

**GUIZOT** (François) ~ *1787, Nîmes - 1874, Val-Richer, Calvados.* Homme politique et historien français. Il fut ministre de l'Instruction publique (1832-1837) puis des Affaires étrangères (1840-1847), enfin président du Conseil (1847-1848). Il est l'auteur d'une loi organisant l'enseignement primaire. Sa politique, favorisant les intérêts de la bourgeoisie, mena la monarchie de Juillet à sa perte. Il a laissé une *Histoire de la révolution d'Angleterre* (1826-1827) et de précieux *Mémoires pour servir à l'histoire de mon temps* (1858-1867). Acad.

**GUJERAT** ou **GUJARAT** (le) ~ État occidental de l'Inde, au S. du désert de Thar ; 196 024 km$^2$, 41 310 000 h. (dont 90 % d'hindous), cap. Gandhinagar, « patrie de Gandhi » (124 000 h.). Agric. irriguée (céréales, coton, tabac). Industr. favorisée par les ress. énerg. (pétr., lignite, hydroélectr.) et la proximité de Bombay. V. princ. Ahmadabad.

**GU Kaizhi** ou **KOU K'ai-tche** ~ *v. 345 - v. 406.* Peintre chinois méridional de l'époque Tsin. Il fut le premier à combiner les arts du portrait et du paysage.

**GULBENKIAN** (Calouste Sarkis) ~ *1869, Istanbul - 1955, Lisbonne.* Homme d'affaires et collectionneur britannique d'orig. arménienne. Grâce aux bénéfices réalisés dans l'exploitation du pétrole, il acquit des œuvres d'art qui furent déposées en 1960 à Lisbonne à la fondation Gulbenkian.

**GULDBERG** (Cato Maximilian) ~ *1836, Christiania, auj. Oslo - 1902, id.* Chimiste et mathématicien norvégien. Il énonça, avec Peter Waage, la loi d'action de masse (1864), permettant une étude quantitative des équilibres physico-chimiques.

**GULF STREAM** (le), en fr. « courant du Golfe » ~ Courant atlantique issu du golfe du Mexique, chaud et rapide. Longeant la Floride vers le N., il reçoit l'apport de courants chauds médio-océaniques, puis s'écarte des côtes au contact du courant du Labrador (front polaire). En s'étendant vers l'E., il alimente la dérive nord-atlantique, qui longe les côtes de l'Europe de l'Ouest jusqu'au N. de la Norvège et contribue ainsi à l'extension du climat tempéré océanique dans ces régions.

**GUMRI**, anc. **Aleksandropol**, puis **Leninakan** ~ V. industrielle (text.) de l'O. de l'Arménie (alt. 1 500 m) ; 120 000 h. Elle fut ravagée par un séisme en 1992.

**GUNDULIĆ** (Ivan), en ital. ***Gondola*** ~ *v. 1589, Raguse - 1638, id.* Poète et homme politique croate. Éminent représentant de la littérature baroque des Slaves du Sud, il composa une épopée patriotique, *Osman*, restée inachevée.

**GÜNEY** (Yilmaz) ~ *1937, Adana - 1984, Paris.* Acteur et cinéaste turc. Emprisonné pour des raisons politiques, il fit réaliser beaucoup de ses scénarios depuis sa geôle (*Yol*, 1982).

**GÜNTHER** (Ignaz) ~ *1725, Altmannstein - 1775, Munich.* Sculpteur allemand. Il décora de nombreuses églises. Ses bois polychromes, représentatifs du rococo bavarois, révèlent parfois des tendances classiques.

**Guomindang** ou **Kouo-min-tang** (le) ~ Parti nationaliste chinois fondé en 1911 par Sun Yat-sen, dirigé à partir de 1925 par Tchang Kaï-chek. Son activité se limite à Taiwan depuis la victoire communiste (1949).

**GUO Moruo** ou **KOUO Mo-jo** ~ *1892, au Sichuan - 1978, Pékin.* Écrivain et homme politique chinois. Abordant poésie, romans et théâtre, il fut également le traducteur d'œuvres occidentales. Il occupa divers postes officiels de 1949 à 1966.

**GUPTA** ~ Dynastie du Magadha, fondée par Chandragupta I$^{er}$, qui régna sur l'Inde septentrionale du IV$^e$ au VI$^e$ s.

**GURIDI** (Jesús) ~ *1886, Vitoria, Alava - 1961, Madrid.* Compositeur espagnol. Il écrivit des opéras et des zarzuelas d'inspiration basque ou galicienne, dont *El Caserío* (1926), chef-d'œuvre du théâtre musical espagnol.

**Gurkhas** (les) ~ Mercenaires népalais au service de l'empire des Indes britanniques.

**GURVITCH** (Georges) ~ *1894, Novorossiïsk, Russie - 1965, Paris.* Sociologue français. Père de la sociologie structurale, il chercha à saisir la globalité du phénomène social (*Idée du droit social*, 1935).

**GUSTAVE**, nom de plusieurs rois de Suède. ~ **Gustave I$^{er}$ Vasa** (*1496, Lindholm - 1560, Stockholm*), roi de Suède (1523-1560). Animateur de la révolte contre les Danois (1521), il proclama l'indépendance de la Suède, introduisit la Réforme (diète de Västerås, 1527) et créa une armée permanente. ~ **Gustave II Adolphe** (*1594, Stockholm - 1632, Lützen*), roi de Suède (1611-1632), fils et successeur de Charles IX. Il gouverna avec l'aide du chancelier Oxenstierna. Il modernisa l'administration et réorganisa l'armée, conclut la paix avec le Danemark (1613) et la Russie (1617). Prince luthérien, il s'engagea dans la guerre de Trente Ans pour faire face aux ambitions territoriales des Habsbourg. Vainqueur de Tilly à Breitenfeld (1631), il remporta une victoire sur Wallenstein à la bataille de Lützen, au cours de laquelle il trouva la mort. Sa fille Christine lui succéda. ~ **Gustave III** (*1746, Stockholm - 1792, id.*), roi de Suède (1771-1792). Despote éclairé, il mena d'importantes réformes, lutta contre la Russie et le Danemark, mais périt assassiné. ~ **Gustave IV Adolphe** (*1778, Stockholm - 1837, Saint-Gall, Suisse*), roi de Suède (1792-1809). Adversaire malheureux de Napoléon I$^{er}$, il perdit la Finlande, cédée aux Russes. Arrêté par les généraux et déchu par les États, il s'exila en 1809. ~ **Gustave V** (*1858, Drottningholm - 1950, id.*), roi de Suède (1907-1950). Il respecta le principe de neutralité de son pays pendant les deux guerres mondiales. ~ **Gustave VI Adolphe** (*1882, Stockholm - 1973, Hälsingborg*). Roi de Suède, fils de Gustave V, il lui succéda en 1950.

**GUTENBERG** (Johannes **Gensfleisch**, dit) ~ *v. 1400, Mayence - 1468, id.* Imprimeur allemand. Inventeur de la typographie, il réalisa à Strasbourg un procédé de composition avec des caractères mobiles, non plus de bois mais fondus en alliage (vers 1438). La Bible latine « à quarante-deux lignes » fut imprimée en 1455. [☞ **livre.**]

**GUTLAND** (le), en fr. « bon pays » ~ Partie méridionale du Luxembourg, fragment du plateau lorrain aux sols fertiles arrosé par l'Alzette, au S. de l'Ardenne. V. princ. Luxembourg.

**GUTZKOW** (Karl) ~ *1811, Berlin - 1878, Sachsenhausen.* Écrivain allemand. Un des chef de file du mouvement de la Jeune-Allemagne, il fut romancier et dramaturge (*Perruque et épée*, 1844).

**GUY** (saint) ~ Voir **Gui.**

**GUYANA (république coopérative de)** ~ Pays du N.-E. de l'Amérique du S., bordé par l'Atlantique. ***Cap.*** Georgetown. ***Superf.*** 215 000 km$^2$. ***Popul.*** 730 000 h., dont Indiens (princ. Tamouls) 45 %, Noirs et mulâtres 42 %. ***Langue princ.*** Anglais. ***Monn.*** Dollar de Guyana. ***Relief.*** Partie du massif guyanais, drainée par l'Essequibo. ***Climat.*** Équatorial (2 saisons des pluies). ***Écon.*** Riz, canne à sucre, pêche (crevettes), bois, extraction de bauxite et d'or. **HIST.** - *fin du XVIII$^e$-XIX$^e$ s.* : colonie hollandaise puis britannique (1831). *1966* : indépendance au sein du Commonwealth. *1970* : instauration d'une république socialiste coopérative, qui ne réussit pas à résoudre les difficultés économiques. *1997* : Samuel Hinds succède au président Cheddi Jagan, décédé en mars.

**GUYANCOURT** ~ V. de la banlieue de Paris (Yvelines), au S.-O. de Versailles ; 18 307 h.

**GUYANE** (la) ou **GUYANES** (les) ~ Région du N.-E. de l'Amérique du Sud, partie S. de la Caraïbe, baignée par l'Atlantique, massif ancien gréseux (2 810 m au Roraima) au relief peu marqué, limité par l'Orénoque (Venezuela) et l'Amazone (Brésil), bordé au N. par une plaine côtière alluviale, basse et marécageuse, où se concentre une faible population (Européens, Noirs et mulâtres, immigra[nts] asiatiques). Climat équatorial (forêt dense). Qu[el]ques groupes amérindiens vivent dans l'intérie[ur].

**GUYANE FRANÇAISE** (la) ~ Dép. français d'[ou]tre-mer (depuis 1946), partie de la région [des] Guyanes (N.-E. de l'Amérique du Sud), au clim[at] équatorial ; 91 000 km$^2$, 73 022 h. Pêche, indus[trie] du bois. L'activité économique, concentrée sur [le] littoral (Cayenne, la préfect., Saint-Laurent-[du-]Maroni), est largement dépendante de la métrop[ole] (centre spatial de Kourou depuis 1968). Minor[ité] hmong originaire du Viêt Nam, réfugiés surin[a]miens. **HIST.** - Établis en Guyane dès 1637, [les] Français durent faire face à la convoitise des Angl[ais] et des Hollandais avant de s'y installer définiti[ve]ment en 1677. Les condamnés politiques y fure[nt] déportés (1794-1805). Après l'abolition de l'esc[la]vage (1848), un bagne y fut installé (1852-194[5]).

**GUYENNE** (la) ~ Nom pris par l'Aquitaine a[n]glaise à partir du XIII$^e$ s. Ancienne province de Fran[ce] réunie à la Couronne (1472) par Charles [VII] (capitale Bordeaux), elle forma, en 1790, ci[nq] départements (Aveyron, Dordogne, Gironde, L[ot], Lot-et-Garonne).

**GUYNEMER** (Georges Marie) ~ *1894, Pari[s] - 1917, Poelkapelle, Belgique.* Aviateur franç[ais]. Commandant de la fameuse escadrille des Cigogn[es] pendant la Première Guerre mondiale, il fut abat[tu] après avoir remporté 53 victoires.

© Coll. J.B.-Explorer

Georges **Guynemer.**

**GUYON** (Félix) ~ *1831, Saint-Denis, la Réunion - 1920, Paris.* Chirurgien français. Il fut le maître [de] l'école urologique française.

**GUYON DU CHESNOY** (Jeanne-Marie **Bouvi[er] de La Motte**, dite Mme) ~ *1648, Montargi[s] - 1717, Blois.* Mystique française. Défendue p[ar] Fénelon, elle fut l'animatrice du courant quiétis[te].

**GUYS** (Constantin) ~ *1802, Flessingue, Pays-Bas - 1892, Paris.* Aquarelliste et dessinateur français. [Il] peignit la vie mondaine et les évènements intern[a]tionaux (guerre de Crimée, révolution de 184[8]).

**GUYTON DE MORVEAU** (Louis Bernard, b[a]ron) ~ *1737, Dijon - 1816, Paris.* Chimiste fra[n]çais. Il opéra la liquéfaction de l'ammoniac [et] participa à la création de la nomenclature chimiq[ue] (1787).

**GWALIOR** ~ V. de l'Inde (Madhya Pradesh), [au] S.-E. de Delhi ; 691 000 h. Univ. Mausolées mogho[ls], temples (IX$^e$ s.), sculptures rupestres (XV$^e$ s.).

**GYGÈS** ou **GYÈS** ~ *v. 683 - v. 652 av. J.-C.* R[oi] lydien héraclide établi en Maionie, tué par [les] Cimmériens. La légende lui attribue la possessi[on] d'un anneau le rendant invisible.

**GYÖR**, en all. ***Raab*** ~ V. et port fluvial de Hongr[ie] sur un affl. du Danube, près des frontièr[es] autrichienne et slovaque ; 131 000 h. Évêch[é], cathédrale (XII$^e$-XIV$^e$ s.), palais épiscopal (XV$^e$ s.), édifices baroques.

**GYTHEION** ou **GHÝTION** ~ Anc. port de Spart[e] au S. du Péloponnèse (7 000 h. auj.).

AAKON, nom de plusieurs rois de Norvège. ~ aakon IV l'Ancien (*1204, près de Skarpsborg - 263, Kirkwall, Orcades*), roi de 1217 à 1263, unit le Groenland et l'Islande à la Nor-ge. ~ **Haakon V Magnusson** (*1270 - 1319*), roi 1299 à 1319, établit la capitale du pays à slo. ~ **Haakon VII** (*1872, Charlottenlund - 1957, slo*), fils de Frédéric VIII de Danemark, fut élu roi Norvège (1905-1957) après la séparation du ys d'avec la Suède.

**AARLEM** ~ V. des Pays-Bas, ch.-l. de la Hollande-ptentrionale (Randstad Holland), à l'O. d'Amster-m, centre résidentiel, industr., comm. (export. fleurs) et touristique ; 150 000 h. Musée Frans-als. Ancienne résidence des comtes de Hollande, ville fut prise par les Espagnols en 1573.

**ABACUC** ~ *VIIe s. av. J.-C.* Prophète juif. Le livre la Bible qui porte son nom est consacré au oblème du mal.

**ABENECK** (François) ~ *1781, Mézières, Ar-nnes - 1849, Paris.* Violoniste et chef d'orchestre ançais. Directeur de la Société des concerts du onservatoire, il fut le premier en France à donner ne audition intégrale des symphonies de Beetho-n dès 1815, puis à partir de 1828.

**ABERMAS** (Jürgen) ~ *1929, Düsseldorf.* Philoso-ne allemand. Alors que ses aînés de l'école de ancfort prophétisaient le triomphe de la rationalité strumentale, il voit dans la modernité un projet achevé où la communication est la valeur éthique universelle à défendre (*l'Espace public*, 1959-1962 ; *éorie de l'agir communicationnel*, 1981).

**ABRÉ** (Hissène) ~ *1936, Faya-Largeau.* Homme État tchadien. Dirigeant de la rébellion du nord u pays dès 1972, il fut Premier ministre (1978) uis président de la République (1982). Idriss Déby chassa du pouvoir en 1990.

**ABSBOURG (maison de)** ~ Famille qui régna ır l'Autriche de 1278 à 1918. Cette dynastie tire on nom du château de Habichtsburg, que Wer-er Ier fit construire (1020) en Argovie (Suisse émanique). Les premiers Habsbourg qui dirigèrent Saint Empire romain germanique furent Rodol-he Ier (1273-1291), qui acquit l'Autriche en 1278, son fils Albert Ier (1298-1308). Par des modifica-ons territoriales, de rhénane, la maison devint anubienne. De 1438 à 1806, la famille fournit ous les souverains du Saint Empire, sauf de 1740 1745 ; elle devint maison d'Autriche au XVe s. assemblant des héritages, Charles Quint contrôla Europe centrale, les Pays-Bas, l'Espagne et ses épendances américaines. Lorsqu'il abdiqua 1556), il légua les domaines italiens, espagnols et ourguignons à son fils Philippe II – à l'origine de branche espagnole, éteinte en 1700 – et la ouronne impériale ainsi que le reste du domaine omprenant une partie de la Hongrie, dont la omination ne fut acquise qu'au XVIIIe s.) à son frère erdinand, à l'origine de la branche allemande, quelle disparut en 1740 à la mort de Charles VI. epandant, le mariage (1736) de la fille de harles VI, Marie-Thérèse, avec le duc François de orraine donna naissance à la dynastie de **Habs-ourg-Lorraine**, qui régna sur l'Autriche et la ongrie jusqu'en 1918.

**Hachémites** (les) ~ Famille qurayshite qui descendrait de Hachim ibn Abd Manaf, considéré comme l'aïeul de Mahomet, et qui a fourni les émirs chérifs de La Mecque, gardiens des Lieux saints, du XIe s. à 1924. Des Hachémites ont régné sur le Hedjaz (1908-1924), sur l'Iraq (1921-1958), sur la Transjordanie (1921-1949) et, depuis 1949, sur la Jordanie.

**HACHETTE** (Jeanne **Laisné**, dite **Fourquet**, surnommée Jeanne) ~ *née v. 1456 à Beauvais.* Héroïne française. Elle incita sa ville à la résistance lors du siège soutenu par Charles le Téméraire (1472).

**HACHETTE** (Louis) ~ *1800, Rethel - 1864, château du Plessis-Piquet, près de Sceaux.* Éditeur français. Il fonda en 1826 la librairie à l'origine des éditions Hachette.

**HADAMARD** (Jacques) ~ *1865, Versailles - 1963, Paris.* Mathématicien français. Pionnier de l'analyse fonctionnelle et de l'analyse générale, il travailla sur les nombres premiers et sur la théorie des ensembles.

**HADÈS** ~ Dieu grec des Enfers, surnommé Pluton (le « donneur de richesses »).

**HADRAMAOUT** (l') ~ Région de hauts plateaux du Yémen (S.-E.), prov. (151 475 km², 704 000 h.) baignée par la mer d'Oman. Dans l'intérieur, la ville de Chibam, célèbre pour ses immeubles de pisé, domine l'oued Hadramaout, qui creuse une profonde vallée (agriculture irriguée). Ch.-l. al-Mukalla, port d'export. (tabac) et de pêche.

**Hadriana (villa)** ~ Résidence créée par Hadrien à Tibur (auj. Tivoli). L'empereur y fit reproduire des monuments et des statues qu'il avait admirés.

**HADRIEN**, en lat. ***Publius Aelius Hadrianus*** ~ *76, Italica, Bétique - 138, Baïes.* Empereur romain (117-138). Pupille et successeur de Trajan, il réorganisa l'administration impériale, renforça par des fortifications la défense de l'empire et procéda à la codification du droit romain. Esthète et grand voyageur, il favorisa, en art, un retour au classicisme d'inspiration hellénique. Il fonda, en souvenir de son favori Antinoüs, la ville d'Antinoë.

**HADRUMÈTE** ~ Anc. ville phénicienne, puis romaine, de la côte africaine, au S. de Carthage (ruines près de Sousse, en Tunisie).

**HAECKEL** (Ernst) ~ *1834, Potsdam - 1919, Iéna.* Biologiste allemand. Darwinien, il étudia l'embryologie et tâcha de décrire l'origine de l'homme d'un point de vue transformiste, énonçant l'hypothèse du pithécanthrope. Il créa le mot écologie.

**HAENDEL** (Georg Friedrich) ~ Voir **Händel**.

**HAFEZ** ou **HAFIZ** ~ *v. 1320, Chiraz - 1390, id.* Poète persan. Ses poèmes lyriques, mêlant mysticisme et thèmes bachiques, lui valent d'être encore vénéré dans l'Orient musulman.

**HAFIZ** (Moulay) ~ *v. 1875, Fès - 1937, Enghien-les-Bains.* Sultan du Maroc (1907-1912). Il dut abdiquer sous la pression de la France.

**Hafsides** (les) ~ Dynastie musulmane qui régna sur la Tunisie (1228-1574).

**Haganah** (la), en fr. « défense » ~ Organisation paramilitaire juive créée à l'époque du mandat britannique. Tolérée par les Britanniques, elle intervint en 1929 et en 1935 contre les soulèvements arabes et fournit en 1948 les cadres de l'armée d'Israël.

**HAGEN** ~ V. industr. d'Allemagne (Rhénanie-du-Nord - Westphalie), dans la Ruhr ; 214 000 h.

**HAGUE (cap de la)** ~ Extrémité granitique du N.-O. du Cotentin, qui s'élève à 184 m (nez de Jobourg). L'usine de La Hague, créée en 1967, retraite des déchets nucléaires (stockage, recyclage).

**HAHN** (Otto) ~ *1879, Francfort-sur-le-Main - 1968, Göttingen.* Physicien et chimiste allemand. Il découvrit l'isomérie nucléaire et la fission de l'uranium (1938). Prix Nobel de chim. 1944.

**HAHN** (Reynaldo) ~ *1875, Caracas - 1947, Paris.* Compositeur français d'orig. vénézuélienne. Musicologue et chef d'orchestre, il composa des opérettes d'une finesse exquise (*Ciboulette*, 1923).

**HAHNEMANN** (Christian Friedrich Samuel) ~ *1755, Meissen - 1843, Paris.* Médecin allemand. Père de l'homéopathie, ignoré en Allemagne, il fut reconnu en France, où il s'était installé.

**HAÏFA** ~ Port principal d'Israël, en Galilée, sur la Méditerranée ; 251 000 h. Terminal des oléoducs en provenance d'Eilat. Industries chimique et mécanique, raffinerie de pétrole.

**HAIG** (Alexander) ~ *1924, Philadelphie.* Général américain. Il participa aux négociations de paix sur le Viêt Nam (1972-1973), commanda les forces du pacte de l'Atlantique en Europe (1974-1979), puis fut secrétaire d'État (1980-1982) de R. Reagan.

**HAIG** (Douglas **Haig**, 1er comte) ~ *1861, Édimbourg - 1928, Londres.* Maréchal britannique. Commandant, de 1915 à 1918, des troupes britanniques en France, il participa à la bataille de la Somme (1916) et engagea à Cambrai la première grande bataille de chars de l'histoire (1917).

**HAIKOU** ou **HAI-K'EOU** ~ Voir **Hainan**.

**HAILÉ SÉLASSIÉ Ier** ~ *1892, Harar - 1975, Addis-Abeba.* Empereur d'Éthiopie (1930-1974). Fils du ras Makonnen, il fut régent et héritier de l'empire en 1916, roi (négus) en 1928, puis empereur. Il fit entrer l'Éthiopie à la S. D. N. en 1923. Devant l'invasion italienne (1935), il s'exila en Grande-Bretagne, mais fut rétabli par les troupes alliées en 1941. Il fut déposé par l'armée après une période de troubles.

**HAINAN** ~ Vaste île côtière et tropicale de l'extrême S. de la Chine, entre le golfe du Tonkin et la mer de Chine, province et zone franche depuis 1988 ; 34 000 km², 6 420 000 h., ch.-l. Haikou (280 000 h.), port au développement récent. Forêt dense dans les montagnes, où les colons chinois (Han) ont relégué les populations autochtones (Li, Miao). Riz, prod. tropicaux, caoutchouc, dans les plaines. Uranium, fer. Pétrole au large.

**HAINAUT** (le), en flam. *Henegouwen* ~ Prov. de Belgique méridionale majoritairement francophone, entre les Ardennes et l'Escaut, et partie N. de la région historique qui incluait, en France, l'E. du département du Nord (villes de Valenciennes et de Maubeuge) ; 3 787 km², 1 287 000 h., ch.-l. Mons. Bas plateau fertile (céréales, betterave à sucre, cult. fourragères, élev. bovin) au N. et forêt au S. Industr. sur les vieux bassins houillers de Mons, La Louvière, Charleroi (sidér., constr. mécan. et électr., pétrochim., verrerie, cimenterie). **HIST.** – Comté féodal de l'Empire germanique rattaché aux États bourguignons (1428), il passa sous domination des Habsbourg et fut partagé ensuite entre la France, qui en récupéra le S. (Valenciennes) au XVIIe s., et la Belgique, qui en acquit (1830) la partie restée espagnole, puis autrichienne.

**HAIPHONG** ~ Port et principal centre industriel du N. du Viêt Nam (l'ancien Tonkin), sur le delta du fleuve Rouge ; 456 000 h.

**HAÏTI** ou **HISPANIOLA**, anc. **Saint-Domingue** ~ Île montagneuse des Grandes Antilles, entre Cuba et Porto Rico, la 2e par sa superf. (76 192 km²) et la plus peuplée (14 500 000 h.), divisée entre la république d'Haïti à l'O., francophone, et la République dominicaine à l'E., hispanophone. L'île présente une grande variété de climats (tropicaux à nuances sèches et humides), de végétations et de cultures (café, tabac, cacao, canne à sucre, sisal, riz irrigué) due aux contrastes du relief : pic Duarte culminant à 3 175 m (axe cristallin), chaînes parallèles calcaires alternant avec des plaines et vallées alluviales abritées ou exposées.

**HAÏTI (république d')** ~ Pays de l'archipel des Grandes Antilles, occupant la partie O. de l'île d'Haïti. ***Cap.*** Port-au-Prince. ***Superf.*** 27 750 km². ***Popul.*** 6 760 000 h. (Noirs et mulâtres). ***Langues princ.*** Français, créole. ***Monn.*** Gourde. ***Relief.*** Deux péninsules montagneuses encadrent le golfe de Gonâve. ***Écon.*** Pays le plus pauvre des Amériques. Agriculture vivrière (maïs, sorgho, haricots) et comm. (café, canne à sucre). ***V. princ.*** Port-au-Prince, Cap-Haïtien. **HIST.** – *1492* : habitée par des Indiens Arawaks, l'île est découverte par Christophe Colomb. *1697* : le traité de Ryswick attribue la partie O. de l'île à la France, qui y développe une économie prospère de plantations (sucre, café). *1791* : révolte des esclaves, menée par Toussaint Louverture. *1795* : le traité de Bâle attribue la partie espagnole de l'île à la France. *1804* : après l'expulsion des Français, Jean-Jacques Dessalines déclare l'indépendance et se proclame empereur. *1818-1843* : Jean-Pierre Boyer, président de la République, réunifie l'île, divisée par des querelles intestines en deux républiques. *1844* : formation de la République dominicaine dans la partie orientale. *1847-1859* : élu président de la République,

Faustin Soulouque se proclame empereur (1849). *1859-1957* : après le retour à la république, l'instabilité politique provoque l'intervention militaire des États-Unis (1915-1934) ; leur départ est suivi d'une nouvelle période de troubles. *1957-1986* : dictature de François Duvalier, président à vie (1964), puis de son fils Jean-Claude (1971). *1990* : après une période de corruption inégalée, le père Jean-Bertrand Aristide est élu à la présidence. Renversé en 1991 par le général Raoul Cédras, il est rétabli en oct. 1994 par une intervention américaine. *1995* : René Préval devient président.

**HAKODATE** ~ Port de pêche et centre industriel du N. du Japon (S. d'Hokkaidô) ; 303 000 h.

**HAL**, en néerl. *Halle* ~ V. de Belgique (Brabant), sur le canal de Bruxelles à Charleroi ; 33 000 h. Basilique du XIVe s.

**HALBWACHS** (Maurice) ~ *1877, Reims - 1945, Buchenwald*. Sociologue français. Élève de Bergson et de Durkheim, il pratiqua une approche à la fois psychologique et statistique de la sociologie (*la Morphologie sociale*, 1938).

**HALDANE**, nom de deux scientifiques. ~ **John Scott** (*1860, Édimbourg - 1936, Oxford*), physiologiste et psychologue britannique. Proche des vitalistes, il fut l'auteur de travaux sur la physiologie de la respiration et les gaz du sang. Son fils ~ **John Burdon** (*1892, Oxford - 1964, Bhubaneshwar*), biologiste et mathématicien indien d'orig. britannique, fut un spécialiste de la biométrie et un théoricien du néodarwinisme.

**HALE** (George Ellery) ~ *1868, Chicago - 1938, Pasadena*. Astronome américain. Pionnier de l'astronomie solaire, inventeur du spectrohéliographe (1891), il révéla indépendamment d'Henri Deslandres l'existence d'un champ magnétique dans le Soleil et établit la loi du mouvement des taches solaires (1908).

**HALES** (Stephen) ~ *1677, Bekesbourne, Kent - 1761, Teddington, près de Londres*. Chimiste et naturaliste britannique. Il conçut des méthodes de collecte de nombreux gaz, et étudia la respiration des végétaux et des animaux.

**HALÉVY** (Ludovic) ~ *1834, Paris - 1908, id.* Auteur dramatique et romancier français. Il écrivit de nombreux livrets d'opéra bouffe pour Offenbach en collaboration avec Henri Meilhac. Acad.

**HALEY** (Bill) ~ *1925, Highland Park, Michigan - 1981, Harlingen, Texas*. Guitariste et chanteur américain. Première vedette du rock and roll avec son groupe The Comets. Sa chanson *Rock around the Clock* (1955) fit le tour du monde.

**HALICARNASSE**, auj. **Bodrum** ~ Anc. cité d'Asie Mineure. Au IVe s. av. J.-C., Artémise II y fit construire le Mausolée, l'une des Sept Merveilles du monde (sculptures au British Museum).

**HALIFAX** ~ Port du Canada, cap. de la Nouvelle-Écosse, sur l'Atlantique ; agglom. 321 000 h. Base militaire. Terminus des chemins de fer transcanadiens.

**HALIFAX** (Edward Frederick **Lindley Wood**, 1er comte DE) ~ *1881, Powderham Castle, Devon - 1959, Garrowby Hall, près d'York*. Homme politique britannique. Député conservateur (1910-1940), il fut vice-roi des Indes (1925-1931), ministre des Affaires étrangères (1938-1940) et l'un des artisans de la conférence de Munich (1938), puis ambassadeur aux États-Unis (1941-1946).

**HALL** (Edward Twitchell) ~ *1914, Webster Groves, Missouri*. Anthropologue américain. Il a étudié les systèmes de langages non verbaux (*le Langage silencieux*, 1959).

**HALL** (Granville Stanley) ~ *1844, Ashfield, Massachusetts - 1924, Worcester, id.* Pédagogue américain. Il créa l'American Psychological Association (1892) et s'intéressa au développement psycho-intellectuel de l'enfant et de l'adolescent (*Adolescence*, 1904).

**HALLE** ~ V. industr. d'Allemagne, cap. du land de Saxe-Anhalt ; 301 000 h. Université. Églises et hôtel de ville (XIVe-XVIe s.). Musées. Ancienne ville hanséatique (XIVe s.), annexée par la Prusse (1648).

**HALLER** (Józef) ~ *1873, Jurczyce, près de Cracovie - 1960, Londres*. Général polonais. Il commanda les troupes polonaises en France (1918), puis un groupe d'armées contre les Soviétiques (1920). Il fut ministre dans le gouvernement polonais de Londres (1940-1943).

**HALLEY** (Edmond) ~ *1656, Haggerston, près de Londres - 1742, Greenwich*. Astronome et physicien britannique, auteur de travaux de géophysique, de météorologie et d'astronomie. Étudiant le mouvement des comètes (1705), il prédit not. le retour périodique de celle qui porte son nom.

**Hallstatt** ou **Hallstadt** ~ Nécropole protohistorique d'Autriche. Elle a donné son nom au premier âge du fer en Europe centrale et occidentale (v. 800-500 av. J.-C.).

**HALLYDAY** (Jean-Philippe **Smet**, dit Johnny) ~ *1943, Paris*. Chanteur français. Ayant popularisé le rock and roll en France, il a, par sa présence sur scène et son évolution musicale, réussi à traverser les modes.

**HALMAHERA**, **GILOLO** ou **JILOLO** ~ La plus vaste des îles Moluques (Indonésie) ; 17 800 $km^2$, env. 130 000 h. Humide (forêt dense) et montagneuse, elle est peu peuplée (Papous, Mélanésiens).

**HALPERN** (Bernard) ~ *1904, Tarnov, Ukraine - 1978, Paris*. Médecin français. Il fut un pionnier de la recherche sur les maladies allergiques et découvrit les premiers antihistaminiques de synthèse.

**HALS** (Frans) ~ *v. 1580, Anvers - 1666, Haarlem*. Peintre hollandais. Ses portraits de groupe, où la rapidité de la touche, la richesse chromatique et la construction ont autant d'importance que l'analyse psychologique du modèle, révèlent une approche de la peinture qui influença Courbet et Manet (*les Régentes de l'hospice des vieillards*, 1664).

**HÄLSINGBORG** ou **HELSINGBORG** ~ Port de Scanie (Suède), sur l'Øresund, relié par ferry-boat à Elseneur (Danemark) ; 112 000 h.

**HAM** ~ Localité de la Somme ; 5 532 h. Louis Napoléon Bonaparte fut emprisonné en 1840 au **château de Ham** (XVe s.) et s'en échappa en 1846.

**HAMA** ~ V. de l'O. de la Syrie, sur le cours supérieur de l'Oronte, dans une oasis irriguée par des norias ; 229 000 h. Soieries. Métallurgie.

**HAMADAN** ou **HAMADHAN** ~ V. d'Iran, au S.-O. de Téhéran ; 272 000 h. La ville fut, sous le nom d'Ecbatane, capitale des Mèdes (VIIe s. av. J.-C.) puis résidence d'hiver des Perses Achéménides.

**HAMANN** (Johann Georg) ~ *1730, Königsberg - 1788, Münster*. Écrivain et philosophe allemand. Sa métaphysique, qui influença Herder et Goethe, contribua à la formation du mouvement Sturm und Drang.

**HAMBOURG**, en all. ***Hamburg*** ~ Port, l'un des premiers d'Europe, et 2e ville d'Allemagne, au fond de l'estuaire de l'Elbe, qui forme un land de 755 $km^2$ ; 1 703 000 h. Métropole industr. (alim., chim., constr. navales et mécan.), écon. (banque, assurances) et culturelle (univ., presse, opéra, musée de peinture). **HIST.** - Fondée au IXe s., elle développa son commerce à partir du XIIe s. et devint un des pôles de la Hanse. Elle entra, comme « ville libre et souveraine », dans la Confédération germanique (1815), puis dans la Confédération d'Allemagne du Nord (1866), avant d'être incorporée dans l'Empire allemand (1871). Bombardée par les Alliés en 1943, elle fut occupée par l'armée britannique (4 mai 1945).

© P. Piel-Gamma

*Hambourg, le port.*

**HAMBURGER** (Jean) ~ *1909, Paris - 1992, id.* Médecin néphrologue et écrivain français. Il mit au point l'hémodialyse et la greffe du rein (première greffe entre non-jumeaux, 1962). *Traité de néphrologie* (1966), *la Puissance et la Fragilité* (essai, 1972), *le Dieu foudroyé* (théâtre, 1985). Acad.

**HAMHUNG** ou **HAM HEUNG** ~ 2e v. de Corée du Nord, sur la mer du Japon, centre industriel (textiles synthétiques) ; 775 000 h.

**HAMILCAR**, surnommé **Barca**, en fr. « l'Orage » ~ *v. 290 - 229 av. J.-C., Elche*. Général carthaginois. Commandant en chef contre les Romains en Sicile (247-241 av. J.-C.), il leur infligea, malgré sa défaite finale, de lourdes pertes. Il écrasa une révolte de mercenaires à Carthage (238) et conquit l'Espagne méridionale.

**HAMILTON** ~ Port du Canada (Ontario), sur le lac Ontario, centre de la métall. lourde canadienne ; agglom. 600 000 h. Université McMaster.

**HAMILTON** ~ V. de Nouvelle-Zélande, au S. d'Auckland ; 152 000 h. Université. Industries de transformation.

**HAMILTON** (Alexander) ~ *1757, Nevis, Antilles - 1804, New York*. Homme politique américain. Compagnon de G. Washington, il participa à la rédaction de la Constitution américaine, fonda le parti fédéraliste et organisa la Banque nationale.

**HAMILTON** (Richard) ~ *1922, Londres*. Peintre britannique. Précurseur du pop art, il se livre, à travers diverses techniques — collage, photomontage —, à une critique des mythes contemporains (l'automobile, l'érotisme mercantile).

**HAMILTON** (sir William Rowan) ~ *1805, Dublin - 1865, Dunsink, près de Dublin*. Mathématicien et astronome irlandais, inventeur de la théorie des quaternions (1843).

**HAMM** ~ V. d'Allemagne (Rhénanie-du-Nord - Westphalie), dans la Ruhr ; 181 000 h. Métallurgie.

**Hammadides** (les) ~ Dynastie berbère qui régna dans l'Est algérien (1015-1152).

**HAMMAMET** ~ Station baln. de Tunisie, au S.-E. de Tunis ; env. 40 000 h. Théâtre de plein air.

**HAMMARSKJÖLD** (Dag) ~ *1905, Jönköping - 1961, Ndola, Rhodésie du Nord*. Homme politique suédois. Secrétaire général de l'O. N. U. (1953-1961), il tenta d'apporter une solution à la guerre civile congolaise. Prix Nobel de la paix 1961.

**HAMMERFEST** ~ Port de Norvège (Finnmark) v. la plus septentrionale d'Europe ; 7 000 h.

**HAMMETT** (Dashiell) ~ *1894, dans le Maryland - 1961, New York*. Écrivain américain, pionnier du roman noir (*le Faucon maltais*, 1930).

**HAMMOURABI** ~ *v. 1792 - 1750 av. J.-C.* Sixième roi de la dynastie amorrite de Babylone. Il étendit son royaume sur l'Assyrie et sur l'Amourrou. Administrateur et législateur éclairé, il porta la civilisation babylonienne à son apogée.

**HAMPDEN** (John) ~ *1594, Londres - 1643, Thame*. Homme politique anglais. Cousin de Cromwell, il fut l'un des chefs de l'opposition parlementaire à Charles Ier. Son arrestation déclencha la guerre civile en 1642.

**HAMPSHIRE** (le) ~ Comté du S. de l'Angleterre bordé par la Manche ; 3 779 $km^2$, 1 542 000 h. v. princ. Winchester (ch.-l.), Portsmouth, Southampton. Élev. laitier.

**HAMPTON** (Lionel) ~ *1909, Louisville, Kentucky*. Batteur et vibraphoniste de jazz américain. Il a été le premier à faire du vibraphone un instrument soliste pour le jazz.

**Hampton Court Palace** ~ Anc. palais des rois d'Angleterre, au S.-O. de Londres (XVIe-XVIIe s.). Il abrite auj. un important musée de peinture.

**HAMPTON ROADS** ~ Rade formée par l'estuaire du fl. Saint James, en Virginie (États-Unis), site des ports commerciaux de Hampton, Newport News, Portsmouth, Norfolk ; env. 700 000 h.

**HAMSUN** (Knut **Pedersen**, dit Knut) ~ *1859, Garmostraeet - 1952, Nörholm*. Romancier norvégien. L'errance, thème autobiographique, le sentiment de la nature et une critique virulente de la modernité traversent son œuvre (*la Faim*, 1890 ; *Pan*, 1894 ; *la Ville de Segelfoss*, 1915 ; *Fruits de la Terre*, 1917). Prix Nobel de litt. 1920.

**Han (grottes de)** ~ Grottes de Belgique, au S.-E. de Dinant (prov. de Namur), creusées par une rivière souterraine (la Lesse).

**HAN** ~ Dynastie chinoise (206 av. J.-C.-220 apr. J.-C.). Elle normalisa les institutions de l'Empire chinois, mena la conquête de l'Asie centrale, et établit des relations culturelles et com-merciales avec l'Inde et le monde méditerranéen. Le nom désigne auj. l'ethnie chinoise dominante.

**ANAU** ~ V. d'Allemagne (Hesse), sur le Main, l'E. de Francfort ; 89 000 h. Centre joaillier.

**ANCOCK** (Herbert **Jeffrey**, dit Herbie) ~ *1940, icago.* Pianiste et compositeur de jazz américain. présentant du free jazz, accompagnant not. iles Davis, il s'est orienté ensuite vers la musique ectronique et le rhythm and blues.

**ÄNDEL** ou **HAENDEL** (Georg Friedrich) ~ *1685, alle - 1759, Londres.* Compositeur britannique orig. allemande. Plus que dans ses opéras italiens dans sa musique symphonique (*Concerti grossi,* 34-1740 ; *The Water Music,* 1717), c'est dans ses atorios qu'il donna toute la mesure de son génie éateur, fondé sur la discipline contrapuntique rmanique, l'assimilation du style napolitain et xaltation de la tradition chorale anglaise (*Saül,* '38 ; *le Messie,* 1742 ; *Judas Maccabée,* 1746).

**ANDKE** (Peter) ~ *1942, Griffen.* Écrivain autrien. Ses récits, romans (*le Colporteur,* 1967 ; *bsence,* 1987) et pièces de théâtre (*Gaspard,* '67), d'une écriture dépouillée et dense, se font cho d'angoisses modernes : incommunicabilité, ête d'identité, errance. Il a écrit pour le cinéaste . Wenders (*les Ailes du désir,* 1987).

**ANGZHOU** ou **HANG-TCHEOU** ~ V. de nine, cap. du Zhejiang, centre industr. (sidér., im.) ; 1 740 000 h. Artisanat. Tourisme. Anc. cap. s Song du Sud (1127-1276). Pagode des Six armonies (970), grottes bouddhiques (Xe s.).

**ANNIBAL** ~ Nom de plusieurs généraux carthanois, dont **Hannibal** (*247 - 183 av. J.-C., Binie*), fils d'Hamilcar Barca. Il déclencha la uxième guerre punique en attaquant Sagonte, iée de Rome (219). Ayant traversé les Alpes, il ttit les Romains à la Trébie (218), à Trasimène 17) et à Cannes, en Apulie (216), mais ne put endre Rome. Les Romains ayant porté la guerre Afrique, il y fut rappelé, mais fut battu par ipion à Zama (202). Exilé, il s'empoisonna.

**ANOI** ~ Cap. du Viêt Nam, à la tête du delta Tonkin, sur le Sông Hong ; 3 100 000 h. Centre dustriel, commercial et culturel. Tourisme. Mues. **HIST.** - La ville fut fondée par les Chinois au s. et fortifiée au IXe s. Prise par les Français en 73, elle devint capitale de l'Indochine française 1887. Capitale du Viêt Nam du Nord en 1954, e subit de violents bombardements américains squ'en 1972. Elle devint la capitale du Viêt am réunifié en 1975.

© Gutierrez-Explorer

*Le théâtre de Hanoi.*

**ANOVRE**, en all. *Hannover* ~ V. d'Allemagne, p. de la Basse-Saxe, sur la Leine, centre commeral (foire internationale), industriel et culturel nusées) ; 521 000 h. **HIST.** - Ancien État d'Allemagne du N., formé à la fin du XVIIe s. par les ducs Brunswick-Lunebourg et érigé en royaume 814). Annexé par la Prusse (1866), il est ujourd'hui compris dans la Basse-Saxe.

**ANOVRE (dynastie de)** ~ Dynastie du N. de Allemagne. En 1692, le duc Ernest-Auguste obtint l'empereur Léopold Ier le titre d'Électeur et, en 714, son fils George-Louis devint roi de Grandeetagne sous le nom de George Ier. Le duché, evenu royaume de Hanovre, resta britannique squ'en 1837, puis passa à Ernest-Auguste Ier, frère u roi Guillaume IV, la reine Victoria ne pouvant n hériter (loi salique).

**lanse** ou **Hanse teutonique** (la) ~ Association marchands allemands, puis de ports de la mer u Nord et de la Baltique, qui s'élargit par la suite à des villes comme Cologne ou Riga (XIIe-XVIIe s.). Elle possédait des comptoirs dans toute l'Europe septentrionale (Novgorod, Londres, Bergen, Bruges). La victoire du Danemark sur Lübeck (1534-1535) amorça son déclin.

**HANSEN** (Gerhard Armauer) ~ *1841, Bergen - 1912, id.* Médecin et botaniste norvégien. Il découvrit le bacille de la lèpre (1874).

**HANSI** (Jean-Jacques **Waltz**, dit) ~ *1873, Colmar - 1951, id.* Dessinateur français. Il illustra le folklore alsacien avec un humour marqué par sa germanophobie (*Histoire d'Alsace racontée aux petits enfants d'Alsace et de France par l'oncle Hansi,* 1912).

**HANTAÏ** (Simon) ~ *1922, Bia, près de Budapest.* Peintre français d'orig. hongroise. Influencé par le surréalisme, puis par l'abstraction lyrique, il a évolué vers une expression fondée sur le pliage de la toile et l'alternance de zones peintes et non peintes.

**HAN Wudi** ou **HAN Wou-ti** ~ *m. en 87 av. J.-C.* Empereur chinois. Son règne (140-87 av. J.-C.) marqua l'apogée des Han.

**HAN Yu** ~ *768 - 824, Chang'an, auj. Xi'an.* Philosophe et prosateur chinois. Réformateur de la prose chinoise, il s'opposa avec virulence, au nom du confucianisme, au bouddhisme et au taoïsme.

**Haoussas** ou **Hausas** (les) ~ Peuple musulman, agriculteur et commerçant, établi not. au N. du Nigeria et au S. du Niger, parlant une langue du groupe afro-asiatique.

**HAOUZ** (le) ~ Plaine du Maroc, site de Marrakech, arrosée par l'oued Tensift et ses affluents. Cultures irriguées (fruits, oliviers).

**HARALD**, nom de plusieurs rois de Danemark. ~ **Harald Ier** (*m. v. 860*) et ~ **Harald Blåtand** (*v. 910 - 986*), roi de 940 à 986, permirent l'implantation du christianisme dans leur royaume.

**HARALD V** ~ *1937, Asker.* Roi de Norvège, il a succédé à son père, Olav V, en 1991.

**HARAR** ~ V. d'Éthiopie, centre admin. et comm., foyer musulman ; 62 000 h. Remparts.

**HARARE**, anc. **Salisbury** ~ Cap. et princ. centre économique (agroalim., chim., coton, meubles) du N. du Zimbabwe, à 1 500 m d'alt. ; 1 184 000 h. Elle fut fondée en 1890 par des colons britanniques.

**HARAT** ~ Voir **Hérat**.

**HARBIN** ou **KHARBIN** ~ V. du N.-E. de la Chine, capitale du Heilongjiang ; 3 100 000 h. Depuis 1949, elle est l'un des principaux foyers industriels de la Chine (métall., chimie, agroalimentaire).

**HARDELLET** (André) ~ *1911, Vincennes - 1974, Paris.* Poète et romancier français. D'abord parolier, il fut distingué par A. Breton et J. Gracq pour le ton de flânerie rêveuse qui imprègne ses romans (*le Seuil du jardin,* 1958 ; *Lourdes, lentes...,* 1969).

**HARDENBERG** (Karl August, prince VON) ~ *1750, Essenrode - 1822, Gênes.* Homme politique prussien. Chancelier d'État (1810-1822), il abolit le servage en 1811 et participa au redressement de la Prusse après ses défaites face à l'Empire napoléonien.

**HARDING** (Warren) ~ *1865, Morrow County, Ohio - 1923, San Francisco.* Homme d'État américain. Sénateur républicain de l'Ohio, puis président des États-Unis (1921-1923), il mena une politique protectionniste et renforça la prohibition.

**HARDOUIN-MANSART** (Jules) ~ Voir **Mansart**.

**HARDT** (la) ~ Plateau gréseux et plaine boisés des confins de l'Alsace (France) et de la Rhénanie-Palatinat (Allemagne), prolongement des Vosges.

**HARDY** (Oliver) ~ Voir **Laurel**.

**HARDY** (Thomas) ~ *1840, dans le Dorset - 1928, Dorchester, id.* Écrivain britannique. Atmosphère provinciale et fatalisme tragique nourrissent son œuvre (*Tess d'Uberville,* 1891 ; *Jude l'obscur,* 1895).

**HARGEISA** ~ Princ. v. du N. de la Somalie ; agglom. 400 000 h. Centre d'échange pour les éleveurs nomades.

**HARI RUD** (le) ~ Fl. d'Asie ; env. 1 100 km. Il naît en Afghanistan (monts Kuh-i-Baba), arrose la plaine de Hérat et se perd dans les sables du Karakoum, au Turkménistan.

**HARLAY DE CHAMPVALLON** (François DE) ~ *1625, Paris - 1695, Conflans.* Prélat français. Archevêque de Paris en 1671, chef de file du courant gallican, il joua un grand rôle dans la révocation de l'édit de Nantes et dans les persécutions contre les jansénistes de Port-Royal. Acad.

**HARLEY** (Robert), 1er comte **d'Oxford** ~ *1661, Londres - 1724, id.* Homme politique britannique. Député whig passé dans les rangs du parti conservateur, speaker du Parlement (1701-1705), il conclut l'Acte d'union (1707) avec l'Écosse et dirigea le gouvernement de 1710 à 1714.

**HARNONCOURT** (Nikolaus) ~ *1929, Berlin.* Violoncelliste, violiste et chef d'orchestre autrichien. Il a renouvelé l'interprétation de la musique baroque en utilisant des instruments anciens.

**HAROLD**, nom de deux rois d'Angleterre. ~ **Harold Ier**, dit **Harefoot** (*m. en 1040 à Oxford*), roi de 1035 à 1040. ~ **Harold II** (*v. 1022 - 1066, Hastings*), roi en 1066, fut vaincu et tué par Guillaume le Conquérant.

**HAROUN AL-RACHID** ~ *766, Rey, Perse - 809, Tus, Khorassan.* Calife abbasside (786-809). Il créa à Bagdad une cour fastueuse et cultivée et entra dans la légende grâce aux *Mille et Une Nuits.*

**Harpies** ou **Harpyes** (les) ~ Divinités grecques. Les trois sœurs Aello, Ocypété et Célaeno, mi-femmes, mi-oiseaux, auxiliaires de la vengeance divine, entraînaient les âmes dans les Enfers.

**HARPOCRATE** ~ Dieu égyptien représenté par un enfant suçant son pouce. Il figurait Horus enfant. Les Grecs et les Romains en firent le dieu du Silence.

**HARRIMAN** (William Averell) ~ *1891, New York - 1986, Yorktown Heights, État de New York.* Financier et homme politique américain. Magnat des chemins de fer, il fut secrétaire d'État au Commerce (1946), puis ambassadeur itinérant du plan Marshall en Europe (1948-1950).

**HARRIS** (Zellig Sabbetai) ~ *1909, Balta, Ukraine.* Linguiste américain. Spécialiste des langues sémitiques, il a créé la linguistique distributionnelle (*Methods in Structural Linguistics,* 1957) puis transformationnelle.

**HARRISBURG** ~ Cap. de la Pennsylvanie (États-Unis), centre industriel (sidér., métall.), dans les Appalaches ; 53 000 h. Instituts de recherche et d'enseignement.

**HARRISON**, nom de deux présidents républicains des États-Unis. ~ **William** (*1773, Charles City County, Virginie - 1841, Washington*), élu en 1840, mourut un mois après son entrée en fonctions. Son petit-fils ~ **Benjamin** (*1833, North Bend, Ohio - 1901, Indianapolis*) fut président de 1889 à 1893.

**HARROGATE** ~ V. d'Angleterre, au N. de Leeds ; 66 000 h. Université. Station thermale.

**HARTFORD** ~ Cap. du Connecticut (États-Unis), centre industriel et financier ; 140 000 h.

**HARTUNG** (Hans) ~ *1904, Leipzig - 1989, Antibes.* Peintre français d'orig. allemande. Rallié à l'abstraction dès le début des années 1920, il cultiva un art gestuel d'une extrême sobriété calligraphique et chromatique.

**HARUNOBU Suzuki** ~ *1725, Edo - 1770, id.* Graveur japonais. Maître de l'estampe, il exalta la femme dans des attitudes naturelles et élégantes.

**Harvard (université)** ~ La plus ancienne et l'une des plus prestigieuses universités privées américaines, fondée en 1636 par John Harvard à Cambridge (Massachusetts).

*Le campus de l'université Harvard.*

© G. Boutin-Explorer

**HARVEY** (William) ~ *1578, Folkestone - 1657, Londres.* Médecin et chirurgien anglais. Il découvrit le mécanisme de la circulation sanguine (1628) et posa les jalons de l'embryologie (1651).

**HARYANA** (le) ~ État du N. de l'Inde, né en 1966 de la division du Pendjab ; 44 212 km², 16 464 000 h., cap. Chandigarh. Agric. irriguée. Industries bénéficiant de la proximité de New Delhi.

**HARZ** (le) ~ Massif hercynien (mont Brocken, 1 142 m) qui domine les plaines d'Allemagne du Nord (Saxe), entre l'Elbe et la Weser, exploité depuis le Moyen Âge pour ses minerais. Tourisme.

**HASAN IBN AL-SABBAH** ~ *m. en 1124 à Alamut, Perse.* Chef religieux persan. Il fonda la secte des Assassins.

**HASDRUBAL**, nom de plusieurs généraux carthaginois. ~ **Hasdrubal**, dit **le Beau** (*v. 270 - 221 av. J.-C.*), beau-frère d'Hannibal, dirigea l'Espagne et fonda Carthagène. ~ **Hasdrubal Barca** (*v. 245 - 207 av. J.-C.*) franchit les Alpes au secours de son frère Hannibal mais fut vaincu et tué au Métaure avant de l'avoir rejoint.

**HAŠEK** (Jaroslav) ~ *1883, Prague - 1923, Lipnice nad Sázavou, Bohême.* Écrivain tchèque. Libertaire, polygraphe satirique, il créa le type du « brave soldat Chveik », personnage de plusieurs de ses romans, victime de l'absurdité de la guerre.

**HASSA** ou **HASA** (le) ~ Région la plus riche d'Arabie Saoudite, entre le désert du Nefoud et le golfe Persique. Parsemée de nombreuses oasis (al-Hufuf est la plus importante), elle recèle les principaux gisements de pétrole du pays. V. princ. Dammam, port pétrolier.

**HASSAN** ~ *v. 624 - 669, Médine.* Deuxième imam des chiites, fils d'Ali et de Fatima.

**HASSAN II** ou **HASAN II** ~ *1929, Rabat.* Roi du Maroc depuis 1961, fils de Mohammed V. Au cours d'un règne d'abord marqué par des complots militaires, il a gagné le soutien de son opposition légale en organisant la « marche verte » (1975-1976) en vue de récupérer le Sahara occidental. Commandeur des croyants, il a fait ériger la mosquée de Casablanca, qui porte son nom. Sur le plan international, il se distingue par sa position modérée dans le conflit israélo-arabe.

**HASSE** (Johann Adolf) ~ *1699, Bergedorf, Hambourg - 1783, Venise.* Compositeur allemand, maître de l'opéra sérieux napolitain (*Demofoonte*, 1748).

**HASSELT** ~ Ch.-l. du Limbourg belge, près du canal Albert ; 67 000 h. Distilleries. Église St-Quentin (XIVe-XVIe s.), béguinage (XVIIIe s.), halles (XVIe s.).

**Hassi Messaoud** ~ Gisement de pétrole du Sahara algérien, au S.-E. de Wargla, exploité depuis 1956.

**Hassi R'Mel** ~ Gisement de gaz naturel du Sahara algérien, au S. de Laghouat, découvert en 1956.

**HASTINGS** ~ Port et station baln. d'Angleterre, sur la Manche ; 75 000 h. Site de la victoire de Guillaume le Conquérant sur Harold II qui lui assura la Couronne anglaise (14 oct. 1066).

**HATHAWAY** (Henry) ~ *1898, Sacramento - 1985, Los Angeles.* Cinéaste américain. Il réalisa surtout des films d'aventure (*les Trois Lanciers du Bengale*, 1935 ; *Peter Ibbetson*, 1935).

**HATHOR** ~ Déesse égyptienne de l'Amour et de la Joie, représentée soit par une vache, soit par une femme, et identifiée par les Grecs à Aphrodite.

**HATTERAS (cap)** ~ Saillant formé par une île sableuse du littoral de la Caroline du Nord, d'où le Gulf Stream s'écarte de la côte des États-Unis. Parc national (réserve ornithologique).

**HAUPTMANN** (Gerhart) ~ *1862, Bad Salzbrunn, Silésie - 1946, Agnetendorf.* Écrivain allemand. Le drame naturaliste (*les Tisserands*, 1892) et le classicisme grec sont à la source de son œuvre théâtrale. *Le Grand Rêve* (1942) est son poème épique le plus connu. Prix Nobel de litt. 1912.

**HAURAN** ou **HAWRAN** (le) ~ Plaine fertile du S.-O. de la Syrie, entre le Golan et le djebel Druze, colonisée par les Druzes. Céréaliculture pluviale.

**Hausas** (les) ~ Voir Haoussas.

**HAUSDORFF** (Felix) ~ *1868, Breslau - 1942, Bonn.* Mathématicien allemand, auteur de travaux en algèbre, en analyse, en topologie et sur la théorie des ensembles.

**HAUSER** (Kaspar) ~ *v. 1812 - 1833, Ansbach, Allemagne.* Enfant sauvage trouvé en 1828, il a été identifié par certains comme le fils abandonné du grand-duc Charles de Bade. Son destin a inspiré des écrivains (Verlaine) et des cinéastes (Fr. Truffaut).

**HAUSMANN** (Raoul) ~ *1886, Vienne - 1971, Limoges.* Peintre et photographe allemand. Cofondateur du mouvement dada (1917) de Berlin, il abandonna la peinture en 1923. Fuyant le nazisme (1933), il s'installa à Limoges. Il alterna photomontages et travaux sur l'ombre et la lumière, et publia des articles théoriques.

**HAUSSMANN** (Georges, baron) ~ *1809, Paris - 1891, id.* Administrateur et homme politique français. Préfet de la Seine (1853-1870), il dirigea les grands travaux destinés à faire de Paris une ville moderne mais aussi à écarter du centre les populations ouvrières et à faciliter les interventions des forces de l'ordre.

*Le percement des boulevards au temps du baron **Haussmann**.*

**HAUT-ADIGE** ~ Voir **Trentin - Haut-Adige**.

**Haut-Brion (château)** ~ Domaine viticole de Gironde (1er cru classé de graves).

**Haut-Commissariat des Nations unies pour les réfugiés** (H. C. R.) ~ Agence spécialisée de l'O. N. U., créée en 1950. Il a pour objet la protection internationale et l'assistance aux réfugiés. Prix Nobel de la paix 1954 et 1981.

**Hautecombe** ~ Abbaye savoyarde (sur le lac du Bourget) fondée par Amédée III (1125), qui la confia aux Cisterciens. Rebâtie au XVIIIe s., elle fut occupée de 1922 à 1992 par les Bénédictins. Sépulture des souverains de la maison de Savoie.

**HAUTERIVES** ~ Village de la Drôme ; 1 202 h. *Palais idéal* du facteur Cheval (fin XIXe s.).

**hautes études (École pratique des)** ~ Établissement français d'enseignement formant à la recherche, créé par Victor Duruy (1868).

**hautes études en sciences sociales (École des)** ou **E. H. E. S. S.** ~ Établissement français d'enseignement et de recherche, créé en 1975 et issu de la VIe section (fondée par L. Febvre) de l'École pratique des hautes études.

**HAUTE-VOLTA** (la) ~ Voir **Burkina Faso**.

**Haut-Kœnigsbourg** (le) ~ Château féodal dominant la plaine d'Alsace, à l'O. de Sélestat (Bas-Rhin). Incendié (1633), il fut reconstruit à l'initiative de l'empereur Guillaume II.

**HAUTMONT** ~ V. industrielle du Nord, sur la Sambre ; 17 475 h. Sidér., métall., chimie.

**HAUTS-DE-SEINE** (les) ~ Dép. de la Région Île-de-France qui englobe les communes de la proche banlieue O. et S.-O. de Paris et tire son nom des hauteurs dominant la r. g. de la Seine ; 175 km², 1 391 658 h., préfect. Nanterre. Entièrement urbanisé mais ponctué d'espaces verts étendus (parc de Saint-Cloud, bois de Meudon, parc de Sceaux), il comprend not. un noyau industriel au N. (de Puteaux à Gennevilliers) et un ensemble résidentiel aisé au centre (O. du bois de Boulogne). La création récente du quartier de la Défense (O. de Neuilly), prolongement des quartiers d'affaires de la capitale, manifeste l'extension des activités tertiaires de commandement dans le département.

**HAÜY** ~ abbé **René Just** (*1743, Saint-Just-en-Chaussée, Oise - 1822, Paris*), minéralogiste français. Pionnier de la physique des cristaux, il est l'initiateur de la minéralogie moderne. Son frère ~ **Valentin** (*1745, Saint-Just-en-Chauss… 1822, Paris*), pédagogue, inventa un système … lecture pour les aveugles, et fut à l'origine de l'I… titut national des jeunes aveugles (I. N. J. A.).

*La Havane, le vieux quartier.*

**HAVANE (La)**, en esp. ***La Habana*** ~ Cap. de Cu… 1er centre portuaire, industr. (distilleries de rhu… conserveries, sucreries, tabac) et culturel du pay… 2 096 000 h. La vieille ville garde de riches tra… architecturales de son passé colonial (maiso… églises). HIST. - Fondée en 1519 par Di… Velázquez, elle fut, jusqu'au XIXe s., l'étape obli… du commerce entre l'Espagne et ses colon… américaines. Fidel Castro y entra le 8 janvier 19…

**HAVEL** (la) ~ Affl. de l'Elbe (r. dr.), au N.-E. … l'Allemagne, relié à l'Oder par un canal ; 341 k… Elle reçoit la Spree.

**HAVEL** (Václav) ~ *1936, Prague.* Écrivain … homme d'État tchèque. Il a été l'auteur d'un théâ… militant (*Largo desolato*, 1984) qui lui valut … prison. Dissident notoire, il participa au mou… ment de la Charte 77 pour la défense des dro… de l'homme, et fut élu président de la Tchécoslo… quie après la « révolution de velours » de 1989, p… président de la République tchèque en 1993, ap… la partition du pays.

**HAVRE (Le)** ~ V. et port international de la poi… du pays de Caux, à l'embouchure de la Se… (Seine-Mar.) ; 195 854 h. (agglom. 253 627 h… Ville de tradition ouvrière, c'est auj. le 2e p… français (après Marseille) et le 5e port europé… spécialisé dans l'importation de pétrole (Antif… et le trafic conteneurisé (« port rapide »). Activi… nées de la fonction portuaire (chantiers nava… pétrochimie, industrie alim., centrale thermiqu… auj. diversifiées (automobile, banques, compagn… d'assurances). Évêché. Université. Église en bét… St-Joseph. Musée des Beaux-Arts, musée de l'Anc… Havre. HIST. - Fondée en 1517 par François Ier, … ville se développa au XIXe s. avec le trafic tra… atlantique. Très endommagée durant la Secon… Guerre mondiale, elle fut reconstruite sous … direction d'Auguste Perret.

*Le Havre, l'espace Niemeyer (centre culturel).*

**HAWAII (îles)**, anc. **îles Sandwich** ~ Archi… volcanique (au S.-E.) et corallien (au N.-O.) … l'océan Pacifique, le plus septentrional et le pl… étendu de Polynésie, 50e État des États-Unis dep… 1959 ; 16 636 km², 1 108 000 h., cap. Honolu… (île d'Oahu). Les îles principales (au S.-E.) so… Oahu (1 573 km², 836 000 h.) et Haw… (10 414 km², 120 000 h.). Partie émergée d'u… chaîne volcanique sous-marine (volcans acti… séismes), l'archipel, très montagneux (4 210 m … Mauna Kea), jouit d'un climat chaud toute l'ann…

:s humide sur les littoraux exposés et en altitude. ınne à sucre, ananas, maïs. Le tourisme est la emière ressource. La population indigène (instal- : depuis le XIe s.) est auj. très métissée (autres oupes : Nord-Américains, Japonais, Philippins). **ST.** - *1778* : James Cook visite les îles et y est é l'année suivante. *1795* : l'archipel est unifié par ımehameha Ier. *1820* : arrivée des premiers issionnaires. *1850-1900* : colonisation économi- ıe (planteurs de canne à sucre) et implantation ilitaire (base navale de Pearl Harbor) des États- ıis, qui annexent l'archipel en 1898. *7 déc. 1941* : ttaque japonaise sur Pearl Harbor déclenche la ıerre du Pacifique.

**AWKES** (John) ~ *1925, Stamford, Connecticut.* omancier américain. Sa prose expérimentale a ıouvelé le genre (*les Oranges de sang*, 1971).

**AWKINS** (Coleman) ~ *1904, Saint Joseph, Mis- ıri - 1969, New York.* Jazzman américain. Il ınna ses lettres de noblesse au saxophone ténor.

**AWKINS** ou **HAWKYNS** (sir John) ~ *1532, ymouth - 1595, au large de Porto Rico.* Navigateur glais. Il fut l'un des précurseurs de la traite des oirs entre l'Afrique et les colonies espagnoles Amérique (1562).

**AWKS** (Howard) ~ *1896, Goshen, Indiana - 977, Palm Springs.* Cinéaste américain. Il réalisa s thrillers (*le Grand Sommeil*, 1946), des films aventures (*Seuls les anges ont des ailes*, 1939), des médies (*Les hommes préfèrent les blondes*, 1953) des westerns (*Rio Bravo*, 1958).

**AWRAN** (le) ~ Voir **Hauran**.

**AWTHORNE** (Nathaniel) ~ *1804, Salem - 864, Plymouth.* Romancier américain. Il enracina ns le puritanisme de la Nouvelle-Angleterre une ıvre au fantastique angoissé (*la Lettre écarlate*, 850).

**AYANGE** ~ V. du bassin sidérurgique de Thion- le (Moselle), sur la Fensch ; 15 638 h.

**AYDN** (Joseph) ~ *1732, Rohrau - 1809, Vienne.* ompositeur autrichien. Il a personnifié le classi- sme viennois, dont il contribua à fixer les règles ıot. celles de la forme sonate). Il a magistralement atiqué tous les genres : symphonie (dont les ouze symphonies dites londoniennes, 1791-1795), éra (*Armide*, 1783), musique de chambre (qua- ors, sonates et trios), oratorio (*la Création*, 1798 ; *s Saisons*, 1801).

**AYE (La)**, en néerl. ***Den Haag*** ou ***'s-Gravenhage*** ~ des Pays-Bas, siège du gouvernement et cap. olitique de fait (grandes administrations, résidence yale, ambassades), ch.-l. de la Hollande-Méridio- ale, l'un des trois pôles de la Randstad Holland ; 45 000 h. (agglom. 695 000 h.). Siège d'orga- ısmes juridiques internationaux (not. de la Cour ternationale de justice), La Haye est un grand ntre de services (sièges sociaux de banques, surances, grandes firmes comm. et industr.). alais comtal (XIIIe s.), Grande Église (XIVe s.) et alais royaux (XVIIe s.). Riches musées de peintures, ont le prestigieux Mauritshuis (Rembrandt, Ver- eer, Steen) du XVIIe s. **HIST.** - Construite sur le e d'un rendez-vous de chasse des comtes de ollande, La Haye fut choisie comme siège des états énéraux des Provinces-Unies aux XVIIe et XVIIIe s.

**AYEK** (Friedrich August VON) ~ *1899, Vienne - 992, Fribourg-en-Brisgau.* Économiste britannique orig. autrichienne. Néolibéral, il chercha à dé- ontrer le lien entre les cycles économiques et le ux d'épargne (*la Théorie monétaire et le Cycle des faires*, 1928). Prix Nobel de sc. écon. 1974.

**AYES** (Rutherford Birchard) ~ *1822, Delaware, hio - 1893, Fremont, id.* Homme d'État américain, publicain, président des États-Unis de 1877 à 881.

**AYKAL** (Muhammad Husayn) ~ *1888, Tanta - 956, Le Caire.* Écrivain égyptien. Il est l'auteur du remier roman arabe moderne, qui traite des mœurs aysannes (*Zaynab*, 1914).

**AŸ-LES-ROSES (L')** ~ V. de la banlieue S. de aris (Val-de-Marne) ; 29 746 h. Roseraie.

**AYWORTH** (Margarita Carmen **Cansino**, dite ta) ~ *1918, New York - 1987, id.* Actrice améri- ıine. Elle s'illustra not. dans deux thrillers hors ı commun : *Gilda* (1946), de Ch. Vidor, et *la ame de Shanghai* (1948), de son mari O. Welles.

**Hazaras** (les) ~ Peuple pasteur guerrier d'Asie centrale, semi-nomade, parlant une langue iranienne.

**HAZEBROUCK** ~ V. de la Flandre intérieure (Nord) ; 20 567 h. Industries text., agroalim., mécanique. Église St-Éloi (XVIe s.). Musée dans l'ancien couvent des Augustins (XVIe-XVIIe s.).

**H. C. R.** ~ Voir **Haut-Commissariat des Nations unies pour les réfugiés.**

**HEAD** (sir Henry) ~ *1861, Londres - 1940, Reading.* Neurophysiologiste britannique. Il étudia les perturbations de la sensibilité cutanée et les troubles du langage.

**HEANEY** (Seamus) ~ *1939, Londonderry.* Poète irlandais. Élégiaque et pastorale, son œuvre est très populaire en Irlande (*Endurer l'hiver*, 1972). Prix Nobel de litt. 1995.

**HEARD (île)** ~ Île australe subantarctique (53° 6' de lat S.) du S. de l'océan Indien, possession australienne ; env. 400 km$^2$.

**HEARST** (William Randolph) ~ *1863, San Francisco - 1951, Beverly Hills, Californie.* Journaliste et homme d'affaires américain. Propriétaire d'une chaîne d'une quarantaine de journaux et magazines, il lança la presse à sensation.

**HEARTFIELD** (Helmut **Herzfeld**, dit John) ~ *1891, Berlin - 1968, id.* Artiste allemand. Communiste, cofondateur du groupe dada de Berlin, il est l'auteur de photomontages qui dénoncent la société bourgeoise et le nazisme.

**HEATH** (Edward) ~ *1916, Broadstairs, Kent.* Homme politique britannique. Premier ministre conservateur (1970-1974), il fit entrer la Grande-Bretagne dans le Marché commun (1972). Il dut abandonner la direction du Parti conservateur à M. Thatcher en 1975.

**HEAVISIDE** (Oliver) ~ *1850, Londres - 1925, Torquay, Devon.* Mathématicien et physicien britannique. Il définit la notion d'impédance (1886), traduisit la dynamique de l'électron en termes vectoriels, et découvrit la couche atmosphérique ionisée qui porte son nom (1902).

**HEBBEL** (Friedrich) ~ *1813, Wesselburen, Holstein - 1863, Vienne.* Dramaturge allemand. Auteur de *Judith* (1839) et de la trilogie des *Nibelungen* (1861), qui exaltent mythes universels et légendes germaniques.

**HEBEI** ou **HO-PEI** (le) ~ Prov. de la Chine du N. constituée à l'E. par une plaine sur le golfe de Bohai, encadrée de montagnes moyennes ; 202 700 km$^2$, 60 280 000 h., cap. Shijiazhuang. Céréales, soja, coton. Industrie fondée sur les ressources de charbon et de fer, auj. diversifiée. Grands travaux de drainage après 1950.

**HÉBERT** (Anne) ~ *1916, Sainte-Catherine-de-Fossambault, Québec.* Écrivain canadien d'expression française, auteur de recueils poétiques (*le Tombeau des rois*, 1953) et de romans (*Kamouraska*, 1970) qui expriment la solitude et l'enfermement.

**HÉBERT** (Jacques René) ~ *1757, Alençon - 1794, Paris.* Journaliste et homme politique français. Fondateur du *Père Duchesne* (1790), journal exprimant, dans un style argotique, les vues des sans-culottes, membre influent du club des Cordeliers et substitut du procureur de la Commune de Paris (1792), il s'opposa aux Girondins ainsi qu'à Danton, réclama la Terreur et l'éradication du christianisme. Arrêté sur ordre de Robespierre, qu'il accusait de modération, il fut guillotiné. Sa femme publia *la Mère Duchesne*.

**HÉBERT** (Louis) ~ *1575, Paris - 1627, Québec.* Apothicaire français. Il fut le premier colon français au Canada (1617), où il introduisit le pommier.

**Hébreux** (les) ~ Peuple sémite du Moyen-Orient ancien. Son nom, *Ibrim*, signifie « ceux d'au-delà ». Vers 1900 av. J.-C., des tribus semi-nomades émigrent de Mésopotamie vers Harran (Syrie des deux fleuves), puis vers l'O. où ils se mêlent au peuple de Canaan (Palestine). C'est l'époque des patriarches bibliques Abraham, Isaac et Jacob. L'une de ces tribus, celle d'Israël, émigre en Égypte (v. 1770), où elle est acceptée par les Hyksos puis opprimée sous le règne de Ramsès II (1250). Guidés par Moïse (1220), les Hébreux quittent ce pays pour le désert du Sinaï (Exode) et s'installent en Palestine (1200), où ces « fils d'Israël » se sédentarisent et adoptent de nombreux traits de la civilisation cananéenne. Les 12 tribus se fédèrent (période des « Juges », 1200-1030) puis créent une monarchie (1030-931), dont les souverains successifs sont Saül, David et Salomon. À la mort de Salomon, le royaume se sépare en deux États ennemis : au N., Israël et, au S., Juda. Israël est pris par les Assyriens en 721, et Nabuchodonosor, empereur babylonien, conquiert Juda en 587, détruit Jérusalem et déporte la population à Babylone. La domination des Perses (538-332) permet le retour des déportés et la refondation de Jérusalem, qui se prolonge par la tutelle des Grecs (332-140). Le soulèvement des Maccabées assure aux Hébreux une nouvelle indépendance jusqu'à la sujétion romaine (63 av. J.-C.). Hérode rebâtit le Temple en 37 av. J.-C. En 70 apr. J.-C., Titus fait détruire le second Temple de Jérusalem et soumet la résistance juive à Massada. Le peuple d'Israël est contraint à la dispersion (Diaspora).

**HÉBRIDES (îles)** ~ Îles atlantiques du N.-O. de l'Écosse (env. 45 000 h.), partagées entre les Inner Hebrides (Islay, Jura, Skye), côtières, et les Outer Hebrides (Lewis, Uist), plus au large, formant une entité administrative distincte (2 898 km$^2$, 30 000 h.). Climat hyperocéanique. Relief vigoureux (alt. max. 1 000 m), marqué par l'empreinte glaciaire. Depuis le XIXe s., l'économie traditionnelle (pommes de terre, ovins, pêche, travail de la laine) n'empêche plus l'émigration.

**HÉBRON**, auj. ***al-Khalil*** ~ V. de Cisjordanie, au S.-O. de Jérusalem ; env. 75 000 h. Anc. cité cananéenne. La Bible y situe le tombeau d'Abraham.

**HÉCATE** ~ Divinité grecque de la Magie, des Enchantements et des Terreurs nocturnes, représentée par une femme à trois têtes.

**HÉCATÉE DE MILET** ~ *v. 540 - v. 480 av. J.-C.* Historien et géographe grec. Auteur d'un *Voyage autour du monde* (il voyagea en Asie, en Égypte et en Europe) et de *Généalogies*, il perfectionna les cartes d'Anaximandre.

**HECTOR** ~ Personnage de *l'Iliade*. Fils aîné de Priam et d'Hécube, époux d'Andromaque, il fut tué par Achille lors du siège de Troie.

**HEDAYAT** (Sadeq) ~ *1903, Téhéran - 1951, Paris.* Écrivain iranien. Critique virulent de la société iranienne, il dépeint la vie des déshérités dans une langue sobre qui fait appel aux expressions populaires (*la Chouette aveugle*, 1936).

**HEDJAZ** (le) ~ Région hist. (auj. prov. de l'Ouest) d'Arabie Saoudite, entre Akaba (Jordanie) au N. et l'Asir au S., baignée par la mer Rouge ; env. 3 000 000 d'h. Plateau désertique ponctué d'oasis, c'est le berceau de l'islam, où vécut Mahomet. La Mecque et Médine attirent chaque année 2 000 000 de pèlerins. Djedda en est le débouché portuaire. Anc. possession ottomane, dont le chérif Hussein ibn Ali fit un royaume indépendant (1916-1924), avant l'union avec le Nedjd (1932).

**HEERLEN** ~ V. industrielle (métall., autom.) du Limbourg (Pays-Bas) ; 96 000 h. Musées géologique et archéologique. Thermes romains.

**HEFEI** ou **HO-FEI**, anc. **Luzhou** ~ V. industr. de Chine, cap. de l'Anhui, à l'O. de Nankin ; env. 730 000 h. Deux universités.

**HEGEL** (Friedrich) ~ *1770, Stuttgart - 1831, Berlin.* Philosophe allemand. Condisciple de Schelling au séminaire protestant de Tübingen, il s'enthousiasma pour les idées de la Révolution française. Précepteur, puis professeur de philosophie à Iéna, il publia *la Phénoménologie de l'esprit* (1807) et *Science de la logique* (1812-1816). Reconnu comme le philosophe majeur de son époque, il obtint une chaire à Berlin, où il enseigna les *Principes de la philosophie du droit* (1821). L'essentiel de son œuvre, tiré de ses cours, est posthume (*Esthétique ; Philosophie de l'histoire ; Philosophie de la religion ; Histoire de la philosophie*). Le projet de ce penseur systématique et encyclopédique fut de traduire toute la réalité dans la forme de la pensée conçue comme un mouvement dialectique. Il inspira aussi bien des théoriciens de l'État que des penseurs révolutionnaires, et son influence fut aussi paradoxale que durable. [☞ **hégélianisme.**]

**HEIBERG**, famille d'écrivains danois. ~ **Peter Andreas** (*1758, Vordingborg - 1841, Paris*), auteur de romans, de pamphlets et de satires, fut le secrétaire de Talleyrand. Son fils ~ **Johan Ludvig** (*1791, Copenhague - 1860, Bonderup*) écrivit des vaudevilles moralisants. Disciple de Hegel, publiciste, esthéticien et critique, il domina la vie intellectuelle de son temps.

**HEIDEGGER** (Martin) ~ *1889, Messkirch, Souabe - 1976, id.* Philosophe allemand. Nommé recteur de l'université de Fribourg-en-Brisgau — où il avait été l'élève de Husserl — sous l'administration nazie (1933), il démissionna après dix mois de coopération. *Être et Temps* (1927) inaugure, par l'étude du sens de l'être, une ontologie qu'il abandonna au profit d'une pensée de la finitude du dasein abordée par un questionnement de ses modes d'être. À la question de la technique il répond par celle du langage, dont il voit l'accomplissement, comme « maison de l'être », dans la langue poétique, qui ne signifie pas, mais montre l'être (*Qu'est-ce que la métaphysique ?*, 1938 ; *Chemins qui ne mènent nulle part*, 1950 ; *Questions I-IV*, 1968-1976).

**HEIDELBERG** ~ V. du S.-O. de l'Allemagne, sur le Neckar (Bade-Wurtemberg) ; 140 000 h. Résidence des Électeurs palatins du XIIIe au XVIIIe s. (château). L'université (la plus ancienne du pays, 1386) devint un foyer du calvinisme au XVIe s.

**HEILBRONN** ~ Port fluvial, centre comm. (vins) et industr. (constr. mécan.) du S.-O. de l'Allemagne (Bade-Wurtemberg), sur le Neckar ; 119 000 h. Église St-Kilian (XIIIe-XVIe s.).

**HEILONGJIANG** ou **HEI-LONG-KIANG** (le) ~ Prov. de la Chine du N.-E., partie de la Mandchourie hist., partagée entre régions de moyennes montagnes et de plaines, région pionnière au XXe s. (défrichement de la forêt) ; 463 600 km², 34 770 000 h., cap. Harbin. Climat continental. Les productions agricoles (blé, betterave à sucre, maïs, soja), énergétiques (charbon, pétrole) et minières alimentent une puissante industrie.

**HEINE** (Heinrich, en fr. Henri) ~ *1797, Düsseldorf - 1856, Paris.* Poète allemand. Maître de la poésie romantique, auteur d'une œuvre très populaire (*le Livre des chants*, 1827-1844), il s'exila à Paris, où il put exprimer son lyrisme libertaire et faire connaître l'âme allemande (*De l'école romantique*, 1833-1835).

**HEINEMANN** (Gustav) ~ *1899, Schwelm, Westphalie - 1976, Essen.* Homme d'État ouest-allemand. D'abord chrétien-démocrate, il rejoignit le S. P. D. en 1957 puis fut président de la République fédérale (1969-1974).

**HEINSIUS** (Anthonie) ~ *1641, Delft - 1720, La Haye.* Homme politique hollandais. Grand pensionnaire de Hollande, il fut l'auteur de la grande alliance de La Haye (1701). Il prit la tête de la coalition contre Louis XIV à la mort de Guillaume III d'Orange.

**HEISENBERG** (Werner) ~ *1901, Würzburg - 1976, Munich.* Physicien allemand. Il établit la mécanique quantique et énonça le principe d'incertitude qui porte son nom : « Il est impossible et dépourvu de sens de mesurer simultanément la position et la vitesse d'une particule. » Prix Nobel de phys. 1932.

**HEKLA** (le) ~ Volcan à plusieurs cratères du S. de l'Islande (1 491 m). Dernière éruption en 1947.

**HELDER (Le)**, en néerl. ***Den Helder*** ~ Port de pêche et base militaire des Pays-Bas (N. de la Hollande) ; 61 000 h. Batailles navales aux XVIIe et XVIIIe s.

**HÉLÈNE** (sainte) ~ *milieu du IIIe s., Drepanum, Bithynie - v. 335, Nicomédie.* Mère de l'empereur Constantin. Elle aurait découvert la sainte Croix lors d'un pèlerinage en Terre sainte.

**HÉLÈNE** ~ Dans la mythologie grecque, fille de Léda. Épouse de Ménélas, symbole de la beauté fatale, elle fut enlevée par Pâris, ce qui provoqua la guerre de Troie.

**HELGOLAND** ou **HÉLIGOLAND** ~ Île frisonne de la mer du Nord (Allemagne). La Grande-Bretagne l'enleva au Danemark (1807) et l'échangea avec l'Allemagne contre Zanzibar (1890). L'Allemagne en fit une base de sous-marins, détruite en 1947, puis la transforma en parc naturel (1952).

**HÉLI** ou **ÉLI** ~ *XIe s. av. J.-C.* Personnage biblique. Juge et grand prêtre des Juifs, il éleva Samuel.

**HÉLICON** (l') ~ Montagne de Grèce (1 748 m), en Béotie. Séjour mythique des Muses.

**Héliée** (l') ~ Assemblée qui se tenait dans de nombreuses cités grecques antiques. À Athènes, l'Héliée désignait un tribunal, dont les membres étaient tirés au sort (Ve-IVe s. av. J.-C.), siégeant à ciel ouvert, sous le soleil (*hélios*).

**HÉLIODORE** ~ *IIIe s. apr. J.-C., Émèse.* Écrivain grec, célèbre jusqu'à l'époque de la Renaissance pour ses *Éthiopiques*, roman en 10 livres.

**HÉLIOGABALE** ~ Voir **Élagabal.**

**HÉLION** (Jean) ~ *1904, Couterne, Orne - 1987, Paris.* Peintre français. Membre des groupes Art concret et Abstraction-Création dans les années 1930, il revint à une manière figurative suivant un style schématisé (*Scène journalière*, 1947-1948).

**HÉLIOPOLIS** ~ V. de l'Égypte ancienne, au S. du delta du Nil. Centre du culte du dieu solaire Râ, elle joua un rôle religieux prépondérant. Victoires du sultan Selim sur les Mamelouks (1517) et de Kléber sur les Turcs (1800).

**HÉLIOS** ~ Dieu grec du Soleil et de la Lumière.

**HELLADE** (l') ~ Nom ethnique de la Grèce. Il a plus spécialement désigné, dans l'Antiquité, la région située au N. du golfe de Corinthe.

**HELLÊN** ~ Héros mythique grec. Ses fils auraient donné naissance aux peuples hellènes (Doriens, Éoliens, Achéens et Ioniens).

**HELLENS** (Frédéric **Van Ermenghem**, dit Franz) ~ *1881, Bruxelles - 1972, id.* Écrivain belge d'expression française, auteur d'une œuvre d'inspiration fantastique et lyrique (*Mélusine*, 1920).

**HELLESPONT** (l') ~ Anc. nom des Dardanelles.

**HELMAND** ou **HILMAND** (l') ~ Le plus long fleuve d'Afghanistan, né à l'O. de Kaboul, tribut. du lac du Sistan (Iran) ; 1 100 km.

**HELMHOLTZ** (Hermann VON) ~ *1821, Potsdam - 1894, Charlottenburg.* Physicien et physiologiste allemand. Il définit l'énergie potentielle et affirma la conservation de l'énergie (1847). Il mesura la vitesse de l'influx nerveux (1850), énonça les lois du mouvement tourbillonnaire (1858) et découvrit l'influence des harmoniques sur le timbre des sons (1862). Il imagina des résonateurs qui portent son nom (1863-1877) et étudia la dispersion de la lumière (1875).

**HELMONT** (Jan Baptist VAN) ~ Voir **Van Helmont.**

**HÉLOÏSE** ~ *1101, Paris - 1164, couvent du Paraclet, Quincy, Aube.* Nièce du chanoine Fulbert, elle fut l'élève et l'épouse d'Abélard. Séparée de lui, elle devint abbesse du Paraclet. Elle échangea avec Abélard une correspondance remarquable par son élévation spirituelle.

**HELSINGØR** ~ Voir **Elseneur.**

**HELSINGBORG** ~ Voir **Hälsingborg.**

**HELSINKI**, en suéd. ***Helsingfors*** ~ Cap. de la Finlande, construite sur une presqu'île du golfe de Finlande ; 509 000 h. Premier centre industriel du pays (text., chim., agroalim., constr. mécan., électr. et navales), elle assure en outre la moitié du trafic portuaire national. Fondée en 1550 par Gustave Ier Vasa, capitale depuis 1812, la ville se caractérise par un urbanisme aéré (parcs de Kaisaniemi et de Kaivopuisto). Architecture néoclassique (église St-Nicolas, université, Conseil d'État) du XIXe s. ou moderne (gare, Musée national, bibliothèques).

**Helvètes** (les) ~ Peuple celte établi vers la fin du IIe s. av. J.-C. en Allemagne du S. Au Ier s. av. J.-C., ils occupaient la majeure partie de la Suisse occidentale. Ils émigrèrent vers la Gaule mais César les battit dans le Morvan en 58 av. J.-C. et les contraignit à repasser le Jura.

**HELVÉTIE** (l') ~ Pays des Helvètes, partie orientale de la Gaule correspondant approximativement à la Suisse actuelle.

**HELVÉTIQUE (Confédération)** ~ Voir **Suisse.**

**HELVÉTIUS** (Claude Adrien) ~ *1715, Paris - 1771, Versailles.* Philosophe français. Inscrit dans le mouvement des Lumières, il développa une doctrine matérialiste et sensualiste, où il soulignait le rôle formateur de la société sur le caractère (*De l'homme, de ses facultés intellectuelles et de son éducation*, posth., 1772).

**HEM** ~ V. industr. de la banlieue S. de Roubaix (Nord) ; 20 200 h. Chapelle moderne (vitraux).

**HEMINGWAY** (Ernest Miller) ~ *1899, Oak Park, Illinois - 1961, Ketchum, Idaho.* Romancier américain. Sa prose de journaliste et d'autodidacte célèb
l'aventure virile, tant à la guerre (*Pour qui son*
*le glas*, 1940) que face à la nature (*le Vieil Hom*
*et la Mer*, 1952), et exalte ses passions : safa
corrida (*Mort dans l'après-midi*, 1932). Prix Nob
de litt. 1954.

**HÉMON** (Louis) ~ *1880, Brest - 1913, Chaplea*
*Canada.* Romancier français. Auteur de *Maria Cha*
*delaine*, qui connut un succès posthume (1916

**HENAN** ou **HO-NAN** (le) ~ Prov. du cœur de
Chine, incluant des collines tapissées de lœ
(fruits, tabac) et des grandes plaines agric. surpe
plées à l'O. (céréales), traversée par le Huang H
167 000 km², 86 140 000 h., cap. Zhengzho
Métall., textile. Tourisme.

**HENCH** (Philip Showalter) ~ *1896, Pitt*
*burgh - 1965, Ocho Rios, Jamaïque.* Médecin amé
cain. Il démontra les principes thérapeutiques
la cortisone. Prix Nobel de physiol. ou méd. 195

**HENDAYE** ~ Port du Pays basque (Pyrénée
Atlantiques), station baln. et clim., sur la Bidasso
à la frontière espagnole ; 11 578 h.

**HENDRIX** (Jimi) ~ *1942, Seattle - 1970, Londre*
Guitariste américain. Issu du blues, il s'impo
comme l'instrumentiste le plus original de la
des années 1960 et devint la figure emblématiq
de la musique pop contestataire (*Hey Joe*, 1967

**HENGELO** ~ V. industrielle de l'E. des Pays-B
(prov. de l'Overijssel), carrefour ferroviair
78 000 h. Gisements de sel.

**HÉNIN-BEAUMONT** ~ V. de l'anc. bassin hou
ler de Lens (Pas-de-Calais) ; 26 257 h. Automobi
confection, agroalimentaire.

**HENLEIN** (Konrad) ~ *1898, Maffersdorf - 194*
*Plzeň.* Homme politique allemand. Rallié au n
zisme, il lutta pour le rattachement des Sudètes
Reich et fut nommé gauleiter des Sudètes en 193

**HENNEBIQUE** (François) ~ *1842, Neuville-Sain*
*Vaast - 1921, Paris.* Ingénieur français. Il constru
sit le premier immeuble parisien en béton arm
(1892).

**HENNEBONT** ~ V. du Morbihan, sur le Blav
anc. ville fortifiée ; 13 624 h. Haras. Basiliq
Notre-Dame-du-Paradis, de style flamboyant. Pu
ferré du XVIIe s. Musée dans les anciennes forg

**HENRI**, nom de plusieurs rois de Germanie
d'empereurs germaniques. ~ **Henri Ier l'Oisele**
(*v. 875 - 936, Memleben*), roi de Germanie (91
936). Il annexa la Lorraine. ~ **Henri II le Sai**
(*973, Abbach, Bavière - 1024, Grone, près de Götti*
*gen*), duc de Bavière en 995, roi de Germar
(1002-1024), empereur germanique (1014-1024
Il mourut sans descendance (fin des Ottoniens
Il fut canonisé en 1146. ~ **Henri III le Nc**
(*1017-1056, Bodfeld, Saxe*), roi de Germanie (103
1056) et d'Italie (1046-1056), sacré empereur p
le pape Clément II, qu'il fit élire après avoir fa
déposer Grégoire VI. ~ **Henri IV** (*v. 1050, Gosla*
*Saxe - 1106, Liège*), fils du préc., roi de Germar
(1056-1106), empereur germanique (1084-1106
Engagé dans la querelle des Investitures, excomm
nié, il dut se réconcilier avec le pape Grégoire V
à Canossa (1077). Il se heurta de nouveau au pa
en 1084, puis à ses propres fils, Conrad et Henri
à partir de 1087. Ce dernier le fit déposer
1106. ~ **Henri V** (*1081 ou 1086 - 1125, Utrecht*
fils du préc., roi de Germanie (1106-1125
empereur germanique (1111-1125). Il dut sign
le concordat de Worms (1122), qui mit fin à
querelle des Investitures. ~ **Henri VI le Cru**
(*1165, Nimègue - 1197, Messine*), fils de Frédéric
Barberousse, roi de Germanie (1190-1197), emp
reur germanique (1191-1197), roi de Sicile
1194. ~ **Henri VII de Hohenstaufen** (*1211*
*1242, Martirano, Calabre*), fils de Frédéric II, r
de Germanie (1232-1235). Il fut vaincu par so
père en 1236. ~ **Henri VII de Luxembou**
(*v. 1275, Valenciennes - 1313, Buonconvento, près*
*Sienne*), roi de Germanie (1308-1313), empere
germanique (1312-1313).

**HENRI**, nom de plusieurs rois d'Angleterre.
**Henri Ier Beauclerc** (*1068, Selby, Yorkshire - 113*
*Lyons-la-Forêt, Eure*), roi d'Angleterre (1100-113
et duc de Normandie (1106-1135). Fils de Gu
laume Ier le Conquérant, il succéda à son frè
Guillaume II le Roux au préjudice de son frè
Robert II Courteheuse, qu'il vainquit et emprison

à son retour de croisade. Il donna une charte à ses barons, la première source des libertés anglaises. ~ **Henri II Plantagenêt** (*1133, Le Mans - 1189, Chinon*), duc de Normandie (1150-1189), comte d'Anjou (1151), duc d'Aquitaine (1152-1189) par son mariage avec Aliénor, et roi d'Angleterre (1154-1189). Successeur d'Étienne de Blois, il rétablit l'autorité monarchique en Angleterre et régna sur un « empire angevin », des Pyrénées à l'Écosse. Il fit assassiner Thomas Becket (1170) et dut affronter des rébellions familiales (1173, 1183, 1188-1189). ~ **Henri III** (*1207, Winchester - 1272, Westminster*), roi d'Angleterre (1216-1272), fils de Jean sans Terre. Il perdit le Poitou, la Saintonge et l'Auvergne au profit de Louis IX de France (1259). Simon de Montfort lui imposa un conseil de 15 membres (Provisions d'Oxford, 1258) puis fut éliminé (1265). ~ **Henri IV** (*1367, Bolingbroke - 1413, Westminster*), roi d'Angleterre (1399-1413), petit-fils d'Édouard III. Il renversa Richard II et lui succéda. Il affronta les révoltes galloises et écossaises. ~ **Henri V** (*1387, Monmouth, pays de Galles - 1422, Vincennes*), roi d'Angleterre (1413-1422), fils d'Henri IV. Il vainquit les Français à Azincourt (1415), conquit la Normandie (1417-1419). Par le traité de Troyes (1420), il épousa Catherine de Valois, fille de Charles VI, et devint régent et héritier du royaume de France. ~ **Henri VI** (*1421, Windsor - 1471, Londres*), roi d'Angleterre (1422-1461), fils d'Henri V. Il fut proclamé roi de France à la mort de Charles VI. Il perdit ses domaines français au profit de Charles VII de France (bataille de Castillon, 1453). Il fut déposé lors de la guerre des Deux-Roses en 1461, restauré (oct. 1470-avr. 1471), puis assassiné (mai 1471). Édouard IV lui succéda. ~ **Henri VII** (*1457, Pembroke, pays de Galles - 1509, Richmond, Londres*), roi d'Angleterre (1485-1509), fils d'Edmond Tudor. Il était par sa mère le dernier des Lancastre. Il fut le vainqueur de la guerre des Deux-Roses après la défaite de Richard III à Bosworth (1485). Fondateur de la dynastie Tudor, il prit des mesures favorables au commerce, à l'industrie textile et au développement de la flotte anglaise. ~ **Henri VIII** (*1491, Greenwich - 1547, Westminster*), fils du préc., roi d'Angleterre (1509-1547) et d'Irlande (1541-1547). Face au refus du pape d'annuler son mariage avec Catherine d'Aragon, il sépara de Rome l'Église d'Angleterre et en devint le chef, en 1534, par l'Acte de suprématie, qui fut suivi de violentes persécutions religieuses. Il renforça la puissance et la prospérité du royaume. À l'extérieur, il s'allia à François I^er^ ou à Charles Quint selon les circonstances. Mécène, protecteur de Holbein, il eut six épouses, dont deux (Anne Boleyn et Catherine Howard) furent exécutées.

**Henry VIII,**
*par Hans Holbein le Jeune (1497 ou 1498 - 1543). Palais Barberini, Rome.*

**Henri le Navigateur.**
*Museo nacional de Arte Antiga, Lisbonne.*

**HENRI**, nom de plusieurs rois de France. ~ **Henri I^er^** (*v. 1008 - 1060, Vitry-aux-Loges, Orléanais*), roi de France (1031-1060), fils de Robert II. Il céda la Bourgogne à son frère Robert (1032). Après avoir été tuteur du futur Guillaume le Conquérant, il fut vaincu par lui (1054 et 1058). Sa deuxième femme fut Anne, fille de Iaroslav I^er^, grand-prince de Kiev. ~ **Henri II** (*1519, Saint-Germain-en-Laye - 1559, Paris*). Fils de François I^er^ et de Claude de France, roi de France (1547-1559). Il poursuivit la lutte contre les Habsbourg, s'empara en 1552 des Trois-Évêchés mais subit la défaite de Saint-Quentin (1557). Il reprit Calais aux Anglais (1558). Il signa en 1559 la paix du Cateau-Cambrésis et mourut peu après lors d'un tournoi. Époux de Catherine de Médicis, il eut pour favorite Diane de Poitiers. S'appuyant sur les Guises, il lutta contre le protestantisme. ~ **Henri III** (*1551, Fontainebleau - 1589, Saint-Cloud*), fils du préc., roi de France (1574-1589). Duc d'Anjou, puis d'Orléans, il fut élu roi de Pologne en 1573 mais revint en France pour succéder à son frère défunt Charles IX. Marié à Louise de Vaudémont-Lorraine, il lui préféra la compagnie de ses « mignons ». Pris entre les protestants et la Ligue catholique d'Henri de Guise, il fit assassiner ce dernier à Blois en 1588 après avoir dû fuir Paris lors de la journée des Barricades. Il se rapprocha de son héritier présomptif, Henri de Navarre, avec qui il assiégea Paris, demeuré aux mains de la Ligue, et fut assassiné par le moine Jacques Clément. ~ **Henri IV** (*1553, Pau - 1610, Paris*), fils d'Antoine de Bourbon et de Jeanne d'Albret, roi de Navarre (1572-1610) et de France (1589-1610). Il prit la tête du parti protestant. Époux de Marguerite de Valois, sœur de Charles IX, il dut abjurer sa foi lors de la Saint-Barthélemy. Il renonça ensuite au catholicisme et reprit la tête du camp protestant. La mort du dernier Valois, François d'Anjou, frère d'Henri III, fit de lui l'héritier de la Couronne. Les victoires remportées sur la Ligue à Arques (1589) et à Ivry (1590) lui permirent d'imposer son autorité mais il dut de nouveau abjurer le protestantisme. Sacré à Chartres en 1594, il rétablit la paix civile par l'édit de Nantes, en 1598. Aidé de Sully, il restaura l'autorité royale et les finances. Son mariage avec la reine Margot ayant été cassé par Rome (1599), il épousa Marie de Médicis. Il fut assassiné le 14 mai 1610 par Ravaillac, un catholique fanatique.

**Henri IV** jouant avec ses enfants au moment où l'ambassadeur d'Espagne est admis en sa présence, *peinture de Jean Auguste Ingres (1780-1867). Musée du Petit-Palais, Paris.*

**HENRI DE BOURGOGNE** ~ *v. 1057, Dijon - v. 1114, Astorga*. Fondateur de la monarchie portugaise. Comte de Portugal (1097-1114), il en proclama l'indépendance après la mort de son beau-père Alphonse VI de Castille (1109).

**HENRI DE FLANDRE ET DE HAINAUT** ~ *v. 1174, Valenciennes - 1216, Thessalonique*. Second empereur latin d'Orient (1206-1216). Il participa à la 4^e^ croisade avec son frère Baudouin IX.

**HENRIETTE-ANNE STUART**, dite **Henriette d'Angleterre** ~ *1644, Exeter - 1670, Saint-Cloud*. Duchesse d'Orléans, princesse d'Angleterre et d'Écosse. Fille de Charles I^er^ Stuart et d'Henriette-Marie de France, elle fut mariée à Philippe d'Orléans, frère de Louis XIV. Sa mort inspira à Bossuet la plus célèbre de ses *Oraisons funèbres*.

**HENRIETTE-MARIE DE FRANCE** ~ *1609, Paris - 1669, Colombes*. Reine d'Angleterre. Fille d'Henri IV et de Marie de Médicis, elle épousa en 1625 Charles I^er^ Stuart. Catholique et absolutiste, elle quitta l'Angleterre en 1644, lors de la guerre civile, pour se réfugier en France.

**HENRI LE LION** ~ *1129, Ravensburg - 1195, Brunswick*. Duc de Saxe (1142-1180) et de Bavière (1156-1180). Fils d'Henri le Superbe, il fut jugé trop indépendant par Frédéric I^er^ Barberousse, qui lui confisqua ses duchés (1180).

**HENRI LE NAVIGATEUR** ~ *1394, Porto - 1460, Sagres*. Prince portugais. Fils de Jean I^er^ de Portugal, il organisa des voyages d'exploration des côtes de l'Afrique.

**HENRY** (Joseph) ~ *1797, Albany - 1878, Washington*. Physicien américain. Il découvrit l'auto-induction (1832), et observa la transmission à distance par induction d'impulsions électriques, contribuant à la découverte de la T. S. F.

**HENRY** (Pierre) ~ *1927, Paris*. Compositeur français. Membre fondateur du Groupe de recherche de musique concrète, il est devenu un pionnier de la musique électro-acoustique. Il a collaboré avec M. Béjart (*Messe pour le temps présent*, 1967).

**HENZE** (Hans Werner) ~ *1926, Gütersloh, Westphalie*. Compositeur allemand. Bien que formé à la discipline sérielle, il a gardé un langage harmonique et mélodique (*Symphonie n° 6*, 1969), son style éclectique culminant dans des opéras satiriques ou épiques (*« la Cubana » oder Ein Leben für die Kunst*, 1973 ; *English Cat*, 1978-1982).

**HEPBURN** (Katharine) ~ *1907, Hartford, Connecticut*. Actrice américaine. Elle a incarné avec vivacité un type de femme moderne dans les comédies de G. Cukor (*Sylvia Scarlett*, 1936), s'est distinguée dans *African Queen* (1951), de J. Huston, ou dans *Soudain l'été dernier* (1959), de J. Mankiewicz.

**HÉPHAÏSTOS** ~ Dieu du Feu et des Métaux dans la mythologie grecque. Chez les Romains, il se confondit avec Vulcain.

**HEPTARCHIE** (l') ~ Ensemble des sept royaumes anglo-saxons d'Angleterre (Kent, Sussex, Wessex, Essex, Northumbrie, East-Anglia et Mercie) qui s'imposèrent du VI^e^ au IX^e^ s.

**HÉRA** ~ Déesse du Mariage pour les anciens Grecs, épouse jalouse de Zeus. C'est la Junon des Romains.

**HÉRACLÈS** ~ Héros de la mythologie grecque, fils de Zeus et d'Alcmène. Afin d'expier le meurtre de son épouse et de ses enfants, il dut exécuter douze travaux imposés par le roi de Tirynthe. Il étouffa le lion de Némée, prit au filet le sanglier d'Érymanthe, décapita d'un seul coup les neuf têtes de l'hydre de Lerne. Il rattrapa à la course la biche de Cérynie aux cornes d'or et aux sabots d'airain, abattit en plein vol les oiseaux du lac Stymphale grâce à son arc, nettoya les écuries d'Augias en détournant un fleuve. Il se rendit maître du taureau crétois de Minos, tua le roi de Thrace, Diomède, qui nourrissait ses juments de chair humaine. Dans sa lutte contre les Amazones, il parvint à s'emparer de la ceinture de leur héroïne, Hippolyte, et tua Géryon, géant à trois têtes. Enfin, il cueillit les pommes d'or du jardin des Hespérides, descendit aux Enfers et ramena Cerbère enchaîné sur la Terre. Il est l'Hercule des Romains.

**Héraclides** (les) ~ Nom des soixante fils d'Héraclès et de ses nombreux descendants.

**HÉRACLITE** ~ *v. 576, Éphèse - v. 480 av. J.-C., id.* Philosophe grec. Théoricien du perpétuel écoulement de toute chose (« Tu ne peux descendre deux fois le même fleuve »), il fut préoccupé par la recherche d'un principe général, d'une unité sous le changement, qu'il illustra par ses aphorismes.

**HÉRACLIUS I^er^** ~ *v. 575, en Cappadoce - 641, Constantinople*. Empereur d'Orient (610-641). Malgré sa victoire contre les Perses (627), il perdit la Syrie, Jérusalem, la Mésopotamie et l'Égypte, conquise par les Arabes. Il fit du grec la langue officielle de l'Empire.

**HÉRAKLION** ou **IRÁKLION**, anc. **Candie** ~ Port et princ. v. de Crète (Grèce), sur la côte N. ; 115 000 h. Industr. agroalimentaire. Musée archéol. (coll. minoenne). Fondée par les Arabes au IX^e^ s., la ville fut un grand port vénitien du XIII^e^ s. au XVII^e^ s. Sous contrôle ottoman jusqu'en 1898, elle ne fut rattachée à la Grèce qu'en 1913.

**HÉRAT** ou **HARAT** ~ V., oasis et princ. centre écon. de l'O. de l'Afghanistan ; env. 150 000 h. Tapis, commerce des peaux. Anc. citadelle.

**HÉRAULT** (l') ~ Fl. côtier du Languedoc, issu des Cévennes (mont Aigoual), qui traverse les Garrigues (gorges), arrose la plaine littorale viticole et rejoint la Méditerranée après Agde ; 160 km.

**HÉRAULT** (l') ~ Dép. de la Région Languedoc-Roussillon, dominé au N. et à l'O. par le rebord méridional des Cévennes : causse du Larzac, Escandorgue, monts de l'Espinouse (1 124 m), Minervois ; 6 224 km$^2$, 794 603 h. Drainé par deux fleuves côtiers, l'Orb et l'Hérault, il s'abaisse vers le S. et l'E. en gradins : plateaux calcaires des Garrigues (300 à 150 m), puis plaine basse du Languedoc, bordant la

Méditerranée par une côte lagunaire (étangs de Mauguio, de Thau). Dép. surtout vitic. : vignoble de masse (biterrois) ou de qualité (muscats de Frontignan, vins rouges du Minervois). Les aménagements hydrauliques (canal du bas Languedoc) ont permis une diversification (arbres fruitiers, not.). Ostréiculture et mytiliculture dans l'étang de Thau. Tourisme baln. avec grands aménagements récents : La Grande-Motte, Palavas-les-Flots. Les foyers urbains se développent sur la voie de passage entre le Rhône et l'Espagne : Montpellier (préfect., centre industr. et univ.), Béziers (marché viticole) et Sète (port de pêche).

**HERBERT** (Frank) ∼ *1920, Tacoma, Washington - 1986, Madison, Wisconsin.* Écrivain américain de science-fiction (cycle de *Dune*, 1965-1985).

**HERBIERS (Les)** ∼ V. des confins O. de la Gâtine de Vendée, 13 413 h. Chaussures, confection, constr. navales (plaisance), meubles. Église du XVe s.

**HERBIN** (Auguste) ∼ *1882, Quiévy, Nord - 1960, Paris.* Peintre français. Fondée sur l'association de formes pures et d'aplats de couleurs franches, son œuvre illustre les principes de l'abstraction géométrique la plus radicale. Cofondateur d'Abstraction-Création (1931), il fut l'un des théoriciens du mouvement (*l'Art non figuratif non objectif*, 1949).

**HERBLAY** ∼ V. de la grande banlieue N.-O. de Paris (Val-d'Oise), sur la Seine (r. dr.) ; 22 135 h. Centre nautique. Église (XIIe-XVIe s.).

**HERCULANO** (Alexandre) ∼ *1810, Lisbonne - 1877, Vale de Lobos.* Poète et historien portugais (*Histoire du Portugal*, 1846-1853).

**HERCULANUM** ∼ V. de l'Italie antique et site archéologique (Campanie). Ensevelie par le torrent de boue qui suivit l'éruption du Vésuve (79), elle fut découverte en 1709.

**HERCULE** ∼ Voir **Héraclès**.

**HERDER** (Johann Gottfried) ∼ *1744, Mohrungen - 1803, Weimar.* Écrivain allemand. Disciple de J. G. Hamann, pour qui toute culture naît de la poésie populaire, il influença le jeune Goethe. Il est à l'origine du mouvement du Sturm und Drang.

**HÉRÉ** (Emmanuel) ∼ *1705, Nancy - 1763, Lunéville.* Architecte français. Les places qu'il a créées à Nancy (Stanislas et de la Carrière) sont caractéristiques du baroque et du rocaille français.

**HEREDIA** (José Maria DE) ∼ *1842, La Fortuna, Cuba - 1905, près de Houdan.* Poète français. Chef de file des parnassiens, il publia, en 1893, son unique recueil de poèmes, *les Trophées*. Acad.

**HEREFORD AND WORCESTER** ∼ Comté de l'O. de l'Angleterre, région touristique (vallée de la Severn, Malvern Hills) et agricole (bovins de Hereford) ; 3 923 km$^2$, 677 000 h., ch.-l. Worcester.

**Hereros** (les) ∼ Peuple de pasteurs bantous de Namibie.

*Hergé.*

**HERGÉ** (Georges **Rémi**, dit) ∼ *1907, Etterbeek - 1983, Bruxelles.* Auteur de bandes dessinées belge. Il créa le personnage de Tintin (1929), dont les albums ont rencontré un succès international.

**HÉRICOURT** ∼ V. industr. de Haute-Saône, au N. de Montbéliard ; 9 742 h. Victoire des Suisses sur les Bourguignons (1474). Victoire prussienne sur l'armée de Charles Bourbaki (1871).

**Hermandad** (la), en fr. « Fraternité » ∼ Service de gendarmerie créé en Espagne au XIIIe s. et destiné à lutter contre le brigandage.

**HERMÈS** ∼ Dans la mythologie grecque, dieu du Vol et du Mensonge, correspondant au Mercure latin, messager des dieux, guide des voyageurs et patron des marchands.

**HERMÈS TRISMÉGISTE** ∼ Nom grec du dieu égyptien Thot, inspirateur de l'**hermétisme**.

**HERMITAGE** ou **ERMITAGE** (l') ∼ Coteau de la r. g. du Rhône (Drôme). Vignobles des côtes du Rhône (hermitage ou crozes-hermitage).

**HERMITE** (Charles) ∼ *1822, Dieuze, Moselle - 1901, Paris.* Mathématicien français. Auteur d'une théorie des fonctions elliptiques et abéliennes (1850-1851), il démontra (1873) la transcendance du nombre *e*.

**HERMON (mont)** ∼ Voir **Anti-Liban**.

**HERMOSILLO** ∼ V. du Mexique, cap. de l'État de Sonora, centre comm. et minier ; 449 000 h.

**HERNÁNDEZ** ou **FERNÁNDEZ** (Gregorio) ∼ *v. 1576, Pontevedra, Galice - 1636, Valladolid.* Sculpteur espagnol. L'intensité dramatique de ses bois polychromes illustre l'esprit de la Contre-Réforme espagnole.

**HERNÁNDEZ** (José) ∼ *1834, San Martín - 1886, Buenos Aires.* Poète argentin. Il a glorifié, dans *Martín Fierro* (1872-1879), la vie et l'univers des gauchos, cavaliers agiles, fiers et ivrognes.

**HERNE** ∼ V. industr. de la Ruhr, en Allemagne (Rhénanie-du-Nord - Westphalie) ; 180 000 h. Chimie et métallurgie.

**HÉRODE**, nom de plusieurs rois de Judée. ∼ **Hérode Ier le Grand** (*73, Ascalon - 4 av. J.-C., Jéricho*), roi des Juifs (37-4 av. J.-C.). Intronisé par les Romains, il établit un régime de terreur ; il divisa son royaume entre ses trois fils. ∼ **Hérode Antipas** (*v. 22 av. J.-C. - 39 apr. J.-C.*), tétrarque de Galilée et de Pérée (4 av. J.-C.-39 apr. J.-C.), fils du préc. Il fut dépossédé de ses États par Caligula ; Jésus comparut devant lui lors de son procès. ∼ **Hérode Agrippa Ier** (*10 av. J.-C. - 44 apr. J.-C.*), nommé roi par Caligula, reconstitua le royaume d'Hérode Ier le Grand, son grand-père. ∼ **Hérode Agrippa II** (*27 - v. 100, Rome*), roi des Juifs (50-v. 100), fils du préc. Il rallia les Romains lors de la révolte juive de 66-70.

**HÉRODIADE** ou **HÉRODIAS** ∼ *7 av. J.-C. - 39 apr. J.-C.* Princesse de Judée. Petite-fille d'Hérode Ier le Grand, elle s'unit à son oncle, Hérode Philippe, père de Salomé, puis entretint une liaison scandaleuse avec son autre oncle Hérode Antipas. Selon les Évangiles, elle poussa Salomé à demander la tête de Jean-Baptiste car il réprouvait sa conduite.

**HÉRODOTE** ∼ *v. 484, Halicarnasse - v. 420 av. J.-C., Thourioi.* Historien grec. Considéré comme le père de l'histoire, il a relaté les guerres médiques et décrit les civilisations de la Perse et de l'Égypte antiques (*Histoires*).

**HÉRON L'ANCIEN** ou **D'ALEXANDRIE** ∼ *Ier s. apr. J.-C., Alexandrie.* Mathématicien et mécanicien grec. Il conçut des machines de guerre et établit la loi de réflexion de la lumière.

**HÉROULT** (Paul Louis Toussaint) ∼ *1863, Thury-Harcourt, Calvados - 1914, baie d'Antibes.* Métallurgiste français. Il inventa un procédé d'obtention de l'aluminium par électrolyse (1886) et le four électrique pour l'acier qui porte son nom (1907).

**HÉROUVILLE-SAINT-CLAIR** ∼ V. de la banlieue N. de Caen (Calvados) ; 24 795 h.

**HERRERA** (Fernando DE) ∼ *1534, Séville - 1597, id.* Poète espagnol. Il contribua à donner à la poésie espagnole une rigueur classique (*Chanson pour la victoire de Lépante*).

**HERRERA**, famille de peintres espagnols. ∼ **Francisco DE HERRERA**, dit **le Vieux** (*v. 1585-1590, Séville - v. 1657, Madrid*), sans jamais totalement renoncer au maniérisme de ses débuts, évolua vers un réalisme expressif qui influença l'école andalouse (*Histoire de saint Bonaventure*, 1627-1629). Son fils ∼ **Francisco DE HERRERA**, dit **le Jeune** (*1622, Séville - 1685, Madrid*), fut également architecte, héritier de l'art vénitien (*Triomphe de saint Herménégilde*).

**HERRERA** (Juan DE) ∼ *v. 1530, Mobellán, Santander - 1597, Madrid.* Architecte espagnol. Dépouillées de toute ornementation, ses austères façades de l'Escurial ou de l'alcazar de Tolède sont l'illustration du plus pur classicisme espagnol.

**HERRICK** (Robert) ∼ *1591, Londres - 1674, Dean Prior, Devon.* Poète et pasteur anglais, auteur des *Hespérides* (1648), recueil de vers profanes et religieux.

**HERRIOT** (Édouard) ∼ *1872, Troyes - 1957, Saint-Genis-Laval, Rhône.* Homme politique, musicographe et écrivain français. Maire de Lyon (1905-1957), sénateur (1912-1919) puis député radical du Rhône (1919-1940), président du parti radical (1919-1926, 1931-1936, 1945-1957), il fut plusieurs fois ministre. Sa popularité et son éloquence firent de lui un personnage marquant de la IIIe République. Après la victoire du Cartel des gauches, dont il fut l'artisan, il fut président du Conseil (1924-1925), avec le portefeuille des Affaires étrangères. Il mena une politique conciliante envers l'Allemagne et reconnut l'U. R. S. S., mais sa tentative de réforme financière échoua. Président de la Chambre des députés (1936-1940), hostile à Vichy, il fut placé en résidence surveillée puis déporté (1944-1945). De 1947 à 1954, il fut président de l'Assemblée nationale. Acad.

**HERRMANN** (Bernard) ∼ *1911, New York - 1975, Los Angeles.* Compositeur américain. De sensibilité néoromantique, il écrivit pour O. Welles (*Citizen Kane*, 1941) ou A. Hitchcock (*la Mort aux trousses*, 1959) des partitions suggestives.

**HERS** (l'), nom de deux riv. du bassin de la Garonne. ∼ L'**Hers Mort** ou **Petit-Hers** (90 km), affl. de la Garonne (r. dr.), prête sa vallée au canal du Midi. ∼ L'**Hers Vif** ou **Grand-Hers** (120 km) est un affluent de l'Ariège (r. dr.).

**HERSCHEL**, famille d'astronomes britanniques d'orig. allemande. ∼ **Sir William** (*1738, Hanovre - 1822, Slough, Buckinghamshire*), fondateur de l'astronomie stellaire, découvrit la planète Uranus (1781), deux satellites d'Uranus (1787) et deux de Saturne (1789). Il étudia les étoiles doubles et découvrit les effets thermiques du rayonnement infrarouge (1800). Son fils ∼ **sir John** (*1792, Slough, Buckinghamshire - 1871, Collingwood, Kent*) étudia les nébuleuses et les étoiles doubles, et perfectionna les mesures des magnitudes stellaires de son père. Il est l'auteur de la première échelle photométrique stellaire (1836).

**HERSTAL** ∼ V. de Belgique, dans la banlieue N. de Liège, sur la Meuse ; 37 000 h. Fabrique d'armes. Musée d'archéol. industrielle. Anc. domaine carolingien qui donna son nom au bisaïeul de Charlemagne, Pépin de Herstal (ou d'Héristal).

**HERTFORDSHIRE** (le) ∼ Comté résidentiel et agric. du S. de l'Angleterre, au N. de Londres ; 1 639 km$^2$, 976 000 h., ch.-l. **Hertford** (env. 25 000 h.).

**HERTWIG**, nom de deux biologistes allemands. ∼ **Oskar** (*1849, Friedberg, Hesse - 1922, Berlin*) étudia la division cellulaire et le rôle des gamètes mâle et femelle dans la fécondation. Son frère ∼ **Richard** (*1850, Friedberg - 1937, Schlederloh, près de Munich*) étudia la cytologie des protozoaires.

**HERTZ**, nom de deux physiciens allemands. ∼ **Heinrich** (*1857, Hambourg - 1894, Bonn*) découvrit les ondes électromagnétiques qui portent son nom, ouvrant la voie à la télégraphie sans fil (1888). Il établit le lien entre optique et électricité, et confirma la loi de Maxwell. Son neveu ∼ **Gustav** (*1887, Hambourg - 1975, Berlin*) confirma la théorie de Bohr en physique atomique, élabora une théorie de l'émission lumineuse (1925) et introduisit le concept de niveau d'énergie des électrons dans l'atome (1913). Prix Nobel de phys. 1925.

**HERTZSPRUNG** (Ejnar) ∼ *1873, Frederiksberg - 1967, Tølløse.* Astronome danois. Il découvrit les étoiles géantes et naines (1905, 1907) indépendamment de H. N. Russell puis, avec celui-ci, élabora un diagramme fondamental qui porte leur nom (dit aussi H.-R.), classant les étoiles d'un même spectre en fonction de leur luminosité (1913).

**Hérules** (les) ∼ Anc. peuple germanique. Les Hérules fondèrent un empire sur le bas Danube. En 476, sous le roi Odoacre, ils prirent Ravenne, mettant fin à l'empire romain d'Occident, puis furent chassés de la péninsule italienne au VIe s.

**HERZÉGOVINE** (l') ~ Région des Alpes Dinariques (S.-O. de la Bosnie-Herzégovine), correspondant princ. au bassin de la Neretva. V. princ. Mostar. Indépendante du XIe s. à 1284, absorbée par la Serbie, l'Herzégovine fut érigée en duché lié aux Ottomans de 1435 à 1482, puis, réunie à la Bosnie, devint une province de l'Empire ottoman.

**HERZEN** ou **GUERTSEN** (Aleksandr Ivanovitch) ~ *1812, Moscou - 1870, Paris.* Écrivain et révolutionnaire russe. Exilé, il défendit dans ses revues (*la Cloche*) un socialisme slavophile.

**HERZL** (Theodor) ~ *1860, Budapest - 1904, Edlach, Autriche.* Écrivain hongrois. Auteur de *l'État juif* (1896), il fut le fondateur du sionisme et créa l'Organisation sioniste mondiale (à l'issue du congrès de Bâle, 1897) qui prônait la constitution d'un État d'Israël.

**HERZOG** (Chaïm) ~ *1918, Belfast.* Homme d'État israélien. Travailliste, il fut président de l'État d'Israël de 1983 à 1993.

**HERZOG** (Werner **Stipetic**, dit Werner) ~ *1942, Sachrang, Bavière.* Cinéaste allemand. Dans ses films, romantiques et démesurés, des aventuriers fous révèlent les sortilèges de la nature (*Aguirre, la colère de Dieu*, 1972 ; *Fitzcarraldo*, 1982).

**HESBAYE** (la) ~ Région du centre de la Belgique, à l'O. de Liège, bas plateau limoneux voué à l'agriculture intensive et très densément peuplé.

**HÉSIODE** ~ *milieu du VIIIe s. av. J.-C., Ascra, Béotie.* Poète grec. Moraliste, il fut le précurseur de Virgile (*les Travaux et les Jours*). Sa *Théogonie*, qu'il dit inspirée par les Muses, définit son « art poétique ».

**HESNARD** (Angelo) ~ *1886, Pontivy - 1969, Rochefort.* Psychiatre et psychanalyste français. L'un des premiers, il pratiqua et fit connaître la méthode psychanalytique en France.

**Hespérides** (les) ~ Nom des trois filles d'Atlas, dans la mythologie grecque, gardiennes du jardin des dieux, dont les pommiers produisaient des fruits d'or qui donnaient l'immortalité.

**HESS** (Rudolf) ~ *1894, Alexandrie, Égypte - 1987, Berlin.* Homme politique allemand. Membre du parti nazi dès 1920, secrétaire particulier de Hitler (1925) et son deuxième successeur en titre (après Goering), il s'enfuit en Écosse en mai 1941, pour des motifs non élucidés. Interné, il fut déclaré irresponsable à Nuremberg pour raisons mentales et condamné à la prison à vie.

**HESS** (Victor Franz) ~ *1883, Waldstein, Styrie - 1964, Mount Vernon, Virginie.* Physicien américain d'orig. autrichienne. Il découvrit (1912) le rayonnement cosmique au cours de ses ascensions en ballon. Prix Nobel de phys. 1936.

**HESS** (Walter Rudolph) ~ *1881, Frauenfeld, Thurgovie - 1973, Zurich.* Physiologiste suisse. Il découvrit l'organisation fonctionnelle du mésencéphale. Prix Nobel de physiol. ou méd. 1949.

**HESSE** (la), en all. ***Hessen*** ~ Land du centre de l'Allemagne, à l'E. de la Rhénanie ; 21 114 km², 5 967 000 h., cap. Wiesbaden. La Hesse est constituée de plateaux gréseux surmontés de petits massifs (Taunus, Rhön, Odenwald, Vogelsberg) n'atteignant pas 1 000 m. Les villes (Francfort, Darmstadt, Cassel), nombreuses, se concentrent dans les vallées (Rhin, Main, Weser). Vigne, cult. maraîchères. Industr. très diversifiée. La création du land de Hesse (1945) dans le cadre de la R. F. A. résulte du regroupement des anciens landgraviats allemands annexés ou soumis par la Prusse en 1866.

**HESSE** (Hermann) ~ *1877, Calw, Wurtemberg - 1962, Montagnola, Tessin.* Écrivain suisse d'orig. et d'expression allemandes. Nourri de philosophies orientales, pacifiste et révolté, il appela à l'union des contraires dans la spiritualité (*le Loup des steppes*, 1927 ; *Narcisse et Goldmund*, 1930) et à un nouvel humanisme (*le Jeu des perles de verre*, 1943). Prix Nobel de litt. 1946.

**HESTIA** ~ Déesse du Foyer dans la mythologie grecque. Elle est identifiée à la Vesta romaine.

**HESTON** (Charlton) ~ *1923, Evanston.* Acteur américain, protagoniste de films à grand spectacle (*les Dix Commandements*, de C. B. De Mille, 1956 ; *Ben Hur*, de W. Wyler, 1959).

**Hétairie** (l') ~ Terme repris de l'Antiquité par plusieurs sociétés patriotiques grecques apparues à partir de la fin du XVIIIe s. La Filiki Eteria (« association amicale »), fondée en 1814, participa en 1821 au soulèvement de la Morée contre les Ottomans.

**HEUSS** (Theodor) ~ *1884, Brackenheim, Wurtemberg - 1963, Stuttgart.* Homme d'État allemand. Membre du parti libéral (F. D. P.), il fut président de la R. F. A. de 1949 à 1959.

**HEUYER** (Georges) ~ *1884, Pacy-sur-Eure - 1977, Paris.* Psychiatre français. Il s'intéressa aux aspects sociaux de la psychiatrie infantile, de l'abandon, de la délinquance juvénile et de la schizophrénie.

**HÈVE (cap de la)** ~ Cap du pays de Caux dominant l'embouchure de la Seine (N.) par une falaise crayeuse et instable de 105 m.

**HEVESY DE HEVES** (Georg) ~ *1885, Budapest - 1966, Fribourg-en-Brisgau.* Chimiste et biologiste suédois d'orig. hongroise. Il découvrit les marqueurs isotopiques (1913) et isola le hafnium (1923). Prix Nobel de chim. 1943.

**HEYDRICH** (Reinhard) ~ *1904, Halle - 1942, Prague.* Policier allemand. Nazi à partir de 1932, commissaire général de la Gestapo pour les territoires occupés, il fut nommé protecteur du Reich en Bohême et en Moravie en 1941. Il fut exécuté par des résistants tchèques.

**HEYMANS** (Cornelius) ~ *1892, Gand - 1968, Knokke-le-Zoute, Bruges.* Pharmacologue belge. Il étudia le fonctionnement de l'appareil respiratoire, établissant le rôle des sinus et de l'aorte. Prix Nobel de physiol. ou méd. 1938.

**HEYROVSKÝ** (Jaroslav) ~ *1890, Prague - 1967, id.* Chimiste tchèque. Il inventa et développa la polarographie. Prix Nobel de chim. 1959.

**HEYTING** (Arend) ~ *1898, Amsterdam - 1980, Lugano.* Logicien néerlandais. Il fut le théoricien de l'intuitionnisme.

**Hezbollah** (le), en fr. le « parti de Dieu » ~ Mouvement islamiste chiite. Fondé au Liban en 1982 et soutenu par l'Iran, il prône l'action armée, afin d'instaurer une république islamique au Liban.

**HIA Kouei** ~ Voir **Xia** Gui.

**HICKS** (sir John Richard) ~ *1904, Leamington Spa, Warwickshire - 1989, Blockley, Gloucestershire.* Économiste britannique. Il s'intéressa à la théorie des fluctuations économiques (*Contribution à la théorie du cycle des affaires*, 1950). Prix Nobel de sc. écon. 1972.

**HIDALGO** ~ État montagneux (sierra Madre orientale) du Mexique central, au N. de Mexico ; 20 987 km², 1 888 000 h., cap. Pachuca de Soto (181 000 h.). Activités minières.

**HIDALGO Y COSTILLA** (Miguel) ~ *1753, Corralejo - 1811, Chihuahua.* Prêtre mexicain. En 1810, il mena le soulèvement contre les Espagnols, qui le capturèrent et le fusillèrent.

**HIDDEN PEAK** (le) ~ Voir **Gasherbrum**.

**HIEN-YANG** ~ Voir **Xianyang**.

**HIÉRON**, nom de deux tyrans de Syracuse. ~ **Hiéron Ier** (*m. v. 466 av. J.-C.*), successeur (478-466) de Gélon, vainquit les Étrusques et les Carthaginois devant Cumes (474) et développa les arts. ~ **Hiéron II** (*v. 306, Syracuse - 215 av. J.-C.*) s'allia aux Romains (263) contre les Carthaginois.

**HIERRO (île de)**, en fr. « île de fer » ~ La plus occidentale et la plus petite des îles Canaries ; 278 km², env. 6 000 h.

**HIGHLANDS** (les) ~ Ensemble des montagnes du N. de l'Écosse, socle ancien soulevé au Tertiaire et modelé par l'érosion glaciaire, région peu peuplée couverte de landes et de tourbières, au climat frais et brumeux. On y inclut parfois les îles Hébrides.

**HIGHSMITH** (Patricia) ~ *1921, Fort Worth - 1995, Locarno.* Romancière et nouvelliste américaine. Son œuvre se distingue par l'évocation minutieuse de la psychologie du criminel, qui prend le pas sur la fiction policière (*l'Inconnu du Nord-Express*, 1950).

**HIGHTOWER** (Rosella) ~ *1920, Ardmore, Oklahoma.* Danseuse américaine d'orig. indienne. Grande figure de la danse classique et contemporaine, étoile des ballets de Cuevas, elle fut directrice de la danse à l'Opéra de Paris (1981).

**HIIUMAA**, en suédois ***Dagö*** ~ Île estonienne de la Baltique ; 965 km², env. 10 000 h. Forêt, prairie.

**HIKMET** (Nazim) ~ *1902, Salonique - 1963, Moscou.* Écrivain turc. Il introduisit le vers libre, ainsi que les thèmes humanistes et révolutionnaires, dans la poésie turque.

**HILAIRE** (saint) ~ *v. 315, Poitiers - v. 367, id.* Père et docteur de l'Église. Évêque de Poitiers (v. 350), il fut l'adversaire de l'arianisme et connut l'exil sous l'empereur Constance II.

**Hilaliens** (les) ~ Tribu d'Arabie centrale qui envahit le Maghreb au XIe s.

**HILARION** (saint) ~ *v. 291, Tabatha, près de Gaza - v. 371, Chypre.* Moine palestinien. Disciple de saint Antoine, il fonda les premiers monastères en Palestine.

**HILBERT** (David) ~ *1862, Königsberg - 1943, Göttingen.* Mathématicien allemand. Chef de l'école formaliste et fondateur de la méthode axiomatique, il énonça les lois des invariants et définit un système de 27 axiomes pour la géométrie euclidienne.

**HILDEBRANDT** (Johann Lukas VON) ~ *1668, Gênes - 1745, Vienne.* Architecte autrichien. Maître du baroque autrichien, il est not. l'auteur des palais du Belvédère de Vienne (1714-1723).

**HILDEGARDE** (sainte) ~ *1098, Bermersheim - 1179, Rupertsberg.* Bénédictine allemande. Consultée pour ses visions, elle écrivit un traité en latin (*Sci Vias*, 1151), qui inspira Dante, et de nombreux chants à une voix.

**HILDESHEIM** ~ V. industr. d'Allemagne (Basse-Saxe), au S. de Hanovre, anc. cité hanséatique ; 106 000 h. Cathédrale (XIe s.), églises romanes (XIe-XIII[e] s.). Musée.

**HILFERDING** (Rudolf) ~ *1877, Vienne - 1941, Paris.* Homme politique allemand d'orig. autrichienne. Auteur du *Capital financier* (1910), président de la IIe Internationale, il fut député social-démocrate (1924) et ministre des Finances (1928). Il disparut, probablement livré à la Gestapo.

**HILLA** ~ V. d'Iraq, au S. de Bagdad, centre admin. sur l'Euphrate (basse Mésopotamie) ; 215 000 h. Tourisme (ruines de Babylone à proximité).

**HILLEL L'ANCIEN** ~ *v. 70 av. J.-C., Babylone - v. 10 apr. J.-C., Jérusalem.* Docteur juif. Il s'opposa à l'école de Shammai en proposant une interprétation plus libérale des textes fondateurs et de la pratique du judaïsme.

**HILMAND** (l') ~ Voir **Helmand**.

**HILVERSUM** ~ V. résidentielle des Pays-Bas, au S.-E. d'Amsterdam, dans la Randstad Holland ; 84 000 h. Centre de diffusion de la radio et de la télévision.

**HIMACHAL PRADESH** (l') ~ État himalayen du N.-O. de l'Inde, aux confins de la Chine ; 55 673 km², 5 171 880 h., cap. Simla. Riz, thé, exploit. forestière, élevage. Tourisme

**HIMALAYA** (l'), en fr. « séjour des neiges » ~ Le plus haut système montagneux du monde (culminant à l'Everest, 8 846 m), au centre de l'Asie, s'étirant en arc du Pamir et de l'Hindou Kouch aux chaînes indo-birmanes sur 2 800 km, entre la plaine Indo-Gangétique et les hauts plateaux du Tibet (Chine) ; env. 600 000 km², 30 000 000 d'h. La partie centrale, ou Grand Himalaya, issue de plissements tertiaires et quaternaires résultant de la collision de l'Inde avec l'Eurasie, est très élevée (de nombreux sommets dépassent 7 000 m d'alt., dont le Nanga Parbat, l'Annapurna, le Dhaulagiri, le Kangchenjunga) ; région de neiges permanentes, c'est un vaste château d'eau d'où sont issus l'Indus, le Gange, la Yamuna et le Brahmapoutre. Au S. des abrupts népalais et indiens, elle est bordée par les collines des Siwalik, et au N. par le haut plateau du Tibet (Transhimalaya), très accidenté, entaillé de profondes vallées, sites du peuplement ; les cols sont rares et élevés (plus de 4 000 m). Essentiellement tropical de mousson au centre, plus sec (pluies d'hiver) à l'O., le climat se dégrade avec l'altitude. Forêts à l'E. (fortes pluies), agriculture de subsistance au N. (orge, sarrasin), intensive en terrasses à l'O. (riz, maïs, blé, orge), étage montagnard (1 200 à 3 000 m) à végétation alpine au S. Économie surtout vivrière. Le commerce (vente de produits agric. et laine, achat de sel) reste tributaire des transports caravaniers malgré la construction de grandes routes transhimalayennes. V. princ. Darjeeling, Simla, Srinagar, Katmandou.

S'étendant sur cinq États souverains (Pakistan, Chine, Inde, Népal, Bhoutan), l'Himalaya est une zone d'intersection ethnique, linguistique et religieuse (bouddhisme, hindouisme, islam, animisme), à peuplement inégal (v. concentrées dans les vallées intérieures, faibles densités en alt.). Zone géostratégique par nature, il est l'enjeu de conflits frontaliers chroniques entre l'Inde, le Pakistan et la Chine (Cachemire). Tourisme de grande randonnée, expéditions alpines internationales.

**HIMEJI** ~ V. industr. du S. de Honshû (Japon) ; 459 000 h. Textile, sidérurgie. Château féodal dit du Héron blanc (XVe-XVIe s.).

**HIMES** (Chester) ~ *1909, Jefferson City, Missouri - 1984, près d'Alicante.* Écrivain américain, auteur de romans policiers (*la Reine des pommes*, 1956) mettant en scène les milieux noirs américains.

**HIMMLER** (Heinrich) ~ *1900, Munich - 1945, Lüneburg.* Homme politique allemand. Chef suprême des S. S. (Reichsführer) en 1929, il fut en 1934 chef de la Gestapo et joua un rôle décisif lors de la Nuit des longs couteaux, où les chefs des S. A. furent liquidés. Chef de la police allemande en 1938, ministre de l'Intérieur en 1943, il fut l'organisateur des camps de la mort. Il se suicida.

**HINAULT** (Bernard) ~ *1954, Yffiniac, Côtes-du-Nord.* Coureur cycliste français, cinq fois vainqueur du Tour de France.

**HINCMAR** ~ *v. 806 - 882, Épernay.* Prélat et théologien français. Archevêque de Reims (845), conseiller de Charles le Chauve, qu'il sacra roi de Lotharingie (869), il exerça une grande autorité en matière politique et doctrinale.

**HINDEMITH** (Paul) ~ *1895, Hanau - 1963, Francfort-sur-le-Main.* Compositeur allemand. Musicien iconoclaste dans les années 1920 (*Nouvelles du jour*, 1929), il fit ensuite appel aux formes du passé (néoclassicisme des *Kammermusik*, 1922-1927), mais dans un discours musical très personnel (*Mathis le peintre*, 1934 ; *Harmonie du monde*, 1957).

**HINDENBURG** (Paul **von Beneckendorff und von**) ~ *1847, Posen - 1934, Neudeck, Prusse-Orientale.* Maréchal et homme d'État allemand. Vainqueur des Russes à Tannenberg (1914), chef du grand état-major général de l'armée en 1916, Hindenburg fut le deuxième président de la république de Weimar (1925, réélu en 1932). Il appela Hitler à la chancellerie (janv. 1933) et couvrit de son autorité la dictature naissante.

**HINDOU KOUCH** ou **HINDU KUCH** (l') ~ Système montagneux d'Asie (Afghanistan, Pakistan), prolongement S.-O. du Pamir culminant à 7 680 m, qui sépare les bassins de l'Indus et de l'Amou-Daria. Végétation pauvre.

**HINDOUSTAN** ou **HINDUSTAN** (l') ~ Anc. nom (persan) du subcontinent indien, pouvant désigner l'Inde en tant qu'aire linguistique de l'hindi ou la plaine Indo-Gangétique, opposée au Deccan.

**HINE** (Lewis) ~ *1874, Oshkosh, Wisconsin - 1940, Hastings-on-Hudson, New York.* Photographe américain. Il réalisa de nombreux reportages sociaux, not. sur l'arrivée des immigrés à Ellis Island et le travail des enfants dans les fabriques.

**HINTIKKA** (Jaakko) ~ *1929, Vantaa, près d'Helsinki.* Philosophe finlandais. Venu à la philosophie analytique à la suite des travaux de W. Quine, il tente d'appliquer les derniers développements de la logique modale à l'analyse des attitudes propositionnelles (*Connaissance et Croyance*, 1962).

**HIPPARQUE** ~ *m. en 514 av. J.-C.* Fils du tyran d'Athènes Pisistrate, il gouverna avec son frère Hippias, de 527 av. J.-C. jusqu'à son assassinat.

**HIPPARQUE DE NICÉE** ~ *IIe s. av. J.-C.* Astronome et mathématicien grec. Père de l'astronomie de position, il découvrit la précession des équinoxes, établit le premier catalogue d'étoiles, fonda la trigonométrie et inventa un astrolabe.

**HIPPIAS** ~ *m. en 490 av. J.-C.* Tyran d'Athènes (527-510). Il durcit le régime après la mort d'Hipparque (514) puis fut renversé en 510. Il se réfugia auprès des Perses.

**HIPPOCRATE** ~ *v. 460, île de Cos - v. 377 av. J.-C., Larissa.* Médecin grec. Il établit une théorie fondée sur les humeurs, et formula un ensemble de règles déontologiques de la pratique médicale auxquelles souscrivent encore aujourd'hui les médecins (**serment d'Hippocrate**). [☞ **médecine**.]

**HIPPOCRATE DE CHIO** ~ *Ve s. av. J.-C.* Mathématicien grec. Il synthétisa les connaissances mathématiques de son temps et étudia la quadrature du cercle et la duplication du cube.

**HIPPOLYTE** (saint) ~ *v. 170 - 235, Sardaigne.* Prêtre et théologien romain de langue grecque. Sa théologie traditionnelle l'opposa au pape Calixte Ier.

**HIPPOLYTE** ~ Dans la mythologie grecque, fils de Thésée et d'une Amazone. Insensible à la passion que lui vouait sa belle-mère, Phèdre, il périt cependant victime de la jalousie paternelle.

**HIPPONE** ~ Ancienne ville romaine de Numidie. Saint Augustin en fut évêque. Ruines près d'Annaba (Algérie).

**HIRAM Ier** ~ *v. 969 - v. 935 av. J.-C.* Roi de Tyr. Il aida le roi Salomon, son allié, à construire le Temple de Jérusalem.

**HIRO** (**Yasuhiro** Wakabayashi, dit) ~ *1930, Shanghai.* Photographe japonais. À New York, élève d'Alekseï Brodovitch puis assistant de Richard Avedon, il travailla pour le magazine de mode *Harper's Bazaar*. Ses œuvres font référence à un univers futuriste.

**HIROHITO**, nom posth. **Shôwa Tennô** ~ *1901, Tôkyô - 1989, id.* Empereur du Japon (1926-1989). La politique d'expansion du Japon en Asie et la guerre avec les États-Unis furent conduites en son nom. Après la capitulation (14 août 1945), à la suite des explosions atomiques d'Hiroshima et de Nagasaki, il dut abdiquer ses prérogatives « divines » et consentir à l'établissement d'une monarchie constitutionnelle.

**HIROSHIGE** ~ *1797, Edo - 1858, id.* Dessinateur, peintre et graveur japonais. Il composa des paysages de sites célèbres (*Cinquante-Trois Étapes de la route du Tôkaidô*) et des planches consacrées aux oiseaux et aux poissons. Son art marqua les peintres impressionnistes.

**HIROSHIMA** ~ Port industr. du Japon (Honshû), sur la mer Intérieure ; 1 072 000 h. Université. Le 6 août 1945, l'aviation américaine y largua la première bombe atomique, qui détruisit la ville à 90 % et fit plus de 130 000 victimes.

*Commémoration du cinquantenaire de l'explosion de la bombe atomique sur **Hiroshima**.*

**HIRSON** ~ V. de la Thiérache, sur l'Oise (Aisne), nœud ferroviaire ; agglom. 11 041 h. Métallurgie.

**HISPANIOLA** ~ Voir **Haïti**.

**hispano-américaine** (guerre) ~ Conflit entre l'Espagne et les États-Unis (1898). Les Américains soutinrent les colonies espagnoles révoltées, et Madrid dut renoncer à Cuba. Porto Rico, les Philippines et Guam furent cédées aux États-Unis.

**HITCHCOCK** (Alfred) ~ *1899, Londres - 1980, Los Angeles.* Cinéaste américain d'orig. britannique. Il allia les ressorts du roman policier à l'analyse psychologique et à l'humour pour créer le suspense (*les Trente-Neuf Marches*, 1935 ; *Sueurs froides*, 1958 ; *Psychose*, 1960 ; *les Oiseaux*, 1963).

**HITLER** (Adolf) ~ *1889, Braunau, Haute-Autriche - 1945, Berlin.* Homme d'État allemand d'orig. autrichienne. Fils d'un douanier, tenté sans succès par les études artistiques, il fut très tôt séduit par les thèses pangermanistes et antisémites. Soldat dans l'armée bavaroise pendant la Première Guerre mondiale, il adhéra au Parti ouvrier allemand fondé par Anton Drexler (1919), qu'il transforma en Parti ouvrier allemand national-socialiste (N. S. D. A. P.) et qu'il dota de sections d'assaut (S. A.), après en avoir pris la tête (1921). Coauteur du putsch raté de Munich (1923), il occupa sa détention (févr.-déc. 1924) à rédiger *Mein Kampf*, ouvrage dans lequel il développa ses conceptions de l'État raciste national-socialiste. Libéré, il restructura son parti, créa les S. S. et mit à profit le désarroi de l'Allemagne, touchée de plein fouet par la crise de 1929 et humiliée par le traité de Versailles, pour accéder au pouvoir. Chancelier du Reich (1933) il devint Führer (« guide »), investi de tous les pouvoirs (1934), mit en place une redoutable police d'État (la Gestapo), interdit partis et syndicats, fit déporter tous les opposants et imposa des lois antijuives qui déclenchèrent une vague de terreur. Sa politique de réarmement (Rhénanie en 1936) et son annexionnisme (Autriche et Tchécoslovaquie en 1938, Pologne en 1939) conduisirent à la Seconde Guerre mondiale. En 1941, il décréta la « solution finale » à l'encontre des Juifs. La concrétisation de sa politique entraîna la mort de plus de 6 millions de personnes (Juifs, Tsiganes, Slaves, opposants politiques, minorités sociales) dans les camps de concentration. Vaincu dans Berlin assiégé, il se suicida à l'approche des troupes alliées, le 30 avril 1945.

**Hittites** (les) ~ Peuple indo-européen d'Anatolie centrale (IIe mill. av. J.-C.). Son empire avait pour capitale Hattousa (XXe-XIIe s. av. J.-C.). Sa puissance, reposant sur la métallurgie et sur le char de guerre, le conduisit jusqu'en Syrie du Nord au XVIe s. Affaiblis au XVe s. par des conflits contre le royaume du Mitanni, les Hittites retrouvèrent leur puissance sous Suppiluliuma Ier (v. 1380-1340 av. J.-C.). Mais, en guerre contre les Égyptiens (bataille de Qadesh, v. 1258 av. J.-C.) et les Assyriens, ils disparurent à la fin du XIIe s. av. J.-C., probablement envahis par les Peuples de la Mer.

**HITTORF** (Johann Wilhelm) ~ *1824, Bonn - 1914, Münster.* Physicien allemand. Il découvrit les rayons cathodiques (1869).

**HITTORFF** (Jacques) ~ *1792, Cologne - 1867, Paris.* Architecte français d'orig. allemande. Il conjugua un vocabulaire architectonique classique, voire antiquisant, avec l'emploi de matériaux modernes (gare du Nord, Paris).

**HJELMSLEV** (Louis Trolle) ~ *1899, Copenhague - 1965, id.* Linguiste danois. À la suite de F. de Saussure, il distingua dans la langue d'une part l'expression et le contenu, d'autre part la structure, la norme de l'usage et l'expression qui s'offre à l'observation (*Essais linguistiques*, 1959).

**Hmongs** (les) ~ Voir **Miaos**.

**HOBART** ~ Cap. de la Tasmanie (Australie), port industr. et princ. v. de l'île, sur l'estuaire de la Derwent ; 193 000 h. Université.

**HOBBEMA** (Meindert) ~ *1638, Amsterdam - 1709, id.* Peintre hollandais. Il subit l'influence de J. Van Ruysdael. Ses paysages inspirèrent l'école anglaise et les peintres de Barbizon (*l'Allée de Middelharnis*, 1689).

**HOBBES** (Thomas) ~ *1588, Westport, Wiltshire - 1679, Hardwick Hall.* Philosophe anglais. Sa philosophie naturelle est un mélange d'empirisme et de rationalisme : si les sensations sont au principe de toute connaissance, la sagesse ne s'obtient que par la raison pure (*De corpore*, 1655). En politique, Hobbes défendit le modèle d'une société où, pour le bénéfice de chacun, les hommes doivent se placer sous l'autorité absolue d'un souverain chargé de faire respecter les contrats qu'ils passent entre eux (*le Léviathan*, 1651).

**HOBSON** (John Atkinson) ~ *1858, Derby - 1940, Hampstead, Londres.* Économiste britannique. Il étudia le rôle de l'État dans l'économie (*l'Impérialisme*, 1902).

**HOCEIMA (Al-)**, en esp. ***Alhucemas*** ~ V. touristique du Maroc, sur la côte méditerranéenne, centre administratif ; 42 000 h.

**HOCHE** (Lazare) ~ *1768, Versailles - 1797, Wetzlar, Prusse.* Général français. Engagé à 16 ans, général à 25 ans, il fit échouer le débarquement des émigrés à Quiberon (1795), et réprima la révolte des Vendéens. Il fut ministre de la Guerre en 1797.

**HÔ CHI MINH** (**Nguyên** Tat Thanh, dit **Nguyên** Ai Quôc ou) ~ *1890, Kiêm Liên - 1969, Hanoi.* Homme d'État vietnamien. Fondateur du Parti communiste indochinois (1930), puis du Viêt-minh (1941), il fut élu président du gouvernement provisoire de la république démocratique du Viêt Nam (1945), dont il proclama l'indépendance. Il dirigea la lutte contre la France (1946-1954), fut élu président de la république démocratique du Viêt Nam (1954), et, à partir de 1960, il combattit les États-Unis et le Viêt Nam du Sud.

© Gamma

*Hô Chi Minh (au centre) entouré de ses collaborateurs.*

**HÔ CHI MINH-VILLE**, anc. **Saigon** (jusqu'en 1976) ~ Princ. v. du Viêt Nam, à 80 km de la mer, sur un affluent du Mékong, métropole écon., tradit. centre comm. (quartier chinois de Cholon) et 1er port du S. du pays ; 4 000 000 d'h. Siège du gouvernement de la Cochinchine française (1859), puis capitale du Viêt Nam du Sud (1954), la ville prit le nom d'Hô Chi Minh-Ville à la fin de la guerre du Viêt Nam, en 1976.

**HÖCHSTÄDT** ~ Localité de Bavière, proche d'Augsbourg, où eurent lieu plusieurs batailles dans la guerre de la Succession d'Espagne. Le 20 sept. 1703, Villars battit les Autrichiens du comte de Styrum. Le 13 août 1704, Marlborough et le prince Eugène battirent les Français de Marsin et de Tallard (« bataille de Blenheim » pour les Anglais).

**HOCKNEY** (David) ~ *1937, Bradford, Yorkshire.* Peintre britannique. Proche du pop art dans les années 1960, il interprète avec ironie divers aspects de la vie moderne (*Two Boys in a Pool*, 1965). Son style décoratif excelle au théâtre.

**HODEÏDA**, en ar. ***al-Hudayda*** ~ Princ. port du Yémen sur la mer Rouge ; 155 000 h. Exportation de café.

**HODJA** (Enver) ~ Voir **Hoxha**.

**HODNA** (le) ~ Dépression de l'E. des hautes plaines algériennes, au S. des **monts du Hodna** (1 900 m), à la limite des zones climatiques méditerranéenne et saharienne. Son centre est occupé par le **chott el-Hodna** (390 m). V. princ. M'sila.

**HOËDIC** ~ Île du S. de la Bretagne, entre Belle-Île et la côte du Morbihan. Vestiges préhistoriques.

**HO-FEI** ~ Voir **Hefei**.

**HOFFMANN** (Ernst Theodor Amadeus) ~ *1776, Königsberg - 1822, Berlin.* Écrivain, critique musical et compositeur allemand. Auteur de nombreux récits fantastiques (*Contes des frères Sérapion*, 1821, qui inspirèrent à Offenbach ses *Contes d'Hoffmann*), et compositeur d'opéras (*Ondine*, 1816).

**HOFFMANN** (Friedrich) ~ *1660, Halle - 1742, id.* Médecin et chimiste allemand. Attaché au service de Frédéric-Guillaume, roi de Prusse, il fut le fondateur de l'organicisme.

**HOFFMANN** (Josef) ~ *1870, Pirnitz, Moravie - 1956, Vienne.* Architecte autrichien. Disciple d'O. Wagner, il développa une esthétique rationaliste et associa les métiers d'art à ses conceptions (palais Stoclet, Bruxelles, 1905).

**HOFMANNSTHAL** (Hugo VON) ~ *1874, Vienne - 1929, Rodaun, près de Vienne.* Poète et dramaturge autrichien. Il est l'auteur de drames d'inspiration mythologique et de livrets d'opéra pour R. Strauss (*le Chevalier à la rose*, 1906 ; *Ariane à Naxos*, 1911).

**HOFOUF (al-)** ~ Voir **Hufuf**.

**HOGARTH** (William) ~ *1697, Londres - 1764, id.* Peintre et graveur britannique. Par ses scènes de la vie quotidienne, traitées sur un mode satirique et moralisateur (*Carrière d'une courtisane*, 1732), et ses portraits alertes, il est un précurseur de l'école anglaise.

**HOGGAR** (le) ~ L'un des plus hauts massifs du Sahara (2 908 m au mont Tahat), en Algérie (S.-E.), plateau granitique surmonté de crêtes et de pitons basaltiques, au centre de plateaux gréseux (les tassilis). Des Touaregs y nomadisent. V. princ. Tamenghest (oasis).

**HOHENLINDEN** ~ Localité de Bavière où J. V. Moreau défit les Austro-Bavarois le 3 déc. 1800.

**HOHENLOHE** (Chlodwig, prince DE) ~ *1819, Rotenburg, Bavière - 1901, Ragaz, Suisse.* Homme politique allemand. Il fut chancelier de l'Empire allemand de 1894 à 1900.

**HOHENSTAUFEN** ~ Dynastie allemande originaire de Souabe, qui connut son apogée sous le Saint Empire (XIIe-XIIIe s.), auquel elle donna plusieurs empereurs (Conrad III, Frédéric Ier Barberousse, Henri VI, Frédéric II et Conrad IV).

**HOHENZOLLERN** ~ Famille allemande d'orig. souabe (XIe s.). La branche franconienne acquit l'Électorat de Brandebourg (1417), se convertit au luthéranisme et hérita de la Prusse (1618). Elle devint famille royale de Prusse en 1701 puis famille impériale d'Allemagne de 1871 à 1918. La branche souabe, catholique, ne joua pas de rôle important avant 1866, date à laquelle elle fut appelée à régner sur la Roumanie (jusqu'en 1947).

**HOHHOT** ~ Voir **Houhehot**.

**HOHNECK** (le) ~ L'un des sommets des Vosges (1 362 m), à l'O. de Munster (Haut-Rhin). Sports d'hiver.

**HOKKAIDÔ** ~ Région et île la plus septentrionale du Japon ; 83 451 km², 5 659 000 h., ch.-l. Sapporo. Climat tempéré aux hivers longs et rudes. Les chaînes de montagnes compartimentent les plaines agricoles (riz, pommes de terre, betterave à sucre, élev. laitier). Pêche (port d'Hakodate). La colonisation japonaise est récente (XIXe s.). Les Aïnous, peuple autochtone, y sont très minoritaires.

**HOKUSAI** (**Nakajima** Tetsujirô, dit) ~ *1760, Edo - 1849, id.* Peintre, dessinateur et graveur japonais. Ses séries d'estampes l'ont consacré comme un grand paysagiste (*Trente-Six Vues du mont Fuji*, v. 1831).

**HOLBACH** (Paul Henry **Thiry**, baron D') ~ *1723, Edesheim, Palatinat - 1789, Paris.* Philosophe français. Matérialiste et mécaniste, auteur de traités scientifiques et d'ouvrages antireligieux, il collabora à l'*Encyclopédie* pour la chimie. [☞ **encyclopédie**.]

**HOLBEIN**, famille de peintres et dessinateurs allemands. ~ **Hans**, dit **l'Ancien**, ou **le Vieux** (*v. 1465, Augsbourg - v. 1524, Issenheim, Alsace*). Rattachées au gothique tardif, ses compositions se distinguent par leur intensité dramatique. Son fils ~ **Hans**, dit **le Jeune** (*1497 ou 1498, Augsbourg - 1543, Londres*), assimila très tôt les principes de la Renaissance italienne et l'art des maîtres allemands. Ces influences ainsi que sa fréquentation des milieux humanistes (il exécuta plusieurs portraits d'Érasme) déterminèrent son style, au réalisme sobre. Il travailla en Suisse, à Bâle, dès 1515, et se fixa en Angleterre à partir de 1532.

**HOLBERG** (Ludvig, baron) ~ *1684, Bergen - 1754, Copenhague.* Écrivain danois. Influencé par Molière, il fut l'auteur de pièces satiriques (*Jeppe de la montagne*, 1722), d'une *Histoire du royaume de Danemark* (1732-1735) et de *Pensées morales* (1744), à la langue riche et soignée.

**HÖLDERLIN** (Friedrich) ~ *1770, Lauffen, Wurtemberg - 1843, Tübingen.* Poète allemand. D'un lyrisme presque mystique, il exalta l'amour (*Hyperion*, 1797-1799), la nature et la beauté, thèmes de ses odes, hymnes et élégies où s'exprime son culte pour la Grèce antique. [☞ **romantisme**.]

**HOLGUÍN** ~ V. de l'E. de Cuba, centre admin. et comm. d'une prov. agricole ; 228 000 h.

**HOLIDAY** (Eleanora **Holiday**, dite Billie), surnommée **Lady Day** ~ *1915, Baltimore - 1959, New York.* Chanteuse de jazz américaine. Enregistrant avec Benny Goodman, Count Basie et Lester Young, elle imposa, au milieu des années 1930, sa puissance émotionnelle et sa voix bouleversante.

**HOLLANDE** (la) ~ Région occidentale des Pays-Bas, la plus peuplée du pays, noyau économique, politique et historique, baignée par l'IJsselmeer au N.-E. et par la mer du Nord à l'O. Digues et cordons dunaires protègent les terres, en général inférieures au niveau de la mer et souvent gagnées sur elle. L'agriculture (hortic., élev., not. pour le fromage) domine au N. (Alkmaar, Texel). Les canaux sillonnent la région, auj. très largement urbanisée (Randstad Holland, incluant Rotterdam, La Haye et Amsterdam). Le développement précoce de la Hollande est not. lié à ses vieilles fonctions commerciales et bancaires, importantes depuis le XIVe s. Elle est divisée en deux provinces administratives : la **Hollande-Méridionale** (3 446 km², 3 313 000 h., ch.-l. La Haye) et la **Hollande-Septentrionale** (4 060 km², 2 457 000 h., ch.-l. Haarlem). **HIST. -** Formé au XIe s., le comté de Hollande s'étendit vers le N. (Frise) et le S. (Zélande, 1323). Uni au Hainaut, il passa aux maisons d'Avesnes (1299), de Bavière (1345), de Bourgogne (1433) et de Habsbourg (1477). Le stathouder Guillaume III d'Orange (1550) conduisit la Hollande à l'indépendance au sein des Provinces-Unies (1579), où il lui assura la primauté. Elle appartint à la République batave (1795), puis au royaume de Hollande créé par Napoléon Ier pour son frère Louis (1806). Annexée par la France (1810), elle y forma les départements du Zuiderzee et des Bouches-de-la-Meuse, puis fut intégrée au royaume des Pays-Bas (1814) et divisée en deux provinces (1840).

**Hollande (guerre de)** ~ Conflit qui opposa la France de Louis XIV aux Provinces-Unies, au Saint Empire et à l'Espagne de 1672 à 1679. L'armée royale ne put conquérir la Hollande, où le stathouder Guillaume III d'Orange anima la résistance. La France se trouva dès lors opposée à la Triple-Alliance formée par le Saint Empire, l'Espagne et la Hollande. Les traités de Nimègue et de Saint-Germain-en-Laye (1678-1679) donnèrent à la France la Franche-Comté, Valenciennes et Cambrai.

**HOLLERITH** (Hermann) ~ *1860, Buffalo - 1929, Washington.* Statisticien américain. Inventeur des machines à cartes perforées, il est le fondateur de la Tabulating Machine Corporation (1896), à l'origine de la société I. B. M.

**Hollywood** ~ Ancien village amérindien devenu quartier de Los Angeles, où s'installèrent entre 1910 et 1920 les sociétés de cinéma américaines. Il est le principal centre de l'industrie du cinéma et de la télévision aux États-Unis.

**HOLON** ~ V. d'Israël, dans le S. de l'agglom. de Tel-Aviv - Jaffa ; 161 000 h. Textile.

**HOLOPHERNE** ~ Général assyrien légendaire. D'après la Bible, il fut décapité par Judith lors du siège de Béthulie.

**HOLST** (Gustav Theodore) ~ *1874, Cheltenham, Gloucestershire - 1934, Londres.* Compositeur britannique. S'inspirant des traditions nationales, voire folkloriques (*A Somerset Rhapsody*, 1906-1907), il fut un orchestrateur inventif (*The Planets*, 1916).

**HOLSTEIN** (le) ~ Anc. comté d'Allemagne du Nord, érigé en duché (1474). Uni au Schleswig (1386) et possession des rois de Danemark (1460-1864), il fut annexé par la Prusse (1866) et fait auj. partie du land de Schleswig-Holstein.

**HOLWECK** (Fernand) ~ *1890, Paris - 1941, id.* Physicien français, auteur de travaux sur les rayons optiques et sur la pesanteur.

**HOLYHEAD** ~ Station baln. du pays de Galles, port d'embarquement pour l'Irlande, sur l'île Holy (O. d'Anglesey) ; env. 12 000 h. Vestiges de l'âge du bronze, celtiques et romains.

**HOMÉCOURT** ~ V. du bassin sidérurgique lorrain (vallée de l'Orne), au N.-O. de Metz (Meurthe-et-Moselle) ; 7 088 h.

**HOMÈRE** ~ Poète grec de l'Antiquité. Quoique son identité ne soit pas certaine, la tradition en fait l'auteur aveugle et errant des poèmes épiques l'*Iliade* et l'*Odyssée*. Relatant la guerre de Troie et le retour d'Ulysse, ce cycle mythique imprégna la culture classique grecque, puis européenne.

**Home Rule** (le), de l'angl. ***home***, « chez soi », et ***rule***, « gouvernement » ~ Nom donné au régime d'autonomie revendiqué par les Irlandais à partir de 1870. Voté en 1912, entré en application en 1914, il aboutit en 1921 à l'indépendance de l'Irlande (l'Ulster exclu).

**HOMS**, anc. **Émèse** ~ 3e v. de Syrie, au pied de l'Anti-Liban, dans la vallée de l'Oronte, ch.-l. d'une prov. agric. (coton) ; 537 000 h. Industrie text., chim., agroalimentaire. Émèse fut à l'époque romaine le siège d'un culte solaire et le centre d'un royaume autonome.

**HO-NAN** (le) ~ Voir **Henan**.

**HONDÔ** ~ Voir **Honshû**.

**HONDURAS (république du)** ~ Pays d'Amérique centrale, bordé au N. par la mer des Caraïbes, avec un débouché au S. sur le Pacifique (golfe de Fonseca). ***Cap.*** Tegucigalpa. ***Superf.*** 112 088 km$^2$. ***Popul.*** 5 290 000 h. ***Langue princ.*** Espagnol. ***Monn.*** Lempira. ***Relief.*** Montagneux (2 850 m) ; plaines côtières (côte caraïbe). ***Climat.*** Tropical. ***Écon.*** Agriculture de plantation (banane, café, canne à sucre) dominée par les capitaux étrangers. ***Autres ress.*** Pêche (crustacés), industries text. et agroalim., hydroélectricité. ***V. princ.*** Tegucigalpa, San Pedro Sula. **HIST.** - Peuplé depuis env. 20 000 ans, le Honduras fut un haut lieu de la civilisation maya (site de Copán). *1502* : découvert par Christophe Colomb, il est rattaché à la capitainerie générale du Guatemala en 1539. *1821-1839* : une première fois indépendant, le pays est intégré aux Provinces-Unies d'Amérique centrale puis devient indépendant. *XXe s.* : archétype de la république bananière, dominé par l'United Fruit Company (multinationale américaine), le pays subit une longue instabilité politique. Les civils sont au pouvoir depuis 1981, mais le poids des militaires reste très grand. *1994* : Carlos Roberto Reina est élu président de la République.

**HONDURAS BRITANNIQUE** (le) ~ Voir **Belize**.

**HONECKER** (Erich) ~ *1912, Neunkirchen, Sarre - 1994, Santiago, Chili.* Homme d'État allemand. Remplaçant W. Ulbricht à la tête du Parti socialiste unifié (1971), élu président du Conseil d'État (1978), Honecker dirigea la R. D. A. jusqu'à la crise qui amena la chute du mur de Berlin (1989). Il s'exila en U. R. S. S., d'où il fut extradé vers l'Allemagne ; son procès ayant été suspendu pour raisons de santé, il partit pour le Chili.

**HONEGGER** (Arthur) ~ *1892, Le Havre - 1955, Paris.* Compositeur suisse membre du groupe de Six. Son inspiration grave et austère s'est épanouie dans les formes symphoniques (*Pacific 231*, 1923) ou dramatiques (*Jeanne d'Arc au bûcher*, 1935).

**HONFLEUR** ~ V. pittoresque et port sur l'estuaire de la Seine (Calvados) ; 8 272 h. Église en bois Ste-Catherine (XVe s.), église St-Léonard (XVIe s.). Musées Eugène-Boudin et du Vieux-Honfleur.

**HONG KONG** ~ Île côtière du S. de la Chine (S. de Canton, près de l'estuaire du Xi Jiang), territoire britannique depuis 1842, complété en 1860 par Kowloon (sur la côte) et les îles avoisinantes, puis par les Nouveaux Territoires du continent (1898) ; 1 077 km$^2$, 5 919 000 h., cap. Victoria. L'enclave est montagneuse, l'espace exigu, la densité urbaine l'une des plus fortes du monde. Jouissant d'une large autonomie, le territoire est un port de transit en constante expansion, grand exportateur de produits manufacturés, pont entre la Chine (premier investisseur) et les pays occidentaux, un centre industriel très diversifié, fondé sur une main-d'œuvre bon marché (réfugiés du continent), et une importante place financière mondiale. Le 1er juillet 1997, l'accord prévoyant le retour de Hong Kong à la Chine populaire entre en application.

**HONGRIE (république de)**, en hongrois ***Magyar Köztársaság*** ~ Pays enclavé d'Europe centrale. ***Cap.*** Budapest. ***Superf.*** 93 032 km$^2$. ***Popul.*** 10 280 000 h. ***Langue princ.*** Hongrois. ***Monn.*** Forint. ***Relief.*** Les plaines (Alföld, Kisalföld) constituent les deux tiers du pays. Hautes terres au N. (monts Mátra, Bakony). Le Danube et la Tisza traversent le pays du N. au S. (bassin pannonien). ***Climat.*** Continental. ***Écon.*** Agriculture (céréales, élev. porcin et bovin, vigne), industrie diversifiée (métall., mécan., chim., électroménager, text., agroalim.), tourisme. Collectivisée depuis 1950, l'économie est peu à peu libéralisée. Importants investissements étrangers, faibles ressources naturelles (hydroélectricité, bauxite, charbon, hydrocarbures). ***V. princ.*** Budapest, Debrecen, Miskolc. **HIST.** - *VIe-Ier s. av. J.-C.* : la région est occupée par les Illyriens, les Thraces et les Celtes. *35 av. J.-C.-9 apr. J.-C.* : conquête romaine, formation des provinces de Pannonie et de Dacie. *IVe-VIIe s.* : invasions successives des Huns et des Ostrogoths. *VIIIe s.* : les Avars établissent un empire qui succombe (791-796) aux attaques des Francs et des Bulgares. *Fin IXe s.* : installation des Hongrois (Finno-Ougriens) menés par Árpád, chef de la tribu magyare, dans la plaine du Danube. Leur avancée est stoppée (955) par Otton le Grand à la bataille de Lechfeld. *Xe-XIe s.* : organisation d'un État et christianisation, sous les règnes d'Étienne Ier et de Ladislas Ier (dynastie des Árpád). *XIVe-XVe s.* : après une période d'instabilité (révoltes seigneuriales, invasions tatares), les Anjou de Naples accèdent au trône en 1308 et renforcent le pouvoir royal. Jean Hunyadi (régent) et son fils Mathias Ier Corvin (roi de 1458 à 1490) contiennent la poussée turque. *1526* : l'armée hongroise est écrasée à Mohács par les Turcs qui mettent Buda à sac. La Hongrie est divisée entre l'Autriche et l'Empire ottoman. *1687* : la diète de Hongrie reconnaît comme héréditaire la monarchie des Habsbourg. *1703-1711* : la révolte nationaliste dirigée par Ferenc Rákóczi échoue, mais l'Autriche reconnaît l'autonomie de l'État hongrois. Les Turcs sont expulsés. *1780-1790* : la Hongrie s'oppose aux réformes de Joseph II et à sa volonté d'intégration. *1848-1849* : la révolution de Budapest, dirigée par Kossuth, qui a proclamé la déchéance des Habsbourg, est écrasée par les forces austro-russes. *1849-1867* : après une politique de centralisation et de germanisation, l'Autriche, affaiblie par ses défaites contre la Prusse (1866), accorde aux Hongrois un compromis qui instaure la double monarchie austro-hongroise. *1918* : la chute de l'Autriche-Hongrie est suivie de la proclamation de l'indépendance nationale et de la république. *1919* : la république des Conseils, instaurée par le communiste Béla Kun, est renversée par l'amiral Miklós Horthy, qui met en place un régime autoritaire. *1920* : il signe le traité de Trianon qui ampute le pays de la Croatie, la Slovénie, la Transylvanie et la Slovaquie. *1941* : signataire du pacte anti-Komintern et du pacte tripartite, la Hongrie entre en guerre contre l'U. R. S. S. aux côtés de l'Allemagne nazie. *1944* : le pays, dont les dirigeants ont cherché à signer une paix séparée avec les Alliés, est occupé par les Allemands. L'amiral Horthy est éliminé, le parti fasciste des Croix-Fléchées est au pouvoir. *1944-1945* : occupation par l'armée soviétique. *1947* : le traité de Paris confirme la Hongrie dans ses frontières de Trianon. *1949* : Mátyás Rákosi proclame la république populaire. *Oct.-nov. 1956* : Imre Nagy, chef du gouvernement, qui a engagé la déstalinisation dès 1953, proclame la neutralité de la Hongrie sans parvenir à enrayer l'insurrection. Les troupes soviétiques interviennent à Budapest et répriment les insurgés. *1957-1988* : la Hongrie aligne sa politique extérieure sur Moscou mais libéralise partiellement l'économie. *1990* : l'opposition (Forum démocratique, Alliance des démocrates libres) remporte les élections législatives après l'abandon par le P. S. O. H. (Parti communiste ouvrier hongrois) de son monopole. La république socialiste et populaire devient république de Hongrie. Árpád Göncz (Alliance des démocrates libres) est élu président. *1994* : la crise économique, liée à l'effondrement du Comecon et à la réorientation des échanges, ramène au pouvoir le P. S. H. (ex-parti communiste) de Gyula Horn, qui gouverne en coalition avec les libéraux. *1995* : adoption d'une politique de rigueur économique. Á. Göncz est réélu à la présidence. *1996* : adhésion à l'O. C. D. E.

**HONIARA** ~ Cap. des îles Salomon (île de Guadalcanal), port créé après 1945 ; 34 000 h.

**HONOLULU** ~ Cap. et grand port comm. de l'État d'Hawaii (États-Unis), sur l'île d'Oahu ; env. 365 000 h. Université. Tourisme.

**HONORAT** (saint) ~ *v. 350, en Gaule Belgique - v. 430, id.* Évêque d'Arles, fondateur du monastère de Lérins (vers 410).

**HONORIUS**, nom de quatre papes. ~ **Honorius II** (Lambert **Scannabecchi** ; *m. en 1130 à Rome*), pape de Modène de 1124 à 1130. Il négocia le concordat de Worms (1122). ~ **Honorius III** (Cencio **Savelli** ; *m. en 1227 à Rome*), pape romain de 1216 à 1227. Il lutta contre les cathares.

**HONORIUS**, en lat. ***Flavius Honorius*** ~ *384, Constantinople - 423, Ravenne.* Premier empereur d'Occident (395-423). Il fit de Ravenne sa capitale (402) et s'appuya sur Stilicon pour contenir les barbares, avant de le laisser assassiner (408). Il ne put empêcher le sac de Rome par Alaric (410).

**HONSHÛ**, anc. **Hondô**, en fr. « île principale » ~ La plus grande et la plus peuplée des îles du Japon, au centre de l'archipel ; env. 232 000 km$^2$ et 100 000 000 d'h. Étroite et allongée, montagneuse (nombreux volcans), elle oppose la façade pacifique très urbanisée (Mégalopolis japonaise, autour de Tôkyô, Nagoya, Ôsaka), au climat plus doux que dans le Nord (région de Sendai) et moins humide que sur le littoral de la mer du Japon. Le Sud-Ouest, autour de la mer Intérieure, est le berceau de la civilisation japonaise (Kyôto, anc. capitale).

**Honvéd** (le), en fr. « défense de la patrie » ~ Nom de l'armée hongroise à partir de 1848.

**HOOCH**, **HOOGHE** ou **HOOGH** (Pieter DE) ~ Voir **De Hooch**.

**HOOGHLY** ou **HUGHLI** (la) ~ Branche O. du delta du Gange (Inde), difficilement navigable, qui arrose l'agglom. de Calcutta ; env. 250 km.

**HOOKE** (Robert) ~ *1635, Freshwater, île de Wight - 1703, Londres.* Physicien, astronome, mathématicien et naturaliste anglais. Il énonça la loi qui porte son nom sur les déformations élastiques d'un corps, et fut à l'origine de l'anatomie comparée des végétaux.

**HOOKER** (sir Joseph Dalton) ~ *1817, Halesworth - 1911, Sunningdale, près de Londres.* Explorateur et botaniste britannique. Il écrivit en collaboration avec G. Bentham une classification des phanérogames (*Genera plantarum*, 1862-1883).

**HOORNE** (Philippe **de Montmorency**, comte DE) ~ Voir **Hornes**.

**HOOVER** (Herbert Clark) ~ *1874, West Branch, Iowa - 1964, New York.* Homme d'État américain. Président républicain de 1929 à 1933, il fut battu par le démocrate Fr. D. Roosevelt.

**HOPE** (Thomas Charles) ~ *1766, Édimbourg - 1844, id.* Médecin et chimiste britannique. Il montra que la densité de l'eau est maximale à 4 °C.

**HO-PEI** (le) ~ Voir **Hebei**.

**Hopis** (les) ~ Peuple amérindien de l'Arizona.

**HOPKINS** (sir Frederick Gowland) ~ *1861, Eastbourne - 1947, Cambridge.* Physiologiste et chimiste britannique. Il découvrit les vitamines de croissance. Prix Nobel de physiol. ou méd. 1929.

**HOPKINS** (Gerard Manley) ~ *1844, Stratford, Essex - 1889, Dublin.* Poète et dessinateur britannique. Auteur d'une œuvre d'inspiration religieuse, il ne fut publié qu'en 1918.

**HOPPER** (Edward) ~ *1882, Nyack, État de New York - 1967, New York.* Peintre américain. Son réalisme sobre et suggestif excella dans l'évocation d'un univers urbain générateur de solitude et d'angoisse (*les Rôdeurs nocturnes*, 1942).

**HORACE**, en lat. ***Quintus Horatius Flaccus*** ~ *65, Venusia, dans les Pouilles - 8 av. J.-C.* Poète latin. Dans ses *Odes* et ses *Épîtres*, il fixa les formes d'un art poétique tenu, durant tout l'âge classique, pour une référence d'équilibre et de mesure. Ami de Virgile, protégé d'Auguste, il fut aussi un poète officiel et un moraliste (*Satires*).

**Horaces (les trois)** ~ Frères romains légendaires. Ils luttèrent, pour Rome, contre les trois Curiaces, champions d'Albe la Longue. À lui seul, le dernier Horace survivant vainquit ses trois adversaires.

**HORATIUS COCLES** ~ Héros romain légendaire. Il s'illustra en défendant seul le pont Sublicius, à Rome, contre l'armée étrusque de Porsenna.

**HORDE D'OR** ou **KHANAT DE KIPTCHAK** ~ Khanat mongol centré sur la basse Volga, créé par Batu Khan au milieu du XIIIe s. Gagné par l'islam, il vassalisa les principautés russes, puis se morcela et disparut (1502).

**HORKHEIMER** (Max) ~ *1895, Stuttgart - 1973, Nuremberg.* Philosophe allemand. Révolutionnaire et résistant antinazi, cofondateur de l'école de Francfort, il fut le principal penseur de la « théorie critique ».

**HORMUZ (détroit d')** ~ Voir **Ormuz**.

**HORN (cap)** ~ Extrémité S. de l'Amérique du Sud dans l'**île de Horn**, au S. de la Terre de Feu (Chili), doublée pour la première fois en 1616 par le Hollandais Schouten.

**HORNES** ou **HOORNE** (Philippe **de Montmorency**, comte DE) ~ *1518 ou 1524, Nivelles - 1568, Bruxelles.* Homme politique et général hollandais. Il servit sous Charles Quint, contribua à la victoire de Gravelines (1558), mais ses liens avec Guillaume le Taciturne, qui défendait les libertés des Pays-Bas, lui valurent d'être décapité sur ordre du duc d'Albe.

**HOROWITZ** (Wladimir) ~ *1904, Kiev - 1989, New York.* Pianiste américain d'orig. russe. Ses interprétations de Scarlatti, Chopin, Tchaïkovski, Scriabine ou Rachmaninov ont fait date.

**HORST** (Louis) ~ *1884, Kansas City - 1964, New York.* Pianiste et compositeur américain. Professeur de composition chorégraphique, collaborateur (1926-1948) de M. Graham pour qui il composa, il fut l'un des animateurs de la modern dance.

**HORST** (Paul) ~ *1906, Weissenfels, Allemagne.* Photographe américain d'orig. allemande. Il travailla avec Le Corbusier (1929), puis pour toutes les grandes revues de mode, not. *Vogue.*

**HORTA** (Victor, baron) ~ *1861, Gand - 1947, Bruxelles.* Architecte et décorateur belge. Pionnier de l'Art nouveau, il renouvela l'architecture intérieure, alliant une démarche rationaliste à un génie décoratif inspiré de formes végétales et caractérisé par l'emploi de matériaux nouveaux (hôtel Solvay, Bruxelles, 1895-1900). [☞ **nouveau.**]

**HORTHY DE NAGYBÁNYA** (Miklós) ~ *1868, Kenderes - 1957, Estoril, Portugal.* Amiral et homme politique hongrois. Ministre de la Guerre dans le gouvernement contre-révolutionnaire de Szeged (1919), opposé à Béla Kun, il fut élu régent (1920) et mit en place un régime dictatorial. Allié de l'Axe, il mena une politique d'annexion de 1938 à 1940. Ses tentatives pour conclure un armistice séparé avec l'U. R. S. S. conduisirent à sa déposition (oct. 1944). Il se réfugia au Portugal.

**HORTON** (Lester) ~ *1906, Indianapolis - 1953, Los Angeles.* Danseur et chorégraphe américain. Il fonda en 1934 son premier groupe, devenu en 1948 le Lester Horton Dance Theatre. S'inspirant des danses indiennes, il influença par ses théories le ballet contemporain (*Salome*, 1934 ; *Tierra y Libertad*, 1939 ; *Prado de Peña*, 1952).

**HORUS** ~ Dieu solaire de l'Égypte antique, dont l'emblème est un faucon ou un soleil ailé.

**Hôryû-ji** ~ Temple bouddhique situé près de Nara (Japon). Ses plus anciens édifices, en bois, datent du VIIe s.

**Hos** (les) ~ Peuple de l'Inde.

**Hos** (les) ~ Pirates vietnamiens et chinois issus de l'armée chinoise des Taiping. Ils opérèrent au Laos et au Tonkin à la fin du XIXe s.

**HOSOE** Eikô ~ *1933, Yanezawa, Yamagata.* Photographe japonais. Il a participé à l'avant-garde Jumin-no-Me (« les yeux des dix »). Membre fondateur de l'agence Vivo (1959), il a publié avec Mishima *Ordeal by Roses* (1963).

**HOSSEGOR** ~ Station baln. de la côte landaise, près de l'**étang d'Hossegor**, au N. de Capbreton.

**HOSSEIN** (Robert **Hosseinoff**, dit Robert) ~ *1927, Paris.* Cinéaste, acteur et homme de théâtre français. Acteur à succès (*Angélique, marquise des Anges*, 1964), réalisateur de thrillers (*Les salauds vont en enfer*, 1955), il met en scène au théâtre des fresques historiques (*Potemkine*, 1977 ; *Un homme nommé Jésus*, 1987).

**HOTAN** ~ Voir **Khotan.**

**Hottentots** (les) ~ Nom péjoratif (« stupides, bredouilleurs ») donné par les Boers à un peuple nomade d'Afrique du Sud, auj. concentré en Namibie (30 000 membres).

**HOUAI-NAN** ~ Voir **Huainan.**

**HOUA Kouo-fong** ~ Voir Hua Guofeng.

**HOUANG-HO** (le) ~ Voir **Huang He.**

**HOUANG Kong-wang** ~ Voir Huang Gongwang.

**HOUANG-SHAN** (le) ~ Voir **Huang Shan.**

**HOUAT** ~ Île de Bretagne, entre Belle-Île et le littoral du Morbihan ; 7,5 km², 390 h. Menhirs, dolmens. Pêche (crustacés). Tourisme.

**HOU Che** ~ Voir Hu Shi.

**HOUCHES (Les)** ~ Station tourist. de Haute-Savoie, près de Chamonix ; 1 947 h. Église baroque.

**HOUDAN** ~ V. de l'O. des Yvelines, marché agric. et anc. place forte ; 2 912 h. Donjon (XIIe s.), église (XVe s.), maisons médiévales.

**HOUDON** (Jean Antoine) ~ *1741, Versailles - 1828, Paris.* Sculpteur français. Sa connaissance de la statuaire antique et son étude du corps humain orientèrent son art vers un réalisme physionomique qui n'exclut pas la grâce (*l'Écorché*, 1767 ; *Diane*, 1780). Il fit des portraits d'enfants et de célébrités (*Diderot*, 1771).

**HOUGUE** (la) ~ Rade du N.-E. du Cotentin. Le 29 mai 1692, les Anglo-Hollandais, deux fois supérieurs en nombre, y détruisirent la flotte française de Tourville.

**HOUHEHOT** ou **HOHHOT** ~ V. de Chine, cap. de la Mongolie-Intérieure (depuis 1952), au S. du désert de Gobi ; 653 000 h. Université. Métallurgie.

**HOUILLES** ~ V. de la banlieue N.-O. de Paris (Yvelines) ; 29 650 h.

**HOULGATE** ~ Station balnéaire de la Côte fleurie (Calvados) ; 1 654 h. (agglom. de Dives-sur-Mer).

**HOU-NAN** (le) ~ Voir **Hunan.**

**HOUNSFIELD** (Godfrey Newbold) ~ *1919, Newark.* Ingénieur britannique. Il mit au point, avec A. M. Cormack, le scanner. Prix Nobel de physiol. ou méd. 1979.

**HOU-PEI** (le) ~ Voir **Hubei.**

**HOUPHOUËT-BOIGNY** (Félix) ~ *1905, Yamoussoukro, Côte d'Ivoire - 1993, id.* Homme d'État ivoirien. Député de la Côte d'Ivoire à l'Assemblée nationale française de 1946 à 1959, plusieurs fois ministre d'État de la IVe République, il fut élu président lors de l'accession de son pays à l'indépendance (1960). Critiqué en raison de son exercice solitaire du pouvoir et de ses liens privilégiés avec la France, il resta néanmoins à la tête de l'État ivoirien jusqu'à sa mort.

**HOURGHADA** ou **HURGHADA** ~ Port et station balnéaire d'Égypte sur la mer Rouge ; 22 800 h.

**Hourrites** (les) ~ Peuple du Moyen-Orient antique (XXIe au XIIe s. av. J.-C.), fondateur de l'empire du Mitanni (XVe s.) détruit par les Hittites et les Assyriens (XIVe-XIIIe s.).

**HOURTIN** ~ Station baln. landaise proche de l'**étang d'Hourtin-Carcans** (Gironde) ; 2 072 h. Phares. Centre de formation de la marine.

**HOUSSAY** (Bernardo) ~ *1887, Buenos Aires - 1971, id.* Médecin argentin. Il établit le rôle de l'hormone hypophysaire dans le métabolisme des glucides, à l'origine du traitement du diabète. Prix Nobel de physiol. ou méd. 1947.

**HOUSTON** ~ Port des États-Unis, cap. du Texas, relié au golfe du Mexique par un chenal dans la baie de Galveston ; agglom. 3 300 000 h. (2e de l'État). Université. Industries pétr. et spatiales. Musées, orchestre philharmonique. La ville doit son nom à **Samuel Houston,** 1er président du Texas.

© G. Boutin-Explorer

*Le centre-ville de Houston.*

**HOU Yao-pang** ~ Voir Hu Yaobang.

**HOWARD** ~ Famille noble anglaise qui reçut le duché du Norfolk au XVe s. Elle compta des hommes politiques. Voir **Catherine Howard.**

**HOWRAH** ~ V. industr. de l'Inde (Bengale-Occidental), cité satellite de Calcutta, sur la Hooghly ; 947 000 h. Terminus ferroviaire.

**HOXHA** ou **HODJA** (Enver) ~ *1908, Gjirokastër - 1985, Tirana.* Homme d'État albanais. Il dirigea la résistance (1939-1944), fonda le Parti communiste albanais en 1941 puis proclama la république populaire (1946). Il rompit avec l'U. R. S. S. (1961) au profit d'une alliance avec la Chine, qu'il dénonça en 1978, et maintint son pays dans l'isolement.

**HOYNINGEN-HUENE** (George) ~ *1900, Saint-Pétersbourg - 1968, Los Angeles.* Photographe américain d'orig. russe. Photographe phare de la revue *Vogue*, il collabora également à *Harper's Bazaar* (1935-1945).

**HRABAL** (Bohumil) ~ *1914, Brno - 1997, Prague.* Écrivain tchèque. Son œuvre truculente s'inscrit dans l'histoire contemporaine tchèque (*Une trop bruyante solitude*, 1983 ; *Noces dans la maison*, 1990).

**HRADEC KRÁLOVÉ** ~ V. de la République tchèque (Bohême) ; 101 000 h. Industries agroalim., text. et mécan., instruments de musique. Cathédrale du XIVe s. et édifices baroques. À proximité eut lieu le 3 juill. 1866 la bataille de Sadowa entre Autrichiens et Prussiens.

**HUA Guofeng** ou **HOUA Kouo-fong** ~ *v. 1921, Jiaocheng, Shanxi.* Homme politique chinois. Premier ministre (1976-1980) à la mort de Zhou Enlai et président du P. C. C. (1976-1981) à la mort de Mao Zedong, il ne parvint pas à s'imposer face à la tendance dirigée par Deng Xiaoping.

**HUAINAN** ou **HOUAI-NAN** ~ V. de Chine (Anhui), industr. et minière ; 1 200 000 h. Le *Huainan Zi*, ouvrage taoïste, y fut écrit au IIe s. av. J.-C.

**HUAMBO**, anc. **Nova Lisboa** ~ 2e v. d'Angola, carrefour de communications et marché agric. des hauts plateaux (1 700 m) ; env. 40 000 h. Constr. ferroviaires. Enjeu princ. de la guerre civile.

**HUANCAYO** ~ V. du Pérou, à l'E. de Lima, dans les Andes ; 258 000 h., alt. 3 200 m. Archevêché. Université.

**HUANG Gongwang** ou **HOUANG Kong-wang** ~ *1269, Changshou - 1354, id.* Peintre, poète et musicien chinois. Auteur d'un traité du paysage, il fut l'un des principaux artistes de la dynastie Yuan.

**HUANG HE** ou **HOUANG-HO** (le) ~ 2e fl. de Chine, après le Yangzi Jiang ; env. 4 845 km. Issu des confins du Tibet (Qinghai), il draine un bassin de 750 000 km² en Chine du Nord, formant une grande boucle au N. (confins mongols), et se jette dans le golfe du Bohai au S. de Tianjin. Ses crues, dues au rehaussement de son cours inférieur par les alluvions arrachées au lœss (d'où son surnom de fleuve Jaune), sont souvent dévastatrices, malgré des travaux d'endiguement séculaires.

**HUANG SHAN** ou **HOUANG-SHAN** (le) ~ Massif montagneux (alt. max. 1 710 m) de l'E. de la Chine (Anhui), au N. du Yangzi Jiang, réputé pour la beauté de ses sites (paysages chinois typiques) et l'artisanat régional (laques).

**HUASCARÁN** (le) ~ Point culminant des Andes péruviennes (6 768 m), dans la Cordillère occidentale, au N. de Lima.

**Huaxtèques** ou **Huastèques** (les) ~ Peuple du N. de l'ancien Mexique (apogée au Xe s.) à l'art architectural techniquement avancé. Auj., il appartient au groupe maya (env. 50 000 membres).

**HUBBLE** (Edwin Powell) ~ *1889, Marshfield, Missouri - 1953, San Marino, Californie.* Astrophysicien américain. Il découvrit des galaxies extérieures à la Voie lactée et en établit une classification selon leur forme. La **loi de Hubble**, selon laquelle les galaxies s'éloignent les unes des autres à une vitesse proportionnelle à leur distance (1929), annonce la théorie de l'expansion de l'Univers. [☞ **galaxie.**]

**HUBEI** ou **HOU-PEI** (le) ~ Prov. du centre-E. de la Chine, région de moyennes montagnes à l'O. et de plaines au centre et à l'E. ; 187 500 km², 54 760 000 h., cap. Wuhan. Agric. intensive (céréales, coton, soja, thé, arbre à laque), ress. énergétiques (charbon) et minières (fer, cuivre, phosphates, gypse), industrie lourde, tourisme (« province des mille lacs », gorges du Yangzi Jiang).

**HUBERT** (saint) ~ *m. en 727 à Liège.* Évêque de Tongres, Maastricht et Liège. Selon une légende comparable à celle de saint Eustache, il assista à l'apparition d'un cerf porteur d'une croix de feu entre ses bois. Patron des chasseurs.

**Hubertsbourg (traité d')** ~ Traité signé entre l'Autriche, la Prusse et la Saxe le 15 février 1763, au terme de la guerre de Sept Ans. L'impératrice

Marie-Thérèse confirmait au roi de Prusse Frédéric II la possession de la Silésie.

**HUBLI-DHARWAR** ~ V. du S. de l'Inde (Karnataka) ; 648 000 h. Univ. Industr. textile (coton).

**HUC** (Évariste) ~ *1813, Caylus, Tarn-et-Garonne - 1860, Paris.* Missionnaire lazariste. Il parcourut la Chine, la Mongolie et le Tibet.

**HUDDERSFIELD** ~ V. d'Angleterre (West Yorkshire) au S.-O. de Leeds ; 124 000 h. Industries textile et mécanique.

**HUDSON** (l') ~ Fl. du N.-E. des États-Unis, issu des monts Adirondack, qui rejoint l'Atlantique à New York, segment du système de voies navigables reliant l'océan Atlantique aux Grands Lacs (par la Mohawk) et au Saint-Laurent (par le lac Champlain) ; 500 km.

**HUDSON (baie d')** ~ Mer intérieure du Canada, qui sépare l'E. (Labrador) de l'O. du Bouclier canadien au N., échancrant profondément le continent américain au S. (baie James) et communiquant au N. avec l'Atlantique (détroit d'Hudson) ; 820 000 km², prof. moyenne 100 m. Froide ou polaire, elle est en partie prise par les glaces en hiver. Côte basse (marécageuse ou bordée de falaises) et boisée (forêt boréale au S., toundra au N.). Rares établissements amérindiens et inuits. Port de Churchill (côte O.).

**Hudson (Compagnie de la baie d')** ~ Compagnie comm. anglaise, créée en 1670 par Charles II. Spécialisée dans le commerce des fourrures au Canada, elle fusionna en 1821 avec sa rivale, la Compagnie du Nord-Ouest, créée en 1784.

**HUDSON** (Henry) ~ *v. 1550 - 1611, en mer.* Navigateur anglais. Après avoir atteint le Spitzberg, puis la Nouvelle-Zemble vers le N.-E. (1607-1608), il chercha une route au N. de l'Amérique et parvint à la baie qui porte auj. son nom (1610). Au retour, son équipage, mutiné, l'abandonna en mer.

**HUÊ** ~ V. du Viêt Nam central, à proximité de la mer de Chine méridionale, sur la **rivière Huê** ; 211 000 h. Industr. agroalim. et textile. Tourisme (cité interdite, palais impériaux). Anc. capitale impériale (Annam), prise par les Français (1883), elle fut en partie détruite par l'aviation américaine lors de l'offensive communiste du Têt (1968).

**HUELVA** ~ Port du S.-O. de l'Andalousie (Espagne), à l'embouchure du río Tinto sur l'Atlantique, centre admin. ; 141 000 h. Industrie chim., raff. de pétrole et production de cuivre. Pêche.

**HUESCA** ~ V. de l'Aragon (Espagne), centre admin., au S. des Pyrénées ; 43 000 h. Édifices romans, cathédrale (XIIIe-XVIe s.). Musée.

**HUET** (Paul) ~ *1803, Paris - 1869, id.* Peintre paysagiste français. Ami de Delacroix, il offre une vision tourmentée et romantique de la nature (*l'Inondation à Saint-Cloud,* 1855).

**HUFUF** ou **HOFOUF (al-)** ~ V. d'Arabie Saoudite, dans la plus vaste oasis du Hassa, à l'E. de Riyad, marché agricole ; 101 000 h. École vétérinaire et écuries royales.

**HUGHES** (David Edward) ~ *1831, Londres - 1900, id.* Ingénieur américain d'orig. britannique, inventeur d'un appareil télégraphique imprimeur (1854), du microphone (1878) et d'une balance d'induction.

**HUGHES** (Howard Robard) ~ *1905, Houston, Texas - 1976, en avion, entre Acapulco et Houston.* Industriel, producteur et cinéaste américain. Fondateur de la **Hughes Aircraft Corporation**, il fabriqua des avions (le Constellation) et des hélicoptères. Producteur de films (*Scarface,* de H. Hawks, 1932), il assura la promotion d'actrices.

**HUGHLI** (la) ~ Voir **Hooghly**.

**HUGO** (Victor) ~ *1802, Besançon - 1885, Paris.* Écrivain et poète français. Avec la publication de ses premiers poèmes (*Odes et Ballades,* 1822), il devint le chef de file du romantisme. Au théâtre, la représentation d'*Hernani* (1830) établit sa notoriété. Il écrivit alors son premier grand roman, *Notre-Dame de Paris* (1831), et plusieurs drames (*Marion Delorme,* 1831 ; *Lucrèce Borgia,* 1833), s'affirmant en maître dans tous les genres littéraires. La mort de sa fille Léopoldine et l'insuccès des *Burgraves* (1843) le poussèrent à l'engagement politique (il fut pair de France en 1845, député en 1848). Opposé au coup d'État de 1851, il dut fuir à Jersey. De cet exil, qui dura dix-neuf ans, il combattit l'« usurpateur » (*Napoléon le Petit,* 1852), et rédigea de grands ouvrages (*les Châtiments,* 1853 ; *les Contemplations,* 1856 ; *la Légende des siècles,* 1859-1883 ; *les Misérables,* 1862), s'adonnant au spiritisme et rêvant d'immortalité. Il rentra d'exil en 1870, et, républicain, célébra la Commune de Paris (*l'Année terrible,* 1872). Après un dernier mandat de sénateur (1876) et quelques œuvres de vieillesse (*l'Art d'être grand-père,* 1877), il s'éteignit, chargé d'honneurs, universellement salué comme un géant de la littérature. Acad.

**HUGUES Ier CAPET** ~ *v. 941 - 996, près de Chartres.* Duc (956-987), puis roi des Francs (987-996). Fils d'Hugues le Grand, conseillé par Adalbéron, il succéda à Louis V, fondant la dynastie des Capétiens. [☞ **féodalité**.]

**HUGUES DE CLUNY** (saint) ~ *1024, Semur-en-Brionnais, Saône-et-Loire - 1109, Cluny.* Abbé de Cluny (1049-1109). Il développa son ordre et fut le conseiller de plusieurs papes, dont Grégoire VII.

**HUGUES DE PAYNS** ~ *v. 1070, Payns, près de Troyes - 1136, en Palestine.* Homme de guerre français. Il participa à la 1re croisade, puis resta en Terre sainte où il fonda l'ordre des Templiers (1119).

**HUGUES DE SAINT-VICTOR** ~ *v. 1096, près d'Ypres - 1141, Paris.* Théologien et philosophe français. Ses ouvrages scientifiques, historiques, philosophiques et sa somme théologique (*Des sacrements de la vie chrétienne*) le firent surnommer par ses contemporains le Nouvel Augustin.

**HUGUES LE GRAND** ou **LE BLANC** ~ *v. 897 - 956, Dourdan.* Comte de Paris, duc des Francs. Père d'Hugues Capet, il fut le second personnage du royaume sous les derniers Carolingiens.

**HUGUET** (Jaume) ~ *v. 1415, Valls, Catalogne - 1492, Barcelone.* Peintre espagnol. Influencé par l'art nordique, il est l'auteur de retables richement décorés où la perspective rudimentaire accentue la vigueur d'expression des personnages, caractéristique du gothique catalan (*Consécration de saint Augustin,* 1465-1480).

**HUISNE** (l') ~ Riv. du Perche née dans l'Orne, qui rejoint la Sarthe (r. g.) au Mans ; 130 km.

**HULAGU** ~ *v. 1217 - 1265, Maragha, Azerbaïdjan d'Iran.* Khan mongol. Petit-fils de Gengis Khan, il régna sur la Perse (1256-1265) et mit fin au califat abbasside de Bagdad (1258).

**HULL** ~ V. du Canada (Québec), sur la rivière des Outaouais, face à Ottawa ; 61 000 h. Industr. du bois, textile. Musée des civilisations.

**HULL** ~ Voir **Kingston-upon-Hull**.

**HULL** (Clark Leonard) ~ *1884, Akron, État de New York - 1952, New Haven.* Psychologue américain. Comportementaliste, il s'intéressa aux mécanismes de l'apprentissage (*Principes du comportement,* 1943).

**HULL** (Cordell) ~ *1871, Olympus, Tennessee - 1955, Bethesda, Maryland.* Homme politique américain. Démocrate, secrétaire d'État (1933-1944), il fut l'un des créateurs de l'O. N. U. Prix Nobel de la paix 1945.

**Humanité** (l') ~ Quotidien, organe du parti socialiste, fondé en 1904 par J. Jaurès. Dirigé par celui-ci jusqu'en 1914, il devint, lors du congrès de Tours (1920), l'organe du parti communiste, sous la direction de M. Cachin.

**HUMBERSIDE** (le) ~ Comté du N.-E. de l'Angleterre, baigné par la mer du Nord et traversé par la

Le Gai Château *(détail), lavis et encre de Chine de Victor* **Hugo**. *Maison de Victor Hugo, Paris.*

**Humber**, estuaire qui réunit plusieurs rivières, dont la Trent et l'Ouse ; 3 508 km², 858 000 h., ch.-l. Kingston-upon-Hull. Agriculture (céréales, élev. bovin et porcin), pêche à Grimsby, sidér. à Scunthorpe, raff. de pétrole à Immingham.

**HUMBERT**, nom de deux rois d'Italie. ~ **Humbert Ier** (*1844, Turin - 1900, Monza*), fils de Victor-Emmanuel II, roi d'Italie (1878-1900). Il fut assassiné par un anarchiste. ~ **Humbert II** (*1904, Racconigi - 1983, Genève*), roi d'Italie (9 mai-2 juin 1946). Il accéda au trône après l'abdication de son père, Victor-Emmanuel III, et abdiqua à son tour après un référendum favorable à la république.

**HUMBERT II** ~ *1313 - 1355, Clermont.* Dernier dauphin du Viennois (1333-1349), il céda le Dauphiné au roi de France, Philippe VI (1349).

**HUMBOLDT** ~ **Wilhelm**, baron VON (*1767, Potsdam - 1835, Tegel, près de Berlin*), philologue et diplomate prussien, esprit novateur dans l'étude des langues. Son frère ~ **Alexander**, baron VON (*1769, Berlin - 1859, Potsdam*), explorateur et géographe, fit d'importantes observations en climatologie, en volcanologie et en biogéographie.

**HUMBOLDT (courant de)** ~ Courant froid du Pacifique qui remonte le long des côtes du Chili septentrional et du Pérou (zone poissonneuse). En faisant barrage aux influences océaniques, il est à l'origine des déserts côtiers.

**HUME** (David) ~ *1711, Édimbourg - 1776, id.* Philosophe britannique. Après le *Traité de la nature humaine* (1740), il publia avec succès les *Essais moraux et politiques* (1748). Il développa alors ses idées dans *Enquêtes sur les principes de la morale* (1751), *Dissertations sur les passions, sur le goût* (1757), *Dialogues sur la religion naturelle* (posth., 1779). Empiriste, il s'appliqua à mettre au jour les principes de nos jugements. Sceptique, il tenait les idées pour une copie des impressions et expliquait la causalité comme une croyance renforcée par l'habitude. Contre tout fondement métaphysique, il critiqua dogmatisme épistémologique et rationalisme moral, auquel il opposait l'imagination et le sentiment comme facteurs de généralisation et d'unification.

**HUMMEL** (Johann Nepomuk) ~ *1778, Presbourg - 1837, Weimar.* Compositeur et pianiste autrichien. Pédagogue, il influença Chopin et Liszt.

**HUMPHREY** (Doris) ~ *1895, Oak Park, Illinois - 1958, New York.* Danseuse et chorégraphe américaine. Après des compositions fondées sur l'étude des rythmes humains (*The Shakers,* 1931 ; *New Dance,* 1935), elle collabora avec J. Limón. [☞ **danse**.]

**HUNAN** ou **HOU-NAN** (le) ~ Province du S.-E. de la Chine formée par les bassins du lac Dongting et des rivières affluentes ; 210 500 km², 60 600 000 h., dont 10 % de minorités (Tujias, Miaos, Yaos, Dongs), cap. Changsha. Agric. traditionnelle (« bol de riz de la Chine »). Minerais (antimoine, mercure, plomb, zinc).

**HUNDERTWASSER** (Friedrich **Stowasser**, dit Fritz) ~ *1928, Vienne.* Peintre autrichien. Son univers onirique est constitué de labyrinthes abstraits aux linéaments curvilignes finement colorés et enluminés (*les Conducteurs de la nuit,* 1963).

**Huns** (les) ~ Anc. peuple nomade asiatique turco-mongol séparé en deux branches. Les **Huns occidentaux**, établis au Ier s. entre le lac Balkhach et la mer d'Aral, franchirent la Volga et le Don en 370 et déclenchèrent les invasions barbares en Europe. Ils s'installèrent dans la cuvette du Danube (actuelle Hongrie) en 405. Unifiés par Attila (434) en un vaste empire, ils détruisirent le royaume des Burgondes et pillèrent les Balkans et l'Empire romain, mais furent défaits aux champs Catalauniques (451). La mort d'Attila (453) entraîna la dislocation de l'empire des « Huns blancs ». Les **Huns hephthalites**, venus d'Asie centrale, attaquèrent au Ve s. la Perse sassanide puis le N. de l'Inde, où ils furent vaincus au VIe s. par Khosro Ier.

**HUNSRÜCK** (le) ~ Région montagneuse et forestière d'Allemagne (Rhénanie-Palatinat), au S. de la Moselle, plateau surmonté de chaînes de quartzite (818 m au Hochwald). Élevage bovin.

**HUNT** (William Holman) ~ *1827, Londres - 1910, id.* Peintre britannique. Fondateur avec J. E. Millais et D. G. Rossetti de la confrérie préraphaélite (1848)

il justifia l'expression d'un idéal moral et religieux par une fidélité scrupuleuse à la nature (*la Lumière du monde*, 1851-1854). [☞ **préraphaélite.**]

**HUNTZIGER** (Charles) ~ *1880, Lesneven, Finistère - 1941, près du Vigan.* Général français. Négociateur des armistices avec l'Allemagne et l'Italie en 1940, il devint ministre de la Guerre dans le gouvernement de Vichy.

**HUNYADI**, famille noble hongroise. ~ **János** (*v. 1407, Transylvanie - 1456, Zimony, auj. Zemun, Belgrade*), régent de Hongrie (1446-1453), repoussa les Ottomans lors du siège de Belgrade (1456). L'un de ses fils, ~ **Mathias Ier Corvin** (*v. 1440, Kolozsvár, auj. Cluj, Roumanie - 1490, Vienne*), roi de Hongrie (1458-1490), annexa la Silésie et la Moravie (1479) et s'empara de l'Autriche (1485). Il participa à la diffusion de l'humanisme.

**HUNZA** (le) ~ Nom d'une riv. du Cachemire, affl. de l'Indus, voie d'accès vers le Xinjiang chinois. Le district pakistanais du même nom, entre Karakorum et Hindou Kouch, a pour chef-lieu Baltit. L'ethnie **hunza** est réputée pour sa longévité.

**HURAULT** (Louis) ~ *1886, Attray, Loiret - 1973, Vincennes.* Général français. Promoteur de la photogrammétrie aérienne, il fut le responsable du service géographique de l'armée (1937-1940), puis de l'Institut géographique national (1940-1956).

**HUREPOIX** (le) ~ Région du bassin de la Seine, entre l'Yvette et l'Essonne (S. de la région parisienne), plateau limoneux (céréales, betterave à sucre) disséqué par les vallées (pépinières, cult. maraîchères), peu à peu gagné par l'urbanisation.

**HURGHADA** ~ Voir **Hourghada**.

**HURON (lac)** ~ L'un des cinq Grands Lacs américains, séparant les États-Unis (Michigan) du Canada (Ontario), relié aux lacs Michigan, Supérieur et Érié, voué à une intense navigation de transit (liaison Chicago-Detroit) ; 60 000 km², alt. 176 m, prof. max. 208 m.

**Hurons** (les) ~ Indiens du Canada, ayant vécu au XVIIe s. entre les lacs Ontario et Huron et le Saint-Laurent. Divisés en quatre tribus, alliés aux Français contre les Iroquois, ils furent vaincus en 1649. Populaires en France au XVIIIe s. grâce à Voltaire (*l'Ingénu ou le Huron*, 1767), ils sont à l'origine du mythe du « bon sauvage ».

**HURTADO DE MENDOZA** (Diego) ~ *1503, Grenade - 1575, Madrid.* Diplomate et écrivain espagnol, auteur de *la Guerre de Grenade* (1627) et, suppose-t-on, de *Lazarillo de Tormes* (1554).

**HUS** (Jan) ~ *v. 1371, Husinec, Bohême - 1415, Constance.* Réformateur religieux et écrivain tchèque. Recteur de l'université de Prague, influencé par Wycliffe, il dénonça les mœurs de l'Église, oublieuse de sa vocation spirituelle. Condamné au concile de Constance, il fut brûlé vif. Sa mort, qui exalta le patriotisme tchèque, fut à l'origine de la **guerre hussite** (1419-1436).

**HUSÁK** (Gustáv) ~ *1913, Bratislava - 1991, id.* Homme d'État tchécoslovaque. Président du gouvernement autonome de Slovaquie (1946-1950), il fut arrêté en 1951 et libéré en 1960. Après l'intervention des troupes du pacte de Varsovie à Prague en 1968, il mit cependant en œuvre la « normalisation » et fut président de la République (1975-1989).

**HUSAYN** (Taha) ~ *1889, Maghagah - 1973, Le Caire.* Écrivain égyptien. Critique, traducteur, auteur prolixe, il reçut une consécration internationale pour son autobiographie, *le Livre des jours* (1929). Il fut ministre de l'Instruction publique (1950-1952).

**HU Shi** ou **HOU Che** ~ *1891, Shanghai - 1962, Taipei.* Écrivain et critique chinois. Il inaugura l'usage de la langue parlée dans la littérature chinoise.

**HUSSEIN** ~ *626 ou 627, Médine - 680, Karbala.* Troisième imam des chiites. Deuxième fils d'Ali et de Fatima, il fit valoir ses droits au califat (680) mais, sur le chemin de l'Iraq, fut tué avec sa famille par les Omeyyades.

**HUSSEIN** ou **HUSAYN** ~ *1935, Amman.* Roi de Jordanie depuis 1952. L'engagement de son pays dans la guerre des Six-Jours (1967) provoqua la perte de la Cisjordanie et l'arrivée de nouveaux réfugiés. En 1970, il élimina les forces armées palestiniennes de son pays (« septembre noir »). Il contesta la paix séparée de Camp David (1978). Devenu favorable à la création d'un État palestinien, il renonça à toute revendication sur la Cisjordanie (1988). Il a signé un traité de paix avec Israël en 1994.

**HUSSEIN** (Saddam) ~ *1937, Tikrit.* Homme d'État irakien. Président de la République, dirigeant du parti Baas, de l'armée et du Conseil de commandement de la révolution depuis 1969, il a engagé l'Iraq dans une guerre contre l'Iran (1980-1988), puis s'est emparé du Koweit (1990), ce qui déclencha la guerre du Golfe (1991).

**HUSSEIN IBN ALI** ~ *v. 1856, Istanbul - 1931, Amman.* Chérif de La Mecque et roi du Hedjaz (1916-1924), il dirigea avec l'aide des Britanniques la « révolte arabe » contre les Turcs.

**HUSSEIN IBN HUSSEIN** ~ *v. 1765, Smyrne - 1838, Alexandrie.* Dernier dey d'Alger (1818-1830) avant le débarquement des Français.

**HUSSERL** (Edmund) ~ *1859, Prossnitz, Moravie - 1938, Fribourg-en-Brisgau.* Philosophe allemand. Formé aux mathématiques et à la philosophie, élève de Fr. Brentano, il enseigna à l'université jusqu'en 1936, puis en fut exclu à cause de son ascendance juive. Des *Recherches logiques* (1900) à *la Crise des sciences européennes* (1936), son œuvre, qui s'élève autant contre le kantisme que contre l'empirisme, s'ouvre par une critique du psychologisme au profit d'une fondation platonicienne de la logique (*Logique formelle et Logique transcendantale*, 1929) pour évoluer vers une radicalisation du doute cartésien (*Méditations cartésiennes*, 1931) en une réduction phénoménologique ou « mise entre parenthèses du monde », sur le modèle de l'intentionnalité. C'est le projet de la phénoménologie, ou science des essences, dont l'importance, tout au long du XXe s., fut considérable.

**HUSTON** (John) ~ *1906, Nevada, Missouri - 1987, Newport, Rhode Island.* Cinéaste américain. Poète lyrique et désenchanté des destins malheureux et des causes perdues (*le Faucon maltais*, 1941 ; *The African Queen*, 1952 ; *Reflets dans un œil d'or*, 1967 ; *Gens de Dublin*, 1987), il fut à l'occasion un acteur exceptionnel (*le Cardinal*, d'O. Preminger, 1963).

**HUTTEN** (Ulrich VON) ~ *1488, près de Fulda - 1523, île d'Ufenau, lac de Zurich.* Chevalier et humaniste allemand. Partisan de la Réforme, critique à l'égard de l'Église et des princes, il dirigea la révolte des chevaliers, qui échoua, et dut s'exiler.

**HUTTON** (James) ~ *1726, Édimbourg - 1797, id.* Chimiste et géologue britannique. Il introduisit en géologie la notion de l'évolution dans le temps, détermina l'action de l'érosion dans la formation de la Terre et expliqua les coupures géologiques grâce à la stratigraphie. Il défendit la théorie de l'origine des roches fondée sur la chaleur et la pression (*Théorie de la Terre*, 1785). [☞ **roche.**]

**Hutus** (les) ~ Peuple d'agriculteurs bantous du Burundi et du Rwanda (Afrique orientale), sporadiquement en conflit avec les Tutsis depuis les indépendances (1962).

**HUVEAUNE** (l') ~ Fl. de Provence ; 52 km. Il prend sa source dans le massif de la Sainte-Baume et se jette dans la Méditerranée à Marseille.

**HUXLEY** ~ **Thomas Henry** (*1825, Ealing, Middlesex - 1895, Londres*), naturaliste et voyageur britannique, défenseur de l'évolutionnisme. Son petit-fils ~ **sir Julian Sorell** (*1887, Londres - 1975, id.*), biologiste, étudia la génétique et la théorie de l'évolution, et fut directeur de l'Unesco (1946-1948). ~ **Aldous** (*1894, Godalming, Surrey - 1963, Los Angeles*), frère du préc., écrivain, se fit le censeur caustique de la barbarie scientiste et matérialiste (*le Meilleur des mondes*, 1932). ~ **Andrew Fielding** (*1917, Hampstead*), neurophysiologiste, demi-frère du préc., étudia les mécanismes ioniques de l'influx nerveux avec Alan Hodgkin et John Eccles. Prix Nobel de physiol. ou méd. 1963.

**HU Yaobang** ou **HOU Yao-pang** ~ *v. 1915, dans le Hunan - 1989, Pékin.* Homme politique chinois. Secrétaire général du P. C. C. (1981-1989), il fut souvent contesté pour ses opinions libérales.

**HUYGENS** (Christiaan) ~ *1629, La Haye - 1695, id.* Mathématicien et astronome hollandais. Il composa le premier traité de calcul des probabilités, établit la théorie du pendule et découvrit l'anneau de Saturne et la nébuleuse d'Orion.

**HUYGHE** (René) ~ *1906, Arras - 1997, Paris.* Historien d'art français. Conservateur au Louvre, auteur d'ouvrages de synthèse (*l'Art et l'Homme*, 1958-1961) et professeur au Collège de France, il soutint que la vision artistique résulte de la pensée, des modes de vie, de la psychologie du créateur aussi bien que de la société où évolue ce dernier. Acad.

**HUYSMANS** (Camille) ~ *1871, Bilzen, Limbourg - 1968, Anvers.* Homme politique belge. Député socialiste à partir de 1910, secrétaire (1905-1922) puis président (en 1940) de l'Internationale socialiste, il fut plusieurs fois ministre entre 1925 et 1949. En 1966, il rompit avec le parti socialiste.

**HUYSMANS** (Georges Charles, dit Joris-Karl) ~ *1848, Paris - 1907, id.* Écrivain français. Dans son œuvre singulière se succèdent naturalisme (*À vau-l'eau*, 1882), préciosité (*À rebours*, 1884), goût de l'occultisme (*Là-bas*, 1891) et foi chrétienne (*l'Oblat*, 1903).

**HYACINTHE** (saint) ~ *1183, Kamień, Silésie - 1257, Cracovie.* Religieux polonais. Dominicain, il se consacra à l'implantation de son ordre en Pologne et en Ukraine.

**Hyde Park** ~ Parc de l'O. de Londres.

**HYDERABAD** ~ Cap. de l'Andhra Pradesh, au centre du Deccan ; 4 254 000 h. (forte minorité de musulmans). Université. Monuments des XVIe et XVIIe s. (Char Minar). Musées. Ses gouverneurs moghols en firent un État indépendant (1725) qui dut accepter la suzeraineté britannique (1798).

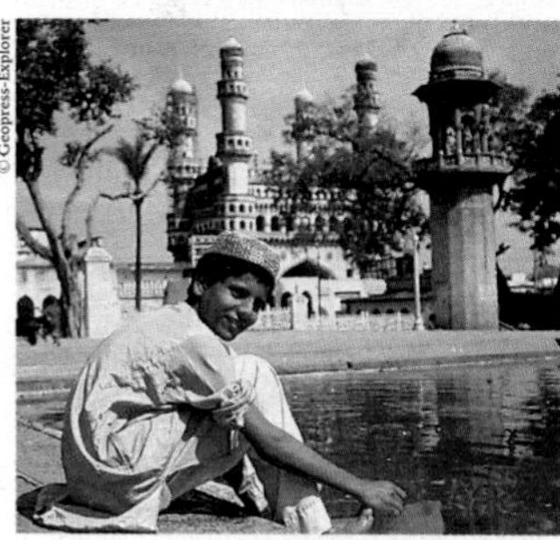
© Geopress-Explorer

*Le Char Minar à **Hyderabad**.*

**HYDERABAD** ~ V. du Pakistan, dans le Sind, au N.-E. de Karachi, près de l'Indus ; 795 000 h. Université. Industries text. (coton) et chimique.

**HYDRA** ~ Île grecque de la mer Égée (E. du Péloponnèse). Son port (Hydra) joua un rôle déterminant lors de la guerre d'indépendance.

**HYÈRES** ~ V. de la banlieue E. de Toulon (Var), station clim. et baln. ; 48 043 h. Salines. Base aéronavale. Cult. florales. Vestiges d'une enceinte fortifiée (tour St-Blaise, XIIe s.), anc. collégiale St-Paul (XIe-XVIe s.), église St-Louis (XIIIe s.). Port médiéval. Les **îles d'Hyères** (Porquerolles, Port-Cros, île du Levant) ferment au S. la rade du même nom (sites protégés, tourisme baln.).

**Hyksos** (les) ~ Nom donné par Manéthon à des conquérants indo-européens venus d'Asie. Ils fondèrent un royaume dans le N. de l'Égypte (1730 av. J.-C.) ; les pharaons de Thèbes Kamosis et Ahmosis les expulsèrent du pays (1580 av. J.-C.).

**HYMETTE (mont)** ~ Montagne de l'Attique (Grèce) au S.-E. d'Athènes (1 026 m), réputée depuis l'Antiquité pour sa production de miel et ses carrières de marbre.

**HYPÉRIDE** ~ *389, Athènes - 322 av. J.-C., id.* Orateur athénien. Proche de Démosthène, il fut mis à mort après l'échec du soulèvement contre Antipater.

**HYRCAN**, nom de plusieurs grands prêtres et ethnarques des Juifs. ~ **Hyrcan Ier** ou **Jean Hyrcan** (*m. en 104 av. J.-C.*), prince juif asmonéen, rendit son pays indépendant. ~ **Hyrcan II** (*110 - 30 av. J.-C.*) fut mis à mort par Hérode.

**HYRCANIE** (l') ~ Région de l'Iran ancien, au S.-E. de la mer Caspienne.

**IABLONOVY (monts)** ~ Chaîne du S. de la Sibérie orientale (alt. max. 1 600-1 700 m), à l'E. du lac Baïkal.

**IAKOUTIE** (la) ou **SAKHA** ~ La plus vaste des républiques de la fédération de Russie, couvrant le bassin de la Lena au N.-E. du lac Baïkal ; 3 103 200 km², 1 061 000 h., dont Russes (50 %), Iakoutes (33 %), cap. **Iakoutsk** (187 000 h.), port fluvial doté d'une université en 1956. Climat très rigoureux (permafrost). Houille, or, diamants. C'est le territoire des **Iakoutes** turcophones, éleveurs (rennes, chevaux), agriculteurs (au S.), chasseurs, pêcheurs, repoussés vers le N. par les Mongols (Bouriates) au XVᵉ s.

**IALTA** ~ Voir **Yalta**.

**Iapyges** (les) ~ Peuple originaire d'Illyrie, qui vint s'installer en Apulie au Vᵉ s. av. J.-C.

**IAROSLAV** (Vladimirovitch) ~ *v. 978 - 1054, Kiev.* Prince de Novgorod (1015) et grand-prince de Kiev (1019-1054). Il continua la politique de son père, Vladimir Iᵉʳ le Grand, consolidant les frontières de l'État russe, et fit de Kiev le centre d'une des puissances de l'Europe médiévale.

**IAROSLAVL** ~ V. de Russie, port fluvial sur la Volga, au N.-E. de Moscou, centre industr. (pétrochim., moteurs, constr. mécan.) ; 637 000 h. Monastère fortifié (XIIᵉ s.), églises cubiques à cinq coupoles (XVIIᵉ s.). Fondée en 1026 par Iaroslav, la ville fut réunie à la Moscovie en 1463.

**IAŞI** ou **JASSY** ~ 3ᵉ v. de Roumanie, près de la frontière moldave ; 343 000 h. Université. Industr. alim., chim., métallurgique. Églises de style byzantin (XVIIᵉ s.). HIST. - Capitale de la Moldavie jusqu'en 1859, elle accueillit la signature du traité de paix russo-turc (1792), qui octroyait la Crimée à la Russie. Le gouvernement roumain s'y réfugia en 1917 pendant l'occupation de Bucarest par les Allemands.

**IAXARTE** (l') ~ Voir **Syr-Daria**.

**IBADAN** ~ 2ᵉ v. du Nigeria et cap. de l'État d'Oyo, au N.-E. de Lagos, marché agricole ; 1 295 000 h. Université. Petite industr. alim. et mécanique.

**IBAGUÉ** ~ V. de Colombie, sur le versant E. de la Cordillère centrale, centre comm. d'une région agric. (cacao, café) ; 334 000 h. Université.

**Ibères** (les) ~ Peuple présent dans la péninsule Ibérique à partir du Néolithique. Ils créèrent une brillante civilisation (VIᵉ s. av. J.-C.) au contact des Carthaginois et des Grecs et furent progressivement intégrés à l'Empire romain (IIᵉ s. av. J.-C.).

**IBÉRIE** (l') ~ Nom qui désigna deux contrées dans l'Antiquité : le pays des Ibères (actuelle péninsule Ibérique) et la Géorgie intérieure, à l'E. de la Colchide, aux marges septentrionales de la Perse et de l'Arménie.

**IBÉRIQUE (péninsule)** ~ La plus occidentale des trois grandes péninsules de l'Europe méditerranéenne. Elle regroupe l'Espagne et le Portugal.

**IBÉRIQUES (monts)** ~ Rebord montagneux de la Meseta espagnole au N.-E., qui domine la Castille et le bassin de l'Èbre (att. max 2 300 m). Sources du Douro.

**IBERT** (Jacques) ~ *1890, Paris - 1962, id.* Compositeur français. Abordant tous les genres, il s'appuya sur une science orchestrale très sûre (*Concerto pour flûte et orchestre*, 1932).

**IBIZA** ~ Île accidentée des Baléares (S.-O.), qui constitue, avec Formentera, le groupe des Pityuses ; 572 km², env. 60 000 h. Cultures méditerranéennes irriguées et en terrasses. Tourisme.

**IBN AL-ARABI** (Muhyi al-Din) ~ *1165, Murcie - 1240, Damas.* Philosophe, théosophe et mystique arabe. Son syncrétisme philosophique et religieux, son exégèse coranique et ses réflexions sur l'expérience mystique eurent une profonde influence sur le soufisme.

**IBN AL-HAYTHAM**, dit **Alhazen** ~ *965, Bassora - 1039, Le Caire.* Mathématicien, astronome et philosophe arabe. Il ouvrit la voie de la cosmologie avec un système des cieux concentrique et inspira les savants du Moyen Âge et de la Renaissance.

**IBN AL-MUQAFFA** (Abdallah) ~ *v. 720, Gour, auj. Firuzabad - v. 757, Bassora.* Écrivain persan d'expression arabe. Surtout connu pour sa traduction en arabe d'un recueil persan de fables indiennes (*Livre de Kalila et Dimna*), il est l'un des créateurs de la prose arabe classique.

**IBN BATTUTA** (Muhammad) ~ *1304, Tanger - entre 1368 et 1377, au Maroc.* Voyageur, historien et géographe arabe. Il écrivit un *Journal de route*, qui relate ses voyages en Orient.

**IBN KHALDUN** (Abd al-Rahman) ~ *1332, Tunis - 1406, Le Caire.* Historien et philosophe arabe. Son œuvre principale, une *Histoire universelle*, fut précédée de *Prolégomènes*, qui jettent les bases d'une approche méthodologique de l'histoire et des sociétés humaines.

**IBN SÉOUD** (Abd al-Aziz) ~ *v. 1880, Riyad - 1953, id.* Homme d'État arabe. Fils de l'émir du Nedjd, il s'appuya sur la loi wahhabite pour fédérer les tribus nomades, combattit les Turcs et les Hachémites, et parvint à imposer la création du royaume d'Arabie Saoudite, dont il fut le premier souverain (1932-1953).

**IBN TUFAYL** (Abu Bakr), dit **Abubacer** ~ *début du XIIᵉ s., Cadix - 1185, Marrakech.* Philosophe et médecin arabe. Il est l'auteur d'un roman, *Vivant, fils d'Éveillé*, qui décrit les différentes étapes que doit parcourir l'esprit avant d'atteindre la lumière divine.

**Ibos** (les) ~ Peuple d'agriculteurs du S.-E. du Nigeria. Leur tentative de sécession suscita la guerre du Biafra (1967-1970).

**IBRAHIM PACHA** ~ *1789, Kavála, Macédoine - 1848, Le Caire.* Vice-roi d'Égypte (1848), fils de Méhémet-Ali. Il vainquit les wahhabites (1816-1818), reconquit le Péloponnèse (1824-1827) pour le compte des Ottomans, puis il déclara la guerre au sultan Mahmud II et s'empara de la Syrie (1831-1840). Ses descendants régnèrent sur l'Égypte jusqu'en 1952.

*Henrik Ibsen.*

**IBSEN** (Henrik) ~ *1828, Skien, Telemark - 1906, Christiania.* Poète et auteur dramatique norvégien. Il s'opposa, dans son œuvre, aux traditions bourgeoises et à l'oppression des peuples. Son théâtre d'idées, inspiré du tragique social, est imprégné de pessimisme (*Brand*, 1866 ; *Peer Gynt*, 1867 ; *Maison de poupée*, 1879 ; *les Revenants*, 1881 ; *le Canard sauvage*, 1884).

**ICA** ~ V. du Pérou, dans une vallée aride, au S. de Lima, centre d'une région agricole irriguée (vigne) ; 161 000 h. Université. Comm. du coton. Musées (collection d'objets nazcas).

**ICARE** ~ Personnage de la mythologie grecque. Fils de Dédale, il s'enfuit avec ce dernier du Labyrinthe grâce à des ailes faites de plumes maintenues avec de la cire. Il s'approcha si près du Soleil que la cire fondit et qu'il tomba dans la mer.

**ICHIM** (l') ~ Affl. de l'Irtych (r. g.) qui draine le N. du Kazakhstan et le S. de la Sibérie occidentale ; 2 450 km.

**ICTINOS** ~ *Vᵉ s. av. J.-C.* Architecte grec. Avec Callicratès, il travailla à la construction du Parthénon sous la direction de Phidias. [☞ **temple**.]

**IDA**, nom de deux montagnes liées à la mythologie grecque. ~ Point culminant de la Crète (2 456 m), où Zeus aurait grandi. ~ Montagne d'Asie Mineure (1 767 m), d'où les dieux auraient assisté à la guerre de Troie.

**IDAHO** (l') ~ État montagneux du N.-O. des États-Unis, dans l'E. des Rocheuses, drainé par la Snake River ; 214 325 km², 1 099 000 h., cap. Boise (v. princ.). Climat continental. Agric. irriguée, élevage bovin, exploitation du bois, ressources minières (argent, plomb, zinc, cuivre, or). Tourisme. HIST. - L'Idaho devint le 43ᵉ État de l'Union en 1890, à la suite de l'arrivée massive d'immigrants due à la découverte de mines d'or. Les Indiens qui peuplaient alors le territoire furent exterminés ou durent se soumettre.

**IDOMÉNÉE** ~ Roi légendaire de Crète, petit-fils de Minos, héros de la guerre de Troie. Pour rentrer au port sain et sauf, il fit un vœu qui le contraignit à sacrifier son fils à Poséidon.

**IDRIS Iᵉʳ** ~ *1890, Djaraboub - 1983, Le Caire.* Roi de Libye (1951-1969). Chef de la résistance à l'occupation italienne, il se montra favorable, après la Seconde Guerre mondiale, aux intérêts américains. Il fut renversé par Kadhafi en 1969.

**Idrissides** (les) ~ Dynastie arabe fondée par Idris Iᵉʳ en 788, qui régna au Maroc. Déclinante après la mort d'Idris II (828), elle disparut à la fin du Xᵉ s.

**IDUMÉE** ~ Voir **Édom**.

**Iduméens** (les) ~ Voir **Édomites**.

**IEKATERINBOURG** ou **EKATERINBOURG**, anc. **Sverdlovsk** (de 1924 à 1991) ~ V. de Russie, princ. centre industr. et minier du versant E. de l'Oural ; 1 371 000 h. Université. Nœud ferroviaire. Métallurgie. Le tsar Nicolas II y fut exécuté avec sa famille par les bolcheviks en juillet 1918.

**IELIZAVETPOL** ~ Voir **Gandja**.

**IELTSINE** (Boris) ~ Voir **Eltsine**.

**IÉNA**, en all. ***Jena*** ~ V. d'Allemagne (Thuringe) à l'E. de Weimar, sur la Saale ; 100 000 h. Optique, appareils photographiques. Univ. (1557) où enseignèrent Fichte, Hegel, Schelling, Schiller. Victoire de Napoléon Iᵉʳ sur les Prussiens (14 oct. 1806).

**IENISSEÏ** (l') ~ Fl. de Sibérie, issu des confins russo-mongols (monts Saïan, Tannou), tribut. de l'océan Arctique (estuaire de 600 km de long), dont le cours inférieur borde les plateaux de Sibérie centrale ; env. 4 000 km, bassin de 2 600 000 km². Régime nival pour 50 %, hautes eaux d'été. Importants équipements hydroélectriques.

**IESSENINE** (Sergueï Aleksandrovitch) ~ Voir **Essenine**.

**IEVTOUCHENKO** (Evgueni Aleksandrovitch) ~ Voir **Evtouchenko**.

**IF** ~ Îlot et site tourist. de la rade de Marseille. Château fort (XVIᵉ s.), qui servit de prison jusqu'en 1851. Alexandre Dumas y situa l'action de son roman *le Comte de Monte-Cristo* (1845).

**IFE** ou **IFÉ** ~ V. du Nigeria, au N.-E. de Lagos, marché agric. (coton, cacao) ; 269 000 h. Université. Musée. Anc. cap. religieuse du pays yoruba, Ife fut le centre d'une brillante culture du XIIIᵉ au XVᵉ s.

**IFNI** ~ Anc. enclave espagnole (1860) du S. du Maroc, auquel elle fut restituée en 1969.

**IFRIQIYA** (l') ~ Nom arabe de la Tunisie et de l'E. de l'Algérie (Maghreb oriental).

**IGARKA** ~ Port fluv. de Sibérie (Russie), sur le bas Ienisseï ; env. 40 000 h. Industr. du bois. Sa création (1929) est liée à la conquête de la Sibérie.

**I. G. N.** ~ Voir **Institut géographique national**.

**IGNACE** (saint) ~ *v. 798, Constantinople - 877, id.* Patriarche de Constantinople. Il fut destitué au profit de Photios, mais il le fit condamner au IVᵉ concile de Constantinople (869-870).

**IGNACE DE LOYOLA** (saint) ~ *1491, près d'Azpeitia, Pays basque espagnol - 1556, Rome.* Fondateur de la Compagnie de Jésus. Gentilhomme blessé à la guerre, il fit une retraite mystique et accomplit un pèlerinage à Jérusalem (1523). À son retour, il se consacra à l'apostolat, entouré de quelques compagnons, et obtint du pape Paul III la création de l'ordre des Jésuites (1540). Ses *Exercices spirituels* (1522) prônent une maîtrise absolue de soi et une totale disponibilité intérieure, permettant aux jésuites de se consacrer sans restriction au service de Dieu. [☞ **jésuite.**]

**Igorots** (les) ~ Peuple de l'île de Luçon (Philippines). Anciens chasseurs de têtes.

**IGUAÇU** (l'), en esp. ***Iguazú*** ~ Affl. brésilien du Paraná (1 320 km) issu de la serra do Mar. Sur son cours inférieur, des chutes imposantes (haut. 80 m, larg. 4 km) alimentent le barrage d'Itaipú, près de la frontière avec l'Argentine et le Paraguay.

**IJEVSK** ~ V. de Russie, cap. de l'Oudmourtie, à l'O. de l'Oural ; 635 000 h. Industr. de l'armement, autom., métallurgie.

**IJMUIDEN** ~ Avant-port d'Amsterdam (Pays-Bas), au débouché O. du canal de la mer du Nord ; env. 40 000 h. Pêche, industr. lourde et alim.

**IJSSELMEER** (l') ~ Lac artificiel des Pays-Bas, anc. baie de la mer du Nord (Zuiderzee) fermée par une digue (31 km) reliant la Hollande à la Frise ; env. 1 800 km$^2$ depuis la création des nouveaux polders (1 620 km$^2$), au S. et à l'E. C'est auj. un réservoir d'eau douce qui reçoit les eaux de l'**IJssel** (113 km), bras septentrional du Rhin inférieur.

**IKE NO TAIGA** ~ *1723, Kyôto - 1776, id.* Peintre et poète japonais. Il adapta au Japon la peinture lettrée chinoise, caractérisée par des paysages très dépouillés.

**ILDEFONSE** (saint) ~ *v. 607, Tolède - 667, id.* Théologien espagnol, archevêque de Tolède, auteur d'ouvrages relatifs au baptême et à la Vierge.

**ÎLE-DE-FRANCE** (l') ~ L'une des plus petites et la plus peuplée des Régions françaises, correspondant à la majeure partie de l'ancienne province du même nom, domaine des premiers Capétiens (établis à Paris), qui regroupe depuis 1976, date de sa création, les 8 départements de la région parisienne (Paris, Hauts-de-Seine, Seine-Saint-Denis, Val-de-Marne, Essonne, Yvelines, Val-d'Oise, Seine-et-Marne) ; 12 100 km$^2$, 10 660 554 h., préfect. Paris. Partie centrale du Bassin parisien, caractérisée par une convergence du réseau hydrographique (Seine, Marne et Oise confluent près de Paris), elle oppose les plaines dominées par des buttes, au N., les plateaux calcaires limoneux (Brie, Beauce, Vexin français) et les fonds alluviaux des vallées qui les entaillent, encaissées dans le Hurepoix (S.-O.). Une ceinture discontinue de forêts (celles de Fontainebleau et de Compiègne sont les plus grandes) subsiste sur les sols pauvres, les coteaux et les buttes. L'agriculture (Seine-et-Marne, Yvelines, Val-d'Oise), malgré des rendements très élevés (cult. céréalières et industrielles, produits maraîchers dans les vallées), ne représente qu'une faible part de l'activité. Le poids exceptionnel de Paris comme métropole nationale explique l'expansion continue de son agglomération (env. 20 % de la superf. de la Région). Malgré la création de villes nouvelles, le déséquilibre persiste entre la concentration des activités à Paris et la croissance de la périphérie, surtout résidentielle, qui s'étire le long des grands axes de circulation, formant des taches urbanisées isolées en milieu rural.

**ÎLE-ROUSSE** (L') ~ Station baln. et port de voyageurs, au N.-E. de Calvi (Hte-Corse) ; 2 288 h.

**ILI** (l'), en chin. ***Yili*** ~ Fl. d'Asie centrale, issu des monts Tian Shan (Chine), tribut. du lac Balkhach (Kazakhstan) ; 1 439 km (bassin : 140 000 km$^2$).

**ILIESCU** (Ion) ~ *1930, Olteniţa.* Homme d'État roumain. Exclu du comité central du parti communiste en 1984, il a dirigé, après la chute de Ceauşescu (déc. 1989), le Front de salut national. Élu président de la République en 1990, il a été réélu en 1992.

**ILION** ~ Un des noms de Troie.

**ILIOUCHINE** (Sergueï Vladimirovitch) ~ *1894, Dilialevo, près de Vologda - 1977, Moscou.* Ingénieur soviétique. Il créa plus de 50 types d'avions militaires et commerciaux pour la firme qui porte son nom.

**ILL** (l') ~ Affluent (r. dr.) du Rhin qui arrose le Vorarlberg (O. de l'Autriche) ; 75 km. Les centrales électriques de la haute vallée (Montafon) alimentent les sites industriels de la basse vallée (Walgau).

**ILL** (l') ~ Riv. d'Alsace, issue du Jura, affl. du Rhin, qu'elle rejoint après Strasbourg ; 208 km. Elle arrose Strasbourg, Mulhouse, Altkirch et Colmar.

**ILLAMPÚ** (l') ~ Sommet des Andes boliviennes (env. 6 500 m), dominant à l'E. le lac Titicaca.

**ILLE** (l') ~ Petit affl. de la Vilaine (r. dr.) qui conflue à Rennes ; 45 km.

**ILLE-ET-VILAINE** ~ Dép. le plus oriental de la Région Bretagne, aux confins du Massif armoricain et du Bassin parisien, ouvert sur la Manche au N. ; 6 852 km$^2$, 798 718 h., préfect. Rennes. Région déprimée au centre (bassin de Rennes), où confluent l'Ille et la Vilaine, entourée de collines (Bocage breton) inférieures à 140 m. Côte basse et vaseuse à l'E. (marais de Dol), rocheuse à l'O. (Côte d'Émeraude) et échancrée par l'estuaire de la Rance. Dép. à vocation agropastorale : herbages (élevage laitier, porcs), céréales, primeurs, pommes. Pêche, ostréiculture (à Cancale) et tourisme estival (à Dinard et Saint-Malo). Industries traditionnelles actives (agroalimentaire) et décentralisation récente (autom., électron.), surtout en faveur de Rennes dont l'agglomération rassemble les deux tiers de la population du département.

**ILLICH** (Ivan) ~ *1926, Vienne.* Essayiste américain d'orig. autrichienne. Il a étudié les facteurs d'aliénation dont les sociétés occidentales modernes sont les vecteurs (*la Convivialité*, 1973).

**ILLIERS-COMBRAY**, anc. **Illiers** ~ Village d'Eure-et-Loir, sur le Loir ; 3 329 h. Dans *À la recherche du temps perdu*, Marcel Proust donna le nom de Combray à Illiers, où il passa son enfance.

**ILLIMANI** (l') ~ Sommet des Andes boliviennes (env. 6 400 m), qui domine La Paz.

**ILLINOIS** (l') ~ État du centre des États-Unis, aux plaines et aux collines fertiles, drainées par des affl. du Mississippi ; 144 123 km$^2$, 11 697 000 h., cap. Springfield. Hivers froids, pluies d'été. Économie fondée sur l'agriculture céréalière (Corn Belt) et l'élevage, l'exploitation du charbon et une industrie diversifiée concentrée dans l'agglomération de Chicago. **HIST.** - Cédé en 1763 à la Grande-Bretagne par la France, l'Illinois devint le 21$^e$ État de l'Union en 1818.

**ILLKIRCH-GRAFFENSTADEN** ~ V. industrielle de la banlieue S.-O. de Strasbourg (Bas-Rhin), sur l'Ill et le canal du Rhône au Rhin ; 22 307 h. Lycée hôtelier.

**Illustre-Théâtre** (l') ~ Troupe de comédiens fondée par Molière (1643), et dont l'échec entraîna son emprisonnement pour dettes (1645).

**ILLYRIE** (l') ~ Anc. contrée correspondant à la Croatie, à la Bosnie et à l'Albanie, colonisée par les Grecs (VII$^e$ s. av. J.-C.) puis par les Romains (III$^e$ s. av. J.-C.), qui l'érigèrent en province (Illyricum) en 27 av. J.-C. La langue des Illyriens disparut durant le haut Moyen Âge avec la slavisation (elle serait néanmoins à l'origine de l'albanais actuel). Napoléon I$^{er}$ fit revivre le nom en créant les **Provinces Illyriennes** (1809-1813), à l'origine du **royaume d'Illyrie** (1815-1849), partie de l'Empire austro-hongrois.

**ILLZACH** ~ V. de la banlieue N.-E. de Mulhouse (Haut-Rhin), au confluent de l'Ill et de la Doller ; 15 485 h. Papeterie, textile.

**ILOILO** ~ Port des Philippines, sur la côte S. de l'île de Panay, centre comm. d'une région agricole ; 311 000 h. Université. Industr. textile.

**ILORIN** ~ V. de l'O. du Nigeria et cap. de l'État de Kwara, marché agricole ; 431 000 h. Université. Industr. du sucre, artisanat. Quartiers anciens en terre rouge.

**I. M. A.** ~ Voir **Institut du monde arabe.**

**I. M. E.** ~ Voir **Institut monétaire européen.**

**IMERINA** (l') ~ Hautes terres (alt. moyenne 1 000 m) densément peuplées de l'E. de Madagascar (site d'Antananarivo), berceau de l'ancien royaume merina. Riz, élevage.

**IMHOTEP** ~ *v. 2778 av. J.-C.* Savant et architecte égyptien. Grand prêtre d'Héliopolis, ministre du pharaon Djoser, il édifia le complexe funéraire de Saqqarah et conçut les premières pyramides. Après sa mort, il fut adoré comme un dieu.

**IMOLA** ~ V. d'Italie (Émilie-Romagne), au S.-E. de Bologne ; 63 000 h. Industr. du verre, faïence. Églises et palais (XII$^e$-XVIII$^e$ s.). Circuit automobile.

**IMPHAL** ~ V. du N.-E. de l'Inde, cap. de l'État de Manipur, près de la frontière birmane ; 196 000 h. Écoles techniques. Artisanat.

**Imprimerie nationale** (l') ~ Société nationale d'impression et d'édition des documents de l'État et des collectivités locales, dont les origines remontent à 1538. Le statut actuel date de 1990.

**IMROZ**, en grec ***Imbros*** ~ Île turque de la mer Égée qui commande l'accès aux Dardanelles ; 280 km$^2$, env. 7 000 h.

**INARI** (lac) ~ Le plus grand lac de Laponie (1 100 km$^2$), dans le N.-E. de la Finlande. Tourisme.

**inca** (Empire) ~ Empire de l'Amérique précolombienne bâti par le peuple quechua au milieu du XV$^e$ s. Son fondateur légendaire est Manco Cápac.

1

2

3

AU TEMPS DES INCAS

1. *Tombeau mis au jour, huaca de Moche, Pérou (pyramide du Soleil ou pyramide de la Lune).*

2. *Vêtement d'apparat du temps de l'Empire inca, lors d'une fête traditionnelle au Pérou.*

3. *Masque exhumé d'un tombeau sous une huaca.*

L'empire s'étendait sur les territoires du Pérou et de l'Équateur actuels. Cette société agraire, dans laquelle l'État répartissait les terres, disposait d'un système routier très avancé, pratiquait le culte du Soleil et ignorait probablement l'écriture. Les rivalités opposant Atahualpa et Huascar, les fils de l'Inca Huayna Cápac, facilitèrent, en 1532, la conquête de l'empire par l'Espagnol Fr. Pizarro.

**INCE** (Thomas Harper) ~ *1882, Newport - 1924, en mer, près d'Hollywood.* Cinéaste et producteur américain. Sa science du montage fit de lui l'instigateur de la dramaturgie cinématographique (*Civilisation*, 1916), au même titre que D. W. Griffith.

**INCHON**, anc. **Chemulpo** ~ 2$^{e}$ port de la Corée du Sud, sur la mer Jaune, débouché de Séoul ; 1 818 000 h. Raffinage de pétrole, sidérurgie.

**INDE (république de l')**, off. **Union indienne**, en hindi ***Bharat*** ~ Pays du S. de l'Asie s'étendant sur 3 000 km du N. au S., bordé par l'Himalaya au N., l'océan Indien au S., à l'O. (mer d'Oman) et à l'E. (golfe du Bengale). République fédérale (25 États, 7 territoires). ***Cap.*** New Delhi. ***Superf.*** 3 165 596 km$^2$. ***Popul.*** 913 070 000 h. ***Langues princ.*** Hindi, télougou, bengali, marathe, tamoul, ourdou, anglais. ***Monn.*** Roupie. ***Relief.*** Trois grandes régions : bordure montagneuse de l'Himalaya au N. ; vaste plaine sédimentaire Indo-Gangétique au N.-E. (un tiers du pays) ; plateau du Deccan (vaste péninsule) au S. du fl. Narmada. ***Climat.*** Tropical de mousson, avec des zones désertiques (Thar). ***Écon.*** La planification, entre 1950 et 1980 (nationalisations, réforme agraire), a permis le décollage industriel. L'effondrement de l'U. R. S. S., partenaire privilégié, accélère une libéralisation amorcée dès 1980 au prix d'un endettement extérieur croissant. L'agriculture (riz, céréales, thé, coton, lait) emploie 2/3 des actifs (disette chronique et exode rural). Très diversifiée (de l'agroalimentaire au textile et au spatial), l'industrie recherche maintenant les investissements occidentaux et japonais pour se moderniser. Marché de la sous-traitance. Ressources énergétiques relativement faibles (charbon, hydroélectr., pétr., gaz). Pêche, tourisme, revenus des expatriés. ***V. princ.*** Bombay, Calcutta, Delhi, Madras, Hydera-bad, Bangalore. **HIST.** - Peuplement dès le Paléolithique (not. Dravidiens). *III$^{e}$-II$^{e}$ mill. av. J.-C.* : civilisation de l'Indus et peuplement aryen au N. ; apparition des castes et de la religion védique, base de l'hindouisme. *VI$^{e}$ s. av. J.-C.* : Siddharta Gautama fonde le bouddhisme, et Mahavira le jaïnisme. L'hindouisme transforme le panthéon védique, privilégiant Vishnou et Shiva. Les Perses envahissent le N.-O. *IV$^{e}$-III$^{e}$ s. av. J.-C.* : Alexandre de Macédoine annexe le N.-O. (v. 325) et établit des colonies grecques. L'Empire maurya étend sa domination du N.-E. au S. ; sous le règne d'Ashoka (v. 273-237 av. J.-C.), l'expansion du bouddhisme est favorisée. *I$^{er}$-II$^{e}$ s. apr. J.-C.* : invasions des Scythes et des Kushana, qui créent un empire ; Kanishka (v. 120-143), souverain kushan, favorise le bouddhisme. *IV$^{e}$-VI$^{e}$ s.* : âge d'or de la civilisation indienne ; les Gupta reconstruisent un empire au N., qui s'émiette après l'invasion des Huns hephtalites (v. 450). Essor des royaumes du Sud (dynastie Pallava, v. VIII$^{e}$-IX$^{e}$ s. ; dynastie Cola, X$^{e}$-XII$^{e}$ s.), ouverts sur l'Asie du Sud-Est. *VIII$^{e}$-XV$^{e}$ s.* : les invasions arabe puis turque entraînent l'islamisation du N. ; fondation du sultanat de Delhi (v. 1205). Vasco de Gama découvre la route des Indes (1497). *XVI$^{e}$-XVII$^{e}$ s.* : le Turc Baber fonde l'Empire moghol (1526), qui connaît son apogée sous le règne de l'empereur Aurangzeb (1658-1707). Les Européens établissent des comptoirs sur les côtes. *XVIII$^{e}$ s.* : compétition franco-britannique pour le contrôle de l'Inde. Après le traité de Paris (1763), la France ne conserve que cinq comptoirs. La colonisation britannique se systématise et la Compagnie anglaise des Indes orientales étend son protectorat. *XIX$^{e}$ s.* : en 1857, la révolte des cipayes entraîne le rattachement de l'Inde à la Couronne britannique ; fin de l'Empire moghol ; naissance d'un sentiment national indien (mouvement nationaliste du Congrès créé en 1885, Ligue musulmane, en 1906). *1920-1934* : mouvement d'opposition non violente et de désobéissance civile dominé par le Mahatma Gandhi (1869-1948). *1935* : le Government of India Act accorde l'autonomie aux provinces et révèle les tensions religieuses entre hindous et musulmans. *15 août 1947* : proclamation de l'indépendance et partition du pays, avec la création du Pakistan, musulman. *1947-1977* : la Constitution de 1950 fait de l'Inde un État fédéral, parlementaire et laïque. La démocratie survit à l'assassinat de Gandhi (1948), aux tensions ethniques et séparatistes (Cachemire, Assam), aux guerres avec le Pakistan (1948, 1965, 1971) et la Chine (1962), alors que le pays se rapproche de l'U. R. S. S. Le parti du Congrès domine la vie politique (Premiers ministres Jawaharlal Nehru puis sa fille Indira Gandhi). *1977-1991* : le Janata Front (droite) et le parti du Congrès alternent au pouvoir ; les tensions politiques (Cachemire) et religieuses (sikhs, musulmans) s'exacerbent ; Indira Gandhi est assassinée par des extrémistes sikhs (1984), ainsi que son fils et successeur au pouvoir, Rajiv Gandhi, par des séparatistes tamouls du Sri Lanka (1991). *1991-1995* : le Premier ministre, Narasimha Rao (parti du Congrès), conduit une politique d'ouverture vers l'Occident ; la division religieuse s'aggrave (destruction de la mosquée d'Ayodhya, construite sur le lieu de naissance de Rama, par des hindous). *1997* : Inder Kumar Gujral est nommé Premier ministre. Il œuvre pour un rapprochement de l'Inde avec ses voisins.

**INDE FRANÇAISE** ~ Voir **Établissements français dans l'Inde.**

1

2

3

4

5


ART ET ARCHITECTURE DE L'INDE

1. *Portique* (torana) *E. du grand stupa de Sanchî (Madhya Pradesh).*

2. *Temple Ranganata dédié à Vishnou (XVIII$^{e}$ s.). Gopura de la 3$^{e}$ enceinte. Srirangam.*

3. Prince moghol recevant une dame, la nuit *(v. 1680), miniature. Victoria and Albert Museum, Londres.*

4. *Les avatars de Vishnou : avatar du poisson, statuette du XIX$^{e}$ s. Musée Guimet, Paris.* 

5. Pradosha Murti, *statuette du XVII$^{e}$ s. Government Museum and National Art Gallery, Madras.*

**indépendance américaine** (Déclaration d') ~ Déclaration adoptée le 4 juillet 1776 par le Congrès de Philadelphie. Rédigée par Th. Jefferson, elle consacre l'indépendance des treize colonies vis-à-vis de la Grande-Bretagne et leur accorde des droits « inaliénables, au nombre desquels la vie, la liberté et la recherche du bonheur ».

**Indépendance américaine** (guerre de l') ~ Guerre livrée de 1775 à 1782 par les treize colonies britanniques d'Amérique du Nord contre la Grande-Bretagne. La révolte tenait à des raisons fiscales, économiques et institutionnelles. Après la Déclaration d'indépendance (4 juill. 1776), le roi George III ordonna la répression, mais l'armée britannique fut d'abord vaincue à Saratoga (1777). Le déséquilibre entre les mercenaires bien entraînés dont disposaient les Britanniques et les « insurgents » aurait cependant été patent sans l'intervention des forces européennes. Aidés par la France (La Fayette) et l'Espagne, les « insurgents » contraignirent Cornwallis à capituler à Yorktown (19 oct. 1781). Le traité de Versailles (1783) ratifia l'indépendance des États-Unis.

**Indes (Compagnie française des)** ~ Compagnie fondée en 1719, née de la fusion de la Compagnie française des Indes orientales (instituée par Colbert en 1664) et de la Compagnie d'Occident (fondée par Law en 1717). Elle chercha à imposer la présence française dans la péninsule indienne. Elle s'installa aussi à la Réunion et dans l'île Maurice. Malgré des opérations fructueuses réalisées par La Bourdonnais et Dupleix, elle perdit son monopole en 1763, et disparut en 1794.

**INDES (empire des)** ~ Nom donné aux territoires de l'Inde rattachés à la Couronne britannique (1858-1947).

**INDES OCCIDENTALES** (les) ~ Nom donné par les navigateurs européens partis pour les Indes (tel Christophe Colomb) aux terres découvertes à l'O. de l'Atlantique, c'est-à-dire à l'Amérique.

**INDES OCCIDENTALES BRITANNIQUES** (les) ~ Nom de la fédération regroupant les Antilles britanniques de 1958 à 1962.

**Indes orientales** (Compagnie anglaise des) ~ Compagnie commerciale fondée à Londres en 1600 pour développer le commerce avec les Indes. Elle contribua à la mainmise anglaise sur l'Hindoustan avant de transférer ses pouvoirs à la Couronne britannique, au lendemain de la révolte des cipayes (1858).

**Indes orientales** (Compagnie hollandaise des) ~ Compagnie commerciale fondée en 1602 par les Provinces-Unies pour s'approprier l'Empire colonial portugais à l'E. du cap de Bonne-Espérance. Sa prospérité fut assurée au XVIIe s. par le contrôle des épices indonésiennes. Elle disparut en 1799, après la guerre anglo-hollandaise.

**INDES ORIENTALES NÉERLANDAISES** (les) ~ Nom colonial de l'Indonésie.

**Index**, en lat. ***Index librorum prohibitorum*** ~ Catalogue des livres interdits par la hiérarchie catholique. Promulgué au XVIe s., périodiquement complété, il fut suspendu par Paul VI en 1965.

**INDIANA** (l') ~ État du centre des États-Unis, au S.-E. du lac Michigan ; 92 903 km$^2$, 5 713 000 h., v. princ. Indianapolis (cap.), Fort Wayne. Économie fondée sur la céréaliculture et l'élevage, l'exploitation du charbon et l'industrie sidérurgique. Cédé en 1763 à la Grande-Bretagne par la France, l'Indiana devint le 13e État de l'Union en 1816.

**INDIANAPOLIS** ~ Cap. de l'Indiana (États-Unis), au centre de la Corn Belt, grand marché céréalier, centre fin. comm., industr., cult. (universités) ; 742 000 h. (agglom. 1 200 000 h.). Archevêché. Circuit automobile (les 500 Miles d'Indianapolis).

**INDIEN (océan)** ~ Océan intertropical et austral qui s'étend entre l'Afrique à l'O., l'Asie méridionale au N. et l'Australie à l'E., confinant au S. à l'océan Antarctique, communiquant avec la mer Rouge et le golfe Persique ; env. 75 000 000 de km$^2$, prof. moyenne 3 900 m, prof. max. 7 450 m (fosse de Java). Île princ. Madagascar. Au N., le golfe du Bengale et la mer d'Oman ont des fonds alluviaux (apports du Gange et de l'Indus). Le plateau continental est en général étroit, les rendements de la pêche sont limités. Les grandes routes maritimes sont littorales (O. et N.) et anciennement fréquentées (commerce des produits tropicaux, auj. acheminement du pétrole, au N.-O.).

**Indiens du Nouveau Monde** ~ Nom attribué par les colons européens aux peuples autochtones de l'Amérique du Nord, du Centre et du Sud (Amérindiens).

**INDIGUIRKA** (l') ~ Fl. du N.-E. de la Sibérie, issu des monts de Verkhoïansk et tribut. de l'océan Arctique ; 1 726 km. Ses eaux gèlent d'oct. à mai.

**INDOCHINE** (l') ~ Péninsule de l'Asie du S.-E., bordée par la mer de Chine méridionale à l'E., par l'océan Indien (dont la mer d'Andaman) à l'O. Elle comprend la Birmanie, la Thaïlande, le Laos, le Cambodge, le Viêt Nam et la Malaisie péninsulaire.

**Indochine** (guerre d') ~ Conflit opposant le Viêt-minh et la France (1946-1954). Il se conclut, après le désastre de Diên Biên Phu, par les accords de Genève, qui décidèrent la partition du Viêt Nam en deux États et l'indépendance du Cambodge et du Laos.

**INDOCHINE FRANÇAISE** ou **UNION INDOCHINOISE** ~ Nom donné aux colonies et protectorats français (1887-1949) de l'Asie du Sud-Est (Cochinchine, Tonkin, Annam, Cambodge puis Laos).

**INDO-GANGÉTIQUE (plaine)** ~ Dépression comblée par les sédiments et les alluvions qui sépare l'Himalaya du Deccan (Pakistan, N. de l'Inde, Bangladesh). Région agricole, la plus peuplée du subcontinent indien, elle correspond aux bassins de l'Indus à l'O., du Gange et du Brahmapoutre à l'E., séparés par le seuil du Pendjab (270 m).

**INDONÉSIE (république d')**, en indonésien ***Republik Indonesia*** ~ Pays de l'Asie du S.-E. constitué de 13 700 îles, dispersées sur 5 000 km d'O. en E. entre l'océan Indien et le Pacifique. L'archipel regroupe les îles de la Sonde (Sumatra, Java, Bali, Flores, Timor), Célèbes (Sulawesi), les 2/3 de Bornéo (Kalimantan), les Moluques, l'Irian Jaya (O. de la Nouvelle-Guinée), montagneuses et volcaniques (plus de 120 volcans en activité). ***Cap.*** Jakarta. ***Superf.*** 1 919 443 km$^2$. ***Popul.*** 191 360 000 h. ***Langue off.*** Bahasa indonesia. ***Monn.*** Roupie. ***Climat.*** Humide (équatorial), influencé par la mousson. ***Écon.*** Agric. vivrière en terrasses (2 ou 3 récoltes de riz par an) ou commerciale (café, cacao, caoutchouc, tabac, thé, épices), bois tropicaux (1er export. mondial), hydrocarbures, minerais (étain, bauxite, zinc, nickel). Industrie en développement (agroalim., textile, confection, métall., montage autom., électron.). Tourisme. L'Indonésie est le 1er pays musulman du monde (88 % de la popul.). ***V. princ.*** Jakarta, Surabaya, Bandung, Medan, Palembang, Semarang. **HIST.** – *Paléolithique* : première occupation humaine à Java. *VII[e]-XI[e] s.* : développement à partir de Sumatra du royaume bouddhiste de Srivijaya et du premier royaume de Mataram à Java. *XIII[e]-XV[e] s.* : l'empire hindouiste de Majapahit étend son influence de Java à toute la région. Introduction de l'islam par les commerçants. *XVI[e] s.* : fondation de comptoirs portugais (Malacca, 1511), fractionnement de l'empire (sultanats d'Aceh, de Banten, deuxième royaume de Mataram). *XVII[e] s.* : les Hollandais expulsent les Portugais et fondent Batavia (Jakarta), en 1619. La Compagnie hollandaise des Indes orientales impose son monopole. *XVIII[e] s.* : l'Indonésie passe sous le contrôle direct des Pays-Bas au détriment de la Compagnie (1799). *XIX[e] s.* : le pays passe sous tutelle française et britannique (1808-1824), avant de retomber sous la coupe néerlandaise. En 1830, le gouverneur J. Van den Bosch introduit le « système des cultures » ou travail forcé (indigo, canne à sucre, tabac) ; soulèvements réprimés par les Néerlandais. *XX[e] s.* : développement du nationalisme et création de partis (le parti musulman Sarikat Islam en 1912, le parti communiste en 1920, le parti national indonésien en 1927, dirigé par Sukarno et Muhammad Hatta). *1942-1949* : après l'occupation japonaise, proclamation de l'indépendance (17 août 1945), reconnue par les Pays-Bas en déc. 1949. *1950-1957* : présidence de Sukarno, difficile expérience de démocratie parlementaire. *1955* : la conférence de Bandung atteste le rôle de l'Indonésie dans le mouvement des pays non alignés. *1957-1965* : Sukarno instaure la « démocratie dirigée » ; rapprochement avec la Chine et l'U. R. S. S., rupture avec le monde capitaliste. En 1963, l'Indonésie obtient la Nouvelle-Guinée occidentale (Irian Jaya), mais s'oppose en vain à la naissance de la Malaysia. *1965-1967* : le général Suharto s'empare du pouvoir, massacre les communistes et instaure l'« ordre nouveau ». *1975* : annexion du Timor-Oriental. *1993* : candidat unique, le président Suharto entame son 6e mandat consécutif ; il entreprend de moderniser le pays avec l'aide des capitaux occidentaux.

**INDORE** ~ Princ. v. du Madhya Pradesh (Inde), carrefour ferroviaire ; 1 092 000 h. Université. Industr. text., constr. mécan., minoteries.

**INDRA** ~ Le plus grand dieu du panthéon védique. Incarnation de la puissance mâle, il détient la puissance et manie la foudre pour détruire les démons. Son animal support est un éléphant à trois têtes.

**INDRE** (l') ~ Affl. de la Loire (r. g.) qui arrose le Berry et la Touraine ; 265 km. Elle passe à Châteauroux.

**INDRE** (l') ~ Dép. de la Région Centre, aux confins du Bassin parisien et du Limousin, occupant la partie occidentale du Berry, drainé par l'Indre et la Creuse ; 6 824 km$^2$, 237 510 h., préfect. Châteauroux. Au N., plateaux calcaires de la Champagne berrichonne ; au S.-O., la Brenne, pays de landes, d'étangs, avec une avifaune exceptionnelle ; au S., glacis bocager du Boischaut adossé au plateau de la Marche. Vocation agropastorale : céréaliculture intensive, colza, tournesol en Champagne berrichonne, élevage dans le Boischaut, fromage de chèvre. L'Indre est marquée par la dépopulation, le vieillissement et la marginalisation liées à son éloignement des métropoles.

**INDRE-ET-LOIRE** ~ Dép. de la Région Centre, correspondant à l'anc. province de la Touraine, dans le S.-O. du Bassin parisien ; 6 126 km$^2$, 529 345 h., préfect. Tours. Constitué de plateaux inférieurs à 250 m (Gâtine tourangelle au N.), de part et d'autre du Val de Loire, élargi par les basses vallées de ses affluents (le Cher, l'Indre et la Vienne). Vocation agricole du Val de Loire, « jardin de la France » : légumes, fleurs, arbres fruitiers, vigne (crus de Chinon, de Vouvray, de Bourgueil). Céréales et élev. bovin sur les plateaux. Châteaux prestigieux (Amboise, Chenonceaux, Loches, Azay-le-Rideau, Chinon). La vallée de la Loire constitue l'axe vital du département avec Tours, dont l'agglomération concentre les activités industrielles et la moitié de la population. Centrale nucléaire à Avoine, près de Chinon.

**Indulgences** (querelle des) ~ Conflit qui s'éleva au sein de l'Église après la dénonciation par le moine Martin Luther, dans les quatre-vingt-quinze thèses de Wittenberg, de la pratique des indulgences (somme versée à l'Église contre l'assurance du pardon des péchés et la promesse d'une rédemption future), dont le dominicain Johannes Tetzel s'était fait le propagateur en Allemagne pour assurer la construction de la basilique Saint-Pierre à Rome. Cette affaire marqua, en 1517, le début de la Réforme protestante.

**INDURAIN** (Miguel) ~ *1964, Villava, Navarre.* Coureur cycliste espagnol. Il a remporté cinq Tours de France consécutifs, trois Tours d'Italie et battu le record de l'heure.

**INDUS** (l') ~ Fl. de l'Asie méridionale ; 3 000 km (bassin : 1 150 000 km$^2$). Né dans le S.-O. du Tibet, il traverse le Cachemire, coupe l'Himalaya par des gorges profondes, pénètre dans la zone semi-aride au Pakistan, où ses eaux sont utilisées pour l'hydroélectricité et l'irrigation du Pendjab et du Sind, et se jette dans la mer d'Oman par un vaste delta, à l'E. de Karachi. Princ. affluent Chenab. La civilisation de l'Indus (sites de Mohenjo-Daro et d'Harappa) est née sur ses bords au IIIe millénaire av. J.-C.

**INDY** (Vincent D') ~ *1851, Paris - 1931, id.* Compositeur et pédagogue français. Rénovateur de la musique ancienne à la Schola cantorum, il est l'auteur d'œuvres pour orchestre (*Symphonie sur un chant montagnard*, 1886) et d'opéras.

**INÉS DE CASTRO** ~ *v. 1320, en Castille - 1355, Coimbra.* Fille d'un noble castillan. Mariée en secret à l'infant Pierre de Portugal, elle fut assassinée sur l'ordre du roi Alphonse IV, son beau-père. Devenu roi en 1357, Pierre punit les coupables du meurtre et fit inhumer Inés à Alcobaça. Ce drame inspira not. Montherlant (*la Reine morte*, 1942).

**informatique et des libertés** (Commission nationale de l') ou **Cnil** ~ Autorité administrative indépendante créée en 1978. Elle a pour mission de veiller au respect de la confidentialité des informations nominatives individuelles conservées sur fichiers informatiques.

**INGEGNERI** (Marco Antonio ou Marcantonio) ~ *v. 1545, Vérone - 1592, Crémone.* Compositeur italien, auteur de polyphonies religieuses et de madrigaux expressifs et subtils.

**INGEN-HOUSZ** (Johannes) ~ *1730, Breda - 1799, Bowood, Wiltshire.* Physicien, médecin et biologiste hollandais. Il découvrit la photosynthèse indépendamment de J. Priestley, étudia la conductibilité thermique des métaux, élaborant l'appareil qui porte son nom (1789).

**INGOLSTADT** ~ V. de Bavière (Allemagne), sur le Danube ; 108 000 h. Terminal de trois oléoducs (raff. de pétrole). Industrie mécan. (autom., machines textiles). Palais ducal (XVe-XVI[e] s.). Anc. place forte et v. univ. (1472-1800) qui abrita un collège de jésuites, animateur de la Contre-Réforme.

**INGOUCHIE (république d')** ~ République du N.-E. du Caucase, membre de la fédération de Russie, issue de l'ex-Tchétchénie-Ingouchie, la Tchétchénie s'étant autoproclamée république indépendante en 1992 ; env. 250 000 h., cap. Nazran.

**INGRES** (Jean Auguste Dominique) ~ *1780, Montauban - 1867, Paris.* Peintre français. La pureté de son trait, alliée à la sobriété des attitudes et à la perfection du détail, fit de cet élève de David le chef de file du néoclassicisme. Abordant aussi bien l'Antiquité classique (*l'Apothéose d'Homère*, 1827) que les nus (*la Grande Odalisque*, 1814 ; *le Bain turc*, 1863), son œuvre traduit un constant souci de dépasser le pur académisme. [☞ **néoclacissisme.**]

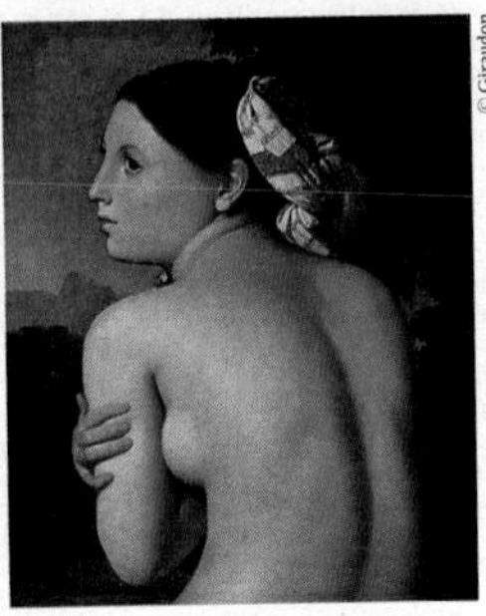


Baigneuse à mi-corps *(1807), peinture de Jean Auguste* **Ingres.** *Musée Bonnat, Bayonne.*

**INGRIE** (l') ~ Région située entre le fond du golfe de Finlande et le lac Ladoga, pays des **Ingriens**, peuple de langue finno-ougrienne (auj. en extinction). Russifiée dès le haut Moyen Âge, conquise par la Suède au XVIIe s., l'Ingrie (Carélie du Sud) fut annexée par la Russie en 1721.

**ININI** (l') ~ Riv. de la Guyane française, affl. du haut Maroni. Sa région, dotée d'un statut particulier (1930-1969), fait auj. partie de l'arrondissement de Saint-Laurent-du-Maroni.

**Inkatha** (l') ~ Organisation culturelle zouloue (1922), devenue un parti politique d'Afrique du Sud (1975), qui contrôle le Natal. Actuellement sous la présidence de Buthelezi, hostile à l'A. N. C., l'Inkatha boycotte depuis 1995 les travaux de l'Assemblée constituante.

**INKERMAN** ~ V. d'Ukraine (Crimée), faubourg de Sébastopol. Elle fut le théâtre d'une bataille sanglante remportée par les Français et les Britanniques sur les Russes, le 5 novembre 1854, pendant la guerre de Crimée.

**INN** (l') ~ Affl. alpin du Danube (r. dr.), né en Suisse (Engadine) ; 510 km. Il forme l'axe du Tyrol, passe à Innsbruck (Autriche) et conflue, après sa sortie des Alpes, à Passau (Bavière).

**INNOCENT**, nom de plusieurs papes. ~ **Innocent III** (Giovanni **Lotario**, comte **di Segni** ; *1160, Anagni, Latium - 1216, Rome*), pape de 1198 à 1216. Soucieux de la grandeur et du pouvoir de l'Église, il s'opposa à plusieurs souverains, dont Otton IV, Philippe Auguste et Jean sans Terre. Il agrandit les États de l'Église, lança la 4e croisade et lutta contre les albigeois. Il réaffirma l'autorité pontificale sur le clergé (IVe concile du Latran, 1215). ~ **Innocent IV** (Sinibaldo **Fieschi** ; *v. 1195, Gênes - 1254, Naples*), pape de 1243 à 1254. Il prononça la déchéance de l'empereur Frédéric II et contraria les ambitions territoriales de Conrad IV et de Manfred en Italie. ~ **Innocent X** (Giambattista **Pamphili** ; *1574, Rome - 1655, id.*), pape de 1644 à 1655. Il entra en conflit avec Mazarin et condamna *l'Augustinus* de Jansénius. ~ **Innocent XI** (Benedetto **Odescalchi** ; *1611, Côme - 1689, Rome*), pape de 1676 à 1689. Récusant le gallicanisme, il entra en conflit avec Louis XIV et le clergé français. ~ **Innocent XII** (Antonio **Pignatelli** ; *1615, Spinazzola, Basilicate - 1700, Rome*), pape de 1691 à 1700. Il mit fin à la querelle avec Louis XIV.

**INNSBRUCK** ~ Cap. du Tyrol (Autriche), sur l'Inn ; 118 000 h. Université (1552). Industrie textile (loden), bois, constr. mécaniques. Tourisme. Édifices médiévaux et baroques, Hofburg (palais impérial, XVIe-XVIIIe s.). Musée ethnographique. Innsbruck a accueilli les jeux Olympiques d'hiver en 1964 et 1976. **HIST.** - Anc. colonie romaine réunie à l'Autriche en 1363, elle devint la capitale du Tyrol en 1420. Rattachée à la Bavière par le traité de Presbourg (1805), elle se souleva en 1809 et fut rendue à l'Autriche (1815).

**INÖNÜ** (Ismet **Pacha**, dit Ismet) ~ *1884, Smyrne, auj. Izmir - 1973, Ankara.* Général et homme d'État turc. Après avoir rejoint Mustafa Kemal, il battit les Grecs dans la ville turque d'Inönü (1921) et devint Premier ministre (1923-1937). Il succéda ensuite à Atatürk à la présidence de la République (1938-1950). Il fut également président du Conseil (1961-1965).

**INOUE Yasushi** ~ *1907, Hokkaidô - 1991, Tôkyô.* Écrivain japonais. Il s'est rendu célèbre en Europe pour son roman *le Fusil de chasse* (1947), ciselé avec poésie.

**Inquisition** ~ Tribunal ecclésiastique né de procédures établies par le pape Innocent III (1199 et 1206) pour lutter contre les hérésies. Cathares et vaudois furent ses premières cibles. À partir du XVIe s., elle se consacra surtout aux procès de sorcellerie et, en Espagne, à la lutte contre les morisques (musulmans convertis par contrainte) et les juifs relaps. Elle cessa ses activités en France au XVIIIe s.

**Inra** ~ Voir **Institut national de la recherche agronomique.**

**I. N. R. I.** ~ Initiales de *Iesus Nazarenus Rex Iudaeorum* (Jésus le Nazaréen, roi des Juifs), texte latin de l'inscription qui était apposée, selon l'Évangile de Jean, sur la croix de Jésus.

**IN SALAH** ~ Oasis du Sahara algérien, dans le Tidikelt, sur la route du Niger ; env. 20 000 h.

**Insee** ~ Voir **Institut national de la statistique et des études économiques.**

**Inserm** ~ Voir **Institut national de la santé et de la recherche médicale.**

**Institut** (**palais de l'**) ~ Anc. collège des Quatre-Nations, fondé d'après les instructions testamentaires de Mazarin. Construit au bord de la Seine, face au Louvre, à Paris, il fut commencé par Le Vau (1663) et achevé en 1677. Il abrite l'Institut de France depuis 1806.

**Institut catholique de Paris** ~ Établissement d'enseignement supérieur privé créé en 1875 par Mgr d'Hulst. Il réunit plusieurs facultés et écoles.

**Institut de France** ~ Institut créé par la Convention (1795) et d'abord divisé en classes et sections. Il réunit depuis 1816 les Académies française, des inscriptions et belles-lettres, des sciences, des beaux-arts, auxquelles s'ajouta, en 1832, celle des sciences morales et politiques.

**Institut du monde arabe** (**I. M. A.**) ~ Institut fondé à Paris (1987) pour promouvoir la culture du monde arabe, il abrite not. un musée d'art et de civilisation, et une bibliothèque. Il est l'œuvre de trois architectes, dont J. Nouvel.

Innocent III, *mosaïque du XIIIe s. Palais Braschi, Rome.*

**Institut géographique national** (**I. G. N.**) ~ Organisme public créé en 1940. Il a pour mission d'élaborer et de mettre à jour la cartographie officielle de la France.

**Institut monétaire européen** (**I. M. E.**) ~ Organisme siégeant à Francfort. Installé le 1er janvier 1994, il est chargé de préparer l'établissement d'une monnaie européenne unique.

**Institut national de la recherche agronomique** (**Inra**) ~ Établissement public scientifique et technique fondé en 1946.

**Institut national de la santé et de la recherche médicale** (**Inserm**) ~ Établissement public scientifique et technique créé en 1964. Il est chargé de l'étude des problèmes sanitaires en France, de l'orientation de la recherche médicale et du conseil auprès du gouvernement en matière de santé publique.

**Institut national de la statistique et des études économiques** (**Insee**) ~ Organisme public fondé en 1946. Il est chargé de la publication des statistiques françaises et mène des études permettant l'analyse de la conjoncture économique.

**Institut Pasteur** ~ Établissement scientifique fondé en 1888 par souscription internationale. Il poursuit les travaux de Pasteur dans le domaine des sciences biologiques et produit des vaccins et des sérums.

**INSULINDE** (l') ~ Partie insulaire de l'Asie du Sud-Est (Indonésie et Philippines).

**Intelligence Service** (**I. S.**) ~ Organisme de renseignements britannique chargé de recueillir des informations diplomatiques, politiques, économiques ou militaires, et service de contre-espionnage. L'I. S. relève du Premier ministre.

**Intelsat** ~ Organisme international de coopération créé en 1964 et siégeant à Washington. Il gère les télécommunications par satellites.

**INTÉRIEURE** (**mer**), en jap. ***Seto Naikai*** ~ Bras du Pacifique limité par les îles d'Honshû, de Shikoku et de Kyûshû, au Japon.

**INTERLAKEN** ~ Station tourist. de la Suisse (Oberland bernois), entre les lacs de Thoune et de Brienz ; 5 000 h. Abbatiale gothique, château (XVIIIe s.).

**Internationale** ~ Organisation internationale ouvrière se donnant pour but l'abolition du capitalisme soit par la révolution, soit par la réforme. Fondée à Londres en 1864, la **Ire Internationale** disparut en 1876 à la suite de dissensions entre marxistes et anarchistes. Fondée à Paris en 1889, la **IIe Internationale** donna naissance à l'Internationale ouvrière socialiste (1923-1940), puis à l'Internationale socialiste (depuis 1951). La **IIIe Internationale** communiste (Komintern) fut créée à Moscou en 1919, dissoute par Staline en 1943, puis rétablie en Europe (Kominform) de 1947 à 1956. La **IVe Internationale**, trotskiste, fut fondée en 1938.

**International Herald Tribune** ~ Quotidien de langue anglaise issu, en 1887, du *New York Herald*, coédité, à partir de 1967, par le *Washington Post* et le *New York Times*.

**Internet** ~ Réseau informatique mondial, constitué de l'interconnexion de réseaux informatiques locaux, permettant la mise en œuvre de logiciels de communication et de partage de données entre ordinateurs distants.

**Interpol** ~ Nom communément donné à l'Organisation internationale de police criminelle (O. I. P. C.), créée en 1923, dont le siège est à Lyon. Elle regroupe env. 150 États.

**Interrègne** (**le Grand**) ~ Période (1250-1273) de vacance du trône du Saint Empire romain germanique, entre la mort de Frédéric II et l'élection de Rodolphe Ier de Habsbourg.

**Intifada** (l'), en fr. « guerre des Pierres » ~ Soulèvement populaire palestinien dans les territoires occupés par Israël. Commencé en 1987, il ne prit fin qu'avec l'accord de Washington, en 1993.

**Inuits** (les) ~ Peuple chasseur et pêcheur de l'Alaska et du Groenland. Inuit (« être humain ») est le nom que se donnent ceux qui furent nommés Esquimaux (« mangeurs de viande crue ») par les Algonquins puis par les explorateurs.

**Invalides** (**hôtel des**) ~ Édifice de style classique construit à Paris sur les plans de L. Bruant et achevé par J. Hardouin-Mansart (1670-1706), sur ordre de Louis XIV, pour accueillir les soldats blessés. Il abrite auj. quatre musées, dont celui de l'Armée. L'église St-Louis abrite les cendres de Napoléon Ier et, depuis 1940, le tombeau de son fils.

**INVERNESS** ~ Port de pêche et de comm. écossais, centre admin. des Highlands (Grande-Bretagne), au débouché du Glen More sur la mer du Nord ; 40 000 h. Matériel pétrolier, industrie agroalimentaire. Tourisme.

**Investitures (querelle des)** ~ Conflit ayant opposé la papauté et le Saint Empire au sujet de l'investiture des ecclésiastiques (1075-1122). Après son humiliation à Canossa (1077), l'empereur Henri IV s'empara de Rome (1084), déposa le pape Grégoire VII, puis fut chassé d'Italie. Le traité de Worms (1122), signé entre Henri V et le pape Calixte II, mit fin au conflit en entérinant la séparation des pouvoirs temporel et spirituel.

**IO** ~ Prêtresse de la mythologie grecque. Zeus l'aima et la transforma en génisse pour la soustraire à la jalousie de son épouse Héra.

**IOÁNNINA** ou **JANNINA** ~ V. de Grèce (Épire), sur un promontoire du **lac Ioánnina** ; 45 000 h. Marbre. Université. Citadelle normande et mosquée du XVIIe s. Siège de l'un des trois pachas d'Épire, devenue, sous Ali Pacha de Tebelen, capitale d'un État autonome (1788-1822). Prise par les Turcs en 1822, elle fut conquise par les Grecs en 1913.

**IONESCO** (Eugène) ~ *1912, Slatina, Roumanie - 1994, Paris.* Écrivain français d'origine roumaine. Souvent qualifiée de « théâtre de l'absurde », son œuvre met en lumière le non-sens quotidien à travers parodies et symboles (*la Cantatrice chauve*, 1950 ; *les Chaises*, 1952 ; *Rhinocéros*, 1958). Acad.

© T. Zeno-Explorer

*Eugène Ionesco.*

**IONIE** (l') ~ Anc. région de la côte O. de l'Asie Mineure. Les Grecs la colonisèrent à la fin du IIe mill. av. J.-C., y fondèrent des cités (dont Phocée, Smyrne, Éphèse, Milet) et en firent un des premiers foyers de la civilisation hellénique. Conquise par la Perse au VIe s. av. J.-C., libérée au Ve s. av. J.-C. (guerres médiques), de nouveau soumise aux Perses (IVe s. av. J.-C.), elle fut intégrée à la province romaine d'Asie en 133 av. J.-C.

**IONIENNE (mer)** ~ Partie O. de la Méditerranée orientale, entre le S. de l'Italie et la Grèce, communiquant avec l'Adriatique (canal d'Otrante).

**IONIENNES (îles)** ~ Archipel côtier de la mer Ionienne qui comprend les îles grecques (région) de Corfou, Céphalonie, Zante, Leucade, Ithaque, Páxos et Cythère ; 2 307 km², 194 000 h. **HIST.** - Îles vénitiennes entre 1386 (Corfou) et la fin du XVe s. (Céphalonie et ses dépendances). Elles furent occupées par la France (1797-1799), qui dut les disputer à la Russie et à la Grande-Bretagne. État libre sous protectorat russo-turc (1800-1807) puis britannique (1815-1864), elles furent cédées à la Grèce en 1864.

**IORGA** (Nicolae) ~ *1871, Botoşani, Roumanie - 1940, Strejnicu, Valachie.* Homme politique et historien roumain. Auteur d'ouvrages historiques et de pièces de théâtre, il fut président du Conseil (1931-1932). Favorable aux Alliés, il fut assassiné par les fascistes roumains de la Garde de fer.

**IOS** ~ Île grecque de la mer Égée (archipel des Cyclades) ; 105 km², 1 200 h. Homère y serait mort.

**IOUJNO-SAKHALINSK** ~ V. princ. et centre industr. de Sakhaline (Extrême-Orient russe), dans le S. de l'île ; 157 000 h. Agroalim., bois.

**IOWA** (l') ~ État du centre des États-Unis, aux plaines fertiles (Corn Belt) drainées par des affl. du Missouri et du Mississippi (O. du fleuve) ; 144 716 km², 2 814 000 h., cap. Des Moines. Élevage, céréaliculture. Partie de la Louisiane, vendue par Napoléon Ier aux États-Unis en 1803, l'Iowa devint le 29e État de l'Union en 1846.

**IPHIGÉNIE** ~ Fille d'Agamemnon et de Clytemnestre. Devant être sacrifiée à Artémis par son père, Iphigénie fut sauvée par la déesse. Sa légende est évoquée dans le théâtre d'Euripide (*Iphigénie à Aulis* ; *Iphigénie en Tauride*) et de Racine (*Iphigénie*).

**IPOH** ~ Cap. de l'État de Perak (S.-O. de la Malaysia) et grand centre minier (étain) ; 301 000 h., dont 70 % de Chinois. École polytechnique. Caoutchouc.

**IPOUSTEGUY** (Jean Robert) ~ *1920, Dun-sur-Meuse.* Sculpteur français. Utilisant les matériaux les plus divers, il a intégré la figure humaine dans un univers composite, dominé par un érotisme morbide (*la Mort du père*, 1968).

**IPSOS** ~ Bourg de Phrygie. Théâtre de la défaite d'Antigonos Ier Monophthalmos, en 301 av. J.-C., à l'origine du partage de l'empire d'Alexandre entre les quatre diadoques Séleucos, Ptolémée, Cassandre et Lysimaque.

**IPSWICH** ~ Voir **Suffolk**.

**IQBAL** (sir Muhammad) ~ *v. 1876, Sialkot, Pakistan - 1938, Lahore.* Philosophe et poète indien. Surnommé le Poète de l'Orient, il voulut concilier science et religion. Ses écrits (rassemblés en 1955 sous le titre *Reconstruire la pensée de l'islam*) influencèrent les fondateurs du Pakistan.

**IQUIQUE** ~ Port et station baln. du N. du Chili ; 153 000 h. Pêche, farine de poisson, guano.

**IQUITOS** ~ V. et port fluvial de l'E. amazonien du Pérou, sur le Marañón ; 275 000 h. Université. Raffinerie de pétrole, bois. Tourisme.

**I. R. A.**, sigle d'***Irish Republican Army***, en fr. « Armée républicaine irlandaise » ~ Force paramilitaire irlandaise. Constituée en 1919 par les Irish Volonteers pour obtenir l'indépendance, elle disparut en 1921 après le traité anglo-irlandais. Elle reprit son action en 1969, appuyée par le Sinn Féin, pour défendre la cause des catholiques en Irlande du Nord et obtenir la réunification de l'île. Elle se scinda en deux branches en 1969 : l'« I. R. A. officielle », favorable à un règlement pacifique, et l'« I. R. A. provisoire », prônant l'action terroriste contre les protestants et les Britanniques.

**IRAK** (l') ~ Voir **Iraq**.

**IRÁKLION** ~ Voir **Héraklion**.

**IRAN (république islamique d')** ~ Pays d'Asie occidentale, bordé au N. par la mer Caspienne, au S. par le golfe Persique et le golfe d'Oman. ***Cap.*** Téhéran. ***Superf.*** 1 648 000 km². ***Popul.*** 63 200 000 h., dont Persans (45 %), Azéris (17 %), Kurdes (10 %). ***Langues princ.*** Persan, kurde, turc azéri. ***Monn.*** Rial. ***Relief.*** Vaste plateau intérieur (déserts de Dacht-é Kavir et de Dacht-é Lout) bordé au N. par l'Elbourz (Demavend, 5 600 m), à l'O. et au S. par les monts du Zagros (4 547 m). Les plaines sont rares (Khouzistan, étroite, côte caspienne, arrosée). ***Climat.*** Continental aride (vastes oasis). ***Écon.*** Exploit. et export. des hydrocarbures ; agric. (blé, orge, coton, tabac, thé, fruits), élevage (ovin, caprin, bovin), pêche ; industries text., agroalim., mécan., électrique. Important potentiel touristique. ***V. princ.*** Téhéran, Méched, Ispahan, Tabriz, Chiraz. **HIST.** - *IIIe-IIe mill. av. J.-C.* : développement de l'Élam (cap. Suse) et colonisation du plateau par des Indo-Européens (Aryens). *VIIe-VIe s. av. J.-C.* : les Mèdes constituent un royaume autour d'Ecbatane. En 550 av. J.-C., Cyrus II le Grand fonde l'Empire achéménide, qui s'étendra de la Méditerranée à l'Indus. *IVe-IIIe s. av. J.-C.* : conquis par Alexandre le Grand (330 av. J.-C.), l'empire est hellénisé par les Séleucides. *IIIe s. av. J.-C.-IIIe s. apr. J.-C.* : les Parthes assoient leur domination. La dynastie arsacide reconstitue un empire (Mithridate Ier) et s'oppose à la conquête romaine. *IIIe-VIIe s.* : les souverains sassanides (cap. Ctésiphon), originaires du S., reconstituent l'Empire achéménide (apogée sous Khosro II, 591-628) ; ils s'appuient sur le culte de Mazda et les vieilles cultures asiatiques. *VIIe-VIIIe s.* : après la rapide conquête arabe (633-642) et l'islamisation, l'Iran passe sous la domination des califes omeyyades de Damas, puis des califes abbassides de Bagdad. *IXe-Xe s.* : l'affaiblissement des Abbassides favorise la naissance de dynasties locales iraniennes (tahiride, saffaride, samanide) ou turques (ghaznavide). *XIe-XIIIe s.* : les Turcs Seldjoukides (sunnites) gouvernent l'Empire perse à partir de Bagdad, avant d'être balayés par les invasions mongoles de Gengis Khan (1220), de Hulagu et de Tamerlan (1381-1387) ; les Timurides gouvernent l'E. du pays et les hordes turkmènes ravagent l'O. *XVIe-XVIIIe s.* : la dynastie safavide, qui connaît son apogée avec Abbas Ier (1587-1629), réunifie la Perse (cap. Ispahan) autour du chiisme, contre les Turcs ottomans sunnites. Elle est écartée par la révolte des tribus afghanes en 1722 puis rétablie de 1730 à 1735. *XVIIIe-XIXe s.* : l'instabilité politique (dictature de Nader Chah, règne de Karim Khan Zand, dynastie Qadjar) facilite la pénétration russe et britannique ; l'empire perd la Géorgie, l'Arménie, l'Afghanistan. *XXe s.* : l'Iran revêt une importance stratégique pendant la Première Guerre mondiale avec la découverte du pétrole. *1921* : le général Reza renverse le dernier souverain Qadjar et crée la dynastie des Pahlavi (1925). *1934* : la Perse devient l'Iran. *1941* : Mohammad Reza succède à son père. *1953* : le Premier ministre Mossadegh échoue dans sa tentative de nationalisation du pétrole. Avec l'appui des Américains, le chah instaure un régime autocratique. *1979* : un soulèvement de masse renverse le régime. L'ayatollah Khomeiny instaure une république islamique. *1980-1988* : la guerre contre l'Iraq ruine l'économie. *1989* : après la mort de Khomeiny, Ali Hashemi Rafsandjani devient président de la République. *1997* : Mohamad Khatami, ancien ministre de la culture et de l'orientation islamiste, devient président.

**Iran-Iraq (guerre)** ~ Conflit déclenché en sept. 1980 par l'Iraq, qui réclamait le contrôle du fleuve Chatt al-Arab et l'annexion du Khouzistan. Il eut pour véritable enjeu le golfe Persique. Devant l'impossibilité d'une victoire décisive de l'une ou l'autre des parties, un armistice fut conclu en juill. 1988, qui aboutit à l'accord d'Alger (1990), redéfinissant la frontière entre les deux États.

**IRAPUATO** ~ Ville du Mexique central (alt. 1 724 m), important marché agric. (céréales, bétail) du Guanajuato ; 363 000 h.

**IRAQ** ou **IRAK (république d')** ~ Pays d'Asie occidentale bordé au S.-E. par le golfe Persique. ***Cap.*** Bagdad. ***Superf.*** 438 317 km². ***Popul.*** 19 410 000 h., dont Arabes (78 %), Kurdes (20 %). ***Langues princ.*** Arabe, kurde. ***Monn.*** Dinar. ***Relief.*** La plaine de Mésopotamie, drainée par le Tigre et l'Euphrate, se termine par la zone marécageuse du Chatt al-Arab. Bordure montagneuse à l'E. (Zagros, Kurdistan, Taurus), désert syro-saoudien à l'O. ***Climat.*** Désertique. ***Écon.*** Affaiblie par dix ans de guerre avec l'Iran, par les destructions consécutives à la guerre du Golfe et par l'embargo. ***Ress. princ.*** Pétrole, gaz naturel, agric. (céréales, dattes, coton), élev. (ovin, aviculture). ***V. princ.*** Bagdad, Bassora, Mossoul, Kirkouk. **HIST.** - Pour la période antérieure à l'Antiquité gréco-romaine, voir **Mésopotamie**. *IVe s. av. J.-C.* : la Mésopotamie passe sous tutelle séleucide (conquête d'Alexandre le Grand, en 331). *IIe s. av. J.-C.-VIe s. apr. J.-C.* : Parthes et Romains (puis Byzantins) se disputent la région. *VIIe s.* : la Mésopotamie, conquise et islamisée par les Arabes, devient l'Iraq. *VIIIe s.* : les Abbassides fondent Bagdad, capitale de leur empire. *Xe-XVe s.* : l'Iraq tombe sous la domination perse (Bouyides) puis turque (Seldjoukides), avant d'être conquis et dévasté par les Mongols (XIIIe-XIVe s.). *XVIe-XIXe s.* : après sa conquête par Soliman (1534), l'Iraq connaît un long déclin sous la tutelle ottomane. *1920-1921* : l'Iraq, sous mandat britannique, est érigé en monarchie (dynastie hachémite, 1921-1958). *1926* : rattachement de la région de Mossoul. *1927* : le pétrole découvert à Kirkouk est exploité par l'I. P. C. (Iraq Petroleum Company). *1932* : indépendance. *1945-1958* : le Premier ministre Nouri Saïd pratique une politique pro-occidentale (pacte de Bagdad, 1955). *1958* : coup d'État du général Abd al-Karim Kassem, instauration de la république. *1961* : début de l'insurrection kurde. *1963* : coup d'État du colonel Aref, appuyé par le Baas, parti au pouvoir jusqu'à aujourd'hui. *1968* : coup d'État du général Ahmad Hasan al-Bakr. *1972* : traité d'amitié et de coopération avec l'U. R. S. S., nationalisation de l'I. P. C. *1979* : Saddam Hussein devient chef de l'État et déclare la guerre à l'Iran l'année suivante. *1990* : l'Iraq, appauvri par la guerre et la baisse des cours du pétrole, annexe le Koweït revendiqué depuis longtemps. *1991* : guerre du Golfe ; les Occidentaux contraignent l'Iraq à évacuer le Koweït, lui imposent un embargo pétrolier et une réduction de sa souveraineté au N. (kurde) et au S. (chiite). *1994* : S. Hussein concentre tous les pouvoirs et reconnaît officiellement l'existence du Koweït. *1996* : l'O. N. U. lève partiellement l'embargo économique (opération « pétrole contre nourriture »).

**IRAZÚ** (l') ~ Volcan actif du Costa Rica, dans la Cordillère centrale, à l'E. de San José ; 3 432 m.

**IRBID** ~ V. du N.-O. de la Jordanie, la 2e du pays, marché agricole proche de la Syrie ; agglom. 385 000 h (majorité de Palestiniens). Université.

**IRÈNE** ~ *v. 752, Athènes - 803, Lesbos.* Impératrice d'Orient (797-802). Régente à la mort de son mari Jean IV (780), elle réunit le concile de Nicée II (787), qui autorisa et encouragea le culte des images. Elle se débarrassa de son fils Constantin VI (797) et forma le projet de réunir les empires d'Occident et d'Orient en épousant Charlemagne. Détrônée, elle s'exila à Lesbos.

**IRÉNÉE** (saint) ~ *v. 130, en Asie Mineure - v. 202, Lyon.* Évêque de Lyon. Père et docteur de l'Église, il réfuta les thèses gnostiques dans un ouvrage fondamental (*Contre les hérésies*).

**Irgoun** (l') ~ Organisation militaire clandestine juive fondée en Palestine en 1937, dirigée contre les Arabes palestiniens et les Britanniques. Elle fut dissoute en 1948, à la création de l'État d'Israël.

**IRIAN JAYA** (l') ~ Partie occidentale de la Nouvelle-Guinée, anc. colonie hollandaise réunie à l'Indonésie entre 1963 et 1969 ; 421 981 km², 1 649 000 h., cap. Jayapura (env. 150 000 h.), port sur la côte N. et seule ville importante. Popul. papoues et mélanésiennes, immigration javanaise.

**IRIARTE** (Tomás DE) ~ *1750, Orotava, Tenerife - 1791, Madrid.* Écrivain et compositeur espagnol. Auteur de *Fables littéraires* (1782) et traducteur d'Horace, il défendit avec ardeur le classicisme.

**IRIS** ~ Messagère ailée des dieux de l'Olympe dans la mythologie grecque. Elle symbolise l'arc-en-ciel et le lien entre le Ciel et la Terre.

**IRISH** (Cornell **Woolrich**, dit William) ~ *1903, New York - 1968, id.* Écrivain américain. Il est l'auteur de romans policiers au suspense aigu, dont plusieurs furent adaptés au cinéma (*La mariée était en noir*, 1940 ; *Fenêtre sur cour*, 1953).

**Irish Republican Army** ~ Voir **I. R. A.**

**IRKOUTSK** ~ V. de Sibérie orientale (Russie), sur l'Angara, près du lac Baïkal, étape importante du Transsibérien ; 639 000 h. Université. Électrométall., chimie. Centrale hydroélectr. sur l'Angara.

**IRLANDE** (l') ~ Île occidentale de l'archipel britannique, séparée de la Grande-Bretagne par la mer d'Irlande et le canal Saint-Georges. **HIST.** - *Ve-Ier mill. av. J.-C.* : civilisation mégalithique. *Ve s. av. J.-C.* : le pays est occupé par les Gaëls, qui forment cinq royaumes (Ulster, Meath, Leinster, Munster, Connacht). *Ve s. apr. J.-C.* : évangélisation par saint Patrick. *VIe s.* : fondation de l'abbaye d'Iona par saint Colomban. *VIIe-VIIIe s.* : rayonnement du monachisme irlandais sur le continent. *VIIIe-XIe s.* : invasion des Scandinaves, écrasés en 1014 par Brian Boru, à Clontarf. *XIIe s.* : l'Angleterre entreprend la conquête de l'Irlande. Les féodaux normands se partagent le pays. *XVIe s.* : Henri VIII est roi d'Irlande (1541-1547) ; les révoltes sont matées (not. celles d'Hugh O'Neill et d'Hugh O'Donnell). *XVIIe s.* : colonisation des terres par les Anglais ; au milieu du siècle, la rébellion irlandaise est brisée par Oliver Cromwell (massacre de Drogheda, 1649). Les Irlandais, qui soutiennent Jacques II Stuart lors de la révolution de 1688 en Angleterre, sont battus par Guillaume III sur le Boyne (1er juill. 1690). *XVIIIe s.* : après une évolution vers l'autonomie, répression de l'agitation suscitée par la Révolution française. *XIXe s.* : le Second Pitt fait voter l'Acte d'union avec la Grande-Bretagne (1er août 1800) ; le Parlement de Dublin est supprimé. La colonisation anglaise s'accroît. Daniel O'Connell organise le puissant mouvement de l'Association catholique (1823). La Couronne britannique accorde l'émancipation des catholiques (1829) ; l'Ulster, presbytérien, devient unioniste. *1846-1849* : la maladie de la pomme de terre entraîne la Grande Famine (1 500 000 morts) et l'émigration (1 000 000 de personnes). Le mouvement révolutionnaire des fenians et de l'Irish Republican Brotherhood (I. R. B.), développé après 1850, est écrasé. Dans le dernier quart du siècle, Isaac Butt et Charles Parnell obtiennent par l'agitation légale la restitution progressive du sol (lois agraires, 1870-1909), mais le Parlement de Londres refuse le Home Rule (l'autonomie). *XXe s.* : en 1902, Arthur Griffith fonde le Sinn Féin, qui réclame l'indépendance. Voté en 1912, le Home Rule entre en application en 1914. Les nationalistes extrémistes se préparent à l'insurrection. La révolte de Pâques (1916) est écrasée. *1918-1919* : le Sinn Féin, conduit par Eamon De Valera, remporte les élections et proclame l'indépendance. Le Government of Ireland Act (1920) organise la partition de l'île en créant l'Irlande du Sud (26 comtés) et l'Irlande du Nord (6 comtés de l'Ulster). Création de l'Irish Republican Army (I. R. A.).

**IRLANDE (mer d')** ~ Bras de mer peu profond séparant l'Irlande de la Grande-Bretagne. Il communique avec l'Atlantique par le canal du Nord, au N., et par le canal Saint George, au S.

**IRLANDE (république d'** ou **État libre d')**, en gaélique *Eire* ~ Pays constitué par les 4/5 de l'île du même nom (4 provinces : Leinster, Munster, Connacht, Ulster). ***Cap.*** Dublin. ***Superf.*** 68 900 km². ***Popul.*** 3 526 000 h. ***Langues princ.*** Anglais, irlandais (gaélique). ***Monn.*** Livre irlandaise ou punt. ***Relief.*** Plaine centrale mal drainée (lacs, tourbe) par le Shannon et entourée de plissements peu marqués (Carrantuohill, 1 040 m). ***Climat.*** Hyperocéanique. ***Écon.*** Industrie (agroalim., mécan., text., électron.) développée par les investissements étrangers ; élev. bovin et ovin, pêche, tourisme. ***V. princ.*** Dublin, Cork, Limerick. **HIST.** - *1921* : traité de Londres, reconnaissant une nationalité irlandaise. *1922* : naissance de l'État libre d'Irlande. Une fraction du Sinn Féin et de l'I. R. A. refuse la partition et une guerre civile s'ensuit. William Thomas Cosgrave, président du Conseil exécutif, rétablit l'ordre et relance l'économie. *1926* : Eamon De Valera fonde le Fianna Fáil, entre dans l'opposition légale et devient chef du gouvernement (1932). *1937* : l'État libre devient l'Eire. *1940-1945* : neutralité dans le conflit mondial. *Après 1948* : essor économique. *1949* : proclamation de la république et rupture des liens symboliques avec Londres. *1973* : entrée dans la C. E. E. *1985* : accord anglo-irlandais pour que Dublin soit consulté sur les affaires de l'Ulster. *1990* : élection d'une travailliste libérale, Mary Robinson, à la présidence. *1993* : engagement de discussions avec Londres pour une éventuelle réunification. *1994* : les partis « historiques » (Fianna Fáil, Fine Gael) n'ont plus la majorité ; John Bruton forme un gouvernement de coalition de centre gauche.

**IRLANDE DU NORD** (l') ~ Partie du Royaume-Uni constituée, depuis 1921, par 6 comtés (Antrim, Armagh, Down, Fermanagh, Londonderry, Tyrone) de l'ancienne province irlandaise d'Ulster ; 14 120 km², 1 632 000 h., cap. Belfast. Cuvette bordée de petits massifs (500-700 m) dont le centre est occupé par le lough Neagh. Économie handicapée par une situation de guerre civile larvée : élev., industries (agroalim., text., équipement), tourisme. **HIST.** - Séparée du reste du territoire (1920), l'Irlande du Nord est dotée de l'autonomie au sein du Royaume-Uni (1921). La revendication nationaliste, amplifiée par le terrorisme de l'I. R. A., se réveille chez les catholiques (env. le tiers de la population) à partir de 1968. Tandis que le gouvernement de Londres place la région sous administration directe (1972), les loyalistes protestants s'arment, et la violence s'accroît. *1994* : L'I. R. A. décrète un cessez-le-feu total après la proposition de Londres et de Dublin au Sinn Féin d'entamer des négociations. Celles-ci échouent, et l'I. R. A. reprend les hostilités en 1996. Le processus de paix est menacé.

**IROISE (mer d')** ~ Partie de l'Atlantique qui baigne l'O. de la Bretagne, parsemée d'écueils, entre les îles de Sein et d'Ouessant (parc région. d'Armorique).

**Iroquois** (les) ~ Indiens du Canada. Organisés en cinq tribus ou nations, ils opposèrent une forte résistance aux Français et aux Hurons au XVIIe s. Aujourd'hui subsistent quelques réserves d'Iroquois au Canada et dans l'État de New York.

**IRRAWADDY** (l') ~ Princ. fleuve et axe N.-S. de la Birmanie ; env. 2 170 km (bassin : 410 000 km²). Issu des confins montagneux tibéto-birmans, il se jette dans le golfe du Bengale (vaste delta). Navigable sur les trois quarts de son cours, il assure l'irrigation de la plaine rizicole.

**IRTYCH** (l') ~ Riv. de Russie, princ. affl. de l'Ob (r. g.) ; 4 248 km. Né en Chine dans l'Altaï, il draine le N.-E. du Kazakhstan (centrale hydroélectr.) et la plaine de Sibérie occidentale, arrosant Omsk et Tobolsk. Navigable sur une grande partie de son cours, il est un axe de peuplement.

**IRÚN** ~ V. frontalière du N. de l'Espagne, dans la province basque de Guipúzcoa, sur la Bidassoa ; 53 000 h. Tanneries, petite métallurgie.

**IRVING** (John) ~ *1942, Exeter, New Hampshire.* Romancier américain. Sa facture classique et son humour ont rendu son œuvre très populaire (*Liberté pour les ours !*, 1968 ; *le Monde selon Garp*, 1978).

**IRVING** (Washington) ~ *1783, New York - 1859, près de New York.* Écrivain américain. Il fut le premier auteur notable de la jeune littérature de son pays (*le Livre d'esquisses*, 1819-1820).

**I. S.** ~ Voir **Intelligence Service**.

**ISAAC** ~ Patriarche biblique, fils d'Abraham et de Sarah. Il fut exposé à la mort par son père, dont Dieu avait voulu éprouver la foi, et épargné par l'intervention divine.

**ISAAC**, nom de deux empereurs byzantins. ~ **Isaac Ier Comnène** (*v. 1005 - 1061, Stoudios*), empereur de 1057 à 1059. Ses projets de réformes l'opposèrent à la bureaucratie et au clergé, et il dut abdiquer en faveur de son ministre Constantin Doukas (Constantin X). ~ **Isaac II Ange**, (*v. 1155 - 1204*), empereur de 1185 à 1195 et de 1203 à 1204. Renversé par son frère Alexis III, il fut remis sur le trône puis démis de nouveau, cette fois par son fils, Alexis IV, avec lequel il fut assassiné.

**ISAAC** (Jules) ~ *1877, Rennes - 1963, Aix-en-Provence.* Historien français. Spécialiste de l'histoire du judaïsme et de l'antisémitisme, il est l'auteur, avec A. Malet, de manuels scolaires longtemps utilisés, dits manuels Malet-Isaac.

**ISAAK** (Heinrich) ~ *v. 1450 - 1517, Florence.* Compositeur flamand. Actif tant à Florence qu'à Vienne, il est l'auteur d'œuvres polyphoniques profanes.

**ISABEAU** ou **ISABELLE DE BAVIÈRE** ~ *1371, Munich - 1435, Paris.* Reine de France par mariage avec Charles VI (1385). Régente après la folie du roi (1392), elle provoqua la querelle entre les Armagnacs et les Bourguignons. Signant le traité de Troyes au nom de Charles VI (1420), elle écarta le dauphin Charles du trône et livra le royaume aux Anglais en mariant sa fille à Henri V d'Angleterre.

**ISABELLE D'ANGOULÊME** ~ *1186 - 1246, Fontevrault, près de Saumur.* Reine d'Angleterre. Elle épousa Jean sans Terre (1200) puis Hugues X de Lusignan (1217).

**ISABELLE DE FRANCE** (bienheureuse) ~ *1225, Paris - 1270, Longchamp.* Sœur de Louis IX. Elle se retira et mourut au monastère des Clarisses de Longchamp, qu'elle avait fondé.

**ISABELLE DE FRANCE** ~ *1292, Paris - 1358, Hertford.* Reine d'Angleterre. Fille de Philippe IV le Bel, elle épousa Édouard II (1308), qu'elle fit assassiner, et fut régente sous Édouard III.

**ISABELLE DE HAINAUT** ~ *1170, Lille - 1190.* Reine de France. Elle épousa Philippe Auguste (1180) et eut pour fils Louis VIII.

**ISABELLE Ire LA CATHOLIQUE** ~ *1451, Madrigal de las Altas Torres - 1504, Medina del Campo.* Reine de Castille (1474-1504). Héritière de Jean II de Castille, elle scella, par son mariage avec Ferdinand II d'Aragon (1469), l'union des deux royaumes. Les souverains (les Rois Catholiques) virent l'achèvement de la Reconquista (prise de Grenade, 1492) et la découverte de l'Amérique par Christophe Colomb (1492). Leur fille Jeanne la Folle transmit leurs royaumes à Charles Quint.

**ISABELLE II** ~ *1830, Madrid - 1904, Paris.* Reine d'Espagne (1833-1868), fille de Ferdinand VII. Son avènement déclencha les guerres carlistes. Exilée en 1868, elle abdiqua en 1870 en faveur de son fils, Alphonse XII.

**ISABEY**, nom de deux peintres et lithographes français. ~ **Jean-Baptiste** (*1767, Nancy - 1855, Paris*), portraitiste officiel de l'Ancien Régime à la monarchie de Juillet, est surtout célèbre pour ses délicates miniatures sur ivoire. Son fils ~ **Eugène** (*1804, Paris - 1886, Montévrain*) fut un excellent paysagiste (surtout connu pour ses marines) dans la lignée de l'école anglaise.

**ISAÏE** ou **ÉSAÏE** ~ *VIII<sup>e</sup> - VII<sup>e</sup> s. av. J.-C.* Prophète hébreu. Conseiller des rois de Juda, il tenta d'empêcher l'alliance avec l'Assyrie. Ses visions, consignées dans le livre qui porte son nom, fondent le messianisme des religions juive et chrétienne.

**ISAR** ~ Affl. bavarois du Danube (r. dr.), issu des Alpes (Tyrol), qui arrose Munich ; 295 km.

**Isauriens** (les) ~ Dynastie byzantine qui régna sur Constantinople de 717 à 802. [☞ **iconoclasme.**]

**ISCARIOTE** ~ Voir **Judas Iscariote**.

**ISCHIA** ~ Île côtière et volcan. de la mer Tyrrhénienne, au N. du golfe de Naples (Campanie) ; 46 km², env. 15 000 h. Tourisme. Thermalisme.

**ISEO (lac d')** ~ Lac alpin de Lombardie (Italie), au N.-O. de Brescia, traversé par l'Oglio ; 65 km².

**ISERAN** (l') ~ Col de Savoie, dans les Alpes (2 762 m), faisant communiquer les hautes vallées de l'Arc (Maurienne) et de l'Isère (Tarentaise).

**ISÈRE** (l') ~ Affl. alpin du Rhône (r. g.), qui prend sa source au mont Iseran, emprunte la Tarentaise, la Combe de Savoie et le Grésivaudan (Sillon alpin), arrose Bourg-Saint-Maurice, Albertville, Grenoble, Romans, et conflue au N. de Valence. Nombreux aménagements hydroélectriques.

**ISÈRE** (l') ~ Dép. de la Région Rhône-Alpes, limité au N. et à l'O. par le Rhône, traversé par l'Isère ; 7 467 km², 1 016 228 h., préfect. Grenoble. Le S.-E. appartient au domaine alpin : massifs cristallins de Belledonne et de l'Oisans, Préalpes calcaires de la Grande Chartreuse et du Vercors, aérés par de grandes vallées glaciaires (Grésivaudan, Drac). Le N.-O. appartient au domaine rhodanien : collines et plateaux détritiques (moraines) du bas Dauphiné. Céréales, arbres fruitiers, élevage en bordure du Rhône et dans le Grésivaudan ; élevage et exploitation du bois dans les hautes vallées alpestres. Tourisme de montagne (Chamrousse, L'Alpe-d'Huez, Villard-de-Lans). L'industrie, liée à l'hydroélectricité (électrochimie, électrométallurgie), autrefois dispersée dans les vallées, se concentre, princ. dans l'agglomération de Grenoble, ville des Alpes françaises.

**ISHIKAWA Jun** ~ *1899, Tôkyô - 1987, id.* Écrivain japonais. Son œuvre est marquée par le rêve et l'énigme (*le Chant de Mars*, 1938 ; *Chronique du vent fou*, 1980). Il traduisit Molière, André Gide et Anatole France en japonais.

**ISHTAR**, en phénicien ***Ashtart***, en gr. ***Astarté*** ~ Divinité mère de la mythologie mésopotamienne, déesse de l'Amour, de la Fécondité et des Combats. Les Grecs l'assimilaient à Aphrodite. Elle apparaît dans l'épopée de Gilgamesh.

**ISIDORE DE SÉVILLE** (saint) ~ *v. 560, Carthagène - 636, Séville*. Archevêque de Séville. Il contribua à l'organisation de l'Église d'Espagne et laissa un ouvrage encyclopédique, *Étymologies ou Origines*, qui compile les connaissances de son temps.

**ISIGNY-SUR-MER** ~ V. de Normandie (Calvados), sur l'Aure, centre laitier (beurre) du Bessin ; 3 018 h. Confiserie. Hôtel de ville (anc. château) du XVIII<sup>e</sup> s.

**ISIS** ~ Divinité égyptienne, sœur et femme d'Osiris, qu'elle ressuscita, et mère d'Horus. Adorée dans toute la Grèce comme la protectrice de la famille, elle fut aussi la déesse la plus vénérée de l'Empire romain.

**ISKĂR** (l') ~ Affl. bulgare du Danube (r. dr.) qui passe près de Sofia et traverse le Balkan en gorges ; 300 km. Irrigation. Hydroélectricité.

**ISKENDERUN**, anc. **Alexandrette** ~ Port industr. du S.-E. de la Turquie, près de la frontière syrienne ; 176 000 h. Terminal pétrolier, engrais, aciéries. Édifices turcs du XVI<sup>e</sup> s. La ville fut fondée par Alexandre le Grand. Anc. territoire sous mandat français (1920), cédé à la Turquie en 1939.

**ISLAMABAD** ~ Cap. du Pakistan depuis 1967 (construite en 1961), au N. du Pendjab ; env. 360 000 h. Universités, Institut de recherche atomique.

**ISLANDE (république d')**, en islandais ***Ísland*** ~ Pays insulaire de l'Atlantique N. (S. du cercle polaire arctique). ***Cap.*** Reykjavík. ***Superf.*** 103 000 km². ***Popul.*** 265 000 h. ***Langue princ.*** Islandais. ***Monn.*** Couronne islandaise. ***Relief.*** Île montagneuse (2 119 m) ; volcanisme actif (éruptions, geysers, sources d'eau chaude) ; 12 % de la superficie sont couverts par des glaciers. Seul le littoral est peuplé. ***Climat.*** Océanique frais. ***Écon.*** Pêche (17 % des ress.), agroalim., élev. ovin (laine), métall., géothermie, hydroélectricité. Tourisme. **HIST.** - *VIII<sup>e</sup> s.* : découverte de l'île par des moines irlandais. *IX<sup>e</sup> s.* : colonisation par les Norvégiens. *X<sup>e</sup> s.* : ébauche d'un État républicain avec une assemblée, l'Althing. *XIII<sup>e</sup> s.* : le roi de Norvège impose son autorité (Vieux Pacte, 1264). *1380* : Norvège et Islande passent sous domination danoise. *XVI<sup>e</sup> s.* : réforme luthérienne. *XVII<sup>e</sup>-XVIII<sup>e</sup> s.* : les monopoles commerciaux danois et allemand provoquent un déclin économique. *1843* : rétablissement de l'Althing. *XX<sup>e</sup> s.* : autonomie (1904). Par l'Acte d'union (1918), Christian X, roi de Danemark, devient souverain d'Islande. De 1940 à 1944, une république indépendante gouverne le pays. L'Islande adhère à l'Association européenne de libre-échange (1958) puis à l'Espace économique européen (1993). Vigdís Finnbogadóttir, élue présidente en 1980, est remplacée en 1996 par Olafur Ragnar Grimmson.

**ISLAY** ~ Île de l'archipel des Inner Hebrides, à l'O. de l'Écosse. Whisky réputé. Tourisme.

**ISLE** (l') ~ Affl. de la Dordogne (r. dr.), issu du Limousin, qui arrose Périgueux et conflue à Libourne ; 235 km.

**ISLE-ADAM (L')** ~ V. résidentielle du N.-O. de la région parisienne (Val-d'Oise), sur l'Oise, à l'orée de la **forêt de L'Isle-Adam** (15 km²) ; 9 979 h. Centre nautique. Église (XV<sup>e</sup>-XVI<sup>e</sup> s.). Ancienne résidence des princes de Conti (XVII<sup>e</sup>-XVIII<sup>e</sup> s.).

**ISLE-SUR-LA-SORGUE (L')** ~ V. pittoresque du Vaucluse, au pied des monts du Vaucluse ; 15 564 h. Église (riche décoration du XVII<sup>e</sup> s.). Roues à eau sur les bras de la Sorgue.

**ISLY** ~ Oued du Maroc, à l'O. d'Oujda. Le général Bugeaud y vainquit les Marocains partisans d'Abd el-Kader, le 14 août 1844.

**ISMAËL** ~ Personnage biblique. Fils d'Abraham et de l'esclave Agar, il fut exclu de la maison paternelle après la naissance de son frère Isaac, fils de Sarah, et erra dans le désert. La tradition biblique et coranique en fait l'ancêtre des Arabes.

**ISMAÏL** ~ *m. v. 760, Médine*. Septième et dernier imam des ismaéliens.

**ISMAÏL I<sup>er</sup>** ~ *1487, Ardabil, Perse - 1524, id.* Chah de Perse (1501-1524). Fondateur de la dynastie des Safavides, il imposa le chiisme comme religion nationale.

**ISMAÏLIA** ~ Port pétrolier d'Égypte, sur le canal de Suez ; 213 000 h. Siège de la Compagnie du canal de Suez. Agroalimentaire, engrais.

*La déesse Isis, peinture sur papyrus.*

© J. Thomas-Explorer

**ISMAÏL PACHA** ~ *1830, Le Caire - 1895, Istanbul.* Vice-roi (1863-1867) puis khédive d'Égypte (1867-1879). Il chercha à moderniser l'Égypte, alourdit sa dette extérieure pour financer la construction du canal de Suez, inauguré sous son règne (1869), et dut subir un contrôle financier des Français et des Britanniques (1878).

**ISMÈNE** ~ Personnage de la mythologie grecque, fille d'Œdipe et de Jocaste, sœur d'Antigone.

**ISNA** ~ Voir **Esnèh**.

**ISOCRATE** ~ *436, Athènes - 338 av. J.-C., id.* Orateur grec. Adversaire de Démosthène, il défendit l'idée d'une union des cités grecques et de la Macédoine contre la Perse.

**ISOLA** ~ Commune des Alpes-Maritimes (haute vallée de la Tinée) ; 576 h. Sports d'hiver à **Isola 2000** (Mercantour).

**ISONZO** (l'), en slovène ***Soča*** ~ Fl. né en Slovénie (Alpes juliennes), tributaire de l'Adriatique (golfe de Trieste) ; 138 km. Sa vallée fut le théâtre de violents combats italo-autrichiens (1915-1917).

**ISOU** (Isidore **Goldstein**, dit Isidore) ~ *1925, Botoşani, Roumanie*. Poète français d'orig. roumaine, fondateur du lettrisme (*la Dictature lettriste*, 1946).

**ISOZAKI Arata** ~ *1931, Ōita, Kyûshû*. Architecte japonais. Rompant avec le rationalisme, il a proposé des concepts architectoniques symboliques (musée d'Art contemporain de Los Angeles, 1983).

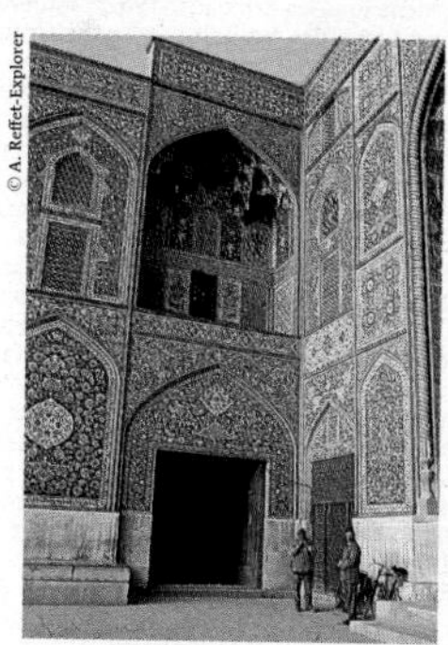

© A. Reffet-Explorer

*Ispahan, cour de mosquée.*

**ISPAHAN**, en persan ***Esfahan*** ~ 3<sup>e</sup> v. d'Iran, dans une oasis du piémont oriental du Zagros, centre industriel (raff. de pétrole, aciérie) et touristique ; 1 127 000 h. Artisanat (tapis). Urbanisme monumental datant not. des époques seldjoukide (mosquée du Vendredi) et safavide (place de l'Imam, palais Ali Qapu, Bazar). **HIST.** - Prise par les Seldjoukides (1051), Ispahan fut choisie comme capitale de la Perse safavide (fin du XVI<sup>e</sup>-XVIII<sup>e</sup> s.) par Abbas I<sup>er</sup>, qui l'aménagea et l'embellit.

**ISRAËL** ~ Autre nom de Jacob dans la Bible et, par extension, nom donné au peuple juif, dont il serait l'ancêtre.

**ISRAËL (État d')**, en hébr. ***Medinat Yisra'el*** ~ Pays du Proche-Orient bordé par la Méditerranée et disposant au S. d'un accès à la mer Rouge. ***Cap.*** Jérusalem (non reconnue par de nombreux États). ***Superf.*** 21 920 km² (Golan inclus). ***Popul.*** 5 460 000 h. (colons des territoires occupés inclus). ***Langues princ.*** Hébreu, arabe. ***Monn.*** Shekel. ***Relief.*** Plaines côtières adossées à un plateau montagneux (monts de Galilée, de Samarie et de Judée) dominant une dépression (vallée du Jourdain et mer Morte) à l'E., avec au S. le désert du Néguev (50 % du territoire). ***Climat.*** Méditerranéen, désertique dans le S. ***Écon.*** Agric. irriguée (auj. peu collectivisée), vivrière et d'export. (agrumes, avocats, coton), élev. extensif. Industr. diversifiée (text., taille des diamants, armement, agroalim., électron.). Tourisme. Large accès aux capitaux internationaux. ***V. princ.*** Jérusalem, Tel-Aviv - Jaffa, Haïfa. **HIST.** - *XIX<sup>e</sup> s.* : naissance du mouvement sioniste en Europe ; développement de colonies juives en Palestine ottomane. *1917* : la déclaration Balfour propose la création d'un foyer national juif.

*1920* : la S. D. N. place la Palestine sous mandat britannique. *Nov. 1947* : l'O. N. U. adopte un plan de partage du territoire, rejeté par les pays arabes limitrophes. Début du retrait britannique. *14 mai 1948* : la proclamation de l'État d'Israël par David Ben Gourion est suivie d'un conflit avec les États arabes hostiles. *1949* : victoire d'Israël, qui étend son territoire (Néguev, haute Galilée). Le pays, devenu une démocratie parlementaire (Knesset), est admis à l'O. N. U. Les partis de gauche (Mapai, parti travailliste) dominent la scène politique jusqu'en 1977 (gouvernements Ben Gourion, Levi Eshkol, Golda Meir, Yitzhak Rabin). *Oct.-nov. 1956* : participation à l'expédition franco-britannique de Suez. *Juin 1967* : à l'issue de la guerre des Six-Jours, Israël occupe la Cisjordanie, le Golan, Gaza et le Sinaï ; Jérusalem est réunifiée. *Oct. 1973* : guerre du Kippour. *1977-1984* : gouvernements de droite (Likoud) de Menahem Begin et de Yitzhak Shamir. Implantation de colonies juives dans les territoires occupés. *1979* : grâce à la médiation des États-Unis, les accords de paix de Camp David sont signés par Israël et l'Égypte. *1981* : annexion du Golan. *1982* : restitution du Sinaï à l'Égypte. Occupation du Liban et siège de Beyrouth, pour en chasser l'O. L. P. *1983* : retrait du Liban, à l'exception d'une bande dans le S. du pays. *1984-1990* : des gouvernements d'union nationale se succèdent tous les deux ans. *1987* : soulèvement des Palestiniens des territoires occupés (Intifada). *Oct. 1990* : participation avec les pays arabes et les Palestiniens à la conférence de Madrid sur la paix au Proche-Orient. *1992* : gouvernement Rabin (travailliste). *1993* : Israël et l'O. L. P. se reconnaissent mutuellement et prévoient pour 1994 l'autonomie de Gaza et de Jéricho (accord de Washington). Ezer Weizmann est élu président. *1994* : traité de paix avec la Jordanie. *Nov. 1995* : assassinat d'Y. Rabin par un fanatique israélien ; Shimon Peres le remplace. *1996* : élection d'une Autorité palestinienne pour Gaza et Jéricho, avec Yasser Arafat pour président. Le 29 mai, Benjamin Netanyahou, dirigeant du Likoud, est élu Premier ministre. Forte progression des partis religieux à la Knesset. De nouveaux affrontements dans les territoires palestiniens et à Jérusalem (sept.) menacent le processus de paix. *1997* : signature d'un accord sur le retrait partiel de l'armée israélienne à Hébron.

**ISRAËL (royaume d')** ~ Royaume formé par les tribus hébraïques du N. de la Palestine, après la séparation des douze tribus à la mort de Salomon (931 av. J.-C.). Sa capitale fut Tirtsah, puis Samarie. Il fut détruit par les Assyriens (721 av. J.-C.).

**israélo-arabes (guerres)**, série de conflits (1948-1975) provoqués par le refus des États arabes (Égypte, Iraq, Jordanie, Liban, Syrie) de reconnaître le partage de la Palestine par l'O. N. U. en 1947 et la création de l'État d'Israël en 1948. ~ La première (mai 1948-janv. 1949), déclenchée par les pays arabes, se solda par la défaite de ces derniers et la fixation de la frontière d'Israël sur la ligne de cessez-le-feu. ~ La deuxième (oct.-nov. 1956) opposa Israël (soutenu par la Grande-Bretagne et la France) à l'Égypte à la suite de la nationalisation du canal de Suez ; provoquant une crise internationale et l'intervention de l'O. N. U., elle se solda par le maintien du statu quo. ~ La troisième (guerre des Six-Jours, juin 1967), déclenchée par Israël, se conclut par la victoire israélienne sur les fronts égyptien, jordanien et syrien et par l'occupation israélienne de la Cisjordanie, du Sinaï, de Gaza, du Golan et de la partie arabe de Jérusalem. ~ La quatrième (guerre du Kippour, oct. 1973), déclenchée par l'Égypte, qui obtint des succès initiaux, fut à l'origine du premier choc pétrolier et d'une évolution politique qui aboutit au traité de paix de 1979, au terme duquel le Sinaï fut restitué à l'Égypte, puis à l'accord de Washington (1993) entre Y. Arafat et Y. Rabin.

**Issas** (les) ~ Peuple de Djibouti (anc. territoire des Afars et des Issas) et de Somalie, parlant une langue couchitique.

**ISSOIRE** ~ V. d'Auvergne (Puy-de-Dôme), centre industr. de la Limagne d'Issoire, au S. de Clermont-Ferrand ; 13 559 h. Métall. de l'aluminium, constr. électriques. Église (XII^e^ s.) caractéristique de l'art roman auvergnat. Anc. centre protestant (XVI^e^ s.).

**ISSOS** ou **ISSUS** ~ Anc. ville d'Asie Mineure (Cilicie). En 333 av. J.-C., dans la **plaine d'Issos**, Alexandre le Grand remporta une victoire sur Darius III qui lui permit de conquérir la Perse.

**ISSOUDUN** ~ V. de l'Indre, dans la Champagne berrichonne ; 13 859 h. Industr. diversifiées (tradit. du cuir). Monuments médiévaux (église St-Cyr, beffroi, donjon du XII^e^ s.), hôtel-Dieu (musée) XV^e^-XVII^e^ s., hôtels particuliers (XVII^e^-XVIII^e^ s.).

**ISSYK-KOUL** ~ L'un des plus grands lacs de montagne (1 609 m, prof. max. 700 m) au N. du Tian Shan (Kirghizistan) ; 6 280 km$^2$.

**ISSY-LES-MOULINEAUX** ~ V. industr. de la banlieue S.-O. de Paris, sur la Seine (r. g.) ; 46 127 h. Anc. aérodrome (auj. héliport de Paris).

**ISTANBUL**, anc. **Byzance** (de 667 av. J.-C. à 330 apr. J.-C.) et **Constantinople** (de 330 à 1453) ~ 1^re^ v. de Turquie, sur le Bosphore et la mer de Marmara, à cheval sur l'Europe et l'Asie ; 6 748 000 h. Métropole écon. : 1^er^ port d'import., 1^er^ centre industr. (constr. navales, métall., chimie, agroalim., text., verre) et comm. (Grand Bazar) du pays. Universités. Célèbres édifices des époques byzantine (basilique Sainte-Sophie, IV^e^ s. ; église Saint-Sauveur in Chora, VI^e^ s.) et ottomane (palais Topkapi, XV^e^-XIX^e^ s. ; mosquée de Soliman et mosquée Bleue, XVI^e^-XVII^e^ s.) ; bains, caravansérails. Musées des Antiquités et des Arts turcs et musulmans. **HIST.** – Constantinople devint le siège du gouvernement ottoman après sa prise par les Turcs en 1453 et fut rebaptisée Istanbul. La ville perdit en 1923 son statut de capitale au profit d'Ankara.

**Istiqlal** (l') ~ Parti nationaliste marocain fondé en 1944 par Allal al-Fasi, sous Mohammed V. Important jusqu'à l'indépendance (1956), son rôle déclina ensuite, not. sous le règne d'Hassan II.

**ISTRATI** (Panait) ~ *1884, Brăila, Roumanie - 1935, Bucarest.* Écrivain roumain d'expression française. Ses romans ont pour cadre les Balkans et la Russie (*Kyra Kyralina*, 1924), mais aussi le Moyen-Orient, la Suisse ou l'Italie.

**ISTRES** ~ V. des Bouches-du-Rhône, entre l'étang de Berre et la Crau ; 35 163 h. Base militaire aérienne. Industrie aéronautique.

**ISTRIE** (l') ~ Péninsule calcaire du N.-O. des Balkans, baignée par l'Adriatique, partagée entre la Croatie (majeure partie), la Slovénie (port de Koper ou Capo d'Istria) et l'Italie (environs de Trieste) ; 3 500 km$^2$, env. 310 000 h., v. princ. Pula (62 000 h.), port croate (chantiers navals). Vigne, olivier. Tourisme. **HIST.** – Conquise par les Romains (II^e^ s. av. J.-C.), disputée par les Byzantins et les Francs (VIII^e^ s. apr. J.-C.), elle fut ensuite partagée entre Venise et l'Autriche (XIII^e^-XIV^e^ s.), puis passa à la France (1805), et de nouveau aux Habsbourg (1815). L'Italie l'annexa (1920), mais dut la céder, à l'exception de Trieste, à la Yougoslavie (1947).

**Itaipú** ~ Barrage construit sur le Paraná par le Brésil et le Paraguay. C'est la plus puissante centrale hydroélectrique du monde.

**ITALIE** (l'), off. **République italienne**, en ital. ***Italia*** ~ Pays d'Europe méridionale, dans le bassin méditerranéen, incluant les îles de Sicile, de Sardaigne et d'Elbe. ***Cap.*** Rome. ***Superf.*** 301 302 km$^2$. ***Popul.*** 57 000 000 d'h. ***Langue princ.*** Italien. ***Monn.*** Lire. ***Relief.*** Longue péninsule montagneuse s'étirant du N. au S. (Apennins), bordée à l'O. et à l'E. par d'étroites plaines côtières et limitée au N. par la large plaine alluviale du Pô et de ses affluents, que surplombe au N. le versant S., abrupt, des Alpes. ***Climat.*** Continental humide au N., méditerranéen au S. ***Écon.*** En 50 ans, l'Italie s'est hissée au rang de grande puissance économique. Appuyé par le dynamisme de l'initiative privée, l'État a joué un rôle considérable en finançant infrastructures et industries de base et en orientant une partie des investissements vers le Sud, sous-développé (Mezzogiorno). L'agriculture (céréales, vigne, olivier, fruits, légumes), l'élevage bovin, la pêche ne suffisent pas aux besoins du pays mais fournissent une industrie alimentaire réputée dans le monde entier. Sa situation géographique lui permet d'importer facilement d'Afrique et du Moyen-Orient les ressources énergétiques et minérales nécessaires à l'industrie de transformation du N. du pays (mécan., autom., text., confection, électron., armement), à laquelle l'Union européenne fournit un marché. Le tourisme (balnéaire, alpin, culturel) est une importante source de devises. ***V. princ.*** Rome, Milan, Naples, Turin, Palerme, Gênes, Bologne, Florence. **HIST.** – Premier peuplement au Paléolithique. *II^e^ mill. av. J.-C.* : civilisations des terramares et de Villanova. *VIII^e^ s. av. J.-C.* : les Étrusques développent une brillante civilisation en Toscane ; des colonies grecques s'installent dans le S. et des Celtes dans le N. *VI^e^ s. av. J.-C.-V^e^ s. apr. J.-C.* : Rome instaure sa loi sur toute la péninsule et, après l'annexion de la Gaule cisalpine (42 av. J.-C.), donne à l'Italie sa configuration actuelle. L'histoire de l'Italie et celle de Rome se confondent jusqu'à la prise du pouvoir par le Germain Odoacre (476-493), qui met fin à l'existence de l'Empire romain d'Occident. *VI^e^ s.* : après l'invasion des Ostrogoths et le règne de Théodoric le Grand (493-526), l'empereur d'Orient Justinien rétablit son autorité sur l'Italie (553). En 568, les Lombards envahissent le N. de l'Italie sans rencontrer la résistance de l'exarque de Ravenne qui représente Byzance. *VIII^e^ s.* : le pape s'oppose à la conquête de la péninsule par les Lombards avec l'aide des Francs carolingiens. Roi des Lombards en 774, Charlemagne est couronné empereur d'Occident en 800. Les États de l'Église (duché de Rome, exarchat de Ravenne) s'installent pour onze siècles. *IX^e^ s.* : le N. de l'Italie subit l'émiettement féodal ; le S. est assailli par les Normands et les Sarrasins. *X^e^-XV^e^ s.* : Otton I^er^, couronné roi d'Italie (951-973) et empereur du Saint Empire (963-973), impose la suzeraineté germanique à la papauté et aux villes du N. Pendant trois siècles, la lutte d'influence entre le pape et l'empereur (querelle des Investitures, lutte du Sacerdoce et de l'Empire, guerre entre guelfes, partisans du pape, et gibelins, partisans de l'empereur) va permettre l'émancipation politique et économique des villes du N., alors que se constitue dans le S. un royaume normand, qui passera successivement à l'Anjou, à l'Aragon et à l'Espagne. Frédéric II de Hohenstaufen (1212-1250) est, durant quelques années, maître de toute l'Italie, avant d'être défait par le pape, qui doit accepter temporairement l'autorité du roi de France, Philippe IV le Bel. À la fin du XV^e^ s., l'Italie divisée (royaume de Naples, États de l'Église, république de Venise, Milan des Sforza, Florence des Médicis) n'en est pas moins la première puissance commerciale, financière et culturelle de l'Europe. [☞ **renaissance.**] *XV^e^-XVII^e^ s.* : les prétentions des rois de France sur l'Italie, de Charles VIII à François I^er^, sont abandonnées après le désastre de Pavie (1525). Les Habsbourg dominent la péninsule ; seules Venise et la Savoie (cap. Turin) restent indépendantes. Après 1556, la domination espagnole étouffe la brillante Renaissance italienne. *XVIII^e^ s.* : le traité d'Utrecht (1713) fait passer l'Italie de la domination espagnole à celle de l'Autriche. Après le traité d'Aix-la-Chapelle (1748), les Habsbourg de Vienne règnent sur la Toscane et le Milanais ; les Bourbons d'Espagne dominent le royaume des Deux-Siciles (Naples), Parme et Plaisance ; les Bourbons de France exercent un protectorat sur Gênes et Modène ; les États de l'Église divisent la péninsule, où seules Venise et la Savoie (Piémont, Sardaigne) sont toujours indépendantes. Partout, cependant, le despotisme éclairé né de l'époque des Lumières favorise l'introduction de réformes libérales. *XIX^e^ s.* : entre 1792 et 1814, la domination française se traduit par une nouvelle centralisation administrative qui participe à la naissance d'un sentiment national et à l'apparition des premiers carbonaros (« charbonniers »), désireux de se débarrasser de la tutelle étrangère. Après le congrès de Vienne (1815), la restauration des monarchies absolues suscite le développement du carbonarisme. Les insurrections révolutionnaires échouent (1831), mais le Risorgimento, soutenu par l'action du républicain Giuseppe Mazzini (mouvement Jeune-Italie), entretient l'idée d'une unité nationale. En 1848, le roi de Sardaigne, Charles-Albert, tente d'endiguer les révolutions libérales en prenant la tête du mouvement indépendantiste. La victoire de l'Autriche (Custoza, 1848 ; Novare, 1849) livre l'Italie à la réaction ; à Rome, le pouvoir temporel du pape est rétabli par les Français. À partir de 1852, Cavour canalise la lutte pour l'indépendance au profit du Piémont. Il obtient le soutien de Napoléon III en échange de la Savoie et de Nice (1860). En 1859, la Lombardie est cédée par l'Autriche vaincue (batailles de Magenta, de Solferino), et, en 1860, l'Italie centrale et méridionale est annexée avec l'aide de Garibaldi. Victor-Emmanuel II devient roi d'Italie en mars 1861 (cap. Florence). L'Autriche cède la Vénétie en 1866. En 1870, Rome devient la capitale. Entre 1870 et 1914, Agostino Depretis, Francesco Crispi, Giovanni Giolitti sont les principales figures politiques. La croissance économique du N. favorise la naissance de mouvements anarchistes et des émeutes de la misère. La politique irrédentiste (récupération du Trentin, de la Dalmatie, de l'Istrie) est contrariée par l'alliance avec la Prusse et l'Autriche (Triple-Alliance, 1882-1915). L'échec d'une tentative de colonisation en Éthiopie est en partie compensé par l'occupation de l'Érythrée, de la Somalie, de la Cyrénaïque, de la Tripolitaine et du Dodécanèse. *XX^e s.* : d'abord neutre lors de la Première Guerre mondiale, l'Italie choisit le camp des Alliés dans l'espoir de retrouver les provinces irrédentes. Ces espoirs en partie déçus, le dépit des nationalistes, dans un conteste d'agitation sociale et d'instabilité politique, favorise le mouvement fasciste de Mussolini, structuré en parti en 1921. Après la Marche sur Rome des Chemises noires (1922), le roi appelle Mussolini, qui prend le nom de Duce (« chef »), au gouvernement. Les « lois fascistissimes » (1925) organisent une dictature corporatiste que les succès économiques rendent populaire. Le Duce s'oppose d'abord aux visées de Hitler, mais les sanctions de la S. D. N., après la conquête de l'Éthiopie, font basculer Mussolini dans le camp totalitaire. Il signe un pacte anti-Komintern avec le Japon et l'Allemagne (1937), le pacte d'Acier avec l'Allemagne (1939), puis entre en guerre aux côtés de cette dernière (1940) ; il est fusillé en 1945. *1945-1995* : après la proclamation de la république par un référendum (1946), l'aide du plan Marshall et l'intégration de l'Italie, membre fondateur, à la C.E.E. favorisent un essor économique sans précédent. Le parti démocrate chrétien (Alcide De Gasperi, Amintore Fanfani, Aldo Moro, Giulio Andreotti) domine la vie politique, avec le parti communiste (P. C. I.) comme principale force d'opposition. Les années 1970 sont ensanglantées par un terrorisme d'extrême droite et d'extrême gauche. Au début des années 1990, des scandales politico-financiers entraînent l'effondrement de la Démocratie chrétienne et du parti socialiste (Bettino Craxi). En 1994, la modification profonde du système électoral donne naissance à la II^e République. La droite (Ligue lombarde, Alliance nationale [néo-fasciste], Forza Italia) remporte les élections législatives sous la direction de l'homme d'affaires Silvio Berlusconi ; sans majorité absolue, il démissionne en novembre 1994. Un technocrate, Lamberto Dini, forme un gouvernement de transition. En avril 1996, succès d'une coalition de centre gauche, dont le Parti démocratique de la gauche (P. D. S.), ex-P. C. I. est la colonne vertébrale, aux élections législatives. Romano Prodi, ex-démocrate-chrétien, est nommé président du Conseil.

**Italie (campagnes d')** ~ Opérations militaires en Italie menées successivement par le général Bonaparte en 1796-1797, par le Premier consul Bonaparte contre les Autrichiens en 1800, par Napoléon III en 1859 contre l'Autriche. Ce terme fut également utilisé par les Alliés pour désigner les opérations conduites en Italie contre les forces germano-italiennes de 1943 à 1945.

**Italie (guerres d')** ~ Série d'expéditions (1494-1559) menées par les rois de France en Italie. Elles opposèrent d'abord (1494-1516) le roi de France au pape et au roi d'Aragon pour la succession du royaume de Naples (Charles VIII) et du Milanais (Louis XII et François I^er). Elles se soldèrent par le traité de Noyon, qui donna Naples à l'Espagne et le Milanais à la France. Durant la seconde période (1516-1559), la France s'opposa à la maison d'Autriche et à l'Angleterre. Le traité du Cateau-Cambrésis (1559) mit fin aux prétentions françaises sur l'Italie.

**Italien (Théâtre-)** ~ Voir **Comédie-Italienne.**

**ITARD** (Jean Marc Gaspard) ~ *1775, Oraison, Alpes-de-Haute-Provence - 1838, Paris.* Médecin et pédagogue français. Il fut directeur de l'Institut des sourds-muets à Paris et l'un des pionniers de l'éducation des enfants handicapés mentaux.

**ITHAQUE** ~ Île grecque de la mer Ionienne, au S. de Céphalonie. Homère y situe la patrie d'Ulysse.

**ITON** (l') ~ Riv. de Normandie, née dans le Perche (118 km), affl. de l'Eure (r. g.), qui arrose Évreux.

**ITURBIDE** (Agustín DE) ~ *1783, Valladolid, auj. Morelia - 1824, Padilla.* Général et homme d'État mexicain. Il obtint de Madrid la reconnaissance de l'indépendance du Mexique (traité de Córdoba, 1821) et se proclama empereur (1822). Les républicains du général Santa Anna le contraignirent à abdiquer (1823), puis le fusillèrent.

**IULE** ou **ASCAGNE** ~ Fils d'Énée. D'après Virgile (*Énéide*), il succéda à son père comme roi du Lavinium et fonda Albe la Longue. César prétendait l'avoir pour ancêtre.

**IVAJLO** ~ *m. en 1280.* Tsar autoproclamé de Bulgarie. Cet ancien porcher conduisit le soulèvement paysan de son pays contre les Mongols et les Byzantins. L'héritier du trône, Jean IV Asen III, le fit assassiner.

**Ivan le Terrible**, *gravure du XVI^e s. Bibliothèque nationale, Paris.* © Giraudon

**IVAN**, nom de six souverains russes. ~ **Ivan I^er**, dit **Kalita**, « l'Escarcelle » (*v. 1304 - v. 1340*), prince de Moscou (1325-1340) et grand-prince de Vladimir (1328-1340), obtint des Mongols de lever le tribut qui leur était dû et en profita pour s'enrichir. Il commença à unifier la Russie sous la conduite de Moscou. ~ **Ivan III Vassilievitch**, dit **le Grand** (*1440 - 1505, Moscou*), grand-prince de Vladimir et de Moscou (1462-1505), s'affranchit de la suzeraineté mongole (1480) et prit le titre d'autocrate. ~ **Ivan IV**, dit **le Terrible** (*1530, Kolomenskoïe - 1584, Moscou*), grand-prince de Moscou (1533-1547), prit le premier le titre de tsar (1547-1584). Il réforma l'administration, l'armée et la religion (code, 1550), conquit les khanats de Kazan (1552) et d'Astrakhan (1556), mais échoua dans la guerre de Livonie (1558-1583). À la fin de son règne, il déclencha la terreur contre l'aristocratie féodale des boyards et créa un territoire réservé à ses fidèles (l'*opritchnina*, 1565-1572).

**IVANOVO**, anc. **Ivanovo-Voznessensk** ~ V. industr. de Russie, au N.-E. de Moscou, centre d'une conurbation le long de la vallée de la Volga ; 481 000 h. Filatures de lin, coton, soie, machines text., confection. Lors des grèves de 1915, le premier soviet ouvrier s'y constitua.

**IVENS** (Joris) ~ *1898, Nimègue - 1989, Paris.* Cinéaste néerlandais. Ses documentaires traduisent ses convictions révolutionnaires (*Borinage*, 1933 ; *Terre d'Espagne*, 1937). Il tourna aussi en France (*La Seine a rencontré Paris*, 1957).

**IVES** (Charles) ~ *1874, Danbury, Connecticut - 1954, New York.* Compositeur américain. Il créa un univers polytonal et polyrythmique très personnel, nourri de délicates réminiscences populaires (*Concord Sonata*, pour piano, 1919).

**IVRÉE**, en ital. **Ivrea** ~ V. d'Italie (Piémont), au N. de Turin, sur la Doire Baltée ; env. 25 000 h. Bureautique et informatique (siège d'Olivetti).

**IVRY-LA-BATAILLE** ~ V. de la vallée de l'Eure, au S.-E. d'Évreux ; 2 563 h. Église (XIV^e-XV^e s.). Henri IV y vainquit les ligueurs du duc de Mayenne (14 mars 1590).

**IVRY-SUR-SEINE** ~ V. industr. de la banlieue S.-E. de Paris (Val-de-Marne) ; 53 619 h.

**IWASZKIEWICZ** (Jarosław) ~ *1894, Kalnik, Ukraine - 1980, Varsovie.* Écrivain polonais, auteur fécond de poésies (*l'Été 1932*, 1933), de romans (*les Boucliers rouges*, 1934), et de pièces de théâtre (*le Bal masqué*, 1938).

**IWO** ~ V. du S.-O. du Nigeria, à l'E. d'Ibadan, marché agricole (cacao) ; 335 000 h.

**IWÔ JIMA** ~ Île japonaise du Pacifique (Mariannes), conquise par les Américains en février 1945.

**IXION** ~ Roi mythique des Lapithes, père des Centaures. Afin de le châtier pour son comportement sacrilège envers Héra, Zeus le précipita dans les airs, attaché à une roue enflammée tournant éternellement.

**IZERNORE** ~ Localité de l'Ain, au S.-O. d'Oyonnax ; 1 170 h. Vestiges gallo-romains (musée).

**IZETBEGOVIĆ** (Alija) ~ *1925, Bosanski Šamac, Bosnie-Herzégovine.* Homme d'État bosniaque. Représentant de la nationalité musulmane, élu président de la Bosnie-Herzégovine en 1990, il s'oppose aux tentatives serbes et croates de partition ethnique du pays. En 1995, il a signé les accords de Dayton (1995).

**IZMIR**, anc. **Smyrne** ~ Port et 3^e v. de Turquie, sur la mer Égée, 2^e centre industriel du pays (agroalim., text., constructions mécaniques), dans une riche région agricole (figues, raisins, coton, tabac) ; agglom. 2 665 000 h. Foire internationale. Université. Musée archéologique. **HIST.** - Prospère cité grecque d'Ionie, Smyrne fut un foyer de la civilisation antique. Prise par les Ottomans en 1424, attribuée à la Grèce en 1920, elle fut reconquise par Atatürk en 1922. Son retour à la Turquie fut confirmé en 1923.

**IZMIT**, anc. **Nicomédie** ~ V. industr. de Turquie, sur la rive E. de la mer de Marmara, port militaire et comm. (tabac, coton) ; 255 000 h. Papeterie, pétrochim., cimenterie. Vestiges d'une forteresse byzantine. **HIST.** - Capitale de l'ancienne Bithynie, elle fut nommée Nicomédie en l'honneur de son fondateur, le roi Nicomède I^er. L'empereur Dioclétien y fixa sa résidence à la fin du III^e s.

**IZNIK** ~ Voir **Nicée.**

**IZOARD (col de l')** ~ Col des Hautes-Alpes (2 360 m), reliant le Briançonnais au Queyras.

**Izumo** ~ Sanctuaire shintoïste fondé au VI^e s. sur l'île de Honshû. Lieu de pèlerinage.

**Izvestia**, en fr. « Les Nouvelles » ~ Quotidien révolutionnaire fondé en 1917 à Petrograd. Au début organe des soviets ouvriers et de soldats, il est devenu celui du praesidium du Soviet suprême en 1918. Il conserve, aujourd'hui, une grande partie de ses lecteurs. Son tirage est de 4 000 000 d'exemplaires.

*Joris* **Ivens** *dans son film* Une histoire de vent *(1988).*

© Coll. Delange-Stills

**JABÈS** (Edmond) ~ *1912, Le Caire - 1991, Paris.* Écrivain français. L'exil et la judéité lui ont inspiré une œuvre inclassable sur le silence et l'absence (*le Livre des questions*, 1963-1973).

**JACA** ~ V. des Pyrénées espagnoles ; 10 000 h. Ancienne cap. du royaume de Sobrarbe, berceau de l'Aragon (IXe-XIIe s.). Cathédrale romane du XIe s.

**JACCOTTET** (Philippe) ~ *1925, Moudon.* Écrivain suisse d'expression française. Sa poésie est à l'écoute du monde (*la Seconde Semaison*, 1996).

**JACKSON** ~ V. du S. des États-Unis, cap. du Mississippi ; 197 000 h. Sa croissance industrielle est liée à la découverte de gaz naturel en 1930.

**JACKSON** (Andrew) ~ *1767, Waxhaw, Caroline du Sud - 1845, Hermitage, Tennessee.* Homme d'État américain. Démocrate, président des États-Unis (1829-1837), il accrut les pouvoirs de l'exécutif fédéral et prôna l'isolationnisme.

**JACKSON** (John Hughlings) ~ *1835, Green Hammerton, Yorkshire - 1911, Londres.* Neurologue britannique. Pionnier de la neurologie moderne, il a décrit la maladie mentale comme une dissolution hiérarchique des fonctions psychiques, introduit la notion de localisation lésionnelle, et décrit l'aphasie et l'épilepsie motrice unilatérale.

**JACKSON** (Mahalia) ~ *1911, La Nouvelle-Orléans - 1972, Chicago.* Chanteuse de negro spirituals américaine. Elle eut une renommée internationale (*I'm Glad Salvation is Free*, 1950).

**JACKSONVILLE** ~ Port du N.-E. de la Floride (États-Unis), centre industriel (constructions navales), commercial et culturel (univ., bibliothèque Haydon-Burns, musée) ; 661 000 h. Tourisme. Base aéronavale.

**JACOB** ~ Patriarche biblique. Fils d'Isaac et de Rébecca, frère d'Ésaü, à qui il racheta son droit d'aînesse. Il eut douze fils, dont sont issues les douze tribus d'Israël.

**JACOB**, famille d'ébénistes français. ~ **Georges** (*1739, Cheny, Yonne - 1814, Paris*). Utilisant l'acajou, il fit ses plus beaux meubles dans le style « à la grecque ». Son fils ~ **François Honoré** (*1770, Paris - 1841, id.*) fut, à la tête de la firme Jacob-Desmalter, le principal ébéniste de l'Empire.

**JACOB** (François) ~ *1920, Nancy.* Biologiste et médecin français. Il a établi, avec A. Lwoff et J. Monod, l'existence de l'acide ribonucléique (A. R. N.) messager. En étudiant la régulation génétique chez les bactéries, il a posé la notion d'opéron. Prix Nobel de physiol. ou méd. 1965.

© Lauros-Giraudon-D. R.

Portrait de Max **Jacob**, *peinture de Jean Oberlé (1895-1961). Musée des Beaux-Arts, Orléans.*

**JACOB** (Max) ~ *1876, Quimper - 1944, Drancy.* Écrivain français. Lié aux avant-gardes des années 1900-1920, ami d'Apollinaire et de Picasso, il réinventa les poèmes en prose (*le Cornet à dés*, 1917) et influença les surréalistes. D'origine juive, il se convertit au catholicisme en 1912.

**JACOBI**, famille de scientifiques allemands. ~ **Moritz Hermann** VON (*1801, Potsdam - 1874, Saint-Pétersbourg*), physicien, remplaça par la terre le fil de retour du télégraphe électrique, et inventa la galvanoplastie (1837). Son frère ~ **Carl** (*1804, Potsdam - 1851, Berlin*), mathématicien, découvrit la double périodicité des intégrales elliptiques. Il démontra les lois de réciprocité biquadratique et définit les déterminants fonctionnels, ou **jacobiens**.

**Jacobins (club des)** ~ Société politique révolutionnaire créée en 1789. Installé à Paris, dans l'ancien couvent des Jacobins, le club défendit d'abord des opinions modérées, avec not. Barnave, La Fayette, Sieyès et Talleyrand. Après la fuite du roi à Varennes et la défection des Girondins, il se radicalisa sous l'influence de Robespierre et de Saint-Just, et devint l'organe des Montagnards. Reconstitué à plusieurs reprises après Thermidor, il fut dissous en 1799.

**JACOBSEN** (Arne) ~ *1902, Copenhague - 1971, id.* Architecte danois. Influencés par le Bauhaus et par Le Corbusier, ses programmes de caractère fonctionnel intègrent les procédés traditionnels de construction (immeuble de la S. A. S., Copenhague, 1960).

**JACOPO DELLA QUERCIA** (Jacopo **di Pietro d'Agnolo**, dit) ~ *v. 1374, Sienne - 1438, Sienne ou Bologne.* Sculpteur italien. Son style monumental marque la transition entre la statuaire gothique et la Renaissance (portail de San Petronio, Bologne).

**JACOPONE DA TODI** (Jacopo **dei Benedetti**, dit) ~ *1230, Todi - 1306, Collazzone.* Poète et franciscain italien. Ses prières (*Donna di Paradiso*) préfigurent le théâtre sacré italien.

**JACQUARD** (Joseph Marie) ~ *1752, Lyon - 1834, Oullins.* Mécanicien français. Il inventa le métier à tisser qui porte son nom, équipé de cartons perforés commandant les crochets des fils de chaîne.

**JACQUELINE DE BAVIÈRE** ~ *1401, Le Quesnoy - 1436, Teilingen.* Duchesse de Bavière. Fille de Marguerite de Bourgogne et de Guillaume VI de Bavière, elle dut céder son héritage au duc de Bourgogne, Philippe III le Bon.

**JACQUEMART DE HESDIN** ~ *fin du XIVe s. - début du XVe s.* Miniaturiste français. Les travaux qu'il exécuta pour le duc Jean de Berry (1384-1409) sont caractéristiques du style gothique international (*Très Belles Heures du duc de Berry*, v. 1402).

**Jacquerie** (la) ~ Révolte paysanne dirigée contre la noblesse (1358). Née dans le Beauvaisis, elle fut réprimée par le roi de Navarre Charles II.

**JACQUES** (saint), dit **le Majeur** ~ Un des douze apôtres de Jésus. Fils de Zébédée et frère de saint Jean. Son corps aurait été transporté par miracle à Compostelle.

**JACQUES** (saint), dit **le Mineur** ou **le Juste** ~ Un des douze apôtres de Jésus. Organisateur de l'Église à Jérusalem (Ier s.), auteur supposé de l'Épître qui porte son nom, il serait mort lapidé.

**JACQUES**, nom de deux rois d'Angleterre. ~ **Jacques Ier** (*1566, Édimbourg - 1625, Theobalds Park*), roi d'Écosse (Jacques VI, 1567-1625), roi d'Angleterre et d'Irlande (1603-1625), fils de Marie Stuart. L'échec de la conspiration des Poudres (1605) lui permit de renforcer la répression contre les catholiques. ~ **Jacques II** (*1633, Londres - 1701, Saint-Germain-en-Laye*), roi d'Écosse (Jacques VII), d'Angleterre et d'Irlande (1685-1688), frère de Charles II. Il prit aux Hollandais La Nouvelle-Amsterdam, qui devint New York. Sa conversion au catholicisme et ses conflits incessants avec les whigs provoquèrent la révolution de 1688. Il dut s'exiler en France.

**JACQUES**, nom de deux rois d'Aragon. ~ **Jacques Ier le Conquérant** (*v. 1207, Montpellier - 1276, Valence*), roi d'Aragon (1213-1276). Il conquit les Baléares, les royaumes de Valence et de Murcie. ~ **Jacques II le Juste** (*v. 1267, Valence - 1327, Barcelone*), roi d'Aragon (1291-1327) et de Sicile (1285-1295).

**JACQUES**, nom de sept rois d'Écosse. ~ **Jacques Ier** (*1394, Dunfermline - 1437, Perth*), roi d'Écosse (1406 et 1424-1437), fils de Robert III. Il fut emprisonné par les Anglais (1406-1424), puis affirma son pouvoir face à la noblesse. Il fut assassiné. ~ **Jacques II** (*1430, Holyrood - 1460, Roxburgh Castle*), roi d'Écosse (1437-1460), fils du précédent. Il soutint les Lancastre durant la guerre des Deux-Roses. ~ **Jacques III** (*1452 - 1488, Sanchieburn*), roi d'Écosse (1460-1488), fils du précédent. Il fut tué lors d'une révolte nobiliaire dirigée par son fils. ~ **Jacques IV** (*1472 - 1513, Flodden Field*), roi d'Écosse (1488-1513). Dès son avènement, il écrasa la révolte des nobles, à laquelle il avait pris part. Son union, en 1502, avec Marguerite Tudor, fille d'Henri VII, donna aux Stuarts des droits sur la couronne d'Angleterre. ~ **Jacques V** (*1512, Linlithgow - 1542, Falkland*), roi d'Écosse (1513-1542), fils du précédent. Il élimina le parti pro-anglais et s'allia à la France. Il eut pour fille Marie Ire Stuart. ~ **Jacques VI**, voir **Jacques Ier**, roi d'Angleterre. ~ **Jacques VII**, voir **Jacques II**, roi d'Angleterre.

**JACQUES BARADÉE** ~ Voir **Baradée** (Jacques).

**JACQUES DE VORAGINE** (bienheureux) ~ *v. 1228, Varazze, Ligurie - 1298, Gênes.* Écrivain italien, auteur de *la Légende dorée*, recueil de vies de saints.

**JACQUES ÉDOUARD STUART**, dit **le Prétendant** ou **le Chevalier de Saint-George** ~ *1688, Londres - 1766, Rome.* Fils de Jacques II d'Angleterre. Reconnu roi par Louis XIV sous le nom de Jacques III, il fut écarté du trône par l'Acte d'établissement.

**JAÉN** ~ V. du N.-E. de l'Andalousie (Espagne), centre admin. ; 102 000 h. Huile d'olive. Fort mauresque (XIIIe s.), cathédrale (XVIe s.). Anc. Auringis des Romains, Jaén fut prise en 1246 aux Arabes par Ferdinand III de Castille et León.

**JAFFA** ou **YAFO** ~ Port d'Israël, v. auj. intégrée à l'agglom. de Tel-Aviv - Jaffa ; env. 100 000 h. Jaffa fut prise par les Égyptiens (1465 av. J.-C.), les Philistins, les Assyriens, les Grecs et les Hébreux. Siège d'un comté franc (1098), elle fut assiégée par Bonaparte en 1799.

**JAFFNA** ~ Port de pêche et de comm. du N. du Sri Lanka ; 129 000 h. (maj. Tamouls). Anc. cap. des possessions portugaises puis hollandaises.

**JAGELLON** ~ Dynastie polonaise d'orig. lituanienne (XIVe-XVIe s.). Elle régna sur la Lituanie (1377-1401 puis 1440-1572), sur la Pologne (1386-1572), sur la Hongrie (1440-1444 puis 1490-1526) et sur la Bohême (1471-1526).

**JAHVÉ** ~ Voir **Yahvé**.

**JAIPUR** ~ V. de l'Inde, cap. du Rajasthan, carrefour commercial, au S.-O. de Delhi ; 1 458 000 h. Université. Centre artisanal (école de miniaturistes, bijouterie, ivoire, tapis). Observatoire astronomique (XVIIIe s.).

**JAKARTA** ou **DJAKARTA**, anc. **Batavia** ~ Cap. de l'Indonésie, sur le littoral N.-O. de l'île de Java, fondée en 1619 par les Hollandais ; 9 000 000 d'h. Son port, Tanjung Priok, en fait le 1er centre industr. du pays (constr. autom., industries text., chim., alim., électronique), mais le secteur des services y est dominant. Université. Des zones résidentielles modernes jouxtent les quartiers traditionnels (*kampungs*) et coloniaux (palais présidentiel, place Merdeka). L'indépendance de l'Indonésie fut proclamée à Jakarta le 17 août 1945.

**JAKOBSON** (Roman) ~ *1896, Moscou - 1982, Boston.* Linguiste américain d'orig. russe. Fondateur de la phonologie, qu'il développa dans le cadre de la linguistique générative, il travailla dans de nombreux domaines : psycholinguistique, sémiotique, poétique, théorie de la communication (*Essais de linguistique générale*, 1963-1973). [☞ **structuralisme.**]

**JALAPA** ou **JALAPA ENRÍQUEZ** ~ V. du Mexique, cap. de l'État de Veracruz, dans la sierra Madre orientale (alt. 1 427 m) ; 288 000 h. Comm. du café et du tabac. Musée (arts précolombiens).

**JALISCO** (le) ~ État montagneux du centre-ouest du Mexique, baigné par le Pacifique ; 80 137 km², 5 303 000 h., cap. Guadalajara.

**JAMAÏQUE** (la), en angl. ***Jamaica*** ~ Île et État des Grandes Antilles, dans la mer des Antilles, au S. de Cuba et à l'O. de Haïti. ***Cap.*** Kingston. ***Superf.*** 11 425 km². ***Popul.*** 2 472 000 h., dont 75 % de Noirs. ***Langues princ.*** Anglais, espagnol. ***Monn.*** Dollar de la Jamaïque. ***Relief.*** Montagneux

(Blue Mountains, 2 257 m). **Climat.** Tropical humide. **Écon.** Agriculture vivrière (haricots, igname, élevage bovin) et comm. (canne à sucre, café, tabac, piment), pêche (crustacés), bauxite (3e rang mondial), tourisme. Le commerce illicite de la marijuana menace les autres activités. Forte émigration vers le Royaume-Uni. **V. princ.** Kingston, Spanish Town. **HIST.** - *1494* : découverte de l'île par Christophe Colomb, colonisation espagnole. *XVII[e] s.* : conquête anglaise (1655), confirmée par le traité de Madrid (1670). Élimination des populations indigènes (Arawaks) et trafic d'esclaves africains. *XIX[e] s.* : abolition de l'esclavage (1833). L'île devient une colonie de la Couronne britannique (1866-1884). *1962* : indépendance proclamée dans le cadre du Commonwealth (6 août). La vie politique est depuis marquée par une alternance gouvernementale régulière entre parti travailliste et parti national populaire sur fond de violences et de misère endémique.

**JAMES (baie)** ~ Partie méridionale et resserrée de la baie d'Hudson (Canada). Un vaste projet d'équipement hydroélectrique des rivières qui s'y jettent est en cours de réalisation.

**JAMES** (Henry) ~ *1843, New York - 1916, Londres.* Écrivain britannique d'orig. américaine. Son exploration psychologique des personnages, en qui s'opposent déterminisme et liberté, et son esthétique ont marqué un tournant dans l'art romanesque (*le Tour d'écrou*, 1898 ; *les Ambassadeurs*, 1903).

**JAMES** (William) ~ *1842, New York - 1910, Chocorua, New Hampshire.* Philosophe américain. Frère de H. James. Sous le nom de pragmatisme, il proposa une philosophie et une psychologie centrées sur l'idée qu'un acte, une croyance ou un désir se définissent par l'expérience qu'ils représentent ou par le résultat qu'ils satisfont (*les Variétés de l'expérience religieuse*, 1902 ; *Essais sur l'empirisme radical*, posth., 1912).

**JAMESTOWN** ~ Site des États-Unis (Virginie) où s'établirent les premiers colons anglais (mai 1607).

**JAMMES** (Francis) ~ *1868, Tournay, Hautes-Pyrénées - 1938, Hasparren.* Écrivain français. Sa poésie est une évocation fervente et simple de la nature et du temps (*De l'angélus de l'aube à l'angélus du soir*, 1888-1897).

**JAMMU-ET-CACHEMIRE** ~ État himalayen du N.-O. de l'Inde, issu en 1949 du partage du Cachemire entre l'Inde et le Pakistan ; 100 569 km², 7 719 000 h. (maj. musulmans), cap. Srinagar (été) et Jammu (hiver). Le développement (agriculture, tourisme) est entravé par les tensions politico-religieuses (minorités hindoue au Jammu, bouddhiste au Ladakh).

**JAMNA** (la) ~ Voir **Yamuna**.

**JAMSHEDPUR** ~ V. de l'Inde (Bihar), à l'O. de Calcutta, centre métallurgique créé en 1907 ; 461 000 h. (agglom. env. 660 000 h.).

**JANÁČEK** (Leoš) ~ *1854, Hukvaldy, Moravie - 1928, Moravská Ostrava.* Compositeur tchèque. Il donna une fraîcheur nouvelle au système tonal (*Katia Kabanová*, 1921 ; *Messe glagolitique*, 1926).

**JANCSÓ** (Miklós) ~ *1921, Vác.* Cinéaste hongrois. Il a proposé une lecture marxiste de l'histoire nationale dans des poèmes allégoriques (*les Sans-Espoir*, 1965 ; *Psaume rouge*, 1971).

**JANEQUIN** (Clément) ~ *v. 1485, Châtellerault - 1558, Paris.* Compositeur français. Sa virtuosité imitative fit de lui l'un des maîtres de la chanson polyphonique profane (*la Guerre* ; *le Chant des oiseaux* ; *Octante-deux Psaumes de David*).

**JANET** (Pierre) ~ *1859, Paris - 1947, id.* Neurologue et psychologue français. Poursuivant les travaux de J. M. Charcot, il fut le fondateur de la psychologie clinique (*Névroses et idées fixes*, 1898).

**JANICULE** (le) ~ Une des sept collines de Rome. Fortifiée par Ancus Martius, elle fut reliée à la ville par le pont Sublicius.

**JANIN** (Jules) ~ *1804, Saint-Étienne - 1874, Paris.* Écrivain français. Partisan d'un théâtre romantique, il fut le chroniqueur du *Journal des débats*. Acad.

**JANKÉLÉVITCH** (Vladimir) ~ *1903, Bourges - 1985, Paris.* Philosophe français. Il renouvela la philosophie morale en replaçant les grandes catégories éthiques dans le mouvement de la vie et de l'action (*Traité des vertus*, 1949). Il accorda une place importante à la musicologie (*Maurice Ravel*, 1939 ; *la Musique et les heures*, posth., 1988).

**JAN MAYEN** ~ Île volcanique (alt. max. 2 277 m) de l'océan Arctique (E. du Groenland), norvégienne depuis 1929 ; 373 km². Base baleinière au XVIIe s.

**JANNINA** ~ Voir **Ioánnina**.

**JANSÉNIUS** (Cornelius **Jansen**, dit) ~ *1585, Acquoy, près de Leerdam - 1638, Ypres.* Théologien hollandais, évêque d'Ypres (1636). Auteur de l'*Augustinus*, dont la publication posthume (1640) lança la querelle du jansénisme. [☞ **jansénisme.**]

**JANSSEN** (Jules) ~ *1824, Paris - 1907, Meudon.* Astrophysicien français. Fondateur de l'observatoire de Meudon (1876), il fut à l'origine de l'astrophysique solaire et découvrit l'hélium (1868) en même temps que J. N. Lockyer.

**JANUS** ~ Dieu romain, représenté pourvu de deux visages. Il est le gardien des portes de la cité.

**JANVIER** (saint) ~ *IV[e] s.* Évêque de Bénévent. Il aurait subi le martyre sous Dioclétien. Une ampoule miraculeuse supposée contenir de son sang est conservée à la cathédrale de Naples.

**JAPHET** ~ Patriarche biblique. Fils de Noé, ancêtre des peuples d'Asie Mineure.

**JAPON** (le), en jap. **Nihon** ou **Nippon** ~ État insulaire d'Asie orientale, baigné par le Pacifique (4 îles principales : Honshû, Hokkaidô, Kyûshû, Shikoku), s'étirant sur 2 500 km du N. au S. **Cap.** Tôkyô. **Superf.** 377 727 km². **Popul.** 124 764 000 h. **Langue princ.** Japonais. **Monn.** Yen. **Relief.** Volcanique, plaines rares (Kantô, Kansai), séismes fréquents. **Climat.** Tempéré (N.), subtropical (S.). Fortes précipitations. **Écon.** Faibles ressources naturelles. L'agriculture (riz) ne subsiste que grâce aux subventions et au protectionnisme. À partir de 1950, la formidable expansion bénéficie de facteurs humains (homogénéité nationale, valorisation particulière du travail) ; économiques (main-d'œuvre importante, peu coûteuse et techniquement bien formée, bonne infrastructure industrielle, commerciale et financière dominée par de grands groupes intégrés s'appuyant sur une multitude de P. M. E., investissements facilités par la faiblesse du budget militaire) ; historiques (ouverture anc. de l'ère Meiji, guerre froide, guerres de Corée et du Viêt Nam qui font du Japon une véritable base industrielle, aide américaine par la sous-évaluation du yen et l'ouverture du marché américain). Les revenus des exportations de produits industriels intégrant de plus en plus de technologie permettent d'importer denrées alimentaires, matières premières et énergie, alors que le marché nippon est largement protégé par une multitude de règlements et un système de distribution intégré. Après avoir absorbé les deux chocs pétroliers (1973, 1979), l'économie piétine depuis 1990. La crise mondiale et le déclin du dollar, qui provoque une hausse du yen (1994), gênent les exportations. Le Japon délocalise son industrie en Chine et en Asie du Sud-Est pour retrouver sa compétitivité et pallier le vieillissement de sa population. Il tend à devenir un poste de commandement économique. Princ. partenaires commerciaux : États-Unis, Corée du Sud, Taiwan, Hong Kong, Chine, Asie du Sud-Est, Allemagne. **V. princ.** Tôkyô-Yokohama, Ôsaka, Nagoya. **HIST.** - *VIII[e] mill. av. J.-C.* : premier peuplement à partir du continent. *5000-300 av. J.-C.* : culture Jômon (chasse, pêche et pratique de la céramique) sur l'île de Honshû. *660 av. J.-C.* : fondation légendaire de l'empire du Japon par l'empereur Jimmu, petit-fils de la déesse du Soleil Amaterasu. *300 av. J.-C.-300 apr. J.-C.* : la culture Yayoi (riziculture et métallurgie) conquiert une grande partie de l'archipel à partir de l'île de Kyûshû. *III[e]-VI[e] s.* : des populations venues de Corée établissent de petits États dont les souverains se font enterrer dans des tumulus, les « grandes sépultures ». Le royaume de Yamato naît à cette époque et établit peu à peu sa suprématie. Introduction du confucianisme, puis du bouddhisme. *VI[e]-VIII[e] s.* : époques d'Asuka et de Nara, durant lesquelles les influences chinoises progressent avant de s'imposer. Rédaction de codes de lois régissant la propriété, le fonctionnement de la société et de l'administration (Constitution en 17 articles du régent Shôtoku, 604 ; réforme de l'ère Taika, 645 ; code de l'ère Taihô, 701). Rédaction du récit mythologique faisant remonter l'empereur à Amaterasu (712). L'empereur, chef spirituel et temporel, doit composer avec les différents clans qui se disputent le pouvoir (Soga, Nakatomi ou Fujiwara). *794-1192* : ère de Heian. Pour échapper à l'influence politique des sectes bouddhiques de Nara, l'empereur Kammu installe sa capitale à Heian-kyô (Kyôto). Période d'isolationnisme et de lutte des clans (Fujiwara, Minamoto, Taira). Vif épanouissement artistique. *1192-1333* : époque de Kamakura. Minamoto no Yoritomo, installé à Kamakura, prend le titre de shogun (généralissime), dirige le pays, et met en place une nouvelle administration (commissaires militaires ou *shugo*, intendants ou *jito*) et une société féodale (samouraïs). Introduction du bouddhisme zen. Après diverses intrigues, les Hôjô s'emparent du pouvoir (1219) ; ils doivent faire face aux invasions mongoles (1274 et 1281) avant d'être éliminés par les Ashikaga. *1333-1573* : période Ashikaga. Ouverture sur la Chine et sur l'Asie du Sud-Est. Arrivée des Occidentaux (Portugais, 1543) et christianisation (saint François Xavier, 1549) vite réprimée. L'ascension des shugo-daïmios (seigneurs) suscite troubles et guerre civile. *1573-1616* : Oda Nobunaga, Toyotomi Hideyoshi et Tokugawa Ieyasu restaurent l'unité du pays. Tentative d'invasion de la Corée (1592-1598). *1616-1867* : époque d'Edo. Les Tokugawa pratiquent l'isolationnisme, dans une période de stabilité et de prospérité. Le commerce occidental est cantonné à Nagasaki. L'ouverture commerciale imposée par les États-Unis (escadre du commodore Perry, 1853) entraîne la révolte des daïmios, la fin des Tokugawa et des shoguns (1867). *1868-1912* : ère Meiji (politique éclairée). L'empereur Mutsuhito s'installe à Edo, rebaptisée Tôkyô. Restauration de l'autorité impériale, réformes administratives, développement écon. à l'occidentale, expansionnisme territorial aux dépens de la Chine (annexion de Taiwan, 1895), de la Russie (S. de l'île de Sakhaline et Port-Arthur, 1905) et de la Corée (annexion, 1910). *1912-1926* : ère Taishô sous l'empereur Yoshihito. Entrée en guerre contre l'Allemagne (1914) et soutien des Alliés pour opérer librement en Chine (intérêts écon.) et dans le Pacifique (annexion de quelques îles). *1926-1989* : ère Shôwa. Accession au trône de Hirohito. Montée en puissance des forces ultranationalistes, alliées à l'armée et aux industriels. Annexion de la Mandchourie (1931). Invasion de la Chine (1937). Alliance avec les forces de l'Axe (1940). L'attaque de Pearl Harbor (7 déc. 1941) provoque l'entrée en guerre des États-Unis. Le Japon envahit l'Asie du Sud-Est et les îles du Pacifique. Capitulation sans conditions du Japon (14 août 1945) après les bombardements atomiques d'Hiroshima et de Nagasaki. À partir de 1946, retour progressif du Japon sur la scène internationale. La monarchie constitutionnelle est imposée par les États-Unis (1946) ; la souveraineté japonaise est restaurée par le traité de San Francisco (1951). La succession de gouvernements de tendance libérale-démocrate favorise la montée en puissance économique. *1989* : l'empereur Akihito accède au trône et inaugure l'ère Heisei. *1993* : éclatement du parti libéral-démocrate, au pouvoir depuis trente-huit ans, sur fond de scandales politiques et de crise financière. *1993-1995* : formation de gouvernements de coalition comprenant des socialistes. *1996* : réélection de Ruytaro Hashimoto au poste de Premier ministre.

**JAPON (mer du)** ~ Dépendance du Pacifique, mer presque fermée, profonde (max. 3 740 m), poissonneuse, entre le Japon, la Corée, la Chine et la Russie ; env. 1 000 000 de km². Convergence de l'Oyashio et du Kuroshio.

**JAPURÁ** ou **YAPURÁ** (le) ~ Riv. du Brésil qui prolonge la Caquetá colombienne, affl. de l'Amazone (r. g.) ; env. 2 800 km.

**JAQUES-DALCROZE** (Émile) ~ *1865, Vienne - 1950, Genève.* Pédagogue et compositeur suisse. Il est l'inventeur de la « gymnastique rythmique ». [☞ **danse.**]

**JARNAC** ~ V. de la Charente cognaçaise (Grande Champagne) ; 4 786 h. Eau-de-vie.

1

2

3

4

ARTS ET TRADITIONS DU JAPON

1. Arrivée des Portugais et de saint François Xavier à Kyûshû (*XVIe s. ; détail), laque sur paravent. Musée Guimet, Paris.*

2. Geisha, *estampe de Harunobu Suzuki (1725-1770).*

3. Ofuro *(1840), estampe de style Ukiyo-e de Hokusai (1760-1849).*

4. Tôkaidô *(1830), estampe de style Ukiyo-e de Hiroshige (1797-1858).*

5. Cérémonie d'entrée dans l'adolescence, *estampe de la fin du XIXe s.*

6. *Lutteurs de sumo.*

7. *Armure de samouraï.* © C. Lenars-Explorer

8. *Acteur de kabuki.*

5

6

7

8

© Giraudon © J. Perno-Explorer © J. Perno-Explorer © J. Perno-Explorer © J. Perno-Explorer © H. Yamaguchi-Gamma © Dirck Halstead-Gamma

**JARRE** (Maurice) ~ *1924, Lyon.* Compositeur français. Auteur de musiques de scène, not. pour le T. N. P., il a également composé pour le cinéma (*le Docteur Jivago*, de D. Lean, 1965 ; *les Damnés*, de L. Visconti, 1969).

**Jarretière (très noble ordre de la)** ~ Ordre de chevalerie anglais fondé par Édouard III en 1348. Sa devise est : « Honni soit qui mal y pense. »

**JARRY** (Alfred) ~ *1873, Laval - 1907, Paris.* Écrivain français. Il créa le père Ubu, personnage de tyran grotesque (*Ubu roi*, 1896), et la pataphysique, « science des solutions imaginaires ».

**JARUZELSKI** (Wojciech) ~ *1923, Kurów.* Général et homme d'État polonais. Premier ministre (1981-1985), premier secrétaire du Parti ouvrier unifié polonais (1981-1989), il tenta de briser le syndicat Solidarność en décrétant l'état de guerre (1981-1982). Contraint par la situation économique et sociale de reprendre le dialogue avec Solidarność en 1988, il fut élu président de la République en 1989 mais démissionna dès l'année suivante.

**JASON** ~ Héros de la mythologie grecque. Pour recouvrer le royaume de son père Éson, roi d'Iolcos, il se vit imposer par son frère d'aller conquérir la Toison d'or, à la tête des Argonautes.

**JASPAR** (Henri) ~ *1870, Schaerbeek, près de Bruxelles - 1939, Uccle.* Homme politique belge. Chef du parti catholique et président du Conseil (1926-1931), il mena une politique de stabilisation économique et joua un rôle modérateur face au nationalisme flamand.

**JASPERS** (Karl) ~ *1883, Oldenbourg, Basse-Saxe - 1969, Bâle.* Philosophe allemand. Il posa que l'individu ne vérifie sa présence au monde qu'au travers des actes, des choix et des décisions qui l'engagent absolument (*la Situation spirituelle de notre époque*, 1931 ; *Philosophie*, 1932).

**JASSET** (Victorin Hippolyte) ~ *1862, Fumay, Ardennes - 1913, Paris.* Cinéaste français. Pionnier du cinéma policier, il tourna des séries aux péripéties rocambolesques (*Nick Carter, le roi des détectives*, 1908 ; *Zigomar*, 1911).

**JASSY** ~ Voir **Iași**.

**JAUBERT** (Maurice) ~ *1900, Nice - 1940, Azerailles-sur-Moselle.* Compositeur français. Il composa pour le cinéma (*Zéro de conduite*, de J. Vigo, 1933 ; *Hôtel du Nord*, de M. Carné, 1938).

**JAUCOURT** (Louis, chevalier DE) ~ *1704, Paris - 1779, Compiègne.* Écrivain français. Il consacra une monographie à Leibniz et collabora à l'*Encyclopédie*.

**JAUNE (fleuve)** ~ Voir **Huang He**.

**JAUNE (mer)** ~ Mer peu profonde (50-200 m), dépendance du Pacifique, entre la côte E. de la Chine et la côte O. de la Corée, colorée en jaune par les alluvions du Huang He, qui s'y jette, dans le golfe du Bohai ; env. 380 000 km².

**JAURÈS** (Jean) ~ *1859, Castres - 1914, Paris.* Homme politique et historien français. Universitaire, il fut député républicain du Tarn (1885-1889), puis adhéra au Parti ouvrier français et fut député de la circonscription ouvrière de Carmaux (1893-1898 puis 1902-1914). Fondateur de *l'Humanité* (1904), il participa à la création de la S. F. I. O. en 1905, et s'imposa comme l'une des principales figures d'un socialisme libéral qui, sans récuser les apports du marxisme, prônait la voie démocratique pour transformer le sort de la classe ouvrière. Pacifiste convaincu, il fut assassiné le 31 juillet 1914. Il supervisa la publication d'une *Histoire socialiste (1789-1900)*.

**JAVA** ~ Île allongée (1 000 km), volcanique, au climat tropical humide, regroupant 60 % de la population de l'Indonésie sur 7 % de son territoire ; 130 387 km², 107 000 000 d'h. avec Madura (très fortes densités rurales). Riziculture intensive (terrasses) et industrie diversifiée. V. princ. Jakarta, Bandung, Surabaya. **HIST.** - Java est peuplée depuis un million d'années (pithécanthrope de Trinil). Elle subit l'influence de l'Inde (IVe s.), puis de l'islam (XVe s.). Tandis qu'au N., le royaume de Majapahit, de culture hindoue, s'effondre (début du XVIe s.), les Portugais contrôlent le commerce des épices. Dès la fin du XVIe s., les Hollandais s'installent dans l'île (Compagnie hollandaise des Indes orientales, 1602 ; comptoir de Batavia, 1619) mais n'achèvent de la soumettre qu'en 1830. Les Japonais l'occupent en mars 1942. À la fin de la Seconde Guerre mondiale, une grande partie de Java est administrée par la République indonésienne naissante, qui annexe le reste de l'île en 1950.

**JAVA (mer de)** ~ Mer peu profonde (env. 200 m) située entre Java, Sumatra et Bornéo, dépendance du Pacifique ; env. 430 000 km². Pêche et trafic maritime intense.

**JAYAPURA** ~ Voir **Irian Jaya**.

**JDANOV** ~ Voir **Marioupol**.

**JDANOV** (Andreï Aleksandrovitch) ~ *1896, Marioupol - 1948, Moscou.* Homme politique soviétique. Membre du comité central du parti communiste (1927), il vit son influence s'accroître après les grandes purges de 1937. Défenseur de l'orthodoxie stalinienne, il étendit son contrôle idéologique sur l'ensemble de la production culturelle.

**SAINTS**

**JEAN** ou **JEAN L'ÉVANGÉLISTE** (saint) ~ *m. v. 100, Éphèse.* Un des premiers disciples de Jésus, frère de Jacques le Majeur. La tradition chrétienne lui attribue la composition du quatrième Évangile, des trois Épîtres qui portent son nom et de l'Apocalypse du Nouveau Testament.

**JEAN BOSCO** (saint) ~ *1815, Becchi Castelnuovo d'Asti, Piémont - 1888, Turin.* Prêtre italien. Il fut le fondateur des Salésiens (1859) et des Salésiennes (1872), spécialisés dans l'éducation des enfants de milieux défavorisés.

**JEAN CHRYSOSTOME** (saint) ~ *v. 344, Antioche - 407, en Cappadoce.* Religieux grec, docteur de l'Église d'Orient, évêque de Constantinople. Son éloquence, qui lui valut le surnom de Chrysostome (« bouche d'or »), fut dirigée contre les mœurs de son temps. Il s'attira l'hostilité de l'Église et de la cour impériale, qui le fit exiler.

**JEAN DE BRÉBEUF** (saint) ~ *1593, Condé-sur-Vire - 1649, Saint-Ignace, Canada.* Missionnaire français. Évangélisateur des Hurons, il fut massacré par les Iroquois avec Gabriel Lalemant.

**JEAN DE CAPISTRAN** (saint) ~ *1386, Capestrano - 1456, Villacum, auj. Ilok, Croatie.* Religieux italien. Franciscain, inquisiteur, il lutta contre l'hérésie des fraticelles. Légat du pape en Europe centrale, il combattit contre les Turcs.

**JEAN DE DAMAS** ou **JEAN DAMASCÈNE** (saint) ~ *v. 650, Damas - v. 749, Saint-Sabas, près de Jérusalem.* Docteur de l'Église. Auteur d'hymnes liturgiques, il s'opposa à l'iconoclasme. Sa *Source de la connaissance* favorisa la diffusion de la christologie grecque en Occident.

**JEAN DE DIEU** (saint) ~ *1495, Montemor-o-Novo, Portugal - 1550, Grenade.* Religieux portugais, fondateur de l'ordre des Frères hospitaliers.

**JEAN DE LA CROIX** (saint) ~ *1542, Fontiveros, prov. d'Ávila - 1591, Ubeda, Andalousie.* Religieux espagnol, docteur de l'Église. Soutenant l'action de Thérèse d'Ávila pour réformer les Carmes, il fut persécuté. Ses poèmes et traités mystiques sont considérés comme des œuvres majeures de la littérature chrétienne (*le Cantique spirituel*, 1584).

**JEAN EUDES** (saint) ~ *1601, Ri, Orne - 1680, Caen.* Prêtre français. Il fonda en 1643 la congrégation de Jésus-et-Marie (Eudistes), destinée à favoriser la formation des prêtres.

**JEAN FISCHER** (saint) ~ *1469, Beverley, Humberside - 1535, Londres.* Prélat anglais. Humaniste lié à Érasme, il s'opposa au divorce d'Henri VIII et de Catherine d'Aragon, refusa de reconnaître le schisme anglican, et fut décapité.

#### PAPES

**JEAN Ier** (saint ; *v. 470, en Toscane - 526, Ravenne*), pape de 523 à 526. Sur ordre de Théodoric, il tenta vainement d'intercéder en faveur des ariens auprès de l'empereur d'Orient Justin, et fut, à son retour, jeté en prison, où il mourut. ~ **Jean V** (*Antioche - 686, Rome*), pape de 685 à 686. Il se fit sacrer sans l'autorisation de l'empereur d'Orient, manifestant ainsi l'affranchissement de la papauté à l'égard de Byzance. ~ **Jean VIII** (*v. 820, Rome - 882, id.*), pape de 872 à 882. Il couronna empereur Charles le Chauve (875) et réhabilita Photios, patriarche schismatique d'Orient. ~ **Jean XII** (**Ottaviano** ; *937, Rome - 964, id.*), pape de 955 à 964. Il couronna Otton Ier le Grand (962), qui le fit déposer pour sa conduite scandaleuse. ~ **Jean XV** (*m. en 996 à Rome*), pape de 985 à 996. Il fut le premier à formuler le principe de la trêve de Dieu. ~ **Jean XXI** (Pietro **di Giuliano** ; *v. 1220, Lisbonne - 1277, Viterbe*), pape de 1276 à 1277. Philosophe et logicien. Il favorisa la réconciliation de Philippe le Hardi et d'Alphonse X de Castille. ~ **Jean XXII** (Jacques **Duèse** ou **d'Euze** ; *1245, Cahors - 1334, Avignon*), pape de 1316 à 1334. Pape d'Avignon, il renforça la centralisation de l'Église, combattit les hérésies franciscaines, la théologie de maître Eckart, et l'antipape Nicolas V du parti gibelin. ~ **Jean XXIII** (Baldassare **Cossa** ; *v. 1370, Naples - 1419, Florence*), antipape (1410-1415). Il convoqua le concile de Constance pour mettre fin au schisme d'Occident, mais fut lui-même déposé par cette assemblée. ~ **Jean XXIII** (Angelo Giuseppe **Roncalli** ; *1881, Sotto il Monte, près de Bergame - 1963, Rome*), pape de 1958 à 1963. Il convoqua le deuxième concile du Vatican (1962), et fut à l'origine de plusieurs encycliques majeures (*Pacem in terris*, 1963).

#### EMPIRE BYZANTIN

**JEAN Ier TZIMISKÈS** (*925, Hiérapolis, Arménie - 976, Constantinople*) régna de 969 à 976. Il annexa la Bulgarie orientale et presque toute la Palestine. ~ **Jean II Comnène** (*1087 - 1143, Taurus*) régna de 1118 à 1143. Il rétablit la domination byzantine dans les Balkans et en Syrie. ~ **Jean III Doukas Vatatzès** (*1193, Didymotique, Thrace - 1254, Nymphaion*) régna à Nicée de 1222 à 1254. Il reconstitua l'empire de Constantinople. ~ **Jean IV Doukas Lascaris** (*v. 1250 - apr. 1261*), empereur byzantin de Nicée (1258-1261). Il fut renversé par son régent, Michel VIII Paléologue. ~ **Jean V Paléologue** (*1332 - 1391*) régna de 1341 à 1391. Il dut affronter Jean VI puis les Turcs, avant de reconnaître leur tutelle. ~ **Jean VI Cantacuzène** (*v. 1293, Constantinople - 1383, Mistra*), tuteur du précédent, régna de 1347 à 1355. ~ **Jean VII Paléologue** (*v. 1366 - v. 1410, mont Athos*) régna de 1399 à 1402. Il fut chassé par Manuel II de Constantinople et se proclama empereur à Thessalonique. ~ **Jean VIII Paléologue** (*1390 - 1448, Constantinople*) régna de 1425 à 1448. Il négocia une éphémère réconciliation des Églises d'Orient et d'Occident (concile de Florence, 1439).

#### EMPIRE LATIN D'ORIENT

**JEAN DE BRIENNE** ~ *v. 1144 - 1237, Constantinople.* Roi de Jérusalem (1209-1225) et empereur latin d'Orient (1231-1237). Il mena la 5e croisade.

#### ANGLETERRE

**JEAN SANS TERRE** ~ *1167, Oxford - 1216, Newark.* Roi d'Angleterre (1199-1216). Successeur de son frère Richard Cœur de Lion, il se brouilla avec le roi de France Philippe II Auguste et se vit déposséder de la plupart de ses fiefs français (1202). En désaccord avec le pape, il fut excommunié (1209) et dut se soumettre. Battu en France, ses alliés défaits à Bouvines (1214), il fut confronté à la révolte des barons d'Angleterre qui le contraignirent à accepter la Grande Charte (1215).

#### BOHÊME

**JEAN Ier DE LUXEMBOURG**, dit l'Aveugle ~ *1296 - 1346, Crécy.* Roi de Bohême (1310-1346), fils de l'empereur Henri VII. Il combattit aux côtés des Français pendant la guerre de Cent Ans.

#### BOURGOGNE

**JEAN SANS PEUR** ~ *1371, Dijon - 1419, Montereau.* Duc de Bourgogne (1404-1419). Rival du duc Louis d'Orléans, chef des Armagnacs, il le fit assassiner (1407) pour obtenir la régence du royaume pendant la folie de Charles VI. Il se rapprocha du dauphin, le futur Charles VII, puis des Anglais, changea encore de camp mais fut assassiné par des partisans du dauphin.

#### FRANCE

**JEAN Ier LE POSTHUME** (*nov. 1316, Paris*), roi de France et de Navarre, fils posthume de Louis X. Il ne vécut que quelques jours. Son oncle Philippe V lui succéda. ~ **Jean II le Bon** (*1319, près du Mans - 1364, Londres*), roi de France (1350-1364). En conflit avec son gendre Charles le Mauvais, roi de Navarre, qui fit alliance avec Édouard III, roi d'Angleterre, il reprit la lutte contre les Anglais. Fait prisonnier à Poitiers (1356), emmené en Angleterre par le Prince Noir, il ratifia à Calais (1360) le traité de Brétigny qui livrait aux Anglais une partie du royaume et convenait d'une forte rançon. Laissant deux de ses fils en otages, il rentra en France, mais se constitua de nouveau prisonnier après la fuite de l'un d'eux, le duc d'Anjou. Il mourut en captivité.

#### LUXEMBOURG

**JEAN DE LUXEMBOURG** ~ *1921, château de Berg, canton de Mersch.* Grand-duc de Luxembourg (1964). Il a succédé à sa mère, la grande-duchesse Charlotte, après son abdication.

#### NAVARRE ET ARAGON

**JEAN II** ~ *1397, Medina del Campo - 1479, Barcelone.* Roi de Navarre (1425-1479) et d'Aragon (1458-1479), fils de Ferdinand Ier le Juste.

#### POLOGNE

**JEAN II CASIMIR**, voir Casimir V. ~ **Jean III Sobieski** (*1624, Olesko, Galicie - 1696, Wilanów*), roi de Pologne (1674-1696). Général, il s'illustra contre les Turcs (Khotine, 1673) ; élu roi, il les repoussa lors du siège de Vienne (1683).

#### PORTUGAL

**JEAN Ier LE GRAND** (*1357, Lisbonne - 1433, id.*), roi de Portugal (1385-1433). Il assura l'indépendance de son pays par la victoire d'Aljubarrota (1385) sur les Castillans. Il fonda la dynastie d'Aviz. ~ **Jean II le Parfait** (*1455, Lisbonne - 1495, Alvor*), roi de Portugal (1481-1495). Il fut signataire du traité de Tordesillas (1494). ~ **Jean III le Pieux** (*1502, Lisbonne - 1557, id.*), roi de Portugal (1521-1557). Il favorisa l'établissement de l'Inquisition et encouragea la colonisation du Brésil. ~ **Jean IV le Fortuné** (*1604, Villa Viçosa - 1656, Lisbonne*), roi de Portugal (1640-1656). Il affranchit le Portugal de la domination castillane. ~ **Jean V le Magnanime** (*1689, Lisbonne - 1750, id.*), roi de Portugal (1706-1750). Allié des Habsbourg lors de la guerre de la Succession d'Espagne, il fut vaincu par les Français. ~ **Jean VI le Clément** (*1767, Lisbonne - 1826, id.*), roi de Portugal (1816-1826). Il se réfugia au Brésil devant l'avancée des troupes napoléoniennes et ne rentra dans son pays qu'en 1821. En 1822, le Brésil se déclara indépendant et porta au pouvoir son fils, l'empereur Pierre Ier.

---

**JEAN-BAPTISTE** ou **JEAN** (saint) ~ Personnage biblique. Fils de Zacharie et d'Élisabeth. Chef d'une secte juive retirée dans le désert de Juda, il annonça la venue du Messie et baptisa Jésus. Il fut décapité à l'instigation de Salomé.

**JEAN-BAPTISTE DE LA SALLE** (saint) ~ *1651, Reims - 1719, Rouen.* Prêtre et pédagogue français, fondateur de la congrégation des frères des Écoles chrétiennes (1682).

**JEAN BODEL** ~ *m. v. 1210.* Trouvère du XIIIe s., de la Confrérie des jongleurs d'Arras (*Jeu de saint Nicolas*, v. 1200).

**JEAN BON SAINT-ANDRÉ** (André **Jeanbon**, baron, dit) ~ *1749, Montauban - 1813, Mayence.* Homme politique français. Conventionnel, membre du Comité de salut public, consul général de France sous le Directoire, il fut nommé préfet par Bonaparte.

**JEAN DE LEYDE** (Jan **Beukels**, dit) ~ *1509, Leyde - 1536, Münster.* Réformateur anabaptiste hollandais. Fondateur d'un royaume théocratique à Münster, il mourut supplicié à la suite de la prise de la ville par les troupes épiscopales.

**JEAN DE MEUN** ou **DE MEUNG** ~ *v. 1240, Meung-sur-Loire - 1305, Paris.* Érudit français, auteur des 18 000 vers de la seconde partie du *Roman de la Rose* (1275-1280).

**JEAN DE MONTFORT** ~ *1295 - 1345, Hennebont.* Duc de Bretagne (1341-1345). Frère consanguin de Jean III le Bon, il disputa la succession de Bretagne à Charles de Blois.

**JEAN LE PRÊTRE** ~ Roi chrétien légendaire, assimilé par la tradition médiévale d'abord à un souverain d'Asie centrale puis à celui d'Éthiopie.

**JEAN MARIE VIANNEY** (saint) ~ *1786, Dardilly, près de Lyon - 1859, Ars-sur-Formans, Ain.* Prêtre français. Curé d'Ars, patron des curés de paroisse.

L'Arrivée de **Jeanne d'Arc** à Chinon en mars 1429 (*XVe s. ; détail*), *tenture.*
*Musée historique et archéologique, Orléans.*

#### SAINTE

**JEANNE D'ARC** (sainte), dite **la Pucelle d'Orléans** ~ *1412, Domrémy - 1431, Rouen.* Héroïne française de la guerre de Cent Ans. Paysanne lorraine, elle dit avoir reçu de voix divines l'injonction de chasser les Anglais de France. En 1429, elle rencontra

Charles VII à Chinon et obtint une armée. Elle réussit à rompre le siège d'Orléans (8 mai), battit les Anglais à Patay et fit sacrer le roi à Reims (17 juillet). Mais elle échoua devant Paris, aux mains des Bourguignons, et fut capturée à Compiègne par Jean de Luxembourg-Ligny, qui la vendit aux Anglais. Jugée comme hérétique à Rouen par un tribunal ecclésiastique présidé par l'évêque de Beauvais, Pierre Cauchon, et par le vicaire de l'Inquisition, Jean le Maître, elle fut brûlée vive (30 mai 1431). Réhabilitée dès 1456, béatifiée en 1909, canonisée en 1920, Jeanne d'Arc est devenue une grande figure patriotique.

ANGLETERRE

**JEANNE GREY** ~ *v. 1537, Bradgate, Leicestershire - 1554, Londres.* Reine d'Angleterre (1553). Petite-nièce d'Henri VIII, elle succéda à Édouard VI mais fut décapitée sur ordre de Marie Ire Tudor.

**JEANNE SEYMOUR** ~ *v. 1509, Wolf Hall - 1537, Hampton Court.* Reine d'Angleterre, 3e femme d'Henri VIII et mère d'Édouard VI.

CASTILLE

**JEANNE LA FOLLE** ~ *1479, Tolède - 1555, Tordesillas.* Reine de Castille (1504-1555). Fille de Ferdinand II d'Aragon et d'Isabelle la Catholique, mariée à Philippe le Beau, archiduc d'Autriche, et mère de Charles Quint, elle devint folle en 1506 à la mort de son époux.

NAPLES

**JEANNE**, nom de deux reines de Naples. ~ **Jeanne Ire d'Anjou** (*1326, Naples - 1382, Aversa*), reine de 1343 à 1382. Elle fut étranglée sur ordre de Charles de Duras. ~ **Jeanne II** (*1371, Naples - 1435, id.*), reine de 1414 à 1435. Elle fit de René d'Anjou son successeur.

NAVARRE

**JEANNE III D'ALBRET** ~ *1528, Pau - 1572, Paris.* Reine de Navarre (1555-1572). Épouse d'Antoine de Bourbon (1548) et mère d'Henri IV, elle imposa le calvinisme dans son royaume en 1567.

---

**JEANNE DE PENTHIÈVRE**, dite **la Boiteuse** ~ *1319-1384.* Duchesse de Bretagne (1341-1365). Elle renonça à son titre au profit de Jean IV le Vaillant, fils de Jean de Montfort, par le premier traité de Guérande (1365) qui mit fin à la guerre de la Succession de Bretagne.

**JEANNE-FRANÇOISE FRÉMYOT DE CHANTAL** (sainte) ~ *1572, Dijon - 1641, Moulins.* Religieuse française. Veuve, elle fonda avec François de Sales la congrégation de la Visitation de Marie (Visitandines) en 1610. Elle eut pour petite-fille Mme de Sévigné.

**JEANNE LA PAPESSE** ~ Selon une légende du XIIIe s., elle aurait, sous le nom de Jean l'Anglais, succédé au pape Léon IV en 855.

© L. Anticoli-Gamma

*Le pape* ***Jean-Paul II*** *reçoit Lech Wałęsa au Vatican.*

**JEAN-PAUL**, nom de deux papes. ~ **Jean-Paul Ier** (Albino **Luciani** ; *1912, Canale d'Agordo - 1978, Rome*), pape en 1978. Patriarche de Venise en 1969, il succéda à Paul VI et mourut un mois après son élection. ~ **Jean-Paul II** (Karol **Wojtyła** ; *1920, Wadowice, Pologne*), pape depuis 1978. Archevêque de Cracovie (1964), 1er pape polonais de l'histoire, il s'est efforcé, par ses voyages et par son activité doctrinale, de réaffirmer les positions traditionnelles de l'Église dans le monde moderne.

**JEAN-PAUL** ~ Voir **Richter** (Johann Paul Friedrich).

**JEANSON** (Henri) ~ *1900, Paris - 1970, Équemauville, Calvados.* Scénariste et journaliste français. Il écrivit pour J. Duvivier (*Pépé le Moko*, 1937) et M. Carné (*Hôtel du Nord*, 1938) des dialogues au verbe cru. Il fut critique au *Canard enchaîné*.

**Jébuséens** (les) ~ Peuple préisraélite installé à Jérusalem, vaincu par David, qui prit la ville.

**JEFFERSON** (Thomas) ~ *1743, Shadwell, Virginie - 1826, Monticello, id.* Homme d'État américain. Principal rédacteur de la Déclaration d'indépendance (1776), fondateur du parti antifédéraliste qui prônait une république décentralisée (futur parti démocrate), il fut vice-président (1797) puis président des États-Unis (1801-1809).

**JÉHOVAH** ~ Transcription fautive des quatre consonnes YHWH, par lesquelles on nomme Dieu (Yahvé) dans la Bible.

**Jéhovah (Témoins de)** ~ Société religieuse fondée aux États-Unis vers 1874. N'acceptant d'autre autorité que la Bible, ses membres prophétisent l'avènement d'un monde nouveau, qui verrait la résurrection des morts, après la victoire de Yahvé sur Satan.

**JÉHU** ~ *m. en 814 av. J.-C.* Dixième roi d'Israël (841-814 av. J.-C.).

**JELGAVA** ~ V. industr. de Lettonie, au S.-O. de Riga ; 74 000 h. Anc. capitale des chevaliers Porte-Glaive (XIIIe-XVIe s.) puis des ducs de Courlande sous le nom de Mitau, elle fut annexée par la Russie en 1795.

**JEMAPPES**, anc. **Jemmapes** ~ Commune de Belgique, auj. rattachée à Mons. Le 6 nov. 1792, Dumouriez y vainquit les Autrichiens, ouvrant la voie à l'annexion de la Belgique par la France.

**JENNER** (Edward) ~ *1749, Berkeley - 1823, id.* Médecin britannique. Il découvrit le principe de la vaccination en immunisant contre la variole par inoculation de vaccine (1796).

**JENSEN** (Johannes Vilhelm) ~ *1873, Farsø - 1950, Copenhague.* Écrivain danois. Observant à travers ses romans l'héritage des peuples (*les Danois*, 1896), il retraça l'histoire de l'humanité (*le Long Voyage*, 1902-1927 ; *Mythes*, 1907-1944). Prix Nobel de litt. 1944.

**JEPHTÉ** ~ *XIIe s. av. J.-C.* Juge d'Israël, dans la Bible. Il fut contraint de sacrifier sa fille pour honorer un vœu, après sa victoire sur les Ammonites.

**JÉRÉMIE** ~ *v. 650-645, Anatot - v. 580 av. J.-C., en Égypte.* Prophète biblique. Il annonça en vain la chute de Jérusalem (587) et mourut exilé en Égypte. Ses oracles sont réunis dans le *Livre de Jérémie*.

**JEREZ DE LA FRONTERA**, anc. **Xeres** ~ V. d'Andalousie (Espagne), près de l'embouchure du Guadalquivir ; 183 000 h. Vins (xérès). La ville fut occupée par les Arabes du VIIIe au XIIIe s.

**JÉRICHO**, en ar. *Arîhâ* ~ V. de Cisjordanie, sur le Jourdain (r. dr.), au N. de la mer Morte ; env. 70 000 h. D'après la Bible, elle fut la première ville prise par les Hébreux, ses murailles s'écroulant au son de leurs trompettes. Son enceinte remonterait au VIIe mill. av. J.-C. Occupée par Israël (1967), elle est dotée d'un régime autonome depuis 1994 (accord de Washington).

**JÉROBOAM**, nom de deux rois d'Israël. ~ **Jéroboam Ier**, fondateur du royaume, régna de 931 à 910 av. J.-C. ~ **Jéroboam II** régna de 783 à 743 av. J.-C.

**JÉRÔME** (saint) ~ *v. 347, Stridon, Dalmatie - 420, Bethléem.* Père et docteur de l'Église. Ermite en Syrie puis moine à Bethléem, il se consacra à l'exégèse, et donna une nouvelle traduction en latin de la Bible à partir de l'hébreu, la Vulgate, qui fut adoptée comme version officielle par l'Église.

**JEROME** (Jerome **Klapka**, dit Jerome K.) ~ *1859, Walsall - 1927, Northampton.* Écrivain et journaliste britannique, maître de l'humour et du burlesque (*Trois Hommes dans un bateau*, 1889).

**JERSEY** ~ Île princ. de l'archipel des îles Anglo-Normandes, plus ensoleillée que Guernesey ; 116 km², 84 000 h., v. princ. Saint-Hélier. Paradis fiscal, tourisme actif.

**JERSEY CITY** ~ Port du New Jersey (États-Unis), sur l'Hudson, dans l'agglomération de New York ; 229 000 h. Industrie chimique, papeteries, transbordement de marchandises.

**JÉRUSALEM**, en hébr. ***Yerushalayim***, en ar. ***al-Quds*** ~ V. sainte de Palestine pour les trois religions monothéistes, à l'O. du Jourdain, décrétée unilatéralement capitale d'Israël depuis 1980 ; 544 000 h. La vieille ville fortifiée se partage en quartiers musulman, juif, chrétien et arménien (mosquées, synagogues, églises). Le tombeau du Christ est situé dans le quartier chrétien. Le mur des Lamentations est tout ce qui reste du Temple de Salomon, au-dessus duquel sont établis le Dôme du Rocher et la mosquée al-Aqsa. La ville moderne de Jérusalem a not. des fonctions tertiaires (politiques, comm., univ.). **HIST.** - *Début du Xe s. av. J.-C.* : David, roi des Hébreux, enleva Jérusalem aux Cananéens et en fit sa capitale. Son fils Salomon y bâtit un Temple pour Yahvé. *931 av. J.-C.* : cap. du royaume de Juda après la scission du royaume de Salomon. *VIe s. av. J.-C.* : elle est prise par Nabuchodonosor, et la population déportée à Babylone (587). La fin de l'Exil (539) permet la reconstruction du Temple. *IIe-Ier s. av. J.-C.* : Jérusalem devient le centre d'un État théocratique que Rome peine à soumettre. Jésus y prêche avant d'y être crucifié ; la ville abrite la première communauté chrétienne. *70 apr. J.-C.* : incendie du Temple lors de la révolte juive. *135* : après la révolte de Bar Kokhba (132-135), Jérusalem est rasée et sur son emplacement est bâtie Ælia Capitolina. *326* : Constantin rend son nom à la ville et y érige le Saint-Sépulcre. *VIIe-VIIIe s.* : les Arabes, après avoir pris la ville (638), y édifient le Dôme du Rocher (691) et la mosquée al-Aqsa (715). *XIe-XIIe s.* : conquête de Jérusalem par les croisés (1099) et reconquête arabe par Saladin Ier (1187). *XIIIe-XIXe s.* : ville à dominante musulmane (1260-1917), Jérusalem est le berceau des premiers mouvements sionistes (2e moitié du XIXe s.). *XXe s.* : elle devient la capitale de la Palestine sous mandat britannique (1922). Le 29 nov. 1947, l'O. N. U. internationalise la ville, malgré l'opposition des États arabes. En 1948, la Grande-Bretagne se retire, l'État d'Israël est proclamé (14 mai) : la partie O. de Jérusalem revient à Israël, tandis que la vieille ville reste arabe (28 mai). À l'issue de la guerre des Six-Jours (5-10 juin 1967), Israël annexe l'E. de Jérusalem, qui, réunifiée de facto, est proclamée capitale d'Israël (juill. 1980) malgré l'opposition de nombreux membres de la communauté internationale. Le statut de la ville reste un objet de litige entre les Palestiniens, les États arabes et les Églises chrétiennes.

© P. Wysocki-Explorer

***Jérusalem.*** *Au deuxième plan, le Dôme du Rocher.*

**JÉRUSALEM (royaume latin de)** ~ État fondé lors de la 1re croisade en 1099. Pris par Saladin Ier (1187), il se reforma avec Acre pour capitale (1191). Le royaume disparut définitivement en 1291, avec la prise d'Acre et de Tyr par les Égyptiens.

**JESPERSEN** (Otto) ~ *1860, Randers - 1943, Copenhague.* Linguiste danois. Annonçant la linguistique moderne, ses travaux portèrent plus sur les manifestations concrètes du langage que sur l'aspect théorique de la linguistique (*Grammaire moderne de l'anglais*, 1909-1924).

**JÉSUS** ou **JÉSUS-CHRIST** ~ Fondateur de la religion chrétienne, pour laquelle il est le Fils de Dieu, le Messie et le Rédempteur de l'humanité. Son existence en Palestine au Ier s. est attestée par des récits profanes mais ne nous est connue dans le détail que par les Évangiles et les Actes des Apôtres : naissance à Bethléem ; fuite en Égypte ; jeunesse à Nazareth ; baptême par Jean-Baptiste ; retraite au désert ; prédication en Galilée ; entrée à Jérusalem ;

dernier repas et dernière nuit avant son arrestation, fruit d'une conspiration des pharisiens et des sadducéens, et de la trahison de Judas ; condamnation à mort par Caïphe, accordée par Pilate ; crucifixion ; mise au tombeau ; résurrection trois jours après ; apparition aux disciples d'Emmaüs puis aux Apôtres ; ascension au ciel. Sa prédication porte sur l'avènement du royaume de Dieu, sur le salut par la foi en la nature divine de celui-ci, sur l'amour comme fondement de la relation de l'homme à Dieu et des hommes entre eux.

**JÉSUS (Compagnie** ou **Société de)** ~ Ordre religieux fondé en 1534 par Ignace de Loyola. [☞ **jésuite.**]

**Jeu de paume (serment du)** ~ Serment prononcé à Versailles (20 juin 1789) par les députés du tiers état à qui le roi avait interdit de se réunir dans la salle habituelle des états généraux. À l'invitation de J.-J. Mounier, les députés jurèrent de ne pas se séparer « jusqu'à ce que la Constitution du royaume soit établie ».

**Jeunes Gens en colère** ~ Mouvement artistique britannique fondant son esthétique sur la contestation (1955-1965), constitué par des romanciers (Kingsley Amis), des dramaturges (John Osborne) et des cinéastes (Tony Richardson).

**Jeunesse ouvrière chrétienne (J. O. C.)** ~ Mouvement catholique international fondé en 1925 en Belgique par l'abbé Cardijn, relayé en France (1927) par l'abbé Guérin, et aujourd'hui actif dans une soixantaine de pays.

**Jeunes-Turcs** ~ Société secrète fondée en 1868 par Midhat Pacha pour promouvoir la modernisation de l'Empire ottoman. Constitué en comité Union et Progrès en 1894, le mouvement organisa le coup d'État qui força le sultan Abdülhamid II à abdiquer (1909). L'implication du triumvirat Enver-Djamal-Talat, qui exerça le pouvoir à partir de cette date, dans la Première Guerre mondiale aux côtés des Allemands, contribua à discréditer le mouvement.

**Jeux floraux** ~ Nom d'un concours poétique annuel, instauré à Toulouse en 1323 par un cercle de poètes (Consistoire du Gai Savoir) afin de maintenir la tradition du lyrisme occitan.

**JEVONS** (William Stanley) ~ *1835, Liverpool - 1882, Bexhill, près de Hastings.* Économiste britannique, l'un des fondateurs de l'école marginaliste.

**JÉZABEL** ~ *IX^e s. av. J.-C.* Personnage biblique. Femme d'Achab, roi d'Israël, mère d'Athalie. D'origine phénicienne, adepte du culte de Baal qu'elle tenta d'imposer, elle fut combattue par Élie.

**JHELAM** ou **JHELUM** (la) ~ Rivière du bassin de l'Indus, affl. de la Chenab, issue du Cachemire indien, qui arrose Srinagar ; 725 km. C'est l'une des « cinq rivières » du Pendjab pakistanais.

**JIANG Jieshi** ~ Voir **Tchang Kaï-chek.**

**JIANG Qing** ou **KIANG K'ing** ~ *1913, prov. du Shandong - 1991, Yangzhou.* Femme politique chinoise. Épouse de Mao Zedong, elle incarna, à la tête de la Bande des Quatre, la tendance la plus radicale de la Révolution culturelle. Arrêtée et jugée en 1980, elle se suicida.

**JIANGSU** ou **KIANG-SOU** (le) ~ Prov. de la Chine orientale, « pays de l'eau » et de plaines aux innombrables rivières côtières ; 102 200 km$^2$, 68 170 000 h., cap. Nankin. Estuaire du Yangzi Jiang, lacs Hongze et Tai. Climat modéré, humide. Agric. intensive (riz, blé, coton, mûrier), industr. diversifiée.

**JIANGXI** ou **KIANG-SI** (le) ~ Prov. de la Chine du S.-O., région de plaines (cuvette du lac Poyang) encadrées par des montagnes moyennes, l'une des plus pauvres de Chine ; 164 800 km$^2$, 38 280 000 h., cap. Nanchang. Climat à tendance tropicale. Agriculture intensive (riz, coton, canne à sucre, thé). Charbon, tungstène. Industrie diversifiée (text., porcelaine, mécanique).

**JIANG Zemin** ou **TSIANG Tsö-min** ~ *1926, Yangzhou.* Homme d'État chinois. Secrétaire général du Parti communiste chinois, il est président de la République depuis 1993.

**JIJEL**, anc. **Djidjelli** ~ Port d'Algérie ; 69 000 h. Pêche, exportation de prod. agric., vignobles, station balnéaire. Ancienne ville phénicienne, possession des pirates Barberousse au XVI^e s.

**JILIN** ou **KI-LIN** (le) ~ Prov. du N. de la Chine (anc. Mandchourie) au relief contrasté (plateau mongol à l'O., alluviale au centre) ; 187 000 km$^2$, 25 150 000 h. (dont Coréens), cap. Changchun. Climat continental. Ginseng, élevage, bois.

**JILONG** ou **KI-LONG** ou **KEELUNG** ~ 2^e port de Taiwan, au N. de l'île ; 356 000 h. Il dessert la capitale, Taipei. Industrie alimentaire, engrais. Base militaire.

**JINA** ~ Voir **Mahavira.**

**JINAN** ou **KI-NAN** ou **TSI-NAN** ~ V. de la Chine du N.-E., cap. de la prov. du Shandong, centre industr. sur le Huang He ; 2 050 000 h. C'est l'ancienne Chinangli décrite par Marco Polo.

**JINGDEZHEN** ou **KING-TÖ-TCHEN** ou **TSING-TÖ-TCHEN** ~ V. de Chine (prov. du Jiangxi), à l'E. du lac Poyang ; env. 550 000 h. Située dans une région riche en kaolin, elle fournit ses premières porcelaines sous les Han. Manufacture de porcelaine et musée.

**JINNAH** (Muhammad Ali) ~ *1876, Karachi - 1948, id.* Homme d'État pakistanais. Membre de la Ligue musulmane, partisan à partir de 1937 de la création d'un État pour les musulmans de l'Inde, il fut le fondateur et le premier chef de l'État du Pakistan (1947-1948).

**JINZHOU** ou **KIN-TCHEOU** ~ V. de Chine (Liaoning, Mandchourie méridionale) ; 570 000 h. Pétrochimie, industrie alimentaire. Concession allemande de 1898 à 1914.

**JITOMIR** ~ V. d'Ukraine, à l'O. de Kiev ; env. 298 000 h. Métall., textile, industrie alimentaire. Ancienne capitale de la Volhynie, elle fut soumise par la Pologne, puis annexée par la Russie en 1778. Théâtre de combats entre Allemands et Soviétiques (1941-1943).

**Jivaros** ou **Shuaras** (les) ~ Indiens guerriers d'Amazonie, célèbres comme réducteurs de têtes.

**JIVKOV** (Todor) ~ Voir **Živkov.**

**J. O.** ~ Voir **Journal officiel de la République française.**

**JOACHIM** (saint) ~ Époux de sainte Anne et père de la Vierge Marie, selon la tradition chrétienne.

**JOACHIM DE FLORE** ~ *v. 1130-1145, Celico, Calabre - 1202, San Martino di Giove, id.* Mystique italien. Ancien abbé cistercien, fondateur d'une confrérie d'ermites, il annonça l'avènement futur d'un règne de l'Esprit, marqué par un retour à la pauvreté évangélique. Ses idées influencèrent certains mouvements franciscains aux XIII^e et XIV^e s.

**JOACHIN** ~ Roi de Juda de 598 à 597 av. J.-C., vaincu et déporté à Babylone par Nabuchodonosor.

**JOAD** ou **JOIADA** ou **YEHOYADA** ~ *fin du IX^e s. - début du VIII^e s. av. J.-C.* Grand prêtre juif. Il éleva Joas et le proclama roi, organisant ainsi la destitution d'Athalie.

**JOANNE** (Adolphe) ~ *1813, Dijon - 1881, Paris.* Géographe et écrivain français. Fondateur de *l'Illustration* (1843), il créa les **guides Joanne** et le *Dictionnaire des communes de France* (1864).

**JOÃO PESSOA** ~ Voir **Paraíba** (le).

**JOB** ~ Patriarche dont un livre biblique porte le nom (V^e s. av. J.-C.). Homme juste accablé par le malheur, il interrogea Dieu sur la signification du mal et de la souffrance.

**JOBOURG (nez de)** ~ Cap N.-O. de la presqu'île du Cotentin. Falaises de 125 m (panorama).

**J. O. C.** ~ Voir **Jeunesse ouvrière chrétienne.**

**JOCASTE** ~ Personnage de la mythologie grecque. Femme de Laïos, roi de Thèbes, et mère d'Œdipe. La prédiction qui voulait qu'elle épousât son fils après la mort de son époux s'étant réalisée, elle se suicida.

**JÔCHÔ** ~ *m. en 1057.* Sculpteur japonais. Par l'humanisation des traits et la finesse du bois laqué et doré à la feuille, il affranchit la statuaire japonaise des modèles chinois (bouddha *Amida*, v. 1053).

**JODELLE** (Étienne) ~ *1532, Paris - 1573, id.* Poète français. Membre de la Pléiade, il écrivit la première tragédie classique en français et en vers, *Cléopâtre captive* (1552), d'après le théâtre antique.

**JODHPUR** ~ V. du N.-O. de l'Inde (Rajasthan), centre comm. en bordure du désert de Thar ; 668 000 h. Université. Artisanat du drap et du coton (pantalons). Remparts du XVI^e s. Ancienne capitale d'un État rajput, fondée au XV^e s.

**JODL** (Alfred) ~ *1890, Würzburg - 1946, Nuremberg.* Général allemand. Chef du bureau des opérations de la Wehrmacht de 1938 à 1945, il fut jugé et exécuté comme criminel de guerre.

**JOËL** ~ *IV^e s. av. J.-C.* Prophète juif, auquel on attribue la composition du livre biblique portant son nom.

**JŒUF** ~ V. du bassin sidérurgique lorrain (vallée de l'Orne), au N. de Metz ; 7 875 h. Métallurgie.

**JOFFRE** (Joseph) ~ *1852, Rivesaltes - 1931, Paris.* Maréchal de France. Il servit dans les colonies (Tonkin, Madagascar) puis devint chef d'état-major général (1911). Commandant en chef des armées du Nord et du Nord-Est, il remporta la victoire de la Marne (sept. 1914). Commandant en chef de l'armée française, il fut remplacé par Nivelle (fin 1916) après la bataille de la Somme. Acad.

**JOGJAKARTA** ou **DJOKJAKARTA** ~ V. de l'île de Java (Indonésie), près de la côte de l'océan Indien ; 413 000 h. Université. Filatures, industr. alimentaire. Palais, vestiges bouddhiques.

**JOHANNESBURG** ~ 1^re v. d'Afrique du Sud, fondée en 1886, ch.-l. de la prov. de Gauteng, dans le Transvaal, centre industr. du Witwatersrand (textile, chim. et mécan.) ; 1 916 000 h. Université. Sa banlieue (not. Soweto) a été le lieu de nombreux affrontements entre les Noirs et les autorités sud-africaines.

**JOHANNOT** (Tony) ~ *1803, Offenbach, Hesse - 1852, Paris.* Peintre et graveur français. Illustrateur de Goethe, de Béranger, de G. Sand ou de W. Scott, il propagea le style troubadour.

**JOHNS** (Jasper) ~ *1930, Augusta, Géorgie.* Peintre américain. Figure centrale du pop art, il a conféré aux objets symboliques de la civilisation moderne un statut mythique (*Drapeau sur fond blanc*, 1954).

**JOHNSON**, nom de trois hommes politiques canadiens. ~ **Daniel** (*1915, Danville, prov. de Québec - 1968, Manicouagan, id.*), Premier ministre du Québec (1966-1968), chercha à développer les pouvoirs de cette province vis-à-vis d'Ottawa. Son fils ~ **Daniel** (*1945, Montréal*), membre du Parti libéral du Québec, a été Premier ministre du Québec en 1994. ~ **Pierre-Marc** (*1946, Montréal*), membre du Parti québecois, a occupé les mêmes fonctions en 1985.

**JOHNSON** (Andrew) ~ *1808, Raleigh - 1875, Carter's Station, Tennessee.* Homme d'État américain. Président des États-Unis (1865-1869) après l'assassinat d'A. Lincoln, il s'opposa à la reconnaissance des droits politiques des Noirs, fut mis en accusation par le Sénat, puis acquitté (1868).

**JOHNSON** (Benjamin, dit Ben) ~ *1961, Falmouth, Jamaïque.* Athlète canadien. Recordman du monde (1987) et champion olympique du 100 m (1988), il fut disqualifié pour s'être dopé.

**JOHNSON** (Lyndon Baines) ~ *1908, Stonewall, Texas - 1973, Johnson City, id.* Homme d'État américain. Vice-président démocrate aux côtés de J. F. Kennedy (1961), il lui succéda après son assassinat (1963) puis fut élu président (1964-1968). Responsable de l'engagement massif des États-Unis dans la guerre du Viêt Nam, il tenta d'appliquer son projet de « Grande Société » visant à promouvoir une plus grande justice sociale.

**JOHNSON** (Philip) ~ *1906, Cleveland, Ohio.* Architecte américain. Disciple de Mies van der Rohe, il a renoncé au strict rationalisme du style international en faveur du néoclassicisme (théâtre du Lincoln Center, New York, 1962).

**JOHNSON** (Samuel) ~ *1709, Lichfield, Staffordshire - 1784, Londres.* Lexicographe et critique britannique. Son *Dictionnaire de la langue anglaise* (1747-1755) inaugura la linguistique classique.

**JOHNSON** (Uwe) ~ *1934, Cammin, Poméranie - 1984, Sheerness, Kent.* Écrivain allemand. Subissant la division de l'Allemagne, ses personnages constatent l'impossible unité des lieux, des êtres, des vérités (*l'Impossible Biographie*, 1961).

**JOHORE** (le) ~ État de Malaysia, à la pointe de la péninsule malaise, relié à Singapour par un pont sur le **détroit de Johore** (1,5 km) ; 18 986 km$^2$, 2 107 000 h., cap. **Johore Baharu** (250 000 h.). Activités agric. (hévéas, palmiers, ananas), minière (bauxite, étain) et comm. (arrière-pays de Singapour). **HIST.** - Fondé par le sultan de Malacca (1511), le Johore céda Singapour à la Grande-Bretagne (1819). Rentré dans la zone d'influence de la Grande-Bretagne (1824), il en devint un protectorat (1914). Après la Seconde Guerre mondiale, le Johore a été intégré dans la fédération malaise.

**JOIADA** ~ Voir **Joad**.

**JOIGNY** ~ V. de la vallée de l'Yonne, au N.-O. d'Auxerre (Yonne) ; 9 697 h. Vin (côte-saint-jacques). Églises des XV<sup>e</sup> et XVI<sup>e</sup> s.

**JOINVILLE** (Jean, sire DE) ~ *1224, Joinville - 1317, id.* Chroniqueur français, sénéchal de Champagne. Ami et conseiller de Louis IX, qu'il accompagna lors de la 7<sup>e</sup> croisade, il écrivit, entre 1272 et 1309, l'*Histoire de Saint Louis.*

**JOINVILLE-LE-PONT** ~ V. de la banlieue S.-E. de Paris (Val-de-Marne) ; 16 657 h.

**JOLIOT**, couple de physiciens français. ~ **Irène** JOLIOT-CURIE (*1897, Paris - 1956, id.*), fille de Pierre et de Marie Curie, et son mari, ~ **Frédéric** (*1900, Paris - 1958, id.*), chercheurs en physique nucléaire, découvrirent la radioactivité artificielle (1934). Irène fut sous-secrétaire d'État à la Recherche scientifique (1936). Frédéric, premier haut-commissaire à l'énergie atomique (1946-1950), élabora la première pile atomique française (1948). Ils furent prix Nobel de chim. en 1935.

**JOLIVET** (André) ~ *1905, Paris - 1974, id.* Compositeur français. Dodécaphoniste et modale, son œuvre veut exprimer la dimension magique et incantatoire de la musique (*Mana*, 1935 ; *Incantation*, 1937).

**JOLLIET** ou **JOLIET** (Louis) ~ *1645, région du Québec - 1700, id.* Explorateur français. Il reconnut la région des Grands Lacs, explora le cours du Mississippi avec J. Marquette et fut nommé hydrographe du roi.

**JOMINI** (Henri, baron DE) ~ *1779, Payerne - 1869, Paris.* Général et théoricien militaire suisse d'orig. italienne. Son *Précis de l'art de la guerre* (1837) fit autorité durant tout le XIX<sup>e</sup> s.

**JONAS** ~ Prophète biblique. Le livre de l'Ancien Testament qui porte son nom (IV<sup>e</sup> s. av. J.-C.) relate son emprisonnement dans le ventre d'une baleine et sa délivrance par Dieu.

**JONES** (Ernest) ~ *1879, Gowerton, Glamorgan - 1958, Londres.* Médecin et psychanalyste britannique. Biographe de S. Freud, il popularisa la psychanalyse dans le monde anglo-saxon.

**JONES** (Everett **LeRoi**) ~ *1934, Newark, New Jersey.* Écrivain américain. Militant de la négritude, il est l'auteur d'œuvres théâtrales (*A Black Mass*, 1966) et de poèmes engagés (*Spirit Reach*, 1972). Il a pris le nom d'Imamu Amiri Baraka en 1965.

**JONES** (Inigo) ~ *1573, Londres - 1652, id.* Architecte anglais. Adepte de Palladio, il rompit avec le style Tudor et fonda le classicisme anglais (Queen's House, Greenwich, 1615-1619).

**JONES** (James) ~ *1921, Robinson, Illinois - 1977, Southampton, New York.* Romancier américain, auteur de romans de guerre (*Tant qu'il y aura des hommes*, 1951).

**JONGKIND** (Johan Barthold) ~ *1819, Lattrop, Pays-Bas - 1891, Grenoble.* Peintre néerlandais. Paysagiste sensible et audacieux, il fut l'un des précurseurs de l'impressionnisme.

**JÖNKÖPING** ~ V. de Suède, au S. du lac Vättern ; 114 000 h. Industr. du bois et de la laine.

**JONQUIÈRE** ~ V. du Québec (Canada) sur le Saguenay ; 58 000 h. Industr. (bois), métallurgie.

**JONSON** (Benjamin, dit Ben) ~ *1572, Westminster - 1637, Londres.* Dramaturge anglais. Ses comédies dominent le théâtre élisabéthain (*Volpone ou le Renard*, 1606).

**JONTE** (la) ~ Riv. du S. du Massif central, qui coule en gorges entre le causse Noir et le causse Méjean, affl. du Tarn (r. g.) ; 40 km.

**JOOSS** (Kurt) ~ *1901, Wasseralfingen, Wurtemberg - 1979, Heilbronn.* Danseur et chorégraphe allemand. Disciple de R. von Laban, fondateur de la Folkwangschule, il inventa la danse expressionniste allemande, associant techniques classique et moderne (*la Table verte*, 1932). [☞ **danse**.]

**JOPLIN** (Janis) ~ *1943, Port Arthur, Texas - 1970, Hollywood.* Chanteuse américaine. Sa voix déchirée, évoluant entre blues et rock, et sa présence sur scène l'imposèrent comme l'une des figures féminines charismatiques du rock.

**JORASSES (Grandes)** ~ Sommets du massif du Mont-Blanc (4 208 m à la pointe Walker), à la frontière italienne. Alpinisme.

**JORDAENS** (Jacob) ~ *1593, Anvers - 1678, id.* Peintre flamand. Il fut influencé par le Caravage, mais aussi par Rubens, dont il fut le collaborateur (à partir de 1630). Sa truculence flamande s'exprime dans des compositions mythologiques (*le Sommeil d'Antiope*, 1650) comme dans des scènes populaires (*Le roi boit !*, v. 1638).

© Giraudon

Le roi boit ! (*v. 1638 ; détail), peinture de Jacob Jordaens. Musée de l'Ermitage, Saint-Pétersbourg.*

**JORDAN** (Camille) ~ *1838, Lyon - 1922, Paris.* Mathématicien français. Fondateur de la théorie des groupes, il étudia la fonction à variation bornée et approfondit la notion de courbe, à l'origine de la géométrie finie.

**JORDANIE (royaume hachémite de)** ~ Pays du Proche-Orient, au N.-O. de la péninsule Arabique. ***Cap.*** Amman. ***Superf.*** 97 740 km². ***Popul.*** 4 010 000 h., dont Palestiniens (65 %). ***Langue princ.*** Arabe. ***Monn.*** Dinar. ***Relief.*** Pays formé d'un plateau aride bordé à l'O. par un fossé tectonique, occupé par le Jourdain et la mer Morte (Transjordanie). Débouché sur la mer Rouge (golfe d'Akaba). ***Climat.*** Désertique, nuance méditerranéenne au N.-O. ***Ress. princ.*** Agriculture irriguée (fruits, légumes, tabac), élevage ovin, exportation de phosphate et de potasse, tourisme, industrie (agroalim., textile, chim.), revenus des expatriés, aide étrangère. **HIST.** - *VII<sup>e</sup>-VI<sup>e</sup> mill. av. J.-C.* : villages néolithiques dans le désert de Ram. *XIII<sup>e</sup>-XII<sup>e</sup> s. av. J.-C.* : installation de peuples sémites, fondation de divers royaumes (Édom, Moab, Ammon, dont la capitale était sur le site de l'actuelle Amman). *X<sup>e</sup> s. av. J.-C.* : annexion par le royaume d'Israël. *v. 300 av. J.-C.* : royaume des Nabatéens, venus d'Arabie (cap. Pétra). *I<sup>er</sup> s. av. J.-C.* : annexion romaine. *VII<sup>e</sup>-XI<sup>e</sup> s. apr. J.-C.* : domination musulmane, omeyyade puis abbasside. *XII<sup>e</sup> s.* : la Transjordanie appartient au royaume latin de Jérusalem, fondé par les Francs (1118-1187). *XIII<sup>e</sup>-XIV<sup>e</sup> s.* : domination des mamelouks d'Égypte. *XV<sup>e</sup>-XIX<sup>e</sup> s.* : domination ottomane. *1920-1926* : la Transjordanie (Syrie du S.), sous mandat britannique, est confiée à l'émir Abdullah (hachémite de La Mecque). *1946* : indépendance. *1948-1949* : participation à la 1<sup>re</sup> guerre israélo-arabe et annexion de la Cisjordanie au royaume hachémite de Transjordanie, devenu royaume de Jordanie (24 janv. 1949). *1952* : le roi Hussein accède au trône et essaie de mener une politique prudente à l'égard de ses voisins (Arabie Saoudite, Iraq, Syrie, Israël) et des grandes puissances. *1967* : participation à la 3<sup>e</sup> guerre israélo-arabe, perte de la Cisjordanie et de Jérusalem-Est, immigration massive de réfugiés palestiniens. *1968-1971* : lutte contre l'influence des Palestiniens et expulsion de l'O. L. P. *1974* : Hussein renonce à la Cisjordanie en faveur de l'O. L. P. *1980-1988* : la Jordanie soutient l'Iraq contre l'Iran. *1988* : Hussein proclame la rupture officielle des liens administratifs entre la Jordanie et la Cisjordanie. *1994* : signature d'un traité de paix avec Israël.

**JORN** (Asger **Jørgensen**, dit Asger) ~ *1914, Vejrum - 1973, Århus.* Peintre danois. Partisan d'un expressionnisme abstrait d'inspiration nordique (*Aganaks*, 1950-1951), il participa au groupe Cobra (1948-1951) puis fut membre de l'Internationale situationniste (1957).

**JOS (plateau de)** ou **BAUCHI (plateau)** ~ Haut plateau intérieur du Nigeria (alt. moy. 1 280 m, max. 1 800 m), château d'eau d'affl. du Niger et de la Bénoué, site de la nouvelle cap., Abuja. Savane herbeuse. Sorgho, millet, légumes. Exploitation de l'étain. **Jos**, chef-lieu de l'État du Plateau, est un centre administratif et touristique (186 000 h.).

**JOSAPHAT** ~ Roi de Juda de 870 à 848 av. J.-C.

**JOSAPHAT (vallée de)** ~ Lieu mythique de la Bible où, selon le Livre de Joël, Dieu assemblera les peuples et les jugera. Au IV<sup>e</sup> s. apr. J.-C., elle fut identifiée à la vallée du Cédron, près de Jérusalem.

**JOSEPH** ~ Patriarche biblique. Fils de Jacob, il fut vendu par ses frères comme esclave. Devenu ministre du pharaon en Égypte, il y accueillit son père.

**JOSEPH** (saint) ~ Dans les Évangiles, époux de la Vierge Marie et père nourricier de Jésus. Patron des travailleurs.

**JOSEPH**, nom de deux empereurs germaniques. ~ **Joseph I<sup>er</sup>** (*1678, Vienne - 1711, id.*), archiduc d'Autriche, roi de Hongrie en 1687, roi des Romains en 1690, empereur germanique (1705-1711). Fils de Léopold I<sup>er</sup>, il poursuivit la lutte contre la France. ~ **Joseph II** (*1741, Vienne - 1790, id.*), roi des Romains en 1764, élu empereur en 1765. Il dut laisser gouverner sa mère, Marie-Thérèse, jusqu'en 1780. Il agit en despote éclairé, abolit le servage (1781), réforma l'économie et l'administration et mena une politique anticléricale (le **joséphisme**). Son centralisme et son autoritarisme provoquèrent une révolte aux Pays-Bas et en Hongrie.

**JOSEPH** (François Joseph **Le Clerc du Tremblay**, dit le Père) ~ *1577, Paris - 1638, Rueil.* Capucin français. Conseiller de Richelieu (on le surnomma son Éminence grise), il orienta la politique étrangère dans un sens hostile aux Habsbourg.

**JOSEPH BONAPARTE** ~ Voir **Bonaparte**.

**JOSEPH D'ARIMATHIE** (saint) ~ Disciple de Jésus qui, d'après les Évangiles, détacha de la croix le corps du Christ et le porta au tombeau.

**JOSEPH I<sup>er</sup> LE RÉFORMATEUR** ~ *1714, Lisbonne - 1777, id.* Roi de Portugal (1750-1777). Il laissa gouverner son Premier ministre, Pombal, qui entreprit de réformer l'État. Sous son règne, les Jésuites furent expulsés du Portugal (1759).

**JOSÈPHE** (Flavius) ~ Voir **Flavius Josèphe**.

**JOSÉPHINE** ~ Voir **Beauharnais**.

**JOSEPHSON** (Brian David) ~ *1940, Cardiff.* Physicien britannique. Spécialiste de physique du solide, il a étudié les effets des éléments supraconducteurs sur le passage du courant électrique (1962). Prix Nobel de phys. 1973.

**JOSPIN** (Lionel) ~ *1937, Meudon.* Homme politique français. Premier secrétaire du Parti socialiste (1981-1987, et depuis 1995), puis Premier ministre de J. Chirac (1997).

**JOSQUIN DES PRÉS** ~ *v. 1440, Beaurevoir, Picardie - v. 1521-1524, Condé-sur-l'Escaut.* Compositeur français. Héritier de l'art franco-flamand, il composa des chansons, des messes et des motets dont le retentissement fut considérable.

**JOSUÉ** ~ Personnage biblique. Successeur de Moïse (fin du XIII<sup>e</sup> s. av. J.-C.) à la tête des Hébreux, il prit possession de la terre de Canaan après avoir provoqué l'écroulement des murs de Jéricho. Ce haut fait est narré dans le livre qui porte son nom.

**JOTUNHEIM** ~ Massif montagneux du S.-O. de la Norvège (Scandes), où culmine la Scandinavie (2 470 m). Lacs, glaciers. Tourisme.

**JOUBERT** (Petrus Jacobus) ~ *1831, Cango, Natal - 1900, Pretoria.* Général boer. Commandant en chef contre les Britanniques, il mena les campagnes de 1881 et de 1899.

**JOUÉ-LÈS-TOURS** ~ V. de la banlieue S. de Tours (Indre-et-Loire) ; 36 798 h. Vin de Touraine, caoutchouc, métallurgie.

**JOUFFROY D'ABBANS** (Claude François, marquis DE) ~ *1751, Roches-sur-Rognon, Champagne - 1832, Paris.* Ingénieur français. Il conçut le premier bateau à vapeur, qu'il testa sur la Saône (1783).

**JOUGUET** (Émile) ~ *1871, Bessèges - 1943, Montpellier.* Mathématicien français. Il étudia les fluides, la propagation des ondes et énonça la théorie hydrodynamique de la détonation.

**JOUHANDEAU** (Marcel) ~ *1888, Guéret - 1979, Rueil-Malmaison.* Écrivain français. Ses essais (*De l'abjection*, 1939) et ses *Journaliers* (1961-1982) témoignent de son interrogation spirituelle.

**JOUHAUX** (Léon) ~ *1879, Paris - 1954, id.* Syndicaliste français. Révolutionnaire, puis réformiste après son ralliement à l'Union sacrée en 1914, il fut secrétaire général de la C. G. T. de 1909 à 1940. À la Libération, revenu de déportation, il retrouva ses responsabilités. Opposé à l'influence des communistes au sein de la C. G. T., il fut l'un des fondateurs de la C. G. T. - F. O. (1947), dont il devint le président (1948). Prix Nobel de la paix 1951.

**JOUKOV** (Gueorgui Konstantinovitch) ~ *1896, Strelkovka - 1974, Moscou.* Maréchal soviétique. Défenseur de Moscou (1941) et de Leningrad (1943), il dirigea l'offensive qui mena l'Armée rouge de Varsovie à Berlin, où il reçut la capitulation de la Wehrmacht (1945).

**JOUKOVSKI** (Nikolaï Egorovitch) ~ *1847, Orekhovo - 1921, Moscou.* Aérodynamicien russe. À l'origine d'une des premières souffleries (1902), il a donné son nom à un procédé mathématique de transformation qui définit un champ d'écoulement.

**JOUKOVSKI** (Vassili Andreïevitch) ~ *1783, Michenskoïe - 1852, Baden-Baden.* Poète russe. Il fit connaître en Russie la littérature romantique allemande et anglaise. Précepteur du futur Alexandre II, il sensibilisa ce dernier à certains principes libéraux.

**JOULE** (James Prescott) ~ *1818, Salford, près de Manchester - 1889, Sale, Cheshire.* Physicien britannique. Il détermina l'équivalent mécanique de la calorie (1842), le principe de conservation de l'énergie mécanique (1843) et calcula la vitesse moyenne des molécules gazeuses.

**JOUMBLATT**, nom de deux hommes politiques libanais. ~ **Kamal** (*1917, Moukhtara - 1977, près de Baaklin*), chef de la communauté druze, prit la tête de la faction de la gauche libanaise favorable à la cause palestinienne et fut assassiné. Son fils ~ **Walid** (*1947, Beyrouth*) lui a succédé à la tête du Parti socialiste progressiste (P. S. P.).

**JOURDAIN** (le) ~ Fl. du Proche-Orient, né au Liban (mont Hermon), tribut. de la mer Morte, dont la vallée correspond au fossé du Ghor ; 360 km. C'est un enjeu vital pour l'approvisionnement en eau des pays riverains. Selon la Bible, Jésus y reçut le baptême.

**JOURDAIN**, famille d'architectes français d'orig. belge. ~ **Frantz** (*1847, Anvers - 1935, Paris*), pionnier de l'Art nouveau et fondateur du Salon d'automne (1903), conçut les bâtiments parisiens de la Samaritaine (1905). [☞ **nouveau.**] Son fils ~ **Francis** (*1876, Paris - 1958, id.*) révolutionna l'architecture d'intérieur en créant des meubles sobres et bon marché.

**JOURDAN** (Jean-Baptiste, comte) ~ *1762, Limoges - 1833, Paris.* Maréchal de France. Vainqueur à Fleurus (1794), membre du Conseil des Cinq-Cents, il fut à l'origine de la loi instituant la conscription (1798) et commanda l'armée d'Espagne (1808-1814).

**Journal des débats (le)** ~ Quotidien français. Fondé en 1789, il fut racheté en 1799 par les frères Bertin. *Journal de l'Empire* sous Napoléon Ier, porte-parole des libéraux sous la Restauration, il devint l'organe du parti orléaniste sous la monarchie de Juillet puis le plus important journal libéral du second Empire. Il cessa de paraître en 1944.

**Journal des savants (le)** ~ Périodique scientifique français. Créé en 1665 par Denis de Sallo de La Condraye avec l'appui de Colbert, ce bulletin a évolué vers la publication d'œuvres littéraires et de travaux d'érudition. Il est rédigé depuis 1908 par l'Académie des inscriptions et belles-lettres.

**Journal officiel de la République française (J. O.)** ~ Organe officiel de la République française. Succédant au *Moniteur universel* en 1848, le *J. O.* fut pris en régie par l'État en 1880. Il publie chaque jour les lois, décrets, arrêts, circulaires, textes administratifs et le compte rendu des débats parlementaires.

**JOUVE** (Pierre Jean) ~ *1887, Arras - 1976, Paris.* Écrivain français. Son œuvre poétique et romanesque est marquée par l'expérience psychanalytique et l'influence des mystiques chrétiens (*Sueur de sang*, 1933).

**JOUVENEL DES URSINS** ~ Voir Juvénal.

**JOUVET** (Louis) ~ *1887, Crozon - 1951, Paris.* Acteur et metteur en scène de théâtre français. Pour préserver la qualité de la création théâtrale, il fonda le Cartel des quatre (1927) avec Ch. Dullin, G. Baty et G. Pitoëff. Au cinéma, sa personnalité caustique fut not. utilisée par M. Carné (*Drôle de drame*, 1937 ; *Hôtel du Nord*, 1938) et H. G. Clouzot (*Quai des Orfèvres*, 1947).

**JOUVET** (Michel) ~ *1925, Lons-le-Saunier.* Médecin français, auteur de travaux de neurobiologie sur le sommeil paradoxal et les états de vigilance.

**Joux (fort de)** ~ Château dominant la cluse de Pontarlier (Doubs) et surveillant une ancienne voie européenne N.-S. Édifié au XIe s., il fut agrandi du XVIe au XIXe s. et servit de prison sous l'Empire.

**JOUX (vallée de)** ~ Vallée supérieure de l'Orbe dans le Jura suisse (canton de Vaud). Industries horlogère et agroalimentaire.

**JOUY-EN-JOSAS** ~ V. de la banlieue S.-O. de Paris (Yvelines), sur la Bièvre ; 7 687 h. Anc. ateliers de toiles imprimées fondés par Oberkampf en 1759 (**toiles de Jouy**). Centre national de recherches zootechniques, École des hautes études commerciales, Commissariat à l'énergie atomique.

**JOUY-LE-MOUTIER** ~ V. de la banlieue N.-O. de Paris, sur l'Oise (Val-d'Oise), partie de la ville nouvelle de Cergy-Pontoise ; 16 910 h.

**JOVIEN**, en lat. ***Flavius Claudius Iovianus*** ~ *v. 331, dans les Balkans - 364, Asie Mineure.* Empereur romain (363-364). Successeur de Julien l'Apostat, il rétablit les prérogatives de l'Église et conclut la paix avec les Perses.

**JOXE**, nom de deux hommes politiques français. ~ **Louis** (*1901, Bourg-la-Reine - 1991, Paris*), ministre d'État chargé des Affaires algériennes (1960-1962), participa à la négociation des accords d'Évian (1962). Son fils ~ **Pierre** (*1934, Paris*), dirigeant socialiste, fut ministre de l'Intérieur (1984-1986, puis 1988-1991) et de la Défense (1991-1993).

**JOYCE** (James) ~ *1882, Dublin - 1941, Zurich.* Écrivain irlandais. Formé chez les Jésuites, il mit un terme à sa bohème dublinoise après les déboires de *Gens de Dublin* (1914), recueil d'amères nouvelles, évocation réaliste de ses concitoyens. Dès lors, il vécut entre Paris, Trieste et Zurich. Le *Portrait de l'artiste en jeune homme* (1916) manifestait déjà l'originalité de son esthétique, mais c'est avec *Ulysse* (1922) qu'il inaugura une exploration virtuose du monologue intérieur et mit sa verve au service d'une alchimie du verbe qu'illustre *Finnegans Wake* (1939), aboutissement d'une œuvre qui bouleversa le roman moderne.

**JOYEUSE**, nom d'une maison ducale française. ~ **Anne**, duc DE (*1561-1587*), amiral de France, favori d'Henri III, fut tué à Coutras en combattant les calvinistes. Son frère ~ **François** DE (*1562-1615*), cardinal, négocia la réconciliation d'Henri IV et du pape. Il présida les états généraux de 1614. ~ **Henri**, duc DE (*1567-1608*), frère des préc., l'un des chefs de la Ligue, fut nommé gouverneur du Languedoc et maréchal de France après son ralliement à Henri IV. Il devint moine capucin en 1599.

**JÓZSEF** (Attila) ~ *1905, Budapest - 1937, Balatonszárszó.* Poète hongrois. Par sa foi dans le socialisme, il voulut éveiller l'esprit de solidarité du peuple hongrois (*Nuit de faubourg*, 1932).

**JUAN CARLOS Ier DE BOURBON** ~ *1938, Rome.* Roi d'Espagne depuis 1975. Petit-fils d'Alphonse XIII, désigné par Franco pour lui succéder avec le titre de roi (1969), il a joué un grand rôle dans le processus de démocratisation du pays.

**JUAN D'AUTRICHE** (don) ~ *1545, Ratisbonne - 1578, Bouges, près de Namur.* Prince espagnol. Fils naturel de Charles Quint, il remporta contre les Turcs la victoire navale de Lépante (1571). Gouverneur des Pays-Bas (1576-1578), il lutta contre les calvinistes.

**JUAN DE FUCA (détroit de)** ~ Bras de mer séparant l'île canadienne de Vancouver de l'État américain de Washington. Accès des ports de Vancouver, Victoria et Seattle au Pacifique.

**JUAN FERNÁNDEZ (îles)** ~ Archipel volcanique du Pacifique, possession chilienne à 600 km au large de Valparaiso ; 179 km², env. 500 h. Le marin Alexandre Selkirk, modèle de Robinson Crusoë, y séjourna seul de 1704 à 1709.

**JUAN JOSÉ D'AUTRICHE** (don) ~ *1629, Madrid - 1679, id.* Prince espagnol. Fils naturel du roi Philippe IV. Il fut vice-roi des Pays-Bas pendant la minorité de Charles II, puis devint son ministre.

**JUAN-LES-PINS** ~ Station baln. de la Côte d'Azur (Alpes-Maritimes), dans la commune d'Antibes.

**JUÁREZ GARCÍA** (Benito) ~ *1806, San Pablo Guelatao - 1872, Mexico.* Homme d'État mexicain. Président de la République, il s'opposa à l'intervention française au Mexique (1863).

**JUBA**, nom de deux rois. ~ **Juba Ier** (*m. en 46 av. J.-C. à Thapsus*), roi de Numidie (50-46 av. J.-C.). Partisan de Pompée, il fut battu par César et se donna la mort. Son fils ~ **Juba II** (*52 - v. 23 av. J.-C.*) reçut de Rome la souveraineté sur la Maurétanie.

**JÚCAR** (le) ~ Fleuve d'Espagne, tribut. de la Méditerranée, qui arrose la Manche et la plaine de Valence (irrigation) ; 500 km.

**JUDA** ~ Personnage biblique. Fils de Jacob, ancêtre de la **tribu de Juda**, la plus nombreuse d'Israël, dont le rôle fut dominant dans l'histoire des Hébreux.

**JUDA (royaume de)** ~ Royaume formé en Palestine après la division du royaume de Salomon (Xe s. av. J.-C.) par les tribus de Juda et de Benjamin. La prise de sa capitale, Jérusalem, par Nabuchodonosor (587 av. J.-C.) entraîna sa disparition.

**JUDAS ISCARIOTE** ~ L'un des douze apôtres de Jésus, qu'il trahit pour trente deniers. Tourmenté par le remords, il se pendit.

**JUDE** (saint), dit **Thaddée** ~ L'un des douze apôtres du Christ, frère de Jacques le Mineur.

**JUDÉE** (la) ~ Région du S. de la Palestine. La restauration juive conduite par les Maccabées aboutit à la constitution du royaume de Judée (140 av. J.-C.). Les Romains la conquirent (63 av. J.-C.), puis la confièrent à Hérode (40 av. J.-C.). Ils la réduisirent ensuite en une province (6 apr. J.-C.) et matèrent deux grandes révoltes des Juifs (70 et 135).

**JUDÉE (monts de)** ~ Région de collines et de plateaux du S. de la Palestine.

**JUDITH** ~ Héroïne biblique qui a donné son nom à un des livres deutérocanoniques. En assassinant Holopherne, un général assyrien, elle sauva la ville fictive de Béthulie, qui symbolise le judaïsme.

**JUDITH DE BAVIÈRE** ~ *v. 800 - 843, Tours.* Impératrice d'Occident. Seconde épouse de Louis le Pieux et mère de Charles le Chauve, elle favorisa l'avènement de ce dernier.

**Juges** (les) ~ Chefs militaires et judiciaires chez les Hébreux, qui apparurent lors de l'installation en Canaan (1200-1030 av. J.-C. env.). Le livre biblique des Juges retrace cette période.

**JUGLAR** (Clément) ~ *1819, Paris - 1905, id.* Économiste français. Il proposa une théorie des cycles macroéconomiques.

**JUGURTHA** ~ *v. 160 - 104 av. J.-C., Rome.* Roi de Numidie (118-105 av. J.-C.). Petit-fils de Masinissa, il s'opposa aux Romains. Capturé par Sylla, il mourut en prison.

**Juillet (monarchie de)** ~ Monarchie constitutionnelle qui fut établie après les journées de juillet 1830. Elle eut à sa tête Louis-Philippe Ier, roi des Français. Elle disparut avec la révolution de 1848.

**juillet 1789 (journée du 14)** ~ Journée d'émeute à Paris qui aboutit à la prise de la Bastille.

**juillet 1830 (journées de)** ~ Voir **révolution française de 1830.**

**Juillet (fête du 14-)** ~ Fête nationale française, instituée en 1880, qui commémore la fête de la Fédération (14 juillet 1790).

**JUIN** (Alphonse) ~ *1888, Bône, auj. Annaba - 1967, Paris.* Maréchal de France. Chef des forces françaises d'Afrique du Nord (1941), puis chef du corps expéditionnaire français en Italie (1944), il fut résident général au Maroc (1947-1951). Acad.

**juin 1848 (journées de)** ~ Insurrection à Paris (23-26 juin) provoquée par la fermeture des Ateliers nationaux et réprimée par le général Cavaignac.

**juin 1940 (appel du 18)** ~ Discours prononcé par le général de Gaulle à la radio de Londres. Il invitait les Français à refuser l'armistice demandé la veille par le maréchal Pétain et à poursuivre la lutte aux côtés de la Grande-Bretagne.

**JUJUY** ~ Province andine du N.-O. de l'Argentine (frontière du Chili et de la Bolivie) ; 53 219 km², 512 000 h., ch.-l. **San Salvador de Jujuy** (181 000 h.). Cultures irriguées. Fer, zinc, plomb, étain, pétrole. Sidérurgie. Vestiges incas.

**JULES**, nom de plusieurs papes. ~ **Jules II** (Giuliano **Della Rovere** ; *1443, Albissola, près de Savone - 1513, Rome*), pape de 1503 à 1513. Soucieux de renforcer la puissance de ses États, il s'attaqua à Venise avec l'appui de Louis XII, puis s'allia avec Venise contre ce dernier. Mécène, il fit travailler Raphaël et Michel-Ange. ~ **Jules III** (Giovan Maria **de' Ciocchi del Monte** ; *1487, Rome - 1555, id.*), pape de 1550 à 1555. Il suspendit le concile de Trente de crainte d'y voir consacrer une réduction de ses prérogatives.

Jules II *(détail), par Raphaël (1483-1520). Galerie des Offices, Florence.*

**JULES CÉSAR** ~ Voir **César**.

**JULES ROMAIN** (Giulio **Pippi**, dit Giulio Romano, en fr.) ~ *v. 1499, Rome - 1546, Mantoue.* Peintre et architecte italien. Disciple de Raphaël, auteur not. de la construction et de l'ornementation du palais du Te, à Mantoue (1524-1535), il fut l'un des plus importants représentants du maniérisme.

**JULIA** ou **IULIA (gens)** ~ Famille romaine qui prétendait descendre de Iule, fils d'Énée. Elle compta Jules César parmi ses membres.

**JULIANA** (Louise Emma Marie Wilhelmine) ~ *1909, La Haye.* Reine des Pays-Bas (1948-1980). Elle a abdiqué en faveur de sa fille Beatrix.

**JULIE**, en lat. ***Julia***, nom de plusieurs princesses romaines. ~ **Julie** (*v. 76 - v. 54 av. J.-C.*), fille de César et épouse de Pompée. ~ **Julie** (*39 av. J.-C., Ottaviano - 14 apr. J.-C., Reggio de Calabre*), fille d'Auguste, épouse de son cousin Marcellus (23), d'Agrippa (21) puis de Tibère (11), elle fut exilée (2 av. J.-C.). ~ **Julie** (*65 - 90*), fille de Titus, fut divinisée après sa mort. ~ **Julie** (*v. 158, Émèse - 217, Antioche*), épouse de Septime Sévère, fut associée au pouvoir sous Caracalla. ~ **Julie** (*m. v. 226 à Émèse*), sœur de la préc. et grand-mère d'Élagabal et de Sévère Alexandre, domina les règnes de ces derniers. ~ **Julie** (*m. en 235 près de Mayence*), mère de Sévère Alexandre, fut régente de fait de l'empire jusqu'à son assassinat.

**JULIEN**, dit **l'Apostat**, en lat. ***Flavius Claudius Julianus*** ~ *331, Constantinople - 363, en Mésopotamie.* Empereur romain (361-363). Neveu de Constantin le Grand et successeur de Constance II (361), il tenta de rétablir la religion païenne.

**JULIÉNAS** ~ Village viticole du Beaujolais, au S.-O. de Mâcon (Rhône) ; 703 h. Vins rouges.

**JULIEN L'HOSPITALIER** (saint) ~ Personnage légendaire (XIIIe s.). N'ayant pu échapper à la malédiction qui fit de lui l'assassin de ses parents, il expia son crime en devenant passeur au bord d'un fleuve. Son histoire, contée dans la *Légende dorée*, inspira un conte à G. Flaubert.

**Julio-Claudiens** (les) ~ *27 av. J.-C. - 68 apr. J.-C.* Famille des premiers empereurs romains (Auguste, Tibère, Caligula, Claude, Néron) née de l'alliance de la gens Julia et de la gens Claudia.

**JUMIÈGES** ~ Localité de Seine-Maritime, près de Rouen ; 1 641 h. Abbaye (654), église romane.

**JUMNA** (la) ~ Voir **Yamuna**.

**JUNEAU** ~ Cap. de l'Alaska (États-Unis), dans le S.-E. de l'État (côte à fjords) ; 27 000 h. Pêche.

**JUNG** (Carl Gustav) ~ *1875, Kesswil, Turgovie - 1961, Küsnacht, près de Zurich.* Psychiatre et psychanalyste suisse. Disciple dissident de S. Freud, fondateur de la psychologie analytique, ou « psychologie des profondeurs », il promut les concepts d'inconscient collectif et d'archétype (*les Types psychologiques*, 1920 ; *Psychologie et Religion*, 1939 ; *Psychologie et Alchimie*, 1944).

**JÜNGER** (Ernst) ~ *1895, Heidelberg.* Écrivain allemand. Devant la guerre, qu'il a voulu sublimer (*Orages d'acier*, 1920), devant la technique, qui écrase l'homme (*le Travailleur*, 1932), contre la barbarie nazie (*Sur les falaises de marbre*, 1939), il a affirmé comme seul recours l'irréductibilité de l'être.

**JUNGFRAU** (la), en fr. « jeune fille » ~ Sommet de l'Oberland bernois (massif de l'Aar), en Suisse, au-dessus d'Interlaken (4 166 m). Chemin de fer le plus haut d'Europe, qui conduit au plateau du **Jungfraujoch**, station à 3 457 m d'altitude. Laboratoires de recherche scientifique.

**JUNKERS** (Hugo) ~ *1859, Rheydt - 1935, Gauting.* Ingénieur allemand. Il conçut le premier avion entièrement métallique (1915) et réalisa de nombreux appareils militaires, dont le Stuka.

**JUNON** ~ Divinité romaine de la Féminité, femme de Jupiter. Elle était assimilée à l'Héra des Grecs.

**JUNOT** (Andoche), duc **d'Abrantès** ~ *1771, Bussy-le-Grand - 1813, Montbard.* Général français. Il fit la campagne d'Égypte, fut envoyé au Portugal, où il capitula devant les Britanniques (1808).

**JUNTE** ~ Voir **Giunta**.

**JUPITER** ~ Dieu romain de la Foudre et de l'Orage. Considéré dans la Rome antique comme le roi des dieux, il était l'incarnation de la souveraineté. Un culte lui était rendu sur le Capitole. On l'a assimilé au Zeus des Grecs.

**JUPITER** ~ La plus grosse planète du système solaire, située entre les astéroïdes et Saturne. Son diamètre équatorial est égal à 142 796 km, sa masse à 317,9 fois celle de la Terre, son volume à 1 316 fois celui de la Terre, sa masse volumique à 1,33 g/cm$^3$, sa révolution sidérale à 11,86 ans. Composée princ. d'hydrogène et d'hélium, ayant à sa surface une immense tache rouge due à un tourbillon atmosphérique, elle a plusieurs anneaux et 16 satellites (dont Io, Europe, Ganymède et Callisto, les plus gros, découverts par Galilée en 1610).

**JUPPÉ** (Alain) ~ *1945, Mont-de-Marsan.* Homme politique français. Ministre du Budget (1986-1988) puis des Affaires étrangères (1993-1995), il cumule depuis 1995 les fonctions de Premier ministre, de maire de Bordeaux et de président du R. P. R.

**JURA** (le) ~ Arc montagneux des confins de la France et de la Suisse, entre le Rhône au S.-O. et le Rhin au N.-E., qui culmine en France au crêt de la Neige (1 718 m). Les formations sédimentaires qui constituent l'ensemble, butant contre des blocs hercyniens au N. (Vosges) et à l'O. (Massif central), ont été plissées lors de la surrection alpine. La zone plissée correspond à une alternance de vals et de monts qu'évident des combes axiales dominées par des crêts calcaires et que des cluses coupent transversalement. La partie O. et centrale de l'ensemble est occupée par des plateaux tabulaires qu'entaillent les reculées du rebord occidental. L'hydrographie (pertes, résurgences) est caractéristique des régions karstiques. Les principales rivières s'écoulent vers la Saône (Doubs) et le Rhône (Ain). Climat semi-continental, humide et froid l'hiver (record de France). Forêts (30 à 50 % de la superf.), herbages. Élev. bovin (fromage). Vignoble sur les coteaux occidentaux. L'actif artisanat traditionnel (bois, horlogerie, lunetterie, industrie lapidaire) est complété par l'électronique, les constructions mécaniques et les matières plastiques.

**JURA** (le) ~ Dép. de la Région Franche-Comté, limitrophe de la Suisse au S.-E., occupé en majeure partie par la « montagne jurassienne » : falaise de Revermont (vignoble), plateaux (de Moirans, de Champagnole, de Nozeroy) entaillés par la vallée de l'Ain, monts du Jura au S.-E. (parc régional du haut Jura) ; 5 053 km$^2$, 248 759 h. Le N.-O. du département correspond à une partie de la plaine de la Saône, drainée par le Doubs et la Loue. Céréales, vigne (vins d'Arbois, des côtes du Jura), élevage laitier (gruyère de Comté), exploitation du bois. Industr. tradit. à Morez, Saint-Claude, Moirans-en-Montagne. Sports d'hiver (Les Rousses). Les principaux carrefours commerciaux sont Lons-le-Saunier (préfect.) et Dole.

**JURA (canton du)** ~ Canton du N.-O. de la Suisse ; 836 km$^2$, 65 000 h., ch.-l. Delémont (12 000 h.). Issu en 1979 d'une partition du canton de Berne, il est de langue française et à majorité catholique. Fromage. Industrie horlogère.

**JURA (île de)** ~ Île de l'O. de l'Écosse (Inner Hebrides), au S. du Glen More, réputée pour son whisky ; 378 km$^2$, env. 250 h.

**JURANÇON** ~ V. du Béarn (Pyr.-Atl.), sur le gave de Pau (r. g.) ; 7 538 h. Vins blancs, fromageries.

**JURIEN DE LA GRAVIÈRE** (Jean Edmond) ~ *1812, Brest - 1892, Paris.* Amiral français. Chef de l'expédition française au Mexique (1861-1862), puis aide de camp de Napoléon III (1864), il devint directeur des Cartes et Plans de la marine (1871). Acad.

**JURIN** (James) ~ *1684, Londres - 1750, id.* Médecin et physicien britannique. On lui doit la loi de l'ascension des liquides dans les tubes capillaires en fonction de leur rayon.

**JURJURA** (le) ~ Voir **Djurdjura**.

**JUSSIEU**, famille de botanistes français. ~ **Antoine** DE (*1686, Lyon - 1758, Paris*) est l'auteur du *Traité des vertus des plantes*. Son frère ~ **Bernard** DE (*1699, Lyon - 1777, Paris*) créa un jardin botanique à Versailles. ~ **Joseph** DE (*1704, Lyon - 1779, Paris*), frère des préc., introduisit en France l'héliotrope et des fleurs ornementales. ~ **Antoine Laurent** DE (*1748, Lyon - 1836, Paris*), neveu des préc., fut directeur du Muséum et promoteur de la classification « naturelle » des plantes. ~ **Adrien** DE (*1797, Paris - 1853, id.*), fils du préc., est l'auteur des *Embryons monocotylédonés*.

**JUSTE**, famille de sculpteurs français d'orig. italienne, issue du sculpteur florentin Giusto **Betti**, dit **Juste de Tours**, père d' ~ **Antoine** (*1479, Corbignano - 1519, Tours*) et de ~ **Jean Ier** (*1485, San Martino a Mensola - 1549, Tours*), principaux auteurs du tombeau de Louis XII et d'Anne de Bretagne (basilique de Saint-Denis, 1531).

**JUSTINIEN Ier**, en lat. ***Flavius Petrus Sabbatius Justinianus*** ~ *v. 482, en Illyrie - 565, Constantinople.* Empereur romain d'Orient (527-565). Secondé par son épouse Théodora, il s'attacha à restaurer l'Empire byzantin en reprenant l'Afrique du Nord aux Vandales, l'Italie, où il établit un exarchat à Ravenne, aux Ostrogoths, puis en chassant les Wisigoths d'une partie de l'Espagne. En Orient, il dut négocier la paix avec les Perses (562). Son œuvre législative servit aussi à unifier l'empire : le Code justinien, le *Digeste* et les *Institutes* constituent le recueil de l'ensemble de la tradition du droit romain. Il fit de sa capitale un foyer artistique majeur (cathédrale Ste-Sophie).

**JUSTINIEN II RHINOTMÈTE** ~ *669 - 711, Sinope.* Empereur byzantin (685-695, puis 705-711). Il s'opposa aux débuts de l'expansion musulmane.

**Jutes** (les) ~ Peuple germanique originaire du Jylland, implanté en Angleterre (S.-E.) au Ve s.

**JUTLAND** (le) ~ Voir **Jylland**.

**JUVARA** ou **JUVARRA** (Filippo) ~ *1678, Messine, Sicile - 1736, Madrid.* Architecte italien. Attaché à la maison de Savoie, il édifia à Turin et dans le Piémont de somptueux palais dont le style baroque (basilique de Superga, près de Turin, 1717-1731) est tempéré par des tendances néoclassiques.

**JUVÉNAL**, en lat. ***Decimus Junius Juvenalis*** ~ *v. 60, Aquinum - v. 130.* Poète latin. Ses *Satires* dénoncent les mœurs dissolues de la Rome de Domitien.

**JUVÉNAL** ou **JOUVENEL DES URSINS**, famille d'origine champenoise. ~ **Jean Ier** (*1360, Troyes - 1431, Poitiers*), magistrat, prévôt des marchands en 1389, fit donner la régence du royaume à Isabeau de Bavière (1408). Son fils ~ **Jean II** (*1388, Paris - 1473, Reims*), magistrat, historien et prélat, fit réviser le procès de Jeanne d'Arc (1456). ~ **Guillaume** (*1401, Paris - 1472, id.*), frère du précédent, fut chancelier de Charles VII puis de Louis XI.

**JUVISY-SUR-ORGE** ~ V. du S. de l'agglom. parisienne (Essonne), près du confluent de l'Orge et de la Seine ; 11 816 h.

**JYLLAND** (le), en all. ***Jütland***, en fr. **Jutland** ~ Partie continentale du Danemark, péninsule sableuse baignée par la mer du Nord et la Baltique, prolongée au S. par le Schleswig-Holstein allemand (29 776 km$^2$, 2 410 000 h.). Élev. bovin, pêche. Les villes principales (Århus, Ålborg) sont des ports anciens toujours actifs. **HIST.** - Pendant la nuit du 31 mai au 1er juin 1916 se déroula la **bataille navale du Jutland**, opposant la flotte britannique à la flotte allemande. Malgré de plus lourdes pertes, les Britanniques restèrent maîtres de la mer du Nord.

**JYVÄSKYLÄ** ~ V. de Finlande, dans l'intérieur lacustre ; 72 000 h. Industries du bois, mécanique et textile. Université. Musée Alvar-Aalto.

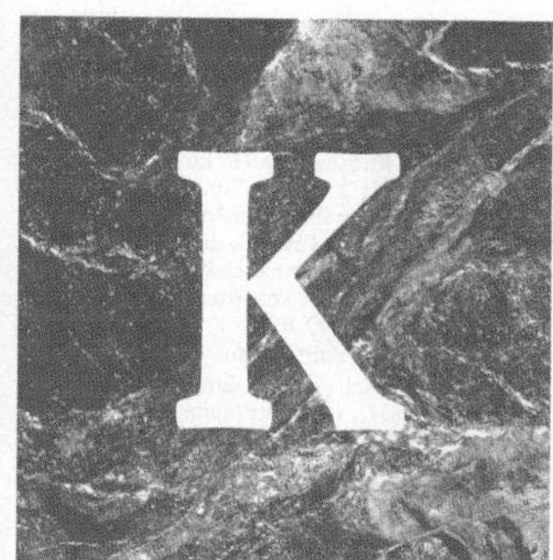

**K2** ou **DAPSANG** (le) ~ 2e sommet du monde (8 611 m), dans le Karakorum.
**Kaaba** ou **Ka'ba** (la) ~ Édifice cubique situé au centre de la Grande Mosquée de La Mecque. Dans son angle oriental est scellée la Pierre noire, vers laquelle les musulmans se tournent pour prier.
**KABARDINO-BALKARIE** (la) ~ République de la fédération de Russie, sur le versant N. du Caucase, au N. de l'Elbrouz ; 12 500 km², 786 000 h., dont Kabardes ou Tcherkesses orientaux et Balkars turcophones (58 %), Russes (32 %), cap. Naltchik.
**KABILA** (Laurent-Désiré) ~ 1932, Moba (Katanga). Partisan de Patrice Lumumba. En 1996, il est à la tête de l'Alliance des Forces Démocratiques pour la Libération du Congo, mouvement mené par des Tutsis. Il prend le pouvoir en mai 1997 et rebaptise le Zaïre république démocratique du Congo.
**KABIR** ~ *v. 1440, Bénarès - v. 1518, Gorakhpur, Uttar Pradesh.* Mystique indien. Dédaigneux du système des castes, il prôna l'union entre l'hindouisme et l'islam. Sa philosophie inspira le sikhisme.
**KABOUL** ~ Cap. de l'Afghanistan (depuis 1774), à 1 800 m d'alt., au S. de l'Hindou Kouch, près de la frontière pakistanaise ; 913 000 h. Bazar, artisanat (cuirs, tapis). Anc. cap. moghole (XVIe s.). Après le retrait soviétique de 1989, la ville est devenue le principal enjeu des combats qui opposent les factions afghanes (occupation par les *talibans*, islamistes intégristes, depuis sept. 1996).
**KABWE**, anc. **Broken Hill** ~ V. de Zambie, entre Lusaka et la Copper Belt ; 210 000 h. Mines (zinc, plomb, cobalt).
**Kabyles** (les) ~ Peuple d'orig. berbère habitant la Kabylie et revendiquant une autonomie culturelle.
**KABYLIE** (la) ~ Région montagneuse du N. de l'Algérie, divisée par la vallée de la Soummam en **Grande Kabylie**, ou Kabylie du Djurdjura, à l'O., et **Petite Kabylie**, ou Kabylie des Babors, moins élevée, à l'E. Son surpeuplement entraîne l'exode vers les villes proches et à l'étranger.
**KACHGAR** ou **KASHI** ~ V. et fertile oasis de l'O. de la Chine (Xinjiang), au pied des chaînes du Turkestan ; env. 170 000 h. Anc. centre caravanier.
**KACHIN** (le) ~ État montagneux du N. de la Birmanie ; 89 041 km², 904 000 h. (Kachins dans les montagnes, Chans dans les vallées), cap. Myitkyina (13 000 h.). Riz, canne à sucre, pavot.
**Kachins** (les) ~ Peuple du Yunnan, de la Birmanie et de l'Assam, de langue tibéto-birmane.
**KÁDÁR** (János) ~ *1912, Fiume, auj. Rijeka - 1989, Budapest.* Homme politique hongrois. Premier secrétaire du parti communiste, il devint chef du gouvernement après l'intervention soviétique de 1956 et le resta jusqu'en 1965. Il inspira, jusqu'à son départ de la direction du Parti, en 1988, une politique de réformes économiques.
**KADARÉ** (Ismaïl) ~ *1936, Gjirokastër.* Écrivain albanais. Romancier (*le Général de l'armée morte*, 1963) et nouvelliste, il s'est réfugié en France (1990) et y a publié ses souvenirs (*Printemps albanais : chronique, lettres, réflexions*, 1991).
**KADESH** ~ Voir **Qadesh**.
**KADHAFI** (Muammar al-) ~ *1942, Syrte.* Homme d'État libyen. Jeune officier, il renversa le roi Idris Ier (1969). Chef de l'État (bien qu'il ait abandonné ses titres officiels en 1979), il a multiplié les offres d'union avec l'Égypte, la Syrie et la Tunisie. Il se heurte à l'hostilité des États-Unis et à un embargo aérien et militaire de l'O. N. U.
**KADUNA** ~ V. du Nigeria, sur le plateau de Jos, centre administratif et industriel ; 310 000 h.
**KAESONG** ~ V. de Corée du Nord, frontalière de la Corée du Sud ; env. 350 000 h. Capitale de l'ancien royaume de Koryo (Xe-XIVe s.).
**KAFIRISTAN** ~ Voir **Nouristan**.
**KAFKA** (Franz) ~ *1883, Prague - 1924, Kierling, près de Vienne.* Écrivain tchèque d'expression allemande. Né de commerçants juifs germanisés, il étudia le droit avant de travailler dans une compagnie d'assurances. Au milieu de l'angoisse et de la culpabilité qui poursuivent l'écrivain dominent la figure écrasante de son père (*Lettre au père*, écrite en 1919) et une difficulté à vivre son art, dont témoignent *le Journal* (1910-1920) et les lettres à Felice Bauer et à Milena Tesenska-Pollak. Dans les nouvelles parues de son vivant émerge déjà une écriture sobre et minutieuse (*la Métamorphose*, 1912 ; *la Colonie pénitentiaire*, 1914 ; *le Terrier*, 1923). Son œuvre rencontra une gloire posthume (*l'Amérique*, 1912, publié en 1927 ; *le Procès*, 1914, publié en 1925 ; *le Château*, 1922, publié en 1927). Son réalisme fantastique et absurde illustre, avec un humour morbide, la condition de l'homme moderne, isolé, incompris, qui se débat dans les pièges d'un monde dépourvu de sens.

© M. Evans-Explorer

*Franz **Kafka**, à l'époque de la Métamorphose et de l'Amérique.*

**KAGEL** (Mauricio Raúl) ~ *1931, Buenos Aires.* Compositeur argentin. Le caractère expérimental (techniques aléatoires) et subversif de son œuvre est associé à la pratique du théâtre musical (*Finale*, 1980-1981).
**KAGERA** (la) ~ Riv. d'Afrique orientale, tributaire princ. du lac Victoria, considérée comme la branche mère du Nil ; env. 400 km.
**KAGOSHIMA** ~ Port du Japon, dans le S. de Kyûshû ; 532 000 h. Industries textile, métallurgique. Université.
**KAHN** (Louis Isadore) ~ *1901, Saaremaa - 1974, New York.* Architecte américain d'orig. estonienne. Son œuvre, d'inspiration médiévale ou romaine, privilégie les effets de masse.
**KAHRAMANMARAŞ**, anc. **Maraş** ~ V. de la Turquie, au pied de l'Anti-Taurus ; 237 000 h (agglom. 396 000 h.). Capitale de l'ancien royaume hittite de Gourgoum (soumis par l'Assyrie au VIIIe s. av. J.-C.), que les Romains baptisèrent Germanica Caesarea, arabe puis byzantine jusqu'en 1097, elle tomba face aux croisés. Arménienne de 1169 à 1293, elle fut disputée aux Mamelouks par l'Empire ottoman, qui l'intégra en 1515.
**KAIFENG** ou **K'AI-FONG** ~ V. de Chine, dans le N. du Henan, sur le Huang He ; 508 000 h. Monuments historiques (pagode de Fer, XIe s. ; pavillon des Dragons, reconstruit au XVIIe s.). À partir de 220, la ville fut capitale impériale sous les Cinq Dynasties et les Song du Nord.
**KAIROUAN**, en ar. ***al-Qayrawan*** ~ V. de Tunisie, à l'O. de Sousse, lieu saint de l'islam ; 72 000 h. Tapis. Tabac. Médina ceinte de remparts (XVIIIe s.). Mosquées de Sidi Uqba (VIIe-Xe s.), du Barbier (décor des XVIIe et XIXe s.), des Sabres (XIXe s.). **HIST.** - Fondée en 670, Kairouan devint la capitale de l'Ifriqiya au IXe s. et fut conquise par les Fatimides au Xe s. Désertée du XIVe au XVIe s., elle fut reconstruite aux XVIIe et XVIIIe s.
**KAISER** (Georg) ~ *1878, Magdebourg - 1945, Ascona, Suisse.* Dramaturge allemand. Son théâtre expressionniste et subversif débusque la bassesse et la trivialité (*les Bourgeois de Calais*, 1914).
**KAISER** (Henry John) ~ *1882, Sprout Brook, État de New York - 1967, Honolulu.* Industriel américain. Il appliqua pendant la Seconde Guerre mondiale d'efficaces méthodes de préfabrication à l'industrie navale (porte-avions) et automobile (Jeep).
**KAISERSLAUTERN** ~ V. d'Allemagne (Rhénanie-Palatinat), au N. de la Hardt ; 102 000 h. Université. Constr. mécaniques. L'ancien Lautern devint Kaiserslautern, ville impériale, en 1276.
**KAKIEMON** (**Sakaida** Kakiemon, dit) ~ *1596 - 1666.* Potier japonais. Ses fines pièces aux décors dorés influencèrent les porcelainiers d'Occident.
**KALAHARI (désert du)** ~ Région aride d'Afrique australe, cuvette occupant la majeure partie du Botswana, où vivent de rares Bochimans et Hottentots ; env. 450 000 km². Parc national.
**KALAMÁTA** ~ Port et station baln. de Grèce, dans le S. du Péloponnèse ; 42 000 h. Commerce (huile, figues, tabac). C'est l'ancienne Phères d'Homère. La ville prit son essor avec l'arrivée des croisés francs, en 1206 (château des Villehardouin).
**KALDOR** (Nicholas) ~ *1908, Budapest - 1986, Papworth Everard, Cambridgeshire.* Économiste britannique. Il donna une théorie de l'économie capitaliste fondée sur le lien entre croissance et redistribution des revenus (*Modèle pour la croissance économique*, 1957).
**KALGAN**, en chin. ***Zhangjiakou*** ~ V. de Chine, dans le N. du Hebei, carrefour comm. proche de Pékin, aux abords de la Grande Muraille ; env. 750 000 h. Anc. centre caravanier entre la Chine et la Russie par la Mongolie-Intérieure.
**KALGOORLIE** ~ V. d'Australie-Occidentale, dans une région désertique ; agglom. 26 000 h. (avec Boulder). Mines (or, nickel). Fonderies.
**KALI** ~ Déesse hindoue de la Mort. Elle est l'une des épouses de Shiva.
**KALIDASA** ~ *IVe - Ve s.* Poète et dramaturge indien de langue sanskrite. Son œuvre connut une grande vogue chez les romantiques d'Europe.
**KALIMANTAN** ~ Partie indonésienne de l'île de Bornéo, montagneuse dans l'intérieur, marécageuse sur les côtes O. et S. ; 539 460 km², 9 100 000 h., v. princ. Banjermassin, Pontianak, Samarinda. Exploit. du bois et des hydrocarbures.
**KALININE** (Mikhail Ivanovitch) ~ *1875, Verkhniaïa Troïtsa, près de Tver - 1946, Moscou.* Homme politique soviétique. Président du praesidium du Soviet suprême (1938-1946), il fut un exécutant fidèle de la politique de Staline.
**KALININE** ~ Voir **Tver**.
**KALININGRAD**, anc. **Königsberg** ~ Port russe de la Baltique, centre admin. de l'enclave du même nom (15 100 km², 913 000 h.), entre la Pologne et la Lituanie ; 411 000 h. Université (depuis 1544). Bases militaires, constr. navales. Pêche. Fondée par l'ordre Teutonique (1255), elle fut la capitale du nouveau duché de Prusse (1525). Les Soviétiques s'en emparèrent en avril 1945.
**KALISZ** ~ Ville de Pologne, à l'O. de Łódź ; 106 000 h. Industr. text. depuis le XVe s. La fondation de la ville remonte à l'Antiquité.
**KALMAR** ~ Port du S.-E. de la Suède, face à l'île d'Öland ; 57 000 h. Château des XIIe et XIIIe s., cathédrale du XVIIe s. L'**Union de Kalmar** y consacra le regroupement des royaumes de Norvège, de Suède et du Danemark sous l'autorité d'un seul souverain (1397-1523).

*Kairouan, vue intérieure de la mosquée.*

© M. Le Coz-Explorer

**KALMOUKIE** (la) ~ République de la fédération de Russie (1992), région de steppes bordée par la Volga et la Caspienne ; 76 100 km², 320 000 h., dont **Kalmouks**, peuple mongol et bouddhiste (45 %), Russes (32 %), cap. Elista (85 000 h.). Élev. ovin (laine), pêche, cult. céréalières. **HIST.** - Peuplée d'anciens nomades venus du S. de la Sibérie (vers 1630), la Kalmoukie forma en 1920 une région autonome puis, en 1935, une république de la Russie soviétique. Accusés de collaboration avec l'occupant allemand (août 1942), les Kalmouks furent déportés en Asie (déc. 1943). Ils furent réhabilités en 1957, et leur république fut restaurée.

**KAMA** (la) ~ Affl. de la Volga (r. g.), en Russie, né dans l'Oural, qui arrose le Tatarstan ; env. 2 000 km. Hydroélectricité.

**KAMA** ~ Dieu hindou de l'Amour. Il est l'époux de Rati, déesse de la Volupté.

**KAMAKURA** ~ Station baln. du Japon (Honshû) et centre religieux, au S. de Tôkyô ; 175 000 h. Temples. Grand bouddha de bronze (1252). Musée d'art. Capitale du Kantô féodal, résidence des shoguns du clan Minamoto (1192), Kamakura est la ville éponyme d'une période de l'histoire japonaise (1192-1333), marquée par le triomphe de l'esprit guerrier.

**Kama-sutra** ~ Texte sacré, ouvrage érotique et philosophique indien (IVᵉ-VIIᵉ s.).

**KAMENEV** (Lev Borissovitch **Rozenfeld**, dit) ~ *1883, Moscou - 1936, id.* Homme politique soviétique. Proche de Lénine dès 1902, il s'opposa à la préparation de l'insurrection d'octobre 1917. Membre du Politburo de 1919 à 1925, il forma la troïka avec Staline et Zinoviev, puis rejoignit Trotski dans l'opposition de gauche unifiée (1925-1927). Il fut condamné lors des procès de Moscou (1936) et exécuté. Il a été réhabilité en 1988.

**KAMERLINGH ONNES** (Heike) ~ *1853, Groningue - 1926, Leyde.* Physicien néerlandais. Il liquéfia l'hélium (1908), étudia l'opalescence critique (1908), les phénomènes physiques au voisinage du zéro absolu, l'effet de saturation paramagnétique (1914), et découvrit la supraconductivité (1911). Prix Nobel de phys. 1913.

**Kaminaljuyú** ~ Site archéologique maya du Guatemala, près de la capitale. Occupé dès 1500 av. J.-C., ce centre connut son apogée entre 300 av. J.-C. et 100 apr. J.-C. puis passa sous l'influence de Teotihuacán.

**KAMLOOPS** ~ V. du Canada, dans l'intérieur de la Colombie-Britannique, nœud de communications sur un affluent du Fraser ; 67 000 h.

**KAMPALA** ~ Cap. de l'Ouganda, port sur le lac Victoria ; 773 000 h. Université. Industries agro-alim., text., constr. mécaniques.

**KAMPUCHÉA** (le) ~ Voir **Cambodge**.

**KAMTCHATKA** (le) ~ Longue presqu'île montagneuse et volcanique (4 750 m au Klioutchevskaïa Sopka) de l'Extrême-Orient russe, située entre les mers d'Okhotsk et de Béring ; 472 300 km², v. princ. Petropavlovsk-Kamtchatski. Climat océanique froid. Exploit. du bois, pêche.

**Kanaks** (les) ~ Voir **Canaques**.

**KANANGA**, anc. **Luluabourg** ~ V. du Zaïre, ch.-l. de la prov. du Kasaï-Occidental, centre industriel (text., diamants, agroalim.) et commercial (café, coton, bétail) sur l'axe ferroviaire menant à Lubumbashi ; 372 000 h.

**KANÁRIS** ou **CANARIS** (Konstandínos) ~ *v. 1790, Psará - 1877, Athènes.* Amiral et homme d'État grec. Il s'illustra pendant la guerre de l'Indépendance (1822-1825), occupa les fonctions de Premier ministre (1848-1849, 1864-1865 et 1877) et fut régent du royaume (1862-1863).

**KANAZAWA** ~ Port du Japon (côte O. de Honshû) ; 443 000 h. Artisanat (laque, porcelaine, soie). Jardins japonais. Archit. militaire du XVIᵉ s. (remparts, château).

**KANCHIPURAM**, anc. **Conjeevaram** ~ V. de l'Inde (Tamil Nadu), au S.-O. de Madras ; 145 000 h. Lieu saint de l'hindouisme, elle abrite 126 temples (VIIᵉ-XVIᵉ s.). Ancienne capitale des Pallava et des Cola (VIIᵉ-XIIIᵉ s.), qui y bâtirent le Kailasanatha, dédié à Shiva, et le Yenkanatha, consacré à Vishnou (VIIIᵉ s.).

**KANDAHAR**, en persan *Qandahar* ~ 2ᵉ v. et anc. cap. de l'Afghanistan, proche du Pakistan ; 191 000 h. Oasis. Bazar. Alexandre le Grand en fit la capitale de l'Arachosie en 326 av. J.-C.

**KANDINSKY** (Wassily) ~ *1866, Moscou - 1944, Neuilly-sur-Seine.* Peintre d'origine russe naturalisé allemand, puis français. Principal animateur du Blaue Reiter de 1912 à 1913, enseignant au Bauhaus de 1922 à 1933, il fut un pionnier de l'art abstrait. Cherchant à exprimer la spiritualité au moyen des lignes, des formes et des couleurs, il jeta, dans *Du spirituel dans l'art* (1911), les bases d'une métaphysique des formes qui bouleversa l'art du XXᵉ s. [☞ **abstrait**.]

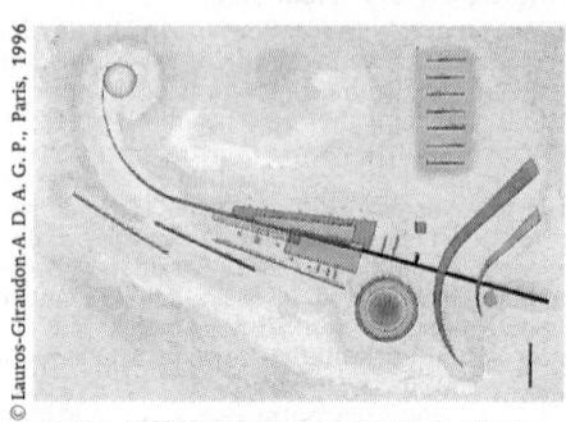



Léger *(1930), peinture sur carton de Wassily* ***Kandinsky****. Musée national d'Art moderne, Paris.*

**KANDY** ~ V. du centre du Sri Lanka, sur le versant O. du massif montagneux central, carrefour comm. (thé, caoutchouc, riz) ; 98 000 h. Lieu de pèlerinage bouddhiste (temple du Dalada Maligawa, XVIᵉ-XIXᵉ s.). Jardin botanique de Peradeniya. Cap. de l'ancien royaume cinghalais de Kandy (XIXᵉ s.).

**KANE** (Cheikh Hamidou) ~ *1928, Matam.* Écrivain sénégalais d'expression française. Il exprime le conflit entre le mode de vie africain et les valeurs occidentales (*l'Aventure ambiguë*, 1961).

**KANEM** (le) ~ Anc. royaume africain, à l'E. du lac Tchad. Créé au IXᵉ s., islamisé au XIᵉ s., il atteignit son apogée au XIIIᵉ s. Puis, sans cesse attaqué et déchiré par les guerres civiles, il s'unit au royaume du Bornou au XVIᵉ s.

**KANGCHENJUNGA** (le) ~ 3ᵉ sommet du monde (8 598 m), dans l'Himalaya (Sikkim).

**KANGXI** ou **K'ANG-HI** ~ *1654, Pékin - 1722, id.* Empereur de Chine (1662-1722) de la dynastie Qing. Il stoppa l'infiltration russe (traité de Nertchinsk, 1689) et renforça l'empire. D'une grande tolérance, il accueillit des jésuites à sa cour.

**KANKAN** ~ V. de Guinée, dans l'E. du pays, sur le Milo (affl. du Niger) ; 72 000 h. Terminus de la voie ferrée de Conakry. Caravansérail des commerçants soninkés au XVIIIᵉ s.

**KANO** ~ V. du Nigeria septentrional (la 3ᵉ du pays), près de la frontière du Niger ; 700 000 h. Mur d'enceinte du XVᵉ s. Mosquées. Capitale du premier des sept royaumes haoussas (vers le Xᵉ s.) et terme des échanges caravaniers transsahariens.

**Kanô**, école japonaise de peinture (XVᵉ-XIXᵉ s.) vouée au Shogun, fondée par ~ **Kanô Masanobu** (*1434 - 1530*), et dont les principaux représentants furent son fils ~ **Kanô Motonobu** (*1476, Kyôto - 1559, id.*) et son arrière-petit-fils ~ **Kanô Eitoku** (*1543, Yamashiro - 1590, Kyôto*).

**KANÔ SANRAKU** ~ Voir **Sanraku**.

**KANPUR**, anc. **Cawnpore** ~ V. du N. de l'Inde (Uttar Pradesh), sur le Gange et sur l'axe Delhi-Calcutta, grand centre textile (laine, coton, jute) et du cuir ; agglom. 2 030 000 h. Les cipayes révoltés y massacrèrent les Britanniques en 1857.

**KANSAI** ou **KINKI** (le) ~ Région du Japon, dans le S.-E. de l'île de Honshû, englobant la conurbation du Keihanshin (Kyôto, Ôsaka et Kôbe) ; 33 092 km², 22 343 000 h. Cœur historique du pays, le Kansai a bénéficié de sa double ouverture sur la mer Intérieure et sur l'océan Pacifique pour asseoir sa prospérité économique.

**KANSAS** (le) ~ État du centre des États-Unis, région de plaines drainée par le Kansas et l'Arkansas ; 211 922 km², 2 478 000 h., v. princ. Wichita, Kansas City, Topeka (cap.). Écon. fondée sur l'agric. (blé, maïs), l'élev. bovin, l'exploit. du pétrole et l'industrie agroalimentaire. **HIST.** - Vendu par la France en 1803 comme partie de la Louisiane, le Kansas devint le 34ᵉ État de l'Union en 1861.

**KANSAS CITY** ~ Ensemble de deux v. homonymes (agglom. 1 560 000 h.) situé à la confluence du **Kansas** (270 km) et du Missouri. Université. Archevêché. ~ **Kansas City** (E. du Kansas) est un centre d'industrie lourde (chimie, pétrole, automobile) et de conditionnement de la viande ; 150 000 h. ~ **Kansas City** (O. du Missouri) est un important carrefour commercial (céréales, bétail), un centre industriel de constructions mécaniques et de chimie ; 435 000 h.

**KAN-SOU** (le) ~ Voir **Gansu**.

**KANT** (Immanuel, en fr. Emmanuel) ~ *1724, Königsberg - 1804, id.* Philosophe allemand. Né dans une famille de modestes artisans, il poursuivit ses études à Königsberg, devint précepteur (1746-1774), puis enseigna à l'université de la ville. Sa vie entièrement vouée à la philosophie fut légendaire pour son caractère répétitif et imperturbable. Il inaugura le criticisme en publiant *Critique de la raison pure* (1781), *Critique de la raison pratique* (1788), *Critique de la faculté de juger* (1790) et, parmi de nombreux textes, les *Prolégomènes à toute métaphysique future qui pourra se présenter comme science* (1783) et le *Fondement de la métaphysique des mœurs* (1785). [☞ **kantisme**.]

**KANTARA** ~ Voir **Qantara (El-)**.

**KANTÔ** (le) ~ Région du Japon, au centre de Honshû, plaine cernée de massifs et de volcans (Fuji Yama), bordée par l'océan Pacifique ; 32 414 km², 39 047 000 h. Elle inclut la conurbation du Keihin (Tôkyô, Kawasaki et Yokohama), 1ᵉʳ foyer de peuplement et centre économique du pays.

**KANTOR** (Tadeusz) ~ *1915, Cracovie - 1990, id.* Metteur en scène et écrivain polonais. Le thème de la mort hante ses mises en scène (*la Classe morte*, 1975) et ses créations (*Wielopole, Wielopole*, 1980), conçues comme des farces tragiques.

**KANTOROVITCH** (Leonid Vitalievitch) ~ *1912, Saint-Pétersbourg - 1986, Moscou.* Mathématicien et économiste soviétique. Il introduisit la programmation linéaire en économie et réhabilita la notion de profit. Prix Nobel de sc. écon. 1975.

**KAOHSIUNG** ou **GAOXIONG** ~ Grand port industr. (zone franche) et 2ᵉ ville de Taiwan, au S.-O. de l'île ; 1 396 000 h.

**KAOLACK** ~ V. de l'O. du Sénégal, sur le Saloum, relié à la voie ferrée Dakar-Bamako (Mali) ; 180 000 h. Export. d'arachides et de sel. Centre de la confrérie musulmane de la Tijaniyah.

**KAPILAVASTU**, auj. **Lumbini** ~ Lieu de naissance de Bouddha (Siddharta Gautama), au pays des Shakyas (aux confins de l'Inde et du Népal).

**KAPITSA** (Piotr Leonidovitch) ~ *1894, Kronstadt - 1984, Moscou.* Physicien soviétique. Pionnier de la fusion thermonucléaire contrôlée, inventeur d'un appareil permettant de liquéfier l'hydrogène et l'hélium (1924), il étudia les basses températures et découvrit la superfluidité de l'hélium liquide. Prix Nobel de phys. 1978.

**KAPLAN** (Viktor) ~ *1876, Mürzzuschlag, Styrie - 1934, Unterach.* Ingénieur autrichien. Il inventa les turbines-hélices hydrauliques à pas variable qui portent son nom.

**KARA (mer de)** ~ Partie de l'océan Arctique, à l'E. de la Novaïa Zemlia (N. de la Sibérie) qui reçoit l'Ob et l'Ienisseï.

**KARABAKH (Haut-)** ou **NAGORNY-KARABAKH** (le) ~ Région autonome enclavée de l'Azerbaïdjan, dans les montagnes du Petit Caucase ; 4 400 km², 192 000 h. (maj. Arméniens), cap. Stepanakert (33 000 h.). Elle est à l'origine (1988), d'un conflit entre l'Arménie et l'Azerbaïdjan.

**KARA-BOGAZ (golfe de)** ~ Golfe de la mer Caspienne, sur la côte turkmène, en voie d'assèchement. Salines.

**KARACHI** ~ Port du Pakistan, à l'O. du delta de l'Indus, dans le Sind, métropole économique et financière, carrefour entre Moyen-Orient et Asie du Sud-Est ; 5 103 000 h. Université. Industries métallurgique, textile, chimique, mécanique, raffinerie de pétrole, constr. navales, centrale nucléaire. Ancienne capitale, Karachi fut le siège de la conférence du Sud-Est asiatique en 1956.

**ARADJORDJEVIĆ**, dynastie serbe fondée par ~ **Djordje Petrović**, dit **Karadjordje**, en fr. **Karageorges** (*v. 1768, Viševac - 1817, Radovanje*). D'origine paysanne, il mena le soulèvement contre les Ottomans (1804-1813) et se proclama prince héréditaire des Serbes (1808). Il fut assassiné en exil sur l'ordre de son rival Miloš Obrenović. · **Alexandre Ier Karadjordjević** (*1888, Cetinje - 1934, Marseille*), roi des Serbes, Croates et Slovènes (1921-1929), roi de Yougoslavie (1929-1934). Sa politique proserbe lui valut l'hostilité des autres nationalités de son royaume. Il fut assassiné à Marseille avec L. Barthou par des terroristes croates. Voir aussi ~ **Pierre Ier**, roi de Serbie puis de Yougoslavie, et ~ **Pierre II**, roi de Yougoslavie.

**KARADŽIĆ** (Vuk) ~ *1787, Tršić - 1864, Vienne.* Écrivain serbe. Il codifia la littérature serbe moderne (*Dictionnaire serbe*, 1818).

**KARAGANDA** ~ Voir **Qaraghandy**.

**KARAGEORGES** ~ Voir **Karadjordjević**.

**KARAJAN** (Herbert VON) ~ *1908, Salzbourg - 1989, id.* Chef d'orchestre autrichien. Successeur de W. Furtwängler à l'Orchestre philharmonique de Berlin (1954-1989), il dirigea également le festival de Salzbourg et l'Opéra de Vienne.

**KARAKALPAKIE** (la) ~ République autonome d'Ouzbékistan, centrée sur le bas Amou-Daria, baignée par la mer d'Aral ; 164 900 km², 1 245 000 h., dont **Karakalpaks** (33 %), apparentés aux Kazakhs, Ouzbeks (32 %), cap. Noukous. Élevage ovin, coton, soie.

**KARAKLIS** ~ Voir **Vanadzor**.

**KARAKORUM** ou **KARAKORAM** (le) ~ Chaîne de montagnes très élevées (8 611 m au K2) du Cachemire, aux confins du Pakistan, de l'Inde et de la Chine, séparée de l'Himalaya par la vallée de l'Indus. Vastes glaciers.

**KARAKOUM** (le) ~ Vaste région désertique sableuse de l'O. du Turkménistan, entre la mer Caspienne et l'Amou-Daria ; env. 350 000 km². Agric. irriguée, grâce au **canal du Karakoum**, qui relie l'Amou-Daria à la région d'Achkhabad.

**KARAMANLÍS** (Konstandínos) ou **CARAMANLIS** (Constantin) ~ *1907, Proti, Macédoine.* Homme d'État grec. Trois fois président du Conseil de 1955 à 1963, Premier ministre de 1974 à 1980, il a été président de la République (1980-1985 et 1990-1995).

**KARAMZINE** (Nikolaï Mikhaïlovitch, en fr. Nicolas) ~ *1766, Mikhaïlovka - 1826, Saint-Pétersbourg.* Écrivain et historien russe. Inaugurant le russe moderne, il débarrassa sa langue des tournures du slavon (*Histoire de l'État russe*, 1816-1829).

**KARATCHAÏEVO-TCHERKESSIE** (la) ~ République de la fédération de Russie (depuis 1990), sur le versant N. du Caucase ; 14 100 km², 434 000 h., dont **Karatchaïs**, d'orig. turque (apports linguistiques ossètes) et **Tcherkesses** (40 %), Russes (40 %), cap. **Tcherkessk** (113 000 h.).

**KARAVELOV** (Ljuben) ~ *1834, Koprivštica, près de Plovdiv - 1879, Ruse.* Écrivain bulgare. Revendiquant l'identité européenne pour la Bulgarie alors asservie par les Turcs, il milita pour une fédération des peuples balkaniques.

**KARBALA** ou **KERBELA** ~ V. sainte chiite d'Iraq, au S.-O. de Bagdad ; 185 000 h. (1985).

**KARDEC** (Denisard Léon Hippolyte **Rivail**, dit Allan) ~ *1804, Lyon - 1869, Paris.* Occultiste français. Il fut directeur de la *Revue spirite.*

**KARDINER** (Abram) ~ *1891, New York - 1981, Easton, Connecticut.* Psychanalyste et ethnologue américain. Il promut la notion de « personnalité de base » de l'être humain, conditionnée par son appartenance à une société donnée (*Introduction à l'ethnologie*, 1961).

**KAREN** (le) ~ État montagneux et isolé du S.-E. de la Birmanie, traversé par l'axe du Salouen ; 30 383 km², 1 057 000 h., cap. Pa-an. Exploit. du bois, riziculture. Des séparatistes **karens** sont en lutte permanente contre l'État birman.

**KARGAMISH** ou **KARKEMISH** ~ Ancienne cité de Syrie, sur l'Euphrate. Siège d'un royaume néohittite (Xe-VIIIe s. av. J.-C.).

**Kariba** (le) ~ Voir **Zambèze**.

**KARLFELDT** (Erik Axel) ~ *1864, Folkärna - 1931, Stockholm.* Poète suédois. Il puisa son inspiration dans les traditions populaires (*Chansons de Fridolin*, 1898). Prix Nobel de litt. (posthume) 1931.

**KARL-MARX-STADT** ~ Voir **Chemnitz**.

**KARLOFF** (Charles Edward **Pratt**, dit Boris) ~ *1887, Dulwich, près de Londres - 1969, Midhurst, Sussex.* Acteur américain d'orig. britannique. Il joua dans de nombreux films fantastiques (*Frankenstein*, 1931 ; *Bedlam*, 1946).

**KARLOVY VARY**, en all. *Karlsbad* ~ Station thermale du N.-O. de la République tchèque (Bohême) ; 57 000 h. Cristalleries. Cathédrale (XVIIIe s.). **HIST.** - Les souverains allemands s'y réunirent en 1819 pour endiguer les progrès du libéralisme (**congrès de Karlsbad**). Les Allemands des Sudètes y réclamèrent leur rattachement au Reich (1938).

**KARLOWITZ** ~ Localité de Serbie (Vojvodine). Le 26 janvier 1699, la Turquie y signa un traité par lequel elle abandonnait la Transylvanie et la Hongrie (sauf le banat de Temesvár) à l'Autriche, la Podolie et l'Ukraine occidentale à la Pologne, Azov à la Russie, et la Morée et la Dalmatie à Venise.

**KARLSBAD** ~ Voir **Karlovy Vary**.

**KARLSRUHE** ~ V. d'Allemagne (Bade-Wurtemberg) ; 280 000 h. Extension portuaire sur le Rhin. Industries chimique, métallurgique, textile, raffinerie de pétrole, cosmétiques. Terme de l'oléoduc Marseille-Lavéra. Univ. technique (fondée en 1825), centre de recherche nucléaire. Siège du Tribunal constitutionnel fédéral. Musées (peinture européenne). Anc. capitale du grand-duché de Bade.

**KÁRMÁN** (Theodor VON) ~ *1881, Budapest - 1963, Aix-la-Chapelle.* Ingénieur américain d'orig. hongroise. Il étudia l'aérodynamique, la thermodynamique et l'hydrodynamique. Il créa la première soufflerie supersonique des États-Unis (1938).

**Karnak** ou **Carnac** ~ Site archéologique de Haute-Égypte, sur la rive droite du Nil, un des plus importants du monde. Il correspond à la partie N. de l'ancienne Thèbes, autour du temple d'Amon (XVe s. av. J.-C.).

© Harding-Explorer

*Karnak.*

**KARNATAKA** (le), anc. **Mysore** ~ État du S.-O. de l'Inde bordé par l'océan Indien ; 191 791 km², 44 977 000 h. (maj. dravidiens), cap. Bangalore. Agric. dominante (riz, canne à sucre, coton, café). Industries text. et métall. dans la capitale.

**KÁROLYI** (comte Mihály) ~ *1875, Budapest - 1955, Vence, Alpes-Maritimes.* Homme d'État hongrois. Député libéral à partir de 1910, il prit position en oct. 1918 pour l'indépendance de la Hongrie. Président de la République en janv. 1919, il dut céder le pouvoir en mars à Béla Kun.

**KARR** (Alphonse) ~ *1808, Paris - 1890, Saint-Raphaël.* Journaliste et écrivain français. Il anima la revue satirique *les Guêpes.*

**KARRER** (Paul) ~ *1889, Moscou - 1971, Zurich.* Chimiste suisse. Il étudia les sucres et les polysaccharides et détermina notamment la structure des vitamines A, B2 (dont il réalisa la synthèse en 1938), C et E. Prix Nobel de chim. 1937.

**KARROO** ou **KAROO** (le) ~ Ensemble de plateaux (schistes, grès) steppiques de la partie méridionale de l'Afrique du Sud.

**KARS** ~ V. du N.-E. de la Turquie, à 1 750 m d'alt. ; 78 000 h. Citadelle du XVIe s. Église arménienne (XIe s.), devenue musée. Capitale arménienne d'un royaume bagratide (Xe-XIe s.).

**KARST** (le), en slovène *Kras* ~ Région naturelle du S.-O. de la Slovénie, plateau calcaire caractérisé par des formes spécifiques d'érosion (dolines, poljés, grottes, rivières souterraines), qui a donné son nom à une formation géologique (karstique).

**KASAÏ** ou **KASSAÏ** (le) ~ Riv. d'Afrique née en Angola, affl. du Zaïre (r. g.) ; env. 2 200 km. C'est un débouché pour les diamants du **Kasaï** (région formée de 2 prov. ; 325 000 km², 6 320 000 h., v. princ. Kananga), l'une des 1res richesses du pays.

**KASHI** ~ Voir **Kachgar**.

**KASSEL**, en fr. **Cassel** ~ V. d'Allemagne (Hesse) ; 198 000 h. Industrie text., constr. autom., chimie. Université. Musées, théâtre, académie d'art. Exposition d'art contemporain quadriennale Documenta. Ancienne résidence des landgraves de Hesse, puis capitale du royaume de Westphalie, elle revint à la Prusse en 1866.

**KASSEM** (Abd al-Karim) ~ *1914, Bagdad - 1963, id.* Général et homme politique irakien. Organisateur du putsch contre le roi Faysal II (juill. 1958) puis Premier ministre, il fut assassiné lors du coup d'État de février 1963.

**Kassites** (les) ~ Peuple de Mésopotamie, qui régna sur Babylone du XVIe au XIIe s. av. J.-C.

**KASTLER** (Alfred) ~ *1902, Guebwiller - 1984, Bandol.* Physicien français. Il étudia l'optique physique et l'électronique quantique. Avec Jean Brossel, il élabora le procédé de pompage optique appliqué dans les lasers et les masers (1950). Prix Nobel de phys. 1966.

**KÄSTNER** (Erich) ~ *1899, Dresde - 1974, Munich.* Journaliste et écrivain allemand. Il critiqua férocement la société allemande qui adhéra au nazisme, et fut également auteur de livres pour enfants (*Émile et les détectives*, 1929).

**KATAÏEV** (Valentine Petrovitch) ~ *1897, Odessa - 1986, Moscou.* Écrivain soviétique, auteur de romans militants (*la Voile solitaire*, 1936).

**KATANGA** (le) ~ Voir **Shaba**.

**KATAR (État du)** ~ Voir **Qatar**.

**KATEB** (Yacine) ~ *1929, Constantine - 1989, La Tronche, Isère.* Écrivain algérien d'expression française et arabe. Il laissa une œuvre romanesque (*Nedjma*, 1956) et théâtrale (*le Cercle des représailles*, 1959) où, bousculant les structures narratives traditionnelles, il s'éleva contre le colonialisme.

**KATHIAWAR** (le) ~ Péninsule de l'O. de l'Inde (Gujerat). De grands sanctuaires (XIIe-XIIIe s.) contenant les inscriptions du roi Ashoka y témoignent de l'expansion bouddhiste vers le N.-O. de l'Inde.

**KATMANDOU** ou **KATMANDU** ~ Cap. du Népal (depuis 1769), dans une haute plaine fertile, à 1 300 m. d'altitude ; 419 000 h. Université (depuis 1959). Artisanat (tapis, bois, ivoire). Architecture bouddhique et hindouiste (temples, stupas, palais royal). Pèlerinage, tourisme.

© Giraudou-Explorer

*Katmandou.*

**KATONA** (József) ~ *1791, Kecskemét - 1830, id.* Dramaturge hongrois. Sa tragédie *Bánk Bán* (1820) inaugure le théâtre national magyar.

**KATOWICE** ~ V. du S. de la Pologne, centre admin. et écon. de la haute Silésie, noyau d'une conurbation industrielle (env. 4 000 000 d'h.) ; 367 000 h. Sidérurgie, métallurgie. Université (1968).

**KATTEGAT** ou **CATTÉGAT** (le) ~ Détroit qui sépare la Suède du Danemark (Jylland, Sjaelland) et donne accès, au N., à la mer du Nord par le Skagerrak et, au S., à la mer Baltique.

**KATYN** ~ Village russe proche de Smolensk où 4 500 officiers polonais furent exécutés par les Soviétiques en 1940-1941. La responsabilité de ce massacre, attribué par Staline aux Allemands, fut reconnue par les Soviétiques en 1990.

**KATZ** (Elihu) ~ *1926, Brooklyn.* Psychosociologue américain. Il a étudié l'influence des médias sur le public par le relais des leaders d'opinion.

**KAUNAS**, en russe *Kovno* ~ 2e v. de Lituanie, sur le Niémen ; 430 000 h. Métall., radios, text., agroalimentaire. Monuments médiévaux et du XVIIe s. Capitale du pays de 1920 à 1940.

**KAUNDA** (Kenneth David) ~ *1924, Lubwa.* Homme d'État zambien. Dirigeant indépendantiste, il fut le 1er président de la Zambie (1964-1991).

**KAUTSKY** (Karl) ~ *1854, Prague - 1938, Amsterdam.* Théoricien et homme politique allemand. Marxiste doctrinaire, il fut secrétaire d'Engels (1881). Il poursuivit la publication du *Capital* (tome III, 1905-1910) tout en combattant le réformisme d'E. Bernstein au sein de la IIe Internationale. En 1917, il s'opposa à Lénine et condamna la révolution d'Octobre (*Terrorisme et Communisme*, 1919).

**KAVÁLA** ~ Port et station baln. du N.-E. de la Grèce (Macédoine) ; 57 000 h. Quartier turc ceint de remparts byzantins.

**KAWABATA Yasunari** ~ *1899, Ôsaka - 1972, Zushi.* Écrivain japonais. Dans un style qui évoque par sa finesse et sa sensibilité la manière des peintres de l'Extrême-Orient, son œuvre (*Pays de neige*, 1935-1948 ; *le Grondement de la montagne*, 1949-1954) est une méditation sur la condition humaine. Prix Nobel de litt. 1968.

**KAWASAKI** ~ Port du Japon (Honshû), v. la plus industr. de la conurbation de Tôkyô ; 1 168 000 h. Chantiers navals, métall., pétrochim., textile.

**KAYES** ~ V. de l'O. du Mali, terme de la navigation sur le Sénégal (r. g.) ; 67 000 h.

**KAYSERI**, anc. **Césarée** ~ V. de Turquie, au N. du Taurus (Cappadoce) ; 461 000 h. Industr. text., alim., constr. aéronautiques. Mosquées, madrasas et mausolées (XIIIe s.). Capitale de la Cappadoce romaine, la Césarée antique fut l'un des premiers foyers chrétiens d'Asie (IVe s.).

**KAZAKHSTAN (république du)** ~ Pays d'Asie centrale, bordé à l'O. par la mer Caspienne. ***Cap.*** Almaty. ***Superf.*** 2 717 300 km². ***Popul.*** 16 900 000 h., dont Kazakhs (40 %), peuple turcophone, Russes (35 %). ***Langues princ.*** Kazakh, russe. ***Monn.*** Tengue. ***Relief.*** Plaines et plateaux (steppes du Kazakhstan), céréaliers au N., aux confins S. de la Sibérie et de l'Oural (terres noires), semi-arides (élev. extensif) autour du lac Balkhach et de la mer d'Aral. Cult. irriguées dans la vallée du Syr-Daria et au S. (piémont peuplé des montagnes du Kirghizistan). ***Climat.*** Continental. ***Écon.*** Fort potentiel agricole (blé, élevage ovin et bovin), minier (fer, cuivre, plomb, manganèse) et énergétique (charbon, pétrole, gaz). L'industrie lourde trouve ses débouchés en Russie. ***V. princ.*** Almaty, Karaganda, Semipalatinsk, Tchimkent, Petropavlovsk. **HIST.** - *XVIIIe-XIXe s.* : peuplée initialement de nomades turcs musulmans, la région, appartenant au Turkestan, est soumise par la Russie. *1920* : création de la république socialiste soviétique autonome du Kazakhstan. *1936* : elle devient une république socialiste soviétique fédérée et accueille une forte immigration russe et ukrainienne. *1991* : élection de Noursoultan Nazarbaïev à la présidence de la République (1er déc.) et proclamation de l'indépendance (21 déc.). *1994* : développement des relations avec l'Ouzbékistan et le Kirghizistan. *1995* : membre de la C. E. I., le Kazakhstan rejoint l'union douanière de la Russie et de la Biélorussie.

**KAZAKOV** (Iouri Pavlovitch) ~ *1927, Moscou - 1982, id.* Écrivain soviétique. Maître de la nouvelle (*la Petite Gare*, 1959), il décrivit une nature harmonieuse (*Arcturus, chien courant*, 1958).

**KAZAN** ~ V. de Russie, à l'E. de Moscou, sur la Volga (r. g.), cap. du Tatarstan, carrefour de communications ; 1 104 000 h. Université. Raff. de pétrole, chimie, constr. mécaniques. Musée (ethnogr., archéol., art). Citadelle du XVIe s. Créée en 1438 par un khan de la Horde d'Or, Kazan fut la capitale d'un khanat tatar indépendant (1441). Elle fut conquise par les Russes en 1552.

**KAZAN** (Elia **Kazanjoglous**, dit Elia) ~ *1909, Istanbul.* Cinéaste et romancier américain. Il a illustré ses idéaux progressistes dans ses films (*Sur les quais*, 1955 ; *la Fièvre dans le sang*, 1961 ; *America, America*, 1963) comme dans ses romans (*l'Arrangement*, 1967).

© Pele-Stills

*À l'est d'Éden (1955), film d'Elia* ***Kazan.*** *Au premier plan, James Dean et Julie Harris.*

**KAZANTZÁKIS** ou **KAZANDZÁKIS** (Níkos) ~ *1883, Candie - 1957, Fribourg-en-Brisgau.* Écrivain grec. Grand voyageur, passionné de figures mythiques, il fut un ardent militant socialiste. Ses romans réalistes, ses personnages tourmentés et visionnaires ont une renommée internationale (*Alexis Zorba*, 1946 ; *le Christ recrucifié*, 1954 ; *Lettre au Greco*, posth., 1961).

**KAZVIN** ~ Voir **Qazvin.**

**KEATON** (Joseph Francis, dit Buster) ~ *1895, Piqua, Kansas - 1966, Los Angeles.* Acteur et cinéaste américain. Comique imperturbable, il illustra l'absurdité de la condition humaine dans un monde hostile (*les Lois de l'hospitalité*, 1923 ; *le Cameraman*, 1928). Le cinéma parlant entraîna son déclin.

© Pele-Stills

*Buster* ***Keaton.***

**KEATS** (John) ~ *1795, Londres - 1821, Rome.* Poète britannique. Son œuvre exalte l'aspiration universelle vers la beauté constamment menacée par la fuite du temps et l'ombre de la mort (*Endymion*, 1818 ; *Odes*, 1820). Salué not. par P. B. Shelley, le génie poétique de Keats exerça une profonde influence sur la culture anglaise.

**KEDAH** (le) ~ État du N.-O. de la Malaysia, bordé par la mer d'Andaman ; 9 426 km², 1 412 000 h., cap. Alor Setar (72 000 h.). Riziculture (1er producteur du pays), hévéa, pêche, tourisme.

**KEELING (îles)** ~ Voir **Cocos.**

**KEELUNG** ~ Voir **Jilong.**

**KEERSMAEKER** (Anne Teresa DE) ~ *1960, Bruxelles.* Danseuse et chorégraphe belge. Représentatives d'un courant minimaliste de la post-modern dance, ses œuvres majeures sont liées à un compositeur classique (*Fase*, 1982 ; *Mikrokosmos*, 1987).

**KEESOM** (Willem Hendrik) ~ *1876, île de Texel - 1956, Leyde.* Physicien néerlandais. Spécialiste des cryotempératures, il réussit la solidification de l'hélium (1926) et révéla la superfluidité de l'une de ses formes liquides.

**KEFLAVÍK** ~ Port d'Islande, au S.-O. de Reykjavík ; 7 500 h. Base militaire de l'Otan.

**KÉGRESSE** (Adolphe) ~ *1879, Héricourt - 194*
*Croissy-sur-Seine.* Ingénieur français. Il inventa
mit au point les premières autochenilles po
l'armée du tsar Nicolas II.

**KEHL** ~ Port fluvial d'Allemagne (Bade-Wurter
berg), sur le Rhin (r. dr.), relié à Strasbourg p
un pont routier et ferroviaire ; env. 30 000 h.

**KEIHANSIN** ~ Voir **Kansai.**

**KEIHIN** ~ Voir **Kantô.**

**KEITA** (Modibo) ~ *1915, Bamako - 1977,*
Homme d'État malien. Président de la Républiq
à partir de 1960, il milita en faveur du no
alignement. Il fut renversé par un coup d'É
militaire en novembre 1968.

**KEITEL** (Wilhelm) ~ *1882, Helmscherode - 194*
*Nuremberg.* Maréchal allemand. Chef du comma
dement suprême allemand (1938), homme li
de Hitler, il signa la capitulation de son pa
(8 mai 1945). Il fut condamné par le tribun
de Nuremberg et exécuté comme criminel
guerre.

**KEKKONEN** (Urho Kaleva) ~ *1900, Pielaves*
*1986, Helsinki.* Homme d'État finlandais. Premi
ministre (1950-1956) puis président de la Répub
que (1956-1981), il prorogea pour vingt ans,
1970, le traité d'amitié finno-soviétique.

**KEKULÉ VON STRADONITZ** (August) ~ *182*
*Darmstadt - 1896, Bonn.* Chimiste allemand.
promut les formules développées en chimie organ
que, établit la théorie de la tétravalence du carbo
(1857) et la formule hexagonale du benzè
(1865).

**KELANTAN** (le) ~ État du N.-E. de la Malays
bordé par la mer de Chine méridional
14 943 km², 1 222 000 h., cap. Kota Bahar
Forêt tropicale dense. Riz, tabac. Or, arger
Exploitation du bois. Pêche.

**KELLER** (Gottfried) ~ *1819, Zurich - 1890,*
Écrivain suisse d'expression allemande. Parfo
emphatiques, mais non sans humour, ses œuvr
illustrent le passage du romantisme au réalism
(*Henri le Vert*, 1854-1855).

**KELLERMANN** (François Christophe), duc
**Valmy** ~ *1735, Strasbourg - 1820, Paris.* Maréch
de France. Le 20 septembre 1792, il fut vainque
à Valmy, sous le commandement de Dumouri

**KELLOGG** (Frank Billings) ~ *1856, Potsdam, Ét*
*de New York - 1937, Saint Paul, Minnesota.* Homn
politique américain. Secrétaire d'État du préside
C. Coolidge, il négocia en 1928 avec A. Briand
pacte Briand-Kellogg de renonciation éternelle à
guerre. Prix Nobel de la paix 1929.

**KELLY** (Eugene Patrick **Curran**, dit Gene) ~ *191*
*Pittsburgh - 1996, Los Angeles.* Acteur, danseu
chorégraphe et cinéaste américain. Il renouve
la comédie musicale américaine en la libéra
des contraintes théâtrales (*Un Américain à Par*
1950 ; *Chantons sous la pluie*, 1952 ; *Beau fi*
*sur New York*, 1955).

**KELSEN** (Hans) ~ *1881, Prague - 1973, Orind*
*Californie.* Juriste américain d'orig. autrichienne.
participa à l'élaboration de la Constitution aut
chienne de 1920.

**KEMAL** (Mustafa) ~ Voir **Atatürk** (Kemal).

**KEMEROVO** ~ V. de Russie (Sibérie), dans
Kouzbass ; 521 000 h. Houille, chimie, aciérie
constructions mécaniques.

**KEMPFF** (Wilhelm) ~ *1895, Jüterbog, près*
*Berlin - 1991, Positano, Italie.* Pianiste et compos
teur allemand. Auteur de symphonies et d'opéra
il a été un serviteur passionné du répertoi
classique et romantique allemand.

**KENDALL** (Edward Calvin) ~ *1886, South No*
*walk, Connecticut - 1972, Princeton.* Chimiste am
ricain. Ses travaux sur les hormones corticosurr
nales lui permirent d'isoler la cortisone (1936). Pr
Nobel de physiol. ou méd. 1950.

**KENITRA**, anc. **Port-Lyautey** ~ Port du Maroc, a
N. de Rabat, sur l'oued Sebou (O. du Gharb)
188 000 h. Industr. alimentaire. Port artifici
créé en 1920.

**KENKÔ HÔSHI** (**Urabe** Kaneyoshi, dit) ~ *v. 128*
*Yoshida - v. 1350.* Écrivain japonais. Son récit
*Heures oisives* est empreint de la nostalgie de
civilisation courtoise.

**ENNEDY** (John Fitzgerald) ~ *1917, Brookline, assachusetts - 1963, Dallas.* Homme d'État améri-in. Député puis sénateur démocrate, il fut le emier président catholique des États-Unis (1960-63). Proposant de relever le défi d'une « Nouvelle ontière » à la fois sociale (lutte contre la scrimination raciale et recherche d'une plus ande justice) et technologique (conquête de la ne), il adopta une politique très ferme à l'égard l'U. R. S. S. (crise de Berlin, 1961 ; crise des ssiles de Cuba, 1962 ; début de l'engagement néricain au Viêt Nam, 1961). Il fut assassiné dans s circonstances qui demeurent obscures.

*Jacqueline et John Kennedy.*

**ENT** (le) ~ Comté du S.-E. de l'Angleterre, bordé l'E. par le pas de Calais, au N. par l'estuaire de Tamise et la mer du Nord ; 3 735 km², 509 000 h., ch.-l. Maidstone (72 000 h.). L'agri-lture traditionnelle y est supplantée par les tivités portuaires et touristiques et par le lotisse-ent résidentiel. **HIST.** - Le royaume de Kent fut éé par les Jutes au milieu du Vᵉ s. et exerça son égémonie sur le S. de l'Angleterre avant d'être sorbé par le Wessex (825).

**ENT** (William) ~ *1685, Bridlington, Yorkshire - 48, Londres.* Architecte britannique. Avec lord rlington, il conçut des bâtiments de style lladien (Holkham Hall, 1734) et fut l'un des éateurs du jardin à l'anglaise.

**ENTUCKY** (le) ~ État de l'E. des États-Unis, à O. des Appalaches, drainé par l'Ohio ; )2 907 km², 3 789 000 h., cap. Frankfort 5 000 h.). V. princ. Louisville, Lexington-Fayette. bac, blé, élevage de chevaux, mines (charbon, producteur national). **HIST.** - Partie de la Virginie, Kentucky devint le 15ᵉ État de l'Union en 1792.

**ENYA (mont)** ~ Massif volcanique d'Afrique enya), au N. de Nairobi culminant à 5 199 m, sommet enneigé. Parc national.

**ENYA (république du)** ~ Pays d'Afrique orien-le, bordé à l'E. par l'océan Indien. ***Cap.*** Nairobi. ***perf.*** 582 646 km². ***Popul.*** 29 300 000 h. (Ki-yus, 21 % ; Indiens, Arabes). ***Langues princ.*** Swa-li, anglais. ***Monn.*** Shilling kenyan. ***Relief.*** Monta-ieux et volcanique dans l'O. et le centre (mont enya, 5 199 m). Plaines bordées de côtes sableuses l'E. Le lac Turkana (ancien lac Rodolphe) occupe vallée du Rift, à l'E. ***Fl. princ.*** Tana. ***Climat.*** opical (pluies très irrégulières), subdésertique au . ***Écon.*** Agric. comm. (thé, café, fleurs, cajou, sisal, aïs), menacée par la rapide croissance démogra-ique. Élevage. ***Autres ress.*** Hydroélectricité, tou-sme. **HIST.** - Les premières traces de l'homme ustralopithèques) remontent à 2 millions d'an-ées. *Iᵉʳ s. apr. J.-C.* : installation des Bantous dans région. *VIIᵉ s.* : domination arabe sur les côtes développement du commerce (ivoire, esclaves). *Iᵉ-XVIIᵉ s.* : occupation du littoral (1515) et du port Mombasa (1505) par les Portugais. Vagues immigration luo puis masaï. *XVIIIᵉ s.* : reconquête la côte par les Arabes et lutte entre les différentes hnies de l'intérieur. *XIXᵉ s.* : convoité par les lemands, le territoire est donné en concession aux itanniques par le sultan d'Oman (1887). *1920* : Kenya devient une colonie britannique. *1952-956* : révolte des Mau-Mau réprimée dans le ng. *1963-1978* : indépendance (12 déc. 1963) proclamation de la république (1964). Jomo enyatta est élu président. Le régime devient ne dictature. *1978* : mort de J. Kenyatta. Daniel ap Moi, vice-président, lui succède. *1982* : le monopartisme devient officiel. Tentative de coup d'État. *1991* : instauration du multipartisme. *1992* : D. Arap Moi est réélu dans un climat de troubles.

**KENYATTA** (Kamau **Ngengi**, dit Jomo) ~ *1893, Ichaweri - 1978, Mombasa.* Homme d'État kenyan. Adversaire du régime colonial britannique, il fut Premier ministre lors de l'indépendance (1963), puis président de la République de 1964 à sa mort.

**KENZAN** (**Ogata** Shinsei, dit) ~ *1663, Kyôto - 1743, Edo, auj. Tôkyô.* Peintre et potier japonais. Il créa pour ses céramiques un décor au trait nerveux et stylisé.

**KEPLER** (Johannes) ~ *1571, Weil, auj. Weil der Stadt, Wurtemberg - 1630, Ratisbonne.* Astronome allemand. Père de l'astronomie moderne, persécuté pour ses positions coperniciennes, il énonça deux lois du mouvement des planètes en 1609 puis une troisième en 1619 (à l'origine de la loi d'attraction universelle de Newton) et en conçut des tables (tables rudolphines) en 1627.

**KERALA** (le) ~ État du S. de l'Inde, très peuplé, bordé par l'océan Indien, au climat très humide ; 38 863 km², 29 099 000 h. (dont 20 % de chré-tiens), cap. Trivandrum. Riz, thé, café, caoutchouc, poivre. Pêche. Industries dans la capitale et à Cochin.

**KERBELA** ~ Voir **Karbala**.

**KERENSKI** (Aleksandr Fiodorovitch) ~ *1881, Sim-birsk - 1970, New York.* Homme politique russe. Socialiste, membre du gouvernement provisoire qu'il présida à partir de juillet 1917, il poursuivit la guerre contre l'Allemagne et s'opposa aux bolcheviks. Il fut renversé par la révolution d'Octobre.

**KERGOMARD** (Pauline **Duplessis-Kergomard**, dite) ~ *1838, Bordeaux - 1925, Saint-Maurice.* Pé-dagogue française. Elle fut l'une des fondatrices de l'école maternelle en France.

**KERGUELEN DE TRÉMAREC** (Yves Joseph DE) ~ *1734, Landudal, près de Quimper - 1797, Paris.* Marin et explorateur français. Il conduisit deux expéditions à la recherche du continent austral et découvrit l'archipel qui porte son nom (1772).

**KERGUELEN (îles)** ~ Archipel montagneux du S. de l'océan Indien, faisant partie des T. A. A. F., au climat océanique frais et venteux ; 7 215 km². Station de recherche à Port-aux-Français sur l'île principale, la Grande Terre (6 675 km²).

**KERMADEC (îles)** ~ Archipel volcanique du S. du Pacifique, territoire néo-zélandais, bordé à l'E. par la **fosse des Kermadec** (10 047 m de prof.).

**KERMAN** ou **KIRMAN** ~ V. du S.-E. de l'Iran, carrefour comm. et centre text. (tapis) ; 257 000 h. Mosquées (XIᵉ et XIVᵉ s.), mausolée (XIIIᵉ s.).

**KERMANCHAH** ou **BAKHTARAN** ~ V. du Kur-distan iranien, près de la frontière irakienne, centre admin. et comm. d'une riche région agric. (céréales, coton, riz) ; 624 000 h. Vestiges achéménides (Béhistoun) et sassanides aux environs.

**KEROUAC** (Jack) ~ *1922, Lowell, Massachusetts - 1969, Saint Petersburg, Floride.* Romancier améri-cain. Initiateur de la Beat Generation, il célébra l'errance (*Sur la route*, 1957).

**KEROULARIOS** (Michel), en fr. **Cérulaire** ~ *v. 1000, Constantinople - 1059, id.* Patriarche de Constantinople (1043-1059). Son action fut déci-sive dans le schisme d'Orient (1054).

**KERR** (John) ~ *1824, Ardrossan, Écosse - 1907, Glasgow.* Physicien britannique. Il découvrit la biréfringence des isolants soumis à un champ électrique (**effet de Kerr**, 1875).

**KERTCH** ~ Port d'Ukraine (Crimée), sur le **détroit de Kertch**, qui relie la mer Noire à la mer d'Azov ; 178 000 h. Fer, métallurgie, pêche. **HIST.** - Fondé par les Milésiens au VIIᵉ s. av. J.-C. sur le Bosphore cimmérien (nom antique du détroit de Kertch), la ville fut, sous le nom de Panticopée, la capitale du royaume du Bosphore du Vᵉ s. av. J.-C. au IVᵉ s. apr. J.-C. Elle fut annexée par la Russie en 1774.

**KERTÉSZ** (André) ~ *1894, Budapest - 1985, New York.* Photographe américain d'orig. hongroise. Maître du détail réaliste et significatif, il s'orienta vers un formalisme aux connotations surréalistes.

**KESSEL** (Joseph) ~ *1898, Clara, Argentine - 1979, Avernes, Val-d'Oise.* Journaliste et écrivain français. Beaucoup de ses romans d'action, de guerre et d'aventures sont inspirés par les grands reportages qu'il réalisa partout dans le monde (*le Lion*, 1958 ; *les Cavaliers*, 1967). Acad.

**KESSELRING** (Albert) ~ *1885, Marktsteft - 1960, Bad Nauheim, près de Francfort.* Maréchal allemand. Commandant des forces allemandes en Méditerra-née et en Italie (1941-1944) et du front de l'Ouest (mars 1945), il fut condamné à mort par un tribunal britannique, gracié puis libéré en 1952.

**KETTELER** (Wilhelm Emmanuel, baron VON) ~ *1811, Münster, Westphalie - 1877, Burghausen, Ba-vière.* Prélat allemand. Évêque de Mayence en 1850, il développa le christianisme social et s'opposa au Kulturkampf de Bismarck (*la Question sociale et le Christianisme*, 1864).

**KEYNES** (John **Maynard**, lord) ~ *1883, Cam-bridge - 1946, Firle, Sussex.* Économiste britannique. Élaborées à l'occasion de la crise économique de 1929, ses théories, libérales, prônent cependant une intervention de l'État dans la régulation de l'écono-mie. Il recommanda une politique monétaire et fiscale incitative, favorable à la consommation et aux investissements (*Traité de la monnaie*, 1931 ; *Théorie générale de l'emploi, de l'intérêt et de la monnaie*, 1936). Son plan de stabilisation interna-tionale des monnaies lui valut de diriger la délégation britannique à la conférence de Bretton Woods (1944). Ses thèses exercèrent une profonde influence jusque dans les années 1970.

**KEY WEST** ~ Port des États-Unis (Floride), der-nière île habitée de l'archipel des Florida Keys ; 24 000 h. Base militaire, pêche, tourisme.

**K. G. B.**, sigle de ***Komitet Gossoudarstvennoï Bezo-pasnosti***, en fr. « comité de sécurité d'État » ~ Or-ganisme soviétique créé en 1954 pour remplacer le ministère de la Sécurité de l'État (M. G. B.). Il regroupait la police secrète, les gardes-frontières, le contre-espionnage et les activités secrètes à l'étran-ger. Il fut dissous en 1991 et ses missions furent réparties entre plusieurs agences.

**KHABAROVSK** ~ V. de Russie (Extrême-Orient), au confluent de l'Amour et de l'Oussouri, carre-four de communications sur le Transsibérien ; 615 000 h. Instituts techniques. Constructions mécan., chimie, industr. du bois.

**KHADIDJA** ~ *m. en 619 à La Mecque.* Première femme du prophète Mahomet, mère de Fatima.

**KHAJURAHO** ~ Village du centre de l'Inde (Ma-dhya Pradesh). Khajuraho fut la capitale de la dynastie des Chandella qui y firent bâtir des temples ornés de sculptures, dont certaines à thème érotique (950-1050).

**KHAKASSIE** (la) ~ République de la fédération de Russie, à l'E. du Kouzbass (Sibérie) ; 61 900 km², 584 000 h., dont **Khakasses**, Turcs christianisés (10 %), Russes (80 %), cap. Abakan (154 000 h.). Charbon, industries alim. et mécaniques. Région autonome à l'époque soviétique (1930), la Khakas-sie est devenue une république en 1991.

**KHALIL (al-)** ~ Voir **Hébron**.

**KHANIÁ** ou **LA CANÉE** ~ Port du N.-O. de la Crète (Grèce) ; 47 000 h. Export. de produits agric. (citrons, olives, vin). Musée archéologique. Khaniá fut capitale de la Crète autonome (1898) puis capitale administrative jusqu'en 1971.

**KHARBIN** ~ Voir **Harbin**.

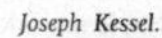

*Joseph Kessel.*

**KHAREZM** ou **KHOREZM** (le) ~ Région d'Ouzbékistan, sur le cours inf. de l'Amou-Daria. Anc. colonie grecque, elle fut conquise par les Arabes (712) puis par les Mongols (XIIIe s.). Les Ouzbeks y fondèrent le khanat de Khiva (1512-1920).

**KHAREZMI** ou **KHWARIZMI** (Muhammad ibn Musa al-) ~ *fin du VIIIe s. - début du IXe s.* Mathématicien arabe. Il définit les premières règles du calcul algébrique.

**KHARG (île de)** ~ Île iranienne du golfe Persique, principal terminal pétrolier du pays.

**KHARKOV**, en ukrainien ***Kharkiv*** ~ 2e v. d'Ukraine (N.-E.), grand centre industr. (agroalim., constr. mécan.) près du Donbass et nœud de communications ; 1 623 000 h. Université. Instituts de recherche. Cap. de l'Ukraine soviétique de 1917 à 1934.

**KHARTOUM** ~ Cap. du Soudan, au confluent du Nil Blanc et du Nil Bleu ; 476 000 h. (agglom. 1 400 000 h.). Université. Agroalim., textile. Mosquées, cathédrales copte, catholique, anglicane.

© Chip Hires-Gamma

*Khartoum, le palais présidentiel, au bord du Nil.*

**KHATCHATOURIAN** (Aram Ilitch) ~ *1903, Tiflis-1978, Moscou.* Compositeur soviétique. Décorative et luxuriante, sa musique s'inspire largement du folklore arménien (*Gayaneh*, 1942).

**KHAYBAR (passe de)** ~ Voir **Khyber**.

**KHAYYAM** (Omar) ~ *v. 1047, Nichabour, Khorassan - v. 1122, id.* Mathématicien, astronome et poète persan. On lui attribue des quatrains pleins d'esprit, dont le genre libertin ou sceptique a influencé la poésie persane ultérieure, not. mystique.

**Khazars** (les) ~ Peuple turc qui vécut entre la mer Caspienne et la mer Noire du VIIe au Xe s. Christianisés par Cyrille en 860, ils furent soumis par les Byzantins en 1016.

**KHEOPS** ou **CHÉOPS** ~ *v. 2600 av. J.-C.* Pharaon égyptien (2e de la IVe dynastie). Il fit édifier la plus grande pyramide de Gizeh (146,60 m de haut, 230,90 m de côté).

**KHEPHREN** ou **CHÉPHREN** ~ *v. 2500 av. J.-C.* Pharaon égyptien (4e de la IVe dynastie), fils de Kheops. Il fit édifier une pyramide à Gizeh, presque aussi grande que celle de son père.

**KHERSON** ~ Port d'Ukraine, sur le Dniepr inférieur ; 365 000 h. Chantiers navals, raff. de pétrole, équipements automobiles, textile.

**KHIEU SAMPHAN** ~ *1931, Svay Rieng.* Homme d'État cambodgien. Dirigeant khmer rouge, il fut chef de l'État du Kampuchéa démocratique (1976-1979). Il représenta les Khmers rouges au Conseil national suprême (1991-1993).

**KHINGAN** (**Grand** et **Petit**) ~ Région de moyennes montagnes (1 000-2 000 m) du N.-E. de la Chine, aux confins de la Mongolie et de la Sibérie.

**Khmers** (les) ~ Peuple majoritaire au Cambodge, résidant également au Viêt Nam et en Thaïlande. Dès le VIIe s., les Khmers bâtirent des royaumes en Asie du Sud-Est, dont le plus connu est celui d'Angkor, fondé en 802.

**Khmers rouges** (les) ~ Voir **Cambodge**.

**KHODJENT** ou **KHUDJAND**, anc. **Leninabad** (de 1936 à 1991) ~ 2e v. du Tadjikistan (Fergana), sur le Syr-Daria de fondation anc. ; 165 000 h. Industries alimentaire et textile (soie, coton).

**KHOMEYNI** (Ruhollah) ~ *1902, Khomeyn - 1989, Téhéran.* Chef religieux et homme politique iranien. Exilé en Iraq (1964-1978) puis en France (1978-1979), il réunit autour de lui l'opposition au régime du chah, victorieuse en février 1979, et instaura en Iran une république islamique dont il fut le guide suprême jusqu'à sa mort.

**KHORASSAN** ou **KHURASAN** (le) ~ Prov. montagneuse du N.-E. de l'Iran (S. aride) ; 315 687 km², 5 281 000 h., cap. Méched. Agric. irriguée, élev. ovin extensif. Région d'orig. des Parthes.

**KHOREZM** (le) ~ Voir **Kharezm**.

**KHORRAMCHAHR**, en ar. ***Mohammara*** ~ Port d'Iran (Khouzistan), au confluent du Karoun et du Chatt al-Arab ; 141 000 h. 1er port iranien d'import. avant la guerre Iran-Iraq, la ville fut rasée par les Irakiens, et reconquise par l'Iran en 1982.

**KHORRAMHABAD** ~ Voir **Lorestan**.

**Khorsabad** ou **Khursabad** ~ Site archéol. du N.-E. de l'Iraq. Des fouilles entreprises dès 1843 y ont exhumé les ruines de Dour-Sharrouken, capitale de Sargon II d'Assyrie (fin du VIIIe s. av. J.-C.).

**KHOSRO** ou **KHOSROW**, en gr. ***Chosroès***, nom de deux rois sassanides de Perse. ~ **Khosro Ier Anochirvan** ou **Khosro le Juste**, roi de 531 à 579, élimina l'hérésie mazdakite, modernisa et agrandit son royaume. Il fut en guerre contre Byzance (540-562). Son petit-fils ~ **Khosro II Abharvez**, roi de 591 à 628, combattit l'empereur byzantin Phokas, conquit Jérusalem (614) et l'Égypte (618), mais les perdit entre 622 et 628.

**KHOTAN** ou **HOTAN** ~ V. et oasis du S. du Xinjiang (Chine), sur un affluent du Tarim (r. dr.) ; env. 130 000 h. Sériciculture. Tapis.

**KHOTINE**, en polonais ***Chocim*** ~ V. d'Ukraine, sur le Dniestr. Place forte, elle vit la victoire du Polonais Jean III Sobieski (1673) sur les Turcs.

**KHOURIBGA** ~ V. du N.-O. du Maroc ; 127 000 h. Centre d'extraction de phosphates.

**KHOUZISTAN** ou **KHUZESTAN** (le) ~ Prov. du S.-O. de l'Iran, bordée par le golfe Persique au S. ; 66 532 km², 2 682 000 h., cap. Ahvaz. Agriculture irriguée. Ancien Arabistan rebaptisé par Reza Chah (1924), sa richesse en pétrole en fit l'un des enjeux de la guerre entre l'Iran et l'Iraq (1980-1988).

**KHROUCHTCHEV** (Nikita Sergueïevitch) ~ *1894, Kalinovka, prov. de Koursk - 1971, Moscou.* Homme politique soviétique. Premier secrétaire du P. C. U. S. (1953-1964), président du Conseil des ministres de l'U. R. S. S. (1958-1964), il engagea des réformes économiques (développement de l'industrie de biens de consommation, mise en valeur de la Sibérie), mais surtout politiques : arrêt des formes extrêmes de la répression, dénonciation des crimes de Staline et du culte de la personnalité (1956). Il favorisa la détente avec le bloc occidental et rompit les liens de l'U. R. S. S. avec la Chine (1961). Il décida l'installation de bases de lance-missiles à Cuba, mais dut y renoncer devant un ultimatum de J. F. Kennedy (1962). Il fut déposé lors d'un plénum du Comité central (oct. 1964).

© Gaillarde-Gamma

*Fidel Castro avec Nikita Khrouchtchev à l'O. N. U. (1960).*

**KHULNA** ~ Port du Bangladesh, au S.-O. de Dacca ; 877 000 h. Chantiers navals, industrie du papier et textile.

**KHURASAN** (le) ~ Voir **Khorassan**.

**Khursabad** ~ Voir **Khorsabad**.

**KHUZESTAN** (le) ~ Voir **Khouzistan**.

**KHYBER** ou **KHAYBAR (passe de)** ~ Étroit défilé (alt. 1 200 m), sur la route de Kaboul (Afghanistan) à Peshawar (N. du Pakistan). Passage stratégique vers l'Inde, depuis Alexandre le Grand.

**KIANG K'ing** ~ Voir **Jiang Qing**.

**KIANG-SI** (le) ~ Voir **Jiangxi**.

**KIANG-SOU** (le) ~ Voir **Jiangsu**.

**KICHINEV** ~ Voir **Chişinău**.

**KIEFER** (Anselm) ~ *1945, Donaueschingen.* Pei[ntre] allemand. Utilisant des techniques composit[es], il a exprimé une conscience historique tragique [p]un retour aux sources du romantisme.

**KIEL** ~ Port du N. de l'Allemagne, au fond de [la] **baie de Kiel**, sur la Baltique, cap. du land [de] Schleswig-Holstein ; 249 000 h. Université. Pêc[he,] conserverie. Ancienne base navale, détruite à 80[%] lors de la Seconde Guerre mondiale. Chanti[ers] navals, constr. électr., optique. Important[es] régates. **HIST.** - Ancien port hanséatique (XIVe s[.]) Kiel devint danoise (1773) avant d'être intég[rée] à la Prusse (1866).

**KIELCE** ~ V. industrielle de Pologne, dans [le] N.-E. du plateau de Petite Pologne ; 215 000 [h.] Sidérurgie, constructions mécaniques et électro[ni]ques. Cité médiévale, palais épiscopal (XVIIIe s[.]).

**K'IEN-LONG** ~ Voir **Qianlong**.

**KIERKEGAARD** (Søren Aabye) ~ *1813, Copenh[a]gue - 1855, id.* Philosophe danois. Formé à [la] théologie, il put mener une vie indépendante ap[rès] avoir hérité de la fortune de son père. Sa vie par[ut] alors suivre sa conception de l'existence : l'esthé[te] qui jouit de l'instant, fuyant à la fois lui-même [et] les autres (*le Journal d'un séducteur*, 1843) ; p[uis] l'homme moral, qui choisit sa vie dans ce mond[e ;] l'homme religieux enfin, témoin d'un christianis[me] dont il refusait de rationaliser la foi (*Étapes s[ur] le chemin de la vie*, 1845). S'opposant à l'hégél[ia]nisme, sa pensée, tendue par une critique [de] l'impersonnel, est une défense de la subjectiv[ité] comme seule vérité. Préfiguration de l'existent[ia]lisme, sa réflexion renvoie l'homme à la conscien[ce] absolue de la faute, confronté par là à l'infini [à] travers de l'angoisse (*le Concept d'angoisse*, 184[4 ;] *Traité du désespoir*, 1849).

**KIEV** ~ Capitale de l'Ukraine, sur le Dniepr, cen[tre] commercial et industriel (machines agricoles, cha[n]tiers navals, pneumatiques, agroalimentaire) foyer intellectuel et artistique ancien ; 2 600 000 [h.] Université fondée en 1834, instituts scientifiqu[es.] Musées, théâtres, Opéra. En partie détruite penda[nt] la Seconde Guerre mondiale, elle conserve [de] nombreux monuments dont la cathédrale S[te-]Sophie (XIe s.) ; nombreux autres édifices religie[ux] (XVIIIe-XIXe s.). **HIST.** - Fondée par les Varègues (88[2]) première métropole politique et religieuse de [la] Russie (Xe-XIIe s.), Kiev fut ruinée par les Mong[ols] (1240), rattachée à la Lituanie (1362) puis à [la] Pologne (1569), et passa sous souveraineté rus[se] (milieu du XVIIe s.). Durant la guerre civ[ile] (1917-1920), elle fut déchirée entre les nation[a]listes et les bolcheviks, et l'Ukraine soviétique [en] fit sa capitale. Elle fut occupée par les Alleman[ds] (sept. 1941-nov. 1943).

**KIGALI** ~ Cap. du Rwanda, marché agric., [au] centre du pays ; 235 000 h. (en 1993). Archevêc[hé] catholique. Université. Industries textile, chimiqu[e,] usinage du café, tanneries.

**Kikuyus** (les) ~ Peuple africain de langue ba[n]toue résidant sur les plateaux du Kenya.

**KILIMANDJARO** (le) ou **PIC UHURU** ~ Mas[sif] volcanique de Tanzanie (frontière du Kenya) do[nt] l'un des deux sommets, le Kibo (5 895 m), est [le] point culminant du continent africain.

**KI-LIN** (le) ~ Voir **Jilin**.

**KI-LONG** ~ Voir **Jilong**.

*Le Kilimandjaro vu du Kenya.*

© L. Peneau-Explorer

**(K)IMBERLEY** ~ V. d'Afrique du Sud (S. du Vaal), ..-l. de la prov. du Cap-Nord, siège des princ. ..treprises de diamants et centre comm. ; ..7 000 h.

**(K)IM Il-sung** ~ *1912, Pyongyang - 1994, id.* ..omme d'État nord-coréen. Il prit part à la lutte ..tijaponaise (1931-1945), fonda le parti du ..avail (1946) puis devint Premier ministre de ..orée du Nord (1948) et commanda l'armée ..mmuniste pendant la guerre de Corée (1950-..53). Il fut chef de l'État de Corée du Nord de ..72 jusqu'à sa mort.

**(K)IM Young-sam** ~ *1927, Kojae, prov. de Kyong-..ng-Sud.* Homme d'État sud-coréen. Chef de ..opposition de 1961 à 1990, il a été élu président .. la République en 1992.

**(K)INDI (al-)** ~ *v. 796 - v. 873, Bagdad.* Philosophe ..abe. Commentateur des philosophes grecs, dont .. fit traduire plusieurs œuvres, il tenta d'établir la ..nthèse entre la démarche philosophique et les ..pirations religieuses.

**(K)ING** (Ernest) ~ *1878, Lorain, Ohio - 1956, ..rtsmouth.* Amiral américain. Chef d'état-major gé..éral de la marine américaine (1942-1945), il joua .. rôle capital pendant la Seconde Guerre mondiale.

**(K)ING** (Martin Luther) ~ *1929, Atlanta - 1968, ..emphis.* Pasteur américain. Il organisa aux États-..nis des actions non violentes contre la discrimina-..on raciale, qui firent de lui l'un des principaux ..rigeants de la communauté noire. Il fut assassiné. ..ix Nobel de la paix 1964.

*Martin Luther* ***King.***

**(K)ING** (Stephen) ~ *1947, Portland, Maine.* Écri-..in américain, auteur de nouvelles et de romans ..épouvante (*l'Année du loup-garou*, 1985).

**(K)INGSLEY** (Charles) ~ *1819, Holne, Devonshire - ..875, Eversley, Hampshire.* Historien et écrivain ..itannique. Il est le cofondateur du « socialisme ..rétien » (*Yeast*, 1850).

**(K)INGSTON** ~ V. du Canada (Ontario), port ..uvial sur le Saint-Laurent, au débouché du lac ..ntario ; 57 000 h. École militaire. Université. ..rchevêché catholique. Métall. de l'aluminium, ..nstr. navales et ferrov. Fondée en 1783 à ..mplacement du fort Frontenac (1673), Kingston ..t la capitale du Canada de 1841 à 1844.

**(K)INGSTON** ~ Cap. et port de la Jamaïque, sur la ..ôte S. de l'île ; 105 000 h. Université des Indes ..ccidentales. Archevêché catholique. Industr. text., ..bac, rhum. Raff. de pétr., export. de bauxite.

**(K)INGSTON-UPON-HULL** ou **HULL** ~ Port de ..êche et de commerce de la côte E. de l'Angleterre, ..ur l'estuaire de la Humber, ch.-l. du Humberside ; ..54 000 h. Université. Métall., constr. navales, cuir, ..onserveries de poisson, raff. de pétrole.

**(K)ING-TÖ-TCHEN** ~ Voir **Jingdezhen.**

**(K)INKI** (le) ~ Voir **Kansai.**

**(K)INSHASA**, anc. **Léopoldville** ~ Cap. du Zaïre, ..rme de la navigation sur le fleuve Zaïre (rapides .. aval), sur la r. g., face à Brazzaville ; 3 804 000 h. ..niversité. Métall., constr. navales, text., agroali-..entaire. Léopoldville fut la capitale de la colonie ..elge du Congo-Kinshasa dès 1920.

**(K)IN-TCHEOU** ~ Jinzhou.

**(K)IPLING** (Rudyard) ~ *1865, Bombay - 1936, Lon-..res.* Écrivain britannique. Conteur-né, il magnifia .. société coloniale et la vie indienne dans des ..ouvelles et des romans (*le Livre de la jungle*, 1894). ..rix Nobel de litt. 1907.

**(K)ippour (guerre du)** ~ Voir **israélo-arabes** ..guerres).

**(K)IPTCHAK (khanat de)** ~ Voir **Horde d'Or.**

*Henry* ***Kissinger*** *(à gauche) lors des accords de Paris sur le Viêt Nam (1973).*

**KIRCHHOFF** (Gustav Robert) ~ *1824, Königsberg - 1887, Berlin.* Physicien allemand. Père du concept de « corps noir » (1859), il inventa le spectroscope et fonda l'analyse spectrale (**lois de Kirchhoff**, 1859). En électricité, il détermina les lois générales des courants dérivés (1845).

**KIRCHNER** (Ernst Ludwig) ~ *1880, Aschaffenburg, Bavière - 1938, Frauenkirch, Suisse.* Peintre allemand. Cofondateur du groupe Die Brücke, en 1905, il a laissé l'une des œuvres les plus denses et les plus dynamiques de l'expressionnisme allemand (*Femme aux seins nus, au chapeau*, 1911).

**KIRGHIZISTAN, KIRGHIZSTAN (république du)** ou **KIRGHIZIE** (la) ~ Pays d'Asie centrale. ***Cap.*** Bichkek. ***Superf.*** 199 900 km². ***Popul.*** 4 460 000 h., dont Kirghizes (52 %), Russes (21 %), Ouzbeks (13 %). ***Langues princ.*** Kirghiz, russe. ***Monn.*** Som. ***Relief.*** Montagneux (Tian Shan, Pamir), 90 % de la superf. excède 1 000 m. d'alt. Château d'eau régional (haut cours du Syr-Daria). ***Climat.*** Continental. ***Écon.*** Élevage bovin, blé, riz, coton, tabac, plantes médicinales, sériciculture, industries agroalimentaire, textile, constr. mécan., cuir. Le Kirghizistan tente de constituer un marché commun avec les États voisins. Les échanges avec la Chine augmentent. Le trafic d'opium alimente le pays en devises. ***V. princ.*** Bichkek, Och. **HIST.** - D'origine turco-mongole, les **Kirghizes**, sous la suzeraineté du khan de Kokand depuis le début du XIXᵉ s., furent soumis par la Russie en 1870. Le Kirghizistan fut intégré au Turkestan. Il devint une région autonome au sein de la Russie (1924), puis une république socialiste soviétique (1926). En 1991, le Kirghizistan devint indépendant et adhéra à la C. E. I. sous la présidence d'Askar Akaïev.

**KIRIBATI (république de)** ~ État de Micronésie, constitué d'îles coralliennes et volcaniques disséminées de part et d'autre de l'équateur (îles Gilbert, Phoenix et de la Ligne). ***Cap.*** Tarawa. ***Superf.*** 720 km². ***Popul.*** 78 000 h. ***Langue princ.*** Anglais. ***Monn.*** Dollar australien. ***Ress. princ.*** Droits de pêche, exportation d'algues, revenus des expatriés (marine) et des fonds de placement (anc. mines de phosphate). **HIST.** - Découvert au XVIIIᵉ s., l'archipel devint une colonie britannique. Il a acquis l'indépendance en 1979 dans le cadre du Commonwealth.

**KIRKOUK** ~ V. d'Iraq, au pied des monts Zagros, centre d'extraction du pétrole et marché agricole pour les produits du Kurdistan (blé, orge, laine) ; 570 000 h. (en 1981). La ville fut partiellement détruite lors de la répression du soulèvement kurde, en 1991, au début de la guerre du Golfe.

**KIRMAN** ~ Voir **Kerman.**

**KIROVABAD** ~ Voir **Gandja.**

**KIROVAKAN** ~ Voir **Vanadzor.**

**KIRUNA** ~ V. minière de Suède (Laponie) ; 26 000 h. Gisement de fer à haute teneur. Station de recherches glaciologiques.

**KISALFÖLD** ~ Partie N.-O. de la plaine hongroise du Danube, au N. des monts Bakony.

**KISANGANI** ~ V. et 2ᵉ port fluvial du Zaïre (Haut-Zaïre), au N.-E. du pays, cap. économique du N. du pays ; 373 000 h. Université. Industrie textile.

**KISFALUDY**, nom de deux poètes hongrois. ~ **Sándor** (*1772, Sümeg - 1844, id.*) fut influencé par Pétrarque. Son frère ~ **Károly** (*1788, Tét - 1830, Pest*), dramaturge, fonda la revue *Aurora*, qui publia les romantiques hongrois.

**KISH** ~ Cité de basse Mésopotamie, près de Babylone, qui domina sans doute le royaume sumérien vers 2700 av. J.-C.

**KISSINGER** (Henry) ~ *1923, Fürth, Bavière.* Homme politique américain d'orig. allemande. Conseiller du président Nixon, dont il a inspiré la politique étrangère (rapprochement avec la Chine, 1971-1972 ; négociations de paix au Viêt Nam, 1973), il a été secrétaire d'État de 1973 à 1977. Prix Nobel de la paix 1973.

**KISTNA** (la) ~ Voir **Krishna.**

**KISUMU** ~ 3ᵉ v. du Kenya, port sur le lac Victoria (r. g.), métropole écon. de l'O. du pays, nœud routier et ferroviaire ; 167 000 h.

**KITA-KYÛSHÛ** ~ Conurbation japonaise formée en 1963 par la réunion de cinq villes, grand port industr. (sidér., métall.) et de pêche du N. de l'île de Kyûshû ; 1 015 000 h.

**KITCHENER** ~ V. du Canada (Ontario), au S.-O. de Toronto, centre industriel diversifié, commercial et financier ; 168 000 h.

**KITCHENER** (Horatio Herbert, lord) ~ *1850, Bally Longford, Irlande - 1916, au large des îles Orcades.* Maréchal britannique. Après la mort de Gordon Pacha, il reconquit le Soudan (1898). Il s'opposa aux Français à Fachoda (1898) et mit fin à la guerre des Boers (1902) en Afrique du Sud. Ministre de la Guerre (1914), il périt dans un naufrage au départ d'une mission en Russie.

**KITIMAT** ~ V. du Canada et centre de prod. d'aluminium, près du littoral septentrional de la Colombie-Britannique ; env. 12 000 h.

**KITWE-NKANA** ~ V. industrielle du N. de la Zambie, principal centre minier de la Copper Belt ; 495 000 h.

**KITZBÜHEL** ~ Station de sports d'hiver du centre de l'Autriche (Tyrol) ; env. 8 000 h. Édifices de style tyrolien.

**K'IU YUAN** ~ Voir **Qu Yuan.**

**KIVI** (Aleksis **Stenvall**, dit Aleksis) ~ *1834, Nurmijärvi - 1872, Tuusula.* Auteur dramatique et romancier finlandais. Sa tragédie *Lea* (1869) marqua la naissance du théâtre finnois, et *les Sept Frères* (1870), celle du roman finnois.

**KIVU (lac)** ~ Le plus haut des grands lacs d'Afrique (1 460 m), dans la vallée du Rift, aux confins du Zaïre et du Rwanda ; env. 2 700 km².

**KIZIL IRMAK** (le) ~ Le plus long fleuve de Turquie, né dans le N.-E. de l'Anatolie, qui rejoint la mer Noire après la traversée des chaînes Pontiques par des gorges ; env. 1 200 km.

**KLAGENFURT** ~ Cap. de la Carinthie (Autriche), dans le S. du pays ; 89 000 h. Université. Industr. textile, bois. Édifices du XVIᵉ s. (cathédrale, palais de la Diète, fontaine du Dragon).

**KLAÏPEDA**, anc. **Memel** ~ Princ. port de Lituanie, sur la mer Baltique ; 206 000 h. Pêche et chantiers navals. Anc. ville prussienne occupée par la Lituanie en 1923, elle fut cédée à cette dernière en 1924.

**KLAPROTH** (Martin Heinrich) ~ *1743, Wernigerode - 1817, Berlin.* Chimiste et minéralogiste allemand. Fondateur de l'analyse minérale quantitative, il découvrit le zirconium et l'uranium (1789), le titane (1795) et le cérium (1803).

**KLARSFELD** (Serge) ~ *1935, Bucarest.* Avocat français. Avec sa femme **Beate** (*1939, Berlin*), il se consacre à la poursuite des criminels de guerre nazis.

**KLAUS** (Václav) ~ *1941, Prague.* Homme politique tchèque. Ministre des Finances (1989) puis vice-Premier ministre de la République fédérative tchèque et slovaque (1991). Premier ministre de la République tchèque depuis 1992, il conduit un vaste programme de privatisation de l'économie.

**KLÉBER** (Jean-Baptiste) ~ *1753, Strasbourg - 1800, Le Caire.* Général français. Engagé volontaire en 1792, général de brigade dès 1793, il battit les vendéens (oct.-déc. 1793) et fut l'un des vainqueurs de Fleurus (1794). Successeur de Bonaparte en Égypte, il triompha des Turcs à Héliopolis (1800). Il fut assassiné peu après par un musulman.

**KLEE** (Paul) ~ *1879, Münchenbuchsee, près de Berne - 1940, Muralto-Locarno.* Peintre suisse. En 1912, il participa à la deuxième exposition du Blaue Reiter et enseigna au Bauhaus (1920-1930). Explorant de multiples procédés et supports picturaux, oscillant entre abstraction et figuration, il déploya

Villa R. *(1919), peinture de Paul* **Klee**. *Kunstmuseum, Bâle.*

un univers poétique et humoristique. Il se consacra également à l'écrit (*Journal*, posth., 1957 ; *l'Art moderne*, 1924).

**KLEIN** (Christian Felix) ~ *1849, Düsseldorf - 1925, Göttingen.* Mathématicien allemand. Chef de l'école mathématique allemande, il est l'auteur du *Programme d'Erlangen* (1872), classification des géométries fondée sur la notion des groupes de transformations et reliant les courants synthétique et analytique de la recherche géométrique. La **bouteille** ou le **vase de Klein** définissent des surfaces à une seule face et sans bord (1882).

**KLEIN** (Lawrence Robert) ~ *1920, Omaha.* Économiste américain. Il a élaboré des modèles mathématiques de prévisions économiques. Prix Nobel de sc. écon. 1980.

**KLEIN** (Melanie) ~ *1882, Vienne - 1960, Londres.* Psychanalyste britannique d'orig. autrichienne. Spécialiste de l'enfant, elle étudia les processus de clivage et de transfert, et la dualité des pulsions (*la Psychanalyse des enfants*, 1932).

**KLEIN** (William) ~ *1928, New York.* Photographe américain. Photographiant la mode et la ville, il a publié *Rome* (1958), *Moscou* et *Tôkyô* (1964). Il est également l'auteur du film *Qui êtes-vous Polly Magoo ?* (1965).

**KLEIN** (Yves) ~ *1928, Nice - 1962, Paris.* Peintre français. Visant à une communication directe avec l'énergie cosmique, ses tableaux monochromes (le bleu ou l'or à la feuille) reflètent une démarche prophétique. Il adhéra au nouveau réalisme.

**KLEIST** (Heinrich VON) ~ *1777, Francfort-sur-l'Oder - 1811, Wannsee.* Écrivain allemand. Son œuvre reflète le drame de sa vie : la quête d'absolu d'un idéaliste angoissé qui finit par se suicider (*Penthésilée*, 1808 ; *le Prince de Hombourg*, 1810).

**KLEMPERER** (Otto) ~ *1885, Breslau - 1973, Zurich.* Chef d'orchestre et compositeur allemand naturalisé israélien. Il s'imposa comme l'un des plus grands interprètes de Bruckner et de Mahler.

**KLIMT** (Gustav) ~ *1862, Vienne - 1918, id.* Peintre autrichien. Fondateur de la Sécession viennoise qui propagea l'Art nouveau en Autriche, il évolua vers un style ornemental d'une extrême préciosité, centré sur des figures féminines (*le Baiser*, 1908).

**KLINE** (Franz) ~ *1910, Wilkes Barre, Pennsylvanie - 1962, New York.* Peintre américain. Maître de l'*action painting* (expressionnisme abstrait), il en fut l'un des plus purs adeptes.

**KLINGER** (Friedrich Maximilian VON) ~ *1752, Francfort-sur-le-Main - 1831, Dorpat.* Écrivain allemand. Sa pièce *Sturm und Drang* (1776) donna son nom au mouvement préromantique.

**KLONDIKE** (le) ~ Riv. du N.-O. du Canada, affluent (r. dr.) du Yukon ; 150 km. La découverte de gisements aurifères en 1896 déclencha une activité intense sur son cours jusqu'en 1906.

**KLOPSTOCK** (Friedrich Gottlieb) ~ *1724, Quedlinburg - 1803, Hambourg.* Poète allemand. D'inspiration mystique (*la Messiade*, 1748-1773), son œuvre tente un retour aux sources germaniques (cycle *Arminius*, 1769-1787).

**KLOSTERNEUBURG** ~ V. de la banlieue de Vienne (Autriche) ; env. 25 000 h. Monastère d'augustins (fondé en 1114) riche en œuvres d'art.

**KLUCK** (Alexander VON) ~ *1846, Münster - 1934, Berlin.* Général allemand. Commandant la I^re^ armée en 1914, il fut mis en échec par la résistance du camp retranché de Paris et prêta le flanc à la contre-offensive de la Marne.

**KLUGE** (Hans VON) ~ *1882, Posen, auj. Poznań - 1944, près de Metz.* Maréchal allemand. Commandant en chef sur le front de l'Ouest (juill. 1944), il se suicida après l'échec de la contre-offensive de Mortain (août).

**Knesset** (la) ~ Parlement israélien, à Chambre unique, composé de 120 députés élus au suffrage universel pour quatre ans.

**Knox (fort)** ~ Site de l'agglom. de Louisville (Kentucky, États-Unis), qui abrite la principale réserve d'or de la Banque centrale américaine.

**KNOX** (John) ~ *v. 1505, près de Haddington, Écosse - 1572, Édimbourg.* Réformateur écossais. Les prédications de ce prêtre passé à la Réforme en 1546 lui valurent l'exil en France puis à Genève, à l'avènement de Marie Tudor, en 1553. Ami de Calvin, il traduisit en anglais la Bible (dite de Genève) et fonda l'Église presbytérienne d'Écosse (1559) à son retour dans son pays.

**KNUD** ou **KNUT**, nom de six rois de Danemark qui régnèrent entre le X^e^ et le XIII^e^ s. ~ **Knud I^er^ le Grand** (*995 - 1035, Shaftesbury*). Vainqueur des Anglo-Saxons, il devint roi d'Angleterre (1016-1035), puis, par héritage de son frère, de Danemark (1018-1035), enfin, par les armes, de Norvège (1028-1035). Son neveu ~ **Knud II le Saint** (*1040 - 1086, Odense*), roi de 1080 à 1086, fut canonisé en 1101. Il est le saint patron du Danemark.

**KOBAYASHI Masaki** ~ *1916, Otaru, Hokkaidô - 1996, Tôkyô.* Cinéaste japonais. Son expérience personnelle de la guerre lui a inspiré *la Condition de l'homme* (1959-1961). On lui doit également des films de samouraïs (*Harakiri*, 1963), ainsi qu'un film fantastique, *Kwaidan* (1964).

**KÔBE** ~ 2^e^ port du Japon, grande agglom. industr. du S. de Honshû, sur la baie d'Ôsaka, partie de la conurbation du Keihanshin ; 1 468 000 h. Industr. liées au trafic portuaire. Centres de formation supérieure. Tremblement de terre en 1995.

**KOBLENZ** ~ Voir **Coblence**.

**KOCH** (Robert) ~ *1843, Clausthal, Hanovre - 1910, Baden-Baden.* Médecin et microbiologiste allemand. Il découvrit les bacilles de la tuberculose (**bacille de Koch**, 1882) et du choléra, et prépara la tuberculine. Prix Nobel de physiol. ou méd. 1905.

**KOCHER** (Theodor Emil) ~ *1841, Berne - 1917, id.* Chirurgien suisse. Il étudia la physiologie de la glande thyroïde et inaugura la chirurgie des goitres. Prix Nobel de physiol. ou méd. 1909.

**KODÁLY** (Zoltán) ~ *1882, Kecskemét - 1967, Budapest.* Compositeur et pédagogue hongrois. Son inspiration nationaliste et folklorique culmina dans son opéra *Háry János* (1926).

**KODOK** ~ Voir **Fachoda**.

**KŒCHLIN** (Charles) ~ *1867, Paris - 1950, Le Rayol-Canadel-sur-Mer, Var.* Compositeur français. Éminent professeur et théoricien, il a laissé des œuvres concises et scintillantes, d'une grande liberté tonale (*les Bandar-Log*, 1939-1940).

**KŒNIG** (Marie Pierre) ~ *1898, Caen - 1970, Neuilly-sur-Seine.* Maréchal de France. Officier rallié au général de Gaulle, il commanda la brigade des Français libres à Bir Hakeim (1942), puis les Forces françaises de l'intérieur (1944). Il fut ministre de la Défense (1954-1955).

**KOESTLER** (Arthur) ~ *1905, Budapest - 1983, Londres.* Écrivain britannique d'orig. hongroise. Ex-communiste, ce journaliste réchappé des prisons franquistes (*Un testament espagnol*, 1938) dénonça le stalinisme dans *le Zéro et l'Infini* (1940).

**KÔETSU Honami** (Kôetsu Taga, dit) ~ *1558, Kyôto - 1637, id.* Peintre et calligraphe japonais. Il eut une influence décisive sur l'art japonais par ses calligraphies inspirées de l'époque Heian (794-1192) mais libérées de l'influence chinoise.

**KOFFKA** (Kurt) ~ *1886, Berlin - 1941, Northampton.* Psychologue américain d'orig. allemande. Il est l'un des inventeurs du *gestaltisme*, qui insiste sur la structure des faits psychiques plutôt que sur leur contenu (*Principles of Gestaltpsychology*, 1935).

**KOHL** (Helmut) ~ *1930, Ludwigshafen.* Homme politique allemand. Chancelier chrétien-démocrate de la République fédérale depuis 1982, il a conduit la réunification allemande en 1990.

**KOHLRAUSCH**, famille de physiciens allemands. ~ **Rudolf Hermann** (*1809, Göttingen - 1858, Erlangen*) mesura le rapport des unités électrostatiques et électromagnétiques (1832), et introduisit la notion de résistivité des conducteurs électriques (1848). Son fils ~ **Friedrich** (*1840, Rinteln - 1910, Marburg*) détermina la conductivité des électrolytes (1874) et en déduisit les valeurs des mobilités des ions.

**KOHOUT** (Pavel) ~ *1928, Prague.* Poète et dramaturge tchèque. Opposé au régime de son pays, il a été signataire de la Charte 77. Auteur d'*Auguste, Auguste, Auguste* (1966), de poèmes et d'adaptations pour le théâtre, il a été déchu de sa nationalité après sa pièce *l'Exécutrice* (1978).

**KOIVISTO** (Mauno) ~ *1923, Turku.* Homme d'État finlandais. Premier ministre social-démocrate (1968-1970 ; 1979-1981), il fut président de la République de 1982 à 1994.

**KOKAND** ~ V. de l'E. de l'Ouzbékistan, centre comm. et industr., dans la vallée de Fergana ; 182 000 h. Cap. d'un khanat ouzbek (XVIII^e^ s.), elle fut annexée par la Russie en 1876.

**KOKOSCHKA** (Oskar) ~ *1886, Pöchlarn, Autriche - 1980, Montreux, Suisse.* Peintre expressionniste autrichien. Il se lia au groupe Die Brücke et participa aux expositions du Blaue Reiter.

*Helmut* **Kohl** *et François Mitterrand, acteurs majeurs de la construction de l'Europe dans les années 1990.*

**KOLA (presqu'île de)** ~ Péninsule de Russie, au N.-E. de la Carélie, entre la mer Blanche et la mer de Barents ; 100 000 km², env. 1 000 000 d'h. V. princ. Mourmansk. Élevage de rennes, bois, pêche. Mines de phosphate, fer, cuivre, nickel.

**KOLAMBA** ~ Voir **Colombo**.

**KOLLAR** (François) ~ *1904, Szenec, Hongrie - 1979, Créteil.* Photographe français d'orig. hongroise, auteur d'un vaste reportage (*La France travaille*, 1932-1934).

**KOLLÁR** (Ján) ~ *1793, Mošovce - 1852, Vienne.* Poète slovaque de langue tchèque. Panslaviste (*la Fille de Slava*, 1824-1852), il collecta et transcrivit des *Chansons populaires slovaques* (1835).

**KOLMOGOROV** (Andreï Nikolaïevitch) ~ *1903, Tambov - 1987, Moscou.* Mathématicien soviétique. Il établit les bases axiomatiques du calcul des probabilités (1933).

**KOLOKOTRÓNIS** (Theódhoros) ou **COLOCOTRONIS** (Théodore) ~ *1770, Ramavoúni, Messénie - 1843, Athènes.* Chef militaire grec. Il s'illustra durant la guerre de l'Indépendance (1821-1831).

**KOLTCHAK** (Aleksandr Vassilievitch) ~ *1874, Saint-Pétersbourg - 1920, Irkoutsk.* Amiral russe. Principal chef de la contre-révolution tsariste, il prit la tête des Russes blancs à Omsk (1918). Vaincu par les bolcheviks, il fut fusillé.

**KOLWEZI** ~ V. minière (cuivre, cobalt) du S. du Zaïre (Shaba), sur un affl. du haut fl. Zaïre ; 545 000 h. En 1978, des militaires français lges en chassèrent des rebelles séparatistes venus Angola.

**OLYMA** (la) ~ Fleuve du N.-E. de la Sibérie issu s **monts de la Kolyma**, tribut. de l'océan ctique ; env. 2 200 km. Son cours inférieur est vigable en été. Gisements aurifères sur son cours périeur (anc. zone de déportation, sous Staline).

**ominform** (le), acron. de ***Kommounistitcheskaïa formatsia***, en fr. « information communiste » ~ om de l'organisation soviétique qui remplaça Komintern et regroupa de 1947 à 1956, autour l'U. R. S. S., les partis communistes des pays de urope de l'Est et ceux d'Italie et de France.

**omintern** (le), acron. de ***Kommounistitcheski ternatsional***, en fr. « Internationale communiste » Nom russe de la IIIe Internationale communiste, éée par Lénine (1919) et dissoute par Staline 943). Il fut remplacé par le Kominform.

**OMIS (république des)** ~ République de la fédé- tion de Russie (N.), vaste région de plaines et de llines traversée par le cercle polaire, à l'O. de Dural ; 415 900 km$^2$, 1 228 000 h., dont **Komis**, Zyrianes (éleveurs de rennes et chasseurs, de ngue finno-ougrienne, 23 %), cap. Syktyvkar 33 000 h.). Climat froid et humide. Bois, charbon orkouta), hydrocarbures.

**OMODO** ~ Île de la Sonde (Indonésie), entre mbawa et Flores ; 520 km$^2$. Réserve naturelle de rans ou **dragons de Komodo**.

**OMPONG CHAM** ~ V. du S.-E. du Cambodge, rt fluvial sur le Mékong (r. dr.) ; env. 30 000 h. dustries text. et agroalim. (riz), caoutchouc.

**OMPONG SOM** ~ Voir **Sihanoukville**.

**OMSOMOLSK-SUR-AMOUR** ~ V. de l'Extrême- rient russe, port fluvial, au N. de Khabarovsk ; 9 000 h. Sidér., chim., raff. de pétrole, constr. ivales. Fondée en 1932 par les **komsomols**, jeunes lontaires communistes.

**ONAKRY** ~ Voir **Conakry**.

**ONCHALOVSKI** (Andreï) ~ Voir **Mikhalkov**.

**ONGFUZI** ou **K'ONG-FOU-TSEU** ~ Voir **Confu- us**.

**ongos** ou **Bakongos** (les) ~ Peuple africain de ngue bantoue vivant au Zaïre et au Congo, de part d'autre du fleuve Zaïre.

**ONGZI** ou **K'ONG-TSEU** ~ Voir **Confucius**.

**ONIEV** ou **KONEV** (Ivan Stepanovitch) ~ *1897, deïno - 1973, Moscou.* Maréchal soviétique. Il illustra devant Moscou (1941) puis en Bohême 945), et commanda les forces du pacte de arsovie (1955-1960).

**ÖNIGSBERG** ~ Voir **Kaliningrad**.

**ÖNIGSMARCK** ou **KÖNIGSMARK**, famille sué- oise d'orig. allemande. ~ **Hans Christoffer**, comte ON (*1600, Kötzlin - 1663, Stockholm*), général, mbattit aux côtés de Turenne durant la guerre Trente Ans. Sa petite-fille ~ **Aurora**, comtesse ON (*1662, Stade - 1728, Quedlinburg*), fut la aîtresse d'Auguste II de Saxe, roi de Pologne, dont le eut un fils, le futur maréchal Maurice de Saxe.

**ONYA**, anc. **Ikonion** ~ V. du S. de la Turquie, pied du Taurus ; 543 000 h. (agglom. 015 000 h.). Artisanat (text.) et tourisme. **HIST.** - té romano-byzantine, Konya fut un bastion du ristianisme primitif. Capitale du sultanat seldjou- de de Rum (XIIe-XIIIe s.), dont il reste de nombreux onuments, elle fut occupée par les Ottomans en 464. Méhémet-Ali y battit les Turcs en 1832.

**ÖPRÜLÜ** ~ Famille turque d'orig. albanaise dont nq membres furent grands vizirs de l'Empire toman entre 1656 et 1710.

**oraïchites** (les) ~ Voir **Qurayshites**.

**ORAÍS** (Adhamándios) ~ Voir **Coraï**.

**ORDA** (Sándor Laszlo, dit sir Alexander) ~ *393, Pusztaturpaszto, Hongrie - 1956, Londres.* Ci- éaste et producteur britannique d'orig. hongroise. ondateur de la London Films, réalisateur (*la Vie ivée de Henry VIII*, 1933), il fut également roducteur de films, not. pour C. Reed et L. Olivier.

**ORDOFAN** ~ Région du Soudan central, entre Nil et le Darfour (env. 3 000 000 d'h., ch.-l. El- beïd). Coton, élev. extensif. Anc. chrétien (royau- e de Nubie), le Kordofan fut islamisé au XIVe s.

**ÔRIN** (Ogata Ichinojô, dit) ~ *1658, Kyôto - 716, id.* Peintre japonais. Influencé par Sôtatsu, n art narratif et finement décoratif est à l'origine l'école japonaise de peinture qui porte son nom.

**KÖRNER** (Karl, dit Theodor) ~ *1791, Dresde - 1813, Gadebusch.* Poète allemand. Ses chants patriotiques (*Lyre et Épée*, posth., 1814) célèbrent la guerre d'indépendance contre Napoléon.

**KÓS** ~ Voir **Cos**.

**KOSCIUSKO (mont)** ~ Point culminant de l'Australie (2 230 m), dans les Alpes australiennes.

**KOŚCIUSZKO** (Tadeusz Andrzej Bonawentura) ~ *1746, Mereczowszczyźna, Lituanie - 1817, Soleure, Suisse.* Héros national polonais. Il combattit aux côtés des « insurgents » lors de la guerre de l'Indépendance américaine (1775-1782). De retour en Pologne, il rejoignit l'armée en lutte contre les Russes. En 1794, il dirigea l'insurrection de Cracovie et fut fait prisonnier. Après sa libération, il s'installa à Paris puis en Suisse.

**KOŠICE**, en hongrois *Kassa* ~ V. de Slovaquie, la 2e du pays, près de la frontière hongroise ; 236 000 h. Sidér., chim., constr. mécan., agroalimentaire. Université. Cathédrale Ste-Élisabeth (XIVe s.). Elle fut le cadre de la proclamation de l'indépendance et de l'unité tchécoslovaques (programme gouvernemental de Košice, 5 avr. 1945).

**KOSMA** (Joseph) ~ *1905, Budapest - 1969, La Roche-Guyon.* Compositeur français d'orig. hongroise. Auteur de chansons d'après Prévert, Desnos ou Aragon, il excella à souligner l'atmosphère populaire des films de Renoir (*la Grande Illusion*, 1937) ou de Carné (*les Enfants du paradis*, 1945).

**KOSOVO-METOHIJA** (le) ~ Région de Serbie, frontalière de la Macédoine et de l'Albanie ; 10 887 km$^2$, 2 043 000 h. (à 80 % de souche albanaise et islamisés), ch.-l. Priština. Agric. céréalière (petites exploit.) et industrie métallurgique. **HIST.** - Centre historique de la Serbie, théâtre de la victoire ottomane qui assit la domination turque (**bataille de Kosovo**, 15 juin 1389), la région fut rattachée à la nouvelle Serbie (1912), puis à l'Albanie italienne (1941). En 1945, elle devint une province autonome de Yougoslavie. La revendication albanaise d'une république fédérée, en 1981, a entraîné des mesures répressives de la part du gouvernement serbe. En 1991, les Albanais du Kosovo se sont autoproclamés indépendants.

**KOSSEL**, famille de chimistes allemands. ~ **Albrecht** (*1853, Rostock - 1927, Heidelberg*) travailla sur les substances albuminoïdes et détermina l'origine de l'urée. Prix Nobel de physiol. ou méd. 1910. Son fils ~ **Walther** (*1888, Berlin - 1956, Kassel*) théorisa l'électrovalence, étudia la structure des cristaux grâce aux rayons X et expliqua la stabilité des gaz rares par la présence sur la couche externe de leurs atomes de huit électrons.

**KOSSUTH** (Lajos) ~ *1802, Monok - 1894, Turin.* Homme politique hongrois. Nationaliste, il proclama l'indépendance de la Hongrie et la déchéance des Habsbourg (1849), et devint gouverneur du pays. L'aide russe à l'Autriche l'obligea à démissionner et à s'exiler (août 1849).

**KOSSYGUINE** (Alekseï Nikolaïevitch) ~ *1904, Saint-Pétersbourg - 1980, Moscou.* Homme politique soviétique. Président du Conseil des ministres (1964-1980), il chercha à réformer le système de planification.

**KOSTROMA** ~ V. et port fluvial de Russie, centre admin. sur la Volga, au N. de Moscou ; 282 000 h. Industrie linière depuis le XVIe s. Cathédrale de l'Assomption (XIIIe s.). Fondée par les princes de Souzdal, la ville fut annexée par Ivan III au XVe s.

**KOTA BAHARU** ~ Cap. et port du Kelantan (Malaysia) ; 171 000 h. Pêche. Textile et constr. mécaniques.

**KOTA KINABALU**, anc. **Jesselton** ~ Port et cap. du Sabah (Malaysia), sur la côte N.-O. de Bornéo ; 56 000 h. Export. de bois et de caoutchouc.

**KOTOR (bouches de)** ~ Golfe de l'Adriatique et port sur la côte du Monténégro. Site touristique.

**KOTZEBUE** ~ **August** VON (*1761, Weimar - 1819, Mannheim*), dramaturge allemand, auteur de pièces à multiples rebondissements (*Misanthropie et Repentir*, 1789). Accusé d'espionnage pour le tsar Alexandre, il fut assassiné. Son fils ~ **Otto** VON (*1788, Tallinn - 1846, id.*), navigateur russe d'orig. allemande, explora le Pacifique.

**KOUANG-SI** (le) ~ Voir **Guangxi**.

**KOUANG-TCHEOU** ~ Voir **Canton**.

**KOUANG-TONG** (le) ~ Voir **Guangdong**.

**KOUAN Han-k'ing** ~ Voir **Guan Hanqing**.

**KOUBAN** (le) ~ Fl. de Russie (N.-O. du Caucase), issu de l'Elbrouz, tribut. de la mer d'Azov ; env. 900 km. Son bassin est une riche région agricole.

**KOUBILAY** ~ Voir **Kubilay Khan**.

**KOUCH** ~ Voir **Nubie**.

**KOUCHAN (Empire)** ~ Voir **kushana**.

**KOUDELKA** (Josef) ~ *1938, Boskovice, Moravie.* Photographe français d'orig. tchèque. Il est célèbre pour ses reportages sur les Tsiganes (1961) et sur l'invasion de Prague par les Russes (1968). Depuis 1971, il est membre de l'agence Magnum.

**KOUEI-LIN** ~ Voir **Guilin**.

**KOUEI-TCHEOU** (le) ~ Voir **Guizhou**.

**KOUEI-YANG** ~ Voir **Guiyang**.

**K'OUEN-LOUEN** (le) ~ Voir **Kunlun**.

**K'OUEN-MING** ~ Voir **Kunming**.

**KOUFRA** ~ Groupe d'oasis du S. de la Cyrénaïque (Libye) ; 25 000 h. Il fut pris aux Italiens par le commandant Leclerc (1941).

**KOUÏBYCHEV** ~ Voir **Samara**.

**KOU K'ai-tche** ~ Voir **Gu Kaizhi**.

**KOULECHOV** (Lev Vladimirovitch) ~ *1899, Tambov - 1970, Moscou.* Cinéaste et théoricien soviétique. Il conceptualisa le rôle dramatique du montage et réalisa des films muets d'une grande inventivité (*les Aventures extraordinaires de Mr West au pays des Bolcheviks*, 1924).

**KOUMASSI** ~ V. du centre du Ghana, la 2e du pays, centre comm. (cacao) et nœud routier ; 376 000 h. Anc. cap. des Achantis (XVIIIe-XIXe s.).

**Kouo-min-tang** (le) ~ Voir **Guomindang**.

**KOUO Mo-jo** ~ Voir **Guo Moruo**.

**KOURA** (la) ~ Fl. de Transcaucasie né en Turquie (Petit Caucase), qui arrose la Géorgie, l'Azerbaïdjan et conflue avec l'Araxe avant de rejoindre la Caspienne ; env. 1 500 km. Hydroélectr., irrigation.

**KOURILES** (les) ~ Arc insulaire volcanique qui limite la mer d'Okhotsk, entre le Kamtchatka et Hokkaidô (Japon) ; env. 10 000 km$^2$. Il est bordé au S.-E. par la **fosse océanique des Kouriles** (10 500 m de profondeur). Le Japon revendique les **Kouriles du Sud**, soviétiques depuis 1945.

**KOUROPATKINE** (Alekseï Nikolaïevitch) ~ *1848, Kholmski - 1925, Chemchourino.* Général russe. Il fut vaincu à Moukden en 1905 par les Japonais.

**KOUROU** ~ Localité de la Guyane française, au N.-O. de Cayenne, base de lancement des fusées européennes ; 13 962 h.

**KOURSK** ~ V. de Russie, sur le plateau central russe, au N. de Kharkov (Ukraine) ; 435 000 h. Industr. métall., chimique. Exploit. du fer (le gisement, l'un des plus riches du monde, explique l'**anomalie magnétique de Koursk**).

**KOUTAÏSSI** ~ 2e v. de Géorgie, sur le Rion ; 235 000 h. Industries automobile, chimique, alimentaire et textile. Cathédrale du XIe s., ancien monastère de Guélati (XIIe s.).

**Koutoubia** (la) ~ Voir **Kutubiyya**.

**KOUTOUZOV** (Mikhaïl Ilarionovitch Golenichtchev), prince **de Smolensk** ~ *1745, Saint-Pétersbourg - 1813, Bunzlau, Silésie.* Feld-maréchal russe. Vaincu à Austerlitz (1805), il abandonna Moscou mais contraignit Napoléon Ier à se retirer de Russie (1812).

**KOUZBASS** (le), anc. **Kouznetsk** ~ Riche bassin houiller russe et centre d'industrie lourde du S. de la Sibérie, entre l'Ob et l'Ienisseï, au S.-E. de Novossibirsk. V. princ. Novokouznetsk.

**KOVALEVSKAÏA** (Sofia ou Sonia Vassilievna) ~ *1850, Moscou - 1891, Stockholm.* Mathématicienne russe. Elle étudia les équations aux dérivées partielles et détermina la rotation d'un corps asymétrique autour d'un point fixe.

**KOWALSKI** (Piotr) ~ *1927, Lvov.* Sculpteur français d'orig. polonaise. Fondées sur des recherches technologiques originales, ses œuvres sont des expériences conceptuelles souvent spectaculaires.

**KOWEIT** (le), en ar. *al-Kuwayt* ~ Pays du N.-E. de la péninsule Arabique, au fond du golfe Persique. ***Cap.*** Koweït. ***Superf.*** 17 818 km$^2$. ***Popul.*** 2 100 000 h. ***Langue princ.*** Arabe. ***Monn.*** Dinar koweitien. ***Climat.*** Désertique. ***Écon.*** Export. d'hydrocarbures, industries (pétr., papier, ciment). Le Kuwait Investment Office (K. I. O.) gère les placements à l'étranger. Importante main-d'œuvre étrangère (80 % de la population active). **HIST.** – La côte est peuplée dès l'Antiquité et traversée, à partir du VII^e s., par les pèlerins qui se rendent à La Mecque. *XVIII^e-XIX^e s.* : la famille al-Sabbah fonde un émirat placé sous protectorat britannique pour échapper à l'influence ottomane. *1937-1938* : découverte et exploitation des gisements pétroliers. *1961* : proclamation de l'indépendance et instauration d'une monarchie parlementaire. *1980-1988* : participation au financement de la guerre irakienne contre l'Iran. *1989-1990* : l'Iraq, qui revendique depuis longtemps cette « 19^e province », demande l'annulation de la dette et envahit le pays. *1991* : une force internationale, menée par les Américains, libère le Koweit (guerre du Golfe), qui élargit légèrement son domaine pétrolier.

**KOWLOON** ~ Princ. port de la colonie britannique de Hong Kong, dans les Nouveaux Territoires ; env. 2 000 000 d'h.

**KOYRÉ** (Alexandre) ~ *1882, Taganrog, Russie - 1964, Paris.* Philosophe et historien français d'orig. russe. Dans ses *Études galiléennes* (1940), il analysa la révolution scientifique du XVII^e s. comme un bouleversement complet des cadres de pensée hérités de l'Antiquité et du Moyen Âge.

**KOZHIKODE**, anc. **Calicut** ~ Port industr. (text.) du N. du Kerala, en Inde ; 420 000 h. Vasco de Gama y débarqua en 1498. Comptoir français (1789) sur la côte de Malabar (Kerala), il fut un centre d'exportation d'épices, de thé et de célèbres étoffes de coton (**calicots**).

**KOZINTSEV** (Grigori Mikhaïlovitch) ~ *1905, Kiev - 1973, Leningrad.* Cinéaste soviétique. En collaboration avec Leonid Trauberg, il fonda la F. E. K. S. (« Fabrique de l'acteur excentrique ») et développa une esthétique révolutionnaire qui trouva son application dans *les Aventures d'Octobrine* (1924) et dans *la Nouvelle Babylone* (1929).

**KRA (isthme de)** ~ Isthme étroit et montagneux de la presqu'île de Malacca, en Thaïlande, entre l'océan Indien et le golfe de Siam.

**KRAFFT-EBING** (Richard VON) ~ *1840, Mannheim - Graz, 1902.* Psychiatre allemand. Il s'intéressa not. aux perversions sexuelles et à la criminologie (*Psychopathia sexualis*, 1886).

**KRAGUJEVAC** ~ V. de Serbie, au S. de Belgrade, marché agric. (prod. maraîchers), sur un affl. de la Morava (r. g.) ; 147 000 h. Industr. automobile, chimique. Anc. capitale serbe (1818-1839).

**KRAJINA**, en fr. « frontière » ~ Nom de plusieurs régions de l'ex-Yougoslavie (pays de marches). La **Krajina de Knin**, en Croatie, à la frontière O. de la Bosnie, fut créée par l'Autriche pour défendre sa frontière avec l'Empire ottoman (1737). Les Serbes, majoritaires, y proclamèrent une république (déc. 1991), reconquise par l'armée croate en août 1995.

**KRAKATOA** ou **KRAKATAU** (le) ~ Île volcanique du détroit de la Sonde (Indonésie, O. de Java), en partie détruite en 1883 par l'explosion du volcan Perbuatan et le raz de marée consécutif.

**KRASICKI** (Ignacy) ~ *1735, Dubiecko - 1801, Berlin.* Écrivain polonais. Prince-évêque de Warmie, auteur de poèmes satiriques (*Fables et Adages* ; *Satires*, 1779).

**KRASNODAR**, anc. **Iekaterinodar** ~ V. de Russie (N.-O. du Caucase), sur le Kouban ; 635 000 h. Industr. liées à l'agric. et au pétr. (raff.). Instituts techniques. Anc. garnison cosaque (XIX^e s.).

**KRASNOÏARSK** ~ V. de Sibérie centrale (Russie), sur l'Ienisseï ; 925 000 h. Industr. sidér., métall., exploit. du bois, centrale hydroélectrique.

**KRASNOVODSK** ~ Port du Turkménistan (fondé en 1869), débouché du pays sur la Caspienne ; 60 000 h. Pêche. Raff. de pétrole, chimie.

**KRAUS** (Karl) ~ *1874, Jičín, Bohême - 1936, Vienne.* Écrivain autrichien. Pacifiste, il brossa une satire féroce des mœurs contemporaines (*les Derniers Jours de l'humanité*, 1919).

**KREBS** (sir Hans Adolf) ~ *1900, Hildesheim - 1981, Oxford.* Biochimiste britannique d'orig. allemande. Il étudia le métabolisme des glucides et décrivit un ensemble de phénomènes d'oxydation et de réduction (**cycle de Krebs**). Prix Nobel de physiol. ou méd. 1953.

**KREFELD** ~ V. industr. d'Allemagne (Rhénanie-du-Nord - Westphalie), sur la r. g. du Rhin (O. de la Ruhr) ; 247 000 h. Tradition textile (soieries, velours). Possession des Orange-Nassau au XVII^e s.

**KREISKY** (Bruno) ~ *1911, Vienne - 1990, id.* Homme politique autrichien. Dirigeant du parti socialiste (1967-1983), il fut chancelier de la République de 1970 à 1983.

**KREISLER** (Fritz) ~ *1875, Vienne - 1962, New York.* Violoniste et compositeur américain d'orig. autrichienne. Il brilla dans un large répertoire, tout en composant des opérettes (*Sissi*, 1932).

**Kremlin** (le) ~ Citadelle du centre de Moscou, siège du pouvoir exécutif russe, incluant palais et cathédrales. Issu d'un château féodal, le Kremlin a été le champ de constructions incessantes du XV^e s. au milieu du XX^e s.

**KREMLIN-BICÊTRE (Le)** ~ V. de la banlieue S.-E. de Paris (Val-de-Marne), limitrophe de la capitale ; 19 348 h. Ancien hospice de **Bicêtre**, créé par Louis XIII.

**KRETSCHMER** (Ernst) ~ *1888, Wüstenrot, Wurtemberg - 1964, Tübingen.* Psychiatre allemand. Il est l'auteur d'un système de caractérologie fondé sur les affinités entre types morphologiques (biotypes), tempéraments individuels et troubles psychiques (*la Structure du corps et le Caractère*, 1921).

**KRISHNA** ou **KISTNA** (la) ~ Fleuve de l'Inde (Deccan) qui traverse la péninsule des Ghats occidentaux au golfe du Bengale, où son delta avoisine celui de la Godavari ; env. 1 300 km. Hydroélectricité, irrigation.

**KRISHNA** ou **KRISNA** ~ Une des grandes divinités du panthéon hindou, l'un des avatars de Vishnou. [☞ **hindouisme.**]

© Desmarteau-Explorer

*Statuette de Krishna.*

**KRISTIANIA** ~ Voir **Oslo**.

**KRISTIANSAND** ~ Port comm. du S. de la Norvège, fondé par Christian IV (1641) ; 66 000 h. Pêche. Métall. Tourisme (monuments du XVII^e s.).

**KRIVOÏ-ROG**, en ukr. ***Kryvyj-Rih*** ~ V. du S. de l'Ukraine, sur un affl. du Dniepr ; 724 000 h. Complexe sidérurgique et métallurgique situé sur l'un des plus importants gisements de fer au monde, relié par voie ferrée à la mer Noire et au Donbass. Théâtre de violentes batailles pendant la Seconde Guerre mondiale.

**KROEBER** (Alfred Louis) ~ *1876, Hoboken, New Jersey - 1960, Paris.* Ethnologue et anthropologue américain. Il développa une conception de l'ethnologie fondée sur les rapports interpersonnels (*Anthropologie*, 1948).

**KROGH** (August) ~ *1874, Grenå, Jylland - 1949, Copenhague.* Physiologiste danois. Il travailla sur les échanges respiratoires et sur le rôle des capillaires dans la circulation du sang. Prix Nobel de physiol. ou méd. 1920.

**KRONECKER** (Leopold) ~ *1823, Liegnitz, auj. Legnica, Silésie - 1891, Berlin.* Mathématicien allemand. Il élabora une théorie fondée sur les nombres entiers positifs, étudia les nombres algébriques et fut à l'origine de la théorie des corps.

**KRONPRINZ** (Frédéric-Guillaume, dit **le**) ~ *1882, Potsdam - 1951, Hechingen.* Prince prussien. Fils aîné de l'empereur Guillaume II, il abdiqua avec son père en novembre 1918.

**KRONSTADT** ou **CRONSTADT** ~ V. et base militaire russe, au fond du golfe de Finlande, face à Saint-Pétersbourg ; env. 50 000 h. Créée en 17[…] par Pierre le Grand sur l'île de Kotline, la base f[…] le théâtre de soulèvements historiques (1825, 19[…] 1917, 1921) et joua un rôle primordial dans [la] défense de Leningrad (1941-1944).

**KROPOTKINE** (Piotr Alekseïevitch, prince) [~] *1842, Moscou - 1921, Dimitrov.* Révolutionna[ire] russe, théoricien de l'anarchisme (*l'Anarchie, [sa] philosophie, son idéal*, 1896).

**KROUMIRIE** (la) ~ Région montagneuse et bois[ée] des confins algéro-tunisiens, bordée par la Médite[r]ranée, peuplée de **Kroumirs**, pasteurs sédentaris[és].

**KRÜGER** (Johannes) ~ *1857, Elze, Hanovr[e] - 1923, id.* Géodésien allemand. Il poursuivit l'œuv[re] de C. Gauss et introduisit la projection U. T. M. (Universal Transverse Mercator).

**KRUGER** (Paul) ~ *1825, Vaalbank, Le Cap - 190[4], Clarens, Suisse.* Homme d'État sud-africain. Fond[a]teur de la république du Transvaal, il en f[ut] président en 1883, 1888, 1893 et 1898. Il fut l'âme de la résistance aux Britanniques lors de la gue[rre] des Boers (1899-1902). Vaincu, il s'exila.

**KRULL** (Germaine) ~ *1897, Wilda-Poznań, P[o]logne - 1985, Wetzlar, Allemagne.* Photographe h[ol]landaise d'orig. allemande. Elle fut liée aux avan[t-]gardes expressionnistes (Nouvelle Objectivité). Photographe de la France libre, elle devint corre[s]pondante de guerre en Extrême-Orient.

**KRUPP** (Alfred) ~ *1812, Essen - 1887, id.* Indu[s]triel allemand. Il élabora un procédé de productio[n] de l'acier, fabriqua les premiers canons lourds e[n] acier (1847) et introduisit le procédé Bessemer e[n] Europe (1862). Il fonda un empire industriel. S[es] descendants favorisèrent l'effort de guerre allema[nd] pendant les deux guerres mondiales et soutinre[nt] le nazisme. Depuis 1945, la société Krupp s'e[st] reconvertie dans la construction navale et mécan[i]que et dans les secteurs de la sidérurgie.

**KRYLOV** (Ivan Andreïevitch) ~ *1769, Mosco[u] - 1844, Saint-Pétersbourg.* Écrivain russe. Inspirées [de] celles de La Fontaine, ses fables sont très populair[es].

**KSAR EL-KEBIR** ~ V. du N. du Maroc, marc[hé] agricole au contact du Rif et de la plaine atlantiqu[e] ; 74 000 h. Anciennes mosquées. Vestiges romain[s]. Le 4 août 1578, le Maroc y vainquit le Portugal lo[rs] de la bataille des Trois-Rois, où périrent le r[oi] Sébastien de Portugal, Abd al-Malik et un ancie[n] sultan du Maroc, tous alliés des Portugais.

**KSOUR (monts des)** ~ Partie occidentale élev[ée] de l'Atlas saharien, dans la région d'Aïn Sefra, e[n] Algérie (2 235 m au djebel Aïssa).

**KUALA LUMPUR** ~ Cap. de la fédération de M[a]laysia, métropole écon. et univ. de la Malais[ie] péninsulaire ; 938 000 h. Tours Petronas, do[nt] l'une atteint 451,9 m. De création récente (XIX^e s[.]), elle fut la capitale du Selangor (1880) puis de [la] Malaisie indépendante (1957).

**KUALA TERENGGANU** ~ Port du N.-E. de [la] péninsule malaise, cap. du Terengganu ; 187 000 [h.] Pêche. Industr. textile.

**KUBILAY KHAN** ou **KOUBILAY** ~ *1214 - 129[4]*. Grand khan mongol (1260-1294). Il acheva [la] conquête de la Chine (1280) et fonda la dynast[ie] Yuan, dont il devint le premier empereur. Tolérant à l'égard des bouddhistes et des chrétiens, [il] accueillit notamment Marco Polo.

**KUBRICK** (Stanley) ~ *1928, New York.* Cinéas[te] américain. Animé par un souci d'innovation styli[s]tique, il s'est illustré dans le registre de la fab[le]

*Scène de* Barry Lyndon *(1975), film de Stanley* **Kubrick**

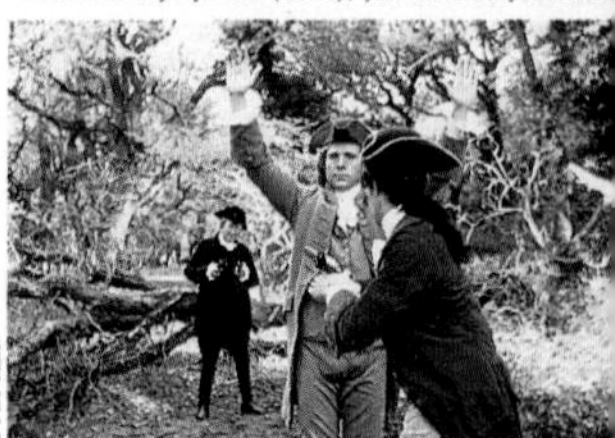
© Pele-Stills

ıilosophique (*Docteur Folamour*, 1963 ; *2001, Odyssée de l'espace*, 1968 ; *Orange mécanique*, 1971 ; ırry *Lyndon*, 1975 ; *Full Metal Jacket*, 1987).

**UCHING** ~ Port de l'O. de Bornéo, cap. du ırawak (Malaysia), sur la mer de Chine méridioıale ; 74 000 h. Export. (poivre, caoutchouc).

**ÜÇÜK-KAYNARCA** ~ Voir **Kutchuk-Kaïnardji**.

**UHLMANN** (Frédéric) ~ *1803, Colmar - 1881, 'lle*. Chimiste et industriel français. Fondateur 'un empire industriel dans le Nord de la France, introduisit la catalyse dans la chimie industrielle, : prépara l'acide sulfurique par le procédé de ɔntact (1833) et l'acide nitrique par oxydation ıtalytique de l'ammoniac (1838).

**UIPER** (Gerard Pieter) ~ *1905, Harenkarspel - 973, Mexico*. Astrophysicien américain d'orig. éerlandaise. Il identifia la glace dans la calotte ɔlaire de Mars et découvrit le 5ᵉ satellite d'Uranus 1948) et le 2ᵉ satellite de Neptune (1949).

**u Klux Klan** (le) ~ Société secrète née après guerre de Sécession dans le S. des États-Unis 1867). Elle se destinait à empêcher, par la terreur, s Noirs d'exercer leur droit de vote. Ses activités olentes amenèrent son interdiction (1877). Au ᵉ s., le Ku Klux Klan prit un nouvel essor ; il attaqua aux Noirs mais aussi aux Juifs et aux ıtholiques. Il atteignit un million de membres dans s années 1920.

**ulturkampf** (le), en fr. « combat pour la civiısation » ~ Ensemble de mesures prises par le ıancelier Bismarck contre les catholiques alleıands (1871-1878). Accusant l'Église d'encouraır les particularismes et de menacer l'unité de empire, il en réduisit l'influence par des lois, dites is de Mai (1873-1875), la plupart abrogées après avènement du pape Léon XIII (1878). Le Kulturampf exerça une certaine influence sur la politique ligieuse suivie en Autriche et en Suisse.

**UMAMOTO** ~ V. du Japon, centre admin. de île de Kyûshû ; 625 000 h. Université. Agroalim., xtile. Tourisme (pèlerinage bouddhiste).

**UMAUN** (le) ~ Région de l'Himalaya (7 816 m ı Nanda Devi), aux confins de l'Inde, du Népal : de la Chine (Tibet), où se trouvent les sources ıcrées du Gange.

**UMMER** (Ernst Eduard) ~ *1810, Sorau, auj. ary - 1893, Berlin*. Mathématicien allemand. Il tendit les concepts de l'arithmétique à l'étude des ombres algébriques et élabora une théorie des ombres idéaux.

**UN** (Béla) ~ *1886, Szilágycseh - 1938, en . R. S. S.* Révolutionnaire hongrois. Dirigeant de éphémère république des Conseils (1919), à ıquelle l'invasion roumaine mit fin, il se réfugia ı U. R. S. S. Victime des purges staliniennes, il fut xécuté.

**UNCKEL** ou **KUNKEL VON LÖWENSTERN** 'ohann) ~ *1638, Hütten, près de Rendsburg - 703, Stockholm*. Chimiste allemand. Il découvrit ammoniac ainsi qu'une méthode de préparation u phosphore (1669). Il montra que l'oxydation ourdit les métaux (1690).

**UNDERA** (Milan) ~ *1929, Brno*. Écrivain franıis d'orig. tchèque. Son œuvre romanesque déonce les ressorts des sociétés totalitaires (*la laisanterie*, 1967 ; *l'Insoutenable Légèreté de l'être*, 984 ; *l'Immortalité*, 1990).

**KUNDT** (August) ~ *1839, Schwerin - 1894, Israelsdorf, près de Lübeck*. Physicien allemand. Il mit en évidence les ondes stationnaires dues aux vibrations d'un fluide (**tube de Kundt**) et découvrit la dispersion anormale de la lumière (1871).

**KUNLUN** ou **K'OUEN-LOUEN** (le) ~ Rebord septentrional (alt. max. 7 723 m) du plateau tibétain. Le Huang He prend sa source dans sa partie orientale.

**KUNMING** ou **K'OUEN-MING** ~ V. de la Chine méridionale, cap. et métropole industr. du Yunnan ; 1 450 000 h. Important nœud de communications, not. pendant la Seconde Guerre mondiale (route de Birmanie). Université. Industrie lourde.

**Kunsthistorisches Museum** (le) ~ Musée de Vienne. Il expose des œuvres d'art rassemblées, pour une large part, par les souverains autrichiens.

**KUOPIO** ~ V. du centre de la Finlande ; 83 000 h. Archevêché orthodoxe. Tourisme (lacs), industrie du bois.

**KUPANG** ~ Port du S.-O. de Timor (Indonésie), princ. ville de l'île ; 403 000 h. Pêche. Exportations (coprah, bois de santal).

**KUPKA** (František, dit Frank) ~ *1871, Opočno, Bohême - 1957, Puteaux*. Peintre tchèque. Il fut dès 1910 l'un des fondateurs de l'abstraction géométrique (*Autour d'un point*, 1911-1913).

**KURDISTAN** (le) ~ Région montagneuse d'Asie occidentale partagée entre la Turquie, l'Iraq, la Syrie et l'Iran, au climat continental, rude en altitude ; env. 500 000 km², env. 20 000 000 d'h. Importantes ress. minières (charbon, chrome, fer, cuivre) et pétr. (région de Mossoul). Depuis 1920, les **Kurdes** revendiquent un État indépendant.

**KUROSAWA Akira** ~ *1910, Tôkyô*. Cinéaste japonais. Influencé par l'humanisme occidental, il s'est attaché aux humbles et aux déshérités (*Vivre*, 1952 ; *Barberousse*, 1965), sa philosophie compatissante trouvant une expression originale dans *les Sept Samouraïs* (1954) ou dans ses transpositions des œuvres de Dostoïevski (*l'Idiot*, 1951) et de Gorki (*les Bas-Fonds*, 1957).

© Kurita-Gamma

*Scène de Ran (1985), film de Kurosawa Akira.*

**KUROSHIO** ~ Courant chaud du Pacifique. Venant des îles Philippines, il baigne les côtes E. du Japon, partie la plus peuplée de l'archipel.

**KURYŁOWICZ** (Jerzy) ~ *1895, Stanisławów, auj. Ivano-Frankovsk, Ukraine - 1978, Cracovie*. Linguiste polonais. Ses recherches ont initié la linguistique comparée, à laquelle il a donné une orientation structuraliste (*Études indo-européennes*, 1935).

**KUSHANA** ou **KOUCHAN (Empire)** ~ État centré sur la vallée de Kaboul et unissant l'Asie centrale à l'Inde du N. (Iᵉʳ-IIIᵉ s.). Créé par un clan Yuezhi, il atteignit son apogée sous Kanishka, ardent propagateur du bouddhisme (entre 78 et 120).

**KUTCHUK-KAÏNARDJI** ou **KÜÇÜK-KAYNARCA**, auj. **Kainarža** ~ Localité de Bulgarie où fut signé le traité du 21 juillet 1774 entre la Russie et l'Empire ottoman. Le tsar étendait ses possessions et s'affirmait le protecteur des chrétiens orthodoxes soumis au sultan.

**Kutubiyya** ou **Koutoubia** (la) ~ Principale mosquée de Marrakech, érigée au XIIᵉ s.

**KUZNETS** (Simon) ~ *1901, Kharkov - 1985, Cambridge, Massachusetts*. Économiste américain. Il étudia principalement les mécanismes de la croissance économique. Prix Nobel de sc. écon. 1971.

**KWANGJU** ~ V. du S.-O. de la Corée du Sud, centre admin. et industriel ; 1 145 000 h. Université. Importantes liaisons ferroviaires. Ruines d'une nécropole royale et temples bouddhistes.

**KWAZULU-NATAL** (le) ~ Voir **Natal**.

**KYD** (Thomas) ~ *1558, Londres - 1594, id.* Dramaturge anglais. Classique élisabéthain, il emprunta son style tragique à Sénèque (*Tragédie espagnole*, 1592).

**KYÔTO** ~ V. du Japon, dans le S. de Honshû, au centre d'une plaine intérieure (conurbation du Keihansin) ; 1 395 000 h. Pôle administratif et culturel. Université. Artisanat traditionnel. Industrie récente. Monuments du VIIIᵉ au XIXᵉ s. (temples, jardins, vestiges des villas et palais impériaux). **HIST.** - Construite en 794 par l'empereur Kammu, Kyôto (Heian-kyô) fut la capitale impériale du Japon jusqu'en 1868. Malgré de nombreuses destructions (guerre civile d'Ônin, 1467-1477), elle a conservé de nombreux temples bouddhiques.

© N. Hicks-Gamma

*Kyôto, le Pavillon d'or.*

**KYPRIANOÚ** (Spýros) ~ *1932, Limassol*. Homme d'État chypriote. Il fut président de la République de 1977 à 1988.

**KYÛSHÛ** ~ Île montagneuse et volcanique du S. du Japon, au climat subtropical ; 42 151 km², 13 314 000 h., v. princ. Kita-Kyûshû, Fukuoka, Kumamoto, Kagoshima. Canne à sucre, tabac. Décentralisation industrielle.

**KYZYLKOUM** (le) ~ Désert sableux d'Asie centrale (Ouzbékistan, Kazakhstan), au S.-E. de la mer d'Aral, entre les cours inférieurs de l'Amou-Daria et du Syr-Daria ; env. 300 000 km². Cultures d'oasis, élev. extensif du mouton astrakhan.

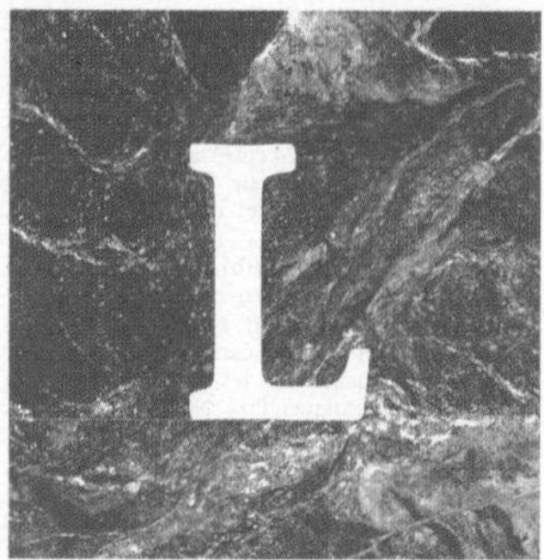

**LAALAND** ~ Voir **Lolland**.

**LABAN** (Rudolf von) ~ *1879, Bratislava - 1958, Weybridge, Surrey.* Chorégraphe et théoricien autrichien. Inventeur d'un système de notation chorégraphique (**labanotation**), il fut un novateur fécond dans le domaine de la danse moderne.

**LA BARRE** (Jean François **Le Febvre**, chevalier de) ~ *1747, Abbeville - 1766, id.* Gentilhomme français. Il fut condamné à mort et exécuté pour crime d'impiété. Voltaire réclama en vain la révision de son procès. La Barre ne fut réhabilité qu'en 1793.

**LABÉ** ~ L'une des princ. villes de Guinée, centre comm. d'une région agric. dans le Fouta-Djalon ; 65 000 h. (1983). Marché aux bestiaux.

**LABÉ** (Louise), dite **la Belle Cordière** ~ *1524, Lyon - 1566, Parcieux-en-Dombes.* Poétesse française. Aventurière et femme du monde, elle composa sur la passion amoureuse trois *Élégies* et vingt-quatre *Sonnets* (1555) d'une rare qualité formelle.

**LA BÉDOYÈRE** (Charles **Huchet**, comte de) ~ *1786, Paris - 1815, id.* Général français. Chargé d'arrêter Napoléon au retour de l'île d'Elbe, il se rallia à lui. Après Waterloo, il fut fusillé.

**LABICHE** (Eugène) ~ *1815, Paris - 1888, id.* Dramaturge français. Maître du vaudeville, il offre dans ses comédies une vision satirique de la bourgeoisie (*Un chapeau de paille d'Italie,* 1851 ; *le Voyage de M. Perrichon,* 1860). Acad.

**LA BOÉTIE** (Étienne de) ~ *1530, Sarlat - 1563, Germignan.* Écrivain français. Il est l'auteur du *Discours de la servitude volontaire* ou *Contr'un* (posth., v. 1574), apologie de la liberté contre la tyrannie. L'amitié qui le lia à Montaigne est célébrée par ce dernier dans les *Essais*.

**LABORIT** (Henri) ~ *1914, Hanoi - 1995, Paris.* Biologiste français. Il étudia le système nerveux végétatif et les phénomènes d'hibernation. En pharmacologie, il introduisit le premier neuroleptique, la chlorpromazine (1951), et les aspartates (1956).

**LABOURD** (le) ~ Anc. province du Pays basque, dont Ustaritz était la capitale (Pyr.-Atlantiques).

**LA BOURDONNAIS** (Bertrand François **Mahé**, comte de) ~ *1699, Saint-Malo - 1753, Paris.* Marin et administrateur français. Il gouverna l'île de France et l'île Bourbon à partir de 1735. Lors du conflit franco-britannique en Inde, il s'empara de Madras (1746), qu'il rendit aux Britanniques contre rançon. Renvoyé en France par J. Fr. Dupleix, il fut accusé de trahison, emprisonné à la Bastille (1748-1751) puis acquitté.

**LA BOURDONNAIS** (François Régis de), comte **de La Bretèche** ~ *1767, La Brenne, Anjou - 1839, château de Mésangeau, Maine-et-Loire.* Homme politique français. Il émigra en 1791, puis combattit aux côtés des Vendéens. Lors de la Restauration, il fut ministre de l'Intérieur de Polignac (1829).

**Labour Party** ~ Voir **travailliste** (parti).

**LABRADOR** (le) ~ Partie N.-E. du Bouclier canadien, la plus élevée (alt. max. 1 130 m), péninsule aux côtes découpées et au climat froid (prov. de Terre-Neuve, Nouveau-Québec), peu peuplée (Amérindiens, Inuits). L'activité minière (fer, cuivre, nickel, or) y a remplacé l'économie traditionnelle (pêche, chasse). Hydroélectricité.

**LA BROSSE** (Gui de) ~ *né à Rouen - m. en 1641.* Médecin et botaniste français. Médecin de Louis XIII, il fut à l'origine de la création du Jardin du roi (1635), futur Jardin des Plantes et Muséum national d'histoire naturelle (1794).

**LABROUSSE** (Ernest) ~ *1895, Barbezieux - 1988, Paris.* Historien français. Il influença l'historiographie économique en France et mit en évidence le modèle de la crise économique sous l'Ancien Régime.

**LABROUSTE** (Henri) ~ *1801, Paris - 1875, Fontainebleau.* Architecte français. Principal représentant de l'architecture rationaliste, il créa d'audacieuses structures métalliques pour la bibliothèque Sainte-Geneviève et la Bibliothèque nationale, à Paris.

**LA BRUYÈRE** (Jean de) ~ *1645, Paris - 1696, Versailles.* Écrivain français. Empruntant le style et la manière du Grec Théophraste, il publia en 1688 *les Caractères,* qu'il ne cessa d'enrichir jusqu'en 1694. Fruit de ses observations des mœurs et des impertinences de la Cour, que ses fonctions de précepteur puis de secrétaire auprès de la famille de Condé lui permirent d'approcher, cette galerie de portraits est une peinture ironique, parfois pessimiste, de la société du XVIIe s. Acad.

**LABUAN** ~ Voir **Malaysia**.

**Labyrinthe** ~ Dans la mythologie grecque, ensemble inextricable de pièces et de couloirs construit en Crète par Dédale sur l'ordre de Minos pour y enfermer le Minotaure. Thésée réussit à en trouver la sortie grâce au fil donné par Ariane.

**LA CAILLE** (abbé Nicolas Louis de) ~ *1713, Rumigny - 1762, Paris.* Astronome et géodésien français. Il contribua à la vérification de la méridienne de France (1739) et étudia le ciel austral au cap de Bonne-Espérance (1750-1754), relevant les positions de plus de dix mille étoiles et établissant quatorze nouvelles constellations.

**LA CALPRENÈDE** (Gauthier **de Costes** de) ~ *v. 1610, Toulgou-en-Périgord - 1663, Le Grand-Andely.* Écrivain français. Maître du roman de chevalerie, il créa le personnage d'Artaban (*Cléopâtre,* 1647-1658), dont la fierté est devenue légendaire.

**LACAN** (Jacques) ~ *1901, Paris - 1981, id.* Psychiatre et psychanalyste français. En 1936, il décrivit le « stade du miroir » comme première ébauche du moi. Il introduisit la linguistique et le structuralisme dans le champ de l'analyse. Il dispensa dans ses séminaires un enseignement oral (édition en cours depuis 1975), et inventa « la passe », procédure de nomination des analystes de l'École freudienne de Paris (qu'il a fondée en 1964 et dissoute en 1980). Il définit l'inconscient comme « discours de l'Autre » qui s'ancre dans un système symbolique « structuré comme un langage ».

**LACANAU (étang de)** ~ Étang des Landes relié au bassin d'Arcachon. Station balnéaire à **Lacanau-Océan**, sur l'océan Atlantique.

**LACAUNE (monts de)** ~ Plateaux cristallins, boisés, du S. du Massif central (Tarn), culminant au pic de Montalet (1 250 m).

**LACÉDÉMONE** ~ Voir **Sparte**.

**LACÉPÈDE** (Étienne **de La Ville-sur-Illon**, comte de) ~ *1756, Agen - 1825, Épinay-sur-Seine.* Naturaliste et écrivain français. Il collabora à l'*Histoire naturelle* de Buffon, se spécialisant dans les articl sur les reptiles et les poissons. À la fin de sa vi il écrivit une *Histoire générale de l'Europe.*

**LA CHAISE** ou **LA CHAIZE** (François **d'Aix** de dit le **Père La Chaise** ~ *1624, Aix, Forez - 170 Paris.* Jésuite français. Il fut confesseur et conseill spirituel de Louis XIV (1675). Un cimetiè parisien, créé sur l'emplacement d'une proprié jésuite où il séjourna, porte son nom.

**LA CHALOTAIS** (Louis René **de Caradeuc** de) *1701, Rennes - 1785, id.* Magistrat français. Pr cureur général du parlement de Bretagne, adep des Lumières, franc adversaire des Jésuites, il anim en 1764 une fronde parlementaire contre le du d'Aiguillon, gouverneur de Bretagne.

**LA CHAUSSÉE** (Pierre Claude **Nivelle** de) ~ *169 Paris - 1754, id.* Dramaturge français. Auteur d pièces sentimentales et moralisatrices appelé « comédies larmoyantes », il fut le précurseur d drame bourgeois (*l'École des mères,* 1744). Aca

**LACHENMANN** (Helmut) ~ *1935, Stuttgar* Compositeur allemand. Il obtient de la luther traditionnelle des sons inattendus, parfois à limite de l'audible, dans un climat dramatiqu tendu à l'extrême (*Allegro sostenuto,* 1986-1988

**LA CIERVA Y CODORNÍU** (Juan de) ~ *189 Murcie - 1936, Croydon.* Ingénieur espagnol. In venteur de l'autogire, premier modèle de l'hélicop tère (1923), avec lequel il traversa la Manch (1928), en décollant sur place à la verticale.

**LACLOS** (Pierre **Choderlos** de) ~ *1741, Amiens 1803, Tarente.* Officier et écrivain français. Auteu d'un roman épistolaire et libertin, *les Liaisor dangereuses* (1782), il influença la littérature roma nesque des XIXe et XXe s.

**LA CONDAMINE** (Charles Marie de) ~ *170 Paris - 1774, id.* Géodésien et naturaliste françai Au cours d'une expédition au Pérou (1735), établit la longueur d'un arc de méridien, ce qu confirma la théorie de Newton. En 1740, il mesu la vitesse de propagation du son. Acad.

**LACONIE** (la) ~ Région montagneuse du S.- du Péloponnèse (Grèce), autour de Sparte.

**LACORDAIRE** (Henri) ~ *1802, Recey-sur-Ourc Côte-d'Or - 1861, Sorèze, Tarn.* Dominicain fran çais. Disciple de La Mennais, orateur de talen député, il restaura l'ordre des Dominicains e France (1843) et dirigea le collège de Sorèze. Acad

**LACQ** ~ Localité du Béarn, sur le gave de Pa (Pyr.-Atl.) ; 657 h. La découverte d'un importan gisement de gaz naturel en 1951 est à l'origine d site industriel actuel (centrale thermique, prod. d soufre, de matières plastiques).

**LACRETELLE** (Jacques de) ~ *1888, Cormatir Saône-et-Loire - 1985, Paris.* Écrivain français. révéla, dans ses romans psychologiques, une lucidit inquiète (*Silbermann,* 1922). Acad.

**LACTANCE** ~ *v. 260, Cirta, auj. Constantine v. 325, Trèves.* Rhéteur latin converti au christia nisme. Précepteur du fils de l'empereur Constantir il donna dans ses *Institutions divines* un expos complet de la religion chrétienne.

**LADAKH** (le) ~ Région de l'O. de l'Himalaya, a N.-E. de la vallée de l'Indus (Cachemire indien) v. princ. Leh. Frontières contestées par la Chine e le Pakistan. Peuplement autochtone tibétain.

Jean de **La Bruyère**, *par Hyacinthe Rigaud (1659-1743). Musée de Condé, Chantilly.*

© Giraudon

*Jacques* **Lacan**.

© Rougemont-Gamma

Le père **Lacordaire** *(détail), par Théodore Chassériau (1819-1856). Musée du Louvre, Paris.*

© Lauros-Giraudon

**LADISLAS**, nom de plusieurs rois de Bohême, de Hongrie et de Pologne. ~ **Ladislas Ier Árpád** (saint ; *v. 1040, Pologne - 1095, Nyitra, auj. Nitra, Slovaquie*), roi de Hongrie (1077-1095). Il acheva la christianisation de son pays et lutta contre les Petchenègues et les Coumans. ~ **Ladislas Ier** (ou IV) **Łokietek** (*1260 - 1333, Cracovie*), duc (1305-1320) puis roi de Pologne (1320-1333), prince de la dynastie des Piast. Il vainquit les chevaliers Teutoniques à Plowce (1331). ~ **Ladislas II** (ou V) **Jagellon** (*v. 1351-1434, Gródek*), grand-duc de Lituanie (1377-1391), roi de Pologne (1386-1434) par son mariage avec la reine Hedwige. Il battit les chevaliers Teutoniques à Grunwald (1410).

**LADISLAS** ou **LANCELOT LE MAGNANIME** ~ *1376, Naples - 1414, id.* Roi de Naples (1386-1414) et roi titulaire de Hongrie (1403-1414). Il chercha à conquérir l'Italie mais dut défendre Naples face à Louis II d'Anjou (1411).

**LADOGA (lac)** ~ Le plus grand lac d'Europe (Russie), au S. de la Carélie ; 17 700 km². Source de la Neva. Liaisons avec la Volga et la mer Blanche.

**LADOUMÈGUE** (Jules) ~ *1906, Bordeaux - 1973, Paris.* Athlète français. Coureur de demi-fond, il battit six records du monde de 1 000 m et 2 000 m et fut deuxième au 1 500 m olympique de 1928.

**LAENNEC** (René) ~ *1781, Quimper - 1826, Kerlouanec, Finistère.* Médecin français. Il inventa le stéthoscope et vulgarisa la méthode d'auscultation. Spécialiste de la cirrhose atrophique du foie, il fonda la médecine anatomoclinique.

**LAETHEM-SAINT-MARTIN**, en néerl. ***Sint-Martens-Latem*** ~ V. de Belgique, au S.-O. de Gand. Elle a donné son nom à deux groupes de peintres belges, symbolistes à la fin du XIXe s. et expressionnistes entre les deux guerres mondiales.

**LAFARGUE** (Paul) ~ *1842, Santiago de Cuba - 1911, Draveil.* Homme politique français. Disciple et gendre de Karl Marx, il participa avec J. Guesde à la fondation du parti ouvrier (1882). Il est l'auteur du *Droit à la paresse* (1881).

**LA FAYETTE** (Marie Joseph Gilbert **Motier**, marquis DE) ~ *1757, Chavaniac, Auvergne - 1834, Paris.* Général et homme politique français. Il participa à la guerre de l'Indépendance américaine à partir de 1777. Député de la noblesse aux États généraux (1789), partisan d'une monarchie libérale, il prit ses distances avec la Révolution dès 1791 et ordonna à la Garde nationale, en tant que commandant général, de tirer sur les manifestants du Champ-de-Mars (17 juill.). Il fut mis à la tête des armées chargées de repousser les forces étrangères et remporta quelques succès sur le Danube. Décrété d'accusation le 19 août 1792, il passa dans le camp des Autrichiens, mais ceux-ci l'internèrent jusqu'en 1797. Durant la révolution de 1830, il commanda la Garde nationale et favorisa l'avènement de Louis-Philippe.

**LA FAYETTE** ou **LAFAYETTE** (Marie-Madeleine **Pioche de La Vergne**, comtesse DE) ~ *1634, Paris - 1693, id.* Femme de lettres française. Auteur de *la Princesse de Clèves* (1678) et de *Mémoires de la cour de France pour les années 1688 et 1689* (posth., 1731).

**LA FEUILLADE** (François, vicomte **d'Aubusson**, duc DE) ~ *1625 - 1691, Paris.* Maréchal de France en 1675. Il s'illustra en 1664 à Saint-Gotthard contre les Turcs puis en 1674 en Franche-Comté.

**LAFFEMAS** (Barthélemy DE), sieur **de Beausemblant** ~ *1545, Beausemblant, Drôme - v. 1612, Paris.* Économiste français. Contrôleur général du commerce (1602) sous Henri IV, il développa la manufacture de luxe (Gobelins, 1603). Ses conceptions mercantilistes préfigurent le colbertisme.

**LAFFITTE** (Jacques) ~ *1767, Bayonne - 1844, Paris.* Banquier et homme politique français. Gouverneur de la Banque de France (1814-1819), il fut l'un des plus influents banquiers sous la Restauration. Lors de la révolution de 1830, il soutint Louis-Philippe, qui le nomma président du Conseil (nov. 1830-mars 1831). Il mourut quasi ruiné.

**LA FOLLETTE** (Robert Marion) ~ *1855, Primrose, Wisconsin - 1925, Washington.* Homme politique américain. Sénateur républicain (1906), adversaire de Th. W. Wilson, il s'opposa au traité de Versailles et à l'adhésion de son pays à la S. D. N., en 1919.

*René* **Laennec**. © Giraudon

Le marquis de **La Fayette** *(détail), par Joseph-Désiré Court (1797-1865). Château de Versailles.*

Jean de **La Fontaine**, *par Nicolas de Largillière (1656-1746). Château de Versailles.* © Giraudon

**LA FONTAINE** (Jean DE) ~ *1621, Château-Thierry - 1695, Paris.* Poète français. Protégé de N. Fouquet, il publia d'abord des *Contes et Nouvelles* en « vers irréguliers » (1665-1682), d'inspiration libertine. En 1668 furent édités les premiers livres des *Fables*, dont certains thèmes ont été empruntés à Ésope ou à Phèdre. L'élégance et la variété de leur style, le réalisme des personnages, travestis en des animaux, leur moralité parfois cruelle, leur valurent un succès immédiat. Les derniers recueils parurent en 1694. Acad.

**LA FORCE** (Jacques **Nompar de Caumont**, duc DE) ~ *1558 - 1652, Bergerac.* Maréchal de France. Rescapé de la Saint-Barthélemy et compagnon d'Henri IV, il s'opposa à Louis XIII à Montauban, avant de se soumettre. Il participa à la Fronde.

**LAFORGUE** (Jules) ~ *1860, Montevideo - 1887, Paris.* Poète français. Imprégné par le symbolisme, il fut l'un des premiers maîtres du vers libre. Il publia des poèmes élégants et tragiques (*les Complaintes*, 1885 ; *l'Imitation de Notre-Dame la Lune*, 1886), avant de succomber à la tuberculose. Ses autres ouvrages ont été publiés après sa mort (*les Moralités légendaires*, 1887).

**LA FOSSE** (Charles DE) ~ *1636, Paris - 1716, id.* Peintre français. Élève de Lebrun, il est l'auteur de compositions (not. à Versailles) dont le lyrisme baroque, sous l'influence de Véronèse et de Rubens, privilégie des audaces chromatiques qui inaugurent la peinture du XVIIIe s.

**LA FRESNAYE** (Roger DE) ~ *1885, Le Mans - 1925, Grasse.* Peintre français. Proche du cubisme, il travailla par larges plans de couleurs vives, sans abandonner totalement l'espace perspectif (*la Conquête de l'air*, 1913).

**LAGACHE** (Daniel) ~ *1903, Paris - 1972, id.* Médecin et psychanalyste français. Auteur de travaux de psychanalyse et de psychologie clinique, il tenta une synthèse de la psychanalyse, de la psychologie sociale et des tests de caractère.

**LA GALISSONNIÈRE** (Roland Michel **Barrin**, marquis DE) ~ *1693, Rochefort - 1756, Nemours.* Marin français. Il fut gouverneur du Canada de 1747 à 1749. Il prit part à la guerre de Sept Ans, lors du débarquement à Minorque (1756) du duc de Richelieu, et battit l'amiral britannique Byng.

**LAGASH**, auj. **Tell al-Hiba** ~ Anc. cité de basse Mésopotamie, centre d'un État sumérien prospère durant la seconde moitié du IIIe mill. av. J.-C.

**LAGERKVIST** (Pär) ~ *1891, Växjö - 1974, Stockholm.* Écrivain suédois. Marquée par les horreurs de la guerre, son œuvre tente de tracer les voies qui permettent à l'homme l'accès à la sérénité (*le Nain*, 1944 ; *Barabbas*, 1950). Prix Nobel de litt. 1951.

**LAGERLÖF** (Selma) ~ *1858, Mårbacka - 1940, id.* Romancière suédoise. Elle transposa, dans un style réaliste, les légendes et l'atmosphère de sa province natale, le Värmland, dans ses romans et ses nouvelles (*le Merveilleux Voyage de Nils Holgersson à travers la Suède*, 1906-1907). Prix Nobel de litt. 1909.

**LAGHOUAT** ~ Ville et oasis d'Algérie, ch.-l. de wilaya, au contact de l'Atlas saharien et du désert ; 72 000 h.

**Lagides** (les) ~ Dynastie gréco-macédonienne fondée par Ptolémée, général d'Alexandre le Grand. Ils régnèrent sur l'Égypte de 323 à 30 av. J.-C.

**LAGNY-SUR-MARNE** ~ V. de l'E. de l'agglom. parisienne (Seine-et-Marne), centre industriel, intégré à Marne-la-Vallée ; 18 643 h.

**LAGOS** ~ 1re v. du Nigeria et d'Afrique subsaharienne, port relié au golfe de Guinée, métropole écon. et cult. (université) du pays, à la croissance incontrôlée et démesurée, capitale jusqu'en 1992 ; 1 347 000 h. (agglom. env. 8 000 000 d'h.). Exportations d'hydrocarbures, industries alimentaire, textile, chimique. Palais royal du XVIIIe s.

**LAGOYA** (Alexandre) ~ *1929, Alexandrie.* Guitariste français d'orig. égyptienne. Avec son épouse, la guitariste française Ida Presti, il a contribué à élargir la technique traditionnelle de la guitare.

**LAGRANGE** (Albert), en relig. frère **Marie-Joseph** ~ *1855, Bourg-en-Bresse - 1938, Saint-Maximin-la-Sainte-Baume.* Théologien français. Dominicain, fondateur en 1890 de l'École biblique de Jérusalem (auj. École archéologique française de Jérusalem), il favorisa par ses travaux le renouvellement de l'exégèse catholique (*Introduction à l'étude du Nouveau Testament*, 1933-1937).

**LA GRANGE** (Charles **Varlet**, sieur DE) ~ *1639, Amiens - 1692, Paris.* Comédien français. Appartenant à la troupe de Molière, il a laissé un précieux mémoire sur l'Illustre-Théâtre.

**LAGRANGE** (Joseph Louis, comte DE) ~ *1736, Turin - 1813, Paris.* Mathématicien français. Il établit le système des poids et mesures (1790) et constitua le calcul des variations en branche autonome. Il synthétisa les savoirs en analyse et en mécanique et jeta les bases de la théorie des groupes.

**LAGRANGE** (Léo) ~ *1900, Bourg-sur-Gironde - 1940, Evergnicourt, Aisne.* Homme politique français. Député socialiste, sous-secrétaire d'État aux Sports et Loisirs (1936-1938), il favorisa l'accès des classes populaires au sport et au tourisme.

**LAGUERRE** (Edmond) ~ *1834, Bar-le-Duc - 1886, id.* Mathématicien français. Père de la géométrie de direction, il étudia le lien entre géométries projective et métrique, et donna son nom à des polynômes.

**LAGUIOLE** ~ Bourg de l'Aubrac (Aveyron), au N.-E. de Rodez ; 1 264 h. Coutellerie. Fromage.

**LA HARPE** (Frédéric César DE) ~ *1754, Rolle, Vaud - 1838, Lausanne.* Homme politique suisse. Membre du Directoire de la République helvétique (1798-1800), il fit reconnaître par le congrès de Vienne (1814) la neutralité de la Suisse et l'indépendance de plusieurs cantons, dont celui de Vaud.

**LA HARPE** (Jean-François **Delharpe** ou **Delaharpe**, dit DE) ~ *1739, Paris - 1803, id.* Dramaturge et critique français. Il défendit le classicisme dans son *Lycée ou Cours de littérature ancienne et moderne* (1799-1805). Acad.

**LA HIRE** (Étienne **de Vignolles**, dit) ~ *v. 1390, Vignolles, Gascogne - 1443, Montauban.* Gentilhomme français, compagnon d'armes de Jeanne d'Arc. Il s'illustra contre les Anglais dans la reconquête du nord du royaume.

**LA HIRE** ou **LA HYRE** (Laurent DE) ~ *1606, Paris - 1656, id.* Peintre et graveur français. Auteur de scènes historiques et religieuses, d'abord inspiré par l'école de Fontainebleau et les modèles italiens, il évolua vers plus de classicisme et de rigueur sous l'influence de N. Poussin (*Enfants de Béthel*).

**LA HIRE** (Philippe DE) ~ *1640, Paris - 1718, id.* Astronome et mathématicien français. Auteur de travaux en géodésie, il développa la théorie des pôles et établit une méthode de description des coniques. Il installa le premier instrument méridien de l'Observatoire de Paris.

**LA HONTAN** (Louis Armand **de Lom d'Arce**, baron DE) ~ *1666, Lahontan - v. 1715, Hanovre.* Voyageur et écrivain français. Il fut lieutenant du roi à Terre-Neuve (1693). Avec *Dialogue de M. le baron de La Hontan et d'un sauvage de l'Amérique*, il contribua à forger le mythe du « bon sauvage ».

**LAHORE** ~ V. du Pakistan, cap. du Pendjab, près de la frontière indienne, pôle industr. (textile, cuir, métall., chimie) et centre cult. islamique ; 2 922 000 h. (en 1981). Université. Sites moghols, not. mosquée de Wazir Khan (1694), jardins de Shalimar (XVII^e s.). **HIST.** - Ancien fief moghol, elle devint capitale des sikhs en 1767, puis colonie britannique en 1849. À l'indépendance de l'Inde (1947), elle fut attribuée au Pakistan.

**LAHTI** ~ V. de Finlande, au N.-E. d'Helsinki, sur le lac Vesijärvi ; 94 000 h. Radio-télévision. Station de sports d'hiver.

**Laibach (congrès de)** ~ Voir **Ljubljana**.

**LAING** (Ronald David) ~ *1927, Glasgow - 1989, Saint-Tropez.* Psychiatre britannique. Il est avec David Cooper le père de l'antipsychiatrie, qui fait dériver la « folie » des contradictions sociales et familiales, et la définit comme une expérience possible de renaissance individuelle (*l'Équilibre mental, la Folie et la Famille*, 1964).

**LAÏOS** ~ Roi légendaire de Thèbes. Époux de Jocaste et père d'Œdipe.

**LAÏS** ~ Nom de plusieurs courtisanes grecques. La plus célèbre fut la maîtresse d'Alcibiade, tuée par des femmes de Thessalie, jalouses de sa beauté.

**LA JONQUIÈRE** (Pierre Jacques **de Taffanel**, marquis DE) ~ *1685, château de Lasgraïsses, près de Graulhet - 1752, Québec.* Marin français. Il s'illustra, en 1747, au cap Finisterre contre les Britanniques. Il fut gouverneur du Canada (1749).

**LAKANAL** (Joseph) ~ *1762, Serres, comté de Foix - 1845, Paris.* Homme politique français. Membre de la Convention, il fit adopter plusieurs lois relatives à l'instruction publique (1793-1795).

**LAKE DISTRICT** (le) ~ Région touristique (forêts, lacs) du N.-O. de l'Angleterre (Cumbria), essentiellement constituée par le massif du Cumberland (978 m au Scafell Pike). Parc national.

**LAKHNAU** ~ Voir **Lucknow**.

**LAKSHADWEEP** ~ Voir **Laquedives**.

**LALANDE** (Joseph Jérôme **Lefrançois** DE) ~ *1732, Bourg-en-Bresse - 1807, Paris.* Astronome français. Il améliora les tables de Halley (1759), donnant avec La Caille une mesure de la parallaxe de la Lune proche de celle admise aujourd'hui (1751). Il fut directeur de l'Observatoire de Paris (1795-1800) et rédigea un catalogue d'étoiles (1801).

**LALIBELA** ou **LALIBALA** ~ V. sainte de l'Éthiopie. Cap. de la dynastie des Zagoués sous le nom de Roha, elle fut rebaptisée du nom du roi **Lalibela** (XIII^e s.), qui y fit creuser des églises monolithes.

**LALIQUE** (René) ~ *1860, Ay - 1945, Paris.* Joaillier et verrier français. Il créa des bijoux inspirés de motifs naturels, puis des verreries moulées caractéristiques de l'Art nouveau. [☞ **nouveau.**]

**LALLEMAND** (André) ~ *1904, Cirey-lès-Pontailler, Côte-d'Or - 1978, Paris.* Astronome français. Il appliqua la photoélectricité à l'astronomie, mit au point des photomultiplicateurs et inventa la caméra électronique (1936).

**LALLY** (Thomas Arthur, baron **de Tollendal**, comte DE) ~ *1702, Romans - 1766, Paris.* Général français d'orig. irlandaise. Il fut condamné à mort pour avoir capitulé à Pondichéry devant les Britanniques (janv. 1761). Soutenu par Voltaire, son fils obtint de Louis XVI sa réhabilitation (1778).

**LALO** (Édouard) ~ *1823, Lille - 1892, Paris.* Compositeur français. Orchestrateur inspiré (*Symphonie espagnole*, 1875 ; *Concerto pour violoncelle*, 1876 ; *Namouna*, 1882), il intégra des motifs folkloriques dans son opéra *le Roi d'Ys* (1875-1888).

**LAM** (Wifredo) ~ *1902, Sagua la Grande - 1982, Paris.* Peintre cubain. Dans une gamme de couleurs sombres, il mêla références africaines ou antillaises et surréalisme.

**LAMALOU-LES-BAINS** ~ Station therm. du Languedoc, au pied de l'Espinouse, au N.-E. de Béziers (Hérault) ; 2 194 h.

**LA MARCHE** (Olivier DE) ~ *v. 1425, en Franche-Comté - 1502, Bruxelles.* Poète et mémorialiste français. Protégé des ducs de Bourgogne, il tint une chronique relatant la vie de la Cour.

**LAMARCK** (Jean-Baptiste **de Monet**, chevalier DE) ~ *1744, Bazentin, Picardie - 1829, Paris.* Naturaliste français. Il conçut une théorie des êtres vivants fondée sur la génération spontanée, la transformation des espèces (par le perfectionnement spontané de la matière vivante et son adaptation au milieu) et l'hérédité des caractères acquis (*Philosophie zoologique*, 1809 ; *Histoire naturelle des animaux sans vertèbres*, 1815-1822). S'opposant au fixisme (G. Cuvier), le **lamarckisme**, bien que remis en cause sur de nombreux points, est à l'origine des théories évolutionnistes (Ch. Darwin).

**LA MARMORA** (Alfonso **Ferrero**, marquis DE) ~ *1804, Turin - 1878, Florence.* Général et homme politique italien. Commandant des forces sardes en Crimée (1855) et durant la campagne d'Italie (1859), il fut l'un des artisans de l'unité italienne. Président du Conseil (1864), il s'allia à la Prusse contre l'Autriche (1866).

**LAMARQUE** (Jean Maximilien, comte) ~ *1770, Saint-Sever - 1832, Paris.* Général et homme politique français. Il fut député républicain en 1828. Ses obsèques provoquèrent la première journée insurrectionnelle (juin 1832) sous la monarchie de Juillet.

**LAMARTINE** (Alphonse DE) ~ *1790, Mâcon - 1869, Paris.* Poète et homme politique français. Son premier recueil, les *Méditations poétiques* (1820), le sacra chef de file des romantiques. En poste diplomatique à Florence, il publia *les Harmonies poétiques et religieuses* (1830), dans la même veine élégiaque et méditative. Après un voyage en Orient, il fut élu député (1833), publia *Jocelyn* (1836), et défendit contre Louis-Philippe des positions libérales. Ministre des Affaires étrangères (févr. 1848), orateur convaincant, il vit sa carrière politique brisée par l'avènement du second Empire. Son œuvre s'acheva par une autobiographie (*les Confidences*, 1849) et par la publication du *Cours familier de littérature* (1856-1869). Acad. [☞ **romantisme.**]

© Lauros-Giraudon

Alphonse de **Lamartine** *(détail), peinture de François Gérard (1770-1837). Château de Versailles.*

**LAMB** (Charles) ~ *1775, Londres - 1834, Edmonton.* Écrivain britannique. Auteur, avec sa sœur Mary, de *Contes tirés de Shakespeare* (1807).

**LAMBALLE** ~ V. de Bretagne, à l'E. de Saint-Brieuc (Côtes-d'Armor), important centre commercial (bovins, porcs) ; 9 894 h. Haras national. Collégiale Notre-Dame (XII^e et XIV^e s.). Ancienne capitale du Penthièvre.

**LAMBALLE** (Marie-Thérèse Louise **de Savoie-Carignan**, princesse DE) ~ *1749, Turin - 1792, Paris.* Surintendante de Marie-Antoinette. Elle fut assassinée lors des massacres de Septembre, et sa tête exhibée au bout d'une pique.

**LAMBARÉNÉ** ~ V. du Gabon, sur l'Ogooué ; 24 000 h. (en 1976). Scieries, huileries. Albert Schweitzer y fonda un hôpital en 1913.

**LAMBERSART** ~ Ville de la banlieue de Lille (Nord), sur la Deûle canalisée ; 28 275 h. Industrie textile.

**LAMBERT** (Anne Thérèse **de Marguenat de Courcelles**, marquise DE) ~ *1647, Paris - 1733, id.* Femme de lettres française. Elle tint un brillant salon, fréquenté not. par Marivaux et Fénelon, et composa des ouvrages de morale.

**LAMBERT** (Johann Heinrich) ~ *1728, Mulhouse - 1777, Berlin.* Astronome, mathématicien et philosophe allemand. Il calcula les trajectoires des comètes et exposa un théorème fondamental d'astronomie cométaire qui porte son nom (1761). En physique, il fonda la photométrie (1760) et, en philosophie, il fut le pionnier de la logique symbolique.

**LAMBERT** (John) ~ *1619, Calton, Yorkshire - 1684, île Saint-Nicholas, Plymouth.* Général anglais. Lieutenant de Cromwell, il vainquit plusieurs fois les royalistes à Bradford. Hostile à la restauration de Charles II (1660), il fut emprisonné.

**Lambeth (conférences de)** ~ Assemblées des évêques anglicans se tenant tous les dix ans, depuis 1867, dans le palais de l'archevêque de Canterbury à Londres.

**LA MEILLERAYE** (Charles **de La Porte**, duc DE) ~ *1602, Paris - 1664, id.* Maréchal de France. Cousin de Richelieu, il s'illustra durant la guerre de Trente Ans.

**LA MENNAIS** ou **LAMENNAIS** (Félicité Robert DE) ~ *1782, Saint-Malo - 1854, Paris.* Penseur et écrivain français. Prêtre, défenseur intransigeant de l'ultramontanisme, il évolua vers le catholicisme libéral, dénonçant dans le journal *l'Avenir*, fondé en 1830 avec Lacordaire et Montalembert, la soumission de l'Église au pouvoir temporel. Après sa condamnation par Rome (1834), qui lui inspira les *Paroles d'un croyant* (1834), il s'orienta vers un socialisme à tendance mystique.

**LAMENTIN** ~ V. de la Guadeloupe, dans le N.-E. de Basse-Terre ; 11 429 h. Distilleries de rhum. Sources thermales.

**LAMENTIN (Le)** ~ V. de la banlieue E. de Fort-de-France (Martinique) ; 30 596 h. Distilleries de rhum. Aéroport.

**LAMETH** (Alexandre, comte DE) ~ *1760, Paris - 1829, id.* Général et homme politique français. Député aux états généraux, partisan d'une monarchie constitutionnelle, il forma avec A. Barnave et A. Du Port un triumvirat qui s'opposa not. à Mirabeau. Il émigra avec La Fayette en 1792.

**LA METTRIE** (Julien **Offroy** DE) ~ *1709, Saint-Malo - 1751, Berlin.* Médecin et philosophe français. Théoricien du matérialisme, athée persifleur il est l'auteur de l'*Histoire naturelle de l'âme* (1745) et de *l'Homme-machine* (1748), qui firent scandale. Banni de France (1746) et de Hollande (1748), il trouva refuge auprès de Frédéric II.

**LAMÍA** ~ V. de la Grèce centrale, à l'O. du golfe d'Eubée, marché agric. ; 42 000 h. Le général macédonien Antipater y fut assiégé par les Grecs en 323 av. J.-C., d'où le nom de **guerre lamiaque** donné à la vaine révolte des cités grecques au lendemain de la mort d'Alexandre le Grand.

**LAMOIGNON** (Guillaume DE) ~ *1617, Paris 1677, id.* Magistrat français. Premier président du parlement de Paris sous Louis XIV (1658-1664), il refusa de présider le procès de N. Fouquet. Son action contribua à l'humanisation et à l'unification de la procédure pénale.

**LAMORICIÈRE** (Louis **Juchault** DE) ~ *1806, Nantes - 1865, château de Prouzel, près d'Amiens.* Général français. Il combattit en Algérie, où il reçut la soumission d'Abd el-Kader (1847). Banni par Napoléon III, il commanda les troupes pontificales (1860).

**LA MOTTE** (Jeanne **de Saint-Rémy**, comtesse DE) ~ *1756, Fontette, Aube - 1791, Londres.* Aventurière française, instigatrice de l'affaire du Collier.

**LA MOTTE-FOUQUÉ** (Friedrich, baron DE) ~ *1777, Brandebourg - 1843, Berlin.* Écrivain allemand. Il tira de l'Europe médiévale l'inspiration de ses drames et de ses contes (*Ondine*, 1811).

**MOTTE-PICQUET** (Toussaint Guillaume, nte **Picquet de La Motte**, dit) ~ *1720, Rennes - 91, Brest.* Marin français. Il battit les Britanniques à la Martinique (1779) et devint lieutenant éral des armées navales (1781).

**MOURETTE** (Antoine Adrien) ~ *1742, Frévent, ois - 1794, Paris.* Prélat et homme polie français. Député à l'Assemblée législative, il ta d'unir toutes les tendances face à l'invasion angère par un discours se terminant par une olade générale (**baiser Lamourette**, 7 juill. 92). Opposé aux massacres de Septembre, il fut cuté sous la Terreur.

**MOUREUX** (Charles) ~ *1834, Bordeaux - 1899, is.* Chef d'orchestre français. Il fonda en 1881 Nouveaux Concerts (devenus **Concerts Lamoux**) et y imposa R. Wagner et l'école française derne (E. Chausson, É. Lalo, E. Chabrier).

**MPEDUSA** ~ Île italienne située au S. de la ile, au large de Sousse (Tunisie) ; 20 km², 00 h. Tourisme. Pêche.

**MPEDUSA** (Giuseppe Tomasi DI) ~ *1896, Pane - 1957, Rome.* Écrivain italien. Il brossa, dans *Guépard* (posth., 1958), le déclin de l'aristocratie lienne à l'époque du Risorgimento.

**MPRECHT** (Karl) ~ *1856, Jessen, Saxe - 1915, pzig.* Historien allemand. Auteur d'une impote *Histoire d'Allemagne* (1891-1909), il s'intésa à l'histoire économique du Moyen Âge.

**MY** (François) ~ *1858, Mougins - 1900, Kous, Tchad.* Officier et explorateur français. Il onnut la région du lac Tchad et périt lors de xpédition Foureau. Son nom fut donné au ef-lieu de la colonie du Tchad, Fort-Lamy (auj. Djamena).

**NCASHIRE** (le) ~ Comté du N.-O. de l'Angle-re, bordé par la mer d'Irlande ; 3 070 km², 84 000 h., ch.-l. Preston. Partie N. du vieux ssin industr. (text.) de la Mersey.

**NCASTER** (Burton Stephen, dit Burt) ~ *1913, w York - 1994, Los Angeles.* Acteur américain. n physique d'athlète et la sobriété de son interpréon lui permirent d'aborder aussi bien le western *ra Cruz*, de R. Aldrich, 1954) que le drame (*le épard*, de L. Visconti, 1963).

**NCASTRE** ~ Famille royale d'Angleterre, fondée 1267 par le fils d'Henri III. Elle détenait le comté s le duché du même nom. Elle affronta la nche royale des York durant la guerre des ux-Roses (les armes des Lancastre portaient une e rouge). Cette maison a donné à l'Angleterre rois Henri IV, Henri V et Henri VI, dont le fils ique, Édouard, fut capturé par les York et exécuté 1471.

**NCASTRE** (Jean DE), duc **de Bedford** ~ *1389 - 35, Rouen.* Frère d'Henri V. Régent et tuteur Henri VI d'Angleterre à partir de 1422, il échoua réserver tout l'héritage français de celui-ci (traité rras, 1435).

**NCELOT** (dom Claude) ~ *v. 1615, Paris - 95, Quimperlé.* Religieux janséniste français. Il ntribua à la fondation des Petites Écoles de t-Royal. Auteur, avec Arnauld, d'une *Grammaire érale et raisonnée* (1660).

**NCELOT DU LAC** ~ Un des chevaliers de la ole ronde, héros de *Lancelot ou le Chevalier à la rrette*, de Chrétien de Troyes.

**NCELOT LE MAGNANIME** ~ Voir **Ladislas**.

**NDAU** ~ V. d'Allemagne (Rhénanie-Palatinat), rché agricole (vitic., tabac), à l'E. de la Hardt ; 000 h. Églises gothiques des XIIIe et XVe s. Cédée a France (traités de Westphalie, 1648), elle revint 'Autriche en 1815, puis à la Bavière.

**NDAU** (Lev Davidovitch) ~ *1908, Bakou - 68, Moscou.* Physicien soviétique. Il étudia la éorie quantique des champs et le magnétisme, borant une explication de la superfluidité de élium (1941) et de la supraconductivité (1947). x Nobel de phys. 1962.

**NDERNEAU** ~ Port du Finistère N., centre mm. (prod. laitiers) au fond de la rade de Brest, c. capitale du Léon ; 14 269 h. Text., engrais. lises (XVIe et XVIIe s.), pont de Rohan (XVIe s.).

**NDES** (les) ~ Dép. de la Région Aquitaine, en scogne, au littoral atlantique rectiligne (Côte Argent), bordé de dunes et, en arrière, d'étangs ; 316 km², 311 461 h., v. princ. Mont-de-Marsan (préfect.), Dax. La majeure partie, au N. de l'Adour, correspond à la plaine des Landes, drainée puis plantée de pins maritimes au XIXe s. (de loin la 1re forêt de France). Au S. de l'Adour, la Chalosse est composée de collines de molasses. Les principales ressources proviennent de la forêt (papeteries, cellulose), de la polyculture au S. (maïs, volailles), du tourisme balnéaire (de Biscarrosse à Capbreton).

**LANDIVISIAU** ~ V. du Léon (Finistère), au S.-O. de Morlaix ; 8 254 h. Industr. agroalim., marché aux bestiaux. Base aéronavale. Église du XVIe s.

**LANDOLFI** (Tommaso) ~ *1908, près de Frosinone - 1979, Rome.* Écrivain italien. Lié au groupe de poètes hermétiques et sensible au surréalisme, il s'attacha à analyser les rapports de l'instinct et de l'esprit (*la Pierre de Lune*, 1939).

**LANDOUZY** (Louis) ~ *1845, Reims - 1917, Paris.* Neurologue français. Il étudia les conséquences des lésions cérébrales (myopathie atrophique progressive) et élabora un traitement sérothérapique de la syphilis et de la tuberculose.

**LANDOWSKA** (Wanda) ~ *1877, Varsovie - 1959, Lakeville, Connecticut.* Claveciniste polonaise. Pédagogue et concertiste, elle ressuscita l'art du clavecin.

**LANDOWSKI** (Marcel) ~ *1915, Pont-l'Abbé.* Compositeur français. Son attachement aux valeurs musicales traditionnelles n'exclut pas une sensibilité très vive aux drames de notre temps, not. dans ses opéras (*le Fou*, 1949-1954 ; *les Adieux*, 1960).

**LANDRU** (Henri Désiré) ~ *1869, Paris - 1922, Versailles.* Criminel français. Accusé du meurtre d'un jeune garçon et de dix femmes, après que l'on eut retrouvé chez lui des restes humains calcinés, il fut condamné à mort et guillotiné. Son procès passionna l'opinion française (1921).

**LAND'S END** ~ Cap granitique, à l'extrémité S.-O. de la Cornouailles, en Angleterre. Site touristique.

**LANDSHUT** ~ V. d'Allemagne (Bavière), sur l'Isar ; 58 000 h. Constr. mécan. et électriques. Château ducal (XIIe-XVIe s.), église gothique.

**LANDSTEINER** (Karl) ~ *1868, Vienne - 1943, New York.* Médecin américain d'orig. autrichienne. Père de l'immunologie sanguine, il découvrit les groupes sanguins du système ABO (1900) et le facteur Rhésus (1940). Prix Nobel de physiol. ou méd. 1930.

**LANESTER** ~ V. de la banlieue N.-O. de Lorient (Morbihan) ; 22 102 h. Arsenal.

**LANFRANC** ~ *v. 1005, Pavie - 1089, Canterbury.* Prélat anglais d'orig. italienne. Conseiller de Guillaume le Conquérant, il fut nommé archevêque de Canterbury en 1070 et primat de l'Église d'Angleterre en 1072.

**LANFRANCO** (Giovanni) ~ *1582, Terenzo, près de Parme - 1647, Rome.* Peintre italien. Disciple des Carrache, il s'éloigna du classicisme bolonais en faveur d'un style spectaculaire, not. à Rome et à Naples. Son influence sur le développement de l'art baroque fut considérable.

**LANG** (Fritz) ~ *1890, Vienne - 1976, Hollywood.* Cinéaste américain d'orig. autrichienne. Il tourna à Berlin des films expressionnistes (*le Docteur Mabuse*, 1922 ; *Metropolis*, 1927) avant de s'installer aux États-Unis (1934), où il adapta sa thématique — l'homme et sa liberté dans le monde moderne — au réalisme américain (*Furie*, 1936 ; *la Femme au portrait*, 1944).

**LANG** (Jack) ~ *1939, Mirecourt.* Homme politique français. Socialiste, ministre de la Culture (1981-1986 et 1988-1993), il a promu toutes les formes de la création. Il a aussi été ministre de l'Éducation nationale (1992-1993) et est maire de Blois depuis 1989.

**LANGDON** (Harry) ~ *1884, Council Bluffs, Iowa - 1944, Hollywood.* Acteur comique américain. Il incarna l'éternel adolescent lunaire, not. sous la direction de Fr. Capra (*l'Athlète incomplet*, 1926).

**LANGE** (Dorothea) ~ *1895, Hoboken, New Jersey - 1965, San Francisco.* Photographe américaine. Elle ouvrit un studio (1919-1931), réalisa des reportages sociaux (grèves, soupes populaires, manifestations), et travailla sur les effets de la crise de 1929 dans le cadre du New Deal.

**LANGEVIN** (Paul) ~ *1872, Paris - 1946, id.* Physicien français. Il étudia les ions, les ultrasons, le magnétisme, mettant au point la technique de production des ultrasons et fondant une théorie du paramagnétisme (1905). Il popularisa les théories de la physique quantique et de la relativité.

**LANGLOIS** (Henri) ~ *1914, Smyrne, auj. Izmir, Turquie - 1977, Paris.* Cofondateur et secrétaire général de la Cinémathèque française. Il joua un rôle capital dans la découverte et la sauvegarde du patrimoine cinématographique et dans la formation des futurs cinéastes de la Nouvelle Vague.

**LANGMUIR** (Irving) ~ *1881, Brooklyn - 1957, Falmouth, Cornouailles.* Chimiste et physicien américain. Auteur de la théorie de l'absorption des gaz par les solides (1916), il inventa les ampoules électriques à atmosphère gazeuse et perfectionna la technique des tubes électroniques. Il énonça les théories de la valence électrochimique et de la catalyse hétérogène. Prix Nobel de chim. 1932.

**LANGOGNE** ~ V. du N.-E. de la Lozère, sur l'Allier, station estivale (lac de Naussac) ; 3 380 h. Église romane, halles (XVIIIe s.).

**LANGON** ~ V. du Bordelais (Gironde), sur la Garonne, au pied des côtes de Bordeaux ; 5 842 h. Négoce des vins (sauternes).

**LANGRES** ~ V. du S. de la Champagne (Haute-Marne), dominant la Marne sur un éperon du **plateau de Langres** (partage des eaux tributaires de la Seine et de la Saône) ; 9 987 h. Citadelle, cathédrale romano-gothique, maisons Renaissance. Musées (préhistoire, archéol. gallo-romaine, sculptures, faïences). Maison natale de Diderot.

**LANG SON** ~ V. du Viêt Nam, au N.-E. de Hanoi. Elle fut occupée en 1885 par les Français. Son évacuation entraîna la chute du cabinet Ferry (30 mars 1885). La France s'y battit contre le Japon en 1940 et en 1945, et contre le Viêt-minh en 1953.

**LANGTON** (Étienne ou Stephen) ~ *v. 1150, Slindon, Sussex - 1228, id.* Prélat anglais. Cardinal (1206) puis archevêque de Canterbury (1207), il contribua à l'élaboration de la Grande Charte (1215), désavouée par Jean sans Terre.

**LANGUEDOC** (le) ~ Région du S. de la France, bordée par la Méditerranée, entre le Roussillon et le delta du Rhône. À l'E. du seuil du Lauragais, le **bas Languedoc** est une plaine littorale où se concentrent les princ. centres urbains (Montpellier, Nîmes, Béziers, Narbonne) et les activités tertiaires, axe majeur de communication entre l'Espagne et l'Italie. La viticulture, secteur agricole dominant (40 % de la production nationale), de part et d'autre de la basse vallée de l'Hérault, est associée aux fruits, aux légumes et au blé, tandis que le littoral lagunaire est jalonné de stations balnéaires. Au N. des Garrigues, zone inculte, se dresse le **haut Languedoc**, forestier et dépeuplé, rebord S. du Massif central (Montagne Noire, Espinouse, Grands Causses, Cévennes), où les fleuves côtiers (Orb, Hérault, Gard) prennent leur source. Le tourisme vert s'y développe. **HIST.** – L'ancien Languedoc, avec Toulouse pour capitale, s'étendait davantage vers le N. du Massif central. Les comtes de Toulouse y créèrent un État féodal (Xe s.), dont l'influence s'exerçait au-delà du Rhône, et qui connut une période d'essor économique (commerce maritime, draperie de Montpellier), une culture raffinée (troubadours), et une riche civilisation (architecture, littérature occitane). Au XIIIe s., la croisade des albigeois, provoquée par le développement du catharisme, entraîna son rattachement au domaine royal. En 1790, la province de Languedoc et ses annexes formèrent les départements de Haute-Garonne, Tarn, Aude, Hérault, Gard, Ardèche, Lozère, Haute-Loire.

**LANGUEDOC-ROUSSILLON** ~ Région administrative du S. de la France, correspondant à cinq départements (Aude, Gard, Hérault, Lozère, Pyrénées-Orientales) ; 27 770 km², 2 114 985 h., v. princ. Montpellier (préfect.), Nîmes.

**LANIEL** (Joseph) ~ *1889, Vimoutiers, Orne - 1975, Paris.* Homme politique français. Président du Conseil (juin 1953 - juin 1954), il dut faire face à une puissante grève des fonctionnaires et à l'aggravation de la situation en Indochine.

**LANJUINAIS** (Jean Denis, comte) ~ *1753, Rennes - 1827, Paris.* Homme politique français. Élu aux états généraux, il fonda le Club breton (jacobins) et participa à l'élaboration de la Constitution civile du clergé (1790).

**LANNEMEZAN (plateau de)** ~ Plateau du piémont pyrénéen, cône de déjection d'où divergent nombre d'affluents de la Garonne.

**LANNES** (Jean), duc **de Montebello** ~ *1769, Lectoure, Gers - 1809, Vienne, Autriche.* Maréchal de France. Engagé volontaire (1792), nommé général (1795), il participa aux campagnes d'Italie et d'Égypte, puis commanda la Garde consulaire (1800). Vainqueur à Montebello (1808), il fut blessé mortellement à Essling.

**LANNION** ~ Port du Trégorrois (Côtes-d'Armor), au fond d'un aber ; 16 958 h. Église romane (retables du XVIIe s.). Maisons des XVe et XVIe s. Centre national d'études des télécommunications (Cnet) et Centre d'études météorologiques spatiales (Cems).

**LANNOY** (Charles DE) ~ *v. 1487, Valenciennes - 1527, Gaète.* Général espagnol. Vice-roi de Naples (1522-1524), il commanda les armées de Charles Quint et battit François Ier à Pavie (1525). Il négocia le traité de Madrid (1526).

**LA NOUE** (François DE), dit **Bras de Fer** ou **le Bayard huguenot** ~ *1531, Nantes - 1591, Moncontour, Bretagne.* Homme de guerre et écrivain français. Réformé et lieutenant de Coligny, il se rallia à Henri IV. Il a raconté les guerres de Religion dans ses *Discours politiques et militaires* (1587).

**LANSING** ~ V. des États-Unis, cap. du Michigan, au N.-O. de Detroit ; 127 000 h. Université. Industrie automobile.

**LANSON** (Gustave) ~ *1857, Orléans - 1934, Paris.* Universitaire et critique littéraire français. Il est l'initiateur de la méthode historique et comparative pour l'étude des œuvres littéraires (*Manuel bibliographique de la littérature française*, sous sa direction, 1909-1912).

**LANVAUX (landes de)** ~ Ligne de hauteurs du S. de la Bretagne (alt. max. 150 m.), au N. de Vannes.

**LANZAROTE** ~ Île volcanique et aride des Canaries ; 795 km², env. 50 000 h. Vigne, tourisme.

**LANZHOU** ou **LAN-TCHEOU** ~ V. du centre de la Chine, cap. et métropole industr. du Gansu, sur le Huang He ; 1 320 000 h. Raff. de pétrole, chimie, autom., extraction d'uranium.

**LAOCOON** ~ Personnage de la mythologie grecque, grand prêtre d'Apollon, à Troie. Avec ses deux fils, il fut étouffé par deux serpents, sur ordre d'Apollon, alors qu'il s'opposait à l'introduction du cheval de bois dans sa ville.

**Laocoon**, *groupe sculpté en marbre (école de Rhodes, IIe s. av. J.-C.). Musée Pio-Clementino, Vatican, Rome.*

**LAODICÉE** ~ Voir **Lattaquié**.

**LAODICÉE**, auj. **Denizli** ~ Anc. ville d'Asie Mineure (Phrygie). Fondée au IIIe s. av. J.-C. par Antiochos II, elle subit au cours de son histoire de graves dommages. La ville turque de Ladik fut bâtie sur ses ruines (XIVe s.).

**LAON** ~ Préfect. de l'Aisne, aux confins de l'Île-de-France et de la Champagne ; 26 490 h. Cathédrale gothique, palais épiscopal, citadelle et remparts médiévaux.

**LAOS (république démocratique populaire du)** ~ Pays enclavé d'Asie du Sud-Est, dans la péninsule indochinoise. ***Cap.*** Vientiane. ***Superf.*** 236 800 km². ***Popul.*** 4 598 000 h. (80 % de ruraux), dont Laos (60 %), Khmers (16 %), Thaïs (16 %), Miaos et Yaos. ***Langues princ.*** Lao, français. ***Monn.*** Kip. ***Relief.*** Montagnes et plateaux (forêts) dominent les plaines alluviales du Mékong (r. g.), qui borde le pays sur 1 850 km de l'E. au S. Au S.-E., cordillère Annamitique. ***Climat.*** Tropical de mousson. ***Écon.*** Riziculture, exploit. forestière, pêche. Important potentiel hydroélectr. et minier (étain, fer, bauxite, or) sous-exploité. Ouverture croissante sur la Thaïlande. **HIST.** - Peuplement dès le Néolithique. *1353* : Fa Ngum fonde le royaume du Lan Xang (capitale Luang Prabang). *1520-v. 1548* : règne de Pothivarat ; conquêtes territoriales (royaume de Lan Na). *1563* : Vientiane devient la capitale. *1574-1591* : domination de la Birmanie. *1637-1694* : brillant règne de Souligna Vongsa, qui rétablit l'unité du pays. *XVIIIe s.* : éclatement du Laos entre les royaumes de Vientiane, de Champassak et de Luang Prabang. *XIXe s.* : le Siam étend peu à peu sa domination sur la région ; le royaume de Vientiane passe sous son administration directe, celui de Luang Prabang devient une principauté étroitement contrôlée par les souverains du Siam. *1893* : le Siam abandonne à la France les territoires laotiens de la rive gauche du Mékong. Établissement d'un protectorat. *1942-1945* : occupation japonaise. *1945-1953* : autonome dans le cadre de l'Union française (1949), le Laos devient indépendant en 1953. *1953-1974* : opposition de trois tendances politiques, procommuniste (Pathet Lao, créé en 1950), neutraliste et royaliste, d'abord rassemblées dans des gouvernements d'union nationale. Neutre au début de la guerre du Viêt Nam, le Laos prend parti en faveur des communistes à partir de 1964 et subit l'extension du conflit. *1975* : abolition de la monarchie et proclamation de la république démocratique populaire du Laos sous la présidence de Souphanouvong. *1975-1985* : centralisation économique et politique, émigration massive des opposants vers la Thaïlande. *1986-1992* : Kaysone Phomvihane succède à Souphanouvong ; prudente libéralisation économique ; renforcement des liens avec la Chine, la Thaïlande et le Viêt Nam. *Depuis 1992* : Nouhak Phoumsavane (président) et Khamtay Siphandone (chef du gouvernement) amorcent la libéralisation du régime et le redressement de l'économie sous le contrôle du F. M. I.

**LAO She** ou **LAO Che** (Shu Quinchun, dit) ~ *1899, Pékin - 1966, id.* Écrivain chinois. Ses romans sont une peinture réaliste du petit peuple pékinois de la première moitié du XXe s. (*le Pousse-Pousse*, 1936). Persécuté lors de la Révolution culturelle, il se suicida.

**LAO-TSEU** ou **LAOZI** ~ *v. 570 - v. 490 av. J.-C.* Philosophe chinois. Contemporain de Confucius, la tradition en fait l'auteur du *Daodejing*, ouvrage fondateur du taoïsme.

**LA PALICE** (Jacques II **de Chabannes**, seigneur DE) ~ *v. 1470 - 1525, Pavie.* Maréchal de France. Il s'illustra pendant les guerres d'Italie sous Louis XII et François Ier. Son nom est passé à la postérité comme synonyme d'évidence proclamée (**lapalissade**), en raison du malentendu suscité par les derniers vers de la chanson que ses soldats composèrent en l'honneur de sa bravoure : « Un quart d'heure avant sa mort,/Il était encore en vie. »

**LA PÉROUSE** (Jean François **de Galaup**, comte DE) ~ *1741, château du Guo, près d'Albi - 1788, Vanikoro, Mélanésie.* Navigateur français. Chargé par Louis XVI d'une expédition dans le Pacifique, il aborda l'île de Pâques et les îles Sandwich (Hawaii, 1786), puis fit route vers l'Extrême-Orient. Il périt dans le naufrage de son bateau, l'*Astrolabe*.

**LAPERRINE** (Henry) ~ *1860, Castelnaudary - 1920, au Sahara.* Général et explorateur français. Il créa les compagnies sahariennes pour conquérir le territoire des Oasis (1902-1910 et 1917-1919).

**Lapithes** (les) ~ Peuple semi-légendaire de Thessalie. Leur roi Pirithoos les mena au combat victorieux contre les Centaures le jour de ses noces.

**LAPLACE** (Pierre Simon, marquis DE) ~ *1749, Beaumont-en-Auge - 1827, Paris.* Mathématicien, astronome et physicien français. Il étudia le calcul des probabilités et la mécanique céleste, énonçant l'équation qui porte son nom et la théorie cosmogonique selon laquelle le système solaire serait issu d'une nébuleuse en rotation (1796). Deux lois fondamentales de l'électromagnétisme portent également son nom. Acad.

**LAPLANCHE** (Jean) ~ *1924, Paris.* Médecin et psychanalyste français. Il a collaboré à un *Vocabulaire de la psychanalyse* (1967) avec J.-B. Ponta[…] et entrepris en 1988 la traduction des œuv[…] complètes de S. Freud.

**LAPOINTE** (Boby) ~ *1922, Pézenas - 1972,* […] Auteur, compositeur et interprète français. Orfè[…] du calembour, il offrit un répertoire emprunt[…] ses thèmes à l'absurde (*Aragon et Castille* ; *Ta K[…] t'a quitté* ; *Avanie et Framboise*).

**LAPONIE** (la) ~ Région du N. de la Scandina[…] entre le fond du golfe de Botnie et l'océan Arcti[…] qui s'étend de la Norvège à la presqu'île de K[…] (Russie). Climat froid (taïga, toundra). Mines […] fer. Les **Lapons**, de langue finno-ougrienne, […] l'économie tradit. (élev. du renne, pêche) menac[…] jouissent d'une reconnaissance institutionnelle […] Finlande (**province de Laponie**).

**LAPTEV (mer des)** ~ Partie de l'océan Arcti[…] située au N. de la Iakoutie, entre la presqu'île […] Taïmyr et l'archipel de Nouvelle-Sibérie ; e[…] 700 000 km². La Lena s'y jette.

**LAQUEDIVES (îles)**, off. **Lakshadweep** ~ Archi[…] corallien de l'océan Indien (mer d'Oman), au […] des Maldives, territoire indien à population mus[…]mane ; 32 km², 52 000 h. Pêche, cocotiers.

**LA QUINTINIE** (Jean DE) ~ *1626, Chaban[…] Charente - 1688, Versailles.* Agronome français. […] créa les vergers de Versailles, Sceaux et Rambouill[…] et étudia les techniques horticoles.

**LARBAUD** (Valery) ~ *1881, Vichy - 1957,* […] Poète et romancier français. Chantre du cosmo[…]litisme et du voyage, il célébra l'infinie divers[…] de la Terre (*Fermina Marquez*, 1911 ; *les Poésies […] A. O. Barnabooth*, 1923). Traducteur et critique, […] fit connaître J. Joyce et I. Svevo.

**LARCHE** ou **L'ARGENTIÈRE (col de)** ~ Col d[…] Alpes du Sud (env. 2 000 m), à la fronti[…] franco-italienne, qui relie Barcelonnette à Cun[…]

**LA RÉVELLIÈRE-LÉPEAUX** (Louis Marie DE) […] *1753, Montaigu, Vendée - 1824, Paris.* Hom[…] politique français. Il fut élu à la Conventi[…] Membre du Directoire, il soutint les théophila[…]thropes et lutta activement contre les royalist[…]

**LA REYNIE** (Gabriel Nicolas DE) ~ *1625,* […]*moges - 1709, Paris.* Lieutenant général de police […] Paris de 1667 à 1697. Il améliora la sécurité, […] propreté et l'éclairage de la ville.

**LARGILLIÈRE** ou **LARGILLIERRE** (Nicolas DE) […] *1656, Paris - 1746, id.* Peintre français. Influe[…] par Rubens et Van Dyck, il fit une brillante carri[…] de portraitiste grâce à son talent de coloriste […] *Belle Strasbourgeoise*, 1703).

**LARGO CABALLERO** (Francisco) ~ *1869, M[…]drid - 1946, Paris.* Homme politique espagn[…] Dirigeant de l'aile gauche du parti socialiste et l'[…] des artisans du Front populaire (1936), il fut le c[…] du gouvernement de la République espagnole (se[…] 1936-mai 1937). Exilé en France après la victo[…] de Franco, il fut déporté en Allemagne.

**LARIBOISIÈRE** ~ **Jean Ambroise** BASTON, com[…] DE (*1759, Fougères - 1812, Königsberg*), géné[…] français. Il se distingua lors de la bataille […] Wagram et de la retraite de Russie, où il mour[…] Son fils ~ **Charles**, comte DE (*1788, Fougère[…] 1868, Paris*), homme politique, épousa Élisa R[…] qui fonda l'**hôpital Lariboisière**, à Paris (184[…]

**LARIONOV** (Mikhail Fiodorovitch, dit Michel) […] *1881, Tiraspol, Moldavie - 1964, Fontenay-au[…] Roses.* Peintre français d'orig. russe. Fondateur, da[…] les années 1910, du « rayonnisme », il resta à […] frontière de la figuration et de l'abstraction. Il cr[…] de nombreux décors pour les Ballets russes.

**LÁRISSA** ~ V. de Grèce, la 1re de Thessali[…] 113 000 h. Industr. textile, agroalim. (sucreri[…] ouzo). **HIST.** - Elle dirigea la Confédération thess[…]lienne du VIe au IVe s. av. J.-C. Lors de la guerre […] Péloponnèse (431-404 av. J.-C.), elle se rangea a[…] côtés d'Athènes. Elle passa successivement so[…] domination romaine, byzantine et turque, avant […] devenir grecque (1881).

**LARNAKA**, en gr. ***Larnax*** ~ Port de Chypre, s[…] la côte S.-E. de l'île, en zone grecque ; 61 000 […] Escale vers le Moyen-Orient (aéroport).

**LA ROCHEFOUCAULD** (François, duc DE) […] *1613, Paris - 1680, id.* Écrivain français. Fronde[…] actif au côté du prince de Condé, il se mêla à […] vie littéraire et mondaine des salons. Ses *Réflexio[…]*

*Sentences et maximes morales* (1664) traduisent ı pessimisme et son exigence morale.

**ROCHEJAQUELEIN** (Henri **du Vergier**, comte ~ *1772, La Durbellière, Poitou - 1794, Nuaillé, ıine-et-Loire.* Chef vendéen. Il souleva les Mauges après sa défaite à Cholet (1793), devint le général chef de l'« armée catholique et royale ». Battu avenay, il continua la lutte et mourut au combat.

**ROCQUE** (François, comte DE) ~ *1885, Lo- ıt - 1946, Paris.* Homme politique français. ésident des Croix-de-Feu (1931), il créa le Parti :ial français (P. S. F., 1936) après la dissolution ; ligues.

**ıROQUE** (Pierre) ~ *1907, Paris - 1997, id.* Ju- te français. Conseiller d'État, il participa à la ınception du système de Sécurité sociale en 1945.

**ıROUSSE** (Pierre) ~ *1817, Toucy, Yonne - 1875, ıris.* Lexicographe, éditeur et pédagogue français. dirigea la publication du *Grand Dictionnaire iversel du XIXe siècle* (1866-1876, 15 vol.).

**ıRREY** (Dominique, baron) ~ *1766, Beaudéan, ·s de Bagnères-de-Bigorre - 1842, Lyon.* Chirurgien nçais. Chirurgien en chef de la Grande Armée Napoléon, auteur d'ouvrages de médecine, il venta plusieurs procédés chirurgicaux.

**ıRRIEU** (Daniel) ~ *1957, Marseille.* Danseur et orégraphe français. Caractérisé par une inspira- ın poétique et une qualité très douce de mouve- ents (*Romance en stuc*, 1986 ; *Anima*, 1987), il participé à la nouvelle danse française des années 80. Il dirige le Centre chorégraphique de Tours.

**ıRTET** (Édouard) ~ *1801, Castelnau-Barbarens, ·rs - 1871, Seissan, Gers.* Paléontologue français. ; fouilles préhistoriques furent à l'origine de la léontologie humaine.

**ıRTIGUE** (Jacques-Henri) ~ *1894, Courbevoie - 86, Nice.* Photographe français. Ses clichés, légués l'État français (1979), reflètent sa passion pour légance d'un certain art de vivre : femmes du onde, sports d'hiver, belles automobiles ou intres furent ses modèles.

**ıRZAC (causse du)** ~ Le plus étendu des Grands usses (E. des Cévennes), voué à l'élevage du outon (alt. 800-900 m). Camp militaire.

**ı SALE** (Antoine DE) ~ *v. 1387, en Provence - 1460.* Écrivain français. Il est l'auteur de l'*Histoire Petit Jehan de Saintré* (1456), roman de mœurs nt le réalisme s'oppose aux raffinements de la térature courtoise.

**ıSALLE** (Antoine, comte DE) ~ *1775, Metz - 09, Wagram.* Général français. Il servit dans les ssards et commanda la « brigade infernale » squ'à sa mort, survenue en pleine charge, durant bataille de Wagram.

**ı SALLE** (Robert **Cavelier** DE) ~ *1643, Rouen - 87, au Texas.* Explorateur français. Il partit du nada, reconnut les Grands Lacs, puis descendit Mississippi (1681-1682). Il découvrit le territoire la future Louisiane.

**ıSCARIS** ou **LASKARIS** ~ Famille byzantine qui nda l'empire de Nicée (1204) et lui donna trois npereurs.

**ıSCARIS** ou **LASKARIS** (Jean André), surnommé **ıyndacenus** ~ *v. 1445, Constantinople - 1534, ome.* Érudit grec. Protégé de Laurent de Médicis, fit connaître de nombreux manuscrits grecs en alie et fut, à Paris, le maître de G. Budé.

**ıS CASAS** (Bartolomé DE) ~ *1474, Séville - 1566, adrid.* Prélat et écrivain espagnol. Évêque de hiapa (Mexique), il défendit les droits des Indiens ce à l'oppression des conquistadors. Sa *Très Brève ·lation de la destruction des Indes* (1542) eut un mense retentissement.

**ıS CASES** (Emmanuel, comte DE) ~ *1766, châ- ıu de Las Cases, près de Revel - 1842, Passy.* storien français. Il suivit Napoléon en exil et digea le *Mémorial de Sainte-Hélène* (1823).

**ıscaux (grotte de)** ~ Grotte située sur la ommune de Montignac (Dordogne). Découverte ı 1940 et fermée au public depuis 1963, elle recèle ı ensemble de gravures et peintures pariétales du aléolithique (v. 15000 av. J.-C.). À proximité, une constitution, **Lascaux II**, peut être visitée.

**ıSKINE** (Lily) ~ *1893, Paris - 1988, id.* Harpiste : pédagogue française. Elle interpréta avec passion répertoire français, de Gossec à Jolivet.

**LASSALLE** (Ferdinand) ~ *1825, Breslau - 1864, Genève.* Philosophe et homme politique allemand. Engagé dans le mouvement révolutionnaire de 1848, il rêva d'allier le socialisme autogestionnaire à l'idéal d'une nation allemande forte. Il dénonça la « loi d'airain des salaires », qui réduit ces derniers au strict minimum vital (*la Philosophie d'Héraclite l'obscur*, 1858 ; *la Guerre d'Italie et la mission de la Prusse*, 1859).

**LASSUS** (Orlando **di Lasso**, en fr. Roland DE) ~ *v. 1532, Mons - 1594, Munich.* Compositeur franco-flamand. Son œuvre abondante offre une synthèse de la fermeté de l'école du Nord et de l'expressivité du style italien. Son génie polyphonique triomphe aussi bien dans ses œuvres d'église les plus austères (*Hieremiae prophetae lamentationes*, 1585) que dans ses madrigaux italiens.

**LASSWELL** (Harold Dwight) ~ *1902, Donnellson, Illinois - 1978, New York.* Sociologue américain. Il étudia les mécanismes de formation de l'opinion publique par les médias.

**LAS VEGAS** ~ V. princ. du Nevada (États-Unis), métropole du jeu (casinos, machines à sous) ; 258 000 h. (agglom. 740 000 h.). Elle fut fondée par les mormons en 1855.

**LATAKIEH** ~ Voir **Lattaquié**.

**LATÉCOÈRE** (Pierre) ~ *1883, Bagnères-de-Bigorre - 1943, Paris.* Industriel français. Constructeur d'avions, il établit une liaison aérienne de Toulouse à Barcelone (1918), puis entre la France et le Maroc (1919), et jusqu'à Dakar (1925).

**LATIMER** (Hugh) ~ *v. 1490, Thurcaston, Leicestershire - 1555, Oxford.* Prélat et théologien anglais. Prêtre converti au protestantisme, il devint conseiller d'Henri VIII après le schisme anglican, et évêque de Worcester (1535). Emprisonné pour son opposition à l'acte des Six Articles (1539), rappelant à l'orthodoxie de la liturgie catholique, il fut libéré sous Édouard VI (1547). Sous Marie Tudor, il fut condamné au bûcher.

**LATINA** ~ V. d'Italie (Latium), centre admin. de la plaine Pontine, fondé par Mussolini ; 109 000 h. Industr. alim., mécan. et textile. Centrale nucléaire.

**LATINI** (Brunetto) ~ *v. 1220, Florence - v. 1294, id.* Écrivain italien. Maître de Dante, traducteur de Cicéron, il composa une œuvre didactique. Partisan des guelfes, il fut banni d'Italie et vécut en France (1260-1266), où il composa une encyclopédie en langue d'oïl (*li Livres dou trésor*, v. 1265).

**Latins** (les) ~ Peuple de langue indo-européenne qui s'installa dans le Latium au IIe mill. av. J.-C. Placés sous domination étrusque (VIe s. av. J.-C.), les Latins constituèrent la Ligue latine puis, soumis par Rome, devinrent citoyens romains (IVe s. av. J.-C.).

**LATINUS** ~ Roi légendaire du Latium. Il fut le père de Lavinia, qui épousa Énée.

**LATIUM** (le), en ital. ***Lazio*** ~ Région du centre de l'Italie (bassin inf. du Tibre) entre l'Appenin et la mer Tyrrhénienne ; 17 227 km$^2$, 5 185 000 h. Comprenant la plaine Pontine, la campagne romaine, l'O. des Abruzzes et des collines volcaniques ou calcaires, elle est dominée par Rome (cap.).

**LATONE** ~ Voir **Léto**.

**LATOUCHE** (Hyacinthe **Thabaud de Latouche**, dit Henri DE) ~ *1785, La Châtre, Marche - 1851, val d'Aulnay.* Écrivain français. Éditeur (on lui doit la première édition des poésies d'A. Chénier, en 1819) et journaliste (il dirigea not. *le Figaro*), il participa à l'essor du romantisme (*Fragoletta*, 1829).

**LA TOUR** (Georges DE) ~ *1593, Vic-sur-Seille - 1652, Lunéville.* Peintre français. Marquée par le caravagisme, son œuvre se caractérise par une composition minutieuse, une simplification des formes et des volumes et une maîtrise de la lumière qui expriment une contemplation recueillie de l'essentiel (*la Madeleine à la veilleuse*, v. 1638 ; *le Reniement de saint Pierre*, 1650).

**LA TOUR** (Maurice **Quentin Delatour**, dit **Quentin** DE) ~ *1704, Saint-Quentin - 1788, id.* Pastelliste français, portraitiste de la Cour.

**LA TOUR D'AUVERGNE** (Théophile Malo **Corret** DE) ~ *1743, Carhaix - 1800, Oberhausen, Rhénanie-Westphalie.* Officier français. Combattant au sein des armées révolutionnaires, il fut surnommé par Bonaparte, en raison de sa bravoure, le « premier grenadier de la France ».

**LA TOUR DU PIN CHAMBLY** (René, marquis DE) ~ *1834, Arrancy, Aisne - 1924, Lausanne.* Théoricien et sociologue français. Créateur des Cercles catholiques d'ouvriers, il inspira l'encyclique *Rerum novarum* de Léon XIII (1891) et œuvra en faveur d'une contre-révolution monarchiste et corporatiste (*Vers un ordre social chrétien*, 1907).

**LA TOUR MAUBOURG** (Marie Victor Nicolas **de Fay**, vicomte, puis marquis DE) ~ *1768, La Motte-Galaure, Drôme - 1850, Farcy-lès-Lys, près de Melun.* Général français. Il servit Napoléon Ier puis Louis XVIII, qui le nomma au ministère de la Guerre (1819-1821).

**Latran (accords du)** ~ Traités signés le 11 févr. 1929 entre le Saint-Siège et le gouvernement de Mussolini par lesquels le pape renonçait à ses droits sur Rome et sur les États de l'Église, mais gardait la pleine souveraineté sur le Vatican ; l'Italie reconnaissait le catholicisme comme religion d'État (disposition annulée par le concordat de 1984).

**Latran (conciles du)**, nom donné à cinq conciles œcuméniques tenus à Rome, au palais du Latran. ~ **Latran I** (1123), réuni par Calixte II, ratifia le concordat de Worms (investiture laïque des évêques). ~ **Latran II** (1139), réuni par Innocent II, mit fin au schisme d'Anaclet II. ~ **Latran III** (1179), réuni par Alexandre III, mit fin au schisme de l'antipape Calixte III et anathématisa les cathares. Il établit les modalités d'élection du pape à la majorité des deux tiers. ~ **Latran IV** (1215), réuni par Innocent III, adopta d'importants commandements de l'Église (en particulier l'obligation de la confession et de la communion annuelles). ~ **Latran V** (1512-1517), réuni par Jules II, poursuivi sous Léon X, réaffirma l'autorité papale après le concile schismatique de Pise (1511-1512) réuni par Louis XII.

**Latran (palais du)** ~ Palais romain qui jouxte la basilique St-Jean-de-Latran. Résidence des papes du IVe au XIVe s., il fut incendié en 1308 et reconstruit en 1586. Il abrita, le 11 février 1929, la signature des accords du Latran.

**LA TRÉMOILLE**, famille noble du Poitou qui donna à la France de nombreux hommes de guerre. ~ **Georges** DE (*v. 1382 - 1446, Sully-sur-Loire*), grand chambellan de Charles VII, participa à la Praguerie (1440). Son petit-fils ~ **Louis II** (*1460, Thouars - 1525, Pavie*) s'illustra lors des guerres d'Italie.

**LATTAQUIÉ** ou **LATAKIEH**, en ar. ***al-Ladhikiyya*** ~ 1er port de Syrie, centre admin., au pied du djebel Ansariyya ; 293 000 h. Univ. Export. de prod. agric., industr. alim. et textile (coton). Tabac. Ancienne Laodicée sous l'Empire séleucide.

**LATTES** ~ V. de la banlieue S. de Montpellier (Hérault) ; 10 203 h. Vestiges d'un port de l'Antiquité (Ibères, Phocéens, Romains). Musée archéologique.

**LATTRE DE TASSIGNY** (Jean DE) ~ *1889, Mouilleron-en-Pareds, Vendée - 1952, Paris.* Maréchal de France. Commandant en 1944 de la Ire armée française, il la conduisit de la Provence jusqu'au Rhin et au Danube, et reçut la capitulation allemande à Berlin, le 8 mai 1945. Il fut haut-commissaire et commandant en chef en Indochine de 1950 à 1952.

**LATUDE** (Jean Henry, dit Masers DE) ~ *1725, Montagnac, Hérault - 1805, Paris.* Aventurier français. Accusé d'intrigues contre Mme de Pompadour, il passa trente-cinq ans enfermé, not. à Vincennes et à la Bastille, en dépit de ses nombreuses tentatives d'évasion. Il fut libéré à la Révolution.

**LAUBE** (Heinrich) ~ *1806, Sprottau, Silésie - 1884, Vienne.* Écrivain et dramaturge allemand. Journaliste, il fut l'une des figures du mouvement libéral Jeune-Allemagne. Sa pièce *les Élèves de l'académie Charles* (1846) évoque la jeunesse de Schiller.

**LAUBEUF** (Maxime) ~ *1864, Poissy - 1939, Cannes.* Ingénieur français. Il construisit le *Narval*, ancêtre des sous-marins (1904).

**LAUD** (William) ~ *1573, Reading - 1645, Londres.* Prélat anglais. Conseiller de Charles Ier, archevêque de Canterbury (1633) et primat de l'Église d'Angleterre, il fut l'artisan du renforcement de l'orthodoxie anglicane. Son intransigeance ayant provoqué une révolte (1637), il perdit le soutien du roi, fut condamné à mort (1641) et exécuté.

**LAUE** (Max VON) ~ *1879, Pfaffendorf - 1960, Berlin.* Physicien allemand. Il découvrit la diffraction des rayons X dans les cristaux, permettant de prouver la nature électromagnétique des rayonnements (1912). Prix Nobel de phys. 1914.

**LAUENBURG** (le) ~ Anc. duché d'Allemagne du N., auj. compris dans le Schleswig-Holstein. Intégré dans le département français des Bouches-de-l'Elbe (1810), puis donné au roi de Danemark (1815), il fut annexé par la Prusse en 1865.

**Laugerie** ~ Site paléolithique proche des Eyzies-de-Tayac-Sireuil (Dordogne). Sa stratigraphie a joué un rôle décisif dans l'établissement d'une chronologie de la préhistoire européenne.

**LAUGHTON** (Charles) ~ *1899, Scarborough - 1962, Los Angeles.* Acteur et cinéaste américain d'orig. britannique. Il sut utiliser son physique original pour incarner des personnages puissants (*la Vie privée de Henry VIII*, d'A. Korda, 1933). En 1955, il réalisa un chef-d'œuvre, *la Nuit du chasseur.*

**LAUNAY** (Bernard **Jordan** DE) ~ *1740, Paris - 1789, id.* Gouverneur de la Bastille. Il fut massacré le 14 juillet 1789.

**LAUNCESTON** ~ $1^{er}$ port de Tasmanie (Australie), sur la côte N. ; 93 000 h. Exportation de produits agric. et text. (laine).

**LAURAGAIS** ou **LAURAGUAIS** (le) ~ Région céréalière du S.-E. du Bassin aquitain (v. princ. Castelnaudary), franchie par le canal du Midi au **seuil du Lauragais** (ou de Naurouze).

**LAURANA**, famille d'artistes croates. ~ **Francesco** (*v. 1430, Zara, auj. Zadar - v. 1502, Avignon*), sculpteur, travailla en Italie et en France (Provence), exécutant not. des portraits, caractérisés par un idéal de pureté plastique (buste d'Éléonore d'Aragon). ~ **Luciano** (*v. 1420, Zara - 1479, Pesaro*), architecte, peut-être frère du préc., aménagea le palais d'Urbino avec une clarté géométrique qui influença la seconde Renaissance.

**LAURASIE** (la) ~ Supercontinent qui aurait regroupé l'Amérique du Nord, l'Europe et l'Asie à l'ère primaire.

**LAUREL** et **HARDY**, acteurs américains. ~ **Arthur Stanley** JEFFERSON, dit **Stan** LAUREL (*1890, Ulverston, Lancashire - 1965, Santa Monica*), et ~ **Oliver** HARDY (*1892, Atlanta - 1957, Hollywood*) firent du contraste physique et psychologique de leurs personnages une source inépuisable de gags (*Fra Diavolo*, 1933 ; *Les montagnards sont là*, 1938).

**LAURENCIN** (Marie) ~ *1885, Paris - 1956, id.* Peintre français. Proche d'Apollinaire et de Picasso, elle promut un maniérisme de bon goût qui lui valut la faveur d'un large public (*Femme à la colombe*, 1919).

**LAURENS** (Henri) ~ *1885, Paris - 1954, id.* Sculpteur français. Après avoir appliqué les principes du cubisme jusqu'à l'abstraction, il fit dans les années 1930 un retour au figuratif sous l'influence d'A. Maillol (*la Grande Musicienne*, 1950).

**LAURENT** (saint) ~ *m. v. 258 à Rome.* Diacre et martyr romain d'orig. espagnole. Sommé de remettre les richesses de l'Église aux autorités impériales romaines, il les aurait distribuées aux pauvres et aurait subi le supplice du gril.

**LAURENT** (Auguste) ~ *1807, La Folie, près de Langres - 1853, Paris.* Chimiste français. Créateur de la théorie des noyaux, il fut un pionnier de la théorie atomique et le précurseur de la chimie structurale. Il travailla avec Gerhardt.

**LAURENTIDES** (les) ~ Région de collines boisées du Québec, rebord S. du Bouclier canadien au N. du Saint-Laurent et de Montréal. Tourisme.

**LAURIER** (sir Wilfrid) ~ *1841, Saint-Lin, Québec - 1919, Ottawa.* Homme politique canadien. Chef du parti libéral à partir de 1887, puis Premier ministre (1896-1911), il renforça l'autonomie du Canada.

**LAURION** ~ Port de Grèce (Attique). Ses mines de plomb argentifère rapportèrent à Athènes les fonds pour construire sa flotte (V$^{e}$ s. av. J.-C.).

**LAURISTON** (Jacques **Law**, marquis DE) ~ *1768, Pondichéry - 1828, Paris.* Maréchal de France (1823). Aide de camp de Bonaparte en Italie, il fit une longue carrière de diplomate (ambassadeur en Russie, 1811), d'administrateur et de militaire sous l'Empire et la Restauration.

**LAUSANNE** ~ V. de la Suisse romande, sur le lac Léman, ch.-l. du canton de Vaud, cap. judiciaire (Tribunal fédéral, Cour suprême) de la Confédération ; 125 000 h. (agglom. 262 000 h.). Université. Industr. text., pharmaceutique. Tourisme. Foire internationale. Cathédrale gothique (XIII$^{e}$ s.), château épiscopal (XV$^{e}$ s.). **HIST.** - Gouvernée par ses évêques jusqu'en 1536, elle fut une possession bernoise jusqu'en 1798. Cap. du canton de Vaud, elle intégra la Confédération helvétique en 1803. Le **traité de Lausanne**, conclu le 24 juillet 1923 entre les Alliés et la Turquie, reconnaissait l'intégrité territoriale de cette dernière et lui attribuait la Thrace orientale après sa victoire sur la Grèce. Il remplaça le traité de Sèvres refusé par le gouvernement d'Ankara en 1920.

**LAUTARET (col du)** ~ Passage des Hautes-Alpes (2 058 m) reliant l'Oisans au Briançonnais.

**LAUTER** (la) ~ Riv. du N. de l'Alsace, à la frontière franco-allemande, affl. du Rhin (r. g.) ; 82 km.

**LAUTRÉAMONT** (Isidore **Ducasse**, dit **le comte** DE) ~ *1846, Montevideo - 1870, Paris.* Écrivain français. Ses *Chants de Maldoror* (1869) et ses *Poésies* (1870) furent exhumés par les surréalistes qui saluèrent chez lui l'expression violente des fantasmes, le détournement du langage et l'interrogation sur l'écriture.

**LAUTREC** (Odet **de Foix**, vicomte DE) ~ *1485 - 1528, Naples.* Maréchal de France. Gouverneur du Milanais (1526), il en fut chassé, puis il pilla Pavie en 1527 et fut nommé commandant de l'armée d'Italie. Il mourut au siège de Naples.

**LAUZUN** (Antonin **Nompar de Caumont**, comte, puis duc DE) ~ *1633, Lauzun - 1723, Paris.* Officier français. Courtisan ambitieux à la cour de Louis XIV, il fut emprisonné à cause de ses insolences (1671-1680). Il épousa secrètement Mlle de Montpensier, cousine du roi (1682).

**Lauzun (hôtel de)** ~ Édifice parisien situé dans l'île Saint-Louis, construit par Le Vau pour le financier Charles Gruÿn, fils d'un cabaretier (1657), et acheté par Lauzun (1682). Il appartient à la Ville de Paris depuis 1928.

**LAVAL** ~ Préfect. de la Mayenne, dans le bas Maine, sur la Mayenne ; agglom. 56 855 h. Industr. text. depuis la Renaissance (toile de lin). Évêché. Château médiéval, églises romanes et gothiques. Musée d'Art naïf. La ville fut l'un des berceaux de la chouannerie (combats de 1793).

**LAVAL** (Pierre) ~ *1883, Châteldon, Puy-de-Dôme - 1945, Fresnes.* Homme politique français. Avocat, député socialiste (1914-1919) et maire d'Aubervilliers (1923-1944), plusieurs fois ministre, il fut à deux reprises président du Conseil (1931-1932 ; 1935-1936). Il eut recours aux décrets-lois pour mener une politique déflationniste et, à l'extérieur, conduisit un rapprochement avec l'Italie et l'U. R. S. S. pour isoler l'Allemagne. Ministre du régime de Vichy dès le 23 juin 1940, il organisa l'entrevue de Montoire entre Hitler et Pétain. Renvoyé le 13 déc. 1940, il revint au pouvoir de 1942 à 1944 et mena une politique de collaboration avec le Reich. À la Libération, il fut jugé et fusillé.

**LA VALETTE** (Jean **Parisot** DE) ~ *1494 - 1568, Malte.* Grand maître de l'ordre de Malte, élu en 1557. Il défendit victorieusement l'île, assiégée par les Turcs (1565). Il fonda en 1566 la capitale de l'île, qui prit son nom.

**LA VALLIÈRE** (Louise **de La Baume Le Blanc**, duchesse DE) ~ *1644, Tours - 1710, Paris.* Favorite de Louis XIV. Elle fut la mère de deux enfants légitimés du roi : Marie Anne de Bourbon (Mlle de Blois) et Louis (comte de Vermandois). Elle se retira en 1674 chez les carmélites.

**LAVANDOU (Le)** ~ Station baln. du littoral des Maures (Var), face aux îles d'Hyères ; 5 212 h.

**LAVATER** (Johann Kaspar) ~ *1741, Zurich - 1801, id.* Philosophe suisse. Poète et prédicateur protestant, il créa la physiognomonie.

**LA VAULX** (comte Henry DE) ~ *1870, Bierville, Seine-Maritime - 1930, près de Jersey City, New Jersey.* Aéronaute français. Il fonda l'Aéro-Club de France (1898) et la Fédération aéronautique internationale (1906).

**LAVAUR** ~ Ville-carrefour du haut Languedoc (Tarn), sur l'Agout, entre Toulouse et Albi ; 8 148 h. Anc. cathédrale romane (intérieur gothique).

**LAVEDAN** (le) ~ Haute vallée du gave de P[...] dans les Pyrénées, au S. de Lourdes. Tourisme.

**LAVÉRA** ~ $1^{er}$ port pétrolier français (commu[...] de Martigues), sur le golfe de Fos (Bouches-d[...] Rhône). Point de départ du pipeline desserva[...] l'Alsace et la Rhénanie. Raffinage, pétrochimie.

**LAVERAN** (Alphonse) ~ *1845, Paris - 1922,* [...] Bactériologiste français. Il étudia les protozoai[...] pathogènes et découvrit l'hématozoaire du pal[...]disme (1880). Prix Nobel de physiol. ou méd. 19[...]

**LA VÉRENDRYE** (Pierre **Gaultier de Varenn**[...] DE) ~ *1685, Trois-Rivières - 1749, Montréal.* Exp[...]rateur canadien. Il reconnut, de 1731 à 1743, [...] grands espaces de la Prairie nord-américaine, [...] Mississippi aux Rocheuses.

**LA VIEUVILLE** (Charles, marquis puis duc DE) [...] *1582, Paris - 1653, id.* Homme politique frança[...] Surintendant des Finances en 1623, il fit ent[...] Richelieu au Conseil du roi, puis devint s[...] adversaire.

**LAVIGERIE** (Charles) ~ *1825, Bayonne - 18*[...] *Alger.* Prélat français. Évêque de Nancy (186[...] archevêque d'Alger (1867) et primat d'Afrique, [...] fonda deux ordres missionnaires, les Pères blan[...] (1868) et les Sœurs missionnaires d'Afriq[...] (1869). Il prononça en 1890 le toast d'Alger [...] faveur du ralliement de l'Église à la Républiq[...]

**LAVISSE** (Ernest) ~ *1842, Le Nouvion-en-Thié[...]che - 1922, Paris.* Historien français. Professeu[...] la Sorbonne (1888), directeur de l'E. N. S. (190[...] 1919), il élabora une *Histoire de France* qui, av[...] ses ouvrages scolaires, lui conféra une notori[...] majeure dans l'enseignement de l'histoire. Aca[...]

**LAVOISIER** (Antoine Laurent DE) ~ *1743, Pari*[...] *1794, id.* Chimiste français. Fondateur de la chim[...] moderne, il établit le principe de conservation [...] la masse et des éléments qui porte son nom, [...] nomenclature chimique (1787), la composition [...] l'eau (1783), le rôle de l'oxygène dans les combu[...]tions et dans la respiration animale. Il effectua [...] premières mesures calorimétriques. Député su[...]pléant, il fut proscrit et guillotiné avec les fermi[...] généraux pendant la Terreur.

*Antoine de* ***Lavoisier.*** © J.-L. Charmet-Explorer

**LA VRILLIÈRE** (Louis **Phélypeaux**, duc DE) [...] *1705, Paris - 1777, id.* Homme politique frança[...] Il fut secrétaire d'État à la maison du roi (172[...] durant tout le règne de Louis XV.

**LAW** (John) ~ *1671, Édimbourg - 1729, Veni*[...] Financier britannique. Auteur de *Considérations s*[...] *le numéraire et le commerce* (1705), il put appliqu[...] ses théories en France, sous la Régence, en créa[...] une banque d'émission de billets (1716) puis [...] Compagnie d'Occident (1717). Devenu surinte[...]dant des Finances, il dut fuir après la banquerou[...] consécutive à l'échec de son système.

**LAWFELD** ~ Village de Belgique, près de Maa[...]tricht. Le 2 juill. 1747, le Maréchal de Saxe y bat[...] le duc de Cumberland, préparant ainsi la concl[...]sion de la guerre de la Succession d'Autriche.

**LAWRENCE** (David Herbert) ~ *1885, Eas[...]wood - 1930, Vence, France.* Écrivain britanniq[...] Ses romans témoignent d'un culte vitaliste [...] sensuel des instincts humains (*l'Amant de la* [...] *Chatterley*, 1928).

**AWRENCE** (Ernest Orlando) ~ *1901, Canton, akota du Sud - 1958, Palo Alto.* Physicien américain. Il réalisa le premier cyclotron (1930) et découvrit un procédé de séparation de l'uranium 35. Prix Nobel de phys. 1939.

**AWRENCE** (sir Thomas) ~ *1769, Bristol - 1830, ondres.* Peintre britannique. Il fut très apprécié pour l'élégance de ses portraits mondains. Son œuvre s'inscrit dans la continuité de l'art de Reynolds.

**AWRENCE** (Thomas Edward), dit **Lawrence d'Arabie** ~ *1888, Tremadoc, pays de Galles - 1935, Clouds Hill, Dorset.* Officier et écrivain britannique. Officier de renseignements durant la Première guerre mondiale, spécialiste du Proche-Orient, il a relaté dans *les Sept Piliers de la sagesse* (1926) le rôle qu'il joua dans la révolte des Arabes contre les Turcs (1916-1918).

*Thomas E.* ***Lawrence*** *en habit de Bédouin.*

**AXNESS** (Halldór **Guðjónsson**, dit Halldór Kiljan) ~ *1902, Laxness, près de Reykjavik.* Écrivain islandais. Ses romans évoquent l'histoire et la vie des paysans d'Islande. Sa trilogie *la Cloche d'Islande* (1943-1946) s'est imposée comme un poème épique national. Prix Nobel de litt. 1955.

**AXOU** ~ V. de l'O. de l'agglom. de Nancy (Meurthe-et-Moselle), en lisière de la forêt de Haye ; 15 490 h.

**AY** (le) ~ Fleuve côtier de Vendée, issu de la Gâtine, qui traverse le Marais poitevin ; 125 km.

**AYE** (Camara) ~ *1928, Kouroussa - 1980, Dakar.* Romancier guinéen de langue française. Ses récits retracent l'histoire, la vie et les traditions de son pays (*l'Enfant noir*, 1953). Il dénonça la dictature de Sékou Touré et s'exila (1965).

**AYON** (le) ~ Affl. (r. g.) de la Loire inférieure (Maine-et-Loire) ; 90 km. Ses coteaux produisent des vins réputés.

**AZARE** (saint) ~ Personnage de l'Évangile de saint Jean. Frère de Marthe et de Marie de Béthanie, fut ressuscité par Jésus.

**AZARSFELD** (Paul Felix) ~ *1901, Vienne - 1976, New York.* Sociologue américain d'orig. autrichienne. Mathématicien de formation, il contribua à répandre l'usage des statistiques en sociologie. Ses travaux empiriques ont essentiellement porté sur la prise de décisions et la formation des opinions chez l'individu (*Analyse des processus sociaux*, 1966).

**ÉA** ou **LIA** ~ Personnage biblique. Fille de Laban, elle fut la première épouse de Jacob.

**EAHY** (William Daniel) ~ *1875, Hampton, Iowa - 1959, Bethesda, Maryland.* Amiral américain. Il fut ambassadeur auprès du gouvernement de Vichy (1940-1942).

**EAKEY** (Louis Seymour Bazett) ~ *1903, Kabete, Kenya - 1972, Londres.* Paléontologue britannique. Effectuant des fouilles au Kenya et en Tanzanie, il découvrit en 1958 le zinjanthrope (1,8 million d'années) et, en 1960, un *Homo habilis* (2 millions d'années), terme qu'il créa avec P. Tobias.

**EAN** (David) ~ *1908, Croydon - 1991, Londres.* Cinéaste britannique. Remarqué grâce à *Brève rencontre* (1945), il triompha avec ses fresques historiques (*le Pont de la rivière Kwaï*, 1957 ; *Lawrence d'Arabie*, 1962 ; *Docteur Jivago*, 1966).

**LÉANDRE** (saint) ~ *début du VIe s., Carthagène - v. 600, Séville.* Archevêque de Séville, frère de saint Isidore. Il convertit Reccared Ier, roi des Wisigoths, et contribua à l'expansion du catholicisme dans son royaume. Au concile de Tolède (589), il organisa l'Église hispano-wisigothique.

**LEANG K'ai** ~ Voir **Liang** Kai.

**LEAO-NING** (le) ~ Voir **Liaoning**.

**LÉAUTAUD** (Paul) ~ *1872, Paris - 1956, Chatenay-Malabry.* Écrivain français. Il publia des chroniques de théâtre sous le pseudonyme de Maurice Boissard. Son *Journal littéraire* (1954-1966), en 19 volumes, révèle son non-conformisme.

**LEAVITT** (Henrietta Swan) ~ *1868, Lancaster, Massachusetts - 1921, Cambridge, id.* Astronome américaine. Elle établit une loi permettant d'évaluer les distances des amas stellaires et des galaxies (1912).

**LE BAS** (Philippe) ~ *1764, Frévent, Pas-de-Calais - 1794, Paris.* Homme politique français. Député à la Convention, membre du Comité de sûreté générale, il fut envoyé en mission auprès des armées du Rhin et de Sambre-et-Meuse. Lié à Robespierre, il fut arrêté avec lui le 9 thermidor et se suicida.

**LEBEAU** (Joseph) ~ *1794, Huy, Liège - 1865, id.* Homme politique belge. Il contribua à la révolution de 1830 et à la proclamation, la même année, de l'indépendance de la Belgique. Il fut président du Conseil en 1840-1841.

**LE BEL** (Achille) ~ *1847, Pechelbronn - 1930, Paris.* Chimiste français. Il fonda la stéréochimie en même temps que J. H. Van't Hoff, et énonça la théorie de l'asymétrie du carbone (1874). Acad.

**LEBESGUE** (Henri) ~ *1875, Beauvais - 1941, Paris.* Mathématicien français. Il établit la mesure d'un ensemble linéaire, énonça la notion de fonction mesurable et définit l'intégrale qui porte son nom (1902), utilisée en analyse fonctionnelle et en calcul des probabilités.

**LEBLANC** (Maurice) ~ *1864, Rouen - 1941, Perpignan.* Écrivain français. Auteur d'*Arsène Lupin, gentleman-cambrioleur* (1907), il popularisa son personnage dans de nombreux romans policiers.

**LE BON** (Gustave) ~ *1841, Nogent-le-Rotrou - 1931, Paris.* Médecin et psychologue français. Esprit éclectique, il s'illustra dans divers domaines scientifiques avant de se consacrer à l'étude des comportements collectifs, jetant les bases de la psychologie sociale (*la Psychologie des foules*, 1895).

**LEBON** (Philippe) ~ *1767, Brachay, Champagne - 1804, Paris.* Ingénieur et chimiste français. Il inventa la thermolampe (1799), qui employait le gaz de la distillation du bois pour l'éclairage et le chauffage, et conçut un moteur à gaz (1801).

**LE BRIX** (Joseph) ~ *1899, Baden, Morbihan - 1931, près d'Oufa, Russie.* Aviateur français. Il accomplit avec D. Costes un tour du monde aérien en 1927-1928.

**LEBRUN** (Albert) ~ *1871, Mercy-le-Haut, Meurthe-et-Moselle - 1950, Paris.* Homme d'État français. Plusieurs fois ministre (1911-1920), puis président du Sénat (1931), il fut président de la République (1932-1940). Il se retira de la vie politique après la défaite de juin 1940.

**LEBRUN** ou **LE BRUN** (Charles) ~ *1619, Paris - 1690, id.* Peintre français. Remarqué pour les décorations qu'il entreprit au Louvre et à Versailles, il fut nommé directeur de l'Académie royale de peinture et dirigea avec autorité toute la création artistique, imposant son goût du faste, du décor, de la clarté et de la rigueur.

**LECANUET** (Jean) ~ *1920, Rouen - 1993, Neuilly-sur-Seine.* Homme politique français. Démocrate-chrétien, candidat à l'élection présidentielle en 1965, il contribua à la mise en ballottage du général de Gaulle. Maire de Rouen de 1968 à sa mort, plusieurs fois ministre sous V. Giscard d'Estaing, il présida l'U. D. F. (1978-1988).

**LE CARRÉ** (David John **Moore Cornwell**, dit John) ~ *1931, Poole, Dorset.* Écrivain britannique. Ancien agent secret, il renouvela le roman d'espionnage (*L'espion qui venait du froid*, 1963).

**LECCE** ~ V. du S. des Pouilles (Italie) centre admin. ; 100 000 h. Industries agroalim. et mécan., manufacture de tabac. Édifices baroques (cathédrale, basilique Santa Croce, place du Dôme).

**LE CHAPELIER** (Isaac René) ~ *1754, Rennes - 1794, Paris.* Homme politique français. Député du tiers état, il fut le rapporteur de la loi qui porte son nom (14 juin 1791), interdisant toute association et toute coalition entre les gens de même métier, loi qui constitua un des fondements du capitalisme libéral du XIXe s. Il fut guillotiné.

**LE CHATELIER** (Henry) ~ *1850, Paris - 1936, Miribel-les-Échelles, Isère.* Chimiste et métallurgiste français. Fondateur de l'analyse thermique et de la métallographie microscopique, il présenta les lois de stabilité des équilibres physico-chimiques et étudia l'organisation scientifique des entreprises.

**LECLAIR** (Jean-Marie) ~ *1697, Lyon - 1764, Paris.* Compositeur et violoniste français. Il est l'auteur de sonates raffinées et d'une tragédie lyrique (*Scylla et Glaucus*, 1746).

**LECLANCHÉ** (Georges) ~ *1839, Paris - 1882, id.* Ingénieur français. Il inventa, en 1868, la pile électrique qui porte son nom, utilisant le chlorure d'ammonium comme électrolyte et le bioxyde de manganèse comme dépolarisant.

**LECLERC** (Charles) ~ *1772, Pontoise - 1802, Cap-Français, Saint-Domingue.* Général français. Marié à Pauline Bonaparte, il se vit confier en 1797 l'expédition de Saint-Domingue et obtint la reddition de Toussaint Louverture (1802).

**LECLERC** (Félix) ~ *1914, La Tuque, Québec - 1988, île d'Orléans, id.* Auteur-compositeur et chanteur canadien. Dès 1950, il fit connaître à Paris la nouvelle chanson québécoise d'expression française (*le Tour de l'île* ; *le P'tit Bonheur*).

**LECLERC** (Philippe Marie **de Hauteclocque**, dit) ~ *1902, Belloy-Saint-Léonard - 1947, près de Colomb-Béchar.* Maréchal de France. Il rejoignit Londres en 1940, et mena campagne au Tchad, en Libye (Koufra) et en Tunisie. Sa 2e division blindée débarqua en Normandie, entra dans Paris le 20 août 1944, libéra Strasbourg en novembre. Il commanda les troupes en Indochine (1945) puis en Afrique du Nord, et mourut dans un accident d'avion.

**LE CLÉZIO** (Jean-Marie Gustave, dit J.-M. G.) ~ *1940, Nice.* Romancier et essayiste français. Depuis son premier roman, *le Procès-verbal* (prix Renaudot 1963), il s'est imposé comme un aventurier de l'écriture (*le Désert*, 1980 ; *le Chercheur d'or*, 1985).

*Le Clézio.*

**LÉCLUSE** ou **LESCLUSE** (Charles DE) ~ *1526, Arras - 1609, Leyde.* Botaniste français. Il établit une classification des végétaux et introduisit en Europe la pomme de terre, importée du Pérou.

**LECOCQ** (Charles) ~ *1832, Paris - 1918, id.* Compositeur français. Spirituelles et enjouées, ses opérettes retrouvent l'esprit de l'opéra-comique (*la Fille de madame Angot*, 1872).

**LECOMTE DU NOÜY** (Pierre) ~ *1883, Paris - 1947, New York.* Biologiste français. Il étudia la vitesse de cicatrisation des plaies et présenta la théorie d'un temps biologique propre à la substance vivante (*le Temps et la Vie*, 1936).

**LECONTE DE LISLE** (Charles Marie **Leconte**, dit) ~ *1818, Saint-Paul, la Réunion - 1894, Louveciennes, Yvelines.* Poète français. Chef de file de l'école parnassienne, il s'inspira de l'Antiquité grecque (*Poèmes antiques*, 1852) et des civilisations perdues (*Poèmes barbares*, 1862). Acad.

**LE CORBUSIER** (Charles Édouard **Jeanneret**, dit) ~ *1887, La Chaux-de-Fonds - 1965, Roquebrune-Cap-Martin.* Architecte, urbaniste, théoricien et peintre français d'orig. suisse. D'un fonctionalisme très strict, il pensa la maison comme une

« machine à habiter ». Dans des matériaux simples (béton armé, verre, fer), avec des techniques industrielles (modules préfabriqués) et des formes géométriques, il conçut des immeubles avec toit-jardin, pare-soleil ou sur pilotis pour dégager espaces verts et circulation. Il appliqua les mêmes principes de construction à l'urbanisme, séparant les zones d'activité et développant d'immenses habitations avec services communs. Par ses réalisations (villa Savoye, 1931 ; Cité radieuse à Marseille, 1947 ; tracé et plan de Chandigarh, 1951) et ses écrits personnels (*la Ville radieuse*, 1935) ou collectifs (*Charte d'Athènes*, 1943), il exerça une influence considérable.

© Giraudon-D. R.

*Chapelle Notre-Dame-du-Haut (1950-1955), édifiée par* **Le Corbusier** *à Ronchamp (Haute-Saône).*

**LECOURBE** (Claude, comte) ~ *1758, Besançon - 1815, Belfort.* Général français. Il se distingua à Fleurus (1794) et résista à A. V. Souvorov (1799). Il fut disgracié en 1801 après le procès de J. V. Moreau, fut rappelé par Louis XVIII (1814), mais se rallia à Napoléon Ier lors des Cent-Jours.

**LECOUVREUR** (Adrienne) ~ *1692, Damery, près d'Épernay - 1730, Paris.* Tragédienne française. Elle triompha dans les rôles de Phèdre et de Bérénice. Sa liaison avec le Maréchal de Saxe inspira plusieurs pièces et opéras.

**LECTOURE** ~ V. du N. du Gers, sur le Gers, ancienne capitale de la Lomagne puis de l'Armagnac ; 4 034 h. Cathédrale gothique, reconstruite au XVe s. Musée archéologique (anc. évêché).

**LÉDA** ~ Épouse légendaire de Tyndare, roi de Sparte, dont elle eut Clytemnestre et Hélène. Aimée de Zeus, qui s'unit à elle sous la forme d'un cygne, elle engendra Castor et Pollux.

**LE DANTEC** (Félix) ~ *1869, Plougastel-Daoulas - 1917, Paris.* Biologiste français. Partisan du transformisme de Lamarck, philosophe (*Théorie nouvelle de la vie*, 1896), il introduisit la notion d'assimilation fonctionnelle.

**LEDOUX** (Claude Nicolas) ~ *1736, Dormans, Champagne - 1806, Paris.* Architecte français. Il édifia le château de Bénouville (près de Caen), le théâtre de Besançon, le pavillon de l'enceinte des Fermiers-Généraux, à Paris. Les plans et le début de réalisation des salines de Chaux, à Arc-et-Senans, attestent la dimension novatrice de ses conceptions.

**LEDRU-ROLLIN** (Alexandre Auguste **Ledru**, dit) ~ *1807, Paris - 1874, Fontenay-aux-Roses.* Homme politique français. Adversaire de la monarchie de Juillet, il fonda *la Réforme* (1843), organe du radicalisme. Ministre de l'Intérieur après la révolution de février 1848, il fut exclu du pouvoir après l'insurrection de juin. Candidat à la présidence de la République en déc., battu, il s'opposa au parti de l'Ordre et dut s'exiler jusqu'en 1871.

**LÊ Duan** ~ *1907, Hâu Kiên - 1986, Hanoi.* Homme politique vietnamien. Il fut secrétaire général du parti communiste nord-vietnamien de 1960 à 1986, prenant la suite de Hô Chi Minh.

**LÊ Duc Tho** ~ *1911, prov. de Nam Ha - 1990, Hanoi.* Homme politique vietnamien. Il fut à l'origine du parti communiste indochinois (1930) puis du Viêt-minh (1941). Il négocia avec H. Kissinger le retrait des troupes américaines, mais refusa le prix Nobel de la paix (1973).

**LEE** (Robert Edward) ~ *1807, Stratford, Virginie - 1870, Lexington.* Général américain. Sudiste pendant la guerre de Sécession, il fut vainqueur à Richmond (1862), défait à Gettysburg (1863), et capitula à Appomattox en 1865.

**LEEDS** ~ V. d'Angleterre (West Yorkshire), à l'E. des Pennines, centre traditionnel de l'industrie lainière formant une conurbation avec Bradford (env. 2 000 000 d'h.) ; 681 000 h. Université. Confection, industries chimique, mécanique. Musées.

**LEEUWARDEN** ~ V. des Pays-Bas, ch.-l. de la Frise-Occidentale ; 87 000 h. Industr. laitière, métall., du bois. Anc. résidence des stathouders de la maison d'Orange-Nassau (XVIe-XVIIIe s.).

**LEEWARD ISLANDS** ~ Voir **Sous-le-Vent** (îles).

**LEFEBVRE** (François Joseph), duc **de Dantzig** ~ *1755, Rouffach, Haut-Rhin - 1820, Paris.* Maréchal de France. Sorti du rang, il fut de toutes les campagnes de la Révolution et de l'Empire. En 1807, il prit Dantzig. Son épouse ~ **Catherine**, née **Hubscher**, ancienne blanchisseuse, inspira une comédie à V. Sardou (*Madame Sans-Gêne*, 1893).

**LEFEBVRE** (Georges) ~ *1874, Lille - 1959, Boulogne-Billancourt.* Historien français. Étudiant le monde rural sous la Révolution française, il s'attacha à l'analyse des faits économiques et des structures sociales (*les Paysans du Nord pendant la Révolution*, 1924).

**LEFEBVRE** (Henri) ~ *1901, Hagetmau, Landes - 1991, Pau.* Philosophe et sociologue français. Marxiste, il fut l'un des théoriciens du P. C. F. jusqu'à sa rupture avec le Parti, et développa une sociologie de la quotidienneté centrée sur la religiosité moderne de la marchandise (*Critique de la vie quotidienne*, 1947-1981).

**LEFEBVRE** (Marcel) ~ *1905, Tourcoing - 1991, Martigny, Valais.* Prélat français. Ancien archevêque de Dakar, il s'éleva contre les réformes du concile Vatican II et fonda un séminaire traditionaliste à Écône, en Suisse (1970). Il fut excommunié pour avoir consacré quatre évêques (1988), et son mouvement fut déclaré schismatique.

**LEFÈVRE D'ÉTAPLES** (Jacques) ~ *v. 1450, Étaples - 1536, Nérac.* Théologien et humaniste français. Sa participation au cénacle de Meaux lui valut d'être accusé de sympathie pour Luther. Il traduisit la Bible et Aristote en français.

**LE GAC** (Jean) ~ *1936, Tamaris.* Artiste français. Proche de l'art conceptuel, il a abandonné la peinture pour des compositions mêlant illustrations et textes autour des tourments de la création.

**LE GENDRE** (Adrien Marie) ~ *1752, Paris - 1833, id.* Mathématicien français. Il étudia la théorie des nombres (1798), exposa la méthode des moindres carrés (1806) et établit une classification des intégrales elliptiques (1825).

**LEGENDRE** (Louis) ~ *1752, Versailles - 1797, Paris.* Homme politique français. Boucher, il fut conventionnel montagnard (1792), dantoniste, robespierriste, et enfin thermidorien.

**LÉGER** (saint) ~ *v. 616, en Neustrie - v. 677, Sarcinium, auj. Saint-Léger, Pas-de-Calais.* Abbé de Saint-Maixent puis évêque d'Autun (663). Il s'opposa au maire du palais de Neustrie, Ébroïn, qui le fit assassiner.

**LÉGER** (Fernand) ~ *1881, Argentan - 1955, Gif-sur-Yvette.* Peintre français. Après des expériences impressionnistes, fauves et surtout cubistes, il revint à une figuration stylisée, où s'imposèrent les éléments mécaniques (*le Mécanicien*, 1920). Élargissant ses recherches à la sculpture, à la céramique et à l'affiche, il a laissé une œuvre où l'inscription de l'homme dans un univers dominé par le machinisme prend un caractère de manifeste social.

**Légion des volontaires français contre le bolchevisme** (**L. V. F.**) ~ Organisation militaire créée à Paris en 1941 dont les membres, français, combattirent sur le front russe sous l'uniforme allemand.

**Législative** ~ Voir **Assemblée législative**.

**LE GOFF** (Jacques) ~ *1924, Toulon.* Historien français. Médiéviste formé à l'école des Annales, il s'est interrogé sur les catégories fondamentales de l'expérience chez l'homme du Moyen Âge, baptisant sa démarche du nom d'anthropologie historique (*l'Imaginaire médiéval*, 1985).

**LE GRAY** (Gustave) ~ *1820, Villiers-Le-Bel - 1882, Paris.* Inventeur et photographe français. Membre de la Société héliographique, il mit au point le procédé au papier ciré sec, variante du calotype. Il ouvrit un studio pour le portrait (1856) puis travailla au Moyen-Orient.

**LEHÁR** (Franz) ~ *1870, Komárom, Hongrie - 19[…] Bad Ischl.* Compositeur autrichien d'orig. hongroi[…] Il renouvela l'opérette viennoise (*la Veuve joyeu[…] 1905 ; le Pays du sourire*, 1929).

**LEHN** (Jean-Marie) ~ *1939, Rosheim, Bas-Rh[…]* Chimiste français. Il a établi la synthèse [...] molécules creuses, à la base de la chimie supramo[…]culaire. Prix Nobel de chim. 1987.

**LEIBNIZ** (Gottfried Wilhelm) ~ *1646, Leipzi[…] 1716, Hanovre.* Philosophe et mathématicien al[…]mand. Fils d'un professeur de droit et de mora[…] il se forma à la philosophie, à la jurisprudence [...] aux mathématiques avant d'être nommé pour u[…] mission diplomatique à Paris (1672). Il rencon[…] Arnauld, Pascal, Spinoza, puis devint bibliothéca[…] à Hanovre. Inventeur du calcul infinitésim[…] (1676), il correspondit avec toute l'Europe savan[…] et philosophique. Mécaniste, il concevait le mon[…] sur le mode de l'infinitude et, suivant les princip[…] d'identité, de continuité et de raison suffisan[…] comme un agrégat de monades organisées selon u[…] harmonie préétablie. Dans cette métaphysique tou[…] mathématique, Dieu a fait notre monde comme [...] meilleure combinaison possible. Son œuvre, esse[…]tiellement publiée après sa mort, est immense ([…] *arte combinatoria*, 1666 ; *Discours de métaphysiq[…]* 1686 ; *Systema theologicum*, 1686 ; *Nouveaux Ess[…] sur l'entendement humain*, 1701-1709 ; *Essais [...] Théodicée*, 1710 ; *Monadologie*, 1714).

**LEICESTER** ~ V. d'Angleterre, à l'E. de Birmin[…]ham, ch.-l. du **comté de Leicestershire** (2 551 $km^2$[…] 868 000 h.), partie E. des Midlands ; 270 000 [...] Centre traditionnel de la bonneterie et de [...] chaussure. Université. Industrie mécan. Vestig[…] romains, église du XVIe s., auj. cathédrale.

**LEINSTER** (le) ~ Province historique du S.-E. [...] l'Irlande, auj. divisée en comtés, dont celui [...] Dublin ; 19 633 $km^2$, 1 861 000 h. Il constitua [...] royaume indépendant jusqu'à la conquête ang[…] normande de 1171.

**LEIPZIG** ~ V. d'Allemagne (Saxe), princ. cent[…] économique du S.-E. du pays (ex-R. D. A.), au [...] des monts Métallifères ; 508 000 h. Industri[…] mécaniques, de précision et spécialisées. Fo[…] internationale. Foyer intellectuel et artistique (é[…]tion, Opéra, université fondée en 1409). Églis[…] gothiques St-Thomas et St-Nicolas (XIIIe s.), édific[…] Renaissance et baroques. Musées (peinture roma[…]tique, instruments de musique). La ville fut [...] des foyers de la Réforme. **HIST.** - La **batai[…] de Leipzig** (dite bataille des Nations) marq[…] la défaite des armées de Napoléon Ier devant [...] Russes, les Autrichiens, les Prussiens et les Suédo[…] (16-19 octobre 1813).

**LEIRIS** (Michel) ~ *1901, Paris - 1990, Saint-Hil[…]re, Essonne.* Écrivain et ethnographe français. Ap[…] un bref intermède surréaliste, son introspecti[…] psychanalytique et de nombreux voyages ont nou[…] une œuvre qui explore mythes et rites, langage [...] conscience (*l'Afrique fantôme*, 1934 ; *l'Âge d'homm[…]* 1939 ; *Biffures*, 1948).

**LE JEUNE** (Claude) ~ *v. 1530, Valenciennes[…] 1600, Paris.* Compositeur français. Il a adopté [...]

*Étude pour* la Grande Parade *(1953), peinture de* Fernand **Léger**. *Coll. part., Paris.*

© Lauros-Giraudon-A. D. A. G. P., Paris, 1996

rosodie grecque dans ses polyphonies vocales *Psautier genevoix ; le Printemps*).

**EJEUNE** (Jérôme) ~ *1926, Montrouge - 1994, aris*. Médecin et généticien français. Il découvrit a trisomie 21.

**EKAIN** (Henri Louis **Cain**, dit) ~ *1729, Paris - 778, id*. Comédien français. Interprète des tragédies de Voltaire, il fit évoluer le ton de l'acteur et a mise en scène vers plus de naturel et de vérité.

**EKEU** (Guillaume) ~ *1870, Heusy, près de Veriers - 1894, Angers*. Compositeur belge. Disciple e V. d'Indy, il allia lyrisme et qualité formelle *Adagio*, pour corde, 1891 ; *Sonate pour violon et iano*, 1892).

**ELOUCH** (Claude) ~ *1937, Paris*. Cinéaste franais. Proche de la Nouvelle Vague à ses débuts (*Une lle et des fusils*, 1965), il s'est orienté ensuite vers ne démarche plus traditionnelle (*Un homme et une mme*, 1966 ; *Itinéraire d'un enfant gâté*, 1988).

**ELY** (Pieter **Van der Faes**, dit sir Peter) ~ *1618, oest, près d'Amersfoort - 1680, Londres*. Peintre nglais d'orig. néerlandaise. Établi en 1641 à ondres, habile portraitiste, il succéda à Van Dyck ans les faveurs de la Cour (*Windsor Beauties*).

**ELYSTAD** ~ V. des Pays-Bas, ch.-l. du Flevoland, u N.-O. du polder du même nom ; 61 000 h.

**EMAIRE DE BELGES** (Jean) ~ *1473, Belges, auj. avay, Nord - v. 1515*. Écrivain flamand. Il fut istorien des mythes européens et biographe officiel l'Anne de Bretagne. Ses poèmes annoncent la léiade (*la Couronne margaritique*, 1504).

**EMAISTRE** (Isaac), dit **Lemaistre de Sacy** ~ *1613, aris - 1684, Pomponne*. Prêtre français. Directeur piriruel des jansénistes de Port-Royal, embastillé 1666-1668), il dirigea une traduction de la Bible l'après la Vulgate et eut avec Pascal un *Entretien ur Epictète et Montaigne*.

**EMAÎTRE** (Antoine Louis Prosper, dit Frédéick) ~ *1800, Le Havre - 1876, Paris*. Comédien rançais. Remarqué dans le rôle de Robert Macaire *l'Auberge des Adrets*), il devint l'interprète majeur lu mélodrame et du théâtre shakespearien.

**EMAÎTRE** (Georges) ~ *1894, Charleroi - 1966, ouvain*. Chanoine, astrophysicien et mathématiien belge. Père de la cosmologie dynamique, il fut e premier à envisager un univers en expansion 1927) et à énoncer la théorie de l'explosion riginelle de la matière (1931).

**LÉMAN (lac)** ~ L'un des plus grands lacs de l'O. le l'Europe, d'origine glaciaire, entre le Jura, le N. les Alpes et le Mittelland, partagé entre la France Chablais) et la Suisse ; 582 km². Il est alimenté par le Rhône. Ses rives, sites résidentiels et ouristiques, sont jalonnées de villes et de stations climatiques (Évian, Thonon-les-Bains en France, Genève, Nyon, Lausanne, Vevey, Montreux en Suisse).

**LEMARQUE** (Nathan **Korb**, dit Francis) ~ *1917, Paris*. Chanteur et compositeur français. Auteur de chansons interprétées par Y. Montand, il a chanté un Paris populaire volontiers contestataire.

**LEMDIYYA**, anc. **Médéa** ~ V. d'Algérie, ch.-l. de wilaya, au S. d'Alger, centre d'une région fruitière et viticole ; 84 000 h.

**LEMERCIER** (Jacques) ~ *v. 1585, Pontoise - 1654, Paris*. Architecte français. Protégé par Richelieu, dont il conçut la ville et le château (1631), il dressa les plans (Palais-Royal, Sorbonne, aile N.-O. du Louvre) d'un classicisme rigoureux.

**LEMIRE** (Jules Auguste) ~ *1853, Vieux-Berquin, Nord - 1928, Hazebrouck*. Ecclésiastique et homme politique français. Député du Nord à partir de 1893, il préconisa le ralliement des catholiques à la République, fit adopter des lois sur la famille et encouragea les jardins ouvriers.

**LEMNOS**, en gr. ***Límnos*** ~ Île grecque de la mer Égée (476 km², env. 20 000 h.), successivement vénitienne, génoise, puis turque (1478-1913).

**LEMONNIER** (Camille) ~ *1844, Ixelles - 1913, Bruxelles*. Écrivain belge d'expression française. D'inspiration naturaliste, ses romans décrivent, avec réalisme, la lutte quotidienne (*Un mâle*, 1881), malgré la guerre (*les Charniers*, 1881) et la misère (*Happe-chair*, 1886).

**Lémovices** (les) ~ Peuple gaulois de la région du Limousin.

**LEMOYNE**, famille de sculpteurs français. ~ **Jean-Louis** (*1665, Paris - 1755, id.*) réalisa des bustes pour la chapelle de Versailles. Son fils ~ **Jean-Baptiste** (*1704, Paris - 1778, id.*) fut le sculpteur attitré de Louis XV.

**LE MOYNE**, famille de gouverneurs français originaires de Ville-Marie, auj. Montréal. ~ **Pierre** LE MOYNE D'IBERVILLE (*1661 - 1706, La Havane*), marin, lutta contre les Anglais sur la baie d'Hudson et à Terre-Neuve (1686-1697). En 1699, il fonda la Louisiane, à l'embouchure du Mississippi, puis la gouverna. Son frère ~ **Jean-Baptiste** LE MOYNE DE BIENVILLE (*1680 - 1768, Paris*) gouverna la Louisiane à plusieurs reprises entre 1713 et 1743 et fonda La Nouvelle-Orléans. Il fut disgracié pour n'avoir pas assez développé la colonie. Leur frère ~ **Antoine** LEMOYNE DE CHÂTEAUGUAY (*1683 - 1747, Rochefort*) gouverna la Guyane (1737-1744) puis, envoyé en Acadie, il défendit Louisbourg contre les Britanniques.

**LEMOYNE** ou **LEMOINE** (François) ~ *1688, Paris - 1737, id*. Peintre et décorateur français. Maître de Fr. Boucher et de Ch. Natoire, il décora de nombreuses églises parisiennes (St-Sulpice) ainsi qu'un salon du château de Versailles.

**LENA** (la) ~ L'un des trois grands fl. sibériens (Russie), issu des monts Baïkal (O. du lac Baïkal), tribut. de l'océan Arctique (mer des Laptev) ; 4 400 km. Son bassin (2 490 000 km²) sépare les plateaux de Sibérie centrale des montagnes de l'Extrême-Orient russe. Princ. affl. Aldan, Vitim. Navigable l'été en aval sur la majeure partie de son cours, elle traverse la Iakoutie et arrose Iakoutsk.

**LE NAIN**, nom de trois frères, peintres français, nés à Laon et morts à Paris. ~ **Antoine** (*v. 1597 - 1648*), ~ **Louis** (*v. 1598 - 1648*) et ~ **Mathieu** (*v. 1607 - 1677*), auteurs de tableaux religieux et mythologiques et de scènes de genre, travaillèrent en commun, ce qui pose des problèmes d'attribution. On accorde à Mathieu les tableaux d'inspiration caravagesque (*les Joueurs de trictrac*), tandis que la manière de Louis peut être reconnue dans les œuvres les plus sobres (*Famille de paysans*).

**LENARD** (Philipp) ~ *1862, Presbourg, auj. Bratislava - 1947, Messelhausen, Bade-Wurtemberg*. Physicien allemand. Il étudia l'effet photoélectrique et les rayons cathodiques, théorisant leur nature ondulatoire. Prix Nobel de phys. 1905.

**LENCLOS** (Anne, dite Ninon DE) ~ *1616, Paris - 1705, id*. Femme de lettres française. Elle tint un salon fréquenté par les libres penseurs (*la Coquette vengée*, 1659).

**LENINABAD** ~ Voir **Khodjent**.

**LENINAKAN** ~ Voir **Gumri**.

**LÉNINE (pic)** ~ L'un des sommets du Pamir (7 134 m), aux confins du Tadjikistan et du Kirghizistan.

**LÉNINE** (Vladimir Ilitch **Oulianov**, dit) ~ *1870, Simbirsk, Nijni-Novgorod - 1924, Gorki*. Homme d'État et théoricien révolutionnaire russe. Dès 1888, il adhéra au marxisme et milita activement. Après sa déportation en Sibérie (1897-1900), il s'installa à Genève, y fonda le journal *Iskra* (1900) et publia *Que faire ?* (1902), où il exposa sa théorie de la construction d'un parti marxiste, centralisé et discipliné, avant-garde des ouvriers et des paysans. Au IIe congrès du P. O. S. D. R. (juill.-août 1903), sa tendance, « majoritaire » (*bolcheviks*), l'emporta sur celle de Martov, « minoritaire » (*mencheviks*). La révolution de 1905 le ramena en Russie et le confirma dans ses analyses. De nouveau en exil, il reprit son travail théorique (*Matérialisme et Empiriocriticisme*, 1909 ; *l'Impérialisme, stade suprême du capitalisme*, 1916) et d'organisation (parti bolchevique indépendant et la *Pravda*, 1912). À partir de 1914, il prôna le défaitisme révolutionnaire, qui devait transformer la guerre en révolution. Revenu en Russie après la révolution de février 1917, il exposa le programme d'une société socialiste dans *l'État et la Révolution*, organisa l'insurrection d'Octobre et devint président du Conseil des commissaires du peuple. Il fit adopter la paix séparée avec l'Allemagne (Brest-Litovsk, mars 1918) et l'abolition de la propriété privée des terres. Il espérait étendre la révolution en Europe par la création de l'Internationale communiste (1919), mais l'échec de celle-ci, la guerre civile, la famine et l'hostilité de tous les États européens contraignirent les révolutionnaires russes à l'isolement. Après le « communisme de guerre » puis une politique économique plus ouverte (N. E. P., 1921), il réussit la création de l'U. R. S. S. (1922). Il s'opposa aux tendances opportunistes, gauchistes ou bureaucratiques. Théoricien et homme d'action, il imprima sa marque à la plus grande partie du mouvement marxiste.

**LENINGRAD** ~ Voir **Saint-Pétersbourg**.

**LENOIR** (Alexandre) ~ *1761, Paris - 1839, id*. Archéologue français. Sous la Révolution, il sauva de la destruction de nombreux monuments parisiens et fut à l'origine du premier musée des Monuments français.

**LENOIR** (Étienne) ~ *1822, Mussy-la-Ville, Luxembourg - 1900, La Varenne-Saint-Hilaire*. Ingénieur français d'orig. wallonne. On lui doit la réalisation pratique des premiers moteurs à explosion (1860).

**LE NÔTRE** (André) ~ *1613, Paris - 1700, id*. Architecte et paysagiste français. Jardinier du roi, il dessina le parc de Versailles. L'ordonnancement régulier, la répartition de ses statues, de ses fontaines et l'agencement de ses parterres, répondant à un souci de maîtrise et d'équilibre géométrique, fixèrent les règles du jardin à la française (Vaux-le-Vicomte, Sceaux).

**LENS** ~ V. de l'Artois (Pas-de-Calais), au S. de Lille, centre d'une conurbation industr. (anc. bassin houiller) ; 35 017 h. (agglom. 323 174 h.). Les activités traditionnelles sont peu à peu supplantées par des fonctions tertiaires, favorisées par une bonne desserte routière et ferroviaire.

**LENZ** (Heinrich Friedrich Emil) ~ *1804, Dorpat - 1865, Rome*. Physicien russe. Il est l'auteur de la loi qui donne le sens des courants induits (**loi de Lenz**, 1833).

**LENZ** (Jakob Michael Reinhold) ~ *1751, Sesswegen, Livonie - 1792, Moscou*. Écrivain allemand. Première figure du Sturm und Drang, il transposa sa révolte au théâtre (*les Soldats*, 1776) et voua sa poésie à l'exaltation du tragique.

**LÉOCHARÈS** ~ *IVe s. av. J.-C.* Sculpteur grec. Collaborateur de Lysippe et de Scopas (mausolée d'Halicarnasse), il marqua ses œuvres d'un dynamisme plastique caractéristique de la période hellénistique.

**LÉON** (le) ~ Région côtière du N. de la Bretagne (Finistère), à l'O. de Morlaix. V. princ. Landerneau, Saint-Pol-de-Léon, Roscoff. Cultures maraîchères.

**LEÓN** (le) ~ Prov. du N.-O. de l'Espagne incluse dans la communauté autonome de Castille-León, au S. des monts Cantabriques, plateau correspondant au bassin du Douro moyen ; 15 468 km², 526 000 h., ch.-l. León. Élev. ovin, blé. Le **royaume de León** (incluant Salamanque) naquit de l'extension de celui des Asturies (Xe s.). Uni par intermittence à la Castille, il s'y fondit en 1230.

**LEÓN** ~ V. du N.-O. de l'Espagne, ch.-l. de la province et ancienne capitale du royaume du Léon ; 144 000 h. Cathédrale, églises et monastères du XIe au XVIe s.

**LEÓN** ~ V. du Mexique central (Guanajuato), centre comm. et industr., au N.-O. de Mexico ; 868 000 h.

**LEÓN** ~ V. du Nicaragua, anc. capitale (XIXe s.), au N.-O. du lac Managua ; 101 000 h. Université. Églises coloniales.

**LÉON**, nom de treize papes. ~ **Léon Ier le Grand** (saint ; *m. v. 461 à Rome*), pape de 440 à 461, docteur de l'Église. Il détourna Attila de Rome (452) mais ne put empêcher le sac de la ville par les Vandales (455). Contre l'hérésie monophysite, il réunit le concile de Chalcédoine (451). Il rénova la liturgie en créant notamment le premier missel. ~ **Léon III** (saint ; *v. 750, Rome - 816, id.*), pape de 795 à 816. Il couronna Charlemagne empereur d'Occident le 25 décembre 800 à Rome. ~ **Léon IX** (Bruno **d'Eguisheim-Dagsburg**, saint ; *1002, Eguisheim, Alsace - 1054, Rome*), pape de 1049 à 1054. Il fit condamner la simonie au concile de Reims (1049) et prépara le schisme d'Orient en excommuniant M. Keroularios. ~

**Léon X** (Jean **de Médicis** ; *1475, Florence - 1521, Rome*), pape de 1513 à 1521. Protecteur des lettres et des artistes, il conclut le Vᵉ concile du Latran et condamna Luther par la bulle *Exsurge Domine* (1520). ~ **Léon XIII** (Vincenzo Gioacchino **Pecci** ; *1810, Carpineto Romano - 1903, Rome*), pape de 1878 à 1903. Il fut not. l'auteur de l'encyclique *Rerum novarum* (1891), qui jeta les bases du catholicisme social.

**LÉON**, nom de six empereurs d'Orient. ~ **Léon Iᵉʳ** (*m. en 474*), empereur de 457 à 474, fut le premier empereur couronné par le patriarche de Constantinople. ~ **Léon III l'Isaurien** (*v. 675, Germaniceia, Commagène - 741, Constantinople*), empereur de 717 à 741, fit lever le siège arabe de Constantinople (717-718) après avoir renversé Théodose III. Il inaugura la politique iconoclaste, qui aboutit à la querelle des images (726). Son petit-fils ~ **Léon IV le Khazar** (*v. 749 - 780*), empereur de 775 à 780, iconoclaste, expulsa les Arabes d'Anatolie (779). ~ **Léon V l'Arménien** (*m. en 820, Constantinople*), empereur de 813 à 820, iconoclaste, vainquit les Bulgares à Messemvria (817). ~ **Léon VI le Sage** ou **le Philosophe** (*866 - 912*), empereur de 886 à 912, poursuivit le recueil de lois (promulguées depuis Julien) commencé par son père, Basile, les *Basiliques*. [☞ **iconoclasme.**]

**LÉONARD DE NOBLAT** (saint) ~ *m. v. 559.* Ermite français. Seigneur franc de la cour de Clovis, converti en même temps que lui, il se retira à Noblat (auj. Saint-Léonard-de-Noblat), dans le Limousin, où il fonda un monastère.

**LÉONARD DE VINCI** ~ *1452, Vinci, près de Florence - 1519, manoir de Clos-Lucé, près d'Amboise.* Peintre, architecte et savant italien. Après s'être initié à la peinture à Florence, auprès de Ghirlandaio, il vécut à Milan avant d'accepter l'invitation de François Iᵉʳ dans son château d'Amboise, où il mourut. Il résolut des problèmes de composition (*la Cène* ; *la Bataille d'Anghiari*), inventa le sfumato, permettant le rendu de l'atmosphère et l'intégration des plans (*la Vierge, l'Enfant Jésus et sainte Anne* ; *la Joconde*). Il eut ainsi une influence considérable sur les artistes de la deuxième Renaissance. Esprit universaliste, intéressé par tous les aspects du réel, il incarne, par sa peinture autant que par les multiples domaines que sa curiosité a embrassés (architecture, anatomie, physique, art de la guerre, etc.), l'idéal de la Renaissance d'une synthèse de l'art et du savoir. [☞ **renaissance.**]

© Alinari-Giraudon

Autoportrait,
*sanguine de **Léonard de Vinci**.*
*Palazzo Reale, Turin.*

**LEONCAVALLO** (Ruggero) ~ *1858, Naples - 1919, Montecatini.* Compositeur italien. Auteur de *Paillasse* (1892), monument de l'opéra vériste.

**LEONE** (Sergio) ~ *1929, Rome - 1989, id.* Cinéaste italien. Il est l'un des créateurs du « western-spaghetti » (*Pour une poignée de dollars*, 1964 ; *Il était une fois dans l'Ouest*, 1968).

**LEONI**, sculpteurs italiens. ~ **Leone** (*1509, Menaggio, près de Côme - 1590, Milan*), bronzier et sculpteur favori de Charles Quint (*Charles Quint enchaînant la fureur protestante*, 1564), travailla avec son fils ~ **Pompeo** (*v. 1533, Pavie - 1608, Madrid*), à qui l'on doit not. le monument funéraire de Charles Quint (Escurial).

**LÉONIDAS Iᵉʳ** ~ *v. 520 - 480 av. J.-C., Thermopyles.* Roi de Sparte (490-480 av. J.-C.). Il se sacrifia, avec 300 hoplites spartiates, pour retarder les envahisseurs perses aux Thermopyles.

**LÉON L'AFRICAIN** ~ *v. 1483, Grenade - v. 1552, Tunis.* Géographe arabe. De ses nombreux voyages, il rapporta une *Description de l'Afrique* (v. 1526, traduite en italien en 1550).

**LEONOV** (Alekseï Arkhipovitch) ~ *1934, Listvianka, près d'Irkoutsk.* Cosmonaute soviétique. Il a été le premier homme à sortir d'une capsule spatiale (mars 1965). Il est resté 20 mn dans l'espace.

**LEONOV** (Leonid Maksimovitch) ~ *1899, Moscou - 1994, id.* Romancier soviétique. Des *Blaireaux* (1924) à *la Forêt russe* (1953), ses romans ont pour thème l'idéal révolutionnaire et ses avatars.

**LEONTIEFF** (Wassily) ~ *1906, Saint-Pétersbourg.* Économiste américain d'orig. russe. Il développa une théorie des échanges interindustriels dont l'adaptabilité à l'économie capitaliste lui valut de faire carrière aux États-Unis, où il émigra dès 1931 (*la Structure de l'économie américaine*, 1941). Prix Nobel de sc. écon. 1973.

**LEOPARDI** (Giacomo, comte) ~ *1798, Recanati, Marches - 1837, Naples.* Poète italien. Les poètes antiques inspirèrent ses *Chants* (1824-1835), où l'âme dans sa douleur devient paysage. Il influença Schopenhauer, Nietzsche et le Risorgimento.

**LÉOPOLD**, nom de deux empereurs d'Allemagne. ~ **Léopold Iᵉʳ** (*1640, Vienne - 1705, id.*), empereur de 1658 à 1705, archiduc d'Autriche, roi de Bohême et de Hongrie. Il contint à deux reprises la menace turque (à Saint-Gotthard en 1664 et à Vienne en 1683). La paix de Karlowitz, en 1699, lui assura la Hongrie et la Transylvanie. Les guerres de Hollande et de la ligue d'Augsbourg, qu'il mena contre Louis XIV, furent un échec, et il mourut pendant la guerre de la Succession d'Espagne. ~ **Léopold II** (*1747, Vienne - 1792, id.*), grand-duc de Toscane (1765-1790) puis empereur (1790-1792), brisa la révolte des Pays-Bas (1790) et rétablit la paix avec les Turcs (1791). Frère de Marie-Antoinette, il demeura prudent face à la Révolution française et se contenta de se rapprocher du roi de Prusse, avec qui il signa la déclaration de Pillnitz (1791).

**LÉOPOLD**, nom de trois rois de Belgique. ~ **Léopold Iᵉʳ** (*1790, Cobourg, Bavière - 1865, Laeken*), roi des Belges (1831-1865). Il accepta le trône qui lui était proposé au moment de l'indépendance de la Belgique et s'efforça de maintenir la neutralité armée du royaume. ~ **Léopold II** (*1835, Bruxelles - 1909, Laeken*), roi des Belges (1865-1909). Il parvint à faire reconnaître par la conférence de Berlin (1884-1885) le Congo comme sa propriété personnelle, y investit sa fortune et y introduisit le travail forcé. Le Parlement belge annexa le Congo en 1908. ~ **Léopold III** (*1901, Bruxelles - 1983, id.*), roi des Belges (1934-1951), fils d'Albert Iᵉʳ. Il conduisit les opérations militaires en 1940 et ordonna de déposer les armes le 28 mai. Il fut ensuite interné dans son château par les occupants et transféré en Allemagne en 1944. Son attitude de 1940 fut contestée après guerre. Si un référendum, en 1950, lui redonna le pouvoir, les troubles qui s'ensuivirent le convainquirent d'abdiquer en faveur de son fils Baudouin (1951).

**LÉOPOLDVILLE** ~ Voir **Kinshasa**.

**LÉOVIGILD** ou **LIUVIGILD** ~ *m. en 586 à Tolède.* Roi wisigoth. Sous son règne (567 ou 568 - 586) il unifia son royaume et imposa l'arianisme.

**LÉPANTE** ~ Voir **Naupacte**.

**LEPAUTRE**, famille d'architectes, de décorateurs et de sculpteurs français nés et morts à Paris. ~ **Jean** (*1618 - 1682*) marqua durablement le style Louis XIV par ses modèles décoratifs. Son frère ~ **Antoine** (*1621 - 1679*) fut influencé par les tendances baroques (hôtel de Beauvais, Paris, 1655 ; grande cascade du château de Saint-Cloud, 1667). ~ **Pierre** (*1648 - 1716*), fils de Jean, participa à la décoration de Marly, du Trianon et de Versailles et lança le style rococo. ~ **Pierre** (*1660 - 1744*), fils d'Antoine, fut sculpteur (*Énée et Anchise*).

**LE PELETIER DE SAINT-FARGEAU** (Louis Mi-chel) ~ *1760, Paris - 1793, id.* Homme politiqu français. Conventionnel (1792), il fut assassiné pa un royaliste pour avoir voté la mort de Louis XV

**LE PEN** (Jean-Marie) ~ *1928, La Trinité-sur-Me* Homme politique français. Député poujadist (1956), indépendant (1958-1962), il créa en 197 le Front national, dont il est le président. Déput (1986-1988), il est régulièrement candidat à l présidence de la République depuis 1974.

**LÉPIDE**, en lat. ***Marcus Aemilius Lepidus*** ~ *m. e 13 av. J.-C.* Homme d'État romain. Lieutenant d César en 46 av. J.-C., il fut l'associé d'Antoine e d'Octavien dans le second triumvirat.

**LÉPINE** (Louis) ~ *1846, Lyon - 1933, Paris.* Administrateur français. Préfet de police (1893-1913) il a laissé son nom à un concours créé en 190 qui récompense les inventeurs.

**LE PRIEUR** (Yves) ~ *1885, Lorient - 1963, Nic* Officier de marine et inventeur français. Il invent not. un correcteur de route pour avion (1925) e le premier scaphandre autonome (1926).

**LEPRINCE** (Engrand) ~ *m. v. 1531 à Beauvais* Peintre verrier français. Virtuose de l'art du vitra (*l'Arbre de Jessé*, v. 1522-1524, cathédrale d Beauvais), il travailla avec ses fils **Jean** et **Nicolas**

**LEPTIS MAGNA**, auj. **Lebda** ~ Cité de l'anc Tripolitaine (Libye). Sous la domination de Carthage puis de Rome, elle connut un grand esso commercial au IIIᵉ s. Vestiges romains.

**LE RICOLAIS** (Robert) ~ *1894, La Roche-sur-Yon - 1977, Paris.* Ingénieur et architecte français Les cristaux et les radiolaires lui inspirèrent se « structures spatiales », constituées de module identiques, préfabriqués et montés simplement.

**LÉRIDA** ~ V. de Catalogne (Espagne), centr admin., sur un affl. de l'Èbre ; 112 000 h. Univ fondée en 1300. Cathédrale romano-gothique.

**LÉRINS (îles de)** ~ Îles de la Méditerranée, fac à Cannes (Alpes-Maritimes). Fort Royal (musé archéol.) sur l'île Sainte-Marguerite, monastèr cistercien sur l'île Saint-Honorat.

**LERMA** (Francisco **de Sandoval y Rojas**, comte pui duc DE) ~ *v. 1553 - 1625, Tordesillas.* Homm politique espagnol. Premier ministre de Philippe II (1598-1618), il mena une politique extérieur pacifique mais expulsa les morisques, musulman convertis au catholicisme (1609-1610).

**LERMONTOV** (Mikhaïl Iourievitch) ~ *1814 Moscou - 1841, Piatigorsk, Caucase.* Écrivain russe Influencé par Byron et Vigny, il devint célèbre grâc à son poème sur la mort de Pouchkine, *la Mort du poète*. Exilé dans le Caucase, il écrivit des poème épiques (*Borodino*) et le premier roman psychologique russe (*Un héros de notre temps*, 1839-1840)

**LERNE** ~ Marécage d'Argolide. Selon la mythologie grecque, Héraclès y tua une hydre à neuf têtes

**LEROI-GOURHAN** (André) ~ *1911, Paris - 1986, id.* Ethnologue et préhistorien français. À la suite de ses premiers travaux sur les peuples du Grand Nord (1937-1945), il développa une théori audacieuse sur le prolongement de l'évolutior biologique par l'évolution technique (*le Geste et la Parole*, 1964-1965).

**LEROUX** (Gaston) ~ *1868, Paris - 1927, Nice* Journaliste et écrivain français. Ses romans policier ont pour héros le détective Rouletabille (*le Mystère de la chambre jaune*, 1907) ou le forçat évad Chéri-Bibi, poursuivi par la fatalité.

**LEROUX** (Pierre) ~ *1797, Paris - 1871, id.* Homme politique français. Journaliste, fondateur du *Globe* (1824) puis de *la Revue indépendante* (1841-1848). Socialiste influencé par le saint-simonisme, il donna une tournure chrétienne à ses théories sociales. Élu député en 1848 et 1849, il s'exila après le coup d'État du 2 déc. 1851.

**LE ROY LADURIE** (Emmanuel) ~ *1929, Les Moutiers-en-Cinglais, Calvados.* Historien français Menant ses enquêtes à la manière d'un ethnologue il s'est employé à reconstituer l'univers mental des acteurs ordinaires de l'histoire (*Montaillou, village occitan de 1294 à 1324*, 1975).

**LESAGE** (Alain René) ~ *1668, Sarzeau - 1747, Boulogne-sur-Mer.* Écrivain français. Ses pièces (*Turcaret* 1709) et ses romans (*Gil Blas de Santillane*, 1715-1735) sont des satires des mœurs de son temps.

**LESAGE** (Jean) ~ *1912, Montréal - 1980, Sillery.* Homme politique canadien. Premier ministre du Québec (1960-1966), il entreprit la « révolution tranquille » afin de moderniser la province.

**LESBOS** ou **MYTILÈNE** ~ Île grecque montagneuse de la mer Égée, proche de la Turquie ; 1 631 km², env. 105 000 h., ch.-l. **Mytilène** (25 000 h.). Colonie éolienne prospère aux VIIe et VIe s. av. J.-C., elle fut la patrie de Sappho, d'Alcée et de Pittacos. Génoise au XIIIe s., elle subit ensuite la domination turque (1462-1912).

**LESCLUSE** (Charles DE) ~ Voir **Lécluse**.

**LESCOT** (Pierre) ~ *1515, Paris - 1578, id.* Architecte français. Son travail avec le sculpteur Jean Goujon fut caractéristique de la Renaissance française (aile S.-O. de la cour Carrée du Louvre, 1547-1559).

**LESDIGUIÈRES** (François **de Bonne**, duc DE) ~ *1543, Saint-Bonnet-en-Champsaur, Dauphiné - 1626, Valence.* Maréchal et connétable de France. Il commanda les huguenots du Dauphiné à partir de 1577 puis se rallia à Henri IV.

**LE SECQ** (Henri) ~ *1818, Paris - 1882, id.* Photographe français. Il étudia la photographie avec G. Le Gray (1848-1849) et photographia les cathédrales avant les restaurations de Viollet-Le-Duc.

**LESOTHO (royaume du)**, anc. **Basutoland** ~ Pays enclavé dans l'Afrique du Sud, membre du Commonwealth. ***Cap.*** Maseru. ***Superf.*** 30 355 km². ***Popul.*** 1 890 000 h. ***Langues princ.*** Sotho, anglais. ***Monn.*** Loti. ***Relief.*** Montagnes (Drakensberg, alt. max. 3 482 m) et hauts plateaux (Highveld) ; château d'eau régional (cours supérieur de l'Orange). ***Climat.*** Subtropical tempéré. ***Écon.*** Le pays vit en osmose avec l'Afrique du Sud, à laquelle il fournit main-d'œuvre et eau. ***Autres ress.*** Agric. vivrière, élev. ovin (laine), diamants, hydroélectricité. **HIST.** - *XIXe s.* : refuge des éleveurs sothos qui cherchaient à échapper à la domination africaine (Zoulous) ou européenne (Boers), le pays devient le Basutoland sous Moshoeshoe Ier, qui demande à être administré par Le Cap (1868), passant sous protectorat britannique. *1966* : indépendant, le Basutoland prend le nom de Lesotho et intègre le Commonwealth. *1970-1986* : Moshoeshoe II perd le pouvoir réel face à son Premier ministre Joseph Leabua Jonathan, leader du National Party (conservateur). Ce dernier est renversé par le général Justin Metsing Lekhanya. *1990* : le roi est déposé en faveur de son fils Letsie III. *1993* : après des élections pluralistes, Ntsu Mokhele devient Premier ministre. *1995* : Moshoeshoe II est rétabli sur le trône.

**LESPINASSE** (Julie DE) ~ *1732, Lyon - 1776, Paris.* Femme de lettres française. Proche de Mme du Deffand, aimée de d'Alembert, elle fut une brillante épistolière et tint un salon réputé.

**Lespugue** ~ Site préhistorique de Haute-Garonne. La **Vénus de Lespugue**, statuette d'ivoire de la fin du Gravettien (27000-20000 av. J.-C.), y fut trouvée en 1922, dans la grotte des Rideaux.

**LESSEPS** (Ferdinand, vicomte DE) ~ *1805, Versailles - 1894, La Chênaie, Indre.* Diplomate et homme d'affaires français. Après une carrière diplomatique (1833-1849), il constitua une compagnie qui obtint du vice-roi d'Égypte l'autorisation de percer le canal de Suez et sa concession pour 99 ans. En 1881, il commença le percement de l'isthme de Panamá. Acad.

**LESSING** (Doris) ~ *1919, Kermanchah, Iran.* Écrivain britannique. Son œuvre analyse les conflits moraux, sociaux et géopolitiques (*les Enfants de la violence*, 1952-1966 ; *le Carnet d'or*, 1962).

**LESSING** (Gotthold Ephraim) ~ *1729, Kamenz - 1781, Brunswick.* Écrivain allemand. Il libéra le théâtre allemand de l'influence française, exprimant dans ses essais et dans ses propres pièces les valeurs fondamentales de la pensée allemande et sa foi en l'humain (*Nathan le Sage*, 1779).

**LE SUEUR** (Eustache) ~ *1616, Paris - 1655, id.* Peintre français. Disciple de Vouet, influencé par Poussin et Raphaël, il est l'auteur de scènes mythologiques raffinées (*les Muses*, 1644) et d'œuvres religieuses (vingt-deux tableaux de la *Vie de saint Bruno*, 1644-1648). Il fut l'un des douze fondateurs de l'Académie royale.

**LE SUEUR** (Jean-François) ~ *1760, Drucat, près d'Abbeville - 1837, Paris.* Compositeur et pédagogue français. Ses effets de masses chorales et orchestrales, son sens dramatique préfigurent le romantisme dans ses ouvrages sacrés (33 messes) et dans ses opéras (*Ossian ou les Bardes*, 1804).

**LESZCZYŃSKI** ~ Nom d'une famille polonaise, installée en Pologne dès le Xe s., dont sont issus le roi Stanislas Ier et sa fille Marie Leszczyńska, mariée à Louis XV.

**LE TELLIER** (Michel), seigneur **de Chaville** ~ *1603, Paris - 1685, id.* Homme politique français. Secrétaire d'État à la Guerre (1643-1677), il réorganisa l'armée avec son fils Louvois. Chancelier en 1677, il rédigea l'édit de Fontainebleau (1685), qui révoquait l'édit de Nantes.

**LÉTHÉ** (le) ~ Dans la mythologie grecque, l'un des fleuves des Enfers. Ses eaux dispensaient l'oubli aux ombres des morts qui en buvaient.

**LÉTO** ~ Personnage de la mythologie grecque. Aimée de Zeus et mère des jumeaux Apollon et Artémis. Elle était appelée Latone par les Romains.

**LETTONIE (république de)**, en letton ***Latvija*** ~ L'un des trois pays Baltes, entre la Lituanie et l'Estonie. ***Cap.*** Riga. ***Superf.*** 63 700 km². ***Popul.*** 2 610 000 h., dont Lettons (53 %), Russes (33 %). ***Langue princ.*** Letton (groupe balte). ***Monn.*** Lats. ***Relief.*** Glaciaire (dépôts morainiques), collines et lacs, sols pauvres. ***Fl. princ.*** Daugava (Dvina occidentale). ***Écon.*** Céréales, élev. bovin et porcin, sylviculture, pêche, industr. de transformation (mécan., textile, électroménager). Énergie importée de Russie. ***V. princ.*** Riga, Daugavpils, Liepaja. **HIST.** - Installation très ancienne de peuples d'orig. finno-ougrienne et balte. *XIIIe-XVIe s.* : fusion des chevaliers Teutoniques et Porte-Glaive (1237) et création de l'ordre Livonien ; conquête et christianisation du territoire. *1561* : dissolution de la branche livonienne de l'ordre Teutonique ; suzeraineté polonaise et suédoise. *1721-1795* : la Lettonie passe totalement sous domination russe. *1914-1918* : invasion allemande. *1918-1939* : indépendance. *1940* : invasion soviétique et constitution d'une république socialiste, rétablie après l'occupation allemande (1941-1944). *21 août 1991* : proclamation de l'indépendance. *1993* : élection de Guntis Ulmanis à la présidence. *1994* : tensions dans les relations avec Moscou. *1995* : la Lettonie est admise au Conseil de l'Europe.

**LEU** (saint) ~ Voir **Loup**.

**LEUCATE** ou **SALSES (étang de)** ~ Étang côtier du Roussillon ; 100 km². Il communique par des graus avec la Méditerranée. Stations baln. de Port-Leucate et de Port-Barcarès.

**LEUCIPPE** ~ *v. 460 - 370 av. J.-C.* Philosophe grec. Il exposa, avec Démocrite, une conception matérialiste de l'Univers, l'atomisme.

**LEUCOPETRA** ~ Localité de Grèce, près de Corinthe. Les Romains y vainquirent la Ligue achéenne en 146 av. J.-C., mettant fin à l'indépendance des cités grecques.

**LEUCTRES** ~ V. de Grèce (Béotie). Thèbes y remporta en 371 av. J.-C. une victoire sur Sparte, qui lui permit de dominer la Grèce.

**LEUVEN** ~ Voir **Louvain**.

**LEVALLOIS-PERRET** ~ V. de la banlieue N.-O. de Paris (Hauts-de-Seine), limitrophe de la capitale, centre industr. diversifié ; 47 548 h.

**LEVANT** (le), en esp. ***Levante*** ~ Région du S.-E. de l'Espagne formée par les communautés autonomes de Valence et de Murcie. Aux plaines côtières (huertas) irriguées succèdent des collines et des montagnes dans l'intérieur (E. des cordillères Bétiques). Tradition agricole (agrumes, légumes, oliviers). Tourisme balnéaire (Benidorm).

**LEVANT (île du)** ~ La plus orientale des îles d'Hyères ; 10 km². Base militaire et centre de naturisme.

**LEVANT (pays du)** ~ Ancien nom de la côte orientale de la Méditerranée, façade maritime du Proche-Orient.

**LE VAU** (Louis) ~ *1612, Paris - 1670, id.* Architecte français. Son sens des proportions et de l'unité organique et son classicisme triomphèrent à Vaux-le-Vicomte et à Versailles, châteaux dont il créa l'ordonnancement définitif.

**LE VERRIER** (Urbain) ~ *1811, Saint-Lô - 1877, Paris.* Astronome français. Spécialiste de la mécanique céleste, il permit la découverte de Neptune par ses calculs. Directeur de l'Observatoire de Paris, il révisa les tables des mouvements planétaires et organisa la météorologie en France et en Europe.

**LEVERTIN** (Oscar Ivar) ~ *1862, Norrköping - 1906, Stockholm.* Critique et écrivain suédois. Auteur de poésies lyriques, il s'opposa au naturalisme (*Légendes et Chansons*, 1891).

**LÉVESQUE** (René) ~ *1922, New Carlisle, Québec - 1987, Montréal.* Homme politique canadien. Fondateur et chef du Parti québécois (1968), indépendantiste. Premier ministre du Québec (1976), il fut réélu en 1981 malgré le rejet, par référendum, de son projet de souveraineté-association en 1980. Renonçant à la perspective de l'indépendance en 1984, il provoqua une crise au sein du gouvernement et du Parti québécois, et démissionna en 1985.

**LÉVÉZOU** ou **LÉVEZOU** (le) ~ Haut plateau cristallin du S. du Massif central (Rouergue), au N.-O. de Millau (alt. max. 1 155 m).

**LÉVI** ~ Personnage biblique. Fils de Jacob et de Léa, il est l'ancêtre éponyme d'une tribu d'Israël (**Lévites**) parmi laquelle on recrutait les prêtres.

**LEVI** (Primo) ~ *1919, Turin - 1987, id.* Écrivain italien. Il est l'auteur de récits retraçant sa déportation à Auschwitz et son retour (*Si c'est un homme*, 1947 ; *la Trêve*, 1963), de romans et de nouvelles sur la guerre et le monde juif (*Maintenant ou jamais*, 1982 ; *Lilith*, 1987) et de poèmes qui ont marqué la littérature italienne d'une empreinte désolée. Il se suicida.

**Léviathan** (le) ~ Monstre marin évoqué dans la Bible et dans les poèmes d'Ougarit. Le livre de Job le dépeint sous l'apparence du crocodile égyptien.

**LEVI-CIVITA** (Tullio) ~ *1873, Padoue - 1941, Rome.* Mathématicien italien. Il créa, avec Gr. Ricci-Curbastro, le calcul tensoriel, et introduisit, à partir de la théorie géométrique des variétés de Riemann, la notion de transport parallèle.

**LEVINAS** (Emmanuel) ~ *1905, Kaunas, Lituanie - 1995, Paris.* Philosophe français. Influencée par Husserl et Heidegger (*De l'existence à l'existant*, 1947), sa réflexion, renouvelée par la lecture exégétique du Talmud, évolua vers une pensée dressée contre toute forme d'impersonnel totalitaire (*Totalité et Infini*, 1961), centrée sur l'Autre comme exigence éthique (*Humanisme de l'autre homme*, 1972).

**LÉVIS-MIREPOIX** (Antoine Pierre Marie, duc DE) ~ *1884, Léran, Ariège - 1981, Lavelanet, id.* Historien français. Il fut un spécialiste du Moyen Âge et de la Renaissance (*la Guerre de Cent Ans*, 1973). Acad.

**LÉVI-STRAUSS** (Claude) ~ *1908, Bruxelles.* Ethnologue et anthropologue français. Après une formation philosophique, il partit pour le Brésil (1935) et effectua plusieurs expéditions chez les Nambikwaras (*Tristes Tropiques*, 1955). Émigré aux États-Unis durant la Seconde Guerre mondiale, il rencontra R. Jakobson, qui l'initia aux méthodes de la linguistique structurale. Rentré en France, il publia *les Structures élémentaires de la parenté* (1949), qui introduisit le structuralisme dans l'anthropologie. Nommé au Collège de France en 1958, il se consacra à l'étude des mythes (*Mythologiques*, 1964-1971), des conduites religieuses (*le Totémisme aujourd'hui*, 1962) et des pratiques alimentaires. Acad. [☞ **structuralisme**.]

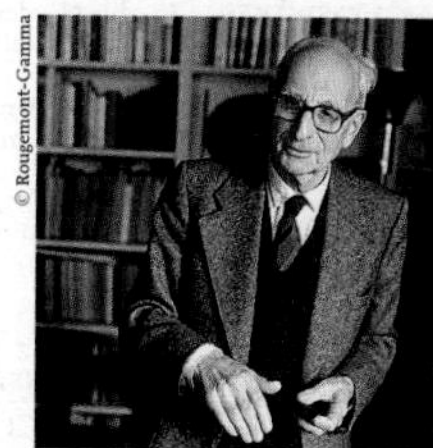



*Claude **Lévi-Strauss**.*

**LÉVY-BRUHL** (Lucien) ~ *1857, Paris - 1939, id.* Philosophe français. Précurseur de l'ethnologie, il distingua mentalité primitive et mentalité civilisée, et contesta l'assimilation de la logique à une loi universelle de l'esprit (*la Mentalité primitive*, 1922). Il nuança par la suite ses thèses, fort contestées.

**LEWIN** (Albert) ~ *1894, Newark, New Jersey - 1968, Los Angeles.* Cinéaste et producteur américain. Producteur à la Paramount, il tourna lui-même des films d'une grande originalité (*le Portrait de Dorian Gray*, 1944 ; *Pandora*, 1951).

**LEWIN** (Kurt) ~ *1890, Mogilno, région de Bydgoszcz - 1947, Newtonville, Massachusetts.* Psychologue et sociologue américain d'orig. allemande. Influencé par le gestaltisme, il étudia les rapports entre la personne et son environnement, et la dynamique des groupes (*Théorie du champ dans la science sociale*, 1951).

**LEWIS (île)** ~ La plus grande et la plus septentrionale des îles Hébrides (Outer Hebrides) ; env. 20 000 h. Élevage ovin, pêche.

**LEWIS** (Carlton **McHinley**, dit Carl) ~ *1961, Birmingham, Alabama.* Athlète américain. Il a été champion olympique en 1984, 1988 et 1992 (course et saut en longueur).

**LEWIS** (Clarence Irving) ~ *1883, Stoneham, Massachusetts - 1964, Cambridge, id.* Logicien américain. Il établit les bases de la logique modale par ses travaux sur la notion d'implication.

**LEWIS** (Gilbert Newton) ~ *1875, Weymouth, Massachusetts - 1946, Berkeley.* Physicien et chimiste américain. Il énonça la théorie de la covalence (1916), formula une définition générale des acides (1923) et proposa le terme de photon pour le quantum d'énergie rayonnante (1926).

**LEWIS** (Joseph **Levitch**, dit Jerry) ~ *1926, Newark, New Jersey.* Acteur et cinéaste américain. Il a joué avec succès les pitres dans des comédies de Frank Tashlin (*Un vrai cinglé de cinéma*, 1956) avant de réaliser lui-même des films (*Dr Jerry et Mr Love*, 1963).

**LEWIS** (Matthew Gregory, dit Monk) ~ *1775, Londres - 1818, en mer.* Écrivain britannique. Influencé par le romantisme allemand, il est l'auteur du roman noir *le Moine* (1796).

**LEWIS** (Sinclair) ~ *1885, Sauk Center, Minnesota - 1951, près de Rome.* Romancier américain. Son œuvre est une satire de l'Américain moyen et de ses aliénations (*Babbitt*, 1922 ; *Elmer Gantry*, 1927). Prix Nobel de litt. 1930.

**LEWIS** (sir William Arthur) ~ *1915, Castries, Sainte-Lucie - 1991, île de la Barbade.* Économiste britannique. Son œuvre explore les voies du développement économique des pays pauvres. Prix Nobel de sc. écon. 1979.

**LEXINGTON-FAYETTE** ~ V. des États-Unis (Kentucky), marché agricole (bestiaux, tabac) au S. de Cincinnati ; 225 000 h. Élevage de chevaux de course. Université (1780). Foyer intellectuel et artistique aux XVIIIe et XIXe s.

**LEYDE**, en néerl. ***Leiden*** ~ V. de Hollande (Pays-Bas), entre La Haye et Haarlem, sur le Vieux-Rhin et sillonnée de canaux ; 115 000 h. Université fondée en 1575. Bibliothèque. Musées.

**LEYRE** (la) ~ Voir **Eyre**.

**LEYTE (île de)** ~ Île de l'E. de l'archipel philippin des Visayas ; 6 268 $km^2$, 1 300 000 h. Cultures tropicales. En octobre 1944, les États-Unis y vainquirent la flotte japonaise.

**LÉZIGNAN-CORBIÈRES** ~ V. du N. des Corbières (Aude), centre viticole à l'O. de Narbonne ; 7 881 h.

**LHASSA** ~ Capitale du Tibet (Chine), dans l'Himalaya, ville sainte bouddhiste, à 3 630 m d'alt., sur un affluent du Brahmapoutre ; 124 000 h. Pèlerinage. Résidence du dalaï-lama jusqu'en 1959. Le palais-montagne (le Potala), érigé au XVIIe s., domine la ville. Temples et palais.

*Lhassa, le Potala (1645-1648), édifié sur la colline Marport.*

**L'HERBIER** (Marcel) ~ *1888, Paris - 1979, id.* Cinéaste français. Il s'imposa avec des œuvres d'avant-garde (*l'Inhumaine*, 1924 ; *l'Argent*, 1929). Théoricien du septième art, il fonda l'Idhec (Institut des hautes études cinématographiques) en 1943.

**L'HERMITE** (Tristan) ~ *m. au XVe s.* Homme politique français. Principal conseiller de Louis XI, qui le nomma grand chambellan, il s'employa à des missions diplomatiques et d'espionnage.

**LHOMOND** (abbé Charles François) ~ *1727, Chaulnes, Picardie - 1794, Paris.* Grammairien français, auteur d'ouvrages pour l'enseignement du latin (*De viris illustribus urbis Romae*, v. 1775).

**L'HOSPITAL** (Michel DE) ~ *v. 1504, Aigueperse, Puy-de-Dôme - 1573, Bélesbat.* Homme politique français. Il fut chancelier de France sous Catherine de Médicis (1560). S'il enraya la mise en place de l'Inquisition en France, il échoua dans sa politique de conciliation religieuse (1568).

**LHOTE** (André) ~ *1885, Bordeaux - 1962, Paris.* Peintre et critique d'art français. Par attachement aux thèmes classiques, il maintint la tradition au sein du cubisme (*Traité de la figure*, 1950).

**LHOTSE (pic)** ~ 4e sommet du monde (8 545 m), dans l'Himalaya (Népal), près de l'Everest.

**LIA** ~ Voir **Léa**.

**LIANG Kai** ou **LEANG K'ai** ~ *début XIIIe s., prov. du Shandong.* Peintre chinois. Sa calligraphie dépouillée et expressive et la fluidité de son pinceau font de lui un maître de l'école bouddhiste chinoise.

**LIAONING** ou **LEAO-NING** (le) ~ Prov. du N.-E. de la Chine (S. de l'anc. Mandchourie), sur le golfe du Bohai, au N.-O. de la péninsule de Corée ; 151 000 $km^2$, 39 980 000 h., v. princ. Shenyang (cap.), Lüda, Anshan, Fushun. Céréales, coton, dans la vaste plaine drainée par le Liao He. Sériciculture. Charbon, fer, plomb, schistes bitumineux. C'est la première province industrielle du pays (sidér., pétrochimie, mécan., textile).

**LIAQAT ALI KHAN** ~ *1895, Karnal, Inde - 1951, Rawalpindi.* Homme politique pakistanais. Secrétaire général de la Ligue musulmane (1936-1946) puis Premier ministre (1947-1951), il fut assassiné par un fanatique afghan.

**LIBAN (mont)** ~ Chaîne montagneuse calcaire du Proche-Orient, parallèle à la Méditerranée (3 083 m au Qarnat al-Saouda). Refuge traditionnel des populations maronites et druzes. Forêts de cèdres en voie de disparition. Vignobles, vergers. Tourisme.

**LIBAN** (le), off. **République libanaise**, en ar. ***Lubnan*** ~ Pays du Proche-Orient bordé à l'O. par la Méditerranée. ***Cap.*** Beyrouth. ***Superf.*** 10 452 $km^2$. ***Popul.*** env. 2 760 000 h. ***Langue princ.*** Arabe. ***Monn.*** Livre libanaise. ***Relief.*** Chaîne du Liban séparant l'étroite plaine côtière de la Bekaa (900 m). La chaîne de l'Anti-Liban forme la frontière avec la Syrie. ***Fl. princ.*** Oronte, Litani. ***Climat.*** Méditerranéen. ***Écon.*** Fondée avant la guerre civile sur l'agriculture (blé, vigne, olivier, agrumes, légumes), les services bancaires, l'industrie (textile, agroalim.) et le tourisme. La culture du pavot (Bekaa) assure désormais l'essentiel des entrées de devises. ***V. princ.*** Beyrouth, Tripoli, Zahlé. **HIST.** - *IIIe mill. av. J.-C.* : les Phéniciens (Sémites) occupent le littoral de l'actuel Liban et fondent des cités-États (Tyr, Sidon, Byblos). *Ier mill. av. J.-C.* : les villes phéniciennes passent successivement sous domination assyrienne, babylonienne, perse, grecque. *Ier s. av. J.-C.* : intégration à la province romaine de Syrie. *Fin du IVe s. apr. J.-C.* : domination de l'Empire byzantin. *VIIe s.* : la conquête arabe repousse les populations chrétiennes vers la montagne. *XIe-XVIe s.* : la région est occupée par les Francs (1098-1291), puis par les mamelouks d'Égypte, avant de passer sous l'autorité ottomane (1516). *XVIIe-XIXe s.* : des émirs druzes administrent la région dans une semi-indépendance vis-à-vis du sultan. *1860* : les heurts entre druzes et maronites entraînent l'intervention française et l'autonomie de la zone du Mont-Liban. *XXe s.* : le traité de Sèvres (1920) coupe la Syrie de ses débouchés maritimes en créant le « Grand Liban », placé sous protectorat français. *1926-1943* : la France accorde l'indépendance par étapes, le « pacte national » répartit les fonctions politiques entre les communautés religieuses musulmanes — sunnite, chiite ou druze (env. 58 % de la popul. auj.) — et chrétiennes - maronite, grecque orthodoxe et catholique, armé nienne. *1945-1946* : évacuation des troupes fran çaises et britanniques. *1948-1970* : la rapide crois sance économique, dans un cadre ultralibéral, fai naître des tensions inter- et intracommunautaire qui entraînent une première guerre civile (1958 et l'intervention des États-Unis. *1970-1989* : d nouvelles expulsions de Jordanie (1970-1971), l présence de 350 000 réfugiés palestiniens et cell de l'O. L. P. provoquent une seconde guerre civil (1976), aggravée par les interventions syrienne ( partir de 1976) et israélienne (1978, 1982 et 1985) Évacuation de l'O. L. P. (1982). L'échec d l'O. N. U. et la multiplication des factions (33 mi lices privées) plongent le pays dans l'anarchie e la ruine. *1989* : soutenue par les États-Unis et le monarchies pétrolières, la Ligue arabe fait signe les accords de Taif aux partis en présence. Le pouvoirs sont rééquilibrés en faveur des musul mans. *1990* : une nouvelle Constitution instaur la IIe République libanaise. *1991* : le traité de Dama établit le protectorat de la Syrie sur le Liban, et Isra maintient son contrôle sur une « zone de sécurité dans le sud du pays. *1995* : Elias Hraoui (maronite est président, Rafik Hariri (sunnite), Premie ministre, Nabih Berri (chiite) préside le Parlement

**LIBAU** ~ Voir **Liepaja**.

**LIBBY** (Willard Frank) ~ *1908, Grand Valley Colorado - 1980, Los Angeles.* Chimiste américair Il étudia la radioactivité et découvrit la datation de objets par dosage du carbone 14. Prix Nobel d chim. 1960.

**LIBER** ou **LIBER PATER** ~ Dieu archaïque d Vin, équivalent de Dionysos, adoré par les popula tions de l'Italie centrale et adopté par les Romains

**Libération** ~ Quotidien français créé en 1973 De tendance maoïste lors de son lancement d'abord dirigé par J.-P. Sartre et, depuis 1974, pa Serge July, il entretint avec ses lecteurs un dialogu permanent et pratiqua l'égalité des rémunération de son personnel. Depuis 1981, il s'est développ comme quotidien de gauche et a été racheté, e 1996, par les Chargeurs réunis.

**Libération (campagnes de la)** ~ Opérations mi litaires menées par les Alliés et la Résistance er 1944-1945, pour libérer les pays européens occupé par les Allemands.

**LIBÈRE** ~ *m. en 366 à Rome.* Pape de 352 à 366 Son opposition à l'arianisme provoqua son exil e Thrace. Rentré à Rome, il eut à lutter contr l'antipape Félix II.

**LIBEREC** ~ V. de la République tchèque (N. de l Bohême), dans les Sudètes, sur la Neisse 104 000 h. Berceau de l'industrie textile de l Bohême. Verreries.

**LIBERIA (république du)** ~ Pays d'Afrique occidentale, bordé à l'O. par l'Atlantique. ***Cap.*** Mon rovia. ***Superf.*** 99 067 $km^2$. ***Popul.*** 2 825 000 h. (env 80 000 Américano-Libériens). ***Langues princ.*** An glais, mandé, kru. ***Monn.*** Dollar libérien. ***Relief*** Plateau bordé au N.-E. par la Dorsale guinéenn (mont Nimba, 1 752 m) et au S.-O. par une plain littorale que drainent de nombreux cours d'eau côte basse. ***Climat.*** Équatorial. ***Écon.*** Agricultur vivrière (riz, manioc), plantations d'hévéas, exploi tation de la forêt. Mines (fer, or, diamants) Revenus du pavillon de complaisance. La guerr civile a ruiné le pays. **HIST.** - Peuplement depui le Ier mill. av. J.-C. par les Krus, puis par le Mandés. *1461* : les Portugais découvrent la régior et la baptisent Côte du Poivre. *1821* : l'Americar Colonization Society y crée un foyer d'accueil pou les esclaves américains affranchis. *1847* : le Liberi devient le premier pays africain à proclamer sor indépendance ; les investissements occidentau (hévéas, mines) lui procurent des revenus. *XXe s.* la minorité afro-américaine prend le pouvoi jusqu'au coup d'État de Samuel K. Doe (1980) renversé et tué en 1990 au cours de la guerre civil qui ravage le pays depuis 1989, malgré l'interven tion d'une force africaine d'interposition. Rut Sando Perry est portée à la tête du Conseil d'Éta en 1996, devenant ainsi la première femme diriger un pays africain.

**LI Bo** ou **LI Po** ~ *701, Jinzhou - 762, Jiangsu.* Poète chinois. Ayant choisi le vagabondage plutô que les honneurs que lui offrait l'empereur, il conçut une œuvre poétique spontanée et pleine d'insouciance, souvent inspirée par une ivresse qui lui fut fatale. Sa vie d'effronté est légendaire.

**LIBOURNE** ~ V. et port fluvial du Bordelais (Gironde), au confluent de la Dordogne et de l'Isle ; 21 012 h. Négoce des vins de Bordeaux. Centre de recherche du courrier. Anc. place forte anglaise (vestiges).

**LIBREVILLE** ~ Cap. et port du Gabon, sur l'estuaire du Gabon ; 352 000 h. Exportation et traitement des bois tropicaux.

**LIBYE** (la), off. **République arabe libyenne populaire et socialiste**, en ar. *Libya* ~ Pays d'Afrique septentrionale, bordé au N. par la Méditerranée. ***Cap.*** Tripoli. ***Superf.*** 1 759 540 km². ***Popul.*** 4 700 000 h. ***Langue princ.*** Arabe. ***Monn.*** Dinar. ***Relief.*** Plateaux de Tripolitaine à l'O. et de Cyrénaïque à l'E. (djebel Akhdar), séparés par le désert de Syrte. Au S., le désert du Fezzan bute sur le massif du Tibesti. ***Climat.*** Désertique sur l'essentiel du territoire (extrême N. méditerranéen). ***Écon.*** Élevage, agric. irriguée (grands travaux). Exploitation et exportation d'hydrocarbures. Les embargos imposés par les États-Unis (1986) et l'O. N. U. (1992) après des actions terroristes entravent le développement. ***V. princ.*** Tripoli, Benghazi, Misourata. **HIST.** - Dès le III^e^ mill. av. J.-C., la région est parcourue par des peuples nomades. *VII^e^ s. av. J.-C.* : colonisation phénicienne de la Tripolitaine puis grecque de la Cyrénaïque (Pentapole). *I^er^ s. av. J.-C.* : colonisation romaine. *VII^e^-XVI^e^ s.* : domination arabe ou berbère. *1551* : conquête ottomane. *XVIII^e^ s.* : autonomie de la région sous la dynastie des Karamanlís (1710-1835), qui a obtenu de l'Empire ottoman un principat héréditaire. *XIX^e^ s.* : formation, en Cyrénaïque, de la confrérie islamiste rigoriste des Senousis, opposée à la colonisation. *1911-1940* : colonisation italienne. La Cyrénaïque et la Tripolitaine forment la Libye. *1940-1949* : administration par les troupes franco-britanniques. *1951* : le chef des Senousis devient roi (Idris I^er^) de la Libye indépendante. *1959* : découverte de pétrole. *1969* : la monarchie est renversée par un coup d'État militaire. *1970* : le colonel Muammar al-Kadhafi est nommé président du Conseil de la révolution. Il instaure une république socialiste arabe, nationalise la British Petroleum, fait évacuer les bases militaires étrangères. Depuis 1970, il pratique le panarabisme en multipliant les projets d'union avec les pays voisins et l'anti-impérialisme en soutenant les mouvements indépendantistes dans le monde. *1973* : annexion de la bande d'Aozou, disputée au Tchad ; Kadhafi lance la « révolution culturelle islamique ». *1986* : bombardement de Tripoli par les États-Unis. *1987* : l'armée libyenne est défaite par les Tchadiens après une intervention de la France. *1992* : embargo de l'O. N. U. (militaire et financier) après des actes de terrorisme. *1994* : la Cour internationale de justice de La Haye restitue la bande d'Aozou au Tchad. *1995* : la crise économique consécutive à l'embargo et la propagande intégriste (Frères musulmans, Senousis) conduisent le président Kadhafi à expulser les nombreux travailleurs étrangers.

**LICHTENSTEIN** (Roy) ~ *1923, New York.* Peintre américain. Maître du pop art, il a outré les images et objets fétiches du monde moderne pour en révéler le caractère dérisoire (*Cathédrales*, 1969).

**LICINIUS**, en lat. ***Flavius Valerius Licinius Licinianus*** ~ *v. 250, Illyrie - 325, Thessalonique.* Empereur romain (308-324). Il régna sur l'Orient après sa victoire sur Maximin Daia (313). Constantin l'humilia puis le fit tuer.

**LICINIUS STOLON**, en lat. ***Caius Licinius Calvus Stolo*** ~ Tribun de la plèbe à Rome (376-377 av. J.-C.). Il fut à l'origine des **lois liciniennes** de 367, qui rapprochèrent les droits des patriciens et des plébéiens.

**LIDO** ou **LIDO DE VENISE** (le) ~ Bande de sable de 12 km de long divisée en sept îles de l'Adriatique, qui isole la lagune de Venise de la mer. Station balnéaire. Festival de cinéma (Mostra de Venise).

**LIE** (Jonas) ~ *1833, Eker - 1908, Stavern.* Écrivain norvégien, romancier réaliste de la vie quotidienne des pêcheurs du Nord (*le Pilote et sa femme*, 1874).

**LIE** (Sophus) ~ *1842, Nordfjordeid - 1899, Christiania, auj. Oslo.* Mathématicien norvégien. Pionnier de la théorie des groupes (**groupes de Lie**), il étudia particulièrement les transformations de contact (dont la **transformation de Lie**).

**LIEBIG** (Justus, baron VON) ~ *1803, Darmstadt - 1873, Munich.* Chimiste allemand. Il isola le titane, découvrit le chloroforme (1831) puis élabora une méthode d'analyse organique et fonda la chimie agricole en étudiant le cycle de l'azote et du carbone. Il fut à l'origine de l'essor de la chimie en Allemagne.

**LIEBKNECHT**, nom de deux hommes politiques allemands. ~ **Wilhelm** (*1826, Giessen - 1900, Charlottenburg*), patron de presse gagné aux idées socialistes, participa à la révolution de 1848. Contraint de s'exiler en Angleterre, il vécut treize ans dans l'intimité de K. Marx. Amnistié en 1861, il revint en Allemagne et fonda avec A. Bebel le Parti ouvrier social-démocrate en 1869. Son fils ~ **Karl** (*1871, Leipzig - 1919, Berlin*) incarna l'aile gauche du S. P. D. avant de fonder la ligue Spartakus. Aux côtés de R. Luxemburg, il dirigea l'insurrection berlinoise de 1919, à l'issue de laquelle il fut assassiné.

**LIECHTENSTEIN (principauté de)** ~ Micro-État alpin d'Europe, entre la Suisse et l'Autriche (vallée du Rhin). ***Cap.*** Vaduz. ***Superf.*** 160 km². ***Popul.*** 30 000 h. ***Langue princ.*** Allemand. ***Monn.*** Franc suisse. ***Écon.*** Paradis fiscal. Tourisme. Industr. de précision. **HIST.** - Fondée en 1719 par une famille autrichienne, la principauté devint indépendante en 1866 et se dota d'une Constitution parlementaire en 1921. Le prince Hans-Adam règne depuis 1984.

**LIÈGE** ~ 1^re^ v. de la Belgique wallonne et 3^e^ port fluvial européen, au confluent de la Meuse et de l'Ourthe ; 195 000 h. Carrefour routier et fluvial (canal Albert), chef-lieu de la **province de Liège** (3 862 km², 1 015 000 h.), la ville est le débouché d'une région agricole (céréales, élev., exploit. forestière). Exploitations minières depuis le XIII^e^ s. Église St-Jacques romane, gothique et Renaissance. Musées. **HIST.** - Siège d'une principauté épiscopale relevant du Saint Empire (X^e^-XVIII^e^ s.), Liège fut l'enjeu des convoitises de ses voisins et subit l'influence bourguignonne au XV^e^ s. Le chef-lieu du département français de l'Ourthe s'y fixa de 1795 à 1814. Occupée par les Allemands de 1940 à 1944, la ville fut en partie détruite par les bombardements (1944).

*Liège, le palais des Princes-Évêques (XVI^e^ s.).*

**LIÉNART** (Achille) ~ *1884, Lille - 1973, id.* Prélat français. Évêque de Lille (1928-1965), cardinal (1930), il joua au concile Vatican II un rôle déterminant en faveur de la modernisation de l'Église.

**LIEOU Chao-k'i** ~ Voir **Liu Shaoqi**.

**LIEPAJA** ou **LIEPAÏA**, en all. ***Libau*** ~ Port de Lettonie, sur la mer Baltique, princ. ville de la Courlande ; 115 000 h. Station balnéaire. Centrale thermique. Pêcheries.

**LIER**, en fr. **Lierre** ~ V. de Belgique (prov. d'Anvers), au confluent de la Grande et de la Petite Nèthe ; 32 000 h. Béguinage du XIII^e^ s., beffroi du XIV^e^ s., église St-Gommaire (gothique flamboyant, XV^e^-XVI^e^ s.).

**LIEUVIN** (le) ~ Région de Normandie (Eure), entre la Risle et la Touques, plateau crayeux couvert d'argile (céréales et élev. bovin). Côte touristique sur la baie de Seine (Honfleur).

**LIÉVIN** ~ V. industrielle du Pas-de-Calais, sur la Deûle, dans l'agglom. de Lens ; 33 623 h.

**LIFAR** (Serge) ~ *1905, Kiev - 1986, Lausanne.* Danseur et chorégraphe français d'orig. russe. Premier danseur et maître de ballet de l'Opéra de Paris, il renouvela la tradition classique (*Icare*, 1935 ; *Roméo et Juliette*, 1955). Il publia un *Traité de la danse académique* (1949). [☞ **danse**.]

**LIGETI** (György) ~ *1923, Dicsőszentmárton, auj. Tîrnăveni, Transylvanie.* Compositeur autrichien d'orig. hongroise. Son œuvre est marquée par une obsession de la douleur et du deuil (*Requiem*, 1969 ; *le Grand Macabre*, 1978).

**LIGNE (îles de la)** ou **SPORADES ÉQUATORIALES**, en angl. ***Line Islands*** ~ Archipel corallien de Polynésie, au N. des îles de la Société (Tahiti), partagé entre les États-Unis au N. et l'État de Kiribati au S. ; 490 km², env. 3 000 h.

**LIGNE** (Charles Joseph, prince DE) ~ *1735, Bruxelles - 1814, Vienne.* Maréchal autrichien d'orig. belge. Diplomate et militaire, écrivain cosmopolite dans l'esprit de la fin du XVIII^e^ s., il a laissé, en français, des *Mélanges militaires, littéraires et sentimentaires* (1795-1811).

**LIGNON**, nom de deux rivières du Massif central, affluents de la Loire. ~ Le **Lignon du Nord**, ou Lignon du Forez ; 59 km. ~ Le **Lignon du Sud**, ou Lignon du Velay ; 96 km.

**LIGNY** ~ Localité de Belgique, au N.-O. de Namur. Napoléon I^er^ y remporta une victoire sur les Prussiens du général Blücher, le 16 juin 1815.

**Ligue (Sainte)**, nom donné à plusieurs alliances militaires. ~ La première (1495-1496) regroupa l'Aragon, Milan, le Saint Empire, le Saint-Siège et Venise contre la France en Italie. ~ La deuxième (1511-1513) regroupa l'Angleterre, l'Espagne, le Saint Empire et Venise contre la France en Italie. ~ La troisième (1570-1571) regroupa l'Espagne, le Saint-Siège et Venise contre l'Empire ottoman en Méditerranée. ~ La dernière (1684-1699) regroupa l'Autriche, la Pologne, la Russie et Venise contre l'Empire ottoman dans les Balkans.

**Ligue (Sainte)** ou **Sainte Union** ou **Ligue** ~ Confédération de catholiques français créée en 1576 par Henri I^er^, duc de Guise. Elle joua un rôle essentiel dans les guerres de Religion. Soutenue par l'Espagne, elle menaça le trône d'Henri III, qui fit assassiner les Guises à Blois (1588). Un soulèvement fut alors déclenché par Charles de Mayenne. Après l'assassinat d'Henri III (1589), la Ligue dut se soumettre progressivement (1594-1598) à Henri IV.

**Ligue arabe** ~ Voir **arabe** (Ligue).

**Ligue musulmane** ~ Parti politique créé en 1906 dans l'Inde britannique, afin de défendre les intérêts de la communauté musulmane. Elle se prononça, en 1940, pour la création du Pakistan.

**Ligures** (les) ~ Anc. peuple du littoral méditerranéen établi entre Marseille et le golfe de Gênes (La Spezia), asservi par Rome au II^e^ s. av. J.-C.

**LIGURIE** (la) ~ Région du N.-O. de l'Italie, formée par les versants littoraux des Alpes et de l'Apennin ligure (rivieras du Levant et du Ponant) ; 5 420 km², 1 663 000 h., cap. régionale Gênes. Cult. florales et maraîchères. Industr. concentrée dans les ports (Gênes, La Spezia, Savone). Stations baln. (Bordighera, San Remo, Rapallo, Portofino).

**LIGURIENNE (République)** ~ Nom de la république de Gênes, « république sœur » de la France du Directoire, entre 1797 et 1805, date de son annexion à l'Empire.

**Likoud** (le) ~ Coalition de partis de droite israéliens. Fondé en 1973, dirigé par M. Begin, par Y. Shamir puis par B. Netanyahou, il a été au pouvoir de 1977 à 1992 et a remporté les élections législatives en 1996. Il s'est opposé aux accords de Washington en 1993.

**LILAS (Les)** ~ V. de la banlieue N.-E. de Paris (Seine-St-Denis), limitrophe de la cap. ; 20 118 h.

**LILIENTHAL** (Otto) ~ *1848, Anklam - 1896, Berlin.* Ingénieur allemand. Il expérimenta le vol à voile à partir de 1891. Il se tua au cours de son 2 000^e^ essai.

**LILLE** ~ Préfect. du Nord et de la Région Nord - Pas-de-Calais, carrefour européen (T. G. V., autoroutes) ; 172 142 h. (agglom. 959 234 h., avec Roubaix et Tourcoing). Universités. Activités traditionnelles (textile, métall., charbonnages) en déclin, foires commerciales. Église-halle gothique, citadelle de Vauban, demeures et monuments (vieille Bourse, hospice Comtesse) des XVII^e^ et XVIII^e^ s. Musée des Beaux-Arts. Flamande, bourguignonne, autrichienne puis espagnole, Lille fut cédée à la France en 1668.

**LILLEHAMMER** ~ V. de Norvège, au N. d'Oslo, sur le lac Mjøsa ; 23 000 h. Sports d'hiver (jeux Olympiques d'hiver en 1994).

**LILLERS** ~ V. de l'Artois (Pas-de-Calais), près de Béthune ; 9 666 h. Sucrerie. Collégiale St-Omer (XII^e^ s.), seul édifice roman complet du N. de la France.

**LILLO** (George) ~ *1693, Londres - 1739, id.* Dramaturge anglais. Il fut l'initiateur de la tragédie bourgeoise (*le Marchand de Londres*, 1731).

**LILONGWE** ~ Cap. du Malawi (Afrique orientale) depuis 1975, 2^e^ v. du pays, à l'O. du lac Malawi, dans une région agricole (tabac) ; 234 000 h.

**LIMA** ~ Cap. du Pérou, fondée par Pizarro (1535), au pied de la Cordillère occidentale, proche du Pacifique (port d'El Callao), métropole écon. hypertrophiée ; agglom. 6 484 000 h. Université fondée en 1551. Architecture coloniale (églises, palais). Musées. Ancienne capitale de la vice-royauté du Pérou.

**LIMAGNES** (les) ~ Plaines d'effondrement fertiles drainées par l'Allier, dans le N. du Massif central, princ. axe de peuplement de l'Auvergne (**Limagne de Brioude, Limagne d'Issoire, Limagne de Clermont** ou **Grande Limagne**).

**LIMASSOL** ~ Princ. port et 2^e^ v. de Chypre, sur la côte S. de l'île (secteur grec) ; 137 000 h.

**LIMBOUR** (Georges) ~ *1900, Courbevoie - 1970, Cadix.* Écrivain français. Surréaliste en rupture d'école, grand voyageur et critique d'art, il publia des poésies et des récits poétiques (*les Vanilliers*, 1938).

**LIMBOURG** (le) ~ Région de bas plateaux argilo-sableux (Campine, Hesbaye), partagée entre la Belgique et les Pays-Bas, limitée à l'E. par la vallée de la Meuse et reliée aux grands estuaires régionaux par un réseau de canaux. Le **Limbourg belge** (2 422 km², 767 000 h.) a pour ch.-l. Hasselt, le **Limbourg néerlandais** (2 209 km², 1 125 000 h.), Maastricht. L'ancienne activité charbonnière est relayée par une industrie moderne et par le tourisme. **HIST.** - Duché issu du démembrement de la basse Lorraine, uni au Brabant (1288), il passa à la maison de Bourgogne (XV^e^ s.), puis aux Habsbourg. Il forma le département français de la Meuse-Inférieure (1795), puis revint aux Pays-Bas (1814). Revendiqué par la Belgique en 1830, il fut toutefois partagé entre les deux pays (1839).

**LIMBOURG** (Pol, Jean et Hermann, dits **les frères** DE) ~ *fin du XIV^e^ s. - début du XV^e^ s.* Enlumineurs franco-flamands. Au service des ducs de Bourgogne, puis du duc de Berry, ils réalisèrent pour ce dernier les *Très Riches Heures du duc de Berry* (1413-1416), manuscrit enluminé qui synthétise l'art médiéval et les techniques du **Quattrocento** naissant.

**LIMEIL-BRÉVANNES** ~ V. de la banlieue S.-E. de Paris (Val-de-Marne) ; 16 070 h. Établissement du C. E. A. Centre hospitalier.

**LIMERICK** ~ Port et 3^e^ v. de la république d'Irlande (Munster), au fond de l'estuaire du Shannon, centre industriel ; 75 000 h.

**LIMOGES** ~ Préfect. du dép. de la Haute-Vienne et de la Région Limousin, sur la Vienne, dominée par les plateaux du haut Limousin, centre commercial et culturel ; 133 464 h. (agglom. 170 065 h.). Université. Vestiges d'une abbaye bénédictine (IX^e^ s.), cathédrale gothique, maisons anciennes. Musées (archéol., émaux, porcelaine). Tradition d'orfèvrerie, d'émaillerie d'art (haut Moyen Âge) et de porcelaine (fin XVIII^e^ s.).

**LIMOGNE (causse de)** ~ L'un des Petits Causses du Quercy, au S. du Lot, entre Cahors et Villefranche-de-Rouergue.

**LIMÓN** ~ 1^er^ port du Costa Rica, sur la côte atlantique ; 68 000 h. Raffinage du pétrole.

**LIMÓN** (José) ~ *1908, Culiacán, Sinaloa - 1972, Flemington, New Jersey.* Danseur et chorégraphe mexicain. Formé par Doris Humphrey, attaché à des thèmes sociaux et s'inspirant de rythmes folkloriques, il fut l'une des figures les plus originales de la modern dance (*The Exiled*, 1950 ; *Danses pour Isadora*, 1971). [☞ **danse.**]

**LIMOSIN** (Léonard), dit **Léonard I^er^** ~ *v. 1505, Limoges - v. 1577, id.* Émailleur français. Principal représentant d'une illustre et féconde famille d'émailleurs limougeauds, il fut formé par le Primatice et transposa avec élégance l'iconographie de l'école de Fontainebleau.

**LIMOUSIN** (le) ~ Région administrative et historique française, correspondant au N.-O. du Massif central (3 dép. : Corrèze, Creuse, Haute-Vienne) ; 16 932 km², 722 850 h., préfect. et métropole régionale Limoges. Les plateaux cristallins forment le relief dominant, culminant dans la montagne limousine (977 m sur le plateau de Millevaches), importante zone de dispersion des eaux (Cher, Creuse, Vienne, Vézère, Corrèze). Au S., le fertile bassin de Brive (vigne, fruits, légumes) est un prolongement restreint du Bassin aquitain. Climat océanique dominant, altéré par l'altitude. À la végétation des hautes terres (lande à bruyères et à genêts) s'oppose celle des bas plateaux de la Marche et de la Combrailles (forêts de chênes et de châtaigniers). L'élevage (ovin et bovin) conserve une place importante dans l'agriculture et l'économie, tandis que les secteurs industriel et tertiaire, concentrés à Limoges et à Brive-la-Gaillarde, sont sous-représentés. La région, jadis bien desservie par le chemin de fer, est à l'écart des grands axes de communication et le dépeuplement, en cours depuis le XIX^e^ s., se poursuit. **HIST.** - L'émiettement du Limousin médiéval ne fut pas un obstacle à l'épanouissement, autour de Limoges, d'une brillante civilisation. Intégré à l'Empire anglo-angevin (XII^e^ s.), il fut définitivement reconquis par les rois de France en 1370-1373. Le Limousin bénéficia de l'administration d'intendants de qualité (Turgot, 1761-1774).

**LIMOUX** ~ V. de l'Aude, au S.-O. de Carcassonne, sur l'Aude ; 9 665 h. Vin blanc mousseux (**blanquette de Limoux**).

**LIMPOPO** (le) ~ Fl. d'Afrique australe, issu du Transvaal (Afrique du Sud), qui rejoint l'océan Indien au Mozambique ; 1 600 km.

**LINARES** ~ V. du N. de l'Andalousie (Espagne), au pied de la sierra Morena ; env. 60 000 h. Ruines romaines.

**LIN Biao** ou **LIN Piao** ~ *1908, Huanggang, Hubei - 1971.* Maréchal et homme politique chinois. Fidèle compagnon de Mao Zedong dès 1935, il orienta l'armée chinoise vers les tâches politiques et la mit au service de la Révolution culturelle, s'affirmant comme le second personnage du régime. Sa disparition en sept. 1971, dans un accident d'avion au-dessus de la Mongolie, reste mystérieuse.

**LINCOLN** ~ Cap. du Nebraska (États-Unis), marché agric. (céréales), à l'O. du Missouri ; 192 000 h.

**LINCOLN** ~ V. industrielle de l'E. de l'Angleterre (77 000 h.), ch.-l. **du comté de Lincolnshire** (5 921 km², 585 000 h.), au S. du Humberside. Cathédrale gothique.

**LINCOLN** (Abraham) ~ *1809, près de Hodgenville, Kentucky - 1865, Washington.* Homme d'État américain. Républicain célèbre pour ses opinions antiesclavagistes, il fut élu président des États-Unis en 1860, ce qui provoqua la sécession des États du Sud. Il abolit l'esclavage en 1863, puis fut réélu en 1864. Il fut assassiné peu de temps après la victoire du Nord sur le Sud.

*Abraham* **Lincoln**.

**LINDBERGH** (Charles) ~ *1902, Detroit - 1974, Hana, Hawaii.* Aviateur américain. Il réalisa la première traversée sans escale de l'Atlantique Nord (1927) à bord du *Spirit of Saint Louis*, joignant Roosevelt Field (État de New York) au Bourget en 22 h 19 min.

*Charles* **Lindbergh**
*aux commandes du* Spirit of Saint Louis.

**LINDBLAD** (Bertil) ~ *1895, Örebro - 1965, Stockholm.* Astronome suédois. Il établit, en même temps que Jan Oort, les principes de la cinématique de la Galaxie (1927).

**LINDE** (Carl VON) ~ *1842, Berndorf, Bavière - 1934, Munich.* Industriel allemand. Il construisit la première machine de réfrigération à compression (1873) et réussit la liquéfaction de l'air à l'échelle industrielle (1895).

**LINDEMANN** (Ferdinand VON) ~ *1852, Hanovre - 1939, Munich.* Mathématicien allemand. Il énonça la transcendance du nombre $\pi$ (1882), démontrant ainsi l'impossibilité de la quadrature du cercle.

**LINDER** (Gabriel Maximilien **Leuvielle**, dit Max) ~ *1883, Saint-Loubès, Gironde - 1925, Paris.* Acteur et cinéaste français. Son personnage burlesque de dandy de la Belle Époque (*Max victime du quinquina*, 1911 ; *Max pédicure*, 1914) en fait un précurseur de Ch. Chaplin.

**LINDSAY** (sir David) ~ Voir **Lyndsay**.

**LÍNEA (La)** ~ V. d'Andalousie (Espagne), frontalière de Gibraltar ; 58 000 h. Tourisme.

**LING** (Per Henrik) ~ *1776, Ljunga - 1839, Stockholm.* Poète suédois et père de la gymnastique suédoise. Auteur des *Fondements généraux de la gymnastique* (1840).

**LINGOLSHEIM** ~ V. de la banlieue S.-O. de Strasbourg (Bas-Rhin) ; 16 480 h.

**Lingons** (les) ~ Anc. peuple gaulois établi dans la région de Langres (actuelle Haute-Marne).

**LINKÖPING** ~ V. de Suède, au S.-E. du lac Vättern, centre industr. (aéronautique) et univ. ; 129 000 h. Château, cathédrale (XIII^e^ et XV^e^ s.).

**LINNÉ** (Carl VON) ~ *1707, Råshult - 1778, Uppsala.* Naturaliste et écrivain suédois. Il établit une classification des plantes, aujourd'hui abandonnée. Il décrivit des milliers d'espèces et élabora une nomenclature dite binominale des deux règnes. Bien que rallié à la théorie de l'invariabilité des espèces, il fonda la biologie moderne.

**LIN Piao** ~ Voir **Lin** Biao.

**LINTONG** ~ Voir **Xi'an**.

**LINZ** ~ 3^e^ v. d'Autriche, capitale de la Haute-Autriche, port fluvial sur le Danube ; 203 000 h. Université. Édifices gothiques et baroques.

**LION (golfe du)** ~ Golfe de la Méditerranée (plate-forme continentale) baignant les côtes françaises, entre le cap Creus et le delta du Rhône.

**LIONNE** (Hugues DE), marquis **de Berny** ~ *1611, Grenoble - 1671, Paris.* Diplomate français. Il contribua à la négociation de la paix des Pyrénées (1659), puis conclut le traité de Douvres avec l'Angleterre (1670) afin d'isoler la Hollande.

**LIORAN (Le)** ~ Station tourist. des monts du Cantal (sports d'hiver à **Super-Lioran**, 1 200 m d'alt.).

**LIOTARD** (Jean Étienne) ~ *1702, Genève - 1789, id.* Peintre suisse. Au cours de ses voyages en Europe et en Orient, il exécuta des portraits et des scènes de genre d'une précision quasi documentaire.

**LIOUVILLE** (Joseph) ~ *1809, Saint-Omer - 1882, Paris.* Mathématicien français. Analyste, il démontra l'existence des nombres transcendants (**nom-**

bres de **Liouville**, 1844) et travailla sur les fonctions doublement périodiques. Fondateur, en 1836, et directeur pendant 39 ans du *Journal de mathématiques pures et appliquées*.

**LIPARI (île)** ~ La plus grande des îles Éoliennes ou **Lipari** ; 37,3 km², env. 10 000 h. Tourisme.

**LIPATTI** (Constantin, dit **Dinu**) ~ *1917, Bucarest - 1950, Genève*. Pianiste et compositeur roumain. Interprète inspiré de Mozart et de Chopin, il a laissé des œuvres raffinées (*Sonatine pour la main gauche*, 1941).

**LI Peng** ou **LI P'eng** ~ *1928, Chengdu*. Homme politique chinois. Premier ministre depuis 1987, il a pris la responsabilité du massacre de la place Tian'anmen (juin 1989).

© F. Anderson-Gamma

*Li Peng (au centre) fêtant le 40e anniversaire de la république populaire de Chine.*

**LIPETSK** ~ V. de Russie, au S. de Moscou, sur un affl. du Don ; 460 000 h. Métallurgie.

**LI Po** ~ Voir **Li Bo**.

**LIPPE** (la) ~ Principauté, puis république (1918) de l'Allemagne du Nord, auj. intégrée à la Rhénanie-du-Nord - Westphalie.

**LIPPI**, famille de peintres italiens. ~ **Fra Filippo** (*v. 1406, Florence - 1469, Spolète*), influencé par Masaccio, fut, par son sens de la composition et ses recherches chromatiques (*Adorations de l'Enfant*), le précurseur de Botticelli. Son fils ~ **Filippino** (*1457, Prato - 1504, Florence*), élève de Botticelli, annonça la fin du Quattrocento et l'avènement du maniérisme (*l'Annonciation*, 1484).

**LIPPMANN** (Gabriel) ~ *1845, Hallerich, Luxembourg - 1921, en mer*. Physicien français. Il étudia les phénomènes électrocapillaires, la piézoélectricité, et inventa un procédé interférentiel de photographie des couleurs (1891). Prix Nobel de phys. 1908.

**LIRÉ** ~ Bourgade dominant la Loire (Maine-et-Loire), célébrée par J. du Bellay (musée) ; 2 140 h.

**LISBONNE**, en port. ***Lisboa*** ~ Cap. et port princ. du Portugal, sur la r. dr. de l'estuaire du Tage, centre industriel (agroalim., textile, constr. mécan.) et de négoce international ; 680 000 h. (district : 2 063 000 h.). Université et institut de haute technologie. Tourisme. Cathédrale du XIIe s., églises baroques, tour de Belém, musées. **HIST.** - Phénicienne puis romaine, occupée par les Wisigoths puis par les Maures (716-1147), elle devint la capitale du Portugal en 1245. Grand port de l'empire colonial, elle connut son apogée aux XVe et XVIe s. L'occupation espagnole (1580-1640) amorça son déclin. En 1668, par le **traité de Lisbonne**, l'Espagne reconnut l'indépendance du Portugal. La partie basse de la ville fut détruite par le tremblement de terre du 1er nov. 1755 et reconstruite par le marquis de Pombal. Son centre historique a été ravagé par un incendie en 1988.

*Lisbonne, le monument des Découvertes (1960).*

© Lescourret-Explorer

**LI Sien-nien** ~ Voir Li Xiannian.

**LISIEUX** ~ V. du Calvados, sur la Touques (pays d'Auge) ; 23 703 h. (agglom. 28 022 h.). Cathédrale gothique. Basilique romano-gothique consacrée en 1952 (pèlerinages et dévotions à sainte Thérèse).

**LISS** ou **LYSS** (Johann) ~ *v. 1597, Oldenburg - 1630, Venise*. Peintre allemand. Il fut le précurseur de l'art baroque. Venise fit appel à lui en 1621 pour renouveler la peinture vénitienne.

**LISSITZKY** (Lazar, dit **El**) ~ *1890, Potchinok, région de Smolensk - 1941, Moscou*. Ingénieur, designer, peintre et architecte soviétique. Influencé par Malevitch, il partagea les préoccupations sociales et les théories fonctionnelles des constructivistes, qu'il contribua à diffuser au Bauhaus.

**LIST** (Friedrich) ~ *1789, Reutlingen - 1846, Kufstein, Autriche*. Économiste allemand. Théoricien du protectionnisme, il œuvra à l'unification économique de l'Allemagne (*Système national d'économie politique*, 1840).

**LISTER** (Joseph, baron) ~ *1827, Upton, Essex - 1912, Walmer, Kent*. Chirurgien britannique. Il introduisit l'asepsie en chirurgie opératoire.

**LISZT** (Franz) ~ *1811, Doborján, auj. Raiding, Autriche - 1886, Bayreuth*. Compositeur et pianiste hongrois. Prince cosmopolite du romantisme européen, il soutint généreusement Chopin, Berlioz et Wagner. Il révolutionna l'écriture pianistique (*Études d'exécution transcendante*, 1839 ; *Rhapsodies hongroises*) et, par l'audace harmonique de ses ouvrages tardifs, il annonça l'impressionnisme et l'atonalisme du XXe s. (*Jeux d'eau à la villa d'Este*, 1877). Un souffle prophétique anime ses œuvres sacrées (*Messe de Gran*, 1855) et ses poèmes symphoniques (*Dante-symphonie*, 1856 ; *Faust-symphonie*, 1857).

© Lauros-Giraudon

Franz **Liszt** *(détail), peinture d'Henri Lehmann (1814-1882). Musée Carnavalet, Paris.*

**LI Tang** ou **LI T'ang** ~ *v. 1050, Heyang - apr. 1130, région de Hangzhou*. Peintre chinois. Un des quatre grands maîtres de l'époque de la dynastie Song du Sud. Il allia dans ses paysages l'art rigoriste du Nord et celui, plus lumineux, du Sud.

**LITANI** (le) ~ Fl. du Liban ; 170 km. Né dans la Bekaa, il rejoint la Méditerranée au N. de Sour.

**LITTLE ROCK** ~ Cap. de l'Arkansas (États-Unis), sur le fleuve Arkansas ; 176 000 h. (agglom. env. 510 000 h.). Établissements universitaires.

**LITTRÉ** (Maximilien Paul Émile) ~ *1801, Paris - 1881, id*. Philologue et homme politique français. Médecin, philosophe positiviste, sénateur, il est l'auteur d'un *Dictionnaire de la langue française* (1863-1872), « le Littré ». Acad.

**LITUANIE (république de)**, en lituanien ***Lietuvos Respublika*** ou ***Lietuva*** ~ Le plus occidental et le plus riche des pays Baltes, sur la Baltique. ***Cap.*** Vilnius. ***Superf.*** 65 200 km². ***Popul.*** 3 740 000 h. (maj. catholiques), dont Lituaniens (80 %), Russes (10 %), Polonais (7 %). ***Langue princ.*** Lituanien (groupe balte). ***Monn.*** Litas. ***Relief.*** Collines morainiques et plaines parsemées de lacs. ***Fl. princ.*** Niémen. ***Écon.*** Agriculture (blé, seigle, lin, pomme de terre), élevage bovin et porcin, sylviculture, pêche. Industries mécan., électron., constructions navales, bois. Le démantèlement de l'U. R. S. S. a entraîné une chute considérable de la production industrielle et des échanges. ***V. princ.*** Vilnius, Kaunas, Klaïpeda. **HIST.** - Très ancien peuplement indo-européen, complété par l'installation de Germains, de Finnois et de Slaves. *XIIIe s.* : les tribus païennes s'unissent pour résister aux chevaliers Teutoniques. *XIVe s.* : les grands-ducs Gédymin et Olgierd étendent le royaume jusqu'à la mer Noire. *XVe-XVIIIe s.* : union progressive de la Lituanie et de la Pologne (Union de Lublin, 1569). *1795* : annexion par la Russie. *1918-1939* : brève période d'indépendance. *1940* : invasion soviétique et constitution d'une république socialiste, rétablie après l'occupation allemande (1941-1945). *11 mars 1990* : proclamation de l'indépendance, à l'initiative de Vytautas Landsbergis. *1993* : élection d'Algirdas Brazauskas (ex-communiste) à la présidence. *1995* : association de la Lituanie à l'Union européenne. *1996* : la droite (Union de la patrie) remporte les élections.

**LITVINOV** (Maksim Maksimovitch) ~ *1876, Białystok - 1951, Moscou*. Homme politique soviétique. Commissaire du peuple aux Affaires étrangères (1930-1939), il se rapprocha des États-Unis (1933) et de la France (1935) après l'arrivée de Hitler au pouvoir. Staline le remplaça par Molotov en 1939.

**LIU-CHOUEN** ~ Voir **Lüshun**.

**LIU Shaoqi** ou **LIEOU Chao-k'i** ~ *1898, Yinshan - 1969, Kaifeng*. Homme d'État chinois. Membre du Parti communiste chinois dès 1921, il remplaça Mao Zedong à la présidence en 1959. Dénoncé comme « révisionniste » pendant la Révolution culturelle (1969), il mourut emprisonné et ne fut réhabilité qu'en 1979.

**LIUTPRAND** ~ *m. en 744*. Roi des Lombards (712-744). Son règne marqua l'apogée de la puissance lombarde en Italie.

**LIUTPRAND** ~ *v. 920, Pavie - v. 972*. Prélat et chroniqueur italien. Il servit, comme ambassadeur à Constantinople, le roi d'Italie Bérenger II, puis son ennemi l'empereur Otton Ier le Grand.

**LIUVIGILD** ~ Voir **Léovigild**.

**LIVAROT** ~ V. du Calvados, dans le pays d'Auge ; 2 469 h. Fromage réputé.

**LIVERPOOL** ~ Port de Grande-Bretagne (le 2e après Londres au XIXe s.), ch.-l. et débouché du Merseyside ; 452 000 h. (en diminution). Le déclin industriel (chômage élevé) est difficilement compensé par le développement des services.

**LIVIE**, en lat. ***Livia Drusilla*** ~ *58 av. J.-C. - 29 apr. J.-C.* Épouse d'Auguste, lequel adopta Tibère, fils de Livie issu d'un premier lit.

**LIVINGSTONE** (David) ~ *1813, Blantyre, Écosse - 1873, Chitambo, auj. Zambie*. Explorateur britannique. Missionnaire protestant, farouche adversaire de l'esclavagisme, il accomplit à partir de 1849 une série de voyages en Afrique centrale et australe. Il atteignit les chutes Victoria en 1855, puis parcourut la zone des Grands Lacs. Avec sir Henry Morton Stanley, il rechercha en vain les sources du Nil en 1871 (*Dernier Journal*, 1874).

**LIVONIE** (la) ~ Région partagée entre l'Estonie et la Lettonie (v. princ. Riga), baignée par la Baltique, ancien pays des **Lives**, peuple finnois soumis à l'influence slave dès le Xe s. Elle fut conquise par l'ordre germanique des Porte-Glaive (XIIIe s.) qui y fonda un État, annexé par la Pologne (1561), puis par la Suède (1629) et par la Russie (1721).

**LIVOURNE**, en ital. ***Livorno*** ~ Princ. port de Toscane (comm., trafic voyageurs), en Italie ; 166 000 h. Métall., pétrochimie. Siège de l'académie navale italienne. Citadelle du XVIe s.

**LIVRADOIS** (le) ~ Région d'Auvergne, à l'E. de l'Allier, englobant le massif cristallin du Livradois (alt. max. 1 120 m) et le bassin d'Ambert (vallée de la Dore).

**LIVRY-GARGAN** ~ V. de la banlieue N.-E. de Paris (Seine-Saint-Denis) ; 35 387 h.

**LI Xiannian** ou **LI Sien-nien** ~ *entre 1905 et 1909, Huang'an, Hubei - 1992, Pékin*. Général et homme d'État chinois. Membre du Parti communiste chinois dès 1927, il fut président de la République de 1983 à 1989.

**LIZARD** (cap) ~ Pointe S. de la Cornouailles et extrémité méridionale de la Grande-Bretagne.

**LJUBLJANA**, en all. ***Laibach*** ~ Cap. de la Slovénie, dans la vallée de la Save, grand carrefour de communications ; 268 000 h. Univ. (1595). Instituts de recherche, industr. text. et de pointe. L'influence autrichienne se manifeste dans l'architecture (château, cathédrale du XVIIIe s., édifices baroques, Opéra du XIXe s.). **HIST.** - Le **congrès de Laibach** (1821), qui réunissait les pays de la Sainte-Alliance, décida, à l'instigation de Metternich, de soutenir Ferdinand Ier de Naples contre le régime constitutionnel napolitain.

**LLIVIA** ~ Village espagnol enclavé en territoire français (Pyrénées-Orientales) ; env. 800 h.

**LLOBREGAT** (le) ~ Fl. de Catalogne (Espagne), issu des Pyrénées, qui rejoint la Méditerranée au S. de Barcelone ; 157 km.

**LLOYD** (Harold) ~ *1893, Burchard, Nebraska - 1971, Beverly Hills, Californie.* Acteur américain. Son physique de jeune homme sérieux à lunettes offrait un contraste comique avec les périls acrobatiques qu'il devait affronter (*Monte là-dessus*, 1923).

**LLOYD GEORGE** (David), 1er comte **of Dwyfor** ~ *1863, Manchester - 1945, Llanystumdwy.* Homme politique britannique. Chef de l'aile gauche du parti libéral, il réalisa d'importantes réformes sociales en tant que chancelier de l'Échiquier (1908-1915) après avoir fait limiter les pouvoirs de la Chambre des lords. Ministre des Munitions puis de la Guerre (1915-1916), Premier ministre (1916-1922), il joua un rôle clé lors des négociations des traités de l'après-guerre. Ayant reconnu l'État libre d'Irlande (1921), il fut renversé par une majorité conservatrice (1922).

**Lloyd's** (la) ~ La plus ancienne et la plus importante des sociétés d'assurances du monde, créée à Londres en 1688.

**LOANGO (royaume de)** ~ Royaume africain établi au XVe s. au N. du bas Congo (cap. Loango). Il prit au XVIIIe s. une part importante dans la traite des Noirs.

**LOBATCHEVSKI** (Nikolaï Ivanovitch) ~ *1792, Nijni-Novgorod - 1856, Kazan.* Mathématicien russe. Il fonda la géométrie non euclidienne dite hyperbolique.

**LOBAU (île)** ~ Île du Danube, en aval de Vienne. Elle tint une place stratégique dans les opérations militaires de Napoléon Ier (mai 1809), not. lors de la bataille d'Essling.

**LOBITO** ~ 3e v. de l'Angola (S. de Luanda), débouché portuaire du Shaba zaïrois ; env. 60 000 h.

**LOB NOR (lac)** ~ Cuvette marécageuse du Xinjiang chinois où se jette le Tarim ; env. 3 000 km$^2$.

**LOCARNO**, en all. ***Luggarus*** ~ Station tourist. de Suisse (Tessin), sur le lac Majeur, au pied des Alpes ; 14 000 h. Sanctuaire de la Madonna del Sasso et château des Visconti (XVe s.). Une conférence y réunit la Grande-Bretagne, la Belgique, la France, la Tchécoslovaquie, la Pologne, l'Italie et l'Allemagne (oct. 1925), à l'issue de laquelle furent signés les **accords de Locarno** (déc. 1925) prorogeant les frontières du traité de Versailles.

**LOCATELLI** (Pietro Antonio) ~ *1695, Bergame - 1764, Amsterdam.* Compositeur italien. Fixé aux Pays-Bas en 1729, il annonça le style classique dans ses concertos et ses sonates pour violon et ses concertos grossos.

**LOCHES** ~ V. d'Indre-et-Loire, sur l'Indre ; agglom. 10 198 h. Forteresse médiévale, collégiale (XIIe s.), donjon (XIVe s.) devenu prison (XVe s.).

**LOCHNER** (Stephan) ~ *v. 1410, Meersburg, Haute-Souabe - 1451, Cologne.* Peintre allemand. Maître de l'école de Cologne, il donna au gothique international l'une de ses expressions les plus poétiques (*la Vierge au buisson de roses*).

**LOCKE** (John) ~ *1632, Wrington, Somerset - 1704, Oates, Essex.* Philosophe anglais. Attaché au comte de Shaftesbury, il séjourna en France et en Hollande pour ne rentrer en Angleterre qu'après la révolution de 1688. Toujours préoccupé d'utilité sociale, son œuvre s'ouvre avec l'*Essai sur l'entendement humain* (1690). Aux principes innés de Descartes sur l'entendement, il opposa un empirisme limitant la connaissance possible à la combinaison d'éléments simples et définis formant les idées complexes de sensation et de réflexion. Il en résulte un pessimisme qui se veut garant de la tolérance et de la paix sociale (*Lettres sur la tolérance*, 1689 ; *le Christianisme raisonnable*, 1695).

**LOCKYER** (sir Joseph Norman) ~ *1836, Rugby - 1920, Salcombe Regis.* Astronome britannique. Pionnier de la spectroscopie solaire, il identifia la chromosphère du Soleil et l'hélium (1868). Il fonda la revue *Nature* (1869).

**LOCMARIAQUER** ~ Port et station balnéaire du Morbihan, à l'entrée du golfe du Morbihan ; 1 309 h. Mégalithes (Table des marchands).

**LOCRONAN** ~ Vieux bourg du Finistère (Cornouaille) ; 796 h. Maisons de granite (Renaissance). Célèbre pardon de la Grande Troménie, tous les 6 ans.

**LOCTUDY** ~ Port et station balnéaire du Finistère (Cornouaille), au S. de Quimper ; 3 622 h. Église du XIIe s.

**LOCUSTE** ~ *m. en 68 apr. J.-C.* Femme romaine. Elle empoisonna Claude puis Britannicus et fut exécutée par Galba.

**LODÈVE** ~ V. de l'Hérault, au pied du causse du Larzac ; 7 602 h. Gisement d'uranium à proximité. Anc. cathédrale (XIIe-XIVe s.). Musée (préhistoire). Ancienne industrie lainière.

**LODI** ~ V. d'Italie (Lombardie), sur l'Adda, au S.-E. de Milan ; 42 000 h. Église de l'Incoronata (XVe s.). La **ligue de Lodi** fut formée en 1454 entre Milan, Venise et Florence pour combattre les Français. Le 10 mai 1796, Bonaparte y battit les Autrichiens.

**ŁÓDŹ** ~ 2e v. de Pologne, au centre du pays, centre textile créé au XIXe s. ; 845 000 h. Université. École de cinéma. **HIST.** - Occupée par l'Allemagne durant la Première Guerre mondiale (1915-1918), annexée par le Reich allemand (1939-1945), elle abrita l'un des premiers ghettos juifs de Pologne.

**LŒWENDAHL** (Ulrich, comte DE) ~ Voir **Lowendal.**

**LOEWY** (Raymond) ~ *1893, Paris - 1986, Monaco.* Artiste américain d'orig. française. Il œuvra pour la création d'une esthétique industrielle.

**LOFOTEN (îles)** ~ Archipel côtier du N. de la Norvège (env. 1 400 km$^2$), centre tradit. de la pêche à la morue et au haddock ; env. 60 000 h. (îles Vesterålen incluses).

**LOGAN (mont)** ~ Point culminant du Canada (6 050 m), dans le territoire du Yukon, près de l'Alaska (S. de la chaîne de l'Alaska).

**LOGONE** (le) ~ Affluent princ. du Chari (r. g.), issu de l'Adamaoua (Cameroun), qui conflue à N'Djamena (Tchad) ; 900 km. Axe agricole.

**LOGROÑO** ~ V. d'Espagne, cap. de La Rioja, centre commercial de la moyenne vallée de l'Èbre ; 121 000 h. Industrie agroalimentaire.

**LOING** (le) ~ Affluent de la Seine (r. g.) qui passe à Montargis, Nemours, et conflue à Moret ; 166 km.

**LOIR** (le) ~ Affluent de la Sarthe (r. g.), issu du Perche, qui arrose l'Anjou ; 311 km.

**LOIRE** (la) ~ Le plus long des quatre grands fleuves français ; 1 020 km (bassin : 115 100 km$^2$). Née dans le Vivarais, au mont Gerbier-de-Jonc, la Loire coule vers le N., traverse les plaines du Forez puis, grossie de l'Allier, sépare la Bourgogne du Berry et forme une large boucle qui atteint son sommet à Orléans, au N. de la Sologne. Après Nevers, son lit, élargi, endigué et bordé de coteaux, constitue le Val de Loire, région agricole (vignoble) et touristique (châteaux de la Loire), où elle reçoit le Cher, l'Indre, la Vienne (r. g.), puis la Maine en aval (r. dr., val d'Anjou). La Loire n'est navigable, au prix de travaux constants, que sur son estuaire entre Nantes et Saint-Nazaire, où elle rejoint l'Atlantique. Son régime (crues d'hiver et de printemps) a été régularisé par la construction de barrages écrêteurs de crues (Naussac, Villerest) ; ses eaux sont captées pour l'approvisionnement des villes (Orléans, Tours, Nantes), l'arrosage des cultures et le refroidissement des centrales nucléaires installées sur ses rives.

**LOIRE** (la) ~ Dép. de la Région Rhône-Alpes, au N.-E. du Massif central, formé d'une dépression centrale allongée (plaine du Forez et de Roanne) drainée par la Loire et encadrée par les hauteurs granitiques de la Madeleine et du Forez à l'O., les monts du Beaujolais, du Lyonnais et du Vivarais à l'E. ; 4 773 km$^2$, 746 288 h. Céréales, cultures fourragères dans les bassins. Élevage et sylviculture sur les hautes terres. Les industries (princ. métall. et text.) se modernisent et se spécialisent sous l'influence de Lyon, proche, dans le S. du département, sur l'ancien bassin houiller de Saint-Étienne (préfect.). Roanne est le deuxième pôle industriel. Aménagements touristiques et sportifs dans le parc naturel régional du mont Pilat (1 432 m).

**Loire (armées de la)** ~ Forces organisées par le gouvernement de la Défense nationale (1870) pour forcer le siège de Paris.

**Loire (châteaux de la)** ~ Désignation collective des châteaux bâtis aux XVe et XVIe s. (fin du Moyen Âge et Renaissance) en Orléanais, Touraine et Anjou.

**LOIRE (Haute-)** ~ Dép. méridional de la Région Auvergne ; 5 001 km$^2$ ; 206 568 h., préfect. Le Puy-en-Velay. Sa majeure partie est occupée par les plateaux basaltiques (900-1 400 m) du Velay (puys), isolant de petits bassins : Limagne de Brioude, sur l'Allier, dominé à l'O. par la Margeride ; celui du Puy, sur la Loire. Économie à dominante rurale : polyculture et élevage sur les riches terres volcaniques, exploitation de la forêt. L'industrie de la dentelle a disparu, la petite métallurgie subsiste. Peu nombreuse, la population est soumise à l'attraction de Clermont-Ferrand, de Lyon et de Saint-Étienne. Les centres urbains (Le Puy, Brioude, Yssingeaux) sont peu importants.

**LOIRE (Pays de la)** ~ Région administrative (5 dép. : Loire-Atlantique, Mayenne, Sarthe, Maine-et-Loire, Vendée) de l'O. de la France correspondant au bassin inférieur de la Loire, encadrée par les collines du Maine et de Vendée ; 32 670 km$^2$, 3 059 112 h. Nantes en est la préfecture et la métropole régionale. Les Pays de la Loire englobent tout ou partie des anciennes provinces de l'Anjou, du Maine, du Poitou et de la Bretagne (dont la région nantaise a été détachée).

**LOIRE-ATLANTIQUE** (la) ~ Dép. maritime de la Région Pays de la Loire, partie S. aplanie du Massif armoricain, de part et d'autre de la large plaine alluviale de la basse Loire et de son profond estuaire, au littoral bas, voire marécageux (Grande Brière) ; 6 979 km$^2$, 1 052 183 h. Vigne (muscadet et gros-plant), cultures maraîchères et florales (muguet). Activité industr., comm. et maritime intense fondée sur le complexe Nantes - Saint-Nazaire (4e rang français). Mais la construction navale est en crise. Tourisme (surtout baln.) actif : Côte d'Amour bretonne (La Baule), Côte de Jade (Pornic), parc naturel régional de Brière. Nantes, la préfecture, est un pôle régional.

**LOIRET** (le) ~ Petite riv. de la région d'Orléans, résurgence des eaux de la Loire, dont elle est aussi l'affluent ; 12 km.

**LOIRET** (le) ~ Dép. de la Région Centre, couvrant l'Orléanais, incluant une partie de la Beauce et du Gâtinais au N., de la Sologne au S., traversé par la Loire (val d'Orléans) ; 6 775 km$^2$, 580 612 h. Grande agriculture mécanisée et cultures maraîchères. L'industrie a été stimulée par la déconcentration, au profit d'Orléans (préfecture du dép. et de la Région) et, secondairement, de Montargis. Région de villégiature proche de Paris.

**LOIR-ET-CHER** ~ Dép. de la Région Centre, partagé par la Loire entre l'O. de la Beauce (Petite Beauce), au N., et la Sologne, au S. ; 6 421 km$^2$, 305 937 h., préfect. Blois. Primeurs, arbres fruitiers dans les vallées, céréales et prairies sur les plateaux, vignes des coteaux du Val de Loire, chasse et pêche en Sologne. Décentralisation industrielle : constructions autom., mécan. et électr. (Blois, Vendôme, Romorantin). Centrale nucléaire de Saint-Laurent-des-Eaux. Tourisme d'art (châteaux prestigieux de Blois, Chambord, Chaumont, Cheverny).

**LOISY** (Alfred) ~ *1857, Ambrières, Marne - 1940, Ceffonds, Haute-Marne.* Prêtre et exégète français. Professeur à l'Institut catholique, il développa une lecture critique des textes sacrés, inscrivant les dogmes dans une perspective historique, ce qui lui valut d'être excommunié pour modernisme (1908).

**LOKMAN** ~ Voir **Luqman.**

**LOLLAND** ou **LAALAND** ~ Île du S.-E. de l'archipel danois, au N. du Schleswig-Holstein allemand ; 1 250 km$^2$, env. 80 000 h. Betterave à sucre, tabac. Tourisme.

**LOMAGNE** (la) ~ Région de terrasses alluviales peu fertiles du bas Armagnac, au S. de la Garonne.

**LOMBARDIE** (la) ~ Région du N. de l'Italie ; 23 859 km$^2$, 8 901 000 h., cap. Milan. La zone alpine (culminant à la Bernina, 4 052 m) est séparée des terrasses alluviales (construites par le

Tessin, l'Adda, l'Oglio, le Mincio) par des collines morainiques dominant la plaine du Pô. Au débouché des routes alpines, la Lombardie est la première région économique d'Italie, et Milan la métropole du N. de la péninsule. Grande agriculture dans la plaine (riz, blé, maïs, élevage bovin), industrie diversifiée (sidér., métall., mécan., chimie, textile), artisanat d'art, tourisme (sports d'hiver, villégiature sur les lacs Majeur, de Lugano, de Côme, d'Iseo, de Garde). V. princ. Milan, Bergame, Brescia, Côme, Varèse, Pavie, Crémone. **HIST.** – Centre de la puissance des Lombards en Italie du N. (Ve-VIIIe s.), conquis par Charlemagne en 774. Son histoire se confond à partir du XIIe s. avec celle de ses villes qui s'érigèrent en communes. La **Ligue lombarde**, constituée en 1167 et patronnée par le pape Alexandre III, les réunit autour de Milan et battit l'empereur germanique Frédéric Ier à Legnano (1176). La région connut dès le Moyen Âge une intense activité économique et financière. Intégrée à la République cisalpine (1797) dont elle partagea le sort, elle appartint au Royaume lombard-vénitien (1815), puis s'unit au Piémont (juillet 1859).

**LOMBARDO**, famille de sculpteurs et architectes italiens. ~ **Pietro** (*v. 1435, Carona, Lugano - 1515, Venise*) contribua à la Renaissance vénitienne, en particulier avec l'aménagement du palais des Doges (1492). Ses fils ~ **Tullio** (*v. 1455, Venise - 1532, id.*) et ~ **Antonio** (*v. 1458, Venise - 1516, Ferrare, Émilie*) furent ses collaborateurs et les continuateurs de son œuvre.

**Lombards** (les) ~ Anc. peuple installé entre l'Elbe et l'Oder. Il fonda un État dans la plaine du Pô (Italie du Nord) au VIe s. (cap. Pavie).

**LOMBARD-VÉNITIEN (Royaume)** ~ Nom donné (1815-1866) par les Autrichiens à leurs possessions en Italie du Nord (Milanais, Vénétie).

**LOMBOK** ~ Île volcan. et montagneuse (alt. max. 3 726 m) d'Indonésie (Sonde), à l'E. de Bali ; 5 435 km², env. 2 000 000 d'h. (maj. Malais).

**LOMBROSO** (Cesare) ~ *1835, Vérone - 1909, Turin.* Médecin et criminologiste italien. Auteur de travaux de droit pénal et de recherches sur les causes de la criminalité. Il initia la criminologie moderne et formula la notion controversée de criminel-né.

**LOMÉ** ~ Cap. et port du Togo, sur le golfe de Guinée ; 450 000 h. Université depuis 1965. Export. de phosphates, industr. agroalimentaire.

**Lomé (conventions de)** ~ Accords de coopération et d'aide au développement conclus à Lomé en 1975, 1979, 1984 et 1989 (sous la dénomination de **Lomé I, II, III** et **IV**). Elles engagent les Communautés européennes et plusieurs dizaines de pays d'Afrique, des Caraïbes et du Pacifique (A. C. P.) dont les Européens sont les premiers partenaires commerciaux.

**LOMÉNIE DE BRIENNE** (Étienne DE) ~ *1727, Paris - 1794, Sens.* Prélat et homme politique français. Archevêque de Toulouse en 1763, il devint ministre des Finances de Louis XVI en 1787. Il se heurta au parlement de Paris, qu'il exila à Troyes, et, devant l'opposition des privilégiés, se retira dès 1788. Bien qu'il eût prêté serment à la Constitution civile du clergé, il fut arrêté sous la Terreur, et mourut en prison. Acad.

**LOMME** ~ V. industrielle de la banlieue O. de Lille (Nord) ; 26 549 h.

**LOMOND (loch)** ~ Le plus grand des lacs écossais, au N.-O. de Glasgow ; 38 km². Site touristique.

**LOMONOSSOV** (Mikhail Vassilievitch) ~ *1711, Denissovka, auj. Lomonessovo - 1765, Saint-Pétersbourg.* Écrivain et savant russe. Il fonda l'université de Moscou et réforma la langue littéraire russe (*Grammaire russe*, 1755).

**LONDE** (Albert) ~ *1858 - 1917.* Photographe français. Directeur du studio de la Salpêtrière (1882), il travailla avec J. M. Charcot sur l'hystérie. Il s'intéressa à la chronophotographie et mit au point un appareil à 12 objectifs pour obtenir des séries d'instantanés.

**LONDON** ~ V. du Canada (Ontario), centre industr. et financier, au S.-O. de Toronto ; 303 000 h.

**LONDON** (John Griffith **Chaney**, dit Jack) ~ *1876, San Francisco - 1916, Glen Ellen, Californie.* Romancier américain. Son œuvre reflète la vie aventureuse qu'il avait choisie contre l'ordre établi (*Croc-Blanc*, 1906 ; *Martin Eden*, 1909).

**LONDONDERRY** ~ Port industriel du N.-O. de l'Irlande du Nord, 2e ville du pays ; 72 000 h.

**LONDRES**, en angl. ***London*** ~ Cap. de la Grande-Bretagne (S.-E.), sur la Tamise ; 6 930 000 h. pour le « Grand Londres ». Traditionnellement tertiaire grâce à son port fluvial et à sa puissante place boursière, la City, Londres est le 1er marché financier d'Europe et le 3e du monde, le siège de nombreuses firmes transnationales et un grand pôle universitaire. Sa croissance spatiale est désormais freinée au profit des villes nouvelles situées au-delà de la « ceinture verte ». L'expansion industrielle et résidentielle se poursuit le long de la Tamise et des axes autoroutiers. Les installations portuaires ayant été déplacées vers l'aval, les anciens docks ont été reconvertis en logements et bureaux. Importantes communautés immigrées (Pakistanais, Jamaïcains) établies dans l'East End. Ses nombreux monuments (Tour de Londres, du XIe s., abbaye de Westminster, du XIIIe s., cathédrale Saint Paul, du XVIIe s., palais de Buckingham et du Parlement, du XIXe s.), ses vastes jardins (dont Hyde Park et Regent's Park), les trésors archéologiques du British Museum et les œuvres des National et Tate Galleries en font une ville touristique internationale. **HIST.** – Ville celte (Llyn-Din, « fort du lac »), elle devint un centre commerçant (Londinium) sous la domination romaine (43-430). Aux VIe et VIIe s., Londres fut la capitale du royaume d'Essex et siège épiscopal (604). Les rois anglo-saxons et danois se la disputèrent aux Xe et XIe s. En 1191, elle fut constituée en commune, dirigée par un maire. Dotée d'une Grande Charte (1215) garantissant ses libertés, elle devint le siège du Parlement (1258) et le centre des instances juridiques et politiques. Malgré les ravages de la Grande Peste (1665) et du Grand Incendie (1666), elle développa une intense activité portuaire aux XVIIe et XVIIIe s. Première ville d'Europe au XIXe s., principale place financière et commerciale internationale, mais aussi championne des inégalités sociales, elle fut gravement touchée par les raids allemands du Blitz (sept. 1940-juill. 1941).

*Londres, Westminster Palace (le Parlement) et Big Ben.*

**LONDRES** (Albert) ~ *1884, Vichy - 1932, dans l'océan Indien.* Journaliste français. Pionnier du reportage international pour *l'Excelsior, le Petit Parisien, le Journal*, il périt dans l'incendie du *Georges-Philippar*. Depuis 1933, le **prix Albert-Londres** est décerné chaque année à un journaliste.

**LONDRINA** ~ V. du S. du Brésil (Paraná), marché agricole (café) ; 541 000 h. Université.

**LONG** (Marguerite-Charlotte, dite Marguerite) ~ *1874, Nîmes - 1966, Paris.* Pianiste française. Interprète privilégiée de Debussy, Fauré et Ravel, elle fonda en 1943, avec Jacques Thibaud, le concours de virtuoses qui porte leur nom.

**LONG BEACH** ~ Port princ. de l'agglom. de Los Angeles, en Californie (États-Unis) ; 429 000 h. Aéronautique, constr. navales, automobiles.

**LONGFELLOW** (Henry Wadsworth) ~ *1807, Portland, Maine - 1882, Cambridge, Massachusetts.* Poète américain. Il incarna la culture patricienne de son temps (*Evangeline*, 1847).

**LONGHENA** (Baldassare) ~ *1598, Venise - 1682, id.* Architecte italien. Il donna au baroque vénitien une riche expression ornementale (église Santa Maria della Salute, achevée en 1687 ; palais Pesaro, achevé en 1710).

**LONGHI** (Pietro **Falca**, dit Pietro) ~ *1702, Venise - 1785, id.* Peintre italien. Formé à Bologne par Crespi, il se spécialisa dans les scènes de la vie vénitienne (*le Rhinocéros*, 1751).

**LONGIN** (saint) ~ *m. au Ier s. à Césarée de Cappadoce.* Soldat romain. Il aurait percé de sa lance le flanc du Christ en croix et se serait converti.

**LONG ISLAND** ~ Grande île de la côte N.-E. des États-Unis, en partie occupée par l'agglomération de New York (Brooklyn et Queens) ; 4 463 km², env. 6 500 000 h. Stations balnéaires au N.-E.

**longitudes (Bureau des)** ~ Institution scientifique fondée en 1795. Chargé de collecter et d'exploiter l'information astronomique, il publie chaque année la *Connaissance des temps*.

**LONGJUMEAU** ~ V. du S. de l'agglomération parisienne (Essonne), sur l'Yvette ; 19 864 h.

**LONGUE (île)** ~ Base navale de Brest (Finistère), dans la rade de Brest.

**Longue Marche** (la) ~ Retraite des communistes chinois (1934-1935) sous la direction de Mao Zedong. Menacés d'anéantissement par les armées nationalistes dans leurs bases du Jiangxi, ils couvrirent 12 000 km, du S. au N. de la Chine (Shanxi), perdant les trois quarts de leurs effectifs.

**LONGUEVILLE** (Anne Geneviève **de Bourbon-Condé**, duchesse DE) ~ *1619, Vincennes - 1679, Paris.* Dame française, sœur du Grand Condé. Elle s'opposa à Mazarin durant la Fronde.

**LONGUS**, dit **le Sophiste** ~ *fin du IIe s. - début du IIIe s.* Écrivain grec. Auteur présumé du roman pastoral *Daphnis et Chloé*.

**Longwood** ~ Résidence de Napoléon Ier à Sainte-Hélène, de 1815 à 1821, où il mourut.

**LONGWY** ~ V. de Meurthe-et-Moselle, sur la Chiers, vieux centre sidérurgique lorrain en voie de reconversion, près des frontières belge et luxembourgeoise ; 15 439 h. (agglom. 41 300 h.).

**LON NOL** ~ *1913, Kompong-Leau - 1985, Fullerton, Californie.* Maréchal et homme d'État cambodgien. Premier ministre en 1966 et 1969, il renversa le prince Norodom Sihanouk en mars 1970 par un coup d'État pro-américain. Il proclama la république (1970), et fut élu président à vie (1972), mais il dut abandonner Phnom Penh aux Khmers rouges en avril 1975. Il mourut en exil.

**LÖNNROT** (Elias) ~ *1802, Sammatti - 1884, id.* Écrivain finlandais. Il rassembla des poésies populaires anciennes dans une vaste épopée, le *Kalevala* (1835). Auteur d'un *Dictionnaire finno-suédois* (1866-1880), il contribua à l'éveil de la conscience nationale de son pays.

**LONS-LE-SAUNIER** ~ Préfect. du Jura, dans le Revermont ; 19 144 h. (agglom. 25 410 h.). Verrerie, mécan. de précision, industr. agroalim. (vin). Maisons à arcades, musées (archéologie, beaux-arts). La ville est née à l'époque romaine de l'exploitation de salines et de sources thermales.

**LOOS** ~ V. industrielle de la banlieue de Lille (Nord) ; 20 657 h. Prison dans une ancienne abbaye cistercienne (XIIe s.).

**LOOS** (Adolf) ~ *1870, Brno - 1933, Kalksburg, auj. quartier de Vienne.* Architecte autrichien. Marqué par les travaux de Louis Sullivan, il prôna un fonctionalisme strict contre l'esthétisme de l'Art nouveau, anticipant les recherches du Bauhaus et de Le Corbusier.

**LOPBURI** ~ V. de Thaïlande, anc. cap. khmère (XVIIe s.), sur le delta de la Chao Phraya ; 37 000 h. Site archéol. (temple des Trois-Tours, des XIIe et XIIIe s.).

**LOPE DE VEGA CARPIO** (Felix) ~ *1562, Madrid - 1635, id.* Écrivain espagnol. Son œuvre dramatique, très abondante, couvre tous les genres : drames religieux, farces, intermèdes (*l'Étoile de Séville*, 1617 ; *le Chien du jardinier*, 1618). Il est aussi l'auteur de poèmes et de romans (*le Romancero spirituel*, 1634). Son génie a inspiré Molière.

**LÓPEZ ARELLANO** (Osvaldo) ~ *né en 1921.* Homme d'État hondurien. Chef du gouvernement après un coup d'État (1963) puis président de la République (1965-1971, 1972-1975), il est partiellement responsable de la guerre de 1969 avec le Salvador.

**LORCA** (Federico **García**) ~ Voir **García Lorca**.

**lords (Chambre des)** ~ Chambre haute du Parlement britannique. Elle est composée de 1 200 pairs environ (archevêques, évêques, nobles héréditaires ou à vie, juges de la Cour suprême). Ses pouvoirs législatifs ont été réduits par la loi de 1911, mais elle conserve un droit de veto suspensif et le rôle de tribunal supérieur d'appel.

**LORELEI** (la) ~ Nom donné à une falaise de la r. dr. du Rhin, à hauteur de Sankt Goarshausen (Rhénanie-Palatinat), séjour légendaire d'une sirène qui attirait les marins par ses chants et les laissait se noyer, popularisée par les romantiques allemands (not. Heine).

**LORENTZ** (Hendrik Antoon) ~ *1853, Arnhem - 1928, Haarlem*. Physicien néerlandais. Il est l'auteur de la théorie électronique de la matière, qui décrit le comportement des électrons et les propriétés de la lumière (1890), ainsi que des formules de transformation qui portent son nom, incorporant les contractions de temps et d'espace. Ses recherches sont à l'origine de la révolution relativiste (1905). Prix Nobel de phys. 1902 avec P. Zeeman.

**LORENZ** (Konrad) ~ *1903, Vienne - 1989, Altenberg*. Éthologue et zoologiste autrichien. Fondateur de l'éthologie moderne, il approfondit la notion d'empreinte, et émit une théorie sur les comportements innés et acquis. Il s'interrogea sur les fondements biologiques de l'ordre social (*Essais sur le comportement animal et humain*, 1965). Prix Nobel de physiol. ou méd. 1973 avec K. von Frisch et N. Tinbergen.

**LORENZETTI**, famille de peintres italiens établis à Sienne. ~ **Pietro** (*v. 1280-1285 - v. 1348*), actif à Sienne et peut-être à Assise et à Florence, rénova la tradition gothique siennoise sous l'influence de Giotto et de Giovanni Pisano (*Descente de Croix*, 1326-1329). L'œuvre de son frère ~ **Ambrogio** (*v. 1290 - v. 1347*), de style moins dramatique et plus naturaliste, est caractérisée par un souci d'expression spirituelle (*l'Annonciation*, 1344).

**LORESTAN** ou **LURISTAN** (le) ~ Province de l'O. de l'Iran, dans la partie centrale du Zagros ; 28 560 km², 1 367 000 h., cap. Khorramabad (249 000 h.). Élevage ovin et céréaliculture. Une brillante civilisation du bronze s'y épanouit au IIᵉ mill. av. J.-C.

**LORETTE**, en ital. ***Loreto*** ~ V. d'Italie (Marches) ; env. 11 000 h. Pèlerinage de la Santa Casa. Sanctuaire de Notre-Dame-de-Lorette (XVᵉ-XVIIᵉ s.).

**LORIENT** ~ V. du S. de la Bretagne (Morbihan), 2ᵉ port de pêche français, sur la ria formée par le Scorff et le Blavet ; 59 271 h. (agglom. 115 488 h.). Arsenal et base de sous-marins. Plaisance. Musée de la mer. Festival interceltique annuel. La ville fut concédée en 1666 à la Compagnie des Indes orientales (d'où son nom de port de l'Orient) et devint, au XVIIIᵉ s., un grand port colonial.

**LORME** (Marion DE) ~ *1611, Baye, Champagne - 1650, Paris*. Courtisane française. Elle fut mêlée aux troubles de la Fronde et a inspiré le drame *Marion de Lorme* à V. Hugo.

**LORMONT** ~ V. de la banlieue N.-E. de Bordeaux (Gironde), sur la Garonne (r. dr.) ; 21 591 h.

**LORRAIN** ou **LE LORRAIN** (Claude **Gellée**, dit Claude) ~ *1600, Chamagne, près de Mirecourt - 1682, Rome*. Peintre français. Par le rôle qu'il assigna à la lumière, son art, fondé sur l'observation de la nature, réalise l'idéal du paysage classique par une limpide scénographie antique et mythologique (*Ulysse remet Chryséis à son père*, 1647).

**LORRAINE** (la) ~ Région admin. et historique de l'E. de la France (frontalière avec la Belgique, le Luxembourg et l'Allemagne au N.), composée de 4 départements : Meurthe-et-Moselle, Meuse, Moselle et Vosges ; 23 540 km², 2 305 726 h., préfect. Metz. Marche aux lisières des pays germaniques, elle appartient à la fois au Bassin parisien et aux franges des domaines rhénans. Le paysage de côtes (de Meuse, de Moselle), recouvert de forêt, compartimente les plateaux, domaine de l'élevage et de l'agriculture céréalière (orge). Le déclin de la sidérurgie, longtemps seule activité industrielle de la Région, autour de Longwy-Hagondange-Thionville, est responsable d'un fort taux de chômage. L'implantation de nouvelles activités tertiaires autour du technopôle de Metz et l'industrie du bois (papier, carton, ameublement) contribuent au maintien d'une partie de l'emploi. HIST. - La Lorraine est issue de la division de la Lotharingie en deux duchés (959) : la Basse-Lotharingie, futur Brabant, et sa partie mosellane, la Haute-Lotharingie, qui garda seule le nom de Lorraine. État-tampon relevant du Saint Empire, victime de l'émiettement féodal et de la pression de ses voisins (la Bourgogne au XVᵉ s.), elle parvint cependant à s'assurer une indépendance de fait sous la dynastie des comtes de Metz, qui la gouverna de 1048 à 1737. Amputée de Metz, Toul et Verdun (les Trois-Évêchés, occupés par la France en 1552, formellement annexés en 1648), la Lorraine ducale atteignit son apogée sous Charles III (1545-1608) avant que les guerres du XVIIᵉ s. ne la dévastent. Le duc François III, époux de Marie-Thérèse d'Autriche et futur empereur, échangea contre la Toscane son duché trop exposé. Stanislas Leszczyński, ex-roi de Pologne, beau-père de Louis XV, s'installa à Nancy (1738). Son règne prépara le rattachement du duché à la France (1766), lequel forma avec le duché de Bar le grand-gouvernement de Lorraine-et-Barrois. Celui-ci fut divisé en 1790 en quatre départements (Meurthe, Moselle, Vosges, Meuse). L'Allemagne annexa en 1871 puis en 1940 la majeure partie de la Moselle, qui revint à la France en 1944.

**LOS ALAMOS** ~ V. des États-Unis (Nouveau-Mexique) ; 11 000 h. La première bombe atomique y fut expérimentée (16 juill. 1945).

**LOS ANGELES** ~ V. du S. de la Californie, la 2ᵉ des États-Unis après New York, sur l'océan Pacifique, limitée par les chaînes côtières vers l'intérieur et proche de la frontière mexicaine ; 3 621 000 h. (agglom. env. 12 000 000 d'h., dont 40 % d'Hispaniques, 13 % de Noirs, 10 % d'Asiatiques). L'agglomération, exceptionnellement étendue, possède plusieurs centres ; prédominance de l'automobile (95 % des déplacements, problèmes de pollution) et de l'habitat individuel. Princ. port de la côte O., métropole financière (banques, assurances), industr. (haute technologie, aérospatiale, automobile, confection, raff. du pétrole, cinéma à Hollywood) de l'État, elle occupe une place éminente dans les échanges avec l'Asie. Grand centre universitaire (Ucla, Caltech), culturel (musée d'Art contemporain) et de loisirs (Disneyland), en compétition avec New York et Boston. La marginalisation des minorités et la discrimination spatiale ont contribué aux émeutes de 1965 (Watts) et de 1992.

**LOSCHMIDT** (Joseph) ~ *1821, Putschirn, auj. Karlovy Vary - 1895, Vienne*. Physicien autrichien. Il donna une première évaluation du nombre d'Avogadro (1865), et étudia les gaz et la thermodynamique.

**LOSEY** (Joseph) ~ *1909, La Crosse, Wisconsin - 1984, Londres*. Cinéaste américain. Contraint de quitter les États-Unis pour échapper au maccarthysme, il poursuivit en Europe une œuvre exigeante et contestataire (*les Damnés*, 1961 ; *The Servant*, 1963 ; *le Messager*, 1970).

**LOT** (le) ~ Affl. de la Garonne (r. dr.), issu du mont Lozère, qui traverse en gorges les Causses et le Quercy, arrose Cahors et Villeneuve-sur-Lot ; 480 km. Hydroélectricité. Vallée touristique.

**LOT** (le) ~ Dép. le plus septentrional de la Région Midi-Pyrénées, aux confins du Bassin aquitain et du Massif central, formé par les causses du Quercy, entaillés profondément par les vallées de la Dordogne au N. et du Lot au S., troués de grottes et de gouffres (Padirac) ; 5 215 km², 155 816 h., préfect. Cahors. Les activités agricoles se concentrent dans les vallées humides (vergers, légumes, vigne, élevage des oies pour le foie gras) ; élevage ovin dans les Petits Causses. Les industries et le réseau urbain sont peu étoffés : seuls Cahors et Figeac ont plus de 10 000 h. Dépeuplement continu, malgré l'attrait touristique lié à la beauté des sites (pèlerinage de Rocamadour, grottes préhistoriques, vieux villages et châteaux).

**LOT** ou **LOTH** ~ Personnage biblique. Seul survivant, avec ses filles, de la destruction de Sodome. Ses filles s'unirent à lui, donnant naissance à Moab et à Ammon.

**LOT-ET-GARONNE** ~ Dép. de la Région Aquitaine, pays de transition entre le Périgord, le Quercy, la forêt landaise et l'Armagnac, formé de plateaux et de collines, traversé par les larges vallées de la Garonne et du Lot, son affluent ; 5 360 km², 305 989 h., préfect. Agen. Les sols molassiques lui confèrent une vocation agricole marquée, avec des spécialités variées : sur les terrasses alluviales, des cultures maraîchères (tomates du Marmandais) sur les coteaux, des vignes (chasselas) et des vergers (prunes d'Agen) ; sur les plateaux, polyculture aquitaine (céréales, tabac, élevage). Les vallées de la Garonne, important axe de communication, et du Lot ont fixé les principales villes : Agen, Villeneuve-sur-Lot, Marmande et Tonneins.

**LOTHAIRE** ~ *941, Laon - 986, Compiègne*. Roi des Francs (954-986). D'abord dans la dépendance de Hugues le Grand, il tenta de récupérer la Lorraine envahie par Otton II (978) et se brouilla avec Hugues Capet.

**LOTHAIRE Iᵉʳ** ~ *795 - 855, Prüm, Rhénanie-Palatinat*. Empereur d'Occident (840-855). Fils aîné de Louis Iᵉʳ le Pieux, il se fit imposer le traité de Verdun par ses frères Louis le Germanique et Charles le Chauve (843). Son fils ~ **Lothaire II** (*v. 835 - 869, Plaisance*) fut roi de Lotharingie (855-869).

**LOTHAIRE II** ou **III** ~ *v. 1075 - 1137, Breitenwang, Tyrol*. Roi de Germanie (1125-1137) et empereur germanique (1133-1137). Il lutta contre Conrad III de Hohenstaufen, avec le soutien des guelfes.

**LOTHARINGIE** (la) ~ Royaume formé en 855 en faveur de Lothaire II, qui couvrait un territoire allant de la Frise au Jura. Intégrée au royaume de Germanie en 928, la Lotharingie fut divisée en 959 en **Basse-Lotharingie** (futur Brabant) et **Haute-Lotharingie** (future Lorraine).

**LOTI** (Julien **Viaud**, dit Pierre) ~ *1850, Rochefort - 1923, Hendaye*. Écrivain français. Inspiré par sa vie d'officier de marine, il rédigea de nombreux romans exotiques (*Aziyadé*, 1879 ; *le Roman d'un spahi*, 1881) et maritimes (*Pêcheur d'Islande*, 1886) au style impressionniste. Acad.

**LOTTO** (Lorenzo) ~ *1480, Venise - 1556, Lorette Ancône*. Peintre italien. Il annonça l'art baroque par la vivacité dramatique de son style narratif (*Crucifixion*, 1531). Ses portraits sont des chefs-d'œuvre d'intensité psychologique.

**LOUBET** (Émile) ~ *1838, Marsanne, Drôme - 1929, Montélimar*. Homme d'État français. Président du Conseil (1892), puis du Sénat (1896), il succéda à F. Faure à la présidence de la République (1899). Durant son septennat (1899-1906), marqué par la politique anticléricale d'É. Combes et le renforcement des liens entre la France, la Russie et la Grande-Bretagne, il gracia A. Dreyfus (1906).

**LOUCHEUR** (Louis) ~ *1872, Roubaix - 1931, Paris*. Homme politique français. Ministre du Travail et de la Prévoyance sociale (1926-1930), il fit voter, en 1928, une loi établissant l'aide de l'État à la construction de logements populaires.

**LOUDÉAC** ~ V. de la Bretagne intérieure, dans le S. des Côtes-d'Armor ; 9 820 h. Industrie agroalimentaire. Foires. Courses de chevaux.

**LOUDUN** ~ V. du N. du Poitou (Vienne), foyer intellectuel et centre du protestantisme aux XVIᵉ et XVIIᵉ s. ; 7 854 h. Églises et demeures médiévales. Musée de cire. Dans le couvent des Ursulines se déroula en 1634 l'affaire des « possédées de Loudun », au terme de laquelle U. Grandier fut condamné pour sorcellerie et brûlé vif.

**LOUE** (la) ~ Riv. issue du Jura, résurgence et affluent du Doubs (r. g.) ; 125 km.

**LOUÉ** ~ Localité du haut Maine (Sarthe), centre avicole ; 1 929 h.

**LOUGANSK**, anc. **Vorochilovgrad** ~ V. et centre admin. du Donbass (N.), en Ukraine ; 504 000 h. Charbonnages, sidér., matériel ferroviaire.

**LOUHANS** ~ V. et important centre avicole du N. de la Bresse (Saône-et-Loire) ; agglom. 10 997 h. Vieilles maisons à arcades. Hôtel-Dieu (XVIIIᵉ s.).

**LOUIS**, nom de trois empereurs d'Occident et d'un empereur germanique. ~ **Louis Iᵉʳ le Pieux** ou **le Débonnaire** (*778, Chasseneuil-du-Poitou - 840, près d'Ingelheim*), empereur d'Occident (814-840). Fils de Charlemagne, il régla sa succession entre ses fils Lothaire, Pépin et Louis le Germanique par l'*Ordinatio Imperii* (817). Voulant donner un apanage à Charles le Chauve, né de son second mariage avec Judith de Bavière, il provoqua la révolte de ses aînés et fut déposé de 833 à 835. ~ **Louis II** (*v. 825 - 875, près de Brescia*), empereur d'Occident (855-875), fils de Lothaire Iᵉʳ. Il fut roi d'Italie à partir de 844. ~ **Louis III l'Aveugle** (*v. 863 - 928,*

*Arles*), empereur d'Occident (901-905), petit-fils du préc., roi d'Italie à partir de 900. Il fut aveuglé par Bérenger Ier qui lui contestait le trône impérial. ~ **Louis IV de Bavière** (*1287, Munich - 1347, Fürstenfeld, près de Munich*), duc de Bavière à partir de 1294, roi des Romains (1314-1346), empereur germanique (1328-1346). En conflit avec le pape Jean XXII, qui voulait s'ingérer dans l'élection impériale, il fut déclaré déchu par Clément VI.

**LOUIS**, nom de trois rois de Bavière. ~ **Louis Ier de Wittelsbach** (*1786, Strasbourg - 1868, Nice*), roi de 1825 à 1848. Acquis aux idées libérales, il évolua vers une pratique autoritaire du pouvoir. Discrédité par sa liaison avec Lola Montès, il dut abdiquer en faveur de son fils Maximilien II. ~ **Louis II de Wittelsbach** (*1845, Nymphenburg - 1886, lac Starnberg*), roi de 1864 à 1886. Très lié avec R. Wagner, il s'inclina devant la montée en puissance de la Prusse et appuya la proclamation de Guillaume de Prusse comme empereur allemand. Sa prodigalité décida le gouvernement à le faire interner en 1886. ~ **Louis III de Wittelsbach** (*1845, Munich - 1921, Sávár, Hongrie*), roi en 1913, il fut déposé lors de la révolution de 1918.

**LOUIS**, nom de dix-huit rois de France. ~ **Louis Ier**, voir **Louis Ier le Pieux**, empereur d'Occident. ~ **Louis II le Bègue** (*846 - 879, Compiègne*), roi de 877 à 879, fils de Charles le Chauve. ~ **Louis III** (*v. 863 - 882, Saint-Denis*), roi des Francs (879-882). Fils de Louis II, il régna avec son frère Carloman et laissa la Lotharingie à Louis le Jeune. ~ **Louis IV d'Outremer** (*v. 921 - 954, Reims*), roi des Francs (936-954), fils de Charles le Simple. D'abord appuyé par Hugues le Grand, il se révolta contre son emprise croissante et le vainquit en 950, avec l'appui de son beau-frère Otton Ier. ~ **Louis V le Fainéant** (*v. 967 - 987, Compiègne*), roi de 986 à 987, petit-fils du précédent. Il fut le dernier roi carolingien de France. Hugues Capet lui succéda. ~ **Louis VI le Gros** (*v. 1081 - 1137, Paris*), roi des Francs (1108-1137), fils de Philippe Ier. Aidé de Suger, il remit en ordre le domaine royal, tenta de prendre la Normandie à Henri Ier d'Angleterre et repoussa l'empereur Henri V en Champagne. ~ **Louis VII le Jeune** (*1120 - 1180, Paris*), roi des Francs (1137-1180), fils du précédent. Il participa à la 2e croisade (1147-1149) et soutint le pape Alexandre III contre l'empereur Frédéric Barberousse. Aliénor d'Aquitaine, son épouse qu'il répudia en 1152, se remaria avec Henri Plantagenêt, faisant ainsi échapper l'Aquitaine à la Couronne. Louis VII épousa par la suite Constance de Castille (1154) puis Adèle de Champagne (1160). ~ **Louis VIII le Lion** (*1187, Paris - 1226, Montpensier*), roi des Francs (1223-1226), fils de Philippe Auguste. Il vainquit Jean sans Terre (1214), contre lequel les barons anglais soutinrent sa candidature au trône d'Angleterre. Chassé d'Angleterre en 1217, il reprit le Poitou, la Saintonge, le Limousin, l'Angoumois, le Périgord et une partie du Bordelais aux Anglais. Il participa à la croisade contre les albigeois. ~ **Louis IX** ou **Saint Louis** (*1214, Poissy - 1270, Tunis*), roi de France (1226-1270), fils du précédent. Il régna sous la régence (1226-1236) de Blanche de Castille, sa mère, qui vainquit les grands vassaux révoltés, mit fin à la guerre contre les albigeois (1229) et lui fit épouser Marguerite de Provence (1234). Il dut réprimer une nouvelle révolte féodale, soutenue par l'Angleterre, dans le Sud-Ouest (victoires de Taillebourg et de Saintes, 1242). Participant à la 7e croisade en Égypte, il prit Damiette (1249) mais fut fait prisonnier à Mansourah (1250). Libéré après le paiement d'une rançon, il passa quatre ans à fortifier les positions françaises en Syrie. De retour en France (1254), il réorganisa l'État et la justice, jouissant d'une réputation de grande intégrité. Il fit construire la Sainte-Chapelle, la Sorbonne et l'hôpital des Quinze-Vingts. Il signa, avec Jacques Ier d'Aragon, un traité qui donnait à la France la Provence et le Languedoc en échange de la Catalogne et du Roussillon (1258). Il mourut de la peste à Tunis lors de la 8e croisade et fut canonisé en 1297. ~ **Louis X le Hutin**, dit **le Querelleur** (*1289, Paris - 1316, Vincennes*), roi de France (1314 à 1316) et de Navarre (1305-1316) par sa mère, Jeanne de Navarre. Fils de Philippe le Bel, il dut faire face à une révolte des grands féodaux du royaume. Son fils, Jean Ier le Posthume, n'ayant pas survécu, sa fille Jeanne fut évincée au profit du frère du roi, Philippe V. ~ **Louis XI** (*1423, Bourges - 1483, Plessis-lès-Tours*), roi de France (1461-1487). Fils de Charles VII, il se rebella contre son père lors de la révolte féodale de la Praguerie (1440) et, après une réconciliation provisoire, trouva refuge en Bourgogne. Devenu roi, il lutta contre la noblesse, qui forma contre lui la ligue du Bien-Public (1465), dirigée par François II de Bretagne et Charles le Téméraire. Ce dernier, devenu duc de Bourgogne, le retint prisonnier lors d'une entrevue à Péronne (1468) et lui imposa des conditions que Louis XI, libre, n'exécuta pas. La paix qu'il signa à Picquigny avec Édouard IV d'Angleterre (1475) rompit l'alliance entre ce dernier et Charles le Téméraire, tué en 1477 devant Nancy. Le roi acquit la Bourgogne, les villes de Picardie et la Franche-Comté, gains entérinés par le traité d'Arras (1482), ainsi que, par héritage, l'Anjou (1480) puis les comtés du Maine, de Mortain et de Provence (1481). ~ **Louis XII** (*1462, Blois - 1515, Paris*), roi de France (1498-1515). Fils de Charles d'Orléans, il fut contraint d'épouser Jeanne de France, fille de Louis XI. Il participa aux guerres d'Italie avec son cousin Charles VIII, dont il épousa, afin de garder le duché de Bretagne, la veuve, Anne de Bretagne, après avoir fait annuler son premier mariage. Petit-fils de Valentine Visconti, il revendiqua le Milanais, qu'il conquit (1499 puis 1501), et le royaume de Naples, d'où il fut bientôt chassé (1504). Il rejoignit la ligue de Cambrai contre Venise, remporta la victoire d'Agnadel (1509) mais dut faire face à la deuxième Sainte Ligue, qui eut raison de la présence française en Italie (bataille de Novare, 1513). Il signa la paix avec l'Angleterre (1514), épousa Marie d'Angleterre, sœur d'Henri VIII, et maria sa fille Claude à son cousin, le futur François Ier, qui lui succéda. ~ **Louis XIII le Juste** (*1601, Fontainebleau - 1643, Saint-Germain-en-Laye*), roi de France (1610-1643), fils d'Henri IV. Il s'opposa à sa mère, la régente Marie de Médicis, et à Concini, qu'il fit assassiner (1617) pour le remplacer par Luynes. L'échec de celui-ci face aux protestants rebelles de Montauban (1621) ouvrit une période de troubles qui favorisa l'accès au pouvoir de Richelieu (1624). Malgré les complots ourdis par sa mère, son frère Gaston d'Orléans et les nobles rebelles, Louis XIII maintint sa confiance à Richelieu, notamment lors de la journée des Dupes (1630). En politique étrangère, il le suivit contre le parti dévot, qui souhaitait l'alliance avec l'Espagne catholique. Le roi ne survécut que quelques mois à Richelieu, mort en 1642. ~ **Louis XIV le Grand**, dit **le Roi-Soleil** (*1638, Saint-Germain-en-Laye - 1715, Versailles*), roi de France (1643-1745), fils du précédent. La régence, assurée par sa mère, Anne d'Autriche, et par Mazarin, fut marquée par la Fronde (1648-1652). Marié à l'infante Marie-Thérèse (1660), le roi prit en main les affaires à la mort de Mazarin. Sur le conseil de Colbert, il fit alors arrêter N. Fouquet en 1661. Il imposa sa volonté à la grande noblesse en s'appuyant sur les hommes formés par Mazarin (Colbert, de Lionne, Le Tellier) ou sur leurs descendants (Louvois). Après avoir réduit les parlements au silence, fixé la noblesse à la Cour ou maintenu celle-ci dans ses fonctions militaires, expulsé les jansénistes de Port-Royal et exclu les protestants par la révocation de l'édit de Nantes (1685), le roi put imposer une monarchie absolue fondée sur le droit divin : Versailles devint, grâce à Hardouin-Mansart et à Le Nôtre, le palais du Roi-Soleil. À l'extérieur, Louis XIV poursuivit la politique de Richelieu et de Mazarin et imposa une véritable hégémonie française en Europe durant la première moitié de son règne. Les guerres de Dévolution (1667-1668) et de Hollande (1672-1679) permirent à la France de gagner des places fortes en Flandre et la Franche-Comté, alors que la politique des réunions apporta Strasbourg. Les guerres de la ligue d'Augsbourg (1688-1697) et de la Succession d'Espagne (1701-1714) furent plus difficiles mais, à la fin du règne de Louis XIV, la France avait brisé l'encerclement érigé par les Habsbourg : un petit-fils de Louis XIV, Philippe V, devint roi d'Espagne. L'influence politique des maîtresses du roi (Mme de La Vallière, Mme de Montespan) ou celle de Mme de Maintenon, épousée secrètement après la mort de la reine, resta limitée. Prince mécène, Louis XIV fonda plusieurs académies et la Comédie-Française. Il protégea artistes et hommes de lettres, qui exaltèrent son règne (Lebrun, Boileau, Racine), annonçant le rayonnement exceptionnel dont jouit la culture française en Europe au XVIIIe s. ~ **Louis XV le Bien-Aimé** (*1710, Versailles - 1774, id.*), roi de 1715 à 1774, successeur et arrière-petit-fils du préc. Il fut élevé par Mme de Ventadour, puis par le maréchal de Villeroi pendant la régence de Philippe d'Orléans (1715-1723). Le duc de Bourbon, au pouvoir de 1723 à 1726, maria le roi à Marie Leszczyńska (1725). Le cardinal de Fleury gouverna ensuite jusqu'en 1743, date à laquelle le roi exerça directement le pouvoir, souvent sous l'influence de Mme de Pompadour (1745-1764). Jusqu'en 1771, année où la réforme Maupeou retira aux parlementaires leur droit de remontrance, la politique de réformes souhaitée par le pouvoir fut paralysée par l'obstruction des parlements, soumis à l'influence de la bourgeoisie libérale ou janséniste, alors que l'esprit des Lumières mettait en cause les principes mêmes de la monarchie absolue. L'établissement en 1738 en Lorraine de l'ancien roi de Pologne Stanislas Leszczyński, beau-père de Louis XV, prépara l'annexion de 1766. La guerre de la Succession d'Autriche (1740-1748) ne rapporta rien à la France. La guerre de Sept Ans (1756-1763), conséquence du renversement d'alliances qui avait rapproché la France de l'Autriche, se termina sur un désastre (traité de Paris, 1763). Épargné par les invasions durant tout le règne de Louis XV, le royaume demeura une puissance de premier plan, mais la querelle avec les parlements avait dressé l'opinion parisienne contre le roi. ~ **Louis XVI** (*1754, Versailles - 1793, Paris*), roi de France de 1774 à 1791, puis roi des Français (1791-1792). Petit-fils du préc., marié en 1770 à Marie-Antoinette d'Autriche. Il mit un terme en 1776 à l'expérience réformatrice de Turgot et, rendant leurs pouvoirs politiques aux parlements, donna aux contestataires des moyens puissants. Si le soutien à la guerre de l'Indépendance américaine permit une revanche sur la Grande-Bretagne (traité de Versailles, 1783), son coût fut très élevé, et ni Necker ni Calonne ne parvinrent à surmonter la crise financière.

Portrait de **Louis XI** (*v. 1470*), *attribué à Colin d'Amiens. Coll. part., château de Saint-Roch.*

© Giraudon

Portrait équestre de **Louis XIV** (*v. 1668 ; détail*), *peinture de Charles Lebrun (1619-1690). Musée de la Chartreuse, Douai.*

© Giraudon

**Louis XV** (*XVIIIe s. ; détail*), *porcelaine de Tournai. Musée des Beaux-Arts, Dunkerque.*

© Lauros-Giraudon

Confronté à la réaction nobiliaire et à l'agitation parlementaire au cours des années 1780, et à la sévère crise économique que traversait la France, Louis XVI fut finalement contraint de convoquer les états généraux pour 1789. Il admit avec réticence la mise en place d'un nouveau régime de monarchie constitutionnelle et tenta de fuir à l'étranger mais fut arrêté à Varennes-en-Argonne (juin 1791). L'entrée en guerre contre la France de l'Autriche, dont il espérait la victoire, radicalisa la Révolution, et, le 10 août 1792, les Parisiens insurgés envahirent les Tuileries et exigèrent la suspension des pouvoirs du roi, qui fut enfermé au Temple avec sa famille. Le 22 sept. 1792, la Convention proclama la république. Accusé d'intelligence avec l'ennemi après la découverte de ses négociations secrètes avec l'Autriche, le roi fut jugé par la Convention, qui le condamna à mort. Il fut guillotiné le 21 janvier 1793. ~ **Louis XVII** (Louis Charles, duc **de Normandie** ; *1785, Versailles - 1795, Paris*), fils du préc. Considéré comme roi de France par les émigrés à la mort de son père, il mourut à la prison du Temple en juin 1795. Après la Restauration, des imposteurs, dont K. Naundorff, prirent son nom. ~ **Louis XVIII** (*1755, Versailles - 1824, Paris*), roi de 1814 à 1815 et de 1815 à 1824, fils du dauphin Louis. Comte de Provence, il émigra en juin 1791 pour rejoindre son frère, le comte d'Artois (futur Charles X), à Coblence. Il prit le titre de régent à la mort de Louis XVI, puis celui de roi à la mort de Louis XVII. Exilé à Vérone, à Mitau puis en Grande-Bretagne, il revint en France à la chute du premier Empire. Conformément à sa déclaration de Saint-Ouen (2 mai 1814), il « octroya » aux Français une Charte instaurant une monarchie constitutionnelle (4 juin 1814). Durant les Cent-Jours, il s'enfuit à Gand. En septembre 1816, il procéda à la dissolution de la Chambre introuvable, ultraroyaliste, qui apparaissait ingouvernable. Ses ministres Richelieu (1815-1818) et Decazes (1818-1820) menèrent une politique assez libérale. Mais, en 1820, l'assassinat du duc de Berry, héritier du trône, amena le retour des ultras, avec un second ministère Richelieu (1820-1821) suivi du ministère Villèle (1821-1824).

**LOUIS**, nom de quatre rois de Germanie. ~ **Louis Ier**, voir **Louis Ier le Pieux**, empereur d'Occident. ~ **Louis II le Germanique** (*v. 805 - 876, Francfort-sur-le-Main*), roi de 843 à 876, 3e fils de Louis le Pieux. Il obtint au traité de Verdun les pays situés à l'est du Rhin (843). ~ **Louis III le Jeune** ou **Louis de Saxe** (*822 - 882, Francfort-sur-le-Main*), roi de 876 à 882, 2e fils de Louis le Germanique. Il acquit la Lotharingie occidentale (880). ~ **Louis IV l'Enfant** (*893, Œttingen - 911, Ratisbonne*) fut le dernier roi carolingien de Germanie (900-911).

**LOUIS**, nom de deux rois de Hongrie. ~ **Louis Ier le Grand** (*1326, Visegrád - 1382, Nagyszombat*), roi de Hongrie (1342-1382) et de Pologne (1370-1382), fils de Charles-Robert d'Anjou. Il intervint en Italie (1348, 1350), contre les Lituaniens (1351), les Serbes (1353-1354) et les Vénitiens (1357-1358, 1381). ~ **Louis II** (*1506, Buda - 1526, Mohács*), roi de Hongrie et de Bohême (1516-1526). Il fut battu par Soliman le Magnifique à Mohács.

**LOUIS**, nom de plusieurs rois de Naples. ~ **Louis Ier** (*1339, Vincennes - 1384, Bisceglie*), fils de Jean II le Bon, duc d'Anjou (1360-1384), roi de Naples et comte de Provence (1383-1384), il fut choisi comme héritier par Jeanne Ire, mais ne put s'imposer contre Charles III de Duras. ~ **Louis II** (*1377, Toulouse - 1417, Angers*), roi de Naples, de Sicile et de Jérusalem, duc d'Anjou, comte du Maine et de Provence (1384-1417), fils du précédent. Il s'employa à conquérir sur les Duras la Provence et Naples. ~ **Louis III** (*1403 - 1434, Cosenza*), roi titulaire d'Aragon, de Naples, de Sicile et de Jérusalem, duc d'Anjou, comte de Provence en 1417, fils du précédent. Il poursuivit la politique de son père et s'empara du royaume de Naples aux dépens d'Alphonse V d'Aragon.

**LOUIS Ier** ~ *1838, Lisbonne - 1889, Cascais*. Roi de Portugal (1861-1889). Il gouverna en monarque constitutionnel.

**LOUIS** (Joseph Dominique, baron) ~ *1755, Toul - 1837, Bry-sur-Marne*. Homme politique français. Ministre des Finances sous Louis XVIII et sous Louis-Philippe Ier, il formula certains principes fondateurs de la comptabilité publique.

**LOUIS DE GONZAGUE** (saint) ~ *1568, Brescia - 1591, Rome*. Jésuite italien. Il mourut d'avoir soigné des pestiférés. Patron de la jeunesse.

**LOUISE DE MARILLAC** (sainte) ~ *1591, Ferrières-en-Brie - 1660, id.* Religieuse française. Elle fut la première mère supérieure de la congrégation des Filles de la Charité, qu'elle créa avec saint Vincent de Paul.

**LOUISE DE MECKLEMBOURG-STRELITZ** ~ *1776, Hanovre - 1810, Hohenzieritz*. Reine de Prusse. Épouse de Frédéric-Guillaume III, elle anima la résistance à la France après les défaites de 1806.

**LOUISE DE SAVOIE** ~ *1476, Pont-d'Ain - 1531, Grez-sur-Loing*. Duchesse d'Angoulême. Mère de François Ier, elle assura la régence pendant les guerres d'Italie et joua un rôle politique important tout au long de son règne (paix de Cambrai, 1529).

**LOUISE-MARIE D'ORLÉANS** ~ *1812, Palerme - 1850, Ostende*. Reine des Belges. Fille de Louis-Philippe Ier, elle épousa Léopold Ier en 1832.

**LOUISIADE** (la) ~ Archipel volcanique et corallien de Papouasie - Nouvelle-Guinée (S.-E.) ; 26 000 km², env. 16 000 h.

**LOUISIANE** (la) ~ État du S. des États-Unis, surtout formé de plaines alluviales (delta du Mississippi), bordé par le golfe du Mexique ; 112 836 km², 4 220 000 h., ports et v. princ. La Nouvelle-Orléans, Baton Rouge (cap.). Climat subtropical. Canne à sucre, riz, soja, coton. Pêche et aquaculture. Pétrochimie à partir des ress. locales en hydrocarbures, métall. de l'aluminium. Tourisme. Le maintien de structures archaïques contribue à la pauvreté d'une partie des ruraux (Noirs, « petits Blancs », dont Cajuns). **HIST.** - Le territoire dont Cavelier de La Salle prit possession au nom de Louis XIV (1682) couvrait une grande partie de la vallée du Mississippi. Colonisée par les Français à partir de 1698, la Louisiane fut cédée pour partie à l'Espagne (1762) et à l'Angleterre (1763). La partie espagnole fut restituée à la France en 1800. Vendue par Bonaparte aux États-Unis (1803), elle devint le 18e État de l'Union en 1812, fit sécession en 1861 et fut réintégrée en 1868.

**LOUIS-MARIE GRIGNION DE MONTFORT** (saint) ~ *1673, Montfort-sur-Meu, Ille-et-Vilaine - 1716, Saint-Laurent-sur-Sèvre, Vendée*. Missionnaire et prédicateur français. Il évangélisa les campagnes du Poitou, de Bretagne et de Normandie, et fonda plusieurs congrégations.

**LOUIS-PHILIPPE Ier** ~ *1773, Paris - 1850, Claremont, Grande-Bretagne*. Roi des Français (1830-1848). Fils de Louis Philippe, duc d'Orléans (dit Philippe Égalité). Duc de Valois (1773-1785), duc de Chartres (1785-1793), il rejoignit l'émigration après avoir participé aux campagnes de 1792-1793. Il se maria en 1809 à Marie-Amélie de Bourbon des Deux-Siciles. À la Restauration, il retrouva les biens considérables de sa famille. Son libéralisme affiché et la simplicité voulue de ses mœurs lui firent incarner les espoirs de la bourgeoisie. Il bénéficia du renversement de Charles X après les Trois Glorieuses : nommé lieutenant général du royaume (31 juill. 1830), il fut proclamé roi des Français (7 août). D'abord secondé par des libéraux du parti du Mouvement, le roi se rapprocha du parti de la Résistance, conservateur, et dut combattre les oppositions, royaliste (équipée de la duchesse de Berry en Vendée, 1832-1833), bonapartiste (tentatives de coup d'État de Louis Napoléon Bonaparte, à Strasbourg en 1836 et à Boulogne en 1840), républicaine et socialiste (insurrections de Lyon en 1831 et de Paris en 1832, 1834 et 1839). Le roi échappa à sept attentats, dont celui de Fieschi (1835). Son ministre Fr. Guizot ébaucha une entente avec l'Angleterre de 1843 à 1845. En Algérie, à partir de 1841, le roi s'engagea dans la voie d'une conquête totale. En 1842, la mort du duc d'Orléans, héritier du trône, affaiblit la dynastie. Le refus de Guizot d'élargir la participation politique aboutit à la « campagne des banquets » (1847), qui prépara la révolution de février 1848. Le roi abdiqua en faveur de son petit-fils, le comte de Paris, et se réfugia en Grande-Bretagne, mais la république fut proclamée, mettant fin à la monarchie de Juillet.

**LOUISVILLE** ~ V. du Kentucky (États-Unis), sur l'Ohio ; 270 000 h. Industrie agroalim. (bourbon, cigarettes) et métallurgie de l'aluminium.

**LOUP** ou **LEU** (saint) ~ *v. 383, Toul - v. 478, Troyes*. Évêque de Troyes (426), il convainquit Attila d'épargner la cité (451).

**LOUQSOR** ou **LOUXOR** ~ V. de Haute-Égypte, sur le Nil ; 138 000 h. Bâtie au N. de l'ancienne Thèbes, elle occupe une partie du site de la capitale des pharaons. Aménophis III y construisit le temple d'Amon (XIVe s. av. J.-C.), que Ramsès II dota de deux obélisques (dont l'un se trouve place de la Concorde, à Paris).

**LOURDES** ~ V. des Hautes-Pyrénées (Bigorre), sur le gave de Pau, grand centre de pèlerinage, au pied des Pyrénées ; 16 300 h. En 1858, la Vierge y serait apparue à Bernadette Soubirous (grotte de Massabielle). Sanctuaires et lieux de prière : basilique au-dessus de la grotte (1876) et souterraine (1958). Siège de l'assemblée annuelle des évêques de France.

**LOURENÇO MARQUES** ~ Voir **Maputo**.

**LOU Siun** ~ Voir **Lu Xun**.

**LOUVAIN**, en néerl. ***Leuven*** ~ V. de Belgique, ch.-l. du Brabant flamand, sur la Dyle (E. de Bruxelles) ; 86 000 h. Brasseries, engrais. Hôtel de ville gothique. Ancienne capitale du duché de Brabant, elle est célèbre pour son université (1425), où enseignèrent Érasme et Jansénius. La querelle linguistique provoqua en 1968 le transfert des facultés francophones à Ottignies-Louvain-la-Neuve.

**LOUVEL** (Louis Pierre) ~ *1783, Versailles - 1820, Paris*. Ouvrier sellier français. Il assassina en 1820 le duc de Berry, second fils de Charles X. Il fut guillotiné.

**LOUVIÈRE (La)** ~ V. industrielle de Belgique (Hainaut), à l'O. de Charleroi ; 77 000 h.

**LOUVIERS** ~ V. de l'Eure, dans la plaine du Neubourg, au S. de Rouen ; 18 658 h. (agglom. 21 030 h.). Industries mécanique et textile. Église Notre-Dame (XIIIe-XVe s.), de style gothique flamboyant. Musée des Décors de spectacle.

**LOUVOIS** (François Michel **Le Tellier**, seigneur **de Chaville**, marquis DE) ~ *1639, Paris - 1691, Versailles*. Homme politique français. Associé à son père, M. Le Tellier, au secrétariat d'État à la Guerre en 1672, il devint le responsable de l'Armée royale à partir de 1675. Il systématisa les règles de combat, généralisa l'uniforme, améliora l'intendance et le recrutement et instaura l'avancement au tableau. Créateur de l'hôtel des Invalides, partisan d'une politique étrangère offensive, il fut à l'origine de l'attaque contre la Flandre (1672), de la dévastation du Palatinat (1689) et des dragonnades dirigées contre les protestants.

*Le **Louvre** et la pyramide de verre conçue par Pei, dans la cour Napoléon.*

**Louvre (palais** et **musée du)** ~ Ancienne résidence parisienne des rois de France, sur la rive droite de la Seine, transformée en musée en 1793. Le château fort édifié par Philippe II Auguste (1202) devint demeure d'agrément à l'initiative de Charles V (1358). François Ier s'y installa en 1546, fit raser le donjon et chargea Pierre Lescot d'édifier un palais Renaissance. Henri IV reprit le projet. Jusqu'à Napoléon III, les souverains ne cessèrent d'en modifier les structures et d'y ajouter de nouvelles constructions, y compris Louis XIV, qui abandonna le Louvre aux académies pour s'installer à Versailles. Rénové et agrandi de 1981 à 1993 sous la direction de Pei Ieoh Ming, le musée comporte sept départements, dont trois sont consacrés aux antiquités. Ses collections le placent au premier rang dans le monde.

**LOUXOR** ~ Voir **Louqsor**.

**LOUŸS** (Pierre **Louis**, dit Pierre) ~ *1870, Gand - 1925, Paris*. Écrivain français. Poète inspiré par l'Antiquité (*les Chansons de Bilitis*, 1894), il écrivit également des romans érotiques (*Aphrodite*, 1896).

**LOVECRAFT** (Howard Phillips) ~ *1890, Providence, Rhode Island - 1937, id.* Écrivain américain. Disciple d'Edgar Poe, il a créé dans ses récits fantastiques un univers de cauchemar (*l'Appel de Cthulhu*, 1928).

**LÖW** (le rabbin Judah), dit **le Maharal de Prague** ~ *v. 1525 - 1609, Prague.* Mathématicien et talmudiste tchèque. Il énonça une théologie réconciliant Aristote et Maimonide, et créa une version du Golem.

**LOWE** (sir Hudson) ~ *1769, Galway - 1844, Chelsea.* Général britannique. Gouverneur de Sainte-Hélène, il fut le geôlier de Napoléon Ier de 1815 à 1821.

**LOWENDAL** ou **LŒWENDAHL** (Ulrich, comte DE) ~ *1700, Hambourg - 1755, Paris.* Maréchal de France d'orig. danoise. Il servit Louis XV et se distingua durant la guerre de la Succession d'Autriche, not. à Fontenoy (1745).

**LOWIE** (Robert) ~ *1883, Vienne - 1957, Berkeley, Californie.* Ethnologue américain. Critiquant la perspective exclusivement historique en ethnologie, son œuvre préfigure certains traits du structuralisme (*Société primitive*, 1920).

**LOWLANDS** (les) ~ Région déprimée du centre de l'Écosse, qui rassemble la majeure partie de la population et de l'activité économique de celle-ci. L'estuaire de la Clyde et l'agglomération de Glasgow à l'O. vivent une difficile reconversion industrielle. À l'E., l'estuaire du Forth et Édimbourg profitent de l'activité pétrolière de la mer du Nord et des investissements étrangers.

**LOWRY** (Malcolm) ~ *1909, Birkenhead, Cheshire - 1957, Ripe, Sussex.* Romancier britannique. Son œuvre maîtresse, *Au-dessous du volcan* (1947), dépeint les affres de l'alcool et de la solitude.

**LO-YANG** ~ Voir **Luoyang**.

**LOYAUTÉ (îles)** ~ Archipel corallien de Mélanésie constitué de trois îles basses (Uvéa, Lifu, Maré), territoire français rattaché à la Nouvelle-Calédonie ; 1 981 km², 17 912 h. Coprah.

**LOYSON** (Charles), dit **le père Hyacinthe** ~ *1827, Orléans - 1912, Paris.* Prédicateur français. Membre de l'ordre des Carmes, prédicateur à Notre-Dame de Paris, il se sépara de l'Église après s'être opposé au dogme de l'infaillibilité pontificale. Il fonda en 1879 une Église gallicane.

© Pratta-Explorer

*Paysage de la* **Lozère**.

**LOZÈRE (mont)** ~ Hauteur granitique du S.-E. du Massif central, où culminent les Cévennes (1 699 m). Sources du Lot, du Tarn, de la Cèze.

**LOZÈRE** (la) ~ Département montagnard du N. de la Région Languedoc-Roussillon, partagé entre la Margeride, l'Aubrac, le Gévaudan au N., les Cévennes et les Causses au S., entaillés par les gorges du Lot et du Tarn ; 5 178 km², 72 825 h. (densité : 14 h./km², la plus faible de France), v. princ. Mende (préfect.), Marvejols. Le dépeuplement est continu depuis le XIXe s. Élevage bovin et ovin (fromage). Tourisme vert (parc national des Cévennes, gorges du Tarn).

**LUANDA**, anc. **São Paulo de Loanda** ~ Capitale de l'Angola, port sur l'Atlantique ; 2 000 000 d'h.

**LUANG PRABANG** ~ V. du Laos, sur le haut Mékong, anc. cap. royale ; 68 000 h. Elle est surnommée la ville aux cent pagodes, en raison de ses nombreux temples bouddhiques (XVIe-XIXe s.).

**LUBBOCK** (sir John), lord **Avebury** ~ *1834, Londres - 1913, Kingsgate.* Naturaliste, préhistorien et politicien britannique. Il étudia les insectes et introduisit les termes de Paléolithique et Néolithique dans un ouvrage marquant sur la préhistoire (*l'Homme avant l'histoire*, 1865).

**LÜBECK** ~ Port industriel du N. de l'Allemagne (Schleswig-Holstein), relié à la Baltique et par canal à l'Elbe ; 216 000 h. Sidér., métall., constr. navales et mécaniques. L'avant-port de Travemünde assure le trafic avec la Scandinavie. Vieux centre historique. **HIST.** - Ville impériale en 1226, elle fut, avec Hambourg, à l'origine de la Hanse. Son influence en Scandinavie et dans les pays Baltes détermina sa prospérité jusqu'à la fin du XVIe s. Ville libre jusqu'en 1937, elle fut annexée à la Prusse, puis au land de Schleswig-Holstein en 1946.

© J.-P. Courau-Explorer

*Lübeck, la ville ancienne.*

**LUBERON** ou **LUBÉRON** (le) ~ Petite chaîne calcaire de Provence (Vaucluse), au N. de la Durance (1 125 m). Parc naturel régional, tourisme (villages pittoresques).

© H. Veiller-Explorer

*Relief accidenté de l'O. du* **Luberon**.

**LUBITSCH** (Ernst) ~ *1892, Berlin - 1947, Los Angeles.* Cinéaste américain d'orig. allemande. Il fut l'un des maîtres du cinéma muet allemand (*Madame du Barry*, 1919), avant de s'installer à Hollywood, où il imposa son génie ironique (*Ninotchka*, 1939 ; *The Shop Around the Corner*, 1940 ; *To be or not to be*, 1942).

**LÜBKE** (Heinrich) ~ *1894, Enkhausen - 1972, Bonn.* Homme d'État allemand, président de la R. F. A. de 1959 à 1969.

**LUBLIN** ~ V. de Pologne, au S.-E. de Varsovie, vieille cité commerçante auj. industrialisée (électron., text., agroalimentaire) ; 352 000 h. Université. Citadelle et palais de Sobieski. **HIST.** - Le 1er juillet 1569 fut conclue l'**Union de Lublin** entre le royaume de Pologne et le grand-duché de Lituanie. Une diète, un souverain (Sigismond II Auguste Jagellon), la monnaie et la diplomatie devenaient communs aux membres de l'Union. En 1941, les Allemands établirent un camp de concentration à proximité (Majdanek). Libérée par les Soviétiques en 1944, Lublin fut la capitale de la Pologne jusqu'en janvier 1945.

**LUBUMBASHI**, anc. **Élisabethville** ~ V. du S. du Zaïre (la 2e du pays), centre administratif et minier du Shaba relié à l'Afrique du Sud par voie ferrée ; 739 000 h. Université. Production de cuivre.

**LUC** (saint) ~ Ier s. Évangéliste. Médecin d'orig. syrienne, il fut le compagnon de saint Paul. La tradition lui attribue la composition du troisième Évangile et des Actes des Apôtres.

**LUCAIN**, en lat. *Marcus Annaeus Lucanus* ~ *39, Cordoue - 65, Rome.* Poète latin. Neveu de Sénèque le Philosophe, il rédigea *la Pharsale*, récit de la lutte entre César et Pompée. Néron l'obligea à se suicider après sa participation à la conspiration de Pison.

**LUCANIE** (la) ~ Anc. région d'Italie du S., entre le golfe de Tarente et la mer Tyrrhénienne.

**LUCAS DE LEYDE** ~ *1489 ou 1494, Leyde - 1533, id.* Peintre et graveur hollandais. Son style dynamique s'est manifesté dans de vastes compositions (*le Jugement dernier*, 1527) et dans de superbes portraits. Ses gravures, d'inspiration très libre, trahissent l'influence de Dürer, qu'il connut à Anvers.

**LUCÉ** ~ V. de la banlieue S.-O. de Chartres (Eure-et-Loir) ; 18 796 h. Constr. mécaniques, métallurgie.

**LUCERNE**, en all. *Luzern* ~ V. du Mittelland suisse, au N. du lac des Quatre-Cantons, centre financier et station climatique ; 60 000 h. (agglom. 161 000 h.). Festival de musique. Nombreux monuments XIVe-XVIIIe s. (remparts, ponts couverts, cathédrale, hôtel de ville). C'est le chef-lieu du **canton de Lucerne** (1 493 km², 337 000 h.), alémanique et à majorité catholique. Élevage bovin. Industries text., métall., électron., tabac.

**LUCHON** ~ Voir **Bagnères-de-Luchon**.

**LUCIE** ou **LUCE** (sainte) ~ *m. au IIIe s., Syracuse.* Martyre. Ayant rompu ses fiançailles pour vouer sa vie au Christ, elle fut énucléée et aurait recouvré la vue selon la légende. Sa fête célèbre la lumière.

**LUCIE** ~ Voir **Lucy**.

**LUCIEN D'ANTIOCHE** (saint) ~ *v. 235, Samosate, Syrie - 312, Antioche.* Prêtre et martyr. Il est le fondateur de l'école exégétique d'Antioche, qui privilégiait l'interprétation littérale de la Bible. Sa doctrine, subordonnant le Fils et l'Esprit-Saint au Père, inspira celle d'Arius.

**LUCIEN DE SAMOSATE** ~ *v. 125, Samosate, Syrie - v. 192, en Égypte.* Écrivain grec, satiriste fécond (*Dialogues des morts* ; *les Sectes à l'encan*).

**LUCIFER** ~ Nom donné à Satan.

**LUCILIUS**, en lat. *Caius Lucilius* ~ *v. 180, Suessa Aurunca - v. 102 av. J.-C., Naples.* Poète latin. Il inaugura l'utilisation polémique de la satire.

**LUCKNOW** ou **LAKHNAU** ~ V. de l'Inde, cap. de l'Uttar Pradesh, à l'E. de Delhi ; agglom. 1 669 000 h. Industries métall. et textile. Mosquées et palais. Fondée au XVIe s. comme capitale de l'État musulman d'Oudh, elle fut rattachée aux Indes britanniques en 1856. Prise par les cipayes, elle fut reconquise par le Royaume-Uni en 1858.

**LUÇON** ~ V. du S. de la Vendée, à la lisière N. du Marais poitevin ; 9 099 h. Cathédrale gothique avec façade romane. Anc. évêché de Richelieu.

**LUÇON** ou **LUZON** ~ Île montagneuse du N. des Philippines, la plus grande (104 688 km²) et la plus peuplée (env. 30 000 000 d'h.), qui abrite la capitale, Manille. Agriculture (riz, tabac, canne à sucre), minerais (chrome, cuivre), industries regroupées sur la baie de Manille.

**LUCQUES**, en ital. *Lucca* ~ V. et centre admin. de Toscane (Italie), au N. de Pise ; 86 000 h. Archevêché. Université. Églises romanes richement décorées, dôme romano-gothique et palais ducal. **HIST.** - Anc. colonie romaine au IIe s. av. J.-C., constituée en commune libre au XIIe s., elle s'enrichit grâce à l'industrie de la soie et rivalisa avec Florence. République indépendante du XVe au XVIIIe s., elle fut le siège d'un duché rattaché à la Toscane en 1847.

**LUCRÈCE** ~ *m. en 509 av. J.-C. à Rome.* Femme de Tarquin Collatin. Déshonorée par le fils de Tarquin le Superbe, elle se suicida. Junius Brutus saisit l'occasion pour renverser la royauté romaine.

**LUCRÈCE**, en lat. *Titus Lucretius Carus* ~ *v. 98, Rome ? - 55 av. J.-C.* Poète latin. Il exposa sa morale et sa philosophie d'inspiration épicurienne dans *De natura rerum* (« De la nature des choses »).

**LUCRÈCE BORGIA** ~ Voir **Borgia**.

**LUCULLUS**, en lat. *Lucius Licinius Lucullus* ~ *v. 106 - v. 57 av. J.-C.* Général romain. Consul en 74, il combattit Mithridate, roi du Pont (74-66). Sa richesse et son raffinement gastronomique sont devenus légendaires.

**LUCY** ou **LUCIE** ~ Nom donné aux ossements d'un australopithèque datant de plus de 3 millions d'années découverts en 1974 dans la Rift Valley, en Éthiopie.

**LÜDA** ~ Voir **Dalian**, **Lüshun**.

**LUDENDORFF** (Erich) ~ *1865, Kruszewnia, Posnanie - 1937, Tutzing, Bavière.* Général allemand. Adjoint de Hindenburg pendant la Première Guerre mondiale, il rejoignit le national-socialisme et participa au putsch de Munich (1923).

**LÜDERITZ**, anc. **Angra Pequeña** ~ Port du S. de la Namibie ; 6 000 h. Pêche (crustacés) et conserverie. Premier établissement allemand du Sud-Ouest africain (1883), centre minier (diamants) contrôlé par l'Afrique du Sud après 1918.

**LUDHIANA** ~ V. de l'Inde (Pendjab), centre text. (coton) au N.-O. de Delhi ; 1 043 000 h. Université. Industr. métall., alim., constr. mécan.

**LUDOVIC SFORZA**, dit **le More** ~ *1452, Vigevano - 1508, Loches.* Duc de Milan (1494-1500). Allié de Charles VIII, il résista aux prétentions de Louis XII sur le Milanais et fut interné en France (1500). Il protégea Léonard de Vinci et Bramante.

**LUDWIGSHAFEN AM RHEIN** ~ Port d'Allemagne (Rhénanie-Palatinat), sur le Rhin (r. g.), en face de Mannheim ; 167 000 h. Industr. chimique.

**Luftwaffe** (la), en fr. « armée de l'air » ~ Nom donné à l'aviation militaire allemande depuis 1935.

**LUGANO (lac de)** ~ Lac italo-suisse des Alpes, relié au lac Majeur ; 50 km². La ville suisse de **Lugano** (Tessin) est de langue italienne ; 25 000 h. Activité bancaire, industrielle (agroalim.) et touristique. Cathédrale (XIIIe s.).

**LUGDUNUM** ~ Voir **Lyon**.

**LUGNÉ-POE** (Aurélien Marie **Lugné**, dit) ~ *1869, Paris - 1940, Villeneuve-lès-Avignon.* Metteur en scène français. Acteur sous le nom de Philippon, il fonda le théâtre de l'Œuvre (1893) et popularisa les dramaturges contemporains (Ibsen, Jarry, Strindberg, Gorki, D'Annunzio, etc.).

**LUGO** ~ V. de Galice (Espagne), centre admin., sur une hauteur dominant le Miño ; 87 000 h. Commerce de bétail. Mines de fer. Pont mudejar à cinq arches. Enceinte romaine du IIIe s.

**LUGONES** (Leopoldo) ~ *1874, Córdoba - 1938, Buenos Aires.* Écrivain argentin. Poète et romancier (*la Guerra gaucha*, 1905) à l'esthétique moderniste, il conclut une existence passionnée par le suicide.

**LUINI** (Bernardino) ~ *v. 1485, Luino, près du lac Majeur - 1532, Milan.* Peintre italien. La délicatesse de ses fresques l'a imposé comme l'un des maîtres de la Renaissance lombarde.

**LUKÁCS** (György) ~ *1885, Budapest - 1971, id.* Philosophe et écrivain hongrois. Penseur marxiste discuté voire contesté, il proposa une lecture néohégélienne de Marx où s'affirment les catégories de la dialectique et de la totalité (*Histoire et Conscience de classe*, 1923). Ses idées sur la création littéraire servirent d'étalon aux écrivains des régimes communistes (*la Théorie du roman*, 1920).

**ŁUKASIEWICZ** (Jan) ~ *1878, Lemberg, auj. Lvov - 1956, Dublin.* Logicien polonais. Chef de l'école analytique polonaise, il a posé les bases d'une logique trivalente, fondée sur les catégories du vrai, du faux et du possible.

**LULEÅ** ~ Port de Suède (S. de la Laponie), au fond du golfe de Botnie ; 70 000 h. Exportation de bois et de minerai de fer.

**LULLE** (Ramon **Llull**, dit Raymond) ~ *1235, Palma de Majorque - 1315, Bougie.* Philosophe catalan. Auteur de près de 150 ouvrages philosophiques et théologiques en latin (*Ars magna*), en arabe ou en catalan, il consacra sa vie à la propagation du christianisme. Son œuvre poétique (*El Desconhort*) fonda la littérature catalane.

**LULLY** ou **LULLI** (Jean-Baptiste) ~ *1632, Florence - 1687, Paris.* Compositeur français d'orig. italienne. Musicien attitré de Louis XIV, Lully est le créateur de la tragédie lyrique, synthèse des traditions française et italienne, et le promoteur du récitatif (*Alceste*, 1674 ; *Atys*, 1676 ; *Armide*, 1686).

**LULUABOURG** ~ Voir **Kananga**.

**LUMIÈRE**, nom de deux inventeurs et industriels français. ~ **Auguste** (*1862, Besançon - 1954, Lyon*) mit au point le cinématographe (1895) et organisa la première séance de projection publique (12 déc. 1895) avec son frère ~ **Louis** (*1864, Besançon - 1948, Bandol*). Ce dernier conçut en outre la photographie en couleurs et fit des recherches sur le cinéma en relief.

*Auguste et Louis* **Lumière**. © Archives Larousse-Giraudon

**Lumières** ~ Mouvement philosophique marqué par les idéaux de progrès, la tolérance, la foi en la raison et dans les vertus moralisatrices de l'instruction. Il domina le XVIIIe s., en France, avec les Encyclopédistes, et, en Allemagne (Aufklärung), avec Kant, qui en fut la figure dominante.

**LUMUMBA** (Patrice) ~ *1925, Katako Kombé - 1961, Élisabethville.* Homme politique congolais. Fondateur du Mouvement national congolais et militant pour l'indépendance, il devint Premier ministre en 1960 et lutta contre le Katanga sécessionniste. Destitué par le président Joseph Kasavubu, il fut assassiné.

**LUNA** (Álvaro DE) ~ *1388, Cañete - 1453, Valladolid.* Connétable de Castille. Favori du roi Jean II mais haï par la noblesse, il fut disgracié et décapité.

**LUND** ~ V. de Suède (Scanie), au N.-E. de Malmö, centre religieux (archevêché luthérien) et universitaire ; 94 000 h. Papeteries. Textile. Cathédrale romane du début du XIIe s. Musées. Princ. ville de Scandinavie au Moyen Âge.

**LUNDEGÅRDH** (Henrik) ~ *1888, Stockholm - 1969, Penningby.* Botaniste suédois. Il étudia la photosynthèse et le cycle du gaz carbonique.

**LUNDSTRÖM** (Johan Edvard) ~ *1815, Jönköping - 1888, id.* Industriel suédois. Il inventa l'allumette de sûreté, dite suédoise (1852).

**LÜNEBURG (landes de)** ~ Plaine et collines sableuses d'Allemagne du Nord, entre l'Elbe et l'Aller. Parc national. Leur nom vient de celui de **Lüneburg** (env. 60 000 h.), v. de Basse-Saxe.

**LUNEL** ~ V. du bas Languedoc (Hérault), au N.-E. de Montpellier, marché viticole (muscat) ; agglom. 20 705 h. Conserverie.

**LUNÉVILLE** ~ V. de Lorraine (Meurthe-et-Moselle), sur la Meurthe, au S.-E. de Nancy ; agglom. 23 655 h. Constr. mécan. et électriques, text., faïenceries. Musée (faïences, portraits, objets d'Art nouveau). Château du début du XVIIIe s., jardins à la française. **HIST.** - En 1801, la France et l'Autriche y conclurent un traité, ratifiant celui de Campoformio, qui cédait à la France la Belgique et les îles Ioniennes, et reconnaissait la République cisalpine.

**LUOYANG** ou **LO-YANG** ~ V. de Chine (Henan) ; 1 190 000 h. Constr. mécaniques. Artisanat (céramique). Site archéologique (grottes de Longmen). Important centre économique et culturel de la Chine ancienne, Luoyang fut la capitale des Shang (1770-1050 av. J.-C.), des Zhou (XIe s. av. J.-C.), des Han (Ier-IIe s.) et des Jin (IIIe s.).

**LUPERCUS** ~ Ancienne divinité italique, protectrice des troupeaux. Les **luperques** célébraient le dieu-loup au cours d'une procession.

**LUQMAN** ou **LOKMAN** ~ Auteur arabe légendaire préislamique. On lui attribue un recueil de 41 fables inspirées des œuvres d'Ésope.

**LURÇAT** (Jean) ~ *1892, Bruyères, Vosges - 1966, Saint-Paul-de-Vence.* Peintre-cartonnier français. Il restaura l'art de la tapisserie avec des œuvres éclatantes de couleurs et de symboles (*le Chant du monde*, dix pièces, 1956-1965).

**LURE (montagne de)** ~ Chaîne calcaire des Préalpes de Provence, au N. du Luberon ; 1 826 m.

**LURISTAN** (le) ~ Voir **Lorestan**.

**LUSACE** (la), en all. ***Lausitz*** ~ Région de collines morainiques (haute Lusace) et de plaines sableuses humides (basse Lusace) de l'E. de l'Allemagne, frontalière de la Pologne. Minorité slave (Sorabes). Industrie chim., lignite. V. princ. Cottbus, Görlitz, Zittau. **HIST.** - Annexée par la Bohême au XIVe s., la Lusace revint ensuite à la Saxe (1635), qui dut en abandonner la majeure partie à la Prusse (1815).

**LUSAKA** ~ Cap. de la Zambie, au S. du pays ; 921 000 h. Université. Industr. textile, alimentaire, cimenterie. Capitale de l'ancienne Rhodésie du Nord de 1935 à 1964.

**LÜSHUN** ou **LIU-CHOUEN**, anc. **Port-Arthur** ~ Port militaire du N.-E. de la Chine, à la pointe S. de la presqu'île de Liaodong, partie de la conurbation industrielle (sidér., métall.) de Lüda (2 330 000 h. avec Dalian). **HIST.** - D'abord chinoise, puis russe en 1898, japonaise de 1904 (victoire contre la Russie) à 1945, sous administration sino-soviétique en 1946, la ville fut rendue à la Chine en 1954.

**LUSIGNAN** ~ Famille noble poitevine. Elle régna sur Chypre (1192-1489).

**Lusitania** (le) ~ Paquebot britannique. Son torpillage par un sous-marin allemand, le 7 mai 1915, près des côtes d'Irlande, causa la mort de 1 200 personnes, dont 118 Américains, deux ans avant l'entrée en guerre des États-Unis.

**LUSITANIE** (la) ~ Province du S.-O. de la péninsule Ibérique à l'époque romaine, incluant l'actuel Portugal.

**LUSSAC** ~ Localité de la Gironde ; 1 414 h. Centre viticole du vignoble de Saint-Émilion. Grand cru d'appellation contrôlée (vins rouges et blancs).

**LUSTIGER** (Jean-Marie) ~ *1926, Paris.* Prélat français. Né de parents d'orig. juive polonaise, il est prêtre catholique en 1954, puis nommé archevêque de Paris en 1981 et cardinal en 1983. Acad.

**LUTÈCE** ~ Cap. de la tribu gauloise des Parisii, située dans l'actuelle île de la Cité, à Paris, et sur la rive gauche de la Seine (thermes, arènes d'époque gallo-romaine).

**LUTHER** (Martin) ~ *1483, Eisleben, Thuringe - 1546, id.* Réformateur religieux allemand. Issu de la petite bourgeoisie, il entra chez les augustins d'Erfurt (1505), puis devint professeur de théologie à l'université de Wittenberg (1513). Révolté par les abus de l'Église, il formula contre la vente des indulgences les « 95 thèses » (1517), marquant ainsi le début de la Réforme. La publication, en 1520, de trois écrits (*À la noblesse chrétienne de la nation allemande* ; *la Captivité de Babylone* ; *De la liberté du chrétien*) où Luther affirmait la primauté de la foi sur les sacrements et l'autorité de l'Écriture sur les dogmes consomma sa rupture avec Rome. Excommunié, banni du Saint Empire par la diète de Worms (1521), il trouva refuge chez l'Électeur de Saxe et se consacra à l'organisation de l'Église luthérienne, qui commençait à se développer. En conflit avec son ancien compagnon, Th. Müntzer, il prit le parti des princes lors de la guerre des Paysans (1524-1525), signifiant ainsi son refus de donner à sa doctrine une signification autre que religieuse, et s'employa à combattre les thèses dissidentes de Zwingli et d'Œcolampade. Le rejet par Charles Quint de la *Confession d'Augsbourg* (1530), rédigée par Melanchthon d'après les écrits de Luther, provoqua la formation de la ligue de Schmalkalden (1531), qui, revêtant le luthéranisme d'une dimension politique, conditionna le développement de son audience.

**LUTHULI** ou **LUTULI** (Albert John) ~ *1898, en Rhodésie - 1967, Stanger, Natal.* Homme politique sud-africain. Zoulou, président de l'African National Congress (1952-1960), il fut partisan de l'action non violente contre l'apartheid. Prix Nobel de la paix 1960.

**LUTON** ~ V. d'Angleterre (Bedfordshire), au N. de Londres ; 172 000 h. Industries automobile et aéronautique.

**LUTOSŁAWSKI** (Witold) ~ *1913, Varsovie - 1994, id.* Compositeur polonais. Fondés sur une dialectique de concentration rythmique et sur la technique aléatoire, ses œuvres instrumentales ont rénové les grandes formes symphoniques (*Concerto pour violoncelle*, 1970 ; *Symphonie n° 3*, 1983).

**LÜTZEN** ~ V. d'Allemagne, au S.-O. de Leipzig ; env. 4 000 h. Gustave II Adolphe de Suède y battit les troupes de l'empereur Ferdinand II de Habsbourg (16 novembre 1632), et Napoléon Ier les Russes et les Prussiens (2 mai 1813).

**LUXEMBOURG** (le) ~ Province wallonne du S.-E. de la Belgique ; 4 441 km² ; 238 000 h., ch.-l. Arlon. Hauts plateaux ardennais boisés et peu peuplés, Lorraine belge au S. Élevage bovin, exploitation du bois, tourisme.

**LUXEMBOURG (grand-duché de)** ~ Petit pays enclavé d'Europe occidentale, formé par le massif ardennais au N. (Ösling) et par le fertile plateau du Gutland au S. ***Cap.*** Luxembourg. ***Superf.*** 2 586 km². ***Popul.*** 400 900 h. ***Langues princ.*** Luxembourgeois, français, allemand. ***Monn.*** Franc luxembourgeois. ***Climat.*** Humide et frais. ***Riv. princ.*** Sûre, Alzette. ***Écon.*** Elle dépend de plus en plus du secteur tertiaire (institutions communautaires, banques). Le niveau de vie est l'un des plus élevés d'Europe. ***Autres ress.*** Sidérurgie en déclin, élevage bovin, tourisme. **HIST.** - *963* : le comte Sigefroi construit le château de Lützelburg. *XIVe-XVIe s.* : érigé en duché (1354), le Luxembourg est vendu à la maison de Bourgogne (1441) et revient de ce fait aux Habsbourg. *1795-1815* : le duché devient le département français des Forêts. *1815* : grand-duché et membre de la Confédération germanique, le Luxembourg devient possession personnelle du roi des Pays-Bas. *1831* : partage entre la Belgique et le roi des Pays-Bas. *1867* : au traité de Londres, le Luxembourg est proclamé indépendant et neutre. *1890* : à l'avènement au trône de la reine Wilhelmine, le grand duché est attribué à un de ses cousins, Adolphe de Nassau (loi salique). *1919* : le pays devient une démocratie. *1922* : union douanière avec la Belgique (U. E. B. L.). *Depuis 1945* : le Luxembourg, qui a abandonné sa neutralité (1948), est l'un des membres fondateurs de la Communauté européenne (Benelux, Ceca, C. E. E., Union européenne). Le grand-duc Jean est chef de l'État depuis 1964, mais la réalité du pouvoir appartient au Premier ministre (Jean-Claude Juncker depuis janvier 1995).

**LUXEMBOURG** ~ Capitale du grand-duché de Luxembourg, sur l'Alzette, centre financier ; 76 000 h. Évêché. Vieille ville fortifiée par Vauban. Siège de diverses institutions de l'Union européenne, dont elle est l'une des capitales.

**LUXEMBOURG** (François Henri **de Montmorency-Bouteville**, duc DE) ~ *1628, Paris - 1695, Versailles.* Maréchal de France (1675). Commandant de l'armée du Nord pendant la guerre de Hollande (1672), il se distingua à Cassel (1676) et fut victorieux à Fleurus (1690), à Steinkerque (1692) et à Neerwinden (1693), où il prit tant de drapeaux à l'ennemi qu'on le surnomma le Tapissier de Notre-Dame.

**LUXEMBOURG (maisons de)** ~ Nom de trois familles de comtes (puis de ducs en 1354) qui régnèrent sur le Luxembourg à partir de 963. Les maisons accédèrent au Saint Empire (1308), aux trônes de Bohême (1310) et de Hongrie (1387), et s'éteignirent avec Sigismond (1437). Presque toutes leurs possessions revinrent aux Habsbourg.

**Luxembourg (palais du)** ~ Palais élevé à Paris (1612-1622) pour la reine Marie de Médicis. L'architecte Salomon de Brosse s'y inspira d'une double tradition, française et florentine, et la décoration intérieure en fut confiée à des artistes de renom (Rubens). Après avoir abrité le Directoire (1795), le Consulat puis la Chambre des pairs (1814), il est auj. le siège du Sénat.

**LUXEMBURG** (Rosa) ~ *1870, Zamość, Pologne - 1919, Berlin.* Révolutionnaire allemande. Dirigeante de l'aile gauche du S. P. D., elle fonda en 1916 (avec K. Liebknecht) la ligue Spartakus, hostile à la guerre. Elle fut assassinée à la suite du soulèvement berlinois de janvier 1919. Elle a écrit not. *Grève de masse, parti et syndicats* (1906).

**LUXEUIL-LES-BAINS** ~ Station therm. de Haute-Saône, au pied des Vosges franc-comtoises ; 8 790 h. (agglom. 12 850 h.). Musées (archéol., Adler).

**LU Xun** ou **LOU Siun** (Zhou Shuren, dit) ~ *1881, Shaoxing - 1936, Shanghai.* Écrivain chinois. Ses romans réalistes (*la Véritable Histoire d'Ah Q*, 1921) en ont fait une figure exemplaire de la révolution chinoise.

**LUYNES** (Charles, marquis d'**Albert**, duc DE) ~ *1578, Pont-Saint-Esprit - 1621, Longueville.* Connétable de France. Favori de Louis XIII, qu'il encouragea à faire tuer Concini (1617), il échoua devant Montauban, place forte des huguenots (1621).

**LUZHOU** ~ Voir **Hefei**.

**LUZON** ~ Voir **Luçon**.

**L. V. F.** ~ Voir **Légion des volontaires français contre le bolchevisme**.

**LVOV**, en ukrainien ***Lviv***, en polon. ***Lwów***, en all. ***Lemberg*** ~ V. d'Ukraine (O.), centre industriel au N. des Carpates ; 802 000 h. Université (1661). Métall., automobile, chimie. Nombreuses églises du XIVe s. au XVIIIe s. (anc. archevêché catholique). **HIST.** - Fondée par les princes de Galitch au XIIIe s., polonaise à partir de 1349, elle fut ensuite la cap. de la Galicie autrichienne (1772-1918). Les Polonais, qui la disputèrent aux Ukrainiens, s'en emparèrent le 22 novembre 1918 et la gardèrent jusqu'en 1939. La ville fut annexée à l'Ukraine en 1944.

**LWOFF** (André) ~ *1902, Ainay-le-Château, Allier - 1994, Paris.* Médecin et biologiste français. Il étudia notamment la physiologie et la génétique. Prix Nobel de physiol. ou méd. 1965 avec Fr. Jacob et J. Monod.

**LYALLPUR** ~ Voir **Faisalabad**.

**LYAUTEY** (Louis Hubert Gonzalve) ~ *1854, Nancy - 1934, Thorey, auj. Thorey-Lyautey, Meurthe-et-Moselle.* Maréchal de France. Après avoir servi sous Gallieni au Tonkin et à Madagascar (1894-1897), il devint résident général au Maroc, de 1912 à 1925. Il fut ministre de la Guerre (1916-1917). Acad.

*Le maréchal* ***Lyautey*** *(assis, à droite) au Maroc.*

**LYCAONIE** (la) ~ Anc. région de l'Asie Mineure, au centre de l'Anatolie. Après avoir été sous domination des Perses puis des Séleucides, elle fut conquise par Rome en 25 av. J.-C.

**LYCIE** (la) ~ Anc. région du S.-O. de l'Asie Mineure (ruines de Xanthos).

**LYCURGUE** ~ *IXe - VIIIe s. av. J.-C.* Législateur légendaire de Sparte. Plutarque a écrit sa *Vie.*

**LYCURGUE** ~ *v. 390 - v. 324 av. J.-C.* Orateur athénien. Avec Démosthène et Hypéride, il lutta contre Philippe II de Macédoine. Il fut l'artisan de la restauration des finances athéniennes après la bataille de Chéronée (338).

**LYDIE** (la) ~ Anc. royaume d'Asie Mineure, autour de Sardes, la capitale. Ses souverains les plus célèbres furent Gygès et Crésus, son successeur, qui fut vaincu par le Perse Cyrus II en 546 av. J.-C.

**LYLY** (John) ~ *v. 1554, Canterbury - 1606, Londres.* Écrivain et dramaturge anglais, auteur de comédies et initiateur d'un style précieux, l'euphuisme (*Euphues ou l'Anatomie de l'esprit*, 1578).

**LYNCH** (John, dit Jack) ~ *1917, Cork.* Homme d'État irlandais. Dirigeant du Fianna Fáil, il fut Premier ministre de l'Irlande à deux reprises (1966-1973 et 1977-1979).

**LYNDSAY** ou **LINDSAY** (sir David) ~ *v. 1490, près de Haddington - v. 1555, Édimbourg.* Poète écossais. Précepteur de Jacques V d'Écosse, satiriste anticlérical, il prit parti pour la Réforme (*l'Agréable satire des trois états*, 1540).

**LYON** ~ 3e ville et 2e agglom. de France (Rhône), préfect. du Rhône, au confluent de la Saône et du Rhône, au pied des collines de Fourvière et de la Croix-Rousse (extrémité des monts du Lyonnais) ; 415 487 h. (agglom. de 1 262 223 h., administrée par la Courly, Communauté urbaine de Lyon). Métropole industr. (soierie tradit. et text. synthétiques, chim.), comm. (foire internat. annuelle Eurexpo) et universitaire, carrefour d'un réseau de communications (autoroutes, T. G. V., aéroport internat. de Satolas, port fluvial Édouard-Herriot, futur canal à grand gabarit Rhin-Rhône). Centre d'affaires de la Part-Dieu. Archevêché (primat des Gaules). Vestiges romains (théâtre, odéon, aqueducs), vieux quartiers (traboules, maisons gothiques et Renaissance). Primatiale Saint-Jean (gothique avec abside romane), sanctuaire marial de Fourvière (fin XIXe s.). Maison des Canuts. Musées (du Vieux-Lyon, de la Civilisation gallo-romaine, de la Marionnette, des Tissus). **HIST.** - Colonie romaine (43 av. J.-C.), Lugdunum fut élevée par Auguste au rang de capitale des Gaules. Au Ier s. av. J.-C., la **Lyonnaise** (province de l'Empire romain) comprenait l'Armorique et la Normandie. Ce fut un important centre commercial où le christianisme s'implanta dès le IIe s. Dépendant du royaume de Bourgogne (IXe s.), elle forma une seigneurie épiscopale et une commune que la France annexa (1307). Siège d'une généralité (1542), trait d'union avec l'Italie (banque), elle vit son commerce et son industrie (soie) se développer. Insurgée contre la Convention, qui la rebaptisa Commune-Affranchie (1793), elle connut aussi deux révoltes de canuts (1831 et 1834).

***Lyon****, la place Bellecour.*
*Au centre, statue de Louis XIV (1694) par Lemot.*

**LYONNAIS (monts du)** ~ Massif montagneux de l'E. du Massif central, entre les monts du Beaujolais et du Vivarais. Élev. bovin, vergers, viticulture.

**LYONNAISE** (la) ~ Voir **Lyon**.

**LYOT** (Bernard) ~ *1897, Paris - 1952, Le Caire.* Astronome français. Inventeur du coronographe (1930), il fut le pionnier des recherches sur les surfaces planétaires et l'atmosphère solaire. Il obtint les premières images cinématographiques d'éruptions solaires (1948).

**LYS** (la), en néerl. ***Leie*** ~ Riv. des Flandres en partie canalisée, issue de l'Artois, en France, qui rejoint l'Escaut (r. g.) à Gand, en Belgique ; 214 km.

**LYSANDRE** ~ *m. en 395 av. J.-C. à Haliarte.* Chef militaire spartiate. Il vainquit les Athéniens à Aigos-Potamos, dans l'Hellespont (405 av. J.-C.), et assiégea Athènes (405-404), qui dut capituler.

**LYSIAS** ~ *v. 440 - v. 380 av. J.-C.* Orateur athénien. Originaire de Syracuse, il fut hostile aux Trente (404-403 av. J.-C.), qu'il accusa publiquement du meurtre de son frère.

**LYSIMAQUE** ~ *v. 360, Pella - 281 av. J.-C., Couroupédion, Lydie.* Roi de Thrace. L'un des diadoques d'Alexandre le Grand, il se proclama roi en 306. Il fut vaincu et tué par Séleucos Ier.

**LYSIPPE** ~ *v. 390, Sicyone - apr. 310 av. J.-C.* Sculpteur grec. Portraitiste d'Alexandre le Grand et auteur de statues colossales et de groupes sculptés, il influença l'art hellénistique en élaborant un nouveau canon esthétique qui exprime l'énergie du corps.

**LYSS** (Johann) ~ Voir **Liss**.

**LYSSENKO** (Trofim Denissovitch) ~ *1898, Karlovka, Poltava - 1976, Moscou.* Biologiste et agronome soviétique. Il fut le promoteur de la théorie de la transmission des caractères acquis, doctrine officielle jusqu'en 1955 (**lyssenkisme**).

**LYTTON** (Edward George **Bulwer Lytton**, 1er baron) ~ *1803, Londres - 1873, Torquay.* Écrivain et homme politique britannique, auteur du roman historique *les Derniers Jours de Pompéi* (1834).

**MAASTRICHT** ou **MAËSTRICHT** ~ V. et ch.-l. du Limbourg néerlandais, sur la Meuse ; agglom. 164 000 h. Université. Verre, céramique, chim., métall. Basilique Notre-Dame (romane et gothique), église St-Servais (Xe-XIIe s.). La ville fut fondée au IVe s. à l'emplacement d'un pont fortifié romain.

**Maastricht (traité de)** ~ Traité signé le 7 février 1992 par les États membres de la C. E. E. (qui devenait en 1993 l'Union européenne). Il prévoit not. l'instauration d'une Banque centrale européenne et la création d'une monnaie unique, la définition d'une politique étrangère et de sécurité commune, l'harmonisation juridique et sociale de l'Europe et la citoyenneté européenne. Ratifié par tous les États par voie référendaire ou parlementaire, avec des clauses d'exception pour le Danemark et la Grande-Bretagne, il est entré en application le 1er novembre 1993.

**MABILLON** (Jean) ~ *1632, Saint-Pierremont, Ardennes - 1707, Paris.* Bénédictin et historien français. Auteur du *De re diplomatica* (1681), qui fonde la science des chartes et documents officiels.

**MABLY** (Gabriel **Bonnot** DE) ~ *1709, Grenoble - 1785, Paris.* Philosophe et historien français. Adversaire des physiocrates, il fut partisan d'un système préfigurant le communisme agraire (*De la législation ou Principes des lois*, 1776).

**MABUSE** ~ Voir **Gossart** (Jean).

**MCADAM** (John Loudon) ~ *1756, Ayr, Écosse - 1836, Moffat, id.* Ingénieur écossais, réalisateur du revêtement des routes en pierres cassées, dit **macadam** (introduit à Paris en 1849).

**MACAIRE** ~ *v. 1482 - 1563.* Prélat russe. Métropolite de Moscou (1542), conseiller d'Ivan IV le Terrible, il accrut la puissance de l'Église orthodoxe en renforçant ses liens avec le pouvoir moscovite.

**MACAIRE D'ÉGYPTE** (saint), dit **Macaire l'Ancien** ~ *v. 301 - v. 394.* Ermite égyptien. Il se retira en Basse-Égypte, dans le désert de Scété, où il attira de nombreux disciples.

**MACAO**, en port. *Macau*, en chin. ***Aomen*** ~ V. et territoire portugais de la côte chinoise, constitué de deux îles et d'une presqu'île, face à Hong Kong ; 17 km², 381 000 h. Maisons de jeu. Monuments des XVIe et XVIIe s. Possession portugaise depuis 1557, Macao doit revenir à la Chine en 1999.

**MACAPÁ** ~ Voir **Amapá**.

**MACARTHUR** (Douglas) ~ *1880, Fort Little Rock, Arkansas - 1964, Washington.* Général américain. Commandant les forces américaines en Extrême-Orient puis toutes les forces alliées du Pacifique, il reçut en 1945 la reddition du Japon où, chef des troupes d'occupation, il joua un rôle déterminant dans l'élaboration des nouvelles institutions. Il dirigea la contre-offensive des forces de l'O. N. U. contre la Corée (1950-1951), mais son projet d'employer l'arme nucléaire contre la Chine provoqua son renvoi par H. Truman.

**MACASSAR**, auj. **Ujungpandang** ~ Port d'Indonésie, dans le S.-O. de l'île de Célèbes, sur le **détroit de Macassar** (larg. 140 km), voie maritime très fréquentée qui sépare les îles de Célèbes et de Bornéo ; 913 000 h. Université.

**MACAULAY** (Thomas Babington, baron) ~ *1800, Rothley Temple, Leicestershire - 1859, Londres.* Homme politique et historien britannique. Député whig, il est l'auteur d'une *Histoire d'Angleterre* (1848-1861).

**MACBETH** ~ *m. en 1057 à Aberdeen.* Roi d'Écosse (1040-1057). Il s'empara du trône en assassinant Duncan Ier. Malcolm III, fils de ce dernier, le vainquit et le tua. Sa vie a inspiré à Shakespeare sa tragédie intitulée *Macbeth*.

**Maccabées** ou **Macabées** (les) ~ Famille juive du IIe s. av. J.-C. Elle s'illustra dans la révolte juive contre le roi séleucide Antiochos IV Épiphane et fit reconnaître l'indépendance de la Judée en 140 av. J.-C. Cette révolte est rapportée dans les quatre livres bibliques des Maccabées (dits livres des Martyrs d'Israël).

**MCCAREY** (Leo) ~ *1898, Los Angeles - 1969, Santa Monica.* Cinéaste américain. Il dirigea Harry Langdon, Laurel et Hardy, Harold Lloyd et les Marx Brothers avant de réaliser des comédies (*l'Extravagant Mr. Ruggles*, 1935 ; *Cette Sacrée Vérité*, 1937).

**MCCARTHY** (Joseph) ~ *1908, près d'Appleton, Wisconsin - 1957, Bethesda, Maryland.* Homme politique américain. Sénateur républicain, il lança au début des années 1950 la « chasse aux sorcières » contre les communistes et leurs sympathisants.

**MCCLINTOCK** (Barbara) ~ *1902, Hartford - 1992, Huntington.* Généticienne américaine. Elle travailla sur les transposons, démontrant des restructurations possibles du patrimoine héréditaire. Prix Nobel de physiol. ou méd. 1983.

**MCCLURE** (sir Robert John **Le Mesurier**) ~ *1807, Wexford, Irlande - 1873, Londres.* Amiral britannique. Il ouvrit le passage du Nord-Ouest, entre le Pacifique et l'Atlantique (1851-1853).

**MCCORMICK** (Cyrus Hall) ~ *1809, Walnut Grove, Virginie - 1884, Chicago.* Industriel américain. Il inventa la première faucheuse industrielle.

**MCCULLERS** (Carson **Smith**) ~ *1917, Columbus, Géorgie - 1967, Nyack, État de New York.* Romancière américaine. Elle évoque le désarroi ordinaire de personnages marqués par la solitude (*Le cœur est un chasseur solitaire*, 1940 ; *la Ballade du café triste et autres nouvelles*, 1951).

**MACDONALD** (Alexandre) ~ *1765, Sedan - 1840, Courcelles-le-Roi, Loiret.* Maréchal de France. Il s'illustra sous la République et sous l'Empire, fut fait duc de Tarente après Wagram (1809), puis se rallia aux Bourbons.

**MACDONALD** (James Ramsay) ~ *1866, Lossiemouth, Écosse - 1937, en mer.* Homme politique britannique. Il fut en 1900 l'un des fondateurs du parti travailliste, dont il prit la tête en 1911 et qu'il contribua à orienter vers un socialisme réformiste. Premier ministre en 1924, il fut rappelé au pouvoir (1929-1935) pour faire face à la crise économique.

**MACDONALD** (sir John Alexander) ~ *1815, Glasgow - 1891, Ottawa.* Homme politique canadien. Premier ministre du Canada (1867-1873 et 1878-1891), il obtint le rattachement au dominion des Territoires du Nord-Ouest, du Manitoba et de la Colombie-Britannique.

**MACDONNELL (monts)** ~ Ligne de hauteurs de l'Australie centrale, dans le Territoire du Nord (alt. max. 1 510 m).

**MACÉ** (Jean) ~ *1815, Paris - 1894, Monthiers, Aisne.* Pédagogue français. Il fonda en 1866 la Ligue française de l'enseignement, favorable à l'école laïque et obligatoire.

**MACÉDOINE** (la) ~ Région montagneuse (Pinde et Alpes dinariques à l'O.) du centre de la péninsule balkanique. Sans unité géographique ou ethnique, elle est partagée entre l'ex-république yougoslave de Macédoine, la Grèce (façade égéenne) et la Bulgarie. V. princ. Skopje, Thessalonique.

**MACÉDOINE (république de)** ~ Pays enclavé de l'Europe balkanique. ***Cap.*** Skopje. ***Superf.*** 25 713 km². ***Popul.*** 1 937 000 h., dont Macédoniens (65 %), Albanais (21 %), Turcs (4 %), Tsiganes, Grecs, Serbes. ***Langue princ.*** Macédonien (proche du bulgare). ***Monn.*** Dinar. ***Relief.*** Montagneux, plaines limitées aux vallées (Vardar). ***Climat.*** Continental à nuance méditerranéenne. ***Écon.*** Largement hypothéquée, depuis l'éclatement de la Yougoslavie, par la guerre en Bosnie et par la politique d'obstruction d'Athènes. Agric. localisée le long de l'axe du Vardar (céréales, tabac, vigne, fruits, légumes, élev. bovin). Les ressources minérales (zinc, plomb, cuivre) ont permis le développement d'une industrie diversifiée (métall., mécan., chim., bois, text., électroménager). Potentiel touristique. ***V. princ.*** Skopje, Bitola, Prilep. **HIST.** - *IIIe mill. av. J.-C.* : la Macédoine est peuplée par des Hellènes, des Thraces et des Illyriens. *VIIe s. av. J.-C.* : formation d'un royaume de Macédoine. *513-479 av. J.-C.* : domination perse. *359-323 av. J.-C.* : Philippe II de Macédoine commence la conquête de la Grèce, achevée par son fils, Alexandre le Grand, qui étend son empire au Proche-Orient et au Moyen-Orient, de la Méditerranée à l'Indus et de la mer Noire à l'Égypte. *IIe s. av. J.-C.* : le royaume se trouve réduit à la seule Macédoine avant de passer sous domination romaine (168 av. J.-C.). *IVe-XIVe s.* : province de l'empire romain d'Orient puis de l'Empire byzantin, elle est englobée dans le royaume bulgare au IXe s. pour redevenir byzantine (1014), avant d'être transformée par les croisés en un éphémère royaume de Thessalonique (1204-1224), soumis bientôt à l'empire de Nicée (1246). *1371-1430* : conquête et domination par les Ottomans. *1912-1913* : deux guerres balkaniques aboutissent au partage du pays entre la Bulgarie, la Grèce et la Serbie. *1947-1991* : le traité de Paris intègre la « Macédoine de Vardar » à la république fédérale de Yougoslavie. *1991* : par référendum, la Macédoine proclame son indépendance, sous la direction de Kiro Gligorov (ex-communiste) qui parvient à maintenir la paix civile malgré des tensions avec la Serbie et l'Albanie. Le nom adopté par le nouvel État et l'emblème choisi (symbole antique du soleil) provoquent une crise diplomatique grave avec la Grèce (1993-1995). *1993* : admission à l'O. N. U., sous le nom d'ex-république yougoslave de Macédoine.

**MACEIÓ** ~ Voir **Alagoas**.

**MACH** (Ernst) ~ *1838, Chirlitz-Turas, Moravie - 1916, Haar, près de Munich.* Physicien et philosophe autrichien. En philosophie, il fonda l'empiriocriticisme avec R. Avenarius. Il établit la vitesse du son, dont l'unité porte son nom. Sa critique de la mécanique newtonienne influença Einstein.

**MACHADO** (Antonio) ~ *1875, Séville - 1939, Collioure.* Poète espagnol. Ses poèmes furent d'abord intimes (*Solitudes*, 1903), avant d'évoluer vers la réflexion historique et philosophique (*Chants de Castille*, 1912). Il fut l'un des phares de la poésie contemporaine espagnole. Républicain, il s'exila à la fin de la guerre civile espagnole.

**MACHADO DE ASSIS** (Joaquim Maria) ~ *1839, Rio de Janeiro - 1908, id.* Poète et romancier brésilien. Il fonda en 1897 l'Académie brésilienne des lettres. Ses œuvres sont empreintes d'un profond pessimisme (*Quincas Borba*, 1891).

**MACHALA** ~ Port et centre admin. du S. de l'Équateur ; 144 000 h. Université technologique. Export. de bananes, cacao, café.

**MACHAULT D'ARNOUVILLE** (Jean-Baptiste DE) ~ *1701, Paris - 1794, id.* Homme politique français. Contrôleur général des Finances (1745-1754) sous Louis XV, il créa en 1749 l'impôt du vingtième et s'attaqua aux privilèges. Désavoué, il quitta les Finances pour le ministère de la Marine (1754-1757).

**MACHAUT** (Guillaume DE) ~ Voir **Guillaume de Machaut**.

**MACHECOUL** ~ V. du pays de Retz (Loire-Atlantique), au S.-O. de Nantes ; 5 072 h. Cycles. Ruines d'un château (XVe s.) de Gilles de Rais. La ville fut le théâtre d'un massacre des bleus par les troupes royalistes (mars-avril 1793).

**MACHEL** (Samora Moises) ~ *1933, Madragoa - 1986, en avion, au-dessus de l'Afrique du Sud.* Homme d'État mozambicain. Il dirigea la lutte armée contre le Portugal à la tête du Front de libération du Mozambique (Frelimo), puis devint le premier président du Mozambique indépendant (1975-1986).

**MACHHAD** ~ Voir **Méched**.

**MACHIAVEL** (Niccolo **Machiavelli**, en fr. Nicolas) ~ *1469, Florence - 1527, id.* Homme politique et philosophe italien. Élu secrétaire de la chancellerie de Florence en 1498, il fut révoqué après le retour des Médicis au pouvoir, en 1512. Son œuvre maîtresse est *le Prince* (1513), essai de philosophie politique centré sur la problématique de la conquête et de l'exercice du pouvoir. Il est aussi l'auteur de traités d'histoire (*Histoires florentines*, 1520-1526) et de tactique (*l'Art de la guerre*, 1521).

**MACHREQ** (le), en fr. « Levant » ~ Orient arabe, qui englobe l'Égypte, le Soudan et les pays arabes du Proche- et du Moyen-Orient, par opposition au Maghreb.

**Machu Picchu** (le) ~ Site archéol. inca du Pérou (alt. 2 045 m), au N.-O. de Cuzco (vallée de l'Urubamba). Cité ignorée des conquistadors espagnols, elle fut découverte en 1911.

© Abbas-Gamma

*Le site du **Machu Picchu**, dans les Andes.*

**MACINA (plaine de)** ~ Région agricole (riz, coton) du Mali, dans le delta intérieur du Niger, entre Ségou et Tombouctou. Les Peuls y constituèrent un empire musulman au XIXe s.

**MACKENSEN** (August VON) ~ *1849, Haus Leipnitz - 1945, Burghorn, près de Celle.* Maréchal allemand. Vainqueur en Galicie et en Serbie (1915), puis en Roumanie (1916), il fut vaincu par Franchet d'Esperey dans les Balkans (1918).

**MACKENZIE** (le) ~ Fl. princ. du Grand Nord canadien, issu du Grand Lac de l'Esclave, tributaire de l'océan glacial Arctique et dont les branches mères (rivière de la Paix, Athabasca) naissent dans les montagnes Rocheuses ; 4 241 km (bassin : 1 805 200 km²).

**MACKENZIE** (William Lyon) ~ *1795, près de Dundee, Écosse - 1861, Toronto.* Homme politique canadien. Opposant à la Couronne britannique, il fut l'un des dirigeants de la rébellion de 1837.

**MCKINLEY (mont)** ~ Point culminant de l'Amérique du Nord (6 194 m, chaîne de l'Alaska).

**MCKINLEY** (William) ~ *1843, Niles, Ohio - 1901, Buffalo.* Homme d'État américain. Républicain, artisan de la loi protectionniste de 1890, il fut élu président en 1896 et réélu en 1900. Son mandat fut marqué par la guerre hispano-américaine, qui permit aux États-Unis de prendre le contrôle de Porto Rico et des Philippines. Il fut assassiné par un anarchiste.

**MACKINTOSH** (Charles Rennie) ~ *1868, Glasgow - 1928, Londres.* Architecte et décorateur britannique. Il fut l'un des principaux représentants de l'Art nouveau. [☞ **nouveau.**]

**MCLAREN** (Norman) ~ *1914, Stirling, Écosse - 1987, Montréal.* Cinéaste d'animation canadien d'orig. britannique. Il expérimenta une nouvelle technique du dessin animé, en gravant directement les images ou la bande-son sur la pellicule (*Blinkity Blank*, 1955 ; *Pas de deux*, 1968).

**MACLAURIN** (Colin) ~ *1698, Kilmodan, comté d'Argyll - 1746, Édimbourg.* Mathématicien écossais. Il étudia not. les coniques et généralisa le théorème de l'hexagramme. On lui doit le premier exposé des méthodes de Newton, le *Traité des fluxions* (1742), et la formule qui porte son nom.

**MACLEOD** (John James Richard) ~ *1876, près de Dunkeld, Écosse - 1935, Aberdeen.* Médecin britannique. Avec Ch. Best et Fr. Banting, il isola l'insuline et découvrit son rôle dans le traitement du diabète. Prix Nobel de physiol. ou méd. 1923.

**MACLOU** (saint) ~ Voir **Malo.**

**MCLUHAN** (Herbert Marshall) ~ *1911, Edmonton - 1980, Toronto.* Sémiologue canadien. Il analysa l'influence des médias sur la culture, depuis l'invention de l'écriture jusqu'à l'ère des communications électroniques (*la Galaxie Gutenberg*, 1962 ; *Pour comprendre les médias*, 1964).

**MAC-MAHON** (Edme Patrice, comte DE), duc de **Magenta** ~ *1808, Sully, Saône-et-Loire - 1893, Château-la-Forêt, Loiret.* Maréchal et homme d'État français. Vainqueur à Magenta (1859), il fut ensuite gouverneur général de l'Algérie. En 1870, il fut battu et fait prisonnier à Sedan. Libéré, il commanda l'armée versaillaise qui mit fin à la Commune de Paris (mai 1871). Après le départ de Thiers, il fut élu président de la République (1873) à l'instigation de la majorité monarchiste de l'Assemblée nationale, et apporta son soutien à la politique d'ordre moral. À la suite de l'arrivée d'une majorité républicaine à la Chambre (1876), il dut nommer Jules Simon à la tête du gouvernement. Le renvoi de ce dernier lors de la crise du 16 mai 1877 fut suivi de la dissolution de la Chambre des députés. La victoire des républicains, confirmée en oct. 1877 puis en janv. 1879, l'amena à démissionner.

**MCMILLAN** (Edwin Mattison) ~ *1907, Redondo Beach, Californie - 1991, El Cerrito, id.* Physicien américain. Il obtint le neptunium (1940) et le plutonium (1941). En même temps que Veksler, il conçut le principe du synchrotron (1945). Prix Nobel de chim. 1951.

**MACMILLAN** (Harold, comte) ~ *1894, Londres - 1986, Birch Grove, Sussex.* Homme politique britannique. Premier ministre conservateur en 1957, il plaida pour l'entrée de la Grande-Bretagne dans le Marché commun. Mis en difficulté par le veto que lui opposa le général de Gaulle et compromis dans un scandale, il démissionna en 1963.

**MÂCON** ~ Préfect. de Saône-et-Loire, sur la Saône, au pied de la côte du Mâconnais, port fluvial, marché agric. (bovins, volailles) et vitic., et centre industr. ; agglom. 46 714 h. Vestiges de la cathédrale St-Vincent romane et gothique, hôtels (XVIIIe s.). Anc. cité des Éduens, cap. de comté aux Xe-XIIe s., possession des ducs de Bourgogne au XVe s.

**MÂCONNAIS (monts du)** ~ Partie N.-E. du Massif central bordant la Saône inférieure (alt. max. 760 m). Vignobles réputés (pouilly, mâcon).

**MAC ORLAN** (Pierre **Dumarchey**, dit Pierre) ~ *1882, Péronne - 1970, Saint-Cyr-sur-Morin.* Écrivain français. Ses romans ont pour thèmes l'aventure, le voyage et la marginalité (*le Quai des brumes*, 1927 ; *la Bandera*, 1931).

**MACPHERSON** (James) ~ Voir **Ossian.**

**MACRIN**, en lat. ***Marcus Opellius Macrinus*** ~ *164, Césarée, auj. Cherchell - 218, Chalcédoine.* Empereur romain (217-218). Ayant succédé à Caracalla, qu'il avait fait assassiner, il fut lui-même tué par ses soldats. Élagabal lui succéda.

**MACTA (défilés de la)** ~ Site d'Algérie, près de Mestaghanem, où Abd el-Kader battit les Français commandés par Camille Trézel (juin 1835).

**MADAGASCAR (république de)** ~ État de l'océan Indien, grande île située au large de l'Afrique australe (Mozambique). ***Cap.*** Antananarivo. ***Superf.*** 587 041 km². ***Popul.*** 13 500 000 h. ***Langues princ.*** Malgache, français. ***Monn.*** Franc malgache. ***Relief.*** Socle ancien (1 000 à 1 500 m) surmonté de reliefs volcaniques (Tsaratanana, 2 876 m) et bordé de plaines littorales (étroites à l'E.). ***Climat.*** Tropical humide à l'E. (cyclones), plus sec à l'O., tempéré par l'altitude. ***Écon.*** Agric. vivrière (riz, manioc) et commerciale (café, épices, tabac, coton). Élevage bovin, pêche. Déforestation et surpâturage menacent les sols. **HIST.** - Le peuplement d'origine, tardif, est constitué de populations venues d'Indonésie, d'Afrique, puis des pays arabes. *1500* : découverte de l'île par les Portugais. *XVIe-XVIIe s.* : les Français fondent quelques ports (Fort-Dauphin, 1643), annexent l'île, mais échouent à la coloniser durablement. *XVIIIe-XIXe s.* : à partir d'un petit royaume, les Merinas étendent leur domination sur l'île et la modernisent progressivement. *1896* : l'île est conquise par la France, qui en fait une colonie (intervention de Gallieni et de Lyautey). La dernière reine, Ranavalona III est exilée en 1897. *1946* : Madagascar devient un territoire d'outre-mer. *1947-1948* : violentes révoltes sévèrement réprimées. *1956* : autonomie du pays. *1960* : création de la République malgache indépendante sous la direction de Philibert Tsiranana (élu président en 1959). *1975-1991* : après une période troublée, Didier Ratsiraka met en place un régime socialiste autoritaire. *1991* : retour au libéralisme économique et politique. *1996* : D. Ratsiraka remplace Albert Zafy (élu en 1993) à la présidence de la République.

**MADEIRA** (le) ~ Affl. majeur de l'Amazone (r. dr.), collecteur de riv. des Andes boliviennes et du Mato Grosso brésilien ; 3 350 km.

**MADELEINE (La)** ~ V. de la banlieue N. de Lille (Nord) ; 21 601 h. Chimie.

**Madeleine** (la) ~ Site préhistorique de Dordogne (commune de Tursac). Il a donné son nom à la dernière culture du Paléolithique supérieur (**Magdalénien**).

**MADELEINE (monts de la)** ~ Massif prolongeant au N. les monts du Forez, entre la Loire et l'Allier, qui culmine à 1 165 m.

**MADELEINE** (sainte) ~ Voir **Marie Madeleine.**

**MADÈRE** ~ Île et archipel montagneux (alt. max. 1 860 m) de l'Atlantique, région autonome du Portugal, à 700 km des côtes du Maroc ; 794 km², 254 000 h. (d'origine européenne), cap. Funchal. Vigne, canne à sucre, bananes. Tourisme.

**MADERNA** (Bruno) ~ *1920, Venise - 1973, Darmstadt.* Compositeur et chef d'orchestre italien. Il fut l'un des principaux représentants de la musique sérielle de l'après-guerre en Italie (*Hypérion*, 1960-1969 ; *le Rire*, 1962).

**MADERNO** (Carlo) ~ *1556, Capolago, Tessin - 1629, Rome.* Architecte italien. Précurseur du baroque, il acheva not. la nef et la façade de la basilique St-Pierre (1607-1612), modifiant les plans originaux de Bramante et de Michel-Ange.

**MADHYA PRADESH** (le) ~ Le plus vaste État de l'Inde, dans le N. de la péninsule du Deccan, région de plaines et de hautes collines drainées par la Narmada ; 443 446 km², 66 181 000 h. (90 % d'hindouistes), cap. Bhopal. Agric. (céréales, coton) et ress. minières (charbon, fer, bauxite, manganèse). V. princ. : Bhopal, Gwalior, Indore, Jabalpur.

**MADISON** ~ Cap. de l'État du Wisconsin (États-Unis), à l'O. de Milwaukee ; agglom. 367 000 h. Université. Industr. du bois, machines-outils.

**MADISON** (James) ~ *1751, Port Conway, Virginie - 1836, id.* Homme d'État américain. Président des États-Unis (1809-1817). Il fut l'un des fondateurs du parti républicain.

**MADRAS** ~ Port et 4e v. de l'Inde, cap. du Tamil Nadu, sur le golfe du Bengale ; 3 841 000 h. (agglom. 5 422 000 h.). Pôle univ. et culturel (académie de musique et de danse, studios de cinéma, musées). Industries text., autom., matériel ferrov. et artisanat. Ancien comptoir anglais, capitale de l'Inde du Sud britannique au XIXe s.

**MADRAS (État de)** ~ Voir **Tamil Nadu.**

**MADRE (sierra)** ~ Ensemble des grands systèmes montagneux qui encadrent les hauts plateaux centraux du Mexique, à l'O., à l'E. et au S., dominant les littoraux pacifique et atlantique.

**MADRID** ~ Cap. de l'Espagne (2 910 000 h.), au centre du pays, qui forme avec ses environs une communauté autonome (7 995 km², 4 948 000 h.) enclavée dans la Castille peu peuplée. La ville conserve son rayonnement culturel : riches musées (dont celui du Prado), édifices des XVIIe et XVIIIe s. (Plaza Mayor, palais royal, églises, couvents des Descalzas Reales et de l'Encarnación), tandis que le développement des industries ajoute à son ancienne fonction politique un rôle de pôle économique grandissant. **HIST.** - Capitale de Philippe II à partir de 1561, elle fut occupée par les Français en 1808. Siège du gouvernement républicain pendant la guerre civile (1936-1939), elle fut le théâtre de violents combats qui retardèrent la victoire franquiste.

**MADURA** ~ Île surpeuplée d'Indonésie, face à Surabaya (Java) ; 5 290 km², env. 2 700 000 h.

**MADURAI**, anc. **Madura** ~ V. du S. de l'Inde (Tamil Nadu), centre de pèlerinage hindouiste, industr. (coton) et univ. ; 941 000 h. Ensemble brahmanique (Xe-XVIIe s.), temple dravidien du XVIIe s. Anc. capitale de la dynastie Pandya.

**MAELSTRÖM**, en norv. ***Malstrøm*** ~ Chenal des côtes de Norvège (îles Lofoten) et puissant courant de marée qui y sévit, dont le nom est entré dans la langue avec le sens de « tourbillon ».

**MAELZEL** ou **MÄLZEL** (Johann Nepomuk) ~ *1772, Ratisbonne - 1838, en mer, au large de Panamá.* Inventeur autrichien. Il réalisa le métronome (1816) et mit au point de nouveaux modèles de cornets acoustiques (not. pour Beethoven).

**MAESTRA (sierra)** ~ Chaîne montagneuse bordant la côte S.-E. de Cuba (alt. max. 1 974 m). Foyer de la guérilla castriste de 1956 à 1958.

**MAËSTRICHT** ~ Voir **Maastricht**.

**MAETERLINCK** (Maurice) ~ *1862, Gand - 1949, Nice.* Écrivain et dramaturge belge d'expression française. Son œuvre allie symbolisme baroque (*Pelléas et Mélisande*, 1892) et mystique de la nature (*la Vie des abeilles*, 1901). Prix Nobel de litt. 1911.

*Maurice* ***Maeterlinck,*** *peint en 1931 par Jacques-Émile Blanche (1861-1942). Musée des Beaux-Arts, Rouen.*


**MAGADAN** ~ Port du N. de l'Extrême-Orient russe sur la mer d'Okhotsk ; env. 152 000 h. Constr. mécaniques, conserveries de poissons et de crustacés. Institut de recherches géologiques.

**MAGDALENA** (le) ~ Fl. de Colombie (1 500 km), issu des Andes, tribut. de la mer des Antilles, première voie de communication naturelle du pays, entre les Cordillères centrale et orientale.

**MAGDEBOURG** ~ V. et port fluvial d'Allemagne (Börde), cap. du land de Saxe-Anhalt, sur l'Elbe, reliée au Mittellandkanal ; 274 000 h. Chimie, textile, métallurgie. Cathédrale gothique (XIII$^{e}$-XIV$^{e}$ s.). **HIST.** - Archevêché dès le X$^{e}$ s., ville hanséatique au XIII$^{e}$ s., pôle économique et administratif, Magdebourg fut sécularisée par le traité de Westphalie (1648). Elle fut détruite aux deux tiers en 1944.

**MAGELLAN (Fernão de Magalhães,** en fr. **Fernand DE)** ~ *1480, Sabrosa - 1521, Mactan, Philippines.* Navigateur portugais. Au service de Charles Quint, il entreprit le premier voyage autour du monde (1519), découvrit le détroit qui porte auj. son nom (1520), mais fut tué sur l'îlot de Mactan. Seul le bateau de son compagnon J. S. Elcano parvint à destination (1522).

**MAGELLAN (détroit de)** ~ Détroit long de 560 km qui sépare le continent sud-américain de la Terre de Feu.

**MAGENDIE** (François) ~ *1783, Bordeaux - 1855, Sannois, Val-d'Oise.* Physiologiste et neurologue français, père de la pharmacologie moderne. Il confirma, après Ch. Bell, les fonctions sensitive et motrice des racines des nerfs rachidiens.

**MAGENTA** ~ V. d'Italie, près de Milan ; env. 25 000 h. Le 4 juin 1859, Mac-Mahon y remporta une victoire sur les Autrichiens, lors de la campagne d'Italie.

**MAGHNIYYA**, anc. **Marnia** ~ V. d'Algérie (wilaya de Tlemcen), à la frontière marocaine, marché agricole, au N. des Hautes Plaines ; env. 70 000 h.

**MAGHREB** (le), en fr. « Couchant » ~ Occident arabe (par opposition au Machreq), qui inclut le Maroc, l'Algérie, la Tunisie et, au sens large, la Libye et la Mauritanie (pays du désert).

**Maginot (ligne)** ~ Fortifications construites de 1927 à 1936 sur la frontière française du N.-E., à l'initiative d'**André Maginot**, ministre de la Guerre de 1922 à 1924 et de 1929 à 1932. Les Allemands la contournèrent en 1940 par la Belgique.

**magistrature (École nationale de la)** ~ Établissement public chargé d'assurer la formation des candidats aux fonctions judiciaires. Installée à Bordeaux, elle a succédé en 1970 au Centre national d'études judiciaires, créé en 1958.

**MAGNAN** (Valentin) ~ *1835, Perpignan - 1916, Paris.* Psychiatre français. Il étudia la paralysie générale et l'alcoolisme, et élabora une théorie de la dégénérescence.

**MAGNANI** (Anna) ~ *1908, Alexandrie, Égypte - 1973, Rome.* Actrice italienne. Révélée par R. Rossellini dans *Rome, ville ouverte* (1945), elle confirma son talent de tragédienne populaire dans *le Carrosse d'or*, de J. Renoir (1953), ou dans *Mamma Roma*, de P. P. Pasolini (1962).

**MAGNARD** (Albéric) ~ *1865, Paris - 1914, Baron, Oise.* Compositeur français. Son œuvre comprend des symphonies marquées par le dramatisme beethovénien, des partitions théâtrales (*Guercœur*, 1900), des mélodies (*Poèmes*, 1890-1902), de la musique de chambre et des hymnes (*Hymne à Vénus*, 1904).

**MAGNASCO** (Alessandro) ~ *1667, Gênes - 1749, id.* Peintre italien. Artiste à la touche nerveuse, il peignit not. des scènes imaginaires de la vie des moines, des militaires et des bohémiens.

**MAGNE** ou **MAÏNA** ~ Péninsule de Laconie (Grèce). Pays des **Maïnotes,** qui passent pour descendre des Spartiates. Ils restèrent autonomes sous la domination ottomane, et jouèrent un rôle de premier plan dans la lutte pour l'indépendance de la Grèce (1821).

**MAGNELLI** (Alberto) ~ *1888, Florence - 1971, Meudon.* Peintre italien. Proche de l'avant-garde futuriste, puis des cubistes, il témoigna d'une constante recherche de rigueur architecturale et d'une simplicité chromatique qui le menèrent à l'abstraction.

**MAGNÉSIE DU MÉANDRE** ~ Anc. cité grecque d'Asie Mineure, colonie thessalienne.

**MAGNÉSIE DU SIPYLE** ~ Anc. v. d'Asie Mineure. L'armée romaine de Scipion l'Asiatique y battit le Séleucide Antiochos III Mégas (189 av. J.-C.).

**MAGNITOGORSK** ~ V. industr. et minière (fer) de Russie, créée en 1929 au pied oriental de l'Oural, sur le fl. Oural, centre sidér. ; 441 000 h.

**MAGNOL** (Pierre) ~ *1638, Montpellier - 1715, id.* Médecin et botaniste français. Il fonda le classement des plantes par familles. On baptisa le **magnolia** d'après son nom.

**MAGNUS** ~ Nom de plusieurs rois de Suède, de Norvège et de Danemark du XI$^{e}$ au XIV$^{e}$ s. **Magnus VII Eriksson** (*1316 - 1374*), roi de Suède (1319-1363) et de Norvège (1319-1343), réunit sous son autorité ces deux royaumes.

**MAGOG** ~ Voir **Gog** et **Magog**.

**MAGRITTE** (René) ~ *1898, Lessines - 1967, Bruxelles.* Peintre belge, d'inspiration surréaliste. L'étrangeté poétique de son œuvre (distanciation du réel, juxtaposition d'objets) est servie par une facture minutieuse et sèche (*Souvenir de voyage*, 1951 ; *les Vacances de Hegel*, 1958).

Le Musée du roi, *peinture de René* ***Magritte.*** *Coll. part., Japon.*

**MAGUELONE** ou **MAGUELONNE** ~ Anc. port de la côte languedocienne, au S. de Montpellier (Hérault). Cathédrale St-Pierre (XI$^{e}$-XII$^{e}$ s.). **HIST.** - Détruite par Charles Martel (737), la cité se releva et prospéra aux XIII$^{e}$ et XIV$^{e}$ s. Elle fut démantelée sur ordre de Richelieu (1622).

**MAGUILEV** ou **MOGUILEV** ~ V. industrielle de Biélorussie, centre admin. et nœud ferroviaire sur le Dniepr ; 363 000 h. Anc. ville lituanienne et polonaise annexée par la Russie en 1772.

**Magyars** (les) ~ Peuple de langue finno-ougrienne, originaire de l'Oural. Les Magyars envahirent la vallée du Danube en 895. C'est le nom que se donnent eux-mêmes les Hongrois.

**Mahabalipuram** ~ Site monumental de l'Inde, sur la côte S.-E. du Deccan. Port des Pallava (VII$^{e}$ s.). Monolithes et temples rupestres (VII$^{e}$-VIII$^{e}$ s.).

***Mahabalipuram,*** *temples creusés et sculptés à même le granite.*

**MAHAJANGA**, anc. **Majunga** ~ Port, centre industriel et administratif du N.-O. de Madagascar, sur le canal de Mozambique ; 122 000 h. Ancien comptoir arabe (XVIII$^{e}$ s.).

**MAHARASHTRA** (le) ~ État de l'O. de l'Inde bordé par l'océan Indien (mer d'Oman) ; 307 713 km$^{2}$, 78 937 000 h. (en maj. Marathes), cap. Bombay. Le vaste plateau intérieur du Deccan, abrité par les Ghats occidentaux, est peu arrosé, l'étroite plaine littorale très humide. Céréales, canne à sucre, coton. Industries à Bombay et à Pune.

**MAHAUT** ~ Voir **Mathilde**.

**MAHAVIRA** ou **JINA** ou **VARDHAMANA** ~ *VI$^{e}$ s. av. J.-C.* Prophète indien. Fondateur du jaïnisme. [☞ **jaïnisme**.]

**MAHDI** (Muhammad Ahmad **ibn Abd Allah**, dit **al-**) ~ *1844, près de Khartoum - 1885, Omdurman.* Chef militaire et religieux soudanais. Se proclamant envoyé d'Allah (ou *mahdi*) en 1881, il déclara la guerre sainte au Soudan britannique, appuyé par ses adeptes, les derviches, et contrôla tout le pays après la prise de Khartoum (1885), où il organisa un pouvoir théocratique. L'État qu'il avait créé fut repris par les Britanniques en 1898.

**MAHÉ** ~ Île princ. des Seychelles, dans le groupe du même nom (153 km$^{2}$), site de la capitale, Victoria ; 60 000 h.

**MAHÉ** ~ Port du Kerala (Inde), comptoir français jusqu'en 1954 ; 33 000 h.

**MAHFOUZ** (Naguib) ~ *1912, Le Caire.* Romancier égyptien. Il peint le petit peuple et la bourgeoisie cairotes (*le Passage des miracles*, 1947 ; *Impasse des deux palais*, 1956). Prix Nobel de litt. 1988.

**MAHLER** (Gustav) ~ *1860, Kalischt, Bohême - 1911, Vienne.* Compositeur et chef d'orchestre autrichien. Outre dix symphonies d'un ample lyrisme postromantique, on lui doit des cycles de lieder avec orchestre (*Kindertotenlieder*, 1904 ; *le Chant de la Terre*, 1908).

**MAHMUD**, nom de plusieurs sultans ottomans. ~ **Mahmud I$^{er}$** (*1696, Edirne - 1754, Istanbul*), sultan de 1730 à 1754. Il mena quatre guerres contre la Perse et une contre la Russie. ~ **Mahmud II** (*1784, Istanbul - 1839, id.*), sultan de 1808 à 1839. Il réprima l'insurrection serbe (1804-1813), puis combattit la révolution grecque de 1821 qui aboutit à l'indépendance de 1830. Réformateur de l'empire, il fit massacrer les janissaires, qui s'opposaient à son action.

**MAHMUD DE GHAZNI** ~ *971 - 1030, Ghazni.* Sultan ghaznavide (998-1030). Il régna sur une grande partie de l'Afghanistan, du Pendjab et de l'Iran, et mena dix-sept campagnes en Inde.

**MAHOMET**, en ar. *Muhammad* ~ *v. 570, La Mecque - 632, Médine.* Prophète et fondateur de l'islam. Né dans une famille de commerçants de La Mecque, Mahomet mena jusqu'à quarante ans la vie d'un notable. Se livrant régulièrement à des retraites spirituelles, il reçut au cours de l'une d'elles, ainsi que le relate la tradition (hadith), la visite de l'archange Gabriel, qui commença à lui transmettre les révélations dont la transcription ultérieure constituerait le Coran. Il se mit alors à en prêcher les enseignements à son entourage. Mais il se heurta aux dirigeants de La Mecque et dut chercher refuge à Médine en 622. Cette fuite (l'hégire) marque les débuts de l'ère islamique. Au cours de cet exil, qui dura dix ans, il jeta les bases d'un État dont les structures – impôt religieux, institution du djihad (guerre sainte), etc. – servirent de modèle à toutes les sociétés islamiques. La prise de La Mecque par ses fidèles (630) assura de nombreuses conversions à la nouvelle religion, qui commença dès lors à s'étendre à tous les Arabes et permit leur unification, prélude à l'expansion musulmane. [☞ **islam.**]

**Mahrates** (les) ~ Voir **Marathes.**

**Mai (Premier)** ~ Journée de manifestation des syndicats américains à partir de 1886, adoptée en Europe par l'Internationale socialiste en 1889. Fête légale et jour férié depuis 1947 (fête du Travail).

**mai 1877 (crise du 16)** ~ Crise politique qui opposa le président de la République, Mac-Mahon, à la Chambre des députés dominée par les républicains. La démission de Jules Simon, remplacé par le duc de Broglie, et la dissolution de la Chambre (25 juin) n'empêchèrent pas les républicains de rester majoritaires aux nouvelles élections.

**mai 1958 (crise du 13)** ~ Série d'évènements qui se déroulèrent en France en relation avec la crise algérienne. La vacance du pouvoir après la démission de Félix Gaillard provoqua à Alger la création d'un comité de salut public sous la direction du général Massu, et entraîna le retour au pouvoir du général de Gaulle, prélude à l'effondrement de la Vᵉ République.

**mai 1968 (évènements de)** ~ Mouvement de contestation né du milieu étudiant (mouvement du 22 mars, à Nanterre) qui s'étendit aux ouvriers, provoquant une crise politique, sociale et culturelle, et paralysant la France par la grève générale. Le conflit fut en partie réglé par les accords de Grenelle (27 mai) et aboutit à la victoire écrasante des gaullistes aux élections de juin. Il n'en marqua pas moins une évolution profonde des valeurs de la société française.

**MAÏAKOVSKI** (Vladimir Vladimirovitch) ~ *1893, Bagdadi, auj. Maïakovski, Géorgie - 1930, Moscou.* Poète russe. Il soutint la révolution dès 1917 (*Ode à la révolution*, 1917 ; *Vladimir Ilitch Lénine*, 1923-1924), mais ses pièces satiriques (*la Punaise*, 1929) traduisent un malaise social grandissant. Il se suicida, malgré l'humanisme et l'enthousiasme dont témoigne son œuvre.

**MAIANO** (Giuliano et Benedetto DA) ~ Voir **Giuliano da Maiano.**

**MAIDANEK** ~ Voir **Majdanek.**

**MAILER** (Norman Kingsley) ~ *1923, Long Branch, New Jersey.* Romancier et journaliste américain. Il traite en polémiste des thèmes de société (*les Nus et les Morts*, 1948 ; *le Chant du bourreau*, 1979).

**MAILLART** (Robert) ~ *1872, Berne - 1940, Genève.* Ingénieur suisse. Spécialiste du béton armé et des ponts, il conçut l'arc-caisson à 3 articulations (1901) et la dalle champignon (1908).

**MAILLET** (Antonine) ~ *1929, Bouctouche, Nouveau-Brunswick.* Romancière canadienne d'expression française. Elle a évoqué les traditions et la vie quotidienne en Acadie (*Pélagie la Charrette*, 1979).

**MAILLOL** (Aristide) ~ *1861, Banyuls-sur-Mer - 1944, id.* Sculpteur français. Il créa un type de nu féminin allégorique à la fois sensuel, robuste et monumental (*Pomone*, 1910 ; *les Trois Grâces*, 1930-1937).

**MAIMONIDE** (Moshé **ben Maymon**, en fr. Moïse) ~ *1135, Cordoue - 1204, Fustat, Égypte.* Théologien et médecin juif. Ses traités de médecine et, surtout, ses exégèses du Talmud et de la Torah (*Guide des égarés*, 1190), où il prône un rapprochement de la philosophie et de la foi, ont influencé l'Occident chrétien et arabe.

**MAIN** (le) ~ Affl. du Rhin (r. dr.), en Allemagne, dont la vallée (vignobles) entaille les bassins de la Souabe et de la Franconie ; 524 km. Il arrose Bayreuth, Würzburg et Francfort et conflue à Mayence.

**MAÏNA** ~ Voir **Magne.**

**MAINE** (la) ~ Affl. de la Loire (r. dr.), réunion de la Sarthe et de la Mayenne, qui confluent en amont d'Angers ; 10 km.

**MAINE** (le) ~ Région et anc. province de France (cap. Le Mans), entre Normandie et Anjou, aux confins S.-E. du Massif armoricain (bocage du bas Maine, dans la Mayenne ; plaines céréalières du haut Maine, dans la Sarthe). Élev. bovin. **HIST.** – Comté dès 955, réuni à l'Anjou en 1126, le Maine fut rattaché au domaine royal en 1481.

**MAINE** (le) ~ État du N.-E. des États-Unis (Nouvelle-Angleterre), frontalier du Canada et princ. montagneux (Appalaches) ; 79 931 km², 1 239 000 h., cap. Augusta (22 000 h.). Exploitation du bois, pêche, tourisme. Colonisé par les Anglais au XVIIᵉ s., le Maine, détaché du Massachusetts, devint le 23ᵉ État de l'Union en 1820.

**MAINE** ~ **Louis Auguste** DE **BOURBON**, duc DU (*1670, Saint-Germain-en-Laye - 1736, Sceaux*). Fils légitimé de Louis XIV et de Mme de Montespan, il se vit retirer à la mort du roi (1715), par le Régent, Philippe d'Orléans, les prérogatives que lui conférait le testament de son père. Il participa en 1718 à la conspiration de Cellamare avec sa femme ~ **Anne Louise Bénédicte** DE BOURBON-CONDÉ, duchesse DU (*1676, Paris - 1753, id.*), qui réunissait dans son château de Sceaux artistes et hommes de lettres.

**MAINE DE BIRAN** (Marie François Pierre **Gontier de Biran**, dit) ~ *1766, Bergerac - 1824, Paris.* Philosophe français, auteur de plusieurs traités illustrant la thèse d'une métaphysique de la volonté.

**MAINE-ET-LOIRE** ~ Dép. de la Région Pays de la Loire, pays de bas plateaux et de collines, couvrant la majeure partie de l'Anjou, aux confins du Massif armoricain et du Bassin parisien, traversé par l'ample val d'Anjou, où coule la Loire ; 7 151 km², 705 882 h., v. princ. Angers (préfect.), Cholet, Saumur. Élevage bovin de l'Anjou noir (à l'O. de la Sarthe) et des Mauges (au S. de la Loire), céréales et fourrages de l'Anjou blanc (à l'E. de la Sarthe). Spécialisation du val d'Anjou dans les cultures maraîchères et fruitières, l'horticulture, et des coteaux du Saumurois dans la viticulture et les champignonnières. Carrières d'ardoise de Trélazé. Les industries traditionnelles (text., chaussures) déclinent. Les densités rurales restent élevées.

**MAINTENON** (Françoise **d'Aubigné**, marquise DE) ~ *1635, Niort - 1719, Saint-Cyr.* Dame française. Petite-fille d'Agrippa d'Aubigné, d'abord calviniste, elle se convertit au catholicisme. Veuve du poète Scarron, elle devint préceptrice des enfants de Louis XIV et de Mme de Montespan, supplanta cette dernière et épousa secrètement le roi après le décès de Marie-Thérèse d'Autriche. Elle influença son époux dans le domaine religieux. À la mort du roi (1715), elle se retira à Saint-Cyr où elle avait fondé une institution chargée de l'éducation de jeunes filles nobles et pauvres.

Françoise d'Aubigné, marquise de **Maintenon** et sa nièce *(détail), peinture de Ferdinand Elle (1648-1717). Château de Versailles.*

**MAIRE** (Edmond) ~ *1931, Épinay-sur-Seine.* Syndicaliste français. Il a été secrétaire général de la C. F. D. T. de 1971 à 1988.

**MAIRET** (Jean) ~ *1604, Besançon - 1686, id.* Poète dramatique français. Il fut le premier à s'astreindre à la règle des trois unités (*Sophonisbe*, 1634).

**Maison-Blanche** ~ Résidence des présidents des États-Unis, à Washington. Édifiée de 1792 à 1800, elle reçut ce nom en 1809.

**Maison carrée** ~ Temple romain édifié à Nîmes sous Auguste (16 av. J.-C.).

**MAISONNEUVE** (Paul **de Chomedey** DE) ~ *1612, Neuville-sur-Vanne, en Champagne - 1676, Paris.* Gentilhomme français. En 1642, colon au Canada, il fonda Ville-Marie, devenue Montréal.

**MAISONS-ALFORT** ~ V. de la banlieue S.-E. de Paris (Val-de-Marne) ; 53 375 h. École vétérinaire fondée par Louis XV.

**MAISONS-LAFFITTE** ~ V. résidentielle de la banlieue N.-O. de Paris (Yvelines), sur la Seine (r. g.) ; 22 173 h. **Château de Maisons** construit par Fr. Mansart (1651), et qui fut la propriété du banquier J. Laffitte. Hippodrome.

**MAISTRE** ~ comte **Joseph** DE (*1753, Chambéry - 1821, Turin*), philosophe et homme politique français. Catholique ultramontain, il combattit la Révolution depuis son exil sarde, puis russe ; il publia mémoires et essais (*les Soirées de Saint-Pétersbourg*, 1821). Son frère, le comte ~ **Xavier** DE (*1763, Chambéry - 1852, Saint-Pétersbourg*), mena une carrière militaire et laissa des œuvres littéraires (*Voyage autour de ma chambre*, 1795).

**MAJDANEK** ou **MAIDANEK** ~ Localité de Pologne, au S.-E. de Lublin. Un camp d'extermination nazi y fut installé en 1941.

**MAJEUR (lac)** ~ Lac subalpin (216 km²) de Suisse (Locarno) et d'Italie (Lombardie), traversé par le Tessin. Tourisme (stations clim., îles Borromées).

**MAJOR** (John) ~ *1943, Brixton.* Homme politique britannique. En 1990, il succéda à M. Thatcher comme Premier ministre et chef du parti conservateur. Sa politique européenne (ratification du traité de Maastricht en 1992) lui a aliéné une partie du camp conservateur.

**MAJORELLE** (Louis) ~ *1859, Toul - 1926, Nancy.* Décorateur et ébéniste français. Il fut l'un des représentants de l'Art nouveau et de l'école de Nancy, et donna son nom à un bleu lumineux. [☞ **nouveau.**]

**MAJORIEN** ~ *m. en 461, près de Tortona.* Empereur d'Occident (457-461). Ayant échoué contre les Vandales d'Afrique, il fut destitué et tué par Ricimer.

**MAJORQUE** ~ Île princ. des Baléares (Espagne) ; 3 460 km², env. 550 000 h., cap. Palma. Céréales, cult. méditerranéennes. Industries légères. **HIST.** – L'île donna son nom à un royaume (1276-1343, cap. Perpignan) détaché de l'Aragon, qui incluait, outre les Baléares, le Roussillon et Montpellier.

**MAJUNGA** ~ Voir **Mahajanga.**

**MAKALU** (le) ~ Sommet de l'Himalaya central (5ᵉ du monde), près de l'Everest ; 8 515 m. Première ascension en 1955.

**MAKÁRIOS III** ~ *1913, Anó Panaghiá - 1977, Nicosie.* Prélat et homme d'État chypriote. Archevêque et ethnarque des Grecs de Chypre (1950) pendant la guerre d'indépendance de l'île, il fut président de la République de 1960 à sa mort.

**MAKEÏEVKA**, anc. **Dmitrievsk** ~ V. minière et industrielle d'Ukraine, au N.-E. de Donetsk, dans le bassin houiller du Donbass ; 424 000 h. Sidérurgie, produits chim., machines, conserveries. Recherche.

**MAKHATCHKALA**, anc. **Petrovsk** ~ Cap. et port industriel du Daguestan (Russie), sur la mer Caspienne ; 315 000 h. Université. Raffinerie de pétrole, métallurgie, chimie.

**MAKHNO** (Nestor) ~ *1889, Gouliaïpole - 1935, Paris.* Anarchiste ukrainien. Ses troupes paysannes luttèrent contre les armées d'invasion et les armées blanches (1917-1920) avant d'être annihilées par l'Armée rouge (1921).

**Makondés** ou **Makondas** (les) ~ Ethnie bantoue installée dans le sud de la Tanzanie et le nord du Mozambique.

**MALABAR (côte de)** ~ Littoral bas et étroit du S.-O. de l'Inde, au S. de Goa. Anc. comptoirs européens (Calicut, Cochin, Mangalore).

**MALABO**, anc. **Santa Isabel** ~ Cap. de la Guinée-Équatoriale, sur la côte N. de l'île de Bioko ; 31 000 h. Bois, cacao, café.

**MALACCA (détroit de)** ~ Bras de mer qui relie l'océan Indien à la mer de Chine, séparant la **presqu'île de Malacca** (ou péninsule malaise) de Sumatra, site du port de Melaka.

**MALACHIE** (saint) ~ *v. 1094, Armagh - 1148, Clairvaux.* Primat d'Irlande. Ami de Bernard de Clairvaux, il introduisit la règle cistercienne en Irlande. Les *Prophéties de Malachie* sont considérées comme apocryphes (XVIᵉ s.).

**MALADETA** ou **MALADETTA** ~ Massif des Pyrénées centrales où culmine la chaîne (pic d'Aneto, 3 408 m), situé en Espagne (Aragon). Source de la Garonne.

**MÁLAGA** ~ Port d'Andalousie (Espagne), centre admin. et tourist. au pied des cordillères Bétiques ; 512 000 h. Export. de vins, fruits, sucre. Chimie, métall. Forteresses mauresques : Alcazaba (IXe s.) et Gibralfaro (XIVe s.). Cathédrale des XVIe-XVIIIe s.

**Malais** (les) ~ Peuple musulman de la presqu'île de Malacca et des îles de la Sonde, dont le nom provient de l'anc. royaume de Malayu (Sumatra) du VIIe s.

**MALAISIE** (la) ~ Partie de la fédération de Malaysia, constituée de onze États péninsulaires, et autre nom de l'État fédéral.

**MALAKOFF** ~ V. de la banlieue S. de Paris (Hauts-de-Seine), limitrophe de la cap. ; 30 959 h.

**Malakoff (ouvrage de)** ~ Bastion protégeant Sébastopol pendant la guerre de Crimée. Sa prise par Mac-Mahon (1855) entraîna la chute de la ville.

**MALAMUD** (Bernard) ~ *1914, New York - 1986, id.* Écrivain américain. Ses romans et nouvelles décrivent avec humour et réalisme la classe moyenne juive des grandes villes (*le Tonneau magique*, 1958 ; *l'Homme de Kiev*, 1966).

**MALAPARTE** (Kurt **Suckert**, dit Curzio) ~ *1898, Prato - 1957, Rome.* Écrivain italien. Il fut très tôt exclu du parti fasciste. Son livre *Technique du coup d'État* (1931) fut interdit en Italie. Aux côtés des Alliés en 1943, il publia sur la guerre deux romans baroques et cruels (*Kaputt*, 1944 ; *la Peau*, 1949).

**MÄLAREN (lac)** ~ Vaste fjord de Suède (1 140 $km^2$), aux rives basses, débouchant sur la Baltique à Stockholm.

**MALATESTA** ~ Famille de condottieres italiens, membre de la faction guelfe, qui domina Rimini et une partie de la Romagne du XIIe au XIVe s.

**MALATESTA** (Errico) ~ *1853, Santa Maria Capva Vetere - 1932, Rome.* Anarchiste italien. Proche de Kropotkine, il défendit le communisme libertaire. Il lutta contre le fascisme.

**MALATYA** ~ V. de Turquie, au pied du Taurus oriental, centre admin. et comm. ; agglom. 360 000 h. Université. Mosquée (XIIIe s.). Vestiges hittites et romains. Anc. cap. de la Petite Arménie.

**MALAWI (lac)**, anc. **lac Nyassa** ~ Lac d'Afrique de l'E., dans la Rift Valley, qui baigne la Tanzanie, le Mozambique et le Malawi ; 30 000 $km^2$, alt. 472 m. Son émissaire est la Shire.

**MALAWI (république du)**, anc. **Nyassaland** ~ Pays enclavé d'Afrique australe, bordé à l'E. par le lac Malawi. ***Cap.*** Lilongwe. ***Superf.*** 118 484 $km^2$ (94 000 $km^2$ sans le lac). ***Popul.*** 9 700 000 h. ***Langues princ.*** Chewa, anglais. ***Monn.*** Kwacha. ***Relief.*** Hauts plateaux (3 000 m au mont Mulanje), vallée de la Shire au S. ***Climat.*** Tropical, tempéré par l'altitude. ***Écon.*** Agriculture vivrière (maïs, sorgho), commerciale (thé, tabac, arachide) dans le S., pêche, exploitation de la forêt ; revenus des travailleurs émigrés en Afrique du Sud. ***V. princ.*** Blantyre, Lilongwe. **HIST.** - *1859* : peuplée par les Bantous, la région est explorée par Livingstone. *1891* : création du protectorat britannique du Nyassaland. *1964* : indépendance sous le nom de Malawi, après l'échec d'un essai de fédération avec la Rhodésie (1953). *1966* : proclamation de la république. *1971* : Hastings Kamuzu Banda se fait nommer président à vie et établit une dictature. *1994* : Bakili Muluzi est élu président après la réintroduction du multipartisme.

**MALAYSIA (fédération de)** ou **MALAISIE** (la) ~ Pays de l'Asie du Sud-Est, entre l'océan Indien à l'O. et la mer de Chine méridionale à l'E., formé, dans la péninsule malaise, par une fédération de 11 États : Johore, Kedah, Kelantan, Melaka, Negeri Sembilan, Pahang, Perak, Perlis, Pulau Pinang, Selangor, Terengganu, et par le territoire fédéral de la capitale ; dans le N. de Bornéo par 2 États : Sarawak, Sabah, et par le territoire fédéral insulaire de Labuan (91 $km^2$, 54 000 h.). ***Cap.*** Kuala Lumpur. ***Superf.*** 329 758 $km^2$ (dont 198 251 $km^2$ à Bornéo). ***Popul.*** 19 500 000 h. (3 440 000 à Bornéo), dont Malais (62 %), Chinois (30 %), Indiens (8 %), indigènes (Sabah, Sarawak). ***Langue princ.*** Malais. ***Monn.*** Ringgit. ***Relief.*** Montagneux (Main Range, 2 185 m ; Kinabalu, au Sabah, 4 101 m), couvert de forêts denses, plaines côtières basses et étroites. ***Climat.*** Équatorial, affecté par la mousson. ***Écon.*** Pays à fort potentiel (3e P. N. B. du Sud-Est asiatique), desservi par de bonnes infrastructures et ouvert aux investissements étrangers, la Malaysia appuie son développement sur la production et l'exportation de matières premières (latex, cacao, bois, palmiers à huile, étain, pétrole, bauxite), et sur l'industrie manufacturière (produits du caoutchouc, acier, montage électron., ciment, agroalim.). L'agriculture repose sur la riziculture et les fruits (export.). **HIST.** - Peuplement du pays au Néolithique par des groupes venus du N. (Proto-Malais), formation de petits royaumes indianisés. *VIIe-XIVe s.* : influence de l'empire de Srivijaya (Sumatra). *XVe s.* : fondation du sultanat de Malacca, rapidement islamisé (contacts commerciaux). *1511* : le Portugais Albuquerque s'empare de Malacca. Les actuels sultanats se forment dans la péninsule. *XVIIe s.* : les Hollandais évincent les Portugais. Le N. de la péninsule est contrôlé par le Siam, et l'île de Bornéo par le sultanat de Brunei. *XIXe s.* : les Britanniques fondent le gouvernement des Détroits et imposent leur protectorat aux sultans. *1942-1945* : occupation japonaise. *1946-1948* : les Britanniques instaurent une Union malaise, remplacée en 1948 par la fédération de Malaisie. *1948-1960* : rébellion communiste. *1957* : indépendance (un roi est élu pour cinq ans parmi les sultans). *1963* : formation de la fédération de Malaysia (Grande-Malaisie), incluant Singapour, Sarawak et Sabah. *1965* : sécession de Singapour. Les Premiers ministres Abdul Rahman (1957-1970), Abdul Razak (1970-1976) et Mahatir bin Mohammad (depuis 1981) ont lutté contre les tensions interethniques tout en favorisant la communauté malaise à travers la nouvelle politique économique, et ont fait de la Malaysia le champion de la neutralité régionale dans le cadre de l'Ansea.

**MALCOLM**, nom de quatre rois d'Écosse. ~ **Malcolm II** (*m. en 1034*), roi de 1005 à 1034, unifia son royaume. ~ **Malcolm III Cammore** (*m. en 1093 près d'Alnwick, Northumberland*), roi de 1058 à 1093, reprit la Couronne à Macbeth mais lutta sans succès contre l'Angleterre.

**MALCOLM X** (Malcolm **Little**, dit) ~ *1925, Omaha, Nebraska - 1965, New York.* Révolutionnaire américain. Converti à l'islam au sein des Black Muslims, il lutta pour la création d'une nation noire américaine autonome, et fut assassiné.

**MALDIVES (république des)** ~ État formé d'archipels coralliens de l'océan Indien. ***Cap.*** Malé. ***Superf.*** 298 $km^2$. ***Popul.*** 238 000 h. ***Langues princ.*** Divehi, anglais. ***Monn.*** Rufiyaa. ***Climat.*** Équatorial. ***Écon.*** Pêche, tourisme, aide internationale. **HIST.** - *VIe s.* : colonisation par des moines bouddhistes. *XIIe s.* : formation d'un sultanat et islamisation. *XVe-XIXe s.* : colonisation portugaise (XVe s.), hollandaise (XVIIe s.) puis britannique, protectorat en 1887. *XXe* : proclamation d'une république indépendante (1968). Maumoon Abdul Gayoom est président depuis 1978.

**MALÉ** ~ Île, archipel et capitale des Maldives ; 55 000 h. Aéroport international.

**MÂLE** (Émile) ~ *1862, Commentry - 1954, Chaalis.* Historien d'art français, spécialiste de l'art religieux du Moyen Âge. Acad.

**MALEBRANCHE** (Nicolas DE) ~ *1638, Paris - 1715, id.* Oratorien et philosophe français. Il s'attacha dans ses traités à concilier cartésianisme avec volonté et grâce divines (*Entretiens sur la métaphysique et la religion*, 1688).

**MALENKOV** (Gueorgui Maksimilianovitch) ~ *1902, Orenbourg - 1988, Moscou.* Homme politique soviétique. Président du Conseil à la mort de Staline (1953), il fut écarté du pouvoir en 1955.

**MALESHERBES** (Chrétien Guillaume **de Lamoignon** DE) ~ *1721, Paris - 1794, id.* Magistrat et homme politique français. Directeur de la Librairie (1750), il protégea les philosophes et assouplit la censure. Défenseur de Louis XVI devant la Convention (1792-1793), il fut à son tour exécuté. Acad.

**MALET** (Claude François DE) ~ *1754, Dole - 1812, Paris.* Général français. En oct. 1812, il fit croire à la mort de Napoléon en Russie et tenta un coup d'État. Il fut fusillé.

**MALEVITCH** (Kazimir Severinovitch) ~ *1878, près de Kiev - 1935, Leningrad.* Peintre russe. Il assimila tous les courants fondateurs de l'art moderne avant de s'orienter vers l'abstraction. Il fonda le suprématisme (*Carré noir sur fond blanc*, 1915) et mena l'abstraction géométrique à ses limites (*Carré blanc sur fond blanc*, 1918).

**MALHERBE** (François DE) ~ *1555, Caen - 1628, Paris.* Poète français. Son œuvre illustre le passage du style baroque (*les Larmes de saint Pierre*, 1587) au classicisme, dont il fut le chef d'école.

**MALI (empire du)** ~ Ancien empire musulman de l'Afrique noire (XIe-XVIIe s.). De Bamako, il s'étendit aux États actuels du Sénégal, de la Gambie, de la Guinée, de la Mauritanie et du Mali, mais dut s'effacer devant l'Empire songhaï.

**MALI (république du)** ~ Pays enclavé d'Afrique occidentale. ***Cap.*** Bamako, seule grande ville. ***Superf.*** 1 240 192 $km^2$. ***Popul.*** 9 820 000 h. (musulmans), dont Bambaras, Fulanis, Senoufos, Soninkés, Touaregs, Malinkés. ***Langues princ.*** Français, bambara. ***Monn.*** Franc CFA. ***Relief.*** Plateaux sahariens au N., bordés au S. par la dépression du Niger (delta intérieur). Au S.-O., plaine bordée par les plateaux guinéens et traversée par le Sénégal. ***Climat.*** Soudanien au S., sahélien au centre, désertique au N. ***Écon.*** Agric. (millet, riz, sorgho, arachide, canne à sucre, coton, élev. ovin, caprin, bovin), pêche, extraction réduite de l'or et du diamant. L'hydroélectricité fournit l'énergie. Le pays souffre, dans sa zone sahélienne, de la désertification. **HIST.** - La région fut peuplée dès le Néolithique. *IIIe mill. av. J.-C.* : assèchement du Sahara et reflux des populations vers la vallée du Niger. *XIIIe-XVIe s.* : émergence successive des empires du Ghana, du Mali et du Songhaï. *1591* : invasion marocaine, suivie d'une déstabilisation politique. *XVIIe s.* : formation du royaume Bambara de Ségou. *XIXe s.* : pénétration européenne et colonisation française (expéditions de Faidherbe, de Gallieni). *1904* : formation au sein de l'A.-O. F. de la colonie du Haut-Sénégal - Niger (Mali, Haute-Volta, Niger actuels), rebaptisée Soudan français en 1920 (sans la Haute-Volta). *1958* : proclamation de la république soudanaise. *1959* : celle-ci forme avec le Sénégal la fédération du Mali. *1960* : rupture de la fédération, le Soudan devient la république du Mali sous la présidence de Modibo Keita, qui établit un régime socialiste. *1968* : le lieutenant Moussa Traoré le renverse et se rapproche de la France. *1991* : il est lui-même renversé. *1992* : Alpha Oumar Konaré devient président à l'issue d'élections libres (il sera réélu en 1997). *1996* : fin de l'insurrection touarègue, commencée en 1990.

**Malia** ~ Site archéologique de Crète. Vestiges d'un palais minoen du IIe mill. av. J.-C.

**MALIBRAN** (María de la Felicidad **García**, dite la) ~ *1808, Paris - 1836, Manchester.* Cantatrice française d'orig. espagnole. Révélée en 1825, elle fut célèbre dans toute l'Europe. Sœur de P. Viardot-García.

**MALINCHE** (la) ~ *début du XVIe s.* Princesse amérindienne, compagne de Cortés. Elle l'aida à conquérir le Mexique et lui donna un fils.

**MALINES**, en néerl. ***Mechelen*** ~ V. de la Belgique flamande (prov. d'Anvers), anc. cité drapière entre Bruxelles et Anvers ; 76 000 h. Archevêché métropolitain de Belgique (1559) partagé depuis 1962 avec Bruxelles. Industr. mécan., chim., brasseries. Cathédrale (XIIIe-XVe s.), halles aux draps (XVe s.). Capitale régionale sous Charles le Téméraire puis sous Marguerite d'Autriche (XVe-XVIe s.).

**Malinkés** (les) ~ Peuple d'Afrique occidentale (Mali, Sénégal, Guinée et Gambie), parlant le mandé (groupe mandingue), islamisé depuis le XIe s.

**MALINOVSKI** (Rodion Iakovlevitch) ~ *1898, Odessa - 1967, Moscou.* Maréchal soviétique. Il dirigea la défense de Dniepropetrovsk (1941), se distingua à Stalingrad (1942-1943), soumit Bucarest puis Vienne avant de mener l'offensive contre les Japonais en Mandchourie (1945). Il fut ministre de la Défense de 1957 à sa mort.

**MALINOWSKI** (Bronisław) ~ *1884, Cracovie - 1942, New Haven, Connecticut.* Anthropologue britannique d'orig. polonaise. Fonctionaliste et inventeur de l'observation participante, il étudia la parenté et la sexualité en Papouasie (*les Argonautes du Pacifique occidental*, 1922).

**MALINVAUD** (Edmond) ~ *1923, Limoges.* Économiste français. Spécialiste de l'analyse macroéconomique et de la croissance, il dirigea l'Insee de 1974 à 1987.

**MALLARMÉ** (Stéphane) ~ *1842, Paris - 1898, Valvins, Seine-et-Marne.* Poète français. Concevant l'écriture comme la seule réponse possible à l'absurde, il se livra à un savant travail sur les mots et la syntaxe (*Un coup de dés jamais n'abolira le hasard*, 1897). Référence incontestée des symbolistes, consacré par Verlaine et Huysmans, il exerça une influence déterminante sur la conception de l'écriture au XX$^e$ s. (*Poésies*, posth., 1899).

© Lauros-Giraudon

*Stéphane Mallarmé, peint en 1876 par Édouard Manet (1832-1883). Musée d'Orsay, Paris.*

**MALLE** (Louis) ~ *1932, Thumeries, Nord - 1995, Beverly Hills.* Cinéaste français. Observateur incisif de son époque, il sut faire évoluer son style sans se départir de sa maîtrise formelle (*Ascenseur pour l'échafaud*, 1957 ; *Atlantic City*, 1980 ; *Au revoir les enfants*, 1987).

**MALLET DU PAN** (Jacques) ~ *1749, Céligny, Genève - 1800, Richmond, Angleterre.* Publiciste suisse de langue française. Hostile à la Révolution française, il fut l'un des porte-parole de l'émigration depuis Londres, où il vécut.

**MALLET-JORIS** (Françoise) ~ *1930, Anvers.* Écrivain français d'orig. belge. Auteur de romans (*le Rempart des Béguines*, 1951) et d'œuvres historiques.

**MALLET-STEVENS** (Robert) ~ *1886, Paris - 1945, id.* Architecte français. Tenant du style international fonctionaliste, il construisit not. les immeubles de la rue qui porte son nom à Paris (1926).

**Malmaison** (la) ~ Voir **Rueil-Malmaison**.

**MALMÖ** ~ Port et 3$^e$ v. de Suède (Scanie), sur l'Øresund, proche de Copenhague ; 237 000 h. Église gothique. Forteresse (XV$^e$-XVI$^e$ s.). Tourisme.

**MALO** ou **MACLOU** (saint) ~ *fin VI$^e$ s., Llancarvan - v. 640, Saintes.* Moine gallois. Venu évangéliser la Bretagne, il fut le premier évêque d'Alet, cité à laquelle il donna son nom : Saint-Malo.

**MALORY** (sir Thomas) ~ *1408, Newbold Revell - 1471, Newgate.* Écrivain anglais, auteur de romans de chevalerie (*la Mort d'Arthur*, 1469).

**MALOT** (Hector) ~ *1830, La Bouille, Seine-Maritime - 1907, Fontenay-sous-Bois.* Écrivain français. On lui doit soixante-dix romans populaires, dont *Sans famille* (1878) et *En famille* (1893).

**MALOUINES (îles)** ~ Voir **Falkland**.

**MALPIGHI** (Marcello) ~ *1628, Crevalcore, près de Bologne - 1694, Rome.* Médecin et anatomiste italien. Il introduisit le microscope pour l'étude des tissus humains, et découvrit les glomérules du rein, qui portent son nom.

**MALPLAQUET** ~ Localité du Nord (auj. Tainières-sur-Hon), près d'Avesnes. En 1709, Marlborough et le Prince Eugène y remportèrent une victoire sur les Français conduits par Villars, mais au prix de lourdes pertes.

**MALRAUX** (André) ~ *1901, Paris - 1976, Créteil.* Écrivain et homme politique français. Il voyagea en Indochine et en Chine, où il se lia aux révolutionnaires communistes, se battit aux côtés des républicains pendant la guerre civile espagnole (1936), puis entra dans la Résistance. Il resta fidèle au général de Gaulle, dont il fut durant dix ans le ministre des Affaires culturelles (1959-1969). Sa morale de l'action inaugura le type moderne de l'intellectuel engagé, dont témoignent ses romans (*les Conquérants*, 1928 ; *la Voie royale*, 1930 ; *la Condition humaine*, 1933 ; *l'Espoir*, 1937). Son œuvre esthétique et critique explore les rapports entre histoire, littérature et civilisation (*les Voix du silence*, 1951). Il est également l'auteur d'essais autobiographiques réunis dans *le Miroir des limbes* (1967-1975). Sa dépouille a été transférée au Panthéon en novembre 1996.

**MALSTRØM** ~ Voir **Maelström**.

**Malte (ordre souverain de)** ~ Ordre humanitaire catholique. Issu de l'ordre des Hospitaliers de Saint-Jean de Jérusalem, de Rhodes et de Malte (fondé en 1113), l'ordre s'établit à Malte (1530-1798), puis fixa son siège à Rome en 1831. Il dirige auj. des œuvres hospitalières.

**MALTE (république de)** ~ Archipel de la Méditerranée, à 90 km au S. de la Sicile (îles princ. Malte, 246 km$^2$ ; Gozo). Malte occupe une position stratégique entre les deux bassins de la Méditerranée. ***Cap.*** La Valette. ***Superf.*** 316 km$^2$. ***Popul.*** 367 000 h. ***Langues princ.*** Maltais (apports arabes et italiens), anglais. ***Monn.*** Livre maltaise. ***Climat.*** Méditerranéen. ***Écon.*** Depuis 1987, les investissements étrangers sont favorisés. Malte entend devenir un grand centre de services (naval, aérien, financier, culturel). Le tourisme reste la princ. source de devises. **HIST.** - *V$^e$-III$^e$ mill. av. J.-C.* : développement d'une civilisation mégalithique (temples). *IX$^e$-III$^e$ s. av. J.-C.* : dominations phénicienne, grecque, carthaginoise et romaine. *Vers 58 apr. J.-C.* : naufragé à Malte, saint Paul christianise la population. *V$^e$-VI$^e$ s.* : l'île est occupée par les Vandales, les Ostrogoths, puis reconquise par les Byzantins (533). *IX$^e$-XI$^e$ s.* : occupation arabe et islamisation. *XI$^e$-XVI$^e$ s.* : l'archipel passe successivement aux mains des Normands de Sicile (1091), des Hohenstaufen, de la maison d'Anjou puis de la maison d'Aragon (1282). *1530* : Charles Quint donne Malte à l'ordre des Hospitaliers de Saint-Jean de Jérusalem (futurs chevaliers de Malte), qui en fait une base contre les Turcs. *1798* : l'île est prise par Bonaparte. *1800* : reprise par le Royaume-Uni après deux années de siège, Malte devient une colonie britannique et une base militaire stratégique (1813). *1940-1943* : Malte est bombardée par les Italiens, puis par les Allemands. *1964* : indépendance au sein du Commonwealth. *1974* : Malte devient une république. Dominic Mintoff, Premier ministre, mène une politique de non-alignement. *1984* : Mifsud Bonnici, son successeur, pratique le rapprochement avec les pays arabes. *1990* : Malte est candidate à l'entrée dans l'Union européenne. Edward Fenech-Adami, Premier ministre depuis 1987, privilégie cette perspective.

**MALTHUS** (Thomas Robert) ~ *1766, Rookery, Surrey - 1834, Saint Catherine, Somerset.* Économiste et démographe britannique. Ses thèses sur l'accroissement inégal des populations humaines et de leurs ressources furent à l'origine des politiques de contrôle des naissances (*Essai sur le principe de population*, 1798).

**MALUS** (Étienne Louis) ~ *1775, Paris - 1812, id.* Physicien français. Il décrivit la polarisation de la lumière par réflexion (1808) et établit les lois de propagation des faisceaux lumineux, dont la **loi de Malus** (1811).

**MÄLZEL** (Johann Nepomuk) ~ Voir **Maelzel**.

**MAMAIA** ~ Station balnéaire de Roumanie (Dobroudja), sur la mer Noire (agglom. de Constanța).

**Mamelouks** (les) ~ Dynastie issue d'une société militaire qui régna sur l'Égypte et la Syrie (1250-1517). Ses sultans étaient élus par le corps des mamelouks.

**MAMERT** (saint) ~ *m. v. 475.* Évêque de Vienne, en Dauphiné. Il aurait introduit en Gaule la procession des rogations.

**MAMMON** ~ Dieu des Richesses, dans la religion syrienne. Dans la tradition biblique, le terme désigne les biens mal acquis.

**Mammoth Cave** ~ Ensemble de grottes et de galeries (env. 500 km) de la vallée de la Green River, dans l'O. du Kentucky (États-Unis). Parc national.

**MAMORÉ** (le) ~ Sous-affluent de l'Amazone (1 800 km) issu des Andes boliviennes, l'une des branches mères du Madeira.

**MAN (île de)** ~ Île britannique de la mer d'Irlande ; 572 km$^2$, 70 000 h., ch.-l. Douglas. Orge, élev. ovin. Pêche. Tourisme. Le **manx**, langue celtique, y est menacé d'extinction. **HIST.** - Norvégienne jusqu'en 1266, puis écossaise et enfin duché semi-indépendant (1290), elle fut vendue à la Couronne britannique en 1765.

**MAN** (Henri DE) ~ *1885, Anvers - 1953, près de Morat, Suisse.* Théoricien et homme politique belge. Militant syndicaliste, il développa une critique du marxisme (*Au-delà du marxisme*, 1922) qui le rapprocha du fascisme. Il dut s'exiler en Suisse pour avoir soutenu l'occupation allemande en Belgique.

**MANADO** ou **MENADO** ~ Voir **Célèbes**.

**MANAGUA** ~ Cap. du Nicaragua, sur le **lac Managua** (1 234 km$^2$), dans une région volcanique de l'O. du pays ; 682 000 h. Industries textile, agroalimentaire. Raff. de pétrole. La ville a beaucoup souffert du tremblement de terre de 1972.

**MANAMA** ~ Cap. de l'émirat de Bahreïn, port pétrolier et place financière ; 152 000 h.

**MANASAROVAR (lac)** ~ Lac du Tibet himalayen (S.-O.), en Chine ; env. 500 km$^2$, alt. 4 560 m. Source du Gange (pèlerinage bouddhiste et hindou).

**MANASLU** (le) ~ L'un des sommets de l'Himalaya népalais (8 156 m). Première ascension en 1956.

**MANASSÉ** ~ *VII$^e$ s. av. J.-C.* Roi de Juda (v. 687-642 av. J.-C.). Rompant avec le monothéisme de son père, Ézéchias, il favorisa le culte des idoles. Sous son règne, le pays fut soumis à la domination assyrienne.

**MANAUS**, anc. **Manáos** ~ Princ. v. et port fluvial de l'Amazonie (Brésil), sur le rio Negro, près du confluent avec l'Amazone, cap. de l'État d'Amazonas ; 1 011 000 h. Industries électronique, mécanique, textile. Essor spectaculaire au XIX$^e$ s. (cathédrale, Opéra), dû au commerce du latex.

**MANCHE** (la) ~ Dépendance de l'océan Atlantique qui sépare la France de l'Angleterre (auj. reliées par un tunnel ferroviaire), ouvrant sur la mer du Nord par le pas de Calais. Le trafic maritime, ancien, y est le plus intense du monde.

**MANCHE** (la) ~ Région de la Meseta espagnole (S.-E. de la Castille), haute plate-forme sèche (agric. extensive, safran) traversée par le haut Guadiana.

**MANCHE** (la) ~ Dép. de l'O. de la Région Basse-Normandie, baigné par la Manche, correspondant à la presqu'île du Cotentin et à la partie occidentale du Bocage normand, que sépare une zone déprimée (marais de Carentan) ; 5 947 km$^2$, 479 636 h., préfect. Saint-Lô. Littoral tantôt bas, avec des anses sableuses (baie du Mont-Saint-Michel, des Veys), tantôt rocheux et frangé d'écueils. Pays de bocage, aux exploitations morcelées, densément peuplé, où dominent l'élevage laitier et les cultures maraîchères. La région de Cherbourg (v. princ.) concentre l'activité industrielle (arsenal, complexe nucléaire de la Hague). Pêche et tourisme balnéaire (Granville, Barneville-Carteret). Plages du débarquement au N.-E. (Utah Beach).

**MANCHESTER** ~ V. de l'O. de l'Angleterre, 2$^e$ foyer urbain du pays, sur un affl. de la Mersey, au pied des Pennines ; 405 000 h. (2 500 000 h. dans le comté urbain). C'est un ancien centre cotonnier (filatures) d'importance mondiale, partiellement reconverti depuis la crise (fin du XIX$^e$ s.) dans les services (banques, assurances). Université.

**MANCHETTE** (Jean-Patrick) ~ *1942, Marseille - 1995, Paris.* Écrivain français. Auteur de romans noirs (*l'Affaire N'Gustro*, 1971), il en a renouvelé le genre.

**MANCINI** ~ Famille italienne de Rome. Elle compta parmi ses membres les nièces de Mazarin, établies en France où elles avaient été appelées par leur oncle.

**MANCO CÁPAC I$^{er}$** ~ *XI$^e$ s.* Fondateur légendaire de l'Empire inca. Il aurait bâti la ville de Cuzco.

**MANDALAY** ~ 2$^e$ v. de Birmanie, au centre du pays, sur l'Irrawaddy, centre comm., religieux et universitaire ; 533 000 h. Artisanat (soie, albâtre, argent). Anc. capitale du royaume birman (1857-1885). Monastères bouddhistes, pagodes.

**MANDCHOURIE** (la) ~ Anc. nom des provinces chinoises du Heilongjiang, du Jilin et du Liaoning (N.-E. du pays), colonisées par les Mongols, les Toungouses puis les Hans. **HIST.** - La dynastie mandchoue Qing régna sur la Chine de 1644 à 1911. À la fin du XIX$^e$ s., la Russie obtint Port-Arthur et Dairen, et fit traverser la région par une voie ferrée reliant Vladivostok au Transsibérien. En 1931, les Japonais firent de la Mandchourie un État vassal (**Mandchoukouo**, 1932) et la placèrent sous l'autorité nominale de Puyi (1934), le dernier empereur de Chine. En 1945, avec l'aide de l'armée soviétique, les Chinois la récupérèrent.

**MANDEL** (Georges) ~ *1885, Chatou - 1944, Fontainebleau.* Homme politique français. Chef de cabinet de G. Clemenceau (1917), plusieurs fois ministre, il s'opposa à l'armistice de juin 1940 et tenta de former un gouvernement en Afrique du Nord. Ramené en France, il fut abattu par la Milice.

**MANDELA** (Nelson) ~ *1918, Umtata.* Homme d'État sud-africain. Chef historique de l'A. N. C., qu'il engagea dans la lutte armée contre l'apartheid, il fut condamné à la détention à perpétuité en 1964. Libéré en 1990, il participa aux négociations pour l'établissement de nouvelles institutions et devint en 1994 (première élection multiraciale) le premier Noir président de la république d'Afrique du Sud. Prix Nobel de la paix 1993 avec Fr. De Klerk.

**MANDELBROT** (Benoît) ~ *1924, Varsovie.* Mathématicien français d'orig. polonaise. Sa découverte des fractales et la construction des ensembles qui porte son nom (1980) lui ont permis d'énoncer une théorie dont dérive celle du chaos déterministe.

**MANDELIEU-LA-NAPOULE** ~ Station baln. de la Côte d'Azur (Alpes-Maritimes), à l'O. de Cannes ; 16 493 h. Cult. florales (mimosa). Château du XIVe s.

**MANDELSTAM** (Ossip Emilievitch) ~ *1891, Varsovie - 1938, Sibérie.* Poète soviétique. Chef de file de l'acméisme, en réaction contre le symbolisme, il dénonça le stalinisme et mourut en déportation.

**Mandés** ou **Mandingues** (les) ~ Populations africaines nigéro-congolaises regroupant des locuteurs mandés (Malinkés, Bambaras, Dioulas, Sarakollés).

**MANDRIN** (Louis) ~ *v. 1725, Saint-Étienne-de-Saint-Geoirs, Isère - 1755, Valence.* Bandit français. À la tête de contrebandiers, il ne s'attaquait qu'aux collecteurs d'impôts, ce qui lui valut une grande popularité. Arrêté, il périt roué vif.

**MANESSIER** (Alfred) ~ *1911, Saint-Ouen, Somme - 1993, Orléans.* Peintre français. Il renonça à la figuration en faveur de lumineuses compositions d'inspiration religieuse (*la Couronne d'épines*, 1950).

Autoportrait à la palette *(vers 1879), peinture d'Édouard* **Manet**. *Coll. part., New York.*

**MANET** (Édouard) ~ *1832, Paris - 1883, id.* Peintre français. S'appuyant sur les maîtres du passé (Titien, Velázquez) et sur les enseignements de la peinture japonaise, il inventa son propre langage pictural. Il abolit les volumes, la perspective, les demi-teintes, et utilisa des aplats de couleur franche pour délimiter les formes (*le Déjeuner sur l'herbe*, 1862 ; *Olympia*, 1863 ; *le Fifre*, 1866). Lié aux impressionnistes, mais sans s'inscrire dans ce mouvement, il annonce l'art moderne.

**MANÉTHON** ~ *IIIe s. av. J.-C., Sebennytos, auj. Samannud.* Prêtre d'Héliopolis. Il écrivit des chroniques des pharaons (*Aiguptiaka*), dont une partie a été conservée. Son classement en 31 dynasties est utilisé par les historiens modernes.

**MANFRED** ~ *1231, Bénévent - 1266, id.* Roi de Sicile (1258-1266). Il conquit en 1258 la Sicile et l'Italie du Sud mais en fut dépossédé au profit de Charles Ier d'Anjou par décision du pape Urbain IV.

**MANGIN** (Charles) ~ *1866, Sarrebourg - 1925, Paris.* Général français. Après avoir servi en Afrique noire et au Tonkin, il s'illustra durant la Première Guerre mondiale, not. à Verdun, et fut l'un des artisans de la victoire de la Marne (1918).

**MANHATTAN** ~ Voir **New York**.

**MANI**, en gr. *Manès* ~ *216, près de Ctésiphon - v. 277, Gondechahpour, Perse.* Fondateur du manichéisme. Il prêcha dans l'Empire sassanide et fut mis à mort par le roi de Perse Bahram Ier.

**MANILLE** ~ Cap. et port des Philippines, dans l'île de Luçon, sur la **baie de Manille** ; 1 587 000 h. La région métropolitaine (636 km$^2$ ; env. 8 000 000 d'h.), dont Quezon City, est le plus grand centre industriel, commercial et tertiaire du pays. Urbanisation anarchique. Tourisme. La ville fut fondée en 1571 par l'Espagnol Miguel López de Legazpi.

**MANIN** (Daniele) ~ *1804, Venise - 1857, Paris.* Patriote italien. Président de la république de Venise en 1848, il dut capituler devant les Autrichiens en 1849 et partit en exil.

**MANIPUR** (le) ~ État montagneux du N.-E. de l'Inde, à la frontière birmane ; 22 327 km$^2$, 1 837 000 h. (maj. de **Manipuris**, hindouistes de langue tibéto-birmane), cap. Imphal. Riz, exploit. forestière.

**MANITOBA** (le) ~ Prov. orientale de la Prairie canadienne (Bouclier canadien) ; 649 947 km$^2$, 1 131 000 h. Agriculture (grande céréaliculture, élev. bovin), hydroélectricité, pétrole, exploitation minière (nickel, cuivre) et forestière. Industries concentrées au S., autour de Winnipeg, la capitale.

**MANKIEWICZ** (Joseph Leo) ~ *1909, Wilkes Barre, Pennsylvanie - 1993, Bedford, État de New York.* Cinéaste et scénariste américain. Il imposa à Hollywood une œuvre souvent guidée par l'exploration psychanalytique (*Ève*, 1950 ; *la Comtesse aux pieds nus*, 1954).

**MANN** (Emil Anton **Bundmann**, dit Anthony) ~ *1906, San Diego - 1967, Berlin.* Cinéaste américain. On lui doit de célèbres westerns (*l'Appât*, 1953 ; *l'Homme de l'Ouest*, 1958).

**MANN**, famille d'écrivains allemands. ~ **Heinrich** (*1871, Lübeck - 1950, Santa Monica, Californie*) donna une critique de la société bourgeoise allemande et du nazisme (*le Professeur Unrat*, 1905 — au cinéma, *l'Ange bleu*). Son frère ~ **Thomas** (*1875, Lübeck - 1955, Kilchberg, près de Zurich*) témoigna du désarroi d'une civilisation prise dans ses contradictions : paradoxe des êtres qui décident de leur déclin (*les Buddenbrook*, 1901) ou de leur transformation par une prise de conscience (*la Montagne magique*, 1924), paradoxe de l'esprit puisque c'est de l'attrait pour la mort que vient la création (*la Mort à Venise*, 1912). Prix Nobel de litt. 1929. ~ **Klaus**, fils du préc. (*1906, Munich - 1949, Cannes*), s'exila en Europe et aux États-Unis, où il milita contre le nazisme. Il est l'auteur d'une autobiographie, *le Tournant* (posth., 1952) et de romans (*Mephisto*, 1936 ; *le Volcan*, 1939).

**MANNERHEIM** (Carl Gustaf Emil, baron) ~ *1867, Villnäs, près de Turku - 1951, Lausanne.* Maréchal et homme d'État finlandais. Il dirigea la lutte d'indépendance de la Finlande (1917) et fut élu régent (1918). Héros de la résistance à l'agression soviétique (1939-1940), il lutta avec les Allemands contre l'U. R. S. S. jusqu'en 1944. Élu président de la République (1944-1946), il négocia l'armistice avec les Alliés.

**MANNHEIM** ~ V. et port fluvial d'Allemagne (Bade-Wurtemberg), au confl. du Rhin et du Neckar ; 318 000 h. (env. 1 000 000 d'h. avec Ludwigshafen, de l'autre côté du Rhin). Université. Constructions mécan., cellulose, électronique. Monuments baroques, château du XVIIIe s. Résidence des Électeurs palatins et grand centre culturel (not. musical) au XVIIIe s. Musées (peinture, sculpture).

**MANNING** (Henry Edward) ~ *1808, Totteridge, Hertfordshire - 1892, Londres.* Prélat britannique. Prêtre anglican converti au catholicisme (1851), archevêque de Westminster (1865), cardinal (1875), il défendit le dogme de l'infaillibilité pontificale et soutint les luttes ouvrières.

**MANNONI** (Maud) ~ *1923, Courtrai.* Psychanalyste française d'orig. néerlandaise. D'obédience lacanienne, elle s'est consacrée aux enfants psychotiques et a créé une institution à leur intention.

**MANOLETE** (Manuel **Rodríguez Sánchez**, dit) ~ *1917, Cordoue - 1947, Linares.* Matador espagnol. Son style impassible et sa mort dans l'arène firent de lui une légende de la tauromachie.

**MANOSQUE** ~ V. des Alpes-de-Haute-Provence, marché agricole, dans la vallée de la Durance, à l'E. du Luberon (tourisme) ; agglom. 24 876 h. Églises romanes. Vestiges de remparts.

**MAN RAY** (Emmanuel **Rudnitsky**, dit) ~ *1890, Philadelphie - 1976, Paris.* Plasticien américain. Il découvrit la photographie avec A. Stieglitz et rejoignit les surréalistes. Il inventa les « rayographes » (silhouettes photographiées d'objets).

**MANRESA** ~ V. de Catalogne (Espagne), sur un affl. du Llobregat ; 70 000 h. Église gothique (XIVe-XVIe s.). Ignace de Loyola y écrivit ses *Exercices spirituels*, en 1522 (musée).

**MANRIQUE** (Jorge) ~ *1440, Paredes de Nava - 1479, près du château de Garci-Muñoz.* Poète castillan. Dans *Sur la mort de son père* (1476), il dénonce la vie comme une illusion.

**MANS (Le)** ~ Préfect. de la Sarthe, au confl. de la Sarthe et de l'Huisne, anc. cap. du Maine et carrefour de communications ; agglom. 189 107 h. Université. Agroalim., industr. autom., assurances. Vieille ville à l'intérieur de remparts gallo-romains, cathédrale St-Julien (XIIe-XVe s.), musée (peintures, céramiques). Circuit automobile (Vingt-Quatre Heures du Mans, Bol d'or).

**MANSART**, nom de deux architectes français. ~ **François** (*1598, Paris - 1666, id.*), fondateur du classicisme français par son goût des proportions harmonieuses et son refus des surcharges décoratives, réalisa des édifices sacrés, des hôtels particuliers parisiens, dont peu subsistent aujourd'hui, et éleva l'aile Gaston-d'Orléans du château de Blois (1635-1638) et le château de Maisons (auj. Maisons-Laffitte, 1642-1651). Son petit-neveu ~ **Jules**, dit **Jules Hardouin-Mansart** (*1646 - 1708, Marly*), édifia le dôme des Invalides et acheva le château de Versailles. Son sens des proportions s'est également illustré dans l'ordonnancement de la place Vendôme et de la place des Victoires, à Paris.

**MANSFIELD** (Kathleen **Mansfield Beauchamp**, dite Katherine) ~ *1888, Wellington - 1923, Fontainebleau.* Écrivain britannique. Ses nouvelles (*Félicité*, 1920 ; *la Garden Party*, 1922) témoignent d'une force d'analyse que l'on retrouve dans son *Journal* (1927) et dans ses *Lettres* (1928).

**MANSOURAH**, en ar. ***al-Mansura*** ~ V. d'Égypte, sur le delta du Nil, centre du commerce du coton ; 317 000 h. Université. En 1250, Saint Louis y fut fait prisonnier.

**MANSTEIN** (Erich **von Lewinski**, dit Erich VON) ~ *1887, Berlin - 1973, Irschenhausen, Bavière.* Maréchal allemand. Chef d'état-major des armées de Rundstedt, il organisa l'offensive allemande de 1940 contre la France (**plan Manstein**). En Russie, il conquit la Crimée, puis tenta de briser l'encerclement de Stalingrad (1942). En désaccord avec Hitler, il fut relevé de ses fonctions (1944).

**MANSUR** (Abu Djafar **al-**) ~ *m. en 775.* 2e calife abbasside (754-775). Après avoir écrasé les révoltes des chiites et des kharidjites, il consolida la dynastie des Abbassides et fonda Bagdad (v. 762).

**MANSUR** (Muhammad ibn Abi Amir, surnommé **al-**), en esp. ***Almanzor*** ~ *v. 938 - 1002.* Chef militaire et homme d'État musulman. Chef du califat omeyyade de Cordoue sous l'autorité nominale du calife, il mena des campagnes victorieuses contre les États chrétiens du N. de l'Espagne.

**MANTEGNA** (Andrea) ~ *1431, Isola di Carturo, Padoue - 1506, Mantoue.* Peintre et graveur italien. Élève de Francesco Squarcione et influencé par Donatello, il fut chargé à Mantoue des fresques de la chambre des Époux (1467-1474). Son style sculptural (*Christ mort*, v. 1506), adouci dans ses dernières œuvres allégoriques, et son goût de l'antique eurent une influence déterminante en Italie du Nord.

**MANTES-LA-JOLIE** ~ V. industr. de l'O. de la région parisienne (45 087 h.), dans les Yvelines, sur la Seine, formant une agglom. avec **Mantes-la-Ville** (19 091 h.). Collégiale gothique (XIIe-XIVe s.).

**MANTEUFFEL** (Edwin, baron VON) ~ *1809, Dresde - 1885, Karlsbad.* Maréchal prussien. Il commanda l'armée d'occupation en France (1871-1873) puis fut gouverneur d'Alsace-Lorraine (1879-1885).

**MANTINÉE** ~ Anc. v. de Grèce (Arcadie). Le Thébain Épaminondas y vainquit les Spartiates (362 av. J.-C.) et y mourut.

**MANTIQUEIRA (serra da)** ~ Chaîne de montagnes de l'E. du Brésil, au S. du pic de la Bandeira (2 890 m), point culminant du pays.

**MANTOUE**, en ital. ***Mantova*** ~ V. de Lombardie (Italie), dans la plaine du Pô, au S.-O. de Vérone ; 52 000 h. Palais Bonacolsi (XIIIe s.), palais ducal (XIIIe-XVIIIe s.), palais du Te (XVIe s.), chef-d'œuvre de J. Romain. **HIST.** - Conquise par les Lombards (VIIe s.), possession des Gonzague (1328-1708), la ville fut intégrée au royaume d'Italie en 1866.

**MANUCE**, en ital. *Manuzio*, famille d'imprimeurs italiens, dits **les Aldes**. ~ **Alde l'Ancien** (*1449, Bassiano - 1515, Venise*) édita à Venise les auteurs de l'Antiquité et les modernes. Il inventa le caractère italique. Son petit-fils ~ **Alde le Jeune** (*1547, Venise - 1597, Rome*) fut directeur de l'imprimerie vaticane.

**MANUEL**, nom de plusieurs empereurs byzantins. ~ **Manuel Ier Comnène** (*v. 1118 - 1180*), empereur de 1143 à 1180. Il livra bataille contre les Serbes, les Normands de Sicile et les Vénitiens, mais fut vaincu par les Turcs en 1176. ~ **Manuel II Paléologue** (*1348 - 1425*), empereur de 1391 à 1425. Il dut reconnaître la suzeraineté du sultan ottoman.

**MANUEL**, nom de deux rois de Portugal. ~ **Manuel Ier le Grand** ou **le Fortuné** (*1469, Alcochete - 1521, Lisbonne*), roi de 1495 à 1521. Il patronna les expéditions de Vasco de Gama et de Cabral vers l'Amérique du Sud. Mécène, il protégea les lettres et les sciences. Il fit chasser les juifs et les musulmans de son royaume. ~ **Manuel II** (*1889, Lisbonne - 1932, Twickenham*), roi de 1908 à 1910. Il fut renversé par la révolution républicaine.

**MANUEL DEUTSCH** (Niklaus) ~ *v. 1484, Berne - 1530, id.* Peintre, graveur, poète et homme politique suisse. Son œuvre picturale marque la transition entre l'héritage gothique et les motifs de la Renaissance italienne (*Danse des morts*, v. 1514-1516). Poète et auteur dramatique, il exerça également des fonctions politiques.

**MANYTCH** (le) ~ Nom de deux cours d'eau intermittents de Russie, issus du N. du Caucase, de direction opposée (O. et E.) et reliés entre eux, qui occupent la **dépression du Manytch**, semi-aride, ancien détroit entre la mer Noire et la mer Caspienne.

**MANZONI** (Alessandro) ~ *1785, Milan - 1873, id.* Écrivain italien. Ardent patriote, il œuvra en faveur de l'unification de la langue italienne. Théoricien du romantisme, il est l'auteur d'un roman historique, *les Fiancés* (1825).

**MAO Dun** ou **MAO Touen** (Shen Yanbing, dit) ~ *1896, Wu, Zhejiang - 1981, Pékin.* Homme politique et écrivain chinois. Ses romans (*Minuit*, 1933) évoquent les luttes paysannes et la révolution chinoise. Ministre de la Culture (1949-1965), il dut quitter son poste lors de la Révolution culturelle.

**Maoris** (les) ~ Peuple polynésien qui s'installa en Nouvelle-Zélande entre le IXe et le XIVe s. Ils résistèrent farouchement à la colonisation européenne.

**MAO Zedong** ou **MAO Tsé-toung** ~ *1893, Shaoshan, Hunan - 1976, Pékin.* Homme d'État chinois. Il contribua à la naissance du Parti communiste chinois (1921), puis s'opposa aux marxistes orthodoxes par son analyse du rôle prépondérant de la paysannerie dans le processus révolutionnaire. Exclu du bureau politique après l'échec de l'insurrection du Hunan (1927), il fonda en 1931 une république des Soviets dans le Jiangxi, mais dut se replier (Longue Marche, 1934-1935) face à l'offensive nationaliste de Tchang Kaï-chek. Réintégré à la tête du P. C. C. en 1935, il conclut une alliance avec Tchang Kaï-chek pour vaincre les Japonais. C'est à cette époque qu'il écrivit ses principaux ouvrages (*Problèmes stratégiques de la guerre révolutionnaire en Chine*, 1936 ; *De la démocratie nouvelle*, 1940). Victorieux après trois ans de guerre contre les nationalistes (1946-1949), Mao proclama la république populaire de Chine. Maître du pays, il engagea de vastes campagnes de transformations révolutionnaires (le Grand Bond en avant, 1958), puis, ayant abandonné ses fonctions présidentielles, déclencha la Révolution culturelle (1966), dont le programme était dicté dans son « Petit Livre rouge ». Il reprit le pouvoir dès 1968 et le conserva jusqu'à sa mort mais, affaibli par la maladie durant ses dernières années, il laissa s'affronter les modérés et la fraction extrémiste du parti, regroupée autour de la Bande des Quatre.

**MAPPLETHORPE** (Robert) ~ *1946, New York - 1989, id.* Photographe américain. Fréquentant les membres de la Factory d'A. Warhol, il réalisa des portraits de célébrités new-yorkaises, de culturistes noirs, des séries de nus. Son style allie provocation érotique et rigueur classique.

**Mapuches** (les) ~ Voir **Araucans**.

**MAPUTO**, anc. **Lourenço Marques** ~ Cap. du Mozambique, grand port (export. de minerais) du S. du pays ; 1 007 000 h. Ville fondée en 1886.

**MAR (serra do)** ~ Rebord du plateau brésilien qui domine la côte atlantique entre Rio de Janeiro et Pôrto Alegre (alt. max. 2 250 m). Stations clim.

**MARACAIBO** ~ 2e v. du Venezuela, centre univ., admin. et pétrolier construit sur le goulet qui relie le **lac de Maracaibo** (env. 13 500 km$^2$, gisements de pétr.) à la mer des Antilles ; 1 208 000 h.

**MARACAY** ~ V. du Venezuela, centre industriel et administratif au S.-O. de Caracas ; 354 000 h.

**MARADI** ~ V. du S. du Niger, centre commercial sur l'axe Niamey-Zinder (arachides et peaux), en pays haoussa ; 109 000 h.

**MARADONA** (Diego Armando) ~ *1960, Buenos Aires.* Footballeur argentin. Sa notoriété atteignit son apogée lors de la Coupe du monde de 1986.

**MARAIS** (Jean **Villain-Marais**, dit Jean) ~ *1913, Cherbourg.* Acteur français. Interprète fétiche de J. Cocteau au théâtre (*les Parents terribles*, 1938) et au cinéma (*la Belle et la Bête*, 1946), il s'est aussi illustré dans les films de J. Delannoy (*l'Éternel Retour*, 1943).

*Jean Marais (au centre) dans le* Bossu *(1959), film d'André Hunebelle (1896-1985).*

**MARAIS** (Marin) ~ *1656, Paris - 1728, id.* Violiste et compositeur français. Élève de Lully mais adversaire de l'italianisme, il composa des pièces pour viole et des opéras (*Alcyone*, 1706).

**MARAIS BRETON** (le) ~ Anc. marécage du littoral vendéen (baie de Bourgneuf), drainé dès le XIe s.

**MARAIS POITEVIN** (le) ~ Anc. marécage littoral, aux confins de la Vendée et de la Charente-Maritime (vallée de la Sèvre Niortaise), mis en valeur à partir du XIIe s. (quadrillage de canaux). Herbages, légumes. Tourisme.

**MARAJÓ** ~ Grande île des bouches de l'Amazone ; 40 000 km$^2$. Élev. bovin. Sites précolombiens.

**MARAMUREŞ** (le) ~ Massif du N. de la Roumanie (Transylvanie), l'un des plus élevés des Carpates (2 300 m).

**MARANHÃO** (le) ~ État brésilien du S.-E. des bouches de l'Amazone (confins N. du Nordeste) ; 329 556 km$^2$, 4 922 000 h., cap. São Luís (696 000 h.), port industriel (métallurgie, agroalimentaire).

**MARAÑÓN** (le) ~ Riv. andine du Pérou, l'une des branches mères de l'Amazone ; 1 800 km.

**MARAÑÓN Y POSADILLO** (Gregorio) ~ *1887, Madrid - 1960, id.* Médecin et écrivain espagnol. Par ses travaux sur les glandes surrénales et la thyroïde, il fut l'un des fondateurs de l'endocrinologie.

**MARANS** ~ V. de la Charente-Maritime, marché avicole, dans le Marais poitevin ; 4 170 h. Anc. port relié à l'océan par un canal.

**MARAŞ** ~ Voir **Kahramanmaraş**.

**MARAT** (Jean-Paul) ~ *1743, Boudry, Suisse - 1793, Paris.* Médecin, publiciste et homme politique français. Fondateur et rédacteur du journal *l'Ami du peuple* (sept. 1789-juill. 1793), il fut le porte-parole de la faction extrémiste des sans-culottes. Élu à la Convention, il mena la lutte contre les Girondins, dont il provoqua la chute (2 juin 1793). C'est une sympathisante des Girondins, Charlotte Corday, qui, le 13 juillet 1793, l'assassina dans sa baignoire. Durant la Terreur, sa mémoire fit l'objet d'un véritable culte.

**Marathes** ou **Mahrates** (les) ~ Peuple du Maharashtra. Sous la conduite de leur raja, Shivaji, les Marathes créèrent, au XVIIe s., un État opposé à la domination moghole. Ils résistèrent à l'expansionnisme britannique (1779-1817) mais, après leur défaite, l'État marathe fut intégré aux Indes britanniques.

**MARATHON** ~ Anc. v. de Grèce (Attique). En 490 av. J.-C., les Athéniens, menés par Miltiade, y vainquirent les Perses de Darius Ier, mettant ainsi un terme à la première guerre médique. Un soldat envoyé à Athènes pour annoncer la victoire serait mort d'épuisement à son arrivée.

**MARBELLA** ~ Grande station baln. de la Costa del Sol, en Andalousie (Espagne) ; 77 000 h.

**MARBORÉ** (le) ~ Massif pyrénéen qui domine le cirque de Gavarnie (mont Perdu, 3 355 m, en Espagne).

**MARBURG** ~ V. d'Allemagne occidentale (Hesse), au N. de Francfort ; 77 000 h. Château des landgraves de Hesse (XIIIe s.) et église gothique Ste-Élisabeth (XIIe s.). Importante université protestante (fondée en 1527), où se réunirent luthériens et adeptes d'U. Zwingli (**colloque de Marburg**, 1529), et où s'illustra l'**école de Marburg** (v. 1875-1933), groupe de philosophes néokantiens (Ernst Cassirer, Hermann Cohen et Paul Natorp).

**MARC** (saint) ~ *Ier s.* Compagnon de saint Paul puis de saint Pierre, auteur du 2e Évangile. Après son martyre en Égypte, ses reliques auraient été rapportées à Venise, dont il est le saint patron.

**MARC ANTOINE** ~ Voir **Antoine**.

**MARC AURÈLE**, en lat. ***Marcus Aurelius Antoninus*** ~ *121, Rome - 180, Vindobona.* Empereur romain (161-180). Il fit campagne contre les Parthes (161-166) et contre les Germains (168-175 et 178-180). Il est l'auteur de *Pensées* qui s'inscrivent dans la tradition du stoïcisme.

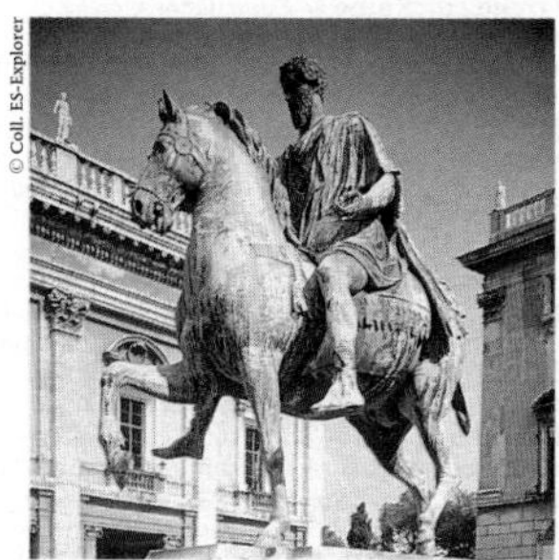



*Marc Aurèle, statue équestre en bronze (1538). Place du Capitole, Rome.*

**MARCEAU** (François Séverin **Marceau-Desgraviers**, dit) ~ *1769, Chartres - 1796, Altenkirchen.* Général français. Il combattit les Vendéens (1793) et se distingua à Fleurus (1794) et à Neuwied (oct. 1795) contre les Autrichiens.

**MARCEAU** (Marcel **Mangel**, dit Marcel) ~ *1923, Strasbourg.* Mime français. Rénovateur de la pantomime grâce à son personnage tragi-comique Bip, il a fondé à Paris, en 1978, l'école de mimes qui porte son nom.

**MARCEL** (Étienne) ~ *v. 1316 - 1358, Paris.* Homme politique français. Prévôt des marchands de Paris, chef de file aux états généraux (1356-1357), dont il cherchait à accroître l'influence sur le pouvoir royal, il déclencha une insurrection contre le futur Charles V et s'empara de Paris avec l'appui de Charles II le Mauvais en 1358. Les partisans du dauphin réprimèrent cette rébellion et l'assassinèrent le 31 juillet.

**MARCEL** (Gabriel) ~ *1889, Paris - 1973, id.* Philosophe et dramaturge français. Personnaliste chrétien, en lutte contre le rationalisme, il défendit l'idée d'un être humain à jamais mystérieux et tragique, dont le salut réside dans la communion avec autrui (*Être et Avoir*, 1968 ; *Pour une sagesse tragique*, 1969).

**MARCELLIN** (saint) ~ *m. en 304 à Rome.* Pape de 296 à 304. Sous son pontificat débuta la persécution de Dioclétien.

**MARCELLO** (Benedetto) ~ *1686, Venise - 1739, Brescia.* Compositeur italien. Il mena une carrière politique et littéraire tout en s'imposant avec des œuvres instrumentales et vocales.

**MARCELLUS**, en lat. ***Marcus Claudius Marcellus*** ~ *v. 268 - 208 av. J.-C., Venosia.* Consul romain (à cinq reprises, de 222 à 208 av. J.-C.). En 222, il assura à Rome le contrôle de la Gaule Cisalpine. Il battit deux fois Hannibal à Nole (216 et 215) puis porta la guerre en Sicile.

**MARCHAIS** (Georges) ~ *1920, La Hoguette, Calvados.* Homme politique français. Secrétaire général du P. C. F. de 1972 à 1994, il a conclu en 1973 le Programme commun avec le P. S. et le M. R. G. À partir de la fin des années 1970, il a adopté une attitude hostile aux courants rénovateurs.

**MARCHAND** (Jean-Baptiste) ~ *1863, Thoissey - 1934, Paris.* Général et explorateur français. Parti du Congo en 1897, il atteignit le Nil à Fachoda, où le Britannique Kitchener le rejoignit pour empêcher les Français de prendre le contrôle de ce territoire. Devant la menace d'une crise internationale, il dut se retirer (7 nov. 1898).

**MARCHE** (la) ~ Anc. province du centre de la France (cap. Guéret) divisée en Haute- et Basse-Marche (Creuse et Haute-Vienne), réunie à la Couronne en 1527 par François Ier.

**Marché commun** ~ Voir **Europe**.

**MARCHES** (les) ~ Région administrative et historique d'Italie centrale, sur l'Adriatique ; 9 694 km², 1 438 000 h., cap. Ancône. Agriculture, artisanat (cuir, confection), pêche, tourisme. Les Marches furent annexées en 1532 aux États pontificaux et en 1860 au Piémont.

**Marche sur Rome** ~ Coup de force opéré du 27 au 30 octobre 1922 par les milices fascistes, au terme duquel le roi d'Italie Victor-Emmanuel III dut appeler Mussolini, leur chef, au pouvoir.

**MARCIANO** (Rocco Francis **Marchegiano**, dit Rocky) ~ *1923, Brockton, Massachusetts - 1969, près de Des Moines.* Boxeur américain. Champion du monde des poids lourds de 1952 à 1956, il se retira au sommet de sa gloire. Il trouva la mort dans un accident d'avion.

**MARCION** ~ *v. 85, Sinope, Asie Mineure - v. 160.* Hérétique chrétien. Excommunié en 144, il fonda l'Église marcionite. Sa doctrine récuse l'image du Dieu vengeur donnée par l'Ancien Testament.

**Marcomans** (les) ~ Peuple de Germanie qui occupa la Bohême et envahit l'Empire romain au IIe s.

**MARCONI** (Guglielmo) ~ *1874, Bologne - 1937, Rome.* Physicien italien. Il construisit un poste permettant les transmissions par ondes hertziennes, effectuant la première liaison au-dessus de l'Atlantique (1901). Prix Nobel de phys. 1909.

**MARCOS** (Ferdinand) ~ *1917, Sarrat - 1989, Honolulu.* Homme d'État philippin. Président de la République en 1965, il fut confronté à un vaste mouvement de contestation et dut s'exiler en 1986.

**MARCOULE** ~ Lieu-dit du Gard, près de Bagnols-sur-Cèze. Surgénérateur et centre de recherche nucléaire créés en 1958.

**MARCQ-EN-BARŒUL** ~ V. industrielle de la banlieue de Lille (Nord) ; 36 601 h.

**MARCUSE** (Herbert) ~ *1898, Berlin - 1979, Starnberg, près de Munich.* Philosophe américain d'orig. allemande. Dans la mouvance de l'école de Francfort, il étudia les formes de l'aliénation propres aux sociétés d'abondance (*Éros et Civilisation*, 1955 ; *l'Homme unidimensionnel*, 1964).

**MAR DEL PLATA** ~ Port et station baln. d'Argentine (S. de la prov. de Buenos Aires) ; 520 000 h. Industrie agroalim. (viande, poisson).

**MARDOCHÉE** ~ Personnage biblique du Livre d'Esther. Cousin d'Esther, il supplanta le vizir Aman à la cour du roi de Perse Assuérus.

**MAREA** ou **MARÉOTIS** (lac) ~ Voir **Mariout**.

**MAREMME** (la) ~ Région de Toscane (Italie), au N. du Latium. Le littoral tyrrhénien, bas, autrefois insalubre, a été mis en valeur (céréales) à partir des années 1930.

**MARENGO** ~ Localité d'Italie (Piémont), près d'Alexandrie. Le 14 juin 1800, Bonaparte y remporta une victoire sur les Autrichiens.

**MARENNES** ~ Localité et centre ostréicole et mytilicole de Charente-Maritime, à l'embouchure de la Seudre ; 4 634 h. Marais salants.

**MARET** (Hugues) ~ *1763, Dijon - 1839, Paris.* Homme politique et diplomate français. Il soutint le coup d'État du 18 brumaire et fut ministre des Affaires étrangères de Napoléon Ier (1811-1813), qui lui conféra le titre de duc de Bassano. Acad.

**MAREY** (Étienne Jules) ~ *1830, Beaune - 1904, Paris.* Physiologiste et inventeur français. Il développa l'enregistrement graphique du rythme cardiaque (**loi de Marey**), et inventa la chronophotographie, à l'origine du cinéma.

**MARGARITA** (île) ~ Île côtière de l'E. du Venezuela (mer des Antilles) ; 1 072 km², 118 000 h. Pêche (huîtres perlières). Tourisme.

**MARGATE** ~ Station baln. du S.-E. de l'Angleterre (Kent), au N. de Douvres et de Ramsgate ; 49 000 h.

**MARGAUX** ~ Village viticole du Médoc, au N. de Bordeaux (Gironde) ; 1 387 h. Premier grand cru du Bordelais (château-margaux).

**MARGERIDE** (la) ~ Haut plateau cristallin (1 550 m) du Massif central (Auvergne), entre la Truyère et l'Allier, faiblement peuplé. Élev. bovin.

**MARGOT (reine)** ~ Voir **Marguerite de Valois**.

**MARGUERITE** ou **MARINE** (sainte) ~ *IIIe s., Antioche de Pisidie.* Vierge et martyre chrétienne. Ayant refusé le mariage avec le préfet païen Olybrius et avoué sa foi, elle fut décapitée. Patronne des femmes enceintes.

**MARGUERITE II** ~ *1940, Copenhague.* Reine de Danemark depuis 1972.

**MARGUERITE D'ANJOU** ~ *1430, Pont-à-Mousson - 1482, Anjou.* Reine d'Angleterre. Elle épousa Henri VI en 1445 et prit le parti des Lancastre dans la guerre des Deux-Roses.

**MARGUERITE D'AUTRICHE** ~ *1480, Bruxelles - 1530, Malines.* Fille de Maximilien d'Autriche et de Marie de Bourgogne, duchesse de Savoie par son mariage avec Philibert II. Veuve en 1504, elle fit édifier le monastère de Brou en mémoire de son époux. Gouvernante des Pays-Bas (1507-1515 et 1519-1530), elle prit une part active dans la diplomatie européenne.

**Marguerite d'Autriche** *(détail), peinture de Bernard Van Orley (1488-1541). Musée de Brou, Bourg-en-Bresse.*

**MARGUERITE D'ÉCOSSE** ~ Voir **Marguerite Stuart**.

**MARGUERITE DE NAVARRE** ou **D'ANGOULÊME** ~ *1492, Angoulême - 1549, Odos, Bigorre.* Reine de Navarre. Sœur aînée de François Ier, elle épousa en secondes noces Henri d'Albret, roi de Navarre (1527). Protectrice des réformés et des humanistes, elle est l'auteur de poèmes, *les Marguerites de la Marguerite des princesses* (1547) et de nouvelles, *l'Heptaméron* (posth., 1559).

**MARGUERITE DE PARME** ~ *1522, Oudenaarde - 1586, Ortona, Abruzzes.* Fille naturelle de Charles Quint et épouse du duc de Parme Octave Farnèse, elle fut gouvernante des Pays-Bas (1559-1567).

**MARGUERITE DE PROVENCE** ~ *1221 - 1295, Saint-Marcel, près de Paris.* Reine de France. Fille de Raimond Bérenger V, comte de Provence, elle épousa Louis IX en 1234 et exerça une grande influence sous le règne de son fils Philippe III.

**MARGUERITE DE VALOIS**, dite la **reine Margot** ~ *1553, Saint-Germain-en-Laye - 1615, Paris.* Reine de Navarre et fille d'Henri II et de Catherine de Médicis. Elle épousa Henri de Navarre, le futur Henri IV. Ce mariage fut annulé en 1599. Elle écrivit des poèmes et des *Mémoires*.

**MARGUERITE-MARIE ALACOQUE** (sainte) ~ *1647, Verosvres, Saône-et-Loire - 1690, Paray-le-Monial.* Religieuse visitandine française. À la suite d'apparitions, elle répandit le culte du Sacré-Cœur de Jésus.

**MARGUERITE STUART** ou **MARGUERITE D'ÉCOSSE** ~ *v. 1424 - 1445, Châlons-sur-Marne.* Dauphine de France, fille de Jacques Ier d'Écosse. Elle fut mariée en 1436 au dauphin, futur Louis XI.

**MARGUERITE Ire VALDEMARSDOTTER** ~ *1353, Søborg, Seeland - 1412, Flensburg.* Épouse d'Haakon VI de Norvège, elle fut régente de Danemark et de Norvège. Elle imposa la création de l'Union de Kalmar entre le Danemark, la Suède et la Norvège (1397).

**MARGUERITTE**, nom de deux écrivains français. ~ **Paul** (*1860, Laghouat - 1918, Paris*) et ~ **Victor** (*1866, Blida - 1942, Monestier*) écrivirent en collaboration des romans naturalistes. La publication de *la Garçonne* par Victor fit scandale dans les années 1920.

**MARI**, auj. **Tell Hariri** ~ Anc. ville de Mésopotamie, sur la rive droite de l'Euphrate (auj. Syrie). Foyer de civilisation et centre d'un royaume puissant, du milieu du IIIe mill. av. J.-C. jusqu'à sa prise par Hammourabi, en 1758 av. J.-C.

**MARIAMNE** ~ Voir **Miriam**.

**MARIANA DE LA REINA** (Juan DE) ~ *1536, Talavera de la Reina - 1624, Tolède.* Théologien jésuite et historien espagnol. Il publia une *Histoire générale d'Espagne* (1592) et un traité, *Du roi et de la royauté* (1599), dans lequel il admettait l'assassinat politique comme sanction de la tyrannie.

**MARIANNE** ~ Nom donné à la République française, figurée par un buste féminin coiffé du bonnet phrygien.

**MARIANNES (îles)** ~ Archipel volcan. du Pacifique (E. de la Micronésie), divisé en deux entités politiques, Guam et la communauté des Mariannes du Nord (île princ. Saipan) ; 464 km², 43 000 h. (Guam exclue). Élev., pêche. Bases militaires américaines. Anc. colonie espagnole (1668), allemande (1899), japonaise (1919), sous tutelle américaine en 1947, État associé aux États-Unis (territoire non incorporé) depuis 1975. La bataille aéronavale des Mariannes (juin 1944) fut une étape importante du repli japonais dans la guerre du Pacifique. La **fosse des Mariannes**, au S., est la plus profonde du monde (prof. max. 11 034 m).

**MARIÁNSKÉ LÁZNĚ**, en all. *Marienbad* ~ Station thermale réputée de la République tchèque (Bohême occidentale) ; env. 15 000 h.

**MARIBOR** ~ 2e v. de Slovénie, sur la Drave ; 105 000 h. Industr. lourde. Cathédrale (XIIe s., remaniée) et château (XVe et XVIIe s.) devenu musée.

**MARICA** ou **MARITZA** (la), en grec *Evros*, en turc *Meriç* ~ Fl. de Bulgarie qui sépare le Rhodope et le Balkan, tribut. de la mer Égée (490 km). Son cours inf. forme la frontière gréco-turque en Thrace.

SAINTES

**MARIE** (sainte) ou **SAINTE VIERGE** (la) ~ Personnage biblique, mère de Jésus et épouse de Joseph. Les Évangiles relatent l'annonce (Annonciation) qui lui est faite par l'archange Gabriel de la naissance future d'un fils par l'intercession du Saint-Esprit, la confirmation qu'elle en reçoit lors d'une visite à sa cousine Élisabeth (Visitation) et la naissance de Jésus lors d'un voyage à Bethléem (Nativité). La dévotion mariale se développa à partir du IVe s. et donna lieu à la formulation de deux dogmes catholiques, celui de l'Immaculée Conception de Marie (1854) et celui de l'Assomption (1950).

**MARIE DE L'INCARNATION** (bienheureuse ; Barbe **Avrillot**, dite Mme **Acarie** ou) ~ *1566, Paris - 1618, Pontoise.* Religieuse française. Avec Bérulle, elle introduisit le Carmel en France (1604) et, devenue veuve, s'y retira (1615).

**MARIE DE L'INCARNATION** (Marie **Guyard**, en religion mère) ~ *1599, Tours - 1672, Québec.* Religieuse française. Elle fonda au Canada le premier couvent d'ursulines (1639). Ses *Relations* et ses *Lettres* (posth., 1677-1681) constituent un témoignage sur l'histoire de la Nouvelle-France.

**MARIE L'ÉGYPTIENNE** (sainte) ~ *v. 355, Égypte - m. v. 422, Palestine.* Ascète chrétienne. Ancienne prostituée d'Alexandrie, elle se convertit et vécut au désert une quarantaine d'années.

ANGLETERRE

**MARIE Ire TUDOR**, dite **Marie la Sanglante** ~ *1516, Greenwich - 1558, Londres.* Reine d'Angleterre et d'Irlande (1553-1558), fille d'Henri VIII et de Catherine d'Aragon. Elle rétablit le catholicisme dans son royaume et épousa Philippe II d'Espagne (1554). Son règne fut marqué par la répression contre les protestants et par la guerre contre la France.

BOURGOGNE

**MARIE DE BOURGOGNE** ~ *1457, Bruxelles - 1482, Bruges.* Duchesse de Bourgogne. Fille de Charles le Téméraire et épouse de Maximilien, empereur d'Autriche (1477), elle dut céder une grande partie de son duché à Louis XI mais conserva la Flandre après la victoire de Guinegatte (1479).

ÉCOSSE

**MARIE STUART**, nom de deux reines d'Écosse. ~ **Marie Ire Stuart** (*1542, Linlithgow - 1587, Fotheringhay*), reine d'Écosse (1542-1567), fille de Jacques V. Elle épousa le futur François II de France (1558) mais, veuve dès 1560, revint en Écosse. Son autoritarisme, son catholicisme intransigeant et sa vie dissolue amenèrent un soulèvement qui provoqua son abdication (1567). Réfugiée en Angleterre, elle fut impliquée dans des complots contre sa cousine la reine Élisabeth Ire, qui la fit décapiter. ~ **Marie II Stuart** (*1662, Londres - 1694, id.*), reine d'Angleterre, d'Irlande et d'Écosse (1689-1694), fille de Jacques II et épouse de Guillaume III d'Orange. Elle accéda au pouvoir conjointement avec son époux, après la destitution de son père. Elle signa la Déclaration des droits (1689), qui marque le début de la monarchie parlementaire anglaise.

FRANCE

**MARIE DE MÉDICIS** ~ *1573, Florence - 1642, Cologne.* Reine de France. Elle épousa Henri IV en 1600. Régente en 1610, influencée par Concini, elle se heurta à l'agitation des nobles. Après l'assassinat de Concini (1617), elle entra en guerre contre son fils Louis XIII, et fut battue (1620). Revenue à la Cour, elle parvint à placer Richelieu au Conseil, mais, devant son influence grandissante sur le roi, elle tenta de le faire disgracier (journée des Dupes, 1630) puis dut s'exiler.

**MARIE LESZCZYŃSKA** ~ *1703, Breslau - 1768, Versailles.* Reine de France, fille de Stanislas Leszczyński, roi de Pologne. Elle épousa Louis XV (1725), dont elle eut dix enfants.

PORTUGAL

**MARIE DE BRAGANCE**, nom de deux reines de Portugal. ~ **Marie Ire de Bragance** (*1734, Lisbonne - 1816, Rio de Janeiro*), reine de Portugal (1777-1816), fille de Joseph Ier et épouse de son oncle Pierre III. Elle fut frappée de folie et confia la régence à son fils, le futur Jean VI, en 1792. ~ **Marie II de Bragance** (*1819, Rio de Janeiro - 1853, Lisbonne*), reine de Portugal (1826-1853), fille de Pierre Ier, empereur du Brésil. Victime de l'usurpation de son oncle Michel, elle reprit le pouvoir en 1834.

---

**MARIE** (Pierre) ~ *1853, Paris - 1940, Cannes.* Neurologue français. Il étudia de nombreuses maladies, dont l'hydrocéphalie et une forme de névrite hypertrophique, dite **type de Pierre Marie**, ainsi que les troubles du langage.

**MARIE-AMÉLIE DE BOURBON** ~ *1782, Caserte - 1866, Claremont.* Reine des Français. Fille de Ferdinand IV, roi de Naples, et de Marie-Caroline. Elle épousa le duc d'Orléans, futur Louis-Philippe (1809).

**MARIE-ANTOINETTE** ~ *1755, Vienne - 1793, Paris.* Reine de France. Fille de l'empereur germanique François Ier et de Marie-Thérèse, elle épousa le futur Louis XVI en 1770. Impopulaire en raison de son insouciance et de son refus de toute réforme, elle fut rendue responsable de scandales comme l'affaire du Collier (1785). À partir du déclenchement de la Révolution, elle incita son mari à solliciter le soutien de l'Autriche. Emprisonnée au Temple après le 10 août 1792, puis à la Conciergerie le 2 août 1793, elle fut jugée par le Tribunal révolutionnaire, condamnée à mort et guillotinée le 16 octobre.

**MARIE-CAROLINE** ~ *1752, Vienne - 1814, id.* Reine de Naples. Épouse de Ferdinand IV, roi de Naples (1768), elle exerça la réalité du pouvoir. Elle participa aux coalitions contre la France révolutionnaire et napoléonienne, et dut se réfugier en Sicile en 1806.

**MARIE-CHRISTINE DE BOURBON-SICILE** ~ *1806, Naples - 1878, Sainte-Adresse, près du Havre.* Reine d'Espagne. Quatrième épouse de Ferdinand VII (1829), elle provoqua l'insurrection carliste (1834-1840) en imposant comme héritière sa fille Isabelle II, dont elle fut la régente (1833-1854).

**MARIE-CHRISTINE D'AUTRICHE** ou **DE HABSBOURG-LORRAINE** ~ *1858, Gross-Seelowitz - 1929, Madrid.* Reine d'Espagne. Épouse d'Alphonse XII (1879), elle fut régente durant la minorité de son fils Alphonse XIII (1886-1902).

**MARIE-GALANTE** ~ Île des Antilles françaises, dépendance de la Guadeloupe ; 157 km², 13 512 h. Canne à sucre, tourisme.

**Marie-Louise** (les) ~ Nom donné aux conscrits de 1813 sous la régence de Marie-Louise, impératrice des Français.

**MARIE-LOUISE D'AUTRICHE** ou **DE HABSBOURG-LORRAINE** ~ *1791, Vienne - 1847, Parme.* Impératrice des Français. Fille de l'empereur germanique François II, elle épousa Napoléon Ier en 1810 et lui donna un fils en 1811, le roi de Rome. Elle rejoignit son père en 1814 et obtint la souveraineté viagère sur le duché de Parme.

**MARIE MADELEINE** ou **MADELEINE** (sainte) ~ Personnage biblique. Originaire de Magdala, elle assista à la Passion du Christ et fut la première à trouver son tombeau vide le jour de Pâques.

**MARIENBAD** ~ Voir **Mariánské Lázně**.

**MARIE-THÉRÈSE** ~ *1717, Vienne - 1780, id.* Reine de Hongrie (1741-1780) et de Bohême (1743-1780) et impératrice d'Autriche (1740-1780). Selon la Pragmatique Sanction de 1713, elle devait succéder à son père, l'empereur Charles VI, mais elle dut faire face à la Prusse et à la Bavière, soutenues par la France, lors de la guerre de la Succession d'Autriche (1740-1748), durant laquelle Charles VII fut élu empereur (1742). À la mort de ce dernier (1745), ce fut son mari, François Ier, grand-duc de Toscane, qui fut élu empereur, mais elle exerça la réalité du pouvoir. Ayant perdu la Silésie, elle entreprit en vain de la récupérer lors de la guerre de Sept Ans (1756-1763) contre Frédéric II. En despote éclairé, elle unifia et modernisa ses États. Elle eut seize enfants, dont le futur empereur Joseph II et Marie-Antoinette, future reine de France.

**MARIE-THÉRÈSE D'AUTRICHE** ~ *1638, Madrid - 1683, Versailles.* Reine de France. Fille du roi d'Espagne Philippe IV. Elle épousa Louis XIV en 1660. De ses six enfants, seul survécut Louis de France.

**MARIETTE** (Auguste) ~ *1821, Boulogne-sur-Mer - 1881, Le Caire.* Égyptologue français. Il découvrit la plupart des monuments de l'Égypte antique, et fonda un musée à Boulaq, qui constitue le fonds du musée du Caire.

**MARIE-VICTORIN** (Conrad **Kirouac**, en relig. frère) ~ *1885, Québec - 1944, près de Sainte-Hyacinthe.* Religieux et naturaliste canadien. Il fonda le jardin botanique de Montréal.

**MARIGNAN** ~ V. d'Italie (Lombardie) ; env. 20 000 h. François Ier y remporta une victoire contre les Suisses pendant les guerres d'Italie (1515). Ce succès ouvrit le Milanais aux Français et annonça la fin de la guerre (1516).

**MARIGNANE** ~ V. industrielle (constr. aéronautiques) des Bouches-du-Rhône, près de l'étang de Berre ; 32 325 h. Aéroport de Marseille.

**MARIGNY** (Enguerrand DE) ~ *v. 1260, Lyons-la-Forêt - 1315, Paris.* Homme politique français. Chargé des finances sous Philippe IV le Bel, il fut pendu pour concussion après la mort du roi.

**MARILLAC**, famille française influente aux XVIe et XVIIe s. ~ **Charles** DE (*v. 1510, Riom - 1560, Melun*), archevêque et diplomate, fut ambassadeur à Istanbul, à Londres, puis auprès de Charles Quint. ~ **Michel** DE (*1563, Paris - 1632, Châteaudun*), neveu du préc., garde des Sceaux en 1629, fit promulguer le Code Michau, qui fut rejeté par les parlements. Il fut l'un des chefs du parti dévot et dut s'exiler après la journée des Dupes (1630). ~ **Louis** DE (*1573, Auvergne - 1632*), maréchal de France, frère du préc. Compromis dans une conspiration contre Richelieu, il fut décapité.

**MARIN** (Maguy) ~ *1951, Paris.* Danseuse et chorégraphe française. Formée par M. Béjart, elle a introduit dans ses chorégraphies une grande théâtralité (*May Be*, 1981 ; *Cendrillon*, 1985).

**MARIN DE TYR** ~ *fin du Ier s.* Géographe et mathématicien grec, dont Ptolémée puis Mercator utilisèrent les travaux.

**MARINE** (sainte) ~ Voir **Marguerite**.

**MARINETTI** (Filippo Tommaso) ~ *1876, Alexandrie, Égypte - 1944, Bellagio.* Écrivain italien. Il est l'initiateur du futurisme (*Manifeste technique de la littérature futuriste*, 1909). [☞ **futurisme**.]

**Marinides** (les) ~ Dynastie berbère qui régna sur le Maroc du XIIIe au XVe s.

**MARINO** ou **MARINI** (Giambattista), dit le **Cavalier Marin** ~ *1569, Naples - 1625, id.* Poète italien. Son style précieux le fit reconnaître comme le plus grand poète de son temps (*Adonis*, 1623).

**MARIOTTE** (Edme) ~ *v. 1620, Dijon - 1684, Paris.* Abbé et physicien français, fondateur de la physique expérimentale en France. Il étudia l'hydrodynamique, les déformations élastiques des solides, l'optique et les phénomènes gazeux, énonçant la loi sur la compressibilité des gaz (**loi de Boyle-Mariotte**, 1676). Il formula les bases de la prévision du temps et fut le précurseur d'une théorie atomiste du développement.

**MARIOUPOL**, anc. **Jdanov** (de 1948 à 1989) ~ Port (export. de charbon) et centre industr. (sidé-

Marie Ire Stuart *(détail)*, atelier de François Clouet *(v. 1510-1572)*. *Musée Carnavalet, Paris.*

© Lauros-Giraudon

Marie de Médicis *(détail)*, *peinture de Scipio Polzone (v. 1550-1598). Palais Pitti, Florence.*

© Giraudon

Marie-Antoinette *(1783 ; détail)*, *peinture d'Élisabeth Vigée-Lebrun (1755-1842). Château de Versailles.*

© Lauros-Giraudon

rurgie, industrie alimentaire) d'Ukraine, sur la mer d'Azov, débouché ukrainien du bassin houiller du Donbass ; 522 000 h.

**MARIOUT (lac)**, anc. **Maréotis** ou **Marea** ~ Lagune du delta du Nil, aux abords d'Alexandrie, auj. en partie asséchée (agric., marais salants).

**MARIS (république des)** ~ République de la fédération de Russie, au N. de la Volga et de Kazan ; 23 200 km², 765 000 h. (dont 43 % de **Maris** ou Tchérémisses, de langue finno-ougrienne), cap. Iochkar-Ola (242 000 h.). Industries métall., mécan. et alimentaire.

**MARISMAS (las)** ~ Région d'Andalousie (Espagne), basse vallée inondable du Guadalquivir, auj. en partie bonifiée (riziculture, élevage).

**MARITAIN** (Jacques) ~ *1882, Paris - 1973, Toulouse.* Philosophe français. Chrétien engagé, il milita avec sa femme, Raïssa, pour un renouveau spirituel (*Primauté du spirituel*, 1927).

**MARITZA** (la) ~ Voir **Marica**.

**MARIUS**, en lat. ***Caius Marius*** ~ *v. 157, Cereatae, en pays volsque - 86 av. J.-C., Rome.* Général et homme politique romain. Proche de l'aristocrate Metellus, il opta cependant pour le camp de la plèbe, ce qui lui permit, en 107, d'obtenir le consulat et le commandement de l'armée d'Afrique. Il réforma l'armée, en recrutant les volontaires sans respecter l'ordre des classes censitaires. Réélu cinq fois consul (104-100), Marius vainquit les Teutons à Aix (102) et les Cimbres à Verceil (101). Après une ambassade en Orient, il se vit préférer Sylla pour combattre Mithridate VI, roi du Pont (88), et s'exila en Afrique, d'où il revint après le départ de Sylla pour l'Orient. Il fut réélu consul et proscrivit les partisans de Sylla.

**MARIVAUX** (Pierre Carlet **de Chamblain** DE) ~ *1688, Paris - 1763, id.* Écrivain français. Après des débuts littéraires dans la parodie et le pastiche, c'est à partir de 1720 que, ruiné par la banqueroute de Law, il se consacra entièrement aux lettres. Il rédigea des journaux, écrivit deux romans (*la Vie de Marianne*, 1731-1741 ; *le Paysan parvenu*, 1735) et des comédies qui dépeignent la naissance de l'amour dans des intrigues légères et dans un langage délicat, intuitif et direct (*la Double Inconstance*, 1723 ; *le Jeu de l'amour et du hasard*, 1730 ; *les Fausses Confidences*, 1737).

**Marivaux** *(1743 ; détail), d'après L.-M. Van Loo. Château de Versailles.*

**MARKOV** (Andreï Andreïevitch) ~ *1856, Riazan - 1922, Petrograd.* Mathématicien russe. Maître de l'école probabiliste, il établit, en théorie des probabilités, des chaînes d'évènements qui portent son nom, et créa, en linguistique, un type d'analyse qui fit progresser le décryptage de documents.

**MARLBOROUGH** (John **Churchill**, duc DE) ~ *1650, Musbury - 1722, Londres.* Homme de guerre britannique. Il fut d'abord au service de Jacques II, puis de Guillaume III d'Orange (1689) et enfin d'Anne Stuart (1702). Capitaine général, il remporta plusieurs victoires (Oudenaarde, Malplaquet) lors de la guerre de la Succession d'Espagne. Il fut disgracié en 1711. Une chanson populaire française le rendit célèbre sous le nom de Malbrough.

**MARLOWE** (Christopher) ~ *1564, Canterbury - 1593, Londres.* Dramaturge anglais. Libre-penseur, il est l'auteur d'un théâtre de la révolte (*Tamerlan*, 1587 ; *la Tragique Histoire du docteur Faust*, 1588).

**MARLY-LE-ROI** ~ V. résidentielle de la grande banlieue O. de Paris (Yvelines), à l'orée de la forêt de Marly (20 km²), au N.-O. de Versailles ; 16 741 h. Villégiature préférée de Louis XIV : château construit par J. Hardouin-Mansart (détruit

***Marly-le-Roi**, le parc.*

sous la Révolution). Anc. bâtiment de la machine hydraulique pompant l'eau de la Seine pour alimenter Versailles. Parc avec musée-promenade.

**MARMANDE** ~ V. du Lot-et-Garonne, sur la Garonne, marché agricole (tomates, fruits) ; 17 568 h. Conserveries. Manufacture de tabac. Église (XIIIe-XVIe s.), cloître Renaissance.

**MARMARA (mer de)** ~ Mer intérieure de Turquie, séparant l'Europe de l'Asie, entre les détroits du Bosphore (accès à la mer Noire) et des Dardanelles (accès à la Méditerranée) ; 11 500 km².

**MARMOLADA** (la) ~ Point culminant des Dolomites, en Italie (3 342 m). Alpinisme.

**MARMONT** (Auguste **Viesse** DE), duc **de Raguse** ~ *1774, Châtillon-sur-Seine - 1852, Venise.* Maréchal de France. Gouverneur de la Dalmatie (1806), il commanda au Portugal et en Espagne (1811-1812). En 1814, il négocia avec Alexandre Ier la capitulation de Paris.

**MARMONTEL** (Jean-François) ~ *1723, Bort-les-Orgues - 1799, Habloville, Eure.* Écrivain et librettiste français. Auteur de tragédies, de contes philosophiques, de romans (*les Incas*, 1777) et de livrets pour Rameau, Piccinni, Grétry et Cherubini. Il collabora à l'*Encyclopédie*. Acad.

**MARNE** (la) ~ L'un des princ. affl. de la Seine (r. dr.), qu'elle rejoint entre Charenton et Alfortville ; 525 km. Issue du plateau de Langres, elle arrose la Champagne et la Brie, passe à Chaumont, Saint-Dizier, Châlons, Épernay, Château-Thierry, Meaux. Son cours inférieur, canalisé, est alimenté par l'Ourcq, le Grand et le Petit Morin. Elle est reliée par canaux au Rhin, à l'Aisne et à la Saône. Le lac du Der régularise les eaux de son bassin en aval de Saint-Dizier. **HIST. - Batailles de la Marne** : opérations de retraite puis de contre-offensive qui, sous la direction de Joffre, stoppèrent l'avance allemande (sept. 1914). La seconde bataille de la Marne, en juillet-août 1918, permit à Foch de briser définitivement le potentiel offensif allemand.

**MARNE** (la) ~ Dép. le plus vaste et le plus peuplé de la Région Champagne-Ardenne, occupé en son centre par la Champagne crayeuse, traversé par la Marne, limité à l'O. par la côte de l'Île-de-France et à l'E. par l'Argonne et le Perthois (N. de la Champagne humide) ; 8 205 km², 558 217 h., préfect. Châlons-en-Champagne. Grande région agricole (céréales, betterave sucrière). Vignoble champenois autour de Reims (v. princ.) et d'Épernay.

**MARNE (Haute-)** ~ Dép. du S. de la Région Champagne-Ardenne, arrosé par les hautes vallées de la Marne, de l'Aube et de la Meuse, aux confins de la Champagne humide, de la Lorraine et de la Bourgogne ; 6 210 km², 204 067 h., préfect. Chaumont. Son relief s'élève du N. au S., des plaines argileuses du Vallage aux plateaux calcaires du Bassigny et de Langres (plus de 350 m), au-delà de la côte des Bars. Élevage laitier (fromages), exploit. forestière. La vallée de la Marne rassemble quelques petites villes industrielles (Saint-Dizier, Nogent-en-Bassigny). Le département, peu peuplé, est à l'écart des grandes voies de circulation.

**MARNE-LA-VALLÉE** ~ Ville nouvelle regroupant 26 communes de la grande banlieue E. de Paris (Seine-et-Marne), sur la Marne (r. g.) ; env. 200 000 h. Parc d'attractions (EuroDisney). Pôle universitaire et technologique (cité Descartes).

**MARNIA** ~ Voir **Maghniyya**.

**MAROC (royaume du)** ~ Pays du N.-O. de l'Afrique (Maghreb), bordé au N. par la Méditerranée et à l'O. par l'Atlantique. ***Cap.*** Rabat. ***Superf.*** 458 700 km² (Sahara occidental exclu). ***Popul.*** 25 000 000 d'h., dont arabophones (70 %), berbérophones (30 %). ***Langues princ.*** Arabe, berbère, français. ***Monn.*** Dirham. ***Relief.*** Montagneux (chaîne du Rif, massif de l'Atlas), culminant à 4 165 m (djebel Toubkal) ; plateaux (Meseta) et plaines littorales atlantiques. ***Climat.*** Méditerranéen au N. et à l'O., désertique à l'E. et au S. (Sahara). ***Fl. princ.*** Oum er-Rebia, Sebou, Moulouya. ***Écon.*** Agric. vivrière (céréales) et comm. (agrumes, légumes), élev. ovin, pêche, exploit. des phosphates, industr. (agroalim., textile, confection). Les transferts financiers des émigrés et le tourisme sont les princ. sources de devises. Le sous-emploi reste très important. ***V. princ.*** Casablanca, Rabat-Salé, Fès, Marrakech. **HIST. -** La région fut occupée dès le Paléolithique. *XIIe-IIIe s. av. J.-C.* : les Phéniciens installent des comptoirs sur la côte ; des royaumes berbères se constituent à l'intérieur des terres. *IIe s. av. J.-C.-IVe s. apr. J.-C.* : après la chute de Carthage (146 av. J.-C.), les Romains, dans leur conquête de la région, se heurtent à une forte résistance des Berbères ; en 40 apr. J.-C., ils créent la province de Maurétanie tingitane (N. du pays). *Ve-VIIIe s.* : après l'invasion vandale et la reconquête byzantine (534), le Maroc est envahi par les Arabes à partir de Kairouan (Tunisie) ; les populations locales sont converties à l'islam. *VIIIe-Xe s.* : Idris Ier, fondateur de la dynastie arabe des Idrissides en 788, unifie temporairement le pays, qui est ensuite convoité par les Fatimides du Caire et les Omeyyades de Cordoue. *XIe-XVe s.* : les dynasties berbères almoravide, almohade et marinide règnent successivement sur l'ensemble du Maroc. L'Empire almohade (1147-1269), particulièrement brillant, s'étend de Tunis à Valence. À partir de 1415, Portugais et Espagnols s'emparent de villes côtières (Ceuta, Tanger, Melilla). *1554* : la dynastie chérifienne des Saadiens s'impose après avoir chassé les Portugais et s'être opposée à la conquête turque. *XVIIe s.* : Moulay al-Rachid, chérif du Tafilalet (1660-1672), fonde la dynastie alaouite qui règne encore actuellement. *XIXe s.* : la division du pays provoquée par les querelles dynastiques et tribales aiguise les appétits européens. En 1864, l'ouverture commerciale amène sur le sol marocain de nombreux Européens. *XXe s.* : le Maroc, endetté, est placé sous tutelle européenne lors de la conférence d'Algésiras (1906) ; la France et l'Espagne imposent leur protectorat en 1912. La « pacification » menée initialement par le général Lyautey rencontre une forte résistance (guerre du Rif, 1921-1926) jusqu'en 1934. Des partis nationalistes réclamant l'abolition de l'administration française émergent à partir des années 1930 (Istiqlal, 1944 ; Parti démocratique de l'indépendance, 1946). En 1956, le sultan Mohammed V (1927-1961) obtient l'indépendance du royaume. Depuis 1961, le roi Hassan II a engagé une prudente démocratisation après avoir brisé les oppositions les plus radicales. Il a procédé (1975-1979) à l'annexion du Sahara occidental, contestée par l'Algérie. Appuyé par l'Occident, le souverain joue un rôle modérateur au Maghreb et au Proche-Orient. Il revendique le rattachement au royaume des dernières enclaves espagnoles de Ceuta et Melilla.

**MAROILLES** ~ Localité de Thiérache (Nord), réputée pour ses fromages ; 1 453 h.

**MARONI** (le) ~ Fl. d'Amérique du Sud, frontière entre la Guyane française et le Surinam ; 680 km. Son cours supérieur est appelé Litani.

**MAROT** (Clément) ~ *1496, Cahors - 1544, Turin.* Poète français. Protégé par François Ier, il reçut de ce dernier la charge de valet de chambre. Ses féroces *Épîtres* et ses gracieuses *Élégies* sont des modèles. Ayant traduit les *Cinquante Psaumes* (1543), à l'origine du psautier huguenot, il dut s'exiler.

**MARQUENTERRE** ~ Littoral sableux de la Picardie, entre le Boulonnais et l'estuaire de la Somme. Prairies d'élev., céréales. Ports de pêche et stations baln. (Le Crotoy, Berck, Le Touquet).

**MARQUET** (Albert) ~ *1875, Bordeaux - 1947, Paris.* Peintre français. Il évolua du fauvisme vers un art d'une extrême concision, dominé par une sensibilité chromatique lumineuse et retenue.

**MARQUETTE** (Jacques) ~ *1637, Laon - 1675, près du lac Michigan.* Missionnaire jésuite. Arrivé au Canada vers 1666, il reconnut le cours supérieur du Mississippi.

**MARQUISES (îles)** ~ Archipel volcanique du N.-E. de la Polynésie française (annexé en 1842) ; 1 050 km², 7 538 h., îles princ. Nuku-Hiva, Hiva-Oa. Cocotier, arbre à pain.

**MARRAKECH** ~ L'une des quatre anc. v. impériales du Maroc, dans la plaine du Haouz, centre admin., comm. et tourist. entouré d'une palmeraie, au N.-O. de la chaîne du Haut Atlas ; 440 000 h. Mosquée de la Kutubiyya, tombeaux des Saadiens (XVIe s.), palais de la Bahia (XIXe s.), place Djemaa el-Fna, remparts (XIIe s.), souks (artisanat : bois, cuivre, peaux). HIST. - Fondée en 1062, elle fut la capitale des Almoravides, puis des Almohades. Elle fut prise en 1269 par les Marinides.

© S. Frances-Explorer

*Marrakech, le minaret de la Kutubiyya (1184-1189).*

**MARRAST** (Armand) ~ *1801, Saint-Gaudens - 1852, Paris.* Journaliste et homme politique français. Membre du gouvernement provisoire, il est l'un des auteurs de la Constitution de 1848.

**MARROU** (Henri Irénée) ~ *1904, Marseille - 1977, Bourg-la-Reine.* Historien français. Ses travaux ont porté sur les débuts du christianisme. Il contribua à la fondation de la revue *Esprit*.

**MARS** ~ Dieu romain de la Guerre et, par extension, de la Végétation, du Printemps et de la Jeunesse. Un mois du calendrier julien lui fut dédié ainsi qu'un jour de la semaine (mardi). Il est identifié à l'Arès grec.

**MARS** ~ Planète du système solaire, située entre la Terre et les astéroïdes. Son diamètre équatorial est égal à 6 794 km, sa masse à 0,107 fois celle de la Terre, son volume à 0,15 fois celui de la Terre, sa masse volumique à 3,93 g/cm³, sa révolution sidérale à 686,980 jours. Elle a un sol rouge criblé de nombreux cratères d'origine volcanique, une atmosphère très ténue composée à 95 % de gaz carbonique, et deux satellites (Phobos et Deimos).

**MARSALA** ~ Port de l'O. de la Sicile (Italie) ; 80 000 h. Vin doux.

**MARSANNAY-LA-CÔTE** ~ Localité de la côte de Nuits, près de Dijon ; 5 216 h. Vins rosés et rouges.

**MARSEILLE** ~ Préfect. des Bouches-du-Rhône et de la Région Provence - Alpes Côte-d'Azur, sur la Méditerranée, au fond d'une large baie encadrée par les chaînes calcaires de l'Estaque et de l'Étoile (calanques) ; 2e ville (800 550 h.) et 3e agglom. française (1 230 936 h.). 1er port français de la Méditerranée, spécialisé dans les import. d'hydrocarbures, port de voyageurs vers la Corse et l'Afrique du Nord, port de plaisance (Vieux-Port). Agglomération industrielle étendue en direction de l'étang de Berre (chim., alim., constr. et réparations navales), mais aussi d'Aix-en-Provence et d'Aubagne. Important centre admin., comm. (foire internationale annuelle), universitaire (Aix-Marseille), cult. (vestiges hellénistiques et romains, basiliques, églises, Cité radieuse de Le Corbusier, musées), touristique. HIST. - Fondée au VIIe s. av. J.-C. par des Grecs originaires de Phocée sous le nom de Massalia, la ville fut conquise par César en 49 av. J.-C. Plaque tournante du commerce maritime avec l'Orient, elle fut intégrée à la France en 1481, lors de la réunion de la Provence à la Couronne. Son essor commercial, interrompu par les guerres de la Révolution et du premier Empire, reprit au XIXe s. avec l'expansion coloniale et grâce au canal de Suez.

**Marses** (les) ~ Peuple d'Italie centrale. Alliés de Rome en 304 av. J.-C., ils lui livrèrent ensuite la **guerre marsique** pour le droit de cité v. 90 av. J.-C.

**Marses** (les) ~ Peuple germain de la Ruhr vaincu par les Romains au Ier s. av. J.-C.

**MARSHALL (îles)** ~ Pays et archipel corallien du N.-E. de la Micronésie (Océanie). ***Cap.*** Dalap-Uliga-Darrit. ***Superf.*** 181 km². ***Popul.*** 54 000 h. ***Langue princ.*** Anglais. ***Monn.*** Dollar. ***Climat.*** Équatorial. ***Ress.*** Location de bases militaires aux États-Unis, pêche, coprah, tourisme. HIST. - Exploré partiellement à la fin du XVIIIe s. par les Britanniques (capitaine Marshall), l'archipel fut sous tutelle allemande (1885-1914) puis japonaise. En 1944, il passa sous administration américaine (essais nucléaires d'Eniwetok et de Bikini). Indépendantes depuis 1986 sauf pour la défense, les îles Marshall sont une république librement associée aux États-Unis, admise à l'O. N. U. en 1991.

**MARSHALL** (Alfred) ~ *1842, Londres - 1924, Cambridge.* Économiste britannique. Il tenta de formuler une synthèse des principes de l'économie classique et du marginalisme. Il est considéré comme le pionnier des théories économiques néoclassiques.

**MARSHALL** (George Catlett) ~ *1880, Uniontown, Pennsylvanie - 1959, Washington.* Général et homme politique américain. Secrétaire d'État (1947-1949), il mit en œuvre un plan d'assistance économique à l'Europe occidentale (**plan Marshall**) qui consacra le rôle dirigeant des États-Unis. Prix Nobel de la paix 1953.

**MARSILE DE PADOUE** ~ *v. 1275-1280, Padoue - v. 1343, Munich.* Théologien italien. Recteur de l'université de Paris (1313), il prit le parti de Louis IV de Bavière dans son conflit avec le pape Jean XXII. Auteur du *Defensor pacis* (1324), contestation des prétentions pontificales à l'exercice du pouvoir temporel, il fut excommunié en 1327.

**Marsoulas** ~ Site préhistorique de la Haute-Garonne. Grotte ornée de peintures rupestres magdaléniennes.

**MARSYAS** ~ Personnage de la mythologie grecque. Il découvrit la flûte qu'Athéna avait inventée et acquit la maîtrise de cet instrument. Ayant défié Apollon et sa lyre, il subit la vengeance du dieu, qui l'écorcha vif puis le transforma en fleuve.

**MARTEL (causse de)** ~ Plateau calcaire du haut Quercy, au N. de la Dordogne.

**MARTEL** (Édouard Alfred) ~ *1859, Pontoise - 1938, près de Montbrison.* Spéléologue français. Il est considéré comme le fondateur de la spéléologie.

**MARTEL** (Thierry DE) ~ *1875, Maxéville - 1940, Paris.* Chirurgien français. Auteur d'une technique de trépanation, il fut avec Clovis Hugues l'un des fondateurs de l'école de neurochirurgie française.

**MARTELLANGE** (Étienne Ange **Martel**, dit) ~ *1569, Lyon - 1641, Paris.* Architecte et jésuite français, auteur de nombreux édifices religieux en France.

**MARTENOT** (Maurice) ~ *1898, Paris - 1980, Clichy.* Ingénieur français. Il conçut les **ondes Martenot** (1928), instrument de musique électronique.

**MARTHE** (sainte) ~ Personnage biblique, sœur de Lazare et de Marie de Béthanie. Patronne de Tarascon, qu'elle sauva d'une bête monstrueuse, la Tarasque.

**MARTÍ** (José) ~ *1853, La Havane - 1895, Dos Ríos.* Patriote et écrivain cubain. Il lutta toute sa vie pour l'indépendance de son pays. Ses écrits et son action révolutionnaires influencèrent les mouvements de libération latino-américains.

**MARTIAL** (saint) ~ *IIIe s.* Évêque de Limoges. Son activité missionnaire se déploya en Aquitaine, dans le Rouergue, le Poitou et la Saintonge.

**MARTIAL**, en lat. ***Marcus Valerius Martialis*** ~ *v. 40, Bilbilis, Espagne - v. 104, id.* Poète latin, auteur des *Épigrammes*, railleries satiriques dont il fixa le genre.

**MARTIGNAC** (Jean-Baptiste Sylvère **Gay**, comte DE) ~ *1778, Bordeaux - 1832, Paris.* Homme politique français. Avocat et député, il fut chef du gouvernement de janvier 1828 à août 1829.

**MARTIGUES** ~ Port pétrolier et v. industr. des Bouches-du-Rhône, sur l'étang de Berre ; 42 678 h. (agglom. 72 375 h.). Musées, églises du XVIIe s. Ruines d'une enceinte grecque.

**MARTIN (cap)** ~ Cap de la Côte d'Azur, entre Menton et Monaco.

**MARTIN** (saint) ~ *v. 315, Sabaria, Pannonie - 397, Candes, Indre-et-Loire.* Évêque de Tours v. 370-371. Militaire à Amiens, il s'y fit baptiser et y aurait partagé son manteau avec un pauvre. Il évangélisa les campagnes gauloises et fonda des monastères, dont Ligugé et Marmoutier. Son tombeau, à Tours, devint un centre de pèlerinage.

**MARTIN V** (Oddone **Colonna**) ~ *1368, Genazzano - 1431, Rome.* Pape de 1417 à 1431. Son élection mit fin au grand schisme d'Occident. Il réunit le concile de Pavie-Sienne (1423-1424).

**MARTIN** (Frank) ~ *1890, Genève - 1974, Naarden, Pays-Bas.* Compositeur suisse, auteur de musiques vocales et symphoniques (*Petite Symphonie concertante*, 1945), d'oratorios et de concertos.

**MARTIN** (Pierre) ~ *1824, Bourges - 1915, Fourchambault, Nièvre.* Ingénieur et industriel français. Il est l'inventeur du **procédé Martin**, méthode de production d'acier par fusion de ferraille et de fonte (1865).

**MARTIN DU GARD** (Roger) ~ *1881, Neuilly-sur-Seine - 1958, Bellême.* Écrivain français. Ami de Gide, avec qui il correspondit longtemps, collaborateur de la N. R. F., il fut avant tout un romancier des crises sociales du début du XXe s. (*les Thibault*, 1922-1940). Prix Nobel de litt. 1937.

**MARTINET** (André) ~ *1908, Saint-Albans-des-Villards, Savoie.* Linguiste français. Introducteur de la phonologie structurale en France, il en appliqua les méthodes à l'étude de la langue parlée ainsi qu'à l'explication des faits de diachronie (*Économie des changements linguistiques*, 1955 ; *le Français sans fard*, 1969).

**MARTÍNEZ CAMPOS** (Arsenio) ~ *1831, Ségovie - 1900, Zarauz.* Maréchal et homme politique espagnol. Il favorisa l'accession au trône d'Alphonse XII (1874) et écrasa l'insurrection carliste (1870-1876).

**MARTÍNEZ MONTAÑÉS** (Juan) ~ *1568, Alcalá la Real, Jaén - 1649, Séville.* Sculpteur espagnol. Ses bois polychromes sont caractéristiques du premier âge baroque espagnol.

**MARTINI** (Arturo) ~ *1889, Trévise - 1947, Milan.* Sculpteur italien. Influencé par Maillol et Modigliani, il est l'auteur de figures archaïsantes d'une grande délicatesse (*la Pisana*, 1928).

**MARTINI** (Giovanni Battista, dit **il Padre**) ~ *1706, Bologne - 1784, id.* Compositeur et musicologue italien. Sa connaissance des anciennes polyphonies et sa science du contrepoint attirèrent à lui des élèves tels que Mozart, J. Chr. Bach et Grétry.

**MARTINI** (Simone) ~ *v. 1284, Sienne - 1344, Avignon.* Peintre italien. Sa maîtrise du rythme de la ligne lui permit de réaliser des œuvres puissantes et raffinées (*Maestà*, 1315 ; *Annonciation*, 1333). Ses voyages en Italie et à Avignon accrurent son influence.

**MARTINIQUE** (la) ~ Île volcanique des Petites Antilles françaises formant un dép. d'outre-mer ; 1 106 km², 328 566 h., préfect. Fort-de-France. Climat tropical humide, perturbé par les cyclones.

*Martinique, le rocher du Diamant, au sud de l'île.*

© J. Brun-Explorer

Côte O. sous le vent, côte E. au vent (plus arrosée). Relief accidenté (montagne Pelée, 1 397 m). L'économie, fragile, s'appuie sur l'agriculture d'exportation (la canne à sucre est peu à peu supplantée par les cult. fruitières et florales), une petite industrie agroalimentaire (conserveries, distilleries, rhumeries), le tourisme et l'aide de la métropole. **HIST.** - Découverte par Christophe Colomb en 1502, l'île, colonisée par les Français en 1635, fut occupée à plusieurs reprises par les Britanniques, qui la restituèrent à la France en 1815. L'esclavage y fut aboli en 1848. Elle est dotée du statut de département depuis 1946.

**MARTINSON** (Harry) ~ *1904, Jämshög - 1978, Stockholm.* Écrivain suédois. Ses romans et ses poèmes, dominés par l'observation de la nature et des efforts de l'humanité, font de lui l'un des principaux représentants des écrivains prolétaires (*Aniara*, 1956). Prix Nobel de litt. 1974.

**MARTINŮ** (Bohuslav) ~ *1890, Polička, Bohême - 1959, Liestal, Suisse.* Compositeur tchèque. Son œuvre s'inspire du folklore tchéco-morave, de la musique française, du madrigal anglais de la Renaissance et du concerto grosso de l'époque baroque (*les Fresques de Piero della Francesca*, 1955).

**MARTY** (André) ~ *1886, Perpignan - 1956, Toulouse.* Homme politique français. Condamné pour avoir conduit la mutinerie des marins français de la mer Noire engagés contre les bolcheviks (1919), il devint l'un des dirigeants du parti communiste et commanda les Brigades internationales pendant la guerre d'Espagne. Il fut exclu du P. C. F. en 1953.

**MARVEJOLS** ~ V. et station estivale du Massif central (Lozère), anc. capitale du Gévaudan ; 5 476 h. Portes fortifiées (XIV^e s.). Foires.

**MARX** (Karl) ~ *1818, Trèves - 1883, Londres.* Philosophe, économiste et homme politique allemand. Né de parents juifs convertis au protestantisme, le jeune Marx mena des études de droit et de philosophie, fréquentant un temps le cercle des hégéliens de gauche. Il devint journaliste puis rédacteur en chef du *Rheinische Zeitung*, quotidien de tendance démocrate révolutionnaire bientôt interdit par le gouvernement prussien. Il émigra en France, où il se lia d'amitié avec Engels, fréquenta Proudhon, Heine et Bakounine. Au contact du milieu ouvrier le plus organisé d'Europe, il écrivit *la Sainte Famille* (1845), *l'Idéologie allemande* (en collaboration avec Fr. Engels, 1846, publ. posth.) et *Misère de la philosophie* (1847).

*Karl Marx.*

Chassé de France, il s'établit à Bruxelles. À Londres, il participa en 1847, aux côtés d'Engels, au deuxième congrès de la Ligue des communistes, à la devise restée célèbre : « Prolétaires de tous pays, unissez-vous ! » Il y fut chargé de rédiger le *Manifeste du parti communiste* (1848). Expulsé de Belgique, Marx séjourna un temps en France puis à Cologne, avant de trouver, en Grande-Bretagne, un exil définitif (1849). C'est à Londres, malgré des conditions de vie difficiles, qu'il rédigea la part la plus importante de son œuvre, dont le premier tome du *Capital* (1867). Son investissement dans la théorie n'eut d'égal, dès lors, que son engagement dans la cause ouvrière, au sein de la I^re Internationale. [☞ **marxisme.**]

**MARX BROTHERS** (les), nom collectif des frères Marx : ~ **Leonard**, dit **Chico** (*1886, New York - 1961, Los Angeles*) ; ~ **Adolph**, dit **Harpo** (*1888, New York - 1964, Los Angeles*) ; ~ **Julius Henry**, dit **Groucho** (*1890, New York - 1977, Los Angeles*). Acteurs américains. Issus du milieu populaire juif de New York, ils triomphèrent à la scène aux dépens de la morale bourgeoise américaine, puis transportèrent leur humour salubre et ravageur à l'écran (*Soupe au canard*, 1933 ; *Une nuit à l'Opéra*, 1935). ~ **Herbert**, dit **Zeppo** (*1901, New York - 1979, Los Angeles*), ne tourna que deux films avec ses frères.

*Les Marx Brothers dans* Un jour au cirque *(1939), film d'Edward Buzzell (1897-1985).*

**MARY (puy)** ~ L'un des sommets des monts du Cantal (Auvergne) ; 1 787 m.

**MARYLAND** (le) ~ État de l'E. des États-Unis ouvrant sur la baie de Chesapeake, au fond de laquelle s'étend l'agglomération de Baltimore ; 25 316 km², 4 917 000 h., cap. Annapolis (33 000 h.). Élev. laitier, tabac, charbon, industr. (sidérurgie, équipement, imprimerie, agroalim.), tourisme. **HIST.** - Colonie anglaise au XVII^e s., le Maryland proclama son indépendance en 1776 et devint l'un des treize États fondateurs de l'Union (1788).

**MASACCIO** (Tommaso **di Ser Giovanni**, dit) ~ *1401, San Giovanni Valdarno, prov. d'Arezzo - 1428, Rome.* Peintre italien. Il accomplit en peinture la renaissance que ses amis Brunelleschi et Donatello avaient amorcée en architecture et en sculpture. Il introduisit une nouvelle conception spatiale du tableau, allant jusqu'à mettre en perspective les auréoles. Il est l'auteur (avec Masolino) des fresques de la chapelle Brancacci (1426-1427), à Florence.

**MASADA** ~ Voir **Massada**.

**Masais** ou **Massaïs** (les) ~ Peuple de pasteurs du Kenya et de Tanzanie, de langue nilotique.

**MASARYK** (Tomáš Garrigue) ~ *1850, Hodonín, Moravie - 1937, château de Lány, près de Prague.* Homme d'État tchécoslovaque. Sociologue et député au Reichsrat autrichien (1891), il forma une légion tchécoslovaque lors de la Première Guerre mondiale. Élu président (1918), constamment réélu, il mena une politique de réformes sociales et parvint à regrouper autour de lui les principales formations politiques du pays. Il se rapprocha de la France et combattit le Parti allemand des Sudètes de K. Henlein, avant de se retirer en 1935. Son fils ~ **Jan** (*1886, Prague - 1948, id.*) fut ministre des Affaires étrangères dans le cabinet tchécoslovaque en exil à Londres, puis sous la présidence de Beneš (1945-1948). Il se suicida lors du coup d'État communiste.

**MASCARA** ~ Voir **Mouaskar**.

**MASCAREIGNES (îles)** ~ Ensemble formé par la Réunion et l'île Maurice (dépendances incluses).

**MASCATE**, en ar. *Masqat* ~ Cap. du sultanat d'Oman et port de commerce actif, sur l'océan Indien ; 50 000 h. Noyau médiéval.

**Mas-d'Azil (Le)** ~ Site paléolithique de l'Ariège. Grotte de 420 m de profondeur.

**MASERU** ~ Capitale et princ. ville du Lesotho, dans le haut Veld ; 367 000 h.

**MASINISSA** ou **MASSINISSA** ~ *v. 238 - 148 av. J.-C., Cirta.* Roi de Numidie. Allié de Carthage puis de Rome lors de la deuxième guerre punique, il participa à la victoire de Zama (202). Il est à l'origine du déclenchement de la troisième guerre punique.

**MASOLINO DA PANICALE** (Tommaso di **Cristoforo Fini**, dit) ~ *1383, Panicale in Valdarno - v. 1440.* Peintre italien. Son style illustre la transition entre le gothique et la Renaissance. Il collabora avec le jeune Masaccio à Florence.

**MASPERO** ~ **Gaston** (*1846, Paris - 1916, id.*), égyptologue français. Poursuivant l'œuvre de Mariette, il mit au jour not. le Sphinx de Gizeh et le temple de Louqsor (*l'Archéologie égyptienne*, 1887). Son fils ~ **Henri** (*1883, Paris - 1945, Buchenwald*), sinologue, s'intéressa en particulier à l'Asie du Sud-Est (*la Chine antique*, 1927).

**Masque de fer** ~ *m. en 1703 à Paris.* Personnage dont l'identité, tenue secrète durant sa captivité, reste inconnue. Ce surnom vient du masque qui cachait ses traits. Après Voltaire (*le Siècle de Louis XIV*), A. Dumas mentionne son existence dans *le Vicomte de Bragelonne*.

**MASSA** ~ V. de Toscane (Italie), au pied de l'Apennin, près de la côte ligurienne ; 67 000 h. Centre d'exploitation de marbre de Carrare.

**MASSACHUSETTS** (le) ~ État du N.-E. des États-Unis (Nouvelle-Angleterre), entre les Appalaches et l'Atlantique, où finit la Megalopolis, autour de Boston (la cap.) ; 20 300 km², 6 016 000 h. Centres universitaires de Harvard et du M. I. T. (Massachusetts Institute of Technology). Élev. laitier, cult. fruitières, exploit. forestière, industr. mécan. et électron., villégiature (cap Cod, île de Nantucket). Services commerciaux et financiers. **HIST.** - En 1620, les Pères pèlerins du *Mayflower* fondèrent Plymouth. Le Massachusetts prit la tête de la lutte contre le Royaume-Uni (1776) et devint l'un des treize États fondateurs de l'Union (1788).

**MASSADA** ou **MASADA** ~ Anc. place forte de Judée, dominant la mer Morte. Les zélotes qui l'occupaient choisirent de mourir plutôt que de se rendre aux Romains (73). Les Israéliens contemporains en ont fait un symbole de résistance.

**Massagètes** (les) ~ Peuple scythe établi vers le VIII^e s. av. J.-C. entre l'Amou-Daria et le Syr-Daria. Les Massagètes repoussèrent Cyrus mais furent soumis par Alexandre le Grand.

**Massaïs** (les) ~ Voir **Masais**.

**MASSAOUA** ~ Port d'Érythrée, sur la mer Rouge ; env. 29 000 h. Salines et conserveries de poisson.

**MASSÉ** (Félix **Marie**, dit Victor) ~ *1822, Lorient - 1884, Paris.* Compositeur français, auteur d'opéras-comiques très populaires (*les Noces de Jeannette*, 1853).

**MASSÉNA** (André) ~ *1758, Nice - 1817, Paris.* Maréchal de France (1804). Engagé dans l'armée en 1775, il participa à toutes les campagnes de la Révolution et de l'Empire. Surnommé l'Enfant chéri de la victoire, il reçut le titre de duc de Rivoli en 1807 et celui de prince d'Essling en 1810.

**MASSENET** (Jules) ~ *1842, Montaud, près de Saint-Étienne - 1912, Paris.* Compositeur français. Délicatesse mélodique, raffinement et sensualité de l'orchestration marquent ses grands opéras (*Manon*, 1884 ; *Werther*, 1892).

**MASSIF CENTRAL** (le) ~ Grande région montagneuse du centre de la France (env. 85 000 km² ; 1 886 m au puy de Sancy, alt. moyenne 725 m), partagée entre les influences méditerranéenne et atlantique par le climat, l'hydrographie et la culture (pays de langues d'oc et d'oïl). C'est une montagne hercynienne pénéplanée, soulevée et faillée à la faveur des surrections pyrénéennes et alpines. Les plateaux cristallins sont la formation dominante, d'un seul tenant à l'O. (Limousin, Ségala, monts de Lacaune), compartimentés au centre par les bassins sédimentaires, qui occupent des fossés tectoniques (Limagnes, Forez, convergeant dans le Bourbonnais ; bassin du Puy), coupés à l'E. par les dépressions du Gier (site de Saint-Étienne, au N. du Vivarais), du Charolais et de l'Autunois. Les massifs volcaniques d'Auvergne surmontent l'ensemble au centre. Au S.-E., les Cévennes, principale ligne de partage des eaux et rebord au relief vigoureux, sont divisées entre les Grands Causses calcaires et les serres schisteuses et granitiques. Au N., le socle cristallin disparaît sous la bordure du Bassin parisien (Poitou, Berry, Bourgogne, au-delà du Morvan). Le réseau hydrographique rayonne vers l'Atlantique (affluents de la Garonne, bassins axiaux de la Loire et de l'Allier) et la Méditerranée (Hérault languedocien, affluents du Rhône), par des versants plus courts. Climat frais relativement à la latitude (hivers longs), océanique à l'O. (fortes chutes de neige), semi-continental dans les bassins intérieurs, méditerranéen dans les Cévennes, celles-ci étant néanmoins froides en hiver et très arrosées (mont Aigoual). Les Limagnes (avec Clermont-Ferrand pour principal foyer urbain) forment le plus important axe de peuplement et de communication. Depuis le XIXe s., exode rural vers les villes régionales ou, plus encore, vers Paris ou Lyon, les ressources locales ne suffisant pas à fixer l'activité.

**MASSIGNON** (Louis) ~ *1883, Nogent-sur-Marne - 1962, Paris.* Orientaliste français. Il fut spécialiste de la mystique islamique, et plus particulièrement du soufisme (*Parole donnée*, 1962).

**MASSILLON** (Jean-Baptiste) ~ *1663, Hyères - 1742, Beauregard-l'Évêque, Puy-de-Dôme.* Oratorien et prédicateur français. Il prononça not. l'oraison funèbre de Louis XIV (1715). En 1717, il fut nommé évêque de Clermont. Acad.

**MASSINE** (Léonide) ~ *1896, Moscou - 1979, Borken, Rhénanie.* Danseur et chorégraphe américain d'orig. russe. Collaborateur des Ballets russes (*Pulcinella*, 1920), il dirigea plusieurs troupes et participa à quelques films (*les Chaussons rouges*, 1948).

**MASSINGER** (Philip) ~ *1583, Salisbury - v. 1640, Londres.* Dramaturge anglais de la fin de l'époque élisabéthaine (*la Fille d'honneur*, 1621).

**MASSINISSA** ~ Voir **Masinissa**.

**MASSON** (André) ~ *1896, Balagny-sur-Thérain, Oise - 1987, Paris.* Peintre français. Surréaliste hétérodoxe et proche de G. Bataille, il développa sous des formes figuratives ou abstraites une inspiration dominée par l'érotisme et la violence.

**MAS-SOUBEYRAN** (le) ~ Hameau cévenol (Gard), haut lieu du protestantisme français. Le musée du Désert évoque la persécution des camisards qui suivit la révocation de l'édit de Nantes.

**MASSU** (Jacques) ~ *1908, Châlons-sur-Marne.* Général français. Il combattit dans les F. F. L. (1940-1944). Président du Comité de salut public d'Alger en mai 1958, il s'opposa à de Gaulle et fut rappelé en France (1960). Il fut nommé commandant en chef des forces armées françaises en Allemagne (1966-1969).

**MASSY** ~ V. de la banlieue S. de Paris (Essonne) ; 38 574 h. Gare T. G. V.

**MASSYS** (Quinten) ~ Voir **Metsys**.

**MASTROIANNI** (Marcello) ~ *1924, Fontana Liri - 1996, Paris.* Acteur italien. Sa carrière fut liée à celle des plus grands cinéastes : M. Antonioni (*la Nuit*, 1961), F. Fellini (*Huit et demi*, 1963), M. Ferreri (*la Grande Bouffe*, 1973), Th. Angelopoulos (*le Pas suspendu de la cigogne*, 1991).

**MASUKU**, anc. **Franceville** ~ V. industr. du S.-E. du Gabon, sur l'Ogooué, dans une région riche en or, en uranium et en manganèse ; 40 000 h.

**MATABÉLÉ** ou **MATABELELAND** (le) ~ Région de hauts plateaux du S.-O. du Zimbabwe, divisée en 2 provinces ; 129 197 km², env. 1 233 000 h., v. princ. Bulawayo. Pays des **Matabélés** (ou Ndébélés), chassés pour partie d'Afrique du Sud par les Boers au XIXe s. (env. 20 % de la popul. du pays).

**MATADI** ~ Princ. port industriel (chimie, agro-alim.) et comm. du Zaïre, sur l'estuaire du fl. Zaïre, près de la frontière angolaise ; 139 000 h.

**MATA HARI** (Margaretha Geertruida **Zelle**, dite) ~ *1876, Leeuwarden - 1917, Vincennes.* Danseuse et aventurière néerlandaise. Interprète renommée de danses javanaises et indiennes, elle fut accusée d'espionnage pour le compte de l'Allemagne et fusillée.

**MATANZAS** ~ Port industr. (chim., text., chaussures) et comm. (export. de sucre) de la côte N. de Cuba, à l'E. de La Havane ; 114 000 h. Cathédrale (XVIIIe s.), château San Severino (XVIIe s.).

**MATAPAN** ou **TÉNARE (cap)** ~ Cap S. de la Grèce continentale (Péloponnèse), qui termine le Taygète.

**MATHÉ** (Georges) ~ *1922, Sermages, Nièvre.* Médecin cancérologue français. Spécialiste de la greffe de la moelle osseuse et de la chimiothérapie.

**MATHIAS** (saint) ~ Voir **Matthias**.

**MATHIAS** ~ *1557, Vienne - 1619, id.* Empereur germanique (1611-1619), roi de Hongrie (1608-1618) et de Bohême (1611-1617). Il détrôna son frère Rodolphe II. Sa politique religieuse déclencha la Défenestration de Prague (1618) et la guerre de Trente Ans. Ferdinand II lui succéda de son vivant.

**MATHIAS Ier CORVIN** ~ Voir **Hunyadi**.

**MATHIEU** (Georges) ~ *1921, Boulogne-sur-Mer.* Peintre français. Rattaché à l'abstraction lyrique, il privilégia la fulgurance gestuelle, approchant ses procédés de la calligraphie. [☞ **abstrait**.]

**MATHIEZ** (Albert) ~ *1874, La Bruyère, Haute-Saône - 1932, Paris.* Historien français. Il appliqua la méthodologie marxiste à l'histoire de la Révolution française.

**MATHILDE** (sainte) ~ *v. 890, en Westphalie - 968, Quedlinburg, Saxe.* Reine de Germanie. Épouse d'Henri Ier l'Oiseleur et mère d'Otton le Grand, elle fonda plusieurs monastères.

**MATHILDE** ou **MAHAUT** ~ *1046 - 1115, Bondeno di Roncore.* Comtesse de Toscane (1055-1115). Son château de Canossa vit la rencontre de l'empereur Henri IV avec le pape Grégoire VII (1077). Elle légua ses États au Saint-Siège, mais cette décision fut contestée par les empereurs germaniques.

**MATHILDE** ou **MAHAUT** ~ *1102, Londres - 1167, Rouen.* Fille d'Henri Ier d'Angleterre, elle épousa l'empereur germanique Henri V (1114), puis Geoffroi V le Bel, comte d'Anjou (1128). Héritière du trône d'Angleterre (1135), elle fut évincée par Étienne de Blois.

**MATHILDE** ou **MAHAUT** ~ *m. en 1329.* Comtesse d'Artois (1302-1329). Fille de Robert II le Noble, elle lui succéda en dépit des revendications de son neveu Robert III.

**MATHILDE** (princesse) ~ Voir **Bonaparte**.

**MATHILDE DE FLANDRE, dite la reine Mathilde** ~ *m. en 1083.* Duchesse de Normandie, épouse de Guillaume le Conquérant (1053) et reine d'Angleterre (1066-1083).

**MATHURA** ~ V. du N. de l'Inde (Uttar Pradesh), sur la Yamuna ; 227 000 h. Cap. de la dynastie des Kushana au IIe s., centre d'une école de sculpture (Ier-VIe s.) dont il subsiste de nombreux vestiges (stupas). Lieu de naissance présumé du dieu Krishna, c'est l'une des cités saintes de l'Inde.

**MATHUSALEM** ~ Patriarche biblique. Selon la Genèse, il aurait vécu 969 ans.

**Matignon (accords de)** ~ Voir **Front populaire**.

**Matignon (hôtel)** ~ Édifice élevé v. 1721 par Jean Courtonne, rue de Varenne, à Paris. Résidence du chef du gouvernement français depuis 1935.

**MATISSE** (Henri) ~ *1869, Le Cateau-Cambrésis - 1954, Nice.* Peintre français. Parti du fauvisme, il évolua vers une simplification croissante de la forme, où sa ligne gagna en souplesse et en force expressive (*la Danse* et *la Musique*, 1909-1910), ses compositions en synthèse, et ses aplats de couleur en luminosité. Multipliant les expériences plastiques par ses dessins, ses gravures, ses sculptures, ses papiers découpés (*Jazz*, 1950) et ses fresques (décoration de la chapelle des Dominicaines de Vence, 1951), il soumit son art à une triple exigence : « équilibre, pureté, tranquillité ». [☞ **fauvisme**.]

**MATO GROSSO** (le) ~ Région de plateaux gréseux du Brésil (centre-ouest), séparée en 1977 en deux États : le **Mato Grosso** (901 421 km², 2 021 000 h., cap. Cuiabá) et le **Mato Grosso do Sul** (357 472 km², 1 779 000 h., cap. Campo Grande, 525 000 h.). Ligne de partage des eaux des bassins amazonien et du Paraná, région de forêts et de savanes ; le Pantanal y constitue la plus vaste zone humide du monde. Élevage extensif.

**MÁTRA (monts)** ~ Massif volcanique et forestier du N. de la Hongrie, où culmine le pays (1 015 m). Vigne. Cuivre. Stations thermales.

**MATSUSHIMA** ~ Baie et site historique du N. de Honshū (Japon). Temples des XVIe et XVIIe s.

**MATSUYAMA** ~ V. princ. de l'île de Shikoku (Japon) et anc. cité féodale ; 452 000 h. Sources chaudes de Dogo. Text., pétrochim. Château du XVIIe s.

**MATTA** (Sebastian **Echaurren**, dit Roberto) ~ *1911, Santiago, Chili.* Peintre chilien. Proche des surréalistes, il a créé un univers figuratif peuplé de créatures et d'objets cauchemardesques (*les Puissances du désordre*, 1964-1965). [☞ **surréalisme**.]

**MATTEI** (Enrico) ~ *1906, Acqualagna - 1962, Bascape, près de Pavie.* Homme d'affaires et homme politique italien. Fondateur de l'E. N. I. (Ente Nazionale Idrocarburi), entreprise nationale d'hydrocarbures, il mena une politique tendant à promouvoir l'indépendance énergétique de son pays.

**MATTEOTTI** (Giacomo) ~ *1885, Fratta Polesine, Rovigo - 1924, Rome.* Homme politique italien. Député en 1919, nommé secrétaire général du parti socialiste (1922), il fut assassiné par les fascistes.

**MATTERHORN** ~ Voir **Cervin** (mont).

**MATTHIAS** ou **MATHIAS** (saint) ~ *m. en 61 ou 64.* Personnage biblique. Après la trahison de Judas, il fut choisi pour se joindre aux apôtres.

**MATTHIEU** (saint) ~ *Ier s.* L'un des douze apôtres de Jésus. La tradition en fait l'auteur de l'Évangile qui porte son nom.

**MATURIN** (Charles Robert) ~ *1782, Dublin - 1824, id.* Écrivain et dramaturge irlandais, auteur de récits fantastiques (*Melmoth ou l'Homme errant*, 1820).

**MATUTE** (Ana María) ~ *1926, Barcelone.* Romancière espagnole. Elle dépeint les jeux de l'inconscient quand la solitude, la haine ou la guerre déchirent les vies (*Première Mémoire*, 1959).

**MAUBEUGE** ~ V. industr. du Nord (Hainaut), anc. cité drapière sur la Sambre, près de la frontière belge ; 34 989 h. (agglom. 102 772 h.). Métallurgie. Vestiges de fortifications de Vauban.

**Mauer** ~ Site préhistorique d'Allemagne (Bade-Wurtemberg). On y a découvert, en 1907, une mandibule d'*Homo erectus* (dit homme d'Heidelberg) vieille d'env. 630 000 ans.

**MAUGES** (les) ou **CHOLETAIS** (le) ~ Région de Cholet (Maine-et-Loire), pays de bocage entre l'Anjou et les hauteurs de Vendée. Élev. bovin.

**MAUGHAM** (William Somerset) ~ *1874, Paris - 1965, Saint-Jean-Cap-Ferrat.* Écrivain britannique, moraliste témoin de son temps dans ses romans et nouvelles (*la Ronde de l'amour*, 1930).

**MAUGUIO** ~ Localité viticole de l'Hérault, à l'E. de Montpellier et au N. de l'**étang de Mauguio** (ou étang de l'Or) ; 11 487 h.

**MAULBERTSCH** (Franz Anton) ~ *1724, Langenargen, lac de Constance - 1796, Vienne.* Peintre autrichien. Ses fresques religieuses, fondées sur des effets illusionnistes et fantastiques, illustrent le dernier état du baroque autrichien.

**MAULNIER** (Jacques Louis **Talagrand**, dit Thierry) ~ *1909, Alès - 1988, Marnes-la-Coquette, Hauts-de-Seine.* Journaliste et écrivain français. Un temps proche de l'Action française, il publia des essais (*Racine*, 1935 ; *Violence et Conscience*, 1945). Acad.

**MAUMUSSON (pertuis de)** ~ Détroit (500 m) qui sépare l'île d'Oléron de la côte de la Charente-Maritime, franchi depuis 1966 par un viaduc de 3 km.

**MAUNA KEA** ~ Volcan éteint de l'île d'Hawaii, point culminant de l'archipel du même nom (4 210 m) et de l'Océanie.

**MAUNA LOA** ~ Volcan actif de l'île d'Hawaii (4 170 m), à base large, édifié par accumulation de coulées de lave (type dit hawaiien).

**MAUNOURY** (Joseph) ~ *1847, Maintenon, Eure-et-Loir - 1923, près d'Artenay, Loiret.* Maréchal de France à titre posthume. Son attaque sur l'Ourcq décida de la victoire de la Marne (sept. 1914).

**MAUPASSANT** (Guy DE) ~ *1850, château de Miromesnil, Seine-Maritime - 1893, Paris.* Écrivain français. Encouragé par Flaubert, il connut son premier succès avec *Boule-de-Suif*, qui figura dans *les Soirées de Médan* (1880). Son inspiration réaliste, privilégiant l'évocation de la paysannerie normande et de la vie mondaine, l'imposa comme un maître de la nouvelle (*la Maison Tellier*, 1881 ; *les Contes de la bécasse*, 1883). Atteint de troubles nerveux, dont les manifestations lui inspirèrent *le Horla* (1887), il laissa des romans empreints de pessimisme, reflétant la vanité du jeu social et l'absurdité de l'existence (*Une vie*, 1883 ; *Bel-Ami*, 1885).

**MAUPEOU** (René Nicolas DE) ~ *1714, Paris - 1792, Le Thuit, Eure.* Homme politique français. Chancelier de France (1768-1774), membre du « triumvirat » avec d'Aiguillon et Terray, il tenta de promouvoir une réforme de la justice et s'attaqua aux privilèges des parlements. Il fut disgracié lors de l'avènement de Louis XVI (1774).

**MAUPERTUIS** (Pierre Louis **Moreau** DE) ~ *1698, Saint-Malo - 1759, Bâle.* Mathématicien et naturaliste français. Il introduisit en France la théorie de Newton, mesura un arc de méridien en Laponie (1736) et décrivit le principe de moindre action (1744). En biologie, adepte du transformisme, il pressentit les notions de mutation et d'hérédité particulaire. Acad.

**MAUREPAS** ~ V. de la banlieue S.-O. de Paris (Yvelines), dans l'orbite de la ville nouvelle de Saint-Quentin-en-Yvelines ; 19 718 h.

**MAUREPAS** (Jean Frédéric **Phélypeaux**, comte DE) ~ *1701, Versailles - 1781, id.* Homme politique français. Secrétaire d'État de Louis XV (1718-1749), il modernisa Paris et encouragea des missions scientifiques. Disgracié en 1749, il fut rappelé par Louis XVI en 1774 et présida le Conseil.

**MAURES** (les) ~ Massif gréseux et schisteux de la Côte d'Azur (780 m), à l'O. de l'Argens. Forêts (pins, chênes verts, chênes-lièges). Stations baln. de Saint-Tropez, Sainte-Maxime, Le Lavandou.

**Maures** (les) ~ Peuple nomade du Sahara occidental, métissé de Berbères, d'Arabes et de Noirs africains, vivant surtout en Mauritanie, au Mali et au Sénégal. Organisés en tribus hiérarchisées selon une aristocratie guerrière, les Maures sont pour l'essentiel éleveurs ou chasseurs. En Occident, le mot a longtemps désigné les musulmans, en particulier ceux qui étaient installés en Espagne.

**MAURÉTANIE** ou **MAURITANIE** (la) ~ Région O. de l'anc. Afrique du Nord (Algérie et Maroc). Au Ier s. av. J.-C., elle forma un royaume sur lequel les Romains établirent leur influence. En 40 apr. J.-C., l'empereur Claude l'annexa et la divisa en deux provinces, la Maurétanie césarienne et la Maurétanie tingitane.

**MAURIAC** (François) ~ *1885, Bordeaux - 1970, Paris.* Écrivain français. Chrétien obsédé par le péché, il peint d'âpres conflits intimes et familiaux (*Thérèse Desqueyroux*, 1927 ; *le Nœud de vipères*, 1932) et des passions provinciales en vase clos (*le Mystère Frontenac*, 1933). Il publia, de 1958 à 1961, un journal dans la presse hebdomadaire, *le Bloc-Notes*. Acad. Prix Nobel de litt. 1952.

**MAURICE (république de)**, en angl. *Mauritius* ~ État insulaire de l'océan Indien constitué essentiellement par les îles Maurice (1 865 km²) et Rodrigues (100 km², 35 000 h.). ***Cap.*** Port-Louis. ***Superf.*** 2 040 km². ***Popul.*** 1 100 000 h., dont créoles, Indiens (hindous et musulmans), Chinois. ***Langues princ.*** Anglais, français, créole. ***Monn.*** Roupie mauricienne. ***Relief.*** Plateaux volcaniques, mont Maurice (828 m). ***Climat.*** Tropical de mousson. ***Écon.*** Agriculture commerciale (canne à sucre, tabac, thé, épices), pêche, industries de la zone franche (textile, horlogerie, optique), en plein essor, tourisme. **HIST.** - *Xe s.* : l'île est fréquentée par les marins indiens et arabes. *Début du XVIe s.* : reconnaissance par les Portugais. *1598* : création d'un comptoir par les Hollandais, qui lui donnent son nom en l'honneur de Maurice de Nassau. *1715* : tombée sous domination française, elle devient l'« île de France ». *1814* : le traité de Paris en fait une possession britannique. *1833* : abolition de l'esclavage et début de l'immigration indienne. *1968* : indépendance dans le cadre du Commonwealth. *1992* : proclamation de la république. Cassam Uteem est élu président. Aneerood Jugnauth est Premier ministre depuis 1982.

**MAURICE** (saint) ~ *m. v. la fin du IIIe s. à Agaunum, auj. Saint-Maurice, Valais.* Martyr. Chef de la légion thébaine dépêchée par l'empereur Maximien pour combattre les Bagaudes, il aurait été massacré avec ses compagnons pour avoir refusé d'offrir un sacrifice aux dieux.

**MAURICE**, en lat. ***Flavius Mauricius Tiberius*** ~ *v. 539, Arabissos, Cappadoce - 602, en Chalcédoine.* Empereur byzantin (582-602). Il réorganisa l'administration impériale. Ayant réduit les soldes de l'armée, il fut renversé et mis à mort.

**MAURICE DE NASSAU** (prince **d'Orange**) ~ *1567, Dillenburg - 1625, La Haye.* Stathouder des Provinces-Unies (1584-1625) et prince d'Orange (1618-1625). Fils de Guillaume le Taciturne, il infligea de nombreuses défaites à l'occupant espagnol.

**MAURICE DE SAXE** ~ Voir **Saxe** (Maurice de).

**MAURICIE** (la) ~ Région agric. (élev.) et industr. (papeterie) du Québec (Canada), située entre Montréal et Québec. V. princ. Trois-Rivières.

**MAURIENNE** (la) ~ Voir **Arc**.

**MAURITANIE (république islamique de)** ~ Pays d'Afrique occidentale, ouvert à l'O. sur l'Atlantique. ***Cap.*** Nouakchott. ***Superf.*** 1 030 700 km². ***Popul.*** 2 400 000 h. ***Langues princ.*** Arabe, peul, français. ***Monn.*** Ouguiya. ***Relief.*** Pays plat, aux trois quarts désertique. La vallée du Sénégal, à la frontière S., est la seule région cultivable. ***Climat.*** Sahélien au S., désertique au N. ***Écon.*** Élevage traditionnel (ovins, caprins, bovins, chameaux), cultures irriguées (mil, dattes, riz), exploit. des minerais de fer (Zouerate), cuivre et or, vente des droits de pêche. ***V. princ.*** Nouakchott, Nouadhibou. **HIST.** - La région fut occupée depuis le Néolithique par des agriculteurs noirs qui refluèrent vers le Sénégal et furent remplacés par des nomades berbères. *VIIIe s.* : islamisation. *XIe s.* : point de départ de la conquête almoravide qui détruit le royaume du Ghana au S. *XIIe-XVIIe s.* : des tribus originaires d'Arabie dominent la région. *XVIIIe s.* : premiers contacts avec les Européens, dont les Français (Faidherbe) établis au Sénégal. *1920* : après env. 70 ans d'une conquête difficile, la Mauritanie devient une colonie au sein de l'A.-O. F. *1934* : tout le territoire est sous contrôle français. *1960* : indépendance et proclamation de la république islamique de Mauritanie sous la présidence de Moktar Ould Daddah. *1976* : partage du Sahara occidental avec le Maroc ; début du conflit avec les Sahraouis du Front Polisario. *1978* : les militaires prennent le pouvoir. *1979* : abandon de toute revendication sur le Sahara occidental. *1989-1990* : affrontements interethniques entre les populations noires du S. (Sarakollés, Toucouleurs) et la population mauresque ; vives tensions avec le Sénégal. *1992* : après l'instauration du multipartisme, le colonel Ould Taya, chef de l'État depuis 1984, est élu à la présidence.

**MAURITANIE** (la) ~ Voir **Maurétanie**.

**MAUROIS** (Émile **Herzog**, devenu André) ~ *1885, Elbeuf - 1967, Neuilly-sur-Seine.* Écrivain français. Romancier (*Climats*, 1928), biographe (*À la recherche de Marcel Proust*, 1949), il évoque également ses souvenirs (*Portrait d'un ami qui s'appelait moi*, 1959). Acad.

**MAUROY** (Pierre) ~ *1928, Cartignies, Nord.* Homme politique français. Maire de Lille et député du Nord à partir de 1973, sénateur en 1992, il fut Premier ministre (1981-1984), puis premier secrétaire du parti socialiste (1988-1992).

**MAURRAS** (Charles) ~ *1868, Martigues - 1952, Tours.* Écrivain et homme politique français. Il prolonge les conceptions néoclassiques de Fr. Mistral et de M. Barrès (*l'Avenir de l'intelligence*, 1905) dans un combat ultraconservateur en art (contre le romantisme) et en politique (fondation de l'Action française). Très influent dans les milieux réactionnaires (*Mes idées politiques*, 1937), il sera désavoué par le Vatican, puis condamné en 1945 pour son ralliement à Vichy. Acad. (radié en 1945).

**MAURYA** ~ Dynastie indienne. Fondée v. 322 av. J.-C. par Chandragupta, elle compta une dizaine de souverains, dont Ashoka. Elle fut renversée v. 184 av. J.-C. par Pushyamitra.

**MAUSOLE** ~ *m. en 353 av. J.-C.* Satrape de Carie (v. 377-353 av. J.-C.). Son tombeau, le **Mausolée**, à Halicarnasse, est l'un des Sept Merveilles du monde. [☞ **merveille**.]

**MAUSS** (Marcel) ~ *1872, Épinal - 1950, Paris.* Sociologue et ethnologue français. Neveu et collaborateur d'É. Durkheim, il fut l'un des principaux animateurs de *l'Année sociologique* et dirigea l'Institut d'ethnologie de l'université de Paris. Son œuvre porte not. sur l'étude des conduites religieuses et cherche à comprendre le phénomène social dans sa totalité (*Esquisse d'une théorie générale de la magie*, 1902 ; *Essai sur le don*, 1932-1934).

**MAUTHAUSEN** ~ Localité d'Autriche, sur le Danube. Un camp de concentration nazi y fut ouvert en 1938 et libéré en mai 1945.

**MAVROCORDATO** ou **MAVROKORDHÁTOS** (Aléxandhros) ~ *1791, Istanbul - 1865, Égine.* Homme politique grec. Il fut l'un des chefs du soulèvement de 1821 contre les Turcs.

**MAXENCE**, en lat. ***Marcus Aurelius Valerius Maxentius*** ~ *v. 280 - 312 au pont Milvius, à Rome.* Empereur romain (306-312). Il domina l'Italie, l'Afrique et l'Espagne. Il fut vaincu et tué en combattant Constantin.

**MAXIM** (sir Hiram Stevens) ~ *1840, Brockway's Mill, Maine - 1916, Streatham, près de Londres.* Industriel britannique d'orig. américaine. Il inventa le fusil automatique en 1884.

**MAXIME**, en lat. ***Magnus Clemens Maximus*** ~ *m. en 388, Aquilée.* Usurpateur romain (383-388). Proclamé empereur par les légions de Bretagne, il fit tuer Gratien mais fut vaincu, puis exécuté sur l'ordre de Théodose Ier.

**MAXIMIEN**, en lat. ***Marcus Aurelius Valerius Maximianus*** ~ *v. 250, en Pannonie - 310, Marseille.* Empereur romain (286-305 ; 306-308). Chargé de défendre les Gaules, il partagea le pouvoir avec Dioclétien et abdiqua avec lui (305). Ayant voulu revenir au pouvoir, il se heurta à Constantin, qui l'élimina.

**MAXIMILIEN**, nom de deux empereurs germaniques. ~ **Maximilien Ier** (*1459, Wiener Neustadt, Basse-Autriche - 1519, Wels, Haute-Autriche*), archiduc d'Autriche, roi des Romains (1486-1519) et empereur germanique (1493-1519). Son mariage avec Marie de Bourgogne (1477), héritière de Charles le Téméraire, provoqua un long conflit avec la France au terme duquel il ne conserva que la Franche-Comté et les Pays-Bas (1493). La politique matrimoniale dans laquelle il engagea ses descendants permit aux Habsbourg d'ajouter notamment l'Espagne, la Hongrie et la Bohême à leurs possessions. Il réorganisa le Saint Empire, qui revint à sa mort à son petit-fils Charles Quint. ~ **Maximilien II** (*1527, Vienne - 1576, Ratisbonne*), empereur germanique (1564-1576). Successeur de son père Ferdinand Ier, il soutint la liberté religieuse et dut lutter contre les incursions ottomanes en Hongrie.

**MAXIMILIEN Ier** ~ *1573, Munich - 1651, Ingolstadt.* Duc (1597-1651) et Électeur (1623-1651) de Bavière. Membre de la Ligue catholique, allié de Ferdinand II durant la guerre de Trente Ans, il participa à la victoire de la Montagne Blanche (1620).

**MAXIMILIEN** ~ *1832, Vienne - 1867, Querétaro.* Archiduc d'Autriche. Placé sur le trône du Mexique par Napoléon III en 1864, il dut faire face à l'insurrection conduite par B. Juárez et fut fusillé.

**MAXIMILIEN DE BADE** ou **MAX DE BADE** (prince) ~ *1867, Baden-Baden - 1929, Salem, près de Constance.* Homme politique allemand. Chancelier en oct. 1918, il conseilla à l'empereur d'abdiquer et remit le pouvoir à Fr. Ebert (nov. 1918).

**MAXIMILIEN Ier JOSEPH** ~ *1756, Mannheim - 1825, Nymphenburg.* Électeur (1799) puis roi de Bavière (1806-1825). D'abord allié de Napoléon Ier, il entra dans l'Alliance autrichienne (1813).

**MAXIMILIEN II JOSEPH** ~ *1811, Munich - 1864, id.* Roi de Bavière (1848-1864). Il tenta de réunir des États allemands face à l'Autriche et à la Prusse.

**MAXIMIN Ier**, en lat. ***Caius Julius Verus Maximinus*** ~ *173 - 238, Aquilée.* Empereur romain d'orig. thrace (235-238).

**MAXWELL** (James Clerk) ~ *1831, Édimbourg - 1879, Cambridge.* Physicien britannique. Il unifia les théories de l'électricité, du magnétisme et de l'optique avec sa théorie générale du champ électromagnétique (1873) et la théorie électromagnétique de la lumière. Il est un des fondateurs de la thermodynamique.

**MAXWELL** (Robert) ~ *1923, Selo Slatina, auj. en Ukraine - 1991, en mer, près des Canaries.* Homme d'affaires britannique. Il constitua en Grande-Bretagne et en France un puissant groupe dans la presse et la communication qui s'effondra après sa mort.

**Mayapán** ~ Site archéol. du Mexique (Yucatán). Cité maya dominante de 987 à 1441.

**Mayas** (les) ~ Peuple amérindien établi au Guatemala, au Mexique (Chiapas, Yucatán) et à l'O. du Honduras. Leurs ancêtres furent les fondateurs d'une brillante civilisation régie par un système théocratique. Les Mayas se regroupaient en cités-États très hiérarchisées (Tikal, Palenque, Copán, Bonampak, Chichén-Itzá). On distingue l'âge préclassique (2000 av. J.-C.-250 apr. J.-C.), l'apogée ou âge classique (250-950), le déclin ou âge post-classique (950-1500). Dès la fin du Xe s., la plupart des grands sites mayas furent désertés pour des raisons mal élucidées, et il fallut attendre le XIXe s. pour que commence le déchiffrement de leur écriture hiéroglyphique, révélant leurs connaissances mathématiques et cosmographiques (calendrier solaire de 365 jours).

**AYENCE**, en all. *Mainz* ~ V. d'Allemagne occi-entale, cap. du land de Rhénanie-Palatinat, port u confluent du Rhin et du Main ; 183 000 h. Iniversité fondée en 1477. Édition (musique). athédrale romane (Xe-XIIIe s.), château (XVIe-VIIe s.), arsenal (XVIIIe s.), palais baroques. Musée utenberg. HIST. – Archevêché au VIIIe s., elle fut ccupée par la France en 1792, reconquise par la russe (1793), rattachée à la France en 1797, puis grand-duché de Hesse-Darmstadt en 1815, et onnut de nouvelles occupations françaises (1918-930 et 1945).

**AYENNE** (la) ~ Riv. tribut. de la Loire par la laine, née au pied du mont des Avaloirs, qui draine bas Maine et arrose Laval ; 185 km.

**AYENNE** (la) ~ Dép. le plus septentrional de la égion Pays de la Loire, sur le rebord oriental du lassif armoricain, correspondant en majeure partie u bas Maine et parcouru par la Mayenne ; 213 km², 278 037 h., préfect. Laval. Pays de ocage voué à l'élevage bovin (lait et viande) et orcin (race de Craon). Faible densité du réseau rbain. Décentralisation industrielle.

**AYENNE** ~ V. de la Mayenne, sur la Mayenne, ans le bas Maine, au N. de Laval, petit centre ndustr. ; 13 549 h. Monuments (XIIe-XVIIe s.).

**AYENNE** (Charles **de Lorraine**, duc DE) ~ *1554, lençon - 1611, Soissons.* Prince français. Il succéda son frère Henri de Guise à la tête de la Ligue 1589), puis se soumit à Henri IV (1595).

**AYER** (Carl) ~ *1894, Graz - 1944, Londres.* Scé-ariste autrichien. Sa contribution au courant xpressionniste du cinéma muet allemand fut apitale. Il travailla not. avec F. W. Murnau (*le ernier des hommes*, 1924).

**AYER** (Julius Robert VON) ~ *1814, Heilbronn - 878, id.* Physicien allemand. Pionnier de la thermo-ynamique, il détermina l'équivalent mécanique de calorie (1842), établit la **relation** dite **de Mayer** le principe de la conservation de l'énergie.

**AYERLING** ~ Localité d'Autriche, au S.-O. de ienne. Le 30 janv. 1889, on y découvrit les adavres de l'archiduc Rodolphe de Habsbourg et e sa maîtresse, la baronne Marie Vetsera, dans un avillon de chasse. Les causes du drame n'ont amais été élucidées.

**ayflower** ~ Nom du navire anglais parti de outhampton (1620) et transportant des puritains nglais qui fondèrent Plymouth, première colonie e Nouvelle-Angleterre.

**AYOL** (Félix) ~ *1872, Toulon - 1941, id.* Chan-eur français. Vedette du café-concert, il fit du oncert Mayol le temple de la chanson populaire *Viens Poupoule*).

**AYOTTE** ~ Île française de l'archipel des omores, dans l'océan Indien ; 375 km², 80 735 h., h.-l. Mamoudzou. Importante base navale. Va-ille. Mayotte a refusé l'indépendance au sein des omores lors du référendum du 22 décembre 1974 est devenue une collectivité territoriale de la épublique française en 1976.

**AZAMET** ~ V. du Tarn, au N. de la Montagne oire ; 11 481 h. Délainage, mégisserie, construc-ions mécaniques.

**AZAR-E CHARIF** ~ Ville princ. du N. de l'Af-hanistan, centre de pèlerinage musulman (sanc-aire du calife Ali) ; 131 000 h. (Ouzbeks, Tadjiks). ndustrie agroalimentaire et cotonnière. Base mili-aire à proximité.

**AZARIN** (Giulio **Mazarini**, dit en fr. Jules) ~ *1602, escina, Abruzzes - 1661, Vincennes.* Cardinal et omme politique français d'orig. italienne. Cardi-al en 1641, il se vit confier par Louis XIII la irection du Conseil à la mort de Richelieu. Il fut onfirmé à ce poste par la régente Anne d'Autriche, ont il fut peut-être l'amant. Confronté à l'opposi-on des nobles, réunis dans la cabale des Impor-ants, il dut faire face, malgré les victoires exté-ieures, que sanctionna la paix de Westphalie, à la ronde parlementaire (1648), qu'il parvint à naîtriser en concluant la paix de Rueil (1649). Il ortit également vainqueur de la Fronde des princes 1652) et conclut avec l'Espagne la paix des yrénées (1659), qui réalisa les projets conçus par ichelieu et prépara l'hégémonie exercée par la France dans la première moitié du règne de Louis XIV. Mécène, Mazarin profita de ses fonctions pour s'enrichir considérablement.

Mazarin (*milieu du XVIIe s. ; détail*), *copie d'après Philippe de Champaigne. Château de Versailles.*

**Mazarine (bibliothèque)** ~ Bibliothèque ouverte en 1643 et rattachée à l'Institut, à Paris. Ce fut la première bibliothèque publique de France.

**MAZATLÁN** ~ Port et station baln. du Mexique (Sinaloa), sur le Pacifique ; 314 000 h. Pêche.

**MAZENOD** (Charles Eugène DE) ~ *1782, Aix-en-Provence - 1861, Marseille.* Évêque de Marseille (1837), fondateur des missionnaires oblats de Marie-Immaculée, béatifié en 1975 par Paul VI.

**MAZEPPA** (Ivan Stepanovitch) ~*1639 ou 1644, près de Kiev - 1709, Bendery, Moldavie.* Hetman des Cosaques d'Ukraine orientale. D'abord allié du tsar Pierre le Grand, il se rallia en 1708 au roi de Suède Charles XII afin d'obtenir l'indépendance de l'Ukraine. Battu à Poltava (1709), il se réfugia chez les Tatars. La légende fit de lui la victime d'un mari jaloux qui l'aurait attaché nu sur le dos d'un cheval sauvage ; cet épisode inspira Byron, Hugo, Liszt, Tchaïkovski.

**MAZOVIE** (la) ~ Région de la Pologne centrale (bassin de la Vistule moyenne), aux sols généralement pauvres (podzols). V. princ. Varsovie.

**MAZOWIECKI** (Tadeusz) ~ *1927, Płock.* Homme politique polonais. Membre de Solidarność, il fut nommé Premier ministre en 1989, et démissionna après son échec à l'élection présidentielle (1990). Il a été le premier chef du gouvernement polonais non communiste depuis l'après-guerre.

**MAZURIE** (la) ~ Région lacustre et forestière du N.-E. de la Pologne. En partie comprise dans la Prusse-Orientale, elle revint à la Pologne en 1945.

**MAZZINI** (Giuseppe) ~ *1805, Gênes - 1872, Pise.* Patriote italien. Longtemps exilé, il fonda le mouvement Jeune-Italie, qui visait à l'unification de l'Italie, et fit proclamer la IIe République romaine (9 févr.-4 juill. 1849).

**M'BA** (Léon) ~ *1902, Libreville - 1967, Paris.* Homme d'État gabonais. Il fut le premier président de la république du Gabon (1961-1967).

**MBABANE** ~ Cap. et princ. ville du Swaziland, dans le haut Veld ; 38 000 h.

**MBINI**, anc. **Río Muni** ~ Partie continentale de la Guinée équatoriale ; 26 017 km², 240 000 h., v. princ. Bata.

**Mbutis** (les) ~ Principal groupe de Pygmées vivant dans le N.-E. du Zaïre.

**MEAD** (Margaret) ~ *1901, Philadelphie - 1978, New York.* Anthropologue américaine. Elle s'est intéressée à l'intégration des individus, not. des jeunes, dans la société de Nouvelle-Guinée, des Samoa ou de Bali (*l'Un et l'Autre Sexe*, 1948).

**MÉANDRE** (le), en turc *Büyük Menderes*, en grec *Maiandros* ~ Fl. de Turquie d'Asie, tribut. de la mer Égée ; 584 km. Site de Milet sur ses rives.

**MEANY** (George) ~ *1894, New York - 1980, Washington.* Syndicaliste américain. Il fut le premier président du syndicat A. F. L.-C. I. O. (1955-1979).

**MEAUX** ~ V. de Seine-et-Marne, à l'E. de l'agglom. parisienne, sur la Marne, entre les plateaux du Multien, au N., et de la Brie champenoise, au S. ; 48 305 h. (agglom. 63 006 h.). Cathédrale gothique. Musée Bossuet. Anc. remparts. HIST. – Citadelle gauloise et évêché dès le IVe s., elle devint capitale de la Brie. Au XVIe s., l'évêque Guillaume de Briçonnet et Lefèvre d'Étaples formèrent le **cénacle de Meaux**, d'inspiration réformiste. Bossuet, surnommé l'**Aigle de Meaux**, en fut l'évêque (1681-1704).

**MÉCÈNE**, en lat. *Caius Cilnius Maecenas* ~ *v. 69, Arezzo - 8 av. J.-C.* Chevalier romain protecteur des arts et des lettres. Proche d'Auguste, il s'entoura de Virgile, d'Horace et de Properce. Son nom est resté synonyme de protecteur des arts.

**MÉCHAIN** (Pierre) ~ *1744, Laon - 1804, Castellón de la Plana, Espagne.* Astronome français. Il compléta le catalogue de nébuleuses et d'amas stellaires de Ch. Messier et détermina l'étalon du mètre, en mesurant l'arc de méridien entre Dunkerque et Barcelone avec Ch. de Borda et J.-B. Delambre (1792-1799). [☞ **mètre**.]

**MÉCHED** ou **MACHHAD** ou **MECHHED** ~ V. du N.-E. de l'Iran, ch.-l. de la prov. du Khorassan ; 1 464 000 h. Tapis. Centre de pèlerinage de l'islam chiite (mausolée de l'imam Reza, fondé au IXe s. ; mosquée de Gowhar Chad, XVe s.), capitale de la Perse sous le règne de Nader Chah (1736-1747).

**MECHELEN** ~ Voir **Malines**.

**MÉCHITHAR** (Pierre) ~ Voir **Mékhithar**.

**MECKLEMBOURG** (le) ~ Anc. principauté d'Allemagne du Nord, sur la Baltique. Ses habitants furent intégrés au Saint Empire (XIe s.). Le duché formé en 1348 fut partagé entre les branches dynastiques de Schwerin et de Güstrow (1520) puis de Strelitz (1701). L'ensemble fut rattaché à la R. D. A. en 1949.

**MECKLEMBOURG - POMÉRANIE-ANTÉRIEURE**, en all. *Mecklenburg-Vorpommern* ~ Land du N.-E. de l'Allemagne, entre l'Elbe et l'Oder ; 23 170 km², 1 843 000 h., cap. Schwerin. Partie des plaines morainiques que baigne la Baltique (landes, forêts). Grands domaines agricoles. V. princ. Rostock, dont le port est concurrencé par Hambourg. Tourisme (île de Rügen).

**MECQUE (La)**, en ar. *Makka* ~ V. d'Arabie Saoudite, dans le Hedjaz ; 618 000 h. Lieu des premières prédications de Mahomet, c'est le plus grand centre de pèlerinage de l'islam (Kaaba).

**MEDAN** ~ Ville princ. de Sumatra (Indonésie) ; 1 686 000 h. Son port, sur le détroit de Malacca, exporte les productions régionales (caoutchouc, tabac, huile de palme).

**MÉDARD** (saint) ~ *v. 456, Salency, Vermandois - v. 545, Tournai.* Évêque des diocèses de Noyon et de Tournai.

**Mède (la)** ~ Complexe pétrolier de la commune de Châteauneuf-les-Martigues (Bouches-du-Rhône), sur l'étang de Berre.

**MÉDÉA** ~ Voir **Lemdiyya**.

**MÉDÉE** ~ Magicienne du cycle des Argonautes. Elle vola la Toison d'or avec Jason et, répudiée par lui, tua leurs enfants pour se venger. Elle inspira Euripide, Sénèque, Corneille et Pasolini.

**MEDELLÍN** ~ 3e v. de Colombie, grand centre industriel de la Cordillère centrale (1 500 m d'alt.), entre Cali et Barranquilla ; 1 600 000 h. Université. Textile (coton), agroalim., métallurgie. Anc. grand centre caféier. La ville a donné son nom à l'un des cartels mondiaux de la drogue.

**Mèdes** (les) ~ Peuple indo-européen établi au IXe s. av. J.-C. sur le plateau iranien. En 614-612 av. J.-C., son roi, Cyaxare, abattit la puissance assyrienne puis étendit ses conquêtes jusqu'en Anatolie. Vers 550 av. J.-C., le Perse Cyrus II renversa l'Empire mède.

**MÉDICIS**, en ital. *Medici*, famille de banquiers florentins, dont le pouvoir s'affirma sur la ville v. 1434 jusqu'à s'ériger en souveraineté ducale héréditaire en 1532. ~ **Côme l'Ancien** (*1389, Florence - 1464, Careggi*), fondateur de la branche aînée, exerça sur Florence un pouvoir de fait et fut un grand mécène. ~ **Laurent Ier**, dit **le Magnifique** (*1449, Florence - 1492, Careggi*), poète et mécène, petit-fils du préc., incarna la figure du prince de la Renaissance. ~ **Alexandre** (*1510, Florence - 1537, id.*) fut le premier duc de Florence (1532). ~ **Côme Ier** (*1519, Florence - 1574, Villa di Castello, près de Florence*) fut le premier grand-duc de Toscane (1569). ~ **Jean-Gaston** (*1671, Florence - 1737, id.*) fut le dernier prince de la dynastie. À sa mort, le grand-duché passa à la maison de Lorraine.

**Médicis (villa)** ~ Édifice du XVIe s. accueillant depuis 1803 l'Académie de France à Rome.

**MÉDINE** ~ V. sainte d'Arabie Saoudite, dans le Hedjaz ; 500 000 h. Son économie est liée au pèlerinage et aux productions de son oasis. Après l'hégire, Mahomet s'y réfugia (622). Résidence des premiers califes, très anc. foyer culturel. La mosquée du Prophète abrite le tombeau de Mahomet.

**médiques (guerres)** ~ Conflits qui opposèrent au Ve s. av. J.-C. les Grecs et les Perses. Ils trouvent leur origine dans le soutien accordé, en 499-498, par Athènes et Érétrie à la révolte des cités grecques d'Ionie (Asie Mineure). Darius Ier, roi de Perse, réprima la rébellion et voulut soumettre la Grèce pour s'assurer la domination sur la mer Égée. La **première guerre médique**, en 490, vit la destruction d'Érétrie, en Eubée, par les Perses, puis une défaite terrestre de Darius à Marathon, sur la côte attique. Lors de la **seconde guerre médique**, en 480-479, Xerxès Ier, fils et successeur de Darius, mena les opérations : il força le passage des Thermopyles (19 sept. 480), prit Athènes mais assista à la défaite de sa flotte dans les eaux de Salamine (29 sept. 480). Xerxès abandonna le commandement à Mardonios, qui fut vaincu à Platées, en Béotie (juin 479). La flotte grecque remporta ensuite les victoires de Mycale, en mer Égée, de Sestos (478), sur l'Hellespont, puis d'Eurymédon (468). La paix de Callias (449) fut conclue en faveur des Grecs.

**MÉDITERRANÉE** (la) ~ Mer intérieure qui baigne le S. de l'Europe, le N. de l'Afrique et le Proche-Orient (anc. Levant), communiquant avec l'Atlantique par le détroit de Gibraltar (larg. min. 14 km) et avec la mer Noire par les Détroits, reliée par le canal de Suez à la mer Rouge ; 2 500 000 km$^2$, prof. max. 5 100 m (au S. de la Grèce), moyenne 1 500 m. Sa formation résulte de la convergence de l'Eurasie et de l'Afrique (volcanisme et sismicité active) au Tertiaire. Les côtes sont généralement montagneuses, le plateau continental étroit (Adriatique et E. de la Tunisie exceptés), les plaines littorales rares (Languedoc, plaine du Pô), sauf en Afrique (Tunisie, Libye, delta du Nil). Le détroit de Sicile, seuil entre le cap Bon et la Sicile, large de 150 km, sépare deux grands bassins, à l'O. et à l'E. Les reliefs continentaux et insulaires délimitent plusieurs bassins secondaires (mers Tyrrhénienne, Adriatique, Ionienne, Égée), plus ou moins fermés. Îles et archipels sont nombreux et souvent étendus (Baléares, Corse, Sardaigne, Sicile, archipels tyrrhéniens et dalmate, Malte, îles Ioniennes, Crète, Cyclades, Sporades, Chypre), parfois volcaniques (îles Lipari, Santorin). La salinité est élevée, les marées sont faibles, les eaux tièdes (températures constantes en prof.) et peu poissonneuses, sauf près des côtes. Le climat méditerranéen (long ensoleillement, étés secs, hivers doux), à la végétation (chêne vert, maquis) et aux cultures (vigne, blé, olivier, agrumes) spécifiques, trouve sa plus grande extension mondiale sur le pourtour du bassin (nuance présaharienne entre Tunisie et Israël). Les foyers de peuplement côtiers sont liés à la présence de ports souvent anciens (tels Alexandrie, Marseille, Gênes, Venise, Barcelone) qui animent un intense courant d'échanges depuis l'Antiquité (poterie, vin, huile, bois, blé, métaux, épices, auj. industr. associées au pétr.). Tourisme balnéaire très développé. **HIST.** - Propice à la circulation des hommes, des marchandises et des idées, le Bassin méditerranéen vit se développer de grandes civilisations. Il fut parcouru par les Phéniciens, les Carthaginois, les Grecs, puis par les Romains, dont l'empire engloba la totalité des contrées riveraines de cette mer intérieure qu'ils baptisèrent *Mare nostrum*. Sa fin rompit l'unité de la Méditerranée. L'affrontement entre la chrétienté et l'islam (VIIe-XIXe s.) divisa durablement le monde méditerranéen. Les circuits commerciaux fragilisés furent recréés par les cités italiennes (XIe s.), mais le trafic diminua en raison du déplacement des axes d'échanges vers les océans à partir du XVe s. La colonisation de l'Afrique du Nord et l'ouverture du canal de Suez (1869) ont rendu à la Méditerranée son rôle dans la navigation mondiale.

**MEDJERDA** (la) ~ Fl. princ. de Tunisie, né en Algérie, qui rejoint la Méditerranée au N. de Tunis ; 365 km. Sa vallée (céréales, olivier, vigne) est le premier axe intérieur de peuplement du pays.

**MÉDOC** (le) ~ Région du Bordelais (Gironde), entre Bordeaux et la pointe de Grave. Vins rouges.

**MÉDUSE** ~ Monstre de la mythologie grecque. Seule des trois Gorgones à être mortelle, elle pétrifiait de son regard ceux qui la fixaient. Persée réussit à la tuer en lui coupant la tête.

**MEDWAY** (la) ~ Riv. du S.-E. de l'Angleterre, qui draine le Weald ; 130 km. Port pétrolier à son embouchure, commune avec la Tamise.

**MÉE-SUR-SEINE (Le)** ~ V. de la banlieue O. de Melun (Seine-et-Marne) ; 20 933 h.

**MEGALOPOLIS** ~ Région urbaine du N.-E. des États-Unis (côte atlantique entre le Massachusetts et le Maryland), l'une des plus grandes du monde (près de 40 000 000 d'h.). Elle englobe not. Boston, New York, Philadelphie, Baltimore et Washington.

**MÉGARE** ~ Ville de Grèce (Attique), à l'O. d'Athènes ; 21 000 h. Vestiges de la cité antique. Prospère dès le VIIIe s. av. J.-C., elle atteignit son apogée sous Théagène (630-600 av. J.-C.). Les luttes que la cité mena contre Athènes furent not. à l'origine de la guerre du Péloponnèse. Patrie du philosophe Euclide, qui fonda l'**école de Mégare**.

**MEGÈVE** ~ Station de sports d'hiver et d'été (1 113-2 040 m) de Haute-Savoie, à l'O. du massif du Mont-Blanc ; 4 750 h.

**MEGHALAYA** (le) ~ État du N.-E. de l'Inde, issu du démembrement de l'Assam en 1970, haut plateau très arrosé ; 22 429 km$^2$, 1 960 000 h. (hindous et chrétiens), cap. Shillong. Riziculture, exploit. du bois et du charbon.

**MÉHÉMET-ALI**, en ar. ***Muhammad Ali*** ~ *1769, Cavalla, Macédoine - 1849, Alexandrie.* Vice-roi d'Égypte (1805-1849). Il anéantit la puissance des Mamelouks (1811) puis entreprit de moderniser l'Égypte avec l'aide de conseillers européens. Il conquit le Soudan (1820-1823) et, après avoir aidé le sultan en Grèce (1824-1827), s'opposa à lui en Syrie (1831-1839). Le traité de Londres (1840) le contraignit à se limiter à l'Égypte et au Soudan, mais le titre de vice-roi héréditaire d'Égypte lui fut reconnu. Son fils Ibrahim Pacha lui succéda.

**MEHMED**, nom de six sultans ottomans. ~ **Mehmed II**, dit **Fatih, le Conquérant** (*1432, Edirne - 1481, Tekfur Cayiri*), sultan de 1444 à 1446 et de 1451 à 1481. Il prit Constantinople (1453), dont il fit sa capitale, conquit la Serbie (1459), mit fin à l'empire de Trébizonde (1461) et soumit la Crimée (1475). Il combattit Venise pendant de longues années et fit des incursions en Autriche et en Hongrie. ~ **Mehmed IV** (*1642, Istanbul - 1692, Edirne*), sultan de 1648 à 1687. Il laissa gouverner les Köprülü, deux grands vizirs qui restaurèrent la puissance de l'empire. Après la défaite de Mohács (1687), il fut déposé et remplacé par son frère Soliman. ~ **Mehmed V Reşad** (*1844, Istanbul - 1918, id.*), sultan de 1909 à 1918. Porté au pouvoir par les Jeunes-Turcs, il les laissa gouverner et accepta un régime constitutionnel. ~ **Mehmed VI** (*1861, Istanbul - 1926, San Remo*). Dernier sultan ottoman (1918-1922), frère du précédent. Il fut renversé par Mustafa Kemal.

**Mehrgarh** ~ Site archéol. du Baloutchistan (Pakistan). Occupé du VIIe au IIIe mill. av. J.-C., il fut l'un des foyers urbains de la civilisation de l'Indus.

**MÉHUL** (Étienne) ~ *1763, Givet - 1817, Paris.* Compositeur français, auteur de la partition du *Chant du départ* (1794), de sonates pour piano, d'opéras (*Joseph*, 1807) et de musique religieuse.

**MEIJE** (la) ~ Sommet du N. du massif du Pelvoux (Hautes-Alpes), dominant la Romanche ; 3 983 m (Grand Pic). Alpinisme.

**MEIJI TENNÔ**, nom posth. de **Mutsuhito** ~ *1852, Kyôto - 1912, Tôkyô.* Empereur du Japon (1867-1912). En 1868, il proclama l'**ère Meiji** et inaugura la modernisation du pays. Il se débarrassa de la tutelle du shogun et supprima le régime féodal. Établi dans sa nouvelle capitale, Tôkyô, il se dota de pouvoirs constitutionnels étendus (1889) et encouragea l'industrialisation du pays. Il pratiqua une politique extérieure impérialiste : guerres contre la Chine (1894-1895) et la Russie (1904-1905), et annexion de la Corée (1910).

**MEIR** (Golda **Myerson**, née **Mabovitz**, devenue en 1956 Golda) ~ *1898, Kiev - 1978, Jérusalem.* Femme politique israélienne. Travailliste, elle fut Premier ministre (1969-1974).

**MEISSEN** ~ V. d'Allemagne (Saxe), sur l'Elbe (r. g.) ; 35 000 h. Cathédrale gothique, château d'Albrechtsburg (XVe s.). Sa manufacture de porce laine dure fut la première d'Europe (XVIIIe s.).

**MEISSONIER** (Jean-Louis Ernest) ~ *1815 Lyon - 1891, Paris.* Peintre français. Spécialis dans les scènes militaires, il fut très apprécié sou le règne de Napoléon III.

**MEISSONNIER** (Juste Aurèle) ~ *v. 1693, Turin 1750, Paris.* Peintre, sculpteur et ornemanist français, grand maître du style rocaille.

**MÉJEAN (causse)** ~ Le plus élevé (alt. moyenn 1 000 m) des Grands Causses, au S. des gorges d Tarn (Lozère), très faiblement peuplé (1,4 h./km$^2$)

**MÉKHITHAR** ou **MÉCHITHAR** (Pierre **Manouk** dit) ~ *1676, Sivas, Anatolie - 1749, Venise.* Théolc gien arménien. Prêtre, il reconnut l'autorité d Rome et dut quitter l'Arménie. Il fonda en 170 la congrégation des **mékhitharistes**, approuvée pa le pape en 1712, et traduisit la Bible en arménien

**MEKNÈS** ~ V. historique du Maroc, centre admi nistratif et commercial, au S.-O. de Fès ; 320 000 h Tourisme. Mosquée de l'Écurie (XVIIIe s.), enceint et portes de la vieille ville (Bab al-Mansour), ruine de l'ancienne cité impériale (XVIIe s.). Anc. capital alaouite, de 1672 à 1727.

© D. Leroy-Explorer

*Meknès, les souks.*

**MÉKONG** (le) ~ Le plus grand fl. de l'Asie d Sud-Est (4 200 km), né à 4 900 m au Tibet, tribu de la mer de Chine. Son cours supérieur, en Chin (Yunnan), est profondément encaissé. Son bassi (810 000 km$^2$), rizicole et très peuplé, englobe, e aval, le Laos, l'E. de la Thaïlande, le Cambodge et le S du Viêt Nam. Il arrose not. Vientiane, Phnom Pen (début de son delta) et Hô Chi Minh-Ville. Son régime nival en amont, est rythmé en aval par les pluies d mousson (20 000 km$^2$ de terres inondables).

**MELAKA** ou **MALACCA** ~ État du S.-O. de l Malaisie péninsulaire (Malaysia), sur le détroit d Malacca ; 1 650 km$^2$, 583 000 h. Cult. comm (hévéa). La capitale, **Melaka** (88 000 h.), fondé au XVe s., fut un important comptoir commercia durant la période coloniale ; églises portugaise (XVIe s.), hôtel de ville hollandais (XVIIe s.).

*Golda Meir.*

© F. P. G. Int.-Explorer

**MELANCHTHON** (Philipp **Schwarzerd**, dit) ~ *1497, Bretten, Palatinat - 1560, Wittenberg.* Réformateur allemand. Disciple de Luther, il lui succéda à la tête de l'Église luthérienne et tenta d'unifier les courants issus de la Réforme (il fut le principal rédacteur de la *Confession d'Augsbourg*, 1530).

**MÉLANÉSIE** (la) ~ Région du Pacifique occidental qui regroupe les grandes îles de l'Océanie à l'E. de l'Indonésie et au N.-O. de l'Australie ; env. 4 000 000 d'h. Elle comprend la Nouvelle-Guinée, les îles Bismarck, Salomon, Vanuatu, Fidji et la Nouvelle-Calédonie. Ces îles sont montagneuses (volcanisme actif), le climat est chaud et humide. L'économie traditionnelle mélanésienne repose sur l'agriculture, l'élevage et la pêche.

**MELBOURNE** ~ Port d'Australie, fondé en 1835, cap. de l'État de Victoria et 2e v. du pays, grand centre univ. et bancaire sur la baie de Port Phillip ; 3 189 000 h. Pétrochimie, text., papier, automobile. Très important port exportateur de produits alim. et de laine. Musée d'art. Capitale de l'Australie jusqu'en 1927.

**MELCHIOR** ~ Un des trois Rois mages, originaire d'Afrique, dans la tradition chrétienne.

**MÉLIÈS** (Georges) ~ *1861, Paris - 1938, id.* Cinéaste français. D'abord illusionniste, il enrichit la technique naissante du cinéma de nombreux trucages qui servirent la fantaisie et l'inspiration féerique de son œuvre (*le Voyage dans la Lune*, 1902 ; *20 000 Lieues sous les mers*, 1907). Il construisit, à Montreuil, les premiers studios de cinéma.

**MELILLA** ~ Enclave espagnole (depuis 1497) de la côte méditerranéenne du Maroc (N.-E.), port franc ; 57 000 h., dont 27 % de musulmans espagnols. Export. du fer. Citadelle (XVIe s.).

**MÉLINE** (Jules) ~ *1838, Remiremont - 1925, Paris.* Homme politique français. Ministre de l'Agriculture (1883-1885 puis 1915-1916), il fut l'inspirateur du tarif douanier protectionniste de 1892. Président du Conseil (1896-1898), il dut démissionner en raison de son opposition à la révision du procès de Dreyfus.

**MELK** ~ V. d'Autriche (Basse-Autriche), sur le Danube ; 6 000 h. Grande abbaye bénédictine reconstruite en style baroque à partir de 1702.

**MELORIA** ~ Île du golfe de Gênes. Non loin de cette île, la flotte génoise vainquit les Pisans (1284) et les Angevins (1410).

**MELOZZO DA FORLI** (Michelozzo degli **Ambrogi**, dit) ~ *1438, Forli - 1494, id.* Peintre italien. Sa peinture monumentale comporte des effets de perspective et de raccourci (*Sixte IV inaugurant la bibliothèque Vaticane*, v. 1475).

**MELPOMÈNE** ~ L'une des neuf Muses de la mythologie grecque. Elle préside à la Tragédie.

**MELSENS** (Louis) ~ *1814, Louvain - 1886, Bruxelles.* Physicien belge. Il conçut le premier paratonnerre à conducteurs multiples (1865).

**MELUN** ~ Préfect. de la Seine-et-Marne, sur la Seine, aux confins de la Brie française, du Hurepoix et du Gâtinais ; 35 319 h. Forte industrialisation de l'agglom. (107 705 h.) liée à la proximité de Paris. Aérodrome d'essais de Melun-Villaroche. Églises Notre-Dame (XIe-XIIe s., façade Renaissance) et St-Aspais (vitraux du XVIe s.). Musée (poteries gallo-romaines, faïences).

**MELUN-SÉNART** ~ V. nouvelle (Seine-et-Marne), au S.-E. de l'agglom. parisienne ; 81 776 h. Elle comprend 10 communes urbaines entre la **forêt de Sénart** (30 km²), au N., et Melun.

**MELVILLE (île)** ~ Île côtière d'Australie, au N.-O. de la terre d'Arnhem, bordée par la mangrove ; 5 800 km², 550 h. (aborigènes).

**MELVILLE (île)** ~ Île inhabitée de l'archipel Arctique canadien (42 000 km²), au N. de l'île Victoria.

**MELVILLE** (Herman) ~ *1819, New York - 1891, id.* Écrivain américain. Il fit du monde de la mer le cadre privilégié de ses romans sombres et tourmentés, marqués par une interrogation métaphysique fondamentale (*Moby Dick*, 1851 ; *Billy Bud, gabier de misaine*, 1891).

**MELVILLE** (Jean-Pierre **Grumbach**, dit Jean-Pierre) ~ *1917, Paris - 1973, id.* Cinéaste français. Après *le Silence de la mer* (1949), sobre adaptation du roman de Vercors, son style retenu s'accorda à l'univers ambigu du milieu (*le Doulos*, 1962 ; *le Samouraï*, 1967 ; *le Cercle rouge*, 1970).

**MELYANA**, anc. **Miliana** ~ V. d'Algérie (env. 57 000 h.), entre Alger et Ech-Cheliff, dans la **plaine de Miliana**, région de vignoble et de vergers. Anc. colonie romaine.

**MEMEL** ~ Voir **Klaïpeda**.

**MEMLING** ou **MEMLINC** (Hans) ~ *v. 1433, Seligenstadt, Rhénanie - 1494, Bruges.* Peintre flamand. Il vécut à Bruges, où il développa son art de portraitiste et de peintre religieux. Sévérité et élégance formelle caractérisent sa manière (*le Mariage mystique de sainte Catherine*, 1475-1479 ; *l'Adoration des Mages*, 1470).

**MEMNON** ~ Héros de la guerre de Troie. Roi des Éthiopiens. En tentant de secourir son oncle Priam, il fut tué par Achille.

**MEMPHIS**, auj. **Badrashayn** ~ V. de l'anc. Égypte, fondée par le roi Ménès à l'entrée du delta du Nil. Capitale des pharaons de l'Ancien Empire (IIIe mill. av. J.-C.), devenue une cité cosmopolite hébergeant de nombreux cultes, elle fut détruite par les Arabes (VIIe s.).

**MEMPHIS** ~ V. du S. des États-Unis (Tennessee), port fluvial sur le Mississippi, important centre commercial (coton, bois, bétail) ; 610 000 h. C'est l'un des berceaux du blues.

**MENADO** ~ Voir **Manado**.

**MÉNAGE** (Gilles) ~ *1613, Angers - 1692, Paris.* Poète et érudit français. Il est l'auteur de poèmes au style précieux et mondain (dont se moquèrent Boileau et Molière) et de travaux concurrençant ceux de l'Académie française (*Origines de la langue française*, 1650).

**MÉNAM** (le) ~ Voir **Chao Phraya**.

**MÉNANDRE** ~ *v. 342, Athènes - 292 av. J.-C., id.* Poète grec. Le réalisme de ses personnages caractérise la « comédie nouvelle », où la fascination pour les mythes fait place à la réalité quotidienne.

**MENANT** (Joachim) ~ *1820, Cherbourg - 1899, Paris.* Assyriologue français. Fondateur de sa spécialité en France, il participa not. au déchiffrement de l'écriture cunéiforme.

**MENCHIKOV** (Aleksandr Danilovitch, prince) ~ *1673, Moscou - 1729, Berezovo, Sibérie.* Homme politique russe. Ami de Pierre le Grand, gouverneur de Saint-Pétersbourg (1703), il fut nommé feld-maréchal lors de la guerre du Nord. À la mort du tsar (1725), il détint le pouvoir sous Catherine Ire mais fut exilé à l'avènement de Pierre II (1728).

**MENCHIKOV** (Aleksandr Sergueïevitch, prince) ~ *1787, Saint-Pétersbourg - 1869, id.* Amiral et diplomate russe. Lors de la guerre de Crimée, il fut battu par les forces françaises et britanniques (1854).

**MENCIUS**, en chin. ***Mengzi*** ou ***Mong-tseu*** ~ *v. 371 - 289 av. J.-C.* Philosophe chinois. Dans la lignée de Confucius, il élabora un traité de moralisme fondé sur l'accord entre la nature humaine et le Ciel.

**MENDE** ~ Préfect. et princ. v. de la Lozère, sur le Lot, aux confins du causse de Sauveterre, du Gévaudan et de la Margeride ; 11 286 h. Cathédrale (XIVe-XVIIe s.). Pont du XIIIe s. Musées.

**MENDEL** (Johann, en relig. Gregor) ~ *1822, Heinzendorf - 1884, Brünn.* Botaniste et religieux autrichien. Fondateur de la génétique, il étudia l'hybridation et l'hérédité des végétaux, énonçant les lois qui portent son nom. [☞ **gène**.]

**MENDELEÏEV** (Dmitri Ivanovitch) ~ *1834, Tobolsk, Sibérie - 1907, Saint-Pétersbourg.* Chimiste russe. Il élabora la classification périodique des éléments chimiques qui porte son nom (1869), dont le tableau fut complété ultérieurement. Son classement fut justifié par la mécanique quantique (règle d'exclusion de Pauli). [☞ **élément**.]

**MENDELE MOÏKHER SFORIM** (Sholem Yankev **Abramovitz**, dit) ~ *1835, Kopyl, près de Minsk - 1917, Odessa.* Écrivain russe d'expression yiddish et hébraïque. Grand rénovateur de ces deux langues, il dénonça l'oppression antisémite (*la Jument*, 1873) et s'inspira de l'histoire du peuple juif (*les Voyages de Benjamin III*, 1879).

**MENDELSSOHN** (Moses) ~ *1729, Dessau - 1786, Berlin.* Philosophe allemand. Tenant de l'Aufklärung, il tenta de l'intégrer à la culture judaïque (*De l'évidence en métaphysique*, 1763).

**MENDELSSOHN-BARTHOLDY** (Felix) ~ *1809, Hambourg - 1847, Leipzig.* Compositeur allemand, petit-fils du préc. Pianiste et chef d'orchestre aux dons exceptionnels et précoces (ouverture pour *le Songe d'une nuit d'été*, 1826), il connut une carrière internationale. Directeur de la musique au Gewandhaus de Leipzig (1835), il fonda un conservatoire renommé. Il composa de la musique de scène, cinq symphonies (*Italienne*, 1833 ; *Écossaise*, 1842), de la musique de chambre et d'église, des concertos (*Concerto pour violon*, 1844) et des œuvres vocales. Il contribua à la redécouverte de J. S. Bach.

**MENDÈS FRANCE** (Pierre) ~ *1907, Paris - 1982, id.* Homme politique français. Député radical-socialiste à partir de 1932 et président du Conseil en 1954-1955, il retira la France d'Indochine mais l'engagea contre le F. L. N. en Algérie. Il prépara l'indépendance de la Tunisie. Sa rigueur intellectuelle et morale a exercé une influence durable sur la gauche française.

**MENDES PINTO** (Fernão) ~ *1510, Montemor-o-Velho - 1583, Almada.* Explorateur portugais des Indes orientales (1537-1557). Auteur de *Peregrinação*, relation de ses voyages (posth., 1614).

**MÉNDEZ DE HARO Y SOTOMAYOR** (Luis) ~ *1598, Valladolid - 1661, Madrid.* Homme politique espagnol. Premier ministre (1643-1651) et généralissime, il négocia avec Mazarin la paix des Pyrénées (1659).

**MENDOZA** ~ V. d'Argentine, la plus grande du piémont andin, ch.-l. de la **province de Mendoza** (148 827 km², 1 412 000 h.) ; agglom. 800 000 h. Centre d'une oasis agric. (vigne, fruits, légumes). Pétrochimie, métallurgie. Voie d'accès vers le Chili (Transandin). Université. Base militaire.

**MENDOZA** (Diego Hurtado DE) ~ Voir **Hurtado de Mendoza** (Diego).

**MENÉ** ou **MÉNÉ (monts du)**, en breton « montagne » ~ Ligne de hauteurs des Côtes-d'Armor (339 m), à l'E. des monts d'Arrée. Landes.

**MÉNÉLAS** ~ Dans la mythologie grecque, roi de Sparte, fils d'Atrée. L'enlèvement de sa femme, Hélène, par Pâris déclencha la guerre de Troie.

**MÉNÉLIK II** ~ *1844, Ankober - 1913, Addis-Abeba.* Négus d'Éthiopie (1889-1907). Il mit un terme à l'invasion italienne (Adoua, 1896).

**MENEM** (Carlos Saúl) ~ *1935, Anillaco.* Homme d'État argentin. Élu président de la République en 1989 et réélu en 1995, il a mené une politique économique ultralibérale en contradiction avec la tradition péroniste dont il s'était prévalu.

**MÉNEPTAH** ~ Voir **Mineptah**.

**MENEZ HOM** ~ Hauteur détachée des Montagnes Noires, en Bretagne (Finistère), dominant la baie de Douarnenez ; 330 m.

**MENGER** (Carl) ~ *1840, Neu Sandez, auj. Nowy Sącz, Galicie - 1921, Vienne.* Économiste autrichien. Il fut le promoteur de la notion d'utilité marginale et le fondateur, avec W. St. Jevons et L. Walras, de l'école marginaliste en économie (*Fondements de l'économie*, 1874).

**MENGISTU** (Hailé Mariam) ~ *1937, région de Harar.* Homme d'État éthiopien. Porté au pouvoir en 1977 puis élu président de la République en 1987, il a tenté d'instaurer un régime communiste. Il a été contraint à l'exil en 1991.

**MENGZI** ~ Voir **Mencius**.

**MENIA (El-)**, anc. **El-Goléa** ~ Oasis du Sahara algérien, au S. du Grand Erg occidental ; env. 30 000 h. Ksar du Xe s.

**MÉNIPPE** ~ *IVe-IIIe s. av. J.-C., Gadara.* Poète et philosophe cynique grec. Auteur d'écrits satiriques.

**MENOTTI** (Gian Carlo) ~ *1911, Cadegliano.* Compositeur américain d'orig. italienne. Il a écrit des opéras réalistes dans une forme musicale traditionnelle (*le Médium*, 1946 ; *le Consul*, 1950).

**MENTANA** ~ V. d'Italie (Latium), au N.-E. de Rome ; env. 30 000 h. Victoire des troupes françaises et pontificales sur Garibaldi (3 nov. 1867).

**MENTON** ~ Station baln. de la Côte d'Azur (Alpes-Mar.), proche de la frontière italienne ; 29 141 h. Cultures florales et agrumes (citrons). Église et chapelle baroques. Musée Jean-Cocteau.

**MENTOR** ~ Personnage de l'*Odyssée*. Ulysse lui confia la gérance de ses biens à Ithaque et l'éducation de son fils, Télémaque.

**MENUHIN** (sir Yehudi) ~ *1916, New York.* Violoniste et chef d'orchestre américain d'orig. russe. Révélé dès 1927, il s'est imposé par la pureté de son style et par son action humanitaire.

*Yehudi* **Menuhin**.

**MÉNUIRES (Les)** ~ Station de sports d'hiver et d'été (1 800-2 880 m) de la commune de Saint-Martin-de-Belleville (Savoie), dans le massif de la Vanoise.

**Méos** (les) ~ Voir **Miaos**.

**MÉOTIDE (marais)** ~ Nom de la mer d'Azov dans l'Antiquité.

**MERANO** ~ Station thermale d'Italie, sur le haut Adige (Alpes du Trentin) ; 33 000 h. Sports d'hiver (**Merano 2 000**). Cathédrale gothique et château du XV^e s., musée.

**MERCANTOUR** (le), en ital. ***Argentera*** ~ Massif cristallin des Alpes du Sud (France, Italie), qui culmine à l'Argentera (3 297 m), en Italie. Parc national (685 km²) créé en 1979.

**MERCATOR** (Gerhard **Kremer**, dit Gerard) ~ *1512, Rupelmonde - 1594, Duisbourg.* Mathématicien et géographe flamand. Il donna son nom à un système de projection cartographique représentant les méridiens par des droites parallèles équidistantes, et les parallèles par des droites perpendiculaires aux méridiens (1569).

Mercator *(1585), gravure anonyme. Royal Geographical Society, Londres.*

**Merci (ordre de la)** ~ Ordre religieux fondé par Pierre Nolasque et Raymond de Peñafort en 1218 à Barcelone, qui se consacra au rachat des chrétiens prisonniers des Maures.

**Mercie** (la) ~ Royaume angle du centre de l'Angleterre, fondé au VI^e s., soumis au Wessex par Egbert le Grand en 827.

**MERCIER** (Désiré Joseph) ~ *1851, Braine-l'Alleud, Brabant wallon - 1926, Bruxelles.* Prélat belge. Il fut l'un des artisans du renouveau des études thomistes. Nommé archevêque de Malines (1906) et cardinal (1907), il encouragea le dialogue entre catholiques et anglicans (conversations de Malines, 1921-1925, avec lord Halifax).

**MERCIER** (Louis Sébastien) ~ *1740, Paris - 1814, id.* Homme de lettres et auteur dramatique français. Son *Tableau de Paris* (1790) constitue un témoignage sociologique sur la fin de l'Ancien Régime.

**MERCKX** (Eddy) ~ *1945, Meensel-Kiezegem, Brabant.* Coureur cycliste belge. Il a été cinq fois victorieux du Tour de France et du Tour d'Italie et a détenu le record du monde de l'heure de 1972 à 1984.

**MERCŒUR** (Philippe Emmanuel **de Vaudémont**, duc DE) ~ *1558, Nomeny, Meurthe-et-Moselle - 1602, Nuremberg.* Homme de guerre français. Il fut le chef de la Ligue en Bretagne après la mort des Guises.

**Mercosur** ou **Mercosul** (le) ~ Traité d'alliance économique créant un « Marché commun du Sud » entre l'Argentine, le Brésil, l'Uruguay et le Paraguay, signé en 1991.

**MERCURE** ~ Planète du système solaire, la plus proche du Soleil. Son diamètre équatorial est égal à 4 878 km, sa masse à 0,055 fois celle de la Terre, son volume à 0,06 fois celui de la Terre, sa masse volumique à 5,44 g/cm³, sa révolution sidérale à 87,969 jours. Elle a un sol criblé de nombreux cratères, un champ magnétique, et une température au sol variant de - 170 °C la nuit à 350 °C le jour.

**MERCURE** ~ Voir **Hermès**.

**Mercure de France** ~ Nom de la revue littéraire fondée en 1889 par des écrivains d'un groupe symboliste, puis de la maison d'édition créée par Alfred Vallette en 1894.

**MERCUREY** ~ Commune viticole de Bourgogne, à l'O. de Chalon-sur-Saône (Saône-et-Loire) ; 1 276 h. Vins rouges et blancs.

**MÉRÉ** (Antoine **Gombaud**, chevalier DE) ~ *1607, dans le Poitou - 1684, Baussay, Poitou.* Écrivain français. Il édicta les règles du comportement de l'« honnête homme » classique.

**MEREDITH** (George) ~ *1828, Portsmouth - 1909, Box Hill.* Écrivain britannique, auteur de romans psychologiques (*Feverel*, 1859 ; *l'Égoïste*, 1879).

**MEREJKOVSKI** (Dmitri Sergueïevitch) ~ *1866, Saint-Pétersbourg - 1941, Paris.* Écrivain russe, tenant du symbolisme et d'un retour au christianisme (*le Christ et l'Antéchrist*, 1892-1904). Opposant au bolchevisme, il s'exila.

**MÉRIBEL-LES-ALLUES** ~ Station de sports d'hiver et d'été (1 450-2 700 m) de la commune des Allues, dans le massif de la Vanoise (Savoie).

**MÉRIDA (cordillère de)** ~ Chaîne de montagnes prolongeant au Venezuela la cordillère orientale des Andes (5 007 m au pic Bolívar).

**MÉRIDA** ~ V. d'Espagne, cap. de l'Estrémadure, marché agric. sur le Guadiana ; 49 000 h. Monuments romains (théâtre, amphithéâtre, aqueduc de Los Milagros, pont). Musée archéologique. Fondée vers 25 av. J.-C., cap. de la Lusitanie, l'anc. Augusta Emerita prospéra sous l'Empire romain.

**MÉRIDA** ~ V. du Mexique méridional, cap. du Yucatán ; 557 000 h. Textile. Sites archéol. d'Uxmal et de Chichén Itzá à proximité. La ville fut fondée en 1542 à l'emplacement d'une anc. ville maya.

**MÉRIGNAC** ~ V. de la banlieue O. de Bordeaux (Gironde) ; 57 273 h. Aéroport. Aéronautique.

**MÉRIMÉE** (Prosper) ~ *1803, Paris - 1870, Cannes.* Écrivain français. Ses nouvelles (*la Vénus d'Ille*, 1837 ; *Colomba*, 1840 ; *Carmen*, 1845), romantiques par leurs thèmes mais d'écriture classique, ont plus marqué que son roman historique, *Chronique du règne de Charles IX* (1830), ou que ses canulars littéraires (*le Théâtre de Clara Gazul, comédienne espagnole*, 1825). Inspecteur des Monuments historiques, il présida à l'inventaire d'une part considérable du patrimoine archéologique de la France.

**Merinas** (les) ~ Peuple des hautes terres centrales (Imerina) de Madagascar, tradit. voué à la riziculture et à l'artisanat. Le **royaume merina** unifia la majeure partie de l'île aux XVIII^e-XIX^e s. avec l'appui des Britanniques, mais ne put résister à la conquête française (1896).

**MERLEAU-PONTY** (Maurice) ~ *1908, Rochefort - 1961, Paris.* Philosophe français. Principal représentant de la phénoménologie contemporaine, il fut un proche de J.-P. Sartre, avec lequel il anima la revue *les Temps modernes* jusqu'en 1953. Il s'attacha à critiquer les concepts mécanistes des sciences humaines (*Structure du comportement*, 1942 ; *Phénoménologie de la perception*, 1945), proposant de déplacer le langage de l'empirisme sur le terrain de l'intentionalité et de l'« être-au-monde ».

**MERLIN** (Philippe Antoine, comte), dit **Merlin** **Douai** ~ *1754, Arleux, Nord - 1838, Paris.* Homm politique français. Député aux États générau (1789) puis à la Convention (1792), il partici à la réaction thermidorienne. Élu au secon Directoire (1797), il fut procureur général de Cour de cassation (1806-1814). Acad.

**MERMOZ** (Jean) ~ *1901, Aubenton, Aisne - 193 au large de Dakar.* Aviateur français. Pionnier l'Aéropostale, il établit la première liaison aérien Afrique-Amérique du Sud (1930). Il disparut en m à bord de son hydravion *Croix-du-Sud*.

*Jean* **Mermoz**.

**Méroé** ~ Site archéologique monumental du So dan. Anc. capitale de Nubie, elle devint le cent de la civilisation **méroïtique** (VI^e s. av. J.-C.) et f détruite par le royaume éthiopien d'Aksoum (v. 3 apr. J.-C.).

**MÉROVÉE** ~ Chef franc (V^e s.). Son existen historique n'a pu être prouvée avec certitude ; il donné son nom à la dynastie mérovingienne.

**Mérovingiens** (les) ~ Première dynastie de ro francs (V^e-VIII^e s.). À Clodion, roi de Cambrai, à Childéric I^er, roi de Tournai, succéda Clovis I qui conquit la Gaule et fut le fondateur de dynastie. Le dernier Mérovingien, Childéric III, r en 743, fut déposé en 751 par Pépin le Bref.

**MERSEBURG** ~ V. industr. de l'E. de l'Allemagn (Saxe-Anhalt), sur la Saale ; 46 000 h. Grand com plexe chimique. Résidence des princes-évêque jusqu'au XVI^e s., capitale du duché de Saxe-Mersebu (1656-1738), elle fut annexée par la Prusse en 181

**MERS EL-KEBIR** ~ Port d'Algérie, sur le gol d'Oran ; 23 000 h. En 1935, la France y créa un base navale. Le 3 juillet 1940, les Britannique sommèrent la flotte française de se rallier à eux c de désarmer. L'amiral Gensoul ayant refusé, l'am ral Somerville ouvrit le feu. La plupart des navire français furent touchés et 1 300 marins furent tué En 1962, les accords d'Évian concédèrent à France pour quinze ans l'utilisation de la base, dor l'évacuation fut décidée en 1967.

**MERSENNE** (abbé Marin) ~ *1588, Oizé, Maine 1648, Paris.* Savant et philosophe français. Il conçu le télescope à miroir parabolique, énonça les lo des tuyaux sonores et des cordes vibrantes, mesur les rapports des fréquences des notes de la gamm ainsi que la vitesse du son (1636). Il favorisa le échanges entre les savants de son temps (Descarte Pascal, Fermat).

**MERSEY** (la) ~ Fl. d'Angleterre (150 km), tribu de la mer d'Irlande. Son bassin (**Merseyside**) e une vieille région industrielle (Manchester, Liver pool), d'abord fondée sur le textile puis sur le constructions mécaniques.

**MERSIN** ~ Port du S.-E. de la Turquie (Cilicie sur la Méditerranée, centre industriel et pétrolier 422 000 h. Vestiges néolithiques et chalcolithiques ruines romaines.

**MERS-LES-BAINS** ~ Station baln. de la Somme sur la Manche ; 3 540 h.

**MERTON** (Robert King) ~ *1910, Philadelphie.* Sc ciologue américain. Chef de file du fonctionalisme il proposa d'interpréter le comportement de acteurs sociaux en référence au contexte global dar equel il intervient et sous contrainte d'en montrer a valeur adaptative (*Éléments de théorie et de méthode sociologiques*, 1949).

**MERVEILLES (vallée des)** ~ Haute vallée lacustre du Mercantour (Alpes-Mar.), dont les eaux alimentent la Roya. Gravures rupestres de l'âge du bronze.

**MERVILLE** ~ V. industr. de Flandre (Nord), sur a Lys ; agglom. 27 075 h. Constr. mécan., textile.

**MERZ** (Mario) ~ *1925, Milan.* Artiste italien. Il a réalisé des assemblages d'objets bruts soulignés d'inscriptions au néon. [☞ **pauvre.**]

**MESA VERDE** (la) ~ Plateau tabulaire du S.-O. du Colorado (États-Unis), sanctuaire de la civilisation pueblo (villages troglodytiques abandonnés au XIIIe s.). Parc national, musée archéologique.

**MESETA** (la) ~ Plateau central de la péninsule Ibérique (alt. moyenne 700 m), dominé par des reliefs plus récents, qui englobe l'essentiel de l'Espagne continentale, not. la Castille.

**MESETA MAROCAINE** ~ Socle ancien, zone de transition entre le littoral atlantique et l'Atlas, au Maroc. Forêts et cultures méditerranéennes. Phosphates.

**MESMER** (Franz Anton) ~ *1734, Iznang, Souabe - 1815, Meersburg.* Médecin allemand. Il formula la théorie du magnétisme animal ou **mesmérisme**, soutenue par les adeptes de la Société de l'harmonie et réfutée officiellement en 1784.

**MÉSOPOTAMIE** (la) ~ Région du Moyen-Orient formant, entre le Tigre et l'Euphrate, la partie orientale du Croissant fertile. Elle s'étend de la Turquie au golfe Persique et de la chaîne du Zagros au désert syrien. La **haute Mésopotamie**, ou Djézireh (au N.), est un plateau aride ; la **basse Mésopotamie**, ou Iraq al-Arabi (au S.), est une riche plaine alluviale irriguée, cœur de l'Iraq moderne. **HIST.** - Centre de l'Asie occidentale ancienne, elle vit se développer, dès le IVe mill. av. J.-C., les premières civilisations de l'histoire de l'humanité à faire usage de l'écriture. Sumer et ses cités-États (Ourouk, Kish, Our, Lagash) se développèrent à proximité de l'actuel golfe Persique jusqu'au XVIIIe s. av. J.-C. Étendant son influence sur l'ensemble de la région, Akkad créa un modèle étatique centralisé et consacra l'hégémonie des Sémites (2334-2193 av. J.-C.). La primauté politique oscilla désormais entre l'Assyrie (au N.) et Babylone (au centre), tandis que la Mésopotamie assimilait ou repoussait les vagues successives d'envahisseurs. La conquête de Babylone par les Perses (539 av. J.-C.) la priva définitivement d'autonomie alors que le poids culturel des Araméens s'accroissait et que sa vieille civilisation entrait en décadence, avant de s'éteindre. [☞ **écriture.**]

**MÉSOPOTAMIE ARGENTINE** (la) ~ Région de prairies d'Argentine, entre les fl. Paraná et Uruguay.

**MÉSORÉE**, en gr. ***Messaria*** ~ Plaine princ. et centrale de Chypre, entre les monts Trodhos au S. et Karpas au N. Cultures irriguées.

**MESSAGER** (André) ~ *1853, Montluçon - 1929, Paris.* Compositeur et chef d'orchestre français. Il popularisa les opéras de Wagner, créa *Pelléas et Mélisande*, de Debussy, et composa des opéras-comiques et des ballets (*les Deux Pigeons*, 1886).

**MESSAGIER** (Jean) ~ *1920, Paris.* Peintre et graveur français. Ses premières toiles, aux couleurs claires et fluides, portent la marque de l'impressionnisme (*la Vallée*, 1949). Puis il s'est orienté vers le « paysagisme abstrait » (*Hiver piétiné*, 1968).

**MESSALI HADJ** (Ahmed) ~ *1898, Tlemcen - 1974, Paris.* Homme politique algérien. Il fonda l'Étoile nord-africaine (1924), le Parti populaire algérien (1937) puis le Mouvement pour le triomphe des libertés démocratiques (1946), dont le contrôle lui échappa au profit des fondateurs du futur F. L. N. (1954). Il créa alors le Mouvement national algérien. Mis en résidence surveillée, il fut libéré en 1962.

**MESSALINE**, en lat. ***Valeria Messalina*** ~ *v. 25 - 48 apr. J.-C.* Femme de l'empereur Claude Ier, mère de Britannicus et d'Octavie. De mœurs dissolues, elle fut assassinée sur ordre de son mari.

**MESSÉNIE** (la) ~ Région du S.-O. du Péloponnèse. Soumise par Sparte (VIIIe s. av. J.-C.), la Messénie recouvra son indépendance en 370 av. J.-C. au terme de trois guerres, puis fut conquise par Rome en 144 av. J.-C.

**MESSERSCHMITT** (Willy) ~ *1898, Francfort-sur-le-Main - 1978, Munich.* Ingénieur et industriel allemand. Il construisit le premier chasseur à réaction (1938), utilisé dans les combats en 1944.

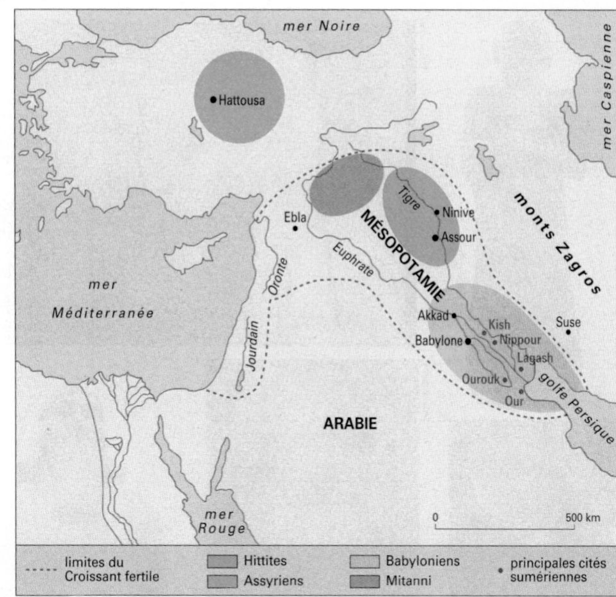


*La **Mésopotamie** ancienne.* La culture sumérienne se développe en basse Mésopotamie aux IVe et IIIe mill. av. J.-C. sous la forme de cités-États rivales. À la fin de cette période, deux États se constituent et étendent leur pouvoir sur toute la Mésopotamie et au-delà : l'empire d'Akkad (2334-2193 av. J.-C.), à partir du N. du Sumer, et l'empire de la troisième dynastie d'Our (2112-2003 av. J.-C.), à partir du S. du Sumer. Fondé par Hammourabi (1792-1750 av. J.-C.), l'Empire babylonien, qui domine toute la région, est ruiné par les Hittites en 1595 av. J.-C. L'« Entre-Deux-Fleuves » se divise ensuite en deux États : celui de Babylone au S. et, en haute Mésopotamie, le Mitanni, puis l'Assyrie. Du XVIe au XIVe s. av. J.-C., le Mitanni exerce sa suzeraineté de l'Oronte au Zagros. Il est détruit en 1365 av. J.-C. par les Hittites et annexé au XIIIe s. av. J.-C. par l'Assyrie. La rivalité des deux États est permanente jusqu'à la disparition de la noblesse assyrienne au VIIe s. Partie de Babylone, la dynastie chaldéenne (626-539 av. J.-C.) fonde un dernier et éphémère Empire mésopotamien, détruit par le Perse Cyrus II. Il fallut attendre les fouilles des XIXe et XXe s. pour mesurer l'apport de la Mésopotamie, tant aux sciences de la Grèce qu'aux mythes et aux religions du Proche-Orient.

**MESSIAEN** (Olivier) ~ *1908, Avignon - 1992, Paris.* Compositeur français. Sa musique intègre couleurs, rythmes, modes, timbres et chants d'oiseaux dans une coulée harmonique qui embrasse toutes les formes : vocales, instrumentales (*Quatuor pour la fin du temps*, 1941), pianistiques (*Catalogue d'oiseaux*, 1956-1958), lyriques (*Saint François d'Assise*, 1983) et organistiques (*Messe de la Pentecôte*, 1950).

**MESSIER** (Charles) ~ *1730, Badonviller, Lorraine - 1817, Paris.* Astronome français. Il découvrit 21 comètes, et dressa un catalogue de 103 nébulosités galactiques et extragalactiques (**liste de Messier**, 1781).

**MESSINE** ~ 3e v. de Sicile (Italie), port sur le **détroit de Messine** (larg. minimale 3 km), séparant la Sicile de la Calabre ; 234 000 h. Archevêché. Université. Industries alim., chim., trafic de voyageurs. Cathédrale normande, musée. La ville fut détruite par les séismes de 1783 et de 1908.

**MESSMER** (Pierre) ~ *1916, Vincennes.* Homme politique français. Compagnon de la Libération, il a été ministre des Armées (1960-1969) et Premier ministre (1972-1974).

**MESSNER** (Reinhold) ~ *1944, Bolzano.* Alpiniste italien, vainqueur de 14 sommets de plus de 8 000 m entre 1970 et 1986.

**MESTGHANEM**, anc. **Mostaganem** ~ Port d'Algérie sur le golfe d'Arziw, à l'E. d'Oran, ch.-l. de wilaya, centre industr. (sucrerie, pâte à papier) et comm. (vins) ; 115 000 h.

**MÉTABIEF** ~ Station de sports d'hiver et d'été du Jura (Doubs), près de la frontière suisse ; 504 h.

**MÉTALLIFÈRES** ou **MÉTALLIQUES (monts)**, nom de plusieurs massifs d'Europe riches en minerais métalliques (not. fer, cuivre, plomb) ~ **Erzgebirge** (nom allemand), entre la Bohême et le plateau saxon, région d'industrie métallurgique séparée des Sudètes par l'Elbe, culminant dans l'axe cristallin à 1 244 m. ~ **Monts Métallifères slovaques** (alt. max. 940 m), au S. des Carpates. ~ **Collines Métallifères de Toscane** (alt. max. 1 056 m), à l'E. de la Maremme, en Italie.

**MÉTASTASE** (Pietro **Trapassi**, dit **Metastasio**, et en fr. Pierre) ~ *1698, Rome - 1782, Vienne.* Poète, librettiste et compositeur italien. Auteur de livrets dont furent tirés plus de huit cents ouvrages (de Hasse, Gluck, Mozart, Cherubini, Cimarosa ou Meyerbeer), il fixa les règles de l'opéra sérieux.

**MÉTAURE** (le), en ital. ***Metauro*** ~ Fl. d'Italie, dans les Marches ; 109 km. Un épisode décisif de la deuxième guerre punique (la défaite et la mort d'Hasdrubal Barca) eut lieu sur ses rives (207 av. J.-C.).

**METAXÁS** (Ioánnis) ~ *1871, Ithaque - 1941, Athènes.* Général et homme politique grec. Président du Conseil en 1936, il instaura une dictature et se montra favorable à l'Allemagne hitlérienne. Opposé aux ambitions italiennes sur la Grèce, il se rapprocha de la Grande-Bretagne en 1940.

**METCHNIKOV** ou **METCHNIKOFF** (Ilia Ilitch, en fr. Élie) ~ *1845, Ivanovka, Ukraine - 1916, Paris.* Zoologiste et microbiologiste russe. Il découvrit la phagocytose (1882) et son rôle immunitaire dans les maladies infectieuses, et étudia la bactériologie. Prix Nobel de physiol. ou méd. 1908.

**MÉTEZEAU** ~ Famille d'architectes français, dont le membre le plus célèbre fut **Clément II** (*1581, Dreux - 1652, Paris*), auquel on doit la place ducale de Charleville (1611) et probablement la façade de l'église Saint-Gervais (1616), à Paris.

**MÉTHODE** (saint) ~ *v. 825, Thessalonique - 885, en Moravie.* Avec son frère Cyrille, il évangélisa les Slaves. Il est à l'origine de la liturgie de l'Église orthodoxe russe.

1

© Giraudon

2

© P. Tétrel-Explorer

3

© C. et J. Lenars-Explorer

4

5

6

© S. Fiore-Explorer

7

ARTS DE **MÉSOPOTAMIE**

1. *Statue diorite de Goudéa, prince de la cité sumérienne de Lagash (XXIe s. av. J.-C.). Musée du Louvre, Paris.* © Giraudon
2. *Génie bénisseur et personnages portant des offrandes, bas-relief provenant du palais de Sargon II, roi d'Assyrie (721-705 av. J.-C.), à Khorsabad. Musée du Louvre, Paris.*
3. *Tête de taureau en or massif ornant une harpe. Ire dynastie d'Our (v. 2700-2500 av. J.-C.). Musée d'Iraq, Bagdad.*
4. *Défilé des archers, décor en briques émaillées provenant du palais de Darius Ier à Suse (Ve s. av. J.-C.). Musée du Louvre, Paris.*
5. *Statue d'Assourbanipal, roi d'Assyrie (668-v. 630 av. J.-C.). British Museum, Londres.* © C. et J. Lenars-Explorer
6. *Stèle d'Adad-Nirari III, roi d'Assyrie (810-781 av. J.-C.). British Museum, Londres.* © S. Fiore-Explorer
7. *Lion, statue en terre émaillée, provenant de Suse (fin du IIe mill. av. J.-C.). Musée d'Iraq, Bagdad.*

**MÉTRAUX** (Alfred) ~ *1902, Lausanne - 1963, Paris.* Anthropologue français d'orig. suisse. Élève de M. Mauss, il consacra ses recherches aux civilisations amérindiennes (*Manuel des Indiens sud-américains*, 1946-1959) et au vaudou haïtien.

**Metropolitan Museum of Art** ~ Musée des beaux-arts de New York créé en 1870. Ses fameuses collections comptent plus de 3 millions d'œuvres réparties en 18 départements.

**METSYS, METSIJS** ou **MASSYS** (Quinten ou Quentin) ~ *v. 1466, Louvain - 1530, Anvers.* Peintre flamand. Continuateur de la tradition flamande du XVe s., il assimila les innovations venues d'Italie. Ses portraits sont marqués par l'idéal humaniste (*Érasme*). Il peignit de grands retables et des sujets profanes (*le Prêteur et sa femme*).

**METTERNICH-WINNEBURG** (Klemens, prince VON) ~ *1773, Coblence - 1859, Vienne.* Homme politique autrichien. Ambassadeur à Paris (1806-1809) puis ministre des Affaires étrangères, il fut l'instigateur du mariage de Marie-Louise avec Napoléon Ier (1810). Principale figure du congrès de Vienne (1815), il apparut comme l'architecte de « l'équilibre européen » favorable aux empires autocratiques, pour lutter contre les idéaux révolutionnaires. Chancelier à partir de 1821, il fut chassé par la révolution viennoise de 1848.

**METZ** ~ Préfect. de la Moselle et de la Région Lorraine, carrefour de communications et port fluvial sur la Moselle ; 119 594 h. (agglom. 193 117 h.). Université (haute technologie). Industr. automobile. Cathédrale gothique (XIIIe-XVIe s.), église (IVe s.) la plus anc. de France. Musée (archéologie, beaux-arts). **HIST.** - Centre d'échange dans la Gaule romaine, puis capitale de l'Austrasie la ville fit partie des Trois-Évêchés et fut conquis par Henri II (1552). Elle fut l'un des enjeux de la guerre franco-allemande de 1870-1871. L'armée française de Bazaine y fut encerclée et vaincue (1870). L'Allemagne l'annexa jusqu'en 1918 et de 1940 à 1944.

**MEUDON** ~ V. de la banlieue S.-O. de Paris (Hauts-de-Seine), dominant la Seine, en bordure de la **forêt de Meudon** (11 km²) ; 45 339 h. Constr. mécaniques et électriques. Observatoire d'astrophysique. Musées d'art et d'histoire dans l'ancienne maison d'Armande Béjart. Extension résidentielle à Meudon-la-Forêt.

**MEURSAULT** ~ Commune viticole de la Côte d'Or, au S.-O. de Beaune ; 1 538 h. Vins blancs.

**MEURTHE** (la) ~ Affl. lorrain de la Moselle (r. dr.), issu des Vosges (près de Gérardmer), qui arrose Saint-Dié, Baccarat, Lunéville et conflue en aval de Nancy ; 170 km.

**MEURTHE** (la) ~ Anc. dép. français de Lorraine (1790-1871). Amputé de son tiers N.-E., annexé par l'Allemagne, il forma alors avec l'O. de la Moselle, resté français, la Meurthe-et-Moselle.

**MEURTHE-ET-MOSELLE** ~ Dép. de la Région Lorraine, issu du traité de Francfort en 1871, frontalier de la Belgique et du Luxembourg, traversé par la moyenne vallée de la Moselle, qui y reçoit la Meurthe ; 5 279 km², 711 822 h., préfect. Nancy. Les côtes de Moselle y séparent la Woëvre du plateau lorrain. L'élevage, les céréales, les forêts, les arbres fruitiers et la vigne sont les principales ressources agricoles. Le sous-sol (minette au N., sel au S.) favorisa un temps le développement de la sidérurgie (Longwy, vallée de l'Orne), de la chimie (Dombasle) et de la verrerie (Baccarat). Nancy est au cœur de la région la plus active du département, que la crise frappe durement.

**MEUSE** (la), en néerl. ***Maas*** ~ Fl. de France, de Belgique et des Pays-Bas, tributaire de la mer du Nord ; 950 km. Née sur le plateau de Langres (Haute-Marne), la Meuse coule à l'O. de la Lorraine, dans une large vallée dominée par les côtes de Meuse (Verdun). Après Charleville-Mézières, elle traverse l'Ardenne, où son cours est sinueux et encaissé, puis reçoit, à Namur, la Sambre, son affluent principal, et arrose Liège et son bassin industriel. Après Maastricht, elle coule en plaine et son cours s'élargit. En Hollande (Pays-Bas), elle mêle ses eaux au delta du Rhin. Elle est reliée par canaux à la Moselle, au Rhin, à l'Aisne, à l'Escaut. En France, sa vallée, obstacle naturel sur la route de Paris (places fortes de Verdun, de Sedan), a gardé jusqu'à la Seconde Guerre mondiale un rôle défensif essentiel.

**MEUSE** (la) ~ Dép. de la Région Lorraine, frontalier de la Belgique, traversé du S. au N. par la Meuse, axe majeur qui sépare, à l'E. de l'Argonne, les plateaux du Barrois de la dépression humide de la Woëvre ; 6 220 km², 196 344 h., préfect. Bar-le-Duc. Forêt, plantes fourragères, céréales, vigne et vergers sur les coteaux. Des industries variées animent quelques petites villes dans les vallées, sans assurer l'essor du département, marqué par une dépopulation continue depuis un siècle.

**MEXICALI** ~ V. frontalière du N.-O. du Mexique, cap. de la Basse-Californie du Nord, centre d'une région agricole (coton, céréales, fruits) ; 602 000 h. Industrie chimique. Important courant migratoire vers les États-Unis.

**MEXICO**, en esp. ***México*** ~ Cap. du Mexique, au centre du pays, dans le district fédéral, sur les hauts plateaux de l'Anáhuac (2 250 m d'alt) ; agglom. 15 048 000 h. Métropole politique, financière (assurances, banques), industrielle (produits manufacturés, chim., text.) et 1er centre univ. du pays. L'agglomération, la première du monde, s'étend dans une cuvette instable (tremblement de terre en 1985), dominée par l'Ixtaccihuatl et le Popocatépetl (culminant à plus de 5 000 m d'alt.). En raison de l'exode rural amorcé dès 1940, la ville regroupe près d'un quart de la population du pays et s'étend au N. du district fédéral (1 499 km², 8 236 000 h.), siège du pouvoir central, dans l'**État**

Mexico (21 461 km², 9 815 000 h., cap. Toluca), rmant une couronne de quartiers pauvres. Le gantisme et le manque de revenus posent de mbreux problèmes : logement, ravitaillement en u, transports urbains, pollution industrielle, culation (malgré l'aménagement de larges enues : Paseo de la Reforma, Insurgentes). Palais ésidentiel (classé par l'Unesco), grande cathé-ale et Templo Mayor (mis en valeur en 1964), i jouxte l'anc. centre colonial. Plus à l'O., dans parc de Chapultepec, musée d'anthropologie d'archéologie. À la périphérie de la ville, pyrami-s de Teotihuacán. **HIST.** – Mexico fut construit l'emplacement de Tenochtitlán (sur le lac xcoco), l'ancienne capitale aztèque, site de ctuel Zócalo (place de la Constitution). Le site, is (1521) et détruit par Cortés, devint la sidence des vice-rois de Nouvelle-Espagne dès 35. Mexico est la capitale du Mexique indépen-nt depuis 1821.

**EXIQUE (États-Unis du)**, en esp. ***Estados Unidos exicanos*** ~ Pays d'Amérique frontalier des États-is, triangle bordé à l'E. par le golfe du Mexique, 'O. par le Pacifique. République fédérale (31 États le district fédéral de Mexico). ***Cap.*** Mexico. ***perf.*** 1 967 183 km². ***Popul.*** 84 400 000 h. ***Langue nc.*** Espagnol. ***Monn.*** Peso mexicain. ***Relief.*** La rra Madre enserre les plateaux intérieurs avant se prolonger au S., dans l'isthme de Tehuantepec, domine des plaines côtières généralement étroi-. L'instabilité sismique caractérise tout le pays. ***Cli-t.*** Désertique au N.-O., tropical humide dans le iapas, tempéré par l'altitude dans la zone cen-le. ***Écon.*** Le Mexique subit une crise profonde due les causes structurelles (pression démographique, uvaise répartition des terres et des richesses) et njoncturelles (chute des cours du pétrole, usse des produits d'équipement importés, crise ancière en relation avec la dette extérieure). Il pose cependant d'un important potentiel énergé-ue (pétrole, gaz naturel) et minier (argent, ivre, zinc, fer), d'une industrie diversifiée en ation étroite avec les États-Unis (*maquiladoras* ou nes de montage) et d'une agriculture très variée éréales, fruits, produits de l'élevage, café, coton) is qui ne couvre pas les besoins de la population. ***princ.*** Mexico, Guadalajara, Monterrey, Puebla, ón, Ciudad Juárez. **HIST.** – Le peuplement s'est t depuis le Nord avant le Xe mill. av. J.-C. *XVe-IVe s. J.-C. env.* : les Olmèques développent des civili-ions à partir de la côte du golfe du Mexique (site La Venta). *Ier mill. apr. J.-C.* : épanouissement la culture maya (Yucatán), parallèle à l'essor utres cultures (Zapotèques, région d'Oaxaca ; otihuacán). *Xe-XVe s.* : rayonnement de la civilisa-n toltèque (Tula) et renaissance maya sous son luence (site de Chichén Itzá). Une tribu de ichimèques (envahisseurs nomades venus du ), les Mexicas ou Aztèques, fonde Tenochtitlán uj. Mexico) vers 1325 et établit peu à peu son gémonie sur toute la région. *XVIe-XVIIIe s.* : en 1519, rnán Cortés fonde Veracruz, impose sa suzerai-té à l'empereur aztèque Moctezuma, détruit son pire et inaugure trois siècles de domination pagnole, d'exploitation des richesses locales ines d'argent) et d'esclavage pour les Indiens. *10-1815* : les prêtres Miguel Hidalgo y Costilla José María Morelos y Pavón conduisent le ulèvement contre les Espagnols et les créoles. *21* : l'indépendance, proclamée en 1813, est ective. *1822-1823* : Agustín de Iturbide, négocia-r de l'indépendance, se fait proclamer empereur. *24* : proclamation de la république par le général nta Anna, qui confisque le pouvoir. Alternance gouvernements militaires (Antonio López de nta Anna) et civils (Benito Juárez García). *46-1848* : guerre contre les États-Unis ; perte des ritoires s'étendant du Texas à la Californie. *1857* : se en place d'un régime conservateur. *1862-67* : voir **Mexique** (campagne du). *1876-1911* : tature du général Porfirio Díaz ; développement onomique au profit d'une oligarchie nationale et angère. *1911-1920* : révolution, née d'une urrection paysanne, dont les principales figures nt Emiliano Zapata et Pancho Villa. Après une ngue guerre civile (un million de morts), les mmunautés paysannes (*ejidos*) se voient garantir propriété de leurs terres. Alvaro Obregón devient président. *1924-1928* : le général Plutarco Elias Calles prend le pouvoir, mène une politique anticléricale et déclenche la révolte des *cristeros*. Il crée un parti unique (actuel P. R. I., Parti révolutionnaire institutionnel), qui confisque la démocratie en s'appuyant sur des syndicats affiliés et sur le clientélisme. *1934-1940* : le président Lázaro Cárdenas reprend la réforme agraire. *1940-1988* : ses successeurs, instruments du P. R. I. et de l'oligarchie financière, favorisent l'industrialisation ; la misère ouvrière et paysanne, la corruption généralisée ébranlent le système à partir de 1968 (révolte étudiante, présidence de Luis Echeverría Álvarez, 1970-1976, qui entre en conflit avec les milieux d'affaires). *1988-1994* : le président Carlos Salinas de Gortari libéralise l'économie (dénationalisation des banques, démantèlement des *ejidos*) et l'ouvre à l'extérieur (adhésion au Gatt et à l'Aléna). *1994* : l'insurrection du Chiapas (zapatiste) remet la réforme agraire à l'ordre du jour. L'effondrement de la monnaie, lié à l'incapacité du Mexique à rembourser sa dette, et le retrait des capitaux étrangers provoquent un surcroît de misère et d'instabilité. *Depuis 1995* : Ernesto Zedillo (P. R. I.) doit faire face à une crise financière majeure, à l'extension du mouvement zapatiste et à la désillusion de la classe moyenne face à l'Aléna.

**Mexique (campagne du)** ~ Intervention militaire de Napoléon III (1862-1867), décidée avec le soutien initial du Royaume-Uni et de l'Espagne. Il s'agissait d'établir au Mexique un « empire latin » susceptible de contrebalancer la puissance montante des États-Unis. Le corps expéditionnaire, commandé par Élie Frédéric Forey puis par Bazaine (combats de Camerone, prise de Puebla, 1863), devait imposer l'archiduc Maximilien d'Autriche comme empereur du Mexique (1864-1867). Mais la guérilla de Benito Juárez García, soutenue par les États-Unis, eut raison des Français. Maximilien fut exécuté le 19 juin 1867.

**MEXIQUE (golfe du)** ~ Mer qui baigne les côtes E. du Mexique et S. des États-Unis, reliée à l'Atlantique et à la mer des Antilles par les détroits de Floride (exutoire du Gulf Stream) et du Yucatán, de part et d'autre de Cuba ; 1 600 000 km². Gisements pétrolifères exploités.

**MEYER** (Viktor) ~ *1848, Berlin - 1897, Heidelberg.* Chimiste allemand. Il étudia la chimie organique et conçut une méthode de mesure rapide des densités des vapeurs (1878).

**MEYERBEER** (Jakob Liebmann **Meyer Beer**, dit Giacomo) ~ *1791, Berlin - 1864, Paris.* Compositeur allemand. Il synthétisa des influences italienne, française et allemande, et fit triompher à Paris le grand opéra à la française (*Robert le Diable*, 1831 ; *les Huguenots*, 1836 ; *l'Africaine*, créé en 1865).

**MEYERHOF** (Otto) ~ *1884, Hanovre - 1951, Philadelphie.* Physiologiste allemand. Il énonça la loi qui règle le rapport entre la consommation d'oxygène et la production d'acide lactique dans le muscle. Prix Nobel de physiol. ou méd. 1922.

**MEYERHOLD** (Vsevolod Emilievitch) ~ *1874, Penza - 1940, Moscou.* Metteur en scène et acteur soviétique. Disciple de Stanislavski, il se rallia à la révolution d'Octobre et développa un style constructiviste qui influença Eisenstein. Arrêté sous Staline, il mourut sans doute en captivité. Ses trois films sont considérés comme perdus.

**MEYERSON** (Émile) ~ *1859, Lublin - 1933, Paris.* Philosophe français d'orig. polonaise. Ses thèses s'opposent au positivisme d'Auguste Comte (*Identité et Réalité*, 1908).

**MEYLAN** ~ V. de la banlieue N.-E. de Grenoble (Isère) ; 17 863 h. Technopôle (électronique).

**MEYZIEU** ~ V. industrielle de la banlieue E. de Lyon (Rhône) ; 28 077 h.

**MÉZENC (mont)** ~ Massif volcanique (1 754 m) où culminent les monts du Vivarais.

**MEZZOGIORNO** (le), en fr. « Midi » ~ Partie de l'Italie péninsulaire et insulaire (Sicile, Sardaigne) située au S. de Rome. Ancien royaume des Deux-Siciles (cap. Naples), il contraste par son retard économique et social avec le N. du pays (chômage, émigration et corruption chroniques), hérité not. de structures sociales archaïques (grande propriété foncière).

**MIAMI** ~ Port et princ. station baln. du S. de la Floride (États-Unis), sur la côte atlantique, place financière et immobilière ; 365 000 h. (agglom. 1 900 000 h.). Forte communauté cubaine.

**Miaos, Méos** ou **Hmongs** (les) ~ Peuple originaire de la Chine centrale, de langue sino-tibétaine ou thaïe. Les Miaos vivent dans le S. de la Chine, au Viêt Nam, dans le N. du Laos et en Thaïlande.

© P. Aventurier-Gamma

*Miaos dits à longues cornes du fait de leur coiffure.*

**MICHAUX** (Henri) ~ *1899, Namur - 1984, Paris.* Poète et peintre français d'orig. belge. Explorant son monde intérieur (*l'Espace du dedans* ; *l'Infini turbulent*, 1957) ou le monde extérieur (*Ecuador*, 1929 ; *Un barbare en Asie*, 1933), il ne se départit ni d'humour ni d'invention (*Plume*, 1938). Parallèlement à l'écriture, il développa une œuvre picturale faite d'idéogrammes fantasmagoriques.

**MICHAUX** ~ **Pierre** (*1813, Bar-le-Duc - 1883, Bicêtre*). Inventeur français. Il conçut le bicycle à entraînement. Son fils ~ **Ernest** (*1842, Bar-le-Duc - 1882, id.*) l'améliora en montant des pédales sur la roue avant de la draisienne (1861).

**MICHEL** (saint) ~ Dans la tradition juive, ange protecteur d'Israël. Dans la tradition chrétienne (livre biblique de l'Apocalypse), il est le chef des anges et lutte contre le dragon, personnification de Satan.

**MICHEL**, nom de neuf empereurs byzantins. ~ **Michel Ier Rangabé** (*m. apr. 840*), empereur de 811 à 813. Hostile aux iconoclastes et défait par les Bulgares, il fut déposé. ~ **Michel II le Bègue** (*Amorion, Phrygie - m. en 829*), empereur de 820 à 829. Iconoclaste, il perdit la Crète (826) et la Sicile (829) au profit des Arabes. ~ **Michel III l'Ivrogne** (*839 - 867, Constantinople*), empereur de 842 à 867. En 843, sa mère, Théodora, rétablit le culte des images. [☞ **iconoclasme.**] Son oncle Bardas entreprit la conversion des Bulgares, et le patriarche Photios rompit avec Rome (867). ~ **Michel IV le Paphlagonien** (*m. en 1041 à Constantinople*), empereur de 1034 à 1041. Il vainquit les Bulgares et abdiqua au profit de son neveu ~ **Michel V le Calfat**, empereur de 1041 à 1042, qui fut renversé aussitôt. ~ **Michel VI Stratiôtikos** (*m. en 1059*), empereur de 1056 à 1057. Dernier empereur macédonien, il abdiqua. ~ **Michel VII Doukas**, empereur de 1071 à 1078. Il laissa ses ministres gouverner pour se consacrer aux études théologiques. Il perdit l'Italie du Sud au profit des Normands et abdiqua. ~ **Michel VIII Paléologue** (*1224 - 1282, Pakhomion, Thrace*), empereur de 1258 à 1282. Établi d'abord à Nicée, il reprit Constantinople aux Latins (1261), puis lutta contre les projets de Charles Ier d'Anjou en reconnaissant la primauté romaine (concile de Lyon, 1274) et en encourageant les Vêpres siciliennes (1282). ~ **Michel IX Paléologue** (*1277 - 1320, Thessalonique*), empereur de 1295 à 1320. Il fut associé à son père, Andronic II (empereur de 1282 à 1328).

**MICHEL Ier** ou **DOM MIGUEL** ~ *1802, Queluz - 1866, Brombach, Allemagne.* Roi de Portugal (1828-1834). Fiancé à sa nièce Marie II de Bragance, héritière du trône, il s'empara du pouvoir. Son frère Pierre Ier, empereur du Brésil, vint défendre les droits de sa fille et le contraignit à l'exil.

**MICHEL Ier** ~ *né en 1921 à Sinaia.* Roi de Roumanie (1927-1930 et 1940-1947). Après avoir retourné le pays contre l'Allemagne (août 1944), il dut abdiquer sous la pression communiste.

**MICHEL III FIODOROVITCH** ~ *1596, Moscou - 1645, id.* Tsar de Russie (1613-1645). Premier souverain de la famille des Romanov, élu par le *zemski sobor* (états généraux), il rétablit l'ordre après le temps des Troubles, et conclut la paix avec la Suède (1617) et la Pologne (1634).

**MICHEL DE VILLANUEVA** ~ Voir **Servet** (Michel).

**MICHEL LE BRAVE** ~ *1555-1601.* Prince de Valachie (1593-1601). Il résista aux Turcs et unifia la Moldavie et la Transylvanie (1599-1600).

**MICHEL** (Louise) ~ *1830, Vroncourt-la-Côte, Haute-Marne - 1905, Marseille.* Révolutionnaire anarchiste française. Elle participa à la Commune de Paris (1871) et fut déportée en Nouvelle-Calédonie (1873-1880).

**MICHEL-ANGE** (Michelangelo **Buonarroti**, dit en fr.) ~ *1475, Caprese, près d'Arezzo - 1564, Rome.* Sculpteur, peintre, architecte et poète italien. Renouant avec l'antique et l'art monumental toscan (Masaccio, Donatello), il fit de la sculpture l'art suprême (*Pietà*, 1498-1499, basilique St-Pierre de Rome ; *David*, 1501-1504 ; *Moïse*, 1516, église San Pietro in Vincoli à Rome ; *la Victoire*, Palazzo Vecchio de Florence ; *Esclaves*, destinés au tombeau du pape Jules II). Les fresques de la chapelle Sixtine et l'aménagement de la place du Capitole à Rome comptent parmi ses plus célèbres réalisations picturales et architecturales. Son style met l'accent sur le mouvement et la distorsion, reflet d'une âme tumultueuse dont ses sonnets portent aussi l'empreinte.

Captif, *dit aussi* l'Esclave rebelle *(1513-1515), marbre de* **Michel-Ange**. *Musée du Louvre, Paris.* © Lauros-Giraudon

**MICHELET** (Jules) ~ *1798, Paris - 1874, Hyères.* Historien français. Il est l'auteur d'une *Histoire de France* en plusieurs volumes (1833-1846 et 1855-1867) et d'une *Histoire de la Révolution française* (1847-1853). Son style impétueux, poétique et visionnaire fait de lui, autant qu'un historien, un des grands prosateurs romantiques. Son libéralisme et son anticléricalisme lui valurent d'être tenu à l'écart de la vie publique sous le second Empire.

**MICHELIN**, nom de deux industriels français, fondateurs du groupe industriel de fabrication de pneumatiques, pour les cycles et l'automobile, du même nom (1893). ~ **André** (*1853, Paris - 1931, id.*) publia le *Guide Michelin* et les cartes routières Michelin. Son frère ~ **Édouard** (*1859, Clermont-Ferrand - 1940, Orcines, Puy-de-Dôme*) inventa le pneumatique démontable pour cycles (1891), adapté aux automobiles (1894).

**MICHELOZZO** (Michelozzo **di Bartolomeo Michelozzi**, dit) ~ *1396, Florence - 1472, id.* Architecte, ornemaniste et sculpteur italien. Disciple de Brunelleschi, il orna souvent de sculptures ses édifices, dont les plus célèbres sont le Palazzo Vecchio (1439-1454) et le palais Médicis (1444-v. 1460), à Florence.

**MICHELSON** (Albert) ~ *1852, Strzelno, Pologne - 1931, Pasadena.* Physicien américain d'orig. polonaise. Inventeur d'un interféromètre supersensible, il réfuta, seul puis avec Edward Williams Morley, l'hypothèse d'un mouvement relatif de la Terre par rapport à un supposé éther, démonstration à l'origine de la théorie de la relativité (1881 et 1887). Prix Nobel de phys. 1907.

**MICHIGAN (lac)** ~ L'un des cinq Grands Lacs de l'Amérique du Nord (57 757 km$^2$), entre les lacs Supérieur et Huron. Ports céréaliers et minéraliers, dont Milwaukee. Site de Chicago au S.

**MICHIGAN** (le) ~ État du N. des États-Unis, entre les lacs Supérieur, Michigan et Huron ; 150 544 km$^2$, 9 478 000 h., cap. Lansing. Climat continental. Forêts au N., céréales, élev. laitier au S. Industr. autom. (Detroit) en crise. Le Michigan devint le 26$^e$ État de l'Union en 1837.

**Michna** ~ Voir **Mishna**.

**MICHOACÁN** (le) ~ État montagneux du Mexique (sierra Madre occidentale) et volcanique (Paricutín), bordé par le Pacifique ; 59 864 km$^2$, 3 548 000 h., cap. Morelia. Climat subtropical.

**Mickey Mouse** ~ Personnage de bande dessinée puis de dessin animé, représenté sous forme de souris délurée et rieuse, créé par Walt Disney en 1928.

**MICKIEWICZ** (Adam) ~ *1798, Zaosje, Lituanie - 1855, Istanbul.* Poète polonais. Figure majeure de la littérature romantique de son pays (*Poésies*, 1822-1823), il traduisit dans son œuvre ses engagements pour l'indépendance nationale (*Konrad Wallenrod*, 1828 ; *Monsieur Thadée*, 1834).

**Micoque** (la) ~ Gisement préhistorique du Périgord, aux Eyzies-de-Tayac-Sireuil (Dordogne).

**MICRONÉSIE** (la) ~ Ensemble de petits archipels volcaniques ou coralliens du Pacifique occidental (Océanie), à l'E. des Philippines, au N.-O. de la Mélanésie ; env. 2 300 km$^2$, 400 000 h. Agric. vivrière (taro, igname, manioc), pêche, élevage porcin. Coprah (export.). Phosphates. Bases militaires des États-Unis. La Micronésie comprend auj. cinq entités indépendantes ou semi-indépendantes : îles Marshall, Mariannes du Nord, États fédérés de Micronésie (les îles Carolines), Nauru, Tuvalu ; deux territoires associés aux États-Unis (Guam, Palau) ; les îles Gilbert (rattachées à Kiribati).

**MICRONÉSIE (États fédérés de)** ~ Fédération de quatre États (îles Kosrae, Ponape, Truk, Yap), archipel volcanique et corallien (îles Carolines) du Pacifique occidental. ***Cap.*** Palikir (Ponape). ***Superf.*** 701 km$^2$. ***Popul.*** 107 900 h. ***Langue princ.*** Anglais. ***Monn.*** Dollar. ***Climat.*** Tropical humide. ***Écon.*** Eaux territoriales très étendues (2 700 000 km$^2$). Droits de pêche, aide américaine, coprah. Tourisme. **HIST.** - *II$^e$ mill. av. J.-C.* : peuplement des îles occidentales par des populations d'origine asiatique. *XIII$^e$ s. apr. J.-C.* : peuplement des îles orientales par des Polynésiens. *XVII$^e$ s.* : colonisation espagnole. *XX$^e$ s.* : occupation allemande (1899), japonaise (1914), puis américaine (1944). *1947* : l'O. N. U. donne aux États-Unis un mandat sur les îles. *1979* : formation d'une fédération. *1986* : semi-indépendante, la Micronésie devient un État en libre association avec les États-Unis et adhère aux organismes internationaux (O. N. U., 1991 ; F. M. I., 1993).

**MIDAS** ~ *fin du VIII$^e$ s. av. J.-C.* Roi de Phrygie. Il est le héros de plusieurs légendes : il aurait obtenu de Bacchus le don de transformer en or tout ce qu'il touchait, mais, ne pouvant plus se nourrir, y aurait renoncé ; Apollon lui aurait fait pousser des oreilles d'âne pour avoir désigné Marsyas comme meilleur musicien.

**MIDDELBURG** ~ V. des Pays-Bas, sur le canal de Walcheren, ch.-l. de la Zélande ; 40 000 h. Industr. alim. et textile, constr. électriques, métallurgie. Hôtel de ville gothique, anc. abbaye (XII$^e$-XVI$^e$ s.).

**MIDDLESBROUGH** ~ Port du N. de l'Angleterre, à l'embouchure de la Tees, ch.-l. du comté de Cleveland ; 141 000 h. Pôle ferroviaire et industriel.

**MIDDLE WEST** ou **MIDWEST** (le) ~ Région qui englobe l'ensemble des plaines centrales des États-Unis, États du Sud exclus. Chicago en est le pôle urbain et industriel.

**MIDI (aiguille du)** ~ Sommet alpin (3 842 m au piton central), dans le massif du Mont-Blanc. Liaison par téléphérique depuis Chamonix.

**MIDI (canal du)** ~ Canal construit de 1666 à 1681, qui franchit le seuil de Naurouze par 91 écluses et relie la Méditerranée (Sète) à Toulouse et, au-delà, à l'Atlantique (par le canal latéral à la Garonne). Tourisme fluvial. Il a été classé patrimoine mondial de l'humanité en 1996.

**MIDI DE BIGORRE (pic du)** ~ Sommet avan des Hautes-Pyrénées (2 865 m), dominant le h Adour. Observatoire astronomique, grand émett de télévision. Accès par route et téléphérique.

**MIDI D'OSSAU (pic du)** ~ Sommet des Pyréné Atlantiques, dominant le haut gave d'Oss (2 884 m). Isards.

**MIDI-PYRÉNÉES** ~ La plus grande Région adm nistrative française (8 dép. : Lot, Aveyron, Tarn- Garonne, Tarn, Gers, Haute-Garonne, Hautes-Py nées, Ariège), qui regroupe des régions naturelles t diverses, drainées par la Garonne et ses affluen 45 604 km$^2$, 2 430 663 h., préfect. Toulouse. Ferm au S. par les Pyrénées et à l'E. par la retombée Massif central, elle est centrée sur la partie orient du Bassin aquitain. Agricole et rurale, la région largement dominée par Toulouse (industries de hau technologie), pôle d'attraction régional contrasta avec les vieux centres industriels en crise (Carmau Decazeville, Mazamet).

**MIDLANDS** (les) ~ Région de plaines et collines du centre de l'Angleterre, industrialisée à la fin du XVIII$^e$ s. (bassins houillers auj. en cris Élev. intensif, cult. maraîchères. V. princ. Birm gham, Coventry (West Midlands), Leicester, N tingham, Derby (East Midlands).

**MIDOUZE** (la) ~ Affl. gascon de l'Adour (r. d formé par la réunion à Mont-de-Marsan de **Douze** (110 km) et du **Midou** (105 km), issus d collines de l'Armagnac ; 43 km.

**MIDWAY** ~ Atoll du Pacifique, au N.-O. des î Hawaii. L'aéronavale américaine y remporta u victoire sur la flotte japonaise (4-6 juin 194

**MIERES** ~ V. minière des Asturies (Espagne 53 000 h. Sidérurgie.

**MIEROSŁAWSKI** (Ludwik) ~ *1814, Nemour 1878, Paris.* Général polonais. Il dirigea les révol polonaises de 1848 et de 1863. Battu, il s'exila France.

**MIESCHER** (Johannes Friedrich) ~ *1844, Bâl 1895, Davos.* Biochimiste et nutritionniste suis Il isola l'acide nucléique (1869).

**MIES VAN DER ROHE** (Ludwig) ~ *1886, Aix-Chapelle - 1969, Chicago.* Architecte améric d'orig. allemande. Inspiré par les principes Bauhaus et de De Stijl, il fut l'un des chefs de du style dit international. Grands panneaux de ve et ossature d'acier caractérisent les immeubles qu édifia à New York ou à Chicago.

**MIESZKO I$^{er}$** ~ *v. 930 - 992.* Duc de Polog (v. 960-992), fondateur de la dynastie des Pia Son baptême (966) marqua l'entrée du catholicis en Pologne.

**MI Fu** ou **MI Fou** ou **MI Fei** ~ *1051 - 11* Peintre, calligraphe et collectionneur chinois. prenant la tradition des paysages en les travailla à l'encre, il fonda une stylistique perpétuée par s fils **Mi Youren**.

**MIGENNES** ~ V. de l'Yonne, sur l'Armanço 8 235 h. Nœud ferroviaire, dit de **Laroche-M gennes**, sur la ligne Paris-Lyon.

**MIGNARD**, famille de peintres français. ~ **Nic las** (*1606, Troyes - 1668, Paris*), dit **MIGNARD D'A GNON**, mit son talent au service des parlementai et du clergé de la cité des Papes. Son frère ~ **Pier** (*1612, Troyes - 1695, Paris*), dit **MIGNARD LE R MAIN**, devint en 1658, après vingt ans de travai Rome, peintre ordinaire d'Anne d'Autriche, p peintre de Louis XIV (1690) à la mort de Lebru qui contestait sa palette et sa « manière italienne

*L'observatoire du* **pic du Midi de Bigorre**.

© L. Salou-Explorer

ortraitiste de la Cour fort apprécié, il fut not. ıargé de la décoration de la coupole du Val-ꜫ-Grâce.

**IKHALKOV**, nom de deux cinéastes russes. ~ **ikita Sergueïevitch** (*1945, Moscou*), après avoir urné des adaptations littéraires d'une subtile veine ıtimiste (*Quelques Jours de la vie d'Oblomov*, 1979), donné libre cours à sa nostalgie de l'ancienne Russie *es Yeux noirs*, 1987) et livré un bilan cruel du ɔmmunisme (*Soleil trompeur*, 1994). Son frère ~ **ndreï Mikhalkov-Konchalovski** (*1937, Moscou*) a dapté des classiques de la littérature russe (*Oncle ania*, 1971), avant de réaliser plusieurs films aux :ats-Unis (*Maria's Lovers*, 1984).

**IILAN**, en ital. ***Milano*** ~ V. du N. de l'Italie, la du pays, cap. régionale de la Lombardie ; 334 000 h. Reliée à l'Europe du Nord par les voies ansalpines (Saint-Gothard et Simplon) et ouverte ır le S. et l'E. par la plaine du Pô, Milan est la étropole économique et la 1re place boursière de talie. Elle associe une production industrielle très versifiée (text., chim., sidérurgie, mécan.) à un ecteur tertiaire dynamique (universités, banques, éation artistique et culturelle, grands journaux). che patrimoine : pinacothèque de Brera (tableaux Véronèse, du Tintoret, de Bellini, de Mantegna) ; ıâteau ducal des Sforza (xve s.) ; bibliothèque mbrosienne ; cathédrale (*il Duomo*, xive-xix[e] s.), ıef-d'œuvre du gothique flamboyant ; basilique :-Ambroise (xie s.) ; théâtre de la Scala (xviiie s.). **IST.** - Fondée par les Gaulois Insubres v. 400 av. -C., elle fut conquise par les Romains en 222 av. -C. Ruinée par Attila (452 apr. J.-C.) et les strogoths (539), puis par les luttes du Sacerdoce : de l'Empire, elle acquit son indépendance en 183. Prospère sous les Visconti et les Sforza xive-xvi[e] s.), elle déclina sous l'occupation espaıole. Capitale du royaume lombardo-vénitien en 815, elle intégra l'Unité italienne en 1861.

© R. Mattes-Explorer

*Milan, la cathédrale (*il Duomo*), de style gothique flamboyant.*

**IILANAIS** (le) ~ Duché de Milan (1395-1797). onvoité par la France (1499-1525), il échut aux absbourg d'Espagne (1535) puis d'Autriche (1714).

**IILET** ~ Anc. cité grecque d'Asie Mineure. Métroɔle de l'Ionie, elle fonda de nombreuses colonies. le fut le foyer d'une civilisation raffinée et le centre une des principales écoles philosophiques grecıes (Thalès, Anaximandre, Anaximène). Sa puisınce commerciale culmina du vi[e] au ive s. av. J.-C., ıalgré sa destruction par les Perses, contre qui elle était révoltée (494 av. J.-C.). [☞ **philosophie.**]

**IILFORD HAVEN** ~ Port pétrolier du S.-O. du ıys de Galles (Grande-Bretagne), sur l'Atlantique, ın des principaux d'Europe occidentale dans les nnées 1960 ; 15 000 h. Henri II y embarqua pour ɔnquérir l'Irlande (1172).

**IILHAUD** (Darius) ~ *1892, Aix-en-Provence - 974, Genève*. Compositeur français. Membre du oupe des Six, il puisa son inspiration dans la écouverte des rythmes brésiliens (*le Bœuf sur le toit*, 920) et dans l'évocation de ses racines provençales *Suite provençale*, 1936) et juives. Il approfondit le ɔlytonalisme.

**IILIANA** ~ Voir **Melyana**.

**IILIOUKOV** (Pavel Nikolaïevitch) ~ *1859, Mosɔu - 1943, Aix-les-Bains*. Historien et homme ɔlitique russe. Un des dirigeants du Parti constituonnel-démocrate (dit K. D.), il fut ministre des ffaires étrangères du gouvernement provisoire en ıars 1917, après l'abdication de Nicolas II. Partisan de la poursuite de la guerre, il démissionna en mai sous la pression du soviet de Petrograd.

**MILL**, nom de deux philosophes et économistes britanniques. ~ **James** (*1773, Northwater Bridge, Écosse - 1836, Kensington, Londres*) fut un disciple de Bentham et de Hume. Son fils ~ **John Stuart** (*1806, Londres - 1873, Avignon*), théoricien de l'utilitarisme, fit du bonheur le critère de l'utilité sociale. Bien qu'il fût acquis au libéralisme économique, il défendit des thèses sociales (*l'Utilitarisme*, 1863). [☞ **libéralisme.**]

**MILLAIS** (sir John Everett) ~ *1829, Southampton - 1896, Londres*. Peintre britannique. Fondateur avec W. H. Hunt et D. G. Rossetti de la confrérie des préraphaélites, il s'inspira de sujets littéraires (*Ophélie*, 1852). [☞ **préraphaélite.**]

**MILLARDET** (Alexis) ~ *1838, Montmirey-la-Ville, Jura - 1902, Bordeaux*. Botaniste français. Il réalisa l'hybridation de cépages français et américains pour lutter contre le phylloxéra et élabora le traitement cuprique du mildiou.

**MILLAU** ~ V. de l'Aveyron, au confluent du Tarn et de la Dourbie, centre traditionnel pour la mégisserie et la ganterie ; 21 788 h. Beffroi gothique. Musée (archéologie, poteries).

**Mille (expédition des)** ~ Opération militaire conduite en 1860 par Garibaldi, qui renversa les Bourbons de Naples et de Sicile.

**MILLER** (Arthur) ~ *1915, New York*. Dramaturge américain. Ses pièces (*Mort d'un commis voyageur*, 1949 ; *les Sorcières de Salem*, 1953) dépeignent le malaise d'individus décalés par rapport à la société dans laquelle ils vivent.

**MILLER** (Henry) ~ *1891, New York - 1980, Los Angeles*. Romancier américain. Souvent autobiographiques, ses œuvres fustigent contraintes sociales et valeurs traditionnelles. *Tropique du Cancer* (Paris, 1934), *la Crucifixion en rose* (1939) ou *Jours tranquilles à Clichy* (1956) firent scandale aux États-Unis et furent censurés.

**MILLERAND** (Alexandre) ~ *1859, Paris - 1943, Versailles*. Homme d'État français. Député radical, il évolua vers le socialisme réformiste et fut plusieurs fois ministre (du Commerce et de l'Industrie, 1899-1902 ; de la Guerre, 1912-1915). Devenu chef des droites (Bloc national), il fut élu président du Conseil en 1920, puis président de la République la même année. Il démissionna en 1924, après la victoire du Cartel des gauches.

**MILLET** (Jean-François) ~ *1814, Gruchy, Manche - 1875, Barbizon*. Peintre, dessinateur et graveur français. Il est l'un des plus célèbres représentants de l'école de Barbizon. Son œuvre s'attache surtout à la peinture de la paysannerie (*les Glaneuses*, 1857 ; *l'Angélus*, 1858 ; *l'Homme à la houe*, 1862). [☞ **réalisme.**]

**MILLEVACHES (plateau de)** ~ Haut plateau du Limousin (Corrèze), région de forêts et de prairies culminant à 977 m, où naissent des affl. de la Loire (Vienne, Creuse) et de la Dordogne. Élevage.

**MILLIKAN** (Robert Andrews) ~ *1868, Morrison, Illinois - 1953, San Marino, Californie*. Physicien américain. Il calcula la charge de l'électron (1911). Son travail sur l'effet photoélectrique lui permit de mesurer la valeur de la constante de Planck (1916). Prix Nobel de phys. 1923.

**MILLY-LA-FORÊT** ~ V. de villégiature (Essonne), aux confins du Hurepoix et du Gâtinais, sur la bordure O. de la forêt de Fontainebleau ; 4 307 h. Plantes médicinales. Halle (xve s.), chapelle (xiie s.) décorée par J. Cocteau.

**MILNE-EDWARDS**, famille de naturalistes et de physiologistes français d'orig. belge. ~ **Henri** (*1800, Bruges - 1885, Paris*), un des fondateurs de la physiologie en France, étudia les mollusques et les crustacés. Son fils ~ **Alphonse** (*1835, Paris - 1900, id.*) se consacra aux mammifères et à la faune abyssale.

**MILO**, en gr. ***Mílos*** ~ Île du S.-O. des Cyclades (Grèce) ; 150 km$^2$, 5 000 h. Vestiges d'une cité de l'âge du bronze (Phylakopê) antérieure aux invasions doriennes. La *Vénus de Milo* (Aphrodite), auj. au Louvre, marbre du iie s. av. J.-C., y fut découverte morcelée en 1820.

**MILON DE CROTONE** ~ *fin du vi[e] s. av. J.-C., Crotone*. Athlète grec. Il fut six fois vainqueur à la lutte aux jeux Olympiques. Disciple et gendre de Pythagore, il mena ses compatriotes contre Sybaris (510). Un marbre de P. Puget représente sa mort légendaire : prisonnier de l'arbre qu'il tentait de fendre de ses mains, il fut dévoré par des bêtes sauvages.

**MILOŠEVIĆ** (Slobodan) ~ *1941, Požarevac, Serbie*. Homme d'État serbe. Président du parti socialiste (issu de l'ex-Ligue communiste yougoslave), il a été élu président de la république de Serbie en 1990, puis réélu en 1992.

**MIŁOSZ** (Czesław) ~ *1911, Szetejnie, Lituanie*. Poète, romancier et essayiste américain d'orig. polonaise (*Issa*, 1955). Prix Nobel de litt. 1980.

**MILOSZ** (Oscar Vladislas **de Lubicz-Milosz**, dit **O. V. de L.**) ~ *1877, Czereïa, Biélorussie - 1939, Fontainebleau*. Écrivain français d'origine lituanienne. Il fit de son œuvre (poésie, roman, théâtre, traduction de contes lituaniens) une quête mystique.

**MILTIADE** ~ *540 - v. 489 av. J.-C., Athènes*. Général athénien. Grand stratège, il fut vainqueur des Perses à Marathon (490 av. J.-C.).

**MILTON** (John) ~ *1608, Londres - 1674, Chalfont Saint Giles*. Poète et essayiste anglais. Sa poésie est pastorale et philosophique. Après avoir pris parti pour Cromwell, il fit retraite et écrivit son poème biblique *Paradis perdu* (1667).

**MILWAUKEE** ~ Port (complémentaire de Chicago) et princ. v. du Wisconsin (États-Unis), sur la rive O. du lac Michigan ; agglom. 1 432 000 h. Ancien centre d'immigration allemande. Fonderie, moteurs, chaussures, industrie alimentaire.

**MIMIZAN** ~ V. du pays de Born (Landes) ; 6 710 h. Industrie du bois, papeterie. Station balnéaire sur la Côte d'Argent (**Mimizan-Plage**).

**MINAS GERAIS** (le) ~ État enclavé du centre-est du Brésil, région de hautes terres (serra do Espinhaço), minière et industr. ; 586 624 km$^2$, 15 746 000 h., cap. Belo Horizonte. Climat tropical, sec au N. Élev. bovin, café, coton, canne à sucre. Fer, manganèse, bauxite. Métallurgie.

**MINDANAO** ~ Île montagneuse (alt. max. 2 955 m) du S. des Philippines, 2e de l'archipel par la superficie (94 630 km$^2$) et la population (env. 14 000 000 d'h.). V. princ. Davao, Zamboanga. L'afflux de colons chrétiens originaires du N. du pays marginalise les autochtones (Moros musulmans et peuples animistes). Riz, maïs, coprah, abaca. Exploitation forestière.

**MINDORO** ~ Île des Philippines (S.-O. de Luçon) ; 9 735 km$^2$, 670 000 h. Les colons tagalogs y cultivent, sur le littoral, riz et canne à sucre.

**MINDSZENTY** (József) ~ *1892, Csehimindszent - 1975, Vienne*. Prélat hongrois. Primat de Hongrie, cardinal, il fut condamné aux travaux forcés (1949). Libéré en 1956, il se réfugia à l'ambassade américaine à Budapest et resta dans cette ville jusqu'en 1971. Il fut réhabilité en 1990.

**MINEPTAH** ou **MÉNEPTAH** ~ *xiii[e] s. av. J.-C.* Pharaon du Nouvel Empire (1235-1224 av. J.-C.). Successeur de Ramsès II, il lutta contre les Peuples de la Mer.

**MINERVE** ~ Voir **Athéna**.

**MINERVOIS** (le) ~ Région calcaire du Languedoc, entre l'Aude et la Montagne Noire. Garrigue sur les hauteurs. Vignoble.

**MING** ~ Dynastie d'empereurs chinois ayant régné entre 1368 et 1644, parmi lesquels Hongwu (1368-1398) et Yongle (1403-1424), qui installa la capitale à Pékin (1421). Elle déclina à partir de 1450 et la dynastie mandchoue des Qing lui succéda.

**MINGUS** (Charles, dit Charlie) ~ *1922, Nogales, Arizona - 1979, Cuernavaca, Mexique*. Contrebassiste et compositeur de jazz américain. Figure de proue du jazz moderne, il s'engagea en faveur de la défense des droits de la communauté noire de son pays.

**MINHO** (le) ~ Partie septentrionale du Portugal et berceau historique du pays, entre les fleuves Minho (Miño espagnol) et Douro. Région agricole humide (céréales, légumes, vigne, élev. bovin) à forte densité rurale. Foyer d'émigration.

**MINKOWSKI** (Hermann) ~ *1864, Kaunas - 1909, Göttingen*. Mathématicien allemand. Il énonça la théorie de la géométrie des nombres. Il donna une interprétation géométrique de la théorie de la relativité restreinte d'Einstein, qu'il eut comme élève et dont il défendit les thèses (**espace-temps de Minkowski**).

**MINNE** (baron George) ~ *1866, Gand - 1941, Laethem-Saint-Martin.* Sculpteur et dessinateur belge. D'abord influencé par Rodin, il devint l'inspirateur d'un mouvement symboliste et spiritualiste (*Fontaine aux agenouillés*, 1898, Bruxelles).

**MINNEAPOLIS** ~ V. et port fluvial des États-Unis (Minnesota), sur le Mississippi ; 368 000 h. (agglom. 2 500 000 h., avec Saint Paul). Métropole commerciale (blé, bétail, produits laitiers) et industrielle (électron., minoteries, abattoirs, pétrochim., scieries), place financière. Université. Peuplement scandinave au XIXe s.

**MINNELLI** (Vincente) ~ *v. 1910, Chicago - 1986, Los Angeles.* Cinéaste américain. Maître de la comédie musicale (*Un Américain à Paris*, 1950 ; *Tous en scène*, 1953), il fut aussi un dramaturge (*les Quatre Cavaliers de l'Apocalypse*, 1962). Marié à Judy Garland, il eut une fille, la chanteuse **Liza Minnelli**.

**MINNESOTA** (le) ~ État du N. des États-Unis (Grandes Plaines), à l'O. du lac Supérieur, frontalier du Canada ; 206 207 km², 4 517 000 h., cap. Saint Paul. Le Mississippi y prend sa source. Agric. (lait et maïs), exploit. du bois et du fer (à Duluth). Industrie agroalim. et électron., concentrée dans l'agglom. de Saint Paul-Minneapolis. Le Minnesota devint le 32e État de l'Union en 1858.

**MIÑO** (le), en port. ***Minho*** ~ Fl. de Galice (Espagne) tributaire de l'Atlantique, dont le cours inférieur forme la frontière N. du Portugal ; 310 km.

**MINORQUE**, en esp. ***Menorca*** ~ Île du N.-E. des Baléares ; 668 km², env. 60 000 h., v. princ. Mahón. Céréales, fruits et légumes, élevage (fromage). Français et Britanniques se la disputèrent au XVIIIe s., avant sa restitution à l'Espagne (1802).

**MINOS** ~ Roi légendaire de Crète, fils de Zeus et d'Europe. Ayant omis de sacrifier un animal à Poséidon, qui l'avait aidé à conquérir son trône, il subit la vengeance du dieu, qui inspira à sa femme, Pasiphaé, une passion pour un taureau sorti de la mer ; de leur union naquit le Minotaure. Roi juste et sage, il fut, après sa mort, juge des Enfers avec Éaque et Rhadamante.

**MINOTAURE** (le) ~ Monstre légendaire à corps d'homme et à tête de taureau. Enfermé dans le Labyrinthe, il recevait tous les neuf ans en tribut sept jeunes hommes et sept jeunes filles d'Athènes. Thésée le tua avec l'aide d'Ariane.

**MINSK** ~ Cap. de la Biélorussie, premier pôle industriel du pays (textile, alim., mécanique) ; 1 700 000 h. Académie des sciences, université. En grande partie détruite durant la Seconde Guerre mondiale, elle fut reprise aux Allemands par l'Armée rouge en 1944.

**MIRABEAU**, famille d'aristocrates français. ~ **Victor** Riqueti, marquis de (*1715, Pertuis, Vaucluse - 1789, Argenteuil*), économiste physiocrate, est l'auteur de *l'Ami des hommes ou Traité sur la population* (1756). Son fils ~ **Honoré Gabriel** Riqueti, comte de (*1749, Le Bignon, Loiret - 1791, Paris*), fut, bien que noble, élu député du tiers état aux États généraux (1789). Grand orateur, président de l'Assemblée constituante (1791), il défendit la monarchie constitutionnelle.

© Lauros-Giraudon

Le Comte de **Mirabeau** *(détail), pastel de Joseph Boze (1744-1826). Château de Versailles.*

**MIRAMAS** ~ V. industrielle de la Crau (Bouches-du-Rhône), au N. de l'étang de Berre ; 21 602 h. Vestiges médiévaux dans le vieux bourg.

**MIRANDA** (Francisco de) ~ *1750, Caracas - 1816, Cadix.* Général vénézuélien. Il fit voter la déclaration d'indépendance de son pays (1811) mais fut battu par les Espagnols.

**MIRBEAU** (Octave) ~ *1848, Trévières, Calvados - 1917, Paris.* Écrivain français. Il peignit les vices privés (*le Journal d'une femme de chambre*, 1900) et publics (*Les affaires sont les affaires*, 1903) de la bourgeoisie avec une crudité teintée d'anarchisme.

**MIRECOURT** ~ Petite v. du Xaintois (Vosges) ; 6 900 h. École nationale de lutherie. Église (XVe s.), halles (XVIIe s.).

**MIREILLE** (Mireille **Hartuch**, dite) ~ *1906, Paris - 1996, Paris.* Compositrice et interprète française. Coauteur de plusieurs succès avec Jean Nohain, elle adopta un ton léger et acide (*Quand un vicomte* ; *Ce petit chemin* ; *Couchés dans le foin*). Elle créa, en 1954, le Petit Conservatoire de la chanson.

**MIRIAM** ou **MARIAMNE** ~ *v. 60, Jérusalem - v. 29 av. J.-C.* Reine de Judée. Seconde épouse d'Hérode le Grand, qui la fit mettre à mort avec ses deux fils, Alexandre et Aristobule.

**MIRÓ** (Joan) ~ *1893, Barcelone - 1983, Palma de Majorque.* Peintre et sculpteur espagnol. Il adhéra au surréalisme en 1924 et pratiqua l'automatisme pictural. Donnant libre cours à sa fantaisie, il déclina signes et motifs biomorphiques, sans négliger les impératifs plastiques — sens de la couleur et dynamique de la composition. [☞ **surréalisme**.]

**MIROMESNIL** (Armand Thomas **Hue** de) ~ *1723, Mardié, Loiret - 1796, Miromesnil.* Homme politique français. Garde des Sceaux de 1774 à 1787, il interdit la torture dans les procédures criminelles.

**MIRON** (François) ~ *1560, Paris - 1609, id.* Magistrat français. Son action contre la réduction des rentes lui valut le surnom de Père du peuple.

**MISÈNE (cap)** ~ Cap qui borde au N.-O. la baie de Naples. Vestiges du port militaire romain de Misenum, du Ier s. av. J.-C.

**MISHIMA Yukio** (**Hiraoka** Kimitake, dit) ~ *1925, Tôkyô - 1970, id.* Écrivain et dramaturge japonais. Tenant d'un esthétisme érotisé (*Confessions d'un masque*, 1949) et de la grande tradition japonaise (*Cinq Nô modernes*, 1956), il critiqua l'évolution du Japon moderne et évolua vers l'extrême droite. À la suite de l'échec de la tentative de coup d'État qu'il avait organisée, il se suicida en suivant le rituel des samouraïs.

**Mishna** ou **Michna**, en fr. « enseignement oral » ~ Recueil de 63 traités qui rassemble l'enseignement et l'interprétation de la Torah de rabbins d'avant le IIe s. Elle forme, avec ses commentaires, le Talmud. [☞ **judaïsme**.]

**MISIONES** ~ Voir **Posadas**.

**Miskitos** ou **Mosquitos** (les) ~ Indigènes de la côte caraïbe du Honduras et du Nicaragua, de langue chibcha.

**MISKOLC** ~ 3e v. de Hongrie (N.-E.), centre admin. et marché agricole ; 191 000 h. Constr. mécan., chimie, matériel électrique, sidérurgie. Univ. technique. Palais du Conseil du comitat (XVIIIe s., restauré), temple calviniste gothique (XVe s.).

**Mi Son** ~ Site archéologique du Viêt Nam, centre religieux du royaume du Champa du Ve au XVe s.

**MISOURATA** ou **MISURATA**, en ar. ***Misrata*** ~ Port de Libye (Tripolitaine), sur l'axe reliant Tripoli et Benghazi au Caire ; 178 000 h.

**Mission de France** (la) ~ Communauté de clercs et de prêtres séculiers fondée à Lisieux en 1941 et réorganisée en 1954. Elle a pour but l'évangélisation des régions déchristianisées.

**Missions étrangères de Paris (société des)** ~ Œuvre religieuse constituée à Paris en 1664 par les évêques François Pallu et Pierre Lambert de La Motte, formée de prêtres séculiers et de frères coadjuteurs, et vouée à la formation des missionnaires en Extrême-Orient.

**Missions évangéliques de Paris (société des)** ~ Œuvre missionnaire fondée en 1822, commune aux protestants français. Département évangélique français d'action apostolique depuis 1971.

**MISSISSIPPI** (le) ~ Le plus grand fl. d'Amérique du Nord ; 3 780 km (6 210 km de la source du Missouri au delta, gagné sur le golfe du Mexique, en Louisiane). Bassin d'env. 3 200 000 km², so[…] la majeure partie des plaines centrales des État[…] Unis. De faible pente, très limoneux dès Saint Pa[…] il arrose Saint Louis, Memphis, La Nouvell[…] Orléans, grossi par les eaux du Missouri, d[…] l'Arkansas, de l'Ohio, et totalise 60 % du traf[…] fluvial américain.

**MISSISSIPPI** (le) ~ État du S. des États-Uni[…] région rurale et pauvre ; 123 515 km², 2 573 000 h[…] cap. Jackson. Coton, soja, riz, élevage. Hydroca[…]bures. Tourisme. **HIST.** - Admis comme 20e État e[…] 1817, sécessionniste en 1861, le Mississippi f[…] réintégré dans l'Union en 1870.

**MISSOLONGHI**, en gr. ***Messolónyi*** ~ V. de Grèc[…] sur la côte N. du golfe de Patras (mer Ionienne)[…] env. 15 000 h. Elle résista victorieusement aux Tur[…] en 1822 et pendant le siège de 1825-1826.

**MISSOURI** (le) ~ Le plus long cours d'ea[…] des États-Unis, issu des montagnes Rocheuse[…] princ. affluent du Mississippi ; 4 370 km, bassi[…] 1 350 000 km². Il arrose Kansas City et conflue a[…] N. de Saint Louis. Son cours a été régularisé.

**MISSOURI** (le) ~ État du centre des États-Uni[…] dans les Grandes Plaines (monts Ozark au S.)[…] 178 446 km², 5 224 000 h., cap. Jefferson Cit[…] Princ. v. Kansas City, Saint Louis, Springfiel[…] Céréales, soja, coton. Gisements miniers au […] (plomb, cuivre). Tourisme. **HIST.** - Partie d[…] l'ancienne Louisiane, le Missouri fut admis comm[…] 24e État de l'Union en 1821.

**MISTINGUETT** (Jeanne **Bourgeois**, dite) ~ *187[…] Enghien-les-Bains - 1956, Bougival, Seine-et-Ois[…]* Chanteuse et meneuse de revues française. El[…] domina le music-hall de l'entre-deux-guerres. A[…] cinéma et sur scène, elle fut l'incarnation du Par[…] canaille de son temps (*Ça, c'est Paris* ; *Mon homme*[…]

**MISTRA** ou **MORÉE (despotat de)** ~ Principau[…] couvrant le Péloponnèse byzantin. Créée en 1348 p[…] l'empereur Jean VI Cantacuzène, gouvernée par l[…] Paléologues à partir de 1383, elle fut prise par l[…] Turcs (Mehmed II) en 1460.

**MISTRAL** (Frédéric) ~ *1830, Maillane, Bouche[…] du-Rhône - 1914, id.* Écrivain français d'expressio[…] provençale. Il consacra sa vie et son œuvre à […] défense de la langue et de la culture d'oc. Fondate[…] du félibrige, il composa des épopées et des pièc[…] lyriques (*les Îles d'or*, 1876 ; *Mireille*, 1859, mise e[…] musique par Gounod). Prix Nobel de litt. 190[…]

**MISTRAL** (Lucila **Godoy y Alcayaga**, dite Ga[…]briela) ~ *1889, Vicuña, Chili - 1957, Hempstea[…] près de New York.* Poétesse chilienne. D'inspiratio[…] chrétienne, son œuvre exprime la nostalgie de […] maternité et la compassion pour les démun[…] (*Desolación*, 1922). Prix Nobel de litt. 1945.

**MISURATA** ~ Voir **Misourata**.

**MITANNI** (le) ~ Empire hourrite de haute Més[…]potamie et de Syrie du Nord (XVIe-XIVe s. av. J.-C.). […] fut conquis par le roi hittite Suppiluliuma Ier au XIVe[…]

**MITCHELL (mont)** ~ Point culminant des Appa[…]laches (Blue Ridge), en Caroline du Nord (État[…] Unis) ; 2 037 m.

**MITCHELL** (Margaret) ~ *1900, Atlanta - 1949, i[…]* Romancière américaine, auteur d'*Autant en empor[…] le vent* (1936).

**MITCHELL** (Peter) ~ *1920, Mitcham, Surrey.* Ch[…]miste britannique. Il expliqua le mécanisme d[…] échanges énergétiques dans la cellule (théor[…] chimio-osmotique). Prix Nobel de chim. 1978.

**MITCHUM** (Robert) ~ *1917, Bridgeport, Connect[…]cut.* Acteur américain. Il a incarné un certain typ[…] de héros moderne, anarchiste, cynique et déser[…]chanté (*la Rivière sans retour*, d'O. Preminge[…] 1954 ; *la Nuit du chasseur*, de Ch. Laughton, 1955[…]

**MITHRA** ~ Dieu solaire d'orig. iranienne, prote[…]teur des troupeaux de bœufs. Son culte, qui […] répandit dans le monde hellénistique puis romai[…] donnait lieu aux festivités du solstice d'hiver.

**MITHRIDATE** ou **MITHRADATE** ~ Nom de pl[…]sieurs princes et souverains orientaux à l'époq[…] hellénistique et romaine, dont **Mithridate** […] **Eupator**, dit **le Grand** (*v. 132 - 63 av. J.-C[…] Panticapée, auj. Kertch, Ukraine*). Roi du Po[…] (111-63 av. J.-C.), il lutta contre les Romains e[…] Asie Mineure (88-85, 83-81, 74-66) et fut définit[…]vement vaincu par Pompée. Par précaution, il ava[…] immunisé son organisme contre le poison (origi[…] du terme **mithridatiser**).

**ITIDJA** (la) ~ Plaine agricole d'Algérie (vigne, rumes, élev.), dans l'arrière-pays d'Alger.

**ITRY-MORY** ~ V. de la banlieue N.-E. de Paris eine-et-Marne) ; 15 205 h. Industr. alimentaire.

**ITSCHERLICH** (Eilhard) ~ *1794, Neuende, Ol-nbourg - 1863, Schöneberg, auj. dans Berlin.* Chi-iste allemand. On lui doit la loi de l'isomor-isme, liant la forme cristalline des corps à leur ructure chimique (1820), et la découverte de la lfonation et de la nitration (1834).

**ITSOTÁKIS** (Konstandínos) ~ *1918, Khaniá.* omme politique grec. Président de la Nouvelle émocratie (conservateur) de 1984 à 1993, il a été emier ministre de 1990 à 1993.

**ITTELLAND** (le), en fr. « moyen pays » ~ Pla-au de Suisse drainé par l'Aar, entre les Alpes et Jura, qui concentre les principales richesses onomiques du pays (v. princ. Berne, Zurich).

**ITTELLANDKANAL** (le) ~ Voie d'eau, creusée tre 1905 et 1938, qui joint l'Enns à l'Elbe et, par s prolongements, la Ruhr à Berlin.

**ITTERRAND** (François) ~ *1916, Jarnac - 1996, ris.* Homme d'État français. Chargé de mission us Pétain à Vichy, il rallia la Résistance et fonda Mouvement national des prisonniers. Député de Nièvre, il fit une longue carrière ministérielle sous IV$^e$ République. Candidat unique de la gauche la présidence de la République en 1965, il mit général de Gaulle en ballottage et devint l'un de s principaux opposants. Premier secrétaire du rti socialiste (1971), il appliqua une politique union de la gauche, et fut élu président de la publique (1981-1995). Après avoir associé des mmunistes à son gouvernement, il marqua une use dans les réformes et dut accepter deux habitations avec un Premier ministre de droite acques Chirac, 1986-1988 ; Édouard Balladur, 93-1995). Il se retira de la vie politique à la fin de n mandat. Il a laissé quelques écrits, dont *l'Abeille l'Architecte* (1968), *la Paille et le Grain* (1975).

**ixtèques** (les) ~ Indigènes précolombiens du exique. Ils fondèrent l'État d'Oaxaca (cap. Mitla) développèrent une brillante civilisation qui fluença leurs conquérants aztèques (XI$^e$-XVI$^e$ s.).

**IZOGUCHI Kenji** ~ *1898, Tôkyô - 1956, ôto.* Cinéaste japonais. Sa sensibilité aux ques-ons sociales et à la condition féminine s'épanouit ns un style raffiné (*les Contes de la lune vague après pluie*, 1953).

**. L. F.** ~ Voir **Mouvement de libération des mmes.**

**NÉMOSYNE** ~ Déesse de la Mémoire, dans la ythologie grecque. De son union avec Zeus quirent les neuf Muses.

**NÉSICLÈS** ~ *2$^e$ moitié du V$^e$ s. av. J.-C.* Architecte hénien. Sur un terrain accidenté, il construisit les opylées de l'Acropole d'Athènes.

**NOUCHKINE** (Ariane) ~ *1939, Boulogne-sur-ine.* Metteur en scène français. Fondatrice et rectrice du Théâtre du Soleil depuis 1964, elle nduit une recherche sur l'histoire en tant que atériel théâtral.

**OAB** ~ Personnage biblique. Fils incestueux de th, il donna son nom au peuple des Moabites.

**oabites** (les) ~ Peuple nomade établi à l'E. de mer Morte au XIII$^e$ s. av. J.-C. Souvent en conflit ec leurs parents hébreux, ils furent absorbés par Nabatéens aux III$^e$-II$^e$ s. av. J.-C.

**OBILE** ~ Port industriel de l'Alabama (États-nis), sur le golfe du Mexique ; 196 000 h. gglom. 477 000 h.). Chantiers navals. Chim., trochim., aluminium, industr. alim., textile. rsenal sudiste pendant la guerre de Sécession.

**ÖBIUS** (August Ferdinand) ~ *1790, Schulp-rta - 1868, Leipzig.* Astronome et mathématicien lemand. Il approfondit la géométrie projective, ot. algébrique, et, en topologie, inventa une rface à un seul côté (**ruban de Möbius**).

**OBUTU** (lac) ~ Voir **Albert.**

**OBUTU** (Joseph Désiré), dit **Sese Seko** ~ *1930, sala.* Homme d'État et maréchal zaïrois. Chef de rmée, il prit le pouvoir par un coup d'État (1965) se proclama président de la République (1968) Congo (auj. Zaïre). La prise du pouvoir par -D. Kabila en mai 1997 le contraint à s'exiler.

**OCENIGO** ~ Famille patricienne de Venise. nq doges portèrent ce nom entre 1474 et 1778.

**MOCKY** (Jean-Paul **Mokiejewski**, dit Jean-Pierre) ~ *1929, Nice.* Cinéaste et comédien français. Fidèle à la tradition libertaire et anticléricale (*Un drôle de paroissien*, 1963), il signa aussi des thrillers nihilistes (*l'Albatros*, 1972).

**MOCTEZUMA II** ou **MONTEZUMA II** ~ *v. 1479, Tenochtitlán, auj. Mexico - 1520, id.* Empereur aztèque (1502-1520). Partisan de la négociation avec l'envahisseur espagnol, il fut débordé par le soulèvement de son peuple contre H. Cortés et tué.

**MODANE** ~ V. industr. (électrométall.) de la haute Maurienne (Savoie) ; 4 250 h. Gare internationale à l'entrée du tunnel de Fréjus.

**MODEL** (Walter) ~ *1891, Genthin, Saxe-Anhalt - 1945, près de Duisbourg.* Maréchal allemand. Il combattit en Russie avant de commander le front O. (août 1944). Encerclé dans la Ruhr, il dut capituler et se suicida (avr. 1945).

**MODÈNE** ~ V. d'Italie (Émilie), au N.-O. de Bologne, centre admin. et industr. (autom., chaussures, text., alim.) ; 177 000 h. Archevêché, académie militaire, université. Cathédrale romane, palais ducal (XVII$^e$ s.), galerie des Este (peinture, sculpture). **HIST.** – Ancienne colonie romaine et étape sur la voie Émilienne, possession de la famille d'Este de 1288 à 1796, elle fut prise par Bonaparte et incluse dans la République cisalpine. Elle rejoignit le nouveau royaume d'Italie en 1859.

**MODER** (la) ~ Riv. du N. de l'Alsace, née dans les Vosges, affl. (r. g.) du Rhin ; 80 km.

**MODIANO** (Patrick) ~ *1945, Boulogne-Billancourt.* Écrivain français. Empreints de nostalgie, jouant des ambiguïtés, ses romans s'attachent à dépeindre des personnages en quête de leur identité (*Rue des boutiques obscures*, 1978).

**MODIGLIANI** (Amedeo) ~ *1884, Livourne - 1920, Paris.* Peintre et sculpteur italien. Installé à Montparnasse en 1909, vivant dans la misère, il peignit des portraits et des nus féminins dans un style marqué par un allongement des formes, traitant le visage à la manière de certains masques africains (*Nu assis au divan*, 1917).

Femme au col blanc *(1917),* *peinture d'Amedeo* **Modigliani**. *Musée des Beaux-Arts, Grenoble.*

**MOERO** ou **MWERU (lac)** ~ Lac d'Afrique, dans le haut bassin du fl. Zaïre (frontière Zaïre-Zambie) ; 4 340 km$^2$, alt. 917 m.

**MOGADISCIO** ou **MUQDISHO** ~ Cap. de la Somalie, sur l'océan Indien, princ. centre commercial du pays ; env. 1 000 000 d'h. Université. Raff. de pétrole, industries alimentaires.

**MOGADOR** ~ Voir **Essaouira.**

**Moghols (Grands)** ~ Dynastie mongole, descendant de Tamerlan, qui gouverna le N. de l'Inde de 1526 à 1857. Elle connut son apogée sous les règnes d'Akbar et de Chah Jahan, qui élevèrent des mausolées (Taj Mahal, à Agra) ou des forts (Delhi) à la décoration très riche.

**MOGODS** (les) ~ Chaîne de collines littorales (510 m) peu peuplée du N. de la Tunisie. Forêt buissonnante.

**MOGUILEV** ~ Voir **Maguilev.**

**MOHAMMADIA (El-)**, anc. **Perrégaux** ~ V. d'Algérie, centre comm. à l'E. d'Oran ; 59 000 h.

**MOHAMMAD REZA** ou **MUHAMMAD RIZA** ~ *1919, Téhéran - 1980, Le Caire.* Chah d'Iran (1941-1979). Dernier souverain de la dynastie Pahlavi, il allia politique répressive et modernisation du pays. Il fut renversé en 1979 par la révolution islamique.

**MOHAMMEDIA**, anc. **Fédala** ~ Port de la côte atlantique du Maroc, annexe industr. de Casablanca (N.-E.) ; 105 000 h. Raff. de pétrole. Métallurgie.

**MOHAVE** ou **MOJAVE (désert)** ~ Région aride du S.-O. de la Californie (États-Unis), entre le Grand Bassin au N., le Colorado au S.-E. et les chaînes côtières à l'O.

**MOHAWK** (la) ~ Affl. de l'Hudson River (r. dr.), dans l'État de New York (États-Unis) ; 238 km. Par sa vallée, le canal Érié relie New York aux Grands Lacs.

**Mohawks** (les) ~ Indigènes d'Amérique du Nord. Ils faisaient partie au XVIII$^e$ s. de la confédération des Iroquois. Ils vivent actuellement dans l'Ontario et aux environs de Montréal.

**MOHÉLI** ~ Voir **Moili.**

**Mohenjo-Daro** ~ Site archéologique du Pakistan (Sind). Vestiges de l'une des cités les plus développées (2500-1500 av. J.-C.) de la civilisation de l'Indus ou **civilisation de Mohenjo-Daro.**

**Mohicans** (les) ~ Indigènes algonquins du N.-E. du Canada. Ils ont inspiré un roman à Fenimore Cooper, *le Dernier des Mohicans.*

**MOHOLY-NAGY** (László) ~ *1895, Bácsborsód - 1946, Chicago.* Plasticien hongrois. Il enseigna au Bauhaus (1923-1928) puis fonda, en 1939, l'Institute of Design de Chicago. Son constructivisme fut l'ancêtre du cinétisme. [☞ **photographie.**]

**MOI** (Daniel Arap) ~ *1924, Sacho.* Homme d'État kenyan. Président de la République depuis 1978.

**MOILI** ou **MOHÉLI** ~ Île de l'État des Comores, la plus petite de l'archipel ; 290 km$^2$, 28 000 h., v. princ. Fomboni.

**MOINES (île aux)** ~ Principale île et commune du golfe du Morbihan ; 3 km$^2$, 617 h. Tourisme.

**Moires** (les) ~ Voir **Parques.**

**Moïs** (les) ~ Peuple du S. du Viêt Nam et du Laos, décimé par les guerres d'Indochine. En vietnamien, *moï* signifie « sauvage ».

**MOÏSE** ~ *XIII$^e$ s. av. J.-C.* Prophète biblique, fondateur de la religion d'Israël. Le Pentateuque relate comment, abandonné à la naissance dans une corbeille flottant sur les eaux du Nil, il fut sauvé par la fille d'un pharaon, puis donne le récit de l'exode des Israélites, de l'Égypte vers la Terre promise, après que Moïse eut reçu de Yahvé la mission de sauver le peuple élu (épisode du Buisson ardent) et de lui transmettre les Tables de la Loi (Décalogue).

**MOISSAC** ~ V. du bas Quercy (Tarn-et-Garonne), sur le Tarn ; 11 971 h. Cult. fruitières (chasselas), caoutchouc. Abbatiale St-Pierre (XI$^e$-XV$^e$ s.), aux tympan et cloître romans.

**MOÏSSEÏEV** (Igor) ~ *1906, Kiev.* Danseur et chorégraphe soviétique. Il s'efforça d'intégrer les folklores serbe, ukrainien et caucasien à une thématique d'inspiration révolutionnaire (*le Football*, 1930 ; *les Partisans*, 1955 ; *Viva Cuba*, 1962).

**MOJAVE (désert)** ~ Voir **Mohave.**

**MOKA** ~ Anc. port comm. du Yémen, sur la mer Rouge, prospère au XVIII$^e$ s. (café, aromates).

**MOL** ~ V. de Belgique, à l'E. d'Anvers (Campine) ; 31 000 h. Centre d'études atomiques de la Communauté européenne depuis 1954.

**MOLAY** (Jacques DE) ~ *v. 1243, Molay, Jura ou Haute-Saône - 1314, Paris.* Dernier grand maître de l'ordre des Templiers. Il fut torturé et brûlé vif sur ordre de Philippe IV le Bel.

**MOLDAU** (la) ~ Voir **Vltava.**

**MOLDAVIE (république de)** ~ Pays enclavé d'Europe orientale, limitrophe de la Roumanie à l'O. ***Cap.*** Chişinău. ***Superf.*** 33 700 km$^2$. ***Popul.*** 4 400 000 h., dont Moldaves (65 %), Ukrainiens (13 %), Russes (13 %), Gagaouzes (3,5 %). ***Langues princ.*** Roumain, russe. ***Monn.*** Leu. ***Relief.*** Collines et plaines. ***Hydrogr.*** Le Dniestr sépare la Bessarabie, à l'O., de la petite région russophone de Transnistrie, à l'E. ***Climat.*** Continental humide. ***Écon.*** Céréales, fruits, primeurs, vigne, tabac. Industrie (agroalim., text., constr. électr.) désorganisée depuis l'indépendance par la perte de ses débouchés naturels et de ses approvisionnements en énergie, situés en Ukraine et en Russie ; hydroélectricité sur le Dniestr. ***V. princ.*** Chişinău, Tiraspol. **HIST.** - *Ier mill. av. J.-C.* : la Bessarabie est une terre de parcours des Scythes avant d'être intégrée à la Dacie romaine. *IIIe-XIIIe s.* : multiples invasions (Wisigoths, Huns, Avars, Tatars). *Vers 1353* : Louis Ier d'Anjou, roi de Hongrie, crée la marche de Moldavie. *1359* : émancipation par rapport à la Hongrie et fondation du royaume de Moldavie par Bogdan Ier. *1538* : suzeraineté ottomane sur l'État autonome de Moldavie. *1774* : domination de la Russie. *1812* : annexion de la province de Bessarabie par la Russie. *1859* : formation de la Roumanie par l'union de la Moldavie et de la Valachie sous la direction du prince moldave Alexandre Cuza. *1918* : rattachement d'une grande partie de la Bessarabie à la Roumanie. *1924* : formation d'une république autonome de Moldavie, rattachée à l'Ukraine, sur la partie du territoire soumise à l'U. R. S. S. *Août 1940* : annexion par les Soviétiques de la Moldavie-Bessarabie. *1941-1944* : occupation roumaine, puis allemande. *1944* : la Moldavie redevient soviétique. *1991* : proclamation de l'indépendance et élection de Mircea Snegur à la présidence. *1994* : les Moldaves rejettent l'idée d'une union avec la Roumanie ; le problème de la Transnistrie, qui réclame son indépendance, n'est pas réglé. *1995* : adhésion au Conseil de l'Europe. Adhésion à la C. E. I. *1996* : Petru Lucinscki est élu à la présidence.

**MOLÉ** (Louis Mathieu, comte) ~ *1781, Paris - 1855, Champlâtreux.* Homme politique français. Ministre de la Marine (1815-1818) et des Affaires étrangères (1830), il prit la succession de Thiers comme président du Conseil (1836-1839). Acad.

**MOLÉ** (Mathieu) ~ *1584, Paris - 1656, id.* Magistrat français. Président du parlement de Paris, il négocia la paix de Rueil (1649) qui mit fin à la Fronde parlementaire. Il fut nommé garde des Sceaux en 1651.

**MOLÈNE** ~ Île (0,75 km²) et commune de Bretagne (Finistère), en mer d'Iroise ; 277 h.

**MOLIÈRE** (Jean-Baptiste **Poquelin**, dit) ~ *1622, Paris - 1673, id.* Dramaturge français. À l'issue de bonnes études chez les jésuites et d'une formation d'avocat, ce fils de tapissier fonda en 1643 l'Illustre-Théâtre, projet éphémère. Il prit alors la tête d'une troupe de comédiens ambulants qui, jusqu'en 1658, joua les comédies qu'il écrivait et mettait en scène. En 1659, il rentra à Paris, se rapprocha de la Cour, se dégagea des influences de la commedia dell'arte. Les comédies, ballets et intermèdes qu'il représenta devant la bonne société brillent par l'inventivité et la liberté de propos, riches d'une large palette de sentiments, de situations et d'effets comiques. Souvent, tels *l'Avare* (1668) ou *les Précieuses ridicules* (1659), ses pièces font rire aux dépens d'un caractère dont il raille le vice. *L'Amour médecin* (1665) lui valut une pension du roi Louis XIV, et *Tartuffe* (1669) les foudres du parti dévot. Il ne cessa d'enchaîner créations et représentations (*le Bourgeois gentilhomme*, 1670 ; *Psyché* et *les Fourberies de Scapin*, 1671 ; *les Femmes savantes*, 1672), jusqu'au *Malade imaginaire*, sa dernière pièce, qu'il put jouer quatre fois avant que la mort ne le surprenne sur la scène.

**MOLINA** (Luis) ~ *1535, Cuenca - 1601, Madrid.* Jésuite espagnol. Ses thèses sur la grâce (**molinisme**) furent combattues par les jansénistes.

**MOLINOS** (Miguel DE) ~ *1628, Muniesa - 1696, Rome.* Théologien espagnol. Auteur de la *Guide spirituelle* (1675), à l'origine du quiétisme, il dut abjurer (1687) et finit ses jours en prison.

**MOLISE** (le ou la) ~ Région d'Italie, entre l'Apennin et l'Adriatique, partie N.-E. du Mezzogiorno ; 4 438 km², 331 500 h., cap. Campobasso (51 000 h.). Émigration. Tourisme balnéaire.

**MOLITOR** (Gabriel Jean Joseph, comte) ~ *1770, Hayange - 1849, Paris.* Maréchal de France (1823). Il défendit la Hollande (1813) et mena victorieusement l'expédition d'Espagne (1823).

**MOLLET** (Guy) ~ *1905, Flers - 1975, Paris.* Homme politique français. Secrétaire général de la S. F. I. O. de 1946 à 1969, il fut président du Conseil en 1956-1957. Il prit des mesures sociales et signa le traité de Rome, mais sa politique de répression en Algérie et l'échec de l'expédition de Suez entraînèrent sa démission.

**MOLNÁR** (Ferenc) ~ *1878, Budapest - 1952, New York.* Écrivain hongrois. Dramaturge (*Liliom*, 1909), il est aussi l'auteur de romans réalistes sur la vie urbaine (*les Garçons de la rue Pál*, 1907).

**MOLOCH** ~ Divinité d'orig. cananéenne, mentionnée dans la Bible, adoptée par Israël. Son culte reposait sur des sacrifices d'enfants.

**Molosses** (les) ~ Anc. peuple de l'Épire, installé autour d'Ambracie, sa capitale.

**MOLOTOV** (Viatcheslav Mikhaïlovitch **Skriabine**, dit) ~ *1890, Koukarki - 1986, Moscou.* Homme politique soviétique. Membre du Politburo (1926), commissaire du peuple aux Affaires étrangères (1939-1940, puis 1953-1957), il signa avec Ribbentrop le pacte germano-soviétique (1939). Il fut écarté du pouvoir par N. Khrouchtchev (1957).

**MOLOTOV** ~ Voir **Perm**.

**MOLSHEIM** ~ V. du Bas-Rhin, au pied des Vosges ; 7 973 h. Industr. électr., aéron., mécanique. Vin (riesling). Maisons médiévales et Renaissance. Fortifications et donjon médiévaux.

**MOLTKE**, famille de militaires allemands. ~ **Helmuth**, comte VON (*1800, Parchim - 1891, Berlin*), maréchal prussien, chef du grand état-major (1857-1888), il vainquit les Danois (1864), les Autrichiens (1866) et les Français (1870-1871). Son neveu ~ **Helmuth** (*1848, Gersdorff - 1916, Berlin*), général, chef de l'état-major allemand (1906-1914), fut vaincu sur la Marne.

**MOLUQUES** (les) ~ Archipel et prov. de l'E. de l'Indonésie ; 74 505 km², 1 858 000 h. (Malais, Papous), v. princ. Amboine (ch.-l.). Climat tropical humide. Les grandes îles (dont Halmahera, Céram) sont peu peuplées, au contraire de Ternate, Tidore, Amboine, petites îles aux épices (girofle, noix muscade) de l'époque coloniale. **HIST.** - L'archipel, colonisé par les Portugais au XVIe s. puis par les Hollandais, fut rattaché à l'Indonésie en 1945. Christianisé, il entra en conflit avec le gouvernement central en 1950, et de nombreux Moluquois émigrèrent alors aux Pays-Bas.

**MOMBASA** ou **MOMBASSA** ~ Port princ. et 2e v. du Kenya (S. du pays) ; 426 000 h. Raff. du pétr., cimenterie, engrais. Institut musulman. Tourisme balnéaire. Important comptoir arabe (XIIe s.), Mombasa fut occupé par le Portugal de 1505 à 1698.

**MOMMSEN** (Theodor) ~ *1817, Garding, Schleswig - 1903, Charlottenburg.* Historien allemand, spécialiste de l'Antiquité romaine. Prix Nobel de litt. 1902.

**MOMPOU** (Federico) ~ *1893, Barcelone - 1987, id.* Compositeur espagnol. Il donna, dans un style personnel, *Paisajes* (1942-1960) et quatre cahiers de *Música callada* (1959-1967) pour piano.

**MÔN** ~ État du S.-E. de la Birmanie, sur la côte du golfe de Martaban ; 12 297 km², 1 682 000 h., cap. Moulmein. Riziculture, bois de teck. Les **Môns** constituèrent un puissant royaume (cap. Pegu), à l'origine de l'implantation du bouddhisme dans le pays (IXe s.), royaume qui fut détruit par les Birmans (1757).

**MONACO (principauté de)** ~ Micro-État enclavé dans le dép. français des Alpes-Maritimes, le plus petit État du monde après le Vatican. ***Cap.*** Monaco. ***Superf.*** 1,95 km². ***Popul.*** 30 000 h. ***Langue princ.*** Français. ***Monn.*** Franc. ***Écon.*** Tourisme, services financiers, micro-industrie, jeu. **HIST.** - Colonie phénicienne puis grecque et romaine, elle devint génoise au XIe s. Possession des Grimaldi depuis 1297, annexée à plusieurs reprises. Cession de Menton et de Roquebrune à la France en 1861. Rainier III est prince souverain depuis 1949. La principauté fut admise à l'O. N. U. en 1993.

**MONASTIR** ~ Port et station baln. de Tunisie, au S. de Sousse ; 35 000 h. Vestiges romains (thermes), mosquées et forteresse des VIIIe-XIe s.

**MONASTIR** ~ Voir **Bitola**.

**MONATTE** (Pierre) ~ *1881, Monlet, Haute-Loire - 1960, Paris.* Syndicaliste français. Il fut l'un des principaux dirigeants de la C. G. T. Fondateur de *la Vie ouvrière* (1909), il fut exclu du P. C. F. (192[illegible]) en raison de ses sympathies trotskistes.

**MONBAZILLAC** ~ Commune viticole de la vall[ée] de la Dordogne, au S. de Bergerac ; 902 h. Vin bla[nc] liquoreux. Château du XVIe s.

**MONCEY** (Bon Adrien **Jeannot** DE), duc **de Con[e]gliano** ~ *1754, Moncey, Doubs - 1842, Paris.* Mar[é]chal de France (1804). Il combattit en Espag[ne] (1794, 1808, 1823) et défendit Paris en 1814.

**MÖNCHENGLADBACH** ~ V. industrielle d'All[e]magne (Rhénanie-du-Nord - Westphalie), cent[re] métall. et textile à l'O. de Düsseldorf ; 264 000 [h.] Un des quartiers généraux de l'Otan en Europe.

**MONCTON** ~ V. du Canada, port à l'extrémi[té] E. du Nouveau-Brunswick ; 81 000 h. Archevêch[é], centre universitaire francophone (1864), impo[r]tante gare de triage.

**Monde (le)** ~ Quotidien français du soir. Fon[dé] en 1944 par H. Beuve-Méry, il accorde une pla[ce] privilégiée à la politique française et international[e] (tirage env. 500 000 exemplaires).

**MONDEVILLE** ~ V. proche de Caen (Calvados), anc. centre sidér. ; 9 488 h. Électron., chimie.

**MONDONVILLE** (Jean Joseph **Cassanéa** DE) *1711, Narbonne - 1772, Paris.* Violoniste et comp[o]siteur français. Auteur de sonates pour violon, [de] pièces de clavecin et de motets, il triompha av[ec] son opéra *Titon et l'Aurore* (1753).

**MONDOVI** ~ V. du Piémont (Italie) ; 22 000 [h.] Cathédrale (XVIIe s.). Victoire de Bonaparte sur l[es] Piémontais, le 21 avril 1796.

**MONDRIAN** (Pieter Cornelis **Mondriaan**, d[it] Piet) ~ *1872, Amersfoort - 1944, New York.* Peint[re] néerlandais. Le cubisme l'incita à simplifier l[es] formes de ses paysages. Il aboutit à l'abstractio[n] géométrique (carrés et rectangles de couleu[rs] primaires sur une trame orthogonale de lign[es] noires). Sa revue, *De Stijl* (1917), exposa l[es] principes du néoplasticisme. En 1924, il quitta [la] revue, participa au groupe Cercle et Carré en 19[2.] puis à Abstraction-Création en 1932. [☞ **abstrait**]

**MONET** (Claude) ~ *1840, Paris - 1926, Givern[y].* Peintre français. Maître du courant impressio[n]niste, il s'attacha à capturer les vibrations fugitiv[es] de la lumière. En témoignent ses variations (*l[es] Meules*, 1890 ; *la Cathédrale de Rouen*, 1892-190[4] *Bords de la Tamise*, 1899-1904) peintes à des heur[es] différentes du jour. Ses recherches confinent [à] l'abstraction dans sa dernière série, *les Nymphé[as]* (1898-1926), où la forme de la fleur se dissout da[ns] l'eau. [☞ **impressionnisme**.]

**MONGE** (Gaspard), comte **de Péluse** ~ *174[6], Beaune - 1818, Paris.* Mathématicien français, u[n] des fondateurs de l'École polytechnique. Il créa [la] géométrie descriptive, énonça plusieurs théories [de] géométrie analytique à trois dimensions, et reno[u]vela la géométrie infinitésimale. Il réalisa la synthè[se] de l'eau et liquéfia l'anhydride sulfureux (1784).

**MONGIE (La)** ~ Station de sports d'hiver (Ha[u]tes-Pyrénées), dans la commune de Bagnères-d[e-] Bigorre.

**MONGKUT** ou **RAMA IV** ~ *1804, Bangkok [-] 1868, id.* Roi de Siam (1851-1868). Il favori[sa] l'ouverture à l'Occident tout en maintenant l'i[n]dépendance de son pays.

**mongol (Empire)** ~ Empire fondé par Geng[is] Khan au XIIIe s., et qui couvrit, à l'apogée de [sa] puissance, l'ensemble de l'Asie continentale, de [la] mer Caspienne au N. de l'Inde et à la Mandchouri[e]. Partagé à la mort de son fondateur (1227), ma[is] placé sous l'autorité d'un grand khan, l'empi[re] poursuivit son expansion territoriale, en Euro[pe] (Russie, Galicie et Hongrie) sous le règne d'Ogod[aï] (1229-1241), en Perse, en Iraq, en Chine et en Syr[ie] sous le règne de Mongke (1251-1259). Affaibli p[ar] plusieurs défaites (not. en Syrie et en Pers[e]) l'empire vit son centre se déplacer vers l'Orie[nt] après la proclamation de Kubilay comme empere[ur] de Chine (1280). La chute de la dynastie Yuan, qu['il] avait fondée et à laquelle succédèrent les Mi[ng] (1368), marqua la fin de l'empire.

**MONGOLIE** ~ Vaste plateau continental d'Asi[e] entre la Grande Muraille de Chine, la Mandcho[u]rie, les bassins du Huang He et de l'Amour, et [le] Turkestan. Les Mongols sont auj. minoritaires da[ns] le S. chinois (env. 10 %).

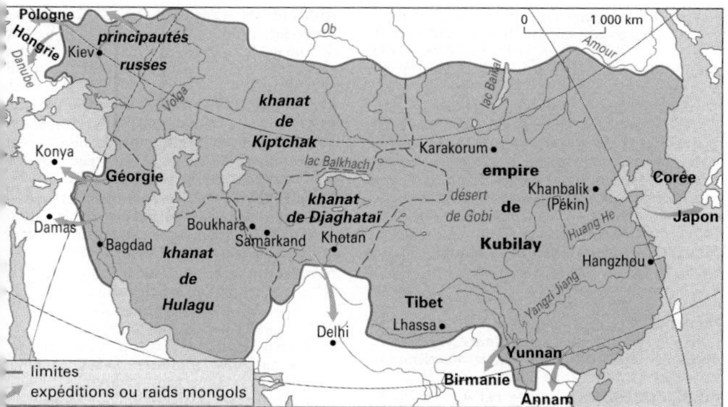


*L'***Empire mongol** *à son apogée, sous Kubilay (1260-1294), qui conquit la Chine des Song. Hulagu, petit-fils de Gengis Khan, régna sur la Perse (1256-1265), prit Bagdad et menaça Damas. Le khanat de Kiptchak, ou Horde d'Or, s'étendit aux principautés russes.*

**ONGOLIE (république populaire de)**, anc. **ongolie-Extérieure** ~ Pays enclavé d'Asie conti-ntale. ***Cap.*** Oulan-Bator. ***Superf.*** 1 566 500 $km^2$. ***pul.*** 2 260 000 h. ***Langue princ.*** Khalkha. ***mn.*** Tugrik. ***Relief.*** N.-O. montagneux (plus de 300 m dans l'Altaï), plateaux steppiques, arides S.-E. (désert de Gobi). ***Climat.*** Continental. ***drogr.*** Le Selenga, principale rivière, est tributaire lac Baïkal. ***Écon.*** Élev. (ovin, bovin, chevaux, :ks). Exploit. du cuivre. ***V. princ.*** Oulan-Bator, arkhan. **HIST.** - Occupée dès la plus haute tiquité, la région est le creuset des peuples turc mongol. *IIIe s. av. J.-C.* : première confédération éleveurs constituée par les Xiongnous. *VIe-XIe s. . J.-C.* : influence chinoise. *1206* : Temüdjin est oclamé khan universel, ou Gengis Khan, et umet la plus grande partie de l'Asie continentale. *80* : Kubilay fonde la dynastie des Yuan à Pékin, ndis que l'empire se désagrège. *XIVe s.* : la Mongolie divisée en deux khanats rivaux. *XVIe s.* : roduction du lamaïsme tibétain. *XVIIe-XIXe s.* : ablissement d'un régime théocratique à Ourga et umission de la Mongolie à la Chine. *1911* : avec chute de la dynastie mandchoue en Chine, la ongolie-Extérieure devient autonome. *1917* : cupation par la Chine. *1921* : les révolutionnaires ongols, appuyés par l'Armée rouge, libèrent le ys. *1924* : proclamation d'une république popu-re liée à l'U. R. S. S. *1990* : démocratisation de vie politique et décollectivisation de l'économie us la direction du P. P. R. M. (Parti populaire olutionnaire mongol), ex-communiste. *1993* : nsalmaagyn Otchirbat, président sortant, est lu.

**ONGOLIE-INTÉRIEURE** (la) ~ Région auto-me du N. de la Chine, vaste plateau aride ; 177 500 $km^2$, 21 100 000 h., cap. Houhehot. ric. le long du Huang He. Élevage. Charbon, fer, iante, terres rares. Sidér. à Baotou (v. princ.).

**ongols** (les) ~ Peuples semi-nomades de l'Asie ntentrionale et de Sibérie (lac Baïkal) fédérés par ngis Khan en 1206. Ce dernier les entraîna dans conquêtes sans précédent, fondant ainsi l'Em-e mongol. Auj., les Mongols sont répartis en ine, en république de Mongolie et en Sibérie, et résentent env. 4 000 000 d'individus.

**ONG-TSEU** ~ Voir **Mencius**.

**ONICELLI** (Mario) ~ *1915, Viareggio.* Cinéaste lien. Dans ses comédies, il a lié critique sociale démystification historique à la compassion pour petites gens (*le Pigeon*, 1958 ; *la Grande Guerre*, 59 ; *Brancaleone s'en va-t-aux croisades*, 1970).

**ONIQUE** (sainte) ~ *v. 331, Thagaste, Afrique du rd - 387, Ostie.* Mère de saint Augustin. Issue une famille chrétienne, elle joua un rôle détermi-nt dans la conversion de son fils au christianisme.

**ONIZ** (António Caetano **de Abreu Freire** as) ~ *1874, Avanca - 1955, Lisbonne.* Médecin rtugais. Il promut l'angiographie cérébrale et la otomie. Prix Nobel de physiol. ou méd. 1949.

**MONK** (George), duc **d'Albemarle** ~ *1608, Potheridge, Devon - 1670, Londres.* Général et homme politique anglais. Lieutenant de Cromwell, il devint maître du pays à la mort de ce dernier et favorisa la restauration de Charles II (1660).

**MONK** (Thelonious Sphere) ~ *1917, Rocky Mount, Caroline du Nord - 1982, Englewood, New Jersey.* Pianiste et compositeur de jazz américain. Musicien le plus déroutant du bop, il influença le jazz moderne. [☞ **jazz**.]

**MONLUC** ou **MONTLUC** (Blaise **de Lasseran Massencome**, seigneur DE) ~ *v. 1500, Saint-Puy, Gers - 1577, Estillac, près d'Agen.* Maréchal de France et chroniqueur. Il prit part aux guerres d'Italie, puis, gouverneur de Guyenne (1565), combattit les huguenots. Ses *Commentaires* furent publiés en 1592.

**MONMOUTH** (James **Scott**, duc DE) ~ *1649, Rotterdam - 1685, Londres.* Prince d'Angleterre et fils naturel de Charles II. Opposant au duc d'York, son oncle (le futur Jacques II), il dut s'exiler en 1683. À l'avènement de ce dernier (1685), il tenta un coup de force mais fut arrêté et exécuté.

**Monnaie (hôtel de la)** ~ Édifice parisien de style néoclassique réalisé par J. D. Antoine et achevé en 1777, quai de Conti. Il abrite l'administration des Monnaies et Médailles, ses ateliers et son musée.

**MONNERVILLE** (Gaston) ~ *1897, Cayenne - 1991, Paris.* Homme politique français. Président du Conseil de la République (1947-1958), puis du Sénat (1958-1968), il se signala par son hostilité au général de Gaulle.

**MONNET** (Jean) ~ *1888, Cognac - 1979, Bazoches-sur-Guyonne, Yvelines.* Homme politique et économiste français. Apôtre de l'union européenne, il fut à l'origine de la Ceca, qu'il présida de 1952 à 1955, et posa les bases du traité de Rome instituant la C. E. E. en 1957.

**MONNIER** (Henri) ~ *1799, Paris - 1877, id.* Écrivain et caricaturiste français. Ses dessins et ses comédies prirent pour cible la bourgeoisie, qu'il caricatura avec le personnage de Joseph Prudhomme (*Mémoires de Joseph Prudhomme*, 1857).

**MONOD** (Jacques) ~ *1910, Paris - 1976, Cannes.* Biochimiste français. Il détermina, avec Fr. Jacob, le mécanisme de la régulation génétique au niveau cellulaire et découvrit l'A. R. N. messager. Il a publié des réflexions philosophiques (*le Hasard et la Nécessité*, 1971). Prix Nobel de physiol. ou méd. 1965.

**MONOD** (Théodore) ~ *1902, Rouen.* Naturaliste et écrivain français. Explorateur du désert saharien, il a allié découvertes scientifiques, méditations philosophiques et engagement humaniste et écologique (*l'Hippopotame et le Philosophe*, 1943).

**MONORY** (Jacques) ~ *1934, Paris.* Peintre français. Influencé par le pop art, il a travaillé par séries d'images à caractère photographique (*Meurtre n° 10*, 1968).

**MONORY** (René) ~ *1923, Loudun.* Homme politique français. Membre du centre des démocrates sociaux (C. D. S.), plusieurs fois ministre de 1977 à 1988, il a été élu président du Sénat en 1992.

**MONROE** (James) ~ *1758, Monroe's Creek, Virginie - 1831, New York.* Homme d'État américain. Président républicain des États-Unis (1817-1825), il exposa en 1823 la **doctrine de Monroe**, qui consistait à écarter les Européens des affaires du continent américain.

**MONROE** (Norma Jean **Baker** ou **Mortenson**, dite Marilyn) ~ *1926, Los Angeles - 1962, Brentwood.* Actrice américaine. Elle fut un *sex symbol* et un mythe du cinéma hollywoodien (*Les hommes préfèrent les blondes*, de H. Hawks, 1953 ; *Sept Ans de réflexion*, de B. Wilder, 1955 ; *les Misfits*, de J. Huston, 1961).

**MONROVIA** ~ Cap. et port minéralier (fer) du Liberia, sur l'Atlantique ; 425 000 h. Raff. de pétr., caoutchouc, cimenterie, agroalim. Elle fut fondée en 1822 pour des esclaves afro-américains libérés.

**MONS**, en néerl. ***Bergen*** ~ V. de Belgique, ch.-l. de la province du Hainaut, dans le Borinage ; 93 000 h. Université, recherche nucléaire. Cimenterie, carbochimie, céramique. Collégiale Ste-Waudru (XVe-XVIIe s.), beffroi (XVIIe s.), hôtel de ville (XVe s.). **HIST.** - Capitale du Hainaut (1295), elle connut, sous la maison de Bourgogne, une ère de prospérité (XVe-XVIe s.), qui fut stoppée par les guerres de Religion.

**MONS-EN-BARŒUL** ~ V. de la banlieue N.-E. de Lille (Nord) ; 23 578 h. Brasserie, textile.

**MONSIGNY** (Pierre Alexandre) ~ *1729, Fauquembergues, Artois - 1817, Paris.* Compositeur français. Il donna une impulsion décisive à l'opéra-comique à la française (*le Déserteur*, 1769 ; *Félix*, 1777).

**Montagnais** (les) ~ Nom donné à des Indiens Algonquins nomades du Canada (Labrador et Québec).

**Montagnards** (les) ~ Députés qui siégeaient sur les plus hautes travées (la Montagne) de l'Assemblée législative puis de la Convention.

**Montagne** (la) ~ Pendant la Révolution française, groupe politique dans lequel s'illustrèrent Danton, Marat et Robespierre. Au printemps 1793, les députés de la Montagne étaient majoritaires à la Convention. Ils éliminèrent les Girondins en mai-juin 1793, votèrent la levée en masse, créèrent le Comité de salut public et organisèrent la Terreur. Ils se divisèrent ensuite en factions qui s'opposèrent : indulgents (autour de Danton), hébertistes et robespierristes. Victime du Tribunal révolutionnaire puis de Thermidor, la Montagne disparut bientôt. Sous la IIe République, les députés de gauche reprirent ce nom.

**MONTAGNE NOIRE** (la), nom de deux montagnes françaises. ~ Rebord S.-O. du Massif central (alt. 1 210 m), dominant le Minervois. Hêtraie-chênaie (versant N.), garrigue (versant S.). ~ Ligne de hauteurs (326 m) du S.-O. de la Bretagne (Finistère), au S. de l'Aulne. Landes, sapinières.

**MONTAGNIER** (Luc) ~ *1932, Chabris, Indre.* Médecin français, chercheur à l'Institut Pasteur. Spécialiste de l'oncologie virale, il a identifié le V. I. H., responsable du sida (1983).

**MONTAIGNE** (Michel **Eyquem** DE) ~ *1533, château de Montaigne, Périgord - 1592, id.* Écrivain français. Fils d'un riche négociant qui lui fit donner une solide culture classique, conseiller au parlement puis maire de Bordeaux (1581-1586), il fut marqué par son amitié pour La Boétie. En cette époque de bouleversement du savoir, son scepticisme

Michel de **Montaigne**
*(XVIe s. ; détail), peinture anonyme. Musée Condé, Chantilly.*

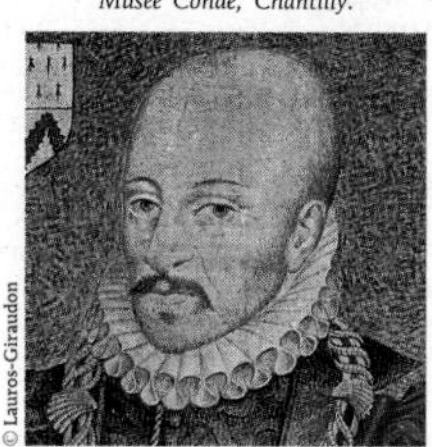

constitue une réponse rationaliste au dogmatisme et à la métaphysique. Humaniste retiré du monde, il prôna un stoïcisme domestique plein de prudence en ces temps des guerres de Religion, ce qui ne l'empêcha pas de s'élever contre l'impérialisme religieux, le racisme et le colonialisme. Dans ses *Essais* (édition complète en 1595), il fit de l'homme, tel qu'il le trouva en lui-même, le sujet d'une réflexion qui, menée avec profondeur et délectation, fait de son auteur le poète de la vie dans son harmonieuse inquiétude.

**MONTALE** (Eugenio) ~ *1896, Gênes - 1981, Milan.* Poète italien. Il fut proche de l'hermétisme et résista à toutes les conventions (*Satura*, 1971). Prix Nobel de litt. 1975.

**MONTALEMBERT** (Charles **Forbes**, comte DE) ~ *1810, Londres - 1870, Paris.* Publiciste et homme politique français. D'abord disciple de La Mennais, il s'en éloigna après 1834. Chef du parti catholique de 1848 à 1851, il rallia le second Empire, non sans réserves et critiques. Il fut un écrivain et un journaliste (*le Correspondant*) influent. Acad.

**MONTANA** (le) ~ État du N.-O. des États-Unis, au climat rude, dont le tiers occidental appartient aux Rocheuses et la partie orientale aux Grandes Plaines ; 336 991 km², 839 000 h., cap. Helena (25 000 h.). Blé, élev. bovin. Ress. minières (cuivre, or, molybdène), hydrocarbures, charbon, hydroélectr., bois. Tourisme. **HIST.** - Vendu par la France aux États-Unis en 1803, le territoire du Montana vit des affrontements avec les Indiens, de 1870 à 1881 (défaite et mort de Custer lors de la bataille de Little Big Horn face aux Sioux, 1876). Il devint le 41e État de l'Union en 1889.

**MONTAND** (Ivo **Livi**, dit Yves) ~ *1921, Monsummano, Toscane - 1991, Senlis.* Chanteur et acteur français d'orig. italienne. Étoile du music-hall, acteur populaire et témoin engagé de son époque, il mena une carrière internationale. Il chanta not. *les Feuilles mortes*, *les Grands Boulevards*, et s'imposa au cinéma (*le Salaire de la peur*, 1953 ; *Z*, 1969 ; *l'Aveu*, 1970 ; *César et Rosalie*, 1972).

© Pele-Stills

*Yves* **Montand** *et Véra Clouzot dans* le Salaire de la peur *(1953), film d'Henri Georges Clouzot (1907-1977).*

**MONTANUS** ou **MONTAN** ~ IIe s. Prêtre phrygien de Cybèle. Converti au christianisme, il fonda le **montanisme**. Hérétique, il prêcha l'ascétisme, prophétisant l'imminence de la fin du monde. Tertullien se rallia à son mouvement.

**MONTARGIS** ~ V. du Gâtinais (Loiret), sur le Loing ; 15 020 h. (agglom. 52 804 h.). Métall., industrie pharmaceutique, matériel électrique et électronique. Église de la Madeleine (XIIe-XVIe s.). Musées.

**MONTATAIRE** ~ V. industrielle (chimie, mécanique, métallurgie) de la banlieue O. de Creil (Oise) ; 12 353 h. Église médiévale.

**MONTAUBAN** ~ Préfect. du Tarn-et-Garonne, marché agricole, sur le Tarn, ancienne place protestante ; 51 224 h. Place (XVIIe s.), cathédrale (XVIIe-XVIIIe s.), anc. palais épiscopal (musée Ingres), Pont-Vieux (XIVe s.).

**MONTBARD** ~ V. industr. de la Côte-d'Or, port fluvial sur le canal de Bourgogne ; 7 108 h. Parc Buffon (ruines du château des ducs de Bourgogne).

**MONTBÉLIARD** ~ V. du Doubs, au S. de Belfort, sur le canal du Rhône au Rhin, formant avec sa région une des grandes agglom. industr. (métall., autom., mécan., text., horlogerie) de l'E. de la France ; 29 005 h. (agglom. 117 510 h.). Château des comtes de Montbéliard (XVe-XVIIIe s.). **HIST.** - La ville fut le siège d'un comté dépendant de l'Empire germanique, possession des ducs de Wurtemberg depuis le XVe s., et réuni à la France en oct. 1793.

**MONT-BLANC (massif du)** ~ Voir **Blanc** (mont).

**MONTBRISON** ~ V. du Forez, au N.-O. de St-Étienne (Loire) ; 14 064 h. Collégiale gothique (XIIIe-XVe s.). Musées. Anc. cap. des comtes du Forez.

**MONTCALM DE SAINT-VÉRAN** (Louis Joseph, marquis DE) ~ *1712, château de Candiac, près de Nîmes - 1759, Québec.* Général français. Envoyé pour défendre le Canada contre les Britanniques en 1756, au début de la guerre de Sept Ans, il fut tué en défendant Québec.

**MONTCEAU-LES-MINES** ~ V. industr. (bassin houiller) de l'Autunois (Saône-et-Loire), sur la Bourbince, au S. du Creusot ; 22 999 h. (agglom. 47 283 h.). Métall., constr. mécan., textile.

**MONT-CENIS** (le) ~ Massif des Alpes du Nord (3 610 m au signal du **Grand-Mont-Cenis**). Le **col du Mont-Cenis** (2 083 m) relie la Maurienne au val de Suse italien, accès à Turin.

**MONTCHRESTIEN** (Antoine DE) ~ *v. 1575, Falaise - 1621, Domfront.* Dramaturge et économiste français. Auteur de tragédies (*Sophonisbe*, 1596), il laissa aussi un *Traité d'économie politique* (1615).

**MONT-DE-MARSAN** ~ Préfect. des Landes, au confl. du Midou et de la Douze, marché agric. (foies gras, volailles) ; 28 328 h. (agglom. 35 403 h.). Bois, plastique, matériel agricole.

**MONTDIDIER** ~ V. de Picardie, dans le Santerre (Somme), au S.-E. d'Amiens, centre commercial ; 6 262 h. Église (XVe-XVIe s.). L'offensive allemande du 21 mars 1918 entraîna la contre-offensive victorieuse de Foch, le 8 août, et le repli général de l'armée allemande.

**MONT-DORE (massif du)** ou **MONTS DORE** ~ Massif volcan. d'Auvergne, au S.-O. de la chaîne des Puys, où culmine le Massif central (1 885 m au puy de Sancy). Stations thermales (Mont-Dore, La Bourboule), sports d'hiver (Besse).

**MONT-DORE** ~ Station therm. et de sports d'hiver du Puy-de-Dôme (alt. 1 050 m), au pied du puy de Sancy ; 1 975 h.

**Monte Albán** ~ Site archéologique du Mexique (Oaxaca). Centre de la civilisation des Zapotèques au Ier mill. apr. J.-C.

**MONTE-CARLO** ~ Quartier de Monaco, au N.-E. du port. Casino. Il a donné son nom à un rallye.

**MONTECATINI-TERME** ~ Station thermale de Toscane (Italie), près de Pistoia ; 22 000 h.

**MONTECRISTO** ~ Île granitique de l'archipel toscan (Italie), sur la mer Tyrrhénienne ; 10 km². A. Dumas père y situe l'action de son roman, *le Comte de Monte-Cristo.*

**MONTECUCCOLI** ou **MONTECUCCULI** (Raimondo, prince) ~ *1609, près de Modène - 1680, Linz.* Homme de guerre italien. Au service des Habsbourg, il remporta la victoire de Saint-Gotthard (Hongrie) sur les Turcs (1664). Il fut l'adversaire de Turenne (1672-1675).

**MONTEGO BAY** ~ V. et station baln. de la côte N. de la Jamaïque ; 83 000 h. Église du XVIIIe s.

**MONTÉLIMAR** ~ Préfect. de la Drôme, dans la vallée du Rhône, entre le Dauphiné, le Vivarais et la Provence, sur le tracé du T. G. V. et de l'A 7 ; 29 982 h. (agglom. 41 747 h.). Textile, agroalimentaire (nougat). Château médiéval.

**MONTÉNÉGRO** (le) ~ L'une des deux républiques de la fédération de Yougoslavie, dans le S. du pays, sur l'Adriatique ; 13 812 km², 615 000 h. (dont 55 % de Monténégrins), cap. Podgorica (anc. Titograd). Pays montagneux (relief karstique), sauf au N. du lac de Shkodër (cult. méditerranéennes). Bauxite. Tourisme (bouches de Kotor). **HIST.** - Après avoir formé le royaume de Zeta (1077), la région dépendit de la Serbie, et prit son nom actuel, italianisé par les Vénitiens, au XVe s. La fonction princière était dévolue aux métropolites de Cetinje (1516), qui se succédaient d'oncle à neveu. Vassal de l'Empire ottoman, le Monténégro se rapprocha de la Russie (1711). Le prince Danilo II sécularisa le pouvoir (1851). Indépendant (1878), érigé en royaume (1910), le Monténégro s'unit à la Serbie (1918). République populaire au sein de la Yougoslavie (1946), il ne rompit pas ses liens avec la Serbie lorsque la fédération fut dissoute (1991).

**MONTÉPIN** (Xavier DE) ~ *1823, Apremo[nt] Haute-Saône - 1902, Paris.* Écrivain français. Aut[eur] de romans-feuilletons, il donna not. *la Porteuse [de] pain* (1884-1885), tableau réaliste de la misère [du] petit peuple.

**MONTEREAU-FAULT-YONNE** ou **MONT[E]REAU** ~ V. de Seine-et-Marne au confluent [de] l'Yonne et de la Seine, pôle de développem[ent] urbain au S.-E. de Melun, nœud routier [et] ferroviaire ; 18 657 h. (agglom. 26 037 h.).

**MONTEREY** ~ Anc. port baleinier des États-U[nis] au S. de San Francisco, anc. capitale de la Califor[nie] espagnole, résidence de nombreux artistes et é[cri]vains ; 32 000 h. Festival pop (1967).

**MONTERÍA** ~ V. de Colombie, près du Pana[má] et de la côte caraïbe, marché agricole (plantatio[ns] de coton, de riz ; élev. bovin) ; 266 000 h.

**MONTERREY** ~ 3e v. du Mexique, cap. de l'É[tat] du Nuevo León ; 1 070 000 h. Ville symbole [du] capitalisme privé (industrie lourde et produ[its] manufacturés). Université. Archevêché.

**MONTES** (Maria Dolores) ~ Voir **Montez**.

**MONTESPAN** ~ Commune de Haute-Garon[ne]. Grotte ornée de gravures préhistoriques.

**MONTESPAN** (Françoise Athénaïs **de Roch[e]chouart de Mortemart**, marquise DE) ~ *16[41], Lussac-les-Châteaux, Poitou - 1707, Bourbon-l'A[r]chambault.* Dame française. Maîtresse de Louis X[IV], elle en eut huit enfants. Disgraciée en 1679 (affa[ire] des Poisons), elle quitta Versailles en 1691.

**MONTESQUIEU** (Charles **de Secondat**, baron [de] **La Brède et** DE) ~ *1689, château de La Brè[de], Bordelais - 1755, Paris.* Écrivain et philosophe fra[n]çais. Issu d'une famille de magistrats, il se for[ma] au droit, devint président à mortier du parlem[ent] de Bordeaux en 1716, vendit sa charge en 1728 p[uis] voyagea en Europe. Le succès de ses *Lettres persa[nes]* (1721) lui avait ouvert les salons parisiens ; [ses] *Considérations sur les causes de la grandeur [des] Romains et de leur décadence* (1734) annoncère[nt] *De l'esprit des lois* (1748, 22 éditions en deux an[s]) qui fonda le droit positif et jeta les bases de [la] sociologie. Son libéralisme tient dans une exigen[ce] d'équilibre des forces sociales, dont aucune ne d[oit] être sacrifiée. Atteint de cécité, il rédigea toutef[ois] l'article « Goût » pour l'*Encyclopédie*. Acad.

© Lauros-Giraudon

*Buste de* **Montesquieu** *par Jean-Baptiste Lemoyne (1704-1778). Musée des Arts décoratifs, Bordeaux.*

**MONTESQUIOU-FEZENSAC** (François, d[e]) ~ *1756, Marsan, Gascogne - 1832, Cirey-s[ur-] Blaise.* Homme politique français. Représentant [du] clergé aux États généraux, il s'opposa à la Consti[tu]tion civile du clergé (1790) et émigra. Ministre [de] l'Intérieur sous la Restauration (1814-1815). Ac[ad].

**MONTESSORI** (Maria) ~ *1870, Chiaravalle, p[rès] d'Ancône - 1952, Noordwijk, Pays-Bas.* Médecin [et] pédagogue italienne. Elle élabora une méthode édu[ca]tive fondée sur l'expérience sensorielle, la liberté e[t la] maîtrise de soi (*De l'enfant à l'adolescent*, 1948).

**MONTEUX** (Pierre) ~ *1875, Paris - 1964, H[an]cock, Maine.* Chef d'orchestre américain d'o[rigine] française. Après avoir dirigé l'orchestre des Bal[lets] russes (1911-1914), créant *Daphnis et Chloé*, [de] Ravel (1912), et *le Sacre du printemps*, de Stravin[ski] (1913), il fit une brillante carrière internationa[le].

**MONTEVERDI** (Claudio) ~ *1567, Crémon[e] - 1643, Venise.* Compositeur italien. Dans ses opé[ras] qui ouvrent la voie à l'opéra moderne (*Orfeo*, 16[07], *le Couronnement de Poppée*, 1642), dans ses œuv[res] eligieuses (*Vespro della Beata Vergine*, 1610) et dans es madrigaux (*Madrigali guerrieri e amorosi*, 1638), réalisa la synthèse de la tradition polyphonique t du nouveau style monodique. [☞ **opéra.**]

**/IONTEVIDEO** ~ Cap. de l'Uruguay, sur la rive J. du Río de La Plata ; 1 384 000 h. (elle abrite essentiel de la popul. urbaine du pays). C'est un ort de pêche et de comm. (export. de viande), et n centre industr. (agroalim., text. et habillement) t bancaire. Université. Premier port du Río de La lata durant la seconde moitié du XIXe s.

**IONTEZ** ou **MONTES** (Maria Dolores Eliza **Gil-ert**, dite Lola) ~ *1818, Limerick - 1861, New York.* venturière irlandaise. Elle séduisit et influença ouis Ier de Bavière, qui dut abdiquer (1848). Sa vie ıspira à Max Ophuls le film *Lola Montes*.

**/IONTEZUMA II** ~ Voir **Moctezuma II.**

**/IONTFAUCON** (Bernard DE) ~ *1655, Soulage, anguedoc - 1741, Paris.* Bénédictin de la congréga-ion de Saint-Maur et érudit. Il est considéré comme e père de la paléographie.

**/IONTFERMEIL** ~ V. de l'agglom. parisienne Seine-Saint-Denis), au N. de Marne-la-Vallée ; 5 556 h.

**IONTFERRAT** (le) ~ Région du N. de l'Italie Piémont), célèbre pour ses vignobles (vin d'Asti).

**IONTFERRAT (maison de)** ~ Famille lombarde ui s'illustra au cours des 3e et 4e croisades Conrad Ier et Boniface Ier **de Montferrat**).

**/IONTFORT** (Jean DE) ~ Voir **Jean de Montfort.**

**/IONTFORT**, famille noble française. ~ **Simon IV e Fort**, comte DE (*v. 1150 - 1218, Toulouse*), ommanda la croisade contre les albigeois (1208). obtint le comté de Toulouse (1215). Son fils ıné, ~ **Amaury VI**, comte DE (*1192 - 1241, Otrante*), céda ses droits sur le comté de Toulouse Louis VIII, roi de France. Son 3e fils, ~ **Simon**, omte **de Leicester** (*v. 1200 - 1265, Evesham, Vorcestershire*), mena la guerre des barons contre Ienri III, roi d'Angleterre (1258 puis 1261-1265).

**IONTFORT-L'AMAURY** ~ V. de l'O. de la ré-ion parisienne (Yvelines), au N. de Rambouillet ; 651 h. Ruines d'un château médiéval. Église XVe-XVIe s.). Maison de Maurice Ravel.

**/IONTGENÈVRE (col de)** ~ Passage des Hautes-Ipes (1 850 m) reliant Briançon à Turin. Station ouristique.

**/IONTGERON** ~ V. de la grande banlieue S. de aris (Essonne), en lisière de la forêt de Sénart ; 1 677 h.

**/IONTGOLFIER**, nom de deux frères inventeurs et ıdustriels français. ~ **Joseph** DE (*1740, Vidalon-ès-Annonay, Vivarais - 1810, Balaruc-les-Bains, Hé-ault*) et ~ **Étienne** DE (*1745, Vidalon-lès-Annonay - 799, Serrières, Ardèche*) conçurent la **montgolfière**, allon à air chaud (1782), et le bélier hydraulique, ıachine utilisée pour élever l'eau (1792). Ils rénovè-ent la technique de la papeterie en France.

**IONTGOMERY** ~ Capitale de l'Alabama (États-Jnis), sur la riv. Alabama (r. g.) ; 187 000 h. agglom. 293 000 h.). Université.

**/IONTGOMERY** (Gabriel, seigneur **de Lorges**, omte DE) ~ *v. 1530 - 1574, Paris.* Homme de uerre français. Il causa accidentellement la mort u roi Henri II lors d'un tournoi (1559). Devenu n des chefs protestants, il fut arrêté et exécuté.

**/IONTGOMERY OF ALAMEIN** (Bernard **Law /Iontgomery**, 1er vicomte) ~ *1887, Londres - 1976, ington Mill, Hampshire.* Maréchal britannique. 'ainqueur de Rommel à El-Alamein (1942), il ommanda les forces terrestres du débarquement de Jormandie (1944). Le 4 mai 1945, il reçut la apitulation des armées allemandes du Danemark, e Hollande et des îles Frisonnes.

**IONTHERLANT** (Henry DE) ~ *1895, Paris - 972, id.* Écrivain français. Styliste de la langue, picurien à l'idéal exigeant, il est l'auteur d'un héâtre de la noblesse morale (*le Cardinal d'Espagne*, 960) et de romans d'analyse psychologique parfois austiques et misogynes (*les Célibataires* ; 1934, *les eunes Filles*, 1936). Acad.

**/IONTHOLON** (Charles Tristan, comte DE) ~ *1783, aris - 1853, id.* Général français. Il accompagna Iapoléon Ier à Sainte-Hélène (1815-1821) et publia es mémoires et des récits.

**MONTICELLI** (Adolphe) ~ *1824, Marseille - 1886, id.* Peintre français. La rapidité de sa touche, l'épaisseur de l'empâtement, la violence de la couleur annoncent l'expressionnisme.

**MONTIGNY-LE-BRETONNEUX** ~ V. de l'O. de l'agglom. parisienne (Yvelines), partie de la ville nouvelle de Saint-Quentin ; 31 687 h.

**MONTIGNY-LÈS-CORMEILLES** ~ V. industr. de la banlieue N.-O. de Paris (Val-d'Oise) ; 17 012 h.

**MONTIGNY-LÈS-METZ** ~ V. de la banlieue S. de Metz (Moselle) ; 21 983 h.

**MONTIVILLIERS** ~ V. de l'agglom. du Havre (Seine-Maritime) ; 17 067 h. L'église (XVe s.) témoigne de l'existence d'une ancienne abbaye, fondée au VIIe s.

**MONTLHÉRY** ~ V. du S. de la région parisienne (Essonne) ; 5 195 h. Circuit automobile. Site d'une bataille entre Louis XI et Charles le Téméraire (1465). Tour, vestiges d'un château (XIe s.).

**MONTLUC** (Blaise, seigneur DE) ~ Voir **Monluc.**

**MONTLUÇON** ~ V. de l'Allier, sur le Cher, aux confins du Massif central et du Berry ; 44 248 h. (agglom. 63 018 h.). Pneumatiques, constructions mécaniques, confection. Musée régional, dans le château des ducs de Bourbon (XVe-XVIe s.).

**MONTMAURIN** ~ Localité de Haute-Garonne, au N. de Saint-Gaudens ; 205 h. Site préhistorique paléolithique (plus anc. fossile humain de France, avec celui de l'homme de Tautavel). Villa gallo-romaine (IVe s.).

**MONTMORENCY** ~ V. de la banlieue N. de Paris (Val-d'Oise), au S. de la forêt domaniale de Montmorency (3 500 ha) ; 20 920 h. Arboriculture, industr. pharmaceut., alim. Collégiale St-Martin (XVIe s., avec vitraux Renaissance).

**MONTMORENCY**, famille noble française. ~ **Mathieu II** (*v. 1174 – 1230*), connétable de France, se distingua à Bouvines (1214), fit campagne contre les albigeois et appuya Blanche de Castille pendant la minorité de Louis IX. ~ **Anne** (*1493, Chantilly - 1567, Paris*), 1er duc de Montmorency, maréchal de France, favori de François Ier, fut conseiller d'Henri II. Allié aux Guises, il s'opposa à la politique d'apaisement de Catherine de Médicis et fut tué à Saint-Denis en combattant le parti protestant. ~ **Henri Ier** (*1534, Chantilly - 1614, Agde*), connétable de France, fils du précédent, favorisa l'avènement d'Henri IV. ~ **Henri II** (*1595 - 1632, Toulouse*), maréchal de France, fils du précédent, dernier duc de Montmorency. Gouverneur du Languedoc, il combattit les protestants et fut exécuté pour intrigues contre Richelieu.

**MONTOIR-DE-BRETAGNE** ~ V. industr. (Loire-Atlantique) du N.-E. de Saint-Nazaire ; 6 585 h. Terminal méthanier, industr. chim., constr. mécan.

**MONTOIRE-SUR-LE-LOIR** ~ V. du Loir-et-Cher (4 065 h.). Les deux **entrevues de Montoire**, entre Laval et Hitler (22 oct. 1940) et entre Hitler et Pétain (24 oct. 1940), posèrent les bases de la collaboration entre la France et l'Allemagne.

**MONTPELLIER** ~ Préfect. de l'Hérault et de la Région Languedoc-Roussillon, sur le Lez, près de la Méditerranée, en forte expansion démographique (technopôle) ; 207 996 h. (agglom. 248 303). Princ. ville du Languedoc, c'est un centre commercial (vins, prod. agric.), industriel (électron., pharmaceut., métall., alim.) et culturel. Université (dont la faculté de médecine, fondée en 1220, la plus anc. d'Europe), écoles militaires. Cour d'appel. Cathédrale (XIVe s.), ensembles urbains des XVIIe et XVIIIe s. (promenade du Peyrou) et contemporain (Antigone, de R. Bofill). 2 Opéras. Musée Fabre, jardin botanique (1583). Important centre comm. des épices au Moyen Âge, la ville, possession du royaume de Majorque au XIIIe s., rattachée à la Couronne en 1349, fut un foyer du calvinisme aux XVIe et XVIIe s.

**Montpellier-le-Vieux** ~ Site ruiniforme de l'Aveyron, formé dans le calcaire du causse Noir par l'érosion.

**MONTRÉAL** ~ V. princ. du Québec, métropole industr. et tertiaire, sur le Saint-Laurent (r. g.) ; 1 018 000 h. (3 127 000 h. avec l'agglom., la plus grande du Canada). Aux deux tiers francophone, elle est le principal centre intellectuel et culturel du pays : 4 universités (dont 2 francophones), musée d'art moderne. Centre anc. préservé (monuments des XVIIe et XVIIIe s.). 2e port canadien, bien que pris par les glaces de décembre à avril. Son centre ultramoderne contraste avec les quartiers résidentiels ou industriels plus anciens, à la périphérie. Fondée en 1642, elle fut capitale du Canada britannique de 1844 à 1849.

© Grandadam-Explorer

*Montréal.*

**MONTREUIL** ou **MONTREUIL-SOUS-BOIS** ~ L'une des plus grandes v. de la banlieue de Paris (Seine-Saint-Denis), limitrophe de la capitale ; 94 754 h. Industr. diversifiées. G. Méliès y fonda le 1er studio de cinéma. Église St-Pierre-et-St-Paul (chœur des XIIe et XIIIe s.), musée de l'Histoire vivante (mouvement ouvrier).

**MONTREUIL-SUR-MER** ~ V. du Pas-de-Calais, sur la Canche, près du Touquet ; 2 450 h. Remparts (XIIIe-XVIIe s.) et citadelle (XVIe s.).

**MONTREUX** ~ Station climatique de Suisse (canton de Vaud), au bord du lac Léman ; 23 000 h. Vins, chocolaterie, orfèvrerie. Festival de jazz.

**MONTROUGE** ~ V. de la banlieue S. de Paris (Hauts-de-Seine), limitrophe de la capitale ; 38 106 h. Constr. mécan., industries électr., agroalim., chim., électron., imprimerie. École normale supérieure. Fort du XIXe s.

**MONT-SAINT-AIGNAN** ~ V. résidentielle de la banlieue N. de Rouen (Seine-Maritime) ; 19 961 h. Centre universitaire.

**MONT-SAINT-MICHEL (Le)** ~ Commune de la Manche située sur un îlot rocheux, au fond de la **baie du Mont-Saint-Michel** (marées de très forte amplitude), reliée à la côte par la digue de Pontorson (1879) ; 72 h. Tourisme. Anc. lieu de pèlerinage (dès le VIIIe s.). Abbaye bénédictine romane et gothique dominée par une église (aumônerie, salles des Hôtes et des Chevaliers, réfectoire, cellier, cloître) ; remparts (XIIIe et XVe s.).

**MONTSÉGUR** ~ Village des Pyrénées ariégeoises ; 124 h. Sur un piton rocheux, ruines de la dernière forteresse cathare, prise en mars 1244.

**MONTSERRAT** (le) ~ Massif gréseux de Catalogne, au N.-O. de Barcelone ; 1 235 m. Monastère bénédictin depuis le XIe s., pèlerinage de la Vierge noire.

**MONTSERRAT** ~ Île volcan. des Antilles britanniques (Leeward Islands) ; 102 $km^2$, 12 000 h. (maj. Noirs), cap. Plymouth. Coton. Tourisme.

**Monuments français (musée des)** ~ Musée de sculpture comparée ouvert en 1882 et installé en 1937 au palais de Chaillot. Il présente sous forme de moulages les œuvres significatives de l'art monumental français, de l'époque romane au XIXe s.

**MONZA** ~ V. industr. d'Italie (Lombardie), à la périphérie de l'agglom. de Milan ; 121 000 h. Constr. autom., électrotechnique. Circuit automobile.

**MOORE** (Henry) ~ *1898, Castleford, Yorkshire - 1986, Much Hadham, Hertfordshire.* Sculpteur britannique. Ses statues monumentales, entre art figuratif et abstraction, cherchent l'équilibre entre les masses, les volumes et les cavités.

**MOORE** (Thomas) ~ *1779, Dublin - 1852, Sloperton, Londres.* Poète irlandais. Il chanta son pays natal (*Mélodies irlandaises*, 1807). Son recueil *les Amours des anges* (1823) fut censuré pour irréligion.

**MOOREA** ~ Île volcan. de Polynésie française (archipel de la Société), près de Tahiti ; 132 km², env. 9 000 h. Tourisme.

**MOPTI** ~ V. du Mali, sur le Niger (delta intérieur), centre d'une région agricole (riz, millet, bétail) ; 78 000 h. (3ᵉ v. du pays). Pêche.

**MORAIS** (Francisco DE) ~ *1500, Lisbonne - 1572, Évora.* Écrivain portugais. Il composa des romans de chevalerie, dont *Palmerin d'Angleterre*, qui connut un grand succès.

**MORALES** (Cristóbal DE) ~ *v. 1500, Séville - 1553, Marchena ou Málaga.* Compositeur espagnol. Chef de file de l'école polyphonique andalouse, il travailla à Rome pour le Saint-Siège (*Jubilate Deo omnis terra*, 1538).

**MORALES** (Luis DE), surnommé **El Divino** ~ *v. 1515-1520, Badajoz - 1586, id.* Peintre espagnol. Influencé par les maniéristes italiens, il exprima une sensibilité religieuse tout en suavité.

**MORAND** (Paul) ~ *1888, Paris - 1976, id.* Écrivain français. Romancier de la modernité cosmopolite et mondaine (*Lewis et Irène*, 1924 ; *l'Homme pressé*, 1941), il fut le témoin incisif du monde, qu'il a sillonné et observé (*Venises*, 1971). Acad.

**MORANDI** (Giorgio) ~ *1890, Bologne - 1964, id.* Peintre italien. Il est l'auteur de paysages et de natures mortes d'un grand raffinement chromatique.

**MORANE**, nom de deux frères aviateurs et industriels français. ~ **Léon** (*1885, Paris - 1918, id.*) et ~ **Robert** (*1886, Paris - 1968, id.*) fondèrent avec l'ingénieur Saulnier la firme aéronautique **Morane-Saulnier** (1910), l'une des premières à se spécialiser dans la construction de prototypes.

**MORANTE** (Elsa) ~ *1912, Rome - 1985, id.* Romancière italienne. Elle explora les conflits qui naissent du choc entre l'univers de l'enfant et le monde des adultes (*l'Île d'Arturo*, 1957 ; *la Storia*, 1974).

**MORAVA**, nom de deux riv. tributaires du Danube. ~ Affl. de la r. g., qui arrose la Moravie (République tchèque) puis forme la frontière entre l'Autriche et la Slovaquie jusqu'au confluent, près de Bratislava ; 365 km. ~ Affl. de la r. dr., dont le bassin englobe le S. de la Serbie (axe économique du pays), qui conflue à Belgrade et borne les Alpes dinariques à l'E. ; 318 km.

**MORAVIA** (Alberto **Pincherle**, dit Alberto) ~ *1907, Rome - 1990, id.* Écrivain et critique italien. Marqué par le marxisme et la psychanalyse, il décrit dans un style épuré la difficulté d'être de ses contemporains (*le Conformiste*, 1951 ; *le Mépris*, 1954).

**MORAVIE** (la) ~ Partie orientale de la République tchèque, formée par les bassins de la Morava et du cours supérieur de l'Oder, dominée au N. par les Sudètes ; 26 000 km², env. 4 000 000 d'h., v. princ. Brno, Ostrava, Olomouc. Maïs, fruits, vigne. Industr. (sidérurgie, chimie) au N., en difficulté, pétrole au S. **HIST.** - Centre du premier État créé par des Slaves de l'O., la Grande-Moravie (IXᵉ s.), elle fut conquise par les Magyars, puis par les Polonais. Rattachée à la Bohême en 1029, elle en suit depuis lors le destin.

**MORAY** (le) ~ Golfe du N.-E. de l'Écosse (mer du Nord), dans le prolongement du Glen More. Il a donné son nom à une province (auj. district de la région des Grampians), patrie de Macbeth.

**MORAY** ou **MURRAY** (Jacques **Stuart**, comte DE) ~ *v. 1531-1570, Linlithgow.* Fils naturel de Jacques V. Il fut nommé régent d'Écosse (1567-1570) après l'abdication de Marie Iʳᵉ Stuart, sa demi-sœur, et mourut assassiné.

**MORBIHAN (golfe du)**, du breton ***mor-bihan***, « petite mer » ~ Golfe presque fermé du S. de la Bretagne (120 km²), parsemé d'îles (aux Moines, Ars, Gavrinis), prolongé par les rivières de Vannes et d'Auray. Tourisme.

**MORBIHAN** (le) ~ Dép. de la Région Bretagne, sur l'Atlantique, formé de collines et de bas plateaux du massif Armoricain, relevé au S. dans les landes de Lanvaux (175 m) ; 6 763 km², 619 838 h., préfect. Vannes. Le littoral est découpé (rias du Scorf, du Blavet, presqu'île de Quiberon, golfe du Morbihan, estuaire de la Vilaine) et précédé d'îles (Groix, Belle-Île). L'intérieur est dominé par les activités rurales, auj. modernisées (élevage hors-sol). Tourisme baln. et plaisance (Quiberon, Belle-Île), pêche dans la région de Lorient (port de commerce, arsenal et princ. agglom.).

**MORDOVIE** (la) ~ République de la fédération de Russie, au S. de Nijni-Novgorod, région de forêt mixte et de steppes ; 26 200 km², 963 000 h., dont 33 % de **Mordves** (finno-ougriens) et 60 % de Russes, cap. Saransk. Céréales (terres noires).

**MORE** (saint Thomas) ~ *1478, Londres - 1535, id.* Juriste et humaniste anglais. Chancelier d'Henri VIII (1529). Resté catholique, il désapprouva le divorce du roi, fut disgracié (1532) puis exécuté. Son *Utopie* (1516) décrit l'organisation d'une société idéale. [☞ **utopie.**]

Thomas **More** *(détail), peinture de Pierre Paul Rubens (1577-1640). Musée du Prado, Madrid.*


**MORÉAS** (Ioánnis **Papadiamandopoúlos**, dit Jean) ~ *1856, Athènes - 1910, Paris.* Poète français d'orig. grecque. D'abord symboliste, il tenta de restaurer le classicisme en fondant l'« école romane » avec Ch. Maurras (*Stances*, 1899-1901).

**MOREAU**, nom de deux artistes français. ~ **Louis Gabriel**, dit **l'Aîné** (*1740, Paris - 1806, id.*), fut un excellent paysagiste. Son frère ~ **Jean-Michel**, dit **le Jeune** (*1741, Paris - 1814, id.*), dessinateur et graveur, illustra les œuvres de Rousseau, de Molière et de Voltaire.

**MOREAU** (Gustave) ~ *1826, Paris - 1898, id.* Peintre français. Ses tableaux et ses aquarelles allégoriques et mythologiques (*Œdipe et le Sphinx*, 1869 ; *Jupiter et Sémélé*, 1895) en font le maître du symbolisme. [☞ **symbolisme.**]

**MOREAU** (Jeanne) ~ *1928, Paris.* Actrice française. Après ses débuts à la Comédie-Française et au T. N. P., elle s'est imposée au cinéma, not. avec L. Malle (*Ascenseur pour l'échafaud*, 1957), M. Antonioni (*la Nuit*, 1961), Fr. Truffaut (*Jules et Jim*, 1962) et L. Buñuel (*le Journal d'une femme de chambre*, 1964).

**MOREAU** (Jean Victor) ~ *1763, Morlaix - 1813, Laun, auj. Louny, Bohême.* Général français. Nommé général en 1793, il fut associé au coup d'État de Bonaparte (1799). En 1800, il battit les Autrichiens à Hohenlinden. Puis, coupable de n'avoir pas dénoncé la conspiration de Pichegru et Cadoudal, il fut banni (1804) et émigra aux États-Unis. En 1813, il passa au service du tsar Alexandre Iᵉʳ et fut mortellement blessé à Dresde.

**MORÉE (despotat de)** ~ Voir **Mistra**.

**MORELIA**, anc. **Valladolid** ~ V. du Mexique central, cap. de l'État du Michoacán ; 493 000 h. Archevêché, université. Industrie alim., artisanat. Monuments baroques (dont cathédrale).

**MORELOS** (le) ~ Petit État du Mexique, au S. de Mexico, réputé pour la douceur de son climat ; 4 941 km², 1 195 000 h., cap. Cuernavaca. Agric. tropicale, villégiature. Base d'E. Zapata en 1910.

**MORELOS Y PAVÓN** (José María) ~ *1765, Valladolid, auj. Morelia - 1815, San Cristóbal Ecatepec, auj. Ecatepec Morelos.* Prêtre mexicain. En 1810, il prit la tête du soulèvement contre l'Espagne. Il fit proclamer l'indépendance (1813) mais, arrêté par Iturbide, il fut fusillé.

**MORENA (sierra)** ~ Rebord montagneux S. de la Meseta (Espagne), qui culmine à plus de 1 300 m et domine la vallée du Guadalquivir. Maquis.

**MORENO** (Jacob Levy) ~ *1892, Bucarest - 197[…] Beacon, État de New York.* Psychosociologue amér[…]cain d'orig. roumaine. S'inspirant de la psychan[…]lyse, il élabora des méthodes thérapeutiques fondé[…] sur la dynamique de groupe (*Psychodrame*, 1946[…]

**MORETO Y CABAÑA** (Agustín) ~ *1618, M[…]drid - 1669, Tolède.* Dramaturge espagnol. Il fut l'u[…] des derniers grands du théâtre du Siècle d'[…] (*Dédain pour dédain*, 1652).

**MORET-SUR-LOING** ~ V. pittoresque de Sein[…]et-Marne (près du confluent Loing-Seine), à l'[…] de Fontainebleau ; 4 174 h. Église Notre-Dam[…] (XIIᵉ-XVᵉ s.), vieilles demeures (XVᵉ-XVIᵉ s.), port[…] fortifiées (XIVᵉ s.), maison de Sisley.

**MOREZ** ~ V. du Jura et premier centre frança[…] de la lunetterie, sur la Bienne, au N.-E. [… ] Saint-Claude ; 6 957 h. Horlogerie, tourisme. Éco[…] nationale d'optique.

**MORGAGNI** (Giambattista) ~ *1682, Forli - 177[…] Padoue.* Anatomiste italien. Son recueil, *Opera omn[…]* (1762), ouvrit une nouvelle voie à la médecine.

**MORGAN** (Lewis Henry) ~ *1818, près d'Auror[…] État de New York - 1881, Rochester.* Anthropologu[…] américain. Il s'intéressa aux systèmes de paren[…] dans les sociétés archaïques ou développées, rel[…]vant l'influence de la technologie et de l'économ[…] dans leur évolution (*la Société archaïque*, 1877[…]

**MORGAN** (Simone **Roussel**, dite Michèle) ~ *192[…] Neuilly-sur-Seine.* Actrice française. Lancée par Ma[…] Allégret (*Gribouille*, 1937), elle est devenue l'un d[…] grands mythes féminins du cinéma français (*Qu[…] des brumes*, de M. Carné, 1938 ; *la Symphon[…] pastorale*, de J. Delannoy, 1946).

**MORGAN** (Thomas Hunt) ~ *1866, Lexingto[…] Kentucky - 1945, Pasadena.* Biologiste américain. [… ] partir de ses expériences sur la drosophile, il conç[…] la théorie chromosomique de l'hérédité, établissa[…] le rôle et la répartition des gènes sur les chr[…]mosomes. Prix Nobel de physiol. ou méd. 193[…] [☞ **gène.**]

**MORGARTEN** ~ Montagne de Suisse. Les conf[…]dérés des cantons de Schwyz, d'Unterwald et d'U[…] y remportèrent sur Léopold Iᵉʳ de Habsbourg, d[…] d'Autriche, une victoire qui assura leur indépe[…]dance (15 nov. 1315).

**MORGENSTERN** (Oskar) ~ *1902, Görlitz, Saxe[…] 1977, Princeton.* Économiste américain d'ori[…] autrichienne. Il se spécialisa dans les recherch[…] sur la théorie des jeux et des comportemen[…] économiques.

**MÖRIKE** (Eduard) ~ *1804, Ludwigsburg, Wurten[…]berg - 1875, Stuttgart.* Écrivain romantique all[…]mand. Son œuvre est hantée par les caprices de [… ] destinée (*le Peintre Nolten*, 1832).

**MORIN** (le) ~ Nom de deux affl. de la Marr[…] (r. g.) qui entaillent la Brie, le **Petit Morin** (90 kn[…] et le **Grand Morin** (112 km).

**MORIN** (Edgar) ~ *1921, Paris.* Sociologue fra[…]çais. Spécialiste de la culture et de la communic[…]tion de masse (*la Rumeur d'Orléans*, 1969), il [… ] ensuite développé une théorie générale des systèm[…] axée sur l'idée de complexité (*la Méthode*, 197[…] 1991).

**Morins** (les) ~ Peuple celte du Boulonnais so[…]mis par César en 52 av. J.-C.

**MORI Ôgay** (**Mori** Rintarô, dit) ~ *1862, Ts[…]wano - 1922, Tôkyô.* Écrivain japonais. Il combatt[…] l'école naturaliste en ouvrant la littérature de sc[…] pays aux influences étrangères (*l'Oie sauvag[…]* 1911-1913).

**MORISOT** (Berthe) ~ *1841, Bourges - 189[…] Paris.* Peintre français. Modèle et belle-sœur [… ] Manet. Elle peignit l'univers féminin et donna [… ] l'impressionnisme l'un de ses visages les pl[…] délicats (*le Berceau*, 1873).

**MORITZ** (Karl Philipp) ~ *1756, Hameln, Saxe[…] 1793, Berlin.* Écrivain allemand. Il subit les i[…]fluences du rationalisme des Lumières, du piétism[…] et du préromantisme (*Anton Reiser*, 1785-1790[…]

**MORLAIX** ~ V. du Finistère, dans le Léon, marc[…] de produits maraîchers ; 16 701 h. Constructio[…] mécaniques, industrie alimentaire, imprimerie, m[…]nufacture de tabac. Église gothique St-Melain[…] vieilles demeures, musée de peinture (Courbe[…] Delacroix, Monet, Boudin).

**MORLEY** (Thomas) ~ *1557 ou 1558, Norwich[…] 1602, id.* Compositeur anglais. Élève de W. Byr[…]

fut un brillant madrigaliste et développa en ıgleterre le style italien.

**IORNAY** (Philippe DE), dit **Duplessis-Mornay** ~ 549, *Buhy, auj. Val-d'Oise - 1623, La Forêt-sur-vre, Poitou.* Conseiller de Coligny et d'Henri IV. onverti au calvinisme, il fonda la première :adémie protestante à Saumur (1599).

**IORNE-À-L'EAU** ~ V. et marché agricole de rande-Terre (Guadeloupe) ; 16 058 h. Bananes, ınne à sucre, rhumeries.

**IORNY** (Charles, duc DE) ~ *1811, Paris - 1865,* . Homme politique français. Fils naturel de la ine Hortense et du comte de Flahaut, demi-frère : Napoléon III, il joua un rôle décisif dans le coup État du 2 décembre 1851. Ministre de l'Intérieur, ıis président du Corps législatif (1854-1865), il : lança activement dans les affaires dès 1851 et onda la station balnéaire de Deauville.

**IORO** (Aldo) ~ *1916, Maglie, Pouille - 1978, ›me.* Homme politique italien. Dirigeant de la émocratie chrétienne, président du Conseil .963-1968 et 1974-1976), il fut l'artisan du compromis historique » avec le parti communiste. fut enlevé et assassiné par les Brigades rouges le 5 mars 1978.

**IORO** (Antoon **Mor Van Dashorst**, dit Anto-o) ~ *v. 1519, Utrecht - 1576, Anvers.* Peintre ›llandais. Influencé par Titien, il exécuta à Madrid, ›ndres et Bruxelles des portraits de cour d'une ande sévérité (*Marie Tudor*, 1553).

**IORONI** ~ Cap. des Comores, sur la côte O. de le de la Grande Comore, au pied du volcan arthala, toujours actif ; 22 000 h. Lieu de pèleri-ıge musulman : tombeau du marabout El-Marouf mosquée du Vendredi.

**IORONI** (Giovanni Battista) ~ *v. 1528, Albino, ès de Bergame - 1578, Bergame.* Peintre italien. ›rtraitiste au sobre réalisme social, il fut l'un des emiers à introduire l'esprit de la Contre-Réforme ıns la peinture lombarde.

**IORONOBU** (**Hishikawa** Moronobu, dit) ~ *v. 518, Hota, préfect. de Chiba - v. 1694, Edo.* Peintre ponais. Ses estampes marquèrent la naissance un art national affranchi des modèles chinois.

**Ioros** (les) ~ Peuple musulman des îles Minda-ıo et Sulu, aux Philippines.

**IORPHÉE** ~ Personnage de la mythologie grec-ıe. Fils d'Hypnos, il dispense le sommeil aux ortels en les effleurant de la tige d'une fleur de ıvot et il crée les rêves.

**IORRICONE** (Ennio) ~ *1928, Rome.* Composi-ur italien. Il mêle thèmes populaires et harmonies ectaculaires dans les films de S. Leone (*le Bon, Brute et le Truand*, 1966), de P. P. Pasolini *Théorème*, 1968) ou de B. Bertolucci (*1900*, 1976).

**IORRIS** (Robert) ~ *1931, Kansas City.* Sculpteur ıéricain. Adepte du minimalisme radical, il court parfois au principe du ready-made (*Labyrin-es*, 1974).

**IORRIS** (William) ~ *1834, Walthamstow, Essex - 396, Hammersmith, près de Londres.* Décorateur et rivain britannique. Disciple des préraphaélites, il uvra au renouvellement des arts décoratifs en inspirant du Moyen Âge. En 1861, il fonda une brique de papier de tenture.

**IORSANG-SUR-ORGE** ~ V. du S. de l'agglom. ırisienne (Essonne) ; 19 400 h.

**IORSE** (Samuel) ~ *1791, Charlestown, Massa-usetts - 1872, New York.* Inventeur et peintre ıéricain. Il mit au point le télégraphe électrique 832) et l'alphabet qui porte son nom.

**IORT (vallée de la)**, en angl. *Death Valley* ~ Pro-nde dépression désertique (- 82 m) du S. de la alifornie (États-Unis), au S.-E. du Grand Bassin, ceptionnellement aride (pluies : 42 mm/an) et ıaude (55 °C en été).

**IORTAGNE-AU-PERCHE** ~ V. du Perche (Orne), l'E. d'Alençon ; 4 584 h. Monuments médiévaux, naissance. Musée du Perche.

**IORTE (mer)** ~ Lac salé de Palestine (1 020 km²), cupant le fond d'un fossé tectonique (alt. 400 m), dans le prolongement asiatique de la Rift alley, aux rives désertes (Israël-Cisjordanie à l'O., rdanie à l'E.), alimenté au N. par le Jourdain. Le ux de salinité excède 30 % en profondeur et ne rmet aucune vie.

**Morte (manuscrits de la mer)** ~ Ensemble de manuscrits provenant de la bibliothèque d'un monastère essénien situé près de Qumran (Palestine). Cachés dans des grottes, avant la destruction du monastère par les Romains (Iᵉʳ s.), ils furent découverts entre 1947 et 1956. Leur étude a permis de progresser dans la connaissance de l'histoire des textes bibliques et du judaïsme.

**MORTEAU** ~ V. du Jura (Doubs), sur le Doubs, en aval de Pontarlier ; 6 458 h. Horlogerie, saucisses fumées. Tourisme.

**MORT-HOMME** (le) ~ Crête boisée située au N.-O. de Verdun, enjeu de luttes acharnées pendant la Première Guerre mondiale. Les assauts allemands s'y brisèrent (mars 1916).

**MORTIER** (Adolphe), duc **de Trévise** ~ *1768, Le Cateau-Cambrésis - 1835, Paris.* Maréchal de France. Volontaire en 1791, il se distingua sous Napoléon Iᵉʳ pendant la campagne de Russie. Il rallia ensuite Louis XVIII. Président du Conseil en 1834, il fut tué dans l'attentat de Fieschi.

**MORTILLET** (Gabriel DE) ~ *1821, Meylan, Isère - 1898, Saint-Germain-en-Laye.* Archéologue et préhistorien français. Il proposa une chronologie reposant sur la succession des types d'outils utilisés et formula l'hypothèse de l'existence d'êtres intermédiaires entre le singe et l'homme (*le Préhistorique, antiquité de l'homme*, 1882). [☞ **préhistoire.**]

**MORTIMER DE WIGMORE** ~ Famille féodale galloise dont est issu **Roger**, comte DE LA MARCHE (*1286 ou 1287 - 1330, Londres*). Amant de la reine Isabelle de France, il conspira contre le roi Édouard II, qui fut renversé puis exécuté (1327). Il devint le maître de l'Angleterre, mais fut arrêté et tué sur ordre d'Édouard III.

**MORTON** (James **Douglas**, comte DE) ~ *v. 1525, Dalkeith - 1581, Édimbourg.* Régent d'Écosse (1572-1580) sous Jacques VI. Il fut exécuté pour avoir pris part au meurtre de Darnley.

**MORVAN** (le) ~ Extrémité N.-E. du Massif central, massif cristallin aux formes émoussées (900 m au Haut-Folin) qui sépare les dépressions du Bazois (vallée de l'Yonne), à l'O., de l'Auxois et de l'Autunois, à l'E. Climat rude et humide (fortes précipitations neigeuses). Forêts et herbages (élevage bovin). Exploitation du bois. Parc naturel régional (depuis 1970). Oppidum gaulois de Bibracte, au mont Beuvray (811 m).

**MORZINE** ~ Station de sports d'hiver du Chablais (Haute-Savoie) ; 2 967 h.

**MOSCOU**, en russe *Moskva* ~ Cap. de la Russie, sur la Moskova (affl. de l'Oka), à égale distance de la frontière polonaise, de la vallée de la Volga, des mers Noire et Baltique, au cœur des plaines russes (climat continental) ; 8 880 000 h. L'agglomération s'est étendue en anneaux concentriques autour du Kremlin, de la place Rouge et du centre historique, de superficie restreinte, et couvre plus de 1 000 km², aérés par des espaces verts et récréatifs. Outre ses fonctions politique, culturelle, universitaire, touristique et commerciale, c'est un grand centre industriel servi par la convergence des voies de communication. L'architecture de l'époque stalinienne reste un signe distinctif du paysage urbain (université Lomonossov, métro). Le centre historique, moins riche que celui de Saint-Pétersbourg, comporte not. les palais et cathédrales du Kremlin (fin du XVᵉ s.), l'église à coupoles Basile-le-Bienheureux (XVIᵉ s.), et de nombreux édifices religieux et civils de style néoclassique. Théâtres du Bolchoï (1825), Maly, d'Art. Musée Pouchkine (peinture et archéologie), galerie Tretiakov (peinture russe). **HIST.** - La ville, apparue dans les chroniques russes en 1147, devint le centre de la principauté de Moscovie au XIIIᵉ s. Après être passée sous domination mongole, prise par les Polonais en 1611, elle fut délivrée par le peuple en 1612. Elle perdit son statut de capitale au profit de Saint-Pétersbourg sous Pierre le Grand (1715). Occupée par les troupes de Napoléon Iᵉʳ en 1812, elle fut incendiée sur l'ordre de son gouverneur militaire, qui contraignit ainsi les Français au repli. Les théories marxistes s'y propagèrent dès 1880, conduisant à une insurrection en 1905 et à la victoire des bolcheviks en octobre 1917. Siège du gouvernement soviétique (1918), elle redevint capitale de l'U. R. S. S. en 1922. Durant la Seconde Guerre mondiale, elle opposa une résistance décisive, qui permit de stopper les offensives allemandes.

© Ph. Roy-Explorer

*Moscou, la place Rouge.*

**MOSELEY** (Henry Gwyn Jeffreys) ~ *1887, Weymouth - 1915, Gallipoli.* Physicien britannique. Il découvrit la spectroscopie des rayons X et énonça la loi qui porte son nom. Ses recherches permirent de déterminer le numéro atomique des éléments et de compléter le tableau de Mendeleïev (1913). [☞ **éléments.**]

**MOSELLE** (la) ~ L'un des affl. majeurs du Rhin (r. g.), issu des Vosges, qui arrose la Lorraine et forme une partie de la frontière Allemagne-Luxembourg ; 550 km. Son cours inférieur entaille le Massif schisteux rhénan (côtes viticoles). La Moselle traverse Épinal, Toul, Metz, Thionville en France, Trèves et Coblence en Allemagne. Princ. affl. Meurthe, Seille, Sarre, Sûre. C'est un axe majeur de navigation (canalisé jusqu'aux environs de Nancy), au centre du vieux bassin industriel lorrain, relié par canaux à la Seine et à la Marne.

**MOSELLE** (la) ~ Dép. de la Région Lorraine, frontalier du Luxembourg et de l'Allemagne, occupé en majeure partie par le plateau lorrain, entaillé à l'O. par la Moselle, que domine la côte de Moselle, et débordant à l'E. sur les Vosges du N. ; 6 216 km², 1 011 302 h. préfect. Metz. Céréales, élev., arbres fruitiers. Le sous-sol est riche (fer, houille, sel) et, malgré la crise de la sidérurgie, l'industrie domine la vie économique (chimie, métallurgie, verrerie) le long de la Moselle en aval de Metz (Thionville) et autour du bassin minier de la Sarre (Forbach). Le tourisme se développe autour des étangs et forêts du S. (parc régional de Lorraine).

**Mosis** (les) ~ Voir **Mossis.**

**MOSKOVA** (la), en russe *Moskva* ~ Affl. de l'Oka et sous-affl. de la Volga (Russie), qui arrose Moscou ; 502 km.

**Moskova (bataille de la)** ~ Voir **Borodino.**

**Mosquitos** (les) ~ Voir **Miskitos.**

**MOSQUITOS (côte des)**, en esp. *Mosquitia* ~ Région très chaude et humide de la côte caraïbe d'Amérique centrale (Honduras, Nicaragua), peuplée par des Indiens (Miskitos ou **Mosquitos**) et des descendants d'anc. esclaves noirs.

**MOSSADEGH** (Mohammad **Hedayat**, dit) ~ *1881, Téhéran - 1967, id.* Homme politique iranien. Partisan de la nationalisation de l'industrie pétrolière et Premier ministre en 1951, il fut déposé en 1953 par un coup d'État fomenté par la C. I. A. L'autorité du chah fut alors rétablie.

**MÖSSBAUER** (Rudolf) ~ *1929, Munich.* Physicien allemand. En 1958, il promut l'étude de la structure des transitions nucléaires grâce à la découverte d'un effet de résonance nucléaire (**effet Mössbauer**). Prix Nobel de phys. 1961.

**Mossis** ou **Mosis** (les) ~ Peuple d'agriculteurs du Burkina Faso. Fondateurs de royaumes depuis le XVᵉ s., ils firent partie des tirailleurs sénégalais à l'époque coloniale. Ils sont aujourd'hui env. 4 000 000 d'individus. Ils parlent le moré, langue d'origine soudanaise.

**MOSSOUL** ou **MOSUL** ~ 2ᵉ v. d'Iraq, sur le Tigre, dans le N. du pays, au pied des montagnes du Kurdistan ; 600 000 h. Industries textile (mousseline), alimentaire, élevage. Mausolées, mosquées du XIIᵉ s. Musée archéologique. C'est le centre de la Mésopotamie septentrionale. **HIST.** - Capitale de l'État seldjoukide (fin du XIe s.), elle passa sous la domination perse, puis ottomane. En nov. 1918, les Britanniques l'occupèrent, puis la rattachèrent à l'Iraq sous mandat britannique. En 1926, la Société des Nations l'attribua à l'Iraq.

**MOSTAGANEM** ~ Voir **Mestghanem**.

**MOSTAR** ~ V. du S. de la Bosnie-Herzégovine, sur la Neretva, centre comm. et agric. (tabac) et cap. des Croates de Bosnie ; 126 000 h. Architecture romane, gothique et musulmane (mosquées). Ce patrimoine a souffert des bombardements serbes au cours du conflit de 1992-1995.

**MOTHERWELL** (Robert) ~ *1915, Aberdeen, État de Washington - 1991, Provincetown, Massachusetts.* Peintre américain. Pionnier de l'expressionnisme abstrait, il évolua vers un dépouillement formel riche de signification psychanalytique.

**MO-TSEU** ~ Voir **Mozi**.

**MOTTA** (Giuseppe) ~ *1871, Airolo, Tessin - 1940, Berne.* Homme d'État suisse. Conseiller fédéral, responsable des Affaires étrangères et plusieurs fois président de la Confédération entre 1915 et 1937, il œuvra au maintien de la neutralité helvétique.

**MOUASKAR**, anc. **Mascara** ~ V. d'Algérie, au S.-E. d'Oran, centre industriel. et commercial (vins), ch.-l. de wilaya ; 71 000 h. Capitale choisie par Abd el-Kader en 1832.

**MOUBARAK** (Hosni) ~ *1928, Kafr al-Musilha.* Homme d'État égyptien. Vice-président de la République (1975), successeur de Sadate à la présidence (1981), il poursuit une politique de rapprochement avec Israël.

**MOUCHET (mont)** ~ L'un des sommets de la Margeride (Haute-Loire), en Auvergne (1 465 m). Important centre de la Résistance (mai 1944), il accueillit le quartier général des F. F. I. d'Auvergne.

**MOUCHEZ** (Ernest) ~ *1821, Madrid - 1892, Wissous, Essonne.* Amiral et astronome français. Il établit des cartes côtières et marines d'Afrique, d'Asie et d'Amérique, et conçut le projet de la carte photographique du ciel (1887).

**MOUGINS** ~ V. touristique des Alpes-Maritimes, au N. de Cannes ; 13 014 h. Musée automobile.

**MOUILLARD** (Louis) ~ *1834, Lyon - 1897, Le Caire.* Ingénieur français. Théoricien et pionnier de l'aviation.

**MOUKDEN** ~ Voir **Shenyang**.

**MOULE (Le)** ~ V. de la côte E. de la Guadeloupe (Grande Terre) ; 18 086 h.

**MOULIN** (Jean) ~ *1899, Béziers - 1943, en déportation.* Résistant français. Préfet d'Eure-et-Loir en 1940, écarté par le gouvernement de Vichy, il rallia le général de Gaulle, qui le chargea d'unifier la Résistance (création des Mouvements unis de la Résistance). Premier président du C. N. R. en 1943, il fut arrêté à Caluire par la Gestapo en juin de la même année. Torturé, il mourut pendant son transfert en Allemagne.

**Moulin-Rouge** (le) ~ Bal montmartrois de la fin du XIXe s., dont Toulouse-Lautrec immortalisa les pittoresques figures dans ses tableaux.

**MOULINS** ~ Préfect. de l'Allier, dans le Bourbonnais, sur l'Allier ; 22 799 h. Industrie du cuir, constructions mécaniques et électriques. Cathédrale (XVe-XIXe s.), beffroi du XVe s. (horloge à jacquemart). Musée d'art et d'archéologie.

**MOULINS (Maître de)** ~ *actif en Bourbonnais à la fin du XVe s.* Peintre français, peut-être d'orig. flamande. Il est l'auteur du *Couronnement de la Vierge*, triptyque de la cathédrale de Moulins, et de portraits exécutés à la cour du duc de Bourbon.

**MOULMEIN** ~ Port de Birmanie, 3e v. du pays et cap. de l'État Môn, à l'embouchure du Salouen ; 220 000 h. Chantiers navals, exportation du riz, et de bois précieux. Nombreuses pagodes.

**MOULOUYA (oued)** ~ Fl. du Maroc tribut. de la Méditerranée ; 450 km. Il coule à l'E. du Moyen Atlas. Son bassin est steppique.

**MOUNET-SULLY** (Jean Sully **Mounet**, dit) ~ *1841, Bergerac - 1916, Paris.* Acteur français. Tragédien fameux, il s'illustra à la Comédie-Française.

**MOUNIER** (Emmanuel) ~ *1905, Grenoble - 1950, Châtenay-Malabry.* Philosophe français. Influencé par Péguy et Maritain, chrétien engagé, fondateur de la revue *Esprit* (1932) autour du personnalisme communautaire, cet humaniste contestataire eut un rôle important dans les mouvements intellectuels, spirituels et politiques (*Révolution personnaliste et communautaire*, 1935).

**MOUNIER** (Jean-Joseph) ~ *1758, Grenoble - 1806, Paris.* Homme politique français. En 1788, il organisa la réunion des états du Dauphiné au château de Vizille. Élu aux États généraux, il proposa le serment du Jeu de paume (20 juin 1789). Partisan d'une monarchie parlementaire, il préféra émigrer de 1790 à 1801.

**MOUNIN** (Georges) ~ *1910, Vieux-Rouen-sur-Bresle, Normandie - 1993, Béziers.* Linguiste français. Ses travaux sur la traduction et sur la communication poétique ont renouvelé l'approche linguistique des faits littéraires (*Avez-vous lu Char ?*, 1946 ; *les Problèmes théoriques de la traduction*, 1963).

**MOUNTBATTEN OF BURMA** (Louis **Mountbatten**, 1er comte) ~ *1900, Windsor - 1979, au large des côtes d'Irlande.* Amiral britannique. Chef des forces alliées dans le Sud-Est asiatique en 1943 et vainqueur des Japonais en Birmanie, il fut le dernier vice-roi des Indes (1946-1947). Il trouva la mort dans un attentat de l'I. R. A.

**MOUNT VERNON** ~ Ancienne propriété de G. Washington, en Virginie-Occidentale. Elle abrite son tombeau.

**MOURENX** ~ V. des Pyrénées-Atlantiques, créée dans les années 1950 en relation avec la mise en exploitation du gisement de gaz naturel de Lacq ; 7 460 h. (agglom. 11 205 h.). Électroménager.

**MOURMANSK** ~ Port du N.-E. de la Russie (péninsule de Kola), la plus grande ville au-delà du cercle polaire, libre de glaces en hiver ; 468 000 h. Pêche. Industrie du bois, constructions navales. Base navale. Sa position stratégique en fit le point de ravitaillement de l'U. R. S. S. par les Alliés à partir de 1941.

**MOUSCRON** ~ V. frontalière du Hainaut belge, face à Tourcoing ; 53 000 h. Industr. textile.

**MOUSSORGSKI** (Modest Petrovitch) ~ *1839, Karevo, près de Pskov - 1881, Saint-Pétersbourg.* Compositeur russe. Appartenant au groupe des Cinq, affranchi des formes conventionnelles de la musique occidentale, il puisa son inspiration dans les traditions nationales et populaires et exprima dans son art une profonde humanité (*Une nuit sur le mont Chauve*, 1867 ; *Boris Godounov*, 1872 ; *les Tableaux d'une exposition*, 1874).

© Bridgeman-Giraudon - D. R.

**Moussorgski** *(détail), peinture d'Ilya Repine (1844-1930). Galerie Tretiakov, Moscou.*

**Moustier (le)** ~ Site préhistorique de la vallée de la Vézère (Dordogne). Il a donné son nom à une époque du Paléolithique moyen, le **moustérien**.

**MOUSTIERS-SAINTE-MARIE** ~ Localité touristique des Alpes-de-Haute-Provence, près des gorges du Verdon ; 580 h. Faïences réputées.

**MOUTON-DUVERNET** (Régis Barthélemy, baron) ~ *1769, Le Puy - 1816, Lyon.* Général français. Rallié à Napoléon Ier durant les Cent-Jours, il fut fusillé au retour des Bourbons.

**Mouvement de libération des femmes (M. L. F.)** ~ Mouvement féministe français créé en 1968. Délibérément peu structuré et peu hiérarchisé, il lutta, surtout dans les années 1970, contre le sexisme, et pour l'égalité et l'autonomie économiques, sexuelles et culturelles des femmes.

**Mouvement républicain populaire** (M.R.P.) ~ Parti politique français d'inspiration démocrate-chrétienne né en 1944. Il connut un grand succ électoral en 1945, participa avec les communist et les socialistes aux gouvernements de 1945 à 19 (tripartisme), puis, en alliance avec le parti soci liste et les conservateurs, aux gouvernemer suivants de la IVe République, dont il accompag le déclin. Favorable au rapprochement franc allemand et à la construction européenne, il f marginalisé après 1958 et s'effaça en 1967 au pro du Centre démocrate.

**MOYEN-ORIENT** (le) ~ Entité culturelle et gé politique qui englobe le Proche-Orient (Turqu Syrie, Liban, Israël, Jordanie, Égypte) méditerr néen, l'Iraq, l'Iran et les États de la pénins Arabique, auxquels on adjoint souvent, auj., Pakistan, l'Afghanistan à l'E., la Libye et le Soud à l'O. (Machreq africain). C'est une région génér lement aride, de civilisation ancienne (Croissa fertile, Égypte), où l'islam prédomine (92 % de population).

**MOZAMBIQUE (canal de)** ~ Bras de mer (de 4 à 850 km de large) de l'océan Indien qui sépa Madagascar de l'Afrique. Son nom vient de ce d'un anc. comptoir arabe puis portugais (Mozar bique), auj. éclipsé par Beira et Maputo.

**MOZAMBIQUE (république du)**, en port. ***Rep blica de Moçambique*** ~ Pays d'Afrique austra bordé à l'E. par l'océan Indien. ***Cap.*** Mapu ***Superf.*** 799 380 km². ***Popul.*** 16 110 000 h. ***Langu princ.*** Portugais, langues bantoues. ***Monn.*** Metic ***Relief.*** Vaste plaine littorale s'étendant s 2 000 km du N. au S. ; hauts plateaux au N.- (mont Namuli à 2 419 m) s'étendant jusqu'au l Malawi. ***Fl. princ.*** Zambèze, Limpopo. ***Clim*** Tropical. ***Écon.*** Ruinée par trente ans de guérill et de guerre civile, elle dispose d'atouts considé bles. Agric. vivrière (manioc, maïs, sorgho) commerciale (noix de cajou, thé, coton) ; él bovin, pêche ; exploit. forestière ; ress. énergétiqu (hydroélectr., gaz naturel, charbon), potentiel m nier (fer, or, mica, pierres précieuses). Débouc maritime du Zimbabwe (port de Beira) et du N. de l'Afrique du Sud (taxes). Revenus des expatri **HIST.** – Jusqu'au XVe s., la région est occupée p des populations bantoues et des commerçar arabes (comptoir de Sofala), qui convoient jusqu la mer les richesses du Zimbabwe voisin. *XVIe-XIXe s.* après la reconnaissance de la côte par Vasco Gama (1498), les Portugais colonisent les côt en accord avec les divers chefs indigènes, puis, la fin du XIXe s., l'intérieur du pays. *1964* : déb de la guérilla indépendantiste du Frelimo (Front libération du Mozambique), dirigé à partir de 19 par Samora Machel. *1975* : indépendance installation d'une république populaire ; S. Mach en devient le président. *1979* : la Renamo (Rés tance nationale du Mozambique), avec le souti de l'Afrique du Sud, entame la guérilla contre gouvernement communiste du Frelimo. *1990* Joaquim Chissano, successeur de S. Machel ( 1986), introduit le multipartisme. *1992* : acco de paix entre le Frelimo et la Renamo. *1994* : élections, contrôlées par l'O. N. U., confirme J. Chissano à la présidence d'un pays dévasté.

**MOZART** (Wolfgang Amadeus) ~ *1756, Sal bourg - 1791, Vienne.* Compositeur autrichien. porta le classicisme viennois à son plus haut deg de raffinement tout en assimilant les différer styles européens et en recueillant l'héritage J. S. Bach. S'il ne chercha pas à renouveler formes et les genres de son temps, il les transcen par une pureté et une richesse d'invention i

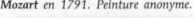

*Mozart en 1791. Peinture anonyme.*

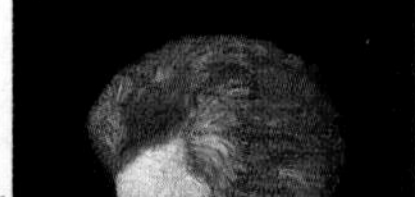

© A. Benainous-Gamma

omparables : symphonies (*Haffner*, 1782 ; *Prague*, 786 ; *en « sol » mineur*, 1788), 27 concertos, œuvres pour piano, musique de chambre, messes *Requiem*, 1791) ou opéras (*l'Enlèvement au sérail*, 782 ; *les Noces de Figaro*, 1786 ; *Don Giovanni*, 787 ; *Così fan tutte*, 1790 ; *la Flûte enchantée*, 791). [☞ **opéra.**]

**MOZI** ou **MO-TSEU** ~ *v. 479 - v. 381 av. J.-C.* hilosophe chinois. Sa logique et sa philosophie ociale, qui s'opposent à celles de Confucius, ont u une grande influence sur la pensée chinoise.

**M. R. P.** ~ Voir **Mouvement républicain populaire.**

**M'SILA** ~ V. d'Algérie, ch.-l. de wilaya, au N. du hott el-Hodna, marché agric. ; 83 000 h. Métall. aluminium), industr. du cuir.

**MUCHA** (Alfons) ~ *1860, Ivancice, Moravie - 1939, Prague.* Peintre et dessinateur tchèque. Affichiste, décorateur, créateur de bijoux et de vitraux, il est l'un des maîtres de l'Art nouveau.

**MUCIUS SCAEVOLA**, en lat. ***Caius Mucius Cordus Scaevola*** ~ *fin du VIe s. av. J.-C.* Héros légendaire romain. Il aurait tenté d'assassiner le roi étrusque Porsenna, qui assiégeait Rome. Pris, il se brûla la main droite pour montrer son mépris de la mort. Libéré, il fut surnommé Scaevola (« le Gaucher »).

**MUGABE** (Robert Gabriel) ~ *1924, Kutama.* Homme d'État zimbabwéen. Premier Premier ministre du Zimbabwe indépendant en 1980, il fut élu président de la République en 1987.

**MUHAMMAD** ~ Voir **Abduh** (Muhammad).

**MUHAMMAD AL-SADUQ** ~ *1812, Tunis - 1882, id.* Bey de Tunis (1859-1882), il signa avec la France le traité du Bardo (1881) qui plaçait son pays sous protectorat français. Son frère Ali lui succéda.

**MUHAMMAD V IBN YUSUF** ~ *1909, Fès - 1961, Rabat.* Roi du Maroc. Sultan du Maroc en 1927, il fut déposé et exilé par les Français en 1953. Son départ provoqua des troubles graves et il fut rappelé en 1955. Il prit le titre de roi en 1957, après l'indépendance.

**MUHAMMAD RIZA** ~ Voir **Mohammad Reza.**

**MÜHLBERG** ~ Localité d'Allemagne, sur l'Elbe (Saxe). Victoire de Charles Quint, le 24 avr. 1547, sur les protestants de la ligue de Schmalkalden.

**MUKALLA (al-)** ~ Port du S. du Yémen, débouché de l'Hadramaout, sur le golfe d'Aden ; 50 000 h.

**MULHACÉN** ~ Point culminant de la péninsule Ibérique, dans la sierra Nevada ; 3 480 m.

**MÜLHEIM AN DER RUHR** ~ V. et port fluvial d'Allemagne (Rhénanie-du-Nord - Westphalie), dans la Ruhr ; 177 000 h. Industr. mécan., électronique. Église (XIe s.), château de Broich (XIe-XIIe s.).

**MULHOUSE** ~ V. du Haut-Rhin, centre écon. du S. de l'Alsace, sur l'Ill et le canal du Rhône au Rhin ; 108 357 h. (agglom. 223 856 h.). Université créée en 1975. Industr. text., chim., mécan. (Peugeot). Aéroport international Bâle-Mulhouse. Hôtel de ville du XVIe s. Ville libre au XIIIe s., alliée de la Confédération helvétique, elle fut réunie à la France en 1798.

**MULL (île)** ~ Île montagneuse de l'archipel écossais des Inner Hebrides ; 910 km$^2$, env. 2 000 h. Élevage, pêche, tourisme.

**MULLER** (Hermann Joseph) ~ *1890, New York - 1967, Indianapolis.* Biologiste américain. Il travailla sur les phénomènes de linkage et de croisement (*crossing-over*) des chromosomes. Prix Nobel de physiol. ou méd. 1946.

**MÜLLER** (Paul Hermann) ~ *1899, Olten, Soleure - 1965, Bâle.* Biochimiste suisse. Il étudia les colorants synthétiques et les insecticides. On lui doit le D. D. T. Prix Nobel de physiol. ou méd. 1948.

**MULLIKEN** (Robert Sanderson) ~ *1896, Newburyport, Massachusetts - 1986, Arlington.* Chimiste américain. Il créa les notions d'orbitales atomiques pour expliquer la structure des électrons et d'orbitales moléculaires et d'hybridation des orbitales pour expliquer leur liaison. Prix Nobel de chim. 1966.

**MULTAN** ~ V. du Pakistan (Pendjab), sur la Chenab, carrefour ferroviaire et industriel (métallurgie, pétrochimie, agroalimentaire, textile) ; 730 000 h. Architecture islamique. Tombeau de Rukn-i Alam (XIVe s.).

**MULTIEN** (le) ~ Plateau céréalier qui prolonge la Brie, au N. de Meaux. Théâtre de la bataille de la Marne (août-septembre 1914).

**MUMMIUS**, en lat. ***Lucius Mummius*** ~ IIe s. av. J.-C. Consul romain (146 av. J.-C.). Il acheva la conquête de la Grèce et détruisit Corinthe.

**MUN** (Albert, comte DE) ~ *1841, Lumigny, Seine-et-Marne - 1914, Bordeaux.* Homme politique français. En 1871, il fonda les Cercles catholiques d'ouvriers. Élu député (1876), il intervint en faveur d'une législation sociale. Acad.

**MUNCH** (Charles) ~ *1891, Strasbourg - 1968, Richmond.* Chef d'orchestre et violoniste français. Il fonda l'Orchestre de Paris (1967) et promut le répertoire français, de Berlioz à Dutilleux.

**MUNCH** (Edvard) ~ *1863, Løten - 1944, Ekely, près d'Oslo.* Peintre et graveur norvégien. Influencé d'abord par les impressionnistes, il évolua vers un style qui, par son symbolisme et son usage des couleurs, annonçait l'expressionnisme. Son œuvre reflète une profonde angoisse (*le Cri*, 1893).

**MÜNCHHAUSEN** (Karl Friedrich Hieronymus, baron VON) ~ *1720, Gut Bodenwerder, Hanovre - 1797, id.* Officier allemand. Il servit la Russie au cours de la guerre contre les Ottomans en 1740-1741. L'écrivain Rudolf Erich Raspe lui prêta des aventures légendaires. Il a inspiré le personnage français du baron de Crac.

**MUNICH**, en all. ***München*** ~ Cap. du land de Bavière et 3e v. d'Allemagne (S. du pays), sur l'Isar, à proximité de l'Autriche, du N. de l'Italie et de l'Europe centrale ; 1 241 000 h. C'est le 2e centre industriel et commercial du pays : électron. (Siemens), autom. (B. M. W.), constructions. mécan., agroalim., brasseries, chimie, aéronautique, armement, porcelaine (Nymphenburg). Place financière (banques, assurances). Centre intellectuel et artistique (édition, studios de cinéma, presse, télévision). Archevêché, universités, institut Max-Planck. Métropole culturelle de l'Allemagne depuis le XIXe s., Munich a conservé un bel ensemble architectural malgré les bombardements de 1944 : cathédrale Frauenkirche (XVe s.), Michaelskirche (XVIe s.), anc. palais des Wittelsbach (XVe-XIXe s.), monuments baroques (châteaux de Nymphenburg et Amalienburg, théâtre, églises des Théatins et St-Jean-Népomucène) et néoclassiques (Propylées, Siegestor, Glyptothèque du XIXe s.). Plus de 20 musées, dont l'Ancienne Pinacothèque (écoles flamande, allemande, italienne, française), la Nouvelle Pinacothèque (peinture allemande du XIXe s.), la Nouvelle Galerie d'État (expressionnisme, art contemporain), la Galerie municipale de la maison Lenbach (peintres du Blaue Reiter), le musée des Sciences et de la Technique. Tourisme. Fête de la Bière (Oktoberfest), carnaval, quartier artistique de Schwabing. **HIST.** - Fondée en 1158 par Henri le Lion, capitale de la Bavière et résidence des Wittelsbach en 1255, elle fut détruite en 1327 par un grand incendie, et reconstruite par Louis Ier. En mai 1919, les troupes gouvernementales de Berlin y écrasèrent le mouvement révolutionnaire, dans un climat de terreur qui favorisa la montée du national-socialisme. Le 9 nov. 1923, Hitler déclencha à Munich le « putsch de la brasserie », qui échoua.

**Munich (accords de)** ~ Conférence tenue à Munich (29 et 30 sept. 1938) entre Hitler, Mussolini, Daladier et Chamberlain, au terme de laquelle l'Italie, la France et la Grande-Bretagne abandonnèrent à l'Allemagne le territoire des Sudètes (Tchécoslovaquie). Ces accords suscitèrent un soulagement dans les opinions publiques française et britannique, qui crurent ainsi échapper à la guerre, mais ils renforcèrent la politique expansionniste de l'Allemagne.

**MUNKACSI** (Martin **Marmorstein**, dit Martin) ~ *1896, Kolozsvár, Hongrie - 1963, New York.* Photographe américain d'orig. hongroise. Photographe sportif à Budapest (1921), il travailla ensuite pour la presse allemande (1927-1934). Engagé par la revue *Harper's Bazaar* (1934), il impulsa à la photographie de mode le dynamisme du mouvement.

**MUNSTER** ~ V. du versant alsacien des Vosges (Haut-Rhin), au S.-O. de Colmar ; 4 657 h. Fromage réputé, tourisme.

**MUNSTER** (le) ~ Prov. du S.-O. de l'Irlande, montagneuse à l'O. ; 24 127 km$^2$, 1 010 000 h., v. princ. Cork, Limerick. Agric. (élev. bovin), industr. agroalimentaire. Anc. royaume (Ve-Xe s.) envahi par les Vikings, il devint anglo-normand au XIIe s.

**MÜNSTER** ~ V. d'Allemagne (Rhénanie-du-Nord - Westphalie) au N. de la Ruhr ; 267 000 h. Université. Industr. métall., agroalim. Édifices gothiques et Renaissance. Musée (collections des XVe et XVIe s.). **HIST.** - Fondée vers 805, la ville devint une cité commerçante (adhésion à la Hanse au XIIIe s.). Elle fut le principal foyer du mouvement anabaptiste (1532, étouffé en 1536). Les négociations du traité de Westphalie s'y déroulèrent en 1648.

**MUNTÉNIE** ~ Voir **Valachie.**

**MÜNTZER** ou **MÜNZER** (Thomas) ~ *v. 1489, Stolberg, Harz - 1525, Mühlhausen, Thuringe.* Réformateur religieux allemand. Fondateur du mouvement anabaptiste, il mena la guerre des Paysans et fut exécuté après la défaite de Frankenhausen.

**MUQDISHO** ~ Voir **Mogadiscio.**

**MUR** (la) ~ Affl. autrichien et slovène de la Drave (r. g.), issu des Alpes (Basses Tauern), qui traverse les Alpes de Styrie et passe à Graz ; 445 km. Aménagements hydroélectriques.

**Mur des lamentations** ~ Lieu de recueillement, sur l'emplacement des ruines du temple d'Hérode à Jérusalem. Les Juifs y pleurent la dispersion de leur peuple.

**MURAD** ou **MURAT**, nom de plusieurs sultans ottomans. ~ **Murad Ier** (*v. 1326 - 1389, Kosovo*), sultan de 1359 à 1389. Il conquit la Thrace, la Macédoine, la Bulgarie et soumit l'Asie Mineure. Il fit d'Andrinople sa capitale (1365). ~ **Murad II** (*v. 1404, Amasya, près de Samsun - 1451, Andrinople*), sultan de 1421 à 1451. Il dirigea l'offensive turque dans les Balkans et en Asie Mineure. ~ **Murad III** (*1546, Manisa - 1595, Istanbul*), sultan de 1574 à 1595. Ses généraux conquirent l'Azerbaïdjan et le Daguestan. ~ **Murad IV** (*1612, Istanbul - 1640, id.*), sultan de 1623 à 1640. Dernier sultan guerrier, il reprit Bagdad aux Persans.

**MURAD BEY** ~ *v. 1750, en Circassie - 1801, près de Talsta.* Chef des Mamelouks (avec Ibrahim Bey), il fut battu par Bonaparte aux Pyramides en 1798.

**Muraille (Grande)** ~ Rempart défensif élevé par les Chinois, pour l'essentiel au IIIe s. av. J.-C., afin de se protéger des peuples des steppes, au N. et au N.-O. Elle s'allonge sur plus de 6 000 km.

**Murano** ~ Quartier de Venise (Italie) situé sur une île de la lagune. Verrerie d'art de renommée mondiale depuis le XIIIe s. (musée). Église du XIIe s.

**MURAT** (Joachim) ~ *1767, Labastide-Fortunière, auj. Labastide-Murat, Lot - 1815, Pizzo, Calabre.* Maréchal de France (1804). Fils d'un aubergiste, engagé en 1787, devenu aide de camp de Bonaparte en 1796, il épousa Caroline Bonaparte en 1800. Cavalier émérite, il commanda la cavalerie impériale jusqu'en 1808. Grand-duc de Berg (1806), il devint le roi Joachim Ier de Naples (1808). Il reprit son commandement en 1812, durant la campagne de Russie. En 1815, vaincu par les Autrichiens à Tolentino, il tenta de sauver sa couronne mais, débarqué en Calabre, il fut capturé par les hommes de Ferdinand Ier de Bourbon et fusillé.

**MURATORI** (Lodovico Antonio) ~ *1672, Vignola, près de Modène - 1750, Modène.* Historien italien. Prêtre, écrivain polygraphe, Muratori fut not. le fondateur de l'historiographie médiévale italienne (*Rerum italicarum scriptores*, 1723-1751, 25 vol.).

**MURCIE**, en esp. ***Murcia*** ~ Communauté autonome d'Espagne, entre celles de Valence et d'Andalousie (E. des chaînes Bétiques, plaine de Carthagène), baignée par la Méditerranée ; 11 317 km$^2$, 1 047 000 h., cap. **Murcie** (323 000 h.), marché agricole (université, cathédrale des XIVe et XVe s.). Cultures (not. agrumes) dans les bassins (huertas).

**MURDOCH** (Iris) ~ *1919, Dublin.* Romancière irlandaise. Elle décrit les désunions de personnages pourtant en quête d'amour (*la Mer, la mer*, 1978 ; *le Message à la planète*, 1989).

**MURDOCH** (sir Rupert) ~ *1931, Melbourne.* Homme d'affaires américain d'orig. australienne. Président de la News Corporation Ltd, il contrôle de nombreux journaux australiens, américains et britanniques (*The Times*, *The Sun*) et médias audiovisuels américains.

**MUREAUX (Les)** ~ V. industrielle. (électron.) de l'O. de la région parisienne (Yvelines), à l'E. de Mantes-la-Jolie, sur la Seine ; 33 089 h.

**MUREŞ** (le), en hongr. ***Maros*** ~ Riv. de Roumanie et princ. affl. de la Tisza (r. g.), issue des Carpates. Elle draine le S. de la Transylvanie (Roumanie) et conflue près de Szeged (Hongrie) ; 756 km.

**MURET** ~ V. industr. de la périphérie de Toulouse (Haute-Garonne), sur la Garonne ; 18 134 h. Anc. cap. du comté de Comminges. Durant la croisade des albigeois, Simon de Montfort y vainquit Raymond VI de Toulouse et Pierre d'Aragon.

**MURET** (Marc-Antoine) ~ *1526, Muret, Limousin - 1585, Rome.* Humaniste français. Érudit, il laissa des commentaires des *Amours* de Ronsard et de diverses œuvres de l'Antiquité romaine.

**Mureybat** ~ Site néolithique de Syrie sur l'Euphrate (auj. inondé par les eaux d'un barrage). La culture céréalière et un essai de fabrication de terre cuite y apparurent à la fin du IX$^{e}$ mill. av. J.-C.

**MURILLO** (Bartolomé Esteban) ~ *1618, Séville - 1682, id.* Peintre espagnol. Influencé par l'art vénitien, il marqua l'iconographie mariale par une sentimentalité jusqu'alors étrangère à la tradition espagnole (*Naissance de la Vierge, 1660*) et qui caractérise également ses scènes de genre (*le Jeune Mendiant, v. 1650*).

**MURNAU** (Friedrich Wilhelm **Plumpe**, dit Friedrich) ~ *1888, Bielefeld - 1931, Santa Barbara.* Cinéaste allemand. Auteur d'une œuvre hantée par les thèmes de l'amour impossible, de la fatalité et de la mort, il est l'un des maîtres de l'expressionnisme allemand (*Nosferatu le vampire,* 1922). [☞ **expressionnisme.**]

**MURRAY** (le) ~ Le plus grand fl. d'Australie (2 589 km, bassin 1 073 000 km$^2$), issu des Alpes australiennes. Tribut. de l'océan Indien, il draine le S.-E. du continent. Malgré son faible débit, ses eaux ont permis l'irrigation de 400 000 ha.

**MURRAY** (Jacques Stuart, comte DE) ~ Voir **Moray.**

**MURRAY** (James) ~ *v. 1720, Ballencrief, Écosse - 1794, Battle, Sussex.* Général britannique. Il participa à la prise de Montréal pendant la guerre de Sept Ans et devint le premier gouverneur du Canada britannique (1763-1766).

**MURUROA** ~ Atoll du S.-O. de l'archipel des Tuamotu (Polynésie française), base d'essais nucléaires depuis 1966, fermée en 1996.

**MUSALA (pic)**, en bulgare ***Moussalla*** (de l'arabe « lieu de prière ») ~ Point culminant du Rhodope et de la Bulgarie (2 925 m).

**Muséum national d'histoire naturelle** ~ Établissement scientifique sis au Jardin des Plantes, dans le V$^{e}$ arr. de Paris. Il a succédé en 1793 au Jardin royal des plantes médicinales dont Buffon fut l'intendant. Disposant de laboratoires de recherches et d'une bibliothèque, il ouvre au public des galeries consacrées à l'anatomie comparée, à la paléontologie, à la paléobotanique et à la minéralogie. Une Grande Galerie illustre l'évolution de la vie et des espèces.

**MUSGRAVE (monts)** ~ Ligne de hauteurs du N. de l'Australie-Méridionale (1 440 m au mont Woodroffe), au N. du Grand Désert de Victoria.

**MUSIL** (Robert) ~ *1880, Klagenfurt - 1942, Genève.* Écrivain autrichien. Il fut ingénieur avant que le succès des *Désarrois de l'élève Törless* (1906) le fît opter pour la littérature. Une pièce de théâtre, *les Exaltés* (1921), puis des nouvelles, *Trois Femmes* (1923), ont précédé son grand roman inachevé, *l'Homme sans qualités* (1930-1942), qui renouvelait le genre du roman, où l'essai nourrit la fiction, et où la satire de notre modernité se mue en une construction positive du possible révélant l'équivocité cachée de la réalité.

Alfred de **Musset** *(1877 ; détail), par Charles Landelle (1821-1908). Château de Versailles.*

**MUSSET** (Alfred DE) ~ *1810, Paris - 1857, id.* Écrivain français. Précoce, il publia en 1829 ses *Contes d'Espagne et d'Italie,* puis écrivit pour le théâtre (*les Caprices de Marianne,* 1833 ; *Lorenzaccio,* 1834 ; *Il ne faut jurer de rien,* 1836), se posant comme l'une des grandes figures du romantisme. Sa liaison avec George Sand transparaît dans un roman, *la Confession d'un enfant du siècle* (1836), et dans un recueil de poèmes, *les Nuits* (1837). Malade, il composa encore fantaisies poétiques et contes, marqués de la même veine tour à tour romantique et lyrique. Acad. [☞ **romantisme.**]

**MUSSOLINI** (Benito), dit **le Duce** ~ *1883, Dovia di Predappio, Romagne - 1945, Giulino di Mezzegra, Côme.* Homme politique italien. Militant socialiste rallié à la cause interventionniste en 1914, il fonda en 1919 les Faisceaux italiens de combat puis, en 1921, le Parti national fasciste. Appelé au pouvoir par le roi en 1922 après la Marche sur Rome, il institua un État totalitaire fondé sur le corporatisme et le parti unique. Mussolini développa alors une politique nationaliste et impérialiste (conquête de l'Éthiopie en 1935), se rapprocha de Hitler (formation de l'axe Rome-Berlin en 1936) et engagea l'Italie aux côtés de l'Allemagne en juin 1940. Une série de désastres militaires entraîna sa déposition en 1943 ; interné, puis délivré par les Allemands, il créa dans le Nord de l'Italie l'éphémère république de Salo. Il fut fusillé par les partisans le 28 avril 1945.

**MUSTAFA KEMAL** ~ Voir **Atatürk.**

**MUTZIG** ~ V. du Bas-Rhin, dans la vallée de la Bruche, à l'O. de Strasbourg ; 4 552 h. Brasserie réputée.

**MUYBRIDGE** (Edward James **Muggeridge**, dit Eadweard) ~ *1830, Kingston-upon-Thames, Londres - 1904, id.* Inventeur britannique. Père de la photographie animée, il enregistra les phases du galop d'un cheval (1878) et mit au point un « fusil photographique » (1882).

**MWANZA** ~ 2$^{e}$ v. de Tanzanie, port et centre minier, sur la rive S. du lac Victoria ; 223 000 h.

**MWERU (lac)** ~ Voir **Moero.**

**MYANMAR** ~ Voir **Birmanie.**

**MYCÈNES** ~ Anc. ville de Grèce (Argolide). Elle fut le berceau de la civilisation achéenne (v. 1600-1100 av. J.-C.) et son histoire est peuplée de légendes (cycle des Atrides). Le site comprend des vestiges impressionnants (la porte des Lions).

**MYKÉRINOS** ou **MYKÉRINUS** ~ *v. 2600 av. J.-C.* Pharaon égyptien de la IV$^{e}$ dynastie. Il fit édifier la troisième pyramide de Gizeh.

**MÝKONOS** ~ Île des Cyclades (Grèce), voisine de Délos, 85 km$^2$, env. 3 000 h. Tourisme.

**MYRDAL** (Karl Gunnar) ~ *1898, Gustafs, Dalécarlie - 1987, Stockholm.* Économiste et homme politique suédois. Il étudia le phénomène de la crise économique et la question des Noirs dans la société américaine (*l'Équilibre monétaire,* 1939). Prix Nobel de sc. écon. 1974.

**Myrmidons** (les) ~ Peuple mythique de la Thessalie qui, conduit par Achille, participa au siège de Troie.

**MYSIE** (la) ~ Anc. région du N.-O. de l'Asie Mineure. Elle fut intégrée en 188 av. J.-C. au royaume de Pergame puis fit partie de la province romaine d'Asie.

**MYSORE** ~ Voir **Karnataka.**

**MYTILÈNE** ~ Voir **Lesbos.**

**MYZEQE** ~ La plus grande plaine côtière d'Albanie, au S. de Durrës. Autrefois marécageuse, elle a été en partie assainie pour l'agriculture (céréales, riz). Pétrole.

**MZAB** (le) ~ Groupe d'oasis aux villes ceintes de remparts (ksour) du Sahara algérien (v. princ. Ghardaia). Pays des **Mzabites** (ou **Mozabites**), musulmans ibadites (secte kharidjite rigoriste) qui ont conservé leurs traditions. Riches palmeraies, céréales, fruits, légumes. Artisanat.

**Nabatéens** (les) ~ Ancien peuple de l'Arabie (cap. Pétra), soumis par les Romains en 106.

**NABEREJNYE TCHELNY** ~ V. industr. du Tatarstan (Russie), sur la Kama ; 514 000 h. Barrage hydroélectr. de Nijnekamsk. Constr. automobiles.

**NABEUL**, en ar. ***Nabul*** ~ V. et station baln. de Tunisie, au N. d'Hammamet (cap Bon) ; 40 000 h. Poteries, parfums, cult. florales.

**NABIS** ~ *m. en 192 av. J.-C.* Tyran de Sparte (207-192 av. J.-C.). Ennemi de la Macédoine, auteur d'une révolution égalitaire, il fut vaincu lors de la guerre contre la Ligue achéenne, en 202 et 193 av. J.-C., puis fut exécuté par les Étoliens qu'il avait appelés à son secours.

**NABOKOV** (Vladimir) ~ *1899, Saint-Pétersbourg - 1977, Montreux, Suisse.* Écrivain américain d'orig. russe. Son œuvre, qui utilise fréquemment les ressorts de la parodie, constitue une interrogation distanciée sur l'écriture (*Lolita*, 1955 ; *Feu pâle*, 1962).

**NABOPOLASSAR** ~ *m. en 605 av. J.-C.* Roi de Babylone (626-605 av. J.-C.). Allié des Mèdes, il abattit l'Empire assyrien (prise de Ninive, 612) et fonda l'Empire néobabylonien.

**NABUCHODONOSOR II** ~ Roi de Babylone (605-562 av. J.-C.). Fils de Nabopolassar, il battit les Égyptiens à Kargamish (605 av. J.-C.) et prit Jérusalem (597 puis 587 av. J.-C.), avant d'en déporter la population à Babylone. Il étendit ainsi l'Empire néobabylonien sur la Syrie et la Palestine, lui ouvrant l'accès à la Méditerranée.

**NACHTIGAL** (Gustav) ~ *1834, Eichstedt - 1885, golfe de Guinée.* Explorateur allemand. Il reconnut le Bornou et la cuvette du lac Tchad (1869-1875).

**Nacht und Nebel** ~ Voir **Nuit et Brouillard**.

© Ph. A.D.P.C.-Explorer-Archives

*Nadar, caricaturé en 1867 par André Gill (1840-1885).*

**NADAR** (Félix **Tournachon**, dit) ~ *1820, Paris - 1910, id.* Photographe français. D'abord journaliste et caricaturiste, il se spécialisa ensuite dans le portrait photographique et immortalisa les célébrités de son temps (Th. Gautier, A. Dumas). Il réalisa les premières vues aériennes en ballon (1858). [☞ **photographie**.]

**NADER** (Ralph) ~ *1934, Winsted, Connecticut.* Avocat américain. Il s'est consacré depuis les années 1960 à la défense des droits des consommateurs.

**NADER CHAH** ou **NADIR CHAH** ~ *1688, Kubkan - 1747, Fathabad.* Chah de Perse (1736-1747). Chef de guerre turcoman, il lutta contre les Afghans pour restaurer la dynastie safavide, monta sur le trône en 1736, puis envahit l'Afghanistan et le N. de l'Inde (1739). Il suscita de nombreuses oppositions et fut assassiné.

**NADJD** (le) ~ Voir **Nedjd**.

**NADOR**, en ar. ***al-Nadur*** ~ Port du Maroc, sur la Méditerranée, au S. de Melilla ; 62 000 h. Centre comm., complexe sidérurgique.

**NAEVIUS** (Cneius) ~ *v. 270, en Campanie - v. 201 av. J.-C., Utique.* Poète latin. Premier auteur de *fabulae praetextae*, tragédies sur des sujets romains, il écrivit une épopée sur la première guerre punique.

**NAGALAND** (le) ~ État montagneux et très humide du N.-E. de l'Inde, à la frontière birmane, issu du démembrement de l'Assam (1963) ; 16 579 $km^2$, 1 210 000 h. (dont env. 65 % de **Nagas** christianisés), cap. Kohima (53 000 h.). Hydroélectricité, ressources minières et pétrolières, riziculture. Guérilla sécessionniste active.

**NAGANO** ~ V. du Japon (centre de Honshû) ; 350 000 h. Université. Temple bouddhique restauré au XVIIe s. (Zenkô-ji). Statues de bois du VIIe s.

**NAGANO Ôsami** ~ *1880, Kôchi - 1947, Tôkyô.* Amiral japonais. Chef d'état-major de la marine pendant la Seconde Guerre mondiale, condamné pour crimes de guerre, il mourut en prison.

**NAGARJUNA** ~ *IIe-IIIe s.* Philosophe indien. Promoteur du Mahayana, il est une des références de la religion bouddhiste.

**NAGASAKI** ~ Port du Japon, sur la côte O. de l'île de Kyûshû ; 439 000 h. Chantiers navals. Tourisme. Cathédrale (XIXe s.) et temple chinois (XVIIe s.). Ouverte au commerce européen puis chinois dès le XVIe s., la ville fut en partie détruite le 9 août 1945 par l'explosion de la seconde bombe atomique américaine (40 000 morts).

**NAGELMACKERS** (Georges) ~ *1845, Liège - 1905, Villepreux, Yvelines.* Homme d'affaires belge. Il fonda la Compagnie internationale des wagons-lits (1876).

**NAGORNY KARABAKH** (le) ~ Voir **Karabakh** (Haut-).

**NAGOYA** ~ Grand port industriel et commercial du Japon (Honshû), sur le golfe d'Ise, centre de la 3e conurbation du pays (Chûbu), entre Tôkyô et Ôsaka ; 2 095 000 h. Métallurgie lourde, pétrochimie, constructions mécaniques. Université. Château (XVIIe s., reconstruit). Temples bouddhiques et shintoïstes. Musée (collection Tokugawa).

**NAGPUR** ~ V. de l'Inde (Maharashtra), carrefour commercial du N. du Deccan ; 1 625 000 h. Université. Métallurgie, textile (coton).

**NAGY** (Imre) ~ *1896, Kaposvár - 1958, Budapest.* Homme politique hongrois. Président du Conseil de 1953 à 1955, il tenta de déstaliniser le régime et fut expulsé du parti communiste. Il revint au pouvoir lors de l'insurrection d'octobre 1956. Arrêté et exécuté après l'intervention soviétique, il fut réhabilité en 1989.

**NAHHAS PACHA** (Mustafa al-) ~ *1876, Samannud, près du Caire - 1965, Le Caire.* Homme politique égyptien. Chef du Wafd, il fut à cinq reprises Premier ministre entre 1928 et 1952 malgré son opposition à la monarchie.

**Nahuas** (les) ~ Indiens de langue aztèque, majoritaires au Mexique.

**NAHUM** ~ *VIIe s. av. J.-C.* Prophète biblique. Le **livre de Nahum** évoque la chute de Ninive.

**NAIPAUL** (Vidiadhar Surajprasad) ~ *1932, Chaguanas, Trinité.* Écrivain trinitéen d'orig. indienne et d'expression anglaise. Son œuvre, qui comprend des romans (*Miguel Street*, 1959 ; *Mr Stone*, 1963) et des reportages sous forme d'essais (*l'Inde brisée*, 1977), présente une vision critique des sociétés postcoloniales indienne, caraïbe et africaine.

**NAIROBI** ~ Cap. du Kenya, sur les hauts plateaux du S. du pays (alt. 1 680 m), métropole écon. et univ. de l'Afrique de l'E., nœud de communications ; 1 760 000 h. Archevêché. Tourisme.

**NAJAF** ou **NEDJEF**, en ar. ***al-Nadjaf*** ~ V. du centre de l'Iraq (S. de Bagdad), sur l'Euphrate, l'une des villes saintes de l'islam chiite ; 243 000 h. Tombeau d'Ali, gendre de Mahomet.

**NAKASONE Yasuhiro** ~ *1918, Takasaki.* Homme politique japonais. Président du Parti libéral démocrate, il fut Premier ministre de 1982 à 1987.

**NAKHITCHEVAN** (le) ~ République autonome d'Azerbaïdjan peuplée d'Azéris, enclavée entre l'Arménie et l'Iran ; 5 500 $km^2$, 315 000 h., cap. **Nakhitchevan**. Enlevée par la Russie à la Perse (1828), elle fut attribuée à l'Azerbaïdjan soviétique (traité de Kars, 1921). Elle est l'enjeu, depuis 1987, d'un conflit entre Arménie et Azerbaïdjan.

**NAKHODKA** ~ Port industr. de l'Extrême-Orient russe, sur la mer du Japon, annexe de Vladivostok ; 165 000 h.

**NAKHON PATHOM** ~ V. de Thaïlande, à l'O. de Bangkok, centre administratif, universitaire et touristique ; 80 000 h. Musée archéologique. Stupa de Phra Pathom (en briques émaillées, édifié au XIXe s.). Pèlerinages. Anc. capitale des Môns.

© Bo-Giraudon

*Nakhon Pathom, le stupa de Phra Pathom (XIXe s.), le plus haut monument bouddhiste du monde (127 m).*

**NAKURU** ~ V. du Kenya, marché agric., au N.-O. de Nairobi ; 102 000 h. Parc national du **lac Nakuru** (salé), dans la Rift Valley.

**NALTCHIK** ~ Cap. de la Kabardino-Balkarie (Russie), centre industr. et culturel, au N. du Caucase ; 235 000 h. Université. Tourisme (alpinisme). Station climatique (sanatoriums).

**NAMANGAN** ~ V. d'Ouzbékistan, la plus importante du Fergana ; 319 000 h. Industries alimentaire et textile (soie, coton).

**NAMAQUALAND** ou **NAMALAND** (le) ~ Région côtière et aride des confins de la Namibie et de l'Afrique du Sud, de part et d'autre du fleuve Orange. Exploitation de diamants. La minorité des **Namaquas**, ou **Namas** (env. 60 000 personnes), est l'un des groupes principaux du peuple hottentot.

**Nambicuaras** ou **Nambikwaras** (les) ~ Indiens du Mato Grosso (Brésil).

**NAM DINH** ~ V. du Viêt Nam, au S.-E. de Hanoi, centre culturel, commercial et industriel (textile) sur le delta du Sông Hong, 166 000 h.

**NAMIB (désert du)** ~ Côte sablonneuse (dunes) de la Namibie, au climat aride et frais (courant de Benguela). Ports de Lüderitz, Walvis Bay.

**NAMIBIE (république de)** ~ Pays du S.-O. de l'Afrique, bordé par l'Atlantique. ***Cap.*** Windhoek. ***Superf.*** 824 268 $km^2$. ***Popul.*** 1 512 000 h. ***Langues princ.*** Afrikaans, anglais, ovambo. ***Monn.*** Dollar namibien. ***Relief.*** Les plateaux steppiques de l'intérieur (plus de 2 000 m), inclinés à l'E. vers la cuvette aride du Kalahari, sont bordés par une côte basse à l'O. (désert du Namib). ***Écon.*** Pêche, élev. dominant, exploitation minière (diamant, uranium, cuivre, zinc, or), réserves de gaz naturel et de charbon. Parcs nationaux. ***V. princ.*** Windhoek, Walvis Bay. **HIST. -** Les Bochimans sont chassés par les Hottentots (XIIe s.), eux-mêmes refoulés vers le S. par les Bantous (XVIe s.). *1878* : fondation de la colonie britannique de Walvis Bay. *1883-1915* : fondation puis extension d'une colonie allemande à partir de la baie d'Angra Pequeña (contre laquelle les Hereros se révoltent), occupée en 1914 par l'Union sud-africaine et gérée comme une colonie britannique. *1949* : annexion par l'Afrique du Sud, qui instaure l'apartheid en Namibie. *1990* : après vingt ans de guérilla dirigée par le parti indépendantiste (Swapo) avec le soutien de l'Angola, la Namibie accède à l'indépendance. Sam Nujoma, dirigeant de la Swapo, est élu président. *1994* : l'Afrique du Sud rétrocède Walvis Bay à la Namibie.

**NAMPULA** ~ 3e v. du Mozambique, centre admin. d'une région agric., sur la voie ferrée reliant le lac Malawi au port de Mozambique ; 203 000 h.

© A. Saucez-Explorer

*Namur, la citadelle, ancien château des comtes de Namur.*

**NAMUR**, en néerl. *Namen* ~ V. de Belgique, capitale de la Région wallonne et ch.-l. de la province du même nom, au confluent de la Sambre et de la Meuse ; 105 000 h. Archevêché. Université. Verrerie, papeterie. Église baroque St-Loup, citadelle, cathédrale St-Aubain (XVIIIe s.). Musées archéol. et diocésain. La **province de Namur** (3 665 km², 432 000 h.) est partagée entre les riches plateaux limoneux du N. (céréales, betterave à sucre) et les hautes terres des Ardennes au S. (forêts, élevage, tourisme), bordées par le Condroz. Vallées de la Sambre et de la Meuse (axes du peuplement). **HIST.** - Forteresse des Aduatuques dans l'Antiquité, plusieurs fois assiégée, elle fut le chef-lieu du département de Sambre-et-Meuse jusqu'en 1814. Elle abrita l'arrière-garde de Grouchy, après Waterloo (1815). Durant la Première Guerre mondiale, l'armée belge s'y replia avant de gagner la France (1914).

**NANA SAHIB** ~ *v. 1825 - v. 1860.* Prince du Maharashtra. Chef de la révolte des cipayes (1857), il fut battu par les Britanniques à Kanpur.

**NANCHANG** ou **NAN-TCH'ANG** ~ V. de Chine, cap. du Jiangxi, dans la cuvette du lac Poyang ; 1 420 000 h. Université. Industr. lourde, chim., text., minoteries. Centrale thermique. Musées.

**NANCY** ~ Préfect. de la Meurthe-et-Moselle, sur la Meurthe, près de son confluent avec la Moselle, et sur le canal de la Marne au Rhin, au contact des côtes de Moselle et du plateau lorrain, au S. de Metz ; 99 351 h. L'agglomération (329 447 h.) en fait la 1re ville de Lorraine, princ. tertiaire. Université, technopôle de Brabois. Palais ducal (XIIIe s., restauré au XIXe s.), place Stanislas et arc de triomphe (XVIIIe s.). Musée des Beaux-Arts, Musée historique lorrain, musée de l'École de Nancy. **HIST.** - Résidence des ducs de Lorraine (XIIIe s.), elle fut prise par Charles le Téméraire en 1475 et agrandie par Charles III (fin du XVIe s.). Au XVIIIe s., Stanislas Leszczyński y entreprit des travaux d'embellissement. Française en 1766, elle le demeura après l'occupation allemande de 1870.

**NANDA DEVI** (le) ~ Point culminant (7 816 m) de l'Inde (Himachal Pradesh), dans l'Himalaya.

**NANGA PARBAT** ou **DIAMIR** (le) ~ Sommet himalayen du Cachemire pakistanais (8 126 m), dominant de 7 000 m la haute vallée de l'Indus.

**NANKIN** ou **NANJING** ~ V. et port fluvial de la Chine centrale, sur le bas Yangzi Jiang, cap. du Jiangsu, centre comm. et industriel ; 2 430 000 h. (agglom. 4 500 000 h.). Université, instituts de recherche. Musées. À proximité, tombeau de l'empereur Ming Hongwu (XIVe s.) et falaise des Mille Bouddhas. **HIST.** - Nankin fut plusieurs fois capitale de la Chine de 229 à la fin du XVIe s., puis de 1928 à 1937. Les Chinois et les Britanniques y signèrent le **traité de Nankin**, en 1842, qui mit fin à la guerre de l'Opium et donna Hong Kong à la Grande-Bretagne.

**NANNING** ou **NAN-NING** ~ V. et port fluvial de la Chine du Sud, sur le Xi Jiang, cap. du Guangxi ; 722 000 h. Industr. lourde, agroalim., imprimerie. Université.

**NANSEN** (Fridtjof) ~ *1861, Store-Frøn, près d'Oslo - 1930, Lysaker.* Explorateur et homme politique norvégien. Il dirigea une importante expédition dans l'Arctique (1893-1896). Il participa aux négociations qui aboutirent à la séparation de la Norvège et de la Suède (1905) et œuvra au sein de la S. D. N. en faveur des réfugiés. Prix Nobel de la paix 1922.

**NANTERRE** ~ Préfect. des Hauts-de-Seine, port industr. sur la Seine (r. g.), dans la banlieue O. de Paris ; 84 565 h. Université.

**NANTES** ~ Préfect. de la Loire-Atlantique et de la Région Pays de la Loire, sur la basse Loire, au confluent avec l'Erdre (r. dr.) et la Sèvre Nantaise (r. g.), au S. de la Bretagne ; 244 995 h (agglom. 496 078 h.). 4e port français (le 1er sur l'Atlantique), composé en aval d'un ensemble portuaire industriel : Indre, Couëron, Paimbœuf, Donges et Saint-Nazaire. Agglomération en extension, où les industries de pointe (électron., aéronautique) se développent à côté des secteurs traditionnels (agroalim., chantiers navals). Nantes joue le rôle difficile de « métropole d'équilibre » de l'Ouest dans un environnement sous-industrialisé et isolé. Château des ducs de Bretagne (surtout du XVe s.), cathédrale St-Pierre (XVe-XIXe s.). Musée des Beaux-Arts, musée des Arts décoratifs. **HIST.** - Sous l'Empire romain, l'antique cité des Namnètes devint un centre commercial et administratif important. Choisie au XVe s. comme seconde capitale par les ducs de Bretagne, elle devint française en 1491. Elle prit son essor au XVIIIe s. grâce au commerce triangulaire. Pendant la Révolution, elle fut le théâtre de nombreux combats entre bleus et blancs. D'oct. 1793 à févr. 1794, pendant la Terreur, J.-B. Carrier y procéda à une sévère répression (**noyades de Nantes**). Occupée par les Allemands (juin 1940–août 1944), Nantes fut endommagée par les bombardements alliés de sept. 1943.

© Thouvenin-Explorer

*Nantes, le château des ducs de Bretagne (XVe-XVIe s.).*

**Nantes (édit de)** ~ Édit promulgué le 13 avril 1598 par Henri IV, mettant fin aux guerres de Religion. La liberté du culte protestant fut reconnue dans de nombreux lieux, sauf dans les villes de résidence royale et à Paris. Certaines garanties juridiques (chambres mi-parties), militaires (une centaine de places de sûreté) et politiques (accès à toutes les charges) furent ajoutées. Les parlements n'enregistrèrent l'édit qu'avec réticence. La **révocation de l'édit de Nantes**, préparée par Le Tellier et signée par Louis XIV à Fontainebleau (18 oct. 1685), renforçait l'édit d'Alès de 1629, qui supprimait les places de sûreté. Le culte protestant fut interdit, les pasteurs bannis, les temples détruits. Environ 260 000 protestants émigrèrent.

**NANTEUIL** (Robert) ~ *v. 1623, Reims - 1678, Paris.* Graveur et pastelliste français. Disciple de Ph. de Champaigne, il a laissé de nombreux portraits (*Louis XIV* ; *Colbert* ; *Turenne*).

**NANTUA** ~ V. de villégiature située dans une cluse du Jura méridional (Ain), au bord du **lac de Nantua** ; 3 602 h. Musée de la Résistance et de la Déportation.

**NANTUCKET** ~ Île de la côte E. des États-Unis (Massachusetts) ; 139 km², env. 6 000 h. Villégiature. Grand centre baleinier jusque vers 1820.

**NAO (cap de la)** ~ Grand saillant de la côte espagnole du Levant, face aux îles Baléares (Ibiza), où finit la cordillère Bétique.

**NAPATA** ~ Anc. ville et site monumental du Soudan, près de la 4e cataracte du Nil (Nubie). Capitale des pharaons de Kouch (Xe-VIIe s. av. J.-C.).

**NAPIER** ou **NEPER** (John), baron **de Merchiston** ~ *1550, Merchiston, près d'Édimbourg - 1617 id.* Mathématicien écossais. Il énonça les **logarithmes népériens** (1614) et certains principes de la machine à calculer (1617).

**NAPLES**, en ital. ***Napoli*** ~ 3e v. et port d'Italie, cap. régionale de la Campanie, sur la mer Tyrrhénienne au fond de la **baie de Naples**, dominée par le Vésuve ; 1 072 000 h. (agglom. 2 500 000 h.). C'est la métropole économique du Mezzogiorno (industries alim., text., chim., métall. et électron.) Castel Nuovo (XIIIe s.), églises gothiques, cathédrale San Gennaro (XIVe s.), palais royal (XVIIe s.), théâtre San Carlo (XVIIIe s.). Musée national (coll. provenant des fouilles de Pompéi et d'Herculanum) **HIST.** - Colonie grecque sous le nom de Neapolis (« Nouvelle Ville »), Naples fut conquise par les Romains au IVe s. av. J.-C. Après leur victoire en Italie sur les Ostrogoths (VIe s.), les Byzantins en firent le siège d'un duché qui devint une république maritime indépendante. Le roi de Sicile Roger II la conquit (1139) et en fit la capitale de la partie continentale du royaume. Elle s'insurgea contre les Espagnols avec Masaniello (1647). Les Français s'en emparèrent le 23 janvier 1799 et y proclamèrent l'éphémère République parthénopéenne. L'entrée de Garibaldi à Naples (7 sept. 1860) marqua la fin du royaume des Deux-Siciles.

**NAPLES (royaume de)** ~ Anc. royaume d'Italie partie continentale du royaume de Sicile conservée par la dynastie angevine après la perte de l'île (1282). Victorieux de Louis III, Alphonse V d'Aragon réunit Naples à la Sicile (1er royaume des Deux-Siciles, 1442-1458), puis la Sicile resta à l'Aragon et Naples fut dévolue à Ferdinand Ier (1458-1494), pour revenir à l'Aragon (1504) après une intervention peu fructueuse du roi de France Louis XII. Occupé par l'Autriche (1713-1735), le royaume passa aux Bourbons d'Espagne. En 1799, les Français en firent une République parthénopéenne qui devint un royaume vassal de l'Empire français donné à Joseph Bonaparte (1806), puis à Murat (1808). Ferdinand IV fut restauré en 1815 et rétablit l'union avec la Sicile (2e royaume des Deux-Siciles) jusqu'à l'annexion par le royaume d'Italie, en 1861.

**NAPLOUSE**, en ar. ***Nabulus*** ~ V. du centre de la Cisjordanie, princ. centre comm. (prod. agric.) de Samarie ; env. 50 000 h. (en maj. musulmans).

**NAPOLÉON**, nom de trois empereurs et d'un prince impérial français. ~ **Napoléon Ier** (*1769, Ajaccio - 1821, Sainte-Hélène*), empereur de 1804 à 1814 et en 1815. Deuxième fils de Charles Bonaparte et de Maria Letizia Ramolino, issu d'une famille pauvre de petite noblesse, il fit des études au collège militaire de Brienne. Mêlé aux luttes politiques corses, lieutenant de Pascal Paoli, il se brouilla avec ce dernier (printemps 1793). Proche des Jacobins, il se distingua lors de la reprise de Toulon aux Britanniques, et fut promu général de brigade (déc. 1793). Après Thermidor, il tomba en disgrâce mais, soutenu par Paul Barras, il retrouva les faveurs du pouvoir en réprimant l'émeute royaliste du 13 vendémiaire (5 oct. 1795). Le 9 mars 1796, il épousa Joséphine de Beauharnais et partit le 11 pour Nice afin de prendre le commandement en chef de l'armée d'Italie. La première campagne d'Italie (avr. 1796-oct. 1797) fut marquée par une suite de victoires (Montenotte, Mondovi, Lodi, Arcole, Rivoli, Mantoue) qui aboutirent à la paix de Campoformio, signée avec l'Autriche (1797). L'Italie du Nord passa sous la domination française. Le Directoire éloigna ce général ambitieux en lui confiant le commandement de l'expédition d'Égypte (1798-1801). Débarqués sans difficulté, les Français écrasèrent les mamelouks aux Pyramides, mais furent immobilisés après la victoire navale d'Horatio Nelson à Aboukir et la destruction de la flotte française. Le 23 août 1799, le général Bonaparte laissa le commandement en Égypte à Jean-Baptiste Kléber et rallia la France. Le coup d'État du 18 brumaire (9 nov. 1799) lui donna un consulat provisoire partagé avec Roger Ducos et l'abbé Sieyès. En trois ans, le Premier consul, devenu consul à vie par la Constitution de l'an X (1802), réorganisa

Le Sacre de **Napoléon Ier** *(1805-1807 ; détail), peinture de Jacques Louis David (1748-1825). Musée du Louvre, Paris.*

les institutions, assisté de Jean-Jacques de Cambacérès et de Charles Lebrun, dans un esprit centralisateur (création des préfets, 1800 ; Code civil, mars 1804). La paix civile et religieuse fut rétablie par le retour des émigrés et la signature du Concordat (1801). L'économie fut assainie (franc Germinal, 1803). À l'extérieur, la deuxième campagne d'Italie (Marengo, 1800) imposa à l'Autriche la paix de Lunéville (févr. 1801). La Grande-Bretagne signa la paix d'Amiens (1802). Le 18 mai 1804, le Premier consul se fit proclamer empereur des Français avant d'être sacré par le pape Pie VII (2 déc. 1804) à Notre-Dame de Paris. En mars 1805, il devint roi d'Italie. La guerre reprit contre les Britanniques. Napoléon Ier concentra une armée au camp de Boulogne mais renonça à traverser la Manche après la victoire navale de Nelson à Trafalgar (21 oct. 1805). Sur le continent, les coalitions (Autriche, Royaume-Uni, Russie, Deux-Siciles) s'étaient reformées. Napoléon Ier les affronta victorieusement à Austerlitz (2 déc. 1805), à Iéna et à Auerstedt (14 oct. 1806), à Eylau et Friedland (févr. et juin 1807). L'Autriche battue, la Prusse anéantie, le tsar Alexandre Ier contraint de signer le traité de Tilsit (7 et 9 juill. 1807), le Grand Empire se mit en place : pas moins de 132 départements, des Bouches-du-Tibre aux Bouches-de-l'Elbe et, à leur périphérie, des États vassaux confiés aux frères (Louis, Joseph, Jérôme) et aux proches de l'Empereur. Contre la Grande-Bretagne, Napoléon Ier décida des représailles économiques (le Blocus continental) qui l'entraînèrent à intervenir dans la péninsule Ibérique, à se brouiller avec le pape et à s'aliéner Alexandre Ier. La 5e coalition menée par l'Autriche permit à l'Empereur de remporter la victoire de Wagram (6 juill. 1809). Ayant répudié Joséphine, il épousa Marie-Louise d'Autriche (avr. 1810), qui lui donna un fils, le roi de Rome (20 mars 1811). Devançant les visées bellicistes du tsar, Napoléon Ier marcha sur Moscou avec la Grande Armée (sept. 1812). La retraite imposée par l'hiver la vit réduite au dixième de ses effectifs et provoqua la 6e coalition. L'Espagne perdue (juin 1813), Napoléon dut évacuer l'Allemagne après sa défaite à Leipzig (oct. 1813). La campagne de France (janv.-mars 1814) aboutit à l'invasion du pays et à l'abdication sans conditions (4-6 avr. 1814). Confiné dans l'île d'Elbe, dont il fut nommé souverain, Napoléon Ier n'y resta pas un an. Le 1er mars 1815, il débarqua à Golfe-Juan et marcha sur Paris, chassant Louis XVIII, qui s'exila de nouveau. Mais les Cent-Jours ne résistèrent pas à la coalition des ennemis de Napoléon Ier. Vaincu à Waterloo (18 juin 1815), il abdiqua de nouveau (22 juin). Il se rendit aux Britanniques et fut déporté à Sainte-Hélène, où il rédigea ses *Mémoires*. Malade, il s'éteignit le 5 mai 1821. En 1840, le retour de ses cendres, qui furent déposées aux Invalides, constitua un grand moment de ferveur nationale. ~ **Napoléon II** (François Charles Joseph **Bonaparte** ; *1811, Paris - 1832, Schönbrunn*), fils de Napoléon Ier et de Marie-Louise, proclamé roi de Rome à sa naissance. Emmené à Vienne par sa mère, en 1814, il fut reconnu empereur par les Chambres (1815). Fait duc de Reichstadt (1818), il mena une existence confinée et effacée. Depuis 1940, ses cendres reposent aux Invalides. Son destin inspira à Edmond Rostand un drame, *l'Aiglon* (1900). ~ **Napoléon III** (Charles Louis Napoléon **Bonaparte** ; *1808, Paris - 1873, Chislehurst, Kent*), empereur de 1852 à 1870, troisième fils de Louis Bonaparte et d'Hortense de Beauharnais. Ayant mené dans sa jeunesse une existence de conspirateur, il tenta à deux reprises de prendre le pouvoir par la force, en 1836 à Strasbourg et en 1840 à Boulogne. Condamné à la détention perpétuelle, il s'évada du fort de Ham (1846), où il avait écrit *l'Extinction du paupérisme* (1844). Chef du parti bonapartiste, il profita de la révolution de 1848 pour rentrer en France. Le 10 décembre 1848, il fut élu à la présidence de la République. Prince-président, il prépara avec détermination un coup d'État déclenché le 2 décembre 1851. Les opposants républicains et royalistes muselés ou exilés, il put faire approuver ce coup de force par un plébiscite. Un an plus tard, ayant consulté le peuple une nouvelle fois, il fut proclamé empereur des Français. La Constitution du 14 janvier 1852 lui conféra des pouvoirs très étendus. En 1853, il épousa Eugénie de Montijo, qui lui donna un fils, Eugène Louis, en 1856. À partir de 1860, le régime évolua vers une certaine libéralisation, et le choix d'Émile Ollivier, en 1870, pour former un nouveau ministère annonça la volonté d'instaurer un véritable régime parlementaire. À l'extérieur, Napoléon III chercha à redonner à la France une position dominante. L'expansion coloniale se poursuivit en Cochinchine (1859-1867). Allié de la Grande-Bretagne, Napoléon III la suivit aussi bien en Crimée (1854-1856) que lors de l'intervention contre la Chine (1857-1860). Principal soutien du Piémont-Sardaigne, il contribua puissamment à la victoire italienne contre l'Autriche (Solferino, juin 1859) et obtint en contrepartie la Savoie et Nice (1860). Le soutien qu'il apporta au pape et l'échec de l'expédition du Mexique (1862-1867) lui aliénèrent de nombreux soutiens à l'extérieur du pays, et son incapacité à s'entendre avec la Prusse, victorieuse de l'Autriche en 1866, le conduisit à une guerre désastreuse qui se termina par sa capitulation à Sedan (1er sept. 1870). Prisonnier de Guillaume Ier, il fut déclaré déchu dès le 4 sept. à Paris. Libéré, il se retira en Angleterre et y resta jusqu'à sa mort. Fortement critiqué par les républicains (dont Victor Hugo), le règne de Napoléon III a été marqué par l'essor de la révolution industrielle et par une volonté de modernisation (les grands travaux d'Haussmann, à Paris). Son fils ~ **Eugène Louis**, prince impérial (*1856, Paris - 1879, Unlundi, Zoulouland*), fut prétendant au trône à partir de 1873. Soldat dans l'armée britannique, il fut tué en Afrique du Sud, lors d'une reconnaissance en territoire zoulou.

**Napoléon III** et le prince impérial (XIXe s.). *Château de Compiègne.*

**Napoléon (route)** ~ Route empruntée par Napoléon Ier lorsqu'il revint de l'île d'Elbe, reliant Golfe-Juan à Grenoble à travers les Alpes.

**NAPOULE (La)** ~ Station balnéaire de la Côte d'Azur (Alpes-Maritimes), à l'O. de Cannes.

**Naqsh-e Rostam** ~ Site archéologique d'Iran, près de Persépolis. Hypogées achéménides.

**NARA** ~ V. du Japon (Honshû) ; 353 000 h. Cap. impériale de 710 à 784, âge d'or de la civilisation japonaise (nombreux temples et trésors d'art). Foyer du bouddhisme dès le VIe s.

**NARBADA** (la) ~ Voir **Narmada**.

**NARBONNAISE** (la) ~ Province romaine de Gaule (IIe s. av. J.-C.) qui s'étendait de Toulouse à Genève et à Fréjus. Au IVe s. apr. J.-C., elle fut divisée en Viennoise, Narbonnaise Ire et Narbonnaise IIe.

**NARBONNE** ~ V. de la plaine viticole du bas Languedoc (Aude), reliée au canal du Midi et à la mer par le canal de la Robine, nœud ferroviaire et routier ; 45 849 h. Grand marché du vin. Station balnéaire à **Narbonne-Plage**. Cathédrale gothique (anc. évêché). Musées (archéol., lapidaire, d'Art et d'Histoire). **HIST.** - Première colonie romaine en Gaule (fondée en 118 av. J.-C.), Narbonne fut un port prospère qui déclina à la suite du changement de cours de l'Aude (XIVe s.).

**NARCISSE** ~ Personnage de la myth. grecque. Jeune homme d'une étonnante beauté, il repoussa l'amour de la nymphe Écho. Pour le punir, Némésis le condamna à contempler sa propre image. À l'endroit où il mourut poussa la fleur qui porte son nom.

**NARMADA** ou **NARBADA** (la) ~ Fl. de l'Inde, tribut. de la mer d'Oman, limite conventionnelle de l'Hindoustan (auquel il donne accès) et du Deccan ; 1 290 km. Lieu de pèlerinage hindou.

**Narmer (palette de)** ~ Objet votif déposé dans le temple d'Horus à Hiérakonpolis (Haute-Égypte) par le roi Narmer, et qui relate sa conquête de la Basse-Égypte (fin du IVe mill. av. J.-C.).

**NARRAGANSETT** ~ Baie profonde et découpée de la côte N.-E. des États-Unis (Rhode Island).

**NARSÈS** ~ *v. 478 - 568, Rome.* Général byzantin. Il contribua à l'échec de la sédition Nika (532). Il supplanta Bélisaire en Italie, où il réorganisa l'administration après avoir chassé les Francs et les Alamans (554-555).

**NARVA** ~ V. d'Estonie, port fluvial industr. à la frontière russe ; 88 000 h. Charles XII de Suède y vainquit le tsar Pierre le Grand (30 nov. 1700).

**NARVÁEZ** (Ramón María), duc **de Valence** ~ *1800, Loja, Andalousie - 1868, Madrid.* Général et homme politique espagnol. En 1844, après avoir renversé le régent Baldomero Espartero, il rétablit la reine Marie-Christine.

**NARVIK** ~ Port minéralier du N. de la Norvège (Nordland) ; 19 000 h. Export. du minerai de fer de Kiruna. Violents combats navals et terrestres entre Allemands et Alliés en 1940.

**Nasa**, sigle de ***National Aeronautics and Space Administration*** ~ Organisme des États-Unis fondé en 1958, qui dirige et coordonne les recherches aéronautiques et spatiales américaines.

**NASHE** ou **NASH** (Thomas) ~ *1567, Lowestoft, Suffolk - v. 1601, Yarmouth, Norfolk.* Écrivain et pamphlétaire anglais. Il fut le précurseur du roman picaresque anglais (*le Voyageur malheureux ou la Vie de Jack Wilton*, 1594).

**NASHVILLE-DAVIDSON** ~ Cap. du Tennessee (États-Unis), sur la Cumberland (r. g.) ; 511 000 h. Université. Assurances. Industrie du disque (musique country). Écoles et éditions religieuses (not. baptistes et méthodistes).

**NASIK** ~ V. de l'Inde, au N.-E. de Bombay, sur la Godavari ; 657 000 h. Textile. Pèlerinage hindou et bouddhiste (temples du Ier s.).

**Nasrides** (les) ~ Dernière dynastie arabe du royaume de Grenade (1238-1492).

**NASSAU** ~ Cap. des Bahamas, dans le N. de l'île de New Providence, centre tourist. (casinos) et financier ; 172 000 h. Anc. demeures coloniales.

**NASSAU**, famille du Palatinat qui se divisa après 1255 en branches walramienne, ottonienne et d'Orange-Nassau. ~ **Guillaume Ier de Nassau**, dit **le Taciturne**, voir **Guillaume Ier**, stathouder de Hollande. Son fils ~ **Maurice de Nassau** (*1567, Dillenburg - 1625, La Haye*), prince d'Orange (1618), stathouder des Provinces-Unies (1584-1625), poursuivit avec succès sa politique anti-espagnole. ~ **Frédéric-Henri d'Orange-Nassau** (*1584, Delft - 1647, La Haye*), prince, stathouder des Provinces-Unies (1625-1647), successeur du préc., s'opposa aux Espagnols (guerre de Trente Ans). ~ **Guillaume III de Nassau**, voir **Guillaume III**, roi d'Angleterre.

**NASSER** (Gamal Abdel) ~ *1918, Bani Murr - 1970, Le Caire.* Homme d'État égyptien. Organisateur du coup d'État militaire de 1952, il instaura la république, s'arrogeant tous les pouvoirs en 1954. Conduisant de profondes réformes économiques et sociales (réforme agraire, nationalisations), il développa une politique étrangère volontariste, fondée sur le non-alignement et le panarabisme. S'il sut retourner à son avantage la crise internationale provoquée par la nationalisation du canal de Suez (1956), il dut refréner ses ambitions après la défaite que lui infligea Israël en 1967. Sa mort soudaine causa une vive émotion dans le monde arabe.

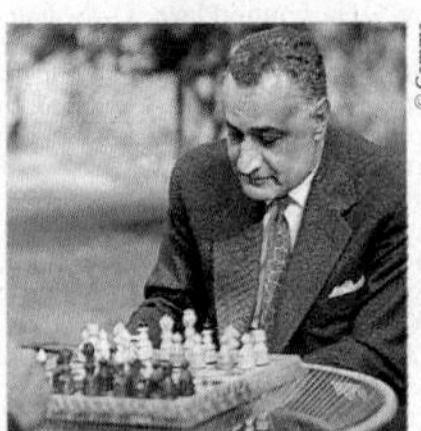
© Gamma

*Gamal Abdel Nasser.*

**NASSER (lac)** ~ Grande retenue sur le Nil (haute Égypte, Soudan) fermée par le barrage d'Assouan ; 60 000 km². Sa mise en eau (1972) a permis l'irrigation de centaines de milliers d'hectares gagnés sur le désert.

**NATAL** ~ Port du Nordeste brésilien, sur l'Atlantique, cap. de l'État du Rio Grande do Norte ; 607 000 h. Archevêché. Université. Textile. Base spatiale.

**NATAL** ou **KWAZULU-NATAL** (le) ~ Prov. orientale d'Afrique du Sud, baignée par l'océan Indien, région de plateaux longée par une plaine côtière, de climat subtropical ; 92 180 km², 8 505 000 h. (maj. zouloue), dont Indiens (25 %), cap. Pietermaritzburg. Maïs, canne à sucre et élev. bovin, exploit. du bois et du charbon, industr. diversifiées dans la cap. (v. princ.) à Durban. **HIST.** - Colonisée par les Boers (1837), elle fut annexée par la Grande-Bretagne dès 1843. Agrandie du Zoulouland (1897), elle forma une province de l'Union sud-africaine (1910). Elle a pris le nom de Kwazulu-Natal en 1994.

**NATANYA** ~ Voir **Netanya**.

**NATHAN** ~ Prophète biblique. Conseiller du roi David, il fut l'un des premiers à prophétiser que sa descendance compterait un messie.

**National Aeronautics and Space Administration** ~ Voir **Nasa**.

**National Gallery** ~ Musée de peinture, ouvert à Londres en 1838. Il est, par la richesse de ses collections, l'un des plus grands du monde.

**National Gallery of Art** ~ Musée de peinture, ouvert à Washington en 1941.

**Nations unies** ~ Voir **Organisation des Nations unies**.

**NATOIRE** (Charles) ~ *1700, Nîmes - 1777, Castel Gandolfo.* Peintre français. Il fut l'un des représentants du style rococo et s'illustra notamment dans les scènes mythologiques.

**NATORP** (Paul) ~ *1854, Düsseldorf - 1924, Marburg.* Philosophe allemand. Membre de l'école de Marburg, il développa dans le cadre kantien une conception de l'unité de la pensée et de l'être dépassant l'opposition entre expérience et raison. Son intellectualisme aboutit à une promotion de la culture comme outil social (*Introduction à l'idéalisme critique,* 1911 ; *Sozialidealismus,* 1920).

**NATSUME Sôseki** ~ *1867, Edo - 1916, Tôkyô.* Poète et romancier japonais. Auteur de haïkus, de nouvelles et de romans (*Je suis un chat,* 1905-1906).

**NATTIER** (Jean-Marc) ~ *1685, Paris - 1766, id.* Peintre français. Peintre de la famille royale, il exécuta des portraits transposés dans la mythologie (*Madame Adélaïde en Diane,* 1745).

**NAUCRATIS** ~ V. de l'anc. Égypte, sur le delta du Nil. Ce comptoir fut fondé par les Milésiens (v. 664 av. J.-C.) pour servir le commerce entre la Grèce et l'Égypte.

**NAUDIN** (Charles) ~ *1815, Autun - 1899, Antibes.* Biologiste français. Inventeur de la génétique à la même période que J. Mendel, il expérimenta l'hybridation de nombreux végétaux.

**NAUNDORFF** ou **NAUNDORF** (Karl) ~ *1787, Potsdam - 1845, Delft.* Horloger prussien. Il déclara être Louis XVII, vint en France (1833), trouva des partisans mais finit par être expulsé (1836).

**NAUPACTE**, anc. **Lépante** ~ V. de Grèce, sur le golfe de Corinthe ; 11 000 h. Les Vénitiens la possédèrent du XVᵉ au XVIIᵉ s. Don Juan d'Autriche, à la tête de la flotte de la Sainte Ligue, y remporta la **bataille de Lépante** contre les Ottomans d'Ali Pacha pour le contrôle de Chypre (7 oct. 1571).

**NAUPLIE** ~ Port de Grèce (Péloponnèse) ; 11 000 h. Cap. de la Morée vénitienne (1684-1715), elle fut la première capitale de la Grèce indépendante, de 1829 à 1834.

**NAUROUZE (seuil de)** ~ Point le plus bas (194 m) de la ligne de partage des eaux tributaires de la Méditerranée et de l'Atlantique, au S.-O. du Massif central (Lauragais). Il est franchi par le canal du Midi.

**NAURU (république de)** ~ Micro-État du S.-E. de la Micronésie (indépendant en 1968), île corallienne isolée. ***Cap.*** Yaren. ***Superf.*** 21 km². ***Popul.*** 8 000 h. ***Langues princ.*** Anglais, nauruan. ***Monn.*** Dollar australien. ***Climat.*** Tropical. ***Écon.*** Elle repose sur l'exploitation des phosphates (en voie d'épuisement).

**NAUSICAA** ~ Personnage de l'*Odyssée.* Princesse phéacienne, fille du roi Alcinoos, elle s'éprit d'Ulysse, réfugié chez son père après un naufrage, mais renonça à lui lorsqu'elle apprit son union avec Pénélope.

**NAVACELLES (cirque de)** ~ Site naturel des gorges de la Vis (affl. de l'Hérault), canyon de 300 m de profondeur, à sec, dans le causse du Larzac.

**Navajos** ou **Navahos** (les) ~ Indiens du S.-O. de l'Amérique du Nord, confinés dans les réserves de l'Arizona et du Nouveau-Mexique.

**NAVARIN**, auj. **Pýlos** ~ Port de Grèce, sur la côte O. du Péloponnèse ; 3 000 h. Proche du site de l'anc. Pýlos dont Nestor fut le roi légendaire. Les navires français, britanniques et russes y détruisirent la flotte turque (20 oct. 1827) durant la guerre d'indépendance grecque.

**NAVARRE** (la) ~ Communauté autonome du N. de l'Espagne, partagée entre le prolongement des Pyrénées basques et le bassin de l'Èbre, à l'E. de l'Aragon ; 10 421 km², 519 000 h. (dont 10 % de bascophones), cap. et v. princ. Pampelune.

**NAVARRE (royaume de)** ~ Royaume issu d'un noyau de résistance aux Arabes formé autour de Pampelune (IXᵉ s.), il affirma sa puissance sous Sanche III García (v. 1000-1035). Passé sous l'autorité des dynasties françaises (1234), il fut occupé par Ferdinand le Catholique puis annexé, en partie, à la Castille en 1530 (Haute-Navarre espagnole). La Basse-Navarre, au N., fut acquise par Henri IV en 1589 et rattachée à la couronne de France en 1620.

**NAVARRE FRANÇAISE** ou **BASSE-NAVARRE** (la) ~ Partie pyrénéenne du Pays basque français (cap. hist. Saint-Jean-Pied-de-Port), dans les Pyrénées-Atlantiques.

**NAVAS DE TOLOSA (Las)** ~ Bourgade d'Espagne (prov. de Jaén). Les rois d'Aragon, de Castille et de Navarre y vainquirent les Almohades le 16 juillet 1212, lors de l'une des plus fameuses batailles de la Reconquista.

**NAVRATILOVA** (Martina) ~ *1956, Řevnice, près de Prague.* Joueuse de tennis américaine d'orig. tchèque. Elle remporta le Grand Chelem (1984) et fut neuf fois vainqueur à Wimbledon.

**NÀXOS** ~ La plus grande des îles Cyclades (Grèce) ; 428 km², env. 15 000 h. Vigne, agrumes. Extraction d'émeri. Dans l'Antiquité, on y rendait un culte à Dionysos. Nàxos fut ravagée par les Perses en 490 av. J.-C. Au lendemain de la 4ᵉ croisade, les Vénitiens y fondèrent un duché (1207-1566), puis l'île passa aux Turcs (1579-1821).

**NAYARIT** (le) ~ État du centre du Mexique bordé par le Pacifique, étroite plaine côtière au climat subtropical, dominée par la sierra Madre occidentale ; 27 621 km², 825 000 h., cap. Tepic. Agriculture (canne à sucre, café, coton, tabac).

**NAZARETH** ~ V. d'Israël, en Galilée, au S.-E. d'Haïfa. Les Évangiles y situent l'enfance et la vie de Jésus avec sa famille. Lieu de pèlerinage chrétien. Église de l'Annonciation (XVIIIᵉ s.).

**Nazca** ~ Nom d'une culture précolombienne de la côte S. du Pérou (v. 200 av. J.-C.-600 apr. J.-C.) célèbre par ses tissus et par sa céramique illustrée de dessins d'animaux.

**NAZOR** (Vladimir) ~ *1876, Postire - 1949, Zagreb.* Écrivain croate, auteur de romans, de contes (*Stoimena,* 1916) et de poèmes lyriques ou épiques.

**Ndébélés** (les) ~ Voir **Matabélé**.

**N'DJAMENA**, anc. **Fort-Lamy** ~ Cap. et port fluvial du Tchad, au confluent du Chari et du Logone, centre commercial d'une région agricole, près de la frontière camerounaise ; 530 000 h. Université.

**NDOLA** ~ V. de Zambie, l'un des princ. centres industr. de la Copper Belt, à la frontière du Zaïre ; 467 000 h. Cuivre, raff. de pétrole, sucreries. École technique.

**NDZOUANI** ou **ANJOUAN** ~ Île des Comores ; 424 km², 221 000 h.

**NEAGH (lough)** ~ Lac d'Irlande du Nord, à l'O. de Belfast, le plus étendu des îles Britanniques (390 km²).

**Neandertal (homme de)** ~ Homme préhistorique nommé d'après la **vallée du Neander**, près de Düsseldorf, où fut découvert en 1856 un squelette établissant l'existence d'un type d'hominidé différent de l'homme actuel. Les **néandertaliens**, qui vécurent entre 80000 et 35000 av. J.-C., enterraient leurs morts ; ils sont associés au faciès moustérien.

**NÉARQUE** ~ *2ᵉ moitié du IVᵉ s. av. J.-C.* Amiral d'Alexandre le Grand d'orig. crétoise. Son *Périple*, connu par quelques fragments, relate sa navigation de l'Indus au golfe Persique.

**NEAU** ~ Voir **Eupen**.

**NEBBIO** (le) ~ Région du N. de la Corse, autour de Saint-Florent. Viticulture. Tourisme balnéaire.

**NÉBO (mont)** ~ Montagne de Jordanie (806 m) qui domine la mer Morte. Selon la Bible, Moïse, après avoir vu la Terre promise, y mourut.

**NEBRASKA** (le) ~ État du centre des États-Unis, partie des Grandes Plaines (maïs, blé, élev. bovin extensif), bordé par les Rocheuses, de climat continental (les pluies diminuent d'E. en O.) ; 119 113 km², 1 607 000 h., cap. Lincoln. L'exploitation des hydrocarbures et l'industrie sont concentrées à Omaha. **HIST.** - Le Nebraska est formé d'une partie de l'ancienne Louisiane cédée par la France aux États-Unis (1803). Territoire autonome en 1854, il devint le 37ᵉ État de l'Union en 1867.

**NÉCHAO** ou **NÉKAO**, nom de deux souverains d'Égypte. ~ **Néchao Iᵉʳ**, prince de la ville de Saïs (672-665 av. J.-C.), sur le delta du Nil. Il fut imposé par Assourbanipal. ~ **Néchao II**, pharaon de la XXVIᵉ dynastie saïte (610-594 av. J.-C.), fils de Psammétique Iᵉʳ. Il conquit la Palestine et la Syrie, mais fut vaincu à Kargamish par Nabuchodonosor II (605 av. J.-C.) et perdit ses conquêtes.

**NECKAR** (le) ~ Affl. du Rhin moyen (r. dr.), en Allemagne occidentale, qui draine le N.-O. de la Souabe et conflue à Mannheim ; 370 km. Vignobles le long de son cours entre Stuttgart et Heidelberg.

*Martina **Navratilova** à Wimbledon, en 1989.*

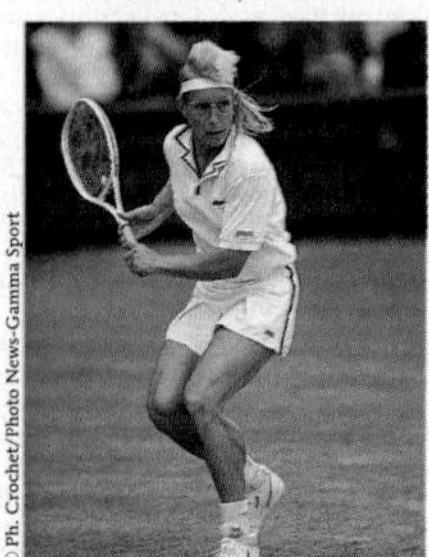
© Ph. Crochet/Photo News-Gamma Sport

**NECKER** (Jacques) ~ *1732, Genève - 1804, Coppet, Suisse.* Financier et homme politique suisse. Banquier à Paris, il devint directeur général des Finances en 1777. Il chercha à réformer l'assiette fiscale et créa des assemblées provinciales chargées de répartir l'impôt. L'opposition des privilégiés l'obligea à se retirer (1781). En 1788, Louis XVI le rappela. Necker le persuada de convoquer les états généraux, mais la cour obtint son renvoi le 11 juillet 1789. Rappelé le 16, il ne parvint pas à imposer sa politique et quitta la France en septembre 1790. Il eut Mme de Staël pour fille. Son épouse ~ **Suzanne** NECKER, née CURCHOD (*1739 - 1794*), fonda un hôpital parisien qui porte son nom (1776).

© Giraudon

Jacques **Necker** (*v. 1781 ; détail), d'après Joseph Siffrein Duplessis. Château de Versailles.*

**NECTANÉBO**, nom de deux pharaons d'Égypte. ~ **Nectanébo Ier**, premier pharaon de la XXXe dynastie (380-362 av. J.-C.), repoussa une attaque perse en 373 av. J.-C. ~ **Nectanébo II**, dernier pharaon indigène d'Égypte (360-341 av. J.-C.), résista aux Perses grâce au soutien de Sparte, mais fut vaincu, en 341 av. J.-C., par Artaxerxès III Ochos.

**NEDERLAND** ~ Voir **Pays-Bas.**

**NEDJD** ou **NADJD** (le) ~ Plateau central et région de la péninsule Arabique, steppique ou désertique, parsemé de vastes oasis, foyer de l'islam wahhabite (depuis le XVIIIe s.) et de l'expansion saoudite, où se trouve Riyad (depuis 1824).

**NEDJEF** ~ Voir **Najaf.**

**NÉEL** (Louis) ~ *1904, Lyon.* Physicien français. Auteur de l'hypothèse du champ moléculaire négatif (1932), il a décrit de nouveaux types de magnétisme, complétant les recherches sur la technique des ferrites et des matériaux magnétiques isolants. Prix Nobel de phys. 1970.

**NEERWINDEN** ~ Localité de Belgique (Brabant). Le duc de Luxembourg y défit Guillaume III d'Orange (29 juill. 1693). Frédéric de Saxe-Cobourg y vainquit Dumouriez (18 mars 1793).

**NÉFERTARI** ~ *XIIIe s. av. J.-C.* Reine d'Égypte. Première épouse du pharaon Ramsès II.

**NÉFERTITI** ~ *XIVe s. av. J.-C.* Reine d'Égypte. Épouse du pharaon Aménophis IV. Plusieurs musées (à Berlin, au Caire, à Paris) conservent d'elle de très belles représentations.

**NEFOUD** (le), en ar. ***al-Nufud*** ~ Grand désert de sable (env. 60 000 km$^2$) du N. de l'Arabie Saoudite, entre le Nedjd et le désert de Syrie.

**NEGERI SEMBILAN** ~ État du S.-O. de la péninsule malaise (Malaysia), sur le détroit de Malacca ; 6 643 km$^2$, 724 000 h., cap. Seremban (136 000 h.). Riz, hévéa. Tourisme balnéaire. Colonie fondée au XVIe s. par des Malais venus de Sumatra et fédérés sous l'autorité britannique (1895).

**NEGRI** (Cesare) ~ *v. 1530, Milan - v. 1604, id.* Maître à danser italien. Il fixa les cinq positions fondamentales de la danse académique (*le Gratie d'amore*, 1602 ; *Nuove Inventioni di balli*, 1604).

**Négritos** (les) ~ Nom générique des peuples autochtones refoulés dans les forêts et montagnes de Malaisie, des Philippines et de Nouvelle-Guinée.

**NEGRO (río)**, nom de trois cours d'eau d'Amérique du Sud. ~ Affl. princ. de l'Amazone (r. g.), qu'il rejoint à Manaus, relié à l'Orénoque par le Casiquiare ; 2 200 km. Il est issu des Andes et draine le S. des llanos colombiens. ~ Affl. du río Uruguay, né au Brésil, qui traverse l'Uruguay ; 800 km. ~ Fl. argentin du N. de la Patagonie, issu des Andes, qui rejoint l'Atlantique après Viedma ; env. 1 000 km.

**NEGROS** ~ Île montagneuse (2 450 m) des Philippines (S.-E. des Visayas) ; 13 328 km$^2$, 2 750 000 h., v. princ. Bacolod. La côte O., vouée à la culture de la canne à sucre, est très peuplée.

**NEGRUZZI** (Costache) ~ *1808, Iaşi - 1868, id.* Écrivain et homme politique roumain. Son œuvre marqua un renouveau des lettres moldaves (*Alexandru Lăpuşneanu*, 1840 ; *Péchés de jeunesse*, 1857). Il fut ministre des Finances.

**NÉGUEV** (le) ~ Région aride du S. d'Israël (env. 60 % du territoire de 1949), zone de colonisation agricole (irrigation), peu peuplée (env. 12 % de la population du pays). V. princ. Beersheba et Eilat, sur la mer Rouge.

**NÉHÉMIE** ~ *milieu du Ve s. av. J.-C.* Gouverneur de Judée. Juif de Perse, il fut chargé par Artaxerxès Ier de restaurer Jérusalem (445-433 av. J.-C.), avec le prêtre Esdras.

**NEHRU** (Jawaharlal) ~ *1889, Allahabad - 1964, New Delhi.* Homme politique indien. Proche du Mahatma Gandhi, président du Congrès national à partir de 1929, il devint en 1947 Premier ministre de l'Inde indépendante mais ne put empêcher la sécession du Pakistan. Figure de proue du mouvement des non-alignés (conférence de Bandung, 1955) et d'une « troisième voie » économique, il resta au pouvoir malgré son échec lors du conflit sino-indien (1962). Il eut Indira Gandhi pour fille.

© F. P. G.-Explorer

*Jawaharlal Nehru.*

**NEIGE (crêt de la)** ~ Point culminant du Jura, en France (1 718 m).

**NEIGES (piton des)** ~ Point culminant de l'île de la Réunion (3 069 m), au bord du cirque de Cilaos.

**NEILL** (Alexander Sutherland) ~ *1883, Forfar, auj. Angus, Écosse - 1973, Aldeburgh, Suffolk.* Pédagogue britannique. Il développa une théorie fondée sur la liberté et l'autoresponsabilité de l'enfant (*Libres Enfants de Summerhill*, 1960).

**NEISSE DE LUSACE** (la), en polonais ***Nysa Łużycka*** ~ Affl. de l'Oder (256 km) issu des Sudètes (République tchèque), frontière germano-polonaise au S. du confluent avec l'Oder.

**NÉKAO Ier** et **NÉKAO II** ~ Voir **Néchao.**

**NEKRASSOV** (Nikolaï Alekseïevitch) ~ *1821, Iouzvino - 1877, Saint-Pétersbourg.* Poète et journaliste russe. Son œuvre (*les Colporteurs*, 1861) et son engagement politique (journal *le Contemporain*) influencèrent le courant moderniste russe du XIXe s.

**NELSON** (le) ~ Fl. du Canada, émissaire du lac Winnipeg (bassin de la Saskatchewan), tribut. de la baie d'Hudson ; 650 km.

**NELSON** (Horatio, vicomte), duc **de Bronte** ~ *1758, Burnham Thorpe - 1805, au large de Trafalgar.* Amiral britannique. Il coula la flotte française à Aboukir (1er août 1798), puis vainquit la flotte franco-espagnole à Trafalgar (21 oct. 1805), où il fut tué.

**NÉMÉE** ~ Vallée de la Grèce antique, dans l'Argolide. Héraclès y accomplit le premier de ses douze travaux, en étouffant un lion réputé invincible.

**NÉMÉSIS** ~ Personnage de la mythologie grecque. Fille de la Nuit (Nyx), elle personnifie la vengeance divine. Elle se mua en oie pour échapper à Zeus qui se métamorphosa en cygne et s'unit à elle. Elle donna naissance à Hélène et aux Dioscures.

**NEMEYRI** (Gaafar el-) ~ Voir **Nimayri.**

**NEMOURS** ~ V. du Gâtinais (Seine-et-Marne), sur le Loing, au S. de la forêt de Fontainebleau ; 12 072 h. Musée de Préhistoire d'Île-de-France. Château (XIIe, XVe s.), auj. musée historique.

**NEMOURS** (Louis Charles Philippe **d'Orléans**, duc DE) ~ *1814, Paris - 1896, Versailles.* Prince français, second fils de Louis-Philippe. Il participa au siège d'Anvers (1832) et commanda en Algérie (1834-1842). Il vécut en exil de 1848 à 1871.

**NEMROD** ~ Personnage biblique. Grand chasseur, on lui attribue la fondation de Ninive.

**NENNI** (Pietro) ~ *1891, Faenza - 1980, Rome.* Homme politique italien. Figure historique du Parti socialiste italien, il combattit en Espagne contre Franco (1936-1939). Vice-président du Conseil (1945-1946), il resta partisan de l'alliance avec les communistes après 1947, mais se rapprocha de la Démocratie chrétienne à partir de 1957. Il fut de nouveau vice-président du Conseil en 1963 et ministre des Affaires étrangères (1968-1969).

**NÉOPTOLÈME** ~ Voir **Pyrrhos.**

**NÉOUVIELLE (massif du)** ~ Massif granitique des Pyrénées françaises (Hautes-Pyrénées), entre les vallées d'Aure et du gave de Pau (pic Long, 3 190 m). Réserve naturelle (lacs glaciaires).

**N. E. P.**, sigle de ***Novaïa Ekonomitcheskaïa Politika***, en fr. « nouvelle politique économique » ~ Politique mise en œuvre par Lénine en 1921, consistant en un retour partiel à l'économie de marché. Elle fut poursuivie par Staline jusqu'en 1929.

**NÉPAL (royaume du)** ~ État d'Asie, entre le Tibet et l'Inde. ***Cap.*** Katmandou. ***Superf.*** 147 181 km$^2$. ***Popul.*** 19 360 000 h. ***Langue princ.*** Népalais. ***Monn.*** Roupie népalaise. ***Relief.*** Pays enclavé et montagneux de l'Himalaya central (Everest, 8 846 m). La population est concentrée dans les plaines chaudes du S. (Teraï) et les vallées du Moyen Himalaya, séparées par les Siwalik. ***Climat.*** Tropical, altéré par l'altitude. Pluies croissantes d'O. en E. Forêt caduque jusqu'à 1 500 m. ***Écon.*** L'agriculture reste la principale activité (céréales, élevage bovin), potentiel hydroélectrique sur les affluents du Gange. Tapis, tourisme. ***V. princ.*** Katmandou, Patan. **HIST.** - *VIIe s.* : ouverture de voies à travers l'Himalaya et début de l'influence indienne. *XIIe-XIVe s.* : immigration de populations indiennes chassées par les invasions musulmanes. *XIVe-XVIIIe s.* : fondation de diverses dynasties (Ayodhya, Malla) par des princes indiens ou par les rajputs, qui unifient le pays en 1768. *1791* : le Népal signe des traités commerciaux et militaires avec le Royaume-Uni, qui renforce son influence au XIXe s. *1923* : accession à l'indépendance. *1947-1950* : un conflit concernant les relations avec l'Inde indépendante oppose le roi et le Premier ministre. *1951-1962* : coup d'État royal avec le soutien de l'Inde ; mise en place d'une monarchie constitutionnelle. Depuis 1972, le roi Birendra Bir Bikram maintient un équilibre difficile entre l'Inde et la Chine. *1994* : éphémère gouvernement communiste issu des élections.

**NEPER** (John) ~ Voir **Napier.**

**NEPTUNE** ~ Dieu romain de la Mer, assimilé au Poséidon des Grecs.

**NEPTUNE** ~ Planète du système solaire, située entre Uranus et Pluton. Son diamètre équatorial représente 49 500 km, sa masse 17,2 fois celle de la Terre, son volume 57 fois celui de la Terre, sa masse volumique est égale à env. 1,67 g/cm$^3$, sa révolution sidérale à 164,88 ans. Elle possède un champ magnétique, 3 anneaux et 8 satellites (dont Triton et Néréide). Son atmosphère, caractérisée par d'importantes turbulences, est composée princ. d'hydrogène, d'hélium et de méthane.

**NÉRAC** ~ V. de l'Armagnac (Lot-et-Garonne), sur la Baïse ; 7 015 h. Eau-de-vie. Maisons du Moyen Âge et de la Renaissance. Musée archéol. et historique. Au XVIe s., Nérac, où siégeait la cour de Marguerite de Valois, était un centre protestant.

**NÉRÉE** ~ Personnage de la mythologie grecque. Fils de Pontos et de Gaïa, il est l'un des dieux de la Mer, antérieur à Neptune.

**Néréides** (les) ~ Personnages de la mythologie grecque. Filles de Nérée et de Doris, au nombre de cinquante, elles habitaient au fond de la mer.

**NERETVA** (la) ~ Fl. de Bosnie-Herzégovine qui traverse en gorges les Alpes dinariques, arrose Mostar et se jette dans l'Adriatique ; 275 km. Hydroélectricité.

**NÉRIS-LES-BAINS** ~ Station therm. du Bourbonnais (Allier), près de Montluçon ; 2 831 h. Vestiges gallo-romains (piscines, arènes), nécropole mérovingienne, église romane (XIe-XIIe s.).

**NERNST** (Walther) ~ *1864, Briesen, Prusse - 1941, près de Muskau.* Physicien et chimiste allemand. Il conçut une lampe électrique à incandescence qui porte son nom et une méthode de détermination des chaleurs spécifiques à très basse température. Prix Nobel de chim. 1920.

**NÉRON**, en lat. ***Lucius Domitius Tiberius Claudius Nero*** ~ *37, Antium - 68, Rome.* Empereur romain (54-68). Fils de Domitius Ahenobarbus et d'Agrippine la Jeune, il fut adopté par l'empereur Claude. Il élimina Britannicus (55) puis Agrippine (59). Après la mort de Burrus et la disgrâce de Sénèque, ses guides, en 62, il instaura un régime de terreur frappant les élites, dont les biens étaient confisqués pour pourvoir à sa mégalomanie. Il laissa persécuter les chrétiens, qu'il accusa du grand incendie de Rome (64). L'échec de la conjuration de Pison (65), le soulèvement de Vindex en Gaule et celui de Galba en Espagne aboutirent à la fuite et au suicide de Néron, proclamé ennemi public par le Sénat.

© Giraudon

**Néron**, *marbre du Ier s. Musée national romain, Rome.*

**NERUDA** (Neftalí Ricardo **Reyes**, dit Pablo) ~ *1904, Parral - 1973, Santiago.* Poète chilien. Très populaire, son œuvre chante l'amour, la révolution et la terre du Nouveau Monde et culmine dans l'épopée du *Chant général* (1950). Prix Nobel de litt. 1971.

**NERVA**, en lat. ***Marcus Cocceius Nerva*** ~ *v. 30, Narni - 98, Rome.* Empereur romain (96-98), fondateur de la dynastie des Antonins. Après l'assassinat de Domitien, il fut choisi comme empereur par le Sénat. Il adopta Trajan comme successeur (97).

**NERVAL** (Gérard **Labrunie**, dit Gérard DE) ~ *1808, Paris - 1855, id.* Écrivain français. Il fréquenta les grands poètes romantiques et vécut à l'extrême leur aventure spirituelle. Après une série d'internements, il se pendit. Son œuvre témoigne de sa quête hallucinatoire de l'inconscient qui fit de sa vie un « épanchement du songe ». Traducteur du *Faust* de Goethe (1828), il publia *Voyage en Orient* (1851), *les Illuminés* (1852), *les Filles du feu* (1854). Les sonnets des *Chimères* (1854) et son roman *Aurélia* (posth., 1855) ouvrirent la voie à Baudelaire et aux surréalistes.

© Coll. Lausat-Explorer

*Gérard de* **Nerval**, *photographié v. 1853 par Nadar (1820-1910). Bibliothèque nationale, Paris.*

**NERVI** (Pier Luigi) ~ *1891, Sondrio, Lombardie - 1979, Rome.* Architecte et ingénieur italien. Fonctionnaliste, il réalisa d'audacieuses structures en béton armé (stade de Florence, 1931 ; palais des Sports de Rome, 1956-1958 ; grande salle de conférences de l'Unesco à Paris, avec Marcel Breuer et Bernard Zehrfuss, 1954-1958).

**Nesle (tour de)** ~ Élément de la première enceinte parisienne, due à Philippe Auguste, sur la r. g. de la Seine. Elle aurait été le théâtre des débauches des belles-filles de Philippe le Bel.

**NESS (loch)** ~ Lac d'Écosse (long. 36 km, prof. 230 m), dans la dépression du Glen More (N.-E.). Un monstre légendaire hanterait ses eaux.

**NESSELRODE** (Karl Robert, comte VON) ~ *1780, Lisbonne - 1862, Saint-Pétersbourg.* Homme politique russe. Il fut ministre des Affaires étrangères sous les règnes d'Alexandre Ier et de Nicolas Ier (1816-1856).

**NESSOS** ou **NESSUS** ~ Centaure, fils d'Ixion et d'Héra, dans la mythologie grecque. Jaloux d'Héraclès, blessé à mort par le demi-dieu, il lui fit envoyer sa tunique empoisonnée, trempée dans son propre sang : Héraclès mourra après l'avoir revêtue.

**NESTE D'AURE** ou **GRANDE NESTE** (la) ~ Affl. pyrénéen de la Garonne (65 km), issu du massif du Néouvielle, qui coule dans une profonde vallée glaciaire (**vallée d'Aure**). Nombreux barrages près des sources (hydroélectricité, régularisation de la Garonne). Thermalisme.

**NESTORIUS** ~ *v. 380, Germanica Cesarea, auj. Kahramanmaraş Syrie - v. 451, Kharguèh.* Moine et prêtre d'Antioche. Patriarche de Constantinople (428-431), déposé comme hérésiarque. Sa doctrine, le **nestorianisme**, fut condamnée lors du concile d'Éphèse (431). L'Église nestorienne s'établit en Perse et en Chine.

**NETANYA** ou **NATANYA** ~ Port d'Israël, au N. de Tel-Aviv ; 140 000 h. Centre de la taille du diamant. Station balnéaire.

**NETANYAHOU** (Benjamin) ~ *1949, Jérusalem.* Homme politique israélien. Officier d'une unité d'élite antiterroriste (1967-1972), il devient ambassadeur d'Israël auprès des Nations unies (1984-1988). Élu député (1988), il est nommé vice-ministre des Affaires étrangères (1988-1991) puis vice-Premier ministre (1991-1992). Président du Likoud (1993), il est le premier Premier ministre élu de l'histoire d'Israël (juin 1996). Sa politique fragilise le processus de paix engagé avec l'Autorité palestinienne.

**NETCHAÏEV** (Sergueï Guennadievitch) ~ *1847, Ivanovo - 1882, Saint-Pétersbourg.* Nihiliste russe. Il signa le *Catéchisme révolutionnaire* (1868-1869).

**NETO** (Agostinho) ~ *1922, Cachicane - 1979, Moscou.* Homme d'État angolais. Fondateur du Mouvement populaire de libération de l'Angola, il fut l'un des artisans de l'indépendance, en 1975. Président de la République de cette date à sa mort, il se heurta à l'opposition armée de Jonas Savimbi.

**NETZAHUALCÓYOTL** ~ 2e ville de l'agglom. de Mexico, poche de pauvreté à l'urbanisation anarchique ; 1 260 000 h.

**NEUBOURG (Le)** ~ V. de Normandie (Eure), au N.-O. d'Évreux, au centre de la plaine (ou campagne) céréalière du Neubourg ; agglom. 4 075 h. Château du Champ-de-Bataille (XVIIe s.) à proximité.

**NEUCHÂTEL** ~ Canton de la Suisse romande, protestant, dans le Jura ; 803 km², 164 000 h., ch.-l. **Neuchâtel** (32 000 h.). Élevage bovin, vitic. Berceau de l'industr. horlogère (La Chaux-de-Fonds). Siège d'une principauté échue au roi de Prusse (1707), Neuchâtel fut admis parmi les cantons suisses (1815). La république y fut établie en 1848.

**NEUCHÂTEL (lac de)** ~ Lac de Suisse (218 km², alt. 429 m, prof. 150 m), au pied du Jura, dans le haut bassin de l'Aar. Vignobles sur la rive N.

**NEUENGAMME** ~ Localité d'Allemagne, au S.-E. de Hambourg. Camp de concentration nazi (1938-1945).

**NEUF-BRISACH** ~ Port du Haut-Rhin, sur le grand canal d'Alsace, à la frontière allemande ; 2 092 h. Aluminium. Place fortifiée par Vauban.

**NEUFCHÂTEAU** ~ V. de Lorraine (Vosges), sur la Meuse ; 7 803 h. Bois, jouets. Églises St-Christophe (XIIe-XIVe s.) et St-Nicolas (XIIIe-XVIe s.).

**NEUHOFF** ou **NEUHOF** (Theodor, baron DE) ~ *1694, Cologne - 1756, Londres.* Aventurier allemand. Il se fit proclamer roi de Corse (1736-1738) sous le nom de Théodore Ier.

**NEUILLY-PLAISANCE** ~ V. de la banlieue E. de Paris (Seine-Saint-Denis) ; 18 195 h.

**NEUILLY-SUR-MARNE** ~ V. de la banlieue E. de Paris (Seine-Saint-Denis) ; 31 461 h.

**NEUILLY-SUR-SEINE** ~ V. de la banlieue O. de Paris (Hauts-de-Seine), bordée par le bois de Boulogne ; 61 768 h. Nombreux sièges sociaux.

**NEUMANN** (Johann ou John VON) ~ *1903, Budapest - 1957, Washington.* Mathématicien américain d'orig. hongroise. Il contribua à l'axiomatisation de la mécanique quantique et à la théorie des ensembles. Il donna une méthode de traitement de l'information par machine automatique autoreproductrice qui fait de lui l'un des fondateurs de la cybernétique.

**NEUMANN** (Johann Balthasar) ~ *1687, Cheb, Bohême - 1753, Würzburg.* Architecte et ingénieur militaire allemand. Outre des fortifications, il édifia des châteaux et des églises dans un style baroque tardif à l'esprit rococo.

**NEUMEIER** (John) ~ *1942, Milwaukee.* Danseur et chorégraphe américain. Directeur du ballet de l'Opéra de Hambourg, il est l'auteur de créations de style néoclassique (*le Songe d'une nuit d'été*, 1978 ; *Valsav*, 1979) marquées par sa spiritualité (*la Passion selon saint Matthieu*, 1981).

**NEUQUÉN** ~ V. d'Argentine, sur le piémont andin, ch.-l. de la **province de Neuquén** (94 078 km², 386 000 h.) ; 167 000 h. Agroalimentaire.

**NEURATH** (Konstantin, baron VON) ~ *1873, Kleinglattbach - 1956, Leinfelder Hof.* Homme politique allemand. Ministre des Affaires étrangères (1932-1938), protecteur de Bohême-Moravie (1939-1941), il fut condamné à quinze ans de prison au procès de Nuremberg.

**NEUSIEDL (lac de)**, en hongrois *Fertö* ~ Lac peu profond de la frontière austro-hongroise, légèrement saumâtre, aux rives marécageuses, sans émissaire naturel ; env. 350 km².

**NEUSS** ~ V. d'Allemagne, port sur le Rhin, face à Düsseldorf (Rhénanie-du-Nord - Westphalie) ; 149 000 h. Métall., chim., minoteries. Église Saint-Quirinus (XIIIe s. ; coupole baroque, 1741).

**NEUSTRIE (royaume de)** ~ Royaume mérovingien constitué en 561, à la mort de Clotaire Ier, au profit de Chilpéric Ier. Il s'étendait de la mer du Nord à la Meuse et à la Loire. Pépin de Herstal réunit, après la bataille de Tertry, en 687, la Neustrie au royaume rival d'Austrasie.

**NEUTRA** (Richard Joseph) ~ *1892, Vienne - 1970, Wuppertal.* Architecte américain d'orig. autrichienne. Adepte de la rigueur du style international et de la structure métallique, il se spécialisa dans la construction de résidences de luxe aux lignes épurées (Kaufmann House, 1946, à Palm Spring).

**NEVA** (la) ~ Fl. de Russie (74 km), émissaire du lac Ladoga, qui rejoint le golfe de Finlande à Saint-Pétersbourg. Le prince Alexandre Nevski y remporta une victoire décisive sur les Suédois le 15 juillet 1240.

**NEVADA (sierra)**, nom de deux massifs montagneux. ~ Massif du S. de l'Espagne, dans la cordillère Bétique (3 480 m au Mulhacén, point culminant de la péninsule Ibérique). ~ Chaîne de l'O. des États-Unis (4 418 m au mont Whitney), entre le Grand Bassin et la Grande Vallée californienne. Parcs nationaux Yosemite et Sequoia.

**NEVADA** (le) ~ État aride de l'O. des États-Unis, correspondant à la majeure partie du Grand Bassin ; 284 396 km², 1 389 000 h., cap. Carson City. Ress. minières, agric. irriguée. Le tourisme (jeux à Las Vegas, Reno) est la manne locale. **HIST.** - Territoire cédé par le Mexique aux États-Unis (1848), le Nevada devint le 36e État de l'Union en 1864.

**NEVERS** ~ Préfect. de la Nièvre, en Bourgogne, au confluent de la Nièvre et de la Loire ; 41 968 h. (agglom. 58 915 h.). Faïencerie d'art, constr. mécaniques. Cathédrale (romane et gothique), église romane, palais ducal de la Renaissance. Musée des faïences de Nevers. Foyer de la révolte gauloise en 52 av. J.-C., elle devint capitale du comté de Nevers à la fin du IXe s.

**NEVILLE** (Richard), comte **de Warwick**, dit **le Faiseur de rois** ~ *1428 - 1471, Barnet.* Homme politique anglais. Il prit parti pour son oncle Richard d'York lors de la guerre des Deux-Roses et gagna la bataille de Saint Albans (1455). Après avoir installé sur le trône Édouard IV, fils de Richard, il rétablit Henri VI (1470) mais fut tué par Édouard.

**NEVIS** ~ Voir **Saint-Kitts-et-Nevis.**

**NEVSKI** (Alexandre) ~ Voir **Alexandre Nevski.**

**NEWCOMB** (Simon) ~ *1835, Wallace, Nouvelle-Écosse - 1909, Washington.* Mathématicien et astronome américain. Il étudia les quatre premières planètes et donna une théorie et des tables des mouvements de la Lune et des planètes.

**NEWCOMEN** (Thomas) ~ *1663, Dartmouth - 1729, Londres.* Inventeur anglais. Il réalisa la première machine à vapeur utilisable (la machine à feu, 1712), perfectionnée par J. Watt (1767).

**New Deal** (le), en fr. « nouvelle donne » ~ Nom donné au programme de réformes économiques et sociales mises en œuvre par le président Roosevelt aux États-Unis à partir de 1933. Fondé sur une intervention accrue de l'État, il visait à résorber les effets de la crise économique de 1929.

**NEW DELHI** ~ Cap. de l'Inde, constituant un quartier vert et monumental de Delhi ; env. 300 000 h. Grandes sociétés, banques, hôtels. Elle fut bâtie en 1911 par les Britanniques.

**NEW HAMPSHIRE** (le) ~ État du N.-E. des États-Unis (Nouvelle-Angleterre), région de moyennes montagnes (Appalaches) et de plateaux drainée par le Connecticut, au climat rude, peuplée au S. (N. de Boston) ; 23 292 km$^2$, 1 125 000 h., cap. Concord (36 000 h.). Produits laitiers, fruits, bois, haute technologie à Manchester et à Nashua. **HIST.** - Colonie anglaise détachée du Massachusetts (1692), indépendant en 1776, il figure parmi les treize États fondateurs de l'Union, ayant ratifié la Constitution des États-Unis en 1788.

**NEW HAVEN** ~ Port de la Megalopolis américaine (Connecticut), vieux centre industr., sur le détroit de Long Island ; 130 000 h. Université Yale (fondée au XVIIIe s.). Musée d'art.

**NE WIN** (Maung Shu Maung, dit Bo) ~ *1911, Paungdale.* Général et homme d'État birman. Premier ministre à la suite du coup d'État de 1962, puis chef de l'État (1974-1981), il se maintint au pouvoir jusqu'en 1988 en tant que dirigeant du parti de l'unité nationale (parti unique).

**NEW JERSEY** (le) ~ État du N.-E. des États-Unis baigné par l'Atlantique ; 19 210 km$^2$, 7 730 000 h., cap. Trenton. C'est une région fortement urbanisée et industrialisée (extension de la Megalopolis entre New York et Philadelphie). V. princ. Newark, Jersey City. Université Princeton. Tourisme (Atlantic City). **HIST.** - Ancienne colonie anglaise fondée en 1664, indépendant en 1776, le New Jersey figure parmi les treize États fondateurs de l'Union, ayant ratifié la Constitution des États-Unis en 1787.

**NEWMAN** (Baruch, dit Barnett) ~ *1905, New York - 1970, id.* Peintre américain. Il marqua l'abstraction par d'immenses toiles presque monochromes traversées de lignes verticales (*Shining Forth*, 1961).

**NEWMAN** (John Henry) ~ *1801, Londres - 1890, Birmingham.* Prélat britannique. Pasteur anglican, il fut l'un des animateurs du mouvement d'Oxford, puis se rallia au catholicisme (1845). Il milita pour l'intégration des catholiques romains dans la société anglaise et fut nommé cardinal (1879).

**NEWMAN** (Paul) ~ *1925, Cleveland.* Acteur et cinéaste américain. Il a imposé un jeu sobre et subtil (*le Gaucher*, d'A. Penn, 1958 ; *Quintet*, de R. Altman, 1979). Il a réalisé quelques films (*l'Affrontement*, 1984).

**NEWPORT** ~ Port du pays de Galles (Grande-Bretagne), sur l'estuaire de la Severn, à l'E. du Glamorgan ; 133 000 h. Industrie (chim., métall., papier). Forteresse du XIIe s., cathédrale.

**NEWPORT NEWS** ~ Port de Virginie (États-Unis), au débouché de la baie de Chesapeake ; 170 000 h. Raff. de pétrole, constr. navales.

**NEW PROVIDENCE** ~ Île la plus peuplée des Bahamas, siège de la capitale de l'archipel, Nassau ; 207 km$^2$, 172 000 h.

**NEWTON** (sir Isaac) ~ *1642, Woolsthorpe, Lincolnshire - 1727, Londres.* Physicien, astronome, mathématicien et philosophe anglais. En optique, il construisit le premier télescope, décrivit la dispersion de la lumière par le prisme et donna une théorie des couleurs. En mathématique, il inventa le calcul des fluxions, similaire au calcul infinitésimal de Leibniz. Dans les *Principes mathématiques de philosophie naturelle* (1687), il exposa les idées fondamentales de masse, de force, de principe d'inertie, la proportionalité de la force et de l'accélération, la loi de l'action et de la réaction et, surtout, la théorie de la gravitation. Il unifia ainsi la physique autour de quelques lois permettant de décrire les phénomènes quelle que soit leur échelle.

**NEW WINDSOR** ~ Voir **Windsor.**

**NEW YORK** ~ 1re v. et agglom. des États-Unis, étendue sur 3 États (Connecticut, New Jersey, New York), à l'embouchure de l'Hudson, sur l'océan Atlantique ; 7 323 000 h. (agglom. 18 000 000 d'h.). La ville est constituée de 5 *boroughs* (quartiers ou municipalités) : île de Manhattan (cœur écon., admin., cult. et tourist.), Queens et Brooklyn (Long Island), Richmond au S. (Staten Island) et Bronx au N. Surnommée Big Apple, New York est une mosaïque ethnique : 1re ville juive du monde, 1re ville noire du pays (Harlem, à Manhattan ; Bedford Stuyvesant, à Brooklyn ; Bronx), importantes communautés hispanophone, asiatique (Chinatown, à Manhattan), italienne (Little Italy, à Manhattan). 1re place financière du monde (Wall Street), 1er port (1 200 km de quais) et 1er rang pour le comm. de détail, de gros, de transit et de courtage, 1er foyer industriel du pays (alim., chim., constr. électr. et électron., text.). 3 aéroports. Métropole culturelle, universitaire et centre politique international (siège de l'O. N. U. depuis 1946). Musées : Metropolitan Museum, Cloisters, Solomon R. Guggenheim Museum, Museum of Modern Art (MoMA). **HIST.** - Fondée par les Hollandais (1625) sur l'île de Manhattan qu'ils avaient achetée aux Indiens, La Nouvelle-Amsterdam passa aux Anglais (1664) qui la rebaptisèrent New York en l'honneur du duc d'York, le futur Jacques II. La cité connut un développement rapide (60 000 h. en 1800, 3 400 000 un siècle plus tard). Principal point d'entrée des immigrés aux États-Unis (Ellis Island), elle devint la métropole de l'Amérique du N., son port étant, depuis 1820, le premier du monde.



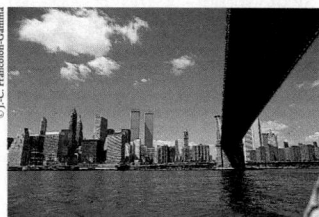

*New York, le pont de Brooklyn, sur l'East River.*

**NEW YORK** ~ État du N.-E. des États-Unis, qui s'étend des lacs Ontario et Érié à l'estuaire de l'Hudson et englobe l'île de Long Island, au climat continental humide ; 122 310 km$^2$, 18 197 000 h., cap. Albany. Économie dominée par les besoins de l'agglom. new-yorkaise et de la Megalopolis. La colonie est l'un des treize États fondateurs de l'Union, ayant ratifié la Constitution des États-Unis en 1788.

**New York Times (The)** ~ Quotidien américain fondé en 1851, le plus important par son tirage (1 171 000 exemplaires) avec le *Washington Post.*

**NEY** (Michel), duc **d'Elchinger**, prince **de la Moskova** ~ *1769, Sarrelouis - 1815, Paris.* Maréchal de France (1804). Il se distingua à Elchingen (1805) et pendant la campagne de Russie (bataille de la Moskova, 1812). Surnommé le Brave des braves, il rallia Louis XVIII en 1814 puis, chargé d'arrêter l'Empereur en 1815, se rangea à ses côtés. Il combattit à Waterloo. Condamné pour trahison, il fut fusillé.

**NGAN-TONG** ~ Voir **Andong.**

**NGAN-YANG** ~ Voir **Anyang.**

**NGAZIDJA** ou **GRANDE COMORE** ~ Île princ. de l'archipel des Comores, siège de la capitale, Moroni ; 1 148 km$^2$, 286 000 h.

**NGEOU-YANG Sieou** ~ Voir **Ouyang** Xiu.

**NGÔ Dinh Diêm** ~ *1901, Quang Binh - 1963, Saigon.* Homme d'État vietnamien. Premier ministre (1954) puis président de la république du Viêt Nam du Sud (1955), il instaura un régime autoritaire avec l'aide des États-Unis. Incapable de réduire l'insurrection du Viêt-cong, il s'aliéna le soutien des Américains et fut assassiné lors d'un coup d'État.

**Ngonis** ou **Ngunis** (les) ~ Groupe linguistique de pasteurs bantous d'Afrique australe (Zambie, Tanzanie, Mozambique) dont sont issus les Zoulous, les Matabélés et les Xhosas.

**N'GORONGORO** (le) ~ Volcan du N. de la Tanzanie (cratère de 15-20 km de diamètre, l'un des plus vastes au monde). Réserve animalière.

**NGUYÊN Van Thiêu** ~ *1923, Phan Rang.* Homme d'État vietnamien. Président de la république du Viêt Nam du Sud de 1967 à 1975, il démissionna peu avant la chute de Saigon.

**NHA TRANG** ~ Port de pêche du S. du Viêt Nam ; 214 000 h. Centre de recherche marine. Raff. de pétrole. Tourisme balnéaire. Temple cham (VIIe s.).

*Les chutes du* ***Niagara.***

**NIAGARA** (le) ~ Riv. qui sépare le Canada (Ontario) des États-Unis (État de New York) et relie le lac Érié au lac Ontario ; 56 km. La forte rupture de pente est franchie par des rapides et les chutes du Fer-à-Cheval (haut. 50 m), site touristique majeur du continent. Le Niagara est doublé par le canal Welland et relié à l'Hudson par le canal Érié et la Mohawk. Villes jumelles de **Niagara Falls** sur ses rives canadienne (75 000 h.) et américaine (62 000 h.). Hydroélectricité.

**NIAMEY** ~ Cap. du Niger, sur le Niger (r. g.), centre économique et culturel (université, instituts de recherche) du pays ; 398 000 h. Textile, exportation d'uranium, cuivre. Mosquée et cathédrale.

**Niaux** ~ Grotte des Pyrénées (Ariège) ornées de peintures animalières datant du Magdalénien.

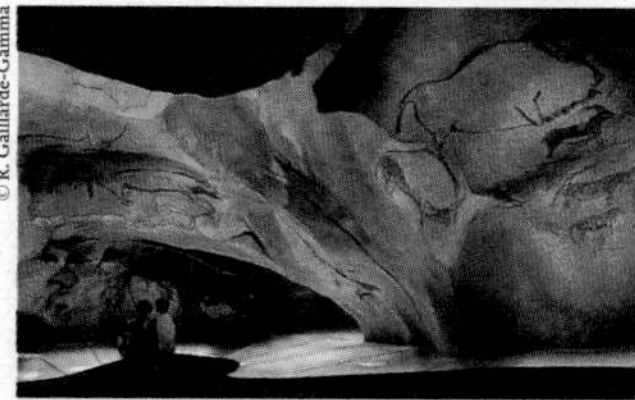


*Les peintures magdaléniennes de la grotte de* ***Niaux.***

**Nibelungen** ou **Niflungen** (les) ~ Nains habitant le monde souterrain, dans la mythologie germanique. Siegfried les vainquit, s'empara de leurs richesses et de leur nom, que les Burgondes prirent à leur tour.

**NICARAGUA (lac)** ~ Le plus grand lac d'Amérique centrale (8 200 km$^2$), au Nicaragua, tribut. de l'Atlantique par le río San Juan. Faune d'origine marine.

**NICARAGUA (république du)** ~ État le plus vaste de l'Amérique centrale, ouvrant sur le Pacifique et la mer des Antilles. ***Cap.*** Managua. ***Superf.*** 130 671 km$^2$. ***Popul.*** 4 395 000 h. ***Langue princ.*** Espagnol. ***Monn.*** Córdoba. ***Relief.*** Région montagneuse et volcanique, zone sismique (destruction de Managua en 1931 et en 1972). La plaine littorale occidentale, étroite et très peuplée, est séparée de la zone montagneuse par un bassin d'effondrement (lacs Managua et Nicaragua). La région caraïbe est peu peuplée. *Climat*. Tropical. *Écon*. Agric. vivrière (haricot, maïs) et de plantation (café, cacao, coton, banane), élev. extensif. **HIST.** - *XVI*^e^ *s.* : les Espagnols s'installent sur la côte pacifique du pays occupé par les Indiens Chibchas et Nahuas. Le Nicaragua passe sous l'autorité de la capitainerie générale du Guatemala (1570), mais la côte atlantique est dominée par les Anglais, qui y créent le royaume Miskito (1687). *1821* : proclamation de l'indépendance. *1838* : proclamation de la république après la disparition des Provinces-Unies d'Amérique centrale. Par sa position stratégique, le Nicaragua excite la convoitise de la Grande-Bretagne et surtout des États-Unis, qui interviennent de façon croissante dans ses affaires. *1858-1893* : succession de gouvernements conservateurs. *1893-1909* : dictature de José Santos Zelaya, nationaliste et anticléricale. *1912-1926* : Adolfo Díaz, président conservateur au pouvoir depuis 1909, favorise l'occupation du pays par les troupes américaines. *1934* : assassinat du dirigeant nationaliste Augusto Cesar Sandino. *1936* : Anastasio Somoza installe, avec l'appui des Américains, une dictature qu'il dirige jusqu'à son assassinat, en 1956, et que son clan perpétue. *1979* : victoire d'une insurrection dirigée par le Front sandiniste de libération nationale (F. S. L. N.), qui met en place une politique de réformes socialistes et se rapproche de Cuba et de l'U. R. S. S. *1983* : début des activités de la Contra, mouvement armé antisandiniste soutenu par les États-Unis. *1984* : élection à la présidence du sandiniste Daniel Ortega. *1990* : la libérale Violeta Chamorro lui succède. Elle doit conduire une difficile stabilisation de la vie politique marquée par l'opposition des forces pro- et antisandinistes. *1996* : le libéral Arnoldo Aleman est élu président.

**NICE** ~ Préfect. des Alpes-Maritimes, port de la Côte d'Azur, au fond de la baie des Anges, dominée par les Préalpes de Nice ; 342 439 h. (agglom. 516 740 h.). Université. Bonne desserte routière, ferrov. et aérienne (2^e^ aéroport français de passagers), liaisons maritimes avec la Corse et l'Italie. Pôle technologique (Sophia-Antipolis). L'influence est cependant limitée au département. Plaisance. Vestiges romains (arènes, thermes), vieille ville autour du port de Lympia. Station tourist. hivernale et estivale s'étendant à l'O. en front de mer (Promenade des Anglais, site d'un ancien château fort aménagé en jardins). Musées Chagall, Matisse, Masséna (histoire locale). Carnaval annuel. **HIST.** - Fondée par les Massaliotes (V^e^ s. av. J.-C.), Nice fut rattachée au comté de Provence (970). Sous domination angevine (1246) puis savoyarde (1388), elle fut française de 1793 à 1814, date à laquelle elle échut au Piémont. Elle revint à la France en 1860 (traité de Turin).

© Philippon-Explorer

*Nice, la plage et la Promenade des Anglais.*

**NICÉE**, auj. **Iznik** (Turquie) ~ Anc. ville du N.-O. de l'Asie Mineure (Bithynie). Fondée en 316 av. J.-C., elle accueillit le **concile de Nicée** I (325), qui condamna l'arianisme, et le **concile de Nicée II** (787) qui condamna l'iconoclasme. Tombée aux mains des Turcs Seldjoukides (1078), elle fut rendue aux Byzantins par les croisés (1097). Au lendemain de la 4^e^ croisade, Théodore I^er^ Lascaris y fixa le siège d'un empire byzantin (1204) qui subsista jusqu'à la reprise de Constantinople par Michel VIII Paléologue (1261). Les Ottomans s'en emparèrent en 1333. [☞ **concile**.]

**NICÉPHORE** (saint) ~ *v. 758, Constantinople - 829*. Patriarche de Constantinople (806-815). Il fut déposé et exilé par Léon V l'Arménien pour son opposition à l'iconoclasme. On lui doit une histoire de l'Empire byzantin de 602 à 769, connue sous le nom de *Breviarium Nicephori*.

**NICÉPHORE**, nom de trois empereurs byzantins. ~ **Nicéphore I^er^ le Logothète** (*m. en 811 en Bulgarie*), empereur de 802 à 811. Il restaura la domination byzantine dans les Balkans, mais fut vaincu et tué par les Bulgares. ~ **Nicéphore II Phokas** (*912, en Cappadoce - 969, Constantinople*), empereur de 963 à 969. Conquérant de la Cilicie, de Chypre (964-965) et d'une partie de la Syrie (966 et 968), il réorganisa la défense de l'Italie byzantine (965). Il fut assassiné. ~ **Nicéphore III Botanéiatès** (*m. v. 1081*), empereur de 1078 à 1081. Son règne fut marqué par les révoltes et les guerres civiles.

**NICHIREN** ~ *1222, Kominato - 1282, Ikegami, auj. Tôkyô*. Moine bouddhiste japonais. Il créa en 1253 une secte qui porta son nom. Ses idées, propagées avec intolérance, influencèrent le nationalisme nippon du XX^e^ s.

**NICHOLSON** (Jack) ~ *1937, Neptune, New Jersey*. Acteur américain. Révélé par *Easy Rider*, de Dennis Hooper (1969), il a obtenu l'Oscar du meilleur acteur pour *Vol au-dessus d'un nid de coucou*, de Milos Forman (1975), et s'est spécialisé dans des rôles inquiétants (*Shining*, de Stanley Kubrick, 1979).

**NICHOLSON** (William) ~ *1753, Londres - 1815, id.* Chimiste et physicien britannique. Il découvrit, avec sir Anthony Carlisle, l'électrolyse de l'eau (1800) et mit au point un aréomètre.

**NICIAS** ~ *v. 470 - 413 av. J.-C., Syracuse*. Général athénien. Lors de la guerre du Péloponnèse, chef modéré, il négocia en 421 une paix fragile avec Sparte. Dirigeant contre son gré une expédition contre Syracuse, il y fut défait et mis à mort.

**NICOBAR (îles)** ~ Voir **Andaman**.

**NICOL** (William) ~ *v. 1768, en Écosse - 1851, Édimbourg*. Physicien et géologue britannique. Il inventa le prisme polariseur (**prisme de Nicol** ou **nicol**, 1828).

**NICOLA PISANO** ~ *v. 1220, en Apulie ou près de Pise - entre 1278 et 1284, Pise*. Sculpteur italien. Il créa un style gothique toscan (chaires des baptistères de Pise et de Sienne). Son fils et élève ~ **Giovanni** (*v. 1248, Pise - apr. 1314, Sienne*), sculpteur et architecte imprégné de culture gothique, réalisa les chaires de Pistoia (terminées en 1301) et de la cathédrale de Pise, et la façade de la cathédrale de Sienne.

**NICOLAS** (saint) ~ *IV*^e^ *s.* Évêque de Myra, en Lycie. Héros de légendes où il sauve des enfants, il est identifié au père Noël dans les pays nordiques.

**NICOLAS**, nom de cinq papes. ~ **Nicolas I^er^ le Grand** (saint ; *v. 800, Rome - 867, id.*), pape de 858 à 867. Il s'attacha à affirmer l'autorité pontificale, s'opposa au divorce de Lothaire II et soutint Ignace contre Photios. ~ **Nicolas II** (Gérard **de Bourgogne** ; *v. 980, Chevron, Savoie - 1061, Florence*), pape de 1059 à 1061. Il convoqua un concile à Rome (1059) à l'issue duquel fut réservé aux cardinaux le droit d'élire le pape, sans intervention impériale. ~ **Nicolas IV** (Girolamo **Masci** ; *v. 1230, Lisciano, près d'Ascoli - 1292, Rome*), pape de 1288 à 1292. Il sacra Charles II d'Anjou roi de Sicile (1289). ~ **Nicolas V** (Tommaso **Parentucelli** ; *1397, Sarzana - 1455, Rome*), pape de 1447 à 1455. Il couronna Frédéric III de Styrie à Rome (1452) et mit fin au schisme de Félix V.

**NICOLAS**, nom de deux empereurs de Russie. ~ **Nicolas I^er^** (*1796, Tsarskoïe Selo - 1855, Saint-Pétersbourg*), empereur de 1825 à 1855. Il succéda à son frère Alexandre I^er^. Très attaché à l'autocratie, hostile aux mouvements nationaux, il réprima la révolte des Polonais (1830-1831) et écrasa les Hongrois en 1849. Il chercha à progresser vers la Méditerranée et se heurta aux Franco-Britanniques alliés au sultan qui lui infligèrent une défaite en Crimée (1854-1855). ~ **Nicolas II** (*1868, Tsarskoïe Selo - 1918, Iekaterinbourg*), empereur de 1894 à 1917. Fils et successeur d'Alexandre III, il poursuivit sa politique d'absolutisme et de russification. Alors que son ministre S. Witte modernisait l'économie, il choisit l'alliance française à partir de 1896. La défaite face au Japon (1904-1905) entraîna la révolution de 1905, qui l'obligea à concéder des réformes politiques limitées (élection d'une douma). Il choisit, avec P. Stolypine, de réprimer le mécontentement populaire. En août 1914, subissant l'influence de Raspoutine, Nicolas II ne fit rien pour empêcher le conflit européen. Désemparé par la révolution de février 1917, il abdiqua le 15 mars. Interné à Iekaterinbourg, il fut exécuté avec sa famille par les bolcheviks (17 juill. 1918).

© Coll. Es-Explorer

*Nicolas II, empereur de Russie.*

**NICOLAS DE FLUE** (saint) ~ *1417, Flüeli ob Sachseln, canton d'Unterwald - 1487, Ranft*. Ermite et héros national helvétique. Il apaisa la querelle entre cantons suisses, qui aboutit au Convenant de Stans (1481). Il est le patron de la Suisse.

**NICOLAS DE KUES** ou **DE CUSA** (Nikolaus **Krebs**, dit) ~ *1401, Kues, diocèse de Trèves - 1464, Todi, Ombrie*. Théologien et philosophe allemand. Évêque de Brixen, gouverneur de Rome, cardinal, il soutint qu'il existe un Dieu unique malgré la diversité des religions. Il s'opposa à Aristote, montrant que toute connaissance doit prendre en compte les limites inhérentes à l'homme.

**NICOLAS DE VERDUN** ~ *fin du XII*^e^ *- début du XIII*^e^ *s.* Orfèvre français. Ses figures, aux drapés souples et naturels, aux décors richement émaillés, annoncent l'évolution de la statuaire gothique (retable de Klosterneuburg, 1181).

**NICOLE** (Pierre) ~ *1625, Chartres - 1695, Paris*. Écrivain français. Janséniste, il défendit Port-Royal (*Essais de morale*, 1671-1678).

**NICOLLE** (Charles) ~ *1866, Rouen - 1936, Tunis*. Bactériologiste français. Collaborateur de Pasteur, il étudia la fièvre de Malte, les fièvres récurrentes, et identifia le pou du corps comme vecteur du typhus. Prix Nobel de physiol. ou méd. 1928.

**NICOMÈDE**, nom de plusieurs rois de Bithynie. ~ **Nicomède I^er^** (*m. v. 250 av. J.-C.*), roi de 279 à 250 av. J.-C. env. Il fonda Nicomédie (v. 264). ~ **Nicomède II Épiphane** (*m. v. 128 av. J.-C.*), roi de 149 à 128 av. J.-C. Il fit tuer son frère et s'allia à Rome. Il est le héros de la tragédie de Corneille. ~ **Nicomède IV Philopator** (*m. v. 74 av. J.-C.*), roi de 94 à 74 av. J.-C. Il légua son royaume à Rome.

**NICOMÉDIE** ~ Voir **Izmit**.

**NICOPOLIS**, auj. **Nikopol** ~ Localité de la Bulgarie actuelle. Bayezid I^er^ y défit les croisés de Sigismond de Luxembourg (25 sept. 1396). Cette victoire ouvrit aux Turcs l'accès aux Balkans.

**NICOSIE**, en gr. ***Lefkossia***, en turc ***Lefkoşa*** ~ Cap. de Chypre, dans la Mésorée, divisée en secteurs grec et turc ; 177 000 h. Tabac, confection. Tourisme. Enceinte vénitienne (XVI^e^ s.), cathédrale Sainte-Sophie (XIII^e^ s.). Anc. capitale du royaume franc des Lusignan (1192-1489).

**NICOT** (Jean) ~ *v. 1530, Nîmes - 1600, Paris*. Diplomate français. Ambassadeur à Lisbonne, il introduisit le tabac en France.

**NIEDERBRONN-LES-BAINS** ~ Station therm. et clim. d'Alsace (Bas-Rhin), à la lisière du parc naturel des Vosges du Nord ; 4 372 h.

**NIEDERMEYER** (Louis) ~ *1802, Nyon - 1861, Paris*. Compositeur français d'orig. suisse. Influencé par Rossini, il composa des messes, des opéras (*Marie Stuart*, 1844), puis fonda à Paris une école de musique sacrée, *l'École Niedermeyer* (1853).

**NIELSEN** (Carl) ~ *1865, Nørre Lyndelse - 1931, Copenhague.* Compositeur danois. Son harmonie, de plus en plus chromatique, préfigure parfois l'atonalité, not. dans ses 6 symphonies.

**NIÉMEN** (le), en russe *Nieman*, en lituanien *Nemunas* ~ Fl. de Biélorussie et de Lituanie, tribut. de la Baltique, qui arrose Vilnius, Kaunas et Tilsit ; 937 km. Son cours inférieur sépare la Lituanie de l'enclave russe de Kaliningrad.

**NIEMEYER** (Oscar) ~ *1907, Rio de Janeiro.* Architecte brésilien. Influencé par Le Corbusier, il a utilisé le béton armé pour créer des surfaces courbes complexes. Il a réalisé les principaux bâtiments officiels de Brasília, l'université de Constantine (1969) et le siège du P. C. F., à Paris (1971).

**NIÉPCE** (Nicéphore) ~ *1765, Chalon-sur-Saône - 1833, Saint-Loup-de-Varennes.* Physicien français. Il inventa la photographie, depuis la fixation de l'image de la chambre noire, en 1816, jusqu'à l'obtention d'images positives directes, en 1821. Son neveu ~ Abel **Niépce de Saint-Victor** (*1805, Saint-Cyr, près de Chalon-sur-Saône - 1870 Paris*) développa la photographie sur verre (1848), un procédé d'héliogravure sur métaux (1853) et des méthodes de cliché en couleurs.

**NIETZSCHE** (Friedrich, en fr. Frédéric) ~ *1844, Röcken, Saxe - 1900, Weimar.* Philosophe allemand. Très tôt influencé par A. Schopenhauer, un temps ami de R. Wagner, il entreprit des études philologiques (*la Naissance de la tragédie*, 1872). Son œuvre, qui fut plus tard défigurée par la propagande nazie, constitue une critique des valeurs (piété du religieux, objectivité du savant, égalitarisme du socialiste et morale du devoir) responsables du nihilisme européen et de la fatigue de vivre, auxquelles il oppose la volonté de puissance et l'élan vital qui s'incarnent dans le surhumain, seul à survivre, en un mouvement dionysiaque, au dégoût de l'éternel retour (*Humain trop humain*, 1878 ; *le Gai Savoir*, 1882 ; *Ainsi parlait Zarathoustra*, 1883-1885 ; *Par-delà le bien et le mal*, 1886 ; *la Généalogie de la morale*, 1887 ; *l'Antéchrist*, 1888).

© Coll. Lausat-Explorer

Friedrich **Nietzsche**.

**NIEUPORT** (Édouard DE **Niéport**, dit Édouard) ~ *1875, Blida, Algérie - 1911, Charny, près de Verdun.* Ingénieur et aviateur français. Champion du monde de vitesse aérienne (1911), il construisit le biplan **Nieuport 11**.

**NIÈVRE** (la) ~ Affl. de la Loire (r. dr.) qui draine le Nivernais et conflue à Nevers ; 53 km.

**NIÈVRE** (la) ~ Dép. de la Région Bourgogne, aux confins du Bassin parisien et du Morvan ; 6 888 km², 233 278 h., préfect. et v. princ. Nevers. Au S., la Sologne bourbonnaise, argilo-sableuse et boisée, est encadrée par les vallées de la Loire et de l'Allier (confluent près de Nevers), jalonnées de vieux centres industriels (métall., caoutchouc, céramique, bois), dont Decize. Au N. et à l'E. s'étendent les plateaux du Nivernais et le Morvan (parc région.), séparés par la dépression du Bazois. Forêts, prairies bocagères (embouche). Vins blancs de Pouilly-sur-Loire. Sites touristiques (Clamecy, La Charité-sur-Loire).

**Niflungen** (les) ~ Voir **Nibelungen**.

**NIGER** (le) ~ Le plus grand fl. d'Afrique de l'O. (4 200 km, bassin d'env. 1 900 000 km²), issu de la Dorsale guinéenne (à 800 m), qui, coulant d'abord vers le N.-E., décrit une large courbe à travers la zone sahélienne (delta intérieur de

© P. Maitre-Gamma

*Les dunes roses de Gao, sur les rives du* **Niger** *(Mali).*

Macina, au Mali), puis bifurque vers le S.-E., traversant le Niger et le Nigeria, avant de rejoindre, grossi de la Bénoué, le golfe de Guinée par un vaste delta (mangrove). Son régime, irrégulier, est affecté par la proximité du désert (cours moyen). Aménagements pour l'irrigation et l'hydroélectricité (Sotuba, lac Kainji). Il traverse Bamako et Niamey. Terme de l'anc. commerce transsaharien, axe de pénétration de l'islam, il fut au centre de puissants empires précoloniaux (Ghana, Songhaï). Sites historiques de Ségou, Djenné, Tombouctou, Gao.

**NIGER (république du)** ~ Pays enclavé d'Afrique occidentale, partagé entre les zones saharienne et sahélienne. ***Cap.*** Niamey. ***Superf.*** 1 267 000 km². ***Popul.*** 8 800 000 h. ***Langues princ.*** Haoussa, français. ***Monn.*** Franc CFA. ***Relief.*** Partie du Sahara partagée entre le massif de l'Aïr, des ergs et regs (Ténéré) et des plateaux latéritiques. Au S., savanes autour du Niger et du lac Tchad. ***Climat.*** Désertique, pluies d'été au S. ***Écon.*** Agriculture vivrière (millet, sorgho, noix de kola), élevage (bovin, ovin), exportation d'uranium. Le pays souffre de la désertification croissante et de la baisse des cours miniers. ***V. princ.*** Niamey, Zinder, Maradi, Agadez. **HIST. -** *Ier mill. av. J.-C.* : la région est une voie de passage aux portes du Sahara. *VIIe s. apr. J.-C.* : fondation de l'Empire songhaï, islamisation progressive et refoulement des Haoussas. *Xe s.* : fondation des royaumes Haoussa au S. et Bornou à l'E. *XVIe s.* : effondrement de l'Empire songhaï. *XVIIe-XIXe s.* : conquête du territoire par les Peuls. *XXe s.* : colonisation par la France et intégration à l'A.-O. F. (1922). *1960* : indépendance sous la présidence d'Hamani Diori. *1974-1991* : coup d'État militaire ; gouvernements du lieutenant-colonel Seyni Kountché jusqu'en 1987, puis du colonel Ali Seibou. *1993* : rétablissement du multipartisme et élection de Mahamane Ousmane à la présidence de la République. *1995* : accord de paix avec les Touaregs du N., en conflit avec Niamey. *1996* : coup d'État du colonel Ibrahim Baré Maïnassara, qui renverse le président élu et fait approuver par référendum une nouvelle Constitution.

**NIGERIA (république fédérale du)** ~ Pays d'Afrique occidentale, bordé au S. par le golfe de Guinée. ***Cap.*** Abuja. ***Superf.*** 923 773 km². ***Popul.*** 88 514 000 h. (la plus importante du continent). ***Langues princ.*** Anglais, haoussa, ibo, yoruba. ***Monn.*** Naira. ***Relief.*** Plateaux au N. (Jos, Adamaoua), plaines au S. (vallées du Niger et de la Bénoué, delta du Niger). ***Climat.*** Tropical, pluviosité décroissante du S. au N. ***Écon.*** Agricole (mil, sorgho, riz, banane, manioc ; cacao pour l'export.) et industrielle, elle est désorganisée par l'instabilité politique née de la crise du pétrole (1re richesse du pays). L'équilibre alimentaire n'est plus assuré. ***V. princ.*** Lagos, Ibadan, Kano, Ogbomosho, Oshogbo. **HIST. -** *Ier mill. av. J.-C.* : développement de la civilisation de Nok. *XIe-XVIIIe s.* : brillantes civilisations dans les villes yorubas du S. (royaumes d'Oyo et du Bénin) et royaumes musulmans dans le N. (Kano). *XIXe s.* : domination des Peuls sur l'intérieur du pays. *1851-1906* : colonisation progressive par les Britanniques à partir du delta du Niger et création de deux protectorats. *1914* : unification des deux territoires du N. et du S. ; le pouvoir central s'appuie sur les dissensions locales. *1960* : la fédération du Nigeria accède à l'indépendance. *1963* : proclamation de la république du Biafra. *1967-1970* : guerre civile après la sécession de l'éphémère république. *1970-1985* : les gouvernements militaires se succèdent, alors que l'économie se désorganise. *1985* : le général Babangida prend le pouvoir et ébauche un prudent processus démocratique. *1993* : son successeur, le général Sani Abacha, annule l'élection présidentielle, remportée par l'opposant Moshood Abiola. Isolé, le régime militaire se durcit. *1995* : pendaison de l'écrivain Ken Saro-Wiwa, défenseur du peuple ogoni.

**NIIGATA** ~ V. et centre admin. du Japon (Honshû), le 1er port de la côte O. (mer du Japon) ; 478 000 h. Raff. de pétrole. Il fut l'un des cinq ports ouverts aux Européens en 1869.

**NIJINSKI** (Vaslav Fomitch) ~ *1889, Kiev - 1950, Londres.* Danseur et chorégraphe russe d'orig. polonaise. Révélé par les Ballets russes, il entra dans la légende avec le prodigieux bond du *Spectre de la rose* (1911), puis bouleversa la danse contemporaine avec ses propres chorégraphies (*l'Après-midi d'un faune*, 1912 ; *le Sacre du printemps*, 1917).

© Explorer-Archives

Vaslav **Nijinski**.

**NIJNI-NOVGOROD**, anc. **Gorki** (de 1932 à 1990) ~ V. et centre admin. de Russie, port fluvial et nœud ferroviaire, au confluent de la Volga et de l'Oka (N.-E. de Moscou) ; 1 441 000 h. Université. Constr. mécan., industr. automobile, raff. de pétrole, textile. **HIST. -** Fondée en 1221 par le prince de Vladimir, cap. de principauté au XIVe s., la ville fut intégrée à l'État moscovite en 1392. Grand centre commercial au XIXe s. (foires annuelles).

**NIJNI-TAGUIL** ~ V. minière (fer, cuivre) et industr. de Russie, dans l'Oural central ; 437 000 h.

**Nika (sédition)** ~ Soulèvement du peuple de Constantinople sous Justinien Ier (532) au cri de *Nika !* (« Victoire ! »), qui fut réprimé par l'impératrice Théodora, et les généraux Narsès et Bélisaire.

**NIKKÔ** ~ V. tourist. du Japon (Honshû), au N. de Tôkyô ; env. 20 000 h. Sanctuaires et temples (XVIIe s.). Parc national et cascades du lac Chûzenji.

**NIKOLAÏEV** ~ Port d'Ukraine, sur le Boug ; 512 000 h. Constr. navales. Ancienne base de la mer Noire, fondée par Potemkine (1789).

**NIKOLAIS** (Alwin) ~ *1912, Southington, Connecticut - 1993, New York.* Danseur et chorégraphe américain. Ses chorégraphies décomposent le corps des danseurs en des ensembles kaléidoscopiques de couleurs, d'images et de sons (*Masks, Props and Mobiles*, 1953 ; *Imago*, 1963). Directeur du Centre national de danse contemporaine d'Angers (1978-1981), il influença la jeune danse française.

**NIKON** (Nikita **Minov**, dit) ~ *1605, Veldemanovo, près de Nijni-Novgorod - 1681, Iaroslavl.* Prélat russe. Le tsar Alexis Mikhaïlovitch le nomma patriarche de Moscou et de toute la Russie (1652). Cherchant à épurer la liturgie russe, il provoqua le schisme des vieux-croyants, regroupés autour d'Avvakoum. Tombé en disgrâce, il fut exilé.

**NIL** (le) ~ Fl. d'Afrique tribut. de la Méditerranée, le plus long du monde ; 6 700 km, bassin : 3 500 000 km². Appelé Kagera de sa source (Burundi) au lac Victoria (alt. 1 100 m), puis **Nil Victoria** à sa sortie, il traverse les lacs Kioga, Albert et entre au Soudan, où sa pente diminue très vite : c'est le Bahr el-Djebel, qui forme une région de marais avec le Bahr el-Ghazal. Le **Nil Blanc** (Bahr el-Abiad) draine ensuite le Soudan central. Entre Khartoum (alt. 380 m) et Assouan (95 m), il est accidenté par des rapides (les 6 cataractes), obstacles à la navigation en période d'étiage. Grossi du Nil Bleu et de l'Atbara, il entre dans la zone aride (Nubie, puis Égypte). Jusqu'au Delta, sa vallée, étroite, est une longue oasis, exploitée depuis l'époque des pharaons. Au cours du XXe s., barrages

© Baumgartner-Explorer

*Felouques sur le* **Nil***.*

et réservoirs (lac Nasser, fermé par le haut barrage d'Assouan, aménagements de la Gezireh) ont permis d'étendre les cultures irriguées, diminuant l'ampleur des crues. Navigation intense, not. en aval d'Assouan.

**NIL BLEU** (le) ~ Voir **Bahr el-Azrak**.

**NIMAYRI** (Djaafar **al-**) ou **NEMEYRI** (Gaafar **el-**) ~ *1930, Omdurman, Soudan.* Homme d'État soudanais. Au pouvoir de 1969 à 1985, il a instauré la loi islamique et repris la guerre dans le Sud chrétien et animiste. Il a été renversé.

**NIMBA (monts)** ~ Massif des confins de la Guinée (alt. max. 1 752 m), du Liberia et de la Côte d'Ivoire (Dorsale guinéenne), riche en minerai de fer.

**NIMÈGUE**, en néerl. ***Nijmegen*** ~ V. des Pays-Bas (Gueldre), sur le Waal, nœud ferroviaire et centre industriel (constr. mécan. et électr., fibres artificielles) ; 147 000 h. Université catholique. Église du XVe s., hôtel de ville du XVIe s., chapelle-baptistère des VIIIe et XIIe s. Musée d'archéologie. **HIST.** - Ville impériale en 1230, elle passa aux comtes de Gueldre (1247) puis aux Espagnols (1585). Elle fut en partie détruite en 1944-1945.

**Nimègue (traités de)** ~ Traités concluant la guerre de Hollande, signés en 1678-1679 entre la France, les Provinces-Unies, l'Espagne et le Saint Empire. L'Espagne céda à la France la Franche-Comté, le Cambrésis et des places de la frontière N., dont Valenciennes, Saint-Omer et Cassel.

**NÎMES** ~ Préfect. du Gard, dans le N. du bas Languedoc, entre les Garrigues et la plaine du Rhône ; 128 471 h. (agglom. 138 527 h.). Cour d'appel. Commerce des vins, confection. Tourisme. Vestiges romains (Maison carrée, arènes, tour Magne, temple de Diane, porte d'Auguste). Cathédrale Notre-Dame-et-St-Castor (XIe s., remaniée au XIXe s.), vieux Nîmes. **HIST.** - Nîmes connut son apogée sous l'Empire romain. Rattachée au comté de Toulouse (1185), puis au royaume de France (1229), foyer calviniste, elle fut le théâtre d'un massacre de catholiques (la Michelade). Louis XIII la soumit (1629), et les huguenots y obtinrent la tolérance religieuse.

© Lauros-Giraudon

*Nîmes, la Maison carrée, temple romain de l'époque d'Auguste (début du Ier s.).*

**NIMIER** (Roger) ~ *1925, Paris - 1962, Saint-Cloud.* Écrivain français. Son roman *le Hussard bleu* (1950), reflétant le mal de vivre de la génération de l'après-guerre, en fit le chef de file du mouvement littéraire des hussards.

**NIMITZ** (Chester William) ~ *1885, Fredericksburg, Texas - 1966, San Francisco.* Amiral américain. Commandant suprême de la flotte américaine dans le Pacifique (1942-1945), il vainquit les Japonais.

**Nimroud** ~ Site d'Assyrie, auj. en Iraq, où fut fondée l'antique Kalhou au XIIIe s. av. J.-C., capitale d'Assournazirpal au VIIIe s. Nombreux vestiges.

**NIN** (Anaïs) ~ *1903, Neuilly-sur-Seine - 1977, Los Angeles.* Femme de lettres américaine. Son *Journal*, où les échos d'une vie culturelle cosmopolite et brillante se mêlent à la quête d'identité, fut le fil conducteur de son œuvre (*la Maison de l'inceste*, 1936).

**NINGBO** ou **NING-PO** ~ Port industriel et commercial de Chine (Zhejiang), au S. de Shanghai ; 1 070 000 h. Un des cinq premiers ports ouverts au commerce européen (1843). La ville abrite la plus ancienne bibliothèque de Chine (livres rares et documents du XIe s.).

**NINGXIA** ou **NING-HIA** (le) ~ Région autonome du N. de la Chine (S. de la Mongolie-Intérieure) ; 170 000 km$^2$, 4 660 000 h., dont 30 % de Huis (musulmans), cap. Yinchuan (357 000 h.). Région aride (oasis du Huang He au N.). Élevage ovin. Charbon, phosphore, pétrole, industries mécan. et textile.

**NINIVE** ~ Anc. ville de Mésopotamie, sur le Tigre. Cap. de l'Empire assyrien au VIIe s. av. J.-C., elle fut détruite par les Babyloniens et les Mèdes (612 av. J.-C.). Son site fut fouillé à partir de 1842.

**NINOVE** ~ V. de Belgique (Flandre-Orientale), sur la Dendre ; env. 33 000 h. Château du XVIe s., église abbatiale de prémontrés des XVIIe-XVIIIe s.

**NIOBÉ** ~ Personnage de la mythologie grecque, fille de Tantale, épouse d'Amphion. Mère de sept garçons et de sept filles, elle se vanta de sa fécondité auprès de Léto, dont les seuls enfants étaient Apollon et Artémis. Pour venger leur mère, ceux-ci tuèrent ses enfants. Zeus la changea en un rocher d'où jaillissait une source.

**NIORT** ~ Préfect. des Deux-Sèvres, sur la Sèvre Niortaise, en bordure du Marais poitevin, important centre tertiaire (assurances mutualistes) ; agglom. 65 792 h. Rôle commercial dès le Moyen Âge (port actif et foires), artisanat traditionnel (chamoiserie, ganterie, confiserie). Donjon (XIIe-XVe s.).

**NIPIGON (lac)** ~ Lac du Canada (Ontario), tribut. du lac Supérieur ; 4 840 km$^2$ (alt. 260 m).

**NIPPON** ~ Autre nom du Japon, dérivé du japonais *Nihon* (« soleil levant »).

**NIPPOUR** ~ Anc. ville de basse Mésopotamie. Centre religieux sumérien aux IVe et IIIe mill. av. J.-C. Ruines.

**NIŠ** ~ 2e v. de Serbie, nœud de communications, marché agricole et centre industriel du bassin de la Morava ; 176 000 h. Université. Caravansérail turc durant trois siècles. Anc. capitale de la Serbie (1878-1901).

**NISIBIS** ~ Cité romaine des IIIe et IVe s., puis foyer du nestorianisme dans la Perse sassanide.

**NITERÓI** ~ Port industriel de l'agglom. de Rio de Janeiro, relié à celle-ci par un pont de 14 km ; 416 000 h. Université.

**NIUE** ~ Vaste île corallienne de Polynésie (O. des îles Tonga), territoire autonome associé à la Nouvelle-Zélande ; 258 km$^2$, env. 2 000 h. (forte émigration), cap. Alofi.

**NIVE** (la) ~ Affl. de l'Adour (r. g.) qui arrose le Pays basque et conflue à Bayonne ; 78 km.

**NIVELLE** (Georges Robert) ~ *1856, Tulle - 1924, Paris.* Général français. Il contribua à arrêter les Allemands à Verdun, puis, nommé commandant en chef, il échoua en 1917 dans l'offensive du Chemin des Dames et fut remplacé par Pétain.

**NIVELLES**, en néerl. ***Nijvel*** ~ V. de Belgique (Brabant wallon), au S. de Bruxelles ; env. 23 000 h. Ruines mérovingiennes (VIIe et IXe s.), collégiale mosane (XIe-XIIe s.). Musée d'archéologie.

**NIVERNAIS** (le) ~ Région et anc. province de France (Nièvre), qui englobe, entre le Val de Loire nivernais et le Bazois, un ensemble de plateaux calcaires faillés à vocation herbagère et forestière.

**NIXON** (Richard) ~ *1913, Yorba Linda, Californie - 1994, New York.* Homme d'État américain. Membre du parti républicain, vice-président des États-Unis (1959-1961), il fut élu président en 1968 et réélu en 1972. Après avoir mis fin à l'engagement américain au Viêt Nam (1973) et s'être rapproché de la Chine communiste et de l'U. R. S. S., il dut démissionner en 1974, à la suite du scandale du Watergate.

**NI Zan** ou **NI Tsan** ~ *1301, Wuxi, Jiangsu - 1374, id.* Peintre chinois. Ses paysages, caractéristiques de la dynastie Yuan, frappent par leur dépouillement et leur expression retenue.

**NIZAN** (Paul) ~ *1905, Tours - 1940, Audruicq.* Écrivain français. Ami de Sartre et normalien, il fonda son œuvre sur son engagement politique au sein du P. C. F. (*la Conspiration*, 1938).

**Nkolés** ou **Nkollés** (les) ~ Peuple bantou de l'Ouganda.

**NKOMO** (Joshua) ~ *1917, Semokwe.* Homme politique du Zimbabwe. Président de l'A. N. C. (1957), fondateur de l'Union populaire africaine du Zimbabwe (Zapu, 1961), plusieurs fois exilé et emprisonné, il est vice-président depuis 1990.

**NKRUMAH** (Kwame) ~ *1909, Nkroful - 1972, Bucarest.* Homme d'État ghanéen. Premier ministre de la Côte de l'Or (1952), puis du Ghana (1957), président de la République en 1960, il fut renversé en 1966. Il fut l'apôtre du panafricanisme.

**N. K. V. D.**, sigle de ***Narodnyï Komissariat Vnoutrennykh Del***, en fr. « commissariat du peuple aux Affaires intérieures » ~ Ministère de l'intérieur soviétique. En 1934, ayant absorbé la Guepeou, il eut le contrôle de la police politique chargée de la sécurité de l'État et fut le principal instrument des purges et des déportations. Il fut dirigé par Iagoda (1934), par Iejov (1936), puis par Beria (1938) qui en garda le contrôle sous les appellations ultérieures, N. K. G. B. (1941) et M. G. B. (1946). En 1954, le N. K. V. D. devint le K. G. B.

**NO (lac)** ~ Confluent du Nil et du Bahr el-Ghazal, au Soudan, que comblent les alluvions.

**NOAILLES** (Anna, princesse **Brancovan**, comtesse **Mathieu** DE) ~ *1876, Paris - 1933, id.* Femme de lettres française. Ses vers révèlent une sensualité panthéiste (*le Cœur innombrable*, 1901).

**NOAILLES**, famille française originaire du Limousin. ~ **Anne Jules** DE (*1650, Paris - 1708, Versailles*), comte d'Ayen puis duc de Noailles. Maréchal de France, il dirigea les dragonnades dans le Languedoc. Son frère ~ **Louis Antoine** DE (*1651, Teissières, près d'Aurillac - 1729, Paris*), cardinal, archevêque de Paris (1695), s'opposa à l'application de la bulle *Unigenitus*, dirigée contre les jansénistes. ~ **Adrien Maurice** DE (*1678, Paris - 1766, id.*), maréchal de France, fils d'Anne Jules. Président du Conseil des finances (1715), il tenta d'introduire un impôt proportionnel sur le revenu. Il a laissé des mémoires. ~ **Louis Marie** DE (*1756, Paris - 1804, La Havane*), vicomte de Noailles, petit-fils du préc., combattit en Amérique auprès de La Fayette, son beau-frère. Député de la noblesse aux États généraux, il réclama l'abolition des privilèges (nuit du 4 août 1789).

**NOBEL** (Alfred) ~ *1833, Stockholm - 1896, San Remo.* Chimiste et industriel suédois. Spécialiste des poudres et des explosifs, inventeur de la dynamite (1866), il légua sa fortune pour créer cinq prix annuels, décernés depuis 1901 (**prix Nobel** de physique, de chimie, de physiologie ou médecine, de littérature et de la paix), auxquels fut ajouté celui de sciences économiques en 1968.

**NOBILE** (Umberto) ~ *1885, Lauro, Avellino - 1978, Rome.* Général, aviateur et explorateur italien. Après avoir survolé le pôle Nord, il s'abîma au large du Spitzberg à bord du dirigeable *Italia* (1928). Mis en cause après son sauvetage, au cours duquel périt R. Amundsen, il quitta l'armée.

**NOBILI** (Leopoldo) ~ *1787, Trassilico - 1835, Florence.* Physicien italien. On lui doit le système astatique pour galvanomètre à aimants (1826) et une pile thermoélectrique (1830), avec laquelle il étudia le rayonnement infrarouge.

*Mao Zedong (à g.) et Richard* **Nixon** *(à dr.), artisans du rapprochement sino-américain, en 1972.*

© Xinhua Chine-Gamma

**NOCARD** (Edmond Isidore Étienne) ~ *1850, Provins - 1903, Saint-Maurice.* Vétérinaire et biologiste français. Il étudia les maladies microbiennes des animaux domestiques, démontrant la propagation de la tuberculose à l'homme par ingestion de produits d'origine bovine.

**NODIER** (Charles) ~ *1780, Besançon - 1844, Paris.* Écrivain français. Auteur de contes fantastiques (*la Fée aux miettes*, 1832), il anima un mouvement littéraire romantique, le Cénacle. Acad.

**NOÉ** ~ Patriarche biblique. Choisi par Dieu pour échapper au Déluge et fonder une humanité nouvelle, il construisit une arche avec ses fils et y embarqua des représentants de toutes les espèces animales. La tradition en fait le premier vigneron.

**NOETHER**, famille de mathématiciens allemands. ~ **Max** (*1844, Mannheim - 1921, Erlangen*) fonda la géométrie algébrique. Sa fille ~ **Emmy** (*1882, Erlangen - 1935, Bryn Mawr, Pennsylvanie*) fut une pionnière de l'algèbre moderne.

**NOGARET** (Guillaume DE) ~ *v. 1270, Saint-Félix, près de Toulouse - 1313.* Homme politique français. Garde du sceau royal (1302) à la cour de Philippe IV le Bel, il s'opposa au pape Boniface VIII et fut à l'origine de la disparition de l'ordre des Templiers.

**NOGENT-LE-ROTROU** ~ V. du Perche (Eure-et-Loir), sur l'Huisne, marché agricole (volailles, chevaux, cidre) ; 11 591 h. Abattoirs. Vestiges (château) et églises médiévaux. Musée du Perche.

**NOGENT-SUR-MARNE** ~ V. de la banlieue E. de Paris (Val-de-Marne) ; 25 248 h. Anc. halles parisiennes de Baltard remontées en 1977 (centre culturel). Port de plaisance, guinguettes.

**NOGENT-SUR-OISE** ~ V. industr. de l'agglom. de Creil (Oise) ; 19 537 h. Église du XIIIe s.

**NOGENT-SUR-SEINE** ~ V. du S. de la Champagne crayeuse (Aube) ; 5 505 h. Centrale nucléaire.

**NOGUÈS** (Charles) ~ *1876, Monléon-Magnoac - 1971, Paris.* Général français. Résident général au Maroc (1936), il s'opposa au débarquement allié (nov. 1942), puis se rallia à Fr. Darlan et à H. Giraud. Le général de Gaulle le contraignit à démissionner (1943).

**NOGUÈS** (Maurice) ~ *1889, Rennes - 1934, Corbigny.* Aviateur français. Pilote de guerre (1915), il fut un des pionniers des liaisons commerciales (1922) et aéropostales (France-Indochine, 1931).

**NOHANT-VIC** ~ Commune du Boischaut (Indre), dans le Berry ; 481 h. Maison de G. Sand à Nohant. Église de Vic avec fresques du XIe s.

© F. Jalain-Explorer

*Près de Nohant-Vic, le château de Saint-Chartier (XVe s.), où George Sand a situé l'action des Maîtres sonneurs.*

**NOIR (causse)** ~ Le moins étendu des Grands Causses (env. 200 km², alt. 900-1 000 m), entre les gorges de la Dourbie et de la Jonte (Aveyron).

**NOIR** (Yvan **Salmon**, dit Victor) ~ *1848, Attigny, Vosges - 1870, Paris.* Journaliste français. Il fut assassiné par Pierre Bonaparte. Ses obsèques donnèrent lieu à une manifestation qui révéla la force de l'opposition républicaine au régime impérial.

**NOIRE (mer)**, anc. **Pont-Euxin** ~ Mer intérieure qui baigne la Bulgarie, la Roumanie, l'Ukraine, la Russie, la Géorgie et la Turquie ; 460 000 km², prof. max. 2 245 m. Elle est reliée à la Méditerranée par les Détroits et inclut la mer d'Azov (N.-E.). Eaux froides et polluées (déchets industr.). Stations baln. le long des côtes montagneuses de Crimée (Yalta) et du Caucase (Sotchi, Soukhoumi).

**NOIRE (rivière)** ~ Voir **Sông Da**.

**NOIRET** (Philippe) ~ *1930, Lille.* Acteur français. Après des débuts au T. N. P., il a imposé au cinéma son personnage de faux placide (*le Vieux Fusil*, de Robert Enrico, 1975 ; *la Vie et rien d'autre*, de Bertrand Tavernier, 1989).

**NOIRMOUTIER** ~ Île de l'Atlantique (Vendée), reliée à la côte (Marais breton) par un pont (depuis 1971) et par le passage du Gois ; 48 km², env. 9 000 h., v. princ. **Noirmoutier-en-l'Île** (4 846 h.). Sableuse au S. (pinèdes), l'île inclut des polders (cult. maraîchères et florales) et des marais salants. Pêche à l'Herbaudière. Tourisme.

**NOISIEL** ~ V. de l'E. de l'agglom. parisienne (Seine-et-Marne), incluse dans la ville nouvelle de Marne-la-Vallée ; 16 525 h.

**NOISY-LE-GRAND** ~ V. de l'E. de l'agglom. parisienne (Seine-Saint-Denis), à l'O. de la ville nouvelle de Marne-la-Vallée ; 54 032 h.

**NOISY-LE-SEC** ~ V. de la banlieue E. de Paris (Seine-Saint-Denis) ; 36 309 h. Gare de triage. Métallurgie.

**Nok** ~ Site protohistorique du Nigeria (Jos). Il a donné son nom à une civilisation d'agriculteurs travaillant le fer (env. 500 av. J.-C. - 200 apr. J.-C.).

**NOLDE** (Emil **Hansen**, dit Emil) ~ *1867, Nolde, Schleswig - 1956, Seebüll, Frise du Nord.* Peintre allemand. Influencé par les symbolistes et les arts primitifs, il donna un tour dramatique et mystique à ses scènes et à ses paysages, caractéristiques de l'expressionnisme (*la Danse du veau d'or*, 1910).

**NOLLET** (abbé Jean Antoine) ~ *1700, Pimprez, Oise - 1770, Paris.* Physicien français. Il découvrit la diffusion des liquides, étudia la transmission du son dans l'eau (1743) et inventa l'électroscope (1747).

**NONIUS** (Pedro **Nunes**, dit) ~ *1492, Alcácer do Sal - 1577, Coimbra.* Astronome et mathématicien portugais. Il mit au point une graduation des instruments pour mesurer les petits angles (1542) et démontra que le chemin le plus court entre deux points de la Terre est l'arc de grand cercle.

**NONO** (Luigi) ~ *1924, Venise - 1990, id.* Compositeur italien. Représentant du sérialisme postwebernien, il voulut inscrire la musique contemporaine dans le champ des luttes de classes (*Comme un fleuve de force et de clarté*, 1971-1972).

**NORBERT** (saint) ~ *v. 1080, Gennep, Rhénanie - 1134, Magdebourg.* Religieux allemand. Prédicateur itinérant en Flandre, il fonda l'ordre des Prémontrés (1120), puis fut évêque de Magdebourg (1126).

**NORD** (le) ~ Dép. de la Région Nord - Pas-de-Calais, qui s'étire le long de la frontière belge de la Manche à l'Ardenne ; 5 738 km², 2 531 855 h., préfect. Lille. Aux plaines de la Flandre et du Cambrésis (grande cult. céréalière, betterave à sucre, pomme de terre et cult. maraîchères) succèdent à l'E. les paysages bocagers du Hainaut et de l'Avesnois (N. de la Thiérache). L'élevage (bovin, porcin) est actif. L'industrialisation, précoce et fondée sur une vieille tradition textile renforcée au XIXe s. par l'exploitation de la houille, est à l'origine de la densité du réseau urbain (comparable à celle de la Flandre belge). La crise du bassin houiller et du Valenciennois (sidérurgie), cause d'un chômage élevé, n'empêche pas la diversification des activités de Lille-Roubaix-Tourcoing (4e agglom. française) et le dynamisme du port de Dunkerque. La situation de carrefour favorise la reconversion et l'intégration européenne (dense réseau de communications).

*Paludier dans les marais salants de* ***Noirmoutier****.*

© Thouvenin-Explorer

**NORD (canal du)** ~ Bras de mer reliant l'Atlantique et la mer d'Irlande, entre l'Écosse et l'Irlande du Nord.

**NORD (canal du)** ~ Canal qui double celui de Saint-Quentin depuis 1965, reliant l'Île-de-France (Oise) au bassin industriel du Nord (Sensée, affl. de l'Escaut).

**NORD (cap)**, en norv. ***Nordkapp*** ~ Extrémité septentrionale de l'Europe continentale, en Norvège. Les eaux y sont réchauffées par le **courant du Cap-Nord**, issu du Gulf Stream.

**Nord (guerre du)** ~ Conflit opposant la Suède à la Saxe, à la Pologne, au Danemark et à la Russie, coalisés en 1700 contre Charles XII. Longtemps victorieux, celui-ci fut battu à Poltava (1709), puis tué à Fredrikshald (1718). Les traités de Stockholm (1719-1720) et de Nystad (1721) mirent fin à la guerre. La Suède perdit la Courlande, la Livonie et l'Estonie au profit de la Russie.

**NORD (mer du)** ~ Partie de l'océan Atlantique (large extension du plateau continental), entre la Grande-Bretagne et le N.-O. de l'Europe continentale, prolongée au S.-O. par la Manche et communiquant avec la Baltique au N.-E. ; 570 000 km². Ses eaux sont réchauffées par la dérive nord-atlantique. C'est l'une des mers les plus anciennement fréquentées du globe. Pêche, trafic commercial intense (Rotterdam, Anvers, Londres, Hambourg) et, depuis 1965, extraction de pétrole (1re zone offshore du monde).

© P. Versele-Ph. News-Gamma

*Pêcheur de crevettes sur le littoral de la mer du Nord.*

**NORD (Territoire du)**, en angl. ***Northern Territory*** ~ Territoire fédéral d'Australie, plateau aride, incluant au N. la terre d'Arnhem, plus arrosée (climat tropical) et bordée par les mers de Timor, d'Arafura et le golfe de Carpentarie ; 1 346 200 km², 170 000 h. (20 % d'aborigènes), v. princ. Darwin (cap.), Alice Springs. Fer, cuivre, uranium, bauxite, or, gaz naturel. Tourisme.

**NORD-EST (passage du)** ~ Voie maritime ouverte par le Suédois Adolf Erik Nordenskjöld (1878-1879), praticable de juin à septembre, reliant l'Atlantique et le Pacifique par l'océan Arctique et le détroit de Béring, le long des côtes sibériennes.

**NORDESTE** (le) ~ Région du Brésil, partie O. du plateau brésilien, baignée par l'Atlantique, l'une des plus anciennement peuplées et colonisées du Brésil, auj. la plus pauvre (États de Bahia, Sergipe, Alagoas, Pernambouc, Paraíba, Rio Grande do Norte, Ceará, Piauí, Maranhão) ; 1 556 000 km², 42 387 000 h., ports et v. princ. Salvador, Fortaleza, Recife. Canne à sucre, cacao, coton. Sécheresse dans l'intérieur (sertão), contribuant à l'exode rural (économie de plantation archaïque).

**NÖRDLINGEN** ~ V. de Bavière (Allemagne), sur l'Eger ; env. 18 000 h. Remparts et tours (XIVe-XVIe s.). Courses annuelles de chevaux depuis le Moyen Âge. Théâtre de plusieurs batailles pendant la guerre de Trente Ans (victoire française sur les Impériaux en 1645) et la Révolution (1796).

**NORD-OUEST (passage du)** ~ Voie maritime qui contourne le continent américain par le N., cherchée depuis le XVIe s., ouverte par R. Amundsen (1903-1906). En raison des obstacles naturels (glaces, archipel Arctique canadien), elle n'est pas devenue une route commerciale.

**NORD-OUEST (Territoires du)**, en angl. ***Northwest Territoires*** ~ Territoire fédéral, tiers septentrional du Canada, au N. du 60$^{e}$ parallèle, entre le bassin du Yukon et la baie d'Hudson ; 3 377 000 km$^2$, 58 000 h. (dont Amérindiens et Inuits), cap. Yellowknife. Il englobe l'archipel Arctique et le bassin lacustre (Grands Lacs de l'Ours et de l'Esclave) du Mackenzie. Climat continental froid et arctique (forêt boréale et toundra). Hydrocarbures, minerais (plomb, zinc, argent, or), fourrures, pêche, exploitation forestière au S.

**NORD - PAS-DE-CALAIS** ~ Région du N.-O. de la France, formée par les 2 dép. dont elle porte le nom ; 12 126 km$^2$, 3 965 058 h., préfect. Lille. La prédominance de l'activité industrielle, déjà ancienne, et la forte urbanisation y sont les traits dominants.

**NORFOLK** ~ Port des États-Unis (Virginie), à l'entrée de la baie de Chesapeake (S. de Hampton Roads) ; 261 000 h. Université d'État. Base navale de l'Otan, docks (charbon, céréales, tabac).

**NORFOLK** (le) ~ Comté de l'E. de l'Angleterre, région de plaines agricoles de l'East Anglia, bordé par la mer du Nord (golfe du Wash) ; 5 372 km$^2$, 747 000 h., ch.-l. Norwich. Station balnéaire de Great Yarmouth.

**NORFOLK (île)** ~ Île australienne du Pacifique, à égale distance de la Nouvelle-Calédonie et de la Nouvelle-Zélande ; 35 km$^2$, 2 000 h., dont une forte proportion de descendants des mutins du *Bounty*. Tourisme.

**NORFOLK** (Thomas **Howard**, 4$^{e}$ duc DE) ~ *1536 - 1572, Londres.* Homme politique anglais. Il fut décapité pour avoir comploté contre Élisabeth I$^{re}$.

**NORIEGA** (Antonio) ~ *1940, Panamá.* Général et homme politique panaméen. Commandant en chef de l'armée, il s'est imposé à la tête de l'État en 1983. Soupçonné de trafic de drogue, il a été arrêté en 1989 par les Américains au terme d'une intervention militaire qui fit plusieurs centaines de morts.

**NORILSK** ~ V. minière (l'une des premières pour le nickel et le platine) de Sibérie centrale (Russie), au N. du cercle polaire arctique ; env. 180 000 h. Métallurgie.

**NORMANDIE** (la) ~ Anc. province de l'O. de la France divisée en deux Régions, la **Basse-Normandie** (dép. du Calvados, de la Manche et de l'Orne ; 17 583 km$^2$, 1 391 318 h., préfect. Caen) et la **Haute-Normandie** (dép. de l'Eure et de la Seine-Maritime ; 12 258 km$^2$, 1 737 247 h., préfect. Rouen). Entre les vallées du Couesnon au S. et de la Bresle au N., ouverte sur la Manche, la Normandie s'étend sur une partie du Massif armoricain et du Bassin parisien. La diversité des paysages est réductible à l'opposition des pays de bocage voués à l'économie herbagère (Cotentin, Bocage normand, collines du Perche, pays d'Auge) et des plaines et campagnes vouées à la céréaliculture (plaines du Neubourg et de Saint-André, Vexin normand, pays de Caux), parcourues par les vallées de nombreux petits fleuves côtiers (Orne, Dives, Risle). Autrefois très diffuse, l'industrie (text., métall., laitière) se concentre dans la vallée de la Seine (Rouen). Isolé au N. du Cotentin, le port de Cherbourg (constr. navales) bénéficie de l'activité nucléaire de la Hague, Caen misant davantage sur les activités tertiaires (université, centres de recherche). Une autoroute reliant l'Espagne aux Pays-Bas, grâce au nouveau pont sur la Seine (Honfleur-Le Havre) profitera aux villes de l'intérieur (Alençon, Falaise, Lisieux). La pêche en déclin (Dieppe, Fécamp, Port-en-Bessin, Granville) est relayée par le tourisme de mer (Étretat, Mont-Saint-Michel, Honfleur, Deauville, Cabourg) et, dans l'arrière-pays, par le tourisme vert. **HIST.** - En 911, les Scandinaves, que Charles III le Simple avait autorisé à s'établir de la basse vallée de la Seine au Cotentin, donnèrent leur nom (hommes du Nord ou Normands) à la région et y fondèrent un puissant duché féodal. En 1066, le duc Guillaume conquit l'Angleterre. Passée aux Plantagenêts (1144), la Normandie fut confisquée par Philippe Auguste qui la réunit au domaine royal mais lui laissa ses institutions (1204). Reconquise par les Anglais au cours de la guerre de Cent Ans, elle fut reprise par Charles VII (1450) et forma l'éphémère apanage de son fils cadet (1465-1468) avant de revenir à la Couronne de France. L'Échiquier de Rouen fut transformé en parlement en 1515. Du 6 juin au 21 août 1944 se déroula la **bataille de Normandie**, à la suite du débarquement des Alliés, entre Saint-Martin-de-Varreville et Ouistreham. Les Alliés démantelèrent le front allemand (Caen, Cherbourg, percée d'Avranches, résorption de la poche de Falaise).

**Normandie-Maine** ~ Parc naturel régional de 2 340 km$^2$ englobant le S. du Bocage normand et les Alpes mancelles.

**Normands** (les) ~ Voir **Vikings**.

**NORODOM SIHANOUK** ~ *1922, Phnom Penh.* Roi du Cambodge. Couronné en 1941, il abdiqua peu après l'indépendance (1953) pour se consacrer librement à la politique. Premier ministre puis chef de l'État, il fut renversé en 1970 par un coup d'État militaire et s'allia aux Khmers rouges. Il lutta à partir de 1979 contre le régime mis en place par les Vietnamiens en fédérant les différentes factions de la résistance. Président du Conseil national suprême en 1991, il redevint roi en 1993, lorsque la monarchie fut rétablie.

**NORRIS** (Frank) ~ *1870, Chicago - 1902, San Francisco.* Romancier américain. Il décrivit l'âpreté des luttes sociales dans un style réaliste et fort, où perce l'influence de Zola (*McTeague*, 1899).

**NORRKÖPING** ~ Port industr. de Suède, sur la Baltique, au S.-O. de Stockholm ; 121 000 h.

**NORRLAND** (le) ~ Partie N. de la Suède, entre le golfe de Botnie et les Alpes scandinaves. Forêts (conifères, bouleaux). Fer (Kiruna), cuivre, plomb.

**NORTHAMPTON** ~ V. industr. (180 000 h.) du centre de l'Angleterre (Midlands), ch.-l. du **comté du Northamptonshire** (2 367 km$^2$, 579 000 h.). Cuir, chaussures, constr. mécaniques.

**NORTHUMBERLAND** (le) ~ Comté du N.-E. de l'Angleterre, aux confins de l'Écosse, sur le versant S. des monts Cheviot ; 5 026 km$^2$, 305 000 h., ch.-l. Newcastle-upon-Tyne, centre d'une région d'industrie lourde en déclin (Tyneside). Élevage. Tourisme (châteaux médiévaux, forêt de Kielder, Holy Island).

**NORTHUMBRIE** (la) ~ Royaume angle (V$^{e}$-IX$^{e}$ s.) autour d'York, sa capitale. Il fut soumis par Egbert le Grand, roi de Wessex, en 827.

**NORTON** (Thomas) ~ *1532, Londres - 1584, Sharpenhoe.* Dramaturge anglais. Il composa avec Th. Sackville *Gorboduc ou Ferrex et Porrex* (1561), la première tragédie anglaise en vers non rimés.

**NORVÈGE (royaume de)** ~ Pays le plus septentrional d'Europe, traversé par le cercle polaire arctique, qui s'étire sur env. 1 700 km et occupe la partie O. de la péninsule scandinave. ***Cap.*** Oslo. ***Superf.*** 323 752 km$^2$. ***Popul.*** 4 325 000 h. ***Langue princ.*** Norvégien. ***Monn.*** Couronne norvégienne. ***Relief.*** Montagneux (bouclier scandinave), façonné par l'érosion glaciaire (fjelds). Le littoral déchiqueté, bordé d'archipels (Lofoten, Vesterålen), échancré par des fjords profonds, concentre l'activité. ***Climat.*** Océanique (plus froid dans l'intérieur). ***Écon.*** Exploitation des ressources énergétiques (pétrole et gaz offshore, hydroélectr.), industries (électrométall., électrochim., agroalim., mécan.), exploitation du bois, élevage bovin, tourisme. ***V. princ.*** Oslo, Bergen, Trondheim, Stavanger. **HIST.** - Au début de notre ère, la Norvège est faiblement occupée par des populations d'origine scandinave ou, dans le N., par des Lapons. Son territoire est divisé en petits royaumes en relation commerciale avec le monde romain. *À partir du VIII$^{e}$ s.* : les Norvégiens participent aux raids vikings sur les îles Britanniques et les côtes de l'Europe. Ils colonisent l'Islande, le Groenland et atteignent l'Amérique vers l'an 1000. *872* : Harald I$^{er}$ Hårfager unifie le pays. *1016-1028* : Olav II Haraldsson règne sur toute la Norvège et accélère sa christianisation. *XII$^{e}$ s.* : après une période d'anarchie, le roi Sverre (1177-1196) rétablit un pouvoir fort, et le trône devient héréditaire. *XIII$^{e}$ s.* : apogée de la Norvège sous Håkonsson (1217-1263), qui établit son autorité sur un vaste empire s'étendant jusqu'en Islande et au Groenland. La Hanse prend le contrôle de la région. *1319-1355* : union de la Norvège et de la Suède sous le règne de Magnus VII Eriksson. *1397* : l'Union de Kalmar donne à Éric de Poméranie le pouvoir en Norvège, en Suède et au Danemark. Le pays, après avoir été dominé par la Suède, entre dans l'orbite du Danemark. *XVI$^{e}$ s.* : le Danemark impose la Réforme. *XVII$^{e}$ s.* : engagée dans différents conflits la Norvège perd des territoires au profit de la Suède (Jämtland, Tendheim). *XVIII$^{e}$ s.* : essor du commerce maritime. *XIX$^{e}$ s.* : le traité de Kiel (1814) donne la Norvège au roi de Suède, Charles XIII, qui lui reconnaît une certaine autonomie avec une assemblée (Storting). Sous l'impulsion de Johan Sverdrup, la Norvège devient une démocratie parlementaire (1884). Le suffrage universel est institué en 1898 et l'essor économique favorise la revendication de l'indépendance. *XX$^{e}$ s.* : le Storting abolit l'union avec la Suède (1905). Un prince danois devient Håkon VII de Norvège (1905-1957). Le parti travailliste, créé en 1887, obtient une législation sociale avancée et le vote des femmes dès 1913 ; il gouvernera de 1935 à 1965. *1914-1918* : neutralité du pays. *1940-1945* : occupation allemande. Exil du roi Håkon VII en Grande-Bretagne. Vidkun Quisling, pronazi, forme un gouvernement à partir de 1942. *1949* : adhésion à l'Otan. *1957* : Olav V succède à Håkon VII. *1965-1971* : gouvernements de coalition (conservateurs, libéraux, agrariens). *1972* : un référendum rejette l'adhésion à la C. E. E. *1991* : Harald V succède à Olav V. *1994* : dirigé par le Premier ministre travailliste Gro Harlem Brundtland, le pays rejette une nouvelle fois l'adhésion à l'Union européenne. *1996* : le travailliste Thorbjörn Jagland succède à G. H. Brundtland, démissionnaire.

**NORWICH** ~ V. industr. du S.-E. de l'Angleterre ch.-l. du Norfolk ; 121 000 h. Université. Constr. mécan., agroalim., imprimerie. Cathédrale (1096), château et églises médiévales.

**NOSTRADAMUS** (Michel **de Nostre-Dame**, dit) ~ *1503, Saint-Rémy-de-Provence - 1566, Salon-de-Provence.* Astrologue et médecin français. Attaché à la cour de Catherine de Médicis, il composa les *Centuries astrologiques* (1555), recueil de prédictions.

**NOSY BE** ou **NOSSI-BÉ** ~ Île côtière volcanique du littoral N.-O. de Madagascar ; 300 km$^2$, env. 40 000 h. Cultures spécialisées (vanille, essences à parfum, poivre). Tourisme.

**NOTRE-DAME-DE-GRAVENCHON** ~ V. de Seine-Maritime, entre Rouen et Le Havre ; 8 901 h. Raff. de pétrole.

**NOTTINGHAM** ~ V. d'Angleterre, centre industr., bancaire et comm. des Midlands de l'Es (env. 264 000 h.), ch.-l. du **comté du Nottinghamshire** (2 164 km$^2$, 993 000 h.). Université. Constructions autom. et cycles, produits pharmaceutiques, textile. Musée des Beaux-Arts.

**NOUADHIBOU**, anc. **Port-Étienne** ~ Port minéralier (fer de Zouerate) du N.-O. de la Mauritanie 59 000 h. Pêcheries, raff. de pétrole.

**NOUAKCHOTT** ~ Cap. de la Mauritanie, près de l'Atlantique ; env. 480 000 h. Construite à partir de 1958 dans le Sahara, elle est le principal centre administratif, commercial et industriel (sucrerie boissons gazeuses, confection, cimenterie) du pays.

**Nouers** (les) ~ Voir **Nuers**.

**NOUKOUS** ~ Cap. de la Karakalpakie (Ouzbékistan), petit centre industr. sur le delta de l'Amou-Daria ; 174 000 h.

**NOUMÉA** ~ Préfect. et princ. port de Nouvelle-Calédonie, sur la côte S.-O. de l'île ; 65 110 h. (plus de 50 % de la popul. du territoire, maj. d'orig. européenne). Nickel (à Doniambo), industr. du bois.

**NOUREÏEV** (Rudolf) ~ *1938, Irkoutsk - 1993, Paris.* Danseur britannique puis autrichien d'origine soviétique. Il entra au Royal Ballet de Londres en 1962 après s'être enfui de la troupe du Kirov. Il ajouta au répertoire classique (*Roméo et Juliette* 1979) des créations contemporaines (*Auréole d' Taylor*, 1962). [☞ **danse.**]

**NOURISTAN** ou **NURESTAN** (le), anc. **Kafiristan** ~ Région montagneuse et humide d'Afghanistan à l'E. de Kaboul, pays des **Nouristanis**, non musulmans et indépendants jusqu'à la conquête afghane (1890).

**NOUVEAU** (Germain) ~ *1851, Pourrières, Var - 1920, id.* Poète français. D'inspiration mystique, il a exprimé le conflit fondamental entre la chair et l'esprit (*la Doctrine de l'amour*, 1881).

**NOUVEAU-BRUNSWICK** (le) ~ Prov. de l'E. du Canada (Provinces Maritimes), bordée par le golfe du Saint-Laurent (N.) et la baie de Fundy (E.) région de moyennes montagnes (N. des Appalaches), de climat continental humide ; 73 440 km$^2$

759 000 h. (dont 33 % de francophones), v. princ. Saint-Jean, Moncton, Fredericton (cap.). Hydroélectricité, cuivre, plomb, zinc, or, bois, pêche, industries agroalim., textile, constr. navales. Tourisme. **HIST.** – Le territoire fut cédé par la France à l'Angleterre en 1713. Celle-ci en expulsa les Acadiens en 1755 et créa en 1784 la province du Nouveau-Brunswick, intégrée à la fédération canadienne en 1867.

**NOUVEAU-MEXIQUE** (le) ~ État aride du S.-O. des États-Unis, région de montagnes (S. des Rocheuses) et de plateaux creusés de canyons, traversé par le Rio Grande (agric. irriguée) et la rivière Pecos ; 314 334 km², 1 616 000 h. (dont minorités hispanophone et indiennes : Navajos, Pueblos), cap. Santa Fe, v. princ. Albuquerque. Charbon, cuivre, hydrocarbures, bois, élevage, agric. irriguée, industries (nucléaire, électron., aluminium). Tourisme (parcs nationaux). **HIST.** – Territoire mexicain conquis par les États-Unis (1848), il devint le 47ᵉ État de l'Union en 1912.

**NOUVEAU-QUÉBEC** (le) ~ Partie N. du Québec (O. de la péninsule du Labrador), au climat froid, arctique au N. et très peu peuplée.

**NOUVEL** (Jean) ~ *1945, Fumel.* Architecte français. Son style éclectique mais rigoureux s'est manifesté notamment à l'Institut du monde arabe, à Paris (avec Architecte Studio, Gilbert Lezenes et Pierre Soria, 1983-1987).

**NOUVELLE-AMSTERDAM** (la) ~ Île volcanique du S. de l'océan Indien (37° 50' lat. S., climat tempéré), possession française (T. A. A. F.) ; 55 km². Station scientifique.

**NOUVELLE-AMSTERDAM (La)** ~ Voir **New York**.

**NOUVELLE-ANGLETERRE** (la) ~ Région du N.-E. des États-Unis constituée par six anciennes colonies britanniques, États fondateurs de la fédération (Connecticut, Maine, Massachusetts, New Hampshire, Rhode Island, Vermont).

**NOUVELLE-BRETAGNE** (la) ~ Île princ. de l'archipel Bismarck, formant deux prov. de la Papouasie - Nouvelle-Guinée ; 36 500 km², 312 000 h. (petites îles voisines incluses). V. princ. Rabaul.

**NOUVELLE-CALÉDONIE** (la) ~ Territoire français d'outre-mer, dans le Pacifique (Mélanésie), à 1 400 km à l'E. de l'Australie, princ. formé par l'île de la Grande Terre, les îles Loyauté (Ouvéa, Lifou, Maré) et l'île des Pins ; 18 576 km², 164 173 h., dont Mélanésiens, dits Canaques (45 %) et Européens, dits Caldoches (35 %), cap. Nouméa. La Grande Terre (16 372 km²) est une île allongée (400 km du N. au S.), montagneuse (mont Panié, 1 628 m), entourée d'une barrière corallienne. Climat tropical humide (côte E. au vent). L'économie est fondée sur l'exportation du nickel et sur le tourisme. **HIST.** – Découverte par J. Cook (1774), elle fut annexée par la France (1853) et servit de colonie pénitentiaire (1864-1896), où furent déportés les condamnés de la Commune (1872). Théâtre d'insurrections canaques (1860-1879), elle fut dotée du statut de territoire d'outre-mer en 1946. Après le soulèvement (1984-1985) organisé par le Front de libération nationale kanak et socialiste (F. L. N. K. S.), partisans et adversaires de l'indépendance acceptèrent une période intérimaire préalable au référendum sur l'autodétermination prévu pour 1998 (accords de Matignon, 26 juin 1988). Un nouveau statut d'autonomie fut mis en place en 1989.

**NOUVELLE-ÉCOSSE** (la) ~ Prov. péninsulaire de l'E. du Canada (Provinces Maritimes), située entre la baie de Fundy et l'océan Atlantique (hivers froids, étés frais) ; 55 000 km², 937 000 h., cap. Halifax. Pétrole offshore, pêche, industries agroalim. et du bois. Tourisme. **HIST** – Elle fut cédée par la France à l'Angleterre (1713). Après l'expulsion des Acadiens (1755), elle accueillit des loyalistes lors de la guerre de l'Indépendance américaine et fut amputée du Nouveau-Brunswick en 1784.

**NOUVELLE-GALLES DU SUD** (la) ~ État du S.-E. de l'Australie, bordé à l'E. par la mer de Tasman ; 801 600 km², 5 959 000 h., cap. Sydney. La Cordillère australienne sépare les plateaux intérieurs (bassin du Murray) de la région côtière arrosée, agricole, la plus peuplée et la plus urbanisée d'Australie (Sydney, Newcastle). Charbon, plomb, zinc, industries (sidér., text.), élevage, céréales, viticulture.

**NOUVELLE-GUINÉE** (la) ~ Grande île du Pacifique, aux confins de l'Asie (Insulinde) et de l'Océanie (Mélanésie), séparée de l'Australie par le détroit de Torres, partagée entre l'Indonésie (Irian Jaya) à l'O. et la Papouasie - Nouvelle-Guinée ; env. 800 000 km², 5 300 000 h., v. princ. Port Moresby, Jayapura. Aux plaines marécageuses et très humides du S. (littoraux à mangroves, forêt équatoriale dense dans l'intérieur) s'opposent les régions montagneuses du N., très arrosées et cloisonnées mais moins hostiles (longue chaîne centrale culminant à 4 000-5 000 m, dépression tectonique des fleuves Sepik et Mamberamo, chaîne côtière excédant 3 000 m). Les Papous pratiquent une agriculture de subsistance (patate douce, igname, taro, élevage porcin) associée à la chasse et à la cueillette. Communications difficiles (peu de routes), l'avion étant le 1ᵉʳ moyen de transport. Export. de coprah, café, cacao. Ress. forestières abondantes. Cuivre, nickel. **HIST.** – Les Portugais découvrirent l'île au XVIᵉ s. Au XIXᵉ s., début de la colonisation (établissement des Hollandais dans l'O. en 1828, protectorats allemand au N.-E. de 1885 à 1914 et britannique au S.-E. dès 1884). En 1921, la S. D. N. confia la gestion des territoires allemands à l'Australie, qui contrôlait la zone britannique depuis 1906. En 1969, la Nouvelle-Guinée occidentale néerlandaise fut rattachée à l'Indonésie. En 1975, la partie orientale de l'île obtint son indépendance dans le cadre du Commonwealth, sous le nom de Papouasie - Nouvelle-Guinée.

**NOUVELLE-IRLANDE** (la) ~ Île orientale de l'archipel Bismarck (Papouasie - Nouvelle-Guinée), étroite arête calcaire sans volcanisme actif ; 8 650 km² (prov. 9 600 km², 87 000 h.).

**NOUVELLE-ORLÉANS (La)** ~ Port et princ. v. de Louisiane (S. des États-Unis), sur le Mississippi (tête du delta), centre industriel et universitaire ; 497 000 h. (agglom. 1 239 000 h.), dont Noirs (30 %). Tourisme (Vieux Carré franco-espagnol, carnaval). **HIST.** – Fondée par le français J.-B. Le Moyne de Bienville vers 1718, espagnole de 1762 à 1800, elle revint alors à la France, qui la vendit aux États-Unis (1803) avec le reste de la Louisiane. C'est dans le quartier de Storyville que naquit le jazz.

*Le quartier du Vieux Carré, à* **La Nouvelle-Orléans**.

**Nouvelle Revue française** (N. R. F.) ~ Revue littéraire fondée en 1909 et animée par des écrivains (A. Gide, J. Copeau, J. Schlumberger) qui s'associèrent avec G. Gallimard pour créer les Éditions de la N. R. F. Elle exerça une profonde influence sur les lettres françaises et contribua à faire connaître des auteurs étrangers. Dirigée par Drieu La Rochelle sous l'Occupation, elle fut interdite en 1944 et ne reprit ses publications qu'en 1953.

**NOUVELLES-HÉBRIDES** (les) ~ Voir **Vanuatu**.

**NOUVELLE-SIBÉRIE** (la) ~ Archipel russe de l'océan Arctique, au N.-E. de la Sibérie ; env. 38 000 km². L'hiver arctique y dure neuf mois.

**NOUVELLE-ZÉLANDE** (la) ~ Pays du Pacifique S. (Océanie), constitué par les îles du Nord et du Sud et de nombreuses îles secondaires (Stewart, Chatham). Membre du Commonwealth. ***Cap.*** Wellington. ***Superf.*** 270 534 km². ***Popul.*** 3 580 000 h. (10 % de Maoris). ***Langues princ.*** Anglais, maori. ***Monn.*** Dollar néo-zélandais. ***Relief.*** Montagneux (Alpes néo-zélandaises) au S. (3 764 m au mont Cook) et volcanique au N. (2 797 m au mont Ruapehu), plaines côtières. ***Climat.*** Océanique, à tendance subtropicale au N. ***Écon.*** Élev., céréales, fruits, pêche, exploitation forestière. Les sources d'énergie, variées, stimulent l'industrie. Tourisme. ***V. princ.*** Auckland, Wellington, Christchurch. **HIST.** – *IXᵉ s.* : peuplement par des Maoris (Polynésiens). *XVIIᵉ-XVIIIᵉ s.* : découvertes par le Hollandais Abel Tasman (1642) les îles sont explorées par le Britannique James Cook (1769). *XIXᵉ s.* : souveraineté britannique (traité de Waitangi, 1840), puis colonie (1851). Succession de guerres maories provoquées par la spoliation des terres (1843-1869). *1907* : autonomie interne. *1931* : indépendance dans le cadre du Commonwealth. *1947* : statut de Westminster, qui accorde la pleine souveraineté au pays. *1951-1971* : rapprochement avec les États-Unis. *Depuis 1974* : diversification de l'économie. Intégration croissante au sein des nations du Pacifique. Alternance des travaillistes (David Lange, Geoffrey Palmer) et des conservateurs (James Brendan Bolger depuis 1990) au gouvernement.

**NOUVELLE-ZEMBLE** (la) ~ Voir **Novaïa Zemlia**.

**Nouvel Observateur** (le) ~ Hebdomadaire français fondé en 1964, issu de *France-Observateur*, qui avait succédé à *l'Observateur aujourd'hui* en 1954. Magazine d'information générale, politique et culturelle d'une gauche non communiste.

**NOVAÏA ZEMLIA** (en fr. « nouvelle terre ») ou **NOUVELLE-ZEMBLE** (la) ~ Archipel russe de l'océan Arctique (N. de la Sibérie) ; 82 600 km², env. 400 h. Climat très rigoureux. Riche faune arctique (oiseaux, phoques, renards). Connu depuis le Moyen Âge, l'archipel ne fut exploré qu'aux XVIIIᵉ et XIXᵉ s.

**NOVALIS** (Friedrich, baron **von Hardenberg**, dit) ~ *1772, Wiederstedt - 1801, Weissenfels.* Écrivain allemand. Exaltation mystique, fétichisme de la mort et de la nature font de son œuvre la quintessence du romantisme allemand (*Hymnes à la nuit*, 1800 ; *Henri d'Ofterdingen*, posth., 1802).

**NOVA LISBOA** ~ Voir **Huambo**.

**NOVARE** ~ V. du N. de l'Italie (Piémont), à l'O. de Milan ; 103 000 h. Chimie, textile (soie et coton), imprimerie, édition. Baptistère (Vᵉ s.), palais (XIIIᵉ et XVᵉ s.), cathédrale (XVIᵉ s., coupole du XIXᵉ s.). Fondée par César, la ville fut détruite par les Barbares (Vᵉ s.). Elle adhéra à la Ligue lombarde puis gibeline (XIIᵉ s.). Victoire de Radetzky (1849).

**NOVERRE** (Jean Georges) ~ *1727, Paris - 1810, Saint-Germain-en-Laye.* Danseur et chorégraphe français. Il tenta de réformer le ballet classique en donnant la priorité à l'expression dramatique.

**NOVES** ~ Village provençal (Bouches-du-Rhône). Laure (*1308-1348*), fille du seigneur de Noves, fut aimée de Pétrarque et lui inspira le *Canzoniere*.

**NOVGOROD** ~ Vieille v. commerçante du N.-O. de la Russie, au S.-E. de Saint-Pétersbourg ; 235 000 h. Cathédrale Ste-Sophie (XIᵉ s.), églises, kremlin (XIᵉ-XVᵉ s.). **HIST.** – Fondée par les Varègues (v. 860), premier pôle d'unification du pays, siège d'une principauté autonome et cité commerçante liée à la Hanse, elle succéda à Kiev comme foyer de la civilisation russe (XIIIᵉ-XVᵉ s.). Transformée en république oligarchique, elle fut conquise par les Moscovites (1478).

**NOVI SAD** ~ 2ᵉ ville de la Yougoslavie, centre industriel et port sur le Danube, ch.-l. de la Vojvodine ; 180 000 h. Université.

**NOVOKOUZNETSK,** anc. **Stalinsk** (de 1932 à 1961) ~ V. de Sibérie occidentale (Russie), dans le Kouzbass ; 600 000 h. Charbon, sidérurgie, métall. de l'aluminium, chimie, mécan. lourde.

**NOVOSSIBIRSK** ~ Princ. v. de Sibérie (S. de la Sibérie occidentale, Russie), métropole du Kouzbass, pôle univ., cult. et scientifique ; 1 442 000 h. Industries lourdes (métall., sidér., chimie), textile, traitement du bois. Centrale hydroélectrique.

**NOVOTNÝ** (Antonín) ~ *1904, Letňany - 1975, Prague.* Homme d'État tchécoslovaque. Premier secrétaire du parti communiste (1953), puis président de la République (1957-1968), il dut démissionner à la veille du Printemps de Prague.

**NOYON** ~ V. de Picardie (Oise), au N.-E. de Compiègne ; 14 426 h. Cathédrale des débuts du gothique (XIIᵉ-XIIIᵉ s.). Musées (dont maison de Calvin). **HIST.** – Ville de fondation gallo-romaine. Charlemagne y fut couronné roi des Francs en 768. Charles Quint et François Iᵉʳ y signèrent un traité d'alliance (1516). Lors de la Première Guerre mondiale, elle subit de violents combats et ne fut libérée qu'en août 1918.

**N. R. F.** ~ Voir **Nouvelle Revue française**.

**NUBIE** (la) ~ Région aride des confins de l'Égypte et du Soudan, entre le désert de Libye et la mer Rouge, que dominent des reliefs excédant 2 000 m. Elle est traversée par le Nil de la 6e à la 1re cataracte (de Khartoum à Assouan). **HIST.** - Dès le IIIe mill. av. J.-C., la Nubie subit la domination des Égyptiens, qui la nommèrent pays de Kouch. Au Xe s. av. J.-C., elle recouvrit son indépendance, et ses pharaons conquirent la vallée du Nil jusqu'au Delta (VIIIe s. av. J.-C.). Chassés d'Égypte, ils se maintinrent à Napata, puis à Méroé jusqu'au IVe s. apr. J.-C. environ. Convertis au christianisme (VIe s.), les Nubiens formèrent trois royaumes, bientôt tributaires des Arabes musulmans. Le dernier, le royaume d'Alwah, fut détruit en 1504.

**Nuers** ou **Nouers** (les) ~ Peuple du S. du Soudan, de langue nilotique.

**NUEVO LAREDO** ~ V. du N.-E. du Mexique (Tamaulipas), sur le río Bravo, frontalière des États-Unis ; 218 000 h.

**NUEVO LEÓN** (le) ~ État montagneux (sierra Madre orientale) et aride du N. du Mexique, séparé des États-Unis par le río Bravo ; 64 555 km², 3 100 000 h. Industrie lourde (métall., chim.) à Monterrey (cap.), et *maquiladoras* (usines d'assemblage) le long de la frontière.

**Nuit et Brouillard**, en all. *Nacht und Nebel* ~ Expression utilisée par les nazis pour désigner une catégorie de déportés qui devaient disparaître sans laisser de traces, suite à un décret de Hitler (7 déc. 1941).

**NUITS-SAINT-GEORGES** ~ Commune viticole de la Côte-d'Or (côte de Nuits) ; 5 569 h. Grands crus rouges de Bourgogne. Église romane (XIIIe s.). Musée archéologique.

**NUJOMA** (Samuel Daniel, dit Sam) ~ *1929, Ongandjera, Ovamboland.* Homme d'État namibien. Fondateur de la Swapo (1960) et animateur de la guérilla contre l'Afrique du Sud, il a été élu président de la République en 1990 et réélu en 1994.

**NUMANCE** ~ Anc. ville d'Espagne, cap. des Celtibères de Castille. Elle résista aux Romains, mais fut prise par Scipion Émilien en 133 av. J.-C.

**NUMA POMPILIUS** ~ *v. 715 - v. 672 av. J.-C.* Roi sabin mythique de Rome. Successeur de Romulus, il aurait organisé les institutions religieuses de Rome sur les conseils de la nymphe Égérie.

**NUMIDIE** (la) ~ Ancienne région d'Afrique du Nord qui s'étendait sur l'O. de la Tunisie et l'E. de l'Algérie actuelles. Masinissa s'allia à Rome contre Carthage et l'unifia en un royaume (203 av. J.-C.) qu'affaiblirent ensuite les partages. Jugurtha, hostile aux Romains, y fut battu par Marius (107 et 106 av. J.-C.). La Numidie s'intégra à l'ensemble romain à partir de 46 av. J.-C.

**NUMITOR** ~ *début du VIIIe s.* Roi mythique d'Albe. Père de Rhéa Silvia, évincé par son frère, il aurait été rétabli sur le trône, usurpé par Amulius, par ses petits-fils Rémus et Romulus.

*Charles Nungesser et François Coli montant à bord de l'Oiseau-Blanc (1927).*

**NUNGESSER** (Charles) ~ *1892, Paris - 1927, dans l'Atlantique nord.* Aviateur français. Officier, héros de la Première Guerre mondiale, il disparut avec Fr. Coli en tentant la première liaison Paris-New York sans escale à bord de *l'Oiseau-Blanc*.

**NUR AL-DIN MAHMUD** ~ *1118 - 1174, Damas.* Haut dignitaire d'Alep (1146-1174). Il triompha des croisés dans le comté d'Édesse, et envoya Chirkuh et Saladin rétablir le sunnisme en Égypte (1171).

**NUREMBERG**, en all. *Nürnberg* ~ V. de Bavière (Allemagne), en Franconie, port fluvial sur le canal Rhin-Main-Danube ; 498 000 h. Université. Industries tradit. (papier, jouets, horlogerie, bière), métall., mécan. de précision, chimie, imprimerie, plastique. Tourisme. En partie détruite lors de la Seconde Guerre mondiale, la ville a conservé un noyau médiéval entouré d'une enceinte du XVe s. Église Notre-Dame (XVe s.). Musée national germanique (depuis 1857). **HIST.** - Fondée vers 1050, ville libre impériale au XIIIe s., elle connut son apogée du XIVe au XVIe s., devenant une métropole artistique (V. Stoss, P. Vischer). Les guerres européennes des XVIIe et XVIIIe s. provoquèrent son déclin. Bastion du national-socialisme, la ville fut choisie comme siège du tribunal militaire international qui jugea vingt-quatre membres du parti national-socialiste et huit organisations pour crimes de guerre nazis (**procès de Nuremberg**, 1945-1946).

**NURESTAN** (le) ~ Voir **Nouristan**.

**NUUK**, anc. **Godthåb** ~ Cap. et princ. ville du Groenland (côte S.-O.), siège du parlement du gouvernement autonome ; 12 000 h. Elle fut fondée en 1721 par un missionnaire norvégien près du site d'une colonie viking du Xe s.

**NYANGOMA** (Justin) ~ *1957, Bujumbura.* Écrivain burundais. Son roman *Collines de la peur* (1991) évoque les affrontements ethniques de son pays.

**NYASSA (lac)** ~ Voir **Malawi** (lac).

**NYASSALAND** (le) ~ Voir **Malawi**.

**NYERERE** (Julius) ~ *1922, Butiama.* Homme d'État tanzanien. Premier ministre (1961), puis président de la république du Tanganyika (1962), il a constitué en 1964 la Tanzanie (union du Tanganyika et de Zanzibar), dont il a été le président jusqu'en 1985.

**NYON** ~ V. de Suisse (Vaud), sur le lac Léman, à l'O. de Lausanne ; env. 14 000 h. Vins. Musée (porcelaine et faïences). Château (XIIe-XVIe s.).

**NYRAGONGO** (le) ~ Volcan actif des confins du Zaïre et du Rwanda (chaîne des Virunga) ; 3 470 m. Un lac de lave liquide occupe le cratère principal.

**Nystad (paix de)** ~ Traité signé le 10 sept. 1721 à Nystad (auj. Uusikaupunki, Finlande), mettant fin à la guerre du Nord. La Suède céda ses provinces baltiques à la Russie.

*Quelques-uns des accusés du procès de **Nuremberg** (1945-1946).*

**OAHU** ~ La plus peuplée des îles Hawaii, siège d'Honolulu, cap. de l'État des Hawaii (États-Unis) ; 1 573 km$^2$, 836 000 h. Pôle touristique et financier.

**OAKLAND** ~ Port et centre industriel de Californie (États-Unis), sur la baie de San Francisco ; 372 000 h. Base navale.

**OAK RIDGE** ~ V. du Tennessee (États-Unis), près de Knoxville ; 25 000 h. Premier centre atomique mondial (créé en 1942).

**O. A. S.** ~ Voir **Organisation armée secrète.**

**OATES** (Joyce Carol) ~ *1938, Lockport.* Femme de lettres américaine. Ses romans, ses nouvelles et ses poésies décrivent la violence de la société américaine (*Eux*, 1969).

**OATES** (Titus) ~ *1649, Oakham - 1705, Londres.* Aventurier anglais. Il dénonça en 1678 un complot papiste qu'il avait inventé, provoquant la persécution de catholiques.

**OAXACA (État d')** ~ État montagneux du S. du Mexique ; 95 364 km$^2$, 3 020 000 h. (maj. d'Amérindiens), cap. **Oaxaca de Juárez** (214 000 h.), l'une des plus belles villes du pays (monuments de l'époque coloniale, dont cathédrale des XVIe et XVIIe s., université fondée en 1827). Climat tropical nuancé par l'altitude. Céréales, cult. tropicales, mines, pêche et tourisme (stations balnéaires sur le Pacifique, sites archéologiques mixtèque de Mitla et zapotèque de Monte Albán).

**OB** (l') ~ Fl. de Russie (3 650 km, et 5 400 km de l'embouchure à la source de l'Irtych, son princ. affl., bassin de 3 000 000 de km$^2$), issu des monts Altaï. L'Ob draine la majeure partie des plaines marécageuses de la Sibérie occidentale. Il rejoint l'océan Arctique par un estuaire de 800 km de long.

**OBEÏD (El-)** ~ Princ. ville et marché agricole du Kordofan (Soudan) ; 140 000 h. (en 1983).

**Obeïd** (El-) ~ Site archéologique de Mésopotamie, près d'Our. Il a donné son nom à une civilisation protohistorique (4500-3300 av. J.-C. env.) qui s'étendit jusqu'à la Cilicie.

**OBERHAUSEN** ~ V. industrielle d'Allemagne, dans la Ruhr (Rhénanie-du-Nord - Westphalie) ; 225 000 h. Sidérurgie, pétrochimie.

**OBERKAMPF** (Christophe Philippe) ~ *1738, Wiesenbach, Bavière - 1815, Jouy-en-Josas.* Industriel français d'orig. allemande. Il fonda à Jouy, en 1759, la première manufacture de tissus imprimés.

**OBERLAND BERNOIS** (l') ~ Versant et piémont septentrional des Alpes bernoises (canton de Berne), en Suisse, correspondant aux hautes vallées de l'Aar et de la Sarine, culminant à plus de 4 000 m. Prairies d'élevage, sites tourist. (lac de Thoune), stations d'altitude (Gstaad).

**OBERNAI** ~ V. d'Alsace (Bas-Rhin), au S. de Strasbourg ; 9 610 h. Vin. Brasserie. Appareils de chauffage. Halle aux blés (XVIe s.) et hôtel de ville (XVe-XVIe s.).

**OBERON** ou **AUBÉRON** ~ Roi légendaire des elfes. Symbole de loyauté et de pureté, il connaît les secrets du paradis. Il apparaît dans la chanson de geste *Huon de Bordeaux* (début du XIIIe s.) et dans les œuvres de G. Chaucer, de Chr. M. Wieland et de Shakespeare (*le Songe d'une nuit d'été*).

**OBJAT** ~ V. du bassin de Brive, dans le bas Limousin (Corrèze) ; agglom. 3 870 h. Mobilier.

**Obodrites** ou **Abodrites** (les) ~ Anc. peuple slave établi entre l'Elbe inférieure et la mer Baltique à partir du VIIe s. Alliés de Charlemagne contre les Saxons, ils furent vaincus par ces derniers (1160).

**OBRADOVIĆ** (Dimitri, en relig. Dositej) ~ *1740, Čakovo - 1811, Belgrade.* Écrivain et homme politique serbe. Premier auteur à publier en serbe populaire, il fut aussi ministre de l'Instruction publique de la Serbie nouvellement indépendante.

**OBRENOVIĆ** ~ Dynastie serbe fondée en 1817 par Miloš Ier. **Alexandre Ier Obrenović** (*1876, Belgrade - 1903, id.*), roi de Serbie (1889-1903), fut assassiné, victime d'un complot qui porta Pierre Ier Karadjordjević au pouvoir.

**O'BRIEN** (William Smith) ~ *1803, Dromoland - 1864, Bangor.* Homme politique irlandais. Député au Parlement, puis dirigeant du mouvement Jeune-Irlande, il échoua dans sa tentative de soulèvement en 1848. Condamné à mort, il fut gracié.

**Observatoire de Paris** ~ Établissement de recherche fondé en 1667 par Louis XIV et destiné à l'étude de la mécanique céleste et de l'astronomie. L'observatoire d'astrophysique de Meudon (1926) et la station de radioastronomie de Nançay (1954) lui sont rattachés. Il abrite l'horloge parlante.

**Ocam** ~ Voir **Organisation commune africaine et mauricienne.**

**O'CASEY** (Sean) ~ *1880, Dublin - 1964, Torquay, Devon.* Auteur dramatique irlandais. Militant pour l'indépendance de l'Irlande, il est l'auteur d'un théâtre politique et satirique (*Junon et le Paon*, 1924 ; *la Charrue et les Étoiles*, 1926).

**OCCHIALINI** (Giuseppe) ~ *1907, Fossombrone - 1933, Paris.* Physicien italien. Spécialiste des rayons cosmiques, il découvrit avec Patrick Blackett les paires électron-positon (1933) et confirma avec Cecil Powell l'existence de la particule méson pi, ou pion (1947).

**OCCIDENT (empire romain d')** ~ Partie occidentale de l'Empire romain, séparée de l'empire romain d'Orient à la mort de Théodose Ier (395) et qui revint au fils de ce dernier, Honorius. Le dernier empereur romain d'Occident fut Romulus Augustule, déposé par Odoacre en 476. L'empire de Charlemagne et le Saint Empire romain germanique se voulaient les continuateurs de l'empire d'Occident.

**OCCITANIE** (l'), en lat. ***Occitania Provincia*** ~ Désignation des pays de langue d'oc.

**O. C. D. E.** ~ Voir **Organisation de coopération et de développement économiques.**

**Océanides** (les) ~ Nymphes de la mythologie grecque, filles de Téthys et de l'Océan. Au nombre de 3 000, elles personnifiaient les sources, les ruisseaux et les vagues.

**OCÉANIE** (l') ~ Ensemble régional, tradit. dénommé « cinquième partie du monde », qui inclut la majeure partie des îles de l'océan Pacifique, not. tropicales. L'origine asiatique et le caractère tardif de son peuplement (vieux d'env. 30 000 ans), l'isolement et la diversité ethnique dus à l'insularité sont ses traits les plus marquants. Quatre grandes régions : la vaste Australasie (Australie, Tasmanie, Nouvelle-Zélande), au climat aride ou tempéré ; la Mélanésie, qui inclut la Nouvelle-Guinée ; la Polynésie et la Micronésie, caractérisées par l'exiguïté des îles, soit volcaniques (hautes), soit coralliennes (basses), les plus nombreuses. Les nouveaux États d'Océanie, nés de la décolonisation et souvent minuscules, sont entrés dans l'orbite économique de l'Australie et du Japon ; les territoires non souverains dépendent principalement des États-Unis et de la France.

**Oc-èo** ~ Site archéologique vietnamien, sur la côte de Cochinchine. Ancien port situé sur la route maritime reliant le monde romain, l'Inde et la Chine (Ier-VIIe s.).

**OCH** ~ 2e v. du Kirghizistan, oasis du Fergana, ancien centre caravanier ; 238 000 h. Pèlerinage musulman (trône de Salomon).

**OCHS** (Pierre) ~ *1752, Nantes - 1821, Bâle.* Homme politique suisse. Chargé par Bonaparte de préparer la Constitution qui mit fin à la Confédération des treize cantons (1797), il fut membre du directoire helvétique et négocia l'alliance avec la France en 1798.

**OCKEGHEM** ou **OKEGHEM** (Johannes) ~ *v. 1410, dans le Hainaut - 1497, Tours.* Compositeur flamand. Sa maîtrise du contrepoint et de la polyphonie ont culminé dans ses messes et ses motets.

ARTS ET TRADITIONS D'**OCÉANIE**

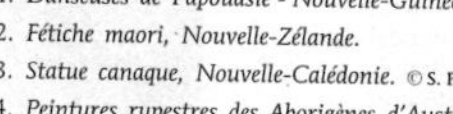

1. *Danseuses de Papouasie - Nouvelle-Guinée.*
2. *Fétiche maori, Nouvelle-Zélande.*
3. *Statue canaque, Nouvelle-Calédonie.* © S. Frances-Explorer
4. *Peintures rupestres des Aborigènes d'Australie.*

1 © P. Bennetts-Gamma

2 © J.-P. Ferrero-Explorer

3

4 © S. Cordier-Explorer

**O'CONNELL** (Daniel) ~ *1775, près de Cahirciveen, Kerry - 1847, Gênes.* Homme politique irlandais. Porte-parole de la cause des catholiques irlandais, il réussit à obtenir du gouvernement britannique l'adoption de la loi d'émancipation (1829). Maire de Dublin (1841), partisan de l'action non violente, il refusa de se joindre aux plus déterminés des nationalistes, qui fondèrent le mouvement Jeune-Irlande (1845).

**O'CONNOR** ~ Clan irlandais qui régna sur le Connacht aux XI^e et XII^e s. Le plus célèbre de ses membres, **Rory** ou **Roderic** (*1116 - 1198*), se soumit au roi d'Angleterre en 1175.

**O'CONNOR** (Mary Flannery) ~ *1925, Savannah, Géorgie - 1964, Milledgeville, id.* Romancière américaine. Sa description d'un Sud baroque et rude l'imposa comme l'un des grands écrivains sudistes (*Et ce sont les violents qui l'emportent*, posth., 1965).

**OCTAVE** ~ Nom d'Auguste jusqu'en 44 av. J.-C.

**OCTAVIE** ~ *v. 70 - 11 av. J.-C.* Sœur d'Auguste. Épouse de Marc Antoine (40 av. J.-C.), elle fut répudiée en 32 av. J.-C.

**OCTAVIE** ~ *v. 42 - 62.* Fille de Claude et de Messaline. Femme de Néron, elle fut répudiée en 62 et se suicida.

**OCTAVIEN** ~ Un des noms d'Octave.

**OCTEVILLE** ~ V. de la banlieue de Cherbourg (Manche) ; 18 120 h.

**octobre 1789 (journées des 5 et 6)** ~ Journées révolutionnaires provoquées par le mécontentement du peuple parisien. Le 5, une foule importante se dirigea vers Versailles. Le 6 au soir, Louis XVI et la famille royale durent s'installer aux Tuileries, suivis, le 19, par l'Assemblée constituante.

**Octobre (révolution d')** ~ Voir **révolution russe de 1917**.

**ODA Nobunaga** ~ *1534, Owari - 1582, Kyôto.* Homme politique japonais. Il succéda au dernier des shoguns, Ashikaga (1573), lutta contre les sectes bouddhiques et tenta de réduire la puissance des grands féodaux.

**ODENATH** (Septimius) ~ *m. en 267 à Émèse.* Prince de Palmyre. Il se rendit indépendant sous Valérien, puis fut chargé par Gallien, dont il reçut le titre d'*imperator*, de la défense de l'empire romain d'Orient. Sa femme, Zénobie, lui succéda.

**ODENSE** ~ Port et 3^e v. du Danemark, dans l'île de Fionie ; 182 000 h. Université. Chantiers navals. Monuments du XII^e au XVIII^e s. Musée Andersen, village-musée régional.

**ODENWALD** (l') ~ Massif boisé (626 m) de l'O. de l'Allemagne (Hesse), entre les vallées du Rhin, du Main et du Neckar, cadre de la légende des Nibelungen. Tourisme.

**Odéon (théâtre de l')** ~ Théâtre parisien proche du jardin du Luxembourg. Édifice néoclassique inauguré en 1782, il fut reconstruit à l'identique après un incendie en 1819. Rattaché à la Comédie-Française (1946), il fut confié à J.-L. Barrault (1959). Il accueille de façon permanente, depuis 1990, le Théâtre de l'Europe.

**ODER** (l'), en polonais et en tchèque **Odra** ~ Fl. d'Europe centrale (850 km), issu des Sudètes (République tchèque), l'un des princ. tributaires de la Baltique. L'Oder traverse la Silésie (Pologne), arrose Wrocław puis forme, en aval de son affluent, la Neisse (r. g.), la frontière germano-polonaise jusqu'à son delta, après Szczecin. Navigable sur plus de 700 km, il est relié par canaux aux bassins de l'Elbe (via Berlin) et de la Vistule.

**Oder-Neisse (ligne)** ~ Frontière entre l'Allemagne et la Pologne, établie en 1945 et confirmée par un traité germano-polonais conclu en 1990.

**ODESSA** ~ Principal port de la mer Noire (Ukraine), centre industr. (constr. navales, raffinerie de pétrole, agroalim.) et culturel (université, musées, Opéra) ; 1 106 000 h. Station baln. et flotte de pêche. **HIST.** - Fondé par Catherine II en 1794, premier port céréalier russe et base navale au XIX^e s., Odessa fut en 1905 un foyer révolutionnaire (épisode du cuirassé *Potemkine*).

**ODET** (l') ~ Fl. côtier breton (Finistère), issu de la Montagne Noire ; 56 km. Quimper est au fond de sa ria.

**ODILE** (sainte) ~ *v. 660 - v. 720, Hohenburg.* Religieuse alsacienne. Fondatrice du monastère de Hohenburg (**mont Sainte-Odile**), elle est patronne de l'Alsace.

**ODILON** (saint) ~ *962, Mercœur, Auvergne - 1049, Souvigny, id.* Religieux français. Cinquième abbé de Cluny (994), il œuvra pour le développement de l'ordre clunisien et fut à l'origine de la « trêve de Dieu » et de la fête des Morts, le 2 novembre.

**ODIN** ~ Voir **Wotan**.

**ODOACRE** ~ *v. 434 - 493, Ravenne.* Roi des Hérules (476-493). Il déposa Romulus Augustule, mettant fin à l'empire romain d'Occident (476). Zénon, empereur d'Orient, envoya pour le combattre Théodoric le Grand, qui l'assiégea dans Ravenne (490-493) et l'assassina.

**ODON** (saint) ~ *v. 879, dans le Maine - 942, Tours.* Religieux français. Deuxième abbé de Cluny (927), il contribua au développement de son ordre et fut le conseiller des papes Léon VII et Étienne VIII.

**O'DONNELL Y JORRIS** (Leopoldo), duc **de Tétouan** ~ *1809, Santa Cruz de Tenerife - 1867, Biarritz.* Général et homme politique espagnol. Chef du gouvernement à trois reprises entre 1856 et 1866, il fut l'artisan de la victoire de Tétouan (1860).

**O. E. A.** ~ Voir **Organisation des États américains**.

**ŒCOLAMPADE** (Johannes **Hausschein**, dit) ~ *1482, Weinsberg - 1531, Bâle.* Réformateur suisse allemand. À Bâle, où il enseignait, il réorganisa l'Église selon les principes de la Réforme.

**œcuménique des Églises (Conseil)** ~ Organisme créé lors de la conférence de Genève (1948), rassemblant orthodoxes, protestants et anglicans pour promouvoir l'unité des chrétiens. [☞ **œcuménisme**.]

**ŒDIPE** ~ Personnage de la mythologie grecque. Héros thébain, fils du roi Laïos et de Jocaste, il fut abandonné à sa naissance, un oracle ayant prédit qu'il tuerait son père et épouserait sa mère. Recueilli à Corinthe par le roi Polybos et ignorant ses origines, il rencontra par hasard son père et le tua au cours d'une querelle. Il débarrassa Thèbes du Sphinx, qui terrorisait la cité, et se vit offrir le trône et la main de la reine, Jocaste, sa mère. Recevant la révélation que l'oracle s'était accompli, il se creva les yeux et erra, guidé par sa fille Antigone. Il trouva la mort dans un bois, à Colone. Personnification du héros tragique, Œdipe a inspiré not. Eschyle et Sophocle. S. Freud a donné le nom de complexe d'Œdipe à l'un des concepts majeurs de la psychanalyse.

Œdipe et le Sphinx *(1808), peinture de Jean Auguste Ingres (1780-1867). Musée du Louvre, Paris.*

**OEHLENSCHLÄGER** (Adam Gottlob) ~ *1779, Copenhague - 1850, id.* Écrivain danois. Chef de file du romantisme national, il fut poète et dramaturge. Ses pièces les plus connues sont *les Cornes d'or* (1802) et la transcription dramatique du conte *Aladin ou la Lampe merveilleuse* (1804).

**OEHMICHEN** (Étienne) ~ *1884, Châlons-sur-Marne - 1955, Paris.* Ingénieur français. Grâce à une machine à voilure tournante de sa conception, il fut le 1^er à se maintenir en l'air (1921), puis à décoller et à atterrir à la verticale en circuit fermé (1924).

**ÔE Kenzaburô** ~ *1935, Ose, Shikoku.* Écrivain japonais. Posant un regard critique sur les valeurs du Japon contemporain, il a associé, dans un style original et imagé, naturalisme et imaginaire (*Gibier d'élevage*, 1958). Prix Nobel de litt. 1994.

**ŒRSTED** ou **ØRSTED** (Hans Christian) ~ *1777, Rudkøbing - 1851, Copenhague.* Physicien et chimiste danois. On lui doit la découverte de l'électromagnétisme (1820).

**OESLING** (l') ~ Voir **Ösling**.

**OFFENBACH** (Jacob **Eberst**, dit Jacques) ~ *1819, Cologne - 1880, Paris.* Compositeur français d'orig. allemande. Ses opéras bouffes offrent une savoureuse caricature des mœurs et des goûts de son temps (*Orphée aux enfers*, 1858 ; *la Belle Hélène*, 1864 ; *la Vie parisienne*, 1866). Son œuvre la plus ambitieuse, *les Contes d'Hoffmann* (1880), confirme son authentique génie de la scène.

**Office de la recherche scientifique et technique outre-mer** (Orstom) ~ Établissement public devenu, en 1984, l'Institut français de recherche scientifique pour le développement en coopération. Son activité est orientée vers les pays en voie de développement.

**Office de radiodiffusion-télévision française** (O. R. T. F.) ~ Office public qui prit en 1964 la suite de l'établissement public Radio-télévision française. Il fut démembré en 1974.

**Offices (galerie des)** ~ Palais édifié au centre de Florence par G. Vasari (1560). Les Médicis y installèrent leurs collections d'objets d'art, statues antiques et peintures de la Renaissance italienne, qui constituent la richesse principale du musée.

**OGADEN** (l') ~ Plateau aride du S.-E. de l'Éthiopie, au N.-O. de la Somalie, objet d'un conflit frontalier (1977-1978) entre ces deux pays. Entaillé par le fleuve Chébéli, l'Ogaden est couvert d'une maigre végétation. Il constitue un terrain de parcours des pasteurs somalis et oromos.

**OGBOMOSHO** ~ 4^e v. du Nigeria, au N.-E. d'Ibadan, en pays yoruba, centre commercial (coton) et artisanal (bois) ; 661 000 h.

**OGINO Kiûsaku** ~ *1882, Toyohashi - 1975, Niigata.* Médecin japonais. Il fut l'inventeur d'une méthode de contrôle des naissances (**méthode Ogino** ou **Ogino-Knaus**).

**OGNON** (l') ~ Princ. affl. vosgien de la Saône (r. g.), qui coule en Franche-Comté ; 190 km.

**OGODAY** ~ *v. 1185 - 1241.* Empereur mongol (1229-1241), troisième fils de Gengis Khan. Il conquit le N. de la Chine, l'Azerbaïdjan, la Géorgie et la Corée.

**OGOOUÉ** (l') ~ Fl. dont le bassin correspond au territoire du Gabon, tributaire de l'Atlantique (delta), qui prend sa source au Congo ; 1 200 km.

**OHANA** (Maurice) ~ *1914, Casablanca - 1992, Paris.* Compositeur français. Très marqué par les traditions hispanique et nord-africaine, il se forgea un langage dont le caractère modal confère une majesté rituelle à ses œuvres (*Llanto por Ignacio Sánchez Mejías*, 1950 ; *Cadran lunaire*, 1981-1982).

**O'HIGGINS** (Bernardo) ~ *1776, Chillán - 1842, Lima.* Homme d'État chilien. Il proclama l'indépendance du Chili (1818) et exerça une dictature jusqu'au coup d'État de 1823, qui le força à s'exiler au Pérou.

**OHIO** (l') ~ Riv. des États-Unis, issue des monts Alleghany, affluent majeur du Mississippi (r. g.) ; 1 580 km. Le cours de l'Ohio, sujet à de violentes crues de printemps, a été régularisé. Sa vallée est industrielle (régions de Pittsburgh, de Cincinnati).

**OHIO** (l') ~ État du N.-E. des États-Unis, drainé par les affluents de l'Ohio, aux confins du plateau appalachien et du Middle West ; 106 067 km$^2$, 11 091 000 h., cap. Columbus. Céréales. Charbon, pétrole, gaz. La déjà vieille activité industrielle (sidérurgie, chimie, mécanique), à Cleveland, Cincinnati, Toledo, est en crise. **HIST.** - Partie de la Louisiane cédée aux Britanniques (1783), l'Ohio devint le 17^e État de l'Union en 1803.

**OHM** (Georg Simon) ~ *1789, Erlangen - 1854, Munich.* Physicien allemand. Fondateur de l'électrocinétique, il définit les lois des courants électriques (**loi d'Ohm**, 1827) et les notions de résistance (dont l'unité porte auj. son nom), de quantité d'électricité et de force électromotrice.

**OHŘE** (l'), en all. *Eger* ~ Affl. tchèque de l'Elbe (r. g.), né en Franconie (Allemagne), qui draine le N.-O. de la Bohême ; 316 km.

**OHRID** ~ V. tourist. de Macédoine, sur le **lac d'Ohrid** (367 km², alt. 698 m), proche de la frontière albanaise ; env. 25 000 h. Vestiges romains, forteresse (xᵉ s.), églises byzantines (xIᵉ-xIVᵉ s.), cathédrale Ste-Sophie (fresques du xIᵉ s.). Ancien évêché fondé par saint Clément au IXᵉ s.

**OISANS** (l') ~ Région des Alpes françaises (Dauphiné), à l'E. de Grenoble, correspondant au bassin de la Romanche, qui culmine aux Écrins (4 100 m). Le tourisme (Alpe-d'Huez) y a pris la relève de l'agriculture (céréales, élevage) et de l'industrie, qui déclinent.

**OISE** (l') ~ Affl. majeur de la Seine (r. dr.), issu des Ardennes belges, près de Chimay, qui arrose la Thiérache, passe à Noyon, Compiègne (où il reçoit l'Aisne), Creil, et conflue en aval de Paris (Conflans-Sainte-Honorine) ; 300 km. Canalisée sur 104 km, l'Oise, grande voie navigable par l'importance de son débit, relie Paris au bassin houiller du Nord (par le canal qui conduit à la Somme).

**OISE** (l') ~ Dép. de la Région Picardie, qui confine à la Normandie et à l'Île-de-France, au N. de la région parisienne ; 5 574 km², 725 603 h., préfect. Beauvais. Les plateaux limoneux (pays de Thelle, Vexin français, Soissonnais, Valois), domaine de la grande exploitation (céréales, betterave à sucre), sont entaillés par les vallées de l'Oise et de l'Aisne (cult. maraîchères, élev. bovin). L'industrie, liée à la proximité de Paris, est princ. localisée dans la vallée de l'Oise (Creil, Pont-Sainte-Maxence, Beauvais). Nombreux sites touristiques (forêts de Chantilly, de Compiègne) et villes historiques (Senlis, Noyon).

**OISSEL** ~ V. industr. de la banlieue S. de Rouen (Seine-Maritime), sur la Seine ; 11 444 h.

**OÏSTRAKH** (David Fiodorovitch) ~ *1908, Odessa - 1974, Amsterdam.* Violoniste russe. Il sut allier l'élévation du sentiment à une virtuosité et à une technique sans faille.

**O. I. T.** ~ Voir **Organisation internationale du travail.**

**OJOS DEL SALADO** ~ Sommet andin, à la frontière N. du Chili et de l'Argentine ; 6 880 m.

**OKA** (l') ~ Affl. majeur de la Volga (r. dr.) ; 1 480 km. Elle reçoit la Moskova près de Moscou, arrose Riazan et conflue à Nijni-Novgorod.

**OKAVANGO** (l') ~ Fleuve du S.-O. de l'Afrique (bassin endoréique) ; 1 600 km. Né en Angola, il forme au N. du Botswana un vaste delta intérieur marécageux (env. 16 000 km²). Son cours supérieur est appelé Cubango.

**OKAYAMA** ~ V. du Japon (Honshû), à l'O. d'Ôsaka ; 595 000 h. Université. Industries textile, chimique, constructions mécaniques.

**O'KEEFFE** (Georgia) ~ *1887, Sun Prairie, Wisconsin - 1986, Santa Fe, Nouveau-Mexique.* Plasticienne américaine. Du mysticisme, son œuvre évolua vers une figuration symboliste.

**OKHOTSK (mer d')** ~ Dépendance de l'océan Pacifique qui baigne l'Extrême-Orient russe, la péninsule du Kamtchatka, les îles Kouriles, Sakhaline (Russie) et Hokkaidô (Japon) ; 1 580 000 km². Le climat est froid, les eaux gèlent en hiver. Pêche industrielle de crustacés (port de Magadan).

**OKINAWA** ~ Île princ. de l'archipel des Ryûkyû (Japon) ; 1 180 km², env. 1 000 000 d'h. Climat tropical humide. Agric. dominante (riz, patate douce, fruits tropicaux). La préfecture d'**Okinawa** englobe tout l'archipel. **HIST.** - Royaume semi-indépendant avant l'époque Meiji, Okinawa fut le théâtre d'une des plus dures batailles de la guerre du Pacifique (avr.-juin 1945), et demeura une base militaire américaine jusqu'en 1972 (restitution au Japon).

**OKLAHOMA** (l') ~ État des États-Unis, au N. du Texas, région de plaines (3ᵉ État pour le blé, élevage extensif) et de moyennes montagnes (Ozark, Ouachita) au S. et à l'E. ; 177 877 km², 3 189 000 h., v. princ. **Oklahoma City** (445 000 h., agglom. 900 000 h.), la cap., et Tulsa. Pétrole, gaz, charbon. Industries chimique, mécanique, alimentaire. Tourisme (parcs nationaux). **HIST.** - Partie de l'ancienne Louisiane, constitué en réserve pour les Indiens (1819), en partie ouvert à la colonisation en 1889, l'Oklahoma devint le 46ᵉ État de l'Union en 1907.

**ÖLAND** ~ Île suédoise du S.-O. de la Baltique, plateau calcaire aux sols pauvres, reliée au continent par un pont au-dessus du détroit de Kalmar, bordée de falaises ; 1 340 km², env. 25 000 h. Villégiature.

**OLAUS PETRI** (Olof **Petersson**, dit) ~ *1493, Örebro - 1552, Stockholm.* Réformateur religieux suédois. Il favorisa la diffusion de la Réforme en Suède et rédigea une traduction du Nouveau Testament.

**OLAV**, nom de plusieurs rois de Norvège. ~ **Olav Iᵉʳ Tryggvesson** (*v. 969 - 1000, Svolder*), roi de 995 à 1000. Il contribua à la diffusion du christianisme dans son pays. ~ **Olav II Haraldsson**, dit **le Saint** ou **le Gros** (*v. 995 - 1030, Stiklestad*), roi de 1016 à 1028. Converti au christianisme, il restaura la royauté mais dut s'exiler en 1028. Il est considéré comme un saint et un héros national. ~ **Olav III Haraldsson**, dit **Kyrre**, « le Tranquille » (*m. en 1093*), roi de 1067 à 1093. ~ **Olav IV Magnusson** (*m. v. 1115*), roi de 1103 à 1115. ~ **Olav V** (*1903, Appleton House, près de Sandringham, Angleterre - 1991, Oslo*), roi de Norvège. D'abord régent (1955), il fut couronné en 1957.

**OLDENBARNEVELT** (Johan **VAN**) ~ *1547, Amersfoort - 1619, La Haye.* Homme politique hollandais. Grand pensionnaire de Hollande (1586), il fit reconnaître les Provinces-Unies par la France et l'Angleterre (1596) puis par l'Espagne (1609). Il fut exécuté par Maurice de Nassau en raison de ses opinions républicaines.

**OLDENBOURG** (l'), en all. ***Oldenburg*** ~ Ancien État d'Allemagne, sur la mer du Nord (cap. Oldenbourg). Comté (xIIᵉ s.) érigé en duché (1777) puis en grand-duché (1815-1918), il est compris dans le land de Basse-Saxe depuis 1945. La **maison d'Oldenbourg** et ses lignes cadettes (Holstein-Gottorp, Schleswig-Holstein) sont à l'origine des maisons souveraines de Danemark (depuis 1448), de Suède (1751-1818), de Russie (1762-1917) et de Grèce (1863-1974).

**OLDENBOURG**, en all. ***Oldenburg*** ~ V. d'Allemagne (Basse-Saxe), à l'O. de Brême ; 146 000 h. Industr. alim. (charcuterie). Château (xVIIᵉ-xIXᵉ s.).

**OLDENBURG** (Claes) ~ *1929, Stockholm.* Artiste américain d'orig. suédoise. Ses « objets mous » (à partir de 1962) l'ont rattaché au courant du pop art. [☞ **pop art.**]

**Oldoway** ou **Olduvai** ~ Gorges de Tanzanie, site préhistorique du fossé est-africain. On y a découvert les premiers outils de pierre taillée associés à des australopithèques.

**OLENEK** ou **OLENIOK** (l') ~ Fl. de Sibérie centrale (Iakoutie), tribut. de l'océan Arctique (mer des Laptev) ; 2 292 km.

**OLÉRON (île d')**, du lat. médiév. ***olus oleriis***, « terre à légumes » ~ La plus grande des îles littorales françaises (2 cantons), séparée de la Saintonge (Charente-Maritime) par le pertuis de Maumusson (viaduc depuis 1966) ; 175 km², 18 452 h., v. princ. Saint-Pierre-d'Oléron, Le Château-d'Oléron. Côtes sablonneuses (pins, chênes verts) du côté du large, marécageuses (ostréiculture) à l'E. Vigne, primeurs. Tourisme balnéaire.

© Thouvenin-Explorer

*La citadelle d'Oléron (xVIIᵉ s.).*

**OLIBRIUS** ~ Voir **Olybrius.**

**OLIER** (Jean-Jacques) ~ *1608, Paris - 1657, id.* Prêtre français. Curé de la paroisse Saint-Sulpice (1642-1652), à Paris, il créa un séminaire (1645) et fonda la Compagnie des prêtres de Saint-Sulpice (Sulpiciens).

**OLIVARES** (Gaspar **de Guzmán**, comte et duc **D'**) ~ *1587, Rome - 1645, Toro.* Homme politique espagnol. Favori de Philippe IV, il exerça seul le pouvoir (1621-1643), engagea l'Espagne dans les conflits européens (guerre avec les Provinces-Unies, guerre de Trente Ans) et augmenta la fiscalité. Devenu impopulaire, il fut banni en 1643.

**OLIVER** (Joe, dit King) ~ *1885, La Nouvelle-Orléans - 1938, Savannah.* Compositeur et cornettiste de jazz américain. Instigateur du style Nouvelle-Orléans, il entraîna dans son sillage L. Armstrong, qui joua dans son orchestre.

**OLIVET** ~ V. de la banlieue d'Orléans, sur le Loiret ; 17 572 h. Horticulture (tomates).

**OLIVIER** (sir Laurence **Kerr**, dit Laurence) ~ *1907, Dorking, Surrey - 1989, Ashurst, Sussex.* Acteur, metteur en scène de théâtre et cinéaste britannique. Après s'être illustré au théâtre dans le répertoire shakespearien, il s'imposa au cinéma (*les Hauts de Hurlevent*, de W. Wyler, 1939 ; *Rebecca*, d'A. Hitchcock, 1940). Il réalisa lui-même plusieurs films (*Hamlet*, 1948 ; *Richard III*, 1955).

**Oliviers (mont des)**, auj. **djebel el-Tur** ~ Plateau séparé de Jérusalem par la vallée du Cédron. Les Évangiles y situent les derniers épisodes de la vie de Jésus avant son arrestation.

© P. Le Floch-Explorer

*Le mont des Oliviers, à l'est de Jérusalem.*

**OLIWA**, anc. **Oliva** ~ Localité de l'agglom. de Gdańsk, en Pologne. Un traité y fut conclu le 3 mai 1660 entre la Pologne, la Prusse et la Suède. La Prusse devenait État souverain et la Pologne renonçait à ses prétentions sur la Suède.

**OLLIER** (Claude) ~ *1922, Paris.* Écrivain français. Il s'est inscrit dans le mouvement littéraire du Nouveau Roman par son refus de la narration conventionnelle (*la Mise en scène*, 1958 ; *Été indien*, 1963 ; *Enigma*, 1973).

**OLLIOULES** ~ V. de l'agglom. de Toulon (Var) ; 10 398 h. Industr. alim. Marché aux fleurs.

**OLLIVIER** (Émile) ~ *1825, Marseille - 1913, Saint-Gervais-les-Bains.* Homme politique français. Opposant républicain au régime autoritaire de Napoléon III, il se rallia au second Empire lors du tournant libéral de 1866. Le 2 janvier 1870, il forma le ministère qui tenta d'instaurer un véritable régime parlementaire. Il ne put empêcher le déclenchement de la guerre contre la Prusse. Après 1871, il se consacra à des travaux historiques. Acad.

**OLMEDO** (José Joaquín) ~ *1780, Guayaquil - 1847, id.* Homme politique équatorien, rédacteur de la Constitution de l'Équateur (1830).

**Olmèques** (les) ~ Ensemble de peuples ayant développé des civilisations au Mexique entre le xVᵉ et le IVᵉ s. av. J.-C. env., et un art remarquable (têtes colossales, miniatures et haches en jade).

**OLMI** (Ermanno) ~ *1931, Bergame.* Cinéaste italien. Il a révélé un humanisme d'une rare noblesse dans des films généralement interprétés par des acteurs non professionnels (*Il Posto*, 1961 ; *les Fiancés*, 1963). Son style dépouillé culmine dans *l'Arbre aux sabots* (1978).

**Olmütz (reculade d')** ~ Voir **Olomouc.**

**OLOF SKÖTKONUNG** ~ *m. en 1022.* Roi de Suède (944-1022). Il contribua à la diffusion du christianisme dans son royaume.

**OLOMOUC**, en all. *Olmütz* ~ V. de la République tchèque (la 3^e de Moravie), vieux centre admin. et comm. du bassin agricole de la haute Morava ; 107 000 h. Évêché fondé au XI^e s. Université fondée au XVI^e s. Cathédrale romano-gothique, hôtel de ville (XIV^e s.), palais archiépiscopal (XVII^e s.). **HIST.** - Les 28 et 29 novembre 1850, le roi de Prusse Frédéric-Guillaume IV y rencontra les Autrichiens et, sous la pression de Schwarzenberg, dut renoncer à étendre son pouvoir sur l'Allemagne. Cet épisode reçut le nom de **reculade d'Olmütz**.

**OLORON (gave d')** ~ Riv. du Béarn, réunion des gaves pyrénéens d'Aspe et d'Ossau, affl. du gave de Pau (r. g.), sous-affl. de l'Adour ; 120 km.

**OLORON-SAINTE-MARIE** ~ V. du Béarn (Pyrénées-Atlantiques), au confluent des gaves d'Aspe et d'Ossau ; 11 067 h. (agglom. 16 162 h.). Industries traditionnelles (chaussures, textile, bois, chocolaterie), relayées par l'aéronautique. Ancienne cathédrale du XII^e s. (portail roman).

**O. L. P.** ~ Voir **Organisation de libération de la Palestine**.

**OLT** (l') ~ Affl. roumain du Danube (r. g.), issu des Carpates orientales ; 690 km. L'Olt arrose le S. de la Transylvanie et franchit les Carpates méridionales par un défilé. Il partage en aval la plaine alluviale de Valachie.

**OLTÉNIE** (l') ~ Voir **Valachie**.

**OLUF**, nom de deux rois scandinaves. ~ **Oluf I^er Hunger** (*1052 - 1095*), roi de Danemark (1086-1095). ~ **Oluf II Haakonsson** (*1370, Akershus - 1387, Falsterbo*), roi de Danemark (1376-1387) et de Norvège (1380-1387). Fils de Haakon VI de Norvège, il régna sous la tutelle de sa mère, Marguerite Valdemarsdotter de Danemark.

**OLYBRIUS** ou **OLIBRIUS** ~ *m. en 472*. Empereur romain d'Occident (472). Soutenu par Geiséric, il fut intronisé par Ricimer, mais il mourut peu après.

**OLYMPE** (l'), en gr. *Ólimbos* ~ Massif enneigé, point culminant de la Grèce (2 917 m), à l'O. du golfe de Thessalonique. Selon la mythologie, séjour des dieux et site du palais de Zeus.

**OLYMPIAS** ~ *v. 375 - 316 av. J.-C., Pydna*. Reine de Macédoine. Princesse d'Épire, elle épousa Philippe II de Macédoine et eut pour fils Alexandre le Grand. À la disparition de ce dernier (323 av. J.-C.), elle tenta de prendre le pouvoir aux diadoques, mais Cassandre ordonna son assassinat.

**Olympie** ~ Sanctuaire de la Grèce antique, dans le Péloponnèse (Élide), au pied du mont Kronion, où étaient célébrés les jeux Olympiques. Temples d'Héra (VI^e s. av. J.-C.), de Zeus (V^e s. av. J.-C.). Musée (bronzes archaïques et classiques).

*Olympie, les colonnes de l'Héraion, temple d'Héra (v. 600 av. J.-C.).*

**Olympiques (jeux)** ~ Compétitions sportives panhelléniques de la Grèce antique. Célébrés tous les quatre ans à Olympie à partir de 776 av. J.-C., les jeux se déroulaient en l'honneur de Zeus et comprenaient aussi des concours musicaux et littéraires. Théodore I^er les supprima par un édit en 394 apr. J.-C. Renouant avec les idéaux pacifistes nés à Olympie, Pierre de Coubertin les restaura en 1896. Sommet des compétitions sportives internationales, les jeux Olympiques d'été se déroulent tous les quatre ans. Des jeux Olympiques d'hiver sont organisés depuis 1924.

**OMAHA** ~ Princ. v. du Nebraska (États-Unis), sur le Missouri, port fluvial et marché agricole ; 336 000 h. Ancienne étape sur la route de l'Ouest.

**OMAN (golfe d')** ~ Bras de mer qui sépare la péninsule Arabique du S. de l'Iran. Il communique avec le golfe Persique par le détroit d'Ormuz et forme l'extrémité N. de la **mer d'Oman** (ou d'Arabie), partie N.-O. de l'océan Indien, entre la Corne de l'Afrique et la côte O. de la péninsule indienne.

**OMAN (sultanat d')**, en ar. *Uman* ~ Pays situé à l'E. de la péninsule Arabique. ***Cap.*** Mascate. ***Superf.*** 309 500 km². ***Popul.*** 2 070 000 h. ***Langue princ.*** Arabe. ***Monn.*** Riyal. ***Relief.*** Le sultanat, divisé en deux parties, occupe une position stratégique sur le détroit d'Ormuz, le long du djebel Akhdar (à l'E.) et du Dhofar (à l'O.), aux franges côtières cultivables (olivier, arbres fruitiers, céréales) ; le désert de Rub' al-Khali occupe la majeure partie du territoire. ***Écon.*** Pétr., gaz, cuivre, pêche. **HIST.** - Dès la plus haute Antiquité, la région établit des relations avec les civilisations mésopotamienne, perse et indienne. *VI^e s. apr. J.-C.* : invasion perse. *VII^e s.* : le pays, islamisé, est sous le contrôle des califes abbassides. *VIII^e s.* : ralliement au kharidjisme. *XVI^e s.* : les Portugais explorent puis contrôlent le golfe jusqu'en 1650. *XVII^e s.* : le sultanat connaît une période de forte expansion (Zanzibar). *1744* : Ahmad ibn Saïd chasse les Perses d'Oman et fonde l'actuelle dynastie. *XIX^e s.* : les Britanniques établissent leur protectorat. *XX^e s.* : la découverte du pétrole entraîne des tensions avec l'Arabie. *1970* : le sultan Qabous ibn Saïd entreprend de moderniser le pays. Il doit faire face à une rébellion soutenue par le Yémen dans le Dhofar. Oman concilie une politique arabe modérée avec des positions pro-occidentales. *1990-1991* : le sultanat sert de base américaine durant la guerre du Golfe, mais prône ensuite la fin de l'embargo contre l'Iraq.

**OMAR I^er** ou **UMAR I^er** (Abu Hafsa ibn al-Khattab) ~ *v. 581, La Mecque - 644, Médine*. Deuxième calife des musulmans (633-644). Il annexa la Mésopotamie, la Syrie, l'Égypte et la Palestine.

**OMBRIE** (l'), en ital. *Umbria* ~ Région intérieure de l'Italie centrale, drainée par le Tibre, dominée par l'Apennin ; 8 456 km², 815 000 h., ch.-l. Pérouse. Olivier, vigne, céréales. Tourisme (Pérouse, Assise, Spolète). Industries à Terni. Possession du pape, l'Ombrie fut annexée aux États sardes en 1860.

**O. M. C.** ~ Voir **Organisation mondiale du commerce**.

**OMDURMAN** ou **OMDOURMAN** ~ V. de la banlieue de Khartoum (Soudan), sur le Nil ; 550 000 h. Tombeau d'al-Mahdi et maison du calife Abd Allah. Univ. islamique. Capitale d'al-Mahdi à partir de 1884, elle fut prise par les Britanniques menés par lord Kitchener en 1898.

**Omeyyades** ou **Umayyades** (les) ~ Dynastie arabe qui régna sur l'Empire musulman (661-750). Établie à Damas, elle étendit son hégémonie de la plaine de l'Indus (710-713) à l'Espagne (711-714). Ébranlée par des crises internes et la menace chiite, elle fut décimée par les Abbassides. L'unique survivant de la famille, Abd al-Rahman I^er, fonda l'émirat de Cordoue en 756.

**O. M. I.** ~ Voir **Organisation maritime internationale**.

**OMO** (l') ~ Riv. du S. de l'Éthiopie, tribut. du lac Turkana (Kenya), qui emprunte une partie de la Rift Valley ; env. 700 km. Des fossiles d'hominidés et des galets façonnés, vieux respectivement de plus de 3,5 et de 2 millions d'années, y furent découverts entre 1967 et 1970.

**OMPHALE** ~ Personnage de la myth. grecque, reine de Lydie. Héraclès devint son esclave pour expier un meurtre. Elle s'éprit de lui et l'épousa.

**O. M. P. I.** ~ Voir **Organisation mondiale de la propriété intellectuelle**.

**O. M. S.** ~ Voir **Organisation mondiale de la santé**.

**OMSK** ~ V. et port fluvial de Sibérie occidentale (Russie), sur le bas Irtych, nœud de communications (Transsibérien) et centre industriel (raffinerie, chimie, mécan., textile, alimentaire) ; 1 168 000 h. Université. Fondée en 1716 autour d'un fort, Omsk vit son importance croître dès la fin du XIX^e s.

**ONEGA (lac)** ~ Grand lac de Carélie (Russie) 9 900 km². Il est relié à la Baltique (systèm Svir-Ladoga-Neva) et à la mer Blanche (canal)

**O'NEILL**, famille royale irlandaise qui domin l'Ulster à partir du V^e s. ~ **Hugh O'NEILL**, comt DE TYRONE (*v. 1540 - 1616, Rome*), battit les Anglai au Yellow Ford (1598). Son neveu ~ **Owen Ro O'NEILL** (*v. 1590 - 1649*) dirigea la révolte irlan daise de 1642.

**O'NEILL** (Eugene) ~ *1888, New York - 1953 Boston*. Dramaturge américain. D'abord réaliste son théâtre s'orienta vers une vision symbolique e pessimiste du monde (*Anarchiste*, 1920 ; *le Dési sous les ormes*, 1924). Prix Nobel de litt. 1936.

**ONETTI** (Juan Carlos) ~ *1909, Montevideo - 1994, Madrid*. Écrivain uruguayen. Ses nouvelles e ses romans (*la Vie brève*, 1950 ; *le Chantier*, 1961 dépeignent avec humour et cruauté des êtres e proie au mal de vivre et au désenchantement.

**ONITSHA** ~ V. du S. du Nigeria (État d'Anam bra), sur le Niger ; 337 000 h. Industr. alimentaire Capitale d'un royaume ibo au XVII^e s.

**ONK** (djebel) ~ Voir **Elounq**.

**ONO Kazuo** ~ *1906, Hakodate*. Danseur et choré graphe japonais. Fondateur, avec Hijikata Tatsum de la danse *butô*, expression d'une avant-gard marquée par la catastrophe nucléaire et l'influenc des surréalistes français, il y tient une place à par celle d'un soliste travesti en femme, à l'image de *onnagata* du théâtre kabuki (*Hommage à la Argen tina*, 1976).

**ONSAGER** (Lars) ~ *1903, Christiania - 1976 Miami*. Physicien et chimiste américain d'ori norvégienne. Il fut l'initiateur de la thermo dynamique des transformations irréversibles de organismes vivants. Il a donné son nom au relations de réciprocité concernant les processu proches de l'équilibre. Prix Nobel de chim. 1968

**ONTAKE SAN** (l') ~ Sommet des Alpes japo naises, dans l'île de Honshû ; 3 063 m.

**ONTARIO (lac)** ~ Le plus aval des cinq Grand Lacs d'Amérique du Nord (alt. 75 m) ; 19 000 km² Exutoire du lac Érié par le Niagara, il se dévers à l'E. dans le Saint-Laurent.

**ONTARIO** (l') ~ Vaste prov. du S. du Canada région de plaines et de plateaux (partie du Bouclie canadien au N.), entre la baie d'Hudson et le Grands Lacs, dont les rives concentrent la popula tion ; 1 068 580 km², 10 900 000 h., v. princ Toronto (cap.), Ottawa. Première région économi que du pays (hydroélectr., minerais, bois, pêche agric. et industr. diversifiées). **HIST.** - Cédée par le Français aux Britanniques (traité de Paris, 1763) la région forma le Haut-Canada en 1791, puis fu rattachée au Bas-Canada en 1841.

**O. N. U.** ~ Voir **Organisation des Nations unies**

**OÔ (lac d')** ~ Lac pyrénéen (1 500 m d'alt.), a S.-O. de Bagnères-de-Luchon, dans la **vallée d'O** (ou d'Astau), l'une des plus hautes de la chaîne Tourisme de randonnée.

**OORT** (Jan Hendrik) ~ *1900, Franeker - 1992 Wassenaar*. Astronome néerlandais. Il établit l rotation et la structure spirale de notre Galaxi (1927 et 1952) et émit l'hypothèse de la mass cachée (1932). Il mesura la vitesse de rotation d Soleil et découvrit une concentration de comète (**nuage d'Oort**, 1950).

**OPARINE** (Aleksandr Ivanovitch) ~ *1894, Ou glitch, Russie - 1980, Moscou*. Chimiste et biologis soviétique. Il a proposé une théorie de l'origine d la vie à partir des composés chimiques de l'atmo sphère terrestre primitive (1924).

**Opep** ~ Voir **Organisation des pays exportateur de pétrole**.

**Opéra Bastille** ~ Théâtre lyrique national bâ à Paris, place de la Bastille, par Carlos Ott (à part de 1984) et inauguré le 13 juillet 1989.

**Opéra-Comique (Théâtre de l')**, dit **sall Favart** ~ Théâtre parisien des Boulevards. Édifié e 1781 pour les Comédiens-Italiens et reconstruit e 1898, il accueillit les succès de l'opérette.

**Opéra national de Paris** ~ Organisme réunis sant depuis 1989 les scènes publiques parisienne vouées à l'art lyrique, Opéra Bastille, Opéra Comique et **Opéra Garnier**. Ce dernier, édifié e un style exubérant, à l'initiative de Napoléon III, par Ch. Garnier (1862-1874), a été rebaptisé palais de la Danse (1985). Le plafond de la salle est orné d'un décor peint par M. Chagall (1964).

**OPHULS** (Max **Oppenheimer**, dit Max) ~ *1902, Sarrebruck - 1957, Hambourg.* Cinéaste français d'orig. allemande. Son œuvre, baroque et raffinée, est empreinte de mélancolie (*la Ronde*, 1950 ; *Madame de...*, 1953 ; *Lola Montes*, 1955).

**OPITZ** (Martin) ~ *1597, Bunzlau - 1639, Dantzig.* Poète et dramaturge allemand. Par ses traductions du théâtre grec et anglais, il renouvela le répertoire de son pays. En poésie, il réforma la métrique.

**Opium (guerres de l')** ~ Conflits qui, au XIXe s., opposèrent la Chine à la Grande-Bretagne à propos du commerce de l'opium. L'importation de l'opium ayant été interdite par la Chine, les Britanniques occupèrent plusieurs ports, dont Shanghai, lors de la première guerre de l'Opium (1840-1842), et imposèrent le traité de Nankin (29 août 1842), qui leur cédait Hong Kong et garantissait l'ouverture de la Chine au commerce étranger. La seconde guerre (1858-1860), à laquelle participèrent les Français, fut marquée par le sac de Pékin. La défaite chinoise détermina de nouvelles concessions commerciales.

**OPPENHEIM** (Dennis) ~ *1938, Electric City, Washington.* Artiste américain. Dans le prolongement de l'art corporel et du land art, ses interventions érigent l'œuvre d'art en catalyseur idéologique.

**OPPENHEIMER** (Julius Robert) ~ *1904, New York - 1967, Princeton.* Physicien américain. Directeur du centre nucléaire de Los Alamos (1943), il élabora la première bombe atomique (bombe A), mais, s'alarmant après Hiroshima et Nagasaki, il refusa son concours pour la bombe H.

**OPPENORDT** (Gilles Marie) ~ *1672, Paris - 1742, id.* Architecte et ornemaniste français. Élève de J. Hardouin-Mansart, architecte du duc d'Orléans, il fut l'un des propagateurs du style rococo, ou rocaille, en vogue sous la Régence.

**Opus Dei** (l') ~ Institution de l'Église catholique fondée en 1928 par J. M. Escrivá de Balaguer, dont les membres, engagés dans le monde, associent la vie contemplative et la vie active. Institut séculier de droit pontifical, approuvé par le pape Pie XII (1947), l'Opus Dei a été érigé en prélature personnelle en 1982 et regroupe environ 70 000 membres laïcs et 1 500 prêtres.

**ORADEA** ~ V. du N.-O. de la Roumanie, à proximité de la frontière hongroise ; 221 000 h. Centre hist. (citadelle du XIIe s. reconstruite au XVe s., vieux quartiers). Théâtres, musées. Possession hongroise de 1692 à 1918.

**ORADOUR-SUR-GLANE** ~ Village de la Haute-Vienne, au N.-O. de Limoges ; 1 998 h. Le 10 juin 1944, sa population entière (642 personnes) fut massacrée par la division S. S. « Das Reich ».

**ORAN**, en ar. ***Wahran*** ~ Port d'Algérie occidentale, 2e v. du pays, dans l'**Oranais** (région située entre la frontière marocaine et la basse vallée du Cheliff), ch.-l. de wilaya, métropole régionale ; 664 000 h. (agglom. env. 920 000 h.). Université. Complexe pétrochimique d'Arziw, aciérie, export. de gaz naturel et de prod. agricoles. Pêche. Base navale de Mers el-Kebir. Musée (antiquité, archéologie, ethnographie). Mosquée du Pacha (XVIIIe s.). **HIST.** - Fondée en 903 par des musulmans andalous, la ville devint un important centre d'échanges, not. après l'occupation française (1831).

**ORANGE** ~ V. du Vaucluse, au N. d'Avignon, marché agric. (fruits, primeurs) et centre industr. (text., alim., chaussures) ; 26 964 h. Vestiges gallo-romains (arc, théâtre). Chorégies. **HIST.** - Colonie romaine sous Auguste, elle devint le siège d'une principauté (XIIe s.) qui échut à la maison de Nassau (1544). Sa possession fut reconnue à la France en 1713 (traité d'Utrecht).

**ORANGE** (l') ~ Fl. majeur d'Afrique australe, issu des hautes terres du Lesotho, tribut. de l'Atlantique, qui draine le Veld d'Afrique du Sud puis sépare celle-ci de la Namibie ; 2 100 km, bassin : 850 000 km². Princ. affl. : Vaal (cours moyen). L'Orange inférieur traverse des régions arides et subit une forte évaporation. Des aménagements en cours visent not. à l'extension des surfaces irriguées.

**ORANGE (État libre d')** ~ Province d'Afrique du Sud, entre le fleuve Orange au S., son affluent le Vaal au N. et le Lesotho à l'E. (plateaux intérieurs du Haut Veld) ; 129 480 km², 2 727 000 h. (30 % de Blancs), cap. Bloemfontein. Importante activité minière (charbon, or et diamants). Élevage (ovin, bovin) à l'O., maïs et blé à l'E. **HIST.** - Créé par les colons boers à partir de 1836, l'État fut reconnu indépendant par le Royaume-Uni en 1854. Devenu protectorat britannique en 1902, il entra dans l'Union sud-africaine en 1910.

**ORANGE-NASSAU** ~ Maison noble originaire d'Allemagne, issue de la branche ottonienne des ducs de Nassau, et qui fut fondée par Guillaume Ier le Taciturne, stathouder de Hollande. Ses descendants règnent sur les Pays-Bas depuis 1747.

**ORANIENBURG** ~ V. d'Allemagne, au N. de Berlin (Brandebourg) ; env. 29 000 h. Camp de concentration allemand (**Oranienburg-Sachsenhausen**, 1933-1945).

**Oratoire** ~ Anc. chapelle des Oratoriens, à Paris, bâtie pour le cardinal de Bérulle (1621). Transformée en temple protestant, il devint le siège du Consistoire réformé (1811).

**ORB** (l') ~ Fl. côtier du Languedoc, issu du causse du Larzac, tribut. de la Méditerranée ; 145 km. Il coule au pied de l'Espinouse puis passe à Béziers.

**ORBE** (l') ~ Riv. du Jura suisse, née en France et tribut. de l'Aar. Elle alimente les lacs de Joux et de Neuchâtel. L'Orbe, souterraine sur 5 km, est appelée Thièle après le bourg d'**Orbe**.

**ORBIGNY**, nom de deux savants français. ~ **Alcide Dessalines d'** (*1802, Couëron - 1857, Pierrefitte-sur-Seine*), naturaliste, paléontologue et ethnologue. Disciple de Cuvier, il fonda la paléontologie stratigraphique et proposa une théorie des créations successives. Il est l'auteur d'une *Paléontologie française* (1840-1860) et de travaux sur les tribus indiennes d'Amérique du Sud. Son frère ~ **Charles** (*1806, Couëron - 1876, Paris*), botaniste et géologue, écrivit le *Dictionnaire universel d'histoire naturelle* (1839-1849) et un *Manuel de géologie* (1852).

**ORCADES (îles)**, en angl. ***Orkney Islands*** ~ Archipel britannique du N. de l'Écosse, dont il est séparé par le détroit de Pentland ; 975 km², 19 612 h., v. princ. Kirkwall (env. 7 000 h.). Le relief est marqué par l'érosion glaciaire. Élev. bovin, aviculture, pêche. Terminal pétrolier des gisements de mer du Nord. La domination scandinave n'y prit fin qu'en 1472 (rattachement à l'Écosse).

**ORCADES DU SUD** (les) ~ Archipel volcanique de l'arc insulaire Antarctique, entre les Shetland du Sud et la Géorgie du Sud, possession britannique revendiquée par l'Argentine ; 620 km².

**ORCAGNA** (Andrea **di Cione**, dit l') ~ *actif entre 1343 et 1368.* Peintre, sculpteur et architecte italien. Dernier grand représentant du gothique florentin, il fut le maître d'œuvre de la mosaïque frontale du dôme d'Orvieto (1359-1362).

**ORDENER** (Michel, comte) ~ *1755, L'Hôpital, Moselle - 1811, Compiègne.* Général français. Sur ordre de Napoléon, il enleva le duc d'Enghien, réfugié dans le pays de Bade (mars 1804).

**ORDERIC VITAL** ~ *v. 1075, Attingham, Angleterre - apr. 1143.* Historien anglo-normand. Il est l'auteur d'une *Histoire ecclésiastique*, qui s'étend de Jésus-Christ au XIIe s.

*Orange, le théâtre antique (Ier s. av. J.-C. - Ier s. apr. J.-C.).*

© Froissardey-Explorer

**ORDJONIKIDZE** ~ Voir **Vladikavkaz.**

**ORDOS** (l') ~ Plateau aride de la Chine du Nord, dans la grande boucle que forme le Huang He en Mongolie-Intérieure. Sites paléolithiques.

**Ordre moral** (l') ~ Nom donné à la politique réactionnaire menée par le gouvernement d'inspiration monarchiste du duc A. de Broglie sous la présidence de Mac-Mahon, en 1873-1874.

**ÖREBRO** ~ V. de la Suède centrale, à l'O. de Stockholm ; 124 000 h. Université. Industries de la chaussure et alimentaire. Château (XVIe s.), église St-Nicolas. Musées.

**OREGON** (l') ~ État du N.-O. des États-Unis, baigné par le Pacifique, traversé par la chaîne des Cascades, drainé au N. par les affl. de la Columbia (r. g.) ; 251 385 km², 3 038 000 h., princ. v. Portland, Eugene, Salem (cap.). Céréales, élev. laitier, vergers (not. le long de la Willamette). Exploit. du bois (conifères), pêche, hydroélectricité (aluminium), nickel. Tourisme. L'Oregon devint le 33e État de l'Union en 1859.

**OREL** ~ V. du plateau central de la Russie, au S.-O. de Moscou, sur l'Oka supérieure ; 347 000 h. Machines agric., matériel industriel. Vieille citadelle fondée en 1564. Musée Tourgueniev.

**ORENBOURG**, anc. **Tchkalov** (1938-1957) ~ V. industrielle de Russie, sur le fleuve Oural (N. du Kazakhstan), centre gazier (gazoduc vers l'Europe de l'Est) ; 557 000 h.

**ORÉNOQUE** (l') ~ Grand fl. d'Amérique du Sud, issu du plateau des Guyanes (sierra Parima), qu'il contourne par le N. jusqu'à son delta (25 000 km²), sur l'Atlantique ; 2 740 km. Son bassin (950 000 km²) englobe les llanos partiellement inondables du Venezuela (majeure partie du cours) et de Colombie. Princ. affl. : Guaviare, Apure (r. g.), Caroní (r. dr.). Un bras naturel (Casiquiare) relie le fleuve au río Negro (bassin de l'Amazone).

**ORENSE** ~ V. d'Espagne, en Galice, centre comm. des vallées agric. du Sil et du Miño ; 102 000 h. Cathédrale romano-gothique (XIIIe s.).

**ORESME** (Nicolas ou Nicole) ~ *v. 1320, Clinchamps-sur-Orne - 1382, Lisieux.* Théologien et évêque français (1377). Conseiller de Charles V, il traduisit Aristote.

**ORESTE** ~ Personnage de la mythologie grecque, issu de la famille des Atrides, fils d'Agamemnon et de Clytemnestre. Prévenu par sa sœur Électre des circonstances de la mort de son père, il le vengea en tuant sa mère et Égisthe, l'amant de celle-ci. Il apparaît dans de nombreuses œuvres classiques (Eschyle, Sophocle, Euripide, Racine) et modernes (Giraudoux, Sartre).

**ØRESUND** (l') ou **SUND** (le) ~ Détroit reliant la mer du Nord (Kattegat) à la Baltique, entre l'île de Sjaelland (Danemark) et la Suède (Scanie). Larg. min. 4,5 km, entre Elseneur et Hälsingborg.

**ORFF** (Carl) ~ *1895, Munich - 1982, id.* Compositeur allemand. Inventeur de méthodes pédagogiques originales, il a accompli dans ses œuvres lyriques un retour radical à la simplicité mélodique et rythmique (*Carmina burana*, 1937).

**ORFILA** (Mathieu Joseph Bonaventure) ~ *1787, Mahón, Minorque - 1853, Paris.* Médecin et chimiste français d'orig. espagnole. Toxicologue, il est l'auteur de traités sur les poisons, not. sur l'anhydride arsénieux.

**Organisation armée secrète** (O. A. S.) ~ Organisation clandestine opposée à l'indépendance de l'Algérie. Dirigée par les généraux Salan et Jouhaud après le putsch avorté d'avril 1961, elle se livra à des attentats terroristes, en Algérie et en France, notamment en 1962.

**Organisation commune africaine et mauricienne** (Ocam) ~ Entente économique fondée en 1965 sous le nom d'Organisation commune africaine et malgache, elle fut dissoute en 1985.

**Organisation de coopération et de développement économiques** (O. C. D. E.) ~ Organisme constitué à Paris en 1961, regroupant à l'origine 19 États européens plus l'Australie, la Nouvelle-Zélande, le Canada, les États-Unis, auxquels se sont joints le Japon (1964), le Mexique (1994), la République tchèque (1995), la Hongrie, la Pologne et la Corée du Sud (1996). Son action a pour but d'assurer « une saine expansion économique » à ses États membres et de favoriser le commerce mondial.

**Organisation de libération de la Palestine (O. L. P.)** ~ Organisation fondée en 1964 et revendiquant la création d'un État palestinien sur le territoire de l'État d'Israël. Constituée de plusieurs mouvements, dont le Fatah et le Front populaire pour la libération de la Palestine (F. P. L. P.), l'O. L. P., dirigée depuis 1969 par Y. Arafat, fut reconnue en 1974 par l'O. N. U. Elle a renoncé à la lutte armée pour privilégier la voie diplomatique, politique qui s'est concrétisée par la signature avec Israël des accords de Washington (1993).

**Organisation de l'unité africaine (O. U. A.)** ~ Organisme intergouvernemental créé en 1963 à Addis-Abeba, qui regroupe 54 États africains. Elle a pour objectif de renforcer l'unité et la stabilité des États africains indépendants.

**Organisation des États américains (O. E. A.)** ~ Organisation regroupant depuis 1948 l'ensemble des États américains, y compris ceux de l'aire des Caraïbes et à l'exception du Canada, pour régler les problèmes communs. Cuba en fut exclu de fait en 1962.

**Organisation des Nations unies (O. N. U.)** ~ Organisation internationale créée en avril-juin 1945 aux conférences de San Francisco (prévues par les accords de Yalta) par les 51 États en guerre contre les pays de l'Axe et destinée à maintenir la paix dans le monde en recourant de manière privilégiée aux techniques de règlement pacifique des différends. Contrairement à la Société des Nations, à laquelle elle succédait, l'O. N. U. s'est dotée des moyens de faire appliquer ses résolutions, éventuellement par les armes (guerres de Corée, du Golfe, forces de police ou d'interposition à Chypre, en Yougoslavie, etc.). Constituée en 1996 de 187 États membres, l'O. N. U. est administrée par un secrétaire général élu pour cinq ans (Kofi Annan depuis janv. 1997). Ses deux principaux organes sont l'Assemblée générale, qui vote des recommandations, et le Conseil de sécurité (composé de 5 membres permanents avec droit de veto – Chine, États-Unis, France, Royaume-Uni, Russie – et de 10 membres élus tous les deux ans par l'Assemblée générale), qui émet des décisions exécutoires. Elle comprend de nombreux organes ou institutions satellites, qui interviennent dans les domaines culturel (Unesco), humanitaire et sanitaire (H. C. R., Unicef, O. M. S.), économique et social (Conseil économique et social, Cnuced, F. M. I., O. M. C.). Les différends opposant les États membres sont jugés par la Cour internationale de justice de La Haye. Le siège principal de l'O. N. U. est à New York.

© P. Wysocki-Explorer

*Le siège de l'O. N. U. pour l'Europe, à Genève.*

**Organisation des Nations unies pour l'alimentation et l'agriculture**, en angl. *Food and Agriculture Organization* **(F. A. O.)** ~ Organisation créée en 1945. Elle conduit des actions diversifiées contre la faim dans le monde et joue un rôle de conseil. Son siège est à Rome.

**Organisation des Nations unies pour l'éducation, la science et la culture**, en angl. *United Nations Educational Scientific and Cultural Organization* **(Unesco)** ~ Organisation créée en 1946 pour contribuer au maintien de la paix par le développement de la culture. Son siège est à Paris.

**Organisation des pays exportateurs de pétrole (Opep)** ~ Organisation créée en 1960 par les principaux pays du tiers-monde producteurs de pétrole, afin de déterminer une politique commerciale commune.

**Organisation du traité de l'Asie du Sud-Est (Otase)** ~ Alliance défensive conclue en 1954 à Manille entre l'Australie, les États-Unis, la France, le Royaume-Uni, la Nouvelle-Zélande, le Pakistan, les Philippines et la Thaïlande. Sa dissolution, décidée en 1975, s'acheva en 1977.

**Organisation du traité de l'Atlantique Nord (Otan)** ~ Alliance issue du traité de Washington (1949), réunissant la Belgique, le Canada, le Danemark, les États-Unis, la France (qui a quitté en 1966 le système de commandement militaire intégré), le Royaume-Uni, l'Islande, l'Italie, le Luxembourg, la Norvège, les Pays-Bas et le Portugal, puis la Grèce (1951), la Turquie (1952), l'Allemagne fédérale (1955) et l'Espagne (1982), et instituant des mécanismes de défense commune en cas d'agression. L'effondrement du bloc soviétique a entraîné, au début des années 1990, une réorientation de l'Otan vers une coopération avec les États de l'Europe de l'Est. En 1997, signature de l'acte fondateur entre l'Otan et la Russie ; en juillet, Pologne, Hongrie et République tchèque adhèrent à l'Otan.

**Organisation internationale du travail (O. I. T.)** ~ Organisation créée en 1919 et rattachée à la Société des Nations, puis à l'O. N. U. (1946). Constituée de représentants des États, des employeurs et des travailleurs, elle a pour but de contribuer à l'amélioration des conditions de travail et au développement du droit du travail. Son secrétariat permanent, le Bureau international du travail, siège à Genève. Prix Nobel de la paix 1969.

**Organisation maritime internationale (O. M. I.)** ~ Organisation créée en 1948, institution spécialisée de l'O. N. U. en 1959. Elle assure une coordination technique et juridique entre les États pour toutes les questions de navigation maritime. Son siège est à Londres.

**Organisation mondiale de la propriété intellectuelle (O. M. P. I.)** ~ Organisation créée à Stockholm en 1967, institution spécialisée de l'O. N. U. en 1974. Elle a pour mission de protéger dans le monde le droit de propriété intellectuelle. Son siège est à Genève.

**Organisation mondiale de la santé (O. M. S.)** ~ Organisation créée en 1946, institution spécialisée de l'O. N. U. depuis 1948. Elle finance des programmes et élabore des règles afin de contribuer à l'élévation générale du niveau de santé dans le monde, particulièrement dans les pays défavorisés et elle consacre beaucoup d'efforts à la lutte contre les épidémies. Son siège est à Genève.

**Organisation mondiale du commerce (O. M. C.)** ~ Organisation intergouvernementale créée en 1994, active en 1995. Elle regroupe l'ensemble des pays signataires du Gatt et a pour mission de contrôler l'application des accords commerciaux internationaux. Elle siège à Genève.

**ORGE (l')** ~ Riv. d'Île-de-France, affl. de la Seine (r. g.) ; 50 km. Vallée en partie urbanisée (S. de l'agglom. parisienne).

**ORIBASE** ~ *v. 325, Pergame - 403, Byzance.* Médecin grec. Médecin de l'empereur Julien l'Apostat, il est l'auteur d'une encyclopédie médicale (*la Collection médicale*) rassemblant l'ensemble des connaissances de son temps.

**ORIENT (empire romain d')** ~ Partie orientale de l'Empire romain, séparée de l'empire romain d'Occident à la mort de Théodose Ier (395), échue au fils de ce dernier, Arcadius. Son histoire se confond avec celle de l'Empire byzantin.

**ORIENT (forêt d')** ~ Massif forestier de la Champagne humide (100 km$^2$) et parc naturel région. (600 km$^2$), à l'E. de Troyes. Trois lacs-réservoirs (celui d'Orient couvre 25 km$^2$) y ont été aménagés pour régulariser les cours de la Seine et de l'Aube.

**Orient (question d')** ~ Expression qui désigne l'ensemble des problèmes soulevés à partir du XVIIIe s. par l'affaiblissement et le démembrement de l'Empire ottoman dans la période comprise entre le traité de Kutchuk-Kaïnardji (1774) et le traité de Sèvres (1920).

**ORIGÈNE** ~ *v. 185, Alexandrie - v. 254, Césarée ou Tyr.* Théologien et Père de l'Église grecque. À la tête de l'école catéchétique d'Alexandrie, il s'exila à Césarée de Palestine, où il subit la torture sous Dèce. Il a surtout laissé des ouvrages d'exégèse, not. les *Hexaples*. Sa pensée, qui intègre certains apports du platonisme au christianisme, fut condamnée au concile de Constantinople (553).

**ORION** ~ Personnage de la mythologie grecque. Géant, chasseur renommé, il séduisit Artémis, mais, infidèle, il fut tué par la déesse et changé en constellation.

**ORISSA (l')** ~ État de l'E. du Deccan (Inde), région de plateaux et de moyennes montagnes traversée par la Mahanadi (800 km), au vaste delta rizicole, sur le golfe du Bengale ; 155 707 km$^2$, 31 700 000 h., dont 95 % d'hindous, v. princ. Bhubaneshwar (cap.), Cuttack. Peuplement rural majoritaire.

**ORIZABA** ~ V. du Mexique, à l'E. de Mexico, au pied du **volcan d'Orizaba** ou Citlaltépetl (5 700 m, point culminant du pays) ; env. 115 000 h. Textile, tabac. Tourisme.

**ORLANDO** ~ V. de Floride (États-Unis), au N. de Miami ; 165 000 h. (agglom. 1 330 000 h.). Tourisme (Disneyworld depuis 1971).

**ORLANDO** (Vittorio Emanuele) ~ *1860, Palerme - 1952, Rome.* Homme politique italien. Président du Conseil (1917-1919), il ne put faire valoir les revendications italiennes sur Fiume et la Dalmatie à la conférence de Versailles (1919) et dut démissionner.

**ORLÉANAIS (l')** ~ Anc. province de France (bassin moyen de la Loire), l'une des premières possessions des Capétiens, plusieurs fois concédée par les rois de France en apanage aux lignées princières dites d'Orléans.

**ORLÉANS** ~ Préfect. du Loiret et de la Région Centre (anc. de l'Orléanais), sur la Loire (r. dr.) ; 105 111 h. (agglom. 243 153 h.). Promue capitale régionale en 1960, la ville a connu un nouvel essor dû à la proximité de Paris : accroissement de ses fonctions tertiaires (fin., univ., centres de recherche) et création d'industries (électron., pneumatique, agroalim., pharmaceut., mécan.), qui s'ajoutent aux activités d'avant guerre (constr. électr. et autom., électroménager). Cour d'appel. Cathédrale Ste-Croix (XIIIe-XVIIIe s.), églises, hôtel du XVIIIe s. Musées. **HIST.** - Ville royale et capitale de la France aux Xe et XIe s. (trois rois y furent sacrés), elle fut délivrée de l'occupation anglaise par Jeanne d'Arc le 8 mai 1429, après sept mois de siège.

© F. Jalain-Explorer

*Orléans, la cathédrale Sainte-Croix.*

**ORLÉANS**, nom de quatre familles princières françaises. Elles tirent leur nom du duché d'Orléans, traditionnellement donné en apanage au deuxième fils du roi de France. ~ La **première maison d'Orléans** (Orléans-Valois) eut comme unique représentant le fils de Philippe VI, Philippe (1336-1375), mort sans postérité. ~ La **deuxième maison d'Orléans** (Orléans-Valois) fut fondée par Louis Ier, fils de Charles V ; elle s'éteignit avec Louis XII. ~ La **troisième maison d'Orléans** (Orléans-Bourbon) ne compta que Gaston, fils d'Henri IV, qui ne laissa pas de postérité masculine. ~ La **quatrième maison d'Orléans** (Orléans-Bourbon) est issue de Philippe, fils de Louis XIII et père du Régent. Elle compta un roi des Français, Louis-Philippe Ier. Son chef actuel est

Henri d'Orléans, comte de Paris (né en 1908). Un rameau de cette famille, allié à la famille impériale du Brésil, porte le nom d'Orléans-Bragance.

**ORLÉANS** (Charles D') ~ *1394, Paris - 1465, Amboise.* Poète français. Fils de Louis d'Orléans, fait prisonnier à la bataille d'Azincourt, il demeura vingt-cinq ans en captivité en Angleterre. Libéré, il se consacra à la poésie dans son château de Blois. Qu'ils traitent de la fuite du temps, de la solitude ou de la nature, ses rondeaux et ballades atteignent une perfection musicale qui inspira Villon, Marot et, plus tard, Verlaine et Apollinaire.

**ORLÉANS** (Gaston, comte **d'Eu**, duc D') ~ *1608, Fontainebleau - 1660, Blois.* Fils d'Henri IV et de Marie de Médicis. Frère de Louis XIII, duc d'Anjou, il porta le titre de Monsieur (1611) et de duc d'Orléans (1626). Il complota contre Richelieu puis contre Mazarin, et participa à la Fronde.

**ORLÉANS** (Louis, duc D') ~ *1372, Paris - 1407, id.* Deuxième fils de Charles V. Il fut l'un des chefs du parti des Armagnacs pendant la guerre de Cent Ans. Il fut assassiné par des partisans de Jean sans Peur.

**ORLÉANS** (Louis Philippe Joseph, duc D'), dit **Philippe Égalité** ~ *1747, Saint-Cloud - 1793, Paris.* Arrière-petit-fils du Régent, il était l'un des princes les plus riches de France. Grand maître de la franc-maçonnerie, partisan d'une monarchie parlementaire, il fut député aux États généraux (1789) puis à la Convention (1792). Il vota la mort de Louis XVI, mais, déclaré suspect par les Montagnards, fut exécuté le 6 nov. 1793. Il eut pour fils le futur Louis-Philippe Ier.

**ORLÉANS** (Philippe, duc D') ~ *1640, Saint-Germain-en-Laye - 1701, Saint-Cloud.* Second fils de Louis XIII. Il porta le titre de Monsieur à partir de 1643. Il fut marié à Henriette d'Angleterre (1661-1670), puis à Charlotte-Élisabeth de Bavière (1671), princesse Palatine.

**ORLÉANS** (Philippe, duc D'), dit **le Régent** ~ *1674, Saint-Cloud - 1723, Versailles.* Régent de France (1715-1723). Fils de Philippe d'Orléans et de la princesse Palatine, il fit casser le testament de Louis XIV pour prendre la régence au duc du Maine (1715). Il rendit son droit de remontrance au parlement et s'appuya sur la grande noblesse pour gouverner (polysynodie). Il apporta son soutien à l'expérience financière de Law, qui se solda par un échec, et favorisa la liberté religieuse, imposant une trêve dans la lutte contre le jansénisme. En politique étrangère, il imposa, sous l'influence du cardinal Dubois, l'alliance avec la Grande-Bretagne et les Provinces-Unies contre le roi d'Espagne Philippe V (Quadruple-Alliance).

**ORLÉANSVILLE** ~ Voir **Cheliff (Ech-)**.

**ORLY** ~ V. de la banlieue S. de Paris (Val-de-Marne) ; 21 646 h. 2e aéroport de Paris (26 millions de passagers), mis en service en 1961.

**ORMESSON** (Jean **Lefèvre**, comte D') ~ *1925. Paris.* Journaliste et écrivain français. Ses fresques romanesques expriment une réflexion parfois ironique sur la fuite du temps et la destinée humaine (*Au plaisir de Dieu*, 1974 ; *Histoire du Juif errant*, 1990). Acad.

**ORMESSON** (**Lefèvre** D') ~ Famille française qui compta à partir du XVIe s. un grand nombre de magistrats, dont **Olivier III** (*1617 - 1686, Paris*), premier rapporteur au procès de Fouquet (1664), qui refusa de prononcer la peine de mort exigée par Louis XIV et Colbert.

**ORMIYA (lac d')** ~ Grand lac salé d'Iran (5 775 km²), dans la région de Tabriz.

**ORMONDE**, famille irlandaise d'orig. anglaise. ~ **James** BUTLER, 1er duc D' (*1610, Londres - 1688, Kingston Lacy*), lord-lieutenant d'Irlande, dirigea la répression contre le soulèvement de 1640. Son petit-fils ~ **James** BUTLER, 2e duc D' (*1665, Dublin - 1745, Avignon*), lord-député d'Irlande (1703), chef du parti catholique favorable aux Stuarts, dut s'exiler.

**ORMUZ** ou **HORMUZ (détroit d')** ~ Détroit (larg. 90 km) qui commande l'accès au golfe Persique, entre l'Iran et la péninsule Arabique (Oman), par lequel transite une grande part de la production pétrolière mondiale. **Ormuz** (env. 2 500 h.), île aride sur le détroit, proche des côtes de l'Iran, au N.-E., est un ancien comptoir portugais (XVIe-XVIIe s.).

**ORNAIN** (l') ~ Riv. tribut. de la Marne (r. dr.), qui arrose le Barrois et passe à Bar-le-Duc ; 120 km. Il est longé par le canal de la Marne au Rhin.

**ORNANO** (famille D'), famille d'orig. corse qui s'illustra dans le métier des armes. ~ **Sampiero** D'ORNANO ou **Sampiero** CORSO (*1498, Bastelica - 1567, La Rocca*), entré au service de François Ier, fut l'instigateur de l'intervention française en Corse contre les Génois (1553-1559). ~ **Alphonse** (*1548, Ajaccio - 1610, Bordeaux*), fils du préc., maréchal de France (1595), fut un des lieutenants d'Henri IV. ~ **Jean-Baptiste** (*1581, Sisteron - 1626, Vincennes*), fils du préc., maréchal de France (1626), compromis dans la conspiration de Chalais, mourut emprisonné. ~ **Philippe Antoine**, comte D'ORNANO (*1784, Ajaccio - 1863, Paris*), maréchal de France (1861), cousin de Bonaparte, qu'il servit comme officier jusqu'aux Cent-Jours, fut nommé gouverneur des Invalides en 1853.

**ORNANS** ~ V. de la haute vallée de la Loue (Doubs) ; 4 016 h. Église du XVIe s. Musée Courbet.

**ORNE** (l'), nom de deux cours d'eau de France. ~ Fl. côtier du S.-O. de la Normandie ; 152 km. Elle traverse la Suisse normande en gorges et rejoint la Manche après Caen. ~ Affl. lorrain de la Moselle (r. g.), dont la basse vallée est un vieux bassin sidérurgique (Jœuf-Homécourt) ; 86 km.

**ORNE** (l') ~ Dép. de la Région Basse-Normandie, traversé par l'Orne ; 6 144 km², 293 204 h., préfect. Alençon. Il est occupé à l'O. par le Bocage normand, consacré à l'élevage (bovin, porcin) et à la céréaliculture ; à l'E. par le S. des pays d'Auge, d'Ouche et par le Perche, région herbagère d'élevage bovin (viande et lait) et chevalin (pur-sang not.), tandis que les plaines céréalières du centre sont le domaine des grandes exploitations. À côté des petites industries traditionnelles, en déclin (sidér., métall., dentelle), le département a développé les secteurs agroalimentaire, électrique et électronique, not. à Argentan et à Alençon.

**ORO (monte d')** ~ Sommet du centre de la Corse, au N.-E. d'Ajaccio ; 2 390 m.

**ORONTE** (l'), en ar. ***Nahr al-Asi*** ~ Fl. du Proche-Orient, né au Liban (Bekaa), tribut. de la Méditerranée (Turquie), qui coule en Syrie (dépression du Ghab), passe à Homs et à Antioche ; 570 km. Sa vallée, irriguée dès l'Antiquité, est agricole.

**OROSE** (Paul) ~ *v. 390, Tarragone ou Braga - v. 418.* Prêtre et apologiste espagnol. Réfugié en Afrique après les invasions vandales, il vécut auprès de saint Augustin, qui l'encouragea à rédiger ses *Histoires contre les païens* (417-418).

**OROZCO** (José Clemente) ~ *1883, Zapotlán - 1949, Mexico.* Peintre mexicain. Maître du muralisme, il exprima une vision révolutionnaire de l'histoire nationale (*l'Homme*, 1939).

**ORPHÉE** ~ Aède de la mythologie grecque, fils de la muse Calliope, doté d'une voix merveilleuse. Époux d'Eurydice, qui mourut après leurs noces, il descendit aux Enfers pour la reprendre. Ayant violé la promesse faite aux dieux de ne pas regarder sa femme avant de se retrouver à la lumière du jour, il la perdit définitivement. Il fut plus tard mis en pièces par les femmes thraces. [☞ **orphisme.**]

**ORRY** (Philibert) ~ *1689, Troyes - 1747, près de Nogent-sur-Seine.* Homme politique français. Contrôleur général des Finances (1730-1745), il rétablit l'équilibre des comptes publics, puis fut directeur des Bâtiments, Arts et Manufactures.

**ORSAY** ~ V. de la banlieue S.-O. de Paris (Essonne), sur l'Yvette ; 14 863 h. Centre universitaire (sciences), laboratoire de physique des particules (anneau de collision).

*Musée d'Orsay, les sculptures de l'allée centrale.*

**Orsay (musée d')** ~ Musée national inauguré en 1986 et installé dans les locaux réaménagés de l'ancienne gare d'Orsay, à Paris (1899). Ses riches collections illustrent l'art de la seconde moitié du XIXe s. et du début du XXe s.

**ORSINI** ~ Famille romaine guelfe, dont est issu le pape Benoît XIII.

**ORSINI** (Felice) ~ *1819, Meldola - 1858, Paris.* Révolutionnaire italien. Le 14 janvier 1858, il tenta d'assassiner Napoléon III, auquel il reprochait de trahir la cause de l'unité italienne. Il fut condamné à mort et exécuté.

**ØRSTED** (Hans Christian) ~ Voir **Œrsted**.

**Orstom** ~ Voir **Office de la recherche scientifique et technique outre-mer**.

**ORTEGA** (Daniel) ~ *1945, La Libertad.* Homme d'État nicaraguayen. Membre du Front sandiniste, coordonnateur à partir de 1981 de la junte de gouvernement de Reconstruction nationale, il a été élu président de la République en 1984, puis battu en 1990 par Violeta Chamorro. Sous sa présidence ont été conduites de vastes réformes économiques et sociales, malgré l'hostilité des États-Unis.

**ORTEGA Y GASSET** (José) ~ *1883, Madrid - 1955, id.* Philosophe espagnol. Représentant du courant néokantien, fondateur de la *Revista de Occidente*, il domina la vie intellectuelle espagnole de la première moitié du XXe s. (*l'Espagne invertébrée*, 1922 ; *la Révolte des masses*, 1930).

**O. R. T. F.** ~ Voir **Office de radiodiffusion-télévision française**.

**ORTHEZ** ~ V. du Béarn (Pyrénées-Atlantiques), sur le gave de Pau ; 10 159 h. Industrie alimentaire (jambon de Bayonne). Pont-Vieux (XIIIe-XIVe s.), tour Moncade (XIIIe s.), donjon d'un château des comtes de Foix.

**ORTLER** ou **ORTLES** (l') ~ Massif des Alpes rhétiques, en Italie, entre les vallées de l'Adda et de l'Adige ; 3 900 m.

**ORURO** ~ V. de l'Altiplano bolivien (alt. 3 700 m), au N. du lac Poopó, centre minier et métall. (étain) ; 183 000 h.

**Orval (abbaye d')** ~ Abbaye de Belgique (prov. du Luxembourg). Créée en 1070, ralliée à la réforme cistercienne (1132), elle fut deux fois dévastée, puis vendue (1797). Elle fut restaurée en 1926.

**ORVAULT** ~ V. de la banlieue N.-O. de Nantes (Loire-Atlantique) ; 23 115 h.

**ORVIETO** ~ V. tourist. d'Italie (Ombrie), bâtie sur un rocher ; env. 21 000 h. Vin, artisanat (céramique, dentelle, fer forgé). Vestiges étrusques. Cathédrale gothique (XIIIe s.), palais et vieux centre médiévaux.

**ORWELL** (Eric **Blair**, dit George) ~ *1903, Motihari, Bengale - 1950, Londres.* Écrivain britannique. Son œuvre évoque sous une forme allégorique le fonctionnement des régimes totalitaires (*la Ferme des animaux*, 1945 ; *1984*, 1949).

**ÔSAKA** ~ Port et 2e v. du Japon, sur la mer Intérieure (S.-E. de Honshû) dans le Kansai ; 2 494 000 h. Elle constitue avec Kôbe et Kyôto le 2e pôle économique du pays (Keihanshin). Place financière. Édition de presse. Palais de Toyotomi Hideyoshi. Musées. **HIST.** - Fondée au IIIe s., agrandie au XVIe s., la ville fut très éprouvée par les bombardements de 1945. Reconstruite, elle abrita en 1970 une grande exposition internationale.

**OSBORNE** (John) ~ *1929, Londres - 1994, Syhrewsbur.* Dramaturge britannique, chef de file des Jeunes Gens en colère (*À l'ouest de Suez*, 1971).

**OSCAR**, nom de deux rois de Suède et de Norvège. ~ **Oscar Ier** (*1799, Paris - 1859, Stockholm*), roi de Suède et de Norvège (1844-1859), fils de Charles XIV (Bernadotte). Atteint de troubles mentaux, il laissa en 1857 la régence à son fils aîné, couronné sous le nom de Charles XV en 1859. ~ **Oscar II** (*1829, Stockholm - 1907, id.*), roi de Suède (1872-1907) et de Norvège (1872-1905), frère et successeur de Charles XV. Il dut accepter la rupture de l'union des deux royaumes (1905).

**OSÉE** ~ *v. 780 - 740 av. J.-C.* Un des douze petits prophètes bibliques.

**OSÉE** ~ *VIIIe s. av. J.-C.* Dernier roi d'Israël (732-724 av. J.-C.), détrôné par Salmanasar V.

**ÔSHIMA Nagisa** ~ *1932, Kyôto.* Cinéaste japonais. Principal représentant de la Nouvelle Vague dans son pays, il a développé une violente contestation politique dans *Nuit et brouillard du Japon* (1960), puis une subversion radicale des rites sociaux (*la Cérémonie*, 1971) et érotiques (*l'Empire des sens*, 1976).

**OSHOGBO** ~ V. du S.-O. du Nigeria, marché agricole au N.-E. d'Ibadan ; 442 000 h.

**OSIANDER** (Andreas **Hosemann**, dit Andreas) ~ *1498, Gunzenhausen, Brandebourg - 1552, Königsberg*. Théologien allemand. Ayant rejoint la Réforme, il participa à la diète d'Augsbourg (1530), puis devint professeur à l'université de Königsberg (1549). Il fut le premier à publier Copernic. Il enseigna que l'existence de l'homme est justifiée par la foi.

**OSIJEK** ~ V. de l'E. de la Croatie (Slavonie), sur la Drave ; 105 000 h. Industrie textile, tannerie, savon, machines agricoles. Le potentiel industriel de la ville a été partiellement détruit lors du récent conflit serbo-croate.

**OSIRIS** ~ Dieu égyptien, époux d'Isis et père d'Horus. Représenté sous la forme d'un homme momifié, il est le dieu des Forces végétales, puis celui des Morts, assurant par son intercession l'éternité dans le monde souterrain.

**ÖSKEMEN**, anc. **Oust-Kamenogorsk** ~ V. et centre administratif du Kazakhstan oriental, au pied de l'Altaï, centre industriel (l'un des princ. pour les minerais non ferreux de l'ex-U. R. S. S.) ; 333 000 h. Instituts de recherche.

**ÖSLING** ou **OESLING** (l') ~ Partie ardennaise du Luxembourg (N.), au climat rude et aux sols peu fertiles, qui l'opposent au Gutland méridional.

**OSLO** ~ Cap. de la Norvège et métropole écon. du pays, port au fond d'un fjord qui prolonge le Skagerrak ; 459 000 h. Université, édition. Constr. navales et mécan., électronique. Château-forteresse d'Akershus. Musées (dont celui de la navigation). HIST. - Fondée au XI^e^ s. par Harald III, détruite par un incendie en 1624, la ville fut reconstruite par le roi Christian IV, prit le nom de Christiania (ou Kristiania) jusqu'en 1925 et devint la cap. de la Norvège indépendante en 1905.

**Oslo (accord d')** ~ Voir **Washington** (accord de).

**OSMAN I^er^** ~ *1259, Söğüt, près d'Eskisehir - 1326, id.* Sultan (1289-1326), fondateur de la dynastie ottomane.

**OSMOND** (Floris) ~ *1849, Paris - 1912, Saint-Leu*. Métallurgiste français. Fondateur de la métallographie microscopique et de l'analyse thermique, il précisa la texture des produits sidérurgiques.

**OSNABRÜCK** ~ V. d'Allemagne (Basse-Saxe), centre industriel (sidér., constr. mécan., textile, papeterie) ; 165 000 h. Université. Évêché catholique. Cathédrale (XIII^e^ s.), églises gothiques, hôtel de ville (XV^e^ s.). Musée historique.

**OSORNO** ~ V. du Chili central, au S. de Valdivia, dans une région de lacs ; 129 000 h. Tourisme.

**Osques** (les) ~ Anc. peuple de l'Apennin central, dont la langue résista longtemps face au latin, à l'époque de l'Empire romain.

**OSSAU (gave d')** ~ Riv. des Pyrénées-Atlantiques, qui, réunie au gave d'Aspe, forme celui d'Oloron ; 80 km. Élevage (fromage de brebis). Tourisme. Carrières de marbre, métall. (basse vallée).

**OSSÉTIE** (l') ~ Région montagneuse du Grand Caucase, peuplée par les **Ossètes** (peuple caucasien d'origine persane), divisée entre la Russie (république fédérée d'**Ossétie du Nord**, 8 000 km², 650 000 h., cap. Vladikavkaz) et la Géorgie (région autonome d'**Ossétie du Sud**, 3 900 km², 100 000 h., cap. Tskhinvali). Les Ossètes du Sud, qui veulent leur réunification avec ceux du Nord, sont en guerre contre la Géorgie depuis 1990.

**OSSIAN** ~ Barde écossais légendaire du III^e^ s., fils du guerrier Fingal. C'est sous le nom d'Ossian que le poète **James Macpherson** (*1736, Ruthven, Inverness - 1796, Belville, id.*) publia ses *Fragments de poésie ancienne recueillis dans les Highlands écossaises et traduits du gaélique ou de l'erse* (1760), chants de guerre et d'amour qui eurent une grande influence sur le romantisme.

**OSTENDE**, en néerl. ***Oostende*** ~ Port et station baln. de Flandre-Occidentale (Belgique) ; 68 000 h. Musées de peinture. Ville de pêcheurs au XI^e^ s., elle fut fortifiée par le prince d'Orange en 1583 et rattachée à la France de 1794 à 1814.

**Ostiaks** ou **Ostyaks** (les) ~ Peuple de chasseurs paléosibériens de la moyenne vallée de l'Ob.

**OSTIE**, en ital. ***Ostia*** ~ Localité d'Italie (commune de Rome), auj. station balnéaire. Importants vestiges : thermes, nécropoles, mosaïques (IV^e^ s. av. J.-C.-IV^e^ s. apr. J.-C.). Base militaire lors de la deuxième guerre punique, le port d'Ostie fut à son apogée au I^er^ s. et déclina sous Constantin I^er^ le Grand, Rome ayant perdu le monopole du commerce en Méditerranée occidentale.

**OSTRAVA** ~ 2^e^ v. de Moravie (République tchèque), au N.-E., vieux centre minier (houille) et industr. (métall.), près de la frontière polonaise ; 331 000 h. Église St-Venceslas (XIII^e^ s.), hôtel de ville (1687). Théâtres.

**Ostrogoths** (les) ~ Ancien peuple germanique. Leur royaume du Dniepr fut détruit par les Huns vers 375. Installés en Pannonie, ils passèrent en Italie et la conquirent (488-493) sous leur chef Théodoric, qui établit sa capitale à Ravenne. Leur royaume disparut en 555 sous la pression byzantine.

**OSTROŁEKA** ~ V. de Pologne, au N. de Varsovie, sur le Narew ; 52 000 h. Théâtre d'une victoire des Français sur les Russes (1807) et d'une victoire des Russes sur les Polonais insurgés (1831).

**OSTROVSKI** (Aleksandr Nikolaïevitch) ~ *1823, Moscou - 1886, Chtchelykovo, Kostroma*. Auteur dramatique russe, précurseur du théâtre réaliste russe (*l'Orage*, 1859).

**OSTWALD** (Wilhelm) ~ *1853, Riga - 1932, Grossbothen, près de Leipzig*. Chimiste et philosophe allemand. Il travailla sur les électrolytes et la catalyse. Sa conception de la science le rattache à l'empiriocriticisme. Prix Nobel de chim. 1909.

**OTAKAR II** ou **OTTOKAR II PŘEMYSL** ~ *1230 - 1278, près de Dürnkrut*. Roi de Bohême (1253-1278). Il étendit sa domination jusqu'à l'Adriatique. Candidat à la couronne du Saint Empire, il fut vaincu par Rodolphe I^er^ de Habsbourg, qui l'assassina.

**Otan** ~ Voir **Organisation du traité de l'Atlantique Nord.**

**Otase** ~ Voir **Organisation du traité de l'Asie du Sud-Est.**

**OTHE (pays d')** ~ Région de collines boisées (alt. max. 291 m) du S.-E. du Bassin parisien, entre l'Yonne (Bourgogne) et la Seine (Champagne).

**OTHON**, en lat. ***Marcus Salvius Otho*** ~ *32, Ferentinum - 69, Brixellum*. Empereur romain (69). Il fit assassiner Galba, accéda à l'empire, mais fut vaincu trois mois plus tard à Bédriac par les légions de Vitellius, et se suicida.

**OTHON** ~ Voir **Otton**.

**OTRANTE (canal d')** ~ Détroit de 75 km séparant l'Italie de l'Albanie, entre les mers Ionienne et Adriatique. Site du port italien d'**Otrante** (5 000 h.), siège d'un archevêché (cathédrale fondée au XI^e^ s.).

**OTTAWA** ~ Cap. fédérale du Canada (province de l'Ontario), sur la riv. des Outaouais (r. dr.), au S.-O. de Montréal ; 301 000 h. (agglom. 921 000 h.). Centre culturel (univ., musées). Industr. des télécomm., imprimerie. Ottawa fut érigée en capitale par la reine Victoria, pour trancher la rivalité opposant Montréal à Toronto.

*Le Parlement d'**Ottawa**, de style néogothique (reconstruit en 1916).*

**Ottawa (accords d')** ~ Traités signés en août 1932, établissant entre le Royaume-Uni, ses dominions et l'Inde des liens économiques et commerciaux privilégiés.

**OTTO** (Nikolaus) ~ *1832, Holzhausen - 1891, Cologne*. Ingénieur allemand. Il mit au point un moteur à gaz à cycle atmosphérique avec Eugen Langen (1864), puis le premier moteur à quatre temps (1876), conçu par A. Beau de Rochas en 1862.

**OTTO** (Rudolf) ~ *1860, Peine - 1937, Marburg*. Philosophe allemand. Il s'intéressa au sentiment religieux, dont il analysa le caractère irrationnel (*le Sacré*, 1917).

**OTTOKAR II PŘEMYSL** ~ Voir **Otakar II**.

**OTTOMAN (Empire)** ~ Empire constitué à partir de la fin du XIII^e^ s., qui étendit sa domination sur l'Europe, des rives de la Méditerranée à celles de la mer Noire, sur une partie du Proche-Orient et de l'Afrique du Nord. Constitué à partir de la principauté des Osmanlis à Söğüt, sous l'autorité d'Osman I^er^ (1289-1326), il se développa sous le règne de ses successeurs, Ohran (1326-1359) et Murad I^er^ (1359-1389), qui conquirent la Thrace,

*Le recul de l'Empire **ottoman**, de 1571 à 1920.*

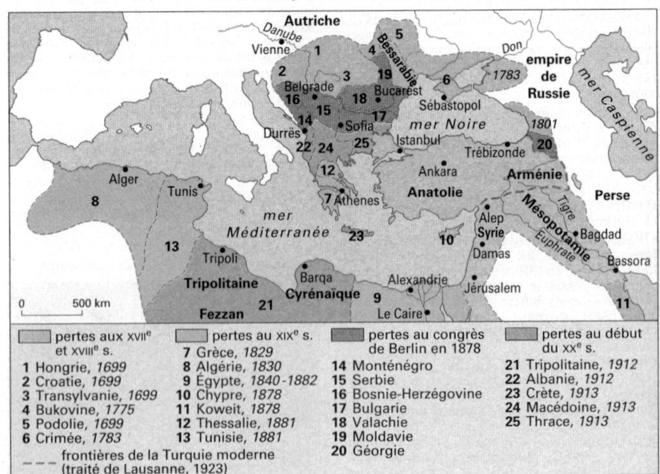

la Macédoine et la Bulgarie, s'appuyant sur une administration centralisée et une armée d'élite, composée de soldats professionnels (les janissaires). Aux XIVe et XVe s., l'Empire consolida son emprise territoriale par ses victoires sur les chrétiens (Nicopolis, 1396 ; Varna, 1444) et malgré sa défaite face à Tamerlan (Ankara, 1402). La prise de Constantinople (1453) et le déclin des Vénitiens, dont la puissance commerciale constituait une menace, marquèrent l'apogée de l'Empire ottoman. Selim Ier (1512-1520) étendit l'influence ottomane sur l'Orient musulman en annexant la Syrie et l'Égypte. Son fils, Soliman le Magnifique (1520-1566), soutenu par François Ier contre Charles Quint, consolida les positions de l'empire en Méditerranée et acheva la conquête des pays arabo-musulmans. La défaite navale des Turcs à Lépante (1571) marqua cependant le début d'un long déclin, accentué aux XVIIe et XVIIIe s. par les querelles de succession, l'insoumission des janissaires et les difficultés économiques, dont profitèrent les pays européens. Les Turcs furent écrasés devant Vienne (1683), et la paix de Karlowitz (1699) entérina leur recul en Europe. À la fin du XVIIIe s., l'Empire ottoman devint un enjeu de rivalités entre la Grande-Bretagne, la France, la Russie et l'Autriche. Malgré les efforts de réorganisation menés au XIXe s. par les sultans successifs, l'empire ne cessa de décliner. L'émancipation de l'Égypte, l'indépendance de la Grèce, de la Serbie, de la Bulgarie et de la Roumanie, la perte de l'Afrique du Nord ponctuèrent la décomposition de « l'homme malade de l'Europe », dont les difficultés financières aboutirent à sa mise sous tutelle par les Occidentaux en 1875. Dominé à partir de 1909 par le mouvement nationaliste des Jeunes-Turcs d'Enver Pacha, l'empire fut entraîné dans la Première Guerre mondiale aux côtés de l'Allemagne, dont la défaite précipita sa dislocation, entérinée par la création de la Turquie, en 1923.

**OTTON** ou **OTHON**, nom de plusieurs empereurs germaniques. ~ **Otton Ier le Grand** (*912, Walhausen - 973, Memleben*), fils d'Henri Ier l'Oiseleur, roi de Germanie (936-973) et d'Italie (951-973). Il fut le premier empereur du Saint Empire romain germanique, sacré à Rome en 962 par le pape Jean XII. ~ **Otton II** (*955 - 983, Rome*), fils du préc., empereur de 973 à 983. Il fut vaincu au cap Colonne par les Sarrasins (982). ~ **Otton III** (*980 - 1002, Paterno*), fils du préc., empereur de 996 à 1002, établi à Rome. Influencé par le pape Sylvestre II, il voulut réunifier l'empire chrétien. ~ **Otton IV de Brunswick** (*1175 ou 1182 - 1218, Harzburg, Saxe*), fils d'Henri le Lion, empereur de 1209 à 1218. Excommunié en 1210 par Innocent III pour l'avoir trahi, il perdit tout appui après sa défaite à Bouvines devant Philippe II Auguste (juill. 1214).

**OTTON Ier** ~ *1815, Salzbourg - 1867, Bamberg.* Roi de Grèce (1832-1862). Fils de Louis Ier de Bavière, instaurateur d'un régime autocratique dominé par l'influence bavaroise, il fut renversé en 1862 et dut s'exiler.

**OTWAY** (Thomas) ~ *1652, Trotton - 1685, Londres.* Auteur dramatique anglais. Son inspiration allie théâtre classique français (il adapta Corneille et Racine) et drame élisabéthain (*l'Orpheline*, 1680 ; *Venise sauvée*, 1682).

**ÖTZTAL** (l') ~ Massif cristallin de l'O. des Alpes autrichiennes (3 775 m), où culmine le Tyrol, entre les vallées de l'Adige (Italie), de l'Inn et de son affluent l'**Ötztal**. Sports d'hiver.

**O. U. A.** ~ Voir **Organisation de l'unité africaine.**

**OUACHITA** ou **WACHITA (monts)** ~ Région de moyennes montagnes (899 m) du S. des Grandes Plaines, aux États-Unis (Arkansas, Oklahoma).

**OUADDAÏ** ou **OUADAÏ** (l') ~ Plateau cristallin de l'E. du Tchad (S. du Sahara). Élev. bovin extensif. V. princ. Abéché (188 000 h.), anc. capitale du sultanat Baguirmi, soumis par la France en 1912.

**OUAGADOUGOU** ~ Cap. du Burkina-Faso, au centre du pays, foyer économique et culturel (festival annuel du cinéma africain) ; 442 000 h. Palais du Moro-naba.

**OUARGLA** ~ Voir **Wargla.**

**OUARSENIS** ~ L'un des princ. massifs de l'Atlas tellien d'Algérie (1 985 m), au S.-O. d'Alger, entre la vallée du Cheliff et les Hautes Plaines.

© J. Joffre-Explorer

*Ouarzazate, la casbah de Taourirt.*

**OUARZAZATE** ~ V. du Maroc, au S. du Haut-Atlas et au seuil du Sahara ; 17 000 h. Tourisme (casbah de Taourirt, ancienne résidence du pacha de Marrakech). Artisanat (tapis not.).

**OUBANGUI** (l') ~ Affl. majeur du fleuve Zaïre (r. dr.), qui sépare la République centrafricaine du Zaïre, puis le Zaïre du Congo, navigable en aval de Bangui ; 1 160 km. L'Oubangui moyen constitue la limite N. de la forêt dense.

**OUBANGUI-CHARI** ~ Voir **centrafricaine** (République).

**OUCHE** (l') ~ Affl. de la Saône (r. dr.), qui passe à Dijon ; 85 km.

**OUCHE (pays d')** ~ Région de Normandie, aux confins des dép. de l'Eure et de l'Orne. Prairies d'élevage (lait), forêts. Résidences secondaires.

**OUDENAARDE**, en fr. **Audenarde** ~ V. de Flandre-Orientale (Belgique), sur l'Escaut, au S. de Gand ; env. 27 000 h. Industrie textile (jadis tapisserie). Le Prince Eugène et le duc de Marlborough y vainquirent le duc de Vendôme durant la guerre de la Succession d'Espagne (1708).

**OUDINOT**, nom de deux chefs militaires français. ~ **Nicolas Charles** Oudinot, duc de Reggio (*1767, Bar-le-Duc - 1847, Paris*), maréchal de France (1809), participa aux campagnes du Consulat et de l'Empire. En 1814, il se rallia à Louis XVIII et exerça des commandements jusqu'à sa mort. Son fils ~ **Nicolas Charles Victor** Oudinot, duc de Reggio, (*1791, Bar-le-Duc - 1863, Paris*), général, renversa la République romaine et rétablit le pouvoir du pape (1849).

**OUDMOURTIE** (l') ~ République de la fédération de Russie, à l'E. du Tatarstan ; 42 100 km$^2$, 1 641 000 h., dont 30 % d'**Oudmourtes**, ou Votyaks (peuple finno-ougrien), cap. Ijevsk.

**OUDONG** ~ Ancienne capitale du royaume du Cambodge (XVIIe-XIXe s.).

**OUDRY** (Jean-Baptiste) ~ *1686, Paris - 1755, Beauvais.* Peintre, dessinateur et graveur français. Peintre animalier et des chasses royales (*la Chasse au sanglier*, 1722), il dirigea la manufacture de tapisseries de Beauvais (1734), orientant son art vers un naturalisme scrupuleux.

**Oued (El-)** ~ Voir **Wad.**

**OUELLÉ** (le) ~ Voir **Uélé.**

**OUENZA (djebel El-)** ~ Voir **Wanza.**

**OUESSANT** ~ Île et canton (une seule commune) de Bretagne (Finistère), terre la plus occidentale de France ; 15 km$^2$, 1 062 h. Côtes rocheuses, climat doux mais venteux (fréquentes tempêtes). Élevage ovin. Tourisme.

**Ouest-France** ~ Quotidien régional français fondé à Rennes en 1944. Il totalise le plus grand tirage national.

**OUFA** ~ Cap. de la Bachkirie (Russie), sur le piémont méridional de l'Oural (O.), centre industr. (pétrochim., matériel ferrov. et aéronautique) du Second-Bakou ; 1 100 000 h. Université. Centre spirituel des musulmans de Russie (1788).

**OUGANDA (république de l')** ~ Pays enclavé de l'Afrique orientale. ***Cap.*** Kampala. ***Superf.*** 241 000 km$^2$. ***Popul.*** 16 600 000 h. ***Langues princ.*** Anglais, langues bantoues et nilotiques. ***Monn.*** Shilling ougandais. ***Relief.*** Plateau (1 000-1 400 m) bordé par des massifs volcaniques à l'E. de la Rift Valley. ***Hydrogr.*** Le territoire comprend de nombreux et vastes lacs (Édouard, Albert, Kyoga, Victoria) qui alimentent les sources du Nil. ***Climat.*** Tropical, modéré par l'altitude. ***Écon.*** Très affaiblie par vingt années de gestion chaotique et de guérillas (1965-1985), elle est fondée sur l'agriculture vivrière (manioc, haricots) et commerciale (café, tabac, coton), l'élevage, la pêche et l'exploitation forestière. **HIST.** - Le pays est occupé aux premiers siècles de notre ère par les Bantous, puis par des tribus nilotiques. *XVIe-XVIIIe s.* : mise en place de divers royaumes (Kirata, Bunyoro, Buganda). *1894* : instauration d'un protectorat britannique avec l'appui du royaume du Buganda. *XXe s.* : christianisation du pays. *1962* : une fédération de royaumes, présidée par Mutesa II, le souverain du Buganda, accède à l'indépendance sous le nom d'Ouganda. *1966-1971* : Milton Obote renverse Mutesa II et abolit les royaumes. *1971-1979* : dictature sanguinaire du général Idi Amin Dada, chassé par l'intervention de l'armée tanzanienne. *1980-1985* : dictature de M. Obote ; le pays, meurtri par les guérillas et la répression, succombe à la terreur et à la famine. *Depuis 1986* : après s'être emparé du pouvoir à la tête d'un mouvement de guérilla, Yoweri Museveni, réélu en 1996 dans le cadre d'un scrutin pluraliste, s'efforce de rétablir la stabilité économique et politique.

**OUGARIT** ou **UGARIT** ~ Anc. ville de Phénicie, dont les vestiges furent exhumés à Ras Shamra, sur la côte syrienne. Occupée dès le VIIIe mill. av. J.-C., elle s'épanouit au IIe mill. av. J.-C., avant d'être détruite v. 1200 av. J.-C. On y utilisait, aux XIVe et XIIIe s. av. J.-C., un alphabet cunéiforme.

**Ouïgours** (les) ~ Tribu turque dominante en Mongolie aux VIIIe et IXe s., installée aujourd'hui dans le Xinjiang (Chine).

**OUISTREHAM** ~ Station baln. du Calvados, avant-port de Caen (car-ferries vers l'Angleterre), à l'embouchure de l'Orne ; 6 709 h.

**OUJDA** ~ V. du Maroc (N.-E.), centre industr. et comm., poste frontalier avec l'Algérie ; 260 000 h.

**OULAN-BATOR**, anc. **Ourga** ~ Cap. de la Mongolie, au N. du désert de Gobi, princ. ville et centre industriel du pays ; agglom. 575 000 h. Ancienne étape de la route du Thé. Monastère bouddhique de Gandan.

**OULAN-OUDE** ~ Cap. de la Bouriatie (Russie), au S.-E. du lac Baïkal ; 353 000 h. Équipements ferrov., agroalimentaire.

**OULED NAÏL (monts des)** ~ Massif algérien de l'Atlas saharien (1 600 m), au N. de Laghouat. Il tire son nom d'une tribu d'autochtones semi-nomades, auj. en voie de sédentarisation.

**OULIANOVSK** ~ Voir **Simbirsk.**

**Oulipo** (l'), acron. d'**Ouvroir de littérature potentielle** ~ Groupe littéraire fondé par François Le Lionnais et Raymond Queneau en 1960, qui a pour objet d'expérimenter les formes littéraires en y introduisant la notion de contrainte.

**OULLINS** ~ V. du S. de la communauté urbaine de Lyon (Rhône), sur le Rhône ; 26 129 h.

**OULU**, en suéd. ***Uleåborg*** ~ Port de Finlande, au fond du golfe de Botnie, centre industr. (constr. mécan., chimie, bois, text.) ; 104 000 h. Université.

**OUM ER-REBIA** ~ L'un des principaux fleuves marocains, issu du Moyen Atlas (sources vauclusiennes), tributaire de l'Atlantique, qui coule au S. de la Chaouïa ; 556 km.

**OUM KALSOUM** ou **UMM KULTHUM** (Fatima **Ibrahim**, dite) ~ *1898, Tamay al-Zahira, prov. de Daqahlièh - 1975, Le Caire.* Chanteuse et actrice égyptienne. Sa voix transcenda le chant oriental traditionnel en de longs poèmes. Surnommée l'Astre de l'Orient, elle symbolisa l'unité du monde arabe.

**Ouolofs** ou **Wolofs** (les) ~ Ethnie musulmane d'agriculteurs et d'éleveurs, culturellement dominante au Sénégal, fondatrice de royaumes depuis le XVe s.

**Our** ou **Ur** ~ Site antique de la basse Mésopotamie, sur l'Euphrate. Habité dès la préhistoire (fin du Ve mill.), il fut occupé par les Sumériens (seconde moitié du IVe mill.). Le IIIe millénaire a laissé seize tombes royales au matériel très riche. La seconde moitié du IIIe millénaire vit se succéder deux dynasties puis, après la conquête par l'empire d'Akkad, une troisième dynastie qui, établie en 2112 pour un siècle, éleva d'importants monuments (enceinte, ziggourat, palais). Les Élamites et les Amorrites détruisirent la ville, qui fut ensuite relevée, mais resta dans un état de dépendance jusqu'à son abandon, au IIIe s. av. J.-C. Abraham, selon la Bible, était originaire d'Our.

**OURAL** (l') ~ Chaîne de montagnes moyennes qui s'étire sur plus de 2 000 km du N. au S., séparant la Russie d'Europe de la Sibérie (Asie). Aisément franchissable au centre (alt. moyenne 500 m), elle s'élève au N. (1 894 m), domaine de la toundra, et au S., boisé (1 640 m). En sont issus des rivières du bassin de la Volga (Oufa) ou de l'Ob (Tobol), des fleuves tributaires de l'océan Arctique (Petchora) ou de la mer Caspienne (**Oural**, 2 428 km). Colonisé par des paysans russes au Moyen Âge, voué à l'extraction minière dès le XVIIIe s., l'Oural, riche en minerais métalliques, proche de grands gisements de houille et d'hydrocarbures (Second-Bakou), fut, à partir des années 1930, une base de l'industrie lourde soviétique.

**OURANOS** ~ Personnification du Ciel dans la mythologie grecque. Fils de Gaïa (la Terre), il s'unit à sa mère, qui donna naissance aux Titans et aux Cyclopes. Jaloux de ses enfants, il fut émasculé par son fils Cronos. Son sang féconda Gaïa, qui conçut les Géants et les Érinyes.

**OURARTOU** ~ Royaume de l'Orient ancien (IXe-VIIe s. av. J.-C.). Centré autour du lac de Van, et prospère du VIIIe au VIIe s. av. J.-C., le peuple des **Ourartéens** parlait une langue apparentée au hourrite. En conflit avec l'Assyrie, il fut finalement soumis au début du VIIe s. av. J.-C., sans doute par les Mèdes alliés aux Scythes.

**OURCQ** (l') ~ Affl. de la Marne (r. dr.) ; 80 km. Le **canal de l'Ourcq** (108 km), qui en est issu, double la Marne au N. jusqu'à la Seine, à Paris, où son prolongement est appelé canal Saint-Martin. Trafic plaisancier et commercial. Alimentation en eau de la capitale.

**OURGA** ~ Voir **Oulan-Bator**.

**OURO PRETO**, anc. **Vila Rica** ~ V. du Brésil, ancienne capitale du Minas Gerais, classée patrimoine national ; 62 000 h. Gisements aurifères exploités dès la fin du XVIIe s.

**Ourouk** ou **Uruk** ~ Cité antique de la basse Mésopotamie, jadis sur l'Euphrate. À la fin du IVe mill. av. J.-C. y apparut le premier modèle d'écriture pictographique. Gilgamesh aurait été le premier roi de la ville (v. 2700), qui connut son apogée vers 2375-2350. Les fouilles ont mis au jour une muraille de 10 km de long (début du IIIe mill.), une ziggourat, des temples, dont le plus récent, d'époque parthe, date du début de notre ère.

**OUROUMTSI** ou **URUMQI**, en chin. ***Wulumuqi*** ~ Cap. du Xinjiang (Chine), au pied septentrional des monts Tian Shan, foyer industriel (sidér., chim.) au centre d'une oasis ; 1 100 000 h. Université. Aéroport. Ancien caravansérail sur la route du Thé.

**OURS (Grand Lac de l')** ~ Le plus grand des lacs exclusivement canadiens (31 300 km$^2$), dans les Territoires du Nord-Ouest, tributaire du Mackenzie par son exutoire, libre de glaces durant quatre mois.

**Ourse** (**Grande** et **Petite**) ~ Nom de constellations voisines du pôle Nord céleste, également nommées Grand et Petit Chariot. La Petite Ourse comprend l'étoile Polaire.

**OURTHE** (l') ~ Affl. ardennais de la Meuse (r. dr.), en Belgique ; 165 km. Elle conflue à Liège.

**OUSE** (l') ~ Nom de plusieurs riv. d'Angleterre, dont la principale, la **Grande Ouse** (260 km), rejoint le golfe du Wash après la traversée d'une région marécageuse (Fens).

**OUSMANE DAN FODIO** ~ *1754, Marata - 1817, Sokoto.* Lettré et réformateur musulman. Après avoir conquis les cités haoussas, il fonda l'empire peul de Sokoto (1804), qui favorisa l'islamisation de l'Afrique occidentale.

**OUSSOURI** (l') ~ Affl. de l'Amour (r. dr.), confluant à Khabarovsk, frontière entre l'Extrême-Orient russe et la Chine (cours inférieur) ; 900 km. Des incidents y débouchèrent sur un conflit armé en 1969.

**OUST** (l') ~ Affluent de la Vilaine (r. dr.), en Bretagne (Morbihan) ; 155 km.

**Oustacha** (l') ~ Organisation nationaliste croate fondée en 1929 par Ante Pavelić, visant à détacher la Croatie de la Yougoslavie. Auteurs de l'attentat contre le roi Alexandre Ier de Yougoslavie (1934), les **oustachis** créèrent en 1941, sous contrôle allemand et italien, un État croate allié aux nazis, qui mena une politique de terreur.

**OUSTIOURT** (l') ~ Plateau aride (env. 200 000 km$^2$) séparant la mer d'Aral de la mer Caspienne, aux confins du Kazakhstan et de l'Ouzbékistan.

**OUST-KAMENOGORSK** ~ Voir **Öskemen**.

**OUTAOUAIS (rivière des)**, en angl. ***Ottawa River*** ~ Riv. du Canada, princ. affluent (r. g.) du Saint-Laurent ; 1 270 km.

**OUTREAU** ~ V. de la banlieue S. de Boulogne-sur-Mer (Pas-de-Calais) ; 15 279 h. Métallurgie.

**OUVÉA** ~ Voir **Uvéa**.

**OUVÈZE** (l') ~ Riv. torrentielle du S.-E. de la France, passant à Vaison-la-Romaine, affluent de la Sorgue (r. dr.), aux crues redoutables.

**OUVRARD** (Gabriel Julien) ~ *1770, près de Clisson - 1846, Londres.* Financier français. Fournisseur de l'armée lié à Bonaparte, il se livra à des spéculations douteuses sous le Consulat et l'Empire, et fut emprisonné à plusieurs reprises.

**OUYANG Xiu** ou **NGEOU-YANG Sieou** ~ *1007, Luling - 1072, Yingzhou.* Écrivain et homme politique chinois. Haut fonctionnaire impérial, il fut l'un des principaux animateurs de la vie politique et littéraire de la dynastie Song.

**OUZBÉKISTAN (république d')** ~ Pays enclavé d'Asie centrale qui englobe la république autonome de Karakalpakie. ***Cap.*** Tachkent. ***Superf.*** 447 400 km$^2$. ***Popul.*** 22 200 000 h. ***Langues princ.*** Ouzbek, russe. ***Monn.*** Rouble. ***Relief.*** Dépression aride de la mer d'Aral au N.-O., désert du Kyzylkoum au centre, montagnes du Turkestan au S. Vallées irriguées (bassin de Fergana). ***Écon.*** Culture du coton et élevage ovin (astrakan). L'important potentiel énergétique (gaz, pétr., charbon) et minier (cuivre) a favorisé le développement d'une industrie lourde ; union économique avec le Kazakhstan et le Kirghizistan depuis 1994. **HIST.** - *VIe s. av. J.-C.* : invasion perse. *IVe s. av. J.-C.* : conquête par Alexandre le Grand. *VIe-VIIIe s. apr. J.-C.* : invasion turque, puis arabe. *Xe-XIIe s.* : nouvelle domination turque ; la région devient le Turkestan. *XVIe-XIXe s.* : invasion par les Ouzbeks, qui fondent les khanats de Boukhara, du Kharezm et de Kokand, annexés par les Russes entre 1873 et 1876. *1918* : création de la république socialiste soviétique (R. S. S.) du Turkestan. *1924* : naissance de la R. S. S. d'Ouzbékistan, qui intègre le Turkestan et une partie de Boukhara et du Kharezm. *1991* : déclaration de l'indépendance sous la direction du président Islam Karimov. L'Ouzbékistan essaie depuis de définir ses relations avec les deux puissances régionales, la Russie et la Turquie.

**Ouzbeks** (les) ~ Peuple turc musulman d'Afghanistan et d'Ouzbékistan, où il fonda, au XVIe s., les khanats de Boukhara et du Kharezm.

**OVAMBOLAND** (l') ~ Région du S.-O. de l'Afrique, anc. bantoustan sud-africain, aux confins de l'Angola et de la Namibie, territoire des **Ovambos** (agriculteurs sédentaires et ethnie dominante de la Namibie), base des indépendantistes namibiens jusqu'au retrait de l'Afrique du Sud (1990).

**OVERIJSSEL** (l') ~ Prov. orientale des Pays-Bas, formée par des polders riverains de l'IJsselmeer à l'O. et la plaine sableuse de la Twente à l'E. ; 3 420 km$^2$, 1 045 000 h., ch.-l. Zwolle (99 000 h.). Élevage bovin. Industries (métall., text., chim.), not. à Enschede (princ. ville).

**OVIDE**, en lat. ***Publius Ovidius Naso*** ~ *43 av. J.-C., Sulmona - 17 apr. J.-C., Tomes.* Poète latin. Sa poésie amoureuse, légère et badine lui valut le succès (*l'Art d'aimer* ; *les Amours*). Auteur d'un long poème mythologique (*les Métamorphoses*), il composa également des poèmes épistolaires (*les Tristes* ; *les Pontiques*) après son exil en Dacie.

**OVIEDO** ~ Capitale des Asturies (Espagne), en retrait du littoral atlantique ; 195 000 h. Archevêché. Université. Métallurgie, agroalimentaire. Édifices religieux préromans. La ville a souffert des combats de la guerre civile en 1936-1937.

**OWEN** (Robert) ~ *1771, Newtown - 1858, id.* Réformateur britannique. Industriel, il tenta d'améliorer la condition sociale des ouvriers et créa aux États-Unis une colonie communiste par l'association coopérative et syndicale. [☞ **utopie**.]

**OWENS** (James **Cleveland**, dit Jesse) ~ *1913, Danville, Alabama - 1980, Tucson.* Athlète américain. Il battit cinq records du monde en 1935 et remporta quatre titres olympiques aux Jeux de Berlin en 1936 (course et saut en longueur).

**OXENSTIERNA** (Axel), comte **de Södermöre** ~ *1583, Fånö - 1654, Stockholm.* Homme politique suédois. Chancelier (1612), il fut, à la mort du roi Gustave-Adolphe, désigné régent de la reine Christine (1632).

**OXFORD** ~ V. historique (110 000 h.) d'Angleterre, au N.-O. de Londres, sur la Tamise, ch.-l. du **comté d'Oxfordshire** (2 583 km$^2$, 548 000 h.). L'université, la plus anc. du pays (fondée en 1214) et rivale de Cambridge, regroupe de nombreux collèges, fondations privées indépendantes.

**Oxford (mouvement d')** ~ Mouvement de réforme religieuse apparu en Grande-Bretagne au XIXe s. Regroupant des fidèles de l'Église anglicane autour de John Keble, Edward Pusey et John Henry Newman, il préconisait une plus grande indépendance de l'Église par rapport à l'État et le retour à certaines pratiques du catholicisme.

**Oxford (provisions** ou **statuts d')** ~ Conventions signées à Oxford par Henri III d'Angleterre sous la pression des barons dirigés par Simon de Montfort (10 juin 1258). Elles prévoyaient la réunion du Parlement trois fois par an, mais furent supprimées par le roi dès 1266.

**OXUS** (l') ~ Nom par lequel les Anciens désignaient l'Amou-Daria.

**ÔYAMA Iwao** ~ *1842, Kagoshima - 1916, Tôkyô.* Maréchal japonais. Vainqueur des Chinois à Port-Arthur (1894), il fut commandant en chef contre les Russes (1904-1905).

**OYAPOCK** ou **OYAPOC** (l') ~ Fl. d'Amérique du Sud qui forme la frontière entre la Guyane française et le Brésil ; 500 km.

**OYASHIO** (l') ~ Courant issu de l'océan glacial Arctique, qui baigne la façade Pacifique de l'Asie, not. les côtes N.-E. du Japon jusqu'à Tôkyô, et refroidit le climat du N. de l'archipel.

**OYO** ~ V. du Nigeria, au N. de Lagos ; 237 000 h. Industrie textile (coton), manufacture de tabac. Anc. capitale yoruba (XVIe-XIXe s.).

**OYONNAX** ~ V. des monts du Jura, au N. de Nantua (Ain) ; agglom. 30 471 h. Pôle européen de l'industrie des plastiques et de la lunetterie.

**ÖZAL** (Turgut) ~ *1927, Malatya - 1993, Ankara.* Homme d'État turc. Fondateur du parti de la Mère Patrie (Anap), il fut Premier ministre (1983-1989), puis président de la République (1989-1993).

**OZANAM** (Frédéric) ~ *1813, Milan - 1853, Marseille.* Historien et écrivain français. Fondateur de la Société de Saint-Vincent-de-Paul (1833), il créa, avec Lacordaire, le journal des républicains catholiques *l'Ère nouvelle* (1848). Il est l'auteur d'un *Essai sur la philosophie de Dante* (1839) et d'*Études germaniques* (1847-1849).

**OZARK (monts)** ~ Massif peu élevé (823 m) et plateau du S. des États-Unis (Oklahoma, Arkansas, Missouri), l'un des rares accidents du relief dans les Grandes Plaines. Tourisme.

**OZOIR-LA-FERRIÈRE** ~ V. de la Brie (Seine-et-Marne), au S.-E. de Paris ; 19 031 h.

**OZU Yasujirô** ~ *1903, Tôkyô - 1963, id.* Cinéaste japonais. Sensible à la rigidité mais aussi à la fragilité de la famille japonaise, il réalisa des œuvres souvent ironiques, où son style atteint une grande simplicité formelle (*Je suis né, mais...*, 1932 ; *Voyage à Tôkyô*, 1953 ; *Bonjour*, 1959 ; *Dernier Caprice*, 1961 ; *le Goût du saké*, 1962).

**PABLO** (Luis DE) ~ *1930, Bilbao.* Compositeur espagnol. Il a joué un rôle capital dans la diffusion des formes sérielles et électro-acoustiques en Espagne (*Figura en el mar*, 1988-1989).

**PABST** (Georg Wilhelm) ~ *1885, Raudnitz, auj. Roudnice, République tchèque - 1967, Vienne.* Cinéaste autrichien. Ses films sont des tableaux puissants, parfois expressionnistes, de la réalité sociale de l'Allemagne de l'entre-deux-guerres (*la Rue sans joie*, 1925 ; *Loulou*, 1929 ; *l'Opéra de quat'sous*, 1931).

**PACHECO** (Francisco) ~ *1564, Sanlúcar de Barrameda - 1654, Séville.* Peintre espagnol. Maître de Velázquez, il évolua du maniérisme à un réalisme utilisant toutes les ressources du clair-obscur.

**PACHELBEL** (Johann) ~ *1653, Nuremberg - 1706, id.* Compositeur et organiste allemand. Ses fugues et ses chorals à la polyphonie solidement structurée influencèrent J. S. Bach. Il est l'auteur d'un célèbre *Canon* à 3 voix instrumentales.

**PACHER** (Michael) ~ *v. 1435, Bruneck, Haut-Adige - 1498, Salzbourg.* Peintre et sculpteur autrichien. Son retable des *Pères de l'Église* (v. 1483) introduisit dans la peinture germanique une nouvelle conception de l'espace, héritée de l'Italie.

**Pachtouns** ou **Pachtos** ou **Pathans** (les) ~ Groupe ethnique de confession musulmane, le plus important de l'Afghanistan, minoritaire au Pakistan.

**PACIFIQUE (océan)** ~ Océan qui sépare l'Asie, l'Amérique et l'Australie, le plus vaste du globe (env. 200 000 000 de $km^2$ avec ses dépendances, soit près de 40 % de la superf. de la Terre). Il confine au N. à l'océan Arctique (détroit de Béring) et s'ouvre largement au S. sur l'océan Antarctique (larg. max. à l'équateur : env. 20 000 km). Nombre de péninsules, îles et archipels prolongent le continent asiatique du N. au S. (Kamtchatka, Sakhaline, Kouriles, Japon, Taiwan, Philippines, Indonésie) et limitent les mers bordières (mers d'Okhotsk, du Japon, mer Jaune), où les plates-formes continentales atteignent leur plus grande extension. Les côtes américaines, montagneuses, sont généralement rectilignes, sauf au S. et au N., en raison de l'érosion glaciaire. Les deux rives sont des marges tectoniques actives (subduction d'où résulte une réduction de la superf. de l'océan). Le centre du Pacifique est parsemé d'îles coralliennes ou volcaniques (telle Hawaii) coiffant les dorsales et massifs sous-marins. Les grandes fosses (les plus profondes du globe : 11 000 m dans celle des Mariannes) sont bordées d'arcs volcaniques émergés (des Aléoutiennes aux Mariannes ; Philippines ; Tonga-Kermadec), appelés ceinture de feu du Pacifique. Les climats côtiers sont localement altérés par des courants froids (Californie, Pérou-Chili, Asie jusqu'à la Corée) ou chauds (E. du Japon, Alaska). Au S. du tropique du Cancer, les terres émergées constituent l'Océanie, partagée entre l'ensemble Australie - Tasmanie - Nouvelle-Zélande et trois divisions régionales (Mélanésie, Micronésie, Polynésie) formées d'îles pour la plupart exiguës. Le partage colonial, amorcé au XIXe s., favorisa la Grande-Bretagne, la France, puis les États-Unis aux dépens de l'Espagne, de l'Allemagne et du Japon, successivement exclus. L'influence des États-Unis (nombreuses bases militaires) et de l'Australie reste prépondérante sur la mosaïque d'États insulaires (souv. minuscules) nés de la décolonisation. Le rôle du Pacifique dans les échanges transocéaniques s'accroît, en raison de la fin de la guerre froide et de l'essor économique des pays asiatiques riverains.

**Pacifique (Centre d'expérimentation du)** ~ Organisme relevant du ministère français de la Défense. Créé en 1962, il a procédé, de 1966 à 1996, à des essais nucléaires sur les atolls polynésiens de Mururoa et Fangataufa.

**Pacifique (Conseil du)** ou **Anzus** ~ Organisme créé en 1951 et réunissant la Nouvelle-Zélande (jusqu'en 1985), l'Australie et les États-Unis, afin d'établir une politique de défense concertée dans la zone Pacifique. La Nouvelle-Zélande a suspendu sa participation depuis 1985.

**Pacifique (guerre du)** ~ Ensemble des opérations militaires qui opposèrent dans le Pacifique, de décembre 1941 à août 1945, les États-Unis et leurs alliés au Japon. Marquée d'abord par une série de succès du Japon contre les Américains et les Britanniques (attaque de Pearl Harbor, invasion des Philippines et de Singapour, capitulation de Mindanao, etc.), cette guerre s'est poursuivie par une contre-offensive alliée victorieuse : bataille de la mer de Corail et de Midway (1942), reprise de Guadalcanal (1943) et des Philippines (1944, bataille de Leyte), débarquements d'Iwô Jima et d'Okinawa (1945). Achevée par les bombardements atomiques d'Hiroshima et de Nagasaki (6 et 9 août 1945), elle consacra la suprématie de l'aéronavale et de l'arme nucléaire sur les opérations terrestres et maritimes.

**Pacifique Sud (Forum du)** ~ Organisation créée en 1971. Il regroupe la plupart des États souverains d'Océanie et tente de promouvoir la dénucléarisation de la zone, la protection des ressources maritimes et le respect des zones de pêche.

**PACIOLI** (Luca), dit **Luca di Borgo** ~ *1445, Borgo San Sepolcro - v. 1510, Rome.* Moine et mathématicien italien. On lui doit la *Summa* (1494), compilation des connaissances mathématiques depuis l'Antiquité, et une étude du nombre d'or.

**PACÔME** (saint) ~ *287, Haute-Égypte - 346, id.* Moine de Thébaïde. Il fut le principal fondateur des communautés monastiques égyptiennes, avec saint Antoine le Grand, et influença le monachisme occidental par sa règle.

**PACTOLE** (le) ~ Rivière de l'anc. Lydie. Elle arrosait Sardes et charriait des paillettes d'or, source des richesses de Crésus.

**PADANG** ~ Princ. port de la côte O. de Sumatra (Indonésie), au pied des monts Barisan, sur l'océan Indien ; 477 000 h. Université. Export. (charbon, café, coprah, par le port moderne de Teluk Bayur).

**PADERBORN** ~ V. d'Allemagne (Rhénanie-du-Nord - Westphalie), à l'E. de la Ruhr, anc. cité hanséatique ; 127 000 h. Archevêché (évêché depuis 805). Industries mécan., alim., informatique (Nixdorf), cimenterie. Cathédrale du XIIIe s., église romane du XIe s. **HIST.** - En 799, le pape Léon III s'y réfugia auprès de Charlemagne et accepta de le couronner empereur dès son retour à Rome.

**PADEREWSKI** (Ignacy Jan) ~ *1860, Kuryłowka - 1941, New York.* Pianiste et homme politique polonais. Premier président du Conseil de la république de Pologne (1919), il fut le chef du gouvernement polonais en exil durant la Seconde Guerre mondiale. Virtuose de renommée internationale, il fut également compositeur.

**Padirac (gouffre de)** ~ Site touristique du Lot. D'une profondeur de 75 m, sur le causse de Gramat, il mène à un affluent souterrain de la Dordogne.

**PADOUE**, en ital. *Padova* ~ V. du N.-E. de l'Italie (Vénétie), centre admin., commercial et industriel (chim., agroalim., text.) ; 215 000 h. Université (XIIIe s.). Chapelle des Scrovegni, dite de l'Arena (fresques de Giotto), cathédrale du XVIe s. (baptistère du XIIIe s.), nombreux palais. **HIST.** - Dévastée par les Wisigoths (409) et les Huns (452), la ville passa aux Lombards. Sous tutelle vénitienne (1405), elle fut intégrée à l'Italie unifiée en 1866.

**PAESTUM** ~ Anc. ville et site archéologique d'Italie du Sud, sur la côte de Lucanie. Colonie grecque fondée par les Sybarites (Poseidônia, vers 600 av. J.-C.), puis romaine (273 av. J.-C.). Sanctuaire d'Héra (VIe-Ve s. av. J.-C.). Tombe du Plongeur (Ve s. av. J.-C.), seul exemple de peinture de la Grèce classique.

**PÁEZ** (José Antonio) ~ *1790, Acarigua - 1873, New York.* Homme d'État vénézuélien. Combattant pour l'indépendance contre les Espagnols (1821), il devint commandant général du Venezuela, alors partie de la Grande-Colombie. Il prépara l'indépendance de son pays (1829), dont il fut le président (1831-1835, 1839-1843, 1861-1863).

**PAGALU** ~ Voir **Annobón**.

**PAGAN** ~ Ancienne capitale de l'Empire birman (XIe-XIIIe s.). Monuments bouddhiques.

**PAGANINI** (Nicoló) ~ *1782, Gênes - 1840, Nice.* Compositeur et violoniste italien. Virtuose fabuleux, figure légendaire du romantisme, il composa pour le violon des œuvres fascinantes et d'une extrême difficulté d'exécution (24 *Caprices*, 1820 ; 6 *Concertos*).

**PAGNOL** (Marcel) ~ *1895, Aubagne - 1974, Paris.* Écrivain et cinéaste français. Son œuvre théâtrale (*Topaze*, 1928 ; *Marius*, 1929) et cinématographique (*la Femme du boulanger*, 1938) évoque le petit peuple marseillais et le monde rural de la Provence. Il publia des recueils de souvenirs d'enfance (*la Gloire de mon père*, 1957). Acad.

© J.-L. Charmet-Explorer

*Une affiche d'Albert Dubout (1905-1976) pour le film César (1936), de Marcel* **Pagnol**. *Coll. part.*

**PAGO PAGO** ~ Port et cap. de l'archipel des Samoa américaines ; 3 100 h. Pêche (thon). Ancienne base navale. Tourisme.

**PAHANG** (le) ~ État de la Malaysia, bordé par la mer de Chine méridionale, au climat tropical humide ; 35 965 $km^2$, 1 056 000 h., cap. Kuantan (137 000 h.). Exploit. forestière (hévéa, palmier à huile, rotin) et minière (étain, or, fer), riziculture. Villégiature. Le Pahang s'était fédéré à trois autres États malais sous le protectorat britannique (1895).

**PAHLAVI** ~ Dynastie iranienne fondée en 1925 par Reza Chah. Elle succéda aux Qadjar et fut renversée en 1979 par la révolution islamique.

**Pahouins** (les) ~ Voir **Fangs**.

**PAIMPOL** ~ Station balnéaire du Trégorrois (Côtes-d'Armor) ; 7 856 h. Anc. port de grande pêche (morue). Pêche côtière et ostréiculture.

**PAIMPONT (forêt de)** ~ Forêt de Bretagne (Ille-et-Vilaine) ; 70 $km^2$. Elle a été identifiée à la forêt de Brocéliande du cycle de la Table ronde.

**PAINE** ou **PAYNE** (Thomas) ~ *1737, Thetford - 1809, New York.* Homme politique américain d'orig. britannique. Ses écrits exercèrent une influence intellectuelle sur la révolution américaine (*le Sens commun*, 1776). Exilé, il devint citoyen français et siégea à la Convention comme délégué girondin (1792). Il fut emprisonné sous la Terreur.

**PAINLEVÉ** (Paul) ~ *1863, Paris - 1933, id.* Mathématicien et homme politique français. Il fonda la théorie analytique des équations différentielles et ouvrit la voie à l'aéronautique. Plusieurs fois ministre et président du Conseil (1917 puis 1925), il présida à la création de la ligne Maginot (1928).

**Pair-non-Pair** ~ Ensemble de grottes situé à l'E. de Bourg (Gironde). Gravures des époques aurignacienne et gravettienne.

**País (El)** ~ Quotidien espagnol de centre gauche, fondé à Madrid en 1976.

**PAISIELLO** ou **PAESIELLO** (Giovanni) ~ *1740, Tarente - 1816, Naples.* Compositeur italien. Il écrivit des opéras sérieux et des opéras bouffes riches de trouvailles mélodiques et orchestrales (*le Barbier de Séville*, 1782 ; *la Belle Meunière*, 1789).

**PAIX (rivière de la)** ~ Riv. du Canada, issue des Rocheuses (haut bassin du Mackenzie), tributaire du lac Athabasca ; 1 600 km. Hydroélectricité.

**PAJOU** (Augustin) ~ *1730, Paris - 1809, id.* Sculpteur français. Portraitiste délicat (*Madame Vigée-Lebrun*, 1783), il décora l'opéra de Versailles.

**PA Kin** ~ Voir Ba Jin.

**PAKISTAN (république islamique du)**, en ourdou ***Islami Jamuriya e Pakistan*** ~ Pays d'Asie méridionale, bordé au S. par la mer d'Oman. ***Cap.*** Islamabad. ***Superf.*** 796 095 km$^2$. ***Popul.*** 131 500 000 h. ***Langues princ.*** Ourdou, anglais. ***Monn.*** Roupie pakistanaise. ***Relief.*** Himalaya au N. (8 611 m au K2, dans le Karakorum), hauts plateaux du Baloutchistan à l'O., plaine formée par la vallée de l'Indus et ses affluents (Pendjab, Sind), regroupant la majeure partie de la population et des activités, à l'E. Climat aride dominant. ***Écon.*** Un plan d'irrigation (Révolution verte) a permis, outre les cultures de maïs, millet, fruits et légumes, la culture extensive du coton et du blé, mais il n'assure pas l'autosuffisance. Élev. bovin et ovin. L'industrie s'appuie sur l'hydroélectricité des barrages himalayens et sur la position économique dominante de Karachi (sidér., mécan., chim., textile). ***V. princ.*** Karachi, Lahore, Faisalabad, Rawalpindi, Hyderabad. **HIST.** - *1947* : la partition de l'empire des Indes donne naissance, sous l'impulsion de Muhammad Ali Jinnah, au Pakistan, État à la population majoritairement musulmane, formé de deux provinces, le Pakistan occidental (anciens territoires du Sind, du Baloutchistan, du Pendjab occidental et la Province du Nord-Ouest) et le Pakistan oriental (Bengale oriental). *1947-1949* : conflit indo-pakistanais à propos du Cachemire. *1956* : création de la république islamique du Pakistan, fédérant les deux provinces. Alternance de dictatures militaires et de gouvernements démocratiques. *1965* : deuxième guerre indo-pakistanaise. *1971* : après une courte guerre, le Pakistan oriental, soutenu par l'Inde, se sépare du Pakistan et devient le Bangladesh. *1971-1977* : Zulfikar Ali Bhutto, fondateur du Parti du peuple pakistanais (P. P. P.), est président de la République puis Premier ministre (1973). *1978* : le général Zia ul-Haq, porté au pouvoir par un coup d'État, devient président. *1979* : exécution d'A. Bhutto ; instauration de la loi islamique et de la loi martiale. *1988* : mort accidentelle du général Zia ul-Haq. Ghulam Ishaq Khan devient président, Benazir Bhutto, fille d'A. Bhutto, Premier ministre. *1990* : des élections législatives anticipées portent l'Alliance démocratique islamique à la tête du gouvernement. *1993* : B. Bhutto redevient Premier ministre et Faruq Legahri (P. P. P.) est élu président de la République, dans un climat d'instabilité tant à l'intérieur (problèmes écon. et politiques notamment liés à la présence de 2 millions de réfugiés afghans) qu'à l'extérieur (les relations avec l'Inde restent tendues). *1996* : B. Bhutto est écartée du pouvoir et remplacée par Meraj Khaled.

**PALAIS** (Le) ~ Station balnéaire et port de la côte E. de Belle-Île (Morbihan) ; 2 435 h. Citadelle Vauban (XVIe-XVIIe s.).

**PALAISEAU** ~ V. de la banlieue S. de Paris (Essonne), sur l'Yvette ; 28 395 h. École polytechnique. Église (XIIe-XVe s.).

**Palais-Royal** ~ Ensemble de bâtiments édifiés du XVIIe au XIXe s. dans l'actuel Ier arr. de Paris. Il forme un quadrilatère intérieurement bordé d'arcades autour de jardins. Propriété de Richelieu (1624), qui le légua à la famille royale (1642), il appartint ensuite à la famille d'Orléans (1692-1848). Celle-ci l'ouvrit au public et y accueillit des commerces (1780). Il fut l'un des foyers de l'agitation révolutionnaire (1789-1792). Il abrite aujourd'hui le Conseil d'État, le ministère de la Culture et la Comédie-Française.

*Les jardins du **Palais-Royal**, à Paris.*

**PALAMAS** (Grégoire) ~ *v. 1296, Constantinople - 1359, Thessalonique.* Théologien grec orthodoxe. Ermite au mont Athos puis archevêque de Thessalonique (1347), il fut le maître d'une doctrine contemplative, l'hésychasme.

**PALAMÁS** (Kostís) ~ *1859, Patras - 1943, Athènes.* Poète grec. Il donna un statut littéraire à la langue populaire (*la Flûte du roi*, 1910).

**PALATIN** (le) ~ Une des sept collines de Rome, située entre le Tibre et le Forum. Quartier le plus anc. habité (VIIIe s. av. J.-C.), le Palatin devint à l'époque d'Auguste la résidence des empereurs.

**PALATINAT** (le) ~ Voir **Rhénanie-Palatinat**.

**PALATINE (princesse)** ~ Voir **Anne de Gonzague** et **Charlotte Élisabeth de Bavière**.

**PALAU** ou **BELAU** ~ Archipel de l'O. de la Micronésie (île princ. Babelthuap), république associée aux États-Unis, indépendante en 1994 ; 450 km$^2$, 18 000 h., cap. Koror (10 000 h.). Coprah, pêche.

**PALAVAS-LES-FLOTS** ~ Station balnéaire du Languedoc (Hérault), au S.-E. de Montpellier ; 4 748 h.

**PALAWAN** ~ Île montagneuse et peu peuplée des Philippines, au N.-E. de Bornéo ; 11 785 km$^2$, env. 372 000 h. Rizicult., pêche.

**PALEMBANG** ~ Port fluv. et maritime du S.-E. de Sumatra (Indonésie), 2e v. de l'île, centre industriel et commercial (raffineries, produits dérivés du pétrole, caoutchouc) ; 1 084 000 h. Ancienne capitale du royaume de Srivijaya (VIIe s.) et du sultanat de Sumatra (XIVe-XIXe s.).

**PALENCIA** ~ V. d'Espagne (Castille-León), centre commercial et industriel (sidér., agroalim., text., cuir) ; 78 000 h. Cathédrale gothique (XIVe-XVIe s.), églises médiévales. Alphonse VIII y fonda la première université d'Espagne (1208). Siège de la cour de Castille (XIIe-XIIIe s.).

**Palenque** ~ Site archéologique et monumental du Mexique (Chiapas), l'une des principales cités-États mayas à l'âge classique.

**Paléologues** (les) ~ Dynastie qui régna sur l'Empire byzantin (1261-1453), en alternance avec les Cantacuzènes, et qui donna des souverains au despotat de Mistra (1383-1460).

*Palerme, la fontaine Pretoria.*

**PALERME** ~ Port et cap. régionale de la Sicile (Italie) sur la mer Tyrrhénienne ; 697 000 h. Université. Activités tertiaires prédominantes (commerce, tourisme), industrie en développement (agroalim., chim., mécan., text.), mais sous-emploi et pauvreté. Export. (agrumes). Cathédrale (XIIe-XVIIIe s.), églises de styles arabe, byzantin, baroque, chapelle Palatine dans le palais royal. **HIST.** - Fondée par les Phéniciens, Palerme devint romaine en 254 av. J.-C. Conquise par les Arabes sur les Byzantins (835), elle passa successivement aux Normands, aux Angevins, aux Aragonais puis aux Bourbons de Naples. Elle subit de nombreux tremblements de terre (1693, 1726 et 1823). Révoltée contre le roi (1820 et 1848), prise par Garibaldi en 1860, elle rejoignit le nouveau royaume d'Italie en 1861.

**PALESTINE** (la) ~ Région du Proche-Orient, extrémité occidentale du Croissant fertile entre le Liban et la mer Morte, à l'O. du Jourdain (Israël, Cisjordanie et Gaza incluses). **HIST.** - Riche de vestiges préhistoriques, elle appartient à l'Égypte du XVe au XIIIe s. av. J.-C. Divers peuples l'occupent ensuite, not. les Philistins, qui lui donnent son nom, et les Hébreux, qui y voient leur « Terre promise ». L'histoire de ces derniers s'identifie à celle de la Palestine jusqu'aux révoltes juives de 70 et 135. *Ier s.* : naissance du christianisme, dont la Palestine devient la « Terre sainte ». *VIIe s.* : après avoir été romaine, puis byzantine, elle est conquise par les Arabes musulmans. *XIIe-XIIIe s.* : les croisés y créent des États. *XIVe-XVIe s.* : domination des Mamelouks d'Égypte, puis des Turcs Ottomans (1517). *XXe s.* : pendant la Première Guerre mondiale, les Britanniques encouragent le nationalisme arabe contre les Turcs tout en s'affirmant favorables à la création d'un foyer national juif en Palestine (déclaration Balfour, 2 nov. 1917). Une Palestine sous mandat britannique naît en 1920 et accueille une forte immigration juive, suscitant une hostilité croissante de la population arabe qui se révolte (1936). En 1947, l'O. N. U. établit un plan de partage entre un État juif, un État palestinien et une zone internationale (Jérusalem). En 1948, la fin du mandat britannique, la proclamation de l'État d'Israël et la première guerre israélo-arabe ont pour conséquence la fin de la Palestine comme entité territoriale (outre les territoires constituant Israël, la Cisjordanie est annexée par la Jordanie et la bande de Gaza passe sous mandat égyptien) et la fuite de nombreux habitants vers les pays arabes voisins. L'O. L. P., créée en 1964, fédère la plupart des mouvements palestiniens. Occupées par Israël en 1967, Gaza et la Cisjordanie voient se développer l'Intifada (1987). À la suite des accords de Washington (1993) puis du Caire (1994), une Autorité palestinienne s'installe à Jéricho et à Gaza (1994). Yasser Arafat en est élu président (1996). Cette Autorité demande l'arrêt des implantations juives en Cisjordanie et le retrait total de l'armée israélienne (retrait partiel d'Hébron en 1997).

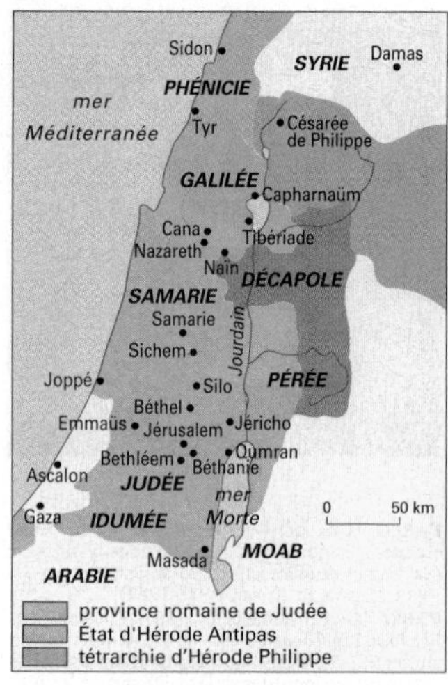


*La **Palestine** au temps du Nouveau Testament (Ier s.).*

**PALESTRINA**, anc. **Préneste** ~ V. d'Italie, à l'E. de Rome (Latium) ; env. 15 000 h. Tombeaux étrusques. Vestiges du temple de la Fortune.

**PALESTRINA** (Giovanni Pierluigi DA) ~ *v. 1525, Palestrina - 1594, Rome.* Compositeur italien. Son œuvre abondante, religieuse et profane, possède une grande rigueur architectonique (*Messe du pape Marcel*, 1567 ; *Missa Aeterna Christi Munera*, 1590).

**PALIKAO** ~ Localité de Chine, à l'E. de Pékin. Le 21 sept. 1860, les troupes franco-anglaises y remportèrent une victoire décisive sur les Chinois.

**PALISSY** (Bernard) ~ *v. 1510, près d'Agen - v. 1590, Paris.* Céramiste et savant français. Auteur de traités de géologie et de chimie, il découvrit le secret des émaux et mit au point de nouveaux procédés de glaçure. Refusant d'abjurer sa foi protestante, il fut enfermé à la Bastille (1589) où il mourut. [☞ **paléonthologie.**]

**PALK (détroit de)** ~ Détroit séparant l'Inde du Sri Lanka, large de 64 à 137 km, limité au S. par une chaîne d'écueils, dite chaussée d'Adam.

**PALLADIO** (Andrea **di Pietro**, dit) ~ *1508, Padoue - 1580, Vicence.* Architecte italien. Interprétant de manière très personnelle l'architecture antique (villa Rotonda, près de Vicence ; église San Giorgio Maggiore, à Venise), il intégra au néoclassicisme des données nouvelles (perspective et souci de distribution de la lumière), et influença l'architecture des XVIIe et XVIIIe s., not. en Angleterre.

**PALLAS** ~ *m. en 63.* Affranchi et favori de l'empereur Claude. Après avoir incité celui-ci à épouser Agrippine et à adopter Néron, il le fit empoisonner (54), mais il fut lui-même assassiné par Néron.

**PALLAVA** ~ Dynastie indienne qui régna du IIIe au IXe s. sur l'E. du Deccan.

**PALLICE (La)** ~ Avant-port industriel de La Rochelle (Charente-Maritime).

**PALMA (La)** ~ Île volcanique de l'O . des Canaries ; 726 km², env. 70 000 h., ch.-l. Santa Cruz de La Palma. Cultures fruitières.

**PALMA**, famille de peintres italiens fixés à Venise. ~ **Iacopo** NIGRETTI, dit **Palma le Vieux** (*v. 1480, Serina, Bergame - 1528, Venise*), fut l'auteur de portraits, de nus et de scènes religieuses. Son petit-neveu ~ **Iacopo** NIGRETTI, dit **Palma le Jeune** (*1544, Venise - 1628, id.*), décora de nombreux monuments vénitiens.

**PALMA DE MAJORQUE** ou **PALMA** ~ Capitale et principal port des îles Baléares (Espagne), sur la côte S.-O. de Majorque, centre commercial et touristique ; 297 000 h. Cathédrale gothique (XIIIe-XVIIe s.), églises et anciens palais royaux de l'Almudaina et de Bellver.

© Garenne Pierrick-Gamma

*Palma de Majorque, la cathédrale et le port.*

**PALMAS (Las)** ~ Cap., en alternance avec Santa Cruz de Tenerife, des Canaries (Espagne), sur la côte N. de la Grande Canarie, port de pêche et d'escale ; 344 000 h. Tourisme. Cathédrale (XVe-XIXe s.).

**PALM BEACH** ~ Luxueuse station balnéaire du S.-E. de la Floride (États-Unis) ; env. 10 000 h.

**PALME** (Olof) ~ *1927, Stockholm - 1986, id.* Homme politique suédois. Premier ministre social-démocrate (1969-1976 et 1982-1986), il fut assassiné dans des circonstances restées obscures.

**PALMER (péninsule de)** ~ Autre nom de la péninsule Antarctique.

**PALMERSTON** (Henry **Temple**, vicomte) ~ *1784, Broadlands, Hampshire - 1865, Brocket Hall, Hertfordshire.* Homme politique britannique. Ministre des Affaires étrangères whig (1830-1841, 1846-1851), il s'opposa à l'action de la France en Belgique et en Espagne, et à celle de la Russie au Proche-Orient. Premier ministre (1855-1858, 1859-1865), il ne put empêcher Napoléon III d'intervenir en faveur de l'unité italienne. Il engagea les deux guerres de l'Opium contre la Chine (1840-1842 et 1858-1860) pour ouvrir ce pays au commerce occidental.

**Palmyre** ~ Site historique de Syrie. Oasis située entre l'Euphrate et la Méditerranée, carrefour caravanier du commerce romain avec l'Inde à partir du Ier s., elle devint, au IIIe s., la capitale d'un État souverain sous Odenath puis Zénobie. La cité fut ravagée par Aurélien (273), puis par les Arabes (634). Vestiges du IIe s. (théâtre, nécropole).

**PALO ALTO** ~ V. des États-Unis (Californie), dans la conurbation de San José ; 56 000 h. Université Stanford. Aérospatiale, électronique, informatique.

**PALOMAR (mont)** ~ Montagne de Californie, au N.-E. de San Diego (1 871 m). Observatoire astronomique (télescope de 5 m d'ouverture).

**PALOS** ou **PALOS DE MOGUER** ~ V. et anc. port du S.-O. de l'Espagne (Andalousie), sur le golfe de Cadix ; 12 000 h. Christophe Colomb s'y embarqua (1492) et Hernán Cortés y accosta après la conquête du Mexique (1528).

**PALOS (cap)** ~ Cap de la côte méditerranéenne de l'Espagne (Murcie), au N. de Carthagène.

**PALU** ~ Voir **Célèbes.**

**PALUEL** ~ Village du pays de Caux (Seine-Maritime) ; 383 h. Centrale nucléaire depuis 1985.

**PAMIERS** ~ Princ. v. de l'Ariège, marché agric., sur l'Ariège ; 12 965 h. (agglom. 17 064 h.). Métallurgie. Siège d'un évêché au XIIIe s., la ville fut au XVIIe s. le théâtre d'un conflit entre le roi de France et le pape (affaire de la Régale), à la suite de l'opposition de l'évêque de Pamiers à Louis XIV.

**PAMIR** (le) ~ Région montagneuse peu peuplée d'Asie centrale (Tadjikistan, Kirghizistan, Chine, Afghanistan) ; env. 8 000 km². Ensemble de chaînes et de hauts plateaux (de 4 000 à 5 000 m), il culmine au Kongur Tagh (7 719 m). Élevage (yacks, ovins), hydroélectrité, mines d'argent, sel, houille. Vastes glaciers, lacs. Relativement arrosé, c'est un château d'eau au cœur de régions arides (sources de l'Amou-Daria).

**PAMPA** (la) ~ Plaine du centre de l'Argentine, s'étendant de l'Atlantique au piémont des Andes (alt. 500 m), limitée au N. par le Chaco et au S. par la Patagonie ; env. 760 000 km². C'est une région agricole vitale proche de Buenos Aires : blé, oléagineux, élevage bovin, fruits et légumes.

**PAMPELUNE**, en esp. ***Pamplona*** ~ Cap. de la Navarre (Espagne), au débouché des Pyrénées ; 180 000 h. Université. Minoteries, constr. mécan., biens d'équipement. Tourisme (*fiesta*, avec lâchers et combats de taureaux). Cathédrale gothique. Centre hist. du carlisme.

**PAMPHYLIE** (la) ~ Anc. région d'Asie Mineure, auj. arrière-pays d'Antalya, au S. de la Turquie.

**Pamukkale** ~ Centre touristique et site archéologique de Turquie. C'est l'ancienne Hiérapolis, que fonda Eumène II de Pergame au IIe s. av. J.-C. Sources chaudes.

**PAN** ~ Dans la mythologie grecque, dieu de la Fécondité. À l'origine protecteur des troupeaux, Pan, aux traits de satyre, devint une divinité de la Nature et de l'Univers.

**PANAMÁ** ~ Cap. de la république de Panamá (fondée en 1519), sur la côte pacifique, centre industriel et financier ; agglom. 1 100 000 h. (près de 50 % de la popul. du pays). Archevêché. Université. Bases militaires américaines. Monuments de l'époque coloniale.

**Panamá (canal de)** ~ Canal interocéanique de 79,6 km, d'intérêt écon. international, accessible aux navires de moyen tonnage, qui relie l'Atlantique au Pacifique (**golfe de Panamá**) et traverse l'**isthme de Panamá**. Sa zone, administrée par les États-Unis, ampute le territoire panaméen de 1 432 km² (restitution prévue en 1999). **HIST.** - Commencé sous la direction de F. de Lesseps (1881), le percement fut interrompu en 1888. La mise en liquidation de la Compagnie universelle du canal interocéanique (1889) provoqua un scandale politico-financier qui ébranla le gouvernement français (1891-1893). Le projet fut repris par les Américains, qui poursuivirent les travaux de 1904 à 1914, date de l'ouverture du canal à la navigation.

**PANAMÁ (république de)** ~ Pays qui occupe la partie la plus étroite de l'Amérique centrale, traversé par le canal de Panamá (zone américaine), nœud du trafic maritime mondial. ***Cap.*** Panamá. ***Superf.*** 77 082 km². ***Popul.*** 2 329 000 h. (maj. métis). ***Langue princ.*** Espagnol. ***Monn.*** Balboa (nom local du dollar américain, seule monnaie en usage). ***Relief.*** Montagneux et volcanique (Chiriquí, 3 475 m) ; plaines littorales. ***Climat.*** Équatorial. ***Écon.*** Export. (bananes, café, crevettes), revenus du canal, de l'oléoduc, des pavillons de complaisance (2e flotte mondiale) et de la zone franche commerciale de Colón ; services bancaires. **HIST.** - *1510* : début de la colonisation espagnole. *1739* : rattachement à la vice-royauté de Nouvelle-Grenade. *1819* : la région reste rattachée à la Grande-Colombie, devenue indépendante. *1903* : indépendance du Panamá, grâce à l'appui des États-Unis. *1914* : les Américains achèvent le canal de Panamá, commencé en 1881. Instabilité politique, poussée nationaliste et émeutes contre la domination américaine. *1977* : le général Omar Torrijos, au pouvoir depuis 1968, obtient de Jimmy Carter la signature d'un traité qui prévoit le retour du canal sous souveraineté panaméenne en 1999. *1983-1988* : le général Antonio Noriega devient l'homme fort du pays et destitue le président Eric Delvalle. *1989* : il est chassé du pouvoir en décembre par une intervention militaire des États-Unis, qui l'accusent de trafic de drogue, et remplacé par Guillermo Endara, élu en mai. *1994* : élection du président Ernesto Pérez Balladares.

**Panaméricaine (route)** ~ Réseau routier projeté en 1923 pour desservir entre elles les capitales latino-américaines, du Mexique à la Patagonie. Remplacée aujourd'hui par le « système routier panaméricain », elle relie l'Amérique du Nord (Alaska) à l'Amérique du Sud (Chili) en privilégiant leur façade pacifique. Elle s'interrompt entre Panamá et la Colombie.

**PANAY** ~ Île des Philippines (O. des Visayas) ; 11 515 km², 2 595 000 h., ch.-l. Iloilo City. Riziculture, canne à sucre, pisciculture. Artisanat textile. Charbon, cuivre.

**PANCKOUCKE**, famille de libraires et d'éditeurs français. ~ **Charles Joseph** (*1736, Lille - 1798, Paris*) contribua à éditer l'*Encyclopédie* de Diderot et créa *le Moniteur universel* (1789). Son fils ~ **Charles Louis** (*1780 - 1844*) publia une *Collection des auteurs latins* (1825-1839).

**PANDORE** ~ Première femme de l'humanité selon la mythologie grecque. Créée par Héphaïstos, elle fut envoyée par Zeus chez les hommes pour punir l'audace de Prométhée. De la **boîte de Pandore** s'échappèrent toutes les misères humaines ; seule l'espérance y demeura enfermée.

**PANDYA** ~ Dynastie indienne qui régna sur l'Inde du Sud du IIe au XIVe s. Sa capitale était Madura.

**PANE** (Gina) ~ *1939, Biarritz - 1990, Paris.* Artiste française d'orig. italienne. Elle fut l'un des principaux créateurs de l'art corporel (vers 1968).

**PANGÉE** (le), en gr. ***Panggaion*** ~ Massif montagneux de Grèce, en Macédoine (alt. 1 956 m). On y exploitait, dans l'Antiquité, des mines d'or.

**PANGÉE** (la) ~ Continent unique qui, selon la théorie de la dérive des continents, se scinda en deux (Gondwana et Laurasie) à la fin du Primaire.

**PANHARD** (René) ~ *1841, Paris - 1908, La Bourboule.* Constructeur automobile français. Il fonda, en association avec Émile Levassor, la **société Panhard et Levassor** (1886), qui mit au point la première voiture automobile à essence (1891) et la première automitrailleuse (1899).

**PANJAB** (le) ~ Voir **Pendjab.**

**PANINI** ~ *v. le IVe s. av. J.-C.* Grammairien de l'Inde du Nord. Il contribua à fixer les règles du sanskrit classique et donna la première description connue d'une langue.

**PANIZZA** (Oskar) ~ *1853, Bas-Kissingen - 1921, près de Bayreuth.* Écrivain allemand. Il est l'auteur de pamphlets politiques et antireligieux (*l'Immaculée Conception des papes*, 1893) et de nouvelles.

**PANKHURST** (Emmeline **Goulden**, Mrs) ~ *1858, Manchester - 1928, Londres.* Suffragette britannique. Elle milita pour le vote des femmes et obtint gain de cause en 1918.

**Pankow** ~ Quartier de Berlin, site de l'ancien siège du gouvernement de la R. D. A.

**PANMUNJON** ~ Localité de Corée. Zone démilitarisée où eurent lieu les pourparlers qui mirent fin à la guerre de Corée (1953).

**PANNINI** ou **PANINI** (Giovanni Paolo) ~ *v. 1691, Plaisance - 1765, Rome.* Peintre italien. On lui doit des paysages de Rome et des scènes de fêtes.

**PANNONIE** (la) ~ Ancienne région de l'Europe centrale, sur le moyen Danube. Conquise par Rome puis envahie par les Huns, les Ostrogoths et les Lombards, elle revint aux Hongrois (894).

**PANNONIEN (Bassin)** ou **PANNONIENNES (Plaines)** ~ Vaste cuvette d'Europe centrale, empruntée par le Danube, la Tisza, la Drave et la Save, partagée entre la Hongrie (Alföld), la Roumanie, la Croatie, la Bosnie et la Serbie (Voïvodine).

**PANOFSKY** (Erwin) ~ *1892, Hanovre - 1968, Princeton.* Historien d'art américain d'orig. allemande. Liant le langage plastique à la conception générale du monde qui le fonde, il développa une iconologie structurale du phénomène artistique (*Essais d'iconologie,* 1939).

**PANTANAL** (le) ~ Vaste plaine partiellement inondable (marécages) du bassin du fleuve Paraguay, aux confins du Brésil (Mato Grosso), du Paraguay et de la Bolivie. Élev. bovin extensif.

**PANTELLERIA** ~ Île d'Italie, sèche et volcanique, entre la Sicile et la Tunisie ; 83 km$^2$, 7 700 h.

**Panthéon** (le) ~ Temple de Rome consacré aux dieux de l'Empire romain (Mars, Vénus, César divinisé, etc.). Construit sur le champ de Mars en 27 av. J.-C. par Agrippa sur un plan rectangulaire, il fut reconstruit après un incendie par Hadrien en 118-125 apr. J.-C. et doté d'une coupole hémisphérique (43,30 m de diamètre, soit la distance entre le dallage et le sommet de la coupole). Au VII$^e$ s., sous l'impulsion du pape Boniface IV, il fut consacré au culte chrétien.

**Panthéon** (le) ~ Monument de Paris situé sur la montagne Sainte-Geneviève (V$^e$ arr.). À l'origine église dédiée à la patronne de Paris, sainte Geneviève, l'édifice fut commencé par G. Soufflot (de 1764 à 1780) et achevé par J.-B. Rondelet (de 1780 à 1789) en exécution d'un vœu de Louis XV. En avril 1791, la Constituante en fit un lieu destiné à abriter les tombeaux des grands hommes et le nomma Panthéon. Il changea plusieurs fois d'affectation au XIX$^e$ s., mais les funérailles de V. Hugo (1885) le consacrèrent comme sépulture des gloires nationales (Zola, Jaurès, Malraux, etc.).

**PANTIN** ~ V. de la banlieue N.-E. de Paris (Seine-St-Denis) ; 47 303 h. Constr. mécan., métallurgie. Port sur le canal de l'Ourcq (Grands Moulins). Cimetière parisien.

**PAOLI** (Pascal) ~ *1725, Morosaglia, Corse - 1807, Londres.* Homme politique corse. Général en chef de l'armée de Corse à partir de 1755, il s'opposa à la domination génoise puis lutta contre les Français. Vaincu en 1769, il s'exila à Londres, rentra en Corse en 1790 et tenta en vain d'y reprendre le pouvoir avec l'appui des Britanniques (1794).

**PAOLO VENEZIANO** ~ *actif à Venise de 1310 à env. 1360.* Peintre italien. D'abord fidèle à la tradition byzantine, il se rapprocha ensuite du « gothique international » (*Couronnement de la Vierge*) et initia le renouveau de l'école vénitienne.

**PAPADHÓPOULOS** (Gheórghios) ~ *1919, Eleokhorion.* Général et homme d'État grec. Organisateur du coup d'État dit des colonels en 1967, il instaura la dictature, proclama la république et fut nommé président (1973). Après le renversement de la junte militaire, il fut condamné à mort, mais la sentence ne fut pas exécutée.

**PAPÁGHOS** ou **PAPAGOS** (Aléxandhros) ~ *1883, Athènes - 1955, id.* Maréchal et homme politique grec. Vainqueur des Italiens (1940-1941), il dirigea la lutte contre les communistes pendant la guerre civile (1946-1949) et fut Premier ministre (1952-1955).

**PAPANDHRÉOU**, nom de deux hommes politiques grecs. ~ **Ghéorghios** (*1888, Kalengi, Péloponnèse - 1968, Athènes*), chef du gouvernement grec en exil au Caire puis du gouvernement d'Unité nationale (1944), fédéra l'opposition. Victorieux à l'élection de 1963 et de 1964, il fut président du Conseil de 1963 à 1965, puis fut poussé à la démission par le roi Constantin II en 1965. Son fils ~ **Andhréas** (*1919, Chio - 1996, Ekali, près d'Athènes*), fondateur du Parti socialiste panhellénique (Pasok), fut Premier ministre (1981-1989 et 1993-1996).

**PAPANINE** (Ivan Dmitrievitch) ~ *1894, Sébastopol - 1986, Moscou.* Amiral et explorateur soviétique. Il explora les régions arctiques (1932-1935), se laissant dériver sur une banquise, du pôle Nord au Groenland (1937-1938).

**PAPE-CARPENTIER** (Marie) ~ *1815, La Flèche - 1878, Villiers-le-Bel.* Pédagogue française. Pionnière de l'éducation des très jeunes enfants, elle dirigea l'École normale maternelle en 1848 (*Enseignement pratique dans les écoles maternelles,* 1849).

**PAPEETE** ~ Cap. et port de la Polynésie française, sur la côte N.-O. de Tahiti ; 23 555 h. (agglom. 79 000 h.). Exportation de coprah, vanille, perles. Tourisme. Siège du Centre d'expérimentation du Pacifique.

**PAPEN** (Franz VON) ~ *1879, Werl, Westphalie - 1969, Obersasbach.* Homme politique allemand. Chancelier en 1932, il ne s'opposa pas à l'accession de Hitler au pouvoir et fut par la suite nommé ambassadeur à Vienne (1934-1938) et à Ankara (1939-1944). Il fut acquitté à Nuremberg.

**PAPHOS** ~ Anc. ville de Chypre, célèbre pour son sanctuaire d'Aphrodite.

**PAPIN** (Denis) ~ *1647, Chitenay, près de Blois - v. 1712, Londres.* Inventeur français. Il discerna le premier l'élasticité de la vapeur d'eau, imaginant un digesteur, ancêtre de l'autocuiseur (1679), un prototype de machine à vapeur à piston (1690) et un bateau à vapeur à quatre roues à aubes (1707).

**PAPINEAU** (Louis Joseph) ~ *1786, Montréal - 1871, Montebello.* Homme politique canadien. Chef du « parti patriote », il fut l'un des instigateurs de la rébellion de 1837 contre le gouverneur britannique.

**PAPOUASIE - NOUVELLE-GUINÉE** (la), en angl. ***Papua New Guinea*** ~ Pays d'Océanie, formé de la moitié E. de l'île de Nouvelle-Guinée (ses dépendances incluent l'île Bougainville et l'archipel Bismarck). ***Cap.*** Port Moresby. ***Superf.*** 462 840 km$^2$. ***Popul.*** 3 850 000 h. (Papous, Mélanésiens). ***Langues princ.*** Anglais, motu. ***Monn.*** Kina. ***Relief.*** Pays montagneux et volcanique (4 509 m au mont Wilhelm) au centre (partie la plus peuplée) et au N., dominant les vastes plaines marécageuses des fleuves Sepik et Fly. ***Climat.*** Équatorial, tempéré par l'altitude. ***Écon.*** Agriculture vivrière et comm. (thé, cacao, café), exploit. du bois et des minerais (cuivre, or, argent), pêche. Potentiel hydroélectrique. **HIST.** - Les îles, au peuplement très ancien (migrations depuis le Sud-Est asiatique), furent explorées par les Européens à partir du XVI$^e$ s. et colonisées au XIX$^e$ s. par les Allemands, les Britanniques et les Néerlandais. Après la tutelle de l'Australie à partir de 1921 et l'occupation par le Japon durant la Seconde Guerre mondiale, les territoires formèrent une seule entité, indépendante dans le cadre du Commonwealth depuis 1975. Le pays est fragilisé par ses divisions ethniques (conflits tribaux). Le problème de la revendication indépendantiste de l'île de Bougainville n'est pas résolu. Julius Chan, chef du gouvernement depuis 1994, tente de relancer l'économie.

**Papous** ou **Papouas** (les) ~ Population autochtone de la Nouvelle-Guinée et des îles voisines.

**PAPPUS** ou **PAPPOS D'ALEXANDRIE** ~ *IV$^e$ s.* Mathématicien grec d'Alexandrie. Sa *Collection mathématique* fait le point des connaissances des Anciens, avec des commentaires et énoncés nouveaux, dont le **problème de Pappus** (lieu à quatre droites), et définit pour la première fois le centre de gravité.

**PÂQUES (île de)** ~ Île volcanique du Pacifique oriental, au climat subtropical, à 3 600 km à l'O. des côtes du Chili, dont elle dépend ; 118 km$^2$, env. 2 000 h. Tourisme contrôlé. Base américaine d'observation de satellites. Occupée au V$^e$ s. par des populations d'origine polynésienne, elle fut explorée par le Hollandais Roggeveen en 1722. Ses sculptures mégalithiques (*moai*) et ses sanctuaires témoignent de son anc. prospérité.

**PARÁ** (le) ~ État amazonien du N. du Brésil ; 1 246 833 km$^2$, 5 085 000 h., cap. Belém. Élev. extensif (buffles, bœufs). Ress. forestières et minérales : fer de Carajás (réserves, 18 milliards de t), manganèse, bauxite, or. Hydroélectricité sur le Tocantins.

**PARACAS** ~ Péninsule du Pérou qui a donné son nom à une culture précolombienne qui se développa à partir du XIII$^e$ s. av. J.-C.

**PARACEL (îles)** ~ Îlots de la mer de Chine méridionale, possession chinoise (depuis 1974) revendiquée par le Viêt Nam.

**PARACELSE** (Theophrastus **Bombastus von Hohenheim**, dit) ~ *v. 1493, Einsiedeln - 1541, Salzbourg.* Médecin et alchimiste suisse. Maître de la médecine hermétique, il établit des correspondances entre le monde extérieur et l'organisme humain (macrocosme et microcosme). [☞ **médecine.**]

**PARADIS (Grand)**, en ital. ***Gran Paradiso*** ~ Sommet des Alpes italiennes (4 061 m) qui domine, au S., le Val d'Aoste. Parc national.

**PARADJANOV** (Sergueï) ~ *1924, Tbilissi - 1990, Erevan.* Cinéaste géorgien d'orig. arménienne. Il triompha avec *les Chevaux de feu* (1965), mais fut emprisonné pendant quatre ans pour *Sayat Nova ou la Couleur de la grenade.*

**PARAGUAY** (le) ~ L'une des princ. rivières d'Amérique du Sud, affl. du Paraná qui emprunte une dépression séparant le S. du Plateau brésilien et le Chaco ; env. 2 500 km (bassin 1 097 000 km$^2$). Né au Brésil (Mato Grosso), il traverse le Paraguay (inondant le Pantanal), qu'il sépare de l'Argentine. Il arrose Concepción et Asunción.

**PARAGUAY (république du)** ~ Pays enclavé d'Amérique du Sud, relié à l'Atlantique par la voie navigable du Paraguay-Paraná. ***Cap.*** Asunción. ***Superf.*** 406 752 km$^2$. ***Popul.*** 4 500 000 h. (Indiens et métis : 94 %). ***Langues princ.*** Espagnol, guarani. ***Monn.*** Guarani. ***Relief.*** Aux steppes arides du Chaco (2/3 du pays), peu peuplées, s'opposent les plaines de l'E., au climat chaud et humide, drainées par les affluents du Paraná et regroupant 95 % de la population. ***Écon.*** Céréales, oléagineux, maté, coton, élevage bovin, bois, exportation d'hydroélectricité (barrages d'Itaipú et Yaciretá). **HIST.** - *XVI$^e$ s.* : peuplée par les Indiens Guaranis, la région est colonisée par les Espagnols. *XVII$^e$ s.* : les Jésuites fondent des communautés indigènes (les réductions) interdites aux colons et destinées à l'évangélisation, détruites après l'expulsion de l'ordre en 1767. *XIX$^e$ s.* : après la proclamation de l'indépendance et de la république (1813), le pays est soumis aux dictatures de José Francia et de Solano López. *1865-1870* : la guerre du Paraguay contre l'Argentine, le Brésil et l'Uruguay entraîne la perte des trois quarts du territoire et d'une partie de sa population. Les *azules* (libéraux) et les *colorados* (conservateurs) se disputent le pouvoir. *1932-1935* : à la suite de la guerre du Chaco contre la Bolivie, provoquée par la découverte de pétrole, le Paraguay occupe une partie du territoire bolivien. Le pays subit alors une série de dictatures militaires soutenues par les *colorados. 1954-1989* : dictature du général Alfredo Stroessner, destitué par le coup d'État du général Andrés Rodríguez, qui se fait élire président de la République et engage le pays vers la démocratie. *1993* : Juan Carlos Wasmosy (*colorado*), un civil, est élu à la présidence et entreprend la libéralisation de l'économie.

**PARAÍBA** (le) ~ État du Nordeste brésilien ; 53 958 km$^2$, 3 200 000 h., cap. João Pessoa (497 000 h.), port atlantique. Climat humide sur la côte (canne à sucre) et dans l'intérieur (sisal), le long du fleuve **Paraíba do Norte** (300 km), semi-aride dans le Sertão.

*Statues géantes (moai) de l'île de* ***Pâques.***

© G. Holton-Explorer

**PARAÍBA DO SUL** (le) ~ Fl. côtier du S.-E. du Brésil dont la vallée, industrialisée, relie Rio de Janeiro et São Paulo ; env. 1 100 km.

**PARAMARIBO** ~ Cap. et port du Surinam, sur l'Atlantique ; 201 000 h. Export. de sucre, cacao, café et bauxite. Industr. du bois. Tourisme. Architecture coloniale en bois. Jardin botanique.

**PARANÁ** (le) ~ 2$^e$ fl. d'Amérique du Sud ; 3 300 km (4 800 km avec le rio Grande, bassin : 2 800 000 $km^2$). Né au Brésil, il constitue la frontière avec le Paraguay, puis celle entre ce pays et l'Argentine (confluant avec le río Paraguay). Avec le río Uruguay, il forme le Río de La Plata à son débouché sur l'Atlantique. En partie navigable, il est accessible aux navires de haute mer jusqu'à Rosario (Argentine). Aménagements hydroélectriques des chutes du cours supérieur (Foz de Iguaçu).

**PARANÁ** ~ V. et port fluvial d'Argentine, sur le Paraná, ch.-l. de l'Entre Ríos, face à Santa Fe ; 277 000 h. Archevêché. Base militaire aérienne.

**PARANÁ** (le) ~ État du S. du Brésil ; 199 324 $km^2$, 8 416 000 h., cap. Curitiba. Plateau boisé et fertile (café, maté, coton, céréalicult., agrumes, oléagineux, élev.), bordé à l'E. par la serra do Mar, qui domine une plaine côtière. C'est l'un des États les plus riches du Brésil grâce à l'agriculture mécanisée et à la centrale hydroélectr. d'Itaipú.

**PARAY-LE-MONIAL** ~ V. de Saône-et-Loire, sur la Bourbince (N. du Charolais) ; 9 859 h. Église romane (XII$^e$ s.), basilique depuis 1875, dédiée au Sacré-Cœur. Couvent de la Visitation où vécut sainte Marguerite-Marie Alacoque (pèlerinage).

*Paray-le-Monial, la basilique.*

**PARÉ** (Ambroise) ~ *v. 1509, Bourg-Hersent, près de Laval - 1590, Paris.* Chirurgien français. Attaché à Henri II, à François II, à Charles IX et à Henri III, il institua, lors des amputations, la ligature des artères au lieu de la cautérisation. Il fut l'initiateur de la chirurgie moderne. [☞ **médecine**.]

**PARENTIS-EN-BORN** ~ Localité des Landes, près de l'**étang de Biscarosse-et-Parentis** ; 4 056 h. Pétrole (découvert en 1954), en voie d'épuisement, gaz naturel.

**PARETO** (Vilfredo) ~ *1848, Paris - 1923, Céligny, Suisse.* Économiste et sociologue italien. Il développa la notion d'optimum économique. Sa sociologie considère la circulation des élites comme la condition de l'équilibre social (*Manuel d'économie politique*, 1906 ; *Traité de sociologie générale*, 1916).

**PARIA (golfe de)** ~ Golfe du Venezuela, sur l'Atlantique, entre le delta de l'Orénoque, la **péninsule de Paria** et l'île de la Trinité.

**PARICUTÍN** (le) ~ Volcan actif du Mexique central (Michoacán). Surgi en 1943, il s'élève à 2 808 m (500 m au-dessus des terres alentour).

**PARIS** ~ Cap. de la France et préfect. de la Région Île-de-France, sur une boucle de la Seine, au centre du Bassin parisien. La ville intra-muros constitue un département de 105 $km^2$, divisé en 20 arrondissements (2 152 423 h.). Son agglomération, qui s'étend sur la totalité des départements de la Seine-St-Denis, du Val-de-Marne, des Hauts-de-Seine (la « Petite Couronne ») et sur une partie de la Seine-et-Marne, de l'Essonne, des Yvelines et du Val-d'Oise (la « Grande Couronne »), couvre plus de 2 000 $km^2$ (env. 1/5 de l'Île-de-France) et compte 9 318 921 h. Sa situation, à la convergence d'importants axes naturels de communication (confluence de la Seine avec la Marne et l'Oise), est privilégiée. Le site est parsemé de buttes (Montmartre, montagne Ste-Geneviève), et la Seine y forme de nombreuses îles, dont celle de la Cité, noyau initial de la capitale. Le développement de la ville a accompagné les progrès de l'État centralisé dès le renforcement de la monarchie capétienne. Sa prééminence politique, économique et culturelle nationale (supérieure à celle de Londres) est exceptionnelle pour un pays de l'Union européenne : dix fois plus peuplé que Lyon et Marseille, Paris concentre les grandes administrations (quartier des ministères, autour de l'ancien faubourg St-Germain) et organismes internationaux (Unesco), la plupart des sièges sociaux des grandes entreprises, les industries et commerces de luxe (grands magasins, haute couture, parfums, joaillerie), les grandes maisons d'édition et médias nationaux. Le Quartier latin reste le foyer universitaire (Sorbonne, grandes écoles, Collège de France) d'un enseignement supérieur décentralisé, réparti sur toute la Région. Paris draine l'essentiel du réseau ferré et du trafic aérien (aéroports Charles-de-Gaulle, Orly). Son port fluvial, Gennevilliers, est l'un des premiers de France. Le réseau ferré métropolitain, prolongé par le réseau express régional (R. E. R.), est parmi les plus denses au monde. Cette prééminence se traduit aussi dans l'organisation urbaine, qui associe aux voies radiales (dont l'axe Louvre-Défense) les anneaux concentriques témoignant des étapes successives de la croissance spatiale : grands boulevards haussmanniens, boulevards des Maréchaux et, au-delà, périphérique, à l'emplacement des anciennes fortifications, voie routière à grande circulation, de même que les autoroutes circulaires A 86 et « Francilienne », en cours de réalisation, desservant les villes nouvelles de la grande périphérie. Liée à la convergence des réseaux et des activités, l'inadéquation des transports est l'un des problèmes les plus aigus. L'importance du trafic, les migrations pendulaires massives (banlieusards travaillant au centre) et la préférence accordée aux véhicules individuels engendrent pollution et engorgement, suscitant des projets d'harmonisation : liaisons express complétant le R. E. R. (Éole, Météor), liaisons interbanlieues (tramways). Malgré une densité toujours très élevée (20 000 h./$km^2$), Paris intra-muros continue de se dépeupler (renchérissement des prix de l'immobilier, localisation des services et commerces au centre), tandis que l'implantation de bureaux y marque le pas. La grande banlieue, en extension, a la population la plus jeune (la capitale vieillit) et abrite aujourd'hui les industries, mais la tendance est à la délocalisation en province. L'opposition ancienne entre quartiers résidentiels aisés à l'O. (XVI$^e$ arr., Neuilly, Versailles) et populaires à l'E. (XIX$^e$, XX$^e$ arr., Seine-Saint-Denis) demeure. Malgré les importantes modifications apportées par Haussmann au XIX$^e$ s., qui donnent à Paris sa physionomie actuelle, les traces de son développement concentrique à partir du cœur historique (enceintes de Philippe Auguste, de Charles V, mur des Fermiers généraux) sont encore lisibles dans le paysage. Sur les pentes de la montagne Ste-Geneviève (r. g.), les ruines des thermes de Cluny et les arènes de Lutèce sont les seuls vestiges de l'époque romaine. Les édifices religieux, romans (St-Germain-des-Prés, remaniée) et gothiques (Notre-Dame, la Ste-Chapelle, St-Germain-l'Auxerrois, St-Gervais, St-Séverin, St-Étienne-du-Mont), abondent. Les fonctions de la cité se répartissent entre la rive gauche, centre intellectuel (Sorbonne) et religieux (nombreux couvents), et la rive droite, commerçante (Halles centrales jusqu'à leur transfert à Rungis dans les années 1960). Le Nouveau Louvre, le Pont-Neuf, St-Eustache, les palais des Tuileries et du Luxembourg datent de la Renaissance. Au XVII$^e$ s., Paris s'embellit de jardins (Tuileries, Luxembourg) en même temps que les perspectives s'esquissent (naissance de l'axe E.-O., projection des Champs-Élysées, dessinés par Le Nôtre). La place Royale, actuelle place des Vosges, s'enrichit de la construction d'hôtels particuliers (que l'on retrouve dans l'île Saint-Louis) qui transforment le quartier du Marais. Le XVIII$^e$ s. voit l'achèvement de St-Sulpice, la création de la place de la Concorde, du dôme des Invalides, et la construction du Panthéon. Napoléon, qui rêve de faire de Paris la capitale de l'Europe, ajoute les arcs de Triomphe et du Carrousel et l'église de la Madeleine. Au XIX$^e$ s., Haussmann aère la ville, trace des avenues rectilignes N.-S. (boulevards St-Michel, Sébastopol), E.-O. (rue de Rivoli, place Daumesnil), les Grands Boulevards, crée de nouveaux jardins ainsi que les bois de Boulogne et de Vincennes. Les rives de la Seine, traversée par 33 ponts, accueillent quelques-uns des monuments des Expositions universelles (tour Eiffel, Grand et Petit Palais). Le Sacré-Cœur marque le début du XX$^e$ s., et de grands travaux, sa fin : Forum des Halles, Beaubourg, parc de la Villette (Cité des sciences et de l'industrie, Cité de la musique), Institut du monde arabe, Opéra Bastille, Grande Arche, Bibliothèque nationale de France. Enfin, Paris, longtemps capitale des arts, possède de nombreux musées de renommée internationale (Louvre, Orsay, Cluny, Rodin, Picasso, musée d'Art moderne, musée des Arts décoratifs). Le patrimoine artistique de Paris en fait l'un des grands centres internationaux du tourisme culturel. **HIST.** - *V$^e$-IV$^e$ mill. av. J.-C.* : un habitat néolithique se développe sur les bords de la Seine (pirogues de Bercy, 1991). *III$^e$ s. av. J.-C.* : la tribu gauloise des Parisii s'installe dans l'actuelle île de la Cité et fonde Lutèce. *52 av. J.-C.* : après la conquête romaine, la ville s'étend sur la rive gauche de la Seine. *v. 280* : la cité est dotée d'une enceinte, et Lutèce devient Paris. *451* : sainte Geneviève en détourne Attila. *486* : la ville est conquise par les Francs, et les Mérovingiens en font une de leurs capitales. *885-886* : les Normands l'assiègent en vain. *XII$^e$ s.* : Louis VI le Gros y installe la résidence des rois de France. Début de la construction de la cathédrale Notre-Dame (1163). *1190-1210* : Philippe II Auguste entoure la ville d'une enceinte fortifiée qui sera élargie par Charles V. *XIII$^e$-XIV$^e$ s.* : création de la Sorbonne (1257). La bourgeoisie marchande s'organise ; Paris est la ville la plus peuplée d'Europe (200 000 h. en 1328). Assassinat du prévôt des marchands Étienne Marcel, qui s'opposait à l'autorité royale (1358). *1420* : les Anglais entrent dans Paris, tenu par les factions bourguignonnes. *XVI$^e$ s.* : François I$^{er}$ entreprend l'édification d'un nouveau Louvre (1528). Massacre des protestants (nuit de la Saint-Barthélemy, 23-24 août 1572). La ville attend l'abjuration d'Henri IV (« Paris vaut bien une messe ») pour se soumettre (1594). *1648-1652* : les Parisiens participent à la Fronde. *1666* : Louis XIV abandonne Paris pour Versailles. *1789-1794* : Paris est le principal foyer révolutionnaire du pays. *XIX$^e$ s.* : l'insurrection parisienne chasse les Bourbons (juill. 1830) et met fin à la monarchie de Juillet en févr. 1848. Thiers ceint Paris d'une ligne de fortifications longue de 39 km (1844), détruite en 1921. La ville atteint un million d'habitants (1846). Le préfet Haussmann rénove l'urbanisme (1853-1870). Annexion de la proche banlieue (1860) ; Paris passe de douze à vingt arrondissements. Les Allemands assiègent Paris (sept. 1870-janv. 1871). Le gouvernement, réfugié à Versailles, écrase la Commune. Quatrième Exposition universelle, marquée par l'érection de la tour Eiffel (1889). *XX$^e$ s.* : occupation allemande (14 juin 1940) ; libération de Paris après les combats du 19 au 25 août 1944. L'agitation étudiante (mai 1968) déclenche une grave crise nationale. En 1976, Paris est doté d'un statut municipal de droit commun et retrouve l'année suivante un maire élu (J. Chirac jusqu'en 1995, Jean Tibéri depuis).

**Paris (conférences de)** ~ Conférence réunissant, de janv. 1919 à août 1920, les 27 puissances victorieuses de la Première Guerre mondiale, les Quatre (États-Unis, Royaume-Uni, Italie, France) prenant les décisions, pour préparer les statuts de la S. D. N. et divers traités de paix. ~ Conférence réunissant, de juill. à oct. 1946, les 21 États qui avaient combattu l'Axe, pour élaborer les traités de paix concernant les pays européens.

**Paris (école de)** ~ Groupe d'artistes immigrés établis à Paris dans les années 1920. Ils renouvelèrent la tradition figurative française par une vision souvent tragique du réel (Soutine, Chagall, Modigliani, Pascin, Kisling, Brancusi). Cette dénomination engloba par la suite des artistes aussi divers que Picasso, Van Dongen ou Foujita.

**Paris (traités de)** ~ Nom donné à plusieurs traités signés à Paris. *1229* : fin de la croisade des albigeois. *1259* : paix entre Henri III d'Angleterre et Louis IX. *1763* : fin de la guerre de Sept Ans (cession d'une partie des colonies françaises à la Grande-Bretagne). *1796* : la Sardaigne cède Nice et la Savoie à la France. *1814 et 1815* : fin des guerres entre l'Empire et les Coalisés. *1856* : fin de la guerre de Crimée. *1898* : fin de la guerre hispano-américaine. *1947* : aménagements territoriaux à la suite de la Seconde Guerre mondiale.

**PARIS**, famille d'érudits français. ~ **Paulin** (*1800, Avenay, Marne - 1881, Paris*) se spécialisa dans la littérature médiévale. Son fils ~ **Gaston** (*1839, Avenay - 1903, Cannes*) posa les bases d'une étude scientifique de la philologie médiévale. Acad.

**PÂRIS** ~ Héros de la mythologie grecque, fils de Priam et d'Hécube. Il décerna la pomme d'or, qui désignait la plus belle, à Aphrodite, attirant ainsi la vengeance d'Héra et d'Athéna sur les Troyens. En enlevant Hélène, il déclencha la guerre de Troie, où il tua Achille et périt sous les coups de Philoctète.

**PÂRIS** (François DE), dit **le diacre Pâris** ~ *1690, Paris - 1727, id.* Religieux français. Ancien trappiste, janséniste, il était réputé pour sa charité. Sa tombe du cimetière Saint-Médard aurait été le lieu de guérisons miraculeuses, à l'origine du mouvement des convulsionnaires.

**PÂRIS** (les frères), financiers français nés à Moirans (Dauphiné). ~ **Antoine** (*1668 - 1733, Sampigny*), ~ **Claude**, dit PÂRIS LA MONTAGNE (*1670 - 1745, Moirans*), ~ **Joseph**, dit PÂRIS-DUVERNEY (*1684 - 1770, Paris*) et ~ **Jean**, dit PÂRIS DE MONTMARTEL (*1690 - 1766*), s'enrichirent à la fin du règne de Louis XIV et s'opposèrent au système de Law.

**PARISIEN (Bassin)** ~ Vaste cuvette sédimentaire, où se sont déposées à l'ère tertiaire des couches géologiques successives (calcaire, marne...). Partagée entre plusieurs bassins hydrographiques (Seine, Loire, Meuse, Rhin), sa surface occupe un quart de la France (140 000 km$^2$). Elle est limitée au N. par les collines de l'Artois, des massifs anciens (Massif armoricain, Massif central, Vosges, Ardennes) et reliée au Bassin aquitain par le seuil du Poitou. Le relief, le plus élevé à l'E., se caractérise par des plateaux inclinés vers l'O. terminés par des lignes de côtes continues (Moselle, Meuse, Bar, Île-de-France) masquées au S.-O. par des dépôts fluviatiles ou marins. Le N. est occupé par de vastes plateaux crayeux (Picardie, pays de Caux), tandis que le S. est en partie sableux (Sologne, Brenne). Le centre (Île-de-France) est constitué de grandes plates-formes calcaires souvent recouvertes de limon (Beauce).

**Parisien (le)** ~ Quotidien français. Créé à Paris par Émilien Amaury sous le titre du *Parisien libéré* (1944), il est devenu *le Parisien* (1986) et assure une couverture nationale du territoire sous le titre d'*Aujourd'hui* (1994).

**PARISIS** (le) ~ Anc. pays (comté) de l'Île-de-France, au N. d'Argenteuil (Val-d'Oise).

**PARK** (Mungo) ~ *1771, Foulshiels, Écosse - 1806, Bussa, Nigeria.* Explorateur britannique. Il effectua deux voyages en Afrique (1795-1797 et 1805-1806) et se noya en remontant le Niger.

**PARKER** (Charles **Christopher**, dit Charlie) ~ *1920, Kansas City - 1955, New York.* Saxophoniste de jazz américain. Surnommé Bird (« l'Oiseau »), il est considéré comme le créateur du style be-bop et l'un des plus grands improvisateurs de l'histoire du jazz (*Parker's Mood*, 1948). [☞ **jazz**.]

**Parlement européen** ~ Organe de la Communauté européenne, élu (depuis 1979) pour cinq ans au suffrage universel direct, dans chacun des États membres. Il vote le budget de l'Union européenne, exerce un droit de contrôle sur la Commission et coopère avec le Conseil. Son rôle est consultatif. Son siège est à Strasbourg. L'Espagnol José Maria Gil-Robles en est président depuis janv. 1997.

**PARLER**, famille d'architectes et de sculpteurs allemands. ~ **Heinrich l'Ancien** (*actif au XIVe s.*) est l'auteur du chœur de la cathédrale Sainte-Croix de Schwäbisch Gmünd (1351), en Souabe. Son fils ~ **Peter** (*1330, Schwäbisch Gmünd - 1399, Prague*) fut le maître d'œuvre de la cathédrale Saint-Guy de Prague (1352), dont le style influença le gothique tardif.

**PARME** ~ V. d'Italie (Émilie-Romagne), entre Milan et Bologne, centre commercial et marché agricole ; 171 000 h. Université (fondée en 1423). Industries agroalim., chim., chaussures. Jambon de Parme et fromage (le **parmesan**) renommés. Cathédrale (XIIe s.) et église San Giovanni Evangelista (XVe-XVIe s.) décorées par le Corrège, palais de la Pilotta (XVIe-XVIIe s.). **HIST.** - Établissement étrusque, colonie romaine (183 av. J.-C.), commune libre membre de la Ligue lombarde (XIe-XIIIe s.), la ville tomba au pouvoir de Milan (1346) puis du Saint-Siège (1512). Le pape Paul III Farnèse l'érigea en duché (1545) au profit de son fils naturel Pierre-Louis, dont les descendants régnèrent jusqu'en 1731. Les Bourbons leur succédèrent jusqu'à l'unification italienne (1860), avec des interruptions (département français du Taro entre 1808 et 1814, le duché fut confié à l'impératrice Marie-Louise de 1814 à 1847).

**PARMÉNIDE** ~ *v. 504, Élée - v. 450 av. J.-C., id.* Philosophe grec. Son poème *De la nature*, dont il reste une soixantaine de vers, méthode rationnelle et critique élevée contre Héraclite, en fait le fondateur de l'ontologie.

**PARMENTIER** (Antoine Augustin) ~ *1737, Montdidier, Somme - 1813, Paris.* Pharmacien et agronome français. Il répandit la culture de la pomme de terre en France.

**PARMESAN** (Francesco **Mazzola**, dit en ital. ***il Parmigianino*** et en fr. **le**) ~ *1503, Parme - 1540, Casalmaggiore, prov. de Crémone.* Peintre italien. Son idéal de pureté formelle, caractérisé not. par l'allongement des figures, fit de lui un maître du maniérisme (*la Madone au long cou*). [☞ **maniérisme**.]

**PARNASSE** (le) ~ Massif calcaire de Grèce, au N. de Delphes ; 2 457 m. La mythologie en fait l'une des résidences d'Apollon et des Muses.

**Parnasse contemporain** (le) ~ Recueil de poèmes publié en 1866, qui donna son nom à un mouvement poétique. Les **parnassiens** recherchaient la beauté plastique et l'impersonnalité de « l'art pour l'art », en réaction contre le romantisme. Les plus représentatifs furent Leconte de Lisle, Heredia et Banville.

**PARNELL** (Charles Stewart) ~ *1846, Avondale - 1891, Brighton.* Homme politique irlandais. Député aux Communes (1874), chef du parti nationaliste (1877), il tenta de faire progresser le principe de l'autonomie de l'Irlande (Home Rule).

**PAROPAMISUS** (le), en afghan ***Firuzkoh*** ~ Anc. nom d'une partie de l'Hindou Kouch, en Afghanistan.

**PÁROS** ~ Île grecque de l'archipel des Cyclades, dans la mer Égée ; 194 km$^2$, env. 8 000 h. (ch.-l. Páros). Tourisme balnéaire. Cathédrale byzantine du Xe s. Carrières de marbre réputées dans l'Antiquité.

© P. Wysocki-Explorer

*Île de* ***Páros****, le village de Parikia.*

**Parques** ou **Moires** (les) ~ Divinités du destin. Parques pour les Romains (Nona, Decima et Morta) et Moires pour les Grecs (Clotho, Lachésis, Atropos), elles décidaient respectivement de la naissance, de la vie et de la mort des êtres.

**PARROCEL** (les), famille de peintres français. ~ **Joseph**, dit PARROCEL DES BATAILLES (*1646, Brignoles - 1704, Paris*), est l'auteur de fougueuses scènes de bataille et de chasse. Son fils ~ **Charles** (*1688, Paris - 1752, id.*) peignit également des scènes militaires.

**PARROT** (André) ~ *1901, Désandans, Doubs - 1980, Paris.* Archéologue français. Il découvrit la cité antique de Mari (1933) et laissa de nombreux ouvrages scientifiques (*Sumer*, 1960 ; *Assur*, 1961).

**PARSONS** (sir Charles) ~ *1854, Londres - 1931, Kingston, Jamaïque.* Ingénieur britannique. Il inventa une turbine à vapeur et à réaction (1884) encore utilisée aujourd'hui.

**PARSONS** (Talcott) ~ *1902, Colorado Springs - 1979, Munich.* Sociologue américain. Il élabora une théorie de l'action et une théorie de la sociét fondées sur la systémique fonctionaliste.

**PARTHENAY** ~ V. de la Gâtine vendéenne (Deux-Sèvres) ; 10 809 h. (agglom. 17 214 h.). March de bestiaux, industrie agroalimentaire. Vestige médiévaux (remparts, tours, château).

**Parthénon** (le) ~ Temple d'Athéna Parthéno sur l'Acropole d'Athènes, reconstruit au Ve s. av. J.-C à l'instigation de Périclès par Phidias, second par Ictinos et Callicratès, sur les fondements d'un temple ruiné. Ses proportions et sa décoration (frise des Panathénées, statue d'or et d'ivoire d'Athéna) firent de ce monument dorique l'expression la plus achevée du classicisme grec. Il fut endommagé lors de la guerre turco-vénitienne (1687). [☞ **temple**.]

© C. Lenars-Explorer

*Le* ***Parthénon****.*

**Parthes** (les) ~ Ancien peuple semi-nomade. Établis au N.-E. de l'actuel Iran au IIIe s. av. J.-C., ils constituèrent un royaume, supplanté en 224 apr. J.-C. par les Perses Sassanides. Leur cavalerie s'illustra dans la lutte contre Rome.

**Parti communiste de l'Union soviétique (P. C. U. S.)** ~ Nom adopté par le parti bolchevique après la création de l'U. R. S. S., conservé jusqu'à sa suspension par les autorités gouvernementales en 1991.

**Parti communiste français** (**P. C. F.**) ~ Parti politique créé en décembre 1920 au congrès de Tours par une majorité de délégués, gagnés à la révolution russe, qui se séparèrent de la S. F. I. O. et décidèrent alors l'adhésion du nouveau parti à la IIIe Internationale. Le P. C. F. devint un parti de masse lors du Front populaire, joua un rôle déterminant dans la Résistance à partir de 1941, et, à la Libération, participa au gouvernement jusqu'en 1947, avant d'en être écarté pendant la guerre froide. Très liée à l'U. R. S. S. (approbation du pacte germano-soviétique en 1939, de la répression en Hongrie en 1956), sa direction (Maurice Thorez) refusa longtemps de tirer les conséquences de la déstalinisation (1956). Dirigé par Georges Marchais, engagé dans l'Union de la gauche (1972) puis au gouvernement (1981-1983) il vit son influence décliner au profit du parti socialiste. Il est, depuis 1994, dirigé par Robert Hue.

**Parti communiste italien** (**P. C. I.**) ~ Parti politique créé à Livourne en 1921 par la minorité du Parti socialiste italien (P. S. I.). Clandestin sous Mussolini, il participa au gouvernement de 1944 à 1947. Dès la déstalinisation en U. R. S. S. (1956), sa direction (Palmiro Togliatti) mena une politique de plus en plus indépendante de celle de Moscou. Principale force politique en Italie avec la Démocratie chrétienne, il s'identifia à l'« eurocommunisme ». Il rompit avec ses origines en 1991 et, se transformant en Parti démocratique de la gauche (P. D. S.), adhéra à l'Internationale socialiste.

**Parti démocratique de la gauche**, en ital. *P. D. S.* ~ Parti italien fondé en 1991, issu de la transformation du P. C. I. en parti social-démocrate. Artisan de la coalition de l'Olivier, victorieuse aux élections de 1996, il est la composante principale du nouveau gouvernement italien.

**Parti ouvrier social-démocrate de Russie** (**P. O. S. D. R.**) ~ Parti politique russe fondé en 1898. En 1903, il se scinda en *bolcheviks* (« majori-

:aires ») et *mencheviks* (« minoritaires »). Il prit en 1918 le nom de parti communiste (bolchevique) de Russie.

**Parti social-chrétien belge** (P. S. C.) ~ Parti de la démocratie chrétienne en Belgique. Fondé en 1945, il s'est scindé en 1968 en une branche wallonne et une branche flamande.

**Parti socialiste** (P. S.) ~ Parti politique français né en 1969 de la fusion de la S. F. I. O. avec divers autres partis et clubs de gauche. Au congrès d'Épinay, en 1971, il adopta une stratégie d'union de la gauche, suivie en 1972 de la signature du Programme commun avec le P. C. F. et le M. R. G., et porta Fr. Mitterrand à sa direction. Après l'élection de ce dernier à la présidence de la République en 1981, le P. S. domina la gauche aux dépens du P. C. F.

**Parti socialiste unifié** (P. S. U.) ~ Parti politique français créé en 1960 par les socialistes hostiles à la guerre d'Algérie, au fonctionnement de la S. F. I. O. et au régime gaulliste. Dirigé par M. Rocard de 1967 à 1974, il vit une forte minorité suivre ce dernier au P. S. et fut dissous en 1989.

**PASADENA** ~ V. des États-Unis (Californie), banlieue résidentielle de Los Angeles, centre de recherche ; 135 000 h. Siège du California Institute of Technology, univ. privée comprenant des laboratoires de la Nasa (observatoire du mont Palomar).

**PASCAL** (Blaise) ~ *1623, Clermont, auj. Clermont-Ferrand - 1662, Paris.* Mathématicien, physicien et philosophe français. À 16 ans, il publia son *Essai sur les coniques* et, à 18 ans, il inventa une machine arithmétique. Ses études sur la pression atmosphérique démontrèrent l'inexistence du vide et la pesanteur de l'air. Il travailla sur la presse hydraulique, le triangle arithmétique, la théorie de la cycloïde. Avec P. de Fermat, il créa le calcul des probabilités. À la suite de l'entrée en religion de sa sœur et d'une extase mystique (23 nov. 1654), il se rapprocha des jansénistes. Il approfondit alors sa réflexion théologique et philosophique, centrée autour de la rigueur de la pensée et de l'expression, dans *les Provinciales* (1656), pamphlet contre les jésuites, et dans des notes inachevées, rassemblées dans les *Pensées* (posth., 1670).

© Lauros-Giraudon

Blaise Pascal *(détail), peinture d'après François Quesnel (1637-1699). Château de Versailles.*

**PASCAL II** (Rainier) ~ *v. 1050, Bieda, Ravenne - 1118, Rome.* Pape de 1099 à 1118. Il entra en conflit avec les empereurs Henri IV et Henri V, qui remettaient en cause l'autorité pontificale.

**PASCH** (Moritz) ~ *1843, Breslau - 1930, Bad Homburg, Hesse.* Logicien et mathématicien allemand. Il élabora l'une des premières axiomatisations de la géométrie (1882).

**PASCIN** (Julius **Pinkas**, dit Jules) ~ *1885, Vidin - 1930, Paris.* Peintre et dessinateur américain d'orig. bulgare. Il croqua avec un humour et un érotisme subtils la bohème cosmopolite des Années folles.

**PAS-DE-CALAIS** (le) ~ Département de la Région Nord - Pas-de-Calais, formé de collines (Artois) et de plaines souvent limoneuses, bordant le détroit du pas de Calais par la Côte d'Opale, où alternent plages et falaises (caps Gris-Nez et Blanc-Nez) ; 6 672 km², 1 433 203 h., préfect. Arras. Ancien « pays noir » en reconversion difficile, c'est maintenant surtout un « pays vert » consacré aux céréales, à la betterave à sucre, aux cultures maraîchères, à l'élevage. La côte est active : pêche (Boulogne, 1er port français), tourisme (Berck, Le Touquet), trafic de voyageurs vers l'Angleterre (Eurotunnel au départ de Calais). L'intérieur est très urbanisé (Flandre intérieure) à l'E. : agglomération d'Arras (ancienne capitale de l'Artois), Saint-Omer, Lens et Béthune (bassin houiller).

**PASDELOUP** (Jules) ~ *1819, Paris - 1887, Fontainebleau.* Chef d'orchestre français. Il fonda en 1861 les Concerts populaires, recréés après sa mort sous le nom de **Concerts Pasdeloup** (1917).

**PASIPHAÉ** ~ Personnage de la myth. grecque. Fille du Soleil, femme de Minos, mère d'Ariane et de Phèdre. Elle conçut le Minotaure, fruit d'un hymen avec un taureau envoyé par Poséidon.

**PASKEVITCH** ou **PASKIEVITCH** (Ivan Fiodorovitch) ~ *1782, Poltava - 1856, Varsovie.* Maréchal russe. Il réprima le soulèvement des Polonais de 1831 et celui des Hongrois en 1849.

**PASOLINI** (Pier Paolo) ~ *1922, Bologne - 1975, Ostie.* Écrivain et cinéaste italien. Personnalité aux multiples facettes, poète (*les Cendres de Gramsci*, 1957), scénariste, essayiste, romancier (*Une vie violente*, 1959), dramaturge et cinéaste, il fut le témoin subversif des déchirements de son pays. Tout d'abord d'un réalisme implacable (*Mamma Roma*, 1962), son œuvre cinématographique mêla ensuite marxisme et christianisme, allégorie et parabole (*l'Évangile selon saint Matthieu*, 1964 ; *Théorème*, 1968 ; *Porcherie*, 1970 ; *le Décaméron*, 1971).

**PASQUIER** (Étienne) ~ *1529, Paris - 1615, id.* Juriste et historien français. Il publia, à partir de 1560, un ouvrage d'érudition retraçant l'évolution de la royauté (*Recherches de la France*).

**PASSAROWITZ**, auj. **Požarevac** ~ V. de Serbie, au S.-E. de Belgrade ; 44 000 h. En 1718, l'Autriche, Venise et la Turquie y conclurent le **traité de Passarowitz**, consacrant la victoire de l'Autriche et de Venise sur les Ottomans, qui durent céder nombre de leurs territoires, dont le Banat.

**PASSAU** ~ V. et port fluvial de Bavière (Allemagne), au confluent du Danube et de l'Inn, à la frontière autrichienne ; 50 000 h. Université. Cathédrale baroque. Palais (XVIIIe s.). **HIST.** - Maurice de Saxe et Ferdinand Ier (au nom de son frère Charles Quint) y conclurent un traité (1552) assurant la liberté religieuse aux princes protestants.

**PASSY**, nom de deux économistes français. ~ **Hippolyte Philibert** (*1793, Garches - 1880, Paris*), promoteur du libre-échange, ministre sous la monarchie de Juillet, s'opposa à la colonisation de l'Algérie. Son neveu ~ **Frédéric** (*1822, Paris - 1912, Neuilly-sur-Seine*) fonda la Ligue internationale de la paix (1867) et la Société pour l'arbitrage entre les nations (1870). Prix Nobel de la paix 1901.

**PASTERNAK** (Boris Leonidovitch) ~ *1890, Moscou - 1960, Peredelkino, près de Moscou.* Écrivain russe. Poète d'avant-garde (*Ma sœur la vie*, 1922), il acquit une célébrité mondiale avec *le Docteur Jivago* (1957), roman interdit en U. R. S. S. et dont la parution en Occident lui attira des persécutions dans son pays. Il ne put recevoir le prix Nobel de littérature qui lui fut décerné en 1958.

**PASTEUR** (Louis) ~ *1822, Dole - 1895, Villeneuve-l'Étang, Seine-et-Oise.* Chimiste et biologiste français. En 1847, il travailla sur la cristallographie et la dissymétrie moléculaire, puis étudia les fermentations alcooliques et lactiques (1857), montrant le rôle des micro-organismes et réfutant la thèse de la génération spontanée (1862). Il étudia les maladies du vin (1863), du ver à soie, élabora un procédé de conservation de la bière (**pasteurisation**, 1865), puis, à partir de 1877, il se consacra aux maladies virulentes, découvrant le premier virus en 1880 et élaborant divers vaccins contre le charbon, le rouget du porc et la rage (1885). Acad.

Louis **Pasteur** dans son laboratoire *(1885), peinture d'Albert Edelfelt (1854-1905). Musée de l'Institut Pasteur, Paris.*

© A. Wolf-Explorer

**PATAGONIE** (la) ~ Extrémité méridionale de l'Amérique du Sud (Chili, Argentine), entre le río Colorado et le détroit de Magellan ; 770 000 km², env. 700 000 h., v. princ. Comodoro Rivadavia et Punta Arenas. La région est partagée entre les Andes de Patagonie, au versant O. humide, et les plateaux orientaux, venteux et steppiques. Tempéré au N., le climat est subpolaire au S. Élevage ovin, ressources minérales (charbon, fer) et hydrocarbures.

**PATALIPUTRA** ~ Anc. ville de l'Inde du Nord, à proximité de Patna. Fondée au VIe s. av. J.-C., elle fut la capitale des dynasties Maurya et Gupta. Elle connut son apogée sous Ashoka, qui en fit un centre du bouddhisme.

**PATAN**, anc. **Lalitpur** ~ V. du Népal, ancienne capitale de l'État, près de Katmandou, centre commercial et artisanal (poteries, tapis) ; 117 000 h. De fondation très ancienne (temples et monastères bouddhiques et brahmaniques), elle est devenue une ville-musée.

**PATANJALI** ~ *IIe s. av. J.-C.* Philosophe et grammairien indien. Maître de l'école philosophique du yoga, qu'il théorisa (*Yogasutra*), il prolongea les travaux grammaticaux de Panini sur le sanskrit (*Mahabhashya*).

**Pataud** ~ Abri-sous-roche situé aux Eyzies-de-Tayac-Sireuil (Dordogne), occupé au Paléolithique.

**PATAY** ~ Village de la Petite Beauce (Loiret) ; 1 932 h. Victoire de Jeanne d'Arc sur les Anglais (18 juin 1429).

**PATCH** (Alexander) ~ *1889, Fort Huachuca, Arizona - 1945, San Antonio, Texas.* Général américain. À la tête de la VIIe armée, il participa au débarquement en Provence en août 1944 puis progressa jusqu'en Bavière.

**PATENIER** ou **PATINIR** (Joachim) ~ *v. 1480, Dinant ou Bouvignes - 1524, Anvers.* Peintre flamand. À la guilde d'Anvers en 1515, influencé par J. Bosch, il fut un des premiers à donner le primat au paysage, aux dépens des figures (*la Tentation de saint Antoine*).

**Pathans** (les) ~ Voir **Pachtouns**.

**PATHÉ**, famille d'industriels français. ~ **Charles** (*1863, Chevry-Cossigny, Seine-et-Marne - 1957, Monaco*) fut, avec son frère ~ **Émile** (*1860, Paris - 1937, id.*), le pionnier des industries phonographique et cinématographique françaises. Il fonda une société comptant de nombreuses filiales à l'étranger, qui atteignit son apogée à la veille de la Première Guerre mondiale et qui exerça son activité dans toutes les branches techniques, artistiques et commerciales du cinéma.

**Pathet Lao** (le) ~ Mouvement nationaliste laotien fondé par le prince Souphanouvong en 1950. Il organisa la guérilla contre les Français, puis, transformé en 1955 en Front patriotique laotien, il se consacra à la lutte contre les Américains et leurs alliés.

**PATINKIN** (Don) ~ *1922, Chicago - 1995, Jérusalem.* Économiste israélien. Sa théorie de l'équilibre économique est fondée sur l'échange de travail, de produits, de biens et services et de monnaie.

**PÁTMOS** ~ Île grecque de l'archipel du Dodécanèse, en mer Égée ; 35 km², env. 2 500 h. Monastère du XIe s. Grotte où saint Jean l'Évangéliste aurait écrit l'Apocalypse.

**PATNA** ~ V. de l'Inde, cap. du Bihar, carrefour commercial très ancien sur le Gange ; 917 000 h. Université. Artisanat (objets de bronze et de bois). Musée. Ruines de Pataliputra à proximité.

**PATOU** (Jean) ~ *1887, Paris - 1936, id.* Couturier français. Il fonda en 1919 sa maison de couture, dont les productions furent caractérisées par la fluidité des lignes et la noblesse des matières.

**PATRAS**, en gr. ***Pátrai*** ~ 3e v. et port comm. et tourist. de Grèce, dans le N.-O. du Péloponnèse ; 153 000 h. Exportation de produits agricoles vers l'Italie. Industries text., pneumatique, papeteries. Forteresse byzantine (remaniée par les Vénitiens et les Turcs). **HIST.** - Les Turcs s'emparèrent de la ville en 1458. Son archevêque Germanos appela à l'indépendance grecque en 1821.

**PATRICK** ou **PATRICE** (saint) ~ *v. 389, en Angleterre - 461, en Irlande.* Apôtre de l'Irlande. Fils d'un soldat romain, il fut réduit en esclavage par des pirates irlandais. S'étant enfui, il étudia en

France puis retourna en Irlande, où il se consacra à l'évangélisation de l'île.

**PATROCLE** ~ Héros de la guerre de Troie. Tué par Hector, il fut vengé par Achille, auquel le liait une amitié devenue proverbiale.

**PATTON** (George) ~ *1885, San Gabriel, Californie - 1945, Heidelberg.* Général américain. Spécialiste de l'arme blindée et excellent tacticien, il conduisit victorieusement la IIIe armée américaine de la Normandie (1944) à la Bohême (1945).

**PAU** ~ Préfect. des Pyrénées-Atlantiques et v. du piémont pyrénéen, sur le gave de Pau ; 82 157 h. (agglom. 144 674 h.). Station clim. d'hiver. Centre tertiaire et industriel actif, Pau est not. animé par l'industrie aéronautique et l'essor du commerce avec l'Espagne. Université. Cour d'appel. Château du XIIIe s. (tapisseries), musées (béarnais, des Beaux-Arts, Bernadotte). **HIST.** - Capitale du Béarn au XVe s., puis des rois de Navarre, la ville fut rattachée à la couronne de France en 1620 par Louis XIII, qui y rétablit le culte catholique.

**PAU (gave de)** ~ Affl. de l'Adour (r. g.), issu des Pyrénées centrales (not. du cirque de Gavarnie) ; 120 km. Il arrose Lourdes, Pau, Lacq et reçoit le gave d'Oloron.

**PAUILLAC** ~ V. de la Gironde, sur l'estuaire (r. g.) de la Gironde, cap. viticole du haut Médoc ; 5 670 h. Grands crus classés (château-lafite, château-latour, château-mouton-rothschild). Port utilisé par les pétroliers jusqu'en 1985.

**PAUL** (saint) ~ *v. 5-15 apr. J.-C., Tarse, Cilicie - v. 62-67, Rome.* Apôtre du christianisme, surnommé l'Apôtre des gentils. Citoyen romain d'un judaïsme intransigeant, il s'opposa au christianisme naissant, mais s'y convertit après sa vision du Christ sur le chemin de Damas (v. 36). Il se consacra alors à l'activité missionnaire, effectuant trois voyages dans l'Orient hellénisé (46-48, 49-52 et 53-58). Arrêté en 58, il aurait été mis à mort à Rome. Prônant une séparation radicale d'avec le judaïsme, ses Épîtres, recueillies dans le Nouveau Testament, ont contribué à la définition des principes fondateurs du christianisme.

**PAUL**, nom de six papes. ~ **Paul III** (Alessandro **Farnèse** ; *1468, Canino, Latium - 1549, Rome*), pape de 1534 à 1549. Instigateur de la Contre-Réforme, il convoqua le concile de Trente (1545) et réorganisa l'Inquisition. ~ **Paul IV** (Gian Pietro **Carafa** ; *1476, Sant'Angelo della Scala, Campanie - 1559, Rome*), pape de 1555 à 1559. Il poursuivit l'entreprise de réforme de l'Église et créa l'Index (1559). Son opposition à la domination des Habsbourg à Naples provoqua le sac de Rome par le duc d'Albe (1556). ~ **Paul VI** (Giovanni Battista **Montini** ; *1897, Concesio, près de Brescia - 1978, Castel Gandolfo*), pape de 1963 à 1978. Il convoqua la seconde session du IIe concile du Vatican (1963-1965), réforma la liturgie et encouragea l'œcuménisme. Avec le patriarche Athênagoras, il leva les excommunications à l'origine du schisme d'Orient.

**PAUL Ier** ~ *1754, Saint-Pétersbourg - 1801, id.* Empereur de Russie (1796-1801). Fils de Pierre III et de Catherine II la Grande, il s'opposa d'abord aux idées de la Révolution française. Rallié à Bonaparte, il adhéra à la ligue des neutres contre la Grande-Bretagne. Il fut assassiné.

**PAUL-BONCOUR** (Joseph) ~ *1873, Saint-Aignan, Loir-et-Cher - 1972, Paris.* Homme politique français. Fondateur de l'Union socialiste républicaine (1931) et président du Conseil (1932-1933), il refusa de voter les pleins pouvoirs au maréchal Pétain en 1940. Il représenta la France à la conférence de San Francisco (1945).

**PAUL DE LA CROIX** (saint) ~ *1694, Ovada, près de Gênes - 1775, Rome.* Religieux italien. Il fonda en 1741 la congrégation des Passionnistes.

**PAUL DIACRE** (Paul **Warnefried**, dit) ~ *v. 720, dans le Frioul - v. 799, Mont-Cassin.* Historien et poète de langue latine. Il est l'auteur de l'hymne pour la fête de saint Jean-Baptiste (*Ut queant laxis*) repris par Gui d'Arezzo et d'une *Chronique des Lombards*, des origines jusqu'en 744.

**PAUL ÉMILE**, en lat. ***Lucius Aemilius Paulus***, nom de deux consuls romains. ~ **Paul Émile** (*m. en 216 av. J.-C. à Cannes, en Apulie*), général, consul (219 et 216 av. J.-C.), fut vaincu et tué par les troupes d'Hannibal. Son fils ~ **Paul Émile le Macédonique** (*v. 228 - 160 av. J.-C.*), consul (182 et 168 av. J.-C.) et censeur (164 av. J.-C.), vainquit Persée à Pydna (168 av. J.-C.) et réduisit la Macédoine en province romaine.

**PAULHAN** (Jean) ~ *1884, Nîmes - 1968, Neuilly-sur-Seine.* Écrivain et critique d'art et de littérature français. Il dirigea la *Nouvelle Revue française* (de 1925 à 1940 et de 1953 à 1968) et fonda sous l'Occupation *les Lettres françaises*, dans la clandestinité. Acad.

**PAULI** (Wolfgang) ~ *1900, Vienne - 1958, Zurich.* Physicien américain d'orig. autrichienne. Il contribua à la théorie quantique des champs, étudia les électrons, énonçant le principe d'exclusion (1925), et théorisa avec E. Fermi l'existence du neutrino (1931). Prix Nobel de phys. 1945.

**PAULING** (Linus Carl) ~ *1901, Portland, Oregon - 1994, près de Big Sur, Californie.* Chimiste américain. Il étudia, du point de vue de la mécanique quantique, les macromolécules organiques et les liaisons chimiques, découvrant une maladie moléculaire de l'hémoglobine (1949). Il milita contre les essais nucléaires. Prix Nobel de chim. 1954 et prix Nobel de la paix 1962.

**PAULUS** (Friedrich) ~ *1890, Breitenau, Hesse - 1957, Dresde.* Maréchal allemand. Commandant la VIe armée en U. R. S. S., il fut encerclé à Stalingrad (nov. 1942) et capitula le 2 févr. 1943.

**PAUSANIAS** ~ *v. 510 - v. 469 av. J.-C., Sparte.* Général lacédémonien. Avec Aristide, il vainquit les Perses à Platées (479 av. J.-C.) puis délivra Chypre et Byzance (478 av. J.-C.). Suspecté de collusion avec les Perses, il se réfugia à Sparte dans le temple d'Athéna, où il fut emmuré.

**PAUSANIAS** ~ *IIe s. apr. J.-C.* Écrivain grec. Originaire d'Asie Mineure, il livra une *Description de la Grèce* aux riches précisions mythologiques et archéologiques.

**PAVAROTTI** (Luciano) ~ *1935, Modène.* Ténor italien. Révélé en 1961 dans *la Bohème*, il a connu la gloire avec le répertoire italien.

**PAVELIĆ** (Ante) ~ *1889, Bradina, Herzégovine - 1959, Madrid.* Homme d'État croate. Il fonda l'Oustacha, qui organisa l'attentat contre Alexandre Ier Karadjordjević (1934). Chef de l'État croate allié aux Allemands (1941-1945), il mena une politique de terreur.

**PAVESE** (Cesare) ~ *1908, San Stefano Belbo, Piémont - 1950, Turin.* Écrivain italien. Dans une langue réaliste et précise, il exprima à la fois un désir d'engagement, une volonté de lucidité, une quête spirituelle et contemplative et une difficulté d'être (*la Prison*, 1939 ; *le Bel Été*, 1949 ; *le Métier de vivre*, posth., 1952).

**PAVIE** ~ V. de Lombardie (Italie), sur le Tessin, dans la plaine du Pô, centre admin., industr. (mécan., chim., text.) et culturel ; 76 000 h. Université fondée en 1361. Cathédrale des Lombards (XIVe-XVe s.), église San Michele (XIIe s.), château des Visconti (XIVe s.). **HIST.** - Capitale du royaume lombard (572), elle fut annexée par les Visconti de Milan (1360). Vaincu par Charles Quint, François Ier y fut fait prisonnier (1525).

**PAVILLON** (Nicolas) ~ *1597, Paris - 1677, Alet, auj. Saint-Malo.* Prélat français. Évêque d'Alet, favorable au jansénisme, il s'opposa à Louis XIV dans l'affaire de la Régale.

**Pavillons-Noirs** ou **Hô** ~ Soldats irréguliers vietnamiens et chinois engagés contre la France au Tonkin, notamment de 1883 à 1885.

**PAVIN (lac)** ~ Lac de cratère (alt. 1 197 m, prof. 92 m), dans les monts Dore (Puy-de-Dôme).

**PAVLODAR** ~ V. du Kazakhstan, sur l'Irtych, axe de communications au S. de la Sibérie ; 342 000 h. Métallurgie de l'aluminium. Mécanique. Raffinerie de pétrole.

**PAVLOV** (Ivan Petrovitch) ~ *1849, Riazan - 1936, Leningrad.* Médecin et physiologiste russe. Il énonça la théorie des réflexes conditionnés (1903) et une conception générale de l'activité nerveuse supérieure à partir de ses travaux sur la digestion. Prix Nobel de physiol. ou méd. 1904.

**PAVLOVA** (Anna) ~ *1882, Saint-Pétersbourg - 1931, La Haye.* Danseuse russe. Première partenaire de V. Nijinski dans les Ballets russes, elle créa *la Mort du cygne*, de M. Fokine (1905). Elle fonda s propre école à Londres.

**PAXTON** (sir Joseph) ~ *1801, Milton Bryar Bedfordshire - 1865, Sydenham, près de Londre* Jardinier, ingénieur et architecte britannique. E édifiant des serres dès 1828, il imagina d'associ métal et verre. Il construisit le Crystal Palace (en 8 ha), pour l'Exposition universelle de 1851 Londres. Son fonctionalisme en fit un pionnier d l'architecture du verre.

**PAXTON** (Steve) ~ *1939, Arizona.* Danseur chorégraphe américain. Il inventa la *contact impro visation*, fondée sur l'énergie transmise par les choc corporels des danseurs.

**PAYEN** (Anselme) ~ *1795, Paris - 1871, id.* Ch miste français. Il identifia la cellulose comm constituant principal des cellules végétales et, ave Jean-François Persoz, isola la première enzym (1833).

**PAYNE** (Thomas) ~ Voir **Paine**.

**PAYSANDÚ** ~ 3e v. de l'Uruguay, port sur fl. Uruguay ; 75 000 h. Industries agroalim., textil tanneries. Pont vers Colón (Argentine).

**Paysans (guerre des)** ~ Soulèvement, de 1524 1526, des paysans du Saint Empire, mené not. pa l'anabaptiste Münzer. Elle fut étouffée par le princes catholiques, associés aux luthériens, qu l'avaient pourtant encouragée à ses débuts.

**PAYS-BAS (royaume des)**, en néerl. ***Neder land*** ~ Pays d'Europe du N.-O., bordé par la me du Nord. ***Cap.*** Amsterdam. ***Siège du gouv.*** La Hay ***Superf.*** 41 526 km$^2$. ***Popul.*** 15 340 000 h. ***Langu princ.*** Néerlandais. ***Monn.*** Florin. ***Relief.*** Le terri toire est en grande partie formé par les alluvion du Rhin et de la Meuse. Un quart de sa superfic se situe au-dessous du niveau de la mer (nombreu polders). Au S. et à l'E., plateaux crayeux (Lim bourg) et collines sableuses (Veluwe). Le Zuiderze a été transformé en lac (IJsselmeer) par construction d'une digue (1932), et une grand partie du territoire a été gagnée par l'homme su la mer (Zélande, Hollande, Frise). ***Écon.*** Tradition nellement ouverts sur le monde depuis le XVIIe s et sans grandes ressources naturelles, hormis le ga de la mer du Nord, les Néerlandais ont orienté leu économie vers le commerce international, le services (transports, ports, banques, assurances), transformation de matières premières importée (industries agroalim., chim., constr. électr., aéro nautique, textile) et le tourisme. L'agricultur intensive (produits laitiers, œufs, cult. maraîchère et florales) est une source d'exportations. L'activit économique est en grande partie concentrée dan la Randstad Holland, croissant urbanisé inclua Rotterdam et Amsterdam. ***V. princ.*** Amsterdam Rotterdam, La Haye, Utrecht, Eindhoven. **HIST.** - L présence humaine est attestée dans la région depu l'âge de bronze. *57 av. J.-C.* : peuplée par des tribu celtes et germaniques, la région est conquise pa les Romains, devenant la province de Gaul Belgique. *Ve-VIIIe s. apr. J.-C.* : après une vagu d'invasions germaniques, les Saxons s'installent l'E., les Frisons sur la côte, les Francs au S. ; ils son christianisés sous la domination carolingienne *IXe s.* : les invasions normandes et les multiple divisions territoriales (traité de Verdun, 843 brisent l'unité de la région ; les royaumes d Lothaire Ier et de Charles II le Chauve sont séparé par l'Escaut. *Xe-XIVe s.* : formation de multiple principautés féodales et évêchés, essor urbain e économique (draperies), construction de polders *XVe s.* : les Pays-Bas passent peu à peu dans l'orbit bourguignonne. *1477* : le mariage de Maximilien I d'Autriche et de Marie de Bourgogne, fille d Charles le Téméraire, donne les Pays-Bas au Habsbourg. *XVIe s.* : l'essor économique s'ac compagne de la diffusion de la Réforme. Aprè l'abdication de Charles Quint (1555), les Pays-Bas constitués de 17 provinces, deviennent espagnols La politique autoritaire et antiprotestante de Phi lippe II débouche sur le soulèvement de la Flandre du Hainaut, des provinces du Nord (1566), de l Hollande et de la Zélande, sous la conduite d Guillaume Ier de Nassau (1568), puis du Brabar et de l'Artois. *1579* : les provinces du Nord calvinistes, forment l'Union d'Utrecht, acte d naissance des Provinces-Unies, tandis que celles d Sud, catholiques, se placent sous autorité espagnol (Union d'Arras). *XVIIe s.* : les Provinces-Unies, dor l'indépendance a été reconnue en 1648 par le traité de Münster, s'affirment comme une puissance maritime et terrestre face aux prétentions de l'Angleterre et de la France. Les îles de la Sonde (Indes néerlandaises) sont reprises aux Portugais, des comptoirs sont créés au Cap, à Ceylan et en Amérique (Nouvelle-Amsterdam) par les compagnies maritimes. Les Pays-Bas méridionaux demeurent sous domination espagnole. *XVIIIe s.* : l'Autriche en prend le contrôle à l'issue de la guerre de la Succession d'Espagne (1714). En 1794, les Français occupent cette zone. Elle est annexée à l'Empire en 1810. *XIXe s.* : le congrès de Vienne (1815) forme le royaume des Pays-Bas à partir des Provinces-Unies, des Pays-Bas autrichiens, de l'évêché de Liège et d'une partie du grand-duché de Luxembourg. Guillaume d'Orange, devenu Guillaume Ier, se proclame roi de tous les Pays-Bas mais ne peut empêcher la sécession de la Belgique en 1830. Le royaume connaît un essor économique grâce à une politique libre-échangiste et libérale, et à l'exploitation de l'Indonésie. *XXe s.* : pendant le long règne de la reine Wilhelmine (1890-1948), le pays se modernise et se dote d'une législation sociale avancée. Resté neutre pendant les deux guerres mondiales, il est pourtant occupé par les Allemands entre 1940 et 1945. Après 1945, les Pays-Bas, faisant désormais partie du Benelux, abandonnent leur neutralité et se font les défenseurs de la construction européenne (adhésions au Conseil de l'Europe en 1949, à la Ceca en 1951 et à la C. E. E. en 1957). Ils accordent l'indépendance à l'Indonésie (1949), au Surinam (1975), et ne conservent de leur empire que les Antilles néerlandaises. *1980* : la reine Juliana (1948-1980) abdique en faveur de sa fille Béatrix. *1994* : un gouvernement de coalition social-libéral est formé sous l'autorité de Wim Kok (socialiste), qui succède à Rudolf Lubbers (démocrate-chrétien).

**PAZ (La)** ~ La plus grande v. de Bolivie dans les Andes, l'une des plus hautes du monde (alt. 3 600-4 200 m), siège du gouvernement, métropole admin. et industr. du pays ; env. 1 100 000 h. Archevêché. Bidonvilles en altitude, quartiers aisés en contrebas, au pied de l'Altiplano. Elle fut fondée au XVIe s. par les Espagnols sur la route qui mène des mines de Potosí au Pacifique.

**PAZ** (Octavio) ~ *1914, Mexico.* Écrivain mexicain. Dans ses poèmes et ses essais, il a élaboré une réflexion sur la place de l'écrivain dans la société et sur l'activité créatrice (*le Labyrinthe de la solitude*, 1950 ; *Pierre de soleil*, 1957). Prix Nobel de litt. 1990.

**PAZ ESTENSSORO** (Victor) ~ *1907, Tarija.* Homme d'État bolivien. Fondateur du Mouvement national révolutionnaire, il fut président de la République de 1952 à 1956 et mena une politique de révolution sociale (nationalisations et réforme agraire). À nouveau président de 1960 à 1964, il fut renversé par un coup d'État militaire. Revenu au pouvoir de 1985 à 1989, il dut s'incliner devant les exigences du F. M. I.

**PAZZI** ~ Famille guelfe de Florence, rivale des Médicis, dont un membre, **Iacopo** (*1444 - 1478*), complota en 1478 et fit assassiner Julien de Médicis. Laurent de Médicis ordonna alors l'exécution des conjurés et le bannissement des Pazzi.

**P. C. F.** ~ Voir **Parti communiste français.**

**P. C. I.** ~ Voir **Parti communiste italien.**

**P. C. U. S.** ~ Voir **Parti communiste de l'Union soviétique.**

**P. D. S.** ~ Voir **Parti démocratique de la gauche.**

**PEACOCK** (Thomas Love) ~ *1785, Weymouth - 1866, Lower Halliford, près de Londres.* Écrivain britannique. Il combattit le romantisme dans des récits satiriques (*l'Abbaye de Cauchemar*, 1818).

**PÉAN** (Jules) ~ *1830, Marboué, Eure-et-Loir - 1898, Paris.* Chirurgien et obstétricien français. Il inventa des techniques opératoires et des instruments de chirurgie qui portent son nom et réalisa la première résection du pylore (1879).

**PEANO** (Giuseppe) ~ *1858, Cuneo - 1932, Turin.* Logicien et mathématicien italien. Son *Formulaire de mathématiques* (1895-1908) expose dans un langage formalisé les axiomes de l'arithmétique, de la géométrie projective, de la théorie générale des ensembles, du calcul infinitésimal et du calcul vectoriel. Il imagina une langue internationale.

**PEARL HARBOR** ~ Rade de l'île d'Oahu (Hawaii). En 1907, les États-Unis y établirent l'une de leurs plus importantes bases navales du Pacifique. L'émotion soulevée dans l'opinion publique par l'attaque surprise de l'île par l'aviation japonaise le 7 déc. 1941 permit à Roosevelt d'engager son pays dans la guerre.

**PEARSON** (Lester Bowles) ~ *1897, Toronto - 1972, Ottawa.* Homme politique canadien. Chef du parti libéral (1958), Premier ministre du Canada (1963-1968), il présenta un plan d'aide aux pays sous-développés. Prix Nobel de la paix 1957.

**PEARY** (Robert) ~ *1856, Cresson Springs, Pennsylvanie - 1920, Washington.* Explorateur américain. Il atteignit le premier le pôle Nord, le 6 avril 1909.

**Peaux-Rouges** (les) ~ Terme générique employé par les colons européens pour désigner les indigènes des plaines de l'ouest de l'Amérique du Nord au XIXe s., étendu ensuite à tous les Indiens du nord du continent.

**Pech-Merle** ~ Grotte décorée (du Solutréen au Magdalénien), comportant des mains négatives et des empreintes de pas d'adolescents. Elle est située dans la commune de Cabrerets (Lot).

**PECKINPAH** (Sam) ~ *1926, Madera County, Californie - 1984, Inglewood, id.* Cinéaste américain d'orig. indienne. Il montra l'envers de la légende de l'Ouest dans des westerns crépusculaires et baroques (*la Horde sauvage*, 1969 ; *Pat Garrett et Billy The Kid*, 1973).

**PECQUET** (Jean) ~ *1622, Dieppe - 1674, Paris.* Médecin et anatomiste français. Il découvrit la circulation lymphatique, donnant son nom à la **citerne de Pecquet**, renflement du canal thoracique.

**PECQUEUR** (Constantin) ~ *1801, Arleux, Nord - 1887, Saint-Leu-Taverny, Val-d'Oise.* Économiste français. Fouriériste, il prôna une conception collectiviste de la propriété.

**PÉCS** ~ V. de la Hongrie méridionale ; 172 000 h. Industr. liées à l'exploit. minière (houille, uranium, bauxite). Cathédrale (XIe s.). Mosquées. **HIST.** - Capitale de la Pannonie inférieure sous Hadrien, siège de la première université hongroise (1367), Pécs fut occupée par les Turcs de 1543 à 1686.

**PEEL** (sir Robert) ~ *1788, Chamber Hall, Lancashire - 1850, Londres.* Homme politique britannique. Ministre de l'Intérieur (1822-1830), il accomplit une œuvre importante dans les domaines judiciaire et religieux (émancipation des catholiques, 1829). Premier ministre (1834-1835 et 1841-1846), il prit de nombreuses mesures économiques, not. en faveur du libre-échange.

**PEENEMÜNDE** ~ Localité d'Allemagne (Mecklembourg - Poméranie-Antérieure), port sur la Baltique. Base d'essais des V1 et V2 en 1939-1945.

**PÉGASE** ~ Cheval ailé de la mythologie grecque. Né du sang de Méduse, monté par Persée et par Bellérophon, il fit jaillir la fontaine Hippocrène, où les poètes venaient puiser leur inspiration.

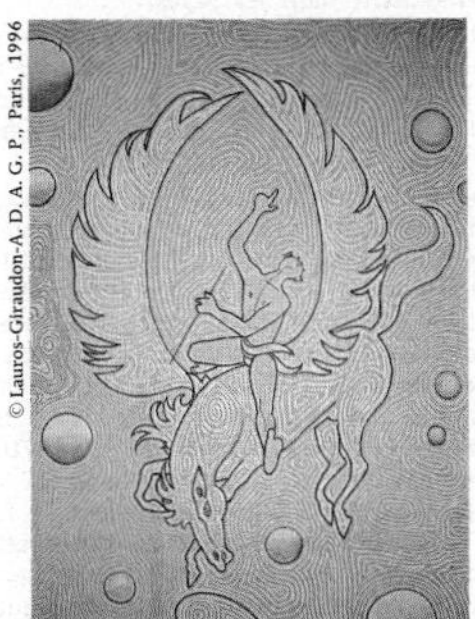


Bellérophon chevauchant **Pégase** *(1917), fresque de Jean Cocteau (1889-1963). Hôtel de ville, Menton.*

**PÉGOUD** (Adolphe) ~ *1889, Montferrat, Isère - 1915, Petit-Croix, près de Belfort.* Aviateur français. Il fit le premier saut en parachute (19 août 1913) et le premier looping (1er sept. 1913). Il fut abattu en vol lors de la Première Guerre mondiale.

**PEGU** ~ V. de la basse Birmanie, au N.-E. de Rangoon, sur le Pegu, centre admin. et commercial (bois, riz) ; 150 000 h. Nombreux édifices bouddhiques (statue géante de Bouddha du Xe s., pagodes, hall d'ordination du XVe s.). Cap. d'un État môn au IXe s. et de la Birmanie du XVIe au XVIIIe s.

**PÉGUY** (Charles) ~ *1873, Orléans - 1914, Villeroy, Meuse.* Poète et écrivain français. Socialiste, chrétien et dreyfusard militant, il fonda en 1900 les *Cahiers de la quinzaine*. Ses pamphlets et son œuvre poétique exaltent les valeurs spirituelles et l'enracinement charnel (*le Mystère de la charité de Jeanne d'Arc*, 1910). Il fut tué à la bataille de la Marne.

**PEI Ieoh Ming** ~ *1917, Canton.* Architecte américain d'orig. chinoise. Ancien élève de W. Gropius, il œuvra aux États-Unis (musée des Beaux-Arts de Boston, 1977-1981). Il a conçu, en France, la pyramide du Louvre et les aménagements souterrains du musée (1986-1993).

**PEÏPOUS (lac)** ou **TCHOUDES (lac des)** ~ Lac peu profond formant une partie de la frontière russo-estonienne, relié au golfe de Finlande par la Narva ; env. 3 500 km². Alexandre Nevski y vainquit les chevaliers Teutoniques (avr. 1242).

**PEIRCE** (Charles Sanders) ~ *1839, Cambridge, Massachusetts - 1914, Milford, Pennsylvanie.* Philosophe et logicien américain. Auteur d'une théorie des catégories, qui comprend une logique, une phénoménologie, une métaphysique et une sémiologie, il fut à l'origine du tournant pragmatiste de la philosophie anglo-saxonne, sur laquelle son œuvre continue d'exercer une influence profonde (*Collected Papers*, posth., 1932-1935 et 1957-1958). [☞ **pragmatisme ; sémiologie.**]

**PEIXOTO** (Floriano) ~ *1842, Maceió - 1895, près de Rio de Janeiro.* Homme d'État brésilien. Il participa à la révolution de 1889 et fut président de la République (1891-1894).

*Pékin, la Cité interdite.*

**PÉKIN**, en chin. **Beijing** ou **Pei-king** ~ Cap. de la Chine, métropole de la Chine du Nord, constituant une municipalité autonome ; 17 800 km², 11 020 000 h. Centre industriel (sidér., autom., électron., fibres synthétiques) et universitaire (67 établissements). Très riche patrimoine (Cité interdite, temples du Ciel et de l'Agriculture, du XVe s., palais impérial, palais d'Été, place Tian'anmen, bordée de palais et de musées). **HIST.** - De fondation très ancienne, Pékin se développa sous la domination des Mongols de la dynastie des Yuan, qui en firent leur capitale en 1267. Agrandie sous la dynastie mandchoue des Qing, elle fut au centre de l'histoire de la Chine (sac du palais d'Été, 1860 ; révolte des Boxers, 1900 ; proclamation de la république populaire de Chine par Mao Zedong, 1949 ; **Printemps de Pékin**, 1989).

**PÉLADAN** (Joseph, dit **Joséphin** ou **le Sâr**) ~ *1858, Lyon - 1918, Neuilly-sur-Seine.* Écrivain français. Il est l'auteur d'un cycle romanesque, *la Décadence latine* (1885-1907), de style symboliste et d'inspiration rosicrucienne.

**PÉLAGE** ~ *v. 360, en Grande-Bretagne - v. 422, en Palestine.* Moine d'orig. brittonique. Auteur du **pélagianisme**, il soutenait l'importance du libre arbitre et niait la nécessité de la grâce, s'opposant à saint Augustin. Sa doctrine fut condamnée aux conciles de Carthage (418) et d'Éphèse (431).

**PÉLAGE** ~ *m. en 737 à Cangas.* Roi des Asturies (v. 718-737). Chef des Wisigoths, il battit les Arabes à Covadonga (718), débutant ainsi la Reconquista.
**Pélasges** (les) ~ Population préhellénique de la Grèce, d'après la tradition grecque.
**PELÉ** (Edson Arantes **do Nascimento**, dit) ~ *1940, Très Corações, Minas Gerais.* Footballeur brésilien. Triple vainqueur de la Coupe du monde (1958, 1962 et 1970), buteur et meneur de jeu d'exception, il a régné sur le football international.

*Pelé.*

**PELÉE (montagne)** ~ Point culminant de la Martinique (1 397 m), volcan à dôme (ou **péléen**), dont les éruptions combinent extrusions et nuées ardentes. Son réveil, en 1902, provoqua la destruction de Saint-Pierre. [☞ **volcan.**]
**PELETIER DU MANS** (Jacques) ~ *1517, Le Mans - 1582, Paris.* Poète, humaniste et mathématicien français. Membre du groupe de la Pléiade, il fut un précurseur dans la poésie scientifique (*Œuvres poétiques*, 1547).
**PÉLION** (le) ~ Montagne de Grèce, en Thessalie. Théâtre d'épisodes de la mythologie.
**PÉLISSIER** (Aimable) ~ *1794, Maromme, Seine-Maritime - 1864, Alger.* Maréchal de France. Fait duc de Malakoff après sa victoire à Sébastopol (1855), il fut gouverneur de l'Algérie (1860-1864).
**PELLAN** (Alfred) ~ *1906, Québec - 1988, Laval, Québec.* Peintre et décorateur canadien. Influencé par le surréalisme, il fut un maître de l'avant-garde québécoise (*Jardins*, 1958).
**PELLERIN** (Jean Charles) ~ *1756, Épinal - 1836, id.* Imprimeur français. Il fonda la plus importante fabrique d'images populaires, dites images d'Épinal.
**PELLETAN** (Camille) ~ *1846, Paris - 1915, id.* Homme politique français. Député radical, anticlérical, il participa au gouvernement d'Émile Combes (1902-1905).
**PELLETIER** (Pierre Joseph) ~ *1788, Paris - 1842, Clichy.* Chimiste et pharmacien français. Il étudia le cholestérol, la physiologie végétale et les matières colorantes, isola l'émétine (1817), la narcéine et la thébaïne. Avec Joseph Bienaimé Caventou, il découvrit la strychnine (1818), la quinine (1820), et introduisit le mot « chlorophylle » (1817).
**PELLETIER-DOISY** (Georges) ~ *1892, Auch - 1953, Marrakech.* Général et aviateur français. Surnommé Pivolo, il fut un pionnier des grandes liaisons aériennes internationales (Istanbul-Paris, 1919 ; Paris-Tôkyô, 1924).
**PELLICO** (Silvio) ~ *1789, Saluces, Piémont - 1854, Turin.* Écrivain italien. Incarcéré par les Autrichiens pour ses opinions patriotiques, il publia après sa libération *Mes prisons* (1832), mémoires qui firent de lui l'incarnation de l'identité italienne opprimée.
**PELLIOT** (Paul) ~ *1878, Paris - 1945, id.* Sinologue français. Professeur de chinois à l'École française d'Extrême-Orient, il conduisit une mission archéologique en Asie centrale (*les Grottes de Touen-houang*, 1920-1924).
**PELLOUTIER** (Fernand) ~ *1867, Paris - 1901, Sèvres.* Syndicaliste français. Secrétaire de la Fédération des bourses du travail (1895), il prôna un syndicalisme d'action directe, sans relais politique.

**PÉLOPIDAS** ~ *v. 410 - 364 av. J.-C., Cynoscéphales.* Général thébain. Avec Épaminondas, il libéra Thèbes de l'occupation spartiate (379) et prit part à la victoire de Leuctres (371).
**PÉLOPONNÈSE** (le), en gr. ***Pelopónisos*** ~ Presqu'île du S. de la Grèce, à laquelle elle est rattachée par l'isthme de Corinthe ; 15 490 km$^2$, 607 000 h., v. princ. Patras. Intérieur montagneux (Taygète, Parnon) vidé par l'exode rural, vallées (Eurotas, Alphée, Pénée) et étroites plaines côtières animées par le tourisme et l'agriculture intensive. **HIST.** - Les Anciens divisaient le Péloponnèse en Corinthie, Argolide, Laconie, Messénie, Arcadie, Élide, Achaïe et Sicyonie. Il comprenait, à l'époque classique, de nombreuses cités indépendantes parmi lesquelles Sparte. Du XIII$^e$ au XV$^e$ s., Français (principauté d'Achaïe), Byzantins (despotat de Mistra) et Vénitiens se disputèrent le Péloponnèse, qui prit le nom de Morée et passa sous la domination turque (1460) avant de revenir à la Grèce indépendante (1832).
**Péloponnèse (guerre du)** ~ Conflit qui opposa Sparte et Athènes (431-404 av. J.-C.) pour l'hégémonie sur le monde grec. Après une première série de combats, la paix de Nicias (421) scella l'équilibre entre les belligérants, mais elle ne fut pas respectée. Les hostilités reprirent : Athènes entreprit en Sicile une expédition (415), qui se solda par un désastre devant Syracuse (413) puis remporta la victoire navale des Arginuses (406), mais fut vaincue dans l'Hellespont, à l'embouchure de l'Aigos-Potamos (405). Assiégés, les Athéniens capitulèrent (404).
**PÉLOPS** ~ Héros éponyme du Péloponnèse, dans la mythologie grecque. Il fut servi en repas aux dieux par son père, Tantale, mais Zeus le rendit à la vie. Il est l'ancêtre des Atrides. Les Anciens le considéraient comme l'initiateur des jeux Olympiques.
**PELOUZE** (Théophile Jules) ~ *1807, Valognes - 1867, Paris.* Chimiste et pharmacien français. Il découvrit les nitriles (1834) et obtint la synthèse des acides organiques par hydrolyse.
**PELTIER** (Jean) ~ *1785, Ham - 1845, Paris.* Physicien français. Il établit l'effet thermoélectrique dû au passage d'un courant électrique d'un métal dans un autre (**effet Peltier**, 1834) et la température de l'eau en caléfaction (1841).
**PELTON** (Lester Allen) ~ *1829, Vermilion, Ohio - 1908, Oakland, Californie.* Ingénieur américain. Il conçut une turbine hydraulique qui porte son nom, utilisable sous les hautes chutes d'eau.
**PELVOUX** ~ Massif cristallin des Alpes où culmine l'Oisans (4 103 m à la barre des Écrins).
**PEMBA** ~ Île tanzanienne de l'océan Indien, au N. de Zanzibar ; 906 km$^2$, 265 850 h. 1$^{er}$ producteur mondial de clou de girofle.
**PENANG** ~ Voir **Pulau Pinang.**
**PENCK** (Albrecht) ~ *1858, Leipzig - 1945, Prague.* Géographe allemand. Il étudia les glaciations de l'ère quaternaire dans les Alpes.
**PENDERECKI** (Krzysztof) ~ *1933, Dębica.* Compositeur polonais. Il a façonné la matière instrumentale et vocale en de libres architectures (*Psaumes de David*, 1959 ; *Passion selon saint Luc*, 1966 ; *les Diables de Loudun*, 1969).
**PENDJAB** ou **PANJAB** (le) ~ Région d'Asie du S., entre l'Himalaya occidental et le désert de Thar, partagée entre les bassins de l'Indus et du Gange, divisée depuis 1947 entre l'Inde (**État du Pendjab**, 50 362 km$^2$, 21 695 000 h., et État de l'Haryana, cap. commune Chandigarh) et le Pakistan (**province du Pendjab**, 205 345 km$^2$, 54 000 000 d'h., cap. Lahore). Formé par une grande plaine alluviale de piémont (alt. de 275 m au N.-E. à 170 m au S.-E.) s'étendant des collines humides des Siwalik jusqu'aux bordures sableuses du désert de Thar, le « Pays des cinq rivières » est arrosé par les affluents de l'Indus (Jhelam, Chenab, Ravi, Sutlej, Bias). Palliant la sécheresse (végétation steppique), les travaux d'irrigation de la Révolution verte (au Pakistan) ont permis le développement des cultures intensives (blé, riz, millet, coton, canne à sucre, oléagineux). Le Pendjab indien est le plus industriel (coton, soie, laine, sucre, matériel agricole, biens de consommation). Manufactures textiles, cycles, métallurgie, industr. agroalimentaire au Pakistan. **HIST.** - Zone de passage des invasions vers l'Inde (Aryens, Grecs, Parthes, Arabes, Turcs) à très ancienne civilisation urbaine (Harappa, Taxila) et de grande diversité ethnique, linguistique et religieuse (not. hindouisme et islam), le Pendjab déchiré par la partition de 1947, demeure une région sensible : question du partage des eaux et du séparatisme sikh (env. 60 % de la popul. du Pendjab indien ; cité sainte d'Amritsar). Les extrémistes sikhs luttent depuis 1981 pour la création d'un État indépendant, le Khalistan.
**PÉNÉLOPE** ~ Personnage de l'*Odyssée*, femme d'Ulysse et mère de Télémaque, symbole de la fidélité conjugale. Pendant les vingt ans d'absence de son époux, elle repoussa ses prétendants en défaisant la nuit la toile qu'elle tissait le jour, et dont l'achèvement devait annoncer son remariage.
**PÉNICAUD**, famille d'émailleurs limougeauds des XV$^e$ et XVI$^e$ s. ~ **Léonard**, dit **Nardon** (*v. 1470 Limoges - m. v. 1542*), est l'auteur d'un triptyque (*Couronnement de la Vierge*). ~ **Jean I$^{er}$**, **Jean II**, **Jean III** et **Pierre** reprirent son atelier.
**PENLY** ~ Village du pays de Caux (Seine-Maritime), à l'E. de Dieppe ; 306 h. Site d'une centrale nucléaire sur la Manche.
**PENMARCH** ~ V. de la Cornouaille (Finistère), près de la **pointe de Penmarch** (phare d'Eckmühl) ; 6 272 h. La ville regroupe not. les localités de Saint-Guénolé (station balnéaire) et de Kérity (port de pêche). Conserveries. Église gothique St-Nonna (XV$^e$ s.).
**PENN** (Arthur) ~ *1922, Philadelphie.* Cinéaste américain. Il a renouvelé le genre du western, réhabilitant les bandits (*le Gaucher*, 1958) et la cause des Indiens (*Little Big Man*, 1970).
**PENN** (William) ~ *1644, Londres - 1718, Buckinghamshire.* Quaker anglais. Il fonda la Pennsylvanie (1681) et Philadelphie (1682).
**PENNES-MIRABEAU (Les)** ~ V. des Bouches-du-Rhône, au N. de Marseille ; 18 599 h.
**PENNINES** (les) ~ Chaîne de montagnes du N. de l'Angleterre. Peu élevées (893 m au Cross Fell) mais très arrosées, elles sont le château d'eau des façades E. et O. (Mersey, Ouse, Tees, Tyne).
**PENNSYLVANIE** (la) ~ État du N.-E. des États-Unis, entre le lac Érié et la rivière Delaware, traversé du S.-O. au N.-E. par les monts Alleghany qui séparent les plateaux accidentés des Appalaches ; 116 083 km$^2$, 12 048 000 h., cap. Harrisburg. Climat continental humide. Un des plus grands gisements de charbon du monde, un réseau dense de voies navigables, ferrées et routières et des terres fertiles à forte productivité (élev. bovin, volailles, maïs, fruits, légumes, prod. laitiers de la Dairy Belt, bois) en ont fait un des États manufacturiers les plus prospères et peuplés (5$^e$ rang) du pays dont les deux pôles sont Pittsburgh et Philadelphie. Premier producteur de charbon du pays, la Pennsylvanie, à la suite de la crise sidérurgique, a opéré une reconversion fondée sur les énergies nouvelles (nucléaire, pétrole), les secteurs tertiaire et à haute technologie (électronique). Terre d'immigration et de minorités religieuses, l'État a développé une tradition culturelle et intellectuelle (universités, centres de recherche, fondations, musées et orchestres) de renom mondial. **HIST.** - Après des tentatives de colonisation suédoise et hollandaise, W. Penn acheta le territoire en 1681 et en organisa l'administration. La Pennsylvanie fut un des treize États fondateurs de l'Union en 1787.
**Pentagone** ~ Bâtiment de forme pentagonale à Washington qui abrite, depuis 1942, le secrétariat à la Défense et l'état-major des forces armées américaines.
**PENTHÉSILÉE** ~ Personnage de l'*Iliade*, reine des Amazones, fille de Mars. Lors de la guerre de Troie, Achille s'éprit d'elle après l'avoir blessée à mort.
**PENTHIÈVRE** (le) ~ Anc. comté féodal, érigé en duché au XVI$^e$ s., situé dans le N. de la Bretagne (auj. Côtes-d'Armor), entre Guingamp et Lamballe.
**PENTHIÈVRE** (Louis de Bourbon, duc DE) ~ *1725, Rambouillet - 1793, Bizy, près de Vernon.* Amiral français. Gouverneur de Bretagne, il s'illustra à la bataille de Fontenoy (1745).

**ENZA** ~ V. de Russie, au S.-E. de Moscou, centre dministratif et nœud ferroviaire ; 552 000 h. lachines industrielles, moteurs, textile, papeterie, ycles, chimie, montres. Instituts de recherche.

**ENZIAS** (Arno) ~ *1933, Munich.* Radioastroome américain. Il a découvert, avec R. Wilson, un nd de radiation de micro-ondes cosmiques 1965), affermissant la théorie du big bang. Il a udié la radioastronomie millimétrique et les olécules interstellaires. Prix Nobel de phys. 1978.

**EPE** (Guglielmo) ~ *1783, Squillace, Calabre - 855, Turin.* Général italien. Il dirigea l'insurrection apolitaine de 1820. Battu par les Autrichiens à eti (1821), il s'exila.

**ÉPIN**, nom de deux maires du palais d'Austrae. ~ **Pépin de Landen** ou **l'Ancien** (saint ; *v. 580 - 40*), maire de 615 à 634 et de 639 à 640. Son etit-fils ~ **Pépin de Herstal** ou **le Jeune** (*v. 635 - 14, Jupille, près de Herstal*), maire de 680 à 714, ontrôla la Neustrie après la victoire de Tertry (687).

**ÉPIN LE BREF** ~ *v. 715, Jupille, près de Hers-l - 768, Saint-Denis.* Maire du palais d'Austrasie 741-751) puis roi des Francs (751-768), fondateur e la dynastie carolingienne. Petit-fils de Pépin de erstal et fils de Charles Martel, il gouverna d'abord vec son frère Carloman, puis seul. Ayant déposé hildéric III, dernier des Mérovingiens, Pépin se fit ire roi (751) avec l'accord du pape Zacharie et e l'archevêque de Mayence, Boniface. Il obligea les ombards à donner au pape Étienne II l'exarchat e Ravenne (756), à l'origine des États pontificaux, conquit la Septimanie (759) et l'Aquitaine 760-768). Son royaume fut partagé à sa mort entre es fils, Charlemagne et Carloman.

**EPYS** (Samuel) ~ *1663, Londres - 1703, Claham, près de Londres.* Mémorialiste anglais. Son *urnal* (posth., 1825) est un vivant tableau du ondres de son temps.

**ERAK** (le) ~ État du N. de la Malaysia bordé par détroit de Malacca ; 21 005 km², 2 222 000 h., ap. Ipoh. Rizicult., plantations (hévéas, palmiers huile, noix de coco), bois, pêche. Ress. minières étain, fer, charbon). Hydroélectricité. Tourisme. Le erak fit partie des États malais fédérés sous rotectorat britannique (1896).

**ERCHE (col de la)** ~ Col des Pyrénées-Orientales, eliant le Conflent et la Cerdagne (1 577 m).

**ERCHE** (le) ~ Région vallonnée et humide de ocage et de forêt aux confins de l'Île-de-France, e la Normandie et du Maine. L'élevage bovin a emplacé celui du cheval de trait (percheron).

**ERCIER** (Charles) ~ *1764, Paris - 1838, id.* Arhitecte et décorateur français. S'inspirant de motifs ntiques, il fut, en collaboration avec P. Fontaine, un des principaux promoteurs du style Empire (arc e triomphe du Carrousel, 1806-1808).

**ERDICCAS**, nom de trois rois de la Macédoine ntique. ~ **Perdiccas Ier** (*VIIIe - VIIe s. av. J.-C.*) fonda a dynastie des Argéades. ~ **Perdiccas II** (*m. v. 413 v. J.-C.*), roi de 452 à 413 av. J.-C., assura indépendance du pays durant la guerre du éloponnèse. ~ **Perdiccas III** (*m. v. 359 av. J.-C.*), oi de 365 à 359 av. J.-C., s'opposa à la reprise 'Amphipolis par les Athéniens. Son frère Phippe II lui succéda.

**ERDICCAS** ~ *m. en 321 av. J.-C. en Égypte.* Général macédonien. Régent à la mort d'Alexandre e Grand, il tenta de conserver l'empire à son profit t fut assassiné en voulant abattre Ptolémée Ier.

**ERDIGUIER** (Agricol), dit **Avignonnais la ertu** ~ *1805, Morières-lès-Avignon, Vaucluse - 875, Paris.* Homme politique français. Menuisier, utodidacte, il fut député (1848-1851). Il milita en aveur du compagnonnage (*le Livre du compagnonage*, 1839 ; *Mémoires d'un compagnon*, 1854).

**ERDU (mont)**, en esp. ***monte Perdido*** ~ L'un des ommets des Pyrénées espagnoles (Aragon) ; 355 m.

**EREC** (Georges) ~ *1936, Paris - 1982, id.* Écriain français. Peintre ironique de la société de onsommation dans son roman *les Choses* (1965), nembre de l'Oulipo, il s'appliqua à des jeux ystématiques d'écriture (*la Disparition*, 1969) et e construction (*la Vie mode d'emploi*, 1978), faisant e la contrainte littéraire une entreprise qui, ar-delà son apparence ludique, constitue une nterrogation tragique sur la possibilité même du souvenir (*Je me souviens*, 1978). Il fut aussi un poète (*la Clôture*, 1980) et un auteur de théâtre (*l'Augmentation*, 1981).

**PÉRÉFIXE** (Hardouin **de Beaumont** DE) ~ *1605, Beaumont, près de Châtellerault - 1670, Paris.* Prélat français. Précepteur de Louis XIV, archevêque de Paris en 1662, il s'acharna contre les religieuses jansénistes de Port-Royal, dont il dispersa la communauté en 1664. Acad.

**PEREIRA** ~ V. de Colombie, dans la vallée du Cauca, centre admin. et comm. (café, bétail) ; 336 000 h. Université technique.

**PEREIRE** (les frères), banquiers français. ~ **Jacob Émile** (*1800, Bordeaux - 1875, Paris*) et ~ **Isaac** (*1806, Bordeaux - 1880, Armainvilliers, Seine-et-Marne*) fondèrent le Crédit mobilier (1852), organisme qui contribua au développement du réseau ferroviaire, et qui fit faillite en 1867.

**PERES** (Shimon) ~ *1923, Vishneva, Pologne.* Homme politique israélien. Président du parti travailliste israélien (1977-1992), il a été Premier ministre (1984-1986), puis ministre des Affaires étrangères (1986-1988 et 1992-1995) dans le gouvernement d'Y. Rabin, auquel il a succédé après son assassinat et jusqu'aux élections de 1996. Il est l'un des principaux artisans de l'accord israélo-palestinien de 1993. Prix Nobel de la paix 1994 avec Y. Arafat et Y. Rabin.

**PÉRET** (Benjamin) ~ *1899, Rezé - 1959, Paris.* Poète français. Son œuvre témoigne de sa fidélité à l'éthique du surréalisme (*le Grand Jeu*, 1928 ; *Mort aux vaches et au champ d'honneur*, 1953).

**PÉREZ DE AYALA** (Ramón) ~ *1880, Oviedo - 1962, Madrid.* Écrivain espagnol. Ses romans sont une peinture spirituelle et raffinée des mœurs espagnoles (*Luna de miel, luna de hiel*, 1923).

**PÉREZ DE CUÉLLAR** (Javier) ~ *1920, Lima.* Diplomate péruvien. Il a été secrétaire général de l'O. N. U. de 1982 à 1991.

**PÉREZ GALDÓS** (Benito) ~ *1843, Las Palmas - 1920, Madrid.* Écrivain espagnol. Romancier fécond, il embrassa les aspects les plus variés de la condition humaine et de la société espagnole (*Doña Perfecta*, 1876 ; *Nazarín*, 1895).

**Pergame** ~ Nom de la citadelle de Troie.

**PERGAME** ~ Anc. ville de Mysie, en Asie Mineure. Capitale des Attalides, dont le royaume, dit aussi **royaume de Pergame**, fondé par Philétairos (281 av. J.-C.), fut légué à Rome en 133 av. J.-C. par Attale III. La ville était réputée pour son école de sculpture (grand autel de Zeus, au musée Pergamon de Berlin) et sa bibliothèque aux riches parchemins (en gr. *pergamênê*, « **peau de Pergame** »).

**PERGAUD** (Louis) ~ *1882, Belmont, Doubs - 1915, Marchéville-en-Woëvre, Meuse.* Écrivain français. Joyeux chroniqueur de la vie animale (*De Goupil à Margot*, 1910) et des mœurs rurales (*la Guerre des boutons*, 1912). Il mourut au front.

**PERGOLÈSE** (Giovanni Battista **Pergolesi**, en fr. Jean-Baptiste) ~ *1710, Iesi, près d'Ancône - 1736, Pouzzoles.* Compositeur italien. Il apporta à l'opéra, not. à l'opéra bouffe, une fraîcheur mélodique et une vivacité instrumentale nouvelles (*la Servante maîtresse*, 1733). Il est l'auteur d'un célèbre *Stabat Mater*, 1736.

**PÉRI** (Gabriel) ~ *1902, Toulon - 1941, Paris.* Homme politique français. Membre du comité central du parti communiste (1929), député (1932) et journaliste à *l'Humanité*. Arrêté en mai 1941, il fut fusillé en décembre par les Allemands.

**PÉRIANDRE** ~ Tyran de Corinthe (v. 627-585 av. J.-C.). Il fut l'un des Sept Sages de la Grèce.

**PÉRICLÈS** ~ *v. 495 - 429 av. J.-C., Athènes.* Homme politique athénien. Chef du parti démocratique après l'assassinat d'Éphialtès (461), il frappa d'ostracisme Cimon et fut élu stratège, réélu jusqu'en 430. Sa politique d'impérialisme accrut la puissance d'Athènes (**siècle de Périclès**) tout en suscitant la rivalité des autres cités grecques (guerres avec Sparte et Corinthe, révolte de Mégare). Entouré d'esprits d'exception (Anaxagore, Phidias, Sophocle), il fit d'Athènes la métropole culturelle de la Grèce (construction du Parthénon). Il refusa les droits civiques aux enfants de citoyens et de femmes étrangères, ce qui empêcha son mariage avec Aspasie. Rendu responsable de la peste qui décima Athènes au début de la guerre du Péloponnèse (430), il fut déposé, puis succomba à l'épidémie alors qu'il venait d'être rappelé.

**PERIER** (Casimir) ~ *1777, Grenoble - 1832, Paris.* Banquier et homme politique français. Président du Conseil et ministre de l'Intérieur en 1831, il réprima l'opposition républicaine à Paris et la révolte des canuts de Lyon. Il mourut du choléra. Ses descendants prirent le nom de Casimir-Perier.

**PÉRIGNON** (Dominique Catherine, marquis DE) ~ *1754, Grenade, Haute-Garonne - 1818, Paris.* Homme politique et maréchal de France. Grâce à ses victoires, il put négocier l'alliance avec l'Espagne (sept. 1796). Il se rallia aux Bourbons en 1814.

**PÉRIGNON** (dom Pierre) ~ *1639, Sainte-Menehould - 1715, abbaye d'Hautvillers, près d'Épernay.* Moine bénédictin. Il améliora les procédés de champagnisation.

**PÉRIGORD** (le) ~ Région de plateaux calcaires découpés par des vallées fertiles (Isle, Vézère, Dordogne) vouées à la polyculture et à la vigne, entre l'Aquitaine et le Limousin. Foies gras. Riche en sites préhistoriques, il a donné son nom à un faciès du Paléolithique supérieur. On distingue du N. au S. les Périgord blanc (Périgueux) et noir (Sarlat). **HIST.** - Il forma un comté féodal (Xe s.) rattaché à la Couronne par Henri IV (1607) et uni au gouvernement de Guyenne.

**PÉRIGUEUX** ~ Préfect. de la Dordogne (Périgord Blanc), sur l'Isle, centre tertiaire, marché agricole (truffes, foie gras), industries (matériel ferroviaire, chaussures, impression de timbres) ; 30 280 h. (agglom. 63 322 h.). Nombreux vestiges romains (tour de Vésone, arènes), églises à coupoles (église St-Étienne et cathédrale St-Front), musée du Périgord. Anc. cap. du comté du Périgord.

**PERKIN** (sir William Henry) ~ *1838, Londres - 1907, Sudbury.* Chimiste britannique. Il synthétisa la mauvéine par oxydation de l'aniline (1856), ouvrant la voie à l'industrie des colorants artificiels.

**PERLIS** (le) ~ Le plus petit État de la Malaysia, dans le N.-O. de la péninsule malaise ; 795 km², 188 000 h., cap. Kangar (13 000 h.). Riz, canne à sucre, hévéas, étain. Sultanat jadis vassal du Siam, il passa sous protectorat britannique en 1909. Il intégra la fédération de Malaisie en 1947.

**PERM**, anc. **Molotov** (de 1940 à 1957) ~ V. de Russie, sur la Kama, à l'O. de l'Oural central ; env. 1 091 000 h. Grand centre industriel (mécan., pétrochim., constr. navale) né de la découverte de mines de cuivre au XVIIIe s. Université.

**PERMEKE** (Constant) ~ *1886, Anvers - 1952, Ostende.* Peintre et sculpteur belge. Chef de file de l'expressionnisme flamand, peignant avec robustesse paysages et marines, il magnifia la vie des paysans et des pêcheurs (*les Deux Mariniers*, 1923).

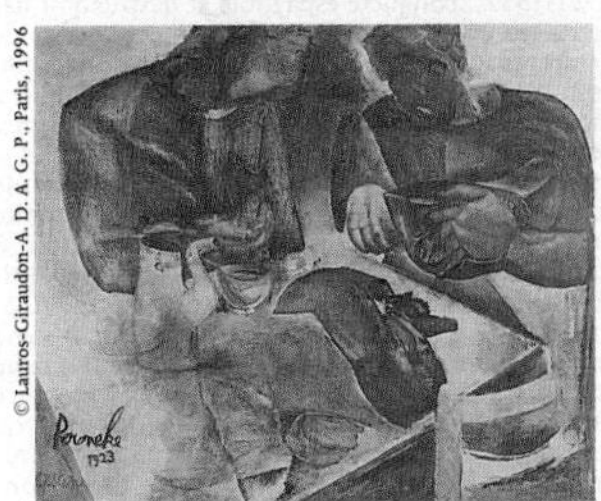



Le Pain noir *(1923), peinture de Constant* Permeke*. Musée d'Art contemporain, Gand.*

**PERMOSER** (Balthasar) ~ *1651, Kammer, Bavière - 1732, Dresde.* Sculpteur allemand. Installé à la cour de Saxe (1689), il conçut des œuvres baroques inspirées de la mythologie (*Hercule étouffant le serpent*).

**PERNAMBOUC** (le) ~ État du Nordeste brésilien ; 101 023 km², 7 110 000 h., cap. Recife. Canne à sucre sur la frange côtière humide, cultures vivrières (Agreste) et coton (Sertão).

**PERÓN** (Juan Domingo) ~ *1895, Lobos, prov. de Buenos Aires - 1974, Buenos Aires.* Général et homme d'État argentin. Ministre du Travail en 1943, il fut élu président de la République en 1946 avec l'appui des syndicats ouvriers et de l'extrême droite nationaliste, malgré l'opposition de la droite et des communistes. Il instaura une dictature « justicialiste », conçue comme une troisième voie entre le capitalisme et le socialisme. Soutenu par sa deuxième épouse, ~ **Eva Duarte**, dite **Evita** (*1919, Los Toldos - 1952, Buenos Aires*), il réalisa un plan d'industrialisation et des réformes sociales qui lui attirèrent l'hostilité de l'Église, des milieux conservateurs et de l'armée, qui le déposa en 1955. Ses amis « péronistes » le rappelèrent de son exil et il fut victorieux des élections de 1973, président de la République jusqu'à sa mort. Sa troisième épouse, ~ **María Estela**, dite **Isabel Martínez** (*1931, prov. de La Rioja*), lui succéda puis fut renversée par l'armée en 1976.

**PÉRONNE** ~ V. du Vermandois (Somme), sur la Somme ; 8 497 h. Agrochimie. Château (XIIIe s.), remparts (XVIe-XVIIe s.). **HIST.** - Charles le Téméraire y retint prisonnier Louis XI et le força à signer un traité humiliant lui ouvrant les portes de la Picardie (1468). Les habitants de Péronne, conduits par Marie Fouré, repoussèrent les assauts de Charles Quint (XVIe s.). La ville a subi de lourdes destructions durant les deux guerres mondiales.

**PÉROTIN** ~ *fin du XIIe s. - début du XIIIe s.* Compositeur français. Maître de chapelle à Notre-Dame de Paris, il fut un précurseur du motet avec ses organa et ses conduits à trois ou quatre voix.

**PÉROU (république du)**, en esp. ***República del Perú*** ~ Pays d'Amérique du Sud, bordé par le Pacifique. ***Cap.*** Lima. ***Superf.*** 1 244 284 km². ***Popul.*** 22 639 000 h., dont 30 % d'Indiens. ***Langues princ.*** Espagnol, quechua. ***Monn.*** Nouveau sol. ***Relief.*** Le pays, étiré du N. au S. (2 000 km de côtes), se compose de trois ensembles : étroite plaine littorale désertique, cordillères andines (Huascarán, 6 768 m) et hauts plateaux (Altiplano au S.), plaines amazoniennes au climat tropical humide (60 % de la superf., 5 % de la popul.) à l'E. ***Hydrogr.*** Les rivières Marañón, Huallaga, Ucayali donnent naissance à l'Amazone. ***Écon.*** Agriculture vivrière (maïs, riz) et commerciale (coton, canne à sucre), élevage, pêche (2e du monde), extraction minière (argent, cuivre, or), ressources énergétiques (pétrole, gaz), industrie (métallurgie, agroalimentaire). Après des décennies de difficultés, le Pérou connaît de nouveau la croissance avec l'aide des capitaux internationaux. Mais la misère mine son développement. ***V. princ.*** Lima, Arequipa, Callao, Cuzco. **HIST.** - *Ier mill. av. J.-C.-Ier mill. apr. J.-C.* : développement de plusieurs civilisations amérindiennes (Chavín, Mochica, Paracas, Nazca). *XIIIe s.-XVe s.* : royaume Chimú. *v. 1440-1532* : émergence de l'Empire inca. *1531-1537* : conquête espagnole et destruction par Francisco Pizarro de l'Empire inca ; exécution de l'empereur Atahualpa (1533). *1543* : exploitation des mines d'argent du Potosí par les Indiens asservis. *XVIIe s.* : épuisement des mines et révolte des Indiens, conduite par Tupac Amaru. *XIXe s.* : l'indépendance, proclamée par l'Argentin José de San Martín en 1821, est consacrée par la victoire du général Antonio Sucre sur les Espagnols à Ayacucho (1824). Une période d'instabilité politique et de coups d'État militaires s'instaure. *1836-1839* : le Pérou et la Bolivie forment une confédération. *1879-1883* : la guerre du Pacifique contre le Chili se solde par la perte de la province littorale bolivienne de Tarapacá, riche en nitrates. Le pays se reconstruit grâce aux capitaux nord-américains. *1924* : l'Alliance populaire révolutionnaire américaine (Apra), mouvement progressiste, est créée et s'oppose au pouvoir de l'oligarchie foncière. *1968* : Fernando Belaúnde Terry est renversé par le général Juan Velasco Alvarado, qui procède à la nationalisation des banques, des mines et des grands domaines. La désorganisation de l'économie entraîne un surcroît de misère. *1975* : son successeur, le général Morales Bermúdez, poursuit la même politique. *1980* : restauration de la démocratie avec l'élection de F. Belaúnde Terry à la présidence de la République. *1985* : Alan García, de l'Apra, est élu président. Il rencontre l'opposition du Sentier lumineux (mouvement révolutionnaire d'inspiration maoïste), du Mouvement révolutionnaire Tupac-Amaru (M. R. T. A.), des États-Unis, de la Banque mondiale et du F. M. I. *1990* : élection à la présidence d'Alberto Fujimori ; mise en œuvre d'un plan d'austérité ultralibéral au coût social très élevé et qui favorise le trafic de la drogue. *1992* : arrestation du chef du Sentier lumineux, Abimaël Guzmán. *1994* : la réforme de la Constitution (1993) renforce le pouvoir présidentiel et permet la réélection d'A. Fujimori. *1995* : le différend frontalier latent avec l'Équateur dégénère en un bref conflit armé.

**PÉROUGES** ~ Village médiéval fortifié, dans la Dombes (Ain) ; 851 h. Tourisme. Église (XIIIe-XVe s.), maisons anciennes (XVe-XVIe s.).

**PÉROUSE**, en ital. ***Perugia*** ~ V. d'Italie, cap. régionale de l'Ombrie, centre commercial, industriel (text., alim., pharmaceut.) et historique (vestiges étrusques et romains, monuments du Moyen Âge et de la Renaissance) ; 147 000 h. Archevêché. Université.

**PERPIGNAN** ~ Préfect. des Pyrénées-Orientales, sur la Têt, ville marchande liée à l'agriculture du Roussillon et au tourisme du littoral ; 105 983 h. (agglom. 157 873 h.). Université. Cathédrale St-Jean-Baptiste (XIVe-XVe s.), citadelle et palais restauré des rois de Majorque (XIIIe-XIVe s.), Loge de mer (anc. Bourse, XIVe-XVIe s.), Castillet (ancienne forteresse, militaire, XIVe s.).

**PERRAULT** (Charles) ~ *1628, Paris - 1703, id.* Écrivain français. Défenseur des thèses progressistes dans la querelle des Anciens et des Modernes (*Parallèles des Anciens et des Modernes*, 1688-1697), il donna avec les *Contes de ma mère l'Oye* (1697) son œuvre la plus célèbre. Acad.

**PERRAULT** (Claude) ~ *1613, Paris - 1688, id.* Architecte, médecin et physicien français. Frère de l'écrivain Charles Perrault. Il dressa les plans de l'Observatoire de Paris et de la colonnade du Louvre (dont la paternité lui a été toutefois contestée).

**PERRAULT** (Pierre) ~ *1927, Montréal.* Poète et cinéaste canadien. Il est considéré comme un des pionniers du « cinéma direct » québécois (*l'Acadie, l'Acadie*, 1971 ; *le Pays de la terre sans arbre*, 1980).

**PERRÉAL** (Jean) ~ *v. 1460, Paris - v. 1530, Paris ou Lyon.* Peintre français. Artiste de cour associé à d'importants programmes (église de Brou, 1504-1506), il exécuta des portraits enluminés dont le réalisme trahit l'influence flamande (*Charles VIII*).

**PERREGAUX** ~ Voir **Mohammadia** (El-).

**PERRET**, famille d'architectes français. ~ **Auguste** (*1874, Bruxelles - 1954, Paris*), en association avec ses frères ~ **Gustave** (*1876, Ixelles, Bruxelles - 1952, Paris*) et ~ **Claude** (*1880, Ixelles - 1960, Paris*), systématisa l'emploi du béton armé dans ses créations de style classique (Théâtre des Champs-Élysées, 1911-1913 ; église Notre-Dame du Raincy, 1922-1923 ; Mobilier national, 1930). Il dirigea la reconstruction du Havre de 1945 à sa mort.

**PERREUX-SUR-MARNE (Le)** ~ V. résidentielle de la banlieue E. de Paris (Val-de-Marne), à l'O. de Marne-la-Vallée ; 28 477 h.

**PERRIER** (Edmond) ~ *1844, Tulle - 1921, Paris.* Naturaliste français. On lui doit des ouvrages de philosophie zoologique et des études sur les invertébrés.

**PERRIN**, famille de physiciens français. ~ **Jean** (*1870, Lille - 1942, New York*) démontra la nature corpusculaire des rayons cathodiques (1895) et approcha au plus près le nombre d'Avogadro (1908). Il fut à l'origine du palais de la Découverte (1937) et du C. N. R. S. (1938). Prix Nobel de phys. 1926. ~ **Francis** (*1901, Paris - 1992, id.*), son fils, haut-commissaire à l'Énergie atomique de 1951 à 1970, travailla sur les réactions nucléaires en chaîne (1939).

**PERRONET** (Jean Rodolphe) ~ *1708, Suresnes - 1794, Paris.* Ingénieur français. Fondateur de l'École des ponts et chaussées avec D. Trudaine (1747), il fut le maître d'œuvre de nombreux ponts, dont celui de la Concorde à Paris (1787-1791).

**PERROS-GUIREC** ~ Station baln. et port de pêche des Côtes-d'Armor (Bretagne), dans le Trégorrois ; 7 582 h. (agglom. 13 268 h.). Thalassothérapie.

**PERROUX** (François) ~ *1903, Lyon - 1987, Stains.* Économiste français. Il développa une conception qui fait place, à l'intérieur du système capitaliste libéral, à une intervention limitée de l'État (*Théorie générale du progrès*, 1957).

**PERSE** (la) ~ Pays des **Perses**, anc. nom de l'I[…] jusqu'en 1935.

**PERSÉE** ~ Héros de la mythologie grecque, fils [de] Zeus et de Danaé. Victorieux de Méduse, sauv[…] d'Andromède, il tua, conformément à un présa[ge] son aïeul Acrisios, roi d'Argos, et devint roi [de] Tirynthe.

**PERSÉE** ~ *v. 212 - v. 165 av. J.-C., Alba Fuce[ns]* Dernier roi de Macédoine (179-168 av. J.-C[.]) Vaincu par Paul Émile à Pydna (168 av. J.-C.), [il] mourut en captivité.

**PERSÉPHONE** ou **CORÉ** ~ Déesse grecque [des] Enfers, fille de Zeus et de Déméter. Enlevée [par] Hadès, dieu des Enfers, elle obtint de Zeus de reve[nir] à la surface de la terre chaque printemps. Elle [fut] identifiée par les Romains à Proserpine.

**PERSÉPOLIS** ~ Une des capitales de l'Emp[ire] perse des Achéménides. Fondée par Darius Ier ([…] du VIe s. av. J.-C.), agrandie par Xerxès Ier, elle [fut] incendiée lors de la conquête d'Alexandre le Gra[nd] (330 av. J.-C.).

**PERSHING** (John Joseph) ~ *1860, près de Lacle[de], Missouri - 1948, Washington.* Général américain [qui] commanda le corps expéditionnaire américain [en] France pendant la Première Guerre mondiale.

**PERSIGNY** (Jean Gilbert Victor **Fialin**, d[uc] DE) ~ *1808, Saint-Germain-l'Espinasse, Loir[e] - 1872, Nice.* Homme politique français. Attaché [dès] 1834 à la cause de Louis Napoléon Bonaparte[, il] fut un des artisans du coup d'État du 2 décem[bre] 1851. Il fut ministre de l'Intérieur (1852-185[4,] 1860-1863) et ambassadeur à Londres.

**PERSIQUE** ou **ARABO-PERSIQUE (golfe)**, en [ar.] *Bahr Faris* ~ Mer de faible profondeur (m[…] 110 m), alimentée par le Chatt al-Arab, sépara[nt] la péninsule Arabique du S. de l'Iran et relié[e à] l'océan Indien (golfe d'Oman) par le détr[oit] d'Ormuz ; long. 800 km, superf. 240 000 k[m²]. Climat torride, eaux très chaudes en été, salin[ité] très élevée (env. 40 ‰) en raison des faib[les] précipitations (de 100 à 200 mm/an). Bordé s[ur] sa rive O. par l'Iraq, le Koweit, l'Arabie Saoudi[te,] le Bahreïn, le Qatar, les Émirats arabes unis, Om[an] et sur sa rive E. par l'Iran, le golfe Persiq[ue] concentre une grande partie des ressources pét[ro]lières du monde (extraction de 3 milliards de t/a[n] exportées surtout vers l'Europe, l'Amérique du No[rd] et le Japon. La délimitation des « zones écono[mi]ques exclusives » exacerbe les enjeux pétroliers [et] les litiges frontaliers (guerre Iran-Iraq, 1980-198[8,] guerre du Golfe, 1991).

**PERTH** ~ Cap. et seule grande ville de l'Austral[ie-] Occidentale, à 20 km du littoral de l'océan Indi[en,] centre commercial et industriel (raffinerie [de] pétrole, sidérurgie, aluminium, nickel, dans s[on] avant-port de Fremantle) au climat méditerranée[n ;] 1 221 000 h. Université.

**PERTH** ~ V. d'Écosse (Royaume-Uni), au fond [de] l'estuaire de la Tay ; env. 45 000 h. Centre indust[riel] (distillerie, filatures, teintureries) et touristiq[ue ;] marché aux bestiaux. Église St John (XVe s.). Capit[ale] de l'Écosse jusqu'en 1452.

**PERTHOIS** (le) ~ Pays de France, région d'élev[age] et de culture céréalière de la Champagne humi[de,] entre Marne et Ornain.

**PERTHUS (col du)** ~ Col autoroutier franc[o-]espagnol des Pyrénées-Orientales (291 m).

**PERTINI** (Alessandro) ~ *1896, Stella, près [de] Gênes - 1990, Rome.* Homme d'État italien. Memb[re] du parti socialiste (1928), il fut président de [la] République (1978-1985).

**PERTUIS** ~ V. de la haute Provence (Vauclus[e],) aux portes du Luberon, marché agricole (fru[its,] primeurs) ; 15 791 h. Église gothique remani[ée].

**PÉRUGIN** (Pietro **Vannucci**, dit en fr. le) [~] *v. 1448, Città della Pieve, Pérouse - 1523, Fontigna[no,] id.* Peintre italien. Élève de Verrocchio, influen[cé] par Piero della Francesca, il devint un des maît[res] de Raphaël. La douceur et la sérénité de sa mani[ère] confinent parfois à la fadeur (*Crucifixion*, San[ta] Maria Maddalena dei Pazzi à Florence, 1496 ; *Ap[ol]lon et Marsyas*, v. 1483-1497).

**PERUTZ** (Max Ferdinand) ~ *1914, Vienne.* Bioch[i]miste britannique d'orig. autrichienne. Il a perm[is] la connaissance des protéines globulaires en m[et]tant au jour, avec John Cowdery Kendrew, [la] structure tridimensionnelle de l'hémoglobine et

Les ruines du palais de Darius Ier (roi de 522 à 486 av. J.-C.). Au premier plan, l'une des deux rampes de l'escalier monumental conduisant à l'esplanade.

Griffon ornant un chapiteau du palais de Darius.

Bas-relief ornant l'une des portes du palais de Xerxès Ier (roi de 486 à 465 av. J.-C.) et représentant Xerxès escorté de deux serviteurs.

PERSÉPOLIS

la myoglobine grâce à la diffraction des rayons X. Prix Nobel de chim. 1962.

**PERUZZI** (Baldassare) ~ *1481, Sienne - 1536, Rome.* Architecte, ingénieur et peintre italien. Épigone de Bramante, il s'illustra par ses effets illusionnistes (la Farnésine et le palais Massimo à Rome).

**PESARO** ~ Port d'Italie (Marches) sur l'Adriatique ; 88 000 h. Raffinerie de soufre. Majolique (musée). Forteresse (XIVe s.) et palais ducal (XVe s.). Cathédrale, avec façade du XIVe s. **HIST.** - Anc. Pisaurum, colonie romaine (184 av. J.-C.), la ville fut donnée au Saint-Siège par Pépin le Bref. Possession des Malatesta à partir de 1285, elle fut vendue aux Sforza en 1445.

**PESCADORES (îles)**, en chin. *Penghu* ~ Archipel du détroit de Taiwan (64 îles) rattaché à Taiwan ; 127 km², 95 000 h. Pêche.

**PESCARA** ~ Port industriel et station balnéaire d'Italie (Abruzzes) ; 121 000 h. Constr. navales.

**PESHAWAR** ~ V. du Pakistan, centre admin., comm. et militaire commandant la passe de Khyber et la route de l'Afghanistan ; 555 000 h. (en 1981). Camps de réfugiés afghans. Université. Monastère bouddhique, mosquée moghole.

**PESSAC** ~ V. de l'agglom. de Bordeaux (Gironde), dans les Graves (vignoble réputé du Haut-Brion) ; 51 055 h. Atelier de frappe de la monnaie. Cité-jardin de Le Corbusier (1926).

**PESSÕA** (Fernando) ~ *1888, Lisbonne - 1935, id.* Poète portugais. Il publia son œuvre sous 43 pseudonymes. Provocateur jusqu'au scandale, il introduisit le modernisme au Portugal. Après sa mort parurent ses œuvres complètes (*Poésies d'Álvaro de Campos*, 1942 ; *le Livre de l'intranquillité de Bernardo Soarès*, 1982).

**PEST** ~ Voir **Budapest**.

**PESTALOZZI** (Johann Heinrich) ~ *1746, Zurich - 1827, Brugg, Argovie.* Pédagogue suisse. Philanthrope, rousseauiste, il chercha à développer et à organiser l'éducation des enfants des classes populaires (*Lienhard und Gertrud*, 1781-1787).

**Peste noire** ou **Grande Peste** ~ Épidémie de peste qui s'abattit sur l'Europe de 1347 à 1352. Venue de Crimée, elle gagna la Sicile en 1347, puis l'Italie, la France, l'Espagne, l'Angleterre et l'Europe du Nord, faisant environ 25 millions de victimes en Europe occidentale (le tiers des habitants).

**PÉTAIN** (Philippe) ~ *1856, Cauchy-à-la-Tour, Pas-de-Calais - 1951, Port-Joinville, Vendée.* Maréchal de France et homme d'État français. Pendant la Première Guerre mondiale, il remporta la bataille de Verdun (1916), puis, après l'échec de l'offensive Nivelle au Chemin des Dames (1917), il fut nommé commandant en chef et rétablit le moral et la discipline des troupes avec une intransigeance sans pitié. Il prépara la contre-offensive victorieuse de 1918, qui lui valut d'être fait maréchal. Vainqueur d'Abd el-Krim dans le Rif (1925-1926), puis ministre de la Guerre (1934) et ambassadeur à Madrid auprès de Franco (1939), il fut nommé président du Conseil le 16 juin 1940 et, estimant la guerre perdue, demanda l'armistice à l'Allemagne. Investi des pleins pouvoirs par l'Assemblée nationale le 10 juillet 1940, devenu, à l'âge de 84 ans, le chef de l'État français à Vichy, il promut une politique de « Révolution nationale » et s'engagea dans la voie de la collaboration avec l'Allemagne. Condamné à mort en 1945 par la Haute Cour de justice, il vit sa peine commuée en détention à perpétuité.

**Petchenègues** (les) ~ Peuple turc établi à la fin du IXe s. dans les steppes entre le Danube et le Dniepr, soumis par les Byzantins en 1091.

**PETCHORA** (la) ~ Fl. du N. de la Russie d'Europe, issu de l'Oural, tributaire de la mer de Barents ; env. 1 800 km. Son bassin (env. 300 000 km²) recèle charbon et pétrole (république des Komis).

**PETÉN** (le) ~ Vaste prov. du N. du Guatemala, constituée d'un plateau couvert par la forêt tropicale, au S. de la péninsule du Yucatán ; 35 854 km², 253 000 h, ch.-l. Florés (1 300 h.). Région d'anc. cités mayas (Tikal, Uaxactún, Piedras Negras).

**PETERBOROUGH** ~ V. d'Angleterre (Cambridgeshire), dans la région des Fens, centre industriel (agroalim., mécan., électr.) ; 153 000 h. Cathédrale (XIIe-XIIIe s., tombeau de Catherine d'Aragon).

**PETERHOF** ~ Voir **Petrodvorets**.

**PETERMANN** (August Heinrich) ~ *1822, Bleicherode - 1878, Gotha.* Cartographe et géographe allemand. Explorateur de l'Afrique et du Groenland, il fonda la revue *Petermanns Mitteilungen* (1855).

**PETERS** (Carl) ~ *1856, Neuhaus an der Elbe - 1918, Woltorf.* Colonisateur allemand. Il fut à l'origine de la création de l'Afrique-Orientale allemande (1884-1895).

**PÉTION** (Anne Alexandre **Sabès**, dit) ~ *1770, Port-au-Prince - 1818, id.* Officier et homme d'État haïtien. Lieutenant de Toussaint Louverture (1791), il fonda la république d'Haïti (1806) et en fut le premier président (1807-1818).

**PÉTION DE VILLENEUVE** (Jérôme) ~ *1756, Chartres - 1794, Saint-Émilion.* Homme politique français. Député du tiers état (1789), maire de Paris (1791), président de la Convention (sept. 1792) et membre du premier Comité de salut public, il soutint les Girondins. Proscrit en juin 1793, il tenta de soulever la Normandie, échoua et se suicida.

**PETIPA** (Marius) ~ *1818, Marseille - 1910, Saint-Pétersbourg.* Danseur et chorégraphe français. Directeur du Théâtre impérial de Saint-Pétersbourg, il y élabora une synthèse de la tradition classique française, de la virtuosité italienne et du lyrisme russe. De sa collaboration avec Tchaïkovski est né le répertoire académique (*la Belle au bois dormant*, 1890 ; *Casse-Noisette*, 1892 ; *le Lac des cygnes*, 1895).

**PETIT** (Alexis Thérèse) ~ *1791, Vesoul - 1820, Paris.* Physicien français. Il s'intéressa, avec P. Dulong, aux phénomènes de dilatation des corps simples solides, et énonça la loi (dite de **Dulong et Petit**) liant la chaleur spécifique des éléments à leur masse atomique (1819).

**PETIT** (Roland) ~ *1924, Villemomble.* Danseur et chorégraphe français. Sa carrière éclectique a été marquée par *les Forains* (1945) et surtout par sa collaboration avec Cocteau pour *le Jeune Homme et la Mort* (1946), créé par Jean Babilée. Il a fondé le Ballet national de Marseille et dirigé, avec sa femme, Zizi Jeanmaire, le Casino de Paris de 1969 à 1975.

**PETIT-BOURG** ~ V. de la Guadeloupe, sur la côte E. de Basse-Terre ; 14 935 h. Distilleries.

**PETIT-QUEVILLY (Le)** ~ V. de la banlieue O. de Rouen (Seine-Maritime), sur la Seine ; 22 600 h. Industries métall., text., chimiques.

**PETLIOURA** (Simon Vassilievitch) ~ *1879, Poltava - 1926, Paris.* Homme politique ukrainien. Il présida le directoire ukrainien indépendantiste (1918-1919) et laissa ses partisans se livrer à des pogroms. Vaincu par les bolcheviks, il se réfugia à Paris (1921), où il fut assassiné.

**PETŐFI** (Sándor) ~ *1823, Kiskörös - 1849, Segesvár.* Héros national hongrois. Poète lyrique et patriotique, il écrivit *Debout, Hongrois !*, qui donna le signal de la révolution de 1848 contre les Habsbourg. Engagé dans l'armée nationale, il fut tué au combat.

**Pétra** ~ Site antique près de l'actuelle al-Batra, v. de Jordanie, au N. d'Akaba. Anc. capitale du royaume des Nabatéens, elle fut occupée par les Romains en 106 apr. J.-C. Monuments sémites et romains taillés dans le roc (tombes, temples).

**PÉTRARQUE** (Francesco **Petrarca**, en fr.) ~ *1304, Arezzo - 1374, Arqua, Padoue.* Humaniste et poète italien. Il fit revivre avec passion les lettres latines par ses recherches érudites et par son retour à la pureté du latin classique (*l'Africa*, et diverses *Lettres*). Il écrivit en toscan 366 pièces poétiques pour Laure de Noves (*Canzoniere*, 1335-1370), fondatrices de l'italien littéraire.

**PETRODVORETS**, anc. **Peterhof** ~ V. de Russie sur le golfe de Finlande, à 20 km au S.-O. de Saint-Pétersbourg ; 84 000 h. Anc. résidence impériale fondée par Pierre Ier le Grand sur le modèle de Versailles. Elle fut gravement endommagée par les Allemands en 1941-1943.

**PETROGRAD** ~ Voir **Saint-Pétersbourg**.

**PÉTRONE**, en lat. *Caius Petronius Arbiter* ~ *m. en 66 apr. J.-C. à Cumes.* Écrivain latin. Auteur du *Satiricon*, tableau des mœurs romaines, il fut contraint de se suicider après avoir été compromis dans la conjuration de Pison.

**PETROPAVLOVSK** ~ V. industr. du Kazakhstan, sur l'Ichim, dans les Terres noires (S. de la Sibérie) ; 248 000 h. Agroalim., constructions mécaniques. Étape du Transsibérien.

**PETROPAVLOVSK-KAMTCHATSKI** ~ Port de pêche et base navale de la presqu'île du Kamtchatka, en Sibérie extrême-orientale (Russie) ; 270 000 h. Conserveries, réparation navale.

**PETRÓPOLIS** ~ V. du Brésil, au N.-E. de Rio de Janeiro, à 810 m d'alt. ; 255 000 h. Univ. catholique. Industrie textile. Villégiature des Bragance (palais, auj. musée) au XIXe s. Anc. capitale de l'État de Rio de Janeiro de 1894 à 1903.

**PETROZAVODSK** ~ Port et v. industrielle du N.-O. de la Russie, cap. de la Carélie, sur le lac Onega ; 280 000 h. Elle fut fondée par Pierre Ier le Grand en 1703.

**PETRUCCI** (Ottaviano) ~ *1466, Fossombrone, Urbino - 1539, Venise.* Imprimeur italien. Il fut le premier à éditer un livre de musique (*Harmonice Musicae Odhecaton*, 1501).

**PEUGEOT** (Armand) ~ *1849, Valentigney, Doubs - 1915, Neuilly-sur-Seine.* Industriel français. Issu d'une dynastie d'industriels remontant au XVIIIe s., il fonda en 1897 la Société des automobiles Peugeot. En 1976, la société a absorbé Citroën, devenant le groupe P. S. A. (lui-même absorbant Talbot, ex-Simca, en 1980).

**Peuls** ou **Foulbés** (les) ~ Peuple de pasteurs vivant en Afrique de l'Ouest (Guinée, Sénégal, Mali, Nigeria, Niger, N. du Cameroun). Les Peuls islamisés fondèrent des théocraties militaires au XIXe s., tel l'empire de Sokoto.

*Peuls du Niger.*

**Peuples de la Mer** ~ Nom donné par les Égyptiens à des envahisseurs indo-européens (aussi appelés Barbares du Nord) qui attaquèrent en vain l'Égypte v. 1200 av. J.-C. Venus sans doute de la mer Égée, ils détruisirent not. l'Empire hittite et la cité de Kargamish. Les Philistins en faisaient partie.

**Peur (la Grande)** ~ Troubles qui se produisirent fin juillet-début août 1789 dans les campagnes françaises par peur d'une réaction nobiliaire. Elle eut pour conséquence l'abolition de la féodalité par l'Assemblée constituante (4 août 1789).

**PEUTINGER** (Konrad) ~ *1465, Augsbourg - 1547, id.* Humaniste allemand. Il possédait une copie médiévale de la carte des routes de l'Empire romain (IIIe et IVe s.), document unique appelé **Table de Peutinger**, qui se trouve auj. à Vienne.

**PÉVÈLE** (la ou le) ~ Partie de la Flandre française (Nord), région agricole (chicorée, cult. expérimentales) au S. de Lille.

**PEVSNER**, nom de deux sculpteurs d'orig. russe. ~ **Anton** ou **Antoine** Pevsner (*1886, Orel - 1962, Paris*), naturalisé français. Théoricien du constructivisme, il utilisa le métal (cuivre, bronze) pour imprimer le mouvement à ses structures plastiques (*Vision spectrale*, 1959), initiant l'art cinétique. Son frère ~ **Naoum** Pevsner, dit **Naum** Gabo (*1890, Briansk -1977, Waterbury, Connecticut*), naturalisé américain. Adepte du constructivisme, il réalisa des œuvres cinétiques et des sculptures à base de fils d'acier ou de nylon.

**PEYER** (Hans Conrad) ~ *1653, Schaffhouse - 1712, id.* Anatomiste suisse. Il décrivit les **plaques de Peyer**, formations de follicules groupés de la dernière partie de l'intestin grêle.

**PEYRONNET** ou **PEYRONET** (Charles Ignace, comte de) ~ *1778, Bordeaux - 1854, Montferrand, Gironde.* Homme politique français. Député ultra, garde des Sceaux (1821-1826), puis ministre de l'Intérieur de Charles X, il rédigea et signa les « ordonnances de juillet », qui déclenchèrent la révolution de 1830.

**PEYRONY** (Denis) ~ *1869, Cussac, Dordogne - 1954, Sarlat.* Préhistorien français. Il posa les bases d'une chronologie du Paléolithique (*Éléments de préhistoire*, 1946).

**PÉZENAS** ~ V. de la plaine viticole du bas Languedoc (Hérault), entre Béziers et Montpellier ; 7 613 h. Maison consulaire, hôtels particuliers (hôtel d'Alfonse, où joua Molière). Elle accueillit les premiers états généraux du Languedoc en 1456.

**PFLIMLIN** (Pierre) ~ *1907, Roubaix.* Homme politique français. Président du M. R. P. (1956-1959), il a été appelé à la présidence du Conseil en mai 1958 et a été le dernier chef de gouvernement de la IVe République.

**PFORZHEIM** ~ V. du Bade-Wurtemberg (Allemagne), au N. de la Forêt-Noire ; 114 000 h. Industrie de précision (bijouterie, horlogerie et optique). Églises des XIIIe et XVe s. Musée de la Bijouterie.

**PHAÉTON** ~ Personnage de la myth. grecque, fils du Soleil. Ayant obtenu l'autorisation de conduire le char de son père, il en perdit le contrôle, manqua d'embraser l'Univers et fut foudroyé par Zeus.

**Phaïstos** ~ Site archéologique de Crète. Des vestiges de deux palais (XXe-XVe s. av. J.-C.) y furent découverts (1900), ainsi qu'un disque en argile (XVIIe s. av. J.-C.) imprimé de 210 pictogrammes non déchiffrés.

**Phalange espagnole**, en esp. ***Falange Española*** ~ Mouvement nationaliste espagnol d'inspiration fasciste, fondé à Madrid en 1933 par J. A. Primo de Rivera. Après avoir participé au soulèvement nationaliste (1936), la Phalange s'intégra au parti unique de Franco (1937). Elle fut jusqu'en 1942 l'armature du régime, puis sa milice fut supprimée (1943) et son influence déclina.

**Phalanges libanaises**, en ar. ***Kataëb*** ~ Mouvement politique et militaire libanais. Fondées en 1936 par P. Gemayel au sein de la communauté maronite, elles jouèrent un rôle de premier plan dans les guerres civiles qui ont déchiré le Liban de 1976 à 1991.

**PHAM Van Dông** ~ *1906, Mô Duc.* Homme politique vietnamien. Il a été Premier ministre du Viêt Nam du Nord (1955-1976), puis du Viêt Nam réunifié (1976-1987).

**PHARNACE II** ~ *v. 97 - 47 av. J.-C.* Roi du Bosphore cimmérien (63-47 av. J.-C.). Fils de Mithridate VI, il conquit le Pont, mais fut vaincu par César près de Zéla (47 av. J.-C.).

**PHAROS** ~ Île voisine d'Alexandrie. Elle fut reliée à la terre en 285 av. J.-C. par une jetée. Un phare de 180 m de haut y fut construit (v. 290-280 av. J.-C.), considéré par les Anciens comme l'une des Sept Merveilles du monde. Il s'effondra en 1302 à la suite d'un tremblement de terre. Des vestiges ont été découverts en 1996. [☞ **merveille.**]

**PHARSALE** ~ Localité de Grèce (Thessalie). César y vainquit Pompée en 48 av. J.-C.

**PHÉBUS** ~ Autre nom d'Apollon, sous lequel il incarne la lumière et l'inspiration poétique.

**PHÈDRE** ~ Personnage de la mythologie grecque, fille de Minos et de Pasiphaé. Épouse de Thésée, elle s'éprit de son beau-fils Hippolyte, qui la repoussa. Avec l'aide de Poséidon, elle le fit condamner par Thésée, puis se pendit. Sa passion a inspiré plusieurs tragédies.

**PHÈDRE** ~ *v. 10 av. J.-C., en Thrace - v. 54 apr. J.-C.* Fabuliste latin. Esclave originaire de Thrace, il fut affranchi par l'empereur Auguste. Il laissa 123 fables en vers inspirées d'Ésope.

**PHÉNICIE** (la) ~ Contrée historique de l'Antiquité, à l'O. de la Syrie, constituée par une bande de terre de 300 km de long, de l'embouchure de l'Oronte, au N., au mont Carmel, au S. Ce territoire, habité par des Sémites (Cananéens) depuis le IIIe mill. av. J.-C., fut réduit à un espace côtier par les mouvements de population du XIIe s. av. J.-C. (Peuples de la Mer, Araméens, Hébreux). Les Grecs l'appelèrent Phénicie. Les navigateurs des cités-États phéniciennes (Byblos, Sidon, Tyr) établirent des comptoirs jusqu'à Cadix, dont Carthage (v. 814 av. J.-C.). Ils apportèrent au monde méditerranéen, not. à la Grèce, l'écriture alphabétique (v. le VIIIe s. av. J.-C.). Assyriens (IXe s.-612 av. J.-C.), Égyptiens (612-604 av. J.-C.), Babyloniens (604-539 av. J.-C.), Perses (538-332 av. J.-C.) dominèrent les cités phéniciennes sans détruire leur prospérité commerciale. En 332 av. J.-C., la conquête d'Alexandre intégra la Phéni au monde hellénistique. Elle fut ensuite incorpo à la province romaine de Syrie, en 64 av. J.-C.

**PHÉNIX** ~ Oiseau fabuleux de la mytholo égyptienne. Cet oiseau magnifique et unique q selon la légende, renaît de ses propres cendres le symbole de l'immortalité.

**PHIDIAS** ~ *v. 490 - apr. 430 av. J.-C., Olymp* Sculpteur grec. Chargé par Périclès de diriger construction du Parthénon, il sculpta la frise d Panathénées, sommet du classicisme grec. Son Z *Olympien*, auj. disparu, était l'une des Sept M veilles du monde. [☞ **temple ; merveille.**]

**PHILADELPHIE** ~ V. de l'E. des États-Unis (Pen sylvanie) sur la Delaware, un des cinq noyaux la Megalopolis, 4e port et 3e place financière pays ; 1 586 000 h. (agglom. environ 5 500 000 h Grand centre industriel et foyer culturel majeu universités, Institut Franklin, musées (Rodi Orchestre philharmonique. Monuments et qu tiers historiques (XVIIIe s.). **HIST.** - Fondée p W. Penn (1682), Philadelphie devint au XVIIIe s. premier centre intellectuel des colons américai La Déclaration d'indépendance américaine y f paraphée en 1776. Le gouvernement fédéral y siég entre 1790 et 1800.

**PHILAE** ~ Îlot du Nil, en amont de la premi cataracte. Voué au culte d'Isis depuis Nectanébo (IVe s. av. J.-C.) jusqu'à sa christianisation p Justinien (535), il dut à la construction du prem barrage d'Assouan d'être en partie immergé (190 Ses principaux monuments (temples d'Is d'Horus, d'Hathor) furent déplacés sur l'île d'Ag kia après l'érection du deuxième barrage (197

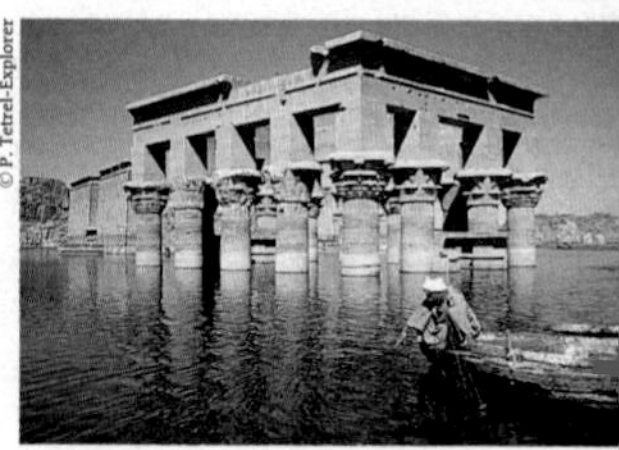


*Philae, le kiosque de Trajan.*

**PHILÉMON** et **BAUCIS** ~ Couple légendai chanté par Ovide, symbole de la fidélité conjuga Paysans de Phrygie, ils donnèrent l'hospitalité Zeus et à Hermès, qui, en récompense, métamorphosèrent à leur mort en un chêne et tilleul, pour toujours unis.

**PHILÉTAIROS** ~ *v. 343 - 263 av. J.-C.* Fondate de la dynastie attalide de Pergame. En 302, il vit confier la contrée de Pergame, qu'il érigea royaume en 281. Son neveu Eumène Ier lui succé

**PHILIBERT**, nom de deux ducs de Savoie. ~ **Phi bert Ier le Chasseur** (*1465, Chambéry - 148 Lyon*), duc de 1472 à 1482, sous la tutelle Yolande de France, sa mère. ~ **Philibert II le Be** (*1480, Pont-d'Ain - 1504, id.*), duc de 1497 à 150 L'église de Brou fut édifiée à sa mémoire par femme, Marguerite d'Autriche.

**PHILIDOR** (François André **Danican**, dit) ~ *172 Dreux - 1795, Londres.* Compositeur français, gra joueur d'échecs (*Analyse des échecs*, 1749). Il fut l' des créateurs de l'opéra-comique en France (*Bla le savetier*, 1759) et tenta de rénover la tragéd lyrique (*Ernelinde, princesse de Norvège*, 1767).

**PHILIPE** (Gérard **Philip**, dit Gérard) ~ *192 Cannes - 1959, Paris.* Acteur français. Triompha au théâtre dans les années 1940 et 1950 (*le Ci Lorenzaccio ; le Prince de Hombourg*), il imposa cinéma sa fougue et son romantisme (*le Diable corps*, de Cl. Autant-Lara, 1947 ; *Monsieur Ripo* de R. Clément, 1954).

SAINT EMPIRE

**PHILIPPE Ier DE SOUABE** ~ *v. 1177 - 120 Bamberg.* Empereur germanique (1198-1208). F de Frédéric Barberousse, il fut élu contre Otton Brunswick, auquel il ne cessa de s'opposer. Il f assassiné.

BOURGOGNE

**HILIPPE Ier DE ROUVRES** (*1346, Rouvres, près Dijon - 1361, id.*), duc de 1349 à 1361. Le roi France hérita de son duché. ~ **Philippe II le ardi** (*1342, Pontoise - 1404, Hal*), duc de 1363 1404. Fils du roi Jean II le Bon, il reçut la ›urgogne en apanage. Époux de Marguerite de andre (1369), il hérita en 1384 des comtés de andre et de Bourgogne (Franche-Comté). Il rticipa au gouvernement du royaume de France rant la minorité puis la maladie de Charles VI fit de sa cour de Dijon un foyer artistique. Son s Jean sans Peur lui succéda. ~ **Philippe III le ›n** (*1396, Dijon - 1467, Bruges*), duc de 1419 à 467. Fils de Jean sans Peur, il succéda à son père ›rès son assassinat à Montereau (1419). Il soutint enri V d'Angleterre comme héritier du trône de ance (traité de Troyes, 1420) au détriment du uphin Charles VII de France. En 1429, il permit pendant son sacre à Reims puis, participant au aité d'Arras (1435), il se réconcilia avec lui. Il ima des cours fastueuses à Dijon et à Bruxelles, stitua l'ordre de la Toison d'or (1429) et reçut titre de grand-duc d'Occident.

CASTILLE ET ESPAGNE

**HILIPPE Ier LE BEAU** (*1478, Bruges - 1506, ırgos*), souverain des Pays-Bas (1482-1506), roi Castille (1504-1506). Fils de l'archiduc Maximi-n et de Marie de Bourgogne, il épousa Jeanne Folle, héritière de l'Espagne et de Naples ; de tte union naquirent les futurs Charles Quint Ferdinand Ier. ~ **Philippe II** (*1527, Valladolid - 598, Escurial*), roi de Naples (1554-1598), de cile, souverain des Pays-Bas (1555-1598), roi Espagne (1556-1598) et de Portugal (1580-598). Fils et successeur de Charles Quint, il ıança avec les métaux précieux d'Amérique de ultiples guerres pour assurer le triomphe du tholicisme. En 1559, le traité du Cateau-Cambré-s, conclu avec Henri II, assura l'hégémonie pagnole en Italie. Don Juan d'Autriche, son mi-frère, vainquit les Turcs à Lépante (1571). En 580, le roi annexa le Portugal mais, en 1588, la spersion de l'Invincible Armada déjoua ses projets ›ntre l'Angleterre. En France, il soutint d'abord s Ligueurs après la mort d'Henri III (1589), mais dut reconnaître Henri IV par le traité de Vervins 598). En Espagne même, il écrasa le soulèvement s morisques (musulmans convertis sous la ›ntrainte au catholicisme) andalous (1568-1570), tirpa le protestantisme, établit la capitale à adrid (1561) et fit construire à proximité le ılais-monastère de l'Escurial (1563-1584). Aux ıys-Bas, le régime de terreur instauré par le duc Albe (1567-1572) finit par provoquer la sécession s provinces du Nord (1579) regroupées dans Union d'Utrecht. Identifié au Siècle d'or espagnol, n règne s'appuya néanmoins sur une politique térieure coûteuse et un système bureaucratique urd. ~ **Philippe III** (*1578, Madrid - 1621, id.*), i d'Espagne, de Portugal, de Naples, de Sicile, de ardaigne (1598-1621). Fils de Philippe II, il laissa ›uverner des favoris, dont le duc de Lerma, mplacé en 1618 par son fils le duc d'Uceda. Il tablit la paix avec l'Angleterre (1604) et les ıys-Bas, et se rapprocha de la France en mariant fille à Louis XIII (1615). Son règne constitue apogée culturel de l'Espagne (Cervantès, Lope de ega.) ~ **Philippe IV** (*1605, Valladolid - 1665, Ma-id*), fils du précédent, roi d'Espagne (1621-1665). laissa gouverner le duc d'Olivares jusqu'en 1643. engagea l'Espagne dans la guerre de Trente Ans dut accepter, en 1648, l'indépendance des ovinces-Unies (traité de Münster). Il poursuivit lutte avec la France jusqu'au traité des Pyrénées 1659), qui céda le Roussillon et l'Artois à la France, ›outit au mariage de sa fille Marie-Thérèse avec ›uis XIV et signifia la fin de l'hégémonie espagnole ı Europe. En 1640, le Portugal avait reconquis son dépendance, et, à l'intérieur, le roi dut maîtriser révolte de la Catalogne. ~ **Philippe V** (*1683, ersailles - 1746, Madrid*), roi d'Espagne (1700-746). Petit-fils de Louis XIV, il porta d'abord le tre de duc d'Anjou. Désigné comme roi par le stament de Charles II, il dut assurer son trône ar la guerre de la Succession d'Espagne (1701-714), à l'issue de laquelle il céda les Pays-Bas, la cile, la Sardaigne, Minorque et Gibraltar. Son fils Louis, en faveur duquel il avait abdiqué le 10 janvier 1724, étant mort peu après, il reprit le pouvoir. Allié à la France, il participa aux guerres de la Succession de Pologne (1733-1738) et d'Autriche (1740-1748). Ferdinand VI lui succéda.

FRANCE

**PHILIPPE Ier** (*v. 1053 - 1108, Melun*), roi de 1060 à 1108. Fils d'Henri Ier et d'Anne de Kiev. Il acquit le Vermandois et le Gâtinais au détriment de Guillaume Ier le Conquérant (1068), fut vaincu en Flandre au mont Cassel par Robert le Frison (1071), et acquit le Vexin français (1077). Il fut excommunié (1095-1105) pour avoir répudié sa femme, Berthe de Hollande, et pris Bertrade de Montfort à Foulques IV d'Anjou. ~ **Philippe II Auguste** (*1165, Paris - 1223, Mantes*), roi de 1180 à 1223, fils de Louis VII. Son règne fut marqué par la rivalité avec les Plantagenêts d'Angleterre et par un renforcement de l'autorité royale. Il lutta contre Henri II (1180-1189) en s'alliant tour à tour aux fils de ce dernier, Richard Cœur de Lion et Jean sans Terre. Il prit part à la 3e croisade (1190-1191), conquit la Normandie (1204), triompha à Bouvines (1214) et agrandit le domaine royal. Il en améliora l'administration en créant les sénéchaux et les baillis, assainit les ressources financières, qu'il confia aux Templiers, et favorisa le commerce en accordant des chartes communales. Il fit ériger le nouveau mur d'enceinte de Paris. ~ **Philippe III le Hardi** (*1245, Poissy - 1285, Perpignan*), roi de 1270 à 1285. Fils de Louis IX. Il réunit le comté de Toulouse à la Couronne (1271). Il combattit Pierre III d'Aragon, instigateur des Vêpres siciliennes (1282), dont le royaume avait été donné par le pape à son fils Charles de Valois, mais cette « croisade d'Aragon » fut un échec (1285). ~ **Philippe IV le Bel** (*1268, Fontainebleau - 1314, id.*), roi de 1285 à 1314, fils de Philippe III le Hardi. Il épousa Jeanne de Navarre (1284), qui lui apporta la Champagne et la Navarre. Déléguant le pouvoir à ses légistes (Pierre Flote, Enguerrand de Marigny, Guillaume de Nogaret), il s'opposa au pape Boniface VIII à propos de la levée des décimes (1296) et de l'arrestation de l'évêque de Pamiers (1301), et suscita contre lui l'attentat d'Anagni au cours duquel le pape fut brutalisé (1303). La réconciliation avec le Saint-Siège fut permise en 1305 par l'avènement de Clément V, établi en Avignon en 1309. Dans le Nord, en 1297, Philippe IV occupa la Flandre, mais les Français furent massacrés (Mâtines de Bruges, 1302) et défaits à Courtrai (bataille des Éperons d'or, 1302).

© Lauros-Giraudon

*Gisants de* **Philippe III le Hardi** *(au premier plan) et de* **Philippe IV le Bel** *(XIVe s.). Basilique Saint-Denis.*

**Philippe II**, *roi d'Espagne, peinture d'Antonio Moro (1519-v. 1575). Musée du Prado, Madrid.*

© Bridgeman-Giraudon

**Philippe III le Bon**, *d'après Van der Weyden (v. 1400-1464). Musée de l'Hospice-Comtesse, Lille.*

© Lauros-Giraudon

Le roi l'emporta à Mons-en-Pévèle (1304) et le traité d'Athis-sur-Orge (1305) rétablit la paix. Face au Saint Empire, le roi acquit le comté de Bourgogne (auj. Franche-Comté) en 1295. Il fit reconnaître sa souveraineté dans le Barrois et à Lyon. Il expulsa les Juifs du royaume (1306). Pour financer ses guerres, il accrut la pression fiscale et joua sur la dévaluation des monnaies. Détournant sur les Templiers le mécontentement qui s'ensuivit et convoitant leurs richesses, il fit arrêter leurs dignitaires et obtint du pape la dissolution de leur ordre (1312). Il développa les institutions administratives et judiciaires, et accrut le rôle du pouvoir central. ~ **Philippe V le Long** (*v. 1293 - 1322, Longchamp*), roi de 1316 à 1322, fils du précédent. Il succéda à son frère Louis X le Hutin, après la mort de son neveu Jean Ier le Posthume et après avoir évincé sa nièce Jeanne, créant ainsi le précédent qui écartait les femmes de la succession royale. Il perfectionna l'administration financière et poursuivit la répression à l'égard des Juifs et des lépreux. ~ **Philippe VI de Valois** (*1293 - 1350, Nogent-le-Roi*), roi de 1328 à 1350, fils de Charles de Valois et neveu de Philippe IV. Il écarta de la succession Édouard III d'Angleterre, qui prétendait au trône par sa mère. Il vainquit les Flamands à Cassel (1328). Édouard III s'étant proclamé roi de France, la guerre de Cent Ans s'engagea par des défaites françaises, à L'Écluse, sur mer (1340), à Crécy, sur terre (1346). Calais tomba en 1347. Affaibli par la Peste noire (1347-1348), le royaume fut cependant augmenté, par achat, du Dauphiné et de Montpellier (1349).

MACÉDOINE

**PHILIPPE II** (*v. 382 - 336 av. J.-C., Aigai*), régent (359-356 av. J.-C.), puis roi des Macédoniens (356-336 av. J.-C.). Il réorganisa la phalange macédonienne, vainquit les Illyriens, puis s'empara d'Amphipolis (357 av. J.-C.), évinça Athènes du N. de la Grèce, où il détruisit la cité d'Olynthe (348 av. J.-C.). Contrôlant le sanctuaire de Delphes (346 av. J.-C.), il vainquit Athènes et Thèbes à Chéronée (Béotie) en 338 av. J.-C. En 337 av. J.-C., voulant asseoir sa suprématie sur la Grèce, il constitua la ligue de Corinthe et entra en campagne contre les Perses en 336 av. J.-C., mais fut assassiné peu après. Son fils, Alexandre le Grand, reprit la conquête en 334 av. J.-C. ~ **Philippe V** (*v. 237 - 179 av. J.-C., Amphipolis*), roi de 221 à 179 av. J.-C. Hostile à Rome, il proposa une alliance à Hannibal. Sa défaite aux Cynoscéphales face au consul romain Flamininus (197 av. J.-C.) signa le déclin de la puissance macédonienne.

---

**PHILIPPE DE GRÈCE ET DE DANEMARK**, duc **d'Édimbourg** ~ *1921, Corfou.* Fils du prince André de Grèce et de la princesse Alice de Battenberg, il épousa en 1947 la future reine Élisabeth II d'Angleterre, et reçut le titre de prince consort en 1957.

**PHILIPPE DE VITRY** ~ *1291, Vitry, Champagne - 1361, Meaux ou Paris.* Compositeur, poète et théoricien français. Évêque de Meaux et conseiller influent de plusieurs rois de France, il imposa avec son *Ars nova* (v. 1322) des réformes musicales hardies en matière de notation et de rythme.

**PHILIPPE ÉGALITÉ** ~ Voir **Orléans** (Louis Philippe, duc D').

**PHILIPPE L'ARABE**, en lat. ***Marcus Julius Philippus*** ~ *v. 204, en Trachonitide, Arabie - 249, Vérone.* Empereur romain (244-249). Il célébra le millénaire de Rome (248), mais ne put maintenir la cohésion de l'empire. Il fut tué par Decius, chef des troupes du Danube.

**PHILIPPE LE MAGNANIME** ~ *1504, Marburg - 1567, Kassel.* Landgrave de Hesse. À la tête de la ligue de Schmalkalden (1530-1531), il fut battu par Charles Quint.

**PHILIPPES** ~ Anc. v. de Thrace occidentale. Antoine et Octave y vainquirent Cassius puis Brutus en 42 av. J.-C. Lieu de détention de saint Paul en 50 apr. J.-C.

**PHILIPPINES (mer des)** ~ Partie du Pacifique comprise entre les îles Philippines et les îles Mariannes ; env. 1 000 000 de km². La **fosse des Philippines** (10 000 m de profondeur) s'étend à l'E. des îles Samar et Mindanao.

**PHILIPPINES (république des)** ~ Archipel volcanique de l'Asie du S.-E. baigné par la mer de Chine et le Pacifique. 11 îles (dont Luçon, 104 700 km², Mindanao, 94 600 km², séparées par les Visayas), représentent 95 % du territoire et rassemblent 98 % de la population. ***Cap.*** Manille. ***Superf.*** 300 000 km². ***Popul.*** 65 650 000 h. (84 % de catholiques). ***Langues princ.*** Anglais, tagalog, cebuano. ***Monn.*** Peso. ***Climat.*** Tropical humide (typhons). ***Écon.*** Agric. vivrière (riz, maïs) ou commerciale (canne à sucre, coprah, tabac, banane). ***Ress. énerg.*** Hydroélectricité, géothermie, charbon (faible quantité), mines (nickel, cuivre, or, argent). L'industrie, développée après la guerre (text., confection, agroalim., chim., ameublement), souffre de la concurrence d'autres pays à bas salaires. Les transferts des expatriés et le tourisme constituent des ressources notables. ***V. princ.*** Manille-Quezón, Davao, Cebu. **HIST.** - *Jusqu'au XIIIe s.* : les îles, initialement peuplées par les Négritos puis par les Malais, connaissent un afflux de population chinoise grâce aux échanges commerciaux. *Fin du XIVe s.* : implantation de l'islam, not. à Mindanao. *1521* : l'archipel est reconnu par Magellan. *1564-1571* : conquête des Espagnols, qui lui avaient donné son nom (1543) en l'honneur de l'infant Philippe, futur Philippe II. *1896* : insurrection nationaliste sous la direction d'Emilio Aguinaldo. *1898* : celui-ci instaure une dictature après l'intervention militaire des États-Unis. *1899* : proclamation de la république, dont E. Aguinaldo devient président. *1901* : échec de la rébellion antiaméricaine. Les Philippines passent sous la tutelle des États-Unis, qui délèguent des gouverneurs. *1934* : l'autonomie interne est accordée. *1942-1945* : occupation japonaise. *Juill. 1946* : indépendance. Les gouvernements qui se succèdent doivent lutter contre les guérillas communiste (les Huks) et musulmane (à Mindanao), qui dénoncent la corruption et réclament une réforme agraire. *1965-1985* : le président Ferdinand Marcos, soutenu par les États-Unis, doit faire face à une opposition croissante. *1986* : les résultats de l'élection, qui le donnent gagnant, sont contestés, et il doit s'exiler. Cory Aquino, épouse de Benigno Aquino, leader de l'opposition démocrate assassiné en 1983, lui succède. *1992* : le général Fidel Ramos est élu président.

**Philistins** (les) ~ Peuple anc. de civilisation mycénienne (l'un des Peuples de la Mer) du littoral de Canaan (1200 av. J.-C.), qui donna son nom à la Palestine. Il fut soumis par les Israélites à l'époque du roi David.

**PHILOCTÈTE** ~ Héros de l'*Iliade*, dépositaire de l'arc d'Héraclès. Lors de l'expédition vers Troie, il fut atteint d'un ulcère infect et abandonné à Lemnos. Rappelé par les Achéens pour son arc et ses flèches, il contribua à leur victoire en tuant Pâris.

**PHILOMÈLE** ~ Princesse légendaire d'Athènes. Violée par son beau-frère Térée, qui lui coupa la langue pour l'empêcher de parler, elle avertit sa sœur Procné en brodant son histoire sur une tapisserie. Celle-ci, pour se venger, fit manger à son mari son propre fils. Térée poursuivit les deux sœurs, que les dieux sauvèrent, métamorphosant Procné en rossignol et Philomèle en hirondelle.

**PHILON D'ALEXANDRIE** ~ *v. 20 av. J.-C. - v. 45 apr. J.-C.* Philosophe grec, membre le plus éminent de l'école juive d'Alexandrie. Son œuvre, vaste commentaire de la Torah, fut une tentative d'intégration de la philosophie platonicienne à un fidéisme intangible.

**PHILOPŒMEN** ~ *253, Megalopolis - 183 av. J.-C., Messène.* Général achéen. Il réorganisa la Ligue achéenne pour lutter contre les Romains et les Macédoniens. Il vainquit les Étoliens à Larissa (208 av. J.-C.), obligea les Spartiates à entrer dans la Ligue (206 av. J.-C.), puis les défit définitivement après qu'elle s'en fut séparée (188 av. J.-C.).

**PHNOM PENH** ~ Cap. du Cambodge, à la confluence des « Quatre Bras » (Mékong sup. et inf., Tonlé Sap et Bassac), principal centre écon. du pays (alim., scieries, text., tabac) ; 920 000 h. Créée au XVe s., la ville devint en 1860 la cap. du gouvernement français de l'Indochine (1886). Après leur victoire de 1975, les Khmers rouges expulsèrent le tiers de ses habitants.

**PHOCÉE**, auj. **Phoça** ~ Anc. ville d'Ionie (Asie Mineure). Cité au commerce actif, elle fonda de nombreuses colonies, dont Marseille (VIIe s. av. J.-C.). Elle fut prise par les Perses en 545 av. J.-C.

**PHOCION** ~ *v. 402 - 318 av. J.-C., Athènes.* Général et homme politique athénien. Élu stratège 45 fois, il prôna la prudence envers la Macédoine lorsque Athènes s'engagea dans la guerre lamiaque (323-322 av. J.-C.). Injustement accusé de complaisance, il fut condamné à boire la ciguë.

**PHOENIX** ~ Cap. de l'Arizona (États-Unis) sur la Salt River, dans une oasis irriguée (barrage Roosevelt), marché agricole, centre industriel (aéronaut., électron.), commercial (métaux non ferreux) ; 983 000 h. (agglom. env. 2 000 000 d'h.). Université. Tourisme (Sun Belt).

**PHOTIOS** ou **PHOTIUS** ~ *v. 820, Constantinople - v. 895, id.* Patriarche de Constantinople (858-867 et 877-886). Il fut en conflit avec le pape Nicolas Ier. Le schisme du XIe s. en fit le symbole de l'orthodoxie face à Rome.

**PHRYGIE** (la) ~ Anc. région du N.-O. de l'Asie Mineure. Les **Phrygiens**, peuple indo-européen, s'y établirent vers le XIIe s. av. J.-C. Leurs rois Gordias et Midas, nommés en alternance, avaient pour capitale Gordion. Envahie par les Cimmériens au VIIe s. av. J.-C., la Phrygie fut annexée à la Lydie par Crésus (VIe s. av. J.-C.), envahie par les Galates au IIIe s. av. J.-C., puis en grande partie absorbée par la province romaine d'Asie, en 116 av. J.-C.

**PHRYNÉ** ~ *IVe s. av. J.-C., Thespios, Béotie.* Courtisane grecque. Sa beauté inspira à Praxitèle son *Aphrodite de Cnide*. Accusée d'impiété, elle fut acquittée grâce à Hypéride, son défenseur, subjugua ses juges en la dénudant.

**PHRYNICHOS** ~ *fin du VIe s. - début du Ve s. av. J.-C., Sicile.* Poète grec. On lui attribue l'invention du masque que portaient les acteurs de la tragédie grecque.

**PHUKET** ~ Île thaïlandaise, sur la côte O. de la péninsule de Malacca ; 80 km², 57 000 h. Coprah, caoutchouc, étain. Tourisme.

**PIAF** (Édith Giovanna **Gassion**, dite Édith) ~ *1915, Paris - 1963, id.* Chanteuse française. Sa voix au timbre rare, la force et l'émotion de ses interprétations firent de « la môme Piaf » une grande vedette de la chanson (*la Vie en rose* ; *l'Hymne à l'amour* ; *l'Accordéoniste*).

**PIAGET** (Jean) ~ *1896, Neuchâtel - 1980, Genève.* Psychologue suisse. Ses travaux sur les stades du développement intellectuel chez l'enfant ont fondé une théorie sur les processus de l'acquisition individuelle des instruments de la raison (*Introduction à l'épistémologie génétique*, 1950).

**PIALAT** (Maurice) ~ *1925, Cunlhat, Puy-de-Dôme.* Cinéaste français. Dévoilant sans artifice des vérités brutales, il a renouvelé le genre du film réaliste (*l'Enfance nue*, 1969), mettant en scène des personnages déchirés, à la sensibilité exacerbée (*Sous le soleil de Satan*, 1987).

**PIANA** ~ Village du S. du golfe de Porto (Corse-du-Sud) ; 500 h. Station climatique et touristique au cœur des calanques de granite rouge.

**PIANO** (Renzo) ~ *1937, Gênes.* Architecte italien. Représentant du courant high-tech, il a réalisé à Paris le Centre national d'art et de culture Georg[e] Pompidou (avec le Britannique Richard Roge[rs] 1971-1976) et le bâtiment de l'Ircam (1987-198[8]

**PIAST** ~ Dynastie qui régna sur la Pologne de 9[60] env. à 1370.

**PIAUÍ** ~ État du Nordeste brésilien, princ. intérie[ur] (Sertão) ; 251 273 km², 2 581 000 h., cap. Teresin[a]. Élevage extensif, coton, phosphates.

**PIAVE** (la ou le) ~ Fl. italien (Vénétie), issu d[es] Alpes carniques, qui sépare les Dolomites des Alp[es] vénitiennes et rejoint l'Adriatique à l'E. de Venis[e] 220 km.

**PIAZZETTA** (Giovanni Battista) ~ *1682, Venis[e] 1754, id.* Peintre italien. Formé par G. M. Cres[pi] il mania le clair-obscur dans des scènes populair[es] (*la Devineresse*) et religieuses (*l'Assomption de* [la] *Vierge*) et fut directeur de l'école de Venise (1750

**PICABIA** (Francis) ~ *1879, Paris - 1953, id.* Pei[n]tre français. Pionnier de l'abstraction (*Udnie, jeu[ne] fille américaine ou la Danse*, 1913), il fut ensu[ite] l'un des plus brillants représentants du mouveme[nt] Dada (*M'amenez-y*, 1919-1920), avant de rever[nir] au réalisme (*la Corrida*, 1941-1942).

**PICARD** (Émile) ~ *1856, Paris - 1941, id.* Math[é]maticien français. Fondateur de la géométrie alg[é]brique, il est l'auteur d'un théorème qui constit[ue] le **cycle de Picard**, classification des fonctio[ns] analytiques régulières (1879). Acad.

**PICARD** (abbé Jean) ~ *1620, La Flèche - 168[2] Paris.* Astronome et géodésien français. Il détermi[na] avec exactitude la valeur du rayon terrestre (**deg[ré] de Picard**, 1669-1670). En 1675, il découvrit (sa[ns] pouvoir l'expliquer) la « lumière barométrique [»] (décharge électrique dans un gaz raréfié).

**PICARDIE** (la) ~ Région du N. de la Fran[ce] (3 dép. : Aisne, Oise, Somme) ; 19 443 km[²] 1 818 687 h., préfect. Amiens. Paysage ouvert [de] plateaux limoneux, coupé de zones argilo-sableus[es] (« bas-champs » de la plaine côtière du Marque[n]terre) et de vallées aux fonds alluviaux. Régi[on] agricole (céréales, cult. industr., maraîchères) [et] industrielle (agroalim., text., verrerie : Manufactu[re] de glaces de Saint-Gobain du XVIIe s.). La Picardi[e] dont le patrimoine architectural des villes prin[c.] (Amiens, Beauvais, Laon) témoigne de la brillan[te] histoire, évolue auj. dans l'orbite de Paris. **HIST.** L'ancienne Picardie était divisée, au Xe s., en comt[és] qui subissaient l'attraction de la Flandre. Les r[ois] de France s'y implantèrent dès la fin du XIIe s., m[ais] elle ne leur fut acquise qu'après la mort du duc [de] Bourgogne Charles le Téméraire (1477).

Guernica *(1937), peinture de Pablo* Picasso. *Centre d'art Reine-Sophie, Madrid.*

**PICASSO** (Pablo **Ruiz y Picasso**, dit Pablo) ~ *188[1] Málaga - 1973, Mougins.* Peintre, dessinateur, gr[a]veur et sculpteur espagnol, installé en France à par[tir] de 1904. Constant inventeur de formes, il incarna [la] vie durant la peinture moderne. Des périodes ble[ue] et rose à l'allégresse érotique des dernières toiles, [en] passant par *les Demoiselles d'Avignon* (1906-1907) [et] *Guernica* (1937), son œuvre alimenta nomb[re] d'expériences picturales du XXe s. (cubisme, dont [il] fut à l'origine avec G. Braque, surréalisme, expre[s]sionnisme) avec une audace singulière.

**PICCARD** (Auguste) ~ *1884, Bâle - 1962, La[u]sanne.* Physicien suisse. Il initia l'exploration de ratosphère (1931), dépassant l'altitude de 000 m, et conçut un bathyscaphe.

**ICCINNI** (Niccolò) ~ *1728, Bari - 1800, Paris.* ompositeur italien. Il écrivit des opéras bouffes (*la cchina*, 1760), puis, à Paris, des tragédies lyriques *oland*, 1778). On l'opposa à Gluck lors de la querelle des gluckistes et des piccinnistes ».

**ICCOLI** (Michel) ~ *1925, Paris.* Acteur français. omédien au registre étendu, il a incarné aussi bien s séducteurs que des bourgeois à la maturité quiète (*le Mépris*, de J.-L. Godard, 1963 ; *le harme discret de la bourgeoisie*, de L. Buñuel, 1972).

**IC DE LA MIRANDOLE** (Giovanni **Pico della irandola**, dit en fr. Jean) ~ *1463, Mirandola, ov. de Modène - 1494, Florence.* Philosophe italien. itié à l'aristotélisme à l'université de Padoue, il udia ensuite le néoplatonisme à Florence, où il t protégé par Laurent de Médicis. Il fut l'un des efs de file de l'humanisme.

**ICHEGRU** (Charles) ~ *1761, Arbois - 1804, ris.* Général français. Il conquit les Pays-Bas 794-1795), mais fut relevé de son commandeent pour ses complicités avec les émigrés (1796). ésident du Conseil des Cinq-Cents (1797), il fut rêté lors du coup d'État du 18 fructidor. Il s'évada, nspira avec G. Cadoudal, et fut de nouveau nprisonné (févr. 1804). Il fut découvert mort dans cellule au Temple.

**ICQUIGNY** ~ Localité de la Somme ; 1 397 h. uis XI et Édouard IV d'Angleterre y signèrent le aité de **Picquigny**, qui mit un terme à la guerre Cent Ans (29 août 1475).

**ictes** (les) ~ Nom donné par les Romains aux uples des basses terres d'Écosse, qui combattaient ıs et se peignaient le corps. En 122, pour protéger Bretagne de leurs assauts, Hadrien construisit le ur des **Pictes**.

**ICTET** (Raoul) ~ *1846, Genève - 1929, Paris.* ıysicien suisse. Il liquéfia l'azote et l'oxygène 877) et rendit compte de la disparition des finités chimiques aux basses températures.

**IE**, nom de douze papes. ~ **Pie II** (Enea Silvio **ccolomini** ; *1405, Corsignano - 1464, Ancône*), ıpe de 1458 à 1464. Issu d'une grande famille de enne, il publia divers ouvrages avant d'accéder à prêtrise (1446). Il tenta en vain d'organiser une oisade contre les Turcs. ~ **Pie IV** (Gian Angelo **ledici** ; *1499, Milan - 1565, Rome*), pape de 1559 1565. Il reprit et acheva le concile de Trente 562-1563). ~ **Pie V** (saint ; Antonio Michele **hislieri** ; *1504, Bosco - 1572, Rome*), pape de 1566 1572. D'abord dominicain et inquisiteur général 558), il appliqua strictement les réformes décies par le concile de Trente dont il publia le *atéchisme* (1566). Il poussa à la formation de la ainte Ligue, qui battit les Turcs à Lépante. ~ **Pie VI** iannangelo **Braschi** ; *1717, Césène, Forli - 1799, alence, France*), pape de 1775 à 1799. Après s'être evé contre le joséphisme autrichien, il condamna, hésitant, la Constitution civile du clergé français 791). La France révolutionnaire le priva de ses ats, puis le déporta à Valence (1798). ~ **Pie VII** arnaba **Chiaramonti** ; *1742, Césène - 1823, me*), pape de 1800 à 1823. Ancien évêque Imola, il restaura d'abord l'État romain, fit signer ec la France, par Consalvi, un concordat (1801), sacra empereur Napoléon Ier, à Paris. Il se brouilla ısuite avec celui-ci et l'excommunia (1809). terné à Savone, puis à Fontainebleau, où l'Empeur tenta de lui extorquer un nouvel accord 813), il rentra à Rome en 1814, récupéra ses États rétablit les Jésuites. ~ **Pie IX** (Giovanni Maria **astai Ferretti** ; *1792, Senigallia, Marches - 1878, me*), pape de 1846 à 1878. Dépassé par le ouvement populaire en faveur de l'unité italienne, dut se réfugier à Gaète (nov. 1848). Rétabli dans n pouvoir temporel par les troupes françaises uill. 1849), il défendit avec intransigeance le parti l'ordre et de la religion, condamnant le béralisme et le socialisme (encyclique *Quanta cura*, compagnée du *Syllabus*, 1864), proclamant le gme de l'Immaculée Conception (déc. 1854) et lui de l'infaillibilité pontificale (juill. 1870). La ıerre qu'il mena vingt ans durant contre le émont se solda par la prise de Rome (20 sept. 370) et l'annexion des États de l'Église par le yaume d'Italie. ~ **Pie X** (saint ; Giuseppe **Sarto** ; *1835, Riese - 1914, Rome*), pape de 1903 à 1914. Il condamna la loi française de séparation de l'Église et de l'État (1906) et l'inspiration démocrate-chrétienne du Sillon (1910), ainsi que le mouvement moderniste (décret *Lamentabili* et encyclique *Pascendi*, 1907). Il restaura le plain-chant (1903) et ordonna la révision du bréviaire et la refonte du droit canon (qui aboutit en 1917). ~ **Pie XI** (Achille **Ratti** ; *1857, Desio - 1939, Rome*), pape de 1922 à 1939. Il signa les accords de Latran (création de l'État du Vatican, 1929) ainsi que des concordats avec de nombreux pays. Il condamna l'Action française (1926), le fascisme italien (1931), le communisme athée et le national-socialisme (1937). Il favorisa l'Action catholique (apostolat des laïcs) et les missions (ordination d'évêques indiens, chinois, japonais, vietnamiens). ~ **Pie XII** (Eugenio **Pacelli** ; *1876, Rome - 1958, Castel Gandolfo*), pape de 1939 à 1958. Durant la Seconde Guerre mondiale, il créa de nombreux organismes humanitaires et intervint sans succès en faveur de la paix. Sa position officielle, jugée timorée, face aux persécutions nazies, fit l'objet de polémiques. Après la guerre, il condamna le marxisme, l'existentialisme et le freudisme, et proclama le dogme de l'Assomption de la Vierge (1950).

**PIÉMONT** (le), en ital. *Piemonte* ~ Région frontalière du N.-O. de l'Italie ; 25 399 km², 4 307 000 h., cap. Turin. L'O. de l'arc alpin (de l'Apennin ligure aux Alpes du Tessin), surmonté de hauts sommets (Grand Paradis 4 061 m, Cervin 4 478 m, mont Rose 4 638 m), creusé de vallées profondes, voies de communications avec la France (route du Simplon) domine une région de collines faisant transition avec la plaine du Pô, drainée par ses affl. (Doire Ripaire, Doire Baltée, Sesia, Tessin) ; 25 399 km², 4 307 000 h., cap. Turin. Climat continental. Seconde région écon. du pays grâce à l'hydroélectricité (métall., laine, text., constr. mécan. et autom., papier), à l'aménagement de la plaine du Pô, permettant de hauts rendements agric. (blé, maïs, riz, vigne, cult. maraîchères) et à la tradition industr. de Turin. Élevage bovin, tourisme d'hiver dans les montagnes. V. princ. Turin, Novare, Alessandria, Asti, Cuneo. HIST. - Propriété de la maison de Savoie dès le XIe s., le Piémont lui revint définitivement en 1418 et devint au XIXe s. le principal foyer de l'unité italienne (**royaume de Piémont-Sardaigne**).

**PIERNÉ** (Gabriel) ~ *1863, Metz - 1937, Ploujean, Finistère.* Compositeur et chef d'orchestre français. Disciple de C. Franck et de J. Massenet, il composa une musique de chambre et d'orchestre d'une grande limpidité. Un élan sincère anime son œuvre vocale, souvent d'inspiration religieuse (*les Enfants à Bethléem*, 1907).

**PIERO DELLA FRANCESCA** ~ *v. 1416, Borgo San Sepolcro, prov. d'Arezzo - 1492, id.* Peintre italien. Marqué par les recherches d'Alberti et de Masaccio sur les lois de la perspective, son œuvre allie conception robuste des volumes, richesse des rapports chromatiques et effets de lumière unifiant la composition (fresques de *la Légende de la Croix*, San Francesco d'Arezzo, 1452-1459). Son influence fut déterminante sur l'art de la Renaissance, et bien au-delà, jusqu'à Cézanne.

Federico da Montefeltro, *duc d'Urbino*, *peinture de* **Piero della Francesca**. *Galerie des Offices, Florence.*

**PIERO DI COSIMO** (Piero di **Lorenzo**, dit) ~ *1461 ou 1462, Florence - 1521, id.* Peintre italien. Influencé par la peinture flamande, il a peint d'étonnantes scènes mythologiques et des portraits (*Simonetta Vespucci*, 1477).

**PIÉRON** (Henri) ~ *1881, Paris - 1964, id.* Philosophe et psychologue français. Il est l'initiateur d'une psychologie expérimentale qui considère les faits psychologiques comme des éléments objectifs (*Technique de la psychologie expérimentale*, 1925).

SAINTS

**PIERRE** (saint) ~ *m. v. 64-67 à Rome.* Le principal des douze apôtres de Jésus. Pêcheur sur le lac de Tibériade, il se nommait Simon. Jésus l'appela Pierre pour faire de lui le chef sur lequel il fonderait son Église. Malgré son triple reniement pendant la Passion, Jésus fit de lui le chef de la communauté apostolique, à Jérusalem. Premier évêque de Rome, il aurait subi le martyre sous Néron.

**PIERRE CANISIUS** (saint) ~ *1521, Nimègue - 1597, Fribourg.* Jésuite hollandais, docteur de l'Église. Il participa au concile de Trente et fut l'un des propagateurs de la Contre-Réforme dans les pays germaniques et en Suisse.

**PIERRE D'ALCÁNTARA** (saint) ~ *1499, Alcántara, Cáceres - 1562, Las Arenas, Ávila.* Franciscain et écrivain mystique espagnol. Avec sainte Thérèse d'Ávila, il entreprit la réforme du Carmel.

**PIERRE DAMIEN** (saint) ~ *1007, Ravenne - 1072, Faenza.* Docteur de l'Église. Ermite puis évêque d'Ostie, il fut, aux côtés du futur Grégoire VII, l'un des promoteurs de la réforme du clergé en Italie.

**PIERRE FOURIER** (saint) ~ *1565, Mirecourt, Lorraine - 1640, Gray.* Prêtre français. Il fonda une congrégation enseignante féminine en Lorraine et prêcha contre le protestantisme.

**PIERRE NOLASQUE** (saint) ~ *v. 1182 ou 1189, en Languedoc - v. 1256 ou 1258, Barcelone.* Religieux languedocien. Il prit part à la croisade contre les albigeois au côté de Simon de Montfort, puis fut chargé de l'éducation du futur roi Jacques Ier d'Aragon, retenu prisonnier. Il fonda l'ordre de la Merci.

EMPIRE LATIN D'ORIENT

**PIERRE II DE COURTENAY** ~ *v. 1167 - 1217.* Empereur latin d'Orient. Allié de Philippe II Auguste lors de la 3e croisade (1190), puis de la bataille de Bouvines (1214), il fut désigné empereur d'Orient (1216). Fait prisonnier, il mourut sans avoir rejoint Constantinople.

ARAGON

**PIERRE Ier** (*v. 1070 - 1104*), roi d'Aragon et de Navarre (1094-1104). ~ **Pierre II** (*v. 1176 - 1213, Muret*), roi d'Aragon (1196-1213). Il fut tué à la bataille de Muret. ~ **Pierre III le Grand** (*v. 1239 - 1285, Villafranca del Panadés, Barcelone*), roi d'Aragon (1276-1285) et de Sicile (Pierre Ier ; 1282-1285). Il fut à l'origine des Vêpres siciliennes (1282). ~ **Pierre IV le Cérémonieux** (*1319, Balaguer - 1387, Barcelone*), roi d'Aragon (1336-1387). Il reprit le Roussillon et Majorque (1344).

BRÉSIL

**PIERRE Ier** (*1798, Queluz, Portugal - 1834, id.*), empereur du Brésil (1822-1831) et roi de Portugal (Pierre IV ; 1826), fils de Jean VI de Portugal. Il s'expatria au Brésil en 1807, chassé par les troupes françaises. Il proclama l'indépendance du Brésil et fut sacré empereur en 1822. Devenu roi de Portugal, il abdiqua en faveur de sa fille Marie (1826) et céda la couronne du Brésil à son fils Pierre II en 1831. ~ **Pierre II** (*1825, Rio de Janeiro - 1891, Paris*), empereur du Brésil (1831-1889). Sa décision de supprimer l'esclavage (1888) déclencha une révolte militaire, qui l'obligea à renoncer au trône en 1889.

CASTILLE

**PIERRE Ier LE CRUEL** ~ *1334, Burgos - 1369, Montiel.* Roi de Castille (1350-1369), réputé pour sa cruauté à l'égard de ses adversaires comme de sa propre famille, il fut renversé par son demi-frère, soutenu par Du Guesclin, et fut assassiné.

PORTUGAL

**PIERRE Ier LE JUSTICIER** (*1320, Coimbra - 1367, Estremoz, Alentejo*), roi de Portugal (1357-1367). Il renforça l'autorité royale. ~ **Pierre II** (*1648, Lisbonne -1706, id.*), roi de Portugal (1683-1706). Régent, il força l'Espagne à reconnaître l'indépendance du Portugal (1668). Il conclut avec l'Angleterre un pacte d'alliance (1703). ~ **Pierre III** (*1717, Lisbonne - 1786, id.*), roi de Portugal (1777-1786). Marié à sa nièce Marie Ire, il partagea avec elle la couronne. ~ **Pierre IV**, roi de Portugal (1826). Voir **Pierre Ier**, empereur du Brésil. ~ **Pierre V** (*1837, Lisbonne - 1861, id.*), roi de Portugal (1853-1861).

RUSSIE

**PIERRE Ier LE GRAND** (*1672, Moscou - 1725, Saint-Pétersbourg*), tsar (1682-1725) et empereur de Russie (1721-1725). Après avoir supprimé la régente Sophie (1689), il tenta d'occidentaliser la Russie, à la suite de son voyage en Europe (1697-1698). Il créa une armée et une flotte permanentes. Ayant battu Charles XII de Suède à Poltava (1709), il l'obligea à lui céder les provinces baltiques lors du traité de Nystad (1721). Il fit de Saint-Pétersbourg la capitale de la Russie (1712), et y fonda le Saint-Synode et le Sénat. Il érigea la Russie en un empire (1721), qui fut dirigé après sa mort par sa femme Catherine Ire. ~ **Pierre III** (*1728, Kiel - 1762, château de Ropcha, près de Saint-Pétersbourg*), empereur de Russie (1762). Son épouse Catherine II le fit assassiner.

SERBIE ET YOUGOSLAVIE

**PIERRE Ier KARADJORDJEVIĆ** (*1844, Belgrade - 1921, id.*), roi de Serbie (1903-1918) puis de Yougoslavie (1918-1921). Formé à Saint-Cyr (1864), il s'engagea dans la Légion étrangère et se distingua à la bataille de Villersexel (1871). Élu roi de Serbie (1903), il confia la régence à son fils Alexandre (1914). ~ **Pierre II Karadjordjević** (*1923, Belgrade - 1970, Los Angeles*), roi de Yougoslavie (1934-1941). Il gouverna brièvement après la destitution du régent, son oncle, Paul Karadjordjević, favorable à une alliance avec l'Allemagne (mars 1941). Lors de l'invasion de la Yougoslavie par l'Allemagne (avril 1941), il fut contraint de s'exiler.

---

**PIERRE** (Henri **Grouès**, dit l'abbé) ~ *1912, Lyon.* Prêtre français. Il s'est engagé dans la Résistance, a milité au M. R. P. et a été député (1945-1951). Fondateur de la communauté des chiffonniers d'Emmaüs (1949), il s'est consacré à la lutte contre la pauvreté et à la défense des sans-logis.

**PIERRE Ier**, dit **Mauclerc** ~ *m. en 1250.* Duc de Bretagne (1213-1250). Arrière-petit-fils de Louis VI, il fut l'allié de Philippe II Auguste contre Jean sans Terre (1214) et de Louis VIII contre les albigeois (1226). Il accompagna Saint Louis en Égypte (1248), où il fut fait prisonnier.

**PIERRE DE CORTONE** (Pietro **Berrettini**, dit Pietro **da Cortona**, en fr.) ~ *1596, Cortona, prov. d'Arezzo - 1669, Rome.* Peintre et architecte italien. Il s'illustra dans la décoration à fresque (palais Pitti, 1641) et développa une architecture baroque à Rome (villa du Pigneto, 1630).

**PIERRE DE MONTREUIL** ~ *v. 1200, Montreuil - 1267, Paris.* Architecte français. Il fut l'un des grands architectes gothiques du règne de Saint Louis. Il construisit l'abbaye de Saint-Germain-des-Prés et travailla à la basilique de Saint-Denis. En 1265, il devint maître d'œuvre à Notre-Dame de Paris.

**PIERRE DES VAUX-DE-CERNAY** ~ *XIIIe s.* Chroniqueur français. Moine cistercien à l'abbaye des Vaux-de-Cernay, il suivit son oncle, évêque de Carcassonne, dans la 4e croisade (1202), puis il rédigea une *Histoire de l'hérésie des albigeois et de la sainte guerre entreprise contre eux* (de l'an 1203 à l'an 1218).

**Pierre du Soleil** ~ Monolithe aztèque sculpté, de 3,60 m de diamètre et pesant 20 t. Il représente le calendrier des anciens Aztèques et résume leur conception du monde (musée national d'Anthropologie, Mexico).

**PIERREFITTE-SUR-SEINE** ~ V. de la banlieue N. de Paris (Seine-Saint-Denis) ; 23 822 h.

**PIERREFONDS** ~ Bourg du Soissonnais, au S.-E. de la forêt de Compiègne (Oise) ; 1 548 h. Château du XIIe s., restauré par Viollet-le-Duc.

**PIERRELATTE** ~ V. de la Drôme, près du Rhône, entre Montélimar et Orange ; 11 770 h. Centre de production nucléaire (uranium).

**PIERRE L'ERMITE** ~ *v. 1050, Amiens - 1115, Neufmoustier, Belgique.* Religieux français. Il prêcha la 1re croisade et organisa une expédition qui fut arrêtée par les Turcs près de Nicomédie. Parvenu en Terre sainte, il fut nommé aumônier de l'armée chrétienne. À son retour, il fonda le monastère de Neufmoustier.

**PIERRE LE VÉNÉRABLE** ~ *v. 1092, Montboissier, Auvergne - 1156, Cluny.* Religieux français. Nommé abbé de Cluny en 1122, il s'employa à redéfinir la discipline de son ordre mais s'opposa à saint Bernard. Il recueillit Abélard après sa condamnation. Auteur de lettres et d'un traité.

**PIERRE LOMBARD** ~ *v. 1100, Novare - 1160, Paris.* Théologien italien. Prédicateur à l'abbaye de Saint-Victor, il fut nommé archevêque de Paris en 1159. Il laissa un recueil de textes des Pères de l'Église, *les Quatre Livres des sentences*, qui constitua jusqu'au XIVe s. la base des études théologiques.

**PIERRE II PETROVIĆ NJEGOŠ** ~ *1813, Njegoš - 1851, Cetinje.* Dernier prince-évêque du Monténégro (1831), il fut l'auteur de poèmes lyriques et patriotiques (*les Lauriers de la montagne*, 1847) glorifiant la lutte contre les Turcs.

**Pierre-Saint-Martin (gouffre de la)** ~ Gouffre des Pyrénées-Atlantiques (1 358 m de prof.), à proximité de la frontière espagnole.

**PIETERMARITZBURG** ~ V. d'Afrique du Sud, au N.-O. de Durban ; 229 000 h., cap. du Natal. Centre industriel (aluminium, métall.). Elle fut fondée par des Boers en 1839.

**PIEYRE DE MANDIARGUES** (André) ~ *1909, Paris - 1991, id.* Écrivain français. Influencé par le surréalisme, il a mis une écriture précieuse au service de thèmes fantastiques et érotiques (*Soleil des loups*, 1951 ; *la Motocyclette*, 1963 ; *la Marge*, 1967).

**PIGALLE** (Jean-Baptiste) ~ *1714, Paris - 1785, id.* Sculpteur français. Son style se situe à la charnière du baroque et du néoclassicisme (tombeau du maréchal de Saxe, 1753-1776, à Strasbourg).

**PIGNEROL**, en ital. **Pinerolo** ~ Anc. ville forte d'Italie, dans le Piémont, au pied des Alpes ; 36 000 h. Cathédrale gothique. Sa position stratégique lui valut d'être disputée par la France et la Savoie. Fouquet, Lauzun et le Masque de fer furent incarcérés dans sa forteressse.

**PILAT (dune du)** ~ Grande dune de sable (haut. 105 m) de la côte landaise, au S. du bassin d'Arcachon.

**PILAT (mont)** ~ Massif boisé de la bordure orientale du Massif central (1 432 m), au S. de Saint-Étienne (extrême N. du Vivarais). Parc régional.

**PILATE** (Ponce), en lat. **Pontius Pilatus** ~ *Ier s.* Préfet romain de Judée (26-36 apr. J.-C.). Selon les Évangiles, c'est sous son autorité que le sanhédrin condamna Jésus à mort. Il est souvent représenté se lavant les mains pour dénier sa responsabilité dans cette condamnation.

**PILÂTRE DE ROZIER** (François) ~ *1754, Metz - 1785, Wimille, Pas-de-Calais.* Aéronaute français. Le 21 nov. 1783, il effectua avec le marquis d'Arlandes le premier voyage en montgolfière, entre le château de la Muette et la Butte-aux-Cailles. Il mourut en tentant de traverser la Manche.

**PILCOMAYO** (le) ~ Riv. d'Amérique du Sud, affl. du Paraguay (r. dr.) qui traverse le Chaco ; 2 500 km. Issu des Andes boliviennes, il forme la frontière N.-O. entre le Paraguay et l'Argentine.

**Pillnitz (déclaration de)** ~ Déclaration (27 août 1791) par laquelle l'empereur Léopold II et le roi de Prusse Frédéric-Guillaume II disaient leur préoccupation face au sort de Louis XVI, après sa fuite à Varennes. Signée au château de Pillnitz, en Saxe, elle ne fit qu'inquiéter les Français.

**PILON** (Germain) ~ *v. 1528, Paris - 1590, id.* Sculpteur français. À la fois réaliste et maniériste, il fit la synthèse entre la tradition française et la Renaissance italienne (*Tombeau de Henri II et de Catherine de Médicis* ; *Christ ressuscité*).

**PILSEN** ~ Voir Plzeň.

**PIŁSUDSKI** (Józef) ~ *1867, Żułowo, auj. en Lit nie - 1935, Varsovie.* Maréchal et homme d'État lonais. Il fut le premier chef d'État après le rétablis ment de l'indépendance de la Pologne (1918-192 Vainqueur de l'Armée rouge devant Varsovie (192 il revint au pouvoir par un coup d'État (1926) instaura une dictature jusqu'à sa mort.

**PINARD** (Adolphe) ~ *1844, Méry-sur-Seine, Aub 1934, id.* Médecin français. Professeur de clini obstétricale, député de la Seine, il fut un promot de la législation familiale et de la puériculture

**PINAR DEL RÍO** ~ V. de Cuba fondée vers 17 au S.-O. de La Havane, centre admin. d'une régi agric. ; 136 000 h. Manufactures de tabac, ind tries alimentaires.

**PINATUBO** (le) ~ Volcan actif des Philippi (1 780 m), au N.-O. de Manille, dans l'île Luçon. Son réveil en 1991, après des siècles d'ina vité, détruisit la base américaine de Subic Bay.

**PINAY** (Antoine) ~ *1891, Saint-Symphorien-s Coise, Rhône - 1994, Saint-Chamond.* Homme p tique français. Président du Conseil et ministre Finances en 1952, il s'efforça de rétablir la stabi économique et financière. Ministre des Finan du général de Gaulle (1958-1960), il institua nouveau franc, puis occupa le poste de médiat de la République (1973-1974).

**Pincevent** ~ Site préhistorique près de Mon reau (Seine-et-Marne). L'archéologue A. Ler Gourhan y décela (1964-1985) les traces d' campement de chasseurs de rennes de l'époc magdalénienne.

**PINCUS** (Gregory Goodwin) ~ *1903, Woodb New Jersey - 1967, Boston.* Médecin américain mit au point le premier contraceptif oral (195 appelé « la pilule ».

**PINDARE** ~ *518, Cynoscéphales - 438 av. J.- Argos.* Poète grec. Ses grands poèmes, dont seuls quatre livres des *Épinicies* (odes triomphales) n sont parvenus, lui valurent la célébrité de son viv en raison de leur élévation morale et de l splendeur lyrique.

**PINDE** (le) ~ Ensemble montagneux de Gr occidentale, culminant au mont Smoli (2 637 m). Très arrosé, il s'étend de la fronti albanaise au golfe de Corinthe et isole la faç ionienne (Épire) du reste du pays. Région sismiq

**PINEL** (Philippe) ~ *1745, près de Gibrondes, Jonquières, Tarn - 1826, Paris.* Médecin franç Considéré comme le fondateur de la psychia moderne, il préconisa le « traitement moral » la folie, assimilable pour lui aux maladies or niques et dont il proposa une classification. recommanda l'enfermement des aliénés dans institutions spécialisées.

**PINGET** (Robert) ~ *1919, Genève.* Écrivain fr çais. Créateur de personnages dérisoires aux pri avec l'absurdité du monde (*Monsieur Songe*, 198 il est l'auteur de romans destructurés (*l'Apocryp* 1980) dans la lignée du Nouveau Roman et d' théâtre évoquant Beckett (*la Manivelle*, 1986).

Vierge de douleur, *terre cuite de Germain* **Pilon**. *Musée du Louvre, Paris.* © Lauros-Giraudon

INOCHET UGARTE (Augusto) ~ *1915, Val-araíso.* Général et homme d'État chilien. Com-nandant en chef des forces armées chiliennes, nstigateur du putsch militaire de 1973 qui renversa e président Allende, il a instauré la dictature, puis st devenu président de la République (1974) et a nis en œuvre une politique économique ultra-bérale. Désavoué par le peuple après un plébiscite 1988), il a cédé le pouvoir à Patricio Aylwin Azócar la fin de 1989. Il conserve toutefois le commande-nent en chef de l'armée de terre.

INS (île des) ~ Île de Mélanésie, rattachée à la Jouvelle-Calédonie (S. de la Grande Terre) ; 35 km², 1 465 h. Bagne où furent incarcérés les risonniers de la Commune (1872-1879).

'INS (île des) ou JEUNESSE (îles de la) ~ Dépen-ance de Cuba, dans la mer des Antilles ; 2 200 km², 1 000 h. Agrumes. Centre de détention de prison-iers politiques.

'INTER (Harold) ~ *1930, Londres.* Dramaturge ritannique. Ses pièces relèvent du « théâtre de absurde » par l'emploi d'ellipses et d'allégories qui raduisent les sourdes menaces de dérapage du uotidien (*l'Anniversaire*, 1958 ; *le Retour*, 1964). est également auteur de scénarios pour J. Losey *The servant*).

'INTO (Fernão Mendes) ~ Voir **Mendes Pinto** Fernão).

INTURICCHIO (Bernardino **di Betto**, dit ) ~ *1454, Pérouse - 1513, Sienne.* Peintre italien. u Vatican et à Sienne, il peignit des fresques très ivantes, marquées par un grand talent décoratif.

INZÓN, famille de navigateurs espagnols. ~ **Mar-n** *(1440, Palos de Moguer, Andalousie - 1493, La ábida, id.)* fut le capitaine de la *Pinta*, l'une des aravelles de l'expédition de Christophe Colomb en 492. Son frère ~ **Vicente** *(m. en 1519)* découvrit embouchure de l'Amazone en 1500.

'IOMBINO ~ V. de Toscane (Italie), au S. de ivourne, face à l'île d'Elbe ; env. 40 000 h. ndustrie sidér., matériel ferroviaire, port de voya-eurs. **HIST.** - Cédée par Jean Galéas Visconti à la naison d'Appiano (1399-1604), la ville passa entre ifférentes mains, dont celles de Napoléon, qui la onna à sa sœur Élisa Bonaparte (1805). En 1815, revint aux Boncompagni, qui la rendirent à la oscane.

'IRANDELLO (Luigi) ~ *1867, Agrigente - 1936, ome.* Écrivain italien. Il s'imposa comme l'un des lus grands novateurs du théâtre du XXᵉ s. avec des ièces qui mettent en scène, par le mécanisme du théâtre dans le théâtre », la représentation d'une eprésentation impossible (*Chacun sa vérité*, 1917 ; *x Personnages en quête d'auteur*, 1921 ; *Henri IV*, 922). Il influença not. les auteurs français . Anouilh, J.-P. Sartre). Prix Nobel de litt. 1934.

'IRANÈSE (Giovanni Battista **Piranesi**, dit en .) ~ *1720, Mogliano Veneto, près de Venise - 1778, ome.* Graveur et architecte italien. Maître de eau-forte, il grava des paysages romains (*Vues de ome*, 1748-1775 ; *Antiquités romaines*, 1756), ainsi ue ses *Prisons* (1743 et 1760), empreintes d'un ntastique qui annonce le romantisme.

'IRATES (Côte des) ou TRÊVE (Côte de la) ~ ncien nom de la côte des Émirats arabes unis, sur e golfe Persique.

'IRE (Dominique) ~ *1910, Dinant - 1969, Lou-ain.* Dominicain belge. Il s'occupa des réfugiés et es personnes déplacées durant la Seconde Guerre nondiale. Prix Nobel de la paix 1958.

'IRÉE (Le), en gr. *Pireás* ~ Port de Grèce, dans agglom. d'Athènes (Attique), l'un des plus im-ortants de la Méditerranée, sur le golfe d'Égine, ppelé aussi golfe de Saronique ; 183 000 h. rincipal centre commercial et industriel du pays constr. navales, métall., chimie, text.). **HIST.** - Lors es guerres médiques (Vᵉ s. av. J.-C.), il devint le rincipal port d'Athènes, supplantant Phalère. lusieurs fois détruit, il ne retrouva son importance u'au XIXᵉ s.

'IRENNE (Henri) ~ *1862, Verviers - 1935, Uccle-s-Bruxelles.* Historien belge. Il fut un pionnier de analyse économique et sociale en histoire médié-ale (*Histoire de la Belgique*, 1899-1932).

'IRITHOOS ~ Héros de la mythologie grecque, ls de Zeus et roi des Lapithes. Le combat des Centaures et des Lapithes eut lieu lors de son mariage avec Hippodamie. Ami de Thésée, il l'aida à enlever Hélène et resta prisonnier des Enfers alors qu'il voulait enlever Perséphone.

**PIRON** (Alexis) ~ *1689, Dijon - 1773, Paris.* Écrivain français. Collaborateur de Rameau au théâtre de la Foire, il écrivit des comédies (*la Métromanie*, 1738), des *Poésies* et des *Épigrammes*.

**PIRQUET** (Clemens VON) ~ *1874, Hirschstetten, près de Vienne - 1929, Vienne.* Médecin autrichien. Il étudia les réactions cutanées à la tuberculine et introduisit le terme d'« allergie » (1906).

**PISANELLO** (Antonio **Pisano**, dit **il**) ~ *av. 1395, Pise - v. 1455, id.* Peintre et médailleur italien. Issu du gothique international, il développa un art courtois à la fois réaliste et féerique. Renommé dans toutes les cours d'Italie, il privilégia le portrait (*la Princesse d'Este*) et les dessins d'animaux.

**PISE** ~ V. de Toscane (Italie), sur l'Arno, près de la mer Méditerranée ; 97 000 h. Industries text., mécan., verreries. Tourisme. Archevêché. Univ. (fondée en 1343). Monuments de style pisan : cathédrale romane (XIᵉ s., chaire sculptée par Giovanni Pisano, 1302-1310), tour penchée (56 m de haut, XIIᵉ-XIVᵉ s.), baptistère (1153-1400), cimetière ou Camposanto (galeries gothiques, fresques). Musée des Sinopies et Musée national (école pisane). Station baln. de Marina di Pisa. **HIST.** - Grande cité maritime au XIᵉ s., Pise fonda des colonies sur les côtes de la Méditerranée orientale. Après la défaite qu'infligea Gênes à sa flotte, elle déclina (1284). Annexée par Florence (1406), elle réunit le concile qui contribua à mettre fin au grand schisme d'Occident (1409). Elle fut rattachée au Piémont en 1860.

**PISISTRATE** ~ *v. 600 - 527 av. J.-C., Athènes.* Tyran d'Athènes. Il s'empara de la tyrannie (v. 561) puis fut deux fois renversé et deux fois rétabli. Parent de Solon, dont il continua la politique, il améliora le sort des paysans, entreprit de grands travaux (Acropole) et favorisa les fêtes religieuses (panathénées, dionysies). Hippias et Hipparque lui succédèrent.

**PISON** ~ Voir **Calpurnius Pison**.

© Giraudon

La Brouette, verger *(v. 1881)*,
*peinture de Camille* **Pissarro**. *Musée d'Orsay, Paris.*

**PISSARRO** (Camille) ~ *1830, île de Saint-Thomas, Antilles - 1903, Paris.* Peintre français. Ami de Monet, de Renoir et de Cézanne. Il exécuta de nombreux paysages de campagne. Sa touche est emblématique du courant impressionniste (*les Toits rouges*, 1877 ; *le Brouillard*, 1874).

**PISTOIA** ~ V. de Toscane (Italie), au pied de l'Apennin, au N.-O. de Prato, centre commercial et industriel (textile, confection, chaussures, horticulture, meubles, alimentaire) ; 87 000 h. Nombreuses églises (XIIᵉ-XVIᵉ s.), cathédrale (XIIᵉ s.) et baptistère (XIVᵉ s.). Musée. D'abord cité romaine, Pistoia fut annexée en 1401 par Florence.

**PITCAIRN (île)** ~ Île volcanique et dépendance britannique du Pacifique Sud (Océanie), au S.-E. des îles Tuamotu ; 5 km², 56 h. Elle est habitée par des descendants des marins du *Bounty*.

**PITHIVIERS** ~ V. des confins de la Beauce et du Gâtinais (Loiret) ; 9 327 h. (agglom. 11 389 h.). Industrie pharmaceut. et alimentaire (gâteaux, pâtés d'alouettes, sucreries). Musée des Transports.

**PITHYUSES (îles)** ~ Partie S.-O. (îles Ibiza et Formentera) de l'archipel des Baléares (Espagne).

**PITOËFF**, nom d'un couple de comédiens français d'orig. russe. ~ **Georges** *(1884, Tiflis - 1939, Genève)*, acteur et homme de théâtre. Disciple de Stanislavski et de Meyerhold, il fonda avec G. Baty, Ch. Dullin et L. Jouvet le Cartel des quatre. Son épouse ~ **Ludmila** *(1895, Tiflis - 1951, Rueil)* interpréta avec succès nombre de ses mises en scène.

**PITOT** (Henri) ~ *1695, Aramon, Languedoc - 1771, id.* Ingénieur et physicien français. Il dirigea les travaux du canal du Languedoc (canal du Midi), étudia le rendement des machines hydrauliques et réalisa le **tube de Pitot**, qui permet de calculer la vitesse d'écoulement et la pression d'un fluide.

**PITT**, famille d'hommes politiques britanniques. ~ **William**, 1ᵉʳ comte DE CHATHAM, dit LE PREMIER PITT *(1708, Londres - 1778, Hayes, Kent)*. Député whig à partir de 1735, Premier ministre et ministre de la Guerre de 1756 à 1761, il redevint chef du gouvernement de 1766 à 1768. Son action durant la guerre de Sept Ans fut déterminante et mena la Grande-Bretagne à la victoire contre les Bourbons au Canada. Son fils ~ **William**, dit LE SECOND PITT *(1759, Hayes - 1806, Putney)*, Premier ministre (1783-1801 ; 1804-1806), anima la lutte de l'Europe contre la France révolutionnaire. Confronté aux difficultés financières, menacé par la révolte d'Irlande (1798), il rechercha, malgré son succès à Aboukir (1798), une trêve qui aboutit à la paix d'Amiens (1802). Il obtint l'intégration de l'Irlande à l'État britannique (Acte d'union, 1800). De nouveau Premier ministre, il reprit la guerre pour ruiner les forces navales de France (Trafalgar, 1805).

**PITTACOS** ~ *v. 650 - v. 569 av. J.-C.* Tyran de Mytilène (v. 595-v. 585 av. J.-C.). Il dirigea la cité avec beaucoup de sagesse puis abdiqua. Ce fut l'un des Sept Sages de la Grèce.

**PITTI** ~ Famille de Florence, rivale des Médicis. Elle fit édifier le **palais Pitti** (1440), racheté par les Médicis au XVIᵉ s. Devenu un musée, il abrite en partie la collection des Médicis (œuvres de F. Lippi, du Pérugin, de Raphaël, de Titien, etc.)

**PITTSBURGH** ~ V. des États-Unis (Pennsylvanie), sur l'Ohio ; 369 000 h. (agglom. env. 2 243 000 h.). 5ᵉ agglom. et 1ᵉʳ port fluvial du pays, c'est l'un des plus grands complexes industriels du monde, desservi par un réseau de communication dense. Vouée à la production d'acier et à ses industries annexes (constructions mécaniques, navales, équipement électronique, chimique, verrerie), auj. en reconversion (nucléaire, pétrole), la ville est le siège de grandes compagnies (les magnats industriels Frick, Carnegie, Mellon y ont bâti leur empire). Programme de lutte antipollution et de rénovation urbaine (Gateway Center). Centre intellectuel et culturel : 3 universités, 150 laboratoires de recherche, Institut Carnegie, musées (Carnegie, Warhol), Carnegie Music Hall.

**PIURA** ~ V. du Pérou septentrional, sur la **Piura** ; 278 000 h. Centre comm. (coton, fruits, riz, élevage) formant une oasis dans le désert côtier, desservi par la Panaméricaine. Première ville du Pérou fondée par les Espagnols (1532).

**PIZARRO**, famille de conquistadors espagnols. ~ **Francisco** *(v. 1475, Trujillo - 1541, Lima)*, aidé de ses frères ~ **Gonzalo** *(v. 1502, Trujillo - 1548, près de Cuzco)* et ~ **Hernando** *(v. 1508, Trujillo - 1578, id.)*, s'empara de l'Empire inca avec une poignée d'aventuriers et fonda Ciudad de Los Reyes (auj. Lima) après avoir pillé le trésor d'Atahualpa, qu'il fit exécuter (1533). Il fut assassiné par les fidèles de son rival Almagro.

**PLAGNE (La)** ~ Station de sports d'hiver de la Tarentaise (Savoie, commune de Macôt-la-Plagne), à 1 270-3 250 m d'altitude.

**PLAINES (Grandes)** ~ Voir **Grandes Plaines**.

**PLAISANCE**, en ital. *Piacenza* ~ V. d'Italie (Émilie-Romagne) au S.-E. de Milan, près du Pô, ch.-l. de la prov. du même nom ; 102 000 h. Industries mécan., text., alim. ; proximité de gisements de méthane et de pétrole. Cathédrale romane (XIIᵉ s.), palais communal gothique (XIIIᵉ s.), palais Farnèse (XVIᵉ s.). **HIST.** - Passée aux Visconti, Plaisance fut annexée aux États de l'Église par Jules II (1512). En 1545, le pape Paul III constitua le **duché de Parme et Plaisance**. Ces deux villes furent liées jusqu'à leur rattachement au Piémont (1860).

**PLAISIR** ~ V. de la banlieue S.-O. de Paris (Yvelines), au N. de la ville nouvelle de Saint-Quentin-en-Yvelines ; 25 877 h. Industries aéronautique, électron., alim. (pâtisserie).

**PLANCHON** (Roger) ~ *1931, Saint-Chamond.* Homme de théâtre français. À la tête du T. N. P. de Villeurbanne (1972), il a mis en scène des pièces du répertoire classique dans une perspective politique. Il est également auteur dramatique et acteur de cinéma.

**PLANCK** (Max) ~ *1858, Kiel - 1947, Göttingen.* Physicien allemand. En 1900, il résolut le problème du corps noir (corps idéal absorbant tout rayonnement), insoluble par la mécanique classique, grâce à l'hypothèse de la discontinuité des échanges d'énergie. Ces échanges se font par quantités finies calculables en multipliant la fréquence par une valeur constante (**constante de Planck**). Cette découverte, mettant en cause la nature ondulatoire de la lumière, est à la base de la physique quantique. Prix Nobel de phys. 1918.

**PLANTAGENÊT** ~ Dynastie qui régna sur l'Angleterre de 1154 à 1485. Elle compta dans ses rangs, not., Richard Cœur de Lion et Henri V. D'origine française, elle avait été baptisée d'après le surnom de Geoffroi V, comte d'Anjou, qui portait une branche de genêt à sa toque.

**PLANTAUREL** (le) ou **PETITES PYRÉNÉES** (les) ~ Petite chaîne calcaire (830 m) située au N. de Foix et des Pyrénées ariégeoises.

**PLANTÉ** (Gaston) ~ *1834, Orthez - 1889, Bellevue.* Physicien français. Il inventa l'accumulateur électrique (1859).

**PLANTIN** (Christophe) ~ *v. 1520, Saint-Avertin, près de Tours - 1589, Anvers.* Imprimeur belge d'orig. française. Il édita plus de 1 500 ouvrages, dont la *Biblia Regia* ou *Biblia poliglotta* (1572), en 8 volumes, édition scientifique des textes bibliques.

**PLATA (La)**, anc. **Ciudad Eva Perón** (de 1952 à 1955) ~ Port d'Argentine, ch.-l. de la prov. de Buenos Aires, la plus riche du pays, sur la côte S. du Río de La Plata, auj. partie intégrante de la conurbation de Buenos Aires ; 520 000 h. Centre administratif, commercial, industriel (raff. de pétrole, sidérurgie, textile, conserveries de viande). Foyer culturel, université. Musées d'Ethnographie et de Sciences naturelles.

**PLATA (La)** ~ Voir **Sucre**.

**PLATA (Río de La)** ~ Vaste estuaire de la façade E. de l'Amérique du Sud, formé par la réunion des fleuves Paraná et Uruguay. Il baigne les villes de Buenos Aires (Argentine) et de Montevideo (Uruguay). Découvert par Díaz de Solís (1516), il donna son nom au vice-royaume espagnol de La Plata (1776). L'Argentine indépendante (1816) s'appela d'abord **Provinces-Unies du Río de La Plata**.

**PLATEAU D'ASSY** ~ Station climatique de Haute-Savoie, à l'E. de Sallanches. Église décorée par Bonnard, Chagall, Léger, Matisse, Richier.

**PLATÉES** ~ Anc. ville de Grèce (Béotie). Les Grecs, commandés par Pausanias et Aristide, y vainquirent l'armée perse de Mardonios (479 av. J.-C.).

**PLATON** ~ *428, Athènes - 348 av. J.-C., id.* Philosophe grec. Issu de l'aristocratie athénienne, il se forma à la philosophie auprès de Socrate, dont la condamnation détermina son pessimisme politique. Il voyagea en Égypte, à Cyrène, puis plusieurs fois en Sicile, où il fut une année retenu prisonnier par le tyran Denys le Jeune (*Lettre VII*). De retour à Athènes, il fonda l'Académie, qui conservera et diffusera sa pensée, en un courant toutefois divergent, le **platonisme**. Son œuvre, vingt-huit dialogues, met en scène Socrate (*Apologie de Socrate* ; *Criton*), questionne l'essence des vertus ou des valeurs (*Protagoras* ; *Ménon* ; *Lachès* ; *Hippias*), expose les théories de l'Âme, des Idées, de l'Amour (*le Banquet* ; *Phédon* ; *la République* ; *Phèdre*), les principes de la science suprême, la dialectique par laquelle le philosophe saura s'élever de l'illusion vers l'idée du Bien, principe de l'organisation de l'Univers (illustré par le célèbre mythe de la Caverne), ou la fondation de la cité idéale, que seul le philosophe est capable de gouverner (*les Lois*). Mystique, savant et politique, il érigea sa pensée en un système auquel ne cessa de se référer depuis la réflexion philosophique.

**PLATTE** (la) ~ Riv. du centre des États-Unis (Nebraska), affl. du Missouri (r. dr.), confluant près d'Omaha, formée par la réunion de la **South Platte** et de la **North Platte** ; 500 km.

**PLAUTE**, en lat. **Maccius** ou **Maccus Plautus** ~ *254, Sarsina, Ombrie - 184 av. J.-C., Rome.* Poète comique latin. Inspirées du théâtre grec, ses comédies (dont seulement 20 nous sont parvenues) mettent en scène des types grotesques qui préfigurent ceux de la commedia dell'arte (*Amphitryon* ; *le Soldat fanfaron* ; *le Carthaginois* ; *l'Aululaire* ; *les Ménechmes*).

**Pléiade** ~ Nom donné à un groupe de sept poètes alexandrins du IIIe s. av. J.-C., puis aux sept poètes français de la Renaissance réunis autour de Ronsard (du Bellay, Pontus de Tyard, Baïf, Jodelle, Belleau et Peletier du Mans remplacé, à sa mort, par Dorat).

**Pléiades** (les) ~ Filles d'Atlas et de Pléioné. Zeus métamorphosa les sept sœurs en colombes pour les soustraire au géant Orion, puis en une constellation.

**PLEKHANOV** (Gueorgui Valentinovitch) ~ *1856, Goudalovka, près de Tambov - 1918, Terijoki, Finlande.* Socialiste russe. Théoricien et vulgarisateur du marxisme, il créa, en exil à Genève, le groupe « Libération du travail » (1883). Il fonda en 1900 avec Lénine le journal *Iskra* (*l'Étincelle*). En 1903, il rejoignit les mencheviks.

**PLÉRIN** ~ V. de la banlieue N. de Saint-Brieuc (Côtes-d'Armor), dans le Penthièvre ; 12 108 h.

**PLESSIS-ROBINSON (Le)** ~ V. de la banlieue S. de Paris (Hauts-de-Seine) ; 21 289 h. Industrie alimentaire. Église comprenant des parties du XIIIe s. et du XVIIe s.

**PLESSIS-TRÉVISE (Le)** ~ V. de la banlieue S.-E. de Paris (Val-de-Marne) ; 14 583 h.

**PLESTIN-LES-GRÈVES** ~ V. du Trégorrois (Côtes-d'Armor), au S.-O. de Lannion ; 3 237 h. Église du XVIe s.

**PLEUMEUR-BODOU** ~ V. du Trégorrois (Côtes-d'Armor), près de Lannion ; 3 677 h. Centre national des télécommunications par satellite (1962). Musée des Télécommunications. Planétarium.

**PLEVEN**, anc. ***Plevna*** ~ V. du N. de la Bulgarie, près de la frontière roumaine, dans une région fertile, centre administratif et agricole (céréales, coton, vin) ; 138 000 h. Osman Pacha et ses troupes y repoussèrent l'armée russe en 1877. Le siège dura six mois.

**PLEVEN** (René) ~ *1901, Rennes - 1993, Paris.* Homme politique français. Rallié à la France libre en 1940, il rejoignit le général de Gaulle. Il fut président du Conseil (1950-1951 ; 1951-1952).

**PLEYEL** (Ignaz) ~ *1757, Ruppersthal - 1831, Paris.* Compositeur autrichien. Il fonda en 1807 à Paris une fabrique de pianos reconnue dans le monde entier. Il composa des symphonies, des concertos et des quatuors.

**PLINE L'ANCIEN**, en lat. ***Caius Plinius Secundus*** ~ *23, Côme - 79, Stabies.* Écrivain et naturaliste latin. Auteur de divers traités et de l'*Histoire naturelle*, abrégé méthodique en 37 livres du savoir antique. Il mena une carrière militaire et administrative et périt au cours de l'éruption du Vésuve, qu'il voulait observer.

**PLINE LE JEUNE**, en lat. ***Caius Plinius Caecilius Secundus*** ~ *61 ou 62, Côme - v. 114.* Écrivain latin. Neveu et fils adoptif de Pline l'Ancien, il fut avocat, consul et légat en Bithynie. Ses *Lettres* (dix livres publiés de 90 à 109) sont un précieux témoignage sur l'époque du règne de Trajan.

**PLISNIER** (Charles) ~ *1896, Ghlin, Hainaut - 1952, Bruxelles.* Poète et romancier belge d'expression française. Ses romans illustrent un double attachement à l'idéal communiste et au christianisme (*Mariages*, 1936 ; *Faux Passeports*, 1937).

**PLOEMEUR** ~ V. du Morbihan, à l'O. de Lorient, près du littoral atlantique (station balnéaire de Lomener) ; 17 637 h.

**PLOËRMEL** ~ V. de la Bretagne intérieure, entre Vannes et Rennes (Morbihan), au centre d'une région agricole ; 6 996 h. Église gothique et Renaissance. Maisons anciennes.

**PLOIEȘTI** ou **PLOEȘTI** ~ V. du S.-E. de la Roumanie, au N. de Bucarest ; 252 000 h. Centre pétrochimique situé sur la plus importante zone pétrolifère du pays. La ville a subi les bombardements alliés durant la Seconde Guerre mondiale.

**PLOMB DU CANTAL** (le) ~ Sommet volcan. le plus élevé (1 855 m) du massif du Cantal (Auvergne).

**PLOMBIÈRES-LES-BAINS** ~ Station thermale d Vosges, dans l'O. du Parc naturel régional d ballons des Vosges ; 2 084 h. Napoléon III et Cavo s'y rencontrèrent en 1858 pour fixer les conditio du soutien de la France au royaume de Sardaigr

**PLOTIN** ~ *v. 205, Lycopolis, Égypte - v. 270, Campanie.* Philosophe latin. Formé à Alexandrie platonisme éclectique, penseur mystique, ascète végétarien, il fonda à Rome, protégé par Gallie une école où il donna un enseignement oral en gre éducation philosophique destinée à rétablir l'âr dans son état originel de contemplation. Sa pensé diffusée par Porphyre, qui réunit ses cinquante-qu tre traités en six *Ennéades*, donna naissance à l'impc tant courant néoplatonicien. [☞ **néoplatonisme**

**PLOUGASTEL-DAOULAS** ~ V. du Finistère, s la presqu'île de Plougastel, au fond de la rade Brest ; 11 139 h. Important marché de primeu (fraises). Calvaire de granite (XVIIe s.) sur lequel so sculptés 180 personnages.

**PLOUTOS** ou **PLUTUS** ~ Divinité grecque. Fils Déméter et d'Iasion. Étant aveugle, il favoris indifféremment bons et méchants et symbolisa richesse à l'âge classique. Il inspira Aristophan

**PLOUZANÉ** ~ V. du Finistère, à l'O. de Bres 11 400 h. Centre océanographique de l'Instit français de recherche pour l'exploitation de la m (Ifremer), sur la pointe du Diable, face au Goul

**PLOVDIV**, anc. **Philippoli** ~ 2e v. de Bulgarie, s la Marica ; 379 000 h. Centre admin., comm. industriel (alim., text., tapis, constr. mécan.) sit dans une région agricole fertile (tabac, fruit légumes), la ville fut longtemps la plus peuplée c pays. Vestiges romains et médiévaux. Musée arché logique. **HIST.** - Fondée par les Thraces, elle f restaurée et embellie par Philippe de Macédoir Disputée au Moyen Âge par les Bulgares, l Byzantins et les Turcs, capitale de la Roumé orientale (1878), elle fut rattachée à la Bulga (1885).

**PLÜCKER** (Julius) ~ *1801, Elberfeld - 1868, Bon* Mathématicien et physicien allemand. Il fonda u approche algébrique de la géométrie projective précisa la notion de coordonnée, énonçant l **formules de Plücker**. En physique, il découvrit fluorescence des rayons cathodiques (1858) et le déviation par les champs magnétiques.

**PLUTARQUE** ~ *v. 49, Chéronée - v. 125, id.* Éc vain grec. Ses *Œuvres morales* et ses *Vies parallè* (traduites en français par Amyot au XVIe s.) so l'expression d'une morale pratique, visant l'exemplarité.

**PLUTON** ~ Surnom (« le donneur de richesses du dieu grec des Enfers, Hadès. Fils de Saturne de Rhéa, frère de Jupiter et de Neptune, avec q il se partage le monde. Protecteur des sols fécond Pluton est le dieu des Morts chez les Romains.

**PLUTON** ~ Planète du système solaire, situ au-delà de Neptune et la plus éloignée du Sole découverte en 1930 par Clyde Tombaugh. Sc diamètre équatorial est égal à env. 2 300 km, masse à 0,002 fois celle de la Terre, sa mas volumique à 0,5 g/cm$^3$ et sa période de révolutic sidérale est de 247,86 ans. Elle a un satelli Charon.

**PLUTUS** ~ Voir **Ploutos**.

**PLYMOUTH** ~ Port d'Angleterre (Devon), l'embouchure du Tamar (E. de la Cornouailles 243 000 h. Constr. navales, industrie mécar explosifs, pêche, conserveries. Base navale (Devo port) et arsenal. Église St-Andrew (XVe s.). Muse Plymouth fut le point de départ des expéditions sir Walter Raleigh, sir Francis Drake et sir Jol Hawkins. Lors de la Seconde Guerre mondiale, e fut endommagée par les raids aériens.

**PLZEŇ**, en all. ***Pilsen*** ~ V. de Bohême (Rép blique tchèque), près de la frontière allemand 175 000 h. Siège des usines Skoda (constr. mécan ques, autom.), brasseries (Pilsener, Urquell), porc laine. Place de l'Hôtel-de-Ville, église St-Barthélen (XVe s., clocher de 103 m de haut), demeur baroques. Musées (de la Bière, de Bohême). Fond au XIIIe s., la ville fut un lieu de résistance catholiq pendant les guerres hussites (1419-1434).

**PNYX** (la) ~ Colline de l'Athènes antique où réunissait l'assemblée du peuple.

**PÔ** (le) ~ Fl. principal de l'Italie ; 652 km. Is des Alpes cottiennes (mont Viso), il traverse d'

E. le Piémont, la Lombardie, l'Émilie puis la énétie avant de former un vaste delta sur Adriatique. Son bassin (la plaine padane, 5 000 km²) est le premier foyer économique de talie.

**OBEDONOSTSEV** (Konstantin Petrovitch) ~ 327, *Moscou* - 1907, *Saint-Pétersbourg*. Homme olitique russe. Haut procureur du Saint-Synode 880-1905), il inspira à Alexandre III, dont il fut précepteur, et à Nicolas II des orientations très nservatrices.

**OBEDY** ou **POBIEDY (pic)** ~ Point culminant ı Tian Shan, à la frontière sino-kirghize ; 7 439 m.

**oblet (monastère Santa Maria de)** ~ Monastère stercien de Catalogne (prov. de Tarragone). lifices des XII^e^-XV^e^ s. Il bénéficia des faveurs des is d'Aragon.

**ODGORICA**, anc. **Titograd** (de 1945 à 991) ~ Cap. du Monténégro, près de la frontière banaise, au pied des Alpes dinariques ; 118 000 h. dustr. text., constr. mécan., tabac.

**ODGORNY** (Nikolaï Viktorovitch) ~ *1903, Karvka, Ukraine* - *1983, Moscou*. Homme d'État soétique. Il fut président du praesidium du Soviet prême de 1965 à 1977.

**ODOLIE** (la) ~ Région humide et boisée de l'O. : l'Ukraine, drainée par le Dniestr.

**OE** (Edgar Allan) ~ *1809, Boston* - *1849, Baltiore*. Écrivain américain. Fasciné par la science, anté par l'irréel, il est l'auteur de poèmes (*le orbeau*, 1845) et surtout de récits fantastiques ou énigmes (*Histoires extraordinaires*, 1840-1845), ui lui valurent l'admiration de Baudelaire, son aducteur, de Mallarmé et de Valéry.

© Giraudon

*Edgar Allan Poe.*

**OGGE** (Gian Francesco **Poggio Bracciolini**, en le) ~ *1380, Terranuova, Florence* - *1459, Flonce*. Humaniste italien. Découvreur de nombreux anuscrits de l'Antiquité romaine, il rédigea une *stoire de Florence* de 1350 à 1455 et un recueil contes, les *Facéties* (1438-1452).

**OGGENDORFF** (Johann Christian) ~ *1796, ambourg* - *1877, Berlin*. Physicien allemand. Il venta la pile au bichromate (1842) et un spositif à miroir pour mesurer les petits angles rotation.

**O-HAI** ~ Voir **Bohai**.

**OHER** (Alain) ~ *1909, Ablon-sur-Seine, Val-dearne* - *1996, Paris*. Homme politique français. ésident du Sénat (1968-1992), il fut président la République par intérim (avril-juin 1969, ril-mai 1974). Candidat à l'élection présidentielle 1969, il fut battu par G. Pompidou.

**OINCARÉ** (Henri) ~ *1854, Nancy* - *1912, Paris*. athématicien français. Fondateur de la topologie gébrique, il élabora une théorie des équations férentielles applicable en physique mathématique en mécanique céleste, consacrant ses derniers rits à la philosophie des sciences (*la Science et Hypothèse*, 1902 ; *Science et Méthode*, 1909), où ime l'idée de continuité. Acad.

**OINCARÉ** (Raymond) ~ *1860, Bar-le-Duc* - *934, Paris*. Homme d'État français. Avocat et puté républicain dès 1887, il fut plusieurs fois inistre de 1893 à 1906. Président du Conseil de 912 à 1913, il se chargea personnellement du ortefeuille des Affaires étrangères et se montra très rme vis-à-vis de l'Allemagne. Il fut président de République de 1913 à 1920, puis de nouveau ésident du Conseil et ministre des Affaires étrangères de 1922 à 1924. Durant ce mandat, il fit occuper la Ruhr (1923) et s'inclina devant le plan Dawes. Rappelé de 1926 à 1929, il obtint les pleins pouvoirs pour stabiliser le franc, qu'il dévalua en 1928.

**POINSOT** (Louis) ~ *1777, Paris* - *1859, id.* Mathématicien français. Il contribua à l'essor de la géométrie et, en mécanique, formula le **mouvement à la Poinsot** pour représenter un solide suspendu par son centre de gravité.

**POINTE-À-PITRE** ~ Port principal de la Guadeloupe, sur la côte S.-O. de Grande-Terre ; 26 083 h. (agglom. env. 100 000 h.). Centre commercial et industriel (distilleries de rhum, tabac). Tourisme. Musée Schoelcher (histoire des Antilles et de l'esclavage). Aéroport international.

**POINTE-NOIRE** ~ Port de la Guadeloupe, sur la côte O. de Basse-Terre ; 7 561 h. Plongée sous-marine.

**POINTE-NOIRE** ~ Port du Congo, débouché maritime du pays, sur l'Atlantique ; 576 000 h. Export. de pétrole (75 % des revenus de l'État), réparation navale, industrie alimentaire. Terminus du chemin de fer Congo-Océan, concurrencé par la mise en service du Transgabonais.

**POIRET** (Paul) ~ *1879, Paris* - *1944, id.* Couturier et décorateur français. Il libéra la femme du corset, donnant ainsi naissance à une silhouette plus souple, inspirée de l'Orient.

**POISEUILLE** (Jean-Louis) ~ *1799, Paris* - *1869, id.* Médecin et physicien français. Il inventa l'hémanomètre pour mesurer la tension artérielle (1819). Il créa la physiologie physique et exposa les lois de l'écoulement laminaire des fluides visqueux, dont celle qui porte son nom (1844).

**Poisons (affaire des)** ~ Série d'empoisonnements et de pratiques de sorcellerie (1670-1680), révélés lors du procès de la Brinvilliers, qui conduisirent Louis XIV à créer un tribunal spécial, la Chambre ardente. La Voisin fut brûlée vive. De grands personnages de la cour furent compromis.

**POISSON** (Siméon Denis) ~ *1781, Pithiviers* - *1840, Paris*. Mathématicien français. Il appliqua l'analyse mathématique à la mécanique céleste, au magnétisme, dont il posa les bases, à l'élasticité et au calcul des probabilités. La **loi de Poisson** s'applique à des variables aléatoires.

**POISSY** ~ V. industr. et résidentielle. de la banlieue O. de Paris (Yvelines), sur la Seine ; 36 745 h. Collégiale romane. Villa Savoye de Le Corbusier (1929). Musée du Jouet. Usines Peugeot.

**Poissy (colloque de)** ~ Assemblée réunie à Poissy en septembre et octobre 1561 par Catherine de Médicis et Michel de L'Hospital, afin de concilier catholiques et calvinistes. Cette réunion fut un échec et marqua le début des guerres de Religion.

**POITIERS** ~ Préfecture de la Vienne et de la Région Poitou-Charentes, au cœur de la plaine du Poitou, sur un éperon calcaire entre le Clain et la Boivre ; 78 894 h. (agglom. 107 625 h.). Centre admin., comm. et universitaire. Nœud ferrov. et routier. Parc d'attraction du Futuroscope (1987). Baptistère du IV^e^ s., églises romanes (St-Hilaire ; Notre-Dame-la-Grande) et gothiques (cathédrale St-Pierre). Musées (arts et traditions, archéologie, peinture). **HIST.** - Capitale des Pictons, Poitiers devint à l'époque gallo-romaine l'une des plus importantes cités de la province d'Aquitaine. Grand foyer religieux de la Gaule, elle fut la résidence des rois wisigoths jusqu'à leur défaite à Vouillé face à Clovis, en 507. En 732, Charles Martel y arrêta l'invasion musulmane. Lors de la guerre de Cent Ans, sur le plateau de Maupertuis (au N. de la ville), eut lieu la **bataille de Poitiers** (1356), au cours de laquelle Jean II le Bon fut fait prisonnier par le Prince Noir. À l'époque de la Réforme, la ville fut le théâtre de sanglants combats entre catholiques et huguenots. Son importance déclina après la Révolution.

*Poitiers, le Futuroscope.*

© Lescourret-Explorer

**POITOU** (le) ~ Prov. hist. de l'O. de la France, bordée au N. par l'Anjou et la Touraine, à l'E. par le Berry et le Limousin, à l'O. par l'Atlantique, au S. par l'Aunis et la Saintonge (Deux-Sèvres, Vendée et Vienne actuelles), cap. Poitiers. Le Poitou est formé de plaines jurassiques s'élevant en plateaux vers le rebord du Massif central (séparant par le **seuil du Poitou** les Bassins parisien et aquitain), drainées par la Charente, le Clain, la Vienne, que borde un littoral précédé d'îles (Noirmoutier, Ré, Oléron) où se succèdent, du N. au S., Marais breton, Bocage vendéen, Marais poitevin (parc national), avec la Gâtine de Parthenay à l'Est. **HIST.** - Anc. province du duché d'Aquitaine, devenue anglaise en 1152 par le mariage d'Aliénor avec Henri II Plantagenêt. Revenue à la France en 1204 grâce à Philippe II Auguste, perdue puis reconquise par Du Guesclin, elle fut définitivement rattachée à la Couronne en 1422.

**POITOU-CHARENTES** ~ Région admin. de l'O. de la France (Charente, Charente-Mar., Deux-Sèvres, Vienne) ; 25 790 km², env. 1 595 081 h., préfect. Poitiers. Ensemble hétérogène sans véritable unité naturelle, zone de contact entre les Bassins parisien et aquitain, la région, peu peuplée, se caractérise par une double vocation : agriculture d'abord (céréales, élev. bovin et caprin, beurre et fromage, vignoble de Cognac), services ensuite (Niort, 1^er^ centre français de mutuelles et d'assurances). Les industries tradit. sont en déclin et les activités de reconversion limitées aux villes de Poitiers, Angoulême et Châtellerault. Ostréiculture (Marennes) et tourisme baln. actif sur les côtes (Royan, La Rochelle, îles de Ré et d'Oléron), tourisme vert dans le Marais poitevin.

**POIVILLIERS** (Georges) ~ *1892, Draché, Indre-et-Loire* - *1968, Neuilly-sur-Seine*. Ingénieur français. Il inventa le principe de la photogrammétrie (1919), permettant de restituer des photographies aériennes sous forme stéréoscopique, et les appareils qui portent son nom.

**POLABÍ** (le) ~ Plaine de l'Elbe et importante région économique de la République tchèque (Bohême), au N. de Prague. Agriculture (houblon, tabac, blé, élevage) et industrie alimentaire.

**POLAIRE (étoile)** ~ Nom de l'étoile la plus brillante de la constellation de la Petite Ourse, ainsi baptisée en raison de son extrême proximité (moins de 1°) du pôle céleste Nord.

**POLANSKI** (Roman) ~ *1933, Paris*. Cinéaste français d'orig. polonaise. Son expérience de l'oppression nazie et de la dictature communiste a imprégné ses premiers films d'un sentiment de l'absurde (*le Couteau dans l'eau*, 1961 ; *Répulsion*, 1965). Sa carrière a ensuite pris une dimension internationale, avec quelques réussites caractéristiques de son esprit ironique et inquiet (*Rosemary's Baby*, 1968 ; *le Locataire*, 1976).

**POLANYI** (Karl) ~ *1886, Budapest* - *1964, Pickering, Ontario*. Économiste britannique d'orig. hongroise. Il étudia notamment les systèmes économiques précapitalistes et prôna la planification.

**POLE** (Reginald) ~ *1500, Stourton Castle, Staffordshire* - *1558, Lambeth, Londres*. Prélat anglais. Présidant le concile de Trente en 1545, il fut l'un des acteurs principaux de la Contre-Réforme. Il devint archevêque de Canterbury en 1556.

**POLÉSIE** (la) ~ Région marécageuse et boisée du bassin du Pripiat, aux confins de la Biélorussie, de l'Ukraine et de la Russie.

**POLHYMNIE** ~ Voir **Polymnie**.

**POLIAKOFF** (Serge) ~ *1900, Moscou* - *1969, Paris*. Peintre français d'orig. russe. Il fut lié avec Kandinsky et les époux Delaunay. Son œuvre, d'une grande richesse chromatique, atteignit sa plénitude dans les années 1950.

**POLIDORO DA CARAVAGGIO** (Polidoro Caldara, dit) ~ *v. 1490 ou 1500, Caravaggio, Bergame - 1546, Messine.* Peintre italien. Il exécuta de nombreuses fresques pour des palais romains. Son habileté à restituer le mouvement conféra à son œuvre un accent expressionniste.

**POLIGNAC** (Jules Auguste Armand, prince DE) ~ *1780, Versailles - 1847, Paris.* Homme politique français. Président du Conseil en nov. 1829, il décida l'expédition d'Alger et signa les ordonnances du 26 juill. 1830, qui provoquèrent la révolution de Juillet. Condamné à la prison à vie, il fut gracié en 1836.

**POLIGNY** ~ V. du Jura, dans le Vignoble ; 4 714 h. Industrie laitière, fromage. Vins renommés (côtes-du-jura). Collégiale (XVe s.).

**Polisario (Front)**, abrév. de **Front pour la libération de la Saguía El-Hamra et du Río de Oro** ~ Mouvement armé sahraoui créé en 1973, luttant pour l'indépendance du Sahara occidental sous administration marocaine et mauritanienne.

**Politburo** (le) ~ Bureau politique du Comité central du Parti communiste de l'Union soviétique, créé en 1917 par Lénine.

**POLITIEN** (Angelo **Ambrogini, dit il Poliziano**, en fr. Ange) ~ *1454, Montepulciano - 1494, Florence.* Humaniste italien. On lui doit les *Stances pour le tournoi* (1478) et la *Fable d'Orphée* (1480), qui inspira Monteverdi.

**POLÍTIS** (Nikólaos) ~ *1872, Corfou - 1942, Cannes.* Juriste et diplomate grec. Éminent spécialiste du droit international, il présida l'assemblée de la S. D. N. en 1932 et l'Institut de droit international (1937-1942).

**POLITZER** (Georges) ~ *1903, Nagyvárad, auj. Oradea - 1942, Paris.* Philosophe français. Communiste, engagé dans la Résistance, il fut fusillé par les nazis au mont Valérien. Son œuvre s'attache à démontrer l'importance du déterminisme économique dans la structuration psychique du sujet (*Critique des fondements de la psychologie*, 1928).

**POLK** (James Knox) ~ *1795, Caroline du Nord - 1849, Nashville.* Homme d'État américain. Onzième président des États-Unis (1845-1849), démocrate. Il gagna, contre le Mexique, la guerre (1846-1848) provoquée par sa décision de rattacher le Texas et la Californie à l'Union (1845).

**POLLACK** (Sydney) ~ *1934, Lafayette, Indiana.* Cinéaste américain. Il a renoué avec la grande tradition humaniste et lyrique hollywoodienne (*Jeremiah Johnson*, 1972 ; *les Trois Jours du Condor*, 1975 ; *Out of Africa*, 1985).

**POLLOCK** (Jackson) ~ *1912, Cody, Wyoming - 1956, Springs, Long Island.* Peintre américain. Influencé par les dessins rituels indiens, Kandinsky, Picasso, Miró et les surréalistes, il privilégia, à partir de 1947, l'action, le geste de peindre, projetant ou laissant couler la peinture sur la toile (*dripping*). Il est l'un des principaux représentants de l'*action painting* et de l'expressionnisme abstrait (*Pasiphaé*, 1943 ; *Peinture*, 1948 ; *Écho*, 1951).

**POLLUX** ~ Voir **Castor**.

**POLO** (Marco) ~ *1254, Venise - 1324, id.* Voyageur vénitien. En 1271, il partit pour l'Asie, traversa la Mongolie et s'installa en Chine, restant au service de Kubilay Khan pendant dix-sept ans. Il rentra par Sumatra (1295), fut emprisonné par les Génois et, avec son compagnon de cellule, Rustichello de Pise, composa le *Livre des merveilles du monde.*

**POLOGNE (république de)**, en polon. ***Polska*** ~ Pays d'Europe orientale, bordé au N. par la Baltique. ***Cap.*** Varsovie. ***Superf.*** 312 683 km$^2$. ***Popul.*** 38 310 000 h., dont Polonais, Allemands, Ukrainiens, Biélorusses, Lituaniens. ***Langue princ.*** Polonais. ***Monn.*** Złoty. ***Relief.*** La frontière S. est bordée d'une écharpe montagneuse (Sudètes et Beskides, 2 499 m dans les Tatras) qui domine une région de collines (Silésie), de plateaux et la grande plaine du N. (lacs, forêts à l'E.), correspondant aux bassins de la Vistule et de l'Oder ; la côte est basse et sableuse. ***Fl. et riv. princ.*** Oder, Neisse, Warta, Vistule (sur 1 087 km), Boug. ***Climat.*** Continental. ***Écon.*** Après la Seconde Guerre mondiale, la reconstruction s'est faite dans le cadre d'une économie planifiée, exception faite de l'agriculture. L'industrie polonaise s'est ouverte sur l'Occident dans les années 1960-1970 pour trouver les crédits nécessaires à sa modernisation. Dans la décennie 1980, la dette extérieure a entraîné une instabilité politique. En 1989, la Pologne a été le premier pays du bloc de l'Est à revenir à l'économie de marché. La politique de privatisation et d'ajustement structurel menée avec l'appui du F. M. I. a cependant un coût social élevé. ***Ress. princ.*** Culture des céréales et pommes de terre, élevage bovin et porcin, pêche. Industrie diversifiée mais souvent désuète (métall., mécan., constr. navales, textile, chimie, électroménager). L'énergie est fournie par le charbon (aux deux tiers) et les hydrocarbures importés. ***V. princ.*** Varsovie, Łódź, Cracovie, Wrocław, Poznań, Gdańsk. **HIST.** - *IIIe mill. av. J.-C.* : peuplement protoslave. *XIIIe-IIe s. av. J.-C.* : développement des civilisations lusacienne et poméranienne. *Ier-IXe s. apr. J.-C.* : des tribus germaniques puis slaves (Vislanes, Polanes) occupent le territoire. *Xe-XIe s.* : le duc Mieszko Ier (960-992), fondateur de la dynastie des Piast, se convertit au christianisme (966). Boleslas Ier (992-1025) mène une politique d'expansion. Casimir Ier (1034-1058) installe sa capitale à Cracovie. *XIIe-XIIIe s.* : colonisation de la Silésie par les Allemands à l'appel des princes locaux. Boleslas III (1102-1138) partage le royaume entre ses fils et ouvre une période de troubles et d'émiettement des principautés qui favorise les incursions étrangères. Les chevaliers Teutoniques colonisent les rives de la Baltique et la Prusse ; les Mongols ravagent le pays (1241). *XIVe s.* : Ladislas Ier Łokietek (1320-1333) reconstitue un royaume autour de Cracovie. Casimir III le Grand (1333-1370) favorise l'expansion vers le S.-E. Le mariage de la reine Hedwige et du duc de Lituanie (1386) donne naissance à la dynastie des Jagellon. *XVe s.* : Ladislas II (1386-1434) et Casimir IV (1447-1492) mettent fin à l'expansion teutonique (bataille de Grunwald-Tannenberg, 1410) et le pays retrouve un accès à la Baltique. *XVIe s.* : malgré l'affaiblissement du pouvoir royal, la Pologne connaît son apogée culturel et économique, dans un climat de tolérance religieuse, sous les règnes de Sigismond Ier le Vieux (1506-1548) et de Sigismond II Auguste (1548-1572). L'Union de Lublin (1569) consacre la fusion de la Pologne et de la Lituanie. La monarchie devient élective (1573). La royauté perd son prestige malgré les succès d'Étienne Ier Báthory (1576-1586) contre Ivan IV le Terrible. *XVIIe s.* : après l'extinction des Jagellon, les prétentions de la dynastie des Vasa de Pologne (1587-1668) au trône de Suède entraînent des conflits avec la Suède, la Russie et la Prusse. Malgré les victoires de Jean III Sobieski (1674-1696) contre les Turcs, la Pologne est affaiblie. *XVIIIe s.* : l'ingérence des puissances étrangères dans les affaires intérieures conduit à la guerre de la Succession de Pologne (1733-1738), qui oppose Stanislas Ier Leszczyński (1733-1736), élu par la Diète de Varsovie et soutenu par la France, au candidat austro-russe, Auguste III de Saxe (1733-1763), qui finit par triompher. Le règne de Stanislas II Poniatowski (1764-1795) confirme la tutelle russe. La Confédération de Bar, créée en 1768 par les patriotes polonais contre la domination russe, est défaite en 1772, ce qui entraîne le premier partage de la Pologne entre la Russie, la Prusse et l'Autriche. *1793* : un deuxième partage a lieu entre la Prusse et la Russie, après l'intervention des troupes russes contre les tentatives de réforme et la Constitution proclamée par la Diète en 1791. *1794* : échec de l'insurrection patriotique de Tadeusz Kościuszko. *1795* : le troisième partage de la Pologne raye le pays de la carte. *XIXe s.* : le grand-duché de Varsovie, reconstitué en 1807 par Napoléon Ier, disparaît en 1815 après le congrès de Vienne. L'échec des insurrections (1830, 1846, 1863) conduit à la russification, et, en Pologne prussienne, à la germanisation. Après l'obtention de son autonomie (1861), la partie autrichienne de la Pologne sera le berceau d'une renaissance polonaise. *Début du XXe s.* : la « légion polonaise » de Jozef Piłsudski se bat aux côtés des Austro-Hongrois contre les Russes durant la Première Guerre mondiale ; le territoire de la Pologne est partagé entre l'Allemagne et l'Autriche (1915). *1918* : proclamation et reconnaissance par les Alliés d'un gouvernement indépendant sous la direction de J. Piłsudski, chef de l'État, et d'Ignacy Paderewski, président du Conseil. *1921* : après sa victoire dans la guerre contre les troupes soviétiques, la Pologn fixe sa frontière orientale à 200 km à l'E. de la lign Curzon et devient un État tampon entre l'U. R. S. et l'Europe occidentale. *1926-1939* : coup d'Éta de J. Piłsudski (qui s'était retiré du pouvoir e 1922), mise en place des dictatures d'Ignac Mościcki (1926-1935) et d'Edward Rydz-Śmig (1935-1936). *1er sept. 1939* : les prétentions c Hitler sur Dantzig entraînent l'invasion de Pologne (3 sept.) et le déclenchement de la Seconc Guerre mondiale. Le pays est partagé entre l'All magne et l'U. R. S. S. en vertu du pacte germanc soviétique. *1940-1943* : établissement d'un gouve nement en exil à Londres dirigé par le généra Władysław Sikorski. Un cinquième de la populatio est tué par les nazis, en particulier les Juifs dar les camps d'extermination (Auschwitz) entre 194 et 1943. *Août-oct. 1944* : les Soviétiques laissent le Allemands écraser l'insurrection de Varsovie *11 févr. 1945* : les conférences de Yalta et de Téhéra déplacent la Pologne d'E. (ligne Curzon-Moloto en O. (ligne Oder-Neisse) et env. 7 millior d'Allemands sont expulsés. *1945-1956* : la rési tance procommuniste (comité de Lublin) encoura gée par l'U. R. S. S. domine la scène politique apr la mise en place d'un gouvernement d'unio nationale (1945-1947). Władisław Gomułka pu Bołesław Bierut (à partir de 1949), à la tête du Pou (parti ouvrier unifié), dirigent le pays sous la tutel de l'U. R. S. S. Le maréchal soviétique Rokossows est nommé en 1949 ministre de la Défense. *1952* promulgation de la Constitution de la républiqu populaire de Pologne. *1956* : les émeutes de Pozna entraînent la libéralisation du régime et le retou de Gomułka, comme secrétaire général du Pou à la tête du pays. *1970* : Edward Gierek succèc à Gomułka après des soulèvements ouvriers. *198 1981* : la naissance de syndicats indépendan regroupés dans l'organisation Solidarność (Solida rité) entraîne, sous la pression de l'U. R. S. S., cumul des pouvoirs par le général Jaruzelski et déclenchement de l'« état de guerre ». *1989* premières élections libres (4 juin) depuis 45 an Le président Jaruzelski nomme Tadeusz Mazowieck issu de Solidarność, Premier ministre. *1990* : Lec Wałęsa, dirigeant de Solidarność, est élu préside de la République et entreprend de libéralis l'économie avec l'aide des Occidentaux et d F. M. I. *1993* : les résistances devant la modernis tion, marquée par la croissance des inégalit sociales, entraînent le succès des ex-communist et de leurs alliés aux législatives. Waldemar Pawla (Parti paysan) forme le gouvernement. *Nov. 1995* L. Wałęsa est battu, malgré le soutien de l'Églis et Alexander Kwasniewski, ex-communiste, est él à la présidence de la République.

**POLONCEAU** (Barthélemy Camille) ~ *181 Chambéry - 1859, Viry-Châtillon.* Ingénieur fran çais. Il inventa, pour les halles rectangulaires, u système de combles avec arbalétriers en bois ou f et tirants en fer. Il construisit la ligne de chemi de fer de Paris à Versailles.

**polono-soviétique** (guerre) ~ Conflit décle ché par la Pologne contre la Russie soviétique e 1920. Les Polonais menacèrent Kiev, puis l Soviétiques, Varsovie, avant que Piłsudski ne rét blisse la situation avec l'appui des Alliés. Le trai de Riga (1921) traça la frontière à 200 km à l' de la ligne Curzon.

**POL POT** (Saloth **Sor** ou **Sar**, dit) ~ *1925 1928, prov. de Kompong Thom.* Homme politiq cambodgien. Secrétaire général du parti comm niste khmer (1962), il a dirigé la guérilla d Khmers rouges contre les forces gouvernementale alliées aux Américains (1970-1975). Premier m nistre de 1976 à 1979, il a établi un régime terreur, puis, chassé par les Vietnamiens, a anir la résistance contre ces derniers. Il n'exerce pl officiellement ses fonctions depuis 1985 et rumeur de sa mort circule depuis 1996.

**POLTAVA** ~ V. d'Ukraine, centre industriel marché agricole (Terres Noires), au S.-O. d Kharkov ; 320 000 h. Le 8 juill. 1709, Charles X de Suède et les Cosaques y furent écrasés par l Russes. Cette défaite mit fin à l'hégémonie suédoi dans la Baltique.

**POLTROT** (Jean DE), seigneur **de Méré** ~ *v. 1537, en Angoumois - 1563, Paris.* Gentilhomme français protestant. Il blessa mortellement le duc de Guise en 1563 lors du siège d'Orléans et affirma avoir agi sur ordre de Coligny.

**POLYBE** ~ *v. 202, Megalopolis, Arcadie - v. 120 av. J.-C.* Historien grec. Retenu en otage à Rome pendant seize ans, il eut accès à de nombreuses archives et put voyager dans tout le monde romain. Il est l'auteur des *Histoires*, somme en 40 volumes, dont seulement cinq nous sont parvenus.

**POLYCLÈTE** ~ *V^e s. av. J.-C.* Sculpteur et architecte grec. Il traduisit dans la plastique les recherches mathématiques des pythagoriciens, sculptant le corps humain (*Diadumène*; *Doryphore*) selon un canon que suivra le classicisme grec.

**POLYEUCTE** (saint) ~ *m. v. 250 à Mélitène, Arménie.* Officier romain, martyr. Converti au christianisme par son ami Néarque, il fut décapité. Corneille s'inspira de son histoire pour écrire la tragédie de *Polyeucte* (1641).

**POLYGNOTE** ~ *v. 500, Thasos - v. 440 av. J.-C., Athènes.* Peintre grec. Considéré comme le fondateur de la peinture murale, il laissa des fresques représentant des sujets légendaires, qui nous sont connues par les descriptions qu'en ont données Pline et Pausanias.

**POLYMNIE** ou **POLHYMNIE** ~ L'une des neuf Muses de la mythologie grecque. Elle présidait à la Poésie lyrique. On lui attribue aussi l'invention de l'harmonie.

**POLYNÉSIE** (la) ~ Ensemble d'îles et d'archipels volcaniques ou coralliens du Pacifique (Océanie), au climat tropical (alizés), à l'E. de la Micronésie et de la Mélanésie, au N. de la Nouvelle-Zélande. Il comprend not. les îles Hawaii, Tonga, Phoenix, de la Ligne, Samoa, Cook et la Polynésie française. Peuplée par les **Polynésiens** (dont les Maoris), grands navigateurs, venus d'Asie entre le III^e et le I^er mill. av. J.-C., la région fut explorée au XVIII^e s. par Cook, Bougainville et Wallis.

**POLYNÉSIE FRANÇAISE** (la) ~ Partie centrale de la Polynésie (îles Marquises, Tuamotu-Gambier, Australes et de la Société); 4 200 km² et 5 600 000 km² de zone économique exclusive, 217 000 h., dont 116 000 h. à Tahiti (îles de la Société), cap. Papeete. L'économie est fondée sur le tourisme, l'agriculture vivrière, commerciale (coprah, vanille, perles) et la pêche; elle est soutenue par les aides de la métropole. Le centre d'expérimentation nucléaire (Mururoa et Fangataufa), ouvert en 1964, a été fermé en 1996. Protectorat français à la fin du XIX^e s., les îles formèrent les Établissements français d'Océanie jusqu'en 1957, puis un territoire d'outre-mer (T. O. M.), doté d'une large autonomie en 1977.

© De Guise-Explorer

*La fête du 14 Juillet en* ***Polynésie française****.*

**POLYPHÈME** ~ Un des Cyclopes, fils de Poséidon. Il se nourrissait de chair humaine. Dans *le Cyclope*, d'Euripide, il écrase Acis sous un rocher pour ravir Galatée. Dans l'*Odyssée*, il capture Ulysse et ses compagnons, qui lui échappent en lui crevant son unique œil après l'avoir enivré.

**polytechnique (École)** ~ Établissement d'enseignement supérieur scientifique dépendant du ministère de la Défense. Fondée à Paris en 1794, l'école, surnommée l'X, est installée à Palaiseau depuis 1976.

**POMARÉ**, nom d'une dynastie tahitienne (fin XVIII^e-XIX^e s.). ~ **Pomaré IV**, reine de 1827 à 1877, dut accepter le protectorat français en 1847. Elle abdiqua en faveur de son fils, ~ **Pomaré V**, qui céda les îles Marquises à la France et abdiqua en 1880.

**POMBAL** (Sebastião José **de Carvalho e Melo**, marquis DE) ~ *1699, Lisbonne - 1782, Pombal.* Homme politique portugais. Premier ministre de Joseph I^er (1756), il réalisa d'importantes réformes inspirées du despotisme éclairé. En 1759, il fit expulser les Jésuites du royaume et des colonies. À l'avènement de Marie I^re, il perdit le pouvoir (1777).

**POMÉRANIE** (la) ~ Région située sur la rive S. de la mer Baltique. Peuplée de Slaves christianisés, germanisés et intégrés au Saint Empire (XII^e s.), elle forma alors un duché. Amputé de la Pomérélie (ou Poméranie de Dantzig) en 1107, celui-ci se divisa au gré des successions avant d'être partagé entre la Suède et le Brandebourg (1648). La Prusse absorba la portion suédoise (1815). L'établissement de la frontière sur l'Oder (1945) sépara l'O. poméranien (Brandebourg, Mecklembourg), resté allemand, de l'E., devenu polonais.

**POMEROL** ~ Commune viticole du Bordelais (Gironde), à l'E. de Libourne; 867 h. Vins rouges réputés.

**POMMARD** ~ Commune viticole de la Côte-d'Or, au pied de la côte de Beaune; 552 h. Grands vins rouges de Bourgogne.

**POMONE** ~ Nymphe romaine qui veille sur les fruits. Courtisée par de nombreux dieux, elle reste associée à Vertumne, dieu des Jardins.

**POMPADOUR** (Jeanne Antoinette **Poisson**, dame **Le Normant d'Étioles**, marquise DE) ~ *1721, Paris - 1764, Versailles.* Favorite de Louis XV (1745-1750). Issue d'une famille de financiers, elle protégea les arts et encouragea les philosophes, mais elle n'eut pas l'influence politique qu'on lui a longtemps prêtée.

© Lauros-Giraudon

Madame de **Pompadour** en Diane *(1748; détail), peinture de Jean-Marc Nattier (1685-1766). Musée de l'hôtel Sandelin, Saint-Omer.*

**POMPÉE**, en lat. ***Cnaeus Pompeius Magnus*** ~ *106 - 48 av. J.-C., Péluse.* Consul romain (en 70, 55 et 52). Chevalier, il réduisit les partisans de Marius en Sicile et en Afrique (81). Salué du titre d'*imperator* par ses troupes, il prit le surnom de Magnus (le Grand) et célébra un triomphe accordé par Sylla (79). Sans avoir été magistrat, il fut chargé de lutter contre Sertorius en Espagne (77-72), dispersa les dernières bandes d'esclaves de Spartacus, puis il fut consul avec Crassus (70). Il rétablit les pouvoirs des tribuns de la plèbe, diminués par Sylla. Il libéra la Méditerranée des pirates (67) et vainquit Mithridate VI (66). Il conquit et réorganisa l'Orient, prit Jérusalem (63), créa la province de Syrie-Palestine. En 60, il forma avec César et Crassus le premier triumvirat, renouvelé en 56. À la mort de Crassus en 53, Pompée se trouva en rivalité avec César; élu consul unique pour rétablir l'ordre à Rome (52), il passa en Grèce avec la plupart des sénateurs, hostiles à César, quand celui-ci franchit le Rubicon (49). Vaincu en Thessalie, à Pharsale (48), Pompée se réfugia en Égypte, où il fut assassiné.

**POMPÉI** ~ Anc. ville de Campanie, au pied du Vésuve. Fondée par les Osques (VI^e s. av. J.-C.), puis colonie romaine (89 av. J.-C.), elle fut ensevelie lors d'une éruption (79 apr. J.-C.). Fouillée depuis le XVIII^e s., elle a livré, dans un état de conservation exceptionnel (peintures murales, bronzes), toutes les installations d'une cité antique (temples, thermes, forum, villas patriciennes). De nombreuses pièces sont exposées au musée de Naples.

**POMPIDOU** (Georges) ~ *1911, Montboudif, Cantal - 1974, Paris.* Homme d'État français. Directeur général de la banque Rothschild, puis directeur de cabinet du général de Gaulle, il fut Premier ministre de ce dernier (1962-1968). Il lui succéda en 1969 à la présidence de la République. Il favorisa la création, à Paris, du Centre national d'art et de culture, qui porte son nom. Il mourut avant la fin de son mandat, qui fut marqué par la modernisation industrielle.

© Gamma

*Georges* ***Pompidou*** *entouré de Jacques Chaban-Delmas et de Michel Debré.*

**POMPONNE** (Simon **Arnauld**, marquis DE) ~ *1618, Paris - 1699, Fontainebleau.* Homme politique français. Il négocia les traités de Nimègue (1679).

**PONCE** ~ Port et 2^e v. de Porto Rico, sur la mer des Antilles; 188 000 h. Industries alim., taille des diamants. Architecture coloniale espagnole.

**PONCELET** (Jean Victor) ~ *1788, Metz - 1867, Paris.* Mathématicien français. Il est considéré comme un des fondateurs de la géométrie projective (*Traité des propriétés projectives des figures*, 1822).

**PONDICHÉRY** ~ Port de l'Inde et cap. du territoire autonome de Pondichéry (comprenant Karikal, Mahé, Yanaon, 492 km², 808 000 h.) sur la côte de Coromandel; 608 000 h. Ashram de Sri Aurobindo. Fondé par les Français (1674), il fut le siège de la Compagnie des Indes orientales jusqu'à sa restitution à l'Inde (1954).

**PONGE** (Francis) ~ *1899, Montpellier - 1988, Le Bar-sur-Loup, Alpes-Maritimes.* Poète français. Son matérialisme langagier vise à l'expression des choses dans leur identité intrinsèque (*le Parti pris des choses*, 1942; *le Savon*, 1967).

**PONIATOWSKI** (Józef ou Joseph, prince) ~ *1763, Vienne - 1813, Leipzig.* Maréchal de France d'orig. polonaise. Généralissime du duché de Varsovie (1808), il se distingua pendant les campagnes de Russie et d'Allemagne (1812-1813). Nommé maréchal à l'issue de la bataille de Leipzig (1813), il mourut noyé en traversant l'Elster.

**PONSARD** (François) ~ *1814, Vienne, Isère - 1867, Paris.* Poète dramatique français. Sa tragédie *Lucrèce* (1843) fut le manifeste de la réaction antiromantique au théâtre. Acad.

**PONSON DU TERRAIL** (Pierre Alexis, vicomte) ~ *1829, Montmaur, Hautes-Alpes - 1871, Bordeaux.* Écrivain français. Auteur de romans-feuilletons aux intrigues extravagantes, il créa le personnage de l'aventurier Rocambole.

**PONT (royaume du)** ~ Anc. État du N. de l'Asie Mineure, sur le Pont-Euxin. Fondé en 301 av. J.-C. par Mithridate Ctistès, il menaça Rome puis passa dans son orbite à la mort de Mithridate VI (63 av. J.-C.).

**PONTA DELGADA** ~ Voir Açores.

**PONT-À-MOUSSON** ~ V. de Lorraine (Meurthe-et-Moselle), vieux centre sidér. sur la Moselle, entre Nancy et Metz; 14 645 h. Tuyaux de fonte. Ancienne abbaye des Prémontrés (XVII^e s.).

**PONTARLIER** ~ V. du Jura (Doubs), près de la frontière suisse, centre industriel sur le haut Doubs, à 837 m d'alt.; 18 104 h. Fromages, chocolateries. Sports d'hiver. Chapelle et église du XVII^e s.

**PONT-AUDEMER** ~ V. de Normandie (Eure), sur la Risle, anc. grand port fluvial; 8 975 h. Papeterie (tanneries jusqu'au XIX^e s.). Maisons anciennes, église St-Ouen (XI^e-XVI^e s., vitraux).

**PONTAULT-COMBAULT** ~ V. de l'E. de l'aggl. parisienne (Seine-et-Marne); 26 804 h.

**PONT-AVEN** ~ Port de plaisance du S. de la Cornouaille (Finistère), au fond de l'estuaire de la

Le Christ jaune *(1889), peinture de Paul Gauguin (1848-1903). École de Pont-Aven. Albright-Knox Art Gallery, Buffalo.*

**rivière de Pont-Aven** ; 3 031 h. Galettes. Musée. L'**école de Pont-Aven** (XIXe s.) eut P. Gauguin et E. Bernard comme chefs de file.

**PONTCHARTRAIN** (Louis **Phélypeaux**, comte DE) ~ *1643, Paris - 1727, Jouars-Pontchartrain, auj. Yvelines.* Homme politique français. Contrôleur général des Finances (1689-1699), il créa la capitation (1695) et multiplia les ventes d'offices pour financer la guerre de la ligue d'Augsbourg (1695). Il fut chancelier de France de 1699 à 1714.

**PONT-EUXIN** (le) ~ Nom donné par les anciens Grecs à la mer Noire.

**PONTEVEDRA** ~ V. pittoresque de Galice (Espagne), au fond d'une ria (côte S.-O.) ; 70 000 h. Pêche (conserveries). Le port fut très actif au Moyen Âge. Église Santa María la Mayor (XVIe s.), couvent San Francisco (XIVe s.).

**PONTHIEU** (le) ~ Région de Picardie, entre la Somme et l'Authie. Élev. bovin. Forêt de Crécy.

**PONTI** (Giovanni, dit Gio) ~ *1891, Milan - 1979, id.* Architecte et designer italien. Pionnier de l'architecture rationaliste en Italie, il fonda en 1928 la revue *Domus* et édifia la tour Pirelli à Milan (1956-1958).

**PONTIAC** ~ *v. 1720, dans l'Ohio - 1769, Cahokia, près de Saint Louis.* Chef indien. Allié des Français contre les Britanniques, il assiégea Detroit (1763).

**PONTIANAK** ~ Port indonésien et 2e v. de Bornéo (O.), centre admin. et comm. ; 387 000 h. Export. (caoutchouc, huile de palme, bois).

**PONTINE (plaine)**, anc. **marais Pontins** ~ Plaine d'Italie (Latium), au S.-E. de Rome, région anc. marécageuse, assainie à partir de 1928. Annexe agricole et industrielle de la capitale.

**PONTIQUES (chaînes)** ~ Voir **Turquie**.

**PONTIVY** ~ V. de la Bretagne intérieure (Morbihan), sur le Blavet et le canal de Nantes à Brest ; 13 140 h. Agroalim., meubles. Anc. capitale des ducs de Rohan (château du XVe s.). Église de style gothique flamboyant (XVIe s.). Maisons anciennes.

**PONT-L'ABBÉ** ~ Cap. tourist. du pays bigouden, en Cornouaille (Finistère), au fond de l'estuaire de la **rivière de Pont-l'Abbé** ; 7 374 h. Musée folklorique. Artisanat spécialisé (costume traditionnel, dentelle, poupées).

**PONT-L'ÉVÊQUE** ~ V. du pays d'Auge (Calvados), sur la Touques ; 3 843 h. Fromage.

**PONTOISE** ~ Préfect. du Val-d'Oise, sur l'Oise, dans le N.-O. de l'agglom. parisienne, commune princ. de la ville nouvelle de Cergy-Pontoise ; 27 150 h. Cathédrale gothique. Musées : peintures impressionnistes (Pissarro) et modernes. Anc. capitale du Vexin français.

**PONTOPPIDAN** (Henrik) ~ *1857, Fredericia, Jutland - 1943, Copenhague.* Écrivain danois. Ses romans naturalistes sont des peintures sociales sans concessions (*la Terre promise*, 1891-1895 ; *Pierre le Chanceux*, 1898-1904). Prix Nobel de litt. 1917.

**PONTORMO** (Iacopo **Carucci**, dit **le**) ~ *1494, Pontormo, près d'Empoli - 1556, Florence.* Peintre italien. Influencé par Michel-Ange et Dürer, il s'écarta du classicisme en faveur d'un maniérisme caractérisé par des compositions mouvementées (*Scènes de la Passion*, 1522-1525 ; *Déposition de Croix*, 1526, Florence). [☞ **maniérisme**.]

**PONT-SAINTE-MAXENCE** ~ V. industr. de l'Oise, sur l'Oise, près de Senlis, au N. de la forêt d'Halatte ; 10 934 h. Anc. abbaye des XVe-XVIe s.

**PONT-SAINT-ESPRIT** ~ V. du Gard, sur le Rhône ; 9 277 h. Anc. point de passage entre la Provence et l'Auvergne (pont du XIIIe s.).

**PONTS-DE-CÉ (Les)** ~ V. du Maine-et-Loire, vieux point de passage (4 ponts) de la Loire, près d'Angers ; 11 032 h. Victoire des troupes de Louis XIII sur celles de sa mère, Marie de Médicis (1620).

**POOLE** ~ Port et station baln. de la côte méridionale d'Angleterre (Dorset), partie de l'agglomération de Bournemouth ; 133 000 h.

**POONA** ~ Voir **Pune**.

**POOPÓ (lac)** ~ Grand lac de l'Altiplano bolivien (env. 2 600 km$^2$, alt. 3 686 m), alimenté par le Desaguadero, émissaire du lac Titicaca. Salé, peu profond, il varie en superficie selon les pluies.

**POPAYÁN** ~ V. du S.-O. de la Colombie, centre admin., dans les Andes (bassin du Cauca), fondée en 1536 ; 204 000 h. Agroalimentaire, confection. Églises baroques, maisons coloniales, en partie détruites lors du séisme de 1983.

**POPE** (Alexander) ~ *1688, Londres - 1744, Twickenham.* Écrivain britannique. Dans *Essai sur la critique* (1711), il fixa les canons du classicisme. Il est aussi l'auteur de poèmes héroï-comiques (*la Boucle volée*, 1712) et satiriques (*la Dunciade*, 1728).

**POPERINGE** ~ V. de Belgique (Flandre-Occidentale), près de la frontière française (au N.-O. de Lille), marché agricole (houblon) ; 19 300 h. Églises St-Jean et St-Bertin (XIIIe s.).

**POPOCATÉPETL** (le) ~ Volcan du Mexique, à 60 km au S.-E. de Mexico, l'un des sommets du pays ; 5 452 m.

**POPOV** (Aleksandr Stepanovitch) ~ *1859, Tourinskie Roudniki, près de Perm - 1906, Saint-Pétersbourg.* Ingénieur russe. Il inventa l'antenne radioélectrique (1895) à partir des ondes électromagnétiques capables de transmettre des signaux, découvertes par Hertz, et du cohéreur de Branly.

**POPPÉE** ~ *m. en 65.* Impératrice romaine. Elle fut l'épouse de Néron, qui la tua d'un coup de pied alors qu'elle était enceinte, puis la fit diviniser.

**POPPER** (sir Karl Raimund) ~ *1902, Vienne - 1994, Londres.* Philosophe et épistémologue britannique d'orig. autrichienne. Il étudia la façon dont la science se démarque de la métaphysique et des idéologies, renouvelant au passage l'ensemble des conceptions admises à propos de la démarche de la science, du statut de ses théories et des moyens d'en contrôler sa justesse (*la Logique de la découverte scientifique*, 1934).

**PORCIEN** (le) ~ Pays argileux et humide du N.-E. du Bassin parisien, entre l'Aisne et l'Ardenne, au S.-E. de la Thiérache. Élevage bovin.

**PORDENONE** (Giovanni Antonio **de' Sacchis**, dit **le**) ~ *v. 1484, Pordenone, Vénétie - 1539, Ferrare.* Peintre italien. Élève de Giorgione, il décora à Venise le chœur de San Rocco. Son style, entre monumentalité et élégance, influença le Tintoret.

**PORI** ~ Port du S.-O. de la Finlande, sur le golfe de Botnie, centre admin. et industriel (pétrole, charbon, cuivre, nickel, bois, constr. mécaniques, chantiers navals) ; 76 000 h.

**PORNIC** ~ Station baln., port de pêche et de plaisance du pays de Retz (Loire-Atlantique), anc. place forte (château des XIIIe et XIVe s.) ; 9 815 h.

**PORNICHET** ~ Station baln. du littoral breton (Loire-Atlantique), port de plaisance associé à celui de La Baule ; 8 133 h.

**PORPHYRE** ~ *234, Tyr - 305, Rome.* Philosophe latin. Disciple de Plotin, dont il diffusa l'œuvre, il dirigea à sa suite l'école néoplatonicienne. Son spiritualisme influença profondément tout l'Occident chrétien (*Introduction aux « Catégories » d'Aristote*). [☞ **néoplatonisme**.]

**PORQUEROLLES (île de)** ~ L'une des îles d'Hyères (Var), face à la presqu'île de Giens ; 12,5 km$^2$. Tourisme (site protégé).

**PORRENTRUY**, en all. ***Pruntrut*** ~ V. de Suisse (Jura), près de la frontière française ; 7 000 h. Château des XVe-XVIIe s., ancienne résidence des princes-évêques de Bâle.

**PORSENNA** ~ *VIe s. av. J.-C.* Roi étrusque. Il tenta de rétablir les Tarquins à Rome.

**PORT (Le)** ~ Principal port de la Réunion, sur la côte N.-O. de l'île ; 35 000 h.

**PORTAL** (Antoine, baron) ~ *1742, Gaillac - 1832, Paris.* Médecin français. Professeur au Collège de France en 1769, médecin de Louis XVIII, il fonda l'Académie royale de médecine (1820).

**PORTALIS** (Jean) ~ *1746, Le Beausset - 1807, Paris.* Avocat et homme politique français. Il fut l'un des rédacteurs du Code civil (1801-1804), auquel il apporta des éléments venus du droit romain, et fut ministre des Cultes (1804-1807). Napoléon Ier le fit inhumer au Panthéon. Acad.

**PORT-ARTHUR** ~ Voir **Lüshun**.

**PORT-AU-PRINCE** ~ Cap. et principal port de la république d'Haïti, au fond du golfe de Gonâve ; 1 255 000 h. Sucreries, distilleries, tabac, text. Tourisme à Pétionville. Afflux de ruraux (sous-emploi). Fondée par les Français en 1749, la ville a subi plusieurs tremblements de terre.

**PORT BLAIR** ~ Voir **Andaman** (îles).

**PORT-BOU** ~ Station baln. et poste-frontière espagnol de la Costa Brava (Catalogne) ; 2 000 h.

**PORT-CROS** ~ L'une des îles d'Hyères (Var), au large du cap Bénat ; 6,4 km$^2$. Parc national.

**PORT-DE-BOUC** ~ V. des Bouches-du-Rhône, partie du complexe industriel de Fos - Étang-de-Berre (chimie, pétrochimie) ; 18 786 h. Fort et enceinte de Vauban.

**Porte** ou **Sublime Porte** ~ Nom attribué autrefois au gouvernement ottoman.

**Porte-Glaive (chevaliers)** ~ Ordre militaire et religieux instauré en 1202 par l'évêque de Riga, Albert von Buxhövden. Il fusionna avec l'ordre Teutonique en 1237, mais garda son grand maître, et sa branche livonienne reprit son autonomie (1525).

**PORT ELIZABETH** ~ Port industr. et 4e v. d'Afrique du Sud (prov. du Cap-Oriental) ; agglom. 853 000 h. Université. Export. de produits agricoles et miniers. Anc. colonie britannique fondée en 1820.

**PORTER** (Edwin Stratton) ~ *1870, Connellsville, Pennsylvanie - 1941, New York.* Cinéaste américain. Il posa les fondements du langage cinématographique dans *la Vie d'un pompier américain* (1902) et dans *le Vol du Grand Rapide* (1903), qui ouvrirent la voie au western et au film policier.

**PORTER** (Katherine Anne) ~ *1890, Indian Creek, Texas - 1980, Silver Spring, Maryland.* Femme de lettres américaine. Elle est l'auteur de *la Nef des fous* (1962), allégorie de la crise de la civilisation.

**PORTES DE FER** ~ Défilé du Danube, entre les Balkans et les Carpates, exploité (navigation, hydroélectricité) par la Serbie et la Roumanie.

**PORT-ÉTIENNE** ~ Voir **Nouadhibou**.

**PORT-GENTIL** ~ Princ. port du Gabon, à l'embouchure de l'Ogooué ; 76 000 h. Raffinerie de pétrole (gisements offshore), gaz liquide, meubles. Exportation du bois d'okoumé.

**PORT-GRIMAUD** ~ Port de plaisance du golfe de Saint-Tropez, créé en 1966.

**PORT HARCOURT** ~ Grand port du S. du Nigeria (2e du pays), à l'E. du delta du Niger, centre admin. ; 371 000 h. Industries (raff., pétrochim., huileries). Export. de produits agricoles et miniers. Avant-port pétrolier (gisements offshore).

**PORTICI** ~ V. et port de la banlieue de Naples (Campanie) ; 66 000 h.

**PORTIER** (Paul) ~ *1866, Bar-sur-Seine, Aube - 1962, Bourg-la-Reine.* Physiologiste français. Spécialisé dans l'étude des animaux marins, il découvrit avec Ch. Richet l'anaphylaxie (1902).

**PORT-JOINVILLE** ~ Station baln. et port thonier de l'île d'Yeu (Vendée).

**PORTLAND** ~ V. princ. et port de l'Oregon (États-Unis), au confluent de la Willamette et de la Columbia ; 437 000 h. (agglom. 1 240 000 h.). Université. Archevêché catholique. Chantiers navals, industr. du bois, alim., haute technologie.

**PORT-LOUIS** ~ Cap. et port de l'île Maurice, dans le N.-O. de l'île, fondée en 1735 ; 144 300 h. Export. de canne à sucre. Forteresse (XIX$^{e}$ s.). Cathédrales. Musées.

**PORT MORESBY** ~ Cap. et port comm. de la Papouasie - Nouvelle-Guinée, sur la mer de Corail, face à l'Australie ; 193 000 h. Université (1965).

**PORTO** ~ V. du Portugal, port sur l'estuaire du Douro (r. dr.), cap. économique (industries alim., textile, métall., chim.) du N. du pays ; 311 000 h. (agglom. env. 1 650 000 h.). Vins de **Porto**, exportés dans le monde entier. Cathédrale romane du XII$^{e}$ s., remaniée au XVIII$^{e}$ s., églises des XVII$^{e}$ et XVIII$^{e}$ s. Pont construit par Eiffel. Musées.

**PORTO (golfe de)** ~ Golfe touristique (calanches de Piana) de la côte occidentale de la Corse.

**PÔRTO ALEGRE** ~ Port et princ. centre écon. du S. du Brésil, cap. de l'État du Rio Grande do Sul ; 1 263 000 h. (agglom. 3 016 000 h.). Archevêché. Université. Raff. de pétrole, constructions navales, caoutchouc, chimie, industries alim. et du cuir. Importante immigration allemande et italienne au XIX$^{e}$ s.

**PORTOFERRAIO** ~ Voir **Elbe** (île d').

**PORT OF SPAIN** ~ Port de l'île de la Trinité, cap. de Trinité-et-Tobago, centre comm. et univ., face au Venezuela ; 58 000 h. (agglom. 300 000 h.). Industries alim. et textile. Tourisme (carnaval).

**PORTO-NOVO** ~ Cap. admin. (avec Cotonou) et univ. du Bénin, port et 2$^{e}$ v. du pays, sur un cordon lagunaire ; 208 000 h. Évêché. Ancien centre d'un royaume rival de celui d'Abomey. Vieille ville (XIX$^{e}$ s.).

**PORTO RICO** ou **PUERTO RICO** ~ La plus petite des Grandes Antilles, à l'E. de l'île d'Haïti, « État libre associé » aux États-Unis depuis 1952 ; 13 791 km$^{2}$, env. 3 552 000 h., cap. San Juan. Territoire montagneux et surpeuplé. Émigration considérable vers les États-Unis (importante communauté à New York). Cult. tropicales (canne à sucre, café), industr. liées à une fiscalité favorable. Tourisme. **HIST.** - Découverte par Christophe Colomb en 1493, colonie espagnole, l'île joua un rôle militaire stratégique dans les Caraïbes. Elle devint américaine en 1898 (traité de Paris).

**PORTO-VECCHIO** ~ Station baln. de la Corse-du-Sud (côte S.-E.), au fond du **golfe de Porto-Vecchio** ; 9 307 h. Fortifications des XV$^{e}$ et XVI$^{e}$ s.

**PÔRTO VELHO** ou **PÔRTOVELHO** ~ Cap. du Rondônia (Brésil), sur le rio Madeira ; 286 000 h.

**PORTOVIEJO** ~ V. du N.-O. de l'Équateur, centre comm. et industr. (cuir, panamas) ; 133 000 h. Université technique.

**Port-Royal**, nom de deux anc. abbayes de la région parisienne. ~ **Port-Royal des Champs**, fondée en 1204 dans la vallée de Chevreuse, accueillait, à l'origine, des cisterciennes. Elle fut réformée par la mère Angélique Arnauld (1608), qui créa ~ **Port-Royal de Paris** (1626) sur la frange S. du Quartier latin. L'abbé de Saint-Cyran, chargé de la direction spirituelle des religieuses (1635), fit du double monastère un foyer du jansénisme. Des savants, les « solitaires », s'installèrent autour de la maison de Chevreuse et créèrent les Petites Écoles. À partir de 1656, les religieuses refusant de signer le formulaire de condamnation des thèses de Jansénius (1664), Port-Royal de Paris fut confiée aux Jésuites et Port-Royal des Champs fut détruite (1710). [☞ **jansénisme.**]

**PORT-SAÏD** ~ Port franc d'Égypte, au débouché du canal de Suez sur la Méditerranée, créé en 1860 ; 461 000 h. Raffinerie de pétrole, constr. navales. Occupation franco-britannique en 1956.

**PORT-SAINT-LOUIS-DU-RHÔNE** ~ Port industriel (chimie) du Grand Rhône (Bouches-du-Rhône), à l'O. de Fos-sur-Mer ; 8 624 h.

**PORTSMOUTH** ~ Port (arsenal) du S. de l'Angleterre (Hampshire), face à l'île de Wight ; 175 000 h. (agglom. env. 500 000 h.). Constr. navales, technologie de pointe. Station baln. (Southsea). Musées (dont le *Victory*, navire amiral de Nelson). Point de départ du débarquement allié de 1944.

**PORTSMOUTH**, nom de deux ports des États-Unis, sur l'Atlantique. ~ V. touristique du New Hampshire, où fut signé le traité mettant fin à la guerre russo-japonaise (5 sept. 1905) ; 25 000 h. ~ V. industrielle (constructions navales) de Virginie (Hampton Roads) ; 104 000 h.

**PORT-SOUDAN** ~ 2$^{e}$ v. et seul port commercial du Soudan, terminus ferroviaire, sur la mer Rouge ; 207 000 h. Raff. de pétrole.

**PORT TALBOT** ~ Port et station balnéaire de Grande-Bretagne, dans le S. du pays de Galles (West Glamorgan) ; env. 55 000 h. Complexe sidérurgique.

**PORTUGAL** (le), off. **République portugaise**, en port. ***República portuguesa*** ~ Pays d'Europe méridionale, dans l'O. de la péninsule Ibérique, sur l'Atlantique. ***Cap.*** Lisbonne. ***Superf.*** 91 831 km$^{2}$. ***Popul.*** 9 860 000 h. ***Langue princ.*** Portugais. ***Monn.*** Escudo. ***Relief.*** Montagneux (plateaux intérieurs, bordés de chaînes à l'O., s'abaissant au S.). Les plaines littorales et les vallées (Douro, Tage, Guadiana) sont les zones les plus peuplées. Les Açores (2 247 km$^{2}$) et Madère (794 km$^{2}$), dans l'Atlantique, sont des foyers d'émigration. ***Climat.*** Océanique au N., chaud et sec au S. ***Écon.*** Polyculture dominante au N. (petite exploitation), céréaliculture au S. (grande propriété) ; vins (porto) ; élev. porcin, ovin. Industries (métall., chim., text., cuir), tourisme, pêche, revenus de l'émigration (auj. en Europe). Intégration croissante à l'Union européenne. ***V. princ.*** Lisbonne, Porto, Setúbal (popul. urbaine : 34 %). **HIST.** - L'O. de la péninsule Ibérique est peuplé dès le Paléolithique. *IV$^{e}$-III$^{e}$ mill. av. J.-C.* : développement d'une civilisation mégalithique. *I$^{er}$ s. av. J.-C.* : les Lusitaniens, implantés dans le N. de l'actuel Portugal, opposent une vive résistance à la colonisation romaine. *V$^{e}$-VII$^{e}$ s.* : intégration de la province romaine de Lusitanie au royaume des Suèves, puis à celui des Wisigoths. *VIII$^{e}$ s.* : conquête musulmane à partir de 711. *IX$^{e}$-XI$^{e}$ s.* : les rois des Asturies (Alphonse III) et de Castille (Ferdinand I$^{er}$) entament la Reconquista. *Fin du XI$^{e}$ s.* : Alphonse VI de León et Castille donne le comté à son gendre Henri de Bourgogne. *XII$^{e}$-XIV$^{e}$ s.* : en 1139, Alphonse I$^{er}$ Henriques proclame l'indépendance et fonde la dynastie bourguignonne (1139-1383) qui expulse les Arabes et donne au pays ses frontières actuelles. En 1385, Jean I$^{er}$ fonde la dynastie d'Aviz (1385-1580). *XV$^{e}$ s.* : à partir de 1417, le prince Henri le Navigateur, fils de Jean I$^{er}$, entraîne le pays dans la grande aventure maritime. En 1488, Bartolomeu Dias double le cap de Bonne-Espérance. En 1494, le traité de Tordesillas fixe la ligne de partage des possessions portugaises et espagnoles. En 1497, Vasco de Gama atteint Calicut. *XVI$^{e}$ s.* : en 1500, Pedro Alvarez Cabral touche les côtes du Brésil. Dès 1509, les Portugais débarquent à Malacca. Cependant, le Portugal, affaibli par les persécutions religieuses et l'immobilisme de la société, subit la concurrence anglaise et hollandaise. Après la mort sans héritier du roi Sébastien I$^{er}$, Philippe II d'Espagne annexe le Portugal (1578-1580). *XVII$^{e}$ s.* : sous l'administration espagnole, le pays décline et perd la majeure partie de ses possessions asiatiques. En 1640, une révolution donne le trône à Jean IV, qui fonde la dynastie des Bragance (1640-1910). L'influence britannique est forte. *XVIII$^{e}$ s.* : grâce à l'administration éclairée du marquis de Pombal, ministre de Joseph I$^{er}$ (1750-1777), le pays connaît une renaissance économique et culturelle ; il reconstruit Lisbonne, détruite en 1755 par un tremblement de terre. *XIX$^{e}$ s.* : lié à l'Angleterre par le traité de Methuen (1703), le Portugal est entraîné dans les guerres napoléoniennes ; la Cour se réfugie au Brésil (1807). La tentative d'occupation française (1807-1811) se brise sur les défenses organisées par Wellington. Jean VI accepte en 1822 la formation d'un régime constitutionnel et l'indépendance du Brésil, mais l'instabilité politique demeure durant le règne de Marie II (1826-1853) et de ses successeurs, Pierre V (1853-1861), Louis I$^{er}$ (1861-1889) et Charles I$^{er}$ (1889-1908), qui favorisent la mise en place d'une monarchie parlementaire. *XX$^{e}$ s.* : la colonisation de l'Angola et du Mozambique accroît les problèmes financiers et déstabilise la monarchie. En 1910, une révolution renverse Manuel II et la république est proclamée. Une quarantaine de gouvernements se succèdent durant la I$^{re}$ République (1910-1926), qui est renversée par un coup d'État. Le général Oscar Carmona, président de la République (1928-1951), nomme Antonio de Oliveira Salazar ministre des Finances. La Constitution de 1933 permet à Salazar, désormais maître du pays, d'établir l'« État nouveau », régime paternaliste, corporatiste et policier. Après la Seconde Guerre mondiale, le Portugal adhère à l'Otan (1949) et à l'Association européenne de libre-échange, mais la volonté de se maintenir en Afrique obère son développement économique. Après la mort de Salazar (1970), le président Marcelo Caetano entreprend une timide libéralisation, mais doit faire face aux mouvements qui ont lieu dans les colonies depuis les années 1960. *Avr. 1974* : un groupe d'officiers, sous la direction du général Spínola, s'empare du pouvoir (révolution des Œillets). Le régime parlementaire est rétabli, l'indépendance accordée à l'Angola et au Mozambique. *1975* : le programme anticapitaliste et la réforme agraire impulsés par le gouvernement communiste d'Alvaro Cunhal sont abandonnés après la victoire des socialistes aux élections. *1976-1996* : les présidents Antonio Eanes et Mario Soares ancrent le pays à la Communauté européenne (1986) et permettent l'alternance politique. *1996* : le socialiste Jorge Sampaio est élu président et doit faire face aux difficultés économiques.

**PORT-VENDRES** ~ Station balnéaire des Pyrénées-Orientales, port de pêche (langouste) et de commerce (vins du Roussillon) ; agglom. 8 096 h.

**PORT-VILA** ou **VILA** ~ Cap. et port de la république de Vanuatu, dans l'île Vaté ; 19 000 h.

**PORTZAMPARC** (Christian **Urvoy** DE) ~ *1944, Casablanca.* Architecte français. Il a notamment conçu la Cité de la musique (1985-1995), à Paris.

**POSADAS** ~ Port fluvial du N.-E. de l'Argentine, sur le Paraná, ch.-l. de la prov. de Misiones (29 801 km$^{2}$, 789 000 h.), région d'agric. tropicale entre le Brésil et le Paraguay ; 220 000 h.

**P. O. S. D. R.** ~ Voir **Parti ouvrier social-démocrate de Russie.**

**POSÉIDON** ~ Dieu grec de la Mer et des Eaux. Fils de Cronos et de Rhéa, il se partagea l'univers avec ses frères Zeus et Hadès. Il est représenté armé d'un trident. C'est le Neptune des Romains.

**POSIDONIUS** ~ *v. 135, Apamée, Syrie - v. 51 av. J.-C., Rome.* Philosophe grec. Grand voyageur et observateur de la nature, il se fixa à Rhodes comme chef d'école, et y reçut Cicéron et Pompée. Son œuvre encyclopédique (entièrement disparue) participe du stoïcisme.

**POSNANIE** ou **POZNANIE** (la) ~ Anc. prov. de Prusse, auj. polonaise (cap. Poznań). Elle fut attribuée à la Prusse lors du deuxième partage de la Pologne (1793) et fut rendue à cette dernière par le traité de Versailles (1919).

**POSTEL** (Guillaume) ~ *1510, Barenton, Normandie - 1581, Paris.* Humaniste et orientaliste français. Il prêcha la réconciliation entre chrétiens et musulmans (*concordia mundi*) et fut emprisonné par l'Inquisition.

**POSTUMUS**, en lat. ***Marcus Cassianus Latinius Postumus*** ~ *m. en 268.* Usurpateur romain. Officier gaulois, il se fit proclamer empereur des Gaules (Gaule, Germanie, Bretagne, Espagne) en 258, sous Gallien, qui le toléra, puis fut assassiné.

**POT** (Philippe) ~ *1428 - 1494, Dijon.* Homme politique bourguignon. Il fut au service de Charles le Téméraire, puis de Louis XI, qui le fit grand sénéchal de Bourgogne. Son tombeau est au Louvre.

**Potala** (le) ~ Palais du dalaï-lama à Lhassa (Tibet), construit de 1643 à 1645.

**POTEMKINE** (Grigori Aleksandrovitch), prince **de Tauride** ~ *1739, près de Smolensk - 1791, près de Iași.* Homme politique et feld-maréchal russe. Favori de Catherine II, il annexa la Crimée (1783) et combattit les Turcs (1787-1791).

**Potemkine** (le) ~ Cuirassé de la flotte russe de la mer Noire, dont l'équipage se mutina puis se rendit aux autorités roumaines (1905). Le cinéaste Eisenstein tira de cet épisode son film *le Cuirassé Potemkine* (1925).

**POTENZA**, anc. **Potentia** ~ V. du S. de l'Italie, cap. régionale de la Basilicate, marché agricole (olives) ; 68 000 h. Huileries. Églises (XI$^{e}$-XIII$^{e}$).

**POTHIER** (dom Joseph) ~ *1835, Bouzemont, Vosges - 1923, Conques, Belgique.* Musicologue et bénédictin français. Abbé de Saint-Wandrille, il participa à la restauration du chant grégorien, poursuivant les travaux de dom Prosper Guéranger.

**POTHIN** (saint) ~ *v. 87 - v. 177, Lyon.* Premier évêque de Lyon. Il fut martyrisé, sous Marc Aurèle, en même temps que Blandine.

**POTIDÉE** ~ Anc. v. de Macédoine (Chalcidique). Sa révolte contre Athènes (432-429 av. J.-C.) fut en partie à l'origine de la guerre du Péloponnèse. Détruite en 356 av. J.-C. par Philippe II de Macédoine, elle fut rebâtie en 316 av. J.-C., sous le nom de Cassandreia.

**POTOCKI** (Jan) ~ *1761, Pików, Podolie - 1815, Uładówka, Ukraine.* Voyageur et écrivain polonais. Issu d'une famille de magnats, il est l'auteur d'écrits en français, dont un récit fantastique, *Manuscrit trouvé à Saragosse* (1804-1805).

**POTOMAC** (le) ~ Fl. du N.-E. des États-Unis, issu des Appalaches, qui arrose Washington et se jette dans la baie de Chesapeake ; 460 km.

**POTOSÍ** ~ V. des Andes boliviennes, l'une des plus hautes du monde (alt. 4 000 m), centre minier (cuivre, étain) ; 112 000 h. Architecture coloniale, classée patrimoine de l'humanité par l'Unesco. Anc. mines d'argent connues des Indiens, exploitées par les Espagnols du XVIe au XVIIIe s.

**POTSDAM** ~ V. d'Allemagne, dans la conurbation de Berlin, cap. du land de Brandebourg, important centre industriel (alim., mécan., métall., text.) ; 139 000 h. **HIST.** - Résidence des Hohenzollern à partir de 1617, Potsdam connut son apogée sous le règne de Frédéric II, qui en fit le Versailles prussien (château et parc de Sans-Souci). Du 17 juillet au 2 août 1945, s'y tint la **conférence de Potsdam** entre Truman, Staline et Churchill (puis Attlee). Elle précisait les dispositions prises à Yalta sur le sort économique et politique de l'Allemagne, constatait l'extension de la Pologne à la ligne Oder-Neisse. Un ultimatum fut également adressé au Japon.

**POTT** (Percival) ~ *1713, Londres - 1788, id.* Chirurgien britannique. Il décrivit la tuberculose des vertèbres (**mal de Pott**).

**POTTIER** (Eugène) ~ *1816, Paris - 1887, id.* Révolutionnaire et poète français. Membre de la Commune de Paris, il écrivit notamment les paroles de *l'Internationale* (1871).

**POUCHKINE** (Aleksandr Sergueïevitch) ~ *1799, Moscou - 1837, Saint-Pétersbourg.* Écrivain russe. Une vie romanesque et une œuvre foisonnante ont fait de lui le fondateur de la littérature russe. Son inspiration, très diverse, et son écriture sobre culminèrent dans ses poèmes et ses récits nationaux, populaires, légendaires ou fantastiques (*Rouslan et Lioudmilla*, 1820 ; *la Dame de pique*, 1833 ; *la Fille du capitaine*, 1836), dans son théâtre (*Boris Godounov*, 1825, publié en 1831) ou dans son roman *Eugène Onéguine* (1825-1833).

**POUCHKINE**, anc. **Tsarskoïe Selo** et, de 1920 à 1937, **Detskoïe Selo** ~ V. de Russie, au S. de Leningrad ; env. 50 000 h. Les tsars en firent leur résidence d'été au XVIIIe s. Palais et parc (avec son ermitage et sa grotte) de Catherine II et palais Alexandre de style classique (XVIIIe s.), grande orangerie, manèges et écuries (XIXe s.).

**POUDOVKINE** (Vsevolod Illarionovitch) ~ *1893, Penza - 1953, Moscou.* Cinéaste soviétique. Théoricien du montage, qu'il considérait comme le fondement de l'expression cinématographique, il développa le thème révolutionnaire de la prise de conscience dans *la Mère* (1926), *la Fin de Saint-Pétersbourg* (1927) et *Tempête sur l'Asie* (1929).

**POUGATCHEV** (Emelian Ivanovitch) ~ *v. 1742, Zimoveïskaïa - 1775, Moscou.* Chef cosaque du Don, il se fit passer pour le tsar Pierre III et provoqua l'insurrection populaire de 1773-1774. Il fut capturé et exécuté.

**POUGNY** (Ivan ou Jean) ~ *1894, Kuokkala, auj. Repino, Carélie - 1956, Paris.* Peintre français d'orig. russe. Il fut l'une des figures de l'avant-garde russe puis évolua vers l'art figuratif (*Atelier*, 1956).

**POUILLE** (la) ou **POUILLES** (les), anc. **Apulie**, en ital. ***Puglia*** ~ Région de l'E. du Mezzogiorno italien, au climat méditerranéen très sec ; 19 357 km², 4 050 000 h., cap. Bari. La plaine agricole du Tavoliere (blé, vigne, olivier, fruits) sépare le Gargano des bas plateaux bordant l'Apennin. L'industrie (pétrochimie, sidérurgie, constructions mécaniques, aluminium) se développe à Bari, Brindisi et Tarente (constructions navales). Tourisme sur la côte adriatique.

**POUILLET** (Claude) ~ *1790, Cusance, Doubs - 1868, Paris.* Physicien français. Il énonça les lois des courants, formula les notions de force électromotrice et de résistance interne des générateurs, et inventa la boussole des tangentes. Le premier, il mesura la constante solaire (1837).

**POUILLY-SUR-LOIRE** ~ Localité de la Nièvre, au centre d'un vignoble réputé (E. du Sancerrois) ; 1 708 h. Vins blancs.

**POULBOT** (Francisque) ~ *1879, Saint-Denis - 1946, Paris.* Dessinateur et peintre français. Il créa le **poulbot**, type du gosse montmartrois.

**POULENC** (Francis) ~ *1899, Paris - 1963, id.* Compositeur français. Mélodiste raffiné, membre du groupe des Six, il a laissé des œuvres religieuses (*Stabat Mater*, 1950) et dramatiques (*Dialogues des carmélites*, 1957) ainsi qu'un opéra bouffe (*les Mamelles de Tirésias*, 1947).

Francis **Poulenc**, *peinture de Jean de Gaigneron. Bibliothèque de l'Opéra, Paris.*

**POULIGUEN (Le)** ~ Station balnéaire et port breton de Loire-Atlantique, entre La Baule et Le Croisic ; 4 912 h.

**POUND** (Ezra Loomis) ~ *1885, Hailey, Idaho - 1972, Venise.* Poète américain. Auteur d'essais (*l'Esprit des littératures romanes*, 1910) et d'une poésie savante mêlant diverses cultures (*Cantos*, 1919-1969), il fut toute sa vie un traducteur de textes anciens, qui, à ses yeux, constituaient le seul rempart contre la décadence.

**POURBUS**, famille de peintres flamands. ~ **Pieter** (*1523, Gouda - 1584, Bruges*) peignit des œuvres religieuses et des scènes de genre influencées par le maniérisme de Nicolo Dell'Abate. Son fils ~ **Frans**, dit **l'Ancien** (*1545, Bruges - 1581, Anvers*), réalisa des portraits à la manière de son maître Frans Floris de Vriendt. ~ **Frans II**, dit **le Jeune** (*1569, Anvers - 1622, Paris*), fils du précédent, dut sa réputation à ses portraits de cour (*Marie de Médicis*, 1609 ; *Henri IV*, 1610).

**POURRAT** (Henri) ~ *1887, Ambert - 1959, id.* Écrivain français. Il célébra la vie traditionnelle auvergnate dans ses romans (*Gaspard des montagnes*, 1922-1931) et ses contes.

**POURTALET (col du)** ~ Col franco-espagnol de l'E. des Pyrénées-Atlantiques, en amont du val d'Ossau ; 1 794 m.

**POUSSEUR** (Henri) ~ *1929, Malmédy.* Compositeur belge. Révélant l'influence d'A. Webern et de P. Boulez, ses œuvres sont des modèles d'expressivité et de concision (*Traverser la forêt*, 1987).

**POUSSIN** (Nicolas) ~ *1594, Villers, près des Andelys - 1665, Rome.* Peintre français. Figure majeure du classicisme français, il passa la majeure partie de sa vie en Italie. Influencé par Titien (*Quatre Bacchanales*), il traita, avec un sens aigu de l'harmonie, les sujets mythologiques et allégoriques (*l'Inspiration du poète* ; *les Bergers d'Arcadie*). Son intérêt croissant pour le paysage le conduisit à plus de lyrisme (*les Quatre Saisons*). [☞ **classicisme**.]

**P'OU-YI** ~ Voir **Puyi**.

**POUZZOLES**, en ital. ***Pozzuoli*** ~ Port italien du golfe de Naples (Campanie) ; 78 000 h. Sources chaudes (station thermale), solfatare et **pouzzolane** (export.) résultent de l'activité volcanique locale. Vestiges de l'anc. port, supplanté par Naples après la chute de l'Empire romain : marché romain (temple de Sérapis), amphithéâtre du Ier s.

**POWELL** (Cecil Frank) ~ *1903, Tonbridge, Kent - 1969, Casargo, Italie.* Physicien britannique. Il fit progresser l'emploi de la méthode photographique dans l'étude des processus nucléaires, découvrant (avec G. Occhialini) le méson pi ou pion (1947). Prix Nobel de phys. 1950.

**POWELL** (Earl, dit Bud) ~ *1924, New York - 1966, id.* Pianiste de jazz noir américain. Il est considéré comme le musicien le plus représentatif de l'esthétique bop (*Hallucinations*).

**POWELL** (John Wesley) ~ *1834, Mount Morris, État de New York - 1902, Haven, Maine.* Géologue et ethnologue américain. Il étudia plusieurs régions de son pays et formula le concept d'acculturation (1880). Il créa le Bureau d'ethnologie des États-Unis.

**POWYS** (John Cowper) ~ *1872, Shirley, Derbyshire - 1963, Blaenau Ffestiniog, pays de Galles.* Écrivain britannique. Essayiste et conférencier, il fut l'auteur d'une œuvre romanesque abondante et souvent didactique (*Wolf Solent*, 1929 ; *Camp retranché*, 1936).

**POYANG** ou **P'O-YANG** (le) ~ Grand lac du bassin du Yangzi Jiang (S.-E. de la Chine), au N. de Nanchang, qui contribue à la régularisation du cours du grand fleuve ; de 3 000 à 5 000 km².

**POZNAŃ**, en all. *Posen* ~ V. de l'O. de la Pologne, sur la Warta, anc. capitale de la Posnanie (Prusse), port fluvial, carrefour sur l'axe Berlin-Moscou, entre la Silésie et les ports de la Baltique ; 590 000 h. Archevêché. Université. Foire internationale. Industries métall., mécan., chim., text., alim., pharmaceutique. Cathédrale (XVe-XVIIIe s.), hôtel de ville (XVIe s.). **HIST.** - Grand centre commercial européen du XVe au XVIIe s., annexé par la Prusse au XVIIIe s., restitué à la Pologne en 1919. En juin 1956, une grève ouvrière, dirigée contre la tutelle soviétique, y fut sévèrement réprimée.

**POZNANIE** (la) ~ Voir **Posnanie**.

**POZZO DI BORGO** (Charles André, comte) ~ *1764, Alata, près d'Ajaccio - 1842, Paris.* Diplomate français. D'abord député à la Législative, il devint partisan avec P. Paoli de l'indépendance corse. Exilé, il passa au service du tsar Alexandre Ier. Il fut ambassadeur de Russie à Paris (1815-1834) puis à Londres (1834-1839).

**PRADES** ~ V. de la vallée de la Têt (Pyrénées-Orientales), au pied du Canigou, centre comm. (fruits) du Conflent ; 6 009 h. (agglom. 8 047 h.). Église romane rebâtie au XVIIe s. (clocher du XIIe s.). Festival de musique de chambre créé par Pablo Casals (abbaye St-Michel-de-Cuxa).

**PRADES** (Jean, abbé DE) ~ *1720, Castelsarrasin - 1782, Glogau, Pologne.* Écrivain français. Collaborateur de l'*Encyclopédie*, il soutint une thèse doutant de la divinité du Christ (1751) et dut s'exiler.

**PRADET (Le)** ~ Station balnéaire de l'agglom. de Toulon (Var) ; 9 704 h.

**PRADIER** (Jean-Jacques, dit James) ~ *1790, Genève - 1852, Rueil.* Sculpteur genevois. Son style néoclassique, prisé par Louis-Philippe, lui valut de nombreuses commandes (allégories de Lille et de Strasbourg, place de la Concorde, à Paris). Il sculpta aussi des sujets galants (*la Chemise enlevée*).

**Prado (musée national du)** ~ Musée de Madrid, installé depuis 1819 dans un édifice néoclassique. Il présente un riche ensemble de tableaux espagnols, flamands et italiens, provenant, pour une large part, des collections des rois d'Espagne.

**PRAETORIUS** (Michael) ~ *v. 1571, Kreuzburg an der Werra - 1621, Wolfenbüttel.* Compositeur et organiste allemand. Sa connaissance de la musique italienne lui permit de faire évoluer la tradition chorale germanique et de poser les bases de l'instrumentation baroque.

**Pragmatique Sanction de Bourges** ~ Acte édicté le 7 juillet 1438, par Charles VII, qui permit au roi de France d'intervenir dans les élections épiscopales et de réglementer la discipline du clergé. Première manifestation juridique du gallicanisme, elle resta en vigueur jusqu'en 1516 (concordat de Bologne). [☞ **gallicanisme**.]

**Pragmatique Sanction de 1713** ~ Acte promulgué le 19 avril 1713 par l'empereur germanique Charles VI, par lequel il assurait la couronne à sa fille Marie-Thérèse et garantissait la succession en ligne directe, sans distinction de sexe, de la totalité des possessions impériales. Contesté, cet acte fut à l'origine de la guerre de la Succession d'Autriche (1740-1748).

**PRAGUE**, en tch. ***Praha*** ~ Cap. de la République tchèque (Bohême), sur la Vltava ; 1 215 000 h. Important carrefour entre Berlin et Vienne, Nuremberg et Cracovie, c'est l'une des grandes métropoles politiques, commerciales et industrielles (métall., mécan., alim., text., chim.) d'Europe centrale, et un foyer culturel (not. musical, dès le XVIIIe s.) et universitaire. Surnommée « la ville aux toits d'or », elle est classée patrimoine de l'humanité par l'Unesco. S'y côtoient des monuments romans, gothiques, Renaissance, baroques et Art nouveau. Le Hradčany, ancienne résidence royale, comprend la cathédrale St-Gui (XIe s., achevée au XIXe s.), l'église romane St-Georges (Xe s.), le palais (IXe s., rebâti aux XVIe et XVIIe s.). Pont Charles (XIVe s.). Cimetière juif. La Vieille Ville (Staré Město) regroupe Notre-Dame de Týn, l'hôtel de ville gothique, des façades baroques. Dans le quartier de Malá Strana se trouvent le palais Lobkovič (XVIIIe s.), le couvent de Strahov, la cathédrale St-Nicolas (XVIIIe s.). Musées. **HIST.** - Capitale de la Bohême dès le XIe s., Prague devint celle du Saint Empire durant le règne de Charles IV de Luxembourg (1346-1378), qui l'agrandit, l'embellit et y fonda la première université d'Europe centrale (1348). Le 23 mai 1618, des représentants de Mathias furent jetés par les fenêtres du palais royal par des protestants opposés à l'interdiction de leur culte (**Défenestration de Prague**). Cet évènement marqua le début de la guerre de Trente Ans, au cours de laquelle la ville fut plusieurs fois occupée par les Suédois. En 1918, elle devint capitale de la Tchécoslovaquie indépendante. Le **Coup de Prague** (février 1948) renforça l'emprise communiste sur le pays. Le **Printemps de Prague** (1968) symbolisa l'éclosion avortée d'un communisme démocratique.

© J. Bergman-Gamma

*Prague, les rives de la Vltava.*

**Prague (cercle de)** ~ Groupe de linguistes de l'entre-deux-guerres formé en 1926 autour de N. Troubetskoï et R. Jakobson, dont les travaux sont à l'origine de la phonologie structurale et de la poétique.

**Praguerie** (la) ~ Révolte des seigneurs français, menée en février 1440 par le dauphin, le futur Louis XI, contre les réformes de Charles VII. Celui-ci réprima le soulèvement.

**PRAIA** ~ Cap. de l'archipel du Cap-Vert (île de São Tiago), port de pêche et d'exportation (prod. agricoles) ; 62 000 h.

**prairial an III (journée du 1er)** ~ Tentative de prise de pouvoir (20 mai 1795) des sans-culottes parisiens, poussés à bout par la crise économique. La Convention fut envahie, le député Féraud assassiné. L'Assemblée réprima l'émeute avec l'aide de l'armée.

**prairial an VII (journée du 30)** ~ Coup de force organisé par Sieyès et Barras, soutenus par le Conseil des Anciens et le Conseil des Cinq-Cents, contre les directeurs modérés (18 juin 1799).

**PRAIRIE** (la) ~ Nom donné aux plaines à blé du S. du Canada (Alberta, Saskatchewan, Manitoba) aux sols fertiles et au climat continental. Importante richesse en charbon et hydrocarbures, industries concentrées à Winnipeg, Edmonton, Calgary.

**PRA-LOUP** ~ Station de sports d'hiver de la vallée de l'Ubaye (Alpes-de-Haute-Provence), au S.-O. de Barcelonnette (alt. 1 500-2 600 m).

**PRANDTL** (Ludwig) ~ *1875, Freising, Bavière - 1953, Göttingen.* Physicien allemand. Il étudia la mécanique des fluides, exposa la théorie hydrodynamique de l'aile portante (1919-1920), et donna son nom à une sonde qui sert à mesurer la vitesse de l'air.

**PRASLIN** (Gabriel **de Choiseul-Chevigny**, duc DE) ~ *1712, Paris - 1785, id.* Homme politique français. Il fut secrétaire d'État aux Affaires étrangères (1761-1770) et à la Marine (1766-1770).

**PRATO** ~ V. de Toscane (Italie), au N.-O. de Florence, centre textile (laine cordée, confection), industriel et marché (primeurs) ; 166 000 h. Cathédrale romano-gothique (fresques de F. Lippi, Donatello, Michelozzo), palais Pretorio (XIIIe-XIVe s., collection de polyptyques), château du XIIIe s.

**PRAVAZ** (Charles Gabriel) ~ *1791, Le Pont-de-Beauvoisin - 1853, Lyon.* Médecin orthopédiste français, il est l'inventeur de la seringue hypodermique.

**Pravda** ~ Quotidien soviétique. Fondée en 1912 à Saint-Pétersbourg, la *Pravda* fut l'organe du Comité central du parti communiste d'U. R. S. S. de 1922 à 1991 (tirage de 11 millions d'exemplaires environ). Elle a cessé de paraître en 1992.

**PRAXITÈLE** ~ *IVe s. av. J.-C.* Sculpteur grec. Gracieuses et raffinées, ses œuvres, célèbres par les reproductions qu'on en fit, exercèrent une grande influence sur la statuaire grecque (*Aphrodite de Cnide* ; *Hermès portant Dionysos enfant*).

**PRÉALPES** (les) ~ Massifs calcaires et plissés qui bordent les Alpes centrales cristallines, dont ils sont séparés, en France, par le Sillon alpin prolongé par des cluses (Arve, Annecy, Chambéry). À l'O., les Préalpes s'étendent du Chablais à l'arrière-pays niçois, allongées jusqu'au Vercors (Préalpes du N., humides), enchevêtrées et sèches au S. Au N.-E., elles prolongent l'axe cristallin (Alpes bernoises, de Glaris, Allgäu, bavaroises, autrichiennes).

**PRÉAULT** (Antoine Augustin, dit Auguste) ~ *1809, Paris - 1879, id.* Sculpteur français. Il illustra les thèmes et les sentiments propres au romantisme français (*la Tuerie*, 1834 ; *le Cavalier gaulois*, 1853).

**Pré-aux-Clercs** ~ Au Moyen Âge, champ voisin de Paris qui s'étendait sur la rive gauche de la Seine, à l'emplacement de l'actuel faubourg Saint-Germain. Les étudiants de l'Université de Paris en avaient fait leur lieu de promenade et de duel.

**PREM CAND** ou **PREMCHAND** (Dhanpat **Ray**, dit Nawab **Ray**, ou) ~ *1880, Lamahi, près de Bénarès - 1936, Bénarès.* Écrivain indien d'expression urdu, hindi et anglaise. Influencés par le roman russe, ses récits, proches des idées de Gandhi, s'opposèrent au système des castes (*Godan*, 1936).

**PREMINGER** (Otto) ~ *1906, Vienne - 1986, New York.* Cinéaste américain d'orig. autrichienne. Il s'imposa, par sa rigueur et sa maîtrise de la mise en scène, aussi bien dans le film policier (*Laura*, 1944) et dans la comédie musicale (*Carmen Jones*, 1954) que dans des films politiques (*Exodus*, 1960).

**PRÉNESTE** ~ Voir **Palestrina**.

**PRÉ-SAINT-GERVAIS (Le)** ~ Commune limitrophe de Paris (Seine-Saint-Denis) ; 15 373 h.

**Presbourg (traité de)** ~ Traité signé le 26 déc. 1805 entre la France et l'Autriche, à Presbourg (auj. Bratislava), après la victoire de Napoléon à Austerlitz. La France obtint la Vénétie, une partie de l'Istrie et la Dalmatie ; son alliée, la Bavière, reçut le Tyrol, le Vorarlberg et le Trentin.

**PRESLEY** (Elvis) ~ *1935, Tupelo - 1977, Memphis.* Chanteur américain. Star du rock and roll (*That's all Right Mama*, 1954) et idole d'une jeunesse qui le surnomma The King, il fit scandale par ses déhanchements (*Heartbreak Hotel*, 1956). Acteur de films à son unique gloire (*King Creole*, 1958), il devint ensuite un chanteur de charme.

*Elvis Presley.*

© Liaison Gamma

**PREŠOV**, en hongrois ***Eperjes*** ~ V. de l'E. de la Slovaquie, centre culturel ancien (théâtre, musées) et industriel ; 89 000 h. Place du Marché (Moyen Âge), maisons Renaissance, églises gothiques et baroques.

**Presse (la)** ~ Quotidien français (1836-1935). Fondée par É. de Girardin, *la Presse* inaugura l'ère du journal à bon marché, l'utilisation de la publicité et du roman-feuilleton.

**PRESTON** ~ V. industr. d'Angleterre, au N. de la Mersey, ch.-l. du Lancashire ; 126 000 h. Cromwell y vainquit les Écossais en 1648.

**prêt-bail (loi)**, en angl. ***Lend-Lease Act*** ~ Loi adoptée en mars 1941 par le Congrès des États-Unis. Elle autorisa le gouvernement américain à vendre, louer ou prêter du matériel militaire à des pays dont la sécurité était vitale pour les intérêts américains. Elle permit à Roosevelt de soutenir militairement la Grande-Bretagne et l'U. R. S. S. sans faire entrer immédiatement les États-Unis dans la guerre.

**PRETI** (Mattia) ~ *1613, Taverna, Calabre - 1699, La Valette.* Peintre italien. Son style baroque, soutenu par un sens dramatique exacerbé, l'a placé au premier rang de l'école napolitaine.

**PRETORIA** ~ Cap. admin. (siège du gouvernement) de l'Afrique du Sud, dans la nouvelle **province de Pretoria-Witwatersrand-Vereeniging** (anc. Transvaal), 1 370 m d'alt., au N. de Johannesburg ; 1 100 000 h. (centre à majorité blanche, quartiers noirs périphériques). Archevêché. Fondée en 1855 par les Boers, Pretoria est la capitale du Transvaal depuis 1860 et du pays depuis 1910.

**PRETORIUS**, nom de deux hommes politiques sud-africains. ~ **Andries** (*1798, près de Graaff Reinet - 1853, Magaliesberg*) contribua à fonder la république du Transvaal. Son nom servit à forger celui de la capitale, Pretoria. Son fils ~ **Marthinus** (*1819, Graaff Reinet - 1901, Potchefstroom*) fut président du Transvaal (1857-1871) et de l'État d'Orange (1859-1863).

© Mali-Gamma

*Jacques Prévert.*

**PRÉVERT** (Jacques) ~ *1900, Neuilly-sur-Seine - 1977, Omonville-la-Petite, Manche.* Poète français. Influencé par le surréalisme, il participa aux activités théâtrales du groupe Octobre de 1932 à 1936, écrivit nombre de scénarios et dialogues de films, not. pour M. Carné (*les Visiteurs du soir*, 1942 ; *les Enfants du Paradis*, 1945), et mania le vers libre en des poèmes tendres et ironiques (*Paroles*, 1946 ; *Spectacle*, 1951) d'un constant anticonformisme.

**PRÉVOST** (Antoine François **Prévost d'Exiles**, dit l'abbé) ~ *1697, Hesdin, auj. Pas-de-Calais - 1763, Courteuil, auj. Oise.* Écrivain français. Sa vie mouvementée se doubla d'une féconde carrière de romancier, de traducteur et de polygraphe (*Histoire du chevalier Des Grieux et de Manon Lescaut*, 1731).

**PRÉVOST-PARADOL** (Lucien Anatole) ~ *1829, Paris - 1870, Washington.* Homme politique français. Défavorable au second Empire, il s'y rallia cependant. Fait ambassadeur de France à Washington, il se suicida à l'annonce de la déclaration de guerre à la Prusse. Acad.

**PRIAM** ~ Personnage de l'*Iliade*. Roi de Troie, époux d'Hécube, il engendra cinquante fils et plusieurs filles, dont Hector, Pâris et Cassandre. Très vieux lors de la guerre de Troie, il obtint d'Achille le corps de son fils Hector et fut tué par Pyrrhos.

**PRIAPE** ~ Dieu gréco-romain de la Fécondité. Fils de Dionysos et d'Aphrodite, abandonné par sa mère près de Lampsaque, il était doté d'un phallus démesuré. Il protégeait les vignobles et les vergers.

**PRIESTLEY** (Joseph) ~ *1733, Birstall Fieldhead, près de Leeds - 1804, Northumberland, Pennsylvanie.* Chimiste et philosophe britannique. Défenseur des idéaux de la Révolution française, il fut nommé citoyen français. Il isola l'oxygène (1774) et expliqua la respiration des végétaux (1775).

**PRIEUR DE LA CÔTE-D'OR** (Claude Antoine, comte **Prieur-Duvernois**, dit) ~ *1763, Auxonne - 1832, Dijon.* Homme politique français. Il fit adopter le système métrique par la Convention (1795).

**PRIGOGINE** (Ilya) ~ *1917, Moscou.* Chimiste et philosophe belge d'orig. russe. Il a révolutionné la thermodynamique par ses études sur les processus irréversibles et sur les structures dissipatives, prônant la créativité du chaos (*la Nouvelle Alliance*, 1979). Prix Nobel de chim. 1977.

**PRIMATICE** (Francesco **Primaticcio**, dit **le**) ~ *1504, Bologne - 1570, Paris.* Peintre et architecte italien. Formé par J. Romain, il fut appelé au château de Fontainebleau par François Iᵉʳ. Après la mort du Rosso (1540), il y dirigea les travaux de décoration. Ses dessins (architectures, sculptures, stucs et émaux) retiennent l'attention par leur raffinement.

**PRIMO DE RIVERA**, nom de deux hommes politiques espagnols. ~ **Miguel** (*1870, Jerez de la Frontera - 1930, Paris*), capitaine général de Catalogne, instaura en 1923 une dictature avec l'assentiment d'Alphonse XIII et prit des mesures de redressement économique hardies. L'agitation universitaire et l'insubordination de l'armée entraînèrent sa chute (1930). Son fils ~ **José Antonio** (*1903, Madrid - 1936, Alicante*) fonda la Phalange espagnole (1933) et fut fusillé par les républicains.

**PRIM Y PRATS** (Juan) ~ *1814, Reus - 1870, Madrid.* Général et homme politique espagnol. Il soutint l'indépendance mexicaine (1862) et fut l'un des instigateurs de l'éviction de la reine Isabelle II (1868). Il périt dans un attentat.

**PRINCE ALBERT** ~ V. du Canada (Saskatchewan), à la limite N. de la Prairie, sur la Saskatchewan du Nord ; 34 000 h. Parc national Albert au S. Station de réception des satellites Landsat.

**PRINCE-ÉDOUARD (îles du)**, en angl. ***Prince Edward Island*** ~ Archipel et île canadienne, dans le golfe du Saint-Laurent, formant la plus petite des Provinces Maritimes du Canada, au relief glaciaire et aux côtes découpées ; 5 660 km², 132 000 h., cap. Charlottetown. Cultures maraîchères, élevage laitier, pêche. Tourisme.

**PRINCE GEORGE** ~ V. de l'intérieur de la Colombie-Britannique (Canada), carrefour ferroviaire sur le haut Fraser ; 69 000 h. Industries forestière et minière.

**Prince Noir** ~ Voir **Édouard**.

**PRINCE RUPERT** ~ Port céréalier du N. de la Colombie-Britannique (Canada) ; env. 17 000 h. Terminus du Canadian National Railway.

**PRINCETON** ~ V. des États-Unis (New Jersey), entre New York et Philadelphie ; 12 000 h. Université (fondée à Elizabeth par des presbytériens en 1746 et transférée à Princeton en 1752). Industries de haute technologie. Washington y vainquit les Britanniques en 1777.

**PRÍNCIPE** ~ Voir **São Tomé et Príncipe**.

**PRIPIAT** ou **PRIPET** (le) ~ Affl. du Dniepr (r. dr.), qui forme une vaste zone de marais dans le S. de la Biélorussie (Polésie), avant d'entrer en Ukraine ; 775 km.

**PRISCILLIEN** ~ *début du IVᵉ s., Mérida, Estrémadure - 385, Trèves.* Hérésiarque chrétien espagnol. Fondateur d'une doctrine gnostique (**priscillianisme**), il fut condamné par les conciles de Saragosse et de Bordeaux et fut exécuté.

**PRIŠTINA** ~ Cap. et princ. v. du Kosovo (Yougoslavie), anc. cap. serbe (XIVᵉ s.) ; 210 000 h. Industries textile et pharmaceutique. Monastère (XIVᵉ s.). Musées (archéologie, ethnographie).

**PRITCHARD** (George) ~ *1796, Birmingham - 1883, îles Samoa.* Missionnaire britannique. Consul à Tahiti (1824-1843), il s'opposa à la présence française en incitant la reine Pomaré IV à chasser les missionnaires catholiques (1836). Sa mise en cause par la France conduisit à un grave incident diplomatique entre Londres et Paris (1844).

**PRIVAS** ~ Préfect. de l'Ardèche, dans le Vivarais ; agglom. 14 473 h. Confiserie (marrons glacés). Calviniste, la ville fut prise par Louis XIII en 1629.

**PRIZREN** ~ 2ᵉ v. du Kosovo, près des frontières albanaise et grecque, anc. cap. serbe (XIVᵉ) ; 134 000 h. Industrie textile. Église byzantine, mosquée du XVIIᵉ s.

**PRJEVALSKI** (Nikolaï Mikhaïlovitch) ~ *1839, Kimborovo, Smolensk - 1888, Karakol, auj. Prjevalsk.* Officier et explorateur russe. Il dirigea de nombreuses expéditions, not. dans l'Asie centrale. Il identifia un cheval sauvage dit **cheval de Prjevalski**.

**PROBUS**, en lat. ***Marcus Aurelius Valerius Probus*** ~ *232, Sirmium - 282, id.* Empereur romain (276-282). Successeur de Tacite, il contint les Barbares. Il fut tué par ses soldats.

**PROCHE-ORIENT** ~ Voir **Moyen-Orient**.

**Proclides** (les) ~ Voir **Eurypontides**.

**PROCLUS**, en gr. ***Proklos*** ~ *412, Constantinople - 485, Athènes.* Philosophe grec. Grand classificateur et fidèle compilateur néoplatonicien, il a laissé des commentaires sur Platon et des *Éléments de théologie*.

**PROCOPE** ~ *fin du Vᵉ s., Césarée, Palestine - v. 562, Constantinople.* Historien byzantin. Historien de Justinien, il est l'auteur du *Livre des guerres* (v. 545-554) et du *Traité des édifices* (v. 560).

**PROCUSTE** ou **PROCRUSTE** ~ Brigand légendaire de l'Attique. Il suppliciait les voyageurs en les allongeant sur un lit, trop petit pour les uns, qu'il mutilait, trop grand pour les autres, qu'il étirait. Thésée lui fit subir la même torture.

**PROKOFIEV** (Sergueï Sergueïevitch) ~ *1891, Sontsovka - 1953, Moscou.* Compositeur et pianiste russe. Novateur par son style ouvert à différentes tendances esthétiques (néoclassicisme, expressionnisme) tout en puisant dans le folklore russe, il a laissé une œuvre au lyrisme puissant (*la Symphonie classique*, 1916-1917 ; *Pierre et le Loup*, 1936 ; *Guerre et Paix*, 1952).

**PROMÉTHÉE** ~ Titan, frère d'Atlas et d'Épiméthée. Il façonna les mortels avec de la terre glaise et leur offrit le feu qu'il déroba aux dieux. Condamné par Zeus, il fut enchaîné sur le Caucase où un aigle lui dévorait le foie. Héraclès le délivra.

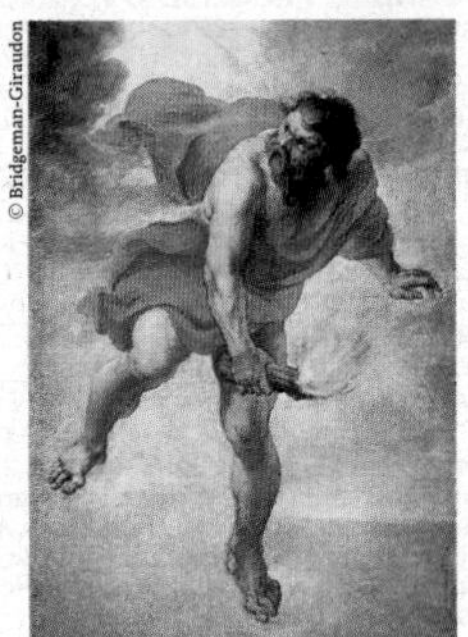

© Bridgeman-Giraudon

**Prométhée** et le feu dérobé *(1671), peinture de Jan Cossiers (1600-1671). Musée du Prado, Madrid.*

**PRONY** (Marie **Riche**, baron DE) ~ *1755, Chamelet, Rhône - 1839, Asnières.* Ingénieur français. Constructeur de canaux et de ports, il conçut le frein dynamométrique (1821) et le flotteur à niveau, et calcula avec Fr. Arago la vitesse du son dans l'air (1822).

**propagation de la foi (Congrégation de la)** ~ Congrégation missionnaire fondée à Rome en 1599. Elle est devenue en 1967 la Congrégation pour l'évangélisation des peuples.

**PROPERCE**, en lat. ***Sextus Aurelius Propertius*** ~ *v. 47, Ombrie - v. 15 av. J.-C., Rome.* Poète latin. Inspirées de la poésie alexandrine, ses *Élégies* révèlent une âme ardente.

**PROPONTIDE** (la) ~ Nom donné par les Grecs anciens à la mer de Marmara.

**PROPRIANO** ~ Station baln. et port de la Corse-du-Sud, au fond du golfe de Valinco ; 3 217 h.

**PROSERPINE** ~ Voir **Perséphone**.

**PROSPER D'AQUITAINE** (saint) ~ *v. 390, près de Bordeaux - entre 455 et 463.* Théologien gaulois. Il défendit saint Augustin contre Pélage.

**PROTAGORAS** ~ *v. 486, Abdère - v. 420 av. J.-C.* Philosophe grec. La réputation d'éducateur de ce sophiste, ami d'Euripide et de Périclès, était immense. Partisan d'une philosophie relativiste, il est célèbre pour cette formule, critiquée par Platon : « L'homme est la mesure de toutes choses. »

**PROTAIS** (saint) ~ Voir **Gervais**.

**PROTÉE** ~ Dieu de la mythologie grecque. Il avait la garde des animaux marins de Poséidon, son père. Doté d'un don de divination, il se refusait à rendre sa prophétie à moins d'y être forcé.

**PROUDHON** (Pierre Joseph) ~ *1809, Besançon - 1865, Paris.* Théoricien socialiste français. Ses thèses sur la valeur du travail préfigurèrent celles de Marx, qui le condamna cependant sévèrement pour sa remise en cause des théories communistes. Son œuvre servit de référence aux anarchistes de la fin du siècle, et il fut l'initiateur du syndicalisme ouvrier, du fédéralisme et du mutualisme en France (*Qu'est-ce que la propriété ?*, 1840 ; *la Philosophie de la misère*, 1846 ; *l'Idée générale de la révolution au XIXᵉ siècle*, 1851).

**PROUSIAS Iᵉʳ** ~ Voir **Prusias Iᵉʳ**.

© Giraudon-A. D. A. G. P., Paris, 1996

Marcel **Proust** *(détail), peinture de Jacques-Émile Blanche (1861-1942). Coll. part.*

**PROUST** (Joseph Louis) ~ *1754, Angers - 1826, id.* Chimiste français. Il fut l'un des fondateurs de l'analyse chimique, notamment par voie humide, exposa la loi des proportions définies qui porte son nom et énonça la constance de la composition des composés chimiques.

**PROUST** (Marcel) ~ *1871, Paris - 1922, id.* Écrivain français. Il mena longtemps une vie mondaine et les écrits de cette époque (*les Plaisirs et les Jours*, 1896 ; *Jean Santeuil*, publié en 1954) peuvent être considérés comme des amorces de ce que fut l'œuvre de sa maturité, *À la recherche du temps perdu* (*Du côté de chez Swann*, 1913 ; *À l'ombre des jeunes filles en fleur*, 1919 ; *le Côté de Guermantes*, 1921 ; *Sodome et Gomorrhe*, 1922 ; *la Prisonnière*, 1923 ; *Albertine disparue*, 1925 ; *le Temps retrouvé*, 1927). Seuls les quatre premiers volumes, terminés de son vivant, furent présentés dans une version considérée comme définitive. La construction complexe mais rigoureuse de la phrase, comportant de nombreuses incises, traduit une volonté d'exprimer toutes les nuances de ce qui peut être dit. Par un regard proche du voyeurisme, Proust montre l'écoulement du temps et l'impossibilité de le maîtriser, not. à travers les thèmes de la passion amoureuse, des conventions sociales, de l'homosexualité. Seuls un certain état mental (comme l'expérience de la madeleine) et l'art permettent d'échapper à cet écoulement et de créer des moments d'éternité.

**PROUT** ou **PRUT** (le) ~ Affl. du Danube (r. g.), confluant à Galați, issu des Carpates ukrainiennes et formant la frontière entre la Roumanie et la Moldavie ; 989 km.

**PROUT** (William) ~ *1785, Horton, Gloucestershire - 1850, Londres.* Chimiste et médecin britannique. Il formula l'hypothèse que les masses atomiques de tous les éléments sont des multiples entiers de la masse de l'hydrogène (1815).

**PROUVÉ**, nom de deux artistes français. ~ **Victor** (*1858, Nancy - 1943, Sétif*), peintre, sculpteur, décorateur et graveur. Successeur d'É. Gallé à la direction de l'École des beaux-arts de Nancy, il fut une figure de l'Art nouveau. Son fils ~ **Jean** (*1901, Nancy - 1984, id.*), architecte, fut le pionnier de la préfabrication des matériaux métalliques légers (murs-rideaux en tôle d'acier pliée).

**PROVENCE** (la) ~ Anc. prov. française correspondant à l'actuelle Région Provence - Alpes - Côte d'Azur, Hautes-Alpes exceptées (cap. Aix-en-Provence). Peuplée de Ligures mêlés de Celtes (IVe s. av. J.-C.), colonisée par les Grecs établis sur la côte (Massalia, fondée v. 600 av. J.-C.), elle fut conquise par les Romains (121 av. J.-C.) qui lui imprimèrent leur marque durablement. Elle fut intégrée au royaume franc (536). Le morcellement de l'Empire carolingien en fit un royaume (855) qui, uni à celui de Bourgogne (947), rejoignit le Saint Empire (1032). La Provence se mua parallèlement en comté féodal dont les fondateurs chassèrent les envahisseurs sarrasins (v. 972). Succédant à la dynastie catalane (1113-1245), les deux maisons capétiennes d'Anjou (1246-1382) ne remirent pas en cause l'orientation méditerranéenne de la Provence qui coïncidait avec leur politique, mais amorcèrent un rapprochement avec la France. Préparé par le règne du roi René (1434-1480), le rattachement au royaume de France se fit en 1481, la Provence conservant ses institutions propres. La Révolution la divisa en trois départements, Bouches-du-Rhône, Var et Basses-Alpes (1790). Les Alliés débarquèrent sur ses côtes le 15 août 1944.

**PROVENCE - ALPES - CÔTE D'AZUR** ~ Région admin. du S.-E. de la France (6 dép. : Alpes-de-Haute-Provence, Hautes-Alpes, Alpes-Maritimes, Bouches-du-Rhône, Var et Vaucluse) ; 31 395 km², 4 257 907 h., préfect. Marseille. Elle correspond aux anciennes provinces de Provence, du Dauphiné oriental, du Comtat Venaissin et du comté de Nice, et recouvre les Alpes du Sud et leurs piémonts, ainsi que les plaines du bas Rhône, au S.-E. Climat méditerranéen. Littoral touristique à l'E. (Côte d'Azur), industriel et commercial à l'O. (Marseille, La Ciotat). Cult. maraîchères, fruitières, vigne. Industries lourdes en difficulté, relayées par la haute technologie. Le littoral et la vallée du Rhône concentrent la population (forte immigration).

**PROVIDENCE** ~ Cap. de l'État de Rhode Island, port commercial et pétrolier de l'E. des États-Unis (Megalopolis), au fond de la baie de Narragansett ; 161 000 h. Université (1764). Machines-outils, industrie textile, bijouterie.

**PROVINCES MARITIMES** (les) ~ Ensemble des trois provinces du S.-E. du Canada (Nouveau-Brunswick, Nouvelle-Écosse, îles du Prince-Édouard), baignées par l'Atlantique et principalement anglophones (Acadiens francophones). Climat frais et humide. Forte émigration.

**PROVINCES-UNIES** (les) ~ Anc. État de l'Europe du N.-O., correspondant à l'actuel royaume des Pays-Bas. Unies contre les Espagnols (Union d'Utrecht, 1579), les sept provinces du N. des Pays-Bas formaient une prospère république gouvernée par la bourgeoisie commerçante de Hollande (qui dominait les états généraux) et la famille d'Orange-Nassau (qui occupait les fonctions de stathouder). Reconnue indépendante (traité de Westphalie, 1648), elle mena une politique coloniale active, s'opposant, sur terre et sur mer, aux Anglais et aux Portugais, puis à la France, qui l'envahit (guerre de Hollande, 1672-1678). Les Provinces-Unies du XVIIe s. furent aussi un florissant foyer artistique (Rembrandt) et intellectuel (Spinoza). Au XVIIIe s., leur puissance maritime déclina. Occupées par les armées de la France révolutionnaire (1795), elles se transformèrent en République batave.

**PROVINCES-UNIES D'AMÉRIQUE CENTRALE (fédération des)** ~ Union politique (1823-1839) de l'Amérique centrale (Costa Rica, Honduras, Guatemala, Nicaragua, Salvador), fruit éphémère de l'influence de S. Bolívar.

**PROVINS** ~ V. du S. de la Brie (Seine-et-Marne), centre comm. et historique ; agglom. 11 608 h. Cultures florales (roses). Résidence des comtes de Champagne au XIe s. (foires jusqu'au XIIIe s.), elle a conservé de nombreux édifices médiévaux. Fortifications du XIIIe s., donjon du XIIe s. (tour de César), église gothique St-Quiriace, Grange-aux-Dîmes. Hors remparts, églises St-Ayoul et Ste-Croix, hôtel-Dieu, ancien couvent des Cordelières.

**PROXIMA** ~ Étoile de la constellation australe du Centaure, la plus proche du Soleil (4,3 années-lumière).

**PRUDHOE (baie de)** ~ Baie de la côte N. de l'Alaska, sur l'océan Arctique (mer de Beaufort). Site d'extraction du pétrole découvert en 1968, acheminé vers le port de Valdez par oléoduc.

**PRUD'HON** ou **PRUDHON** (Pierre Paul) ~ *1758, Cluny - 1823, Paris.* Peintre français. Son œuvre, au climat souvent tourmenté mais aux figures académiques, procède du néoclassicisme tout en annonçant le romantisme (*l'Impératrice Joséphine à la Malmaison*, 1805 ; *Vénus et Adonis*, 1812).

**PRUSIAS** ou **PROUSIAS Ier** ~ *m. v. 182 av. J.-C.* Roi de Bithynie (v. 230-182 av. J.-C.). Il donna asile à Hannibal mais fut forcé de le livrer pour sauver son royaume. Pour éviter l'infamie, Hannibal s'empoisonna.

**PRUSSE** (la) ~ Région historique de l'Europe, sur la rive S.-E. de la mer Baltique (v. princ. Königsberg, auj. Kaliningrad). Son nom a désigné, par extension, l'État d'Allemagne (cap. Berlin) formé du XVIIIe au XXe s. autour du Brandebourg. **HIST.** – Appelé par les Polonais, l'ordre Teutonique christianisa et germanisa le peuple balte des Borusses (XIIIe s.), bâtissant un État féodal monastique. Battu à Tannenberg (1410), l'ordre déclinant fut privé par la Pologne de la partie O. de ses domaines réduits à la Prusse-Orientale (1466). Le grand maître Albert de Hohenzollern le sécularisa à son profit (1525), faisant de l'État teutonique un duché de Prusse dont les Électeurs de Brandebourg héritèrent en 1618. Frédéric-Guillaume, dit le Grand Électeur, rejeta la suzeraineté polonaise (1657), battit les Suédois (1679) et accueillit les réfugiés huguenots français. Son fils Frédéric Ier prit le titre de roi en Prusse (1701-1713) et Frédéric-Guillaume Ier (1713-1740) bâtit une armée moderne. Frédéric II le Grand, roi de Prusse (1740-1786), attira les philosophes à sa cour, à Potsdam, dont il fit un foyer de culture cosmopolite. Il enleva la Silésie à l'Autriche (1741) et réalisa la continuité territoriale de ses États en annexant la Prusse-Occidentale, reprise à la Pologne (1772). La puissance prussienne connut une éclipse sous la Révolution et l'Empire : battue par Napoléon Ier à Iéna (1806), occupée par l'armée française, la Prusse, humiliée, fut évincée de l'espace germanique. Elle prit sa revanche à partir de 1814, récupérant la Prusse méridionale (Posnanie, qui lui échut lors du deuxième partage de la Pologne, en 1793) et annexant les riches territoires situés à l'O. de l'Allemagne, qui formèrent la Prusse rhénane. L'unification de l'Allemagne à son bénéfice s'amorça avec le lancement d'une union douanière (Zollverein, 1834), mais échoua en 1848-1850. Bismarck, appelé au pouvoir par le roi Guillaume Ier (1862), relança le processus : la Prusse battit l'Autriche à Sadowa (3 juillet 1866) et créa la Confédération de l'Allemagne du Nord (1867) ; sa victoire sur la France permit la proclamation de Guillaume Ier comme empereur allemand (18 janv. 1871). Le royaume de Prusse domina le nouvel empire et disposa des deux tiers des sièges au Reichstag. Après l'abdication de Guillaume II (1918), la Prusse perdit la Posnanie et la Prusse-Occidentale, rendues à la Pologne. Bastion social-démocrate sous la république de Weimar (1918-1932), l'État prussien fut démantelé par les nazis. La Prusse-Orientale fut partagée en 1945 entre la Pologne et la Russie.

**PRUT** (le) ~ Voir **Prout**.

**PRZEMYŚL** ~ L'une des plus anc. v. de Pologne (Galicie), sur le San, proche de la frontière ukrainienne ; 68 000 h. Industr. électrotechnique, textile. Château du XIVe s., cathédrale gothique et baroque. Musée diocésain (icônes ruthènes).

**P. S.** ~ Voir **Parti socialiste**.

**PSAMMÉTIQUE**, nom de trois pharaons égyptiens de la XXVIe dynastie. ~ **Psammétique Ier** (664-610 av. J.-C.). 2e roi saïte, fondateur de la dynastie, établi par les Assyriens, réunifia l'Égypte à l'aide de mercenaires grecs et l'ouvrit sur l'extérieur. Néchao II lui succéda. ~ **Psammétique II** (594-588 av. J.-C.) encouragea les Juifs à se révolter contre Nabuchodonosor II et fit campagne en Nubie. ~ **Psammétique III** (526-525 av. J.-C.) fut défait par le Perse Cambyse II, qui conquit l'Égypte.

**P. S. C.** ~ Voir **Parti social-chrétien belge**.

**PSELLOS** (Mikhail ou Michel) ~ *1018, Constantinople - 1078, id.* Écrivain et homme politique byzantin. Au service des Comnène, il parvint à rétablir la pensée platonicienne dans la culture byzantine. Sa *Chronographie*, chronique qui recouvre la période de 976 à 1077, est utile aux historiens.

**PSKOV** ~ V. hist. du N. de la Russie, au S.-O. de Saint-Pétersbourg ; 209 000 h. Kremlin entouré d'une enceinte, cathédrale des XIIe et XIIIe s., églises des XIVe et XVIe s. Icônes de l'école de Pskov. L'une des plus anciennes cités russes, principauté indépendante, rivale de Novgorod, elle fut annexée à l'État moscovite par Vassili III (1510).

**P. S. U.** ~ Voir **Parti socialiste unifié**.

**PSYCHÉ** ~ Princesse de la mythologie grecque. Elle fut persécutée par Aphrodite, jalouse de sa beauté, qui la condamna à épouser un monstre. Éros l'enleva et la fit entrer dans l'Olympe.

**Psyché recevant le premier baiser de l'Amour** *(1798), peinture de François Gérard (1770-1837). Musée du Louvre, Paris.*

**PTAH** ~ Dieu égyptien, représenté comme une momie au crâne rasé. Adoré à l'origine à Memphis comme le Verbe créateur, il donna vie à huit dieux. Il était le protecteur des artisans.

**PTOLÉMÉE**, nom de quinze souverains d'une dynastie originaire de Macédoine, qui donna les rois de la famille des Lagides d'Égypte, de 323 à 30 av. J.-C. ~ **Ptolémée Ier Sôter**, en fr. « Sauveur » (*v. 367, en Macédoine - 283 av. J.-C*). Fils de Lagos, il disposa de l'Égypte à la mort d'Alexandre le Grand (323), développa Alexandrie (fondation du Musée), se proclama roi d'Égypte (305-283), établit le culte de Sérapis, envahit la Syrie, Chypre et la Cyrénaïque, puis associa son fils au pouvoir (285). ~ **Ptolémée II Philadelphe** (*308, Cos - 246 av. J.-C.*), fils et successeur du préc., roi d'Égypte (283-246). Il combattit les Séleucides (276-271 et 260-253) et édifia le phare d'Alexandrie. ~ **Ptolémée III Évergète** (*entre 288 et 280 - v. 221 av. J.-C.*), roi de 246 à 221. Il conquit une grande part de l'Asie Mineure. ~ **Ptolémée IV Philopatôr** (*v. 244 - 204 av. J.-C.*). Son règne (221-204) vit décliner la puissance ptolémaïque. ~ **Ptolémée V Épiphane** (*210 - 181 av. J.-C.*). Son règne (204-181) vit la perte de la Syrie (200) ; la pierre de Rosette relate son couronnement à sa majorité (197). ~ **Ptolémée VI Philomêtôr** (*186 - 145 av. J.-C.*). Son règne (181-145) vit trois invasions séleucides (170, 169, 168) ; il mourut en Syrie après une victoire. ~ **Ptolémée VII Évergète II, dit Physcon**, en fr. « Bouffi » (*v. 182 - 116 av. J.-C.*). Associé à son frère, Ptolémée VI (170-164), seul roi d'Égypte (164-163), roi de Cyrène (163-145), de nouveau roi d'Égypte (145-116). La dynastie connut dès lors de graves querelles, aiguisées par la rébellion d'Alexandrie et la politique de Rome. ~ **Ptolémée XI Alexandre II** (*v. 100 - 80 av. J.-C.*), dernier descendant mâle légitime, roi en 80, fut assassiné. ~ **Ptolémée XV Césarion** (*47 - 30 av. J.-C.*), fils de César et de Cléopâtre VII, roi d'Égypte (44-30). Octave l'élimina.

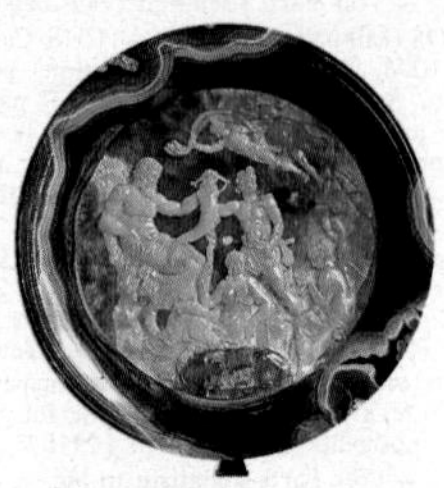

Allégorie du Nil et de ses inondations bienfaisantes, *partie intérieure de la Coupe Farnèse, camée de l'époque des* **Ptolémées** *(323-30 av. J.-C.). Musée archéologique national, Naples.*
© Alinari-Giraudon

**PTOLÉMÉE** (Claude) ~ *v. 100, Ptolémaïs de Thébaïde - v. 170, Canope.* Astronome, géographe et mathématicien grec. Il est l'auteur de nombreux ouvrages, dont la *Grande Syntaxe mathématique* (l'*Almageste*) et la *Géographie*, ouvrages de référence jusqu'à la Renaissance. Il concevait la Terre fixe au centre de l'Univers, expliquant les mouvements astronomiques par une combinaison de mouvements circulaires (**système de Ptolémée**). Il conçut des instruments d'astronomie, dont l'astrolabe, et des globes célestes. [☞ **astronomie.**]

**PUBLICOLA** ~ Voir **Valerius Publicola**.

**PUCCINI** (Giacomo) ~ *1858, Lucques - 1924, Bruxelles.* Compositeur italien, l'un des maîtres du vérisme. L'expressivité de son écriture vocale et ses dons d'orchestrateur donnent à ses opéras une grande intensité dramatique (*Manon Lescaut*, 1893 ; *la Bohème*, 1896 ; *Tosca*, 1900 ; *Madame Butterfly*, 1904 ; *Turandot*, 1924, inachevé).

**PUCELLE** (Jean) ~ *m. à Paris en 1334.* Miniaturiste français. Influencé par la peinture italienne, il renouvela l'enluminure parisienne en introduisant des éléments d'illusion spatiale et en développant une riche inspiration anecdotique (*Livre d'heures de Jeanne d'Évreux*, 1325-1328).

**PUEBLA** ~ V. du Mexique central (la 4e du pays, 1 057 000 h.), au pied du Popocatépetl, entre Mexico et le golfe du Mexique (Veracruz), cap. de l'**État de Puebla** (33 919 km², 4 100 000 h.), montagneux et densément peuplé, voué aux cultures commerciales (café, canne à sucre). Archevêché, université. Industrie text., aciérie, automobiles. Églises et palais de l'époque coloniale, cathédrale.

**Pueblos** (les) ~ Peuple indigène d'artisans du S.-O. de l'Amérique du Nord (Arizona et Nouveau-Mexique). Ils adoptèrent une architecture en adobe à étages. Leur culture se caractérise par des sanctuaires souterrains. Les principaux représentants de ce peuple sont les Hopis et les Zuñis. Ils se soulevèrent en 1680.

**Pueblo Bonito** ~ Site archéol. des États-Unis (Nouveau-Mexique). Vestiges pueblos.

**PUERTO BARRIOS** ~ V. du Guatemala, débouché portuaire du pays sur la mer des Antilles ; 338 000 h.

**PUERTO MONTT** ~ Port du Chili méridional tempéré, centre commercial et terminus de la Panaméricaine et de la voie ferrée ; 131 000 h.

**PUERTO RICO** ~ Voir **Porto Rico.**

**PUFENDORF** (Samuel, baron VON) ~ *1632, Chemnitz, Saxe - 1694, Berlin.* Juriste et philosophe allemand. Il publia en 1672 son principal ouvrage, *Du droit de la nature et des gens*, dans lequel il fait du contrat social le fondement de l'État.

**PUGET** (Pierre) ~ *1620, Marseille - 1694, id.* Sculpteur, peintre et architecte français. En opposition à l'Académie, il perpétua l'esprit baroque du Bernin (*les Atlantes*, 1655 ; *Persée délivrant Andromède*, 1684, parc de Versailles). Sa veine mouvementée lui valut la reconnaissance des romantiques. On doit à l'architecte les plans de la chapelle de l'hospice de la Charité de Marseille.

**PUGET SOUND** ~ Fjord parsemé d'îles de la côte N.-O. des États-Unis (État de Washington), au S. de l'île de Vancouver, qui abrite un grand complexe portuaire et industriel (Seattle, Tacoma).

**PUIGCERDÁ** ~ Station d'été et de sports d'hiver des Pyrénées espagnoles (Catalogne), près de la frontière française, cap. de la Cerdagne espagnole ; env. 6 000 h.

**PUISAYE** (la) ~ Région humide et bocagère de l'O. de la Bourgogne, entre la Loire et l'Yonne.

**PULAU PINANG** ou **PENANG** ~ État du N.-O. de la Malaysia, sur le détroit de Malacca, formé par l'île de Pulau Pinang et une partie de la péninsule malaise à forte densité chinoise ; 1 031 km², 1 141 000 h., cap. George Town. Étain, hévéa, électronique. Tourisme.

**PULCHÉRIE** (sainte) ~ *399, Constantinople - 453.* Impératrice d'Orient (450-453). Fille d'Arcadius, elle prit le pouvoir à la mort de son frère Théodose II. Elle s'opposa aux monophysites.

**PULCI** (Luigi) ~ *1432, Florence - 1484, Padoue.* Poète italien. Proche de Laurent de Médicis, il écrivit pour son amusement une œuvre octosyllabique raillant la poésie chevaleresque (*Morgant le Géant*, 1483).

**PULIGNY-MONTRACHET** ~ Village de la Côte-d'Or ; 466 h. Vins blancs de la côte de Beaune.

**Pulitzer (prix)** ~ Prix décernés chaque année depuis 1917 par l'université Columbia, qui distinguent des journalistes, des écrivains et des compositeurs de musique. Ils furent institués grâce à une fondation créée sur instruction testamentaire par le journaliste américain **Joseph Pulitzer** (*1847 - 1911*).

**PULLMANN** (George Mortimer) ~ *1831, Brocton, État de New York - 1897, Chicago.* Industriel américain. Il créa les voitures-lits pour trains (1863).

**PUNE** ou **POONA** ~ 8e v. de l'Inde (Maharashtra), séparée de Bombay par les Ghats à 800 m d'alt. ; agglom. 2 294 000 h. Centre culturel (université, Institut de recherches orientales), artisanal et industriel (textile, chimie, mécan., papier). Ancienne capitale marathe puis résidence d'été des gouverneurs britanniques de Bombay. Temples et palais (XVIe-XVIIIe s.). Gandhi y fut emprisonné en 1942.

**puniques (guerres)**, conflits qui opposèrent les Romains aux Carthaginois (ou Puniques) pour le contrôle de la Méditerranée occidentale et de ses rives. ~ La première (264-241 av. J.-C.) commença en Sicile et vit les victoires navales romaines de Myles (260) et Ecnome (256) ; après la défaite de Régulus en Afrique (255) et leur échec naval à Drepanum (249), les Romains se heurtèrent à partir de 247, en Sicile, à Hamilcar Barca. Défaits aux îles Égates (241), les Carthaginois réclamèrent la paix et durent céder la Sicile. À la faveur d'une révolte des mercenaires de Carthage, Rome annexa ensuite la Sardaigne et la Corse. ~ La deuxième (218-201 av. J.-C.) fut provoquée par la poussée carthaginoise dans la péninsule Ibérique (237-219), qui mena Hannibal à attaquer Sagonte, alliée de Rome (219). Passant les Pyrénées et les Alpes, Hannibal vainquit les Romains au Tessin et à la Trébie (218), au lac Trasimène (217), à Cannes (216), provoquant le ralliement de Syracuse et de Capoue à Carthage. Maîtrisant la mer, Rome put empêcher les renforts de rejoindre Hannibal : elle prit Syracuse (211) malgré les machines d'Archimède et détruisit l'armée d'Hasdrubal au Métaure (207). Après avoir conquis l'Espagne punique, Scipion (le futur Africain) porta la guerre en Afrique, où il fut victorieux (203) ; Hannibal, revenu en Afrique à la faveur d'un armistice, fut vaincu à Zama (202). Carthage perdit toutes ses possessions. ~ La troisième (149-146 av. J.-C.), suscitée par la prospérité commerciale de Carthage, éclata après un conflit entre Carthage et le roi numide Masinissa, allié de Rome. Après trois ans de siège, Scipion Émilien détruisit la ville et permit la constitution de la province romaine d'Afrique.

Assomption de la Vierge, *sculpture de Pierre* **Puget**. *Musée des Beaux-Arts, Marseille.*

© Giraudon

**PUNTA ARENAS** ~ Port de l'extrême S. du Chili, sur le détroit de Magellan ; 114 000 h. Export (agroalim.) et pêche. Tourisme (parc national).

**PUNTA DEL ESTE** ~ Station baln. de l'Uruguay, sur l'Atlantique, à l'entrée du Río de La Plata ; 11 000 h. En 1961 s'y tint la conférence de l'Organisation des États américains (O. E. A.).

**PUPIN** (Michael) ~ *1858, Idvor, Banat - 1935, New York.* Physicien américain d'orig. serbe. Il perfectionna les transmissions téléphoniques en introduisant les bobines renforçant les signaux (**pupinisation**, 1899).

**PURCELL** (Henry) ~ *1659, Londres - 1695, id.* Compositeur anglais. Ouvert aux diverses influences musicales nées de la Renaissance, il sut allier les styles traditionnels anglais aux innovations du baroque italien (*Dido and Aeneas*, 1689 ; *King Arthur*, 1691 ; *The Fairy Queen*, 1692).

**PURI** ~ V. de l'Inde (Orissa), sur le golfe du Bengale ; 125 000 h. Lieu sacré pour les fidèles de Vishnou. Temple de Jagannath du XIIe s. Procession annuelle.

**PURUS** (le) ~ Affl. de l'Amazone (r. dr.), issu des Andes (Pérou), qui conflue en amont de Manaus ; 3 200 km.

**PUSAN** ou **BUSAN**, en jap. ***Fusan*** ~ 2e ville et princ. port de la Corée du Sud, sur le détroit de Corée ; 3 798 000 h. Industries métallurgique et textile. Pêche. Créée par les Japonais, la ville est reliée au Japon par ferry.

**PUSEY** (Edward **Bouverie**, dit Edward) ~ *1800, Pusey, près d'Oxford - 1882, Ascot Priory, Berkshire.* Théologien britannique. Membre de l'Église anglicane, il anima le mouvement d'Oxford, avec J. H. Newman, mais ne se convertit pas au catholicisme.

**PUSZTA** (la) ~ Anc. région steppique de l'E. de la Hongrie, auj. transformée par l'agriculture irriguée (Alföld), préservée dans deux parcs naturels.

**PUTEAUX** ~ V. de la banlieue O. de Paris (Hauts-de-Seine), sur la Seine (r. g.), incluant une partie du quartier de la Défense ; 42 756 h.

**PUTIPHAR** ~ Personnage biblique. Eunuque et général du pharaon, il acheta Joseph, à qui il donna autorité sur sa maison. Sa femme, ayant tenté en vain de séduire Joseph, fit emprisonner ce dernier.

**PUTNAM** (Hilary) ~ *1926, Chicago.* Philosophe américain. Il élabore, dans le cadre de la philosophie analytique, une réflexion morale et épistémologique sur la base d'un « réalisme interne » (*le Réalisme à visage humain*, 1990).

**PUTNIK** (Radomir) ~ *1847, Kragujevac - 1917, Nice.* Maréchal serbe. Il fut commandant en chef pendant les guerres balkaniques (1912-1915).

**PUVIS DE CHAVANNES** (Pierre) ~ *1824, Lyon - 1898, Paris.* Peintre français. Ses vastes compositions murales à sujets allégoriques ornent des lieux officiels (*Sainte Geneviève veillant sur Paris*, Panthéon, 1898 ; *le Bois sacré*, Sorbonne, 1884). Son œuvre se partage entre symbolisme et tradition académique. [☞ **symbolisme.**]

**PUY-DE-DÔME** (le) ~ Dép. de la Région Auvergne, dans le N. du Massif central, occupé au centre par les Limagnes, encadrées par les monts du Forez, du Livradois, les monts Dôme et Dore (puy de Sancy, 1 886 m) ; 7 954 km², 598 213 h. Les Limagnes produisent céréales, betteraves, oléagineux, fruits, tandis que l'O. est voué à l'élevage laitier (fromages) et l'E. à l'exploitation forestière. Si la reconversion des bassins houillers (Brassac-les-Mines) est un échec, les industries traditionnelles se maintiennent (coutellerie à Thiers, pneumatiques à Clermont-Ferrand, la préfecture, dont l'agglomération rassemble plus de 50 % de la population). Le thermalisme (Royat, La Bourboule, Châtelguyon, Saint-Nectaire) recule, mais le tourisme (Super-Besse, parc régional des volcans d'Auvergne) se développe.

**PUY-EN-VELAY (Le)**, anc. **Le Puy** ~ Préfect. de la Haute-Loire, dominée par des pitons volcaniques, au cœur du bassin fertile du Puy (viticult., arboricult.), anc. capitale du Velay ; 21 743 h. (agglom. 43 499 h.). Pèlerinage à la Vierge Noire au Moyen Âge. Cathédrale romane (influences orientales), église gothique St-Laurent. Maisons anciennes. Musée Crozatier (dentelle du Puy).

© P. Pilloud-Explorer

*Le Puy-en-Velay, la chapelle Saint-Michel au sommet du mont Aiguilhe, dyke de 85 m de haut.*

**PUYI** ou **P'OU-YI** ~ *1906, Pékin - 1967, id.* Dernier empereur de Chine (1908-1912). Il fut installé par les Japonais sur le trône de l'éphémère Mandchoukouo (1932-1945). Capturé par les Soviétiques, il fut gracié puis employé par la Chine communiste, et publia son autobiographie en 1965.

**PUYMORENS (col de)** ~ Col des Pyrénées-Orientales (1 915 m) reliant la Cerdagne à la vallée de l'Ariège.

**PUYO** (Émile Joachim Constant) ~ *1857, Morlaix - 1933, id.* Photographe français. Militaire de carrière, il découvrit la photographie en 1889 et devint chef de file, avec R. Demachy, du pictorialisme français. Il pratiqua les procédés par dépouillement, la gomme, le charbon et les encres grasses jusqu'en 1930.

**PUYS (chaîne des)** ~ Voir **Dôme** (monts).

**PYDNA** ~ Anc. ville de Macédoine. Le consul romain Paul Émile y battit Persée, roi de Macédoine, en 168 av. J.-C.

**PYGMALION** ~ Roi ou sculpteur légendaire de Chypre. Tombé amoureux de l'une de ses statues, il obtint d'Aphrodite qu'elle animât son œuvre, qui lui donna Paphos pour enfant.

**Pygmées** (les) ~ Nom donné à des peuples de chasseurs-cueilleurs nomades de petite taille (1,20-1,50 m) de la forêt équatoriale africaine (Gabon, Zaïre, République centrafricaine not.). Aujourd'hui, leur mode de vie est menacé.

**PYLADE** ~ Héros grec. Ami et cousin d'Oreste, il fut élevé avec lui, l'aida à venger la mort de son père, Agamemnon, et épousa sa sœur Électre.

**PÝLOS** ~ Voir **Navarin.**

**PYM** (John) ~ *1584, Brymore, Somerset - 1643, Londres.* Parlementaire anglais. Chef de l'opposition à l'absolutisme de Charles I^er^, il fut le principal auteur de la Pétition des droits (1628).

**PYONGYANG** ~ Cap. de la Corée du Nord, sur le Taedong, dans l'O. du pays ; 2 639 000 h. Sidérurgie, métallurgie, chimie. Anc. capitale du royaume de Koguryo (V^e^-VII^e^ s.). Vestiges archéologiques (tombe d'Anak, 357 ; tumulus, V^e^-VI^e^ s.). Détruite pendant la guerre de Corée (1950-1953), elle fut entièrement reconstruite.

**Pyramides (bataille des)** ~ Bataille que Bonaparte remporta le 21 juillet 1798 sur les Mamelouks à proximité des pyramides de Gizeh.

**PYRÉNÉES** (les) ~ Chaîne montagneuse qui limite la péninsule Ibérique au N., traversée d'E. en O. par la frontière espagnole, culminant au pic d'Aneto (3 404 m). Étirée du Pays basque (où les monts Cantabriques les prolongent) à la Méditerranée (entre Roussillon et Catalogne), les Pyrénées sont étroites, massives et dissymétriques (versant français court, S. plus étagé). Soulevée à l'ère tertiaire, la zone axiale hercynienne fut fracturée et métamorphisée, des noyaux granitiques étant injectés dans les roches anciennes. À l'O., au N. et au S., les terrains prépyrénéens sédimentaires ont été plissés. L'action des glaciers, moins puissante que dans les Alpes, a affecté la zone centrale : hautes surfaces moutonnées, lacs, cirques (dont celui de Gavarnie) et ombilics, accumulations morainiques (tel le plateau de Lannemezan). La chaîne constitue une barrière difficilement franchissable, surtout au centre (pics du Midi d'Ossau, du Midi de Bigorre, d'Estats, Balaïtous, Vignemale et mont Perdu avoisinent 3 000 m), entre les cols du Somport et de Puymorens. Elle est mal aérée par des vallées profondes, courtes et étroites, cloisonnées en petits pays (Bigorre, Comminges, Couserans, Andorre, Cerdagne), les principaux axes de circulation N.-S. suivant de près les littoraux basque et catalan (col du Perthus). Les divisions économiques régionales recoupent celles du relief et du climat, les industries nées de l'équipement hydroélectrique et, surtout, le développement du tourisme tendant à réduire ces distinctions.

**PYRÉNÉES (Hautes-)** ~ Dép. de la Région Midi-Pyrénées, correspondant à la Bigorre et à la vallée d'Aure, dominé au S. par les plus hauts sommets des Pyrénées françaises (Vignemale, 3 298 m ; pic du Midi de Bigorre, 2 865 m), au modelé glaciaire (cirque de Gavarnie), et occupé au N. par le plateau de Lannemezan (500-600 m) et la large vallée de l'Adour ; 4 504 km², 224 759 h, préfect. Tarbes. Si le département est peu favorisé pour les activités rurales (élevage de montagne, polyculture médiocre), ses ressources hydroélectriques et le gaz naturel de Lacq (Pyrénées-Atlantiques) ont permis l'industrialisation de quelques villes au pied de la zone montagneuse : Tarbes, Bagnères-de-Bigorre, Lannemezan. Le thermalisme (Bagnères-de-Bigorre, Argelès-Gazost, Cauterets), les sports d'hiver (Saint-Lary, La Mongie, Barèges), les pèlerinages à Lourdes et le tourisme (parc national) apportent des ressources importantes.

**Pyrénées (parc national des)** ~ Parc national d'env. 50 000 ha, créé en 1967 dans les Pyrénées-Atlantiques et les Hautes-Pyrénées (alt. 1 100 à 3 298 m), le long de la frontière espagnole, qui vise à préserver la faune (ours bruns, isards, rapaces), la flore et les sites.

**Pyrénées (traité des)** ~ Accord conclu le 7 novembre 1659 entre la France et l'Espagne. La paix fut négociée dans l'île des Faisans, sur la Bidassoa, entre Mazarin et don Luis de Haro. L'Espagne perdait le Roussillon, l'Artois, plusieurs places de la frontière des Flandres et du Hainaut. Louis XIV devait épouser l'infante Marie-Thérèse, qui renoncerait à son droit à la succession d'Espagne. Elle le conserva, la dot prévue au traité (500 000 écus d'or) n'ayant pas été intégralement payée.

**PYRÉNÉES-ATLANTIQUES** (les) ~ Dép. le plus méridional de la Région Aquitaine, frontalier de l'Espagne, formé des provinces basques françaises et du Béarn ; 7 644 km², 578 516 h. Il est bordé à l'O. par l'Atlantique (Côte d'Argent), limité au S. par l'extrémité occidentale de la chaîne des Pyrénées (pic d'Anie, 2 504 m ; pic du Midi d'Ossau, 2 884 m), dont l'avant-pays est constitué de coteaux entaillés par de larges couloirs glaciaires convergeant au N. vers la plaine des Gaves et de l'Adour. Le climat océanique favorise des activités agropastorales variées : élevage bovin, ovin, vignoble sur le plateau de Jurançon, polyculture ou maïs. Les ressources minières (fer, sel gemme) et énergétiques (centrales hydroélectriques, gaz de Lacq) ont généré les industries chimiques et électrométallurgiques entre Orthez et Pau (préfect.), aux côtés d'industries traditionnelles (chaussures). Tourisme balnéaire (Biarritz, Saint-Jean-de-Luz, Hendaye), thermalisme (Salies-de-Béarn), sports d'hiver. La conurbation de Bayonne, débouché régional, s'étire le long de la côte. Pêche (Saint-Jean-de-Luz).

**PYRÉNÉES-ORIENTALES** (les) ~ Dép. le plus méridional de la Région Languedoc-Roussillon, limitrophe de l'Espagne au S., par les Pyrénées méditerranéennes : Cerdagne et Carlitte (2 921 m), Canigou (2 784 m), Albères (1 256 m), plongeant dans la mer et fermant la plaine du Roussillon, au littoral marécageux bordé d'un cordon sableux et rectiligne ; 4 145 km², 363 796 h. L'économie repose sur les richesses agricoles du Roussillon (arbres fruitiers, cultures maraîchères, vignes) et leur transformation. Les vallées montagnardes (Aude, Têt, Tech) connaissent un renouveau par l'aménagement hydroélectrique, le tourisme (voies de passage vers l'Espagne), le thermalisme (Amélie-les-Bains), le climatisme et les sports d'hiver (Font-Romeu). Tourisme balnéaire actif dans les nouvelles stations du Roussillon (Port-Barcarès, Canet-Plage) et de la Côte vermeille (Collioure, Banyuls), où la pêche se maintient (Port-Vendres). L'agglomération de Perpignan (préfect.) rassemble près de la moitié de la population du département, qui s'accroît par apport migratoire.

**PYRRHA** ~ Dans la mythologie grecque, fille d'Épiméthée et de Pandore. Voir **Deucalion.**

**PYRRHON** ~ *v. 360, Élis - v. 270 av. J.-C.* Philosophe grec. La tradition reconnaît en ce maître très admiré, mais qui n'écrivit rien, le fondateur d'un scepticisme radical appelé **pyrrhonisme.**

**PYRRHOS** ou **NÉOPTOLÈME** ~ Héros grec, fils d'Achille et de Déidamie. Il participa à la victoire de Troie, tuant Priam et Polyxène. Époux d'Hermione, il n'aima que sa captive, Andromaque.

**PYRRHOS II** ou **PYRRHUS II** ~ *v. 318 - 272 av. J.-C., Argos.* Roi d'Épire (295-272). Débarqué en Italie en 281, il vainquit les Romains à Héraclée (280) et à Ausculum (279) grâce à ses éléphants, mais essuya des pertes (d'où l'expression **victoire à la Pyrrhus**). Vaincu à Bénévent (275), il rentra en Grèce, soumit la Macédoine et entreprit la conquête du Péloponnèse. Il mourut dans Argos en combattant Antigone Gonatas.

**PYTHAGORE** ~ *v. 570, Samos - v. 480 av. J.-C., Métaponte.* Philosophe et mathématicien grec. Aucun texte de lui ne nous est parvenu. Le théorème sur l'hypoténuse, ou **théorème de Pythagore**, était déjà connu des Babyloniens, mais on lui doit la table de multiplication (**table de Pythagore**) et le système décimal. L'arithmétique pythagoricienne, limitée aux nombres entiers, incluait une théorie des proportions. La philosophie pythagoricienne voyait dans les nombres le principe d'harmonie universel (« Tout est nombre »).

**PYTHÉAS** ~ *fin du IV^e^ s. av. J.-C.* Navigateur massaliote. Parti de l'antique Marseille, il atteignit Thulé (les Féroé ou l'Islande). Il exposa les rapports entre marées et mouvements de la Lune.

**PYTHON** ~ Dans la mythologie grecque, serpent monstrueux. Il fut chargé par Héra de persécuter Léto, la mère d'Apollon, mais ce dernier le tua à **Pytho** (Delphes). Sa peau servit à recouvrir le trépied de la **pythie.**

**QACENTINA** ~ Voir **Constantine**.

**QACHM** ~ Voir **Qechm**.

**QADESH** ou **KADESH** ~ Ville de la Syrie ancienne, près de Homs, théâtre d'une bataille entre Ramsès II et les Hittites (v. 1258 av. J.-C.).

**QADJAR** ~ Dynastie turkmène fondée en 1796 par Agha Mohammad Chah, et qui régna sur la Perse jusqu'en 1925.

**Qal'at Sam'an** ~ Site de la Syrie du Nord. Vestiges d'un ensemble monumental, considéré comme un chef-d'œuvre de l'art paléochrétien du Ve s., élevé à la mémoire de saint Siméon le Stylite.

**QANTARA (El-)** ou **KANTARA** ~ Oasis et gorges de l'Aurès ouvrant sur le Sahara algérien.

**QARAGHANDY**, anc. **Karaganda** ~ 2e v. du Kazakhstan (N.-E.), centre industr. (sidér., métall., chimie) et admin. au cœur d'un bassin houiller exploité depuis 1931 ; 609 000 h.

**QATAR** ou **KATAR (État du)** ~ Pays de la péninsule Arabique baigné par le golfe Persique. Monarchie absolue. ***Cap.*** Al-Doha. ***Superf.*** 11 437 km$^2$. ***Popul.*** 539 000 h., dont Arabes (45 %), Pakistanais et Indiens (34 %), Iraniens (16 %). ***Langue princ.*** Arabe. ***Monn.*** Riyal du Qatar. ***Écon.*** Fondée sur l'export. du pétrole et du gaz naturel. **HIST.** - L'émirat est situé sur la plus vieille route commerciale du monde (IIIe mill. av. J.-C.). *VIIIe s.* : la péninsule passe sous l'autorité des califes abbassides. *XIXe-XXe s.* : occupation turque, puis protectorat britannique à partir de 1916. Découverte (1940) et exploitation (1959) du pétrole. *1971* : indépendance. *1995* : Cheikh Hamad ibn Khalifa Al Thani remplace son père, Cheikh Khalifa.

**QAZVIN** ou **KAZVIN** ~ V. d'Iran, marché agricole et centre industriel, au pied de l'Elbourz (versant S.) ; 249 000 h. Mosquées de l'époque seldjoukide (XIIe s.). **HIST.** - Fondée au IIIe s. par le roi sassanide Chahpour Ier, pillée au XIIIe s. par les Mongols, elle fut capitale de la Perse au XVIe s.

**QECHM** ou **QACHM** ~ Île iranienne, au N. du détroit d'Ormuz ; env. 38 000 h. Pêche.

**QIANLONG** ou **K'IEN-LONG** ~ *1711, Pékin - 1799, id.* Empereur chinois (1736-1796) de la dynastie mandchoue des Qing. Il conquit le Tibet, protégea les arts et fit prospérer l'empire.

**QING** ou **TS'ING** ~ Dernière dynastie d'empereurs de Chine (1644-1911), d'orig. mandchoue, balayée par la révolution de 1911.

**QINGDAO** ou **TS'ING-TAO** ~ Port de la Chine du Nord, princ. v. du Shandong, centre industr. (aciérie, pétrochimie, text., agroalim.) et universitaire ; 2 240 000 h. Possession allemande de 1898 à 1914, puis japonaise de 1914 à 1922.

**QINGHAI** ou **TS'ING-HAI (le)** ~ Prov. de Chine, au N.-E. du Tibet ; 721 000 km$^2$, 4 430 000 h. (dont Tibétains, Mongols, Kazakhs), cap. Xining (550 000 h.). Le Kunlun (6 000-7 000 m) domine le vaste bassin du Tsaidam et le **lac Qinghai**, saumâtre. Climat continental d'altitude, aride. Élevage nomade. Pétrole, sel. Les colons chinois cultivent les céréales.

**QIN LING** ou **TS'IN-LING** (le) ~ Massif montagneux (1 500 km) de Chine (Shaanxi), culminant au Taibai Shan (3 767 m), barrière naturelle entre la Chine du Nord et la Chine du Sud, ligne de partage des eaux entre le Huang He et le Yangzi Jiang.

**QIN SHI HUANGDI** ou **TS'IN CHE HOUANG-TI** ~ *259 - 210 av. J.-C.* Empereur de Chine (221-210 av. J.-C.). Il fonda la dynastie Qin (d'où le nom de Chine) et l'empire du Milieu, et fit entreprendre la construction de la Grande Muraille. Sa tombe est entourée d'une armée en terre cuite.

**QIQIHAR** ou **TSITSIHAR** ~ V. du N.-E. de la Chine (Heilongjiang), au pied du Grand Khingan, centre houiller et industriel (alim., métallurgie, papier, agroalim.) ; 1 380 000 h.

**QOM** ou **QUM** ~ V. et oasis d'Iran, au S. de Téhéran, grand centre religieux chiite (pèlerinage) ; 543 000 h. Écoles de théologie. Mausolées du XIVe s., sanctuaire de Fatima (XVIe s.). Artisanat (tapis).

**Quades** (les) ~ Anc. peuple germanique. Installé dans l'actuelle Moravie dès le Ier s., il participa aux invasions barbares jusqu'au début du Ve s. apr. J.-C.

**QUARENGHI** (Giacomo) ~ *1744, Valle Imagna, Bergame - 1817, Saint-Pétersbourg.* Architecte italien. Influencé par Palladio et Serlio, il diffusa le style néoclassique à Saint-Pétersbourg et à Moscou.

**QUARTON**, **CHARONTON**, **CHARRETON** ou **CHARTON** (Enguerrand) ~ *v. 1410, diocèse de Laon - apr. 1462, Avignon.* Peintre français. Au carrefour des influences nordique et italienne, il maintint au sein de l'école avignonnaise la tradition médiévale française (*le Couronnement de la Vierge*, 1453-1454). On lui attribue la *Pietà d'Avignon*.

**QUASIMODO** (Salvatore) ~ *1901, Syracuse - 1968, Naples.* Poète italien. La concision et l'ellipse caractérisent sa poésie hermétique (*Eaux et Terres*, 1930). Prix Nobel de litt. 1959.

**quatre articles (Déclaration des)** ~ Voir **Déclaration du clergé de France.**

**QUATRE-BRAS** (les) ~ Lieu-dit de Belgique (Brabant). Les troupes françaises du maréchal Ney y furent défaites par l'armée de Wellington à l'avant-veille de Waterloo (16 juin 1815).

**QUATRE-CANTONS (lac des)** ou **LUCERNE (lac de)**, en all. ***Vierwaldstättersee*** ~ Lac alpin de Suisse centrale, bordé par les cantons d'Uri, d'Unterwald, de Schwyz et de Lucerne ; 114 km$^2$. L'acte fondateur de la Suisse fut signé sur ses rives, en 1291.

**Quatre-Nations (collège des)** ~ Institution fondée sur testament par Mazarin pour accueillir 60 jeunes gens issus des provinces nouvellement réunies à la France (1661). Situés à Paris, sur la rive gauche de la Seine, ses bâtiments, dus à Le Vau, sont affectés depuis 1805 à l'Institut de France, tandis que l'aile E. abrite la bibliothèque Mazarine.

**QUÉBEC** (le) ~ Province du N.-E. du Canada, partie francophone (à 78 %) du pays, entre la baie d'Hudson et le golfe du Saint-Laurent ; 1 667 926 km$^2$, 7 276 000 h., dont 20 % d'anglophones (Amérindiens et Inuits, 0,5 %), v. princ. Montréal, Québec (cap.). Il est partagé entre le Nouveau-Québec (partie O. du Labrador), subarctique, la vallée du Saint-Laurent (pays utile) et le N. des Appalaches (Estrie, Gaspésie). L'agriculture est localisée dans les basses terres fertiles de la plaine de Montréal (céréales, fruits, élevage). Pêche. Ressources minières : cuivre, or, fer, amiante (1er producteur mondial), titane. Hydroélectricité. Industries diversifiées (haute technologie, métall., constr. navales, mécan., pâte à papier, confection, textile). Tourisme. Urbanisation élevée. **HIST.** - Exploré au XVIe s. et baptisé du nom d'un site de la rive droite du Saint-Laurent appelé Kébek par les Indiens, il fut cédé par la France avec l'ensemble du Canada à la Couronne britannique (traité de Paris, 1763) dont il constitua la province du Bas-Canada (1791), puis devint province canadienne de Québec (Acte d'union, 1840). Son histoire est, depuis la rébellion de 1837-1838, marquée par la lutte de la majorité francophone en faveur de l'indépendance-association. Encouragés par le général de Gaulle (« Vive le Québec libre ! », 1967), et regroupés au sein du Parti québecois au pouvoir (Lucien Bouchard, Premier ministre, 1996), les souverainistes ont échoué de peu lors du dernier référendum (1995).

© F. Lochon-Gamma

*Qom.*

**QUÉBEC** ~ Cap. de la prov. du Québec, port à la tête de l'estuaire du Saint-Laurent (r. g.) ; 168 000 h. (agglom. 646 000 h.). Université Laval. Archevêché. Export. (céréales, minerais, bois). Industrie du bois, textile, constructions navales, agroalimentaire. C'est un foyer culturel francophone (95 % de la popul.) et touristique. Citadelle, château Frontenac, cathédrale (XIXe s.), églises (XVIIIe s.). Musées. **HIST.** - Berceau de la civilisation française en Amérique du Nord, Québec fut fondée par Champlain en 1608. Fortifiée en 1695 face à la menace anglaise, acquise par la Grande-Bretagne en 1763 (traité de Paris), elle devint la capitale du Bas-Canada en 1791.

**Québec (acte de)** ~ Statut donné le 22 juin 1774 au Canada par le gouvernement britannique. Il donnait aux Québécois français des garanties législatives et politiques tout en renforçant l'autorité de Londres.

**Quechuas** ou **Quichuas** (les) ~ Peuple d'Amérique du Sud (Pérou, Bolivie, Équateur, Chili). Le **quechua**, imposé par les Incas dans leur empire, est aujourd'hui une langue officielle du Pérou.

**QUEENSLAND** (le) ~ État du N.-E. de l'Australie, traversé du N. au S. par la Cordillère australienne (péninsule du cap York au N.) ; 1 727 000 km$^2$, 3 155 000 h., cap. Brisbane. La plaine littorale, au climat tropical, bordée par les récifs coralliens de la Grande Barrière, concentre l'agriculture (canne à sucre, céréales, fruits). L'intérieur est aride (élev. bovin extensif). Charbon, cuivre, bauxite, or. Pêche active. Échanges croissants avec les pays asiatiques, immigration depuis le S.-E. du pays.

**QUEIPO DE LLANO Y SIERRA** (Gonzalo) ~ *1875, Tordesillas - 1951, Séville.* Général espagnol. Il participa au soulèvement conduit par le général Franco en 1936.

**QUELIMANE** ~ Port comm. du Mozambique, centre admin., au N. de l'embouchure du Zambèze ; env. 184 000 h. Évêché. Conserveries.

**QUELLIN**, **QUELLINUS** ou **QUELLIEN**, famille d'artistes flamands, dont ~ **Erasmus II** (*1607, Anvers - 1678, id.*), peintre, et ~ **Artus le Vieux** (*1609, Anvers - 1668, id.*), sculpteur.

**QUEMOY**, en chin. ***Jinmen Dao*** ou ***Kin-men Tao*** ~ Archipel du détroit de Taiwan ; 156 km$^2$. Bastion avancé de la Chine nationaliste.

**QUENEAU** (Raymond) ~ *1903, Le Havre - 1976, Paris.* Écrivain français. Esprit encyclopédique (promoteur de l'*Encyclopédie de la Pléiade*), cofondateur de l'Oulipo (1960), il élabora une œuvre romanesque et poétique où le souci de la langue et des techniques littéraires est constant (*Zazie dans le métro*, 1959 ; *Cent Mille Milliards de poèmes*, 1961).

*Québec, le château Frontenac dominant le Saint-Laurent.*

© Ph. Renault-Gamma

**QUENTAL** (Antero Tarquínio DE) ~ *1842, Ponta Delgada, Açores - 1891, id.* Écrivain et philosophe portugais. Socialiste et romantique, il marqua la littérature portugaise et laissa plusieurs recueils de poèmes.

**QUERCIA** (Jacopo DELLA) ~ Voir **Jacopo della Quercia.**

**QUERCY** (le) ~ Région de transition entre le Massif central et le Bassin aquitain, partagée par le Lot entre les causses du **haut Quercy** (Martel, Gramat, Limogne), voués à l'élevage ovin et caprin, et le **bas Quercy**, pays de collines molassiques (polyculture, fruits, foie gras et truffes), au N. de la Garonne. **HIST.** - Peuplé dès le Mésolithique (grottes et gouffres de Pech-Merle, Padirac), occupé par les Romains, le Quercy fit alternativement partie, au Moyen Âge, du comté de Toulouse et de la Guyenne anglaise, avant d'être rattaché à la couronne de France au XV^e s.

**QUERÉTARO** (le) ~ État montagneux du centre du Mexique, parcouru de vallées fertiles (canne à sucre, céréales, fruits) ; 11 769 km$^2$, 1 051 000 h. La capitale, **Querétaro** (456 000 h.), est un centre industriel (textile, métallurgie, chimie) et touristique. Cathédrale (XVI^e s.), églises (XVI^e-XVIII^e s.), aqueduc (XVIII^e s.).

**QUESNAY** (François) ~ *1694, Méré, Île-de-France - 1774, Versailles.* Médecin et économiste français. Précurseur des physiocrates, il soutint que l'agriculture est la source première de toute richesse et développa des conceptions libre-échangistes (libre circulation des grains) dans deux articles de l'*Encyclopédie*, « Fermier » (1756) et « Grains » (1757), et dans son *Tableau économique* (1758).

**QUESNEL** (Pasquier) ~ *1634, Paris - 1719, Amsterdam.* Théologien français. Oratorien, il se rallia au jansénisme, dont il fut le chef après la mort d'Arnauld (1694). Il est l'auteur de *Réflexions morales sur le Nouveau Testament* (1671), condamnées par la bulle *Unigenitus Dei Filius* (1713).

**QUÉTELET** (Adolphe) ~ *1796, Gand - 1874, Bruxelles.* Astronome, mathématicien et statisticien belge. Il appliqua la théorie des probabilités et la méthode statistique aux sciences morales et politiques, initiant la statistique sociale et la biométrie. Il fonda l'observatoire de Bruxelles.

**QUETTA** ~ V. et oasis du Pakistan, cap. du Baloutchistan, près de la frontière afghane, dans une zone aride ; 285 000 h. Houille, lignite, laine. Tremblements de terre en 1936 et 1955.

**QUETZALCÓATL** ~ Divinité précolombienne, dieu de la Végétation, premier régulateur du monde. Il serait venu de l'Orient civiliser les Indiens de Teotihuacán, les Toltèques, puis les Aztèques. Il est représenté sous la forme d'un serpent au corps recouvert de plumes de quetzal.

**QUEUILLE** (Henri) ~ *1884, Neuvic-d'Ussel, Corrèze - 1970, Paris.* Homme politique français. Membre du Parti radical, plusieurs fois ministre, président du Conseil (1948-1949), il se heurta aux grèves de 1948 et fit entrer la France dans l'Otan.

**QUEVEDO Y VILLEGAS** (Francisco **Gómez** DE) ~ *1580, Madrid - 1645, Villanueva de los Infantes.* Écrivain espagnol. Poète baroque et satiriste impitoyable, il est l'auteur de romans picaresques (*la Vie de l'aventurier Don Pablos de Ségovie*, 1626 ; *les Songes*, 1627).

**QUEYRAS** (le) ~ Région des Hautes-Alpes drainée par le Guil, entre la vallée supérieure de la Durance et la frontière italienne. Parc naturel régional. Saint-Véran y est le plus haut village de France (2 040 m).

**QUEZALTENANGO** ~ 2^e v. du Guatemala (O.) sur les hauts plateaux (café), reliée par voie ferrée au littoral pacifique, centre admin. et univ. ; 246 000 h. Industries text., alimentaire. Artisanat (cuir). La ville fut détruite en 1902 par une éruption volcanique. Site d'une anc. cap. quiché.

**QUEZÓN** (Manuel Luis) ~ *1878, Baler - 1944, Saranac Lake, État de New York.* Homme d'État philippin. Fondateur du parti nationaliste opposé à la domination américaine, il devint président du Commonwealth des Philippines (1935) et s'exila aux États-Unis lors de l'invasion japonaise (1942).

**QUEZÓN CITY** ~ V. des Philippines, dans l'agglom. de Manille, centre admin., comm. et universitaire ; 1 632 000 h. Cité-jardin fondée en 1948, elle fut la capitale de l'archipel jusqu'en 1976.

**QUIBERON** ~ Station baln. et port de pêche du Morbihan, à l'extrémité S. de la **presqu'île de Quiberon** ; 4 623 h. Conserverie (sardines). Thalassothérapie. En 1795, des émigrés royalistes y débarquèrent, tentant de rallier les chouans. Arrêtés par les troupes de Hoche, ils furent fusillés.

© P. Wysocki-Explorer

*Quiberon, le port Maria.*

**QUICHERAT** (Jules) ~ *1814, Paris - 1882, id.* Archéologue français, auteur d'ouvrages d'histoire (*Procès de condamnation et de réhabilitation de Jeanne d'Arc*, 1841-1849) et d'archéologie.

**Quichés** (les) ~ Peuple du Guatemala d'ascendance maya, parlant le **quiché**. Il fonda un empire au XIII^e s. et fut soumis par les Espagnols en 1524.

**Quichuas** (les) ~ Voir **Quechuas.**

**QUIÉVRAIN** ~ V. du Hainaut belge, à l'O. de Mons, près de la frontière française ; 7 000 h.

**QUIMPER** ~ Préfect. du Finistère, sur l'Odet, en Cornouaille, centre touristique et artisanal (faïences, grès, broderies) ; 59 437 h. Industries agroalim., textile. Cathédrale gothique St-Corentin (XIII^e-XVI^e), église romane. Musées.

**QUIMPERLÉ** ~ V. de Cornouaille (Finistère), au N.-O. de Lorient ; 10 748 h. Église Notre-Dame-et-St-Michel (XIII^e-XV^e s.), ancienne abbaye Ste-Croix (XI^e et XIX^e s.).

**QUINAULT** (Philippe) ~ *1635, Paris - 1688, id.* Auteur dramatique français. Ses livrets pour Lully (*Alceste* ; *Atys* ; *Armide* ; *Roland*) fixèrent le cadre de la tragédie lyrique. Ses tragédies (*Astrate*) furent mal acceptées par les puristes. Acad.

**QUINCEY** (Thomas **De**) ~ Voir **De Quincey.**

**QUINE** (Richard) ~ *1920, Detroit - 1989, Los Angeles.* Cinéaste américain. Sa sensibilité et son humour lui permirent de briller dans la comédie musicale (*Ma sœur est du tonnerre*, 1955), la comédie en demi-teinte (*Liaisons secrètes*, 1960) et la comédie sophistiquée (*Deux têtes folles*, 1964).

**QUINE** (Willard **Van Orman**, dit Willard) ~ *1908, Akron.* Philosophe et logicien américain. Ses travaux de logicien sont alimentés par une réflexion sur les systèmes de langage naturel qui rejoint la linguistique.

**QUINET** (Edgar) ~ *1803, Bourg-en-Bresse - 1875, Paris.* Historien et homme politique français. Auteur d'études historiques (*De la Grèce moderne et de ses rapports avec l'Antiquité*, 1830 ; *Système politique de l'Allemagne*, 1831), professeur au Collège de France, il fut élu député en 1848. Anticlérical farouche, il fit partie des intellectuels proscrits sous le second Empire. De retour d'exil en 1870, il fut élu à l'Assemblée nationale l'année suivante.

**QUI NHON** ~ Port commercial du S.-E. du Viêt Nam, au pied de la Cordillère annamitique ; 160 000 h. Pêche.

**QUINN** (Anthony) ~ *1915, Chihuahua, Mexique.* Acteur américain. Il a imposé sa personnalité puissante et son personnage truculent, not. dans *Viva Zapata !*, d'E. Kazan (1952), et dans *la Strada*, de F. Fellini (1956).

**QUINTANA ROO** (le) ~ État du S.-E. du Mexique, partie E. de la presqu'île du Yucatán (littoral caraïbe) ; 50 350 km$^2$, 493 000 h., capitale Chetumal (57 000 h.), port franc. Région de basses terres tropicales. Station baln. de Cancún. Sites archéologiques mayas (Tulum).

**QUINTE-CURCE** ~ *I^er s. apr. J.-C.* Historien latin, auteur d'une *Histoire d'Alexandre* romancée.

**QUINTILIEN**, en lat. ***Marcus Fabius Quintilianus*** ~ *v. 30, Calagurris Nassica, auj. Calahorra, Espagne - v. 100.* Rhéteur latin. Précepteur des neveux de Domitien, il préconisa l'imitation de Cicéron, face aux innovations de Sénèque (*De l'institution oratoire*).

**QUINTON** (René) ~ *1866, Chaumes-en-Brie - 1925, Paris.* Physiologiste français. Il démontra l'analogie entre le plasma et l'eau de mer, préconisant l'utilisation thérapeutique de cette dernière (**plasma** ou **sérum de Quinton**).

**Quinze-Vingts (hôpital des)** ~ Hospice créé à Paris par Saint Louis pour les aveugles (1254), auj. hôpital spécialisé en ophtalmologie.

**QUIRINAL** (le) ~ Une des sept collines de Rome. Vestiges du forum de Trajan et des thermes de Constantin.

**Quirinal (palais du)** ~ Résidence romaine estivale des papes, bâtie en 1574, demeure officielle des rois d'Italie (1870-1946) et, aujourd'hui, des présidents de la République.

**QUIRINUS** ~ Dieu des Sabins (représenté sous la forme d'une lance, *quiris* en lat.), puis des Romains, adoré sur le mont Quirinal, assimilé à Mars. Une légende en fait le nom de Romulus divinisé.

**QUISLING** (Vidkun) ~ *1887, Fyresdal - 1945, Oslo.* Homme politique norvégien. Pronazi, il devint chef du gouvernement sous l'occupation allemande en 1942. Il fut fusillé à la Libération.

**QUITO** ~ Cap. et 2^e v. de l'Équateur, à 2 800 m d'alt., au cœur des Andes, centre admin., commercial, financier, industriel (text., chim.) et touristique ; 1 101 000 h. Université (1787). Archevêché. La ville est classée patrimoine de l'humanité par l'Unesco. Monuments coloniaux, églises et couvents de style baroque espagnol. Musées. Capitale d'un royaume (X^e s.) réuni au XV^e s. à l'Empire inca, Quito fut prise par les Espagnols en 1534 et devint très tôt un centre administratif colonial.

© P. Regior-Explorer

*Quito, la cathédrale San Francisco.*

**QUM** ~ Voir **Qom.**

**Qumran** ~ Site archéologique de Palestine, sur la rive N.-O. de la mer Morte. Il fut occupé de 152 av. J.-C. à 68 apr. J.-C. par une communauté d'Esséniens. Les manuscrits de la mer Morte, retrouvés entre 1947 et 1956, proviennent de leur bibliothèque.

**QUNAYTRA** ou **QUNEITRA** ~ V. de Syrie, princ. centre druze du Golan, au S.-O. de Damas, sur la frontière contestée entre Israël et la Syrie ; 41 000 h. en 1992.

**Quotidien du peuple** (le) ~ Organe du Parti communiste chinois, créé en 1948.

**Qurayshites** ou **Koraïchites** (les) ~ Tribu arabe de la région de La Mecque, dont sont issus Mahomet, les Omeyyades et les Abbassides. Aujourd'hui, ils sont les gardiens de la Kaaba.

**QU YUAN** ou **K'IU YUAN** ~ *v. 340, Chu - v. 278 av. J.-C.* Ministre et poète chinois, auteur des *Chants de Chu* dont fait partie le poème *Douleur de l'exil.*

**RÂ** ou **RÊ** ~ Divinité égyptienne. Dieu du Soleil, célébré à Héliopolis comme le premier des pharaons, Râ est représenté sous la forme d'un homme coiffé du disque solaire. Il est parfois figuré avec une tête de faucon.

**RAABE** (Wilhelm) ~ *1831, Eschershausen, Brunswick - 1910, Brunswick*. Écrivain allemand. Il décrivit la vie des humbles avec un pessimisme teinté d'humour (*la Chronique de la rue aux Moineaux*, 1856).

**RABAH** ~ *v. 1840, Khartoum - 1900, Kousseri, Cameroun*. Sultan de l'Afrique centrale. Trafiquant d'esclaves, il se proclama sultan (1880) et combattit les Français jusqu'à sa mort. Son territoire fut partagé ensuite entre la France, l'Allemagne et le Royaume-Uni.

**RABAN MAUR** ~ *v. 780, Mayence - 856, Winkel, Rhénanie*. Prélat, écrivain et savant allemand. Moine bénédictin (842) puis archevêque de Mayence (847), il est l'auteur d'ouvrages religieux et encyclopédiques (*De rerum naturis*, 842-847). On lui attribue la composition du *Veni creator spiritus*.

**RABAT** ~ Cap. du Maroc, 2e v. du pays et port sur l'Atlantique, à l'embouchure du Bou Regreg (r. g.), centre comm. et univ. ; 519 000 h. (agglom. env. 800 000 h., avec Salé). Textile. Remparts, porte de la casbah des Oudaïa, minaret Hassan (XIIe s.). Musée archéologique. Fondée en 1150, Rabat devint la base des expéditions almohades en Andalousie (XIIe-XIIIe s.). Lyautey en fit la capitale administrative du protectorat français au Maroc (1912).

**RABAUD** (Henri) ~ *1873, Paris - 1949, Neuilly-sur-Seine*. Compositeur français. Formé par J. Massenet, il dirigea l'orchestre de l'Opéra de Paris (1908-1914) et composa des symphonies et des opéras (*Marouf, savetier du Caire*, 1914) marqués par l'influence de G. Fauré, ainsi que des musiques de films.

**RABAUL** ~ Port et v. princ. de l'archipel Bismarck (Papouasie - Nouvelle-Guinée), anc. capitale de la Nouvelle-Guinée australienne ; 17 000 h. Export. de coprah, café, cacao. Fondée par les Allemands en 1910, elle fut le siège d'une base aéronavale japonaise pendant la Seconde Guerre mondiale.

**RABELAIS** (François) ~ *v. 1494, La Devinière, près de Chinon - 1553, Paris*. Écrivain français. Prêtre franciscain, médecin et protégé du cardinal du Bellay, qu'il accompagna en Italie et qui le fit curé de Meudon, Rabelais unit dans sa vie et son œuvre l'idéal encyclopédique de la Renaissance et un christianisme au caractère « réformiste », qui le fit suspecter d'hérésie par l'Église. Auteur de *Pantagruel* (1532) et de *Gargantua* (1534), puis du *Tiers Livre* (1546) et du *Quart Livre* (1548) – la paternité du *Cinquième Livre* (posth., 1564) lui étant contestée –, il mit son imagination, enracinée dans les traditions populaires, et son inventivité langagière, à la fois triviale et savante, au service d'idées philosophiques, politiques et religieuses novatrices.

**RABIN** (Yitzhak) ~ *1922, Jérusalem - 1995, Tel-Aviv*. Général et homme politique israélien. Vainqueur de la guerre des Six-Jours (1967) et Premier ministre travailliste en 1974-1977, puis en 1992-1995, il reconnut l'O. L. P. et signa l'accord de Washington sur l'autonomie de Gaza et de Jéricho (1993). Il fut assassiné par un extrémiste juif. Prix Nobel de la paix 1994.

**RACAN** (Honorat **de Bueil**, seigneur DE) ~ *1589, Aubigné, auj. Aubigné-Racan, Sarthe - 1670, Paris*. Poète français. Disciple de Malherbe, il est not. l'auteur des *Stances sur la retraite* (vers 1618). Acad.

**RACHEL** ~ Personnage biblique, épouse de Jacob, mère de Benjamin et de Joseph.

**RACHEL** (Élisabeth Rachel **Félix**, dite Mademoiselle) ~ *1821, Mumpf, canton d'Argovie, Suisse - 1858, Le Cannet*. Tragédienne française, interprète des héroïnes tragiques de Corneille et de Racine.

**RACHI** ou **RASHI** (Salomon **ben Isaac**, dit) ~ *1040, Troyes - 1105, id.* Rabbin et exégète français. Commentateur de la Bible et du Talmud, il fonda à Troyes, vers 1070, une école talmudique qui devint célèbre dans toute l'Europe.

**RACHMANINOV** ou **RAKHMANINOV** (Sergueï Vassilievitch) ~ *1873, Oneg, Novgorod - 1943, Beverly Hills, Californie*. Compositeur et pianiste russe. Représentant de l'école russe de la fin du XIXe s., il privilégia la ligne mélodique, qui confère à ses œuvres une atmosphère teintée de mélancolie (4 concertos pour piano, 1891-1942 ; *Liturgie de saint Jean Chrysostome*, 1910).

**RACINE**, nom de deux écrivains français. ~ **Jean** (*1639, La Ferté-Milon - 1699, Paris*), élevé chez les jansénistes de Port-Royal, envisagea l'état religieux, mais se tourna vers le théâtre et donna en 1664 sa première pièce, *la Thébaïde*. Sa tragédie *Andromaque* le fit connaître en 1667. Une comédie suivit (*les Plaideurs*), puis il se consacra à la tragédie et donna *Britannicus* (1669), *Bérénice* (1670), *Bajazet* (1672), *Mithridate* (1673), *Iphigénie en Aulide* (1674). *Phèdre* (1677) clôt cette décennie féconde par un insuccès qui le détourna du théâtre. Apprécié à la cour, nommé historiographe du roi, il ne revint à la scène qu'en 1689 avec *Esther*, écrite ainsi qu'*Athalie* (1691) pour l'école de Saint-Cyr, à la demande de Mme de Maintenon. Racine représente la perfection classique dans la tragédie, tant du point de vue de la construction formelle que de celui de la mise en jeu des passions. Son fils ~ **Louis** (*1692, Paris - 1763, id.*), poète janséniste, publia des *Mémoires sur la vie de Jean Racine* (1747).

**RADCLIFFE** (Ann **Ward**, Mrs.) ~ *1764, Londres - 1823, id.* Écrivain britannique, figure emblématique du roman noir anglais (*les Mystères d'Udolpho*, 1794).

**RADCLIFFE-BROWN** (Alfred Reginald) ~ *1881, Birmingham - 1955, Londres*. Anthropologue et ethnologue britannique. Représentant du fonctionalisme, il fut un précurseur du structuralisme (*Structure et fonction dans les sociétés primitives*, 1952).

**RADEGONDE** (sainte) ~ *v. 520, en Thuringe - 587, Poitiers*. Reine des Francs. Princesse germanique, épouse de Clotaire Ier (538), elle entra en religion après l'assassinat de son frère par son mari et fonda le monastère de Sainte-Croix, à Poitiers.

**RADETZKY VON RADETZ** (Joseph, comte) ~ *1766, Trebnitz, auj. Třebenice - 1858, Milan*. Maréchal autrichien. Il réprima les insurrections de 1848 à Milan et à Venise, et vainquit les Piémontais à Custoza (1848) et à Novare (1849).

**radical et radical-socialiste (Parti)** ~ Parti politique de centre gauche fondé en 1901. Issu d'un mouvement dont Gambetta avait formulé la doctrine en 1869 (programe de Belleville), le Parti radical, représentant des classes moyennes laïques mais profondément attachées à la propriété, domina la IIIe République et compta de grandes figures, not. Herriot et Daladier. Il déclina après la Seconde Guerre mondiale. Une partie de ses adhérents a formé en 1978 l'une des composantes de l'U. D. F. sous le nom de Parti radical. L'autre tendance a fondé en 1973 le Mouvement des radicaux de gauche, rebaptisé Radical en 1994.

*François **Rabelais**.* © L. Bertrand-Explorer

*Jean **Racine**.* © Coll. Lausat-Explorer

**RADIGUET** (Raymond) ~ *1903, Saint-Maur-des-Fossés - 1923, Paris*. Écrivain français. Il révéla un talent d'analyste classique avec *le Diable au corps* (1923) et *le Bal du comte d'Orgel* (posth., 1924). Il fut emporté par la fièvre typhoïde.

**Radio France** ~ Société nationale de programmes de radiodiffusion créée en 1974 (France-Inter, France-Info, France-Culture, France-Musique, F. I. P., Radio bleue et les radios locales décentralisées).

**RADOM** ~ V. industr. de Pologne, nœud ferroviaire, au S. de Varsovie ; 230 000 h. Cigarettes, métallurgie, chimie, textile, tannerie.

**RADZIWIŁŁ** ~ Famille lituano-polonaise, dont un membre fut prince du Saint Empire au XVIe s. Elle lutta contre l'annexion par la Russie (XIXe s.).

**R. A. F.**, sigle de **Royal Air Force** ~ Nom donné aux forces aériennes britanniques depuis 1918.

**RAFFET** (Denis Auguste Marie) ~ *1804, Paris - 1860, Gênes*. Peintre, dessinateur et lithographe français. Il est l'auteur de scènes militaires glorifiant l'épopée napoléonienne.

**RAFSANDJANI** (Ali Akbar **Bahramani**, dit Hachemi) ~ *1934, Bahraman, prov. de Kerman*. Homme d'État iranien. Président du Parlement depuis 1980, il a été élu président de la République en 1989.

**RAGUSE**, en ital. *Ragusa* ~ V. de Sicile (Italie), à l'O. de Syracuse ; 68 000 h. Agroalim. et pétrochimie. Cathédrale, palais et églises baroques (XVIIIe s.). Musée archéologique.

**RAGUSE** ~ Voir **Dubrovnik**.

**RAHMAN** (Mujibur) ~ *1920, Tongipara - 1975, Dacca*. Homme d'État bangladais. Il fonda la ligue autonomiste Awami (1949) et fut le premier chef de gouvernement du Bangladesh indépendant (1972). Président de la République en 1975, il fut assassiné à la suite d'un coup d'État militaire.

**RAHNER** (Karl) ~ *1904, Fribourg-en-Brisgau - 1984, Innsbruck*. Théologien allemand. Jésuite, élève de Heidegger, il consacra son œuvre au problème de la foi (*Écrits théologiques*, 1954-1975).

**RAÏATEA** ~ Île volcanique de Polynésie française (archipel de la Société) ; 238 km$^2$, env. 8 500 h. Lieu d'origine légendaire des Maoris de Nouvelle-Zélande.

**RAIMOND**, nom de sept comtes de Toulouse. ~ **Raimond IV**, dit **Raimond de Saint-Gilles** (*1042, Toulouse - 1105, Tripoli*), comte de Toulouse (1093-1105), conquit le futur comté de Tripoli (1102) lors de la 1re croisade. Son arrière-petit-fils ~ **Raimond VI** (*1156, Toulouse - 1222, id.*), comte de Toulouse (1194-1222), fut vaincu par Simon de Montfort lors de la croisade contre les albigeois. ~ **Raimond VII** (*1197, Beaucaire - 1249, Millau*), comte de Toulouse (1222-1249), fils du préc., dut céder le comté au domaine royal en 1229.

**RAIMOND BÉRENGER**, nom de plusieurs comtes de Barcelone et de Provence (XIe-XIIIe s.). ~ **Raimond Bérenger III** (*1082 - 1131*), comte de Barcelone (1096-1131), acquit la Provence par son mariage (1112) et conquit Majorque et la Cerdagne.

**RAIMONDI** (Ruggero) ~ *1941, Bologne*. Baryton-basse italien. Sa présence dramatique l'a imposé dans un vaste répertoire, de *Don Giovanni* à *Boris Godounov*.

**RAIMU** (Jules **Muraire**, dit) ~ *1883, Toulon - 1946, Neuilly-sur-Seine*. Acteur français. Révélé par la trilogie de Pagnol (*Marius*, 1931 ; *Fanny*, 1932 ; *César*, 1936), il imposa à l'écran son personnage faussement bonhomme, à la faconde méridionale.

**RAINCY (Le)** ~ V. de la banlieue N.-E. de Paris (Seine-Saint-Denis) ; 13 478 h. Église d'A. Perret (1922-1923), vitraux de M. Denis.

**RAINIER (mont)** ~ Massif volcanique des États-Unis (État de Washington) où culmine la chaîne des Cascades (4 392 m). Parc national.

**RAINIER III DE MONACO** (Rainier-Louis-Henri-Maxence-Bertrand **Grimaldi**, prince) ~ *1923, Monaco*. Prince souverain de Monaco depuis 1949. Il épousa l'actrice américaine Grace Kelly (1956).

**RAIS, RAYS** ou **RETZ** (Gilles DE) ~ *v. 1400 - 1440, Nantes.* Maréchal de France. Compagnon de Jeanne d'Arc, il se livra à partir de 1435 env. à des pratiques sataniques, sacrifiant des enfants. Il fut condamné et exécuté.

**RAJASTHAN** (le) ~ État du N.-O. de l'Inde, frontalier du Pakistan, très aride à l'O. des monts Aravalli (désert de Thar) ; 342 239 km², 44 000 000 d'h., cap. Jaipur. Céréales, coton à l'E., extension des cultures irriguées. Cuivre, zinc. Industries (text., chim., mécan.) concentrées dans la capitale et les v. d'Ajmer, Bikaner, Jodhpur, Kota (anc. cités des princes rajputs). Tourisme.

**RAJKOT** ~ V. de l'Inde (Gujerat), centre comm. et industriel de la péninsule de Kathiawar ; 560 000 h. Université. Textile (coton, laine).

**Rajputs** (les) ~ Peuple du N. de l'Inde (principalement Rajasthan), caste aristocratique et guerrière.

**RAKHMANINOV** (Sergueï Vassilievitch) ~ Voir **Rachmaninov.**

**RÁKÓCZI**, famille hongroise qui s'opposa aux Habsbourg de Vienne (XVII^e^-XVIII^e^ s.). Elle compta not. ~ **Georges I^er^** (*1593 - 1648, Sárospatak*), prince de Transylvanie, ~ **Georges II** (*1621, Sárospatak - 1660, Várad*), ~ **François I^er^** (*1645 - 1676*), qui se convertit au catholicisme, et ~ **François II** ou **Ferenc** (*1676, Borsi - 1735, Rodosto*), allié de Louis XIV pendant la guerre de la Succession d'Espagne.

**RÁKOSI** (Mátyás) ~ *1892, Ada - 1971, Gorki, auj. Nijni-Novgorod.* Homme politique hongrois. Il fut secrétaire général du parti communiste (1945-1956), président du Conseil en 1952-1953, et se réfugia en U. R. S. S. lors de l'insurrection de 1956.

**RALEIGH** ~ Cap. de la Caroline du Nord, l'un des premiers pôles de croissance du S. des États-Unis, centre universitaire ; 208 000 h. Industr. de pointe, centres de recherche (pharmacie).

**RALEIGH** ou **RALEGH** (sir Walter) ~ *v. 1554, Hayes - 1618, Londres.* Navigateur et écrivain anglais, favori d'Élisabeth I^re^. Il tenta d'établir une colonie en Virginie (1585), puis explora la Guyane (1595), et fut disgracié à l'avènement de Jacques I^er^ (1603). Il écrivit une *Histoire du monde* (1614).

**RAMA** ~ Héros légendaire indien du *Ramayana.* Septième incarnation de Vishnou, roi d'Ayodhya, il représente le respect du devoir. Pour retrouver son épouse, enlevée, il fit la guerre à Ceylan.

**RAMA IV** ~ Voir **Mongkut.**

**RAMADIER** (Paul) ~ *1888, La Rochelle - 1961, Rodez.* Homme politique français. Député (1928) puis ministre socialiste (1938), il refusa les pleins pouvoirs au maréchal Pétain (1940). Président du Conseil (1947), il s'opposa aux communistes et dut démissionner devant les grèves insurrectionnelles.

**RAMAKRISHNA** ou **RAMAKRISNA** (Gadadhar **Chattopadhyaya**, dit) ~ *1834, Calcutta - 1886, id.* Mystique indien. Il prôna l'étude des Veda hindouistes et fonda l'ordre portant son nom.

**RAMALLAH** ~ V. du S. de la Cisjordanie, au N. de Jérusalem ; 50 000 h. Agric. (vin, figues, olives). La ville est occupée depuis 1967 par Israël.

**RAMAN** (sir Chandrasekhara Venkata) ~ *1888, Trichinopoly - 1970, Bangalore.* Physicien indien. On lui doit l'**effet Raman**, qui concerne la diffusion de la lumière par les molécules, les atomes et les ions dans les milieux transparents, et qui contribua à résoudre les problèmes de structure atomique. Prix Nobel de phys. 1930.

**RAMANUJA** ~ *m. v. 1137.* Philosophe indien. Exégète du Vedanta, il théorisa un courant méditatif de l'hindouisme axé sur le culte de Vishnou.

**RAMATUELLE** ~ Localité tourist. du S. de Saint-Tropez (Var) ; 1 945 h. Tombe de Gérard Philipe.

**RAMBOUILLET** ~ V. résidentielle et tourist. du S.-O. de la région parisienne (Yvelines), au cœur de la **forêt de Rambouillet** ; 24 343 h. Château XIV^e^-XVIII^e^ s. (résidence présidentielle) et parc. École de bergerie (ferme nationale créée par Louis XVI).

**Rambouillet (hôtel de)** ~ Anc. hôtel parisien de la marquise de Rambouillet, à Paris, rue Saint-Thomas-du-Louvre, siège du plus fameux salon littéraire du XVII^e^ s.

**RAMEAU** (Jean-Philippe) ~ *1683, Dijon - 1764, Paris.* Compositeur français. Théoricien, il voulut donner aux lois de l'harmonie une assise rationnelle (*Traité de l'harmonie réduite à ses principes naturels*, 1722). Compositeur, il ne cessa d'associer son instinct de la mélodie et de la couleur à une grande imagination rythmique, dans ses pièces de clavecin, ses motets et ses ouvrages lyriques (*les Indes galantes*, 1735 ; *Castor et Pollux*, 1737 ; *Platée*, 1745).

**RAMILLIES** ~ Localité de Belgique (Brabant), près de Louvain. Le 23 mai 1706, les Français de Villeroi y furent battus par Marlborough au cours de la guerre de la Succession d'Espagne.

**RAMON** (Gaston Léon) ~ *1886, Bellechaume, Yonne - 1963, Garches.* Biologiste et vétérinaire français. Il transforma les toxines microbiennes diphtérique et tétanique en anatoxines, et fut à l'origine des vaccinations associées.

**RAMPAL** (Jean-Pierre) ~ *1922, Marseille.* Flûtiste français. Virtuose, il a ressuscité des pages oubliées, baroques et classiques, pour flûte traversière.

**RAMSAY** (sir William) ~ *1852, Glasgow - 1916, High Wycombe.* Chimiste britannique. Il découvrit les gaz rares, dont l'argon (en collaboration avec lord Rayleigh, 1894), puis l'hélium (1895). Prix Nobel de chim. 1904.

**RAMSÈS**, nom de onze pharaons des XIX^e^ et XX^e^ dynasties égyptiennes. ~ **Ramsès I^er^** fonda la XIX^e^ dynastie (1295-1294 av. J.-C.). ~ **Ramsès II** (*1279 - 1213 av. J.-C.*) combattit les Hittites en Syrie-Palestine (bataille de Qadesh), puis s'allia à eux (1258 av. J.-C.). Il est possible que l'exode des Hébreux ait eu lieu sous son règne. Il établit sa capitale à Pi-Ramsès, sur la branche pélusiaque du Nil, et laissa de nombreux monuments. ~ **Ramsès III** (*1186 - 1154 av. J.-C.*) arrêta l'invasion des Peuples de la Mer.

**RAMSGATE** ~ Port et station balnéaire du S. de l'Angleterre (Kent) ; 42 000 h. Liaisons maritimes avec Dunkerque.

**RAMUS** (Pierre **de La Ramée**, dit Petrus) ~ *1515, Cuts, Vermandois - 1572, Paris.* Mathématicien et philosophe français. Érigeant la raison en critère de la vérité, il s'opposa à l'aristotélisme et s'aliéna la Sorbonne. Nommé au Collège royal (Collège de France) en 1551, il y introduisit les mathématiques. Humaniste converti à la Réforme, il périt lors de la Saint-Barthélemy. Il est l'auteur de la formule : « Deux négations équivalent à une position. »

**RAMUZ** (Charles-Ferdinand) ~ *1878, Lausanne - 1947, Pully.* Écrivain suisse d'expression française. Ancrés dans le pays vaudois, ses romans expriment une vision panthéiste de la nature (*la Grande Peur dans la montagne*, 1926 ; *Derborence*, 1934).

**RANAVALONA III** ~ *1862, Tananarive - 1917, Alger.* Dernière reine de Madagascar (1883-1897). Elle fut déposée par Gallieni après une insurrection et déportée à la Réunion puis en Algérie.

**RANCE** (la) ~ Riv. du N. de la Bretagne, issue des landes du Mené, qui rejoint la Manche à Saint-Malo ; 100 km. Sa ria est barrée par une usine marémotrice, la première au monde.

**RANCÉ** (Armand Jean **Le Bouthillier** DE) ~ *1626, Paris - 1700, Soligny, près de Mortagne.* Religieux français. Prêtre mondain, il renonça à la vie de cour en 1660 et entra chez les cisterciens de Notre-Dame-de-la-Trappe, à Soligny, où il introduisit une réforme très stricte, à l'origine de l'ordre des Trappistes. Chateaubriand écrivit, en 1844, une *Vie de Rancé.*

**RANCHI** ~ V. de l'Inde, marché agric. (thé, coton) et centre industr. du Bihar ; 600 000 h. Université. Huileries, laque, soie. Matériel pour la sidérurgie.

**RAND** (le) ~ Voir **Witwatersrand.**

**RANDSTAD HOLLAND** (la) ~ Conurbation du S. de la Hollande, foyer économique des Pays-Bas englobant Amsterdam, La Haye, Rotterdam, Utrecht, Haarlem, Leyde, Dordrecht et Hilversum (soit 1/3 de la population du pays).

**RANGOON**, en birman ***Yangoun*** ~ Cap. de la Birmanie, princ. port du pays, assurant 85 % du commerce extérieur (riz, bois, coton, tabac), sur le delta de l'Irrawaddy, 1^er^ centre industr. (text., alim.), univ. et artisanal (soie, laque) ; 2 459 000 h. Haut lieu de pèlerinage bouddhiste : pagodes Shwedagon (107 m de haut, 433 m de périmètre, au dôme terminé d'une boule d'or incrustée de pierres précieuses), Sule et Botatang. Centre colonial britannique. Musées. Anc. centre religieux. Fondée d'après la légende au VI^e^ s. av. J.-C., la ville fut développée par Alaungpaya (1756), qui lui donna son nom. Elle devint capitale en 1886.

**RANJIT SINGH** ~ *1780, Pendjab - 1839, Lahore.* Fondateur du royaume sikh au Pendjab. Nommé raja en 1799, il fit la conquête du Cachemire (1819), mais son expansion fut arrêtée par les Britanniques.

**RANK** (Otto **Rosenfeld**, dit Otto) ~ *1884, Vienne - 1939, New York.* Psychanalyste autrichien. Il rompit avec l'orthodoxie freudienne en publiant *le Traumatisme de la naissance* (1924), plaçant au centre de ses conceptions et de sa pratique l'angoisse de la naissance plutôt que le complexe d'Œdipe.

**RANKE** (Leopold VON) ~ *1795, Wiehe - 1886, Berlin.* Historien allemand. Luthérien, il étudia la Réforme et la papauté, et fut l'un des fondateurs de l'école allemande de science historique.

**RANKINE** (William) ~ *1820, Édimbourg - 1872, Glasgow.* Physicien et ingénieur britannique. Il différencia les énergies mécanique, potentielle et cinétique, fondant l'énergétique, et participa au développement de la machine à vapeur.

**RANVIER** (Louis Antoine) ~ *1835, Lyon - 1922, Vendranges, Loire.* Histologiste français. Disciple de Cl. Bernard, professeur au Collège de France, il a laissé son nom à plusieurs éléments cellulaires.

**RAOUL** ou **RODOLPHE** ~ *m. en 936 à Auxerre.* Duc de Bourgogne (921-923) et roi des Francs (923-936). Élu roi à la mort de Robert I^er^, son beau-père, il repoussa les Vikings. Sous son règne, les princes vassaux montèrent en puissance.

**RAOULT** (François Marie) ~ *1830, Fournes-en-Weppes, Nord - 1901, Grenoble.* Chimiste et physicien français. Il travailla sur les propriétés physiques des solutions, créant la cryoscopie, la tonométrie et l'ébulliométrie (1882).

**RAPALLO** ~ Port d'Italie (Ligurie), au S.-E. de Gênes, station tourist. et baln. ; 30 000 h. Industrie de la dentelle. **HIST.** - L'Italie y obtint de la Yougoslavie Zara et quelques îles dalmates, Fiume devenant ville libre (traité du 12 nov. 1920). Les relations entre l'Allemagne et la Russie soviétique y furent rétablies, toutes réparations de guerre étant abandonnées (traité du 16 avr. 1922).

**RAPHAËL** ~ Archange, personnage biblique du livre de Tobie. L'un des sept anges principaux, doté de dons de guérisseur.

**RAPHAËL** (Raffaello **Sanzio** ou **Santi**, dit en fr.) ~ *1483, Urbino - 1520, Rome.* Peintre italien. Formé à la manière douce du Pérugin, il fut marqué par Michel-Ange (*Isaïe* ; *les Sibylles*, 1514) et Léonard de Vinci (*Portrait de Baldassare Castiglione*, 1515). Soucieux d'équilibre classique, son style allie finesse de la ligne et délicatesse des coloris. Célèbre pour ses madones (*Madone au chardonneret*, 1506 ; *Madone à la chaise*, 1515), il illustra aussi des scènes historiques (*la Bataille d'Ostie*). Peintre officiel de Jules II et de Léon X, il décora plusieurs chambres du Vatican. Artiste majeur de la Renaissance accomplie, il sera la référence du maniérisme, du classicisme et de l'académisme.

**RAPP** (Jean, comte) ~ *1772, Colmar - 1821, Rheinweiler, Bade.* Général français. Il soutint le siège de Dantzig (1813-1814) et resta fidèle à Napoléon I^er^ durant les Cent-Jours.

**RAQQA** ~ V. du N. de la Syrie, sur l'Euphrate (r. g.) ; 87 000 h. Agroalimentaire. Croissance récente (barrage pour l'irrigation en amont). Vestiges de l'époque abbasside.

**RAROTONGA** ~ La plus grande des îles Cook (Polynésie) ; 67 km², 10 000 h. Un traité de dénucléarisation du Pacifique Sud y fut signé en 1985.

*Rangoon, la cité pagode de Shwedagon.*

**RAS AL-KHAIMA** ~ Le plus septentrional des Émirats arabes unis, seul à posséder un secteur agricole (légumes, dattes, tabac) ; 1 625 km², 130 000 h., cap. Ras al-Khaima. Pêche.

**RASHI** ~ Voir **Rachi**.

**RASK** (Rasmus Kristian) ~ *1787, près d'Odense - 1832, Copenhague.* Linguiste danois. Fondateur de la philologie nordique, il démontra l'existence d'une famille linguistique indo-européenne.

**RASMUSSEN** (Knud) ~ *1879, Jakobshavn, Groenland - 1933, Copenhague.* Explorateur danois. Il mena plusieurs expéditions dans l'Arctique.

**RASPAIL** (François-Vincent) ~ *1794, Carpentras - 1878, Arcueil.* Biologiste, chimiste et homme politique français. Il participa aux révolutions de 1830 et de 1848 et fut candidat socialiste à la présidence de la République en 1848. Emprisonné (1849) puis banni (1853-1863), il fut ensuite élu député de Marseille (1869). De nouveau emprisonné (1874), il redevint député en 1876. Ses travaux scientifiques sur les tissus végétaux et animaux annoncent la théorie cellulaire.

**RASPOUTINE** (Grigori Efimovitch **Novykh**, dit) ~ *1864, Pokrovskoïe, Sibérie - 1916, Petrograd.* Aventurier russe. Paysan illettré, moine débauché, guérisseur, il fut introduit à la cour de Nicolas II pour soigner l'hémophilie de son fils (1905). Par son emprise sur la tsarine, il joua un rôle politique important, contribuant à discréditer la cour impériale. Il fut assassiné par des conjurés menés par le prince Ioussoupov.

**Rassemblement du peuple français (R. P. F.)** ~ Mouvement politique français fondé en 1947 par le général de Gaulle. Hostile à la IVe République dénoncée comme le « régime des partis », et favorable à un exécutif fort, il connut d'importants succès électoraux (121 députés aux législatives de 1951), mais, miné par ses divisions internes, il disparut (1953).

**Rassemblement pour la République (R. P. R.)** ~ Parti politique français créé en 1976 par J. Chirac et qui succéda à l'U. D. R. Se réclamant du gaullisme, il a conquis, en termes de représentation parlementaire, la première place des partis de droite, devançant son alliée traditionnelle, l'U. D. F.

**RAS TANNURA** ~ Un des princ. ports pétroliers du golfe Persique (Arabie Saoudite), au N. de Dammam (Hassa). Raff. de pétrole et terminal.

**RASTATT** ou **RASTADT** ~ V. d'Allemagne (Bade-Wurtemberg), au S.-O. de Karlsruhe ; 41 000 h. Industr. (métall., constr. électr.). Château (XIXe s.). **HIST.** - Un traité mettant fin à la guerre de la Succession d'Espagne y fut signé le 6 mars 1714. De 1797 à 1799, un congrès réunissant la France, la Prusse et l'Autriche, destiné à fixer le sort de la rive gauche du Rhin, se solda par un échec (assassinat de deux envoyés du Directoire).

**RASTRELLI** (Bartolomeo Francesco) ~ *v. 1700 - 1771, Saint-Pétersbourg.* Architecte italien. Il adapta en Russie le style rococo au goût national (palais d'Hiver de Saint-Pétersbourg, 1754-1762).

© Lauros-Giraudon

*Le parc et la façade du palais impérial de Petrodvorets remanié par Bartolomeo **Rastrelli**, sur le modèle de Versailles.*

**RATEAU** (Auguste) ~ *1863, Royan - 1930, Neuilly-sur-Seine.* Ingénieur français. Il fut un spécialiste et un créateur de turbomachines, donnant son nom à la turbine multicellulaire (1901).

**RATHENAU** (Walther) ~ *1867, Berlin - 1922, id.* Industriel et homme politique allemand. Ministre des Affaires étrangères (1922), signataire du traité de Rapallo, il fut assassiné par des extrémistes de droite.

**RÄTIKON** (le) ~ Massif alpin des confins de la Suisse, du Liechtenstein et de l'Autriche (2 965 m).

**RATISBONNE**, en all. ***Regensburg*** ~ V. du N. de la Bavière, princ. port fluvial allemand du Danube ; 125 000 h. Université. Électron., chim., agroalim., automobile. Demeures médiévales. Cathédrale St-Pierre (XIIIe-XVIe s.), pont (XIIe s.), couvent des Dominicains (XIIe-XIIIe s.). Capitale des ducs de Bavière, puis ville libre en 1245, elle devint en 1663 le siège de la Diète de l'Empire (Reichstag). Elle fut rattachée à la Bavière en 1810.

**R. A. T. P.** ~ Voir **Régie autonome des transports parisiens**.

**RATSIRAKA** (Didier) ~ *1936, Vatomandry.* Officier et homme d'État malgache. Promoteur d'un socialisme fondé sur les structures traditionnelles, il fut président de la République de 1975 à 1993.

**RATZINGER** (Joseph) ~ *1927, Marktl, Bavière.* Prélat allemand. Archevêque de Munich, cardinal, il s'est signalé par ses positions traditionalistes.

**RAUSCHENBERG** (Robert) ~ *1925, Port Arthur, Texas.* Peintre américain. Initiateur du *combine painting*, assemblant objets et matériaux hétéroclites (*Trophées*, 1958), il fut un précurseur du pop art.

**RAVACHOL** (François Claudius **Kœnigstein**, dit) ~ *1859, Saint-Chamond - 1892, Montbrison.* Anarchiste français. Auteur de plusieurs attentats, il fut guillotiné.

**RAVAILLAC** (François) ~ *1578, Touvre, près d'Angoulême - 1610, Paris.* Régicide français. Valet de chambre devenu frère convers, catholique exalté, il assassina le roi Henri IV le 14 mai 1610. Il fut écartelé.

**RAVEL** (Maurice) ~ *1875, Ciboure - 1937, Paris.* Compositeur français. Conciliant transparence formelle, audace harmonique et netteté mélodique, il laisse une œuvre néoclassique d'une grande richesse orchestrale (*Gaspard de la nuit*, 1908 ; *Ma Mère l'Oye*, 1908 ; *Daphnis et Chloé*, 1909-1912 ; *la Valse*, 1920 ; *l'Enfant et les sortilèges*, 1920-1925 ; *Boléro*, 1928).

**RAVENNE** ~ Port d'Italie (Émilie-Romagne), relié par un canal à l'Adriatique ; 137 000 h. Archevêché. Raff. de pétrole, chimie, text., agroalimentaire. Station baln., tourisme. Ville d'art : baptistère de la cathédrale (Ve s.), basiliques (VIe s.), mausolée de Galla Placidia (Ve s.), église Saint-Vital (VIe s.), célèbres pour leurs mosaïques de l'époque byzantine. Pinacothèque (peinture italienne du XIVe au XXe s.), mausolée de Dante. **HIST.** - Cap. de l'empire romain d'Occident de 402 à 476, elle tomba aux mains des Ostrogoths (493) sous Théodoric le Grand, puis de Byzance (540), qui en fit un exarchat (568). Elle passa aux Lombards, à Venise, au pape, puis aux Français, avant d'être rattachée au Piémont (1860).

**RAVENSBRÜCK** ~ Localité d'Allemagne (Brandebourg). Camp de concentration (1934-1945) où furent déportées des opposantes au nazisme, not. des Polonaises, à partir de 1939.

**RAVENSBURG** ~ V. du S.-O. de l'Allemagne (Bade-Wurtemberg), au N. du lac de Constance, centre industr. (text., métall., constr. électron., mécan., alim.) ; 45 000 h. Vestiges de fortifications, églises (XIVe s.). Ville d'Empire au Moyen Âge.

**RAWALPINDI** ~ V. du Pakistan (Pendjab), près d'Islamabad (Pendjab), ancienne cap. du pays (1959-1967) ; 928 000 h. Université. Sidér., pétrochim., textile. Quartier général des forces armées.

**RAWLS** (John) ~ *1921, Baltimore.* Philosophe américain. Marquée par la morale kantienne, le contrat social et la théorie des jeux, sa *Théorie de la justice* (1971) est au centre du renouveau de la philosophie politique et juridique anglo-saxonne.

**RAY** ou **WRAY** (John) ~ *1627, Black-Notley, Essex - 1705, id.* Naturaliste anglais. Il fit une classification des oiseaux, des poissons et des insectes, et, pour les végétaux, distingua les monocotylédones des dicotylédones.

**RAY** (Man) ~ Voir **Man Ray**.

**RAY** (Raymond Nicholas **Kienzle**, dit Nicholas) ~ *1911, Galesville, Wisconsin - 1979, New York.* Cinéaste américain. Chantre de la pureté et du non-conformisme, il campa des personnages hors normes qui n'ont que la violence comme issue (*Johnny Guitare*, 1954 ; *la Fureur de vivre*, 1955).

**RAY** (Satyajit) ~ *1921, Calcutta - 1992, id.* Cinéaste indien. Révélé dès ses premiers films (*la Complainte du sentier*, 1955), il développa une poignante réflexion sur le devenir de la société traditionnelle indienne (*le Salon de musique*, 1958).

© Bartholomew/Liaison-Gamma

*Satyajit **Ray** lors du tournage de son film* Ganashatru *(1989).*

**RAYLEIGH** (John William **Strutt**, lord) ~ *1842, Witham, Essex - 1919, id.* Physicien britannique. Il établit, le premier, la valeur du nombre d'Avogadro (1892). Avec W. Ramsay, il découvrit l'argon (1894). Il définit la loi de diffusion spectrale dite de **Rayleigh-Jeans**, à l'origine de la théorie des quanta de M. Planck. Prix Nobel de phys. 1904.

**RAYMOND DE PEÑAFORT** (saint) ~ *v. 1175, près de Barcelone - 1275, Barcelone.* Religieux espagnol. Général des dominicains (1238), il fut l'un des fondateurs de l'ordre de Notre-Dame-de-la-Merci et un éminent spécialiste du droit canonique.

**RAYNAL** (abbé Guillaume) ~ *1713, Lapanouse-de-Sévérac, Aveyron - 1796, Paris.* Historien et philosophe français. Après son *Histoire philosophique et politique des établissements et du commerce des Européens dans les deux Indes* (1770), œuvre anticolonialiste et anticléricale, il dut s'exiler en Russie.

**RAYNAUD** (Jean-Pierre) ~ *1939, Colombes.* Artiste français. Sujet à des obsessions thématiques et formelles d'une froideur morbide, il a inventé le « psycho-objet » (1963), avant de concevoir des carrelages monochromes, puis blancs à joints noirs (1973), dont certains ornent le sommet de la Grande Arche de la Défense (1989).

**RAYS** (Gilles DE) ~ Voir **Rais**.

**RAYSSE** (Martial) ~ *1936, Golfe-Juan.* Peintre français. Dans les années 1960, il a compté parmi les nouveaux réalistes, dans la lignée du pop art. Dans les années 1980, son « retour au métier » (huile sur toile de facture néoclassique) a pu apparaître comme un reniement de ses options avant-gardistes.

**RAZ (pointe du)** ~ Cap de Bretagne, extrémité S.-O. du Finistère, face à l'île de Sein.

**RAZÈS** (le) ~ Comté de l'ancien Languedoc (cap. Limoux), annexé au royaume de France en 1247.

**RAZINE** (Stepan **Timofeïevitch**, dit Stenka) ~ *1630, Zimoveïskaïa - 1671, Moscou.* Chef de la révolte cosaque de 1667-1671. Il ravagea les régions du Don et de la Volga. Il mourut écartelé.

**R. D. A.** ~ Voir **allemande** (République démocratique).

**RÉ (île de)** ~ Île côtière de Charente-Maritime, reliée au continent par un pont (1988) ; 85 km², 14 000 h. Primeurs, vigne, ostréiculture, salines. Tourisme.

**RÊ** ~ Voir **Râ**.

**READING** ~ V. d'Angleterre, ch.-l. du Berkshire, à l'O. de Londres, centre technologique ; 129 000 h. Université.

**REAGAN** (Ronald Wilson) ~ *1911, Tampico, Illinois.* Homme d'État américain. Il fit une carrière d'acteur à Hollywood avant d'être élu gouverneur de la Californie en 1966 (réélu en 1970 et 1975), puis président des États-Unis en 1980 (réélu en 1984). Républicain conservateur, apôtre du libéralisme économique et du retour à l'« ordre moral », il réussit à redresser l'économie au prix de fortes inégalités sociales et entama le dialogue sur le désarmement avec M. Gorbatchev.

**RÉAUMUR** (René Antoine **Ferchault** DE) ~ *1683, La Rochelle - 1757, Saint-Julien-du-Terroux.* Physicien et naturaliste français. Il élabora une méthode de transformation de la fonte en acier (1722) et réalisa un thermomètre à alcool avec une échelle 0-80. Il étudia aussi les invertébrés et la fécondation.

**REBEL** (Jean Ferry) ~ *1666, Paris - 1747, id.* Compositeur français. Auteur de sonates pour violon à 2 et 3 parties (1695) dignes de celles d'A. Corelli, il obtint ses plus grands succès avec des ballets (*les Éléments*, 1737).

**RÉCAMIER** (Jeanne Françoise Julie Adélaïde **Bernard**, Mme) ~ *1777, Lyon - 1849, Paris.* Femme de lettres française. Liée à Chateaubriand, elle réunit dans son salon les opposants à l'Empire et les esprits les plus brillants de la Restauration.

**RECCARED Ier** ~ *m. en 601 à Tolède.* Roi des Wisigoths d'Espagne (586-601). Il soumit l'Espagne à l'Église, en abjurant l'arianisme (589).

**RECHT** ~ Princ. v. du littoral iranien de la Caspienne, centre comm. et textile ; 291 000 h.

**RECIFE**, anc. **Pernambuco** ~ Port atlantique du Brésil, princ. centre économique du Nordeste et l'une des plus anc. villes du pays, cap. surpeuplée du Pernambouc ; 1 290 000 h. (agglom. 2 860 000 h.). Archevêché. Export. (sucre), constr. mécan., chim., textile. Église São Pedro dos Clerigos (XVIIIe s.).

**RECKLINGHAUSEN** ~ V. d'Allemagne (Rhénanie-du-Nord - Westphalie), port de la Ruhr, sur le canal Rhin-Herne ; 126 000 h. Autom., chim., text., métallurgie. Église carolingienne. Musée d'icônes.

**RECLUS** (Élisée) ~ *1830, Sainte-Foy-la-Grande - 1905, Thourout, près de Bruges.* Géographe et théoricien politique français. Il publia une *Géographie universelle* (1875-1894) et plusieurs ouvrages et articles sur l'anarchisme. Il fut exilé en 1851, en raison de son opposition au coup d'État de Louis Napoléon Bonaparte, et en 1871, pour avoir participé à la Commune.

**Reconquista** (la) ~ Terme espagnol qui désigne la reconquête par les chrétiens du territoire ibérique soumis aux musulmans, du milieu du VIIIe s. à la prise de Grenade, en 1492.

**REDFORD** (Charles Robert **Redford Jr.**, dit Robert) ~ *1937, Santa Monica.* Acteur et cinéaste américain. Il a incarné l'idéalisme de l'Amérique libérale dans les films de S. Pollack (*Jeremiah Johnson*, 1972 ; *les Trois Jours du condor*, 1975) et a révélé un talent de metteur en scène (*Des gens comme les autres*, 1980).

**REDON** ~ V. d'Ille-et-Vilaine, sur le canal de Nantes à Brest ; 9 260 h. Abbatiale St-Sauveur.

**REDON** (Odilon) ~ *1840, Bordeaux - 1916, Paris.* Peintre, dessinateur et graveur français. D'inspiration symboliste, il développa un univers fantastique et visionnaire apprécié des surréalistes.

**REDOUTÉ** (Pierre Joseph) ~ *1759, Saint-Hubert, près de Liège - 1840, Paris.* Peintre français d'orig. wallonne. Aquarelliste, il se spécialisa dans la peinture des animaux et des plantes (roses).

**RED RIVER** (la), nom de 2 cours d'eau. ~ Fl. du S. des États-Unis (Texas, Louisiane), tribut. du golfe du Mexique et du bas Mississippi (r. dr.) ; 1 638 km. ~ Riv. des États-Unis (Dakota du S. et du N.) et du Canada, tribut. du lac Winnipeg (Manitoba) ; 860 km.

**REED** (John) ~ *1887, Portland - 1920, Moscou.* Journaliste et militant communiste américain. Il est l'auteur de *Dix jours qui ébranlèrent le monde* (1919), essai et témoignage sur la révolution d'Octobre.

**REED** (sir Carol) ~ *1906, Londres - 1976, id.* Cinéaste britannique. Auteur de films au suspense psychologique, d'un style expressionniste (*Huit Heures de sursis*, 1947 ; *le Troisième Homme*, 1949).

**REEVES** (Hubert) ~ *1932, Montréal.* Astrophysicien canadien. Il a publié de nombreux ouvrages de vulgarisation sur la cosmologie (*Patience dans l'azur*, 1981 ; *Poussières d'étoiles*, 1984).

**Réforme** (la) ~ Mouvement religieux du XVIe s., qui fut à l'origine du protestantisme en Europe. Fondé en Allemagne par Luther, il se propagea en Suisse et en Alsace, grâce aux réformateurs Zwingli et Bucer. Par l'entremise de Calvin, disciple de Luther, Genève devint le foyer d'une nouvelle forme de protestantisme qui se répandit en France, dans l'Europe de l'Est et en Angleterre, où il influença la Réforme anglicane. [☞ **protestantisme.**]

**Réforme catholique** ~ Voir **Contre-Réforme.**

**Régale (affaire de la)** ~ Conflit qui opposa Louis XIV au pape (1673-1693). Marqué par la *Déclaration des quatre articles* (1682), il affirmait le gallicanisme du clergé français. L'accord conclu entre Louis XIV et Innocent XII mit fin à cette crise et permit d'éviter un schisme. [☞ **gallicanisme.**]

**Régence** (la) ~ Période de la minorité de Louis XV (1715-1723) pendant laquelle le régent Philippe d'Orléans, neveu de Louis XIV, gouverna. Réaction de la noblesse contre l'absolutisme, la Régence fut marquée par la polysynodie, par un rapprochement avec la Grande-Bretagne, par la banqueroute de Law, et par une libération des mœurs.

**Régences barbaresques** (les) ~ Nom donné du XVIe au XIXe s. aux principautés ottomanes d'Alger, de Tunis et de Tripoli.

**Régent** ~ Voir **Orléans** (Philippe, duc D').

**REGER** (Max) ~ *1873, Brand, Bavière - 1916, Leipzig.* Compositeur allemand. Influencé par le chromatisme wagnérien, il donna à ses œuvres des proportions monumentales (*Concerto pour piano*, 1910).

**REGGAN**, anc. **Reggane** ~ Oasis du Sahara (Algérie). Centre d'expérimentations nucléaires français jusqu'en 1967, où explosa la première bombe atomique française (1960).

**REGGIANI** (Serge) ~ *1922, Reggio nell'Emilia.* Comédien et chanteur français. Il s'est illustré au théâtre et au cinéma (*Casque d'or*, 1952), puis s'est orienté en 1962 vers la chanson.

**REGGIO DI CALABRIA** ~ V. du Mezzogiorno italien (Calabre), sur le détroit de Messine, centre comm. (agrumes, vin, olives, bergamote) et industr. (chim., alim., mécan., text.) ; 179 000 h. Université. Musée archéol., pinacothèque. **HIST.** - Anc. colonie grecque, soumise à Byzance, puis occupée par les Arabes et les Normands (Xe-XIe s.), ravagée par des tremblements de terre en 1783 et en 1908.

**REGGIO NELL'EMILIA** ~ V. d'Italie (Émilie-Romagne), dans le S. de la plaine du Pô ; 134 000 h. Chim., text., agroalimentaire. Monuments du XIIIe au XIXe s., cathédrale. Musées. **HIST.** - Anc. colonie romaine (IIe s. av. J.-C.), la cité fut détruite par les Goths en 410. République lombarde, elle passa aux Este (1290) et suivit le sort du duché de Modène. Elle fut rattachée au Piémont en 1860.

**Régie autonome des transports parisiens (R. A. T. P.)** ~ Établissement industriel et commercial autonome, de caractère public, créé en 1948, qui exploite les réseaux de transport en commun souterrain et de surface dans la région parisienne.

**REGINA** ~ Cap. du Saskatchewan (Canada), carrefour routier et ferrov. au centre de la Prairie ; 179 000 h. Archevêché. Université. Raff. de pétrole, sidérurgie, agroalimentaire.

**REGIOMONTANUS** (Johann **Müller**, dit) ~ *1436, Königsberg - 1476, Rome.* Astronome et mathématicien allemand. Il fut le premier à définir les comètes comme des astres. En trigonométrie, il introduisit l'usage des tangentes et le terme de « sinus ».

**REGNARD** (Jean-François) ~ *1655, Paris - 1709, château de Grillon, près de Dourdan.* Auteur dramatique français. Outre des comédies pleines de verve (*le Joueur*, 1696 ; *le Légataire universel*, 1708), il laissa le récit d'un voyage en Laponie.

**REGNAULT** (Henri Victor) ~ *1810, Aix-la-Chapelle - 1878, Paris.* Physicien français. Il travailla sur les changements d'états des fluides et des gaz (compressibilité, densité, chaleur).

**RÉGNIER** (Henri DE) ~ *1864, Honfleur - 1936, Paris.* Écrivain français. Gendre de José Maria de Heredia, il fut un des chefs de file des symbolistes, puis renoua avec le classicisme (1900). Auteur fécond, il laissa des poèmes (*Apaisement*, 1886), des contes (*le Trèfle noir*, 1895) et des romans désuets (*la Double Maîtresse*, 1900). Acad.

**RÉGNIER** (Mathurin) ~ *1573, Chartres - 1613, Rouen.* Poète français. Ses *Satires* (1608-1613) firent valoir contre Malherbe les droits de la fantaisie et de l'imagination.

**REGULUS**, en lat. *Marcus Atilius Regulus* ~ *m. v. 250 av. J.-C. à Carthage.* Homme politique et général romain. Il fut consul en 267 et en 256 av. J.-C. Fait prisonnier lors de la première guerre punique et envoyé à Rome pour présenter les conditions de l'ennemi (250 av. J.-C.), il conseilla au sénat de les refuser. De retour à Carthage, conformément à la parole donnée, il fut exécuté.

**Reich** (le), en fr. « empire » ~ Nom donné au Saint Empire romain germanique (962-1806), à l'empire fondé par les Hohenzollern (IIe Reich, 1871-1918) et à l'État national-socialiste (IIIe Reich, 1933-1945).

**REICH** (Wilhelm) ~ *1897, Dobrzcynica, Galicie - 1957, Pennsylvanie.* Psychiatre et psychanalyste américain d'orig. autrichienne. Sa synthèse de la théorie psychanalytique et du marxisme (*Matérialisme dialectique et psychanalyse*, 1929) l'amena à critiquer la morale sexuelle, ce qui lui valut d'être exclu en 1934 de l'Association internationale de psychanalyse et du parti communiste.

**REICHA** (Antonín **Rejcha**, dit en fr. Anton) ~ *1770, Prague - 1836, Paris.* Compositeur français d'orig. tchèque. Professeur au Conservatoire, maître de Berlioz, de Liszt, de Franck et de Gounod, il fut un maître du quatuor à cordes.

**REICHENBACH** (Hans) ~ *1891, Hambourg - 1953, Los Angeles.* Philosophe allemand. Membre du cercle de Vienne, il fut l'un des concepteurs du positivisme logique et proposa l'adjonction de l'indéterminé au vrai et au faux (*Logique de la probabilité*, 1932).

**Reichshoffen (charges de)** ~ Assauts des cuirassiers français lors de la bataille de Frœschwiller, le 6 août 1870, à Morsbronn-les-Bains (à côté de Reichshoffen, en Alsace), où ils furent anéantis.

**Reichsrat** (le), en fr. « Conseil de l'Empire » ~ Parlement de l'empire d'Autriche (1848-1918) et conseil des États de l'Allemagne républicaine (1919-1934).

**REICHSTADT** (duc DE) ~ Voir **Napoléon II.**

**Reichstag** (le), en fr. « Diète de l'Empire » ~ Chambre basse du Parlement allemand de 1871 à 1945. Le palais de style Renaissance, qu'il occupait à Berlin depuis 1894, brûla le 25 février 1933. Cet incendie, que les nazis imputèrent aux communistes, fut un prétexte pour restreindre les libertés et décréter aussitôt la création des camps de concentration.

**Reichswehr** (la), en fr. « défense de l'Empire » ~ Nom donné en 1921 à l'armée allemande, dont les limites furent imposées par le traité de Versailles (100 000 hommes pour l'armée de terre, 25 000 pour la marine). En 1935, elle fut remplacée par la Wehrmacht.

**REIMS** ~ V. du Vignoble champenois (Marne), à la lisière de la Champagne crayeuse, au pied de la côte de l'Île-de-France, capitale écon. régionale, centre de négoce des vins de Champagne et anc. cité drapière ; 180 620 h. (agglom. 206 437 h.). Arc romain, cathédrale Notre-Dame (XIIIe s.), modèle de l'architecture gothique classique, remarquable not. par sa statuaire, abbatiale Saint-Remi (XIe-XIIe s.). **HIST.** - Cette cité gauloise, siège d'un évêché en 290, vit le baptême de Clovis par saint Remi vers 498. Théâtre du sacre de la plupart des rois de France, sa cathédrale fut endommagée pendant la Première Guerre mondiale. Les Allemands signèrent leur reddition à Reims le 7 mai 1945.

*Reims, la cathédrale Notre-Dame, sur les plans de Jean d'Orbais.*

1

2

3

4

5

6

7

8

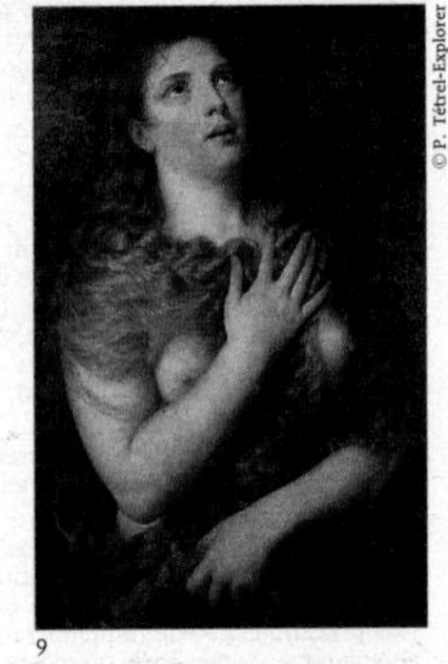


9

L'ART DE LA **RENAISSANCE**

1. Saint Pierre et le percepteur, *détail de* Saint Pierre payant le tribut *(v. 1426), fresque de Masaccio (1401-1428). Église Santa Maria del Carmine, Florence.*

2. La Sibylle de Libye, *peinture murale de Michel-Ange (1475-1564). Chapelle Sixtine, Vatican.*

3. La Joconde *(v. 1503-1505 ; détail), peinture de Léonard de Vinci (1452-1519). Musée du Louvre, Paris.*

4. Portrait de Maddalena Doni *(v. 1505), peinture de Raphaël (1483-1520). Palais Pitti, Florence.*

5. *L'une des cheminées, de pur style Renaissance, du château construit pour le connétable de Montmorency entre 1538 et 1552, aujourd'hui musée national de la Renaissance, à Écouen.*

6. Allégorie des vertus *(v. 1529), peinture du Corrège (1489-1534). Musée du Louvre, Paris.*

7. David vainqueur de Goliath *(v. 1408), marbre de Donatello (1386-1466). Musée du Bargello, Florence.*

8. Tombeau de Laurent II de Médicis, duc d'Urbino *(1520-1534), marbre de Michel-Ange (1475-1564). Chapelle des Médicis, Florence.*

9. Madeleine pénitente, *peinture de Titien (1490-1576). Musée des Beaux-Arts, Bordeaux.*

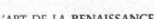

**REINE-CHARLOTTE (îles de la)** ~ Archipel canadien du Pacifique, à l'O. de la Colombie-Britannique. Art totémique des Indiens Haïda.

**REINHARDT** (Jean-Baptiste, dit Django) ~ *1910, Liberchies, Belgique - 1953, Samois-sur-Seine.* Guitariste et compositeur de jazz français d'orig. tsigane. Instrumentiste virtuose, il s'illustra au Hot Club de France (*Nuages*, 1940).

**REINHARDT** (Max **Goldmann**, dit Max) ~ *1873, Baden - 1943, New York.* Metteur en scène allemand. Directeur du Deutsches Theater de Berlin (1905-1933), il donna à ses mises en scène une dimension spectaculaire (*Œdipe roi*, 1910). Il émigra aux États-Unis en 1933.

**REISER** (Jean-Marc) ~ *1941, Réhon, Meurthe-et-Moselle - 1983, Paris.* Dessinateur humoriste français. Son trait féroce s'en prend à la bêtise humaine, avec une verve anarchisante (*Vive les femmes*, 1978).

**REISZ** (Karel) ~ *1926, Ostrava.* Cinéaste britannique d'orig. tchèque. Il s'est imposé par l'acuité de son réalisme (*Ceux de Lambeth*, 1958 ; *Samedi soir, dimanche matin*, 1961).

**REJ** (Mikołaj) ~ *1505, Żórawno - 1569, Rejowiec.* Écrivain polonais. Humaniste protestant, il publia des ouvrages polémiques et satiriques (*le Miroir de tous les états*, 1568) qui marquent la naissance de la littérature polonaise.

**RÉJANE** (Gabrielle **Réju**, dite) ~ *1856, Paris - 1920, id.* Actrice française. Elle triompha dans des comédies (*Madame Sans-Gêne*, de V. Sardou, 1893) et s'offrit son propre théâtre.

**Religion (guerres de)** ~ Affrontements qui opposèrent, en France, les catholiques aux protestants (1562-1598). La tension qui régnait depuis la fin du règne d'Henri II et qui divisait le pays entre huguenots et catholiques déboucha sur le massacre des protestants à Wassy (1562). On assista alors à une série de tueries des deux côtés, not. la nuit de la Saint-Barthélemy (23-24 août 1572), et aux assassinats du duc de Guise (1588) et d'Henri III (1589). Henri IV, converti au catholicisme en 1593, y mit un terme en signant le traité de Vervins et l'édit de Nantes (1598).

**REMARQUE** (Erich Maria **Kramer**, dit Erich Maria) ~ *1898, Osnabrück - 1970, Locarno.* Écrivain américain d'orig. allemande. Son roman *À l'Ouest, rien de nouveau* (1928) est un plaidoyer contre la monstruosité de la guerre 1914-1918.

**REMBRANDT** (Rembrandt Harmenszoon **Van Rijn**, dit) ~ *1606, Leyde - 1669, Amsterdam.* Peintre, dessinateur et graveur hollandais. Maître du clair-obscur, dont il donna une interprétation personnelle, il connut la notoriété comme portraitiste, peintre d'histoire et graveur (*la Ronde de nuit*, 1642 ; *l'Adoration des bergers*, 1646 ; *les Pèlerins d'Emmaüs*, 1648 ; *Bethsabée*, 1654 ; *la Fiancée juive*, v. 1665). À la fois aiguë (*Bœuf écorché*, 1655) et spirituelle (*Philosophe en méditation*, 1633), sa réflexion sur la condition humaine se double d'une recherche picturale de l'expression intérieure (*Autoportraits*, peints au fil du temps).

**REMI** ou **REMY** (saint) ~ *v. 437, Laon - v. 530, Reims.* Évêque de Reims. Il contribua à la conversion de Clovis, qu'il baptisa à Reims vers 498.

**REMINGTON** (Philo) ~ *1816, Litchfield, État de New York - 1889, Silver Springs, Floride.* Industriel américain. Il conçut un fusil à chargement par la culasse et fabriqua en série la machine à écrire de Sholes, Glidden et Soule (1873).

**REMIREMONT** ~ V. du S. des Vosges (dép. des Vosges), sur la Moselle, développée autour d'une abbaye de femmes fondée au Xᵉ s. ; 9 068 h. (agglom. 21 873 h.). Abbatiale gothique.

**REMSCHEID** ~ V. industrielle d'Allemagne (Rhénanie-du-Nord - Westphalie), dans la Ruhr, à l'E. de Düsseldorf ; 124 000 h. Métallurgie, chimie, industr. alimentaire.

**RÉMUS** ~ Voir **Romulus**.

**RÉMUSAT** (Claire Élisabeth **Gravier de Vergennes**, comtesse DE) ~ *1780, Paris - 1821, id.* Écrivain français. Auteur de romans et d'un traité d'éducation des femmes, elle composa des *Mémoires* sur l'Empire.

**Renaissance** ~ Mouvement culturel qui se développa en Europe aux XVᵉ et XVIᵉ s. Marqué par un retour aux valeurs antiques, ce renouveau toucha les domaines artistique, littéraire, scientifique, économique et social. Le courant artistique naquit à Florence, et se répandit dans toute l'Europe par le biais des guerres d'Italie. La Renaissance vit s'épanouir une morale humaniste. [☞ **renaissance.**]

**RENAN** (Ernest) ~ *1823, Tréguier - 1892, Paris.* Écrivain, historien et philologue français. Il publia sur le christianisme des recherches scientifiques qui scandalisèrent (*Vie de Jésus*, 1863), et fit de sa foi en la science le fondement d'une religion nouvelle. Son talent de prosateur culmina dans ses *Souvenirs d'enfance et de jeunesse* (1883). Acad.

**RENARD** (Charles) ~ *1847, Damblain, Vosges - 1905, Meudon.* Officier et ingénieur militaire français. Il perfectionna le ballon dirigeable et publia des travaux d'aéronautique. En mathématique, il inventa la **série de Renard**, qui constitue une des bases de la normalisation.

**RENARD** (Jules) ~ *1864, Châlons, Mayenne - 1910, Paris.* Écrivain français. Le ton d'acide lucidité de ses récits (*l'Écornifleur*, 1892 ; *Histoires naturelles*, 1896) et de son *Journal*, qu'il tint de 1887 à 1910, prend une poignante acuité avec le personnage de *Poil de carotte* (1894).

**RENAUD** (Madeleine) ~ *1900, Paris - 1994, Neuilly-sur-Seine.* Actrice française. Interprète du répertoire moderne (Claudel, Anouilh, Beckett, Genet), elle joua dans quelques films et créa en 1947, avec son mari J.-L. Barrault, la **compagnie Renaud-Barrault.**

**RENAU D'ÉLISSAGARAY** ou **D'ÉLIÇAGARAY** (Bernard), dit **le Petit Renau** ~ *1652, Armendarits, Pyrénées-Atlantiques - 1719, Pougues.* Marin et ingénieur militaire français. Inventeur de la galiote à bombes, il fut nommé inspecteur général de la Marine. Il fortifia plusieurs places avec Vauban et écrivit une *Théorie de la manœuvre des vaisseaux* (1689).

**RENAUDOT** (Théophraste) ~ *1586, Loudun - 1653, Paris.* Médecin et journaliste français. Créateur, en 1631, de *la Gazette*, il est considéré comme le fondateur du journalisme. Le **prix Renaudot**, fondé en 1925, est attribué chaque année à un ouvrage littéraire.

**RENAULT** (Louis) ~ *1877, Paris - 1944, id.* Ingénieur et industriel français. Il fonda avec ses frères Marcel et Fernand les usines de véhicules industriels et de matériel agricole Renault Frères (1898). Il fabriqua du matériel militaire durant les deux guerres mondiales, dont le **tank Renault** (1918), mais fut inculpé en 1944 pour faits de collaboration, et son entreprise fut nationalisée en 1945.

**RENÉ**, nom de deux ducs de Lorraine. ~ **René Ier le Bon** (*1409, Angers - 1480, Aix-en-Provence*), duc d'Anjou, de Bar (1430-1480) et de Lorraine (1431-1453), comte de Provence (1434-1480), roi de Naples (1438-1442) et roi titulaire de Sicile (1434-1480). Fils de Louis II d'Anjou, mécène et poète, il s'entoura d'une cour d'artistes et de gens de lettres. Il dut céder Naples à Alphonse V d'Aragon en 1442, et s'établit en France après 1455. Son petit-fils ~ **René II** (*1451 - 1508, Fains*), duc de Lorraine (1473-1508) et de Bar (1480-1508), perdit la Lorraine, battit Charles le Téméraire (1477). La Provence, héritée de son grand-père maternel, lui fut ravie par Louis XI.

**RENÉE DE FRANCE**, duchesse **de Ferrare** ~ *1510, Blois - 1575, Montargis.* Fille de Louis XII et femme du duc de Ferrare, Hercule II d'Este. Sa cour fut l'un des foyers du protestantisme.

**RENI** (Guido), dit en fr. **le Guide** ~ *1575, Bologne - 1642, id.* Peintre italien. Influencé par les Carrache et le Caravage (*Crucifixion de saint Pierre*, 1603), il évolua, sous l'influence de Raphaël, vers un classicisme dont s'inspirera la peinture française. Il s'illustra not. dans ses portraits, tel celui de Béatrice Cenci.

**RENIER DE HUY** ~ *actif à Liège au début du XIIe s.* Dinandier mosan. Il est l'auteur des fonts baptismaux aujourd'hui à l'église St-Barthélemy de Liège, chef-d'œuvre de l'art roman.

**RENNEQUIN** (René **Sualem**, dit) ~ *1645, Jemeppe-sur-Meuse - 1708, Bougival.* Mécanicien wallon. Il fabriqua pour Louis XIV la machine hydraulique de Marly (1676-1682), qui élevait les eaux de la Seine pour alimenter Versailles.

© L. Salou-Explorer

*Rennes, le palais Saint-Georges.*

**RENNES** ~ Préfect. de l'Ille-et-Vilaine et de la Région Bretagne, dans l'E. de la Bretagne intérieure, au centre du **bassin de Rennes**, nœud régional de communications ; 197 536 h. L'agglomération industrielle (constr. automobiles Citroën, électronique, télécommunications) connaît une forte croissance démographique (245 065 h.). Université et technopole. Vieille ville avec maisons des XVe et XVIe s. Musées de Bretagne et des Beaux-Arts, écomusée du pays de Rennes. **HIST.** - L'une des capitales des ducs de Bretagne, elle fut, à partir de 1561, le siège du parlement de Bretagne.

**RENO** ~ V. de l'O. du Nevada (Grand Bassin), aux États-Unis ; 134 000 h. Tourisme. Sa législation libérale facilite les divorces rapides.

**RENOIR**, nom de deux artistes français. ~ **Pierre Auguste** (*1841, Limoges - 1919, Cagnes-sur-Mer*), peintre soucieux de rendre les jeux éphémères de la lumière (*le Moulin de la Galette*, 1876), contribua au mouvement impressionniste. S'intéressant surtout à la figure humaine, il s'attacha à traduire une vie sensuelle et joyeuse (*la Danse à Bougival*, 1883 ; *Jeune Fille au piano*, 1892 ; *Baigneuse s'essuyant la jambe*, 1905). Son fils ~ **Jean** (*1894, Paris - 1979, Beverly Hills, Californie*) fut un cinéaste lyrique et généreux, subordonnant son art à une analyse politique de la société. Il révolutionna le langage cinématographique et ouvrit la voie à la Nouvelle Vague (*Boudu sauvé des eaux*, 1932 ; *Toni*, 1935 ; *le Crime de M. Lange*, 1936 ; *la Grande Illusion*, 1937 ; *la Règle du jeu*, 1939).

**RENOUVIER** (Charles) ~ *1815, Montpellier - 1903, Prades.* Philosophe français. Protestant, il inspira un renouveau kantien caractérisé par le relativisme idéaliste et la défense du libre arbitre (*Essais de critique générale*, 1851-1864 ; *la Science de la morale*, 1869).

**REPINE** (Ilya Efimovitch) ~ *1844, Tchougouiev, Ukraine orientale - 1930, Kuokkala, auj. Repino, Carélie.* Peintre russe. Il fit partie des Ambulants, groupe qui cherchait à promouvoir l'art slave auprès du peuple. Il traita de manière réaliste des sujets historiques ou sociaux (*les Haleurs de la Volga*, 1873) et des portraits (*Moussorgski*, 1881 ; *Tolstoï*, 1887).

**républicain (parti)**, en angl. ***Republican Party*** ~ Parti politique fondé en 1856 aux États-Unis par les adversaires de l'esclavage. Sorti vainqueur de la guerre de Sécession, il adopta une ligne à la fois protectionniste et impérialiste, liée au développement de l'industrie du Nord. Supplanté par le parti démocrate à la suite de la crise de 1929 (élection de Fr. D. Roosevelt en 1932), il revint au pouvoir après la Seconde Guerre mondiale avec D. Eisenhower, R. Nixon, R. Reagan et G. Bush.

**République** (Ire) ~ Régime politique de la France de sept. 1792 à mai 1804.

**République** (IIe) ~ Régime politique de la France du 25 févr. 1848 au 2 déc. 1852.

**République** (IIIe) ~ Régime politique de la France du 4 sept. 1870 au 10 juill. 1940.

**République** (IVe) ~ Régime politique de la France du 13 oct. 1946 au 4 oct. 1958.

**République** (Ve) ~ Régime politique de la France depuis le 4 oct. 1958.

**RÉPUBLIQUE ARABE UNIE** ~ Voir **arabe unie** (République).

**RÉSAFÉ** ~ Voir **Rusafa.**

**Résistance** ~ Nom donné aux mouvements politiques et militaires clandestins formés pendant la Seconde Guerre mondiale pour lutter contre les forces de l'Axe et leurs collaborateurs, dans les pays occupés d'Europe, mais aussi en Allemagne et en Italie (réseaux antinazis et partisans antifascistes). En France, la Résistance est née dès 1940. En 1943, les différentes organisations se fédérèrent au sein du Conseil national de la Résistance (C. N. R.).

**Résistance (parti de la)** ~ Nom donné à la tendance politique conservatrice, menée par C. Périer, Fr. Guizot et A. de Broglie, hostile au parti du Mouvement. Le parti de la Résistance gouverna sous Louis-Philippe de 1831 à 1848.

**RESISTENCIA** ~ V. du N. de l'Argentine, ch.-l. de la prov. du Chaco ; 228 000 h. Coton, tanin.

**RESNAIS** (Alain) ~ *1922, Vannes.* Cinéaste français. Membre de la Nouvelle Vague, il a mené, à travers ses courts- et ses longs-métrages (*Nuit et Brouillard*, 1955 ; *Hiroshima mon amour*, 1959 ; *l'Année dernière à Marienbad*, 1961 ; *Smoking/No Smoking*, 1993), une réflexion originale sur l'art et sur les grands problèmes qui tourmentent l'homme.

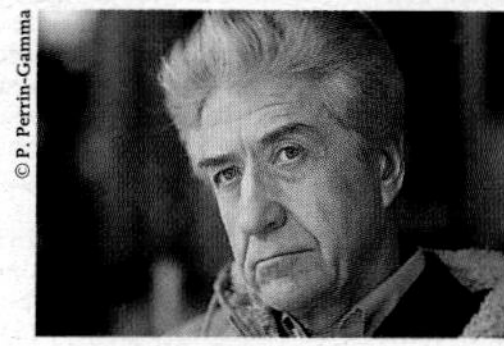
© P. Perrin-Gamma

*Alain Resnais.*

**Restauration** ~ Régime politique de la France sous Louis XVIII et Charles X (avr. 1814-juill. 1830). La seconde Restauration fut séparée de la première Restauration par les Cent-Jours (mars-juill. 1815).

**RESTIF** (ou **RÉTIF**) **DE LA BRETONNE** (Nicolas **Restif**, dit) ~ *1734, Sacy, Yonne - 1806, Paris.* Écrivain et imprimeur français. Il fut l'auteur d'une abondante production de récits, à la fois moralisateurs et érotiques, sur les mœurs de son temps (*le Paysan perverti ou les Dangers de la ville*, 1775).

**RETHEL** ~ V. des Ardennes, sur l'Aisne ; agglom. 10 462 h. Église (XIIe-XVIe s.). Prise aux Espagnols par Turenne pendant la Fronde (1653), elle fut la propriété de la famille de Mazarin de 1663 à 1738.

**RETHONDES** ~ Commune de l'Oise, sur l'Aisne ; 591 h. L'armistice du 11 novembre 1918 y fut signé dans un wagon (en forêt de Compiègne) ; y fut également signé celui du 22 juin 1940.

**RETOURNEMER (lac de)** ~ Petit lac des Vosges du Sud, au pied du Hohneck ; 5,5 ha.

**RETZ (pays de)** ~ Région côtière du S. de la Bretagne historique, entre la Loire et le Marais breton, pays érigé en duché-pairie au XVIe s.

**RETZ** (Gilles DE) ~ Voir **Rais.**

**RETZ** (Jean François Paul **de Gondi**, cardinal DE) ~ *1613, Montmirail - 1679, Paris.* Homme politique et écrivain français. Coadjuteur de son oncle l'archevêque de Paris (1643), il intrigua contre Mazarin lors de la Fronde parlementaire et organisa la journée des Barricades. Cardinal (1651), incarcéré par Mazarin mais nommé archevêque de Paris par le pape (1654), il vécut ensuite en exil et ne revint en France qu'après la mort de Mazarin, renonçant à son archevêché (1662). Il écrivit de précieux *Mémoires* sur la Fronde.

**REUBELL** (Jean-François) ~ Voir **Rewbell.**

**REUCHLIN** (Johannes) ~ *1455, Pforzheim - 1522, Stuttgart* ou *Bad Liebenzell.* Humaniste allemand. Il fut l'un des initiateurs de l'orientalisme en Occident (*De rudimentis hebraicis, 1506*).

**RÉUNION** (la), anc. **île Bourbon** ~ Île de l'océan Indien, dans l'archipel des Mascareignes, à l'E. de Madagascar, dép. français d'outre-mer et région administrative ; 2 511 km$^2$, 552 500 h. (d'origine africaine, malgache, arabe ou européenne). D'origine volcanique, le relief, élevé (3 069 m au piton

*Cérémonie de la marche sur le feu, dans l'île de la Réunion.*

des Neiges) et accidenté, isole cirques (Cilaos) et hauts plateaux, entaillé par des rivières torrentielles, et domine abruptement d'étroites plaines côtières. Climat tropical chaud sur les côtes, très pluvieux au N.-E. exposé à l'alizé, plus sec à l'O. et au S., cyclones fréquents. V. princ. Saint-Pierre, Saint-Paul, Saint-Denis (préfect.). L'activité, surtout agricole, est concentrée sur le littoral et vouée à la canne à sucre (2/3 des surfaces cultivées) et aux plantes à parfum. Vanille, thé, tabac. Pêche. Sucreries, distilleries de rhum et d'essences florales. Chômage élevé (env. 20 %). L'émigration vers la métropole et le tourisme ne compensent pas le déficit commercial, et la dépendance envers la France reste forte. **HIST.** - Découverte au XVIe s. par les Portugais, elle fut prise par les Français (1638), qui la nommèrent île Bourbon (1649). La Compagnie des Indes orientales en reçut la concession (1664) et entreprit de l'exploiter (café, 1715) en y important des esclaves d'Afrique. Rachetée par la France (1764), elle fut rebaptisée île de la Réunion par la Convention (1793). Occupée par les Britanniques (1810), elle fut rendue à la France en 1815. L'esclavage y fut aboli en 1848. Dotée du statut de département d'outre-mer (1946), l'île fut le théâtre d'émeutes en 1990 et 1991.

**Réunions (politique des)** ~ Politique d'annexions conduite par Louis XIV au lendemain des traités de Nimègue (1678), pour garantir la frontière N.-E. du royaume. Elle inquiéta l'Europe et contribua à la formation de la ligue d'Augsbourg.

**REUSS** (la) ~ Riv. du N. de la Suisse, affluent (r. dr.) de l'Aar, issue du St-Gothard ; 160 km.

**REUTLINGEN** ~ V. industr. d'Allemagne (Bade-Wurtemberg), au pied du Jura souabe ; 106 000 h. Text., métall., bois. Église (XIIIe-XIVe s.). Musées. Ancienne ville libre impériale.

**REVAL** ou **REVEL** ~ Voir Tallinn.

**REVEL** ~ Ville de Haute-Garonne, au N. de la Montagne Noire, anc. bastide ; 7 520 h. Mobilier. Halle et beffroi du XIVe s.

**REVERDY** (Pierre) ~ *1889, Narbonne - 1960, Solesmes.* Poète français. Précurseur du surréalisme (*la Guitare endormie*, 1919), il se retira en 1925 près de Solesmes et donna à son œuvre une orientation métaphysique (*le Chant des morts*, 1948).

**REVERMONT** (le) ~ Rebord O. du Jura, à l'E. de la Bresse, formé de plateaux calcaires et de chaînons de faible altitude (700 m env.).

**REVERS** (Georges) ~ *1891, Saint-Malo - 1974, Saint-Mandé.* Général français. Dirigeant de l'Organisation de résistance de l'armée (1943-1944), chef d'état-major des forces armées (1947-1950), il fut mis à la retraite après la divulgation de son rapport alarmant sur la situation en Indochine.

**REVIN** ~ V. industr. (électroménager, fonderies) des Ardennes, près de la frontière belge, sur deux méandres presque fermés de la Meuse ; 9 371 h.

**Révolution culturelle** (**Grande Révolution culturelle prolétarienne**, dite) ~ Mouvement de reconquête du pouvoir lancé en 1965 par Mao Zedong contre les tendances, qualifiées de révisionnistes, de certains dirigeants communistes (Liu Shaoqi ou Deng Xiaoping). S'appuyant sur l'armée, dirigée par Lin Biao, sur les Gardes rouges et les étudiants, Mao élimina les factions adverses dans un processus à la fois politique, policier et culturel. Zhou Enlai, plus modéré, ne parvint pas à empêcher les excès (terreur, déportations, assassinats, destruction du patrimoine). Le IXe Congrès du Parti communiste chinois (avr. 1969) consacra la victoire de Mao.

**Révolution française** ~ Ensemble des mouvements révolutionnaires qui mirent fin à la monarchie et aboutirent à l'Empire. *1789* : convoqués pour le 5 mai, les États généraux se proclament Assemblée nationale constituante dès le 9 juillet (serment du Jeu de paume). Les évènements de l'été (prise de la Bastille, Grande Peur) et de l'automne (journées des 5-6 oct. à Versailles, qui obligent Louis XVI à s'installer aux Tuileries) s'accompagnent d'une refonte institutionnelle, juridique et sociale du royaume. L'abolition des privilèges est proclamée (4 août), suivie de la Déclaration des droits de l'homme et du citoyen (26 août). Les départements sont créés (22 déc.). *1790* : les biens du clergé, déclarés biens nationaux, sont mis en vente (14 mai). La Constitution civile du clergé est décrétée le 12 juillet. Venus de tout le pays, les Français célèbrent, à Paris, la fête de la Fédération (14 juill.). *1791* : le roi s'enfuit (juin). Arrêté à Varennes, il doit s'en remettre à l'Assemblée législative réunie à partir du 1er oct. Il oppose son veto aux décisions frappant le clergé réfractaire (29 nov.). *1792* : les souverains étrangers manifestant leur hostilité, la guerre est déclarée au roi de Bohême et de Hongrie, l'empereur François II (20 avr.). Les revers militaires désignent le roi à la vindicte populaire (journée du 20 juin). Alors que la patrie est proclamée en danger (11 juill.), le manifeste de Brunswick conduit les sections de sans-culottes à prendre les Tuileries, et l'Assemblée à arrêter le roi (10 août). Élue le 2 septembre, au plus fort des massacres qui se déroulent à Paris, la Convention nationale abolit la monarchie (21 sept.) le lendemain de la victoire de Valmy. Elle instaure la république le 22 septembre et parvient à repousser l'invasion (Jemmapes, 6 nov.). *1793* : le roi est jugé par la Convention, condamné à mort et exécuté (21 janv.). La levée de 300 000 hommes provoque l'insurrection d'une partie de l'Ouest armoricain (mars). La Convention crée le Comité de salut public (6 avr.). Jugés trop modérés, les Girondins sont écartés, puis arrêtés par les Montagnards (2 juin). À l'été, la situation est dramatique pour la Convention, menacée sur les frontières par les coalisés, à l'intérieur par les Vendéens, les chouans (Maine, Bretagne) et les fédéralistes (Lyon, Normandie). La Terreur (loi des suspects, 17 sept.) permet à la révolution jacobine de surmonter ces périls. *1794* : en mars, Robespierre liquide la faction ultrarévolutionnaire (hébertistes) puis, en avril, il se débarrasse de Danton. La fête de l'Être suprême, voulue par Robespierre, est célébrée le 8 juin et la Grande Terreur décrétée le 10. Après la victoire de Fleurus (26 juin), des conventionnels se concertent pour éliminer Robespierre et ses amis, victimes d'un vote de proscription à l'Assemblée le 9 thermidor (27 juill.), et exécutés le lendemain. La Convention thermidorienne recherche une voie politique modérée et parvient à une relative stabilisation. *1795* : incapables de reprendre le pouvoir (1er prairial, 20 mai), les sans-culottes parisiens perdent leur influence au profit des généraux, qui, comme Moreau, Pichegru ou Bonaparte, songent à un coup de force. La Constitution de l'an III, adoptée par la Convention le 22 août, fonde le Directoire qui remplace la Convention thermidorienne le 26 oct. Bonaparte écrase les royalistes (13 vendémiaire, 5 oct.). *1796* : alors que Bonaparte conquiert l'Italie du Nord, les directeurs doivent repousser les assauts insurrectionnels des babouvistes (conjuration des Égaux, mai) et des royalistes. *1797* : le traité de Campoformio, qui donne à la France la rive gauche du Rhin (18 oct.), est plus l'œuvre de Bonaparte que du Directoire. *1798* : l'expédition d'Égypte est décidée pour éloigner Bonaparte et menacer l'Inde britannique. *1799* : rentré d'Égypte, Bonaparte exécute le coup d'État des 18 et 19 brumaire (9 et 10 nov.), qui instaure le Consulat. *1801* : le pape signe le Concordat. *1802-1804* : Bonaparte est plébiscité consul à vie (2 août 1802) et assoit son pouvoir personnel (arrestation de Moreau, de Pichegru et de Cadoudal, exécution du duc d'Enghien). L'Empire, proclamé le 18 mai 1804, met fin à la Ire République.

**révolution française de 1830** ~ Journées d'insurrection parisienne (27-28-29 juill.), appelées les Trois Glorieuses, qui contraignirent Charles X à abdiquer et proclamèrent le duc de Chartres roi des Français sous le nom de Louis-Philippe Ier, instaurant ainsi la monarchie de Juillet.

**révolution française de 1848** ~ Insurrection populaire parisienne, d'inspiration démocratique et sociale. Déclenchée le 22 févr., elle aboutit à l'abdication du roi Louis-Philippe Ier (24 févr.) et à la proclamation de la IIe République (25 févr.) par un gouvernement provisoire comprenant notamment Lamartine, Arago et Ledru-Rollin.

**révolution russe de 1905** ~ Mouvements populaires (janv.-déc.) provoqués par les difficultés économiques, l'agitation politique et la défaite de la Russie face au Japon. Le 22 janv., le tsar Nicolas II fit tirer sur une procession conduite par le pope Gapone (Dimanche rouge). Ce fut le point de départ d'un soulèvement qui culmina avec la rébellion du cuirassé *Potemkine* (juin). Nicolas II dut accepter la création d'une assemblée élue au suffrage universel (la Douma, oct.), mais écrasa les soviets de députés ouvriers (déc.).

**révolution russe de 1917** ~ Mouvements populaires (févr.-nov.) qui provoquèrent la chute de la monarchie et débouchèrent sur la prise de pouvoir par les bolcheviks et sur la création de la république socialiste fédérative soviétique de Russie. Précipitée par les désastres militaires de la Première Guerre mondiale, la révolution vit, en février et mars, après l'abdication de Nicolas II, l'établissement d'un gouvernement provisoire (sous la présidence du prince Lvov), dominé par les constitutionnels-démocrates et les mencheviks, qui poursuivit la guerre (**révolution de Février**). D'abord minoritaires, les bolcheviks, conduits par Lénine, gagnèrent à eux une majorité d'ouvriers et de soldats dans les soviets, sur les mots d'ordre « Paix, terre, liberté ». Techniquement organisée par Trotski, la conquête du pouvoir fut réalisée en octobre (novembre dans le calendrier grégorien) à Petrograd, puis à Moscou (**révolution d'Octobre**), renversant le gouvernement formé par Kerenski en juillet. Le IIe Congrès des soviets adopta le programme de Lénine le 25 octobre (7 nov.), confia à celui-ci la présidence du Conseil des commissaires du peuple et demanda la paix sans conditions à l'Allemagne.

**révolutions d'Angleterre** ~ Ensemble des troubles anti-absolutistes que connut l'Angleterre au XVIIe siècle. La **Première Révolution** ou **Grande Rébellion** (Civil War, 1642-1649) vit la victoire des Têtes rondes, défenseurs du contrôle du pouvoir royal et puritains, sur les Cavaliers, partisans du roi Charles Ier. Celui-ci fut décapité (1649). Une république (Commonwealth) fut mise en place, soumise de fait à la dictature de Cromwell. Les Stuarts furent restaurés en 1660, mais les sympathies catholiques de Jacques II entraînèrent la **Seconde Révolution** ou **Glorieuse Révolution** (1688-1689). Le Parlement fit appel à la fille du roi, Marie II, et à son époux, Guillaume III d'Orange, qui signèrent la Déclaration des droits (1689), instaurant une monarchie parlementaire.

**révolutions de 1848** ~ Ensemble des mouvements nationalistes, de caractère libéral, qui agitèrent l'Europe en 1848 et 1849. Ils gagnèrent d'abord l'Italie et furent tournés contre les Bourbons de Naples (janv.-févr.), puis le roi de Sardaigne Charles-Albert déclara la guerre à l'Autriche pour l'évincer d'Italie (24 févr.). Après la France, l'empire d'Autriche fut touché à son tour. La révolution de Vienne chassa Metternich, et les Hongrois obtinrent un statut d'autonomie (mars-avril). En Prusse, Frédéric-Guillaume IV dut accorder une Constitution (mars). Marquée aussi par la réunion d'un Parlement allemand à Francfort (2 juin), du Congrès panslave à Prague (18 mai) et de l'Assemblée constituante à Vienne (22 juill.), l'année 1848 vit le « printemps des peuples ». Mais la réaction s'organisa. En Autriche et en Hongrie, l'armée rétablit la dynastie dans la plénitude de ses pouvoirs (oct. 1848 et août 1849). En Allemagne, le Parlement de Francfort fut dispersé ; en Italie, Charles-Albert fut battu par les Autrichiens (Novare, 23 mars 1849). Les échecs des mouvements de 1848 annoncèrent l'unité allemande et l'unité italienne, et provoquèrent l'abolition des restes de servage en Europe (Russie exceptée).

**Revue blanche** (la) ~ Revue d'art et de littérature fondée à Liège, puis animée à Paris (1889) par les frères Natanson. Elle fut un phare de la modernité française, et disparut au début du XX^e s.

**Revue des Deux Mondes (la)** ~ Revue française, littéraire et artistique, fondée en 1829. Sous la direction de François Buloz (1831-1877), elle reçut la collaboration des plus grands auteurs romantiques ; sous celle de Ferdinand Brunetière, elle prit un tour catholique et conservateur.

**Revue historique** ~ Revue française de sciences historiques. Fondée en 1876 par Gabriel Monod, elle exprima les vues de l'école positiviste.

**REWBELL** ou **REUBELL** (Jean-François) ~ *1747, Colmar - 1807, id.* Homme politique français. Député à la Constituante puis à la Convention, entré aux Comités de sûreté générale et de salut public, il fut membre du Directoire (1795-1799). Il prépara, avec Barras, le coup d'État du 18 fructidor an V (1797).

**REYKJAVÍK** ~ Cap. de l'Islande, seule ville importante du pays, sur la côte S.-O., port de pêche et de commerce ; 102 000 h. (plus de 50 % de la popul. du pays). Industr. liées à la pêche.

**REYMONT** (Władysław Stanisław **Rejment**, dit Władysław Stanisław) ~ *1867, Kobiele Wielkie - 1925, Varsovie.* Écrivain polonais. Il publia des fresques historiques et naturalistes, dont *les Paysans* (1904-1909). Prix Nobel de litt. 1924.

**REYNAUD** (Émile) ~ *1844, Montreuil-sous-Bois - 1918, Ivry-sur-Seine.* Inventeur et dessinateur français. Pionnier du dessin animé, il inventa le praxinoscope (1876), puis le « théâtre optique » (1879), qui permettait la projection d'une douzaine d'images animées (*Un bon bock*, 1891).

**REYNAUD** (Paul) ~ *1878, Barcelonnette - 1966, Neuilly-sur-Seine.* Homme politique français. Républicain de droite, président du Conseil en mars 1940, il préconisa la poursuite de la guerre mais fut contraint à la démission (16 juin) par les partisans de l'armistice. Il fut déporté en Allemagne (1942-1945).

**REYNOLDS** (sir Joshua) ~ *1723, Plympton, Devonshire - 1792, Londres.* Peintre britannique. Célèbre pour ses portraits aux coloris chauds, qui évoquent parfois Gainsborough (*Lady Bockburn et ses trois enfants*, 1781), il cofonda en 1768 la Royal Academy of Art, dont il fut le premier président.

**REYNOLDS** (Osborne) ~ *1842, Belfast - 1912, Watchet, Somerset.* Ingénieur et physicien britannique. Il établit la vitesse critique d'écoulement des fluides visqueux (1883), donnant son nom au nombre qui la détermine.

**REYNOSA** ~ V. industrielle du Mexique (État de Tamaulipas), à la frontière du Texas, à l'E. de Monterrey, sur le río Bravo ; 282 000 h. Raffinage du pétrole, chimie.

**REZA CHAH PAHLAVI** ~ *1878, Savad Kouh - 1944, Johannesburg.* Chah d'Iran (1925-1941). Porté au pouvoir par un coup d'État militaire (1921), il fut couronné en 1925 et engagea son pays dans la voie de la modernisation, avec l'aide de l'Allemagne. En 1941, il fut contraint par les Alliés d'abdiquer en faveur de son fils Mohammad Reza Chah.

**REZÉ** ~ V. industr. de la banlieue S. de Nantes (Loire-Atlantique), sur la rive gauche de la Loire ; 33 262 h. Anc. capitale du pays de Retz. Urbanisme de Le Corbusier (1952-1957).

**REZONVILLE** ~ Commune de la Moselle ; 287 h. Théâtre d'une bataille de la guerre franco-allemande de 1870 (16 août) plus connue sous le nom de bataille de Gravelotte.

**R. F. A.** ~ Voir **Allemagne** (république fédérale d').

**RHAB** (le) ~ Voir **Ghab**.

**RHADAMANTHE** ~ Héros de la mythologie grecque. Fils de Zeus et d'Europe, il devint après sa mort l'un des trois juges des Enfers, avec son frère Minos et Éaque. On lui attribuait le Code crétois.

**RHADAMÈS** ~ Voir **Ghadamès**.

**RHARB** (le) ~ Voir **Gharb**.

**RHÉA** ~ Titanide de la mythologie grecque. Fille de Gaia et d'Ouranos, elle engendra les premiers Olympiens avec son frère et époux Cronos, qu'elle empêcha de dévorer leur fils Zeus.

**RHÉA SILVIA** ~ Fille de Numitor, roi d'Albe, dans la mythologie romaine. Destinée à devenir vestale, elle fut enterrée vive pour avoir conçu Rémus et Romulus, dont elle attribuait la paternité à Mars.

**RHEINFELDEN** ~ V. du N. de la Suisse (Argovie), station clim. et thermale sur le Rhin, face à la ville allemande homonyme (30 000 h.) ; 10 000 h. Hôtel de ville des XVI^e-XVII^e s. Ville libre en 1218, puis occupée par les Autrichiens et par les Français, elle fut intégrée au canton d'Argovie en 1803.

**RHEINGAU** (le) ~ Région viticole allemande, environs de la vallée du Rhin (Trouée héroïque), entre Bingen et Wiesbaden (Hesse). Tourisme.

**RHÉNAN (Massif schisteux)** ~ Région de plateaux (400-800 m) du centre de l'Allemagne (S. de la Ruhr), de part et d'autre du Rhin, découpée en blocs distincts (Eifel, Hunsrück, Sauerland, Westerwald, Taunus) par les rivières. Forêt, viticulture sur les coteaux. Tourisme.

**RHÉNANIE** (la), en all. ***Rheinland*** ~ Région hist. d'Allemagne, traversée par le Rhin et comprenant, au centre, le Massif schisteux rhénan. Elle couvre auj. le land de Rhénanie-du-Nord - Westphalie au N., les länder de Rhénanie-Palatinat et de Sarre au S. On y inclut parfois la Hesse et le Bade-Wurtemberg. **HIST.** - Foyer économique et culturel au Moyen Âge, la Rhénanie devint une zone d'affrontements lors de l'expansion française vers l'E. au XVII^e s. En 1798, la France annexa la rive gauche du Rhin. La Prusse s'en attribua la majeure partie en 1815. Après la Première Guerre mondiale, les Alliés occupèrent la rive gauche du Rhin, où la France favorisa un courant séparatiste. Hitler remilitarisa la Rhénanie en 1936. En 1945, le S., occupé par les Français, s'unit au Palatinat au sein du land de Rhénanie-Palatinat, et le N., sous occupation britannique, forma l'O. du land de Rhénanie-du-Nord - Westphalie.

**RHÉNANIE-DU-NORD - WESTPHALIE**, en all. ***Nordrhein-Westfalen*** ~ Land d'Allemagne fédérale ; 34 072 km², 17 759 000 h., cap. Düsseldorf. Riche région agricole (Börde), le land est avant tout une grande région industrielle et urbaine (conurbation Rhin-Ruhr) qui bénéficie de l'axe rhénan et de sa richesse charbonnière. L'extraction houillère et l'industrie lourde se déplacent vers le N., tandis que le secteur tertiaire progresse.

**RHÉNANIE-PALATINAT**, en all. ***Rheinland-Pfalz*** ~ Land d'Allemagne fédérale ; 19 846 km², 3 926 000 h., cap. Mayence. Les plateaux du Massif schisteux rhénan et le Harz sont laissés à la forêt, tandis que les vallées du Rhin et de la Moselle privilégient la viticulture. Villes princ. tertiaires, sauf Ludwigshafen (chimie). Tourisme.

**RHIN** (le) ~ Grand fleuve d'Europe, axe d'échanges et limite politique ; 1 320 km (bassin : 220 000 km²). Né dans les Alpes suisses, il forme la frontière entre la Suisse, l'Autriche et l'Allemagne. À sa sortie du lac de Constance, il s'oriente vers l'O. jusqu'à Bâle, avant de prendre la direction

© Gluskel/Schuster-Explorer

*Le Rhin à Sankt Goar, dominé par le château fort Rheinfels (XIII^e-XVI^e s.).*

du N., où il sépare la France de l'Allemagne, dans la plaine d'effondrement (Alsace) entre les Vosges et la Forêt-Noire. Il s'encaisse ensuite dans le Massif schisteux rhénan (Trouée héroïque), dont il sort aux environs de Bonn pour pénétrer dans la grande plaine du Nord et la Ruhr industrielle. Après Wesel, il s'oriente de nouveau vers l'O. pour pénétrer aux Pays-Bas, où, relié à la Meuse, il se divise en trois bras principaux (Waal, Lek, IJssel), tributaires de la mer du Nord. Voie d'eau internationale depuis 1868, navigable jusqu'à Bâle, il est relié par canaux (Rhin-Main-Danube) et par ses principaux affluents (Moselle, Main, Neckar) au système navigable d'Europe occidentale et à la mer Noire. Axe majeur du transport européen, il est utilisé pour la production hydroélectrique. Tourisme.

**RHIN (Bas-)** ~ Dép. de la Région Alsace, limitrophe de l'Allemagne au N. et à l'E. (le long du Rhin), comprenant le N. de la plaine d'Alsace et une partie du Plateau lorrain et de la Hardt (N.-O.), dominé par les Vosges gréseuses au S.-O. ; 4 786 km², 953 053 h., préfect. Strasbourg. Agriculture prospère : céréales au N.-O., polyculture intensive dans la riche plaine alluviale du Rhin et sur les terrasses couvertes de lœss, élevage dans les vallées, vignobles des collines sous-vosgiennes, forêts en altitude. Industries variées bénéficiant de l'apport des capitaux étrangers et de l'aménagement hydroélectr. du grand canal d'Alsace. V. princ. Strasbourg, Haguenau, Sélestat, Saverne, dynamisées par l'apport des travailleurs frontaliers. Thermalisme (Niederbronn-les-Bains), parc naturel régional des Vosges du Nord. Dynamisme démographique.

**RHIN (Haut-)** ~ Dép. de la Région Alsace, limitrophe de la Suisse au S. et de l'Allemagne à l'E. (r. g. du Rhin) ; 3 522 km², 671 319 h., préfect. Colmar. Les Vosges cristallines (Grand Ballon, 1 424 m) et les collines sous-vosgiennes calcaires dominent la partie S. de la plaine d'Alsace, traversée par l'Ill. Vocation agricole marquée : vignobles réputés sur les coteaux, céréales dans le Sundgau au S. (associées au tabac et au houblon entre l'Ill et le Rhin, où le Ried marécageux est en cours d'assainissement), exploit. de la forêt, élev. dans les vallées vosgiennes et sur les « hautes chaumes » (fromage de Munster). Industries actives, traditionnelles (text., alim.) et nouvelles (mécan., électron.) dans les vallées vosgiennes, autour de Mulhouse (v. princ. du dép.) et à Colmar. Hydroélectricité (grand canal d'Alsace) et centrale nucléaire de Fessenheim. Tourisme (« route des vins », parc régional des Ballons des Vosges), sports d'hiver.

**RHODANIEN (Sillon** ou **Couloir)** ~ Plaine sédimentaire allongée, empruntée par le Rhône entre Lyon et la Méditerranée, qui sépare le Massif central à l'O. et les Préalpes à l'E., grand axe de communications national et européen.

**RHODE ISLAND** (le) ~ Le plus petit État des États-Unis, en Nouvelle-Angleterre ; 2 707 km², 1 000 000 d'h., cap. Providence. Région résidentielle et touristique largement pénétrée par la mer (baie de Narragansett). **HIST.** - Défriché par des puritains expulsés du Massachusetts (1636), il fut le premier territoire à proclamer son indépendance (1776) et devint un État de l'Union en 1790.

**RHODES** ~ La plus grande île du Dodécanèse (Grèce), en mer Égée ; 1 400 km², 95 000 h., ch.-l. Rhodes (41 000 h.). Tourisme. **HIST.** - Dans l'Antiquité, Rhodes tira de sa situation entre l'Égypte, la Phénicie et la Grèce une grande prospérité commerciale. L'ordre de Saint-Jean-de-Jérusalem s'en empara en 1309 et en fut chassé en 1522 par les Ottomans, qui conservèrent l'île jusqu'à l'occupation italienne (1912). Le traité de Paris (1947) a consacré son rattachement à la Grèce.

© Thouvenin-Explorer

*Rhodes, la citadelle et le village.*

**Rhodes (colosse de)** ~ Gigantesque statue en bronze d'Hélios, considérée comme l'une des Sept Merveilles du monde. Érigée à l'entrée du golfe de

Rhodes pour célébrer la résistance victorieuse des habitants face à Démétrios Poliorcète (304 av. J.-C.), elle fut détruite en 672. [☞ **merveille.**]

**RHODES** (Cecil John) ~ *1853, Bishop's Stortford - 1902, Muizenberg, près du Cap.* Homme politique et homme d'affaires britannique. Établi en Afrique du Sud, il entreprit la colonisation du bassin du Zambèze, où, plus tard, furent fondées les deux colonies qui portèrent son nom (Rhodésie). Premier ministre de la colonie du Cap (1890-1895), il se heurta aux Boers et démissionna.

**RHODÉSIE** (la) ~ Anc. nom des territoires britanniques d'Afrique centrale, colonisés à partir de 1889 sous l'impulsion de C. J. Rhodes. À l'indépendance, la **Rhodésie du Nord** devint la Zambie (1964), la **Rhodésie du Sud**, le Zimbabwe (1980).

**RHODES-INTÉRIEURES** et **RHODES-EXTÉRIEURES** ~ Voir **Appenzell**.

**RHODOPE** (le) ~ Massif boisé partagé entre la Bulgarie (pic Musala, 2 925 m) et la Grèce (Thrace), qui sépare le bassin de la Marica, au N., du littoral égéen. Refuge des populations slaves durant la domination ottomane.

**RHÔMANOS** ou **ROMANOS LE MÉLODE** (saint) ~ *v. 490, Émèse - VIe s.* Poète byzantin et diacre à Béryte (Beyrouth), il composa des cantiques liturgiques restés célèbres.

**RHÖN** (la) ~ Massif volcanique du centre de l'Allemagne (Wasserkuppe, 950 m). Tourisme.

**RHONDDA** ~ V. du pays de Galles (Grande-Bretagne), vieux centre houiller du Glamorgan ; 82 000 h.

**RHÔNE** (le) ~ 2e fl. français, issu des Alpes suisses (massif du Saint-Gothard) ; 812 km (bassin : env. 100 000 km$^2$). Il alimente le lac Léman après la traversée des Alpes dans le Valais (grand axe de pénétration), et reçoit l'Arve avant de pénétrer en France par une série de gorges (cluses) coupant les plis du Jura. Après avoir reçu l'Ain, puis la Saône (son principal affluent), à Lyon, il s'oriente vers le S. et coule dans le Sillon rhodanien, grand axe agricole et industriel entre Massif central et Préalpes. Il y reçoit encore l'Isère, la Drôme, l'Ardèche, le Gard, la Durance, avant de se diviser à partir d'Arles en deux bras (Grand Rhône, Petit Rhône), qui limitent un vaste delta (la Camargue), et de se jeter dans la Méditerranée. Au S. de Lyon, son cours a été aménagé pour l'irrigation. L'axe Rhône-Saône est navigable jusqu'à Chalon, mais la liaison Rhône-Rhin à grand gabarit reste à l'état de projet. Le cours est jalonné de centrales hydroélectriques (Bollène) et nucléaires (Marcoule). La vallée du Rhône est un axe majeur de communication européen et intra-alpin.

© F. Jalain-Explorer

*Vallée du Rhône, le défilé de Donzère, dans la Drôme.*

**RHÔNE** (le) ~ Dép. le plus petit (3 303 km$^2$) et le plus peuplé (1 508 966 h.) de la Région Rhône-Alpes, formé du rebord occidental du Massif central (monts du Mâconnais, du Beaujolais et du Lyonnais avoisinant 1 000 m d'alt.), dominant la Saône et son confluent avec le Rhône. Polyculture et élevage dans les massifs et vallées. Vignoble réputé sur la côte beaujolaise. L'agglomération de Lyon (préfect. et 3e ville de France) rassemble l'essentiel des activités économiques et 80 % de la population du département, de plus en plus urbanisé. En dehors de l'axe vital Saône-Rhône, quelques petites villes maintiennent les traditions textiles (Amplepuis, Tarare).

**RHÔNE (côtes du)** ~ Coteaux viticoles de la vallée du Rhône, de Lyon jusqu'en Provence (côte-rôtie, châteauneuf-du-pape, tavel, gigondas).

**RHÔNE-ALPES** ~ Région administrative française regroupant 8 départements (Ain, Ardèche, Drôme, Isère, Loire, Rhône, Savoie et Haute-Savoie) ; 43 694 km$^2$, 5 350 701 h., préfect. Lyon. Elle comprend une partie du Massif central (rebord oriental, plaine et monts du Forez), des Alpes du Nord (jusqu'à la frontière italienne) et la partie méridionale du Jura, que borde la frontière suisse. Au centre, elle s'articule sur la partie médiane du Sillon rhodanien. Le sillon Saône-Rhône est l'axe unificateur de la région. Il regroupe les principales villes, la majorité de la population, de l'énergie (centrales hydroélectr. et nucléaires, raff. de pétr. de Feyzin) et de l'industrie (métall. de transformation, chim., text.). Dynamique et attractive, elle est organisée en un réseau urbain hiérarchisé autour de Lyon, auquel s'opposent les bordures montagneuses : le Massif central, jadis peuplé et industriel, connaît aujourd'hui des problèmes de reconversion ; les Alpes bénéficient de l'attraction touristique de ses vallées et de l'industrie de pointe de Grenoble et de son technopôle (Meylan).

**RHÔXANE** ~ Voir **Roxane**.

**RHUMEL (oued)** ~ Voir **Rummel**.

**RHUNE** (la) ~ Sommet du Labourd basque (900 m), extrémité O. des Pyrénées françaises (frontière avec l'Espagne).

**RHUYS (presqu'île de)** ~ Presqu'île fermant, au S., le golfe du Morbihan. Tourisme et villégiature.

**RIAD** ~ Voir **Riyad**.

**RIALTO** (le) ~ Cœur historique de Venise. Le doge s'y installa au début du IXe s. Le **pont du Rialto**, construit en pierre par Antonio Da Ponte (1588-1591), enjambe le Grand Canal.

**RIAZAN** ~ V. historique et industrielle de Russie, sur l'Oka, au S.-E. de Moscou ; 515 000 h. Métall., text. synthétiques, travail du bois, raffinerie de pétrole. Ancienne principauté annexée par Moscou en 1521, elle possède de nombreux monuments, dont l'église du monastère Spasski (XVIIIe s.), une cathédrale du XVIIe s., les anciens monastères du Kremlin, aujourd'hui musées.

**RIBALTA** (Francisco) ~ *1565, Solsona, Lérida - 1628, Valence.* Peintre espagnol. Ses tableaux, aux clairs-obscurs dramatiques, l'ont consacré comme l'un des premiers maîtres du Siècle d'or.

**RIBBENTROP** (Joachim VON) ~ *1893, Wesel - 1946, Nuremberg.* Homme politique allemand. Ministre des Affaires étrangères de 1938 à 1945, il signa avec Molotov le pacte germano-soviétique (1939). Il fut condamné à mort par le tribunal de Nuremberg et exécuté.

**RIBEAUVILLÉ** ~ Commune viticole (riesling) du Haut-Rhin, en bordure des collines sous-vosgiennes ; 4 774 h. Beffroi (XIIIe-XVe s.).

**RIBEIRÃO PRETO** ~ V. du Brésil, dans le N. de l'État de São Paulo, grand marché agric. (coton, café) ; 431 000 h. Archevêché.

**RIBERA** (José ou Jusepe DE), dit en ital. ***lo Spagnoletto*** ~ *1591, Játiva, Valence - 1652, Naples.* Peintre et graveur espagnol. Célébré par les romantiques, il fit carrière à Naples, où son génie éclectique s'exprima tantôt par un caravagisme souvent cruel (*le Pied-Bot*, 1642), tantôt par un style harmonieux et apaisé (*la Communion des apôtres*, 1638-1651).

**RIBERA** (Pedro DE) ~ *1683, Madrid - 1742, id.* Architecte et décorateur espagnol. Il est le principal représentant du baroque churrigueresque (hospice San Fernando, à Madrid, 1722).

**RIBOT** (Alexandre) ~ *1842, Saint-Omer - 1923, Paris.* Homme politique français. Artisan de l'alliance franco-russe, il fut président du Conseil à cinq reprises, entre 1892 et 1917. Acad.

**RIBOT** (Théodule) ~ *1839, Guingamp - 1916, Paris.* Psychologue français. Il posa les bases d'une psychologie expérimentale et scientifique (*les Maladies de la personnalité*, 1885).

**RICARDO** (David) ~ *1772, Londres - 1823, Gatcomb Park, Gloucestershire.* Économiste britannique. Partisan du libéralisme, il montra not. que la rente foncière entraîne la paupérisation, que la valeur des marchandises est fixée par les coûts de production et que le salaire représente le minimum nécessaire à la reproduction de la force de travail (*Des principes de l'économie politique et de l'impôt*, 1817). Son influence fut considérable sur les économistes libéraux comme sur les théoriciens du socialisme.

**RICCI** (Matteo) ~ *1552, Macerata - 1610, Pékin.* Savant et missionnaire italien. Jésuite, mathématicien et astronome, il créa la première mission catholique en Chine. Partisan du syncrétisme, il déclencha la querelle des Rites chinois.

**RICCI** (Sebastiano) ~ *1659, Belluno - 1734, Venise.* Peintre et décorateur italien. Coloriste inventif, au style délicat et lumineux, il marqua de son empreinte le rococo vénitien.

**RICCI-CURBASTRO** (Gregorio) ~ *1853, Lugo - 1925, Bologne.* Mathématicien italien. Il créa, avec son élève T. Levi-Civita, le calcul tensoriel (1901), calcul différentiel absolu, repris par Einstein et les physiciens relativistes.

**RICHARD**, nom de trois rois d'Angleterre. ~ **Richard Ier Cœur de Lion** (*1157, Oxford - 1199, Châlus, Limousin*), roi de 1189 à 1199. Ligué contre son père, Henri II, avec Philippe II Auguste, il participa avec ce dernier à la 3e croisade et fut fait prisonnier par l'empereur germanique Henri VI à son retour. Libéré contre rançon, il combattit Philippe Auguste, qui s'était approprié ses possessions sur le continent, le battit à Fréteval (1194) et à Courcelles (1198), et fortifia la Normandie (Château-Gaillard). Il mourut lors du siège du château de Châlus. ~ **Richard II** (*1367, Bordeaux - 1400, Pontefract Castle, Yorkshire*), roi de 1377 à 1399. Fils d'Édouard, le Prince Noir, il subit la régence de son oncle Jean de Lancastre. Souverain absolu à partir de 1389, il lutta contra la noblesse, s'attira l'opposition des féodaux et fut renversé par son cousin Henri de Lancastre. Il mourut en prison. ~ **Richard III** (*1452, Fotheringhay Castle - 1485, Bosworth*), roi de 1483 à 1485. Il s'empara de la Couronne par l'assassinat de ses pupilles, les fils de son frère Édouard IV. Il fut tué lors de la bataille de Bosworth qui mit fin à la guerre des Deux-Roses.

© Coll. ES-Explorer

*Richard III, roi d'Angleterre.*

**RICHARD** (François), dit **Richard-Lenoir** ~ *1765, Épinay-sur-Odon, Calvados - 1839, Paris.* Industriel français. Il créa, avec Joseph Lenoir-Dufresne, la première filature de coton en France, grâce à la mule-jenny, utilisée en Angleterre.

**RICHARDSON** (Cecil Antonio, dit Tony) ~ *1928, Shipley - 1991, Los Angeles.* Cinéaste britannique. L'un des fondateurs du mouvement Free Cinema, il contribua au renouveau du cinéma britannique (*la Solitude du coureur de fond*, 1962).

**RICHARDSON** (sir Owen Willans) ~ *1879, Dewsbury, Yorkshire - 1959, Alton, Hampshire.* Physicien britannique. Il travailla sur les thermo-ions et découvrit la loi régissant leur émission, loi qui porte son nom (1912). Prix Nobel de phys. 1928.

**RICHARDSON** (Samuel) ~ *1689, Macworth - 1761, Parson's Green.* Romancier britannique. Il créa un type de roman édifiant et sentimental (*Paméla ou la Vertu récompensée*, 1740 ; *Clarisse Harlowe*, 1748).

**RICHELET** (César Pierre) ~ *1631, Cheminon, Champagne - 1698, Paris.* Lexicographe français. Son *Dictionnaire français* (1680) est un précieux témoignage sur la langue du XVIIe s.

**RICHELIEU**, famille française. ~ **Armand Jean** DU PLESSIS, cardinal DE (*1585, Paris - 1642, id.*), prélat et homme politique français. Évêque de Luçon (1605), il fut remarqué par Concini et Marie de Médicis, qui le nomma secrétaire d'État en 1616. Il suivit la reine dans son exil, mais contribua à sa réconciliation avec Louis XIII. Nommé alors cardinal (1622), il entra au Conseil du roi (1624). Ministre jusqu'à sa mort, il s'attacha à renforcer l'autorité royale et à instaurer la prépondérance française en Europe. Il fut ainsi l'un des principaux fondateurs de l'État moderne. Constamment en butte à l'hostilité de la noblesse rebelle (complots de Chalais, 1626, et de Cinq-Mars, 1642), il sortit vainqueur de la journée des Dupes (1630) et, dès lors, la confiance du roi ne lui fit jamais défaut. Parallèlement, il lutta contre le parti protestant, contraignit La Rochelle à capituler et élabora, en 1629, l'édit de grâce d'Alès, qui retirait aux réformés leurs privilèges militaires. Richelieu augmenta le poids de l'État, accrut les pouvoirs des intendants, mais dut faire face à des révoltes paysannes antifiscales. Le cardinal-ministre fonda l'Académie française (1634), créa la Marine royale et encouragea l'expansion outre-mer. À l'extérieur, il fit

*Le cardinal de Richelieu (v. 1639), peinture de Philippe de Champaigne (1602-1674). Château de Versailles.*

porter ses efforts contre la maison d'Autriche, s'assura l'alliance anglaise, encouragea les entreprises du roi de Suède Gustave II Adolphe en Allemagne et fit ouvertement entrer la France dans la guerre de Trente Ans, en 1635 : après la perte de Corbie (1636), la France remporta des succès (occupation du Roussillon, 1642), préambules aux traités de Westphalie (1648) et des Pyrénées (1659). Son petit-neveu ~ **Louis François Armand** DE VIGNEROT DU PLESSIS, duc DE (*1696, Paris - 1788, id.*), maréchal de France, fit une brillante carrière militaire, conquérant Minorque (1756), le Hanovre et le Brunswick. Familier du roi mais aussi ami de Voltaire, il fut le modèle du courtisan libertin. Acad. ~ **Armand Emmanuel** DU PLESSIS, duc DE (*1766, Paris - 1822, id.*), homme politique français, petit-fils du précédent. Émigré en Russie dès 1789, il passa au service du tsar, qui lui confia le gouvernement d'Odessa. Rentré en 1815, il fut le Premier ministre de Louis XVIII (1815-1818, 1820), obtenant la libération anticipée du royaume et redonnant à la France sa place en Europe. Acad.

**RICHEPIN** (Jean) ~ *1849, Médéa - 1926, Paris.* Écrivain français. Chantre de la contestation et de la liberté, il est l'auteur de poèmes (*la Chanson des gueux*, 1876), de romans (*la Glu*, 1881) et de pièces de théâtre (*le Chemineau*, 1897). Acad.

**RICHER** ~ *X^e^ s.* Moine français. Ses *Histoires*, écrites en 991-995 à Reims, sont consacrées à la fin des Carolingiens et aux débuts des Capétiens.

**RICHER** (Edmond) ~ *1559, Chaource, Champagne - 1631, Paris.* Théologien français. Son ouvrage *De ecclesiastica et politica potestate libellus* (1611), interdit par Rome, constitua l'une des bases théoriques du courant gallican.

**RICHET**, famille de savants français. ~ **Charles** (*1850, Paris - 1935, id.*), physiologiste, mit en évidence, avec P. Portier, l'anaphylaxie et étudia la parapsychologie. Prix Nobel de physiol. ou méd. 1913. Son fils ~ **Charles** (*1882, Paris - 1966, id.*), spécialiste de la nutrition, déporté à Buchenwald, étudia la pathologie de la déportation.

**RICHIER** (Germaine) ~ *1904, Grans, Bouches-du-Rhône - 1959, Montpellier.* Sculpteur français. Élève d'A. Bourdelle, elle donna forme dans un style expressionniste à un univers fantastique et angoissant, mêlant le végétal, l'animal et le minéral (série des « Hommes-Oiseaux », 1953).

**RICHIER** (Ligier) ~ *v. 1500, Dagonville, près de Saint-Mihiel - 1567, Genève.* Sculpteur français. Son réalisme pathétique, parfois tempéré par l'influence de l'idéalisme italien, trouva une expression saisissante dans le transi de René de Chalon (1547).

**RICHMOND** ~ Cap. de la Virginie (États-Unis), anc. quartier général sudiste, entre l'Atlantique et les Appalaches, centre comm. et industr. (tabac, chim., pharmaceut., mécan., papier) ; 203 000 h. Évêché catholique. Capitole dessiné par Th. Jefferson.

**RICHTER** (Burton) ~ *1931, New York.* Physicien américain. En même temps que Samuel Ting, il a découvert le méson psi, ou J/psi (charmonium), et confirmé la chromodynamique quantique. Prix Nobel de phys. 1976 avec S. Ting.

**RICHTER** (Charles Francis) ~ *1900, Butler County, Ohio - 1985, Pasadena.* Géophysicien et sismologue américain. Il créa, avec Beno Gutenberg, l'**échelle de Richter** (1935), qui mesure la magnitude des séismes selon une échelle logarithmique numérotée de 1 à 9.

**RICHTER** (Gerhard) ~ *1932, Waltersdorf, près de Dresde.* Peintre allemand. Il a exploré tous les moyens d'expression de la peinture contemporaine, de l'hyperréalisme à l'abstraction pure.

**RICHTER** (Hans) ~ *1888, Berlin - 1976, Locarno.* Peintre et cinéaste américain d'orig. allemande. Marqué à la fois par le cubisme et le dadaïsme, il fit du rythme et du mouvement le sujet de ses expériences picturales (*Fugue 20*, 1920) et cinématographiques (*Rêves à vendre*, 1944-1947).

**RICHTER** (Jeremias Benjamin) ~ *1762, Hirschberg, Silésie - 1807, Berlin.* Chimiste allemand. On lui doit la notion des proportions définies, régissant l'union entre bases et acides, et la loi des nombres proportionnels qui porte son nom.

**RICHTER** (Johann Paul Friedrich), dit **Jean-Paul** ~ *1763, Wunsiedel - 1825, Bayreuth.* Écrivain allemand. Onirisme et ironie sont les ressorts de ses romans, caractéristiques du romantisme allemand (*Hesperus*, 1795 ; *le Titan*, 1800-1803).

**RICHTER** (Sviatoslav) ~ *1915, Jitomir.* Pianiste russe. Ses interprétations pénétrantes de J. S. Bach, de Beethoven, de Brahms, de Prokofiev ou de Chostakovitch lui ont valu une audience internationale.

**RICIMER** ~ *m. en 472.* Général de l'armée de Ravenne. Il mena les opérations contre Geiséric dès 456, et s'entendit avec le Sénat pour éliminer Majorien (461). Il saccagea Rome un mois avant sa mort.

**RICŒUR** (Paul) ~ *1913, Valence.* Philosophe français. Formé à la phénoménologie de Husserl, dont il a conservé le style et les méthodes, il poursuit le projet d'une herméneutique du sujet, délaissant la problématique de la conscience au profit de celle du langage et du sens (*le Conflit des interprétations : essai d'herméneutique*, 1969).

**RICORD** (Philippe) ~ *1800, Baltimore, 1889, Paris.* Chirurgien français. Spécialiste des maladies vénériennes, il a établi la distinction entre la syphilis et la blennorragie.

**RIDGWAY** (Matthew Bunker) ~ *1895, Fort Monroe, Virginie - 1993, Fox Chapel, près de Pittsburgh.* Successeur de D. MacArthur à la tête des forces de l'O. N. U. en Corée (1951-1952), il commanda ensuite celles de l'Otan (1952-1953).

**RIEDISHEIM** ~ V. industr. de la banlieue de Mulhouse (Haut-Rhin) ; 11 868 h.

**RIEGO Y NUÑEZ** (Rafael DEL) ~ *1785, Santa María de Tuñas, Asturies - 1823, Madrid.* Général et homme politique espagnol. Adepte des idées libérales, il dirigea la révolte de Cadix en 1820. Élu député, il combattit l'expédition française en 1823. Vaincu, il fut exécuté sur l'ordre de Ferdinand VII. L'hymne officiel de la République espagnole porta son nom en 1931.

**RIEL** (Louis) ~ *1844, Saint-Boniface, Manitoba - 1885, Regina.* Révolutionnaire canadien. Métis, il dirigea, au Manitoba, la rébellion contre les Britanniques (1869-1873 et 1884-1885). Capturé, il fut pendu.

**RIEMANN** (Bernhard) ~ *1826, Breselenz, Hanovre - 1866, Selasca, lac Majeur.* Mathématicien allemand. Il révolutionna les mathématiques avec sa théorie des fonctions de variables complexes (1851), fondant la topologie. Il approfondit la théorie de l'intégration (1854) et la théorie des nombres. Il contribua au développement des géométries non euclidiennes (1868). L'**intégrale de Riemann** s'applique à l'intégrale définie.

**RIEMENSCHNEIDER** (Tilman) ~ *v. 1460 - 1531, Würzburg.* Sculpteur allemand. Il a illustré la tradition gothique germanique (*Triptyque de la Vierge*, v. 1505).

**RIESENER** (Jean-Henri) ~ *1734, Gladbeck, près d'Essen - 1806, Paris.* Ébéniste français d'orig. allemande. Après la mort d'Œben, son maître, il continua d'exécuter de nombreuses commandes royales et contribua à former le style Louis XVI.

**RIESENGEBIRGE** ~ Voir **Géants** (monts des).

**RIF** (le) ~ Chaîne plissée du N. du Maroc, culminant à 2 452 m (djebel Tidighine), dominant abruptement les côtes du détroit de Gibraltar jusqu'à l'oued Moulouya. Céréales, légumes, fruits, élev. bovin et caprin. Surpeuplement rural (majorité de Berbères). Tourisme sur les côtes (Tanger, Tétouan, enclaves espagnoles de Ceuta et Melilla).

**Rif (guerre du)** ~ Insurrection des Rifains contre les Espagnols et les Français au Maroc (1921-1926), qui s'acheva par la reddition de leur chef, Abd el-Krim.

**RIFBJERG** (Klaus) ~ *1931, Copenhague.* Écrivain danois. Poète, romancier et auteur dramatique, il a été l'un des plus actifs rénovateurs des lettres danoises (*l'Innocence chronique*, 1958).

**RIFT VALLEY** (la) ~ Dépression tectonique d'environ 5 000 km de long, s'étirant de l'extrémité occidentale de l'Asie à l'E. du continent africain. Elle inclut la vallée du Jourdain et son prolongement au S., la mer Rouge, l'Abyssinie (vallée de l'Omo, berceau supposé de l'humanité) et finit au Mozambique (Zambèze). Ses deux branches africaines (occidentale et orientale) sont occupées par les Grands Lacs (Turkana, Tanganyika, Malawi) et jalonnées de volcans (Kilimandjaro, Kenya).

**RIGA** ~ Cap. de la Lettonie, grand centre culturel et industriel (appareils électr.) et 1^er^ port des pays Baltes ; 910 000 h. **HIST.** - Fondée par les chevaliers Porte-Glaive en 1202, cité hanséatique, Riga fut annexée par la Russie en 1710 et capitale de la Lettonie indépendante en 1920. De nombreux Russes s'y établirent durant l'occupation soviétique (1944-1991).

*Riga, l'église Saint-Pierre.*

**RIGAUD** (Hyacinthe Rigau y Ros, dit Hyacinthe) ~ *1659, Perpignan - 1743, Paris.* Peintre français. Portraitiste de Louis XIV, de Lebrun ou de Bossuet, il sut allier le faste décoratif à un dessin sobrement réaliste, comparable à celui de Van Dyck.

**RIJEKA**, anc. **Fiume** ~ 1^er^ port, minéralier et pétrolier, de la Croatie, sur l'Adriatique (N.-O.) ; 168 000 h. Monuments du XIII^e^ au XVIII^e^ s. Musées. Créé par les Vénitiens, occupé par Gabriele D'Annunzio en 1919, puis annexé à l'Italie en 1924, cet ancien port franc (en 1723) revint à la Yougoslavie en 1947, par le traité de Paris.

**RILKE** (Rainer Maria) ~ *1875, Prague - 1926, Montreux.* Écrivain autrichien. Auteur d'un récit en partie autobiographique, *les Cahiers de Malte Laurids Brigge* (1910), il fut le secrétaire de Rodin. Ses poèmes visent à résoudre par l'œuvre d'art l'angoisse de la mort (*Élégies de Duino*, 1923).

**RILLIEUX-LA-PAPE** ~ V. du N.-E. de l'agglomération lyonnaise (Rhône) ; 30 791 h.

**RIMAILHO** (Émile) ~ *1864, Paris - 1954, Pont-Érambourg, Calvados.* Officier et ingénieur français. Il perfectionna le canon de 75 et mit au point le canon de 115 court à tir rapide (1904).

**RIMBAUD** (Arthur) ~ *1854, Charleville - 1891, Marseille.* Poète français. Hallucinée mais maîtrisée, sa poésie a clos l'ère du romantisme et inauguré celle de la modernité, par des ruptures qui sont autant de marches vers l'absolu (*le Bateau ivre*, 1871 ; *Une saison en enfer*, 1873 ; *Illuminations*, 1886). Figure légendaire, Rimbaud eut une existence chaotique, marquée par sa liaison avec Verlaine et par les errances de ses dernières années, qui le conduisirent à Java et en Abyssinie.

© T. Zeno-Explorer

*Rimbaud blessé.*
*Musée Rimbaud, Charleville-Mézières.*

**RIMINI** ~ Station balnéaire d'Italie (Émilie-Romagne), au S. de Ravenne, sur l'Adriatique ; 130 000 h. Évêché, vestiges romains et médiévaux.

**RIMOUSKI** ~ V. du Québec (Canada), sur l'estuaire du Saint-Laurent, en Gaspésie ; 30 000 h. Université. Industr. agroalim., du bois.

**RIMSKI-KORSAKOV** (Nikolaï Andreïevitch) ~ *1844, Tikhvine, Novgorod - 1908, Lioubensk, près de Saint-Pétersbourg.* Compositeur russe. Orchestrateur hors pair, orientaliste (*Shéhérazade*, 1888), membre du groupe des Cinq, il synthétisa le chant russe et l'arioso dans ses opéras (*Sadko*, 1898).

**RINGUET** (Philippe **Panneton**, dit Philippe) ~ *1895, Trois-Rivières - 1960, Lisbonne.* Écrivain canadien d'expression française. Ses romans procèdent d'un rigoureux réalisme (*Trente Arpents*, 1938).

**RINTALA** (Paavo) ~ *1930, Vyborg.* Écrivain finlandais. Il a rénové le roman historique par les méthodes de l'enquête journalistique (*Ma grand-mère et Mannerheim*, 1960-1962).

**RIO BRANCO** ~ Voir **Acre**.

**RIO DE JANEIRO** ~ 2^e^ v. et grand port du Brésil, dans la baie de Guanabara (pitons rocheux plongeant dans l'Atlantique, dont le Pain de Sucre) ; agglom. 9 600 000 h. (les *cariocas*). Fondée en 1567 par les Portugais, elle fut, après Bahia et avant Brasília, la capitale du Brésil de 1763 à 1960. Métropole du S.-E. développé, moins industrielle mais plus touristique (célèbre carnaval) que sa rivale São Paulo, grand centre financier et universitaire, vitrine culturelle du pays (siège des grands médias), la ville s'étend en noyaux divisés par le relief (favelas sur les pentes) ou le long des plages atlantiques (quartiers luxueux de Copacabana, Ipanema, Leblon). Économie parallèle et insécurité liées à la marginalisation d'une partie croissante de la population. L'État côtier de **Rio de Janeiro** (43 653 km², 12 584 000 h., cap. Rio) est montagneux (serra do Mar) et jouit d'un climat chaud adouci par l'altitude. Pétrole, sidérurgie.

*Rio de Janeiro, la baie et le Pain de Sucre.*

© Pighetti-Explorer

**RÍO DE ORO** (le) ~ Nom du Sahara occidental, sous protectorat espagnol, jusqu'en 1958.

**RÍO GALLEGOS** ~ Voir **Santa Cruz**.

**RIO GRANDE DO NORTE** (le) ~ État côtier du Nordeste brésilien ; 53 167 km², 2 414 000 h., cap. Natal. Coton, cult. irriguées, mines.

**RIO GRANDE DO SUL** (le) ~ État le plus méridional du Brésil, séparé de l'Argentine par le rio Uruguay, au climat tempéré ; 280 674 km², 9 128 000 h., cap. Pôrto Alegre. Élevage bovin et agriculture mécanisée (céréales, soja, fruits, vigne). Industr. diversifiée (biens intermédiaires).

**RIOJA (La)** ~ Communauté autonome d'Espagne, correspondant au bassin moyen de l'Èbre, au N.-O. de l'Aragon ; 5 045 km², 263 000 h., ch.-l. Logroño. Agriculture irriguée (cultures maraîchères). Viticulture (vins renommés).

**RIOM** ~ V. et centre industr. de la Grande Limagne (Puy-de-Dôme), au N. de Clermont-Ferrand ; 18 793 h. (agglom. 25 110 h.). Cour d'appel. Musée des Arts et Traditions populaires d'Auvergne. **HIST.** - Anc. capitale des ducs d'Auvergne. Le **procès de Riom** (févr.-avr. 1942) fut intenté par le gouvernement de Vichy contre les dirigeants de la III^e^ République, accusés d'être responsables de la guerre et de la défaite française de 1940. Tournant à la confusion, il fut suspendu, et les accusés furent livrés aux autorités allemandes.

**RÍO MUNI** (le) ~ Voir **Mbini**.

**RÍO NEGRO** ~ Voir **Viedma**.

**RIONI** ou **RION** (le) ~ Fl. de Géorgie issu du Grand Caucase et tributaire de la mer Noire, dont la vallée inférieure formait la Colchide de l'Antiquité ; 327 km. Bassin fertile.

**RIOPELLE** (Jean-Paul) ~ *1923, Montréal.* Peintre et sculpteur canadien. Fondateur du groupe Automatisme dans les années 1940, il a développé un style non figuratif, qui se rattache à l'abstraction lyrique.

**RIQUET** (Pierre Paul DE) ~ *1604, Béziers - 1680, Toulouse.* Ingénieur français. Il construisit le canal du Midi (1666-1681).

**RIQUEWIHR** ~ Commune viticole d'Alsace, au N.-O. de Colmar (Haut-Rhin) ; 1 075 h. Site protégé : maisons anciennes (XVI^e^-XVII^e^ s.), fortifications du XIII^e^ s. Musée d'Histoire de la poste.

**RISI** (Dino) ~ *1916, Milan.* Cinéaste italien. Moraliste ironique, il a tourné des comédies où se mêlent loufoquerie et étude de mœurs (*le Fanfaron*, 1962 ; *les Monstres*, 1963 ; *Parfum de femme*, 1974).

**RISLE** (la) ~ Riv. de Normandie, issue du Perche, qui rejoint la Seine (r. g.) à son estuaire ; 140 km.

**RIS-ORANGIS** ~ V. de la grande banlieue S. de Paris, sur la Seine (Essonne) ; 24 677 h.

**Risorgimento** (le), en fr. « renaissance » ~ Terme désignant le mouvement de renouveau culturel, apparu en Italie à la fin du XVIII^e^ s., porteur des revendications d'unité nationale et à l'origine de la formation du royaume d'Italie.

**RIST** (Charles) ~ *1874, Lausanne - 1955, Versailles.* Économiste français. Sous-gouverneur de la Banque de France, il fut partisan du libéralisme et de l'orthodoxie monétaire (*Essais sur quelques problèmes économiques et monétaires*, 1933).

**Rites chinois (querelle des)** ~ Débat qui divisa l'Église catholique à propos des missions d'Inde et de Chine aux XVII^e^ et XVIII^e^ s. Les Jésuites avaient consenti, pour faciliter les conversions, à l'adaptation de certaines liturgies chrétiennes aux coutumes locales, mais, en 1631, les Dominicains interpellèrent Rome. En 1742, le pape Benoît XIV condamna la méthode des Jésuites.

**RÍTSOS** (Ghiánnis) ~ *1909, Malvoisie, Laconie - 1990, Athènes.* Poète grec. Il conféra une dimension mythique aux luttes sociales et aux drames nationaux (*Oreste*, 1966 ; *Hélène*, 1972).

**RITTER** (Carl) ~ *1779, Quedlinburg, Prusse - 1859, Berlin.* Géographe allemand. Il fut l'un des pionniers de la géographie humaine.

**RIVAROL** (Antoine **Rivarol**, dit **le comte** DE) ~ *1753, Bagnols-sur-Cèze - 1801, Berlin.* Écrivain et journaliste français. Auteur du *Discours sur l'universalité de la langue française* (1784), il fut aussi un ardent défenseur de la monarchie.

**RIVAS** (Ángel **de Saavedra**, duc DE) ~ *1791, Cordoue - 1865, Madrid.* Écrivain et homme politique espagnol. Son drame *Don Álvaro ou la Force du destin* (1835) inspira Verdi.

**RIVE-DE-GIER** ~ V. industrielle (métall.) de la Loire, entre Saint-Étienne et Lyon, dans la vallée du **Gier** (44 km), qui sépare les monts du Lyonnais de ceux du Vivarais (Rhône) ; 15 623 h.

**RIVERA** (Diego) ~ *1886, Guanajuato - 1957, Mexico.* Peintre mexicain. Le plus fécond des muralistes mexicains, il développa une vision populaire et révolutionnaire de l'histoire nationale. [☞ **expressionnisme.**]

© J.-P. Courau-Explorer - D. R.

*Fresque de Diego **Rivera**.*
*Palais national, Mexico.*

**RIVERS** (William Halse Rivers) ~ *1864, Luton, Bedfordshire - 1922, Londres.* Ethnologue britannique. Il analysa en particulier les relations de parenté dans les tribus d'Océanie (*Histoire de la société mélanésienne*, 1914).

**RIVESALTES** ~ Commune viticole (vins liquoreux) de la plaine du Roussillon, sur l'Agly (Pyrénées-Orientales) ; 7 110 h.

**RIVET** (Paul) ~ *1876, Wassigny, Ardennes - 1958, Paris.* Ethnologue français. Fondateur du musée de l'Homme (1937), il est l'auteur d'ouvrages d'ethnologie et d'anthropologie (*les Origines de l'homme américain*, 1943).

**RIVET** (Pierre Louis) ~ *1883, Montalieu, Isère - 1958, Paris.* Général français. Il fut le chef des services de renseignements de l'armée à Paris (1936), à Vichy (1940), puis à Alger (1942-1944).

**RIVETTE** (Jacques) ~ *1928, Rouen.* Cinéaste français. Rédacteur en chef des *Cahiers du cinéma* (1963-1965), il a été l'auteur le plus marginal de la Nouvelle Vague, tournant des films-fleuves aux structures déroutantes (*Céline et Julie vont en bateau*, 1974 ; *la Bande des quatre*, 1989).

**RIVIERA** (la) ~ Côte touristique du golfe de Gênes (Italie), de la frontière française (Ponant) à La Spezia (Levant), et, par extension, littoral français de Nice à la frontière italienne (E. de la Côte d'Azur).

**RIVIÈRE** (Henri) ~ *1827, Paris - 1883, Hanoi.* Officier de marine français. Il s'empara de Hanoi en 1882, mais périt en défendant la ville.

**RIVOLI** ~ Bourg de Vénétie, sur l'Adige. Bonaparte y remporta une victoire sur les Autrichiens le 14 janvier 1797.

**RIXHEIM** ~ V. de la banlieue de Mulhouse (Haut-Rhin) ; 11 669 h. Musée du papier peint.

**RIYAD** ou **RIAD** ~ Cap. de l'Arabie Saoudite, au centre du pays, foyer hist. du Nedjd, au cœur d'une oasis ; env. 1 500 000 h. Urbanisme moderne.

**RIZAL** (José) ~ *1861, Calamba - 1896, Manille.* Écrivain et patriote philippin. Ses romans dénoncent la société coloniale (*N'y touchez pas !*, 1887). Devenu un symbole pour les révolutionnaires de 1896, il fut fusillé par les Espagnols. Le **Rizal Day** (30 nov.) commémore son exécution.

**ROANNE** ~ V. du N.-E. du Massif central (Loire), sur la Loire, au N. de la plaine du Forez, vieux centre text. en reconversion (constr. mécan., chimie) ; 41 756 h. (agglom. 77 160 h.).

**ROBBE-GRILLET** (Alain) ~ *1922, Brest.* Écrivain et cinéaste français. Théoricien du Nouveau Roman (*Pour un nouveau roman*, 1963), il a visé à l'objectivité absolue (*les Gommes*, 1953) et a cultivé une veine sadomasochiste dans ses écrits (*le Voyeur*, 1955 ; *Projet pour une révolution à New York*, 1970) comme à l'écran (*Trans-Europ-Express*, 1966 ; *Glissements progressifs du plaisir*, 1974).

**ROBBINS** (Jerome) ~ *1918, New York.* Danseur et chorégraphe américain. Directeur artistique du New York City Ballet, collaborateur de Balanchine et fondateur du Ballet U. S. A., il a ajouté à des chorégraphies classiques (*la Cage*, 1951 ; *Glass Pieces*, 1991) des comédies musicales, dont *West Side Story* (1957, portée à l'écran en 1961).

**ROBERT (Le)** ~ Port de pêche de la Martinique, sur la côte E. ; 17 746 h.

**ROBERT** (saint) ~ *m. v. 1067 à La Chaise-Dieu.* Moine français. Retiré près de Brioude (Haute-Loire) avec des disciples, il fonda le monastère bénédictin de La Chaise-Dieu (1043).

**ROBERT**, nom de deux rois des Francs. ~ **Robert Ier** (*v. 866 - 923, Soissons*), roi de 922 à 923, fils de Robert le Fort. Il fut élu roi par les princes hostiles à Charles III le Simple. ~ **Robert II le Pieux** (*v. 972, Orléans - 1031, Melun*), roi de 996 à 1031, fils d'Hugues Capet. Il fut excommunié pour avoir répudié sa femme Rozala (989) et épousé sa cousine Berthe de Blois (996). Il rattacha à la Couronne la Bourgogne, Melun et Dreux. Son fils Henri Ier lui succéda.

**ROBERT**, nom de deux ducs de Normandie. ~ **Robert Ier le Magnifique, dit le Diable** (*v. 1010 - 1035, Nicée*), duc de Normandie (1027-1035), père de Guillaume Ier le Conquérant. ~ **Robert II Courteheuse** (*v. 1054 - 1134, Cardiff*), duc de Normandie (1087-1106). Il refusa la couronne de Jérusalem, lors de la 1re croisade.

**ROBERT**, nom de plusieurs comtes d'Artois. ~ **Robert II le Noble** (*1250 - 1302, Courtrai*), comte d'Artois (1250-1302), neveu de Saint Louis. Il perdit la bataille de Courtrai contre les Flamands. ~ **Robert III** (*1287 - 1342*), comte d'Artois (1302-1309), petit-fils du précédent. Spolié de son comté par sa tante Mathilde, il tenta en vain de le récupérer, cherchant appui auprès de Philippe VI, puis du roi d'Angleterre.

**ROBERT** (Hubert) ~ *1733, Paris - 1808, id.* Peintre français. Célèbre pour ses vues de ruines antiques (*le Pont du Gard*, 1787), il fut aussi un observateur des évènements de son temps (*l'Incendie de l'Opéra*, 1781).

**ROBERT** (Paul) ~ *1910, Orléansville - 1980, Mougins.* Lexicographe et éditeur français. Il conçut et dirigea la rédaction du *Dictionnaire alphabétique et analogique de la langue française* (1964), puis celle du *Petit Robert* (1967).

**ROBERT BELLARMIN** (saint) ~ *1542, Montepulciano, Toscane - 1621, Rome.* Théologien et prélat italien. Jésuite, conseiller du pape Clément VIII, qui le nomma cardinal (1599), il fut l'un des plus farouches adversaires du protestantisme.

**ROBERT Ier BRUCE** ~ *1274, Turnberry - 1329, château de Cardross, Strathclyde.* Roi d'Écosse (1306-1329). Il battit Édouard II d'Angleterre à Bannockburn (1314).

**ROBERT D'ARBRISSEL** ~ *v. 1047, Arbrissel, Bretagne - 1117, Berry.* Moine d'orig. bretonne. Nommé prédicateur apostolique par Urbain II, il fonda l'abbaye de Fontevrault (1099).

**ROBERT DE COURÇON** ~ *v. 1160, Kedleston, Derbyshire - 1219, Damiette.* Théologien français d'orig. anglaise. Légat d'Innocent III, il prépara le 4e concile de Latran, la croisade contre les albigeois, et réorganisa l'université de Paris (1215).

**ROBERT GUISCARD** ~ *v. 1015 - 1085, Céphalonie.* Comte (1057-1059), puis duc de Pouille, de Calabre et de Sicile (1059-1085). Fils de Tancrède de Hauteville. Il repoussa les Byzantins hors d'Italie (1071) et prit la Sicile aux Sarrasins.

**ROBERT LE FORT** ~ *m. en 866 à Brissarthe, près d'Angers.* Comte d'Angers et de Tours, marquis de Neustrie. Père d'Eudes et de Robert Ier, il combattit les Normands.

**ROBERT LE SAGE** ~ *1278 - 1343, Naples.* Duc d'Anjou, comte de Provence et roi de Naples (1309-1343). Chef du parti guelfe, il défendit avec succès les papes Clément V et Jean XXII contre le Saint Empire. Il fut nommé vicaire impérial par Clément V.

**ROBERT-HOUDIN** (Jean Eugène) ~ *1805, Blois - 1871, Saint-Gervais-la-Forêt.* Prestidigitateur français. Créateur d'automates, il fonda à Paris le théâtre des Soirées-Fantastiques.

**Robertiens** (les) ~ Dynastie issue de Robert le Fort, dont les deux fils, Eudes et Robert Ier, ainsi que le gendre de ce dernier, Raoul de Bourgogne, furent rois des Francs.

**ROBERTS** (Frederick **Sleigh**, lord) ~ *1832, Cawnpore - 1914, Saint-Omer.* Maréchal britannique. Il combattit contre les Afghans (1879-1880) et les Boers (1899).

**ROBERTSON** (sir William Robert) ~ *1860, Welbourn, Lincolnshire - 1933, Londres.* Maréchal britannique. Chef de l'état-major impérial britannique de 1916 au début de 1918, il œuvra au soutien du front français.

**ROBERVAL** (Gilles **Personne** ou **Personnier** DE) ~ *1602, Roberval - 1675, Paris.* Mathématicien et physicien français. Il fonda la géométrie infinitésimale et énonça la règle de composition des forces. Il réalisa l'expérience décisive prouvant l'existence de la pression et de la pesanteur de l'air (1647). Il donna son nom à une balance à deux fléaux et plateaux libres (1670).

**ROBESPIERRE**, nom de deux hommes politiques français. ~ **Maximilien** DE (*1758, Arras - 1794, Paris*), avocat, fut élu aux états généraux en 1789. Président de la société des Jacobins dès mars 1790, il imposa peu à peu ses idées démocratiques. Dénonciateur inlassable des conspirations et des factions, brillant orateur, il s'opposa en 1792 aux Girondins sur la question de la guerre, et contribua à les éliminer en mai-juin 1793. Député de Paris à la Convention, entré au Comité de salut public le 27 juillet 1793, celui que l'on surnommait l'Incorruptible en fut l'inspirateur. Renforçant la politique de terreur (à laquelle il associait la vertu comme fondement du gouvernement révolutionnaire), il élimina tour à tour hébertistes et indulgents, parmi lesquels ses anciens amis G. Danton et C. Desmoulins (mars-avril 1794). Puis il tenta d'imposer le culte de l'Être suprême (fête du 8 juin) et fit décréter la Grande Terreur (10 juin). Inquiets, ses adversaires s'unirent pour le renverser le 9 thermidor. Se refusant à lancer les sans-culottes contre la Convention, il fut guillotiné le lendemain avec ses amis. Son frère ~ **Augustin** DE (*1763, Arras - 1794, Paris*) prit part au siège de Toulon (1793). Conventionnel, il fut guillotiné.

Maximilien de Robespierre,
*pastel attribué à Joseph Boze (1744-1826). Château de Versailles.* © Giraudon

**ROBIN DES BOIS**, en angl. ***Robin Hood*** ~ *v. 1160 - v. 1250.* Archer saxon proscrit par les Normands. Il incarne les temps héroïques de la constitution de la nation anglo-saxonne.

**ROBINSON** (Mary) ~ *1944, Ballina, comté de Tipperary.* Femme d'État irlandaise. Sénateur travailliste (1969-1989), elle a été élue en 1990 présidente de la République d'Irlande.

**ROBINSON** (sir Robert) ~ *1886, Bufford, près de Chesterfield - 1975, Great Missenden, près de Londres.* Chimiste britannique. Il étudia le rôle des électrons dans les réactions organiques. On lui doit la synthèse de la chlorophylle, d'hormones sexuelles et de la pénicilline. Prix Nobel de chim. 1947.

**ROBINSON** (Walker **Smith**, dit Ray Sugar) ~ *1920, Detroit - 1989, Los Angeles.* Boxeur américain. Il fut champion du monde des poids welters (1946) puis des poids moyens (1951, 1955, 1959).

**ROBOAM Ier** ~ *v. 931 - 913 av. J.-C.* Roi de Juda. Fils et successeur de Salomon, il ne put empêcher le schisme des dix tribus du N. et la partition de son royaume entre ceux d'Israël et de Juda.

**ROB ROY** (Robert **MacGregor Campbell**, dit **Robert le Rouge** ou) ~ *1671, Buchanan - 1734, Balquhidder.* Bandit écossais. Il fut emprisonné puis gracié (1727). Un roman de Walter Scott (1818) le rendit célèbre.

**ROCAMADOUR** ~ Village touristique du haut Quercy (Lot), site pittoresque (gorges) ; 627 h. Portes des anciens remparts, château fort (XIIIe-XIVe s.). Ancienne étape sur la route de Saint-Jacques-de-Compostelle, aujourd'hui célèbre pour son pèlerinage à la Vierge noire.

© G. Boutin-Explorer

*Rocamadour.*

**ROCARD** (Michel) ~ *1930, Courbevoie.* Homme politique français. Inspecteur des Finances, secrétaire général du P. S. U. en 1967, il rallia le P. S. en 1974. Ministre du Plan et de l'Aménagement du territoire puis de l'Agriculture (de 1981 à 1985), il a été Premier ministre (1988-1991). Il a rétabli la paix en Nouvelle-Calédonie et instauré le R. M. I. et la C. S. G. Il est député européen depuis 1994 et sénateur depuis 1995.

**ROCH** (saint) ~ *1295, Montpellier - v. 1330.* Il partit en Italie soigner les pestiférés. Atteint lui-même par la peste à Plaisance, il mourut dans les prisons françaises, accusé d'espionnage.

**ROCHA** (Glaúber) ~ *1938, Vitória da Conquista, Bahia - 1981, Rio de Janeiro.* Cinéaste brésilien. À l'origine du *Cinema nôvo* (mouvement contestataire de jeunes cinéastes brésiliens des années 1960), il mêla critique sociale et images baroques (*le Dieu noir et le Diable blond*, 1964).

**ROCHAMBEAU** (Jean-Baptiste Donatien de **Vimeur**, comte DE) ~ *1725, Vendôme - 1807, Thoré.* Maréchal de France. Commandant le corps expéditionnaire royal envoyé en Amérique lors de la guerre de l'Indépendance, il contribua à la prise de Yorktown (1781). Arrêté pendant la Terreur, il échappa à la guillotine.

**ROCHDALE** ~ V. d'Angleterre (Grand Manchester), en bordure des Pennines, centre industr. (coton) dès le XVIIIe s. ; 202 000 h. Industries text., métall., constr. électriques. Berceau du mouvement coopératif anglais (1844).

**ROCHEFORT** ~ V. du Marais charentais (Charente-Maritime), ancien port militaire créé par Colbert (1666) et fortifié par Vauban, auj. port de commerce sur la Charente (r. dr.) ; 25 561 h. Équipements automobile et aéronautique. Thermes. Édifices des XVIIe (corderie royale) et XVIIIe s. (hôpital de la Marine). Musées (Musée naval, musée des Beaux-Arts, maison de Pierre Loti).

**ROCHEFORT** (Henri, marquis de **Rochefort-Luçay**, dit Henri) ~ *1831, Paris - 1913, Aix-les-Bains.* Journaliste et homme politique français. Après avoir dénoncé le second Empire dans son journal *la Lanterne* (fondé en 1868), puis soutenu la Commune, il évolua vers un nationalisme intransigeant qui lui fit rejoindre Boulanger.

**ROCHELLE (La)** ~ Préfect. et important port atlantique de Charente-Maritime, face à l'île de Ré (pont), centre tertiaire (not. culturel) et industr. (constr. mécan., chimie) ; 71 094 h. (agglom. 100 264 h.). Pêche (flotte importante), plaisance (constr. navales). Export. (blé) et terminal pétr. à La Pallice (avant-port). Tours de l'enceinte médiévale, à l'entrée du vieux port, tour de la Grosse-Horloge (XIIIe s., remaniée), hôtels particuliers (XVIIIe s.). Musée des Beaux-Arts. Festivals de musique (Francofolies) et de cinéma. **HIST.** - Port favorisé par le commerce avec le Nouveau Monde et important foyer calviniste, la ville fut érigée en place forte protestante par l'édit de Nantes (1598). Alliée aux Anglais, elle fut prise par Richelieu au terme d'un siège de quinze mois (1627-1628).

**ROCHE-POSAY (La)** ~ Station thermale et anc. place forte du haut Poitou (Vienne) ; 1 444 h.

**ROCHESTER** ~ V. de l'État de New York (États-Unis), sur le canal Érié, au S. du lac Ontario, centre industr. (matériel photographique, optique) ; 232 000 h. Musée de la Photographie.

**ROCHE-SUR-YON (La)** ~ Préfect. de la Vendée, dans le Bocage vendéen, centre comm. récemment industrialisé ; 45 219 h. Ravagée durant les guerres de Vendée, elle fut reconstruite sous Napoléon Ier.

**ROCHET** (Waldeck) ~ *1905, Sainte-Croix, Saône-et-Loire - 1983, Nanterre.* Homme politique français. Il fut secrétaire général du Parti communiste français (1964-1972).

**ROCHEUSES (montagnes)** ~ Système montagneux de l'O. de l'Amérique du N., qui s'étire sur 4 800 km du N. du Canada au S. des États-Unis, haute barrière (4 400 m au mont Elbert, dans le Colorado) isolant les hauts plateaux occidentaux des Grandes Plaines, ligne de partage des eaux majeure du continent et limite climatique (aridité dominante à l'O.). Tourisme (parcs nationaux, dont celui de Yellowstone).

**ROCKEFELLER** (John Davidson) ~ *1839, Richford, État de New York - 1937, Ormond Beach, Floride.* Industriel américain. Il bâtit en 1865 un empire industriel fondé sur le pétrole, créant en 1870 la Standard Oil Company, dissoute en 1911. Il légua des fonds à nombre d'institutions, dont l'université de Chicago et la fondation Rockefeller.

**ROCROI** ~ Localité des Ardennes ; 2 552 h. Le 19 mai 1643, le duc d'Enghien (le futur Grand Condé) y infligea une défaite retentissante aux Espagnols.

**RODENBACH** (Georges) ~ *1855, Tournai - 1898, Paris.* Écrivain belge d'expression française. D'inspiration symboliste, ses poèmes (*les Vies encloses*, 1896) et ses romans (*Bruges-la-Morte*, 1892) exaltent l'atmosphère du pays flamand.

**RODÉRIC** ~ Voir **Rodrigue**.

**RODEZ** ~ Préfect. de l'Aveyron et anc. capitale du Rouergue, qui domine la vallée de l'Aveyron (anc. place forte) ; agglom. 39 017 h. Cathédrale (XIIIe-XVIe s.). Journées de poésie (prix Antonin-Artaud). **HIST.** - Comté rattaché à la Couronne en 1589. La ville fut, en 1817, le théâtre de l'assassinat de Fualdès, célèbre affaire criminelle du XIXe s.

**RODIN** (Auguste) ~ *1840, Paris - 1917, Meudon.* Sculpteur français. D'un tempérament lyrique, inassimilable à un courant défini, il conjugua harmonie des masses, mouvement et force expressive (*les Bourgeois de Calais*, 1884 ; *la Porte de l'Enfer*, 1885 ; *Balzac*, 1897 ; *le Penseur*, 1904).

**RODOGUNE** ~ *IIe s. av. J.-C.* Princesse parthe. En 140 av. J.-C., elle épousa Démétrios II de Syrie, prisonnier de son père, Mithridate Ier. Mais Cléopâtre Théa, première femme de Démétrios, le fit assassiner.

**RODOLPHE (lac)** ~ Voir **Turkana**.

**RODOLPHE** ~ Voir **Raoul**.

**RODOLPHE**, nom porté par trois marquis ou ducs qui devinrent rois de Bourgogne entre 888 et 1032. ~ **Rodolphe Ier** (*m. en 912*), roi de 888 à 912, fit reconnaître l'indépendance de la Suisse occidentale par Arnoul, roi de Germanie. Son fils ~ **Rodolphe II** (*m. en 937*), roi de Bourgogne (912-937) et d'Italie (924-926), réunit la Provence à la Bourgogne. ~ **Rodolphe III** (*m. en 1032*), roi de 993 à 1032, petit-fils du précédent. Il légua son royaume à Conrad II le Salique en 1032.

**RODOLPHE DE HABSBOURG**, nom de deux empereurs germaniques. ~ **Rodolphe Ier** (*1218, Limburg an der Lahn, Hesse - 1291, Spire*), empereur germanique (1273-1291). Héritier du landgraviat de Haute-Alsace, il réussit à fonder la puissance des Habsbourg en luttant contre Otakar, roi de Bohême, et en octroyant à ses fils l'Autriche, la Styrie et la Carniole. Son élection comme empereur germanique mit fin au Grand Interrègne mais il échoua à restaurer l'autorité impériale. ~ **Rodolphe II** (*1552, Vienne - 1612, Prague*), archiduc d'Autriche, empereur germanique (1576-1611), roi de Hongrie (1572-1608) et de Bohême (1575-1611). Partisan de la Contre-Réforme, protecteur des sciences et des arts, il installa sa capitale à Prague. Il fut écarté du trône par son frère Mathias (23 mai 1611).

**RODOLPHE DE HABSBOURG** ~ *1858, Laxenburg, près de Vienne - 1889, Mayerling.* Archiduc d'Autriche. Fils unique de François-Joseph Ier, il se suicida avec sa maîtresse Marie Vetsera dans des conditions restées mystérieuses.

**RODRIGUE** ou **RODÉRIC** ~ Dernier roi wisigoth d'Espagne (710-711). Il fut tué par les Arabes.

**RODTCHENKO** (Aleksandr) ~ *1891, Saint-Pétersbourg - 1956, Moscou.* Peintre, sculpteur, photographe et designer russe. Représentant constructiviste de l'avant-garde soviétique des années 1920, il mit son art au service du régime.

**ROENTGEN** ~ Famille d'ébénistes allemands, dont **David** (*1743, Herrnhaag, près de Francfort - 1807, Wiesbaden*). Fournisseur de Frédéric II le Grand, de Catherine II et de Marie-Antoinette, il créa des meubles à secret ornés de marqueteries.

**ROESELARE**, en fr. **Roulers** ~ V. de Belgique (Flandre-Occidentale), au S. de Bruges, vieux centre text. (lin) ; 53 000 h. Marché de fruits et légumes. Monuments des XVe et XVIe s.

**ROGER**, nom de deux comtes de Sicile. ~ **Roger Ier** (*1031, Normandie - 1101, Mileto, Calabre*), comte de Sicile (1062-1101). Il prit la Calabre (1061) et la Sicile (1091) aux Arabes avec l'aide de son frère, Robert Guiscard. ~ **Roger II** (*v. 1095 - 1154, Palerme*), comte (1101-1130) et premier roi de Sicile (1130-1154), fils du précédent. Son règne correspondit à une période de prospérité pour le royaume.

**ROGERS** (Carl Ransom) ~ *1902, Oak Park, Illinois - 1987, La Jolla, Californie.* Psychologue américain. Il mit au point une méthode non directive de psychothérapie (*Traitement clinique de l'enfant à problèmes*, 1939).

**ROGERS** (Virginia Katherine **McMath**, dite Ginger) ~ *1911, Independence, Missouri - 1995, Los Angeles.* Actrice, danseuse et chanteuse américaine. Elle forma à Hollywood un duo de légende avec Fred Astaire (*la Fille de l'amiral*, 1930 ; *42e rue*, de Lloyd Bacon, 1933 ; *la Joyeuse Divorcée*, de Mark Sandrich, 1934).

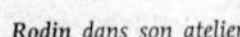

*Rodin dans son atelier.*

© Coll. Lausat-Explorer

**ROGIER** (Charles **Latour**) ~ *1800, Saint-Quentin - 1885, Bruxelles.* Homme politique belge. À la tête du gouvernement de 1847 à 1852 et de 1857 à 1868, il poursuivit une politique libre-échangiste.

**ROHAN (plateau de)** ~ Région agric. (céréales, élev.) de la Bretagne intérieure, entre les landes du Mené et de Lanvaux, à l'E. de Pontivy.

**ROHAN** (Henri, duc DE) ~ *1579, Blain, Bretagne - 1638, Königsfelden.* Général français. Chef protestant, il tint Louis XIII en échec devant Montpellier (1622), le contraignant à renouveler l'édit de Nantes. Vaincu à Privas, il accepta la paix d'Alès (1629), qui privait les huguenots de leurs privilèges.

**ROHAN** (Louis René Édouard, prince DE), dit **le cardinal de Rohan** ~ *1734, Paris - 1803, Ettenheim, Bade.* Cardinal (1778) et grand aumônier de France (1777), évêque de Strasbourg (1779). Il fut compromis dans l'affaire du Collier de la reine (1785-1786) et exilé. Acad.

**Rohan (hôtel de)** ~ Édifice parisien bâti par Delamain (1705-1708) dans le quartier du Marais, associé au palais Soubise. Il est occupé depuis 1927 par les Archives nationales.

**RÓHEIM** (Géza) ~ *1891, Budapest - 1953, New York.* Anthropologue et psychanalyste américain d'orig. hongroise. Il chercha notamment à démontrer le caractère universel du complexe d'Œdipe par l'étude des sociétés mélanésiennes (*Psychanalyse et Anthropologie*, 1950).

**RÖHM** (Ernst) ~ *1887, Munich - 1934, id.* Homme politique allemand. Chef des S. A. nazies, qu'il avait créées en 1921, il fut assassiné par les S. S., sur ordre de Hitler, pendant la Nuit des longs couteaux (30 juin 1934).

**ROHMER** (Maurice **Schérer**, dit Éric) ~ *1920, Tulle.* Cinéaste français. Rédacteur en chef des *Cahiers du cinéma* (1957-1963), il a réalisé plusieurs cycles de films, variations sur les mœurs de ses contemporains (série des « Contes moraux », dont *Ma Nuit chez Maud*, 1969 ; série des « Contes des quatre saisons », dont *Conte de printemps*, 1990).

**Rois (Vallée des)** ~ Site archéol. de Haute-Égypte, sur la rive gauche du Nil. Nécropole des pharaons du Nouvel Empire (XVIe-XIe s. av. J.-C.).

**ROISSY-EN-BRIE** ~ V. de la grande banlieue S.-E. de Paris (Seine-et-Marne) ; 18 688 h.

**ROISSY-EN-FRANCE** ~ Commune du Val-d'Oise (2 054 h.), au N. de Paris, site de l'aéroport Charles-de-Gaulle, ouvert en 1974, le plus important de France (29 millions de passagers en 1994).

**ROJAS** (Fernando DE) ~ *v. 1465, Puebla de Montalbán - 1541, Talavera de la Reina.* Écrivain espagnol. On lui attribue *la Célestine* (1499), roman dialogué d'un grand réalisme, porté à la scène au XXe siècle.

**ROJAS Y ZORRILLA** (Francisco DE) ~ *1607, Tolède - 1648, Madrid.* Auteur dramatique espagnol. Ses comédies et ses drames (*Hormis le roi, personne*) inspirèrent Scarron, Rotrou et Thomas Corneille.

**ROKOSSOVSKI** (Konstantin Konstantinovitch) ~ *1896, Velikie Louki, près de Poltava - 1968, Moscou.* Maréchal soviétique. Vainqueur des Allemands en Prusse-Orientale (1945), il fut ministre de la Défense de Pologne de 1949 à 1956. Chassé par Gomułka, il rentra en U. R. S. S., où il retrouva des fonctions officielles (vice-ministre de la Défense, 1958-1962).

**ROLAND** ~ *m. en 778, Roncevaux.* Paladin franc. Préfet des marches de Bretagne, il commandait l'arrière-garde de l'armée de Charlemagne quand il fut tué. La légende en fit le neveu de l'empereur et un symbole de bravoure chrétienne glorifié par *la Chanson de Roland* (v. 1100) et par l'Arioste (*Roland furieux*).

**ROLAND** (Marie Désirée Pauline, dite Pauline) ~ *1805, Falaise - 1852, Lyon.* Femme politique française. Militante républicaine et socialiste, elle épousa les thèses saint-simoniennes et revendiqua l'émancipation de la femme et l'instruction pour tous. Opposée à l'empire, elle fut déportée en Algérie puis graciée.

**ROLAND DE LA PLATIÈRE**, nom d'un couple de révolutionnaires français. ~ **Jean-Marie** (*1734, Thizy, Rhône - 1793, Bourg-Beaudouin, Eure*), girondin, fut ministre de l'Intérieur en mars 1792.

Après le 10 août, il fit partie du Comité exécutif, mais, s'étant prononcé contre la mort du roi, il dut démissionner le 22 janv. 1793. Proscrit après le 2 juin 1793, il se suicida en apprenant l'exécution de son épouse. ~ **Jeanne Marie** ou **Manon Phlipon** (*1754, Paris - 1793, id.*), surnommée Madame Roland, adhéra très tôt aux idées révolutionnaires et fut l'égérie des Girondins. Arrêtée dès le 1er juin 1793, elle fut guillotinée le 8 novembre. Elle rédigea ses *Mémoires* en prison.

**ROLIN** (Nicolas) ~ *1376, Autun - 1462, id.* Homme politique bourguignon. Chancelier de Bourgogne, il fit ériger l'hôtel-Dieu de Beaune, et commanda à Van Eyck la *Vierge d'Autun* (1435).

**ROLLAND** (Eugène) ~ *1812, Metz - 1885, Paris.* Ingénieur français. Il élabora la théorie des régulateurs isochrones.

**ROLLAND** (Romain) ~ *1866, Clamecy - 1944, Vézelay.* Écrivain français. Le culte des héros du progrès humain (*Vie de Beethoven*, 1903 ; *Vie de Tolstoï*, 1911) et une philosophie généreuse, nourrie d'idéalisme, de mystique panthéiste et de pacifisme, ont trouvé leur expression dans ses cycles romanesques (*Jean-Christophe*, 1904-1912 ; *l'Âme enchantée*, 1922-1934). Prix Nobel de litt. 1915.

**ROLLE** (Michel) ~ *1652, Ambert - 1719, Paris.* Mathématicien français. Il fut l'auteur de la méthode des cascades, qui permet de séparer les racines des équations algébriques, ainsi que du théorème qui l'énonce et qui porte son nom.

**ROLLING STONES** (les) ~ Groupe de rock britannique créé en 1962, composé du chanteur Mick Jagger, de Keith Richard, de Brian Jones (remplacé à sa mort par Mick Taylor jusqu'en 1974), de Bill Wyman jusqu'en 1993, de Ron Wood depuis 1974, et de Charlie Watts. Groupe rival des Beatles dans les années 1960 par sa popularité, il incarne une tendance plus dure du rock.

**ROLLON** ~ *m. v. 927.* Chef scandinave, 1er duc de Normandie (911-927), laquelle lui fut cédée par Charles III (traité de Saint-Clair-sur-Epte, 911).

**ROMAGNE** (la) ~ Anc. province d'Italie (cap. Ravenne), sur l'Adriatique. Remise par Pépin le Bref à la papauté (756), sous influence française entre 1796 et 1814, elle réintégra ensuite les États de l'Église. Agitée par des révoltes contre sa puissance tutélaire, elle fut réunie à l'Émilie (1859) et rattachée au Piémont (1860).

**ROMAIN**, nom de plusieurs empereurs byzantins. ~ **Romain Ier Lécapène** (*m. en 944*), empereur de 920 à 944. Après avoir évincé Constantin VII, il limita la puissance des grands propriétaires et lutta victorieusement contre les Bulgares et les Russes. Il fut renversé par ses fils. ~ **Romain II le Jeune** (*939 - 963*), empereur de 959 à 963, fils de Constantin VII. Il laissa gouverner sa femme Théophano et fut empoisonné, peut-être par cette dernière. ~ **Romain III Argyre** (*v. 968 - 1034*), empereur de 1028 à 1034. Il épousa la fille de Constantin VIII, Zoé, qui le fit assassiner. ~ **Romain IV Diogène** (*m. en 1072*), empereur de 1068 à 1071. Il fut renversé et emprisonné par Michel VII, le fils de son épouse.

**ROMAIN** (Giulio **Pippi**, dit Giulio **Romano**, en fr. Jules) ~ *1499, Rome - 1546, Mantoue.* Peintre et architecte italien. Disciple et successeur de Raphaël au Vatican, il donna toute la mesure de son génie maniériste à Mantoue, où il construisit et décora le palais du Te (1525-1534).

**romaine (Question)** ~ Crise qui opposa la papauté à l'Italie en formation. Le mouvement en faveur de l'unité du pays menaçait en effet directement le pouvoir temporel du pape sur Rome. La proclamation de la République romaine (1849) déclencha l'intervention des troupes françaises, qui demeurèrent dans la ville jusqu'en 1870. La chute du second Empire permit l'intégration de Rome au royaume d'Italie, malgré l'opposition du pape. Les accords du Latran (1929) marquèrent la fin de ce conflit.

**romaine (République)**, nom porté par deux régimes politiques. ~ La **1[re] République** fut fondée par les Jacobins italiens, aidés des agents du Directoire, à la place des États pontificaux (15 févr. 1798). Elle fut abolie par les Napolitains le 29 sept. 1799. ~ La **2[e] République**, instaurée à Rome par G. Mazzini (9 févr. 1849), fut renversée par le corps expéditionnaire français d'Oudinot le 4 juill. 1849.

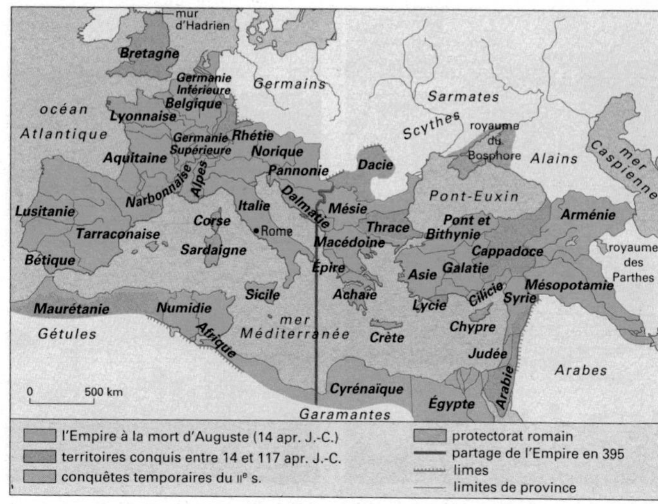


*L'expansion de Rome, de la mort d'Auguste au partage de l'Empire.*

**ROMAINS** (Louis **Farigoule**, dit Jules) ~ *1885, Saint-Julien-Chapteuil - 1972, Paris.* Écrivain français. Humoriste féroce (*Knock*, 1923), il illustra ses conceptions « unanimistes » dans *les Hommes de bonne volonté* (1932-1947), vaste tableau romanesque de la France entre 1908 et 1933. Acad.

**ROMAINVILLE** ~ V. de la banlieue N.-E. de Paris (Seine-Saint-Denis) ; 23 563 h. Industrie pharmaceutique.

**ROMANCHE** (la) ~ Riv. des Alpes du Nord, issue du massif du Pelvoux, qui draine l'Oisans et rejoint le Drac en amont de Grenoble ; 78 km. Vallée industrielle (hydroélectricité).

**Romanches** (les) ~ Groupe linguistique de Suisse, parlant le romanche.

**ROMANDIE** (la) ~ Partie occidentale et francophone (romande) de la Suisse.

**ROMANÈCHE-THORINS** ~ Bourg viticole du Beaujolais (Saône-et-Loire), au S. de Mâcon ; 1 710 h. Crus réputés (moulin-à-vent).

**ROMANIA** (la) ~ Ensemble des pays de culture romaine issus du démembrement de l'Empire romain en opposition à la Gothie des Barbares.

**ROMANOS LE MÉLODE** ~ Voir **Rhômanos**.

**ROMANOV** ~ Dynastie qui régna sur la Russie de 1613 à 1917. Fondée par Michel Ier, elle se continua avec les Holstein-Gottorp-Romanov à partir de Pierre III (1762), petit-fils de Pierre Ier par sa mère. Nicolas II (1894-1917) fut son dernier représentant.

**ROMANS-SUR-ISÈRE** ~ V. du bas Dauphiné (Drôme), sur l'Isère (r. dr.) ; 32 734 h. (agglom. 49 212 h.). Industrie du cuir (chaussures, maroquinerie). Collégiale St-Barnard (XIIe-XIV[e] s.).

**ROME**, en ital. *Roma* ~ Cap. de l'Italie, sur le Tibre, métropole religieuse (cité-État du Vatican), cap. régionale du Latium (centre du pays) formant une agglom. autour du site de la Rome antique (les sept collines) ; 2 688 000 h. Centre politique et administratif, siège de la F. A. O., la ville s'étend not. en direction de Tivoli (EUR, quartier des ministères et de bureaux, construit à partir de 1938). Le secteur des services prime sur celui de l'industrie (produits manufact., électron., constr. mécan., chim.). 1er centre universitaire (Sapienza), culturel (édition, cinéma à Cinecittà) et touristique du pays. Ville d'art où l'architecture est omniprésente, signe de son statut de capitale du monde antique puis de sa fonction religieuse sous l'ère chrétienne. Les monuments de l'Antiquité sont dans l'enceinte du mur d'Aurélien : le Forum, entre le Capitole et le Palatin, qui contient les vestiges de l'époque républicaine (temples de Castor et Pollux, de Saturne, de Vénus, Vesta Regia, forum César, basiliques Æmilia, Julia, de Maxence), les forums impériaux (Auguste, Trajan, colonne Trajane), le Panthéon, le Colisée, les catacombes (via Appia), les arcs de Titus, de Constantin, les thermes de Dioclétien et de Caracalla, le théâtre de Marcellus, les mausolées d'Auguste, d'Hadrien. La Rome chrétienne (IVe-XIX[e] s.), dont la Renaissance marque l'apogée, vit la construction de 367 églises : Ste-Pudentienne (395), avec l'une des plus anciennes absides, décorée de mosaïques ; les églises d'origine paléochrétienne (St-Paul-hors-les-Murs, IVe s., reconstruite au XIXe s. ; St-Étienne-le-Rond, Ve s., remaniée au XVe s. ; Ste-Marie-Majeure, IVe-V[e] s., restaurée au XIIe s. ; St-Laurent-hors-les-Murs, IVe s., remaniée au XIIe s. ; Ste-Marie-du-Transtévère, XIIe-XIII[e] s.). Basilique St-Pierre, chapelle Sixtine (Vatican), chapelle de Chigi dans l'église Ste-Marie-du-Peuple. Les œuvres de Borromini ornent la cathédrale St-Jean-de-Latran, les églises St-Yves-de-la-Sapience et St-Charles-aux-Quatre-Fontaines, le château Saint-Ange. Enfin, aux XVIIe et XVIIIe s. furent érigés les palais de Venise, Chigi, Farnèse, Quirinal (résidence du président de la République), Barberini (fresques de Pierre de Cortone), les villas Médicis, Borghèse, la fontaine de Trevi (Niccoló Salvi) et la place d'Espagne (le Bernin). Nombreux musées : du Vatican, du Capitole, des Thermes, galeries Borghèse (peintures, sculptures), Barberini, galerie nationale d'Art moderne, villa Giulia (art étrusque). **HIST.** - Fondée au VIIIe s. av. J.-C., cité-État sous la République (509-27 av. J.-C.), Rome devint la capitale de l'Empire romain et comptait, au IIe s. apr. J.-C., près de 1 000 000 d'h. Protégée au IIIe s. par le mur d'Aurélien (18,8 km), elle déclina après 324, quand Constantin fonda sur le Bosphore une seconde capitale. Rome perdit son titre de capitale au profit de Ravenne (402). Mise à sac par Alaric (410), Geiséric (455), Ricimer (472), Totila (546), la ville se vida de ses habitants. À partir du XVe s., les papes la relevèrent pour en faire la capitale de la chrétienté. Aux XVe et XVIe s., la Renaissance italienne est aussi celle de Rome, enrichie par les impôts prélevés sur les bénéfices ecclésiastiques, et qui compte alors 150 000 h. Occupée par les Français sous l'Empire, puis par les soldats de Napoléon III qui protégèrent le pape, elle s'érigea, en 1870, en capitale de l'Italie unifiée et connut un nouvel essor.

**ROME**, en lat. *Roma* ~ État antique formé autour de la ville du même nom. *La Rome royale* : fondée par Romulus en 753 av. J.-C. d'après la légende, Rome aurait été gouvernée par deux rois sabins

1

© Art Seitz-Gamma

© Grandadam-Explorer

2

3

© A. Nusca-Gamma

4

© A. Benainous-Gamma

MONUMENTS DE **ROME**

1. *Le Colisée (524 m de périmètre ; Ier s. apr. J.-C.). Très endommagé au Moyen Âge, il fut rénové par le pape Benoît XIV et ses successeurs.*

2. *Le Forum romanum, au cœur de la zone archéologique de Rome. À droite, les colonnes du temple de Saturne (Ve s. av. J.-C.).*

3. *La fontaine de Trevi (1732-1762 ; détail), œuvre de l'architecte italien Niccolò Salvi (1697-1751). Au centre, la statue de Neptune.*

4. *La villa Médicis, édifiée v. 1560. Achetée par Bonaparte en 1801, elle abrite auj. l'Académie de France à Rome, fondée par Louis XIV en 1666.*

et un roi latin de 715 à 616 (Numa Pompilius, Tullus Hostilius, Ancus Martius), puis par trois rois étrusques de 616 à 509 (Tarquin l'Ancien, Servius Tullius, Tarquin le Superbe). Durant cette période, les Romains subissent des influences étrusque (religion, armée) et grecque (alphabet). Rome s'affirme dans le Latium. *La République (509-27 av. J.-C.)* : en 509, la république est proclamée. Organisés en *gentes* (ou groupements de grandes familles), les patriciens gouvernent seuls la cité, puis partagent la questure (409) et le consulat avec les plébéiens (lois liciniennes, 367). Jusqu'en 272 (prise de Tarente), Rome étend son emprise sur l'Italie. Entre 264 et 146, elle combat et détruit Carthage (guerres puniques) ; en Orient, en 146, la Grèce et la Macédoine deviennent provinces romaines. De 133 à 51, Rome conquiert l'Asie Mineure, l'Espagne, la Judée, la Syrie et la Gaule. Les Gracques échouent dans leur réforme agraire (133-121). Rome réprime ses alliés (guerre sociale, 91-88) et est secouée de guerres civiles, entre partisans de Marius et de Sylla (88-82), entre Pompée et César (49-48), puis, après l'assassinat de César en 44, entre césaricides (Brutus et Cassius) et césariens (Octave et Antoine) ; ceux-ci, après l'avoir emporté à Philippes en 42, se combattent lors de la bataille d'Actium (32-31). Vainqueur, Octave reçoit du sénat le nom d'Auguste en 27 et instaure le Principat. *L'Empire romain (27 av. J.-C.-476 apr. J.-C.)* : établi par Auguste, l'Empire a un fondement militaire (un *imperator* est un général en chef). Sous les Julio-Claudiens (d'Auguste à Néron), jusqu'en 68, l'Empire s'organise ; de 69 à 96, sous les Flaviens, les provinciaux accèdent au pouvoir ; de 96 à 192, sous les Antonins, l'Empire connaît la paix intérieure et la prospérité. De 193 à 235, les Sévères restreignent les pouvoirs du Sénat et renforcent le poids de l'armée ; en 212, l'édit de Caracalla donne le droit de cité romaine à tous les hommes libres de l'Empire. À ce Haut-Empire succède le Bas-Empire. De 235 à 284, l'Empire subit de fortes pressions barbares et sombre dans l'anarchie militaire, puis se voit réorganisé et renforcé par Dioclétien, qui établit le régime de la tétrarchie (293). Longtemps persécutés, les chrétiens acquièrent sous Constantin Ier le droit de pratiquer leur religion (édit de Milan, 313), puis, sous Théodose Ier, le christianisme devient religion d'État (édit de Thessalonique, 380). En 395, à la mort de Théodose, l'Empire est définitivement scindé en deux parties, partagé entre ses fils Arcadius siégeant à Constantinople (empire d'Orient) et Honorius à Ravenne (empire d'Occident). Le Ve s. est fatal à l'Empire en Occident : Rome est mise à sac par Alaric (410) ; Romulus Augustule est déposé par Odoacre (476). En Orient, l'Empire byzantin perdurera jusqu'à son effondrement face aux Turcs Ottomans, en 1453. *La civilisation romaine* : influencée par des apports étrusques et grecs, la civilisation romaine est marquée par un art qui obéit aux besoins politiques, mais pas exclusivement : les 66 temples édifiés entre 345 et 190 av. J.-C. à Rome illustrent la succession des victoires militaires et les rivalités entre généraux victorieux ; après la formation d'une nouvelle aristocratie patricio-plébéienne due au règlement licinio-sextien de 367, et grâce à l'exploitation des territoires soumis, une demande privée existe aussi, qui s'exprime dans des productions architecturales, artistiques et artisanales, avec le souci de pérenniser le souvenir des grands hommes, notamment par des images sculptées (la *statue Barberini*, du Ier s. av. J.-C., montre un patricien portant les bustes de deux ascendants) ou encore par la peinture (d'après Pline l'Ancien). À partir du IIe s. av. J.-C., l'art et la littérature se développent dans un rapport de confrontation et d'imitation avec l'art grec classique et hellénistique, découvert notamment après la prise de Syracuse (212 av. J.-C.) et après le triomphe de Paul Émile, vainqueur à Pydna (168 av. J.-C.). À l'imitation succède l'émulation, et, à partir d'Auguste, l'art est mis au service du pouvoir : Mécène encourage les artistes dont les œuvres vantent le retour à un ordre apollinien et Virgile écrit l'épopée de référence de l'histoire romaine, l'*Énéide* (29-19 av. J.-C.) ; de nombreux temples consacrés au culte impérial sont élevés : celui d'Ancyre (Ankara) a conservé le texte des *Res gestae*, rapport par Auguste de ses propres réalisations. Les villes sont reliées entre elles par un réseau routier élaboré ; construites ex nihilo, elles suivent un plan orthogonal issu d'un modèle militaire et centré sur un forum bordé d'une basilique, où l'on peut se réunir par mauvais temps (Timgad) ; parfois très bien conservées (Pompéi, Herculanum), les cités présentent des monuments analogues : temples de la triade capitoline dédiés à Jupiter, Junon, Minerve (Sufetula, en Tunisie actuelle) ; amphithéâtres (Rome) ; théâtres (Orange) ; odéons (Athènes) ; thermes (Lutèce), alimentés par des aqueducs ; ainsi s'exprime l'unification voulue des modes de vie ; la diffusion du droit romain contribue aussi à la cohérence de l'Empire. Dès le IIIe s., la civilisation romaine influence les « barbares » que l'Empire parvient en partie à assimiler, même après 395. Rome trouve ainsi une continuation qui dépasse sa chute et qui s'incarne par exemple en Théodoric le Grand, ou qui se manifeste dans l'adoption, par les barbares, d'un droit inspiré du modèle romain.

**Rome (club de)** ~ Association internationale réunissant depuis 1968 des économistes et des scientifiques afin d'étudier les problèmes du développement mondial. Il a pris position en faveur d'une réduction de la croissance économique.

**Rome (concours de)** ~ Concours institué en 1664 (supprimé en 1968) et ouvert aux jeunes artistes français, il offrait aux lauréats (premiers grands prix) des différentes disciplines une pension de trois ans à l'Académie de France à Rome (à la villa Médicis depuis 1803).

**Rome (roi de)** ~ Voir **Napoléon II**.

**Rome (sac de)** ~ Pillage de Rome par les troupes de Charles Quint (mai 1527). Il fut provoqué par la prise de position du pape Clément VII contre l'empereur.

**Rome (traité de)** ~ Traité instituant la C. E. E. signé le 25 mars 1957 par la R. F. A., la Belgique, la France, l'Italie, le Luxembourg et les Pays-Bas.

**ROMÉ DE L'ISLE** (Jean-Baptiste) ~ *1736, Gray - 1790, Paris.* Minéralogiste français. Pionnier de la cristallographie, il découvrit la loi de constance des angles dièdres des cristaux de même espèce ainsi que la périodicité des troncatures (*Essai de cristallographie*, posth., 1792).

**RØMER** (Olaüs) ~ *1644, Århus - 1710, Copenhague.* Astronome danois. Il établit la première évaluation de la vitesse de la lumière à l'Observatoire de Paris en observant les satellites de Jupiter (1676). Il inventa la première lunette méridienne (1689), instrument de mesure du passage des étoiles, et la **roue de Rømer**, qui reproduit le mouvement des planètes autour du Soleil.

**ROMILLY** (Jacqueline DE) ~ *1913, Chartres.* Universitaire française. Spécialiste de Thucydide et d'Euripide, elle défend l'intérêt des humanités dans une civilisation technicienne. Professeur au Collège de France (1973-1984), elle a publié un *Précis de littérature grecque* (1976). Acad.

**ROMILLY-SUR-SEINE** ~ V. de la Champagne crayeuse (Aube), près du confluent de la Seine et de l'Aube ; agglom. 17 791 h. Industries mécanique, textile, ateliers S. N. C. F.

**ROMMEL** (Erwin) ~ *1891, Heidenheim, Wurtemberg - 1944, Herrlingen, près d'Ulm.* Maréchal allemand. Auréolé des succès obtenus en France (1940) puis en Afrique du Nord (malgré son échec à El-Alamein, en 1942), il reçut le commandement des armées défendant la côte atlantique au nord de la Loire (1944). Compromis dans le complot du 20 juill. 1944 contre Hitler, il fut contraint au suicide.

**ROMORANTIN-LANTHENAY** ~ V. de Sologne (Loir-et-Cher), sur la Sauldre ; 17 865 h. Constructions automobiles. Vestiges d'un château royal (XVe s.). François II y promulgua un édit de tolérance en 1560 (**édit de Romorantin**), qui restreignait les pouvoirs de l'Inquisition en France.

**ROMUALD** (saint) ~ *v. 950, Ravenne - 1027, Camaldoli, Toscane.* Moine italien. Il fonda des communautés monastiques (Camaldules, 1012).

**ROMULUS** ~ Fondateur légendaire et premier roi de Rome (753-715 av. J.-C.). Fils de Rhéa Silvia et de Mars, il fut élevé, selon la légende, par une louve avec son frère jumeau Rémus, qu'il tua pour le punir d'avoir franchi la limite de la future cité. Il régna sur les Sabins et les Romains. Il fut divinisé sous le nom de Quirinus.

**ROMULUS AUGUSTULE** ~ *né v. 461.* Dernier empereur romain d'Occident (475-476). Il fut déposé par Odoacre.

**RONCEVAUX** ~ Col pyrénéen (Navarre). Le 15 août 778, une arrière-garde de l'armée de Charlemagne, commandée par Roland, y fut anéantie par les Vascons. Cet épisode est à l'origine de *la Chanson de Roland.*

**RONCHAMP** ~ V. de la bordure S.-O. des Vosges (Haute-Saône) ; 3 088 h. Chapelle Notre-Dame-du-Très-Haut, due à Le Corbusier (1950-1955).

**RONCHIN** ~ V. du S. de l'agglom. de Lille (Nord) ; 17 937 h. Métallurgie.

**RONDA** ~ V. d'Andalousie (Espagne, prov. de Málaga), fondée par les Romains, dans une région montagneuse ; env. 35 000 h. Ancienne mosquée transformée en cathédrale. Vieille ville (remparts mauresques). Arènes du XVIIIe s.

**RONDÔNIA** (le) ~ État pionnier de l'O. du Brésil, aux confins des plateaux du Mato Grosso et de la forêt amazonienne, créé en 1982 ; 238 379 km², 1 130 000 h. (doublement en dix ans), cap. Pôrto Velho. Exploit. forestière, plantations (café, cacao), mines (étain, or).

**RONIS** (Willy) ~ *1910, Paris.* Photographe français. Délaissant le studio paternel, il devint photographe illustrateur indépendant, travailla pour *Life, l'Illustration*, publia *Belleville - Ménilmontant* (1954). Il est membre de l'agence Rapho.

**RONSARD** (Pierre DE) ~ *1524, château de la Possonnière, près de Vendôme - 1585, prieuré de Saint-Cosme-en-l'Isle, près de Tours.* Poète français. Fondateur du groupe de la Pléiade, il rénova la poésie française en s'inspirant des classiques (Horace) et de Pétrarque. Loin de se borner à l'imitation (*Odes*, 1550-1552), le « Prince des poètes » révéla une riche sensibilité, mêlant un hédonisme parfois gaillard à une acceptation chrétienne du destin humain (*Amours*, 1552-1555 ; *Sonnets pour Hélène*, 1578). Attaché à la cause royale et catholique (*Hymnes*, 1555-1556), il laissa cependant inachevée sa grande épopée nationale, *la Franciade* (1572).

**RÖNTGEN** (Wilhelm Conrad) ~ *1845, Lennep, Rhénanie - 1923, Munich.* Physicien allemand. Il découvrit et étudia les rayons X, ouvrant la voie à la radiologie et à la découverte de la radioactivité (1895). Il a donné son nom à l'unité d'exposition aux rayonnements. Prix Nobel de phys. 1901.

**ROON** (Albrecht, comte VON) ~ *1803, Pleushagen - 1879, Berlin.* Maréchal prussien. Ministre de la Guerre (1859-1873), il réorganisa et renforça considérablement l'armée prussienne avec l'appui de Bismarck et l'aide de Moltke.

**ROOSEVELT** (Franklin Delano) ~ *1882, Hyde Park, État de New York - 1945, Warm Springs, Géorgie.* Homme d'État américain. Cousin de Th. Roosevelt et candidat du parti démocrate, il fut élu président des États-Unis en 1932 (réélu en 1936, 1940 et 1944). Pour résoudre la crise économique, il mit en œuvre le New Deal, rompant avec la doctrine libérale et engageant l'État dans une politique interventionniste. Il fit entrer son pays dans la Seconde Guerre mondiale après l'attaque japonaise contre Pearl Harbor (1941), et fut l'artisan avec Churchill et Staline de la conférence de Yalta (1945).

Pierre de Ronsard (XVIIe s.), peinture anonyme. Musée des Beaux-Arts, Blois. Franklin Delano Roosevelt.

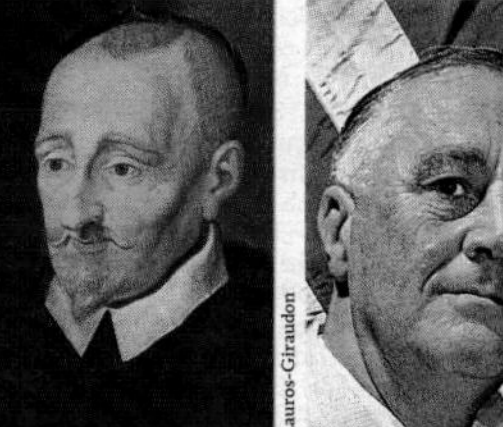



**ROOSEVELT** (Theodore) ~ *1858, New York - 1919, Oyster Bay, État de New York.* Homme d'État américain. Républicain, il participa à la guerre contre l'Espagne (1898). Vice-président des États-Unis en 1900, il succéda en 1901 au président W. McKinley, assassiné. Réélu en 1904, il mena une politique étrangère impérialiste, intervenant au Panamá, en Colombie, aux Philippines. Prix Nobel de la paix 1906.

**ROPARTZ** (Guy) ~ *1864, Guingamp - 1955, Lanloup, auj. dans les Côtes-d'Armor.* Compositeur français. La Bretagne, la mer et une foi catholique intense furent les sources d'inspiration de ses créations orchestrales et vocales (*Requiem*, 1938 ; *De profundis*, 1943).

**ROPS** (Félicien) ~ *1833, Namur - 1898, Corbeil-Essonnes.* Peintre et graveur belge. Saluée par Baudelaire, son œuvre érotique et morbide séduit par sa préciosité (illustrations pour *les Diaboliques*, de Barbey d'Aurevilly, 1886).

**ROQUEBRUNE - CAP-MARTIN** ~ Station baln. de la Côte d'Azur, entre Monaco et Menton (Alpes-Maritimes) ; 12 376 h. Village médiéval perché à Roquebrune (donjon du XIIe s.).

**ROQUEFORT-SUR-SOULZON** ~ Village de l'Aveyron, au S.-O. de Millau, qui doit sa renommée au fromage du même nom (caves dans les grottes de la falaise qui borde le causse du Larzac) ; 789 h.

**Roquette**, nom de deux anciennes prisons de Paris, situées près du cimetière du Père-Lachaise. ~ La **Grande-Roquette** (1830), dépôt des condamnés à mort, fut supprimée en 1900. ~ La **Petite-Roquette** (1832-1974) fut une maison d'arrêt de jeunes, puis de femmes.

**RORAIMA** (le) ~ État amazonien du Brésil, au S. du Venezuela, le moins peuplé du pays ; 225 017 km², 216 000 h., cap. Boa Vista (143 000 h.). Or, diamants. Indiens Yanomanis.

**RORAIMA** (le) ~ Massif où culminent les Guyanes, à la frontière du Brésil, du Venezuela et de la Guyana ; 2 810 m.

**RORSCHACH** (Hermann) ~ *1884, Zurich - 1922, Herisau, Appenzell.* Psychiatre suisse. Il est l'auteur d'un test psychodiagnostique s'appuyant sur l'interprétation libre de taches d'encre (1921).

**ROSA** (Salvator) ~ *1615, Arenella, près de Naples - 1673, Rome.* Peintre italien. Il déploya dans ses scènes de genre ou de bataille une fertile imagination dramatique, aux lisières du fantastique.

**ROSARIO** ~ 3e v. d'Argentine, au N.-O. de Buenos Aires, sur le Paraná, centre comm. de la Pampa humide ; agglom. 1 157 000 h. Université. Port exportateur de produits agric. (blé, viande, bois). Industrie agroalim., machines agric., équipement de réfrigération, constr. mécaniques.

**ROSAS** (Juan Manuel DE) ~ *1793, Buenos Aires - 1877, Southampton.* Homme d'État argentin. Grand propriétaire, il s'empara du pouvoir et exerça une dictature implacable (1835-1852). Battu par des rebelles appuyés par le Brésil et le Paraguay, il dut s'enfuir en Grande-Bretagne.

**Rosati** (les) ~ Société littéraire (anagramme d'Artois), fondée en 1778, près d'Arras. Elle compta à ses débuts Carnot et Robespierre et, plus tard, publia *la Revue septentrionale* (1882-1952).

**ROSCOFF** ~ Port de pêche et d'exportation de primeurs du Léon (Finistère), face à l'île de Batz ; 3 711 h. Station balnéaire. Institut de biologie marine. Thalassothérapie.

**ROSE (mont)** ~ Massif helvético-italien des Alpes du Valais, qui comprend le Cervin. Il culmine à 4 634 m. Sports de montagne à Zermatt. Alpinisme.

**Rose-Croix (fraternité de la)** ~ Société mystique secrète, apparue vers la fin du XVe s., et dont on fait remonter les origines à un personnage légendaire, le chevalier Rosenkreutz. Liée à la franc-maçonnerie, elle avait pour ambition d'atteindre la connaissance de la nature, notamment par les pratiques alchimiques et ésotériques. Des mouvements d'inspiration rosicrucienne ont perduré.

**Rosenberg (affaire)** ~ Affaire judiciaire qui se déroula pendant la période du maccarthysme, aux États-Unis. Les époux Julius et Ethel Rosenberg, accusés d'espionnage au profit de l'U. R. S. S., furent, en dépit de l'absence de preuves, condamnés à mort et exécutés (1953), malgré une campagne internationale déclenchée en leur faveur par les partis communistes.

**ROSENBERG** (Alfred) ~ *1893, Reval - 1946, Nuremberg.* Homme politique allemand. Théoricien du nazisme (*le Mythe du XXe siècle*, 1930) et ministre du Reich dans les territoires occupés de l'Est (1941), il fut condamné à mort par le tribunal de Nuremberg et exécuté.

**ROSENQUIST** (James) ~ *1933, Grand Forks, Dakota du Nord.* Peintre américain. Maître du pop art, il puisa dans la thématique industrielle (*I Love You with My Ford*, 1961).

**Rosette (pierre de)** ~ Fragment d'une stèle découverte en 1799 à Rosette (en ar. *Rachid*), en Basse-Égypte, et qui porte l'inscription d'un décret de Ptolémée V en trois écritures (hiéroglyphique, démotique et grecque), ce qui permit à Champollion de déchiffrer l'écriture hiéroglyphique égyptienne en 1821-1822.

**ROSI** (Francesco) ~ *1922, Naples.* Cinéaste italien. Influencé par le néoréalisme, il a dénoncé dans ses films la collusion entre le monde politique et la pègre (*Main basse sur la ville*, 1963 ; *l'Affaire Mattei*, 1972 ; *Cadavres exquis*, 1975).

**ROSKILDE** ~ Port et centre admin. du Danemark (Sjaelland), à 30 km à l'O. de Copenhague ; 51 000 h. Université et centre de recherches atomiques. La cathédrale (XIIe s.) de cette ancienne capitale du Danemark (jusqu'en 1445) abrite les tombeaux de 37 souverains danois.

**ROSNY** (les frères Joseph Henri et Séraphin Justin Boex, dits J.-H.) ~ Écrivains français. Ils publièrent ensemble des romans naturalistes et fantastiques (*les Xipéhuz*, 1887), puis poursuivirent leur œuvre respectivement sous les noms de **Rosny aîné** (*1856, Bruxelles - 1940, Paris*), auteur de *la Guerre du feu* (1911), et **Rosny jeune** (*1859, Bruxelles - 1948, Ploubazlanec, auj. dans les Côtes-d'Armor*), qui écrivit *le Destin de Marin Lafaille* (1946).

**ROSNY-SOUS-BOIS** ~ V. de la banlieue E. de Paris (Seine-Saint-Denis) ; 37 489 h. Centre d'information routière dans le fort.

**ROSS**, famille d'explorateurs britanniques. ~ Sir **John** (*1777, Dumfries and Galloway, Écosse - 1856, Londres*) explora les extrémités arctiques du continent américain. Son neveu ~ sir **James Clarke** (*1800, Londres - 1862, Aylesbury*) localisa le pôle Nord magnétique, explora l'Antarctique et navigua dans la mer à laquelle il a donné son nom.

**ROSS (mer de)** ~ Mer formant une vaste échancrure dans l'Antarctique, au S. de l'Australie. Elle est pour partie recouverte par la banquise, en recul.

**ROSS** (sir Ronald) ~ *1857, Almora, Inde - 1932, Putney Heath, Londres.* Médecin britannique. Il découvrit l'insecte vecteur du paludisme, l'anophèle (1895). Prix Nobel de physiol. ou méd. 1902.

**ROSSBACH** ~ Localité de Saxe. Frédéric II y remporta une victoire sur les Français et les Impériaux au début de la guerre de Sept Ans (5 nov. 1757).

**ROSSEL** (Louis) ~ *1844, Saint-Brieuc - 1871, Satory.* Officier français. Rallié à la Commune, il fut fusillé par les versaillais.

**ROSSELLINI** (Roberto) ~ *1906, Rome - 1977, id.* Cinéaste italien. Pionnier du néoréalisme (*Rome, ville ouverte*, 1945 ; *Païsà*, 1946), il aborda ensuite des thèmes aux résonances religieuses (*les Évadés de la nuit*, 1960 ; *le Messie*, 1976).

**ROSSETTI** (Dante Gabriel) ~ *1828, Londres - 1882, Birchington on Sea, Kent.* Peintre et poète britannique d'orig. italienne. Cofondateur de la Confrérie préraphaélite, il puisa son inspiration dans Shakespeare, Dante, Browning, et dans les sagas et ballades médiévales. [☞ **préraphaélite.**]

**ROSSI** (Aldo) ~ *1931, Milan.* Architecte et théoricien italien. Il fut le défenseur d'une architecture rationnelle, prenant en compte les paramètres historiques, géographiques et symboliques.

**ROSSI** (Constantin, dit Tino) ~ *1907, Ajaccio - 1983, Neuilly-sur-Seine.* Chanteur français. Il débuta sa carrière à l'Alcazar de Marseille en 1927, triompha au Casino de Paris en 1934 et connut un succès populaire international (*Marinella* ; *Petit Papa Noël*).

**ROSSI** (Luigi) ~ *v. 1598, Torremaggiore, Pouille - 1653, Rome.* Compositeur italien. Il composa près de quatre cents cantates, des oratorios et des opéras aux décors et aux machineries sophistiquées (*Orfeo*, 1647).

**ROSSI** (Pellegrino, comte) ~ *1787, Carrare - 1848, Rome.* Homme politique italien. Naturalisé français, il fut ambassadeur de France auprès du Saint-Siège, et travailla à l'élection de Pie IX (1846). Redevenu italien, il dirigea, en 1848, le gouvernement constitutionnel pontifical et fut assassiné au cours d'une émeute.

**ROSSINI** (Gioacchino) ~ *1792, Pesaro - 1868, Paris.* Compositeur italien. Il enthousiasma ses contemporains par son génie comique et son sens inné de la mélodie (*l'Italienne à Alger*, 1813 ; *le Barbier de Séville*, 1816) et innova surtout dans ses opéras sérieux, posant les bases de l'opéra romantique (*la Dame du lac*, 1819 ; *Sémiramis*, 1823 ; *Guillaume Tell*, 1829).

**ROSSO FIORENTINO** (Giovanni Battista **di Jacopo, dit il**) ~ *1494, Florence - 1540, Paris.* Peintre et décorateur italien. D'inspiration maniériste, il fut appelé par François Ier pour décorer le château de Fontainebleau (1533-1537). Il y inventa un décor de fresques et de stucs, caractéristique de l'école de Fontainebleau, dont il est un représentant avec le Primatice. [☞ **maniérisme.**]

**ROSTAND** ~ **Edmond** (*1868, Marseille - 1918, Paris*), auteur dramatique français. La riche versification et le panache de ses drames héroïques leur ont assuré un succès jamais démenti (*Cyrano de Bergerac*, 1897 ; *l'Aiglon*, 1900). Acad. Son fils ~ **Jean** (*1894, Paris - 1977, Ville-d'Avray*), biologiste et écrivain, étudia la parthénogenèse expérimentale et la tératogenèse, not. chez les batraciens. Il fut l'auteur d'ouvrages de sensibilité humaniste sur la place de la biologie dans la culture. Acad.

**ROSTOCK** ~ V. du N.-E. de l'Allemagne (Mecklembourg - Poméranie-Antérieure) qui formait, avec son avant-port Warnemünde sur la Baltique, le 1er port de la R. D. A. ; 243 000 h. Constructions navales, moteurs, chimie, conserveries, pêche. Ancienne ville hanséatique. Maisons patriciennes gothiques et Renaissance. Église-halle Ste-Marie (XIIIe s.). Musée.

**ROSTOPCHINE** (Fiodor Vassilievitch, comte) ~ *1763, Livny, dans le gouv. d'Orel - 1826, Moscou.* Général russe. Gouverneur de Moscou en 1812, il fut suspecté d'être à l'origine de l'incendie qui obligea l'armée française à battre en retraite. Sa fille Sophie devint comtesse de Ségur.

**ROSTOV-SUR-LE-DON** ~ Port fluvial de la Russie méridionale, à l'embouchure du Don sur la mer d'Azov, relié à la Caspienne par le canal Don-Volga ; 1 027 000 h. Commerce et industries liés au proche bassin houiller du Donbass et à l'environnement de terres fertiles (1re v. pour les machines agric.).

**ROSTOW** (Walt Whitman) ~ *1916, New York.* Économiste et homme politique américain. On lui doit une classification désormais traditionnelle et toujours critiquée des stades de l'évolution des sociétés (*les Étapes de la croissance économique*, 1960). Il a été conseiller à la Maison-Blanche sous les présidences Kennedy et Johnson.

**ROSTROPOVITCH** (Mstislav Leopoldovitch) ~ *1927, Bakou.* Violoncelliste et chef d'orchestre russe. Il est un interprète remarquable du répertoire classique et d'œuvres contemporaines, dont certaines ont été écrites pour lui.

**ROTA** (Nino **Rinaldi**, dit Nino) ~ *1911, Milan - 1979, Rome.* Compositeur italien. Auteur d'opéras (*il Cappello di paglia di Firenze*, 1946), il se distingua dans sa collaboration avec F. Fellini, pour qui il composa la musique de seize films.

**ROTH** (Joseph) ~ *1894, Brody, Galicie - 1939, Paris.* Journaliste et écrivain autrichien. Il a offert une peinture nostalgique du déclin de l'Empire austro-hongrois (*la Marche de Radetzky*, 1932).

**ROTH** (Philip Milton) ~ *1933, Newark, New Jersey.* Écrivain américain. Il a été l'un des initiateurs du genre satirique « juif new-yorkais » (*Portnoy et son complexe*, 1969).

**ROTHARI** ou **ROTHARIS** ~ *m. en 652.* Roi des Lombards (636-652). L'édit qu'il publia (643) fonda la législation lombarde.

**ROTHKO** (Mark) ~ *1903, Dvinsk - 1970, New York.* Peintre américain d'orig. russe. Il pratiqua un art abstrait dépouillé, fait de grandes surfaces rectangulaires colorées aux contours estompés.

**ROTHSCHILD** ~ Famille de banquiers fondée par **Meyer Amschel** ROTHSCHILD (*1743, Francfort-sur-le-Main - 1812, id.*). Après qu'il eut créé la maison mère de Francfort, chacun de ses fils créa une succursale, à Vienne, à Londres, à Naples et à Paris. Chacune des branches joua un rôle financier et politique important, en particulier en Grande-Bretagne et en France.

**ROTROU** (Jean DE) ~ *1609, Dreux - 1650, id.* Poète dramatique français. Il composa de nombreuses comédies et tragédies, dont *le Véritable Saint Genest* (1646). [☞ **baroque.**]

**ROTTERDAM** ~ V. des Pays-Bas (S. de la Hollande), 1er port du monde pour le tonnage (transit vers l'arrière-pays rhénan et le Benelux), sur un bras du Rhin, à 30 km de la mer du Nord ; 598 000 h. (agglom. 1 074 000 h.). C'est le 1er pôle industriel (zone franche) de la Randstad Holland et du pays. L'avant-port (Europort) accueille les navires de plus de 300 000 t. **HIST.** - Cité commerçante florissante du XVIe au XVIIIe s., elle vit naître sa vocation de grand port international à la fin du XIXe s., avec le percement de la Nieuwe Waterweg, chenal lui donnant un accès direct à la mer.

© Lescourret-Explorer

*Rotterdam, le port.*

**ROTY** (Oscar) ~ *1846, Paris - 1911, id.* Médailleur français. En 1897, il créa le type de la Semeuse, figure allégorique ornant différents timbres postaux et pièces de monnaie.

**ROUAULT** (Georges) ~ *1871, Paris - 1958, id.* Peintre français. Il participa aux expositions fauves, mais sa technique est plus proche de l'expressionnisme. Esprit chrétien, il allia vision religieuse (*Miserere*, 1917-1927) et sens du grotesque (*l'Ivrognesse*, 1905 ; *les Juges*, 1908). [☞ **expressionnisme.**]

**ROUBAIX** ~ V. du Nord, partie de la conurbation avec Lille et Tourcoing, grand centre lainier (en déclin) et de la vente par correspondance ; 97 746 h. Télécommunications.

© Bridgeman-Giraudon

*La Trinité (v. 1411), icône d'Andreï **Roublev**, Galerie Tretiakov, Moscou.*

**ROUBLEV** ou **ROUBLIOV** (Andreï) ~ *v. 1360 - v. 1427, Moscou.* Peintre russe. Moine de Zagorsk, il peignit l'une des plus célèbres icônes russes (*la Trinité*, vers 1411), représentant les trois anges à la table d'Abraham. Se démarquant de la tradition byzantine, il initia l'école médiévale moscovite. L'Église orthodoxe russe l'a canonisé en 1988.

**ROUCH** (Jean) ~ *1917, Paris.* Cinéaste français. Ethnologue, auteur de nombreux documentaires sur les traditions africaines (*les Maîtres fous*, 1954), il s'est orienté vers le cinéma-vérité, réalisant une œuvre originale et poétique (*Petit à petit*, 1970).

**ROUEN** ~ Préfect. de la Seine-Maritime et de la Région Haute-Normandie, sur la Seine, avant-port de Paris et terme du trafic maritime ; 102 723 h. (agglom. 380 161 h.). 4e port français, spécialisé dans l'exportation de céréales (1er rang européen) et du papier, la ville, associée au Havre, constitue le pôle industriel de la basse Seine (textile, auj. en crise, raff. de pétrole, métallurgie, chimie, constructions mécan., électr. et autom.). Cour d'appel. Archevêché. Université. Nombreux monuments témoignant d'un passé prospère : cathédrale Notre-Dame (XIIIe-XVe s., restaurée), églises St-Maclou, de style gothique flamboyant (XVe-XVIe s.), et St-Ouen, gothique classique (XIVe-XVIe s.). Gros-Horloge (XVIe s.). Palais de justice (début XVIe s.), très endommagé en 1944. Maisons anc. à colombage. Nombreux musées. **HIST.** - Ville romaine puis évêché dès le IIIe s., Rouen fut au Moyen Âge une cité drapière et commerçante, métropole de la Normandie. Elle fut prise en 1419 par les Anglais, qui y brûlèrent Jeanne d'Arc en 1431, avant d'en être chassés en 1449. La ville, dont la vocation portuaire s'est affirmée au XVIe s., a subi de terribles bombardements en 1944.

**ROUERGUE** (le) ~ Région montagneuse et boisée du S.-O. du Massif central (majeure partie du dép. de l'Aveyron), formée de massifs et de plateaux cristallins séparés par de profondes vallées (Lot et Tarn). V. princ. Rodez, Millau, Villefranche-de-Rouergue. **HIST.** - Anc. comté (1066) dépendant de la Guyenne, il fut réuni à la Couronne par Charles V pour sa plus grande partie (XIVe s.) et en 1589 pour son dernier tiers (comté de Rodez).

**rouge (Armée)** ~ Nom donné aux forces militaires soviétiques après la Première Guerre mondiale. Fondée par L. Trotski comme armée des ouvriers et des paysans, elle garda cette appellation jusqu'en 1946.

**ROUGE (bassin)** ~ Vaste cuvette (plaines et collines de grès rouge) de la Chine centrale, partie orientale du Sichuan, à l'O. du Tibet, drainée par le Yangzi Jiang. V. princ. Chengdu, Chongqing.

**ROUGE (fleuve)** ~ Voir **Sông Hong.**

**ROUGE (mer)** ou **GOLFE ARABIQUE** ~ Mer étroite qui sépare le N.-E. de l'Afrique de la péninsule Arabique entre l'isthme de Suez et le détroit de Bab al-Mandab (env. 2 000 km de long), accès à la mer d'Oman (océan Indien). Reliée à la Méditerranée par le canal de Suez, elle baigne au N.-E. la péninsule du Sinaï (golfe d'Akaba). Profond fossé tectonique (partie immergée de la Rift Valley), zone sismique et volcanique où divergent plaques africaine et arabique, elle est bordée de rivages désertiques, et ses eaux, très salées, sont parmi les plus chaudes du monde. C'est une voie maritime stratégique empruntée par les pétroliers géants en provenance du golfe Persique. Ports princ. Hodeïda, Massaoua, Port-Soudan, Djedda, Suez.

**Rouge (place)** ~ Place centrale de Moscou (7,5 ha), bordée par le Kremlin, l'église Basile-le-Bienheureux, le Goum (grands magasins) et le mausolée de Lénine.

**ROUGEMONT** (Denis DE) ~ *1906, Neuchâtel - 1985, Genève.* Écrivain suisse d'expression française. Auteur de *l'Amour et l'Occident* (1939), essai de psychologie historique, il fonda la revue *Esprit* avec E. Mounier (1932) et se dévoua à la cause du fédéralisme européen.

**ROUGET DE LISLE** (Claude) ~ *1760, Lons-le-Saunier - 1836, Choisy-le-Roi.* Officier français. Il fut l'auteur du *Chant de guerre pour l'armée du Rhin* (avril 1792), devenu *la Marseillaise.*

**ROUHER** (Eugène) ~ *1814, Riom - 1884, Paris.* Homme politique français. Rallié à Napoléon III, il fut plusieurs fois ministre et président du Sénat (1869). En 1860, il signa le traité de libre-échange avec le Royaume-Uni. Il combattit l'évolution libérale du régime et, sous la IIIe République, devint le chef du parti bonapartiste (1872-1881).

**ROUMANIE (république de)**, en roumain ***România*** ~ Pays d'Europe orientale, ouvert sur la mer Noire à l'E. (delta du Danube). ***Cap.*** Bucarest. ***Superf.*** 237 500 km². ***Popul.*** 22 760 000 h., dont Hongrois (7 %), Tsiganes (5 %), Allemands (2 %).

*Langue princ.* Roumain. *Monn.* Leu. *Relief.* Les Carpates (Moldoveanu, 2 543 m) enserrent les plateaux de Transylvanie et sont entourées par les plaines et plateaux généralement fertiles du Danube et du Prout (Pannonie, Valachie, Dobroudja, O. de la Moldavie). *Climat.* Continental modéré (Carpates humides, Dobroudja sèche). *Ress. princ.* Bois, pétrole (3e prod. d'Europe), lignite, gaz naturel, hydroélectricité. Agriculture (maïs, blé, betterave à sucre, fruits, vigne, tabac), élevage (ovin, porcin), industries (mécan., text., électroménager), tourisme (plages de la mer Noire, monastères, ski dans les Carpates). *Écon.* Après un boom industriel (1960-1980), le pays, très affaibli par l'effondrement de l'U. R. S. S. et la dissolution du Comecon, s'est engagé sur la voie de la privatisation et compte sur l'aide financière et technologique du F. M. I. et de l'Union européenne afin de mieux exploiter ses nombreuses ressources naturelles. *V. princ.* Bucarest, Constanța, Iași, Timișoara, Cluj. **HIST.** - *Ier mill. av. J.-C.* : domination cimmérienne, scythe (VIIe-IIIe s. av. J.-C.), sarmate dans l'intérieur ; la côte est occupée à partir du VIIe s. av. J.-C. par les Grecs. *107* : Rome conquiert la région (province de Dacie). *IIIe-XIIIe s.* : vagues successives d'invasions (Goths, Gépides, Huns, Avars, Slaves, Courmans, Tatars). *XIe s.* : la Hongrie annexe la Transylvanie. *XIIIe-XIVe s.* : constitution des principautés de Moldavie et de Valachie, qui deviennent (XVe-XIXe s.) vassales de l'Empire ottoman. *1775* : les Autrichiens, déjà installés en Transylvanie (1691), annexent la Bucovine. *1812* : annexion de la Bessarabie par la Russie. *1829-1856* : protectorats ottoman et russe sur la Moldavie et la Valachie. *1859* : élection du prince Alexandre-Jean Cuza à la tête de ces principautés. *1866* : la principauté de Roumanie est constituée au profit de Charles de Hohenzollern-Sigmaringen. *1878* : reconnaissance de son indépendance. *1881-1914* : le prince Charles devient roi sous le nom de Charles Ier. *1914-1927* : règne de Ferdinand Ier. Le pays se bat aux côtés des Alliés à partir de 1916 et les traités de paix (1919-1920) consacrent la création d'une Grande Roumanie (annexion de la Dobroudja, de la Bucovine, de la Transylvanie, de la Bessarabie et du Banat). *1927-1940* : la Roumanie est affaiblie par les problèmes dynastiques (Michel Ier, 1927-1930 et 1940-1947 ; Charles II, 1930-1940), les luttes de partis, les campagnes antisémites de la Garde de fer, mouvement fasciste, les conséquences de la crise mondiale et les pressions exercées par l'Allemagne nazie et l'U. R. S. S. *1940* : isolée face à l'Allemagne, pourtant son alliée, la Roumanie doit céder ses acquisitions de 1920 à l'U. R. S. S. et à la Hongrie. Le général Ion Antonescu engage son pays dans la guerre aux côtés du IIIe Reich. *1944* : le roi Michel Ier opère un revirement d'alliance au profit de l'U. R. S. S. *1948* : proclamation d'une république populaire après l'abdication du roi. Les gouvernements Groza et Gheorghiu-Dej alignent la politique roumaine sur celle de Moscou. *1965-1988* : Nicolae Ceaușescu, secrétaire du parti communiste puis président du conseil d'État (1967), pratique une politique extérieure indépendante de Moscou et ouvre l'économie sur l'Occident. *1989* : les difficultés économiques considérables et la mégalomanie du président provoquent un soulèvement. N. Ceaușescu, destitué, est exécuté ainsi que son épouse. *1990-1995* : sous la direction du président Ion Iliescu (réélu en 1992), la Roumanie fait l'expérience difficile du pluralisme politique, privatise son économie et signe un accord d'association avec l'Union européenne. *1996* : victoire du chrétien-démocrate Emil Constantinescu à l'élection présidentielle.

**ROUMANILLE** (Joseph) ~ *1818, Saint-Rémy-de-Provence - 1891, Avignon.* Écrivain français d'expression provençale. Rénovateur de la langue occitane et cofondateur du félibrige (1854), il fut l'auteur de savoureux *Contes provençaux* (1883).

**ROUMÉLIE** (la) ~ Nom donné par les Ottomans à l'ensemble de leurs possessions européennes jusqu'au XVIIe s. Constituée en 1878, par le traité de Berlin, entre le Balkan et le Rhodope, la **Roumélie-Orientale** fut rattachée en 1885 à la Bulgarie aux dépens de l'Empire ottoman.

**ROUMOIS** (le) ~ Région argileuse et herbagère de Normandie, entre la basse Seine et la Risle. Chaumières traditionnelles dans le marais Vernier.

**ROUSSEAU** (Henri, dit **le Douanier**) ~ *1844, Laval - 1910, Paris.* Peintre français. Autodidacte, il s'attacha à traduire un univers onirique et poétique (*la Bohémienne endormie*, 1897 ; *la Charmeuse de serpents*, 1907). Sa peinture, dite naïve, aux compositions et aux coloris très sûrs, fut appréciée par Apollinaire, Picasso, Léger et les surréalistes, qui y virent des possibilités plastiques nouvelles. [☞ **naïf**.]

**ROUSSEAU** (Jean-Baptiste) ~ *1671, Paris - 1741, Bruxelles.* Poète français. Il illustra avec succès la tradition classique (*Odes sacrées*, 1702).

**ROUSSEAU** (Jean-Jacques) ~ *1712, Genève - 1778, Ermenonville.* Écrivain et philosophe genevois d'expression française. D'abord musicien, celui qui fut, selon Kant, le « Newton du monde moral » inaugura, avec ses *Discours sur l'origine et les fondements de l'inégalité parmi les hommes* (1755), une œuvre qui, toute tendue par la recherche d'une solution pour remédier à la corruption de la société,

Jean-Jacques **Rousseau** exilé en Suisse, *gravure d'après Bouchot (fin XVIIIe s.). Musée Carnavalet.*

allait faire de lui un proscrit s'imaginant menacé par des complots. Contre l'enthousiasme des Lumières, sa réflexion récuse les vertus du progrès et accuse la société (développement des connaissances, luxe et puissance) d'avoir dénaturé l'homme, né bon. Son projet de société, fondé sur un « contrat social » garantissant la liberté et la sécurité des parties, fait du peuple la source de la souveraineté - idée qui eut une grande influence sur les révolutionnaires de 1793. Les *Confessions*, les *Dialogues (Rousseau juge de Jean-Jacques)* et les *Rêveries du promeneur solitaire* (publications posthumes) inventent le genre autobiographique, introspectif ou romancé, tout en inspirant le romantisme (*Lettre à d'Alembert sur les spectacles*, 1758 ; *Julie ou la Nouvelle Héloïse*, 1761 ; *Émile*, 1762 ; *Du contrat social*, 1762).

**ROUSSEAU** (Théodore) ~ *1812, Paris - 1867, Barbizon.* Peintre français, membre de l'école de Barbizon. Ses œuvres, où la reproduction fidèle des paysages laisse parfois la place au lyrisme, sont un hymne à la beauté de la nature (*Sortie de forêt à Fontainebleau au soleil couchant*, 1848-1850).

**ROUSSEL** (Albert) ~ *1869, Tourcoing - 1937, Royan.* Compositeur français. Fasciné par l'Orient, il utilisa des modes hindous et chinois dans ses compositions (*le Festin de l'araignée*, 1912), puis, après la guerre, il évolua vers une forme plus classique mais volontiers polytonale (*Concerto pour piano*, 1927 ; *Bacchus et Ariane*, 1930).

**ROUSSEL** (Raymond) ~ *1877, Paris - 1933, Palerme.* Écrivain français. La singularité formelle de ses romans ainsi que leur caractère visionnaire l'ont fait reconnaître par les surréalistes comme un précurseur de leur mouvement (*Impressions d'Afrique*, 1910 ; *Locus solus*, 1914).

**ROUSSES (Grandes)** ~ Massif cristallin des Alpes du Nord, entre les vallées de l'Arc et de la Romanche, au N. de l'Oisans ; 3 468 m.

**ROUSSES (Les)** ~ Station touristique du haut Jura français (Jura), à 1 120 m d'alt., près de la frontière suisse ; 2 840 h. Sports d'hiver.

**ROUSSILLON** (le) ~ Région du S. de la France (Pyrénées-Orientales), bordée par la Méditerranée, entre le Languedoc et la Catalogne espagnole. La plaine du Roussillon, intensivement mise en valeur (vignobles, vergers, horticulture), au littoral touristique (Côte vermeille), est prolongée par les vallées pyrénéennes. V. princ. Perpignan. **HIST.** - Anc. comté catalan, le Roussillon fit partie du royaume de Majorque (1276-1343). Cédé à la France temporairement (1462-1493), il lui revint définitivement par le traité des Pyrénées (1659).

**ROUSSILLON** ~ Bourg pittoresque du Vaucluse, au N. du Luberon ; 1 165 h. Carrières d'ocre.

**ROUSSIN** (André) ~ *1911, Marseille - 1987, Paris.* Auteur dramatique français. Il fut, après la guerre, l'un des meilleurs représentants du théâtre de boulevard (*la Petite Hutte*, 1947 ; *Bobosse*, 1950). Acad.

**ROUSSY** (Gustave) ~ *1874, Vevey - 1948, Paris.* Médecin français. Cancérologue, fondateur de l'Institut du cancer de Villejuif qui porte son nom, il publia un *Traité du cancer*.

**ROUSTAVI** ~ 3e v. de Géorgie, sur la Koura, au S.-E. de Tbilissi ; 160 000 h. Métall., chimie, textile.

**ROUVIER** (Maurice) ~ *1842, Aix-en-Provence - 1911, Neuilly.* Homme politique français. Ministre des Finances (1889-1892, 1902-1905) et président du Conseil (1887, 1905-1906), il fut mis en cause dans le scandale des décorations (1887) et dans celui de Panamá (1892). Il fit voter la loi de séparation de l'Église et de l'État (1905).

**ROUVRAY (forêt du)** ~ Forêt domaniale (32 km$^2$) de Normandie (Seine-Maritime), dans une boucle de la Seine, face à Rouen.

**ROUX** (Émile) ~ *1853, Confolens - 1933, Paris.* Médecin bactériologiste français. Collaborateur de Pasteur et directeur de l'Institut Pasteur en 1904, il étudia les toxines et initia la sérothérapie avec la réalisation du premier sérum antidiphtérique (1894).

**ROVANIEMI** ~ V. tourist., centre admin. et industr. de la Laponie finlandaise ; 34 000 h. Foires bisannuelles. Détruite durant la Seconde Guerre mondiale, elle fut relevée par Alvar Aalto.

**ROWLAND** (Henry Augustus) ~ *1848, Honesdale, Pennsylvanie - 1901, Baltimore.* Physicien américain. Il étudia le spectre solaire grâce à des réseaux de diffraction de sa fabrication (1892), dont le « réseau objectif » (1895). Il établit l'existence d'un champ magnétique induit par un disque rotatif électriquement chargé (**effet Rowland**).

**ROWLANDSON** (Thomas) ~ *1756, Londres - 1827, id.* Peintre et dessinateur britannique. Proches de la caricature, ses dessins, à la satire souvent brutale, sont une peinture burlesque de la société anglaise de son temps.

**ROXANE** ou **RHÔXANE** ~ *m. v. 310 av. J.-C. à Amphipolis.* Épouse d'Alexandre le Grand. Elle fut exécutée avec son fils Alexandre IV par Cassandre.

**ROY** (Claude) ~ *1915, Paris.* Écrivain français. Auteur de poèmes tourmentés derrière une apparente légèreté (*Un seul poème*, 1955), de romans humanistes (*la Traversée du pont des Arts*, 1979) et de poésies illustrées de collages (*Enfantasques*, 1974), il a livré des Mémoires (*Moi je*, 1969) et des carnets (*Permis de séjour*, 1977-1983).

**ROY** (Gabrielle) ~ *1909, Saint-Boniface, Manitoba - 1983, Québec.* Écrivain canadien d'expression française. Elle dépeignit les drames intimes du petit peuple québécois (*Bonheur d'occasion*, 1945 ; *la Petite Poule d'eau*, 1950).

**ROYA** (la) ~ Fl. franco-italien des Alpes du Sud (arrière-pays niçois), qui rejoint la Méditerranée à Vintimille ; 60 km. Vallée touristique (accès à la vallée des Merveilles).

**Royal Air Force** ~ Voir R. A. F.

**ROYAN** ~ Grande station baln. de la côte atlantique (Charente-Maritime), à l'entrée de l'estuaire (r. dr.) de la Gironde, port de pêche (sardines) et de plaisance ; 16 837 h. (agglom. 29 194 h.). Église Notre-Dame (1954-1959) de Guillaume Gillet. Enclave allemande jusqu'en avril 1945, bombardée, la ville a été largement reconstruite.

**ROYAT** ~ Station thermale du Puy-de-Dôme, dans l'agglom. de Clermont-Ferrand ; 3 950 h. Chocolats, confiseries. Église romane fortifiée, ancien prieuré (XIIe-XVe s.).

**ROYAUME-UNI DE GRANDE-BRETAGNE ET D'IRLANDE DU NORD** ~ Pays insulaire (îles Britanniques) du N.-O. de l'Europe occidentale, constitué de l'Angleterre, de l'Écosse, du pays de Galles et de l'Irlande du Nord, séparé du continent par la mer du Nord et la Manche. ***Cap.*** Londres. ***Superf.*** 244 110 km$^2$. ***Popul.*** 58 000 000 d'h. ***Langue princ.*** Anglais. ***Monn.*** Livre sterling. ***Relief.*** Le vaste bassin sédimentaire de Londres, au S.-E., et ses prolongements sont limités au N. et à l'O. à de vieux massifs érodés (Dartmoor, monts Cambriens, Cumberland, Pennines, Highlands d'Écosse), hercyniens ou calédoniens, disséqués par l'érosion (lacs, lochs, larges estuaires) et compartimentés par les fossés d'effondrement (Lowlands, Glen More). ***Climat.*** Océanique tempéré, rude au N., doux au S., plus humide à l'O. qu'à l'E. Brouillards *(fog)*. ***Démogr.*** L'ample mouvement d'urbanisation date de la révolution industrielle (agglom. de Londres, Birmingham, Cardiff, Manchester, Liverpool, Glasgow). Forte immigration depuis les anc. colonies de l'empire (Antillais, Indiens, Pakistanais). ***Écon.*** Première puissance mondiale au XIX$^e$ s., le Royaume-Uni est désormais une puissance moyenne. Il a opéré, depuis la crise économique mondiale d'entre les deux guerres, une longue et difficile reconversion industrielle au détriment des régions charbonnières et sidérurgiques (estuaires de la Clyde, de la Mersey, pays de Galles, Midlands) et au profit, princ., du bassin de Londres et du S.-E. (chim., constr. électr. et électron., mécan., pharmacie, agroalim.), favorisés par l'adhésion de 1973 à la Communauté européenne. La récente exploitation des hydrocarbures (mer du Nord) permet d'équilibrer la balance commerciale, mais ne génère pas le niveau d'activité que le charbon, la métallurgie et le textile atteignaient au XIX$^e$ s. Les services et le tourisme ont une part croissante dans l'activité. Le sursaut économique du début des années 1990 semble n'être lié qu'à la dévaluation de la monnaie et à la multiplication des emplois temporaires ou peu rémunérés. **HIST.** - Les premiers peuplements de l'archipel remontent à env. 400 000 ans. *III$^e$ mill.* : la culture néolithique de Windmill Hill intéresse toute l'Angleterre et la civilisation mégalithique lègue Stonehenge. *II$^e$ mill.* (bronze ancien) : la culture du Wessex, en relation avec l'Europe continentale et le monde méditerranéen, s'étend à la plus grande partie des îles Britanniques. *À partir du I$^{er}$ mill. av. J.-C.* : les Celtes envahissent l'Angleterre par vagues successives et introduisent la civilisation du fer. *I$^{er}$ s. av. J.-C.-IV$^e$ s. apr. J.-C.* : les Romains occupent l'Angleterre au S. du mur d'Hadrien (du golfe de Solway à l'embouchure de la Tyne) et créent la province de Brittania (122 apr. J.-C.). L'essor économique est vif dans le cadre de la *Pax romana*. *411* : face au péril germanique, Rome rappelle ses légions. Les Bretons se défendent contre les envahisseurs (Saxons, Angles et Jutes), mais sont repoussés vers l'O. et l'Armorique. *VI$^e$-VIII$^e$ s.* : sept royaumes germaniques se partagent l'Angleterre (Heptarchie), les péninsules de l'O. restent celtiques. Le christianisme se répand dans la population. *IX$^e$ s.* : Egbert, roi du Wessex saxon, accroît son influence sur les royaumes voisins. *IX$^e$-XI$^e$ s.* : les Danois intègrent l'Angleterre à leur empire, à l'exception du Wessex, qui va peu à peu reconquérir le royaume danois d'Angleterre orientale (Danelaw). Édouard le Confesseur (1042-1066) rétablit l'autorité saxonne. Après la victoire de Hastings (1066), Guillaume dit le Bâtard, devenu le Conquérant, duc de Normandie, établit la dynastie normande (1066-1154) et organise une monarchie de type féodal, mais les barons finissent par confisquer le pouvoir à ses successeurs. *1154-1485 (les Plantagenêts)* : en 1154, Henri Plantagenêt, déjà à la tête d'un domaine français considérable (Anjou, Maine, Touraine, Poitou, Aquitaine), devient Henri II d'Angleterre (1154-1189). Il impose son autorité à l'Église et aux féodaux, entreprend la conquête du pays de Galles (terminée un siècle plus tard par Édouard I$^{er}$) et celle de l'Irlande (longtemps limitée à la région de Dublin, le Pale). Le conflit avec le roi de France affaiblit ses successeurs, Richard Cœur de Lion (1189-1199), Jean sans Terre (1199-1216), Henri III (1216-1272), Édouard I$^{er}$ (1272-1307), qui doivent concéder aux nobles la Grande Charte (1215) et un Parlement permanent. Édouard II (1307-1327), qui échoue dans sa conquête de l'Écosse, est déposé. Les prétentions d'Édouard III (1327-1377) au trône de France provoquent la guerre de Cent Ans (1337-1453). Après des victoires initiales, la guerre entraîne une grave crise économique et des révoltes en Angleterre (Wat Tyler, 1381). Richard II (1377-1399) est déposé. *1399-1485 (les Lancastre)* : Henri de Lancastre monte sur le trône sous le nom d'Henri IV (1399-1413). Henri V (1413-1422) triomphe à Azincourt (1415) et le traité de Troyes le reconnaît comme héritier du trône de France. Après la campagne de Jeanne d'Arc (1429-1431) et la rupture de l'alliance anglo-bourguignonne, les Anglais voient leur domination reculer, ne conservant en France que Calais, tandis que les défaites déclenchent en Angleterre la guerre civile des Deux-Roses (1455-1485) entre les maisons de Lancastre et d'York. *1485-1603 (les Tudors)* : Henri Tudor devient Henri VII (1485-1509). L'essor économique général profite à la dynastie, qui l'encourage (explorations, compagnies maritimes, monopole sur les importations). Le pouvoir royal se renforce en Angleterre, au pays de Galles et en Irlande. Henri VIII (1509-1547) rompt avec Rome et devient chef unique de l'Église d'Angleterre (Acte de suprématie, 1534). Édouard VI (1547-1553) et Élisabeth I$^{re}$ (1558-1603) organisent l'Église anglicane mise à mal par la réaction catholique de Marie Tudor (1553-1558). À l'extérieur, les Tudors pratiquent une habile politique de bascule entre le Saint Empire et la France et, après leur victoire sur l'Invincible Armada espagnole (1588), ils inaugurent trois siècles de suprématie maritime. *1603-1714 (les Stuarts)* : Jacques VI Stuart, roi d'Écosse, succède, sous le nom de Jacques I$^{er}$, à Élisabeth. C'est sous son règne (1603-1625) que, pour la première fois, sont réunis à titre personnel l'Angleterre, l'Écosse, le pays de Galles et l'Irlande. Sa volonté d'imposer une monarchie de droit divin et l'uniformisation religieuse dressent contre lui Parlement, catholiques et puritains (conspiration des Poudres, 1605). Charles I$^{er}$ (1625-1649) tente, en vain, de gouverner sans le Parlement. Une guerre civile (1642-1646) oppose ses partisans (Cavaliers) à ceux du Parlement (Têtes rondes) dirigés par Oliver Cromwell, qui fait juger et exécuter le roi et devient lord-protecteur de la république (Commonwealth) de 1649 à 1658. Il rétablit l'ordre dans le royaume, soumet l'Écosse, l'Irlande catholique, fait voter l'Acte de navigation (1651), qui assure un protectionnisme rigoureux, et entreprend de lutter contre la puissance maritime des Provinces-Unies. En mai 1660, la dynastie des Stuarts est restaurée avec Charles II (1660-1685). Sous son règne est promulgué l'habeas corpus (1679), qui garantit la liberté individuelle, et le Parlement se divise entre tories et whigs (opposants). Le catholicisme militant de Jacques II (1685-1688) provoque le recours de la noblesse anglicane à son gendre, le prince de Hollande, Guillaume d'Orange-Nassau (Guillaume III, 1689-1701). La Déclaration des droits (1689) limite le pouvoir du roi et impose le régime parlementaire. L'Acte d'établissement (1701) assure le trône à Anne Stuart (1702-1714), fille de Jacques II et belle-sœur de Guillaume III, puis aux Électeurs de Hanovre. L'Acte d'union (1707) lie officiellement l'Écosse et l'Angleterre. *1714-1917 (les Hanovre)* : George I$^{er}$ (1714-1727) et George II (1727-1760), peu intéressés par les affaires de l'État, favorisent le rôle croissant des ministres (Robert Walpole, William Pitt) et de la Chambre des communes. En 1746, la tentative de Charles Édouard Stuart pour reconquérir le trône échoue avec le désastre de Culloden. Durant le règne de George III (1760-1820), le royaume acquiert l'essentiel de l'empire colonial français (traité de Paris, 1763), tandis que le soulèvement des colonies américaines aboutit à la naissance des États-Unis (1775-1783). Le Second Pitt écarte du pouvoir George III, devenu fou, et restaure l'autorité du Parlement. L'essor maritime entraîne celui du commerce, déclenche une révolution industrielle favorisée par les découvertes techniques et le sacrifice de l'agriculture, qui fournit la main-d'œuvre. En 1815, la Grande-Bretagne sort victorieuse de sa lutte contre la France révolutionnaire et napoléonienne (Trafalgar, Waterloo), son rôle financier ayant permis de souder les coalitions contre Napoléon. Les règnes de George IV (1820-1830) et de Guillaume IV (1830-1837) voient se renforcer le rôle du Premier ministre et consolident la monarchie constitutionnelle tandis que le pays, qui doit opérer une reconversion de son économie de guerre et faire face au protectionnisme des propriétaires terriens (Corn Laws, 1815), connaît une grave crise sociale durement réprimée. En 1824 cependant, la reconnaissance du droit de grève et d'association favorise l'émergence des Trade Unions. De 1837 à 1901, Victoria règne en monarque constitutionnel. Après l'échec du mouvement chartiste pour l'obtention du suffrage universel (1839-1842) et l'instauration du libre-échange par Robert Peel (1846), la vie politique est dominée par l'affrontement des ministres Benjamin Disraeli (conservateur) et William Gladstone (libéral). En 1871, le Trade Union Act légalise les syndicats. En 1884, W. Gladstone élargit encore le droit de vote, mais, en 1886, il ne peut faire voter un statut d'autonomie (Home Rule) pour l'Irlande. À l'extérieur, la Grande-Bretagne cherche d'abord à préserver l'équilibre européen, puis, avec les conservateurs suit une politique impérialiste : intervention en Chine (1840-1842), en Crimée (1856), transfert des possessions de la Compagnie des Indes orientales à la Couronne (1858), tutelle sur le canal de Suez (1875), soutien à l'Empire ottoman contre l'expansionnisme russe (traité de Berlin, 1875), annexion d'une grande partie de l'Afrique (1885-1900) ; toutes ces opérations sont favorisées par un mouvement d'émigration vers le Canada, l'Australie, la Nouvelle-Zélande. Durant le règne d'Édouard VII (1901-1910), le Royaume-Uni se rapproche de la France et de la Russie face à la montée de l'impérialisme allemand (Entente cordiale, 1904). La création du Labour Party (1906), parti travailliste, entraîne quelques réformes sociales. Au cours du règne de George V (1910-1936), le jeu des alliances et la violation de la neutralité belge par l'Allemagne entraînent le Royaume-Uni dans la Première Guerre mondiale, dont il sort territorialement grandi (Moyen-Orient) mais financièrement diminué. *1917* : la famille royale prend le nom de Windsor. *1918* : institution du suffrage universel. *1921* : création de l'État libre d'Irlande, catholique, et de l'Irlande du Nord, à majorité protestante (Ulster), rattachée au Royaume-Uni. *1931* : le statut de Westminster officialise la création du Commonwealth britannique. *1932* : confronté à la crise économique, le Royaume-Uni abandonne le libre-échange au profit de la préférence impériale. George VI monte sur le trône (1936-1952) après l'abdication de son frère Édouard VIII. *3 sept. 1939* : les concessions du Premier ministre Arthur Chamberlain à l'Italie et à l'Allemagne s'avérant inutiles (conférence de Munich, 1938), le Royaume-Uni déclare la guerre au Reich après l'invasion de la Pologne. *1940-1945* : le rôle de la Grande-Bretagne, sous la direction du Premier ministre Winston Churchill, dans la lutte contre les puissances de l'Axe est décisif et payé au prix fort des bombardements et des privations. La Seconde Guerre mondiale laisse le Royaume-Uni financièrement exsangue, les nouvelles technologies industrielles ne bénéficient pas d'investissements suffisants et le leadership mondial est abandonné aux États-Unis. *1945-1951* : les travaillistes (Clement Attlee) mettent en place un État-providence et entreprennent la décolonisation de l'empire (indépendance de l'Inde et du Pakistan, 1947 ; réforme du Commonwealth, 1949). *1951-1964* : les conservateurs (W. Churchill, Robert Anthony Eden, Harold Macmillan) ne peuvent endiguer le recul de l'empire (échec de l'expédition franco-britannique à Suez, 1956), et refusent de participer à la création de la C. E. E. En 1952, Élisabeth II succède à George VI. *1964-1970* : les travaillistes (Harold Wilson) dévaluent la livre sterling et doivent diminuer la présence militaire britannique au Moyen-Orient, alors que des troubles se développent en Irlande. *1970-1974* : les conservateurs (Edward Heath) font admettre le Royaume-Uni au sein de la C. E. E. (1973). *1974-1979* : les gouvernements travaillistes (H. Wilson, James Callaghan) sont impuissants face à la crise économique et sociale. *Depuis 1979* : Margaret Thatcher (1979-1990) et John Major (depuis 1990), conservateurs, pratiquent une politique ultralibérale qui change profondément les structures économiques du pays, bientôt fragilisé par la montée du chômage. Des conflits sociaux très durs se développent (grève des mineurs, 1984-1985). La guerre des Falkland (1982) contre l'Argentine replie un peu plus le pays sur ses difficultés. En 1985, un accord est signé avec la république d'Irlande à propos de l'Ulster. J. Major, reconduit dans ses fonctions (1992), doit faire face à l'influence des « eurosceptiques » opposés à la construction européenne, et dévalue la livre sterling pour relancer les exportations et faire baisser le chômage. En 1994, un processus de paix s'engage avec le Sinn Féin d'Irlande du Nord, appuyé par les États-Unis. *Mai 1997* : le *New Labour* (parti travailliste) remporte les élections et Tony Blair est nommé Premier ministre.

**Royaumont** ~ Ancienne abbaye cistercienne de la région parisienne (Asnières-sur-Oise, Val-d'Oise). Créée par Saint Louis en 1228, elle abrite auj. une fondation culturelle.

**ROYER-COLLARD** (Pierre Paul) ~ *1763, Sompuis, Champagne - 1845, Châteauvieux, Loir-et-Cher.* Homme politique français. Membre de la Commune de Paris (1789-1792) et député au Conseil des Cinq-Cents (1797), il fut le chef de file des doctrinaires sous la Restauration. Acad.

**RÓŻEWICZ** (Tadeusz) ~ *1921, Radomsko.* Écrivain polonais. Marquée par la guerre, son œuvre poétique et théâtrale accuse le déclin des valeurs spirituelles (*Mariage blanc*, 1975).

**R. P. F.** ~ Voir **Rassemblement du peuple français.**

**R. P. R.** ~ Voir **Rassemblement pour la République.**

**Ruanda** (le) ~ Voir **Rwanda.**

**RUB' AL-KHALI**, en fr. « quartier vide » ~ Désert de sable du S. de la péninsule Arabique, le plus grand du monde, dépourvu d'oasis, obstacle majeur à la communication entre les États côtiers (Yémen, Oman) et le Nedjd, au centre de l'Arabie Saoudite ; env. 300 000 km².

**RUBBIA** (Carlo) ~ *1934, Gorizia.* Physicien italien. On lui doit, avec S. Van der Meer, la transformation d'un accélérateur en collisionneur protons-antiprotons, et la découverte des bosons dits faibles (1983). Prix Nobel de phys. 1984.

**Rubénites** (les) ~ Ancienne tribu d'Israël établie à l'E. de la mer Morte. Son ancêtre, Ruben, était le fils aîné de Jacob et de Léa.

**RUBENS** (Petrus Paulus, en fr. Pierre Paul) ~ *1577, Siegen, Westphalie - 1640, Anvers.* Peintre flamand. Inscrit comme maître à la corporation des artistes d'Anvers en 1598, il voyagea en Italie, travaillant pour le duc de Mantoue de 1600 à 1608. Son œuvre, à la fois lyrique et sensuelle, allie réalisme flamand et grand art italien (il subit l'influence de Titien). Il conserva sa vie durant une prédilection pour le nu féminin aux formes opulentes (*les Trois Grâces* ; *la Toilette de Vénus*, v. 1613). Sa vitalité se retrouve dans ses compositions mythologiques (*Suzanne et les vieillards*, 1614-1616) ou religieuses (*la Descente de croix*, 1612 ; *la Mise au tombeau*, 1616) comme dans ses tableaux plus intimes (portraits de sa femme *Hélène Fourment* ; *le Jardin d'amour*, 1635). Grand maître du baroque de la Contre-Réforme, il exerça une grande influence sur de nombreux peintres (Van Dyck, Jordaens). [☞ **baroque.**]

**RUBICON** (le), auj. **Pisciatello** ou **Fiumicino** ~ Fl. qui rejoint l'Adriatique au N. d'Ancône (Marches). Il marquait la limite entre la Gaule cisalpine et l'Italie, quand César le franchit avec ses troupes (11-12 janv. 49 av. J.-C.), malgré l'interdiction du sénat, provoquant la guerre civile (d'où l'expression « franchir le Rubicon », prendre consciemment une décision lourde de conséquences).

**RUBINSTEIN** (Artur) ~ *1887, Łódź - 1982, Genève.* Pianiste américain d'orig. polonaise. Il fut l'un des plus grands interprètes de Chopin.

**RUBROUCK** (Guillaume DE), en flam. ***Wilhelm van Rubroek*** ~ *v. 1220, Rubroek, auj. Rubrouck, près de Kassel - apr. 1293.* Missionnaire franciscain flamand. Envoyé auprès du grand khan de Mongolie (1252-1254) par Saint Louis, il tint une chronique détaillée de son voyage.

**Ruche** ~ Cité d'artistes située à Paris (passage de Dantzig). Dès 1902, Zadkine, Léger, Delaunay et Modigliani, entre autres, y travaillèrent, suivis, à partir de 1913, de ceux qui formèrent l'école de Paris, not. Chagall et Soutine.

© F. Jalain-Explorer

*La Ruche, cité d'artistes dans le XVe arrondissement de Paris.*

**RÜCKERT** (Friedrich) ~ *1788, Schweinfurt, Bavière - 1866, Neuses, près de Cobourg.* Poète et orientaliste allemand. Auteur de poèmes patriotiques et de recueils inspirés de la poésie persane, il a donné son chef-d'œuvre avec les *Kindertotenlieder* (« Chants des enfants morts », 1872), immortalisés par la musique de G. Mahler.

**RUDAKI** (Abu Abd Allah Djafar) ~ *v. 859, près de Rudak, région de Samarkand - v. 940, id.* Poète persan. Il est considéré comme le premier grand maître de la poésie persane.

**RUDE** (François) ~ *1784, Dijon - 1855, Paris.* Sculpteur français. D'un tempérament romantique, mais attaché à la tradition académique, il réalisa not. le *Départ des volontaires*, surnommé *la Marseillaise* (arc de triomphe de l'Étoile, à Paris, 1835-1836), une statue du maréchal Ney (1852-1853) et *Napoléon s'éveillant à l'immortalité* (1847).

**RUEFF** (Jacques Léon) ~ *1896, Paris - 1978, id.* Économiste français. Spécialiste de théorie monétaire et partisan de l'étalon-or, il inspira le plan de redressement économique de 1958. Acad.

**RUEIL-MALMAISON** ~ V. de la banlieue O. de Paris (Hauts-de-Seine), centre industr. et tertiaire ; 66 401 h. Le **château de la Malmaison** fut acheté par Joséphine de Beauharnais en 1799, qui y vécut avec Napoléon Bonaparte et y mourut.

**RUFFIÉ** (Jacques) ~ *1921, Limoux.* Médecin et anthropologue français. Professeur au Collège de France, spécialiste de l'hématologie, de l'immunologie et de la génétique, il a initié l'hémotypologie, qui classifie les facteurs héréditaires du sang.

**RUGBY** ~ V. d'Angleterre (Warwickshire), à l'E. de Coventry ; 60 000 h. Célèbre *public school*, où William Webb Ellis aurait inventé le **rugby** lors d'une partie de football (1823).

**RÜGEN** ~ Île côtière de l'Allemagne orientale (Mecklembourg - Poméranie-Antérieure) baignée par la Baltique, reliée par un pont au continent ; 926 km², 87 000 h. Tourisme baln. (Sassnitz), pêche (hareng, sole). Hautes falaises de craie.

**RUHMKORFF** (Heinrich Daniel) ~ *1803, Hanovre - 1877, Paris.* Inventeur allemand. Il donna son nom à une bobine d'induction (1851).

**RUHR** (la), en all. ***Ruhrgebiet*** ~ Le plus important bassin industr. d'Europe, au contact du Massif schisteux rhénan et des plaines du N. de l'Allemagne. Traversé par la **Ruhr** (235 km), affl. du Rhin (r. dr.), il occupe 13 % de la superficie de la Rhénanie-du-Nord - Westphalie et rassemble 31 % de sa population, mais étend son influence à tout l'axe rhénan. L'exploitation de la houille (auj. en baisse) est à l'origine d'une intense industrie lourde (acier et métaux, chim., constr. mécan. et prod. électr.). Urbanisée à 85 % (Duisbourg, Dortmund, Essen, Bochum, Gelsenkirchen, Wuppertal), irriguée par un très dense réseau de communications et d'infrastructures, la Ruhr a opéré une reconversion de sa zone minière la plus ancienne (parcs publics, espaces verts, plans d'eau) vers les services (54,4 %). **HIST. -** Occupée militairement, avec toute la Rhénanie, par la France et la Belgique (1923-1925) à la suite du non-respect des clauses du traité de Versailles, bombardée pendant la Seconde Guerre mondiale, la Ruhr fut dotée de 1948 à 1952 d'un organisme allié de contrôle économique, jusqu'à la création de la Ceca.

**RUISDAEL** ~ Voir **Van Ruysdael.**

**RUIZ** (Juan) ~ *v. 1285, Alcalá de Henares - v. 1350.* Poète espagnol. Archiprêtre de Hita, il fut l'auteur du *Livre du bon amour* (1343), ample poème satirique, allégorique et philosophique, précurseur de la littérature castillane.

**RUIZ DE ALARCÓN Y MENDOZA** (Juan) ~ *1581, Mexico - 1639, Madrid.* Auteur dramatique espagnol. Son théâtre reflète les goûts du Siècle d'or espagnol (*la Vérité suspecte*, 1630).

**RULFO** (Juan) ~ *1917, Saydela - 1986, Mexico.* Écrivain mexicain. Son recueil de nouvelles *le Llano en flammes* (1953) et son roman *Pedro Paramo* (1955) ont eu une influence déterminante sur la littérature latino-américaine.

**RUMFORD** (Benjamin **Thompson**, comte) ~ *1753, Woburn, Massachusetts - 1814, Auteuil.* Physicien américain. Par ses expériences sur les chaleurs de combustion et de vaporisation, il établit la correspondance entre chaleur et travail mécanique, ruinant ainsi la théorie du calorique (1798).

**RUMILLY** ~ V. de Haute-Savoie, anc. place forte au S.-O. d'Annecy ; 9 991 h. Industr. alimentaire. Musée régional. Demeures des XVIe et XVIIe s.

**RUMMEL** (le) ou **RHUMEL (oued)** ~ Fleuve d'Algérie qui coule en gorges à Constantine ; env. 250 km.

**RUNDSTEDT** (Gerd VON) ~ *1875, Aschersleben - 1953, Hanovre.* Maréchal allemand. Il mena des offensives victorieuses en Pologne (1939), en France (1940) et en Ukraine (1941), mais échoua en 1944 dans la contre-offensive des Ardennes.

**RUNEBERG** (Johan Ludvig) ~ *1804, Pietarsaari - 1877, Porvoo.* Poète finlandais d'expression suédoise. Son œuvre contribua à l'éveil de la nation finlandaise (*Récits de l'enseigne Stål*, 1848-1860).

**RUNGIS** ~ V. de la banlieue S. de Paris (Val-de-Marne) ; 2 939 h. Site depuis 1969 d'un marché d'intérêt national (M. I. N.) qui assure le ravitaillement de la région parisienne, remplaçant celui des Halles.

**RUOLZ-MONTCHAL** (comte Henri DE) ~ *1808, Paris - 1887, Neuilly-sur-Seine.* Savant français. Il mit au point, avec le Britannique G. R. Elkington, la dorure de l'argent par galvanoplastie (1840).

**RUPERT** (Robert de Bavière, dit **le prince**) ~ *1619, Prague - 1682, Londres.* Amiral anglais. Fils de l'Électeur palatin Frédéric V et petit-fils de Jacques Ier Stuart, il s'illustra contre les Impériaux (1638-1641) lors de la guerre de Trente Ans, puis passa au service de son oncle Charles Ier pendant la guerre civile. Battu par Cromwell à Naseby (1645), il s'exila jusqu'en 1660, date de la restauration de Charles II, qui le fit Premier lord de l'Amirauté.

**RUSAFA** ou **RÉSAFÉ** ~ V. de Syrie, au S.-E. du lac Asad. Ancienne Sergiopolis byzantine, elle fut un lieu de pèlerinage et de dévotion à saint Serge. Basiliques sculptées, cathédrale (VIe s.).

**RUSE** ~ Port fluvial du N. de la Bulgarie, centre industr. sur le Danube (r. dr.), relié à la Roumanie par un pont ; 192 000 h.

**RUSHDIE** (Salman) ~ *1947, Bombay.* Écrivain britannique d'orig. indienne. Conteur à l'imagination foisonnante (*les Enfants de minuit*, 1980), il a été accusé de blasphème pour ses *Versets sataniques* (1988) par le clergé chiite d'Iran, qui a lancé contre lui une fatwa le condamnant à mort.

*Salman Rushdie.*

© Ashe/Liaison-Gamma

**Rushmore (mont)** ~ Site touristique des Black Hills (Dakota du Sud), aux États-Unis. Falaise où sont sculptées les effigies géantes de Washington, de Jefferson, de Th. Roosevelt et de Lincoln (de g. à dr.).

*Les effigies de granit du mont Rushmore.*

**RUSKIN** (John) ~ *1819, Londres - 1900, Brantwood, Cumberland.* Théoricien de l'art britannique. Liant l'esthétique à la sociologie, il fut l'idéologue tant du préraphaélisme que du renouveau de l'artisanat d'art (*l'Économie politique de l'art*, 1857). [☞ **préraphaélite.**]

**RUSSELL** (Bertrand, 3ᵉ comte) ~ *1872, Trelleck, pays de Galles - 1970, Penrhyndeudraeth, id.* Philosophe et logicien britannique. Sa théorie des types et des descriptions s'inscrit dans le projet d'une axiomatisation complète des mathématiques, tout en inaugurant le vaste chantier de l'analyse logique du langage (*Principia mathematica*, en collaboration avec A. N. Whitehead, 1910-1913). Militant pacifiste, il créa un tribunal international chargé de juger les crimes de guerre américains au Viêt Nam. Prix Nobel de litt. 1950.

**RUSSELL** (Henry Norris) ~ *1877, Oyster Bay, New York - 1957, Princeton.* Astrophysicien américain. Il établit la théorie photométrique des étoiles doubles à éclipses (1911) et, avec E. Hertzsprung, élabora le diagramme qui porte leur nom (1913).

**RUSSELL** (John), 1ᵉʳ comte **de Bedford** ~ *1792, Londres - 1878, Pembroke Lodge, Richmond Park.* Homme politique britannique. Parlementaire libéral, chef du parti whig, il fut plusieurs fois Premier ministre (1846-1852 ; 1865-1866) et ministre des Affaires étrangères (1852-1855 ; 1860-1865). Il promut de nombreuses réformes inspirées du libre-échangisme et engagea son pays dans la guerre de Crimée (1854), puis opta pour une politique étrangère de non-intervention.

**RUSSELL** (Ken) ~ *1927, Southampton.* Cinéaste britannique. Il a mis son esthétique baroque au service de fictions (*Love*, 1969) et de biographies filmées, not. de musiciens (*Music Lovers*, 1971).

**RUSSIE (fédération de)**, en russe ***Rossiïskaïa Federetsia*** ~ Pays d'Europe orientale et d'Asie qui reste, après la disparition de l'U. R. S. S., le plus vaste du monde (10 000 km d'E. en O. et 3 000 km du N. au S.). ***Cap.*** Moscou. ***Superf.*** 17 075 400 km². ***Popul.*** 148 400 000 h., majoritairement regroupés à l'O. de l'Oural, limite E. de l'Europe. Les Russes représentent 80 % du total, les minorités étant dotées de territoires officiels, les actuelles républiques de la fédération (Adyguéïe, Altaï, Bachkirie, Bouriatie, Carélie, Daguestan, Iakoutie, Ingouchie, Kabardino-Balkarie, Kalmoukie, Karatchaïevo-Tcherkessie, Khakassie, Mordovie, Ossétie du Nord, Oudmourtie, Tatarstan, Tchétchénie, Tchouvachie, républiques des Komis, des Maris, de Touva). ***Langue princ.*** Russe. ***Monn.*** Rouble. ***Relief.*** De vastes plaines (plaine russe, Sibérie occidentale, dépression caspienne) et plateaux (Sibérie orientale) s'adossent au S. et à l'E. à un arc de cercle montagneux qui va du Caucase à la péninsule volcanique du Kamtchatka. ***Hydrogr.*** La Russie compte six des plus grands fleuves du monde (Volga, Dniepr, Ob-Irtych, Ienisseï, Lena, Amour), utilisés pour la navigation, l'irrigation et la production d'hydroélectricité. Les débouchés maritimes sont partagés avec des puissances étrangères (mer Noire, Baltique) ou gelés une grande partie de l'année (océans Arctique et Pacifique). ***Climat et végétation.*** Continental, le climat connaît de nombreuses nuances, mais les hivers sont partout rigoureux, sauf sur la côte E. de la mer Noire. L'extension en latitude des zones impropres aux cultures (toundra, taïga) est croissante d'O. en E. (prod. agricole faible autour du lac Baïkal et dans l'Extrême-Orient russe). Au S. de la forêt (mixte au S.) et de la zone des podzols, une large bande, continue jusqu'au haut Ienisseï, de terres fertiles (tchernoziom) porte les cultures céréalières et industrielles. ***Écon.*** Les ressources du pays sont considérables, à la mesure de son immensité, mais difficiles et coûteuses à exploiter (climat, distances, faible peuplement). Pendant soixante-dix ans, une politique économique centralisée à l'extrême a conduit à un immense gaspillage alors qu'un effort militaire considérable mobilisait l'argent et les technologies. Depuis 1991, les dysfonctionnements du système n'ont fait que s'accentuer. Aucune réforme globale et volontariste n'a été mise en place, ce qui a abouti à des déséquilibres très importants entre les différents secteurs (chute de la prod. industrielle et agricole, prolifération du tertiaire). La Russie est l'un des premiers exportateurs mondiaux de matières premières (gaz naturel, pétrole, métaux précieux not.). Elle importe des produits agricoles et des produits fabriqués malgré les énormes capacités productives nationales, et ses industries sont désuètes ou peu compétitives. Le F. M. I. et les pays occidentaux sont désormais amenés à soutenir financièrement le gouvernement de Moscou. **HIST.** - *IIIᵉ mill. av. J.-C.* : développement de civilisations néolithiques en relation avec le Proche-Orient et la mer Égée. *Iᵉʳ mill. av. J.-C.* : des empires constitués par des peuples nomades (Cimmériens, Scythes, Sarmates) se succèdent entre l'Oural et le Dniepr ; les Grecs colonisent les rives de la mer Noire. *IIIᵉ-IXᵉ s. apr. J.-C.* : Goths, Huns, Avars, Khazars construisent de nouveaux empires au S. Au N., les Slaves orientaux assimilent les peuplades finnoises et confient leur défense aux Varègues, également nommés Russes. Riourik, un Varègue, fonde Novgorod (vers 860) ; Oleg fonde Kiev (882), premier État russe qui s'affirme en combattant Khazars, Petchenègues, Bulgares et Byzantins. *Xᵉ s.* : influence culturelle byzantine et conversion au christianisme de Vladimir Iᵉʳ le Saint (baptême de la Russie, 988). *1019-1054* : apogée de la principauté de Kiev sous le règne de Iaroslav. *XIIᵉ-XIIIᵉ s.* : les querelles de succession et les invasions mongoles précipitent sa désintégration. *XIIIᵉ-XVᵉ s.* : les principautés indépendantes se maintiennent en Galicie et dans le N. sous suzeraineté mongole (Pskov, Novgorod), tandis que le S. et l'E. de la Russie passent pour deux siècles sous la domination de la Horde d'Or. De 1240 à 1242, le prince de Novgorod, Alexandre Iaroslavitch, dit Nevski, repousse les attaques des Suédois et des chevaliers Porte-Glaive. Ses descendants fondent la principauté de Moscou et obtiennent des Mongols le titre de grand-prince. Dimitri Donskoï (1362-1389) bat les Mongols à Koulikovo (1380), sans que ceux-ci relâchent leur emprise. La chute de Constantinople (1453) fait de Moscou la capitale de l'orthodoxie. *1462-1505* : Ivan III s'affirme comme continuateur des empereurs de Byzance en épousant Sophie Paléologue. Il cesse de payer tribut aux Mongols (1480), organise un État centralisé, institue un ordre de noblesse, et commence à réunir les terres russes (Novgorod, Tver). *1533-1584* : Ivan IV le Terrible prend le titre de tsar (1547) et s'ouvre les portes de la Caspienne et de la Sibérie en annexant les khanats mongols de Kazan et d'Astrakhan. Il brise l'opposition des boyards en annexant leurs domaines et affirme le système autocratique qui servira de modèle à ses successeurs. Le servage apparaît de fait (recensement de 1571). *1598* : la mort de Fiodor Iᵉʳ marque l'extinction de la dynastie rourikide et inaugure le Temps des troubles. *1598-1613* : les règnes de Boris Godounov (1598-1605), du faux Dimitri (1605), un usurpateur qui lui succéda, et de Vassili Chouïski (1606-1610) s'accompagnent de troubles politiques et sociaux. Les Suédois interviennent en Russie, puis les Polonais prennent Moscou et font proclamer tsar Ladislas, fils du roi de Pologne Sigismond III (1612). Ils sont chassés par une révolte populaire menée par le prince Pojarski et le boucher Minine. *1613* : les Romanov accèdent au pouvoir. Les tsars Michel III (1613-1645), Alexis (1645-1676), Fiodor III (1676-1682) et la régente Sophie (1682-1689) consolident le territoire (Smolensk, Kiev), et étendent le servage (Code de 1649) alors qu'une réforme religieuse suscite des révoltes. *1689-1725* : Pierre Iᵉʳ le Grand (1682-1725) ouvre son pays sur la Baltique et l'Occident (fondation de Saint-Pétersbourg, 1703) et en accélère la modernisation et l'industrialisation (création de manufactures) au prix de la misère populaire (oukase de 1721 autorisant la vente des paysans). Il met en place un système administratif très puissant. La vieille noblesse est écartée au profit d'une nouvelle noblesse soumise au tsar. La grande guerre du Nord contre la Suède de Charles XII (1700-1721) fait de la Russie la première puissance de la Baltique. *1725-1762* : les successeurs de Pierre le Grand, sa femme Catherine Iʳᵉ (1725-1727), Pierre II (1727-1730), Anna Ivanovna (1730-1740) et Élisabeth Petrovna (1741-1762), poursuivent son œuvre. *1762-1796* : après l'assassinat de Pierre III, Catherine II gouverne en despote éclairé. L'intensification du servage provoque la révolte de Pougatchev (1773-1774). La politique extérieure de Catherine II est prestigieuse ; le démembrement de la Pologne donne à la Russie la Biélorussie, la Lituanie et l'Ukraine occidentale. Le traité de Kutchuk-Kaïnardji (1774) ouvre la mer Noire et ses détroits à la flotte russe, la Crimée est annexée, comme le sera en 1801 la Géorgie. *1796-1855* : Paul Iᵉʳ (1796-1801) engage la Russie dans la coalition antifrançaise et Alexandre Iᵉʳ (1801-1825), qui résiste victorieusement à l'invasion de la Grande Armée napoléonienne (1812), assoit les relations avec la Prusse et l'Autriche par la Sainte-Alliance ; il annexe la Finlande (1809). Nicolas Iᵉʳ (1825-1855) se fait l'artisan d'une politique réactionnaire et autoritaire à l'intérieur (révolte des officiers décabristes, 1825) et à l'extérieur du pays (répression des révolutions en Pologne et en Hongrie). L'expansionnisme russe se poursuit au Caucase, au Turkestan, en Extrême-Orient, mais la volonté séculaire d'occuper Constantinople et de rassembler les Serbes provoque la guerre de Crimée et la défaite russe (traité de Paris, 1856). *1855-1881* : Alexandre II tente de libéraliser le régime en abolissant le servage (1861) et en créant les *zemstvos* (assemblées locales). La noblesse réagit de deux façons : par une opposition farouchement conservatrice ou, au contraire, en prenant la tête de mouvements intellectuels réformistes, voire révolutionnaires, tels les populistes (***narodniki***), qui assassinent le tsar en 1881. *1881-1917* : Alexandre III (1881-1894) encourage une réaction nobiliaire et nationaliste. La russification s'abat sur les pays Baltes, la Finlande et la Pologne. Les Juifs sont persécutés. Isolé en Europe, le tsar accepte l'alliance militaire française (alliance franco-russe, 1892). Nicolas II (1894-1917) continue la politique réactionnaire d'Alexandre III. La Russie connaît un développement industriel rapide et le gonflement d'un prolétariat ouvrier misérable. Le Parti ouvrier social-démocrate est créé en 1898 avant de se diviser entre mencheviks et bolcheviks (Lénine). En 1905, la défaite russe, lors de la guerre avec le Japon, conjuguée à une crise économique dévastatrice, provoque des émeutes révolutionnaires (révolution de 1905) et la mise en place d'une monarchie constitutionnelle avec la création d'une assemblée, la douma. À partir de 1906, le ministre de l'Intérieur, Piotr Stolypine, essaie en vain de créer une classe de paysans aisés, alors que l'agitation révolutionnaire se développe. La Russie se rapproche de la Grande-Bretagne. *1914* : la mobilisation générale est décrétée (30 juill.) pour venir en aide à la Serbie, envahie par l'Autriche. *1917* : la misère, les défaites militaires infligées à l'O. par l'Allemagne, au S. par la Turquie entraînent les révolutions de Février et d'Octobre, la fin du tsarisme et la prise du pouvoir par les bolcheviks. *1918* : le Congrès panrusse des soviets proclame la République socialiste fédérative soviétique de Russie (R. S. F. S. R.) en janvier, puis la dote d'une Constitution en juillet ; les bolcheviks instaurent le « communisme de guerre » (nationalisations, réquisitions, police politique, création de l'Armée rouge) et signent le traité de Brest-Litovsk avec l'Allemagne (3 mars), obtenant la paix contre la perte de la Pologne, des pays Baltes, de la Finlande de l'Ukraine et d'une partie de la Biélorussie. La famille impériale est exécutée (17 juillet). *1919-1921* : après trois ans de guerre civile contre les armées blanches d'Aleksandr Koltchak, d'Anton Denikine et de Piotr Wrangel, soutenues par des corps expéditionnaires étrangers, l'Armée rouge est victorieuse, mais le pays épuisé (révolte des marins de Kronstadt, mars 1921). Des millions de personnes sont mortes, du fait soit des combats, soit des famines, et l'immigration est massive. Lénine inaugure la « nouvelle politique économique » (N. E. P.), qui tolère l'initiative privée. *30 déc. 1922* : l'U. R. S. S. est créée. *1923-1991* : voir **U. R. S. S.** *1991* : Boris Eltsine devient président de la fédération de Russie, qui succède à l'U. R. S. S. à l'O. N. U. *1993-1995* : les élections législatives dans un pays ruiné et désorganisé par une libéralisation hâtive amènent au Parlement de fortes minorités communiste et d'extrême droite. Les nostalgiques du régime soviétique tentent un coup de force au Parlement, durement réprimé (oct. 1993). Le pays vit au rythme des « affaires » et s'inquiète de la politique du gouvernement confronté aux revendications d'autonomie des peuples intégrés dans la fédération (intervention militaire en Tchétchénie, 1994-1996). *1996* : B. Eltsine est réélu.

**Russie (campagne de)** ~ Expédition menée du 24 juin au 30 déc. 1812 par Napoléon Ier à la tête de la Grande Armée (600 000 hommes dont moins de 300 000 Français). Vainqueur sur la Moskova (7 sept.), l'Empereur entra dans Moscou (14 sept.), mais, devant l'incendie de la ville par ses habitants (15-18 sept.), il dut ordonner la retraite (19 oct.). Un hiver très rude et le harcèlement des cosaques rendirent le passage de la Bérézina catastrophique (26-29 nov.). Informé de la conspiration du général Cl. Fr. de Malet à Paris, Napoléon quitta l'armée pour la capitale, laissant le commandement à J. Murat, qui ne ramena pas le dixième des effectifs engagés. La débâcle militaire scella le destin de l'Empereur, qui allait bientôt perdre son hégémonie sur l'Europe.

**russo-japonaise (guerre)** ~ Conflit entre la Russie et le Japon (févr. 1904-sept. 1905). Sans faire de déclaration de guerre, les Japonais attaquèrent la flotte russe de Port-Arthur (auj. Lüshun), puis prirent cette base (janv. 1905). Ils vainquirent les Russes sur terre à Moukden (févr.-mars 1905), puis de nouveau sur mer à Tsushima (mai 1905). Nicolas II dut signer le traité de Portsmouth (sept. 1905) qui l'obligeait à évacuer la Mandchourie et à laisser le Japon établir son protectorat sur la Corée. Cette défaite eut de graves conséquences intérieures pour le régime tsariste (révolution de 1905).

**russo-turques (guerres)** ~ Série d'affrontements (1736-1739, 1768-1774, 1787-1791, 1828-1829, 1877-1878) entre l'Empire russe et l'Empire ottoman, qui fit perdre à ce dernier les côtes septentrionales de la mer Noire et l'essentiel de ses possessions balkaniques.

**RUTEBEUF** ~ *m. v. 1285 à Paris.* Poète français. Auteur de pièces satiriques (*Renart le Bestourné*) ou religieuses (*le Miracle de Théophile*), il donna libre cours à sa sensibilité dans ses poésies (*la Pauvreté Rutebeuf*).

**RUTH** ~ Personnage biblique. Veuve moabite, elle suivit sa belle-mère Noémi à Bethléem et épousa Booz, riche agriculteur ; elle lui donna Obed, aïeul de David.

**RUTHERFORD OF NELSON** (Ernest, lord) ~ *1871, Nelson, Nouvelle-Zélande - 1937, Cambridge.* Physicien britannique. Pionnier de la physique nucléaire, il découvrit la radioactivité du thorium (1899), établit la loi des transformations radioactives avec Fr. Soddy (1903) et distingua les rayons bêta et alpha, établissant la première transmutation provoquée de l'azote en oxygène (1919). On lui doit aussi la détermination de la masse du neutron et le modèle de l'atome : électrons satellites et noyau central ponctuel qui concentre l'essentiel de sa masse. Prix Nobel de chim. 1908.

**RÜTLI** ou **GRÜTLI** (le) ~ Site de Suisse (Uri), sur la rive du lac des Quatre-Cantons. Le 1er août 1291, les représentants des cantons d'Uri, de Schwyz et d'Unterwald y prêtèrent le serment de se défaire de la tutelle des Habsbourg. En souvenir de cette journée, le 1er août est devenu la fête nationale de la Confédération helvétique.

**Rutules** (les) ~ Anc. peuple du Latium (Italie), soumis par Rome au Ve s. av. J.-C.

**RUWENZORI** (le) ~ Massif cristallin d'Afrique centrale (E. de la Rift Valley), l'un des sommets du continent (5 119 m), à la frontière du Zaïre et de l'Ouganda, coiffé de neiges éternelles (glaciers). Tourisme (parc national ougandais).

**RUYSDAEL** ~ Voir **Van Ruysdael.**

**RUYTER** (Michael Adriaanszoon VAN) ~ *1607, Flessingue, Zélande - 1676, Syracuse.* Amiral hollandais. Il battit G. Monk en 1666 dans le pas de Calais, puis incendia les vaisseaux anglais à Chatham (1667). Il arrêta la flotte franco-anglaise en Zélande (1673). En 1676, au large de la Sicile, il fut battu par A. Duquesne et mortellement blessé.

**RUŽIČKA** (Leopold) ~ *1887, Vukovar, Croatie - 1976, Zurich.* Chimiste suisse d'orig. croate. Il étudia les polyméthylènes et les terpènes, ainsi que les hormones stéroïdes, et réalisa la synthèse de l'androstérone et de la testostérone. Prix Nobel de chim. 1939.

**RWANDA** ou **RUANDA** (le), off. **République rwandaise** ~ Pays enclavé d'Afrique centrale bordé par le lac Kivu à l'O. ***Cap.*** Kigali. ***Superf.*** 26 338 km$^2$. ***Popul.*** 7 460 000 h. (1993). ***Langues princ.*** Kinyarwanda, français. ***Monn.*** Franc rwandais. ***Relief.*** Région de hauts plateaux vallonnés (alt. moyenne 1 500-2 000 m), dominée par la chaîne volcanique des Virunga au N. -O. ***Climat.*** Subéquatorial modéré par l'altitude. ***Écon.*** Traditionnellement fondée sur l'agriculture vivrière (très fortes densités rurales) et les exportations de café et de thé, elle est ruinée par la guerre civile. **HIST.** - *Ier s. apr. J.-C.* : peuplement de la région qui s'organise progressivement en royaumes. *XVIe s.* : unification du pays sous l'autorité de la dynastie des rois Nyiginya (Tutsis). *XVIIe-XIXe s.* : le Rwanda échappe aux vagues successives de la colonisation européenne jusqu'à l'arrivée des Allemands (1894), qui intègrent la région à l'Afrique-Orientale allemande. *1916* : le Rwanda allemand est conquis par les Alliés. *1923* : il est placé sous mandat belge puis intégré au Congo belge. *1962* : à l'occasion de la proclamation de l'indépendance du Rwanda, les Tutsis sont évincés du pouvoir par les Hutus. *1963-1991* : en dépit de la pression militaire exercée par les rebelles tutsis, le pays reste sous influence hutue. *1991* : les victoires militaires des Tutsis, réunis depuis 1990 en un Front patriotique rwandais (F. P. R.), contraignent les Hutus à accepter un processus de démocratisation. *1994* : l'assassinat du président Juvénal Habyarimana, au pouvoir depuis 1973, marque le début d'une guerre civile opposant Tutsis et Hutus particulièrement meurtrière. *1995* : les Tutsis du F. P. R. prennent le pouvoir et constituent un gouvernement d'union nationale sous l'autorité de Paul Kagame. Malgré les velléités des pays occidentaux (médiation de Jimmy Carter), la réconciliation nationale ne se réalise pas. *1996* : les réfugiés de l'E. du Zaïre, Hutus pour l'essentiel, rentrent au Rwanda, alors que le climat social du pays est toujours marqué par la défiance extrême entre les groupes ethniques.

**RYBINSK** ~ V. industr. du N.-O. de la Russie, sur la haute Volga, près de Iaroslavl ; 252 000 h. Hydroélectr. (lac de retenue de 4 500 km$^2$), constructions navales et mécaniques, imprimerie, agroalimentaire.

**RYBNIK** ~ V. de Pologne, au S.-O. de Katowice, près de la frontière tchèque, dans le bassin houiller de haute Silésie ; 143 000 h. Industries métall. et mécanique.

**RYDBERG** (Johannes Robert) ~ *1854, Halmstad, sur le Kattegat - 1919, Lund.* Physicien suédois. Il mit en évidence la constante (qui porte son nom) des spectres optiques des éléments.

**RYDZ-ŚMIGŁY** (Edward) ~ *1886, Brzeżany, auj. Berejany, Ukraine - 1941, Varsovie.* Maréchal polonais, commandant des forces polonaises en 1939.

**RYLE** (Gilbert) ~ *1900, Brighton - 1976, Whitby, North Yorkshire.* Philosophe et logicien britannique. Avec *la Notion d'esprit* (1949), il conçut une théorie du langage, dans la lignée de L. Wittgenstein, qui renouvela la philosophie analytique anglaise.

**Ryswick (traités de)** ~ Traités signés en Hollande (*auj. Rijswijk, dans la banlieue de La Haye*), en sept.-oct. 1697, entre la France, l'Angleterre, les Provinces-Unies, l'Espagne et le Saint Empire. Ils mirent fin à la guerre de la ligue d'Augsbourg.

**RYŪKYŪ** ~ Archipel japonais (île princ. Okinawa) qui s'étire entre Kyūshū et Taiwan et limite la mer de Chine orientale ; 2 265 km$^2$, 1 238 000 h., ch. -l. Naha (Okinawa). Climat tropical, tourisme. Bases militaires américaines depuis 1945.

**RZESZÓW** ~ V. industrielle du S.-E. de la Pologne (Galicie), centre administratif ; 155 000 h.

**S. A.**, sigle de ***Sturmabteilung***, en fr. « section d'assaut » ~ Milice paramilitaire du parti nazi créée en 1921 par E. Röhm. La S. A. eut un rôle politique important dans la prise du pouvoir par Hitler mais, après la Nuit des longs couteaux (30 juin 1934), ses chefs éliminés, elle se limita à l'encadrement de la population allemande.

**SAADI** (Moslehoddin) ~ Voir **Sa'di**.

**SAALE** (la) ~ Affl. de la r. g. de l'Elbe (Allemagne), issu du Fichtelgebirge, qui arrose la Thuringe et le Saxe-Anhalt ; 427 km.

**SAAREMAA** ~ Grande île estonienne, basse et calcaire, qui ferme le golfe de Riga ; 2 714 km$^2$ ; env. 40 000 h. Élevage, pêche.

**SAARINEN**, famille d'architectes. ~ **Eero** (*1910, Kirkkonummi, Finlande - 1961, Ann Arbor, Michigan*), Américain d'orig. finlandaise. D'abord associé à son père ~ **Eliel** (*1873, Rantasalmi - 1950, Bloomfield Hills, Michigan*), Finlandais installé aux États-Unis, il développa une esthétique fonctionaliste sans renoncer au formalisme plastique (Dulles International Airport, Washington, 1958-1962).

**SABA** ~ Anc. royaume du S.-O. de l'Arabie (VIII$^e$ s. av. J.-C.-VI$^e$ s. apr. J.-C.). Il tomba sous domination perse (571), puis musulmane (633). ~ Royaume légendaire sans doute différent du précédent.

**SABA** (Umberto **Poli**, dit Umberto) ~ *1883, Trieste - 1957, Gorizia.* Poète italien. Autobiographie psychanalytique, ses poèmes parurent d'autant plus singuliers qu'ils empruntaient une forme classique (*Il Canzoniere*, 1921 et 1948).

**SABAH** (le), anc. **Bornéo-Septentrional** ~ État montagneux et forestier de la Malaysia, partie N.-E. de l'île de Bornéo, culminant au mont Kinabalu (4 100 m) ; 73 711 km$^2$, 1 473 000 h. (diminution), dont Malais (5 %), Chinois (21 %), indigènes (45 %), cap. Kota Kinabalu. Riziculture, plantations (hévéa, cacao), exploitation du bois, du cuivre et des hydrocarbures (offshore). **HIST.** - Protectorat (1888) puis colonie britannique (1946), le Sabah fut intégré à la fédération de Malaysia (1963), intégration contestée par les Philippines et l'Indonésie.

**SABATIER** (Paul) ~ *1854, Carcassonne - 1941, Toulouse.* Chimiste français. Il établit, avec Jean-Baptiste Senderens, une méthode d'hydrogénation des combinaisons organiques grâce au nickel réduit utilisée en chimie organique. Prix Nobel de chim. 1912.

**SÁBATO** (Ernesto) ~ *1911, Rojas, Buenos Aires.* Écrivain argentin. Il a mené une carrière scientifique avant d'exprimer son pessimisme philosophique dans ses trois romans (*le Tunnel*, 1948 ; *Alejandra*, 1967 ; *l'Ange des ténèbres*, 1974).

**SABELLIUS** ~ *III$^e$ s.* Hérésiarque. Sa doctrine, le **sabellianisme** (ou modalisme ou monarchianisme), atténue la distinction entre les trois personnes de la Trinité. Il fut excommunié par Calixte I$^{er}$ v. 217.

**SABIN** (Albert Bruce) ~ *1906, Białystok - 1993, Washington.* Médecin américain d'orig. russe. Il élabora le vaccin antipoliomyélitique buvable.

**SABINE** (la) ~ Ancienne région de l'Italie centrale, habitée par les Sabins.

**Sabins** (les) ~ Anc. peuple d'Italie centrale. Selon la légende, ils entrèrent en conflit avec les Romains à la suite de l'enlèvement de leurs jeunes filles. La paix rétablie, ils formèrent avec eux un seul peuple. Après Romulus, les rois sabins Numa Pompilius (v. 715-672 av. J.-C.) et Ancus Martius (v. 640-616 av. J.-C.) ont régné sur Rome.

**SABINUS** (Julius) ~ *m. en 78 apr. J.-C. à Rome.* Chef gaulois. Il souleva la Gaule contre Rome (69-70). Vespasien le fit exécuter avec sa femme Éponine.

**SABLÉ** (Madeleine **de Souvré**, marquise DE) ~ *1599, en Touraine - 1678, Port-Royal.* Femme de lettres française. Elle tint un salon littéraire recherché et laissa des *Maximes* (1678).

**SABLES-D'OLONNE** (les) ~ Grande station balnéaire de Vendée et port de pêche sur l'Atlantique ; 15 830 h. (agglom. 35 352 h.). Conserveries.

**SABLÉ-SUR-SARTHE** ~ V. du haut Maine (Sarthe) ; 12 178 h. Château du XVIII$^e$ s. Anc. port sur la Sarthe canalisée. Sablés renommés.

**SABUNDE, SEBOND, SEBONDE** ou **SIBIUDA** (Ramon) ~ *fin du XIV$^e$ s., Barcelone - 1436, Toulouse.* Médecin et philosophe aragonais. Il entreprit de démontrer les vérités de la foi par la raison (*Théologie naturelle*, 1487). Son œuvre fut traduite par Montaigne, qui en fit l'apologie dans ses *Essais*.

**SACCHETTI** (Franco) ~ *v. 1330, Raguse, Dalmatie - 1400, San Miniato, Toscane.* Écrivain italien. Tour à tour marchand et homme politique, il composa des poésies lyriques et un recueil d'historiettes (*les Trois Cents Nouvelles*) qui constituent un tableau vivant de la société du XIV$^e$ s.

**SACCO** (Nicola ; *1891, Italie - 1927, Massachusetts*) et **VANZETTI** (Bartolomeo ; *1888, Italie - 1927, Massachusetts*) ~ Militants anarchistes d'orig. italienne. Accusés, sans doute injustement, d'un double meurtre, ils furent condamnés à mort aux États-Unis (1921). Cette sentence provoqua un vaste mouvement de protestation internationale, exemple sans précédent de solidarité ouvrière de l'entre-deux-guerres. Cela n'empêcha pas leur exécution.

**Sacem** ~ Voir **Société des auteurs, compositeurs et éditeurs de musique.**

**Sacerdoce et de l'Empire** (**lutte du**) ~ Querelle qui opposa la papauté au Saint Empire, de 1157 à 1250. Innocent IV sortit victorieux de ce conflit, en faisant destituer l'empereur Frédéric II, mais l'autorité pontificale en fut affaiblie.

**SACHER-MASOCH** (Leopold, chevalier VON) ~ *1836, Lemberg - 1895, Lindheim, Hesse.* Écrivain autrichien. Il fit des rapports de domination érotique le centre d'une vision pessimiste de la condition humaine (*la Vénus à la fourrure*, 1870). Le médecin R. von Krafft-Ebing créera en 1886 à partir de son œuvre la notion de **masochisme**.

**SACHS** (Hans) ~ *1494, Nuremberg - 1576, id.* Poète allemand. Cordonnier de profession, il écrivit de nombreux poèmes et drames (*l'Écolier vagabond*, 1551). R. Wagner l'immortalisa dans *les Maîtres chanteurs de Nuremberg* (1862-1867).

**SACHS** (Leonie, dite Nelly) ~ *1891, Berlin - 1970, Stockholm.* Écrivain suédois d'orig. allemande. Traumatisée par l'Holocauste, elle fonda sa poésie et son théâtre sur le message biblique (*Fuite et Transformation*, 1959). Prix Nobel de litt. 1966.

**SACKVILLE** (Thomas), baron **de Buckhurst** et comte **de Dorset** ~ *v. 1536, Buckhurst, Sussex - 1608, Londres.* Homme politique et poète anglais. Grand trésorier de la Couronne, il écrivit, avec Th. Norton, la première tragédie anglaise en vers non rimés, *Gorboduc ou Ferrex et Porrex* (1561).

**SACLAY** ~ V. de la grande banlieue S.-O. de Paris (Essonne) ; 2 894 h. Centre d'études nucléaires.

**SACRAMENTO** (le) ~ Riv. de Californie (États-Unis), issue de la chaîne des Cascades, qui forme un delta commun avec le San Joaquin, au S. de Sacramento ; 620 km. Il arrose la partie septentrionale de la Grande Vallée.

**SACRAMENTO** ~ Cap. de la Californie (États-Unis) dans la vallée agricole du Sacramento ; 393 000 h. (agglom. 1 097 000 h.). Industries agroalim., aéronaut., informatique.

**SACRÉ** (**mont**) ~ Colline du N. de Rome (37 m). En 494 av. J.-C., l'armée romaine s'y serait regroupée alors que la plèbe, révoltée, s'était retirée sur l'Aventin.

**Sacré-Cœur** (le) ~ Basilique de Paris édifiée en pierres blanches sur la butte Montmartre, de style romano-byzantin. Sa construction (1876-1912) sur les plans de l'architecte Paul Abadie, fut décidée par l'Assemblée nationale en 1873 « en expiation de l'effondrement spirituel et moral » qui avait conduit à la défaite de 1870. Cette décision suscita un intense débat politico-religieux. La basilique fut consacrée en 1919.

**sacrées** (**guerres**) ~ Nom de quatre guerres entre cités grecques (600-590, 448-421, 355-346, 339 av. J.-C.). Menées par des cités de l'amphictyonie de Delphes pour protéger les droits et les richesses du sanctuaire d'Apollon contre d'autres cités spoliatrices, les deux dernières permirent l'intervention de Philippe II de Macédoine en Grèce.

**SA'DA** ~ V. des hauts plateaux du Yémen septentrional, au S. de l'Asir, à 2 350 m d'alt. ; 7 000 h. Centre religieux et berceau du zaydisme (branche modérée du chiisme).

**SADATE** (Anouar el-) ~ *1918, Mit Aboul Kom - 1981, Le Caire.* Homme d'État égyptien. Successeur de Nasser en 1970 à la tête de l'État égyptien, il engagea son pays dans la guerre du Kippour contre Israël (1973). Rompant les liens avec l'U. R. S. S. il se rapprocha des puissances occidentales et de l'État hébreu (traité égypto-israélien de 1979). Il fut assassiné par des militaires intégristes. Prix Nobel de la paix 1978 avec M. Begin.

**SADE** (Donatien Alphonse François, comte DE, dit **le marquis** DE) ~ *1740, Paris - 1814, Charenton.* Écrivain français. Nourris d'une fantasmatique de la cruauté, mais aussi d'une revendication libertaire absolue, ses écrits érotiques et philosophiques furent rédigés au cours de quelque trente ans d'incarcérations successives (*les Cent Vingt Journées de Sodome*, 1782-1785, posth., 1904 ; *Justine*, 1791 ; *la Philosophie dans le boudoir*, 1795).

Portrait imaginaire de D. A. F. de **Sade** *(1938), peinture de Man Ray (1890-1976). Coll. Menil, Houston.*

**SÁ DE MIRANDA** (Francisco DE) ~ *v. 1480, Coimbra - 1558, dans le Minho.* Poète et auteur dramatique portugais. Influencé par Pétrarque, son œuvre symbolisa la Renaissance portugaise.

**SA'DI** ou **SAADI** (Moslehoddin) ~ *1209, Chiraz - 1291 ou 1295, id.* Poète persan. Il est l'auteur du *Golestan* (« Jardin des roses ») et du *Bustan* (« Jardin des parfums »). Il exprima une sagesse pratique fondée sur l'expérience et le détachement.

**SADO** ~ Île japonaise de la mer du Japon, au large de Niigata (Honshû) ; 857 km$^2$, env. 80 000 h. Riz, pêche. Tourisme.

**SADOUL** (Georges) ~ *1904, Nancy - 1967, Paris.* Critique et historien français. Son ouvrage *Histoire générale du cinéma* (1946-1954) est un des premiers du genre.

**SADOWA** ~ Localité de Bohême orientale. Le 3 juillet 1866, les Prussiens y écrasèrent les Autrichiens, marquant ainsi le début de la suprématie de la Prusse en Allemagne.

**SAENREDAM** (Pieter) ~ *1597, Assendelft, Hollande-Septentrionale - 1665, Haarlem.* Peintre et dessinateur hollandais. Il se consacra à la peinture d'édifices urbains et d'intérieurs d'églises. Sa facture dégage un climat de ferveur et de sérénité

**Safavides** ou **Séfévides** (les) ~ Dynastie d'origine turkmène ayant régné sur la Perse de 1501 à 1736. Ils imposèrent l'islam chiite comme religion officielle du royaume. Leur capitale fut successivement Tabriz, Qazvin et Ispahan.

**SAFI**, en ar. *Asfi* ~ Important port de pêche du Maroc, sur l'Atlantique ; 198 000 h. Exportation de phosphates. Chimie. Poterie.

**SAGAN** (Carl) ~ *1934, New York - 1996, Seattle.* Astrophysicien américain. Spécialiste de planétologie, il contribua largement aux programmes américains de sondes planétaires.

**SAGAN** (Françoise **Quoirez**, dite Françoise) ~ *1935, Cajarc, Lot.* Écrivain français. Auteur de romans (*Bonjour tristesse*, 1954) et de pièces de théâtre (*Un piano dans l'herbe*, 1970).

**SAGASTA** (Práxedes Mateo) ~ *1825, Torrecilla de Cameros, La Rioja - 1903, Madrid.* Homme politique espagnol. Cinq fois Premier ministre, de 1881 à 1902, il instaura le suffrage universel et perdit la guerre contre les États-Unis (1898).

**Sages (les Sept)** ~ Dans la tradition grecque antique, nom de sept personnages, philosophes ou tyrans, du VIe s. av. J.-C., qui contribuèrent au rayonnement de la civilisation grecque. Les plus célèbres sont Thalès de Milet et Solon d'Athènes.

**SAGETTE** ~ Voir **Sayda**.

**SAGONTE**, en esp. ***Sagunto***, en lat. ***Saguntum*** ~ V. d'Espagne, au N. de Valence ; 56 000 h. Vestiges d'un théâtre romain et d'une forteresse. Anc. cité commerçante de la Tarraconaise, alliée de Rome. Sa prise par Hannibal (219 av. J.-C.) déclencha la deuxième guerre punique.

**SAGRES** ~ Localité de l'Algarve, à l'extrémité S.-O. du Portugal et de l'Europe, sur l'Atlantique. Henri le Navigateur y mourut en 1460.

**SAGUENAY** (le) ~ Riv. du Québec (Canada), affluent du Saint-Laurent (r. g.), issue du lac Saint-Jean ; 200 km. Hydroélectricité et aluminium.

**SAHARA** (le) ~ Désert chaud d'Afrique, s'étendant de part et d'autre du tropique du Cancer, le plus vaste du globe (env. 8 000 000 de km$^2$), compris entre l'Atlas et la Méditerranée au N., le Sahel (steppe à épineux) au S., baigné à l'O. par l'océan Atlantique, à l'E. par la mer Rouge. Il englobe le S. des pays du Maghreb (la Mauritanie et la Libye étant presque entièrement sahariennes), l'Égypte et le N. du Tchad, du Soudan, du Mali et du Niger. L'aridité résulte de la présence d'un anticyclone subtropical local. La pluviosité, très irrégulière d'une année à l'autre, est inférieure à 100-200 mm/an. La zone centrale est la moins arrosée (10 mm/an dans le Ténéré). À l'exception du Nil, qui traverse le Sahara du S. au N., il n'existe que des cours d'eau temporaires, les oueds. Les températures excèdent souvent 50 °C, et les amplitudes diurnes (parfois plus de 30 °C) sont supérieures aux variations saisonnières. L'extension du désert au S. (tendance climatique anc. aggravée par l'épuisement des sols, lié à l'exploitation par l'homme) fait reculer la frange sahélienne. Les reliefs principaux résultent de bombements du socle ancien : Tibesti (culminant à 3 415 m), Hoggar, Aïr, Ennedi, etc., parfois surmontés de pointements volcaniques et bordés de formations gréseuses (tassilis). Ailleurs s'étendent les regs, plaines caillouteuses, les ergs dunaires, ou les hamadas, plateaux calcaires dénudés. De vastes dépressions aux fonds salins (sebkhas) drainent les oueds (endoréisme). Le vent est le premier agent d'érosion. Le peuplement, très clairsemé (env. 2 000 000 d'h.), est concentré autour des points d'eau, première richesse du désert. Les oasis utilisent les eaux souterraines (puits, foggaras, alvéoles creusées dans le sable), mais aussi superficielles (canaux de dérivation) pour les cultures (palmiers dattiers, figuiers, céréales et légumes). Le nomadisme, qui combine élevage du chameau et commerce, est en recul (introduction des transports modernes, extension des zones irriguées aux dépens des pâturages temporaires). L'exploitation des ressources du sous-sol (pétrole, gaz naturel, phosphates, fer et autres minerais) contribue à la transformation de ces modes de vie traditionnels. **HIST.** - De nombreuses gravures rupestres (datant de 5000 à 2000 av. J.-C.) attestent un peuplement ancien plus dense qu'aujourd'hui (supposant un climat alors plus favorable), à l'origine des communautés autochtones actuelles (Maures, Touaregs, Toubous). Les divisions héritées de la colonisation européenne (XIXe-XXe s.) font auj. du Sahara une zone frontalière morcelée entre les États qui se le partagent, source de conflits territoriaux : Algérie-Maroc (Sahara occidental), Libye-Tchad (bande d'Aozou), mais aussi internes : Tchad, Soudan, Niger, divisés entre les peuples du désert et ceux du Sahel.

© P. Le Floch-Explorer

*Dans le **Sahara** algérien.*

**SAHARA OCCIDENTAL** (le) ~ Ancien Sahara espagnol (Rio de Oro jusqu'en 1958), région désertique riche en phosphates (Bou Craa), bordée par une côte très poissonneuse sur l'Atlantique ; 266 769 km$^2$, env. 214 000 h. (Berbères sahraouis), v. princ. El-Aïun. **HIST.** - Le retrait espagnol (1975) déboucha sur les occupations marocaine (Marche verte) et mauritanienne. Le Front Polisario, soutenu par l'Algérie, proclama alors la République arabe sahraouie démocratique (1976) indépendante, reconnue par l'O. N. U. (1978) et l'O. U. A. (1979). En 1988, un accord prévoyant un référendum d'autodétermination, sans cesse reporté, a été signé entre le Maroc et l'O. N. U.

**SAHEL** (le) ~ Nom qui désigne les bordures steppiques (épineux) du Sahara, et plus particulièrement les franges S. du désert, au N. de la savane arborée soudanienne. La progression du Sahel vers le S. traduit l'avancée du désert.

© J. Brun-Explorer

*Puits dans le **Sahel** malien.*

**SAÏAN** ou **SAYAN** (le) ~ Chaîne montagneuse (1 000 km de long, alt. max. 3 491 m) des confins de la Sibérie et de la Mongolie, au N.-E. de l'Altaï. Hauts bassins de l'Ienisseï et de l'Angara.

**SAÏDA** ~ V. d'Algérie, ch.-l. de wilaya, dans les Hautes Plaines, au S.-E. d'Oran, marché agricole (céréales, élevage) ; 84 000 h.

**SAÏDA** ~ Voir **Sayda**.

**SA'ID PACHA** (Muhammad) ~ *1822, Le Caire - 1863, Alexandrie.* Vice-roi d'Égypte (1854-1863). Fils de Méhémet-Ali, il s'efforça de moderniser l'Égypte. Sous son règne débuta le percement du canal de Suez.

**SAIGON** ~ Voir **Hô Chi Minh-Ville**.

**SAIKAKU** (Ihara Saikaku, dit) ~ *1642, Ôsaka - 1693, id.* Écrivain japonais. Ses romans inaugurèrent au Japon un genre réaliste, ironique et licencieux (*la Vie d'une amie de la volupté*, 1682).

**Saint-Acheul** ~ Site préhistorique proche d'Amiens (Somme). Sa fouille (1835) permit la découverte d'un type culturel inconnu du Paléolithique inférieur, l'**Acheuléen** (1873).

**SAINT ALBANS** ~ V. du N.-O. de l'agglom. londonienne, dans le Hertfordshire (Angleterre) ; 126 000 h. Cathédrale et ancienne abbatiale (XIe-XIIe s.), église Saint Michael (tombeau de Francis Bacon). Anc. cité romaine de Verulamium où saint Alban aurait été martyrisé au IVe s. Le monastère bénédictin fondé par Offa de Mercie (793) donna à l'Angleterre des historiens médiévaux (Roger de Wendover, John Wheathampstead). Durant la guerre des Deux-Roses, les York y remportèrent une victoire en 1455 et les Lancastre en 1461.

**SAINT-AMAND-LES-EAUX** ~ V. de la Flandre intérieure française (Nord), station thermale sur la Scarpe (r. g.), dans une région d'élevage bovin ; 16 776 h. (agglom. 19 979 h.). Faïence. Ancienne abbaye bénédictine restaurée au XVIIe s.

**SAINT-AMAND-MONTROND** ~ V. de la Champagne berrichonne (Cher), sur le Cher et le canal du Berry, au centre de la France ; 11 937 h. (agglom. 13 961 h.). Imprimerie. Église romane. Au N., château de Meillant (XVe-XVIe s.), au N.-O., abbaye cistercienne de Noirlac (XIIe s.).

**SAINT-AMANT** (Marc Antoine **Girard**, sieur DE) ~ *1594, Quevilly - 1661, Paris.* Poète français. Son génie baroque se manifeste dans ses poèmes satiriques ou burlesques (*Rome comique*, 1643). Acad.

**SAINT-ANDRÉ** ~ V. de la côte N.-E. de l'île de la Réunion ; 35 375 h. Industrie alimentaire (sucre, vanille).

**SAINT ANDREWS** ~ V. d'Écosse, station baln. et tourist. sur la mer du Nord, au N.-O. d'Édimbourg, anc. cap. religieuse du pays ; env. 12 000 h. Évêché. Université la plus anc. d'Écosse (1411). Ruines de la cathédrale (XIIe-XIVe s.). Siège épiscopal (IXe s.), puis primatial (Xe s.). Golf renommé.

**SAINT-ARNAUD** (Arnaud Jacques, dit Jacques Achille **Leroy** DE) ~ *1798, Paris - 1854, en mer Noire.* Maréchal de France. Ministre de la Guerre en 1851, il organisa le coup d'État du 2 décembre. Il commanda les forces françaises en Crimée et fut vainqueur à l'Alma (1854).

**SAINT-AUBIN**, artistes parisiens du XVIIIe s., parmi lesquels trois frères, dessinateurs et graveurs, fils d'un brodeur du roi. ~ **Charles Germain** DE (*1721 - 1786*), dessinateur en broderie, laissa le recueil *Essai de papillonneries humaines*. ~ **Gabriel Jacques** DE (*1724 - 1780*), également peintre, fit à l'eau-forte une chronique de la vie parisienne. ~ **Augustin** DE (*1736 - 1807*) se distingua comme ornemaniste et vignettiste.

**SAINT AUGUSTINE** ~ La plus anc. v. des États-Unis (Floride), port sur l'Atlantique ; 12 000 h. Pêche. Tourisme. L'Espagnol P. Menéndez de Avilés fonda la ville en 1565, à l'emplacement d'un fort français qu'il avait détruit.

**SAINT-AVOLD** ~ V. du bassin houiller lorrain, au S.-O. de Forbach (Moselle) ; 16 533 h. (agglom. 26 962 h.). Chimie. Pèlerinage marial. Abbatiale, restaurée au XVIIIe s. Cimetière américain.

**SAINT-BARTHÉLEMY** ~ Île française du N. des Petites Antilles, dépendance de la Guadeloupe ; 25 km$^2$, 5 043 h. Port franc. Tourisme. Possession suédoise de 1784 à 1877.

**Saint-Barthélemy** ~ Massacre des protestants en France durant la nuit du 23 au 24 août 1572, ordonné par Catherine de Médicis, alliée aux Guises, afin de contrer l'emprise grandissante de l'amiral de Coligny sur le roi Charles IX. Henri de Navarre, futur Henri IV, ne dut son salut qu'à son abjuration. Faisant env. 3 000 morts, cette tuerie demeure le symbole de l'intolérance religieuse.

**SAINT-BENOÎT** ~ V. de la côte N.-E. de l'île de la Réunion ; 26 457 h. Industrie alimentaire (sucre, vanille).

**SAINT-BERNARD (Grand-)** ~ Col des Alpes (alt. 2 469 m) qui relie le Valais suisse au Val d'Aoste italien, à l'E. du massif du Mont-Blanc, franchi par Bonaparte et ses soldats en 1800. Tunnel routier. Hospice fondé au Xe s. par saint Bernard de Menthon.

**SAINT-BERNARD (Petit-)** ~ Col routier des Alpes (alt. 2 188 m) reliant le Val d'Aoste italien à la Tarentaise française. Couvent et hospice fondés au Xe s. par saint Bernard de Menthon. Passage probable de l'armée d'Hannibal en 218 av. J.-C.

**Saint-Blaise** ~ Site archéologique de la commune de Saint-Mitre-les-Remparts (Bouches-du-Rhône). Comptoir étrusque (VIIe s. av. J.-C.), il connut une présence grecque. Les Romains y fondèrent la ville d'Ugium.

**SAINT-BRÉVIN-LES-PINS** ~ Station balnéaire du pays de Retz (Loire-Atlantique), au débouché de l'estuaire (r. g.) de la Loire ; 8 688 h. (agglom. 14 312 h.). Site mégalithique.

**SAINT-BRIEUC** ~ Préfect. des Côtes-d'Armor, au fond de la **baie de Saint-Brieuc**, port de pêche et de commerce (Le Légué) ; 44 752 h. (agglom. 83 861 h.). 4e bassin d'emploi breton (admin., comm.), la ville connaît un nouvel essor industriel (métall., caoutchouc, brosserie). Cathédrale (XIVe-XVe s., restaurée au XVIIIe s.).

**SAINT-CÉRÉ** ~ V. pittoresque du haut Quercy (Lot), station clim. et tourist. ; 3 760 h. Tours médiévales de Saint-Laurent (musée J.-Lurçat).

**SAINT-CHAMOND** ~ V. du bassin industriel de Saint-Étienne (Loire), sur le Gier ; 38 878 h. (agglom. 81 795 h.). Métallurgie, textile.

**SAINT-CHÉLY-D'APCHER** ~ V. pittoresque de l'Aubrac (Lozère), anc. place forte et vieux centre industriel (métall.) ; 4 570 h.

**SAINT CHRISTOPHER AND NEVIS** ~ Voir **Saint-Kitts-et-Nevis.**

**SAINT-CIRQ-LAPOPIE** ~ Village touristique du bas Quercy (Lot), dominant le Lot (r. g.) ; 187 h. Église gothique. Vestiges d'un château médiéval.

**SAINT-CLAIR-SUR-EPTE** ~ Localité du Val-d'Oise. Un traité y fut signé en 911, par lequel Charles III le Simple cédait la Normandie à Rollon.

**SAINT-CLAUDE** ~ V. du haut Jura (dép. du Jura), sur la Bienne ; 12 704 h. (agglom. 13 292 h.). Tradition industrielle (piperie, travail du bois, lunetterie) auj. complétée par la taille de diamants et de pierres fines. Cathédrale gothique.

**SAINT-CLOUD** ~ V. résidentielle de la banlieue O. de Paris (Hauts-de-Seine), sur la Seine (r. g.) ; 28 597 h. Constr. aéronautiques, électroniques. Hippodrome. Parc de Le Nôtre où se dressait autrefois un château (détruit en 1870), l'une des résidences de Bonaparte.

**SAINT-CYR (chaîne de)** ~ Chaîne calcaire qui domine Marseille à l'E. et finit dans la Méditerranée par les Calanques.

**SAINT-CYRAN** (abbé DE) ~ Voir **Du Vergier de Hauranne.**

**SAINT-CYR-AU-MONT-D'OR** ~ V. du N.-O. de l'agglom. de Lyon, au pied du **mont d'Or** (609 m) ; 5 318 h. École nationale de la police.

**SAINT-CYR-L'ÉCOLE** ~ V. de la grande banlieue S.-O. de Paris (Yvelines), à l'O. de Versailles ; 14 829 h. Base aérienne. En 1686, Mme de Maintenon y fonda une maison d'éducation de jeunes filles, transformée en 1808 par Napoléon Ier en école spéciale militaire. Détruite par des bombardements, elle fut transférée à Coëtquidan (Morbihan, E. de Ploërmel) en 1946. Sur son emplacement, un collège militaire a été construit en 1964.

**SAINT-DENIS** ~ V. industr. de la banlieue N. de Paris (Seine - Saint-Denis), sur le **canal de Saint-Denis** et la Seine (r. dr.) ; 89 988 h. Université. Métall., chimie, constr. mécan., électricité (**plaine Saint-Denis**). Théâtre. Maison d'éducation et parc de la Légion d'honneur. Stade de France. Haut lieu de la France médiévale et capétienne : la basilique, dont l'origine remonterait à une abbatiale fondée au Ve s. par sainte Geneviève, fut transformée au XIIe s. par Suger, qui en fit le manifeste de la nouvelle architecture gothique. Élevée au rang de cathédrale en 1966, elle renferme depuis Dagobert Ier les tombeaux de nombre de rois de France.

*Basilique de Saint-Denis, le tombeau royal de Louis XII et d'Anne de Bretagne (XVIe s.).*

© F. Jalain-Explorer

**SAINT-DENIS** ~ Préfect. de la Réunion, centre comm., sur la côte N. de l'île ; 122 875 h. Évêché. Cour d'appel. Industr. alimentaires. Aéroport.

**SAINT DENIS** (Ruth **Dennis**, dite Ruth) ~ *1877 ou 1878, Newark, New Jersey - 1968, Hollywood.* Danseuse, chorégraphe et pédagogue américaine. Au fondement de la modern dance, elle créa avec Ted Shawn la Denishawn School, où furent inventées des formes nouvelles à partir de danses orientalisantes (*The Garden of Kama*, 1915 ; *The Lamp*, 1928).

**SAINT-DIÉ** ~ V. des Vosges, dans la vallée vosgienne de la Meurthe ; 22 635 h. (agglom. 27 806 h.). Industries text. et du bois. Cathédrale de grès rouge (cloître gothique), église romane. Une imprimerie y fut implantée dès 1495.

**SAINT-DIZIER** ~ V. de l'E. de la Champagne (Haute-Marne), sur la Marne et le canal de la Marne à la Saône ; 33 552 h. (agglom. 40 097 h.). Métall., machines agric., text., agroalimentaire.

**SAINT-DOMINGUE**, anc. **Ciudad Trujillo** (1936-1961), en esp. ***Santo Domingo*** ~ Cap., 1er port et métropole de la République dominicaine, sur la côte S. de l'île Haïti, la plus anc. v. d'Amérique ; 2 055 000 h. (afflux massif de ruraux). Université fondée en 1538. Archevêché. Industries alim., textile. Tourisme. Cathédrale, églises (XVIe s.). **HIST.** - Fondée par Bartolomé Colomb (1496), frère de Christophe, point de départ de la colonisation espagnole des Antilles et du continent, elle fut saccagée par Fr. Drake (1586) et ravagée par un cyclone en 1930.

**SAINT-DOMINGUE** ~ Nom donné par les Français à leur colonie d'Haïti (et à l'ensemble de l'île) durant la période coloniale (avant le XIXe s.).

**SAINTE-ADRESSE** ~ Station baln. du pays de Caux (Seine-Mar.), banlieue du Havre ; 8 047 h. Siège du gouvernement belge d'oct. 1914 à déc. 1918.

**SAINTE-ANNE-D'AURAY** ~ V. du Morbihan, à l'O. de Vannes ; 1 630 h. Important ensemble d'édifices religieux, pèlerinage depuis le XVIIe s.

**SAINTE-BAUME (massif de la)** ~ Chaîne calcaire de Provence, à l'E. de Marseille ; 1 147 m. Lieu de pèlerinage (grotte de Marie-Madeleine).

**SAINTE-BEUVE** (Charles Augustin) ~ *1804, Boulogne-sur-Mer - 1869, Paris.* Écrivain français. Après avoir publié des poèmes romantiques et un roman (*Volupté*, 1834), il se consacra à l'histoire et à la critique littéraires dans les journaux, fondant ses analyses sur le milieu familial, historique et social des auteurs considérés (*Port-Royal*, 1840-1859 ; *Causeries du lundi*, 1851-1862). Acad.

**SAINTE-CLAIRE DEVILLE** (Henri) ~ *1818, île Saint Thomas - 1881, Boulogne-sur-Seine.* Chimiste français. Il mit au point le premier procédé de fabrication industrielle de l'aluminium (1854), réalisa la fusion du platine, et découvrit la dissociation thermique de la vapeur d'eau et des gaz (1864).

**SAINTE-CROIX**, en angl. ***Saint Croix*** ~ La plus grande des îles Vierges américaines ; 218 km², 50 000 h. Raff. de pétrole, résine d'aluminium. Possession danoise de 1733 à 1917.

**SAINTE-ÉNIMIE** ~ Village médiéval de Lozère, en bordure du causse de Sauveterre, site touristique des gorges du Tarn ; 473 h. Église romane.

**SAINTE-FOY-LÈS-LYON** ~ V. de l'O. de l'agglomération lyonnaise (Rhône) ; 21 450 h.

**Sainte-Geneviève (abbaye)** ~ Anc. abbaye parisienne. Elle occupait l'emplacement d'une basilique fondée par Clovis pour honorer sainte Geneviève, patronne de Paris. Ce qui en reste a été intégré au lycée Henri-IV. Le Panthéon se substitua à l'église abbatiale qui menaçait ruine. La **bibliothèque Sainte-Geneviève** date de 1850.

**SAINTE-GENEVIÈVE-DES-BOIS** ~ V. résidentielle de la banlieue S. de Paris (Essonne) ; 31 286 h. Cimetière russe. Donjon (XIVe s.).

**SAINT-ÉGRÈVE** ~ V. de la banlieue N.-O. de Grenoble (Isère), au pied de la Chartreuse, centre industr. (électron., text., chim.) ; 15 891 h.

**SAINTE-HÉLÈNE (île de)**, en angl. ***Saint Helena Island*** ~ Île volcanique de l'Atlantique Sud, territoire britannique ; 122 km², 5 700 h., cap. Jamestown. Découverte par les Portugais le jour de la Sainte-Hélène (1502), ancienne étape sur la route du Nouveau Monde. Napoléon Ier y fut déporté (1815) et y mourut.

**SAINT ELIAS (chaîne de)**, en fr. **Saint-Élie** ~ Massif des montagnes Rocheuses, aux confins de l'Alaska et du Canada (mont Logan, 6 050 m). Vastes glaciers. Parc national.

**SAINTE-LUCIE**, en angl. ***Saint Lucia*** ~ État des Petites Antilles (île volcanique), membre du Commonwealth. ***Cap.*** Castries. ***Superf.*** 617 km². ***Popul.*** 136 000 h. ***Langues princ.*** Anglais, créole. ***Monn.*** Dollar des Caraïbes orientales. ***Climat*** Tropical humide (île au Vent). ***Écon.*** Export. (bananes, agrumes, cacao), pêche, tourisme. Anc. colonie britannique, indépendante en 1979.

**SAINTE-MARIE** ~ Station baln. sur la côte N.-E. de la Martinique ; 19 760 h. Distilleries.

**SAINTE-MARIE** ~ V. de la côte N. de l'île de la Réunion (E. de Saint-Denis) ; 20 334 h.

**SAINTE-MARTHE** (DE), famille d'humanistes français. ~ **Charles** (*1512, Fontevrault - 1555, Alençon*), fils de Gaucher Ier de Sainte-Marthe. Professeur de théologie à Poitiers, poète latin et français, il fut suspecté de luthéranisme et emprisonné. ~ **Gaucher II**, dit **Scévole I** (*1536, Loudun - 1623, id.*), neveu du précédent, maire de Poitiers, auteur de la *Paidotrophia* (1580), poème en latin sur l'éducation des enfants. ~ **Gaucher III**, dit **Scévole II** (*1571, Loudun - 1656, Paris*), fils du précédent, avocat au parlement de Paris. Historiographe du roi, il publia avec son frère jumeau Louis une *Histoire généalogique de la maison de France* (1619), poursuivie par son fils ~ **Pierre Scévole** (*1618, Paris - 1690, id.*).

**SAINTE-MAXIME** ~ Station baln. de la côte des Maures, sur le golfe de Saint-Tropez (Var) ; 10 015 h. (agglom. 13 337 h.). Lieu du débarquement franco-américain le 15 août 1944.

**SAINTE-MENEHOULD** ~ V. et anc. place forte de l'E. de la Champagne (Marne), sur l'Aisne, au pied de l'Argonne ; 5 177 h. Matières plastiques. Église du XIIIe s., remaniée, vieille ville haute. Cimetière militaire de la Première Guerre mondiale. En 1791, Louis XVI, en fuite, y fut reconnu avant d'être arrêté à Varennes.

**SAINTE-MÈRE-ÉGLISE** ~ Localité du Cotentin, au S.-E. de Cherbourg (Manche) ; 1 556 h. Église (XIIe-XIIIe s.). La 82e division aéroportée américaine y fut parachutée dans la nuit du 5 au 6 juin 1944.

**SAINT-ÉMILION** ~ Localité de la Gironde, à l'E. de Libourne, centre d'un vignoble réputé du Bordelais ; 2 799 h. Vestiges romains. Édifices médiévaux.

**SAINT EMPIRE ROMAIN GERMANIQUE** ou **SAINT EMPIRE** ~ Empire fondé par Otton Ier en 962, englobant les royaumes de Germanie et d'Italie, puis celui de Bourgogne à partir de 1032. Sorti diminué de la querelle des Investitures (1077-1122) et de la lutte du Sacerdoce et de l'Empire (1157-1250), le Saint Empire s'effrita, s'assimilant au XVe s. au royaume de Germanie. Devant faire face à l'anarchie princière qui arbitra le pouvoir impérial à partir de 1356 (institution de la Bulle d'or), il fut ruiné par les traités de Westphalie (1648). Anéanti par les guerres napoléoniennes, il disparut à la suite de la renonciation de François II au titre d'empereur d'Allemagne (1806).

**Sainte-Odile** ~ Abbaye située sur la commune d'Ottrott (Bas-Rhin). Fondée par sainte Odile (VIIe s.), elle fut détruite (XVIe s.) et rebâtie (XVIIe s.).

**SAINTES** ~ V. de la vallée de la Charente (Charente-Mar.), au S.-E. de La Rochelle, centre comm. (pineau, cognac) et industriel ; agglom. 27 003 h. Vestiges romains (amphithéâtre, thermes). Églises romanes (Ste-Marie-des-Dames). Cathédrale St-Pierre (XIIe s., restaurée au XVIIe s.). Musées. Anc. cité gallo-romaine, évêché jusqu'en 1790 et capitale de la Saintonge, elle fut un foyer du calvinisme.

**SAINTES (îles des)** ~ Petit archipel du S. de la Guadeloupe, dont il dépend ; 13 km², 3 050 h. Pêche. Tourisme.

**SAINTES-MARIES-DE-LA-MER (Les)** ~ Port et station balnéaire de Camargue (Bouches-du-Rhône), au S.-O. d'Arles ; 2 232 h. Pêche. Église romane fortifiée (XIIe s., remaniée au XVe s.). Musée camarguais. Pèlerinages annuels de Gitans.

*L'intérieur de la basilique Sainte-Sophie.*

**ainte-Sophie** ~ Anc. basilique de Constanti-ople (auj. Istanbul, Turquie). Construite par nthémios de Tralles et Isidore de Milet à l'initiative Justinien, elle fut achevée en 537. Les Turcs la ansformèrent en mosquée (1453) puis en musée 935). Chef-d'œuvre de l'art byzantin, elle est rmontée d'une coupole de dimension exception-lle (31 m de diamètre).

**aint-Esprit (ordre du)** ~ Ordre de chevalerie ançaise. Il fut fondé par Henri III en 1578, dissous 1791 et rétabli de 1815 à 1830.

**AINT-ESTÈPHE** ~ Village viticole du haut Médoc ironde), dominant la Gironde (r. g.) ; 1 919 h. ns rouges réputés.

**AINT-ÉTIENNE** ~ Préfect. de la Loire, au centre la dépression du Gier, entre le Vivarais et monts du Lyonnais ; 199 396 h. (agglom. 3 338 h.). Évêché. Anc. ville minière (houille), dérurgique et manufacturière du Forez (rubans, brication d'armes depuis le XVI^e^ s.), auj. en crise. dustries métall., mécan., text., chimiques. Acti-és tertiaires, universitaires et comm. (siège des permarchés Casino) en développement. Musées Art et d'Industrie, d'Art moderne).

**AINT-ÉTIENNE-DE-BAÏGORRY** ~ Village du ys basque français (Pyrénées-Atlantiques), dans haute vallée de la Nive (Basse-Navarre) ; 1 565 h. urisme. Vins (irouléguy).

**AINT-ÉTIENNE-DE-TINÉE** ~ Bourg de la haute née (1 141 m d'alt.), dans le Mercantour (Alpes-aritimes) ; 1 783 h. Sports d'hiver à Auron.

**AINT-ÉTIENNE-DU-ROUVRAY** ~ V. de la ban-ue S. de Rouen (Seine-Maritime), dans la vallée la Seine ; 30 731 h. Métall., papeterie.

**ainte Union** ~ Voir **Ligue** (Sainte).

**AINTE-VICTOIRE (montagne de la)** ~ Massif lcaire de Provence, à l'E. d'Aix-en-Provence, mortalisé par Cézanne ; 1 011 m.

**ainte Vierge** ~ Voir **Marie** (sainte).

**AINT-ÉVREMOND** (Charles **de Marguetel de** int-Denis DE) ~ *v. 1614, Saint-Denis-le-Gast,* anche *- 1703, Londres.* Écrivain français. Exilé à ndres à la suite du procès de N. Fouquet, il révéla ns ses essais un esprit sceptique et libertin, ainsi e des positions politiques originales (*Réflexions r les divers génies du peuple romain,* 1663).

*Antoine de Saint-Exupéry.*

**AINT-EXUPÉRY** (Antoine DE) ~ *1900, Lyon -* *944, au large de la Côte d'Azur.* Aviateur et écrivain ançais. Pionnier de l'aviation commerciale, il ourrit ses romans d'une expérience humaine dont dégagea une morale exigeante (*Vol de nuit,* 1931 ; *rre des hommes,* 1939). Son conte illustré *le Petit ince* (1943) est devenu un classique de la térature enfantine.

**SAINT-FARGEAU** ~ Localité de l'Yonne, en Puisaye, sur le Loing ; 1 884 h. Anc. château fort transformé par Le Vau (XVII^e^ s.), où vécut en exil la duchesse de Montpensier.

**SAINT-FÉLICIEN** ~ Village du haut Vivarais (Ardèche), à l'O. de Tournon ; 1 240 h. Gastronomie.

**SAINT-FLORENT** ~ Station baln. et port de plaisance de Haute-Corse, sur le **golfe de Saint-Florent** (côte O.) ; 1 350 h. Vestiges d'une cathédrale romane. Citadelle génoise du XVI^e^ s.

**SAINT-FLORENTIN** ~ V. de l'Yonne, sur une colline dominant l'Armançon ; 6 433 h. Église gothique et Renaissance (XIV^e^-XVII^e^ s.), vestiges de remparts des XIII^e^ et XIV^e^ s. La ville a donné son nom à un fromage frais au lait de vache.

**SAINT-FLOUR** ~ V. fortifiée du Cantal, au bord de la **planèze de Saint-Flour**, centre commercial (lait, fromages, viandes) ; 7 417 h. Cathédrale en basalte du XV^e^ s. Musées (folklore, peinture). Anc. capitale de la haute Auvergne.

**SAINT-FONS** ~ V. du S.-E. de l'agglom. lyonnaise (Rhône), au N. de Vénissieux ; 15 735 h. Industrie chimique.

**SAINT-GALL**, en all. *Sankt Gallen* ~ V. et ch.-l. du **canton de Saint-Gall** (2 026 km$^2$, 437 000 h., germanophone et catholique) dans le N.-E. de la Suisse, près du lac de Constance ; 74 000 h. (agglom. 127 000 h.). École de commerce. Tourisme. Cathédrale (XVIII^e^ s.). Tradition textile dominante dans une région d'alt. (collines au N., Préalpes au S.) vouée à l'élevage bovin laitier (fromage d'Appenzell), à la vigne et aux fruits dans les vallées (Rhin, Thur, Linth et Walensee). **HIST.** - La ville s'édifia autour d'une abbaye bénédictine fondée v. 720. Important foyer littéraire et artistique (IX^e^-XII^e^ s.), l'abbaye puis la ville entrèrent dans la Confédération helvétique en 1453. La Réforme en chassa les moines, mais la paix de Kappel (1529) les y ramena. Ils durent la quitter définitivement lors de la constitution du canton de Saint-Gall (1803).

**SAINT-GALMIER** ~ V. du Forez, au N. de Saint-Étienne (Loire), station hydrominérale et climatique ; 4 272 h. (agglom. 5 372 h.). Église gothique (XIV^e^-XVI^e^ s.).

**SAINT-GAUDENS** ~ V. du piémont pyrénéen (Haute-Garonne), sur la Garonne, dans le Comminges ; agglom. 13 604 h. Industrie du bois. Église des XI^e^ et XII^e^ s., restaurée au XIX^e^ s. Anc. centre drapier.

**SAINT-GELAIS** (Mellin DE) ~ *1491, Angoulême - 1558, Paris.* Poète de cour français. Formé en Italie, il s'opposa au groupe de la Pléiade.

**SAINT-GENIS-LAVAL** ~ V. du S. de l'agglom. lyonnaise (Rhône) ; 18 782 h. Observatoire astronomique. Château de Laye (XVII^e^ s.).

**SAINT GEORGE** ou **SAINT-GEORGES (canal)** ~ Bras de mer qui sépare l'Irlande de la Grande-Bretagne, faisant communiquer la mer d'Irlande et l'Atlantique.

**SAINT-GEORGES-DE-DIDONNE** ~ Station baln. de Charente-Maritime, sur l'estuaire de la Gironde (r. dr.), au S.-E. de Royan ; 4 705 h.

**SAINT-GERMAIN** (Claude Louis, comte DE) ~ *1707, Vertamboz, Jura - 1778, Paris.* Général et homme politique français. Ministre de la Guerre (1775-1777), il réalisa d'importantes réformes (suppression de la vénalité des charges militaires).

**SAINT-GERMAIN** (comte DE) ~ *m. en 1784 à Eckernförde, Schleswig-Holstein.* Aventurier d'orig. espagnole ou portugaise. Adepte du spiritisme et doté d'une grande mémoire, il prétendait vivre depuis plusieurs siècles et eut un grand succès dans les Cours européennes.

**Saint-Germain-des-Prés** ~ Anc. abbaye de Paris, fondée sur la r. g. de la Seine par Childebert I^er^ (v. 550). Elle adopta la règle des bénédictins de Saint-Maur, qui en firent un foyer scientifique et culturel (1631-1790). De ses bâtiments, seuls subsistent l'église (XI^e^-XII^e^ s.) et le palais abbatial. Le quartier animé qui l'entoure attira intellectuels et noctambules dès le début du XX^e^ s.

**SAINT-GERMAIN-EN-LAYE** ~ V. résidentielle de la grande banlieue O. de Paris (Yvelines), sur un plateau dominant la Seine (r. g.) ; 39 926 h. Au N. de la ville, forêt domaniale de Saint-Germain (35 km$^2$), dans une boucle de la Seine, que borde la terrasse de Le Nôtre. Tourisme. Le château, construit sous François I^er^ et agrandi par J. Hardouin-Mansart (1678), fut la dernière résidence de Jacques II d'Angleterre, dont le tombeau se trouve dans l'église St-Louis (XIII^e^ s.). Restauré au XIX^e^ s., il abrite depuis 1867 le musée des Antiquités nationales (collections de la préhistoire à l'époque mérovingienne). Y furent signés la **paix de Saint-Germain**, mettant fin à la troisième guerre de Religion (août 1570), et le **traité de Saint-Germain** entre les Alliés et l'Autriche (10 sept. 1919), après la Première Guerre mondiale.

**SAINT-GERVAIS-LES-BAINS** ~ Station therm. et de sports d'hiver (alt. 900-2 150 m), dans le massif du Mont-Blanc (Haute-Savoie) ; 5 124 h.

**SAINT-GILDAS (pointe de)** ~ Cap du pays de Retz (Loire-Atlantique), entre l'estuaire de la Loire et la baie de Bourgneuf.

**SAINT-GILLES**, en néerl. *Sint-Gillis* ~ Commune de la banlieue S. de Bruxelles, en Belgique (Région Bruxelles-Capitale) ; 42 000 h.

**SAINT-GILLES** ou **SAINT-GILLES-DU-GARD** ~ Port de la Petite Camargue (Gard), sur le canal du Rhône à Sète ; 11 304 h. Conserveries. Monastère bénédictin (abbatiale du XII^e^ s.).

**SAINT-GILLES-CROIX-DE-VIE** ~ Station baln., port de pêche et de plaisance de Vendée ; 6 296 h. (agglom. 17 571 h.). Marais salants.

**SAINT-GIRONS** ~ V. des Pyrénées ariégeoises (Ariège), cap. historique du Couserans ; 6 596 h. (agglom. 9 877 h.). Papeterie. Fromageries. Église St-Valier (XIV^e^-XV^e^ s.), bastide de Villefranche (XIII^e^ s.).

**SAINT-GOBAIN** ~ V. de l'Aisne, dans la forêt de Saint-Gobain ; 2 321 h. Siège de la Manufacture royale de glaces de France, fondée en 1685, devenue la **Compagnie de Saint-Gobain** (1830), auj. l'un des plus grands groupes industriels du monde (chim., constr. mécan., travaux publics).

**SAINT-GOND (marais de)** ~ Marais des confins de la Champagne et de la Brie. La IX^e^ armée du général Foch y remporta la première victoire de la Marne (sept. 1914).

**SAINT-GOTHARD (col du)**, anc. **Gothard**, en all. *Sankt Gotthard* ~ Col des Alpes suisses (2 112 m) qui relie les vallées du Tessin et de la Reuss. La route du col, importante voie de communication dès le Moyen Âge, a été doublée par des tunnels ferroviaire (1882) et routier (1980).

**SAINT-GOTTHARD** ~ Localité de Hongrie occidentale. Commandés par R. Montecuccoli, les Autrichiens y vainquirent les Turcs (1664).

**SAINT-GRATIEN** ~ V. de la grande banlieue N. de Paris (Val-d'Oise), à l'O. d'Enghien-les-Bains ; 19 338 h. Château du XVII^e^ s.

**SAINT-GUÉNOLÉ** ~ Station baln. et port de pêche de la commune de Penmarch (Finistère), en Cornouaille, au S. de la baie d'Audierne.

**SAINT-GUILHEM-LE-DÉSERT** ~ Village de l'Hérault, près des gorges de l'Hérault ; 190 h. Anc. abbaye bénédictine fondée en 804 par Guilhem, comte de Toulouse et duc d'Aquitaine. Église abbatiale des XI^e^ et XII^e^ s. (crypte du X^e^ s.).

**SAINT HELENS (mont)** ~ Volcan de la chaîne des Cascades, dans le N.-O. des États-Unis (État de Washington). Éruption dévastatrice en 1980. Parc national.

**SAINT HELENS** ~ V. d'Angleterre (Merseyside), l'un des centres mondiaux de l'industrie du verre ; 179 000 h.

**SAINT-HÉLIER** ~ Cap. et port de Jersey, ville princ. des îles Anglo-Normandes ; 28 000 h. Château Élisabeth (XVI^e^-XVII^e^ s.).

**SAINT-HERBLAIN** ~ 2^e^ commune de l'agglom. nantaise (Loire-Atlantique), sur la Loire (r. dr.) ; 42 774 h. Industrie agroalimentaire.

**SAINT-HIPPOLYTE-DU-FORT** ~ V. du Gard, au contact des Garrigues et des Cévennes ; 3 515 h. Vestiges d'une tour et de remparts médiévaux, maisons anciennes. Musée de la Soie.

**SAINT-HONORAT (île)** ~ Île de l'archipel de Lérins (Alpes-Maritimes), au large de Cannes. Monastère fondé au IV^e^ s. par saint Honorat.

**SAINT-JACQUES-DE-COMPOSTELLE**, en esp. *Santiago de Compostela* ~ Cap. de la Galice (Espagne), marché agricole et centre touristique ;

© S. Cordier-Explorer

*Saint-Jacques-de-Compostelle, la cathédrale romane (1078-1130).*

91 000 h. Université (1532). Archevêché. Cathédrale romane (XIe-XIIe s.), cloître gothique, palais archiépiscopal (XIIe s.), hôpital royal (XVIe s.), églises, monastères. Musées. Fondée près du tombeau du martyr saint Jacques le Majeur, la ville devint le lieu de pèlerinage le plus fréquenté de l'Europe occidentale dès le XIe s., au plus fort de la Reconquista, et suscita l'ouverture de routes nouvelles, not. depuis Paris.

**SAINT-JEAN** (le), en angl. ***Saint John*** ~ Fleuve d'Amérique du Nord, né aux États-Unis (Maine), tribut. de l'océan Atlantique au Canada (Nouveau-Brunswick), frontière entre les deux pays (130 km) ; env. 700 km. Chutes sur le cours inférieur (hydroélectricité).

**SAINT-JEAN (lac)** ~ Lac de l'O. du Québec, relié au Saint-Laurent par le Saguenay ; env. 1 000 km$^2$.

**SAINT-JEAN-D'ANGÉLY** ~ V. de Charente-Maritime, sur la Boutonne, au N.-E. de Saintes ; 8 060 h. Comm. d'eau-de-vie, industrie alimentaire. Tour de l'Horloge (beffroi médiéval du XVe s.). Vestiges de l'abbaye (XIIe s.) où auraient été conservées les reliques de saint Jean-Baptiste.

**SAINT-JEAN-DE-BRAYE** ~ V. de la banlieue E. d'Orléans (Loiret), anc. bourg vinicole ; 16 387 h. Parfumerie, électronique.

**SAINT-JEAN-DE-LA-RUELLE** ~ V. de la banlieue O. d'Orléans (Loiret), sur la Loire (r. dr.) ; 16 335 h. Industrie automobile.

**SAINT-JEAN-DE-LOSNE** ~ V. de la Côte-d'Or, sur la Saône, port fluvial au départ du canal de Bourgogne ; 1 342 h. (agglom. 4 390 h.). Anc. place forte, elle soutint victorieusement le siège des Impériaux (1636), et fut depuis surnommée Belle-Défense.

**SAINT-JEAN-DE-LUZ** ~ Station baln. et port thonier du Pays basque (Pyrénées-Atlantiques), au S. de Biarritz ; 13 031 h. Église (XIIIe s., remaniée).

**SAINT-JEAN-DE-MAURIENNE** ~ V. de la vallée de l'Arc (Savoie), centre industr. et anc. capitale de la Maurienne ; agglom. 10 263 h. Aluminium, centrale hydroélectrique sur l'Arc. Cathédrale St-Jean (nef du XIIe s., chœur du XVe s.) et palais épiscopal (surtout XVIIIe s.).

**SAINT-JEAN-DE-MONTS** ~ Station baln. de la Vendée ; 5 959 h. (agglom. 9 019 h.).

**SAINT-JEAN-DU-GARD** ~ Bourg touristique du Gard, au pied de la corniche des Cévennes ; 2 441 h.

**SAINT-JEAN-PIED-DE-PORT** ~ Localité du Pays basque (Pyrénées-Atlantiques), sur la Nive ; 1 432 h. (agglom. 3 968 h.). Citadelle du XVIIe s. Anc. capitale et place forte de la Basse-Navarre.

**SAINT JOHN** (le) ~ Voir **Saint-Jean** (le).

**SAINT-JOHN PERSE** (Alexis **Léger**, dit Alexis **Saint-Léger Léger**, puis) ~ *1887, Pointe-à-Pitre - 1975, Giens, Var.* Diplomate et poète français. Il édifia une œuvre poétique monumentale, une épopée moderne utilisant les formes de la litanie et du verset pour exprimer une certaine nostalgie du sacré (*Éloges*, 1911 ; *Anabase*, 1924 ; *Amers*, 1957). Prix Nobel de litt. 1960.

**SAINT JOHN'S** ~ Cap. et port d'Antigua-et-Barbuda, dans les Petites Antilles, sur la côte N.-O. de l'île d'Antigua ; 30 000 h. Exportation (sucre, coton). Aéroport international desservant les îles de la région. Cathédrale anglicane.

**SAINT JOHN'S**, en fr. **Saint-Jean** ~ Port et cap. de Terre-Neuve (Canada), dans le S.-O. de l'île (presqu'île d'Avalon), l'une des plus anciennes villes d'Amérique du Nord ; 172 000 h. Pêche et industries agroalim. (dont conserveries), constr. navales. Cathédrales catholique et anglicane (XIXe s.).

**SAINT-JOSEPH** ~ V. de la côte S.-E. de l'île de la Réunion ; 25 852 h.

**SAINT-JULIEN-EN-GENEVOIS** ~ V. de Haute-Savoie, dans la partie française de l'agglom. de Genève ; 7 922 h.

**SAINT-JUNIEN** ~ V. de la vallée de la Vienne (Haute-Vienne), à l'O. de Limoges ; 10 604 h. Ancienne et importante industrie de la ganterie. Église de style roman limousin (tombeau de saint Junien, XIIe s.). Maisons du XIVe s.

**SAINT-JUST** (Louis Antoine) ~ *1767, Decize - 1794, Paris.* Homme politique français. Il publia en 1791 *l'Esprit de la Révolution*. Élu à la Convention à 25 ans, il y déploya une grande activité au côté de Robespierre. Membre du club des Jacobins et du Comité de salut public (du 30 mai 1793 à sa mort), il fut l'un des instigateurs de la Terreur. Il fit voter les décrets des 8 et 13 ventôse an II (26 févr. et 3 mars 1794) contre les ennemis de la Révolution et prononça le discours d'accusation de Danton. Commissaire aux armées du Rhin (1793) puis du Nord (1794), il contribua à la victoire de Fleurus. Le 9 thermidor (27 juill.), il fut arrêté avec Robespierre et guillotiné le lendemain.

Saint-Just, *peinture anonyme. Musée Carnavalet, Paris.* © Coll. ES-Explorer

**SAINT-JUST-SAINT-RAMBERT** ~ V. de la plaine du Forez (Loire), centre industriel au N.-O. de Saint-Étienne ; 12 299 h. (agglom. 43 500 h.). Constr. mécaniques, automobiles, électricité, verre. Église romane. Musée (ethnologie, caricatures).

**SAINT-KITTS-ET-NEVIS**, en angl. ***Saint Christopher and Nevis*** ~ État des Petites Antilles (îles Sous-le-Vent) constitué par les îles du même nom, membre du Commonwealth. ***Cap.*** Basseterre (Saint-Kitts). ***Superf.*** 261,6 km$^2$ (dont Nevis : 90 km$^2$). ***Popul.*** 41 000 h. (Nevis : env. 9 000 h.). ***Langues princ.*** Anglais, créole. ***Monn.*** Dollar des Caraïbes orientales. ***Climat.*** Tropical. ***Écon.*** Canne à sucre (Saint-Kitts), cult. vivrières (Nevis), pêche, tourisme, industrie de montage. Anc. colonie britannique, indépendante en 1983.

**SAINT-LAMBERT** (Jean-François DE) ~ *1716, Nancy - 1803, Paris.* Poète et écrivain français. Il fut l'ami des Encyclopédistes, dont il refléta les conceptions (*Principes des mœurs [...] ou Catéchisme universel*, 1798). Acad.

**SAINT-LAURENT** (le) ~ Fl. du Canada, au Québec, émissaire (par le lac Ontario) des Grands Lacs américains ; 570 km. Il rejoint, par un estuaire de 600 km, le **golfe du Saint-Laurent**, dépendance de l'océan Atlantique avec lequel ce golfe communique par les détroits de Cabot et de Belle-Isle, de part et d'autre de l'île de Terre-Neuve. Cœur du Québec francophone (les villes de Montréal et Québec sont sur ses rives), le fleuve est un grand axe de pénétration du continent à l'E. (pris par les glaces en hiver). De grands travaux d'aménagement (canalisation, écluses), achevés en 1959, en ont fait une voie maritime qui rend accessible la totalité du bassin (1 000 000 de km$^2$, avec les Grands Lacs) aux navires de gros tonnage.

**SAINT-LAURENT** (Louis Stephen) ~ *1882, Compton, Québec - 1973, Québec.* Homme politique canadien. Chef du parti libéral (1948-1958) et Premier ministre (1948-1957), il obtint pour le Canada le droit de modifier sa Constitution en toute souveraineté (1949), dans le cadre du Commonwealth.

**SAINT LAURENT** (Yves) ~ *1936, Oran.* Coutur[illegible] français. Célèbre pour son interprétation fémini[illegible] de certains vêtements masculins et son audacieu[illegible] palette de couleurs, il est une référence de la hau[illegible] couture internationale.

**SAINT-LAURENT-DU-MARONI** ~ Port de Guyane française, à la frontière du Surinam, s[illegible] l'embouchure du Maroni ; 13 894 h. Anc. établiss[illegible]ment pénitentiaire. Camp militaire.

**SAINT-LAURENT-DU-VAR** ~ Commune [illegible] l'agglom. de Nice (Alpes-Maritimes), sur le V[illegible] (r. dr.), près de son embouchure ; 24 426 h.

**Saint-Lazare (enclos puis prison de)** ~ An[illegible] léproserie de Paris (XIIe s.). Convertie en prison [illegible] femmes (1779-1935), elle fut démolie en 194[illegible]

**SAINT-LEU-LA-FORÊT** ~ V. résidentielle de banlieue N. de Paris (Val-d'Oise), au S. de la fo[illegible] de Montmorency ; 14 489 h. Sépulture de Lou[illegible] Bonaparte, dans l'église, du XIXe s.

**SAINT-LÔ** ~ Préfect. de la Manche, sur la Vi[illegible] (r. dr.), dans le Bocage normand, marché agrico[illegible] petit centre industr. (électroménager) ; 21 546 (agglom. 26 577 h.). Tourisme. Haras. Église Notr[illegible] Dame (XVe-XVIe s.). Musée (tapisserie des *Amours Gourbaut et de Macé*). La ville fut très endommag[illegible] en juin 1944 (bataille de Normandie).

**SAINT-LOUIS** ~ V. du Haut-Rhin, à la frontiè[illegible] suisse, centre industriel (constr. mécaniques 19 547 h. (agglom. 33 509 h.). Aéroport intern[illegible]tional de Bâle-Mulhouse.

**SAINT-LOUIS** ~ V. de la Réunion, sur la côte [illegible] de l'île ; 37 798 h. Sucreries.

**SAINT LOUIS** ~ V. et port fluvial du centre d[illegible] États-Unis (Missouri), à la confluence du Mississip[illegible] et du Missouri principale ville de l'État, carrefo[illegible] ferroviaire, centre industriel et culturel ; 397 000 (agglom. 2 444 000 h.). Université. Industr. agro[illegible]lim., constr. autom., aéronautiques, chim., éle[illegible]tronique. Fondée par le Français Pierre Laclède [illegible] 1764, la ville devint espagnole en 1770, puis [illegible] vendue, avec la Louisiane, aux États-Unis en 18[illegible]

**SAINT-LOUIS** ~ V. du Sénégal, port sur l'estua[illegible] du fl. Sénégal, anc. métropole écon. ; 126 000 Pêche. Artisanat de l'or. Premier établisseme[illegible] français du pays (1659), développé par L. Faidherb[illegible] occupé plusieurs fois par les Anglais, Saint-Lou[illegible] fut la capitale de l'A.-O. F. (1895-1902), du Sénég[illegible] jusqu'en 1957 et de la Mauritanie jusqu'en 19[illegible]

**Saint Louis** ~ Voir **Louis IX**, roi de France.

**Saint-Louis (ordre royal et militaire de)** Ordre institué par Louis XIV pour récompens[illegible] le mérite militaire (1693). Supprimé sous la Rév[illegible]lution (1792), il fut rétabli de 1814 à 1830.

**SAINT-LOUP (pic)** ~ Rocher isolé de la Garrig[illegible] de Montpellier (Hérault) ; 658 m.

**SAINT-MAIXENT-L'ÉCOLE** ~ V. des Deu[illegible] Sèvres, sur la Sèvre Niortaise (r. dr.) ; 6 893 (agglom. 9 315 h.). Fromage de chèvre. Éc[illegible] militaire d'infanterie (fondée en 1874), auj. Éc[illegible] nationale des sous-officiers d'active. Église (XIe remaniée au XVIIe s.).

**SAINT-MALO** ~ Port du N.-E. de la Bretag[illegible] (Ille-et-Vilaine), à l'embouchure de la Ran[illegible] (r. dr.) ; 48 057 h. Remparts (XIIe-XIVe s.), châte[illegible] (XVe s.), cathédrale (XIe-XVIIIe s.). La ville a bâti prospérité sur le commerce européen (export. [illegible] toile), la pêche lointaine (morue de Terre-Neuv[illegible] l'activité de ses corsaires, au service des rois [illegible] France, assurant la fortune des armateurs m[illegible]louins. Auj., le tourisme est prédominant. Détru[illegible] en 1944, la vieille ville a été fidèlement reconstitu[illegible]

*Saint-Malo, la ville close.*

© H. Veiller-Explorer

**AINT-MANDÉ** ~ V. de la banlieue S.-E. de Paris /al-de-Marne), en bordure du bois de Vincennes ; 3 684 h. Siège de l'I. G. N.

**AINT-MANDRIER-SUR-MER** ~ Port de pêche : de plaisance de l'agglom. de Toulon (Var) ; 175 h. Base aéronavale. Siège du Centre d'instruc- on navale.

**AINT-MARCELLIN** ~ V. du bas Dauphiné sère), à l'O. de Grenoble ; 6 696 h. (agglom. 1 872 h.). Fromage réputé. Matériel électrique. glise du XVe s.

**AINT-MARC GIRARDIN** (François Auguste larc **Girardin**, dit) ~ *1801, Paris - 1873, Mor- ng-sur-Seine, Seine-et-Oise.* Écrivain, pédagogue et omme politique français. Il fut l'un des principaux lversaires du romantisme (*Cours de littérature amatique,* 1843-1863). Acad.

**AINT-MARIN (république de)**, en ital. *San Ma- no* ~ Micro-État enclavé en Italie, au S. de Rimini. *ap.* Saint-Marin. *Superf.* 61 km$^2$. *Popul.* 24 000 h. *angue princ.* Italien. *Monn.* Lire italienne. *Ress. rinc.* Tourisme. **HIST.** - Fondée au IVe s. par l'ermite iint Marin, la ville fut une république dès le XIIIe s. onvoitée par les Malatesta et les Borgia (XIVe- VIe s.), elle se plaça sous la protection de l'Italie 1 1862. Elle fut admise à l'O. N. U. en 1992.

**AINT-MARTIN**, en néerl. *Sint Maarten* ~ Île du . des Petites Antilles (îles au Vent), partagée epuis 1648 entre la France (partie septentrionale) : les Pays-Bas ; 88 km$^2$, 60 000 h. Canne à sucre, ılines. Zone franche, paradis fiscal, tourisme. La ırtie française, dépendance de la Guadeloupe, ompte 53 km$^2$ et 28 000 h. (ch.-l. Marigot). La ırtie néerlandaise, dépendance de Curaçao, ompte 34 km$^2$ et 33 000 h. (ch.-l. Philipsburg). orte croissance démographique.

**AINT-MARTIN (canal)** ~ Canal parisien qui olonge celui de l'Ourcq jusqu'à la Seine, achevé 1 1826 ; 4,5 km.

**AINT-MARTIN-DE-CRAU** ~ V. du bas Rhône 3ouches-du-Rhône), au S.-E. d'Arles, cap. de la rau ; 11 040 h. Chimie.

**AINT-MARTIN-DE-RÉ** ~ Port, princ. ville et ation baln. de l'île de Ré (Charente-Maritime), ır le pertuis Breton ; 2 512 h. Église (XVe s.). itadelle du XVIIe s., auj. pénitencier.

**AINT-MARTIN-D'HÈRES** ~ V. de la banlieue E. e Grenoble (Isère) ; 34 341 h. Centre universitaire.

**AINT-MARTIN-VÉSUBIE** ~ Village médiéval des lpes-Maritimes, vieille station climatique (alt. 50 m), en bordure du parc national du Mercan- our ; 1 041 h. Centrale hydroélectrique.

**AINT-MATHIEU (pointe)** ~ Promontoire ro- ieux du Finistère (haut. 30 m), à l'entrée de la ade de Brest.

**aint-Maur (congrégation bénédictine de)** ~ ongrégation fondée à Paris en 1618 sous le atronage de saint Maur. À l'initiative de leur remier supérieur général, dom Tarrisse (1575- 548), les Mauristes, dont Mabillon, Montfaucon : Rivet, fondèrent l'érudition historique. La congré- ıtion disparut en 1790.

**AINT-MAUR-DES-FOSSÉS** ~ V. de la banlieue -E. de Paris (Val-de-Marne), dans un méandre de . Marne ; 77 206 h. Université. Industries électr., ectron., édition. Église (XIIe-XIVe s.).

**AINT-MAURICE (le)** ~ Affluent québécois du aint-Laurent (r. g.), au Canada, qui conflue à rois-Rivières ; 520 km. Centrales hydroélectriques ır les chutes.

**AINT-MAURICE** ~ V. de la banlieue S.-E. de ıris (Val-de-Marne), en bordure du bois de incennes, sur la Marne (r. dr.) ; 11 157 h. Studios e cinéma. Hôpital psychiatrique dit de Charenton.

**AINT-MAXIMIN-LA-SAINTE-BAUME** ~ V. ouristique du Var, à l'E. d'Aix-en-Provence ; 594 h. Basilique Ste-Madeleine (XIIIe-XVIe s.), vaste lifice gothique. Anc. couvent royal abritant un entre culturel.

**AINT-MÉDARD-EN-JALLES** ~ V. de l'agglom. e Bordeaux (Gironde), dans le Médoc, centre ıdustriel ; 22 064 h. Aéronautique, électronique, oudrerie.

**aint-Michel (ordre de)** ~ Ordre de chevalerie ançais fondé par Louis XI en 1469, dissous en 791, rétabli de 1815 à 1830.

**SAINT-MICHEL-SUR-ORGE** ~ V. de la grande banlieue S. de Paris (Essonne) ; 20 771 h.

**SAINT-MIHIEL** ~ V. de Lorraine (Meuse), sur la Meuse (r. dr.), anc. cap. du duché de Bar ; 5 367 h. Églises St-Michel (XVIIe s.) et St-Étienne (gothique flamboyant) renfermant des groupes sculptés de L. Richier (*le Saint-Sépulcre*). En 1914, les Allemands, cherchant à isoler Verdun, occupèrent la ville. Les Américains la reprirent en 1918.

**SAINT-MORITZ**, en all. *Sankt Moritz*, en romanche *San Murezzan* ~ Importante station de sports d'hiver et d'été du S.-E. de la Suisse (Grisons), dans la haute Engadine (1 175-1 820 m d'alt.) ; env. 6 000 h. La station acquit sa réputation dès le XVIIe s. et accueillit les jeux Olympiques d'hiver en 1928 et 1948.

**SAINT-NAZAIRE** ~ V. de la Loire-Atlantique et avant-port de Nantes (depuis le XIXe s.), sur l'estuaire de la Loire (r. dr.) ; 64 812 h. (agglom. 131 511 h.). L'un des premiers ports industriels français, il est spécialisé dans la construction navale (auj. en crise) et le trafic conteneurisé. Zone franche. Constr. aéronautiques. La ville fut occupée par les Allemands jusqu'au 8 mai 1945 et subit les bombardements alliés.

**SAINT-NECTAIRE** ~ Station therm. du massif du Mont-Dore, à l'O. d'Issoire (Puy-de-Dôme) ; 664 h. Fromage d'Auvergne réputé. Église (XIIe s.).

**SAINT-NICOLAS-DE-PORT** ~ Commune de l'agglom. de Nancy (Meurthe-et-Moselle), sur la Meurthe (r. g.), exploitant le seul gisement de sel gemme français ; 7 706 h. Basilique (XVe-XVIe s.). Musée de la Brasserie. Centre de pèlerinage et de foires au Moyen Âge.

**Saint-Office (congrégation du)** ~ Nom porté à partir de 1908 par l'ancienne congrégation de la Suprême Inquisition (1542), transformée depuis 1965 en congrégation pour la Doctrine de la foi.

**SAINT-OMER** ~ V. des Flandres (Pas-de-Calais), sur l'Aa, au centre d'une région de marais ; 14 434 h. (agglom. 54 642 h.). Textile. Papeterie. Basilique Notre-Dame, anc. cathédrale gothique des XIIIe et XVe s. Église St-Denis (XIIIe-XVe s.). Musées (Beaux-Arts, Histoire naturelle).

**SAINTONGE (la)** ~ Anc. province de l'O. de la France, correspondant à la partie S. de la Charente-Maritime. Région de polyculture (céréales, vigne, élevage) et d'ostréiculture (marennes) au relief modéré, elle est située entre l'Aunis et le Poitou au N., l'Angoumois à l'E., la Guyenne au S. et l'Atlantique à l'O. V. princ. Saintes. Anc. province réunie au domaine royal par Charles V (1375).

**SAINT-OUEN** ~ V. de la banlieue N. de Paris, limitrophe de la cap. (Seine - Saint-Denis), sur la Seine (r. dr.) ; 42 343 h. Industries électron., alim., mécanique. Marché aux puces.

**SAINT-OUEN-L'AUMÔNE** ~ Commune de la v. nouvelle de Cergy-Pontoise (Val-d'Oise), sur l'Oise ; 18 673 h. Industries pharmaceut., métall., chimique. Anc. abbaye de Maubuisson, fondée au XIIIe s. par Blanche de Castille.

**SAINT-PALAIS-SUR-MER** ~ Commune de l'agglom. de Royan (Charente-Maritime), station balnéaire sur l'Atlantique ; 2 736 h.

**SAINT-PAUL** ~ Île volcanique du S. de l'océan Indien, partie des T. A. A. F. ; 7 km$^2$. Climat tempéré. Manchots et otaries.

**SAINT-PAUL** ~ 2e v. de la Réunion, sur la côte N.-O. de l'île ; 71 952 h. Commerce, sucreries, distilleries. Premier établissement des colons français, en 1663.

**SAINT-PAUL** ou **SAINT-PAUL-DE-VENCE** ~ V. touristique des Alpes-Maritimes, dans l'arrière-pays niçois ; 2 903 h. Fondation Maeght (art moderne). Anc. village fortifié.

**SAINT PAUL** ~ Cap. du Minnesota (États-Unis), sur le Mississippi ; 272 000 h. (conurbation d'env. 2 500 000 h. avec Minneapolis). Centre industriel majeur (pétrochimie, bois, imprimerie, agro-alim.), c'est un nœud de communications bénéficiant de la proximité de Chicago et des Grandes Plaines. Forte immigration allemande au XIXe s.

**SAINT-PÉRAY** ~ V. du Vivarais (Ardèche), près du Rhône, face à Valence ; 5 886 h. Vins. Ruines du château de Crussol (XIIe s.).

**SAINT PETER PORT**, en fr. *Saint-Pierre-Port* ~ Princ. port de l'île Anglo-Normande de Guernesey, sur la côte E. ; 16 000 h. Tourisme. Église (XIIIe s.), Royal Court House (XIXe s.), Elizabeth College, fondé en 1563. Hauteville House, XIXe s., anc. résidence de Victor Hugo, alors en exil.

**SAINT-PÉTERSBOURG**, anc. **Petrograd** (1914-1924) et **Leningrad** (1924-1991) ~ 2e ville et 1er port de Russie, au fond du golfe de Finlande ; 4 952 000 h. (Grand Pétersbourg 6 551 000 h.). Occupant un site marécageux drainé par de nombreux canaux, la ville anc. est organisée selon un plan concentrique dont l'axe princ. est la perspective Nevski et le noyau, l'Amirauté et le palais d'Hiver. Elle s'oppose, par son architecture prestigieuse, aux banlieues industrielles et populaires. Nœud de communications majeur et grand centre industriel (env. 60 % des emplois) : constr. navales, mécan., armement, raff. de pétrole, alim., text., électronique, optique de précision, biens de consommation. Exportation (bois, machines, sels de potasse, pyrite). Métropole écon., culturelle et intellectuelle au rayonnement européen, la ville doit au talent d'architectes européens un patrimoine unique mêlant baroque, néoclassique et Empire (forteresse Pierre-et-Paul, cathédrale de Notre-Dame de Kazan, cathédrale Alexandre-Nevski, palais d'Hiver, de Marbre, Vorontsov et Stroganov, couvent de Smolny, Académie des beaux-arts et Petit Ermitage). La Bourse maritime, la cathédrale St-Isaak, le palais Michel et le théâtre Alexandre (auj. Pouchkine) datent du règne de Nicolas Ier. Riches musées (de l'Ermitage, Lomonossov). Théâtre et ballet du Kirov. Bibliothèques. Université, Académie des Sciences, Institut des Mines, Académie médicale militaire. **HIST.** - Fondée en 1703 par Pierre le Grand pour ouvrir la Russie à l'Occident, elle devint la capitale de l'empire en 1712 et connut un grand développement dès le XVIIIe s. Alexandre II y fut assassiné en 1881. La ville joua un rôle primordial lors des révolutions de 1905 et de 1917 (pouvoir des soviets, prise du palais d'Hiver) et durant la guerre civile (révolte des marins de Kronstadt en 1921), mais, en 1918, le gouvernement soviétique s'installa à Moscou. Pendant la Seconde Guerre mondiale, elle soutint un siège de neuf cents jours contre les Allemands (août 1941-janv. 1944).

**SAINT PETERSBURG** ~ Port de Floride (États-Unis), sur le golfe du Mexique ; 239 000 h. (2 137 000 h. avec Clearwater et Tampa). Université. Tourisme.

**SAINT-PHALLE** (Marie Agnès, dite **Niki** DE) ~ *1930, Neuilly-sur-Seine.* Peintre et sculpteur française. Adepte du nouveau réalisme, elle a réagi contre les canons figuratifs traditionnels avec des œuvres iconoclastes et festives (*Nanas*).

*Sculptures de Niki de Saint-Phalle. Fontaine du plateau Beaubourg, Paris.*
© Desmarteau-Explorer-A. D. A. G. P., Paris, 1996

**SAINT-PIERRE** ~ Préfect. de l'archipel de Saint-Pierre-et-Miquelon, port de pêche (morue), sur la côte E. de l'île Saint-Pierre ; 5 580 h. Aéroport.

**SAINT-PIERRE** ~ Port de la Martinique ; 5 045 h. C'était la capitale et la ville la plus peuplée de l'île avant l'éruption de la montagne Pelée (8 mai 1902), qui fit 20 000 victimes.

**SAINT-PIERRE** ~ V. princ. du S. de la Réunion, centre administratif et commercial ; 59 645 h. Industr. alimentaires.

**SAINT-PIERRE** (Charles Irénée **Castel**, abbé DE) ~ *1658, Saint-Pierre-Église - 1743, Paris.* Écrivain français. Libertin, déiste et philanthrope, il publia un *Projet de paix perpétuelle* (1713). Il fut exclu de l'Académie française (1718) pour avoir critiqué le règne de Louis XIV.

**Saint-Pierre de Rome** ~ Basilique vaticane, le plus vaste des édifices chrétiens. Constantin fit bâtir (324-344) une église sur le site d'une nécropole païenne. Charlemagne y fut sacré empereur d'Occident (800). Le pape Nicolas V décida de la construction de la basilique, que Jules II entreprit (1506-1605). Bramante, Raphaël, Michel-Ange puis Maderno en conçurent les plans. Ses fondations abriteraient le tombeau de saint Pierre.

**SAINT-PIERRE-DES-CORPS** ~ V. de la banlieue de Tours (Indre-et-Loire), sur la Loire (r. g.) ; 17 947 h. Grande gare de triage.

**SAINT-PIERRE-D'OLÉRON** ~ V. princ. de l'île d'Oléron (Charente-Maritime) ; 5 365 h. Ostréiculture. Lanterne des morts (XIII^e^ s.).

**SAINT-PIERRE-ET-MIQUELON** ~ Archipel et unique territoire français d'Amérique du Nord depuis 1814 (collectivité territoriale depuis 1985), au S. de l'île de Terre-Neuve ; 242 km², 6 392 h., ch.-l. Saint-Pierre. Pêche industr. (morue) en déclin. Émigration vers le Canada. Tourisme.

**SAINT-POL-DE-LÉON** ~ V. du Léon (Finistère), au S. de Roscoff, centre maraîcher (primeurs) ; 7 261 h. Anc. cathédrale de style gothique normand (XIII^e^-XVI^e^ s.). Chapelle du Kreisker (XIV^e^-XV^e^ s.). Anc. capitale religieuse du Léon.

**SAINT-POL ROUX** (Paul **Roux**, dit) ~ *1861, Saint-Henry, près de Marseille - 1940, Brest.* Poète français. Il porta l'idéal symboliste à un degré de magnificence baroque qui le fit reconnaître comme un maître par les surréalistes (*Féeries intérieures*, 1907).

**SAINT-POL-SUR-MER** ~ V. de la banlieue O. de Dunkerque (Nord), station balnéaire ; 23 832 h.

**SAINT-POURÇAIN-SUR-SIOULE** ~ V. de la Limagne bourbonnaise (Allier), centre d'un vignoble réputé ; 5 159 h. Église Ste-Croix (commencée au XI^e^ s.), anc. abbatiale bénédictine romane et gothique.

**SAINT-PRIEST** ~ V. du S.-E. de l'agglomération lyonnaise (Rhône), centre industriel ; 41 876 h. Pétrochimie.

**SAINT-QUAY-PORTRIEUX** ~ Station balnéaire et port des Côtes-d'Armor, sur la baie de Saint-Brieuc ; 3 018 h.

**SAINT-QUENTIN** ~ V. de Picardie, sur la Somme, cap. écon. de l'Aisne, nœud ferroviaire, routier et fluvial ; 60 644 h. (agglom. 71 113 h.). Ville de tradition textile (filature, tissage), elle bénéficie auj. de la décentralisation industrielle (mécan., chimie, agroalim.). Église collégiale (XIII^e^-XV^e^ s.). Hôtel de ville gothique flamboyant (XIV^e^-XVI^e^ s.). Musée (collection de pastels de Quentin de La Tour). L'hôtel de ville atteste l'ancienne prospérité de cette cité, ravagée par les Espagnols en 1557.

**SAINT-QUENTIN-EN-YVELINES** ~ V. nouvelle de la région parisienne, à l'O. de Versailles et au N. de la vallée de Chevreuse ; 128 663 h. (10 % de la population des Yvelines). Créée en 1972, elle est formée de 7 communes. Pôle tertiaire et industriel en plein essor.

**SAINTRAILLES** (Jean **Poton** DE) ~ Voir **Xaintrailles**.

**SAINT-RAPHAËL** ~ Station baln. sur le golfe de Fréjus (Var), au pied de l'Estérel ; 26 616 h. La ville fut l'une des bases du débarquement franco-américain en Provence (15 août 1944).

**SAINT-RÉMY-DE-PROVENCE** ~ V. des Bouches-du-Rhône, au pied des Alpilles (N.), marché agricole (fruits, légumes) ; 9 340 h. Tourisme. Au S. de la ville, site archéologique de Glanum, sur le plateau des Antiques.

**Saint-Sacrement (compagnie du)** ~ Congrégation fondée vers 1630 par Henri de Lévis, duc de Ventadour, afin de poursuivre l'immoralité. Très influente sous Louis XIII, elle disparut en 1665 après avoir attaqué la frivolité de Mazarin.

**SAINT-SAËNS** (Camille) ~ *1835, Paris - 1921, Alger.* Compositeur français. Virtuose du piano et constructeur rigoureux, il développa un style d'une admirable clarté (*Septuor*, 1881 ; *le Carnaval des animaux*, 1886), atteignant la magnificence formelle dans la *Symphonie n° 3* (1886) et dans ses opéras (*Samson et Dalila*, 1877 ; *Henry VIII*, 1883).

**SAINT-SAVIN** ~ Village du haut Poitou (Vienne), sur la Gartempe (r. g.) ; 1 089 h. Abbatiale des XI^e^-XII^e^ s., présentant un ensemble de fresques romanes unique en France.

**SAINT-SÉBASTIEN**, en esp. *San Sebastián*, en basque ***Donostia*** ~ Port et grande station balnéaire du Pays basque espagnol, ch.-l. de la province de Guipúzcoa, centre commercial, administratif et industriel (chantiers navals, électroménager). Évêché.

**SAINT-SÉBASTIEN-SUR-LOIRE** ~ V. de la banlieue E. de Nantes (Loire-Atlantique) ; 22 202 h. Hippodrome. Église du XV^e^ s.

**Saint-Sépulcre** ~ Sanctuaire érigé à Jérusalem par Constantin I^er^ (326-335) sur le site présumé de la résurrection du Christ. Détruit et transformé, puis reconstruit par les croisés (XII^e^ s.), l'édifice a été restauré après l'incendie de 1808 et le tremblement de terre de 1927. Catholiques, protestants, orthodoxes et coptes se partagent sa gestion.

**Saint-Sépulcre (ordre du)** ~ Ordre de chevalerie fondé à la fin du XV^e^ s. par le pape Alexandre VI.

**SAINT-SEVER** ~ V. de la Chalosse (Landes), sur une colline dominant l'Adour (r. g.) ; 4 536 h. Foies gras. Église du XII^e^ s., anc. abbaye bénédictine. Couvent des Jacobins.

**SAINT-SIMON** (Claude Henri **de Rouvroy**, comte DE) ~ *1760, Paris - 1825, id.* Philosophe et économiste français. Il participa à la guerre de l'Indépendance américaine et, libéral convaincu, abandonna son état nobiliaire dès le début de la Révolution. Héritier des Lumières, précurseur des sciences sociales, il développa, dans un industrialisme progressiste, une version libérale et idyllique des relations entre patrons et ouvriers (*Système industriel*, 1822) sur la base d'une morale présocialiste, reprise par ses disciples en une doctrine, le saint-simonisme. [☞ **utopie**.]

**SAINT-SIMON** (Louis **de Rouvroy**, duc DE) ~ *1675, Paris - 1755, id.* Écrivain français. Ses *Mémoires* (posth., 1830), brillant témoignage sur la cour de Louis XIV et la Régence, furent aussi un plaidoyer aristocratique contre l'absolutisme monarchique.

**Saint-Sulpice (compagnie des prêtres de)** ~ Société religieuse créée en 1641 par Jean-Jacques Olier afin de former des prêtres. Les séminaristes vivaient avec leurs professeurs dans un climat de grande austérité.

**SAINT THOMAS** ~ Île princ. de l'archipel des îles Vierges américaines, à l'E. de Porto Rico ; 48 000 h., cap. Charlotte Amalie. Port franc, important centre touristique. L'île fut colonisée par les Néerlandais et les Danois (XVII^e^ s.) puis rachetée par les États-Unis en 1917. Son ancienne prospérité était liée aux plantations de canne à sucre et à la traite des esclaves.

**SAINT-TROND**, en néerl. *Sint-Truiden* ~ V. de Belgique (Limbourg), au S.-O. de Hasselt ; 37 000 h. Agroalimentaire (fruits). Églises gothiques, beffroi du XVII^e^ s.

**SAINT-TROPEZ** ~ Station baln. et port de la Côte d'Azur (Var), sur le **golfe de Saint-Tropez**, de renommée internat. ; 5 754 h. Citadelle (XVI^e^-XVII^e^ s.). Musée de l'Annonciade (art moderne).

**Saint-Vaast** ~ Ancienne abbaye bénédictine devenue le musée d'Arras (Pas-de-Calais). Fondée au VII^e^ s., elle rayonna sur la chrétienté médiévale.

**SAINT-VAAST-LA-HOUGUE** ~ Station baln. et port (plaisance et pêche) de la côte N.-E. du Cotentin (Manche) ; 2 134 h. Ostréiculture. Fortifications de Vauban (XVII^e^ s.).

**SAINT-VALERY-EN-CAUX** ~ Petit port de pêche et de plaisance du littoral N.-O. du pays de Caux (Seine-Maritime), station balnéaire ; 4 595 h.

*Saint-Savin, fresque de la nef de l'abbatiale, de style roman (XI^e^-XII^e^ s.).*

© H. Veiller-Explorer

**SAINT-VALERY-SUR-SOMME** ~ Station baln. port (plaisance et pêche côtière) sur l'estuaire la Somme (r. g.) ; 2 769 h. Remparts (XII^e^ s.).

**SAINT-VENANT** (Adhémar **Barré**, comte DE) *1797, Villiers-en-Bière, Seine-et-Marne - 1886, Sair Ouen, près de Vendôme.* Ingénieur français. Il fut premier à expérimenter avec précision l'écouleme des gaz à grande vitesse (1839).

**SAINT-VÉRAN** ~ Village le plus haut de Fran (2 040 m), dans le Queyras (Htes-Alpes) ; 257 Sports d'hiver. Station d'astrophysique.

**SAINT-VINCENT (cap)**, en port. ***Cabo São V cente*** ~ Extrémité S.-O. de l'Algarve (Portugal) de l'Europe.

**Saint-Vincent-de-Paul (Société de)** ~ Orgar sation religieuse de laïcs fondée à Paris en 18 par Fr. Ozanam pour promouvoir l'action charitab dans les milieux défavorisés. Elle compte a 700 000 membres environ, répartis dans le mond

**SAINT-VINCENT-ET-LES-GRENADINES** ~ É des Petites Antilles (îles au Vent), incluant l' volcanique fertile de Saint-Vincent et le N. des îl Grenadines. ***Cap.*** Kingstown (27 000 h.). ***S perf.*** 388 km². ***Popul.*** 109 000 h. ***Langue princ.*** A glais. ***Monn.*** Dollar des Caraïbes orientales. ***Éco*** Agric. (banane), pêche, tourisme. Anc. possessi anglaise (1797). État indépendant dans le cadre Commonwealth depuis 1979.

**SAINT-VRAIN** ~ V. du Hurepoix (Essonne), s la Juine (r. g.) ; 2 307 h. Parc animalier et de loisi

**SAINT-YORRE** ~ Commune de l'agglom. de V chy (Allier), sur l'Allier ; 3 003 h. Sources d'e minérales.

**SAINT-YRIEIX-LA-PERCHE** ~ V. du Limous (Hte-Vienne) ; 7 558 h. Célèbres carrières de kao (auj. épuisées), à l'origine de la production porcelaine à Limoges. Collégiale du XIII^e^ s.

**SAKAI** ~ Port et centre industriel du Japon, sur mer Intérieure, dans la conurbation d'Ôsa (Honshû) ; 799 000 h. Mausolée de l'empere Nintoku.

**Sakalaves** ou **Sakalavas** (les) ~ Peuple d'origi bantoue de l'O. de Madagascar.

**SAKHA** ~ Voir **Iakoutie**.

**SAKHALINE (île)** ~ Vaste île montagneuse Russie (Extrême-Orient), face à la côte sibérienr au N. de l'île japonaise d'Hokkaidô ; 87 100 kn 699 000 h., v. princ. Ioujno-Sakhalinsk. Pêcheri (crabe), charbonnages, exploitation du pétrole.

**SAKHAROV** (Andreï Dmitrievitch) ~ *1921, Mc cou - 1989, id.* Physicien soviétique. Pionnier de fusion nucléaire, il contribua à la mise au poi de la bombe H soviétique. Militant des droits l'homme, il fut exilé à Gorki (1980-1986) pu réhabilité et élu au Congrès des députés du peup (1989). Prix Nobel de la paix 1975.

**Sakkarah** ~ Voir **Saqqarah**.

**SALACROU** (Armand) ~ *1899, Rouen - 1989, Havre.* Auteur dramatique français. Sous des form très variées, son œuvre relie les grands dram existentiels aux questions sociales (*l'Inconnue d'A ras*, 1934 ; *l'Archipel Lenoir*, 1947).

**SALADIN I^er^**, en ar. ***Salah al-Din Yus al-Ayyubi*** ~ *1138, Takrit - 1193, Damas.* Premi sultan ayyubide (1171-1193). Il réunit sous so règne la Syrie, l'Égypte, le Hedjaz et la Mésopotam Fervent partisan de la guerre sainte, il s'empara Jérusalem (1187), puis conclut avec les Latins traité de paix (1192).

**SALADO DEL NORTE (río)** ~ Riv. d'Argentir issue des Andes, qui draine le N. de la Pampa rejoint le Paraná à Santa Fe ; 2 000 km.

**SALADO DEL SUR (río)** ~ Riv. d'Argentine, af intermittent du río Colorado, dans l'O. de Pampa ; 2 000 km.

**SALAM** (Abdus) ~ *1926, Jhang - 1996, Londr* Physicien pakistanais. Avec Sh. Glashow, il énon (1967) la théorie électrofaible, qui unifie la for électromagnétique et la force nucléaire faib confirmée par C. Rubbia (1983). Prix Nobel phys. 1979 avec Sh. Glashow et St. Weinberg.

**SALAMANQUE**, en esp. *Salamanca* ~ Une des pl grandes v. cult. et hist. d'Espagne (Castille-León 162 000 h. Son université, fondée en 1218, a f la renommée européenne de cette ville. Cathédral romane et gothique, demeures du XVI^e^ au XVIII^e^

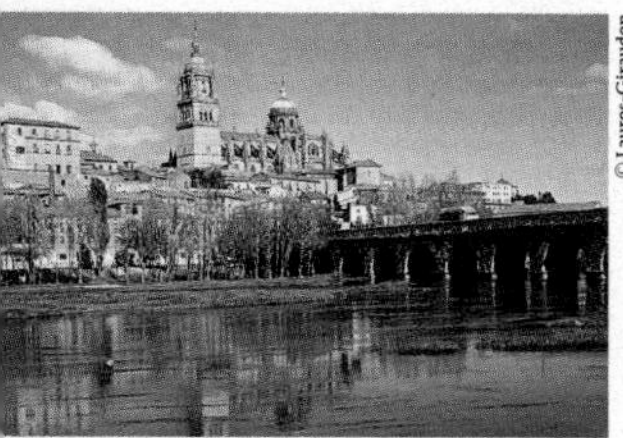

*Salamanque, la Catedral Vieja (XIe-XIIe s.) et, à l'avant-plan, la Catedral Nueva (XVIe-XVIIe s.) sur le Tormes.*

© Lauros-Giraudon

ıaza Mayor (XVIIIe s.). Musées. Couvent fondé en 570 par sainte Thérèse d'Ávila.

**ALAMINE** ~ Site antique de Chypre, au N. de ımagouste, principale cité de l'île de Salamine XIe-IIe s. av. J.-C.). Tombes royales (VIIIe-VIIe s. /. J.-C.), vestiges romains et byzantins du IIe au e s. apr. J.-C. (palestre, thermes, théâtre).

**ALAMINE** ~ Île grecque du golfe d'Égine, partie : l'agglom. d'Athènes ; 95 km², 20 000 h. Lors de seconde guerre médique, la flotte grecque, menée ır l'Athénien Thémistocle, remporta, dans le étroit séparant Salamine de la côte attique, à l'E., ne victoire navale décisive sur les Perses de erxès Ier (29 sept. 480 av. J.-C.).

**ALAN** (Raoul) ~ *1899, Roquecourbe, Tarn - 1984, ıris.* Général français. Commandant en chef en ıdochine (1952-1953), puis en Algérie (1956-958), il contribua au retour au pouvoir du général : Gaulle en 1958, mais s'opposa à sa politique gérienne. Coauteur du putsch d'Alger de 1961, dirigea l'O. A. S. dans la clandestinité. Condamné mort par contumace (1961), il fut arrêté à Alger 1962). Sa peine fut commuée en détention erpétuelle. Gracié et libéré en juin 1968, il fut mnistié en 1982.

**ALANG (col du)** ~ Col et tunnel d'Afghanistan 3 360 m), au N. de Kaboul, sur l'unique route ui franchisse l'Hindou Kouch.

**ALAZAR** (António **de Oliveira**) ~ *1889, Vi-ıieiro - 1970, Lisbonne.* Homme d'État portugais. ppelé au pouvoir en 1932, il instaura un régime ctatorial (Estado Novo, l'« État nouveau », 1933), outenu par l'Église. Bien que favorable aux Alliés, maintint la neutralité du Portugal durant la econde Guerre mondiale. Contesté dans son pays : confronté à des soulèvements armés dans les olonies à partir de 1960, il quitta le pouvoir en 968 pour raisons de santé.

**ALAZIE** ~ V. de la Réunion, au pied du Piton des eiges (3 069 m) et du **cirque de Salazie** ; 7 007 h.

**ALDANHA** (João **d'Oliveira e Daun**, duc DE) ~ *790, Azinhaga - 1876, Londres.* Homme politique maréchal portugais. Petit-fils de Pombal, libéral, dirigea le pays en 1835-1836, puis de 1846 à 1849 de 1851 à 1856. En 1870, il tenta un coup d'État ui échoua.

**aldjuqides** (les) ~ Voir **Seldjoukides**.

**ALÉ**, en ar. ***Sala*** ~ V. de l'agglom. de Rabat Maroc), sur l'Atlantique ; 289 000 h. Mosquées, ausolées, remparts. Place corsaire au XVIIe s.

**ALEM** ~ V. industr. du S. de l'Inde (Tamil adu) ; agglom. 573 000 h. Université. Construcons électriques et mécaniques, chimie, textile oie, coton), agroalimentaire. Sites néolithiques.

**ALEM** ~ Port du Massachusetts (États-Unis) ; 3 000 h. Maisons anciennes (XVIIe-XIXe s.), musées. ı ville fut fondée en 1626. Il s'y déroula à la fin ı XVIIe s. une chasse aux sorcières qu'Arthur Miller late dans sa pièce *The Crucible* (1953).

**ALEM** ~ Cap. de l'Oregon (États-Unis), sur la Villamette, au S. de Portland ; 108 000 h. Université. Industries alim. et du bois.

**ALERNE** ~ Port et station baln. de Campanie talie), au S.-E. de Naples ; 146 000 h. Archevêché. ıdustr. agroalim., text., mécanique. Tourisme. difices des XIe et XIIe s., dont la cathédrale et l'école : médecine. HIST. - Colonie romaine (193 av. J.-C.), principauté lombarde indépendante (847), elle fut conquise par Robert Guiscard en 1076. Durant la Seconde Guerre mondiale, les Alliés la libérèrent le 18 sept. 1943.

**SALERS** ~ Localité du massif du Cantal, sur la **planèze de Salers** ; 439 h. Anc. cité médiévale fortifiée. Race bovine et fromage de Salers.

**SALÈVE (mont)** ~ Massif isolé des Préalpes, qui domine Genève (Haute-Savoie) ; 1 375 m.

**SALICETI** ou **SALICETTI** (Antoine Christophe) ~ *1757, Saliceto, Corse - 1809, Naples.* Homme politique français. Député de la Corse à la Constituante et à la Convention, puis membre du Conseil des Cinq-Cents (1797), il devint ministre du roi Joseph Bonaparte à Naples.

**SALIERI** (Antonio) ~ *1750, Legnago, Lombardie - 1825, Vienne.* Compositeur et pédagogue italien. Il assimila dans ses opéras les différents styles de son temps avec plus de virtuosité que d'originalité (*les Danaïdes*, 1784 ; *Tarare*, 1787). Il eut pour élèves Beethoven, Schubert, Liszt et Meyerbeer.

**SALINGER** (Jerome David) ~ *1919, New York.* Écrivain américain. Il a peint les désarrois de la jeunesse et de la famille américaines (*l'Attrape-Cœur*, 1951 ; *Franny et Zooey*, 1961).

**SALINS-LES-BAINS** ~ Station therm. du Jura, au N.-E. d'Arbois ; 3 629 h. Anc. salines royales (XIIe-XVIIe s.). Vestiges de remparts. Église de style roman bourguignon (XIIIe s.).

**Saliout** ~ Programme soviétique de stations orbitales satellisées semi-permanentes (1972-1991). Saliout 6 et 7 pouvaient transporter des passagers. Saliout 7, désintégrée dans l'atmosphère le 7 février 1991, fut remplacée par la station Mir.

**SALISBURY** ~ V. d'Angleterre (Wiltshire), au N.-O. de Southampton, sur l'Avon ; 36 000 h. Cathédrale gothique (XIIIe s.), maisons anciennes. Anc. centre textile (laine) au Moyen Âge.

**SALISBURY** (Robert **Cecil**, marquis DE) ~ *1830, Hatfield, Hertfordshire - 1903, id.* Homme politique britannique. Chef du parti conservateur à partir de 1881, deux fois Premier ministre (1885-1892, 1895-1902), il réprima les mouvements sociaux et le nationalisme irlandais. Sa politique coloniale le conduisit à affronter la France en Afrique centrale (Fachoda, 1898) et à mener la guerre contre les Boers (1899-1902).

**SALLANCHES** ~ V. du Faucigny (Haute-Savoie), sur l'Arve (r. g.) ; 12 767 h. (agglom. 28 653 h.). Fabrique de skis, industr. électronique. Tourisme.

**SALLAUMINES** ~ V. de l'anc. bassin houiller de Lens (Pas-de-Calais) ; 11 036 h. Elle s'est reconvertie dans les pièces pour l'industrie automobile.

**SALLÉ** (Marie) ~ *1707, Paris - 1756, id.* Danseuse et chorégraphe française. Elle participa à la réforme du ballet de cour, innovant notamment dans le costume féminin.

**SALLUSTE**, en lat. ***Caius Sallustius Crispus*** ~ *86, Amiternum, Sabine - 35 av. J.-C.* Historien romain. Il est l'auteur de la *Conjuration de Catilina*, de la *Guerre de Jugurtha* et des *Histoires*, dont seuls des fragments nous sont parvenus. Son style est volontairement archaïsant.

**SALMANASAR** ~ Nom de cinq rois d'Assyrie. **Salmanasar III**, roi de 859 à 824 av. J.-C., poursuivit les conquêtes de son père Assournazirpal II et assujettit la Syrie.

**SALO** ~ Commune d'Italie (Lombardie), où Mussolini installa le gouvernement de sa République sociale italienne ou **république de Salo**, ultime avatar du régime fasciste, de sept. 1943 à avr. 1945.

**SALOMÉ** ~ *m. en 72.* Princesse de Judée. Sur l'incitation d'Hérodiade, sa mère, elle demanda la tête de Jean-Baptiste à Hérode Antipas, son oncle, en récompense d'une danse.

**SALOMON (îles)**, en angl. ***Solomon Islands*** ~ Archipel mélanésien (île princ. Guadalcanal), au N.-O. de Vanuatu, constituant un royaume indépendant (île Bougainville exclue). ***Cap.*** Honiara. ***Superf.*** 28 370 km². ***Popul.*** 349 000 h. ***Langues princ.*** Anglais, mélanésien. ***Monn.*** Dollar des îles Salomon. ***Relief.*** Arc volcanique montagneux recouvert de forêt dense. ***Climat.*** Subéquatorial. ***Ress. princ.*** Agriculture vivrière (patate douce, taro, huile de palme). Exportation (thon, coprah, bois). La zone maritime s'étend sur plus de 1 500 000 km². HIST. - *1568* : l'Espagnol Mendaña de Neira découvre les îles. *1886* : protectorat allemand sur les îles septentrionales. *1893* : protectorat britannique sur les îles méridionales. *1942* : les Japonais envahissent l'archipel. L'aérodrome de Guadalcanal est le théâtre de très violents combats lors de la guerre du Pacifique. *1978* : accession à l'indépendance dans le cadre du Commonwealth. *1994* : réélection de Salomon Mamoloni à la tête du gouvernement.

**SALOMON** ~ Troisième roi des Hébreux (v. 970-931 av. J.-C.). Fils du roi David et de Bethsabée, il réorganisa son pays, favorisa le commerce, bâtit à Jérusalem un palais auquel était annexé le Temple de Yahvé. À sa mort, les tribus du Nord et du Sud se séparèrent pour former deux royaumes (Israël et Juda).

**SALOMON** (Erich) ~ *1866, Berlin - 1944, Auschwitz.* Photographe allemand. Journaliste spécialiste des conférences internationales, il publia *Contemporains célèbres photographiés à leur insu* (1931). Il fut déporté en 1943.

**SALON-DE-PROVENCE** ~ V. des Bouches-du-Rhône, au N. de la Crau et de l'étang de Berre ; 34 054 h. (agglom. 44 831 h.). Industr. agroalimentaire. École de l'armée de l'air (Patrouille de France). Château de l'Empéri, anc. résidence des archevêques d'Arles. Tombeau de Nostradamus.

**SALONIQUE** ~ Voir **Thessalonique**.

**SALOUEN** (le ou la), en chin. ***Nu Jiang*** ~ Fl. d'Asie du S.-E., issu du Tibet, qui draine l'E. du Yunnan (Chine) et l'État chan, en Birmanie, sépare ce pays de la Thaïlande et rejoint l'océan Indien à Moulmein ; 2 800 km.

**SALOUM** (le) ~ Fl. intermittent du Sénégal (centre) formant un delta sur l'Atlantique, site d'un parc national (réserve ornithologique).

**Salpêtrière** (la) ~ Hôpital parisien érigé par Louis XIV sur l'emplacement d'une ancienne poudrerie. Bâtiments de L. Le Vau et de P. Le Muet et chapelle de L. Bruant.

**SALSES (étang de)** ~ Voir **Leucate**.

**Salt**, sigle de ***Strategic Arms Limitation Talks*** ~ Ensemble d'accords entre l'U. R. S. S. et les États-Unis visant à limiter les armes stratégiques (1969-1979).

**SALTA** ~ V. du N. de l'Argentine, sur la bordure orientale des Andes (1 187 m d'alt.), ch.-l. de la **province de Salta** (155 488 km² ; 866 000 h.), région d'agric. irriguée ; 374 000 h. Université. Sites incas. Ress. minières et pétrolières.

**SALTILLO** ~ Voir **Coahuila**.

**SALT LAKE CITY** ~ Cap. de l'Utah (États-Unis), au S.-E. du Grand Lac Salé, au pied des monts Wasatch ; 160 000 h. (agglom. env. 1 000 000 d'h.). Université (1850). Industr. alim., text., électron., raffinerie de pétrole. Capitale des mormons depuis sa fondation (1847).

**SALTO** ~ 2e v. d'Uruguay, port fluvial à la frontière de l'Argentine, centre admin. et comm. (vins, viandes, agrumes) ; 81 000 h. Hydroélectricité.

**SALTYKOV-CHTCHEDRINE** (Mikhail Ievgrafovitch **Saltykov**, dit) ~ *1826, Spas-Ougol, Tver - 1889, Saint-Pétersbourg.* Écrivain et journaliste russe. Il fut un chroniqueur satirique de la province russe (*la Famille Golovlev*, 1880).

**Salut (Armée du)** ~ Mouvement méthodiste, fondé à Londres, en 1865, par W. Booth. Organisé sur le modèle militaire, il mène une action charitable.

*Les îles du **Salut**. Au large, l'île du Diable, où fut détenu Alfred Dreyfus.*

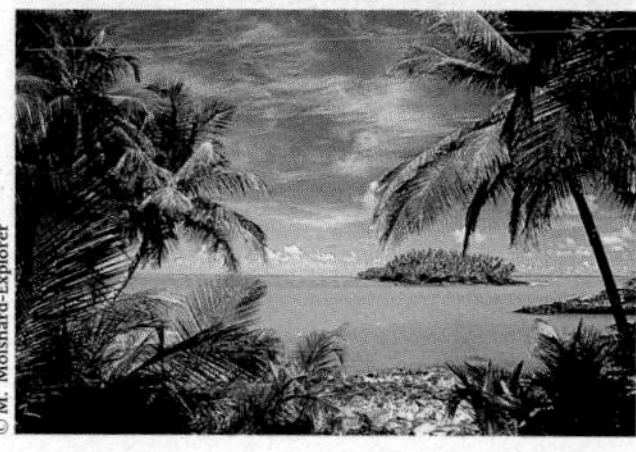

© M. Moisnard-Explorer

**SALUT (îles du)** ~ Petit archipel de la Guyane française, au N. de Kourou. Ancien établissement pénitentiaire. Le capitaine Dreyfus fut incarcéré sur l'île du Diable de 1895 à 1899.

**SALVADOR**, anc. **Bahia** ~ Port et 3e v. du Brésil (la 1re du Nordeste), cap. de l'État de Bahia, sur l'Atlantique fondée en 1549, cap. du pays jusqu'en 1763 ; 2 056 000 h. (agglom. 2 472 000 h.). Centre commercial et industriel (pétrochimie). Tourisme balnéaire et culturel : églises baroques (XVIIe-XVIIIe s.) dans la ville haute.

**SALVADOR (république du)**, en esp. ***República de El Salvador*** ~ Pays le plus petit et le plus densément peuplé d'Amérique centrale. ***Cap.*** San Salvador. ***Superf.*** 21 041 km$^2$. ***Popul.*** 5 050 000 h. ***Langues princ.*** Espagnol, nahuatl. ***Monn.*** Colón. ***Relief.*** Deux chaînes volcaniques isolent un haut plateau parcouru par le río Lempa et une étroite plaine côtière humide bordée par le Pacifique. ***Climat.*** Tropical. ***Écon.*** Agriculture vivrière (maïs, riz, canne à sucre, élevage) et commerciale (café, coton). L'explosion démographique a provoqué une forte émigration (1/3 de la population vit à l'étranger, not. aux États-Unis). **HIST.** - *Xe-XVe s.* : les Indiens Pipils occupent le Cuscatlan (ruines de Tazumal). *XVIe s.* : conquête espagnole, rattachement à la capitainerie générale du Guatemala. *1821-1841* : le Salvador intègre l'éphémère empire du Mexique, puis la fédération des Provinces-Unies d'Amérique centrale (1823), avant de devenir indépendant. *1841-1931* : l'instabilité politique, liée à la lutte entre libéraux et conservateurs, et les conflits entre séparatistes et unionistes sont arbitrés par les États-Unis. *1931-1944* : dictature du général Hernández Martínez. *1945-1972* : les velléités réformatrices des différents gouvernements militaires se heurtent à la mauvaise volonté de l'oligarchie possédante. *1972-1984* : l'éviction par l'armée de José Napoleón Duarte (candidat démocrate chrétien), élu à la présidence, déclenche une période de troubles opposant l'extrême droite, incarnée par l'Alliance républicaine nationaliste (Arena), et l'armée, soutenue par les États-Unis, aux guérilleros marxistes du Front démocratique révolutionnaire (F. D. R.) et du front Farabundo Martí de libération nationale (F. M. L. N.). *1984-1989* : élu en 1984, le président J. N. Duarte engage le dialogue avec les guérilleros. *1989-1994* : le président Alfredo Cristiani (Arena) signe un accord avec la guérilla ; la réforme agraire doit suivre le désarmement. *1994* : élection d'Armando Calderón Sol (Arena) dans un pays où la situation sociale reste tendue.

**SALVIATI** (Francesco **de' Rossi**, dit Cecchino) ~ *1510, Florence - 1563, Rome.* Peintre italien. Son style décoratif, qui synthétise les maniérismes romain et toscan, s'est épanoui à Rome dans les palais Ricci Sacchetti et Farnèse.

**SALZACH** (la) ~ Affl. de l'Inn (r. dr.), issu des Hautes Tauern, qui arrose Salzbourg ; 220 km.

**SALZBOURG**, en all. ***Salzburg*** ~ V. de l'O. de l'Autriche, cap. du land homonyme, sur la Salzach, à 6 km de l'Allemagne ; 144 000 h. Archevêché. Université. À côté d'industries diversifiées, Salzbourg a une vocation culturelle internationale. Musées. Monuments médiévaux et baroques. Festival annuel de musique classique consacré à Mozart depuis 1922. Ancienne principauté du Saint Empire régie par ses archevêques, elle fut rattachée à l'Autriche en 1814.

© Geiersperger-Explorer

*Salzbourg, la cathédrale et la forteresse.*

**SALZGITTER** ~ V. industrielle d'Allemagne (Basse-Saxe), au S.-E. de Hanovre ; 116 000 h. C'est un foyer industriel (sidérurgie), créé en 1942, aujourd'hui en reconversion.

**Samanides** (les) ~ Dynastie d'Asie centrale. Issus d'un seigneur ayant abjuré le zoroastrisme au profit de l'islam, ils régnèrent en Transoxiane (actuel Ouzbékistan, 874), s'étendirent vers l'Iran (876) et connurent leur apogée avec la conquête du Turkestan (899). Ils furent anéantis en 999.

**SAMAR** ~ Île montagneuse et boisée de l'E. de l'archipel des Visayas, aux Philippines ; 13 080 km$^2$, 1 200 000 h. Ressources minières.

**SAMARA**, anc. **Kouïbychev** de 1935 à 1991 ~ V. et port fluvial de Russie, au confluent de la Volga et de la Samara, important centre industr. (constr. mécan., pétrochim.), alimenté par une centrale hydroélectrique sur la Volga ; 1 239 000 h.

**SAMARIE** (la) ~ Région du centre de la Palestine s'étendant de la plaine du Sharon au Jourdain, entre la Galilée au N. et la Judée au S. Autour de la ville du même nom fondée par Omri v. 880 av. J.-C. et détruite en 721 av. J.-C. par Sargon II, les Assyriens établirent des Babyloniens et des Araméens, qui formèrent les **Samaritains**. En 27 av. J.-C., Hérode le Grand lui donna le nom de Sébaste (« Auguste »), auj. Sabastiyya, village près de Naplouse.

**SAMARINDA** ~ Port de Bornéo (Indonésie), centre administratif ; 335 000 h. Université.

**SAMARKAND** ~ V. d'Ouzbékistan, dans l'oasis du Zeravchan ; 370 000 h. Industries agroalim. et textile (coton, soie). Tapis. Nombreux témoignages d'art islamique, du XIVe au XVIIe s. (mosquées, madrasa, mausolées). **HIST.** - Berceau de la civilisation des peuples d'Asie centrale, Samarkand connut son apogée sous Tamerlan, qui en fit sa cap. (fin XIVe s.). Occupée par les Ouzbeks de Boukhara (1500), annexée par la Russie (1868), elle fut la cap. de l'Ouzbékistan soviétique de 1924 à 1930.

**SAMARRA** ~ V. d'Iraq, au N.-O. de Bagdad, sur le Tigre (r. g.), centre de pèlerinage ; 62 000 h. L'un des plus prestigieux sites archéologiques de l'islam. Anc. capitale des califes abbassides (IXe s.), elle recèle un sanctuaire chiite et d'importants vestiges (mosquées, palais).

**SAMBIN** (Hugues) ~ *1518, Gray, près de Vesoul - v. 1601, Dijon.* Sculpteur et architecte français. Ses décors sculptés sur bois sont caractéristiques de la Renaissance bourguignonne (porte de Serein, Dijon).

**SAMBRE** (la) ~ Riv. du N. de la France et du S. de la Belgique, affl. de la Meuse (r. g.) qu'elle rejoint à Namur ; 190 km.

**Samnites** (les) ~ Anc. peuple d'Italie centrale (Samnium). Soumis par les Romains au terme des trois **guerres samnites** (343-290 av. J.-C.), ils leur infligèrent la défaite des fourches Caudines, près de Caudium (321 av. J.-C.).

**SAMOA (îles)** ~ Archipel volcanique et corallien de Polynésie (l'un des plus vastes), à l'E. de Wallis et Futuna, divisé entre le Territoire non incorporé des Samoa américaines et l'État indépendant des Samoa occidentales. ~ Les **Samoa américaines** sont recouvertes par la forêt dense ; 197 km$^2$, 47 000 h., v. princ. Pago Pago. L'industrie moderne de la pêche domine (export. de thon). Tourisme. ~ Les **Samoa occidentales** sont formées de deux îles princ., Savaii et Upolu. ***Cap.*** Apia. ***Superf.*** 2 831 km$^2$. ***Popul.*** 163 000 h. ***Langues princ.*** Samoan, anglais. ***Monn.*** Tala. ***Relief.*** Montagneux (forêt, agric. côtière). ***Clim.*** Tropical humide. ***Ress. princ.*** Cultures vivrières (taro, igname) et d'export. (coprah, cacao). Pêche (zone maritime de 250 000 km$^2$). Tourisme. La forte croissance démographique contraint une partie de la population à l'émigration. **HIST.** - Découvertes par le Hollandais Jacob Roggeveen (1722), elles passèrent sous domination allemande (1880), puis furent divisées (1899) entre les Samoa occidentales (sous contrôle allemand) et les Samoa orientales (sous contrôle des États-Unis). Les premières, placées sous mandat néo-zélandais (1920), obtinrent leur indépendance (monarchie constitutionnelle), à la suite d'un référendum organisé par les Nations unies (1962) et intégrèrent le Commonwealth (1970). Le roi Malietoa Tanumafili II réclame la réunification avec les Samoa orientales, dont il conteste le statut de territoire américain.

**SAMOËNS** ~ Station d'été et de sports d'hiver (800-2 500 m d'alt.) du Faucigny (Haute-Savoie), près du Giffre ; 2 148 h.

**SAMORY TOURÉ** ~ *v. 1830, Manyambaladougou - 1900, N'Djolé, Gabon.* Chef malinké. Il fonda à partir de 1861 un État centralisé à l'E. du Niger. Le mécontentement dû à sa politique d'islamisation forcée provoqua une insurrection (1888-1890), et la poussée française l'amena à s'établir en haute Côte d'Ivoire (1891). Il fut capturé au Soudan par H. E. Gouraud (1898) et déporté au Gabon.

**SAMOS** ~ Île grecque de l'archipel du Dodécanèse, dans la mer Égée, près des côtes turques ; 472 km$^2$, env. 40 000 h. Vignobles réputés. Terre de conquêtes incessantes, elle est la propriété de la Grèce depuis le traité de Lausanne (1923).

**SAMOTHRACE**, en gr. ***Samothràki*** ~ Île grecque du N. de la mer Égée ; 178 km$^2$, env. 3 000 h. Colonisée et vouée au culte des Grands Dieux par les Grecs depuis le VIIIe s. av. J.-C., elle fut prospère jusqu'au IVe s. apr. J.-C.

**Samoyèdes** (les) ~ Peuple de langue finno-ougrienne, d'orig. mongole. Pêcheurs et éleveurs de rennes, ils sont établis dans la toundra sibérienne, entre l'Ob et l'Ienisseï, et pratiquent le chamanisme.

**SAMSON** ~ *XIIe s. av. J.-C.* Juge d'Israël. Selon la Bible, il combattit les Philistins, mais Dalila lui ayant coupé les cheveux, garants de sa force, il fut fait prisonnier. Ses cheveux ayant repoussé, il provoqua l'écroulement du temple de Dagon et fut enseveli sous ses ruines avec de nombreux Philistins.

**SAMSUN** ~ 1er port du N. de la Turquie, sur la mer Noire, débouché d'une riche région agricole ; 277 000 h. (agglom. 463 000 h.). C'est un centre administratif et commercial (tabac, céréales, textile). Anc. ville byzantine, Samsun fut incorporée au royaume du Pont après la conquête de l'Asie Mineure par Alexandre III le Grand.

**SAMUEL** ~ *m. au XIe s. av. J.-C. à Rama.* Dernier juge d'Israël. Il lutta contre les Philistins et choisit Saül comme premier roi des Hébreux. Puis, le rejetant, il sacra secrètement David.

**SAMUEL** ~ *v. 997 - 1014.* Tsar de Bulgarie. Il fut vaincu par Basile II, qui rattacha la Bulgarie à l'Empire byzantin.

**SAMUELSON** (Paul Anthony) ~ *1915, Gary, Indiana.* Économiste américain. Spécialiste d'économétrie rationnelle, il a contribué à développer l'application de modèles mathématiques à l'analyse des théories économiques (*l'Économique*, 1948). Prix Nobel de sc. écon. 1970.

**SANAA** ~ Cap. du Yémen (depuis la réunification en 1990), à 2 350 m d'alt. sur le plateau intérieur 428 000 h. Bazar et artisanat (filature du coton) Célèbre pour son ensemble architectural de hautes maisons ornées de vitraux et de stucs, qui en fait une ville unique au monde (vieux quartiers, mosquées)

**SANAGA** (la) ~ Princ. fl. du Cameroun ; 520 km Équipements hydroélectriques.

**SAN ANDREAS (faille de)** ~ Ligne de fractur d'env. 1 000 km, qui court depuis le golfe d Californie jusqu'à San Francisco.

**SAN ANTONIO** ~ V. du Texas (États-Unis), a S.-O. de Houston ; 936 000 h. (dont 56 % de Mexi cains). Archevêché. Complexe industriel militai (bases et industr. aéronautiques). Église d'Alamo édifices de style colonial espagnol.

**SANARY-SUR-MER** ~ Station balnéaire, port d plaisance du Var, à l'E. de Bandol ; 14 730 h.

**SAN BERNARDINO (col de)** ~ Col des Alpe suisses (Adula), entre les hauts bassins du Rhin e du Tessin ; 2 065 m. Tunnel routier.

**SAN BERNARDINO** ~ V. du S. de la Californi (États-Unis), à l'E. de Los Angeles, centre d'u riche région agric. (vigne, agrumes) ; 184 000 h (agglom. 1 170 000 h.). Agroalim., aéronautiqu

**SANCERRE** ~ V. du N. du Berry, à l'O. de la Loir dans le Sancerrois ; 2 059 h. Vins réputés.

**SANCERROIS** (le) ~ Région de collines du Berr à l'O. de Sancerre, où prédominent l'élevag (charolais), la polyculture et surtout la vigne.

**SANCHE**, nom de souverains d'Aragon, de Castill de León, de Navarre et de Portugal. ~ **Sanche I García el Grande** ou **el Mayor** (*v. 992 - 1035* roi de Navarre (v. 1000-1035) et comte de Castil (1028-1029), étendit son hégémonie sur la quas totalité de l'Espagne chrétienne. ~ **Sanche Ier Ram rez** (*1043 - 1094, Huesca*), roi d'Aragon (106 1094) et de Navarre (Sanche V ; 1076-1094), pr tête de la Reconquista. ~ **Sanche Ier o Povoador** *154, Coimbra - 1211, id.*), roi de Portugal (1185-211), colonisa l'Algarve.

**ANCHI** ou **SANCI** ~ Localité d'Inde centrale Madhya Pradesh). Monuments funéraires boud-iques sculptés (stupa, du IIe s. av. J.-C. au XIe s. r. J.-C.) parmi les mieux conservés de l'Inde.

**AN CRISTÓBAL** ~ V. du Venezuela, dans les ndes (proche de la Colombie), centre adminis-atif et marché agricole ; 221 000 h. Université. ens d'équipement.

**ANCY (puy de)** ~ Massif volcanique d'Auvergne, int culminant du Massif central, dans la chaîne s monts Dore ; 1 885 m.

**ANCY** ~ **Nicolas** HARLAY DE (*1546 - 1629, Paris*). omme d'État français. Protestant converti au tholicisme, il fut ambassadeur en Suisse (1575-82) où il constitua une armée (1588-1589) pour futur Henri IV après avoir gagé un superbe amant, dit **le Sancy**. Nommé surintendant des nances (1594), il dut se retirer au profit de Sully 597). Son fils ~ **Achille** HARLAY DE (*1581 - 45*), évêque de Saint-Malo (1632) et président s États de Bretagne (1635), constitua une portante collection de manuscrits orientaux.

**AND** (Aurore **Dupin**, baronne **Dudevant**, dite eorge) ~ *1804, Paris - 1876, Nohant.* Écrivain ançais. La richesse de sa vie amoureuse (elle fut la aîtresse de Musset et de Chopin) n'eut d'égale e sa fécondité littéraire, son œuvre étant carac-risée par un idéalisme sentimental et humanitaire i l'orienta vers le socialisme (*Lélia*, 1833 ; *le mpagnon du tour de France*, 1840 ; *la Mare au ble*, 1846 ; *la Petite Fadette*, 1849). Elle revendiqua ur les femmes le droit à la passion.

© Giraudon

eorge **Sand** et ses amis en 1838 *(détail d'un éventail), gouache de George Sand et Auguste Charpentier (1813-1880). De gauche à droite : Franz Liszt, Eugène Delacroix, George Sand, Félicien Mallefille. Musée Carnavalet, Paris.*

**ANDAGE** (Allan Rex) ~ *1926, Iowa City.* Astro-ysicien américain. Il a étudié les amas globulaires la structure de la Galaxie. Il a donné une nouvelle termination de la constante de Hubble et a couvert le premier quasar (1960).

**ANDBURG** (Carl) ~ *1878, Galesburg, Illinois - 67, Flat Rock, Caroline du Sud.* Poète américain. ief de l'école de Chicago, il chanta la civilisation dustrielle dans des poèmes d'inspiration popu-re, voire socialiste (*Fumée et acier*, 1920).

**ANDEAU** (Julien, dit Jules), dit aussi Jules nd ~ *1811, Aubusson - 1883, Paris.* Écrivain ançais. Il fut le collaborateur et l'amant de George nd, à qui il inspira son pseudonyme, puis publia s romans imprégnés de philosophie bourgeoise *Mademoiselle de La Seiglière*, 1848). Acad.

**ANDER** (August) ~ *1876, Herdorf-sur-la-Sieg, énanie-Palatinat - 1964, Cologne.* Photographe emand. Ses portraits au réalisme cru constituent e précieuse typologie de la société allemande de ntre-deux-guerres.

**andhurst (école militaire de)** ~ École militaire erarmes britannique, établie à Camberley (Berk-ire). Fondée en 1801 et fusionnée avec l'académie litaire de Woolwich (1947), elle forme les iciers de l'armée de terre.

**AN DIEGO** ~ Port de Californie (États-Unis), au nd d'une baie protégée, près de la frontière exicaine ; 1 111 000 h. (agglom. 2 348 000 h.). niversité. 1re base navale américaine de la côte cifique. Export. (coton). Pêche. Constr. aéro-utiques. Plages et ports de plaisance.

**ANDINO** (Augusto Cesar) ~ *1895, Niquino-mo - 1934, Managua.* Homme politique nicara-guayen. Chef de la guérilla (1927-1933) en lutte contre l'occupation américaine du Nicaragua, il se retira après la victoire (1933), mais fut assassiné sur ordre du futur président A. Somoza. Devenu le symbole de la lutte pour l'émancipation de son pays, il donna naissance au **sandinisme**.

**SANDJAK** (le) ~ Région historique du S.-O. de la Serbie et du N. du Monténégro, née du découpage administratif de l'époque ottomane. V. princ. Novi Pazar. Sa répartition interethnique en fait un foyer de tensions (Musulmans de langue serbe majoritaires, Serbes 25 %, Monténégrins 18 %).

**SANDWICH (îles)** ~ Voir **Hawaii**.

© C. Boisvieux-Explorer

*San Francisco.*

**SAN FRANCISCO** ~ L'une des princ. v. des États-Unis (Californie), débouché de la Grande Vallée sur le Pacifique, 8e port du pays (commerce avec l'Asie), métropole culturelle, universitaire (Stanford et Berkeley), et financière (siège de la Bank of America et Bourse du Pacifique) ; 724 000 h. (conurbation d'env. 6 200 000 h.). Haute technologie (Silicon Valley), raffinage du pétrole, constructions navales et automobiles. La ville s'est développée autour de la baie franchie par le Golden Gate. Musées d'art (M. H. De Young Memorial Museum). **HIST.** - Ancienne mission fondée en 1776 par les Espagnols, devenue américaine en 1846, elle fut détruite en 1906 par un tremblement de terre et endommagée par un autre en 1989.

**San Francisco (conférences de)**, nom de deux conférences internationales. ~ La première (25 avr.-26 juin 1945) élabora la Charte des Nations unies. ~ La seconde (4-8 sept. 1951) ratifia le traité de paix entre le Japon et les États-Unis.

**SANGALLO**, famille d'architectes italiens. ~ **Giuliano Giamberti**, dit **Giuliano da Sangallo** (*v. 1443, Florence - 1516, id.*), fut l'auteur d'ouvrages militaires, de palais et d'églises (Santa Maria delle Carceri, Prato). Son frère ~ **Antonio**, dit **Antonio da Sangallo le Vieux** (*v. 1453, Florence - v. 1534, id.*), illustra des conceptions novatrices dans des édifices alliant simplicité et monumentalité (église San Biagio, Montepulciano). Leur neveu ~ **Antonio Cordini**, dit **Antonio da Sangallo le Jeune** (*1484, Florence - 1546, Rome*), après avoir travaillé avec Bramante, révéla son talent, sa connaissance de l'Antiquité et son génie technique dans l'architecture civile et religieuse romaine (palais Farnèse, église Santa Maria di Loreto).

**SANGHA** (la) ~ Riv. d'Afrique équatoriale (République centrafricaine, Congo), affluent du Zaïre (r. dr.) ; env. 1 700 km.

**SAN GIMIGNANO** ~ V. de Toscane (Italie), dans la prov. de Sienne ; 7 000 h. Cité médiévale, elle a conservé son enceinte (tours carrées), sa collégiale (XIIe s.), son église S. Agostino (fresques de B. Gozzoli) et ses palais (pinacothèque).

**SANGNIER** (Marc) ~ *1873, Paris - 1950, id.* Journaliste et homme politique français. Fondateur en 1894 du Sillon, il voulait concilier le catholicisme avec les principes de la démocratie et les exigences de la justice sociale ; il fut condamné par Pie X en 1910. Il fonda la Ligue française des auberges de la jeunesse en 1929.

**SANGUINAIRES (îles)** ~ Îlots granitiques de la Corse, à l'entrée N. du golfe d'Ajaccio.

**SAN JOAQUIN** (le) ~ Fl. de Californie (États-Unis) qui draine la partie S. de la Grande Vallée et se jette dans la baie de San Francisco ; 560 km.

**SAN JOSÉ** ~ Cap. du Costa Rica, dans les hautes terres centrales (1 200 m d'alt.), fertiles (café), axe routier et ferrov., centre commercial et industriel (agroalim., biens d'équipement, textile) et universitaire ; 297 000 h. Archevêché.

**SAN JOSE** ~ V. des États-Unis (Californie), dans le S. de la conurbation de San Francisco, en pleine croissance ; 836 000 h. (agglom. 1 435 000 h.). Agroalimentaire (vin, fruits), composants électron., aérospatiale. Fondée par les Espagnols en 1777, elle fut capitale de la Californie jusqu'en 1854.

**SAN JUAN** ~ Cap. de Porto Rico sur la côte N. de l'île, fondée en 1521 sur deux îlots rattachés à la terre, centre tourist., comm. et industriel (raff. de pétr., constr. électr., métall., textile) ; 438 000 h. (agglom. 800 000 h.). Archevêché. Université. Base navale (U. S. Navy). Station balnéaire.

**SAN JUAN** ~ V. du centre de l'Argentine, en bordure des Andes, ch.-l. de la **province de San Juan** (89 651 km², 529 000 h.), au N. de Mendoza ; 119 000 h. Agroalim., pétrole.

**SANJURJO** (José) ~ *1872, Pampelune - 1936, Estoril.* Général espagnol. Arrêté et condamné à mort après une tentative de putsch (1932), il fut amnistié puis libéré (1934) et s'exila au Portugal. Instigateur du soulèvement du Maroc (1936) avec le général Franco, il périt dans un accident d'avion.

**SANKT ANTON AM ARLBERG** ~ Station d'été et de sports d'hiver du Tyrol (Autriche), à 1 304-2 811 m d'alt., près du col de l'Arlberg ; 2 000 h.

**SAN LUIS POTOSÍ** ~ V. industr. du Mexique central, cap. de l'État homonyme (62 848 km², 2 000 000 h.) ; 526 000 h. Aciérie, métall. (cuivre, zinc, plomb), text., manufacture de tabac. Mines d'argent à proximité. Cathédrale baroque (XVIIe s.).

**SAN MARTÍN** (José DE) ~ *1778, Yapeyú - 1850, Boulogne-sur-Mer.* Général et homme politique argentin. Il participa à la guerre d'indépendance de l'Argentine (1810-1816). En 1817-1818, il libéra le Chili puis débarqua au Pérou et prit Lima (1821). N'ayant pu s'entendre avec S. Bolívar, il s'exila en France dès 1823.

**SAN MIGUEL** ~ V. de l'E. du Salvador, au pied du volcan du même nom (2 130 m d'alt.), centre comm. et industr. sur la Panaméricaine ; 183 000 h. Cathédrale (XVIIIe s.).

**SANNOIS** ~ V. de la grande banlieue N. de Paris (Val-d'Oise), au pied de la **butte de Sannois** ; 25 229 h.

**SAN PEDRO SULA** ~ 2e v. du Honduras (N.-O.), près des côtes caraïbes ; 326 000 h. 1er pôle industriel (zones franches), export. (bananes).

**SANRAKU** ou **KANÔ SANRAKU** ~ *1559, Ômi - 1635, Kyôto.* Peintre japonais. Représentant de l'école Kanô, il continua le style décoratif de son maître Kanô Eitoku (résidence Tokugawa, Kyôto).

**SAN REMO** ou **SANREMO** ~ Station baln. d'Italie (Ligurie), sur la Riviera du Ponant ; 57 000 h. 1er centre de cultures florales du pays. Tourisme. Cathédrale San Siro (XIIIe s.). Première classique de la saison cycliste (Milan-San Remo).

**San Remo (conférence de)** ~ Réunion (19-26 avr. 1920) du conseil suprême allié qui fixa les modalités d'application du traité de Versailles et prépara le traité de Sèvres avec l'Empire ottoman.

**SAN SALVADOR** ~ Cap. du Salvador (Amérique centrale), au cœur du plateau volcanique du même nom (700 m d'alt.) ; 423 000 h. (agglom. 1 522 000 h.). Centre culturel, comm. et industr. (alim., text., tabac). Archevêché.

**SANSON**, famille de bourreaux qui œuvra à Paris de 1688 à 1847 et dont les membres les plus célèbres sont ~ **Charles** (*1740, Paris - 1806*), qui exécuta Louis XVI, et son fils ~ **Henri** (*1767, Paris - 1840, id.*), qui exécuta Marie-Antoinette.

**SANSOVINO (il)**, surnom de deux sculpteurs et architectes italiens. ~ **Andrea** CONTUCCI (*v. 1467, Monte San Savino, Arezzo - 1529, id.*) travailla au Portugal et en Italie (fonts baptismaux de Volterra ; *Baptême du Christ* du baptistère de Florence, 1502-1505), dans un style de transition entre Quattrocento et première Renaissance. Son fils adoptif ~ **Jacopo** TATTI (*1486, Florence - 1570, Venise*), installé à Venise, dirigea la restructuration du centre de la cité (*Loggetta* du campanile et *Libreria Vecchia* de la place Saint-Marc).

**SAN STEFANO**, auj. **Yesilkoy** ~ Localité de Turquie, proche d'Istanbul. Le 3 mars 1878, un traité y fut signé à l'issue de la guerre russo-turque (1877-1878). Il marqua pour l'Empire ottoman la perte définitive de la quasi-totalité des Balkans, et fut révisé au congrès de Berlin la même année.

**SANTA ANA** ~ 2e ville du Salvador, au N. du volcan homonyme ; 202 000 h. Café, textile. À l'O., vestiges d'une anc. ville indienne.

**SANTA ANNA** (Antonio **López** DE) ~ *1794, Jalapa - 1876, Mexico.* Général et homme d'État mexicain. Président de la République en 1833, il fut battu par les Texans en 1836 et dut leur accorder l'indépendance. En 1846, il entra en guerre contre les États-Unis et, de nouveau vaincu, il leur céda le Nouveau-Mexique et la Californie (traité de Guadalupe Hidalgo, 1848). En 1853, il se proclama dictateur à vie mais perdit le pouvoir dès 1855.

**SANTA BARBARA** ~ Station baln. de Californie (États-Unis), au N. de Los Angeles, dans une plaine agricole ; 86 000 h. Université. Électronique, fruits et légumes. Maisons de style colonial espagnol.

**SANTA CATARINA** ~ État du S. du Brésil, bordé à l'E. par l'Atlantique, à l'O. par l'Argentine, grande région agric. ; 95 318 km², 4 536 000 h., cap. Florianópolis (255 000 h.). Riz, blé, vigne, élevage (volaille, porcs), pêche, exploitation forestière et minière (charbon). Forte communauté d'origine allemande (Blumenau).

**SANTA CLARA** ~ V. du centre de Cuba ; 194 000 h. Université. Manufactures de tabac, sucreries.

**SANTA CRUZ** ~ Prov. d'Argentine, dans le S. de la Patagonie, partagée entre le piémont andin (tourisme) et le plateau steppique (élevage ovin) ; 243 943 km², 160 000 h., ch.-l. Río Gallegos (65 000 h.). Hydrocarbures.

**SANTA CRUZ** ~ 2e v. de Bolivie, au pied de la cordillère des Andes, à 450 m d'alt., centre industriel (agroalim., sucrerie, bois, uranium, raff. de pétrole) ; 695 000 h.

**SANTA CRUZ (îles)** ~ Archipel de Mélanésie, dépendance des îles Salomon (E.) ; 938 km², 3 000 h.

**SANTA CRUZ DE TENERIFE** ~ Port et cap. de la prov. orientale des Canaries (Espagne), centre comm. et tourist. ; 189 000 h. Raff. de pétrole.

**SANTA FE** ~ Cap. du Nouveau-Mexique, dans le bassin du Río Grande ; 59 000 h. Mines (argent, plomb, zinc). Tourisme. Musées (dont celui des Indiens du Nouveau-Mexique), chapelle San Miguel (XVIIe s., restaurée). Fondée en 1610 par les Espagnols sous le nom de Villa Real de Santa Fe, elle devint la capitale du Nouveau-Mexique en 1912.

**SANTA FE** ~ V. d'Argentine, port fluvial sur un bras du Paraná, ch.-l. de la **province de Santa Fe** (133 007 km², 2 800 000 h.) ; 442 000 h. Céréales, laine, cuir. Industr. agroalim., mécan. et textile.

**SANTA ISABEL** ~ Voir **Malabo**.

**SANTA MARTA** ~ Port caraïbe de Colombie, centre touristique ; 286 000 h. Export. de bananes. La **sierra Nevada de Santa Marta**, massif montagneux du N. des Andes (5 780 m d'alt.), domine la ville et la mer des Antilles. Site archéologique.

**SANTA MONICA** ~ Station baln. de Californie (États-Unis), dans l'agglom. de Los Angeles ; 88 000 h. Centre de recherche de la Rand Corporation.

**SANTANDER** ~ Cap. de la Cantabrie (Espagne), sur l'Atlantique ; 189 000 h. Université (1971). Sidér., constr. navales, agroalim., pêche (thon, sardine). Station baln. sur la baie. Cathédrale gothique (XIIe s.). Palais royal d'été de la Magdalena. Musées.

**SANTANDER** (Francisco **de Paula**) ~ *1792, Rosario de Cúcuta - 1840, Bogotá.* Homme d'État colombien. Vice-président de la Grande-Colombie (1821-1828), il fut accusé d'avoir conspiré contre S. Bolívar et fut condamné à l'exil. Rappelé, il fut élu président de la république de Nouvelle-Grenade (1833-1837).

**SANTARÉM** ~ V. du Portugal, sur le Tage, au N. de Lisbonne, marché agricole ; 24 000 h. Tourisme. Églises romano-gothiques et baroques.

**SANTARÉM** ~ V. du Brésil (Pará), port fluvial sur l'Amazone (r. dr.), marché agricole (bois, caoutchouc, jute) ; 265 000 h. Aluminium.

**SANTER** (Jacques) ~ *1937, Wasserbillig.* Homme politique luxembourgeois. Président du parti social-chrétien (1974), il fut élu député européen (1975). Ministre des Finances (1979), puis Premier ministre (1984-1995), il a succédé à J. Delors à la présidence de la Commission européenne (1995).

**SANTERRE** (le) ~ Région de Picardie située au S.-E. d'Amiens, ensemble de plateaux limoneux voués à la grande culture céréalière et industrielle.

**SANTIAGO** ~ Cap. du Chili, fondée en 1541 au pied des Andes ; agglom. 5 181 000 h. Carrefour de communications au centre du pays, dans une riche région agricole (Vallée centrale), c'est la métropole économique et culturelle du pays, regroupant 40 % de la population chilienne.

© P. Romer-Explorer

*Santiago du Chili vu depuis la colline Santa Lucia.*

**SANTIAGO DE CUBA** ~ Port et 2e v. de Cuba (S.-E.), centre admin. et industriel (rhumeries, manufactures de tabac), au pied de la sierra Maestra ; 405 000 h. Quartiers anciens datant de l'époque coloniale. Bataille navale hispano-américaine (1898).

**SANTIAGO** ou **SANTIAGO DE LOS CABALLEROS** ~ 2e v. de la République dominicaine ; 375 000 h. Zone franche industr., tabac réputé.

**SANTIAGO DEL ESTERO** ~ Cap. de la **province de Santiago del Estero** (136 351 km², 672 000 h.), en Argentine (N.), sur le río Dulce ; 202 000 h.

**SANTILLANA** (Íñigo **Lopez de Mendoza**, marquis DE) ~ *1398, Carrion de los Condes - 1458, Guadalajara.* Homme de guerre et poète espagnol. Il s'illustra dans la carrière des armes et dans celle des lettres. Ses sonnets italianisants préfigurent la Renaissance espagnole.

**SANTORIN**, anc. **Théra** ~ Île volcanique du S. de l'archipel grec des Cyclades, dans la mer Égée ; 85 km², 7 000 h. Centre de la civilisation des Cyclades. Occupée dès le IIe mill. av. J.-C. et ravagée par une éruption volcanique vers 1500 av. J.-C., elle appartint, du XIIIe au XVIe s., aux Vénitiens Barozzi.

**SANTOS** ~ V. du Brésil, débouché portuaire de São Paulo ; 429 000 h. Industrie lourde (sidér., pétrochim.). 1er port exportateur mondial de café.

**SANTOS-DUMONT** (Alberto) ~ *1873, Cabangu, près de Palmyra, auj. Santos Dumont - 1932, São Paulo.* Aéronaute et aviateur brésilien. Pionnier de l'aviation et de l'aérostation, il inventa des dirigeables (1898-1905) et effectua, à Bagatelle, le premier vol propulsé en Europe (1906).

**SÃO FRANCISCO (rio)** ~ Fl. de l'E. du Brésil ; 3 198 km. Né à l'O. de Belo Horizonte, il coule vers le N., traverse le Nordeste aride avant de rejoindre l'Atlantique entre Recife et Salvador. Sa vallée (peu peuplée) est un axe de circulation et ses eaux sont utilisées pour l'irrigation et l'hydroélectricité.

**SÃO JOSÉ DOS CAMPOS** ~ V. du Brésil (État de São Paulo) ; 443 000 h. Centre aérospatial.

**SÃO LUÍS** ~ Voir **Maranhão**.

**SÃO MIGUEL** ~ Île la plus vaste de l'archipel des Açores (Portugal) ; 759 km², 77 000 h. Site de la cap., Ponta Delgada (22 000 h.).

**SAÔNE** (la) ~ Riv. de l'E. de la France, née dans les Vosges, affl. du Rhône (r. dr.), qu'elle rejoint à Lyon ; 480 km. En partie navigable, elle doit être reliée au Rhin par un canal à grand gabarit pour compléter l'axe mer du Nord-Méditerranée.

**SAÔNE (Haute-)** ~ Dép. de l'E. de la France (Région Franche-Comté) ; 5 360 km², 231 962 h. Centré sur les plateaux du bassin de la haute Saône et de son affluent l'Ognon, il s'étend à l'O. ve le plateau de Langres, au N. aux confins de Lorraine et des Vosges et à l'E. vers la trouée c Belfort. V. princ. Vesoul (préfect.), Lure, q rassemblent l'activité industrielle (autom., textil bois). La Haute-Saône, rurale, est aujourd'hui vou à l'élevage laitier et d'embouche, qui favorise développement de la culture du maïs. Le dépeupl ment entraîne l'extension des forêts. Tourisme pe développé (lac de Vaire, Luxeuil-les-Bains).

**SAÔNE-ET-LOIRE** ~ Dép. du centre-est de France (Région Bourgogne), dont l'O. appartie au N. du Massif central (la vallée de l'Arroux e encadrée par le Morvan au N.-O. et les monts c l'Autunois au S.-E., prolongés par les monts c Charolais et du Mâconnais) et l'E. aux collin de la Bresse, qui bordent la vallée de la Saôn 8 627 km², 559 413 h., v. princ. Chalon-sur-Saôn Mâcon (préfect.), Le Creusot, Montceau-les-Mine Autun. À l'E. dynamique (viticulture du val c Saône, polyculture de la Bresse, industries diverse s'oppose un O. rural et anciennement industri (houille) en déclin.

**SÃO PAULO** ~ V. du Brésil, cap. de l'État hom nyme et 4e ville du monde ; 9 480 000 h. (agglor 15 200 000 h.). Plus grand centre fin., écon. comm. du pays. Industries métall., text., alim chimique. Centre cult. et scient. (éditions, unive sité). Carrefour de communications (aéroports Fondée en 1554 par les Jésuites, la ville fut principal point de départ de la ruée vers l'or et centre d'exportation du café (fin XIXe s.). L'**État** c **São Paulo** (248 256 km², 31 193 000 h.), le pl peuplé du Brésil, réalise la moitié de la productic industrielle du pays. Raff. du pétrole, oléoducs.

**SÃO PAULO DE LOANDA** ~ Voir **Luanda**.

**SÃO TOMÉ ET PRÍNCIPE (république dém cratique de)** ~ État insulaire du golfe de Guiné *Cap.* São Tomé. *Superf.* 1 001 km². *Popu* 128 000 h. *Langues princ.* Portugais, forro, angolar fang. *Monn.* Dobra. *Relief.* Archipel volcanique. *Îl princ.* São Tomé (845 km²) et Príncipe (142 km² *Climat.* Équatorial à forêt dense (60 % de superf.). *Ress. princ.* Cult. vivrières et comr (cacao, café, coprah). Pêcheries. Aide internati nale. HIST. - *1471* : découverte de l'archipel dése par les Portugais. *1493* : mise en exploitatic (canne à sucre) grâce à une main-d'œuvre d'e claves venus d'Angola. *1876* : abolition de l'escl vage. *1951* : l'archipel acquiert le statut de provin d'outre-mer. *1975* : indépendance et mise en pla d'un régime socialiste avec parti unique ; Pinto c Costa est président, Miguel Trovoada, Premi ministre. *1991* : libéralisation politique ; électic de M. Trovoada (Parti de la convergence), en ex depuis 1979, à la présidence. *1994* : victoire l'ancien parti unique (Mouvement de libération São Tomé et Príncipe) aux élections législative *1995* : tentative de coup d'État militaire. *1996* réélection de M. Trovoada.

**SAOURA** (la) ~ Série d'oasis du Sahara algérien du Grand Erg occidental), le long de l'oued Saour

**SAPIR** (Edward) ~ *1884, Lauenburg, Allemagne 1939, New Haven.* Linguiste et anthropolog américain d'orig. allemande. Spécialiste des langu amérindiennes, il forma le concept de phonèm également étudié par l'école de Prague. Pressenta certains principes qui devaient être développés p la grammaire transformationnelle, il fut l'un d précurseurs du structuralisme américain (*Languag* 1921, traduit en 1953).

**SAPOR** ~ Voir **Chahpour**.

**SAPPHO** ou **SAPHO** ~ *fin du VIIe s., Lesbos - déb du VIe s. av. J.-C., id.* Poétesse grecque. Son gén poétique, voué à l'exaltation des amours féminin lui valut une immense réputation dans l'Antiquit

**SAPPORO** ~ Princ. v. de l'île japonaise de Ho kaidô, grand centre tertiaire et industrie 1 704 000 h. Jeux Olympiques d'hiver en 197

**Saqqarah** ou **Sakkarah** ~ Site archéol. d'Égypt près du Caire et de l'anc. Memphis. Nécropc utilisée pendant trois millénaires. Pyramide à degr de Djoser (IIIe dynastie) et Serapeum.

**SARAGAT** (Giuseppe) ~ *1898, Turin - 198 Rome.* Homme d'État italien. Socialiste, fondate du Parti social-démocrate italien en 1947, il s'all à la Démocratie chrétienne et fut président de République (1964-1971).

;aragosse, *la basilique Nuestra Señora del Pilar (XVIIe s.).*

**ARAGOSSE**, en esp. *Zaragoza* ~ Cap. de l'Aragon :spagne), sur l'Èbre, centre écon. et historique de ı région ; 586 000 h. Université. Archevêché. cadémie militaire. Monuments de l'époque musulıane (palais du XIe s., mosquée, archit. mudéjare, ;lises des XVIe et XVIIe s., dont Nuestra Señora del ilar. HIST. - Ancienne colonie phénicienne, Saraɔsse fut la capitale d'un royaume maure, puis, près sa conquête par Alphonse Ier (1118), du ɔyaume d'Aragon. Elle soutint en 1808-1809 un ège héroïque contre les Français.

**ARAH** ou **SARA** ~ Personnage biblique. Épouse térile d'Abraham, elle donna miraculeusement aissance à Isaac à l'âge de 90 ans.

**ARAJEVO** ~ Cap. de la Bosnie-Herzégovine ; 16 000 h. (1991). Carrefour de communication ur la Miljacka (tribut. de la Save), centre industriel iversifié (mécan., agroalim., sidér.) et touristique, ı partie détruit durant le conflit bosno-serbe. 'niversité (1946), mosquées, archevêchés cathoque et orthodoxe. HIST. - L'archiduc Françoiserdinand d'Autriche y fut assassiné le 28 juin 914, évènement qui déclencha la Première Guerre ıondiale. De 1992 à 1996, la ville fut assiégée et ıvagée par les Serbes de Bosnie-Herzégovine.

*Le vieux Sarajevo.*

**arakollés**, **Sarakolés** ou **Soninkés** (les) ~ euple du Sénégal, de la Mauritanie et du Mali.

**ARANSK** ~ Cap. de la Mordovie (Russie), à l'O. : la Volga ; 322 000 h. Constr. mécaniques et ectriques, industr. du bois.

**ARAPIS** ~ Voir **Sérapis**.

**ARASATE** (Pablo DE) ~ *1844, Pampelune - 1908, iarritz.* Violoniste et compositeur espagnol. Auteur *:s Airs bohémiens* pour violon, il interpréta des ıuvres de Saint-Saëns (*Rondo capriccioso*) et de Lalo *Symphonie espagnole*), spécialement créées pour lui.

**ARASIN** (Jean-François) ~ *1614, Caen - 1654, ézenas.* Poète français. Son esprit et l'élégance de a plume en firent le rival de V. Voiture.

**ARATOGA SPRINGS** ou **SARATOGA** ~ Station ıerm. de l'État de New York (États-Unis) ; 4 000 h. Hippodrome et musée hippique. Site de une des premières batailles (1777) pour l'indépenance des États-Unis d'Amérique.

**SARATOV** ~ V. de Russie, port sur la basse Volga ; grand centre industr. (mécan., pétrochim., agroalim., bois) et ferroviaire ; 909 000 h.

**SARAWAK** (le) ~ État de Malaysia, dans le N.-O. de Bornéo, région montagneuse bordée par une plaine littorale ; 124 449 km², 1 648 000 h. (dont 20 % de Malais), cap. Kuching. Plantations (hévéa, cacao, poivrier, palmier à huile), pêche, hydrocarbures offshore, industries du bois. Possession du sultanat de Brunei (XVe s.), le Sarawak devint protectorat (1888) puis colonie britannique (1946), et intégra la fédération de Malaysia (1963).

**SARAZIN** ou **SARRAZIN** (Jacques) ~ *1588, Noyon - 1660, Paris.* Sculpteur français. Influencé par l'art antique et le baroque romain, il fut l'un des initiateurs du classicisme français (cariatides du pavillon de l'Horloge, tombeau du cardinal de Bérulle, au Louvre).

**SARCELLES** ~ V. de la banlieue N. de Paris (Val-d'Oise), où furent construits les premiers grands ensembles d'habitat collectif d'après-guerre (1958-1961) ; 56 833 h.

**SARDAIGNE** (la), en ital. *Sardegna* ~ Région insulaire d'Italie, dans la mer Tyrrhénienne, au S. de la Corse ; 24 090 km², 1 658 000 h., cap. Cagliari. Île montagneuse (1 834 m au Gennargentu), la 2e de la Méditerranée par sa superf., formée d'un socle hercynien que divise un ample massif volcanique. Région aux paysages austères, à prédominance agricole (élevage ovin transhumant en montagne, céréales, viticult., oliviers dans les vallées), aux ressources (mines de charbon, plomb, zinc) et aux attraits mal exploités par l'industrie et le tourisme. L'émigration se poursuit. HIST. - Grâce à ses mines, la Sardaigne prospéra dès l'âge du bronze (XIIe-VIIIe s. av. J.-C.). Présents dès le IXe s. av. J.-C., les Phéniciens sont relayés dans l'île par Carthage, qui dut la céder à Rome (237 av. J.-C.). Conquise par les Vandales (Ve s. apr. J.-C.), elle fut reprise par Bélisaire et occupée par les Byzantins (VIe-VIIIe s.). Puis elle subit les raids des Sarrasins expulsés par Pise (XIe s.), qui céda la place à Gênes en 1284. En 1323, l'Aragon en prit possession et l'intégra à l'ensemble espagnol, dont elle fut détachée par les traités d'Utrecht (1713-1715). Érigée en royaume au profit de la maison de Savoie (1720), la Sardaigne donna son nom aux États de cette famille. En 1861, elle fut intégrée au royaume d'Italie et devint, en 1948, une région autonome.

**SARDANAPALE** ~ Roi légendaire assyrien. Personnage inspiré aux auteurs grecs par le roi Assourbanipal (VIIe s. av. J.-C.), il personnifie le luxe et la volupté.

**SARDES** ~ Anc. capitale de la Lydie (Asie Mineure), sur le Pactole. Conquise par les Cimmériens (652 av. J.-C.), les Perses (546 av. J.-C.), Alexandre III le Grand (334 av. J.-C.), les Romains (133 av. J.-C.) puis les Seldjoukides (1306), elle fut détruite par Tamerlan (1402). Ruines du temple hellénistique d'Artémis.

**SARDOU** (Victorien) ~ *1831, Paris - 1908, id.* Auteur dramatique. Son sens du spectacle et de la légèreté dans la mise en scène a assuré le succès de *Madame Sans-Gêne* (1893) et de *la Tosca* (1887), qui inspira le célèbre opéra de Puccini. Acad.

**SARGASSES (mer des)** ~ Mer sans limites continentales de l'Atlantique N., dans la région des Bermudes. Elle doit son nom aux amas d'algues brunes ou **sargasses** qui y flottent.

**SARGON D'AKKAD** ~ Fondateur de l'empire d'Akkad en Mésopotamie. Il régna de 2334 à 2279 av. J.-C. environ.

**SARGON II** ~ Roi d'Assyrie (721-705 av. J.-C.). Il prit Samarie (721 av. J.-C.), soumit la Syrie et la Palestine et annexa les anciens États néo-hittites du N.-O. de l'Assyrie. S'appuyant sur les centres religieux traditionnels, il s'en libéra en fondant une capitale, Dour-Sharroukèn (auj. Khorsabad), inaugurée en 707 av. J.-C.

**SARH**, anc. **Fort-Archambault** ~ V. du Tchad, sur le Chari, centre textile ; 198 000 h.

**SARINE** (la) ~ Affluent alpin (r. g.) de l'Aar, en Suisse ; 128 km. Limite historique entre les pays romands et la Suisse alémanique.

**SARLAT-LA-CANÉDA**, anc. **Sarlat** ~ V. pittoresque du Périgord noir (Dordogne), marché agricole (foies gras, truffes, volailles) ; 9 909 h. Tourisme. Cathédrale St-Sacerdos (reconstruite aux XVIe et XVIIe s.). Ensemble architectural médiéval et Renaissance.

**Sarmates** (les) ~ Peuple indo-iranien d'Asie centrale, installé au IIIe s. av. J.-C. entre la mer Caspienne et le Don. Regroupant les Alains, les Roxolans et les Iazyges, ils furent absorbés lors des invasions des Goths, des Huns et des Vandales.

**SARMATIE** (la) ~ Anc. région située au N. du Pont-Euxin, de la Baltique à la mer Caspienne, occupée par les Sarmates.

**SARMIENTO** (Domingo Faustino) ~ *1811, San Juan - 1888, Asunción, Paraguay.* Homme d'État et écrivain argentin. Auteur du roman *Facundo* (1845) qui exalte la vie des gauchos, il fut président de la république Argentine de 1868 à 1874.

**Sarnath** ~ Site religieux de l'Inde, au N. de Bénarès. Bouddha y effectua sa première prédication. Musée. Vestiges de monastères.

**SARNEY** (José) ~ *1930, São Luís.* Homme d'État brésilien. Il succéda à Tancredo Neves à la présidence de la République (1985-1990).

**SARON** (le) ~ Voir **Sharon**.

**SAROYAN** (William) ~ *1908, Fresno - 1981, id.* Écrivain américain. Ses romans, ses nouvelles (*Quand même un Américain*, 1940) et son théâtre (*Mon cœur est sur les monts d'Écosse*, 1939) se caractérisent par leur esprit allègre et optimiste.

**SARRAIL** (Maurice) ~ *1856, Carcassonne - 1929, Paris.* Général français. Il contribua à la victoire de la Marne en 1914 par sa défense de Verdun. Il commanda l'armée d'Orient (1915-1917) et fut haut-commissaire en Syrie (1924).

**SARRAUT** (Albert) ~ *1872, Bordeaux - 1962, Paris.* Homme politique français. Député puis sénateur radical-socialiste, gouverneur général d'Indochine (1911-1914 et 1916-1919), il fut président du Conseil (oct.-nov. 1933 et janv.-juin 1936).

**SARRAUTE** (Nathalie) ~ *1900, Ivanovo, Russie.* Écrivain français. Rompant avec la narration analytique classique, elle a fait de ses romans un tissu subtil de sensations et d'états psychologiques décrits avec une minutieuse objectivité (*Portrait d'un inconnu*, 1949 ; *le Planétarium*, 1959).

**SARRAZIN** (Jacques) ~ Voir **Sarazin**.

**SARRE** (la) ~ Riv. de France et d'Allemagne (Sarre) issue du N. des Vosges, affl. (r. dr.) de la Moselle, axe industr. (cours inf.) ; 246 km.

**SARRE** (la), en all. *Saarland* ~ Land du S.-O. de l'Allemagne (depuis 1960), région de plateaux boisés drainée par la Sarre ; 2 570 km², 1 085 000 h., cap. Sarrebruck. Une importante industrie (sidér., métall., autom., constr. électr., chim., text.) est née sur le bassin houiller, auj. en déclin. HIST. - Pour partie cédée à la France (1661) et devenue département français (1798), la Sarre fut remise à la Prusse à la chute de l'Empire (2e traité de Paris, 1815). Après la Première Guerre mondiale, le traité de Versailles (1919) la plaça pour quinze ans sous administration de la S. D. N, la France obtenant la propriété des mines de charbon. Récupérée par l'Allemagne (1935), elle fut occupée par la France à l'issue de la Seconde Guerre mondiale (1947), puis rendue à l'Allemagne en 1957, après un référendum (1955).

**SARREBOURG** ~ V. du S.-E. de la Moselle, sur la Sarre (r. dr.) ; 13 311 h. Verrerie. Chaussures. Chapelle des Cordeliers (XIIIe s.).

**SARREBRUCK**, en all. *Saarbrücken* ~ Cap. du land de la Sarre (Allemagne), près de la frontière française, foyer industriel (sidér., métall., agroalim.) et comm. ; 192 000 h. Université. Église gothique, monuments baroques, château du XVIIIe s. Elle fut le chef-lieu d'arrondissement du département français de la Sarre de 1798 à 1815.

**SARREGUEMINES** ~ V. de la Moselle, sur la Sarre, centre industr., à la frontière allemande ; 23 117 h. Tradition de faïences depuis le XVIIIe siècle.

**SARRELOUIS**, en all. *Saarlouis* ~ V. d'Allemagne (land de la Sarre), sur la Sarre ; 38 000 h. Sidérurgie, métallurgie. Cité française fondée sous Louis XIV (1680) et fortifiée par Vauban, elle fut cédée à la Prusse en 1815.

**SARRETTE** (Bernard) ~ *1765, Bordeaux - 1858, Paris.* Musicien français. Capitaine de la Garde nationale, il fonda le Conservatoire national de musique (1795) et le dirigea de 1796 à 1814.

**SARTÈNE** ~ V. du S.-O. de la Corse, centre viticole ; 3 525 h. Vieille ville. Sites mégalithiques.

**SARTHE** (la) ~ Riv. de l'O. de la France tribut. de la Loire (par la Maine), qui arrose le haut Maine et passe à Alençon et au Mans ; 285 km.

**SARTHE** (la) ~ Dép. du N.-E. de la Région Pays de la Loire ; 6 206 km², 513 654 h., v. princ. Le Mans (préfect.), La Flèche, Sablé. Aux confins du Massif armoricain (Alpes mancelles) et du haut Maine (majeure partie du dép.), c'est une mosaïque de petites régions agricoles où l'élevage diversifié (poulets de Loué, bovins, porcs) côtoie les cultures de céréales et d'arbres fruitiers. L'industrie poursuit son développement (automobile, constr. aéronautiques au Mans, électronique, agroalimentaire).

**SARTRE** (Jean-Paul) ~ *1905, Paris - 1980, id.* Écrivain, dramaturge et philosophe français. Celui qui dit de lui-même être « né des mots » (*les Mots*, 1964) incarna la figure de l'intellectuel engagé et domina la vie intellectuelle française. Polygraphe inlassable, fondateur, avec not. S. de Beauvoir, de la revue *les Temps modernes* (1945), directeur du journal *Libération* (1973), il refusa le prix Nobel en 1964. De sa lecture de Husserl naquit une réflexion philosophique qui, marquée ensuite par Heidegger, aboutit à *l'Être et le Néant* (1943), développant une ontologie où la liberté surgit sur fond de contingence radicale, où la conscience vit sur les modes inconciliables de l'en-soi et du pour-soi. Cette pensée sera vulgarisée par la formule « l'existentialisme est un humanisme » et trouvera sa suite, intégrant une lecture du marxisme, dans la *Critique de la raison dialectique* (1960, 2e éd. posth. avec un 2e tome, 1985). Mais l'existentialisme sartrien s'illustre avant tout par des romans et des nouvelles (*la Nausée*, 1938 ; *le Mur*, 1939), par des essais et des critiques (*Saint Genet, comédien et martyr*, 1952 ; *l'Idiot de la famille*, 1972) et surtout par le théâtre (*les Mouches*, 1943 ; *Huis clos*, 1945 ; *le Diable et le Bon Dieu*, 1951 ; *Kean*, 1954 ; *les Séquestrés d'Altona*, 1959). [☞ **existentialisme**.]

Jean-Paul Sartre, fumeur et écrivain, *caricature de Jeffrey Morgan.*

**SARTROUVILLE** ~ V. industr. de la banlieue N.-O. de Paris (Yvelines), sur la Seine (r. dr.), à l'O. d'Argenteuil ; 50 329 h.

**SASKATCHEWAN** (le) ~ Prov. du Canada, partagée entre le Bouclier canadien (forêt boréale) au N. et le centre de la Prairie au S. (bassin moyen de la **Saskatchewan**, riv. issue des Rocheuses et tribut. du lac Winnipeg), au climat continental ; 570 113 km², 990 000 h., v. princ. Saskatoon, Regina (cap.). Céréaliculture, pêche, élev. (viande), hydrocarbures, minerais (uranium, cuivre).

**SASKATOON** ~ V. industr. du Canada, sur la riv. Saskatchewan, carrefour ferrov. et comm. du N. de la Prairie ; agglom. 210 000 h. Université.

**Sassanides** (les) ~ Dynastie perse. Succédant aux Parthes arsacides v. 224, les Sassanides régnèrent, jusqu'à la conquête arabe (651), sur un empire qui allait de la Mésopotamie à l'Indus.

**SASSARI** ~ 2e v. de Sardaigne, centre commercial d'une plaine agricole, dans le N. de l'île ; 122 000 h. Université. Archevêché. Cathédrale baroque et musée archéologique.

**SASSENAGE** ~ V. de l'Isère, à l'O. de Grenoble ; 9 788 h. Site touristique des **Cuves de Sassenage** (grottes). Fromages. Château du XVIIe s.

**SASSETTA** (Stefano **di Giovanni, dit il**) ~ *v. 1400, Sienne - v. 1450, id.* Peintre italien. Il intégra les innovations spatiales de la peinture florentine à la tradition gothique siennoise (*Retable de saint François*, à Borgo San Sepolcro).

**SATAN** ~ Prince des démons, dans les traditions juive et chrétienne.

**SATIE** (Alfred Erik **Leslie Satie**, dit Erik) ~ *1866, Honfleur - 1925, Paris.* Compositeur français. Rompant avec l'impressionnisme et le wagnérisme, il cultiva un style minimaliste où se mêlent mysticisme et dérision (*Trois Gymnopédies pour piano*, 1888 ; *Parade*, 1917 ; *Socrate*, 1918). L'école d'Arcueil s'est constituée autour de lui.

**SATÔ Eisaku** ~ *1901, Tabuse, préfect. de Yamaguchi - 1975, Tôkyô.* Homme politique japonais. Chef du parti libéral, il fut Premier ministre (1964-1972). Prix Nobel de la paix 1974.

**SATORY** ~ Plateau situé au S. de Versailles, camp des troupes versaillaises avant l'assaut final contre la Commune (1871). Plusieurs chefs de l'insurrection y furent fusillés.

**SATURNE** ~ Dieu romain des Semences et de la Culture. Chassé de l'Olympe par Jupiter, il se réfugia auprès de Janus dans le Latium, qui lui doit l'âge d'or de son règne. Il fut identifié au Cronos grec.

**SATURNE** ~ Planète du système solaire, située entre Jupiter et Uranus. Son diamètre équatorial représente 120 660 km, sa masse volumique 0,69 g/cm³, sa révolution sidérale 29,457 ans, son volume 761 fois celui de la Terre, sa masse est égale à 95,17 fois celle de la Terre. Composée principalement d'hydrogène (env. 65 %), d'hélium, de méthane et d'ammoniac, avec une température de surface d'env. - 160 °C, elle présente plusieurs zones sombres appelées ceintures et un vent permanent d'env. 1 800 km/h dans l'atmosphère supérieure de sa zone équatoriale. Elle possède un champ magnétique, des milliers d'anneaux regroupés en sept anneaux principaux et au moins vingt et un satellites (dont Téthys, Dioné, Rhéa, Titan et Japet, les plus importants).

**SATURNIN** ou **SERNIN** (saint) ~ *m. v. 250.* Premier évêque de Toulouse. Il aurait été lynché par la foule.

**SAUERLAND** (le) ~ Région d'Allemagne (Rhénanie-du-Nord - Westphalie) correspondant à la partie septentrionale du Massif schisteux rhénan, zone touristique (forêts) en bordure de la Ruhr, dont l'industrie gagne les vallées.

**SAUGUET** (Henri **Poupard**, dit Henri) ~ *1901, Bordeaux - 1989, Paris.* Compositeur français. Il cultiva une veine mélodique très libre dans des symphonies, des chansons, des opéras (*la Chartreuse de Parme*, 1939) et des ballets (*la Chatte*, 1927 ; *les Forains*, 1945).

**SAÜL** ~ Premier roi des Hébreux (v. 1030-1010 av. J.-C.). Il s'imposa à l'ensemble des tribus israélites mais échoua face aux Philistins.

**SAULDRE** (la) ~ Affl. du Cher issu du Sancerrois qui arrose le S. de la Sologne ; 166 km. Princ. affl. **Petite Sauldre** (56 km).

**SAULIEU** ~ V. pittoresque de la Côte-d'Or, en bordure du Morvan, dominant l'Auxois ; 2 917 h. Basilique St-Andoche de style roman bourguignon.

**SAULT-SAINTE-MARIE** ~ V. jumelles de la frontière du Canada (Ontario) et des États-Unis (Michigan), entre les lacs Supérieur et Huron. Industrie lourde dans la ville canadienne (82 000 h.). Tourisme dans la ville américaine (15 000 h.).

**SAUMAISE** (Claude) ~ *1588, Semur-en-Auxois - 1653, Spa.* Érudit français. Protestant, il enseigna à Leyde et exposa la compatibilité de l'usure avec les préceptes chrétiens.

**SAUMUR** ~ V. de l'E. de l'Anjou (Maine-et-Loire), sur la Loire (r. g.) ; 30 131 h. Centre comm. d'une région de vignobles (Saumurois), la ville développe de petites industries spécialisées. Musées des Arts décoratifs et du Cheval dans le château (XIVe-XVIe s.). Églises romanes et gothiques (tapisseries). Saumur a maintenu une brillante tradition équestre,

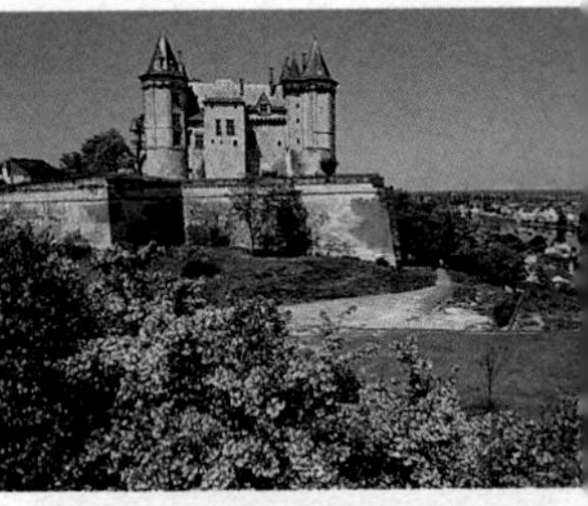


*Saumur, le château.*

inaugurée en 1766 par l'installation de l'École cavalerie (auj. École d'application de l'arm blindée et de la cavalerie).

**SAURA** (Carlos) ~ *1932, Huesca.* Cinéaste esp gnol. Peintre virulent de la société franquiste (*An et les Loups*, 1972 ; *Cría cuervos*, 1975), il a évol vers un cinéma aux préoccupations plus esthétiqu (*Noces de sang*, 1981).

**SAUSSURE**, famille de scientifiques suisses. ~ **N colas** DE (*1709, Genève - 1790, id.*), agronome, l'auteur de traités d'agriculture, notamment sur vigne. Son fils ~ **Horace Bénédict** DE (*174 Conches - 1799, id.*), géologue, naturaliste et phy cien, participa à la 2e ascension du mont Bla (1787). Il découvrit des minéraux, élabora d instruments de physique et énonça les bases d'u météorologie rationnelle. ~ **Nicolas Théodore** (*1767, Genève - 1845, id.*), fils du préc., chimis et naturaliste, appliqua le premier les méthod expérimentales à la physiologie végétale, découvra la nutrition des plantes. ~ **Ferdinand** DE (*185 Genève - 1913, Vufflens, canton de Vaud*), petit-f du préc., linguiste. Son *Cours de linguistique généra* dont la publication posthume fut réalisée à par de notes d'étudiants (1916), expose un modè structural de la langue, fondé sur les notions différence et d'opposition, et une science généra des signes, auxquels il donne une définiti rigoureuse à travers les concepts de « signifié » de « signifiant ». Il exerça une influence déterm nante sur le développement de la linguistiqu de la sémiologie et des sciences humain [☞ **structuralisme**.]

**SAUTERNES** ~ Village viticole du S. du Bordel (Gironde) ; 589 h. Vins blancs liquoreux. C renommé de Château-Yquem.

**SAUTET** (Claude) ~ *1924, Montrouge.* Cinéas français. Révélé par *Classe tous risques* (1960), a réalisé des chroniques mélancoliques d'un mon vacillant (*les Choses de la vie*, 1970 ; *Mado*, 197 *Un cœur en hiver*, 1992 ; *Nelly et M. Arnaud*, 199

**SAUTY** (Joseph) ~ *1906, Amettes, Pas-de-Calai 1970, Lille.* Syndicaliste français. Président de C. F. T. C. de 1962 à 1970, il en maintint l'orient tion chrétienne après la création dissidente de C. F. D. T. (1964).

**SAUVAGE** (Frédéric) ~ *1786, Boulogne-sur-Me 1857, Paris.* Inventeur français. Il conçut l'héli à spirale entière pour la propulsion des navires vapeur (1832). Son idée fut réalisée sous forr d'hélice à trois pales par le constructe Augustin Normand.

**SAUVETERRE (causse de)** ~ L'un des Gran Causses de la Lozère (alt. 800-1 100 m), entre Lot et le Tarn.

**SAUVY** (Alfred) ~ *1898, Villeneuve-de-la-Rah Pyrénées-Orientales - 1990, Paris.* Économiste démographe français. Directeur de l'Institut nati nal démographique (1945-1962), il est l'auteur nombreux ouvrages de démographie (*Théorie gén rale de la population*, 1952-1954).

**SAVANNAH** (la) ~ Fl. du S.-E. des États-Unis, is des Appalaches, tribut. de l'Atlantique ; 505 k Hydroélectricité.

**SAVANNAH** ~ Port princ. du S.-E. atlantique d États-Unis (Géorgie), sur la Savannah, fondé 1733 ; agglom. 243 000 h., dont 50 % de Noi Industrie du papier, imprimerie. Tourisme (maiso géorgiennes traditionnelles).

**AVANNAKHET** ~ 2^e^ v. du Laos (S.), port sur le Mékong, à la frontière thaïlandaise ; 97 000 h.

**AVARD** (Félix Antoine) ~ *1895, Québec - 1982,* …. Prélat et écrivain canadien d'expression française. Il célébra avec lyrisme la paysannerie québécoise (*Menaud, maître draveur,* 1937).

**AVART** (Félix) ~ *1791, Mézières - 1841, Paris.* hirurgien et physicien français. Il énonça, avec -B. Biot, la loi qui porte leur nom sur le champ agnétique créé par un courant électrique. Il étudia acoustique et inventa la roue dentée qui permet mesure des hauteurs des sons.

**AVARY** (Anne), duc **de Rovigo** ~ *1774, Marcq, rdennes - 1833, Pau.* Général français. Colonel de légion de gendarmerie d'élite consulaire (1801), fut affecté à des tâches policières (exécution du uc d'Enghien) jusqu'à sa nomination comme inistre de la Police (1810-1814).

**AVE** (la) ~ Affl. du Danube (r. dr., confluent à elgrade), issu des Alpes juliennes, grand axe de euplement de la Slovénie et de la Croatie ; 945 km. on bassin englobe le versant N. des Alpes nariques (Bosnie).

**AVE** (la) ~ Riv. du S.-O. de la France, issue du ateau de Lannemezan, affluent (r. g.) de la aronne ; 150 km.

**AVENAY** ~ Localité de la Loire-Atlantique ; 314 h. Les Vendéens y furent battus le 22 décembre 1793 par Kléber et Westermann.

**AVERNE** ~ V. pittoresque du Bas-Rhin, port de aisance sur le canal de la Marne au Rhin ; agglom. 4 969 h. Roseraie. Maisons anciennes. Le palais u cardinal de Rohan (XVIII^e^ siècle) abrite un musée ot. consacré à Louise Weiss.

**AVERNE (col de)** ~ Col (410 m) qui relie la orraine et l'Alsace, entre les Vosges et la Hardt. unnel ferrov. et canal de la Marne au Rhin.

**AVIGNAC** (Raymond) ~ *1907, Paris.* Affichiste ançais. Robuste et dépouillé, son style est caractérisé par un sens aigu de la synthèse humoristique. a signé des affiches de films de R. Bresson.

**AVIGNY** (Friedrich Karl VON) ~ *1779, Francfort-sur-le-Main - 1861, Berlin.* Juriste allemand. Il se onsacra à l'étude du droit romain (*Histoire du droit romain au Moyen Âge,* 1815-1831). Tenant du nationalisme juridique », il réforma la législation russienne.

**AVIGNY-LE-TEMPLE** ~ V. de Seine-et-Marne, une des communes de la ville nouvelle de Melun-Sénart ; 18 520 h. (agglom. 23 949 h.).

**AVIGNY-SUR-ORGE** ~ V. de la banlieue S. de aris (Essonne) ; 33 295 h.

**AVOIE** (la) ~ Région historique du S.-E. de la rance, limitrophe de la Suisse et de l'Italie, orrespondant aux départements actuels de la avoie et de la Haute-Savoie. Alpine (massif du Mont-Blanc, 4 807 m), elle bénéficie du tourisme vernal et thermal (Annecy, Aix-les-Bains). Industries aéronautique et métallurgique. **HIST.** - onquise par les Romains en 122-121 av. J.-C., la gion forma le N.-E. de la province de la arbonnaise, puis de la Viennoise. En 443, Aetius établit les Burgondes, qui en firent le centre d'un oyaume que les Mérovingiens annexèrent à la aule franque (534). La région appartint ensuite l'empire de Lothaire (843) puis au royaume de ourgogne (879), et revint au Saint Empire en 032. À partir du XI^e^ s., la lignée féodale des comtes e Savoie, qui occupait les passages des Alpes, en rofita pour étendre ses terres sur les deux versants u massif (Piémont et Genevois) et construire un at. En 1416, l'empereur l'érigea en duché pour médée VIII. Au XVI^e^ s., le centre de cet État, accru Asti (1529) et de Saluces (1588), passa en Italie ; mmanuel-Philibert transféra sa capitale de Chambéry à Turin (1562). Les Savoyards cédèrent la resse, le Bugey et le pays de Gex à la France (1601), erdirent leur influence en Suisse et échouèrent à prendre Genève (1602), qui s'était donnée à la éforme. Plusieurs fois occupée par les Français, la avoie fut rendue à Victor-Amédée II, qui, gratifié e la Sicile et du titre royal (1713), échangea cette e contre la Sardaigne (1720). Ce nom désigna ors l'ensemble des possessions de la maison de avoie. Au XIX^e^ s., annexée par la France (« États rdes »), où elle formait les départements du éman et du Mont-Blanc (1792-1814), la Savoie revint au roi de Sardaigne (1815). Elle fut définitivement cédée à la France après un plébiscite (1860) et divisée en deux départements (Savoie et Haute-Savoie) un an avant que ses anciens souverains montent sur le trône de l'Italie unifiée. *XX^e^ s.* : les départements savoyards intégrèrent la Région Rhône-Alpes (1960).

**SAVOIE** (la) ~ Dép. de la Région Rhône-Alpes, limitrophe de l'Italie à l'E. ; 6 273 km$^2$, 348 261 h., préfect. Chambéry. Il comprend des grands massifs préalpins (S. des Bauges, N. de la Grande Chartreuse) et alpins (Vanoise, Beaufort, Belledonne, versant oriental des Aravis). Les communications sont assurées par des vallées nombreuses et larges (Tarentaise, Maurienne, Combe de Savoie), et par les cols vers l'Italie (Petit-Saint-Bernard et Mont-Cenis). La polyculture et l'élevage demeurent, avec l'exploitation forestière, les ressources traditionnelles. L'industrialisation des vallées (Maurienne et Tarentaise), liée à l'hydroélectricité, est en crise, mais celle-ci est compensée par une forte concentration de stations d'altitude et de sports d'hiver (Val-d'Isère, Tignes, Courchevel), ce qui maintient l'équilibre démographique.

**SAVOIE (Haute-)** ~ Dép. de la Région Rhône-Alpes, limitrophe de l'Italie et de la Suisse ; 4 391 km$^2$, 568 286 h., préfect. Annecy. Il comprend, à l'O., des massifs préalpins (Chablais et Bornes), que limitent les cluses de l'Arve et du Fier, et, à l'E., des massifs cristallins élevés (Mont-Blanc, 4 807 m ; Aiguilles-Rouges, 2 965 m). La céréaliculture, les vergers, l'élevage laitier et l'exploitation forestière constituent des ressources importantes des Préalpes, notamment près du lac Léman. L'activité industrielle des vallées se déplace aujourd'hui vers Annemasse et Annecy. Vocation touristique : alpinisme, sports d'hiver (Chamonix, Megève, La Clusaz), thermalisme (Évian-les-Bains, Thonon-les-Bains). Importante voie de passage vers l'Italie par le tunnel du Mont-Blanc. La démographie est dynamique.

**SAVOIE (maison de)** ~ Famille qui détint le comté de Savoie (XI^e^ s.), devenu duché en 1416, puis régna sur la Sicile (1713), sur la Sardaigne (1720) et enfin sur l'Italie (1861), jusqu'en 1946.

**SAVONAROLE** (Girolamo **Savonarola,** en fr. Jérôme) ~ *1452, Ferrare - 1498, Florence.* Dominicain italien. Prieur du couvent San Marco de Florence (1491), prédicateur violent qui condamnait toute forme de vanité, il instaura à Florence un régime mi-théocratique mi-démocratique (1494-1497). Excommunié par le pape Alexandre VI, il fut pendu et brûlé par le peuple florentin.

© Giraudon

Le Supplice de Savonarole *(XVI^e^ s. ; détail), peinture anonyme. Florence.*

**SAVONE,** en ital. *Savona* ~ Port d'Italie (Ligurie), dans le golfe de Gênes ; 66 000 h. Important complexe sidérurgique et chimique. Tourisme. Palais du XV^e^ s., cathédrale du XVII^e^ s. Il fut le chef-lieu du département français de Montenotte de 1805 à 1815.

**Savonnerie** (la) ~ Manufacture royale de tapis. Créée au Louvre (1604), elle fut transférée dans une ancienne savonnerie de Chaillot (1627), puis réunie à la manufacture des Gobelins (1826).

**SAX** (Antoine Joseph, dit Adolphe) ~ *1814, Dinant - 1894, Paris.* Facteur d'instruments de musique français d'orig. belge. Il inventa le saxophone en 1845 et le groupe des saxhorns.

**SAXE** (la), en all. *Sachsen* ~ Land du S.-E. de l'Allemagne, constitué de plaines et de plateaux, drainé par l'Elbe et adossé au S. aux monts Métallifères ; 18 408 km$^2$, 4 608 000 h., cap. Dresde. L'industrie (lignite, chim., mécan., optique, porcelaine), de tradition ancienne, subit une difficile reconversion depuis 1990 mais s'appuie sur un solide maillage universitaire (Leipzig). **HIST.** - Les Saxons du N. de la Germanie furent soumis et christianisés (772-804) par Charlemagne. Au IX^e^ s., la Saxe forma un des grands duchés de l'Allemagne. Elle lui donna la dynastie saxonne, qui restaura l'empire (919-1024). Dévolue aux Welf, elle fut démantelée par Frédéric I^er^ Barberousse (1180), qui donna le titre ducal aux Ascaniens, dont les terres s'étendaient à l'E. de Magdebourg. De l'O. morcelé émergèrent les États de Brunswick et de Hanovre, plus tard compris dans le land de Basse-Saxe (1945). En 1422, la lignée ascanienne de Saxe-Wittenberg s'éteignit. Ses domaines et la dignité électorale passèrent alors à la maison de Wettin, qui bâtit, avec la Misnie et la Thuringe, un nouveau duché de Saxe. Amoindri par les successions, il échut à la ligne albertine de cette famille (1547), tandis que la ligne ernestine se partagea la Thuringe. La présence de Luther à Wittenberg en fit un foyer de la Réforme. En 1635, la Saxe s'agrandit de la Lusace. Ses Électeurs occupèrent le trône de Pologne (1697-1763). Alliés de Napoléon I^er^, qui leur octroya le titre royal (1806), ils figurèrent parmi les vaincus de 1814. La Prusse annexa la moitié N. du royaume. De nouveau battue en 1866, la Saxe entra dans le II^e^ Reich (1871), mais y conserva son autonomie. Son dernier roi, Frédéric-Auguste III, abdiqua en 1918. Intégrée à la R. D. A. (1949), l'ancienne Saxe royale est redevenue land de la Saxe lors de la réunification (1990), tandis que l'ancienne Saxe prussienne forme la majeure partie du land de Saxe-Anhalt.

**SAXE (Basse-),** en all. *Niedersachsen* ~ 2^e^ land d'Allemagne (O.) par sa superficie, bordé par la mer du Nord et composé d'une partie de la plaine du Nord et de la Börde au N., de moyennes montagnes (Harz) au S., drainé par l'Ems et la Weser ; 47 606 km$^2$, 7 648 000 h., cap. Hanovre. Des pôles industriels animent ce land essentiellement agricole. Université de Göttingen (1737).

**SAXE** (Maurice, comte DE), dit le **Maréchal de Saxe** ~ *1696, Goslar - 1750, Chambord.* Maréchal de France (1744). Fils naturel d'Auguste II, futur roi de Pologne, il servit le Saint Empire, la Russie, la Saxe et la France. Au service de celle-ci, il fut vainqueur à Fontenoy (1745) et à Lawfeld (1747).

**SAXE-ANHALT,** en all. *Sachsen-Anhalt* ~ Land d'Allemagne orientale (O. de la Saxe), composé de plaines et de collines, drainé par l'Elbe et la Saale ; 20 443 km$^2$, 2 777 000 h., cap. Magdebourg. L'économie est fondée sur l'agriculture (céréales, élevage) et l'industrie (chimie et métallurgie).

**SAXE-COBOURG** (Frédéric Josias, duc DE) ~ *1737, Cobourg - 1815, id.* Maréchal autrichien. Commandant en chef de l'armée autrichienne aux Pays-Bas lors des guerres de la première coalition (1792), il défit les troupes françaises à Neerwinden (1793) avant d'être battu à Fleurus (1794).

**SAXE-WEIMAR** (Bernard, duc DE) ~ *1604, Weimar - 1639, Neuenburg.* Général allemand. Il succéda en 1632 à Gustave II Adolphe à la tête de l'armée suédoise. Battu en 1634 à Nördlingen par les Impériaux, il passa au service de la France et les vainquit à Brisach (1638).

**Saxons** (les) ~ Peuple germanique. Établis au II^e^ s. à l'embouchure de l'Elbe et dans la Frise, ils s'établirent v. 450 dans le S. de l'île de Bretagne, avant les Angles. Les Saxons de Germanie conquirent le Harz et l'Eichsfeld, puis furent soumis et christianisés par Charlemagne (772-804).

**SAY** (Jean-Baptiste) ~ *1767, Lyon - 1832, Paris.* Économiste et industriel français. Théoricien du libre-échange, il contribua à la vulgarisation de la pensée d'A. Smith et publia un *Traité d'économie politique* (1803).

**SAYAN** (le) ~ Voir **Saïan.**

**SAYDA** ou **SAÏDA,** anc. **Sidon** et **Sagette** ~ Port du Liban, au S. de Beyrouth ; 38 000 h. Château des croisés en ruine (XIII<sup>e</sup> s.). Nécropole (sarcophages). **HIST.** – Anc. comptoir phénicien soumis par les Assyriens (678 av. J.-C.), les Perses (539) puis Alexandre III le Grand (345 av. J.-C.), il fut baptisé Sayda par les Arabes (637 apr. J.-C.) puis Sagette par les rois latins de Jérusalem (XII<sup>e</sup>-XIII<sup>e</sup> s.).

**SCALIGER**, famille d'humanistes italiens. ~ **Jules César** (*1484, Riva del Garda - 1558, Agen*), médecin, publia des travaux sur Hippocrate, Théophraste et Aristote, et écrivit une *Poétique*, qui annonce les principes du classicisme. Son fils ~ **Joseph Juste** (*1540, Agen - 1609, Leyde*), philosophe, se convertit au protestantisme et dut se réfugier à Genève après la Saint-Barthélemy.

**SCAMANDRE** ou **XANTHE** (le), auj. **Küçük Menderes** ~ Fleuve de la Troade, au N.-O. de l'Asie Mineure. Divinisé dans l'*Iliade*, il est l'ancêtre de la famille royale de Troie.

**SCANDES** (les) ~ Voir **Alpes scandinaves.**

**SCANDINAVIE** (la) ~ Partie septentrionale de l'Europe, baignée par l'Atlantique, la Baltique et l'océan Glacial arctique, dont les grandes composantes politiques sont la Suède, la Norvège (péninsule scandinave) et le Danemark. On leur adjoint généralement leurs anciennes possessions (Finlande pour la Suède et Islande pour le Danemark) et, de plus en plus, leurs dépendances actuelles (princ. le Groenland et les Féroé danoises). On fait résulter son unité de critères géographiques (rudesse du climat) ou culturels (histoire commune que symbolise l'expansion maritime viking ; identité fondée sur la résistance aux expansionnismes russe et allemand ; même groupe de langues, sauf en Finlande, où le suédois reste toutefois 2<sup>e</sup> langue officielle). L'unité fut réalisée de 1397 à 1523 (Union de Kalmar), sous la couronne danoise.

**SCANIE** (la), en suéd. ***Skåne*** ~ Région agricole au climat doux du S. de la Suède, entre l'Øresund et la mer Baltique. V. princ. Malmö, Lund. Ancienne province danoise, elle fut cédée à la Suède par le traité de Roskilde (1658).

**Scapa Flow** ~ Base navale britannique, dans les Orcades, où la flotte allemande, qui y avait été conduite après l'armistice, se saborda le 21 juin 1919.

**SCARBOROUGH** ~ V. industr. du Canada (Ontario), dans la conurbation de Toronto ; 525 000 h.

**SCARLATTI**, famille de compositeurs italiens. ~ **Alessandro** (*1660, Palerme - 1725, Naples*). Son œuvre dramatique marque l'apogée de l'opéra baroque italien (*Mitridate Eupatore*, 1707 et *il Trionfo dell'onore*, 1718, son unique opéra comique). Un style plus austère marque ses oratorios et ses œuvres d'église. Son fils ~ **Domenico** (*1685, Naples - 1757, Madrid*) fit carrière à Lisbonne puis à Madrid. Ses sonates pour clavecin, d'une facture raffinée, annoncent la sonate classique.

**SCARPA** (Antonio) ~ *1752, Motta di Livenza, Frioul - 1832, Pavie*. Chirurgien et anatomiste italien. Il décrivit le système nerveux, les lésions observées dans l'artérite et les hernies, donnant son nom au ganglion d'origine du nerf auditif.

**SCARPE** (la) ~ Riv. du N. de la France, qui arrose Arras et Douai, affluent (r. g.) de l'Escaut ; 100 km.

**SCARRON** (Paul) ~ *1610, Paris - 1660, id*. Écrivain français. Premier mari de Mme de Maintenon, il est l'auteur de comédies burlesques et du *Roman comique* (1651-1657), vivante chronique d'une troupe de saltimbanques.

**SCEAUX** ~ V. résidentielle aisée de la banlieue S. de Paris (Hauts-de-Seine) ; 18 052 h. L'Éducation nationale est le premier employeur de la ville (faculté de droit, I. U. T.). Château du XVIII<sup>e</sup> s., bâti sur les ruines de l'ancien château de Colbert, dans le parc de Le Nôtre. Festival de musique.

**SCÈVE** (Maurice) ~ *1501, Lyon - v. 1560, id*. Poète français. Son style hermétique et son inspiration néoplatonicienne ont culminé dans les poésies amoureuses de *Délie* (1544).

**SCHACHT** (Hjalmar) ~ *1877, Tingleff, Schleswig - 1970, Munich*. Banquier et homme politique allemand. Président de la Reichsbank (1924-1930 et 1933-1938), il fut nommé ministre de l'Économie par Hitler (1934-1937). Déporté à Dachau en raison de ses liens avec les conjurés du 20 juillet 1944, il fut acquitté par le tribunal international de Nuremberg.

**SCHAEFFER** (Pierre) ~ *1910, Nancy - 1995, Les Milles*. Compositeur et acousticien français. Il fut le pionnier de la musique concrète (*Étude aux allures*, 1958 ; *Étude aux objets*, 1959). Il effectua d'importants travaux sur la nature du son (*Traité des objets musicaux*, 1966) et mena des recherches sur la communication audiovisuelle (*Machines à communiquer*, 1970-1972).

**SCHAFFHOUSE**, en all. ***Schaffhausen*** ~ V. de Suisse, sur le Rhin (r. dr.) ; 34 000 h. Industr. métall., text., horlogère. Cathédrale romane, monuments des XV<sup>e</sup>-XVI<sup>e</sup> s. Ch.-l. du canton de Schaffhouse (299 km², 69 000 h., maj. protestants), frontalier de l'Allemagne (S. du Jura souabe), au N. du Rhin et du lac de Constance. Vigne, exploit. forestière. Hydroélectr. (aluminium). Libéré de la domination des Habsbourg, Schaffhouse intégra la Confédération helvétique en 1501.

**SCHATZMAN** (Evry) ~ *1920, Neuilly-sur-Seine*. Astrophysicien français. Il a contribué à la connaissance de la structure et de l'évolution des étoiles, et a été l'un des initiateurs de la transformation de l'astronomie en astrophysique en France.

**SCHAWLOW** (Arthur Leonard) ~ *1921, Mount Vernon, État de New York*. Physicien américain. Il a étudié la spectroscopie, l'électronique quantique, la supraconductivité. Avec C. H. Townes, il a inventé le laser (1958). Prix Nobel de phys. 1981.

**SCHEEL** (Walter) ~ *1919, Solingen*. Homme d'État allemand. Président du F. D. P. (parti libéral) en 1968, puis vice-chancelier et ministre des Affaires étrangères en 1969, il fut président de la R. F. A. de 1974 à 1979.

**SCHEELE** (Carl Wilhelm) ~ *1742, Stralsund - 1786, Köping*. Pharmacien et chimiste suédois. Il découvrit l'hydrogène (1768), l'oxygène (1773), la baryte, le chlore (1774), et isola de nombreux composés et acides organiques (cyanhydrique, fluorhydrique, lactique). Il décrivit les propriétés du chlorure d'argent et de la graphite.

**SCHÉHADÉ** (Georges) ~ *1907, Alexandrie - 1989, Paris*. Écrivain libanais d'expression française. Le plaisir des mots, le goût du merveilleux et la nostalgie de l'enfance ont été le ferment de sa poésie et de son théâtre (*Monsieur Bob'le*, 1951 ; *Histoire de Vasco*, 1959).

**SCHEIN** (Johann Hermann) ~ *1586, Grünhain, Saxe - 1630, Leipzig*. Compositeur allemand. Ses œuvres profanes et religieuses, notamment ses madrigaux (*Diletti pastorali*, 1624), sont influencées par la musique italienne.

**SCHEINER** (Christoph) ~ *1575, Wald, Souabe - 1650, Neisse, Silésie*. Mathématicien et astronome allemand, père jésuite. Inventeur du pantographe (1603), il réalisa la première lunette astronomique avec oculaire et objectif convexes, et fut un des premiers observateurs des taches solaires. Ses réflexions sur la rotation du Soleil (*Rosa Ursina*, 1626-1630) initièrent l'astrophysique, démentant le fixisme d'Aristote. En optique, il observa la formation de l'image rétinienne sur l'œil de bœuf et montra le rôle du cristallin dans l'accommodation.

**SCHELER** (Max) ~ *1874, Munich - 1928, Francfort-sur-le-Main*. Philosophe allemand. Disciple de Husserl, il dressa une phénoménologie de l'affectivité et des valeurs qui, cherchant à dépasser la simple intuition des essences, tente de se porter au devant de la vie (*Nature et formes de la sympathie*, 1923).

**SCHELLING** (Friedrich Wilhelm Joseph VON) ~ *1775, Leonberg, Wurtemberg - 1854, Bad Ragaz, Suisse*. Philosophe allemand. D'abord influencé par Fichte (*Idées pour une philosophie de la nature*, 1797), il s'en éloigna, renouant avec G. Bruno et Spinoza dans une conception de la nature comme force rajeunissante, autonome et régulatrice de tous les conflits (*l'Exposition de ma philosophie*, 1801). Puis, suivant A. W. von Schlegel et son frère Friedrich, il développa une théorie de l'art comme expression de l'infini dans le fini (*Philosophie de l'art*, 1803). Sa pensée évolua vers une philosophie positive, qui se fit récit théosophique du devenir d'un monde où l'existence est première, libre et contingente (*Recherches sur la liberté humaine*, 1809).

**Schengen (accords de)** ~ Accords signés le 19 juin 1985 à Schengen (Luxembourg) entre l'Allemagne, la Belgique, la France, le Luxembourg et les Pays-Bas, rejoints (1990) par l'Espagne, le Portugal, la Grèce, l'Italie et l'Autriche. Entrés en vigueur dans la plupart des États le 26 mars 1995, ils prévoient la libre circulation des ressortissants de la Communauté européenne et l'établissement d'une politique commune de lutte contre l'immigration clandestine. L'adhésion (déc. 1996) de cinq pays de l'Union nordique (Danemark, Suède, Norvège, Finlande et Islande) sera effective en 1999.

**SCHERCHEN** (Hermann) ~ *1891, Berlin - 1966, Florence*. Chef d'orchestre allemand. Voué dès les années 1920 à la promotion de la musique contemporaine, il dirigea des œuvres de Berg, Schönberg, Webern, Henze et Xenakis.

**SCHEVENINGEN** ~ Station baln. de La Haye, port sur la mer du Nord (Pays-Bas) ; 44 000 h. Festival annuel de musique. Pêche.

**SCHIAPARELLI** (Giovanni) ~ *1835, Savigliano - 1910, Milan*. Astronome italien. Il définit les débris cométaires comme des essaims de météorites (1886). Sa découverte de « canaux » sur Mars (1877) fut controversée, puis démentie en 1965.

**SCHICKARD** ou **SCHICKARDT** (Wilhelm) ~ *1592, Herrenberg - 1635, Tübingen*. Inventeur allemand. En 1623, il réalisa la machine à calculer à roues dentées (horloge à calculer).

**SCHIELE** (Egon) ~ *1890, Tulln, près de Vienne - 1918, Vienne*. Peintre autrichien. La fulgurance et l'âpreté de son trait font de lui un représentant de l'expressionnisme viennois. Il traduisit angoisse et malaise dans ses nus érotiques.

**SCHILLER** (Friedrich VON) ~ *1759, Marbach - 1805, Weimar*. Poète et dramaturge allemand. Influencé par Goethe et par Kant, il donna à ses premiers élans libertaires une forme classique caractéristique d'un idéalisme esthétique, politique et moral, dont témoignent ses poèmes (*Ballades*, 1798 ; *le Chant de la cloche*, 1800) et ses grands drames historiques (*les Brigands*, 1782 ; *Don Carlos*, 1787 ; *Marie Stuart*, 1800 ; *Guillaume Tell*, 1804). Son *Hymne à la joie* (1785) a été repris par Beethoven dans la *Symphonie n° 9*. Ses théories dramatiques influencèrent les écrivains romantiques français.

**SCHILTIGHEIM** ~ V. du N. de la banlieue de Strasbourg (Bas-Rhin), sur le canal de la Marne au Rhin ; 29 155 h. Brasseries, constr. mécan., industr. agroalimentaire.

**SCHINER** (Matthäus) ~ *v. 1465, Mühlebach, Valais - 1522, Rome*. Prince évêque et cardinal de Sion. Il engagea son peuple aux côtés du pape Jules II et de l'empereur Maximilien, mais fut exilé lorsque cette alliance fut rompue par la défaite des Suisses à Marignan (1515), suivie de la paix perpétuelle signée avec les Français (1516).

**SCHINKEL** (Karl Friedrich) ~ *1781, Neuruppin - 1841, Berlin*. Architecte allemand. Décorateur pour le théâtre et l'opéra, il fut nommé architecte en chef de Berlin, où il édifia des bâtiments inspirés par une Renaissance classique (Prétoire militaire, 1816 ; Altesmuseum, 1824).

**SCHIPA** (Raffaele Tito, dit Tito) ~ *1889, Lecce - 1965, New York*. Ténor italien. Il s'illustra sur la scène lyrique américaine.

**schisme d'Occident (grand)** ~ Scission interne à l'Église catholique (1378-1417), qui amena l'élection simultanée de deux papes, à Rome (Urbain VI) et à Avignon (Clément VII), puis d'un troisième par le concile de Pise (Alexandre V, 1409). Le concile de Constance obtint l'élection et la reconnaissance d'un pape unique, Martin V (1417).

**schisme d'Orient** ~ Scission entre l'Église d'Orient et l'Église de Rome. Après une première rupture, suscitée par Photios, de 863 à 867, la division sembla irrémédiable lorsque le pape Léon IX et le patriarche Michel Keroularios s'excommunièrent réciproquement en 1054. Après des réconciliations éphémères aux conciles de Lyon (1274) et de Ferrare et Florence (1439), et une longue période de séparation (XV<sup>e</sup>-XX<sup>e</sup> s.), les excommunications furent levées en 1965, par Paul VI et Athênagoras, sans que l'union ait été officiellement rétablie.

**SCHLEGEL** (August Wilhelm VON) ~ *1767, Hanovre - 1845, Bonn*. Écrivain allemand. Théoricien du premier romantisme allemand, il rédigea un *Cours de littérature dramatique* (1809).

**SCHLEICHER** (August) ~ *1821, Meiningen - 1868, Iéna.* Linguiste allemand. Systématisant les recherches de la linguistique comparée, il voulut reconstruire l'indo-européen (*Abrégé de la grammaire comparée des langues indo-germaniques*, 1861-1862) et élabora une théorie des langues.

**SCHLEIERMACHER** (Friedrich) ~ *1768, Breslau - 1834, Berlin.* Théologien protestant allemand. Sa mystique accorde la primauté à l'intuition dans le rapport de l'homme avec Dieu (*Exposition de la foi chrétienne*, 1821).

**SCHLEMMER** (Oskar) ~ *1888, Stuttgart - 1943, Baden-Baden.* Chorégraphe, peintre et théoricien du théâtre allemand. Membre du Bauhaus, auteur du *Ballet triadique* (1922), il se démarqua par une utilisation géométrique de l'espace, mis en relation avec la forme et le mouvement.

**SCHLESWIG** ~ V. d'Allemagne (Schleswig-Holstein), dans la baie de la Schlei (Baltique) ; 27 000 h. Industr. agroalimentaire. Cathédrale (XIII^e^-XV^e^ s., retable du XVI^e^ s.). Musée des Vikings.

**SCHLESWIG-HOLSTEIN** (le) ~ Land d'Allemagne frontalier du Danemark, région de plaines et de collines baignée par la mer du Nord à l'O. et la Baltique à l'E. ; 15 732 km², 2 695 000 h., v. princ. Lübeck, Kiel (cap.). L'économie, fondée sur l'élevage bovin et l'industrie (constr. navales, électr., mécan.), profite auj. du tourisme (îles Frisonnes) et des relations avec les pays scandinaves et baltes. **HIST.** - Le Schleswig forma dès le Moyen Âge un duché extérieur au Saint Empire, possession personnelle des rois de Danemark avec le Holstein (1460). La volonté des Danois d'intégrer le Schleswig à leur État provoqua deux guerres (1848-1852 et 1863-1865) qui aboutirent à l'annexion des duchés par la Prusse (1866). Le Danemark a récupéré le tiers nord du Schleswig (1920) tandis que la province de Schleswig-Holstein est devenue land de la R. F. A. (1949).

**SCHLIEFFEN** (Alfred, comte VON) ~ *1833, Berlin - 1913, id.* Maréchal allemand. Chef de l'état-major (1891-1906), il se consacra à la mise au point du plan d'attaque de la France, appliqué en 1914.

**SCHLIEMANN** (Heinrich) ~ *1822, Neubukow, Mecklembourg - 1890, Naples.* Archéologue allemand. Il rechercha les sites décrits par Homère et découvrit Troie (1870), Mycènes (1874), Orchomène (1880) et Tirynthe (1884). Il ouvrit ainsi la voie de l'archéologie mycénienne (*Mycènes*, 1878).

**SCHLŒSING** (Jean-Jacques Théophile) ~ *1824, Marseille - 1919, Paris.* Chimiste et agronome français. Il mit au point la préparation du carbonate de sodium à l'ammoniac (1854) et élucida la fixation de l'azote du sol par les végétaux.

**SCHLÖNDORFF** (Volker) ~ *1939, Wiesbaden.* Cinéaste allemand. Participant à la renaissance du cinéma allemand (*les Désarrois de l'élève Törless*, 1966), il a tourné des films aux connotations politiques et sociales et des adaptations littéraires (*l'Honneur perdu de Katharina Blum*, 1975 ; *le Tambour*, 1979 ; *le Roi des Aulnes*, 1996).

**SCHLUCHT (col de la)** ~ Col des Vosges reliant les vallées supérieures de la Meurthe et de la Fecht ; 1 139 m. Sports d'hiver.

**SCHLÜTER** (Poul) ~ *1929, Tønder.* Homme politique danois. De tendance conservatrice, il a été Premier ministre de 1982 à 1993.

**SCHMALKALDEN**, en fr. **Smalkalde** ~ V. de l'E. de l'Allemagne (Thuringe) ; env. 15 000 h. En 1537, Luther y fit sa confession de foi écrite (**articles de Schmalkalden**), l'un des textes de base du luthéranisme. Sous l'autorité de Philippe de Hesse et de l'Électeur de Saxe, les princes protestants allemands s'y liguèrent en 1531 contre Charles Quint (**ligue de Schmalkalden**), qui exigeait la restitution des biens ecclésiastiques. Vaincus en 1548, ils durent dissoudre la ligue.

**SCHMIDT** (Bernhard) ~ *1879, Naissaar, Estonie - 1935, Hambourg.* Opticien et astronome allemand. En 1930, il réalisa un télescope photographique à grand champ, utilisé pour la cartographie du ciel (**télescope de Schmidt**).

**SCHMIDT** (Helmut) ~ *1918, Hambourg.* Homme politique allemand. Député social-démocrate (1953), il a été ministre de la Défense (1969) et des Finances (1972), puis chancelier de la R. F. A. (1974-1982).

**SCHMIDT** (Maarten) ~ *1929, Groningen.* Astrophysicien américain d'orig. néerlandaise. Il a découvert le décalage vers le rouge des quasars, interprété comme un effet de leur éloignement, qui a alimenté la controverse sur l'origine de l'univers.

**SCHMITT** (Florent) ~ *1870, Blâmont - 1958, Neuilly-sur-Seine.* Compositeur français. Son souci de clarté formelle ne l'empêcha pas de développer un style symphonique subtil, aux teintes orientalistes voluptueuses (*la Tragédie de Salomé*, 1907 ; *Salammbô*, 1925 ; *Symphonie concertante*, 1928-1931).

**SCHNABEL** (Artur) ~ *1882, Lipnik - 1951, Morschach, Suisse.* Pianiste américain d'orig. autrichienne. De notoriété internationale, il interpréta particulièrement Beethoven et Schubert.

**Schnæbelé (affaire)** ~ Incident diplomatique franco-allemand (1887). Lors de l'arrestation par les Allemands du commissaire de police français Schnæbelé, accusé d'espionnage, la France préféra la solution diplomatique à l'ultimatum. Schnæbelé fut libéré, mais l'incident attisa le « nationalisme revanchard » français.

**SCHNEIDER**, famille d'industriels français. ~ **Eugène** (*1805, Bidestroff - 1875, Paris*), homme politique. Député, ministre du Commerce et de l'Agriculture (1851), membre du corps législatif sous le second Empire, il fonda, avec son frère ~ **Adolphe** (*1802, Nancy - 1845, Le Creusot*), la dynastie propriétaire des usines métallurgiques du Creusot, sous le nom de Société Schneider Frères et Compagnie (1836). Ils construisirent la première locomotive à vapeur française (1838).

**SCHNEIDER** (Hortense) ~ *1833, Bordeaux - 1920, Paris.* Soprano française. Chanteuse et comédienne, elle interpréta les plus célèbres opérettes d'Offenbach et inspira à Zola le personnage de *Nana*.

**SCHNEIDER** (Rosemarie **Albach-Retty**, dite Romy) ~ *1938, Vienne - 1982, Paris.* Actrice autrichienne. Après avoir connu, dans les années 1950, le succès avec la série des *Sissi*, elle tourna not. sous la direction de Cl. Sautet (*les Choses de la vie*, 1970), de L. Visconti (*Ludwig*, 1972), d'Andrzej Zulawski (*L'important, c'est d'aimer*, 1974).

**SCHNITZLER** (Arthur) ~ *1862, Vienne - 1931, id.* Écrivain et auteur dramatique autrichien. Peintre des âmes délicates et témoin d'une civilisation déclinante, il écrivit des romans (*Mademoiselle Else*, 1924 ; *Thérèse*, 1928) et des pièces de théâtre (*Amourette*, 1895 ; *la Ronde*, 1900).

**SCHOBERT** (Johann) ~ *v. 1730, Silésie - 1767, Paris.* Compositeur allemand. Claveciniste attaché au prince de Conti, il fut l'un des premiers à utiliser le piano forte, instrument pour lequel il composa sonates et concertos. Mozart fut son élève.

**SCHŒLCHER** (Victor) ~ *1804, Paris - 1893, Houilles.* Homme politique français. Député de la Martinique et de la Guadeloupe, sous-secrétaire d'État à la Marine après la révolution de février 1848, il obtint l'abolition de l'esclavage dans les colonies (27 avr. 1848).

**SCHŒLCHER** ~ V. de la Martinique, au N. de Fort-de-France ; 19 874 h. Campus universitaire.

**SCHÖFFER** (Nicolas) ~ *1912, Kalocsa - 1992, Paris.* Sculpteur français d'orig. hongroise. Maître de l'art cinétique, il associa la lumière et le son aux matériaux métalliques dans des œuvres de conception cybernétique (*Reliefs anamorphoses*, 1961).

**SCHÖFFER** (Peter) ~ *v. 1425, Gernsheim - v. 1502, Mayence.* Imprimeur allemand. Associé de J. Fust et de Gutenberg, il perfectionna l'imprimerie en y introduisant la couleur.

**Schola cantorum** (la) ~ École de chant liturgique et de musique religieuse fondée en 1894, à Paris, par Ch. Bordes. Sous le magistère de V. d'Indy, elle devint le foyer du renouveau du classicisme musical français.

**SCHOLASTIQUE** (sainte) ~ *v. 480, Nursie - v. 547, Piumarola, près du mont Cassin.* Sœur de Benoît de Nursie, elle fonda la branche féminine des Bénédictins.

**SCHOLEM** (Gershom) ~ *1897, Berlin - 1982, Jérusalem.* Philosophe israélien. Abordant la Kabbale en philologue, il renouvela l'approche de la mystique juive (*les Origines de la Kabbale*, 1966).

**SCHOMBERG** ou **SCHONBERG** (Frédéric Armand, duc DE) ~ *1615, Heidelberg - 1690, près du Boyne.* Maréchal français d'orig. allemande. Passé au service de la France (1650-1685), il combattit les Impériaux et les Espagnols, servit au Portugal. À la révocation de l'édit de Nantes, il dut quitter la France et rejoignit Guillaume III d'Orange. Il fut tué à la bataille du Boyne contre les jacobites.

**SCHÖNBERG** (Arnold) ~ *1874, Vienne - 1951, Los Angeles.* Compositeur américain d'orig. autrichienne. Influencé à ses débuts par Wagner (*la Nuit transfigurée*, 1899), il s'affranchit du système tonal et substitua le *Sprechgesang* (parlé-chanté) au chant traditionnel (*Pierrot lunaire*, 1912). Il ordonna son chromatisme intégral avec l'invention de la série des 12 sons (dodécaphonisme), qu'il mit en application dès les années 1920 (*Variations pour orchestre*, 1926-1928) et qui eut une influence décisive sur la musique du XX^e^ s. Chassé d'Europe par le nazisme, il s'exila aux États-Unis, où il renoua avec le sombre expressionnisme de ses débuts (*Un survivant de Varsovie*, 1947). Il laissa un opéra inachevé, *Moïse et Aaron* (commencé en 1930).

**Schönbrunn** ~ Château d'Autriche, près de Vienne, qui fut la résidence d'été des Habsbourg. Napoléon I^er^ y signa le traité de Vienne (1809).

**SCHONGAUER** (Martin) ~ *v. 1450, Colmar - 1491, Brisach.* Peintre et graveur alsacien. Influencé par R. Van der Weyden, il exprima une sensibilité délicate dans une iconographie mariale empreinte de mysticisme, dont les gravures firent sa renommée (*la Mort de la Vierge*, v. 1470-1475).

**SCHOPENHAUER** (Arthur) ~ *1788, Dantzig - 1860, Francfort-sur-le-Main.* Philosophe allemand. Privé d'influence de son vivant, il n'eut aucun succès avec son ouvrage majeur (*le Monde comme volonté et comme représentation*, 1818). Méprisant la religiosité et le romantisme des grands systèmes idéalistes, c'est au kantisme qu'il s'attaqua : le monde n'est qu'une perception illusoire produite par une volonté absurde ; il faut substituer à l'intelligence discursive une connaissance intuitive qui donne accès à l'être même ; seuls l'art comme contemplation et la morale de la pitié permettent de connaître l'essence des choses et de découvrir la source de la douleur, le vouloir-vivre de l'homme, qu'il faut éliminer par l'ascétisme, l'abstinence et enfin la non-procréation (*la Volonté dans la nature*, 1836 ; *les Deux Problèmes fondamentaux de l'éthique*, 1841). Son œuvre influença Nietzsche.

**SCHRÖDINGER** (Erwin) ~ *1887, Vienne - 1961, id.* Physicien autrichien. Il développa la mécanique ondulatoire, formalisant la théorie quantique, et formula l'équation qui porte son nom. Prix Nobel de phys. 1933 avec P. Dirac.

**SCHUBERT** (Franz) ~ *1797, Lichtental, auj. dans Vienne - 1828, Vienne.* Compositeur autrichien. Maître incontesté du lied romantique, il y développa un art subtil de la modulation, miroir des sentiments les plus délicats et les plus intimes de l'âme (cycles de *la Belle Meunière*, 1823, et du *Voyage d'hiver*, 1827). Son génie mélodique, d'une sensibilité inquiète, marque tout autant ses symphonies (n° 8, *Inachevée*, 1822 ; n° 9, *Grande Symphonie*, 1828) et sa musique de chambre (quintette *la Truite*, 1819 ; quatuor à cordes *la Jeune Fille et la Mort*, 1824 ; *Impromptus pour piano*, 1827).

**SCHUMAN** (Robert) ~ *1886, Luxembourg - 1963, Scy-Chazelles, Moselle.* Homme politique français. Député M. R. P. (1945), ministre des Finances (1946), président du Conseil (1947-1948) et ministre des Affaires étrangères (1948-1953), il consacra ses efforts à l'unité européenne (création de la Ceca en 1951) et au rapprochement avec l'Allemagne. Il fut président du Parlement européen (1958-1960).

**SCHUMANN** (Robert) ~ *1810, Zwickau - 1856, Endenich, près de Bonn.* Compositeur allemand. Génie au lyrisme profond et tourmenté, il marque l'apogée du romantisme en musique. Sa vie, troublée par les prémices de son aliénation mentale et illuminée par son amour pour Clara Wieck, trouva une transposition émouvante dans ses lieder (*les Amours du poète*, 1840), ses miniatures pianistiques (*Kreisleriana*, 1838), ses œuvres symphoniques (*Concerto pour piano*, 1839 ; *Concerto pour violoncelle*, 1850 ; *Symphonie n° 3*, dite *Rhénane*, 1850) et ses œuvres lyriques (*le Paradis et la Péri*, 1843).

**SCHUMPETER** (Joseph) ~ *1883, Třešť, Moravie - 1950, Salisbury, Connecticut.* Économiste autrichien. Abordant l'économie en historien, il montra que le capitalisme est le siège d'une dynamique cyclique, passant par une phase d'expansion où l'innovation technologique tient un rôle majeur, puis par une phase de crise, suivie d'une dépression (*la Théorie de l'évolution économique*, 1912).

**SCHUSCHNIGG** (Kurt VON) ~ *1897, Riva, lac de Garde - 1977, Muters.* Homme politique autrichien. Chancelier en 1934 après l'assassinat de Dollfuss, il démissionna en 1938 à la suite d'un ultimatum de Hitler et fut emprisonné après l'Anschluss (1938-1945).

**SCHÜTZ** (Heinrich) ~ *1585, Köstritz - 1672, Dresde.* Compositeur allemand. Il réalisa, notamment dans ses motets, une synthèse de l'opulence polyphonique allemande, du choral luthérien et du nouveau *stile rappresentativo* italien. Il fut considéré de son vivant comme le père de la musique allemande (*Geistliche Chormusik*, 1648 ; *Weihnachtshistorie*, 1664).

**SCHWANN** (Theodor) ~ *1810, Neuss am Rhein - 1882, Cologne.* Biologiste allemand. Il montra la nature de la fermentation, due à des êtres vivants, et établit la théorie cellulaire (1839), révolutionnant la biologie en affirmant que la cellule est l'unité fondamentale de la vie.

**SCHWARTZ** (Laurent) ~ *1915, Paris.* Mathématicien français. Fondateur de la théorie des distributions, il a contribué aux progrès de l'analyse fonctionnelle et à l'application des mathématiques à la physique. On lui doit l'**inégalité de Schwartz**, qui s'applique dans un espace euclidien. Médaille Fields 1950.

**SCHWARZENBERG** (Karl Philipp, prince ZU) ~ *1771, Vienne - 1820, id.* Général autrichien. Il commanda les armées de la coalition qui battit Napoléon Ier à Leipzig (1813) puis envahit la France (1814). Son neveu ~ **Felix** (*1800, Krumau - 1852, Vienne*), chancelier d'Autriche (1848-1852), réprima les mouvements libéraux de 1848 et s'opposa à la Prusse (reculade d'Olmütz, 1850).

**SCHWARZKOPF** (Elisabeth) ~ *1915, Jarotschin.* Soprano britannique d'orig. allemande. Elle a triomphé dans les opéras de Mozart et de Richard Strauss, notamment sous la direction de Karajan.

**SCHWEINFURTH** (Georg) ~ *1836, Riga - 1925, Berlin.* Explorateur allemand. Il reconnut la haute vallée du Nil, visita l'Éthiopie et l'Arabie du Sud. Il fonda l'Institut égyptien du Caire.

**SCHWEITZER** (Albert) ~ *1875, Kaysersberg, Alsace - 1965, Lambaréné.* Médecin, théologien, missionnaire protestant et musicologue français. Fondateur de l'hôpital de Lambaréné, au Gabon (1913), il est l'auteur de nombreux ouvrages exégétiques, théologiques et musicologiques (*Recherches sur la vie de Jésus*, 1906 ; *J.-S. Bach, le musicien-poète*, 1905). Il a marqué la pensée libérale protestante. Prix Nobel de la paix 1952.

**SCHWERIN** ~ Cap. du land de Mecklembourg-Poméranie-Antérieure (Allemagne), au S.-O. de Rostock, centre industr. en expansion ; 125 000 h. Cathédrale gothique. Anc. palais ducal.

**SCHWINGER** (Julian Seymour) ~ *1918, New York.* Physicien américain. On lui doit la mesure du moment magnétique de l'électron et une contribution, avec R. P. Feynman et Tomonaga Shinichirô, à la théorie des interactions du champ électromagnétique avec le photon. Prix Nobel de phys. 1965.

**SCHWITTERS** (Kurt) ~ *1887, Hanovre - 1948, Ambleside, Grande-Bretagne.* Peintre allemand. Dadaïste, il composa des collages et des assemblages de papiers et d'objets usés et abandonnés qu'il baptisa *merz* (syllabe apparue sur son premier collage). Il mena des recherches typographiques, poétiques et musicales.

**SCHWYZ** ~ V. de Suisse centrale, ch.-l. du canton de Schwyz ; 13 000 h. Industrie textile. Église baroque (XVIIIe s.), hôtel de ville (XVIIe s.).

**SCHWYZ (canton de)** ~ Canton alémanique et catholique de la Suisse centrale (N. des Alpes) ; 908 km², 118 000 h. Élevage laitier. Tourisme. Son association avec les cantons d'Unterwald et d'Uri (1291) donna naissance à la Confédération helvétique. La Suisse (*Schweiz*, en all.) en tira son nom.

**SCIASCIA** (Leonardo) ~ *1921, Racalmuto - 1989, Palerme.* Écrivain italien. Il dénonça les mécanismes d'oppression et de corruption politiques dans des romans historiques ou contemporains, ayant généralement pour cadre la Sicile (*les Oncles de Sicile*, 1958 ; *le Cliquet de la folie*, 1970).

**Science chrétienne**, en angl. *Christian Science* ~ Secte fondée en 1879 à Boston par Mary Baker-Eddy, qui prétendait guérir les malades par des moyens spirituels.

**SCILLY (îles)**, en fr. **Sorlingues** ~ Petit archipel britannique, au large de la Cornouailles, au climat doux ; 16 km², 3 000 h.

**SCIPION**, en lat. *Scipio*, branche de l'antique famille romaine des Cornelii, qui contribua à l'introduction de la culture grecque à Rome. ~ **Scipion l'Africain**, en lat. ***Publius Cornelius Scipio Africanus*** (*235 - 183 av. J.-C., Liternum*), consul romain (205 et 194 av. J.-C.). Il expulsa les Carthaginois d'Espagne (206 av. J.-C.) et battit Hannibal à Zama (202 av. J.-C.), en Afrique, d'où son surnom. Avec son frère ~ **Scipion l'Asiatique**, en lat. ***Lucius Cornelius Scipio Asiaticus*** (*mort apr. 184 av. J.-C.*), il vainquit Antiochos III Mégas à Magnésie du Sipyle (189 av. J.-C.). Son petit-fils adoptif ~ **Scipion Émilien**, dit **le Second Africain**, en lat. ***Publius Cornelius Scipio Aemilianus*** (*v. 184 - 129 av. J.-C., Rome*), consul (147 et 142 av. J.-C.) et censeur romain (134 av. J.-C.), fils de Paul Émile, détruisit Carthage (146 av. J.-C.) et prit Numance (133 av. J.-C.). Il s'opposa à Tiberius Gracchus et entretint un cercle de lettrés (Polybe, Térence).

**SCOLA** (Ettore) ~ *1931, Trevico, Campanie.* Cinéaste italien. Après *Nous nous sommes tant aimés* (1974), comédie amère sur la trahison des idéaux de la Résistance, il a tourné d'ambitieux apologues politiques et historiques (*Une journée particulière*, 1977 ; *la Nuit de Varennes*, 1982 ; *le Bal*, 1983).

**SCOPAS** ~ *1re moitié du IVe s. av. J.-C.* Sculpteur grec. Actif en Asie Mineure (mausolée d'Halicarnasse) et dans le Péloponnèse, il s'éloigna de l'idéal classique vers une expression pathétique et dynamique du drame humain.

**SCORSESE** (Martin) ~ *1942, New York.* Cinéaste américain. Peintre du milieu italo-américain, il démonte les mécanismes de la violence urbaine (*Taxi Driver*, 1976 ; *Raging Bull*, 1979 ; *les Affranchis*, 1990 ; *Casino*, 1996). Il a provoqué un scandale avec *la Dernière Tentation du Christ* (1988).

**SCOT ÉRIGÈNE** (Jean) ~ *v. 810 - v. 877, en Irlande.* Philosophe irlandais. Directeur de l'école du palais de Charles le Chauve, il traduisit les œuvres du pseudo-Denys, et exposa, dans la tradition néoplatonicienne, des thèses dont l'originalité marqua profondément l'histoire de la théologie (not. par le rôle donné à la raison), mais qui lui valurent aussi plusieurs condamnations des conciles papaux (*De divisione naturae*, 864-866).

**Scotland Yard**, off. *Metropolitan Police*, auj. *New Scotland Yard* ~ Police londonienne. Créée en 1829 par sir Robert Peel, ministre de l'Intérieur, elle tire son surnom de sa première adresse. Compétente sur la région de Londres (hormis la City), elle peut être saisie par les polices provinciales. Son *Criminal Investigation Department* a inspiré nombre de fictions policières.

**Scots** (les) ~ Pirates et aventuriers irlandais du haut Moyen Âge. Établis en Écosse au VIe s., certains d'entre eux donnèrent leur nom à l'ancien pays des Pictes (**Scotland**).

Le Docteur **Schweitzer**, *d'A. Dubois. Musée d'Unterlinden, Colmar.*

© Lauros-Giraudon

Sir Walter **Scott** *(v. 1824), d'E. H. Landseer, Galerie nationale du portrait, Londres.*

© N. P. G.-Giraudon

**SCOTT** (Robert Falcon) ~ *1868, Devonport - 1912, dans l'Antarctique.* Explorateur britannique. Lors de sa seconde tentative, il atteignit le pôle Sud (après R. Amundsen), mais il périt au retour.

**SCOTT** (sir Walter) ~ *1771, Édimbourg - 1832, Abbotsford.* Écrivain britannique. Auteur de récits inspirés des légendes écossaises (*la Dame du lac*, 1810), il inaugura le genre des romans historiques en Europe (*Ivanhoé*, 1819).

**SCRIABINE** ou **SKRIABINE** (Aleksandr Nikolaïevitch) ~ *1872, Moscou - 1915, id.* Compositeur russe. Passionné de théosophie, il voulut faire de sa musique l'expression d'une harmonie universelle qui s'affranchit de plus en plus des bornes de la tonalité (*Préludes*, pour piano ; *le Poème de l'extase*, 1907 ; *Prométhée ou le Poème du feu*, 1908-1910).

**SCRIBE** (Eugène) ~ *1791, Paris - 1861, id.* Auteur dramatique et librettiste français. Prolifique auteur de pièces bourgeoises, il contribua à la naissance du grand opéra avec les livrets de *la Muette de Portici* (1828), *la Juive* (1835), *les Huguenots* (1836), *le Prophète* (1849). Acad.

**SCUDÉRY**, famille d'écrivains français. ~ **Madeleine** DE (*1607, Le Havre - 1701, Paris*) illustra la casuistique amoureuse chère à la société précieuse dans des romans-fleuves dont le succès fut immense (*Artamène ou le Grand Cyrus*, 1649-1653 ; *Clélie*, 1654-1661). Son frère ~ **Georges** DE (*1601, Le Havre - 1667, Paris*), auteur de pièces de théâtre, s'opposa à Corneille (*Observations sur « le Cid »*, 1637). Acad.

**SCYLAX DE CARYANDA** ~ *fin du VIe s., Carie - début du Ve s. av. J.-C.* Navigateur et géographe grec. Sous Darius Ier, il explora la vallée de l'Indus et, à son retour, la mer Érythrée (508 av. J.-C.).

**Scylla** ~ Voir **Charybde**.

**Scythes** (les) ~ Peuple d'orig. perse installé dans les steppes du N. de la mer Noire (Scythie). Ils franchirent le Caucase au VIIe s. av. J.-C. et s'imposèrent aux Mèdes et aux Assyriens.

**S. D. N.** ~ Voir **Société des Nations**.

**SEABORG** (Glenn Theodore) ~ *1912, Ishpeming, Michigan.* Chimiste américain. Avec E. M. McMillan, il découvrit le plutonium et sa méthode de production (1941) et plusieurs éléments transuraniens. Prix Nobel de chim. 1951.

**SEARLE** (John Rogers) ~ *1932, Denver.* Philosophe américain. À la suite des travaux de J. L. Austin, il a développé une théorie des actes du langage, qui l'a amené à redéfinir le concept d'intentionalité (*Sens et Expression*, 1979).

**SEATTLE** ~ 1re v. du N.-O. des États-Unis, grand port du Pacifique (Puget Sound), centre industriel dominé par les hautes technologies et l'aéronautique (Boeing) ; 528 000 h. (agglom. 2 500 000 h.). Université.

**SÉBASTE** ~ Voir **Sivas**.

**SEBASTIANO DEL PIOMBO** (Sebastiano **Luciani**, dit) ~ *v. 1485, Venise - 1547, Rome.* Peintre italien. D'abord influencé par Giorgione puis par le style monumental de Michel-Ange, il fut l'un des premiers grands maniéristes.

**SÉBASTIEN** (saint) ~ *IIIe s.* Martyr romain. Capitaine de la garde de Dioclétien, il serait mort percé de flèches.

**SÉBASTIEN** ~ *1554, Lisbonne - 1578, Alcaçar-Quivir.* Roi de Portugal (1557-1578). Il voulut entreprendre la conquête du Maghreb mais fut tué par les Maures.

**SÉBASTOPOL** ~ Port et princ. v. de Crimée (Ukraine), sur la mer Noire ; 366 000 h. Constructions navales (arsenal). Ancien port de guerre soviétique. HIST. - Fondée par Potemkine en 1783, la ville fut prise par les armées franco-britanniques commandées par Pélissier, pendant la guerre de Crimée (sept. 1855). Elle fut conquise par les Allemands en 1942.

**SEBHA** ~ V. et grande oasis de Libye, anc. cap. du Fezzan ; 76 000 h. Manufactures.

**SEBOND** ou **SEBONDE** (Ramon) ~ Voir **Sabunde**.

**SEBOU (oued)** ~ Fl. du Maroc ; 458 km. Issu du Moyen Atlas, il traverse les plaines de Fès, du Gharb et rejoint l'Atlantique en aval de Kenitra.

**SECCHI** (Angelo) ~ *1818, Reggio nell'Emilia - 1878, Rome.* Astronome et jésuite italien. Pionnier de la spectroscopie stellaire, il donna une classifi cation des étoiles d'après leur spectre (1868) et nomma « canaux » les tracés observés sur Mars.

**Sécession (guerre de)** ~ Guerre civile aux États-Unis qui opposa de 1861 à 1865 onze États du Sud, agricoles et esclavagistes, aux États du Nord, industriels et abolitionnistes. D'abord victorieux, les confédérés, ou sudistes, furent ensuite dominés par les fédéraux, ou nordistes, supérieurs en nombre. Les victoires nordistes de Gettysburg (1863) et d'Atlanta (1864) précédèrent la capitulation de Lee, à Appomattox (avril 1865). Le recours aux armes modernes explique l'importance des pertes humaines (env. 600 000 morts).

**SECLIN** ~ V. industrielle de la banlieue S. de Lille (Nord) ; 12 281 h. Hôpital de style baroque flamand.

**SECOND** (Jan **Everaerts**, dit Jean) ~ *1511, La Haye - 1536, Tournai.* Humaniste flamand. Ses petits poèmes érotiques en latin (*Baisers*, posth., 1539) furent souvent imités au XVI$^e$ s.

**Secours catholique** ~ Association caritative française. Créé par l'abbé Jean Rodhain (1946), il apporte une aide matérielle et spirituelle aux déshérités et organise des secours d'urgence internationaux.

**Secours populaire français** ~ Organisation caritative française issue en 1938 du **Secours rouge international français** dans un but de solidarité internationale avec les populations défavorisées.

**SECRÉTAN** (Charles) ~ *1815, Lausanne - 1895, id.* Philosophe suisse. Il développa l'idée d'une raison chrétienne autonome, délaissant la métaphysique au profit de la morale (*la Philosophie de la liberté*, 1848-1849).

**Section française de l'Internationale ouvrière (S. F. I. O.)** ~ Parti politique français né en 1905 de la fusion de divers groupes socialistes. Animée par J. Jaurès, elle accepta d'entrer dans l'union sacrée en 1914. Sa majorité rejoignit la III$^e$ Internationale en 1920 pour former le Parti communiste français. Dirigée par Paul Faure et Léon Blum, la S. F. I. O. fut à la tête des gouvernements du Front populaire (1936-1938). Affaiblie à l'issue de la guerre et discréditée par son rôle dans les guerres coloniales (sous la direction de G. Mollet), elle disparut en 1969, remplacée par le Parti socialiste.

**SEDAINE** (Michel Jean) ~ *1719, Paris - 1797, id.* Auteur dramatique français. Représentatif des « comédies sérieuses » (*le Philosophe sans le savoir*, 1765), il écrivit des livrets d'opéras-comiques pour Monsigny ou Grétry (*Rose et Colas*, 1764 ; *Richard Cœur de Lion*, 1784). Acad.

**SEDAN** ~ V. des Ardennes, sur la Meuse ; 21 667 h. (agglom. 28 392 h.). Industries agroalim., textile. Château fort (XV$^e$-XVII$^e$ s.). Le 1$^{er}$ sept. 1870, Napoléon III y capitula devant les Prussiens.

**SÉE** (Camille) ~ *1847, Colmar - 1919, Paris.* Homme politique français. Il institua les lycées de jeunes filles (1880) et fonda l'École normale supérieure de Sèvres (1881).

**SEEBECK** (Thomas Johann) ~ *1770, Reval, auj. Tallinn - 1831, Berlin.* Physicien allemand. En 1821, il découvrit la thermoélectricité (**effet Seebeck**), ouvrant la voie aux convertisseurs d'énergie, et conçut un polariscope (1830).

**SEECKT** (Hans VON) ~ *1866, Schleswig - 1936, Berlin.* Général allemand. Commandant de la Reichswehr de 1920 à 1926, il posa les bases du réarmement allemand et soutint Hitler.

**SEFÉRIS** (Gheórghios **Seferiádhis**, dit Georges) ~ *1900, Smyrne - 1971, Athènes.* Poète et diplomate grec. Par de subtiles réminiscences antiques, il donna un sens à la souffrance de l'homme moderne (*Journal de bord*, 1940-1955). Prix Nobel de litt. 1963.

**Séfévides** (les) ~ Voir **Safavides**.

**SÉGALA** (le) ~ Région de plateaux (500-1 000 m) du S.-O. du Massif central (Rouergue), entre l'Aveyron et le Tarn, entaillée par le Viaur. Les sols ont été amendés au XIX$^e$ s. (céréales, prairies).

**SEGALEN** (Victor) ~ *1878, Brest - 1919, Huelgoat.* Écrivain français. Ses essais (*le Double Rimbaud*, 1906), ses romans (*les Immémoriaux*, 1907 ; *René Leys*, posth., 1921) et ses poèmes (*Stèles*, 1912) sont une constante interrogation sur l'exotisme, le mensonge et la liberté.

**SÉGESTE** ~ Anc. ville de Sicile occidentale. Soutenant Athènes, elle l'engagea dans la désastreuse expédition de Sicile (415 av. J.-C.), puis fut détruite par Agathocle de Syracuse (307 av. J.-C.). Elle fut alliée de Rome durant les guerres puniques. Temple (fin du V$^e$ s. av. J.-C., près de l'actuelle Calatafimi) et théâtre hellénistique.

**SEGHERS** (Hercules) ~ *1589 ou 1590, Haarlem - v. 1638, Amsterdam.* Peintre et graveur néerlandais. Ses eaux-fortes aux tons bruns, traduisent une vision fantastique et mélancolique de la nature.

**SEGHERS** (Netty **Radványi**, dite Anna) ~ *1900, Mayence - 1983, Berlin-Est.* Romancière allemande. Elle se réfugia au Mexique pendant la période nazie puis revint en R. D. A. Elle illustra dans ses romans les principes du « réalisme socialiste » (*la Septième Croix*, 1942 ; *Les morts restent jeunes*, 1949).

**SÉGOU** ~ 2$^e$ v. du Mali, sur le Niger (r. dr.), au N.-E. de Bamako ; 99 000 h. Industrie textile (coton) et centre de recherches agronomiques. Ancienne capitale des Bambaras (XVII$^e$-XIX$^e$ s.).

**SEGOVIA** (Andrés) ~ *1893, Linares - 1987, Madrid.* Guitariste espagnol. Il redonna à la guitare son prestige d'instrument de concert classique.

**SÉGOVIE**, en esp. ***Segovia*** ~ V. d'Espagne (Castille-León), au pied de la sierra de Guadarrama, anc. résidence des rois de Castille ; 55 000 h. Aqueduc romain, églises romanes et cathédrale gothique (XVI$^e$ s.), alcazar (XI$^e$ s.).

**SEGRÈ** (Emilio) ~ *1905, Tivoli - 1989, Lafayette, Californie.* Physicien américain d'orig. italienne. Il détermina les propriétés des neutrons lents, et identifia et produisit l'antiproton avec Owen Chamberlain (1955). Il élabora le technétium avec C. Perrier (1947), et l'astate. Prix Nobel de phys. 1959.

**SÉGUIER** (Pierre) ~ *1588, Paris - 1672, Saint-Germain-en-Laye.* Homme politique français. Garde des Sceaux (1633 et 1656) et chancelier (1635), il instruisit le procès de Cinq-Mars et présida au jugement de Fouquet. Il réprima la révolte normande des Va-Nu-Pieds (1639). Il participa à la rédaction du Code Louis en 1669-1670. Protecteur des lettres, il accueillit chez lui les séances de l'Académie française de 1643 à 1672. Acad.

**SÉGUR** (Philippe Henri, marquis DE) ~ *1724, Paris - 1801, id.* Maréchal de France. Secrétaire d'État à la Guerre (1780-1787), il améliora l'instruction des officiers.

**SÉGUR** (Sophie **Rostopchine**, comtesse DE) ~ *1799, Saint-Pétersbourg - 1874, Paris.* Romancière française d'orig. russe. Elle écrivit pour la jeunesse des romans qui exaltent l'ordre établi avec un talent dont la fraîcheur est demeurée intacte (*les Petites Filles modèles*, 1858 ; *les Malheurs de Sophie*, 1864 ; *le Général Dourakine*, 1866).

La Comtesse de **Ségur** *(1823), crayon d'Orest Kiprensky (1773-1836). Musée Carnavalet, Paris.*

**SEIFERT** (Jaroslav) ~ *1901, Prague - 1986, id.* Poète tchèque. Par son humanisme patriotique, il contribua à maintenir l'esprit d'indépendance du peuple tchèque (*De clarté vêtue*, 1940 ; *la Colonne de la peste*, 1971). Prix Nobel de litt. 1984.

**SEIGNELAY** (Jean-Baptiste **Colbert**, marquis DE) ~ *1651, Paris - 1690, Versailles.* Homme politique français. Il succéda à son père, Colbert, comme secrétaire d'État à la Marine et à la Maison du roi (1683).

**SEILLE** (la) ~ Riv. de l'E. de la France (Bresse), affluent (r. g.) de la Saône ; 110 km.

**SEILLE LORRAINE** (la) ~ Rivière de l'E. de la France, affluent (r. dr.) de la Moselle, qu'elle rejoint à Metz ; 130 km.

**SEIN (île de)** ~ Île du Finistère, au large de la pointe du Raz ; 0,6 km$^2$, 348 h. Elle se prolonge à l'O. par les récifs de la **chaussée de Sein**.

**SEINE** (la) ~ Fl. de France né sur le plateau de Langres (471 m), au N.-O. de Dijon, qui draine le centre du Bassin parisien, arrosant la Champagne, l'Île-de-France et la Normandie, avant de rejoindre la Manche, au Havre, par un large estuaire ; 776 km (bassin : 78 000 km). Reliée par l'Oise et la Marne au réseau navigable européen (autres affl. importants : Aube, Yonne, Eure), la Seine, qui coule en plaine, connaît un trafic intense en aval de Paris et de Rouen. La construction de barrages-réservoirs (dont celui de la forêt d'Orient) a permis de régulariser le débit du fleuve (crues d'hiver) et d'alimenter l'agglomération parisienne en eau.

**SEINE** (la) ~ Ancien dép. français, créé sous le nom de « département de Paris » (1790), qui comprenait Paris et sa proche banlieue. Lors du redécoupage de la région (1964), il fut divisé en quatre départements (Hauts-de-Seine, Paris, Seine-Saint-Denis et Val-de-Marne).

**SEINE-ET-MARNE** ~ Le plus grand dép. de la Région Île-de-France, qui s'étend sur les plateaux de la Brie au N., riches en cultures (blé, maïs, betterave à sucre), et sur le Gâtinais au S., pays d'élevage ; 5 916 km$^2$, 1 078 166 h. L'urbanisation gagne à l'O. (agglom. parisienne, v. nouvelle de Marne-la-Vallée) et le long de la Seine. Les forêts occupent une large place (forêts d'Armainvilliers, de Fontainebleau). V. princ. Melun (préfect.), Meaux.

**SEINE-ET-OISE** ~ Ancien dép. français, dont la préfect. était Versailles, partagé en 1964 essentiellement entre l'Essonne, les Yvelines et le Val-d'Oise.

**SEINE-MARITIME** (la) ~ Dép. de la Région Haute-Normandie, bordé par la Manche, au N. de l'estuaire de la Seine et de sa basse vallée ; 6 342 km$^2$, 1 223 429 h., préfect. Rouen. La majeure partie du territoire est composée de plateaux (confins de la Picardie au N., pays de Caux au S.), de part et d'autre d'une dépression (la « boutonnière » du pays de Bray), qui dominent souvent la mer par des falaises abruptes (alt. 60 à 100 m). Vocation agricole marquée, dominée par l'élevage bovin (pays de Bray) et une polyculture intensive (céréales, betterave à sucre, colza, lin). La basse Seine est une des plus grandes régions industrielles françaises (1$^{er}$ rang pour le raffinage du pétrole et la pétrochimie), avec deux grands ports (Le Havre, 2$^e$ rang français ; Rouen, avant-port de Paris). Importants ports de pêche (Dieppe et Fécamp) et stations balnéaires (Le Tréport, Étretat).

**SEINE-SAINT-DENIS** ~ Dép. de la Région Île-de-France qui englobe les communes du N.-E. de Paris, au N. du bois de Vincennes ; 235 km$^2$, 1 981 197 h., préfect. Bobigny. Le N. du département est très fortement industrialisé (la Plaine-Saint-Denis, Aubervilliers), tandis que le S. est plus résidentiel. V. princ. Montreuil, Saint-Denis. Aéroport de Roissy.

**SEIPEL** (Ignaz) ~ *1876, Vienne - 1932, Pernitz.* Prélat et homme politique autrichien. Président du parti chrétien-social (1921), chancelier (1922-1924, 1926-1929), il redressa les finances du pays et réprima l'insurrection socialiste de Vienne (1927).

**SEI Shônagon** ~ *v. 965 - v. 1020.* Femme de lettres japonaise. Dame de la cour impériale, elle écrivit de spirituelles et précieuses *Notes de chevet*.

**SÉISTAN** (le) ~ Voir **Sistan**.

**Seita** (la) ~ Voir **Société nationale d'exploitation industrielle des tabacs et allumettes**.

**SÉJAN**, en lat. ***Lucius Aelius Seianus*** ~ *v. 18 av. J.-C., Volsinies, auj. Bolsena - 31 apr. J.-C., Rome.* Préfet du prétoire sous Tibère. Ambitieux, il intrigua contre l'empereur, qui le fit exécuter.

**SEKONDI-TAKORADI** ~ Port du Ghana, débouché de Koumassi sur l'Atlantique ; 175 000 h.

**SELANGOR** (le) ~ État occidental de la péninsule malaise (Malaysia), bordé par le détroit de Malacca ; 7 956 km$^2$, 1 981 000 h., cap. Shah Alam (24 000 h.). La proximité de Kuala Lumpur entraîne une rapide croissance économique. Agric. de plantation (hévéa, café, cacao), pêche, minerais d'étain et de fer, industr. diversifiée et zones franches. Protectorat britannique (1874) devenu l'un des États malais fédérés (1896), il est membre de la fédération malaise depuis 1947.

**SELBORNE** (Roundell **Palmer**, comte DE) ~ *1812, Mixbury, Oxfordshire - 1895, Petersfield, Hampshire.* Homme politique britannique. Chancelier de l'Échiquier (1872-1874 ; 1880-1885), il réforma le système judiciaire.

**Seldjoukides** ou **Saldjuqides** (les) ~ Dynastie turque issue de la tribu des Oghouz, établie au Xe s. dans le Khorassan, qui régna du XIe s. au XIIIe s. Toghrul Beg (1038-1063) soumit la Perse et s'imposa comme vicaire temporel du calife de Bagdad avec le titre de sultan (1055). Après la défaite byzantine de Mantzikert (1071), le peuplement turc se développa en Asie Mineure dans le sultanat de Rum, mais le reste de l'empire s'effrita au XIIe s. Vaincus par les Mongols (1243), les Seldjoukides laissèrent la place à de petites principautés, dont l'une fut celle des Ottomans.

**SELENGA** (la) ~ Riv. de Mongolie et de Russie, tributaire du lac Baïkal ; 1 480 km.

**SÉLESTAT** ~ V. de la plaine d'Alsace (Bas-Rhin), sur l'Ill ; 15 538 h. Maroquinerie, métallurgie. Églises romane et gothique. Bibliothèque humaniste (1452). Anc. résidence royale (Mérovingiens, Carolingiens) et impériale (Hohenstaufen).

**Séleucides** (les) ~ Dynastie hellénistique. Fondée par Séleucos Ier, elle régna sur la Syrie et sur une partie de l'Orient hellénistique de 305 av. J.-C. jusqu'à l'annexion de la Syrie par Rome en 64 av. J.-C. Elle hellénisa l'Orient par des fondations de cités et combattit notamment les Ptolémées, les Parthes et les Romains.

**SÉLEUCIE**, en gr. *Seleukeia* ~ Nom de plusieurs villes de l'Orient hellénistique fondées par Séleucos Ier, telles **Séleucie du Tigre**, détruite par les Romains, ou **Séleucie de Piérie**, port d'Antioche.

**SÉLEUCOS** ~ Nom de six rois séleucides. **Séleucos Ier Nikatôr**, en fr. « le Vainqueur » (*v. 355, Europos - 280 av. J.-C., près de Lysimacheia*), fonda la dynastie séleucide. Ayant reçu Babylone dans l'héritage d'Alexandre le Grand (321 av. J.-C.), il finit par contrôler l'ensemble de son empire, Grèce et Égypte exclues, avant d'être assassiné.

**SÉLIM**, nom de trois sultans ottomans. ~ **Sélim Ier le Terrible** (*1466, Amasya - 1520, Çorlu*), sultan de 1512 à 1520, annexa la Palestine, la Syrie et l'Égypte (1516-1517). ~ **Sélim II** (*1524, Istanbul - 1574, id.*), sultan de 1566 à 1574. ~ **Sélim III** (*1761, Istanbul - 1808, id.*), sultan de 1789 à 1807.

**SÉLINONTE** ~ Anc. ville grecque de Sicile occidentale. Sa rivalité avec Ségeste provoqua l'intervention athénienne en Sicile (415 av. J.-C.). Ravagée par les Carthaginois (409 et 250 av. J.-C.), elle a laissé les ruines de sept temples du VIe s. av. J.-C.

**SELKIRK (monts)** ~ Chaîne de montagnes de l'Ouest canadien (Colombie-Britannique).

**SELKIRK** (Alexander **Selcraig**, dit) ~ *1676, Largo, Fife - 1721, en mer.* Marin écossais. Il fut débarqué sur une île déserte au large du Chili, où il vécut seul de 1704 à 1709. Il inspira *Robinson Crusoé* (1719) à Daniel Defoe.

**SELLERS** (Richard Henry, dit Peter) ~ *1925, Southsea - 1980, Londres.* Acteur britannique. Consacré par *Lolita* (1962) et *Docteur Folamour* (1963), de St. Kubrick, il devint populaire grâce à la série des *Panthère rose*, de Bl. Edwards.

**SEM** ~ Personnage biblique. Fils de Noé et ancêtre des peuples sémitiques.

**Semangs** (les) ~ Populations noires de Malaysia.

**SEMARANG** ~ Port d'Indonésie, sur la côte septentrionale de l'île de Java ; 1 005 000 h. Export. (kapok). Industries text., tabac.

**SEMBENE** (Ousmane) ~ *1923, Ziguinchor.* Cinéaste et écrivain sénégalais. Élève de M. Donskoï, il a porté un regard accusateur sur le racisme, le colonialisme et l'acculturation des élites africaines (*le Mandat*, 1968 ; *Emitaï*, 1971). Parfois adaptés de ses propres livres, ses films empruntent la voie de la satire (*Xala*, 1974) ou de l'épopée (*Ceddo*, 1977).

**SEMBLANÇAY** (Jacques **de Beaune**, baron DE) ~ *v. 1445, Tours - 1527, Montfaucon.* Financier français. Banquier de Louis XII et de François Ier, il fut accusé de malversations et pendu.

**SÉMÉLÉ** ~ Déesse grecque. Amante de Zeus, qui la foudroya, et avec lequel elle conçut Dionysos.

**SEMERU** (le) ~ Volcan et point culminant (3 676 m) de l'île de Java (Indonésie).

**SEMIPALATINSK** ~ V. du Kazakhstan (N.-E.), sur l'Irtych, au S. du Kouzbass ; 335 000 h. Anc. carrefour caravanier vers Boukhara et la Chine.

**SÉMIRAMIS** ~ Reine légendaire d'Assyrie. Épouse du roi Ninos, qu'elle fit assassiner, elle fonda Babylone et étendit son empire de la Libye à l'Inde au cours d'un règne de quarante-deux ans, puis serait montée au ciel sous la forme d'une colombe.

**SEMMELWEIS** (Ignác Fülöp) ~ *1818, Buda - 1865, Vienne.* Médecin hongrois. Il découvrit avant Pasteur le caractère infectieux de la fièvre puerpérale et introduisit l'asepsie pour l'accouchement.

**SEMMERING** (le) ~ Col des Alpes de Styrie (alt. 980 m), en Autriche, emprunté par le chemin de fer Vienne-Trieste.

**SEMOIS** ou **SEMOY** (la) ~ Affluent (r. dr.) belge (Luxembourg) et français de la Meuse ; 198 km. Vallée touristique (Ardenne).

**SEMPACH** ~ Bourg de Suisse (canton de Lucerne), sur le **lac de Sempach** ; 3 000 h. Le 9 juillet 1386, les confédérés suisses des huit cantons y battirent l'armée du duc Léopold III d'Autriche.

**SEMPÉ** (Jean-Jacques) ~ *1932, Bordeaux.* Dessinateur français. Il traduit l'écrasement de l'individu par la culture de masse dans des dessins à l'humour précis et mordant.

**SEMUR-EN-AUXOIS** ~ V. pittoresque de Bourgogne (Côte-d'Or), dominant la vallée de l'Armançon ; 4 545 h. Église gothique, remparts, vestiges d'un château (XIIe et XVIIe s.), maisons et hôtels particuliers (XVIe-XVIIIe s.).

**SEN** (Mrinal) ~ *1923, Faridpur, Bengale oriental, auj. Bangladesh.* Cinéaste bengali. Didactiques et engagés, ses films sont des réquisitoires contre un système économique producteur de misère (*Calcutta 71*, 1972 ; *À la recherche de la famine*, 1980).

**SENANAYAKE** (Don Stephen) ~ *1884, Colombo - 1952, id.* Homme politique cinghalais. Premier ministre en 1947, il assura la transition entre l'autonomie et l'indépendance de Ceylan (1948).

**SENANCOUR** (Étienne **Pivert** DE) ~ *1770, Paris - 1846, Saint-Cloud.* Écrivain français. Son roman autobiographique, *Oberman* (1804), est un chef-d'œuvre d'introspection philosophique.

**Sénanque (abbaye de)** ~ Abbaye cistercienne de Provence. Elle fut fondée en 1148 par des moines sur l'actuelle commune de Gordes (Vaucluse). Église et cloître des XIIe et XIIIe s.

**SÉNART (forêt de)** ~ Forêt du S.-E. de l'agglom. parisienne ; 25 km². Anc. chasse royale.

**Sénat** ~ Assemblée représentative des collectivités territoriales de la République française qui forme, avec l'Assemblée nationale, le Parlement français. Instauré par la Constitution de l'an VIII (1799) d'après le sénat romain, il n'eut qu'un rôle de garant constitutionnel jusqu'au second Empire. Doté d'une fonction législative par la IIIe République (1875), il fut supprimé et remplacé (IVe République, 1946) par un Conseil de la République sans réels pouvoirs. Institué dans sa forme actuelle par la Constitution de la Ve République et installé au palais du Luxembourg, à Paris, il est composé de 321 membres, élus pour neuf ans (au suffrage universel indirect par un collège d'électeurs composé d'élus locaux) et renouvelables par tiers tous les trois ans. Il concourt à l'élaboration des lois et au contrôle du gouvernement. Son président, élu pour trois ans, est le deuxième personnage de l'État, et assure l'intérim de la présidence de la République en cas de vacance du pouvoir (démission de Charles de Gaulle, 1969 ; décès de Georges Pompidou, 1974). En 1969, une réforme du Sénat a été rejetée par référendum.

**SENDAI** ~ V. du Japon, métropole du N.-E. de Honshû, centre financier, industriel (raff. de pétrole, métall., agroalim.) et universitaire ; 920 000 h. Sanctuaire shintoïste.

**SENEFELDER** (Alois) ~ *1771, Prague - 1834, Munich.* Écrivain et inventeur autrichien. Il mit au point la lithographie (1796).

**SÉNÉGAL** (le) ~ Grand fleuve d'Afrique occidentale (1 700 km ; bassin 450 000 km²), le 1er au S.-O. du Sahara, frontière entre l'État du Sénégal et la Mauritanie. Né de la réunion du Bafing, issu du Fouta-Djalon (Guinée), et du Bakoyé (Mali), il rejoint l'océan Atlantique en aval de Saint-Louis. Barrage à Diama (lutte contre la salinité). Il est navigable jusqu'à Kayes (Mali). Fortes variations annuelles de débit.

**SÉNÉGAL (république du)** ~ Pays d'Afrique occidentale, bordé à l'O. par l'Atlantique, dans lequel la Gambie forme une enclave. ***Cap.*** Dakar. ***Superf.*** 197 160 km². ***Popul.*** 7 970 000 h. ***Langues princ.*** Français, ouolof. ***Monn.*** Franc CFA. ***Relief.*** Bas plateau bordé par une côte basse, région N. en voie de désertification (not. le Ferlo). ***Fl. princ.*** Sénégal, Saloum, Casamance. ***Climat.*** Tropical (faibles pluies au N.). ***Écon.*** Agriculture vivrière et comm. (arachide, coton), élevage, pêche, exploitation des phosphates (Taïba), industries diversifiées (Dakar), tourisme. ***V. princ.*** Dakar, Thiès, Kaolack, Ziguinchar. **HIST.** - La région est peuplée depuis le Paléolithique. De petits royaumes s'y développent aux premiers siècles de notre ère. *XIe s.* : le royaume de Tekrour est islamisé et vassalisé par l'empire du Mali. *XIVe s.* : constitution du royaume Dyolof. *XVe-XVIIe s.* : les Européens installent des comptoirs sur les côtes. *1659* : les Français fondent Saint-Louis. *XIXe s.* : colonisation par la France, sous la direction du général Faidherbe (1854-1861 et 1863-1865). Dakar, fondée en 1857, devient le centre politique de l'A.-O. F. en 1902. *1958* : autonomie du Sénégal au sein de la Communauté. *1959-1960* : fédération éphémère avec le Mali ; indépendance (Léopold Sédar Senghor président). *1981* : Abdou Diouf lui succède. *1982-1989* : confédération temporaire avec la Gambie (Sénégambie). *1983* : début du mouvement indépendantiste en Casamance. *1989-1995* : tensions avec la Mauritanie ; montée de l'opposition au régime d'A. Diouf, réélu en 1993. *1996* : le parti socialiste remporte les élections régionales, municipales et rurales.

**SÉNÉGAMBIE** (la) ~ Voir **Sénégal** (histoire).

**SÉNÈQUE**, en lat. ***Lucius Annaeus Seneca***, famille d'écrivains latins. ~ **Sénèque le Père** ou **le Rhéteur** (*v. 60 av. J.-C., Cordoue - v. 39 apr. J.-C., Rome*). Il a laissé un important traité, *Controverses*, témoignant de l'éducation oratoire au Ier s. Son fils ~ **Sénèque le Philosophe** (*v. 2 av. J.-C., Cordoue - 65 apr. J.-C., Rome*), philosophe et auteur dramatique, fut consul en 57. Précepteur de Néron, il mena auprès de lui une carrière fastueuse contrastant avec le stoïcisme prôné dans ses traités de morale (*Lettres à Lucilius*). Auteur de tragédies quelquefois attribuées à un occulte Sénèque le Tragique (*Médée* ; *les Troyennes* ; *Phèdre* ; *Thyeste*), il fut impliqué dans la conjuration de Pison et se suicida sur ordre de Néron.

**SENGHOR** (Léopold Sédar) ~ *1906, Joal.* Homme d'État et écrivain sénégalais. Il fut secrétaire d'État dans le cabinet Faure en 1955-1956 et président de la République du Sénégal de 1960 à 1980. Illustrant le concept de négritude forgé par A. Césaire, il s'est révélé comme un grand poète lyrique (*Chants d'ombre*, 1945 ; *Nocturnes*, 1961). Acad

*Léopold Sédar Senghor, lors de sa réception à l'Académie française (1983).*

**SENLIS** ~ V. hist. de l'Oise ; 14 439 h. Cathédrale gothique Notre-Dame (XIIe-XVIe s.). Enceinte gallo-romaine. Vestiges du château royal (XIIe-XVe s.). Maisons médiévales, hôtels particuliers (XVIIe-XVIIIe s.). Musée de la Vènerie.

**SENNACHÉRIB** ~ Roi d'Assyrie de 705 à 681 av. J.-C. Fils et successeur de Sargon II, il combattit des révoltes en Syrie, en Palestine et à Babylone.

**SENNETT** (Michael **Sinnott**, dit Mack) ~ *1880, Richmond, Canada - 1960, Los Angeles.* Réalisateur, producteur et acteur américain. Formé par D. W. Griffith, il fonda en 1912 la Keystone Company, qui symbolisa l'âge d'or du burlesque américain. Découvreur de talents, il lança B. Keaton, H. Langdon et Ch. Chaplin.

**SÉNONAIS** (le) ~ Région agricole de Sens, dans le N. de la Bourgogne, plaine crayeuse arrosée par l'Yonne. Céréales, vergers, vigne.

**Senones, Sénons** ou **Sénonais** (les) ~ Peuple de Gaule de la région de Sens (Agedincum), allié de Vercingétorix contre Rome au Ier s. av. J.-C.

**Sénoufos** (les) ~ Peuple d'agriculteurs vivant dans le S. du Mali et le N. de la Côte d'Ivoire.

**Senousis** (les) ~ Confrérie musulmane (1837-1930). Fondée par Mohammed ibn Ali al-Senousi (*v. 1792-1859*), elle lutta contre les Français et les Italiens en Libye. En 1949, les Britanniques appuyèrent la création d'un royaume sénousiste en Cyrénaïque au profit de Mohammed Idris al-Senousi (Idris Ier, roi de Libye, 1951-1969).

**SÉNOUSRET** ~ Voir **Sésostris.**

**SENS** ~ V. de l'Yonne ; 27 082 h. (agglom. 36 221 h.). Archevêché. Cathédrale Saint-Étienne (XIIe s., l'un des plus anc. édifices gothiques français). Palais synodal (XIIIe s.), restauré par Viollet-le-Duc. Conquise par le duc de Bourgogne, Sens, capitale du Sénonais, revint au royaume de France en 1055.

**SENSÉE** (la) ~ Riv. du N. de la France (60 km), affluent (r. g.) de l'Escaut, reliée par un canal (25 km) à la Scarpe.

**SEO DE URGEL**, en catalan ***La Seu d'Urgell*** ~ V. d'Espagne, dans les Pyrénées catalanes, sur la Sègre (affl. de l'Èbre), au S. de l'Andorre ; env. 10 000 h. Tourisme. Évêché, dont le titulaire est coprince de l'Andorre avec le président de la République française. Églises médiévales.

**SÉOUL** ~ Cap. de la Corée du Sud, près de la frontière nord-coréenne, centre économique (50 % de la richesse nationale) et culturel du pays ; 10 628 000 h. (1/4 de la popul.). Industries de transformation dominantes. Capitale depuis 1392, Séoul a connu une croissance fulgurante au XXe s. et a été modernisée après les destructions dues à la guerre de Corée (1950-1953). Elle a abrité les jeux Olympiques d'été de 1988.

**Sept Ans (guerre de)** ~ Guerre qui opposa la France, l'Autriche et leurs alliés à la Prusse et à la Grande-Bretagne de 1756 à 1763. Due à la rivalité coloniale franco-britannique (en Inde, en Amérique du Nord) et à la volonté de l'Autriche de reprendre la Silésie à la Prusse, elle fut marquée par les défaites françaises à Rossbach (1757), en Amérique et en Inde. Par le traité de Paris (10 févr. 1763), la France perdit ses possessions de l'Inde, le Canada et la Louisiane. Par le traité de Hubertsbourg (15 févr. 1763), la Prusse conserva la Silésie.

**Septante (version des)** ~ Traduction grecque de l'Ancien Testament hébraïque effectuée aux IIIe et IIe s. av. J.-C. Selon la légende, on la doit à 72 rabbins issus des tribus d'Israël.

**Sept Chefs (guerre des)** ~ Expédition légendaire menée par Adraste et les héros argiens pour rétablir Polynice sur le trône de Thèbes, que son frère Étéocle refusait de partager avec lui.

**Septembre (massacres de)** ~ Massacres perpétrés du 2 au 6 septembre 1792 par des bandes armées dans les prisons de Paris. Encouragés par Marat et couverts par Danton, ils inaugurèrent la Terreur.

**septembre 1870 (journée révolutionnaire du 4)** ~ Insurrection parisienne déclenchée par l'annonce de la capitulation de Napoléon III à Sedan (1er sept.). Au Palais-Bourbon, envahi par les manifestants, les députés républicains (not. L. Gambetta, J. Favre, J. Ferry) proclamèrent la déchéance de la dynastie, puis, à l'Hôtel de Ville, l'avènement de la République, et instaurèrent le gouvernement provisoire de la Défense nationale.

**SEPT-ÎLES** ~ Port du Canada (Québec), sur l'estuaire du Saint-Laurent (r. g.) ; env. 30 000 h. Débouché de la voie ferrée apportant le minerai de fer du Labrador.

**SEPTIMANIE** (la) ~ Anc. région de la Gaule méridionale, entre le Rhône et les Pyrénées. Elle fut occupée par les Wisigoths (à partir de 507), reconquise par Pépin le Bref et rattachée au royaume franc (759).

**SEPTIME SÉVÈRE**, en lat. ***Lucius Septimius Severus Pertinax*** ~ *146, Leptis Magna - 211, Eburacum, auj. York.* Empereur romain (193-211). Autoritaire, il s'appuya sur l'armée au détriment du sénat. Il prit la Mésopotamie aux Parthes et en fit une province (199). Ses fils, Geta et Caracalla, héritèrent de l'empire.

**Séquanes, Séquanais** ou **Séquaniens** (les) ~ Peuple de Gaule installé entre la Seine et le Jura (cap. Vesontio, auj. Besançon), vaincu par César en 58 av. J.-C.

**SERAING** ~ V. de Belgique, sur la Meuse (province de Liège) ; 61 000 h. Sidér., métall., verrerie.

**SÉRAM** ~ Voir **Céram.**

**Serapeum** ~ Nécropole souterraine d'Égypte (Saqqarah). Autrefois surmontée d'un temple, elle fut explorée (1850-1851) par A. Mariette et révéla des sépultures de taureaux représentant Apis, ornées d'importants bijoux funéraires (XVIIIe dynastie, XVIe-XIIIe s. av. J.-C.).

**SÉRAPIS** ou **SARAPIS** ~ Divinité gréco-égyptienne. Il se confond avec Apis dans l'ancienne Égypte, où Ptolémée Ier bâtit le Serapeum en son honneur. Son culte se répandit en Grèce et à Rome.

**SERBIE** (la), en serbo-croate ***Srbija*** ~ République fédérée de Yougoslavie (en association avec le Monténégro depuis 1992). ***Cap.*** Belgrade. ***Superf. et Popul.*** 55 968 km², 5 809 000 h. (88 361 km², 9 854 000 h. avec la Vojvodine et le Kosovo ; Albanais 17 %, Hongrois 3 %). ***Langues princ.*** Serbo-croate (officielle), albanais. ***Monn.*** Nouveau dinar. ***Relief.*** Montagneux (confins du Balkan, du Rhodope, des Alpes dinariques, alt. max. 2 000-2 500 m), accidenté, entaillé de gorges et de vallées fluviales (Timok, Morava, axe privilégié entre les plaines d'Europe centrale et la Méditerranée), avec au N. (Voïvodine) les confins de la plaine pannonienne. ***Climat.*** Continental. ***Écon.*** La Voïvodine et l'O., fertiles (blé, maïs, fourrage, vigne et fruits sur les piémonts, élev.), s'opposent à l'E., plus pauvre (vallée du Timok exceptée : maïs, vigne). Industries diversifiées, surtout dans la région de Belgrade, fondées sur des ressources minières (lignite, cuivre, plomb, zinc), l'hydroélectricité (aménagement du Danube aux Portes de Fer) et le gaz naturel. Centrale nucléaire (Belgrade). ***V. princ.*** Belgrade, Novi Sad, Niš. **HIST.** - *VIe-VIIe s.* : l'Illyrie romano-byzantine est envahie par les Slaves. *XIe s.* : autour de Ras (évêché en 925) s'organise un État slave du S. vassal de Byzance, la Rascie. *Fin du XIIe s.* : son chef Étienne Nemanja émancipe le pays et annexe la Zeta voisine. *1217* : Étienne Ier, fils du précédent, est couronné roi par le légat du pape. La Serbie, dotée d'une Église orthodoxe autocéphale, est née. *1346* : la dynastie des Nemanjić atteint son apogée avec Étienne IX Dušan, couronné empereur des Serbes et des Grecs ; il fait de la Serbie du Nord la première puissance balkanique. *1389* : les Turcs battent les Serbes au Kosovo Polje. *1459* : ils achèvent la conquête du pays. *XVe-XVIIIe s.* : les guerres entraînent la migration vers le N. d'une partie des Serbes, qui abandonnent la région du Kosovo. *1718-1739* : la Serbie est occupée par l'Autriche. *1804* : Karadjordjević dirige une insurrection, prend Belgrade (1806) et se fait proclamer prince héréditaire des Serbes (1808). *1829* : Miloš Obrenović obtient des Ottomans la reconnaissance de la Serbie comme principauté autonome héréditaire. *1867* : évacuation des troupes ottomanes. *1878* : l'indépendance de la Serbie est reconnue par le traité de Berlin. *1882* : son souverain, Milan Obrenović, prend le titre de roi. *1903* : Alexandre Obrenović, son fils et successeur, est assassiné et remplacé par Pierre Ier, descendant de Karadjordjević, qui se rapproche de la Russie et de la France. *1913* : au terme des guerres balkaniques, la Serbie, qui n'a pu empêcher l'Autriche-Hongrie d'annexer la Bosnie-Herzégovine (1908), gagne la Macédoine occidentale et le N. du sandjak de Novi Pazar. *27 juill. 1914* : à la suite de l'attentat de Sarajevo, l'Autriche-Hongrie déclare la guerre à la Serbie, qui est occupée à partir de 1915. *1er déc. 1918* : le fils du roi Pierre Ier, Alexandre, proclame le royaume des Serbes, des Croates et des Slovènes, qui deviendra la Yougoslavie en 1929. *1941-1944* : un État serbe est créé sous tutelle allemande. *1945* : il forme une des six républiques de la nouvelle Yougoslavie communiste de Tito. Son territoire comprend la Vojvodine, enlevée à la Hongrie en 1918. *1986* : Slobodan Milošević, premier secrétaire de la Ligue des communistes de Serbie, mène une campagne nationaliste. *1990* : une nouvelle Constitution supprime l'autonomie de la Vojvodine et du Kosovo et instaure le multipartisme. Milošević est élu président de la République et son parti (socialiste) gagnera les élections législatives de 1993. *Juillet 1991* : alors que la Yougoslavie éclate, le soutien apporté par la Serbie aux Serbes de Croatie et de Bosnie-Herzégovine entraîne une série d'opérations militaires et de transferts de populations dans ces républiques. *Avr. 1992* : la Serbie forme avec le Monténégro une nouvelle république de Yougoslavie, auj. en voie de reconnaissance par la communauté internationale, contre laquelle l'O. N. U. décrète alors un embargo économique. *1993-1994* : l'embargo est renforcé. Milošević tente de faire adopter le plan de paix Vance-Owen (refusé par les Serbes de Bosnie) puis, à partir de 1994, celui du « Groupe de contact ». *1995* : la communauté internationale tente d'obtenir la reconnaissance de la Bosnie-Herzégovine contre la levée de l'embargo. Les Serbes et les Croates signent un accord sur la Slavonie orientale, dont le territoire sera administré par l'O. N. U. (12 nov.). Les accords de Dayton (États-Unis) du 22 novembre, paraphés par Milošević au nom de tous les Serbes malgré le désaccord des séparatistes de Radovan Karadzič, instaurent le cessez-le-feu en Bosnie-Herzégovine et décident des conditions de son partage ethnique (Croato-Musulmans, 51 % ; Serbes, 49 %). *1996-1997* : des manifestations (not. à Belgrade) en faveur des libertés démocratiques remettent en cause la légitimité de Milosević.

**SERCQ**, en angl. ***Sark*** ~ Île de l'archipel anglo-normand (Royaume-Uni) dépendant du bailliage de Guernesey ; 5,5 km², 600 h.

**SEREIN** (le) ~ Riv. de Bourgogne, affl. de l'Yonne (r. dr.) ; 186 km.

**SERENA (La)** ~ V. du N. du Chili central qui forme avec Coquimbo un ensemble portuaire d'env. 240 200 h. Archevêché. Export. du cuivre.

**Serers** ou **Sérères** (les) ~ Peuple d'agriculteurs du Sénégal.

**SERGE** ~ *m. en 638.* Patriarche de Constantinople (610-638). Conseiller d'Héraclius Ier, il fut l'inspirateur d'une hérésie, le monothélisme.

**SERGE DE RADONÈGE** (saint) ~ *v. 1314, près de Rostov - 1392, monastère de la Trinité-Saint-Serge, auj. Sergueï Possad.* Moine russe. Il fonda le monastère de la Trinité-Saint-Serge (1340), qui devint le foyer de l'orthodoxie russe.

**Sergents de La Rochelle (les Quatre)** ~ Sous-officiers en garnison à La Rochelle qui, soupçonnés de conspirer avec les carbonaros, furent condamnés et exécutés à Paris, en 1822.

**SERGIPE** (le) ~ Petit État du Nordeste (Brésil), au N. de l'État de Bahia ; 21 863 km², 1 492 000 h., cap. Aracaju (402 000 h.). Gaz naturel offshore, canne à sucre.

**SERGUEÏ POSSAD**, anc. **Zagorsk** de 1930 à 1991 ~ V. de Russie, près de Moscou ; env. 115 000 h. Monastère de la Trinité-Saint-Serge, fondé en 1340, important foyer religieux et culturel du XVe au XVIIIe s., abritant le tombeau de Boris Godounov. Musée des Arts appliqués et du Jouet.

**SERLIO** (Sebastiano) ~ *1475, Bologne - v. 1554, Fontainebleau ou Lyon.* Architecte et théoricien italien. Propagateur du classicisme de la Renaissance, il travailla en France (1541), notamment à Fontainebleau. Son *Traité d'architecture* (1537-1547) eut une influence dans toute l'Europe.

**SERNIN** (saint) ~ Voir **Saturnin.**

**SERPA PINTO** (Alexandre Alberto **da Rocha**) ~ *1846, Tendais - 1900, Lisbonne.* Explorateur portugais. Gouverneur général du Mozambique (1889), il tenta de réunir ce dernier à l'Angola, mais dut capituler devant la Grande-Bretagne (1890).

**SERPOLLET** (Léon) ~ *1858, Culoz, Ain - 1907, Paris.* Ingénieur et industriel français. Il conçut la chaudière à vaporisation instantanée (1881), utilisée sur les automobiles à vapeur mais détrônée par le moteur à essence.

**SERRANO Y DOMÍNGUEZ** (Francisco), duc **de la Torre** ~ *1810, Isla de León, auj. San Fernando, Cadix - 1885, Madrid.* Maréchal et homme politique espagnol. Ministre sous Isabelle II, il contribua à sa chute (1868). Régent de 1869 à 1871, il devint chef du gouvernement sous Amédée de Savoie.

**SERRAULT** (Michel) ~ *1928, Brunoy, Essonne.* Acteur français. Il a fait carrière au théâtre avec Jean Poiret avant de s'imposer à l'écran (*la Cage aux folles*, d'Édouard Molinaro, 1973 ; *Garde à vue*, de Claude Miller, 1981).

**SERRE** (Jean-Pierre) ~ *1926, Bages, Pyrénées-Orientales.* Mathématicien français. Il a étudié la théorie des nombres et la topologie algébrique, découvrant les espaces analytiques complexes avec H. Cartan (1952). Médaille Fields 1954.

**SERRE-CHEVALIER** ~ Station de sports d'hiver (1 200-2 800 m) du Briançonnais (Hautes-Alpes).

**Serre-Ponçon (barrage de)** ~ Barrage sur la Durance (Hautes-Alpes), formant un lac de 30 km$^2$. Centrale hydroélectrique.

**SERRES** (Michel) ~ *1930, Agen.* Philosophe français. Loin des rigueurs de l'épistémologie, il a composé une histoire des sciences centrée sur l'opposition du particulier et de l'universel, du local et du global, de l'éclectique et du systématique (série *Hermès I-V*, 1969-1980). Acad.

© J. Mimouni/Liaison-Gamma

*Michel Serres.*

**SERRES** (Olivier DE) ~ *1539, Villeneuve-de-Berg - 1619, Le Pradel.* Agronome français. Il améliora l'agriculture en préconisant l'assolement pour l'alimentation du bétail et introduisit en France le mûrier, le houblon et la garance.

**SERS** ~ Localité de la Charente ; 633 h. Abri-sous-roche (**roc de Sers**) recelant des bas-reliefs du Gravettien et du Solutréen.

**SERTÃO** (le) ~ Zone semi-aride du Nordeste brésilien, couvrant l'intérieur des États de la région, foyer d'émigration rurale. Végétation arbustive et d'épineux (caatinga). Élevage extensif.

**SERTORIUS**, en lat. ***Quintus Sertorius*** ~ *v. 123, Nursia, Sabine - 72 av. J.-C., en Espagne.* Général romain. Partisan de Marius, il aida les Lusitaniens à combattre les partisans de Sylla et organisa une république romaine à Osca (auj. Huesca), en Espagne. Allié de Mithridate le Grand (75 av. J.-C.), il fut assassiné par ses propres officiers.

**SÉRURIER** (Jean Philibert, comte) ~ *1742, Laon - 1819, Paris.* Maréchal de France (1804). Il vota la déchéance de Napoléon I$^{er}$ mais se rallia à lui pendant les Cent-Jours.

**SÉRUSIER** (Paul) ~ *1864, Paris - 1927, Morlaix.* Peintre français. Reprenant les principes cloisonnistes d'Émile Bernard et les théories synthétistes de Gauguin, il influença le groupe des nabis.

**SERVANCE (ballon de)** ~ Sommet du S. des Vosges ; 1 216 m.

**SERVANDONI** (Giovanni Niccolo) ~ *1695, Florence - 1766, Paris.* Architecte et décorateur italien. Célèbre pour la richesse ornementale de ses décors d'opéras, il manifesta en architecture un goût classique (façade de l'église St-Sulpice, Paris).

**SERVANTY** (Lucien) ~ *1909, Paris - 1973, Toulouse.* Ingénieur aéronauticien français. Il conçut le Triton, 1$^{er}$ avion à réaction français (1946), le Trident, monoplace supersonique (1953), et le Concorde, long-courrier supersonique (1969).

**SERVET** (Michel), dit Michel **de Villanueva** ~ *1511, Tudela, Navarre, ou Villanueva de Sigena, Aragon - 1553, Genève.* Médecin, philosophe et théologien espagnol. Condamné par l'Inquisition pour avoir nié les dogmes de la Trinité et de la divinité de Jésus-Christ, il s'exila à Genève, où il fut brûlé par les calvinistes pour avoir critiqué l'*Institution de la religion chrétienne*, de Calvin.

**Service du travail obligatoire** (S. T. O.) ~ Service institué le 16 février 1943 par le gouvernement Laval, sous la pression des Allemands, pour fournir de la main-d'œuvre aux usines allemandes. Il mobilisa 875 000 Français en Allemagne et 738 000 en France.

**SERVIUS TULLIUS** ~ Sixième roi de Rome (578-535 av. J.-C.). On lui a attribué des réformes postérieures à son règne (division de la population en cinq classes censitaires) et une muraille entourant les sept collines de Rome.

**SERVRANCKX** (Victor) ~ *1897, Diegem, près de Bruxelles - 1965, Vilvoorde.* Peintre belge. Pionnier de l'abstraction en Belgique (*Opus 47*, 1923), il subit l'influence du surréalisme avant de se rallier à un purisme chromatique et géométrique (*Opus 5*, 1954).

**SÉSOSTRIS** ou **SÉNOUSRET** ~ Nom de trois pharaons de la XII$^e$ dynastie, dont **Sésostris III** (*1878 - 1842 av. J.-C.*), qui étendit l'influence de l'Égypte en Palestine, Syrie, Crète et Nubie.

**SESSHŪ** ~ *1420, Akahama - 1506, Yamaguchi.* Peintre japonais. Formé en Chine, il fonda au Japon une école paysagiste. Son style ferme et délicat se manifeste dans des œuvres aux tons nuancés ou monochromes.

**SESTRIÈRES**, en ital. ***Sestriere*** ~ Station de sports d'hiver d'Italie (Piémont), à l'O. de Turin.

**SÈTE** ~ 1$^{er}$ port de pêche et de commerce languedocien (Hérault), entre l'étang de Thau et la Méditerranée ; 41 501 h. (agglom. 63 833 h.). Pétrochimie, agroalimentaire. Cimetière marin (mont Saint-Clair).

**SETH** ~ Personnage biblique, 3$^e$ fils d'Adam et Ève. Il naquit après le meurtre d'Abel par Caïn.

**SETI** ou **SETHI** ~ Nom de deux pharaons de la XIX$^e$ dynastie, dont **Seti I$^{er}$**, fils de Ramsès I$^{er}$ et père de Ramsès II, qui régna de 1294 à 1279 av. J.-C. et reconquit la Syrie.

**SÉTIF** ~ Voir **Stif**.

**SETO NAIKAI** ~ Voir **Intérieure** (mer).

**SETTONS (lac des)** ~ Lac artificiel (4 km$^2$) du Morvan, régulateur des crues de l'Yonne (barrage achevé en 1858). Base de loisirs nautiques.

**SETÚBAL** ~ 3$^e$ port du Portugal, près de Lisbonne ; 83 000 h. Pêche, conserveries, chimie, constr. navales. Église gothique et manuéline de l'ancien monastère de Jésus (fin XV$^e$ s.).

**SEUDRE** (la) ~ Fl. côtier de l'O. de la France (Charente-Maritime) ; 69 km. Ostréiculture dans l'estuaire.

**SEURAT** (Georges) ~ *1859, Paris - 1891, id.* Peintre et dessinateur français. Maître du pointillisme, il radicalisa les conceptions impressionnistes de la couleur, prônant la division de la touche et le contraste simultané des tons (*Un dimanche après-midi à la Grande Jatte*, 1884-1885 ; *les Poseuses*, 1888 ; *le Cirque*, 1890-1891). Cofondateur avec P. Signac du salon des Indépendants (1884), il influença les fauves et les cubistes. [☞ **pointillisme.**]

**SEVAN (lac)** ~ Grand lac naturel d'Arménie (1 416 km$^2$, alt. 1 900 m), relié à l'Araxe par le Razdan. Anc. églises arméniennes sur ses rives.

**SÉVERAC (causse de)** ~ L'un des Grands Causses du Massif central (Aveyron), à l'O. du causse de Sauveterre, entre le Lot et l'Aveyron.

**SÉVERAC** (Déodat DE) ~ *1872, Saint-Félix-de-Caraman, auj. Saint-Félix-Lauragais - 1921, Céret.* Compositeur français. Il égaya de vives couleurs méridionales ses croquis pianistiques (*En Languedoc*, 1903-1904 ; *Cerdaña*, 1908-1911).

**SÉVÈRE**, en lat. ***Flavius Valerius Severus*** ~ *m. en 307 à Rome.* Empereur romain (306-307). Nommé césar par Dioclétien (305) puis auguste par Galère, il fut vaincu par Maxence et exécuté.

**SÉVÈRE**, en lat. ***Libius Severus*** ~ *m. en 465 à Rome.* Empereur romain d'Occident (461-465). Il ne put empêcher l'invasion de l'Italie par les Vandales.

**SÉVÈRE ALEXANDRE**, en lat. ***Marcus Aurelius Severus Alexander*** ~ *v. 206, Arca Caesarea, Phénicie - 235, près de Mayence.* Empereur romain (222-235). Successeur de son cousin Élagabal, il laissa gouverner sa grand-mère Julia Maesa et ses conseillers Ulpien et Paul. Il refoula les Perses sassanides (232), mais parut incapable de repousser les Germains et fut assassiné par son armée. Une période d'anarchie militaire s'ensuivit (235-270).

**Sévères** (les) ~ Dynastie d'empereurs romains qui régna de 193 à 235, représentée par Septime Sévère, Geta, Caracalla, Élagabal et Sévère Alexandre.

**SÉVERIN** (saint) ~ *m. v. 482.* Moine originaire d'Orient. Il évangélisa le Norique (l'Autriche actuelle). Ses reliques sont vénérées à Naples.

**SEVERINI** (Gino) ~ *1883, Cortona, prov. d'Arezzo - 1966, Paris.* Peintre italien. Installé à Paris en 1906, il tenta d'allier futurisme, cubisme et divisionnisme (*le Chat noir*, 1911), puis il évolua vers l'abstraction géométrique (*Pas de deux*, 1950).

**SEVERN** (la) ~ Princ. fl. de l'O. de l'Angleterre, né au pays de Galles, qui rejoint l'Atlantique par le canal de Bristol ; 290 km.

**SEVERNAÏA ZEMLIA** (la) ~ Archipel russe glacé et inhabité de l'océan Arctique, séparant la mer de Kara de la mer des Laptev ; 37 000 km$^2$.

**SEVERODVINSK** ~ Port du N. de la Russie, à l'O. d'Arkhangelsk, sur la mer Blanche ; 250 000 h. Constr. navales, industr. du bois. Pêche.

**SÉVIGNÉ** (Marie **de Rabutin-Chantal**, marquise DE) ~ *1626, Paris - 1696, Grignan.* Épistolière française. Ses *Lettres* (publiées en 1726), empreintes de naturel, sont un incomparable témoignage de l'esprit du siècle de Louis XIV.

© P. Tetrel-Explorer

*Madame de Sévigné.*

**SÉVILLE** ~ Cap. et métropole de l'Andalousie, 1$^{er}$ port fluvial et 4$^e$ ville d'Espagne, au débouché du Guadalquivir en plaine, centre comm., industr. (text., métall., vin, huile) et touristique ; 659 000 h. Archevêché. Université fondée en 1502. Giralda (minaret de l'anc. mosquée, XII$^e$ s.), cathédrale gothique (XV$^e$-XVI$^e$ s.), palais de l'Alcazar (styles mauresque et gothique), palais et églises baroques ou mudéjars (XVI$^e$ et XVII$^e$ s.), maisons mauresques. Musée des Beaux-Arts (peintures du Siècle d'or). Site de l'Exposition universelle de 1992. Feria. **HIST.** - D'origine carthaginoise, conquise par les Arabes en 712, Séville fut une capitale florissante sous le règne des Abbadides. En 1248, Ferdinand III de Castille la conquit. Au confluent de l'Atlantique et de la Méditerranée, elle devint le port d'attache des navires à la conquête de l'Amérique et le plus important centre commercial du royaume (XVI$^e$ s.). Au XVIII$^e$ s., la perte des colonies américaines la fit décliner. Elle fut occupée par les nationalistes lors de la guerre civile (1936).

**SEVRAN** ~ V. de la banlieue N. de Paris (Seine-Saint-Denis) ; 48 478 h. Parc forestier.

**SÈVRE NANTAISE** (la) ~ Affl. de la Loire (r. g.) inf., issu de la Gâtine vendéenne ; 126 km.

**SÈVRE NIORTAISE** (la) ~ Fl. côtier de l'O. de la France qui traverse le Marais poitevin et rejoint l'Atlantique dans l'anse de l'Aiguillon ; 150 km.

**SÈVRES** ~ V. de la banlieue S.-O. de Paris (Hauts-de-Seine), dominant la Seine (r. g.) ; 21 990 h. Manufacture nationale de porcelaine (anc. manufacture royale, installée à Sèvres en 1756). Musée. Bureau international des poids et mesures.

**SÈVRES (Deux-)** ~ Dép. de la Région Poitou-Charentes, aux confins occidentaux des Bassins parisien et aquitain ; 6 036 km$^2$, 345 965 h. (exode rural important). Entre deux régions de plaines consacrées aux céréales et aux herbages (N.-E. et S.), les hauteurs de la Gâtine vendéenne (259 m) sont le domaine de l'élevage bovin. Les activités industrielles sont secondaires et fondées sur les ressources locales : conserves, confiseries (angélique), cuir et bois. Niort (préfect.), seule ville importante, est le siège de nombreuses mutuelles.

**Sèvres (traité de)** ~ Traité signé le 10 août 1920 entre les Alliés et l'Empire ottoman, qui consacra le démantèlement de ce dernier. Il fut révisé par le traité de Lausanne (24 juill. 1923), après la victoire de Kemal Atatürk sur les Grecs.

**SEXTUS EMPIRICUS** ~ *IIe - IIIe s.* Philosophe, médecin et astronome grec. Son œuvre, source d'informations sur la philosophie et la science antiques (*Hypotyposes pyrrhoniennes* ; *Adversus Mathematicos*), construit, contre le dogmatisme stoïcien, un empirisme au fondement de la tradition sceptique.

**SEYCHELLES (république des)** ~ Archipel volcanique et corallien de l'océan Indien, au N.-E. de Madagascar. ***Cap.*** Victoria. ***Superf.*** 455 km². ***Popul.*** 72 000 h. ***Langues.*** Anglais, français, créole. ***Monn.*** Roupie des Seychelles. ***Île princ.*** Mahé. ***Climat.*** Tropical. ***Ress.*** Tourisme. Pêche. Thé, vanille. **HIST.** – L'archipel, découvert par les Portugais au début du XVIe s., fut annexé par la France en 1742 puis par la Grande-Bretagne en 1804. Indépendante dans le cadre du Commonwealth depuis 1976 sous la présidence de James Mancham, la république est présidée par France Albert René depuis 1977 et n'a été ouverte au multipartisme qu'en 1991.

**SEYMOUR** (Edward), duc **de Somerset** ~ *v. 1500 - 1552, Londres.* Frère de Jeanne Seymour. Il assura la régence durant la minorité d'Édouard VI, renforçant le protestantisme en Angleterre. Il fut détrôné par J. Dudley et exécuté.

**SEYNE-SUR-MER (La)** ~ V. du Var, sur la rade de Toulon ; 59 968 h. Chantiers navals, aujourd'hui en crise.

**SFAX** ~ Port et 2e v. de Tunisie, métropole du S. du pays, sur le golfe de Gabès ; 232 000 h. Exportation de prod. agricoles (huile d'olive) et de phosphates. Engrais. Pêche. Médina (remparts du Xe s.). Mosquée du Xe s. (remaniée).

**S. F. I. O.** ~ Voir **Section française de l'Internationale ouvrière.**

**SFORZA**, seconde dynastie ducale de Milan qui régna de 1450 à 1535, fondée par ~ **Muzio** (ou **Giacomo**) **Attendolo** (*1369, Cotignola - 1424, près de Pescara*), condottiere. Son fils ~ **François Ier** (*1401, San Miniato - 1466, Milan*) fut reconnu duc de Milan en 1450. ~ **Galéas-Marie** (*1444, Fermo - 1476, Milan*), fils du préc., duc de Milan en 1466, fut assassiné. ~ **Jean-Galéas** (*1469, Abbiategrasso - 1494, Pavie*), fils du préc., régna sous la tutelle de sa mère, Bonne de Savoie, avant d'être écarté par son oncle Ludovic (voir **Ludovic Sforza le More**). ~ **Maximilien** (*1493 - 1530, Paris*), fils de Ludovic, duc de Milan en 1512, perdit son duché après Marignan (1515). ~ **François II** (*1495 - 1535*), frère du préc., récupéra ses États en 1521 grâce à Charles Quint, qui en hérita à sa mort.

**SHAANXI** ou **CHEN-SI** (le) ~ Prov. du centre de la Chine, au S. du Huang He, partagée entre des plateaux couverts de lœss, la riche vallée agricole de la Wei et le massif des Qin Ling au S. (climat rude au N., doux au S.) ; 195 800 km², 32 470 000 h., cap. Xi'an. Céréales, soja, lin, coton, chanvre, élevage. Hydrocarbures, charbon, uranium, équipements ferrov., constr. mécan., électr., centrale nucléaire, text. dans les v. princ. (Xi'an, Baoji, Hanzhong). **HIST.** – La vallée de la Wei est le berceau de la Chine ancienne (dynasties Qin, Han, Tang). À Lintong, l'armée de terre cuite découverte en 1974 garde probablement le mausolée de l'empereur Qin Shi Huangdi. En 1935, au terme de la Longue Marche, Mao Zedong y installa le siège du parti communiste, à Yan'an.

**SHABA** (le), anc. **Katanga** ~ Prov. et riche région minière du S.-E. du Zaïre, dominée à l'E. par le rebord montagneux de la Rift Valley ; 496 965 km², 5 207 000 h. Le cuivre et les métaux non ferreux représentent 50 % des ressources du Zaïre. Métall. à Lubumbashi (cap. région.) et à Kolwezi. Du XVe au XVIIIe s., les royaumes Luba et Lunda contrôlèrent la région. Après l'indépendance (1960), les rébellions du Katanga (1963) puis du Shaba (1977-1978) furent jugulées grâce à des interventions étrangères.

**SHAFTESBURY** (Anthony Ashley **Cooper**, 1er comte DE) ~ *1621, Wimborne - 1683, Amsterdam.* Homme politique anglais. Passé du camp royaliste au camp parlementaire pendant la guerre civile, il contribua finalement à la restauration des Stuarts (1660). De nouveau dans l'opposition, il dut fuir en Hollande (1682) pour s'être compromis dans la conspiration de Monmouth.

**SHAHPUR** ~ Voir **Chahpour.**

**SHAKESPEARE** (William) ~ *1564, Stratford-upon-Avon - 1616, id.* Auteur dramatique anglais. Il s'imposa comme le plus grand maître du théâtre élisabéthain. Son œuvre est traditionnellement divisée en trois périodes : dans un premier temps, des comédies (*la Mégère apprivoisée*, 1592-1594 ; *les Joyeuses Commères de Windsor*, 1599), des féeries (*le Songe d'une nuit d'été*, 1595) et des grandes fresques historiques (*Richard III*, 1592-1593 ; *Roméo et Juliette*, 1594-1595 ; *Henri V*, 1598 ; *Jules César*, 1599) ; dans un deuxième temps, des tragédies qui, par leur puissance dramatique et leur pessimisme philosophique, ont instauré des mythes universels (*Hamlet*, 1600 ; *Othello*, 1604 ; *Macbeth*, 1605 ; *le Roi Lear*, 1606) ; la dernière période marque un retour à la fantaisie et au romanesque (*la Tempête*, 1611). On lui doit également un recueil de *Sonnets* (parus en 1609).

**SHAMIR** (Yitzhak) ~ *1915, Białystok, Pologne.* Homme politique israélien. Ancien membre du groupe Stern et successeur de M. Begin à la direction du Likoud, il a été Premier ministre (1983-1984 et 1986-1992).

**SHANDONG** ou **CHAN-TONG** (le) ~ Prov. de l'E. de la Chine, bordée à l'E. par la mer Jaune, comprenant la **péninsule du Shandong** et la plaine du Huang He, au climat modéré et humide ; 153 300 km², 83 500 000 h., cap. Jinan. Céréales, arachide, patate douce, coton, tabac, sériciculture. Charbon, pétrole. Pêche. Industries à Jinan et Qingdao (sidér., chimie). Mont sacré du Tai Shan.

**SHANGHAI** ou **CHANG-HAI** ~ La plus grande v. de Chine, 1er port du pays, dans la plaine deltaïque formée par le Yangzi Jiang et le Huangpu Jiang ; 8 760 000 h. Dotée d'un statut de municipalité autonome (6 186 km², 13 500 000 h.) dépendant directement du gouvernement central, la ville doit son exceptionnel développement à une longue tradition commerciale et industrielle, à sa situation au débouché d'une riche région agricole et à la création de zones économiques et technologiques spéciales. L'industrie est localisée dans des villes satellites. Universités, académie des sciences. Musées (dont l'un renferme d'inestimables collections). Jardin mandarin Yuyuan (XVIe s.), temple de Confucius. De 1843 à 1949, les puissances occidentales y occupèrent des concessions (not. la France, de 1849 à 1946). La ville prit son essor à cette époque.

*Le vieux Shanghai.*

**SHANKAR** (Ravi) ~ *1920, Bénarès.* Compositeur et sitariste indien. Improvisateur de génie, il a influencé certaines tendances du jazz (J. Coltrane) et de la musique contemporaine (Ph. Glass).

**SHANNON** (le) ~ Fl. princ. d'Irlande, qui se jette dans l'Atlantique par un vaste estuaire commençant à Limerick ; 368 km. Hydroélectricité, pêche du saumon.

**SHANNON** (Claude Elwood) ~ *1916, Gaylord, Michigan.* Mathématicien américain. Il a montré que l'information circulant dans des circuits électriques obéit aux lois de l'algèbre booléenne. Il a introduit les notions fondamentales d'unité d'information (le bit : 0 ou 1), de codage binaire et d'entropie. Il est l'auteur, avec W. Weaver, de la *Théorie mathématique de la communication* (1949) et a collaboré aux travaux de J. Neumann.

**SHANTOU**, **CHAN-T'EOU** ou **SWATOW** ~ Port de Chine méridionale (prov. du Guangdong), centre industriel et port franc, au débouché du bassin agricole du Han Shui ; 579 000 h.

**SHANXI** ou **CHAN-SI** (le) ~ Prov. du N. de la Chine, drainée par le Huang He et le Fen He, région de hauts plateaux couverts de lœss et de bassins agricoles fertiles ; 157 100 km², 28 180 000 h. Industrie diversifiée dans les villes principales, Taiyuan (cap. et 2e centre sidér. de Chine), Datong et Changzhi. Important patrimoine historique (grottes bouddhiques de Yungang).

**Shape** (le), sigle de ***Supreme Headquarters Allied Powers Europe*** ~ Quartier général des forces de l'Otan en Europe, d'abord installé à Rocquencourt, près de Versailles (1951), puis, après le retrait de la France du commandement intégré, en Belgique, près de Mons (1967).

**SHAPLEY** (Harlow) ~ *1885, Nashville, Missouri - 1972, Boulder, Colorado.* Astrophysicien américain. Ses recherches photométriques et spectroscopiques permirent de différencier nova et supernova, de découvrir et de déterminer la distance de nombreux amas globulaires (1914) et de préciser la structure de la Galaxie (1917).

**SHARON** ou **SARON** (le) ~ Plaine côtière d'Israël, entre Haïfa et Tel-Aviv. Vergers, horticulture.

**SHAW** (George Bernard) ~ *1856, Dublin - 1950, Ayot Saint Lawrence, Hertfordshire.* Auteur dramatique irlandais. Inspiré par les idéaux socialistes, il dénonça avec férocité la société victorienne (*Pygmalion*, 1913) tout en délivrant un message humaniste (*Sainte Jeanne*, 1923). Prix Nobel de litt. 1925.

**SHAWN** (Edwin **Myers Shawn**, dit Ted) ~ *1891, Kansas City - 1972, Orlando.* Danseur et chorégraphe américain. Fondateur, avec Ruth Saint Denis, son épouse, de la Denishawn School, il est à l'origine du festival de danse de Jacob's Pillow (*O Libertad !*, 1937 ; *Dance of the Ages*, 1938).

**SHEBELI** (le) ~ Voir **Chébéli.**

**SHEFFIELD** ~ V. du centre de l'Angleterre (South Yorkshire), à l'E. des Pennines ; 501 000 h. Anc. cap. de la coutellerie et de l'argenterie (depuis le XVIe s.), auj. centre sidér. spécialisé dans les aciers spéciaux. Université (1897). Musées.

**SHELLEY**, nom de deux écrivains britanniques. ~ **Percy Bysshe** (*1792, Field Place, Sussex - 1822, au large de La Spezia*), poète. Dans ses drames (*les Cenci*, 1819 ; *Prométhée délivré*, 1820) et dans ses poésies (*Ode au vent d'ouest*, 1820 ; *Epipsychidion*, 1821), il mêla une inspiration libertaire à un sentiment cosmique imprégné de platonisme. Sa seconde épouse ~ **Mary** (*1797, Londres - 1851, id.*) est l'auteur de *Frankenstein ou le Prométhée moderne* (1817).

**SHENYANG** ou **CHEN-YANG**, anc. **Moukden** ~ Cap. du Liaoning, dans le N.-E. de la Chine (4e v. du pays), carrefour ferroviaire et grand centre d'industr. lourde ; 3 860 000 h. Anc. capitale de la Mandchourie et du Mandchoukouo. Théâtre d'une victoire décisive du Japon lors de la guerre russo-japonaise (21 févr.-11 mars 1905).

**SHENZHEN** ou **CHEN-TCHEN** ~ V. du S. de la Chine (Guangdong), centre industriel (« zone économique spéciale », pionnière, créée en 1980) voisin de Hong Kong (text., électron., chimie) ; 250 000 h.

**SHEN Zhou** ou **CHEN Tcheou** ~ *1427, Suzhou - 1509.* Peintre paysagiste chinois. Lettré, poète et calligraphe fameux, il fonda sur la tradition son importante œuvre, qui domina l'école de Wu.

**SHEPP** (Archie) ~ *1937, Fort Lauderdale, Floride.* Saxophoniste et compositeur de jazz américain. Personnalité phare du free jazz, il mène également une action de propagation de la mémoire du jazz et d'engagement dans la lutte du peuple noir.

**SHERATON** (Thomas) ~ *1751, Stockton-on-Tees - 1806, Londres.* Ébéniste britannique. Il créa un mobilier aux formes élégantes et dépouillées, dérivées du style Louis XVI, et publia un important ouvrage, *l'Album de dessins de l'ébéniste et du tapissier* (1791-1794).

**SHERBROOKE** ~ V. du Québec (Canada), princ. v. de l'Estrie ; agglom. 139 000 h. Archevêché. Université. Industries text., métall., du bois.

**SHERIDAN** (Richard Brinsley) ~ *1751, Dublin - 1816, Londres.* Dramaturge et homme politique britannique. Auteur de comédies satiriques (*l'École de la médisance*, 1777), il fut député whig (1780) et membre du Conseil privé (1806).

**SHERMAN** (William Tecumseh) ~ *1820, Lancaster, Ohio - 1891, New York.* Général américain. Commandant une armée nordiste durant la guerre de Sécession, il organisa la Grande Marche vers la mer (1864), qui décida de la victoire du Nord.

**Sherpas** (les) ~ Peuple montagnard du Népal oriental d'orig. tibétaine. Ils fournissent porteurs et guides pour les expéditions dans l'Himalaya.

**SHERRINGTON** (sir Charles Scott) ~ *1857, Londres - 1952, Eastbourne.* Physiologiste britannique. Fondateur, avec J. Jackson, de l'école neurologique anglaise, il étudia les réflexes et les différents types de sensibilité. Prix Nobel de physiol. ou méd. 1932 avec E. D. Adrian.

**SHETLAND** ou **ZETLAND (îles)** ~ Archipel le plus au N. des îles Britanniques, au N.-E. de l'Écosse ; 1 433 km², 23 000 h., ch.-l. Lerwick (7 200 h.). Pêche, élevage (moutons, poneys). Terminal pétrolier.

**SHETLAND DU SUD (îles)** ~ Archipel britannique inhabité de l'arc insulaire Antarctique, administrativement rattaché aux îles Falkland.

**SHIJIAZHUANG** ou **CHE-KIA-TCHOUANG** ~ Cap. du Hebei, en Chine centrale, carrefour ferroviaire et centre industriel (chim., agroalim., text.) ; 1 210 000 h.

**SHIKOKU** ~ La plus petite des quatre principales îles du Japon ; 18 797 km², 4 182 000 h. Agriculture intensive et diversifiée. L'industrie est concentrée dans les villes riveraines de la mer Intérieure (Matsuyama, Takamatsu, Tokushima, Niihama).

**SHILLONG** ~ V. de l'Inde orientale, cap. et station d'altitude du Meghalaya, sur le plateau escarpé de Shillong (env. 1 500 m), entre le Brahmapoutre et le delta du Bengale, important marché agricole régional ; 131 000 h. Centre de recherche médicale et Institut Pasteur. Ancienne capitale de l'Assam (jusqu'en 1972).

**SHIMAZAKI Tôson** ~ *1872, Magome - 1943, Oiso.* Poète et écrivain japonais. Chrétien, il fut l'auteur de romans sociaux (*Transgression*, 1906).

**SHIMONOSEKI** ~ Port de pêche et centre industr. de l'extrême O. de Honshû (Japon) ; 255 000 h. Le 17 avril 1895, un traité marquant la fin de la première guerre sino-japonaise (1894-1895) y fut signé. Victorieux, les Japonais s'établirent à Formose, et la Chine reconnut l'indépendance de la Corée.

**SHINANOGAWA** (le) ~ Fl. princ. du Japon, dans l'île de Honshû, tribut. de la mer du Japon ; 370 km.

**SHIRE** (la) ~ Riv. d'Afrique orientale, émissaire du lac Malawi, affl. (r. g.) du Zambèze ; env. 400 km. Gorges et cataractes spectaculaires, hydroélectricité.

**SHI Tao** ou **CHE T'ao** ~ *v. 1641, prov. de Guangxi - v. 1720, id.* Peintre et théoricien chinois. Ses compositions libres et tourmentées caractérisent le courant individualiste de l'époque mandchoue (*Dix Mille Affreuses Taches d'encre*, 1685).

**SHIVA**, **SIVA** ou **ÇIVA** ~ Divinité hindoue constitutive de la Trimurti. À la fois le Destructeur et le Créateur, il gouverne le monde.

**SHIZUOKA** ~ V. du Japon (Honshû), centre comm. (thé vert), industriel et universitaire ; 471 000 h. Lieu de résidence du premier shogun (1607).

**SHKODËR** ou **SHKODRA** ~ V. du N. de l'Albanie, à l'E. du **lac de Shkodër** (370 km²) ; 82 000 h. Citadelle médiévale. Anc. colonie illyrienne, elle devint la capitale d'une principauté albanaise (XVe s.). Vénitienne, puis turque, elle fut prise par les Monténégrins, qui la cédèrent finalement aux Albanais en 1913.

**SHLONSKY** (Abraham) ~ *1900, Kremenchtoug, Ukraine - 1973, Tel-Aviv.* Poète israélien. Auteur d'une poésie moderniste (*Pierres de la désolation*, 1934), il traduisit Shakespeare et Molière en hébreu.

**Shoah** (la) ~ Mot hébreu signifiant « catastrophe » ou « anéantissement », et désignant le génocide du peuple juif par les nazis.

**SHOLAPUR** ~ V. de l'Inde (Maharashtra), au S.-E. de Bombay, nœud routier et ferroviaire, marché agricole (coton) ; 604 000 h. Industrie textile, studios de cinéma.

**SHOLES** (Christopher Latham) ~ *1819, Mooresburg, Pennsylvanie - 1890, Milwaukee.* Inventeur américain. Avec Samuel Soule et Carlos Glidden, il réalisa la première machine à écrire (1867), commercialisée par Philo Remington en 1873.

**SHÔTOKU Taishi** ~ *573 - 622.* Nom donné à Umayado, prince régent du Japon (600-622). Il favorisa le bouddhisme et les relations avec la Chine.

**SHREVEPORT** ~ V. et port fluvial de Louisiane (États-Unis), sur la Red River, centre d'une riche région pétrolière, gazière, industrielle (chimie, mécanique, bois) et agricole (coton) ; 199 000 h. Collèges universitaires.

**SHREWSBURY** ~ V. d'Angleterre, ch.-l. de comté (Shropshire, voisin du pays de Galles), sur la Severn ; 60 000 h. Marché aux bestiaux. Industrie électrique. Maisons à colombages (XVe s.) et Régence. Église gothique Ste-Marie (XIIIe-XVe s.), abbatiale romane et gothique (XIVe s.). En 1403, la **bataille de Shrewsbury** permit à Henri IV de consolider son pouvoir.

**SHUMWAY** (Norman Edward) ~ *1923, Kalamazoo, Michigan.* Chirurgien américain. Il a été le pionnier de la chirurgie à cœur ouvert et des transplantations cardiaques.

**SIAM** (le) ~ Voir **Thaïlande**.

**SIAM (golfe de** ou **du)** ou **THAÏLANDE (golfe de)** ~ Partie de la mer de Chine méridionale (S.-O.), qui baigne la Malaysia, la Thaïlande, le Cambodge et le Viêt Nam.

**SIAN** ~ Voir **Xi'an**.

**SIBELIUS** (Johan, dit en fr. Jean) ~ *1865, Hämeenlinna - 1957, Järvenpää.* Compositeur finlandais. Il trouva dans le sentiment national le ferment d'une création symphonique majestueuse aux coloris orchestraux souvent impressionnistes (*En Saga*, 1892 ; *Finlandia*, 1900 ; 7 symphonies, 1898-1924).

**SIBÉRIE** (la), en russe *Sibir* ~ Partie asiatique de la Russie, s'étendant sur env. 7 000 km de l'Oural à l'O. aux montagnes du Pacifique à l'E., et sur env. 3 000 km de l'océan Arctique au N. au Kazakhstan et aux confins montagneux de la Mongolie et de la Chine au S. ; env. 13 000 000 de km², env. 31 000 000 d'h., dont Russes (90 %) et peuples indigènes (moins de 1 %). Terre des extrêmes et des records dont le développement s'est fondé sur l'exploitation d'énormes réserves d'hydrocarbures, de bois et de minéraux, aujourd'hui en proie à des conflits économiques et politiques (tendances autonomistes des républiques : Iakoutie, Bouriatie, Touva, etc.) liés au souhait des populations de disposer librement de leurs ressources, la Sibérie est confrontée à de nouveaux défis consécutifs à l'affaiblissement du pouvoir central russe. Le climat est continental, froid et subpolaire, les amplitudes thermiques croissant d'O. en E. (record mondial près de Verkhoïansk : - 80 °C). Le sol est affecté au N. et dans presque tout l'E. par le permafrost et la merzlota en surface. Végétation étagée : toundra au N., taïga en Sibérie centrale et orientale, le plus grand domaine forestier du monde où vit une faune paléoarctique, steppes boisées et steppes à terres noires au S.-O. Les fleuves Ob, Irtych, Ienisseï, Lena, tribut. de l'océan Arctique, drainent de vastes bassins. Nombreux lacs dont le Baïkal. La population est dispersée et très diverse, principalement urbaine (75 %) et concentrée sur 10 % du territoire, dans les villes situées le long du Transsibérien (Omsk, Novossibirsk et v. du Kouzbass, Krasnoïarsk, Irkoutsk, Khabarovsk, Vladivostok). Elle est divisée en trois entités géographiques et économiques. La **Sibérie occidentale** (2 500 000 km², env. 15 000 000 d'h, cap. région. Novossibirsk) est une vaste dépression marécageuse, entre Oural et Ienisseï, dont le développement essentiellement industriel repose sur l'exploit. des gisements de charbon (20 % de la prod. nationale), de fer du Kouzbass, d'hydrocarbures (Tioumen, plus de 80 % de la prod.). Céréaliculture, élevage, pêche. Centrales électriques sur l'Ob. La **Sibérie centrale** (4 000 000 de km², env. 9 000 000 d'h.), ensemble de plateaux situés entre Ienisseï et Lena, couverte à plus de 50 % de forêts, est peu peuplée. L'économie est fondée sur l'exploit. intensive du bois, des gisements de cuivre (Oudokan, un des plus riches du monde), de métaux non ferreux, de charbon et de gaz naturel générant une industr. lourde (combinats de Norilsk, Bratsk, Irkoutsk). Potentiel hydroélectr. considérable (Angara, Ienisseï). L'Extrême-Orient russe correspond à l'arc montagneux qui borde le Pacifique du N. au S. (6 500 000 km² ; env. 7 000 000 d'h.). L'intérêt politique et stratégique de la région est majoré par ses ressources minières (or et diamants de Iakoutie, étain, fer, plomb, zinc), minérales (charbon, lignite, pétrole de l'île Sakhaline), forestières, et par la pêche industrielle. Les villes (dont Vladivostok et Khabarovsk), ports et bases navales du littoral se livrent à des échanges intenses avec la Chine, la Corée, le Japon. Le développement de la Sibérie n'a pu s'opérer que par l'apport massif de main-d'œuvre (déportation), des salaires élevés, une planification systématique et la construction de voies ferrées. Le Transsibérien, reliant Moscou à Vladivostok, est doublé jusqu'au Kouzbass par le Iougsib (« Sibérien du S. ») et par le B. A. M. du lac Baïkal à la mer d'Okhotsk. Les routes desservent également les franges méridionales mais les liaisons aériennes, très développées, sont le premier moyen de transport. **HIST.** - Peuplée dès le Paléolithique, lieu de passage des empires nomades (Mongols, Turcs), une grande partie de la Sibérie fut intégrée au XIIIe s. à l'Empire mongol de Gengis Khan (Horde d'Or) et organisée en khanats. L'occupation russe commença avec l'expédition cosaque de Yermak (1581-1584). Aux XVIe et XVIIe s., époque d'exploration avancée (mer de Béring, bassin de l'Amour), toute la Sibérie méridionale fut rattachée à l'empire. Le Transsibérien, achevé en 1916, donna une impulsion définitive à la colonisation. Mise en valeur sous le régime soviétique (instauré en 1918), la Sibérie recherche sa voie propre par la course à l'émancipation de ses grandes régions (Charte sibérienne de 1990).

**SIBIUDA** (Ramon) ~ Voir **Sabunde**.

**SIBOUR** (Marie Dominique Auguste) ~ *1792, Saint-Paul-Trois-Châteaux, Drôme - 1857, Paris.* Évêque de Digne, puis archevêque de Paris (1848-1857). Il fut assassiné par un prêtre auquel il avait interdit de célébrer le culte.

**Sicambres** (les) ~ Anc. peuple de Germanie (N. de la Lippe et Ruhr) soumis par les Romains en 12 av. J.-C. Au IIIe s., ils se mêlèrent aux Francs, que leur nom désigne parfois.

**Sicanes** (les) ~ Anc. peuple de Sicile (IIIe et IIe mill. av. J.-C.).

**SICARD** (Roch Ambroise **Cucurron**, dit) ~ *1742, Le Fousseret - 1822, Paris.* Pédagogue français. Il succéda à l'abbé de l'Épée à la direction de l'école des sourds-muets de Paris (*Théorie des signes pour l'instruction des sourds-muets*, 1808). Acad.

**SICHEM** ~ Anc. ville de Canaan. Capitale religieuse des Samaritains, elle fut détruite au IIe s. av. J.-C. puis relevée en 72 apr. J.-C. par Vespasien sur le site de l'actuelle Naplouse.

**SICHUAN** ou **SSEU-TCH'OUAN** (le) ~ Prov. la plus peuplée de Chine, au centre du pays, formée à l'O. de hautes montagnes séparées par de profondes vallées et peuplées de Tibétains, et par le Bassin rouge, qu'entourent les plaines fertiles drainées par le Yangzi Jiang et ses affluents ; 570 000 km², 110 000 000 d'h., cap. Chengdu. Agriculture très diversifiée (céréales, coton, agrumes, thé), ressources minérales (charbon, fer, cuivre, or), gaz naturel, industrie concentrée dans les villes principales (Chengdu, Chongqing).

**SICIÉ (cap)** ~ Promontoire rocheux du S. de la presqu'île du même nom, sur la côte méditerranéenne (Var, entre Sanary et Toulon) ; 358 m.

**SICILE** (la) ~ La plus grande île de la Méditerranée, région d'Italie, séparée de l'extrême S. de la péninsule par le détroit de Messine ; 25 707 km², 5 025 000 h., v. princ. Palerme (ch.-l.), Catane, Messine, Syracuse. Le N. est montagneux et volcanique (Etna). Climat chaud, sécheresse estivale. Plaines littorales fertiles et densément peuplées. L'agriculture (céréales, viticult., agrumes, olives) et l'élevage prédominent malgré la présence de pétrole et l'industrie pétrochimique. Le tourisme est important en dépit de l'insécurité liée à la tradition mafieuse. Forte émigration. **HIST.** - *IIIe-IIe mill. av. J.-C.* : la Sicile est peuplée par les Sicanes, de culture néolithique, et par les Sicules, qui travaillent le cuivre. *IXe s. av. J.-C.* : installations phéniciennes. *734-580 av. J.-C.* : les Grecs colonisent les côtes de l'île, où ils fondent de riches cités (Syracuse, Zancle, Gela, Sélinonte, Agrigente). *480 av. J.-C.* : ils se heurtent aux Carthaginois établis dans l'O. et les vainquent à Himère. *241 av. J.-C.* : au terme de la première guerre punique, les Carthaginois évacuent la Sicile, dont Rome fait sa première province et son grenier à blé. *Ve s.* : les Vandales, puis les Ostrogoths (491) s'en emparent. *535* : les Byzantins reconquièrent l'île et rendent sa primauté à l'hellénisme (VIIIe s.). *827* : les Arabes, dont les incursions avaient commencé en 652, envahissent la Sicile. *902* : ils fixent leur capitale à Palerme. *XIe s.* : leurs dissensions permettent aux Byzantins de se réimplanter dans l'île (1038-1040) puis à la famille de Hauteville, aventuriers normands venus du Cotentin, de la soumettre (1060-1091). *XIIe s.* : après avoir réuni les domaines familiaux, Roger II est couronné roi à Palerme (1130). Le royaume normand de Sicile, État organisé et prospère à la population composite, englobe alors l'île et le S. de l'Italie. Carrefour des civilisations méditerranéennes, c'est une grande puissance qui échoit aux Hohenstaufen en 1194. *XIIIe s.* : le roi Manfred, fils de l'empereur Frédéric II, est tué à Bénévent (1266) par Charles Ier d'Anjou, investi du royaume de Sicile par le pape Urbain IV. Le soulèvement des Vêpres siciliennes (1282) contraint la dynastie angevine à se replier sur le royaume de Naples, tandis que l'île se donne aux Aragonais. *XVe s.* : la Sicile est rattachée à la couronne d'Aragon (1409). Sacrifiée par l'Espagne à ses intérêts, minée par la féodalité, elle décline. *XVIIIe s.* : donnée à la maison de Savoie (1713), qui lui préfère la Sardaigne, elle échoit aux Habsbourg d'Autriche (1718). Les Bourbons d'Espagne la reprennent avec Naples (1735). Une branche de cette famille y règne jusqu'en 1860. *XIXe s.* : le royaume des Deux-Siciles réunit Naples et la Sicile (1816). La révolution de 1848 échoue et l'absolutisme napolitain est rétabli en 1849. En 1860, après l'arrivée de Giuseppe Garibaldi et des Mille, un plébiscite décide le rattachement de la Sicile à l'Italie. *XXe s.* : de 1924 à 1929, la Mafia est sévèrement réprimée et décline. Le débarquement des Anglo-Américains (juill. 1943) prélude à la chute du fascisme. En mai 1946, l'île est dotée d'un statut d'autonomie comportant l'élection d'un parlement régional. La création de la Caisse du Midi (1950) ne met fin ni au sous-développement ni à la criminalité.

**Sicules** (les) ~ Anc. peuple de Sicile, à laquelle il donna son nom (IIIe et IIe mill. av. J.-C.).

**SICYONE** ~ Anc. ville du N. du Péloponnèse (vestiges près de Corinthe). Fameuse pour ses bronzes et sa céramique sous les Orthagorides (v. 675-v. 570 av. J.-C.), elle fut détruite en 303 av. J.-C. par Démétrios Ier Poliorcète et refondée sur une hauteur non littorale. Aratos de Sicyone devint chef de la Ligue achéenne en 251 av. J.-C. La ville fut détruite en 23 apr. J.-C. par un séisme.

**SIDI-BEL-ABBÈS** ~ V. industr. et marché agric. d'Algérie, au S. d'Oran, ch.-l. de wilaya, dans une plaine fertile (céréales, agrumes, vin) ; 155 000 h. Machines agricoles. Anc. base de la Légion étrangère française (1843-1962).

**SIDI-BRAHIM** ~ Localité d'Algérie, près de la frontière marocaine. Théâtre d'une victoire des chasseurs français sur les cavaliers d'Abd el-Kader (23-25 sept. 1845).

**SIDOBRE** (le) ~ Plateau boisé du S.-O. du Massif central (Tarn), à l'E. de Castres, parsemé d'entassements spectaculaires de blocs granitiques ; alt. 600-700 m. Tourisme. Carrières.

**SIDOINE APOLLINAIRE** (saint) ~ *v. 430, Lyon - v. 486, Clermont-Ferrand.* Évêque de Clermont. Il tenta de résister à l'invasion des Wisigoths en Auvergne. Il est l'auteur de poèmes et de lettres.

**SIDON** ~ Voir Sayda.

**SIEGBAHN**, famille de physiciens suédois. ~ **Karl Manne** (*1886, Örebro - 1978, Stockholm*) étudia les spectres des rayons X (1919), conçut des techniques pour mesurer leur longueur d'onde et découvrit leur réfraction (1925). Prix Nobel de phys. 1924. Son fils ~ **Kai** (*1918, Lund*) a inventé la spectroscopie électronique pour l'analyse chimique, dite Esca, qui permet de mesurer les niveaux d'énergie des atomes et des molécules. Prix Nobel de phys. 1981.

**SIEGEN** ~ V. d'Allemagne (Rhénanie-du-Nord-Westphalie), sur la Sieg, affl. du Rhin, dans le Massif schisteux rhénan ; 111 000 h. Fer et sidérurgie. Église (XIIIe s.) et château (XVIIe-XVIIIe s.).

**SIEGFRIED** ~ Héros de la mythologie germanique. Doté de pouvoirs magiques, il conquit le trésor des Nibelungen. Pour avoir utilisé la ruse contre la reine Brunehilde, il fut tué par son vassal, Hagen.

**SIEGFRIED** (André) ~ *1875, Le Havre - 1959, Paris.* Économiste et sociologue français. Auteur de nombreuses études sur les pays anglo-saxons (*les États-Unis d'aujourd'hui, 1927*), il fut expert en sociologie électorale (*Tableau des partis en France*, 1930). Acad.

**Siegfried (ligne)** ~ Système de fortifications établi par les Allemands (1936-1938) sur leur frontière occidentale, et qui fut percé par les Alliés en 1945.

**SIEMENS** (VON), famille d'ingénieurs et d'industriels allemands. ~ **Werner** (*1816, Lenthe - 1892, Berlin*) fonda à Berlin, avec Johann Georg Halske, la société Siemens et Halske (1847). Il réalisa la première grande ligne télégraphique européenne (Berlin-Francfort, 1848-1849), puis les lignes russes (1850), imagina le principe de la dynamo (1866), installa des câbles transatlantiques (1874) et réalisa la première locomotive électrique (1879) et une ligne de tramway. Ses frères ~ **Wilhelm** (*1823, Lenthe - 1883, Londres*) et ~ **Friedrich** (*1826, Menzendorf - 1904, Dresde*) améliorèrent la méthode d'élaboration de l'acier (**procédé Martin-Siemens**) et mirent au point le four à récupérateur de chaleur pour la fonte de l'acier et du verre (1856).

**SIENKIEWICZ** (Henryk) ~ *1846, Wola Okrzejska - 1916, Vevey, Suisse.* Écrivain polonais. Son nom reste attaché au roman *Quo vadis ?* (1896), qui lui valut un succès mondial. Prix Nobel de litt. 1905.

**SIENNE** ~ V. de Toscane (Italie), sur les collines de Chianti, au S. de Florence, centre hist. et tourist. au riche passé médiéval ; 57 000 h. Piazza del Campo (en forme de coquille Saint-Jacques), palais (XIIIe-XIVe s.), tour (haut. 102 m), fresques, cathédrale du XIIIe s. (chaire sculptée de Nicola Pisano). Université (1247). Musée (not. S. Martini et continuateurs). Fête du Palio. Ancienne ville libre, elle fut intégrée au duché de Florence (1556).

© Thouvenin-Explorer

*Sienne, la vieille ville dominée par le Duomo.*

**SIERPIŃSKI** (Wacław) ~ *1882, Varsovie - 1969, id.* Mathématicien polonais. Promoteur de l'école mathématique polonaise (*Fundamenta mathematicae*), il fut le chef de file de la théorie des ensembles, de la topologie, de l'analyse fonctionnelle et des fondements des mathématiques.

**SIERRA LEONE (république de)** ~ Pays d'Afrique occidentale, bordé par l'océan Atlantique. ***Cap.*** Freetown. ***Superf.*** 73 326 km². ***Popul.*** 4 460 000 h. (créoles : 12 %). ***Langues princ.*** Anglais, créole, mendé, temné. ***Monn.*** Leone. ***Relief.*** Plaines littorales cultivées, plateaux à l'E. (monts Loma, 1 948 m). ***Climat.*** Tropical humide. ***Écon.*** Le développement agricole (riz) souffre de l'hypertrophie du secteur minier (not. diamants), source de contrebande et de corruption. **HIST.** - *XVe-XVIIe s.* : après la découverte de la région par les Portugais, les Européens y pratiquent la traite des esclaves. *1787* : les Britanniques fondent Freetown pour y installer d'anciens esclaves libérés, les Krios. *XIXe s.* : la Sierra Leone devient colonie et protectorat de la Grande-Bretagne. *XXe s.* : après l'indépendance, proclamée en 1961 dans le cadre du Commonwealth, la Sierra Leone devient république en 1971 sous la présidence de Siaka Stevens et connaît l'instabilité politique et des tensions ethniques. En 1992, Valentine Strasser accède au pouvoir et doit lutter contre la guérilla. En 1996, Ahmed Tejan Kabba lui succède à la présidence. En 1997, une junte militaire prend le pouvoir.

**SIERRE**, en all. ***Siders*** ~ Station clim. de Suisse, dans la vallée du Rhône (Valais) ; 14 000 h. Tourisme. Métall. de l'aluminium.

**SIEYÈS** (Emmanuel Joseph, dit l'abbé) ~ *1748, Fréjus - 1836, Paris.* Homme politique français. Vicaire général de Chartres, il se fit connaître en publiant en 1789 la brochure *Qu'est-ce que le tiers état ?* Député aux États généraux, il se rangea ensuite parmi les partisans de la monarchie constitutionnelle. À la Convention, il vota la mort du roi. Président du Conseil des Cinq-Cents (1795), puis directeur (1799), il se rallia à Bonaparte lors du coup d'État du 18 brumaire (9 nov. 1799) et en sortit 2e consul provisoire. Il fut le principal rédacteur de la Constitution de l'an VIII. Sous le Consulat et l'Empire, il perdit de son importance. Il dut s'exiler au retour des Bourbons. Acad.

**SIG** ~ Oued du N.-O. de l'Algérie, qui coule à l'E. d'Oran. Au N., la **plaine du Sig**, agricole (céréales, coton, lin, tabac, olives, vins), s'étend jusqu'au golfe d'Arziw.

**SIGEAN (étang de)** ~ Étang littoral du Roussillon (Aude), au S. de Narbonne, long de 15 km, communiquant avec la Méditerranée par le grau de Port-la-Nouvelle. Salines.

**SIGEBERT**, nom de trois rois d'Austrasie. ~ **Sigebert Ier** (*535 - 575, Vitry-en-Artois*), roi de 561 à 575. Époux de Brunehaut (566) et père de Childebert II, il envahit la Neustrie. Frédégonde le fit assassiner. ~ **Sigebert II** (*v. 601 - 613*), roi de Bourgogne et d'Austrasie. Tué sur ordre de Clotaire II, il ne régna pas. ~ **Sigebert III** (*631 - 656*), roi de 634 à 656. Fils de Dagobert Ier, il laissa Grimoal, le maire du palais, jouer un rôle important.

**SIGEBERT DE GEMBLOUX** ~ *v. 1030, Brabant - 1112, Gembloux.* Chroniqueur brabançon. Moine bénédictin, auteur d'une *Chronographia*, précieux témoignage sur le XIe s., et de nombreuses hagiographies.

**SIGER DE BRABANT** ~ *v. 1235, Brabant - v. 1281, Orvieto.* Philosophe brabançon. Maître de la faculté des arts de Paris, hostile à l'augustinisme, chef de file des commentateurs hétérodoxes d'Aristote, il divergeait de Thomas d'Aquin sur la question de l'unité entre la raison et la foi (*Questiones in Metaphysicam*, 1272).

**Sigiriya** ~ Site archéologique du Sri Lanka, dominé par le palais-forteresse du roi Kassapa Ier (477-495). Peintures rupestres de jeunes femmes (Ve s.).

© Ph. Goblet-Explorer

*Sigiriya, fresque rupestre (Ve s.).*

**SIGISMOND** (saint) ~ *m. en 523 à Coulmiers, près d'Orléans.* Roi des Burgondes (516-523). Il fut converti au catholicisme par saint Avit et fut assassiné sur l'ordre de Clodomir, roi d'Orléans.

**SIGISMOND**, nom de plusieurs rois de Pologne. ~ **Sigismond Ier Jagellon le Vieux** (*1467, Kozienice - 1548, Cracovie*), grand-duc de Lituanie et roi de Pologne (1506-1548). Il soumit la Prusse orientale (1525) et conquit la Mazovie (1526). Il fit de Cracovie un foyer artistique et intellectuel. ~ **Sigismond II Auguste Jagellon** (*1520, Cracovie - 1572, Knyszyn*), grand-duc de Lituanie et roi de Pologne (1548-1572), fils du préc., dernier de la dynastie des Jagellon. Il réunit la Lituanie et la Pologne en proclamant l'Union de Lublin (1569). ~ **Sigismond III Vasa** (*1566, Stockholm - 1632, Varsovie*), roi de Pologne (1587-1632) et de

Suède (1592-1599), fils de Jean III de Suède et neveu du précédent. Il établit la capitale de la Pologne à Varsovie (1596). Dépossédé de la Couronne suédoise, il ne put la reconquérir.

**SIGISMOND DE LUXEMBOURG** ~ *1368, Nuremberg - 1437, en Moravie.* Roi de Hongrie (1387-1437), roi des Romains (1411-1433), empereur germanique (1433-1437), roi de Bohême (1419-1437). Il laissa Jan Hus être condamné lors du concile de Constance (1414-1418), qu'il avait fait convoquer et lutta contre les hussites en Bohême, où il succéda à son frère Wenceslas (1419) mais ne fut reconnu qu'en 1436. Par le mariage de sa fille avec Albert II (1432), tous ses biens échurent aux Habsbourg.

**SIGMARINGEN** ~ V. d'Allemagne (Bade-Wurtemberg), sur le Danube ; env. 15 000 h. Anc. résidence des princes de Hohenzollern-Sigmaringen. Transféré par les Allemands, le maréchal Pétain y résida (1944). Fernand de Brinon tenta d'y prolonger le régime de Vichy (1944-1945).

**SIGNAC** (Paul) ~ *1863, Paris - 1935, id.* Peintre et théoricien français. Adoptant les théories de G. Seurat sur la fragmentation de la couleur, il développa la technique pointilliste avec une rigueur scientifique (*Antibes le soir*, 1914).

**SIGNORELLI** (Luca) ~ *v. 1445, Cortone - 1523, id.* Peintre italien. Élève et collaborateur de Piero della Francesca, il participa à la décoration de la chapelle Sixtine (*Testament de Moïse*, 1481). Par sa puissance expressive dans le traitement du corps humain, il annonça Michel-Ange (fresques de la chapelle San Brizio, à Orvieto, *Jugement dernier*).

**SIGNORET** (Simone **Kaminker**, dite Simone) ~ *1921, Wiesbaden - 1985, Autheuil-Authouillet, Eure.* Actrice française. Elle fut une des grandes comédiennes du cinéma français (*Casque d'or*, de J. Becker, 1952 ; *les Diaboliques*, d'H. G. Clouzot, 1955). Politiquement engagée aux côtés d'Y. Montand, son compagnon, elle écrivit plusieurs livres (*La nostalgie n'est plus ce qu'elle était*, 1977).

**SIGURD** ~ Héros scandinave des traditions de l'*Edda* et de la *Volsungasaga*, équivalent de Siegfried dans le cycle germanique des Nibelungen.

**SIHANOUK** (Norodom) ~ Voir **Norodom Sihanouk**.

**SIHANOUKVILLE**, anc. **Kompong Som** ~ Port de commerce et de pêche du S.-O. du Cambodge, sur le golfe du Siam, relié à Phnom Penh par voie ferrée ; env. 60 000 h. Raff. de pétrole, agroalim., constr. mécaniques.

**SIKASSO** ~ V. du S.-E. du Mali, près de la frontière du Burkina Faso ; 73 000 h. Égrenage du coton.

**SIKHOTE-ALINE** ~ Chaîne de montagnes boisées (alt. max. 2 078 m) difficilement franchissable de l'Extrême-Orient russe, entre la côte pacifique (mer du Japon) et les vallées de l'Amour et de l'Oussouri, au N. de Vladivostok.

**SI-KIANG** (le) ~ Voir **Xi Jiang**.

**SIKKIM** (le) ~ Petit État himalayen de l'Inde, entre le Népal et le Bhoutan, dominée au N.-O. par le Kangchenjunga (8 598 m) ; 7 096 km², 406 000 h., cap. Gangtok. Route fréquentée reliant l'Inde et le Tibet. **HIST.** - Principauté fondée par les Tibétains (XVIIe s.), le Sikkim fut annexé par le Népal (1774) puis placé sous protectorat britannique (1861). Monarchie sous tutelle indienne en 1950, il constitue depuis 1974 l'un des États associés de l'Union indienne (forte immigration népalaise et indienne).

**SIKORSKI** (Władysław) ~ *1881, Tuszów, Galicie - 1943, Gibraltar.* Général et homme politique polonais. Chef du gouvernement polonais en exil (1939-1943), il périt dans un accident d'avion.

**SILÈNE** ~ Dans la mythologie grecque, demi-dieu, fils d'Hermès ou de Pan. Sage éducateur de Dionysos, il l'accompagnait, monté sur un âne, ivre et riant. On le représente chauve et cornu, avec un ventre proéminent.

**SILÉSIE** (la), en polon. **Śląsk**, en all. ***Schlesien*** ~ Région d'Europe centrale, auj. en Pologne (S.-E. tchèque), frontalière de l'Allemagne, au N. des Sudètes et des Carpates, drainée par l'Oder. La **basse Silésie** (v. princ. Wrocław), pays de collines fertiles (lœss), à l'agriculture bien développée, s'oppose à la **haute Silésie**, site d'un des plus grands bassins houillers et industriels d'Europe (conurbation de Katowice). L'obsolescence des structures industrielles et la très forte pollution compromettent l'avenir de la région. **HIST.** - *Xe s.* : la Silésie participe à la fondation de la Pologne. *XIIe-XIIIe s.* : colonisation allemande de peuplement et détachement de la Pologne. *XIVe s.* : suzeraineté de la Bohême. *1526* : intégration aux États des Habsbourg. *1740-1763* : guerres silésiennes, annexion par la Prusse, hormis une fraction au S.-E. du pays. *1919* : le S.-E., alors autrichien, est attribué à la Tchécoslovaquie. *1920-1921* : insurrections ouvrières, plébiscite attribuant l'E. de la haute Silésie (Katowice) à la Pologne. *1939-1945* : la Silésie est intégrée à l'Allemagne nazie. *1945* : le partage territorial entériné à la conférence de Potsdam attribue la Silésie à la Pologne. Expulsion d'une partie de la population allemande (4 millions de personnes). *1990-1994* : la minorité allemande (env. 800 000 personnes) envoie des représentants au Parlement et au Sénat.

**SILHOUETTE** (Étienne DE) ~ *1709, Limoges - 1767, Bry-sur-Marne.* Homme politique français. Contrôleur général des Finances en 1759, il voulut modifier l'assiette fiscale. Les caricatures le représentant dans l'état où se seraient trouvés les privilégiés si ses mesures avaient été adoptées furent appelées **silhouettes**.

**Silicon Valley** (la) ~ Technopôle américain (Californie), centré sur San Jose (S.-E. de San Francisco), dont les industries (électron.) utilisent le silicium comme matière première.

**SILLANPÄÄ** (Frans Emil) ~ *1888, Hämeenkyrö - 1964, Helsinki.* Écrivain finlandais. Il fit de la communion avec la nature le cœur de son œuvre (*Sainte Misère*, 1919). Prix Nobel de litt. 1939.

**SILLITOE** (Alan) ~ *1928, Nottingham.* Écrivain britannique. Ses premiers romans (*Samedi soir, dimanche matin*, 1958 ; *la Solitude du coureur de fond*, 1959) ont symbolisé la révolte sociale du groupe des Jeunes Gens en colère.

**Sillon (le)** ~ Revue créée en 1894 par M. Sangnier. Il donna son nom à la tendance du catholicisme social condamnée par Pie X en 1910.

**SILLON ALPIN** (le) ~ Longue dépression alpine entre les Préalpes françaises du N. et les grands massifs centraux, qui correspond aux vallées de l'Arve, de l'Arly, de l'Isère et du Drac, axe actif de peuplement (Grenoble) et de communication.

**SILOÉ**, famille de sculpteurs flamands. ~ **Gil** DE (*actif à la fin du XVe s.*), installé à Burgos, exécuta des retables (chartreuse de Miraflores) et des monuments funéraires (Jean II de Castille et Isabelle de Portugal), dans un style gothique exubérant. Son fils ~ **Diego** DE (*v. 1495, Burgos - 1563, Grenade*), architecte, réalisa l'escalier doré de la cathédrale de Burgos et dirigea le chantier de la cathédrale à cinq nefs de Grenade, dans la perspective stylistique de la Renaissance classique.

**Silvacane (abbaye de)** ~ Abbaye cistercienne située près de La Roque-d'Anthéron (Bouches-du-Rhône). Fondée en 1144 et offerte à saint Bernard de Clairvaux, elle fut délaissée par les moines (XVe s.) et reprise par l'État (1846).

**SILVESTRE DE SACY** (Antoine Isaac) ~ *1758, Paris - 1838, id.* Orientaliste français. Professeur d'arabe et de persan, il promut les études orientales en France (*Grammaire arabe*, 1810).

**SIMA Qian** ou **SSEU-MA Ts'ien** ~ *v. 145 - v. 86 av. J.-C.* Écrivain et historien chinois. L'esprit critique de ses *Mémoires historiques* (*Shiji*) fait de lui le premier véritable historien de la Chine.

*Simone **Signoret** dans la Ronde (1950), film de Max Ophuls (1902-1957).*

© Pele-Stills

*Georges **Simenon**.*

© Buffon-Gamma

**SIMA Xiangru** ou **SSEU-MA Siang-jou** ~ *179, Chengdu - 117 av. J.-C., Muling.* Poète de cour chinois, auteur de poèmes chantés du genre *fu*.

**SIMBIRSK**, anc. **Oulianovsk** de 1924 à 1991 ~ V. de Russie, centre admin. sur la Volga, au S. de Kazan ; 656 000 h. Industries alim., métall., mécan., du cuir. Patrie de Lénine.

**SIMENON** (Georges) ~ *1903, Liège - 1989, Lausanne.* Écrivain belge d'expression française. Auteur d'une production considérable, il dut son succès au commissaire Maigret, héros de ses romans policiers (*Pietr le Letton*, 1930), très souvent adaptés au cinéma.

**SIMÉON** (saint) ~ Personnage de l'Évangile de saint Luc. Il reconnut Jésus comme le Messie lors de sa présentation au Temple.

**SIMÉON Ier LE GRAND** ~ *m. en 927.* Khan des Bulgares (893-927). Il obtint un tribut de Constantinople à deux reprises (904 et 924), conquit la Macédoine du Nord et soumit la Serbie.

**SIMÉON LE STYLITE** (saint) ~ *v. 390, Sis, Cilicie - v. 459.* Ascète syrien. Chrétien, il fut le premier ascète à vivre au sommet d'une colonne.

**SIMFEROPOL** ~ V. d'Ukraine, centre admin. de la Crimée ; 353 000 h. Industr. agroalim., métall., confection. Anc. Ak-Metchet des Tatars (XVe s.), devenue russe en 1784, Simferopol fut capitale de la république autonome de Crimée de 1921 à 1945.

**SIMIAND** (François) ~ *1873, Gières - 1935, Saint-Raphaël.* Sociologue et économiste français. Ses travaux sur l'évolution historique des données économiques contribuèrent à répandre l'usage de la statistique en science sociale (*le Salaire, l'Évolution sociale et la Monnaie*, 1932).

**SIMLA** ~ Station climatique du N.-O. de l'Inde, sur les flancs boisés de l'Himalaya (N. du Pendjab), à 2 200 m d'alt., cap. de l'Himachal Pradesh ; 110 000 h. Anc. capitale d'été de l'Inde britannique.

**SIMON** (saint), dit **le Zélote** ou **le Cananéen** ~ L'un des douze apôtres de Jésus. Il aurait été victime de persécutions en Perse.

**SIMON** (Antoine) ~ *1736, Troyes - 1794, Paris.* Cordonnier français. Membre du conseil général de la Commune, gardien de Louis XVII au Temple (1793-1794), il fut exécuté après les 8 et 9 thermidor.

**SIMON** (Claude) ~ *1913, Tananarive.* Écrivain français. Ses récits, qui s'inscrivent dans le Nouveau Roman, témoignent du souci d'échapper à une représentation simple et univoque de la réalité (*la Route des Flandres*, 1960). Prix Nobel de litt. 1985.

**SIMON** (François, dit Michel) ~ *1895, Genève - 1975, Bry-sur-Marne.* Acteur français d'orig. suisse. Après avoir triomphé au théâtre (*Jean de la Lune*, de M. Achard, 1929), il imposa au cinéma son personnage d'anarchiste hirsute et bourru (*Boudu sauvé des eaux*, de J. Renoir, 1932 ; *l'Atalante*, de J. Vigo, 1934 ; *Drôle de drame*, de M. Carné, 1937).

**SIMON** (Herbert) ~ *1916, Milwaukee.* Économiste américain. Il a cherché à donner un modèle mathématique au processus de la décision économique. Prix Nobel de sc. écon. 1978.

**SIMON** (Jules François Simon **Suisse**, dit Jules) ~ *1814, Lorient - 1896, Paris.* Homme politique et philosophe français. Député républicain en 1848 et de 1863 à 1870, il s'opposa à Napoléon III. Ministre de l'Instruction publique, il fut chef du gouvernement en 1876 et démissionna lors de la crise du 16 mai 1877. Acad.

**SIMON** (Richard) ~ *1638, Dieppe - 1712, id.* Historien et oratorien français. Exclu de son ordre pour ses travaux de critique biblique (*Histoire critique du Vieux Testament*, 1678), il est considéré comme l'un des pères de l'exégèse biblique.

**SIMON**, comte **de Leicester** ~ Voir **Montfort**.

**SIMON DE BRUGES** ~ Voir **Stevin**.

**SIMON IV LE FORT** ~ Voir **Montfort**.

**SIMONIDE DE CÉOS** ~ *v. 556, Iulis, Céos - v. 467 av. J.-C., Syracuse.* Poète grec. Rival de Pindare, il fut l'un des initiateurs du thrène et de l'ode triomphale.

**SIMON LE MAGE** ~ Personnage des Actes des Apôtres. Magicien converti au christianisme, il voulut acheter à saint Pierre ou à saint Jean le pouvoir d'évoquer l'Esprit-Saint. On nomme **simonie** le trafic des choses saintes.

**SIMONOV** (Kirill Mikhaïlovitch, dit Konstantin) ~ *1915, Petrograd - 1979, Moscou.* Écrivain soviétique. Il fit de la Seconde Guerre mondiale, à laquelle il participa, le thème de toute son œuvre (*les Jours et les Nuits*, 1944).

**SIMPLON (col du)** ~ Col des Alpes suisses (2 005 m d'alt.) qui relie le Valais au Piémont (Italie), grande voie de passage entre l'Europe du N.-O. et celle du S.-E. (Milan). Tunnel ferroviaire de 19,8 km, à 700 m d'alt.

**SINAÏ (péninsule du)** ~ Péninsule montagneuse et aride du N.-E. de l'Égypte, en Asie, entre la Méditerranée, Israël et Gaza, le golfe et le canal de Suez et celui d'Akaba ; 61 714 km², 264 000 h. (prov.). Le plateau central est dominé au S. par un massif élevé (mont Catherine 2 642 m, **mont Sinaï** 2 285 m), bordé par d'étroites plaines côtières, tandis que le N. est occupé par une plaine basse et sableuse (oasis d'El-Arish). Faune et flore protégées. Bédouins sédentarisés. Extraction de pétrole et manganèse. Pêche, tourisme. **HIST.** - Selon la tradition biblique, c'est sur le mont Sinaï, occupé par les Égyptiens depuis le IIIe mill. av. J.-C., que Moïse reçut le Décalogue (XIIIe s. av. J.-C.). Foyer monastique chrétien (Ve s.), il fut, à partir de la création de l'État d'Israël (1948), au cœur des combats israélo-arabes. Occupé à deux reprises par Israël (1956 et 1967), il a été remis à l'Égypte (1982) en application du traité de paix entre les deux pays (1979).

© J. Ferrero-Explorer

*Le mont Sinaï.*

**SINALOA** (la) ~ État du N.-O. du Mexique, étroite plaine côtière baignée par le golfe de Californie ; 58 092 km², 2 204 000 h., cap. Culiacán (415 000 h.). Agriculture irriguée (primeurs), ressources minières abondantes, agroalimentaire.

**SINAN** ~ *v. 1489, près de Kayseri - 1588, Istanbul.* Architecte turc. Il interpréta de façon originale les principes architectoniques des églises byzantines (mosquées de Soliman, à Istanbul, et Selimiye, à Edirne).

**SINATRA** (Frank) ~ *1915, Hoboken, New Jersey.* Acteur et chanteur américain. Il a entamé une brillante carrière de crooner dans les années 1940 et s'est imposé au cinéma (*Tant qu'il y aura des hommes*, de Fred Zinnemann, 1953 ; *l'Homme au bras d'or*, d'Otto Preminger, 1955).

**SINCLAIR** (sir John) ~ *1754, Thurso Castle, Highland - 1835, Édimbourg.* Économiste britannique. Il contribua à poser les fondements de la statistique.

**SINCLAIR** (Upton) ~ *1878, Baltimore - 1968, Bound Brook, New Jersey.* Écrivain américain. Ses romans sont une violente dénonciation du système capitaliste (*la Jungle*, 1906 ; *Boston*, 1929).

**SIND** (le) ~ Région aride du S.-E. du Pakistan, correspondant à la basse plaine irriguée (cultures céréalières, coton) et au delta de l'Indus ; 140 914 km², env. 20 000 000 d'h., cap. Karachi.

**SI-NGAN** ~ Voir **Xi'an**.

**SINGAPOUR (république de)** ~ Petit pays insulaire d'Asie du Sud-Est, ville-État au S. de la Malaisie, sur le détroit de Malacca ; l'île de Singapour est séparée du continent par le détroit de Johore (1 km env.). ***Cap.*** Singapour. ***Superf.*** 641 km². ***Popul.*** 2 930 000 h., dont Chinois (78 %), Malais (15 %), Indiens (7 %). ***Langues princ.*** Anglais, chinois, malais, tamoul. ***Monn.*** Dollar de Singapour. ***Écon.*** Grâce à sa situation stratégique exceptionnelle, à son anc. rôle de port militaire britannique et à la qualification de sa main d'œuvre, Singapour est auj. une puissance industrielle (princ. électron.), commerciale (port) et financière d'envergure mondiale. En 1990, elle a créé des zones franches industrielles en Malaysia et en Indonésie pour pallier son manque d'espace et de main-d'œuvre. **HIST.** - *1819* : la Compagnie anglaise des Indes orientales achète l'île au raja de Johore. L'ouverture du canal de Suez (1869) valorise sa position. *1942-1945* : occupation japonaise. *1963* : Singapour devient l'un des États de la fédération de Malaysia. *1965* : indépendance, sous la direction autoritaire de Lee Kuan Yew, Premier ministre depuis 1959. *1993* : élection d'Ong Teng Cheong à la présidence de la République. Goh Chok Tong est Premier ministre depuis 1990.

**SINGER** (Isaac Bashevis) ~ *1904, Radzymin, près de Varsovie - 1991, Miami.* Écrivain américain d'orig. polonaise. D'expression yiddish, il fut le conteur du monde des ghettos juifs d'avant-guerre. Il transmit la tradition orale des légendes et des interrogations de son peuple. Prix Nobel de litt. 1978.

**SINGER** (Isaac Merrit) ~ *1811, Pittstown, État de New York - 1875, Torquay.* Inventeur et industriel américain. Il réalisa une perforatrice (1839) et perfectionna la machine à coudre de B. Thimonnier (1851), la commercialisant à grande échelle.

**SIN-KIANG** (le) ~ Voir **Xinjiang**.

**SIN-LE-NOBLE** ~ V. de la banlieue E. de Douai (Nord) ; 16 472 h.

**SINNAMARY** (le) ~ Fl. côtier de la Guyane française, tribut. de l'Atlantique ; 260 km. Le bourg de **Sinnamary** (3 435 h.), à son embouchure, servit de bagne pour les victimes du coup d'État du 18 fructidor (4 sept. 1797).

**Sinn Féin** (le), en fr. « nous, nous-mêmes » ~ Parti politique irlandais fondé en 1902 par A. Griffith. Le Sinn Féin, dirigé par E. De Valera, s'engagea dans la lutte contre l'occupation britannique (insurrection de Pâques, 1916) et triompha aux élections de 1918. Il se décomposa après le traité de Londres (1921), E. De Valera acceptant la partition de l'île. Le Sinn Féin ressuscita après la Seconde Guerre mondiale en Irlande du Nord, soutenant l'I. R. A., et se présente régulièrement aux élections depuis 1981.

**sino-japonaises (guerres)** ~ Conflits qui opposèrent la Chine et le Japon en 1894-1895 et 1937-1945.

**SINOP**, anc. **Sinope** ~ Port de Turquie, centre commercial sur la mer Noire ; 26 000 h. Tourisme. Ruines d'une citadelle byzantine. Anc. colonie de Milet, elle fut le théâtre d'une défaite navale infligée à la Turquie par les Russes en 1853.

**SIN-TCHOU** ~ Voir **Xinzhu**.

**SINT-MARTENS-LATEM** ~ Voir **Laethem-Saint-Martin**.

**SINT-NIKLAAS**, en fr. **Saint-Nicolas** ~ V. de Flandre-Orientale (Belgique), centre comm. et industr. (text.) régional à l'O. d'Anvers ; 68 000 h. Église St-Nicolas (XIIIe-XVIIIe s.), hôtel de ville aux 35 carillons, place du Marché, la plus vaste du pays. Musée (documents du géographe Mercator).

**SINTRA** ou **CINTRA** ~ Station baln. du Portugal, à l'O. de Lisbonne ; env. 15 000 h. Palais royal (XIVe-XVIe s.), palais Pena (XIXe s.). En 1808, A. Junot y signa sa capitulation face aux Britanniques et aux Portugais, et négocia l'évacuation de ses troupes.

**SION**, en all. ***Sitten*** ~ V. tourist. de Suisse, dans la haute vallée du Rhône, ch.-l. du Valais, centre comm. d'une région fruitière et viticole (fendant) ; 26 000 h. Évêché depuis 585. Église fortifiée (XIIe-XVe s.). Musée (historique, beaux-arts).

**Sion-Vaudémont** ~ Butte de Meurthe-et-Moselle (495 m). Site de pèlerinage (basilique) et haut lieu du patriotisme lorrain. C'est la *Colline inspirée* de M. Barrès.

**SIOULE** (la) ~ Affl. auvergnat de l'Allier (r. g.), qui passe à Saint-Pourçain ; 150 km. Hydroélectr.

**Sioux** ou **Dakotas** (les) ~ Peuple indigène d'Amérique du Nord de la région des Grands Lacs et, au XVIIe s., des grandes plaines de l'Ouest. Spoliés par les Blancs, ils luttèrent au XIXe s. (défaite du général Custer à Little Big Horn, 1876), mais furent soumis (1891). Auj. cantonnés dans des réserves (Pine Ridge, Rosebud), ils sont très actifs dans le mouvement politique et culturel amérindien.

**SIQUEIROS** (David Alfaro, dit Alfaro) ~ *1896, Chihuahua - 1974,, Cuernavaca.* Peintre mexicain. Partisan d'un art révolutionnaire enraciné dans la culture populaire, il fit preuve d'un puissant tempérament dramatique dans ses fresques murales (*l'Écho d'un cri*, 1937).

**SIRET** (le) ~ Riv. de Roumanie (Moldavie), affluent (r. g.) du Danube ; 706 km.

**SIREY** (Jean-Baptiste) ~ *1762, Sarlat - 1845, Limoges.* Jurisconsulte français. En 1791, il publia un *Recueil des lois et arrêts*, tenu à jour depuis sous le titre de *Recueil Sirey*, puis de *Recueil Dalloz-Sirey*.

**SIRICE** (saint) ~ *v. 320, Rome - v. 399, id.* Pape de 384 à 399. On lui doit la première décrétale connue de l'histoire de l'Église.

**SIRIUS** ~ Nom donné à l'étoile $\alpha$ de la constellation du Grand Chien. C'est la plus brillante du ciel.

**SIRVEN** (Pierre Paul) ~ *1709, Castres - 1777, en Suisse.* Protestant français. Accusé à tort en 1764 d'avoir tué sa fille pour l'empêcher de se convertir au catholicisme et condamné à mort par contumace, il se réfugia en Suisse. Voltaire obtint sa réhabilitation (1771).

**SISLEY** (Alfred) ~ *1839, Paris - 1899, Moret-sur-Loing.* Peintre britannique. Impressionniste de l'école française, il excella à rendre la sensation visuelle créée par la combinaison instantanée des éléments naturels (*Effet du matin*, 1891).

© Bridgeman-Giraudon

Bateaux sur la Seine (*v. 1877*), *peinture d'Alfred Sisley. Galerie de l'Institut Courtaud, Londres.*

**SISMONDI** (Jean Charles Léonard **Simonde** DE) ~ *1773, Genève - 1842, id.* Historien et économiste suisse. Il prôna l'intervention de l'État pour protéger la classe ouvrière (*Nouveaux Principes d'économie politique*, 1817).

**SISTAN** ou **SÉISTAN** (le) ~ Région aride des confins de l'Iran et de l'Afghanistan. Anc. Drangiane irriguée et cultivée, ruinée par Tamerlan.

**SISTERON** ~ V. des Alpes-de-Haute-Provence, sur la Durance ; 6 594 h. La citadelle (XIIe-XVIe s.) commandait l'accès à la Provence.

**SISYPHE** ~ Dans la mythologie grecque, criminel ayant enchaîné la Mort ou révélé les secrets des dieux. Il fut condamné à pousser au sommet d'une colline un rocher qui, toujours, en redescend.

**SITRUK** (Joseph) ~ *1944, Tunis.* Grand rabbin de France depuis 1988.

**SITTING BULL**, en fr. « Taureau assis » ~ *v. 1831, Grand River, Dakota du Sud - 1890, Standing Rock, id.* Surnom en anglais de Tatanka Iyotake, chef sioux du Dakota. Il fut l'un des vainqueurs du général Custer et fut assassiné.

**SITTWE**, anc. **Akyab** ~ Port et 1re v. de l'Arakan, en Birmanie, sur le golfe du Bengale ; 108 000 h. Minoteries et commerce du riz, constr. navales.

**SIU-TCHEOU** ~ Voir **Xuzhou**.

**SIVA** ~ Voir **Shiva**.

**SIVAS**, anc. **Sébaste** ~ V. de Turquie, à l'E. d'Ankara, centre industriel (text., constr. ferroviaires, agroalim.) ; agglom. 351 000 h. Les Seldjoukides s'en emparèrent au XIe s. Monuments de l'art musulman, dont la Gök medrese (XIIIe s.).

**SIWALIK** (les) ~ Chaîne de montagnes préhimalayennes d'origine détritique, au N. de la plaine indo-gangétique (600-1 200 m).

**Six (groupe des)** ~ Groupe de six compositeurs français, constitué en 1918 autour de J. Cocteau et sous le patronage d'É. Satie, en réaction contre le wagnérisme et l'impressionnisme. Il comprenait G. Auric, Louis Durey, A. Honegger, D. Milhaud, Fr. Poulenc et Germaine Tailleferre.

**SIX-FOURS-LES-PLAGES** ~ Station balnéaire de la côte varoise (cap. Sicié), à l'O. de Toulon ; 28 957 h. Fort du XVIIe s. Église romane et gothique.

**Six-Jours (guerre des)** ~ Voir **israélo-arabes** (guerres).

**SIXTE**, nom de cinq papes. ~ **Sixte IV** (Francesco **Della Rovere** ; *1414, Celle Ligure, près de Savone - 1484, Rome*), pape de 1471 à 1484. Il s'opposa aux Médicis. Mécène, il fit élever la chapelle Sixtine. ~ **Sixte V** ou **Sixte Quint** (Felice **Peretti** ; *1520, Grottammare, Marches - 1590, Rome*), pape de 1585 à 1590. Dans l'esprit du concile de Trente, il réorganisa l'administration de l'Église et imposa l'autorité de la Vulgate. En France, il soutint la Sainte Ligue contre le futur Henri IV.

**SIXT-FER-À-CHEVAL** ~ Station touristique de Haute-Savoie, dans la haute vallée du Giffre.

**Sixtine (chapelle)** ~ Chapelle construite au Vatican sur l'ordre de Sixte IV (1473) pour accueillir les conclaves chargés d'élire les papes. Les parois furent décorées par le Pérugin, le Pinturicchio et Botticelli. Michel-Ange, à la demande de Jules II, décora la voûte de scènes de la Bible (1508-1512), puis, pour Paul III, figura le *Jugement dernier* au-dessus de l'autel (1536-1541). L'ensemble a été restauré (1980-1994).

**SIYAD BARRÉ** (Muhammad) ~ *1919, district de Lugh - 1995, Nigeria*. Général et homme d'État somalien. Porté au pouvoir par un coup d'État militaire en 1969, il fut renversé en 1991.

**SIZUN (cap)** ~ Péninsule de Bretagne (Finistère), à l'extrémité de laquelle se trouve la pointe du Raz. Réserve ornithologique.

**SJAELLAND** ~ Princ. île du Danemark, la plus proche de la Suède (détroit de l'Øresund), baignée par la Baltique ; 7 444 km$^2$, env. 2 150 000 h. Agriculture intensive. Pêche. Activité industr. induite par la présence de Copenhague. Tourisme.

**SJÖSTRÖM** (Victor) ~ *1879, Silbodal - 1960, Stockholm*. Cinéaste et acteur suédois. Alliant réalisme social et inspiration légendaire, il annonça le cinéma intimiste (*les Proscrits*, 1917 ; *la Charrette fantôme*, 1920 ; *le Vent*, 1928).

**SKAGERRAK** ou **SKAGERAK** (le) ~ Détroit (larg. 120 km) reliant la mer du Nord au Kattegat, entre le S. de la Norvège et le N. du Danemark.

**SKIKDA**, anc. **Philippeville** ~ Port d'Algérie orientale, ch.-l. de wilaya ; 141 000 h. Export. de produits gaziers et pétroliers sahariens, complexe pétrochim., conserveries. Théâtre romain (IVe s.).

**SKINNER** (Burrhus Frederic) ~ *1904, Susquehanna, Pennsylvanie - 1990, Cambridge, Massachusetts*. Psychologue américain. Spécialiste des questions d'apprentissage, il développa une théorie du conditionnement, dépassant les travaux de Pavlov (*Science et Comportement humain*, 1953).

**SKOLEM** (Albert Thoralf) ~ *1887, Sandsvaer - 1963, Oslo*. Mathématicien et logicien norvégien. Il est l'auteur d'axiomes d'arithmétique et des modèles dits non standard.

**SKOPJE**, en serbo-croate *Skoplje*, anc. en turc *Usküp* ~ Cap. de la république de Macédoine, dans la vallée du Vardar, nœud de communications N.-S. ; 448 000 h. Industrialisation récente à la suite du tremblement de terre de 1963 (sidér., conserverie, chimie). Mosquées ottomanes, monastères byzantins (environs). Ancienne base allemande des Balkans.

**SKRIABINE** (Aleksandr Nikolaïevitch) ~ Voir **Scriabine**.

**SKYE (île de)** ~ Île britannique, la plus grande des Inner Hebrides, à l'O. de l'Écosse ; env. 1 500 km$^2$, 7 500 h.

**Skylab** ~ Nom d'un programme et d'une station orbitale américains (1973-1979).

**SKÝROS** ~ Île de l'archipel grec des Sporades, dans la mer Égée ; 208 km$^2$, env. 2 300 h.

**SLÁNSKÝ** (Rudolf **Salzmann**, dit Rudolf) ~ *1901, Nezvěstice, Plzeň - 1952, Prague*. Homme politique tchécoslovaque. Secrétaire général du Parti communiste de Tchécoslovaquie de 1945 à 1951, il fut victime des purges staliniennes. Accusé d'être un agent sioniste, il fut exécuté.

**Slaves** (les) ~ Groupe de peuples d'Europe centrale et orientale. On distingue les **Slaves orientaux** (Russes, Ukrainiens et Biélorusses), les **Slaves occidentaux** (Polonais, Tchèques, Slovaques, Sorabes) et les **Slaves méridionaux** (Slovènes, Croates, Serbes, Macédoniens et Bulgares). Aujourd'hui, ils sont env. 280 000 000. Les langues slaves forment une branche du groupe indo-européen.

**SLAVONIE** (la) ~ Partie orientale de la Croatie, entre la Save et la Drave, enjeu du conflit entre Serbes et Croates (1991-1995). V. princ. Osijek.

**SLIPHER** (Vesto Melvin) ~ *1875, Mulberry - 1969, Flagstaff*. Astronome américain. Il étudia les spectres des planètes et des nébuleuses, participa à la découverte de Pluton, et, mesurant la vitesse des galaxies, fut à l'origine de la théorie de l'expansion de l'Univers (1912-1914).

**SLOCHTEREN** ~ V. des Pays-Bas, à l'E. de Groningue ; 14 000 h. Exportation de gaz naturel.

**SLODTZ** ~ Famille de sculpteurs français d'orig. flamande. **René Michel**, dit **Michel-Ange** (*1705, Paris - 1764, id.*), séjourna vingt ans à Rome (statue de saint Bruno à St-Pierre), puis revint en France où il réalisa le mausolée du curé Languet de Gergy à l'église St-Sulpice (Paris).

**SLOVAQUIE** (la), off. **République slovaque**, en slov. ***Slovensko*** ~ Pays d'Europe centrale, à l'E. de la République tchèque. ***Cap.*** Bratislava. ***Superf.*** 49 035 km$^2$. ***Popul.*** 5 300 000 h., dont 10 % de Hongrois. ***Langues princ.*** Slovaque, hongrois. ***Monn.*** Couronne slovaque. ***Relief.*** Pays montagneux (Beskides, Tatras) au N., bassins du Danube (O.) et de la Tisza (E.) au S. ***Écon.*** Naguère fondée sur l'industrie lourde (Košice, Žiar), l'activité économique du pays se déplace vers l'O. (agric., haute technologie, pétrochim.), cherchant à bénéficier des liaisons fluviales avec l'Autriche pour développer les échanges, tandis que l'intérieur associe industries diversifiées et tourisme. V. princ. Bratislava, Košice. **HIST.** - Peuplée par les Celtes, les Sarmates et les Germains, occupée aux VIe et VIIe s. par des Slaves, les Slovaques, la région est ensuite intégrée à la Grande-Moravie (IXe s.), puis à la Hongrie (X[e]-XV[e] s.) et, à partir du XVIe s., à l'empire des Habsbourg. *XIX[e] s.* : face à la double tutelle autrichienne et hongroise, le mouvement national slovaque prend son essor et revendique l'autonomie. *1918* : la Slovaquie s'unit à la Bohême et à la Moravie pour former la Tchécoslovaquie. *1939* : indépendance sous protectorat allemand avec, à sa tête, le gouvernement pronazi de Mgr Tiso. *1945* : réintégration dans la Tchécoslovaquie. *1969* : la Slovaquie devient l'une des deux républiques fédérées de Tchécoslovaquie. *1993* : proclamation de l'indépendance, sous la présidence de Michal Kováč.

**SLOVÉNIE (république de)**, en slovène ***Slovenija*** ~ Pays d'Europe centrale ouvrant sur l'Adriatique (port de Koper, en Istrie). ***Cap.*** Ljubljana. ***Superf.*** 20 251 km$^2$. ***Popul.*** 2 000 000 d'h. ***Langues princ.*** Slovène, serbo-croate. ***Monn.*** Tolar. ***Relief.*** Alpes juliennes au N., Karst au S.-O., plaines et collines au centre et à l'E. (bassins de la Save et de la Drave, axes de l'activité). ***Écon.*** Ressources et industries diversifiées à la recherche de nouveaux débouchés vers l'O. Tourisme. ***V. princ.*** Ljubljana, Maribor. **HIST.** - *VI[e]-XI[e] s.* : les Slovènes, peuple slave, passent successivement sous suzeraineté bavaroise, franque et hongroise. *1278* : les provinces slovènes de Styrie, de Carinthie et de Carniole sont annexées par les Habsbourg d'Autriche. *1809-1813* : intégration aux Provinces Illyriennes. *1918* : la Slovénie est intégrée au royaume des Serbes, des Croates et des Slovènes, future Yougoslavie (1929). *1945* : après l'occupation italo-allemande, le pays s'agrandit de la Vénétie Julienne, d'une partie du territoire de Trieste, et devient une république fédérée de la Yougoslavie. *1991* : malgré l'opposition du pouvoir fédéral, l'indépendance est proclamée. *1992* : Milan Kučan est élu à la présidence.

**SLUTER** (Claus) ~ *v. 1345, Haarlem - v. 1405, Dijon*. Sculpteur néerlandais. Il réalisa les six statues de prophètes du *Puits de Moïse*, dont la puissance expressive et la précision initièrent le courant réaliste de l'art européen du XVe s.

**SMÅLAND** (le) ~ Région forestière du Götaland (Suède), au S. du lac Vättern et au N. de la Scanie.

**Smalkalde (ligue de)** ~ Voir **Schmalkalden**.

*Le Puits de Moïse (détail), ensemble sculpté par Claus* **Sluter** *de 1395 à 1405. Chartreuse de Champmol, Dijon.*

**SMETANA** (Bedřich) ~ *1824, Litomyšl - 1884, Prague*. Compositeur tchèque. Dans ses opéras (*la Fiancée vendue*, 1866 ; *Libuše*, 1874) ou son cycle *Ma patrie*, dont le célèbre poème symphonique *la Moldau* (1874), il exprima le génie national.

**SMITH** (Adam) ~ *1723, Kirkcaldy, Écosse - 1790, Édimbourg*. Économiste britannique. Père du libéralisme classique, il développa l'idée que la recherche individuelle du profit est la condition de l'enrichissement collectif. Ses travaux sur le capital, sur la valeur d'usage et sur la valeur d'échange modifièrent les conditions de l'activité économique (*Recherches sur la nature et les causes de la richesse des nations*, 1776). [☞ **libéralisme.**]

**SMITH** (David) ~ *1906, Decatur, Indiana - 1965, Bennington, Vermont*. Sculpteur américain. Auteur de compositions abstraites constituées de rebuts industriels soudés, il évolua à la fin de sa vie vers un style lisse et dépouillé.

**SMITH** (Elizabeth, dite Bessie) ~ *1894, Chattanooga - 1937, Clarksdale, Mississippi*. Chanteuse de blues américaine. Artiste réaliste, elle connut la consécration entre 1923 et 1930 (*Saint Louis Blues*).

**SMITH** (Eugène William) ~ *1918, Wichita, Kansas - 1978, Tucson*. Photographe américain. Photographe de presse pour *Newsweek* (1938-1943) et *Life* (1932-1942), puis correspondant de guerre dans le Pacifique Sud, il entra à l'agence Magnum en 1955.

**SMITH** (Hamilton) ~ *1931, New York*. Microbiologiste américain. Avec Werner Arber et Daniel Nathans, il découvrit les enzymes de restriction, ouvrant la voie aux manipulations génétiques. Prix Nobel de physiol. ou méd. 1978.

**SMITH** (Ian Douglas) ~ *1919, Selukwe*. Homme politique rhodésien. Premier ministre de 1964 à 1979, il s'est opposé à l'octroi des droits politiques à la majorité noire et, rompant avec Londres, a proclamé l'indépendance (1965). Il a ensuite accepté l'évolution démocratique du pays, devenu le Zimbabwe.

**SMITH** (Joseph) ~ *1805, Sharon, Vermont - 1844, Carthage, Illinois*. Chef religieux américain. Inspiré par une révélation divine, il créa la première communauté de mormons en 1830. Accusé de prôner la polygamie, il fut lynché.

**SMOLENSK** ~ V. de Russie, sur le Dniepr et la route Varsovie-Moscou, vieux centre industriel ; 352 000 h. Enceinte et cathédrale du XVIIe s. Victoires allemande (1941) puis soviétique (1943).

**SMOLLETT** (Tobias George) ~ *1721, Dalquhurn, Écosse - 1771, Livourne*. Écrivain britannique. Auteur de romans picaresques (*les Aventures de Roderick Random*, 1748), il fut aussi éditeur, traducteur et journaliste.

**SMUTS** (Jan Christiaan) ~ *1870, Bovenplaats, près du Cap - 1950, Irene, près de Pretoria*. Homme politique sud-africain. Général pendant la guerre des Boers (1899-1902) aux côtés de ces derniers, il fut Premier ministre de 1919 à 1924 et de 1939 à 1948, contribuant alors, comme membre du cabinet de guerre britannique, à l'effort de guerre allié.

**SMYRNE** ~ Voir **Izmir**.

**SNAKE RIVER** (la) ~ Riv. du N.-O. des États-Unis, affluent (r. g.) de la Columbia ; 1 600 km.

**S. N. C. F.** ~ Voir **Société nationale des chemins de fer français**.

**SNELL VAN ROYEN** (Willebrord), dit **Villebrordus Snellius** ~ *1580, Leyde - 1626, id.* Astronome et mathématicien hollandais. Il donna la loi de la réfraction de la lumière (1620) et, en géodésie, initia la **méthode de triangulation de Snellius**, qui permet de mesurer un arc de méridien.

**SNIJDERS** ou **SNYDERS** (Frans) ~ *1579, Anvers - 1657, id.* Peintre flamand. D'inspiration baroque, il excella dans les natures mortes, les représentations d'animaux et les scènes de chasse.

**SNORRI STURLUSON** ~ *v. 1179, Hvammur - 1241, Reykjaholt.* Poète islandais. Dans l'*Edda prosaïque*, il fixa la mythologie nordique et énonça les principes de la poésie scaldique. On lui attribue la *Heimskringla*, série des sagas des rois de Norvège.

**SNOWDON** (le) ~ Massif montagneux humide du N.-O. du pays de Galles (point culminant, 1 085 m). Parc national (2 189 km$^2$). Tourisme.

**SOARES** (Mario) ~ *1924, Lisbonne.* Homme d'État portugais. Opposant au régime de Salazar et secrétaire général du parti socialiste (1973-1986), il a été, après la révolution de 1974, ministre des Affaires étrangères (1974-1975), Premier ministre (1976-1978 et 1983-1985) et président de la République (de 1986 à 1996).

**Sobibór** ~ Camp d'extermination nazi de l'E. de la Pologne, près de Chelm (1942-1943).

**SOBOUL** (Albert) ~ *1914, Ammi Moussa, Algérie - 1982, Nîmes.* Historien français. Il étudia la Révolution française d'un point de vue marxiste (*Précis d'histoire de la Révolution française*, 1962).

**SOČA** ~ Voir **Isonzo**.

**SOCHAUX** ~ V. industr. de la banlieue E. de Montbéliard (Doubs) ; 4 419 h. Usines Peugeot.

**social-démocrate allemand (Parti)**, en all. ***Sozialdemokratische Partei Deutschlands*** **(S. P. D.)** ~ Parti politique allemand créé en 1875, se réclamant du marxisme. Marqué à son origine par les idées de F. Lasalle, le S. P. D. devint un parti de masse et s'imposa comme un modèle aux autres partis de la IIe Internationale jusqu'en 1914, regroupant toutes les tendances du mouvement socialiste. Interdit par Hitler en 1933, il se reconstitua en 1945, et abandonna toute référence au marxisme et à la lutte des classes au congrès de Bad Godesberg (1959). Au pouvoir en R. F. A. de 1969 à 1982, il fut alors dominé par les personnalités de W. Brandt et H. Schmidt. Il a fusionné, en 1990, avec le S. P. D. est-allemand.

**sociale** (guerre) ou **guerre des Alliés** ~ Conflit entre les cités fédérées italiennes et Rome (90-88 av. J.-C.). Le sénat refusant le droit de cité (susceptible de procurer des terres) aux cités fédérées d'Italie, Marses et Samnites prirent les armes contre Rome. Défaits par Sylla, ils obtinrent cependant gain de cause.

**SOCIÉTÉ (îles de la)** ~ Princ. archipel de la Polynésie française, comprenant les îles du Vent (Tahiti, Moorea) et les îles Sous-le-Vent ; 1 750 km$^2$, 143 000 h., ch.-l. Papeete. Cultures tropicales, pêche. Tourisme. En 1769, J. Cook leur donna le nom de la Société royale de géographie. Elles furent annexées par la France (1880-1888).

**Société des auteurs, compositeurs et éditeurs de musique** (Sacem) ~ Organisme fondé en 1851 qui a pour vocation de percevoir les droits d'exécution et de diffusion publique des œuvres de ses membres.

**Société des Nations** (S. D. N.) ~ Organisation internationale créée en 1919 par le traité de Versailles, afin de garantir la paix et le nouvel ordre mondial issu de la guerre. Siégeant à Genève, elle fut abandonnée par les États-Unis dès sa création et se révéla impuissante face à la montée des conflits entre États. Elle transmit sa mission à l'O. N. U. en 1946 et disparut officiellement en 1947.

**Société nationale des chemins de fer français** (S. N. C. F.) ~ Établissement public industriel et commercial, sous contrôle de l'État, créé en 1937 et chargé de gérer le réseau ferroviaire français.

**Société nationale d'exploitation industrielle des tabacs et allumettes** (Seita) ~ Entreprise nationale créée en 1926, chargée de produire et de commercialiser tabacs et allumettes. Elle a été privatisée en 1995.

**SOCIN** (**Sozzini** ou **Socini**, dit en fr.), famille de réformateurs religieux italiens. ~ **Lelio** (*1525, Sienne - 1562, Zurich*) nia le dogme de la Trinité et la divinité du Christ (**socinianisme**). Son neveu ~ **Fausto** (*1539, Sienne - 1604, près de Cracovie*) reprit cette doctrine pour fonder en Pologne l'Église antitrinitaire des Frères polonais.

**SOCOTORA** ~ Île aride de l'océan Indien (Yémen), à l'entrée du golfe d'Aden ; 3 500 km$^2$, 15 000 h. Pêche (huîtres perlières).

**SOCRATE** ~ *470, Athènes - 399 av. J.-C., id.* Philosophe grec. Au contraire des sophistes, il refusa d'enseigner la philosophie, préférant amener, par des questions, ses interlocuteurs à se scruter eux-mêmes (maïeutique). Accusé d'être impie et de corrompre la jeunesse, il fut condamné à boire la ciguë. Il montra alors son respect des lois en refusant de s'évader. Il ne laissa pas d'écrit, mais Platon, son disciple, le mit en scène dans ses *Dialogues*.

**SODDY** (sir Frederick) ~ *1877, Eastbourne - 1956, Brighton.* Chimiste et physicien britannique. Collaborateur d'E. Rutherford of Nelson, il théorisa la désintégration des atomes radioactifs (**loi de Soddy**, 1902) et les transformations radioactives (1903), et élabora la classification isotopique (1913). Prix Nobel de chim. 1921.

**SODOMA** (Giovanni Antonio **Bazzi**, dit en fr. **le**) ~ *1477, Verceil - 1549, Sienne.* Peintre italien. Influencé par Léonard de Vinci, il mit son sens de la composition, sa maîtrise technique et son élégance au service d'une sensualité ambiguë (*les Noces d'Alexandre et de Roxane*, 1512).

**SODOME** et **GOMORRHE** ~ Cités antiques situées au S. de la mer Morte. Elles furent détruites, selon la Bible, par le soufre et le feu à cause de la dépravation (homosexualité) de leurs habitants.

**SOEKARNO** ~ Voir **Sukarno**.

**SOFIA** ~ Cap. de la Bulgarie, important nœud de communications, au pied du mont Balkan, métropole industrielle (mécan., électrotechn., text.) et culturelle (univ., édition, musées) à la croissance récente ; 1 189 000 h. Cathédrale néobyzantine (XXe s.), églises Ste-Sophie, St-Georges, mosquée (XVIe s.). Anc. capitale de la Dacie romaine, elle fut occupée par les Turcs de 1396 à 1878.

**SOGNEFJORD** (le) ~ Le plus long fjord de Norvège (env. 200 km), au N. de Bergen.

**SOHRAVARDI** (Shihaboddin Yahya) ~ *1155, Sohravard, Iran - 1191, Alep.* Philosophe et mystique iranien. Il réalisa une synthèse entre le zoroastrisme, le platonisme et le soufisme, et jeta les bases d'une théosophie orientale qui influença profondément la spiritualité musulmane.

**Soie (route de la)** ~ Ensemble d'itinéraires reliant l'Occident à l'Inde et à la Chine (Xi'an) via Antioche, Tyr et Palmyre. Active du IIe s. av. J.-C. au XIIIe s. apr. J.-C., elle a permis des échanges matériels (or, ivoire, épices et soie), culturels et religieux.

**Soïouz** ~ Voir **Soyouz**.

**Soir (le)** ~ Quotidien du soir belge de langue française fondé à Bruxelles en 1887.

**SOISSONS** ~ V. de Picardie (Aisne), marché agricole et petit centre industriel sur l'Aisne ; agglom. 46 184 h. Cathédrale des XIIe et XIIIe s., endommagée lors de la Première Guerre mondiale. Clovis y battit les Romains en 486 (épisode du **vase de Soissons**).

*Mario Soares.*
© Photosprint-Gamma

*Aleksandr Soljenitsyne.*
© Blanche-Gamma

**SOISY-SOUS-MONTMORENCY** ~ V. de la banlieue N. de Paris (Val-d'Oise), à la lisière S. de la forêt de Montmorency ; 16 597 h.

**SOKOLOVSKI** (Vassili Danilovitch) ~ *1897, Kozliki - 1968, Moscou.* Maréchal soviétique. Commandant des forces soviétiques en Allemagne (1946-1949), il fut chef d'état-major général (1952-1960).

**SOKOTO** ~ V. du N.-O. du Nigeria, centre administratif et commercial sur la route transsaharienne ; 186 000 h. Université. La ville fut fondée en 1804 par Ousmane dan Fodio pour devenir la cap. de l'empire peul **empire de Sokoto**.

**SOLARIO** ou **SOLARI**, nom de deux artistes italiens. ~ **Cristoforo** (*1460, Angera, sur le lac Majeur - 1527, Milan*), sculpteur et architecte. On lui doit not. le tombeau en marbre de Ludovic le More à la chartreuse de Pavie. Son frère ~ **Andrea** (*v. 1475, Milan - v. 1520*), peintre, élève de Léonard de Vinci, est l'auteur de *la Vierge au coussin vert*, qui révèle une grande maîtrise de la couleur.

**Soleil (Théâtre du)** ~ Compagnie théâtrale fondée en 1964 et animée par A. Mnouchkine, installée depuis 1970 à la Cartoucherie de Vincennes.

**SOLENZARA** ~ Station balnéaire du S. de la plaine d'Aléria (Corse-du-Sud).

**SOLESMES** ~ Localité de la Sarthe ; 1 277 h. Fondée au XIe s. par Geoffroi de Sablé, son abbaye bénédictine (St-Pierre-de-Solesmes) a été, au XIXe s., le foyer du renouveau du plain-chant.

**SOLEURE**, en all. ***Solothurn*** ~ V. de la Suisse alémanique, sur l'Aar, ch.-l. du **canton de Soleure** (791 km$^2$, 237 000 h.), jurassien ; 16 000 h. Horlogerie, papeterie. Elle entra dans la Confédération en 1481 et demeure un bastion catholique.

**SOLFERINO** ~ Village de Lombardie (Italie), dans la prov. de Mantoue. Le 24 juin 1859, les Français et les Piémontais, commandés par Napoléon III, y vainquirent les Autrichiens. Cette bataille, qui fit 40 000 morts, incita H. Dunant à fonder la Croix-Rouge.

**Solidarność**, en fr. **Solidarité** ~ Syndicat polonais indépendant fondé en 1980 à Gdańsk. Présidé de 1981 à 1990 par L. Wałęsa, il fut interdit et entra dans la clandestinité en 1982. Principal artisan de la chute du régime communiste, il a été légalisé de nouveau en 1989.

**SOLIMAN LE MAGNIFIQUE**, en turc ***Süleyman Kanunî***, en fr. « le Législateur » ~ *1494, Trébizonde - 1566, Szigetvár, Hongrie.* Sultan ottoman (1520-1566). Grand conquérant, il soumit la Hongrie (1526), assiégea Vienne (1529) et envahit Bagdad et Tabriz (1534). Il modernisa la législation de son empire qu'il porta à son apogée.

**SOLIMENA** (Francesco), dit **l'Abate Ciccio** ~ *1657, Canale di Serino, Campanie - 1747, Barra, id.* Peintre italien. Influencé par Luca Giordano, il s'imposa en Italie et en Espagne par son goût décoratif, caractéristique du baroque napolitain.

**SOLINGEN** ~ V. d'Allemagne, dans le S. de la Ruhr (Rhénanie-du-Nord - Westphalie) ; 167 000 h. Industr. de la coutellerie. Musée. La ville fut ravagée pendant la Seconde Guerre mondiale.

**SOLJENITSYNE** (Aleksandr Issaïevitch) ~ *1918, Kislovodsk.* Écrivain soviétique. Condamné à huit ans de bagne en 1945 pour avoir critiqué Staline, il a dénoncé le système soviétique (*Une journée d'Ivan Denissovitch*, 1962 ; *l'Archipel du Goulag*, 1973-1976, interdit en U. R. S. S.), a été contraint à l'exil (1974) et s'est réfugié aux États-Unis, où il a prononcé un réquisitoire contre le matérialisme occidental (*Discours de Harvard*, 1978). Revenu en Russie en 1994, il a prôné un retour aux traditions nationales. Prix Nobel de litt. 1970.

**SOLLERS** (Philippe **Joyaux**, dit Philippe) ~ *1936, Talence.* Écrivain français. Cofondateur de la revue *Tel quel* (1960) et romancier d'avant-garde (*le Parc*, 1961), il a évolué vers un hédonisme plus classique (*Femmes*, 1983 ; *la Fête à Venise*, 1991).

**SOLOGNE** (la) ~ Région du S. du Bassin parisien, entre les vallées de la Loire et du Cher. Son sol (argile et sable) porte des landes, des forêts et des étangs (chasse et pêche). Tourisme (châteaux). V. princ. Romorantin-Lanthenay.

**SOLOMÓS** (Dionýsios, comte) ~ *1798, Zante - 1857, Corfou.* Poète grec. En choisissant le grec comme langue d'expression, il devint le poète de la Grèce indépendante (*Hymne à la liberté*, 1823).

**SOLON** ~ *v. 640 - v. 558 av. J.-C.* Archonte et législateur athénien. En 594 av. J.-C., il supprima l'esclavage pour dettes et réforma les pratiques politiques en fonction d'un classement censitaire de la population, donnant ainsi les bases de l'essor d'Athènes. Il fait partie des Sept Sages de la Grèce.

**SOLOW** (Robert Merton) ~ *1924, New York.* Économiste américain. Étudiant les rapports entre croissance et progrès technique, il a soutenu que la compétence humaine primait sur les investissements. Prix Nobel de sc. écon. 1987.

**Solutré (roche de)** ~ Site préhistorique de Saône-et-Loire. Elle a donné son nom à une période du Paléolithique supérieur, le **Solutréen**.

© C. Cuny-Explorer

*La roche de Solutré.*

**SOLVAY** (Ernest) ~ *1838, Rebecq-Rognon - 1922, Bruxelles.* Industriel belge. Il mit au point la fabrication industrielle du carbonate de sodium à l'ammoniac (**soude Solvay**, 1861) et finança, à partir de 1911, des congrès scientifiques internationaux, les **conseils Solvay**, réunis à Bruxelles.

**SOLWAY (golfe de)** ~ Golfe de la mer d'Irlande, aux confins de l'Écosse et de l'Angleterre.

**SOMALIE (république démocratique de)** ~ Pays de l'extrémité orientale de l'Afrique, bordé par l'océan Indien. ***Cap.*** Mogadiscio. ***Superf.*** 637 657 km². ***Popul.*** 9 200 000 h. ***Langue*** Somali. ***Monn.*** Shilling somali. ***Relief.*** Au N., plateaux et montagnes (Shimba Berri, 2 407 m), au centre, côte basse aride, au S., plaine alluviale (Djouba-Chébéli) et plateaux dans l'intérieur. ***Climat.*** Semi-aride. ***Écon.*** L'élevage (chameaux, bovins, ovins) et l'agriculture (banane, canne à sucre, coton) fournissent les principaux produits d'exportation. L'insuffisance de l'agriculture vivrière (sorgho, maïs, haricots), le manque d'industries et la guerre civile entretiennent les famines et le fort endettement. Le pays est très dépendant de l'aide internationale. **HIST.** - *v. 2000 av. J.-C.* : les premières populations connues sont chassées par la sécheresse. *IXe-XIIIe s.* : les pasteurs somalis occupant le territoire sont islamisés par des commerçants arabes installés sur les côtes. *XVIe s.* : les Oromos du S. envahissent le S. de l'Éthiopie. *XIXe s.* : ils sont réduits par l'empereur Ménélik. La région est colonisée par les Britanniques en 1887 (Somaliland, au N.), par les Français en 1896 (Côte française des Somalis, auj. république de Djibouti) et par les Italiens en 1905 (Somalia). *1936* : la Somalie, l'Éthiopie et l'Érythrée constituent l'Afrique-Orientale italienne. *1941* : après avoir évacué le Somaliland (1940), les Britanniques s'y rétablissent et conquièrent toute l'Afrique italienne et l'Ogaden qu'ils administrent. *1950* : l'O. N. U. place le pays sous tutelle italienne. *1960* : proclamation de l'indépendance. Aden Osman est le premier président de la république de Somalie, formée de la Somalia et du Somaliland, et qui revendique l'Ogaden éthiopien. *1969* : un coup d'État porte au pouvoir le général Muhammad Siyad Barré. *1977-1978* : il engage son pays dans une guerre pour conquérir l'Ogaden. *1988* : conclusion d'un accord de paix avec l'Éthiopie. *1991* : Siyad Barré est renversé. Une république indépendante est proclamée dans le N. du pays. *Depuis 1991* : guerre civile entre les partisans d'Ali Mahdi Mohammed et ceux de Mohammed Farah Aïdid. De 1992 à 1995, la Somalie est occupée par des troupes de l'O. N. U. sans que l'ordre civil soit rétabli.

**Somalis** (les) ~ Peuple d'Éthiopie, de Somalie et de Djibouti, de langue couchitique.

**SOMBART** (Werner) ~ *1863, Ermsleben, Halle - 1941, Berlin.* Économiste et sociologue allemand. À la différence de M. Weber, avec qui il travailla, il situait les origines du capitalisme à l'apparition du judaïsme (*le Capitalisme moderne*, 1902). D'abord socialiste, il rallia le nazisme.

**SOMERS** ou **SOMMERS** (John, baron) ~ *1651, près de Worcester - 1716, Londres.* Homme politique anglais. Acteur de la Seconde Révolution de 1688, il présida la commission qui rédigea la Déclaration des droits (1689). Whig, il fut lord-chancelier (1697-1700) et président du Conseil (1708-1710).

**SOMERSET** (le) ~ Comté du S.-O. de l'Angleterre ; 3 452 km², 460 000 h., ch.-l. Taunton. Élevage laitier (fromage de Cheddar). Tourisme.

**SOMME** (la) ~ Fl. de Picardie, issu du dép. de l'Aisne, tribut. de la Manche, qui arrose Saint-Quentin, Amiens, Abbeville, et finit en un large estuaire ensablé (**baie de Somme**) ; 245 km. Sa vallée forme une tranchée dans les plateaux environnants. La **bataille de la Somme** (1er juill.- 23 oct. 1916) vit la première utilisation des chars d'assaut (15 sept.). Les importantes pertes humaines coûtèrent à Joffre son commandement.

**SOMME** (la) ~ Dép. de la Région Picardie, au N. du Bassin parisien, région de bas plateaux (Vimeu, Ponthieu, Santerre) voués aux cultures céréalière et industrielle, traversés au centre par la vallée de la Somme. L'activité industrielle (agroalimentaire, parachimie, pharmacie), les cultures maraîchères et fruitières se concentrent autour d'Amiens ; 6 163 km², 547 825 h., v. princ. Amiens (préfect.), Abbeville. La Somme fut un théâtre d'opérations durant les deux guerres mondiales.

**SOMMERFELD** (Arnold) ~ *1868, Königsberg - 1951, Munich.* Physicien allemand. Modifiant le modèle de N. Bohr, il expliqua certaines propriétés de l'atome par la mécanique relativiste et la théorie quantique, dont la structure fine des raies spectrales, introduisant les orbites elliptiques (1916).

**SOMOSIERRA (col de)** ~ Col de la sierra de Guadarrama (Espagne), entre Vieille- et Nouvelle-Castille ; 1 430 m. Le 30 novembre 1808, Napoléon Ier y remporta une victoire qui ouvrit aux Français la route de Madrid.

**SOMOZA** (Anastasio) ~ *1923, León - 1980, Asunción.* Homme d'État nicaraguayen. Élu président du Nicaragua en 1967, il instaura une dictature et fut renversé par la révolution sandiniste (1979). Il se réfugia au Paraguay, où il fut assassiné. Son père ~ **Anastasio** fut président du Nicaragua (1936-1956), ainsi que son frère ~ **Luis** (1956-1963).

**SOMPORT (col du)** ~ Col routier des Pyrénées-Atlantiques reliant la vallée d'Aspe à celle de l'Aragón, en Espagne ; 1 632 m.

**SONDE (îles de la)** ~ Archipel et arc volcanique indonésien, entre la mer de Java et l'océan Indien (Sumatra, Java, Bali et, à l'E., petites îles de la Sonde, jusqu'à Timor).

**Sonderbund** (le) ~ Ligue séparatiste formée par sept cantons catholiques de Suisse contre le gouvernement fédéral (1845). Il fut battu par l'armée fédérale que dirigeait le général Dufour et fut dissous en 1847.

**SONG** ~ Nom de dynasties chinoises (960-1279), successivement Song du Nord puis du Sud à partir de 1127. Elles furent éliminées par les Mongols.

**SÔNG DA** (le) ou **RIVIÈRE NOIRE** (la), en chin. ***Babian Jiang*** ~ Riv. du N. du Viêt Nam issue du Yunnan (Chine), princ. affl. (r. dr.) du fleuve Rouge ; env. 800 km. Hydroélectricité.

**Songhaï** ou **Sonrhaï** (le) ~ Nom d'un empire de l'Afrique qui s'étendait à hauteur de Gao, sur les rives du moyen Niger, à l'E. de l'actuel Mali. Sous Sonni Ali Ber (1464-1492), puis sous Sara Kollé Mohamed Touré (1493-1528), le Songhaï connut son apogée. Il fut démantelé en 1591 par le sultan marocain Ahmed el-Mansour.

**Songhaïs** ou **Sonrhaïs** (les) ~ Peuple islamisé du Sahel (région de Gao, au Mali).

**SÔNG HONG** (le) ou **FLEUVE ROUGE** (le) ~ Princ. fleuve du Viêt Nam, issu du Yunnan (Chine), qui rejoint le golfe du Tonkin par un vaste delta enrichi des limons rougeâtres du fleuve (riziculture) ; 1 200 km.

**Soninkés** (les) ~ Voir **Sarakollés**.

**SONORA** (le) ~ État semi-aride du Mexique, frontalier des États-Unis, entre le golfe de Californie et la sierra Madre occidentale ; 184 934 km², 1 824 000 h., cap. Hermosillo. Élev. bovin, agric. irriguée. Exploitation minière. Usines de montage américaines (*maquilladoras*).

**SOPHIA-ANTIPOLIS** ~ Technopôle des Alpes-Maritimes, à l'O. d'Antibes.

**SOPHIE ALEXEÏEVNA** ~ *1657, Moscou - 1704, id.* Régente de Russie (1682-1689). Fille d'Alexis Ier, elle prit le pouvoir à la mort de Fiodor III et gouverna pendant la minorité d'Ivan V et de Pierre Ier, sous l'influence de son favori Vassili Golitsyne. En 1689, Pierre Ier la fit enfermer dans un couvent.

**SOPHOCLE** ~ *v. 495, Colone - 406 av. J.-C., Athènes.* Poète tragique grec. Il donna sa forme classique à la tragédie, not. en développant le rôle des trois acteurs et en réduisant celui du chœur. Ses héros assument le poids de la fatalité et se soumettent à la volonté des dieux. Il peint leur déchirement avec une harmonie formelle caractéristique du siècle de Périclès, éclatante dans les 7 pièces qui nous sont parvenues sur les 126 qu'on lui attribue (*Ajax* ; *les Trachiniennes* ; *Antigone* ; *Œdipe roi* ; *Électre* ; *Philoctète* ; *Œdipe à Colone*).

Sophocle. *Musée du Capitole, Rome.* © Giraudon

**SOPOT** ~ La plus grande station baln. de Pologne, sur la baie de Gdańsk ; 48 000 h.

**SOPRON** ~ V. pittoresque de Hongrie, près du lac de Neusiedl, vieille cité marchande ; 57 000 h. Monuments médiévaux et baroques.

**Sorabes** (les) ~ Peuple slave de Lusace. Ils furent réduits en esclavage par les Germains (Xe-XIIe s.).

**SORBON** (Robert DE) ~ *1201, Sorbon, Ardennes - 1274, Paris.* Théologien français. Chanoine de Cambrai puis chapelain de Saint Louis, il fonda, en 1257, la Sorbonne. Auteur de nombreux traités.

**Sorbonne** (la) ~ Université française. Collège fondé au quartier Latin (1257) par le chapelain R. de Sorbon pour permettre l'accès des plus pauvres à la connaissance théologique, elle devint le lieu des délibérations générales de la faculté de théologie (1554). Elle accueillit le tribunal ecclésiastique qui condamna les Jésuites (XVIe s.), les jansénistes (XVIIe s.), puis les philosophes (XVIIIe s.). Supprimée sous la Révolution, elle fut donnée à l'Université en 1806. De sa reconstruction par Richelieu, sur des plans de Lemercier (1625-1642), ne subsiste que la chapelle, qui abrite le tombeau du cardinal, réalisé par Girardon (1694), et des peintures de Ph. de Champaigne. Les actuels bâtiments (1885-1901) sont l'œuvre de Nenot.

**SORDI** (Alberto) ~ *1919, Rome.* Acteur et cinéaste italien. De F. Fellini (*I Vitelloni*, 1953) à D. Risi (*Une vie difficile*, 1961), en passant par L. Comencini (*l'Argent de la vieille*, 1972), il a été à l'écran l'archétype de l'Italien drôle et émouvant.

**SOREL** (Agnès) ~ *v. 1422, Fromenteau, Touraine, ou Froidmantel, Somme - 1450, Anneville, Normandie.* Maîtresse de Charles VII, elle fut la première favorite officielle d'un roi de France. Elle influença la politique royale et fut empoisonnée.

**SOREL** (Albert) ~ *1842, Honfleur - 1906, Paris.* Historien et écrivain français. Il est l'auteur de romans et d'études historiques (*Histoire diplomatique de la guerre franco-allemande*, 1875). Acad.

**SOREL** (Charles), sieur **de Souvigny** ~ *v. 1582, Paris - 1674, id.* Écrivain français. Auteur d'un roman picaresque, *la Vraie Histoire comique de Francion* (1623-1633), il parodia *l'Astrée*, d'H. d'Urfé, dans *le Berger extravagant* (1627).

**SOREL** (Georges) ~ *1847, Cherbourg - 1922, Boulogne-sur-Seine.* Théoricien socialiste français. Il fit de la violence le cœur de sa théorie de la lutte des classes, et inspira le syndicalisme révolutionnaire (*Réflexions sur la violence*, 1908).

**SØRENSEN** (Søren) ~ *1868, Havrebjerg - 1939, Copenhague.* Chimiste danois. Il définit le pH, indice d'acidité d'une solution (1909).

**SORGUE** (la) ~ Riv. du Comtat Venaissin (Vaucluse), affl. du Rhône (r. g.), née de la résurgence de la fontaine de Vaucluse ; 36 km.

**SORGUES** ~ V. du Vaucluse, marché agricole sur l'Ouvèze ; 17 236 h.

**SORLINGUES (îles)** ~ Voir **Scilly**.

**SOROKIN** (Pitirim) ~ *1889, Touria - 1968, Winchester, Massachusetts.* Sociologue américain d'orig. russe. D'abord tenant d'une sociologie comportementaliste, il évolua vers une théorie des fluctuations historiques (*Société, Culture et Personnalité : leur structure et leur dynamique*, 1947).

**SORRENTE** ~ Station balnéaire d'Italie méridionale (Campanie), sur la baie de Naples et la **presqu'île de Sorrente** ; 17 000 h. Archevêché.

**SOSIE** ~ Personnage de Plaute, puis de Molière. Suite à une ruse de Jupiter, Sosie, esclave d'Amphitryon, est confronté à son double et en vient à douter de sa propre identité.

**SOSNOWIEC** ~ V. industrielle de la conurbation de Katowice, en haute Silésie (Pologne) ; 259 000 h.

**SOSPEL** ~ V. touristique de l'arrière-pays niçois (Alpes-Maritimes) ; 2 592 h. Pont médiéval.

**SÔTATSU Nonomura** ~ *1576, Kyôto - 1643, id.* Peintre japonais. Unissant la riche tradition décorative de l'époque Heian et le graphisme nerveux de la peinture à l'encre, il laissa de vigoureuses et pittoresques figures, comme celles du *Dieu du Tonnerre* ou du *Dieu du Vent*.

**Sothos** ou **Bassoutos** (les) ~ Groupe de peuples bantous de l'Afrique australe, majoritaires au Lesotho.

**SOTTEVILLE-LÈS-ROUEN** ~ V. industr. et nœud ferroviaire de la banlieue de Rouen (Seine-Maritime) ; 29 544 h. Musée de locomotives.

**SOUABE** (la), en all. ***Schwaben*** ~ Région géogr. (Souabe-Franconie) et hist. d'Allemagne méridionale, partagée auj. entre le S. du Bade-Wurtemberg (protestant) et le S.-O. de la Bavière (catholique), entre la Forêt-Noire à l'E. et la forêt de Bavière à l'E. Le Danube en forme l'axe central. Landes et forêts sur les hautes terres. Les dépressions et vallées plus fertiles (lœss) sont le domaine d'une agriculture diversifiée, avec de la vigne sur les coteaux. Princ. v. Stuttgart, Augsbourg. **HIST.** - Province romaine sous le nom de Rhétie, envahie par les Alamans, elle passa aux Hohenstaufen (1079-1268). Après de longs troubles, la **grande ligue de Souabe** (1488-1533) soutint l'Autriche. Ravagée par la guerre de Trente Ans, la Souabe fut démantelée aux traités de Westphalie (1648).

**SOUABE-FRANCONIE (bassin de)** ~ Région sédimentaire du S. de l'Allemagne, entre le Main et le Danube, traversée par des reliefs de côtes fortement relevés, formant le Jura souabe et franconien (1 017 m).

**SOUBISE** (Charles **de Rohan**, prince DE) ~ *1715, Paris - 1787, id.* Maréchal de France (1758). Ami de Louis XV, protégé par les favorites du roi, il se distingua à Fontenoy (1745) et fut vaincu à Rossbach par Frédéric II (1757).

**SOU Che** ~ Voir Su Shi.

**SOUCHEZ** ~ V. du Pas-de-Calais ; 2 031 h. Site de la bataille de l'Artois (1915).

**SOUDAN** (le) ~ Zone climat. d'Afrique (hémisphère N.), entre le Sahel et le domaine de la forêt dense, ainsi désignée par les Européens d'un terme repris de l'arabe *Bilad-al-Sudan* (« pays des Noirs »). Les précipitations y atteignent 1 000 mm par an, et les formations végétales y sont celles de la forêt claire ou de la savane arborée. Agric. pluviale.

**SOUDAN (république du)**, en ar. ***al-Sudan*** ~ Pays d'Afrique de l'Est, le plus vaste du continent, s'étendant du Sahara à la forêt tropicale humide, avec un débouché sur la mer Rouge. ***Cap.*** Khartoum. ***Superf.*** 2 505 813 $km^2$. ***Popul.*** 30 830 000 h. ***Langue princ.*** Arabe. ***Monn.*** Dinar. ***Relief.*** Vaste plaine drainée par le Nil (sur 4 375 km), bordée de hauteurs (Darfour). Dans le N. s'étendent les déserts de Nubie et de Libye. ***Climat.*** Aride au N., sahélien au centre, soudanien au S. ***Écon.*** Désorganisée par la guerre civile qui sévit dans le S., aux populations noires christianisées, en butte à la domination des musulmans du N. L'Occident et les pays arabes modérés ont suspendu leur aide. Agriculture vivrière (sorgho, millet, manioc) et commerciale (arachide, coton, canne à sucre, kapok), élevage (ovin, caprin, bovin), pêche (eau douce), exploitation forestière (gomme arabique) constituent les principales richesses ; ressources minérales et énergétiques peu exploitées. ***V. princ.*** Khartoum, Port-Soudan, Ouad-Medani, El-Obeid. **HIST.** - *IIe mill. av. J.-C.* : influence égyptienne sur la Nubie. *VIIIe s. av. J.-C.* : une dynastie nubienne du royaume de Kouch règne sur l'Égypte. *VIe-IVe s. av. J.-C.* : après l'invasion de l'Égypte par les Assyriens, le royaume de Nubie vit replié sur lui-même (cap. Méroé), avant d'être abattu (v. 350 apr. J.-C.) par celui d'Aksoum. Les royaumes chrétiens d'Aloa et de Dongola, qui lui succèdent, subsistent jusqu'au XVe s., puis sont conquis par des royaumes musulmans qui constituent des sultanats. *1820-1840* : conquête du Soudan par le vice-roi d'Égypte, Méhémet-Ali. *1881-1898* : révolte d'al-Mahdi, qui établit sa domination sur une partie du pays avant d'être vaincu par le maréchal Kitchener. *1899* : établissement d'un condominium anglo-égyptien sur le Soudan, malgré une tentative de pénétration française (Fachoda, 1898). *1956* : indépendance de la république du Soudan (antagonisme entre les peuples du S. et du N.). *1958* : un coup d'État porte le général Ibrahim Abboud au pouvoir. *1965* : retour des gouvernements civils. *1969* : le général Djaafar al-Nimayri met en place un régime de type socialiste. *1983* : il accepte l'instauration de la charia. *1985* : il est renversé par une insurrection populaire. *1989* : le gouvernement civil de Sadiq al-Mahdi, en place depuis 1986, est renversé par les militaires qui instaurent un pouvoir autoritaire à tendance islamiste. *1993* : le général Omar Hassan Ahmed al-Bachir est nommé président de la République. Cheikh Hassan al-Tourabi, guide des islamistes, est l'idéologue du gouvernement. La guerre entre le Sud et le Nord se poursuit (un million de morts depuis 1983). La communauté internationale accuse le Soudan de soutenir des actions terroristes dans le monde et suspend son aide.

**SOUDAN FRANÇAIS** (le) ~ Nom donné de 1920 à 1958 à la colonie française du Mali (actuels Mali, Niger et Burkina Faso).

**SOUF** (le) ~ Région du N.-E. du Sahara algérien, au S. des chotts. Palmeraies. V. princ. El-Wad.

**SOUFFLOT** (Germain) ~ *1713, Irancy, Yonne - 1780, Paris.* Architecte français. Influencé par l'Antiquité et l'architecture romaine de la Renaissance, il imposa ses conceptions néoclassiques à Lyon et à Paris (Panthéon).

**SOUFRIÈRE** (la) ~ Volcan actif de Basse-Terre et point culminant de la Guadeloupe ; 1 467 m.

**SOUK-AHRAS**, anc. **Thagaste** ~ V. d'Algérie, à proximité de la frontière tunisienne ; 88 000 h. Vestiges romains.

**SOUKHOUMI** ~ Cap. de l'Abkhazie (Géorgie), port et station balnéaire sur la mer Noire, dans les piémonts caucasiens ; 122 000 h. Agroalimentaire. Ruines du château de Bagrat (Xe-XIe s.).

**SOULAC-SUR-MER** ~ Station baln. de la côte atlantique (Gironde) ; 2 790 h. Basilique Notre-Dame-de-la-Fin-des-Terres (XIIe-XIVe s.).

**SOULAGES** (Pierre) ~ *1919, Rodez.* Peintre français. Son style abstrait fait jouer la lumière sur de larges bandes noires. Il a également conçu et réalisé des vitraux pour l'abbaye de Conques (1994).

**SOULE** (la) ~ Anc. prov. orientale du Pays basque français, au N.-O. du pic d'Anie.

**SOULOUQUE** (Faustin) ~ *1782, Petit-Goâve - 1867, id.* Empereur d'Haïti (1849-1859). Ancien esclave, il fut élu président en 1847, puis il se fit proclamer empereur d'Haïti sous le nom de Faustin Ier.

**SOULT** (Jean de Dieu Nicolas) ~ *1769, Saint-Amans-la-Bastide, auj. Saint-Amans-Soult, Tarn - 1851, id.* Maréchal de France (1804) et duc de Dalmatie (1807). Engagé en 1785, général de division en 1799, il décida de la victoire d'Austerlitz (1805). Malgré sa mésentente avec le roi Joseph Bonaparte, il s'illustra en Espagne. Il se rallia à Louis XVIII (1814), puis rejoignit Napoléon Ier durant les Cent-Jours. Banni (1816-1819) sous la seconde Restauration, il revint au premier plan sous la monarchie de Juillet. Louis-Philippe le fit ministre de la Guerre (1830-1832), puis président du Conseil (1832-1834 ; 1839-1840 ; 1840-1847).

**SOUMAROKOV** (Aleksandr Petrovitch) ~ *1717, Saint-Pétersbourg - 1777, Moscou.* Auteur dramatique russe. Il introduisit dans le théâtre russe des pièces inspirées du classicisme français (*Khoriev*, 1749).

**SOUMGAÏT** ~ V. d'Azerbaïdjan, fondée en 1944 sur la mer Caspienne, au N. de Bakou ; 236 000 h. Industries sidérurgique, métallurgique et chimique.

**SOUMMAM** (la) ~ Fl. d'Algérie (Kabylie), cours inférieur de l'oued Sahel, débouchant à Bejaia.

**SOUMY** ~ V. industr. d'Ukraine septentrionale, à proximité de la frontière russe ; 301 000 h.

**SOUNGARI** (le), en chin. ***Songhua Jiang*** ~ Riv. qui draine la Chine du N.-E., affl. de l'Amour (r. dr.), et arrose Harbin ; 1 800 km.

**SOUNION (cap)** ou **COLONNE (cap)** ~ Promontoire de Grèce, au S.-E. de l'Attique. Temple de Poséidon (milieu du Ve s. av. J.-C.).

**SOUPAULT** (Philippe) ~ *1897, Chaville - 1990, Paris.* Écrivain et poète français. Dadaïste puis surréaliste, il est l'auteur avec A. Breton des *Champs magnétiques* (1920), premier essai d'écriture automatique. [☞ **surréalisme**.]

**SOUPHANOUVONG** (prince) ~ *1909, Luang Prabang - 1995, Vientiane.* Homme d'État laotien. Fondateur du Pathet Lao (1950), puis du Front laotien pour la reconstruction nationale (1979), il fut président de la république démocratique populaire du Laos de 1975 à 1986.

**SOUR**, anc. **Tyr** ~ Port du Liban, sur la Méditerranée, au S. de Sayda ; 14 000 h. Archevêchés catholiques (rites maronite et grec). Vestiges phéniciens. **HIST.** - Prospère dès le IIe mill. av. J.-C., Tyr fonda des colonies, dont Gadès (Cadix) et Carthage (IXe s. av. J.-C.). Elle fut prise par Alexandre le Grand (332 av. J.-C.). Étape portuaire de la route de la Soie, conquise par les Arabes (636), par les croisés (XIe s.), puis par Venise (1124), elle fut détruite sous la domination des Mamelouks d'Égypte.

**SOURGOUT** ~ Port fluvial de Sibérie occidentale (Russie), sur l'Ob, centre pétrolier (oléoduc) ; 260 000 h. Centrale thermique.

**SOUS** ~ Plaine du S. du Maroc ouverte sur l'Atlantique et drainée par l'**oued Sous** (180 km).

**SOUS-LE-VENT (îles)**, nom donné à des îles abritées des alizés. ~ Îles des Petites Antilles, au large de la côte du Venezuela (Aruba, Bonaire, Curaçao). ~ Sous ce nom (en angl. ***Leeward Islands***), les Anglo-Saxons désignent un autre groupe d'îles des Petites Antilles comprises entre Porto Rico et la Guadeloupe. ~ Partie N.-O. de l'archipel de la Société, en Polynésie française (Raïatea, Tahaa, Huahine, Bora Bora) ; env. 475 $km^2$, env. 22 000 h.

**SOUSSE** ~ Port de Tunisie, sur le golfe d'Hammamet ; 84 000 h. Tourisme. Exportation d'huile. Remparts, mosquée et monastère fortifié (le *ribat*) du IXe s.

**SOUTHAMPTON** ~ Port d'Angleterre, sur la Manche (Hampshire), face à l'île de Wight ; 197 000 h. Université (1862). Constr. navales, pétrochimie (raffinerie de Fawley), industries de pointe. Il fut bombardé durant la Seconde Guerre mondiale.

**SOUTHEND-ON-SEA** ~ Station baln. d'Angleterre (Essex), à l'E. de Londres ; 158 000 h.

**SOUTINE** (Chaïm) ~ *1893, Smilovitchi, région de Minsk - 1943, Paris.* Peintre français d'orig. lituanienne. Obsédé par les exemples de Rembrandt et de Van Gogh, il exprima sa vision tragique du monde par un violent expressionnisme graphique et chromatique (*Arbres couchés*, 1923).

**SOUVANNA PHOUMA** (prince Tiao) ~ *1901, Luang Prabang - 1984, Vientiane.* Homme politique laotien. De tendance neutraliste, il fut Premier ministre à plusieurs reprises de 1951 à l'abolition de la monarchie, en 1975.

**SOUVARINE** (Boris **Lifschitz**, dit Boris) ~ *1895, Kiev - 1984, Paris.* Homme politique français. À l'origine de la création du P. C. F. (1920), il en fut exclu en 1924 pour avoir défendu Trotski.

**SOUVOROV** (Aleksandr Vassilievitch, comte puis prince) ~ *1729 ou 1730, Moscou - 1800, Saint-Pétersbourg.* Feld-maréchal russe. Il combattit les Polonais (1768-1772) puis les Turcs (1773-1774, 1787-1789). En 1794, il réprima le soulèvement polonais. En 1799, il fut vaincu par A. Masséna à Zurich.

**SOUZDAL** ~ V. hist. de Russie, au N.-E. de Moscou ; env. 10 000 h. Cathédrale (XIII^e^ s.), monastères. Centre historique de la **principauté de Souzdal** fondée au XI^e^ siècle, qui fut en grande partie à l'origine de la formation de l'État moscovite.

**Soweto**, acron. de ***South Western Townships*** ~ Quartier de Johannesburg (Afrique du Sud) ; env. 1 000 000 d'h. Cité-dortoir de la communauté noire, Soweto fut le théâtre de nombreuses émeutes antiapartheid (not. en 1976).

**SOYINKA** (Wole) ~ *1934, Abeokuta.* Écrivain nigérian d'expression anglaise. Poète, romancier et auteur dramatique, il a exprimé sa nostalgie de la tradition dans des œuvres satiriques ou lyriques (*Idanre et autres poèmes*, 1967 ; *Aké, les années d'enfance*, 1981). Prix Nobel de litt. 1986.

**Soyouz** ou **Soïouz** ~ Série de vaisseaux spatiaux soviétiques mis en service en 1967.

**SPA** ~ Station thermale de l'Ardenne belge, au S.-E. de Liège ; env. 10 000 h. Eaux ferrugineuses. Festival de la chanson française. Guillaume II y signa son abdication (1918).

**SPAAK** (Paul Henri) ~ *1899, Schaerbeek, près de Bruxelles - 1972, Bruxelles.* Homme politique belge. Socialiste, il fut Premier ministre (1938-1939, 1946, 1947-1949) et ministre des Affaires étrangères. Partisan convaincu de l'Union européenne et de l'Alliance atlantique, il fut aussi secrétaire général de l'Otan (1957-1961).

**Spacelab** ~ Laboratoire orbital européen dont le premier vol eut lieu en 1983.

**SPALLANZANI** (Lazzaro) ~ *1729, Scandiano - 1799, Pavie.* Biologiste italien. Il s'opposa à la théorie de la génération spontanée et mit au jour le mécanisme de la reproduction (1777). Il établit le rôle du suc gastrique dans la digestion.

**SPANDAU** ~ Anc. ville forte d'Allemagne orientale, auj. réunie à Berlin. Les dirigeants nazis condamnés par le tribunal de Nuremberg y furent détenus de 1946 à 1987.

**SPANISH TOWN** ~ Anc. capitale de la Jamaïque (1692-1872), à l'O. de Kingston ; 92 000 h. Cathédrale (XVII^e^ s.).

**SPARTACUS** ~ *m. en 71 av. J.-C. en Lucanie.* Gladiateur d'orig. thrace. Chef d'esclaves révoltés contre Rome, il mena de 73 à 71 av. J.-C. la dernière révolte d'esclaves de l'Antiquité. Vaincu par Crassus, il mourut au combat.

**Spartakus (ligue** ou **groupe)**, en all. ***Spartakusbund*** ~ Groupe révolutionnaire allemand fondé en 1916, scission du S. P. D. Il fut actif durant la Première Guerre mondiale et jusqu'à l'insurrection de janvier 1919 à Berlin. Ses dirigeants (R. Luxemburg, K. Liebknecht) furent assassinés.

**SPARTE** ou **LACÉDÉMONE** ~ Cité de la Grèce antique, dans le Péloponnèse. Centre politique de la Laconie, elle dirigeait un ensemble de cités voisines, dites périèques, avec lesquelles elle constituait Lacédémone. Ses institutions, dues, selon Plutarque, à Lycurgue, donnaient le pouvoir à une oligarchie organisée en un conseil d'anciens (la gérousia) et en un collège de cinq magistrats (l'éphorie). Les citoyens de Sparte, appelés Égaux, pouvaient se consacrer au métier des armes grâce au travail des ilotes et grâce aux revenus de la Messénie voisine asservie (fin du VIII^e^ s.-370 av. J.-C.). Victorieuse d'Athènes à l'issue de la guerre du Péloponnèse (431-404), Sparte fut vaincue par Thèbes à Leuctres (371) et à Mantinée (362), puis reconnut cité libre de l'Empire romain à partir de 146 av. J.-C. Elle fut détruite en 396 apr. J.-C. par Alaric I^er^.

**S. P. D.** ~ Voir **social-démocrate allemand** (Parti).

**SPEARMAN** (Charles) ~ *1863, Londres - 1945, id.* Psychologue et mathématicien britannique, fondateur de la psychologie différentielle.

**SPEKE** (John Hanning) ~ *1827, Bideford, Wiltshire - 1864, près de Corsham.* Explorateur britannique. Il mena des expéditions en Asie et en Afrique centrale, où il découvrit le lac Victoria (1858).

**SPEMANN** (Hans) ~ *1869, Stuttgart - 1941, Fribourg-en-Brisgau.* Biologiste allemand. Ses travaux expérimentaux l'amenèrent à découvrir les mécanismes du développement embryonnaire. Prix Nobel de physiol. ou méd. 1935.

**SPENCER** (Herbert) ~ *1820, Derby - 1903, Brighton.* Philosophe britannique. Influencé par le transformisme de Darwin, il développa une doctrine synthétique, l'évolutionnisme, qui marqua la philosophie de son temps (*Premiers Principes*, 1862 ; *Classification des sciences*, 1864).

**SPENGLER** (Oswald) ~ *1880, Blankenburg, Harz - 1936, Munich.* Philosophe et historien allemand. Dans son œuvre, *le Déclin de l'Occident* (1918-1922), il prophétisa la fin de la civilisation rationnelle au nom d'une vision cyclique et biologique de l'histoire.

**SPERRY** (Roger Wolcott) ~ *1913, Hartford - 1994, Pasadena.* Neurophysiologiste américain. Il étudia le système visuel des vertébrés et le mécanisme cérébral de l'homme, établissant la spécialisation fonctionnelle de chaque hémisphère cérébral. Prix Nobel de physiol. ou méd. 1981.

**SPEUSIPPE** ~ *v. 393, Athènes - v. 339 av. J.-C., id.* Philosophe grec. Neveu de Platon, il lui succéda à la tête de l'Académie et fixa sa pensée en une doctrine qu'il fut incapable de défendre contre Épicure, Aristote ou les stoïciens.

**SPEY** (la) ~ Fl. côtier du N.-E. de l'Écosse ; 180 km. Distilleries de whisky sur son cours.

**SPEZIA (La)** ~ Port comm. et base navale d'Italie, sur la Riviera du Levant (Ligurie) ; 100 000 h.

**Spielberg** (le) ~ Forteresse de la ville de Brno, en Moravie (auj. République tchèque), prison d'État sous les Habsbourg (1742-1857). De nombreux carbonaros, dont S. Pellico, y furent enfermés.

**SPIELBERG** (Steven) ~ *1947, Cincinnati.* Cinéaste et producteur américain. Adepte du cinéma spectaculaire, il a accumulé les succès, des *Dents de la mer* (1975) à *Jurassic Park* (1993).

*Steven* Spielberg *dirigeant Liam Neesson dans* la Liste de Schindler *(1994).*

**SPILLIAERT** (Léon) ~ *1881, Ostende - 1946, Bruxelles.* Peintre belge. Marqué par le symbolisme et l'expressionnisme flamand, il donna à son œuvre un style qui le situe à la lisière du fantastique.

**SPINELLO ARETINO** (Spinello di Luca **Spinelli**, dit) ~ *v. 1346, Arezzo - 1410, id.* Peintre italien. Proches du style narratif de Giotto, ses fresques exécutées à Florence, à Pise et à Sienne sont un exemple parfait du néogothique toscan.

**SPÍNOLA** (António Sebastião **Ribeiro** DE) ~ *1910, Estremoz - 1996, Lisbonne.* Maréchal et homme d'État portugais. Ancien gouverneur de la Guinée-Bissau, il fut porté à la présidence de la République par la révolution des Œillets (1974). Opposé aux forces de gauche, il démissionna (sept. 1974) et tenta un putsch en mars 1975, qui échoua. Il fut promu maréchal en 1981.

**SPINOZA** (Baruch) ~ *1632, Amsterdam - 1677, La Haye.* Philosophe hollandais. Issu d'une famille de commerçants juifs d'orig. portugaise, il se destina au rabbinat : il acquit une solide culture hébraïque puis se forma à la philosophie. Excommunié par les siens (1656), il s'exila et vécut du polissage de lentilles optiques. Le *Tractatus theologico-politicus* (1670) puis, posthumes, le *Traité de l'autorité politique* et l'*Éthique* (1677) constituent le **spinozisme**, doctrine de la liberté humaine en tant que connaissance rationnelle de l'ordre divin. Selon cette critique de l'anthropomorphisme, toute chose (matérielle ou spirituelle) est la Substance, unique et infiniment infinie, autre nom de Dieu ou de la Nature. Et l'homme libéré de la « servitude des passions » trouve dans la compréhension de cet ordre immuable le bien qui le « fera jouir pour l'éternité d'une joie continuelle et suprême ».

**SPIRE**, en all. ***Speyer*** ~ V. d'Allemagne, sur la r. g. du Rhin (Rhénanie-Palatinat), centre industr. (raff. de pétr., électromécan., chim., textile) ; 46 000 h. Cathédrale romane du XI^e^ s. **HIST.** - Ancienne place romaine, ville libre d'Empire en 1294. Lors des **diètes de Spire**, Charles Quint accorda aux princes allemands la liberté d'imposer la religion qu'ils souhaitaient voir pratiquer sur leurs domaines (1526), puis, voulant la restreindre, il provoqua leur « protestation » (1529), d'où le nom de protestants.

**SPITTELER** (Carl) ~ *1845, Liestal - 1924, Lucerne.* Poète suisse d'expression allemande. Son culte de l'héroïsme s'exprima dans des épopées (*Printemps olympien*, 1900-1905). Prix Nobel de litt. 1919.

**SPITZ** (René Arpad) ~ *1887, Vienne - 1974, Denver.* Médecin et psychanalyste américain d'orig. austro-hongroise. Il étudia la relation mère-enfant et les carences affectives du nourrisson, mettant en évidence l'hospitalisme.

**SPITZBERG** ~ Île montagneuse (altitude max. 1 715 m) de l'océan Arctique, la plus grande et la seule peuplée (Longyearbyen) de l'archipel des Svalbard ; 39 400 km², 3 000 h. Tourisme.

**SPLIT**, en ital. ***Spalato*** ~ 1^er^ port de Croatie, princ. ville de la Dalmatie, sur l'Adriatique ; 189 000 h. Université. Constr. navales, matières plastiques, chimie, cimenterie. Au début du IV^e^ siècle, Dioclétien y édifia un palais (palais romain le mieux conservé), noyau de la ville médiévale. Grand comptoir vénitien du XV^e^ au XVIII^e^ s.

**SPOKANE** ~ V. des États-Unis, dans l'intérieur de l'État de Washington, centre commercial et industriel (aluminium) ; 184 000 h.

**SPOLÈTE**, en ital. ***Spoleto*** ~ V. du centre de l'Italie (Ombrie) ; 38 000 h. Archevêché. Vestiges romains. Cathédrale (XII^e^-XV^e^ s., fresques de F. Lippi). Festival internat. de théâtre. Capitale d'un duché lombard (570), Spolète fut prise et donnée par Charlemagne au Saint-Siège.

**SPORADES DU NORD** (les) ~ Archipel grec de la mer Égée, au N. de l'île d'Eubée.

**SPORADES DU SUD** (les) ~ Voir **Dodécanèse.**

**SPORADES ÉQUATORIALES** (les) ~ Voir **Ligne** (îles de la).

**Spoutnik** ~ Nom des trois premiers satellites artificiels, lancés les 4 oct. et 3 nov. 1957 et le 15 mai 1958 par les Soviétiques. **Spoutnik 2** transporta le premier être vivant dans l'espace, la chienne Laïka (3 nov. 1957).

**SPRANGER** (Bartholomeus) ~ *1546, Anvers - 1611, Prague.* Peintre flamand. Après avoir travaillé à Rome, puis à Vienne, il fit de Prague un foyer du maniérisme, réalisant des œuvres mythologiques d'une étonnante finesse érotique.

**SPRATLY (îles)** ~ Archipel de la mer de Chine méridionale, revendiqué par les États voisins (Viêt Nam, Chine, Taiwan, Philippines).

**SPRÉE** (la) ~ Affl. de la Havel (r. g.) qui arrose Berlin (Allemagne), relié par des canaux à l'Elbe et à l'Oder ; 400 km.

**SPRINGFIELD**, nom de trois villes des États-Unis. ~ Cap. et princ. centre comm. de l'Illinois ; 105 000 h. Musées (art et histoire). Sépulture d'A. Lincoln. ~ V. industr. et univ. du Massachusetts, sur le Connecticut ; 157 000 h. (agglom. 530 000 h.). Musées. Foire annuelle de l'industrie agricole. ~ V. du Missouri, centre agric., au S.-O. de Saint Louis ; 140 000 h.

**SRI LANKA (république socialiste démocratique du)**, anc. **Ceylan** ~ Pays insulaire d'Asie, dans l'océan Indien, séparé de l'Inde par le détroit de Palk. ***Cap.*** Colombo. ***Superf.*** 65 610 km². ***Popul.*** 17 400 000 h., dont Cinghalais (74 %), Tamouls (18 %). ***Langues princ.*** Cinghalais, tamoul. ***Monn.*** Roupie de Sri Lanka. ***Relief.*** Noyau montagneux (2 524 m au Pidurutalagala), entouré de plateaux et de plaines côtières. ***Climat.*** Tropical de mousson. ***Écon.*** Fondée sur la riziculture, les cultures d'export. (hévéa, thé, noix de coco), l'élevage (bovin) et la pêche. Industries agroalim., text., confection. Pierres précieuses. Tourisme. *V. princ.* Colombo, Jaffna, Kandy, Galle. **HIST.** – Premier peuplement australoïde (Veddas) au Néolithique. *IIIe s. av. J.-C.* : introduction du bouddhisme. Des populations venues du S. de l'Inde (Tamouls) commencent à s'installer dans l'île. *XIe s.* : les souverains Chola (Inde du S.) fondent un royaume à Ceylan. *XIe-XVIe s.* : Parakkama-Bahu Ier (1153-1186) unifie l'île mais, après sa mort, le royaume, tiraillé entre les populations tamoule et cinghalaise, périclite progressivement. *XVIe-XIXe s.* : colonisation portugaise, hollandaise puis britannique (1802). *1948* : indépendance dans le cadre du Commonwealth. *Depuis 1948* : les Cinghalais dominent la vie politique ; conservateurs du Parti national unifié (P. N. U.) et réformistes du Parti de la liberté du Sri Lanka (S. L. P. F.) alternent au gouvernement. *1956* : le cinghalais devient langue unique. *1972* : Ceylan devient le Sri Lanka (nom sanskrit). *Depuis 1974* : les Tamouls revendiquent un État séparé au N. *Depuis 1983* : la guerre civile, sous-tendue par des oppositions ethniques et religieuses pluriséculaires, hypothèque la vie économique et politique. En nov. 1984, Chandrika Kumaratunga (S. L. P. F.) a été élu présidente de la République.

**SRINAGAR** ~ Capitale d'été de l'État de Jammu-et-Cachemire (Inde) et station tourist. de l'Himalaya (1 600 m d'alt.) ; 586 000 h. Industrie de la soie, artisanat. Maisons flottantes, mosquées (XVe s.).

**S. S.**, sigle de ***Schutzstaffel***, en fr. « échelon de protection » ~ Police militarisée du parti nazi créée en 1925 dans le cadre de la S. A. Sous la direction de Himmler, les S. S. contrôlaient la sécurité intérieure et celle des territoires occupés, et administraient les camps de déportés. La **Waffen S. S.** (« S. S. en armes ») ouvrit ses 38 divisions militaires d'élite aux volontaires étrangers. Principaux responsables de l'extermination des déportés, les S. S. furent condamnés à Nuremberg en tant qu'organisation.

**SSEU-MA Siang-jou** ~ Voir **Sima** Xiangru.

**SSEU-MA Ts'ien** ~ Voir **Sima** Qian.

**SSEU-TCH'OUAN** (le) ~ Voir **Sichuan**.

**STABIES**, auj. **Castellammare di Stabia** ~ V. de Campanie ensevelie en même temps que Pompéi lors de l'éruption du Vésuve (79 apr. J.-C.).

**STAËL** (Germaine **Necker**, baronne **de Staël-Holstein**, dite Mme DE) ~ *1766, Paris - 1817, id.* Écrivain français. Fille de Necker, elle ouvrit un salon sous le Directoire et entretint une liaison tumultueuse avec B. Constant. Ses opinions libérales lui attirèrent l'hostilité de Bonaparte, qui la contraignit à l'exil. Ses romans (*Corinne ou l'Italie*, 1807) et surtout son essai *De l'Allemagne* (1810) marquèrent la formation du romantisme français.

Germaine de **Staël** et sa fille Albertine, *peinture de François Gérard (1770-1837). Château de Coppet, Suisse.*

**STAËL** (Nicolas DE) ~ *1914, Saint-Pétersbourg - 1955, Antibes.* Peintre français d'orig. russe. Sa peinture, structurée par de larges touches de couleur, hésite entre figuration et abstraction.

**STAFFORD** ~ V. d'Angleterre (N.-O. des Midlands), au S.-O. des Pennines, ch.-l. du **comté de Staffordshire** (2 716 km², 1 031 000 h.), foyer d'une industr. tradit. de la céramique ; 118 000 h.

**STAINS** ~ V. industr. de la banlieue N. de Paris (Seine - Saint-Denis) ; 34 879 h.

**STALINE** (Iossif Vissarionovitch **Djougachvili**, dit Joseph) ~ *1879, Gori, Géorgie - 1953, Moscou.* Homme politique soviétique. Fils d'un cordonnier, ancien séminariste et militant social-démocrate dès 1898, il adhéra au bolchevisme et participa à la révolution de 1905. Plusieurs fois déporté en Sibérie entre 1902 et 1916, il fut un des premiers directeurs de la *Pravda* (1912, puis 1917), puis, après la prise du pouvoir, commissaire du peuple aux Nationalités (1917-1922). Élu secrétaire général du parti communiste après la mort de Lénine (1922), il s'allia tantôt à G. Zinoviev et à L. Kamenev contre Trotski, tantôt à N. Boukharine contre les trois dirigeants précédents (1925), élimina ainsi ses rivaux et imposa un monolithisme de pensée au P. C. U. S. et à la IIIe Internationale. Il engagea en 1929 une politique de collectivisation et d'industrialisation forcées, réduisant toute résistance par la terreur (massacres, déportations en masse, organisation de la famine en Ukraine) et procéda de 1936 à 1938 à des purges politiques (procès de Moscou) dans lesquelles disparurent la plupart des révolutionnaires de 1917 et des cadres expérimentés de l'Armée rouge. Lors de l'attaque allemande de 1941, il recourut aux thèmes patriotiques et religieux pour mobiliser la population. Ayant obtenu à la conférence de Yalta (1945) des avantages politiques et territoriaux considérables, il installa, après la guerre, des régimes à sa dévotion dans les pays de l'Europe de l'Est et mena une politique de guerre froide (blocus de Berlin-Ouest, 1948-1949). Il renforça son pouvoir en développant à l'extrême un culte de sa personne, institué dès les années 1930, et en anéantissant toute source possible de contestation dans les partis communistes (procès contre les « titistes », persécutions antisémites). En 1956, N. Khrouchtchev dénonça les crimes et le culte de la personnalité de Staline au XXe congrès du P. C. U. S.

**STALINGRAD** ~ Nom de Volgograd de 1925 à 1961. De sept. 1942 à févr. 1943 s'y déroula la **bataille de Stalingrad**, événement crucial dans le déroulement de la Seconde Guerre mondiale, qui vit la défaite et la capitulation de la VIe armée allemande de Fr. Paulus, prise en tenaille par Konstantin Rokossovski et Andreï Eremenko.

**STAMBOLIJSKI** (Aleksandăr) ~ *1879, Slavovica - 1923, id.* Homme politique bulgare. Chef du parti agrarien, il dirigea le gouvernement en 1919 et de 1920 à 1923. Tandis qu'il préparait une profonde réforme agraire, il fut renversé par un coup d'État militaire et fusillé.

**STAMITZ** (Johann Wenzel) ou **STAMIČ** (Jan Václav) ~ *1717, Německý Brod, Bohême - 1757, Mannheim.* Compositeur tchèque. Figure éminente de l'école de Mannheim, il contribua à l'essor de la symphonie naissante.

**Stamp Act** ~ Loi britannique (1765) taxant tout acte public et tout document imprimé dans les colonies de l'Amérique du Nord. Elle suscita un tel tollé qu'elle fut abrogée en 1766. Elle fut à l'origine de la guerre de l'Indépendance américaine.

**STANHOPE**, famille noble britannique. ~ **James**, 1er comte (*1673, Paris - 1721, Londres*), responsable de la politique étrangère (1714-1721) sous le règne de George Ier, s'allia à la France. Le scandale de la South Sea Compagny le fit chuter. Son petit-fils ~ **Charles**, 3e comte (*1753, Londres - 1816, Chevening*), sympathisant de la Révolution française, inventa des machines à calculer et une presse typographique. ~ **Hester Lucy**, dite **lady Stanhope** (*1776, Chevening - 1839, Sayda*), fille du préc., nièce du Second Pitt, partit pour l'Orient et s'installa en 1814 chez les Druzes. Ils en firent une prophétesse, tandis que l'Europe vit en elle une héroïne romantique.

**STANISLAS** (saint) ~ *1030, Szczepanów - 1079, Cracovie.* Prélat polonais. Évêque de Cracovie (1072), il s'opposa au roi Boleslas II, qui le fit assassiner. Il est le patron de la Pologne.

**STANISLAS**, nom de deux rois de Pologne. ~ **Stanislas Ier Leszczyński** (*1677, Lwów - 1766, Lunéville*), roi de 1704 à 1709 et de 1733 à 1736. Élu une première fois avec l'appui de Charles XII de Suède, il perdit sa couronne après la défaite de Poltava (1709) et la retrouva avec l'appui de la France. Devenu le beau-père de Louis XV, il abdiqua à l'issue de la guerre de la Succession de Pologne (1733-1738) et reçut les duchés de Lorraine et de Bar (1738), sous réserve qu'ils reviendraient à la France à sa mort. Il embellit Lunéville et surtout Nancy. ~ **Stanislas II Auguste Poniatowski** (*1732, Wołczyn - 1798, Saint-Pétersbourg*), roi de 1764 à 1795. Ancien favori de Catherine II, il fut imposé aux Polonais. Il dut accepter les deux premiers partages de la Pologne (1772 et 1793) et abdiqua à l'issue du troisième. Il fut le dernier roi de Pologne.

**STANISLAVSKI** (Konstantin Sergueïevitch **Alekseïev**, dit) ~ *1863, Moscou - 1938, id.* Acteur et metteur en scène de théâtre russe. Fondateur du Théâtre d'art de Moscou (1898), pédagogue et théoricien, il mit l'intériorisation du jeu de l'acteur au centre de sa recherche (*Ma vie dans l'art*, 1925).

**STANLEY** (John **Rowlands**, sir Henry Morton) ~ *1841, Denbigh, pays de Galles - 1904, Londres.* Explorateur britannique. Journaliste au *New York Herald*, il retrouva D. Livingstone en 1871 près du lac Tanganyika. Il explora le bassin du Congo jusqu'à Stanley Pool (1874-1877). En 1879, il entra au service de Léopold II, roi des Belges, et créa pour lui l'État libre du Congo (1885).

**STANLEY** (Wendell Meredith) ~ *1904, Ridgeville - 1971, Salamanque.* Biochimiste américain. Précurseur en virologie, il cristallisa le virus de la mosaïque du tabac (1937) et mit au point un vaccin antigrippal. Prix Nobel de chim. 1946.

**STANOVOÏ (monts)** ~ Massif montagneux de l'Extrême-Orient russe, au N. de l'Amour.

**STARA PLANINA** ~ Voir **Balkan** (mont).

**STARA ZAGORA** ~ V. de Bulgarie, au pied du mont Balkan, centre cult. et industr. ; 165 000 h.

**STARCK** (Philippe) ~ *1949, Paris.* Designer et décorateur français. Il s'est montré soucieux d'appliquer les normes de l'esthétique contemporaine aux objets de la vie quotidienne (meubles, bijoux).

**STARK** (Johannes) ~ *1874, Schickenhof, Bavière - 1957, Traunstein.* Physicien allemand. Il montra le dédoublement des raies spectrales sous l'action d'un champ électrique (**effet Stark**, 1913). Prix Nobel de phys. 1919.

**STAROBINSKI** (Jean) ~ *1920, Genève.* Critique littéraire suisse d'expression française. Ses travaux de méthodologie interprétative tendent vers une explication globale de l'œuvre prenant en compte le respect de sa part d'ombre (*la Relation critique*, 1970 ; *Montaigne en mouvement*, 1982).

**Start**, sigle de ***Strategic Arms Reduction Talks***, en fr. « pourparlers sur la réduction des armes stratégiques » ~ Négociations engagées en 1982 entre les États-Unis et l'U. R. S. S. (puis la fédération de Russie) visant à réduire les armements nucléaires stratégiques. Elles ont abouti aux accords **Start I** (1991) et **Start II** (1993).

**STATEN ISLAND** ~ Voir **New York**.

**STAUDINGER** (Hermann) ~ *1881, Worms - 1965, Fribourg-en-Brisgau.* Chimiste allemand. Il mit en évidence l'individualité des macromolécules. Prix Nobel de chim. 1953.

**STAUDT** (Karl Georg Christian VON) ~ *1798, Rothenburg - 1867, Erlangen.* Mathématicien allemand. Il axiomatisa la géométrie projective.

**STAUFFENBERG** (Claus **Schenk**, comte VON) ~ *1907, Jettingen - 1944, Berlin.* Officier allemand. Organisateur de l'attentat manqué du 20 juillet 1944 contre Hitler, il fut fusillé.

**STAVANGER** ~ Port du S-O. de la Norvège, centre admin. et industriel (pétrole et gaz en mer du Nord) ; 98 000 h. Pêche. Cathédrale du XIIe s.

**STAVISKY** (Serge Alexandre) ~ *1886, Slobodka, Ukraine - 1934, Chamonix.* Financier français d'orig. russe. Directeur fondateur du Crédit municipal de Bayonne, dont il provoqua la faillite par détournement de fonds, il fut retrouvé tué d'une balle de révolver, et sa mort fut présentée comme un suicide. Le scandale, exploité par l'extrême droite, provoqua la démission du cabinet Chautemps (27 janv. 1934) et l'émeute du 5 févr. 1934.

**STAVROPOL** ~ V. du S. de la Russie, au N. du Caucase, centre industriel (agroalim., text., chim.) ; 332 000 h. Exploit. du pétrole et du gaz.

**STEELE** (sir Richard) ~ *1672, Dublin - 1729, Carmarthen, pays de Galles.* Écrivain et journaliste irlandais. Il fonda plusieurs périodiques, dont le *Spectator* (1711, avec J. Addison), et écrivit des comédies (*les Amants réservés*, 1722).

**STEFAN** (Joseph) ~ *1835, Sankt Peter, près de Klagenfurt - 1893, Vienne.* Physicien autrichien. Selon la **loi de Stefan-Boltzmann** (1879), la puissance rayonnée d'un corps noir est proportionnelle à sa température absolue.

**STEICHEN** (Edward) ~ *1879, Luxembourg - 1973, West Redding, Connecticut.* Photographe américain pictorialiste. Il collabora avec Stieglitz à la revue *Camera Work* et à la Galerie 291, puis dirigea le département photographique du MoMA de New York.

**STEIN** (Gertrude) ~ *1874, Alleghany, Pennsylvanie - 1946, Neuilly-sur-Seine.* Écrivain américain. Installée à Paris, où elle devint l'égérie de la Génération perdue, elle publia des mémoires (*Autobiographie d'Alice B. Toklas*, 1933).

**STEIN** (Karl, baron VOM UND ZUM) ~ *1757, Nassau - 1831, Kappenberg.* Homme politique prussien. Ministre d'État libéral (1804-1808), il tenta de relever la Prusse, abolit le servage (1807), mais Napoléon Ier obtint son renvoi.

**STEIN** (William Howard) ~ *1911, New York - 1980, id.* Biochimiste américain. On lui doit, avec Christian Boehmer Anfinsen et Stanford Moore, la détermination de la structure de la ribonucléase. Prix Nobel de chim. 1972.

**STEINBECK** (John) ~ *1902, Salinas, Californie - 1968, New York.* Écrivain américain. Découvert grâce à *Tortilla Flat* (1935), il écrivit des romans d'inspiration naturaliste, chargés de revendications sociales (*En un combat douteux*, 1936 ; *Des souris et des hommes*, 1937 ; *les Raisins de la colère*, 1939 ; *À l'est d'Eden*, 1952). Prix Nobel de litt. 1962.

**STEINBERG** (Saul) ~ *1914, Rîmnicu Sărat, Roumanie.* Dessinateur américain d'orig. roumaine. Son génie satirique, soutenu par sa technique graphique, en a fait un maître du dessin de presse.

**STEINER** (George) ~ *1929, Paris.* Essayiste et écrivain américain d'orig. autrichienne et d'expression anglaise. Son questionnement éthique passe par l'analyse des textes fondamentaux de la tradition littéraire occidentale (*Après Babel*, 1975 ; *les Antigones*, 1986).

**STEINER** (Jakob) ~ *1796, Utzenstorf - 1863, Berne.* Mathématicien suisse. Autodidacte, il fonda la géométrie projective synthétique, systématisa la génération projective des figures et développa la théorie des polaires des courbes algébriques.

**STEINER** (Rudolph) ~ *1861, Kraljević, Croatie - 1925, Dornach, près de Bâle.* Théosophe autrichien. Influencé par Goethe, il fonda l'anthroposophie, qui tente de conduire « du spirituel dans l'homme au spirituel dans l'univers », et qui inspira une pédagogie et des écoles artistiques, médicales et scientifiques.

**STEINERT** (Otto) ~ *1915, Sarrebruck - 1978, Essen.* Photographe allemand. Créateur en 1949 du groupe Fotoform et propagateur de la « photographie subjective », il dénonça l'illusion réaliste.

**STEINITZ** (Ernst) ~ *1871, Laurahütte, auj. Siemianowice, Pologne - 1928, Kiel.* Mathématicien allemand. Il fonda la théorie algébrique des corps (1910), jetant les bases de l'algèbre abstraite.

**STEINKERQUE**, auj. **Steenkerque** ~ Commune de Belgique. En 1692, l'armée française du maréchal de Luxembourg y vainquit Guillaume III d'Orange.

**STEINLEN** (Théophile Alexandre) ~ *1859, Lausanne - 1923, Paris.* Peintre, dessinateur et lithographe français d'orig. suisse. Ses caricatures, publiées not. dans *l'Assiette au beurre*, et ses illustrations de romans populistes expriment un puissant réalisme social.

**Steinway** ~ Manufacture de pianos fondée à New York en 1853 par le facteur allemand Heinrich Engelhard Steinweg.

**STELLA** (Frank) ~ *1936, Malden, Massachusetts.* Peintre américain. Proche du minimalisme, il a tenté d'intégrer la troisième dimension dans la peinture (collages et compositions en relief polychromes).

**STELLENBOSCH** ~ V. d'Afrique du Sud, à l'E. du Cap, fondée en 1679 ; env. 38 000 h. Université. Architecture hollandaise (XVIIIe-XIXe s.).

**STELVIO (col du)** ~ Col des Alpes italiennes (2 758 m), franchi par l'une des plus hautes routes d'Europe. Il relie les bassins de l'Adige et de l'Adda.

**STENDHAL** (Henri **Beyle**, dit) ~ *1783, Grenoble - 1842, Paris.* Écrivain français. Ancien lieutenant de l'armée de Bonaparte, séduit par l'Italie, il débuta en littérature par des récits de voyage (*Rome, Naples et Florence*, 1817-1827), des écrits sur l'art et un essai (*De l'amour*, 1822). Ses premiers romans publiés (*Armance*, 1827 ; *le Rouge et le Noir*, 1830) passant inaperçus, il se tourna vers la diplomatie et commença des récits autobiographiques (*Souvenirs d'égotisme*, 1832 ; *Vie de Henry Brulard*, 1835-1836). Ses œuvres, au style incisif, valorisent des personnages en quête de gloire, dont la lucidité sociale et personnelle n'exclut pas l'engagement amoureux (*la Chartreuse de Parme*, 1839 ; *Lucien Leuwen*, inachevé, posth., 1894).

© Lauros-Giraudon

**Stendhal,** *peinture de Johan Olof Södermark (1790-1848). Château de Versailles.*

**STENTOR** ~ Personnage de l'*Iliade*. Homme « à la voix d'airain », criant aussi fort que cinquante guerriers réunis, il servit de trompette aux Grecs.

**STEPHENSON**, famille d'ingénieurs britanniques. ~ **George** (*1781, Wylam, près de Newcastle - 1848, Tapton House, Chesterfield*) inventa la traction à vapeur sur voie ferrée. Ayant compris l'adhérence des surfaces lisses entre elles (1813), il conçut une locomotive à vapeur (Rocket, 1829) et réalisa des lignes ferroviaires (Liverpool-Manchester, 1826-1830). Son fils ~ **Robert** (*1803, Willington Quay - 1859, Londres*) inventa les ponts tubulaires.

**STERN** (Isaac) ~ *1920, Kremenets, Ukraine.* Violoniste américain d'orig. russe. Il a servi avec un égal lyrisme les répertoires classique et contemporain (Bernstein, Dutilleux, Maxwell Davies).

**STERN** (Otto) ~ *1888, Sohrau, auj. Żory - 1969, Berkeley.* Physicien américain d'orig. allemande. Il découvrit, avec Walther Gerlach, les propriétés magnétiques des atomes, introduisant la méthode des jets moléculaires (1921), et confirma le caractère ondulatoire des particules. Prix Nobel de phys. 1943.

**STERNBERG** (Jonas **Sternberg**, dit **Josef** VON) ~ *1894, Vienne - 1969, Los Angeles.* Cinéaste américain d'orig. autrichienne. Maître de l'ombre et de la lumière (*les Damnés de l'océan*, 1928 ; *l'Ange bleu*, 1930), il laissa libre cours à la suggestion érotique dans les tableaux baroques qu'il composa pour M. Dietrich (*Shanghai Express*, 1932 ; *l'Impératrice rouge*, 1934 ; *la Femme et le Pantin*, 1935).

**STERNE** (Laurence) ~ *1713, Clonmel, Irlande - 1768, Londres.* Romancier britannique. Dans *la Vie et les opinions de Tristram Shandy, gentleman* (1759-1767), puis dans *le Voyage sentimental* (1768), il procéda à des innovations formelles (pages blanches, phrases remplacées par des astérisques) qui influencèrent not. V. Woolf et J. Joyce.

**STÉSICHORE** (**Tisias**, dit en fr.) ~ *v. 640, en Sicile - v. 550 av. J.-C.* Poète grec. Il fut l'un des créateurs du lyrisme choral. De son œuvre ne nous restent que quelques fragments.

**STETTIN** ~ Voir **Szczecin**.

**STEVENS** (Stanley Smith) ~ *1906, Ogden - 1973, Vail, Colorado.* Psychophysiologue américain. Il introduisit des tests et des échelles de sensation qui ont enrichi la psychophysique expérimentale.

**STEVENSON** (Robert Louis **Balfour**) ~ *1850, Édimbourg - 1894, Vailima, îles Samoa.* Écrivain britannique. Il triompha avec son roman fantastique *Docteur Jekyll et Mister Hyde* (1886) et ses romans d'aventures (*l'Île au trésor*, 1883 ; *les Aventures de David Balfour*, 1886).

**STEVIN** (Simon), dit **Simon de Bruges** ~ *1548, Bruges - 1620, La Haye.* Mathématicien et physicien flamand. Il introduisit les fractions décimales (1585) et, en physique, démontra l'impossibilité du mouvement perpétuel (1586).

**STEWART (île)** ~ Île de Nouvelle-Zélande, la plus australe de l'archipel ; 1 746 km², 106 h.

**STEWART** (James) ~ *1908, Indiana.* Acteur américain. Symbole de l'Américain idéaliste exaltant la démocratie (*M. Smith au Sénat*, de Fr. Capra, 1939), il tourna dans les plus grands films d'A. Hitchcock, d'A. Mann et de J. Ford.

**STEYR** ~ V. de Haute-Autriche, sur l'Enns, vieux centre industr. (métall.) ; 39 000 h. Cité médiévale, édifices baroques et rococo.

**STIEGLITZ** (Alfred) ~ *1864, Hoboken, New Jersey - 1946, New York.* Photographe américain. Chef de file du pictorialisme américain, directeur de la revue *Camera Work* (1903), il exposa l'avant-garde européenne dans la Galerie 291.

**STIERNHIELM** (Georg) ~ *1598, Vika - 1672, Stockholm.* Poète suédois. Il introduisit l'érudition en poésie et est considéré comme le père de la poésie suédoise (*Hercule*, 1658).

**STIF**, anc. **Sétif** ~ V. d'Algérie, ch.-l. de wilaya, dans les Hautes Plaines constantinoises (alt. 1 096 m), centre industr. et comm. ; 187 000 h. Université. En 1945, des émeutes nationalistes furent violemment réprimées par l'armée française.

**STIFTER** (Adalbert) ~ *1805, Oberplan, auj. Horní Planá, Bohême - 1868, Linz.* Écrivain autrichien. Ses romans et ses nouvelles proposent une vision poétique de la vie et de la nature (*l'Été de la Saint-Martin*, 1857).

**Stijl (De)**, en fr. « le style » ~ Mouvement artistique néerlandais qui, entre 1917 et 1931, réunit autour de Theo Van Doesburg et de Piet Mondrian des artistes (not. Vilmos Huszár, Pieter Oud, Georges Vantongerloo) qui prônaient le recours exclusif à l'abstraction et la subordination de la construction plastique aux lois des mathématiques. Dissous à la mort de Theo Van Doesburg, il laissa une empreinte féconde dans l'art du XXe s.

**STILICON** ~ *v. 360 - 408, Ravenne.* Général romain d'orig. vandale. Il vainquit les Ostrogoths de Radagaise et tenta de s'allier avec Alaric. Sa politique échoua, et il fut exécuté par le parti antigermanique.

**STILLER** (Mosche, dit Mauritz) ~ *1883, Helsinki - 1928, Stockholm.* Cinéaste suédois, l'un des maîtres du cinéma muet. Son style visionnaire et poétique culmine dans *le Trésor d'Arne* (1919) et *la Légende de Gösta Berling* (1924), où Gr. Garbo fit ses débuts.

**STILWELL** (Joseph) ~ *1883, Palatka, Floride - 1946, San Francisco.* Général américain. Chef d'état-major de Tchang Kaï-chek et adjoint de Mountbatten pendant la Seconde Guerre mondiale, il stoppa l'offensive japonaise en Birmanie.

**STIRING-WENDEL** ~ V. de Lorraine (Moselle), proche de Forbach ; 13 743 h. Métallurgie.

**STIRNER** (Johan Kaspar **Schmidt**, dit Max) ~ *1806, Bayreuth - 1856, Berlin.* Philosophe allemand. Dans *l'Unique et sa propriété* (1845), il développa une conception de l'individualisme anarchiste qui influença les idées révolutionnaires.

**S. T. O.** ~ Voir **Service du travail obligatoire**.

**STOCKHAUSEN** (Karlheinz) ~ *1928, Burg Mödrath, Cologne.* Compositeur allemand. Orienté d'abord vers la musique pointilliste puis vers la musique aléatoire, son œuvre a évolué vers une recherche plus mystique, intégrant des sources musicales et spirituelles universelles et gagnant en ampleur et en pureté formelles, de *Gruppen* (1955-1957) à *Momente* (1962-1964), de *Stimmung* (1968) à *Mantra* (1970), et de *Sirius* (1975-1977) à *Licht* (1978) ou à *Aus den sieben Tagen* (1978).

**STOCKHOLM** ~ Cap., port industr. et comm. de Suède, édifié sur des îles et presqu'îles du lac Mälaren et de la Baltique ; agglom. 1 686 000 h. Siège des institutions Nobel. Château royal de

**Stockholm.**

© W. Rozbroj-Explorer

Tessin le Jeune (début XVIIIe s.), églises (XIIIe s. et XVe s.). Musée en plein air de Skansen (maisons traditionnelles), Musée national, musée d'Art moderne. Fondée en 1255, libérée de la tutelle danoise en 1523 par Gustave Vasa, elle devint capitale de la Suède en 1634.

**STOCKTON-ON-TEES** ~ Port industr. d'Angleterre (Cleveland), sur la Tees ; 174 000 h.

**STOFFLET** (Jean) ~ *1753, Bathelémont, Meurthe-et-Moselle - 1796, Angers.* Chef militaire français. Vendéen, il participa à la prise de Cholet (1793) puis commanda en Anjou. En 1795, il se soumit mais, reprenant les armes, fut capturé et fusillé.

**STOKE-ON-TRENT** ~ V. d'Angleterre (Staffordshire), à l'O. de Nottingham ; 245 000 h. Céramiques et faïences depuis le XIIIe s.

**STOKES** (sir George) ~ *1819, Skreen, Connacht - 1903, Cambridge, Angleterre.* Physicien irlandais. En hydrodynamique, il établit la loi qui régit le mouvement d'une sphère dans un fluide. Il étudia la fluorescence et les rayons X.

**STOLYPINE** (Piotr Arkadievitch) ~ *1862, Dresde - 1911, Kiev.* Homme politique russe. Ministre de l'Intérieur (1904) puis président du Conseil (1906), il réprima les révoltes paysannes, fit dissoudre la deuxième douma (1907), mécontenta à la fois les nobles et les paysans. Il fut assassiné.

**STONE** (sir John Richard Nicholas) ~ *1913, Londres - 1991, Cambridge.* Économiste britannique. Il étudia les mécanismes de la croissance et les systèmes de comptabilité nationale. Prix Nobel de sc. écon. 1984.

**Stonehenge** ~ Site préhistorique d'Angleterre (Wiltshire). Ensemble mégalithique formant quatre cercles concentriques. Érigé aux IIIe et IIe mill. av. J.-C., il aurait été voué à un culte solaire.

**STORM** (Theodor Woldsen) ~ *1817, Husum - 1888, Hademarschen, Holstein.* Écrivain allemand. Ses nouvelles (*Immensee*, 1850) et ses poèmes célèbrent la beauté des paysages de l'Allemagne du Nord et l'homme aux prises avec sa destinée.

**STOSS** (Veit) ~ *v. 1438, Nuremberg - 1533, id.* Peintre et sculpteur allemand. Maître du gothique tardif allemand, il travailla surtout à Nuremberg, où il manifesta son hostilité à la Réforme. Il fut actif en Pologne sous le nom de **Wit** STWOSZ (retable de Ste-Marie de Cracovie).

**STRABON** ~ *v. 58 av. J.-C., Amasya - entre 21 et 25 apr. J.-C.* Géographe grec. Sa *Géographie* dresse un tableau du monde romain au début de l'empire.

**STRADELLA** (Alessandro) ~ *1644, Rome - 1682, Gênes.* Compositeur et chanteur italien. Il fut l'un des premiers maîtres du concerto grosso, qu'il introduisit dans ses cantates et oratorios (*San Giovanni Battista*, 1675). On lui doit aussi des opéras, des motets et des madrigaux.

**STRADIVARIUS** (Antonio **Stradivari**, dit) ~ *1644, Crémone - 1737, id.* Luthier italien. Élève d'Amati, il produisit des violons dont la qualité est encore inégalée, not. entre 1700 et 1720.

**STRAFFORD** (Thomas **Wentworth**, 1er comte DE) ~ *1593, Londres - 1641, id.* Homme politique anglais. Rallié à la cause royale, il devint conseiller de Charles Ier. Accusé de trahison par le Parlement, il fut décapité.

**STRALSUND** ~ Port de pêche d'Allemagne (Mecklembourg - Poméranie-Antérieure), face à l'île de Rügen ; 75 000 h. Constructions navales. Cité hanséatique, elle devint suédoise en 1648, puis prussienne en 1815.

**STRAND** (Paul) ~ *1890, New York - 1976, Orgeval.* Photographe et cinéaste américain. Son style calligraphique fit de lui, sous l'influence d'Eisenstein, l'un des protagonistes du cinéma social et politique américain des années 1930.

**STRASBOURG** ~ Préf. de la Région Alsace et du dép. du Bas-Rhin, sur l'Ill et le Rhin (port fluvial), métropole régionale (industr., univ. et culturelle) ; 252 338 h. (agglom. 388 483 h.). Siège du Conseil de l'Europe. Cour européenne des droits de l'homme. Cathédrale de grès rose (XIIe-XVe s.), église St-Thomas (XIIIe-XIVe s.). Quartier de la Petite-France (maisons des XVIe et XVIIe s.). Le château des Rohan (XVIIIe s.) abrite le musée des Arts décoratifs. Musées d'Art moderne, de l'Œuvre-Notre-Dame. Théâtre national de Strasbourg, orchestre philharmonique,

*Strasbourg, le quartier de la Petite-France.*

festival Musica (musique contemporaine). HIST. - Cité commerçante, la future Strasbourg se développa près d'un camp de légionnaires romains créé en 15 av. J.-C. Occupée par les Huns en 451, elle accueillit en 842 Charles le Chauve, qui y prononça le **serment de Strasbourg** (premier texte connu en langue française). Attribuée à la Germanie en 870, elle fut érigée en ville libre en 1201. Gagnée à la Réforme, elle s'imposa alors comme centre économique et culturel. Réunie à la France en 1681, Strasbourg fut annexée de 1870 à 1918 par le IIe Reich et libérée en 1944 par la 2e division blindée.

**STRATFORD-UPON-AVON** ou **STRATFORD-ON-AVON** ~ V. d'Angleterre (Warwickshire), au S.-E. de Birmingham ; 20 000 h. Patrie de Shakespeare (théâtre de la Royal Shakespeare Company).

**STRATHCLYDE** ~ Région admin. d'Écosse (O.), incluant au centre Glasgow et la vallée de la Clyde ; 13 503 km$^2$, 2 249 000 h.

**STRAUSS** (David Friedrich) ~ *1808, Ludwigsburg - 1874, id.* Historien et exégète allemand. Sa *Vie de Jésus* (1835), où il voulut montrer la dimension mythique des Évangiles, fit scandale.

**STRAUSS**, famille de compositeurs autrichiens ~ **Johan** père, dit **Johan I** (*1804, Vienne - 1849, id.*), fixa la forme définitive de la grande valse viennoise du XIXe s. (*Loreley*, 1844 ; *Radetzkymarsch*, 1848). Son fils ~ **Johann II** (*1825, Vienne - 1899, id.*) prit sa relève. Appelé dès son vivant « le roi de la valse », il mena une fabuleuse carrière à travers l'Europe, composant des polkas, des quadrilles et des valses (*le Beau Danube bleu*, 1867 ; *Sang viennois*, 1873 ; *Roses du Sud*, 1880) et des opérettes pleines de charme (*la Chauve-Souris*, 1874 ; *le Baron tzigane*, 1885).

**STRAUSS** (Leo) ~ *1899, Kirchain, Hesse - 1973, Annapolis, États-Unis.* Philosophe allemand. Soulevant les apories que représente la distinction entre faits et valeurs, il rouvrit le débat sur la politique et la justice universelle (*Droit naturel et histoire*, 1954).

**STRAUSS** (Richard) ~ *1864, Munich - 1949, Garmisch.* Compositeur allemand. D'abord marqué par Wagner, son propre style, d'une riche inventivité mélodique, s'affirma dans ses poèmes symphoniques (*Till Eulenspiegel*, 1895 ; *Ainsi parlait Zarathoustra*, 1896). Ses opéras, d'un intense dramatisme (*Salomé*, 1905 ; *Elektra*, 1909) ou d'un raffinement suave (*le Chevalier à la rose*, 1911 ; *Ariane à Naxos*, 1912), sont d'inspiration postromantique.

**STRAVINSKI** (Igor Fiodorovitch) ~ *1882, Oranienbaum, près de Saint-Pétersbourg - 1971, New York.* Compositeur russe naturalisé français puis américain. Rompant avec l'esthétisme postromantique, il ouvrit l'harmonie et la rythmique traditionnelles aux formules modernes les plus audacieuses. Il collabora avec Diaghilev et les Ballets russes (*l'Oiseau de feu*, 1910 ; *Petrouchka*, 1911 ; *le Sacre du printemps*, 1913). S'inspirant du folklore russe, allant du néoclassicisme au sérialisme, son génie protéiforme domina l'art musical du XXe s. (*Noces*, 1923 ; *Symphonie de psaumes*, 1930 ; *Œdipus Rex*, 1927 ; *The Rata's Progress*, 1951).

**STRAWSON** (Peter Frederick) ~ *1919, Londres.* Logicien britannique. Figure de la philosophie analytique, il s'est spécialisé dans les rapports de la logique et de la grammaire naturelle (*les Individus*, 1959).

**STREHLER** (Giorgio) ~ *1921, Barcola, près de Trieste.* Acteur et metteur en scène de théâtre italien. Cofondateur avec Paolo Grassi du Piccolo Teatro de Milan (1947), directeur du théâtre de l'Europe à Paris (1983-1990), il prône un théâtre de portée universelle. Il a mis en scène des opéras.

**STRESA** ~ Station clim. d'Italie du Nord, sur le lac Majeur (Piémont) ; 5 000 h. HIST. - Du 11 au 14 avril 1935, la **conférence de Stresa**, qui réunit l'Italie, la France et la Grande-Bretagne en vue de définir une politique commune face au réarmement allemand, se solda par un échec.

**STRINDBERG** (August) ~ *1849, Stockholm - 1912, id.* Écrivain suédois. Après une période naturaliste caractérisée par un profond pessimisme, notamment avec son roman *la Chambre rouge* (1879) et son théâtre (*Mademoiselle Julie*, 1888 ; *la Danse de mort*, 1901), il évolua vers le symbolisme (*le Songe*, 1902), ses ultimes « pièces de chambre » (*Kammarspel*) offrant la quintessence de sa vision désespérée de l'âme humaine et des rapports entre les êtres, vision nourrie par l'échec de ses trois expériences conjugales. On lui doit aussi des drames historiques (*Gustave Vasa*, 1899).

**STROHEIM** (Erich Oswald **Stroheim**, dit Erich VON) ~ *1885, Vienne - 1957, Maurepas.* Cinéaste et acteur américain d'orig. autrichienne. Il brossa avec pessimisme et cruauté des tableaux au réalisme sexuel et social inégalés (*Folies de femmes*, 1922 ; *les Rapaces*, 1925). Rejeté par Hollywood, il fit une carrière d'acteur (*la Grande Illusion*, de J. Renoir, 1937 ; *Boulevard du crépuscule*, de B. Wilder, 1950).

**STROMBOLI** ~ Île volcanique (volcan en activité, 926 m) de l'archipel des Éoliennes ; env. 12 km$^2$, 500 h. Tourisme. Vin réputé (malvoisie). [☞ **volcan.**]

**STROZZI**, famille de banquiers florentins, rivale des Médicis (XVe-XVIe s.). ~ **Palla** (*1373, Florence - 1462, Padoue*) s'opposa à Cosme l'Ancien, qui le fit exiler. ~ **Filippo** (*1428, Florence - 1491, id.*) fit construire le **palais Strozzi** à Florence. ~ **Piero** (*1510, Florence - 1558, Thionville*) fut fait maréchal de France (1556).

**STROZZI** (Bernardo) ~ *1581, Gênes - 1644, Venise.* Peintre italien. D'abord influencé par Rubens et Van Dyck, il s'orienta à Venise (à partir de 1630) vers un style d'une brillante préciosité baroque.

**Struthof** ~ Camp de concentration établi par les nazis à Natzwiller (Bas-Rhin), où furent déportés, de 1941 à 1944, des résistants français et allemands, et des soldats soviétiques.

**STRUVE** ou **STROUVE**, famille d'astronomes russes. ~ **Friedrich Georg Wilhelm** VON (*1793, Altona, Holstein - 1864, Saint-Pétersbourg*) établit un catalogue des étoiles multiples (1827). Il créa l'observatoire de Poulkovo. Son fils ~ **Otto** VON (*1819, Dorpat, Estonie - 1905, Karlsruhe*) élabora le premier grand catalogue de Poulkovo (1868). Son petit-fils ~ **Otto** (*1897, Kharkov - 1963, Berkeley*), naturalisé américain, décela du calcium dans la matière interstellaire.

**STUART** ~ Famille écossaise nommée Stewart jusqu'en 1542. Elle donna des souverains à l'Écosse (1371-1714), qui furent aussi rois d'Angleterre à partir de 1603.

**STURE** ~ Nom de deux familles suédoises d'orig. danoise. Elles comptent plusieurs régents de Suède (XVe-XVIe s.), dont **Sten Svantesson**, dit **le Jeune** (*1493 - 1520, près de Stockholm*), régent en 1512, qui refoula les Danois à Brännkyrka (1518).

**STURM** (Charles) ~ *1803, Genève - 1855, Paris.* Mathématicien français d'orig. suisse. Il étudia l'optique, la mécanique et la géométrie, mesurant avec Jean Colladon la vitesse du son dans l'eau (1828). Il précisa le nombre de racines d'une équation algébrique.

**STURM** (Johannes) ~ *1507, Schleiden - 1589, Strasbourg.* Humaniste et réformateur allemand. Recteur du Gymnase de Strasbourg, il contribua à son rayonnement intellectuel.

**Sturm und Drang**, en fr. « Tempête et Élan » ~ Mouvement littéraire allemand (dont le nom provient du titre d'une pièce de Fr. M. von Klinger) qui, vers 1770-1790, opposa au rationalisme des Lumières les prérogatives de la sensibilité individuelle et nationale. Illustré par les premières œuvres de Goethe ou de Schiller, le Sturm und Drang annonce le romantisme.

**STURZO** (Luigi) ~ *1871, Caltagirone, Sicile - 1959, Rome.* Prêtre et homme politique italien. Il fonda le parti populaire italien (1919). Adversaire du fascisme, il s'exila (1924-1946), puis fut la référence de la Démocratie chrétienne en Italie.

**STUTTGART** ~ Cap. du land du Bade-Wurtemberg, sur le Neckar (r. g.), métropole industrielle, culturelle, universitaire et carrefour ferroviaire du S.-O. de l'Allemagne ; 597 000 h. Constr. automobile, électriques. Informatique, haute technologie. Édition. Châteaux (XVIe et XVIIIe s.). Bibliothèque (collection de bibles). Musée d'Art moderne. Opéra. La ville fut ravagée pendant la Seconde Guerre mondiale.

**STYMPHALE** ~ Anc. ville grecque du Péloponnèse. Selon la mythologie, le cinquième des travaux d'Hercule fut l'extermination des oiseaux du **lac Stymphale**.

**STYRIE** (la), en all. ***Steiermark*** ~ Land du S.-E. de l'Autriche, partagé entre les Alpes (Tauern) et les confins de la plaine hongroise ; 16 388 $km^2$, 1 203 000 h., cap. Graz. Exploit. minière (fer, lignite, graphite, magnésite, sel). Industries sidér. et métallurgique (vallées de l'Enns, de la Mur). **HIST.** - Érigée en duché par les seigneurs de Steyr, dont elle a tiré son nom (1180), elle fut possession des Habsbourg (1278). Sa partie S., peuplée de Slovènes, fut attribuée à la Yougoslavie en 1919.

**STYRON** (William) ~ *1925, Newport News, Virginie.* Écrivain américain. Il a dépeint la société américaine au prisme d'une sensibilité angoissée (*la Proie des flammes*, 1960 ; *les Confessions de Nat Turner*, 1967 ; *le Choix de Sophie*, 1979).

**STYX** (le) ~ Dans la mythologie grecque, fleuve des Enfers, dont les eaux rendaient invulnérable. Hésiode le personnifia en l'une des Océanides.

**SUARÈS** (Isaac Félix, dit André) ~ *1868, Marseille - 1948, Saint-Maur-des-Fossés.* Écrivain français. Dans ses biographies et ses chroniques, il cultiva un esthétisme du héros (*le Voyage du condottiere*, 1910-1932).

**SUÁREZ** (Adolfo) ~ *1932, Cebreros, prov. d'Ávila.* Homme politique espagnol. Premier ministre de 1976 à 1981, il engagea la transition du régime franquiste à un système démocratique.

**SUÁREZ** (Francisco) ~ *1548, Grenade - 1617, Lisbonne.* Théologien jésuite espagnol. Sa théologie se préoccupa des problèmes sociaux et politiques, y compris ceux de l'Amérique espagnole.

**SUBIACO** ~ V. d'Italie (Latium), à l'E. de Rome ; 9 000 h. Carrière d'albâtre. À la fin du Ve s., saint Benoît de Nursie y fonda l'ordre des Bénédictins.

**SUBLEYRAS** (Pierre) ~ *1699, Saint-Gilles-du-Gard - 1749, Rome.* Peintre français. Il fit carrière à Rome, où il exécuta des tableaux religieux, dont l'éloquence classique n'exclut pas certaines tendances rococo.

**Sublime Porte** ~ Voir Porte.

**SUBOTICA** ~ V. du N. de la Serbie (Vojvodine), marché agric. régional ; 100 000 h. Industr. métall.

**Succession d'Autriche** (guerre de la) ~ Conflit (1740-1748) né de la remise en cause par les Électeurs de Saxe et de Bavière, et par le roi d'Espagne, de la Pragmatique Sanction de l'empereur Charles VI, qui faisait de sa fille Marie-Thérèse son unique héritière (1713). Elle opposa la France, l'Espagne, la Saxe et la Bavière, unies à la Prusse, à la Grande-Bretagne et aux Pays-Bas, alliés de l'Autriche. Malgré la victoire du maréchal de Saxe à Fontenoy (1745), la France n'en tira nul profit ; elle s'était « battue pour le roi de Prusse », qui conservait la Silésie. François de Lorraine, époux de Marie-Thérèse, fut élu à la tête du Saint Empire (1745). La paix d'Aix-la-Chapelle de 1748 mit un terme au conflit.

**Succession de Bretagne** (guerre de la) ~ Conflit (1341-1365) consécutif à la mort du duc de Bretagne Jean III le Bon (1341). Son frère Jean de Montfort disputa le duché à sa nièce Jeanne de Penthièvre, femme de Charles de Blois. À sa mort (1345), son fils Jean IV le Vaillant reprit le combat et tua Charles de Blois à Auray. Jeanne de Penthièvre lui céda alors la Bretagne par le premier traité de Guérande (1365).

**Succession d'Espagne** (guerre de la) ~ Conflit (1701-1714) consécutif à l'acceptation par Louis XIV du testament du roi d'Espagne, Charles II, mort sans enfant, en faveur du duc d'Anjou, petit-fils du roi de France, qui monta sur le trône d'Espagne sous le nom de Philippe V (1700). Elle opposa la France et l'Espagne à la Grande Alliance de La Haye, regroupant les Provinces-Unies, l'Angleterre, le Saint Empire et les princes allemands. Celle-ci essuya d'abord des défaites (1701-1704), puis réussit à faire proclamer l'archiduc Charles roi à Madrid (1706). Le N. de la France fut envahi (Audenarde, 1708) puis dégagé par Villars (Malplaquet, 1709 ; Denain, 1712). La victoire de Villaviciosa (1710) permit le rétablissement de Philippe V. L'avènement de l'archiduc Charles au Saint Empire précipita les traités de paix (Utrecht, 1713 ; Rastatt, 1714). La France dut céder l'Acadie et Terre-Neuve.

**Succession de Pologne** (guerre de la) ~ Conflit (1733-1738) consécutif à la mort du roi de Pologne Auguste II. Son fils, Auguste III de Saxe, et Stanislas Leszczyński, beau-père de Louis XV, se disputèrent le trône. Le soutien de l'Autriche à Auguste conduisit la France à intervenir en 1733. Vainqueurs à Philipsbourg, à Parme et à Guastalla, bénéficiant de l'alliance espagnole, les Français obligèrent l'Autriche à négocier la paix de Vienne (1738). Auguste III héritait du trône de Pologne. La Lorraine, remise à Stanislas, devait échoir à la France à la disparition de celui-ci. L'Espagne récupérait le royaume de Naples.

**SUCHET** (Louis), duc **d'Albufera** ~ *1770, Lyon - 1826, Marseille.* Maréchal de France (1811). Chef d'état-major général de l'armée d'Helvétie et du Danube en 1799, il combattit en Italie (1800), à Austerlitz (1805) et s'illustra en Espagne (1809-1814). Il rejoignit Napoléon pendant les Cent-Jours (*Mémoires sur la guerre d'Espagne*, posth., 1829).

**SUCRE** (Antonio José DE) ~ *1795, Cumaná - 1830, Berruecos, Colombie.* Général vénézuélien. Vainqueur des Espagnols à Ayacucho (1824), il succéda à Bolívar à la présidence de la Bolivie (1826-1828). Il fut assassiné.

**SUCRE**, anc. **Chuquisaca** puis **La Plata** ~ Cap. constitutionnelle de la Bolivie, dans la Cordillère centrale (2 795 m d'alt.) ; 131 000 h. Industrie agroalim., raff. de pétrole. Siège de l'archevêché et de la Cour suprême. Université fondée en 1624.

**SUCY-EN-BRIE** ~ V. de l'E. de l'agglom. parisienne (Val-de-Marne) ; 25 839 h. Anc. tradition du flaconnage. Église (XIIIe s.) et château (XVIIe s.).

**SUDBURY** ~ V. de l'Ontario (Canada), au N. du lac Huron ; agglom. 158 000 h. Exploitation minière (nickel, cuivre, or, argent, platine) et industr. métallurgique. Université.

**SUDEK** (Joseph) ~ *1896, Kallin-sur-Elbe - 1976, Prague.* Photographe tchèque. Il photographia, à la chambre, Prague et ses environs. Il réalisa des panoramiques (1950) publiés sous le titre *Panoramas de Prague* (1959).

**SUDÈTES (monts des)** ~ Massif montagneux du N.-E. de la Bohême (1 603 m dans les monts des Géants), partagé entre la Pologne et la République tchèque, riche en minerais (or, nickel) et en charbon. Le terme de Sudètes a désigné le pourtour des pays tchèques peuplé d'Allemands venus au XIIIe s., annexé au IIIe Reich en octobre 1938. La région fut réintégrée à la Tchécoslovaquie en 1945 et sa population allemande expulsée.

**SUE** (Marie-Joseph, dit Eugène) ~ *1804, Paris - 1857, Annecy.* Écrivain français. Il exprima ses convictions démocratiques dans *les Mystères de Paris* (1842-1843) et *le Juif errant* (1844-1845), romans-feuilletons à succès.

*Couverture d'une édition populaire (début du XXe s.) des Mystères de Paris d'Eugène Sue.*

**SUÈDE (royaume de)**, en suéd. ***Sverige*** ~ Pays d'Europe du Nord constitué par la partie orientale de la péninsule scandinave, baigné par la mer Baltique. ***Cap.*** Stockholm. ***Superf.*** 449 964 $km^2$. ***Popul.*** 8 750 000 h. ***Langue princ.*** Suédois. ***Monn.*** Couronne suédoise. ***Relief.*** Plateau forestier adossé aux Alpes scandinaves (2 000 m), plaines agric. au S. (Scanie) et en bordure du Kattegat. Dépression centrale lacustre (lacs Mälaren, Hjälmar, Vättern, Vänern). ***Climat.*** Subpolaire au N., adouci au S. par l'influence océanique. ***Écon.*** Elle repose sur une industrie très moderne (autom., aéronautique, mécan., bois-papier, électroménager, agroalim., pharmacie). L'énergie est fournie par l'hydroélectricité et le nucléaire. L'agriculture (céréales, élev. bovin) a une productivité très élevée pour une surface utile réduite (7 % du pays). Forêt (60 % de la superf.). ***Autres ress.*** Mines (fer, cuivre, plomb, zinc), pêche, tourisme. La Suède a adhéré à l'Union européenne le 1er janvier 1995. ***V. princ.*** Stockholm, Göteborg, Malmö, Uppsala. **HIST.** - *Néolithique* : premier peuplement de la péninsule. *Ier-IVe s. apr. J.-C.* : la région s'organise en plusieurs royaumes. *VIe-VIIe s.* : la tribu des Syears, originaire du N. du pays, l'unifie en soumettant les autres royaumes, not. ceux des Goths et des Vendes, et fait d'Uppsala la capitale. *VIIIe-XIe s.* : les Vikings de Suède (parfois appelés à tort Varègues) dominent la Baltique et étendent leur influence jusqu'en Russie. Le pays s'évangélise peu à peu, tandis que se développe le commerce avec la Hanse germanique. *1397* : l'Union de Kalmar réunit les peuples scandinaves, dont la Suède, sous la domination danoise. *XVe s.* : les intérêts commerciaux contradictoires et l'autoritarisme des souverains danois nourrissent des révoltes sporadiques, dont celle de Gustave Vasa, qui, en 1523, chasse les Danois de Suède et devient roi sous le nom de Gustave Ier. *1523-1560* : Gustave Ier jette les bases d'un véritable royaume indépendant. Il affranchit la Suède de la tutelle de la Hanse, fait reconnaître l'hérédité de la couronne, et convertit le pays au luthéranisme. *1560-1632* : ses successeurs Jean III (1569-1592), Charles IX (1607-1611) et surtout Gustave II Adolphe (1611-1632), en modernisant l'État et en mettant sur pied une armée moderne, font de la Suède une grande puissance européenne et transforment la Baltique en « lac suédois ». *XVIIe-XVIIIe s.* : à la mort de Gustave Adolphe, sa fille Christine lui succède. Son règne (1632-1654) puis ceux de Charles X (1654-1660), de Charles XI (1660-1697) et de Charles XII (1697-1718) correspondent à une période où se succèdent les conflits territoriaux (annexion de la Poméranie et des îles danoises, 1648 ; guerre du Nord, 1700-1721) et où la noblesse tente en vain d'instaurer un régime aristocratique. La Suède devient une monarchie constitutionnelle avec une vie politique bipartite (1723). Pendant un demi-siècle, l'économie et la culture du pays se développent, mais au prix d'une instabilité politique croissante. Pour remédier à cette situation, Gustave III (1771-1792) rétablit par un coup d'État la monarchie absolue. Despote éclairé, il contribue à accroître le rayonnement intellectuel de la Suède. *XIXe s.* : Gustave IV (1792-1809) monte sur le trône après l'assassinat de Gustave III. Il combat d'abord Napoléon, puis la Russie, au profit de laquelle il doit céder la Finlande (1808). Destitué, il est remplacé par son oncle Charles XIII (1809-1818), qui accepte le rétablissement de la monarchie constitutionnelle et choisit comme successeur un officier de Napoléon, Bernadotte, roi de Suède sous le nom de Charles XIV, fondateur de l'actuelle dynastie. La Suède s'allie avec la Russie et la Grande-Bretagne (1812), puis avec la Norvège (1814) dans la lutte contre Napoléon. Après la politique pacifiste de Charles XIV (1818-1844), Oscar Ier (1844-1859), Charles XV (1859-1872) et Oscar II (1872-1907) entreprennent des réformes libérales, assurent le développement de l'économie et modernisent l'agriculture. *XXe s.* : rupture par la Norvège de l'union avec la Suède (1905). Gustave V (1907-1950) maintient la neutralité du pays pendant la Première Guerre mondiale. Le parti social-démocrate au pouvoir à partir de 1920 met en place une législation politique et sociale très avancée et contribue à définir le « modèle suédois ». La Suède de nouveau neutre durant la Seconde Guerre mondiale, poursuit, sous la direction des gouvernements sociaux-démocrates de Per Albin Hansson (1932-1946), de Tage Erlander (1946-1969) et d'Olof Palme (1969-1976), son développement économique et l'approfondissement du modèle suédois. Charles XVI Gustave succède en 1973 à Gustave V. *1976-1982* : retour au pouvoir des conservateurs (libéraux et centristes). *1982* : O. Palme revient à la tête du gouvernement après la victoire des sociaux-démocrates aux législatives. *1986* : Ingvar Carlsson devient Premier ministre après l'assassinat d'O. Palme. *1991* : les difficultés économiques que traverse le pays permettent la victoire des conservateurs (Carl Bildt), qui négocient l'entrée de la Suède dans l'Union européenne, effective depuis 1995. *1994* : victoire des sociaux-démocrates ; I. Carlsson retrouve la direction du gouvernement.

**SUÉTONE**, en lat. ***Caius Suetonius Tranquillus*** ~ *v. 69 - v. 126.* Historien latin. Travaillant aux archives impériales, il put nourrir ses *Vies des douze Césars* de détails inédits. Il fut disgracié par Hadrien (122).

**Suèves** (les) ~ Ensemble de populations germaniques qui envahirent la Gaule sous Arioviste, vaincu par César en 58 av. J.-C., puis se fixèrent en Souabe. Au début du Ve s., menés par Hermeric, les Suèves traversèrent la Gaule puis fondèrent un royaume en Galice (409), détruit par les Wisigoths de Léovigild (585).

**SUEZ**, en ar. ***al-Suways*** ~ Port d'Égypte, au fond du golfe de Suez (mer Rouge), au débouché du canal de Suez ; 392 000 h. Complexe portuaire de Port-Tawfiq et Port-Ibrahim (chimie, raff. de pétr.).

**SUEZ (canal de)** ~ Canal égyptien joignant la Méditerranée (Port-Saïd) à la mer Rouge (Suez), voie ouverte par F. de Lesseps (1859-1869) à travers l'**isthme de Suez**, qui unit les continents africain et asiatique, accessible aux plus gros tonnages (long. 195 km, larg. 190 m, prof. 20 m). Artère vitale du commerce maritime, il a permis un accroissement considérable des échanges entre l'Europe et l'Asie dès son achèvement (auj., princ. produits pétroliers). En 1875, la Grande-Bretagne devint le principal actionnaire de la **Compagnie de Suez**, qui poursuivit l'exploitation du canal jusqu'à sa nationalisation, décidée par Nasser (juill. 1956). La France et la Grande-Bretagne envoyèrent alors un corps expéditionnaire (nov. 1956) que les pressions des États-Unis et de l'U. R. S. S. contraignirent au retrait. La guerre des Six-Jours entraîna la fermeture du canal (1967-1975).

**SUEZ (golfe de)** ~ Bras N.-O. de la mer Rouge séparant l'Afrique de l'Asie (péninsule du Sinaï), où aboutit le canal de Suez.

© Baumgartner-Explorer

*Convoi de cargos empruntant le canal de Suez.*

**SUFFOLK** ~ Comté agricole du S.-E. de l'Angleterre (East Anglia), baigné par la mer du Nord ; 3 798 km², 632 000 h., ch.-l. Ipswich.

**SUFFREN DE SAINT-TROPEZ** (Pierre André DE), dit **le bailli de Suffren** ~ *1729, Saint-Cannat, près d'Aix-en-Provence - 1788, Paris.* Marin français. Commandeur puis bailli de l'ordre de Malte, il rejoignit la marine royale. Durant la guerre d'indépendance américaine, il s'illustra au Cap-Vert (avr. 1781) et dans l'océan Indien, où il infligea plusieurs défaites aux Britanniques (1782-1783).

**SUGER** ~ *v. 1081 - 1151, Saint-Denis.* Moine et homme politique français. Il fut élu abbé de Saint-Denis en 1122, deuxième conseiller de Louis VI puis de Louis VII, régent du royaume pendant la croisade des albigeois. Il s'opposa à la répudiation d'Aliénor d'Aquitaine. En 1144, il fit reconstruire la basilique de Saint-Denis.

**SUHARTO** ~ *1921, près de Jogjakarta.* Général et homme d'État indonésien. Il extermina les communistes indonésiens (1965), et contraignit Sukarno à lui céder le pouvoir (1967). Il est président de la République depuis 1968.

**SUIPPE** (la) ~ Affl. de l'Aisne (r. g.), dans l'E. du Bassin parisien (Champagne) ; 83 km.

**SUISSE** (la), off. **Confédération helvétique**, en all. ***Schweiz***, en ital. ***Svizzera*** ~ Pays enclavé d'Europe, entre la France, l'Italie, l'Allemagne et l'Autriche. Confédération de 23 cantons. ***Cap.*** Berne. ***Superf.*** 41 129 km². ***Popul.*** 6 970 000 h. (16 % d'immigrés, princ. européens). ***Langues princ.*** Allemand (Alémanie, à l'E.), français (Romandie, à l'O.), italien (au S.), romanche (canton des Grisons). ***Monn.*** Franc suisse. ***Relief.*** Le Mittelland (Plateau suisse), fertile, région la plus peuplée (princ. v.), où sont situés les lacs (Léman, Neuchâtel, Quatre-Cantons, Constance), sépare les Alpes (Préalpes et massifs centraux, 60 % du territoire) du S. du Jura au N. ***Climat.*** Continental de transition, très variable selon l'orientation (microclimats). ***Hydrogr.*** Château d'eau européen (les hauts cours du Rhin et du Rhône divisent les grands massifs alpins). L'Aar et ses affluents drainent le Mittelland. ***Écon.*** Pauvre en matières premières et en énergie (hydroélectricité exceptée), la Suisse, pays refuge traditionnel des capitaux étrangers grâce à sa neutralité, a construit une industrie performante (chim., agroalim., mécan., électron., horlogerie, textile), mais le secteur tertiaire (services fin., tourisme, transport, organisations internat.) fournit la majeure partie des emplois et du revenu national (l'un des premiers du monde par habitant). L'agriculture (élev. laitier dominant), largement subventionnée, est gardienne de l'environnement. ***V. princ.*** Zurich, Bâle, Genève, Berne, Lausanne. **HIST.** - *Ier mill. av. J.-C.* : les Celtes peuplent l'Helvétie. *Ier s. av. J.-C.* : conquête des Romains. *Ve s. apr. J.-C.* : invasion des Burgondes et des Alamans. *VIe-XIe s.* : ceux-ci sont convertis au christianisme et intégrés aux royaumes franc (VIe s.), carolingien, à la Bourgogne (888) et enfin au Saint Empire romain germanique (1032). *XIe-XIIIe s.* : les Habsbourg, cherchant à étendre leurs possessions en Suisse, se heurtent à la résistance du héros légendaire Guillaume Tell et de 3 cantons (Uri, Schwyz et Unterwald) qui, en 1291, s'unissent par un pacte perpétuel, marquant ainsi la naissance de la Confédération. *XIVe s.* : toujours motivée par le péril autrichien, la Confédération s'élargit à 8 cantons (adhésions de Lucerne, 1332 ; Zurich, 1351 ; Glaris et Zoug, 1352 ; Berne, 1353) et parvient à repousser l'Autriche. *XVe-XVIe s.* : la Confédération, composée désormais de 13 cantons (adhésions de Soleure et Fribourg, 1481 ; Bâle et Schaffhouse, 1501 ; Appenzell, 1513), menacée un temps d'éclatement par le conflit qui oppose les villes de Schwyz et Zurich (début du XVe s.), poursuit son expansion, confirme sa puissance militaire et obtient de l'empereur Maximilien Ier la reconnaissance de son indépendance (traité de Bâle, 1499). Sa défaite face aux Français à Marignan (1515) place la Confédération sous influence française. En 1519, la Réforme est introduite à Zurich par Ulrich Zwingli sans pour autant parvenir à gagner l'ensemble du pays. En dépit de certaines tensions récurrentes, la Suisse parvient à faire coexister les deux confessions catholique et protestante, et à maintenir l'unité de la Confédération, dont l'indépendance et la neutralité sont une nouvelle fois confirmées par les puissances européennes lors du traité de Westphalie en 1648. *XVIIIe s.* : avec le développement économique, la Suisse voit se creuser les inégalités, se constituer une oligarchie de plus en plus fermée, et se propager, à partir de 1789, les idées de la Révolution française. En 1798, la France envahit la Suisse et proclame la République helvétique, sans pour autant parvenir à rétablir l'ordre. *XIXe s.* : l'Acte de médiation de 1803 (19 cantons, par l'adhésion de l'Argovie, la Thurgovie, Saint-Fall, les Grisons, le Tessin et Vaud) puis le Pacte fédéral de 1815 (22 cantons, par l'adhésion de Genève, de Neuchâtel et du Valais) permettent la reconstitution de la Confédération et le rétablissement de l'ordre, tandis que le congrès de Vienne (1815) réaffirme la neutralité de la Suisse. En 1848, l'influence grandissante des libéraux et des radicaux anticléricaux conduit, après une courte guerre civile qui les oppose aux conservateurs catholiques (guerre du Sonderbund, 1847), à l'adoption d'une nouvelle Constitution, transformant la Confédération en un véritable État fédéral. La Suisse connaît une croissance économique remarquable et un grand rayonnement intellectuel. *XXe s.* : durant les deux guerres mondiales, la Suisse reste neutre et accomplit une œuvre humanitaire en faveur des victimes de guerre. En 1978 est créé le canton du Jura (3 districts de langue française), prélevé sur le territoire du canton de Berne.

**SUISSE NORMANDE** (la) ~ Partie orientale et vallonnée du Bocage normand, arrosée par l'Orne.

**SUKARNO** ou **SOEKARNO** ~ *1901, Surabaya, Java - 1970, Jakarta.* Homme d'État indonésien. Leader nationaliste, il proclama la République indonésienne (1945), reconnue par le colonisateur néerlandais en 1949. Président de la République, il apparut comme une figure du neutralisme anti-impérialiste. Ayant instauré une « démocratie dirigée », il fut évincé par Suharto en 1967.

**SUKHOTHAI** ~ V. du N.-O. de la Thaïlande, anc. cap. d'un royaume khmer au XIIIe s. ; 22 000 h. Sanctuaires bouddhistes (XIVe-XVe s.).

**SULAWESI** ~ Voir **Célèbes**.

**SÜLEYMAN** ~ Voir **Soliman le Magnifique**.

**SULLA** ~ Voir **Sylla**.

**SULLIVAN** (sir Arthur) ~ *1842, Londres - 1900, id.* Compositeur britannique. Il triompha dans le monde anglo-saxon avec des opérettes d'une irrésistible alacrité satirique (*The Mikado*, 1885).

**SULLIVAN** (Louis) ~ *1856, Boston - 1924, Chicago.* Architecte américain. Personnalité centrale de l'école de Chicago, il donna des solutions techniques prophétiques aux problèmes posés par l'évolution démographique et sociologique des sociétés industrielles.

**SULLY** (Maurice DE) ~ *v. 1120, Sully-sur-Loire - 1196, Paris.* Prélat français. Évêque de Paris en 1160, il serait à l'origine de l'édification de la cathédrale Notre-Dame de Paris en 1163.

**SULLY** (Maximilien **de Béthune**, baron **de Rosny**, duc-pair DE) ~ *1559, Rosny-sur-Seine - 1641, Villebon, Eure-et-Loir.* Homme politique français. Protestant, il fut compagnon d'armes d'Henri IV (1576-1590), qui le nomma en 1598 surintendant des Finances. Il adopta une politique rigoureuse, privilégiant l'agriculture. Écarté peu après la mort d'Henri IV (1661), il rédigea ses *Mémoires des sages et royales économies d'État de Henry le Grand* (1638).

**Sully (hôtel de)** ~ Demeure parisienne située dans le quartier du Marais à Paris, édifiée par Jean Androuet Du Cerceau (1625-1630) et acquise par le duc de Sully (1634). Depuis 1965, elle abrite la Caisse nationale des monuments historiques.

**SULLY PRUDHOMME** (René François Armand **Prudhomme**, dit) ~ *1839, Paris - 1907, Châtenay-Malabry.* Poète français. Élégiaque dans ses poésies (*Solitudes*, 1869), il s'essaya à la philosophie (*la Justice*, 1878). Prix Nobel de litt. 1901. Acad.

**SULPICE SÉVÈRE**, en lat. ***Sulpicius Severus*** ~ *v. 360, en Aquitaine - v. 420.* Écrivain chrétien. Il composa en latin une *Vie de saint Martin* (v. 397).

**SUMATRA** ~ Île d'Indonésie (N.-O. de Java), la plus grande des îles de la Sonde, montagneuse et volcanique (monts Barisan) à l'O., plate et marécageuse à l'E., en grande partie couverte par la forêt dense, séparée de la Malaisie par le détroit de Malacca ; 473 481 km², 36 506 000 h., v. princ. Medan, Palembang. Climat équatorial. Riziculture, hévéa, cacao, thé, café. Pétrole, gaz, charbon. La région est riche en minerais (bauxite, étain, métaux précieux). Industrie sidérurgique. Peu peuplée, encore mal desservie, l'île accueille des migrants de Java.

**SUMBA** ~ L'une des petites îles de la Sonde (Indonésie) ; 11 153 km², env. 360 000 h.

**SUMBAWA** ou **SUMBAVA** ~ Île volcanique des petites îles de la Sonde (Indonésie), à l'O. de Flores ; 15 448 km², env. 500 000 h. Riz, céréales, café, élev. de chevaux.

**SUMER** ~ Région de basse Mésopotamie dont les habitants, installés au IVe mill. av. J.-C., créèrent la première grande civilisation de l'Orient antique. Organisés en cités-États (Ourouk, Kish, Our, Lagash, Isin, Nippour), les Sumériens développèrent agriculture irriguée, architecture religieuse et travail du cuivre. Ils inventèrent l'écriture v. 3000 av. J.-C. Submergés par les Sémites (Akkadiens, puis Amorrites) à la fin du IIIe mill. av. J.-C., ils ont initié la culture mésopotamienne. [☞ **écriture**.]

**SUND** (le) ~ Voir **Øresund**.

**SUNDERLAND** ~ Port industriel d'Angleterre (Tyne and Wear), partie de la conurbation du Tyneside, sur la mer du Nord ; 289 000 h. Métallurgie, constr. automobile, verrerie.

**SUNDERLAND**, famille d'hommes politiques anglais. ~ **Robert** SPENCER, 2e comte DE *(1641, Paris - 1702, Altorp)*, au service de Charles II, tomba en disgrâce pour s'être rapproché de l'opposition protestante lors de l'affaire de Titus Oates. Son fils ~ **Charles** SPENCER, 3e comte DE *(1674 - 1722, Londres)*, devint premier lord de la Trésorerie (1718), avant d'être compromis dans le scandale de la South Sea Company.

**SUNDGAU** (le) ~ Région de collines du S. de l'Alsace (anc. cône de déjection du Rhin), autour d'Altkirch (Haut-Rhin). Comté pris aux Habsbourg par Charles le Téméraire (1469), il passa à l'Autriche (1474) puis revint à la France (1648).

**SUNDSVALL** ~ Port de Suède (Norrland), sur le golfe de Botnie ; 94 000 h. Bois, cellulose, aluminium.

**SUN Yat-sen** ou **SUN Zhongshan** ou **SUN Wen**, dit **Guofu**, le « Père de la patrie » ~ *1866, Xiangshan, Guangdong - 1925, Pékin*. Homme d'État chinois. Fondateur de l'Association pour la régénération de la Chine (1894), il mena la lutte des provinces du Sud contre le pouvoir impérial de Pékin et pour l'établissement de la république. Exilé (1895-1911), il fonda la Ligue jurée (1905), proclama la république, dont il fut élu président (1911) par l'assemblée de Nankin, mais dut se démettre (1912). Fondateur du Guomindang (1911), il devint généralissime des armées de Canton insurgé (1917). Réélu président de la République (1921), il conquit le pouvoir central de Pékin (1925). Il est considéré comme le père de la Chine républicaine.

**SUPÉRIEUR (lac)** ~ Le plus vaste (82 700 km²) et le plus continental des Grands Lacs américains (alt. 180 m, prof. max. 400 m). Il communique avec le lac Huron par le canal de Sault-Sainte-Marie mais gèle l'hiver (navigation limitée). Rives forestières (Canada, États-Unis), au peuplement clairsemé. Ports princ. Duluth, Thunder Bay.

**SUPERVIELLE** (Jules) ~ *1884, Montevideo - 1960, Paris*. Écrivain français. Ses contes (*le Voleur d'enfants*, 1926), ses poèmes (*Naissances*, 1951) et son théâtre (*la Belle au bois*, 1932) sont empreints d'un merveilleux familier.

**Supports-Surfaces** ~ Groupe d'artistes français constitué à la fin des années 1960 par Daniel Dezeuze, Bernard Pagès, Patrick Saytour, Claude Viallat, Vincent Bioulès, Louis Cane, Toni Grand et André Valensi. Influencés notamment par H. Matisse et le marxisme, ils se livrèrent à un travail théorique et pratique d'analyse et de déconstruction de l'œuvre d'art et de son support.

**suprématie (Acte de)** ~ Loi fondatrice de l'Église anglicane (1534), dont Henri VIII devenait le « chef unique et suprême ».

**SURABAYA** ou **SURABAJA** ~ Port princ. et 2e v. de Java (Indonésie), centre industr. face à l'île de Madura ; agglom. 2 421 000 h. Université.

**SURAKARTA** ~ V. de l'E. de Java (Indonésie), centre comm. (tabac, sucre, café), culturel (musique, danse, batik) et universitaire ; 470 000 h.

**SURAT** ~ Port de l'Inde (Gujerat), sur le golfe de Cambay, centre textile et artisanal ; 1 499 000 h. Ancien comptoir européen (export. de l'or).

**SURCOUF** (Robert) ~ *1773, Saint-Malo - 1827, id.* Marin et corsaire français. Il mena la guerre de course contre les Britanniques dans l'océan Indien (1795-1801 ; 1807-1809). Il fut baron de l'Empire et se retira à Saint-Malo.

**SÛRE** (la) ~ Affluent (r. g.) de la Moselle, qui arrose l'Oesling au Luxembourg ; 170 km.

**SURÉNA** ~ Nom attribué au général parthe qui défit Crassus à Carres, en 53 av. J.-C.

**SURESNES** ~ V. de la banlieue S.-O. de Paris (Hauts-de-Seine), 35 998 h. Fort du Mont-Valérien et cités-jardins.

**SURINAM (république du)** ~ Pays d'Amérique du Sud (Guyanes), bordé par l'océan Atlantique. ***Cap.*** Paramaribo. ***Superf.*** 163 820 km². ***Popul.*** 404 000 h., dont Asiatiques, Indiens et Javanais (52 %), mulâtres (31 %). ***Langues princ.*** Néerlandais, sranan. ***Monn.*** Florin du Surinam. ***Relief.*** Le massif des Guyanes est bordé par une plaine littorale qui concentre la population (petites communautés amérindiennes dans l'intérieur). ***Climat.*** Équatorial. ***Écon.*** Agriculture (canne à sucre, riz), exploit. de la bauxite (40 % du P. N. B.). Importante émigration vers les Pays-Bas. **HIST.** - *1650* : occupation par des colons anglais. *1667* : la région est cédée aux Hollandais, qui développent la culture de la canne à sucre. *Fin du XVIIIe-début du XIXe s.* : à la faveur des guerres napoléoniennes en Europe, le Surinam est de nouveau occupé par les Britanniques, qui le restituent aux Pays-Bas après la chute de l'Empire (1816). *XIX[e] s.* : pour remédier à l'abolition de l'esclavage (1863), les colons encouragent la venue d'une main-d'œuvre d'Inde et d'Indonésie. *XX[e] s.* : la Constitution de 1954 donne une large autonomie à la province du Surinam, qui accède à l'indépendance en 1975 et se dote d'un régime parlementaire. Il est renversé en 1980 par un coup d'État militaire qui porte au pouvoir Hendrik R. Chin A Sen et le colonel Desi Bouterse, qui, à partir de 1982, dirige seul le pays. Dès 1980, une guérilla se développe dans le S. et l'E. du pays et contraint les militaires, après une première tentative avortée en 1990, à accepter un processus de démocratisation. En 1991, Ronald Venetiaan, candidat de la coalition hostile aux militaires, est élu président de la République. Depuis la fin de la guerre civile (1992), le Surinam s'efforce de reconstruire son économie.

**SURREY** (le) ~ Comté résidentiel et industriel du S. de l'Angleterre, dans l'orbite de Londres (S-O.) ; 1 677 km², 1 018 000 h., ch.-l. Kingston-upon-Thames (140 000 h.).

**SURREY** (Henry **Howard**, comte DE) ~ *v. 1518 - 1547, Londres*. Homme politique et poète anglais. Familier d'Henri VIII, il introduisit le vers blanc dans la poésie anglaise et le sonnet anglais : trois quatrains et un distique. Il fut décapité à cause de ses opinions catholiques.

**SURYA** ~ Dieu Soleil dans la myth. hindoue.

**SUSE**, en ital. ***Susa*** ~ V. des Alpes italiennes (Piémont), à l'O. de Turin, au carrefour (dit **pas de Suse**) des routes transalpines du Mont-Cenis et de Montgenèvre ; 7 000 h. Vestiges romains (arc d'Auguste, 9 av. J.-C.). Cathédrale du XIe s.

**SUSE** ~ Capitale de l'Élam du IVe mill. à la destruction de cet État par Assourbanipal au VIIe s. av. J.-C. Une des capitales de la Perse achéménide, centre de culture hellénique après la conquête d'Alexandre le Grand, Suse déclina sous les Perses sassanides. Très riche site archéologique. Le code d'Hammourabi y fut découvert en 1902.

**SU Shi** ou **SOU Che**, dit aussi SU **Dongpo** ou SOU **Tong-p'o** ~ *1036, Meishan, Sichuan - 1101, Changzhou*. Poète et peintre chinois. Son œuvre poétique illustre le confucianisme restauré sous la dynastie Song (*Huit Poèmes sur Dangbo*, 1081).

**Suspects (loi des)** ~ Loi votée le 17 septembre 1793 par la Convention. Instrument légal de la Terreur, elle dressait une liste de tous les actes susceptibles de nuire à la République. Elle entraîna plus de 300 000 arrestations jusqu'à son abrogation en octobre 1795.

**SUSSEX** (le) ~ Région du S. de l'Angleterre, sur la Manche, divisée auj. en 2 comtés, l'**East Sussex** (1 794 km², 690 000 h.) et le **West Sussex** (1 988 km², 702 000 h.), qui comprend les South Downs le long de la côte (falaises) et une partie de la plaine du Weald, vouée aux cultures maraîchères et céréalières et à l'élevage bovin et ovin. Stations baln. (Brighton, Eastbourne, Hastings). L'un des sept royaumes saxons de l'Heptarchie (Ve s.), le Sussex fut annexé par le Wessex (VIIIe s.).

**SUTHERLAND** (Graham Vivian) ~ *1903, Londres - 1980, id.* Peintre britannique. Son style symbolique, parfois proche du fantastique, s'affirma dans ses œuvres d'inspiration religieuse.

**SUVA** ~ Cap. et port franc des îles Fidji, princ. v. du Pacifique S. ; 72 000 h. Université.

**SUWON** ~ V. de Corée du S., au S. de Séoul ; 645 000 h. Université. Institut d'agronomie. Anc. capitale coréenne de la dynastie des Yi (1392-1910).

**SUZANNE** ~ Héroïne biblique (livre de Daniel), figurant l'innocence diffamée et reconquise à la suite d'une intervention divine. L'épisode de Suzanne surprise au bain par deux vieillards inspira le Tintoret et Rembrandt.

**SVALBARD** ~ Archipel norvégien de l'océan Arctique, au N. de la Scandinavie, en grande partie recouvert de glaciers ; 62 000 km², 3 000 h. (maj. Russes), v. princ. Longyearbyen (env. 1 500 h.). Charbonnages (gisement du Spitzberg), pêcheries.

**SVEALAND** (le) ~ Région du centre de la Suède englobant la Dalécarlie et le lac Mälaren.

**SVEN** ou **SVEND**, nom de plusieurs rois du Danemark. ~ **Sven I**[er] *(v. 960 - 1014)*, roi de 986 à 1014, rançonna plusieurs fois l'Angleterre et en devint roi cinq semaines avant sa mort. ~ **Sven II** *(v. 1018 - 1074)*, roi de 1047 à 1074, affermit le christianisme au Danemark et tenta en vain de conquérir l'Angleterre.

**SVERDLOVSK** ~ Voir **Iekaterinbourg**.

**SVEVO** (Ettore **Schmitz**, dit Italo) ~ *1861, Trieste - 1928, Motta di Livenza, Trévise*. Écrivain italien. Son œuvre fut fortement influencé par la psychanalyse et encouragé par J. Joyce (*la Conscience de Zeno*, 1923).

**SWAMMERDAM** (Jan) ~ *1637, Amsterdam - 1680, id.* Naturaliste hollandais. Ses dissections d'insectes en font un fondateur de l'anatomie des invertébrés.

**SWAN** (sir Joseph Wilson) ~ *1828, Sunderland - 1914, Warlingham*. Chimiste britannique. Il mit au point l'ampoule électrique à incandescence un an avant Th. Edison (1878), inventa le filament de tantale (1888) ainsi que des papiers et des plaques photographiques.

**SWANSEA**, en gallois ***Abertawe*** ~ 2e v. et port du pays de Galles, sur le canal de Bristol, ch.-l. du West Glamorgan, centre industr. anc. lié à l'exploit. du charbon (auj. métallurgie) ; agglom. 182 000 h.

**Swapo** (la), sigle de **South West Africa People's Organization** ~ Mouvement de libération du Sud-Ouest africain (reconnu en 1968 sous le nom de Namibie par l'O. N. U.), créé en 1960 et engagé dans la lutte armée (1966) contre l'occupation sud-africaine jusqu'à la proclamation de l'indépendance de la Namibie (1990). Parti de l'actuel président, il est majoritaire à l'Assemblée (1994).

**SWART** (Charles Robberts) ~ *1894, Winburg, Orange - 1982, Bloemfontein*. Homme d'État sud-africain. Il fut le premier président de la république d'Afrique du Sud (1961-1967).

**SWAZILAND (royaume de)** ~ Pays enclavé d'Afrique australe, entre l'Afrique du Sud (E. du Transvaal) et le Mozambique. ***Cap.*** Mbabane. ***Superf.*** 17 400 km². ***Popul.*** 818 000 h. ***Langues princ.*** Swazi, anglais. ***Monn.*** Lilangeni. ***Relief.*** Plateaux montagneux à l'O., plaines à l'E. ***Climat.*** Tropical à tendance sèche. ***Écon.*** Secteur agricole bien développé (canne à sucre, agrumes, maïs, coton, élev. bovin et ovin trad.), associé à une industrie tributaire de l'Afrique du Sud pour les 2/3 de son énergie. Ress. minières : amiante, diamants, or. Forte émigration économique vers l'Afrique du Sud. **HIST.** - *XVI[e]-XVII[e] s.* : la région du Swaziland sert de refuge aux Swazis menacés par les Zoulous. *XVIII[e]-XIX[e] s.* : occupés à résister aux incursions des Boers puis des Britanniques, les Zoulous se désintéressent des Swazis, qui conservent ainsi leur indépendance. *Fin du XIXe-début du XXe s.* : la convention de Pretoria (1881) garantit l'indépendance du Swaziland, qui est placé sous la protection des Boers puis, à partir de 1902, sous celle des Britanniques. *XX[e] s.* : sous le règne de Sobhuza II (1921-1982), reconnu par la Grande-Bretagne, le Swaziland obtient en 1968 son indépendance et se proclame monarchie absolue (1973). La reine Ntombi (1983-1986) et Mswati III (depuis 1986) lui ont succédé.

**SWEDENBORG** (Emanuel) ~ *1688, Stockholm - 1772, Londres.* Théosophe suédois. À la suite d'une révélation divine, il fonda une Église. Il professa que toute chose a un sens spirituel.

**SWEELINCK** (Jan Pieterszoon) ~ *1562, Deventer - 1621, Amsterdam.* Compositeur néerlandais. Outre ses œuvres pour clavecin et pour orgue, il laissa des psaumes, des motets et des chansons (en français), fleurons de la polyphonie nordique (*Cantiones sacrae*, 1619). Il fut le maître de M. Praetorius.

**SWIFT** (Jonathan) ~ *1667, Dublin - 1745, id.* Écrivain irlandais. Doyen de la cathédrale Saint Patrick de Dublin, il publia des pamphlets féroces en faveur de l'Irlande, son ironie politique et sociale trouvant son apothéose dans *les Voyages de Lemuel Gulliver* (1726). Son *Journal à Stella* (posth., 1766-1768) s'adresse à une jeune fille dont il fut le précepteur.

**SWINBURNE** (Algernon Charles) ~ *1837, Londres - 1909, id.* Poète britannique. Son inspiration libertaire et son érotisme firent scandale dans l'Angleterre victorienne (*Chants d'avant l'aube*, 1871).

**SYAGRIUS** (Afranius) ~ *v. 430 - 486.* « Roi des Romains ». Il gouverna en réalité un territoire de Gaule, entre la Somme et la Loire (464-486). Il fut vaincu par Clovis à Soissons (486).

**SYBARIS** ~ Anc. cité grecque du golfe de Tarente, fondée v. 720 av. J.-C. par les Achéens. Opulente et libre de mœurs, elle fut détruite par sa rivale, Crotone, en 510 av. J.-C.

**SYDENHAM** (Thomas) ~ *1624, Wynford Eagle - 1689, Londres.* Médecin anglais. Il décrivit la **chorée infantile de Sydenham** et inventa le laudanum.

**SYDNEY** ~ Princ. v. et 1er port d'Australie et d'Océanie, cap. de la Nouvelle-Galles du Sud, au pied des Blue Mountains ; 3 713 000 h. Le centre (site de l'Opéra moderniste) est séparé des quartiers résidentiels par les indentations du littoral (plages). Site retenu pour les jeux Olympiques de l'an 2000. Anc. colonie pénitentiaire fondée en 1788.

**SYDNEY** ~ Voir **Cap-Breton** (île du).

**Sykes-Picot (accord)** ~ Accord secret entre la Grande-Bretagne et la France, négocié en 1915-1916, sur le partage des provinces non turques de l'Empire ottoman. Il fut rendu public par la Russie après la révolution d'Octobre.

**SYLLA** ou **SULLA**, en lat. ***Lucius Cornelius Sulla*** ~ *138 - 78 av. J.-C., Cumes.* Dictateur romain. Sous les ordres de Marius, il captura Jugurtha (105). Il joua un rôle décisif dans la guerre sociale (90-88), et fut nommé consul (88). Chargé de mener la guerre contre Mithridate, il fut destitué par Marius, mais revint prendre Rome. Puis il chassa Mithridate de Grèce et d'Asie (85). Revenu en Italie, il combattit les partisans de Marius et se fit nommer dictateur (82). Il renforça le sénat aux dépens des tribuns de la plèbe, inaugurant l'ère du pouvoir militaire et personnel qui clôt la République romaine. En 79, il se retira.

**SYLVESTRE**, nom de quatre papes. ~ **Sylvestre Ier** (saint ; *m. en 335 à Rome*), pape de 314 à 335. Il perdit son autorité au profit de celle de Constantin Ier, qui fit du christianisme une religion d'empire. ~ **Sylvestre II** (Gerbert **d'Aurillac** ; *v. 938, en Auvergne - 1003, Rome*), fut le pape de l'an mil (999 à 1003). Connu pour son érudition, il favorisa l'élection d'Hugues Capet (987) et devint archevêque de Reims (991) puis de Ravenne (998).

**SYMMAQUE**, en lat. ***Quintus Aurelius Symmachus*** ~ *v. 340, Rome - v. 410.* Orateur et consul romain (391). Il voulut défendre le paganisme, notamment contre saint Ambroise.

**SYNGE** (John Millington) ~ *1871, Rathfarnham - 1909, Dublin.* Auteur dramatique britannique. Il donna une dimension mythique à des drames puisés dans la réalité irlandaise (*le Baladin du monde occidental*, 1907).

**SYPHAX** ~ *m. v. 203 av. J.-C., Rome.* Roi des Numides occidentaux. Allié de Rome puis de Carthage, il fut vaincu par Masinissa (203 av. J.-C.) et livré à Scipion l'Africain.

**SYRACUSE**, en ital. ***Siracusa*** ~ Vieille cité portuaire de la côte orientale de Sicile (Italie), centre

*Illustration pour* les Voyages de Lemuel Gulliver, *de Jonathan Swift (édition de 1860).*

comm. et industriel ; 127 000 h. Archevêché. Vestiges hellènes et romains (temples d'Apollon et d'Athéna, fontaine Aréthuse, théâtre). **HIST.** - Fondée en 734 av. J.-C. par les Corinthiens, elle régna sur la Sicile, repoussant les assauts carthaginois (ve s. av. J.-C.). Sous le tyran Denys l'Ancien (405-367 av. J.-C.), elle prospéra et étendit son influence aux cités grecques de l'Italie méridionale. Au cours de la deuxième guerre punique, elle subit l'invasion romaine (213-212 av. J.-C.), après l'un des plus longs sièges de l'Antiquité.

**SYRACUSE** ~ V. industr. du N. des États-Unis (État de New York) ; 164 000 h. Université. Ancien centre d'exploitation du sel.

**SYR-DARIA** (le), anc. **Iaxarte** ~ Fl. d'Asie centrale, tribut. de la mer d'Aral, issu des monts Tian Shan ; 3 019 km. Appelé Naryn au Kirghizistan, il arrose le Fergana et le S. aride du Kazakhstan. Hydroélectricité. Bassin inférieur irrigué (coton).

**SYRIE** (la), off. **République arabe syrienne**, en ar. ***Suriya*** ~ Pays du Proche-Orient. ***Cap.*** Damas. ***Superf.*** 185 180 km². ***Popul.*** 13 400 000 h., dont Arabes (89 %), Kurdes (6 %). ***Langue princ.*** Arabe. ***Monn.*** Livre syrienne. ***Relief.*** Les hauteurs (djebel Ansariyya au N., Anti-Liban au S.) séparent les plaines côtières et libanaises de la dépression du Ghab, arrosée par l'Oronte. Les massifs volcaniques du Hauran et du djebel Druze occupent le S. L'E., traversé par l'Euphrate (oasis), est désertique ou steppique (plus de 50 % de la superf.). ***Climat.*** Méditerranéen sur la côte, continental puis aride à l'E. ***Écon.*** Le poids du secteur public et la lourdeur des budgets militaires freinent l'essor économique malgré les ressources énergétiques et les subsides de l'Iran et des pétromonarchies. ***Ress. princ.*** Agric. irriguée (céréales, coton, fruits), élev. ovin. Hydrocarbures. Hydroélectricité. Industries text., agroalim., métallurgie. Potentiel touristique. ***V. princ.*** Damas, Alep, Homs, Lattaquié, Hama. **HIST.** - *Néolithique* : les premières cités (Jéricho, Ras Shamra, Tell Khalaf) se développent. *IIIe mill. av. J.-C.* : la région est peuplée par vagues successives de différentes populations d'origine sémite. *IIe mill. av. J.-C.* : la Syrie est disputée entre les quatre puissances qui dominent alors le Proche-Orient, les Hittites, l'Assyrie, l'Égypte et Babylone. *VIe s. av. J.-C.* : unification de la région sous la domination perse. *IVe s. av. J.-C.* : les Perses doivent reculer devant l'avance des Macédoniens ; lors du partage de l'empire d'Alexandre le Grand entre ses diadoques à Triparadisos (321 av. J.-C.), la Syrie est intégrée à la Babylonie, qui échoit à Séleucos Ier. *Ier s. av. J.-C.* : conquête romaine ; création de la province de Syrie (63 av. J.-C.). *395 apr. J.-C.* : après le partage de l'Empire romain, la Syrie est rattachée à l'empire d'Orient, au sein duquel elle demeure jusqu'à la fin du VIIe s. *634-636* : conquête arabe ; les Omeyyades font de Damas la capitale du monde musulman. *Xe-XIe s.* : la Syrie est reconquise par l'Empire byzantin, puis connaît une courte domination des Turcs seldjoukides. *XIe-XIIIe s.* : les croisés, qui créent la principauté d'Antioche et le royaume de Jérusalem, et les Ayyubides (Saladin, 1171-1193) entretiennent de bonnes relations. *1291* : conquête par les Mamelouks d'Égypte, qui repoussent les Mongols et chassent les Francs. *1516-1918* : conquise par Selim Ier, la Syrie reste sous autorité ottomane malgré les expéditions de Bonaparte (1799), de Méhémet-Ali (1831-1840) et de Napoléon III (intervention au Liban en faveur des chrétiens, 1860). *1920-1943* : la S. D. N. place la Syrie et le Liban sous mandat français. *1941* : proclamation de l'indépendance par le général Catroux. *1945-1973* : la Syrie connaît une instabilité politique intérieure qui ne cesse qu'en 1970, lors de l'accession au pouvoir d'Hafez el-Assad (parti Baas). Sur le plan extérieur, la Syrie se rapproche de l'U. R. S. S. et de l'Égypte, avec laquelle elle forme une République arabe unie (1958-1961). Opposée à Israël depuis la création de l'État hébreu (1re guerre israélo-arabe, 1948), la Syrie soutient les Palestiniens et participe aux guerres des Six-Jours (1967) et du Kippour (1973), qui se concluent par deux défaites arabes. *Depuis 1973* : après l'échec de l'attaque contre Israël (4e guerre israélo-arabe), Hafez el-Assad s'efforce de restaurer le poids de la Syrie au Proche-Orient, avec succès comme en témoignent le renforcement de l'influence syrienne au Liban depuis 1976 et le soutien syrien à l'Iran (1980-1988), puis aux Occidentaux contre l'Iraq, lors de la guerre du Golfe (1991). En 1991, la signature d'un traité avec le Liban consacre la tutelle syrienne sur ce pays ; participation à la conférence de Madrid sur la paix au Proche-Orient.

**SYRINX** ~ Dans la myth. grecque, nymphe d'Arcadie. Poursuivie par Pan, elle se métamorphosa en roseau, et c'est en écoutant le vent jouer dans les tiges que le dieu inventa la flûte de Pan.

**SYRTE (golfe de)** ou **GRANDE SYRTE** (la) ~ Large échancrure des côtes libyennes, entre Misourata et Benghazi, partie la plus méridionale de la Méditerranée, aux rivages désertiques (rares oasis) et parsemés de salines. Eaux très chaudes. Pêche au thon. La localité de **Syrte**, au fond du golfe, était jadis un terme des routes caravanières transsahariennes.

**SYRTE (Petite)** ~ Autre nom du golfe de Gabès.

**SZAPOLYAI** ~ Voir **Zápolya**.

**SZASZ** (Thomas Stephen) ~ *1920, Budapest.* Psychiatre et psychanalyste américain d'orig. hongroise. Dans la lignée de l'antipsychiatrie, il a stigmatisé les structures sociales et les institutions psychiatriques comme pathogènes (*Fabriquer la folie*, 1970).

**SZCZECIN**, en all. ***Stettin*** ~ 2e port de Pologne, sur l'estuaire de l'Oder (avant-port de Świnoujście), débouché commercial des régions silésienne et tchèque ; 414 000 h. Métall. de transformation. Polonaise, puis allemande, elle revint à la Pologne en 1945.

**SZEGED** ~ 3e ville de Hongrie (S.-E), sur la Tisza ; 179 000 h. Industries agroalim., text., papeterie. Université (1921). Siège du gouvernement de L. Kossuth (1849). Festival du théâtre.

**SZÉKESFEHÉRVÁR**, anc. **Albe Royale** ~ V. de Hongrie, au S.-O. de Budapest ; 110 000 h. Métall. (aluminium). Centre hist. baroque et néoclassique (tombeaux des premiers souverains hongrois).

**SZENT-GYÖRGYI VON NAGYRAPOTT** (Albert) ~ *1893, Budapest - 1986, Woods Hole, Massachusetts.* Biochimiste américain d'orig. hongroise. Il découvrit les vitamines C (1932) et P (1936). Prix Nobel de physiol. ou méd. 1937.

**SZILARD** (Leo) ~ *1898, Budapest - 1964, La Jolla, Californie.* Physicien américain d'orig. hongroise. Il élabora la réaction qui produit des neutrons par la transformation du béryllium en hélium, et collabora avec E. Fermi à la construction de la première pile atomique. Après 1945, il milita contre l'armement nucléaire et se consacra à la science pure.

**SZYMANOWSKI** (Karol) ~ *1882, Tymószówka, Ukraine - 1937, Lausanne.* Compositeur polonais. D'abord postromantique, sa sensibilité impressionniste caractérise ses œuvres pour piano (*Masques*, 1916), ses symphonies (*Symphonie n° 3*, 1914-1916) ou ses opéras (*le Roi Roger*, 1918-1924).

**SZYMBORSKA** (Wyslawa) ~ *1923, près de Poznán.* Poétesse polonaise. Elle a peint le quotidien avec tendresse (*Dans le fleuve d'Héraclite*). Prix Nobel de litt. 1996.

**T. A. A. F.** ~ Voir **Australes et Antarctiques françaises** (terres).

**TABARIN** (Antoine **Girard**, dit) ~ *1584, Paris - v. 1626, id.* Bateleur français. Il fut identifié au personnage qu'il inventa dans ses farces.

**TABARLY** (Éric) ~ *1931, Nantes.* Navigateur français. Officier de marine, il a été le premier Français à s'illustrer dans les courses transatlantiques en solitaire (vainqueur en 1964 et 1976).

**TABASCO** (le) ~ État du S. du Mexique, sur le golfe du Mexique, région de plaines marécageuses au climat tropical humide ; 24 661 km², 1 502 000 h., cap. Villahermosa. Croissance récente fondée sur le pétrole.

**TABOUROT** (Jehan), dit Thoinot **Arbeau** ~ *1519 ou 1520, Dijon - 1595 ou 1596, Langres.* Chanoine de Langres. Il publia en 1588 l'*Orchésographie*, traité des danses connues du XIIIᵉ au XVIᵉ s.

**TABRIZ** ~ V. du N. de l'Iran, près du lac d'Ormiya, à 1 350 m d'alt., centre admin. (Azerbaïdjan iranien) et commercial (céréales, tabac, coton) ; 971 000 h. Université. Industries diversifiées. Tapis réputés. Vestiges de la mosquée Bleue (1465), célèbre pour son décor de céramiques. **HIST.** - Capitale de la Perse aux XIIIᵉ et XIVᵉ s. et sous les Safavides (XVIᵉ s.), elle abrita une école de miniaturistes (XIIᵉ-XVIᵉ s.).

**TACHKENT** ~ Cap. de l'Ouzbékistan et premier pôle écon. et culturel d'Asie centrale, au N. du Fergana ; 2 100 000 h. Université.

**TACITE**, en lat. ***Marcus Claudius Tacitus*** ~ *v. 200, Amiternum - 276, Tyane.* Empereur romain (275-276). Successeur d'Aurélien, il fut assassiné par ses troupes.

**TACITE**, en lat. ***Publius Cornelius Tacitus*** ~ *v. 55 - v. 120.* Historien latin. Il fut consul (97) puis proconsul d'Asie (112-113). Auteur d'une *Vie d'Agricola* consacrée à son beau-père, il écrivit *la Germanie*, le *Dialogue des orateurs*, les *Histoires* (période 69-96) et les *Annales* (période 14-68). Dans une langue elliptique, voire ambiguë, il a dressé des portraits parfois féroces de la cour impériale.

**TACNA** ~ V. et oasis du Pérou, à la frontière chilienne, au pied des Andes ; 174 000 h. Industrie agroalimentaire.

**TACOMA** ~ V. de l'État de Washington (États-Unis), centre industr. de l'agglom. de Seattle ; 181 000 h. Université. Métall., électrochimie, bois.

**TADEMAÏT (plateau du)** ~ Région de hamadas calcaires, située au S.-E. du Grand Erg occidental, dans le Sahara algérien.

**TADJIKISTAN (république du)** ~ Pays enclavé d'Asie centrale. ***Cap.*** Douchanbe. ***Superf.*** 143 100 km². ***Popul.*** 5 600 000 h., dont Tadjiks (62 %), Ouzbeks (23,5 %), Russes et Ukrainiens (7,5 %). ***Langue princ.*** Tadjik (apparenté au persan). ***Monn.*** Rouble tadjik. ***Relief.*** Très montagneux (Pamir, Tian Shan). ***Climat.*** Continental rigoureux. ***Écon.*** Agriculture irriguée (coton, fleurs à parfum, légumes, fruits dans les vallées, not. dans le Fergana), élevage ovin (astrakan), sériciculture. Industries légères en développement. Gisements d'or. ***V. princ.*** Douchanbe, Khodjent. **HIST.** - Peuplée dès le Paléolithique, la Sogdiane de l'Antiquité est soumise par les Perses (VIIᵉ s. av. J.-C.) puis par les Grecs (IVᵉ s. av. J.-C.). Conquise par les Arabes (VIIIᵉ s.) et les Samanides (IXᵉ-Xᵉ s.), elle est annexée par les Mongols (XIIIᵉ s.) et les Ouzbeks (khanat de Boukhara de l'Asie centrale, XVIᵉ s.). *1865* : les Russes annexent la région. *1922* : création de la république populaire soviétique de Boukhara. *1924* : création de la république autonome du Tadjikistan au sein de l'Ouzbékistan. *1929* : le Tadjikistan devient une république fédérée de l'U. R. S. S. *1991* : indépendance et adhésion à la C. E. I. *1992-1996* : guerre civile entre islamistes, démocrates et communistes (au pouvoir avec le président Emomali Rakhmonov).

**Tadj Mahall** (le) ~ Voir **Taj Mahal**.

**TAEGU** ~ 3ᵉ v. de la Corée du Sud, dans le S.-E. du pays ; 2 229 000 h. Université. Industries électr., textile (soie et coton), agroalimentaire.

**TAEJON** ~ V. de la Corée du Sud, au S. de Séoul ; 1 062 000 h. Université. Industries alimentaire, textile, matériel ferroviaire.

**TAFILALET** ou **TAFILALT** (le) ~ Région présaharienne (oasis) du S.-E. du Maroc, à l'hydrographie endoréique. Cultures irriguées, palmeraies (Erfoud).

**Tafna (traité de la)** ~ Traité signé le 30 mai 1837 entre le général Bugeaud et Abd el-Kader par lequel la France reconnaissait la souveraineté de ce dernier sur près des deux tiers de l'Algérie.

**TAFT** (William Howard) ~ *1857, Cincinnati - 1930, Washington.* Homme d'État américain. Secrétaire à la Guerre, il fut chargé par Th. Roosevelt de réprimer le soulèvement cubain de 1906. Il fut le 27ᵉ président des États-Unis (1909-1913).

**Tagals** ou **Tagalogs** (les) ~ Peuple malais, majoritaire dans l'île de Luçon (Philippines).

**TAGANROG** ~ Port de Russie, sur la mer d'Azov, au S. du Donbass ; 293 000 h. Constructions navales, industries agroalim. et métallurgique.

**TAGE** (le), en esp. ***Tajo***, en port. ***Tejo*** ~ Le plus long fleuve de la péninsule Ibérique ; 1 120 km, dont 275 km au Portugal. Né en Espagne, il traverse le S. de la Castille par une vallée encaissée, arrose Tolède puis débouche dans la plaine centrale du Portugal, avant de rejoindre l'Atlantique dans la baie de Lisbonne. Ses eaux sont utilisées pour l'irrigation et l'hydroélectricité.

**TAGLIAMENTO** (le) ~ Fl. d'Italie du N. issu des Alpes carniques, qui rejoint l'Adriatique entre Venise et Trieste ; 172 km. Les Autrichiens y furent battus par Bonaparte en 1797.

**TAGLIONI**, famille de danseurs italiens. ~ **Maria** *(1804, Stockholm - 1884, Marseille)* incarna l'idéal de la danse romantique dans les chorégraphies de son père ~ **Filippo** *(1777, Milan - 1871, Côme)*, not. avec *la Sylphide* (1832).

**TAGORE** (Rabindranath) ~ *1861, Calcutta - 1941, Shantiniketan.* Écrivain indien. Auteur de milliers de poèmes, de romans et de pièces de théâtre, il cultiva une pensée mystique et patriotique dont l'influence en Inde, mais aussi en Occident, fut considérable. Prix Nobel de litt. 1913.

**TAHITI** ~ La plus grande île de l'archipel de la Société (Polynésie française) ; 1 042 km², 115 820 h., v. princ. Papeete. Volcanique, elle est ceinte d'un récif de corail. Agriculture d'exportation (coprah, vanille) sur le littoral, tourisme. Découverte en 1767 par le Britannique Samuel Wallis, elle devint colonie française en 1885, puis territoire d'outre-mer en 1946.

**TAIBEI** ~ Voir **Taipei**.

**TAICHUNG** ~ Voir **Taizhong**.

**TAIF** ~ V. d'Arabie Saoudite, station d'altitude (1 630 m) du Hedjaz (E. de La Mecque) ; 300 000 h.

**TAIFAS (royaumes de)** ~ Petits États musulmans d'Espagne créés à la suite de la dissolution du califat de Cordoue (1031).

**TAILLEBOURG** ~ Localité de Charente-Maritime (N. de Saintes). Saint Louis y remporta une victoire sur Henri III d'Angleterre (21 juill. 1242).

**TAILLEFERRE** (Germaine) ~ *1892, Paris - 1983, id.* Compositrice française. Élève de Ravel, membre du groupe des Six, elle a laissé des œuvres d'une esthétique sobre et élégante (ballet *la Marchande d'oiseaux*, 1923 ; *Cantate du Narcisse*, 1937).

**TAÏMYR (presqu'île de)** ~ Péninsule montagneuse de l'extrême N. de la Sibérie centrale, séparant la mer de Kara et la mer des Laptev ; 860 000 km², 55 000 h. Cuivre, platine, nickel, or.

**TAINAN** ~ Port et métropole du S.-O. de Taiwan ; 690 000 h. Industr. agroalimentaire et textile. Fondée au XVIᵉ s., plus ancienne ville de l'île, elle en fut la première capitale.

**TAINE** (Hippolyte) ~ *1828, Vouziers - 1893, Paris.* Critique littéraire, philosophe et historien français. Auteur d'une méthode de recherche se fondant sur le déterminisme, il tenta d'expliquer la production littéraire et artistique et les faits historiques par la race, le milieu et le moment. Son œuvre abondante analyse à la fois les origines de la France et les travaux des philosophes du XIXᵉ s. (*Origines de la France contemporaine*, 1876-1893).

**TAIN-L'HERMITAGE** ~ V. de la Drôme, au N. de Valence, sur le Rhône ; 5 003 h. Vignoble réputé (hermitage, crozes-hermitage).

**TAIPEI** ou **TAIBEI** ~ Cap. de Taiwan (N.), métropole économique et culturelle ; 2 718 000 h. Industries text., électron., chimique. Musée national (art chinois). Temples taoïstes et confucéens.

**Taiping** ou **T'ai-p'ing**, en fr. « grande harmonie » ~ Mouvement politique et religieux chinois mené par Hong Xiuquan (1814-1864). À partir de 1850, ses adeptes fomentèrent des rébellions contre la dynastie des Qing. Ils furent anéantis en 1864.

**TAIROV** (Aleksandr Iakovlevitch **Kornblit**, dit) ~ *1885, Romny - 1950, Moscou.* Acteur et metteur en scène russe. Fondateur du Théâtre de chambre, version russe du Kammerspiel, il associa à la scène danse, cinéma et musique.

**TAISHÔ TENNÔ (Yoshihito**, dit) ~ *1879, Tôkyô - 1926, Hayama.* Empereur du Japon (1912-1926). En 1921, il remit la régence à son fils Hirohito.

**TAIWAN**, anc. **Formose** ~ État insulaire du Pacifique, séparé de la Chine continentale par le **détroit de Taiwan** (larg. 160 km), formé par la grande île de Taiwan, les îles Pescadores, Quemoy et Matsu. ***Cap.*** Taipei. ***Superf.*** 36 182 km². ***Popul.*** 21 000 000 d'h. ***Langue princ.*** Chinois. ***Monn.*** Dollar de Taiwan. ***Relief.*** Montagneux à l'E. (volcanisme), grande plaine alluviale à l'O. ***Climat.*** Tropical de mousson. ***Écon.*** Fondée sur les services (comm., transports, services fin.) et l'industrie (produits manufacturés, électron.). L'agriculture et la pêche assurent l'autosuffisance. Thé, cult. fruitières et maraîchères. Le manque d'espace, de ressources énergétiques et le prix élevé de la main-d'œuvre poussent Taiwan à investir dans les autres pays d'Asie et en Amérique (un des 1ᵉʳˢ investisseurs mondiaux). **HIST.** - *XIIᵉ-XVIᵉ s.* : l'île, de peuplement protomalais, est fréquentée par des pirates et des marchands chinois (comm. du camphre). *XVIIᵉ s.* : occupation portugaise et hollandaise (1626-1661) puis annexion par la Chine. *1895* : annexion par le Japon. *1945* : restitution à la Chine. *1949* : après la victoire communiste en Chine, elle devient le refuge du gouvernement nationaliste de Tchang Kaï-chek. *1950-1971* : le gouvernement de Taiwan (off. république de Chine) représente la Chine à l'O. N. U. *1971* : Taiwan est expulsée de l'O. N. U. au profit de la Chine. *1975* : à la mort de Tchang Kaï-chek, son fils, Tchang King-kuo, lui succède. *1988* : arrivée au pouvoir de Lee Tenghui, qui entreprend une prudente démocratisation du pays, mais les relations avec la Chine sont toujours conflictuelles et l'isolement diplomatique quasi total. *1996* : première élection présidentielle au suffrage universel (Lee Tenghui est élu).

**TAIYUAN** ou **T'AI-YUAN** ~ V. de Chine, cap. du Shanxi, dans la vallée du Fen He ; 1 068 000 h. Archevêché catholique. Industrie mécanique, chimie, sidérurgie.

**TAIZ** ~ 3ᵉ v. du Yémen, au S. de Sanaa, sur les hauts plateaux, marché agric. (vigne, fruits, café) ; 178 000 h. Artisanat (text. et bijoux). Ancienne capitale (XIIIᵉ-XIVᵉ s.).

**Taizé (communauté de)** ~ Communauté monastique œcuménique fondée en 1940, à Taizé (Saône-et-Loire), par frère Roger. Des dizaines de milliers de jeunes s'y rassemblent toute l'année.

**TAIZHONG** ou **TAICHUNG** ~ V. de Taiwan ; 774 000 h. Université. Zone franche industrielle.

**Tajín (El)** ~ Site archéologique du Mexique, dans l'État de Veracruz. Lieu de culte des Totonaques (Iᵉʳ s. av. J.-C.-VIᵉ s. apr. J.-C.), repris par les Toltèques (Xᵉ s.) puis abandonné (XIIIᵉ s.). Il en reste une imposante pyramide creusée de 365 niches.

**Taj Mahal** ou **Tadj Mahall** (le) ~ Mausolée de marbre blanc édifié (1631-1641) à Agra (Inde gangétique) par Chah Jahan à la mémoire de son épouse, l'impératrice Mumtaz Mahal. Il constitue le chef-d'œuvre de l'art moghol de l'Inde.

**TAKAMATSU** ~ Port du Japon, sur la mer Intérieure, dans l'île de Shikoku, centre administratif ; 329 000 h. Ancienne cité féodale.

**TAKEMITSU Tôru** ~ *1930, Tôkyô - 1996, id.* Compositeur japonais. Ses délicates tapisseries musicales révèlent l'influence de Debussy, Messiaen ou Varèse (*To the Edge of Dream*, 1983) et celle de la tradition japonaise (*Shuteika*, 1973-1979).

**TA-K'ING** ~ Voir **Daqing**.

**TAKIS** (Panayiótis **Vassilákis**, dit) ~ *1925, Athènes.* Sculpteur grec. D'abord influencé par l'art des Cyclades, il a créé des compositions animées en y associant lumière et son.

**TAKLA-MAKAN** ou **TAKLIMAKAN** (le) ~ Vaste région désertique (dunes) de l'O. de la Chine (Xinjiang), cernée de hautes chaînes (Tian Shan, Kunlun) et correspondant au bassin du Tarim.

**TALANT** ~ V. de l'agglom. de Dijon (Côte-d'Or) ; 12 860 h. Ensemble urbain pittoresque du XIIIe au XVIIIe s. (remparts, château, église).

**TALAT PACHA** (Mehmed) ~ *1874, Edirne - 1921, Berlin.* Homme politique ottoman. Adhérent du mouvement des Jeunes-Turcs, ministre puis membre du triumvirat (1913) avec Enver et Djamal Pacha, il fut grand vizir (1917-1918). Il fut assassiné par un Arménien.

**TALAVERA DE LA REINA** ~ V. d'Espagne (Castille-La Manche), sur le Tage ; env. 70 000 h. Céramiques. Églises de style mudéjar et gothique. Les Britanniques de Wellington y vainquirent les Français (juill. 1809).

**TALBOT** (John DE), 1er comte de **Shrewsbury** ~ *v. 1384 - 1453, Castillon.* Homme de guerre anglais. Pendant la guerre de Cent Ans, il prit Bordeaux, mais fut tué à la bataille de Castillon.

**TALBOT** (William Henry Fox) ~ *1800, Lacock Abbey, près de Chippenham - 1877, id.* Physicien britannique. Il inventa le négatif photographique (1835) puis, perfectionnant le procédé de Daguerre, il obtint le premier positif sur papier (calotype ou **talbotype**, 1841).

**TALENCE** ~ V. résidentielle et site du campus universitaire de la communauté urbaine de Bordeaux (Gironde) ; 34 485 h.

**TA-LIEN** ~ Voir **Dalian**.

**TALLAHASSEE** ~ Cap. de la Floride (États-Unis) ; agglom. 233 000 h. Université. Agroalimentaire.

**TALLEMANT DES RÉAUX** (Gédéon) ~ *1619, La Rochelle - 1692, Paris.* Mémorialiste français. Ses *Historiettes*, publiées en 1834, dépeignent gaiement la société de son temps.

**TALLEYRAND-PÉRIGORD** (Charles Maurice DE) ~ *1754, Paris - 1838, id.* Homme politique français. Évêque d'Autun (1788), élu député aux états généraux et à l'Assemblée constituante (1789), il prêta serment à la Constitution civile du clergé (1791). Renonçant à la fonction ecclésiastique, il s'exila (1792-1794) aux États-Unis jusqu'à la chute de Robespierre. Sous le Directoire, il fut ministre des Relations extérieures, puis de nouveau sous le Consulat et l'Empire jusqu'en 1807. Il négocia le traité de Lunéville et le Concordat (1801), la paix d'Amiens (1802), les traités de Presbourg (1805) et de Tilsit (1807). Disgracié en 1809, il devint chef du gouvernement provisoire en 1814, puis, de nouveau ministre des Affaires étrangères, il divisa les Alliés au congrès de Vienne (1815). Passé dans l'opposition libérale à la seconde Restauration, il devint ambassadeur à Londres sous Louis-Philippe (1830-1834).

**TALLIEN** (Jean Lambert) ~ *1767, Paris - 1820, id.* Homme politique français. Député montagnard à la Convention, il fut membre du Comité de sûreté générale pendant la Terreur. Sous l'influence de sa femme, Thérésa Cabarrus, surnommée Notre-Dame de Thermidor, il contribua à la chute de Robespierre (1794). Il participa à la campagne d'Égypte de Bonaparte.

**TALLINN**, anc. **Reval** ou **Revel** ~ Cap. et port industriel de l'Estonie, sur le golfe de Finlande ; 502 000 h. Université. Électromécanique, textile, chimie. Liaisons maritimes avec Helsinki. Anc. cité hanséatique. Fortifications et monuments (XIVe-XVI[e] s.). Musée des Beaux-Arts.

**TALLIS** (Thomas) ~ *v. 1505, comté de Kent - 1585, Greenwich.* Compositeur anglais. Il écrivit indifféremment pour les rites catholique et anglican. La majesté de sa polyphonie éclata dans son motet *Spem in alium* (1573).

**TALLOIRES** ~ Station climatique et touristique de Haute-Savoie, sur le lac d'Annecy ; 1 287 h. Anc. abbaye bénédictine (XIe s.).

**TALMA** (François Joseph) ~ *1763, Paris - 1826, id.* Tragédien français. Acteur préféré de Napoléon Ier, il adopta une diction moins déclamatrice que ses contemporains, ainsi que des costumes et des décors plus proches de la vérité historique.

**Talmud** (le), en fr. « étude » ~ Livre fondamental du judaïsme, constitué de deux parties, la Mishna, recueil de lois transmises par la Tradition, et la Gemara, commentaire de la première. [☞ **judaïsme**.]

**TALON** (Jean) ~ *1625, Châlons-sur-Marne - 1694.* Administrateur français. Premier intendant en Nouvelle-France (1665-1668 et 1670-1672), il fut l'un des pères fondateurs du Canada français.

**TALON** (Omer) ~ *1595, Paris - 1652, id.* Magistrat français. Il défendit les prérogatives du Parlement contre les lits de justice royaux (1631) mais échoua à éviter la rupture avec la Cour lors de la Fronde parlementaire.

**TAMALE** ~ Princ. v. du N. du Ghana, au N.-E. du lac Volta, centre administratif et commercial (coton, riz, arachide) ; 168 000 h.

**TAMANRASSET** ~ Voir **Tamenghest**.

**TAMATAVE** ~ Voir **Toamasina**.

**TAMAULIPAS** (le) ~ État côtier du N.-E. du Mexique, limitrophe des États-Unis ; 79 829 km², 2 250 000 h., cap. Ciudad Victoria. Coton, canne à sucre. Hydrocarbures, industrie chimique. V. princ. sur le río Bravo (Nuevo Laredo).

**TAMAYO** (Rufino) ~ *1899, Oaxaca - 1991, Mexico.* Peintre mexicain. Violente et colorée, son œuvre réalise la synthèse des traditions précolombiennes et des grands courants de la peinture internationale (*les Chiens hurlants*, 1942).

**TAMBOV** ~ V. de Russie, au S.-E. de Moscou, fondée en 1636 (forteresse) ; 311 000 h. Industr. mécan., chim., métall. et alimentaire.

**TAMENGHEST**, anc. **Tamanrasset** ~ V. et oasis du Sahara algérien, dans le massif du Hoggar, ch.-l. de wilaya ; 38 000 h.

**TAMERLAN** ou **TIMUR LANG** ~ *1336, Kech, près de Samarkand - 1405, Otrar.* Conquérant tatar, émir de Transoxiane (1370-1405). Il tenta de reconstruire l'empire de son aïeul Gengis Khan, faisant des incursions jusqu'à l'Irtych, au Don, au Gange et à la mer Égée. À sa mort, son empire, qui s'étendait du Syr-Daria à l'Euphrate et à l'Indus, fut partagé entre ses héritiers, fondateurs de la dynastie des Timurides.

**TAMIL NADU** (le), anc. **État de Madras** (jusqu'en 1956) ~ État du S.-E. de l'Inde, région de plateaux (Deccan) bordée par une plaine littorale, au climat sec au S. ; 130 058 km², 55 860 000 h. (Tamouls), v. princ. Madras (cap.), Madurai, Coimbatore. Riziculture, coton, thé. Industr. chim. et textile.

**TAMISE** (la), en angl. ***Thames*** ~ Le plus long fl. de Grande-Bretagne ; 338 km. Né dans les Cotswold Hills, il arrose Oxford, le bassin de Londres et rejoint la mer du Nord par un vaste estuaire jalonné d'installations portuaires.

**TAMMOUZ** ou **TAMMUZ** ~ Dieu babylonien de la Fertilité. Berger et roi. Sa vie représente le cycle de la végétation. On l'assimile à l'Adonis grec.

**Tamouls** ou **Tamils** (les) ~ Peuple dravidien hindouiste de l'Inde du S. (Tamil Nadu) et du Sri Lanka. Représentant 18 % de la population du Sri Lanka, ils réclament un statut d'autonomie dans ce pays depuis 1983. Leur littérature et leur musique ont influencé la culture indienne.

**TAMPA** ~ Port de Floride (États-Unis), sur le golfe du Mexique ; agglom. 2 137 000 h. Agroalim., cigares. Export. de phosphates. Université.

**TAMPERE**, en suédois ***Tammerfors*** ~ 3e v. et port lacustre de Finlande ; 176 000 h. Université. Scieries, cellulose, papier. Musées. Cathédrale.

**TAMPICO** ~ Port du Mexique (Tamaulipas), sur le golfe du Mexique ; 273 000 h. Raffinage et exportation de pétrole.

**TAMPON (Le)** ~ V. de la Réunion, dans le S. de l'île ; 48 436 h. Distilleries de plantes à parfum.

**TANA (lac)** ~ Lac d'Éthiopie (alt. 1 829 m, 3 000 km²), où naît le Nil Bleu, au centre de l'aire de civilisation des Amharas.

**TANAGRA** ~ Localité de Béotie (Grèce anc.). Les Spartiates y vainquirent les Athéniens en 457 av. J.-C. Un atelier de figurines en terre cuite s'y épanouit à partir de 330 av. J.-C. environ.

**Tanaka (plan)** ~ Projet japonais de domination du monde (1927) dû au général **Tanaka** (1863-1929). Il fut en partie exécuté durant la Seconde Guerre mondiale.

**TANANARIVE** ~ Voir **Antananarivo**.

**TANCARVILLE** ~ Localité de la Seine-Maritime, sur l'estuaire de la Seine ; 1 326 h. Le **canal de Tancarville** (26 km) aboutit au Havre. Le **pont de Tancarville** (1 410 m) est l'un des plus longs ponts suspendus d'Europe (1959).

**TANCRÈDE DE HAUTEVILLE** ~ *m. en 1112 à Antioche.* Prince de Galilée (1099-1112) et d'Antioche (1111-1112). Petit-fils de Robert Guiscard. Il est décrit comme le chevalier modèle dans le poème du Tasse, *Jérusalem délivrée*.

**TANEZROUFT** (le), en fr. « pays de la soif » ~ Plateau aride des confins de l'Algérie et du Mali.

**TANG** ou **T'ANG** ~ Dynastie chinoise (618-907) fondée par Li Yuan (566-635), marquée par l'expansion territoriale en Asie centrale, en Indochine, en Mongolie et en Mandchourie méridionale.

**TANGA** ~ 2e port de Tanzanie, face à l'île de Pemba ; 188 000 h. Export. (bois, thé, café, sisal).

**TANGANYIKA** (le) ~ Voir **Tanzanie**.

**TANGANYIKA (lac)** ~ Grand lac d'Afrique orientale (alt. 782 m), dans la Rift Valley occidentale, le 2e du continent par sa superf. (31 900 km²) et du monde par sa profondeur (1 470 m), déversoir du lac Kivu et tributaire du fleuve Zaïre par la Lukuga, son émissaire. Pays riverains : Burundi, Tanzanie, Zambie, Zaïre. Pêche. Tourisme.

**TANGE Kenzô** ~ *1913, Imabari, Shikoku.* Architecte japonais. Il a adapté les matériaux modernes et les conceptions de Le Corbusier à la tradition japonaise (bibliothèque du collège Tsuda, Tôkyô, 1954) et développé des conceptions d'avant-garde en matière d'urbanisme.

**TANGER**, en ar. ***Tandja*** ~ Port tourist. du Maroc, sur le détroit de Gibraltar ; 266 000 h. Ancien comptoir phénicien. Le 31 mars 1905, Guillaume II prononça le **discours de Tanger** en faveur de l'indépendance du Maroc. Le port devint zone internationale de 1923 à 1956 (sauf pendant l'occupation espagnole en 1940-1945), puis port franc en 1962.

**TANGUY** (Yves) ~ *1900, Paris - 1955, Woodbury, Connecticut.* Peintre américain d'orig. française. La découverte du surréalisme détermina sa vocation de peintre ; ses tableaux sont la relation minutieuse de voyages dans des paysages intérieurs.

**TANIS** ~ Anc. ville d'Égypte. Florissante à l'époque des Hyksos (1730-1580 av. J.-C.), elle déclina après leur éviction d'Égypte, puis fut la capitale de la XXIe à la XXIVe dynastie (1609 à 720 av. J.-C.). Un sphinx figurant un pharaon de la XIIe dynastie et des tombes intactes des XXIe et XXIIe dynasties y ont été découverts.

**TANIT** ou **TINNIT** ~ Déesse punique de la Fertilité. Elle formait avec Baal Hammon le couple protecteur de Carthage. Elle est assimilée à Junon.

**TANIZAKI Junichirô** ~ *1886, Tôkyô - 1965, Yugawara.* Écrivain japonais. Virtuose de la langue, recourant aussi bien aux formes modernes d'expression qu'aux structures narratives traditionnelles, il s'attacha à décrypter la société japonaise de son temps (*la Confession impudique*, 1956 ; *Journal d'un vieux fou*, 1961).

**TANNENBERG**, auj. **Stębark** ~ Localité du N. de la Pologne (Mazurie). En 1410, Ladislas II Jagellon, roi de Pologne et grand-duc de Lituanie, y vainquit les chevaliers Teutoniques (**bataille de Grunwald-Tannenberg**). Victoire décisive des troupes allemandes, commandées par Hindenburg, sur les troupes russes de Samsonov, qui évacuèrent la Prusse-Orientale, le 29 août 1914.

**TANNER** (Alain) ~ *1929, Genève.* Cinéaste suisse. Les thèmes de la révolte et de l'utopie lui ont inspiré des films romantiques et désenchantés (*la Salamandre*, 1971 ; *Dans la ville blanche*, 1983).

**TANNERY** (Jules) ~ *1848, Mantes - 1910, Paris.* Mathématicien français. Il développa les fondements de l'analyse en mathématiques.

**TANNHÄUSER** ~ *v. 1205 - v. 1268.* Poète allemand. Auteur de poèmes et de chansons à la verve drolatique, il inspira une légende dont Wagner s'est fait l'interprète dans son opéra *Tannhäuser* (1845).

**TANTA** ou **TANTAH** ~ Princ. v. du delta du Nil, en Égypte ; 374 000 h. Centre de pèlerinage (tombeau de sidi Ahmad al-Badawi). Foires bisannuelles. Raffinerie de pétrole.

**TANTALE** ~ Roi mythique de Lydie ou de Phrygie. Fils de Zeus, il abusa des faveurs des dieux et fut, selon la version la plus célèbre, plongé aux Enfers dans un lac dont le niveau baissait quand il voulait boire et sous une branche aux fruits inaccessibles.

**TANUCCI** (Bernardo, marquis) ~ *1698, Stia, Toscane - 1783, Naples.* Homme politique italien. Premier ministre du royaume de Naples (1754-1777), il fut l'un des représentants du despotisme éclairé.

**TANZANIE** (**république unie de**), anc. **Tanganyika** ~ Pays d'Afrique orientale bordé par l'océan Indien, qui comprend les îles de Zanzibar (1 660 km$^2$) et de Pemba (984 km$^2$). ***Cap.*** Dodoma. ***Superf.*** 945 037 km$^2$. ***Popul.*** 26 700 000 h. ***Langues princ.*** Swahili, anglais. ***Monn.*** Shilling tanzanien. ***Relief.*** Le haut plateau intérieur, peu fertile, est cerné par les 2 branches de la Rift Valley (grands lacs et reliefs volcaniques), culminant au Kilimandjaro, sommet du continent africain (5 895 m). Des terres basses se terminent par une côte lagunaire à l'E. ***Climat.*** Tropical de mousson sur le littoral, continental dans l'intérieur. ***Écon.*** Agriculture vivrière (maïs, manioc) et commerciale (café, coton, sisal, cajou), élevage bovin et ovin, pêche, exploitation forestière. Tourisme (parcs nationaux). V. princ. Dar es-Salaam, Mwanza, Dodoma. **HIST.** - *1 700 000 ans av. J.-C.* : les gorges d'Olduvai (vallée du Rift) abritent des populations qui comptent parmi les plus anciennes de l'humanité. *IIe mill. av. J.-C.* : la côte, ou pays de Zinj, est fréquentée par les marins de l'Antiquité. *Début du Ier s. apr. J.-C.* : les Bantous peuplent la région. *Xe-XIIe s.* : Arabes, Perses et Bantous créent sur la côte une civilisation originale dont le swahili devient la langue véhiculaire, et les ports de Kilwa et de Zanzibar les principaux foyers. *XIIIe s.* : règne de la dynastie Mahdali. *1498-1652* : après la découverte du pays par Vasco de Gama, les Portugais contrôlent la côte. *XVIIe-XVIIIe s.* : domination arabe. *Début du XIXe s.* : le sultan d'Oman impose sa suzeraineté et s'installe à Zanzibar, d'où il contrôle le trafic des esclaves. *1890-1891* : les Allemands établissent leur protectorat sur le plateau, et les Britanniques font de même sur le sultanat de Zanzibar et la région côtière. *1920* : la S. D. N. confie l'administration des territoires allemands (Tanganyika) à la Grande-Bretagne. *1961* : tandis que le sultanat de Zanzibar reste sous protectorat britannique, l'indépendance du Tanganyika est proclamée. *1964* : réunion de Zanzibar et du Tanganyika au sein de la Tanzanie. *1962-1985* : président du Tanganyika lors de son indépendance, puis de la Tanzanie, Julius Nyerere instaure un régime socialiste et un mode de développement fondé sur la communauté villageoise (*ujamaa*). *1985* : Ali Hassan Mwinyi succède à J. Nyerere et entame une politique de libéralisation économique. *1992* : le parti de la Révolution (C. C. M.) au pouvoir accepte le multipartisme. *1995* : Benjamin M'Kapa est élu président.

**TAO Qian**, **T'AO Ts'ien** ou **TAO Yuanming** ~ *v. 365, au Jiangxi - 427, id.* Poète chinois. Voué à la célébration de la nature, son art tout en simplicité est l'un des plus purs de la poésie chinoise.

**TAORMINA** ~ Station balnéaire d'Italie (Sicile), au pied de l'Etna, sur la mer Ionienne ; env. 10 000 h. Tourisme. Vestiges antiques (théâtre grec et romain).

**TAPAJÓS** (le) ~ Affl. brésilien de l'Amazone (r. dr.) ; 1 992 km. Plantations (hévéas) dans la vallée.

**TÀPIES** (Antoni) ~ *1923, Barcelone.* Peintre espagnol. La nudité du matériau et l'extrême sobriété de la forme sont, chez cet artiste catalan influencé par l'Orient, une alternative angoissée à la prolifération iconographique de la civilisation occidentale.

**TARARE** ~ V. des monts du Beaujolais (Rhône), vieux centre textile (coton, soie) ; 10 720 h.

**TARASCON** ~ V. des Bouches-du-Rhône, sur le Rhône (r. g.), marché agricole (fruits et primeurs) ; 10 826 h. Château dit du roi René (XVe s.). Collégiale Ste-Marthe (XIIe-XIVe s.).

**TARBES** ~ Préfect. des Hautes-Pyrénées, sur l'Adour, anc. capitale de la Bigorre ; 47 566 h. (agglom. 77 787 h.). Centre administratif, commercial et industriel en expansion (constr. mécan., électr., aéronautique, armement). Marché agricole du haut bassin de l'Adour (céréales, fourrage). Haras. Cathédrale romane fortifiée.

**TARDE** (Gabriel DE) ~ *1843, Sarlat - 1904, Paris.* Sociologue français. Criminologue, il fonda l'étude des faits sociologiques sur la psychologie individuelle (*Études de psychologie sociale*, 1898).

**TARDENOIS** (le) ~ Région de l'Île-de-France, au N. de la Marne et à l'O. de Reims. Céréales sur les plateaux, cult. maraîchères dans les vallées.

**TARDIEU** (André) ~ *1876, Paris - 1945, Menton.* Homme politique français. Député de la droite réélu plusieurs fois à partir de 1914, ministre de Poincaré (1926-1928, 1928-1929), puis président du Conseil (1929-1930, 1932), il tenta des réformes sociales que la crise de 1929 fit échouer.

**TARDIEU** (Jean) ~ *1903, Saint-Germain-de-Joux, Ain - 1995, Créteil.* Poète et auteur dramatique français. Il fit du jeu de mots la métaphore de l'absurdité de l'existence (*Poèmes à jouer*, 1960).

**TARENTAISE** (la) ~ Région de Savoie formée par la haute vallée de l'Isère et ses affluents, qui descendent de la Vanoise et du massif de Beaufort. V. princ. Bourg-Saint-Maurice, Moûtiers. Industrie électrochimique, électrométallurgique grâce aux centrales hydroélectriques. Sports d'hiver (Tignes, Val-d'Isère). Élevage bovin (race tarine).

**TARENTE**, en ital. *Taranto* ~ Port d'Italie (Pouille), sur le **golfe de Tarente**, formé par la mer Ionienne, centre industriel (sidérurgie, raffinerie de pétrole, constructions navales), grand arsenal ; 214 000 h. Pêche et ostréiculture. Archevêché. Cathédrale romane (XIe-XIIe s.) et château (XVe s.). Musée national (archéol.). **HIST.** - Fondée par des colons spartiates au VIIIe s. av. J.-C., Tarente devint l'une des plus importantes cités de la Grèce d'Occident. Soumise à Rome en 209 av. J.-C. après s'être alliée à Hannibal, elle conserva longtemps son caractère grec.

**TÂRGU MUREȘ** ~ Voir **Tîrgu Mureș**.

**TARIM** (le) ~ Fl. de l'O. de la Chine (Xinjiang) ; 2 179 km. Né dans le Karakorum, il draine un vaste bassin endoréique (env. 300 000 km$^2$) dont le centre est occupé par le désert de Takla-Makan, avant de se perdre dans le Lob Nor.

**TARIQ IBN ZIYAD** ~ *VIIIe s.* Chef berbère. À la tête d'une petite troupe, il s'empara du promontoire de Gibraltar, battit le roi wisigoth Rodrigue (711) et conquit l'Espagne.

**TARKOVSKI** (Andreï) ~ *1932, Moscou - 1986, Paris.* Cinéaste soviétique. L'exigence esthétique, morale et spirituelle constitue le fondement de son œuvre (*Andreï Roublev*, 1966 ; *Stalker*, 1979). Il tourna ses derniers films en Europe de l'Ouest (*Nostalghia*, 1983 ; *le Sacrifice*, 1986).

**TARN** (le) ~ Riv. du S. de la France, issue du mont Lozère, qui traverse les Causses en gorges (tourisme), arrose Millau, Albi, et rejoint la Garonne en aval de Montauban (r. dr.) ; 375 km.

**TARN** (le) ~ Dép. de la Région Midi-Pyrénées, aux confins de l'Aquitaine et du Massif central, partagé entre les monts de Lacaune (1 266 m), le plateau du Sidobre, la Montagne Noire (1 210 m) à l'E. et l'Albigeois et le Lauragais à l'O., pays de collines et de plateaux où le Tarn, le Dadou et l'Agout ont creusé de larges vallées ; 5 780 km$^2$, 342 723 h., préfect. Albi. Productions agricoles variées sur les plateaux (céréales et élev. de brebis), cultures maraîchères et fruitières dans les vallées, vignoble autour de Gaillac. La crise frappe les secteurs traditionnels : extraction houillère (Carmaux), travail de la laine (Mazamet, Castres) et du cuir (Graulhet). Métallurgie, chimie, constructions mécaniques et électriques occupent une forte proportion d'actifs autour d'Albi et de Castres.

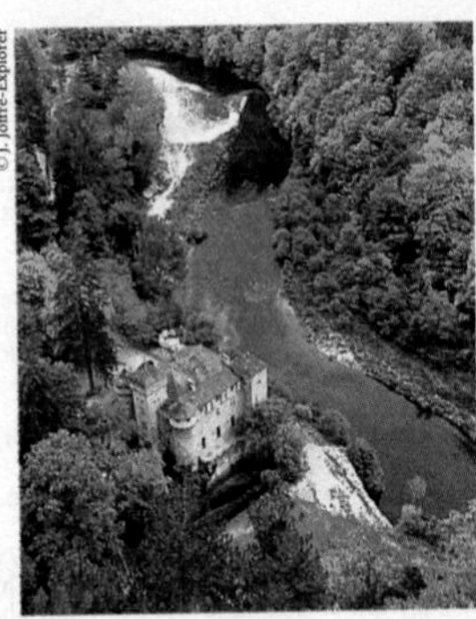
©J. Joffre-Explorer

*Les gorges du Tarn.*

**TARN-ET-GARONNE** ~ Dép. de la Région Midi-Pyrénées, au contact du Massif central et du Bassin aquitain, traversé par les vallées de la Garonne, du Tarn et de l'Aveyron, ses affluents (r. dr.), qui englobe les confins des Petits Causses et les serres calcaires du bas Quercy à l'E. et au N., et la Lomagne, pays de collines, au S. ; 3 718 km$^2$, 200 220 h., v. princ. Montauban (préfect.), Castelsarrasin, Moissac. Les principales ressources de ce département rural proviennent des coteaux et terrasses alluviales : céréales, tabac, vigne (chasselas de Moissac), arbres fruitiers, cultures maraîchères, prairies. Élev. et blé associés dans le bas Quercy. L'industrie est peu développée, sauf dans le secteur agroalimentaire. Malgré l'exode rural, la population croît, surtout dans les agglomérations.

**TARNIER** (Stéphane) ~ *1828, Aiserey, Côte-d'Or - 1897, Paris.* Chirurgien obstétricien français. Il appliqua à l'obstétrique les principes d'aseptie préconisés par I. F. Semmelweis, et mit au point un forceps à tracteur.

**TĂRNOVO** ~ Voir **Veliko Tărnovo**.

**TAROUDANT** ~ V. du S. du Maroc, en amont de la plaine du Sous, entourée de remparts du XIIe s., centre artisanal (bijoux, armes, dinanderie) ; 36 000 h. Oliveraies. Réserve de chasse.

**TARPEIA** ~ Vestale romaine légendaire (VIIIe s. av. J.-C.). Elle aurait livré le Capitole aux Sabins, qui l'auraient tuée ensuite.

**Tarpéienne (roche)** ~ Crête rocheuse située au S.-O. du Capitole de Rome d'où les condamnés à mort étaient précipités (jusqu'au Ier s. apr. J.-C.).

**TARQUIN L'ANCIEN**, en lat. ***Lucius Tarquinius Priscus*** ~ Cinquième roi semi-légendaire de Rome (616-579 av. J.-C.). D'origine étrusque, il aurait soumis les Latins et aménagé la ville (le Forum, le Grand Cirque, le réseau d'égouts).

**TARQUIN LE SUPERBE**, en lat. ***Lucius Tarquinius Superbus*** ~ Septième et dernier roi de Rome (534-509 av. J.-C.). Successeur de Servius Tullius, qu'il assassina, il passa pour un tyran. Junius Brutus le chassa après que son fils Sextus eut violenté Lucrèce, et proclama la république.

**TARQUINIA** ~ V. d'Italie (Latium), au N. de Civitavecchia ; 14 000 h. Évêché. Tourisme. Ancienne cité étrusque, elle conserve une nécropole aux tombeaux richement décorés (VIe-Ier s. av. J.-C.).

**TARRAGONE**, en esp. ***Tarragona*** ~ Port de Catalogne (Espagne), centre administratif, au S. de Barcelone ; 110 000 h. Archevêché. Commerce de produits agricoles, raffinerie de pétrole. Tourisme. Vestiges romains, cathédrale des XIIe et XIIIe s. Musées (archéologique et diocésain). **HIST.** - Conquise en 218 av. J.-C. par Scipion, puis occupée par les Wisigoths et les Maures, elle devint catalane en 1220.

**TARRASA** ~ V. de Catalogne (Espagne), au N.-O. de Barcelone ; 154 000 h. Tradition text. (laine), constr. mécaniques. Églises San Miguel (d'origine wisigothique, Ve s.), San Pedro et Santa Maria (IXe-XIIe s. ; retables du XVe s.).

**TARSKI** (Alfred) ~ *1902, Varsovie - 1983, Berkeley.* Logicien américain d'orig. polonaise. Il dépassa la classique opposition entre vrai et faux pour élaborer des systèmes logiques à valeurs multiples et étudia les relations entre les expressions et ce qu'elles désignent (*Logique, sémantique et mathématique*, 1956).

**TARSUS**, anc. **Tarse** ~ V. de Turquie, marché agricole à l'O. d'Adana ; 169 000 h. Filatures de coton. Cité au riche passé antique et aux nombreux vestiges (hittites, grecs et romains).

**TARTAGLIA** (Niccolò **Fontana**, dit) ~ *v. 1499, Brescia - 1557, Venise.* Mathématicien italien. Un des premiers algébristes à résoudre les équations du troisième degré et à en poser la théorie (formule de Cardan, 1537), il appliqua l'arithmétique à la statique, à l'art militaire et au commerce.

**TARTARE** (le) ~ Fond de l'Univers dans la mythologie grecque, placé au-dessous des Enfers, avec lesquels il se confond parfois. Zeus y châtiait les dieux rebelles et les plus grands criminels.

**TARTU**, anc. **Dorpat** ~ V. industr. d'Estonie ; 115 000 h. Univ. (1632). Anc. cité hanséatique.

**TARVIS (col de)**, en ital. ***Tarvisio*** ~ Col des Alpes juliennes (812 m), reliant les bassins de la Save, de la Drave et du Tagliamento, entre l'Autriche et l'Italie.

**TASCHEREAU** (Louis Alexandre) ~ *1867, Québec - 1952, id.* Avocat et homme politique canadien. Député libéral, il fut Premier ministre de la province de Québec (1920-1936).

**TASMAN** (Abel Janszoon) ~ *1603, Lutjegast, Groningue - 1659, Batavia.* Navigateur hollandais. Il découvrit la terre de Van Diemen (auj. Tasmanie) en décembre 1642 et les archipels de Tonga et des Fidji en janvier-février 1643, réalisant à son insu la circumnavigation de l'Australie.

**TASMANIE** (la), anc. **terre de Van Diemen** ~ Grande île montagneuse située au S. de l'Australie (détroit de Bass), dont elle constitue l'un des États ; 68 331 km², 453 000 h., v. princ. Hobart (cap.), Launceston. Climat tempéré. Forêts (nothofagus, eucalyptus). Agric., élev. bovin, pêche, exploit. du bois, hydroélectr., ress. minières (cuivre, étain, plomb), industrie métallurgique. **HIST.** - Découverte par A. J. Tasman, l'île prit son nom en 1853. Transformée en colonie pénitentiaire par les Britanniques (1804), qui exterminèrent les autochtones, elle fut intégrée dans le Commonwealth australien (1901). Le nom de Tasmanie fut un temps attribué à la Nouvelle-Zélande (XIXe s.).

**Tass (agence)**, sigle de ***Telegrafnoïe Aguentsvo Sovietskovo Soïouza*** ~ Agence de presse soviétique créée en 1925, devenue en 1992, après fusion avec une autre agence russe, l'Agence d'information télégraphique de Russie (**Itar-Tass**). Son siège est à Moscou.

**TASSE** (Torquato **Tasso**, dit en fr. **le**) ~ *1544, Sorrente - 1595, Rome.* Poète italien. Auteur d'un chef-d'œuvre de la poésie héroïque de la Renaissance, *Jérusalem délivrée* (1575), il le renia ensuite et n'en permit la publication qu'en 1581. Après *Jérusalem conquise* (1593), il mourut, au bord de la folie, alors que le pape voulait faire de lui son poète lauréat.

**TASSILI** ou **TASSILI DES AJJER** (le) ~ Massif gréseux (point culminant 2 158 m) du S.-E. du Sahara algérien, au N. du Hoggar. Vestiges préhistoriques (peintures rupestres). Climat sahélien.

**TASSILLON III** ~ *v. 741 - v. 794.* Duc de Bavière (748-788). Il se révolta contre Charlemagne, mais, vaincu, il perdit son duché.

**TASSONI** (Alessandro) ~ *1565, Modène - 1635, id.* Poète italien. Son chef-d'œuvre, *le Seau enlevé* (1622, publié en 1624), est une parodie burlesque de la poésie héroïque.

**TATA** (Jamsetji Nasarwanji) ~ *1839, Gujerat - 1904, Bad Nauheim.* Industriel indien. Issu d'une famille parsie, il développa l'industrie métallurgique, le commerce et l'hôtellerie dans son pays.

**Tatars** (les) ~ Nom péjoratif (du grec *tartaros*, onomatopée exprimant l'horreur) que donnèrent les Russes à des populations issues des Mongols et de la Horde d'Or. Ils fondèrent au XIIIe s. un khanat à Kazan, d'où ils menèrent de nombreuses incursions en Russie. Ivan IV le Terrible prit Kazan en 1552, mais les Tatars incendièrent Moscou en 1571, avant d'être refoulés vers le S. Depuis 1917, le terme désigne des populations turcophones de Crimée et de la Volga.

**TATARSTAN** (le) ~ République de la fédération de Russie, à l'O. de l'Oural, dans le bassin moyen de la Volga ; 68 000 km², 3 744 000 h. (dont 48 % de Tatars, 43 % de Russes), cap. Kazan. Agriculture (céréales, betterave à sucre, chanvre, fourrage) et élev. bovin et ovin dans de riches plaines irriguées et autour des réservoirs de Nijnekamsk et Kouïbychev. Industrie lourde (pétrochimie, machines-outils et agric.) grâce aux hydrocarbures (Second-Bakou). **HIST.** - Territoire officiel des Tatars de la Volga, conquis par la Russie en 1552. République autonome en 1920, le Tatarstan proclama son indépendance unilatéralement en 1992. Mintimar Chaïmaev président (1992, réélu en 1996).

**Tate Gallery** (la) ~ Musée national britannique. Fondée à Londres (1897) par l'industriel sir **Henry Tate** et augmentée d'autres collections, elle comprend un riche fonds britannique des XVIIIe et XIXe s. et s'est élargie aux œuvres contemporaines.

**TATI** (Jacques **Tatischeff**, dit Jacques) ~ *1907, Le Pecq - 1982, Paris.* Cinéaste et acteur français. Dans *Jour de fête* (1949), *les Vacances de M. Hulot* (1953), *Mon oncle* (1958) et *Playtime* (1967), son comique visuel consiste en une confrontation souriante d'un personnage lunaire, aux manières d'un autre âge, avec une modernité inhumaine.

© Cepec-Gamma

*Jacques Tati (à gauche) dans son film* Jour de fête *(1949).*

**TATIEN** ~ *v. 120, Syrie - v. 173.* Apologiste gnostique de Syrie. Disciple de saint Justin, adepte d'un ascétisme extrême, il fondit le texte des quatre Évangiles dans son *Diatessaron*.

**TATIUS** ~ Roi légendaire des Sabins. Après avoir lutté contre Rome pour venger l'enlèvement des Sabines, il fut arrêté par elles dans son élan guerrier et partagea le pouvoir avec Romulus.

**TATLINE** (Vladimir) ~ *1885, Moscou - 1953, id.* Peintre et sculpteur soviétique. Personnalité marquante du constructivisme russe, il évolua vers le productivisme, sans pour autant se rallier au pur fonctionalisme (projet de *Monument à la IIIe Internationale*, 1919).

**TA-T'ONG** ~ Voir **Datong**.

**TATRAS** ou **TATRY** (les) ~ Massif montagneux le plus élevé des Carpates, s'étendant aux confins de la Slovaquie (**Basses Tatras**) et de la Pologne (2 655 m au mont Gerlachovka, **Hautes Tatras**). Tourisme.

**TATUM** (Arthur, dit Art) ~ *1910, Toledo, Ohio - 1956, Los Angeles.* Pianiste de jazz américain. Sa virtuosité et son brio stylistique hors du commun ont marqué l'histoire du jazz.

**TAUERN** (les) ~ Chaîne cristalline des Alpes autrichiennes, entre les bassins de l'Enns et de la Drave, où culmine le pays (3 797 m au Grossglockner), dans les Hautes Tauern, à l'O. Tourisme.

**TAULER** (Jean) ~ *v. 1300, Strasbourg - 1361, id.* Religieux et théologien alsacien. Dominicain, élève de Maître Eckart, il laissa de nombreux sermons d'inspiration mystique.

**TAUNUS** (le) ~ Partie S.-E. du Massif schisteux rhénan, en Allemagne (alt. max. 880 m), région boisée et touristique (eaux de Wiesbaden).

**TAURIDE** (la) ~ Ancien nom de la Crimée.

**TAURION** ou **THAURION** (le) ~ Riv. du Limousin, affl. de la Vienne (r. dr.) ; 125 km. Aménagements hydroélectriques.

**TAURIQUE (chaîne)** ~ Voir **Crimée**.

**TAURUS** (le) ~ Ensemble de chaînes de montagnes du S.-E. de la Turquie, culminant à l'Aladağ (3 734 m), au N. de la Cilicie, qui domine l'Anatolie et le désert de Syrie au S.-E. (**Anti-Taurus**).

**Tausugs** (les) ~ Peuple protomalais de l'archipel de Sulu (Philippines). Islamisé au XIVe s., il résista victorieusement aux Espagnols au XVIe s. En 1915, les États-Unis soumirent leur dernier sultanat.

**TAUTAVEL** ~ Village et site préhistorique des Pyrénées-Orientales ; 738 h. Un crâne d'*Homo erectus* vieux de 450 000 ans y a été exhumé en 1971 (**homme de Tautavel**). Musée.

**TAVANT** ~ Bourg d'Indre-et-Loire ; 227 h. L'église St-Nicolas (XIIe s.) abrite dans sa crypte un ensemble de peintures murales romanes.

**TAVEL** ~ Commune viticole du Gard, au N.-O. d'Avignon ; 1 439 h. Vin rosé (côtes-du-rhône).

**TAVERNER** (John) ~ *v. 1490, Tattershall, Lincolnshire - 1545, Boston, id.* Compositeur anglais. Adepte de la doctrine luthérienne, il n'en a pas moins continué de composer pour les offices catholiques des messes et des motets d'une grande beauté polyphonique.

**TAVERNIER** (Bertrand) ~ *1941, Lyon.* Cinéaste et critique français. Défenseur passionné du cinéma américain, il a trouvé dans l'histoire et l'actualité sociologique une matière propre à justifier ses convictions humanistes (*l'Horloger de Saint-Paul*, 1974 ; *la Vie et rien d'autre*, 1989).

**TAVERNIER** (Jean-Baptiste) ~ *1605, Paris - 1689, Russie.* Voyageur français. Il visita la Perse et la Syrie, voyagea en Inde, auprès du Grand Moghol (1638-1643), et à Java. Il publia *Six Voyages en Turquie, en Perse et aux Indes* (1676).

**TAVERNY** ~ V. de la banlieue N. de Paris, en bordure de la forêt de Montmorency (Val-d'Oise) ; 25 151 h. Église gothique (XIIIe s.). Centre de commande de la défense aérienne nationale.

**TAVIANI** (les frères Vittorio et Paolo) ~ *1929 et 1931, San Miniato, près de Pise.* Cinéastes italiens. Leurs films allient la rigueur de l'analyse politique à un romantisme enraciné dans une riche mémoire (*Allonsanfan*, 1974 ; *Padre Padrone*, 1977 ; *la Nuit de San Lorenzo*, 1981).

**TAWFIQ** (Muhammad) ~ *1852, Le Caire - 1892, Helouan.* Khédive d'Égypte (1879-1892). Fils d'Ismaïl Pacha, il dut faire des concessions aux nationalistes, ce qui poussa les Britanniques à renforcer leur tutelle.

**Taxila** ~ Site archéologique du Pakistan. Ancienne cité du Gandhara, prise par Alexandre le Grand (326 av. J.-C.), elle fut un foyer de culture brahmanique, puis d'art gréco-bouddhique (vestiges du VIe s. av. J.-C. au XIe s. apr. J.-C.).

**TAY** (la) ~ Le plus long fl. d'Écosse, issu des monts Grampians, qui draine la région admin. du **Tayside** (7 942 km², 384 000 h., ch.-l. Dundee), et rejoint la mer du Nord par un vaste estuaire ; 193 km.

**TAYGÈTE** (le) ~ Chaîne de montagnes du S. du Péloponnèse (Grèce), qui se termine dans la Méditerranée au cap Matapan ; 2 404 m, point culminant de la presqu'île.

**TAYLOR** (Brook) ~ *1685, Edmonton, Middlesex - 1731, Londres.* Mathématicien anglais. À l'origine du calcul des différences finies, il donna son nom à un développement en série d'une fonction, détermina la fréquence de vibration d'une corde et étudia les principes de la perspective (1716-1719).

**TAYLOR** (Elizabeth) ~ *1932, Londres.* Actrice américaine d'orig. britannique. Débutant très jeune à Hollywood (1943), elle en devint l'un des monstres sacrés (*la Chatte sur un toit brûlant*, de R. Brooks, 1958 ; *Cléopâtre*, de J. L. Mankiewicz, 1959).

**TAYLOR** (Frederick Winslow) ~ *1856, Philadelphie - 1915, id.* Ingénieur et économiste américain. Il créa les aciers à coupe rapide (1898-1900), et réalisa la première mesure du temps d'exécution d'une tâche. Il donna son nom au **taylorisme**.

**TAYLOR** (Isidore, baron) ~ *1789, Bruxelles - 1879, Paris.* Écrivain et administrateur français. Inspecteur des beaux-arts en 1838, il mena une action énergique en faveur des artistes et publia les récits de ses voyages (*Voyages pittoresques et romantiques de l'ancienne France*, 1820-1863).

**TAYLOR** (Paul) ~ *1930, Alleghany, Pennsylvanie.* Danseur et chorégraphe américain. Interprète de M. Graham, il fonda sa compagnie en 1954, devenant l'un des plus brillants représentants de la modern dance américaine (*Three Epitaphs*, 1956 ; *Duet*, 1957 ; *Aureole*, 1962).

**TAYSIDE** (le) ~ Voir **Tay**.

**TAZA** ~ V. du N. du Maroc, dans le **couloir de Taza** (seuil entre le Rif et le Moyen Atlas), à l'E. de Fès, centre administratif et commercial ; 77 000 h. Mosquée almohade.

**TAZIEFF** (Haroun) ~ *1914, Varsovie.* Géologue et volcanologue français. Fondateur de l'Institut international de recherches volcanologiques, il a étudié les phénomènes sismiques et éruptifs, et produit de nombreux films sur les volcans.

**TBESSA**, anc. **Tébessa** ~ V. de l'E. de l'Algérie, ch.-l. de wilaya, dans le S. des Hautes Plaines, au pied des **monts de Tbessa** (alt. max. 1 550 m) ; 112 000 h. Vestiges romains (basilique chrétienne du IVe s.).

**TBILISSI**, anc. **Tiflis** ~ Cap. de la Géorgie, sur la Koura, centre industriel et culturel ; 1 283 000 h. Université. Constructions mécan., industr. text. et alimentaire. Basilique d'Antchiskhati et cathédrale de Sion (VIe s., remaniées), église de Metekhi (XIIIe s.), musée des Arts. **HIST.** – Disputée entre les Byzantins, les Perses et les Arabes, Tiflis devint la capitale de la Géorgie russe en 1801 et le siège de la vice-royauté du Caucase en 1845.

**TCHAD (lac)** ~ Grand lac africain (S. du Sahara) partagé entre quatre États (Nigeria, Niger, Cameroun, Tchad), peu profond et marécageux, alimenté princ. par le Chari-Logone ; de 13 000 à 26 000 km² selon les saisons. Pêche.

**TCHAD (république du)** ~ Pays enclavé du N. de l'Afrique centrale. ***Cap.*** N'Djamena. ***Superf.*** 1 284 000 km². ***Popul.*** 6 288 000 h. ***Langues princ.*** Français, arabe, sara, peul, haoussa. ***Monn.*** Franc CFA. ***Relief.*** Au S.-O. s'étend la cuvette du lac Tchad, au N. le Sahara (massif volcanique du Tibesti, massif de l'Ennedi, Ouaddaï), au S. la plaine inondable du Chari-Logone. ***Climat.*** Tropical (savane) au S., semi-aride au centre, aride au N. ***Écon.*** Fondée sur l'élevage extensif, la pêche (lac Tchad et rivières), l'agriculture vivrière (mil, manioc, riz), les cultures commerciales du coton et de l'arachide. Importantes ressources minières inexploitées (uranium, bauxite, or, pétrole). **HIST.** – *VIIe mill. av. J.-C.* : peuplement attesté par les peintures rupestres mises au jour dans le massif du Tibesti. *VIe mill. av. J.-C.* : l'avancée du désert au N. contraint les populations à migrer vers le S. *Ve s. av. J.-C.* : développement de plusieurs civilisations originales ; la plus ancienne est celle des Saos, au S. du lac Tchad. *IXe s.* : les royaumes du Kanem au N. et du Bornou au S.-O. lui succèdent. *XVe s.* : ils sont remplacés par les royaumes nomades du Darfour, du Baguirmi et du Ouaddaï, qui se rendent maîtres du commerce transsaharien. *Fin du XIXe s.* : découpage de la région en zones d'influence par les Français, les Allemands et les Britanniques. *1895-1920* : conquête et colonisation du Tchad par la France. *1940* : Félix Éboué, gouverneur noir du Tchad, se rallie à la France libre. *1958* : le Tchad devient une république autonome au sein de la Communauté. *1960* : indépendance et début des affrontements entre le Sud, chrétien et animiste, dont est issu le président François Tombalbaye, et le Nord, musulman. *1968* : le Nord, conduit par le Front de libération national du Tchad (Frolinat) et appuyé par la Libye, fait sécession. *1973* : la Libye occupe la bande d'Aozou, au N. du pays. *1975* : assassinat de Tombalbaye et arrivée au pouvoir de Félix Malloum, qui tente de restaurer l'autorité du Sud sur le Nord. *1978* : victoire des rebelles du Nord, dont l'un des chefs toubous, Hissène Habré, devient Premier ministre d'un gouvernement d'union nationale. *1979-1990* : guerres civiles (lutte d'influence entre H. Habré et un autre chef du Nord, Goukouni Oueddeï, président de 1980 à 1982) et extérieures (conflit avec la Libye à propos de la bande d'Aozou). *1990* : le colonel Idriss Déby succède à H. Habré après un coup d'État. *1994* : la Cour de justice de La Haye confirme la souveraineté du Tchad sur la bande d'Aozou, évacuée par la Libye, mais les dissensions internes persistent.

**TCHAÏKOVSKI** (Piotr Ilitch) ~ *1840, Votkinsk - 1893, Saint-Pétersbourg.* Compositeur russe. Attaché aux formes classiques les plus raffinées de la tradition occidentale, c'est avec une poignante mélancolie qu'il exprima l'âme russe dans son *Concerto pour violon* (1878), ses opéras (*Eugène Onéguine*, 1878 ; *la Dame de pique*, 1890), ses ballets *le Lac des cygnes* (1871), *Casse-Noisette* (1892) et sa *Symphonie n° 6*, dite *Pathétique* (1893).

**TCH'ANG-CHA** ~ Voir **Changsha**.

**TCHANG Kaï-chek** ou **JIANG Jieshi** ~ *1887, dans le Zhejiang - 1975, Taipei.* Généralissime et homme d'État chinois. Militant nationaliste, il participa à la révolution de 1911, prit la tête de l'armée du Guomindang et, rompant avec les communistes (1927), fonda un gouvernement nationaliste à Nankin. L'invasion japonaise le contraignit à former un front commun avec Mao Zedong (1936). Après la défaite nipponne, il reprit la lutte contre les communistes (1946), mais, vaincu, il se réfugia à Taiwan (1949), qu'il gouverna jusqu'à sa mort. Son fils ~ TCHANG **King-kuo** ou JIANG **Jingguo** (*1910, dans le Zhejiang - 1988, Taipei*) lui succéda.

**TCH'ANG-TCH'OUEN** ~ Voir **Changchun**.

**TCHAO Mong-fou** ~ Voir **Zhao** Mengfu.

**TCHAO Tseu-yang** ~ Voir **Zhao** Ziyang.

**TCHARDJOOU** ~ 2e v. du Turkménistan, port fluvial sur l'Amou-Daria ; 166 000 h. Industr. alimentaire, textile (coton), pétrochimie.

**TCHEBOKSARY** ~ V. et port fluvial de Russie, sur la Volga, cap. de la Tchouvachie ; 420 000 h.

**TCHEBYCHEV** (Pafnouti Lvovitch) ~ *1821, Okatovo, Kalouga - 1894, Saint-Pétersbourg.* Mathématicien russe. Fondateur de l'école mathématique de Saint-Pétersbourg, il étudia les fonctions elliptiques, la théorie des nombres, les problèmes d'approximation et les lois de probabilité.

**TCHÉCOSLOVAQUIE** (la), en tchèque ***Československo*** ~ Anc. État enclavé d'Europe centrale, issu en 1918 de la partition de l'empire d'Autriche-Hongrie (cap. Prague), éclaté en deux entités souveraines depuis 1993, la République tchèque et la Slovaquie. **HIST.** – *1918* : les dirigeants nationalistes Tomáš Masaryk et Edvard Beneš font reconnaître l'indépendance d'une République tchécoslovaque formée à partir des territoires autrichiens de Bohême, de Moravie et de Slovaquie, sous la présidence de Masaryk. *1920* : les traités de Saint-Germain et de Trianon en fixent les frontières. *1935-1938* : Beneš succède à Masaryk. *Oct. 1938* : abandonnée par ses alliés, la Tchécoslovaquie doit céder à l'Allemagne les Sudètes, territoires peuplés d'Allemands (conférence de Munich). *Mars 1939* : la Bohême et la Moravie passent sous protectorat allemand, la Slovaquie devient indépendante. *1940* : Beneš constitue un gouvernement en exil depuis Londres. *1945* : Prague est libérée par les Soviétiques. Beneš revient au pouvoir. *1946* : la présidence du Conseil est assurée par le communiste Klement Gottwald. *Févr. 1948* : les communistes prennent le pouvoir (Coup de Prague). *1953-1957* : à la mort de Gottwald, Antonín Zápotocký devient chef de l'État. *1957-1968* : Antonín Novotný, déjà secrétaire général du parti communiste, lui succède. *1968* : lors du Printemps de Prague, le parti, dirigé par Alexander Dubček, essaie de s'orienter vers un nouveau socialisme, tentative vite réprimée par une intervention des Soviétiques (août). Gustáv Husák remplace Dubček. *1969* : la Tchécoslovaquie devient un État fédéral composé des deux républiques tchèque et slovaque. *1989* : l'opposition regroupée dans le Forum civique obtient l'abolition du rôle dirigeant du parti communiste (« révolution de velours »). L'écrivain dissident Václav Havel est élu à la présidence. *1989-1993* : en dépit des efforts de Havel pour maintenir l'unité du pays, les désaccords se multiplient entre les deux républiques. Havel démissionne.

**Tcheka** (la), abrév. de ***Vserossiïskaïa Tchrezvytchaïnaïa Komissia***, en fr. « Commission extraordinaire panrusse » ~ Police créée en 1917 par les bolcheviks, chargée de combattre la contre-révolution et les opérations de sabotage. Elle fut remplacée en 1922 par la Guepeou.

**TCHEKHOV** (Anton Pavlovitch) ~ *1860, Taganrog - 1904, Badenweiler, Allemagne.* Écrivain russe. Auteurs de contes et de nouvelles (*la Dame au petit chien*, 1899), il renouvela l'art dramatique avec des pièces où le non-dit et l'apparente insignifiance des situations révèlent l'étiolement spirituel et social des personnages (*la Mouette*, 1896 ; *Oncle Vania*, 1897 ; *la Cerisaie*, 1904).

*Anton Tchekhov (à gauche) et Maxime Gorki.*

**TCHELIABINSK** ~ V. industrielle de Russie, porte de la Sibérie dans le S. de l'Oural (versant E.) ; 1 143 000 h. Métallurgie, sidérurgie, constr. mécaniques. Mines de fer à proximité.

**TCHENG-TCHEOU** ~ Voir **Zhengzhou**.

**TCH'ENG-TOU** ~ Voir **Chengdu**.

**Tcheou-k'eou-tien** ~ Voir **Zhoukoudian**.

**TCHEOU Ngen-lai** ~ Voir **Zhou** Enlai.

**TCHÈQUE (République)** ou **TCHÉQUIE** (la), en tchèque ***Česká republika*** ~ Pays enclavé d'Europe centrale. ***Cap.*** Prague. ***Superf.*** 78 864 km². ***Popul.*** 10 324 000 h. ***Langue princ.*** Tchèque. ***Monn.*** Couronne. ***Relief.*** Le pays est constitué par deux entités, le quadrilatère montagneux de Bohême et la plaine de Polabí à l'O., les bassins de Moravie-Silésie à l'E. Les vallées de l'Elbe et de l'Oder ouvrent le pays sur l'Europe du Nord. ***Climat.*** Continental. ***Écon.*** Fondée sur une très ancienne tradition industrielle, renouvelée, centralisée et planifiée à partir des années 1950 (charbonnages, métallurgie, mécanique, automobile, agroalimentaire, textile), elle s'est récemment modernisée grâce aux investissements occidentaux. L'agriculture est importante (céréales, betterave à sucre, élev.). Tourisme. ***V. princ.*** Prague, Brno, Ostrava, Plzeň. **HIST.** – *1526-1918* : la Bohême et la Moravie sont sous la domination des Habsbourg. *1918* : avec la Slovaquie, elles constituent la Tchécoslovaquie, issue du démantèlement de l'Empire austro-hongrois. *1969* : le statut fédéral qui entre en vigueur en Tchécoslovaquie dote la République tchèque d'institutions propres. *1992* : Václav Klaus, chef du gouvernement tchèque, prépare avec son homologue slovaque, Vladimir Meciar, la partition de la fédération qui entre en vigueur le 1er janv. 1993. *1993* : Václav Havel, président de la Tchécoslovaquie démissionnaire en 1992, est élu à la tête de l'État. *1995* : adhésion à l'O. C. D. E. *1996* : les premières élections législatives du pays confirment V. Klaus dans son poste.

**TCHERENKOV** (Pavel Alekseïevitch) ~ *1904, Tchigla, région de Voronej - 1990, Moscou.* Physicien soviétique. Il découvrit l'effet qui porte son nom sur l'émission de lumière due aux particules chargées (1934), utilisé dans les **compteurs Tcherenkov**, détecteurs des particules de haute énergie. Prix Nobel de phys. 1958.

**TCHEREPOVETS** ~ V. industrielle du N. de la Russie centrale, sur le lac formé par le barrage de Rybinsk (bassin de la Volga) ; 317 000 h.

**Tcherkesses** (les), anc. **Circassiens** ~ Peuple montagnard du Caucase, installé en Circassie depuis le VIe s. av. J.-C. Ils résistèrent aux Russes aux XVIIIe et XIXe s. Partiellement islamisés, ils habitent aujourd'hui le versant N. du Caucase et la Turquie.

**TCHERNENKO** (Konstantin Oustinovitch) ~ *1911, Bolchaïa Tes, gouvernement de l'Ienisseï - 1985, Moscou.* Homme politique soviétique. Il succéda à Iouri Andropov au secrétariat du P. C. U. S. et à la présidence du praesidium du Soviet suprême (1984-1985).

**TCHERNIHIV**, anc. **Tchernigov** ~ V. d'Ukraine, au N. de Kiev, sur la Desna ; 306 000 h. Industries alim., électromécan. et textile. Cathédrales (XIe-XIIe s.), église de style baroque ukrainien (XVIIe-XVIIIe s.).

**TCHERNIKHOVSKY** (Saül) ~ *1875, Mikhaïlovka, Ukraine - 1943, Jérusalem.* Poète d'expression hébraïque. Il allia une thématique sioniste à un idéal esthétique occidental (*Cantiques du pays*).

**TCHERNOBYL** ~ Localité d'Ukraine, au N. de Kiev, sur le Pripiat. Centrale nucléaire. L'explosion d'un réacteur, le 26 avril 1986, provoqua l'irradiation du site et des régions environnantes. De nombreuses victimes sont auj. encore recensées.

**TCHERNYCHEVSKI** (Nikolaï Gavrilovitch) ~ *1828, Saratov - 1889, id.* Écrivain russe. Emprisonné pour son action révolutionnaire, il écrivit un roman, *Que faire ?* (1863), dont l'influence politique fut considérable.

**TCHERSKI (monts)** ~ Vaste système montagneux du N.-E. de la Sibérie (alt. max. 3 147 m), entre les monts de Verkhoïansk et la Kolyma.

**TCHÉTCHÉNIE** (la) ~ République de la fédération de Russie, partagée entre le versant N. du Grand Caucase et la plaine du Terek, entre l'Ingouchie et le Daguestan ; env. 1 000 000 d'h., dont Tchétchènes (large majorité), Russes. Cap. Grozny. Cultures céréalières, élevage. Ress. pétrolières. HIST. - Les **Tchétchènes** (princ. peuple caucasien du N., islamisé au XVIII^e s.) résistèrent à l'expansion russe de 1785 à 1859. Sous le régime soviétique, une république autonome fut constituée (1922), réunie à l'Ingouchie de 1934 à 1991. Déportés en Asie centrale en 1944, les Tchétchènes furent réhabilités en 1957 et autorisés à rentrer chez eux. La proclamation de l'indépendance, en 1991, par le général Djokhar Doudaev (élu président à une très forte majorité, mort en 1996 et remplacé par Zelimkhar Ianbardiev) a débouché sur un conflit armé (1994-1996) avec la Russie. Aslan Maskhadov, anc. chef militaire, modéré, est élu président de la République en janvier 1997.

**TCHICAYA U TAM'SI** (Gérald) ~ *1931, M'Pili, près de Brazzaville - 1988, Bazancourt, Oise.* Écrivain congolais d'expression française. Poète, dramaturge et romancier, il a dépeint sans concessions l'histoire de son pays (*Épitomé*, 1962 ; *les Cancrelats*, 1980).

**TCHIMKENT** ~ V. industrielle et oasis du S. du Kazakhstan, au pied des montagnes d'Asie centrale ; 439 000 h.

**TCHITA** ~ V. du S. de la Sibérie (Russie), à l'E. du lac Baïkal, et au N. de la Chine, centre industr. (charbon) isolé sur le Transsibérien ; 377 000 h.

**TCHITCHERINE** (Gueorgui Vassilievitch) ~ *1872, Karaoul - 1936, Moscou.* Homme politique soviétique. Commissaire du peuple aux Affaires étrangères (1918-1930), il signa avec les Allemands le traité de Rapallo (1922).

**TCHKALOV** ~ Voir **Orenbourg**.

**TCHOÏBALSAN** (Khorloguine) ~ *1895, Tsetsenkhanski, auj. Vostotchni - 1952, Moscou.* Homme politique mongol. Cofondateur en 1921 du Parti communiste mongol, il créa la république populaire de Mongolie (1924), dont il fut le Premier ministre de 1939 à sa mort.

**TCH'ONG-K'ING** ~ Voir **Chongqing**.

**TCHOUDES (lac des)** ~ Voir **Peïpous**.

**TCHOU Hi** ~ Voir **Zhu Xi**.

**TCHOUKTCHES (péninsule des)** ~ Extrémité N.-E. de la Sibérie (Russie), séparée de l'Alaska par le détroit de Béring ; 737 000 km$^2$, 113 000 h., dont Russes et Ukrainiens (83 %), Tchouktches (7 %), Inuits (1 %). Elle constitue une région autonome, territoire des **Tchouktches**, de langue paléosibérienne, éleveurs de rennes.

**TCHOU Tö** ~ Voir **Zhu** De.

**TCHOUVACHIE** (la) ~ République de la fédération de Russie depuis 1990, sur la moyenne Volga (r. dr.) ; 18 300 km$^2$, 1 359 000 h., dont Tchouvaches (70 %), Russes (27 %), Tatars (3 %), cap. Tcheboksary. Cult. céréalières, élev., pêche. HIST. - Les **Tchouvaches**, turcophones, ont été partiellement islamisés par les Bulgares puis par les Tatars, et soumis par les Russes au XVI^e s.

**TEBALDI** (Renata) ~ *1922, Pesaro.* Soprano italienne. Souvent opposée à la Callas, elle a brillé par la plénitude de son phrasé.

**TÉBESSA** ~ Voir **Tbessa**.

**TECH** (le) ~ Fl. côtier des Pyrénées-Orientales, dont la haute vallée constitue le Vallespir ; 82 km.

**TECUMSEH** ~ *1768, Old Piqua, Ohio - 1813, près du lac Érié.* Chef amérindien shawnee. Il aida les Britanniques contre les Américains en 1812.

**TEDDER** (Arthur) ~ *1890, Glenguin, Écosse - 1967, Banstead, près de Londres.* Maréchal britannique. Il commanda l'aviation alliée en Tunisie et en Italie (1943), puis fut l'adjoint d'Eisenhower à la tête des forces qui libérèrent l'Europe occidentale (1944-1945).

**TEES** (la) ~ Fl. côtier du N.-E. de l'Angleterre, qui rejoint la mer du Nord par un estuaire où s'étend la conurbation industrielle (sidér., pétrochimie) du **Teeside** (v. princ. Stockton-on-Tees) ; 110 km.

**TÉGÉE** ~ Anc. cité grecque d'Arcadie. Après avoir combattu Sparte, elle devint son alliée.

**TÉGLATH-PHALASAR** ~ Nom de trois rois d'Assyrie. **Téglath-Phalasar III**, roi de 744 à 727 av. J.-C., rétablit la domination assyrienne en Syrie, en Asie Mineure, en Babylonie et en Iran.

**TEGNÉR** (Esaias) ~ *1782, Kyrkerud - 1846, près de Växjö.* Poète suédois. Il est l'auteur de la *Saga de Frithiof* (1820-1825), poème romantique d'inspiration nationaliste et légendaire.

**TEGUCIGALPA** ~ Cap. du Honduras, sur les hauts plateaux du S.-E. du pays, à l'écart des grands axes de communication ; 670 000 h. Cathédrale (XVIII^e s.). Anc. ville minière fondée à la fin du XVI^e s., elle devint capitale en 1880.

**TÉHÉRAN** ~ Cap. de l'Iran, au pied du versant S. de l'Elbourz (quartiers aisés à flanc de montagne), au développement récent ; 6 043 000 h. Palais du Golestan (XVIII^e-XIX^e s.). Musées d'art et d'archéologie (trésors). HIST. - Capitale depuis 1788, la ville fut modernisée au début du siècle sous Reza Chah Pahlavi. Churchill, Roosevelt et Staline y tinrent une conférence qui décida des débarquements en Normandie et en Provence (28 nov.-2 déc. 1943).

**TEHUANTEPEC (isthme de)** ~ Isthme du Mexique méridional (210 km, alt. max. 260 m), entre le **golfe de Tehuantepec** (Pacifique) et le golfe du Mexique (Atlantique).

**TEIL (Le)** ~ V. du S. de l'Ardèche, sur le Rhône (r. dr.) ; 7 779 h. Carrières de pierre à chaux. Ruines d'un château féodal, église romane.

**TEILHARD DE CHARDIN** (Pierre) ~ *1881, château de Sarcenat, Orcines, Puy-de-Dôme - 1955, New York.* Théologien jésuite et paléontologue français. Il participa à de nombreuses fouilles préhistoriques. Tentant de concilier science et foi, il défendit un évolutionnisme optimiste montrant une spiritualisation progressive de la matière, en partic. dans le développement humain (*l'Avenir de l'homme*, 1959). L'Église catholique condamna ses thèses.

**TEISSERENC DE BORT** (Léon Philippe) ~ *1855, Paris - 1913, Cannes.* Météorologiste français. Il contribua à la découverte de la stratosphère grâce à ses observations par ballons-sondes.

**TEISSIER** (Georges) ~ *1900, Paris - 1972, Roscoff.* Zoologiste français. Promoteur de la biométrie, il dirigea le laboratoire maritime de Roscoff.

**TEKAKWITHA** (Catherine) ~ *1656, Ossernenon, auj. Auriesville, État de New York - 1680, Montréal.* Indienne du Canada. Fille d'un Iroquois et d'une Algonquine, elle se convertit au christianisme et fit le vœu de rester vierge. Elle a été béatifiée en 1980.

**TEL-AVIV - JAFFA** ~ V. princ. d'Israël, sur la Méditerranée, métropole fin., industr. et culturelle (univ., théâtres) du pays ; 353 000 h. (agglom. 1 136 000 h.). Taille des diamants. Édition, presse. Fusion en 1948 de la vieille ville arabe de Jaffa et de la cité juive de Tel-Aviv (créée en 1909), elle fut la capitale d'Israël jusqu'en 1980.

**TELEMANN** (Georg Philipp) ~ *1681, Magdebourg - 1767, Hambourg.* Compositeur allemand. Auteur d'une fécondité prodigieuse, il sut proposer une synthèse des courants français, allemands et italiens (*Musique de table*, 1733). Il annonce le classicisme viennois (*Nouveaux Quatuors*, 1738), tandis que ses oratorios et ses dernières cantates profanes préfigurent le réformisme de Gluck.

**TÉLÉMAQUE** ~ Personnage de l'*Odyssée*. Fils unique d'Ulysse et de Pénélope. Assisté par Athéna, qui avait pris les traits de Mentor, il se mit à la recherche de son père et l'aida à tuer ses rivaux auprès de Pénélope.

**TELEMARK** (le) ~ Région du S.-E. de la Norvège (O. d'Oslo), comté industr. (mines, hydroélectr., bois, chim.) bordé par le Skagerrak ; 163 000 h.

**TELL** (le) ~ Région montagneuse et méditerranéenne d'Afrique du Nord (spéc. en Algérie), limitée au S. par les Hautes Plaines, où les précipitations annuelles (plus de 400 mm) permettent une agriculture sans irrigation.

**TELL** ~ Voir **Guillaume Tell**.

**TELL HARIRI** ~ Voir **Mari**.

**TELLIER** (Charles) ~ *1828, Amiens - 1913, Paris.* Ingénieur français. Il s'attacha à l'étude du froid industriel ainsi qu'aux propriétés thérapeutiques de l'oxygène, mettant au point une machine frigorifique (1868) et le premier navire à cales réfrigérées, le *Frigorifique* (1876).

**TELLO** ~ Voir **Girsou**.

**Tel quel** ~ Revue littéraire fondée en 1960 par Philippe Sollers, Jean-René Huguenin et Jean-Edern Hallier, auxquels se joignirent Julia Kristeva, Jean-Pierre Faye et Jean Ricardou. Influencée par la psychanalyse, la linguistique, le structuralisme et le marxisme, elle disparut en 1982.

**TEMESVÀR** ~ Voir **Timişoara**.

**TEMIN** (Howard Martin) ~ *1934, Philadelphie - 1994, Madison.* Biochimiste et virologiste américain. Professeur d'oncologie, spécialiste des rétrovirus, il découvrit en 1970 avec David Baltimore et Mizutani la transcriptase inverse, enzyme synthétisant l'A. D. N. complémentaire de l'A. R. N. des rétrovirus. Cette découverte remit en question le dogme selon lequel l'A. D. N. gouverne l'A. R. N., lequel gouverne les enzymes. En outre, elle explique la cancérisation des cellules par les virus à A. R. N. et les effets des rétrovirus dans le sida. Prix Nobel de physiol. ou méd. 1975.

**Temple** ~ Anc. enclos fortifié du III^e arr. de Paris. Propriété de l'ordre du Temple, il appartint ensuite aux hospitaliers de Saint-Jean-de-Jérusalem (XIV^e-XVIII^e s.). Son donjon, détruit vers 1810, servit de prison à Louis XVI et sa famille.

**TEMPLE** (sir William) ~ *1628, Londres - 1699, près de Farnham, Surrey.* Diplomate et écrivain anglais. Il conclut, en 1668, la Triple-Alliance entre son pays, les Provinces-Unies et la Suède contre la France. En 1677, il prépara le mariage de Marie II Stuart avec Guillaume III d'Orange.

**Templiers** ou **chevaliers du Temple** ~ Ordre religieux militaire institué en 1119 à Jérusalem, pour assurer la défense des pèlerins en Palestine. L'ordre s'enrichit, devenant une banque pour la papauté et l'aristocratie. Jaloux de la fortune des Templiers et de leur influence, Philippe IV le Bel leur intenta un procès (1307-1314) qui aboutit à la suppression de l'ordre par le pape Clément V (1312) et à l'exécution du grand maître Jacques de Molay et d'un bon nombre de ses disciples (1314).

**Temps modernes (les)** ~ Revue littéraire, politique et philosophique fondée en 1945 par J.-P. Sartre, R. Aron, S. de Beauvoir, R. Étiemble, M. Leiris, M. Merleau-Ponty et J. Paulhan. Elle exprima, surtout dans les années 1950 et 1960, les positions d'une partie de la gauche non communiste.

**TEMUCO** ~ V. du Chili tempéré, centre administratif et commercial, au S. de Concepción ; 241 000 h. Tourisme. Musée araucan.

**TÉNARE** (cap) ~ Voir **Matapan**.

**TENASSERIM** (le) ~ Région côtière et montagneuse du S. péninsulaire de la Birmanie, baignée par la mer d'Andaman, frontalière de la Thaïlande. V. princ. Moulmein. Ressources minières (étain, tungstène). Riziculture. Hévéa. Pêche.

**TENCIN** ~ **Pierre** GUÉRIN DE (*1679, Grenoble - 1758, Lyon*), cardinal et archevêque de Lyon (1739-1740). Il s'opposa à la doctrine janséniste, qu'il fit condamner une nouvelle fois. Il fut ministre d'État (1742-1751). Sa sœur ~ **Claudine Alexandrine** GUÉRIN, marquise DE (*1682, Grenoble - 1749, Paris*), femme de lettres, tint un salon littéraire réputé. Elle est la mère de d'Alembert.

**TENDE** ~ V. pittoresque de la haute vallée de la Roya (Alpes-Maritimes), au S. du **col de Tende** (1 871 m), doublé par un tunnel routier reliant Nice à Turin ; 2 089 h. HIST. - Possession savoyarde, puis italienne, l'ancien **comté de Tende** fut acquis à la France par référendum (1947).

**Tène (La)** ~ Site archéologique de Suisse (Neuchâtel), qui a donné son nom à la culture celtique du second âge du fer (V^e-I^er s. av. J.-C.).

**TÉNÉRÉ** (le) ~ Vaste cuvette du Sahara nigérien, entre l'Aïr, le Hoggar et le Tibesti, occupée au N. par un reg, au centre et au S. par un erg.

**TENERIFE** ou **TÉNÉRIFFE** ~ Grande île volcanique, la plus peuplée des Canaries (Espagne), où s'élève le pic de Teide (3 710 m) ; 1 929 km², env. 660 000 h., ch.-l. Santa Cruz de Tenerife. Agriculture (fruits, légumes, vigne). Tourisme.

**TENG Siao-p'ing** ~ Voir Deng Xiaoping.

**TENIERS**, famille de peintres flamands, dont ~ **David Ier le Vieux** (*1582, Anvers - 1649, id.*), auteur de scènes de genre et de paysages, et son fils ~ **David II le Jeune** (*1610, Anvers - 1690, Bruxelles*), célèbre pour ses tableaux pittoresques de la vie paysanne.

© Bridgeman-Giraudon

Scène de pari dans une auberge (*détail*), peinture de David **Teniers** le Jeune. Wallace Collection, Londres.

**TENNESSEE** (le) ~ Riv. de l'E. des États-Unis issue des Appalaches, affl. de l'Ohio (r. g.) ; 1 600 km. Son bassin fut aménagé (1933) sous l'égide de la Tennessee Valley Authority (barrages, hydroélectricité, irrigation, industries, etc.).

**TENNESSEE** (le) ~ État du S.-E. des États-Unis, drainé par le Tennessee entre les crêtes des Appalaches et la vallée du Mississippi ; 106 759 km², 5 099 000 h., v. princ. Memphis, Nashville (cap.), Knoxville, Chattanooga. Coton, tabac, élevage bovin. Industries chim., text., et du bois. **HIST.** - Il devint le 16e État de l'Union en 1796, fit sécession en 1861 (sauf l'E.) et fut réintégré en 1866.

**TENNYSON** (Alfred, lord) ~ *1809, Somersby - 1892, Aldworth.* Poète britannique. Figure aristocratique et nationale de l'ère victorienne, il fut le chantre du mal de vivre (*Enoch Arden*, 1854).

**Tenochtitlán** ~ Anc. capitale aztèque, détruite par H. Cortés (1521), sur l'emplacement de l'actuel Mexico (îles de l'anc. lac Texcoco).

**TENSIFT (oued)** ~ Fl. du Maroc, issu du Haut-Atlas, tribut. de l'Atlantique, qui arrose la plaine du Haouz (site de Marrakech) ; 260 km. Aménagements hydroélectriques et irrigation.

**TENZIN GYATSO** ~ *1935, Taktser, prov. du Qinghai.* 14e dalaï-lama du Tibet. Il est exilé en Inde en 1959. Prix Nobel de la paix 1989.

**Teotihuacán** ~ Site archéologique du Mexique, à 48 km de Mexico. Ses grandes pyramides (du Soleil, de la Lune), ses temples et ses palais sont les vestiges d'une civilisation théocratique précolombienne (IVe s. av. J.-C.-VIIe s. apr. J.-C.).

**TEPIC** ~ Cap. de l'État de Nayarit (Mexique), station de villégiature, dans la sierra Madre occidentale ; 241 000 h. Université. Industries alimentaires. Cathédrale (XVIIIe s.).

**TEPLICE**, en all. ***Teplitz*** ~ Station thermale de la République tchèque (Bohême), au N.-O. de Prague ; 53 000 h. Industries mécan., chim., text., verrerie.

**TERAI** (le) ~ Plaine chaude et humide des confins de l'Inde et du Népal, au pied des Siwalik himalayennes, entre la Yamuna et le Brahmapoutre.

**TERAMO** ~ V. d'Italie (Abruzzes), au N. du Gran Sasso, marché agricole ; 52 000 h. Vestiges romains. Cathédrale (XIIe-XIVe s. ; polyptyque de Jacobello del Fiore, XIVe s.).

**TERAUCHI Hisaichi** ~ *1879, Tôkyô - 1946, Saigon.* Maréchal japonais. Ministre de la Guerre (1936), il fut l'un des conquérants de la Chine à partir de 1938. Il capitula en Indochine (1945).

**TERBORCH** ou **TER BORCH** (Gerard) ~ *1617, Zwolle - 1681, Deventer.* Peintre hollandais. L'intimisme méditatif de ses intérieurs aristocratiques est exalté par une lumière subtile et un savant rendu des matières les plus précieuses (*la Leçon de lecture*).

**TERBRUGGHEN** ou **TER BRUGGHEN** (Hendrik) ~ *1588, Deventer - 1629, Utrecht.* Peintre hollandais. Il subit en Italie l'influence du Caravage, mais adopta une manière claire et transparente, not. dans ses portraits populaires (*la Femme qui chante*, 1628).

**TERECHKOVA** (Valentina Vladimirovna) ~ *1937, Maslennikovo, près de Iaroslavl.* Cosmonaute soviétique. Elle fut la première femme à effectuer un vol spatial (1963), à bord de Vostok 6.

**TEREK** (le) ~ Fl. de Russie, issu du Caucase, tribut. de la mer Caspienne, limite de la colonisation russe au N. du Caucase jusqu'au XIXe s. ; 623 km.

**TÉRENCE**, en lat. ***Publius Terentius Afer*** ~ *v. 190, Carthage - 159 av. J.-C., en Grèce.* Ancien esclave et poète comique latin d'origine africaine. La finesse psychologique, sociale et morale de ses comédies fut incomprise en son temps (*l'Eunuque* ; *les Adelphes*). Il devint un modèle pour les auteurs classiques, et not. pour Molière.

**TERENGGANU** (le) ~ État montagneux et boisé de la Malaysia péninsulaire, baigné par la mer de Chine méridionale ; 12 955 km², 752 000 h., cap. Kuala Terengganu. Riziculture. Exploit. du fer. État de la fédération malaise depuis 1948.

**TERESA** (Agnes Gonxha **Bajaxhiu**, dite **Mère**) ~ *1910, Usküb, auj. Skopje.* Religieuse indienne d'orig. albanaise. Installée à Calcutta, elle a fondé plusieurs communautés consacrées au service des malades et des indigents. Prix Nobel de la paix 1979.

**TERESINA** ~ V. du Brésil (Nordeste), cap. de l'État de Piauí, centre commercial ; 598 000 h. Archevêché. Industries alimentaires.

**TERGNIER** ~ V. de l'Aisne (vallée de l'Oise), nœud ferroviaire ; agglom. 24 257 h. Métallurgie.

**TERNATE** ~ Île volcan. des Moluques, anc. comptoir hollandais ; 106 km², env. 50 000 h.

**TERNI** ~ V. d'Italie (Ombrie), centre industr. et admin. ; 108 000 h. Cathédrale (XIIe s.).

**TERPANDRE**, en gr. ***Terpandros*** ~ *né v. 710 av. J.-C. à Antissa, Lesbos.* Poète et musicien grec. Il serait l'inventeur de la lyre à sept cordes et du genre lyrique des nomes.

**TERPSICHORE** ~ Dans la mythologie grecque, l'une des neuf Muses. Elle présidait à la Danse et à la Poésie légère. De son union avec le fleuve Achéloos naquirent les sirènes.

**TERRAY** (Joseph Marie) ~ *1715, Boën - 1778, Paris.* Ecclésiastique et homme politique français. Contrôleur général des Finances (1769-1774), il fit partie, avec Maupeou et d'Aiguillon, d'un triumvirat très impopulaire par ses mesures autoritaires.

© G. Carde-Explorer

Terre de Feu : Ushuaia, la ville la plus australe du monde.

**TERRE DE FEU**, en esp. ***Tierra del Fuego***, anc. **archipel de Magellan** ~ Archipel austral d'Amérique du Sud, au S. du détroit de Magellan, partagé entre le Chili et l'Argentine depuis 1881 ; env. 75 000 km², env. 80 000 h., v. princ. Ushuaia (Argentine). Climat subpolaire humide. Élevage ovin. Hydrocarbures.

© F. Gohier-Explorer

Terre-Neuve, l'entrée du port de Saint John's.

**TERRE-NEUVE**, en angl. ***Newfoundland*** ~ Grande île du Canada (112 790 km²), baignée par le golfe du Saint-Laurent et l'océan Atlantique, constituée d'un plateau montagneux appartenant au système appalachien, aux côtes découpées et au climat océanique froid. Elle forme avec l'E. du Labrador la **province de Terre-Neuve** (371 690 km², 569 000 h., cap. Saint John's). Pêche. Exploit. forestière. Extraction minière (fer, plomb, zinc). **HIST.** - Découverte sous pavillon anglais par les navigateurs génois Jean et Sébastien Cabot (1497), l'île fut l'objet d'incessantes querelles entre la France et l'Angleterre. La Grande-Bretagne l'acquit au traité d'Utrecht (1713), tandis que la France s'assurait du monopole de la pêche sur la côte N. (supprimé par l'Entente cordiale, 1904). Dominion britannique (1917), rattaché au Labrador (1927), Terre-Neuve devint, après référendum, la 10e province de la Confédération canadienne (1949).

**Terreur** ~ Nom donné par la Convention à sa politique de répression des agissements hostiles à la République, « mise à l'ordre du jour » le 5 septembre 1793. On distingue **la première Terreur** (10 août-20 sept. 1792), marquée par l'arrestation du roi et les massacres de Septembre dans les prisons parisiennes, et **la seconde Terreur** (5 sept. 1793-28 juill. 1794), durant laquelle eut lieu **la Grande Terreur**, après le 10 juin 1794 (loi du 22 prairial an II), qui s'acheva à la chute de Robespierre. La Terreur s'appuyait sur un appareil répressif composé de comités de surveillance, placés sous le contrôle du Comité de sûreté générale, et de tribunaux révolutionnaires jugeant selon une procédure expéditive et sans appel. Son bilan s'établit à environ 300 000 arrestations, 35 000 ou 40 000 exécutions capitales, dont 2 627 pour le seul Tribunal révolutionnaire de Paris.

**Terreur blanche** ~ Ensemble des actes de représailles et des massacres commis, durant l'été 1815, par les royalistes contre les bonapartistes et les républicains. Elle s'exerça surtout dans le midi de la France et fit plusieurs milliers de victimes.

**TERTRY** ~ Localité de la Somme. Pépin de Herstal y vainquit Thierry III vers 687, ce qui lui permit de soumettre la Neustrie.

**TERTULLIEN**, en lat. ***Septimius Florens Tertullianus*** ~ *v. 155, Carthage - v. 222, id.* Apologiste latin chrétien. D'un rigoureux moralisme, il évolua vers le montanisme. Il contribua à établir la langue théologique latine. Il est l'auteur de *l'Apologétique* et de *Contre Marcion*.

**TERUEL** ~ V. de l'Aragon (Espagne), au S. des monts Ibériques, centre administratif et commercial ; 28 000 h. Art mudéjar. Cathédrale de l'Assomption (reconstruite au XVIe s.), églises des XIIe et XIIIe s. Ruinée par les Romains, rebâtie par les Arabes, elle fut en partie détruite durant la guerre civile (1936-1939).

**TESLA** (Nikola) ~ *1856, Smiljan, Croatie - 1943, New York.* Physicien américain d'orig. croate. Il découvrit les courants triphasés et le couplage de deux circuits oscillants par induction mutuelle, réalisa une machine synchrone (1887), le premier moteur asynchrone à champ tournant (1888) et un alternateur à haute fréquence (1891).

**TESSAI** ~ *1836, Kyôto - 1924, id.* Peintre japonais. Il renouvela la tradition picturale japonaise sous l'influence de l'art occidental.

**TESSIER**, famille de syndicalistes français. ~ **Gaston** (*1887, Paris - 1960, id.*) fut premier secrétaire général (1919-1948) puis président (1948-1953) de la C. F. T. C. Son fils ~ **Jacques** (*1914, Paris*) fut secrétaire général (1964-1970) puis président (1970-1981) de ce même syndicat après la scission de la C. F. D. T. (1964).

**TESSIN** (le), en ital. ***Ticino*** ~ Riv. de Suisse et d'Italie, issue des **Alpes du Tessin**, qui forme le lac Majeur et rejoint le Pô (r. g.) en aval de Pavie ; 248 km. C'est sur ses rives qu'Hannibal battit les Romains (218 av. J.-C.).

**TESSIN** (le) ~ Canton alpin du S. de la Suisse, drainé par le Tessin ; 2 812 km², 298 000 h. (en majorité de langue italienne et de religion catholique), ch.-l. Bellinzona. Hydroélectricité. Agric. (fruits, vigne), bovins. Tourisme (lac Majeur). L'union des cantons de Bellinzona et de Lugano en 1803 forma le canton du Tessin.

**TESSIN** (Nicodemus), dit **l'Ancien** ~ *1615, Stralsund - 1681, Stockholm.* Architecte de la cour de Suède. Associant style français et goût italien, il construisit not. le château royal de Stockholm.

**Test Act** ~ Loi votée en 1673 par le Parlement anglais qui imposait aux candidats à un office public de se rallier à la religion anglicane. Elle fut abrogée en 1828-1829.

**TESTE (La)** ou **TESTE-DE-BUCH (La)** ~ Station balnéaire du bassin d'Arcachon (Gironde) ; 20 331 h. Ostréiculture.

**TÊT** (la) ~ Fl. côtier issu du Carlitte (Pyr.-Orient.), tribut. de la Méditerranée, qui arrose Prades et Perpignan ; 120 km. Sa vallée pyrénéenne est appelée Conflent. Centrale hydroélectrique.

**TÉTHYS** ~ Divinité de la mythologie grecque. Symbole de la fécondité des eaux, elle s'unit à son frère Océan et donna naissance aux fleuves, aux Océanides, et, selon certains, à Protée.

**TÉTHYS** (la) ~ Océan qui, selon la théorie de la dérive des continents, séparait les deux blocs émergés (Laurasie, Gondwana) issus de la fragmentation de la Pangée.

**TÉTOUAN**, en ar. ***Tatwan*** ~ V. du Maroc, centre comm. sur le versant N. du Rif ; 200 000 h. Vieille médina (artisanat). Musée archéologique. **HIST.** - Anc. comptoir punique puis romain de Tamuda. Construite par les Mérinides (XIVe s.), reconstruite par les Andalous (XVe s.), puis par les Maures (XVIIe s.), capitale du Maroc espagnol, la ville fut restituée au Maroc en 1956.

**TETZEL** (Johannes) ~ *v. 1465, Pirna - 1519, Leipzig.* Dominicain allemand. Il fut chargé en 1514 d'inciter les fidèles à participer à la reconstruction de la basilique St-Pierre de Rome en échange de l'octroi d'indulgences. Contre cette pratique, Luther formula les « 95 thèses » de Wittenberg (1517).

**TEUTATÈS** ou **TOUTATIS** ~ Dieu gaulois protecteur de la tribu. Les Romains l'ont identifié à Mars ou à Mercure.

**Teutonique** (ordre) ~ Ordre hospitalier puis militaire (1198) de l'aristocratie allemande, institué en Palestine. Ayant fusionné avec l'ordre Porte-Glaive (1237), il domina la Prusse au XIVe s. Battus par les Polonais et les Lituaniens à Tannenberg (1410), les **chevaliers Teutoniques** durent accepter en 1466 la suzeraineté polonaise lors du traité de Toruń. L'ordre fut sécularisé en 1525 par son grand maître Albert de Brandebourg.

**Teutons** (les) ~ Peuple germanique ou celte qui s'unit aux Cimbres pour envahir la Gaule. Ils furent battus par Marius à Aix-en-Provence en 102 av. J.-C.

**TEXAS** (le) ~ État du S. des États-Unis (l'un des plus riches, le plus vaste après l'Alaska), s'étendant, du S.-E. au N.-O., des plaines côtières baignées par le golfe du Mexique aux rebords des Rocheuses (Grandes Plaines), au climat subtropical au S.-E., aride vers l'intérieur ; 678 358 km², 17 957 000 h., cap. Austin, v. princ. Dallas-Fort Worth, Houston, San Antonio. Importantes ress. énergétiques (pétrole, gaz), agricoles (céréales, fruits et légumes, élevage bovin et ovin extensif), industrielles (métallurgie, chimie, agroalimentaire, électronique). **HIST.** - Territoire de la Nouvelle-Espagne puis du Mexique (1821), il fut colonisé par les Américains, qui le proclamèrent république indépendante (1836), puis 28e État de l'Union (1845). Sécessionniste, il fut réintégré dans l'Union en 1870.

**TEXEL** ~ La plus grande et la plus occidentale des îles Frisonnes, aux Pays-Bas (Hollande-Septentrionale), entre la mer du Nord et la mer des Wadden ; 183,5 km², env. 13 000 h. Réserve ornithologique.

**THABOR (mont)**, en ar. ***Djebal Tur*** ~ Massif d'Israël (Galilée), au S.-O. du lac de Tibériade ; 588 m. Montagne sacrée de l'Antiquité hébraïque (XIIIe s. av. J.-C.), il est aussi, dans la tradition chrétienne, le lieu de la Transfiguration du Christ.

**THABOR (mont)** ~ Sommet des Alpes (3 181 m), aux confins du Briançonnais (Hautes-Alpes) et de la Maurienne (Savoie). Ancienne frontière franco-italienne, il fut rattaché à la France en 1947.

**THACKERAY** (William Makepeace) ~ *1811, Calcutta - 1863, Londres.* Écrivain britannique. Journaliste et caricaturiste, il est l'auteur, dans ses essais et romans, d'un tableau féroce de la société britannique (*la Foire aux vanités*, 1847-1848 ; *les Mémoires de Barry Lyndon*, 1856).

**THAÏLANDE (golfe de)** ~ Voir **Siam** (golfe de).

**THAÏLANDE (royaume de)**, en thaï ***Muang Thaï***, anc. **Siam** ~ Pays du Sud-Est asiatique bordé au S. par le golfe de Siam. ***Cap.*** Bangkok. ***Superf.*** 513 115 km². ***Popul.*** 58 340 000 h. ***Langues princ.*** Thaï, lao, chinois. ***Monn.*** Baht. ***Relief.*** La plaine de la Chao Phraya, partie vitale du pays, est bordée au N. et à l'O. par des hauteurs (alt. max. 2 590 m) qui se prolongent dans la presqu'île de Malacca. La partie E. du pays est constituée par un plateau gréseux, limité par le Mékong et les monts Dangrêk. ***Climat.*** Tropical de mousson. ***Écon.*** Fondée sur l'agriculture intensive (5e export. mondial de riz, fruits), les plantations (hévéa), avec une place croissante dévolue à l'industrie d'exportation (produits pétroliers, text., biens d'équipement et de consommation, semi-conducteurs) et aux services (tourisme de masse). Pêche industrielle. La Thaïlande fait partie des N. P. I. (nouveaux pays industrialisés). **HIST.** - *Ve-XIIe s.* : la région est occupée par les Môns et les Khmers. *XIIIe s.* : des Thaïs, ou Siamois, s'installent dans le N. et fondent le royaume de Sukhothai (ou Siam). *v. 1350* : Ramathibodi fonde au S. une nouvelle dynastie, installe sa capitale à Ayuthya et étend son influence au détriment de ses voisins. *1438* : annexion du Sukhothai et de la Birmanie, avec laquelle le royaume de Siam sera périodiquement en guerre jusqu'à la fin du XVIIIe s. *1590-1605* : règne de Naresuen, qui ouvre le Siam sur l'extérieur et inaugure les contacts avec les Européens. *1767* : les Birmans détruisent Ayuthya puis en sont chassés par le général Taksin, qui se fait couronner roi. *1782* : le général Chakri s'empare du trône après avoir fait assassiner Taksin. Il fonde l'actuelle dynastie, règne sous le nom de Rama Ier et fait de Bangkok sa capitale. *XIXe s.* : le Siam, État tampon entre les zones convoitées par la France et la Grande-Bretagne, garde son indépendance mais perd des territoires au profit de l'Indochine et de la Malaisie. Le roi Chulalongkorn, ou Rama V (1868-1910), modernise le pays. *Juin 1932* : un coup d'État met fin à la monarchie absolue et instaure une monarchie constitutionnelle dominée par les militaires. *1938* : le Siam prend le nom de Thaïlande. *1950* : après s'être alliée au Japon pendant la Seconde Guerre mondiale, la Thaïlande se rapproche des États-Unis. Bhumibol (Rama IX, souverain actuel) monte sur le trône mais doit accepter le pouvoir de fait des militaires. *1973* : courte phase démocratique mise en échec à cause de l'extrême division des partis. *1976-1992* : nouvelle période de gouvernements militaires, de coups d'État et de répression de l'opposition. *Depuis 1992* : début de démocratisation dont témoignent la révision constitutionnelle et la formation du gouvernement civil de Chuan Leekpai (parti démocratique), remplacé par Chaowalit Yongchaiyudh en 1996.

**Thaïs** (les) ~ Groupe de peuples originaires de Chine du Sud, not. du Yunnan, à langue tonale. Il émigra en Asie du Sud-Est au XIIIe s. et se métissa aux autochtones pour former les Siamois, les Laotiens et les Assamais.

**THAÏS** ~ *IVe s. av. J.-C.* Courtisane grecque. Elle fut l'amie de Ménandre, d'Alexandre le Grand et de Ptolémée Ier.

**THAÏS** (sainte) ~ *IVe s.* Courtisane égyptienne. Convertie au christianisme, elle se retira dans un monastère.

**THALÈS DE MILET** ~ *v. 625, Milet - v. 547 av. J.-C.* Mathématicien et philosophe grec de l'école ionienne. Le plus ancien des Sept Sages, il aurait introduit l'algèbre et la géométrie en Grèce. Il aurait effectué la première mesure du temps, grâce au gnomon, et énoncé les conditions pour qu'une droite soit parallèle à un côté d'un triangle (**théorème de Thalès**). Sa philosophie est fondée sur la substance primordiale, l'eau, l'Univers étant conçu comme une bulle d'air au sein d'une masse liquide infinie.

**THALIE** ~ Dans la myth. grecque, l'une des neuf Muses. Elle présidait à la Comédie. On la représente couronnée de lierre, un masque à la main.

**THANN** ~ V. du Haut-Rhin, centre industriel à l'O. de Mulhouse, sur la Thur ; 7 751 h. (agglom. 28 885 h.). Vins. Industr. textile. Riche collégiale St-Thiébaut (XIVe-XVIe s.).

**THANT** (Sithu U) ~ *1909, Pantanaw - 1974, New York.* Homme politique birman. Il fut secrétaire général de l'O. N. U. (1961-1971).

**THAON DI REVEL** (Paolo) ~ *1859, Turin - 1948, Rome.* Amiral italien. Commandant des forces navales alliées dans l'Adriatique (1917-1918), il fut ministre de la Marine sous Mussolini.

**THAON-LES-VOSGES** ~ V. de Lorraine (Vosges), dans l'agglom. d'Épinal ; 7 504 h. Industr. textile.

**THAPSUS** ~ Ancienne ville d'Afrique proconsulaire (auj. en Tunisie). César y vainquit les pompéiens en 46 av. J.-C.

**THAR (désert de)** ~ Désert sableux, barrière historique des confins indo-pakistanais, à l'E. de l'Indus, au S.-O. du Pendjab ; env. 200 000 km².

**THARP** (Twyla) ~ *1940, Portland, Indiana.* Danseuse et chorégraphe américaine. Ses créations, marquées par le postmodernisme, ont évolué vers une forme plus traditionnelle (*Hair*, 1978).

**THÁSSOS** ~ Île grecque montagneuse du N. de la mer Égée (S. de la Thrace) ; 378 km², env. 15 000 h. Vestiges antiques. Objet de nombreuses conquêtes en raison de sa prospérité, elle fut cédée à la Grèce par l'Empire ottoman en 1913.

**THATCHER** (Margaret) ~ *1925, Grantham.* Femme politique britannique. Présidente du parti conservateur en 1975 et Premier ministre de 1979 à 1990, elle a conduit une politique de déréglementation économique et sociale, s'opposant durement aux syndicats. Surnommée la Dame de fer, elle a engagé la reconquête militaire des Falkland (1982) contre l'armée argentine. Réélue en 1983 et en 1987, elle a démissionné en 1990.

© D. Simon-Gamma

*Margaret **Thatcher** et Felipe González lors de la réunion du Conseil européen à Madrid, en 1989.*

**THAU (étang de)** ~ Étang du Languedoc (Hérault) ; 74 km². Aboutissement du canal du Midi, il est relié à la Méditerranée par le canal de Sète. Pétrochimie.

**THAURION** (le) ~ Voir **Taurion**.

**Théâtre-Libre** ~ Compagnie théâtrale créée par André Antoine en 1887. Le Théâtre-Libre mena une entreprise de rénovation dont les choix littéraires (É. Zola, H. Ibsen, A. Strindberg) et scéniques, imprégnés de naturalisme et de critique sociale, alimentèrent les polémiques. Devenu le Théâtre-Antoine (1897), il perdit son caractère d'avant-garde.

**Théâtre national populaire** (T. N. P.) ~ Théâtre fondé par l'État en 1920, à l'instigation de F. Gémier. Installé au Trocadéro, puis au palais de

Chaillot (Paris), il attira un vaste public sous la direction de Jean Vilar (1951-1963), dont les mises en scène alliaient rigueur et enthousiasme. Transféré à Villeurbanne (Rhône) en 1972, il est dirigé par Georges Lavaudant depuis 1986.

**THÉBAÏDE** (la) ~ Région de l'Égypte ancienne située autour de Thèbes. Au début de notre ère, elle abrita de nombreux chrétiens en quête d'ascétisme.

**THÈBES** ~ Anc. ville de la Haute-Égypte. Elle fut le foyer de la XIe dynastie, dont les princes (en particulier Antef Ier) réunifièrent l'Égypte au XXIIe s. av. J.-C. Du XVIIe au XIe s. av. J.-C., les richesses s'accumulèrent et permirent de grandes constructions, not. en l'honneur du dieu Amon (temples de Karnak et de Louqsor). Sur la rive gauche du Nil, la nécropole thébaine a livré de nombreuses tombes (trésor de Toutankhamon) et des monuments (temple d'Hatchepsout, à Deir el-Bahari).

**THÈBES**, en gr. ***Thívai*** ~ V. de Grèce centrale (Béotie) ; 19 000 h. La légende la dit fondée par Cadmos, dont Œdipe aurait été un descendant. Une civilisation mycénienne s'y épanouit, qui fut détruite par l'invasion des Béotiens (v. 1200 av. J.-C.). Au VIe s. av. J.-C., Thèbes fédéra plusieurs cités dans la Ligue béotienne. Elle s'opposa à Athènes lors des guerres médiques et de la guerre du Péloponnèse, puis à Sparte, qui la vainquit (382 av. J.-C.). Sous Pélopidas et Épaminondas, Thèbes domina la Grèce, battant Sparte aux batailles de Leuctres et de Mantinée (371 et 362 av. J.-C.). Après la victoire de Philippe de Macédoine à Chéronée (338 av. J.-C.) sur la coalition menée par Athènes et Thèbes, la ville fut détruite par Alexandre le Grand (336 av. J.-C.). Rebâtie, elle fut ravagée de nouveau par les Romains (146 av. J.-C.).

**THELLE (pays de)** ~ Plateau argileux du S.-O. de l'Oise (Île-de-France), au S. de Beauvais. Cultures céréalières, élevage bovin.

**THÉMINES** (Pons **de Lauzières**, marquis DE) ~ *v. 1552 - 1627, Auray.* Maréchal de France. Il participa aux guerres de Religion, puis fut fait maréchal de France, en 1616, pour avoir arrêté Henri II de Condé.

**THÉMIS** ~ Déesse grecque de la Justice. Fille d'Uranus et de la Terre, elle siégeait auprès de Zeus. On la représente les yeux bandés, tenant une épée et une balance.

**THÉMISTOCLE** ~ *v. 528, Athènes - v. 462 av. J.-C., Magnésie du Méandre.* Homme d'État athénien. Archonte (493), il fut très écouté des Athéniens, à qui il conseilla la construction d'une flotte (482) qui allait jouer un rôle décisif dans la victoire de Salamine (guerres médiques, 480). Évincé à l'instigation de Cimon, qui prônait l'entente avec Sparte, accusé de trahison, il fut ostracisé (471) et se réfugia auprès d'Artaxerxès Ier.

**THENARD** (Louis Jacques, baron) ~ *1777, La Louptière - 1857, Paris.* Chimiste français. Il découvrit l'eau oxygénée (1818) et le bore, élabora une classification des métaux et fut à l'origine d'un colorant, le **bleu Thenard**.

**THÉOCRITE** ~ *v. 310, Syracuse - v. 250 av. J.-C.* Poète grec. Ses *Idylles* bucoliques furent une source d'inspiration pour de nombreux auteurs, dont Virgile.

**THÉODAT** ou **THÉODAHAT** ~ *m. en 536 à Ravenne.* Roi des Ostrogoths (534-536). Neveu de Théodoric le Grand, il fut vaincu par Bélisaire.

**THÉODEBALD** ou **THIBAUD** ~ *m. en 555.* Roi franc d'Austrasie (548-555). Fils maladif de Théodebert Ier, il eut pour successeur Clotaire Ier.

**THÉODORA** ~ *début du VIe s., Constantinople - 548, id.* Impératrice d'Orient (527-548). Épouse de Justinien Ier, elle l'incita à réprimer la sédition Nika (532) et fit tolérer le monophysisme pour ménager les habitants d'Asie, de Syrie et d'Égypte, utiles à la défense de l'Empire romain d'Orient.

**THÉODORA** ~ *m. en 867.* Impératrice régente d'Orient (842-856). Régente durant la minorité de son fils Michel III, elle fit définitivement rétablir le culte des images en 843. [☞ **iconoclasme.**]

**THÉODORE LASCARIS**, nom de deux empereurs de Nicée. ~ **Théodore Ier Lascaris** (*m. en 1222*), premier empereur byzantin de Nicée (1204-1222). Il tenta en vain de reprendre Constantinople aux Latins. Son petit-fils ~ **Théodore II Doukas Lascaris** (*1222 - 1258*), empereur de 1254 à 1258, fils de Jean III Doukas Vatatzès, combattit les Bulgares, les despotes d'Épire et les Turcs.

**THÉODORIC**, nom de deux rois des Wisigoths. ~ **Théodoric Ier** (*m. en 451 près de Troyes*), roi de 418 à 451. Contrôlant l'Aquitaine, il établit sa capitale à Toulouse. Il mourut en combattant Attila aux champs Catalauniques. Son fils ~ **Théodoric II** (*m. en 466*), roi de 453 à 466, contrôla le S.-O. de la Gaule et l'Espagne. Il fut assassiné par son frère Euric, qui lui succéda.

**THÉODORIC LE GRAND** ~ *v. 454, en Pannonie - 526, Ravenne.* Roi des Ostrogoths (493-526). Otage à Constantinople (461-471), il s'y imprégna de culture gréco-romaine. Envoyé par l'empereur Zénon, il conduisit son peuple contre l'Italie, où il destitua Odoacre (493). Maître de l'Italie, de la Dalmatie, de la Pannonie, du Norique et de la Rhétie, conseillé par Cassiodore et Boèce, il appliqua le droit romain.

**THÉODOROS** ou **THÉODORE II** ~ *1818, Sarge Kouara - 1868, Magdala.* Empereur d'Éthiopie (1855-1868). Vaincu par les Britanniques à Magdala, il se suicida.

**THÉODOSE**, en lat. ***Flavius Theodosius***, nom de trois empereurs. ~ **Théodose Ier**, dit **le Grand** (*v. 347, Cauca, Espagne - 395, Milan*), empereur romain (379-395). Il imposa le christianisme dans l'empire. Il succéda à Valens à la tête de l'empire d'Orient, et s'opposa à l'usurpateur Maxime, qu'il vainquit et fit exécuter (388). Après la mort de Valentinien II (392) et la défaite de l'usurpateur Eugène (394), il reconstitua une dernière fois l'unité de l'empire (sept. 394-janv. 395). Ses fils lui succédèrent, Arcadius en Orient et Honorius en Occident. Son petit-fils ~ **Théodose II** (*401 - 450*), empereur d'Orient (408-450), fils d'Arcadius, fonda l'université de Constantinople (425) et fit rédiger le Code théodosien. Il dut payer tribut aux Huns jusqu'à ce qu'Attila eût accepté de quitter l'empire (441-449). ~ **Théodose III** (*m. en 722 à Éphèse*), empereur byzantin (715-717). Percepteur d'impôts, il fut nommé empereur malgré lui. Il s'empara de Constantinople. Détrôné par Léon III l'Isaurien, il prit l'habit religieux.

**théodosien** (**Code**) ~ Code de lois rédigé sur ordre de Théodose II en 435-438, rassemblant les constitutions impériales promulguées depuis Constantin (312). Il fut appliqué en Orient et en Occident.

**THÉODULF** ou **THÉODULFE** ~ *v. 750, Catalogne - 821, Angers.* Évêque d'Orléans (v. 781-821). Représentant de la renaissance carolingienne, il fut théologien et poète (*Gloria, laus et honor*). Abbé de Fleury (Saint-Benoît-sur-Loire), il fit construire l'église de Germigny-des-Prés (806).

**THÉOPHRASTE** ~ *v. 372, Érésos, Lesbos - 287 av. J.-C., Athènes.* Philosophe grec. Succédant à Aristote à la tête du Lycée, il mena un travail encyclopédique. Deux traités de botanique nous sont parvenus, ainsi que les *Caractères*, description de types humains marqués dont s'inspira La Bruyère.

**THÉOPOMPE** ~ *v. 378, Chio - v. 323 av. J.-C., en Égypte.* Historien et orateur grec, connu par des fragments. Il est l'auteur des *Helléniques*, qui prennent la suite des récits de Thucydide, et des *Philippiques*, histoire universelle centrée sur la vie de Philippe II de Macédoine.

**THÉRAIN** (le) ~ Affl. de l'Oise (r. dr.), issu du pays de Bray, qui arrose Beauvais ; 86 km.

**THÉRAMÈNE** ~ *v. 450, Céos - 404 av. J.-C., Athènes.* Homme politique athénien. Partisan de l'oligarchie, il contribua à la révolution athénienne de 411 av. J.-C. Devenu membre du gouvernement des Trente, il fut éliminé par Critias.

**THÉRÈSE D'ÁVILA** (Teresa **de Cepeda y Ahumada** ; sainte) ~ *1515, Ávila - 1582, Alba de Tormes, prov. de León.* Religieuse et mystique espagnole, docteur de l'Église. Entrée en 1535 au carmel d'Ávila, elle fut à l'origine d'une réforme de son ordre, menée avec le soutien de saint Jean de la Croix. Elle laissa des écrits mystiques considérés comme des grands textes de la spiritualité chrétienne, not. *le Livre de la vie* (1562-1565), *le Chemin de la perfection* (posth., 1583) et *le Livre des demeures ou le Château intérieur* (posth., 1610).

**THÉRÈSE DE L'ENFANT-JÉSUS** (Thérèse **Martin** ; sainte) ~ *1873, Alençon - 1897, Lisieux.* Religieuse française. Carmélite à Lisieux, elle mourut de la tuberculose neuf ans après son entrée en religion. Révélée après sa mort, son *Histoire d'une âme*, relatant son aspiration à la sainteté, connut un grand retentissement.

**thermidor an II** (**journées des 9 et 10**) ~ Journées des 27 et 28 juillet 1794, au cours desquelles Robespierre et ses amis succombèrent devant une alliance de conventionnels inquiets pour leur sort (Fouché, Tallien, Barras) ou pour la république (Carnot). Après avoir tenu des propos menaçants mais vagues (le 8 thermidor), Robespierre fut empêché de s'exprimer à l'Assemblée le 9 avant d'être décrété d'accusation, ainsi que les chefs jacobins Couthon, Lebas et Saint-Just. Réfugiés à l'Hôtel de Ville, ils furent arrêtés, puis guillotinés le 10.

**THERMOPYLES** (les) ~ Défilé de Grèce situé entre le mont Callidromos et le golfe Maliaque. Lors de la seconde guerre médique, le roi de Sparte, Léonidas Ier, y mena un combat de retardement contre l'armée de Xerxès Ier et se sacrifia avec 300 Spartiates (17-19 sept. 480 av. J.-C.).

**THÉSÉE** ~ Héros de la mythologie grecque. Fils d'Égée. Roi d'Athènes, pourfendeur de brigands et de monstres, il tua le Minotaure et épousa Phèdre, dédaignant Ariane, qui se suicida. Son règne vit l'unification de l'Attique (synœcisme) et les premières institutions démocratiques.

**THESPIS** ~ *VI[e] s. av. J.-C.* Poète tragique grec. Il serait le créateur de la tragédie grecque et aurait introduit dans le jeu un acteur chargé de dialoguer avec le chef de chœur.

**THESSALIE** (la) ~ Région de Grèce, plaine d'effondrement dominée par l'Olympe au N. et le Pinde à l'O. ; 14 037 km$^2$, 735 000 h., v. princ. Lárissa, Vólos. Tabac, coton. Forte émigration.

**THESSALONIQUE** ou **SALONIQUE**, en gr. ***Thessaloníki*** ~ 2e port de Grèce (Macédoine), au fond du **golfe de Thessalonique**, métropole économique, industrielle et culturelle du N. du pays ; 384 000 h. (agglom. 740 000 h.). Archevêché. Université. Raffinerie de pétrole, chimie, construction automobile, agroalimentaire. Foire internationale. Monuments byzantins (acropole, palais, rotonde de St-Georges et arc de Galère). Basiliques St-Démétrios (Ve s.), Ste-Sophie (VIIIe s.), des Sts-Apôtres (XIVe s.). Remparts du IIIe s. Musée archéologique. **HIST.** - Capitale de la Macédoine romaine, siège d'un royaume latin (1204-1224), la ville, reprise par les Byzantins d'Épire (1222) puis de Nicée (1246), fut ottomane de 1430 à 1913. Les Alliés y débarquèrent pour ouvrir le front d'Orient (5 oct. 1915).

**THÉTIS** ~ La plus belle des Néréides dans la mythologie grecque. Zeus et Poséidon lui firent épouser un mortel, Pélée, de qui elle eut Achille.

**THIAIS** ~ V. de la banlieue S. de Paris (Val-de-Marne) ; 27 515 h. Cimetière parisien. Église de style gothique flamboyant.

**THIARD** (Pontus DE) ~ Voir **Tyard**.

**THIBAUD** ~ Voir **Théodebald**.

**THIBAUD IV** ~ *1201, Troyes - 1253, Pampelune.* Poète lyrique français. Comte de Champagne et roi de Navarre (1234), il combattit à Bouvines, commanda une croisade et s'opposa à Blanche de Castille (1226-1227). Surnommé le Chansonnier, il fut un grand trouvère et le porte-parole de la poésie courtoise du XIIIe s.

**THIBAUD** (Jacques) ~ *1880, Bordeaux - 1953, dans un accident d'avion, près de Barcelonnette.* Violoniste français. Il forma un trio célèbre avec A. Cortot et P. Casals, et fonda en 1943, avec M. Long, le concours qui porte son nom.

**THIÉRACHE** (la) ~ Région de collines argileuses du N. de la France, au contact du Nord industriel et de l'Ardenne, vouée à l'élevage laitier. Industries métallurgique et textile.

**THIERRY**, nom de quatre rois mérovingiens. ~ **Thierry Ier** (*m. en 533*), roi de Reims (511-533), fils aîné de Clovis. ~ **Thierry II** (*587 - 613, Metz*), roi de Bourgogne (596-613) et d'Austrasie (612-613), fils de Childebert II. ~ **Thierry III** (*m. en*

691), roi de Neustrie et de Bourgogne (673 puis 675-691), fils de Clovis II. Détrôné par son frère Childéric II, il remonta sur le trône en 675 mais fut vaincu par Pépin de Herstal à Tertry (vers 687). ~ **Thierry IV** (*m. en 737*), roi franc (721-737), fils de Dagobert III. Il gouverna sous la tutelle de Charles Martel.

**THIERRY** (Augustin) ~ *1795, Blois - 1856, Paris.* Historien et écrivain français. Auteur de travaux historiques (*Histoire de la conquête de l'Angleterre par les Normands*, 1825 ; *Récits des temps mérovingiens*, 1840), il développa l'idée d'un antagonisme multiséculaire entre races conquérantes et races conquises. Son style imaginatif fait de ses travaux de véritables récits littéraires.

**THIERS** ~ V. du Puy-de-Dôme (N. du Forez), sur un affl. de la Dore, centre de la coutellerie française ; agglom. 16 688 h. Vestiges d'une abbaye, église St-Genès (XI$^e$-XVI$^e$ s.). Maisons anc. (XV$^e$ s.).

**THIERS** (Adolphe) ~ *1797, Marseille - 1877, Saint-Germain-en-Laye.* Homme d'État, journaliste et historien français. Opposé à la Restauration, il publia une *Histoire de la Révolution française* (1823-1827). Il fonda *le National* (1830) et contribua à l'accession au trône de Louis-Philippe (1830). Ministre des Finances (1830-1831), de l'Intérieur (1832-1836), président du Conseil et ministre des Affaires étrangères (1836, 1840), il s'opposa à la Grande-Bretagne mais fut remplacé par Guizot, chef du parti de la paix, et entra alors dans l'opposition (1840). En 1848, il devint républicain conservateur et collabora avec les partisans de l'ordre social et moral. Banni en décembre 1851, il revint en 1852 et travailla à son *Histoire du Consulat et de l'Empire* (1845-1862). Député orléaniste (1863), il réclama les « libertés nécessaires » (1864) et voulut prévenir la guerre contre la Prusse (juill. 1870). Élu par 26 départements à l'Assemblée nationale, il fut chef du pouvoir exécutif (févr. 1871). Il conclut le traité de Francfort et écrasa la Commune (mai 1871). Président de la République (août 1871), de tendance conservatrice, il dut démissionner sous la pression royaliste (mai 1873). Il demeura le chef de l'opposition républicaine. Acad.

*Caricature d'Adolphe Thiers en couverture du Fils du Père Duchêne (1871). Bibliothèque nationale, Paris.*

**THIÈS** ~ 2$^e$ v. du Sénégal, centre administratif et industriel, près de Dakar ; 201 000 h.

**THILL** (Georges) ~ *1897, Paris - 1984, Lorgues.* Ténor français. La pureté de son style lui assura des triomphes internationaux dans le répertoire français ou les drames wagnériens.

**THIMBU** ou **TIMPHU** ~ Cap. du Bhoutan (depuis 1962), dans l'O. du pays (alt. 2 000 m) ; 30 000 h. L'ancien monastère fortifié de Tashi Chho Dzong abrite auj. les bureaux du gouvernement royal.

**THIMERAIS** (le) ~ Voir **Thymerais.**

**THIMONNIER** (Barthélemy) ~ *1793, L'Arbresle - 1857, Amplepuis.* Inventeur français. Il fit breveter en 1830 le premier prototype de machine à coudre (couso-brodeur), qu'il ne put exploiter à cause de l'opposition des tailleurs parisiens.

**THIONVILLE** ~ V. de Moselle, sur la Moselle (r. g.), longtemps « métropole du fer » du bassin sidérurgique lorrain, auj. en crise ; 39 712 h. (agglom. 132 413 h.). Anc. place forte des comtes de Luxembourg (tour aux Puces du XI$^e$-XII$^e$ s.), fortifications et beffroi (XVI$^e$ s.), hôtel de ville (XVII$^e$ s.).

**THIRY** (Marcel) ~ *1897, Charleroi - 1977, Fraiture-en-Condroz.* Écrivain belge d'expression française. Poète sensible au réel (*Statue de la fatigue*, 1934), il manifesta son goût de l'insolite dans des nouvelles (*Nouvelles du grand possible*, 1958).

**THOIRY** ~ Village des Yvelines, au N.-O. de Saint-Quentin-en-Yvelines ; 835 h. Château (XVI$^e$-XVIII$^e$ s.). Parc zoologique.

**Thoiry (conférence de)** ~ Entrevue qui réunit A. Briand et Gustav Stresemann à Thoiry (Ain), le 17 septembre 1926, en vue d'un rapprochement franco-allemand, qui échoua.

**THOM** (René) ~ *1923, Montbéliard.* Mathématicien français, auteur de la théorie des catastrophes. Médaille Fields 1958.

**THOMAS** (saint) ~ Un des douze apôtres de Jésus. L'Évangile de Jean rapporte qu'il refusa de croire à la résurrection du Christ avant de l'avoir constatée de ses yeux.

**THOMAS** (Ambroise) ~ *1811, Metz - 1896, Paris.* Compositeur français. Le charme de son style assura le succès de *Mignon* (1866) et de *Hamlet* (1868). Il fut le directeur du Conservatoire, contesté pour son académisme, de 1871 à sa mort.

**THOMAS** (Dylan Marlais) ~ *1914, Swansea - 1953, New York.* Écrivain britannique. Influencées à la fois par J. Joyce, S. Freud et H. Miller, les poésies, nouvelles et pièces de théâtre de cet autodidacte délivrent une vision subversive et prophétique du monde occidental (*Mort et initiations*, 1946 ; *Au bois lacté*, 1953).

**THOMAS** (Sidney Gilchrist) ~ *1850, Londres - 1885, Paris.* Inventeur britannique. Il réalisa avec son cousin Percy Gilchrist la méthode d'affinage des fontes phosphoreuses. Aujourd'hui abandonné, l'**acier Thomas** (1876) fut universellement utilisé.

**THOMAS BECKET** (saint) ~ *1118, Londres - 1170, Canterbury.* Prélat et homme politique anglais. Archevêque de Canterbury (1162), il défendit avec intransigeance les intérêts de l'Église, allant jusqu'à excommunier le roi Henri II, qui le fit assassiner. Canonisé en 1173, il inspira de nombreux dramaturges.

**THOMAS D'ANGLETERRE** ~ *fin du XII$^e$ s.* Trouvère anglo-normand. Son roman *Tristan* relate la mort du héros.

**THOMAS D'AQUIN** (saint) ~ *v. 1228, Roccasecca, près d'Aquino, royaume de Naples - 1274, Fossanova.* Théologien et philosophe italien, docteur de l'Église. Dominicain (surnommé « le docteur angélique »), élève d'Albert le Grand, il fut le grand réformateur de la théologie chrétienne et de la philosophie de son temps, tentant d'harmoniser foi et raison. Il est l'auteur de la *Summa contra gentiles* (1258-1264) et de la *Summa theologiae* (1266-1273). [☞ **thomisme.**]

**THOMAS DE CELANO** ~ *v. 1190, Celano, prov. de L'Aquila - v. 1260, près de L'Aquila.* Franciscain italien. Il fut l'un des premiers compagnons de François d'Assise, dont il écrivit une biographie. On lui attribue, au moins en partie, le *Dies irae.*

**THOMAS MORE** ou **MORUS** (saint) ~ *1478, Londres - 1535, id.* Chancelier d'Angleterre. Homme de loi et humaniste, il fut promu à la chancellerie du royaume par Henri VIII (1529). Ayant condamné le divorce du roi, il fut exécuté. Il est l'auteur d'un essai politique (*Utopie*, 1516). [☞ **utopie.**]

**THOMIRE** (Pierre Philippe) ~ *1751, Paris - 1843, id.* Ciseleur et orfèvre français. Inspirés de motifs antiques, ses bronzes d'ameublement sont caractéristiques du style Empire.

**THOMPSON** (sir John Eric Sidney) ~ *1898, Londres - 1975, Cambridge.* Archéologue britannique, spécialiste de la civilisation maya.

**THOMSEN** (Christian Jürgensen) ~ *1788, Copenhague - 1865, id.* Préhistorien danois. Il fut le premier à établir une classification scientifique de la préhistoire (âges de la pierre, du bronze et du fer).

**THOMSON** (Elihu) ~ *1853, Manchester - 1937, Swampscott, Massachusetts.* Ingénieur et industriel américain d'orig. britannique. Il est l'inventeur d'applications industrielles de l'électricité, du moteur à courant alternatif synchrone (1879), de moteurs à répulsion (1888), d'alternateurs à haute fréquence. Fondateur, avec E. Houston, de la **Thomson-Houston Company** (1883), il fut à l'origine du groupe français Thomson (producteur de matériel électrique, électronique, militaire), qui racheta leurs brevets en 1893.

**THOMSON** (James) ~ *1700, Ednam, Écosse - 1748, Richmond.* Poète britannique, auteur des odes élégiaques des *Saisons* (1726-1730) et de l'hymne *Rule Britannia.*

**THOMSON** (James) ~ *1834, Port Glasgow - 1882, Londres.* Poète britannique. Journaliste engagé, il marqua ses poèmes d'un pessimisme désespéré (*la Cité de la nuit mortelle*, 1880 ; *Insomnie*, 1882).

**THOMSON,** nom de deux physiciens britanniques. ~ **Sir Joseph John** (*1856, Cheetham Hill - 1940, Cambridge*) prouva l'existence de l'électron et mesura le quotient *e/m* de sa charge par sa masse (1897). Il proposa un modèle atomique statique (1902) et inventa le spectrographe de masse, qui permit la découverte des isotopes, pressentis par lui en 1913. Prix Nobel de phys. 1906. Son fils ~ **George Paget** (*1892, Cambridge - 1975, id.*) découvrit la diffraction des électrons rapides dans les cristaux, confirmant le principe de la mécanique ondulatoire. Prix Nobel de phys. 1937.

**THOMSON** (sir William), lord **Kelvin** ~ *1824, Belfast - 1907, Netherhall.* Physicien britannique. Il établit la thermodynamique des phénomènes thermoélectriques (1851), le refroidissement du gaz par détente avec J. Pr. Joule (**effet Joule-Thomson,** 1852) et élabora une échelle des températures (température absolue). Il inventa le galvanomètre à aimant mobile (1851) et un dispositif mécanique d'intégration des équations différentielles (1876).

**THONBURI** ~ Ancienne capitale (1767-1782) du Siam, auj. dans l'agglomération de Bangkok (Thaïlande), sur la Chao Phraya (r. dr.) ; 264 000 h. Temples (XVII$^e$-XIX$^e$ s.).

**THONON-LES-BAINS** ~ Station thermale de Haute-Savoie, sur le lac Léman, anc. cap. du Chablais ; 29 677 h. (agglom. 55 103 h., dont Évian). Industries diversifiées. Château de Ripaille, église St-Hippolyte et couvent des Minimes (XVII$^e$ s.). Saint François de Sales y combattit le protestantisme.

**THOR** ou **TOR** ~ Dieu germanique de la Force, du Tonnerre et de l'Air, fils aîné d'Odin et de Fregga. Il est représenté armé du marteau Mjöllnir.

**Thora** (la) ~ Voir **Torah.**

**THOREAU** (Henry David) ~ *1817, Concord, Massachusetts - 1862, id.* Écrivain américain. Disciple de R. W. Emerson, il est l'auteur d'un appel à la révolte sociale et à la méditation qui fut redécouvert dans les années 1960 (*la Désobéissance civile*, 1849).

**THOREZ** (Maurice) ~ *1900, Noyelles-Godault, Pas-de-Calais - 1964, en mer Noire.* Homme politique français. Jeune militant communiste, secrétaire général du P. C. F. en 1930, il y introduisit les méthodes de direction de Staline. Il lança la formule du Front populaire en 1934, fut condamné pour désertion en 1939, et vécut les années de guerre en U. R. S. S. Gracié par le Gouvernement provisoire en 1945, ministre d'État (1945-1946) puis vice-président du Conseil (1946-1947), il contribua à la création du statut de la fonction publique. Opposé dès 1956 à la déstalinisation en U. R. S. S., il quitta ses fonctions de secrétaire général pour celles de président du Parti en 1964.

**THORNDIKE** (Edward Lee) ~ *1874, Williamsburg, Massachusetts - 1949, Montrose, État de New York.* Psychologue américain. Il est l'auteur de nombreuses expérimentations sur l'éthologie animale (technique du labyrinthe) et sur le comportement des enfants dans le cadre scolaire (*Psychologie de l'apprentissage*, 1914).

**THORSHAVN** ~ Cap. de l'archipel danois des Féroé, sur l'île de Strømø ; 15 000 h. Pêche.

**THORVALDSEN** (Bertel, dit Alberto) ~ *1770, Copenhague - 1844, id.* Sculpteur danois. Son art, fondé sur l'étude de la statuaire antique, symbolisa le néoclassicisme dans sa froide perfection.

**THOT** ~ Dieu égyptien. Représenté comme un homme à tête d'ibis ou de babouin, il présidait à la Parole, à l'Écriture et aux Sciences. Il fut assimilé par les Grecs à Hermès Trismégiste.

**THOU**, famille de magistrats français. ~ **Jacques** DE (*1533, Paris - 1617, id.*) écrivit une *Histoire universelle* (1604-1608), qui inspira de nombreux ouvrages. Son fils ~ **François** DE (*1607, Paris - 1642, Lyon*) fut exécuté comme complice de Cinq-Mars.

**THOUARS** ~ V. du haut Poitou (Deux-Sèvres), dominant le Thouet (r. dr.) ; 10 905 h. (agglom. 15 921 h.). Industries alimentaires. Remparts du XIIIe s., château des ducs de La Trémoille (XVIIe s.), églises St-Laon et St-Médard (XIIe s.). Important foyer huguenot jusqu'en 1685.

**THOUET** (le) ~ Affl. de la Loire (r. g.), issu de la Gâtine vendéenne, confluant à Saumur, qui arrose Parthenay et Thouars ; 140 km.

**THOUNE**, en all. *Thun* ~ V. de Suisse (canton de Berne), sur l'Aar à sa sortie du **lac de Thoune** (48 km²) ; 38 000 h. Céramique. Château ducal (XIIe s.), églises (Xe-XIIe s.), hôtel de ville (XVIe s.).

**THOUTMOSIS** ou **THOUTMÈS** ~ Nom de quatre pharaons de la XVIIIe dynastie, dont **Thoutmosis III** (*1505 - 1450 av. J.-C.*), pharaon de 1483 à 1450 av. J.-C., qui succéda à son père en épousant sa belle-mère Hatshepsout, alors régente. Il conquit la Palestine et la Syrie et affermit son autorité en Nubie.

**THRACE** (la) ~ Région historique du S.-E. de l'Europe, drainée par la Marica (cours inf.), entre l'île de Thássos et Istanbul, auj. partagée entre la Grèce, la Bulgarie et la Turquie d'Europe. Elle fut soumise à la Perse puis à la Macédoine, avant d'être conquise par les Romains (IIe s. av. J.-C.). Sous domination ottomane du XIVe s. au XIXe s., la Thrace fut ensuite partagée, pour sa partie S., entre la Grèce et la Turquie (1919 et 1923).

**THRASYBULE** ~ *v. 445 - 388 av. J.-C., Aspendos, Cilicie.* Général et homme politique athénien. Il parvint à abattre les Trente d'Athènes et à restaurer la démocratie (403 av. J.-C.). Il fit amnistier la plupart des oligarques et mourut en voulant reconstituer la puissance d'Athènes.

**THUCYDIDE** ~ *v. 460, Athènes - v. 400 av. J.-C., id.* Historien grec. Son *Histoire de la guerre du Péloponnèse*, inachevée et poursuivie par Xénophon et Théopompe, narre les faits du début du conflit (431 av. J.-C.) jusqu'en 411 av. J.-C. Acteur des évènements (stratège athénien en 424 av. J.-C.), il les analysa avec rigueur.

**THUIR** ~ V. de la plaine du Roussillon (Pyr.-Orientales), au S.-O. de Perpignan ; 6 638 h. Vins doux.

**THULÉ** ~ Nom donné dans l'Antiquité à une île de l'océan Atlantique (Shetland, Islande ou Féroé) qui correspondait à la terre la plus septentrionale du monde connu. Sa légende inspira à Goethe une célèbre ballade (*le Roi de Thulé*).

**THULÉ** ~ Station polaire de la côte N.-O. du Groenland, base des expéditions de Knud Rasmussen (1912-1924) et de Jean Malaurie (1950-1951). Importante base aérienne américaine depuis 1945 (bombardiers nucléaires) et, depuis 1960, l'un des trois sites du système de détection des missiles balistiques et d'alerte rapide.

**THUNDER BAY** ~ Port industr. du Canada (Ontario), nœud de communications sur la rive N.-O. du lac Supérieur, né de la fusion de Fort William et de Port Arthur en 1970 ; 114 000 h. Chantiers navals. Constructions automobiles, aéronautique, agroalimentaire.

**THURGOVIE** (la), en all. *Thurgau* ~ Canton alémanique du N.-E. de la Suisse, bordé au N. par le lac de Constance, drainé par la **Thur**, affl. (r. g.) du Rhin ; 991 km², 217 000 h. (en maj. protestants), ch.-l. Frauenfeld (20 000 h.). Fruits, vigne, text. Membre de la Confédération depuis 1803.

**THURINGE** (la), en all. *Thüringen* ~ Land de l'E. de l'Allemagne, partagé entre le **bassin de Thuringe**, agricole et industriel, foyer de la culture allemande (Eisenach, Erfurt, Gotha, Iéna, Weimar), et la **forêt de Thuringe**, massif ancien boisé et tourist. ; 16 176 km², 2 546 000 h., cap. Erfurt. **HIST.** - Érigée en landgraviat (1130), elle passa par héritage à la maison de Wettin (1264), qui possédait déjà la Misnie et acquit l'électorat de Saxe (1423). À partir du XVIe s., les partages successoraux morcelèrent la Thuringe en principautés (not. Saxe-Weimar et Saxe-Cobourg-Gotha) qui, ayant chassé leurs souverains (1918), se réunirent en un État (1920). La Thuringe fit partie de la R. D. A. (1949-1990).

**THURSTONE** (Louis) ~ *1887, Chicago - 1955, Chapel Hill, Caroline du Nord.* Psychologue américain. À l'opposé de Ch. Spearman, qui défendait une conception bifactorielle (aptitude générale et aptitude spécifique à la tâche), il était partisan d'une conception multifactorielle du phénomène de la réussite.

**THYESTE** ~ Dans la mythologie grecque, fils de Pélops et d'Hippodamie, père d'Égisthe. La haine qui l'opposa à son frère jumeau Atrée est à l'origine de la tragédie des Atrides.

**THYMERAIS** ou **THIMERAIS** (le) ~ Région humide et bocagère bordant les collines du Perche, dans le N.-O. de l'Eure-et-Loir.

**Tiahuanaco** ~ Site archéologique de Bolivie, au S. du lac Titicaca. Des pans de pierres taillées et des monolithes (la porte du Soleil) témoignent de l'originalité d'une cité (200 av. J.-C.-600 apr. J.-C.) qui exporta sa civilisation sur l'ensemble de la Bolivie et des Andes du Sud.

**TIANJIN** ou **T'IEN-TSIN** ~ Princ. port de la Chine du Nord, près de l'embouchure du Hai He, 3e ville du pays, centre de la municipalité autonome de **Tianjin** (9 200 000 h.), dans le Hebei, pôle industriel, commercial et univ. au S.-E. de Pékin ; 4 970 000 h. Complexe manufacturier et sidérurgique. **HIST.** - Le traité de Tianjin de 1885 établit le protectorat français sur l'Annam et le Tonkin au détriment de la Chine. La dernière concession occidentale prit fin en 1947.

**TIAN SHAN** ou **T'IEN-CHAN** (le) ~ Chaîne de hautes montagnes de l'Asie centrale s'étendant sur env. 2 500 km d'E. en O., du Kirghizistan (7 439 m au pic Pobedy) à la Chine du N.-O. (Xinjiang), où elle sépare le bassin du Tarim de la Dzoungarie.

**TIARET** ~ Voir **Tihert**.

**TIBÈRE**, en lat. *Tiberius Julius Caesar* ~ *v. 42 av. J.-C., Rome - 37 apr. J.-C., Misène.* Empereur romain (14-37 apr. J.-C.). Après avoir combattu en Germanie, il succéda à Auguste, son père adoptif. Il poursuivit sa politique administrative mais restreignit les dépenses et augmenta les contributions (d'où une révolte gauloise en 21 apr. J.-C.). Respectueux de la religion traditionnelle, il refusa le culte de sa personne. Retiré à Capri (27 apr. J.-C.), il fit exécuter Séjan en 31, ainsi que des sénateurs jugés dangereux.

**TIBÉRIADE** ou **GÉNÉSARETH (lac de)** ou **GALILÉE (mer de)** ~ Lac d'Israël, à la frontière syrienne, entre la Galilée et le Golan ; 200 km². Il occupe la partie la plus profonde du fossé du Ghor (212 m au-dessous du niveau de la mer) et est relié à la mer Morte par le Jourdain. Une partie de ses eaux est acheminée dans le Néguev pour l'irrigation.

© P. Wysocki-Explorer

*Le lac de Tibériade ou mer de Galilée.*

**TIBÉRIADE** ~ V. d'Israël, sur le lac de Tibériade, en Galilée ; 38 000 h. Une ville romaine y fut fondée en l'honneur de l'empereur Tibère (v. 18), où les Juifs s'implantèrent à partir de 135. Saladin Ier y remporta sur Gui de Lusignan une victoire qui entraîna la chute du royaume latin de Jérusalem (1187).

**TIBESTI** (le) ~ Massif le plus élevé du Sahara, surmonté de cônes volcaniques (Emi Koussi, 3 415 m), dans le N. du Tchad. Art pariétal.

**TIBET** (le), en chin. *Xizang* ~ Région autonome du S.-O. de la Chine (depuis 1965) ; 1 221 600 km², 2 220 000 h., cap. Lhassa. Entre l'Himalaya au S. et les monts Kunlun au N., enclavée et isolée, c'est une région de hauts plateaux (env. 3 500 m), surmontés de pics culminant à plus de 8 000 m, déshéritée et peu peuplée, au climat froid et aride, domaine de l'élevage transhumant (yacks, ovins), sillonnée de larges vallées fluviales (Salouen, Mékong). Le S. (haute vallée du Brahmapoutre), influencé par la mousson indienne, concentre la population sédentaire. Céréaliculture, fruits, élevage. Artisanat. La société agraire indigène, auj. minoritaire, est menacée par une forte colonisation chinoise qui a procédé à la redistribution des terres, à la réorganisation de la paysannerie et à l'irrigation, depuis 1961, accroissant de 50 % les terres cultivées. Pour désenclaver le pays, de grands axes routiers ont été créés. Sites lance-missiles. **HIST.** - De peuplement particulièrement tardif, gouverné depuis le XVIIe s. par une théocratie dont le dalaï-lama est le chef spirituel et le souverain, le Tibet fut sous suzeraineté chinoise dès le XVIIIe s. Indépendant en 1911, investi par l'armée chinoise en 1950, il se souleva en 1959, mais la rébellion fut durement réprimée et le dalaï-lama s'exila en Inde. Doté d'un statut de région autonome en 1965, le Tibet demeure une terre de révoltes.

**TIBRE** (le), en lat. *Tiberis*, en ital. *Tevere* ~ 3e fl. d'Italie, issu de l'Apennin toscan, tribut. de la mer Tyrrhénienne, qui arrose Rome ; 396 km.

**TIBULLE**, en lat. *Albius Tibullus* ~ *v. 50 - v. 19 av. J.-C.* Poète latin. Auteur de deux livres d'*Élégies*, rassemblées dans le *Corpus Tibullianum*, pièces composées en l'honneur du mécène Messala Corvinus.

**TIBUR** ~ Voir **Tivoli**.

**TIDIKELT** (le) ~ Région centrale du Sahara algérien, parsemée de rares oasis (In Salah).

**TIDORE** ~ Île volcanique des Moluques (Indonésie), à l'O. d'Halmahera ; 116 km², env. 30 000 h. Anc. sultanat et comptoir hollandais (épices).

**TIECK** (Ludwig) ~ *1773, Berlin - 1853, id.* Écrivain allemand. Représentant du Sturm und Drang puis du romantisme, il ouvrit la voie au récit fantastique (*Phantasus*, 1812-1816) et au roman historique (*la Révolte des Cévennes*, 1826).

**T'IEN-CHAN** (le) ~ Voir **Tian Shan**.

**TIENEN** ~ Voir **Tirlemont**.

**T'IEN-TSIN** ~ Voir **Tianjin**.

**TIEPOLO**, famille de peintres italiens. ~ **Giambattista** (*1696, Venise - 1770, Madrid*), également graveur. D'inspiration baroque, ses fresques sont remarquables par leur sens décoratif, leur richesse chromatique et la maîtrise dans l'agencement des scènes (*Char du Soleil*, Milan, 1740). Son fils ~ **Giandomenico** (*1727, Venise - 1804, id.*), qui collabora avec lui, laissa des tableaux de genre sur la société vénitienne.

**TIFLIS** ~ Voir **Tbilissi**.

**TIGNES** ~ Station de sports d'hiver de la Tarentaise (Savoie), la plus haute d'Europe (2 100-3 650 m) ; 2 005 h.

**TIGRANE LE GRAND** ~ *v. 121 - v. 55 av. J.-C.* Roi d'Arménie (95-55 av. J.-C.). Allié de Mithridate, il étendit son territoire de la Syrie à la mer Caspienne. Il se soumit à Pompée en 66.

**TIGRE** (le) ~ Fl. d'Asie occidentale, issu du Taurus (Turquie), qui arrose, avec l'Euphrate, la plaine de Mésopotamie ; 1 950 km. Il marque la frontière entre la Syrie et la Turquie, puis rejoint l'Euphrate après Bagdad dans le Chatt al-Arab. Ouvrages pour l'irrigation et la régularisation.

**TIGRÉ** (le) ~ Région montagneuse du N. de l'Éthiopie (hauts plateaux), au S. de l'Érythrée. Riches sites archéologiques. Site d'Aksoum.

**TIHERT**, anc. **Tiaret** ~ V. d'Algérie, au N. des Hautes Plaines, ch.-l. de wilaya, marché agricole d'une région céréalière ; 106 000 h. Site antique.

**TIJUANA** ~ V. du Mexique septentrional (Basse-Californie), à la frontière avec les États-Unis, au S. de San Diego, centre commercial, industriel (usines d'assemblages, électron.) et touristique ; 747 000 h. Lieu de passage des émigrants clandestins vers les États-Unis.

**Tikal** ~ Site archéologique et monumental du Guatemala (forêt du Petén). Cité maya puissante à l'âge classique (IIIe-IXe s.). Nombreux temples et pyramides.

**TILBURG** ~ V. des Pays-Bas (Brabant-Septentrional), entre Breda et Eindhoven, centre industriel (textile) et tertiaire ; 163 000 h. Université catholique. Parc d'attractions.

**TILIMSEN**, anc. **Tlemcen** ~ V. de l'O. de l'Algérie, ch.-l. de wilaya, marché agricole (vigne, olivier), dans le Tell ; 108 000 h. Industries (text., alim.), artisanat. Centre religieux (mosquée almoravide du XIe s.) et culturel. **HIST.** - Elle fut la capitale du Maghreb central sous la dynastie des Abdalwadides (XIIIe-XVIe s.). Sous domination espagnole, puis turque (XVIe s.), elle fut prise par les Français en 1842.

**TILLICH** (Paul) ~ *1886, Starzeddel, Prusse - 1965, Chicago.* Philosophe et théologien allemand. Exilé aux États-Unis après la victoire des nazis, auteur d'une *Théologie systématique* (1951-1966), il tenta de définir les contours d'une religion adaptée au monde contemporain et mit l'accent sur le phénomène de la Révélation.

**TILLY** (Johann **t'Serclaes**, comte DE) ~ *1559, château de Tilly, Brabant - 1632, Ingolstadt.* Général wallon. Au service du Saint Empire, il combattit les Turcs en Hongrie, puis commanda les forces de la Sainte Ligue pendant la guerre de Trente Ans. Victorieux à la Montagne Blanche (1620), il battit les Danois à Lutter en 1626. Successeur de Wallenstein en 1630, il mit à sac Magdebourg (1631), mais fut vaincu par le roi de Suède Gustave II Adolphe à Breitenfeld en 1631.

**TILSIT**, auj. ***Sovietsk*** ~ V. de l'enclave russe de Kaliningrad, à la frontière lituanienne, sur le Niémen ; env. 42 000 h. Industries (confection, constructions navales). **HIST.** - Les **traités de Tilsit**, signés les 7 et 9 juillet 1807 entre Napoléon Ier et Alexandre Ier, d'une part, et la Prusse, d'autre part, rapprochaient le tsar et l'empereur des Français tout en consacrant l'écrasement de la Prusse.

**TIMGAD** ~ V. d'Algérie, au N. de l'Aurès ; env. 10 000 h. Vestiges de la cité de Trajan (Ier s.), détruite au VIe s. par les Maures. Mosaïques.

**TIMIŞOARA**, en hongrois ***Temesvár*** ~ V. de l'O. de la Roumanie, centre industriel du Bassin pannonien ; 334 000 h. Université. Château (XIVe-XIXe s.). Elle fut attribuée à la Roumanie en 1920.

**TIMMERMANS** (Felix) ~ *1886, Lier - 1947, id.* Écrivain belge d'expression néerlandaise, surnommé le prince des conteurs flamands (*Pallieter*, 1916 ; *Psaume paysan*, 1935).

**TIMOCHENKO** (Semion Konstantinovitch) ~ *1895, Fourmanka - 1970, Moscou.* Maréchal soviétique. Vaincu à Kharkov en 1942, il coordonna en 1943-1944 l'action des armées russes, qui reconquirent l'Ukraine, puis entrèrent en Roumanie et en Hongrie.

**TIMOLÉON** ~ *v. 410, Corinthe - v. 336 av. J.-C., Syracuse.* Homme politique grec. Il fit exécuter son frère Timophane, qui aspirait à la tyrannie (365). Envoyé à Syracuse, il en expulsa le tyran Denys le Jeune (344), puis il défit les Carthaginois au bord du Crimisos (341) et reconquit les cités grecques de Sicile. Il renonça au pouvoir en 337.

**TIMOR** ~ Île montagneuse d'Indonésie (culminant à 2 920 m), dans l'E. des petites îles de la Sonde, baignée au S.-O. par la **mer de Timor** ; 33 925 $km^2$, env. 1 600 000 h., v. princ. Kupang, Dili. **HIST.** - Après le départ, en 1975, des colons portugais, le Timor-Oriental a été annexé par l'Indonésie. Son intégration forcée s'est soldée par une répression brutale de la résistance autochtone.

**TIMOTHÉE** (saint) ~ *v. 35, Lystres, Asie Mineure - v. 97, Éphèse.* Disciple de saint Paul, qui lui destina deux Épîtres et partagea sa captivité. Premier évêque d'Éphèse, il y subit le martyre.

**TIMPHU** ~ Voir **Thimbu**.

**Timurides** ou **Timourides** (les) ~ Dynastie turco-mongole issue des descendants de Tamerlan. Elle régna à Samarkand de 1369 à 1499 et jusqu'en 1506 en Perse.

**TIMUR LANG** ~ Voir **Tamerlan**.

**TINBERGEN** (Jan) ~ *1903, La Haye - 1994, id.* Économiste néerlandais, spécialiste d'économétrie et auteur de travaux sur les pays en voie de développement. Prix Nobel de sc. écon. 1969.

**TINBERGEN** (Nikolaas) ~ *1907, La Haye - 1988, Oxford.* Zoologiste néerlandais. Fondateur avec K. Lorenz de l'éthologie, il étudia les comportements instinctifs chez l'animal. Prix Nobel de physiol. ou méd. 1973 (avec K. von Frisch et K. Lorenz).

**TINDEMANS** (Léo) ~ *1922, Zwijndrecht.* Homme politique belge. Président du parti social-chrétien belge, il fut président du Conseil (1974-1978) et ministre des Affaires étrangères (1981-1989).

**TINDOUF** ~ Oasis du Sahara algérien, ch.-l. de wilaya, à proximité du Sud marocain et de la Mauritanie ; 16 000 h. Gisement de fer. Camp de réfugiés sahraouis.

**TINÉE** (la) ~ Riv. des Alpes-Maritimes, affluent alpin du Var (r. g.) ; 72 km. Hydroélectricité.

**TINGUELY** (Jean) ~ *1925, Fribourg - 1991, Berne.* Sculpteur suisse. Adepte du nouveau réalisme, utilisant des matériaux de récupération, il conçut d'exubérantes constructions animées.

© Straiton-Explorer-A. D. A. G. P., Paris, 1996

*Sculptures mobiles de Jean* ***Tinguely.*** *Fontaine du plateau Beaubourg, Paris.*

**TINNIT** ~ Voir **Tanit**.

**TÍNOS** ~ Île grecque du N.-E. des Cyclades ; 195 $km^2$, env. 10 000 h. Carrières de marbre. Sanctuaire orthodoxe de la Vierge. Ruines d'un temple de Poséidon (IIIe s. av. J.-C.).

**TINTO (río)** ~ Fl. côtier d'Andalousie (Espagne), issu de la sierra Morena, tribut. de l'Atlantique ; 80 km. Il a donné son nom à des mines de cuivre connues depuis l'Antiquité.

**TINTORET** (Iacopo **Robusti**, dit **il Tintoretto**, en fr. **le**) ~ *1518, Venise - 1594, id.* Peintre italien. Jouant du contraste entre l'ombre et la lumière et de l'opposition des tons, accentuant les effets de perspective, il laissa des tableaux d'une grande intensité dramatique (*la Découverte du corps de saint Marc*, 1562).

**TIOUMEN** ~ V. de Sibérie occidentale (Russie), à l'E. d'Iekaterinbourg, centre administratif et industriel sur le Transsibérien ; 496 000 h. Raff. de pétrole. Constr. mécaniques. Première ville fondée par les Russes en Sibérie (1586).

**TIPASA** ~ V. d'Algérie, sur la Méditerranée, ch.-l. de wilaya à l'O. d'Alger ; env. 15 000 h. Anc. cité numide. Ruines romaines et paléochrétiennes.

**TIPPERARY** ~ Localité du S. de la république d'Irlande, au S.-E. de Limerick ; 5 000 h. Château et abbaye du XIIIe s. Monument commémoratif du nationalisme irlandais au XIXe s.

**TIPPETT** (sir Michael) ~ *1905, Londres.* Compositeur britannique. Maître du style polyphonique et polyrythmique, il est l'auteur d'un oratorio (*A Child of Our Time*, 1941) et de plusieurs opéras (*The Midsummer Marriage* ; *King Priam* et *The Ice Break*).

**TIPPOO SAHIB** ou **TIPU SAHIB** ~ *1749, Devanhalli - 1799, Seringapatam.* Sultan du Mysore (1784-1799). Allié des Français, il fut vaincu et tué par les Britanniques.

**TIRAN (détroit de)** ~ Débouché du golfe d'Akaba sur la mer Rouge, commandé par l'**île de Tiran**, possession de l'Arabie Saoudite.

**TIRANA** ou **TIRANË** ~ Cap. de l'Albanie depuis 1920, au cœur du pays, centre commercial, industriel et universitaire ; 243 000 h. Industr. textile, alim., constr. mécan., métallurgie. Musée archéologique et ethnographique.

**TIRASPOL** ~ 2e v. de Moldavie (Transnistrie), sur le Dniestr, marché agricole ; 182 000 h. Industries alimentaire et textile. Anc. capitale de la république autonome de Moldavie (1929-1940).

**TIRÉSIAS** ~ Devin légendaire de Thèbes. Métamorphosé en femme pendant sept ans, il affirma à Zeus, contre les dires d'Héra, que l'homme jouissait moins que la femme. Héra, furieuse, l'aveugla et Zeus lui accorda le don de prophétie.

**TÎRGU MUREŞ** ou **TÂRGU MUREŞ** ~ V. de Roumanie (Transylvanie), sur le Mureş, centre administratif et culturel ; 164 000 h. Industries textile, alimentaire, chimique. Édifices baroques (XVIIIe s.). Minorités hongroise et allemande.

**TIRIDATE** ~ Nom de rois parthes et arméniens, dont **Tiridate II** ou **III** (*m. en 330*), roi d'Arménie (287-330). Allié des Romains, il persécuta les chrétiens jusqu'à sa conversion au christianisme (v. 301).

**TIRLEMONT**, en néerl. ***Tienen*** ~ V. de Belgique (Brabant flamand), au S.-E. de Louvain ; 32 000 h. Raff. de sucre, constr. mécan., textile. Tumulus des Ier et IIe s., églises médiévales.

**TIRPITZ** (Alfred VON) ~ *1849, Küstrin - 1930, Ebenhausen, Bavière.* Amiral allemand. Créateur de la flotte allemande, il dirigea la guerre sous-marine de 1914 à 1916.

**TIRSO DE MOLINA** (Fray Gabriel **Téllez**, dit) ~ *v. 1583, Madrid - 1648, Soria.* Auteur dramatique espagnol. Fin psychologue et satiriste, il composa plus de trois cents pièces et fixa la figure de Don Juan dans *le Trompeur de Séville* (v. 1625).

**TIRUCHIRAPALLI**, anc. **Trichinopoly** ~ V. de l'Inde du S. (Tamil Nadu), carrefour ferrov., centre industr. et artisanal, dans une plaine rizicole ; 387 000 h. (agglom. 610 000 h.). Université. Constr. électr., text., mécan., soie. À proximité, à Srirangam, le temple de Ranganatha Swami (Xe-XVIe s.) est un haut lieu du culte vishnouiste.

**Tirynthe** ~ Site archéologique de Grèce, en Argolide (Péloponnèse). Ce fut un des centres de la civilisation mycénienne. Citadelle aux murailles cyclopéennes, palais des XIVe et XIIIe s. av. J.-C.

**TISSANDIER** (Gaston) ~ *1843, Paris - 1899, id.* Aéronaute et savant français. Il est à l'origine de la création d'un dirigeable muni d'une hélice entraînée par un moteur électrique (1883).

**TISSAPHERNE** ~ *m. en 395 av. J.-C. à Colossos.* Satrape perse de Lydie (413-408 et 401-395) et de Carie (413-395). Il contribua à la défaite de Cyrus le Jeune à Counaxa (401), puis captura par trahison les chefs de l'expédition des Dix Mille. Revenu en Lydie, il combattit les Spartiates jusqu'à sa défaite au bord du Pactole face à Agésilas II. Artaxerxès II le fit exécuter.

**TISSERAND** (Félix) ~ *1845, Nuits-Saint-Georges - 1896, Paris.* Astronome français. Il étudia le système solaire et donna dans son *Traité de mécanique céleste* (1889-1896) des solutions à des problèmes que Laplace n'avait pu résoudre.

**TISZA** (la) ~ Riv. d'Europe centrale, issue des Carpates (Ukraine) ; 966 km. Elle traverse la plaine hongroise (Alföld) avant de rejoindre le Danube (r. g.) en Serbie, au N. de Belgrade. Irrigation.

**TISZA**, nom de deux hommes politiques hongrois. ~ **Kálmán** (*1830, Geszt - 1902, Budapest*), chef du gouvernement (1874-1890), modernisa le pays. Son fils ~ **István** (*1861, Budapest - 1918, id.*) fut président du Conseil (1903-1905 et 1913-1917). Il fut assassiné.

**Titanic** ~ Paquebot britannique de la White Star Line, qui coula lors de son premier voyage en heurtant un iceberg au S. de Terre-Neuve, dans la nuit du 14 au 15 avril 1912. On compta plus de 1 500 victimes. L'épave a été explorée en 1986-1987 par 4 000 m de fond par une équipe franco-américaine.

**Titans** (les) ~ Nom générique donné dans la mythologie grecque aux fils d'Ouranos et de Gaïa. Zeus, à la tête des dieux olympiens, les vainquit et les précipita dans le Tartare.

**TITCHENER** (Edward) ~ *1867, Chichester - 1927, Ithaca, État de New York.* Psychologue américain d'orig. britannique. Partisan de la méthode expérimentale, il est considéré comme un des précurseurs du structuralisme en psychologie.

**TITE** (saint) ~ *Ier s.* Disciple de saint Paul. Il l'accompagna dans ses voyages missionnaires et serait mort évêque en Crète.

**TITE-LIVE**, en lat. ***Titus Livius*** ~ *64 ou 59 av. J.-C., Padoue - 10 apr. J.-C., Rome.* Historien romain. Il est l'auteur d'une *Histoire de Rome* en 142 livres (des origines à l'an 9 av. J.-C.), qui évoque une Rome idéalisée, dont la grandeur se fonde sur la valeur morale de ses citoyens.

**TITELOUZE** (Jehan) ~ *v. 1563, Saint-Omer - 1633, Rouen.* Compositeur et organiste français. Par sa science et son inventivité, il est l'initiateur de la grande école française d'orgue.

**TITICACA (lac)** ~ Le plus vaste lac andin (Altiplano), partagé entre le Pérou et la Bolivie ; 8 300 km$^2$, alt. 3 810 m. Sites incas sur ses rives.

*Le lac Titicaca.*

**TITIEN** (Tiziano **Vecellio**, dit en fr.) ~ *v. 1490, Pieve di Cadore, Vénétie - 1576, Venise.* Peintre italien. Élève de Bellini et de Giorgione, il s'affranchit rapidement de leur influence pour affirmer un style plus personnel, caractérisé par une grande intensité expressive et dramatique et par une nouvelle approche de la composition (*Madone avec des saints*, 1519-1528 ; *la Mise au tombeau*, 1523-1525 ; *le Couronnement d'épines*, 1570-1571). Abordant tous les genres, il excella dans le portrait de cour (*François Ier* ; *Charles Quint*). Maître de la peinture vénitienne, il exerça une profonde influence sur l'art européen.

**TITISEE (lac)** ~ Lac allemand de la Forêt-Noire ; 1,3 km$^2$. Station climatique réputée.

**TITO** (Josip **Broz**, dit) ~ *1892, Kumrovec, Croatie - 1980, Ljubljana.* Homme d'État yougoslave. Secrétaire du Parti communiste yougoslave en 1936, il dirigea pendant la Seconde Guerre mondiale la résistance communiste contre l'occupation allemande (1941-1945), organisant une armée de partisans qui libéra le pays, à l'exception des grandes villes. Chef du gouvernement en 1945, il instaura un régime socialiste, dont les tendances neutralistes et autogestionnaires s'affirmèrent après sa rupture avec Staline (1948). Président de la République en 1953 (nommé président à vie en 1974), il se réconcilia avec l'U. R. S. S. en 1955 tout en maintenant une politique indépendante.

**TITOGRAD** ~ Voir **Podgorica.**

**TITUS**, en lat. ***Titus Flavius Vespasianus*** ~ *39, Rome - 81, Aquae Cutiliae, Sabine.* Empereur romain (79-81). Fils de Vespasien, il prit Jérusalem (70) et entreprit de grandioses et coûteux travaux (achèvement du Colisée, thermes et arc de Titus). Sous son règne, Pompéi et Herculanum furent détruites par le Vésuve (79), et Rome ravagée par un incendie puis par la peste (80).

**TIVOLI**, anc. **Tibur** ~ V. d'Italie (Latium), centre touristique à l'E. de Rome ; 53 000 h. Industries (chim., alim.). Lieu de villégiature depuis l'Antiquité. Église romane, cathédrale rénovée au XVIIe s. Vestiges de la villa Hadriana (IIe s.) et de la villa d'Este, demeure de la Renaissance italienne célèbre par ses jardins et ses fontaines.

**Tivs** (les) ~ Peuple d'agriculteurs-éleveurs bantous du Nigeria central, comptant auj. 1 200 000 individus.

**TIZI OUZOU** ~ V. d'Algérie, ch.-l. de wilaya, centre comm. et industriel de la Grande Kabylie, à l'E. d'Alger ; 93 000 h. Électroménager, textile.

**TLALOC** ~ Dieu de l'ancien Mexique. Il représentait la Pluie bienfaisante et régnait sur le Tlalocan, enfer où se retrouvaient les noyés et les victimes de maladies impures.

**Tlatelolco (traité de)** ~ Accord visant à interdire les armes nucléaires en Amérique latine, ratifié le 14 février 1967 par tous les pays concernés, puis par les États-Unis, la Grande-Bretagne et la France.

**TLAXCALA** (le) ~ Petit État princ. agricole du Mexique central, à l'E. de Mexico ; 3 914 km$^2$, 761 000 h., cap. **Tlaxcala** (15 000 h.). Céréaliculture, élevage. Industr. lainière.

**TLEMCEN** ~ Voir **Tilimsen.**

**T. N. P.** ~ Voir **Théâtre national populaire.**

**TOAMASINA**, anc. **Tamatave** ~ 1er port de Madagascar, débouché d'Antananarivo sur l'océan Indien ; 145 000 h. Raffinerie de pétrole. Export. (café, cacao, bananes, épices, graphite).

**TOBA (lac)** ~ Vaste lac de cratère du N.-O. de l'île de Sumatra ; env. 1 250 km$^2$.

**TOBAGO** ~ Voir **Trinité-et-Tobago.**

**TOBEY** (Mark) ~ *1890, Centerville, Wisconsin - 1976, Bâle.* Peintre américain. Adepte du bahaïsme, il trouva dans les traditions orientales le ferment d'une écriture calligraphique dense et nerveuse.

**TOBIAS** (Philipp) ~ *1925, Durban.* Paléontologue sud-africain. Ses travaux sur les australopithèques l'ont amené à soutenir la thèse d'une origine africaine de l'homme.

**TOBIN** (James) ~ *1918, Champaign, Illinois.* Économiste américain. Keynésien et antimonétariste, il étudia les mécanismes monétaires et l'influence des phénomènes spécifiquement financiers sur l'économie. Prix Nobel de sc. écon. 1981.

**TOBOL** (le) ~ Affl. de l'Irtych (r. g.), en Sibérie (Russie), né dans le Kazakhstan ; 1 591 km. C'est l'un des princ. axes fluviaux des riches terres noires du S. de la Sibérie occidentale.

**TOBROUK**, en ar. ***Tubruq***, en ital. ***Tobruch*** ~ Port de Libye, sur la côte orientale de la Cyrénaïque, à proximité de l'Égypte ; 94 000 h. Dessalement de l'eau de mer, raff. de pétrole. De janvier 1941 à novembre 1942, la ville fut l'enjeu de violents combats entre les forces de l'Axe et les Britanniques.

**TOCANTINS (rio)** ~ Fl. du Brésil, né dans l'État de Goiás, dont l'estuaire rejoint les bouches de l'Amazone ; 2 700 km. Hydroélectricité. Avec son principal affluent, l'Araguaia (1 900 km), il draine un bassin peu peuplé d'environ 800 000 km$^2$.

La Vénus d'Urbino,
*dite aussi* Vénus au petit chien *(1538),*
*peinture de* **Titien**. *Galerie des Offices, Florence.*

**TOCANTINS** ~ État du Brésil confinant aux plateaux centraux (savanes) et à la forêt amazonienne, drainé par le rio Tocantins ; 277 322 km$^2$, 920 000 h., cap. Palmas (24 000 h.). Élevage bovin.

**TOCQUEVILLE** (Charles Alexis **Clérel** DE) ~ *1805, Paris - 1859, Cannes.* Historien et homme politique français. Chargé par la monarchie de Juillet d'une enquête sur le système pénitentiaire des États-Unis, il écrivit *De la démocratie en Amérique* (1835-1840), ouvrage qui le rendit célèbre. Ministre des Affaires étrangères (1849), se consacrant à son travail d'historien après le coup d'État de décembre 1851, il publia *l'Ancien Régime et la Révolution* (1856), dans lequel il analyse le système de la démocratie et les contre-pouvoirs nécessaires à son maintien : la liberté de la presse et l'indépendance de la justice. Acad.

**TODT** (Fritz) ~ *1891, Pforzheim - 1942, Rastenburg.* Ingénieur et général allemand. Il dirigea l'**organisation Todt**, organisme paramilitaire qui construisit un réseau d'autoroutes et réalisa des travaux de fortifications : la ligne Siegfried (1938-1940) puis le mur de l'Atlantique (avec des travailleurs recrutés de force dans les pays occupés).

**TOGLIATTI** (Palmiro) ~ *1893, Gênes - 1964, Yalta.* Homme politique italien. Cofondateur du Parti communiste italien (1921), il en devint, en exil, le secrétaire général (1927). Dirigeant du Komintern, il fut membre de plusieurs gouvernements (1944-1946). En 1956, il engagea son parti dans la déstalinisation et défendit le polycentrisme au sein du mouvement communiste international.

**TOGLIATTI** ou **TOLIATTI**, anc. **Stavropol** ~ V. et port fluvial de Russie, sur le lac-réservoir de Samara (Volga), centre industr. fondé après 1970 sur la constr. automobile ; 666 000 h.

**TOGO** (le), off. **République togolaise** ~ Pays d'Afrique occidentale baigné par le golfe de Guinée au S. (côte de 56 km). ***Cap.*** Lomé. ***Superf.*** 56 785 km$^2$. ***Popul.*** 3 500 000 h. ***Langues princ.*** Français, éwé. ***Monn.*** Franc CFA. ***Relief.*** Le massif arrosé de l'Atakora isole les plaines littorales et intérieures plus sèches. ***Climat.*** Tropical. ***Écon.*** Agriculture vivrière (mil, manioc, maïs) et commerciale (café, cacao, en déclin), phosphates. **HIST.** - *XVe-XVIIIe s.* : établissement de comptoirs portugais, hollandais puis danois. *1884* : protectorat allemand. *1914-1919* : conquête et partage du pays entre les Britanniques (terres de l'Ouest) et les Français (côte de Lomé). *1922* : la S. D. N. confie l'administration du pays à la France et à la Grande-Bretagne, entérinant le partage. *1956* : le N. du Togo britannique est rattaché au Ghana tandis que le Togo français devient une république autonome. *1960* : indépendance du Togo français sous la présidence de Sylvanus Olympio. *1963* : Nicolas Grunitzky renverse Olympio et mène une politique libérale. *1967* : un coup d'État militaire porte au pouvoir Étienne Eyadéma, qui instaure un parti unique (Rassemblement du peuple togolais). *1991* : Eyadéma entame une libéralisation politique (multipartisme, élections libres). *1993* : son élection est contestée. *1994* : malgré la victoire de l'opposition démocratique aux élections législatives, de nombreux dirigeants ont préféré l'exil.

**TÔGÔ Heihachirô** ~ *1847, Kagoshima - 1934, Tôkyô.* Amiral japonais, vainqueur des Russes en 1905 (Port-Arthur, Tsushima).

**Toison d'or** (la) ~ Dans la mythologie grecque, toison du bélier ailé qui enleva Phrixos et Hellé et fut sacrifié par le premier en Colchide. Jason et les Argonautes s'en emparèrent grâce à Médée.

**Toison d'or (ordre de la)** ~ Ordre de chevalerie institué en 1429 par le duc de Bourgogne Philippe III le Bon. L'ordre devint autrichien sous les Habsbourg, puis espagnol sous Charles Quint.

**TÔJÔ Hideki** ~ *1884, Tôkyô - 1948, id.* Général et homme politique japonais. Chef du gouvernement de 1941 à 1944, il lança son pays dans la Seconde Guerre mondiale. Jugé comme criminel de guerre par les Américains, il fut exécuté.

**TOKIMUNE** ~ *1251 - 1284.* Homme d'État japonais. Membre de la famille seigneuriale Hôjô, il fut régent de Kamakura (1256-1284) et lutta contre les invasions mongoles.

**TOKUGAWA Ieyasu** ~ *1542 - 1616.* Premier représentant de la dynastie shogunale des Tokugawa. Il imposa son autorité à la féodalité traditionnelle en se proclamant shogun héréditaire (1603) et installa sa capitale à Edo, la future Tôkyô. Il ferma le pays aux étrangers et persécuta les chrétiens.

**TOKUSHIMA** ~ Port du Japon, centre industriel du N.-E. de l'île de Shikoku, sur la mer Intérieure ; 261 000 h. Château et jardin du XVIe s.

**TÔKYÔ**, anc. **Edo** ~ Cap. du Japon, dans l'île de Honshû (Kantô), sur la **baie de Tôkyô**, centre de l'une des princ. mégalopoles du monde, regroupant les villes de Yokohama, Kawasaki, Chiba (35 000 000 d'h., soit 30 % de la popul. du pays) ; 7 927 000 h. Métropole politique, économique, financière (Bourse), siège des grandes entreprises, c'est aussi un centre culturel (presse, édition) et universitaire de premier plan (univ. des Nations unies). Port très actif depuis 1950, doublé par celui de Yokohama. La conurbation (Keihin), en partie gagnée sur la mer, concentre une industrie puissante et diversifiée (pétrochim., électron., photo, sidér., chantier naval, autom.). Principal nœud des voies de communication du pays (autoroutes, chemin de fer, aéroports), la ville, hypertrophiée, doit faire face à des problèmes aigus de transport et de pollution. Le quartier résidentiel de Yamanote (ville haute), à l'O. du palais impérial, s'oppose au

Shitamachi (ville basse) populaire. L'architecture récente domine (gratte-ciel), à côté des rares maisons traditionnelles. Cathédrale de Tange Kenzô. L'art de l'anc. Edo est illustré par les peintures traditionnelles de l'école de Kanô (XVIe s.) et les estampes (XIXe s.) des maîtres Hokusai et Hiroshige. Nombreux musées. **HIST.** – Rebaptisée Tôkyô à la fin du XIXe s., l'ancienne Edo trouve son origine dans un château édifié sur son site au XVe s. La ville fut détruite en 1923 par un tremblement de terre, puis à nouveau en 1945 par l'aviation américaine.

© Straiton-Explorer

*Tôkyô, le quartier populaire et commerçant de Shinjuku.*

**TOLBIAC**, auj. **Zülpich** ~ V. de l'ancienne Gaule, en Allemagne, au S. de Cologne. Clovis y remporta sur les Alamans (496) une victoire qui est à l'origine de sa conversion au catholicisme.

**TOLBOUKHINE** (Fiodor Ivanovitch) ~ *1894, Androniki, près de Iaroslavl - 1949, Moscou.* Maréchal soviétique. Brillant tacticien, cet ancien officier tsariste se distingua à Stalingrad. Il fut l'un des principaux artisans de la libération des Balkans en 1944, de la Hongrie et de l'Autriche en 1945.

**TOLEARA** ou **TOLIARA**, anc. **Tuléar** ~ Port de Madagascar, sur la côte S.-O., centre comm. et admin. sur le canal de Mozambique ; 61 000 h. Pêche. Conserveries de viande. Un soulèvement armé y fut réprimé en avril 1971.

**TOLÈDE**, en esp. *Toledo* ~ V. d'Espagne, sur le Tage (r. g.), cap. de la communauté autonome de Castille-La Manche, au S.-O. de Madrid, centre tourist. et industriel ; 61 000 h. Archevêché (primat d'Espagne). Manufactures d'armes blanches renommées. Chimie, agroalimentaire. Monuments mauresques (pont d'Alcántara). Cathédrale (XIIIe-XVe s.), vestiges de fortifications (XIVe s.). Anc. mosquée Bab al-Mardum, anc. synagogues. Église franciscaine de San Juan de los Reyes (XVe s.).

© J. Dupont-Explorer

*Tolède, l'Alcazar et le pont d'Alcántara.*

Musées (œuvres du Greco). **HIST.** – Capitale des Wisigoths, conquise par les Maures en 711, la ville fut prise par Alphonse VI en 1085. Capitale de la Castille, puis de l'Espagne, jusqu'en 1561, elle conserve de nombreux monuments mauresques, mudéjars, gothiques ou Renaissance, dont l'Alcázar, où les franquistes résistèrent victorieusement aux républicains en 1936.

**TOLEDO** ~ Port des États-Unis (Ohio), centre industriel à l'extrémité O. du lac Érié ; 333 000 h. (agglom. 614 000 h.). Université. Pétrochimie, constructions autom., raff. de pétrole. Musée.

**TOLENTINO** ~ Localité des Marches (Italie). Le 19 février 1797, Bonaparte imposa au pape Pie VI le **traité de Tolentino** scellant le rattachement d'Avignon à la France.

**TOLIARA** ~ Voir **Toleara**.

**TOLIATTI** ~ Voir **Togliatti**.

**TOLKIEN** (John Ronald Reuel) ~ *1892, Bloemfontein, Afrique du Sud - 1973, Bournemouth.* Écrivain britannique d'orig. sud-africaine. Il est l'un des maîtres de l'épopée fantastique (*le Seigneur des anneaux*, 1954-1955).

**Tollan** ~ Voir **Tula**.

**TOLMAN** (Edward Chace) ~ *1886, West Newton, Massachusetts - 1959, Berkeley.* Psychologue américain. Partisan du behaviorisme, il consacra ses travaux à une étude de l'intentionalité dans le comportement humain.

**TOLSTOÏ** (Alekseï Nikolaïevitch, en fr. Alexis) ~ *1883, Nikolaïevsk - 1945, Moscou.* Écrivain russe. Aristocrate rallié à Staline, il s'imposa avec des fresques épiques ou des drames historiques (*le Chemin des tourments*, 1922-1941 ; *le Pain*, 1937 ; *Ivan le Terrible*, 1942-1943).

**TOLSTOÏ** (Lev Nikolaïevitch, en fr. Léon, comte) ~ *1828, Iasnaïa Poliana - 1910, Astapovo.* Écrivain russe. Vénéré pour sa quête d'absolu, son mysticisme et sa révolte, dès la parution de sa biographie (*Étapes d'une vie*, 1856), il passa de la fresque sociale (*Guerre et Paix*, 1865-1869 ; *Anna Karenine*, 1875-1877), à une réflexion plus morale (*la Mort d'Ivan Ilitch*, 1884-1886 ; *la Sonate à Kreutzer*, 1890 ; *Résurrection*, 1899).

© M. Evans-Explorer

*Léon Tolstoï.*

**Toltèques** (les) ~ Peuple précolombien du Mexique central, parlant le nahuatl. Les Toltèques bâtirent une brillante civilisation aux XIe et XIIe s.

**TOLUCA** ou **TOLUCA DE LERDO** ~ V. du Mexique central, cap. de l'État de Mexico, à 2 680 m d'alt., centre commercial, artisanal et industriel ; 488 000 h. Université. Musée archéologique.

**TOMAR** ~ V. du Portugal (Estrémadure), marché agricole ; 15 000 h. Chapelle (XIIe-XIIIe s.) et église de style manuélin. Ancien siège de l'ordre des Templiers.

**TOMBOUCTOU** ~ V. du Mali, dans le Sahel, centre tourist. et marché agricole au N. de la boucle du Niger (r. g.), point de départ des caravanes ; env. 35 000 h. Mosquée de Djinguireber. **HIST.** – En 1828, l'explorateur René Caillié fut le premier Français à pénétrer dans cette ville charnière entre le Maghreb et l'Afrique noire, important centre islamique depuis le XVe s.

**TOMSK** ~ V. de Russie (Sibérie occidentale), centre universitaire et de recherche nucléaire sur un affluent de l'Ob (r. dr.) ; 505 000 h. Industries (pétrochimie, constructions mécan., industr. du bois). Fondée en 1604, la ville devint un grand centre commercial (Bourse) et un nœud ferroviaire au XIXe s.

**TONGA (royaume des)**, anc. **îles des Amis** ~ Archipel volcanique et corallien de Polynésie. ***Cap.*** Nuku'alofa. ***Superf.*** 748 km². ***Popul.*** 103 000 h. ***Langues princ.*** Anglais, tonguien. ***Monn.*** Pa'anga. **HIST.** – *IIe mill. av. J.-C. env.* : installation de Polynésiens venus de l'Asie du Sud-Est. *XVIIe s.* : découverte de l'archipel par les Hollandais. *1845-1893* : règne de Tupou Ier, qui fonde l'actuelle dynastie et unifie les îles sous son autorité. *1900* : protectorat britannique. *1970* : indépendance dans le cadre du Commonwealth sous la souveraineté de Taufa' Ahau Tupou IV.

**TONGRES**, en néerl. *Tongeren* ~ V. de Belgique (Limbourg), la plus anc. du pays (évêché au IVe s.), marché agric. de la Hesbaye ; 30 000 h. Basilique gothique. Béguinage. Musées. Ancien camp romain, c'était un relais entre Bavay et Cologne.

**TONG-T'ING** ~ Voir **Dongting**.

**TONG Yuan** ~ Voir Dong Yuan.

**TONKIN** (le), en viet. *Bac Bô* ~ Partie N. du Viêt Nam, baignée par le **golfe du Tonkin** et correspondant à la plaine deltaïque du fleuve Rouge (env. 15 000 km²), surpeuplée (plus de 600 h./km²), domaine de la riziculture intensive, entourée de montagnes forestières et paludéennes, not. la partie N. de la Cordillère annamitique. Minorités thaï, miao et méo. V. princ. Hanoi, Haiphong, Nam Dinh. **HIST.** – Protectorat français (1885) intégré à l'Indochine française, le Tonkin, berceau de la nation vietnamienne, fut la base principale de résistance aux occupations japonaise, française, puis américaine du Viêt Nam.

**TONLÉ SAP** (le) ~ Lac du Cambodge, le plus vaste d'Asie du Sud-Est, déversoir naturel des crues du Mékong ; de 3 000 à 10 000 km², selon la saison.

**TONNEINS** ~ V. de Lot-et-Garonne, sur la Garonne ; agglom. 10 103 h. Manufacture de tabac.

**TONNERRE** ~ V. du Tonnerrois (Yonne), sur l'Armançon (r. g.), centre industriel ; agglom. 6 605 h. Source vauclusienne de la fosse Dionne. Églises (XIIIe-XVIe s.). Hôpital (XIIIe s.).

**TONNERROIS** (le) ~ Région du S.-E. du Bassin parisien, en basse Bourgogne, ensemble de plateaux voués à l'élevage, entaillés par l'Armançon. Anc. région de vignobles.

**TÖNNIES** (Ferdinand) ~ *1855, Riep, Schleswig - 1936, Kiel.* Philosophe et sociologue allemand. Il opposa la notion de communauté à celle de société urbaine et industrielle, voyant dans celle-ci une forme de décadence du lien organique et des valeurs communautaires (*Communauté et Société*, 1887).

**TOPEKA** ~ Cap. du Kansas (États-Unis), marché agricole et centre industr. sur la Kansas River ; 120 000 h. Chimie. Base aérienne. Fondation psychiatrique Menninger.

**Topkapi** ~ Anc. palais d'Istanbul. Résidence officielle des sultans ottomans de 1472 à 1853, transformée en musée d'art islamique en 1924.

**TOPOR** (Roland) ~ *1938, Paris - 1997, Paris.* Dessinateur et écrivain français d'orig. polonaise. Son humour cynique, soutenu par un dessin très travaillé, le plaça au premier rang des illustrateurs contemporains. Il fut l'auteur, avec René Laloux, d'un dessin animé de long-métrage, *la Planète sauvage* (1973).

© M. Guillou-Explorer

*Atlantes du temple* **toltèque** *de Tlahuizcalpantecuhtli, à Tula (Mexique).*

**TOR** ~ Voir **Thor**.

**Torah**, **Tora** ou **Thora** (la) ~ Nom donné dans le judaïsme aux cinq premiers livres de la Bible, appelés Pentateuque dans la tradition chrétienne.

**TORBAY** ~ Station baln. d'Angleterre (Devon), sur la Manche, à l'O. de Plymouth ; 120 000 h. Elle constitue avec Torquay une destination estivale réputée.

**TORCELLO** ~ Île de la lagune de Venise (Italie). Auj. presque inhabitée, elle abrita une cité prospère au Xe s., dont subsistent l'église Santa Fosca (XIe s.) et une partie (IXe et XIe s.) de la cathédrale fondée en 639 (mosaïques byzantines).

**TORCY** ~ V. de la banlieue de Paris, partie de la v. nouvelle de Marne-la-Vallée ; 18 681 h.

**TORCY** (Jean-Baptiste **Colbert**, marquis DE) ~ *1665, Paris - 1746, id.* Diplomate français. Il hérita en 1696 de la charge de secrétaire d'État aux Affaires étrangères exercée par son père, Charles

Colbert de Croissy. Il négocia les traités d'Utrecht et de Rastatt, qui mirent fin à la guerre de la Succession d'Espagne. Il fut écarté par le Régent.

**TORDESILLAS** ~ V. historique d'Espagne (Castille-León), dominant le Douro ; 8 000 h. Palais mudéjar d'Alphonse XI (XIVe s.). HIST. – Le **traité de Tordesillas**, signé le 7 juin 1494 entre l'Espagne et le Portugal, attribuait à la première les Indes occidentales et au second les Indes orientales, la ligne de partage se situant à 370 lieues à l'O. des îles du Cap-Vert.

**TORELLI** (Giuseppe) ~ *1658, Vérone - 1709, Bologne.* Violoniste et compositeur italien. Il fut l'un des initiateurs du concerto grosso, privilégiant les possibilités expressives du violon solo.

**TORGAU** ~ V. d'Allemagne (Saxe), port sur l'Elbe ; 23 000 h. Château Renaissance (XVIe-XVIIe s.). Les troupes américaines et soviétiques y firent leur jonction le 25 avril 1945.

**TORONTO** ~ Cap. de l'Ontario (Canada), 2e v. du pays et 3e port des Grands Lacs, sur la rive N.-O. du lac Ontario ; 635 000 h. (agglom. 3 893 000 h., la 1re du pays). Métropole économique (grands sièges sociaux) et financière (Bourse) au centre d'une nébuleuse industrielle diversifiée, c'est aussi un centre universitaire et culturel (musées), à l'urbanisme moderne (centre Eaton ; hôtel de ville, œuvre de Viljo Revell, 1958-1965). La population de la ville a doublé entre 1950 et 1970, en raison d'un afflux important d'immigrants. HIST. – La ville fut bâtie à l'emplacement du village indien de Toronto. Les Français y établirent un premier fort en 1750.

© Boisvieux-Explorer

*Toronto.*

**TORQUAY** ~ Voir **Torbay**.

**TORQUEMADA**, famille de prélats espagnols. ~ **Juan** DE (*1388, Valladolid - 1468, Rome*), cardinal et théologien. Dominicain, nommé cardinal en 1439, il participa aux conciles de Bâle et de Florence. Son neveu ~ **Tomás** DE (*1420, Valladolid - 1498, Ávila*), dominicain, fut nommé inquisiteur général pour l'ensemble de la péninsule Ibérique (1483). Il publia des *Instructions* relatives aux procédures de l'Inquisition (1484).

**TORRE ANNUNZIATA** ~ Station balnéaire et thermale d'Italie (Campanie), centre industr. sur le golfe de Naples, au pied du Vésuve ; 51 000 h. Ruines d'Oplontis (villa romaine).

**TORREMOLINOS** ~ Grande station balnéaire d'Andalousie (Espagne), sur la Costa del Sol ; 28 000 h.

**TORREÓN** ~ V. du Mexique septentrional (Coahuila), sur les hauts plateaux (alt. 1 100 m), centre industr., comm. et minier (zinc) au cœur d'une région agricole (blé, coton) ; 467 000 h.

**TORRES** (Luis Váez DE) ~ *XVIIe s.* Navigateur espagnol. En 1606, il emprunta le détroit qui porte aujourd'hui son nom.

**TORRES (détroit de)** ~ Bras de mer peu profond qui relie l'océan Indien (mer d'Arafura) à l'océan Pacifique (mer de Corail) et sépare l'Australie (péninsule du cap York) de la Nouvelle-Guinée.

**TORRES QUEVEDO** (Leonardo) ~ *1852, Santa Cruz, près de Santander - 1936, Madrid.* Ingénieur et mathématicien espagnol. Il inventa des machines à calculer et fut l'un des premiers à utiliser les ondes hertziennes pour la commande à distance.

**TORRES VEDRAS** ~ V. du Portugal (Estrémadure) ; env. 13 000 h. Wellington y construisit des fortifications destinées à protéger Lisbonne. Elles arrêtèrent Masséna d'oct. 1810 à mars 1811.

**TORRICELLI** (Evangelista) ~ *1608, Faenza - 1647, Florence.* Mathématicien et physicien italien. Élève de Galilée, il établit le principe de la conservation de l'énergie et découvrit les effets de la pression atmosphérique (**expérience de Torricelli**, 1643). Il obtint la quadrature de la cycloïde (1644) et des hyperboles.

**TORSTENSSON** (Lennart), comte **d'Ortala** ~ *1603, Torstena - 1651, Stockholm.* Maréchal suédois. Commandant des armées suédoises pendant la guerre de Trente Ans, il remporta les victoires de Breitenfeld (1642) et de Jankow (1645).

**TORTELIER** (Paul) ~ *1914, Paris - 1990, Villarceaux, Val-d'Oise.* Violoncelliste et chef d'orchestre français. Professeur de violoncelle au Conservatoire de Paris (1957-1969) et auteur d'une méthode renommée (*How I Play, How I Teach*, 1975), il s'est produit en trio avec A. Rubinstein et I. Stern.

**TORTUE (île de la)** ~ Île côtière du N. d'Haïti ; env. 100 km², 25 000 h. Base de flibustiers au XVIIe s.

**TORUŃ**, en all. ***Thorn*** ~ V. de Pologne, port fluvial et centre industriel sur la basse Vistule ; 202 000 h. Université Nicolas-Copernic. Text., chimie, métall., agroalimentaire. Vestiges de l'anc. château teutonique, hôtel de ville (XIVe s.), enceinte fortifiée (XIIIe-XVe s.). Églises (XIIe-XVe s.). Musées. HIST. – Fondée en 1231 par les chevaliers Teutoniques, elle fut une ville hanséatique. Polonaise après les **traités de Toruń** (1411 et 1466), elle devint prussienne de 1793 à 1806 et de 1815 à 1920, date à laquelle elle revint à la Pologne.

**TORY** (Geoffroy) ~ *v. 1480, Bourges - v. 1533, Paris.* Éditeur, typographe, graveur et écrivain français. Nommé imprimeur du roi par François Ier (1530), il améliora la typographie en y introduisant les caractères romains, les accents, la cédille, l'apostrophe. On lui doit un traité de calligraphie et de typographie (*Champfleury*, 1529).

**TOSA** ~ Famille de peintres japonais qui animèrent une école de peinture profane (XIVe-XVIIe s.), attachée aux représentations bucoliques et à des thèmes inspirés de la poésie japonaise classique, dont TOSA **Mitsunobu** (*v. 1430 - 1522*), qui en fixa les règles et réalisa des œuvres remarquables par la délicatesse et la précision de leurs lignes.

**TOSCANE** (la) ~ Région du N.-O. de la péninsule italienne drainée par l'Arno, au N. de l'Ombrie et du Latium, de climat tempéré et ensoleillé ; 22 992 km², 3 528 000 h., cap. Florence. À la plaine littorale (Maremme) succèdent des collines (cœur hist. et écon.) et l'Apennin toscan. Céréales, vigne, olivier, fruits, élevage, industrie spécialisée (text., artisanat de luxe), chimie, métallurgie, raff. de pétrole. Carrières de marbre (Carrare). Tourisme culturel (Florence, Pise, Sienne, Arezzo) et balnéaire. HIST. – Foyer de la civilisation des Étrusques (VIIIe s.-IVe s. av. J.-C.), la Toscane a reçu leur nom (en latin *Tusci*). Elle forma au IXe s. une marche, léguée au pape par la comtesse Mathilde (1114), territoire vite morcelé en cités jalouses de leur autonomie, tandis que l'économie prospérait et que la vie artistique foisonnait. Pise (1406) et Sienne (1556) furent absorbées par Florence. Les Médicis furent promus ducs (1532), puis grands-ducs de Toscane (1569). À l'extinction de cette famille (1737), la Toscane passa à la maison de Lorraine. Annexée par la France en 1807, elle revint aux Habsbourg en 1814, puis fut rattachée au Piémont, lors de l'unification italienne, en 1860.

**TOSCANINI** (Arturo) ~ *1867, Parme - 1957, New York.* Chef d'orchestre italien. Il dirigea notamment à Bayreuth et à Salzbourg. Ses interprétations de Verdi, de Wagner et de Beethoven demeurent parmi les références musicologiques.

**TÔSHÛSAI Sharaku** ~ *actif à la fin du XVIIIe s.* Peintre et graveur japonais. Maître de l'estampe, il est l'auteur de portraits très expressifs d'acteurs, de lutteurs de sumo ou de guerriers.

**TOTILA** ou **BADUILA** ~ *m. en 552 à Caprara.* Roi des Ostrogoths (541-552). Il prit Rome (546), l'évacua devant Bélisaire, la reprit (549), puis s'établit en Italie du Sud, Sicile, Sardaigne et Corse (550). Narsès le vainquit près d'Urbino.

**TOTO** (Antonio **Furst de Curtis Gagliardi Ducas Comneno di Bisanzio**, dit) ~ *1898, Naples - 1967, Rome.* Acteur italien. Il créa à la scène et à l'écran un irrésistible personnage comique, raidi dans une dignité aristocratique face à la misère et à la cruauté (*Où est la liberté ?*, de R. Rossellini, 1952 ; *l'Or de Naples*, de V. De Sica, 1954 ; *Des oiseaux petits et gros*, de P. P. Pasolini, 1966).

**Totonaques** (les) ~ Peuple indigène de la côte du golfe du Mexique dans l'actuel État de Veracruz. Fondateurs d'une brillante civilisation (IIIe-IXe s.), soumis par les Aztèques, ils s'allièrent aux Espagnols.

**Touaregs** (les) ~ Groupe de peuples nomades guerriers, de religion musulmane et de langue berbère (dont ils ont une forme écrite, le tifinagh), vivant dans le Sahara et le Sahel (Algérie, Libye, Mali, Niger et Burkina Faso). Depuis 1990, ils sont en lutte constante contre les États du Niger et du Mali pour préserver leur mode de vie.

© Grandadam-Explorer

*Touaregs dans le Hoggar.*

**TOUAT** (le) ~ Ensemble d'oasis du Sahara algérien, sur l'oued (souterrain) Saoura, à l'O. du plateau du Tademaït ; 60 000 h., v. princ. Adrar. Dattes, céréales, tabac. Il est traversé par une importante route transsaharienne.

**TOUBKAL (djebel)** ~ Voir **Atlas**.

**Toubous** (les) ~ Population nomade du Tibesti et de l'Ennedi, dans le Sahara oriental (Libye et Tchad).

**Toucouleurs** (les) ~ Groupe peul musulman du Fouta-Toro, dans la vallée du fleuve Sénégal, regroupant auj. env. 350 000 individus.

**TOUEN-HOUANG** ~ Voir **Dunhuang**.

**TOU Fou** ~ Voir **Du Fu**.

**TOUGGOURT** ~ Oasis du N.-O. du Sahara algérien (Souf), centre comm. et tourist. (wilaya de Wargla) ; env. 75 000 h. Palmeraie.

**TOUKHATCHEVSKI** (Mikhaïl Nikolaïevitch) ~ *1893, Aleksandrovskoïe, gouvernorat de Smolenski - 1937, Moscou.* Maréchal soviétique. Sa carrière fut marquée par la guerre contre la Pologne (1920) et par la répression contre les marins de Kronstadt (1921). Brillant organisateur de l'Armée rouge, adjoint au commissaire du peuple à la Défense (1931), il fut accusé de trahison et exécuté, victime d'une campagne de désinformation organisée par les services secrets nazis. Il fut réhabilité par Khrouchtchev en 1961.

**TOUL** ~ V. de Meurthe-et-Moselle, sur la Moselle et le canal de la Marne au Rhin ; 17 281 h. Porcelaine, pneumatiques. Anc. cathédrale St-Étienne (XIIIe-XVIe s.), église St-Gengoult (XIIIe-XVe s.) Avec Metz et Verdun, Toul fit partie des Trois-Évêchés lorrains, rattachés à la France par le traité de Westphalie (1648). Elle fut fortifiée par Vauban.

**TOULA** ~ V. industrielle de Russie, centre sidér. et anc. place forte au S. de Moscou ; 541 000 h. Constructions mécaniques. Kremlin (XVIe s.).

**TOULON** ~ Préfect. du Var, 2e port milit. (grâce à sa rade profonde et protégée) et 1er arsenal maritime français ; 167 619 h. (agglom. 437 553 h.) Secteur tertiaire en développement. Évêché (rétabl. en 1957). Université. Église Ste-Marie-Majeure (XI et XVIIe s.). Musées (d'Art, naval, du Vieux-Toulon)

**HIST.** – L'arsenal, créé par Henri IV et agrandi par Vauban, occupé en 1793 par les Britanniques, fut repris par Dugommier aidé de Bonaparte. Le 27 novembre 1942, la flotte française s'y saborda pour échapper aux Allemands.

**TOULOUSE** ~ Préfect. de la Région Midi-Pyrénées et du dép. de la Haute-Garonne, 4e ville et 6e agglom. française, sur la Garonne ; 358 688 h. (agglom. 650 336 h.). Métropole du S.-O. de la France (avec Bordeaux), 1er foyer industriel régional, la ville doit son développement actuel à l'aéronautique et l'aérospatiale (depuis les années 1950), d'où découle l'essor des industries électrique, électronique et chimique. Grand centre tertiaire (recherche) et culturel. Archevêché. Université fondée en 1229. Cour d'appel. Basilique St-Sernin (la plus grande église romane de France), cathédrale St-Étienne (XIIe-XIVe s.), église gothique des Jacobins. Capitole (XVIIIe s.), auj. hôtel de ville. Musées des Augustins (beaux-arts). **HIST.** – Anc. capitale wisigothique, puis de l'Aquitaine carolingienne, elle devint celle du Languedoc et du florissant comté de Toulouse, objet des convoitises des barons du Nord engagés dans la croisade albigeoise, et fut rattachée à la France en 1271. Célèbre depuis le XIVe s. par ses jeux Floraux, Toulouse est surnommée la Ville rose en raison de la couleur de la pierre de ses principaux monuments.

**TOULOUSE** (Louis Alexandre **de Bourbon**, comte DE) ~ *1678, Versailles - 1737, Rambouillet.* Amiral de France, bâtard légitimé de Louis XIV et de Mme de Montespan. Il participa à la guerre de la Succession d'Espagne et se vit écarté de la Régence par Philippe d'Orléans, qui fit casser le testament du roi. Il entretint une petite cour à Rambouillet avec son épouse, Victoire Sophie de Noailles.

**TOULOUSE-LAUTREC** (Henri DE) ~ *1864, Albi - 1901, château de Malromé, Gironde.* Peintre, dessinateur et affichiste français. Dessinateur au trait nerveux, habile dans l'usage des aplats colorés, il fut influencé par Degas et les estampes japonaises. Chroniqueur complice, parfois ironique, du Montmartre des music-halls, des cabarets et des entraîneuses, il sut en rendre les splendeurs et les misères. Il est l'initiateur de l'affiche moderne.

© Lauros-Giraudon-D. R.

Portrait de **Toulouse-Lautrec** à Villeneuve-sur-Yonne, chez les Natanson *(1898), d'Édouard Vuillard (1868-1940). Musée Toulouse-Lautrec, Albi.*

**Toungouses** ou **Tunguz** (les) ~ Tribus nomades originaires de Sibérie orientale, de l'Ienisseï au Pacifique. Leurs pratiques religieuses, relevant du chamanisme, eurent une influence sur les rites des Mandchous, des Coréens et des Japonais.

**TOUNGOUSKA**, nom de trois riv. de Sibérie centrale, affl. de l'Ienisseï (r. dr.). ~ La **Toungouska inférieure** (la plus en aval) ou Nijnaïa Toungouska ; 2 989 km. ~ La **Toungouska moyenne** ou **pierreuse**, ou Srednaïa Toungouska ; 1 865 km. ~ La **Toungouska supérieure** ou Verkhnaïa Toungouska (auj. Angara), émissaire du lac Baïkal, est équipée d'importants aménagements hydroélectriques (Bratsk) et arrose Irkoutsk ; 1 779 km.

**TOUQUES** (la) ~ Fl. côtier de Normandie, tribut. de la Manche, qui arrose le pays d'Auge ; 108 km.

**TOUQUET-PARIS-PLAGE (Le)** ~ Station baln. réputée (plaisance, thalassothérapie) de la Côte d'Opale (Pas-de-Calais) ; 5 596 h.

**TOURAINE** (la) ~ Anc. prov. de France, au S. du Bassin parisien, qui couvre le département de l'Indre-et-Loire et quelques franges de l'Indre, du Loir-et-Cher et de la Vienne. Elle oppose des plateaux peu fertiles (forêts, landes, prairies) aux riches vallées de la Loire et de ses principaux affluents (vignobles, arboriculture, primeurs). Les châteaux de la Renaissance sont les pôles touristiques de cette région (Amboise, Blois, Chambord, Cheverny, Chenonceaux). Ancien comté réuni à la Couronne au XIIIe s., la Touraine fut donnée en apanage aux princes de sang jusqu'au XVe s.

**TOURAINE** (Alain) ~ *1925, Hermanville-sur-Mer, Calvados.* Sociologue français. Ses travaux portent sur la notion de praxis, sur les rapports de travail dans la société, sur les mouvements sociaux et l'intervention sociologique (*Sociologie de l'action*, 1965 ; *Production de la société*, 1973).

**TOURANE** ~ Voir **Danang**.

**TOURCOING** ~ V. du Nord, près de la frontière belge, formant avec Lille et Roubaix une importante conurbation ; 93 765 h. Centre lainier.

**TOURÉ** (Sékou) ~ *1922, Faranah - 1984, Cleveland, Ohio.* Homme d'État guinéen. Syndicaliste d'obédience marxiste, il conduisit la Guinée à l'indépendance en 1958. Président de la République de 1958 à sa mort, il se tourna d'abord vers l'U. R. S. S., puis instaura un régime dictatorial.

**TOURFAN** ~ Oasis du Xinjiang (Chine), dans une dépression (– 154 m). Mosquée (XVIIIe s.). Vestiges de cités caravanières de la route de la Soie (Yar et Kotcho), grottes des Mille Bouddhas et de Bezeklik (VIe-Xe s.) à proximité.

**TOURGUENIEV** (Ivan Sergueïevitch) ~ *1818, Orel - 1883, Bougival.* Écrivain russe. Sa révolte contre le servage (*Récits d'un chasseur*, 1852) et l'incompréhension rencontrée par son œuvre en Russie le menèrent en France et en Allemagne, où il écrivit des nouvelles et romans de style classique (*Premier Amour*, 1860 ; *les Eaux printanières*, 1872) et des pièces de théâtre (*Un mois à la campagne*, 1855).

**TOURMALET (col du)** ~ Le plus haut col routier des Pyrénées françaises (2 115 m), reliant les vallées de l'Adour et du gave de Pau.

**TOURNAI**, en néerl. ***Doornik*** ~ V. de Belgique (Hainaut), centre industr. et tourist. de la région wallonne, anc. cité drapière ; 68 000 h. Cathédrale gothique et romane Notre-Dame (jubé de Cornélis de Vriendt), église St-Brice (trésor de Childéric Ier). Beffroi (XIIe et XIVe s.). Musées (d'Archéologie, des Beaux-Arts). **HIST.** – Anc. cap. des Francs (avant Paris). V. d'art au Moyen Âge (écoles de sculpture puis de peinture). Disputée entre la France et le Saint Empire depuis le XVIe s., la ville fut intégrée aux Pays-Bas en 1815 et à la Belgique en 1830. Célèbre pour ses tapisseries (XVe-XIXe s.) et ses porcelaines (XVIIIe-XIXe s.), elle allie dans son patrimoine monumental la tradition gothique flamande et le style classique français.

**TOURNEMINE** (René Joseph DE) ~ *1661, Rennes - 1739, Paris.* Jésuite français. Il dirigea un mensuel, les *Mémoires de Trévoux* (1701-1718).

**TOURNEMIRE** (Charles) ~ *1870, Bordeaux - 1939, Arcachon.* Compositeur et organiste français. Il écrivit de nombreuses pièces pour orgue sur des textes liturgiques (*l'Orgue mystique*, 1927-1932) et composa deux opéras, huit symphonies et de la musique de chambre.

**TOURNEUR** (Cyril) ~ *v. 1575 - 1626, Kinsale, Irlande.* Auteur dramatique anglais. Il fut un maître du théâtre élisabéthain (*la Tragédie du vengeur*, imprimée en 1607).

**TOURNIER** (Michel) ~ *1924, Paris.* Écrivain français. Ses romans et nouvelles ont souvent recréé les interrogations du siècle à travers les grands mythes (*Vendredi ou les Limbes du Pacifique*, 1967 ; *le Roi des aulnes*, 1970 ; *les Météores*, 1975).

**TOURNON** (François DE) ~ *1489, Tournon - 1562, Saint-Germain-en-Laye.* Prélat et homme politique français. Cardinal en 1530, il eut un rôle politique majeur sous François Ier, s'opposa à la Réforme et fonda le **collège de Tournon** en 1536.

**TOURNON-SUR-RHÔNE** ~ V. de l'Ardèche, sur le Rhône (r. dr.) ; agglom. 16 864 h. Industrie textile. Château, maisons et hôtels Renaissance.

**TOURNUS** ~ V. de Saône-et-Loire, sur la Saône (r. dr.) ; 6 568 h. Église abbatiale St-Philibert, de style roman bourguignon (narthex du Xe s., nef voûtée et cloître du XIe s.). Musée.

**TOURNY** (Louis, marquis DE) ~ *1695, Paris - 1760, id.* Administrateur français. Intendant du Limousin (1730), puis de la Guyenne (1743-1757), il rénova l'urbanisme de Bordeaux.

**TOUROUVRE** ~ Localité du Perche, au N.-E. d'Alençon (Orne) ; 1 633 h. Église du XVe s. Village martyr de l'occupation allemande (1944).

**TOURS** ~ Préfect. de l'Indre-et-Loire, sur la Loire ; 129 509 h. (agglom. 282 152 h.). Archevêché. Université. La décentralisation industrielle et tertiaire en a fait une ville dynamique, desservie par le T. G. V. et l'autoroute. Grand marché agricole et vinicole, Tours est le centre économique du S. du Bassin parisien (industries mécan., électr., pharmaceut., imprimerie). Pôle touristique (châteaux de la Loire). Cathédrale St-Gatien (XIIIe-XVIe s., vitraux du XIIIe au XVe s.), église abbatiale St-Julien (XIIIe s.). Musées des Beaux-Arts, du Compagnonnage. **HIST.** – Anc. capitale des Turons et influent foyer religieux de la Gaule chrétienne grâce à saint Martin (IVe s.), elle accueillit saint Grégoire de Tours (VIe s.) et Alcuin (VIIIe s.). Devenue capitale de la Touraine, elle vit sa puissance économique décroître après la révocation de l'édit de Nantes (1685), la plupart des soyeux qui en avaient fait la prospérité étant protestants. La ville accueillit en 1870, avant Bordeaux, le gouvernement provisoire conduit par Gambetta.

© F. Jalain-Explorer

*Tours, la place Plumereau, centre du quartier médiéval.*

**Tours (congrès de)** ~ Congrès de la S. F. I. O. (25-30 déc. 1920), au terme duquel la majorité communiste décida l'adhésion à la IIIe Internationale. Ce congrès officialisa la rupture historique entre communistes et socialistes en France.

**TOURVILLE** (Anne Hilarion **de Cotentin**, chevalier, puis comte DE) ~ *1642, château de Tourville, Manche - 1701, Paris.* Amiral français, puis maréchal de France (1693). Au service de Louis XIV, il soutint Jacques II en Irlande et remporta la victoire de Beachy Head sur les Anglais (1690). Il fut battu à La Hougue (1692), mais l'emporta au cap Saint-Vincent (1693).

**TOUSSAINT LOUVERTURE** (François Dominique **Toussaint**, dit) ~ *1743, Saint-Domingue - 1803, fort de Joux, près de Pontarlier.* Homme politique et général haïtien. Esclave et chef de révolte des Noirs (1791), il se rallia au gouvernement révolutionnaire français, qui venait d'abolir l'esclavage (1794). Nommé général pour avoir aidé à chasser les Espagnols et les Britanniques de l'île, il s'arrogea une présidence à vie (1801) après avoir proclamé l'indépendance de l'île, mais il fut arrêté par une expédition envoyée par Bonaparte et commandée par le général Leclerc (1802).

**TOUSSUS-LE-NOBLE** ~ Village des Yvelines, au N.-E. de Chevreuse ; 686 h. Aérodrome internat. de tourisme et d'affaires.

**TOUTANKHAMON** ~ *v. 1346 - 1327 av. J.-C.* Pharaon égyptien de la XVIIIe dynastie (1336-1327 av. J.-C.). Sous la pression du clergé, il abandonna le culte d'Aton établi par Akhenaton pour revenir

*Le tombeau et le sarcophage de Toutankhamon dans la Vallée des Rois, Thèbes.*

à celui d'Amon. La découverte de sa tombe dans la Vallée des Rois, en 1922, par Howard Carter, a livré un riche mobilier intact (musée du Caire).

**TOUTATIS** ~ Voir **Teutatès**.

**TOUVA (république de)** ~ République de la fédération de Russie (S. de la Sibérie), aux confins N.-O. de la Mongolie, région montagneuse (monts Saïan) drainée par le cours supérieur de l'Ienisseï ; 170 500 km², 306 000 h., dont 32 % de Russes et 64 % de **Touvas** (peuple d'origine samoyède, auj. turcophone et bouddhiste). Cap. Kyzyl (80 000 h.). Céréalicult., élev. ovin, caprin. Houille, cobalt, or, amiante. **HIST.** - Dominée par les Mongols (XII^e^-XVIII^e^ s.) puis envahie par les Chinois, la région passa sous protectorat russe en 1914. Elle fut dotée d'une indépendance fictive (1921), puis annexée par l'U. R. S. S. en 1944, et devint une république socialiste autonome en 1961.

**TOWNES** (Charles Hard) ~ *1915, Greenville, Caroline du Sud.* Physicien américain. Il a inventé, en même temps qu'A. Prokhorov et N. Bassov, le maser (1952), qu'il réalisa en utilisant le gaz ammoniac (1954), puis le laser (1958). Prix Nobel de phys. 1964.

**TOWNSVILLE** ~ Port d'Australie (Queensland), sur la mer de Corail ; 122 000 h. Université. Export. (viande, peaux, laines, sucre brut, métaux). Cimenterie, scierie, constr. navales.

**TOYNBEE** (Arnold) ~ *1889, Londres - 1975, York.* Historien britannique. Théoricien de l'élitisme, il décrit, dans son *Étude de l'histoire* en 12 volumes (1934-1961), le rôle majeur des minorités créatrices.

**TOYOTOMI Hideyoshi** ~ *1536, Nakamura - 1598, Fushimi.* Général et homme politique japonais. Premier ministre (1582-1598), il renforça l'unité du Japon, mais ses campagnes en Corée se révélèrent infructueuses (1592 et 1597).

**TOZEUR** ~ V. de Tunisie, dans une vaste oasis, proche du chott el-Djerid ; 22 000 h. Tourisme.

**TRAETTA** (Tommaso) ~ *1727, Bitonto - 1779, Venise.* Compositeur italien. Directeur du conservatoire de Venise, il devint *maestro di corte* à la cour de Catherine II de Russie (1768-1775). Par l'expressivité des récitatifs, ses opéras, influencés par Lully et Rameau, ont contribué à l'évolution du genre (*Iphigénie en Tauride*, 1763 ; *Antigone*, 1772).

**TRAFALGAR** ~ Cap du S. de l'Espagne, au N.-O. du détroit de Gibraltar. La flotte britannique de Nelson y coula la flotte franco-espagnole commandée par Villeneuve (21 oct. 1805).

**TRAJAN**, en lat. ***Marcus Ulpius Traianus*** ~ *53, Italica - 117, Sélinonte, Cilicie.* Empereur romain (98-117). Général réputé, il succéda à Nerva, son père adoptif. Il développa les institutions, embellit Rome (forum, bibliothèques, thermes) et agrandit l'Empire romain en conquérant la Dacie (101-102, 105-107), où il installa des colons pour exploiter les mines d'or. En 106, il annexa l'Arabie, et, en 115-116, il créa les provinces d'Arménie, d'Assyrie et de Mésopotamie, qui furent abandonnées par son successeur Hadrien.

**Trajane (colonne)** ~ Ouvrage en marbre, érigé en 114 apr. J.-C., de 38 m de hauteur et 4 m de diamètre, situé sur le forum de Trajan, à Rome. Une centaine de scènes en bas relief, disposées en spirales sur ses parois externes, représentent des épisodes des deux guerres menées par Trajan contre les Daces.

**TRAKL** (Georg) ~ *1887, Salzbourg - 1914, Cracovie.* Poète autrichien de langue allemande. Il fit de sa vie et de ses poèmes un cri de révolte halluciné (*Crépuscule et déclin* ; *Sébastien en rêve*, 1912-1914).

**Tranchée des baïonnettes** ~ Tranchée française près de Douaumont, d'où n'émergèrent que les baïonnettes de ses occupants, ensevelis après un bombardement (1916). Lieu de commémoration de la bataille de Verdun.

**TRANCHE-SUR-MER (La)** ~ Station balnéaire de Vendée ; 2 065 h. Cultures florales (tulipes).

**TRANSALAÏ** (le) ~ Massif d'Asie centrale, partie N. du Pamir culminant au pic du Communisme (7 495 m), frontière entre le Tadjikistan et le Kirghizistan, au S. du Fergana.

**Transamazoniennes** (les) ~ Routes construites au Brésil (plan des militaires de 1964 à 1985) pour mieux intégrer et exploiter (bois, ress. minières) les espaces pionniers du N. et de l'O. Commencée en 1970, la **1^re^ Transamazonienne** (long. 4 920 km, en partie goudronnée) relie Belém à la frontière du Pérou (colonies de peuplement sur son parcours). La **2^e^ Transamazonienne**, la « Perimetral Norte », relie Macapá à Boa Vista et doit desservir l'O. et le N.-O., encore inexploités. Deux transversales relient les Transamazoniennes au Brésil industriel et urbain par Brasília.

**TRANSCARPATIE** (la) ou **UKRAINE SUBCARPATIQUE** ~ Région du S.-O. de l'Ukraine, aux confins de la Slovaquie, de la Roumanie et de la Hongrie, sur le flanc O. des Carpates. V. princ. Oujgorod.

**TRANSCAUCASIE** (la) ~ Terme qui désigne les pays situés au S. du Grand Caucase, s'étendant d'O. en E. sur env. 1 200 km, de la Caspienne à la mer Noire, englobant les dépressions du Rioni, de la Koura et le versant N. du Petit Caucase, correspondant à la zone occupée par les républiques de Géorgie, d'Arménie et d'Azerbaïdjan ; env. 15 800 000 h. Climat doux, humide à l'O., sec à l'E. Cultures subtropicales. Cette région se distingue par une très grande diversité ethnique, linguistique et religieuse, reliquat des invasions et source de nombreux conflits géopolitiques depuis l'effondrement de l'U. R. S. S.

**Transgabonais** (le) ~ Voie de chemin de fer du Gabon, acheminant depuis 1991 le manganèse du haut Ogooué jusqu'au port de Libreville.

**TRANSJORDANIE** (la) ~ Région du Proche-Orient, située à l'E. du Jourdain et érigée en État sous mandat britannique en 1922. Indépendante en 1946, la Transjordanie annexa la Cisjordanie en 1949 et devint le royaume de Jordanie.

**TRANSKEI** (le) ~ Ancien bantoustan d'Afrique du Sud. Peuplé de Xhosas, il fut le premier territoire du pays à être doté de ce statut (1976), non reconnu par la communauté internationale. Il a été intégré dans la province du Cap-Est (1994).

**TRANSLEITHANIE** (la) ~ Partie orientale de l'Autriche-Hongrie, désignant, de 1867 à 1918, les territoires situés à l'E. de la Leitha (par opposition à la Cisleithanie), qui comprenaient la Hongrie, la Transylvanie et la Croatie-Slavonie.

**TRANSNISTRIE** (la) ~ Région russophone de Moldavie, à tendance séparatiste, sur le Dniestr (r. g.). V. princ. Tiraspol. Elle concentre une part importante du potentiel économique de la Moldavie.

**TRANSOXIANE** (la) ~ Anc. région d'Asie centrale (Sogdiane dans l'Antiquité), entre l'Amou-Daria et le Syr-Daria. Islamisée dès le VIII^e^ s., elle forma un khanat mongol (1334, cap. Samarkand) conquis par Tamerlan, qui en fit le cœur de son empire (1370).

**Transsibérien** (le) ~ La plus longue voie ferrée du monde (9 334 km). Construite entre 1891 et 1916, elle relie Moscou à Vladivostok par le S. de la Sibérie, dont elle est l'axe princ. de peuplement.

**TRANSVAAL** (le) ~ Partie N.-E. de l'Afrique du Sud, anc. province (cap. Pretoria) partagée depuis 1994 en **Transvaal-Nord**, **Transvaal-Oriental**, Pretoria-Witwatersrand-Vereeniging (Gauteng) et Nord-Ouest, cœur écon. et 1^re^ région minière du pays ; 336 650 km², 18 245 000 h. Constitué de hauts plateaux (Veld) au climat subtropical, domaine de l'élevage (bovin et ovin), des cultures céréalières (« triangle du maïs »), des agrumes et de la canne à sucre, le Transvaal tire l'essentiel de ses ressources de ses réserves minières (princ. réserves au monde en platine, chrome, titane, uranium, vanadium, diamants). La région de Pretoria et de Johannesburg concentre 30 % de la population et les plus grands complexes industriels (houille et fer à proximité). Six universités, dont une bantoue. Parc national Kruger. **HIST.** - De 1835 à 1837, les Boers (actuels Afrikaners) conquirent le Nord (Grand Trek) au détriment des Matabélés. Après avoir vaincu les Zoulous, A. Pretorius fonda le Transvaal (1838). Les Britanniques reconnurent l'indépendance du territoire (1852), puis l'annexèrent (1877) mais durent y renoncer en 1881 ; Paul Kruger, président depuis 1883, déclara la guerre à la Grande-Bretagne (guerre des Boers, 1899-1902). Le conflit aboutit à la transformation du Transvaal en colonie britannique, qui participa, en 1910, à la création de l'Union sud-africaine.

**TRANSYLVANIE** (la) ~ Plateau fertile du centre de la Roumanie qui cerne les monts Apuseni, drainé par le Mureş, dans l'arc des Carpates. Les **Alpes de Transylvanie** constituent la partie méridionale des Carpates (2 543 m au Moldoveanu, point culminant du pays) de part et d'autre de l'Olt et au N. de la plaine danubienne. **HIST.** - Partie de la Dacie romaine des II^e^ et III^e^ s., la région fut conquise par les rois de Hongrie (v. 1000), qui y attirèrent des colons allemands (XII^e^ s.). Elle forma de 1526 à 1691 un État indépendant tributaire des Ottomans, qui se rallia à la Réforme. Les Habsbourg profitèrent de leurs victoires de la fin du XVII^e^ s. pour s'imposer en Transylvanie (1691), qui fut réunie à la Roumanie en 1918, mais le N. revint un moment à la Hongrie (1940-1944). Une région autonome hongroise y fut créée (1952), puis supprimée (1968).

**TRAPANI** ~ Port d'Italie (Sicile), à la pointe O. de l'île ; 70 000 h. Export. (sel, vin de Marsala, blé). Pêche, conserveries. Couvent de l'Annunziata (XIV^e^-XVII^e^ s.), église Santa Maria del Gesù (XIV^e^ s.), cathédrale baroque (XVII^e^ s.). Musée Pepoli.

**Trappe** (la) ~ Appellation globale pour l'ordre des Cisterciens réformés de la stricte observance (trappistes). L'abbaye **Notre-Dame-de-la-Trappe**, rattachée à l'ordre de Cîteaux (1147), fut fondée en 1140 à Soligny (Orne) et réformée par l'abbé Armand de Rancé en 1664.

**TRAPPES** ~ V. industr. de la banlieue S.-O. de Paris (Yvelines), partie de la ville nouvelle de Saint-Quentin-en-Yvelines ; 30 878 h. Gare de triage.

**TRASIMÈNE (lac)** ~ Lac d'Italie (Ombrie, 128 km²), près duquel Hannibal vainquit le consul romain Caius Flaminius en 217 av. J.-C.

**TRÁS-OS-MONTES** ~ Anc. prov. du N.-E. du Portugal, au climat rude. Hauts plateaux entaillés par la vallée du Douro, site des vignobles de Porto.

**TRAUNER** (Alexandre) ~ *1906, Budapest - 1993, Omonville-la-Petite, Manche.* Décorateur de cinéma français d'orig. hongroise. Il fut not. le collaborateur de M. Carné (*Quai des brumes*, 1938 ; *les Enfants du paradis*, 1945), de B. Wilder (*Irma la Douce*, 1963) et de B. Tavernier (*Autour de minuit*, 1986).

**travailliste (parti)**, en angl. ***Labour Party*** ~ Parti socialiste britannique fondé en 1906 par les syndicats, soucieux de donner au mouvement ouvrier une représentation politique. Ses idées sont inspirées de la Fabian Society. Les travaillistes accédèrent au pouvoir en 1924, puis en 1929-1931, et firent partie du gouvernement d'union nationale pendant la Seconde Guerre mondiale. Ils gouvernèrent de 1945 à 1951, jetant les bases de l'État-providence, puis de 1964 à 1970 et de 1970 à 1979. Depuis 1994, Tony Blair est leader du parti qu'il a rebaptisé *New Labour*.

**TRAVEMÜNDE** ~ Port d'Allemagne (Schleswig-Holstein), station balnéaire sur la Baltique, près de Lübeck ; env. 13 000 h.

**TRÉBEURDEN** ~ Station baln. du Trégorrois, au N.-O. de Lannion (Côtes-d'Armor) ; 3 094 h.

**TRÉBIE** (la) ~ Riv. d'Italie, affl. du Pô (r. dr.) ; 115 km. Théâtre d'une bataille de la deuxième guerre punique, qui vit l'armée d'Hannibal défaire celle de Sempronius Longus (218 av. J.-C.).

**TRÉBIZONDE**, en turc ***Trabzon*** ~ Port de Turquie, sur la mer Noire ; 173 000 h. Université. Export. (thé, noisettes). Text., tapis. Remparts génois et citadelle byzantine, églises (XIII^e^ s.), mosquée (XVI^e^ s., ancienne cathédrale). Monastère Ste-Sophie (XIII^e^ s.). **HIST.** - Colonie grecque de Sinope (VIII^e^ s.

av. J.-C.), grande place commerçante de la mer Noire, la ville fut le centre d'un Empire byzantin créé par les Comnène après la chute de Constantinople (1204) et détruit par les Ottomans (1461).

**Treblinka** ~ Camp d'extermination nazi (1942-1945), situé à 80 km au N.-E. de Varsovie.

**TŘEBOŇ (le Maître du retable de)** ~ *2e moitié du XIVe s.* Peintre tchèque. De tous les artistes de la cour de Bohême, il est celui dont le style se rapproche le plus du gothique international.

**TRÉFOUËL** (Jacques) ~ *1897, Le Raincy - 1977, Paris.* Chimiste et bactériologiste français. Directeur de l'Institut Pasteur (1940-1964), il étudia les sulfamides et permit la découverte de corps bactériostatiques.

**TRÉGASTEL** ~ Station baln. du Trégorrois, à l'O. de Perros-Guirec (Côtes-d'Armor) ; 2 201 h.

**TRÉGORROIS** ou **TRÉGOR** (le) ~ Région du N. de la Bretagne (O. des Côtes-d'Armor), entre la baie de Morlaix et Paimpol. Primeurs. Tourisme.

**Trek (le Grand)**, du néerl. ***trek***, en fr. « migration » ~ Exode des Boers (1834-1838), qui laissèrent la région du Cap aux colons britanniques, après l'abandon de l'esclavage en 1834, pour s'installer plus au N., dans le Vaal et l'Orange.

**TRÉLAZÉ** ~ V. de la banlieue d'Angers (Maine-et-Loire) ; 10 539 h. Ardoisières depuis le XIIe s.

**TREMBLADE (La)** ~ V. de la Saintonge (Charente-Maritime), princ. centre ostréicole du bassin de Marennes ; agglom. 8 770 h.

**TREMBLAY** (Michel) ~ *1942, Montréal.* Écrivain canadien d'expression française. Il traduit dans ses romans et ses pièces (*les Belles-Sœurs*, 1968) le mal-être de ses compatriotes.

**TREMBLAY-EN-FRANCE**, anc. **Tremblay-lès-Gonesse** (jusqu'en 1989) ~ V. de la grande banlieue N.-E. de Paris (Seine - Saint-Denis) ; 31 385 h.

**TRENET** (Charles) ~ *1913, Narbonne.* Chanteur français. Poète, fantaisiste et mélodiste exceptionnel, auteur de plus de 600 chansons, il est l'une des grandes figures du music-hall français (*la Mer* ; *Y a d'la joie* ; *Douce France*).

© A. Le Bot-Gamma

*Charles Trenet.*

**TRENT** (la) ~ Riv. du centre de l'Angleterre ; 270 km. Née dans les Pennines, elle draine la région industrialisée des Midlands avant de rejoindre l'estuaire de la Humber.

**TRENTE** ~ V. du N. de l'Italie, cap. région. du Trentin - Haut-Adige, au pied des Dolomites, importante étape sur la route du Tyrol ; 103 000 h. Archevêché. Cathédrale romano-gothique, palais Pretorio (XIIIe s.), château du Buonconsiglio (XIIIe-XVIe s.) abritant le musée du Trentin.

**Trente** (les) ~ Nom donné aux trente membres d'un gouvernement oligarchique mené par Critias et imposé par Sparte aux Athéniens, après leur défaite en 404 av. J.-C. Se comportant en tyrans, ils furent chassés en 403 av. J.-C. par Thrasybule.

**Trente (combat des)** ~ Combat singulier lors de la guerre de la Succession de Bretagne, qui se déroula près de Ploërmel, le 27 mars 1351. Trente Français, partisans de Charles de Blois, vainquirent trente Anglais, partisans de Jean de Montfort.

**Trente (concile de)** ~ Concile convoqué par le pape Paul III, et qui se réunit en trois sessions de 1545 à 1563, à Trente et à Bologne. Destiné à répondre aux progrès du protestantisme, il formula les bases de la Contre-Réforme.

**Trente Ans (guerre de)** ~ Conflit dans lequel furent engagés, de 1618 à 1648, la plupart des États d'Europe occidentale. Il se prolongea entre la France et l'Espagne jusqu'en 1659. Ses origines sont liées à des raisons religieuses, not. à l'antagonisme qui opposait les princes allemands protestants et l'autorité impériale catholique. L'Union évangélique de l'Électeur palatin s'opposa à la Sainte Ligue catholique du duc de Bavière et de l'empereur Ferdinand II de Habsbourg. Le 23 mai 1618, la Défenestration de Prague marqua le début de la révolte des protestants de Bohême. Élu roi de Bohême, l'Électeur palatin Frédéric V fut vaincu par les Impériaux de Tilly à la Montagne Blanche en 1620. L'empereur entreprit une véritable reconquête catholique en Allemagne, alors que la guerre reprenait aux Pays-Bas entre Espagnols et rebelles hollandais, à l'expiration de la trêve de Douze Ans, conclue en 1609. Richelieu, voulant affaiblir la maison d'Autriche, incita les États protestants à intervenir et occupa la Valteline pour couper les communications entre les Habsbourg de Madrid et de Vienne. Le Danemark fut battu par les armées impériales du général Wallenstein, mais le roi de Suède, Gustave II Adolphe, renversa la situation au profit des protestants. Sa mort à Lützen (1632) et la victoire impériale de Nördlingen (1634) poussèrent Richelieu, allié de la Suède, à entrer en guerre contre l'Espagne (1635) et le Saint Empire (1636). Malgré la chute de Corbie (1636), Paris échappa aux troupes espagnoles ; Bernard de Saxe-Weimar, en Alsace, et le Suédois Banér, en Allemagne, rétablirent la situation. Les Français, qui soutinrent les révoltes de Catalogne et du Portugal, prirent Perpignan et Arras, et l'emportèrent en 1643 à Rocroi. La victoire de Turenne à Zusmarshausen (1648) contraignit l'empereur Ferdinand III de Habsbourg à négocier. Les traités de Münster et d'Osnabrück (traités de Westphalie), signés respectivement avec la France et la Suède, mirent un terme à ce conflit, qui ruina l'Allemagne et accentua sa division, affaiblissant grandement les ambitions impériales.

**Trente Glorieuses** ~ Expression forgée en 1979 par Jean Fourastié pour désigner les trente années de croissance économique que connut la France après la Seconde Guerre mondiale.

**TRENTIN - HAUT-ADIGE** (le) ~ Région du N. de l'Italie, centrée sur la vallée de l'Adige, bordée à l'O. par le massif de l'Ortler et à l'E. par les Dolomites ; 13 607 km², 904 000 h., dont germanophones (28 %). Fruits, vigne. Industries (électrométall., mécan., text.) dans les v. princ. : Trente (cap.), Bolzano. Sports d'hiver. **HIST.** - Partie du royaume d'Italie (1809) annexée par le Tyrol autrichien (1815), le Trentin motiva l'entrée en guerre, aux côtés des Alliés, de l'Italie (1915), qui en obtint la cession par le traité de Saint-Germain (1919) accrue de la partie méridionale du Tyrol (Haut-Adige). Malgré le traité de Paris (1947) garantissant les droits des germanophones du Haut-Adige, ce dernier est l'objet de revendications autonomistes et source de tensions entre l'Italie et l'Autriche.

**TRENTON** ~ Cap. du New Jersey (États-Unis), dans la conurbation de Philadelphie ; agglom. 326 000 h. Porcelaine traditionnelle. Victoire de G. Washington sur les Britanniques en 1776.

**TRÉPASSÉS (baie des)** ~ Baie de la côte du Finistère, entre la pointe du Raz et la pointe du Van. Selon la légende, les corps des druides étaient transportés de cette baie dans l'île de Sein, pour y être inhumés.

**TRÉPORT (Le)** ~ Port et station balnéaire de la Seine-Maritime (Côte d'Albâtre), à l'embouchure de la Bresle ; 6 227 h.

**Tres Zapotes** ~ Site archéologique du Mexique, au S. de Veracruz, centre religieux olmèque. De monumentales têtes en pierre y furent découvertes, ainsi qu'une stèle gravée (31 av. J.-C.).

**TRETS** ~ V. des Bouches-du-Rhône, au S.-E. d'Aix-en-Provence ; 7 900 h. Église de style roman provençal. Noyau médiéval fortifié.

**TRÊVE (Côte de la)** ~ Voir **Pirates** (Côte des).

**TRÈVES**, en all. *Trier* ~ V. d'Allemagne (Rhénanie-Palatinat), centre comm. (vins de Moselle) et tourist., sur la Moselle (r. dr.) ; 99 000 h. Archevêché. Université. Édifices religieux romains, gothiques (église Notre-Dame, XIIIe s.) et baroques. Vestiges romains (Porta Nigra, thermes). Place médiévale du Marché. Musées. **HIST.** - Cité des Gaulois Trévires soumise par César, elle devint l'une des grandes villes de l'Empire romain, puis du Saint Empire romain germanique. Elle fut, de 1798 à 1815, le chef-lieu du département français de la Sarre avant d'être rattachée à la Prusse rhénane.

**TRÉVISE** ~ V. du N.-E. de l'Italie (Vénétie), marché agric. ; 82 000 h. Agroalim., chim., céramique. Vieille ville médiévale. Cathédrale d'orig. romane, palais de la place des Seigneurs (XIIIe s. et Renaissance), église St-Nicolas (XIIIe-XIVe s.). Musée.

**TREVITHICK** (Richard) ~ *1771, Illogan, Cornouailles - 1833, Dartford, Kent.* Ingénieur et inventeur britannique. Il construisit la première locomotive à vapeur (1803) et imagina le tirage par échappement de vapeur dans la cheminée (1808).

**TRÉVOUX** ~ V. de la Dombes (Ain), sur la Saône ; 6 092 h. Palais du Parlement (XVIIe s.). Son imprimerie, fondée en 1603, fut au XVIIIe s. le principal instrument de la propagande jésuite (*Mémoires de Trévoux*, 1701 ; *Dictionnaire de Trévoux*, 1704).

**TRÉZÈNE** ~ Anc. ville de Grèce, au N.-E. de l'Argolide (Péloponnèse). Lieu natal du mythique Hippolyte, fils de Thésée.

**TRIANGLE D'OR** ~ Nom donné aux confins montagneux du Laos, de la Thaïlande, de la Birmanie et de la Chine, première aire de production mondiale du pavot à opium.

**Trianon** ~ Châteaux érigés dans le parc de Versailles (Yvelines). Le **Grand Trianon**, dit Trianon de marbre, fut commandé par Louis XIV à J. Hardouin-Mansart (1687). Louis XV commanda à J. A. Gabriel le **Petit Trianon** (1762), que Louis XVI offrit à Marie-Antoinette.

**Trianon (traité de)** ~ Traité signé le 4 juin 1920 entre les Alliés et la Hongrie, qui prévoyait pour cette dernière une réduction des deux tiers de sa superficie.

**TRIBONIEN** ~ *m. v. 545 en Pamphylie.* Jurisconsulte byzantin. Il présida les commissions qui rédigèrent le Code justinien, le *Digeste* et les *Institutes*.

**TRIBOULET** (Févrial ou **Le Feurial**, dit) ~ *v. 1498, Blois - v. 1536.* Bouffon français. Fou de Louis XII puis de François Ier, il fut mis en scène par Victor Hugo dans *Le roi s'amuse*.

**Tribunal révolutionnaire de Paris** ~ Tribunal d'exception qui siégea à Paris du 17 août 1792 au 31 mai 1795 et rendit 2 627 sentences de mort sous la Terreur. Ses jugements étaient exécutoires dans les 24 heures, sans appel ni cassation. D'autres tribunaux siégèrent dans les départements, not. à Lyon, Arras, Orange, Bordeaux, Marseille et Nantes.

**Tribunat** ~ Assemblée de cent membres instituée par la Constitution de l'an VIII et destinée à discuter les projets de loi. Napoléon Ier réduisit peu à peu ses attributions, jusqu'à sa disparition en 1807.

**TRICASTIN** (le) ~ Anc. pays du bas Dauphiné, région de collines gréseuses dominant le Rhône (r. g.). Usine d'enrichissement de l'uranium à Pierrelatte, complexe nucléaire.

**TRICHINOPOLY** ~ Voir **Tiruchirapalli.**

**TRIESTE** ~ Port d'Italie, sur l'Adriatique, cap. région. du Frioul-Vénétie Julienne, près de la frontière slovène (Istrie), au fond du **golfe de Trieste** ; 227 000 h. Université. Transit des hydrocarbures par oléoduc vers l'Autriche et l'Allemagne. Centre industriel (raff. de pétrole, chimie, sidérurgie, métallurgie). Vestiges romains. Cathédrales (XIe s. et XIVe s.), château (XVe-XVIIe s.). Musées. **HIST.** - Débouché maritime de l'Autriche depuis 1382, la ville fut rattachée à l'Italie en 1919, puis occupée par la Yougoslavie en 1945. Érigée en territoire libre par le traité de paix de 1947, elle revint à l'Italie en 1954.

**TRIMURTI** ~ Triade védique de l'hindouisme. Elle rassemble les trois grandes divinités du panthéon brahmanique, Brahma le Créateur, Shiva le Destructeur et Vishnou le Conservateur.

**TRINIL** ~ Localité d'Indonésie (Java). Le paléontologue néerlandais Eugène Dubois y découvrit (1891) la première calotte crânienne d'un pithécanthrope de type *Homo erectus*.

**TRINITÉ (La)** ~ V. de la Martinique, sur la côte E. de l'île ; 11 392 h. Tourisme. Château Dubuc.

**TRINITÉ-ET-TOBAGO (république de)**, en angl. ***Trinidad and Tobago*** ~ État des Caraïbes formé par deux îles méridionales des Petites Antilles, à 12 km des côtes vénézuéliennes (Trinité, 4 827 km², et

Tobago, 301 km²). **Cap.** Port of Spain. **Superf.** 5 128 km². **Popul.** 1 250 000 h., dont 45 % d'Indiens. **Langues princ.** Anglais, espagnol, hindi. **Monn.** Dollar de Trinité-et-Tobago. **Relief.** Montagneuse au N., l'île de la Trinité est géologiquement rattachée à l'Amérique du Sud. **Climat.** Tropical. **Écon.** Fondée sur le pétrole et le gaz naturel, le tourisme (Tobago), l'agriculture (café, cacao, canne à sucre) et la pêche. **HIST.** - *XVI^e^ s.* : découvertes par Christophe Colomb en 1498, les îles sont disputées par les Européens. *Fin du XVIII^e^ s.-début du XIX^e^ s.* : Trinité et Tobago deviennent britanniques, respectivement en 1797 et en 1814. *XIX^e^ s.* : développement d'une économie de plantation. *1962* : proclamation de l'indépendance dans le cadre du Commonwealth. Noor Mohammed Hassanali est chef de l'État depuis 1987, et Patrick Manning, Premier ministre depuis 1991.

**TRINITÉ-SUR-MER (La)** ~ Station baln. sur la baie de Quiberon (Morbihan), port de pêche et de plaisance ; 1 433 h. Parcs à huîtres.

**TRIOLET** (Elsa) ~ *1896, Moscou - 1970, Saint-Arnoult-en-Yvelines.* Femme de lettres française d'orig. russe. Épouse de L. Aragon et figure du parti communiste, elle écrivit des romans et des nouvelles (*le Cheval blanc*, 1943 ; *Roses à crédit*, 1959).

**tripartite (pacte)** ~ Pacte d'alliance politique et militaire signé le 27 sept. 1940 entre l'Allemagne, l'Italie et le Japon, auquel adhérèrent plus tard la Hongrie, la Slovaquie, la Roumanie et la Bulgarie. Il prévoyait l'instauration d'un « ordre nouveau » en Europe et en Extrême-Orient.

**Triplice** ~ Voir **Alliance** (Triple-).

**TRIPOLI** ~ Cap. et 1^er^ port de la Libye (Tripolitaine), sur la Méditerranée ; 991 000 h. Comm. de produits agric. (céréales, agrumes, tabac). Manufactures (cigarettes, tapis), tanneries. Pêche. Industries (agroalim., constr. mécan.). Terminal d'oléoduc. Arc de triomphe de Marc Aurèle, château espagnol (XVI^e^ s.), mosquées.

**TRIPOLI** ~ 2^e^ v. et port du Liban, sur la Méditerranée, centre comm. et industr. au N. de Beyrouth ; 160 000 h. Agroalim, textiles. Raff. de pétrole. Mosquée (XIII^e^ s. et XIV^e^ s.), tour des Lions (XV^e^ s.). **HIST.** - Ancienne cité phénicienne puis arabe très prospère, Tripoli fut conquise par les croisés en 1109 et détruite par les mamelouks à la fin du XIII^e^ s.

**TRIPOLI (comté de)** ~ État latin d'Orient fondé en Syrie par les comtes de Toulouse. Conquis par les croisés en 1102-1109, il passa aux musulmans en 1268-1289 (les Hospitaliers y perdirent le krak des Chevaliers en 1271).

**TRIPOLITAINE** (la) ~ Anc. prov., partie O. de l'actuelle Libye, autour de Tripoli. Contrôlée par les Carthaginois (V^e^ s. av. J.-C.), elle passa aux Numides (146 av. J.-C.) puis aux Romains (106 av. J.-C.). Latinisée et christianisée, elle fut occupée par les Vandales (V^e^ s.), puis par les Byzantins (534). Islamisée (invasion arabe, 643), elle passa aux Ottomans (1551), qui la laissèrent aux Italiens (traité d'Ouchy, 1912). Après un bref rétablissement des Turcs en 1916, les Italiens instituèrent la colonie de Libye en 1934, réunissant la Tripolitaine et la Cyrénaïque, intégrée à la métropole en 1939. Occupée par les Britanniques (1943), elle fut intégrée à la Libye indépendante en 1951.

**TRIPURA** (le) ~ État du N.-E. de l'Inde, frontalier du Bangladesh, région de collines couvertes de forêts ; 10 486 km², 2 757 000 h., cap. Agartala (158 000 h.). Riziculture, thé. Immigration bengali.

**TRISSINO** (Gian Giorgio), en fr. **le Trissin** ~ *1478, Vicence - 1550, Rome.* Diplomate et écrivain italien. Il est l'auteur de la première tragédie régulière de la Renaissance (*Sophonisbe*, 1515).

**TRISTAN** (Flore **Tristan-Moscoso**, dite Flora) ~ *1803, Paris - 1844, Bordeaux.* Femme de lettres française. Pionnière du féminisme (*Pérégrinations d'une paria*, 1838), elle fonda l'*Unité ouvrière*, revue initiatrice du socialisme internationaliste (1843).

**TRISTAN DA CUNHA** ~ Archipel montagneux et volcan. du S. de l'Atlantique, dépendance du territoire britannique de Sainte-Hélène ; 200 km², 300 h. Élev., pêche (langouste).

**TRISTAN L'HERMITE** ~ Voir **L'Hermite**.

**TRISTAN L'HERMITE** (François, dit) ~ *v. 1601, château de Soliers, Marche - 1655, Paris.* Écrivain français lyrique. Il est l'auteur de tragédies (*Marianne*, 1636), d'une autobiographie romanesque (*le Page disgracié*, 1643) et de poèmes (*les Amours de Tristan*, 1638). Acad.

**TRISTÃO** ou **TRISTAM** (Nuno) ~ *m. en 1447, Río de Oro.* Navigateur portugais. Il atteignit l'embouchure du Sénégal (1444) et fut tué au cours de sa troisième expédition.

**TRIVANDRUM** ~ V. de l'Inde, cap. du Kerala, sur la côte de Malabar, centre commercial et industriel (agroalim., text.) ; 524 000 h. Université. Pêche. Artisanat (bois, ivoire). Centre culturel de la langue malayalam. Temple de Vishnou (dans une forteresse du XVIII^e^ s.).

**TRIVULCE**, en ital. ***Trivulzio***, dynastie de seigneurs milanais qui participèrent aux guerres d'Italie du côté français. ~ **Giangiacomo**, marquis DE VIGEVANO (*1448, Milan - 1518, Arpajon*), fut promu maréchal de France par Louis XII (1499), et s'illustra lors des batailles d'Agnadel (1509) et de Marignan (1515). Son neveu ~ **Teodoro** (*1456 - 1531, Lyon*), maréchal de France, fut gouverneur de Milan, puis de Gênes.

**TRNKA** (Jiří) ~ *1912, Plzeň - 1969, Prague.* Cinéaste d'animation tchèque. Illustrateur de livres pour enfants, il anima des marionnettes dans des chefs-d'œuvre de poésie folklorique et légendaire (*Prince Bayaya*, 1950 ; *les Vieilles Légendes tchèques*, 1952). Son dernier film, *la Main* (1965), est une dénonciation du totalitarisme.

**TROBRIAND (îles)** ~ Archipel corallien, à l'E. de la Papouasie - Nouvelle-Guinée, dont il dépend ; 440 km², env. 18 000 h. (Mélanésiens).

**TROCADERO** ~ Localité d'Espagne, près de Cadix. Venues au secours du roi Ferdinand VII, les troupes françaises du duc d'Angoulême y enlevèrent la position (1823) aux insurgés espagnols.

**Trocadéro (palais du)** ~ Anc. édifice de style mauresque construit par Davioud à Paris, sur la colline de Chaillot, pour l'Exposition universelle de 1878. Il laissa la place, pour l'Exposition de 1937, au palais de Chaillot.

**TROCHU** (Louis) ~ *1815, Le Palais, Belle-Île - 1896, Tours.* Général français. Gouverneur militaire de Paris en 1870, il présida (4 sept. 1870-22 janv. 1871) le gouvernement de la Défense nationale et se retira de la vie politique dès 1872.

**Troie** ou **Ilion** ~ Site du N.-O. de l'Asie Mineure, près de l'Hellespont (auj. Hisarlik). Fouillée par H. Schliemann à partir de 1870, elle a révélé 9 couches archéologiques superposées, qui s'étendent du IV^e^ mill. à 400 apr. J.-C. Troie (2300-2100 av. J.-C.), ville ceinte de remparts, a livré un riche matériel (objets d'or, au musée Pouchkine à Moscou). La **guerre de Troie**, racontée par Homère dans l'*Iliade*, aurait duré dix ans, à la fin du XIII^e^ s. av. J.-C. D'après l'*Odyssée*, c'est l'introduction dans Troie, par les Troyens eux-mêmes, d'un cheval votif laissé par les Grecs et recelant, cachés dans ses flancs, des guerriers qui aurait permis la prise de la ville par les Grecs.

**TROIS-ÉVÊCHÉS** (les) ~ Gouvernement formé par les évêchés de Metz, de Toul et de Verdun, indépendant du duché de Lorraine. Henri II s'en empara en 1552, mais son rattachement officiel à la France date du traité de Westphalie (1648). Il fut dissous en 1790.

**Trois Glorieuses** ~ Voir **révolution française de 1830**.

**TROIS-RIVIÈRES** ~ V. de la Guadeloupe, au S. de Basse-Terre ; 8 574 h. Site archéologique caraïbe.

**TROIS-RIVIÈRES** ~ V. et port fluvial du Canada (Québec), centre comm. et industr. au confluent du Saint-Laurent et de la rivière Saint-Maurice ; 49 000 h. (agglom. 136 000 h.). Université. Grande usine de pâte à papier. Foyer de colonisation française au XVII^e^ s.

**TROIS-VALLÉES** (les) ~ Site touristique de la Tarentaise (Savoie), regroupant les stations de Méribel-les-Allues, Courchevel et les Menuires.

**TROLLOPE** (Anthony) ~ *1815, Londres - 1882, id.* Écrivain britannique, auteur de romans réalistes critiques (*les Tours de Barchester*, 1857).

**TROMP**, famille d'amiraux hollandais. ~ **Maarten Harpertszoon** (*1597, Brielle - 1653, Ter Heijde*) remporta des victoires contre l'Espagne (1639) et l'Angleterre (1652). Il mourut en combattant G. Monk. Son fils ~ **Cornelis** (*1629, Rotterdam - 1691, Amsterdam*) fut vainqueur, sous les ordres de M. A. van Ruyter, des Anglais à Dunkerque (1666). Écarté jusqu'en 1672 pour avoir rejoint le camp orangiste, il dispersa la flotte suédoise à Öland (1676).

**TROMSØ** ~ Port de la Norvège septentrionale, sur le **fjord de Tromsø** ; 51 000 h. Pêche, conserveries. Constr. navales. Centre de recherche polaire.

**TRONÇAIS (forêt de)** ~ Forêt domaniale du Bourbonnais (Allier) ; 104 km². Chênaie plantée sous Colbert (XVII^e^ s.).

**TRONCHET** (François) ~ *1726, Paris - 1806, id.* Avocat et homme politique français. Il défendit Louis XVI devant la Convention nationale. Il fut choisi par Bonaparte pour faire partie de la commission d'élaboration du Code civil (1800).

**TRONDHEIM** ~ Port de la Norvège centrale et 3^e^ v. du pays, sur le **fjord de Trondheim**, ouvrant sur l'Atlantique ; 138 000 h. Université. Société royale des sciences (1760). Produits manufacturés. Pêche industrielle. Cathédrale (XII^e^-XIV^e^ s.) où sont couronnés les rois norvégiens. Forteresse de Kristiansten (XVII^e^ s.). Musées. Ancienne capitale (X^e^-XIV^e^ s.).

**Troppau (congrès de)** ~ Congrès diplomatique qui se tint à Troppau (auj. Opava), en Moravie, du 20 oct. au 30 déc. 1820. Il réunit l'Autriche, la France, la Grande-Bretagne, la Prusse et la Russie. Metternich y travailla à renforcer les liens et les moyens d'action des puissances absolutistes. Le congrès, ajourné, se poursuivit à Laibach.

**TROTSKI** (Lev Davidovitch **Bronstein**, en fr. Léon) ~ *1879, Ianovka, Ukraine - 1940, Coyoacán, Mexique.* Homme politique soviétique. Étudiant arrêté pour son activité révolutionnaire en 1898, il s'évada et rejoignit Lénine et Martov, dirigeants du P. O. S. D. R. en exil. Président du soviet de Saint-Pétersbourg pendant la révolution de 1905, puis exilé en Europe et en Amérique, il rentra en Russie en 1917 et se rallia aux bolcheviks. Organisateur de la révolution d'Octobre, négociateur du traité de Brest-Litovsk (1918), il devint commissaire du peuple à la Guerre (1918-1925) et créa l'Armée rouge pendant la guerre civile. Théoricien de la révolution permanente, il combattit la thèse de la construction du socialisme dans un seul pays, et rassembla au sein du parti bolchevique les opposants à Staline. Exilé à Alma-Ata (1927) puis expulsé d'U. R. S. S. (1929), il trouva refuge en France (1933), puis au Mexique (1936). Auteur de *la Révolution trahie* (1936) et fondateur de la IV^e^ Internationale (1938), il fut assassiné en août 1940 par un agent de Staline. [☞ **trotskisme**.]

**TROUBETSKOÏ** (Nikolaï Sergueïevitch) ~ *1890, Moscou - 1938, Vienne.* Linguiste russe. Il est, avec R. Jakobson, le fondateur de la phonologie. Donnant une définition rigoureuse de la notion de phonème, il écrivit un des ouvrages méthodologiques majeurs de la linguistique moderne, *Principes de phonologie* (posth., 1939).

**Troubles (temps des)** ~ Période de l'histoire de la Russie entre la mort de Fiodor I^er^ Ivanovitch (1598) et l'avènement du premier Romanov, Michel III Fiodorovitch (1613).

**TROUÉE-HÉROÏQUE** (la) ~ Partie de la vallée du Rhin taillée à travers le Massif schisteux rhénan, entre Bingen et Coblence (Hesse). Tourisme (rocher de la Lorelei, ruines de châteaux forts).

**TROUVILLE-SUR-MER** ~ Station baln. de la Côte fleurie, à l'embouchure de la Touques, face à Deauville (Calvados) ; 5 607 h. (agglom. 18 966 h.). Thalassothérapie.

**TROYAT** (Lev **Tarassov**, dit Henri) ~ *1911, Moscou.* Écrivain français d'orig. russe. On lui doit des cycles romanesques populaires sur l'histoire de la Russie (*la Lumière des justes*, 1959-1962) et de la France (*les Eygletière*, 1965-1967), ainsi que des biographies (*Pierre le Grand*, 1979). Acad.

**TROYES** ~ Préfect. de l'Aube, sur la Seine ; 59 255 h. (agglom. 122 763 h.). Centre tradit. de la bonneterie. Constr. mécaniques. Église Ste-Madeleine (XII^e^ s.). La cathédrale St-Pierre-et-St-Paul (XIII^e^-XVII^e^ s.) et l'église St-Urbain (XIII^e^-XIV^e^ s.), joyaux du gothique champenois, contiennent d'admirables vitraux. Troyes, anc. capitale de la Champagne, se rallia au XVI^e^ s. à la Réforme.

**Troyes (traité de)** ~ Traité conclu pendant la guerre de Cent Ans, le 21 mai 1420, entre Henri V d'Angleterre et Charles VI. Catherine de France devint l'épouse d'Henri V d'Angleterre, désigné comme régent et héritier du royaume de France au détriment du dauphin, le futur Charles VII.

**TROYON** (Constant) ~ *1810, Sèvres - 1865, Paris.* Peintre français. Paysagiste et animalier, il participa à l'école de Barbizon.

**TRUDAINE** (Daniel Charles) ~ *1703, Paris - 1769, id.* Administrateur français. Il fonda avec J. R. Perronet l'École des ponts et chaussées (1747) et le corps des ingénieurs des Ponts et Chaussées (1750).

**TRUDEAU** (Pierre Elliott) ~ *1919, Montréal.* Homme politique canadien. Chef du parti libéral, il a été Premier ministre (1968-1979 et 1980-1984). Il a poursuivi une politique de bilinguisme et s'est opposé aux indépendantistes québécois.

**TRUFFAUT** (François) ~ *1932, Paris - 1984, Neuilly-sur-Seine.* Cinéaste français. Participant comme critique à la naissance de la Nouvelle Vague, il en devint l'un des plus importants animateurs, élaborant une œuvre oscillant entre autobiographie et adaptations d'œuvres littéraires (*les Quatre Cents Coups*, 1959 ; *Jules et Jim*, 1962 ; *Baisers volés*, 1968 ; *le Dernier Métro*, 1980).

**TRUJILLO** ~ Port et princ. v. du N. du Pérou, sur la Panaméricaine, centre admin., comm. et industr. d'une vallée irriguée ouvrant sur les Andes ; 509 000 h. Université (fondée en 1824). Ruines de Chanchan (capitale des Chimus) à proximité.

**TRUJILLO Y MOLINA** (Rafael Leónidas) ~ *1891, San Cristóbal - 1961, Ciudad Trujillo, auj. Saint-Domingue.* Homme d'État dominicain. Placé à la tête de la garde nationale par les autorités d'occupation américaines, élu président en 1930, il exerça une dictature sanglante jusqu'à son assassinat.

**TRUMAN** (Harry S.) ~ *1884, Lamar, Missouri - 1972, Kansas City.* Homme d'État américain. Sénateur démocrate du Missouri et vice-président de Fr. D. Roosevelt, il devint président (1945-1953) à la mort de ce dernier, et mit fin à la Seconde Guerre mondiale en ordonnant le lancement des bombes atomiques sur les villes d'Hiroshima et de Nagasaki. Il favorisa le redressement économique de l'Europe occidentale par le plan Marshall (1947) et organisa sa défense par la création de l'Otan (1949). Il engagea les forces américaines dans la guerre de Corée (1950).

**TRURO** ~ V. d'Angleterre, l'un des 2 ch.-l. de la Cornouailles, au fond de l'estuaire de la rivière Fal ; 15 000 h. Cathédrale (XIXe s.).

**TRUYÈRE** (la) ~ Riv. du cœur du Massif central, issue des monts de la Margeride, affl. (r. dr.) du Lot ; 160 km. Nombreux aménagements hydroélectriques.

**TSARATANANA (massif de)** ~ Massif du N. de Madagascar (2 876 m au Maromokoto, point culminant du pays).

**TSARITSYNE** ~ Voir **Volgograd.**

**TSARSKOÏE SELO** ~ Voir **Pouchkine.**

**TS'EU-HI** ~ Voir **Cixi.**

**TSEU-PO** ~ Voir **Zibo.**

**TSIANG Tsö-min** ~ Voir **Jiang Zemin.**

**Tsiganes** ou **Tziganes** (les) ~ Groupe de populations nomades de langue tsigane. Originaires du N. de l'Inde, ils émigrèrent au XVe s. en Hongrie et en Moldavie, puis en Europe occidentale. Ils se divisent en 3 groupes : les Roms d'Europe centrale et occidentale ; les Manouches (ou Sintés) d'Italie, de France, d'Allemagne et de Russie ; les Gitans (ou Kalés) d'Espagne et du Portugal. Présents sur tous les continents, ils ont conservé leurs spécificités culturelles malgré les tentatives d'assimilation et les persécutions dont ils firent l'objet, qui culminèrent durant le génocide perpétré par les nazis.

*Tsiganes de Roumanie.*

**TSI-NAN** ~ Voir **Jinan.**

**TS'IN CHE HOUANG-TI** ~ Voir **Qin Shi Huangdi.**

**TS'ING** ~ Voir **Qing.**

**TS'ING-HAI** (le) ~ Voir **Qinghai.**

**TS'ING-TAO** ~ Voir **Qingdao.**

**TS'IN-LING** (le) ~ Voir **Qin Ling.**

**TSIOLKOVSKI** (Konstantin Edouardovitch) ~ *1857, Ijevsk - 1935, Kalouga.* Savant et inventeur russe. Il étudia la propulsion par réaction, énonça les lois du mouvement d'une fusée (1903), et imagina les stations orbitales. Il fut un précurseur de l'astronautique.

**TSIRANANA** (Philibert) ~ *1912, Anahidrano - 1978, Antananarivo.* Homme d'État malgache. Député à l'Assemblée nationale française (1956-1959), il fut président de la République malgache indépendante de 1960 à 1972.

**TSITSIHAR** ~ Voir **Qiqihar.**

**TSUBOUCHI Shôyô** ~ *1859, Ôta - 1935, Atami.* Écrivain japonais. Initiateur du roman psychologique au Japon, traducteur de Shakespeare, il adapta les règles du théâtre occidental au répertoire japonais (*la Moelle du roman*, 1885).

**TSUGARU (détroit de)** ~ Détroit faisant communiquer la mer du Japon et l'océan Pacifique, entre les îles d'Honshû et d'Hokkaidô. Il est franchi par un tunnel ferroviaire sous-marin.

**TSUSHIMA** ~ Archipel japonais qui divise le détroit de Corée ; 709 km², env. 45 000 h. Pêche. La flotte russe y fut détruite en mai 1905 par l'amiral japonais Tôgô, au cours de la guerre russo-japonaise.

**TUAMOTU (îles)** ~ Archipel corallien de Polynésie française, à l'E. de Tahiti ; 880 km², 12 000 h. Les atolls de Mururoa et de Fangataufa ont servi à des essais nucléaires jusqu'en 1996.

**TÜBINGEN** ~ V. d'Allemagne (Bade-Wurtemberg), sur le Neckar, célèbre pour son université fondée en 1477, ralliée à la Réforme dès 1534 ; 76 000 h. Édition, imprimerie.

**TUBMAN** (William Vacanarat Shadrach) ~ *1895, Harper - 1971, Londres.* Homme d'État libérien. Il fut président de la république du Liberia de 1943 à sa mort.

**TUBUAÏ (îles)** ~ Voir **Australes (îles).**

**TUBY** ou **TUBI** (Jean-Baptiste) ~ *v. 1635, Rome - 1700, Paris.* Sculpteur français d'orig. italienne. Collaborateur d'A. Coysevox, il travailla not. à Versailles (*Apollon sur son char*, 1671).

**TUC-D'AUDOUBERT (le)** ~ Lieu-dit sur la commune de Montesquieu-Avantès (Ariège). On y a découvert (1912) dans une grotte des peintures rupestres et deux bisons modelés dans l'argile datant du Magdalénien.

**TUCSON** ~ V. de l'Arizona (États-Unis), marché agric. et minier ; 405 000 h. Université. Électronique, hautes technologies. Tourisme lié à la proximité de déserts.

**TUCUMÁN** ou **SAN MIGUEL DE TUCUMÁN** ~ V. d'Argentine, centre hist. du Nord andin tropical, débouché comm. pour la culture locale de canne à sucre, auj. en déclin, ch.-l. de la **province de Tucumán** (22 524 km², 1 142 000 h.) ; agglom. 642 000 h. Archevêché. Université. La Proclamation de l'indépendance des Provinces-Unies d'Amérique du Sud y fut signée en 1816.

**TUDJMAN** (Franjo) ~ *1922, Veliko Trgovišće, Croatie.* Homme d'État croate. Élu président de la république de Croatie par le Parlement en 1990 (réélu en 1992 au suffrage universel), il fut l'artisan de l'indépendance de la Croatie (1991) et l'un des acteurs de la guerre de l'ex-Yougoslavie.

**TUDOR** ~ Famille royale anglaise qui régna de 1485 à 1603, originaire du pays de Galles, de laquelle sont issus Henri VII, Henri VIII, Édouard VI, Marie Ire Tudor et Élisabeth Ire.

**TU DUC** (Hoang Nham, dit) ~ *1830, Huê - 1883, id.* Empereur d'Annam (1848-1883). Il ne put résister à la pénétration française en Cochinchine et au Tonkin.

**Tugendbund**, en fr. « ligue de la Vertu » ~ Association patriotique allemande fondée à Königsberg en 1808, dirigée contre l'occupant français. Dissoute par Napoléon Ier en 1809, elle se reforma pendant les guerres de libération et disparut en 1815.

**Tuileries (palais des)** ~ Ancien château parisien, situé entre les Champs-Élysées et le Louvre, auquel le reliaient deux galeries. Élevé à partir de 1564 sur les plans de Ph. Delorme pour Catherine de Médicis, il était entouré de jardins achevés par A. Le Nôtre en 1666. Centre du pouvoir politique sous la Révolution, il abrita les séances de la Convention. À la suite de Napoléon Ier, les souverains et chefs d'État français y résidèrent jusqu'en 1870. Incendié pendant la Commune (mars 1871), il fut rasé en 1882. En subsistent, outre le jardin, deux bâtiments du second Empire, le Jeu de paume et l'Orangerie.

*Le jardin des* Tuileries *dans les années 1970.* Les Trois Grâces *d'Aristide Maillol (1861-1944).*

**Tula** ou **Tollan** ~ Site archéologique et monumental du Mexique. Cap. des Toltèques fondée vers 850, elle succéda à Teotihuacán comme foyer culturel du plateau central, et s'effondra en 1168.

**TULÉAR** ~ Voir **Toleara.**

**TULLE** ~ Préfect. de la Corrèze, sur la Corrèze ; 17 164 h. Manufacture d'armes. Industries alimentaires. Fabrication d'accordéons. Cathédrale (XIe-XIVe s.). Ville martyre de l'occupation allemande (1944).

**TULLUS HOSTILIUS** ~ Troisième roi latin de Rome (v. 672-640 av. J.-C.). Auteur de l'organisation militaire de Rome, il aurait, selon la tradition, édifié la Curie et conquis Albe la Longue, grâce à la victoire des Horaces sur les Curiaces.

**TULSA** ~ V. de l'Oklahoma (États-Unis), sur la riv. Arkansas, centre universitaire ; 367 000 h. (agglom. 709 000 h.). Industrie pétrolière relayée par les constructions aéronautiques.

**Tulunides** (les) ~ Dynastie de gouverneurs de l'Égypte et de la Syrie (868-905), indépendants du califat abbasside de Bagdad.

**Tunguz** (les) ~ Voir **Toungouses.**

**TUNIS**, en ar. *Tunus* ~ Cap. de la Tunisie, proche de la Méditerranée, au fond du **golfe de Tunis** ; 597 000 h. (agglom. env. 1 400 000 h.). 1er centre commercial et industriel du pays (métallurgie, chimie, cimenterie, agroalimentaire, textile, cuir), relayé par les exportations (minerais) de son avant-port de La Goulette. Pêche. Artisanat. Dans la Médina : souks, mausolées, université al-Zaytuna (fondée au VIIIe s.). Musée du Bardo. **HIST. -** Ancien faubourg de Carthage, la ville se développa après la conquête arabe (VIIe s.). Capitale des Hafsides (XIIIe-XVIe s), assiégée sans succès par Saint Louis, qui mourut de la peste sous ses murs (1270), elle fut enlevée par les Turcs (1534). Elle acquit un statut de capitale politique dès le XVIIIe s.

**TUNISIE** (la), off. **République tunisienne**, en ar. ***al-Djumhuriyya al-Tunisiyya*** ~ Pays de l'E. du Maghreb, bordé par la Méditerranée et limitrophe de l'Algérie et de la Libye. ***Cap.*** Tunis. ***Superf.*** 164 150 km². ***Popul.*** 8 740 000 h., dont émigrés (4 %). ***Langue princ.*** Arabe. ***Monn.*** Dinar tunisien. ***Relief.*** Le N. est dominé par les massifs du Tell (Kroumirie), bornés au S. par la vallée de la Medjerda. Le centre est occupé par des plateaux et des plaines steppiques, auxquels succèdent le désert (50 % du territoire) au S. du chott el-Djerid et des oasis (Tozeur, Gabès). ***Climat.*** Méditerranéen au N. et sur la côte orientale, désertique à l'O. et au S. ***Écon.*** Une agriculture irriguée intensive dans le N. et des cultures d'exportation (huile d'olive, agrumes, vin) au solde négatif sont complétées par l'exportation de phosphates (un des 1ers rangs mondiaux), l'industrialisation croissante des grandes villes (not. la délocalisation de la confection européenne) et l'expansion de la pêche. Le tourisme de masse reste une importante source de devises. Malgré ces facteurs positifs, l'économie reste fragile et les déficits structurels engendrent chômage et dépendance. ***V. princ.*** Tunis, Sfax, Bizerte, Sousse. **HIST.** - *IIe mill. av. J.-C.* : les côtes du pays, peuplé de nomades berbères, sont colonisées par les Phéniciens, qui fondent Carthage en 814 av. J.-C. *VIe-IIIe s. av. J.-C.* : après son émancipation, Carthage construit un empire maritime qui entre en conflit avec Rome. *146 av. J.-C.* : elle est détruite par les Romains et ses territoires deviennent une riche colonie agricole (province d'Afrique), convertie très tôt au christianisme. *Ve s. apr. J.-C.* : les Vandales, sous la conduite de Geiséric, s'emparent de la région. *VIe-VIIe s.* : les Byzantins conquièrent l'Afrique du Nord (prise de Carthage, 534) mais leur domination est contestée par les Berbères. *VIIe s.* : conquête arabe, développement de Tunis (698) et rapide islamisation, en dépit d'une forte résistance berbère. *IXe-XIIe s.* : succession de dynasties locales arabes (Aghlabides, 808-909 ; Fatimides, 909-969 ; Zirides, 972-1160). *XIIe-XVe s.* : la région passe sous le contrôle de dynasties berbères, les Almohades (1160-1228) et les Hafsides (1228-1574). *XVIe s.* : conduits par le pirate Barberousse, les Turcs occupent la côte et prennent Tunis (1534) ; intervention et protectorat espagnols à la demande du sultan (1535-1574). En 1574, la Tunisie est annexée par l'Empire ottoman. *XVIIe-XVIIIe s.* : bien que demeurant attachée à l'Empire ottoman, la Tunisie, gouvernée par un pacha (1590), un dey (jusqu'en 1630) puis un bey, prend progressivement son indépendance. En 1640, le bey Murad fonde la dynastie des Muradites (1640-1702), à laquelle succède en 1710 celle des Husseinites, qui régnera jusqu'en 1957. *XIXe s.* : l'ouverture commerciale croissante et les difficultés financières favorisent la mise sous tutelle européenne (France, Grande-Bretagne, Italie) du pays. Le traité du Bardo (1881) fait de la Tunisie un protectorat français ; le bey ne garde plus qu'un rôle symbolique. *XXe s.* : en dépit de la politique de répression française, un mouvement nationaliste se développe (création du parti des Jeunes-Tunisiens, 1907 ; le Destour, 1920 ; le Néo-Destour, dirigé par Habib Bourguiba, 1934). Occupée par les Allemands en 1942 et en 1943, la Tunisie obtient du gouvernement de Pierre Mendès France l'autonomie interne en 1954. En 1956, l'indépendance est proclamée. La Tunisie devient une république (1957). Son président, H. Bourguiba, élu en 1959, entreprend la modernisation et la laïcisation, et assure la normalisation des rapports avec la France et l'Occident. De 1975 à 1987, H. Bourguiba (devenu président à vie) doit faire face à des difficultés extérieures (évènements du Moyen-Orient, relations avec la Libye) et intérieures (forte poussée démographique, opposition politique et populaire, crise économique et montée de l'islamisme). En 1982, les instances dirigeantes de l'O. L. P. s'installent en Tunisie. En 1987, le général Zine el-Abidine Ben Ali, alors Premier ministre, écarte H. Bourguiba puis est élu à la présidence (1989). Réélu en 1994, il cherche, avec le soutien des Occidentaux, à développer l'économie et à contrer la montée de l'islamisme.

**Tupis** (les) ~ Indiens de l'Amazonie (Brésil), divisés en **Tupis-Nambas** et en **Tupis-Guaranis.**

**TUPOLEV** ou **TOUPOLEV** (Andreï Nikolaïevitch) ~ *1888, Poustomazovo - 1972, Moscou.* Ingénieur soviétique. Il conçut plus de 120 types d'avions civils et militaires, dont un bombardier supersonique TU-22 et le premier avion de transport civil à réaction, le TU-104 (1955).

**TURA** (Cosme) ~ *v. 1430, Ferrare - 1495, id.* Peintre italien. Peintre officiel des ducs d'Este et maître de l'école de Ferrare, il se distingua par un dessin précieux et tourmenté, un sens de la composition monumentale et une imagination fantastique héritée de l'art gothique.

**TURATI** (Filippo) ~ *1857, Canzo - 1932, Paris.* Homme politique italien. L'un des chefs du parti socialiste, il s'opposa à la montée du fascisme et finit ses jours en exil.

**TURBALLE (La)** ~ Petit port sardinier du littoral atlantique, dans la presqu'île de Guérande (Loire-Atlantique) ; 3 587 h. (agglom. 6 401 h.). Salines.

**TURBIE (La)** ~ Localité des Alpes-Maritimes, à 2 km au N. de Monaco ; 2 609 h. Ruines du trophée des Alpes, monument romain érigé en l'honneur d'Auguste.

**TURBIGO** ~ V. de Lombardie (Italie), sur le Tessin (r. g.) ; 7 000 h. Les Autrichiens y furent vaincus par Bonaparte (1800) et par Mac-Mahon (1859).

**Turcs** ou **Türks** (les) ~ Peuples de langue commune turque, apparus au VIe s. en Asie centrale. À partir du XIe s., ils furent à l'origine de plusieurs empires en Asie occidentale (Seldjoukides, Timurides), et surtout de l'Empire ottoman. Ils vivent auj. en Azerbaïdjan, au Turkménistan, en Ouzbékistan, au Kirghizistan, au Xinjiang et en Turquie.

**TURENNE** (Henri **de La Tour d'Auvergne**, vicomte DE) ~ *1611, Sedan - 1675, Sasbach.* Maréchal de France (1643). Il servit en Italie en 1630, puis sous Bernard de Saxe-Weimar en Alsace, où il défendit Brisach (1638). Vainqueur à la bataille de Donauschingen (1644) et à celle de Nördlingen (1645), il écrasa les Impériaux à Zusmarshausen (1648). Rallié un temps à la cause de la Fronde, il rejoignit le camp royal et lutta contre Condé, qu'il battit (1652). Vainqueur des Espagnols à Arras (1654) et à la bataille des Dunes (1658), il prit Charleroi et Tournai durant la guerre de Dévolution. Protestant, il se convertit au catholicisme en 1668, sous l'influence de Bossuet. En 1674-1675, il conduisit une campagne en Alsace, où ses victoires sur les Impériaux permirent la conquête de la Franche-Comté, mais il fut tué au combat.

© Giraudon

Henri de La Tour d'Auvergne, vicomte de **Turenne**, maréchal de France, *peinture de Charles Lebrun (1619-1690). Château de Versailles.*

**TURGOT** (Anne Robert Jacques), baron **de l'Eaune** ~ *1727, Paris - 1781, id.* Homme d'État et économiste français. Intendant du Limousin de 1761 à 1774, il mit en application les idées des physiocrates. En 1766, il publia ses *Réflexions sur la formation et la distribution des richesses*, ouvrage qui amena Louis XVI à lui confier les Finances et la Marine (1774). Turgot voulut établir la liberté de circulation des marchandises en supprimant les douanes intérieures et tenta de faire disparaître les corporations et de réformer la fiscalité, mais la Cour obtint sa disgrâce en mai 1776.

**TURIN**, en ital. ***Torino*** ~ V. industr. du N.-O. de l'Italie, cap. régionale du Piémont, sur le Pô ; 946 000 h. (agglom. 2 236 000 h.). À une économie longtemps centrée sur l'industrie lourde (sidér., métall., chim.) et la construction automobile et aéronautique (Fiat) s'ajoutent auj. des activités de pointe ou de luxe (haute couture). Industr. alimentaires (vermouth), textiles. Édition, arts graphiques. Archevêché. Université (fondée en 1405). Palais ducal puis royal (XVIIe s.), monuments baroques de Guarini (chapelle du St-Suaire de la cathédrale St-Jean, église San Lorenzo, palais Carignano) et de Juvarra (escalier et façade du palais Madama). L'édifice de la Mole Antonelliana (XIXe s.) domine la ville. Riches musées. **HIST.** - Capitale de la maison de Savoie, elle fut au XIXe s. le foyer du Risorgimento et le noyau du royaume d'Italie, après avoir été l ch.-l. du département français du Pô (1802-1814) Les **traités de Turin** (1859 et 1860) décidèrent d rattachement à la France de Nice et de la Savoie

**TURING** (Alan Mathison) ~ *1912, Londres - 1954, Wilmslow, Cheshire.* Mathématicien et logi cien britannique. Auteur de travaux traitant d logique mathématique, il imagina une machine à calculer (**machine de Turing**, 1936), automate ficti universel à l'origine de l'informatique.

**TURKANA (lac)**, anc. **lac Rodolphe** ~ Grand la poissonneux du N. du Kenya, dans la branch orientale de la vallée du Rift ; 8 500 km$^2$, alt. 375 m Il est alimenté par l'Omo, mais n'a pas d'émissaire Fouilles anthropologiques sur ses rives (australopi thèques de 2,5 millions d'années).

**TURKESTAN** (le) ~ Anc. nom de l'Asie centrale aux populations princ. turcophones ou persanes Sur le passage des grandes invasions (Mongols) unifié par Tamerlan (apogée de Samarkand), l Turkestan fut conquis aux XVIIIe et XIXe s. par l Russie (khanats de Boukhara, de Kokand, Kharezm et la Chine (région ouïgour), désormais divisé e **Turkestan russe** (auj. Turkménistan, Ouzbékistan Tadjikistan, Kirghizistan, S. du Kazakhstan) et e **Turkestan chinois** (auj. Xinjiang).

**TURKMÉNISTAN (république du)** ~ Pays d'Asi centrale, bordé à l'O. par la mer Caspienne e à l'E. par l'Amou-Daria. ***Cap.*** Achkhabad. ***Superf*** 448 100 km$^2$. ***Popul.*** 4 400 000 h., dont Turk mènes (72 %), Russes (10 %), Ouzbeks (9 %) ***Langue princ.*** Turkmène (emploi de l'alphabet lati à partir de 1996), apparenté au turc. ***Monn.*** Mana ***Relief.*** Le désert du Karakoum occupe les troi quarts du territoire. Le canal du Karakoum amèn l'eau de l'Amou-Daria dans le S. ***Écon.*** Depui l'indépendance, le Turkménistan développe se relations avec l'Iran pour échapper à la tutell économique russe. ***Ress. princ.*** Culture du coton élevage ovin (astrakan), industrie chimique, ga naturel. ***V. princ.*** Achkhabad, Tchardjoou. **HIST.** - Dans l'Antiquité, la région, englobée dans l Kharezm, subit les influences perse et grecque *VIIe s.* : islamisation sous califat omeyyade. *VIIIe-Xe s.* installation de tribus turques (Oghouz). *XIIIe s.* conquête mongole par Gengis Khan. *XIVe-XVe s.* domination timuride. *XVIe-XVIIIe s.* : les Perses, le Ouzbeks et les Afghans se disputent la régior *1863-1897* : conquête russe et intégration dans l Turkestan. *1917-1919* : création d'un éphémèr État turkmène à gouvernement social-démocrate que l'Armée rouge reconquiert. *1920* : le Turkménis tan devient une république socialiste soviétiqu (R. S. S.) autonome au sein de la républiqu fédérative de Russie. *1924* : redéfinition de frontières des territoires d'Asie centrale et créatio de la R. S. S. fédérée du Turkménistan. *1991* indépendance et adhésion à la C. E. I. *1992* élection à la présidence de Separmourad Nyazov

**Türks** (les) ~ Voir **Turcs.**

**TURKS ET CAICOS (îles)** ~ Archipel britanniqu des Antilles, au N. d'Haïti, possession de l Grande-Bretagne depuis 1766 et colonie autonom depuis 1973 ; 497 km$^2$, 12 000 h., cap. Cockbur Town. Pêche, tourisme, paradis fiscal.

**TURKU**, en suéd. ***Åbo*** ~ Port de Finlande, sur l Baltique, la plus anc. v. du pays ; 160 000 h Université. Archevêché. Chantiers navals, manufac tures de tabac, agroalim., textile. Cathédrale e château (fin XIIIe s.). Musées. Anc. capitale admin et cult. de la Finlande (jusqu'en 1812).

**TURNER** (William) ~ *1775, Londres - 1851, id* Peintre britannique. À l'instar de Cl. Lorrain, privilégia dans ses paysages les éléments instable (l'eau, le ciel) au détriment des éléments stable (la terre, les édifices), créant de pures harmonie de lumière qui annoncent l'impressionnisme (*Pluie vapeur, vitesse,* 1844).

**TURNHOUT** ~ V. de Belgique (Région flamande prov. d'Anvers), sur **le canal de Turnhout** 38 000 h. Industries diversifiées, dont papier, carte à jouer. Château des ducs de Brabant (XVe s.) béguinage (XIVe-XVIIIe s.). Musées.

**TURPIN** (Eugène) ~ *1848, Paris - 1927, Pontois* Chimiste et inventeur français. Après sa découvert des couleurs inoffensives (1877), il fit breveter l mélinite (1885), utilisée pour charger des obu

**TURQUIE** (la), off. **République turque**, en turc ***Türkiye Cumhuriyeti*** ~ Pays d'Asie (Proche-Orient) ayant une petite partie de son territoire en Europe (Thrace orientale), bordé au S. par la Méditerranée, au N. par la mer Noire, à l'O. par la mer Égée. Il contrôle les détroits du Bosphore et des Dardanelles. ***Cap.*** Ankara. ***Superf.*** 779 452 km². ***Popul.*** 61 180 000 h., dont Turcs (85 %), Kurdes (10 %). ***Langues princ.*** Turc, kurde. ***Monn.*** Livre turque. ***Relief.*** Plateau central élevé d'Anatolie (800 m à l'O., 2 000 m à l'E.), bordé au S. par le Taurus et au N. par les chaînes Pontiques (alt. max. 3 940 m), qui dominent le littoral de la mer Noire. Les montagnes se rejoignent à l'E. dans le « nœud arménien » (mont Ararat, 5 165 m). ***Fl. princ.*** Kizil Irmak et cours supérieur de l'Euphrate et du Tigre. ***Climat.*** Continental sec à l'E., chaud et humide sur la côte N., méditerranéen au S. et à l'O. ***Écon.*** Un important secteur agricole occupe les 2/3 de la population (céréales, betterave à sucre, gros cheptels ovin, caprin et bovin). Ses cultures spéciales exportées (noisettes, 1er rang mondial ; tabac, 3e rang mondial ; agrumes, coton, fruits secs) étant le support de sa croissance, la Turquie mise sur l'intensification de ses échanges avec l'Union européenne (et, à terme, sur son intégration) pour dynamiser son commerce (export. de biens manufacturés, vêtements, cuir). Les ressources énergétiques (lignite, charbon, hydroélectricité) alimentent une industrie en développement (métall., chimie, agroalim.). Mais l'endettement du pays reste élevé, malgré l'apport du tourisme et du travail des immigrés. Les inégalités favorisent le courant islamiste. ***V. princ.*** Istanbul, Ankara, Izmir (Smyrne), Adana, Bourse, Gaziantep, Konya. **HIST.** - Issue de l'Empire ottoman, la Turquie se trouve engagée dans la Première Guerre mondiale aux côtés de l'Allemagne. *1918* : la défaite de l'Allemagne entraîne la dislocation des Empires centraux. La Turquie est occupée par les Alliés. *1920* : le sultan Mehmed VI signe le traité de Sèvres démantelant l'Empire ottoman. Les Grecs, soutenus par les Alliés, occupent l'Asie Mineure. Le général Mustafa Kemal, qui refuse cette situation, entre en lutte depuis l'Anatolie pour construire un État national turc. *1922* : il vainc les Grecs, les forçant à signer un armistice, et abolit le sultanat. *1923* : le traité de Lausanne revient sur les clauses du traité de Sèvres et fixe les frontières de la Turquie au détriment des Arméniens et des Kurdes. La république est proclamée (23 oct.). *1924-1938* : Mustafa Kemal (dit Kemal Atatürk) met en place un régime autoritaire, appuyé sur le Parti républicain du peuple, et entreprend de réformer la Turquie afin d'en faire un État laïque et moderne. *1938-1950* : Ismet Inönü succède à Mustafa Kemal. La Turquie déclare tardivement la guerre à l'Allemagne (févr. 1945) et bénéficie de l'appui des États-Unis (plan Marshall) pour contrer les ambitions soviétiques. *1950-1960* : Adnan Menderes, Premier ministre, tolère le retour à l'islam, libéralise l'économie et, en dépit de la question chypriote, confirme l'engagement pro-occidental de la Turquie en adhérant à l'Otan (1952) et en signant le pacte de Bagdad (1955). *1961-1966* : le général Gürsel, qui a renversé A. Menderes (1960), est président de la République. *1961-1971* : formation de gouvernements de coalition par I. Inönü (1961-1965) et par Süleyman Demirel (1965-1971). *1970-1972* : de graves troubles éclatent, et un mouvement de contestation populaire se développe. L'ordre est rétabli par l'armée, qui impose un gouvernement de Salut public dirigé par Nihat Erim (1971-1972). *1974* : la coalition au gouvernement, dirigée par Bülent Ecevit (Parti républicain du peuple), décide d'intervenir militairement à Chypre. *1975-1980* : alternance de gouvernements de coalition dirigés alternativement par S. Demirel et B. Ecevit, impuissants face aux actions des séparatistes kurdes, de l'extrême gauche et des islamistes. *1980* : prise du pouvoir par le général Kenan Evren, qui devient chef de l'État. *1983-1991* : le civil Turgut Özal, à la tête du nouveau Parti de la Mère patrie et soutenu par les militaires, domine la vie politique, comme Premier ministre d'abord, puis, à partir de 1989, comme président de la République. *1991-1993* : retour au pouvoir d'un gouvernement de coalition avec S. Demirel (Parti de la juste voie) et Erdal Inönü (Parti populiste social-démocrate). *1993* : S. Demirel succède à T. Özal, et Tansu Ciller (Parti de la juste voie), est nommée Premier ministre. La Turquie est confrontée à la guérilla kurde, à la montée de l'intégrisme musulman et aux difficultés économiques. *1996* : vainqueur des élections législatives, le Parti de la prospérité (islamique) dirige un gouvernement de coalition avec T. Ciller. Necmettin Erbakan est Premier ministre. *1997* : Mesut Yilmaz (Parti de la mère patrie) devient Premier ministre.

**Tutsis** (les) ~ Ethnie de pasteurs sédentaires du Burundi et du Rwanda, devenue lors des colonisations allemande puis belge une élite associée au pouvoir. Depuis 1962, des conflits sanglants les opposent sporadiquement aux Hutus.

**TUTU** (Desmond) ~ *1931, Klerksdorp, Transvaal.* Prélat sud-africain. Évêque anglican, il a été l'une des figures de la lutte non violente contre l'apartheid. Prix Nobel de la paix 1984.

**TUVALU (îles)**, anc. **îles Ellice** ~ État constitué par un archipel corallien du Pacifique Sud, à l'E. des îles Salomon, menacé de submersion par la montée des eaux. ***Cap.*** Funafuti. ***Superf.*** 24 km² (superf. des eaux territoriales 900 000 km²). ***Popul.*** 10 000 h. ***Langues princ.*** Tuvaluan, anglais. ***Monn.*** Dollar australien. ***Ress. princ.*** Coprah, pêche, aides internationales. **HIST.** - Découvert à la fin du XVIe s., l'archipel fut un protectorat (1892), puis une colonie britannique (1915). Il devint autonome sous le nom de Tuvalu en 1975, et indépendant en 1978, dans le cadre du Commonwealth.

**TUXTLA GUTIÉRREZ** ~ Voir **Chiapas**.

**TUYÊN QUANG** ~ V. du N. du Viêt Nam (Tonkin) ; 48 000 h. Une garnison française y soutint un siège contre des bandes chinoises (1884-1885). Base du Viêt-minh (1946-1954).

**TUZLA** ~ V. de Bosnie-Herzégovine ; 132 000 h. (1991). Extraction de sel gemme et de lignite. Enclave musulmane martyre de la guerre ayant opposé Serbes et Bosniaques de 1992 à 1995.

**TVER**, anc. **Kalinine** (1933-1990) ~ V. industr. de Russie, port fluvial sur la haute Volga ; 456 000 h. Cap. d'un État rival de Moscou au Moyen Âge.

**TWAIN** (Samuel Langhorne **Clemens**, dit Mark) ~ *1835, Florida, Missouri - 1910, Redding, Connecticut.* Écrivain américain. Incarnation de l'écrivain reporter, il fit découvrir l'Amérique rurale par ses romans à la verve picaresque (*les Aventures de Tom Sawyer*, 1876 ; *les Aventures de Huckleberry Finn*, 1884).

**TWEED** (la) ~ Fleuve côtier du S.-E. de l'Écosse, tribut. de la mer du Nord, limite avec l'Angleterre ; 156 km. Tissages réputés.

**TYARD** ou **THIARD** (Pontus DE) ~ *1521, château de Bissy, Mâconnais - 1605, Bragny-sur-Saône.* Poète français. Consacré évêque de Chalon-sur-Saône, il fut rattaché à la Pléiade par Ronsard (*Livre des vers lyriques*, 1555).

**TYLER** (John) ~ *1790, Charles City County, Virginie - 1862, Richmond, id.* Homme d'État américain. Dixième président des États-Unis (1841-1845), il fit voter la réunion du Texas à l'Union (1845) et se rallia à la cause sudiste pendant la guerre de Sécession.

**TYLER** (Wat ou Walter) ~ *m. en 1381 à Londres.* Révolutionnaire anglais. Menant une révolte paysanne contre l'impôt, il marcha sur Londres, où il obtint des concessions de Richard II. Il fut tué par le maire de la ville après les pillages commis par les insurgés.

Desmond **Tutu**.

© V. Brynner-Gamma

Mark **Twain**.

© M. Evans-Explorer

**TYLOR** (sir Edward Burnett) ~ *1832, Camberwell, Londres - 1917, Wellington, Somerset.* Ethnologue britannique. Il s'intéressa en particulier à l'animisme et étudia plusieurs ethnies mexicaines (*la Civilisation primitive*, 1871).

**TYNDALL** (John) ~ *1820, Leighlin Bridge - 1893, Hindhead, Surrey.* Physicien britannique. Il découvrit le phénomène de regel de la glace et l'effet (qui porte son nom) dû à la diffusion de la lumière par les colloïdes. Ces deux découvertes lui permirent de donner respectivement une explication aux phénomènes de la marche des glaciers et aux couleurs bleu du ciel et orange du soleil couchant ou levant. La **tyndallisation** désigne une méthode de stérilisation qu'il mit au point.

**TYNDARE** ~ Roi légendaire de Sparte. Son épouse, Léda, donna naissance à Castor, à Pollux (conçus par Zeus), à Clytemnestre et à Hélène.

**TYNE** (la) ~ Fleuve du N. de l'Angleterre, tribut. de la mer du Nord ; 100 km. Une vaste conurbation industrielle (**Tyneside**) s'est développée sur les rives de son estuaire (Northumberland).

**TYNEMOUTH** ~ V. de la banlieue E. de Newcastle-upon-Tyne (Angleterre) ; 60 000 h. Terminal ferry pour le Danemark et la Norvège.

**TYR** ~ Voir **Sour**.

**TYROL** (le) ~ Région hist. des Alpes orientales, partagée entre l'Autriche et l'Italie, limitée à l'O. par le Vorarlberg, à l'E. par la Carinthie, et englobant la région du Trentin - Haut-Adige (point culminant à la Wildspitze, 3 774 m). Le cours supérieur de l'Inn forme l'axe vital, où se situent les villes les plus actives (Innsbruck). L'activité agricole (vigne, fruits, élevage) et industrielle (verrerie, bois, textile) des vallées est vivifiée par l'essor du tourisme (Ischgl, Igls, Innsbruck). **HIST.** - Possession des ducs d'Autriche au XIVe s., le Tyrol — hormis un court épisode bavarois (1805-1814) — resta aux mains des Habsbourg jusqu'en 1918. Le traité de Saint-Germain (1919) attribua le S. de la région à l'Italie (le Trentin et le Haut-Adige où une population de langue allemande vit depuis 1969 sous un régime d'autonomie).

© F. Jalain-Explorer

*Tyrol, la station de sports d'hiver de Seefeld.*

**TYRRHÉNIENNE (mer)** ~ Partie E. du bassin occidental de la mer Méditerranée, comprise entre la Corse, la Sardaigne, la Sicile et le littoral O. de la péninsule italienne ; prof. max. 4 600 m. Séparée du reste de la Méditerranée occidentale par la dorsale corso-sarde, elle communique not. avec elle par les détroits de Corse, de Piombino et de Messine. Ses eaux chaudes baignent des côtes souvent élevées et rocheuses, bordées par plusieurs groupes d'îles (Éoliennes, archipel Toscan).

**TYRTÉE** ~ *VIIe s. av. J.-C., Attique.* Poète grec. Selon la légende, ses exhortations lyriques encouragèrent les Spartiates aux guerres de Messénie. Il écrivit des *Embatéria* (marches ou chants) et des *Eunomia* (élégies).

**TZARA** (Samy **Rosenstock**, dit Tristan) ~ *1896, Moineşti, Roumanie - 1963, Paris.* Écrivain français d'orig. roumaine. Il est l'un des fondateurs du mouvement Dada (*Sept Manifestes Dada*, 1924 ; *l'Homme approximatif*, 1931). [☞ **dada**.]

**Tziganes** (les) ~ Voir **Tsiganes**.

**UBAYE** (l') ~ Affl. alpin de la Durance (r. g.), qu'il rejoint dans le lac de Serre-Ponçon ; 80 km.

**UCAYALI** (l') ~ Riv. du Pérou, issue des Andes orientales, princ. affl. du Marañón, l'une des branches mères de l'Amazone ; 1 600 km.

**UCCELLO** (Paolo **di Dono**, dit Paolo) ~ *1397, Florence - 1475, id.* Peintre italien. Passionné par les recherches sur la perspective, il allia une savante distribution des masses au souci du naturalisme et imprima une atmosphère poétique à ses tableaux (triptyque de la *Bataille de San Romano*, v. 1456).

*La* Bataille de San Romano *(v. 1456), peinture de Paolo* Uccello. *Galerie des Offices, Florence.*

**UCCLE**, en néerl. ***Ukkel*** ~ V. de la banlieue S. de Bruxelles ; 74 000 h. Observatoire royal de Belgique.

**UDAIPUR** ~ V. touristique de l'Inde (Rajasthan), sur un site lacustre ; 309 000 h. Université. Palais royal rajput (XVIe-XVIIIe s.).

**U. D. F.** ~ Voir **Union pour la démocratie française.**

**UDINE** ~ V. d'Italie (Frioul-Vénétie Julienne), au pied des Alpes ; 97 000 h. Archevêché. Industries textile et alimentaire. Cathédrale (XIVe-XVIIIe s.), château du XVIe s. (pinacothèque). Ancienne capitale du Frioul vénitien.

**U. D. R.** ~ Voir **Union des démocrates pour la République.**

**U. D. R.** ~ Voir **Union pour la défense de la République.**

**UEDA Akinari** ~ *1734, Ôsaka - 1809, Kyôto.* Écrivain japonais. Il rénova la littérature légendaire avec ses *Contes de pluie et de lune* (1776).

**UÉLÉ** ou **OUELLÉ** (le) ~ Riv. du N. du Zaïre, l'une des branches mères de l'Oubangui ; 1 300 km.

**UGARIT** ~ Voir **Ougarit.**

**UGINE** ~ V. industrielle de la vallée de l'Arly (Savoie) ; 7 248 h. Électrométallurgie.

**UGOLIN** ~ Voir **Gherardesca** (Ugolino della).

**UHURU (pic)** ~ Voir **Kilimandjaro.**

**Uitlanders** (les) ~ Nom donné par les Boers aux immigrants britanniques arrivés au Transvaal et dans l'État d'Orange vers 1890.

**UJJAIN** ~ V. sainte de l'Inde (Madhya Pradesh), au S.-O. de Bhopal ; 362 000 h. Université. Pèlerinage hindouiste (fête du Bain tous les 12 ans). Site archéologique d'une cité d'où rayonna le bouddhisme (seconde moitié du Ier mill. av. J.-C.). Vestiges de l'observatoire (XVIIIe s.).

**UJUNGPANDANG** ~ Voir **Macassar.**

**UKRAINE (république d')**, en ukrainien ***Ukraïna*** ~ Pays d'Europe orientale, à l'O. de la Russie, bordé au S. par la mer Noire et la mer d'Azov. ***Cap.*** Kiev. ***Superf.*** 603 700 km². ***Popul.*** 52 140 000 h. dont Ukrainiens (73 %), Russes (22 %), Tatars (2 %). ***Langues princ.*** Ukrainien, russe. ***Monn.*** Karbovanets. ***Relief.*** Le Dniepr et ses affluents drainent une riche région de plaines (Terres noires) qui s'appuie à l'O. sur le plateau de Podolie et un segment du massif des Carpates. Au S., péninsule de Crimée. ***Climat.*** Continental humide, plus sec au S. et à l'O. ***Écon.*** L'agriculture, riche et diversifiée (céréaliculture intensive, oléagineux, betterave à sucre, fruits et vigne au S.), et l'élevage (bovin, porcin) génèrent une importante industrie agroalimentaire. L'industrie lourde (sidér., mécan., armement, chim.) s'appuie sur les grands pôles miniers (charbon du Donbass, fer de Krivoï-Rog et de Kertch, manganèse de Nikopol) et sur l'hydroélectricité. Désorganisée par son indépendance récente et par la rupture des liens commerciaux avec le Comecon, l'Ukraine se trouve en proie à un désordre monétaire récurrent, et son économie est tributaire de la Russie, redevenue son premier partenaire, avec une grande dépendance énergétique. ***V. princ.*** Kiev, Kharkov, Donetsk, Odessa, Zaporojie, Lvov, Krivoï-Rog. **HIST.** - *Ier mill. av. J.-C.* : la région est occupée par les Scythes, et des colonies grecques s'établissent sur la côte. *IIe s. av. J.-C.-Ve s. apr. J.-C.* : invasions successives des Sarmates, des Huns, des Goths, des Khazars ; des Slaves s'infiltrent au N. et à l'O. *882* : le Varègue Oleg le Sage fonde la principauté de Kiev, le premier État russe. *XIe-XVIIe s.* : l'Ukraine subit encore l'invasion des Coumans et des Mongols avant de passer en majeure partie sous l'autorité du royaume polono-lituanien catholique (1386). Des orthodoxes forment sur le Dniepr inférieur la communauté autonome des Cosaques Zaporogues. En 1667, l'Ukraine est partagé entre la Pologne et la Russie (traité d'Androussovo). *XVIIIe s.* : la quasi-totalité de l'Ukraine passe dans l'orbite russe, et Catherine II met fin à l'autonomie des Cosaques (1775). *XIXe s.* : développement d'un mouvement nationaliste sous l'impulsion du poète Tarass Chevtchenko. *1917-1918* : à la suite de la révolution bolchevique, une république autonome ukrainienne, dirigée par Simon Petlioura, est proclamée à Kiev, tandis qu'à Kharkov les bolcheviks instaurent une république soviétique d'Ukraine. *1919-1921* : de violents combats éclatent entre les armées blanches de Piotr Wrangel et d'Anton Denikine et les forces bolcheviques. *1921* : un nouveau partage de l'Ukraine a lieu entre la Pologne, rejointe par les troupes nationalistes de S. Petlioura, et la Russie (traité de Riga). *1922* : création d'une république socialiste soviétique fédérée d'Ukraine. *1944-1945* : après l'occupation (1941-1942) et la défaite allemandes, l'Ukraine s'agrandit de la Galicie orientale, de la Volhynie, de la Ruthénie subcarpatique, de la Bessarabie et de la Bucovine du Nord. *1954* : Nikita Khrouchtchev cède la Crimée à l'Ukraine. *1986* : catastrophe nucléaire de Tchernobyl. *1991* : indépendance ; élection de Leonid Kravtchouk à la présidence. *1992-1995* : tensions russo-ukrainiennes à propos de la Crimée, des armes nucléaires, de la flotte russe stationnée en mer Noire. Leonid Koutchma, partisan d'un rapprochement avec la Russie, est élu président de la République en juillet 1994 et signe avec elle, en 1997, un traité d'amitié et de coopération.

**UKRAINE SUBCARPATIQUE** (l') ~ Voir **Transcarpatie.**

**ULBRICHT** (Walter) ~ *1893, Leipzig - 1973, Berlin.* Homme politique allemand. Cofondateur du Parti communiste allemand (1919), il fut l'un des créateurs de la R. D. A. Premier secrétaire du Parti socialiste unifié (S. E. D.) de 1950 à 1971, il présida le Conseil d'État de 1960 à sa mort.

**ULFILAS**, **ULFILA** ou **WULFILA** ~ *v. 311, en Gothie - 383, Constantinople.* Évêque cappadocien. Il propagea l'arianisme chez les Goths et traduisit le Nouveau Testament en gotique.

**ULIS (Les)** ~ V. du S.-O. de l'agglom. parisienne (Essonne), près d'Orsay, créée en 1977 ; 27 164 h.

**ULM** ~ V. d'Allemagne (Bade-Wurtemberg), sur le Danube (r. g.), formant avec Neu-Ulm (Bavière), sur l'autre rive, une conurbation industrielle ; 113 000 h. Cathédrale gothique (XIVe-XVIe s.). Ville impériale au XIIe s., elle fut un centre commercial florissant au XIVe s.

**ULSTER** (l') ~ Région hist. (anc. royaume gaélique) du N. de l'Irlande, divisée sur des critères d'appartenance religieuse entre la république d'Irlande (**prov. de l'Ulster** ; 8 012 km², 232 000 h., formée de 3 comtés), à majorité catholique, et l'Irlande du Nord, à majorité protestante, unie à la Grande-Bretagne depuis 1921.

**ULYSSE** ~ Héros de la mythologie grecque, personnage central du cycle homérique et de tragédies. Fils de Laërte, roi d'Ithaque, époux de Pénélope et père de Télémaque, il prit une part déterminante à la victoire sur Troie par ses ruses, qui allèrent jusqu'à la tromperie (*Iliade*). L'*Odyssée* raconte comment, ballotté d'île en île durant dix ans malgré la protection d'Athéna, Ulysse dut échapper aux Lotophages, au cyclope Polyphème, aux Lestrygons anthropophages, à la magicienne Circé, aux Sirènes, aux écueils de Charybde et Scylla puis à la nymphe Calypso, avant d'être recueilli par le roi des Phéaciens Alkinoos et sa fille, Nausicaa. De retour à Ithaque, déguisé en mendiant, il massacra les prétendants avec l'aide de Télémaque.

Ulysse et les sirènes *(IIIe s. av. J.-C.), mosaïque. Musée du Bardo, Tunis.*

**UMAR Ier** ~ Voir **Omar Ier.**

**Umayyades** (les) ~ Voir **Omeyyades.**

**UMBO** (Otto Umbehr, dit) ~ *1902, Dusseldorf - 1980, Hanovre.* Élève du Bauhaus (1921-1923), il travailla pour l'agence Delphot (1928-1933). Photographe indépendant, il voyagea en Afrique du Nord et en Italie. Son travail sur les perspectives, les vues en plongée, les contrastes d'ombre soulignent le caractère irréel et étrange du monde.

**UMM AL-QAYWAYN** ~ Voir **Émirats arabes unis.**

**UMM KULTHUM** ~ Voir **Oum Kalsoum.**

**UNAMUNO** (Miguel DE) ~ *1864, Bilbao - 1936, Salamanque.* Écrivain et philosophe espagnol. Il fut le penseur inquiet et polémique de l'identité espagnole et de la condition de l'homme devant la mort (*le Sentiment tragique de la vie*, 1912 ; *Trois Nouvelles exemplaires*, 1914).

**UNDSET** (Sigrid) ~ *1882, Kalundborg, Danemark - 1949, Lillehammer.* Romancière norvégienne. Elle exposa une conception conservatrice de la condition féminine dans ses romans historiques (*Kristin Lavransdatter*, 1920-1922) ou contemporains (*la Femme fidèle*, 1936). Prix Nobel de litt. 1928.

**Unesco** ~ Voir **Organisation des Nations unies pour l'éducation, la science et la culture.**

**UNGARETTI** (Giuseppe) ~ *1888, Alexandrie - 1970, Milan.* Poète italien. Il évolua de l'hermétisme (*Sentiment du temps*, 1933) à un lyrisme plus classique (*la Douleur*, 1947).

**UNGAVA** (péninsule d') ~ Partie N.-O. de la péninsule du Labrador (Québec), bordée à l'O. par la baie d'Hudson et à l'E. par la **baie d'Ungava.**

**Unicef**, sigle de ***United Nations International Children's Emergency Fund***, en fr. **Fonds d'urgence des Nations unies pour l'enfance** ~ Organisation créée en 1946 dans le but d'améliorer la condition de l'enfant dans le monde.

**Unigenitus Dei Filius** ~ Bulle du pape Clément XI (8 sept. 1713) condamnant 101 propositions des *Réflexions morales* du janséniste P. Quesnel.

**union (Actes d')**, nom donné à deux lois britanniques. ~ Le premier, unissant l'Angleterre et l'Écosse, constitua le royaume de Grande-Bretagne (1707). ~ Le second, adopté par le Parlement de Londres en 1798 et celui de Dublin en 1800, constitua le Royaume-Uni de Grande-Bretagne et d'Irlande. Cet acte fut modifié en 1920, séparant l'Irlande du Nord de la république d'Irlande.

**Union des démocrates pour la République** (U. D. R.) ~ Parti politique français. Nom adopté par le mouvement gaulliste de 1971 à 1976.

**UNION FRANÇAISE** ~ Ensemble créé par la Constitution de 1946 et remplacé en 1958 par la Communauté. Elle comprenait la France métropolitaine, les départements et territoires d'outre-mer et l'Algérie, les territoires (anciennes colonies) et États (anciens protectorats) associés.

**Union Jack** (l') ~ Nom familier du drapeau britannique. Il réunissait au XVII^e^ s. les croix anglaise de saint Georges et écossaise de saint André, auxquelles fut ajoutée en 1801 la croix irlandaise de saint Patrick.

**Union pour la défense de la République** (U. D. R.) ~ Parti politique français. Nom adopté par le mouvement gaulliste de 1968 à 1971.

**Union pour la démocratie française** (U. D. F.) ~ Formation politique française créée en 1978, fédérant le parti républicain, la Force démocrate (centristes) et le Parti radical. Alliée et rivale du R. P. R., l'U. D. F., qui soutint Valéry Giscard d'Estaing en 1981, est présidée depuis 1996 par François Léotard.

**UNKEI** ~ *actif de 1163 à 1223.* Sculpteur japonais. Auteur principal des monumentales statues bouddhiques en bois polychrome du temple de Tôdai, il est l'un des plus remarquables artistes de l'époque Kamakura.

**UNKIAR-SKELESSI** ~ Localité du Bosphore. Le 8 juillet 1833, la Russie et l'Empire ottoman y signèrent un traité ouvrant les Détroits aux seuls navires de guerre russes, traité devenu caduc en 1841 par la convention de Londres.

**UNTERWALD** (l'), en all. ***Unterwalden*** ~ Canton préalpin du centre de la Suisse, bordé au N.-E. par le lac des Quatre-Cantons. Il est divisé en deux demi-cantons souverains, le **Nidwald** (ch.-l. Stans ; 276 km², 35 000 h.) et l'**Obwald** (ch.-l. Sarnen ; 490 km², 31 000 h.), dont la population est en majorité catholique et de langue allemande. Élevage laitier, exploit. du bois. Tourisme. **HIST.** - Il fut l'un des trois premiers cantons de la Confédération helvétique (1291).

**Upanishad** (les) ~ Textes sacrés de la religion hindouiste, composés entre 700 et 300 av. J.-C.

**UPDIKE** (John) ~ *1932, Shillington, Pennsylvanie.* Écrivain américain. Styliste raffiné, il est le peintre de l'ambiguïté morale de la société américaine (*Cœur de lièvre*, 1960 ; *les Sorcières d'Eastwick*, 1984).

**UPPSALA** ~ V. de Suède, au N.-O. de Stockholm ; 175 000 h. Archevêché luthérien. Université (1477). Cathédrale (XIII^e^-XV^e^ s.). Berceau de la civilisation suédoise, le vieil Uppsala fut, jusqu'au XI^e^ s., la capitale des premiers rois de Suède.

**UQBA IBN NAFI** ~ *v. 630 - 683.* Général arabe. Il conquit la Tunisie et fonda Kairouan en 670.

**Ur** ~ Voir **Our**.

**URABI PACHA** ~ *1839, près de Zagazig - 1911, Le Caire.* Officier et homme politique égyptien. Organisateur de la résistance à la pénétration franco-britannique, il fut vaincu (1882) et déporté à Ceylan.

**URANIE** ~ Dans la mythologie grecque, l'une des neuf Muses. Elle présidait à l'Astronomie.

**URANUS** ~ Planète du système solaire, située entre Saturne et Neptune. Son diamètre équatorial est de 51 200 km et son volume égale 66 fois celui de la Terre ; sa révolution sidérale est de 84 ans. Son atmosphère est composée d'hydrogène, d'hélium et de méthane, et sa température est d'env. - 210 °C. Elle est entourée de 10 anneaux et de 15 satellites (dont Miranda, Ariel, Umbriel, Titania, Obéron).

**URBAIN**, nom de huit papes. ~ **Urbain II** (bienheureux ; Eudes ou Odon DE **Châtillon** ; *v. 1042, Châtillon-sur-Marne - 1099, Rome*), pape de 1088 à 1099. Ancien moine de Cluny, il dut s'imposer face à l'antipape Clément III. Il réunit les conciles de Clermont et de Plaisance (1095), où il condamna les investitures laïques, et fut à l'origine de la 1^re^ croisade. ~ **Urbain VI** (Bartolomeo **Prignano** ; *v. 1318, Naples - 1389, Rome*), pape de 1378 à 1389. Premier pape élu après le retour de la papauté d'Avignon, il suscita l'hostilité des cardinaux, qui lui opposèrent l'antipape Clément VII, déclenchant ainsi le grand schisme d'Occident. ~ **Urbain VIII** (Maffeo **Barberini** ; *1568, Florence - 1644, Rome*), pape de 1623 à 1644. Il condamna (1642-1643) l'*Augustinus* de Jansénius. Mécène, il fit notamment réaliser par le Bernin le baldaquin de Saint-Pierre de Rome.

**URBAIN** (Georges) ~ *1872, Paris - 1938, id.* Chimiste français. Spécialiste des terres rares, il isola le lutécium (1907).

**URBINO** ~ V. touristique d'Italie (Marches) ; 16 000 h. Archevêché. Université. Le palais ducal (XV^e^ s.) abrite la galerie nationale des Marches (peintures de Piero della Francesca, d'Uccello, etc.). Foyer artistique depuis le XV^e^ s. (faïence jusqu'au XVII^e^ s.), Urbino fut la patrie de Raphaël.

**UREY** (Harold Clayton) ~ *1893, Walkerton, Indiana - 1981, La Jolla, Californie.* Chimiste américain. Il découvrit le deutérium, puis l'eau lourde (1932). Il reconstitua, par les procédés de datation, l'évolution du climat sur Terre. Prix Nobel de chim. 1934.

**URFA** ~ Voir **Édesse**.

**URFÉ** (Honoré D') ~ *1567, Marseille - 1625, Villefranche-sur-Mer.* Écrivain français. Avec *l'Astrée*, vaste roman pastoral publié entre 1607 et 1628, il influença la littérature précieuse du XVII^e^ siècle.

**URI** ~ Canton alémanique de Suisse, traversé par la vallée alpine de la Reuss ; 1 077 km², 36 000 h. (maj. catholique), ch.-l. Altdorf. Tourisme. Il fut l'un des trois premiers cantons de la Confédération helvétique (1291).

**URRAQUE** ~ *1081 - 1126, Saldaña.* Reine de Castille et de León (1109-1122), fille d'Alphonse VI. Elle entra en guerre contre son second époux, Alphonse I^er^ d'Aragon, qui s'était déclaré roi de Castille malgré l'annulation de leur mariage. Il dut renoncer à la Castille en 1114.

**URSINS** (Marie-Anne **de La Trémoille**, princesse DES) ~ *1642, Paris - 1722, Rome.* Dame française. Elle veilla au maintien de Philippe V d'Espagne dans l'orbite française jusqu'au mariage de celui-ci avec Élisabeth Farnèse (1714).

**U. R. S. S.**, sigle de **Union des républiques socialistes soviétiques**, en russe ***S. S. S. R.*** ~ Anc. État d'Europe orientale et d'Asie centrale et septentrionale, composé de 15 républiques socialistes soviétiques fédérées (Arménie, Azerbaïdjan, Biélorussie, Estonie, Géorgie, Kazakhstan, Kirghizistan, Lettonie, Lituanie, Moldavie, Ouzbékistan, Russie, Tadjikistan, Turkménistan, Ukraine), elles-mêmes subdivisées en républiques ou districts autonomes, territoires (*kraï*) et régions admin. (*oblast*). ***Cap.*** Moscou. ***Superf.*** 22 400 000 km². ***Popul.*** 290 000 000 d'h., dont Russes (51 %), en 1991. **HIST.** - Pour la période historique avant 1922 et après 1991, voir **Russie**. *30 déc. 1922* : l'U. R. S. S. est créée lors du I^er^ Congrès des soviets de l'Union des républiques socialistes soviétiques, qui fédère quatre républiques (Russie, Ukraine, Biélorussie, Transcaucasie). *1924* : après la mort de Lénine, Joseph Staline s'impose en éliminant les oppositions de gauche (Léon Trotski), puis de droite (Nikolaï Boukharine) ; il introduit la centralisation et la planification, donne la priorité à l'industrie lourde et procède à la collectivisation forcée de l'agriculture (kolkhozes, sovkhozes). *1936-1938* : les procès de Moscou et les purges qui s'ensuivent éliminent les opposants potentiels, toute une élite civile et militaire, et Staline opère une répression massive et aveugle (goulags). L'U. R. S. S. compte onze républiques fédérées (Russie, Biélorussie, Ukraine, Arménie, Azerbaïdjan, Géorgie, Ouzbékistan, Turkménistan, Tadjikistan, Kazakhstan, Kirghizistan) lorsque, en 1936, une nouvelle Constitution légitime la dictature du Parti communiste de l'Union soviétique (P. C. U. S.). *1939-1945* : après la signature du pacte de non-agression germano-soviétique, l'U. R. S. S. annexe des territoires polonais, baltes, finlandais et roumains. L'attaque allemande (1941) est contenue à Leningrad et à Stalingrad (1942-1943). Pendant la « grande guerre patriotique », le peuple tchétchène (Caucase) est déporté en Asie centrale (1944), comme le sont les Tatars de Crimée en 1945. *1945-1953* : les accords de Yalta permettent à l'U. R. S. S. d'étendre son influence en Allemagne et en Europe orientale, où se forment des démocraties populaires. Le Conseil d'assistance économique mutuelle (Comecon) est formé en 1949. Le blocus de Berlin-Ouest (1948-1949) et la guerre de Corée (1950-1953) marquent le début de la guerre froide avec l'Occident. *1953-1968* : après la mort de Staline, son successeur, Nikita Khrouchtchev (1953-1964), échoue dans ses tentatives de décentralisation et de réformes économiques. Il est limogé et remplacé par Leonid Brejnev (1964-1982), dont la politique intérieure se caractérise par un immobilisme total. La course aux armements pèse lourdement sur le budget de l'Union, et la planification centralisée entraîne le gaspillage. À l'extérieur, l'U. R. S. S. maintient sa tutelle sur les démocraties populaires (signature du pacte de Varsovie, 1955 ; répression en Hongrie, 1956), mais la rupture avec la Chine de Mao Zedong (1960) pousse les Soviétiques à la « coexistence pacifique » avec les Occidentaux. Les foyers de tension restent cependant nombreux (Berlin, Cuba, Égypte, Syrie,

*Le démembrement de l'ancienne U. R. S. S. et la Russie actuelle.*

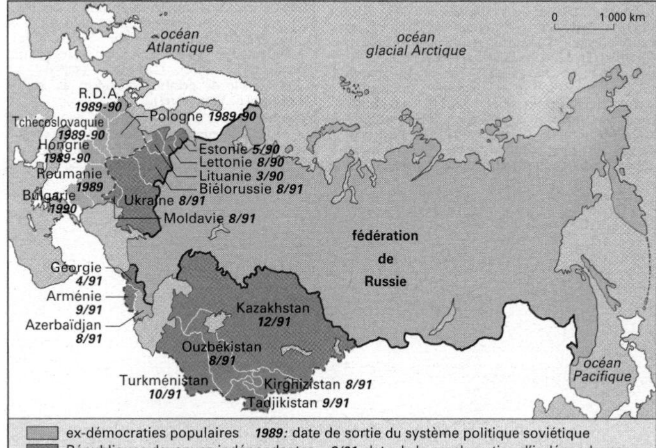

Viêt Nam). *1968* : l'U. R. S. S. intervient en Tchécoslovaquie pour étouffer la libéralisation en cours (Printemps de Prague). *1979* : intervention militaire en Afghanistan pour appuyer le gouvernement communiste minoritaire de Kaboul. *1982-1984* : Iouri Andropov devient secrétaire général du parti communiste. *1984-1985* : Konstantin Tchernenko lui succède. *1985-1991* : Mikhail Gorbatchev, secrétaire général du parti communiste, président du praesidium du Soviet suprême (1988-1990), met en œuvre une politique visant à favoriser la restructuration (*perestroïka*) et la transparence (*glasnost*) du régime. Il annonce le retrait des troupes d'Afghanistan (1988), renoue le dialogue avec l'Ouest, ce qui conduit à l'émancipation de la R. D. A. et de l'Europe orientale. Le parti communiste perd son rôle dirigeant, et un régime présidentiel est mis en place (mars 1990) avec M. Gorbatchev à sa tête. Boris Eltsine, élu président de Russie par le Parlement, fait voter la souveraineté de la R. S. F. S. de Russie (12 juin 1990), entrant en conflit ouvert avec le pouvoir fédéral soviétique. Élu au suffrage universel (12 juin 1991), il contribue à l'échec du coup d'État contre M. Gorbatchev (19-21 août) mais contraint ce dernier à démissionner. Il signe avec les présidents ukrainien et biélorusse la dissolution de l'U. R. S. S. et la création de la Communauté des États indépendants (C. E. I.) le 8 décembre 1991. B. Eltsine devient président de la fédération de Russie, qui succède à l'U. R. S. S. à l'O. N. U.

**URSULE** (sainte) ~ Martyre légendaire. Elle aurait accompli avec son fiancé et onze mille vierges un pèlerinage à Rome, avant d'être massacrée avec ses compagnes par les Huns, près de Cologne.

**URUGUAY** (l') ~ Fl. d'Amérique du Sud, issu du Brésil, tribut. de l'Atlantique, dont l'estuaire rejoint celui du Paraná dans le Río de la Plata ; 1 580 km. Son cours moyen forme la frontière entre l'Argentine et le Brésil. Son cours inférieur sépare l'Argentine de l'Uruguay.

**URUGUAY (république orientale de l')**, en esp. ***República oriental del Uruguay*** ~ Pays d'Amérique latine bordé à l'E. par l'océan Atlantique et au S. par le Río de La Plata. ***Cap.*** Montevideo. ***Superf.*** 176 215 km². ***Popul.*** 3 120 000 h. ***Langue princ.*** Espagnol. ***Monn.*** Peso uruguayen. ***Relief.*** Région de plaines et de collines, transition entre le plateau brésilien et les plaines d'Argentine. Drainée par le río Negro, elle s'ouvre sur le vaste estuaire du Río de La Plata. ***Climat.*** Tempéré, pluies modérées. ***Écon.*** Élevage bovin et ovin (export. de viande, de cuir et de laine), aux mains de la grande propriété. L'industrie (agroalim., text., cuir, mécan.) se concentre à Montevideo, qui rassemble la moitié de la population. Le pays, lourdement endetté, connaît une situation difficile. **HIST.** - *XVI^e-XVIII^e s.* : Díaz de Solis explore le Río de La Plata (1516) ; Portugais et Espagnols se disputent sa bande orientale, faiblement peuplée par les Indiens Charruás. En 1726, les Espagnols fondent Montevideo. *1810* : un chef gaucho, José Artigas, conduit un soulèvement contre les Espagnols et instaure un gouvernement nationaliste. *1821* : son échec conduit à l'annexion du pays par le Brésil portugais. *1828-1865* : après la proclamation de l'indépendance, un long conflit oppose, à l'intérieur, conservateurs (*blancos*) et libéraux (*colorados*), et, à l'extérieur, l'Uruguay à l'Argentine (« Grande Guerre », 1839-1851). *Début du XX^e s.* : président de 1903 à 1907, puis de nouveau de 1911 à 1915, José Batlle y Ordoñez (*colorado*) pose les bases d'un régime démocratique. *1933-1942* : la crise économique mondiale et ses répercussions en Uruguay remettent en cause les acquis démocratiques tandis que le président Terra exerce une dictature. *1951* : la démocratie est rétablie. *1966* : la guérilla urbaine des Tupamaros se développe dans un contexte de crise économique et sociale. *1972-1973* : les militaires organisent la répression avec l'accord du président Bordaberry. *1973-1984* : ils s'installent au pouvoir. *1984* : retour à un gouvernement civil avec le président Julio Sanguinetti (*colorado*). *1989* : élection de Luis Lacalle (*blanco*), partisan du néolibéralisme (adhésion au Mercosur, 1991). *1994* : retour au pouvoir de Sanguinetti.

**Uruk** ~ Voir **Ourouk**.

**URUMQI** ~ Voir **Ouroumtsi**.

**USANDIZAGA** (José María) ~ *1887, Saint-Sébastien - 1915, id.* Compositeur espagnol. Influencé par Puccini, il composa des opéras en basque (*Mendi Mendiyan*, 1909-1910) et une zarzuela célèbre, *Las Golondrinas* (1913).

**USHUAIA** ~ Port d'Argentine, sur le canal de Beagle, ch.-l. du territoire de la Terre de Feu ; 11 000 h. C'est la ville la plus australe du globe (55⁰ de lat. S.). Base navale. Tourisme.

**USSEL** ~ V. du haut Limousin (Corrèze) ; 11 448 h. Métallurgie. Église (XII^e-XV^e s.). Hôtel des ducs de Ventadour (XVI^e s.).

**USUMBURA** ~ Voir **Bujumbura**.

**UTAH** (l') ~ État de l'O. des États-Unis s'étendant sur une région semi-désertique, partagé entre les hauts plateaux du Colorado et une partie du Grand Bassin (Grand Lac Salé) par les monts Wasatch (4 123 m) ; 212 816 km², 1 860 000 h., cap. Salt Lake City. Agriculture irriguée, élevage bovin et ovin. Fer, cuivre, charbon, uranium, pétrole. **HIST.** - Les désaccords entre les mormons, implantés depuis 1847, et le gouvernement fédéral retardèrent l'entrée de l'Utah dans l'Union, qui en devint le 45^e État en 1896.

**UTAMARO Kitagawa** ~ *1753, Kawagoe - 1806, Edo.* Peintre et graveur japonais. Il illustra avec élégance et sensualité la beauté féminine (*Sous le pont Ryôgoku*).

**UTHMAN IBN AFFAN** ~ *m. en 656 à Médine.* 3^e calife (644-656). Il fixa le texte du Coran. En conflit avec la famille du Prophète, il fut assassiné.

**UTIQUE** ~ Cap. de l'anc. province romaine d'Afrique, au N.-O. de Carthage. Elle disparut au VII^e s.

**UTRECHT** ~ V. et port fluvial des Pays-Bas, centre comm. (foire internat.), culturel (univ., grandes écoles) et religieux (résidence du primat des Pays-Bas), sur le canal d'Amsterdam au Rhin, ch.-l. de la **province d'Utrecht** (1 434 km², 1 056 000 h.) ; 234 000 h (agglom. 546 000 h.). Industries (constr. mécan., text., alim.). Cathédrale (XIII^e-XVI^e s.). Musées. École de peinture d'Utrecht au XVII^e s. (Terbrugghen, Van Scorel).

**Utrecht (traités d')** ~ Accords (1713-1715) qui mirent fin à la guerre de la Succession d'Espagne. Philippe V fut reconnu roi d'Espagne, mais dut renoncer à ses droits sur la couronne de France et perdit ses possessions en Italie, à Gibraltar et à Minorque. Louis XIV reconnut l'ordre de succession établi en Grande-Bretagne par l'Acte d'établissement en faveur de la maison protestante de Hanovre, et il obligea le prétendant Stuart à quitter la France. En outre, la France perdit des places de la frontière du N., ainsi que Terre-Neuve et l'Acadie.

**Utrecht (union d')** ~ Union conclue en 1579 par les sept provinces protestantes du N. des Pays-Bas pour répondre au traité d'Arras. Elle est à l'origine des Provinces-Unies.

**UTRILLO** (Maurice) ~ *1883, Paris - 1955, Dax.* Peintre français, fils de S. Valadon. Il restitua, avec sa sensibilité déchirée, l'univers urbain de son époque, s'attachant surtout à peindre la butte Montmartre. Sa gamme évolua ensuite vers une plus grande luminosité.

L'Église Saint-Pierre de Montmartre sous la neige *(1931), peinture de Maurice* ***Utrillo.*** *Musée d'Art moderne de la Ville de Paris.*

**UTSUNOMIYA** ~ V. industrielle du Japon, au N. de la plaine du Kantô (Honshû) ; 428 000 h. Université.

**UTTAR PRADESH** (l') ~ État du N. de l'Inde (le plus peuplé du pays), qui s'étend sur la partie moyenne de la vallée du Gange, bordé par le versant S. de l'Himalaya ; 294 411 km², 139 112 000 h., v. princ. Kanpur, Lucknow (cap.), Bénarès, Agra, Allahabad. Agric. intensive irriguée (blé, riz). Industries diversifiées. Les conflits religieux entre hindouistes et musulmans y sont particulièrement aigus (émeutes d'Ayodhya, 1992).

**UVÉA** ou **OUVÉA**, nom de 2 îles françaises du Pacifique ~ La plus grande des îles Wallis ; 96 km², env. 8 000 h. ~ L'une des îles Loyauté.

**UXELLODUNUM** ~ Cité et oppidum des Cadurques, en Gaule. Elle fut parmi les dernières à être conquise par César (51 av. J.-C.). Sa localisation exacte n'ayant pu être établie, elle est revendiquée par plusieurs villes du Quercy.

**Uxmal** ~ Site archéologique du Mexique (Yucatán). Ses édifices (pyramide du Devin, quadrilatère des Nonnes) témoignent d'un centre cultuel maya qui disparut vers le milieu du X^e s.

**UZERCHE** ~ V. pittoresque de Corrèze, sur la Vézère, au S.-E. de Limoges ; 2 813 h. Église romane (XI^e-XII^e s.).

**UZÈS** ~ V. du Gard, au N. de Nîmes ; 7 649 h. Anc. cathédrale (tour Fenestrelle du XII^e s.), château ducal (donjon du XI^e s.).

**VAAL** (le) ~ Riv. d'Afrique du Sud, affl. de l'Orange (r. dr.) ; 1 200 km. Née dans le Drakensberg, au Transvaal, elle draine le Witwatersrand.

**VAALSERBERG** (le) ~ Point culminant des Pays-Bas (321 m), dans le S. du Limbourg.

**VAASA** ~ Port de Finlande, sur le golfe de Botnie ; 55 000 h. Export. de bois, industries diversifiées. Cap. durant la guerre d'indépendance (1918).

**VACCARÈS (étang de)** ~ Le plus vaste étang de Camargue (60 km$^2$), entre le Petit Rhône et le Grand Rhône. Réserve naturelle.

**VADÉ** (Jean Joseph) ~ *1720, Ham - 1757, Paris.* Chansonnier et auteur dramatique français. Il inaugura le genre poissard (*Catéchisme*, posth., 1758).

**VADODARA**, anc. **Baroda** ~ V. du N.-O. de l'Inde (Gujerat) ; agglom. 1 031 000 h. Université. Pétrochimie. Ancienne capitale marathe.

**VADUZ** ~ Cap. du Liechtenstein, sur le Rhin ; 5 000 h. Vins. Tourisme. Château médiéval restauré, résidence du prince.

**VAILLAND** (Roger) ~ *1907, Acy-en-Multien, Oise - 1965, Meillonnas, Ain.* Écrivain français. Dans ses romans et essais, il tenta d'accorder son engagement communiste à un amoralisme aristocratique (*Drôle de jeu*, 1945 ; *la Loi*, 1957).

**VAILLANT** (Auguste) ~ *v. 1861, Mézières - 1894, Paris.* Anarchiste français. En décembre 1893, il lança une bombe à la Chambre des députés. Il fut condamné à mort et guillotiné.

**VAILLANT** (Édouard) ~ *1840, Vierzon - 1915, Saint-Mandé.* Homme politique français. Marxiste, il dut s'exiler en Angleterre jusqu'en 1880 pour avoir participé à la Commune. Membre de la IIe Internationale, député socialiste (1893-1915), il se rallia à l'Union sacrée (1914).

**VAILLANT** (Jean-Baptiste Philibert) ~ *1790, Dijon - 1872, Paris.* Maréchal de France. Il participa à la prise d'Alger (1830). Ministre de la Guerre en 1854, il fut commandant en chef de l'armée d'Italie en 1859.

**VAILLANT-COUTURIER** (Paul) ~ *1892, Paris - 1937, id.* Homme politique et journaliste français. Membre fondateur du P. C. F., il fut rédacteur en chef de *l'Humanité* de 1929 à sa mort.

**VAIR** (Guillaume DU) ~ *1556, Paris - 1621, Tonneins.* Homme politique et philosophe français. Garde des Sceaux (1615) et évêque de Lisieux (1616), il est l'auteur d'ouvrages qui tentent de rapprocher stoïcisme et christianisme (*De la philosophie morale des stoïques*, 1585).

**VAIRES-SUR-MARNE** ~ V. de l'E. de l'agglom. parisienne (Seine-et-Marne), sur la Marne ; 11 194 h. Gare de triage. Centrale thermique.

**VAISON-LA-ROMAINE** ~ V. tourist. du Comtat Venaissin (Vaucluse), sur l'Ouvèze ; 5 663 h. Ruines gallo-romaines (théâtre, portiques, demeures). Cathédrale romane (XIe-XIIIe s.). Vestiges du château des comtes de Toulouse (XIIe-XVe s.). Rencontres chorales (« Choralies »).

**VALACHIE** (la) ~ Région hist. de Roumanie, ensemble des riches plaines agricoles (céréales, cult. industrielles, fruits, vigne) situées entre les Carpates au N. et le Danube au S. Partagée par l'Olt entre l'Olténie (v. princ. Craiova) à l'O. et la Munténie (où se trouve Bucarest), plus industrielle, à l'E., elle est née de l'union politique de ces deux régions au XIVe s. Elle a assis sa prééminence politique tant sur son homogénéité ethnique (Roumains très majoritaires) que sur ses atouts économiques. Passée sous domination ottomane au XVe s., elle se libéra de ses tutelles étrangères (Autriche, Russie) en 1859 par son rattachement à la Moldavie, sous la direction d'Alexandre-Jean Cuza, formant ainsi l'État roumain moderne.

**VALADON** (Marie-Clémentine, dite Suzanne) ~ *1865, Bessines-sur-Gartempe, Haute-Vienne - 1938, Paris.* Peintre français. Encouragée par Toulouse-Lautrec et Degas, dont elle fut le modèle, elle peignit des portraits et des nus à la composition vigoureuse et au dessin accusé (*Nu à la couverture rayée*, 1922). Elle est la mère de Maurice Utrillo.

**VALAIS** (le), en all. ***Wallis*** ~ Canton du S. de la Suisse, haute vallée du Rhône dominée par les Alpes (versant S. des Alpes bernoises, mont Rose) ; 5 225 km$^2$, 267 000 h. (maj. catholiques et francophones), ch.-l. Sion. Vigne, céréales, tabac, fruits et légumes. Exploit. forestière, élevage. Industr. métall. et chimique. Tourisme. **HIST.** - Soumis aux évêques de Sion, convoité par la Savoie, le Valais se proclama république (1627). Intégré à la République helvétique (1798), indépendant (1802), il forma le département français du Simplon (1810). En 1815, il devint le vingtième canton de la Confédération helvétique.

**VALBERG** ~ Station de sports d'hiver (1 700 m) des Alpes-Maritimes, à l'E. du haut Var.

**VALDAÏ (plateau du)** ~ Hauteurs boisées du N.-O. de la Russie (alt. max. 340 m). Sources de la Volga, de la Dvina occidentale et du Dniepr.

**Val-de-Grâce** (le) ~ Ancien couvent de bénédictines fondé à Paris, dans le faubourg Saint-Jacques, par la reine Anne d'Autriche (1621), transformé en hôpital militaire après 1793. En 1645, Louis XIV posa la première pierre de l'église dont Fr. Mansart avait tracé les plans. Un dôme inspiré de celui de Saint-Pierre de Rome surmonte la coupole, décorée par P. Mignard.

**VAL DE LOIRE** (le) ~ Ensemble des riches régions agricoles (cultures maraîchères spécialisées, vignobles) de la vallée de la Loire en aval du Bourbonnais jusqu'à l'estuaire (Nantes), incluant les basses vallées de certains affluents du fleuve (Loir, Layon, Sèvre nantaise). Il englobe les terroirs du Sancerrois, du Saumurois, des vals d'Orléans, de Touraine, de Loir, d'Anjou et du pays nantais. Le tourisme est animé par les châteaux de la Loire, dont certains furent des demeures royales aux XVe et XVIe siècles.

**VALDEMAR**, nom de quatre rois de Danemark. ~ **Valdemar Ier le Grand** (*1131, Slesvig - 1182, Vordingborg*), roi de 1157 à 1182. Il rétablit la puissance et l'unité du royaume. ~ **Valdemar II le Victorieux** (*1170 - 1241, Vordingborg*), roi de 1202 à 1241, fils du précédent. Il fit dresser un inventaire fiscal du pays. ~ **Valdemar IV** (*v. 1320 - 1375*), roi de 1340 à 1375. Il dut concéder des privilèges à la Hanse.

**VAL-DE-MARNE** (le) ~ Dép. de la Région Île-de-France qui englobe les communes de la proche banlieue S.-E. de Paris ; 244 km$^2$, 1 215 538 h., v. princ. Vitry-sur-Seine, Créteil (préfect.), Saint-Maur-des-Fossés. Il est parcouru au S. par la vallée de la Seine, industrielle, et au N.-E. par la vallée de la Marne, plus résidentielle.

*Vaison-la-Romaine, les ruines antiques.*

© F. Jalain-Explorer

**VALDÉS** (Juan DE) ~ *v. 1499, Cuenca - 1541, Naples.* Humaniste espagnol. Son *Dialogue de la langue* (v. 1536) est consacré à l'étude du castillan.

**VALDÈS** (Pierre) ~ Voir **Valdo**.

**VALDÉS LEAL** (Juan DE) ~ *1622, Séville - 1690, id.* Peintre espagnol. Il revêtit les thèmes du mysticisme espagnol d'une iconographie morbide et exaltée (*Élie sur le char de feu*, 1658 ; *l'Allégorie de la Vanité*, 1660).

**VALDEZ** ~ Port de l'Alaska (États-Unis), à l'E. d'Anchorage, exportateur du pétrole amené par oléoduc de la baie de Prudhoe ; env. 5 000 h.

**VAL-D'ISÈRE** ~ Station d'été et de sports d'hiver de la Tarentaise (Savoie), à 1 840 m d'alt. ; 1 701 h.

**VALDIVIA** (Pedro DE) ~ *1497, La Serena, prov. de Badajoz - 1553, Tucapel, Chili.* Conquistador espagnol. Compagnon des frères Pizarro, il conquit une partie du Chili, où il fonda not. Santiago (1541) et Valparaíso (1544).

**VALDIVIA** ~ V. et port du Chili, centre comm. et industr. (bois, alim., réparation ferrov.) de la zone tempérée ; 122 000 h. Université.

**VALDO** ou **VALDÈS** (Pierre), dit Pierre **de Vaux** ~ *1140, Lyon - v. 1217, en Bohême.* Marchand lyonnais. Prêchant la pauvreté absolue, il fonda la secte chrétienne des « pauvres de Lyon », ou **vaudois**, condamnée par l'Église. Il fut excommunié en 1184.

**VAL-D'OISE** (le) ~ Dép. de la Région Île-de-France, au N. de Paris, partagé entre le Vexin, encore agric., à l'O. et les plateaux du pays de France à l'E. ; 1 252 km$^2$, 1 049 598 h., v. princ. Argenteuil, Cergy-Pontoise (préfect.). En partie résidentiel (autour de la forêt de Montmorency), il a développé son économie (de plus en plus tertiaire) autour de pôles tels que la ville nouvelle de Cergy-Pontoise et l'aéroport Charles-de-Gaulle à Roissy.

**VALÉE** (Sylvain Charles, comte) ~ *1773, Brienne-le-Château - 1846, Paris.* Maréchal de France. Il réorganisa l'artillerie (1822) et fut chef de l'armée d'Afrique en Algérie, dont il devint le gouverneur général (1837-1840).

**VALENCE** ~ Préfect. de la Drôme, sur le Rhône (r. g.), aux portes du Midi ; 63 437 h. (agglom. 107 965 h.). Commerce de fruits et primeurs, industries diversifiées (métall., électron., text., bijouterie). Cathédrale romane St-Apollinaire. **HIST.** - Ancienne Valentia romaine, Valence fit partie du royaume de Bourgogne. Elle gagna son indépendance (1150) puis fut rattachée au royaume de France (1456). Au XVIe s., les guerres de Religion y furent particulièrement violentes.

**VALENCE**, en esp. ***Valencia*** ~ Port et 3e ville d'Espagne, sur la Méditerranée, cap. de la communauté autonome de Valence (23 305 km$^2$, 3 857 000 h.) ; 753 000 h. Université (fondée en 1501). Agroalimentaire, céramique. Exportation d'agrumes, riz, vin. Cathédrale du XIIIe au XVIIIe s., halle de la soie (gothique du XVe s.), palais de Dos Aguas (portail du baroque levantin). Musées. La région, caractérisée par un climat de sécheresse, est mise en valeur par l'irrigation (paysage traditionnel de huerta), qui a permis le développement intensif des cultures maraîchères, des agrumes, de la riziculture. Industrie lourde et de transformation. **HIST.** - Capitale d'un royaume maure indépendant (XIe s.), Valence fut conquise par le Cid Campeador (1094), puis reprise à sa mort par les Almoravides (1099), qui la conservèrent jusqu'à sa reconquête par Jacques Ier d'Aragon (1238).

**VALENCIA** ~ 3e v. du Venezuela (Carabobo), centre d'une riche région agricole (canne à sucre), à l'O. de Caracas ; 903 000 h. Université. Industries text., agroalim., automobile.

**VALENCIENNES** ~ V. du Nord (Hainaut), sur l'Escaut, centre sidér. et métall. (auj. en crise), en partie reconverti dans la construction automobile et les produits pharmaceutiques ; 38 441 h. (agglom. 338 392 h.). Université. Musée des Beaux-Arts. **HIST.** - Capitale du comté du Hainaut dans le Saint Empire (XIe s.), elle fut prise par les Espagnols (1567), puis conquise par Louis XIV (1677) et rattachée à la France (traité de Nimègue, 1678). Les deux guerres mondiales y furent particulièrement destructrices.

**VALENCIENNES** (Pierre Henri DE) ~ *1750, Toulouse - 1819, Paris.* Peintre et dessinateur français. Auteur de paysages historiques, influencé par Poussin, il laissa des croquis de l'Italie ou de l'Orient (*Deux Peupliers à la villa Farnèse*, v. 1786).

**VALENS**, en lat. ***Flavius Valens*** ~ *v. 328, Cibalae, Pannonie - 378, Andrinople.* Empereur romain (364-378). Il reçut de son frère Valentinien I^er^ la partie orientale de l'Empire, parvint à contenir les Goths de 365 à 375, mais fut vaincu par une coalition de Goths et d'Alains.

**VALENSOLE (plateau de)** ~ Région touristique des Alpes-de-Haute-Provence, au S. de la Bléone. Blé, lavande.

**VALENTIGNEY** ~ V. de l'agglom. de Montbéliard (Doubs) ; 13 133 h. Cycles.

**VALENTIN** (saint) ~ *III^e^ s.* Martyr à Rome. Depuis la fin du Moyen Âge, sa fête est aussi celle des amoureux (14 février).

**VALENTIN** ~ *m. v. 160.* Théoricien gnostique d'orig. égyptienne. Formé à Alexandrie, il s'établit à Rome vers 140. Saint Irénée et Tertullien combattirent son système.

**VALENTIN** (Valentin **de Boulogne**, dit) ~ *1590 ou 1591, Coulommiers - 1632, Rome.* Peintre français. Il composa à Rome des sujets religieux et des scènes de genre dans la lignée du Caravage avec une mélancolie et un lyrisme très personnels (*Judith et Holopherne* ; *le Concert*).

**VALENTINIEN**, nom de trois empereurs romains. ~ **Valentinien I^er^**, en lat. ***Flavius Valentinianus*** *(321, Cibalae, Pannonie - 375, Brigetio, Pannonie)*, empereur de 364 à 375. Successeur de Jovien, il octroya l'Orient à son frère Valens et restaura les fortifications des frontières. Il combattit les Alamans, les Saxons et les Quades. ~ **Valentinien II**, en lat. ***Flavius Valentinianus*** *(v. 371 - 392, Vienne)*, empereur de 375 à 392, fils du précédent. Il fut associé à son frère Gratien. Son tuteur Arbogast le fit sans doute assassiner. ~ **Valentinien III**, en lat. ***Flavius Placidus Valentinianus*** *(419, Ravenne - 455, Rome)*, empereur de 425 à 455. Successeur d'Honorius, il ne vainquit Attila aux champs Catalauniques (451) que grâce aux Wisigoths, puis élimina Aetius (454) et fut assassiné.

**VALENTINO** (Rodolfo **Guglielmi**, dit Rudolph) ~ *1895, Castellaneta, Italie - 1926, New York.* Acteur américain d'orig. italienne. Ses rôles de séducteur firent de lui l'un des premiers monstres sacrés de Hollywood (*le Cheikh*, 1921).

**VALENTINOIS** (le) ~ Ancien comté de France (XII^e^ s.), dans le Dauphiné (auj. partie du département de la Drôme), v. princ. Valence. Il fut érigé en duché-pairie en 1642.

**VALERA Y ALCALÁ GALIANO** (Juan) ~ *1824, Cabra - 1905, Madrid.* Écrivain espagnol. Après une carrière politique, il se fit, dans ses romans, l'observateur méticuleux de la vie espagnole (*Pepita Jiménez*, 1874).

**VALÈRE MAXIME**, en lat. ***Valerius Maximus*** ~ *I^er^ s. av. J.-C. - I^er^ s. apr. J.-C.* Historien romain. Ses neuf livres dédiés à Tibère, emplis d'anecdotes morales, furent appréciés jusqu'au Moyen Âge.

**VALÉRIEN (mont)** ~ Colline (161 m) dominant Paris et la Seine à Suresnes. Mémorial de la Résistance. Anc. lieu de culte celte, puis chrétien, il accueillit le plus important calvaire du royaume de France (1634), détruit à la Révolution. Son fort (1830) joua un rôle décisif lors du siège de Paris (1871). Plus d'un millier de Français y furent fusillés par les Allemands (1941-1944).

**VALÉRIEN**, en lat. ***Publius Licinius Valerianus*** ~ *v. 195 - 260, Perse.* Empereur romain (253-260). Il confia l'Occident à son fils Gallien et reprit les persécutions contre les chrétiens (257-258). Vaincu par le Perse Chahpour I^er^, il fut capturé et exécuté.

**VALERIUS PUBLICOLA**, en lat. ***Publius Valerius Publicola*** ~ *m. en 503 av. J.-C.* Consul romain (509 av. J.-C.). L'un des fondateurs de la République romaine, il établit la **lex Valeria**, appel au peuple des sentences de mort prononcées par les consuls, et fut surnommé l'ami du peuple (*Publicola*).

**VALÉRY** (Paul) ~ *1871, Sète - 1945, Paris.* Écrivain français. Jeune poète influencé par Mallarmé, il s'orienta vers l'étude des sciences, des mathématiques en particulier (*Introduction à la méthode de Léonard de Vinci*, 1895), puis revint à la poésie

Paul **Valéry** *(1923), peinture de Jacques-É. Blanche (1861-1942). Musée des Beaux-Arts, Rouen.*

(*la Jeune Parque*, 1917 ; *Charmes*, 1922). L'étude des conditions de la création resta une préoccupation constante pour lui, ses fonctions officielles (il fut professeur au Collège de France) et sa notoriété ne l'empêchant pas de produire une pensée originale en théorie du langage et en épistémologie (*Variété*, 1924-1944 ; *Cahiers*, posth., 1957-1961). Acad.

**VALETTE (La)** ~ Cap. de Malte, centre tourist. et port commercial ; 9 000 h. Anc. base navale militaire aménagée par les Britanniques à partir de 1814. Cathédrale (XVI^e^ s.). Musées.

**Val-Hall** (le) ~ Voir **Walhalla**.

**Valkyries** (les) ~ Voir **Walkyries**.

**VALLA** ou **DELLA VALLE** (Lorenzo), en lat. ***Laurentius Vallensis*** ~ *1407, Rome - 1457, Naples.* Humaniste italien. Il voulut rapprocher la sagesse des Anciens de la morale chrétienne (*De la volupté*, 1431).

**VALLADOLID** ~ V. du N.-O. de l'Espagne, cap. de la communauté autonome de Castille-León ; 328 000 h. Archevêché. Université (fondée en 1346). Industries métall., autom., chimique. Monuments romains, gothiques et baroques (église San Pablo et collège San Gregorio aux façades sculptées du XV^e^ s., cathédrale datant de la Contre-Réforme). Musées (not. sculptures). **HIST.** - Ancienne Belad Valed maure, elle accueillit la cour d'Espagne (1560-1601) avant de décliner au profit de Madrid.

**VALLAURIS** ~ V. de la Côte d'Azur (Alpes-Maritimes), entre Cannes et Antibes ; 24 325 h. Céramique traditionnelle, revalorisée par Picasso. Château (XVI^e^ s., anc. prieuré des moines de Lérins), chapelle décorée par Picasso (*la Guerre et la Paix*).

**VALLEDUPAR** ~ V. et marché agric. du N. de la Colombie ; 252 000 h. Industr. du bois, briqueteries.

**VALLÉE CENTRALE** (la) ~ Région la plus peuplée du Chili, entre Santiago et Temuco, princ. zone agric. (cult. méditerranéennes), entre les cordillères andine et côtière.

**VALLE-INCLÁN** (Ramón María DEL) ~ *1866, Villanueva de Arosa, Galice - 1936, Saint-Jacques-de-Compostelle.* Écrivain espagnol. Ses romans (*Tirano Banderas*, 1926) et ses comédies (*Comédies barbares*, 1907-1922) relèvent d'un réalisme macabre et grinçant, à forte connotation tératologique.

**VALLEJO** (César) ~ *1892, Santiago de Chuco - 1938, Paris.* Poète péruvien. Tour à tour intimiste et panthéiste, il assuma avec passion les contradictions de la modernité (*les Hérauts noirs*, 1918 ; *Poèmes humains*, posth., 1939).

**VALLÈS** (Jules) ~ *1832, Le Puy - 1885, Paris.* Écrivain et journaliste français. Éditeur du *Cri du peuple* pendant la Commune, il témoigna de son expérience révolutionnaire dans sa trilogie romanesque, *l'Enfant* (1879), *le Bachelier* (1881) et *l'Insurgé* (posth., 1886).

**VALLESPIR** (le) ~ Haute vallée du Tech, dans les Pyrénées-Orientales. Vergers. Tourisme.

**VALLOIRE** ~ Station d'été et de sports d'hiver de la Maurienne (Savoie), à 1 430 m d'alt. ; 1 012 h. Église baroque (XVII^e^ s.).

**Vallonet** (le) ~ Site préhistorique des Alpes-Maritimes. Des outils en pierre et en os, découverts en 1962, témoignent d'une activité humaine à la période prépaléolithique (glaciation de Günz, 950 000 ans av. J.-C.).

**VALLORBE** ~ V. frontière du Jura suisse (Vaud), sur la voie ferrée Paris-Lausanne-Milan ; 3 000 h.

**VALLOTTON** (Félix) ~ *1865, Lausanne - 1925, Paris.* Peintre et graveur français d'orig. suisse. Proche des nabis et influencé par la gravure japonaise, il traita sous des formes stylisées des thèmes naturalistes et souvent polémiques.

**VALMIKI** ~ *V^e^ ou IV^e^ s. av. J.-C.* Sage indien, auteur présumé du *Ramayana* et du *Yogavashishta*.

**VALMOREL** ~ Station de sports d'hiver de la Tarentaise (Savoie), à 1 400 m d'altitude.

**VALMY** ~ Village de la Marne. Le 20 septembre 1792, les armées de la France révolutionnaire, commandées par Dumouriez et Kellerman, y vainquirent les Prussiens du duc de Brunswick.

**VALOGNES** ~ V. du Cotentin (Manche) ; 7 412 h. Endommagée en 1944, elle conserve cependant plusieurs hôtels particuliers du XVIII^e^ s.

**VALOIS** (le) ~ Région hist. de l'Île-de-France, au N.-E. de Paris, entre l'Aisne, l'Oise et l'Ourcq, agric. et forestière. Ancien comté féodal donné par Philippe III le Hardi à son fils Charles, siège de la maison de Valois (1284), il revint aux ducs d'Orléans en 1406.

**VALOIS** ~ Dynastie qui régna sur la France de 1328 (accession au trône de Philippe VI, cousin de Charles IV le Bel) à 1589 (mort d'Henri III, sans héritier). Elle est l'une des branches des Capétiens.

**VALPARAÍSO** ~ Princ. port du Chili, débouché de Santiago ; 277 000 h. Raff. de pétrole, export. de cuivre. Tourisme. Fondée en 1544 par P. de Valdivia, la ville déclina après l'ouverture du canal de Panamá.

**VALRAS-PLAGE** ~ Station baln. du littoral languedocien, au S.-E. de Béziers (Hérault) ; 3 043 h.

**VALRÉAS** ~ V. pittoresque du Vaucluse (canton enclavé dans la Drôme) ; 9 069 h. Vins. Cartonnage. Église romane (XII^e^ s., façade du XV^e^ s.). Donjon du XIV^e^ s. La papauté d'Avignon en fit une importante judicature (1317).

**VALROMEY** (le) ~ Dépression boisée drainée par le Séran, dans le Jura (Ain). Possession de la Savoie jusqu'en 1601.

**VALSERINE** (la) ~ Riv. du Jura, affluent du Rhône (r. dr.) ; 50 km.

**VALS-LES-BAINS** ~ Station thermale, au N. d'Aubenas (Ardèche) ; 3 661 h.

**VALTELINE** (la) ~ Haute vallée de l'Adda, dans les Alpes de Lombardie (S. des Alpes rhétiques), en Italie. Hydroélectricité. Tourisme. **HIST.** - Vassale des Grisons, contrôlée par Richelieu durant la guerre de Trente Ans (1618-1648), elle fut intégrée par Bonaparte dans la République cisalpine (1797), puis constitua le département de l'Adda du royaume français d'Italie (1807). Elle fut rattachée au royaume d'Italie en 1859.

**VAN (lac de)** ~ Lac d'Anatolie orientale (alt. 1 646 m), le plus vaste de Turquie, à forte salinité, dominé par de hautes montagnes ; 3 700 km².

**VAN ACKER** (Achille) ~ *1898, Bruges - 1975, id.* Homme politique belge. Ancien docker, militant syndicaliste socialiste, il fut deux fois Premier ministre (1945-1946 et 1954-1958).

**VANADZOR**, anc. **Karaklis** (jusqu'en 1936) puis **Kirovakan** (jusqu'en 1992) ~ V. d'Arménie, au N. d'Erevan ; 159 000 h. Industries chimique, textile. Tremblement de terre en 1988.

**VAN ALLEN** (James Alfred) ~ *1914, Mount Pleasant, Iowa.* Physicien américain. Il a donné son nom aux ceintures de radiation de la haute atmosphère, identifiées grâce aux premiers satellites américains (1958).

**VAN ARTEVELDE** ~ **Jacob** *(v. 1290, Gand - 1345, id.)*, homme politique flamand, dirigea la révolte des Flamands contre le comte Louis de Nevers, qui soutenait la France dans la guerre de Cent Ans, et fut tué lors d'une émeute. Son fils ~ **Filips** *(1340, Gand - 1382, Rozebeke)*, chef des Gantois, perdit la bataille de Rozebeke contre Charles VI.

**VAN BENEDEN** (Édouard) ~ *1846, Louvain - 1910, Liège.* Zoologiste et embryologiste belge. Il mit en évidence la réduction chromatique des cellules reproductrices, ou méiose (1883).

**VANBRUGH** (sir John) ~ *1664, Londres - 1726, id.* Architecte et auteur dramatique anglais. Auteur de pièces satiriques (*la Femme provoquée*, 1697), il fut un architecte à l'éclectisme imaginatif (château de Blenheim, 1705-1724).

**VAN BUREN** (Martin) ~ *1782, Kinderhook, État de New York - 1862, id.* Homme d'État américain. Démocrate, il fut vice-président d'A. Jackson (1833) et président des États-Unis (1837-1841).

**VAN CLEVE** (Joos) ~ *v. 1485 - v. 1540, Anvers.* Peintre flamand d'orig. allemande. Longtemps connu sous le nom de Maître de *la Mort de la Vierge* (retable réalisé vers 1515), il fut un portraitiste renommé (*Portrait d'Éléonore de France*, v. 1530).

**VANCOUVER** (George) ~ *1757, King's Lynn - 1798, Richmond.* Navigateur britannique. Il explora la côte N.-O. du Canada (1791-1795) et décrivit l'île et la ville qui portent son nom (1792).

**VANCOUVER** ~ 1er port du Canada (Colombie-Britannique), sur le Pacifique, 3e agglom. du pays, métropole économique, financière et commerciale de l'Ouest ; 1 603 000 h. L'hydroélectricité et le gaz naturel alimentent une industrie puissante (bois, pâte à papier, sidér., constr. navales, agroalim.). Archevêché. Université.

**VANCOUVER (île)** ~ Île montagneuse de la côte O. du Canada (Colombie-Britannique), séparée du continent par le détroit de Géorgie ; 32 137 km$^2$, 510 000 h., v. princ. Victoria.

**Vandales** (les) ~ Groupe de peuples germaniques installés entre la Vistule et l'Oder. Ils passèrent le Rhin en 406, pillèrent la Gaule et l'Espagne puis, sous la pression des Wisigoths, débarquèrent en 429 en Afrique du Nord. Ils persécutèrent les catholiques et devinrent maîtres de la Méditerranée jusqu'à leur défaite devant Justinien Ier en 534.

**VAN DE GRAAFF** (Robert Jemison) ~ *1901, Tuscaloosa, Alabama - 1967, Boston.* Physicien américain. Il inventa les premières grandes machines électrostatiques d'accélération des particules, dont l'**accélérateur de Van de Graaff** (1930).

**VAN DEN BOSCH** (Johannes, comte) ~ *1780, Herwijnen, Gueldre - 1844, La Haye.* Homme politique néerlandais. Gouverneur des Indes orientales néerlandaises (1830-1833), il institua un système de cultures sous contrôle administratif s'apparentant à la culture forcée. Il fut ministre des Colonies de 1835 à 1839.

**VAN DEN VONDEL** (Joost) ~ *1587, Cologne - 1679, Amsterdam.* Poète dramatique hollandais. Il écrivit 24 tragédies avec chœur, portées par une puissante poésie baroque (*Lucifer*, 1654).

**VAN DER GOES** (Hugo) ~ *v. 1440 - 1482, près de Bruxelles.* Peintre flamand. Il sut rendre une intense atmosphère religieuse dans ses vastes compositions, remarquables par leur distribution spatiale, leur savante polychromie et leur expressivité (*l'Adoration des bergers*, v. 1476).

**VAN DER MEER** (Simon) ~ *1925, La Haye.* Physicien néerlandais. Il a élaboré une méthode de production de faisceaux d'antiprotons et découvert les bosons dits faibles. Prix Nobel de phys. 1984 avec C. Rubbia.

**VAN DER MEERSCH** (Jan André) ~ *1734, Menin - 1792, Dadizeele.* Général flamand. Au service de la France durant la guerre de Sept Ans, puis de l'Autriche, il affronta celle-ci à la tête des troupes brabançonnes, prenant Namur et Turnhout (1789).

**VAN DER MEULEN** (Adam Frans) ~ *1632, Bruxelles - 1690, Paris.* Peintre français d'orig. flamande. Attaché au service de Louis XIV, il retraça dans de grandes perspectives l'histoire militaire du régime (*Passage du Rhin*, 1672).

**VANDERMONDE** (Alexandre) ~ *1735, Paris - 1796, id.* Mathématicien français. Il aborda la résolution des équations de degré supérieur ou égal à 4, utilisant les déterminants (1772) et initiant la théorie des groupes de substitution.

**VANDERVELDE** (Émile) ~ *1866, Ixelles - 1938, Bruxelles.* Homme politique belge. Député socialiste de 1894 à sa mort, président de la IIe Internationale (1900), il se rallia à l'Union sacrée en 1914. Il fut ministre des Affaires étrangères (1925-1927).

**VAN DER WAALS** (Johannes Diderik) ~ *1837, Leyde - 1923, Amsterdam.* Physicien néerlandais. Il établit une équation d'état des fluides, rendit compte de la continuité entre état liquide et état gazeux, et énonça la loi d'électrostatique qui assure la cohésion de certaines molécules. Prix Nobel de phys. 1910.

Triptyque des Portinari (*v. 1476 ; détail*), *par Hugo* ***Van der Goes****. Galerie des Offices, Florence.*

Portrait de femme (*1433*), *par Rogier* ***Van der Weyden****. National Gallery, Londres.*

**VAN DER WEYDEN** (Rogier **de La Pasture**, dit Rogier) ~ *v. 1400, Tournai - 1464, Bruxelles.* Peintre flamand. Associant les règles de composition de la Renaissance italienne à une vision gothique, il empreint ses tableaux de religiosité (*Saint Luc peignant la Vierge*, v. 1445-1450 ; *le Retable de saint Jean*, v. 1455).

**VAN DE VELDE**, famille de peintres hollandais. ~ **Esaias** (*v. 1590, Amsterdam - 1630, La Haye*) posa des jalons dans le traitement du paysage hollandais. Son neveu ~ **Willem le Jeune** (*1633, Leyde - 1707, Greenwich*) se spécialisa dans la représentation de batailles navales.

**VAN DE VELDE** (Henry Clemens) ~ *1863, Anvers - 1957, Zurich.* Peintre, décorateur et architecte belge. Théoricien d'une esthétique moderniste, il fut un promoteur de l'Art nouveau, s'intéressant surtout à l'architecture, au mobilier et aux arts appliqués.

**VAN DE WOESTIJNE** (Karel) ~ *1878, Gand - 1929, Zwijnaarde, près de Gand.* Écrivain belge d'expression flamande. Son œuvre traduit un déchirement intime entre la tentation de la chair et l'élan mystique, aggravé par l'obsession de la mort (*l'Homme de boue*, 1920).

**VAN DIEMEN** (Anthony) ~ *1593, Culemborg - 1645, Batavia.* Administrateur hollandais. Gouverneur général de la Compagnie hollandaise des Indes orientales (1636-1645), il annexa Malacca et Ceylan.

**VAN DIEMEN (terre de)** ~ Voir **Tasmanie**.

**VANDŒUVRE-LÈS-NANCY** ~ V. de l'agglom. de Nancy (Meurthe-et-Moselle) ; 34 105 h. Céramique industrielle, centre de recherche scientifique.

**VAN DONGEN** (Cornelis, dit Kees) ~ *1877, Delfshaven, près de Rotterdam - 1968, Monte-Carlo.* Peintre français d'orig. néerlandaise. Apparenté au fauvisme, mais proche de l'expressionnisme par la stylisation des formes et la richesse des couleurs, il se fit l'interprète de la vie mondaine parisienne (*la Garçonne*, 1925).

**VAN DYCK** ou **VAN DIJCK** (Antoon) ~ *1599, Anvers - 1641, Londres.* Peintre flamand. Maître dès 1618 à la guilde d'Anvers, il travailla avec Rubens. À Gênes, de 1623 à 1627, il composa des tableaux mythologiques et religieux. De retour à Anvers, il donna des portraits remarquables par la virtuosité de sa touche et l'élégance de ses compositions. Il fut appelé en 1632 à la cour d'Angleterre (*Charles Ier à la chasse*, 1635).

**VANEL** (Charles) ~ *1892, Rennes - 1989, Cannes.* Acteur français. En 70 ans de carrière, il traversa l'histoire du cinéma français (*la Belle Équipe*, de J. Duvivier, 1936 ; *Le ciel est à vous*, de J. Grémillon, 1944 ; *le Salaire de la peur*, de H. G. Clouzot, 1953).

**VÄNERN (lac)** ~ Le plus grand lac de Suède, relié au Kattegat et à Göteborg par le fl. Göta et au lac Vättern par le canal Göta ; 5 586 km$^2$.

**Vanes** (les) ~ Dans la mythologie germanique, divinités opposées aux Ases. Elles présidaient à la Fertilité.

**VAN EYCK** (Jan) ~ *v. 1390 - 1441, Bruges.* Peintre flamand. Installé à Bruges après avoir été au service de différentes cours d'Europe, il y composa, peut-être en collaboration avec son frère Hubert (*m. en 1426 à Gand*), le polyptyque de *l'Agneau mystique* (1432), considéré comme un chef-d'œuvre dès sa création. Van Eyck se dégagea du gothique international, et il s'attacha, par la distribution de l'espace et la maîtrise de la perspective linéaire, à donner aux formes une puissance monumentale. Excellant tant dans la peinture religieuse (*la Vierge dans une église*, v. 1425) que dans le portrait (*les Époux Arnolfini*, 1434), il initia le réalisme par son souci du détail et sa minutie, et ouvrit la voie à l'école flamande.

**VAN GENNEP** (Arnold **Kurr**, dit Arnold) ~ *1873, Ludwigsburg - 1957, Bourg-la-Reine.* Ethnographe et folkloriste français. Il contribua à faire progresser les méthodes de recherche en ethnographie (*Manuel du folklore français contemporain*, 1943-1958).

**VAN GOGH** (Vincent) ~ *1853, Groot-Zundert, Brabant - 1890, Auvers-sur-Oise.* Peintre néerlandais. Après de vaines tentatives pour se consacrer à la religion, il étudia le dessin et vint vivre à Paris (1886). Il composa des œuvres réalistes, mais le choix de ses sujets laisse cependant transparaître son inquiétude spirituelle. Sa découverte des impressionnistes lui révéla les nouvelles possibilités de la couleur, et, dès lors, il adopta une palette au chromatisme intense, plus conforme à sa violence intérieure. Établi à Arles (1888), il peignit des œuvres aux formes torturées, écrasées par un empâtement de plus en plus marqué (*la Nuit étoilée*, 1889). Il s'installa à Auvers-sur-Oise en mai 1890 (*l'Église d'Auvers-sur-Oise ; Champ de blé aux corbeaux*), où il se suicida en juillet. En privilégiant la couleur, en modelant les formes pour la nécessité de l'expression, il ouvrit la voie aux fauves et aux expressionnistes.

Portrait de l'artiste par lui-même (*1890*), *peinture de Vincent* ***Van Gogh****. Musée d'Orsay, Paris.*

**VAN GOYEN** (Jan) ~ *1596, Leyde - 1656, La Haye.* Peintre hollandais. Ses paysages restituent les lumières plombées des Pays-Bas dans des tons mordorés (*Moulin à vent au bord de la rivière*, 1642).

**VAN HELMONT** (Jan Baptist) ~ *1579, Bruxelles - 1644, Vilvoorde.* Médecin et chimiste flamand. Il décrivit et distingua les gaz (mot qu'il inventa) de l'air, découvrant le gaz carbonique, les acides chlorhydrique et sulfhydrique. Il étudia le rôle du suc gastrique dans la digestion.

**VANINI** (Lucilio, dit Giulio Cesare) ~ *1585, Taurisano, près de Lecce - 1619, Toulouse.* Philosophe italien. Libre penseur instruit dans la philosophie d'Aristote, il fut accusé d'hérésie et condamné au bûcher (*l'Amphithéâtre de la divine providence*, 1615).

**VAN LAER** ou **VAN LAAR** (Pieter), dit **il Bamboccio**, en fr. **le Bamboche** ~ *v. 1599, Haarlem - 1642, id.* Peintre hollandais. Au cours d'un long séjour à Rome, il se spécialisa dans la description de scènes de la vie populaire, les **bambochades**.

**VAN LEEUWENHOEK** (Antonie) ~ *1632, Delft - 1723, id.* Naturaliste hollandais. Grâce à un microscope de sa fabrication, il identifia de nombreuses structures microscopiques, dont les protozoaires et les bactéries, et put étudier les spermatozoïdes et les globules du sang.

**VAN LOO** ou **VANLOO**, famille de peintres français d'orig. hollandaise. ~ **Jean-Baptiste** (*1684, Aix-en-Provence - 1745, id.*), auteur de scènes de genre, de portraits et de sujets historiques et religieux, travailla en France, en Italie et en

Grande-Bretagne. Son frère ~ **Charles André**, dit **Carle** (*1705, Nice - 1765, Paris*), fut nommé premier peintre du roi. Maître de l'esthétique rococo, il livra de nombreux sujets d'histoire et d'œuvres religieuses, et réalisa des décorations au château de Versailles et dans des églises parisiennes.

**VAN MANDER** (Carel) ~ *1548, Meulebeke - 1606, Amsterdam.* Peintre et historien d'art flamand. Maître de Fr. Hals, il doit sa célébrité à son *Livre de peinture* (1604), précieux témoignage sur les artistes hollandais, flamands et allemands des XV^e^ et XVI^e^ siècles.

**VAN MUSSCHENBROEK** (Petrus) ~ *1692, Leyde - 1761, id.* Physicien hollandais. On lui doit la bouteille de Leyde, premier condensateur électrique (1745).

**VANNE** (la) ~ Riv. issue du pays d'Othe, affl. de l'Yonne (r. dr.), qui alimente Paris par l'**aqueduc de la Vanne** (157 km) ; 58 km.

**VANNES** ~ Préfect. du Morbihan, au fond du golfe du Morbihan, marché agric., centre commercial ; 45 644 h. Agroalimentaire. Tourisme. Remparts couverts (XIII^e^-XVII^e^ s.), cathédrale St-Pierre (XIII^e^-XVIII^e^ s.), anc. hôtel du parlement de Bretagne (XV^e^ s., auj. musée archéol.). HIST. - Capitale des Vénètes, dont elle tire son nom, Vannes accueillit les états provinciaux qui rattachèrent la Bretagne à la France (1532). De nombreux émigrés royalistes y furent fusillés après l'échec du débarquement de Quiberon (1795).

**VANOISE** (la) ~ Région des Alpes du Nord (Savoie), entre les vallées de l'Arc et la Tarentaise, où les glaciers sont très étendus (3 855 m dans le **massif de la Vanoise**, au centre). Alpages dominants. **Parc national de la Vanoise** (530 km$^2$), créé en 1963 (bouquetins, chamois). Sports d'hiver (Courchevel, La Plagne, les Arcs, etc.).

**VAN ORLEY** (Bernard) ~ *v. 1488, Bruxelles - v. 1541, id.* Peintre flamand. Auteur de scènes religieuses, de cartons de tapisseries et de portraits, il est, par son sens de la monumentalité et la clarté de ses compositions, l'un des premiers artistes flamands à avoir assimilé la manière italienne (*Chasses de Maximilien*, v. 1525).

**VAN OSTADE**, famille de peintres hollandais. ~ **Adriaen** (*1610, Haarlem - 1685, id.*), élève de Fr. Hals, révéla, dans ses scènes de tabagies et de beuveries, sa maîtrise de la circulation de la lumière (*le Cabaret*, 1631). Son frère ~ **Isaac** (*1621, Haarlem - 1649, id.*), spécialisé dans les scènes rurales, fut un fin paysagiste.

**VAN RUUSBROEC** ou **VAN RUYSBROECK** (Jan), dit **l'Admirable** ~ *1293, Ruusbroec, près de Bruxelles - 1381, Groenendaal, id.* Théologien et écrivain brabançon. Auteur des *Noces spirituelles* et des *Sept Degrés de l'amour spirituel*, il fut l'un des inspirateurs de la Devotio moderna.

**VAN RUYSDAEL** ou **VAN RUISDAEL**, famille de peintres paysagistes hollandais. ~ **Salomon** (*v. 1600, Naarden - 1670, Haarlem*) privilégia les scènes aquatiques (*Bords de rivière*, 1633). Son neveu ~ **Jacob** (*v. 1628, Haarlem - 1682, id.*), un des maîtres de l'école paysagiste hollandaise, apporta au genre une vision plus subjective, aux formes tourmentées et aux lumières contrastées, qui préfigurait le romantisme (*la Tempête*, 1670).

**VAN SCHENDEL** (Arthur) ~ *1874, Batavia - 1946, Amsterdam.* Écrivain néerlandais. Il est l'auteur de romans à caractère régionaliste (*la Frégate « Jeanne-Marie »*, 1930 ; *les Sept Jardins*, 1939).

**VAN SCOREL** (Jan) ~ *1495, Schoorl ou Scorel, près d'Alkmaar - 1562, Utrecht.* Peintre hollandais. Après de longs séjours à Rome et à Venise, il introduisit les principes de la peinture italienne en Hollande. Il adopta des formes et des compositions proches du maniérisme vénitien.

**VAN'T HOFF** (Jacobus Henricus) ~ *1852, Rotterdam - 1911, Berlin.* Chimiste néerlandais. À l'origine de la chimie moderne, il fonda la stéréochimie en même temps qu'A. Le Bel (1874) et la cinétique chimique (1884), formulant les théories du carbone asymétrique et de la pression osmotique. Prix Nobel de chim. 1901.

**VANUATU (république de)**, anc. **Nouvelles-Hébrides** ~ Pays constitué par un archipel volcanique de Mélanésie, au N.-E. de la Nouvelle-Calédonie. ***Cap.*** Port-Vila. ***Superf.*** 12 190 km$^2$. ***Popul.*** 154 000 h. ***Langues princ.*** Bichlamar, anglais, français. ***Monn.*** Vatu. ***Relief.*** Très accidenté. ***Climat.*** Équatorial. ***Ress. princ.*** Export. de coprah, pêche, tourisme. HIST. - *Début du XVII^e^ s.* : les Portugais découvrent l'archipel. *XVIII^e^ s.* : il est visité par Bougainville (1768) puis par Cook (1774), qui lui donne le nom de Nouvelles-Hébrides. *XX^e^ s.* : condominium franco-britannique (1906), autonomes en 1978, les Nouvelles-Hébrides deviennent indépendantes sous le nom de Vanuatu en 1980.

**VAN VELDE** (Abraham, dit Bram) ~ *1895, Zoeterwoude, près de Leyde - 1981, Grimaud, Var.* Peintre néerlandais. Installé à Paris (1925), il se convertit à l'abstraction et conçut une œuvre d'un lyrisme inquiet (*Peinture*, 1966), qui fascina S. Beckett (*la Peinture de Van Velde ou le Monde en pantalon*, 1945).

**VANVES** ~ V. de la banlieue S. de Paris (Hauts-de-Seine), limitrophe de la capitale ; 25 967 h. Centre national d'enseignement à distance.

**VAN ZEELAND** (Paul) ~ *1893, Soignies - 1973, Bruxelles.* Homme politique belge. Membre du parti catholique, il fut Premier ministre (1935-1937) d'un gouvernement d'union nationale et ministre des Affaires étrangères (1949-1954).

**VANZETTI** (Bartolomeo) ~ Voir **Sacco** (Nicola).

**VAR** (le) ~ Fl. côtier et alpin (arrière-pays niçois) de Provence (Alpes-Maritimes) ; 120 km. Il coule en gorges et rejoint la Méditerranée à l'O. de Nice.

**VAR** (le) ~ Dép. de la Région Provence - Alpes - Côte d'Azur, sur la Méditerranée, limité au N. par le Verdon, en grande partie montagneux : extrémité méridionale des Préalpes calcaires (chaînes de la Sainte-Victoire et de la Sainte-Baume à l'O., Plans de Provence au N.) et massifs cristallins des Maures (prolongé par les îles d'Hyères) et de l'Esterel, séparés par les bassins du Gapeau et de l'Argens, fleuves côtiers ; 5 995 km$^2$, 815 449 h. L'arrière-pays tire ses ressources des forêts (menacées par les incendies), de la vigne, des cultures fruitières et florales, et s'oppose à l'intense urbanisation et au développement touristique du littoral (stations baln.), partie O. de la Côte d'Azur. Malgré les gisements de bauxite exploités à Brignoles, quelques industries (métall., liège) et l'arsenal de Toulon, l'industrialisation est limitée. La population, en augmentation, se concentre sur le littoral, not. dans l'agglom. de Toulon (préfect.).

**VARANASI** ~ Voir **Bénarès**.

**VARDA** (Agnès) ~ *1928, Ixelles, Belgique.* Cinéaste française. Après avoir participé à la naissance de la Nouvelle Vague (*la Pointe courte*, 1956), elle a tourné des films intimistes inspirés de la vie quotidienne (*Cléo de 5 à 7*, 1962 ; *Sans toit ni loi*, 1985).

**VARDAR** (le), en gr. ***Axios*** ~ Fl. princ. de Macédoine, qui arrose Skopje et rejoint en Grèce le golfe de Salonique (O. de Thessalonique) ; 420 km. Le sillon **Morava-Vardar** constitue une voie traditionnelle de communication.

**VARDHAMANA** ~ Voir **Mahavira**.

**Varègues** (les) ~ Nom donné aux Vikings qui envahirent la Russie au IX^e^ s. Ils établirent le commerce entre la mer Noire et la Baltique et fondèrent Novgorod (v. 860) puis Kiev (882).

**VARENGEVILLE-SUR-MER** ~ Village touristique du pays de Caux (Seine-Maritime) ; 1 048 h. Église (XI^e^-XVI^e^ s.). Vitraux et sépulture de G. Braque.

**Varennes (fuite à)** ~ Épisode de la Révolution française (20-25 juin 1791) qui vit le roi Louis XVI et sa famille quitter les Tuileries sous un déguisement pour rejoindre l'armée du marquis de Bouillé stationnée près de Montmédy (Meuse). Reconnus au relais de Sainte-Menehould, ils furent arrêtés à Varennes-en-Argonne (21 juin), près de Verdun, et ramenés à Paris. Présentée comme une tentative du roi de se réfugier à l'étranger, cette fuite alimenta les menées contre la monarchie.

**VARÈSE** ~ V. de l'Italie du N. (Lombardie), près du **lac de Varèse**, subalpin ; 86 000 h. Industries text., mécan., plastique. Tourisme. Basilique San Vittore (XVI^e^ s.), palais d'Este (XVIII^e^ s.).

**VARÈSE** (Edgard) ~ *1883, Paris - 1965, New York.* Compositeur américain d'orig. française. Il intégra à l'orchestre des sources sonores électro-acoustiques et ouvrit la voie à la musique concrète et électronique du XX^e^ s. (*Arcana*, 1927 ; *Ionisation*, 1931 ; *Déserts*, 1952).

**VARGAS** (Getúlio) ~ *1883, São Borja, Rio Grande do Sul - 1954, Rio de Janeiro.* Homme d'État brésilien. Président de la République en 1934, il instaura en 1937 un régime autoritaire, l'Estado Novo, et procéda à de profondes réformes. Écarté en 1945, il fut réélu en 1950 et tenta d'affranchir le Brésil de la tutelle économique américaine mais, mis en cause dans un attentat, il se suicida.

**VARGAS LLOSA** (Mario) ~ *1936, Arequipa.* Écrivain et homme politique péruvien (et de nationalité espagnole depuis 1993). Peintre sans concession de la société péruvienne (*la Ville et les Chiens*, 1962), auteur d'essais (*Contre vents et marées*, 1989), il fut battu à l'élection présidentielle de 1990.

**VARIGNON** (Pierre) ~ *1654, Caen - 1722, Paris.* Mathématicien français. Pionnier du calcul infinitésimal, il établit aussi la règle de composition des forces concourantes et le principe des vitesses virtuelles.

**VARIN** ou **WARIN** (Jean) ~ *1604, Liège - 1672, Paris.* Médailleur et sculpteur français d'orig. wallonne. Graveur général de la Monnaie (1646), il laissa de belles effigies des grands de son temps (*Louis XIII* ; *Colbert*).

**VARLIN** (Eugène) ~ *1839, Claye-Souilly - 1871, Paris.* Révolutionnaire français. Partisan et organisateur des mutuelles ouvrières, il évolua vers l'anarchisme et rejoignit la I^re^ Internationale. En 1871, membre de la Commune de Paris, il fut chargé des Finances puis du ravitaillement. Capturé par les versaillais, il fut fusillé.

**VARNA**, anc. **Stalin** (de 1949 à 1956) ~ 1^er^ port et 3^e^ v. de Bulgarie, sur la mer Noire, centre industriel (chantiers navals, constr. de machines et de moteurs, chimie) ; 315 000 h. Université, instituts de recherche. Monastère du IV^e^ s. HIST. - Ancienne capitale bulgare (VII^e^ s.), Varna fut conquise par les Turcs (1391). Le 10 novembre 1444, les Ottomans y vainquirent l'armée chrétienne dirigée par János Hunyadi et Ladislas III Jagellon. Prise par les Cosaques (1610), puis par les Russes (1828), restituée à l'Empire ottoman (1829), la ville revint à la Bulgarie (1878).

**VARRON**, en lat. ***Terentius Varro*** ~ Consul romain. Il fut vaincu à Cannes (Apulie) par Hannibal, en 216 av. J.-C.

**VARRON**, en lat. ***Marcus Terentius Varro*** ~ *116, Reate, auj. Rieti - 27 av. J.-C.* Écrivain latin. Ancien lieutenant de Pompée, il se rallia à César, qui le chargea de constituer des bibliothèques publiques. Il fut l'un des plus grands encyclopédistes de l'Antiquité, dont il ne reste que des fragments.

**VARS (col de)** ~ Col des Alpes du Sud, passage entre les vallées du Guil et de l'Ubaye ; 2 111 m. Station de sports d'hiver.

**VARSOVIE**, en polonais ***Warszawa*** ~ Cap. de la Pologne, sur la Vistule (Mazovie), métropole financière (Bourse) et centre industr. (métall., alim., confection) ; 1 653 000 h. Archevêché. Université (XVII^e^-XVIII^e^ s.). Cathédrale St-Jean (XIV^e^ s.), palais royaux Łazienski et Wilanów (XVIII^e^ s.). Place du Vieux-Marché. HIST. - Capitale de la Pologne en 1596, centre intellectuel au XVIII^e^ s., Varsovie fut libérée des Prussiens par Napoléon (1806). Capitale du grand-duché de Varsovie (1807-1815), elle devint, sous la domination russe, le foyer de la résistance nationale. L'occupation nazie (1939-1944) fut marquée par l'insurrection du ghetto (1943) et l'anéantissement de l'importante communauté juive. Détruite à 85 % après l'insurrection d'août 1944, la ville fut reconstruite en 1949.

**Varsovie (convention de)** ~ Convention internationale qui institua un régime juridique du transport aérien (1929).

**Varsovie (pacte de)** ~ Système de défense mutuelle unissant l'U. R. S. S., l'Albanie, la Bulgarie, la Hongrie, la Pologne, la R. D. A., la Roumanie et la Tchécoslovaquie. Issu du traité signé le 14 mai 1955 à Varsovie, il constituait une réplique à l'Otan. Il permit l'intervention soviétique en Tchécoslovaquie (1968). Après les retraits de l'Albanie (1968) et de la R. D. A. (1990), il fut dissous le 25 janvier 1991.

**VASA** ~ Voir **Gustave I^er^ Vasa**.

**VASARELY** (Victor) ~ *1908, Pécs - 1997, Paris.* Peintre français d'orig. hongroise. Il a soumis des motifs géométriques simples à de savantes variations cinétiques.

**VASARI** (Giorgio) ~ *1511, Arezzo - 1574, Florence.* Peintre, architecte et historien d'art italien. Parues en 1550 et complétées en 1568, ses *Vies des plus excellents peintres, sculpteurs et architectes* sont un document précieux sur la Renaissance italienne.

**Vascons** (les) ~ Peuple d'Hispanie (Navarre). Vaincus par les Romains Pompée et Auguste puis soumis par les Wisigoths au VIe s., les Vascons se réfugièrent en Vasconie, qui devint la Gascogne.

**VASSIEUX-EN-VERCORS** ~ Village de la Drôme. Il fut incendié par l'armée allemande, qui exécuta 75 de ses habitants en juillet 1944.

**VASSILEVSKI** (Aleksandr Mikhaïlovitch) ~ *1895, Novaïa Goltchikha - 1977, Moscou.* Maréchal soviétique. Chef d'état-major de l'Armée rouge (1942), il fut promu maréchal (1943) à l'issue de la bataille de Stalingrad, où il seconda le maréchal Joukov. Il fut ministre de la Défense de 1949 à 1953.

**VASSILI**, nom de trois grands-princes de Vladimir et de Moscou. ~ **Vassili Ier** (*1371 - 1425*), fils de Dimitri Donskoï, grand-prince de 1389 à 1425. ~ **Vassili II l'Aveugle** (*1415 - 1462*), fils du préc., grand-prince de 1425 à 1462. Il rejeta l'alliance de l'Église russe avec Rome. Son fils Ivan III lui succéda. ~ **Vassili III** (*1479 - 1533*), fils d'Ivan III, grand-prince de 1505 à 1533.

**VASSILI CHOUÏSKI** ~ *1552 - 1612, près de Varsovie.* Tsar de Russie (1606-1610). Allié des Suédois, il fut renversé par les Polonais.

**VÄSTERÅS** ~ V. et princ. port fluvial de Suède, à l'O. de Stockholm, sur le lac Mälaren ; 122 000 h. Électrométallurgie. Château médiéval (musée), cathédrale gothique. La **diète de Västerås** (1527) introduisit la Réforme en Suède.

**VATEL** ~ *m. en 1671 à Chantilly.* Maître d'hôtel de Fouquet puis de Condé. Son suicide pour un retard de l'arrivée du poisson destiné à Louis XIV lors d'une réception fut rapporté par Mme de Sévigné.

© Livio Anticoli-Gamma

*Assemblée de fidèles devant le palais du* ***Vatican.***

**VATICAN (État de la cité du)** ~ Le plus petit État souverain du monde (44 ha), enclavé dans la ville de Rome (Italie), siège de l'admin. pontificale. **HIST.** - Par les accords du Latran (1929), l'État italien concéda le territoire au pape qui, en échange de cette souveraineté temporelle, renonçait à ses droits sur Rome et sur les anciens États de l'Église. Les relations entre la papauté et l'État italien, qui n'étaient pas définies depuis l'achèvement de l'unification du pays en 1870 furent ainsi établies de façon définitive. Pie XI fut le premier souverain de l'État de la cité du Vatican.

**Vatican (palais du)** ~ Résidence des papes depuis le XIVe s., situé à Rome, au N. de la basilique Saint-Pierre. Cet ensemble ancien (Charlemagne y fut reçu en 800) fut remanié au cours des siècles, not. par Bramante. Colonnade du Bernin, chapelle de Nicolas V (fresque de Fra Angelico). Chapelle Sixtine, « Chambres » et « Loges » ornées par Raphaël, appartements Borgia décorés par le Pinturicchio, bibliothèque, musées, jardins.

**Vatican (premier concile du)** ~ Concile œcuménique (déc. 1869-juill. 1870) réuni par Pie IX en réaction au libéralisme et au nationalisme. Il adopta le dogme de l'infaillibilité pontificale.

**Vatican (deuxième concile du)** ~ Concile œcuménique (oct. 1962-déc. 1965) convoqué par Jean XXIII dans un souci de mise à jour de l'Église face au monde moderne, et afin de préparer l'unité des chrétiens. Il fut poursuivi par Paul VI.

**VATNAJÖKULL** (le) ~ Région volcanique du S.-E. de l'Islande, recouverte d'une épaisse calotte glaciaire ; env. 8 500 km².

**VÄTTERN (lac)** ~ 2e lac de Suède, relié par un canal à la Baltique et au lac Vänern ; 1 912 km².

**VAUBAN** (Sébastien **Le Prestre** DE) ~ *1633, Saint-Léger-de-Foucheret, auj. Saint-Léger-Vauban, Yonne - 1707, Paris.* Maréchal de France. Commissaire général des fortifications en 1678, il dota les frontières de fortifications adaptées aux progrès de l'artillerie (Perpignan, Besançon, Neuf-Brisach). Il remporta plusieurs sièges (Lille, 1667 ; Namur, 1692) et défendit avec succès Oudenaarde et Brest. Son *Projet d'une dîme royale*, pour une nouvelle répartition de l'impôt, lui valut la disgrâce.

**VAUCANSON** (Jacques DE) ~ *1709, Grenoble - 1782, Paris.* Inventeur français. Il conçut des automates (*le Joueur de flûte traversière* ; *le Canard*), des machines (une pompe élévatrice, le premier métier à tisser automatique, une perceuse) et des anatomies mobiles pour la médecine.

**VAUCLIN (Le)** ~ Station baln. de la Martinique, sur la côte S.-E. de l'île ; 7 769 h.

**VAUCLUSE** (le) ~ Dép. de la Région Provence - Alpes - Côte d'Azur, au contact des Préalpes du S. (Ventoux, monts de Vaucluse, Luberon) et de la plaine du Comtat Venaissin, limitée à l'O. par le Rhône et au S. par la Durance (enclave de Valréas au N.) ; 3 742 km², 467 075 h., préfect. Avignon. L'activité se concentre dans la plaine irriguée du Comtat (fruits et légumes). Le N. porte le vignoble des côtes-du-rhône. La partie orientale, au climat plus rude, a des ressources limitées (lavande, miel, moutons). Malgré l'atout du Rhône, aménagé pour la production hydroélectrique et grand axe de communication, les industries sont peu importantes (agroalim., cartonnerie). Tourisme : sites naturels, patrimoine archéologique (Orange, Vaison-la-Romaine) et festivals d'été (Orange, Avignon). Les villes de la vallée (Avignon, Orange, Carpentras, Cavaillon) sont d'actifs marchés agricoles.

**VAUCOULEURS** ~ V. de l'O. de la Lorraine, sur la Meuse (r. g.) ; 2 401 h. Vestiges du château de Baudricourt. **HIST.** - Jeanne d'Arc y leva une escorte pour rejoindre Charles VII à Chinon (1429).

**VAUD** ~ Canton le plus peuplé de la Suisse romande, bordé au S. par le lac Léman, partie S.-O. du Mittelland, entre le Jura et les Alpes (Diablerets) ; 3 212 km², 598 000 h. (en maj. protestants), ch.-l. Lausanne. Élev., blé, vigne. Services financiers, tourisme. **HIST.** - En 1536, Vaud fut converti de force à la Réforme par les Bernois. Il fut libéré par les troupes françaises qui y proclamèrent la République lémanique (1798), devenue canton du Léman (1798) puis de Vaud (1803).

**VAUDREUIL**, famille d'hommes politiques français. ~ **Philippe DE RIGAUD**, marquis DE (*1643, en Gascogne - 1725, Québec*), gouverneur du Canada (1703-1725), fut contraint de céder l'Acadie et Terre-Neuve à l'Angleterre (traité d'Utrecht, 1713). Son fils ~ **Pierre DE RIGAUD DE CAVAGNAL**, marquis DE (*1698, Québec - 1778, Muides-sur-Loire*), gouverna la Louisiane (1743-1755) puis le Canada (1755-1760).

**VAUGELAS** (Claude **Favre**, seigneur DE) ~ *1585, Meximieux, Ain - 1650, Paris.* Grammairien français. L'un des premiers membres de l'Académie française, il dirigea les travaux du *Dictionnaire* (1638) et publia des *Remarques sur la langue française* (1647), où il indique des règles fondées sur l'usage de la cour.

**VAUGHAN** (Sarah) ~ *1924, Newark, New Jersey - 1990, Los Angeles.* Chanteuse de jazz américaine. Vocaliste dotée d'une tessiture exceptionnelle, elle triompha not. dans le jazz moderne.

**VAUGHAN WILLIAMS** (Ralph) ~ *1872, Down Ampney, Gloucestershire - 1958, Londres.* Compositeur britannique. Disciple de Ravel, il promut une musique inspirée du folklore anglais (9 symphonies, dont *A Sax Symphony*, 1910 ; *A London Symphony*, 1914.

**VAULX-EN-VELIN** ~ V. de la banlieue N.-E. de Lyon (Rhône) ; 44 174 h. Verrerie.

**VAUQUELIN** (Nicolas Louis) ~ *1763, Saint-André-d'Hébertot, Calvados - 1829, id.* Chimiste français. Il découvrit le chrome (1797), qu'il décela avec André Laugier dans les météorites, et analysa la calcite (1804) et la glucine.

**VAUQUELIN DE LA FRESNAYE** (Jean) ~ *1536, La Fresnaye-au-Sauvage, Orne - 1606, Caen.* Poète français. Son *Art poétique français* (1605), tout en retenant les leçons de la Pléiade, fait une large place à la poésie médiévale.

**VAUQUOIS** (le) ~ Hameau de la Meuse. La **butte de Vauquois**, prise par les Allemands (sept. 1914) et récupérée par les Français (mars 1915), ne cessa d'être disputée jusqu'en 1918.

**VAUVENARGUES** (Luc **de Clapiers**, marquis DE) ~ *1715, Aix-en-Provence - 1747, Paris.* Écrivain français. Son *Introduction à la connaissance de l'esprit humain* et ses *Réflexions et Maximes* (1746) défendent, dans un style classique, la droiture et la sincérité des sentiments.

**Vaux (fort de)** ~ Fort sur la commune de Vaux-devant-Damloup (Meuse). Enjeu convoité de la Première Guerre mondiale en raison de sa position stratégique au N.-E. de Verdun, il fut conquis par les Allemands après trois mois de résistance acharnée (juin 1916) puis repris par les troupes françaises du général Mangin (nov. 1916).

**Vaux-de-Cernay** (les) ~ Site touristique (cascades) de la vallée de Chevreuse (Yvelines). Ancienne abbaye cistercienne (XIIe s.).

**Vaux-le-Vicomte** ~ Château des environs de Paris (Maincy, Seine-et-Marne). Construit de 1656 à 1661 pour Nicolas Fouquet par Le Vau (architecture), Lebrun (décor intérieur) et Le Nôtre (jardins), il préfigurait le château de Versailles. Il valut à Fouquet la disgrâce royale.

© J. Brun-Explorer

*Le château de* ***Vaux-le-Vicomte.***

**VAZOV** (Ivan) ~ *1850, Sopot, auj. Vazovgrad - 1921, Sofia.* Écrivain bulgare. Ses poèmes patriotiques, ses drames historiques et ses romans réalistes (*Sous le joug*, 1890) en font le père de la littérature bulgare moderne.

**VEBLEN** (Thorstein Bunde) ~ *1857, comté de Manitowoc, Wisconsin - 1929, près de Menlo Park, Californie.* Économiste et sociologue américain. Il critiqua l'exploitation des masses par la « classe oisive » (*la Place de la science dans la civilisation moderne*, 1919).

**Veda** (les), en fr. « savoir » ~ Textes sanskrits répartis en quatre groupes qui constituent les livres sacrés de l'hindouisme (1800-1200 av. J.-C.).

**VEDEL** (Georges) ~ *1910, Auch.* Juriste français. Spécialiste de droit public (*Traité de droit administratif*, 1959), membre du Conseil constitutionnel (1980-1989), il présida le comité consultatif pour la révision de la Constitution (1993).

**VÉDRINES** (Jules) ~ *1881, Saint-Denis - 1919, Saint-Rambert-d'Albon, Drôme.* Aviateur français. Il accomplit des missions spéciales durant la Première Guerre mondiale. En 1919, il atterrit à bord d'un avion sans freins sur le toit des Galeries Lafayette.

**Vega** ~ Programme spatial mis au point en 1984 par les Soviétiques et huit pays européens. Deux sondes furent lancées vers Vénus.

**VEGA CARPIO** (Félix **Lope** DE) ~ Voir **Lope de Vega Carpio.**

**VÉGÈCE**, en lat. ***Flavius Vegetius Renatus*** ~ *fin du IVe s.* Écrivain latin. Il rédigea, pour restaurer la grandeur de Rome, un *Traité de l'art militaire.*

**Vehme** ou **Sainte-Vehme** (la) ~ Tribunaux secrets implantés en Westphalie (fin du XIe s.-début du XVIe s.), destinés à réprimer les crimes contre la religion et les crimes de sang.

**VÉIES**, en lat. *Veii* ~ Cité étrusque au N.-O. de Rome. Elle fut prise, après un siège de dix ans, par le Romain Camille (v. 405-395 av. J.-C.). Vestiges, tombes ornées de peintures.

**VEIL** (Simone) ~ *1927, Nice.* Femme politique française. Ministre de la Santé (1974-1979), elle a attaché son nom à la loi autorisant l'interruption volontaire de grossesse (1975). Première présidente de l'Assemblée européenne (1979-1982), elle a été ministre des Affaires sociales, de la Santé et de la Ville (1993-1995).

**VEKSLER** (Vladimir Iossifovitch) ~ *1907, Jitomir - 1966, Moscou.* Physicien soviétique. Il conçut le principe du synchrotron en même temps que E. M. McMillan.

**VELAY** (le) ~ Anc. pays de France (Auvergne) entre l'Allier et le Vivarais. Les plateaux basaltiques (Devès) du S. sont surmontés d'édifices volcaniques (monts Mézenc, Mégal, Gerbier-de-Jonc à l'E.) ; les plateaux granitiques du N. sont entaillés par la Loire (bassins du Puy, de l'Emblavès, de Bas-en-Basset). Région agricole et forestière.

**VELÁZQUEZ** (Diego **de Silva**), en fr. **Vélasquez** ~ *1599, Séville - 1660, Madrid.* Peintre espagnol. Virtuose de la lumière, il peignit la vie à la cour de Philippe IV (portraits du roi, de reines, de nains, de bouffons et d'infantes). Renouvelant l'iconographie et la composition, son œuvre, dans l'ensemble profane, culmine à la fin de sa vie avec *les Ménines* (1656), savante méditation sur la représentation et les relations entre peintre, modèle et spectateur, et *les Fileuses* (1657). Il fut fort apprécié de Manet et des impressionnistes pour la liberté de sa touche et la clarté de sa gamme chromatique.

*L'infante Marguerite* (les Ménines ; *détail*), *peinture de Diego* ***Velázquez****. Musée du Prado, Madrid.*

**VÉLEZ DE GUEVARA** (Luis) ~ *1579, Écija - 1644, Madrid.* Écrivain espagnol. Disciple de Lope de Vega et de Calderón, il composa des pièces de théâtre et un roman satirique, *le Diable boiteux* (1641).

**VELIKO TĂRNOVO** ~ V. du N. de la Bulgarie, au pied du Balkan, dominant les gorges d'un affl. du Danube ; 74 000 h. Université. Textile. Églises médiévales, palais royal du XIII<sup>e</sup> s. En 1908 y fut proclamée l'indépendance de la Bulgarie.

**VÉLIZY-VILLACOUBLAY** ~ V. de la banlieue S.-O. de Paris (Yvelines), centre industriel (électronique, aéronautique, mécan.) et commercial ; 20 725 h. Aérodrome militaire.

**VELPEAU** (Alfred) ~ *1795, Parçay, Indre-et-Loire - 1867, Paris.* Chirurgien et clinicien français. Il composa des traités d'anatomie et de pathologie, et donna son nom à une bande de contention.

**VELUWE** (la) ~ Région de collines (landes boisées) des Pays-Bas, relief le plus saillant du pays au N. de la Meuse (alt. max. 107 m). Musée Kröller-Müller (Van Gogh) dans le parc national.

**VENANCE FORTUNAT** (saint) ~ *v. 530, Trévise - v. 600, Poitiers.* Poète de langue latine. Évêque de Poitiers, il est l'auteur de poèmes et de vies de saints.

**VENCE** ~ V. touristique et résidentielle de l'agglom. de Nice (Alpes-Maritimes) ; 15 330 h. Artisanat. Cathédrale (commencée au XI<sup>e</sup> s.). Chapelle du Rosaire (1950) décorée par H. Matisse.

**VENCESLAS** (saint) ~ *v. 907 - 929, château de Boleslav.* Duc de Bohême (923-929). Son allégeance à Henri I<sup>er</sup> l'Oiseleur lui valut l'hostilité de l'aristocratie. Il fut assassiné par son frère Boleslav I<sup>er</sup> le Cruel.

**VENCESLAS IV** ~ *1361, Nuremberg - 1419, Prague.* Roi de Bohême (1378-1419) et empereur germanique (1376-1400). Il ne put imposer la paix en Allemagne et fut déposé en 1400. En Bohême, il se heurta au haut clergé et à la noblesse ; la condamnation de Jan Hus (1415) attisa les tensions dans son royaume.

**VENDA** (le) ~ Anc. bantoustan d'Afrique du Sud. Frontalier du Zimbabwe, déclaré indépendant en 1979, non reconnu par la communauté internationale, il a été intégré dans la province du Transvaal-Nord en 1994.

**VENDÉE** (la) ~ Dép. de la Région Pays de la Loire, sur l'Atlantique, correspondant à l'extrémité S. du Massif armoricain. Les collines du Bocage vendéen sont bordées à l'E. par les hauteurs de la Gâtine (288 m au puy Crapaud), au S. par le Marais poitevin, à l'O. par le Marais breton, face aux îles de Noirmoutier et d'Yeu ; 6 719 km$^2$, 483 027 h., préfect. La Roche-sur-Yon. Activités agricoles tradit. : élev. bovin, volailles (canards, poulets) et polyculture, en particulier sur les polders des Marais. Côte sableuse et dunaire offrant peu de sites portuaires, sauf Les Sables-d'Olonne (pêche). Tourisme estival actif (Les Sables-d'Olonne, Saint-Jean-de-Monts, Yeu, Noirmoutier). L'industrialisation (La Roche-sur-Yon, Fontenay-le-Comte) ne peut empêcher le sous-emploi.

**Vendée (guerre de)** ~ Soulèvement populaire (1793-1796) tourné contre la République qui, encadré par des nobles et des prêtres réfractaires, toucha la Vendée, la Loire-Inférieure et le Maine-et-Loire. Provoquée par la levée en masse de 300 000 hommes en février 1793, elle résultait de causes complexes (attachement à la foi catholique, fidélité envers la dynastie déchue, hostilité vis-à-vis des notables républicains, refus confus mais farouche de l'ordre nouveau décidé depuis Paris). Commencée dans les Mauges et le pays de Retz, l'insurrection fut encadrée par des chefs (Jacques Cathelineau, Charles de Bonchamps, le comte de La Rochejaquelein) habiles à utiliser le terrain (bocage). En 1793, les Vendéens prirent Cholet (mars), Fontenay (mai), Saumur et Angers (juin), mais échouèrent devant Nantes (29 juin). En octobre, l'« armée catholique et royale » fut dispersée par le général Kléber devant Cholet. Les insurgés passèrent la Loire, furent renforcés par les bandes des frères Cottereau dans le Maine, mais échouèrent à Granville et se firent massacrer au Mans et à Savenay (22 déc.). La pacification fut rigoureuse, voire cruelle, avec Jean-Baptiste Carrier (Nantes) et Louis Turreau à la tête des « colonnes infernales » chargées de détruire la Vendée. Interrompue pour quelques mois par la paix de La Jaunaye, signée par François de Charette, et celle de Saint-Florent-le-Vieil, conclue par Jean Stofflet (févr.-mai 1795), la guerre reprit avec le débarquement de Quiberon (juin 1795). Mais le général Hoche vint à bout des dernières bandes de Fr. de Charette et de J. Stofflet (1796). L'opposition entre Blancs, royalistes, et Bleus, républicains, s'acheva (15 mai-25 juin 1815) avec le soulèvement des Cent-Jours.

**vendémiaire an IV (journée du 13)** ~ Soulèvement parisien du 5 octobre 1795 mené par les royalistes, opposés au décret conservant les deux tiers des députés de la Convention à l'Assemblée. Le général Bonaparte y mit fin par la mitraillade de l'église Saint-Roch.

**VENDÔME** ~ V. de la Petite Beauce (Loir-et-Cher), sur le Loir ; agglom. 22 338 h. Ganterie, imprimerie, constr. mécan. et aéronautiques, céramique sanitaire. Église abbatiale de la Trinité (XI<sup>e</sup>-XVI<sup>e</sup> s.). Vestiges du château des comtes de Vendôme (XII<sup>e</sup>-XV<sup>e</sup> s.). **HIST.** - Possession anglaise (XII<sup>e</sup>-XV<sup>e</sup> s.), puis française, Vendôme fut occupée par les Prussiens (1870).

**VENDÔME (maison de)**, famille comtale, élevée au duché-pairie en 1515. ~ **César** DE BOURBON, duc DE VENDÔME (*1594, Coucy-le-Château - 1665, Paris*), fils légitimé d'Henri IV et de Gabrielle d'Estrées, conspira contre Louis XIII et battit la flotte espagnole, mais resta loyal durant la Fronde. Son petit-fils ~ **Louis Joseph**, duc DE VENDÔME et DE PENTHIÈVRE (*1654, Paris - 1712, Vinaroz, Espagne*), s'illustra durant la guerre de la Succession d'Espagne (Villaviciosa, 1710). Son frère ~ **Philippe**, dit **le Prieur de Vendôme** (*1655, Paris - 1727, id.*), grand prieur de France et lieutenant général, mena au Temple une existence de libertin.

**Vendôme (place)** ~ Place construite à Paris, à la fin du XVII<sup>e</sup> s., par J. Hardouin-Mansart. Elle forme un espace octogonal doté de deux ouvertures. En son milieu se dresse la **colonne Vendôme**, en bronze, fondue avec les canons pris à Austerlitz et élevée à la gloire de la Grande Armée.

**Venera** ~ Programme soviétique de sondes spatiales. **Venera 1** fut mise sur orbite solaire ; **Venera 2** et **Venera 3**, envoyées sur Vénus, furent détruites à l'arrivée (1966) ; **Venera 4** réussit le premier atterrissage sur Vénus (1967).

**Vénètes** (les) ~ Peuple indo-européen établi en Adriatique (occupant la Vénétie, ils furent soumis par Rome au II<sup>e</sup> s. av. J.-C.) et en Armorique (peuple maritime puissant implanté dans la région de Vannes, ils furent écrasés par César en 56 av. J.-C.).

**VÉNÉTIE** (la), en ital. *Veneto* ~ Région du N.-E. de l'Italie, bordée par l'Adriatique, entre les Dolomites au N. et la rive gauche du Pô au S., drainée par la Piave et l'Adige ; 18 364 km$^2$, 4 415 000 h., cap. Venise. Climat continental humide. Céréales, élev., vignoble, industr. lourde (Venise, Mestre) et diversifiée, artisanat de luxe et tourisme (Venise, Padoue, Vérone, côte Adriatique, Dolomites).

**VENEZUELA (république du)** ~ Pays le plus septentrional de l'Amérique du Sud, baigné par la mer des Antilles et l'océan Atlantique. ***Cap.*** Caracas. ***Superf.*** 912 050 km$^2$. ***Popul.*** 20 407 000 h. ***Langue princ.*** Espagnol. ***Monn.*** Bolívar. ***Relief.*** Le vaste bassin sédimentaire des Llanos (300 000 km$^2$, soit 1/3 du pays), drainé par l'Orénoque et ses affluents, sépare au S. le plateau des Guyanes (forêt dense) des chaînes de l'E., prolongement de la Cordillère orientale colombienne. Avec la cordillère de Mérida (5 007 m au pic Bolívar), elles dominent la dépression du lac Maracaibo et le littoral caraïbe. ***Climat.*** Tropical dans le N. et le centre, équatorial au S. ***Écon.*** Depuis 1922, le destin du Venezuela est lié à des ressources pétrolières considérables. Après 1976 et la nationalisation des hydrocarbures, les revenus pétroliers ont généré des investissements et des dépenses incontrôlés qui ont entraîné l'endettement du pays (env. 30 milliards de dollars). Le Venezuela importe des produits agricoles et la quasi-totalité de ses biens d'équipement, l'industrie (Ciudad Guayana, Caracas, Valencia, Maracaibo) se concentrant sur les produits de base et les biens de consommation. La rareté des capitaux et les faibles débouchés intérieurs entravent la mise en valeur de ressources considérables (outre le pétrole, schistes bitumineux, gaz naturel, charbon, hydroélectricité, bauxite, fer, or, bois). **HIST.** - *1498* : faiblement peuplée par des Indiens Caribes et Arawaks, la région est découverte par Christophe Colomb. *1556* : rattachement à l'Espagne. *1777* : le Venezuela, prospère grâce à l'exploitation du café et du cacao, devient une capitainerie générale. *1811* : le créole Francisco de Miranda proclame l'indépendance. *1821* : vaincus par Simón Bolívar et José Antonio Páez à Carabobo, les Espagnols quittent le pays. *1821-1830* : le Venezuela fait partie de la fédération de la Grande-Colombie organisée par Simón Bolívar. *1831-1848* : dictature militaire de Páez. *1858-1870* : des caudillos dirigent le pays dans un contexte de guerre civile. *1870-1887* : « révolution bleue ». Le général Antonio Guzmán Blanco (parti libéral) s'empare du pouvoir, laïcise l'État et favorise l'essor économique. *1908-1935* : dictature de Juan Vicente Gómez ; mise en exploitation des richesses pétrolières (1922). *1935-1941* : sous la présidence de López Contreras, développement d'une législation sociale et amorce d'un processus de démocratisation. *1945-1948* : une junte révolutionnaire présidée par Rómulo Betancourt (Action démocratique) s'empare du pouvoir. *1948-1958* : le général Marcos Pérez Jiménez, porté au pouvoir par l'armée, dirige le pays. *1958-1964* : élu président de la République,

R. Betancourt, réformiste, se heurte à l'opposition conservatrice et aux mouvements d'extrême gauche. *1969-1974* : présidence du démocrate-chrétien Rafael Rodríguez Caldera. *1976* : le président social-démocrate Carlos Andrés Pérez Rodríguez nationalise l'industrie pétrolière. *1989* : réélu à la tête de l'État, il doit faire face à de graves émeutes dans un contexte de crise économique et de politique d'austérité. *1993* : il est battu à l'élection présidentielle par R. Caldera.

**VENISE**, en ital. ***Venezia*** ~ V. d'Italie, cap. régionale de la Vénétie, sur l'Adriatique, construite sur une lagune formée de 118 îles séparées par 177 canaux enjambés par 400 ponts ; 306 000 h. Haut lieu du tourisme, la ville est menacée par le tassement des sédiments sur lesquels elle est bâtie et par la pollution. Les activités industrielles sont not. situées à Mestre, à Porto Marghera (industr. lourde) et à Murano (verrerie). Métropole culturelle (Biennale, carnaval, Mostra, université), Venise s'enorgueillit d'un patrimoine architectural unique : sur la place St-Marc, palais des Doges (XII<sup>e</sup>-XVI<sup>e</sup> s., fresques), Campanile, basilique St-Marc (XI<sup>e</sup>-XIV<sup>e</sup> s., mosaïques byzantines), tour de l'Horloge ; palais gothiques et baroques sur le Grand Canal (3 800 m), pont du Rialto (XVI<sup>e</sup> s.), près de 200 églises. Pinacothèques (œuvres de Bellini,

© M. Smith-Explorer

*Venise, régates de gondoles sur le Grand Canal.*

Giorgione, Titien, Tintoret, Véronèse, Canaletto). Le théâtre de la Fenice a été détruit par un incendie (1995). **HIST.** - Aux VI<sup>e</sup> et VII<sup>e</sup> s., les populations du N.-E. de l'Italie, fuyant les Lombards, se réfugièrent dans les lagunes de l'Adriatique. Une communauté, dirigée par un doge à partir de 697, établit son centre sur les îlots du Rialto et adopta saint Marc comme patron (IX<sup>e</sup> s.). Enclave byzantine et république maritime s'administrant librement, Venise développa son commerce en profitant de ses liens avec Constantinople, qu'elle rompit au XII<sup>e</sup> s. En 1204, elle négocia la prise de Constantinople par les croisés en échange de leur transport en Terre sainte. Du XIII<sup>e</sup> au XV<sup>e</sup> s., elle édifia en Méditerranée un empire maritime comprenant la Crète, les Cyclades et les îles Ioniennes, des points d'appui en Grèce, la Dalmatie et Chypre. Elle affaiblit sa principale rivale, Gênes, malgré les défaites de la guerre de Chioggia (1378-1381), et s'étendit sur la terre ferme jusqu'au Frioul (1421) et à Bergame (1428). Venise atteignit son apogée au XV<sup>e</sup> s., devenant à la fois puissance politique et l'une des capitales économiques et artistiques de l'Europe de la Renaissance. Au XVI<sup>e</sup> s., son déclin s'amorça, provoqué par la sclérose de ses institutions, le déplacement des grands axes commerciaux vers l'Atlantique, la montée des puissances continentales qui bloquèrent son expansion en Italie, la pression des Ottomans qui lui enlevèrent Chypre (1571) et la Crète (1669). Venise reconquit la Morée (1684-1699), reperdue dès 1714-1718. Bonaparte abolit la république (1797) et livra Venise à l'Autriche, puis l'intégra à son royaume d'Italie (1805). Les Habsbourg la récupérèrent (1814) et la gardèrent, malgré une brève restauration de la république par D. Manin (1848-1849), jusqu'à sa réunion à l'Italie (1866).

**VÉNISSIEUX** ~ V. de la banlieue S.-E. de Lyon (Rhône), centre industriel (métallurgie, chimie, camions) ; 60 444 h.

**VENIZÉLOS** (Éleuthérios) ~ *1864, Khaniá - 1936, Paris.* Homme politique grec. Chef du gouvernement de 1910 à 1915, il entama des réformes politiques et obtint d'importants gains territoriaux pour la Grèce lors des guerres balkaniques (1912-1913). Révoqué par Constantin I<sup>er</sup>, roi germanophile, il forma à Thessalonique un gouvernement dissident en 1916, destitua le roi, engagea la Grèce aux côtés des Alliés (1917). Vaincu aux élections (1920), il revint au pouvoir (1928-1932 et 1933), puis dut s'exiler (1935).

**VENT (îles du)** ~ Voir **Antilles**, **Société** (îles de la).

**Venta (La)** ~ Site archéologique du Mexique (État de Tabasco). Des vestiges architecturaux (pyramide de terre), cultuels (sarcophages) et artistiques témoignent de l'importance de ce centre de la civilisation olmèque (1000-600 av. J.-C.).

**VENTOUX (mont)** ~ Massif isolé, partie avancée des Préalpes du Sud (Vaucluse) ; 1 909 m.

**VENTURA** (Angelo **Borrini**, dit Lino) ~ *1919, Parme - 1987, Saint-Cloud.* Acteur français d'orig. italienne. Son physique robuste et sa feinte placidité lui valurent de nombreux rôles dans des films noirs psychologiques (*le Deuxième Souffle*, de J.-P. Melville, 1966) ou comiques (*les Tontons flingueurs*, de J. Becker, 1963).

**VENTURI**, famille d'historiens d'art italiens. ~ **Adolfo** (*1856, Modène - 1941, Santa Margherita Ligure*) écrivit une *Histoire de l'art italien* (1901-1941). Son fils ~ **Lionello** (*1885, Modène - 1961, Rome*) est l'auteur d'une *Histoire de la critique d'art* (1936).

**VENTURI** (Giovanni Battista) ~ *1746, Bibbiano, près de Reggio nell'Emilia - 1822, Reggio nell'Emilia.* Physicien italien. Il étudia l'étendue des sons audibles et élabora la **tuyère de Venturi**, à cônes divergents.

**VÉNUS** ~ Divinité italique de la Végétation et des Jardins, devenue l'Aphrodite des Grecs puis la déesse romaine de l'Amour et de la Beauté.

**VÉNUS** ~ Planète du système solaire, située entre Mercure et la Terre (étoile du Berger). Son diamètre équatorial atteint 12 104 km, sa révolution sidérale est égale à 224,701 jours. Elle a un sol couvert de cailloux, de cratères, de dépressions et de volcans (certains en activité), une atmosphère composée à env. 96 % de gaz carbonique, et une épaisse couche de nuages jaunâtres tournant à env. 350 km/h. Sa température peut s'élever jusqu'à 470 °C.

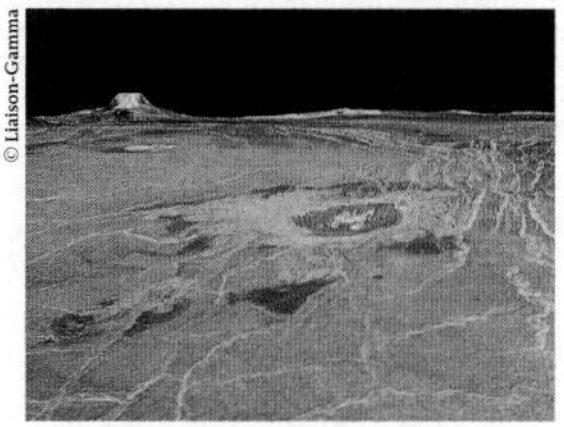
© Liaison-Gamma

*La surface de la planète Vénus, photographiée par une sonde spatiale.*

**Vêpres siciliennes** ~ Nom donné à l'émeute des Siciliens révoltés contre Charles I<sup>er</sup> d'Anjou (30 mars-fin avr. 1282). Commanditées par Pierre III d'Aragon, elles éclatèrent à l'heure où l'on sonnait les vêpres. Elles permirent à la maison d'Aragon d'accéder au trône de Sicile. L'évènement inspira à Verdi son opéra *les Vêpres siciliennes* (1855).

**VERACRUZ** (le) ~ État du Mexique, sur le golfe du Mexique (pétrole) ; 72 815 km$^2$, 6 200 000 h., cap. Jalapa. Coton, café. Le port de **Veracruz** (329 000 h.), centre industriel et commercial, fut le point de départ de la conquête espagnole.

**VERBRUGGEN** ou **VERBRUGGHEN** (Hendrik Frans) ~ *v. 1655, Anvers - 1724, id.* Sculpteur flamand. Sa chaire, installée depuis 1766 dans la cathédrale de Bruxelles, est un chef-d'œuvre de la statuaire baroque flamande.

**VERCEIL**, en ital. ***Vercelli*** ~ V. d'Italie (Piémont), entre Milan et Turin ; 49 000 h. Marché du riz et centre industriel (text., mécan., chim.). Archevêché. Cathédrale (VI<sup>e</sup>-XVIII<sup>e</sup> s.), basilique San Andrea (XIII<sup>e</sup> s.), église San Cristoforo (XVI<sup>e</sup> s.), musées (peintres de l'école piémontaise). **HIST.** - Le général romain Marius y vainquit les Cimbres (101 av. J.-C.). Napoléon I<sup>er</sup> en fit le chef-lieu du département français de la Sesia (1801-1814).

**VERCINGÉTORIX** ~ *v. 72, en pays arverne - 46 av. J.-C., Rome.* Chef gaulois. En 52 av. J.-C., il groupa autour de lui les Gaulois révoltés contre Rome. Victorieux de César à Gergovie, il capitula à Alésia, où il s'était laissé enfermer. Il figura après six ans de captivité au triomphe de César et fut étranglé dans sa geôle.

© Giraudon

**Vercingétorix** *se rendant à César (1886), peinture d'Henri Motte (1846-1922). Musée Crozatier, Le Puy-en-Velay.*

**VERCORS (massif du)** ~ Massif plissé et boisé des Préalpes du Nord, entre l'Isère et la Drôme (2 341 m au Grand-Veymont). De hauts plateaux y sont limités par des versants très raides. Parc naturel régional. En juin-juillet 1944, 3 500 maquisards y furent exécutés par les troupes allemandes.

**VERCORS** (Jean **Bruller**, dit) ~ *1902, Paris - 1991, id.* Écrivain français. Fondateur des Éditions de Minuit (1941), il fit paraître clandestinement *le Silence de la mer* (1942), récit qui connut un retentissement considérable. Il poursuivit après la guerre une œuvre d'une haute exigence stylistique et morale (*la Puissance du jour*, 1951).

**VERDAGUER I SANTALÓ** (Jacint) ~ *1845, Folgarolas - 1902, Vallvidrera, Barcelone.* Poète espagnol d'expression catalane. Son inspiration à la fois chrétienne et antiquisante s'exprima surtout dans deux épopées, *l'Atlantide* (1877) et *le Canigou* (1885).

**VERDI** (Giuseppe) ~ *1813, Roncole - 1901, Milan.* Compositeur italien. Après le triomphe de *Nabucco* (1842), devenu le symbole du Risorgimento, il porta l'opéra romantique à son apothéose (*Rigoletto*, 1851 ; *le Trouvère*, 1853) et inventa l'opéra intimiste avec *la Traviata* (1853), ne cessant d'enrichir sa palette orchestrale et de renforcer la cohésion dramatique de ses œuvres (*la Force du destin*, 1862 ; *Don Carlos*, 1867 ; *Aïda*, 1871). Il releva ensuite le défi wagnérien, ouvrant la voie à l'opéra du XX<sup>e</sup> s. (*Otello*, 1887 ; *Falstaff*, 1893). [☞ **opéra**.]

**VERDON** (le) ~ Riv. des Alpes, affl. de la Durance (r. g.), qui forme, en aval de Castellane, des gorges très profondes ; 175 km. Tourisme. Hydroélectricité.

**VERDUN** ~ V. de Lorraine (Meuse), sur la Meuse ; agglom. 26 711 h. Cathédrale Notre-Dame (crypte du XII<sup>e</sup> s., cloître du XVI<sup>e</sup> s.). Palais épiscopal du XVIII<sup>e</sup> s. (auj. bibliothèque et Centre mondial de la paix). Citadelle. **HIST.** - Le **traité de Verdun** (843), par lequel les trois fils de Louis I<sup>er</sup> le Pieux se répartirent l'Empire carolingien, marqua la séparation définitive de la France et de l'Allemagne. Cité marchande prospère durant le haut Moyen Âge, l'un des Trois-Évêchés au XIII<sup>e</sup> s., la ville fut annexée par Henri II en 1552 (rattachement à la France confirmé par le traité de Westphalie en 1648). Elle fut occupée par les Prussiens (1792, 1870). Au cours de la **bataille de Verdun** (févr.-déc. 1916), les Allemands engagèrent une offensive afin d'anéantir le dispositif français établi de part et d'autre de la Meuse. Leurs attaques finirent par se briser sur la défense organisée par Ph. Pétain, les Français reprenant l'initiative (oct. et nov.). Cet épisode de la Première Guerre mondiale coûta la vie à 360 000 Français et à 335 000 Allemands.

**VEREENIGING** ~ V. de l'ancien Transvaal (Afrique du Sud), centre d'une conurbation industr. (métall.), sur le Vaal, au S. de Johannesburg ; 540 000 h. Le 31 mai 1902 y fut signé un traité de paix mettant fin à la guerre des Boers.

**VERGA** (Giovanni) ~ *1840, Catane - 1922, id.* Écrivain italien. Admirateur de Flaubert et de Zola, il fut l'un des maîtres du vérisme avec ses romans inspirés par la réalité sociale italienne (*les Malavoglia*, 1881 ; *Du tien au mien*, 1905).

**VERGENNES** (Charles **Gravier**, comte DE) ~ *1719, Dijon - 1787, Versailles.* Diplomate et homme politique français. Ambassadeur à Constantinople (1754-1768) puis ministre des Affaires étrangères (1774-1787), il engagea la France dans la guerre de l'indépendance américaine et négocia le traité de Versailles (1783).

**VERGNIAUD** (Pierre Victurnien) ~ *1753, Limoges - 1793, Paris.* Homme politique français. Girondin à l'Assemblée législative, il présida la Convention en janvier 1793. Arrêté le 2 juin 1793, il fut guillotiné.

**VERHAEREN** (Émile) ~ *1855, Saint-Amand, près d'Anvers - 1916, Rouen.* Poète belge d'expression française. Sa poésie traduit son amour de la Flandre, ainsi que son adhésion lyrique à la mystique collectiviste du travailleur, créateur d'un monde nouveau (*les Villes tentaculaires*, 1895 ; *les Rythmes souverains*, 1910).

**VERKHOÏANSK** ~ Localité du N.-E. de la Sibérie (env. 2 000 h.), en Russie, dans les **monts de Verkhoïansk** (alt. max. 2 389 m). Fondée en 1638, auj. petit centre d'extraction de l'or et de l'étain, c'est l'un des points les plus froids de l'hémisphère N. (minima proches de - 70 °C).

**VERLAINE** (Paul) ~ *1844, Metz - 1896, Paris.* Poète français. D'abord influencée par les parnassiens, sa poésie trouva rapidement une inspiration et un rythme personnels. Maître de la nuance, Verlaine cultiva une poésie « soluble dans l'air », d'une musicalité inimitable, aux assonances subtiles et au lyrisme confidentiel. Son œuvre fut profondément marquée par les évènements de sa vie : amour pour Mathilde Mauté, rencontre avec Rimbaud, séjour en prison, conversion religieuse (*Poèmes saturniens*, 1866 ; *Fêtes galantes*, 1869 ; *la Bonne Chanson*, 1870 ; *Romances sans paroles*, 1873 ; *Sagesse*, 1880 ; *Jadis et Naguère*, 1885 ; *les Confessions*, 1894).

**VERMANDOIS** (le) ~ Région du N.-E. de la Picardie, plateau limoneux voué à la grande culture, au S. du seuil de Cambrésis. V. princ. Saint-Quentin, Péronne. Ancien comté, il fut réuni au domaine royal par Philippe II Auguste.

**VERMEER** (Johannes), dit **Vermeer de Delft** ~ *1632, Delft - 1675, id.* Peintre hollandais. Auteur de scènes intimistes à l'harmonie dépouillée et de quelques portraits, il excella dans le rendu de la matière, de la couleur et de la forme. Évitant les contrastes violents de lumière et de tons, il adoucit les contours tout en conservant une grande fermeté du trait. La sensibilité de sa touche et la poésie qui baigne ses toiles en font l'un des maîtres de la peinture hollandaise du XVIIe s., consacré seulement deux siècles plus tard (*Vue de Delft*, 1660 ; *la Laitière*, v. 1660 ; *la Joueuse de luth*, 1663).

L'Astronome *(1668), peinture de* **Vermeer de Delft**. *Musée du Louvre, Paris.*

**VERMONT** (le) ~ État enclavé du N.-E. des États-Unis (intérieur de la Nouvelle-Angleterre), région peu peuplée de moyennes montagnes boisées (Appalaches) ; 23 956 km², 576 000 h., cap. Montpelier. Hivers rudes. Élevage, exploit. du bois. Sports d'hiver et villégiature. Indépendant en 1777, le Vermont devint le 14e État de l'Union en 1791.

**VERNANT** (Jean-Pierre) ~ *1914, Provins.* Helléniste français. Professeur au Collège de France (1975-1984), il a mené des travaux historiques sur la Grèce antique, fondés sur l'étude de l'évolution des concepts philosophiques (*les Origines de la pensée grecque*, 1962).

**VERNE** (Jules) ~ *1828, Nantes - 1905, Amiens.* Écrivain français. Auteur de romans d'aventures et d'anticipation destinés à la jeunesse, il allia une imagination féconde à un souci pédagogique qui font de son œuvre une encyclopédie du savoir scientifique de son temps (*Voyage au centre de la Terre*, 1864 ; *De la Terre à la Lune*, 1865 ; *Vingt Mille Lieues sous les mers*, 1870 ; *le Tour du monde en quatre-vingts jours*, 1873 ; *Michel Strogoff*, 1876).

*Jules* **Verne**.

**VERNEAU** (Jean) ~ *1890, Vignot, Meuse - 1944, Buchenwald.* Général français. Chef de l'Organisation de résistance de l'armée (O. R. A.) en 1943, il fut arrêté par les Allemands et mourut en déportation.

**VERNET**, famille de peintres français. ~ **Joseph** (*1714, Avignon - 1789, Paris*), remarquable paysagiste, exécuta une série de vues des ports français. Son fils ~ **Antoine Charles Horace**, dit **Carle** (*1758, Bordeaux - 1836, Paris*), caricaturiste et peintre de scènes historiques, fut l'un des premiers à utiliser la lithographie. ~ **Horace** (*1789, Paris - 1863, id.*), fils du préc., se spécialisa dans l'exaltation de l'épopée napoléonienne.

**VERNET-LES-BAINS** ~ Station therm. et tourist. du Conflent (Pyrénées-Orientales), au pied du Canigou ; 1 489 h.

**VERNIER (marais)** ~ Marais asséché de la basse Seine (Eure), au S. de l'estuaire, dans le parc régional de Brotonne (chaumières traditionnelles).

**VERNON** ~ V. industr. de l'Eure, sur la Seine ; 23 659 h. (agglom. 29 851 h.). Église (XIIe-XVe s.). Tour des Archives (XIIe s.).

**VÉRONE**, en ital. *Verona* ~ V. de l'Italie du Nord (Vénétie), marché agric. et centre tourist., sur l'Adige, proche des Alpes ; 257 000 h. Anc. tradition textile. Les arènes de Vérone (Ier s.) accueillent auj. des spectacles lyriques. Places dei Signori (époque médiévale), delle Erbe, église San Zeno (portes de bronze du XIIe s.) et cathédrale, tombeaux monumentaux des Scaligeri (XIIIe s.), seigneurs de la ville, musée de peintures du Castelvecchio. **HIST.** - Gouvernée par Venise pendant quatre siècles, Vérone tomba aux mains des Français en 1797, puis devint une place forte autrichienne de 1814 à 1866, date de son rattachement au royaume d'Italie. En 1822, un congrès de la Sainte-Alliance y décida une expédition française en Espagne pour soutenir la monarchie contre les progrès du libéralisme.

**VÉRONÈSE** (Paolo **Caliari**, dit **il Veronese**, en fr.) ~ *1528, Vérone - 1588, Venise.* Peintre italien. Abordant des thèmes historiques, mythologiques ou religieux dans de vastes compositions aux perspectives ouvertes sur de somptueuses architectures, son œuvre révèle une grande maîtrise de la couleur et un sens aigu de la mise en scène. Excellant à rendre vivants ses personnages, s'attachant aux détails qui renforcent la dynamique de ses toiles, il sut communiquer à ses tableaux une grande force poétique (*les Noces de Cana*, 1562 ; *le Repas chez Lévi*, 1573 ; *Lucrèce*, v. 1583).

**VÉRONIQUE** (sainte) ~ Dans la tradition chrétienne, femme qui aurait essuyé le visage du Christ lors de la Passion. Le linge aurait conservé l'empreinte des traits de Jésus. Cet épisode légendaire est à l'origine du culte de la Sainte Face.

**VERRAZANO** (Giovanni DA), en fr. Jean **de Verrazane** ~ *1485, Val di Greve, près de Florence - 1528, Antilles.* Explorateur et navigateur d'orig. italienne. Au service de François Ier, il découvrit en 1524 la côte atlantique de l'Amérique du Nord, des Carolines au Maine. Il fut tué par des indigènes lors d'un voyage aux Antilles.

**VERRÈS**, en lat. ***Caius Licinius Verres*** ~ *v. 119, Rome - 43 av. J.-C.* Homme politique romain. Il fut propréteur en Sicile (73-71 av. J.-C.). Accusé de concussion par de nombreux Siciliens, dont la cause fut défendue par Cicéron, il préféra s'exiler (70 av. J.-C.). Les cinq harangues de Cicéron, les *Verrines*, sont un modèle d'éloquence judiciaire illustrant l'exploitation des provinces sous la république.

**VERRIÈRES-LE-BUISSON** ~ V. résidentielle de la banlieue S. de Paris (Essonne) ; 15 710 h. C. N. R. S., Aérospatiale. Église (tour du XIIIe s.). Châteaux (dont celui des Vilmorin).

**VERROCCHIO** (Andrea **di Cione**, dit **il**) ~ *1435, Florence - 1488, Venise.* Peintre, sculpteur et orfèvre italien. Élève de Donatello, il s'illustra dans la sculpture (statue équestre du condottiere B. Colleoni à Venise), montrant son sens du détail et sa maîtrise des matériaux. Il contribua à la formation du Pérugin et de Léonard de Vinci.

**VERSAILLES** ~ Préfect. des Yvelines, dans la banlieue S.-O. de Paris, anc. cap. et résidence royale ; 87 789 h. Cour d'appel. Université. École supérieure du génie militaire. Camp militaire de Satory (expérimentations techniques). Église Notre-Dame (XVIIe s.), cathédrale St-Louis (XVIIIe s.), Jeu de paume (XVIIe s.), musée d'histoire Lambinet. La ville est célèbre pour son château, type de l'art classique français, et ses jardins, réalisés en plusieurs étapes. Louis XIII fit construire à partir de 1624 un pavillon de chasse que Louis XIV entreprit de transformer et d'agrandir dès 1661. Le Vau construisit le corps central du château (1668-1678), et Hardouin-Mansart réalisa les Grandes et les Petites Écuries, le Grand Trianon, l'Orangerie et, à l'intérieur du château, la chapelle et la galerie des Glaces (1678-1708). Lebrun réalisa la décoration intérieure et Le Nôtre, l'aménagement du parc et des jardins. Sous Louis XV, l'architecte Gabriel (1772-1778) construisit le Petit Trianon, le Hameau et l'Opéra royal. **HIST.** - Capitale du royaume (1682), la ville vit en son château la mort de Louis XIV (1715) et celle de Louis XV (1774). Le traité d'indépendance des États-Unis y fut signé (1783), puis la réunion des états généraux et le serment du Jeu de paume (1789) y marquèrent le début de la Révolution française. Pillé par les Prussiens (1815), le château fut transformé en musée (peintures d'histoire, dont la galerie des Batailles) par Louis-Philippe (1837). Guillaume Ier y fut proclamé empereur allemand (1871). Siège du gouvernement durant la Commune (1871), il accueillit l'Assemblée nationale puis le Parlement (1871-1879).

*Le château de* **Versailles**, *la galerie des Glaces.*

**Versailles (traité de)** ~ Traité mettant fin à la Première Guerre mondiale, signé le 28 juin 1919 entre la France, ses alliés et l'Allemagne. Il stipulait notamment la restitution à la France de l'Alsace et de la Lorraine, l'administration de la Sarre par la S. D. N., la cession de territoires à la Pologne et l'établissement du « corridor de Dantzig », l'abandon par l'Allemagne de ses colonies, la limitation de ses effectifs militaires et le versement de réparations financières. Ses clauses, jugées humiliantes par les Allemands, annoncent la Seconde Guerre mondiale.

**VERT (cap)** ~ Pointe occidentale de l'Afrique, site de Dakar (Sénégal).

**VERTOU** ~ V. de la banlieue de Nantes (Loire-Atlantique), sur la Sèvre Nantaise ; 18 235 h. Vins (muscadet). Agroalimentaire.

**VERTOV** (Denis Arkadevitch **Kaufmann**, dit Dziga) ~ *1895, Białystok - 1954, Moscou.* Cinéaste soviétique. Pionnier du « cinéma-vérité », soucieux de « prendre la vie sur le vif », il innova en matière de montage et de prise de vues (*l'Homme à la caméra*, 1929 ; *Trois Chants sur Lénine*, 1934).

**Verts** (les) ~ Nom désignant les divers partis écologistes en Europe, tels Die Grünen, fondé en 1980 en Allemagne, ou le parti des Verts français, né en 1984.

**VERTUMNE** ~ Dieu romain d'origine étrusque. Protecteur des jardins, il présidait aux récoltes de l'automne.

**VERTUS** ~ Localité viticole de la Marne (côtes champenoises), au S. d'Épernay ; 2 495 h.

**VERUS**, en lat. ***Lucius Aurelius Verus*** ~ *130, Rome - 169, Altinum, Vénétie.* Empereur romain (161-169). Il partagea le pouvoir avec Marc Aurèle et combattit les Parthes (161-166).

**VERVIERS** ~ V. de la Belgique wallonne (Ardenne), au N.-E. de Liège, anc. cité drapière ; 54 000 h. Les actuelles industries (métall., chim., constr. mécan., électr., imprimerie) ont supplanté le textile (laine, métiers à tisser). Musées.

**VERVINS** ~ V. de la Thiérache (Aisne), au N.-E. de Laon ; agglom. 3 501 h. Église médiévale, fortifiée au XVI^e^ s. Le traité qui y fut signé (1598) par les représentants d'Henri IV et de Philippe II d'Espagne mit fin à la guerre franco-espagnole et obligea à la restitution mutuelle des territoires dont chacun s'était emparé.

**VESAAS** (Tarjei) ~ *1897, Ytre Vinje, Telemark - 1970, Oslo.* Écrivain norvégien. Il évolua du réalisme terrien (*le Grand Jeu*, 1934) vers un symbolisme allégorique (*le Germe*, 1940 ; *le Signal*, 1950 ; *les Oiseaux*, 1957).

**VÉSALE** (Andries **Van Wesel**, en fr. André) ~ *1514, Bruxelles - 1564, île de Zante.* Anatomiste flamand. Précurseur de la méthode expérimentale, il s'opposa à la médecine des Anciens et pratiqua des dissections du corps humain qui le firent condamner par l'Inquisition.

**VÉSINET (Le)** ~ V. résidentielle de la banlieue O. de Paris (Yvelines) ; 15 945 h.

**VESLE** (la) ~ Riv. de l'E. du Bassin parisien, qui arrose Reims et rejoint l'Aisne (r. g.) en amont de Soissons ; 143 km.

**VESOUL** ~ Préfect. de la Haute-Saône, marché agricole, à l'O. de Belfort ; 17 614 h. (agglom. 28 735 h.). Industries métallurgique, textile (confection). Église St-Georges (XVIII^e^ s.).

**VESPASIEN**, en lat. ***Titus Flavius Vespasianus*** ~ *9, près de Reate, auj. Rieti - 79, Aquae Cutiliae, Sabine.* Empereur romain (69-79). Il dirigea les combats lors de la guerre de Judée (66-69) et fut proclamé empereur par ses troupes. Il élimina alors Vitellius et associa son fils Titus au pouvoir. Il réorganisa le sénat (entrée des provinciaux) et le cadastre, donna le droit latin aux cités ibériques, rebâtit le Capitole, entreprit la construction du Colisée. Il réprima des soulèvements gaulois (70) et germains (conquête des champs Décumates) et envoya Agricola achever la conquête de la Bretagne. Il instaura le système de la succession héréditaire et fonda la dynastie des Flaviens.

**VESPUCCI** (Amerigo), en fr. Améric **Vespuce** ~ *1454, Florence - 1512, Séville.* Navigateur italien. Il explora le Nouveau Monde après Christophe Colomb. Le géographe allemand Martin Waldseemüller lui attribua (1507) la découverte de l'Amérique, qui porte depuis son prénom.

**VESTA** ~ Divinité romaine du Feu et du Foyer domestique, assimilée à Hestia par les Grecs. Son culte était célébré par des jeunes filles astreintes à la chasteté, les **vestales**.

**Vesta** ~ Programme spatial franco-soviétique, dans le cadre duquel deux sondes jumelles ont été lancées vers Mars (1994-1995).

**VESTDIJK** (Simon) ~ *1898, Harlingen - 1971, Utrecht.* Écrivain néerlandais, auteur de romans psychologiques (*Anton Wachter*, 1934-1960 ; *le Jardin de cuivre*, 1950) et historiques (*le Cinquième Sceau*, 1937 ; *Apollon*, 1952) et de poésies.

**VESTERÅLEN** ~ Archipel norvégien qui prolonge au N. les îles Lofoten ; 2 400 km$^2$, env. 35 000 h.

**VESTMANNAEYJAR** ~ L'une des plus anc. villes d'Islande, sur une île volcanique au S. du pays (éruptions en 1963 et 1973) ; 5 000 h.

**VÉSUBIE** (la) ~ Affl. alpin (r. g.) du Var, issu du Mercantour ; 48 km. Gorges touristiques.

**VÉSUVE** (le), en ital. ***Vesuvio*** ~ Volcan actif (1 277 m) du S. de l'Italie, qui domine la baie de Naples. Vigne (lacrima-christi) sur ses pentes. En 79, son éruption détruisit les villes d'Herculanum, de Pompéi et de Stabies. Sa dernière éruption remonte à 1944.

**VESZPRÉM** ~ V. de Hongrie, au N. du lac Balaton, au pied des monts Bakony ; 65 000 h. Vin, huileries. Tourisme. Université. Cathédrale St-Michel (XI^e^ s.), anc. palais épiscopal baroque (XVIII^e^ s., fresques du XIII^e^ s.), musée Bakony (archéol., sculpture médiévale). Anc. résidence des reines de Hongrie (XI^e^-XIV^e^ s.).

**VEUILLOT** (Louis) ~ *1813, Boynes, Loiret - 1883, Paris.* Écrivain et journaliste français. Rédacteur en chef du journal *l'Univers*, il défendit avec conviction une politique ultramontaine et réactionnaire.

**VEURNE**, en fr. **Furnes** ~ V. de Belgique (Flandre-Occidentale) ; 11 000 h. Monuments des XV^e^-XVII^e^ s. : Grand-Place, maisons patriciennes, hôtel de ville, beffroi, église St-Nicolas (tour du XIII^e^ s.). Veurne fut le siège du gouvernement de la Belgique libre durant la Première Guerre mondiale.

**VEVEY** ~ V. tourist. et industr. de Suisse (Vaud), sur le lac Léman ; 16 000 h. Laboratoires Nestlé. Temple St-Martin, anc. église (XII^e^-XV^e^ s.), hôtel de ville (XVIII^e^ s.). Musées.

**VEXIN** (le) ~ Riche région agricole (céréales, betterave à sucre), partagée entre l'Île-de-France (Vexin français) et la Normandie (Vexin normand) par l'Epte, entre la Seine et la Béthune. **HIST.** - Par le traité de Saint-Clair-sur-Epte (911), le Vexin fut divisé en deux parties relevant des duchés de France et de Normandie : la première fut rattachée au domaine royal vers 1082, la seconde en 1193.

**VEYNE** (Paul) ~ *1930, Aix-en-Provence.* Historien français. Professeur au Collège de France, il s'emploie à démontrer l'irrationalité du cours de l'histoire et à réfléchir sur la construction de l'explication historique (*Comment on écrit l'histoire*, 1971).

**VÉZELAY** ~ Bourg tourist. fortifié de l'Yonne, dominant la Cure, au N.-O. du Morvan ; 571 h. La basilique Ste-Madeleine (XII^e^ s.), restaurée par Viollet-le-Duc, est un chef-d'œuvre de l'art roman bourguignon (crypte du XI^e^ s., portails du XII^e^ s.). **HIST.** - Fondée autour d'un monastère bénédictin (IX^e^ s.), Vézelay fut le point de départ de la 2^e^ croisade (1146), prêchée par Bernard de Clairvaux. Philippe II Auguste et Richard Cœur de Lion s'y rejoignirent (1190) pour la 3^e^ croisade.

**VÉZÈRE** (la) ~ Affl. de la Dordogne (r. dr.), issu du plateau de Millevaches, qui arrose le Limousin et le Périgord ; 192 km. Sites préhistoriques dans sa basse vallée (dite vallée de l'Homme).

**VIALA** (Joseph Agricol) ~ *1780, Avignon - 1793, près d'Avignon.* Patriote français. Adolescent engagé dans les rangs républicains, il fut tué par les insurgés royalistes. Sa mort fut exaltée par la Convention.

**VIAN** (Boris) ~ *1920, Ville-d'Avray - 1959, Paris.* Écrivain français. Romancier (*l'Écume des jours*, 1947), poète (*Cantilènes en gelée*, 1949), dramaturge (*le Goûter des généraux*, 1951), traducteur, musicien de jazz et critique (*En avant la zizique*, 1958), il est l'auteur de près de 400 chansons. Cet ancien ingénieur devenu membre du collège de pataphysique fut l'une des figures les plus attachantes du Saint-Germain-des-Prés de l'après-guerre.

**VIARDOT-GARCÍA** (Pauline) ~ *1821, Paris - 1910, id.* Cantatrice française. Sœur de la Malibran et épouse de Louis Viardot, directeur de la Comédie-Italienne, elle marqua la vie musicale française. Mezzo-soprano, elle créa not. *le Prophète*, de Meyerbeer (1849), et *Sapho*, de Gounod (1851).

**VIAREGGIO** ~ Station baln. de Toscane (Italie), au N. de Pise ; 58 000 h.

**VIAU** (Théophile DE) ~ *1590, Clairac, près d'Agen - 1626, Paris.* Écrivain français. Dédaignant les règles classiques, il écrivit des poésies lyriques (*le Parnasse des poètes satiriques*, 1622). Ses mœurs libertines lui valurent d'être condamné au bûcher en 1623, auquel il échappa.

**VIAUR** (le) ~ Riv. du Massif central (Rouergue), affl. de l'Aveyron (r. g.) ; 155 km. Un viaduc ferroviaire de 120 m de haut, achevé en 1902, le franchit entre Rodez et Albi. Hydroélectricité.

**VIBORG** ~ V. du Danemark, centre comm. du Jylland ; 40 000 h. Brasseries, tabac, text., constr. mécaniques. Cathédrale (crypte du XII^e^ s.), édifices baroques. Principale ville et capitale du Jylland au Moyen Âge. Les rois du Danemark y furent couronnés du XI^e^ au XIV^e^ s.

**VIC (étang de)** ~ Étang littoral de l'Hérault, à l'E. de Frontignan ; env. 13 km$^2$.

**VICAT** (Louis) ~ *1786, Nevers - 1861, Grenoble.* Ingénieur français. Étudiant les matériaux de construction, il découvrit la composition et la technique de fabrication du ciment et introduisit le bétonnage dans la fondation des ponts (Souillac, 1822).

**VICENCE**, en ital. ***Vicenza*** ~ V. de Vénétie (Italie), au N.-O. de Padoue ; 108 000 h. Industries text., chim., alim. (pâtes), imprimerie. Cathédrale gothique et églises du XII^e^ s. Nombreux édifices du XVI^e^ s. (Palladio) : théâtre Olympique, villa La Rotonda, palais Chiericati (auj. musée municipal de peinture, dont des œuvres de Bartolomeo Montagna).

**VICENTE** (Gil) ~ *v. 1465, Guimarães - v. 1537, Évora.* Auteur dramatique portugais. Écrit en portugais ou en espagnol, son théâtre s'inspire de l'observation sociale et de la vie populaire pour traiter les thèmes les plus graves (*la Trilogie des barques*, 1516-1519).

**VICHY** ~ V. et grande station thermale de l'Allier (N. de la Grande Limagne), sur l'Allier, centre tertiaire récemment industrialisé ; 27 714 h. (agglom. 61 566 h.). Casino. Siège du gouvernement de l'État français sous l'Occupation.

Vichy, comité des fêtes *(1920), affiche de Roger Broders. Coll. Paul Bremen, États-Unis.*

**Vichy (gouvernement de)** ~ Gouvernement de l'État français installé à Vichy (juill. 1940-août 1944). Successivement dirigé, sous l'autorité du maréchal Pétain, par P. Laval (juill.-déc. 1940), Pierre-Étienne Flandin (déc. 1940-févr. 1941), l'amiral Darlan (févr. 1941-avr. 1942), puis de nouveau par P. Laval (avr. 1942-août 1944), il instaura un État d'inspiration corporatiste, engagea une politique de « Révolution nationale », adopta la devise « Travail, Famille, Patrie », suspendit les libertés démocratiques et promulgua un statut d'exclusion pour les Juifs. La politique de collaboration avec l'Allemagne, instaurée le 24 octobre 1940 lors de l'entrevue de Pétain et de Hitler à Montoire, prit une orientation radicale après le retour de

P. Laval et l'invasion de la zone libre (nov. 1942). Le gouvernement de Vichy engagea ses forces de police et la Milice aux côtés des Allemands dans leurs opérations contre la Résistance et les Juifs. À la fin de l'été 1944, Fernand de Brinon constitua, à Sigmaringen, une commission gouvernementale qui voulut continuer le régime de Vichy et qui fut dissoute en 1945.

**VICKSBURG** ~ V. et port de l'État du Mississippi (États-Unis), centre comm. (coton) sur le Mississippi (r. g.) ; 21 000 h. Tourisme. En 1863, la prise de la ville, place forte sudiste, par le général Grant fut un tournant de la guerre de Sécession.

**VICO** (Giambattista) ~ *1668, Naples - 1744, id.* Philosophe italien. Il préconisa le recours systématique à l'histoire comparée et à la philosophie.

**VICQ D'AZYR** (Félix) ~ *1748, Valognes - 1794, Paris.* Médecin français. Cofondateur de la Société royale de médecine (1776), il est le père de l'anatomie comparée. Acad.

**VICTOR**, nom de trois papes. ~ **Victor Ier** (saint), pape de 189 à 199. Martyr. Il fit admettre la date adoptée par l'Église latine pour célébrer Pâques. ~ **Victor II** (Gebhard, comte **de Dollnstein-Hirschberg** ; *m. en 1057 à Arezzo*), pape de 1055 à 1057. Il soutint le Saint Empire contre la menace normande. ~ **Victor III** (bienheureux, Desiderio **da Montecassino** ; *v. 1027, Bénévent - 1087, Mont-Cassin*), pape élu en 1086 et sacré en 1087.

**VICTOR** (Claude **Perrin**, dit), duc de **Bellune** ~ *1764, Lamarche, Vosges - 1841, Paris.* Maréchal de France. Il se distingua à Friedland (1807) et fut ministre de la Guerre (1821-1823).

**VICTOR** (Paul-Émile) ~ *1907, Genève - 1995, Bora Bora.* Explorateur français. Créateur des Expéditions polaires françaises (1947), il mena des expéditions géographiques et ethnographiques au Groenland, en Laponie et en terre Adélie.

**VICTOR-AMÉDÉE**, nom de trois souverains italiens. ~ **Victor-Amédée Ier** (*1587, Turin - 1637, Verceil*), duc de Savoie (1630-1637), gendre d'Henri IV. ~ **Victor-Amédée II** (*1666, Turin - 1732, Rivoli*), duc de Savoie (1675), roi de Sicile (1713) et de Sardaigne (1720). Il abdiqua en 1730. ~ **Victor-Amédée III** (*1726, Turin - 1796, Moncalieri*), roi de Sardaigne (1773-1796). Battu par Bonaparte, il perdit la Savoie et Nice en 1796.

**VICTOR-EMMANUEL**, nom de trois souverains italiens. ~ **Victor-Emmanuel Ier** (*1759, Turin - 1824, Moncalieri*), roi de Sardaigne (1802-1821). Il prit possession de ses États en 1815, mais sa politique de réaction provoqua des insurrections qui le contraignirent à abdiquer. ~ **Victor-Emmanuel II** (*1820, Turin - 1878, Rome*), roi de Sardaigne (1849), puis d'Italie (1861-1878). Il appuya la politique de son ministre Cavour, artisan de l'unité italienne. ~ **Victor-Emmanuel III** (*1869, Naples - 1947, Alexandrie*), roi d'Italie (1900-1946). Il facilita l'accession de Mussolini au pouvoir, puis contribua à le renverser (24-25 juill. 1943) et se plaça sous la protection des Alliés. Mais, critiqué pour son rôle sous le fascisme, il abdiqua.

**VICTORIA** ~ Port du Canada, cap. de la Colombie-Britannique (S. de l'île de Vancouver) ; 71 000 h. (agglom. 288 000 h.). Université. Industries du bois, constr. navales. Observatoire d'astrophysique. Tourisme. La ville (fondée en 1843) est un ancien poste de commerce des fourrures.

**VICTORIA** ~ Cap. insulaire de Hong Kong, centre d'affaires internat. et aéroport très fréquenté ; env. 1 000 000 d'h.

**VICTORIA** ~ Cap. des Seychelles, dans l'île de Mahé ; 25 000 h.

**VICTORIA (chutes)** ~ Importantes chutes (haut. 108 m) du Zambèze, sur la frontière entre la Rhodésie et la Zambie. Le fleuve, ici large de 1 700 m, plonge dans des gorges étroites. Elles furent découvertes par D. Livingstone en 1856.

**VICTORIA (Grand Désert de)** ~ Désert de dunes du S. de l'Australie, aux confins de l'Australie-Méridionale et de l'Australie-Occidentale.

**VICTORIA (île)** ~ Île de l'O. de l'archipel Arctique canadien ; 212 000 km$^2$. Faible peuplement inuit.

**VICTORIA (lac)**, anc. **Victoria Nyanza** ~ Lac d'Afrique orientale, le plus vaste du continent (68 100 km$^2$). Peu profond (80 m), il occupe, à 1 134 m d'alt., le centre d'une dépression que dominent des reliefs volcaniques (Rift Valley). Pêche active. Alimenté par la Kagera, il est le principal émissaire du Nil Blanc. L'Ouganda, le Kenya et la Tanzanie se partagent ses eaux. Il fut découvert en 1858 par J. H. Speke.

**VICTORIA** (le) ~ État du S.-E. de l'Australie (le 2e par sa popul.), baigné par l'océan Indien, au climat tempéré ; 228 113 km$^2$, 4 460 000 h., v. princ. Melbourne (cap.), Geelong. Céréales, fruits, élev. ovin et bovin, industr. agroalim., text., du cuir, exploit. du charbon et des hydrocarbures offshore. **HIST.** - Séparé en 1851 de la Nouvelle-Galles-du-Sud, l'État devint autonome en 1855.

**VICTORIA Ire** ~ *1819, Londres - 1901, Osborne, île de Wight.* Reine de Grande-Bretagne et d'Irlande (1837-1901), impératrice des Indes (1876-1901). Petite-fille de George III, elle succéda à son oncle Guillaume IV. En 1840, elle épousa Albert de Saxe-Cobourg-Gotha. Dépourvue de pouvoirs politiques effectifs, elle soutint l'action de ses Premiers ministres conservateurs (R. Peel, B. Disraeli). Son règne, apogée du Royaume-Uni, fut qualifié d'« ère victorienne ».

© M. Evans-Explorer

La reine **Victoria** d'Angleterre à Cimiez *(1897), peinture anonyme.*

**VICTORIA** (Tomás Luis DE) ~ *1550, Ávila - 1611, Madrid.* Compositeur espagnol. Ses motets et ses messes sont des chefs-d'œuvre de dépouillement polyphonique.

**Victoria and Albert Museum** ~ Musée de Londres. Fondé en 1852 et baptisé (1899) en l'honneur de la reine Victoria et du prince Albert, il abrite des collections de peintures (Gainsborough), de sculptures (Pisano) et d'arts décoratifs.

**VIDAL DE LA BLACHE** (Paul) ~ *1845, Pézenas - 1918, Tamaris, Var.* Géographe français. Père de la tradition géographique en France, il a étudié le lien entre les éléments géographiques physiques et humains (*Tableau de la géographie de la France*, 1903).

**VIDAL-NAQUET** (Pierre) ~ *1930, Paris.* Historien français. Spécialiste de l'Antiquité (*Mythe et Tragédie*, avec J.-P. Vernant, 1972-1986), il a aussi engagé sa compétence sur des questions d'histoire contemporaine : la guerre d'Algérie (*la Torture dans la République*, 1972) ; le révisionnisme (*les Juifs, la mémoire et le présent*, 1981-1996).

**VIDOCQ** (François) ~ *1775, Arras - 1857, Bruxelles.* Aventurier français. Ancien bagnard, il entra dans la police et devint chef de la sûreté sous l'Empire. Ses *Mémoires* (1828-1829) inspirèrent à Balzac le personnage de Vautrin.

**VIDOR** (King) ~ *1894, Galveston, Texas - 1982, Paso Robles, Californie.* Cinéaste américain. Reflétant les grandes questions qui traversent la société américaine, son œuvre est parcourue par un grand souffle épique (*la Foule*, 1928 ; *Duel au soleil*, 1947).

**VIDOURLE** (le) ~ Fl. côtier du Languedoc issu des Cévennes, qui rejoint la Méditerranée à l'O. du Grau-du-Roi ; 80 km. Crues violentes.

**VIEDMA** ~ V. d'Argentine, aux confins de la Pampa et de la Patagonie, près de l'embouchure du río Negro, ch.-l. de la province de Río Negro (203 013 km$^2$, 507 000 h.) ; 24 000 h. Évêché. Le projet d'en faire la capitale fédérale a été abandonné en 1991.

**VIEILLE** (Paul) ~ *1854, Paris - 1934, id.* Ingénieur français. Il découvrit l'onde explosive avec Berthelot (1881) et inventa les poudres B sans fumée (1884). Il étudia les ondes de choc (1898) et les poudres à la nitrocellulose (**épreuve de Vieille**, 1901).

**VIEILLEVILLE** (François **de Scepeaux**, comte **de Durtal**, seigneur DE) ~ *1510 - 1571, Durtal, près d'Angers.* Maréchal de France. Il se distingua durant les campagnes d'Italie sous François Ier, et il combattit les protestants pendant les guerres de Religion.

**VIEIRA** (António) ~ *1608, Lisbonne - 1697, Bahia.* Écrivain jésuite portugais. Courageux défenseur des Indiens, il laissa des *Sermons* (1697), qui sont des sommets de l'éloquence portugaise.

**VIEIRA DA SILVA** (Maria Elena) ~ *1908, Lisbonne - 1992, Paris.* Peintre français d'orig. portugaise. Ses perspectives au graphisme raffiné et au chromatisme retenu confèrent une vivante poésie à ses compositions abstraites (*l'Aire du vent*, 1966).

**VIENNE** (la) ~ Affl. de la Loire (r. g.), issu du plateau de Millevaches, qui arrose le Limousin et la Touraine ; 350 km.

**VIENNE** (la) ~ Dép. de la Région Poitou-Charentes, correspondant à la partie orientale de l'ancienne province du Poitou, aux confins des Bassins parisien et aquitain ; 7 044 km$^2$, 379 977 h. L'économie rurale oppose les terres « de groie », céréalières, et les brandes, vouées à l'élevage. Les industries (agroalim. et activités décentralisées) se concentrent le long des vallées du Clain et de la Vienne, voies de passage importantes (autoroute Paris-Bordeaux) et régions les plus peuplées, avec Poitiers (préfecture) et Châtellerault.

**VIENNE** ~ V. de la vallée du Rhône (Isère), marché agricole (fruits, légumes, vin) et centre industriel en aval de Lyon (text., chaussures, constr. électr.) ; 29 449 h. (agglom. 43 457 h). Vestiges romains (temples, théâtre). Cathédrale St-Maurice (XIIe-XVe s.). Église St-Pierre (auj. musée lapidaire). **HIST.** - Métropole administrative et religieuse de l'Empire romain après la décadence de Lyon (IIIe s.), elle devint capitale du royaume de Bourgogne (IXe s.) et fut annexée à la France avec le Dauphiné (1349). Les guerres de Religion la ruinèrent (1562).

**VIENNE**, en all. ***Wien*** ~ Cap. et land (415 km$^2$) de l'Autriche, sur la Wien, petit affl. du Danube, carrefour européen, dans un site de collines (Kahlenberg), de forêts (Wienerwald) et de vignobles (Grinzing) ; 1 589 000 h. (dépeuplement constant depuis le démembrement de l'Autriche-Hongrie). Métropole industrielle (constructions mécan., électr., autom., agroalimentaire, textile, cuir, instruments de musique, édition, cinéma), commerciale, financière et culturelle (université,

© P. Wysocky-Explorer

**Vienne.**

cafés littéraires, Opéras, Orchestre philharmonique). Siège de l'Opep. Archevêché. Tourisme actif. Anc. capitale de l'Empire austro-hongrois, Vienne est riche en monuments religieux et civils, not. baroques : cathédrale St-Étienne (XIIe-XVe s.), églises Notre-Dame du Rivage (XIVe s.), des Capucins (XVIIe s., crypte des Habsbourg), St-Charles-Borromée (XVIIIe s.), palais de la Hofburg (XIIIe, XVe, XXe s.), Lobkowitz (XVIIe s.), du Belvédère (XVIIIe s.), Schwarzenberg (XVIIIe s.), de Schönbrunn (XVIIIe s.). Plus de trente musées d'art : Albertina (Dürer), Kunsthistorisches Museum (Bruegel, Cranach, Rembrandt), du Belvédère (Kokoschka, Klimt), d'Art moderne. Maisons de Beethoven, Mozart, Haydn, Schubert, Freud. École d'équitation espagnole, jardins du Prater. **HIST.** - Ancienne forteresse romaine, Vienne fut érigée en ville impériale en 1246. Les Habsbourg s'en emparèrent en 1278 et en firent leur capitale jusqu'en 1918. Les Turcs l'assiégèrent en 1529, puis en 1683. Prise par Napoléon, elle accueillit le congrès qui réorganisa l'Europe en 1815. Elle s'imposa alors comme l'une des capitales intellectuelles de l'Ancien Monde (not. par la naissance de la psychanalyse, du sérialisme et de l'art moderne). Tête énorme sur le corps réduit de l'Autriche après 1918, elle fut occupée par les Alliés et les Soviétiques de 1945 à 1955.

**Vienne (cercle de)** ~ Collectif de philosophes, de logiciens et de savants allemands et autrichiens, formé dans l'entre-deux-guerres, dont le projet était une réforme radicale du langage scientifique. Ses principaux membres furent Moritz Schlick, Philipp Frank, Otto Neurath, Rudolf Carnap et Hans Reichenbach. [☞ **positivisme.**]

**Vienne (congrès de)** ~ Congrès diplomatique qui se tint à Vienne (1er nov. 1814-9 juin 1815) afin de reconstituer l'équilibre européen sur la base des principes monarchiques. L'Autriche, la Russie, la Grande-Bretagne et la Prusse (représentées par Metternich, Nesselrode, Castlereagh et Hardenberg) menèrent le jeu. Talleyrand obtint pour la France le recouvrement de ses frontières de 1789, tandis que les Pays-Bas, la Confédération helvétique et le Piémont-Sardaigne voyaient leurs possessions renforcées. Ces aménagements furent remis en cause par les révolutions de 1848.

**VIENNE (Haute-)** ~ Dép. de la Région Limousin, sur les marges occidentales du Massif central, composé de plateaux cristallins excédant rarement 500 m, traversés d'E. en O. par les vallées encaissées de la Vienne et de la Gartempe, et dominés au N. par les monts de la Marche (701 m) ; 5 520 km², 353 593 h. Bien arrosée, c'est une importante région d'élevage. Gisement d'uranium à Bessines-sur-Gartempe. Aux productions traditionnelles (porcelaine, chaussures) s'ajoutent des industries diversifiées, localisées dans la vallée de la Vienne, autour de Limoges (préfecture), dont l'agglomération regroupe la moitié de la population du département, marqué par un fort exode rural.

**VIENNE** (Jean DE) ~ *v. 1341 - 1396, Nicopolis.* Amiral français. Il s'illustra durant la guerre de Cent Ans et fut tué à la bataille de Nicopolis en combattant les Turcs.

**VIENTIANE** ~ Cap. et princ. ville du Laos, port fluvial et centre comm. sur le Mékong (r. g.), face à la Thaïlande ; env. 380 000 h. Industr. manufacturières, artisanat (orfèvrerie). Cap. du royaume du Lan Xang (XVIe s.), elle fut conquise par les Siamois (1778), qui la rasèrent (1827). Reconstruite par les Français, elle devint la capitale du Laos en 1947.

**VIERGES (îles)**, en angl. ***Virgin Islands*** ~ Archipel des Petites Antilles situé à l'E. de Porto Rico, partagé entre les États-Unis (346 km², 102 000 h., cap. Charlotte Amalie) et le Royaume-Uni (130 km², 17 000 h., île princ. Tortola). Les îles les plus grandes (Sainte-Croix, Saint-John, Saint-Thomas) furent achetées par les États-Unis au Danemark en 1917. Tourisme massif, paradis fiscal.

**VIERNE** (Louis) ~ *1870, Poitiers - 1937, Paris.* Organiste français. Élève de C. Franck, il fut titulaire de l'orgue de Notre-Dame de Paris (1900-1937) malgré sa cécité. Il composa des œuvres pour cordes, pour orchestre et chœur (*Praxinaé*) et pour orgue (*Pièces de fantaisie*).

**VIERZON** ~ V. de la Champagne berrichonne (Cher), centre ferrov. et industriel (métall., mécan., text.) sur le Cher ; 32 235 h. (agglom. 35 049 h.). Tradit. de porcelaine et de verrerie.

**Viêt-cong** (le), abrév. de ***Viêt Nam*** et de ***công-san***, en fr. « rouge » ~ Nom donné pendant la guerre du Viêt Nam aux communistes et à leurs alliés regroupés en 1960 au sein du Front national de libération du Viêt Nam du Sud.

**VIÈTE** (François) ~ *1540, Fontenay-le-Comte - 1603, Paris.* Mathématicien français. Avec sa « logistique spécieuse », il est le père de l'algèbre, des mathématiques modernes et de la géométrie analytique. Il posa le principe de l'équation comme représentation abstraite d'un problème et, pour l'analyse et sa résolution géométrique ou numérique, introduisit les lettres pour représenter les grandeurs, initiant la symbolisation.

**Viêt-minh** (le), abrév. de ***Viêt Nam Doc Lap Dong Minh Hoi***, en fr. « Front de l'indépendance du Viêt Nam » ~ Mouvement politique vietnamien regroupant des communistes et des nationalistes, fondé en 1941 par Hô Chi Minh. Il prit le pouvoir en 1945 et engagea en 1946 la lutte armée contre la présence française (guerre d'Indochine).

**VIÊT NAM (république socialiste du)** ~ Pays d'Asie du Sud-Est (« angle de l'Asie »), partie E. de l'Indochine qui s'étire sur près de 2 000 km le long de la mer de Chine méridionale. ***Cap.*** Hanoi. ***Superf.*** 329 566 km². ***Popul.*** 72 000 000 d'h. (les minorités : Méos, Thaïs, dans les montagnes, Chinois dans les villes, Khmers au S., représentent près de 20 % de la popul.). ***Langue princ.*** Vietnamien. ***Monn.*** Dông. ***Relief.*** La cordillère annamitique, domaine de la forêt dense, domine d'étroites plaines littorales, qui s'élargissent au N. (delta du Sông Hong, anc. Tonkin) et au S. (delta du Mékong, anc. Cochinchine), où se concentrent l'activité et la population. ***Climat.*** Tropical de mousson, à saison sèche plus longue au N. qu'au S. ***Écon.*** Trente ans de guerre, une difficile réunification, l'embargo occidental et l'effondrement de l'U. R. S. S. ont entravé le développement de l'économie. La privatisation progressive entreprise en 1986 et la levée de l'embargo à partir de 1992 ont favorisé les investissements étrangers, attirés par le bas coût de la main-d'œuvre. Le Viêt Nam est en passe de devenir à son tour un nouveau pays industriel (N. P. I.). La production industrielle (dont les deux tiers proviennent du secteur privé) concerne essentiellement l'agroalimentaire et le textile. Le Japon, Hong Kong et l'Union européenne sont les principaux partenaires commerciaux du Viêt Nam. ***Agric.*** La terre reste propriété de l'État, son exploitation est privée (riziculture, fondement tradit. de l'économie). ***Ress. énerg.*** Hydroélectricité, charbon, pétrole offshore. ***Ress. minérales.*** Fer, manganèse, titane, chrome, bauxite. ***Autres ress.*** Pêche, exploit. forestière, tourisme. ***V. princ.*** Hô Chi Minh-Ville, Hanoi, Haiphong, Danang. **HIST.** - *Paléolithique* : premier peuplement au N. *Âge du bronze* : civilisation de Dong Son. *2000-1000 av. J.-C.* : royaume de Van Lang. *IIIe s. av. J.-C.* : royaume d'Âu Lac sous domination chinoise. *208 av. J.-C.* : création du royaume du Nam Viêt. *111 av. J.-C.* : annexion par les Han. *IIe s. apr. J.-C.* : introduction du bouddhisme. *939* : Ngô Quyen fonde la première dynastie nationale. *968-980* : règne de la dynastie Dinh, vassale des Chinois. *980-1225* : les souverains des dynasties Lê antérieurs (980-1009) puis Ly (1010-1225) organisent le pays désormais appelé Dai Viêt (1054) sur des bases féodales et l'agrandissent au détriment du Champa (au S.). *1225-1413* : les souverains Trân repoussent les Mongols mais retombent sous la tutelle chinoise (1406). *1428-1789* : la dynastie des Lê postérieurs rétablit l'indépendance. *XVIIIe s.* : les affrontements claniques des Trinh (au N.) et des Nguyên (au S.) affaiblissent le pays qui s'ouvre progressivement à l'Occident et au christianisme. *1802-1820* : fondation de la dynastie des Nguyên (qui va régner jusqu'en 1945) et unification du pays, qui devient le Viêt Nam. *1859-1887* : conquise par la France, la Cochinchine devient une colonie, l'Annam et le Tonkin des protectorats. *1887* : création de l'Indochine française. *1930* : création du Parti communiste indochinois par Hô Chi Minh, qui prend en charge les revendications nationalistes. *1940-1945* : occupation japonaise ; création du Viêt-minh (1941), qui profite du repli japonais pour contraindre l'empereur Bao Dai à abdiquer, proclamer la république démocratique du Viêt Nam et l'indépendance (1945). *Sept. 1945-févr. 1946* : restauration de l'autorité française et retour de l'empereur. *1946-1954* : après l'échec des négociations de Fontainebleau, la guerre d'Indochine oppose l'armée française aux forces de la république démocratique du Viêt Nam, dirigées par Hô Chi Minh. *7 mai 1954* : défaite française de Diên Biên Phu face au général Vô Nguyên Giap. *Avr.-juill. 1954* : la conférence de Genève prévoit un cessez-le-feu, des élections générales et la division du pays avec pour frontière le 17e parallèle. *1955* : la république du Viêt Nam du Sud dirigée par Ngô Dinh Diêm, qui a déposé l'empereur Bao Dai, s'oppose à la république démocratique du Viêt Nam, avec à sa tête Hô Chi Minh (voir **Viêt Nam**, guerre du). *Juill. 1976* : réunification officielle du Viêt Nam sous le nom de république socialiste du Viêt Nam. *1976* : l'hostilité de la Chine à la réunification entraîne le rapprochement du Viêt Nam et de l'U. R. S. S. *1978* : le Viêt Nam envahit le Cambodge, soutenu par la Chine. *1979* : tentative d'invasion chinoise, rapidement repoussée. *1985-1994* : libéralisation prudente de l'économie mais maintien de la suprématie du parti dirigeant ; Lê Duc Anh est président de la République ; Vô Van Kiêt est Premier ministre ; Dô Muoi est secrétaire du Parti des travailleurs (communiste). *1994* : levée de l'embargo des États-Unis, en vigueur depuis 1975. *1996* : intégration à l'Ansea.

**Viêt Nam (guerre du)** ~ Conflit (1954-1975) qui opposa la république du Viêt Nam du Sud et les États-Unis (à partir de 1961) au Viêt-cong et à la république démocratique du Viêt Nam (Nord), elle-même soutenue par l'U. R. S. S. et la Chine. Née au Sud après la partition du pays en 1954, elle prit des dimensions nouvelles avec l'entrée en guerre des États-Unis (bombardements intensifs sur le Nord, 1964 ; 530 000 Américains à terre, 1968 ; offensives du F. N. L. contre les villes, 1968 ; extension de la guerre au Cambodge, 1970). Un mouvement pacifiste international, très actif aux États-Unis, contribua à la conférence de Paris, (1973) qui se conclut par un cessez-le-feu (janv.) et le retrait des forces américaines. De 1973 à 1975, le conflit se poursuivit entre le Nord, dirigé depuis la mort d'Hô Chi Minh (1969) par Pham Van Dông, et le Sud, dirigé par Nguyên Van Thiêu avec le soutien des États-Unis. Après la chute de Saigon (avr. 1975), prise par les troupes du Nord, les dernières troupes américaines furent évacuées, laissant la voie à la réunification du Viêt Nam.

**Vieux de la montagne** ~ Nom donné par les croisés au grand maître de la secte chiite ismaélienne des Assassins (XIIe s.).

**VIGAN (Le)** ~ V. tourist. des Cévennes (Gard), au S. de l'Aigoual ; 4 523 h. (agglom. 6 193 h.). Tradition de bonneterie. Musée cévenol.

**VIGANO** (Salvatore) ~ *1769, Naples - 1821, Milan.* Danseur et chorégraphe italien. Lors d'une tournée à Vienne, il rencontra Beethoven, qui composa pour lui *les Créatures de Prométhée* (1801). Influencées par les conceptions de Noverre, ses chorégraphies, qui s'apparentent au mimodrame, sont marquées par un style réaliste. Il fut nommé maître de ballet à la Scala de Milan en 1812.

**VIGÉE-LEBRUN** (Élisabeth) ~ *1755, Paris - 1842, id.* Peintre français. Portraitiste sensible (notamment de Marie-Antoinette), elle évolua vers un style plus épuré sous l'influence de David.

**VIGEVANO** ~ V. d'Italie (Lombardie), dans la plaine rizicole du Pô ; 60 000 h. Place ducale (Sforza) dessinée par Bramante (fin du XVe s.).

**VIGNEMALE** (le) ~ Massif où culminent les Pyrénées françaises, à la frontière espagnole, au S. de Cauterets ; 3 298 m.

**VIGNEUX-SUR-SEINE** ~ V. de la banlieue S. de Paris (Essonne), sur la Seine (r. dr.) ; 25 203 h.

**VIGNOLE** (Iacopo **Barozzi**, dit **il Vignola**, en fr. le) ~ *1507, Vignola - 1573, Rome.* Architecte italien. Après avoir interprété pour le pape Jules III des modèles antiques (villa Giulia, Rome, 1551), il créa pour les jésuites un plan en ovale (église du Gesù, Rome, 1568-1575) qui influença l'architecture baroque de la Contre-Réforme. Sa *Règle des cinq ordres d'architecture* (1562) fut longtemps la base de l'enseignement de l'architecture en Europe.

**VIGNON** (Claude) ~ *1593, Tours - 1670, Paris.* Peintre et graveur français. Influencé par le Caravage, il témoigna dans ses compositions d'une riche sensibilité décorative et théâtrale (*Crésus*, 1629).

**VIGNY** (Alfred, comte DE) ~ *1797, Loches - 1863, Paris.* Écrivain français. Déçu dans ses rêves de gloire militaire, il se consacra à une œuvre qui, loin de toute effusion et profondément pessimiste, célèbre la résignation héroïque de l'homme dans un monde sans espérance (*Servitude et Grandeur militaires*, 1835 ; *Chatterton*, 1835 ; *Daphné*, 1837). Acad.

**VIGO** ~ Port et princ. ville de Galice (Espagne), près de la frontière portugaise ; 275 000 h. Pêche, conserveries, constr. navales, automobiles.

**VIGO** (Jean) ~ *1905, Paris - 1934, id.* Cinéaste français. Son œuvre, faite de poésie libertaire et marquée par un esprit de révolte, s'attache à stigmatiser la comédie sociale (*À propos de Nice*, 1930 ; *Zéro de conduite*, 1932 ; *l'Atalante*, 1934).

**VIJAYANAGAR** ~ Anc. capitale de l'Empire indien hindou du même nom (1336-1565), située à l'emplacement de l'actuel village de Hampi (S. de l'Inde). L'empire lutta pour défendre l'hindouisme face à l'emprise musulmane. Remarquables exemples d'architecture du XVI^e^ s.

**VIJAYAVADA** ou **BEZWADA** ~ V. industrielle (agroalimentaire) de l'Inde (Andhra Pradesh), en amont du delta de la Krishna ; 702 000 h. Artisanat du jouet.

**Viking** ~ Programme spatial américain dans le cadre duquel deux sondes ont été lancées vers Mars en 1975.

**Vikings** ou **Normands** (les) ~ Peuple de Scandinavie. Ils reçurent leur appellation de gens du Nord (Normands) à l'époque carolingienne, durant laquelle, à bord de leurs drakkars, ils déferlèrent sur l'Europe, fuyant la surpopulation et cherchant à prendre des butins. De 790 à 840, du printemps à l'automne, ils pillèrent les territoires côtiers des pays celtiques. Charlemagne dut établir une garde côtière en Frise. À partir de 840, les Vikings hivernèrent aux embouchures des fleuves, telle la Seine. Par le traité de Saint-Clair-sur-Epte (911), Charles III le Simple donna la Normandie en fief à leur chef Rollon. Guillaume I^er^ le Conquérant conquit l'Angleterre en 1066. Les Vikings danois pillèrent les Asturies, le Portugal, la Provence, la Toscane ; Knud le Grand, roi de Danemark (1016-1035), rattacha l'Angleterre au Danemark ; des principautés furent fondées en Italie du Sud et en Sicile aux XI^e^ et XII^e^ s. Les Vikings norvégiens occupèrent l'Irlande au VIII^e^ s., découvrirent l'Islande (860), le Groenland (982) et le Vinland (v. 1000). Les Varègues, suédois, établirent le royaume de Novgorod, et, passant par la vallée du Dniepr, attaquèrent Constantinople (860).

**VILAINE** (la) ~ Le plus grand fleuve de Bretagne ; 225 km. Il arrose Rennes et rejoint l'Atlantique au S. du golfe du Morbihan.

**VILAR** (Jean) ~ *1912, Sète - 1971, id.* Metteur en scène français. Formé par Ch. Dullin, il créa le festival d'Avignon (1947) et dirigea le Théâtre national populaire (1951-1963). Ses mises en scène et sa direction d'acteurs (*le Cid*, avec G. Philipe, 1951) rencontrèrent un immense succès.

**VILA RICA** ~ Voir **Ouro Preto**.

**VILIOUI** (la) ~ Affl. de la Lena (r. g.) qui draine la Iakoutie, en Sibérie centrale (Russie) ; 2 600 km.

**VILLA** (Doroteo **Arango**, dit Pancho) ~ *1878, San Juan del Río - 1923, près de Parral.* Révolutionnaire mexicain. Paysan pauvre devenu voleur de bétail, il s'attaqua au gouvernement à partir de 1910. Révolté idéaliste et justicier, il finit par se soumettre au gouvernement légal (1920) et fut assassiné.

**VILLACH** ~ V. pittoresque d'Autriche (Carinthie), dans la haute vallée de la Drave ; 55 000 h. Industrie du bois. Église Saint-Jacob (XIV^e^-XV^e^ s.).

**VILLA CISNEROS** ~ Voir **Dakhla**.

**VILLAFRANCA DI VERONA** ~ V. d'Italie (Vénétie), sur le Tione ; env. 25 000 h. Château des Della Scala (XII^e^-XIV^e^ s.). En 1859, Napoléon III et l'empereur d'Autriche François-Joseph y signèrent l'armistice des campagnes d'Italie après la victoire française de Solferino.

**VILLAHERMOSA** ~ Cap. de l'État de Tabasco (Mexique) ; 261 000 h. Industrie agroalimentaire. Musées olmèque et maya.

**VILLA-LOBOS** (Heitor) ~ *1887, Rio de Janeiro - 1959, id.* Compositeur brésilien. Néoclassique, il trouva dans les mélodies et les rythmes populaires de son pays le ferment d'une inspiration féconde (*Chôros*, 1920-1929 ; *Bachianas brasileiras*, 1930-1945).

**VILLANDRY** ~ Village de Touraine (Indre-et-Loire), sur le Cher ; 776 h. Château Renaissance construit sous François I^er^ (1532). Jardins en terrasses, reconstitués dans le style du XVI^e^ s.

**VILLARD** (Paul Ulrich) ~ *1860, Lyon - 1934, Bayonne.* Physicien français. Il découvrit le rayonnement gamma des corps radioactifs, qu'il identifia comme étant de même nature que la lumière (1900).

**VILLARD DE HONNECOURT** ~ *début du XIII^e^ s., Honnecourt-sur-Escaut, Nord - v. 1260.* Architecte français. S'il travailla sur de nombreux chantiers cisterciens (jusqu'en Hongrie), son nom reste attaché à son *Album*, précieux carnet de quelque 325 croquis d'architecture, source précieuse sur les conceptions artistiques et les techniques de son temps.

**VILLARD-DE-LANS** ~ Station clim. et de sports d'hiver (Isère), à 1 050 m d'alt., premier centre touristique du Vercors ; 3 346 h.

**VILLARET DE JOYEUSE** (Louis Thomas, comte DE) ~ *1747, Auch - 1812, Venise.* Amiral français. Il livra la bataille de Brest contre les Britanniques (1794) puis commanda une expédition à Saint-Domingue (1801-1802).

**VILLARS** (Claude Louis Hector, duc DE) ~ *1653, Moulins - 1734, Turin.* Maréchal de France (1702) puis maréchal général (1733). Il se distingua pendant la guerre de la Succession d'Espagne, à Friedlingen (1702) et à Höchstädt (1703). Il obtint en 1705 la reddition des camisards des Cévennes, contint les coalisés à Malplaquet (1709) et remporta la victoire décisive de Denain (1712). Il reprit du service en Italie lors de la guerre de la Succession de Pologne en 1733. Acad.

**VILLAVICIOSA** ~ Port de pêche des Asturies (Espagne) ; env. 15 000 h. Le 10 décembre 1710, le duc de Vendôme et de Penthièvre y vainquit les Impériaux commandés par Starhemberg, renforçant ainsi la légitimité de Philippe V.

**VILLE-D'AVRAY** ~ V. résidentielle de la banlieue S.-O. de Paris (Hauts-de-Seine) ; 11 616 h. Église du XVII^e^ s. (fresques de Corot).

**VILLEFONTAINE** ~ V. du bas Dauphiné (Isère), au S.-E. de Lyon ; agglom. 18 324 h.

**VILLEFRANCHE-DE-CONFLENT** ~ Village touristique du Roussillon (Pyrénées-Orientales), sur la Têt, ancienne cap. du Conflent ; 261 h. Remparts des XIII^e^ et XIV^e^ s., remaniés.

**VILLEFRANCHE-DE-ROUERGUE** ~ V. du Rouergue, sur l'Aveyron, anc. place forte ; agglom. 12 959 h. Ancienne collégiale Notre-Dame (XIV^e^-XV^e^ s.), chapelle des Pénitents-Noirs, ancienne chartreuse (XV^e^ s.).

**VILLEFRANCHE-SUR-MER** ~ V. et station baln. de l'agglom. de Nice (Alpes-Mar.) ; 8 080 h. Chapelle du XVII^e^ s. décorée par J. Cocteau.

**VILLEFRANCHE-SUR-SAÔNE** ~ V. du Beaujolais (Rhône), centre industriel et du négoce du vin, au N. de Lyon ; 29 542 h. (agglom. 55 249 h.). Collégiale Notre-Dame-des-Marais (XII^e^-XVI^e^ s.).

**VILLEHARDOUIN**, famille française originaire de Champagne. ~ **Geoffroi** (*v. 1148 - v. 1213, en Thrace*), un des chefs de la 4^e^ croisade, écrivit, en tant que chroniqueur, une *Histoire de la conquête de Constantinople* (v. 1207). Son neveu ~ **Geoffroi I^er^** fut prince d'Achaïe de 1209 à env. 1230, tout comme son fils ~ **Geoffroi II**, prince de 1230 env. à 1246, et son petit-fils ~ **Guillaume II**, prince de 1246 à 1278.

**VILLEJUIF** ~ V. de la banlieue S. de Paris (Val-de-Marne) ; 48 405 h. Établissements hospitaliers (Institut du cancer, hôpital psychiatrique).

**VILLÈLE** (Jean-Baptiste Guillaume Joseph, comte DE) ~ *1773, Toulouse - 1854, id.* Homme politique français. Chef des ultras sous la Restauration, président du Conseil (1822-1828), il fit adopter des mesures (milliard des émigrés, lois contre les sacrilèges, limitation de la liberté de la presse) qui renforcèrent l'impopularité du régime.

**VILLEMAIN** (Abel François) ~ *1790, Paris - 1870, id.* Universitaire et homme politique français. Auteur d'études de littérature comparée et d'un *Cours de littérature française* (1828-1829), il fut ministre de l'Instruction publique (1839-1844). Acad.

**VILLEMIN** (Jean Antoine) ~ *1827, Prey, Vosges - 1892, Paris.* Médecin militaire français. Il mit en évidence le caractère infectieux et contagieux de la tuberculose (1865).

**VILLEMOMBLE** ~ V. de la banlieue E. de Paris (Seine - Saint-Denis) ; 26 863 h.

**VILLENA** (Enrique **de Aragón**, dit marquis DE) ~ *1384, Torralba - 1434, Madrid.* Poète espagnol. Traducteur de Virgile et de Dante, il introduisit en Espagne l'art des troubadours et composa des *Coplas* pour les fêtes de Saragosse.

**VILLENAVE-D'ORNON** ~ V. du S. de Bordeaux, dans les Graves (Gironde) ; 25 609 h. Gare de triage.

**VILLENEUVE-D'ASCQ** ~ V. nouvelle créée en 1970 dans la banlieue E. de Lille (Nord), pôle univ. et scientifique de la Région Nord - Pas-de-Calais ; 65 320 h. Musée d'art moderne.

**VILLENEUVE-LA-GARENNE** ~ V. industrielle (constr. mécan.) et port fluvial (avec Gennevilliers) de la banlieue N. de Paris (Hauts-de-Seine) ; 23 824 h. Parc départemental.

**VILLENEUVE-LE-ROI** ~ V. industrielle de la banlieue S. de Paris (Val-de-Marne), sur la Seine, près de l'aéroport d'Orly ; 20 325 h.

**VILLENEUVE-LÈS-AVIGNON** ~ V. du Gard, sur le Rhône (r. dr.), face à Avignon ; 10 730 h. Résidence d'été des papes au XIV^e^ s. Tour de Philippe le Bel (1307), fort Saint-André (1368), église gothique Notre-Dame, chartreuse du Val-de-Bénédiction (1356). Musée.

**VILLENEUVE-SAINT-GEORGES** ~ V. de la banlieue S.-E. de Paris (Val-de-Marne), au confluent de la Seine et de l'Yerres ; 26 952 h. Gare de triage. Église gothique St-Georges (XIII^e^-XIV^e^ s.).

**VILLENEUVE-SUR-LOT** ~ V. du Lot-et-Garonne, sur le Lot, au N. d'Agen ; agglom. 29 442 h. Industrie agroalim. (conserveries, pruneaux). Centrale hydroélectrique. Bastide du XIII^e^ s.

**VILLENEUVE-SUR-YONNE** ~ V. de l'Yonne, au S. de Sens, sur l'Yonne ; 5 054 h. Portes des anciens remparts (XIII^e^ s., remaniées). Église Notre-Dame (façade Renaissance).

**VILLEPARISIS** ~ V. de la grande banlieue de Paris (Seine-et-Marne), sur le canal de l'Ourcq ; 18 790 h.

**VILLEPINTE** ~ V. de la banlieue N.-E. de Paris (Seine - Saint-Denis) ; 30 303 h. Parc d'expositions.

**VILLEQUIER** ~ Localité de Seine-Maritime, sur la rive droite de la basse Seine ; 822 h. Sépulture de Léopoldine Hugo, fille du poète, morte noyée dans le fleuve en 1843.

**VILLERMÉ** (Louis) ~ *1782, Paris - 1863, id.* Médecin et sociologue français. Chirurgien militaire puis médecin jusqu'en 1830, il publia le *Tableau de l'état physique et moral des ouvriers dans les fabriques de coton, de laine et de soie* (1840), enquête qui fut à l'origine de la loi limitant le travail des enfants (1841).

**VILLEROI** (François **de Neufville**, duc DE) ~ *1644, Lyon - 1730, Paris.* Maréchal de France (1693). Vaincu à Chiari (1701) puis à Ramillies (1706), il fut écarté du commandement. Nommé gouverneur (1717-1722) du jeune Louis XV, il fut exilé par le Régent.

**VILLERS-COTTERÊTS** ~ V. de la plaine du Valois (Aisne), lieu de séjour des premiers rois capétiens ; 8 867 h. Château du XVI^e^ s., musée Alexandre-Dumas. François I^er^ y signa une ordonnance qui réformait la justice, organisait l'état civil et confirmait la primauté du français sur le latin comme langue administrative et judiciaire (10 août 1539).

**VILLERSEXEL** ~ Village de Haute-Saône ; 1 460 h. Les 8 et 9 janvier 1871, les troupes françaises du général Bourbaki y vainquirent l'armée prussienne du général Werder.

**VILLERS-LÈS-NANCY** ~ V. de la banlieue S.-O. de Nancy (Meurthe-et-Moselle) ; 16 515 h.

**VILLERUPT** ~ V. de Meurthe-et-Moselle, dans le bassin sidérurgique lorrain, près de la frontière luxembourgeoise ; 10 070 h. Métallurgie.

**VILLETANEUSE** ~ V. de Seine - Saint-Denis, au N. de Saint-Denis ; 11 177 h. Université Paris-Nord.

**Villette (parc de la)** ~ Espace vert parisien (35 ha) aménagé en 1979 dans le XIX^e^ arr., sur le site des anciens abattoirs, dans le quartier du même nom. Il abrite la Cité des sciences et de l'industrie, le Zénith (salle de spectacles), la Grande Halle, la Cité de la musique et la Géode.

**VILLEURBANNE** ~ 2^e^ v. de l'agglom. lyonnaise et grand centre industriel ; 116 872 h. Université. T. N. P., musée d'art contemporain.

**VILLIERS DE L'ISLE-ADAM** (Auguste, comte DE) ~ *1838, Saint-Brieuc - 1889, Paris.* Écrivain français. Profondément influencé par Hegel, il se voulut l'auteur d'une « littérature philosophique » où le « rêve se baserait sur la logique » (*Contes cruels*, 1883 ; *l'Ève future*, 1886).

**VILLIERS-LE-BEL** ~ V. du N. de l'agglom. parisienne (Val-d'Oise) ; 26 110 h. Plastiques. Église restaurée (XIIIe-XVIe s., retable du XVIIe s.).

**VILLIERS-SUR-MARNE** ~ V. du Val-de-Marne, partie de la ville nouvelle de Marne-la-Vallée ; 22 740 h.

**VILLON** (François **de Montcorbier**, dit François) ~ *1431, Paris - apr. 1463.* Poète français. Il exprima, dans une langue parfaitement maîtrisée, la tension entre le lyrisme et le réalisme, dans une poésie qu'il fut l'un des premiers à séparer de la musique. Il mena une vie aventureuse, risquant plusieurs fois la potence et fréquentant des malfaiteurs auxquels il emprunta le jargon argotique que l'on retrouve dans sa poésie (*Lais* ou *Petit Testament*, 1456 ; *Testament* ou *Grand Testament*, 1462).

**VILLON** (Gaston **Duchamp**, dit Jacques) ~ *1875, Damville, Eure - 1963, Puteaux.* Peintre et dessinateur français, frère de M. Duchamp. Influencé par le cubisme, il évolua vers des compositions abstraites aux agencements géométriques, jouant sur les correspondances entre de larges plans colorés.

**VILMORIN** (Louise **Levêque** DE), dite Louise **de Vilmorin** ~ *1902, Verrières-le-Buisson - 1969, id.* Écrivain français. Dernière compagne d'A. Malraux, elle écrivit des poèmes élégants (*Fiançailles pour rire*, 1939) et des romans mondains (*le Lit à colonnes*, 1941) où les émois liés aux sentiments amoureux s'opposent au destin.

**VILNIUS**, en polonais ***Wilno*** ~ Cap. et ville princ. de la Lituanie, sur la Vilija (affl. du Niémen), près de la frontière biélorusse ; 592 000 h. Industries (meubles, chaussures, agroalim., machines agric., électron.). Quartier ancien : château médiéval, université (XVIe s.), église baroque (XVIIe s.), cathédrale (XIXe s.). **HIST.** - Vilnius fut capitale en 1323 et évêché en 1387. Occupée par l'Allemagne (1915-1917), elle redevint capitale de la Lituanie indépendante (1917) avant d'être annexée par la Pologne (1920-1939) puis par l'U. R. S. S. (1940-1990).

**VILVOORDE**, en fr. **Vilvorde** ~ V. industr. du N. de la région de Bruxelles, en Belgique (Brabant flamand) ; 33 000 h.

**VIMEU** (le) ~ Plateau argileux et humide de l'O. de la Picardie, entre la Somme et la Bresle (v. princ. Saint-Valery-sur-Somme). Élevage bovin, vergers à cidre, petite métallurgie (serrurerie tradit.).

**VIMINAL (mont)** ~ L'une des sept collines de Rome. Le roi de Rome Servius Tullius l'annexa à la cité. C'est le site des thermes de Dioclétien.

**VIÑA DEL MAR** ~ Station balnéaire et partie de l'agglom. de Valparaíso (Chili) ; 303 000 h.

**VINCENNES** ~ V. de la banlieue E. limitrophe de Paris (Val-de-Marne), au N. du **bois de Vincennes** ; 42 267 h. Le château fort quadrangulaire du XIVe s. (donjon, sainte-chapelle) et les pavillons du XVIIe s. abritent les services historiques de l'armée (musée). Dans le bois de Vincennes, rattaché à la ville de Paris, se trouvent le parc zoologique de Paris, un parc floral, un hippodrome ; théâtres dans l'ancienne cartoucherie. **HIST.** - Saint Louis y rendait

© Thouvenin-Explorer

*Vincennes, le donjon du château (XIVe s.).*

la justice sous un chêne, près du premier château, bâti par Philippe II Auguste. L'actuel château (XIVe s.), résidence royale, devint prison d'État (1668-1784). Le duc d'Enghien fut exécuté dans les fossés bordant l'édifice (1804). Les ministres de Charles X y furent incarcérés après la révolution de 1830 et certains députés républicains y furent emprisonnés après le coup d'État de 1851.

**VINCENT** (saint) ~ *né à Huesca - 304, Valence.* Diacre de Saragosse et martyr. Il fut victime de la persécution de Dioclétien. Patron des vignerons.

**VINCENT** (Hyacinthe Jean) ~ *1862, Bordeaux - 1950, Paris.* Médecin militaire français. Il découvrit l'infection fuso-spirillaire (**angine de Vincent**), ainsi qu'un vaccin contre la fièvre typhoïde et un sérum contre la gangrène gazeuse.

**VINCENT DE LÉRINS** (saint) ~ *m. v. 450 à l'île Saint-Honorat.* Écrivain ecclésiastique. Moine au monastère de Lérins, proche du semi-pélagianisme, il est l'auteur d'écrits théologiques, not. le *Commonitorium*, où il critique la conception de la grâce développée par saint Augustin.

**VINCENT DE PAUL** (saint) ~ *1581, Pouy, auj. Saint-Vincent-de-Paul, Landes - 1660, Paris.* Prêtre français. Aumônier général des galères (1619), supérieur de l'ordre de la Visitation, il fut avec saint François de Sales et le cardinal de Bérulle l'une des figures centrales du renouveau spirituel au XVIIe s. En 1625, il créa la Société des Prêtres de la Mission (ou lazaristes), destinée à l'évangélisation des campagnes et à la formation des prêtres, et, avec Louise de Marillac, la congrégation des Filles de la Charité (1633).

© Lauros-Giraudon

Saint **Vincent de Paul** *(1649 ; détail), peinture de Sébastien Bourdon (1616-1671). Église Saint-Étienne-du-Mont, Paris.*

**VINCENT FERRIER** (saint) ~ *1355, Valence - 1419, Vannes.* Religieux espagnol. Dominicain, prédicateur itinérant, il fut un temps proche de l'antipape Benoît XIII, dont il se sépara par la suite. Au concile de Constance (1414-1418), il contribua à mettre fin au grand schisme d'Occident.

**VINCI** ~ Voir **Léonard de Vinci**.

**VINET** (Alexandre) ~ *1797, Ouchy, près de Lausanne - 1847, Clarens.* Critique et théologien protestant suisse. Professeur de littérature française à Lausanne, auteur d'*Études sur Pascal* (1848), il se fit l'avocat de la liberté de conscience et prôna une stricte séparation entre l'Église et l'État.

**VINLAND** (le) ~ Nom donné aux terres découvertes par les Vikings en Amérique du Nord (peut-être à Terre-Neuve) vers l'an 1000.

**VINNITSA** ~ V. d'Ukraine, centre administratif et industriel sur le Boug méridional (Podolie), dans une région agricole ; 381 000 h.

**VINOGRADOV** (Ivan Matveïevitch) ~ *1891, Milolioub - 1983, Moscou.* Mathématicien soviétique. Académicien, chef de file de l'école soviétique de la théorie analytique des nombres, il perfectionna une série de Taylor et reprit la conjecture de Goldbach sur les nombres impairs (1937).

**VINOY** (Joseph) ~ *1800, Saint-Étienne-de-Saint-Geoirs - 1880, Paris.* Général français. Durant le siège de Paris (1871), il succéda à Trochu à la présidence du gouvernement de la Défense nationale (22 janv.) et signa l'armistice avec les Prussiens (28 janv.).

**VINSON (mont)** ~ Point culminant de l'Antarctique, au S. de la péninsule Antarctique (5 140 m).

**VINTIMILLE**, en ital. ***Ventimiglia*** ~ V. d'Italie (Ligurie), gare frontalière franco-italienne (Riviera) ; 25 000 h. Marché floral. Remparts médiévaux. Cathédrale (XIe-XIIe s.).

**VIOLLET-LE-DUC** (Eugène) ~ *1814, Paris - 1879, Lausanne.* Architecte et théoricien français. Il restaura ou reconstitua de nombreux monuments du Moyen Âge avec un esprit systématique fortement critiqué par la suite (Vézelay, Saint-Denis, Notre-Dame de Paris, cité de Carcassonne, château de Pierrefonds, etc.). Dans ses écrits théoriques, il se montra novateur, prônant l'emploi du matériau métallique (*Entretiens sur l'architecture*, 1863-1872).

**VIOTTI** (Giovanni Battista) ~ *1755, Fontanetto Po - 1824, Londres.* Violoniste italien. Directeur de l'Opéra de Paris (1819), auteur de vingt-neuf concertos et de douze sonates, il est considéré comme le fondateur de l'école française de violon.

**VIRCHOW** (Rudolf) ~ *1821, Schivelbein, Poméranie - 1902, Berlin.* Médecin et homme politique allemand. Il fonda la pathologie cellulaire. Élu à la diète prussienne (1861), il lança l'expression de Kulturkampf et appuya Bismarck dans sa lutte contre la hiérarchie catholique.

**VIRE** (la) ~ Fleuve côtier de Normandie qui arrose le Bocage normand et rejoint la Manche à l'E. du Cotentin ; 118 km.

**VIRE** ~ V. du Calvados, sur la Vire ; 12 895 h. Industries autom. et textile. Produits laitiers, andouille. Vestiges de fortifications, église (XIIIe-XVe s.).

**VIRET** (Pierre) ~ *1511, Orbe, Vaud - 1571, Orthez.* Réformateur suisse. Pasteur à Lausanne avant d'en être expulsé par les Bernois (1559), il fut appelé par Jeanne III d'Albret pour enseigner la théologie à Orthez.

**VIRGILE**, en lat. ***Publius Vergilius Maro*** ~ *v. 70, Andes, auj. Pietole - 19 av. J.-C., Brindes.* Poète latin. Auteur des *Bucoliques* (42-39 av. J.-C.), soucieux de perfection formelle, il rédigea ensuite les *Géorgiques* (39-29 av. J.-C.), poème philosophique de l'homme face à la nature, et l'*Énéide* (29-19 av. J.-C.), grande épopée nationale, qui témoignent du souci de revenir aux valeurs d'ordre, de travail et de paix. Il eut une très grande influence sur toute la littérature occidentale.

**VIRGINIA BEACH** ~ V. de Virginie (États-Unis), sur l'Atlantique, station baln. et base navale (agglom. de Norfolk) ; 393 000 h.

**VIRGINIE** (la) ~ État de l'E. des États-Unis, partagé entre la plaine littorale atlantique (baie de Chesapeake) et les Appalaches (Piémont, Blue Ridge) ; 102 558 km², 6 491 000 h., cap. Richmond. Agriculture commerciale (aviculture, tabac) et pêche active. La Virginie est urbaine et industrielle (S. de l'agglom. de Washington, complexe portuaire d'Hampton Roads, Richmond). Bases et chantiers navals militaires. Services administratifs fédéraux (Pentagone, C. I. A.). Tourisme baln. (N. de la Sun Belt). **HIST.** - Fondée par Walter Raleigh et nommée ainsi en l'honneur de la reine Élisabeth Ire (1585), la Virginie fut la première colonie anglaise (1624) d'Amérique. Elle joua un rôle de premier plan dans la guerre de l'Indépendance (1775-1782) et donna plusieurs présidents aux États-Unis (1789-1850). Esclavagiste, elle fit sécession en 1861, et ses comtés de l'O. s'en séparèrent pour former la Virginie-Occidentale en 1863. Elle fut réintégrée dans l'Union en 1870.

**VIRGINIE-OCCIDENTALE** (la) ~ État appalachien et forestier (Alleghany) de l'E. des États-Unis, bordé à l'O. par la vallée de l'Ohio ; 62 761 km², 1 820 000 h. (en diminution), v. princ. Huntington, Charleston (cap.). Exploitation du charbon, du bois, des hydrocarbures. Industries (bois, chim., métall., text., électron.). **HIST.** - Après la sécession de la Virginie en 1861, les comtés de l'O., unionistes, formèrent la Virginie-Occidentale, qui devint le 35e État de l'Union en 1863.

**VIRIATHE**, en lat. ***Viriatus*** ~ *m. en 139 av. J.-C.* Chef lusitanien. Il combattit les Romains avec succès (v. 147-140 av. J.-C.) mais fut assassiné à leur instigation alors qu'il négociait la paix. Il est un héros national portugais.

**VIRUNGA (chaîne des)** ~ Massif volcanique d'Afrique centrale (confins du Zaïre, du Rwanda et de l'Ouganda), entre les lacs Édouard et Kivu (4 507 m au Karisimbi). Parc national. Ses abords, fertiles, sont très peuplés.

**VIRY-CHÂTILLON** ~ V. du S. de l'agglom. parisienne (Essonne), sur l'Orge ; 30 580 h.

**VISAYAS** (les) ~ Partie centrale de l'archipel philippin, entre Luçon et Mindanao ; 65 880 km².

**VISBY** ~ Port suédois et ch.-l. sur l'île de Gotland ; 21 000 h. Tourisme. Enceinte médiévale (XI^e s.). Églises romanes et gothiques.

**VISCHER**, famille de fondeurs et de sculpteurs allemands. ~ **Hermann**, dit **Hermann l'Ancien** (*m. en 1488 à Nuremberg*), fonda l'atelier familial à Nuremberg. Son fils ~ **Peter**, dit **Peter l'Ancien** (*v. 1460, Nuremberg - 1529, id.*), fut l'un des promoteurs de la Renaissance en Allemagne, évoluant de la tradition gothique à une harmonie formelle, inspirée de l'Italie (statues du tombeau de Maximilien, 1513). Il travailla en étroite collaboration, not. sur la châsse de saint Sebald de l'église du même nom à Nuremberg, avec ses fils ~ **Hermann le Jeune** (*v. 1486, Nuremberg - 1517, id.*), ~ **Peter le Jeune** (*1487, Nuremberg - 1528, id.*) et ~ **Hans** (*v. 1489, Nuremberg - 1550, Leipzig*). Ce dernier, le plus doué des trois, travailla avec Dürer.

**VISCONTI** (Ennio Quirino) ~ *1751, Rome - 1818, Paris*. Archéologue italien. Il fut conservateur des antiques au musée du Louvre sous le Consulat et l'Empire. Son fils ~ **Louis Tullius Joachim** (*1791, Rome - 1853, Paris*), architecte français, réalisa le tombeau de Napoléon I^er, conservé aux Invalides.

**VISCONTI** (Luchino) ~ *1906, Milan - 1976, Rome*. Cinéaste et metteur en scène de théâtre italien. Après avoir ouvert la voie au néoréalisme (*Ossessione*, 1942), il tourna de vastes fresques populaires (*Rocco et ses frères*, 1960), historiques (*Senso*, 1954 ; *le Guépard*, 1963) et intimistes (*Mort à Venise*, 1971) où, derrière l'analyse politique et la somptuosité des reconstitutions, se dessine une méditation sur le déclin et la mort.

© Ph. A. D. P. C.-Explorer Archives

*Affiche du Guépard, film réalisé par Luchino* **Visconti**.

**VISÉ** ~ V. de la Belgique wallonne (prov. de Liège), près de la frontière néerlandaise ; 17 000 h. L'église renferme la châsse de saint Hadelin (XI^e s.). Hôtel de ville (XVI^e s.).

**VISEU** ~ V. tourist. du N. du Portugal, centre admin. ; 21 000 h. Cathédrale romane ou gothique, églises baroques et maisons anciennes. Vins.

**VISHAKHAPATNAM** ~ Port de l'Inde (Andhra Pradesh), sur le golfe du Bengale ; 752 000 h. Constructions navales et raffineries. Travail du jute.

**VISHNOU** ou **VISHNU** ~ Divinité hindoue, constitutive de la Trimurti, au sein de laquelle elle assurait la conservation de l'univers.

La Femme cosmique de **Vishnou** (*XVIII^e s.*), *gouache sur papier. Rajasthan.*

© J.-L. Nou-Explorer

**Visigoths** (les) ~ Voir **Wisigoths**.

**VISO (mont)** ~ Massif des Alpes occidentales, à la frontière franco-italienne, où le Pô prend sa source ; 3 841 m.

**VISTULE** (la), en polonais ***Wisła*** ~ Fl. de Pologne issu des Carpates (Beskides) ; 1 068 km. Elle arrose Cracovie et Varsovie et rejoint la Baltique à Gdańsk (delta). Son bassin englobe la moitié E. du pays. Les eaux gèlent en hiver.

**VITAL** (saint) ~ *II^e s.* Martyr milanais. Il aurait été supplicié sous Marc Aurèle. Patron de Ravenne.

**VITEBSK** ~ 3^e v. de Biélorussie (N.-E.), port fluvial et centre industr., sur la Dvina occidentale ; 369 000 h. Monuments médiévaux datant du principat (XI^e-XIII^e s.). **HIST.** - Disputée entre les Russes et les Polonais (XVII^e-XVIII^e s.), Vitebsk fut conquise par Napoléon I^er (1812). Enjeu de la Seconde Guerre mondiale, elle fut enlevée par les Allemands (1941) et reprise par l'Armée rouge (1944).

**VITELLIUS** (Aulus) ~ *15 - 69 apr. J.-C., Rome*. Empereur romain (69). Grâce aux légions de Germanie, il vainquit Othon à Bédriac (69) mais fut ensuite combattu par les partisans de Vespasien et mis à mort.

**VITERBE**, en ital. ***Viterbo*** ~ V. d'Italie (Latium), centre commercial (vins) et industriel (agroalimentaire) au N. de Rome ; 60 000 h. Quartier médiéval, palais (XIII^e-XV^e s.), églises romanes et gothiques. **HIST.** - Ancienne résidence des papes (XIII^e s.), Viterbe abrita la signature du traité par lequel Léon X cédait Plaisance et Parme à François I^er (1515).

**VITEZ** (Antoine) ~ *1930, Paris - 1990, id.* Metteur en scène français. Directeur du Théâtre national de Chaillot (1981-1988), puis administrateur général de la Comédie-Française (1988-1990), il s'appliqua à replacer les œuvres qu'il mettait en scène dans leur contexte historique et social (*le Précepteur*, de J. Lenz ; *Phèdre*, de J. Racine), élargissant leur portée, avec le souci constant du texte et de la langue.

**VITIM** (le) ~ Riv. du S.-E. de la Sibérie, affl. de la Lena (r. dr.), au bassin montagneux (Bouriatie, monts Iablonovy) ; 1 837 km.

**VITORIA** ~ Cap. du Pays basque espagnol, ch.-l. de la prov. d'Álava, au S. des Pyrénées basques ; 205 000 h. Matériel agric., autom., agroalimentaire. La vieille ville, sur une éminence, possède plusieurs monuments anciens, dont la cathédrale Santa Maria (1180, reconstruite au XIV^e s.). **HIST.** - Le 21 juin 1813, la victoire du duc de Wellington sur l'armée française aboutit au retrait des troupes françaises d'Espagne.

**VITRAC** (Roger) ~ *1899, Pinsac, Lot - 1952, Paris*. Écrivain français. Sa pièce *Victor ou les Enfants au pouvoir* (1928) s'inscrit dans la veine du théâtre surréaliste.

**VITRÉ** ~ V. pittoresque d'Ille-et-Vilaine, aux confins de la Bretagne et du Maine ; 14 486 h. Machines agricoles, chaussures. Château fortifié (XIV^e-XV^e s.), église gothique, remparts, maisons anciennes. **HIST.** - Ville de l'ancienne baronnie de Bretagne, Vitré fut l'un des centres du protestantisme en Bretagne.

**VITROLLES** ~ V. des Bouches-du-Rhône, centre industr. et commercial près de l'étang de Berre ; 35 397 h.

**VITRUVE**, en lat. ***Marcus Vitruvius Pollio*** ~ *I^er s. av. J.-C.* Architecte romain. Son traité *De architectura* (27-23 av. J.-C.) codifie les principes de l'architecture antique. Souvent réédité, il devint une référence pour les architectes de la Renaissance.

**VITRY-LE-FRANÇOIS** ~ V. et port fluvial de la Marne, sur la Marne ; 17 033 h. Industries métall. et du bois. Elle fut bâtie en 1545 par François I^er pour accueillir les habitants de Vitry-en-Perthois (dite Vitry-le-Brûlé), ville détruite par Charles Quint en 1544. Quartier général de Joffre en 1914.

**VITRY-SUR-SEINE** ~ V. de la banlieue S.-E. de Paris (Val-de-Marne) ; 82 400 h. Industries le long de la Seine. Église (XIII^e-XIV^e s.).

**VITTE** (Sergueï Ioulievitch, comte) ~ Voir **Witte**.

**VITTEL** ~ Grande station thermale du S.-O. de la Lorraine (dép. des Vosges) ; 6 296 h. Usine d'embouteillage d'eau minérale la plus importante d'Europe. Tourisme actif (casino, parc, palais des Congrès).

**VITTORINI** (Elio) ~ *1908, Syracuse - 1966, Milan*. Écrivain italien. Il contribua comme écrivain et comme éditeur à l'éclosion du néoréalisme (*Conversation en Sicile*, 1941).

**VITTORIO VENETO** ~ V. de Vénétie (Italie), station tourist. au pied des Alpes ; env. 30 000 h. Cathédrale (XVIII^e s.), maisons Renaissance. Du 24 au 30 octobre 1918, les Alliés y remportèrent une victoire décisive contre l'Autriche-Hongrie, suivie de la signature de l'armistice de Villa Giusti.

**VIVALDI** (Antonio), dit **Il Prete rosso** ~ *1678, Venise - 1741, Vienne*. Violoniste et compositeur italien. Son dynamisme rythmique, son écriture nerveuse et inventive influencèrent la musique européenne (en particulier J. S. Bach). Auteur de sonates, d'opéras (*Orlando furioso*, 1727) et d'œuvres d'église (*Stabat Mater*, 1727), il s'imposa comme le maître du concerto baroque (*l'Estro armonico*, 1717 ; *les Quatre Saisons*, 1726 ; *la Cetra*, 1727).

© S. Fiore-Explorer

Antonio **Vivaldi**, *peinture anonyme du XVIII^e s.*

**VIVARAIS** (le) ~ Région montagneuse de l'E. du Massif central, comprise entre la vallée du Rhône et le Velay, entre le bassin de Saint-Étienne et les Cévennes. Les monts du Vivarais culminent vers 1 500 m (Gerbier-de-Jonc, mont Pilat, mont Mézenc). Vergers. Le Vivarais trouve auj. une unité administrative dans le département de l'Ardèche. **HIST.** - Anc. province (cap. Viviers, siège de l'évêché) dépendant du Languedoc, le Vivarais fut réuni à la France vers 1300.

**VIVARINI**, famille de peintres vénitiens. ~ **Antonio** (*v. 1415, Murano - v. 1480, Venise*), figure majeure de l'école de Murano, travailla avec son frère ~ **Bartolomeo** (*v. 1432, Murano - apr. 1491*), influencé par A. Mantegna, puis par les Bellini. ~ **Alvise** (*v. 1446, Venise - v. 1505, id.*), fils d'Antonio, fut un maître de l'école vénitienne de la fin du XV^e s.

**VIVIANI** (René) ~ *1863, Sidi-Bel-Abbès - 1925, Le Plessis-Robinson*. Homme politique français. Membre du Parti socialiste puis fondateur du Parti républicain socialiste, il fut le premier ministre du Travail (1906-1910) et présida le Conseil (juin 1914-oct. 1915). Son gouvernement ordonna la mobilisation générale le 1^er août 1914.

**VIVIER** (Robert) ~ *1894, Chênée-lès-Liège - 1989, La Celle - Saint-Cloud*. Écrivain belge d'expression française. Romancier populiste (*Mesures pour rien*, 1947), il fut aussi un poète classique (*Dans le secret du temps*, 1972).

**VIX** ~ Village et site archéologique de la Côte-d'Or. Un trésor constitué d'un diadème en or, d'un monumental cratère (vase) de bronze d'origine grecque et de divers vases en argent ou en bronze fut découvert (1953) dans la sépulture d'une princesse celte (V^e s. av. J.-C.).

**VIZILLE** ~ V. de l'Isère, au S.-E. de Grenoble, sur la Romanche ; 7 094 h. Château du XVII^e s. Les états du Dauphiné, sous la conduite de J.-J. Mounier, y réclamèrent la convocation des états généraux (juill. 1788).

**VIZZAVONA (col de)** ~ Princ. col routier de Corse (1 163 m), au centre de l'île.

**VLADIKAVKAZ**, anc. **Ordjonikidze** ~ Cap. et centre industriel de l'Ossétie du Nord (Russie), dans la vallée du Terek, sur le versant N. du Caucase ; 300 000 h. Vladikavkaz est un accès stratégique à la Géorgie.

**VLADIMIR** ~ V. industrielle et historique de Russie au N.-E. de Moscou ; 356 000 h. Monuments du XIIe s. (cathédrale de la Dormition, église Saint-Dimitri et, à 10 km, église de l'Intercession-de-la-Vierge). **HIST.** - Fondée par Vladimir II Monomaque (XIIe s.), la cité fut la capitale de la principauté de Vladimir-Souzdal (1157-1339), en même temps que la résidence des grands-princes de Russie, puis elle déclina au profit de Moscou.

**VLADIMIR**, nom de deux grands-princes de Kiev. ~ **Vladimir Ier le Saint** ou **le Grand** (*v. 956 - 1015*), grand-prince de 980 à 1015, étendit son royaume de la Baltique à la mer Noire et y introduisit le christianisme grec après avoir été baptisé (v. 988). ~ **Vladimir II Monomaque** (*1053 - 1125*), grand-prince de 1113 à 1125, est l'auteur d'une *Instruction* comptant parmi les premières œuvres de la littérature russe.

**VLADIMIR-SOUZDAL (principauté de)** ~ État russe qui se développa entre les Xe et XIIIe s. Sa capitale fut successivement Rostov, Souzdal, puis, à partir de 1157, Vladimir, sous l'impulsion du prince André Bogolioubski. La principauté fut soumise par la Horde d'Or mongole en 1238.

**VLADIVOSTOK** ~ V. princ. de l'Extrême-Orient russe, port (base navale) sur la mer du Japon, près de la frontière chinoise ; 648 000 h. Pêche industrielle. Constr. navale, mécanique. Terminus du Transsibérien. **HIST.** - Fondée en 1860, Vladivostok fut occupée de 1918 à 1922 par des troupes occidentales et japonaises.

**VLAMINCK** (Maurice DE) ~ *1876, Paris - 1958, Rueil-la-Gadelière, Eure-et-Loir.* Peintre, dessinateur, graveur et écrivain français. Maître du fauvisme (*Péniche*, 1905-1906), il évolua vers une figuration plus classique (*la Route*, 1930). [☞ **fauvisme.**]

**VLASSOV** (Andreï Andreïevitch) ~ *1900, Lomakino, prov. de Nijni-Novgorod - 1946, Moscou.* Général soviétique. Fait prisonnier par les Allemands en 1942, il passa au service du IIIe Reich pour lequel il commanda une armée dite de libération russe. Livré à l'U. R. S. S. par les Américains, il fut pendu.

**VLORË** ou **VLORA** ~ 2e port d'Albanie, au S.-E. du pays ; 74 000 h. Raff. de pétrole, industries agroalim. et de la chaussure. L'indépendance de l'Albanie y fut proclamée (28 nov. 1912).

**VLTAVA** (la), en all. *Moldau* ~ Riv. de la République tchèque, née dans le S. du pays, traversant la Bohême et arrosant Prague avant de rejoindre le Labe (Elbe) à Mělník ; 434 km. Hydroélectricité.

**VOGELSBERG** (le) ~ Massif volcanique d'Allemagne (Hesse), château d'eau régional (772 m au Taufstein). Parc naturel au N.-E. de Francfort.

**Vogouls**, **Vougoules** ou **Voghuls** (les) ~ Tribus nomades finno-ougriennes de Sibérie occidentale, chasseurs, pêcheurs et éleveurs de rennes.

**VOGÜÉ** (Eugène Melchior, vicomte DE) ~ *1848, Nice - 1910, Paris.* Écrivain français. Son essai, *le Roman russe* (1886), contribua à faire connaître en France les grands romanciers russes du XIXe s. Acad.

**VOIRON** ~ V. industr. de l'Isère, au N.-O. de Grenoble ; 18 686 h. Constructions mécaniques et électriques, papeterie, produits pharmaceutiques, confiserie, skis.

**VOISIN** (Catherine **Monvoisin**, dite **la**) ~ *v. 1640, Paris - 1680, id.* Aventurière française. Compromise dans l'affaire des Poisons (1679) et accusée de sorcellerie, elle fut condamnée à mort et brûlée.

**VOISIN (les frères)**, industriels et ingénieurs français, premiers constructeurs industriels d'avions (1908). ~ **Gabriel** (*1880, Belleville-sur-Saône - 1973, Ozenay, Saône-et-Loire*) participa à l'essor de l'automobile. ~ **Charles** (*1882, Lyon - 1912, Corselles, Rhône*) fut le premier pilote français à voler sur un avion à moteur à Bagatelle (1907).

**VOITURE** (Vincent) ~ *1597, Amiens - 1648, Paris.* Écrivain français. Poète précieux célèbre en son temps, il fut l'âme du salon qui se réunissait à l'hôtel de Rambouillet. Acad.

**VOJVODINE** ou **VOÏVODINE** (la) ~ Prov. autonome de Serbie, partie des Plaines pannoniennes drainée par la Tisza, au S. de la Hongrie ; 21 506 km², 2 002 000 h., dont Serbes (55 %), Hongrois (19 %), cap. Novi Sad. C'est la plus riche région de la fédération (agric. céréalière, gaz naturel, industrie chim. et métallurgie).

**VOLGA** (la) ~ Fl. de Russie, le plus long d'Europe, issu du plateau du Valdaï, qui passe près de Moscou, arrose Iaroslavl, Nijni-Novgorod, Kazan, Samara, Saratov, Volgograd et Astrakhan, avant de rejoindre la mer Caspienne par un vaste delta ; 3 690 km (bassin 1 380 000 km²). Princ. affl. Oka, Kama, Samara. Navigable sur la majeure partie de son cours mais prise par les glaces dans sa partie amont de novembre à avril, la Volga est la pièce maîtresse du système des Cinq-Mers (Caspienne, d'Azov, Noire, Blanche, Baltique) et commande le trafic fluvial russe. Elle est jalonnée de vastes barrages de retenue pour l'irrigation et l'hydroélectricité.

**VOLGA (république des Allemands de la)** ~ Anc. république autonome de la R. S. F. S. de Russie (U. R. S. S.), fondée en 1924 sur la Volga inférieure et dissoute en 1941. La population était constituée en majorité de descendants de colons allemands installés depuis le XVIIIe s., déportés par Staline en Sibérie à partir de 1941.

**VOLGOGRAD**, anc. **Tsaritsyne**, puis **Stalingrad**, de 1925 à 1961 ~ V. industr. (métall., chim., mécan., alim.) et port fluvial de Russie, sur la basse Volga, reconstruite après la bataille de Stalingrad ; 1 006 000 h. Hydroélectr. (à 15 km en amont). Écoles (médecine, ingénierie, mécan., écon.). Université (depuis 1980).

**VOLHYNIE** (la), en polonais ***Volyn*** ~ Partie N.-O. de l'Ukraine, région de bas plateaux agricoles drainée par les affluents du Pripiat ; 20 200 km², env. 1 000 000 d'h., v. princ. Jitomir. **HIST.** - Anciennement occupée par les Slaves, partie de l'État de Kiev (Xe s.), conquise par les Lituaniens (XIVe s.), la Volhynie fut rattachée à la Pologne (1569) puis à la Russie (partages de 1793 à 1795). De nouveau partagée entre la Pologne et l'U. R. S. S. (traité de Riga, 1921), elle revint de fait à l'Ukraine en 1945.

**VOLININE** (Alexandre) ~ *1882, Moscou - 1955, Paris.* Danseur et pédagogue russe. Premier danseur du Bolchoï, il suivit les Ballets russes en France et entreprit une carrière internationale, avant de fonder à Paris une importante école de danse.

**VOLLARD** (Ambroise) ~ *1868, Saint-Denis de la Réunion - 1939, Paris.* Marchand de tableaux et écrivain français. Il imposa au public les maîtres de son temps (not. Cézanne, Van Gogh, Maillol, Vlaminck, Derain, Rouault, Picasso).

**VOLNAY** ~ Commune viticole de la côte de Beaune (Côte-d'Or) ; 325 h. Vin rouge réputé.

**VOLNEY** (Constantin François **de Chassebœuf**, comte DE) ~ *1757, Craon - 1820, Paris.* Philosophe et écrivain français. Représentant du tiers état en 1790, emprisonné sous la Terreur et réhabilité par Bonaparte, il milita en faveur des libertés individuelles. Il laissa des travaux d'inspiration philosophique (*les Ruines ou Méditations sur les révolutions des empires*, 1791). Acad.

**VOLOGDA** ~ V. et port fluvial de la Russie septentrionale, sur la **Vologda** (tribut. de la Dvina septentrionale), dans une région forestière et agricole (élev. laitier), sur la route Moscou-Arkhangelsk ; 290 000 h. Industrie du bois, agroalim. et matériel de transport.

**VOLOGÈSE** ~ Nom de cinq rois arsacides des Parthes, dont **Vologèse Ier** (*m. v. 77 apr. J.-C.*), roi de 50 à 77 environ. Hostile à l'hellénisme, il fut en lutte avec Rome (54-63) pour avoir donné le royaume d'Arménie à son frère Tiridate Ier.

**VÓLOS** ~ 3e port de Grèce, en Thessalie (export. des produits agric. locaux), centre industr. (agroalim., text., cimenterie) ; 116 000 h. Liaisons avec la Syrie. Musée archéologique.

**Volques** (les) ~ Peuple de la Gaule indépendante, installé en Narbonnaise et originaire de Germanie. Ils se divisèrent en deux groupes, les Tectosages et les Arecomici (IIe s. av. J.-C. env.).

**Volsques** (les) ~ Peuple du Latium soumis par Rome au IVe s. av. J.-C.

**VOLTA** (la) ~ Fleuve d'Afrique de l'Ouest, réunion du Mouhoun, du Nakambe et du Nazinon (anc. Voltas Noire, Blanche et Rouge), dont le bassin (398 000 km²) englobe le Burkina Faso et le Ghana ; 1 600 km. Le haut cours est utilisé pour l'irrigation. Le barrage d'Akosombo (hydroélectr.) a donné naissance au **lac Volta** (env. 8 500 km²).

**VOLTA** (Alessandro, comte) ~ *1745, Côme - 1827, id.* Physicien italien. Il inventa l'électrophore (1774), l'eudiomètre (1776), l'électromètre sensible (1781), l'électroscope condensateur (1782) et la pile électrique (1800), première production de courant électrique continu. Son nom est à l'origine du **volt.**

**VOLTAIRE** (François Marie **Arouet**, dit) ~ *1694, Paris - 1778, id.* Écrivain français. Issu de la bourgeoisie parisienne, ce bel esprit dut à ses impertinences à l'égard du pouvoir une série de disgrâces, que le patriarche de Ferney finit par inverser en gloire. Homme moderne mais de l'Ancien Régime, il domina son siècle et aborda tous les sujets : historien, il s'attacha aux progrès de la raison (*le Siècle de Louis XIV*, 1751 ; *Essai sur les mœurs et l'esprit des nations*, 1756) ; dramaturge, il promut Shakespeare tout en suivant Boileau et Racine (*Œdipe*, 1718 ; *Zaïre*, 1732 ; *Mahomet*, 1741, parmi 52 autres pièces). Des *Lettres philosophiques* (1734), marquées par Locke, aux poèmes philosophiques (*Discours sur l'homme*, 1738 ; *Poème sur le désastre de Lisbonne*, 1756), il aspira à un libéralisme individualiste et bourgeois et critiqua Rousseau. Sa correspondance (18 000 lettres) constitue le formidable témoignage de son engagement contre l'intolérance religieuse et le fanatisme, dont le symbole fut l'affaire Calas. Mais c'est dans ses contes (*Zadig*, 1747 ; *Micromégas*, 1752 ; *Candide*, 1759 ; *l'Ingénu*, 1767) que tout l'esprit voltairien continue de vivre. Acad.

Voltaire *(1778), terre cuite de Jean Antoine Houdon (1741-1828). Musée des Beaux-Arts, Orléans.*

**VOLTA REDONDA** ~ V. du Brésil, entre Rio de Janeiro et São Paulo, grand centre sidérurgique sur le Paraíba do Sul ; env. 220 000 h.

**VOLTERRA** ~ V. de Toscane (Italie), à l'O. de Sienne ; 14 000 h. Travail artisanal de l'albâtre. Cathédrale du Xe s. restaurée, Palazzo dei Priori (XIIIe s.). Vestiges étrusques (murs des IVe et IIIe s. av. J.-C.). **HIST.** - La plus grande des douze cités étrusques, Volterra fut conquise par les Romains vers 80 av. J.-C.

**VOLTERRA** (Vito) ~ *1860, Ancône - 1940, Rome.* Mathématicien italien. Professeur à l'université de Rome, il s'exila en France en raison des lois raciales. Il développa la théorie des équations intégrales linéaires, créant l'analyse fonctionnelle, qu'il appliqua à la physique et à la biologie.

**VOLUBILIS** ~ Anc. ville d'Afrique du Nord, près de Meknès (Maroc). Capitale de la Maurétanie tingitane, elle fut abandonnée à la fin du IIIe s. Vestiges romains.

**VOLVIC** ~ V. du Puy-de-Dôme, à l'E. de la chaîne des Puys ; 3 930 h. Eaux minérales très pures, carrières de pierre de lave résistante (pierre de Volvic).

**VÔ Nguyên Giap** ~ *1912, An Xa.* Général vietnamien. Chef militaire du Viêt-minh, il engagea les hostilités contre les Français en 1946 et remporta la bataille de Diên Biên Phu (7 mai 1954). Ministre de la Défense du Viêt Nam du Nord (1960-1975) puis du Viêt Nam réunifié (1976-1980), il anima l'effort de guerre contre les Américains (1964-1975).

**VORARLBERG** (le) ~ Land alpin de l'O. de l'Autriche, drainé par l'Ill et le Rhin (r. dr.) ; 2 601 km², 340 000 h., cap. Bregenz (27 000 h.), sur le lac de Constance. Hydroélectricité, industries (text., métall., bois) très développées. Vigne, vergers. Sports d'hiver.

**VORKOUTA** ~ V. de la Russie septentrionale (république des Komis), dans le bassin de la Petchora, à l'extrême N. de l'Oural ; 117 000 h. Extraction du charbon.

**VOROCHILOV** (Kliment Efremovitch) ~ *1881, Verkhneïe, Ukraine - 1969, Moscou.* Maréchal soviétique. Défenseur de Tsaritsyne (auj. Volgograd) pendant la guerre civile (1918). Commissaire du peuple à la Défense (1925-1940), il commanda le front du Nord en 1941 et fut à la tête du praesidium du Soviet suprême (1953-1960).

**VOROCHILOVGRAD** ~ Voir **Lougansk**.

**VORONEJ** ~ V. du S. de la Russie, à la limite de la forêt et de la steppe, centre admin. et univ. sur la **Voronej**, affl. du Don ; 902 000 h. Centrales therm. et nucléaire. Industries chim., mécan. et agroalimentaire. **HIST.** - Prise aux Tatars par les Russes (1586) qui y érigèrent une forteresse, Voronej marqua la ligne de front entre l'Armée rouge et les troupes allemandes en 1942.

**VORSTER** (Balthazar Johannes) ~ *1915, Jamestown - 1983, Le Cap.* Homme d'État sud-africain. Ancien militant pronazi et partisan de l'apartheid, il fut Premier ministre (1966-1978), puis président de la république d'Afrique du Sud (1978-1979).

**VOSGES** (les) ~ Massif montagneux du N.-E. de la France, limité au S. par la trouée de Belfort et au N. par le col de Saverne (410 m), au-delà duquel s'étend la Hardt. Élément de socle hercynien, le massif a été bombé et faillé sous l'effet des grands plissements alpins et séparé de la Forêt-Noire (son pendant en Allemagne) par l'effondrement de l'actuel fossé rhénan (dont la plaine d'Alsace). Les roches cristallines sous-jacentes ont été dégagées de la couverture gréseuse dans la partie centrale, qui culmine au S. (1 424 m au Grand Ballon), où les cols de la Schlucht, du Bonhomme ou de Bussang excèdent 700 m. La dissymétrie est très marquée entre le versant alsacien abrupt (collines sous-vosgiennes viticoles) et le versant lorrain en pente douce (bordures gréseuses au-delà du sillon vosgien où coule la Vologne). L'érosion glaciaire a façonné le noyau cristallin (vallées en auge qui entaillent le massif, empruntées à l'E. par les affluents de l'Ill et du côté lorrain par la Moselle, la Meurthe ou la Sarre ; lacs formés par les barrages morainiques, tel celui de Gérardmer ; formes émoussées de l'échine sommitale, pénéplanée dans les prairies des Hautes Chaumes). Les précipitations (not. neigeuses) sont très importantes du côté lorrain et sur les hauteurs, tandis que le versant E., moins arrosé, a le même climat d'abri que le fossé rhénan qu'il domine. La forêt (hêtres, sapins) est en extension, plus discontinue dans la zone cristalline (vallées mises en cultures, prairies d'altitude) que sur les bordures gréseuses (versant lorrain, basses Vosges du N.). Le peuplement a été tardif (XIᵉ s.), mais les densités sont fortes dans les vallées, à l'économie jadis prospère (élev. laitier, vergers, exploitation du bois et industries traditionnelles, dont la cristallerie, la menuiserie, l'imprimerie et le textile), auj. en partie relayée par les revenus du tourisme.

© S. Cordier-Jacana

*Forêt de conifères dans le massif des Vosges.*

**VOSGES** (les) ~ Dép. de la Région Lorraine occupant le versant occidental des Vosges (1 216 m au ballon de Servance) et la partie méridionale du Plateau lorrain, traversé par les hautes vallées encaissées de la Moselle, de la Meurthe et de leurs affluents ; 5 903 km², 386 258 h., préfect. Épinal, seule ville importante. Les céréales, l'exploitation des forêts et l'élevage, en extension, sont les principales activités rurales. L'industrie textile des vallées vosgiennes (Saint-Dié, Remiremont) et d'Épinal est en difficulté. Le thermalisme (Vittel, Contrexéville, Plombières-les-Bains) et l'essor du tourisme (Gérardmer, parc naturel régional des **Ballons des Vosges**) ne compensent pas les emplois perdus dans l'industrie, et la démographie stagne.

**Vosges (place des)** ~ Place de Paris, dans le Marais (nommée place Royale jusqu'en 1800). L'architecture y est restée conforme aux règles édictées par Henri IV lors de sa création en 1605 (façades en brique à chaînages de pierre, hauts combles d'ardoise, rez-de-chaussée formant galerie en arcade).

**Voskhod**, en fr. « Soleil levant » ~ Programme spatial soviétique de cabines habitées, conçu pour accueillir plusieurs passagers (1964). À son bord, Jean-Loup Chrétien fut le premier français à effectuer un vol spatial (1988).

**VOSNE-ROMANÉE** ~ Commune viticole de la côte de Beaune (Côte-d'Or) ; 464 h. Vins de Bourgogne réputés (romanée-conti, richebourg).

**VOSS** (Johann Heinrich) ~ *1751, Sommersdorf, Mecklembourg - 1826, Heidelberg.* Poète allemand. Ses idylles décrivent la petite-bourgeoisie allemande (*Louise*, 1795). Il fut un disciple de Klopstock et traducteur d'Homère.

**VOSSIUS** (Gerardus Johannis) ~ *1577, Heidelberg - 1649, Amsterdam.* Humaniste hollandais. Il enseigna à Dordrecht et à Leyde et laissa des ouvrages pédagogiques et des travaux consacrés aux historiens de l'Antiquité.

**Vostok** ~ Programme spatial soviétique de cabines habitées (1960). **Vostok 1** fut le premier vaisseau cosmique et abrita I. Gagarine, premier homme à accomplir un vol dans l'espace (1961). V. Terechkova, la première femme à effectuer un vol spatial, fut à bord de **Vostok 6** (1963).

**VOUET** (Simon) ~ *1590, Paris - 1649, id.* Peintre français. À Rome, puis à Paris, où il devint premier peintre du roi, il brilla par la grandeur de ses compositions religieuses et mythologiques, la sensualité de son dessin et la vivacité de ses coloris (*Présentation au temple* ; *Nymphe frappée par la flèche d'un amour*).

**VOUGEOT** ~ Commune viticole de la côte de Beaune (Côte-d'Or) ; 176 h. Vin réputé (clos-vougeot).

**Vougoules** (les) ~ Voir **Vogouls**.

**VOUILLÉ** ~ V. de la Vienne, à l'O. de Poitiers ; 2 574 h. Église Sainte-Radegonde (XIIᵉ s.) et vestiges d'un château des XIIᵉ et XIIIᵉ s. La victoire des Francs de Clovis sur les troupes d'Alaric II (507) y libéra l'Aquitaine de la tutelle des Wisigoths.

**VOUVRAY** ~ Commune viticole d'Indre-et-Loire, à l'E. de Tours ; 2 933 h. Vin blanc mousseux. Habitations troglodytiques. Ruines du château de Moncontour (fin du XVᵉ s., incendié en 1942).

**Voyager** ~ Nom de deux sondes spatiales américaines conçues pour l'étude des planètes lointaines. Voyager **1** survola Jupiter (1979) et Saturne (1980) ; **Voyager 2**, Jupiter (1979), Saturne (1981), Uranus (1986) et Neptune (1989).

**VRANGEL** ou **WRANGEL (île)** ~ Île russe de l'océan Arctique, au N.-E. de la Sibérie ; 7 300 km².

**VRANGEL** (Piotr Nikolaïevitch) ~ Voir **Wrangel**.

**VRANITZKY** (Franz) ~ *1937, Vienne.* Homme politique autrichien. Président du parti social-démocrate (S. P. O. E.), il est chancelier de la république d'Autriche depuis 1986.

**VREDEMAN DE VRIES** (Hans) ~ *1527, Leeuwarden - v. 1604.* Peintre, architecte et théoricien néerlandais. Ses compilations de traités d'architecture italiens et ses recueils de motifs décoratifs eurent une grande influence en Europe du Nord (*l'Architecture selon les règles de Vitruve*, 1577).

**VROUBEL** (Mikhail Aleksandrovitch) ~ *1856, Omsk - 1910, Saint-Pétersbourg.* Peintre russe. D'inspiration symboliste mais de tempérament lyrique, il fut l'un des initiateurs de la modernité en Russie (*le Démon*, 1885-1890).

**VUILLARD** (Édouard) ~ *1868, Cuiseaux, Saône-et-Loire - 1940, La Baule.* Peintre français. D'abord membre éminent du groupe des nabis, il se détacha de l'avant-garde pour une manière plus discrète, sans doute mieux adaptée à son inspiration intimiste (*la Berçeuse*, 1896).

**VULCAIN** ~ Dieu romain du Feu, d'origine étrusque. Il fut assimilé à l'Héphaïstos des Grecs.

**VULCANO** ~ L'une des îles Éoliennes (21 km², 500 h.), au volcan (actif) éponyme du type vulcanien. [☞ **volcan**.]

**Vulgate** (la) ~ Bible latine, traduite par saint Jérôme (390-405) à partir des textes hébreu et grec, officielle depuis le concile de Trente.

**VULPIAN** (Alfred) ~ *1826, Paris - 1887, id.* Médecin et physiologiste français. Pionnier des recherches sur le système nerveux, il identifia la sclérose en plaques (1866) et une atrophie musculaire (**type de Vulpian**). Il apporta la première confirmation biochimique de l'existence des sécrétions hormonales (1856).

**VYBORG** ~ Port de pêche du N. de la Russie, sur le golfe de Finlande, au N.-O. de Saint-Pétersbourg ; env. 65 000 h. Industries (agroalim., matériel agric.). Station balnéaire. **HIST.** - Anc. capitale de la Carélie, fondée par les Suédois (1293), cédée aux Russes (1721), Vyborg revint à la Finlande indépendante (1918), qui fut contrainte à son tour de l'abandonner à l'U. R. S. S. (1940 et 1994).

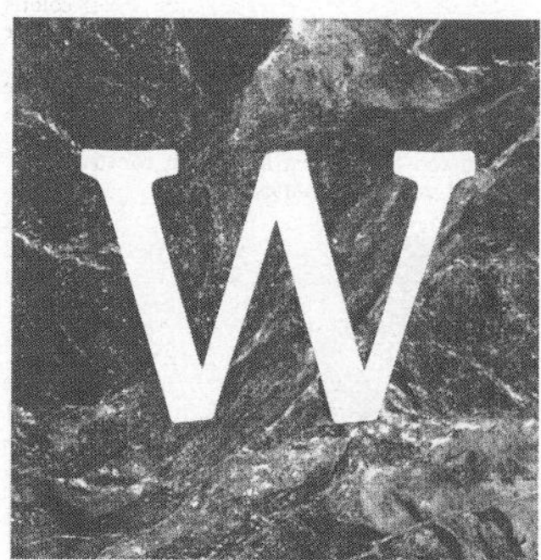


**WAAL** (le) ~ Branche S. du cours inférieur du Rhin, aux Pays-Bas. Il communique avec la Meuse au S. et le Lek (branche N.) au N.

**WACE** (Robert) ~ *v. 1110, Jersey - v. 1175.* Poète anglo-normand. Son *Roman de Brut* (1155), récit poétique des aventures du roi Arthur, comporte la première mention de la Table ronde.

**WACHITA (monts)** ~ Voir **Ouachita.**

**WACKENRODER** (Wilhelm Heinrich) ~ *1773, Berlin - 1798, id.* Poète allemand. Il influença le romantisme naissant (*Effusions sentimentales d'un moine ami des arts*, 1797).

**WAD (El-)**, anc. **El-Oued** ~ V. et oasis de l'E. du Sahara algérien, ch.-l. de wilaya, au S. des chotts ; 73 000 h. Palmiers dattiers dans les creux des dunes.

**WADDEN (mer des)** ou **WADDENZEE** ~ Partie peu profonde de la mer du Nord baignant les îles de la Frise occidentale et la Frise continentale (Pays-Bas), séparée de l'IJsselmeer par une digue ; env. 10 000 km$^2$. Côtes envasées.

**WADDINGTON** (William Henry) ~ *1826, Saint-Rémy-sur-Avre - 1894, Paris.* Homme politique et archéologue français d'orig. britannique. Auteur d'études sur les monnaies grecques, il fut ministre de l'Instruction publique (1873 et 1877) et des Affaires étrangères (1877-1879), puis président du Conseil (févr.-déc. 1879).

**Wafd** (le) ~ Organisation nationaliste égyptienne fondée en 1918 par Saad Zaghlul, devenue parti politique en 1924. Il milita pour le départ des Britanniques et l'instauration de la République. Interdit par Nasser en 1953, il fut reconstitué en 1977 et légalisé en 1983.

**WAGNER** (Otto) ~ *1841, Penzing, près de Vienne - 1918, Vienne.* Architecte, urbaniste et théoricien autrichien. Classique dans ses réalisations, il développa dans ses écrits des théories fonctionnalistes qui influencèrent la Sécession viennoise, mouvement proche de l'Art nouveau (Majolika-Haus, 1898). [☞ **nouveau.**]

© M. Evans-Explorer

*Richard **Wagner** (assis), avec Louis II de Bavière.*

**WAGNER** (Richard) ~ *1813, Leipzig - 1883, Venise.* Compositeur et dramaturge allemand. Il développa dans son œuvre sa conception du drame musical, fusion de la musique, de la poésie, du théâtre et des arts plastiques, sous la forme de drames légendaires ou mythiques qui aboutirent, à partir de *Tannhäuser* (1845) et de *Lohengrin* (1848), à la tétralogie de *l'Anneau du Nibelung* (1852-1874). Il élargit le champ de la composition en introduisant un chromatisme qui porte en germe, dans *Tristan et Isolde* (1859) et surtout dans *Parsifal* (1882), la dissolution du système tonal. Auteur de ses propres textes lyriques, il fit construire, grâce à Louis II de Bavière, un théâtre à Bayreuth pour les représenter.

**WAGNER-JAUREGG** (Julius VON) ~ *1857, Wels, Haute-Autriche - 1940, Vienne.* Médecin autrichien. Il introduisit l'inoculation du paludisme dans le traitement de la paralysie générale due à la syphilis (malariathérapie, 1917), remplacée par la pénicilline en 1943. Prix Nobel de physiol. ou méd. 1927.

**WAGRAM** ~ Localité d'Autriche, au N.-E. de Vienne, sur le Danube (r. g.). Le 6 juillet 1809, Napoléon I$^{er}$ y vainquit l'armée autrichienne.

**WAJDA** (Andrzej) ~ *1926, Suwałki.* Cinéaste polonais. Témoignant de l'histoire de la Pologne (*Kanal*, 1957 ; *Cendres et Diamant*, 1958 ; *l'Homme de marbre*, 1977), son œuvre associe sens critique, baroque et lyrisme (*les Possédés*, 1987).

**WAKE (île de)** ~ Atoll isolé du Pacifique, territoire des États-Unis (depuis 1898), au N. des îles Marshall. Base aérienne. À mi-distance des Mariannes et des îles Hawaii, l'île fut occupée par les Japonais pendant la Seconde Guerre mondiale (1941-1945).

**WAKKANAI** ~ Port de pêche du Japon septentrional, au N. de l'île d'Hokkaidô, face à l'île russe de Sakhaline ; env. 50 000 h. Conserveries.

**WAKSMAN** (Selman Abraham) ~ *1888, Prilouki, près de Kiev - 1973, Hyannis, Massachusetts.* Microbiologiste américain d'orig. russe. Spécialiste des antibiotiques (terme qu'il inventa), il mit au point la streptomycine avec Albert Schatz (1943). Prix Nobel de physiol. ou méd. 1952.

**WALBURGE** (sainte) ~ Voir **Walpurgis.**

**WALCHEREN** ~ Anc. île des Pays-Bas, dans l'estuaire de l'Escaut (Zélande), auj. rattachée au continent ; 212 km$^2$, env. 104 000 h., v. princ. Middelburg. Cult. maraîchères. L'île fut inondée en 1944, du fait des bombardements alliés ; en 1953, par les intempéries.

**WALDECK-ROUSSEAU** (Pierre) ~ *1846, Nantes - 1904, Corbeil.* Homme politique français. Républicain, ministre de l'Intérieur (1881-1882 et 1883-1885), il reconnut le syndicalisme (loi sur les associations professionnelles, 1884). Président du Conseil (1899-1902), il prépara la séparation de l'Église et de l'État avec la loi sur les associations (1901) et obtint la révision du procès de Dreyfus.

**WALDERSEE** (Alfred, comte VON) ~ *1832, Potsdam - 1904, Hanovre.* Maréchal allemand. En 1900, il commanda le corps expéditionnaire international qui reprit Pékin aux Boxers.

**WALDHEIM** (Kurt) ~ *1918, Sankt Andrä-Wördern.* Homme d'État autrichien. Secrétaire général de l'O. N. U. (1972-1981), puis président de la république d'Autriche (1986-1992), il a été mis en cause pour sa responsabilité dans des crimes commis par l'armée allemande dans les Balkans durant la Seconde Guerre mondiale.

**WALDSTEIN** (Albrecht Wenzel Eusebius VON) ~ Voir **Wallenstein.**

**WAŁĘSA** (Lech) ~ *1943, Popowo, près de Wrocław.* Homme d'État polonais. Dirigeant des grèves ouvrières de 1980, président du syndicat Solidarność (1981-1990), figure centrale de l'opposition au régime communiste, il a été président de la République de 1990 à 1995. Prix Nobel de la paix 1983.

**WALEWSKI** (Alexandre Joseph **Colonna**, comte) ~ *1810, Walewice, Pologne - 1868, Strasbourg.* Homme politique français. Fils naturel de Napoléon I$^{er}$ et de la comtesse Walewska, il fut ministre des Affaires étrangères (1855-1860) sous le second Empire.

**Walhalla** ou **Val-Hall** (le) ~ Dans la mythologie germanique, palais gouverné par Wotan, lieu de séjour des guerriers morts en héros.

**Walkyries** ou **Valkyries** (les) ~ Divinités de la mythologie germanique. Hôtesses du Walhalla, où elles conduisaient les guerriers choisis par Wotan pour être tués, elles étaient les messagères des dieux.

**WALLACE** (Alfred Russel) ~ *1823, Usk, Monmouthshire - 1913, Broadstone, Dorset.* Explorateur et naturaliste britannique. Ses travaux menés en Océanie et en Australie en font l'un des fondateurs de la géographie zoologique. Partisan de la théorie de la sélection naturelle, qu'il énonça en même temps que Darwin (1870), il montra l'influence du morcellement des terres sur l'origine des espèces.

**WALLACE** (sir Richard) ~ *1818, Londres - 1890, Paris.* Philanthrope britannique. Il dota Paris de cinquante petites fontaines en fonte, dites **fontaines Wallace.** Sa collection d'œuvres d'art français du XVIII$^e$ s. est exposée à Londres (**Wallace Collection**).

**WALLACE** (sir William) ~ *1270, près de Paisley - 1305, Londres.* Héros de l'indépendance écossaise. À partir de 1297, il dirigea un soulèvement contre Édouard I$^{er}$ d'Angleterre mais fut pris et exécuté.

**WALLENSTEIN** ou **WALDSTEIN** (Albrecht Wenzel Eusebius VON) ~ *1583, Hermanič, Bohême - 1634, Eger.* Général d'orig. tchèque au service du Saint Empire. Il s'enrichit au début de la guerre de Trente Ans et put mettre une armée au service de l'empereur Ferdinand II. Vainqueur des Danois, il fut duc de Friedland (1624) et généralissime (1625). Après une courte disgrâce (1630) provoquée par la Sainte Ligue, il fut rappelé en 1632. Battu à Lützen par Gustave II Adolphe, soupçonné de haute trahison, il fut relevé de son commandement puis exécuté.

**WALLER** (Thomas, dit Fats) ~ *1904, New York - 1943, Kansas City.* Pianiste, chanteur et compositeur de jazz américain. Sa maîtrise de la main gauche influença durablement le piano jazz (*Handful of Keys*, 1929 ; *Christopher Colombus*, 1936).

**WALLIS** (John) ~ *1616, Ashford - 1703, Oxford.* Mathématicien anglais. Membre fondateur de la Royal Society, il libéra l'arithmétique et l'algèbre de la représentation géométrique. Il introduisit les notions de nombre négatif, irrationnel, de fraction continue, de limite (1655), et donna une approximation de $\pi$ sous forme de produit infini. En mécanique, il énonça les lois du choc des corps durs.

**WALLIS-ET-FUTUNA** ~ Archipel volcanique du Pacifique Sud (Polynésie), au N.-E. des îles Fidji, qui regroupe les îles de Horn (Futuna et Alofi ; 115 km$^2$, 4 732 h.) et les îles Wallis (Uvéa) ; 264 km$^2$, 13 705 h., ch.-l. Mata-Utu. **HIST.** - Découvert par le Britannique **Samuel Wallis** (*v. 1728 - 1795*) en 1767, l'ensemble devint protectorat français (1886) puis territoire d'outre-mer, par référendum, en 1959.

**WALLON** (Henri) ~ *1812, Valenciennes - 1904, Paris.* Homme politique français. Élu député en 1871, il fit adopter le 30 janvier 1875 l'amendement (qui porte son nom) aux lois constitutionnelles de 1875, disposant que le régime instauré serait une république. Ministre de l'Instruction publique (1875-1876), il fit voter la loi sur la liberté de l'enseignement supérieur (juill. 1875).

**WALLON** (Henri) ~ *1879, Paris - 1962, id.* Psychologue et homme politique français. Ses travaux mirent en évidence l'interdépendance des facteurs sociaux et biologiques et la discontinuité dans le développement psychique de l'enfant (*l'Évolution psychologique de l'enfant*, 1941). Il fut député communiste (1945-1946) et élabora en 1945, avec P. Langevin, une loi sur la réforme de l'enseignement.

**WALLONIE** (la) ou **RÉGION WALLONNE** ~ Partie S.-E. de la Belgique, l'une des trois régions admin. du pays, qui comprend les prov. francophones du Brabant wallon, du Hainaut, de Namur, de Liège et du Luxembourg ; 16 844 km$^2$, 3 305 000 h., cap. Namur. V. princ. Charleroi, Liège. Moins peuplée et moins dynamique que la région flamande, la Wallonie subit une très difficile reconversion industrielle.

**Wall Street** ~ Rue de New York (États-Unis), au S. de l'île de Manhattan, qui a donné son nom à la Bourse qui s'y trouve. C'est le plus grand centre financier du monde.

**WALPOLE** ~ **Robert**, 1$^{er}$ comte **d'Orford** (*1676, Houghton Hall, Norfolk - 1745, Londres*), homme politique britannique. Député whig aux Communes, il fut entraîné dans la disgrâce du duc de Marlborough. Chancelier de l'Échiquier en 1715, il passa à l'opposition (1717) puis revint au pouvoir (1721), et dirigea alors la politique anglaise jusqu'en 1742. Il renforça le régime parlementaire et pratiqua une politique de paix avec la France.

Son fils ~ **Horace**, 4$^{e}$ comte **d'Orford** (*1717, Londres - 1797, id.*), écrivain, est l'auteur du premier roman gothique (*le Château d'Otrante*, 1764) et d'une *Correspondance*.

**WALPURGIS** ou **WALBURGE** (sainte) ~ *v. 710, dans le Wessex - 779, Heidenheim.* Religieuse bénédictine anglaise. Appelée par saint Boniface en Allemagne, elle fut abbesse du monastère de Heidenheim. Sa fête, qui se célébrait le 1$^{er}$ mai, était empreinte de survivances païennes (la **nuit de Walpurgis**, nuit précédant la fête, était une nuit de sabbat, selon la légende).

**WALRAS** (Léon) ~ *1834, Évreux - 1910, Clarens, Suisse.* Économiste français. Fondateur de l'école de Lausanne, promoteur d'une conception mathématique de l'économie, il développa une théorie de la valeur fondée sur la notion d'utilité marginale (*Éléments d'économie pure*, 1874-1887).

**WALSCHAP** (Gerard) ~ *1898, Londerzeel - 1989, Anvers.* Écrivain belge d'expression néerlandaise. Peintre des passions humaines, il substitua les valeurs d'humanisme et de tolérance à celles de la morale religieuse (*Houtekiet*, 1939).

**WALSER** (Robert) ~ *1878, Bienne - 1956, Herisau.* Écrivain suisse d'expression allemande. Méconnu de son vivant, interné en 1929 pour schizophrénie, il est considéré comme l'un des auteurs suisses les plus importants (*les Enfants Tanner*, 1907).

**WALSH** (Raoul) ~ *1887, New York - 1980, Simi Valley, Californie.* Cinéaste américain. Abordant le western aussi bien que le film d'aventures, il fut un maître du cinéma d'action (*la Piste des géants*, 1930 ; *Gentleman Jim*, 1942 ; *la Vallée de la peur*, 1947 ; *les Nus et les Morts*, 1958).

**WALTARI** (Mika) ~ *1908, Helsinki - 1979, id.* Écrivain finlandais. Il connut un succès mondial grâce à son roman historique *Sinouhé l'Égyptien* (1945).

**WALTER** (Bruno Walter **Schlesinger**, dit Bruno) ~ *1876, Berlin - 1962, Beverly Hills.* Chef d'orchestre allemand naturalisé américain. Il fut l'interprète passionné de Bruckner et de Mahler, qui fut son maître et dont il créa les œuvres posthumes. Chassé d'Allemagne puis d'Autriche à cause de ses origines juives, il s'établit en 1939 aux États-Unis.

**WALTHER VON DER VOGELWEIDE** ~ *v. 1170 - v. 1230, Würzburg.* Poète allemand. L'un des plus grands trouvères, il composa des poésies courtoises et des pièces satiriques contre la papauté.

**WALTON** (sir William Turner) ~ *1902, Oldham, Lancashire - 1983, Ischia.* Compositeur britannique. Il créa un langage original dont l'expressivité fait le prix de ses œuvres chorales (*Belshazzar's Feast*, 1931) et théâtrales (*Troilus and Cressida*, 1954).

**WALVIS BAY** ~ Port de Namibie ; env. 20 000 h. Pêche, exportation de minerais. Ancienne enclave sud-africaine rattachée à la Namibie en 1994.

**WANG Meng** ou **WANG Mong** ~ *v. 1308, Wuxing, Zhejiang - 1385.* Peintre chinois. L'un des quatre grands maîtres de la dynastie Yuan, il est surtout prisé pour ses paysages aux accents dramatiques (*Habitations dans la forêt à Chu-Ch'u*).

**WANG Wei** ~ *699, Taiyuan, Shanxi - 759.* Peintre, calligraphe et poète chinois. Il serait à l'origine du paysage monochrome à l'encre, inaugurant la peinture lettrée, qui préfère le trait à la couleur.

**WANZA** ou **OUENZA** (djebel El-) ~ Montagne d'Algérie, proche de la frontière tunisienne (N. de Tbessa) ; 1 272 m. Minerai de fer.

**WARBURG** (Otto) ~ *1883, Fribourg-en-Brisgau - 1970, Berlin.* Physiologiste allemand. Il étudia l'oxydation cellulaire, notamment dans les chaînes respiratoires, et découvrit la cytochrome-oxydase. Prix Nobel de physiol. ou méd. 1931.

**WARENS** (Louise Éléonore **de La Tour du Pil**, baronne DE) ~ *1700, Vevey - 1762, Chambéry.* Amie de J.-J. Rousseau. De 1732 à 1740, elle mena avec lui aux Charmettes, près de Chambéry, une vie très proche de la nature.

**WARGLA** ou **OUARGLA** ~ Oasis du Sahara algérien, ch.-l. de wilaya, proche du Mzab et des ergs ; 76 000 h. Vaste palmeraie (dattes).

**WARHOL** (Andy) ~ *1929, Pittsburgh - 1987, New York.* Peintre et cinéaste américain d'orig. slovaque. Il fut le plus célèbre représentant du pop art, reproduisant en série des images de la société de consommation (portraits de Marilyn Monroe, de Mao Zedong, bouteille de Coca-Cola, boîte de potage). Après son film *Chelsea Girls* (1966), il devint une figure du cinéma underground. [☞ **pop art**.]

**WARIN** (Jean) ~ Voir **Varin**.

**WARNDT** (la) ~ Région sableuse et boisée des confins de la France (Lorraine) et de l'Allemagne (Sarre), à l'O. de Forbach.

**WARRINGTON** ~ V. industrielle d'Angleterre (Cheshire), au fond de l'estuaire de la Mersey, sur la mer d'Irlande ; 183 000 h. Chimie, textile.

**WARTA** (la) ~ Rivière de Pologne, issue de la Petite Pologne, qui arrose Poznań, princ. affluent de l'Oder (r. dr.) ; 808 km.

**Wartburg (château de la)** ~ Château fort (XI$^{e}$ s.) de Thuringe (Allemagne). Il fut le cadre de joutes poétiques, que Wagner évoque dans *Tannhäuser*, puis accueillit Luther, qui, banni du Saint Empire, s'y cacha en 1521 et y rédigea une traduction allemande de la Bible.

**WARTBURG** (Walter VON) ~ *1888, Riedholz, Soleure - 1971, Bâle.* Linguiste suisse. Spécialiste des langues romanes, il est l'auteur d'un *Dictionnaire étymologique de la langue française*, entrepris à partir de 1922 et poursuivi jusqu'à sa mort.

**WARWICKSHIRE** (le) ~ Comté du centre de l'Angleterre, dans les Midlands, région agricole drainée par l'Avon ; 1 979 km², 484 000 h. Le chef-lieu, **Warwick** (22 000 h.), est une ville universitaire et touristique (château et monuments des XIV$^{e}$-XVII$^{e}$ s.).

**WASATCH (monts)** ~ Chaîne montagneuse de l'Utah (États-Unis), segment des Rocheuses dominant le Grand Bassin. Ressources minières.

**WASH (golfe du)** ~ Golfe de la côte E. de l'Angleterre (estuaire de l'Ouse), entre les comtés du Lincolnshire et du Norfolk. Côtes envasées, polders.

**WASHINGTON** (George) ~ *1732, comté de Westmoreland, Virginie - 1799, Mount Vernon.* Général et homme d'État américain. Riche planteur, il représenta la Virginie aux congrès de Philadelphie (1774 et 1775) et fut choisi pour commander l'armée des colonies insurgées (1775). Il vainquit les Britanniques à Yorktown (1781). Premier président des États-Unis (1789, réélu en 1792), il laissa son nom à l'État de Washington et à la capitale fédérale.

George **Washington**, *peinture de Samuel King* (XVIII$^{e}$ *s.*). *Château de Blérancourt, Aisne.*

**WASHINGTON** ~ État montagneux du N.-O. des États-Unis, bordé par le Pacifique, dominé par la chaîne des Cascades (mont Rainier, 4 391 m), qui sépare le Puget Sound humide, où se concentre l'activité, du plateau intérieur semi-aride de la Columbia ; 172 447 km², 5 334 000 h., cap. Olympia. V. princ. Seattle, Spokane. Agriculture (céréales, fruits) et élev., pêche, exploitation du bois et des minerais. Hydroélectr. abondante. Industries aéron., métall., mécan., électronique. **HIST.** - D'abord territoire du N. de l'Oregon, Washington s'en détacha en 1853 et devint le 42$^{e}$ État de l'Union en 1889.

**WASHINGTON** ou **WASHINGTON D. C.** ~ Cap. fédérale des États-Unis, sur le Potomac, recouvrant le district de Columbia (159 km²), siège du gouvernement fédéral et résidence du président (Maison-Blanche), entre le Maryland et la Virginie (S. de la Megalopolis), centre financier, culturel et universitaire ; 607 000 h. (agglom. env. 4 000 000 d'h.), dont Noirs (66 %). Musées d'art (dont la National Gallery of Art), bibliothèque du Congrès (une des plus riches du monde). L'emplacement de la capitale fédérale fut choisi par G. Washington en 1790, et la ville fut construite sur les plans de Pierre Charles L'Enfant.

*Le Capitole à* **Washington**, *siège du Congrès.*

**Washington (accord de)** ou **Oslo (accord d')** ~ Accord signé le 13 sept. 1993 entre Israël et l'O. L. P., prévoyant l'autonomie de Gaza et de Jéricho, le retrait de l'armée israélienne, puis, dans un délai de cinq ans, l'instauration d'un statut définitif, à négocier, des territoires occupés.

**Washington Post (The)** ~ Quotidien américain de tendance libérale, créé en 1877. En 1974, il mena l'enquête sur l'affaire du Watergate.

**WASITI** (Yahya ibn Mahmud, dit **al-**) ~ XIII$^{e}$ *s., Bagdad.* Calligraphe et miniaturiste arabe. Ses illustrations des *Maqamat* d'al-Hariri (1237) le désignent comme l'un des plus délicats représentants de l'école de Bagdad.

**WASSERMANN** (August VON) ~ *1866, Bamberg - 1925, Berlin.* Médecin allemand. Il inventa une réaction sérologique permettant le diagnostic de la syphilis (**réaction de Wassermann** ou **de Bordet-Wassermann**).

**WASSY** ~ V. de la Haute-Marne, au S. de Saint-Dizier ; 3 291 h. Église Notre-Dame (XI$^{e}$ s.). Vestiges de fortifications. Le 1$^{er}$ mars 1562, le massacre par les arquebusiers du duc de Guise de plusieurs dizaines de protestants célébrant clandestinement un office déclencha la première guerre de Religion.

**WATERFORD**, en gaélique ***Port Láirge*** ~ Port atlantique du S.-E. de la république d'Irlande (prov. de Munster) ; 42 000 h. Industries alimentaire et chimique, cristallerie. Évêchés protestant et catholique. Monastères du XIII$^{e}$ s., cathédrales (en partie du XVIII$^{e}$ s.).

**Watergate (affaire du)** ~ Scandale (1974) né de la découverte, par deux journalistes du *Washington Post*, Robert Woodward et Carl Bernstein, des activités d'espionnage dont se rendirent coupables en 1972, à Washington, dans un immeuble du parti démocrate (le Watergate) et en relation avec l'élection présidentielle, des collaborateurs du président Nixon. Ce dernier dut démissionner.

**WATERLOO** ~ V. de Belgique (Brabant wallon), au S. de Bruxelles ; 28 000 h. Musée Wellington. Le 18 juin 1815, la défaite de Napoléon I$^{er}$ face aux coalisés commandés par Wellington et Blücher précipita la chute de l'Empereur.

**WATSON** (James Dewey) ~ *1928, Chicago.* Biologiste américain. Avec Fr. Crick, et grâce aux travaux de M. Wilkins, il a découvert la structure en double hélice de l'A. D. N. (1953). Prix Nobel de physiol. ou méd. 1962.

**WATSON** (John Broadus) ~ *1878, Greenville, Caroline du Sud - 1958, New York.* Psychologue américain, fondateur du béhaviorisme.

**WATSON-WATT** (sir Robert Alexander) ~ *1892, Brechin, district d'Angus, Écosse - 1973, Inverness.* Physicien britannique. Créateur des premières stations radar, il en installa sur les côtes britanniques (1937), aidant à la défense de son pays en 1940-1941.

**WATT** (James) ~ *1736, Greenock - 1819, Heathfield, près de Birmingham.* Ingénieur britannique. Il perfectionna une machine de Newcomen avec condenseur séparé, concevant et faisant breveter la première machine à vapeur (1769). Associé à Matthew Boulton pour sa fabrication industrielle (1776), il l'améliora par l'action alternative de la vapeur sur les deux faces du piston (machine à double effet, 1782), le tiroir (1785), le régulateur à boules, le volant, etc. Il a laissé son nom au **watt**.

**WATTEAU** (Antoine) ~ *1684, Valenciennes - 1721, Nogent-sur-Marne.* Peintre français. En rupture avec le caractère héroïque de la peinture académique du XVII^e s., il créa un univers intimiste, mélange de grâce et d'onirisme. « Peintre des fêtes galantes » (*l'Embarquement pour Cythère*, 1717), fasciné par le théâtre italien, il peupla ses toiles de personnages de comédie (Arlequin, Colombine et musiciens), puisant parfois son inspiration à une source plus mélancolique (*l'Indifférent* ; *la Finette* ; *Gilles*). Coloriste subtil, il fut un observateur aigu de son temps (*l'Enseigne de Gersaint*, 1720).

**WATTRELOS** ~ V. industrielle du Nord (agglomération lilloise), sur la frontière franco-belge ; 43 675 h. Chimie, mécanique, textile.

**WAUGH** (Evelyn) ~ *1903, Londres - 1966, Combe Florey, Somerset.* Écrivain britannique. Il écrivit des romans satiriques animés d'une puissante réflexion sur le bien et le mal (*Diablerie*, 1932 ; *Scoop*, 1938 ; *Officiers et Gentlemen*, 1955).

**WAVELL** (Archibald Percival, 1er comte) ~ *1883, Colchester, Essex - 1950, Londres.* Maréchal britannique. Vainqueur des Italiens en Cyrénaïque (1941), il fut vice-roi des Indes (1943-1947).

**WAYNE** (Marion Michael **Morrison**, dit **John**) ~ *1907, Winterset, Iowa - 1979, Los Angeles.* Acteur américain. Il personnifia l'Amérique individualiste et conservatrice dans des westerns célèbres (*la Chevauchée fantastique*, de J. Ford, 1939 ; *Rio Bravo*, de H. Hawks, 1959).

© Pele-Stills

*John* **Wayne** *dans* Rio Bravo *(1959), film de Howard Hawks (1896-1977).*

**WEALD** (le) ~ Large dépression du S.-E. de l'Angleterre, encadrée par les Downs. Élev., horticulture, céréales. Forêts. Villégiature.

**WEAVER** (Warren) ~ *1894, Reedsburg, Wisconsin - 1978, New Milford.* Mathématicien américain. Auteur, avec Cl. E. Shannon, de la *Théorie mathématique de la communication* (1949), il exerça une influence déterminante sur le développement des télécommunications et de l'informatique.

**WEBB** (Sidney), baron **Passfield** ~ *1859, Londres - 1947, Liphook, Hampshire.* Homme politique et économiste britannique. Partisan du socialisme, l'un des fondateurs de la Fabian Society (1884), député (1922), il fut l'un des théoriciens du parti travailliste. Son épouse ~ **Beatrice**, née Potter (*1858, près de Gloucester - 1943, Liphook*), participa à son action.

**WEBER** (Carl Maria von) ~ *1786, Eutin - 1826, Londres.* Compositeur et chef d'orchestre allemand. Il s'affranchit de l'influence italienne et du classicisme viennois, laissant éclater son génie de la couleur orchestrale dans ses opéras romantiques (*Freischütz*, 1821 ; *Euryanthe*, 1823 ; *Oberon*, 1826).

**WEBER** (Max) ~ *1864, Erfurt - 1920, Munich.* Sociologue allemand. Aux antipodes des vastes synthèses sociologiques, son œuvre porte sur le processus de rationalisation croissant qui caractérise la civilisation occidentale, dans des domaines aussi divers que le droit, l'économie, l'art et la religion. La méthode compréhensive dont il arme ses analyses continue d'exercer une influence profonde sur les sciences sociales contemporaines (*Économie et société*, 1922).

**WEBER** (Wilhelm Eduard) ~ *1804, Wittenberg - 1891, Göttingen.* Physicien allemand. Il fit les premières expériences d'interférences (1825), construisit le premier télégraphe électrique avec C. Fr. Gauss (1833), et le premier électrodynamomètre (1846). Il exposa la loi fondamentale sur les forces exercées par les particules électrisées en mouvement (**loi de Weber**, 1846), synthétisant électrostatique et électrodynamique. Il fut avec R. H. Kohlrausch à l'origine de la théorie électromagnétique de la lumière (1855) et publia une théorie du magnétisme moderne (1871). Il a laissé son nom au **weber**.

**WEBERN** (Anton von) ~ *1883, Vienne - 1945, Mittersill.* Compositeur autrichien. Maître du sérialisme, collaborateur de Schönberg et de Berg, membre de l'école de Vienne, il exprima sa sensibilité poétique et religieuse dans des pièces d'une concision adamantine (*Variations pour piano*, 1936). Il ouvrit la voie au nouveau sérialisme.

**WEBSTER** (John) ~ *v. 1580, Londres - v. 1624, id.* Auteur dramatique anglais, célèbre pour ses tragédies fertiles en scènes d'horreur (*le Diable blanc*, 1612 ; *la Duchesse d'Amalfi*, 1623).

**WEBSTER** (Noah) ~ *1758, West Hartford, Connecticut - 1843, New Haven.* Lexicographe américain. Il est l'auteur de l'*American Dictionary of the English Language* (1828), qui est à la base de la langue anglaise parlée et écrite aux États-Unis.

**WEDEKIND** (Frank) ~ *1864, Hanovre - 1918, Munich.* Auteur dramatique allemand. Il fut une figure majeure de l'expressionnisme (*l'Éveil du printemps*, 1891 ; *la Danse de mort*, 1906). Il créa le personnage de *Lulu* qui inspira un opéra à Berg.

**WEDGWOOD** (Josiah) ~ *1730, Burslem, Staffordshire - 1795, Etruria, id.* Céramiste et industriel britannique. Fondateur de la manufacture Etruria de grès vernis et de faïence fine, de style néoclassique (1768), il inventa le pyromètre (1782). Il a donné son nom aux grès ornés de bas-reliefs à l'antique.

**WEENIX**, nom de deux peintres néerlandais. ~ **Jan Baptist** (*1621, Amsterdam - 1663, près d'Utrecht*) peignit des paysages où se mêlent des éléments naturalistes et des décors antiquisants, voire fantastiques. Son fils ~ **Jan** (*v. 1640, Amsterdam - 1719, id*) excella dans la nature morte.

**WEGENER** (Alfred) ~ *1880, Berlin - 1930, au Groenland.* Géophysicien et météorologue allemand. Explorateur du Groenland, il fut le théoricien de la dérive des continents (1915), hypothèse confortée par la découverte de la tectonique des plaques (*la Genèse des continents et des océans*, 1915).

**WEHNELT** (Arthur) ~ *1871, Rio de Janeiro - 1944, Berlin.* Physicien allemand. Il découvrit les capacités thermoélectroniques des oxydes alcalinoterreux et améliora les tubes électroniques avec la cathode à oxydes (1903) et le canon électronique à anode (**cylindre de Wehnelt**).

**Wehrmacht** (la), en fr. « force de défense » ~ Ensemble des forces armées allemandes de 1935 à 1945. Son commandement devint, en 1938, l'équivalent du ministère de la Guerre (*Oberkommando der Wehrmacht*, O. K. W.), dirigé conjointement par Hitler et le maréchal Keitel.

**WEIERSTRASS** (Karl) ~ *1815, Ostenfelde, Westphalie - 1897, Berlin.* Mathématicien allemand. Chef de file de l'école analytique, il développa et renouvela les théories des fonctions analytiques et des fonctions elliptiques qu'il fonda sur l'arithmétique, construisant une fonction continue non dérivable et élaborant une théorie des nombres réels.

**WEIL** (André) ~ *1906, Paris.* Mathématicien français. Théoricien des nombres et de la géométrie algébrique, il est l'un des fondateurs du groupe Bourbaki.

**WEIL** (Simone) ~ *1909, Paris - 1943, Ashford, Kent.* Philosophe française. Élève d'Alain, agrégée de philosophie, elle travailla en usine avant de suivre les Brigades internationales. S'engageant aux côtés des plus faibles, elle enseigna une sagesse par laquelle l'âme se libère de la pesanteur du moi, dans l'amour et la souffrance, l'harmonie entre l'homme et un Dieu sans Église (*la Pesanteur et la Grâce*, 1947 ; *la Condition ouvrière*, 1951).

**WEILL** (Kurt) ~ *1900, Dessau - 1950, New York.* Compositeur américain d'orig. allemande. En collaboration avec Brecht, il créa un théâtre musical (y intégrant chansons populaires et éléments de jazz) d'une féroce ironie sociale (*l'Opéra de quat' sous*, 1928 ; *les Sept Péchés capitaux*, 1933).

**WEIMAR** ~ V. d'Allemagne (Thuringe), centre industriel, univ. et tourist. à l'O. d'Iéna ; 62 000 h. Église (XV^e s.), château du Belvédère et palais du XVIII^e s. Musées d'art et d'histoire. Musées Goethe, Schiller, Liszt. **HIST.** - Capitale du grand-duché de Saxe-Weimar (vers 1572), elle fut le centre de la vie intellectuelle allemande sous le règne de Charles Auguste (1775-1828), qui appela auprès de lui Goethe, Herder et Schiller.

**Weimar (république de)** ~ Nom donné au régime politique allemand de 1919 à 1933. Issue de la proclamation de la république, le 9 novembre 1918, et du vote de la Constitution par l'Assemblée constituante réunie à Weimar le 11 août 1919, elle prit fin avec l'accession de Hitler au pouvoir. Elle fut présidée par le social-démocrate Fr. Ebert (1919-1925), puis par le maréchal Hindenburg (1925-1934).

**WEINBERG** (Steven) ~ *1933, New York.* Physicien américain. Spécialiste de la physique des particules et de la gravitation, il est l'auteur, avec S. Glashow et A. Salam, de la théorie électrofaible, unifiant l'interaction électromagnétique et l'interaction faible (1967). Prix Nobel de phys. 1979.

**WEISMANN** (August) ~ *1834, Francfort-sur-le-Main - 1914, Fribourg-en-Brisgau.* Biologiste allemand. Pionnier des recherches sur l'hérédité par sa prescience du rôle des chromosomes et des gènes (idioplasme), il affirma la continuité de la vie d'une génération à l'autre (plasma germinatif) et nia l'hérédité des caractères acquis.

**WEISS** (Louise) ~ *1893, Arras - 1983, Paris.* Femme politique française. Elle fut une pionnière de la construction de l'Europe et de l'émancipation de la femme. Fondatrice et directrice de *l'Europe nouvelle* (1918-1934), présidente de Femme nouvelle (1934-1939), puis rédactrice en chef du journal clandestin *la Nouvelle République* (1942-1944), elle publia ses *Mémoires d'une Européenne* (1970). Elle fut élue député européen en 1979.

**WEISS** (Peter) ~ *1916, Nowawes, près de Berlin - 1982, Stockholm.* Auteur dramatique suédois d'orig. allemande. Son théâtre politique dénonce l'oppression et réfléchit sur les perspectives révolutionnaires (*Marat-Sade*, 1964).

**WEISS** (Pierre) ~ *1865, Mulhouse - 1940, Lyon.* Physicien français. Auteur des notions d'aimantation spontanée et de champ moléculaire qui expliquent les actions magnétiques mutuelles des atomes, il formula la théorie du ferromagnétisme (1907) et découvrit le phénomène magnétocalorique.

**WEISSHORN** (le) ~ Sommet des Alpes suisses (S. du Valais) ; 4 505 m.

**WEISSMULLER** (Peter John, dit Johnny) ~ *1904, Timişoara - 1984, Acapulco.* Nageur et acteur américain d'orig. roumaine. Il fut médaillé d'or aux jeux Olympiques (1924 et 1928). Au cinéma, il incarna le personnage de Tarzan.

**WEITLING** (Wilhelm) ~ *1808, Magdebourg - 1871, New York.* Révolutionnaire allemand. Il vécut surtout en exil et s'attacha à définir un communisme chrétien qui l'opposa à K. Marx et à Fr. Engels (*l'Évangile d'un pauvre pécheur*, 1845).

**WEIZMANN**, nom de deux hommes d'État israéliens. ~ **Chaïm** (*1874, Motyl, Biélorussie - 1952, Rehovot*), alors chimiste en Grande-Bretagne, aida à la déclaration Balfour (1917). Il fut le premier président de l'État d'Israël (1949-1952). Son neveu ~ **Ezer** (*1924, Haïfa*) a participé aux accords de Camp David (1978). Député (1988), ministre des Sciences (1988-1992), il a été élu président de l'État d'Israël en 1993.

**WEIZSÄCKER** (Richard, baron von) ~ *1920, Stuttgart.* Homme d'État allemand. Député démocrate-chrétien (1973), il a été président de la république fédérale d'Allemagne de 1984 à 1994.

**WELHAVEN** (Johan Sebastian) ~ *1807, Bergen - 1873, Christiania.* Poète norvégien. Il célébra la nature et la mythologie populaire norvégiennes. Favorable à la culture danoise, il s'opposa à son contemporain H. Wergeland (*Crépuscule de la Norvège*, 1834).

**WELLAND (canal)** ~ Canal canadien (Ontario), ouvert en 1829-1833, entre les lacs Érié et Ontario, qui contourne les chutes du Niagara ; 44 km.

**WELLES** (Orson) ~ *1915, Kenosha, Wisconsin - 1985, Los Angeles.* Cinéaste et acteur américain. D'abord connu par le théâtre et la radio, il imposa au cinéma un style particulier. Son premier film (*Citizen Kane*, 1941) fut un coup de maître. Malgré des démêlés constants avec les producteurs, sa carrière de réalisateur fut jalonnée de succès (*la Splendeur des Amberson*, 1942 ; *M. Arkadin*, 1955 ; *la Soif du mal*, 1958 ; *Falstaff*, 1966 ; *Vérités et mensonges*, 1974). Ses prestations d'acteur lui servirent surtout à gagner l'argent nécessaire au financement de nouveaux films.

**WELLESLEY** (Richard Colley **Wellesley**, 1er marquis) ~ *1760, Dangan, comté de Meath, Irlande - 1842, Londres.* Homme politique britannique. Gouverneur général de l'Inde (1797-1805), il y étendit et renforça la domination britannique. Ministre des Affaires étrangères (1809-1812) puis lord-lieutenant d'Irlande (1821-1828, 1833-1834), il chercha à protéger les catholiques irlandais.

**WELLINGTON** ~ Cap. et port de la Nouvelle-Zélande (2e v. du pays), à l'extrémité S. de l'île du Nord, sur le détroit de Cook, au fond d'une baie bien abritée, centre financier, universitaire, commercial et industriel ; 327 000 h. Fondée en 1840, elle devint le siège du gouvernement de la colonie en 1865.

**WELLINGTON** (Arthur **Wellesley**, 1er duc DE) ~ *1769, Dublin - 1852, Walmer Castle, Kent.* Général et homme politique britannique. Il commanda au Portugal et en Espagne, battant les Français à Vitoria (1813). Il envahit le sud de la France et remporta la bataille de Toulouse (1814) puis, vainqueur à Waterloo (1815), il commanda les forces d'occupation en France (1815-1818). Il fut Premier ministre de 1828 à 1830.

**WELLS** (Herbert George) ~ *1866, Bromley, Kent - 1946, Londres.* Écrivain britannique. Auteur de romans d'anticipation (*la Machine à explorer le temps*, 1895 ; *la Guerre des mondes*, 1898), il s'orienta après la Première Guerre mondiale vers une réflexion sur l'avenir de la civilisation moderne.

**WEMYSS** (Rosslyn Erskine, lord **Wester**) ~ *1864, Wemyss Castle, Fifeshire, Écosse - 1933, Cannes.* Amiral britannique. Il signa au nom de la Grande-Bretagne l'armistice du 11 nov. 1918 à Rethondes.

**WENDEL (DE)**, famille de maîtres de forges lorrains originaire de Bruges. ~ **Ignace** (*1741 - 1795*) créa, avec J. Wilkinson, les forges du Creusot, fonderie à l'origine de la métallurgie du Creusot (1785). Ses arrière-petits-fils ~ **Henri** et **Robert** et leur cousin **Théodore de Gargan** acquirent le procédé Thomas (1879) et développèrent au XIXe s. un empire industriel. Lors de la Première Guerre mondiale, les usines situées en territoire allemand furent vendues à un consortium allemand, et, après la Seconde Guerre mondiale, la **société de Wendel & Cie**, devenue société anonyme, prit une place prépondérante dans la production d'acier brut en France.

**WENDERS** (Wim) ~ *1945, Düsseldorf.* Cinéaste allemand. Chroniqueur d'une Allemagne désenchantée (*l'Angoisse du gardien de but au moment du penalty*, 1971 ; *Au fil du temps*, 1976), il a développé les thèmes de l'errance et de la quête spirituelle dans des films symboliques non exempts d'esthétisme (*Alice dans les villes*, 1973 ; *Paris, Texas*, 1984 ; *les Ailes du désir*, 1987).

**WENGEN** ~ Station d'été et de sports d'hiver de Suisse, dans le canton de Berne (Oberland bernois), au N. de la Jungfrau ; 1 200 h.

**WERGELAND** (Henrik) ~ *1808, Kristiansand - 1845, Christiania.* Poète norvégien. Il fut le chef de file des romantiques nationalistes. Volontiers polémique, son œuvre importante fonda la littérature nationale norvégienne (*la Création, l'Homme et le Messie*, 1830).

**WERNER** (Abraham Gottlob) ~ *1750, Wehrau, Saxe - 1817, Dresde.* Minéralogiste et géologue allemand. L'un des fondateurs de la minéralogie et, avec J. Hutton, de la géologie (alors géognosie), il classifia les minéraux et, s'opposant au plutonisme, il soutint le neptunisme, affirmant l'origine marine des roches.

**WERNER** (Alfred) ~ *1866, Mulhouse - 1919, Zurich.* Chimiste suisse. Il étudia les complexes organiques des métaux, en donna les représentations stéréochimiques et en découvrit les capacités optiques, énonçant qu'un atome peut avoir plusieurs valences d'intensité variable (1893). Prix Nobel de chim. 1913.

**WERNER** (Zacharias) ~ *1768, Königsberg - 1823, Vienne.* Écrivain allemand. Après une jeunesse mouvementée, il devint prêtre et laissa une œuvre imprégnée de mysticisme (*le Vingt-Quatre Février*, 1810).

**WERNICKE** (Carl) ~ *1848, Tarnowitz, Silésie - 1905, forêt de Thuringe.* Neurologue et psychiatre allemand. Ses recherches portèrent surtout sur les localisations cérébrales et l'aphasie sensorielle.

**WERTHEIMER** (Max) ~ *1880, Prague - 1943, New Rochelle, près de New York.* Psychologue allemand. Avec Wolfgang Köhler et Kurt Koffka, il est l'un des chefs de file du gestaltisme (*Productive Thinking*, 1945).

**WESER** (la) ~ Fleuve du N.-O. de l'Allemagne, réunion de la Fulda (issue de la forêt de Thuringe) et de la Werra (issue du Rhön), qui arrose Brême et rejoint la mer du Nord, en Frise, par un long estuaire ; 732 km.

**WESLEY** (John) ~ *1703, Epworth, Lincolnshire - 1791, Londres.* Théologien britannique. Il fonda en 1729 le groupe des méthodistes, qui prônait un retour aux sources de la Réforme.

**WESSEX** (le) ~ Royaume saxon (cap. Winchester) fondé au VIe s. Il s'assura la suprématie sur l'Angleterre au IXe s. et lutta contre les Danois.

**WEST** (Morris) ~ *1916, Melbourne.* Écrivain australien. Son œuvre explore les dilemmes humains à travers des personnages aux prises avec le bien et le mal (*l'Avocat du diable*, 1959).

**WESTERWALD** (le) ~ Plateau humide et boisé du Massif schisteux rhénan, à l'E. du Rhin (r. dr.), au N. du Taunus. Élevage. Tourisme.

**WESTINGHOUSE** (George) ~ *1846, Central Bridge, New York - 1914, id.* Inventeur et industriel américain. Il réalisa le premier frein à air comprimé installé sur chemin de fer (1872) et créa la **Westinghouse Electric Corporation** (1886), empire industriel qui s'est mondialement imposé en matière d'énergie électrique, de radio, de télévision et de centrales nucléaires.

**WESTON** (Edward) ~ *1886, Highland Park, Illinois - 1958, Carmel, Californie.* Photographe américain. Dans ses nus ou ses paysages industriels, il associa le souci de la forme à la pureté de la matière. Il fut, avec A. Adams, l'un des fondateurs du Groupe f. 64.

**WESTPHALIE** (la) ~ Région historique du N.-O. de l'Allemagne, aux frontières très mouvantes, intégrée depuis 1946 dans le land de Rhénanie-du-Nord - Westphalie. **HIST.** - Érigée en duché par l'empereur Frédéric Ier Barberousse en 1180, elle fut constituée en royaume en 1807 par Napoléon Ier, qui en confia le trône à son frère Jérôme Bonaparte. Abandonnée aux Alliés après la défaite de Leipzig (1813), elle devint province de la Prusse (congrès de Vienne, 1815), puis forma, avec la Rhénanie-du-Nord, un land de la R. F. A. en 1945. Les deux **traités de Westphalie** de 1648, qui mirent fin à la guerre de Trente Ans, furent signés séparément : l'un à Münster, par les catholiques, l'autre à Osnabrück, par les protestants. La France et l'Espagne poursuivirent leur lutte jusqu'au traité des Pyrénées de 1659. La division religieuse de l'Allemagne fut maintenue, et les pouvoirs de l'Empereur, affaiblis. Les Provinces-Unies et la Suisse acquirent leur indépendance, la France récupéra la majeure partie de l'Alsace, et la Suède conserva les conquêtes de Gustave II Adolphe.

**West Point** ~ Terrain militaire des États-Unis (État de New York). Son nom désigne couramment l'académie militaire (fondée en 1802) qui y est située, destinée à former les officiers des armées de terre et de l'air.

**WEYGAND** (Maxime) ~ *1867, Bruxelles - 1965, Paris.* Général français. Chef d'état-major de Foch (1914-1923), il conseilla les Polonais lors de la guerre polono-soviétique de 1920. Chef de l'armée française en mai 1940, il recommanda l'armistice. Ministre de la Défense nationale (juin-sept. 1940), nommé par le maréchal Pétain délégué général en Afrique du Nord en 1940, il fut rappelé en 1941, arrêté par la Gestapo en 1942 et interné en Allemagne. Traduit en Haute Cour de justice à la Libération, il bénéficia d'un non-lieu en 1948 (*Histoire de l'armée française*, 1938). Acad.

**WEYMOUTH** ~ Station baln. et port d'Angleterre (Dorset), sur la Manche ; agglom. 60 000 h. Liaisons maritimes avec les îles Anglo-Normandes.

**WHARTON** (Edith) ~ *1862, New York - 1937, Saint-Brice-sous-Forêt, Val-d'Oise.* Romancière américaine. Elle fit le portrait minutieux, brillant et plein d'ironie de la haute société new-yorkaise dont elle était issue (*le Temps de l'innocence*, 1920).

**WHEATSTONE** (sir Charles) ~ *1802, Gloucester - 1875, Paris.* Physicien britannique. Il inventa le télégraphe électrique à cadran avec sir William Cooke (1837), le stéréoscope (1938) et un appareil de mesure des résistances électriques (**pont de Wheatstone**, 1844). Il imagina l'utilisation de relais en télégraphie et fit les premiers essais de télégraphie par câble sous-marin (1840).

**WHEELER** (sir Robert Eric Mortimer) ~ *1890, Édimbourg - 1976, Leatherhead.* Archéologue britannique. Il conçut une méthode de fouilles fondée sur le relevé stratigraphique complet du site étudié.

**WHIPPLE** (George Hoyt) ~ *1878, Ashland, New Hampshire - 1976, Rochester.* Médecin américain. Auteur de recherches sur les anémies, il introduisit une thérapeutique fondée sur l'ingestion d'extraits hépatiques (**méthode de Whipple**, 1920). Prix Nobel de physiol. ou méd. 1934.

**WHISTLER** (James Abbott **McNeill**) ~ *1834, Lowell, Massachusetts - 1903, Londres.* Peintre et graveur américain. D'abord influencé par Courbet et Manet, mais aussi par les préraphaélites et les impressionnistes, il trouva son propre style en cultivant un pur esthétisme visuel (*la Jeune Fille en blanc*, 1862).

**WHITE** (Kenneth) ~ *1936, Glasgow.* Écrivain britannique. Ses romans et ses poèmes exaltent le retour à la nature et la connaissance de soi (*les Limbes incandescents*, 1976 ; *Terre de diamant*, 1977) et illustrent une théorie personnelle du nomadisme en littérature.

**WHITE** (Patrick) ~ *1912, Londres - 1990, Sydney.* Écrivain australien. Il fit de la nature de son pays le cadre d'une œuvre romanesque puissamment épique (*Des morts et des vivants*, 1941 ; *l'Œil du cyclone*, 1973). Prix Nobel de litt. 1973.

**WHITEHEAD** (Alfred North) ~ *1861, Ramsgate, Kent - 1947, Cambridge, Massachusetts.* Philosophe et logicien britannique. Avec B. Russell, il est l'auteur de la théorie des types, qui révolutionna la logique mathématique. Ses positions philosophiques offrent un mélange de réalisme et de nominalisme (*Principia mathematica*, en collaboration avec B. Russell, 1910-1913).

**WHITEHEAD** (Robert) ~ *1823, Bolton-Le-Moors, Lancashire - 1905, Beckett Park, Berkshire.* Ingénieur britannique. Spécialiste de constructions navales, il mit au point les torpilles automobiles (1867), perfectionnées par un servomoteur (1876).

**WHITEHORSE** ~ V. du Grand Nord canadien, cap. du Yukon, à l'E. des Coast Ranges, carrefour routier et ferroviaire ; 23 000 h. Tourisme.

**WHITMAN** (Walter, dit Walt) ~ *1819, West Hills, Long Island - 1892, Camden, New Jersey.* Poète et journaliste américain. Il ne cessa d'enrichir son

*Walt* **Whitman.**

chef-d'œuvre *Feuilles d'herbes* (1855-1892), quintessence du lyrisme populaire américain. Il incarne l'art poétique des États-Unis.

**WHITNEY (mont)** ~ Point culminant des États-Unis (Alaska exclu), dans la sierra Nevada (Californie) ; 4 418 m.

**WHITNEY** (William Dwight) ~ *1827, Northampton, Massachusetts - 1894, New Haven, Connecticut.* Linguiste américain. Auteur d'une grammaire du sanskrit et de travaux lexicographiques, il mena une réflexion sur la spécificité des langues naturelles (*Language and its Study*, 1876) qui influença la pensée de F. de Saussure et la linguistique moderne.

**WHITTLE** (sir Frank) ~ *1907, Coventry.* Ingénieur britannique. Il fit breveter le premier turboréacteur en 1930. Le premier avion équipé de ce moteur, réalisé par Rolls-Royce, vola le 15 mai 1941.

**WHITWORTH** (sir Joseph) ~ *1803, Stockport, Cheshire - 1887, Monte-Carlo.* Ingénieur et industriel britannique. Créateur d'une manufacture de machines-outils (1833), il introduisit un système uniforme de filetage pour les vis (1841) et remplaça le marteau par la presse hydraulique pour le forgeage de l'acier (1870).

**WHORF** (Benjamin Lee) ~ *1897, Winthrop, Massachusetts - 1941, Wethersfield, Connecticut.* Linguiste américain. Il étudia la question de la représentation à travers la structure du vocabulaire et de la syntaxe (*Language, Thought and Reality*, posth., 1956).

**WHYMPER** (Edward) ~ *1840, Londres - 1911, Chamonix.* Alpiniste britannique. Il fut le premier à escalader le Cervin (1865).

**WICHITA** ~ V. industrielle du Kansas (États-Unis), marché agricole, sur l'Arkansas ; 304 000 h. (agglom. 485 000 h.). Université. Agroalimentaire, pétrochimie, aéronautique.

**WICKSELL** (Knut) ~ *1859, Stockholm - 1926, Stocksund, près de Stockholm.* Économiste suédois. Dans la ligne des théories marginalistes, il étudia l'instabilité des prix, remettant partiellement en cause le principe d'équilibre général (*Cours d'économie sur la base du principe marginal*, 1901).

**WIDAL** (Fernand) ~ *1862, Dellys, auj. Delles, Algérie - 1929, Paris.* Médecin français. Il établit le sérodiagnostic de la fièvre typhoïde (en élaborant un vaccin avec A. Chantemesse, 1889) et fonda le pronostic des maladies du rein, dont celui des néphrites (**lois de Widal**).

**WIDOR** (Charles-Marie) ~ *1844, Lyon - 1937, Paris.* Compositeur et organiste français. Il marqua l'évolution de l'orgue français moderne, pour lequel il écrivit dix symphonies d'une grande richesse architectonique et décorative.

**WIECHERT** (Ernst Emil) ~ *1887, Kleinort, Prusse-Orientale - 1950, Uerikon, canton de Zurich.* Écrivain allemand. Ses romans s'inspirent d'une communion mystique avec le paysage de sa terre natale (*les Enfants Jéromine*, 1945-1947). Il fut interné à Buchenwald pour son opposition au nazisme (*le Bois des morts*, 1945).

**WIELAND** (Christoph Martin) ~ *1733, Oberholzheim, Wurtemberg - 1813, Weimar.* Écrivain et poète allemand. Surnommé le Voltaire allemand pour ses contes moralistes, il fut la référence des lettres allemandes de son temps (*Agathon*, 1766 ; *le Miroir doré*, 1769).

**WIEN** (Wilhelm) ~ *1864, Gaffken, Prusse-Orientale - 1928, Munich.* Physicien allemand. Étudiant les rayons canaux (ou rayons positifs) dans les tubes à décharge, il découvrit leur masse et émit la loi relative au maximum d'émission du corps noir à une température donnée (**loi du déplacement de Wien**, 1893). Prix Nobel de phys. 1911.

**WIENE** (Robert) ~ *1881, Sasku, Saxe - 1938, Paris.* Cinéaste allemand. Son *Cabinet du docteur Caligari* (1919) marqua l'apothéose du cinéma expressionniste. [☞ **expressionnisme**.]

**WIÉNER** (Jean) ~ *1896, Paris - 1982, id.* Compositeur et pianiste français. Influencé par le jazz, il écrivit pour le cinéma des centaines de partitions d'inspiration populaire (*Touchez pas au grisbi*, de J. Becker, 1954).

**WIENER** (Norbert) ~ *1894, Columbia, Missouri - 1964, Stockholm.* Mathématicien américain. Fondateur de la cybernétique, il utilisa les méthodes aléatoires pour expliquer la transmission des messages et la communication (*Cybernetics, or Control and Communication in the Man and the Machine*, 1948). Il analysa le mouvement brownien et généralisa l'analyse harmonique aux phénomènes physiques.

**WIERTZ** (Antoine) ~ *1806, Dinant - 1865, Bruxelles.* Peintre belge. Il illustra les thèmes romantiques, parfois avec une certaine grandiloquence (*la Belle Rosine*, v. 1847).

**WIESBADEN** ~ V. d'Allemagne, cap. du land de Hesse, au pied du Taunus ; 266 000 h. Industrie du cinéma, édition. Station thermale depuis l'époque romaine, centre de conférences. Festival international de théâtre. **HIST.** - Wiesbaden fut la capitale du duché de Nassau (1809), puis passa à la Prusse (1866). Elle abrita l'administration alliée durant l'occupation de la Rhénanie (1919-1930).

**WIESEL** (Elie) ~ *1928, Sighet, Roumanie.* Écrivain américain d'expression française. Survivant de l'Holocauste, il témoigne du martyre du peuple juif à travers une œuvre sous-tendue par la mémoire du génocide (*le Mendiant de Jérusalem*, 1968). Prix Nobel de la paix 1986.

**WIGHT (île de)** ~ Île de la Manche, au climat ensoleillé, séparée de la côte S. de l'Angleterre (Hampshire) par le détroit du Solent et formant un comté (ch.-l. Newport) ; 380 km², 125 000 h. Production de primeurs. Tourisme baln. et nautisme.

**WIGMAN** (Marie **Wiegmann**, dite Mary) ~ *1886, Hanovre - 1973, Berlin.* Danseuse, chorégraphe et pédagogue allemande. Formée chez R. von Laban et Jacques-Dalcroze, grande soliste, elle reste, avec K. Jooss, le précurseur de la danse expressionniste allemande (*Hexentanz*, 1914 ; *Totentanz II*, 1928).

**WILD** (Heinrich) ~ *1877, Bilten - 1951, Baden.* Ingénieur suisse. Il mit au point les instruments modernes de géodésie et de photogrammétrie.

**WILDE** (Oscar Fingal **O'Flahertie Wills**, dit Oscar) ~ *1854, Dublin - 1900, Paris.* Écrivain et auteur dramatique britannique d'orig. irlandaise. Poète et dandy, portraitiste intransigeant de la haute société victorienne, il connut un énorme succès en Angleterre (*le Portrait de Dorian Gray*, 1891 ; *De l'importance d'être constant*, 1895). Il fut emprisonné en 1895 pour crime d'homosexualité (*Ballade de la geôle de Reading*, 1898). Il finit sa vie en France dans une grande misère.

**WILDER** (Samuel, dit Billy) ~ *1906, Vienne.* Cinéaste américain d'orig. autrichienne. Auteur de comédies et de films policiers caustiques (*Assurance sur la mort*, 1944 ; *Sept Ans de réflexion*, 1955), il a tracé, avec *Boulevard du crépuscule* (1950), un portrait féroce de Hollywood.

**WILDER** (Thornton Niven) ~ *1897, Madison, Wisconsin - 1975, Hamden, Connecticut.* Écrivain et dramaturge américain. Ses romans et ses pièces humanistes explorent la signification de l'existence (*Notre petite ville*, 1939).

**WILHELMINE** ~ *1880, La Haye - 1962, château de Het Loo, près d'Apeldoorn.* Reine des Pays-Bas (1890-1948), fille de Guillaume III. Sa mère assuma la régence jusqu'en 1898. Pendant la Première Guerre mondiale, Wilhelmine resta neutre, mais pendant la Seconde Guerre mondiale, elle dut s'exiler en Angleterre, après l'invasion allemande (1940-1945). Elle abdiqua en faveur de sa fille Juliana en 1948.

**WILHELMSHAVEN** ~ Port pétrolier d'Allemagne (Basse-Saxe), sur la mer du Nord (Frise orientale) ; 92 000 h. Institut Max-Planck. Raffinage, chantiers navals, textile, oléoducs vers Hambourg et Cologne. Port militaire jusqu'en 1945.

**WILKES** (Charles) ~ *1798, New York - 1877, Washington.* Amiral américain. Explorateur des terres antarctiques (1838-1842), il découvrit la **terre de Wilkes**, qu'il décrivit dans *Narrative of the U. S. Exploring Expedition* (1845). La guerre de Sécession lui valut d'être promu contre-amiral.

**WILKES** (John) ~ *1725, Londres - 1797, id.* Homme politique britannique. Il s'attaqua à la politique menée par George III et ses ministres tories. Condamné et banni en 1763 par les Communes, il revint en 1768 et fut élu lord-maire de la Cité de Londres (1774).

**WILKINS** (sir George Hubert) ~ *1888, Mount Bryan, Australie - 1958, Framingham, Massachusetts.* Explorateur australien. Il participa à des expéditions dans l'Arctique (1913-1931) et à des raids aériens au-dessus de l'Antarctique (1920-1929), dont il donna une description géographique.

**WILKINS** (Maurice Hugh Frederick) ~ *1916, Pongaroa, Nouvelle-Zélande.* Biophysicien britannique. Spécialiste de la cristallographie, il contribua, par ses expériences de diffraction des rayons X, aux découvertes de Fr. Crick et J. Watson sur la structure de l'A. D. N. Prix Nobel de physiol. ou méd. 1962.

**WILKINSON** (Geoffrey) ~ *1921, Tormorden, Yorkshire.* Chimiste britannique. Il a étudié, indépendamment d'Ernst Fischer, les phénomènes de catalyse et les composés organométalliques à structure en sandwich. Prix Nobel de chim. 1973.

**WILKINSON** (John) ~ *1728, Clifton, Cumberland - 1808, Bradley, Staffordshire.* Industriel britannique. Maître de forges, constructeur du premier haut fourneau (1748), du premier pont en fonte (1776) et du premier navire en fer (1787), il créa les forges du Creusot (1785) avec J. de Wendel. Il inventa une machine à forer (1774), un tour à fileter et fabriqua les tuyaux en fonte des canalisations d'eau de Paris.

**WILLAERT** (Adriaan) ~ *v. 1485, Bruges ou Roulers - 1562, Venise.* Compositeur flamand. Maître de chapelle à Venise (1527), il y fonda l'école vénitienne de composition. Madrigaux, ricercari et motets constituent l'essentiel de son œuvre.

**WILLEMSTAD** ~ Port franc de l'île de Curaçao, cap. des Antilles néerlandaises ; 44 000 h. Raff. de pétrole. Tourisme.

**WILLENDORF** ~ V. d'Autriche (Basse-Autriche), au S.-O. de Krems. Une statuette féminine en calcaire dite **Vénus de Willendorf** y fut découverte (1908) dans un foyer gravettien (29000-17000 av. J.-C.) du Paléolithique supérieur.

**WILLIAMS** (Thomas **Lanier Williams**, dit, après 1939, Tennessee) ~ *1911, Columbus, Mississippi - 1983, New York.* Écrivain et auteur dramatique américain. Romancier du Sud et dramaturge de la différence, il est l'auteur d'œuvres, souvent portées à l'écran, où se révèle avec violence la souffrance des marginaux face au conformisme américain (*Un tramway nommé désir*, 1947).

© F.P.G. Int.-Explorer

*Tennessee* ***Williams.***

**WILLIBRORD** ou **WILLIBROD** (saint) ~ *658, en Northumbrie - 739, Echternach, Luxembourg.* Moine anglais. Disciple de saint Wilfrid, il évangélisa la Frise, la Flandre, le Luxembourg et devint archevêque d'Utrecht (695-696).

**WILLOUGHBY** (sir Hugh) ~ *Risley - 1554, presqu'île de Kola.* Navigateur anglais. Ses recherches du passage du Nord-Est (1553) l'amenèrent dans l'océan Arctique.

**WILSON** (Charles Thomson Rees) ~ *1869, Glencorse, Écosse - 1959, Carlops, Borders.* Physicien britannique. Spécialiste de météorologie, il inventa une chambre à condensation pour visualiser la trajectoire des particules électrisées (chambre à brouillard ou **chambre de Wilson**, 1912). Prix Nobel de phys. 1927.

**WILSON** (Colin) ~ *1931, Leicester.* Écrivain britannique, l'un des chefs de file des Jeunes Gens en colère (*Homme en dehors*, 1956).

**WILSON** (sir Frank **Johnstone**, dit Angus) ~ *1913, Bexhill, Sussex - 1991, Bury Saint Edmunds, Suffolk.* Auteur dramatique et romancier britannique. Il composa des satires romanesques et théâtrales, qui attaquent avec une ironie mordante la bourgeoisie intellectuelle (*les Quarante Ans de Mrs. Eliot*, 1958 ; *Embraser le monde*, 1980).

**WILSON** (sir Harold) ~ *1916, Huddersfield - 1995, Londres.* Homme politique britannique. Chef du parti travailliste en 1963, il fut deux fois Premier ministre (1964-1970 et 1974-1976).

**WILSON** (sir Henry Hughes) ~ *1864, Edgeworthstown, Irlande - 1922, Londres.* Maréchal britannique. Collaborateur de Foch pendant la Première Guerre mondiale, puis député unioniste de l'Ulster, il fut assassiné par des nationalistes irlandais.

**WILSON** (Henry Maitland, baron) ~ *1881, Stowlangtoft Hall, Suffolk - 1964, près d'Aylesbury, Buckinghamshire.* Maréchal britannique. Commandant des forces britanniques en Grèce (1941) puis au Moyen-Orient (1943), il reçut en 1944 le commandement allié en Méditerranée.

**WILSON** (Kenneth Geddes) ~ *1936, Waltham.* Physicien américain. Il a étudié les propriétés de la matière au voisinage du point critique par la méthode de moyenne statistique (dite du groupe de renormalisation). Prix Nobel de phys. 1982.

**WILSON** (Robert) ~ *1936, Houston.* Astrophysicien américain. Il découvrit, avec A. Penzias, un fond de radiation de micro-ondes cosmiques (1965). Prix Nobel de phys. 1978.

**WILSON** (Robert, dit Bob) ~ *1941, Waco, Texas.* Metteur en scène américain. Ancien muet, il est le créateur de mises en scène d'avant-garde où priment la gestuelle et la dérision (*Einstein on the Beach*, 1976).

**WILSON** (Thomas Woodrow) ~ *1856, Staunton, Virginie - 1924, Washington.* Homme d'État américain. Démocrate, il fut élu à la Maison-Blanche en 1912 et réélu en 1916. Après avoir déclaré la guerre aux empires centraux (avril 1917), il exposa ses « quatorze points », qui défendaient le principe des nationalités et proposaient la création d'une Société des Nations (S. D. N.) chargée de préserver la paix. Présent à la conférence de la Paix (Paris, 1919), il fit approuver une partie de son programme. Mais l'opinion américaine ne le suivit pas, et ni le traité de Versailles ni le pacte fondateur de la S. D. N. ne furent ratifiés par le Congrès américain. Sous son deuxième mandat fut votée la loi de prohibition (1919), et les femmes obtinrent le droit de vote (1920). Prix Nobel de la paix 1919.

**WILTSHIRE** (le) ~ Comté agricole du S. de l'Angleterre, région de collines crayeuses et de plaines (Salisbury) ; 3 476 km², 564 000 h., v. princ. Trowbridge (ch.-l.), Salisbury. Tourisme (site néolithique de Stonehenge).

**WIMPFFEN**, nom de deux généraux français. ~ **Félix**, baron DE (*1744, Minfeld - 1814, Bayeux*), défendit Thionville contre les Autrichiens (1792). En juin 1793, partisan des Girondins, il prit le commandement de la rébellion fédéraliste en Normandie. Son petit-fils ~ **Emmanuel-Félix** (*1811, Laon - 1884, Paris*) commanda l'armée française à Sedan, avant sa reddition (1870).

**WINCHESTER** ~ V. résidentielle d'Angleterre et marché agricole, au S.-O. de Londres, ch.-l. du Hampshire ; 31 000 h. Collège fondé en 1382. Grande cathédrale (XIe-XIVe s., long. 169 m). Palais épiscopal (XIIe s.). **HIST.** - Capitale (sous le nom de Winterceaster) du royaume de Wessex (VIe s.) puis de toute l'Angleterre (fin du IXe s.), Winchester accueillit les sacres des rois normands puis déclina au XVe s., supplantée par Londres.

**WINCKELMANN** (Johann Joachim) ~ *1717, Stendal, Brandebourg - 1768, Trieste.* Archéologue allemand. Ses *Réflexions*, sur les origines et la décadence de l'art grec, exercèrent une influence profonde sur la pensée allemande, de Goethe à Nietzsche. Elles ouvrirent la voie au néoclassicisme en littérature et dans les arts (*Histoire de l'art de l'Antiquité*, 1764).

**WINDHOEK** ~ Cap. de la Namibie, sur les hauts plateaux du centre du pays, à 1 650 m d'alt., centre commercial et de communications ; 125 000 h. Traitement des peaux (karakul), agroalimentaire.

**WINDSOR** ~ Nom porté depuis 1917 par la famille royale britannique, descendant de Victoria Ire et d'Albert de Saxe-Cobourg-Gotha.

**WINDSOR** ou **NEW WINDSOR** ~ V. d'Angleterre (Berkshire), sur la Tamise, dans l'E. de l'agglom. de Londres ; agglom. env. 30 000 h. Important château royal construit par Guillaume le Conquérant au XIe s., remanié du XIIe au XIXe s., en partie détruit par un incendie en 1992, avec plusieurs des œuvres d'art qu'il abritait.

**WINDSOR** ~ Port industriel du Canada (Ontario), sur la riv. de Detroit ; 191 000 h. Université. Agroalim. (brasseries, distilleries), constr. mécan., produits pharmaceutiques, chimie.

**WINNICOTT** (Donald Woods) ~ *1896, Plymouth - 1971, Londres.* Pédiatre et psychanalyste britannique. Il établit le lien fusionnel qui unit le nourrisson et sa mère, et l'élaboration de l'individualité de l'enfant grâce aux objets transitionnels qui lui serviront de substitution (*Jeu et Réalité : l'espace potentiel*, 1975).

**WINNIPEG (lac)** ~ Grand lac du Canada (Manitoba), relié à la baie d'Hudson par le Nelson ; 24 500 km². Hydroélectricité, pêcheries.

**WINNIPEG** ~ V. du Canada (S. de la Prairie), cap. du Manitoba, centre comm. et financier (Bourse du blé), carrefour de communications, sur l'Assiniboine ; agglom. 652 000 h. Industries agroalim., text., machines agricoles. **HIST.** - Fondée en 1875, Winnipeg est la plus anc. ville de l'O. du Canada.

**WINSTON-SALEM** ~ V. de l'E. des États-Unis (Caroline du Nord) ; 144 000 h., dont Noirs (env. 39 %). Grand centre de l'industrie du tabac.

**WINTERHALTER** (Franz Xaver) ~ *1805, Menzenschwand, Forêt-Noire - 1873, Francfort-sur-le-Main.* Peintre allemand. Apprécié de l'aristocratie européenne, il fut le portraitiste des cours d'Angleterre et d'Autriche, et celui de Napoléon III.

© Lauros-Giraudon

L'Impératrice Eugénie et ses dames d'honneur (*1855 ; détail : à droite, la duchesse de Bassaro*), *peinture de Franz Xaver* ***Winterhalter****. Musée national, Compiègne.*

**WINTERTHUR** ~ V. de Suisse (canton de Zurich), centre industriel majeur ; agglom. 109 000 h. Métallurgie, constr. mécaniques, agroalim., textile. Musées des Beaux-Arts (peintures du XVIIIe-XXe s.).

**WISCONSIN** (le) ~ Rivière des États-Unis (Wisconsin), affluent du Mississippi (r. g.) ; 690 km.

**WISCONSIN** (le) ~ État du N. des États-Unis, baigné par les lacs Supérieur et Michigan, plateau boisé au N., cultivé au S. ; 145 439 km², 5 061 000 h., cap. Madison. 1er producteur de lait de l'Union, exploitation intensive du bois. Industries (papier, agroalim., montage autom., machines agric.) concentrées dans le S.-E. (Milwaukee). **HIST.** - Colonisé par les Français, le Wisconsin fut cédé à la Grande-Bretagne en 1763. Il devint le 30e État de l'Union en 1848.

**WISE** (Robert) ~ *1914, Winchester.* Cinéaste américain. Remarquable technicien, il a abordé divers genres cinématographiques (*Nous avons gagné ce soir*, 1949 ; *West Side Story*, 1961 ; *Star Trek*, 1979).

**WISEMAN** (Nicholas Patrick) ~ *1802, Séville - 1865, Londres.* Prélat catholique britannique. Il favorisa le mouvement d'Oxford et obtint la conversion du théologien anglican J. H. Newman. Archevêque de Westminster et cardinal (1850), il écrivit un roman historique (*Fabiola*, 1854).

**Wisigoths** ou **Visigoths** (les) ~ Goths occidentaux, dits sages ou vaillants, convertis à l'arianisme par Ulfila. Les Romains tentèrent de les intégrer à l'empire. Alliés des Ostrogoths et des Alains, ils vainquirent Valens à Andrinople (378). Détournés vers l'Italie par Arcadius, ils prirent Rome (410). Établis en Aquitaine (418), ils s'étendirent en Espagne (412-476). Vaincus à Vouillé par Clovis (507) et évincés de Gaule, ils durent résister à Justinien Ier. Le roi Léovigild conquit le royaume suève (585), puis son fils, Reccared Ier, se convertit au catholicisme (589), permettant la fusion des Goths et des Hispano-Romains. Affaiblie par les dissensions politiques, l'Espagne fut conquise par les musulmans de Tariq ibn Ziyad (711-714).

**WISMAR** ~ Port du N.-E. de l'Allemagne (Mecklembourg - Poméranie-Antérieure) ; 57 000 h. Constr. navales et mécaniques. **HIST.** - Anc. ville hanséatique, remise par le traité de Westphalie à la Suède (1648), Wismar fut vendue au grand-duché de Mecklembourg (1803).

**WISSEMBOURG** ~ V. du Bas-Rhin, sur la Lauter, près de la frontière allemande ; 7 443 h. Église romane et gothique (XIIIe-XIVe s.). Vestiges d'enceintes médiévales et de remparts du XVIIIe s. Maisons anciennes. Musée. **HIST.** - Wissembourg fut le théâtre de la première bataille de la guerre franco-allemande (4 août 1870), qui vit l'armée française de Mac-Mahon battre en retraite devant les troupes prussiennes.

**WITKIEWICZ** (Stanisław Ignacy), dit **Witkacy** ~ *1885, Varsovie - 1939, Jeziory, Volhynie.* Écrivain et peintre polonais. Dans son théâtre comme dans ses romans philosophiques (*l'Inassouvissement*, 1930), il se fit avec humour et férocité l'interprète du catastrophisme. Il se suicida.

**WITT** (Johan ou Jan, en fr. Jean DE) ~ *1625, Dordrecht - 1672, La Haye.* Homme d'État hollandais. Pensionnaire de Hollande en 1653, il conclut la paix avec l'Angleterre (1654) et fit adopter l'Acte d'exclusion qui écartait les Orange en abolissant la charge de stathouder (1657). Il dut céder à l'Angleterre La Nouvelle-Amsterdam en Amérique du Nord (traité de Breda, 1667). Lors de la guerre de Hollande, la population de La Haye le rendit responsable de l'invasion française, et, favorable à Guillaume III d'Orange, elle le massacra avec son frère **Cornelis** (*1623 - 1672*).

**WITTE** ou **VITTE** (Sergueï Ioulievitch, comte) ~ *1849, Tiflis - 1915, Petrograd.* Homme politique russe. Plusieurs fois ministre sous Alexandre III et Nicolas II, il eut une action déterminante aux Finances (1892-1903) dans le processus d'industrialisation par l'appel aux capitaux étrangers. Président du Conseil (1905), il eut à réprimer les troubles et fut disgracié en 1906.

**WITTELSBACH** ~ Famille princière allemande. Elle régna sur la Bavière de 1180 à 1918.

**WITTELSHEIM** ~ V. du Haut-Rhin, au N.-O. de Mulhouse ; 10 452 h. Potasse.

**WITTENBERG** ~ V. de l'E. de l'Allemagne (Saxe-Anhalt), sur l'Elbe ; 54 000 h. Industrie chim. (engrais). Luther y vécut et y enseigna. Ses 95 thèses furent affichées sur les portes de l'église du château, ce qui marqua le début de la Réforme (1517).

© O. Schus-Explorer

*Wittenberg.*

**WITTGENSTEIN** (Ludwig) ~ *1889, Vienne - 1951, Cambridge, Angleterre.* Philosophe britannique d'orig. autrichienne. Issu de la grande bourgeoisie, il s'intéressa très tôt aux fondements des mathématiques, rencontra G. Frege puis B. Russell, et inaugura une réflexion qui aboutit au *Tractatus logico-philosophicus* (1921), ouvrage qui marqua le cercle de Vienne. Selon lui, le seul usage correct du langage est d'exprimer les faits de ce monde, la logique contenant les règles a priori du langage, le sens éthique et esthétique du monde relevant de l'indicible. Ces affirmations évoluèrent en un questionnement, les *Investigations philosophiques* (posth., 1953), analyse du langage ordinaire par la méthode des jeux de langage, dont l'influence fut décisive pour la philosophie analytique.

**WITWATERSRAND** ou **RAND** (le) ~ Région industrielle et minière (or, uranium) d'Afrique du Sud (Transvaal), centrée sur Johannesburg. Sources du Vaal et du Limpopo (haut Veld).

**WITZ** (Konrad) ~ *v. 1405, Rottweil - v. 1445, Bâle ou Genève.* Peintre originaire de Souabe. Auteur de retables (*Miroir du salut*, v. 1434-1436), il mêla influences flamande et bourguignonne. Son style culmina dans *la Pêche miraculeuse*, paysage monumental et réaliste.

**WOËVRE** (la) ~ Région argileuse de Lorraine, entre la Moselle et la Meuse. Forêts, céréales.

**WÖHLER** (Friedrich) ~ *1800, Eschersheim, près de Francfort-sur-le-Main - 1882, Göttingen.* Chimiste allemand. Auteur de la première synthèse organique, celle de l'urée (1828), il infirma les thèses vitalistes. Il isola l'aluminium (1827) et le béryllium (1828), prépara l'acétylène par action de l'eau sur le carbone de calcium (1862), découvrit l'isomérie et, avec J. Liebig, les radicaux libres.

**WOIPPY** ~ V. de la banlieue N.-O. de Metz (Moselle) ; 14 325 h. Cultures de fraises. Métall., électroménager. Maisons anciennes, château (XIII^e^-XVI^e^ s.).

**WOLF** (Christa) ~ *1929, Landsberg.* Romancière allemande. Sur fond de la vie politique et intellectuelle de l'Allemagne de l'Est, ses romans dénoncent l'oppression de l'individu (*Cassandre*, 1983).

**WOLF** (Hugo) ~ *1860, Windischgraz, auj. Slovenj Gradec, Slovénie - 1903, Vienne.* Compositeur autrichien. Il est l'un des maîtres du lied postromantique (*Italienisches Liederbuch*, 1892-1896).

**WOLFE** (James) ~ *1727, Westerham, Kent - 1759, Québec.* Général britannique. Il battit Montcalm devant Québec (bataille des plaines d'Abraham, 1759), mais fut mortellement blessé.

**WOLFE** (Thomas Clayton) ~ *1900, Asheville, Caroline du Nord - 1938, Baltimore, Maryland.* Écrivain américain. Il composa une chronique à tendance autobiographique de la vie américaine (*Que l'ange regarde de ce côté*, 1929).

**WOLFE** (Thomas **Kennerley Jr.**, dit Tom) ~ *1931, Richmond.* Écrivain et journaliste américain. Initiateur du « nouveau journalisme », il est un brillant analyste des groupes sociaux américains (*l'Étoffe des héros*, 1979 ; *le Bûcher des vanités*, 1987).

**WOLFF** ou **WOLF** (Christian, baron VON) ~ *1679, Breslau - 1754, Halle.* Mathématicien et philosophe allemand. Auteur de la *Philosophie première* (1729), disciple de Leibniz, il marqua le XVIII^e^ s. et l'Aufklärung par son rationalisme dogmatique. Il fut critiqué par Kant.

**WOLFF** (Étienne) ~ *1904, Auxerre - 1996, Paris.* Biologiste français. Auteur de travaux de cancérologie et de cultures in vitro de tissus animaux, il est une figure marquante de la tératologie et de l'embryologie expérimentales. Acad.

**WÖLFFLIN** (Heinrich) ~ *1864, Winterthur - 1945, Zurich.* Historien d'art suisse. Par ses *Principes fondamentaux de l'histoire de l'art* (1915), il institua une classification universelle entre Renaissance et baroque, selon des caractères généraux indépendants des personnalités des artistes.

**WOLFRAM VON ESCHENBACH** ~ *v. 1170, Eschenbach, Franconie - v. 1220, id.* Poète allemand. Ses poèmes épiques sont des chefs-d'œuvre de la poésie courtoise (*Parzival ; Titurel*).

**WOLFSBURG** ~ V. d'Allemagne (Basse-Saxe), construite au N.-E. de Brunswick en 1938, 1^er^ site de fabrication des autom. Volkswagen ; 129 000 h.

**WOLLASTON** (William Hyde) ~ *1766, East Dereham, Norfolk - 1828, Londres.* Physicien et chimiste britannique. Il découvrit la polarisation des piles (1802) et la cystine (1810), isola le palladium et le rhodium (1803), et conçut un goniomètre (1809).

**WOLLIASTON** (Elsa) ~ *1943, au Kenya.* Danseuse, chorégraphe et pédagogue américaine. Installée en France depuis 1969, elle a travaillé not. avec Yano au sein du groupe Mâ. Grâce à son enseignement très personnel de la danse africaine, elle a participé à l'épanouissement de la danse française des années 1980 (*Rituels*, 1980-1981).

**WOLLONGONG**, anc. **Greater Wollongong** ~ V. industrielle et minière (charbon) d'Australie (Nouvelle-Galles du Sud), au S. de Sydney ; conurbation d'env. 250 000 h. Université. Fonderies (or, argent, cuivre), chimie, aciéries.

**Wolofs** (les) ~ Voir **Ouolofs**.

**WOLS** (Wolfgang **Schulze**, dit) ~ *1913, Berlin - 1951, Paris.* Peintre et dessinateur allemand. Son univers de signes, de taches et de figures microscopiques a marqué l'art informel.

**WOLSELEY** (sir Garnet Joseph, vicomte) ~ *1833, Golden Bridge, comté de Dublin - 1913, Menton.* Maréchal britannique. Il conduisit de nombreuses campagnes coloniales (Transvaal, 1879 ; Égypte, 1884) et fut commandant en chef de l'armée britannique (1895-1901).

**WOLSEY** (Thomas) ~ *v. 1475, Ipswich - 1530, Leicester.* Prélat et homme politique anglais. Archevêque d'York (1514), cardinal et lord-chancelier (1515), il géra la politique du royaume d'Henri VIII jusqu'en 1529 mais ne put obtenir l'assentiment du pape au sujet du divorce du roi.

**WOLUWE-SAINT-LAMBERT**, en néerl. ***Sint-Lambrechts-Woluwe*** ~ V. de Belgique (Région de Bruxelles-Capitale), dans l'agglom. de Bruxelles ; 48 000 h.

**WOLUWE-SAINT-PIERRE**, en néerl. ***Sint-Pieters-Woluwe*** ~ V. de Belgique (Région de Bruxelles-Capitale), dans l'agglom. de Bruxelles ; 38 000 h. Industrie chimique.

**WOLVERHAMPTON** ~ V. d'Angleterre (West Midlands), au N.-O. de Birmingham ; 242 000 h. Industrie métallurgique (depuis le XVIII^e^ s.) à l'éventail de productions très diversifié.

**WONSAN** ~ Port industr. de la Corée du Nord, sur la mer du Japon, dans la baie de Yonghung, libre de glaces l'hiver ; 350 000 h. Chantiers navals.

**WOOD** (Robert Williams) ~ *1868, Concord, Massachusetts - 1955, Amityville, New York.* Physicien américain. Il réalisa un écran filtrant les radiations ultraviolettes d'ondes voisines de 3 660 angströms (**lumière de Wood** ou lumière noire), à l'origine de fluorescences utilisées not. en dermatologie.

**WOOLF** (Virginia) ~ *1882, Londres - 1941, Lewes, Sussex.* Romancière britannique. Privilégiant le monologue intérieur, elle s'affranchit des conventions romanesques. Sa crainte de la folie, qui hante son œuvre, la poussa au suicide (*la Promenade au phare*, 1927 ; *Orlando*, 1928 ; *les Vagues*, 1931 ; *Journal d'un écrivain*, posth., 1953). Elle fut l'une des initiatrices du roman moderne.

Virginia **Woolf** *(1908), fusain de Francis Dodd (1874-1949). Galerie nationale du Portrait, Londres.*

**WORCESTER** ~ V. d'Angleterre, centre comm. sur la Severn, ch.-l. du Hereford and Worcester ; 81 000 h. Évêché depuis 680. Université. Cathédrale des XI^e^ au XIV^e^ s., hospice du XI^e^ s. Musée de la Porcelaine. En 1651, Cromwell y vainquit Charles II.

**WORDSWORTH** (William) ~ *1770, Cockermouth - 1850, Rydal Mount.* Poète britannique. Il écrivit en collaboration avec S. T. Coleridge *les Ballades lyriques* (1798), considérées comme l'annonce du romantisme anglais. Son œuvre est caractérisée par la célébration de la nature comme par les conflits moraux (*le Prélude*, posth., 1850).

**WORMS** ~ V. d'Allemagne (Rhénanie-Palatinat), sur le Rhin, au N. de Ludwigshafen ; 75 000 h. Industrie diversifiée, négoce du vin. Cathédrale des XII^e^ et XIII^e^ s. et églises médiévales. **HIST.** - Ville antérieure à la conquête romaine, Worms fut la résidence temporaire de Charlemagne et des Carolingiens. En 1122, le pape Calixte II et l'empereur Henri V y signèrent le **concordat de Worms**, mettant fin à la querelle des Investitures. En 1521, la ville abrita une diète germanique présidée par Charles Quint qui décida de bannir Luther du Saint Empire. Ruinée par la guerre de Trente Ans (1618-1648), incendiée par les Français (1689), Worms fut occupée par la France (1792 et 1801) puis remise au duché de Hesse-Darmstadt par le congrès de Vienne (1815).

**WORTH** (Charles Frédéric) ~ *1825, Bourn, Lincolnshire - 1895, Paris.* Couturier français. Il travailla pour l'impératrice Eugénie et fut le premier à recourir à des mannequins vivants pour présenter ses modèles et à renoncer à la crinoline.

**WOTAN** ou **ODIN** ~ Principal dieu de la mythologie germanique. Dieu de la Guerre et du Savoir, il régnait sur le Walhalla.

**WOU-HAN** ~ Voir **Wuhan**.

**WOU-SI** ~ Voir **Wuxi**.

**WOU Tchen** ~ Voir **Wu** Zhen.

**WOUTERS** (Rik) ~ *1882, Malines - 1916, Amsterdam.* Peintre et sculpteur belge. Proche des fauves français dans sa peinture, il tendit à l'expressionnisme dans sa sculpture (*la Vierge folle*, 1912).

**WOUWERMAN** (Philips) ~ *1619, Haarlem - 1668, id.* Peintre hollandais. Il allia un talent de paysagiste à une prédilection pour les sujets équestres (scènes de batailles, de chasse).

**WRANGEL (île)** ~ Voir **Vrangel**.

**WRANGEL** (Carl Gustaf VON) ~ *1613, Skokloster, Uppland - 1676, Spieker, île de Rügen, Allemagne.* Général et amiral suédois. Il combattit durant la guerre de Trente Ans et servit Charles X.

**WRANGEL** ou **VRANGEL** (Piotr Nikolaïevitch, baron DE) ~ *1878, Novoaleksandrovsk - 1928, Bruxelles.* Général russe. Chef des armées blanches qui combattaient les bolcheviks en Ukraine (1920), il dut faire retraite en Crimée et organiser l'embarquement de 135 000 civils et militaires.

**WRAY** (John) ~ Voir **Ray**.

**WREN** (sir Christopher) ~ *1632, East Knoyle, Wiltshire - 1723, Hampton Court.* Architecte et mathématicien anglais. *Surveyor general* des bâtiments royaux (1669-1718), il construisit de nombreuses églises, dont la cathédrale Saint Paul (1675-1710) de Londres.

**WRIGHT** (Frank Lloyd) ~ *1867, Richland Center, Wisconsin - 1959, Taliesin West, près de Phoenix.* Architecte américain. Esprit non conformiste, il prôna une architecture « organique », fondée sur de nouveaux rapports entre l'individu, l'édifice et la nature environnante (série des « maisons de la prairie », début du siècle). Utilisant des matériaux modernes (béton, acier, verre), il montra la même liberté formelle dans des réalisations imposantes (musée Guggenheim, New York, 1943).

**WRIGHT (les frères)**, inventeurs américains. ~ **Orville** (*1871, Dayton, Ohio - 1948, id.*) réussit à Kitty Hawk le premier vol (constaté par témoin) d'un appareil propulsé plus lourd que l'air (1903). ~ **Wilbur** (*1867, Millville, Indiana - 1912, Dayton, Ohio*) effectua le premier virage en vol, puis le premier vol en circuit fermé (1904).

**WRIGHT** (Richard) ~ *1908, Natchez, Mississippi - 1960, Paris.* Écrivain américain. Son œuvre est une dénonciation de la condition des Noirs en Amérique et du néocolonialisme (*les Enfants de l'oncle Tom*, 1938 ; *Black Boy*, 1945).

**WROCŁAW**, en all. ***Breslau*** ~ 4^e^ v. de Pologne, cap. de la basse Silésie, sur l'Oder, métropole hist. et cult. de la région ; 644 000 h. Université (1728). Port fluvial acheminant la production du bassin houiller vers le N., centre comm. et industriel actif. Églises et monuments gothiques et baroques reconstruits après la Seconde Guerre mondiale. **HIST.** - Administrée par les Piast et colonisée par les Allemands à la demande des Polonais, Wrocław fut possession autrichienne (1526) puis prussienne (1742) sous le nom de Breslau. Elle fut attribuée à la Pologne en vertu des accords de Potsdam (1945), et sa population allemande fut expulsée.

**WROŃSKI** (Józef Maria **Hoene**) ~ *1776, Wolsztyn, près de Poznań - 1853, Neuilly.* Philosophe et mathématicien polonais. Figure centrale du messianisme polonais, il annonça l'émergence d'une religion de l'absolu où se concilieraient les tendances au vrai et au bien jusque-là séparées (*Philosophie de l'infini*, 1814).

**WUHAN** ou **WOU-HAN** ~ Cap. du Hubei (5ᵉ v. de Chine), conurbation de la Chine centrale formée par Wuchang, Hankou et Hanyang, au confluent du Yangzi Jiang et du Han Shui, cap. du Hubei ; 3 860 000 h. Port fluvial et grand centre industriel (métallurgie, textile, agroalimentaire). **HIST.** - En 1911, la révolution qui renversa la dynastie mandchoue des Qing éclata à Wuhan.

**WULFILA** ~ Voir **Ulfilas**.

**WUNDT** (Wilhelm) ~ *1832, Neckarau, Bade - 1920, Grossbothen, près de Leipzig.* Psychologue et philosophe allemand. À l'origine de la psychologie expérimentale, ses recherches sur les temps de réaction lui permirent de distinguer les opérations cognitives des opérations sensorimotrices (*Éléments de psychologie physiologique*, 1874).

**WUPPERTAL** ~ V. et conurbation d'Allemagne (Rhénanie-du-Nord - Westphalie), dans la partie S. de la Ruhr ; 378 000 h. Textile, chimie, métall., mécanique. Édition et imprimerie.

**WURMSER** (Dagobert Siegmund, comte VON) ~ *1724, Strasbourg - 1797, Vienne.* Maréchal autrichien. Battu par Bonaparte en Italie (1796 et 1797), il capitula à Mantoue.

**WURTEMBERG** (le), en all. *Württemberg* ~ Région hist. d'Allemagne (bassin du Neckar, v. princ. Stuttgart), auj. partie du Bade-Wurtemberg. **HIST.** - Il forma au XIIᵉ s. un comté, érigé en duché en 1495. Gagnée par la Réforme (XVIᵉ s.), la maison de Wurtemberg, alliée de la France, obtint le titre royal et étendit son territoire vers le S. (1806). Le royaume adhéra à la Confédération du Rhin (1806-1813), à la Confédération germanique (1815-1866) puis, battu par la Prusse (1866), à l'Empire allemand (1871-1918). La monarchie fut renversée en 1918. Après la défaite allemande, le Wurtemberg fut divisé en deux parties (1945), relevant des zones d'occupation française et américaine, qui fusionnèrent avec le Bade en un land unique (1951).

**WURTZ** (Charles Adolphe) ~ *1817, Strasbourg - 1884, Paris.* Chimiste français. Introducteur en France de l'atomisme, il découvrit les amines (1849), le glycol (1855), l'aldol (1872). Il énonça la formule de la glycérine et conçut une méthode de préparation de composés organiques grâce au sodium (**synthèse de Wurtz**, 1854).

**WÜRZBURG** ~ V. tourist. et industr. d'Allemagne (Bavière), port fluvial sur le Main (r. g.) ; 129 000 h. Université. Négoce du vin. Cathédrale romane, églises gothiques et palais baroque des ducs-évêques. **HIST.** - Ancienne capitale de la Franconie (VIIᵉ s.), siège d'un évêché fondé par saint Boniface en 741, Würzburg prospéra sous les princes-évêques de Schönborn (XVIIᵉ-XVIIIᵉ s.). Elle fut ravagée par les bombardements alliés (1945), puis restaurée.

**WUXI** ou **WOU-SI** ~ V. de Chine (Jiangsu), dans la région du bas Yangzi Jiang, centre commercial agricole (riz, céréales), industriel (machines) et textile (soie et coton) ; 827 000 h.

**WU Zhen** ou **WOU Tchen** ~ *1280, Jiaxing, Zhejiang - 1354, id.* Peintre, calligraphe et poète chinois. Paysagiste caractéristique du style Yuan, il fut inspiré en particulier par le thème des bambous.

**WYAT** ou **WYATT** (sir Thomas) ~ *1503, Allington Castle, Kent - 1542, Sherborne, Dorset.* Poète et diplomate anglais. Il fut au service d'Henri VIII. Ses poèmes, publiés après sa mort (*Certains psaumes mis en vers anglais*, 1551), servirent longtemps de modèles.

**WYCHERLEY** (William) ~ *1640, Clive - 1716, Londres.* Dramaturge anglais. Éduqué en France, il s'inspira du théâtre de Molière pour dépeindre la grossièreté de la société londonienne (*la Femme de province*, 1673).

**WYCLIFFE** ou **WYCLIF** (John) ~ *v. 1330, Yorkshire - 1384, Lutterworth, Leicestershire.* Théologien et réformateur anglais. Chef d'un courant antipapal et anticlérical, il prôna l'autorité exclusive de la Bible et milita en faveur d'une Église pauvre, en conformité avec l'Évangile. Le concile de Constance le condamna (1415), à titre posthume, pour hérésie.

**WYE** (la) ~ Affl. (r. dr.) de la Severn, frontière entre l'Angleterre et le pays de Galles ; 210 km.

**WYLER** (William) ~ *1902, Mulhouse - 1981, Los Angeles.* Cinéaste américain d'orig. suisse. Il s'imposa avec des réalisations très soignées (*l'Insoumise*, 1938 ; *les Hauts de Hurlevent*, 1939), faisant preuve d'originalité (*les Plus Belles Années de notre vie*, 1946) et d'un métier impeccable (*Ben Hur*, 1959).

**WYOMING** (le) ~ État de l'O. des États-Unis (le moins peuplé de l'Union), partagé entre les Grandes Plaines à l'E. et les Rocheuses à l'O., au climat continental d'alt. ; 251 501 km², 470 000 h., cap. Cheyenne. Élev. extensif (ranches), exploitation du bois, du charbon (auj. 1ᵉʳ producteur de l'Union), des hydrocarbures et de l'uranium. Tourisme (parcs nationaux de Yellowstone et du Grand Teton). **HIST.** - Territoire indien (Sioux, Cheyennes), colonisé au XIXᵉ s., le Wyoming devint le 44ᵉ État de l'Union en 1890.

**WYSPIAŃSKI** (Stanisław) ~ *1869, Cracovie - 1907, id.* Auteur dramatique et peintre polonais. Par ses tragédies historiques et nationales (*Casimir le Grand*, 1900) ou classiques (*Achilleis*, 1903), il exprima les inquiétudes de sa génération (*les Noces*, 1901). Il est considéré comme le père du théâtre moderne polonais.

**WYSS** (Johann David) ~ *1743, Berne - 1818, id.* Écrivain et pasteur suisse de langue allemande. Il est l'auteur du *Robinson suisse* (1812).

**XAINTOIS** (le) ~ Petite région agric. de Lorraine, au S.-O. de Nancy.

**XAINTRAILLES** ou **SAINTRAILLES** (Jean **Poton** DE) ~ *v. 1400 - 1461, Bordeaux.* Maréchal de France. Compagnon d'armes de Jeanne d'Arc, il participa à la bataille de Patay (1429) et conquit la Guyenne (1453).

**XANTHE** (le) ~ Voir **Scamandre**.

**XÁNTHI** ou **XANTE** ~ V. du N.-E. de la Grèce (Thrace), marché agricole et centre admin. au pied du Rhodope ; 34 000 h. (communauté turque).

**XANTHOS** ~ Ancienne capitale de Lycie (Asie Mineure). Détruite par les Perses (vers 546 av. J.-C.), conquise par les Grecs puis par Alexandre le Grand (333 av. J.-C.), Xanthos fut incendiée par Brutus (42 av. J.-C.) puis ensevelie dans un tremblement de terre. Depuis 1950, des vestiges du Vᵉ s. av. J.-C. à l'époque byzantine ont été dégagés lors de fouilles françaises. Sanctuaire du Léton à 4 km au S.-O. Sculptures de Xanthos au British Museum (Londres).

**XENAKIS** (Iannis) ~ *1922, Brăila, Roumanie.* Compositeur français d'orig. grecque. Utilisant l'indétermination ou la théorie des ensembles et des jeux, ses œuvres, malgré leur complexité, illustrent la musique stochastique (*Metastasis*, 1953-1954 ; *Nomos Alpha*, 1966 ; *Khoaï*, 1976).

**XÉNOPHANE** ~ *VIᵉ s. av. J.-C., Ionie.* Philosophe grec. Fuyant l'invasion perse, il s'expatria en Italie, où il fut le premier des Éléates. Fustigeant l'anthropomorphisme des poètes, il leur opposa une nature divinisée, être unique et immobile gouvernant par la seule puissance de sa pensée.

**XÉNOPHON** ~ *v. 430, Erkhia, Attique - v. 355 av. J.-C.* Historien, philosophe et homme politique grec. Il fut disciple de Socrate (*les Mémorables*). Il dirigea, de 401 à 399 av. J.-C., la retraite des Dix Mille dans l'Empire perse (*l'Anabase*). Il écrivit *les Helléniques*, conçues comme une suite à l'*Histoire* de Thucydide sur les évènements survenus en Grèce de 411 à 362 av. J.-C., des traités (*l'Économique* ; *la Constitution des Lacédémoniens* ; *Des revenus*) et un ouvrage propédeutique (*la Cyropédie*).

**XERXÈS Iᵉʳ** ~ *v. 519 - 465 av. J.-C., Suse.* Roi achéménide de Perse (486-465 av. J.-C.), fils de Darius Iᵉʳ. Il réprima des révoltes égyptiennes et chaldéennes, mena sans succès la seconde guerre médique (480-479), puis châtia Babylone révoltée. Il fut assassiné.

**Xhosas** ou **Xosas** (les) ~ Ethnie de pasteurs bantous d'Afrique du Sud. Ils s'opposèrent aux Boers et aux Zoulous au XIXᵉ s.

**XIA Gui** ou **HIA Kouei** ~ *actif de 1190 à 1225, originaire de Qiantang, Zhejiang.* Peintre chinois. Il fut l'un des maîtres du paysage de l'école des Song, intégrant avec science le vide dans ses lavis.

**XIAMEN** ou **AMOY** ~ Port franc de Chine (Fujian), sur l'île du même nom, face à Taiwan ; env. 603 000 h. Pêche. Agroalimentaire prédominant, réparation navale, textile, électronique. Ce fut l'un des premiers ports à s'ouvrir au commerce occidental en 1842 (guerre de l'Opium).

**XI'AN**, **SI-NGAN** ou **SIAN** ~ V. du centre de la Chine, haut lieu du tourisme chinois au pied des monts Qinling, cap. du Shaanxi, centre universitaire et industriel (textile, électron.) en expansion ; 2 360 000 h. Pagodes, mosquée. Musée historique. À proximité, site néolithique de Banpocun et armée de terre cuite de Lintong. **HIST.** - Capitale impériale (Chang'an) sous les Han et les Tang, Xi'an ouvrait la route de la Soie.

**XIANYANG** ou **HIEN-YANG** ~ V. de Chine (Shaanxi), au N.-O. de Xi'an ; env. 70 000 h. Musée historique. Capitale de l'empire des Qin (221-206 av. J.-C.), elle abrite les sépultures de la plupart des Han et des Tang.

**XI JIANG** ou **SI-KIANG** (le) ~ Princ. fl. de la Chine du Sud, issu du Yunnan et tribut. par un vaste delta de la mer de Chine méridionale ; 2 000 km. Sur l'un de ses bras, le Zhu Jiang ou rivière des Perles, s'est développée la ville de Canton.

**XINGU** (le) ~ Affl. de l'Amazone (r. dr.) issu du centre du Brésil (Mato Grosso) ; 1 980 km. Hydroélectricité. Popul. indiennes protégées sur ses rives.

**XINJIANG** ou **SIN-KIANG** (le) ~ Région autonome ouïgoure du N.-O. de la Chine (Turkestan), la plus grande des provinces du pays ; 1 646 800 km², 15 370 000 h. (princ. musulmans), dont Ouïgours (env. 40 %), cap. Ouroumtsi. Les bassins arides (désert du Takla-Makan) et endoréiques du Tarim et de la Dzoungarie, à l'alt. parfois inférieure au niveau de la mer (Tourfan), séparés par les massifs du Tian Shan, sont voués à l'élevage (ovins, chameaux). Importantes ressources minérales (fer, charbon, cuivre) et pétrolières. Des oasis (Tourfan, Kachgar) jalonnent l'ancienne route de la Soie. Centre d'essais nucléaires et aérospatiaux (Lob Nor). Vestiges d'anciennes cités.

**XIXABANGMA** (le) ~ Voir **Gosainthan**.

**Xosas** (les) ~ Voir **Xhosas**.

**XUZHOU** ou **SIU-TCHEOU** ~ V. carrefour de l'E. de la Chine (Jiangsu), centre industriel et minier (charbon) ; 806 000 h.

**XYLANDER** (Wilhelm **Holzmann**, hellénisé en) ~ *1532, Augsbourg - 1576, Heidelberg.* Humaniste allemand. Il traduisit de nombreux ouvrages antiques, publia un traité de philosophie et une introduction à la philosophie d'Aristote.

**YAFO** ~ Voir **Jaffa**.

**YAHVÉ, JAHVÉ** ou **IAHVÉ**, en fr. « celui qui est » ~ Nom du Dieu d'Israël. Révélé à Moïse, ce nom est aussi celui de Dieu dans la Bible.

**Yale** ~ Université située à New Haven (Connecticut), la plus ancienne des États-Unis (1701). Elle doit son nom à l'un de ses mécènes, **Elihu Yale** (*1648 - 1721*).

**YALTA** ou **IALTA** ~ Station baln. et climatique de Crimée (Ukraine), sur la mer Noire, au pied de la chaîne Taurique ; 90 000 h. Viticulture. Conserveries. Tabac. **HIST.** - À la **conférence de Yalta** (4-11 février 1945), réunissant Staline, Churchill et Roosevelt, furent définies les bases de l'après-guerre. L'Allemagne fut divisée en quatre zones d'occupation (l'une d'entre elles, à la demande de Churchill, étant administrée par la France). Furent évoquées la translation de la Pologne d'E. (ligne Curzon-Molotov) en O. (ligne Oder-Neisse) et des élections libres dans les pays d'Europe centrale. Contre l'assurance de conserver ses acquis territoriaux, l'U. R. S. S. s'engagea à entrer en guerre contre le Japon trois mois après la capitulation de l'Allemagne. Enfin, le projet d'une conférence à San Francisco pour créer une organisation des Nations unies fut envisagé.

*La conférence de **Yalta** (1945). De gauche à droite : Churchill, Roosevelt et Staline.*

**YALU** ou **YA-LOU** (le), en coréen ***Amnok*** ~ Fl. qui forme la frontière entre la Chine et la Corée du Nord, tribut. de la mer Jaune ; 790 km.

**YAMAGUCHI** ~ V. du Japon, centre industriel et commercial dans le S.-O. de Honshû ; 129 000 h. Saint François Xavier y fonda une mission (1550).

**YAMAMOTO Isoroku** ~ *1884, Nagaoka - 1943, abattu en vol au large des îles Salomon.* Amiral japonais. Artisan des victoires aéronavales japonaises dans le Pacifique, il subit une importante défaite à Midway (juin 1942).

**YAMOUSSOUKRO** ~ Cap. de la Côte d'Ivoire, au N.-O. d'Abidjan, à la limite N. de la forêt tropicale ; 120 000 h. Industrie du bois. Ville natale du président Houphouët-Boigny, qui l'élut pour capitale et y fit ériger la basilique Notre-Dame-de-la-Paix (1990), réplique de celle de Saint-Pierre de Rome.

**YAMUNA, JUMNA** ou **JAMNA** (la) ~ Riv. du N. de l'Inde, affl. du Gange (r. dr.) ; 1 370 km. Née dans l'Himalaya, elle arrose Delhi et Agra. Barrage. Elle est l'un des sept cours d'eau sacrés des hindous.

**YAN'AN** ou **YEN-NGAN** ~ V. industr. de Chine, centre admin. du Shanxi septentrional, sur un affl. du Huang He ; env. 100 000 h. Achevant la Longue Marche, Mao Zedong y établit le siège du gouvernement communiste de 1935 à 1949.

**YANAON**, auj. **Yanam** ~ Ville de l'Inde, sur le delta de la Godavari ; env. 20 000 h. Ancien établissement français (XVIII^e^ s.), Yanaon fut intégrée à l'Union indienne en 1954 et rattachée au territoire de Pondichéry.

**YANG Shangkun** ou **YANG Chang-k'ouen** ~ *1907, dans le Sichuan.* Général et homme d'État chinois. Il fut président de la république populaire de Chine de 1988 à 1993.

**YANGZHOU** ou **YANG-TCHEOU** ~ V. côtière de Chine (Jiangsu), au S.-O. de Shanghai, au débouché méridional du Grand Canal ; env. 280 000 h. Industr. textile. Nombreux monuments anciens. Marco Polo gouverna la ville (1282-1285) pour le compte de l'empereur mongol Kubilay Khan.

**YANGZI JIANG, YANG-TSEU-KIANG** ou **CHANG JIANG** (le), anc. **fleuve Bleu** ~ Le plus long fleuve de Chine (5 980 km). Il prend sa source à l'E. du Tibet, coule en gorges jusqu'à Yichang, avant que sa vallée s'épanouisse dans les provinces du Hubei et de l'Anhui pour rejoindre la mer de Chine orientale. Ses crues abondantes sont absorbées par les vastes lacs Dongting et Poyang et par les barrages construits pour l'irrigation et la production d'hydroélectricité. Son bassin (1 960 000 km$^2$) abrite environ 250 000 000 d'h. et l'on y produit 70 % du riz du pays. En amont de Shanghai, au S. de l'estuaire, le fleuve est l'une des principales voies commerciales de Chine avec les ports de Nankin, Wuhan et Chongqing.

**YANO Hideyuki** ~ *1944, Gumma, Japon - 1988, Paris.* Danseur et chorégraphe japonais. Il fonda le groupe Mâ à Paris (1976). Son enseignement et la beauté de ses spectacles exercèrent une influence profonde sur la danse française des années 1980 (*Rivière Sumida Folie*, 1976 ; *Hana cristal-fleur*, 1978).

**YAOUNDÉ** ~ Cap. et 2^e^ v. du Cameroun, à env. 750 m d'alt., reliée à Douala et à N'Gaoundéré par le Transcamerounais, pôle tertiaire ; 649 000 h. Archevêché. Université (fondée en 1962).

**YAPURÁ** (le) ~ Voir **Japurá**.

**YARMOUTH** ~ Voir **Great Yarmouth**.

**YARMUK** ou **YARMOUK** (le) ~ Riv. du Proche-Orient, affl. du Jourdain (r. g.), frontière discontinue entre la Syrie, la Jordanie et Israël ; 80 km. Ses eaux, âprement disputées entre ces trois pays, font partie du contentieux lié au partage des eaux du Jourdain.

**YAŞAR KEMAL** (Kemal Sadik **Gökçeli**, dit) ~ *1923, Osmaniye.* Écrivain turc d'orig. kurde. Il a milité en faveur des droits de la minorité kurde. Ses romans évoquent la vie des paysans de son Anatolie natale (*Mémed le Mince*, 1955).

**YAZD** ~ V. du centre de l'Iran, en bordure des grands déserts centraux, reliée par route et par rail à Ispahan et à Téhéran ; 230 000 h. Exploitation minière, tapis. Grande Mosquée (XIV^e^ s., plus haut minaret du pays). **HIST.** - Fief des opposants à l'islamisation (VII^e^ s.), Yazd demeure une des villes saintes du mazdéisme.

**YAZDGARD** ~ Nom de trois rois sassanides de Perse (V^e^-VII^e^ s.), dont **Yazdgard III** (*617 - 651, près de Marv*), roi de 632 à 651. Vaincu par les Arabes (642), il s'enfuit à Marv, où il fut assassiné.

**Yazilikaya** ~ Site archéologique d'Asie Mineure (Cappadoce), auj. en Turquie (Anatolie). Des bas-reliefs rupestres (XIII^e^ s. av. J.-C.) composent un panthéon de divinités hittites.

**YEATS** ~ **William Butler**, dit **William B.** (*1865, Sandymount, près de Dublin - 1939, Roquebrune-Cap-Martin*), poète et dramaturge irlandais. Il fonda l'Abbey Theatre de Dublin (1904). Empruntant tour à tour à l'allégorie, à la féerie et à l'imaginaire irlandais, ses pièces sont autant d'ensembles poétiques (*Deirdre*, 1907 ; *Quatre Pièces pour danseurs*, 1921). Prix Nobel de litt. 1923. Son frère ~ **James Butler**, dit **Jack B.** (*1871, Londres - 1957, Dublin*), peintre, développa une œuvre expressionniste influencée par le légendaire celtique.

**YEDO** ~ Voir **Edo**.

**YEHOYADA** ~ Voir **Joad**.

**YELLOWKNIFE** ~ V. du Grand Nord canadien, cap. des Territoires du Nord-Ouest, sur la rive septentrionale du Grand Lac de l'Esclave, centre admin. et commercial ; 15 000 h. Gisements aurifères à proximité.

**YELLOWSTONE** (la) ~ Riv. du N.-O. des États-Unis (Wyoming, Montana), affl. du Missouri (r. dr.) ; 1 080 km (bassin de plus de 180 000 km$^2$). Elle a donné son nom au plus ancien et au plus vaste parc national des États-Unis (9 000 km$^2$), célèbre pour ses cascades et ses geysers.

**YÉMEN (république du)** ~ Pays du S.-E. de la péninsule Arabique. ***Cap.*** Sanaa. ***Superf.*** 555 000 km$^2$. ***Popul.*** 13 000 000 d'h. ***Langue princ.*** Arabe. ***Monn.*** Rial. ***Relief.*** Des massifs accidentés (3 700 m à l'O.), parallèles à la mer Rouge et à l'océan Indien, séparent d'étroites plaines littorales arides (ports d'Aden, Hodeida) des hauts plateaux plus arrosés où se situent Sanaa et Taiz. Le désert du Rub'al-Khali occupe l'E. du pays. ***Climat.*** Désertique, adouci par l'alt. et la mousson. ***Écon.*** Cult. irriguées (céréales, qat, café) sur les hauts plateaux (dont l'Hadramaout), élevage, exploitation des hydrocarbures, pêche. Les revenus des expatriés (10 %) ne comblent pas le déficit d'une économie féodale. Riche potentiel touristique. **HIST.** - Peuplement dès le Paléolithique. *V^e^ s. av. J.-C.* : développement de plusieurs royaumes sud-arabiques (Arabie heureuse), dont ceux de Saba et d'Hadramaout. *I^er^ s. apr. J.-C.* : ils sont regroupés dans le royaume d'Himyar converti au judaïsme. *II^e^-VI^e^ s.* : invasion des Éthiopiens (525) puis des Perses Sassanides (575). *VII^e^ s.* : conquête musulmane ; le Yémen islamisé devient une province de l'empire musulman. *IX^e^ s.* : morcellement du pays entre plusieurs dynasties locales ; réunification du N. sous l'autorité de Yahya ibn al-Husayn, qui fonde la dynastie chiite zaydite (898-1962). *XI^e^-XV^e^ s.* : le S. du pays passe sous contrôle fatimide, puis abbasside. *Début du XVI^e^ s.* : les côtes du Yémen sont conquises par les Ottomans, qui se heurtent à la résistance des Zaydites. *XVII^e^-XIX^e^ s.* : après le départ des Turcs, le N. chiite reste sous l'autorité de l'imam zaydite de Sanaa, tandis que le S., sunnite, est soumis à l'autorité de plusieurs émirs et sultans. *1839* : occupation d'Aden par les Britanniques, qui imposent progressivement leur protectorat sur le S. *1849-1918* : nouvelle occupation ottomane du N. du Yémen. *1918* : profitant de la défaite de l'Empire ottoman, le Yémen du N. proclame son indépendance sous l'autorité théocratique de l'imam zaydite Yahya, tandis que le S. reste sous protectorat britannique. *1959* : le S. du Yémen forme la fédération de l'Arabie du Sud, qui accède à l'indépendance en 1967. *1962* : au N., le dernier imam zaydite est renversé par un coup d'État militaire et la république arabe du Yémen est proclamée. S'ouvre alors une période de guerre civile entre royalistes et républicains qui s'achève en 1969 par la réconciliation des deux partis. *1970* : au Yémen du Sud, Ali Rubay' instaure un régime marxiste sous le nom de république démocratique et populaire du Yémen. *1990* : réunification des deux Yémens, sous l'autorité d'Ali Abdallah al-Saleh, président du Yémen du Nord. Relations conflictuelles avec l'Arabie Saoudite. *1994* : le Nord écrase la tentative de sécession du S. et dote le pays d'une nouvelle Constitution islamiste.

**YEN-NGAN** ~ Voir **Yan'an**.

**YERRES** ~ V. résidentielle du S.-E. de l'agglom. parisienne (Essonne), sur l'**Yerres**, affl. de la Seine (r. dr. ; 87 km) ; 27 136 h. Vestiges du château de Guillaume de Budé.

**YERSIN** (Alexandre) ~ *1863, Aubonne, Suisse - 1943, Nha Trang.* Microbiologiste français d'orig. suisse. Il étudia avec É. Roux la toxine diphtérique à l'Institut Pasteur, se rendit à Hong Kong où il découvrit le bacille de la peste (1894), puis créa, au Viêt Nam, un laboratoire pour la fabrication du sérum antipesteux.

**YEU (île d')** ~ Île de la côte atlantique (Vendée) ; 23 km$^2$, 4 941 h. Pêche (thon). Tourisme.

**YÈVRE** (l') ~ Riv. du Berry, affl. du Cher (r. dr.) qui arrose Bourges et conflue à Vierzon ; 67 km.

**YINING** ou **YI-NING** ~ Oasis du N.-O. du Xinjiang (Chine), sur l'Ili, près de la frontière du Kazakhstan ; 167 000 h. (en majorité kazakhs). Céréales, artisanat (tapis, cuir). Relais entre Ouroumtsi (Chine) et Almaty (Kazakhstan).

**YMIR** ou **YMER** ~ Premier géant dans la mythologie scandinave.

**YOKOHAMA** ~ 1er port export. du Japon (Honshû), partie S. de la conurbation de Tôkyô (Keihin), princ. centre d'industrie lourde de l'île ; 3 251 000 h. Université. Ville de construction récente (1859), aux installations portuaires couvrant plus de 186 ha.

**YONNE** (l') ~ Affl. bourguignon de la Seine (r. g.), issu du Morvan, qui arrose Auxerre et Sens ; 293 km. Elle est, par son débit, l'un des principaux tributaires du fleuve.

**YONNE** (l') ~ Dép. de la Région Bourgogne, aux confins de l'Île-de-France, de la Champagne et de la Bourgogne, drainé par l'Yonne et ses affl., le Serein et l'Armançon, dont le relief s'abaisse du S. au N. : des plateaux calcaires de l'Auxerrois, du Tonnerrois et des collines argileuses de la Puisaye vers la Champagne crayeuse sénonaise, flanquée par le pays d'Othe ; 7 424 km², 323 096 h. Polyculture à base de céréales, élevage, vergers et vignes (crus de Chablis). Exploitation forestière. Bien situé sur l'axe Paris-Lyon, le département bénéficie des mesures de décentralisation (constr. mécan., électr., chim.). Auxerre (préfect.), Joigny et Sens, les principales villes, jalonnent la vallée de l'Yonne.

**YORCK VON WARTENBURG** (Ludwig, comte) ~ *1759, Potsdam - 1830, Klein Oels, auj. Oleśniczka, Pologne.* Feld-maréchal prussien. Commandant le corps auxiliaire prussien de la Grande Armée contre les Russes (1812), il signa de son propre chef la convention de Tauroggen (déc. 1812), par laquelle la Prusse se retournait contre la France.

**YORITOMO** ~ *1147 - 1199.* Guerrier japonais du clan Minamoto. Il fut le premier shogun du Japon (1192-1199) et fit de Kamakura sa capitale.

**YORK** ~ V. du N.-E. de l'Angleterre (North Yorkshire) ; 99 000 h. Archevêché (à Selby). Université. Équipement ferroviaire. Cathédrale de style flamboyant (XIIIe-XVe s.). Églises et maisons des XIVe et XVe s. Musées. **HIST.** - Capitale du peuple celte des Brigantes, de la Bretagne romaine (71 apr. J.-C.), puis du royaume de Northumbrie (VIe s.), York dut son rayonnement culturel à sa fonction de siège archiépiscopal (VIIe s.) avant d'être prise par les Danois (IXe s.). Deuxième ville du royaume après Londres au Moyen Âge, elle s'opposa aux Stuarts, qui s'en emparèrent (1666).

© Harding-Explorer

*York, la ville et la cathédrale (XIIIe-XVe s.).*

**YORK**, dynastie ducale puis royale d'Angleterre, fondée par ~ **Edmond** DE LANGLEY (*1341, King's Langley, Hertfordshire - 1402, id.*), duc D'YORK (1385), fils d'Édouard III. Ses prétentions au trône amenèrent ~ **Richard**, duc D'YORK (*1411 - 1460, Wakefield*), à affronter les Lancastre lors de la guerre des Deux-Roses (1455-1485). Ses fils ~ **Édouard IV** et ~ **Richard III** et son petit-fils ~ **Édouard V** régnèrent sur l'Angleterre avant les Tudors (1485).

**YORK (péninsule d')** ~ Vaste péninsule du N.-E. de l'Australie (Queensland), entre le golfe de Carpentarie et la mer de Corail. Elle se termine sur le détroit de Torres par le **cap d'York**, pointe septentrionale de l'Australie.

**YORKSHIRE** (le) ~ Anc. comté du N.-E. de l'Angleterre, entre les Pennines et la mer du Nord ; 12 000 km², env. 4 000 000 d'h., v. princ. York, Sheffield. Il est divisé en 3 entités (North Yorkshire, West Yorkshire, South Yorkshire) depuis 1974. Élevage ovin au N., industrie (laine, aciers spéciaux) dans la conurbation de Leeds-Bradford.

**YORKTOWN** ~ Village des États-Unis (Virginie), au S.-E. de Richmond. Le 19 octobre 1781, assiégée par les Franco-Américains, l'armée britannique de Cornwallis y capitula devant les généraux Washington et Rochambeau, mettant fin à la guerre de l'Indépendance américaine.

**Yorubas** ou **Yoroubas** (les) ~ Peuple de l'Afrique occidentale (S.-O. du Nigeria, Bénin et Togo). Formant l'un des peuples les plus nombreux d'Afrique, les Yorubas ont fondé les royaumes d'Ife (XIIIe s.) et d'Oyo (XVIe s.).

© C. Lenars-Explorer

*Masque yoruba.*

**Yosemite National Park** ~ Parc national des États-Unis (Californie), dans la sierra Nevada, entourant la **Yosemite Valley**. Le site, découvert en 1851, est devenu parc national en 1905.

**YOUGOSLAVIE** (la) ~ Anc. État des Balkans, créé en 1918 et démantelé en 1992, date à laquelle il s'étendait sur 255 800 km² et comptait 23 544 000 h. La république fédérale de Yougoslavie se présente comme son héritière. **HIST.** - *1918-1934* : les traités de Neuilly (1919), de Saint-Germain (1919) et de Trianon (1920) fixent les frontières d'un royaume des Serbes, des Croates et des Slovènes sous l'autorité de Pierre Ier Karadjordjević (1918-1921), roi de Serbie, puis de son fils Alexandre Ier (1921-1934), qui donne au royaume le nom de Yougoslavie (1929) et établit une dictature. La volonté centralisatrice serbe favorise très tôt la formation d'un mouvement nationaliste croate qui organise l'assassinat d'Alexandre Ier (1934). *1941-1945* : occupation de la Yougoslavie par les forces de l'Axe, sous la protection desquelles est créé un État croate dirigé par Ante Pavelić, tandis que le communiste Josip Broz, dit Tito, dirige le principal mouvement de résistance. *1945-1947* : formation d'une République fédérative formée de six républiques (Bosnie-Herzégovine, Croatie, Macédoine, Monténégro, Serbie, Slovénie) sous la direction de Tito. *1948* : la rupture avec l'U. R. S. S. de Staline s'accompagne de la mise en place d'un socialisme décentralisé et autogestionnaire et du rétablissement des relations avec l'Occident. *1955* : la Yougoslavie participe à la création du mouvement des pays non alignés et rétablit ses relations avec l'U. R. S. S. *1980-1989* : après la mort de Tito (1980), la direction collégiale se révèle incapable de s'opposer à la montée des nationalismes exacerbés par les disparités économiques entre les républiques. *1990-1991* : le parti communiste perd son monopole politique, ce qui permet à la Slovénie, à la Croatie, à la Macédoine et à la Bosnie-Herzégovine de proclamer leur indépendance. Mais la volonté de Belgrade de rattacher à la Serbie les Serbes de Croatie et de Bosnie déclenche la guerre civile.

**YOUGOSLAVIE (république fédérale de)** ~ Pays de l'Europe du S.-E., formé par la république de Serbie (avec ses provinces autonomes du Kosovo-Metohija et de Vojvodine) et la république du Monténégro, située dans la péninsule des Balkans, avec un débouché sur la mer Adriatique. ***Cap.*** Belgrade. ***Superf.*** 102 173 km². ***Popul.*** 10 480 000 h., dont Serbes (62 %), Albanais (17 %), Monténégrins (5 %). ***Langue princ.*** Serbo-croate. ***Monn.*** Dinar. ***Relief.*** Montagnes au S. (Alpes dinariques 2 500 m), plaines au N. (Vojvodine). La Tisza, la Save, la Morava et le Danube drainent l'ensemble. ***Climat.*** Méditerranéen sur la côte, continental au N.-E. ***Écon.*** Fondée sur l'agriculture intensive du N.-E. et sur l'industrie de la région de Belgrade, elle est bouleversée par l'éclatement de l'ancienne fédération en 1991, la guerre et le blocus économique. ***V. princ.*** Belgrade, Novi Sad, Niš, Kragujevac. **HIST.** - *Avr. 1992* : la Serbie et le Monténégro forment la république fédérale de Yougoslavie, présidée par Zoran Lilić et dirigée par le chef de l'État serbe Slobodan Milošević.

**YOUNG** (Arthur) ~ *1741, Londres - 1820, id.* Agronome et économiste britannique. Il laissa de nombreuses chroniques sur les conditions de vie de la paysannerie en Grande-Bretagne et en France (*Voyages en France*, 1792), et des ouvrages théoriques sur l'agriculture (*le Cultivateur anglais*).

**YOUNG** (Brigham) ~ *1801, Whittingham, Vermont - 1877, Salt Lake City.* Chef religieux américain. Chef des mormons après la mort de J. Smith, il fonda l'actuelle Salt Lake City (1847).

**YOUNG** (Edward) ~ *1683, Upham, Hampshire - 1765, Welwyn, Hertfordshire.* Poète britannique. Son œuvre fondamentale, *Plaintes ou Pensées nocturnes sur la vie, la mort et l'immortalité* (1742-1745), connue sous le nom de *Nuits*, empreinte d'une mélancolie extrême, préfigure le romantisme.

**YOUNG** (Lester) ~ *1909, Woodville, Mississippi - 1959, New York.* Saxophoniste et clarinettiste de jazz américain. Surnommé Prez (Président), il révolutionna la pratique du saxophone ténor (*Lady Be Good*, 1936).

**YOUNG** (Thomas) ~ *1773, Milverton, Somerset - 1829, Londres.* Médecin, physicien et philologue britannique. Il décrivit les mécanismes de l'accommodation de l'œil et de la vision colorée. En optique, il découvrit les interférences lumineuses (1801), établissant par son expérience des **trous de Young** le caractère ondulatoire de la lumière. Il contribua au déchiffrement des hiéroglyphes.

**Young (plan)** ~ Plan signé le 7 juin 1929 à Paris par les Alliés en remplacement du plan Dawes. Inspiré par le financier américain **Owen D. Young**, il réduisait le montant des réparations allemandes décidées par le traité de Versailles (1919) et en échelonnait le paiement jusqu'en 1988. La crise financière de l'Allemagne (1931) le rendit inapplicable.

**YOURCENAR** (Marguerite **de Crayencour**, dite Marguerite) ~ *1903, Bruxelles - 1987, Mount Desert, Maine.* Femme de lettres française (naturalisée américaine de 1947 à 1979). Auteur de poèmes, d'essais, de pièces de théâtre, elle pénétra les mentalités du passé dans des romans historiques d'une facture classique (*Mémoires d'Hadrien*, 1951 ; *l'Œuvre au noir*, 1968). Elle fut la première femme élue à l'Académie française (1980).

© P. Aventurier-Gamma

*Marguerite Yourcenar.*

**YOUSOUF** (Joseph **Vantini** ou **Vanini**, dit) ~ *1808, île d'Elbe - 1866, Cannes.* Général français d'orig. italienne. Esclave des Turcs, il s'évada et servit dans l'armée française en Algérie, où il s'illustra lors de la prise de la smala d'Abd el-Kader (1843), puis en Crimée.

**YPRES**, en néerl. *Ieper* ~ V. de Belgique (Flandre-Occidentale), reliée par canal et voie fluviale à la mer du Nord ; 35 000 h. Industries agroalim., textile. Monuments reconstruits (beffroi du XIIe s., fortifications). **HIST.** - Fondée au Xe s., Ypres fut le plus important centre drapier de la chrétienté (XIIe-XVe s.)

et dut à sa position stratégique d'être souvent conquise. Plusieurs fois possession française, elle fut détruite lors de la Première Guerre mondiale. Les Allemands y utilisèrent pour la première fois (1917) des gaz de combat vésicants qui prirent le nom d'**ypérite**.

**YPSILANTI** ~ Famille grecque phanariote. Elle fournit des princes à la Moldavie et à la Valachie (1774-1806) et participa activement à la guerre d'indépendance grecque. Officier de la garde impériale, **Alexandre** (*1792, Istanbul - 1828, Vienne*) présida l'Hétairie (1820-1821) et tenta de soulever les peuples des Balkans contre le joug ottoman.

**YS** ~ Cité bretonne légendaire, au large de Douarnenez. Elle aurait été submergée par la mer au IVe ou au Ve s.

**YSAYE** (Eugène Auguste) ~ *1858, Liège - 1931, Bruxelles*. Violoniste, chef d'orchestre et compositeur belge. Formé à l'école française (C. Franck, E. Chausson, G. Fauré) et fondateur du **Quatuor Ysaye** (1894), il rénova l'art du violon en le dépouillant de ses excès romantiques.

**YSER** (l'), en néerl. ***IJzer*** ~ Fl. côtier de Belgique, né en France ; 78 km. Lors de la **bataille de l'Yser**, première de la mêlée des Flandres, les troupes alliées stoppèrent l'armée allemande (oct.-nov. 1914) après que le roi des Belges Albert Ier eut fait ouvrir les écluses et noyer la vallée de Nieuport à Dixmude.

**YUAN** ~ Dynastie mongole qui régna en Chine de 1280 à 1368, fondée par Kubilay Khan.

**YUAN Shikai** ou **YUAN Che-k'ai** ~ *1859, Xiangcheng, Henan - 1916, Pékin*. Général et homme d'État chinois. Il servit l'impératrice Cixi avant de devenir président de la République (1912-1916). Il gouverna en dictateur et chercha, en vain, à se faire reconnaître empereur (1915-1916).

**YUCATÁN** (le) ~ Péninsule basse et lagunaire du Mexique, vaste plateau calcaire qui ferme le golfe du Mexique au S.-E., séparée de Cuba par le **détroit de Yucatán**. Il comprend les États mexicains du **Yucatán** (39 340 $km^2$, 1 363 000 h., cap. Mérida, de loin la princ. v. de la région), au N.-O., du Campeche et du Quintana Roo, le N. du Belize et du Guatemala. Le climat est tropical, les précipitations diminuent du S. (forêt dense du Petén) au N. (steppe buissonnante près des côtes). Cult. du sisal (en crise), bois tinctorial. Le Yucatán est l'un des foyers de la civilisation des Mayas, dont les descendants s'opposèrent durant le XIXe s. au pouvoir central mexicain (sécession de 1839 à 1843). Sites archéologiques de Bonampak, Tikal, Palenque, Chichén Itzá, Tulúm. Tourisme balnéaire sur la côte et dans les îles caraïbes (Cancún, Cozumel).

**YUKAWA Hideki** ~ *1907, Tôkyô - 1981, Kyôto*. Physicien japonais. Il posa le postulat de l'existence d'une particule, échangée entre les nucléons, qui assurerait la cohésion du noyau atomique (**méson de Yukawa** ou pion, 1935), particule découverte par C. Fr. Powell et G. Occhialini en 1946. Prix Nobel de phys. 1949.

**YUKON** (le) ~ Grand fl. d'Amérique du Nord (Canada et Alaska), tribut. de la mer de Béring (Pacifique) ; 2 554 km (bassin : 850 000 $km^2$). En raison de la rigueur du climat, son bassin est très peu peuplé.

**YUKON** (le) ~ Territoire fédéral du Canada, aux confins de l'Alaska, plateau boisé et entouré de montagnes (mont Logan, 6 050 m) ; 483 450 $km^2$, 28 000 h., cap. Whitehorse. Climat froid, aggravé par l'altitude. Hydroélectricité, bois, minerais (or, argent, cuivre). La ruée vers l'or provoquée par la découverte, en 1897, d'un gisement dans la vallée du Klondike dura jusqu'en 1911.

**Yungang** ou **Yun-kang** ~ Site archéologique de Chine (Shanxi), près de Datong. Capitale de la dynastie des Wei du Nord (386-534), il comprend 53 grottes ornées de sculptures bouddhiques (vers 460-495) à la confluence des esthétiques chinoise et indienne.

**YUN Isang** ~ *Tongyong, 1917*. Compositeur coréen. Il a associé les acquis de l'avant-garde européenne aux traditions coréenne et chinoise (*Sim Tjong*, 1972 ; *Quatuor à cordes n° 5*, 1990).

*Village de l'ethnie minoritaire Hani, au Yunnan.*

© Xiaoyun Luo-Gamma

**YUNNAN** ou **YUN-NAN** (le) ~ Prov. montagneuse du S.-O. de la Chine ; 436 200 $km^2$, 36 750 000 h. (dont Tibétains, Thaïs, Môns-Khmers), cap. Kunming. Profondes vallées (Mékong, Sông Hong, Salouen). Climat tropical d'altitude. Céréales, coton, thé, agrumes, pavot à opium. Exploitation du bois. Étain, cuivre, fer, plomb. Houille.

**YUNUS EMRE** ~ *milieu du XIIIe s. - v. 1320*. Poète turc. Personnage devenu légendaire, il laissa des poèmes mystiques, écrits dans une langue tant savante que populaire.

**Yuste (monastère de)** ~ Monastère d'Espagne (Estrémadure). Charles Quint s'y retira en 1556 et y mourut (1558).

**YVAIN** (Maurice) ~ *1891, Paris - 1965, Suresnes*. Compositeur français. Il composa des chansons pour Mistinguett et Maurice Chevalier, puis des opérettes qui portent l'empreinte des rythmes américains (*Ta bouche*, 1922 ; *Là-haut*, 1923).

**YVELINES** (les) ~ Dép. de la Région Île-de-France, correspondant à la périphérie O. de l'agglomération parisienne, nom d'une anc. forêt dont la forêt de Rambouillet est un fragment résiduel ; 2 284 $km^2$, 1 307 150 h., v. princ. Versailles (préfect.), Mantes-la-Jolie, Rambouillet, Saint-Germain-en-Laye. Le département, encore agricole, industriel dans la vallée de la Seine, est de plus en plus résidentiel (vallée de Chevreuse, Rambouillet).

**YVERDON-LES-BAINS** ~ Station therm. de Suisse (Vaud), sur le lac de Neuchâtel ; 23 000 h. Anc. cité gallo-romaine d'Eburodunum, elle fut reconstruite sous son nom actuel par les ducs de Zähringen (v. 1200). Son château (XIIIe s.) abrita la maison d'éducation de J. Pestalozzi (1815-1825).

**YVES** (saint) ~ *1253, Kermartin, Bretagne - 1303, Louannec*. Prêtre français. Surnommé l'Avocat des pauvres, il devint patron des gens de loi grâce à son sens de la justice. Canonisé en 1347, il fut enterré à Tréguier (pèlerinage).

**YVES DE CHARTRES** (saint) ~ *v. 1040, en Beauvaisis - 1116, Chartres*. Canoniste français. Évêque de Chartres (1090), il laissa une œuvre importante en droit canon.

**YVETOT** ~ V. du pays de Caux (Haute-Normandie) ; 10 807 h. Industr. agroalimentaire.

**YVETTE** (l') ~ Riv. d'Île-de-France, affl. de l'Orge (r. g.) ; 44 km. Vallée résidentielle (dite de Chevreuse).

**YZEURE** ~ V. de la banlieue de Moulins ; 13 461 h. Église Saint-Pierre (XIIe s., remaniée).

**ZAB** (le) ~ Riv. torrentielle du N.-E. de l'Iraq, affl. du Tigre (r. g.) : **Grand Zab** (430 km) et **Petit Zab** (368 km).

**ZAB (monts du)** ou **ZIBAN (monts des)** ~ Partie basse de l'Atlas saharien (Algérie), au S. du chott el-Hodna. Le piémont S. est jalonné d'oasis, dont Beskra. Palmeraies.

**ZABRZE**, en all. ***Hindenburg*** ~ V. de Pologne (haute Silésie), dans la conurbation de Katowice, important centre industriel (cokeries, sidérurgie, chimie) du bassin minier ; 206 000 h.

**ZABULON** ~ Personnage biblique. Fils de Jacob et de Léa, il est l'ancêtre éponyme d'une tribu d'Israël.

**ZACATECAS** (le) ~ État du centre du Mexique, région de plateaux adossés à la sierra Madre occidentale ; 75 040 $km^2$, 1 276 000 h. (diminution). Ress. agricoles (coton, canne à sucre) et minières (argent, cuivre, manganèse, or). La capitale, **Zacatecas** (100 000 h.), est une ancienne ville minière et coloniale aux nombreux monuments baroques.

**ZACHARIE** ~ *fin du VIe s. av. J.-C.* Prophète juif. Il contribua à la restauration juive après l'exil à Babylone.

**ZACHARIE** (saint) ~ *Ier s.* Personnage de l'Évangile de Luc. Prêtre juif et père de Jean-Baptiste.

**ZACHARIE** (saint) ~ *m. en 752 à Rome*. Pape de 741 à 752. Soutenu par Pépin le Bref, auquel il accorda la royauté (751), il procéda à la première réforme de l'Église.

**ZACHÉE** ~ Personnage de l'Évangile de Luc. Publicain de Jéricho, il accueillit le Christ puis distribua sa fortune.

**ZADAR**, en ital. ***Zara*** ~ Port de pêche et de commerce de Croatie (Dalmatie), sur l'Adriatique ; 76 000 h. Archevêché. Conserveries (fruits, poisson), tabac, textile. Vestiges romains et médiévaux (église St-Donat, rotonde du IXe s., cathédrale du XIIe s.). Musée archéologique.

**ZADKINE** (Ossip) ~ *1890, Vitebsk - 1967, Paris*. Sculpteur français d'orig. russe. Il développa les principes du cubisme dans un sens monumental et expressif qui culmina avec son monument *la Ville détruite*, érigé à Rotterdam en 1953.

**ZAFFARINES (îles)** ~ Voir **Chafarinas**.

**ZAGORSK** ~ Voir **Sergueï Possad**.

**ZAGREB**, en all. ***Agram*** ~ Cap. de la Croatie, sur la Save ; 727 000 h. Important nœud de communications, c'est le 1er centre culturel (université, Académie des sciences et des arts, musées) et industriel (chim., constr. mécan. et ferrov., text.) du pays. Archevêché. Palais royal (XIVe s.), cathédrale Saint-Étienne (XIIIe-XVIIIe s.).

**ZAGROS** (le) ~ Chaîne de montagnes du S.-O. de l'Iran (4 547 m au Zard Kuh), séparant le plateau iranien de la plaine mésopotamienne et longeant en partie le golfe Persique.

**ZAHEDAN** ~ V. du S.-E. de l'Iran, princ. v. du Baloutchistan ; 282 000 h. Carrefour ferrov. et routier.

**ZAHER CHAH** (Mohammed) ~ *1914, Kaboul*. Roi d'Afghanistan (1933-1973). Il a été l'artisan d'une politique de libéralisation de la condition féminine. Renversé par un coup d'État, il s'est exilé en Italie.

**ZAHLÉ** ou **ZAHLEH** ~ V. du Liban (1 000 m d'alt.), dans la Bekaa, marché agricole (vignobles, fruits) ; 45 000 h. Siège d'évêchés chrétiens (maronite, grec orthodoxe et melkite). Station estivale.

**ZAÏRE** (le) ou **CONGO** (le) ~ Grand fl. d'Afrique équatoriale (4 700 km), drainant un vaste bassin de 3 800 000 $km^2$ dans les républiques du ex-Zaïre et du Congo. Issu du Shaba sous le nom de Lualaba, il a pris celui de Zaïre après Kisangani jusqu'en 1997. Grossi de l'Oubangui, de la Sangha et du Kasaï, il débouche dans le lac Malébo (site de Brazzaville et de Kinshasa), après avoir décrit une vaste courbe vers l'O. Après les rapides de Livingstone, il gagne l'Atlantique par un delta étroit au fond duquel se trouve le port de Matadi. L'intérêt économique du Congo (ex-Zaïre) est diminué par la présence des rapides (potentiel hydroélectr. sous-exploité).

**ZAÏRE (république du)**, anc. **Congo belge** puis **république du Congo** ~ État de l'Afrique centrale, le plus vaste du continent, traversé par l'équateur, ayant pour seule façade maritime l'embouchure du Zaïre, qu'une série de rapides coupe de l'intérieur du pays, de ce fait presque totalement enclavé. ***Cap.*** Kinshasa. ***Superf.*** 2 344 885 km$^2$. ***Popul.*** 43 800 000 h. ***Langues princ.*** Français, lingala, swahili. ***Monn.*** Zaïre. ***Relief.*** La cuvette du Zaïre, domaine de la forêt dense, est bordée de plateaux, et, à l'E., de hauts massifs volcaniques, ligne de partage des eaux entre le fl. Zaïre (lac Tanganyika) et le Nil. ***Climat.*** Équatorial, nuancé par l'altitude. ***Écon.*** Au N., cultures vivrières et d'exportation (palmier à huile, café, hévéa, cacao), élevage bovin. Au S., ressources minières dans le Shaba et le Kasaï (cobalt, 1$^{er}$ rang mondial ; cuivre ; diamants industriels, 2$^e$ rang mondial ; uranium), pétrole offshore. **HIST.** - *X$^e$-XVIII$^e$ s.* : peuplé de Bantous et de Pygmées, le territoire se divise en chefferies et royaumes (Kongo, XIV$^e$-XVI$^e$ s. ; Lunda, XVI$^e$-XVIII$^e$ s.). *XIX$^e$ s.* : Tippo Tib, un commerçant swahili, constitue un royaume esclavagiste dans l'E. du pays, ravagé par le trafic négrier. *1874-1884* : les explorations menées pour le compte de la Belgique par sir Henry Morton Stanley ouvrent le pays aux ambitions occidentales. *1885* : l'État libre du Congo devient possession personnelle de Léopold II, roi des Belges. *1908* : après les multiples exactions des compagnies concessionnaires qui exploitent cuivre et diamants, le Congo devient colonie belge. *1960-1961* : indépendance ; le séparatisme katangais, incarné par Moïse Tschombé, précipite le pays dans la guerre civile, au cours de laquelle le Premier ministre, Patrice Lumumba, est assassiné. *1965* : Sese Seko Mobutu s'empare du pouvoir et instaure un système de parti unique, le Mouvement populaire de la révolution (M. P. R.). *1977-1978* : de nouvelles menaces sécessionnistes entraînent, sur l'appel de Mobutu, l'intervention militaire française. *1990-1995* : l'hostilité de Mobutu à toute évolution, la crise économique et la corruption provoquent la décomposition administrative du Zaïre et l'échec des tentatives de démocratisation. Depuis juin 1994, un gouvernement de transition, comprenant des membres de l'opposition, a été mis en place sous la direction de Joseph Kengo wa Dongo. *1997* : le rebelle Laurent-Désiré Kabila s'empare du pays par les armes, le rebaptise République démocratique du Congo et contraint Mobutu à l'exil.

**ZAKOPANE** ~ V. du S. de la Pologne, grande station de sports d'hiver (env. 1 000 m d'alt.) et climatique, dans les hautes Tatras ; 29 000 h. Musée (folklore des Carpates).

**Zákros** ~ Site archéologique de l'E. de la Crète. Vestiges minoens (XVI$^e$ s. av. J.-C.).

**ZAMA** ~ Anc. ville de Numidie. En 202 av. J.-C., Scipion l'Africain y remporta une victoire sur Hannibal, mettant fin à la deuxième guerre punique.

**ZAMBÈZE** (le) ~ Grand fl. de l'Afrique australe (2 660 km) dont le bassin (1 300 000 km$^2$) s'étend de l'Angola au Mozambique. Né dans le N.-O. de la Zambie, il rejoint l'océan Indien par un delta marécageux. Il est utilisé pour l'irrigation et la production d'hydroélectricité grâce aux barrages de Kariba et de Cabora Bassa. Son cours est accidenté de nombreuses ruptures de pentes, dont les célèbres chutes Victoria. Son princ. affl. est la Shire, qui emprunte la Rift Valley.

*Les chutes Victoria, sur le **Zambèze**.*

**ZAMBIE (république de)**, anc. **Rhodésie du Nord** ~ État enclavé du centre de l'Afrique australe. ***Cap.*** Lusaka. ***Superf.*** 752 614 km$^2$. ***Popul.*** 8 940 000 h. ***Langues princ.*** Anglais, langues bantoues. ***Monn.*** Kwacha. ***Relief.*** Région de hauts plateaux correspondant princ. au haut bassin du Zambèze. ***Climat.*** Tropical tempéré par l'altitude. ***Écon.*** Agriculture vivrière et commerciale (maïs, oléagineux, canne à sucre, coton). Extraction minière dans le N. (cuivre de la Copper Belt, 4$^e$ rang mondial ; cobalt, 3$^e$ rang mondial ; métaux rares et non ferreux ; émeraudes). Économie tributaire des cours mondiaux des métaux. **HIST.** - Peuplée depuis le Paléolithique, la région est parcourue par les Bochimans avant l'arrivée des Bantous aux premiers siècles de notre ère. *XVIII$^e$ s.* : les royaumes Lozi et Lunda imposent leur suzeraineté à la région, peuplée également par des Pygmées. *XIX$^e$ s.* : le pays est ravagé par le trafic d'esclaves commandité à partir de Zanzibar. *1853-1873* : explorations de David Livingstone. *1890-1911* : Cecil John Rhodes et la British South Africa Company imposent le protectorat britannique à la région, qui devient la Rhodésie du Nord. *1924* : le protectorat devient colonie de la Couronne britannique. *1953-1963* : création d'une fédération qui unit la Rhodésie du Nord, la Rhodésie du Sud et le Nyassaland, mais les différentes revendications nationalistes conduisent à son éclatement dès 1963. *1964* : la Rhodésie du Nord prend le nom de Zambie et devient indépendante dans le cadre du Commonwealth, sous la présidence de Kenneth David Kaunda. *1972* : celui-ci instaure un régime de parti unique. *1990-1991* : établissement du multipartisme et organisation d'élections qui se soldent par la victoire de Frederick Titus Chiluba, réélu en 1996.

**ZAMBOANGA** ~ Port des Philippines, dans l'O. de l'île de Mindanao ; 444 000 h. Archevêché. Pêche. Export. de bois, fruits, coprah.

**ZAMENHOF** (Lejzer Ludwik) ~ *1859, Białystok - 1917, Varsovie.* Médecin et linguiste polonais. Il créa l'espéranto (*Langue internationale, préface et manuel complet*, 1887).

**ZAMIATINE** (Evgueni Ivanovitch) ~ *1884, Lebedian, près de Tambov - 1937, Paris.* Écrivain russe. Membre du groupe avant-gardiste des Frères Sérapion, il écrivit le premier roman d'anticipation sur le totalitarisme (*Nous autres*, 1924).

**ZAMORA** ~ V. d'Espagne (Castille-León), centre administratif et marché agricole sur le Douro ; 63 000 h. Remparts (VIII$^e$ s.), églises romanes, cathédrale du XII$^e$ s. Musée.

**Zandés** (les) ~ Ethnie d'agriculteurs itinérants de République centrafricaine, du Soudan et du Zaïre. Ils fondèrent un État au XIX$^e$ s.

**ZANDJAN** ~ V. d'Iran, centre admin. et marché agricole, au N.-O. de Téhéran ; 215 000 h. Artisanat (laine, coton).

**ZANDVOORT** ~ Station balnéaire et tourist. de Hollande (Pays-Bas), à l'O. de Haarlem et d'Amsterdam, sur la mer du Nord ; 16 000 h. Circuit automobile (4,2 km).

**ZANGWILL** (Israel) ~ *1864, Londres - 1926, Midhurst, Sussex.* Écrivain britannique. Surnommé le Dickens juif, il fut un militant sioniste (*les Enfants du ghetto*, 1892 ; *le Manteau d'Élisée*, 1901).

**ZANSKAR** (le) ~ Voir **Zaskar**.

**ZANZIBAR** ~ Île africaine de l'océan Indien (Tanzanie) ; 1 660 km$^2$, 376 000 h. Export. de clous de girofle. Pêche. **HIST.** - Peuplée par les Arabes (IX$^e$ s.), Zanzibar fut visitée par Vasco de Gama (1499) et occupée par les Portugais (1503-1730). Capitale du sultanat d'Oman (1832), elle prospéra, puis déclina après l'abolition de l'esclavage (1873) et passa sous protectorat britannique (1890). Bref sultanat indépendant (1963), transformée en république (1964), elle fut rattachée, avec l'île voisine de Pemba, au Tanganyika en 1964 pour former la république unie de Tanzanie.

**ZAO Wou-ki** ~ *1921, Pékin.* Peintre français d'orig. chinoise. Proche de l'abstraction lyrique, il a atteint dans son œuvre le raffinement calligraphique et chromatique de la tradition chinoise.

**ZAPATA** (Emiliano) ~ *1879, Anenecuilco, Morelos - 1919, Chinameca, id.* Révolutionnaire mexicain. En 1911, il entraîna les paysans dans une guérilla armée ayant pour slogan « Terre et Liberté ». Il entreprit une réforme agraire dans les régions soulevées et fut assassiné.

*Emiliano **Zapata**.*

**ZÁPOLYA** ou **SZAPOLYAI**, famille hongroise qui compta parmi ses membres ~ **Jean**, roi de Hongrie (1526-1540), et ~ **Jean Sigismond**, prince de Transylvanie (1540-1571).

**Zaporogues** (les) ~ Cosaques du Dniepr, en Russie. Ils formèrent une communauté autonome (XVI$^e$-XVII$^e$ s.) sous la conduite d'un hetman qui fut destitué par Catherine II (1764). Ils perdirent leur autonomie en 1775.

**ZAPOROJIE**, anc. **Aleksandrovsk** ~ V. industrielle d'Ukraine, port fluvial sur le Dniepr ; 897 000 h. Métall., constr. mécan., chimie.

**Zapotèques** (les) ~ Indiens agriculteurs du Mexique, installés au S. de l'État d'Oaxaca, dont la civilisation connut son apogée du III$^e$ au VIII$^e$ s.

**ZARATHUSHTRA** ou **ZARATHOUSTRA** ~ Voir **Zoroastre**.

**ZARIA** ~ V. du Nigeria, au S.-O. de Kano, centre artisanal (tannerie, teinture, vannerie) et industriel (agroalim., constr. mécan., édition), marché agric. (oléagineux) ; 345 000 h. Université. **HIST.** - Capitale d'un royaume haoussa, Zaria connut son apogée peu avant d'être islamisée (XV$^e$ s.) et fut conquise par les Peuls (1808).

**ZARQA** ~ 2$^e$ v. de Jordanie, au N.-E. d'Amman ; agglom. 605 000 h. Cimenterie. Raff. de pétrole. La population est en forte croissance en raison de l'afflux de réfugiés palestiniens.

**ZARQALI (al-)** ou **ARZACHEL** ~ *v. 1029 - v. 1100, Cordoue.* Astronome et mathématicien arabe. Il fut l'auteur des premières tables astronomiques, dites tables de Tolède (1080), et d'un astrolabe utilisable sous toutes les latitudes.

**ZASKAR** ou **ZANSKAR** (le) ~ Massif himalayen du Cachemire (S.-E.), culminant à 7 750 m.

**ZAVATTA** (Alphonse, dit Achille) ~ *1915, La Goulette, Tunisie - 1993, Ouzouer-des-Champs, près de Montargis.* Clown français, fondateur du cirque qui porte son nom (1978).

**ZAVATTINI** (Cesare) ~ *1902, Luzzara - 1989, Rome.* Scénariste italien. Théoricien du néoréalisme, scénariste attitré de V. De Sica (*le Voleur de bicyclette*, 1948), il réalisa *la Verità-à-à-à-à* (1979).

**ZEAMI Motokiyo** ~ *1363, Kyôto - 1443, id.* Acteur, auteur dramatique et théoricien japonais. Il fut le grand créateur du théâtre nô, dont il formula les principes dans plusieurs traités (*Kadenshô*).

**ZÉDÉ** (Gustave) ~ *1825, Paris - 1891, id.* Ingénieur naval français. On lui doit les plans du *Gymnote*, premier sous-marin français opérationnel doté de moyens de propulsion électrique (1887).

**ZEEBRUGGE** ~ Voir **Bruges**.

**ZEEMAN** (Pieter) ~ *1865, Zonnemaire, Zélande - 1943, Amsterdam.* Physicien néerlandais. Il découvrit la décomposition des raies spectrales sous le champ magnétique (**effet Zeeman**, 1896) et confirma les théories relativistes en étudiant la propagation de la lumière dans les milieux en mouvement (1914). Prix Nobel de phys. 1902 avec K. Lorentz.

**ZEFFIRELLI** (Franco) ~ *1923, Florence.* Cinéaste italien. Metteur en scène de théâtre et d'opéra, il transposa au cinéma sa passion pour la dramaturgie (*la Mégère apprivoisée*, 1967 ; *la Traviata*, 1983).

**ZÉLANDE** (la), en néerl. ***Zeeland*** ~ Province du S.-O. des Pays-Bas, constituée par la Flandre zélandaise et les îles du delta de l'Escaut ; 1 787 km$^2$,

364 000 h., ch.-l. Middelburg. Elle est protégée par 400 km de digues qui permettent l'exploitation agricole. Tourisme. **HIST.** – Érigée en comté, elle fut unie à la Hollande (1256), dont elle partagea le destin. Après avoir fait partie des Provinces-Unies, elle forma le département français des Bouches-de-l'Escaut (1810-1814).

**ZELENKA** (Jan Dismas) ~ *1679, Lounovice - 1745, Dresde.* Compositeur tchèque. Il laissa un important corpus d'œuvres religieuses et profanes (*Melodrama de Sancto Wenceslas*, 1723).

**ZELL AM SEE** ~ V. d'Autriche (land de Salzbourg), au bord du lac de Zell, à 737 m d'alt. ; env. 7 000 h. Tourisme d'été et sports d'hiver.

**ZELLE** ~ Voir **Celle**.

**ZEMAN** (Karel) ~ *1910, Ostroměř - 1989, Gottwaldov.* Cinéaste d'animation tchèque. Il mêla marionnettes, figurines de verre, personnages dessinés et prises de vues réelles dans des contes féeriques et satiriques (*Aventures fantastiques*, 1958 ; *le Baron de Crac*, 1961 ; *l'Apprenti sorcier*, 1977).

**Zénètes** ou **Zenata** (les) ~ Berbères sédentaires du Touat et du Tidikelt (Sud algérien). Vaincus au XIe s. par les Arabes, ils s'islamisèrent.

**ZENICA** ~ V. de Bosnie-Herzégovine, au N.-O. de Sarajevo, dans la vallée de la Bosna ; 146 000 h. (1991). Industries sidérurgique et métallurgique détruites par la guerre.

**ZÉNOBIE** ~ *m. v. 274, Tibur.* Reine de Palmyre (267-272). Elle succéda à son mari Odenath et régna sous le nom de leur fils Vaballath. Son domaine s'étendit du delta du Nil à l'Asie Mineure. Vaincue par Aurélien (271-272), elle figura dans son triomphe à Rome.

**ZÉNON** ~ *v. 426 - 491.* Empereur romain d'Orient (474-491). Son Édit d'union ou *Henotikon* (482) avec les monophysites provoqua un schisme avec Rome qui dura jusqu'à Justinien. Il envoya Théodoric le Grand combattre en Italie (488).

**ZÉNON DE KITION** ~ *v. 335, Chypre - v. 264 av. J.-C., Kition, Chypre.* Philosophe grec. Il fonda le stoïcisme, ou « école du Portique » (en gr. *stoa*), à Athènes en 301-300 av. J.-C. [☞ **stoïcisme.**]

**ZÉNON D'ÉLÉE** ~ *1[re] moitié du Ve s. av. J.-C., Élée.* Philosophe grec. Il fut disciple de Parménide. Ses paradoxes de la « flèche lancée mais toujours immobile » ou d'« Achille incapable de jamais rattraper la tortue » visaient à montrer l'illusion du mouvement et de la pluralité, et l'unité irréductible de l'être.

**ZEPPELIN** (Ferdinand, comte VON) ~ *1838, Constance - 1917, Berlin.* Industriel allemand. Ancien militaire, il mit au point des dirigeables, civils et militaires, qui portent son nom.

**ZERAVCHAN** (le) ~ Fl. d'Asie centrale, issu d'un glacier de la **chaîne du Zeravchan** ; env. 875 km. Sa vallée, étroite tout au long de son cours au Tadjikistan, s'élargit en Ouzbékistan et forme depuis l'Antiquité une riche oasis entre Samarkand et Boukhara. Le fleuve s'assèche avant de rejoindre l'Amou-Daria.

**ZERMATT** ~ V. tourist. de Suisse (Valais), au pied du Cervin ; 4 000 h. Princ. station de sports d'hiver du pays (env. 1 620 m d'alt.).

**ZERMATTEN** (Maurice) ~ *1910, Saint-Martin, près de Sion.* Écrivain suisse d'expression française. Ses romans et ses contes sont une vivante expression de l'âme du Valais (*la Colère de Dieu*, 1940).

**ZERMELO** (Ernst) ~ *1871, Berlin - 1953, Fribourg-en-Brisgau.* Mathématicien et logicien allemand. Disciple de G. Cantor, il démontra le théorème du bon ordre, tenta d'axiomatiser la théorie des ensembles (1908), complétée par A. Fraenkel et A. Skolem, et énonça l'axiome du choix, dont il est impossible de décider s'il est vrai ou faux.

**ZERNIKE** (Frederik) ~ *1888, Amsterdam - 1966, Naarden.* Physicien néerlandais. Il inventa le microscope à contraste de phase rendant visibles des détails transparents (1938). Prix Nobel de phys. 1953.

**ŻEROMSKI** (Stefan) ~ *1864, Strawczyn - 1925, Varsovie.* Écrivain polonais. Ses romans et son théâtre sont nourris de convictions sociales généreuses (*Histoire d'un péché*, 1908). Son grand roman historique, les *Cendres* (1904), a été porté à l'écran par A. Wajda en 1965.

**ZEROUAL** (Liamine) ~ *1941, Batna.* Général et homme d'État algérien. Au pouvoir depuis 1994, il a été élu président en 1996.

**ZETKIN** (Clara) ~ *1857, Wiederau, Saxe - 1933, Arkhanguelskoïe, près de Moscou.* Révolutionnaire allemande. Figure de la IIe Internationale, ardente féministe, elle participa au mouvement spartakiste. Député communiste au Reichstag de 1920 à 1933, elle intégra la direction de la IIIe Internationale.

**ZETLAND (îles)** ~ Voir **Shetland**.

**ZEUS** ~ Dieu principal de la myth. grecque, maître des phénomènes célestes et protecteur des hommes. Fils de Cronos et de Rhéa, il épousa sa sœur Héra et régna sur l'Olympe. De ses unions avec déesses et mortelles naquit une abondante progéniture. On l'honorait spécialement à Dodone et à Olympie, et il fut identifié au Jupiter des Romains.

**ZEUXIS** ~ *2[e] moitié du Ve s. av. J.-C.* Peintre grec. Maître de l'ombre et de la lumière célébré par Lucien, il fut l'un des premiers peintres de chevalet. Son œuvre a entièrement disparu.

**ZHANGJIAKOU** ~ Voir **Kalgan**.

**ZHAO Mengfu** ou **TCHAO Mong-fou** ~ *1254, Huzhou, Zhejiang - 1322, id.* Peintre chinois. Au service des Yuan, il revint au style de l'époque Tang et se distingua par ses représentations équestres.

**ZHAO Ziyang** ou **TCHAO Tseu-yang** ~ *1919, district de Huaxian, dans le Henan.* Homme politique chinois. Premier ministre (1980-1987) puis secrétaire général du parti communiste (1987), il fut destitué en 1989.

**ZHEJIANG** ~ Province du S.-E. de la Chine, bordée par la mer de Chine orientale ; 101 800 km², 40 840 000 h., cap. Hangzhou. Région subtropicale à haute productivité agricole (riziculture, sériciculture, thé) dont l'industrialisation se développe en milieu rural. Pêche.

**ZHENGZHOU** ou **TCHENG-TCHEOU** ~ V. de Chine, dans la vallée du Huang He, cap. du Henan, centre industriel (filature et tissage de coton, constr. mécan., agroalimentaire) et nœud ferroviaire ; 1 530 000 h. Capitale de la dynastie des Shang.

**ZHOU Enlai**, **TCHEOU Ngen-lai** ou **CHOU En-lai** ~ *1898, Huai'an, Jiangsu - 1976, Pékin.* Homme politique chinois. Compagnon de Mao Zedong dès la Longue Marche (1934-1935), il fut ministre des Affaires étrangères (1949-1958) et Premier ministre (1949-1976). Il prépara le rapprochement sino-américain (visite de R. Nixon à Pékin, en 1972).

**Zhoukoudian** ou **Tcheou-k'eou-tien** ~ Site préhistorique de Chine, près de Pékin. Les restes d'une quarantaine d'hominidés y furent découverts (1921-1929), définissant un type d'*Homo erectus* baptisé sinanthrope (env. 400 000 ans av. J.-C.). P. Teilhard de Chardin participa à l'expédition.

**ZHU De**, **TCHOU Tö** ou **CHOU Teh** ~ *1886, Manchang, Sichuan - 1976, Pékin.* Maréchal et homme politique chinois. Placé à la tête de l'Armée populaire de libération en 1931, il lutta contre les Japonais, puis contre les nationalistes qu'il chassa du continent (1949). Commandant suprême des forces armées chinoises, il fut élu vice-président de la République en 1954.

**ZHU Xi** ou **TCHOU Hi** ~ *v. 1130, You Xi, Fujian - 1200, id.* Philosophe chinois. Grand commentateur des textes canoniques, il développa une « philosophie de la raison » qui, en pleine domination bouddhique, enrichit et ouvrit le confucianisme, et fit de lui le plus important des maîtres de l'orthodoxie après Confucius.

**ZIA UL-HAQ** (Mohammad) ~ *1924, Jullundur - 1988, dans un accident d'avion, près de Bahawalpur.* Général et homme d'État pakistanais. Il prit le pouvoir en 1977 et instaura une dictature militaire et islamique. Il fut président de la République de 1978 à sa mort.

**ZIBAN (monts des)** ~ Voir **Zab** (monts du).

**ZIBO** ou **TSEU-PO** ~ V. industrielle de Chine (Shandong), exploitant de riches gisements de houille et de fer ; 2 460 000 h. Industrie lourde, constructions mécaniques, chimie.

**ZIGUINCHOR** ~ Port du S. du Sénégal, centre admin. sur l'estuaire de la Casamance ; 149 000 h. Conserveries (poissons et crustacés). Agroalimentaire (huile d'arachide).

*Ziguinchor, le marché.*

**ZIMBABWE (république du)**, anc. **Rhodésie du Sud** ~ État enclavé de l'Afrique australe. ***Cap.*** Harare. ***Superf.*** 390 759 km². ***Popul.*** 10 400 000 h. (env. 2 % de Blancs). ***Langues princ.*** Anglais, shona, matabélé. ***Monn.*** Dollar du Zimbabwe. ***Relief.*** Hauts plateaux (1 200-1 500 m) limités au N. par la vallée du Zambèze et au S. par celle du Limpopo. ***Climat.*** Tropical, tempéré par l'altitude. ***Écon.*** Cultures vivrières (maïs) et commerciales (tabac, oléagineux, canne à sucre, agrumes). Importantes ressources énergétiques (charbon, hydroélectr.) et minières (or, amiante, nickel, cuivre) à la base d'une industrie diversifiée. Parc national. Le problème de la redistribution des terres, le déséquilibre démographique et les rivalités politiques créent un avenir incertain pour un pays dépendant de l'Afrique du Sud. Le potentiel touristique est considérable. **HIST.** – *III[e]-XVI[e] s.* : peuplée à l'origine par les Bochimans puis par les Bantous, la région est divisée en royaumes successifs, dont celui du Monomotapa au N. (cap. Zimbabwe). *XVI[e]-XVII[e] s.* : les Portugais établissent des contacts commerciaux avec le Zimbabwe. *XVIII[e] s.* : les Ngonis conquièrent le pays. *v. 1830* : les Matabélés s'établissent dans le S. *1888* : la South Africa Company de Cecil John Rhodes obtient des concessions minières. *1890* : des colons britanniques fondent Salisbury (Harare). *1923* : le territoire, baptisé Rhodésie du Sud, devient une colonie britannique et adopte un mode de partage du territoire entre Blancs et Noirs très proche de l'apartheid pratiqué en Afrique du Sud. *1953-1963* : les Britanniques réunissent le futur Zimbabwe, la Rhodésie du Nord (actuelle Zambie) et le Nyassaland dans la fédération de Rhodésie, qui éclate dès 1963 en raison des revendications nationalistes de la Zimbabwe African People's Union (Zapu) de Joshua Nkomo (Matabélé), en lutte depuis 1957 contre le pouvoir blanc. *1965-1978* : le Premier ministre Ian Smith déclare unilatéralement l'indépendance de la Rhodésie du Sud et renforce la politique d'apartheid, en dépit d'une opposition intérieure croissante, de la guérilla menée par les différentes composantes de la Zapu et de l'isolement diplomatique du pays. *1978-1980* : amorce d'un mouvement de démocratisation (signature d'un accord avec les franges les plus modérées de l'opposition noire, constitution d'un gouvernement multiracial et organisation d'élections). *1980-1996* : la Rhodésie du Sud prend le nom de Zimbabwe, sous lequel elle est reconnue par la communauté internationale. Les élections portent à la tête du gouvernement Robert Mugabe, chef de la Zimbabwe African National Union (Zanu), un Shona. Président depuis 1987, il a garanti aux fermiers blancs le contrôle du secteur agricole moderne et a développé une administration efficace, malgré l'opposition de la Zapu (ralliement de J. Nkomo, vice-président en 1990) et la crise économique. Abandon de la référence formelle au marxisme en 1991.

**ZIMMERMANN** (Bernd Alois) ~ *1918, Bliesheim, près de Cologne - 1970, Königsdorf, auj. dans Cologne.* Compositeur allemand. Intégrant les formes les plus diverses dans un dessein harmonique et expressionniste, son œuvre est marquée du sceau du désespoir (*Die Soldaten*, 1958-1964).

**ZIMMERMANN**, famille d'artistes allemands originaires de Bavière. ~ **Dominikus** (*1685, près de Wessobrunn - 1766, Wies, Bavière*), architecte et ornemaniste, fut un disciple de Fr. de Cuvilliés et l'un des maîtres du rococo bavarois (églises de Steinhausen et de Wies). Son frère aîné ~ **Johann Baptist** (*1680, près de Wessobrunn - 1758, Munich*), peintre, participa à la décoration de ces édifices, ainsi qu'à celle de la Résidence de Munich.

**ZINDER** ~ 2e v. du Niger, près de la frontière du Nigeria, marché agric. et centre de transformation de l'arachide et du riz (huileries, minoteries) ; 120 000 h. Ancienne capitale de la colonie du Niger jusqu'en 1926.

**ZINOVIEV** (Grigori Evseïevitch **Apfelbaum**, dit) ~ *1883, Elizavetgrad, auj. Kirovograd - 1936, Moscou.* Homme politique soviétique. Proche de Lénine, il fut membre du bureau politique du parti bolchevique de 1917 à 1926 et président du comité exécutif de la IIIe Internationale de 1919 à 1926. Membre de la troïka avec Staline et Kamenev, il rejoignit Trotski dans l'opposition en 1925. Il fut condamné à mort et exécuté lors des procès de Moscou.

**ZINZENDORF** (Nikolaus Ludwig, comte VON) ~ *1700, Dresde - 1760, Herrnhut.* Chef religieux allemand. Il restaura la communauté des Frères moraves de Herrnhut (1722) et obtint la reconnaissance de leur liberté de culte par Frédéric II (1742).

**Zirides** (les) ~ Dynastie berbère, fondée par Youssouf Bouloukkin ibn Ziri, qui régna sur Kairouan et l'E. de l'Afrique du Nord (972-1167) et dont une branche régna à Grenade (1025-1090).

**ZITA** ou **ZITE** (sainte) ~ *1218, Monsagrati, près de Lucques - 1278, Lucques.* Servante italienne. Son dévouement à ses maîtres durant sa vie entière lui valut d'être canonisée (1696). Elle est la patronne des gens de maison.

**ZITA DE BOURBON-PARME** ~ *1892, Villa Pianore, près de Viareggio - 1989, abbaye de Zizers, canton des Grisons.* Épouse de Charles Ier, elle fut la dernière impératrice d'Autriche (1916-1918).

**ŽIVKOV** ou **JIVKOV** (Todor) ~ *1911, Pravec.* Homme d'État bulgare. Premier secrétaire du parti communiste à partir de 1954 et président du Conseil de 1962 à 1971, il a été chef de l'État de 1971 à 1989. Il a été condamné, en 1992, à sept ans de prison pour détournement de fonds et abus de pouvoir.

**ŽIŽKA** (Jan) ~ *v. 1360 ou 1370, Trocnov, Bohême - 1424, Přibyslav.* Chef hussite. Grand stratège, il battit à plusieurs reprises l'empereur Sigismond de Luxembourg (bataille de Vítkov, 1420).

**ZOG Ier** ou **ZOGU Ier** (Ahmet Zogu, dit) ~ *1895, Burgajet - 1961, Suresnes.* Roi d'Albanie (1928-1939). Il se fit élire président de la République en 1925, instaura la monarchie en 1928 et quitta son pays lors de l'invasion italienne (1939).

**Zohar** (le), en fr. **Livre de la splendeur** ~ Traité kabbalistique attribué à Siméon bar Yohaï mais probablement écrit par Moïse de León, de Grenade, vers 1300. Il constitue une méthode d'interprétation mystique, à base de symboles numériques, surtout appliquée au Pentateuque.

**ZOLA** (Émile) ~ *1840, Paris - 1902, id.* Écrivain français. Influencé par le positivisme et la méthode expérimentale de Cl. Bernard, il voulut, dans le cycle romanesque des *Rougon-Macquart* (1871-1893), soumettre la société française à une analyse scientifique. Dans ses chefs-d'œuvre (*l'Assommoir,* 1877 ; *Nana,* 1880 ; *Au bonheur des dames,* 1883 ; *Germinal,* 1885 ; *la Terre,* 1887), le fondateur de l'école naturaliste révéla un tempérament épique qui le conduisit au messianisme socialiste de ses derniers livres (*les Quatre Évangiles,* posth., 1899-1903). Il associa son nom à la cause dreyfusarde en publiant dans *l'Aurore,* le 13 janvier 1898, son célèbre article « J'accuse ».

*Émile Zola.*

**Zond** ~ Programme spatial soviétique (1964-1970) de stations interplanétaires. Quatre vaisseaux pilotables sans équipage contournèrent la Lune et revinrent sur terre.

**ZONTA** ~ Voir **Giunta**.

**ZOROASTRE, ZARATHUSHTRA** ou **ZARATHOUSTRA** ~ *v. 628 - v. 551 av. J.-C.* Fondateur légendaire du zoroastrisme.

**ZOROBABEL** ~ *fin du VIe s. av. J.-C.* Prince juif. Avec Josué, il ramena les premiers Juifs de l'exil babylonien (537 av. J.-C.), gouverna la Judée sous domination perse (520-518 av. J.-C.) et fit restaurer le Temple de Jérusalem et son culte.

**ZORRILLA Y MORAL** (José) ~ *1817, Valladolid - 1893, Madrid.* Poète et auteur dramatique espagnol. Puisant son inspiration dans les légendes nationales et populaires, il est l'auteur de la célèbre pièce *Don Juan Tenorio* (1844).

**ZOUBÍS** (Laurette) ~ *1966, Arles.* Linguiste française. Auteur du *Traité sur le symbole du serpent dans la tragédie grecque* (1992), elle a posé les bases de la nouvelle correction orthographique française (1996).

**ZOUERATE** ou **ZOUEIRAT** ~ V. minière (fer) de Mauritanie (créée en 1958), à la frontière E. du Sahara occidental, reliée à Nouadhibou par voie ferrée (transport du minerai) ; env. 26 000 h.

**ZOUG (canton de)**, en all. ***Zug*** ~ Canton de la Suisse centrale englobant les lacs de Zoug et d'Aegeri, au S. de Zurich ; 239 km², 88 000 h. En majorité de langue allemande et catholique, **Zoug** (chef-lieu, 22 000 h.), sur la rive N.-E. du **lac de Zoug**, a une activité agricole, touristique et financière. **HIST.** - Fondé par les Habsbourg (1261), le canton entra dans la Confédération helvétique en 1352 et obtint l'égalité des droits (1415). Il dispose d'un gouvernement représentatif depuis 1848.

**ZOULOULAND** ou **ZULULAND** (le) ~ Territoire occupé par les Zoulous (N. du Natal). Protectorat britannique à partir de 1879, il fut annexé par le Natal en 1897. En 1972, il devint le bantoustan du Kwazulu (36 000 km²). Il forme avec le Natal, depuis 1994, la province du Kwazulu-Natal.

**Zoulous** ou **Zulus** (les) ~ Ethnie bantoue composée surtout de Ngonis, installée au Natal (Afrique du Sud).

**ZOZIME** ~ *Ve s.* Chroniqueur byzantin. Son *Histoire nouvelle* donne des indications précieuses, bien que partiales, sur l'histoire de Rome de la fin du IIIe s. à 410 (prise de la ville par Alaric Ier).

**ZSIGMONDY** (Richard) ~ *1865, Vienne - 1929, Göttingen.* Chimiste autrichien. Spécialiste des colloïdes, il mit au point avec Henry Siedentopf l'ultramicroscope, qui permet l'observation des particules grâce à l'effet Tyndall (1903). Prix Nobel de chim. 1925.

**ZUCCARI**, famille de peintres italiens originaires de Sant'Angelo in Vado, près d'Urbino. ~ **Taddeo** (*1529 - 1566, Rome*), de tendance maniériste, décora de nombreux édifices romains (Villa Giulia, palais Farnèse de Caprarola). Son frère et collaborateur ~ **Federico** (*v. 1540 - 1609, Ancône*) poursuivit son œuvre.

**ZUGSPITZE** (le) ~ Sommet des Alpes bavaroises, point culminant de l'Allemagne (2 963 m), à la frontière de l'Autriche.

**ZUIDERZEE** (le) ~ Voir **IJsselmeer**.

**Zuñis** (les) ~ Indigènes Pueblos vivant dans des réserves au Nouveau-Mexique et en Arizona.

**ZURBARÁN** (Francisco DE) ~ *1598, Fuente de Cantos, Badajoz - 1664, Madrid.* Peintre espagnol. D'origine modeste, il se consacra aux sujets religieux. Imprégné de l'œuvre du Caravage, attaché à la nature morte, il magnifia objets et accessoires. Longtemps oublié, il fut redécouvert par les romantiques. Sa rigueur plastique (traitement des volumes et de la lumière) en fait un des maîtres de la peinture espagnole (*Vie de saint Bonaventure,* 1629 ; *Sainte Agathe,* 1649).

San Diego de Alcalá, *peinture de Francisco de* **Zurbarán**. *Musée Lázaro Galdiano, Madrid.*

**ZURICH**, en all. ***Zürich*** ~ 1re v. de Suisse, sur le **lac de Zurich** (90 km²), tribut. du Rhin moyen (r. g.) ; 345 000 h. (agglom. 841 000 h.), ch.-l. du **canton de Zurich** (1 729 km², 1 162 000 h., à maj. germanophone et protestante). 2e marché mondial des investissements financiers, 1re place de l'or (Bourse), la ville doit sa prospérité à sa situation de carrefour européen à la frontière allemande ainsi qu'à une longue tradition commerciale. Principal centre culturel (presse, édition, théâtre), industriel (constr. mécan., chim., alim., text.) et tertiaire (banques, assurances, informat., comm. de gros) du pays. Université (1833). École polytechnique fédérale (1855). Ville de congrès et de tourisme. Cathédrale romane (XIIe-XIIIe s.). Rathaus (XVIIe s.). Musées (Kunsthaus, Rietberg, Bührle). **HIST.** - Ville impériale libre en 1218, Zurich entra dans la Confédération helvétique en 1351. Foyer religieux de la Réforme dès 1519 (Zwingli) et intellectuel au XVIIIe s., la ville devint au XIXe s. la première de la Confédération.

**ZWEIG** (Stefan) ~ *1881, Vienne - 1942, Petrópolis, Brésil.* Écrivain autrichien. Auteur de romans et de nouvelles où il se révéla un maître de l'analyse psychologique (*Amok,* 1922 ; *la Confusion des sentiments,* 1926 ; *le Joueur d'échecs,* 194?), il publia également des biographies, des essais littéraires et historiques. Il s'exila pour fuir le nazisme. Désespéré face à la situation de l'Europe en guerre, il se suicida.

**ZWICKAU** ~ V. d'Allemagne (Saxe), au S. de Leipzig, sur la Mulde ; 111 000 h. Industrie liée au bassin houiller (constr. mécan., chim., text.).

**ZWICKY** (Fritz) ~ *1898, Varna - 1974, Pasadena.* Astrophysicien suisse d'orig. bulgare. Il distingua avec W. Baade les novae et les supernovae (1934) et pressentit l'existence des étoiles à neutrons (1935). Son étude sur la répartition des galaxies dans l'univers lui permit de découvrir les galaxies compactes et d'en établir un catalogue photographique.

**ZWINGLI** (Ulrich) ~ *1484, Wildhaus, Saint-Gall - 1531, Kappel.* Réformateur religieux suisse. D'abord curé de Glaris (1506), influencé par Érasme, il imposa son évangélisme à Zurich (1519) mais ne s'accorda pas avec Luther. Il mourut lors d'une bataille contre les catholiques.

Ulrich **Zwingli**, *peinture de Hans Asper (1499-1571). Zentralbibliothek, Zurich.*

**ZWOLLE** ~ V. des Pays-Bas, sur l'IJssel (r. dr.), ch.-l. de la prov. d'Overijssel, centre comm. et industr. ; 99 000 h. Église et hôtel de ville du XVe s.

**ZWORYKIN** (Vladimir Kosma) ~ *1889, Mourom - 1982, Princeton.* Ingénieur américain d'orig. russe. Il inventa un dispositif de télévision électronique, l'iconoscope (1934), premier tube électronique analyseur d'images, puis des photomultiplicateurs (1936) ainsi que des appareils pour l'électronique médicale.

# ŒUVRES CLÉS DE LA CULTURE MONDIALE

Le titre des œuvres est donné uniquement en français, sauf lorsque le titre original est plus connu. Le prénom des personnes citées est abrégé lorsqu'elles font l'objet d'une notice dans le Dictionnaire des noms propres. La date figurant à la suite du titre est celle de la parution ou de la création.

***À bout de souffle*** ~ 1960. Film de J.-L. Godard (avec J.-P. Belmondo et Jean Seberg). Une œuvre anticonformiste qui imposa la Nouvelle Vague.

***Adam*** et ***Ève*** ~ 1507. Deux tableaux conjoints d'A. Dürer (Prado). Discret maniérisme des attitudes et linéarité gracieuse des formes. Le premier couple nu de l'humanisme renaissant.

***Adieu aux armes (l')*** ~ 1929. Roman d'E. Hemingway. Épopée pacifiste sur la Première Guerre mondiale, ce livre marqua toute une génération.

***Adolphe*** ~ 1816. Roman de B. Constant. Inspirée de la liaison de l'auteur avec Mme de Staël, la froide analyse d'un amour moribond.

***Affinités électives (les)*** ~ 1809. Roman de J. W. von Goethe. Les phénomènes complexes de l'attraction amoureuse désunissent un couple.

***Afrique fantôme (l')*** ~ 1934. Journal de M. Leiris. Récit d'une expédition ethnologique organisée par M. Mauss.

***Âge d'homme (l')*** ~ 1939. Récit autobiographique de M. Leiris, qui renouvelle le genre en profondeur grâce à l'apport de la psychanalyse.

***Âge d'or (l')*** ~ 1930. Film français de L. Buñuel et S. Dali. Hymne surréaliste à l'amour fou et à la subversion. L'œuvre fut censurée jusqu'en 1980.

***Agneau mystique (Adoration de l')*** ~ 1432. Polyptyque de J. et H. Van Eyck (cathédrale Saint-Bavon, Gand). En rupture avec le style gothique, l'un des premiers chefs-d'œuvre de l'école flamande.

***Aïda*** ~ 1871. Opéra de G. Verdi. Exploits guerriers et passion fatale dans l'Égypte des pharaons.

***Ailes du désir (les)*** ~ 1987. Film de W. Wenders. Un poème symboliste où les anges se mêlent aux humains dans un Berlin encore divisé.

***Ainsi parlait Zarathoustra*** ~ 1883-1885. Poème philosophique en prose de Fr. Nietzsche annonçant la venue du surhomme et la « transmutation de toutes les valeurs ». Il inspira à R. Strauss un poème symphonique (1896).

***À la recherche du temps perdu*** ~ 1913-1927. Cycle romanesque de M. Proust, composé de sept titres, dont trois posthumes (*Du côté de chez Swann, À l'ombre des jeunes filles en fleur, le Côté de Guermantes, Sodome et Gomorrhe, la Prisonnière, Albertine disparue ou la Fugitive, le Temps retrouvé*). Grâce à la mémoire affective et au jeu des métaphores, le narrateur retrouve son passé et transfigure par l'écriture ses expériences amoureuses et mondaines.

***Alceste*** ~ 438 av. J.-C. Tragédie d'Euripide. L'héroïsme d'une épouse vertueuse qui accepte de mourir à la place de son mari. Cette tragédie inspira un opéra à Lully (1674) et un autre à Gluck (1767).

***Alcools*** ~ 1913. Recueil poétique de G. Apollinaire. Mêlant lyrisme et modernisme, une œuvre qui marqua son époque, notamment par l'absence de ponctuation et l'emploi du vers libre.

***Aleph (l')*** ~ 1949. Recueil de nouvelles de J. L. Borges où de savantes métaphores tissent quelques vertigineuses inventions littéraires.

***À l'est d'Eden*** ~ 1952. Roman de J. Steinbeck. Deux frères s'affrontent dans la Californie des pionniers. E. Kazan en tira un film (1955) qui révéla J. Dean.

***Alexandre Nevski*** ~ 1938. Film de S. M. Eisenstein (musique de S. Prokofiev). Épisode de la résistance russe à l'envahisseur germanique (XIII^e^ s.).

***Alice au pays des merveilles*** ~ 1865. Conte de L. Carroll. Conçu pour des enfants, un monde onirique soumis, jusqu'à l'absurde, aux lois de la logique, comme métaphore du conformisme des adultes.

***À l'ouest, rien de nouveau*** ~ 1929. Roman d'E. M. Remarque. Un réquisitoire implacable contre les horreurs de la Première Guerre mondiale.

***Amadis de Gaule*** ~ 1508. Roman du XIV^e^ s. publié par Montalvo. Le héros, chevalier accompli et parfait amoureux, sera le modèle de don Quichotte.

***Amant (l')*** ~ 1984. Roman autobiographique de M. Duras. En Indochine, l'initiation amoureuse d'une jeune Européenne par un Chinois. Porté à l'écran par Jean-Jacques Annaud (1991).

***Amant de lady Chatterley (l')*** ~ 1928. Roman de D. H. Lawrence. Les amours d'une épouse esseulée et de son garde-chasse. Un hymne à la sexualité.

***Ambassadeurs (les)*** ~ 1533. Peinture d'H. Holbein le Jeune (National Gallery). Illustration exemplaire de la vanité humaine : le spectateur, changeant de point de vue, voit apparaître un crâne humain en anamorphose entre les deux personnages représentés.

***Ambassadeurs (les)*** ~ 1903. Roman d'H. James. Le contraste entre la mentalité puritaine de l'Amérique et la culture européenne décadente.

***Âmes mortes (les)*** ~ 1842. Roman de N. Gogol. Tableau satirique de la province russe au temps du servage.

***Amkoullel, l'enfant peul*** ~ 1955. Récit autobiographique d'A. H. Bâ. Souvenirs de la société coloniale africaine.

***Amok*** ~ 1922. Roman de St. Zweig. Passion et folie dans la jungle malaise.

***Amour et l'Occident (l')*** ~ 1939. Essai de D. de Rougemont. À travers le mythe de Tristan, une analyse de la passion amoureuse comme fondement de la civilisation occidentale.

***Amour fou (l')*** ~ 1937. Récit d'A. Breton. Hymne surréaliste à la passion amoureuse et au couple.

***Amours (les)*** ~ 1552-1555. Odes et sonnets de P. de Ronsard, qui célèbre Cassandre, Marie ou Hélène. L'inspiration épicurienne passe peu à peu de la préciosité pétrarquiste à la simplicité.

***Amour sacré et l'Amour profane (l')*** ~ v. 1515. Tableau de jeunesse de Titien (galerie Borghèse, Rome). Allégorie d'inspiration néoplatonicienne opposant ces deux formes d'amour.

***Amour sorcier (l')*** ~ 1915. Ballet-pantomime en un acte, musique de M. de Falla. Pittoresque histoire de gitans andalous, célèbre pour sa *Danse du feu.*

***Amphitryon*** ~ 1668. Comédie en vers libres de Molière, inspirée d'une pièce de Plaute (v. 214 av. J.-C.). Frasques amoureuses de Jupiter, sosies, quiproquos... L'œuvre inspira à J. Giraudoux (1929) *Amphitryon 38.*

***Anabase (l')*** ~ IV^e^ s. av. J.-C. Récit historique et autobiographique de Xénophon. Il relate la campagne de Cyrus contre le roi de Perse et la retraite des Dix Mille, conduite par l'auteur lui-même.

***Anabase*** ~ 1924. Œuvre poétique de Saint-John Perse. Ode aux fondateurs d'empire, définie par lui comme le « poème de la solitude dans l'action ».

***Andromaque*** ~ 1667. Tragédie de Racine. Les ravages de la jalousie amoureuse conduisent Oreste au meurtre et à la folie.

***Âne d'or (l')*** ~ Voir ***Métamorphoses (les)***.

***Ange bleu (l')*** ~ 1930. Film de J. von Sternberg. Inspiré d'un roman d'H. Mann, il révéla M. Dietrich.

***Angélus (l')*** ~ 1858. Peinture de J.-Fr. Millet (musée d'Orsay). Un témoignage sur la piété de la société rurale au XIX^e^ s.

***Anna Karénine*** ~ 1875-1877. Roman de L. Tolstoï. Les ravages d'un amour adultère dans l'aristocratie russe au XIX^e^ s.

***Annales*** ~ 115-117. Chronique de Tacite. Elle retrace dans un style âpre et concis l'histoire de Rome, de la mort d'Auguste à celle de Néron.

***Anneau du Nibelung (l')*** ~ 1852-1874. Cycle dramatique de R. Wagner (communément appelé *la Tétralogie* ou *le Ring*) en un prologue et trois opéras : *l'Or du Rhin, la Walkyrie, Siegfried, le Crépuscule des dieux.* Inspirée de légendes germaniques, une colossale cosmogonie lyrique et épique, dont l'argument musical s'appuie sur des leitmotivs.

***Année dernière à Marienbad (l')*** ~ 1961. Film d'A. Resnais, sur un scénario d'A. Robbe-Grillet. Transposition au cinéma des principes du Nouveau Roman.

***Annonce faite à Marie (l')*** ~ 1912. Drame de P. Claudel. Œuvre mystique dont l'action se situe au Moyen Âge et qui oppose, à travers les personnages de Mara et de Violaine, les passions terrestres à la sainteté.

***Annonciation (l')*** ~ début du XV^e^ s. Peinture de Fra Angelico (Musée diocésain, Cortone). Les couleurs chaudes et la douceur de touche du moine-peintre.

***Anthropologie structurale*** ~ 1958 et 1973. Recueil d'articles de Cl. Lévi-Strauss. La méthode structuraliste et son application à la mythologie et aux rapports de parenté.

***Antigone*** ~ v. 442 av. J.-C. Tragédie de Sophocle. Fidèle aux lois morales et divines, la fille d'Œdipe s'oppose à la raison d'État et y laisse la vie. Ce thème a inspiré de nombreux auteurs modernes, dont J. Cocteau (1927), J. Anouilh (1944) et B. Brecht (1948).

***Anti-Œdipe (l')*** ~ 1972. Essai de G. Deleuze et F. Guattari qui affirme le primat du désir et de la folie sur tout système psychanalytique et sur toute révolution idéologique.

***Antiquités celtiques et antédiluviennes*** ~ 1846. Essai de J. Boucher de Crèvecœur de Perthes. Il fonda les études préhistoriques.

***Antiquités de Rome (les)*** ~ 1558. Sonnets de J. du Bellay. Le poète y exprime son admiration pour la Rome antique et son désenchantement devant sa déchéance présente. Une profonde réflexion sur la destinée.

***Antiquités judaïques*** ~ fin du I^er^ s. Ouvrage historique de Flavius Josèphe. Histoire du peuple juif des origines à l'invasion romaine.

***Aphorismes*** ~ V^e^ s. av. J.-C. L'un des traités de médecine d'Hippocrate. Un recueil de préceptes qui sera commenté jusqu'à l'époque moderne.

***Aphrodite de Cnide*** ~ Statue d'après Praxitèle, IV^e^ s. av. J.-C. (nombreuses copies romaines). Modèle de la représentation grecque classique de la déesse de l'Amour.

***Apocalypse (l')*** ~ fin du XIVe s. Vaste ensemble de tapisseries médiévales de Nicolas Bataille, sur des cartons de Hennequin de Bruges (château d'Angers).

***Apocalypse Now*** ~ 1979. Film de Fr. F. Coppola (avec Martin Sheen, M. Brando). Inspiré du livre de J. Conrad *Au cœur des ténèbres*, ce film dénonce, à travers le conflit vietnamien, l'horreur et l'absurdité radicale de toute guerre.

***Apollon du Belvédère*** ~ IIIe s. av. J.-C. Statue en bronze de Léocharès. Sa réplique en marbre (Vatican) fut considérée, à la Renaissance, comme le modèle antique de la beauté masculine.

***Apologie de Socrate*** ~ Ve s. av. J.-C. Dialogue de Platon. La défense fictive de Socrate, accusé d'être impie et de corrompre la jeunesse.

***Apoxyomène*** ~ IVe s. av. J.-C. Statue de l'athlète au strigile de Lysippe (réplique en marbre, Vatican). Le canon hellénistique des proportions.

***Appassionata*** ~ 1804. La 23e sonate pour piano de L. van Beethoven, d'un climat passionnel exalté, « un torrent de lave dans un lit de granit » (R. Rolland).

***Apprenti sorcier (l')*** ~ 1797. Ballade de Goethe. Récit des catastrophes causées par un élève magicien téméraire. Elle inspira à P. Dukas un brillant *Scherzo symphonique*, modèle de musique descriptive (1897).

***Après-midi d'un faune (l')*** ~ 1876. Églogue en alexandrins de St. Mallarmé, qui inspira à Cl. Debussy son *Prélude à l'après-midi d'un faune* (1892-1894). Sur cette musique impressionniste, V. Nijinski monta une chorégraphie pour les Ballets russes de Diaghilev (Paris, 1912).

***Arcadie (l')*** ~ 1504. Roman pastoral de Sannazzaro. Il consacra la renaissance de l'idylle antique et inspira le roman de même titre de Ph. Sidney (1590).

***Archipel du Goulag (l')*** ~ 1973-1976. Œuvre d'A. Soljenitsyne sur les camps soviétiques et le système stalinien, qui stigmatise la réalité concentrationnaire en U. R. S. S. et fit de son auteur le plus illustre des dissidents.

***À rebours*** ~ 1884. Roman de J.-K. Huysmans. En rupture avec le naturalisme de l'époque, l'esthète Des Esseintes y incarne la figure du « décadent ».

***Ariane et Barbe-Bleue*** ~ Voir ***Barbe-Bleue***.

***Arlésienne (l')*** ~ 1872. Suite pour orchestre de G. Bizet. D'un mélodisme étincelant, elle s'inspire du drame d'A. Daudet (1866), illustrant la passion destructrice d'un jeune Camarguais.

***Arroseur arrosé (l')*** ~ 1895. Film des frères Lumière. Premier effet comique de l'histoire du cinéma.

***Arsène Lupin gentleman-cambrioleur*** ~ 1907. Roman de M. Leblanc. Il inaugura la série des nombreuses aventures du cambrioleur mondain.

***Arsenic et vieilles dentelles*** ~ 1944. Film de Fr. Capra (avec C. Grant, Priscilla Lane, Peter Lorre, B. Karloff). Histoire désopilante et macabre, qui est aussi une satire des mœurs anglo-saxonnes.

***Art d'aimer (l')*** ~ 20 av. J.-C. Poème didactique d'Ovide. Un manuel de séduction, hymne à la sensualité.

***Art poétique (l')*** ~ 1674. Poème didactique de N. Boileau, imitation de celui d'Horace (14 av. J.-C.). Il définit les règles essentielles du classicisme.

***Art romantique (l')*** ~ 1848. Recueil d'essais critiques de Ch. Baudelaire. Il y exalte le génie du R. Wagner et définit les principes d'une esthétique moderne.

***Assommoir (l')*** ~ 1877. Roman d'É. Zola. Gervaise et Coupeau sombrent dans l'alcoolisme et la déchéance. Tableau naturaliste du prolétariat parisien.

***Assomption (l')*** ~ 1518. Retable monumental de Titien (Académie, Venise). Une composition d'une extraordinaire dynamique ascensionnelle et d'un réalisme d'expression qui subjugua les contemporains.

***Astrée (l')*** ~ 1607-1628. Roman pastoral d'H. d'Urfé. Les amours d'Astrée et de Céladon dans un Forez mythique. Le livre, qui eut un immense succès, initia ses lecteurs aux subtilités du sentiment.

***Atala*** ~ 1801. Roman de Fr. R. de Chateaubriand. Récit d'une passion malheureuse dans le cadre idyllique de l'Amérique des « bons sauvages ». L'un des premiers textes romantiques.

***Atalante (l')*** ~ 1934. Film de J. Vigo (avec M. Simon). L'une des plus belles réussites du « réalisme poétique » au cinéma.

***Atelier du peintre (l')*** ~ 1855. Peinture de G. Courbet (musée d'Orsay). Autoportrait de l'artiste entouré de ses familiers. « Allégorie réelle » qui signa l'acte de naissance du réalisme.

***Athalie*** ~ 1691. Dernière tragédie de Racine, avec chœurs, composée pour les demoiselles de Saint-Cyr. Le « songe » de l'héroïne est demeuré célèbre.

***Attrape-cœur (l')*** ~ 1951. Roman de J. D. Salinger. La dérive d'un adolescent dans New York. Le livre culte d'une génération d'Américains.

***Au bord de l'eau*** ~ XIVe s.-XVIe s. Roman attribué à Shi Naian, révisé par Luo Guanzhong. D'inspiration populaire, il narre la lutte des bandits d'honneur, redresseurs de torts, contre les fonctionnaires impériaux corrompus.

***Aucassin et Nicolette*** ~ XIIIe s. « Chantefable » lyrique d'origine picarde, en prose et en vers alternés. Parodie des fictions courtoises, elle relate les amours contrariées d'un jeune noble et d'une mystérieuse esclave sarrasine.

***Au-dessous du volcan*** ~ 1947. Roman de M. Lowry. L'errance et la mort d'un consul alcoolique dans une ville du Mexique. Une atmosphère envoûtante.

***Au Moulin-Rouge*** ~ 1892. Tableau d'H. de Toulouse-Lautrec (Art Institute, Chicago). Le monde du cabaret et des viveurs. Un dessin et des couleurs dont l'audace fit sensation.

***Aurélia*** ~ 1855. Dernière nouvelle de G. de Nerval. Quête de soi-même et de la femme aimée, poésie onirique à la limite de la folie.

***Aurige de Delphes*** ~ Ve s. av. J.-C. Statue grecque en bronze grandeur nature d'un conducteur de char (musée de Delphes). La raideur archaïque s'y assouplit, annonçant la période classique.

***Autant en emporte le vent*** ~ 1936. Roman de M. Mitchell. Fresque relatant la vie de Scarlett O'Hara, une sudiste emportée dans un amour passionné pendant la guerre de Sécession. V. Fleming en tira un film demeuré célèbre (1939, avec Cl. Gable et Vivian Leigh).

***Avare (l')*** ~ 1668. Comédie en prose de Molière, inspirée de Plaute. Harpagon, obsédé par l'argent, devient le rival de son fils en amour.

***Avenir de la science (l')*** ~ 1890. Essai d'E. Renan qui substitue à la foi religieuse une morale fondée sur la science et la philologie.

***Aventures de Pinocchio (les)*** ~ 1878. Conte de Collodi. L'histoire merveilleuse d'une marionnette en bois qui finit par devenir un petit garçon, portée à l'écran par W. Disney (dessin animé, 1940) et par L. Comencini (1972).

***Aventures de Télémaque (les)*** ~ 1699. Œuvre en prose de Fénelon. Écrite pour l'éducation du duc de Bourgogne, elle s'inspire des premiers livres de l'*Odyssée*, exalte la paix et critique l'absolutisme, ce qui fâcha Louis XIV.

***Aventures de Tom Sawyer (les)*** ~ 1876. Roman de M. Twain. Deux jeunes garçons, en rupture de famille, partent à la recherche d'un trésor. Un grand classique de la littérature pour la jeunesse.

***Aventures du brave soldat Chveik (les)*** ~ 1920. Roman de J. Hašek. Satire du militarisme autrichien durant la Première Guerre mondiale.

***Aveugles (les)*** ~ 1568. Peinture de Bruegel l'Ancien (musée de Naples). La symbolisation du caractère tragique et grotesque de la destinée humaine.

***Avventura (l')*** ~ 1960. Film de M. Antonioni (avec Monica Vitti et Gabriele Ferzetti). Chronique de l'errance et de la difficulté de vivre d'un couple de riches mondains.

***Babbitt*** ~ 1922. Roman de S. Lewis. Une satire mordante de l'Amérique matérialiste des années 1920.

***Bain turc (le)*** ~ 1863. Dernier tableau de J. A. Ingres (Louvre). Un hymne, d'inspiration orientaliste, au corps féminin et à l'érotisme.

***Baiser (le)*** ~ 1886. Marbre d'A. Rodin (musée Rodin). La tendresse émouvante d'un couple. C. Brancusi s'en inspira (1908, cimetière du Montparnasse).

***Baiser de Judas (le)*** ~ 1305. Fresque de Giotto (chapelle de l'Arena, Padoue). La grande œuvre de Giotto, et un sommet de l'art de la fresque se libérant de l'influence de Byzance.

***Bal du comte d'Orgel (le)*** ~ posth., 1924. Second et dernier roman de R. Radiguet. Finesse de l'analyse psychologique, pureté néoclassique du style.

***Ballade de la geôle de Reading*** ~ 1898. Poème d'O. Wilde. Plainte composée pendant ses deux années de détention pour homosexualité.

***Ballades*** ~ 1456-1463. Recueil poétique de Fr. Villon. Il contient la « Ballade des dames du temps jadis » et la « Ballade des pendus » ou « Épitaphe Villon ». Le pessimisme ironique et révolté du premier grand poète lyrique français.

***Ballades lyriques*** ~ 1798. Poèmes de S. Coleridge et W. Wordsworth. L'avènement du romantisme anglais.

***Banquet (le)*** ~ IVe s. av. J.-C. Dialogue philosophique de Platon, au cours duquel certains convives, dont Phèdre, Pausanias et Socrate, parlent de l'amour.

***Barbe-Bleue*** ~ 1697. Conte de Ch. Perrault, sur le personnage mythique de l'« ogre », égorgeur de femmes. On le retrouve dans les opéras *Ariane et Barbe-Bleue*, de P. Dukas (texte de M. Maeterlinck, 1902) et *le Château de Barbe-Bleue*, de B. Bartók (1911).

***Barbier de Séville ou la Précaution inutile (le)*** ~ 1775. Comédie en prose de Beaumarchais, suivie du *Mariage de Figaro* (1784). Une *École des femmes* rajeunie par la verve de l'auteur. Elle inspira deux opéras bouffes italiens, de G. Paisiello (1782) et de G. Rossini (1816).

***Bas-fonds (les)*** ~ 1902. Drame social de M. Gorki. Il met en scène des êtres déclassés et pittoresques dans la Russie tsariste en déclin. J. Renoir (1936), puis Kurosawa (1957) l'adapteront pour l'écran.

***Bataille du rail (la)*** ~ 1946. Film de R. Clément. Glorification de la résistance des cheminots sous l'occupation allemande.

***Béatitudes (les)*** ~ 1869-1879. Oratorio de C. Franck. Une émouvante et noble expression musicale du Sermon sur la montagne.

***Beau Danube bleu (le)*** ~ 1867. Célèbre valse viennoise de J. Strauss II.

***Bel-Ami*** ~ 1885. Roman de G. de Maupassant. Il retrace l'ascension sociale d'un séducteur cynique et sans scrupule, dans le milieu du journalisme.

***Belle au bois dormant (la)*** ~ 1697. Conte de Ch. Perrault. La princesse endormie pour cent ans inspira le ballet de P. Tchaïkovski, chorégraphié par M. Petipa (1890) ; l'âge d'or du ballet romantique.

***Belle du seigneur*** ~ 1968. Roman d'A. Cohen. Évocation lyrique d'une passion amoureuse et satire cruelle de la médiocrité humaine.

***Belle et la Bête (la)*** ~ 1757. Conte de Mme Leprince de Beaumont, célébrant la puissance rédemptrice de la beauté et de l'amour. Il inspira le film de J. Cocteau (1946, avec J. Marais et Josette Day).

***Belle Hélène (la)*** ~ 1864. Opéra bouffe de J. Offenbach (livret de H. Meilhac et L. Halévy). Vision parodique des héros de la Grèce antique.

***Ben Hur*** ~ 1880. Roman de L. Wallace. L'histoire d'un prince juif redresseur de torts qui assiste à la passion du Christ. Elle inspirera les films de Fred Niblo (1925) et de William Wyler (1959, avec Ch. Heston).

***Bérénice*** ~ 1670. Tragédie de Racine. Pour raison politique, l'empereur Titus doit renoncer à épouser une princesse juive. L'apogée de la simplicité classique. Corneille traita le même sujet dans *Tite et Bérénice* (1670).

***Bête humaine (la)*** ~ 1890. Roman d'É. Zola. Amoureux de sa locomotive, la Lison, le mécanicien Lantier ne peut résister à ses pulsions meurtrières. Les abîmes de la psychologie meurtrière dans le monde nouveau des chemins de fer. J. Renoir en tira un film (1938, avec J. Gabin et M. Simon).

***Blanche-Neige et les sept nains*** ~ Conte de fées des frères Grimm. Il inspira à W. Disney le premier dessin animé de long métrage en couleurs (1938).

***Bohème (la)*** ~ 1896. Opéra de G. Puccini, d'après un roman d'Henri Murger. Les amours malheureuses de Rodolphe et de Mimi. Chef-d'œuvre du vérisme.

***Boléro*** ~ 1928. Ballet, musique de M. Ravel. Répétition du même thème, sur des orchestrations différentes, dans un crescendo sonore étourdissant.

***Bonaparte au pont d'Arcole*** ~ 1796. Toile d'A. Gros (château de Versailles). Une vision idéalisée, déjà légendaire, du futur empereur. Un style fougueux animé d'un souffle d'épopée.

***Boris Godounov*** ~ 1868-1872. Opéra de M. Moussorgsky, d'après un drame historique d'A. Pouchkine. Tragédie du pouvoir solitaire, remords d'un tsar usurpateur et meurtrier. Le plus grand rôle de basse du répertoire russe.

***Boule-de-suif*** ~ 1880. Nouvelle de G. de Maupassant. Une prostituée patriote confrontée à la lâcheté et à la sottise bourgeoise.

***Boulevard du Crépuscule (Sunset Boulevard)*** ~ 1950. Film de B. Wilder (avec William Holden, Gloria Swanson, E. von Stroheim). L'envers du décor hollywoodien, marqué par le déclin inéluctable des stars du muet.

***Bourgeois de Calais (les)*** ~ 1895. Groupe en bronze monumental d'A. Rodin (Calais), évoquant, avec puissance et réalisme, le sacrifice des six notables se livrant aux Anglais pour épargner leurs concitoyens.

***Bourgeois gentilhomme (le)*** ~ 1670. Comédie-ballet en prose de Molière (musique de Lully). Satire bouffonne d'un bourgeois parvenu, M. Jourdain, qui se prend pour un gentilhomme.

***Bouvard et Pécuchet*** ~ posth., 1881. Roman inachevé de G. Flaubert. La description ironique et attendrie de deux petits-bourgeois saisis par la fièvre de l'érudition scientifique, et échouant dans toutes leurs entreprises.

***Brigands (les)*** ~ 1782. Tragédie de Fr. von Schiller, inspirée par le Sturm und Drang. Une dénonciation de la tyrannie politique doublée d'une satire sociale.

***Britannicus*** ~ 1669. Tragédie de J. Racine. Inspirée par les *Annales* de Tacite, elle relate la farouche rivalité entre Agrippine et Néron, « monstre naissant », dans la conquête du pouvoir.

***Bruit et la Fureur (le)*** ~ 1929. Roman de W. Faulkner. L'originalité de son style et de sa construction (ruptures chronologiques, monologue intérieur) en fait un modèle de la littérature romanesque moderne.

***Bucoliques (les)*** ou ***les Églogues*** ~ v. 42-39 av. J.-C. Dix poèmes de Virgile. Son premier recueil, en forme de courtes idylles, imitées de Théocrite, mais aussi inspirées par l'actualité politique.

***Cabinet du docteur Caligari (le)*** ~ 1919. Film allemand de R. Wiene (avec Werner Krauss, Conrad Veidt). Une histoire cauchemardesque, reconnue comme un chef-d'œuvre de l'expressionnisme.

***Cahier d'un retour au pays natal*** ~ 1938. Recueil poétique d'A. Césaire. Chant d'amour au peuple antillais et pamphlet contre le colonialisme.

***Caligula*** ~ 1945. Drame d'A. Camus. Révolté par l'absurdité du monde, le jeune empereur affirme son besoin d'absolu en devenant un tyran sanguinaire.

***Calligrammes*** ~ 1918. Recueil poétique de G. Apollinaire. Certains poèmes s'y présentent sous la forme d'un dessin suggérant la présence de l'objet évoqué.

***Candide ou l'Optimisme*** ~ 1759. Conte philosophique de Voltaire. Satire de l'optimisme leibnozien et sagesse pratique affirmant la nécessité de « cultiver son jardin ».

***Cantatrice chauve (la)*** ~ 1950. Pièce d'E. Ionesco. La destruction du langage stéréotypé et du théâtre traditionnel.

***Canzoniere*** ~ 1335-1370. Recueil de poèmes de Pétrarque, inspirés par son amour pour Laure de Noves. Le retour aux sources antiques et l'élégance de son style en firent le modèle de la nouvelle poésie occidentale.

***Capitaine Fracasse (le)*** ~ 1863. Roman picaresque de Th. Gautier. Les aventures d'une troupe de comédiens aidés par un héros de cape et d'épée.

***Capital (le)*** ~ 1867-1879. Œuvre de K. Marx. La description des mécanismes du capitalisme et la mise en évidence de ses contradictions. Un livre d'économie politique qui ouvre la voie au socialisme scientifique.

***Caprices (les)*** ~ 1799. Recueil de 80 eaux-fortes de Goya. Elles caricaturent, sous des formes fantasmagoriques, les vices de la société de son époque.

***Caprices de Marianne (les)*** ~ 1833. Comédie d'A. de Musset. Les jeux de l'amour et de la mort dans l'Italie de la Renaissance. Un chef-d'œuvre du théâtre romantique.

***Captivité de Babylone (la)*** ~ 1520. Traité de Luther. Dénonçant l'Église de Rome, il contient les propositions que condamnera le concile de Trente.

***Caractères (les)*** ~ 1688-1694. Recueil de maximes et de portraits de J. de La Bruyère. Une description caustique et pessimiste des types humains du Grand Siècle.

***Carmen*** ~ 1845. Nouvelle de Pr. Mérimée. Les amours tragiques d'une bohémienne et d'un brigadier. G. Bizet en tira un opéra célèbre (1875).

***Carmina burana*** *(Chants de Beuren)* ~ XI^e^ s.-début du XIII^e^ s. Pièces vocales d'inspiration surtout profane, rédigées le plus souvent en latin médiéval. C. Orff en reprit certaines dans son œuvre de même titre (1937).

***Carnaval des animaux (le)*** ~ 1886. Œuvre pour deux pianos et orchestre de C. Saint-Saëns. Un chef-d'œuvre d'humour. L'élégiaque « Cygne » inspira à la Pavlova une chorégraphie devenue universelle.

***Case de l'oncle Tom (la)*** ~ 1851. Roman d'H. Beecher-Stowe. Un plaidoyer contre l'esclavage.

***Casque d'or*** ~ 1952. Film de J. Becker (avec S. Signoret, S. Reggiani). Un drame de l'amour dans la pègre de la Belle Époque.

***Casse-Noisette*** ~ 1892. Ballet de P. Tchaïkovski, d'après un conte d'E. T. A. Hoffmann. Une ravissante et mystérieuse féerie, dans la nuit de Noël. Les pages les plus célèbres constituent une suite symphonique.

***Catégories (les)*** ~ IV^e^ s. av. J.-C. Traité de logique d'Aristote, qui engendra, au Moyen Âge, la querelle des universaux.

***Caves du Vatican (les)*** ~ 1914. Roman d'A. Gide. Sotie moderne connue surtout pour l'acte gratuit de Lafcadio, précipitant sans raison par la portière son voisin de compartiment.

***Célestine (la)*** ou ***Tragi-comédie de Calixte et Mélibée (la)*** ~ 1499. Roman satirique attribué à Fernando de Rojas. Il créa le type littéraire de l'entremetteuse et fut à l'origine de la tragi-comédie et du roman espagnols.

***Cendrillon*** ~ Conte en prose de Ch. Perrault. La jeune fille persécutée par sa marâtre inspira un opéra à G. Rossini (*la Cenerentola*, 1817).

***Cène (la)*** ~ 1495-1497. Peinture murale de Léonard de Vinci (Santa Maria delle Grazie, Milan). L'une des représentations les plus novatrices du thème.

***Cent Ans de solitude*** ~ 1967. Roman de G. García Márquez. Une saga baroque qui popularisa en Europe la littérature sud-américaine du XX^e^ s.

***Cerisaie (la)*** ~ 1904. Dernière comédie d'A. Tchekhov. Le déclin de la vieille aristocratie russe et la montée de la bourgeoisie d'affaires.

***Changeur et sa femme (le)*** ~ 1514. Tableau de Q. Metsys (Louvre). Peinture minutieuse de la réalité quotidienne. Un chef-d'œuvre de l'art flamand.

***Chanson de Roland (la)*** ~ fin du XI^e^ s. La première chanson de geste française. L'épopée de preux chevaliers exaltant patriotisme et religion.

***Chant de la Terre (le)*** ~ 1908. Cycle de six lieder de G. Mahler, inspiré par des poèmes chinois. Ils évoquent la nature et la solitude de l'homme, et constituent un adieu à la vie.

***Chant des partisans (le)*** ~ 1943. Chanson composée par M. Druon et son oncle J. Kessel, hymne des résistants français de la Seconde Guerre mondiale.

***Chanteur de jazz (le)*** ~ 1927. Premier film parlant, d'A. Crosland (avec Al Jolson).

***Chant général*** ~ 1950. Recueil poétique de P. Neruda composé à son retour d'exil. Il y glorifie la terre du Nouveau Continent et y exprime sa solidarité avec les exploités.

***Chantons sous la pluie*** ~ 1952. Film américain de St. Donen et G. Kelly (avec G. Kelly). Comédie musicale bondissante où les trois héros vivent la naissance du cinéma parlant et de la comédie musicale.

***Chants de Maldoror*** ~ 1868-1869. Poème en prose de Lautréamont. Œuvre frénétique et cri de révolte, il inspira les surréalistes et marqua la poésie moderne.

***Charmes*** ~ 1922. Recueil poétique de P. Valéry, incluant « le Cimetière marin ». Intellectualisme et sensualité méditerranéenne.

***Charmeuse de serpents (la)*** ~ 1907. Peinture du douanier Rousseau (musée d'Orsay). Jungle imaginaire et colorée chère à l'art naïf du peintre.

***Chartreuse de Parme (la)*** ~ 1839. Roman de Stendhal, sur le thème de la « chasse au bonheur ». Une préfiguration du roman moderne.

***Chasseurs dans la neige (les)*** ~ 1565. Peinture sur bois de Bruegel l'Ancien (Kunsthistorisches Museum). Un tableau du cycle des « Saisons », où s'incarne la vie paysanne flamande. Une « symphonie » en blanc.

***Château de Barbe-Bleue (le)*** ~ Voir ***Barbe-Bleue.***

***Châtiments (les)*** ~ 1853. Recueil de poèmes de V. Hugo. Composé durant son exil à Jersey, il constitue un réquisitoire contre Napoléon III.

***Chatterton*** ~ 1835. Drame d'A. de Vigny. La solitude du poète moderne, humilié par la société bourgeoise et contraint au suicide.

***Chauve-Souris (la)*** ~ 1874. Opérette de J. Strauss II, sur un livret de Meilhac et Halévy. Humour et quiproquos endiablés, le champagne et le rire rois. Le chef-d'œuvre de l'esprit viennois.

***Chevauchée fantastique (la)*** ~ 1939. Western de J. Ford (avec Claire Trevor et J. Wayne). L'attaque de la diligence est un chef-d'œuvre de maîtrise.

***Chevaux de Marly (les)*** ~ 1740. Deux sculptures de G. Coustou père (Louvre). L'art du mouvement dans la statuaire monumentale.

***Chimères (les)*** ~ 1854. Ensemble de douze sonnets de G. de Nerval. Hermétiques et d'une grande beauté formelle, ils célèbrent le syncrétisme religieux.

***Choses (les)*** ~ 1965. Roman de G. Perec. Satire amusée des méfaits de la société de consommation dans les années 1960.

***Chouette aveugle (la)*** ~ 1936. Roman de S. Hedayat. L'univers hanté et désespéré du grand écrivain de l'Iran moderne.

***Christ dépouillé de sa tunique (le)*** ~ 1579. Toile du Gréco (cathédrale de Tolède). Magistrale composition centrée sur la masse écarlate de la tunique du Christ. Également connue sous le nom de l'*Espolio*.

***Christ jaune (le)*** ~ 1889. Tableau de P. Gauguin (Albright Gallery, Buffalo). L'une des toiles les plus représentatives de l'école de Pont-Aven. Une synthèse de l'art breton et des arts primitifs.

***Chroniques*** ~ 1370-1400. Récit historique de J. Froissart sur les débuts de la guerre de Cent Ans. Il imposa un style nouveau et attrayant, appuyé sur des témoignages oraux, et affranchi de la compilation pure.

***Chroniques martiennes*** ~ 1950. Roman de science-fiction de R. Bradbury. À travers l'histoire de la colonisation de Mars, une ode à l'humanisme.

***Cid (le)*** ~ 1636. Tragi-comédie de P. Corneille. Inspiré des *Enfances du Cid* de Guilhem de Castro (1618), ce drame du conflit entre devoir et amour fut critiqué par l'Académie française parce qu'il ne respectait pas les règles de la tragédie (règle des trois unités), mais connut un grand succès public.

***Cité de Dieu (la)*** ~ 413-426. Ouvrage de saint Augustin. Il y développe une vision mystique de la cité céleste, qu'il oppose à la civilisation païenne en déclin.

***Citizen Kane*** ~ 1941. Film d'O. Welles (avec l'auteur et Joseph Cotten). Portrait d'un magnat de la presse mégalomane. Un chef-d'œuvre du cinéma mondial.

***Clair de lune*** ~ 1801. La 14e sonate pour piano de L. van Beethoven. Au glas douloureux et résigné du célèbre « nocturne » initial répond l'irrépressible et sombre énergie du final.

***Classe de danse (la)*** ~ 1874. Toile d'E. Degas (musée d'Orsay). Poésie subtile et réalisme familier d'une scène de genre finement observée par le « peintre de la danse ».

***Clavecin bien tempéré (le)*** ~ 1722 et 1742. Deux recueils de J. S. Bach comportant chacun vingt-quatre préludes et fugues, disposés suivant l'ordre chromatique ascendant de toutes les tonalités majeures et mineures.

***Clélie, Histoire romaine*** ~ 1654-1661. Roman de Mlle de Scudéry. Cette histoire antique, costumée à la manière du Grand Siècle, contient la « Carte du Tendre », bréviaire de la préciosité amoureuse.

***Colomba*** ~ 1840. Nouvelle de Pr. Mérimée. Le pittoresque de la vendetta corse.

***Comédie humaine (la)*** ~ 1842-1848. Titre général sous lequel H. de Balzac réunit ses romans à partir de l'édition de 1842.

***Commentaires*** ~ 50 av. J.-C. Mémoires de César. Ils comprennent *la Guerre des Gaules* et *la Guerre civile*. La rigueur historique y dissimule habilement l'apologie personnelle.

***Comte de Monte-Cristo (le)*** ~ 1844. Roman d'A. Dumas. La possession d'un trésor permet à Edmond Dantès de se venger de tous ceux qui l'ont trahi.

***Concept d'angoisse (le)*** ~ 1844. Ouvrage de S. Kierkegaard. Sur fond de christianisme tragique, l'angoisse y devient le privilège de l'homme. Une pensée à l'origine des philosophies existentielles.

***Concerto d'Aranjuez*** ~ 1939. Concerto pour guitare et orchestre de J. Rodrigo. Un célèbre adagio central, une ligne mélodique admirable, d'où s'exhale, nostalgique et ardente, l'âme de l'Espagne éternelle.

***Concerto nº 1 pour piano et orchestre*** ~ 1875. Premier concerto de P. Tchaïkovski. La puissance et l'étincelante beauté de son thème d'ouverture, la vigueur des danses russes du final ont valu à cette œuvre son immense popularité.

***Concerto nº 2 pour piano et orchestre*** ~ 1902. Deuxième concerto de S. Rachmaninov. D'une remarquable densité symphonique, une œuvre d'un lyrisme intense, parfois empreint de mélancolie.

***Concerto nº 5 pour piano et orchestre « Empereur »*** ~ 1809. Dernier concerto de L. van Beethoven. Son incomparable noblesse d'inspiration, le souverain équilibre de ses proportions monumentales lui valurent son surnom.

***Concerto pour piano et orchestre*** ~ 1845. Œuvre de R. Schumann. L'apogée du concerto romantique. Douceur et passion du fond mélodique, tout en jeux d'ombre et de lumière, s'allient admirablement dans le cadre d'une forme rigoureuse.

***Concerto pour violoncelle et orchestre*** ~ 1895. Œuvre d'A. Dvořák. Composée aux États-Unis, une matière mélodique qui mêle les folklores tchèque et américain, dans une forme classique majestueusement élargie.

***Concerto pour violon et orchestre*** ~ 1806. Œuvre de L. van Beethoven. D'une écriture violonistique dépassant toute virtuosité gratuite, ce chef-d'œuvre léonin, à la thématique radieuse et sereine, est qualifié de « roi des concertos pour violon ».

***Concerto pour violon et orchestre*** ~ 1844. Œuvre de F. Mendelssohn. Charme et luminosité de l'invention mélodique tout irisée entre gaieté et mélancolie, fusion chaleureuse du solo et de la masse orchestrale.

***Concertos brandebourgeois*** ~ 1721. Six concerts pour orchestre de chambre de J. S. Bach. Équilibre souverain du ripieno et des masses solistes.

***Condition humaine (la)*** ~ 1933. Roman d'A. Malraux sur la défaite des communistes à Shanghai en 1927, face aux troupes de Tchang Kaï-chek. Une conception romantique de l'engagement politique et de la fraternité virile.

***Confessions*** ~ 397-401. Œuvre autobiographique de saint Augustin. Profession de foi d'un converti et modèle de sincérité littéraire.

***Confessions*** ~ 1782 et 1789. Autobiographie de J.-J. Rousseau. Chef-d'œuvre d'introspection, justification personnelle et illustration de ses théories sur l'état de nature.

***Considérations sur les causes de la grandeur des Romains et de leur décadence*** ~ 1734. Ouvrage historique et philosophique de Montesquieu. Sa tentative pour établir les lois qui régissaient la société romaine est à l'origine du rationalisme et du déterminisme historiques.

***Contemplations (les)*** ~ 1856. Recueil de poèmes de V. Hugo. Inspiré au poète par la mort de sa fille Léopoldine, il constitue un chef-d'œuvre d'émotion et de poésie visionnaire.

***Contes*** (*Histoires ou contes du temps passé* ou *Contes de ma mère l'Oye)* ~ 1697. Recueil de Ch. Perrault. Inspirés par la tradition populaire, ils sont cependant rédigés de manière très littéraire.

***Contes*** ~ début du XIXe s. Recueil des deux frères Grimm, constitué à partir de la tradition orale germanique.

***Contes*** ~ 1835-1872. Recueil de H. Chr. Andersen. Considérés à tort comme des contes pour enfants, ils charment par leur qualité d'imagination et leur style.

***Contes de Cantorbéry (les)*** ~ 1387. Recueil en vers de G. Chaucer. Le premier chef-d'œuvre de la littérature anglaise.

***Contes d'Hoffmann (les)*** ~ 1880. Opéra de J. Offenbach, très librement inspiré par les récits fantastiques d' E. T. A. Hoffmann.

***Contes du chat perché (les)*** ~ 1934-1958. Recueil de M. Aymé. Dans la veine moraliste des fables, les aventures de Delphine et Marinette à la ferme.

***Contes et Nouvelles*** ~ 1665-1682. Récits de J. de La Fontaine en vers irréguliers. Inspirés souvent de Boccace, ils manifestent une verve licencieuse ou grivoise qui scandalisa les dévots.

***Contes et Nouvelles*** ~ 1880-1890. Recueils de G. de Maupassant. Réalisme social et psychologique, variété des tons et des milieux, dans un style concis.

***Coppélia*** ~ 1870. Ballet-pantomime de L. Delibes. D'après une nouvelle d'E. T. A. Hoffmann, l'histoire d'un homme amoureux d'une poupée automate.

***Couronnement de Poppée (le)*** ~ 1642. Opéra de Cl. Monteverdi. L'un des premiers grands opéras. Célèbre évocation de la mort de Sénèque.

***Couronnement de la Vierge (le)*** ~ 1435. Peinture de Fra Angelico (Louvre). L'artiste y affirme son éclatant génie de la perspective et sa science des volumes. Mysticisme et piété candide du moine de Fiesole.

***Cours de linguistique générale*** ~ 1916. Œuvre de F. de Saussure. Reconstituée grâce aux notes de cours de ses élèves, elle contient les concepts fondamentaux de la linguistique structurale.

***Cours de philosophie positive*** ~ 1830-1842. Recueil de cours donnés par A. Comte. Ils présentent ses principes sociologiques (théorie des trois états de l'humanité, classification des sciences) et fondent l'épistémologie.

***Cousine Bette (la)*** ~ 1846. Roman d'H. de Balzac. Il forme avec *le Cousin Pons* (1847) le diptyque des « Parents pauvres ». La méchanceté d'une aigrie.

***Création (la)*** ~ 1798. Oratorio de J. Haydn. À la fin du siècle des Lumières, un hymne à la gloire de Dieu, mais aussi à celle de l'humanisme.

***Création d'Adam (la)*** ~ 1508-1512. Fresque de Michel-Ange. Une des neuf compositions sur les thèmes de la Genèse (chapelle Sixtine, Vatican).

***Cri (le)*** ~ 1893. Peinture d'E. Munch (musée d'Oslo). Œuvre clé de l'expressionnisme naissant, d'une violente intensité.

***Crime et Châtiment*** ~ 1866. Roman de F. Dostoïevski. Récit visionnaire du crime de Raskolnikov, de ses remords et de sa régénération par l'aveu et l'amour.

***Critique de la raison pure*** (1781), ***Critique de la raison pratique*** (1788), ***Critique de la faculté de juger*** (1790) ~ Œuvres philosophiques d'E. Kant, où il fonde la raison qui trace les limites et les conditions des possibilités de la connaissance du jugement moral, du jugement de goût et du jugement finalisé.

***Croc-Blanc*** ~ 1906. Roman de J. London. Le retour à l'état sauvage d'un chien-loup.

***Cuirassé Potemkine (le)*** ~ 1925. Film de S. M. Eisenstein. Récit d'une révolte de marins en 1905. Ce film révolutionna le langage cinématographique par l'emploi du gros plan et le dynamisme du montage. Célèbre scène du massacre sur le grand escalier d'Odessa.

***Cyrano de Bergerac*** ~ 1897. Comédie héroïque en vers d'E. Rostand. Virtuosité de la versification (fameuse tirade du nez) et pastiche habile des grandes œuvres classiques.

***Dame à la licorne (la)*** ~ Fin du XVe s. Ensemble de six tapisseries anonymes (musée de Cluny, Paris). Elles représentent la même jeune femme entourée de figures allégoriques et d'emblèmes héraldiques.

***Dame aux camélias (la)*** ~ Voir ***Traviata (la)***.

***Dame de Brassempouy*** ~ Paléolithique supérieur. Tête de femme en ivoire (3,65 cm) découverte en 1894 dans les Landes (musée de Saint-Germain-en-Laye). La plus ancienne figure humaine représentée.

***Dame de pique (la)*** ~ 1890. Opéra de P. Tchaïkovski, d'après le récit d'A. Pouchkine (1833). Une vieille comtesse connaissant trois cartes toujours gagnantes au jeu, et dont le jeune Hermann convoite le secret.

***Damnation de Faust (la)*** ~ Voir ***Faust***.

***Damnés de la terre (les)*** ~ 1961. Pamphlet de Fr. Fanon. Manifeste du courant tiers-mondiste et anticolonialiste des années 1960.

***Danse (la)*** ~ 1869. Groupe sculpté en pierre par J.-B. Carpeaux pour l'Opéra de Paris (musée d'Orsay). Le réalisme et la sensualité des six jeunes femmes représentées firent scandale.

***Danse et la Musique (la)*** ~ 1909-1910. Composition monumentale d'H. Matisse (Ermitage). Plasticité et simplicité des lignes, dynamisme des couleurs. Un art « d'équilibre, de pureté et de tranquillité ».

***Daphnis et Chloé*** ~ Début du IIIe s. Roman de Longus. Une idylle bucolique qui raconte l'innocente découverte de l'amour par les deux héros. Elle inspira à Ravel une musique de ballet (1909-1912).

***David*** ~ v. 1408. Statue en bronze de Donatello (Bargello). Elle unit la grâce juvénile de l'Antiquité à l'esprit religieux du Moyen Âge. On doit aussi un *David* à Verrocchio (1476, Bargello).

***David*** ~ 1501-1504. Sculpture monumentale en marbre de Michel-Ange (Académie).

***David Copperfield*** ~ 1849. Roman de Ch. Dickens. D'inspiration autobiographique, il narre l'histoire émouvante d'un orphelin maltraité.

***Décaméron (le)*** ~ 1348-1353. Recueil de nouvelles de Boccace. Dix personnages réunis pour fuir une épidémie de peste se content des histoires. Il inspira bien des imitateurs (Chaucer, Marguerite de Navarre, La Fontaine...).

***Défense et illustration de la langue française*** ~ 1549. Manifeste de J. du Bellay. Il y expose, contre les latinisants, le programme des poètes de la Pléiade pour renouveler la langue et la poésie françaises, et créer une grande littérature nationale imitée des Anciens.

***Déjeuner sur l'herbe (le)*** ~ 1862. Peinture d'É. Manet (Louvre). Inspirée de modèles classiques (Giorgione, Raphaël), elle fit pourtant scandale par le nu impudique au centre d'une scène de genre.

***De la démocratie en Amérique*** ~ 1835-1840. Essai d'A. de Tocqueville. Cette étude des mécanismes du régime démocratique eut un retentissement durable.

***De la guerre*** ~ 1831. Traité de C. von Clausewitz. La guerre conçue comme la « continuation de la politique par d'autres moyens ».

***De l'amour*** ~ 1822. Essai de Stendhal. La théorie de la cristallisation est l'élément essentiel de cette étude qui mêle psychologie et sociologie.

***De l'architecture*** ~ Ier s. Traité de Vitruve. Fondé sur l'étude des édifices hellénistiques, il constitua une référence capitale jusqu'à la Renaissance.

***De l'esprit des lois*** ~ 1748. Œuvre de Montesquieu. Dans le dessein de fonder une science positive du droit, il s'attache à découvrir les fondements politiques, économiques et sociologiques des lois. Étudiant les divers types de gouvernement, il préconise la séparation des pouvoirs exécutif, législatif et judiciaire.

***De l'origine des espèces*** ~ 1859. Œuvre de Ch. Darwin. Avec les concepts de lutte pour la vie et de sélection naturelle, il introduit l'évolutionnisme dans la biologie moderne.

***Demoiselles d'Avignon (les)*** ~ 1907. Peinture de P. Picasso (Museum of Modern Art, New York). L'influence de l'art africain sur les débuts du cubisme.

***De natura rerum*** *(De la nature des choses* ou *De la nature)* ~ v. 56 av. J.-C. Poème de Lucrèce. Il y expose son refus de la religion et sa conception matérialiste de l'univers, fondements d'une morale épicurienne.

***Dentellière (la)*** ~ v. 1664. Tableau de J. Vermeer (Louvre). Les humbles gestes du travail transfigurés par l'incomparable luminosité de touche.

***De revolutionibus orbium coelestium libri VI*** ~ 1543. Traité de N. Copernic. L'exposé de sa cosmologie héliocentrique, réfutation du système de Ptolémée et origine de la révolution scientifique du XVIIe s.

***Dernier des Mohicans (le)*** ~ 1826. Roman de J. F. Cooper. Un classique du récit d'aventures américain.

***Dersou Ouzala*** ~ 1975. Film de Kurosawa (avec Maxim Mounzouk). La vie et la mort d'un vieux chasseur de la taïga sibérienne. Un hymne à la nature.

***Désert des Tartares (le)*** ~ 1940. Roman de D. Buzzati. Dans un fort reculé, un jeune lieutenant vieillit dans l'attente d'une guerre improbable. Une métaphore de l'échec des ambitions humaines.

***Des souris et des hommes*** ~ 1937. Roman de J. Steinbeck. Pour lui épargner le supplice du lynchage, Georges devra tuer son ami Lennie, un simple d'esprit qu'il a toujours protégé. L'univers désolant des journaliers américains.

***Deuxième Sexe (le)*** ~ 1949. Essai de S. de Beauvoir. Le livre phare des luttes féministes contemporaines.

***2001, l'Odyssée de l'espace*** ~ 1968. Film de science-fiction de St. Kubrick (avec Keir Dullea et Gary Lockwood), d'après un roman d'Arthur C. Clarke. De l'origine de l'humanité aux origines de l'univers, une odyssée aux images vertigineuses.

***Diaboliques (les)*** ~ 1874. Recueil de six nouvelles de J. Barbey d'Aurevilly. L'évocation « satanique » de créatures habitées par le mal.

***Diadumène*** ~ Ve s. av. J.-C. Statue de Polyclète (nombreuses copies romaines). Elle représente un athlète au front ceint d'un bandeau. L'un des modèles de la beauté classique.

***Dialogues des morts*** ~ IIe s. Méditation satirique de Lucien de Samosate sur la vanité des biens et des grandeurs terrestres.

***Dialogue sur les deux principaux systèmes du monde*** ~ 1632. Traité de Galilée. Sa défense des idées coperniciennes contre le système de Ptolémée lui valut d'être condamné par l'Inquisition.

***Diane chasseresse*** ~ v. 1550. Peinture anonyme (Louvre). Œuvre représentative de l'école de Fontainebleau. Sans doute un hommage à Diane de Poitiers.

***Dictateur (le)*** ~ 1940. Film de Ch. Chaplin (avec l'auteur et Paulette Goddard). Premier film parlant de Chaplin, il constitue un vibrant pamphlet contre la terreur hitlérienne.

***Dictionnaire de la langue française*** ~ 1863-1872. Ouvrage d'É. Littré qui appliqua le scientisme positiviste à l'étude de la langue, réalisant ainsi une somme lexicographique imposante.

***Dictionnaire historique et critique*** ~ 1696-1697. Ouvrage de P. Bayle. Sa critique des dogmes et de l'autorité annonce l'esprit philosophique.

***Didon et Énée*** ~ 1689. Opéra d'H. Purcell. Inspiré de l'*Énéide*, le premier grand opéra anglais.

***Dies irae*** ~ 1943. Film de C. Th. Dreyer. Une histoire d'amour et de sorcellerie. Mise en scène austère et dépouillée.

***Discobole*** ~ Ve s. av. J.-C. Statue en bronze de Myron (nombreuses copies romaines). Elle représente un lanceur de disque, un classique de l'art grec.

***Discours de la méthode pour bien conduire sa raison et chercher la vérité dans les sciences*** ~ 1637. Traité philosophique de R. Descartes où il expose les règles pratiques du rationalisme scientifique et de la pensée moderne, avec le doute méthodique conduisant au célèbre cogito.

***Discours sur l'origine et les fondements de l'inégalité parmi les hommes*** ~ 1755. Essai philosophique de J.-J. Rousseau. Il exalte l'homme « naturel » et affirme sa supériorité sur le « civilisé », corrompu par l'état social, le travail et la propriété.

***Divine Comédie*** ~ 1307-1321. Poème de Dante Alighieri, en trois parties *(l'Enfer, le Purgatoire* et *le Paradis)* de 33 chants chacune. Guidé par Virgile, puis par Béatrice, le poète visite l'au-delà. Une construction savante, et un monument du christianisme médiéval.

***Dix Jours qui ébranlèrent le monde*** ~ 1919. Récit de J. Reed, ami de Lénine, sur les journées d'Octobre et le triomphe de la Révolution russe.

***Docteur Faustus*** ~ Voir ***Faust***.

***Docteur Jekyll et Mister Hyde*** ~ 1886. Roman fantastique de R. L. Stevenson sur la dualité de l'âme humaine. Un classique de la littérature d'épouvante.

***Dolce Vita (la)*** ~ 1960. Film de F. Fellini (avec M. Mastroianni et Anita Ekberg). Une satire baroque de la dépravation de la haute société romaine.

***Dom Juan ou le Festin de pierre*** ~ 1665. Comédie en prose de Molière, inspirée du *Trompeur de Séville et le convive de pierre* de Tirso de Molina (v. 1625). Dom Juan y apparaît comme un « grand seigneur méchant homme », libre penseur, séducteur et libertin, défiant sans cesse Dieu et les hommes.

***Don Giovanni*** ~ 1787. Opéra (*dramma giocoso*) de W. A. Mozart (livret de L. Da Ponte). Chef-d'œuvre du théâtre lyrique classique.

***Don paisible (le)*** ~ 1928-1940. Roman de M. Cholokhov (dont la paternité lui est parfois contestée). L'épopée lyrique du communisme.

***Don Quichotte de la Manche*** ~ 1605 et 1615. Roman de M. de Cervantès. Les déboires d'un incurable idéaliste qui a trop lu les romans de chevalerie. Une parodie picaresque qui a aussi valeur universelle.

***Doryphore (le)*** ~ 2e moitié du Ve s. av. J.-C. Statue de Polyclète (copie romaine au musée de Naples), représentant un guerrier nu portant une lance.

***D'où venons-nous ? Que sommes-nous ? Où allons-nous ?*** ~ 1897. Toile monumentale de P. Gauguin (Museum of Fine arts, Boston). Une atmosphère envoûtante, ponctuée de sourires silencieux et sereins. Le testament spirituel de l'artiste.

***Dracula*** ~ 1897. Roman fantastique de Br. Stoker. Il inspira de nombreux cinéastes : F. W. Murnau (*Nosferatu le Vampire*, 1922), T. Browning (*Dracula*, 1931), C. Dreyer (*Vampyr*, 1931), T. Fisher (*Dracula, prince des ténèbres*, 1965), R. Polanski (*le Bal des vampires*, 1967), W. Herzog (*Nosferatu, fantôme de la nuit*, 1979) et Fr. F. Coppola (*Dracula*, 1992).

***Du contrat social*** ou ***Principes du droit politique*** ~ 1762. Écrit philosophique de J.-J. Rousseau. Il expose l'idéal démocratique (renoncement aux droits naturels au profit des droits civiques d'égalité et de liberté, toute-puissance de la volonté majoritaire, et religion d'État) qui inspirera les révolutionnaires de 1793.

***École d'Athènes (l')*** ~ 1509-1510. Fresque de Raphaël (chambre de la Signature, Vatican). L'éloge de la philosophie grecque par un peintre de la Renaissance.

***École des femmes (l')*** ~ 1662. Comédie en vers de Molière. Arnolphe a maintenu Agnès dans l'ignorance pour en faire une épouse docile, mais elle s'éprend du jeune Horace. Molière répondit aux attaques de ses adversaires dans *la Critique de l'École des femmes* (1663).

***Écume des jours (l')*** ~ 1947. Roman de B. Vian. Poésie de l'amour rêvé et angoisse de la mort.

***Éducation sentimentale (l')*** ~ 1869. Roman de G. Flaubert. L'échec de toutes les ambitions politiques et amoureuses d'un antihéros.

***Église d'Auvers (l')*** ~ 1890. Toile de V. Van Gogh (musée d'Orsay). Le ciel bleu le plus intense de toute la peinture, traversé de mystérieuses vibrations. L'absence d'ombre portée par la petite église demeure une énigme.

***Électre*** ~ v. 412 av. J.-C. Tragédie d'Euripide. Pour venger le meurtre de son père, l'héroïne pousse son frère Oreste à tuer leur mère. Déjà traité par Eschyle (*les Choéphores*, v. 458 av. J.-C.) et Sophocle (v. 415 av. J.-C.), ce drame inspirera aussi R. Strauss (*Elecktra*, opéra 1909), E. O'Neill (*Le Deuil sied à Électre*, 1931), J. Giraudoux (1937) et J.-P. Sartre (*les Mouches*, 1943).

***Élégies de Duino*** ~ 1923. Recueil de dix poèmes de R. M. Rilke. Sommet du symbolisme de langue allemande où la poésie devient une véritable théologie.

***Éléments*** ~ IIIe s. av. J.-C. Traité d'Euclide. La rigueur de sa méthode et de ses démonstrations a fondé la géométrie moderne.

***Éloge de la Folie*** ~ 1511. Œuvre satirique en latin d'Érasme. Une dénonciation drôlatique de toutes les prétentions humaines par Moria (« folie », en grec).

***Embarquement pour Cythère (l')*** ~ 1717. Tableau d'A. Watteau (Louvre). Une fête galante, au charme poétique et à la mélancolie gracieuse, au cœur d'un XVIIIe s. idyllique.

***Émile ou De l'éducation*** ~ 1762. Roman pédagogique de J.-J. Rousseau. Les cinq étapes du développement de l'enfant dans le respect de l'évolution spontanée de sa personnalité, au contact de la nature, puis de la culture et enfin de la société.

***En attendant Godot*** ~ 1953. Pièce de S. Beckett. Le degré zéro de l'action dramatique. L'attente vaine d'on ne sait qui par deux clochards inséparables et un couple sado-masochiste révèle le néant humain.

***Encyclopédie ou Dictionnaire raisonné des sciences, des arts et des métiers*** ~ 1745-1780. Ouvrage collectif dirigé par Diderot et d'Alembert. Vendu par souscription, il a puissamment contribué, en dépit de nombreux obstacles, à diffuser les idées philosophiques du XVIIIe s.

***Énéide*** ~ 19 av. J.-C. Poème épique de Virgile. Énée fonde en Italie une nouvelle Troie. Imitation homérique, sensibilité nouvelle et patriotisme romain.

***Enfants du paradis (les)*** ~ 1945. Film de M. Carné, scénario de J. Prévert (avec Arletty, M. Casarès, J.-L. Barrault, P. Brasseur). Fresque monumentale sur le Paris des années 1830. Chassé-croisé de personnages en quête d'une vocation illusoire, d'un bonheur éphémère.

***Enlèvement au sérail (l')*** ~ 1782. Opéra de W. A. Mozart. Une plaisante « turquerie », qui fonda le style du *Singspiel* (ou chant allemand) du XIXe s.

***Enlèvement des filles de Leucippe (l')*** ~ 1618. Peinture de P. P. Rubens (Alte Pinakothek, Munich). Le triomphe du baroque opulent et sensuel.

***Enlèvement des Sabines (l')*** ~ 1799. Tableau de J. L. David (Louvre). Une magistrale évocation de cet épisode de l'histoire romaine, qui est aussi un appel à la réconciliation nationale. Un manifeste de l'art néoclassique.

***Enterrement du comte d'Orgaz (l')*** ~ 1586. Peinture du Greco (Église Santo Tomé, Tolède). À la société terrestre enterrant le défunt répond la société divine accueillant son âme. L'apothéose du mysticisme espagnol.

***Éros et Civilisation*** ~ 1955. Essai de H. Marcuse. Au confluent de la psychanalyse et du marxisme, une critique de la société de consommation qui influencera les mouvements révolutionnaires de 1968.

***España*** ~ 1882. Rhapsodie d'E. Chabrier. La rutilante gaieté des rythmes et des thèmes des fiestas espagnoles.

***Espoir (l')*** ~ 1937. Roman d'A. Malraux. Une chronique de la guerre d'Espagne, qui pose la question de l'engagement politique.

***Essais*** ~ 1580, 1588, 1595. Œuvre de M. de Montaigne, constamment augmentée de son vivant, au fil des éditions. Très influencé par la pensée antique, l'auteur, au travers de la description qu'il fait de lui-même, de ses lectures et de ses expériences pour mieux se connaître, prône une morale de l'épanouissement et un art de vivre en conformité avec la nature.

***Essais de linguistique générale*** ~ 1963-1973. Œuvre de R. Jakobson. On y trouve illustrés les principaux thèmes de la linguistique structurale.

***Essai sur l'entendement humain*** ~ 1690. Œuvre philosophique de J. Locke. Contre l'innéisme cartésien, une théorie empiriste de la connaissance.

***Essai sur le principe de population*** ~ 1798. Essai de Th. R. Malthus. La croissance de la population comme facteur de baisse du niveau de vie.

***Essence du christianisme (l')*** ~ 1841. Essai philosophique de L. Feuerbach. La religion conçue comme une aliénation dont il faut libérer l'humanité.

***État et l'Anarchie (l')*** ~ 1873. Traité de M. Bakounine. L'exposé de l'idéologie anarchiste, dont se réclamèrent certains courants libertaires.

***Éthique (l')*** ~ posth., 1677. Traité de Spinoza. Conçu selon une méthode géométrique, il montre comment l'homme peut trouver le bonheur et se libérer de la servitude des passions dans la connaissance rationnelle de l'ordre divin.

***Éthique à Nicomaque*** ~ IVe s. av. J.-C. Traité d'Aristote exposant sa morale du juste milieu, qu'incarne l'homme prudent. Les vertus sont définies comme des dispositions acquises de la volonté.

***Étranger (l')*** ~ 1942. Roman d'A. Camus. Condamné à mort pour un meurtre commis par hasard, Meursault reste étranger à son propre destin. Le sentiment de l'absurde rapporté dans le style neutre du roman contemporain.

***Être et le Néant (l')*** ~ 1943. Écrit philosophique de J.-P. Sartre. Analyse phénoménologique des aléas de l'existence humaine, des efforts pour échapper au néant et des modalités d'être avec autrui.

***Être et Temps*** ~ 1927. Œuvre philosophique de M. Heidegger, qui se propose de déterminer le sens de l'être par l'analyse phénoménologique des diverses situations du dasein au sein du monde.

***Eugène Onéguine*** ~ 1878. Opéra de P. Tchaïkovski, d'après le roman en vers d'A. Pouchkine (1833). Le bonheur manqué de deux êtres qui s'aimaient.

***Eugénie Grandet*** ~ 1833. Roman d'H. de Balzac. La froide avarice du père Grandet condamne sa fille, Eugénie, discrète et généreuse, à la solitude.

***Évolution créatrice (l')*** ~ 1907. Écrit philosophique d'H. Bergson, qui oppose, aux conceptions mécanistes et finalistes de l'évolution, l'élan vital comme durée pure et devenir qualitatif saisi par l'intuition.

***Extase de sainte Thérèse*** ~ 1645. Sculpture en marbre du Bernin (Santa Maria della Vittoria, Rome). Sensualité et mysticisme : les convulsions du baroque.

***Fables*** ~ 1668-1694. Recueils poétiques de J. de La Fontaine. Inspirés d'Ésope et de Phèdre, ces apologues proposent, à travers la description du monde animal, une satire de la société et une méditation morale servies par une versification d'une admirable souplesse.

***Fahrenheit 451*** ~ 1953. Roman d'anticipation de R. Bradbury. Défense des valeurs culturelles dans une société future déshumanisée. Fr. Truffaut en tira un film (1966).

***Faim (la)*** ~ 1890. Roman de Kn. Hamsun. La narration, d'inspiration autobiographique, d'une errance misérable dans les rues de Christiania.

***Famille de paysans (la)*** ~ 1641. Tableau des frères Le Nain (Louvre). Leurs évocations de la vie paysanne influencèrent les réalistes du XIXe s.

***Farce de maître Pathelin (la)*** ~ v. 1465. Divertissement anonyme, sur le thème du trompeur trompé.

***Faucon maltais (le)*** ~ 1930. Roman policier de D. Hammett. Le personnage du détective ironique et sans illusion révéla H. Bogart dans le film de J. Huston (1941).

***Fausses Confidences (les)*** ~ 1737. Comédie de Marivaux. Supplantant son rival noble, Dorante, jeune homme sans fortune, parvient, avec l'aide de son valet, à épouser Aramiste, veuve fortunée dont il s'est épris.

***Faust*** ~ 1773-1832. Poème dramatique de Goethe. Issu de la tradition populaire et littéraire (Chr. Marlowe, 1588 ; G. E. Lessing, 1759), le personnage qui vend son âme au diable prend avec Goethe sa dimension de grand mythe national germanique que réutilisera Th. Mann (*Docteur Faustus*, 1947).

***Faust*** ~ 1859. Opéra de Ch. Gounod. La plus connue, sinon la plus fidèle, des adaptations musicales du drame de Goethe. S'en inspirent aussi *la Damnation de Faust* d'H. Berlioz (1846) et le *Mefistofele* d'A. Boïto (1868).

***Fayyoum*** (portraits du) ~ Ier s.-V[e] s. Peintures funéraires grecques sur plaquettes de bois (*Dame de Fayyoum*, Louvre). Un réalisme pictural intense.

***Fée Électricité (la)*** ~ 1937. Immense décoration conçue par R. Dufy pour l'Exposition universelle (Musée national d'Art moderne, Paris). Hardiesse des lignes et des couleurs à la gloire de l'ère moderne.

***Femme 100 têtes (la)*** ~ 1929. « Roman-collage » de M. Ernst, constitué d'un assemblage de gravures du XIXe s. Une des œuvres les plus caractéristiques du surréalisme pictural.

***Femmes savantes (les)*** ~ 1672. Comédie en vers de Molière. Une satire des salons mondains du Grand Siècle et des pédants qui les animent.

***Fête à Saint-Cloud (la)*** ~ v. 1775. Tableau de J. H. Fragonard (Banque de France). Chronique mondaine et lyrisme charmeur du paysage.

***Fêtes galantes*** ~ 1869. Recueil de poèmes de P. Verlaine. Hommage aux tableaux de Watteau, sensualité mélancolique, musicalité du vers.

***Feuilles d'herbe*** ~ 1855-92. Recueil proétique de W. Whitman. La première grande œuvre du lyrisme américain.

***Fictions*** ~ 1949. Recueil de nouvelles de J. L. Borges. Une vision du monde construite au travers de la littérature et la philosophie comme les seuls matériaux tangibles.

***Fidelio*** ~ 1805-1814. Unique opéra de L. van Beethoven. Un hymne à l'amour conjugal et à la liberté politique.

***Filles du feu (les)*** ~ 1854. Recueil de nouvelles de G. de Nerval. La plus connue reste *Sylvie*, mélange de réalisme intimiste et d'onirisme poétique.

***Fleurs du mal (les)*** ~ 1857. Recueil poétique de Ch. Baudelaire. Il valut à son auteur d'être condamné pour immoralité. Par son architecture savante, le jeu des « correspondances », l'expression du « spleen », il inaugure le symbolisme et le lyrisme modernes.

***Flûte enchantée (la)*** ~ 1791. Opéra de W. A. Mozart. Le triomphe de la lumière maçonnique sur les ténèbres de l'obscurantisme.

***Foire aux vanités (la)*** ~ 1847. Œuvre de W. Thackeray. Le plus fameux roman de mœurs anglais du XIXe s.

***Follia (la)*** ~ 1700. Sonate pour violon et continuo d'A. Corelli. Ces 23 variations sur un thème anonyme célèbre au XVIIe s., outre leur fascinante beauté, ont inauguré le genre de la « variation en série ».

***Fondation*** ~ 1942-1988. Œuvre romanesque d'I. Asimov. Un classique de la science-fiction, influencé par les thèses d'A. Toynbee.

***Fourberies de Scapin (les)*** ~ 1671. Comédie en prose de Molière. Les intrigues divertissantes d'un valet déluré.

***Fraises sauvages (les)*** ~ 1957. Film d'I. Bergman (avec Victor Sjöström). Un vieux savant dresse le bilan amer de sa vie.

***Frankenstein ou le Prométhée moderne*** ~ 1817. Roman fantastique de M. Shelley, sur le mythe du créateur dépassé par son invention. Un classique du roman d'épouvante, qui inspira not. le film de James Whale (1931, avec B. Karloff).

***Freischütz (le)*** ~ 1821. Opéra de C. M. von Weber. Pacte satanique, sabbat dans la sombre forêt germanique et rédemption par l'amour. Le chef-d'œuvre du singspiel allemand.

***Fureur de vivre (la)*** ~ 1955. Film de N. Ray. Il fit de J. Dean la figure emblématique de la jeunesse des années 1950.

***Fusillade du 3 mai 1808*** ~ 1814. Tableau de F. Goya (Prado). Évocation, d'un expressionnisme tragique, de la sanglante répression qui suivit le soulèvement de Madrid contre l'occupation française.

***Gabrielle d'Estrées et la duchesse de Villars*** ~ v. 1530. Peinture anonyme (Louvre). Deux grandes dames au bain. Distinction des poses et hardiesse de la gestuelle. La veine licencieuse de l'école de Fontainebleau.

***Gargantua (Vie inestimable du grand)*** ~ 1534. Roman de Fr. Rabelais. Prouesses comiques du géant débonnaire, mais aussi exposé des idéaux humanistes : critique de la guerre, pédagogie moderne, vie libre et harmonieuse.

***Gaspard de la nuit*** ~ 1842. Recueil de poèmes en prose d'A. Bertrand. Son romantisme médiéval ouvrit la voie au symbolisme et au surréalisme. Il inspira une œuvre pour piano à M. Ravel (1908).

***Gatsby le Magnifique*** ~ 1925. Roman de Fr. Sc. Fitzgerald, sur les années folles et les désillusions du rêve américain.

***Gattamelata*** ~ 1453. Statue équestre en bronze du condottiere italien, par Donatello (Padoue). Le premier chef-d'œuvre de la sculpture Renaissance.

***Génie du christianisme (le)*** ~ 1802. Œuvre de Fr. R. de Chateaubriand. Apologie de la religion chrétienne, illustrée à l'origine par les courts romans *Atala* et *René*. Cette réaction à la philosophie du XVIII$^e$ s. eut un grand succès et contribua à la redécouverte de l'art gothique.

***Géographie universelle*** ~ 1927-1948. Ouvrage en quinze tomes et en vingt-trois volumes dirigé par P. Vidal de La Blache et poursuivi par L. Gallois. La grande œuvre de l'école géographique française.

***Géorgiques (les)*** ~ 29 av. J.-C. Poème didactique de Virgile. Il mêle enseignement rural et hymne à la nature et au labeur des hommes.

***Germinal*** ~ 1885. Roman d'É. Zola. L'univers terrifiant de la mine. Une vision épique du prolétariat en lutte.

***Giselle*** ~ 1841. Ballet fantastique sur une musique d'Adolphe Adam. Le chef-d'œuvre de la chorégraphie romantique.

***Golem (le)*** ~ 1915. Roman fantastique de G. Meyrink. Le mystère d'une créature d'argile qui hante le ghetto de Prague.

***Golestan*** ~ 1258. Recueil en prose et en vers de Sa'di. Ce « Jardin des roses » est la première œuvre persane qu'on ait traduite en France (1634).

***Gommes (les)*** ~ 1953. Roman d'A. Robbe-Grillet. Intrigue circulaire, refus de la psychologie, importance des objets. Une œuvre fondatrice du Nouveau Roman.

***Gorgias*** ~ IV$^e$ s. av. J.-C. Dialogue de Platon, où Socrate, s'opposant aux sophistes, préfère subir l'injustice que la commettre, et défend le discours vrai qui amène les hommes à vivre le bien.

***Grande Illusion (la)*** ~ 1937. Film de J. Renoir (avec P. Fresnay, J. Gabin, E. von Stroheim et M. Dalio). L'évasion de deux Français prisonniers d'un camp allemand pendant la Première Guerre mondiale. Un message pacifiste.

***Grande Odalisque (la)*** ~ Voir ***Odalisque couchée.***

***Grandes Baigneuses (les)*** ~ 1884-1887. Peinture d'A. Renoir (musée de Philadelphie), sur un thème familier de son œuvre (*Baigneuse s'essuyant la jambe*, 1905). P. Cézanne traitera plusieurs fois le même thème (1895-1906), dans un style annonçant le cubisme.

***Grand Meaulnes (le)*** ~ 1913. Roman d'Alain-Fournier. Le paradis du rêve enfantin confronté à la réalité du monde adulte.

***Grand Sommeil (le)*** ~ 1946. Film de H. Hawks, d'après un roman de R. Chandler. L'archétype du film noir avec le couple mythique H. Bogart-Lauren Bacall.

***Guépard (le)*** ~ 1958. Roman de G. Tomasi di Lampedusa. Le déclin de l'aristocratie sicilienne et l'ascension de la bourgeoisie à l'époque du Risorgimento. L. Visconti en tirera un film somptueux (1963, avec B. Lancaster, A. Delon et Claudia Cardinale).

***Guêpes (les)*** ~ 422 av. J.-C. Comédie d'Aristophane, qui tourne en dérision le goût immodéré des Athéniens pour les procès. Elle inspira Racine (*les Plaideurs*, 1668).

***Guernica*** ~ 1937. Peinture de P. Picasso (Prado). Exécutée à la demande du gouvernement espagnol républicain pour l'Exposition universelle de 1937, elle représente le bombardement de la ville basque par l'aviation allemande.

***Guerre des étoiles (la)*** ~ 1977-1983. Trilogie de science-fiction produite par George Lucas. Réussite absolue du *space opera* à l'écran, ce cycle marqua toute une génération par son renouveau des effets spéciaux.

***Guerre des mondes (la)*** ~ 1898. Roman de H. G. Wells. Les martiens envahissent la Terre. Un classique du récit d'anticipation.

***Guerre et Paix*** ~ 1865-1869. Roman de L. Tolstoï. Le sort de l'aristocratie russe confrontée aux guerres napoléoniennes de 1805 et 1812. Apologie des réformes sociales et évocation des destins individuels face à l'histoire.

***Guillaume Tell*** ~ 1829. Opéra de G. Rossini, inspiré du drame de Fr. von Schiller. Une prestigieuse illustration dramatique et musicale de la légende du héros helvétique.

***Hamlet*** ~ 1600. Drame de W. Shakespeare. Une histoire de spectre, de folie et de vengeance qui marque l'apogée du théâtre élisabéthain.

***Hauts de Hurlevent (les)*** ~ 1847. Roman d'E. Brontë. La violence des passions et l'âpre poésie de la lande anglaise.

***Heptaméron (l')*** ~ 1559. Recueil de soixante-douze nouvelles de Marguerite de Valois, reine de Navarre. Sur le modèle du *Décaméron* de Boccace, un mélange de libertinage et d'amour platonique.

***Hernani ou l'Honneur castillan*** ~ 1830. Drame en vers de V. Hugo. Il suscita une célèbre bataille entre classiques et romantiques.

***Hiroshima mon amour*** ~ 1959. Film d'A. Resnais, sur un scénario de M. Duras (avec Emmanuelle Riva et Okada Eiji). L'évocation du drame nucléaire à travers la rencontre amoureuse d'un Japonais et d'une Française.

***Histoire de France*** ~ 1833-1846 ; 1855-1867. Ouvrage de J. Michelet. Une somme historique doublée d'un chef-d'œuvre littéraire et poétique.

***Histoire de Gil Blas de Santillane*** ~ 1715-1735. Roman d'A. R. Lesage. Un modèle de récit picaresque.

***Histoire de la folie à l'âge classique*** ~ 1961. Essai de M. Foucault. Il analyse le discours médical sur la déviance, du Moyen Âge à nos jours.

***Histoire de ma vie*** ou ***Mémoires de Casanova*** ~ posth., 1822. Récit autobiographique en français de Casanova. Le catalogue de ses aventures galantes et une fresque savoureuse sur la vie à la fin du XVIII$^e$ s.

***Histoire de Tom Jones, enfant trouvé*** ~ 1749. Roman d'H. Fielding. Les mésaventures picaresques d'un enfant trouvé et un remarquable portrait de la société anglaise du XVIII$^e$ s.

***Histoire du chevalier Des Grieux et de Manon Lescaut*** ~ 1731. Roman de l'abbé Prévost. Son héroïne, amorale mais touchante, inspira plusieurs opéras (D. Fr. E. Auber, 1856 ; J. Massenet, 1884 ; G. Puccini, 1893).

***Histoire du soldat*** ~ 1918. Spectacle musical d'I. Stravinski (livret de C. F. Ramuz). Des éléments de jazz intégrés dans l'harmonie classique.

***Histoire naturelle*** ~ 1749-1804. Encyclopédie en quarante volumes dirigée par Buffon et terminée par Lacépède. Sa description des mondes minéral et animal est sous-tendue par une vision déjà évolutionniste.

***Histoires*** ~ V$^e$ s. av. J.-C. Ouvrage d'Hérodote. Le premier grand récit historique, centré sur les guerres médiques. Des renseignements précieux et des contes pittoresques sur l'Égypte pharaonique.

***Histoires*** ~ 106-109. Ouvrage de Tacite sur l'histoire romaine, de la mort de Néron à celle de Domitien (69-96). Suite chronologique des *Annales.*

***Histoires extraordinaires*** ~ 1840-1845. Nouvelles d'E. A. Poe. Énigmes policières ou contes fantastiques, elles furent traduites en français par Baudelaire.

***Histoires naturelles*** ~ 1894. Œuvre de J. Renard. Sous forme de petits tableaux, un bestiaire ironique et poétique magistralement écrit.

***Histoire universelle*** ~ Voir ***Livre des considérations [...]***

***Homme invisible (l')*** ~ 1897. Roman d'H. G. Wells. Une invention qui tourne mal. Fameuse aventure d'anticipation.

***Homme qui marche, I*** et ***II*** ~ 1959-1960. Sculptures d'A. Giacometti. L'homme moderne réduit à une stylisation filiforme.

***Homme sans qualités (l')*** ~ 1930-1943. Roman de R. Musil. Inachevée, cette œuvre majeure explore les limites du genre et dresse un portrait démystificateur de notre modernité.

***Hommes de bonne volonté (les)*** ~ 1932-1947. Cycle romanesque de J. Romains (27 volumes). Une vision unanimiste de la société du début du siècle.

***Honneur perdu de Katharina Blum (l')*** ~ 1974. Roman de H. Böll. Réquisitoire d'un humaniste contre la collusion de la presse et du pouvoir en Allemagne. V. Schlöndorff en tirera un film (1975).

***Horla (le)*** ~ 1887. Premier conte d'un recueil de nouvelles de G. de Maupassant. Un homme sous l'emprise d'un être surnaturel. Atmosphère d'angoisse, efficacité du récit fantastique.

***Hôtel du Nord*** ~ 1938. Film de M. Carné (avec Arletty et L. Jouvet), d'après un roman d'E. Dabit. Une fresque populiste du Paris d'avant guerre.

***Huis clos*** ~ 1945. Pièce de J.-P. Sartre. L'enfer comme métaphore de la condition humaine : trois personnages condamnés pour l'éternité à vivre ensemble dans une incessante rivalité (« L'enfer, c'est les autres »).

***Huit et demi*** ~ 1963. Film de F. Fellini (avec M. Mastroianni). Les angoisses et les fantasmes d'un cinéaste. Le film du film qu'il ne parvient pas à réaliser.

***Hussard sur le toit (le)*** ~ 1951. Roman de J. Giono. Au XIX$^e$ s., Angelo, jeune italien en exil, traverse une Provence dévastée par le choléra.

***Hymnes à la nuit*** ~ 1800. Cycle de poèmes en vers et en prose de Fr. Novalis. Le lyrisme de ces odes à la nuit salvatrice aura une immense influence sur le symbolisme jusqu'à R. M. Rilke.

***Iambes*** ~ 1819. Poèmes satiriques d'A. Chénier, écrits en captivité, avant son exécution. Le poète y exprime sa révolte contre la Terreur.

***Idéologie tripartite des Indo-Européens (l')*** ~ 1958. Essai de G. Dumézil. Il y définit les trois fonctions hiérarchisées propres aux sociétés indo-européennes. Une étude structurale qui a fait date.

***Idiot (l')*** ~ 1868. Roman de F. Dostoïevski. Les aventures et les échecs d'un prince au cœur trop pur.

***Île au trésor (l')*** ~ 1883. Roman de R. L. Stevenson. Un enfant sur un bateau de pirates à la recherche d'un fabuleux trésor. L'archétype du roman d'aventures.

***Il était une fois dans l'Ouest*** ~ 1968. Film de S. Leone. Les studios américains avaient oublié le western, Leone le réinvente avec génie et humour. Le chef-d'œuvre du « western spaghetti ».

***Iliade*** ~ Début VIII$^e$ s. av. J.-C. Épopée en vingt-quatre chants attribuée à Homère. Elle narre un épisode du siège de Troie et les exploits des héros grecs antiques. Ce poème guerrier, grandiose et émouvant, constitue l'ouvrage fondateur de la civilisation occidentale.

***Illuminations*** ~ 1886. Recueil de poèmes en prose d'A. Rimbaud. L'originalité radicale de ce génie adolescent révolutionna la littérature moderne.

***Illusions perdues*** ~ 1837-1843. Roman d'H. de Balzac. L'échec parisien d'un jeune poète de province. Une satire féroce des milieux de la presse et de l'édition.

***Imitation de Jésus-Christ*** ~ Fin du XIV$^e$ s. Ouvrage de piété attribué à Thomas a Kempis. L'ouvrage de spiritualité le plus lu en Occident.

***Immoraliste (l')*** ~ 1902. Roman d'A. Gide. D'inspiration autobiographique, il raconte l'éveil d'une sensualité homosexuelle.

***Impression, soleil levant*** ~ 1872. Tableau de Cl. Monet (volé au musée Marmottan en 1985). Il devint le manifeste du courant pictural nouveau, que le critique Louis Leroy appela par dérision « impressionnisme ».

***Indes galantes (les)*** ~ 1735. Œuvre de J.-Ph. Rameau. L'apogée de l'opéra-ballet français. Quatre tableaux dans la veine exotique du XVIII^e^ s.

***Inspiration du poète (l')*** ~ 1627. Tableau de N. Poussin (Louvre). Une allégorie de la poésie classique.

***Institutes*** ~ 533. Exposé de droit romain commandé par l'empereur Justinien pour moderniser le traité de Gaius (143).

***Institution de la religion chrétienne*** ~ 1536. Œuvre de J. Calvin, en latin (1541, traduction fr.). Le premier grand exposé de doctrine protestante.

***Internationale (l')*** ~ 1871. Chant d'Eugène Pottier, musique de Pierre Degeyter. Le grand hymne révolutionnaire du marxisme.

***Interprétation des rêves (l')*** ~ 1900. Ouvrage de S. Freud. Le rêve considéré non plus comme un délire absurde, mais comme la satisfaction indirecte d'un désir refoulé. Son décryptage doit permettre d'accéder à l'inconscient.

***Intolérance*** ~ 1916. Film de D. W. Griffith. Une production très ambitieuse et un hymne à la fraternité humaine.

***Introduction à la psychanalyse*** ~ 1916. Œuvre de S. Freud. Un ensemble d'essais où figurent les concepts fondamentaux de la psychanalyse.

***Introduction à l'étude de la médecine expérimentale*** ~ 1865. Traité de Cl. Bernard, où il fixe, à partir de sa propre pratique de physiologiste, les règles d'une méthode des sciences expérimentales.

***Iphigénie à Aulis*** ~ 405 av. J.-C. Tragédie d'Euripide. L'héroïne que son père veut sacrifier à la raison d'État inspirera l'*Iphigénie* de Racine (1674) et l'*Iphigénie en Aulide*, opéra de Gluck (1774).

***Iphigénie en Tauride*** ~ 1779. Opéra de Gluck, inspiré d'une tragédie d'Euripide (414 av. J.-C.). L'art lyrique s'éloigne ici des conventions italiennes pour accéder à une émotion authentiquement dramatique.

***Ivanhoé*** ~ 1819. Roman de W. Scott. Ce récit des exploits d'un héros saxon résistant aux Normands inaugure le roman historique de l'ère romantique.

***Ivan le Terrible*** ~ 1942-1946. Film de S. M. Eisenstein (avec Nicolas Tcherkassov, musique de S. Prokofiev). Un opéra visuel et sonore qui fut critiqué et interdit, Staline s'étant reconnu sous les traits du tsar despotique.

***J'accuse*** ~ 1898. Pamphlet d'É. Zola en faveur du capitaine Dreyfus, paru dans *l'Aurore* sous forme de lettre ouverte au président de la République. Il valut à son auteur un procès et une année d'exil.

***Jacques le Fataliste et son maître*** ~ 1796. Roman picaresque et satirique de D. Diderot. Les constantes digressions, qui font oublier l'intrigue principale, lui confèrent un caractère étonnamment moderne.

***Jane Eyre*** ~ 1847. Roman de Ch. Brontë. Les amours contrariées d'une gouvernante et de son maître. Un classique du mélodrame anglais.

***Jardin des délices (le)*** ~ 1501. Triptyque de J. Bosch (Prado). En son centre, une image flamboyante et ésotérique des plaisirs terrestres, placée entre deux panneaux : *l'Enfer* et *le Paradis*.

***Jeanne au bûcher*** ~ 1935. Oratorio d'A. Honegger, livret de P. Claudel. Une évocation saisissante de la vie de Jeanne d'Arc.

***Jérusalem délivrée (la)*** ~ 1580. Poème du Tasse. Une épopée héroïque et chrétienne, illustrée par les figures de Renaud, Armide, Tancrède et Clorinde.

***Jeu de l'amour et du hasard (le)*** ~ 1730. Comédie de Marivaux. Maîtres et valets échangent leurs rôles : le chef-d'œuvre du marivaudage.

***Jeu des perles de verre (le)*** ~ 1943. Roman de H. Hesse. Dans une cité futuriste, la vie d'un maître tout entier voué au culte de l'intelligence.

***Jeux interdits*** ~ 1952. Film de R. Clément (avec Georges Poujouly et Brigitte Fossey). La pureté enfantine confrontée aux cruautés de la guerre.

***Joconde (la)*** ~ v. 1503. Portrait présumé de la Florentine Monna Lisa par Léonard de Vinci (Louvre). L'art du paysage, la maîtrise du clair-obscur et l'énigme du célèbre sourire.

***Joueurs de cartes (les)*** ~ 1890-1895. Peinture de P. Cézanne (musée d'Orsay). Stylisation sereine des deux paysans, inspirés d'un tableau de Le Nain.

***Journal d'un curé de campagne*** ~ 1936. Roman de G. Bernanos. La spiritualité rayonnante d'un jeune prêtre malade. R. Bresson en a tiré un film d'un extrême dépouillement (1951).

***Jugement dernier (le)*** ~ 1536-1541. Fresque de Michel-Ange (chapelle Sixtine, Vatican). Un ensemble monumental, d'une incomparable puissance d'expression dramatique, gravitant autour du Christ justicier.

***Juif errant (le)*** ~ 1844-1845. Roman-feuilleton d'E. Sue. *Best-seller* du XIX^e^ s., il contribua à répandre les idéaux humanitaires.

***Jules et Jim*** ~ Film de Fr. Truffaut, d'après un roman d'H.-P. Roché (avec J. Moreau, Oscar Werner, Henri Serre). Un ménage à trois d'une paradoxale pureté.

***Julie ou la Nouvelle Héloïse*** ~ 1761. Roman épistolaire de J.-J. Rousseau. Des passions vertueuses dans une nature idyllique. Un triomphe du sentimentalisme et de la sensibilité qui annonce le romantisme.

***Justine ou les Malheurs de la vertu*** ~ 1791. Roman du marquis de Sade. Un univers de violence sexuelle où la vertu est toujours punie et le vice triomphant.

***Kalevala (le)*** ~ 1835. Épopée finnoise rassemblée par Elias Lönnrot. Récit mythologique, qui doit autant au folklore qu'à l'art de Lönnrot.

***Kermesse héroïque (la)*** ~ 1935. Film de Jacques Feyder (avec Françoise Rosay Jean Murat, L. Jouvet). L'occupation d'un bourg flamand par les Espagnols au XVII^e^ s.

***King Kong*** ~ 1933. Film fantastique de Merian C. Cooper et Ernest B. Schoedsack (avec Fay Wray). Une version moderne du mythe de la Belle et la Bête et une œuvre clé de l'histoire du cinéma.

***Knock*** ~ 1923. Comédie de J. Romains. Une satire caustique de la tyranni médicale, immortalisée par l'interprétation de L. Jouvet.

***Lac des cygnes (le)*** ~ 1876. Ballet de P. Tchaïkovski. L'amour du princ Rodolphe pour la reine des cygnes. Un classique du répertoire romantique.

***Lais*** ~ XII^e^ s. Poèmes de Marie de France. Inspirés de légendes bretonnes, il brossent une peinture délicate de l'amour.

***Lakmé*** ~ 1883. Opéra-comique de L. Delibes. Dans l'Inde coloniale, le amours tragiques de la belle Lakmé et de l'officier anglais Gerald.

***Lancelot ou le Chevalier à la charrette*** ~ 1170. Roman en vers de Chrétie de Troyes. Les exploits d'un chevalier de la Table ronde, type du héros courtoi

***Laocoon*** ~ II^e^ s. av. J.-C. Sculpture rhodienne (musée du Vatican). Inspiré d'un passage de l'*Énéide*, une scène dramatique où l'on voit deux énorme serpents étouffer les corps convulsés d'un père et de ses deux fils.

***Lazarillo de Tormes (la Vie de)*** ~ XVI^e^ s., anonyme. Le premier en date de romans picaresques espagnols. On en doit une version moderne à C. J. Cel (*les Nouvelles Aventures et mésaventures de Lazarillo de Tormes*, 1944).

***Leçon d'anatomie du docteur Nicolaes Tulp (la)*** ~ 1631. Tableau d Rembrandt (Mauritshuis, La Haye). Un modèle de portrait collectif, à l composition savante et au subtil éclairage.

***Leçons de ténèbres*** ~ 1715. Trois compositions de Fr. Couperin, réconcilian le goût français et l'esthétique italienne. Un chef-d'œuvre d'émotion religieuse

***Légende de sainte Ursule (la)*** ~ 1490. Suite de neuf toiles de Carpacci (Académie, Venise). Un des cycles narratifs situés dans le décor vénitien qu caractérisent sa manière.

***Légende des siècles (la)*** ~ 1859-1883. Suite de « petites épopées » de V. Hugo glorifiant l'ascension spirituelle de l'humanité.

***Légende dorée (la)*** ~ XIII^e^ s. Recueil de vies de saints, de Jacques de Voragine Le merveilleux de l'hagiographie médiévale.

***Lettre écarlate (la)*** ~ 1850. Roman de N. Hawthorne. Un drame de la cruaut puritaine. Film de V. Sjöström, avec L. Gish, 1926.

***Lettres*** ~ 1726. Correspondance de Mme de Sévigné. Adressée à des amis e surtout à sa fille, Mme de Grignan, elle brosse avec une grande liberté de to un tableau spirituel de la vie au Grand Siècle.

***Lettres à Lucilius*** ~ 62. Œuvre de Sénèque. Un exposé de la morale stoïcienne

***Lettres de la religieuse portugaise*** ~ 1669. Recueil de cinq lettres de Gabrie de Guilleragues. Un regard lucide et désespéré sur une passion amoureuse déçue

***Lettres de mon moulin (les)*** ~ 1866. Contes d'A. Daudet. Une mosaïque d récits empreints de tendresse et d'espièglerie (*la Chèvre de monsieur Seguin l'Arlésienne, la Mule du pape*, etc.). Le pittoresque du monde méditerranéen

***Lettres persanes*** ~ 1721. Roman de Montesquieu. Cette correspondanc imaginaire de deux Persans qui découvrent l'Occident inaugure un procédé c critique sociale, politique et religieuse très prisé au XVIII^e^ s.

***Lettres philosophiques*** ~ 1734. Œuvre de Voltaire. Glorification du libéra lisme anglais et satire indirecte du système français.

***Léviathan*** ~ 1651. Essai philosophique de Th. Hobbes. Une vision pessimist de l'humanité, qui conduit à une justification de l'absolutisme.

***Liaisons dangereuses (les)*** ~ 1782. Roman épistolaire de P. Choderlos c Laclos. Les intrigues machiavéliques d'un couple de libertins. Il inspira les film de R. Vadim (1960, avec J. Moreau et G. Philipe), de Stephen Frears (198 avec Glenn Glose et John Malkovitch).

***Liberté éclairant le monde (la)*** ou ***Statue de la Liberté*** ~ 1886. Statue d'A Bartholdi. Haute de 33 m, elle fut offerte par la France aux États-Unis et érigé dans la rade de New York. La structure intérieure est de G. Eiffel.

***Liberté guidant le peuple*** ou ***la Barricade*** ~ 1830. Tableau d'E. Delacro (Louvre). Allégorie romantique à la gloire des journées révolutionnaires de 183

***Livre de la jungle (le)*** ~ 1894. Recueil de récits de R. Kipling. La vie de Mowg petit d'homme élevé dans la jungle par les animaux sauvages.

***Livre des considérations sur l'histoire des Arabes, des Persans et de Berbères (Kitab al-Ibar)*** ou ***Histoire universelle*** ~ Fin du XIV^e^ s. Vast synthèse historique et sociologique d'Ibn Khaldun sur les peuples musulmar

***Livre des merveilles du monde (le)*** ~ Entre 1299 et 1306. Récit de voyag de Marco Polo. Le premier témoignage d'un Occidental sur l'Extrême-Orien

***Livre d'heures d'Étienne Chevalier*** ~ v. 1460. Les illustrations de J. Fouqu (en partie à Chantilly) sont l'un des chefs-d'œuvre de la miniature médiéval

***Locandiera (la)*** ~ 1753. Comédie en prose de C. Goldoni. Une tenanciè d'auberge, belle et spirituelle, séduit pour le plaisir un chevalier misogyne

***Lohengrin*** ~ 1845-1847. Opéra de R. Wagner. Inspirée d'une légenc germanique, l'aventure héroïque du « chevalier au cygne ».

***Lois (les)*** ~ IV^e^ s. av. J.-C. Dernier dialogue de Platon, qui traite d innombrables questions concrètes qui se posent continuellement au législate d'une cité où doivent régner ordre et esprit religieux.

***Lola Montès*** ~ 1955. Film de M. Ophuls (avec Martine Carol et Peter Ustinov). L'ascension et la déchéance d'une célèbre courtisane du XIXᵉ s.

***Lolita*** ~ 1958. Roman de Vl. Nabokov. La passion scandaleuse d'un quadragénaire pour une « nymphette ».

***Lorenzaccio*** ~ 1834. Drame romantique en prose d'A. de Musset. Le meurtre d'Alexandre de Médicis par son cousin et compagnon de débauche.

***Loup des steppes (le)*** ~ 1927. Roman de H. Hesse. Le dépassement des contradictions humaines par la réconciliation du corps et de l'esprit.

***Lucia di Lammermoor*** ~ 1835. Opéra de G. Donizetti, d'après un roman de W. Scott. Une scène de folie fameuse et l'apogée du bel canto romantique.

***Ludwig ou le Crépuscule des dieux*** ~ 1973. Film de L. Visconti (avec Helmut Berger, Romy Schneider, Trevor Howard). Une grande reconstitution historique et poétique de la destinée du roi Louis II de Bavière, fasciné par Wagner.

***Lulu*** ~ 1937. Opéra d'A. Berg, d'après une pièce de F. Wedekind. La dérive tragique d'une femme avilie par la société. Le premier grand opéra sériel.

***Lumières de la ville (les)*** ~ 1931. Film de Ch. Chaplin (avec l'auteur et V. Cherrill). L'émouvante histoire d'amour d'un vagabond et d'une jeune aveugle.

***Lusiades (les)*** ~ 1572. Poème épique de L. de Camoens. L'histoire des Lusitaniens et l'épisode de la découverte des Indes par Vasco de Gama retracés dans la tradition des grandes épopées classiques d'Homère et de Virgile.

***Lys dans la vallée (le)*** ~ 1835. Roman d'H. de Balzac. L'aveu, à sa future épouse, d'un amour platonique qui lia le héros à une femme vertueuse et idéalisée. La dernière œuvre « romantique » de Balzac.

***Lysistrata*** ~ 411 av. J.-C. Comédie d'Aristophane. Une conjuration féminine visant à faire régner la paix entre les cités grecques, avec pour arme la « grève du sexe ». Une réflexion politique à travers un sujet truculent.

***Macbeth*** ~ 1605. Tragédie de W. Shakespeare. Un drame de l'ambition, du crime et du remords, avec un spectre et des sorcières. Cette œuvre d'une rudesse archaïque inspira un opéra à G. Verdi (1847).

***Madame Bovary*** ~ 1857. Roman de G. Flaubert. L'idéalisme de la jeune Emma se heurte à la médiocrité humaine personnifiée par le pharmacien Homais. Cette peinture réaliste valut à son auteur un procès pour « immoralité ».

***Madame Butterfly*** ~ 1904. Opéra de G. Puccini. Librement inspiré d'un roman de P. Loti, l'amour tragique d'une Japonaise pour un Américain volage.

***Madeleine à la veilleuse (la)*** ~ v. 1638. Tableau de G. de La Tour (Louvre). L'éclairage nocturne à la bougie cher à ce disciple du Caravage.

***Madone aux anges (la)*** ~ v. 1290. Peinture de Cimabue (Louvre). Également appelé la *Maestà de Pise*, ce chef-d'œuvre charnière amorce l'émancipation de la peinture, jusqu'alors dominée par le hiératisme de l'art byzantin.

***Mahabharata*** ~ Œuvre épique en sanskrit attribuée à Vyasa. Poème gigantesque, il constitue aussi une encyclopédie des connaissances sacrées et profanes des Indo-Européens. On y trouve la Bhagavad-Gita, texte fondamental de la philosophie hindoue.

***Maison de poupée*** ~ 1879. Drame de H. Ibsen. La révolte d'une femme contre un mari et une société qui l'infantilisent.

***Maître et Marguerite (le)*** ~ 1940. Roman fantastique de M. Boulgakov, publié vingt ans après la mort de son auteur. Une histoire d'amour mythique où diables et sorcières interviennent dans le Moscou du début du siècle.

***Maîtres chanteurs de Nuremberg (les)*** ~ 1868. Opéra de R. Wagner. Sa seule œuvre d'inspiration comique. Elle exalte la tradition et l'art allemands.

***Maja desnuda, Maja vestida*** ~ v. 1800. Deux tableaux de Goya (Prado). Une éblouissante et double incarnation de femme libre.

***Malade imaginaire (le)*** ~ 1673. Comédie en prose de Molière, qui mourut après la quatrième représentation. Sa dernière satire de la médecine.

***Malheurs de Sophie (les)*** ~ Voir ***Petites Filles modèles (les)***.

***Manhattan Transfer*** ~ 1925. Roman de J. Dos Passos. Une technique d'écriture très moderne, inspirée du cinéma.

***Manifeste du parti communiste*** ~ 1848. Texte rédigé par K. Marx et Fr. Engels. Il définit la lutte des classes comme moteur de l'Histoire et en appelle à l'union des prolétaires de tous les pays pour établir le communisme.

***Manifestes du surréalisme*** ~ 1962. Recueil de trois essais d'A. Breton parus de 1924 à 1953. Il y prône l'accession à une « surréalité » onirique libérée des conventions artistiques et sociales.

***Manon Lescaut*** ~ Voir ***Histoire du chevalier Des Grieux et de Manon Lescaut***.

***Manyo-shu** (Recueil de dix mille feuilles)* ~ VIIᵉ-VIIIᵉ s. La première anthologie de poésie japonaise, comportant quelque 4 500 poèmes, signés ou anonymes.

***Marat assassiné*** ~ 1794. Tableau de J. L. David (musée des Beaux-Arts, Bruxelles). La mort idéalisée du fameux révolutionnaire, peinte par son collègue à la Convention.

***Mare au diable (la)*** ~ 1846. Roman de G. Sand. Une idylle en pays berrichon.

***Maria Chapdelaine*** ~ 1916. Roman de L. Hémon. La vie simple et rude des pionniers canadiens.

***Mariage de Figaro ou la Folle Journée (le)*** ~ 1784. Comédie en prose de Beaumarchais, suite du *Barbier de Séville*. Complexité de l'intrigue, dialogues étincelants, hardiesses prérévolutionnaires. Mozart en tirera ses *Noces de Figaro*.

***Marius*** ~ 1929. Pièce de M. Pagnol. Premier volet de la célèbre trilogie marseillaise, suivi de *Fanny* (1931) et *César* (1936). Elle a été portée à l'écran avec Raimu dans le rôle de César et P. Fresnay dans le rôle de Marius.

***Marseillaise (la)*** ~ 1792. Chant patriotique composé par Rouget de Lisle. À l'origine *Chant de guerre pour l'armée du Rhin*, il est devenu l'hymne national français en 1879.

***Marseillaise (la)*** ~ 1835-1836. Sculpture en haut-relief de Fr. Rude (arc de triomphe de l'Étoile, Paris). Violence du mouvement et souffle épique.

***Marteau sans maître (le)*** ~ 1934. Recueil de poèmes de R. Char, d'inspiration surréaliste. P. Boulez en tira une œuvre sérielle pour voix d'alto (1953).

***Massacres de Scio (les)*** ~ 1824. Tableau d'E. Delacroix (Louvre). Il stigmatise la barbarie turque et exalte la lutte des Grecs pour la liberté.

***Maximes*** ~ 1664. Ouvrage de Fr. de La Rochefoucauld publié sous le titre de *Réflexions ou Sentences et maximes morales*. Il y dénonce en formules lapidaires l'amour-propre et le souci d'intérêt personnel que peuvent cacher les vertus et les meilleurs sentiments.

***Maximes, pensées, caractères et anecdotes*** ~ 1795. Recueil de sentences de N. de Chamfort. Une critique aiguë de l'homme et de la société.

***Mécano de la General (le)*** ~ 1926. Film de B. Keaton. Le vol d'un train à vapeur pendant la guerre de Sécession. Un chef-d'œuvre du cinéma burlesque.

***Médée*** ~ v. 431 av. J.-C. Tragédie d'Euripide. La vengeance barbare d'une femme délaissée. Ce drame de la fureur jalouse inspira un opéra à M.-A. Charpentier (1693) et à L. Cherubini (1797).

***Méditerranée et le Monde méditerranéen à l'époque de Philippe II (la)*** ~ 1949. Ouvrage de synthèse historique de F. Braudel, écrit dans l'esprit de l'école des Annales.

***Meilleur des mondes (le)*** ~ 1932. Roman de science-fiction d'A. Huxley. La vie des hommes devenus des robots dans une société totalitaire.

***Melencolia*** ~ 1513. Gravure d'A. Dürer. Une allégorie du doute créateur.

***Mémoires*** ~ Ouvrage de Saint-Simon, composé de 1694 à 1752. Une peinture incisive du règne de Louis XIV. Le style hardi d'un aristocrate sans illusions.

***Mémoires*** ~ 1717. Œuvre du cardinal de Retz. La Fronde racontée par l'un de ses principaux acteurs. Un style vivant et coloré.

***Mémoires de Casanova*** ~ Voir ***Histoire de ma vie***.

***Mémoires de guerre*** ~ 1954-1959. Œuvre de Ch. de Gaulle. L'auteur y renoue, dans une langue superbe, avec la tradition des *Commentaires* césariens.

***Mémoires d'outre-tombe*** ~ 1848-1850. Œuvre autobiographique de Fr. R. de Chateaubriand. Le récit lyrique et poétique de sa vie et de son temps, dominé par la figure de Napoléon.

***Mémorial de Sainte-Hélène (le)*** ~ 1823. Œuvre du comte E. de Las Cases. Ses entretiens avec l'empereur exilé. Le livre fondateur du mythe napoléonien.

***Ménines (les)*** ~ 1656. Peinture de Velázquez (Prado). Le couple royal, qu'on devine dans le miroir du fond, est éclipsé par le peintre lui-même en train de réaliser leur portrait. L'apogée de la peinture espagnole du Siècle d'or.

***Menuet*** ~ 1772. Œuvre de L. Boccherini. D'une grâce irrésistible, ce fin bijou du style galant du XVIIIᵉ s. appartient au *Quintette à cordes nº 5* de l'auteur.

***Mer (la)*** ~ 1903-1905. Triptyque orchestral impressionniste de Cl. Debussy.

***Mer de la fertilité (la)*** ~ 1960-1970. Cycle de quatre romans de Mishima *(Neige de printemps, Chevaux échappés, le Temple de l'aube* et *l'Ange en décomposition)*. Une peinture pessimiste des contradictions du Japon moderne.

***Mère (la)*** ~ 1906. Roman de M. Gorki. La prise de conscience révolutionnaire d'une femme du peuple. Vsevolod Poudovkine en tira un film (1926).

***Mère Courage et ses enfants*** ~ 1941. Pièce de B. Brecht, inspirée d'une œuvre de Grimmelshausen (1670). Une cantinière aux armées durant la guerre de Trente Ans. Un message antimilitariste et pacifiste.

***Merveilleux Voyage de Nils Holgersson à travers la Suède (le)*** ~ 1906-1907. Roman de S. Lagerlöf. Des contes pour enfants... et pour adultes. Une géographie poétique de la Suède.

***Messe en si mineur*** ~ 1733-1738. Messe pour soli, chœur et orchestre, de J. S. Bach. L'un des sommets de la musique sacrée, imprégné du sentiment religieux le plus sincère.

***Messie (le)*** ~ 1742. Oratorio de G. F. Haendel pour solistes, chœur et orchestre, présentant les principales étapes de la vie du Christ. Le chef-d'œuvre du genre, avec le célèbre *Alleluia*.

***Métamorphose (la)*** ~ 1912. Roman de Fr. Kafka. La tragique histoire de Grégor Samsa, qui se réveilla un matin transformé en cancrelat. Une parabole fantastique sur l'exclusion.

***Métamorphoses (les)*** ~ Début du Iᵉʳ s. Poème mythologique d'Ovide. Une série de petits tableaux inspirés des légendes mythologiques. Une épopée des origines du monde à Jules César.

***Métamorphoses (les)*** ou ***l'Âne d'or*** ~ IIᵉ s. Roman d'Apulée. Les aventures d'un jeune homme transformé en âne par une sorcière. Un récit alerte, tour à tour licencieux et mystique.

***Métaphysique (la)*** ~ IVᵉ s. av. J.-C. Traité d'Aristote. Il y étudie les premiers principes, la connaissance des choses divines : Dieu, cause efficiente et finale de la nature.

***Metropolis*** ~ 1926. Film de Fr. Lang (avec Brigitte Helm, Alfred Abel). Un monument de l'expressionnisme allemand, une vision prophétique de la cité.

***Meurtre dans la cathédrale*** ~ 1935. Drame de T. S. Eliot. Le conflit de l'autorité spirituelle et du pouvoir temporel vu à travers le meurtre de Thomas Beckett. Le thème a inspiré à J. Anouilh *Beckett ou l'Honneur de Dieu* (1959).

***Mille et Une Nuits (les)*** ~ Recueil de contes arabes anonymes révélés à l'Occident par la traduction française d'A. Galland (XVIIIe s.). Les merveilleuses aventures d'Aladin, d'Ali Baba, de Sindbad le marin, que raconte la belle Shéhérazade, lancèrent la vogue de l'orientalisme.

***1984*** ~ 1949. Roman d'anticipation de G. Orwell. La description d'un univers totalitaire dominé par un despote tout-puissant surnommé Big Brother.

***Misanthrope (le)*** ~ 1666. Comédie en vers de Molière. Le drame d'Alceste, vertueux mais acariâtre, inapte à la comédie sociale, qui décide de renoncer à l'amour et de se retirer du monde.

***Misérables (les)*** ~ 1862. Roman de V. Hugo. Une fresque historique du Paris populaire qui s'inscrit dans le courant social du romantisme. Des tableaux épiques (Waterloo) et quelques figures inoubliables, parmi lesquelles Cosette, Gavroche, Javert et Jean Valjean, le forçat repenti.

***Missa Solemnis*** ~ 1818-1823. Messe en *ré* majeur pour soli, chœur et orchestre, de L. van Beethoven. L'un des monuments de la musique de tous les temps, sublime réflexion sur les rapports indéfectibles de l'humain et du divin.

***M le Maudit*** ~ 1931. Film de Fr. Lang (avec Peter Lorre). Un tueur d'enfants arrêté et jugé par la pègre. L'atmosphère angoissante de la montée du nazisme.

***Moby Dick*** ~ 1851. Roman d'H. Melville. Le combat du capitaine Achab contre la grande baleine blanche. Un récit de la lutte du bien et du mal. J. Huston en tira un film (1956, avec Gregory Peck).

***Modification (la)*** ~ 1957. Récit de M. Butor. Un voyage en train de Paris à Rome, écrit à la deuxième personne du pluriel. Une œuvre majeure du Nouveau Roman.

***Moïse*** ~ v. 1516. Statue de Michel-Ange prévue pour le tombeau inachevé de Jules II (San Pietro in Vincoli, Rome). Une puissante évocation du prophète.

***Moldau (la)*** ~ 1874. Poème symphonique de B. Smetana. Une splendide évocation de la rivière Moldau (ou Vltava), de sa source à la traversée de Prague. Joyau de la musique et symbole du nationalisme tchèque.

***Monadologie (la)*** ~ 1714. Traité de W. G. Leibniz. Un exposé de sa théorie sur les monades et l'harmonie préétablie régissant notre monde, créé par Dieu comme le meilleur des mondes possibles.

***Monde comme volonté et comme représentation (le)*** ~ 1818. Traité d'A. Schopenhauer, pour qui le monde n'est qu'une illusion issue d'un vouloir-vivre inconscient qu'il faut éliminer pour faire cesser le mal.

***Monde des Ā*** ~ 1953. Roman d'anticipation d'A. E. Van Vogt. Premier volume du *Cycle des Ā* (terminé en 1984). Un classique de la science-fiction.

***Montagne magique (la)*** ~ 1924. Roman de Th. Mann. La vie dans un sanatorium hors du temps, à la veille de la Première Guerre mondiale. Une méditation sur la mort.

***Montagne Sainte-Victoire (la)*** ~ 1902. Ensemble de toiles de P. Cézanne. Sa recherche de spiritualité et d'abstraction prépara le cubisme.

***Mort aux trousses (la)*** ~ 1959. Film d'A. Hitchcock (avec C. Grant, James Mason). Une folle course-poursuite à travers l'Amérique.

***Mort à Venise (la)*** ~ Nouvelle de Th. Mann. Dans la cité des Doges menacée par le choléra, un écrivain célèbre est subjugué par la beauté d'un adolescent. L. Visconti en tira un film (*Mort à Venise*, 1970, avec Dirk Bogarde et Bjorn Andresen).

***Mort de Sardanapale (la)*** ~ 1827. Tableau d'E. Delacroix (Louvre). La cruauté de la scène, la violence des coloris scandalisèrent les contemporains. Souffle épique et romantisme échevelé.

***Mots (les)*** ~ 1964. Récit autobiographique de J.-P. Sartre. Une enfance bourgeoise parmi les livres. La critique de la littérature par un écrivain célèbre.

***Mouette (la)*** ~ 1896. Drame d'A. Tchekhov. L'univers délétère de la Russie à la fin du XIXe s. Profondeur psychologique et symbolisme poétique.

***Moulin de la Galette (le)*** ~ 1876. Peinture d'A. Renoir (musée d'Orsay). Bal populaire à Montmartre. Un chef-d'œuvre de luminosité savante.

***Mystères de Paris (les)*** ~ 1842-1843. Roman-feuilleton d'E. Sue. Les malheurs de l'innocente Fleur-de-Marie dans le Paris des bas-fonds. Un mélodrame d'inspiration sociale qui connut un énorme succès.

***Mythe de Sisyphe (le)*** ~ 1942. Essai d'A. Camus. Le refus du suicide et l'acceptation volontaire de l'absurdité de la condition humaine.

***Nabucco*** ~ 1842. Opéra de G. Verdi. Le premier opéra patriotique italien, avec le célèbre chœur des Hébreux en exil.

***Nadja*** ~ 1928. Récit d'A. Breton. Intégrant objets et photographies, une plongée surréaliste dans l'inconscient et l'amour.

***Naissance de la tragédie (la)*** ~ 1872. Traité de Fr. Nietzsche où l'on voit l'élan dionysiaque s'associer à l'esprit de synthèse apollinien pour assurer la fragile victoire de la Grèce antique sur le pessimisme.

***Naissance de Vénus (la)*** ~ v. 1484. Tableau de Botticelli (galerie des Offices). Souvenir mythologique et beauté idéale de la Renaissance.

***Naissance d'une nation (la)*** ~ 1915. Film de D. W. Griffith (avec Lilian Gish, Henry B. Walthall). Première superproduction du cinéma, il retrace certains épisodes de la guerre de Sécession.

***Napoléon*** ~ 1927. Film d'A. Gance (avec A. Dieudonné). Une œuvre monumentale introduisant le triple écran, précurseur du CinémaScope.

***Nausée (la)*** ~ 1938. Roman de J.-P. Sartre. La narration, sous forme de journal intime, du malaise existentiel d'un intellectuel confronté à l'absurdité du monde.

***Nedjma*** ~ 1956. Roman de Kateb Yacine. Un réquisitoire ardent contre la violence coloniale et un hymne exalté à la révolte, à la dignité et à l'amour.

***Nef des fous (la)*** ~ 1505. Peinture de J. Bosch (Louvre). Retournant le symbole de la nef de saint Pierre (l'Église), Bosch montre celle des « fous », oubliant le Christ et voguant à leur perdition. Verve populaire et satirique.

***Neveu de Rameau (le)*** ~ 1762. Œuvre de D. Diderot. Une conversation pétillante et profonde avec un parasite de la société.

***Noces de Cana (les)*** ~ 1562. Toile monumentale de Véronèse (Louvre). Le miracle de Cana fastueusement campé dans la Venise de la Renaissance, au sein de la plus brillante société.

***Noces de Figaro (les)*** ~ 1786. Opéra de W. A. Mozart, d'après *le Mariage de Figaro* de Beaumarchais. Le message politique de l'égalité entre classes sociales, qui transparaît à travers le brio de l'intrigue et du chant.

***Noces de sang*** ~ 1933. Pièce de F. García Lorca. Un drame lyrique de la chair et de la mort, qui retrouve les accents de la tragédie grecque.

***Nocturnes*** ~ 1827-1846. Des pièces de Fr. Chopin, sentimentales et nostalgiques, qui, par leur sensibilité et leur pureté d'expression, comptent parmi les plus belles œuvres pour piano. On doit aussi trois *Nocturnes* pour orchestre à Cl. Debussy (1897-1898), et à G. Fauré treize *Nocturnes* pour piano (1883-1922).

***Nœud de vipères (le)*** ~ 1932. Roman de Fr. Mauriac. Un vieillard athée, habité par le mal, est touché par la grâce à la veille de sa mort.

***Nom de la rose (le)*** ~ 1980. Roman d'U. Eco. Une enquête policière médiévale sur fond d'érudition. Jean-Jacques Annaud en a fait un film (1986, avec S. Connery).

***Norma*** ~ 1831. Opéra de V. Bellini. Une des grandes œuvres du bel canto, où s'illustra Maria Callas.

***Nosferatu*** ~ Voir ***Dracula***.

***Notre-Dame de la Belle-Verrière*** ~ Milieu XIIe s. Célèbre vitrail de la cathédrale de Chartres représentant une Vierge à l'enfant.

***Notre-Dame de Paris*** ~ 1831. Roman de V. Hugo. Une fresque populaire symbolique de l'attrait romantique pour le Paris du Moyen Âge et la cour des Miracles, où s'entrecroisent Frollo, Quasimodo le Bossu et Esmeralda.

***Nourritures terrestres (les)*** ~ 1897. Poème en prose d'A. Gide. Cet appel lyrique à la sensualité et à la disponibilité marqua toute une génération.

***Nouvel Organon (Novum Organum)*** ~ 1620. Œuvre philosophique de Fr. Bacon, où il réorganise le savoir en une législation des sciences devant assurer à l'homme la maîtrise de la nature.

***Nuit du chasseur (la)*** ~ 1955. Film de Ch. Laughton (avec R. Mitchum). Une œuvre étrange et poétique, à la fois film policier et conte pour adultes.

***Nuit étoilée (la)*** ~ 1899. Tableau de V. Van Gogh (Moma, New York). Le tournoiement des étoiles dans le ciel provençal : une hallucination en jaune et bleu.

***Nuits (les)*** ~ 1837. Poèmes d'A. de Musset. Un dialogue du poète avec sa Muse, sur le thème de la souffrance amoureuse fécondant le génie créateur.

***Nymphéas (les)*** ~ 1898-1926. Série de peintures de Cl. Monet consacrées à son jardin d'eau de Giverny (en partie à l'Orangerie des Tuileries). Les admirables miroitements de l'impressionnisme parvenu à maturité.

***Octobre*** ~ 1928. Film de S. M. Eisenstein. Une épopée héroïque et lyrique de la Révolution russe de 1917.

***Odalisque couchée*** ou ***la Grande Odalisque*** ~ 1814. Peinture de J. A. Ingres (Louvre), d'inspiration orientaliste. Élégante et audacieuse dans sa composition, elle scandalisa les puristes par ses « trois vertèbres en trop ».

***Ode à Aphrodite*** ~ VIIe-VI[e] s. av. J.-C. Poème de Sappho dédié à l'amour et à la beauté. Seul texte complet conservé des 650 vers qui restent de la poétesse, il illustre le lyrisme érotique de l'Antiquité.

***Odes*** ~ 1550-1552. Recueil de poèmes de P. de Ronsard. Dans la lignée d'Anacréon, de Pindare et d'Horace, l'imitation du lyrisme antique.

***Odes triomphales*** ou ***Épinicies*** ~ Ve s. av. J.-C. Œuvres de Pindare. Dédiées aux athlètes grecs vainqueurs, elles comprennent les odes *Olympiques*, *Pythiques*, *Isthmiques* et *Néméennes*. Un style brillant et difficile.

***Odyssée*** ~ Fin du VIIIe s. av. J.-C. Poème épique en vingt-quatre chants, attribué à Homère. Les prodigieuses aventures d'Ulysse au cours de son voyage de retour après la guerre de Troie.

***Œdipe roi*** ~ v. 430 av. J.-C. Tragédie de Sophocle. Avec *Œdipe à Colone*, elle donna au mythe d'Œdipe sa puissance tragique. Une « machine infernale » soigneusement montée par les dieux, où le héros découvre peu à peu qu'il est lui-même le meurtrier de son père qu'il recherche.

***Oiseau de feu (l')*** ~ 1910. Suite pour orchestre d'I. Stravinski. Une flamboyante illustration du mythe du phénix renaissant de ses cendres. Elle inspira à M. Béjart une mémorable chorégraphie (1970).

***Oiseaux (les)*** ~ 414 av. J.-C. Comédie d'Aristophane. La fondation entre ciel et terre d'une cité idéale par deux Athéniens.

***Oiseaux (les)*** ~ 1963. Film d'A. Hitchcock (avec Tippi Hedren et Rod Taylor). Les oiseaux envahissent une ville américaine. Un chef-d'œuvre du film d'épouvante.

***Oliver Twist*** ~ 1838. Roman de Ch. Dickens. Les malheurs d'un enfant perdu dans les bas-fonds de Londres. Un réalisme social et moralisateur.

***Olympia*** ~ 1863. Tableau d'É. Manet (musée d'Orsay). Inspiré par la *Vénus d'Urbino* de Titien, il scandalisa par la crudité de son sujet et l'audace de sa perspective en raccourci.

***Opéra de quat'sous (l')*** ~ 1928. Comédie dramatique de B. Brecht, alternant dialogues et chansons (musique de K. Weill). Une évocation grinçante de la pègre qui inspira un film à G. W. Pabst (1931).

***Oraisons funèbres*** ~ 1656-1687. Discours de J. B. Bossuet. L'apogée de l'éloquence classique.

***Orange mécanique*** ~ 1962. Roman d'A. Burgess. Une satire de la violence dans notre société. St. Kubrick en tira un film culte (1971, avec Malcolm McDowell).

***Orestie*** ~ 458 av. J.-C. Le drame des Atrides vu par Eschyle. Composée de trois pièces (*Agamemnon, les Choéphores, les Euménides*), c'est l'unique trilogie de l'auteur et du théâtre grec qui nous soit parvenue complète.

***Orfeo*** ~ 1607. Drame musical de Cl. Monteverdi. Première grande œuvre lyrique mêlant tous les modes de chant et introduisant le récitatif mélodique. Le poète légendaire inspira aussi un opéra à Gluck (1762, *Orfeo ed Euridice*) et un film à J. Cocteau (1950, avec J. Marais et M. Casarès).

***Organon*** ~ IV^e^ s. av. J.-C. Ensemble des traités de logique d'Aristote, conçus comme des instruments du savoir (*Analytiques, Catégories, Interprétation, Réfutations des sophistes, Topiques*).

***Orlando*** ~ 1928. Récit de V. Woolf. Les vies antérieures imaginées de son amie Vita Sackville-West. Une envoûtante féerie poétique.

***Othello ou le Maure de Venise*** ~ 1604. Tragédie de W. Shakespeare. Les ravages meurtriers de la jalousie causés par la noirceur des desseins d'un traître. Le sujet inspira un opéra à G. Rossini (1816) et à G. Verdi (1887).

***Pacific 231*** ~ 1923. Mouvement symphonique d'A. Honegger. Un fameux morceau imitant les bruits d'une locomotive en marche.

***Panathénées*** ~ v. 442 av. J.-C. Bandeau en marbre, sculpté par Phidias, qui couronnait le mur intérieur du naos du Parthénon. Il représentait la procession quadriennale de la fête d'Athéna Parthénos (musée de l'Acropole, British Museum et Louvre). L'apogée du style classique grec.

***Parade*** ~ 1917, Paris. « Ballet réaliste » de J. Cocteau, sur une musique d'É. Satie, décors et costumes de P. Picasso. Un manifeste avant-gardiste.

***Paradis perdu (le)*** ~ 1667. Poème épique de J. Milton, qui sera suivi du *Paradis reconquis* (1671). Une œuvre sur le péché originel, qui marque l'apothéose du vers libre anglais.

***Par-delà le bien et le mal*** ~ 1886. Traité de Fr. Nietzsche. Sous la forme d'aphorismes, une attaque de l'humanisme chrétien et des valeurs d'égalité et de pitié auxquelles est opposé l'immoralisme aristocratique.

***Paroles*** ~ 1946. Recueil de poèmes de J. Prévert. La tradition populaire de l'ironie frondeuse et anarchisante.

***Paroles d'un croyant (les)*** ~ 1834. Essai de F. de Lamennais. Rédigé sous forme de versets bibliques, un réquisitoire violent contre une Église plus proche des puissants que du peuple. Il valut à son auteur la condamnation de Rome.

***Parsifal*** ~ 1876-1882. « Festival sacré » de R. Wagner. Inspiré par le mythe de *Perceval*, ultime message musical de l'auteur empli d'une spiritualité médiévale et chrétienne qui irritera Fr. Nietzsche.

***Passion de Jeanne d'Arc (la)*** ~ 1928. Film de C. Th. Dreyer. Un admirable poème visuel, avec une des premières utilisations du gros plan, privilégiant l'émotion des visages au décor.

***Passion selon saint Matthieu (la)*** ~ 1729. Oratorio de J. S. Bach. Œuvre magistrale dont l'interprétation par Mendelssohn, en 1829, marqua la redécouverte du compositeur au XIX^e^ s. La seule *Passion*, avec *la Passion selon saint Jean* (1724), à nous être parvenue complète.

***Pather Panchali*** ~ 1955. Film de S. Ray. Une description de la misère des paysans du Bengale qui fit connaître le réalisateur indien.

***Pathétique*** ~ 1799. La 8^e^ sonate pour piano de L. van Beethoven. Les fiévreux élans de l'allégro initial, sans cesse brisés par des périodes graves et méditatives, valurent son surnom à ce sommet de l'art pianistique.

***Paul et Virginie*** ~ 1788. Roman de H. Bernardin de Saint-Pierre. Compris dans le dernier volume des *Études de la nature* et dédié à J.-J. Rousseau, le récit d'une idylle ayant pour cadre l'île de France (île Maurice).

***Paysan de Paris (le)*** ~ 1926. Récit de L. Aragon. Une narration surréaliste agrémentée de collages, réclames, articles, poèmes, etc.

***Peau de chagrin (la)*** ~ 1831. Roman d'H. de Balzac. Un jeune homme victime d'un talisman diabolique qui raccourcit sa vie à mesure qu'il satisfait ses désirs. Réalisme symbolique et fantastique.

***Peer Gynt*** ~ 1867. Drame de H. Ibsen. Lyrisme de la vie populaire et des mythes norvégiens. Il inspira deux suites d'orchestre à E. Grieg.

***Pèlerins d'Emmaüs (les)*** ~ 1648. Tableau de Rembrandt (Louvre). La plus émouvante illustration du célèbre épisode évangélique, d'une intériorité et d'une élévation spirituelle indicibles.

***Pelléas et Mélisande*** ~ 1893-1902. Drame musical de Cl. Debussy, d'après un poème de M. Maeterlinck. Il bouleversa l'art lyrique par un symbolisme poétique aussi éloigné de l'opéra italien que de l'esthétique wagnérienne.

***Pensées*** ~ posth., 1670. Œuvre inachevée de Bl. Pascal. Pris entre l'infiniment grand et l'infiniment petit, l'homme, ce « roseau pensant », doit « parier » que Dieu existe pour donner un sens à sa vie. Une apologie de la religion chrétienne à l'usage des incroyants.

***Pensées pour moi-même*** ~ Fin du II^e^ s. Œuvre de Marc-Aurèle. Le pessimisme actif de l'empereur stoïcien.

***Penseur (le)*** ~ 1904. Sculpture en bronze d'A. Rodin (musée Rodin). Une volonté de donner à l'homme qui pense la grandeur accordée traditionnellement aux dieux.

***Perceval ou le Conte du Graal*** ~ v. 1180. Roman de Chrétien de Troyes. Il narre les aventures héroïques et courtoises d'un chevalier de la Table ronde. La version allemande de W. von Eschenbach (*Parzival*, v. 1200) inspirera le *Parsifal* de R. Wagner.

***Père Goriot (le)*** ~ 1834-1835. Roman d'H. de Balzac. Le martyre d'un père délaissé par ses deux filles, mais aussi la première apparition des personnages de Rastignac et de Vautrin dans *la Comédie humaine*.

***Persée*** ~ 1545-1553. Sculpture de B. Cellini (Loggia dei Lanzi, Florence). Une œuvre dont la grâce et l'équilibre portent la marque d'un maître du *cinquecento*.

***Perses (les)*** ~ v. 472 av. J.-C. Tragédie d'Eschyle. Elle stigmatise la folie guerrière des Perses et glorifie la victoire grecque à Salamine.

***Peste (la)*** ~ 1947. Roman d'A. Camus. Les habitants d'Oran confrontés au fléau d'une épidémie de peste. Une allégorie de la Seconde Guerre mondiale.

***Pestiférés de Jaffa (les)*** ~ 1804. Toile d'A. Gros (Louvre). Un vibrant panégyrique à la gloire des qualités humaines de Bonaparte, au seuil de l'Empire. Le génie d'un étincelant coloriste.

***Petit Chaperon rouge (le)*** ~ 1697. Conte de Ch. Perrault. L'héroïne face au grand méchant loup qui a dévoré sa « mère-grand ».

***Petit Chose (le)*** ~ 1868. Roman d'A. Daudet. L'histoire d'un enfant malheureux que son frère aide à conquérir le bonheur.

***Petite Musique de nuit (une)*** ~ 1787. Sérénade pour instruments à cordes de W. A. Mozart. L'œuvre la plus populaire du maître de Salzbourg.

***Petites Filles modèles (les)*** ~ 1858. Roman de la comtesse de Ségur. Les aventures des très sages Camille et Madeleine de Fleurville et de leurs amies dans l'univers feutré d'un château de province. Une veine édifiante qu'on retrouvera dans *les Malheurs de Sophie* (1864).

***Petit Prince (le)*** ~ 1943. Conte d'A. de Saint-Exupéry. Une amitié se noue entre un aviateur perdu dans le désert et le jeune habitant d'un astéroïde. Fantaisie poétique et message humaniste.

***Petits Poèmes en prose ou le Spleen de Paris*** ~ 1869. Œuvre de Ch. Baudelaire. Une prose musicale enfin réconciliée avec l'inspiration poétique.

***Petrouchka*** ~ 1911. Ballet d'I. Stravinsky, chorégraphié par M. Fokine pour les ballets russes de Diaghilev. Une suite de scènes populaires russes.

***Phédon*** ~ IV^e^ s. av. J.-C. Dialogue de Platon. Il évoque les dernières heures de Socrate avant qu'il ne boive la ciguë, et traite de l'immortalité de l'âme, de la réminiscence et de l'apprentissage de la mort.

***Phèdre*** ~ IV^e^ s. av. J.-C. Dialogue de Platon. Socrate y traite des limites de la rhétorique, du désir de l'âme à contempler les idées, et de la dialectique comme méthode pour atteindre cette contemplation.

***Phèdre*** ~ 1677. Tragédie de J. Racine. La passion coupable de l'épouse de Thésée pour son beau-fils Hippolyte. Un sentiment chrétien de la faute qui rejoint la fatalité antique.

***Phénoménologie de l'esprit (la)*** ~ 1807. Traité de Fr. Hegel. Les étapes de la conscience individuelle et de l'esprit universel : du savoir phénoménal au savoir absolu, de l'opposition à l'identité sujet/objet.

***Philippiques (les)*** ~ 351-341 av. J.-C. Série de harangues de Démosthène contre Philippe II de Macédoine. Un modèle de l'art oratoire grec. Cicéron reprendra le titre pour ses discours contre Marc-Antoine (44-43 av. J.-C.).

***Philosophie dans le boudoir (la)*** ~ 1795. Œuvre du marquis de Sade. L'éducation de la jeune Eugénie par un groupe de libertins. Une réflexion en sept dialogues sur l'érotisme et la morale.

***Physiologie du goût*** ~ 1825. Essai de J. A. Brillat-Savarin. Des conseils gastronomiques assaisonnés de piquantes anecdotes.

***Physique*** ~ IV^e^ s. av. J.-C. Traité d'Aristote, consacré à l'étude des principes (forme et nature ; acte et puissance) des choses naturelles, et de l'origine du mouvement.

***Pierre et le loup*** ~ 1936. Conte musical de S. Prokofiev. Écrit pour le Théâtre pour enfants de Moscou dans un but didactique, il fait correspondre à chaque personnage un instrument et un thème.

***Pietà d'Avignon (la)*** ~ v. 1455. Tableau attribué à E. Quarton (Louvre). Un chef-d'œuvre de l'art gothique médiéval.

***Pluie, vapeur, vitesse*** ~ 1844. Tableau de W. Turner (National Gallery). Scintillement de la lumière et flou du paysage traités dans un style qui annonce l'impressionnisme.

***Poèmes barbares*** ~ 1862. Recueil de Leconte de Lisle. Après la Grèce et l'Inde des *Poèmes antiques* (1852), le poète parnassien se tourne vers les mythes celtiques, les légendes polynésiennes et les descriptions animalières.

***Poèmes d'Ossian*** ~ 1760. Recueil de chants épiques que J. Macpherson présenta comme la traduction des œuvres d'un barde gaélique du III^e^ s. Les romantiques se passionnèrent pour cet « Homère nordique ».

***Poétique*** ~ IV^e^ s. av. J.-C. Traité d'Aristote. La poésie définie comme une imitation et l'énoncé des règles de la tragédie. Le second livre, qui traitait de la comédie, est perdu.

***Politique*** ~ IV^e^ s. av. J.-C. Traité d'Aristote. Il analyse les constitutions (royauté, aristocratie, démocratie) fondées en raison, leurs faiblesses et les moyens d'assurer le bonheur dans la cité.

***Politique*** ~ IVe s. av. J.-C. Dialogue de Platon. Il développe le mythe de l'âge d'or et définit, après *la République* et avant *les Lois*, le politique par les méthodes du paradigme et de la dichotomie.

***Polonaises*** ~ 1827-1846. Suite de seize pièces pour piano de Fr. Chopin. Inspirées par la détresse de la patrie opprimée, elles manifestent l'engagement du musicien romantique.

***Porgy and Bess*** ~ 1935. Opéra de G. Gershwin. Première œuvre lyrique conçue pour une troupe noire, elle traite des problèmes du ghetto.

***Portrait de Dorian Gray (le)*** ~ 1891. Roman d'O. Wilde. Un conte fantastique et moral dans l'univers corrompu de la haute société londonienne. Une allégorie de l'homme obsédé par son image.

***Possédés (les)*** ou ***Démons (les)*** ~ 1872. Roman de F. Dostoïevski. L'intelligentsia russe corrompue par les « démons » de l'Occident. Problèmes politiques et religieux d'un cercle de nihilistes.

***Pour qui sonne le glas*** ~ 1940. Roman d'E. Hemingway. Une rencontre amoureuse pendant la guerre d'Espagne. Une œuvre idéaliste et lyrique, portée à l'écran par S. Wood (1943, avec G. Cooper et I. Bergman).

***Précieuses ridicules (les)*** ~ 1659. Comédie en prose de Molière. Une satire bouffonne de certains milieux littéraires et féministes du XVIIe s.

***Précis de décomposition*** ~ 1949. Œuvre d'E. M. Cioran. Des aphorismes pessimistes dénonçant « les idéologies, les doctrines et les farces sanglantes ».

***Précis du système hiéroglyphique*** ~ 1824. Ouvrage de J.-F. Champollion. Il y expose le système complexe de l'écriture égyptienne qu'il permit de déchiffrer.

***Prélude à l'après-midi d'un faune*** ~ Voir ***Après-midi d'un faune (l')***.

***Préludes*** ~ 1839. Série de vingt-quatre pièces brèves pour piano de Fr. Chopin. Leur richesse harmonique a fondé l'impressionnisme musical. Sont également célèbres les *Préludes pour piano* de Cl. Debussy (1910-1913).

***Préludes*** ~ 1854. Poème symphonique de Fr. Liszt. Un somptueux tableau de la condition humaine, avec ses joies et ses peines, inspiré des *Méditations poétiques* de Lamartine.

***Prince (le)*** ~ posth., 1532. Œuvre de N. Machiavel, dédiée à Laurent de Médicis. La définition d'une méthode de gouvernement autoritaire et réaliste, selon laquelle la fin justifie les moyens. Un ouvrage qui marque la naissance de la pensée politique moderne.

***Prince Igor (le)*** ~ 1890. Opéra d'A. Borodine. Inspirée du *Dit de la Bataille d'Igor*, poème du XIIe s., une œuvre patriotique qui contient les éblouissantes « danses polovtsiennes ».

***Princesse de Clèves (la)*** ~ 1678. Roman de Mme de La Fayette. Intrigues et passion amoureuse à la cour d'Henri II. Le modèle du roman d'analyse.

***Principes d'économie politique*** ~ 1848. Ouvrage de J. St. Mill. Le bréviaire de la doctrine utilitariste et de l'individualisme libéral.

***Principia mathematica*** ~ 1910-1913. Ouvrage de B. Russell et A. N. Whitehead. Une tentative rationaliste d'extension des fondements logiques des mathématiques qui influa également sur la philosophie.

***Printemps (le)*** ~ v. 1478. Peinture de Botticelli (galerie des Offices). D'un symbolisme mythologique complexe, ce chef-d'œuvre de la Renaissance marqua l'avènement de l'humanisme profane en peinture.

***Prisons (les)*** ~ v. 1743 et 1760. Série d'eaux-fortes de Piranèse (Bibliothèque nationale). L'étrange et oppressante architecture d'un milieu carcéral imaginaire, d'une réalité visuelle impressionnante.

***Procès (le)*** ~ 1925. Roman de Fr. Kafka. Les angoisses de Joseph K., entraîné sans savoir pourquoi dans un procès absurde et inextricable. L'expression du désarroi face au monde moderne. O. Welles en tira un film (1962, avec A. Perkins et J. Moreau).

***Procès-verbal (le)*** ~ 1963. Roman de J.-M. G. Le Clézio. L'errance d'un anti-héros marginal et désespéré.

***Prométhée enchaîné*** ~ v. 467 av. J.-C. Tragédie d'Eschyle. La figure puissante d'un titan rebelle qui ose tenir tête aux dieux. Le mythe réapparaîtra à l'époque romantique (*Prométhée délivré*, P. B. Shelley, 1820).

***Provinciales (les)*** ~ 1656. Dix-huit lettres de Bl. Pascal (adressées à un provincial). Il y polémique contre les Jésuites et soutient ses amis jansénistes.

***Pugiliste (le)*** ~ v. 75 av. J.-C. Statue d'Apollonios d'Athènes (musée des Thermes, Rome). Un des modèles de la perfection classique.

***Puits de Moïse*** ~ 1395-1405. Sculpture de Cl. Sluter (Chartreuse de Champmol, Dijon). Une œuvre majeure de la statuaire gothique en Bourgogne.

***Quai des brumes*** ~ 1938. Film de M. Carné, scénario de J. Prévert, d'après un roman de P. Mac Orlan (avec J. Gabin, M. Morgan, P. Brasseur). Une réussite du réalisme poétique, et une vision pessimiste de la société.

***Quatre Apôtres (les)*** ~ 1526. Diptyque d'A. Dürer (Alte Pinakothek, Munich). Le testament du peintre : fusion réussie de la tradition flamande et de la Renaissance italienne.

***Quatre Cents Coups (les)*** ~ 1959. Film de Fr. Truffaut. L'école buissonnière d'un jeune garçon mal aimé de ses parents. Le premier long métrage d'un des maîtres de la Nouvelle Vague.

***Quatre Saisons (les)*** ~ 1725. Suite de quatre concertos pour violon d'A. Vivaldi. Une œuvre majeure de la musique baroque.

***Quatuor d'Alexandrie (le)*** ~ 1957-1960. Cycle romanesque de L. Durrell (*Justine, Balthazar, Mountolive, Cléa*). Quatre points de vue différents sur une même histoire d'amour, et la présence obsédante de la ville orientale.

***Qu'est-ce que la propriété ?*** ~ 1840. Essai de P. Proudhon où il se propose de démontrer que « la propriété, c'est le vol ».

***Radeau de la Méduse (le)*** ~ 1818. Toile de Th. Géricault (Louvre). Inspirée par un fait divers, elle devint le manifeste de l'école romantique.

***Raie (la)*** ~ v. 1728. Tableau de J.-B. S. Chardin (Louvre). Une vision nouvelle de la nature morte, d'une vérité réaliste saisissante.

***Raisins de la colère (les)*** ~ 1939. Roman de J. Steinbeck. Les ravages de la grande dépression dans les campagnes américaines. Il inspira un film à J. Ford (1940, avec Henry Fonda et John Carradine).

***Rameau d'or (le)*** ~ 1890-1915. Ouvrage de J. G. Frazer. Vaste synthèse sur les croyances, les rites et les mythes des sociétés anciennes et primitives.

***Rapaces (les)*** ~ 1925. Film d'E. von Stroheim, d'après F. Norris (avec Gibson Gowland, Zasu Pitts, Jean Hersholt). Un drame du désir et de l'avarice. Admirable scène finale dans la vallée de la Mort.

***Rashomon*** ~ 1950. Film de Kurosawa (avec Toshiro Mifune et Machiko Kyo) qui ouvrit au monde le cinéma japonais. Dans le Japon médiéval, quatre versions contradictoires sont données d'une affaire de viol et de meurtre.

***Recherches logiques (les)*** ~ 1900. Œuvre d'E. Husserl. Entre théorie de la connaissance et psychologie, ce travail de fondement platonicien de la logique établit le programme de la phénoménologie.

***Recherche sur la nature et les causes de la richesse des nations*** ~ 1776. Traité d'A. Smith. L'ouvrage fondateur de l'économie politique, qui a établi les principes du capitalisme libéral.

***Règle du jeu (la)*** ~ 1939. Film de J. Renoir (avec Marcel Dalio et l'auteur). Tableau de mœurs sans indulgence, où maîtres et domestiques rivalisent de cynisme et de cruauté. Une œuvre culte longtemps objet de censure.

***Regrets (les)*** ~ 1558. Recueil de sonnets de J. du Bellay. Le poète y exprime la nostalgie de son pays natal et brosse une satire de la cour pontificale.

***Reine morte (la)*** ~ 1942. Drame d'H. de Montherlant. Un retour à l'inspiration et au style classiques.

***Religieuse (la)*** ~ posth., 1796. Roman épistolaire de D. Diderot. Il dénonce les vocations forcées et les mœurs scandaleuses des couvents.

***René*** ~ 1802. Roman de Fr. R. de Chateaubriand. Mal du siècle et « vague des passions ». Le premier héros du romantisme français.

***Repas de noces (le)*** ~ v. 1570. Tableau de P. Bruegel (Kunsthistorisches Museum). Les bruyantes ripailles d'une joyeuse noce paysanne. Toute la veine réaliste et pittoresque du grand maître flamand.

***République (la)*** ~ IVe s. av. J.-C. Dialogue philosophique de Platon. Socrate y décrit la cité idéale, composée de trois classes (artisans, guerriers, magistrats) que gouverne le « philosophe-roi ». Une utopie politique dont s'inspirera Cicéron dans un ouvrage du même titre (50 av. J.-C.).

***Requiem*** ~ Le texte liturgique de l'office pour les défunts, par ses composantes tragiques (Tuba mirum, Dies irae), ou ses perspectives d'espérance (Requiem aeternum, In paradisum), a inspiré d'admirables chefs-d'œuvre : W. A. Mozart (1791), L. Cherubini (1816), H. Berlioz (1837), R. Schumann (1852), J. Brahms (1868), G. Verdi (1874), G. Fauré (1887).

***Retable d'Issenheim*** ~ 1516. Œuvre de M. Grünewald (musée Unterlinden, Colmar). Une Crucifixion d'un réalisme effroyable et la splendeur solaire d'une Résurrection aux coloris incandescents. L'art du retable à son sommet.

***Rêveries du promeneur solitaire (les)*** ~ 1782. Ouvrage de J.-J. Rousseau. Un recueil de souvenirs et d'impressions vécues, qui manifestent une sérénité retrouvée. La prose, éloquente et musicale, annonce le romantisme.

***Rhapsodies hongroises*** ~ 1846-1885. Œuvres pour piano de Fr. Liszt. Animées d'un souffle épique, ces dix-neuf pièces sont autant de poèmes à la gloire du génie populaire magyar.

***Rhapsody in Blue*** ~ 1924. Œuvre pour piano et orchestre de G. Gershwin. Une synthèse audacieuse du jazz et des formes classiques, à l'atmosphère typiquement américaine.

***Rhétorique*** ~ IVe s. av. J.-C. Traité d'Aristote. L'analyse de l'art de parler, de convaincre, de raisonner et d'émouvoir, dont sont étudiés les genres (délibératif, d'apparat, judiciaire).

***Rhinocéros*** ~ 1959. Pièce d'E. Ionesco. Bérenger, héros de l'humanisme, résiste seul à l'épidémie de « rhinocérite ». Une allégorie du totalitarisme.

***Richesse des nations*** ~ Voir ***Recherche sur la nature et les causes de la richesse des nations***.

***Rigoletto*** ~ 1851. Opéra de G. Verdi, d'après *Le roi s'amuse*, de V. Hugo. Vengeance et tragédie de Rigoletto, bouffon du roi, aux prises avec une cour frivole et cruelle. La première œuvre magistrale de Verdi.

***Rio Bravo*** ~ 1959. Film de H. Hawks (avec J. Wayne). Un shérif et ses adjoints (un alcoolique et un vieillard) tentent de s'opposer à une puissante famille.

***Rivage des Syrtes (le)*** ~ 1951. Roman de J. Gracq. Une prose poétique de l'attente et du déclin. Les derniers jours mélancoliques d'un pays imaginaire vu depuis ses marches lagunaires.

***Robinson Crusoé*** ~ 1719. Roman de D. Defoe. La vie solitaire d'un naufragé abandonné vingt-huit ans sur une île déserte. Un mythe universel qui sera repris par M. Tournier (*Vendredi ou les Limbes du Pacifique*, 1967).

***Rocco et ses frères*** ~ 1960. Film de L. Visconti (avec A. Delon, Annie Girardot, Renato Salvatori). La lente désintégration d'une famille pauvre de l'Italie du Sud, venue s'installer dans le Nord industriel.

***:oi des Aulnes (le)*** ~ 1778. Poème de Goethe. La plus célèbre ballade du omantisme allemand. Atmosphère fantastique et tragique, que l'on retrouve ans un lied de Schubert (1815). Il inspira un roman à M. Tournier (1970).

***:oi Lear (le)*** ~ v. 1606. Drame de W. Shakespeare. Chassé de son palais par :s filles Goneril et Régane, le vieux roi trahi perd la raison ; la pure et fidèle :ordelia, qu'il avait déshéritée, meurt assassinée dans ses bras.

***'oland amoureux*** ~ 1476-1494. Poème de Matteo Boiardo. Il introduit, au œur de l'épopée carolingienne, le thème romanesque des amours contrariées e Roland et d'Angélique.

***:oland furieux*** ~ 1532. Poème de l'Arioste. La légende de Roland, sa passion éçue, sa folie, ses combats. Une épopée de la Renaissance italienne.

***.omancero gitan*** ~ 1928. Recueil de romances de F. García Lorca. Le génie rique espagnol, mêlant poésie populaire et tradition savante.

***:oman comique (le)*** ~ 1651-1657. Œuvre de P. Scarron. Un portrait satirique u monde des comédiens ambulants et de la bourgeoisie de province.

***:oman d'Alexandre (le)*** ~ XII^e^ s. Œuvre anonyme contant l'histoire romancée u grand conquérant, en vers de douze pieds qu'on nommera « alexandrins ».

***:oman de la Rose (le)*** ~ Œuvre en vers en deux parties. La première, de G. de orris (v. 1236), fait l'éloge du roman courtois, alors que la seconde, de J. de leung (1275-1280), se caractérise par une inspiration satirique et rationaliste.

***:oman de Renart*** ~ Fin du XII^e^ s.-début du XIII^e^ s. Œuvre en vers anonyme. 'ne plaisante satire de la société féodale et une critique parodique des romans : chevalerie où les personnages sont des animaux.

***oméo et Juliette*** ~ 1594-1595. Drame de W. Shakespeare. À Vérone, histoire d'un amour impossible entre deux tout jeunes amants dont les familles es Capulet et les Montaigu) se vouent une haine mortelle. L'œuvre inspira ne symphonie à H. Berlioz (1839), un opéra à Ch. Gounod (1867), un ballet S. Prokofiev (1935) et un somptueux film à Fr. Zeffirelli (1968).

***ome, ville ouverte*** ~ 1945. Film de R. Rossellini (avec Anna Magnani). éalisme et authenticité d'une œuvre tournée sur le vif, en plein chaos, avec :s moyens de fortune.

***onde de nuit (la)*** ou ***la Compagnie du capitaine Frans Banning 'ocq*** ~ 1641. Tableau de Rembrandt (Rijksmuseum, Amsterdam) qui repré- nte une prise d'armes de la milice bourgeoise d'Amsterdam. Scène diurne aitée en clair-obscur.

***ouge et le Noir (le)*** ~ 1830. Roman de Stendhal. Dans le climat hypocrite : la Restauration, l'ascension sociale, puis la chute et la rédemption d'un jeune omme du peuple, l'ambitieux et passionné Julien Sorel.

***ougon-Macquart (les)*** ~ 1871-1893. Cycle romanesque d'É. Zola en vingt olumes. L'« histoire naturelle et sociale d'une famille sous le second Empire ». ondée sur les lois de l'hérédité, une immense fresque épique et naturaliste ui systématise les ambitions de *la Comédie humaine*.

***ue de la honte (la)*** ~ 1956. Film de Mizoguchi. Des portraits réalistes et nouvants de prostituées à Tôkyô. Un violent réquisitoire contre la condition : la femme dans une société nippone en mutation.

***uy Blas*** ~ 1838. Drame en vers de V. Hugo. Le destin d'un homme du peuple, oble et généreux, victime des intrigues des grands d'Espagne.

***icre de Napoléon I^er^ (le)*** ~ 1805-1807. Toile de J. L. David (Louvre). La onumentale illustration du sacre de Napoléon I^er^ sous les voûtes de otre-Dame de Paris, par le peintre historiographe de l'Empire.

***icre du printemps (le)*** ~ 1913. Ballet d'I. Stravinski, chorégraphié par Nijinski pour les Ballets russes de Diaghilev. La polyrythmie et les dissonances : cette cérémonie païenne firent scandale lors de sa création.

***iint François prêchant aux oiseaux*** ~ v. 1300. Fresque de Giotto (Assise). un des 28 admirables panneaux de la basilique Saint-François, relatant la ste du Poverello. Douceur et luminosité inouïes des coloris.

***iint Matthieu et l'ange*** ~ 1602. Toile du Caravage. Elle marque une rupture ec les conventions idéalistes du sentiment religieux, par une nouvelle nception de la lumière, une expressivité, un réalisme et une violence qui routèrent, avant de faire école.

***iisons (les)*** ~ v. 1570. Série de toiles de G. Arcimboldo (Louvre). De irprenantes et amusantes figures humaines, allégories des saisons, composées ec des fruits, des fleurs, des légumes et divers objets.

***ilaire de la peur (le)*** ~ 1953. Film de H. G. Clouzot (avec Y. Montand, h. Vanel), d'après le roman de Georges Arnaud. Quatre aventuriers font le ri de convoyer deux camions de nitroglycérine à travers l'Amérique centrale.

***ilammbô*** ~ 1862. Roman de G. Flaubert. Une fresque méticuleuse de l'épopée rbare du siège de Carthage par les mercenaires menés par Mâtho.

***ilomé*** ~ 1893. Drame d'O. Wilde. L'histoire de la fille d'Hérodiade qui danse ur Hérode Antipas afin d'obtenir la tête de Saint Jean-Baptiste inspira alement un opéra à R. Strauss (1905).

***ilon de musique (le)*** ~ 1958. Film indien de S. Ray. L'opposition de deux ltures, de deux époques autour de la musique.

***itires*** ~ v. 35-30 av. J.-C. Pièces en vers d'Horace. Un portrait d'abord léger, iis amer et dramatique des vices de la société du temps d'Auguste.

***itires*** ~ 100-130. Œuvre en vers de Juvénal. Sa brillante rhétorique exprime n indignation devant la corruption de la Rome impériale.

***itires*** ~ 1660-1668. Recueil de douze poèmes de N. Boileau. S'inspirant Horace et de Juvénal, il y critique les mœurs de son temps et défend sthétique classique.

***Satiricon (le)*** ~ v. 50. Œuvre de Pétrone. Les aventures licencieuses d'un jeune dévoyé, Encolpe, mettent au jour les vanités de la société romaine. Film de F. Fellini (1969, avec Martin Potter, Max Born).

***Saturne dévorant ses enfants*** ~ 1819. Tableau de F. Goya (Prado). L'allégorie la plus inquiétante et la plus hallucinée du Temps, ogre dévoreur de toutes choses. Un sommet de l'œuvre « noire » du peintre.

***Seigneur des anneaux (le)*** ~ 1954-1955. Épopée mythologique originale de J. R. R. Tolkien. On voit s'y affronter hobbits, hommes, magiciens, orques, elfes et nains, dans l'éternel combat entre le bien et le mal.

***Senso*** ~ 1954. Film de L. Visconti (avec Alida Valli, Farley Granger), d'après une nouvelle de C. Boito. Une aristocrate italienne trahit sa patrie pour l'amour d'un officier autrichien veule et lâche.

***Sentiers de la gloire (les)*** ~ 1958. Film de St. Kubrick (avec K. Douglas). Un réquisitoire impitoyable contre l'armée et la justice militaire pendant la Première Guerre mondiale. L'œuvre demeura interdite en France jusqu'en 1976.

***Septième Sceau (le)*** ~ 1957. Film d'I. Bergman (avec Max von Sydow, Gunnar Björnstrand). De retour des croisades, un chevalier joue, et perd, une partie d'échecs contre la Mort. Une allégorie de la condition humaine.

***Sept Manifestes Dada*** ~ 1924. Œuvre de Tr. Tzara. Une volonté d'abolir la culture dominante, en laissant libre cours au hasard et à l'irrationnel, qui inspira directement le surréalisme.

***Séquence de sainte Eulalie*** ~ v. 880. Poème de vingt-neuf vers, traduit du latin en langue vulgaire. Le plus ancien témoignage de la poésie française.

***Serment des Horaces (le)*** ~ 1784. Toile de J. L. David (Louvre). La perfection du dessin, la composition rigoureuse, la noblesse héroïque du sujet imposèrent le peintre comme chef de l'école néoclassique.

***Serment de Strasbourg*** ~ 842. Premier texte écrit en langue d'oïl. Il scelle une alliance politique entre Louis le Germanique et Charles le Chauve.

***Sermons*** ~ 1655-1662. Bossuet y oppose la misère et la grandeur de l'homme. Une apologie de la religion servie par la rhétorique.

***Servant (The)*** ~ 1963. Film de J. Losey, sur un scénario d'H. Pinter (avec D. Bogarde, J. Fox). Le portrait sulfureux de la déchéance d'un jeune lord qui se laisse peu à peu dominer par son valet de chambre.

***Shéhérazade*** ~ 1888. Poème symphonique de N. Rimski-Korsakov. Inspiré des *Mille et Une Nuits*, une fabuleuse fresque orchestrale illustrant les aventures de Sindbad le marin, racontées par la belle Schéhérazade.

***Sherlock Holmes. Étude en rouge*** ~ 1887. Roman d'A. Conan Doyle, où, pour la première fois, apparaît le plus célèbre des détectives.

***Shoah*** ~ 1976-1985. Documentaire de Cl. Lanzmann. Neuf heures d'entretiens filmés qui évoquent le quotidien des victimes, des bourreaux et des simples auxiliaires de l'appareil de mort nazi.

***Siècle de Louis XIV (le)*** ~ 1751. Ouvrage de Voltaire. Une histoire politique, littéraire et religieuse de la société française, dans le siècle « le plus éclairé qui fut jamais », mais aussi une critique de l'absolutisme et du fanatisme.

***Silence de la mer (le)*** ~ 1942. Récit de Vercors. Un officier allemand de l'armée d'occupation tente d'engager un dialogue avec ses hôtes français : ils lui opposent le « silence de la mer ». Adaptation filmée de J.-P. Melville (1948).

***Six Personnages en quête d'auteur*** ~ 1921. Drame de L. Pirandello. D'inextricables intrigues où s'émiette la personnalité de chacun débouchent sur un questionnement de l'essence du théâtre.

***Société féodale (la)*** ~ 1939. Essai de M. Bloch. Une analyse fondatrice qui renouvela l'histoire du Moyen Âge.

***Somme théologique (la)*** ~ 1266-1273. Œuvre de saint Thomas d'Aquin, en latin. Une reformulation complète du savoir chrétien, de la logique à la théologie, largement inspirée par l'analytique rationnelle d'Aristote.

***Sonate funèbre*** ~ 1839. La deuxième sonate pour piano de Fr. Chopin. La poignante Marche funèbre, qui constitue son mouvement lent, est devenue un symbole mythique et universel du deuil.

***Songe (le)*** ~ 1902. Drame d'A. Strindberg. Le dieu Indra envoie sur Terre sa fille Agnès, qui, dans un voyage onirique, y découvre la misère, la cruauté, la haine et l'oppression qui pèsent sur les humains.

***Songe d'une nuit d'été (le)*** ~ 1595. Comédie de W. Shakespeare. Le lutin Puck tisse sortilèges et intrigues amoureuses dans l'ambiance féerique d'une forêt de rêve. L'œuvre a inspiré une ouverture à F. Mendelssohn-Bartholdy (1826) et un opéra à B. Britten (1960).

***Sorcières de Salem (les)*** ~ 1953. Pièce d'A. Miller. Dans le contexte américain du maccarthysme, une mise en scène courageuse du plus grand procès en sorcellerie du XVII^e^ siècle.

***Souffrances du jeune Werther (les)*** ~ 1774. Roman épistolaire de J. W. von Goethe. La passion amoureuse pousse un jeune homme au désespoir et au suicide. Modèle de toute la génération du Sturm und Drang.

***Soulier de satin (le)*** ~ 1929. Drame de P. Claudel. Une évocation de la conquête du Nouveau Monde par l'Espagne, et de l'impossible amour de don Rodrigue et doña Prouhèze.

***Sous le soleil de Satan*** ~ 1926. Roman de G. Bernanos. Les tourments spirituels d'un humble prêtre en marche vers la sainteté. M. Pialat en a tiré un film (1987, avec G. Depardieu et Sandrine Bonnaire).

***Souvenirs de la maison des morts*** ~ 1861. Récit de F. Dostoïevski. Il y évoque son séjour au bagne d'Omsk. Sa récente conversion religieuse lui inspira des pages pleines de compassion pour le peuple russe. Opéra de L. Janáček (1928).

***Spleen de Paris (le)*** ~ Voir *Petits Poèmes en prose*.

***Stabat Mater*** ~ Œuvre musicale composée sur une hymne du XIIIe s. évoquant les douleurs de la Mère du Sauveur debout au pied de la Croix : Vivaldi (1727), Pergolèse (1736), Schubert (1816), Rossini (1842), Dvořák (1877), Poulenc (1950).

***Statue de la Liberté*** ~ Voir *Liberté éclairant le monde (la)*.

***Strada (la)*** ~ 1954. Film de F. Fellini (avec Anthony Quinn, Giulietta Masina, Richard Basehart). Entre un hercule de foire et une innocente, un drame de l'insensibilité et du remords.

***Structures syntaxiques*** ~ 1957. Œuvre de N. Chomsky. Le manifeste de la grammaire générative-transformationnelle, qui ouvrit à la linguistique de nouveaux horizons.

***Sueurs froides (Vertigo)*** ~ 1958. Film d'A. Hitchcock (avec J. Stewart, Kim Novak). Un scénario déroutant, à la limite du fantastique. Une sombre machination et un suspense intense.

***Suites pour violoncelle*** ~ 1720. Six suites de J. S. Bach, qui constituent la somme magistrale de l'art du violoncelle baroque.

***Suzanne et les vieillards*** ~ v. 1560. Tableau du Tintoret (Kunsthistorisches Museum). L'un des thèmes favoris de la peinture du XVIe siècle.

***Sylphide (la)*** ~ 1832. Ballet chorégraphié par Ph. Taglioni, interprété par sa fille Marie. Il introduisit le tutu en mousseline blanche.

***Symphonie du Nouveau Monde*** ~ 1893. Neuvième symphonie d'A. Dvořák. Une œuvre qui doit autant aux rythmes tchèques qu'aux chants indiens.

***Symphonie espagnole*** ~ 1875. Œuvre d'É. Lalo. Subtilement imprégné des rythmes et des accents stylisés du folklore espagnol, ce chef-d'œuvre constitue une synthèse des écritures concertante et symphonique.

***Symphonie fantastique*** ~ 1830. Œuvre d'H. Berlioz. Hardiesses et réussites de la musique romantique.

***Symphonie héroïque*** ~ 1804. Troisième symphonie de L. van Beethoven, qui raya la dédicace à Bonaparte quand celui-ci se fit proclamer empereur.

***Symphonie inachevée*** ~ 1822. Symphonie no 8 en *si* mineur de Fr. Schubert, dont la partition, incomplète, fut retrouvée en 1835.

***Symphonie Jupiter*** ~ 1788. Symphonie no 41 de W. A. Mozart. La grâce de l'invention unie à la monumentalité de la forme. Un adieu au XVIIIe s.

***Symphonie pastorale*** ~ 1808. Sixième symphonie de L. van Beethoven. Un hymne à la vie champêtre et une célébration dionysiaque de la nature.

***Symphonie pathétique*** ~ 1893. Sixième symphonie de P. Tchaïkovski. À l'irrépressible élan vital du scherzo répondent les funèbres et poignants accents du finale, véritable descente au tombeau. Le testament du musicien.

***Symphonie rhénane*** ~ 1850. Troisième symphonie de R. Schumann. Une admirable fusion du lyrisme intimiste de l'auteur avec la puissance de la forme symphonique.

***Symphonie no 5*** ~ 1808. Cinquième symphonie de L. van Beethoven. Le célèbre appel des quatre premières notes (« Le destin frappe à la porte »), que la radio de Londres utilisa comme indicatif pendant l'Occupation.

***Symphonie no 5*** ~ 1902. Cinquième symphonie de G. Mahler. L'adagietto, d'une indicible sérénité, sert de thème musical au film *Mort à Venise*, de L. Visconti.

***Symphonie no 9*** ~ Dernière symphonie de L. van Beethoven, avec chœurs, sur l'*Ode à la joie* de Fr. von Schiller, exaltant la fraternité humaine.

***Tambour (le)*** ~ 1959. Roman de G. Grass. Un jeune garçon, qui a décidé de ne plus grandir, devient le témoin impitoyable du nazisme et de la débâcle allemande. Film de V. Schlöndorff (1979, avec David Bennent, Mario Adorf).

***Tannhäuser*** ~ 1844-1845. Opéra de R. Wagner. Prisonnier de la volupté païenne, le héros ne trouve le chemin de l'idéal ascétique qu'au prix de sa rédemption par le sacrifice de la pure Élisabeth.

***Tao-tô king*** ou ***Tao-tê ching*** ou ***Daode jing (Livre de la voie et de la vertu)*** ~ IIIe s. av. J.-C. Le « livre du Tao », ouvrage capital du taoïsme, attribué à son fondateur Lao-tseu.

***Tapisserie de Bayeux*** ~ v. 1070. Broderie sur toile de 70 m de longueur, faussement attribuée à la reine Mathilde, représentant 58 scènes de la conquête de l'Angleterre par les Normands (centre Guillaume-le-Conquérant, Bayeux).

***Tartuffe ou l'Imposteur*** ~ 1664. Comédie de Molière. Un faux dévot, cupide et jouisseur, abuse de la crédulité d'un vieux bourgeois. Cette satire hardie de l'hypocrisie religieuse valut d'innombrables ennuis à son auteur.

***Tarzan l'homme singe*** ~ 1932. Film de W. S. Van Dyke, d'après E. R. Burroughs. Le légendaire homme de la jungle, incarné par J. Weissmuller.

***Taxi Driver*** ~ 1975. Film de M. Scorsese (avec R. de Niro). La dérive violente d'un ancien du Viêt Nam devenu taxi de nuit.

***Télémaque*** ~ Voir *Aventures de Télémaque (les)*.

***Tempête (la)*** ~ 1611. Comédie de W. Shakespeare. Les aventures du mage Prospero, duc de Milan déchu et maître du monstre Caliban, et de l'esprit de l'air Arielle. Une féerie poétique.

***Temps des cerises (le)*** ~ Chanson de J.-B. Clément (1866), mise en musique par A. Renard (1868). Cet hymne à l'amour symbolise l'esprit de la Commune.

***Temps modernes (les)*** ~ 1936. Film de Ch. Chaplin (avec Paulette Goddard et l'auteur). Une satire émouvante de la société industrielle et du machinisme.

***Tentation de saint Antoine (la)*** ~ v. 1500. Tableau de J. Bosch (musée d'A[...] antique, Lisbonne). Un prodigieux grouillement de créatures fantastiques.

***Terre (la)*** ~ 1968. Film de Y. Chahine. Dans un village du Delta en 193[...] une épopée paysanne qui révéla le cinéma égyptien.

***Tétralogie (la)*** ~ Voir *Anneau du Nibelung (l')*.

***Théâtre et son double (le)*** ~ 1938. Essai d'A. Artaud. Un manifeste cont[...] la tradition dramatique occidentale qui inspirera les mises en scène moderne[...]

***théodicée (Essais de)*** ~ 1710. Traité de Leibniz. Il affirme la conformité ent[...] la raison et la foi, et légitime le mal dans le « meilleur des mondes possibles [...]

***Théogonie*** ~ VIIe s. av. J.-C. Poème d'Hésiode. Exposé didactique de [...] généalogie des dieux et de la cosmogonie grecque antique.

***Théorème*** ~ 1968. Film de P. P. Pasolini (avec Terence Stamp, Silvana Mar[...]gano). Un jeune homme séduit tour à tour chacun des membres d'une famil[...] d'industriels et bouleverse leur existence. Une parabole sur la décaden[...] bourgeoise.

***Théorie générale de l'emploi, de l'intérêt et de la monnaie*** ~ 1936. Ouvra[...] de J. M. Keynes. Constatant l'incapacité du marché à engendrer le plein-empl[...] il prône l'intervention de l'État pour soutenir la consommation.

***Thérèse Desqueyroux*** ~ 1927. Roman de Fr. Mauriac. Le chemin ardu ve[...] la liberté d'une jeune femme soupçonnée d'avoir voulu tuer son mari. U[...] portrait terrifiant de la bourgeoisie provinciale.

***Thibault (les)*** ~ 1922-1940. Cycle romanesque de R. Martin du Gard. Vas[...] fresque réaliste (9 vol.) évoquant, à travers les choix antagonistes de deux frère[...] la crise politique et sociale qui a précédé la Première Guerre mondiale.

***Tintin au pays des Soviets*** ~ 1929. Bande dessinée d'Hergé. Premier épiso[...] de la série des aventures de l'éternel jeune reporter.

***Toccata et fugue en ré mineur*** ~ 1709. L'œuvre pour orgue de J. S. Ba[...] universellement appréciée, qui s'ouvre par une improvisation d'un rare impa[...] dramatique.

***Tom Sawyer*** ~ Voir *Aventures de Tom Sawyer (les)*.

***Tosca (la)*** ~ 1900. Opéra de G. Puccini, d'après V. Sardou. Un hymne [...] l'amour et à la liberté contre le cynisme et l'oppression. L'apogée du vérism[...]

***Tour de Babel (la)*** ~ 1563. Tableau de P. Bruegel (musée Boymar[...] Rotterdam). Une minéralisation intense du champ pictural symbolise la stéril[...] de l'orgueil humain. Un expressionnisme hallucinant.

***Tour du monde en 80 jours (le)*** ~ 1873. Roman de J. Verne. Le pari insen[...] que gagneront Phileas Fogg et son fidèle domestique Passepartout.

***Tournesols (les)*** ~ 1887-1889. Série de toiles de V. Van Gogh. Touch[...] convulsées et couleurs éclatantes du Midi.

***Tractatus logico-philosophicus*** ~ 1921. Écrit de L. Wittgenstein. Il inspi[...] le positivisme logique, limitant l'usage correct du langage à l'expression de fa[...] et laissant indicible le sens du monde.

***Tractatus theologico-politicus*** ~ 1670. Traité de Spinoza, où l'analyse de [...] société débouche sur une conception de l'État libéral comme garant des dro[...] individuels et de la liberté de pensée.

***Tragiques (les)*** ~ 1616. Épopée en vers d'Agrippa d'Aubigné. L'indignati[...] d'un militant de l'Église réformée contre les abus du catholicisme.

***Travaux et les Jours (les)*** ~ VIIe s. av. J.-C. Poème d'Hésiode. L'exposé d[...] mythes de Pandore, de Prométhée, et de la succession historique des cinq ra[...] (d'or, d'argent, d'airain, des héros, de fer). Sentences morales et conse[...] d'économie domestique.

***Traviata (la)*** ~ 1853. Opéra de G. Verdi, d'après *la Dame aux caméli[...]* d'A. Dumas fils. Les amours de Violetta et du jeune Germont contrariées [...] l'hypocrisie bourgeoise. Film de Fr. Zeffirelli (1983).

***Très Riches Heures du duc de Berry*** ~ 1413-1416. Manuscrit enluminé [...] frères de Limbourg, commandé par le duc Jean de Berry. Un des chefs-d'œu[...] de l'enluminure médiévale.

***Triomphe de Vénus (le)*** ~ 1740. Toile de Fr. Boucher (National Museu[...] Stockholm). Traitement poétique et érotisation d'un thème mythologique.

***Tristan et Isolde*** ~ 1865. Opéra de R. Wagner. La passion fatale purifiée [...] la souffrance et le tourment, et conduisant à la mort des héros.

***Tristan et Yseut*** ~ fin XIIe s. Légende celtique qui inspira, au Moyen Âge, [...] poètes Thomas, Béroul, Marie de France et Gottfried de Strasbourg ; puis, c[...] les modernes, Tennyson, Swinburne, D'Annunzio, Schlegel, Wieland. Les de[...] amants, unis malgré eux par un philtre d'amour, trahissent le généreux [...] Marc. Ils ne seront réunis que dans la mort.

***Tristes Tropiques*** ~ 1955. Récit de Cl. Lévi-Strauss. Ses premières expéditio[...] au Brésil et la naissance de sa vocation d'ethnologue.

***Trois Essais sur la théorie de la sexualité*** ~ 1905. Ouvrage de S. Freud, [...] traite des stades d'évolution de la libido et révèle l'importance de la sexua[...] enfantine dans la formation du moi.

***Troisième Homme (le)*** ~ 1949. Film de C. Reed (avec O. Welles, Alida Val[...] Dans Vienne détruite et occupée par les Alliés, un écrivain raté, parti à [...] recherche d'un ancien ami, découvre qu'il se livre à d'odieux trafics.

***Trois Mousquetaires (les)*** ~ 1844. Roman d'A. Dumas. Les aventures d'Ath[...] Portos, Aramis et d'Artagnan, mousquetaires du roi Louis XIII, qui s'oppos[...] à Richelieu et à la diabolique Milady.

***Trois Sœurs (les)*** ~ 1901. Drame d'A. Tchekhov. La vie quotidien[...] oppressante et grise de la province russe.

***Trophées (les)*** ~ 1893. Recueil de 118 sonnets de J. M. de Heredia. Évocations historiques et exotiques. La facture impeccable du Parnasse.

***Tropique du Cancer*** ~ 1934. Œuvre de H. Miller. Une autobiographie romancée, qui exalte le plaisir, la vie de bohème et la libération sexuelle et morale, contre le « cauchemar climatisé et aseptisé de la vie moderne ».

***Trouvère (le)*** ~ 1853. Opéra de G. Verdi, inspiré du *Troubadour* de A. García Gutiérrez. Un livret rocambolesque et violent (de S. Cammarano) pour une œuvre dramatique et intense.

***Troyennes (les)*** ~ 415 av. J.-C. Tragédie d'Euripide. Devant Troie dévastée, promise aux vainqueurs grecs, les épouses des chefs vaincus se lamentent sur leur sort et disent les horreurs de la guerre.

***Troyens (les)*** ~ 1856-1863. Opéra d'H. Berlioz, d'après l'*Énéide*. Réputée injouable, parce que trop longue, cette œuvre dut attendre un siècle pour être donnée dans son intégralité.

***Truite (la)*** ~ 1819. Quintette en *la* majeur de Fr. Schubert. Une musique radieuse, écho des jours heureux passés par Schubert en Haute-Autriche.

***Turandot*** ~ 1924. Ultime opéra de G. Puccini, achevé par Fr. Alfano, d'après une pièce de C. Gozzi. Le jeu de l'amour et de la mort, à la cour de Chine, autour de trois énigmes posées par la belle et cruelle princesse Turandot.

***Ubu roi*** ~ 1896. Pièce d'A. Jarry. Une satire délirante et ravageuse du pouvoir, avec le personnage caricatural du père Ubu, tyran mégalomane et grotesque.

***Ulysse*** ~ 1922. Roman de J. Joyce. Le jeudi 16 octobre 1904, Bloom-Ulysse, Dedalus-Télémaque et Molly-Pénélope se croisent à Dublin comme dans une nouvelle *Odyssée*. La technique du monologue intérieur, la richesse et la nouveauté de l'œuvre déroutèrent ou fascinèrent ses lecteurs.

***Un barrage contre le Pacifique*** ~ 1950. Roman de M. Duras. La vie misérable de petits exploitants français en Indochine, dupés et ruinés par l'administration coloniale.

***Un chien andalou*** ~ 1928. Court métrage français de L. Buñuel et S. Dali, où l'on voit, entre autres délires, un œil coupé par un rasoir. D'une incohérence subversive, il devint le film phare du surréalisme.

***Un condamné à mort s'est échappé*** ~ 1956. Film de R. Bresson (avec des acteurs non professionnels). Rendue dans ses moindres détails, l'évasion d'un résistant prisonnier.

***Un dimanche après-midi à la Grande Jatte*** ~ 1884-1885. Peinture de G. Seurat (Art Institute, Chicago). Le manifeste de l'école divisionniste, ou pointilliste.

***Un enterrement à Ornans*** ~ 1849. Peinture de G. Courbet. Un sujet banal traité avec un réalisme qui fit scandale au Salon de 1850.

***Une nuit à l'Opéra*** ~ 1935. Film de S. Wood. L'une des plus brillantes interprétations des Marx Brothers.

***Une nuit sur le mont Chauve*** ~ 1867. Poème symphonique de M. Moussorgski, d'inspiration fantastique, remanié par N. Rimski-Korsakov.

***Une saison blanche et sèche*** ~ 1979. Roman d'A. Brink. L'engagement d'un Blanc contre l'apartheid en Afrique du Sud.

***Une saison en enfer*** ~ 1873. Prose poétique d'A. Rimbaud. Entre révolution et poésie, l'auteur conclut, en annonçant l'abandon de l'écriture, sur l'impuissance de cette dernière à changer la vie.

***Une vie*** ~ 1883. Roman de G. de Maupassant. La déchéance d'une femme trompée dans son amour conjugal et son affection maternelle.

***Un tramway nommé désir*** ~ 1951. Film d'E. Kazan (avec Vivian Leigh et M. Brando), d'après la pièce de T. Williams. Le climat trouble, sensuel et violent de la Nouvelle-Orléans.

***Utopie*** ~ 1516. Essai de Th. More. Une critique de la propriété privée et de la monarchie, qui débouche sur la description d'un État communiste idéal.

***Vacances de M. Hulot (les)*** ~ 1953. Film de J. Tati. Un gaffeur pittoresque dans l'univers petit-bourgeois d'une station balnéaire. Refus de l'intrigue et des dialogues, comique et poésie de l'observation quotidienne : un ton original qui annonce la Nouvelle Vague.

***Vague (la)*** ~ 1831-1833. Estampe de Hokusaï (musée Guimet). La plus connue des *Trente-Six Vues du mont Fuji*.

***Vaisseau fantôme (le)*** ~ 1841. Opéra de R. Wagner. La légende du Hollandais volant et de sa rédemption par l'amour. Première utilisation du leitmotiv.

***Valse (la)*** ~ 1920. Poème chorégraphique de M. Ravel. Un hommage, capiteux et exaltant, à la gloire de la valse viennoise.

***Vénus de Milo*** ~ IIe s. av. J.-C. Statue grecque, découverte en 1820 dans les ruines de l'antique cité de Mêlos.

***Vénus d'Urbino*** ~ 1538. Peinture de Titien (galerie des Offices), commandée par le duc de Ferrare, où s'expriment les tentations maniéristes du peintre.

***Vérité (la)*** ~ 1960. Film d'H. G. Clouzot. Un drame passionnel se transforme, lors du procès, en une authentique tragédie interprétée par Br. Bardot, Ch. Vanel et Paul Meurisse.

***Verrou (le)*** ~ 1780. Tableau de J. H. Fragonard (Louvre). Scène de genre, à l'érotisme intimiste et frémissant, par le maître le plus spirituel du XVIIIe s. galant.

***Victoire de Samothrace*** ~ IIIe-IIe s. av. J.-C. Sculpture d'un artiste rhodien (Louvre), représentant une Victoire ailée posée sur une proue de galère.

***Vie de Jésus (la)*** ~ 1863. Œuvre d'E. Renan. Premier volume de son *Histoire des origines du christianisme*. Une vision rationaliste du Christ, qui fit scandale.

***Vieil Homme et la Mer (le)*** ~ 1952. Roman d'E. Hemingway. Un vieux pêcheur lutte pour capturer un espadon, dont les requins ne lui laisseront ramener que la carcasse. Un récit symbolique de l'échec de l'entreprise humaine.

***Vie mode d'emploi (la)*** ~ 1978. Roman de G. Perec. Un puzzle en 99 chapitres, qui retrace l'histoire d'un immeuble et de ses occupants. L'auteur y livre le résultat de dix ans de recherches formelles sur la littérature.

***Vie parisienne (la)*** ~ 1866. Opéra bouffe de J. Offenbach. Un couple de Suédois, flanqués d'un Brésilien, mystifiés et entraînés dans le tourbillon de la vie parisienne sous Napoléon III. Toute la verve d'Offenbach.

***Vierge aux rochers (la)*** ~ 1482-1483. Tableau de Léonard de Vinci (Louvre et National Gallery). Il existe deux versions de cette toile caractéristique du sfumato léonardien.

***Vies des hommes illustres*** ou ***Vies parallèles*** ~ Biographies, par Plutarque, de Grecs et de Romains, qu'il conçut en miroir, pour montrer que les seconds furent aussi glorieux que les premiers. Une importante source historique.

***Vingt Mille Lieues sous les mers*** ~ 1870. Roman de J. Verne. Un voyage extraordinaire dans le submersible de l'étrange et satanique capitaine Nemo.

***Violoniste (le)*** ~ 1912-1913. Toile de M. Chagall (Stedelijk Museum, Amsterdam). L'une des figures obsessionnelles du peintre, issue de son enfance russe.

***Visiteurs du soir (les)*** ~ 1942. Film de M. Carné (avec Arletty, Jules Berry, Alain Cuny). Une légende médiévale, où l'on voit l'amour triompher des intrigues du diable. Un symbole de la résistance au nazisme.

***Vol de nuit*** ~ 1931. Roman d'A. de Saint-Exupéry. L'épopée héroïque des débuts de l'aviation civile.

***Voleur de bicyclette (le)*** ~ 1948. Film de V. De Sica (avec Lamberto Maggiorani, Enzo Staiola). Le manifeste du néoréalisme : dans l'Italie misérable de l'après-guerre, les épreuves d'un petit garçon et de son père chômeur.

***Voyage au bout de la nuit*** ~ 1932. Roman de L.-F. Céline. L'épopée absurde de Bardamu, fuyant la boucherie de 1914-1918, et voyageant d'Afrique en Amérique, pour finir médecin des pauvres en banlieue parisienne.

***Voyage dans la lune (le)*** ~ 1902. Film de G. Méliès d'après J. Verne. Un des premiers films de fiction et d'anticipation, avec les premiers trucages de l'histoire du cinéma (décor en carton-pâte).

***Voyage de M. Perrichon (le)*** ~ 1860. Comédie d'E. Labiche. La sotte vanité d'un bourgeois parvenu.

***Voyage d'hiver*** ~ 1827. Cycle de lieder de Fr. Schubert. L'émouvante et incomparable peinture de l'amour blessé, vécu comme un hiver du cœur, aboutissant à la mort.

***Voyage en Orient*** ~ 1851. Récit de G. de Nerval. Un voyage initiatique à travers l'Égypte, la Libye et la Turquie.

***Voyages de Lemuel Gulliver (les)*** ~ 1727. Roman de J. Swift. Sous les apparences d'un conte pour enfants, une satire impitoyable de la société humaine.

***Voyeur (le)*** ~ 1960. Film de M. Powell. Dans une ambiance fantastique et glacée, un thriller quasi clinique où le voyeurisme devient une part de notre quotidien.

***Vue de Delft*** ~ 1660. Toile de J. Vermeer (Mauritshuis, La Haye), qui inspira Proust par sa minutie, sa dimension poétique et sa quiétude atemporelle.

***Vue de Tolède*** ~ 1608. L'une des dernières toiles du Greco (Museum of Modern Art, New York), où se manifestent son tempérament visionnaire et la modernité de sa technique.

***Walden ou la Vie dans les bois*** ~ 1854. Récit autobiographique d'H. D. Thoreau, racontant ses années d'existence solitaire et sauvage.

***Water Music (The)*** ~ 1717. Suite orchestrale de G. F. Händel. Le grand style de l'auteur pour une splendide musique de fêtes royales en plein air.

***West Side Story*** ~ 1961. Film musical de R. Wise, chorégraphie de J. Robbins, musique de L. Bernstein (avec Natalie Wood, Russ Tamblyn, George Chakiris). La rivalité de deux bandes de jeunes. Libre transposition du mythe de *Roméo et Juliette* dans le New York contemporain.

***Woyzeck*** ~ 1836. Drame de G. Büchner. Un soldat, humilié par tout son entourage, se voit trompé par sa compagne, qu'il tue avant de se suicider. A. Berg en a tiré le modèle de l'opéra sériel (*Wozzeck*, 1925).

***Yvain ou le Chevalier au lion*** ~ v. 1177. Roman de Chrétien de Troyes. Les aventures du héros arthurien à la reconquête de sa dame, dans le monde magique de Brocéliande. Un chef-d'œuvre de la littérature courtoise.

***Zadig ou la Destinée*** ~ 1747. Conte philosophique de Voltaire. Les mésaventures d'un jeune courtisan babylonien. Un récit oriental piquant qui pose le problème de l'ordre du monde et de la justice divine.

***Zazie dans le métro*** ~ 1959. Roman de R. Queneau. Comment la fantaisie verbale d'une enfant sert de prisme pour révéler le monde caricatural des adultes. Adapté par L. Malle (1960, avec Catherine Demongeot et Ph. Noiret).

***Zéro de conduite*** ~ 1933. Moyen-métrage (44 min) de J. Vigo (avec Jean Dasté). Une révolte de collégiens contre l'autorité adulte.

***Zéro et l'Infini (le)*** ~ 1941. Roman d'A. Koestler. En évoquant les procès de Moscou, il alimenta les passions dans les années 1950.

# LAURÉATS DU PRIX NOBEL

## *CHIMIE*

| | | |
|---|---|---|
| Alder K. | R. F. A. | 1950 |
| Altman S. | États-Unis | 1989 |
| Anfinsen C. | États-Unis | 1972 |
| Arrhenius S. A. | Suède | 1903 |
| Aston F. W. | Royaume-Uni | 1922 |
| Baeyer (von) A. | Allemagne | 1905 |
| Barton D. H. R. | Royaume-Uni | 1969 |
| Berg P. | États-Unis | 1980 |
| Bergius F. | Allemagne | 1931 |
| Bosch C. | Allemagne | 1931 |
| Brown H. C. | États-Unis | 1979 |
| Buchner E. | Allemagne | 1907 |
| Butenandt A. F. J. (*) | Allemagne | 1939 |
| Calvin M. | États-Unis | 1961 |
| Cech T. | États-Unis | 1989 |
| Corey E. J. | États-Unis | 1990 |
| Cornforth J. W. | Royaume-Uni | 1975 |
| Cram D. J. | États-Unis | 1987 |
| Crutzen P. | Pays-Bas | 1995 |
| Curie M. (***) | France | 1911 |
| Curl R. S. Jr. | États-Unis | 1996 |
| Debye P. J. W. | Pays-Bas | 1936 |
| Deisenhofer J. | R. F. A. | 1988 |
| Diels O. | R. F. A. | 1950 |
| Du Vigneaud V. | États-Unis | 1955 |
| Eigen M. | R. F. A. | 1967 |
| Ernst R. | Suisse | 1991 |
| Euler-Chelpin (von) H. | Suède | 1929 |
| Fischer E. | Allemagne | 1902 |
| Fischer E. O. | R. F. A. | 1973 |
| Fischer H. | Allemagne | 1930 |
| Flory P. J. | États-Unis | 1974 |
| Fukui Kenishi | Japon | 1981 |
| Giauque W. F. | États-Unis | 1949 |
| Gilbert W. | États-Unis | 1980 |
| Grignard V. | France | 1912 |
| Haber F. | Allemagne | 1918 |
| Hahn O. | Allemagne | 1944 |
| Harden A. | Royaume-Uni | 1929 |
| Hassel O. | Norvège | 1969 |
| Hauptman H. | États-Unis | 1985 |
| Haworth W. N. | Royaume-Uni | 1937 |
| Herschbach D. R. | États-Unis | 1986 |
| Herzberg G. | Canada | 1971 |
| Hevesy de Heves G. | Suède | 1943 |
| Heyrovský J. | Tchécoslovaquie | 1959 |
| Hinshelwood C. N. | Royaume-Uni | 1956 |
| Hodgkin D. M. C. | Royaume-Uni | 1964 |
| Hoffmann R. | États-Unis | 1980 |
| Huber R. | R. F. A. | 1988 |
| Joliot-Curie F. | France | 1935 |
| Joliot-Curie I. | France | 1935 |
| Karle J. | États-Unis | 1985 |
| Karrer P. | Suisse | 1937 |
| Kendrew J. C. | Royaume-Uni | 1962 |
| Klug A. | Royaume-Uni | 1982 |
| Kroto H. W. | Royaume-Uni | 1996 |
| Kuhn R. (*) | Allemagne | 1938 |
| Langmuir I. | États-Unis | 1932 |
| Lee Yuan T. | États-Unis | 1986 |
| Lehn J.-M. | France | 1987 |
| Leloir L. F. | Argentine | 1970 |
| Libby W. F. | États-Unis | 1960 |
| Lipscomb W. N. | États-Unis | 1976 |
| McMillan E. M. | États-Unis | 1951 |
| Marcus R. A. | États-Unis | 1992 |
| Martin A. J. P. | Royaume-Uni | 1952 |
| Merrifield B. | États-Unis | 1984 |
| Michel H. | R. F. A. | 1988 |
| Mitchell P. | Royaume-Uni | 1978 |
| Moissan H. | France | 1906 |
| Molina M. | États-Unis | 1995 |
| Moore S. | États-Unis | 1972 |
| Mulliken R. S. | États-Unis | 1966 |
| Mullis K. B. | États-Unis | 1993 |
| Natta G. | Italie | 1963 |
| Nernst W. | Allemagne | 1920 |
| Norrish R. G. W. | Royaume-Uni | 1967 |
| Northrop J. H. | États-Unis | 1946 |
| Olah G. A. | États-Unis | 1994 |
| Onsager L. | États-Unis | 1968 |
| Ostwald W. | Allemagne | 1909 |
| Pauling L. C. (***) | États-Unis | 1954 |
| Pedersen C. J. | États-Unis | 1987 |
| Perutz M. F. | Royaume-Uni | 1962 |
| Polanyi J. C. | Canada | 1986 |
| Porter G. | Royaume-Uni | 1967 |
| Pregl F. | Autriche | 1923 |
| Prelog V. | Suisse | 1975 |
| Prigogine I. | Belgique | 1977 |
| Ramsay W. | Royaume-Uni | 1904 |
| Richards T. W. | États-Unis | 1914 |
| Robinson R. | Royaume-Uni | 1947 |
| Rowland F. S. | États-Unis | 1995 |
| Rutherford E. | Royaume-Uni | 1908 |
| Ružička L. | Suisse | 1939 |
| Sabatier P. | France | 1912 |
| Sanger F. | Royaume-Uni | 1958 et 1980 |
| Seaborg G. T. | États-Unis | 1951 |
| Semionov N. | U. R. S. S. | 1956 |
| Smalley R. E. | États-Unis | 1996 |
| Smith M. | Canada | 1993 |
| Soddy Fr. | Royaume-Uni | 1921 |
| Stanley W. M. | États-Unis | 1946 |
| Staudinger H. | R. F. A. | 1953 |
| Stein W. | États-Unis | 1972 |
| Sumner J. B. | États-Unis | 1946 |
| Svedberg T. | Suède | 1926 |
| Synge R. L. M. | Royaume-Uni | 1952 |
| Taube H. | États-Unis | 1983 |
| Tiselius A. W. K. | Suède | 1948 |
| Todd A. R. | Royaume-Uni | 1957 |
| Urey H. Cl. | États-Unis | 1934 |
| Van't Hoff J. H. | Pays-Bas | 1901 |
| Virtanen A. I. | Finlande | 1945 |
| Wallach O. | Allemagne | 1910 |
| Werner A. | Suisse | 1913 |
| Wieland H. | Allemagne | 1927 |
| Wilkinson G. | Royaume-Uni | 1973 |
| Willstätter R. M. | Allemagne | 1915 |
| Windaus A. | Allemagne | 1928 |
| Wittig G. | R. F. A. | 1979 |
| Woodward R. B. | États-Unis | 1965 |
| Ziegler K. | R. F. A. | 1963 |
| Zsigmondy R. | Autriche | 1925 |
| Non attribué | | 1916, 1917, 1919, 1924, 1933, 1940-1942 |

## *LITTÉRATURE*

| | | |
|---|---|---|
| Agnon S. J. | Israël | 1966 |
| Aleixandre y Merlo V. | Espagne | 1977 |
| Andrić I. | Yougosl. | 1961 |
| Asturias M. Á. | Guatemala | 1967 |
| Beckett S. | Irlande | 1969 |
| Bellow S. | États-Unis | 1976 |
| Benavente J. | Espagne | 1922 |
| Bergson H. | France | 1927 |
| Bjørnson B. | Norvège | 1903 |
| Böll H. | R. F. A. | 1972 |
| Bounine I. | Russe émigré | 1933 |
| Brodsky J. | États-Unis | 1987 |
| Buck P. | États-Unis | 1938 |
| Camus A. | France | 1957 |
| Canetti E. | Royaume-Uni | 1981 |
| Carducci G. | Italie | 1906 |
| Cela C. J. | Espagne | 1989 |
| Cholokhov M. | U. R. S. S. | 1965 |
| Churchill W. L. S. | Royaume-Uni | 1953 |
| Deledda G. | Italie | 1926 |
| Echegaray J. | Espagne | 1904 |
| Eliot T. S. | Royaume-Uni | 1948 |
| Elytis O. | Grèce | 1979 |
| Eucken R. | Allemagne | 1908 |
| Faulkner W. | États-Unis | 1949 |
| France A. | France | 1921 |
| Galsworthy J. | Royaume-Uni | 1932 |
| García Márquez G. | Colombie | 1982 |
| Gide A. | France | 1947 |
| Gjellerup K. | Danemark | 1917 |
| Golding W. | Royaume-Uni | 1983 |
| Gordimer N. | Afrique du Sud | 1991 |
| Hamsun K. | Norvège | 1920 |
| Hauptmann G. | Allemagne | 1912 |
| Heaney S. | Irlande | 199 |
| Heidenstam (von) V. | Suède | 191 |
| Hemingway E. | États-Unis | 195 |
| Hesse H. | Suisse | 194 |
| Heyse (von) P. | Allemagne | 191 |
| Jensen J. V. | Danemark | 194 |
| Jiménez J. R. | Espagne | 195 |
| Johnson E. | Suède | 197 |
| Karlfeldt E. A. | Suède | 193 |
| Kawabata Yasunari | Japon | 196 |
| Kipling R. | Royaume-Uni | 190 |
| Lagerkvist P. | Suède | 195 |
| Lagerlöf S. | Suède | 190 |
| Laxness H. | Islande | 195 |
| Lewis S. | États-Unis | 193 |
| Maeterlinck M. | Belgique | 191 |
| Mahfouz N. | Égypte | 198 |
| Mann Th. | Allemagne | 192 |
| Martin du Gard R. | France | 193 |
| Martinson H. | Suède | 197 |
| Mauriac Fr. | France | 195 |
| Miłosz C. | Pologne | 198 |
| Mistral Fr. | France | 190 |
| Mistral G. | Chili | 194 |
| Mommsen T. | Allemagne | 190 |
| Montale E. | Italie | 197 |
| Morrison T. | États-Unis | 199 |
| Neruda P. | Chili | 197 |
| Ôe Kenzaburô | Japon | 199 |
| O'Neill E. | États-Unis | 193 |
| Pasternak B. (*) | U. R. S. S. | 195 |
| Paz O. | Mexique | 199 |
| Pirandello L. | Italie | 193 |
| Pontoppidan H. | Danemark | 191 |
| Quasimodo S. | Italie | 195 |
| Reymont W. | Pologne | 192 |
| Rolland R. | France | 191 |
| Russell B. | Royaume-Uni | 195 |
| Sachs N. | Suède | 196 |
| Saint-John Perse | France | 196 |
| Sartre J.-P. (**) | France | 196 |
| Séféris G. | Grèce | 196 |
| Seifert J. | Tchécoslovaquie | 198 |
| Shaw G. B. | Irlande | 192 |
| Sienkiewicz H. | Pologne | 190 |
| Sillanpää Fr. E. | Finlande | 193 |
| Simon C. | France | 198 |
| Singer I. B. | États-Unis | 197 |
| Soljenitsyne A. I. | U. R. S. S. | 197 |
| Soyinka W. | Nigeria | 198 |
| Spitteler C. | Suisse | 191 |
| Steinbeck J. | États-Unis | 196 |
| Sully Prudhomme R. | France | 190 |
| Szymborska W. | Pologne | 199 |
| Tagore R. | Inde | 191 |
| Undset S. | Norvège | 192 |
| Walcott D. | Sainte-Lucie | 199 |
| White P. | Australie | 197 |
| Yeats W. B. | Irlande | 192 |
| Non attribué | | 1914, 1918, 1935, 1940-194 |

## *PAIX*

| | | |
|---|---|---|
| Addams J. | États-Unis | 193 |
| Amnesty international | | 197 |
| Angell N. R. L. | Royaume-Uni | 193 |
| Arafat Y. | Palestine | 199 |
| Arias Sánchez Ó. | Costa Rica | 198 |
| Arnoldson K. P. | Suède | 190 |
| Asser T. M. C. | Pays-Bas | 191 |
| Aung San Suu Kyi | Birmanie | 199 |
| Bajer F. | Danemark | 190 |
| Balch E. G. | États-Unis | 194 |
| Balluat d'Estournelles de Constant P. H. B. | France | 190 |
| Beernaert A. M. F. | Belgique | 190 |
| Begin M. | Israël | 197 |
| Belo C. F. X | Timor-Oriental | 199 |
| Borlaug N. E. | États-Unis | 197 |
| Bourgeois L. | France | 192 |
| Boyd Orr of Brechin J. | Royaume-Uni | 194 |
| Brandt W. | R. F. A. | 197 |

| | | |
|---|---|---|
| Branting K. H. | Suède | 1921 |
| Briand A. | France | 1926 |
| Buisson F. | France | 1927 |
| Bunche R. | États-Unis | 1950 |
| Bureau international de la paix | | 1910 |
| Butler N. M. | États-Unis | 1931 |
| Cassin R. | France | 1968 |
| Chamberlain J. A. | Royaume-Uni | 1925 |
| Chelwood E. C. | Royaume-Uni | 1937 |
| Comité international de la Croix-Rouge | | 1917, 1944 et 1963 |
| Comité Nansen pour les réfugiés | | 1938 |
| Corrigan M. | Irlande | 1976 |
| Cremer W. R. | Royaume-Uni | 1903 |
| Dalaï-lama | Tibet | 1989 |
| Dawes C. G. | États-Unis | 1925 |
| De Klerk F. W. | Afrique du Sud | 1993 |
| Ducommun E. | Suisse | 1902 |
| Dunant H. | Suisse | 1901 |
| Forces de l'O. N. U. pour le maintien de la paix | | 1988 |
| Fried A. H. | Autriche | 1911 |
| García Robles A. | Mexique | 1982 |
| Gobat A. | Suisse | 1902 |
| Gorbatchev M. | U. R. S. S. | 1990 |
| Hammarskjöld D. | Suède | 1961 |
| Haut-Commissariat de l'O. N. U. pour les réfugiés | | 1954 et 1981 |
| Henderson A. | Royaume-Uni | 1934 |
| Hull C. | États-Unis | 1945 |
| nstitut de droit international | | 1904 |
| nternationale des médecins pour la prévention de la guerre nucléaire | | 1985 |
| ouhaux L. | France | 1951 |
| Kellogg F. B. | États-Unis | 1929 |
| King M. L. | États-Unis | 1964 |
| Kissinger H. | États-Unis | 1973 |
| a Fontaine H. | Belgique | 1913 |
| ange C. L. | Norvège | 1921 |
| e Duc Tho (*) | Viêt Nam | 1973 |
| igue internationale des sociétés de la Croix-Rouge | | 1963 |
| uthuli A. | Afrique du Sud | 1960 |
| MacBride S. | Irlande | 1974 |
| Mandela N. | Afrique du Sud | 1993 |
| Marshall G. C. | États-Unis | 1953 |
| Menchú R. | Guatemala | 1992 |
| Mère Teresa | Inde | 1979 |
| Moneta E. T. | Italie | 1907 |
| Mott J. R. | États-Unis | 1946 |
| Myrdal A. | Suède | 1982 |
| Nansen F. | Norvège | 1922 |
| Noel-Baker P. | Royaume-Uni | 1959 |
| Organisation internationale du travail | | 1969 |
| Ossietzky (von) C. | Allemagne | 1935 |
| Passy F. | France | 1901 |
| Pauling L. C. (***) | États-Unis | 1962 |
| Pearson L. B. | Canada | 1957 |
| Peres Sh. | Israël | 1994 |
| Pérez Esquivel A. | Argentine | 1980 |
| Pire D. | Belgique | 1958 |
| Quidde L. | Allemagne | 1927 |
| Rabin Y. | Israël | 1994 |
| Ramos-Horta J. | Timor-Oriental | 1996 |
| Renault L. | France | 1907 |
| Roosevelt T. | États-Unis | 1906 |
| Root E. | États-Unis | 1912 |
| Rotblat J. | Royaume-Uni | 1995 |
| Saavedra Lamas C. | Argentine | 1936 |
| Sadate (el-) A. | Égypte | 1978 |
| Sakharov A. | U. R. S. S. | 1975 |
| Satô Eisaku | Japon | 1974 |
| Schweitzer A. | France | 1952 |
| Söderblom N. | Suède | 1930 |
| Stresemann G. | Allemagne | 1926 |
| Suttner (von) B. | Autriche | 1905 |
| The American Friends Service Committee | États-Unis | 1947 |
| The Friends Service Council | Royaume-Uni | 1947 |
| Tutu D. | Afrique du Sud | 1984 |
| Unicef | | 1965 |
| Wałęsa L. | Pologne | 1983 |
| Wiesel E. | États-Unis | 1986 |
| Williams B. | Irlande | 1976 |
| Wilson Th. W. | États-Unis | 1919 |
| Non attribué | 1914-1916, 1918, 1923, 1924, 1928, 1932, 1939-1943, 1948, 1955, 1956, 1966, 1967, 1972 | |

## *PHYSIOLOGIE ou MÉDECINE*

| | | |
|---|---|---|
| Abreu Freire Egas Moniz (de) A.C. | Portugal | 1949 |
| Adrian E. D. | Royaume-Uni | 1932 |
| Arber W. | Suisse | 1978 |
| Axelrod J. | États-Unis | 1970 |
| Baltimore D. | États-Unis | 1975 |
| Banting F. G. | Canada | 1923 |
| Bárány R. | Autriche-Hongrie | 1914 |
| Beadle G. W. | États-Unis | 1958 |
| Behring (von) E. A. | Allemagne | 1901 |
| Békésy (von) G. | États-Unis | 1961 |
| Benacerraf B. | États-Unis | 1980 |
| Bergström S. K. | Suède | 1982 |
| Bishop M. | États-Unis | 1989 |
| Black J. | Royaume-Uni | 1988 |
| Bloch K. E. | États-Unis | 1964 |
| Blumberg B. S. | États-Unis | 1976 |
| Bordet J. | Belgique | 1919 |
| Bovet D. | Italie | 1957 |
| Brown M. S. | États-Unis | 1985 |
| Burnet F. M. | Australie | 1960 |
| Carrel A. | France | 1912 |
| Chain E. B. | Royaume-Uni | 1945 |
| Claude A. | Belgique | 1974 |
| Cohen S. | États-Unis | 1986 |
| Cori C. F. | États-Unis | 1947 |
| Cori G. T. | États-Unis | 1947 |
| Cormack A. M. | États-Unis | 1979 |
| Cournand A. F. | États-Unis | 1956 |
| Crick Fr. H. C. | Royaume-Uni | 1962 |
| Dale H. H. | Royaume-Uni | 1936 |
| Dam H. | Danemark | 1943 |
| Dausset J. | France | 1980 |
| Delbrück M. | États-Unis | 1969 |
| Doherty P. C. | Australie | 1996 |
| Doisy E. A. | États-Unis | 1943 |
| Domagk G. (*) | Allemagne | 1939 |
| Dulbecco R. | États-Unis | 1975 |
| Duve (de) C. | Belgique | 1974 |
| Eccles J. C. | Australie | 1963 |
| Edelman G. | États-Unis | 1972 |
| Ehrlich P. | Allemagne | 1908 |
| Eijkman C. | Pays-Bas | 1929 |
| Einthoven W. | Pays-Bas | 1924 |
| Elion G. B. | États-Unis | 1988 |
| Enders J. F. | États-Unis | 1954 |
| Erlanger J. | États-Unis | 1944 |
| Euler (von) U. | Suède | 1970 |
| Fibiger J. | Danemark | 1926 |
| Finsen N. R. | Danemark | 1903 |
| Fischer E. H. | États-Unis | 1992 |
| Fleming A. | Royaume-Uni | 1945 |
| Florey H. W. | Royaume-Uni | 1945 |
| Forssmann W. Th. | R. F. A. | 1956 |
| Frisch (von) K. | Autriche | 1973 |
| Gajdusek D. C. | États-Unis | 1976 |
| Gasser H. S. | États-Unis | 1944 |
| Gilman A. G. | États-Unis | 1994 |
| Goldstein J. L. | États-Unis | 1985 |
| Golgi C. | Italie | 1906 |
| Granit R. | Suède | 1967 |
| Guillemin R. | États-Unis | 1977 |
| Gullstrand A. | Suède | 1911 |
| Hartline H. K. | États-Unis | 1967 |
| Hench P. S. | États-Unis | 1950 |
| Hershey A. | États-Unis | 1969 |
| Hess W. R. | Suisse | 1949 |
| Heymans C. | Belgique | 1938 |
| Hill A. V. | Royaume-Uni | 1922 |
| Hitchings G. H. | États-Unis | 1988 |
| Hodgkin A. L. | Royaume-Uni | 1963 |
| Holley R. | États-Unis | 1968 |
| Hopkins F. G. | Royaume-Uni | 1929 |
| Hounsfield G. N. | Royaume-Uni | 1979 |
| Houssay B. A. | Argentine | 1947 |
| Hubel D. H. | États-Unis | 1981 |
| Huggins C. B. | États-Unis | 1966 |
| Huxley A. F. | Royaume-Uni | 1963 |
| Jacob F. | France | 1965 |
| Jerne N. | Danemark | 1984 |
| Katz B. | Royaume-Uni | 1970 |
| Kendall E. C. | États-Unis | 1950 |
| Khorana G. | États-Unis | 1968 |
| Koch R. | Allemagne | 1905 |
| Kocher T. E. | Suisse | 1909 |
| Köhler G. | R. F. A. | 1984 |
| Kornberg A. | États-Unis | 1959 |
| Kossel A. | Allemagne | 1910 |
| Krebs E. G. | États-Unis | 1992 |
| Krebs H. A. | Royaume-Uni | 1953 |
| Krogh A. | Danemark | 1920 |
| Landsteiner K. | Autriche | 1930 |
| Laveran A. | France | 1907 |
| Lederberg J. | États-Unis | 1958 |
| Levi-Montalcini R. | États-Unis/Italie | 1986 |
| Lewis E. B. | États-Unis | 1995 |
| Lipmann F. A. | États-Unis | 1953 |
| Loewi O. | Allemagne | 1936 |
| Lorenz K. | Autriche | 1973 |
| Luria S. | États-Unis | 1969 |
| Lwoff A. | France | 1965 |
| Lynen F. | R. F. A. | 1964 |
| Macleod J. J. R. | Canada | 1923 |
| McClintock B. | États-Unis | 1983 |
| Medawar P. B. | Royaume-Uni | 1960 |
| Metchnikov E. | Russie | 1908 |
| Meyerhof O. | Allemagne | 1922 |
| Milstein C. | Royaume-Uni | 1984 |
| Minot G. R. | États-Unis | 1934 |
| Monod J. | France | 1965 |
| Morgan T. H. | États-Unis | 1933 |
| Muller H. J. | États-Unis | 1946 |
| Müller P. H. | Suisse | 1948 |
| Murphy W. P. | États-Unis | 1934 |
| Murray J. E. | États-Unis | 1990 |
| Nathans D. | États-Unis | 1978 |
| Neher E. | Allemagne | 1991 |
| Nicolle C. | France | 1928 |
| Nirenberg M. | États-Unis | 1968 |
| Nuesslein-Volhard C. | Allemagne | 1995 |
| Ochoa S. | États-Unis | 1959 |
| Palade G. | États-Unis | 1974 |
| Pavlov I. | Russie | 1904 |
| Porter R. | Royaume-Uni | 1972 |
| Ramón y Cajal S. | Espagne | 1906 |
| Reichstein T. | Suisse | 1950 |
| Richards D. W. | États-Unis | 1956 |
| Richet C. | France | 1913 |
| Robbins F. C. | États-Unis | 1954 |
| Roberts R. | États-Unis | 1993 |
| Rodbell M. | États-Unis | 1994 |
| Ross R. | Royaume-Uni | 1902 |
| Rous F. P. | États-Unis | 1966 |
| Sakmann B. | Allemagne | 1991 |
| Samuelsson B. I. | Suède | 1982 |
| Schally A. V. | États-Unis | 1977 |
| Sharp P. A. | États-Unis | 1993 |
| Sherrington C. S. | Royaume-Uni | 1932 |
| Smith H. | États-Unis | 1978 |
| Snell G. D. | États-Unis | 1980 |
| Spemann H. | Allemagne | 1935 |
| Sperry R. W. | États-Unis | 1981 |
| Sutherland E. | États-Unis | 1971 |
| Szent-Györgyi von Nagyrapott A. | Hongrie | 1937 |
| Tatum E. L. | États-Unis | 1958 |
| Temin H. M. | États-Unis | 1975 |
| Theiler M. | Afrique du Sud | 1951 |
| Theorell A. H. T. | Suède | 1955 |
| Thomas E. D. | États-Unis | 1990 |
| Tinbergen N. | Pays-Bas | 1973 |
| Tonegawa Susumu | Japon | 1987 |
| Vane J. R. | Royaume-Uni | 1982 |
| Varmus H. | États-Unis | 1989 |
| Wagner-Jauregg (von) J. | Autriche | 1927 |
| Waksman S. A. | États-Unis | 1952 |
| Wald G. | États-Unis | 1967 |
| Warburg O. | Allemagne | 1931 |
| Watson J. D. | États-Unis | 1962 |
| Weller T. H. | États-Unis | 1954 |
| Whipple G. H. | États-Unis | 1934 |
| Wieschaus E. F. | États-Unis | 1995 |
| Wiesel T. N. | Suède | 1981 |
| Wilkins M. H. Fr. | Royaume-Uni | 1962 |
| Yalow R. | États-Unis | 1977 |
| Zingemakel R. M. | Suisse | 1996 |
| Non attribué | | 1915-1918, 1921, 1925, 1940-1942 |

## *PHYSIQUE*

| | | |
|---|---|---|
| Alfvén H. | Suède | 1970 |
| Alvarez L. | États-Unis | 1968 |
| Anderson C. D. | États-Unis | 1936 |
| Anderson P. | États-Unis | 1977 |
| Appleton E. V. | Royaume-Uni | 1947 |
| Bardeen J. | États-Unis | 1956 et 1972 |
| Barkla C. G. | Royaume-Uni | 1917 |
| Bassov N. | U. R. S. S. | 1964 |
| Becquerel H. | France | 1903 |
| Bednorz J. G. | R. F. A. | 1987 |

| | | |
|---|---|---|
| Bethe H. | États-Unis | 1967 |
| Binnig G. | R. F. A. | 1986 |
| Blackett P. M. S. | Royaume-Uni | 1948 |
| Bloch F. | États-Unis | 1952 |
| Bloembergen N. | États-Unis | 1981 |
| Bohr A. | Danemark | 1975 |
| Bohr N. | Danemark | 1922 |
| Born M. | Royaume-Uni | 1954 |
| Bothe W. | R. F. A. | 1954 |
| Bragg W. H. | Royaume-Uni | 1915 |
| Bragg W. L. | Royaume-Uni | 1915 |
| Brattain W. H. | États-Unis | 1956 |
| Braun K. F. | Allemagne | 1909 |
| Bridgman P. W. | États-Unis | 1946 |
| Brockhouse B. N. | Canada | 1994 |
| Broglie (de) L. | France | 1929 |
| Chadwick J. | Royaume-Uni | 1935 |
| Chamberlain O. | États-Unis | 1959 |
| Chandrashekhar S. | États-Unis | 1983 |
| Charpak G. | France | 1992 |
| Cockcroft J. D. | Royaume-Uni | 1951 |
| Compton A. H. | États-Unis | 1927 |
| Cooper L. | États-Unis | 1972 |
| Cronin J. W. | États-Unis | 1980 |
| Curie P. | France | 1903 |
| Curie M. (***) | France | 1903 |
| Dalén G. | Suède | 1912 |
| Davisson C. J. | États-Unis | 1937 |
| Dehmelt H. G. | États-Unis | 1989 |
| Dirac P. A. M. | Royaume-Uni | 1933 |
| Einstein A. | Allemagne | 1921 |
| Esaki Leo | Japon | 1973 |
| Fermi E. | Italie | 1938 |
| Feynman R. P. | États-Unis | 1965 |
| Fitch V. L. | États-Unis | 1980 |
| Fowler W. A. | États-Unis | 1983 |
| Franck J. | Allemagne | 1925 |
| Frank I. | U. R. S. S. | 1958 |
| Friedman J. I. | États-Unis | 1990 |
| Gabor D. | Royaume-Uni | 1971 |
| Gell-Mann M. | États-Unis | 1969 |
| Gennes (de) P.-G. | France | 1991 |
| Giaever I. | États-Unis | 1973 |
| Glaser D. A. | États-Unis | 1960 |
| Glashow Sh. L. | États-Unis | 1979 |
| Goeppert-Mayer M. | États-Unis | 1963 |
| Guillaume C. E. | Suisse | 1920 |
| Heisenberg W. | Allemagne | 1932 |
| Hertz G. | Allemagne | 1925 |
| Hess V. F. | Autriche | 1936 |
| Hewish A. | Royaume-Uni | 1974 |
| Hofstadter R. | États-Unis | 1961 |
| Hulse R. A. | États-Unis | 1993 |
| Jensen H. D. | R. F. A. | 1963 |
| Josephson B. D. | Royaume-Uni | 1973 |
| Kamerlingh Onnes H. | Pays-Bas | 1913 |
| Kapitsa P. L. | U. R. S. S. | 1978 |
| Kastler A. | France | 1966 |
| Kendall H. W. | États-Unis | 1990 |
| Klitzing (von) K. | R. F. A. | 1985 |
| Kusch P. | États-Unis | 1955 |
| Lamb W. E. | États-Unis | 1955 |
| Landau L. | U. R. S. S. | 1962 |
| Laue (von) M. | Allemagne | 1914 |
| Lawrence E. O. | États-Unis | 1939 |
| Lederman L. | États-Unis | 1988 |
| Lee D. M. | États-Unis | 1996 |
| Lee Tsung Dao | Chine/États-Unis | 1957 |
| Lenard P. | Allemagne | 1905 |
| Lippmann G. | France | 1908 |
| Lorentz H. A. | Pays-Bas | 1902 |
| Marconi G. | Italie | 1909 |
| Michelson A. A. | États-Unis | 1907 |
| Millikan R. A. | États-Unis | 1923 |
| Mössbauer R. | R. F. A. | 1961 |
| Mott N. | Royaume-Uni | 1977 |
| Mottelson B. | Danemark | 1975 |
| Müller K. A. | Suisse | 1987 |
| Néel L. | France | 1970 |
| Osheroff D. | États-Unis | 1996 |
| Paul W. | R. F. A. | 1989 |
| Pauli W. | Suisse | 1945 |
| Penzias A. A. | États-Unis | 1978 |
| Perl M. L. | États-Unis | 1995 |
| Perrin J. | France | 1926 |
| Planck M. | Allemagne | 1918 |
| Powell C. F. | Royaume-Uni | 1950 |
| Prokhorov A. | U. R. S. S. | 1964 |
| Purcell E. M. | États-Unis | 1952 |
| Rabi I. I. | États-Unis | 1944 |
| Rainwater J. | États-Unis | 1975 |
| Raman C. V. | Inde | 1930 |
| Ramsey N. F. | États-Unis | 1989 |
| Rayleigh J. W. S. | Royaume-Uni | 1904 |
| Reines F. | États-Unis | 1995 |
| Richardson O. W. | Royaume-Uni | 1928 |
| Richardson R. C. | États-Unis | 1996 |
| Richter B. | États-Unis | 1976 |
| Rohrer H. | Suisse | 1986 |
| Röntgen W. C. | Allemagne | 1901 |
| Rubbia C. | Italie | 1984 |
| Ruska E. | R. F. A. | 1986 |
| Ryle M. | Royaume-Uni | 1974 |
| Salam A. | Pakistan | 1979 |
| Schawlow A. L. | États-Unis | 1981 |
| Schrieffer J. | États-Unis | 1972 |
| Schrödinger E. | Autriche | 1933 |
| Schwartz M. | États-Unis | 1988 |
| Schwinger J. | États-Unis | 1965 |
| Segrè E. | États-Unis | 1959 |
| Shockley W. | États-Unis | 1956 |
| Shull C. G. | États-Unis | 1994 |
| Siegbahn K. M. | Suède | 1981 |
| Siegbahn K. M. G. | Suède | 1924 |
| Stark J. | Allemagne | 1919 |
| Steinberger J. | États-Unis | 1988 |
| Stern O. | États-Unis | 1943 |
| Tamm I. | U. R. S. S. | 1958 |
| Taylor J. H. | États-Unis | 1993 |
| Taylor R. E. | Canada | 1990 |
| Tcherenkov P. | U. R. S. S. | 1958 |
| Thomson G. P. | Royaume-Uni | 1937 |
| Thomson J. J. | Royaume-Uni | 1906 |
| Ting S. | États-Unis | 1976 |
| Tomonaga Shirichirô | Japon | 1965 |
| Townes Ch. H. | États-Unis | 1964 |
| Van der Meer S. | Pays-Bas | 1984 |
| Van der Waals J. D. | Pays-Bas | 1910 |
| Van Vleck J. H. | États-Unis | 1977 |
| Walton E. Th. S. | Irlande | 1951 |
| Weinberg S. | États-Unis | 1979 |
| Wien W. | Allemagne | 1911 |
| Wigner E. | États-Unis | 1963 |
| Wilson Ch. Th. R. | Royaume-Uni | 1927 |
| Wilson K. G. | États-Unis | 1982 |
| Wilson R. W. | États-Unis | 1978 |
| Yang Chen Ning | Chine/États-Unis | 1957 |
| Yukawa Hideki | Japon | 1949 |
| Zeeman P. | Pays-Bas | 1902 |
| Zernike Fr. | Pays-Bas | 1953 |
| Non attribué | 1916, 1931, 1934, 1940-1942 | |

### *SCIENCES ÉCONOMIQUES*

| | | |
|---|---|---|
| Allais M. | France | 198 |
| Arrow K. J. | États-Unis | 197 |
| Becker G. S. | États-Unis | 199 |
| Buchanan J. M. | États-Unis | 198 |
| Coase R. | Royaume-Uni | 199 |
| Debreu G. | États-Unis | 198 |
| Fogel R. W. | États-Unis | 199 |
| Friedman M. | États-Unis | 197 |
| Frisch R. | Norvège | 196 |
| Haavelmo T. | Norvège | 198 |
| Harsanyi J. C. | États-Unis | 199 |
| Hayek (von) F. | Royaume-Uni | 197 |
| Hicks J. R. | Royaume-Uni | 197 |
| Kantorovitch L. V. | U. R. S. S. | 197 |
| Klein L. R. | États-Unis | 198 |
| Koopmans T. C. | États-Unis | 197 |
| Kuznets S. | États-Unis | 197 |
| Leontief W. | États-Unis | 197 |
| Lewis A. | Royaume-Uni | 197 |
| Lucas R. E. | États-Unis | 199 |
| Markowitz H. | États-Unis | 199 |
| Miller M. | États-Unis | 199 |
| Meade J. E. | Royaume-Uni | 197 |
| Mirrless J. | Royaume-Uni | 199 |
| Modigliani F. | États-Unis | 198 |
| Myrdal K. G. | Suède | 197 |
| Nash J. F. | États-Unis | 199 |
| North D. C. | États-Unis | 199 |
| Ohlin B. | Suède | 197 |
| Samuelson P. | États-Unis | 197 |
| Schultz T. W. | États-Unis | 197 |
| Selten R. | Allemagne | 199 |
| Sharpe W. | États-Unis | 199 |
| Simon H. A. | États-Unis | 197 |
| Solow R. M. | États-Unis | 198 |
| Stigler G. | États-Unis | 198 |
| Stone R. | Royaume-Uni | 198 |
| Tinbergen J. | Pays-Bas | 196 |
| Tobin J. | États-Unis | 198 |
| Vickrey W. | Canada | 199 |

*(*) Prix refusé pour raisons politiques.*
*(**) Prix refusé par conviction personnelle.*
*(***) Lauréat primé dans deux disciplines différentes.*

# LAURÉATS DE LA MÉDAILLE FIELDS
## (MATHÉMATIQUES)

| | | |
|---|---|---|
| Ahlfors L. | États-Unis | 1936 |
| Atiyah M. F. | Royaume-Uni | 1966 |
| Baker A. | Royaume-Uni | 1970 |
| Bombieri E. | Italie | 1974 |
| Bourgain J. | Belgique | 1994 |
| Cohen P. J. | États-Unis | 1966 |
| Connes A. | France | 1982 |
| Deligne P. | Belgique | 1978 |
| Donaldson S. | Royaume-Uni | 1986 |
| Douglas J. | États-Unis | 1936 |
| Drinfeld V. | U. R. S. S. | 1990 |
| Faltings G. | R. F. A. | 1986 |
| Fefferman C. | États-Unis | 1978 |
| Freedman M. | États-Unis | 1986 |
| Grothendieck A. | France | 1966 |
| Hironaka Heisuke | Japon | 1970 |
| Hörmander L. | Suède | 1962 |
| Jones V. F. R. | Nouv.-Zél. | 1990 |
| Kodaira Kunihiko | Japon | 1954 |
| Lions P.-L. | France | 1994 |
| Margoulis G. | U. R. S. S. | 1978 |
| Milnor J. W. | États-Unis | 1962 |
| Mori Shigefumi | Japon | 1990 |
| Mumford D. | États-Unis | 1974 |
| Novikov S. | U. R. S. S. | 1970 |
| Quillen D. | États-Unis | 197 |
| Roth K. F. | Royaume-Uni | 195 |
| Schwartz L. | France | 195 |
| Selberg A. | Norvège | 195 |
| Serre J.-P. | France | 195 |
| Smale S. | États-Unis | 196 |
| Thom R. | France | 195 |
| Thompson J. G. | Royaume-Uni | 197 |
| Thurston W. P. | États-Unis | 198 |
| Witten E. | États-Unis | 199 |
| Yau Shing Tung | États-Unis | 198 |
| Yoccoz J.-C. | France | 199 |

# RÉCOMPENSES ET DÉCORATIONS

## FRANCE

### *Principales décorations*

Légion d'honneur (ordre créé en 1802 par Bonaparte, Premier consul).

Croix de compagnon de la Libération (ordre institué par le général de Gaulle, à Brazzaville, le 16 novembre 1940).

Médaille militaire (instituée en 1852).

Ordre national du Mérite (créé par décret du 3 décembre 1963).

### *Récompenses pour faits de guerre et activités patriotiques*

Croix de guerre 1914-1918 (loi du 8 avril 1915).

Croix de guerre T. O. E. (loi du 30 avril 1921).

Croix de guerre 1939-1945 (décret du 26 septembre 1939).

Croix de la Valeur militaire (instituée en 1956).

Médaille de la Résistance (créée par le général de Gaulle, par ordonnances de 1943, 1944 et 1945).

Médaille des Évadés (1926).

Médaille de la Défense nationale (1982).

Médaille de la Gendarmerie nationale (1949).

Croix du Combattant volontaire 1914-1918 (créée en 1935).

Croix du Combattant volontaire 1939-1945 (créée en 1953, élargie en 1981 aux combattants volontaires d'Indochine, de Corée et d'Afrique du Nord).

Croix du Combattant volontaire de la Résistance (1954).

Médaille de la Déportation et de l'Internement pour faits de résistance (1948).

*Médailles commémoratives diverses.*

### *Ordres ministériels*

Palmes académiques.

Mérite agricole.

Mérite maritime.

Arts et Lettres (1957, ministère de la Culture).

### *Parmi les médailles et récompenses diverses*

Médailles pour les actes de courage et de dévouement (créées par Louis XVIII en 1820).

Médaille de l'Aéronautique (1945).

Médaille de la Famille française (créée en 1920 pour encourager la natalité).

*Médailles d'honneur variées.*

## ÉTRANGER

Allemagne : croix de fer (créée en 1813 par Frédéric-Guillaume III de Prusse, elle n'est plus décernée) ; ordre du Mérite (créé en 1951 en R. F. A.).

Belgique : croix de guerre ; ordre de Léopold (1832) ; ordre de Léopold II (1900) ; ordre de la Couronne (1897).

Canada : ordre du Canada (créé en 1967).

Danemark : ordre de l'Éléphant ; ordre du Danebrog.

Espagne : ordre de Charles III (1771) ; ordre de Marie-Christine (croix de guerre créée en 1890 par Alphonse XIII) ; ordre de la Toison d'or (créé en 1430 par le duc de Bourgogne Philippe le Bon, passé par héritage aux Habsbourg d'Espagne, qui le transmettent aux Bourbons ; ceux-ci le lient à la couronne espagnole mais affrontent une revendication autrichienne).
*Nombreux autres ordres et décorations.*

États-Unis : Étoile de bronze (1944) ; Légion du mérite (créée en 1942 pour les étrangers) ; médaille de la Liberté ; médaille de l'Honneur (dite médaille du Congrès, qui l'a instituée en 1862).

Finlande : ordre de la Rose blanche.

Grèce : ordre du Rédempteur (1833) ; ordre du Phénix (1926).

Italie : ordre du Mérite de la République italienne (créé en 1951 après l'abolition des ordres royaux).

Japon : ordre du Soleil-Levant (1875) ; ordre suprême du Chrysanthème (1888).

Luxembourg : croix de guerre ; médaille militaire ; ordre du Mérite (1961) ; ordre de la Couronne de chêne (1841).

Maroc : Ouissam alaouite (créé en 1913 par le sultan Moulay Youssef et le général Lyautey ; utilisé, à l'époque du protectorat, comme ordre colonial français) ; ordre du Trône (1963).

Monaco : ordre de Saint-Charles (1858) ; ordre de Grimaldi (1954).

Norvège : ordre de Saint-Olav (1847).

Pays-Bas : ordre militaire de Guillaume (1815) ; ordre du Lion d'or de la maison de Nassau (1858, rétabli en 1905 ; octroyé par la reine aux chefs d'État avec l'accord du grand-duc de Luxembourg) ; ordre de la Maison d'Orange (1905) ; ordre d'Orange-Nassau (1892).

Pologne : croix du Mérite (1920) ; Polonia restituta (1921).

Portugal : ordre du Christ (regroupe en 1318 les templiers ibériques, sécularisé en 1789) ; ordre du Mérite civil ; ordre de la Tour et de l'Épée (créé en 1459, réformé au XIXᵉ s.).

Royaume-Uni : ordre de la Jarretière (fondé en 1348 par Édouard III – devise : *Honni soit qui mal y pense*) ; ordre du Chardon (écossais, fondé en 1687) ; ordre du Bain (1399, rénové en 1725) ; ordre du Mérite (1902) ; ordre de Saint-Patrick (fondé en 1788 au titre de l'Irlande) ; ordre de Saint-Michel-et-Saint-Georges (1818) ; ordre de l'Empire britannique (1917) ; *Distinguished Service Order* (1886) ; croix militaire (1914) ; croix de Victoria (1856).

Saint-Marin : ordre équestre de Saint-Marin.

Sénégal : ordre du Lion.

Suède : ordre de l'Épée (1748) ; ordre de l'Étoile polaire (1748) ; ordre des Séraphins (rénové en 1748) ; ordre de Vasa (1772).

Tunisie : Nicham Iftikhar (1835, souvent utilisé comme décoration coloniale au temps du protectorat français) ; ordre de l'Indépendance.

U. R. S. S. (ex-) : Étoile rouge (1930) ; ordre de Lénine (haute récompense créée en 1930, décernée par le président du Soviet suprême) ; Drapeau rouge du travail (1928) ; ordre de la Victoire (1943) ; ordre de la Gloire au travail (1973).

Papauté : ordre suprême du Christ (créé en 1319, rénové en 1905) ; ordre de Saint-Sylvestre-Pape (1841, remplace l'ordre de l'Éperon d'or) ; ordre de Pie IX (1847) ; ordre de Saint-Grégoire-le-Grand (1831).

Organisations internationales : médaille Henry-Dunant (créée en 1965 par la Croix-Rouge) ; médaille Florence-Nightingale (1912, *id.*) ; médaille Nansen (créée en 1954 par l'O. N. U.) ; médaille des Nations unies (1959, *id.*).

Photocomposition et impression : MAURY IMPRIMEUR S.A. – MALESHERBES
Imprimé en France – N° d'impression K 96/56082 E – Juillet 1997 – Dépôt légal : juillet 1997.

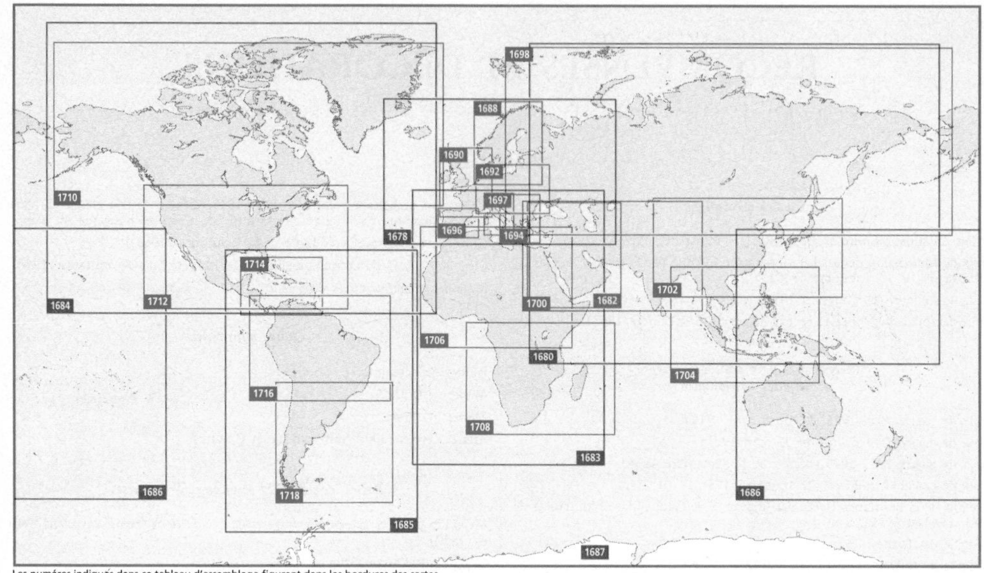

Les numéros indiqués dans ce tableau d'assemblage figurent dans les bordures des cartes

## Sommaire

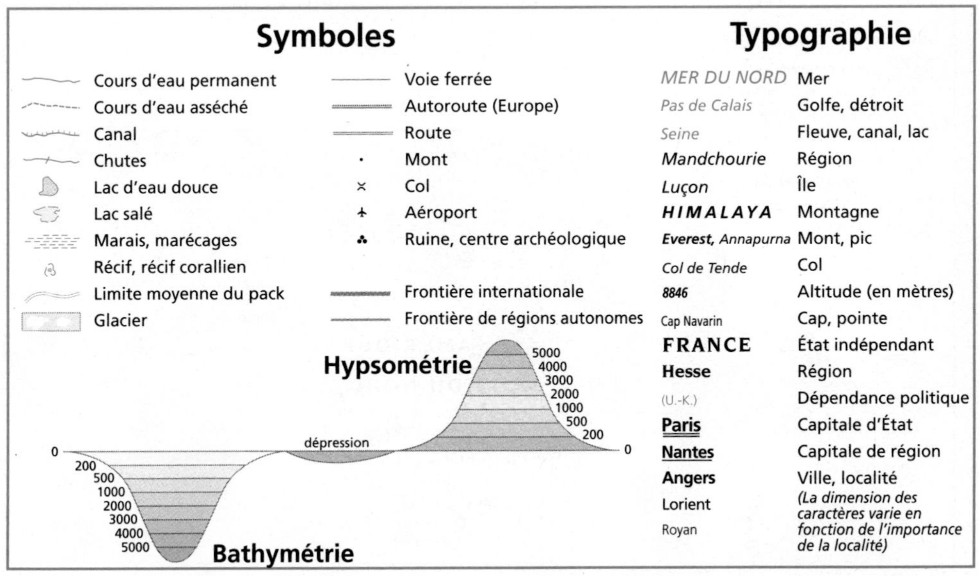


# Abréviations

| | | | | | |
|---|---|---|---|---|---|
| Afr. du S. | Afrique du Sud | G. | Golfe | P.-B. | Pays-Bas |
| Alb. | Albanie | Gr. | Grèce | Pén. | Péninsule |
| Ang. | Angola | Guinée équat. | Guinée équatoriale | Plat. | Plateau |
| Arch. | Archipel | Hond. | Honduras | P. N. | Parc national |
| Austr. | Australie | Î. | Île(s) | Port. | Portugal |
| Belg. | Belgique | Isr. | Israël | Pr. | Prince, Princesse |
| Bulg. | Bulgarie | It. | Italie | Pte | Pointe |
| C. | Cap | Jap. | Japon | R. | River |
| Can. | Canal | Jord. | Jordanie | Rép. | République |
| Cat. | Cataracte | L. | Lac | Rép. dom. | République dominicaine |
| Col. | Colombie | Lag. | Lagune | R. F. A. | République fédérale d'Allemagne |
| Cord. | Cordillère | Lib. | Liban | Riv. | Rivière |
| C.R. | Costa Rica | mérid. | méridional(e) | R.-U. | Royaume-Uni |
| Dan. | Danemark | Mex. | Mexique | sept. | septentrional(e) |
| Dépr. | Dépression | Mt | Mont | Seych. | Seychelles |
| Détr. | Détroit | Mts | Monts | St | Saint |
| Dj. | Djebel | Nlle | Nouvelle | Ste | Sainte |
| É. A. U. | Émirats arabes unis | Norv. | Norvège | Stes | Saintes |
| Éq. | Équateur | N.-Z. | Nouvelle-Zélande | Ven. | Venezuela |
| Esp. | Espagne | O. | Oued | | |
| É.-U. | États-Unis | occid. | occidental(e) | | |
| Fr. | France | orient. | oriental(e) | | |

---

Le présent atlas a été conçu comme un complément au dictionnaire des noms propres. Outre les planisphères, il comprend deux séries de cartes.
- La première série est constituée de cartes des continents (auxquelles a été adjointe celle du Moyen-Orient, région de transition), où les principales métropoles figurent accompagnées d'un symbole (•) signalant leur seule localisation.
- La deuxième série comprend de grands ensembles régionaux, à l'information plus détaillée, où les limites politiques des États souverains (et parfois leurs subdivisions administratives, notamment dans le cas d'États fédéraux) ont été portées. Les principales villes y figurent avec leur rang de population, chaque rang étant indiqué par un symbole dont la valeur est donnée dans la légende correspondante. Pour les grandes métropoles, nous avons retenu le chiffre de leur agglomération plutôt que ceux des municipalités qui la composent, afin de rendre compte de leur importance réelle : c'est pourquoi certaines villes distinctes administrativement sont ici réunies (par exemple, Dallas-Fort Worth).

Altitudes
plus de 6000 mètres
de 4000 à 6000 mètres
de 2000 à 4000 mètres
de 1000 à 2000 mètres
de 500 à 1000 mètres
de 200 à 500 mètres
de 0 à 200 mètres
dépression
OCÉAN GLACIAL ARCTIQUE
MER DE BEAUFORT
Îles Parry
Île Victoria
Ellesmere
Terre de Baffin
MER DE BAFFIN
Groenland
Islande
Pointe Barrow
Détroit de Béring
66°33' Cercle polaire arctique
Alaska
Mt McKinley
6194
Golfe de l'Alaska
Coast Ranges
MONTAGNES ROCHEUSES
Baie d'Hudson
Labrador
Bouclier canadien
Terre-Neuve
Îles Aléoutiennes
Fosse des Aléoutiennes
AMÉRIQUE DU NORD
Grands Lacs
Saint-Laurent
Grand Bassin
Plaines centrales
Mt Whitney
4418
Mt Mitchell
2037
Appalaches
Açores
Bermudes
Plaine côtière
Floride
Golfe du Mexique
Bahamas
Madère
Canaries
Toubkal
4165
OCÉAN
OCÉAN
23°27' Tropique du Cancer
Îles Hawaii
Hawaii
4210
Mauna Kea
Îles Revillagigedo
Orizaba
5700
Yucatán
Antilles
Fosse de Porto Rico
MER DES ANTILLES
Îles du Cap-Vert
Cap Vert
Mont Loma
1948
Clipperton
Isthme de Panamá
5780
Llanos
Orénoque
Massif des Guyanes
3014
0° Équateur
Îles Galápagos
Chimborazo
6310
Îles de la Ligne
POLYNÉSIE
Îles Marquises
PACIFIQUE
Amazonie
ATLANTI
Ascension
Îles Samoa
Îles Fidji
Îles Tonga
Fosse des Tonga
Îles de la Société
Tahiti
Îles Tuamotu
CORDILLÈRE DES ANDES
AMÉRIQUE DU SUD
Illimani
6400
Golfe d'Arica
Gran Chaco
Plateau du Brésil
Pico da Bandeira
2890
Sainte-Hélè
23°27' Tropique du Capricorne
Îles Kermadec
Fosse des Kermadec
Île de Pâques
Aconcagua
6959
Fosse d'Atacama
Îles Juan Fernández
Pampas
Rio de La Plata
Îles Tristan da Cunha
Gough
Îles Chatham
Patagonie
4058
Îles Falkland
Terre de Feu
Cap Horn
Géorgie du Sud
Fosse des Sandwich
Îles Sandwich du Sud
Détroit de Drake
Îles Shetland du Sud
Îles Orcades du Sud
66°33' Cercle polaire antarctique
Péninsule Antarctique
MER DE WEDDELL
Mt Vinson
5140
MER DE ROSS

1: 130 000 000 0 1600 2400 3600 km

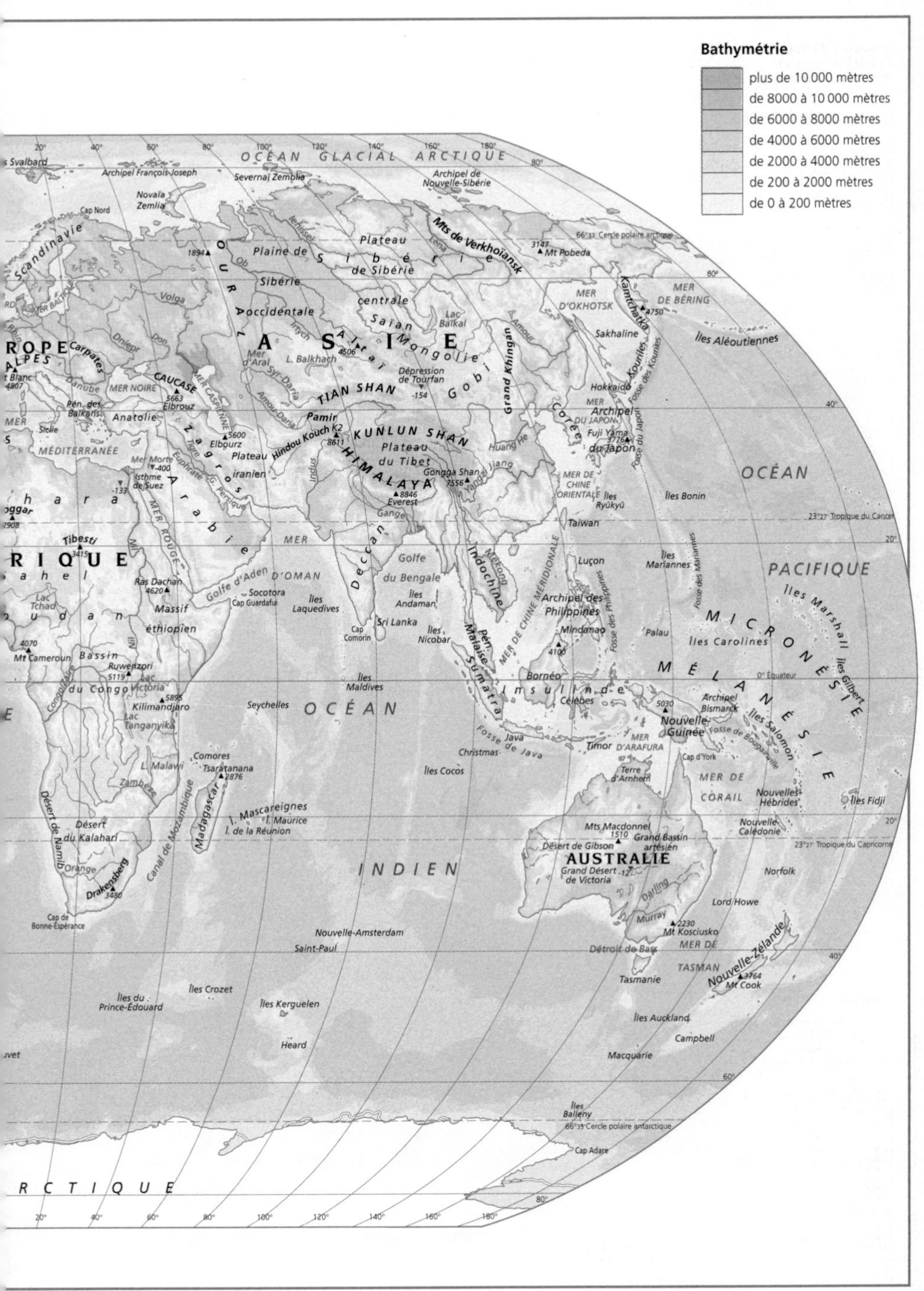
Bathymétrie
plus de 10 000 mètres
de 8000 à 10 000 mètres
de 6000 à 8000 mètres
de 4000 à 6000 mètres
de 2000 à 4000 mètres
de 200 à 2000 mètres
de 0 à 200 mètres
OCÉAN GLACIAL ARCTIQUE
ASIE
OCÉAN PACIFIQUE
OCÉAN INDIEN
AUSTRALIE
MICRONÉSIE
MÉLANÉSIE
Plateau de Sibérie centrale
Plaine de Sibérie occidentale
TIAN SHAN
KUNLUN SHAN
HIMALAYA
Plateau du Tibet
Mts de Verkhoïansk
MER D'OKHOTSK
MER DE BÉRING
Îles Aléoutiennes
MER DE CHINE ORIENTALE
MER DE CHINE MÉRIDIONALE
Golfe du Bengale
MER D'OMAN
Golfe d'Aden
MER DE CORAIL
MER DE TASMAN
Nouvelle-Zélande
Nouvelle-Guinée
Archipel des Philippines
Archipel du Japon
Insulinde
Madagascar
Canal de Mozambique
Désert du Kalahari
Désert de Namib
Drakensberg
Cap de Bonne-Espérance
Planisphère physique

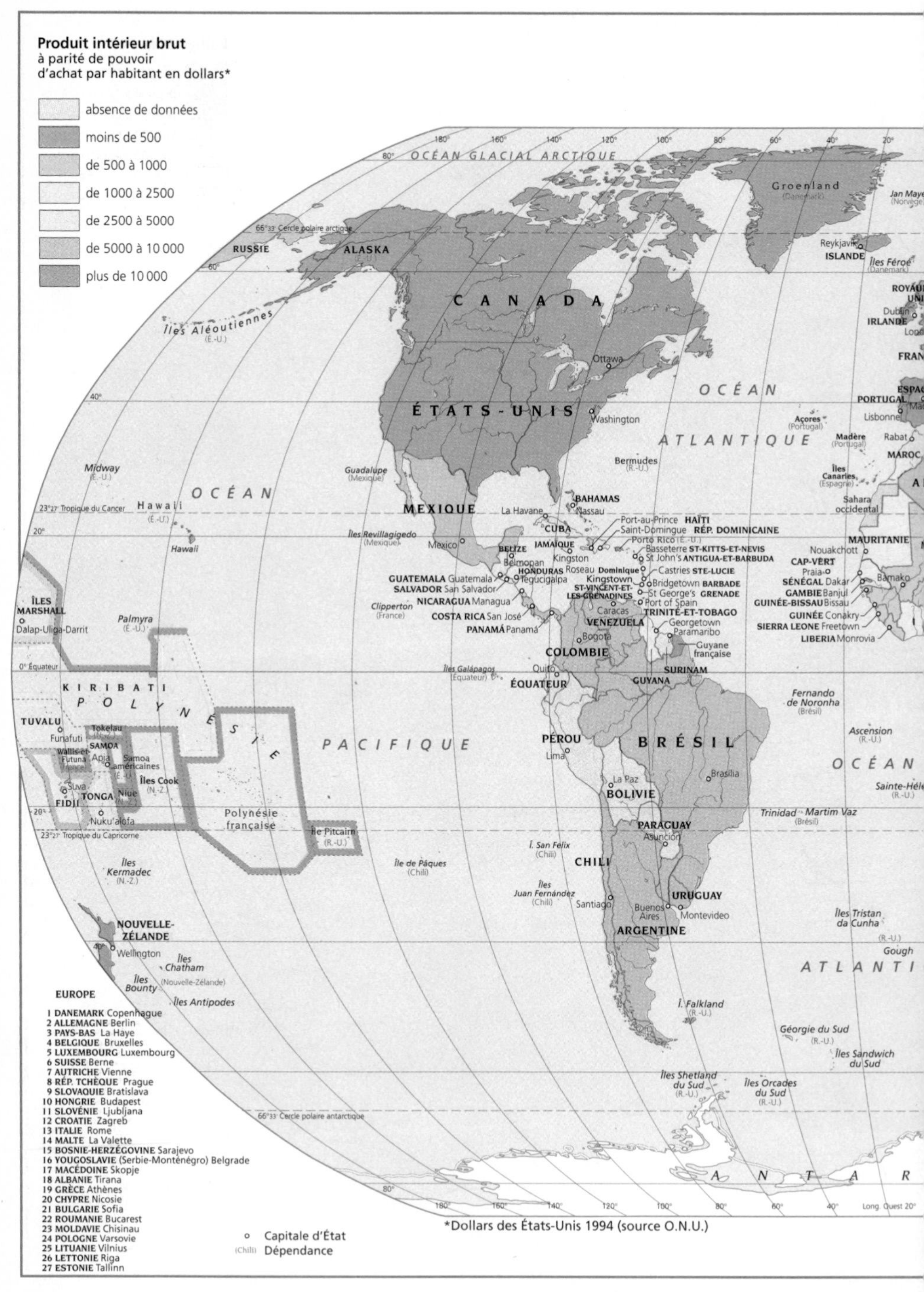

Produit intérieur brut
à parité de pouvoir d'achat par habitant en dollars*
absence de données
moins de 500
de 500 à 1000
de 1000 à 2500
de 2500 à 5000
de 5000 à 10 000
plus de 10 000
OCÉAN GLACIAL ARCTIQUE
CANADA
ÉTATS-UNIS
MEXIQUE
OCÉAN ATLANTIQUE
OCÉAN PACIFIQUE
BRÉSIL
ARGENTINE
CHILI
EUROPE
1 DANEMARK Copenhague
2 ALLEMAGNE Berlin
3 PAYS-BAS La Haye
4 BELGIQUE Bruxelles
5 LUXEMBOURG Luxembourg
6 SUISSE Berne
7 AUTRICHE Vienne
8 RÉP. TCHÈQUE Prague
9 SLOVAQUIE Bratislava
10 HONGRIE Budapest
11 SLOVÉNIE Ljubljana
12 CROATIE Zagreb
13 ITALIE Rome
14 MALTE La Valette
15 BOSNIE-HERZÉGOVINE Sarajevo
16 YOUGOSLAVIE (Serbie-Monténégro) Belgrade
17 MACÉDOINE Skopje
18 ALBANIE Tirana
19 GRÈCE Athènes
20 CHYPRE Nicosie
21 BULGARIE Sofia
22 ROUMANIE Bucarest
23 MOLDAVIE Chisinau
24 POLOGNE Varsovie
25 LITUANIE Vilnius
26 LETTONIE Riga
27 ESTONIE Tallinn
Capitale d'État
(Chili) Dépendance
*Dollars des États-Unis 1994 (source O.N.U.)
1: 130 000 000
0 1600 2400 3600 km

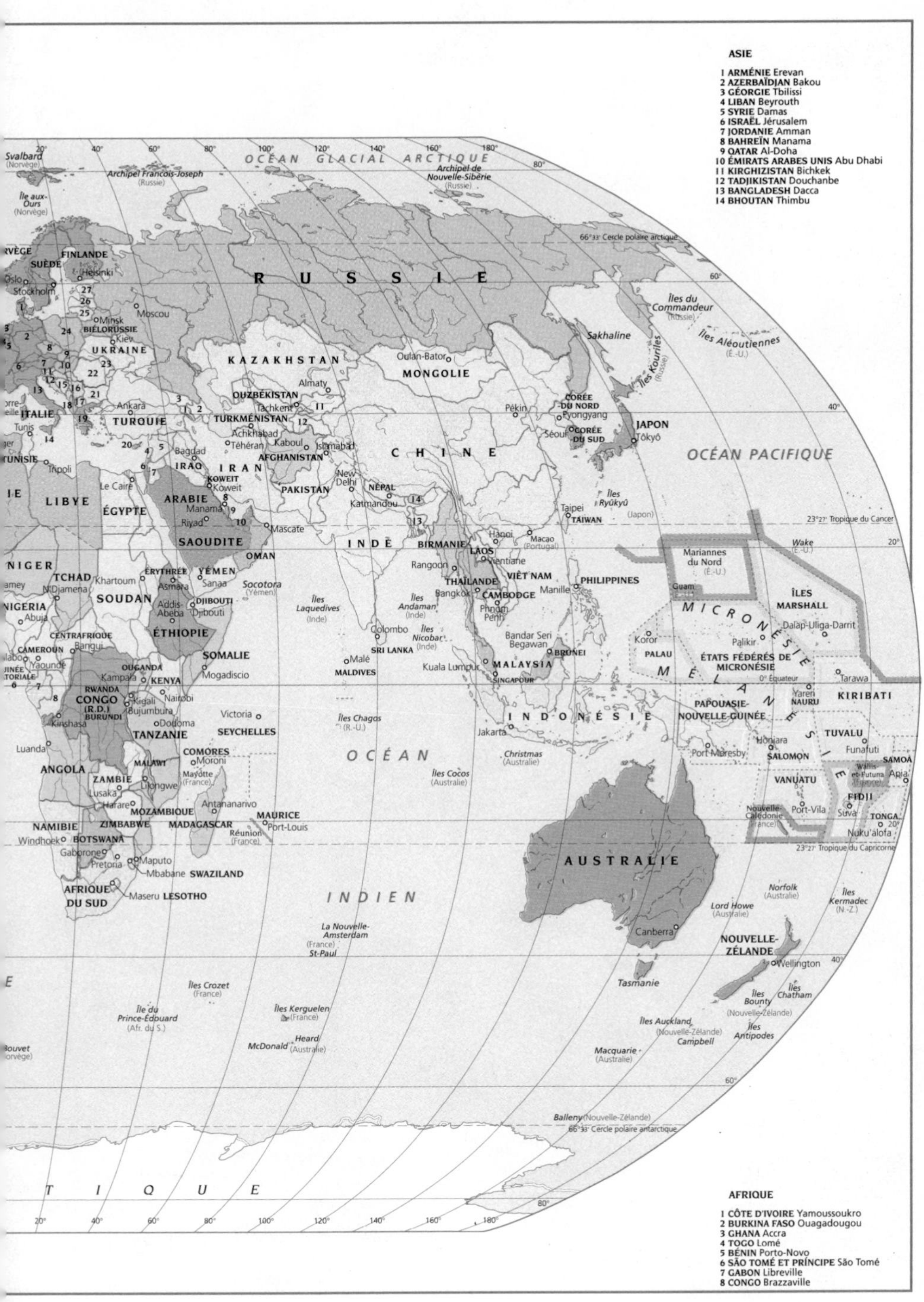
ASIE
1 ARMÉNIE Erevan
2 AZERBAÏDJAN Bakou
3 GÉORGIE Tbilissi
4 LIBAN Beyrouth
5 SYRIE Damas
6 ISRAËL Jérusalem
7 JORDANIE Amman
8 BAHREÏN Manama
9 QATAR Al-Doha
10 ÉMIRATS ARABES UNIS Abu Dhabi
11 KIRGHIZISTAN Bichkek
12 TADJIKISTAN Douchanbe
13 BANGLADESH Dacca
14 BHOUTAN Thimbu
OCÉAN GLACIAL ARCTIQUE
Svalbard
(Norvège)
Archipel François-Joseph
(Russie)
Archipel de Nouvelle-Sibérie
(Russie)
Île aux-Ours
(Norvège)
66°33' Cercle polaire arctique
FINLANDE
SUÈDE
Helsinki
Oslo
Stockholm
RUSSIE
Moscou
Minsk
BIÉLORUSSIE
Kiev
UKRAINE
Îles du Commandeur
(Russie)
Sakhaline
Îles Kouriles
(Russie)
Îles Aléoutiennes
(É.-U.)
KAZAKHSTAN
Oulan-Bator
MONGOLIE
Almaty
OUZBÉKISTAN
Tachkent
TURKMÉNISTAN
Achkhabad
Téhéran
Kaboul
Islamabad
AFGHANISTAN
ITALIE
Tunis
TUNISIE
Tripoli
TURQUIE
Ankara
Bagdad
IRAQ
IRAN
KOWEIT
Koweit
Pékin
CORÉE DU NORD
Pyongyang
Séoul
CORÉE DU SUD
JAPON
Tôkyô
CHINE
OCÉAN PACIFIQUE
LIBYE
Le Caire
ÉGYPTE
ARABIE SAOUDITE
Riyad
Manama
PAKISTAN
New Delhi
NÉPAL
Katmandou
Îles Ryûkyû
(Japon)
Taipei
TAIWAN
23°27' Tropique du Cancer
Mascate
OMAN
INDE
BIRMANIE
Hanoi
Macao
(Portugal)
LAOS
Vientiane
Rangoon
Wake
(É.-U.)
Mariannes du Nord
(É.-U.)
Guam
NIGER
TCHAD
Khartoum
ÉRYTHRÉE
Asmara
YÉMEN
Sanaa
Socotora
(Yémen)
N'Djamena
NIGERIA
Abuja
SOUDAN
Addis-Abeba
DJIBOUTI
Djibouti
ÉTHIOPIE
Îles Laquedives
(Inde)
Îles Andaman
(Inde)
THAÏLANDE
Bangkok
VIÊT NAM
CAMBODGE
Phnom Penh
Manille
PHILIPPINES
ÎLES MARSHALL
MICRONÉSIE
Dalap-Uliga-Darrit
CENTRAFRIQUE
Bangui
CAMEROUN
Yaoundé
SOMALIE
Mogadiscio
Colombo
SRI LANKA
Îles Nicobar
(Inde)
Bandar Seri Begawan
BRUNEI
Koror
PALAU
Palikir
ÉTATS FÉDÉRÉS DE MICRONÉSIE
Malé
MALDIVES
Kuala Lumpur
MALAYSIA
SINGAPOUR
MÉLANÉSIE
0° Équateur
Tarawa
OUGANDA
Kampala
KENYA
RWANDA
CONGO (R.D.)
BURUNDI
Kigali
Bujumbura
Nairobi
Kinshasa
Dodoma
TANZANIE
Victoria
SEYCHELLES
Îles Chagos
(R.-U.)
INDONÉSIE
Jakarta
PAPOUASIE-NOUVELLE-GUINÉE
Yaren
NAURU
KIRIBATI
Luanda
ANGOLA
COMORES
Moroni
MALAWI
ZAMBIE
Lusaka
Lilongwe
Mayotte
(France)
OCÉAN
Christmas
(Australie)
Îles Cocos
(Australie)
Port Moresby
Honiara
SALOMON
TUVALU
Funafuti
SAMOA
Apia
VANUATU
Wallis-et-Futuna
(France)
FIDJI
Suva
Port-Vila
Nouvelle-Calédonie
(France)
TONGA
Nuku'alofa
Harare
MOZAMBIQUE
Antananarivo
MAURICE
Port-Louis
Réunion
(France)
MADAGASCAR
ZIMBABWE
NAMIBIE
Windhoek
BOTSWANA
Gaborone
Pretoria
Maputo
Mbabane
SWAZILAND
AFRIQUE DU SUD
Maseru
LESOTHO
23°27' Tropique du Capricorne
AUSTRALIE
INDIEN
Norfolk
(Australie)
Îles Kermadec
(N.-Z.)
Lord Howe
(Australie)
La Nouvelle-Amsterdam
(France)
St-Paul
Canberra
NOUVELLE-ZÉLANDE
Wellington
Tasmanie
Îles Crozet
(France)
Île du Prince-Édouard
(Afr. du S.)
Îles Kerguelen
(France)
Heard
McDonald
(Australie)
Îles Chatham
Îles Bounty
(Nouvelle-Zélande)
Îles Auckland
(Nouvelle-Zélande)
Campbell
Îles Antipodes
Macquarie
(Australie)
Bouvet
(Norvège)
Balleny (Nouvelle-Zélande)
66°33' Cercle polaire antarctique
TIQUE
AFRIQUE
1 CÔTE D'IVOIRE Yamoussoukro
2 BURKINA FASO Ouagadougou
3 GHANA Accra
4 TOGO Lomé
5 BÉNIN Porto-Novo
6 SÃO TOMÉ ET PRÍNCIPE São Tomé
7 GABON Libreville
8 CONGO Brazzaville

OCÉAN GLACIAL ARCTIQUE
Cercle polaire arctique 66°33'
Islande
Vatnajökull
Hekla 1491
2119
Îles Féroé
Îles Shetland
Îles Orcades
Îles Hébrides
Rockall
OCÉAN ATLANTIQUE
Îles Britanniques
Grande-Bretagne
Highlands
Ben Nevis 1343
Chaînes Pennines
Irlande
Dublin
Manchester
Shannon
1040
Canal St-George
MER D'IRLANDE
Î. de Man
Birmingham
Londres
Tamise
Land's End
Manche
Îles Anglo-Normandes
Pointe Saint-Mathieu
MER DU NORD
Sognefjord
Jotunheimen
2470
Glåma
Alpes scandinaves
Norrland
Î. Lofoten Vesterålen
2120
C. Lindesnes
Skagerrak
Kattegat
Jylland
L. Mälaren
L. Vänern
L. Vättern
Göta
Stockholm
Gotland
Öland
Scanie
Copenhague
Bornholm
BALTIQUE
Îles Frisonnes
Hambourg
Poméranie
Plaine germano-polonaise
Berlin
Elbe
Oder
Amsterdam
Rotterdam
Plaine de Flandre
Lille
Bruxelles
Rhin
Bassin parisien
Ardenne
Massif schisteux rhénan
Forêt de Thuringe
Monts Métallifères
Sudètes
1603
Meuse
Main
Massif armoricain
Bretagne
Seine
Paris
Loire
Vosges
Forêt-Noire
Danube
Forêt de Bohême
Prague
Collines de Moravie
Munich
Vienne
Budapest
L. Balaton
Jura
Léman
Alpes
Bernina 4050
3797
Massif central
1886
Lyon
4807
Mt Blanc
4103
Pelvoux
Turin
Pô
Milan
Gênes
Rhône
Garonne
Bassin aquitain
Golfe de Gascogne
Cap Finisterre
Mts Cantabriques
Pyrénées
3404
Pic d'Aneto
Porto
Douro
2648
Meseta
Monts Ibériques
Ebre
Chaînes de Castille
2300
Madrid
Tage
Lisbonne
C. da Roca
Guadiana
Sierra Morena
Guadalquivir
2380
Sierra Nevada
3478
Cap Saint-Vincent
Détroit de Gibraltar
Barcelone
Golfe du Lion
Marseille
MER LIGURIENNE
Arno
Îles Baléares
Minorque
Majorque
Ibiza
Corse
2706
Elbe
Bouches de Bonifacio
Sardaigne
1834
Tibre
Rome
Apennin
Gran Sasso
2914
MER ADRIATIQUE
Alpes Dinariques
Save
Drave
Naples
Vésuve
1277
MER TYRRHÉNIENNE
Îles Éoliennes
Sicile
3345
Etna
MER IONIENNE
Détroit de Messine
Malte
Pantelleria
C. Bon
Cap Blanc
MER MÉDITERRANÉE
Archipel de Madère
Porto Santo
Î. Madère
Îles Canaries
Tenerife
Grande Canarie
Casablanca
Rif
2452
O. Sebou
Moyen-Atlas
O. Moulouya
Oum er-Rebia
Haut-Atlas
Toubkal
4165
Anti-Atlas
Oued Draa
Atlas
Alger
Cheliff
Atlas tellien
Kabylie
Aurès
2328
Chott ech-Chergui
Atlas saharien
Chott Melrhir
Chott el-Djerid
Golfe de Gabès
Grand Erg occidental
Grand Erg oriental
Djebel Nefousa
Tripolitaine
Golfe de Syrte
Sahara
AFRIQUE
Long. Est 10° de Greenwich
1: 25 000 000
0 250 500km

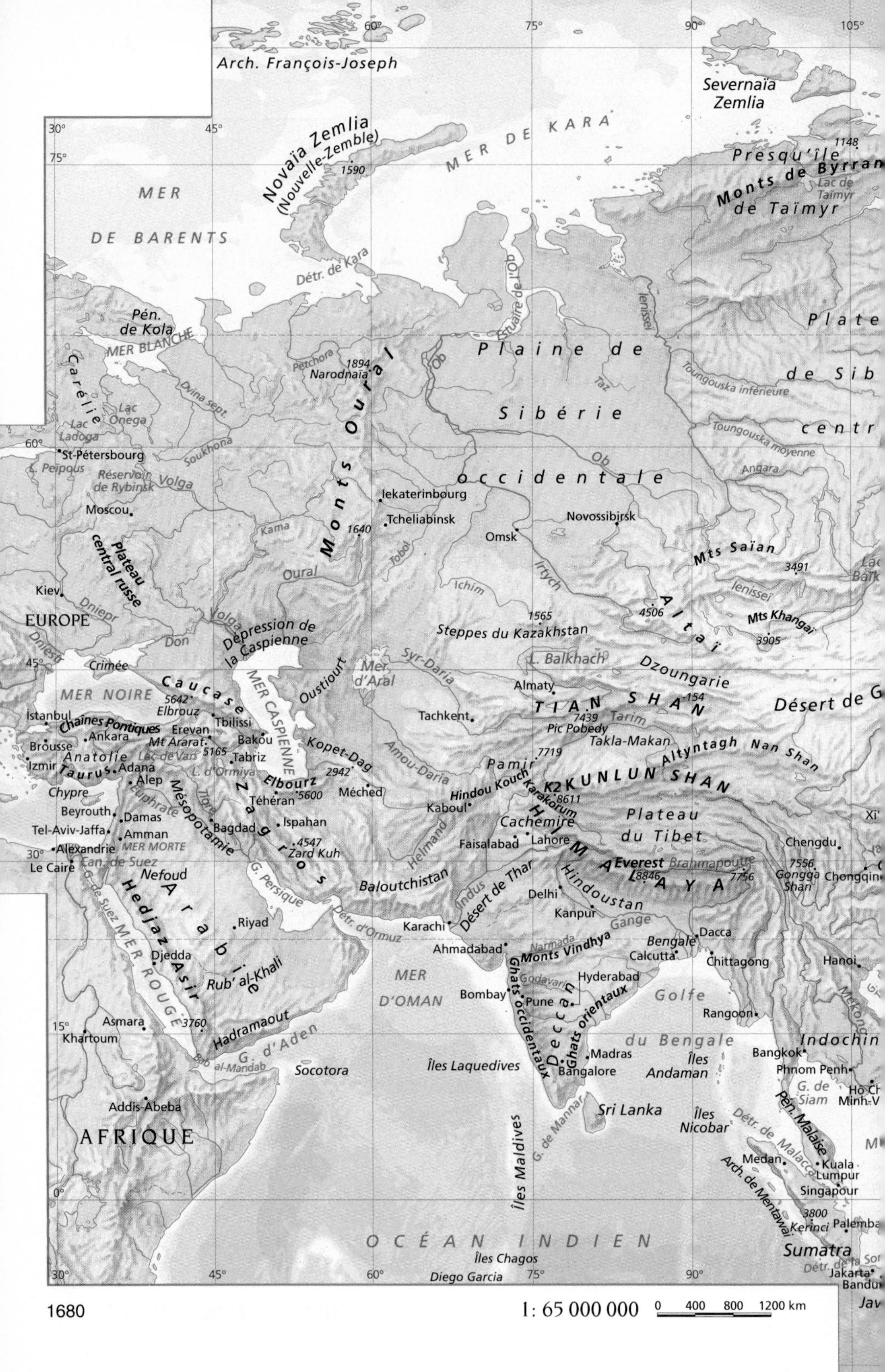




1: 65 000 000  0 400 800 1200 km

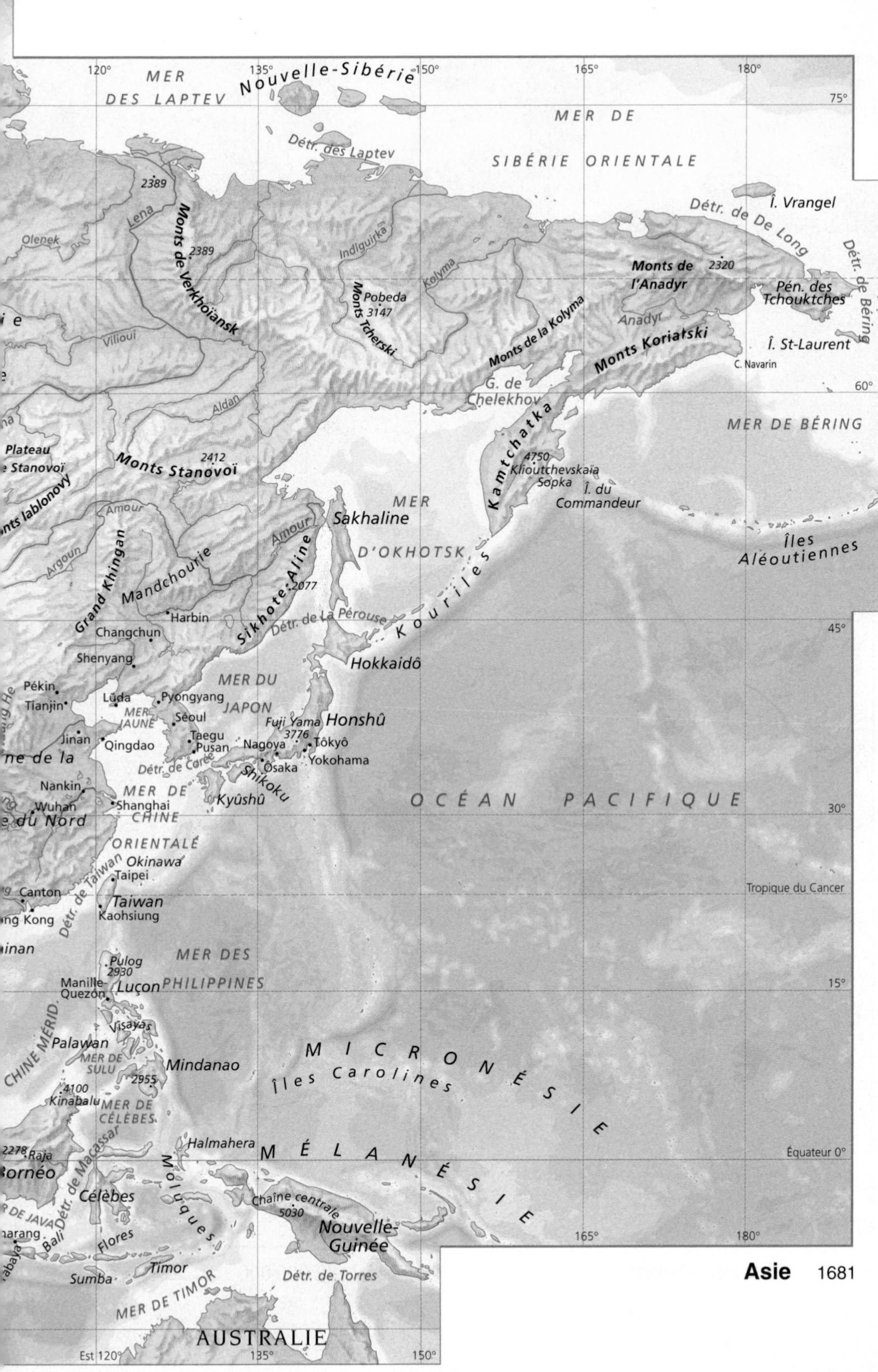
MER DES LAPTEV
Nouvelle-Sibérie
MER DE SIBÉRIE ORIENTALE
Détr. des Laptev
Î. Vrangel
Détr. de De Long
Détr. de Béring
Monts de Verkhoïansk
Monts Tcherski
Pobeda 3147
Monts de l'Anadyr
Pén. des Tchouktches
Monts de la Kolyma
Monts Koriatski
Î. St-Laurent
C. Navarin
G. de Chelekhov
MER DE BÉRING
Kamtchatka
Klioutchevskaïa Sopka 4750
Î. du Commandeur
Îles Aléoutiennes
Monts Stanovoï
Plateau Stanovoï
Monts Iablonovy
MER D'OKHOTSK
Sakhaline
Kouriles
Grand Khingan
Mandchourie
Sikhote-Aline
Détr. de La Pérouse
Hokkaidô
Harbin
Changchun
Shenyang
Pékin
Tianjin
Lüda
Pyongyang
Séoul
MER JAUNE
MER DU JAPON
Honshû
Fuji Yama 3776
Tôkyô
Yokohama
Nagoya
Ôsaka
Taegu
Pusan
Jinan
Qingdao
Détr. de Corée
Shikoku
Kyûshû
Nankin
Wuhan
Shanghai
MER DE CHINE ORIENTALE
OCÉAN PACIFIQUE
Okinawa
Taipei
Taiwan
Kaohsiung
Canton
Détr. de Taiwan
Tropique du Cancer
MER DES PHILIPPINES
Pulog 2930
Manille-Quezon
Luçon
Visayas
Palawan
MER DE SULU
Mindanao
Kinabalu 4100
MER DE CÉLÈBES
MICRONÉSIE
Îles Carolines
Halmahera
MÉLANÉSIE
Équateur 0°
Bornéo
Célèbes
Détr. de Macassar
Moluques
Chaîne centrale 5030
Nouvelle-Guinée
Bali
Flores
Timor
Sumba
Détr. de Torres
MER DE TIMOR
AUSTRALIE

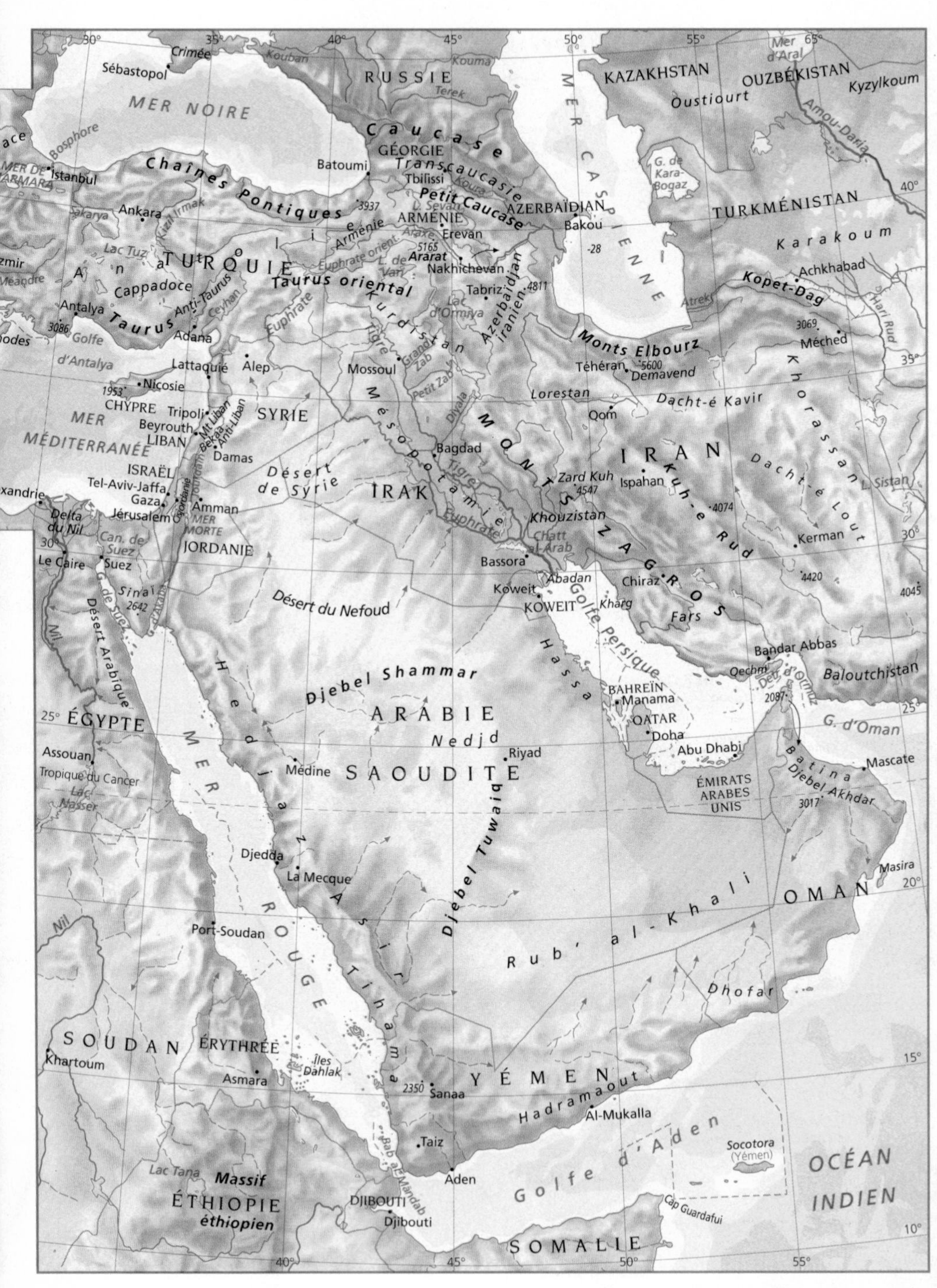


**Moyen-Orient** 1: 22 000 000 (0 – 200 – 400 – 600 km)

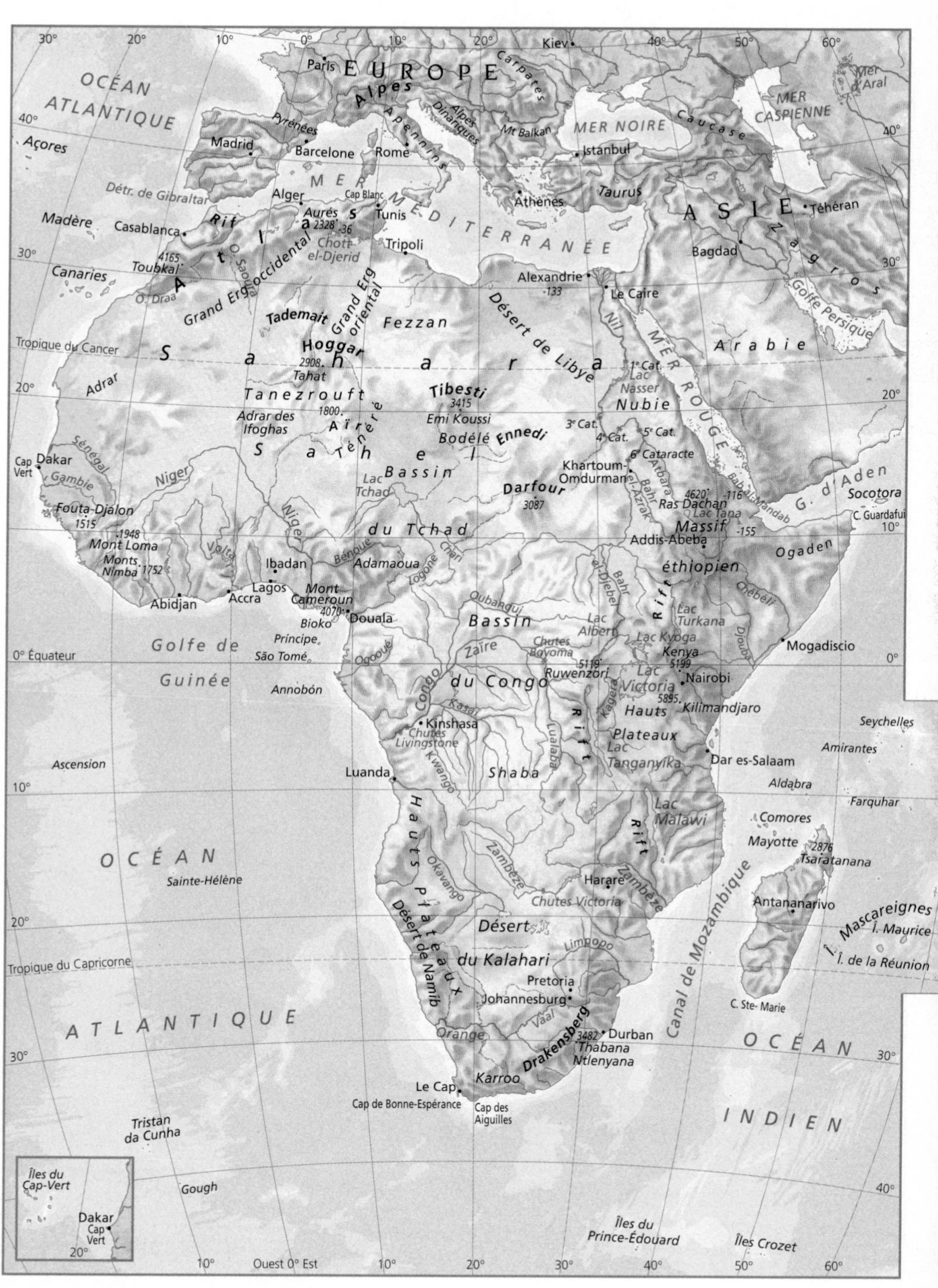


1: 60 000 000 0 400 800 1200 km

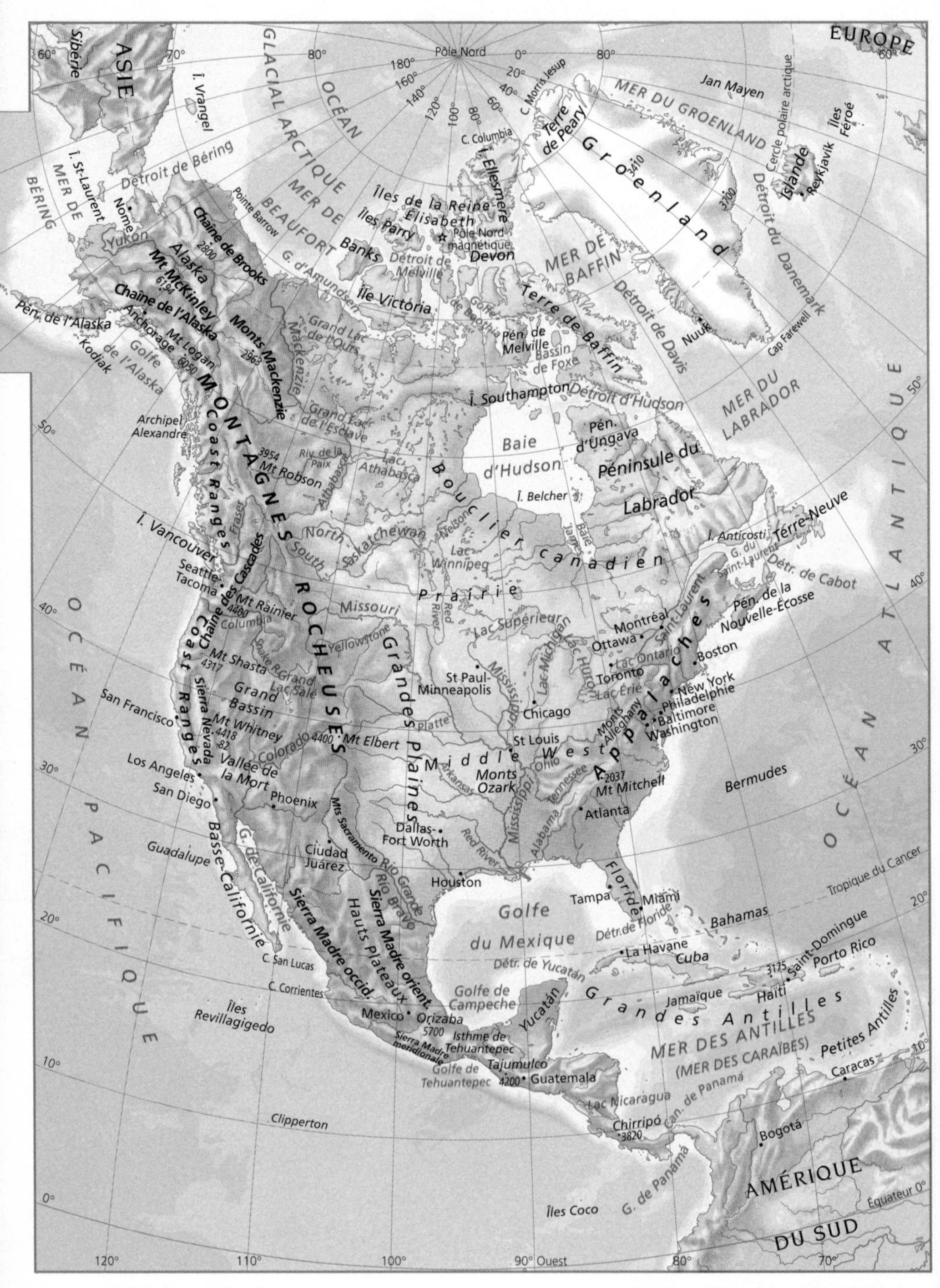


 **Amérique du Nord-Amérique centrale**

1: 55 000 000 — 0 400 800 1200 km

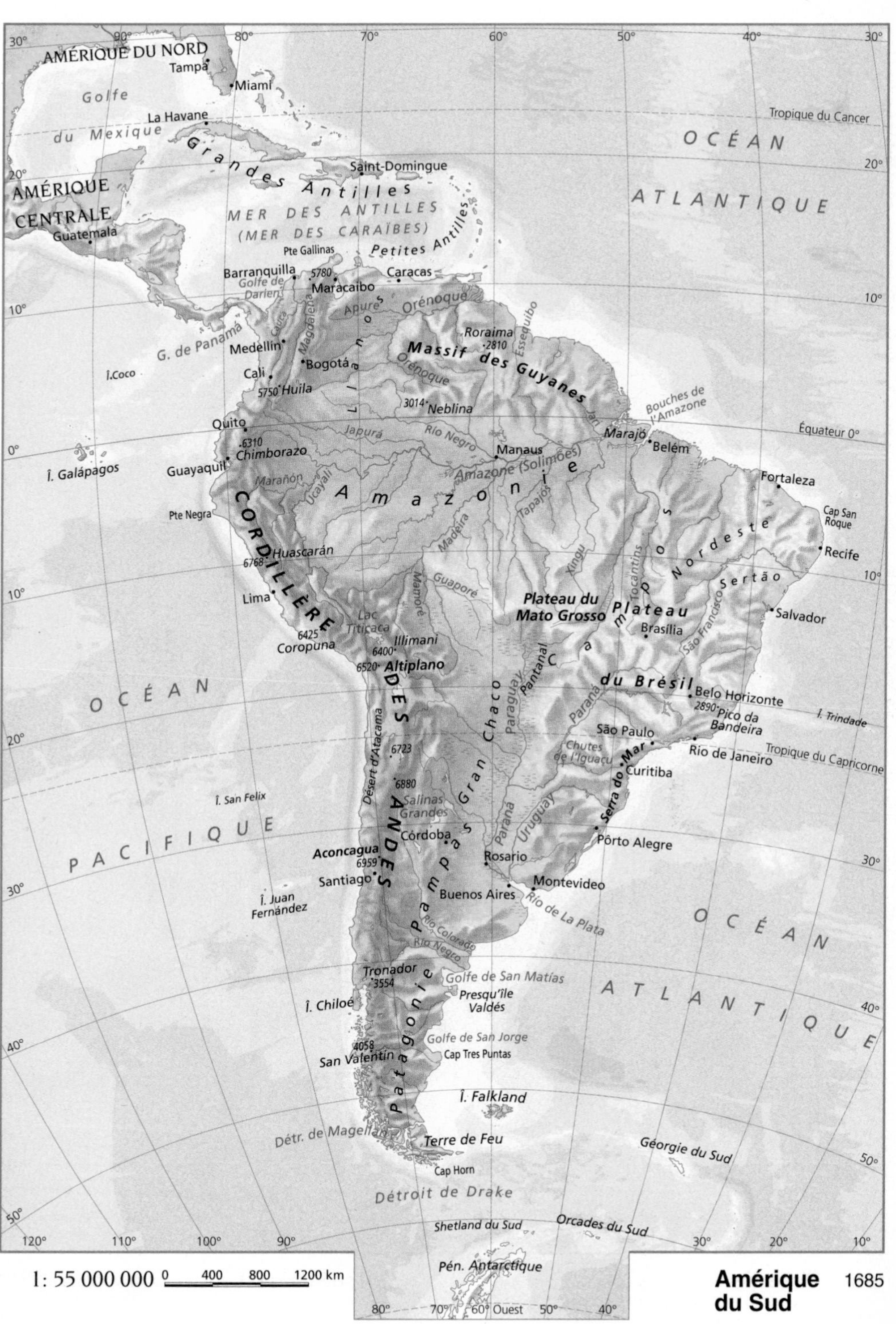
AMÉRIQUE DU NORD
Tampa
Miami
Golfe du Mexique
La Havane
Grandes Antilles
Saint-Domingue
AMÉRIQUE CENTRALE
Guatemala
MER DES ANTILLES (MER DES CARAÏBES)
Petites Antilles
Pte Gallinas
Barranquilla
5780
Maracaibo
Caracas
Golfe de Darien
Apure
Orénoque
G. de Panamá
Medellín
Cauca
Magdalena
Bogotá
Llanos
Roraima
2810
Essequibo
Massif des Guyanes
Î. Coco
Cali
5750 Huila
3014 Neblina
Jari
Bouches de l'Amazone
Quito
6310 Chimborazo
Japurá
Río Negro
Manaus
Marajó
Belém
Équateur 0°
Î. Galápagos
Guayaquil
Marañón
Ucayali
Amazone (Solimões)
Amazonie
Tapajós
Madeira
Fortaleza
Cap San Roque
Recife
Pte Negra
CORDILLÈRE DES ANDES
6768 Huascarán
Lima
Guaporé
Mamoré
Xingu
Tocantins
Campos
Nordeste
Sertão
Plateau du Mato Grosso
Plateau du Brésil
Brasília
São Francisco
Salvador
Lac Titicaca
6425 Coropuna
6400 Illimani
6520 Altiplano
Pantanal
Paraguay
Gran Chaco
Paraná
Belo Horizonte
2890 Pico da Bandeira
Î. Trindade
São Paulo
Rio de Janeiro
Tropique du Capricorne
Désert d'Atacama
6723
Chutes de l'Iguaçu
Curitiba
Serra do Mar
6880
Î. San Felix
Salinas Grandes
Uruguay
OCÉAN PACIFIQUE
Córdoba
Pampas
Pôrto Alegre
Aconcagua 6959
Rosario
Santiago
Montevideo
Î. Juan Fernández
Buenos Aires
Río de La Plata
Río Colorado
Río Negro
OCÉAN ATLANTIQUE
Tronador 3554
Golfe de San Matías
Presqu'île Valdés
Î. Chiloé
Patagonie
Golfe de San Jorge
4058 San Valentín
Cap Tres Puntas
Î. Falkland
Détr. de Magellan
Terre de Feu
Géorgie du Sud
Cap Horn
Détroit de Drake
Shetland du Sud
Orcades du Sud
Pén. Antarctique
Tropique du Cancer
30° 20° 10° 0° 10° 20° 30° 40° 50°
120° 110° 100° 90° 80° 70° 60° 50° 40° 30° 20° 10°
60° Ouest
1: 55 000 000
0 400 800 1200 km

## Amérique du Sud

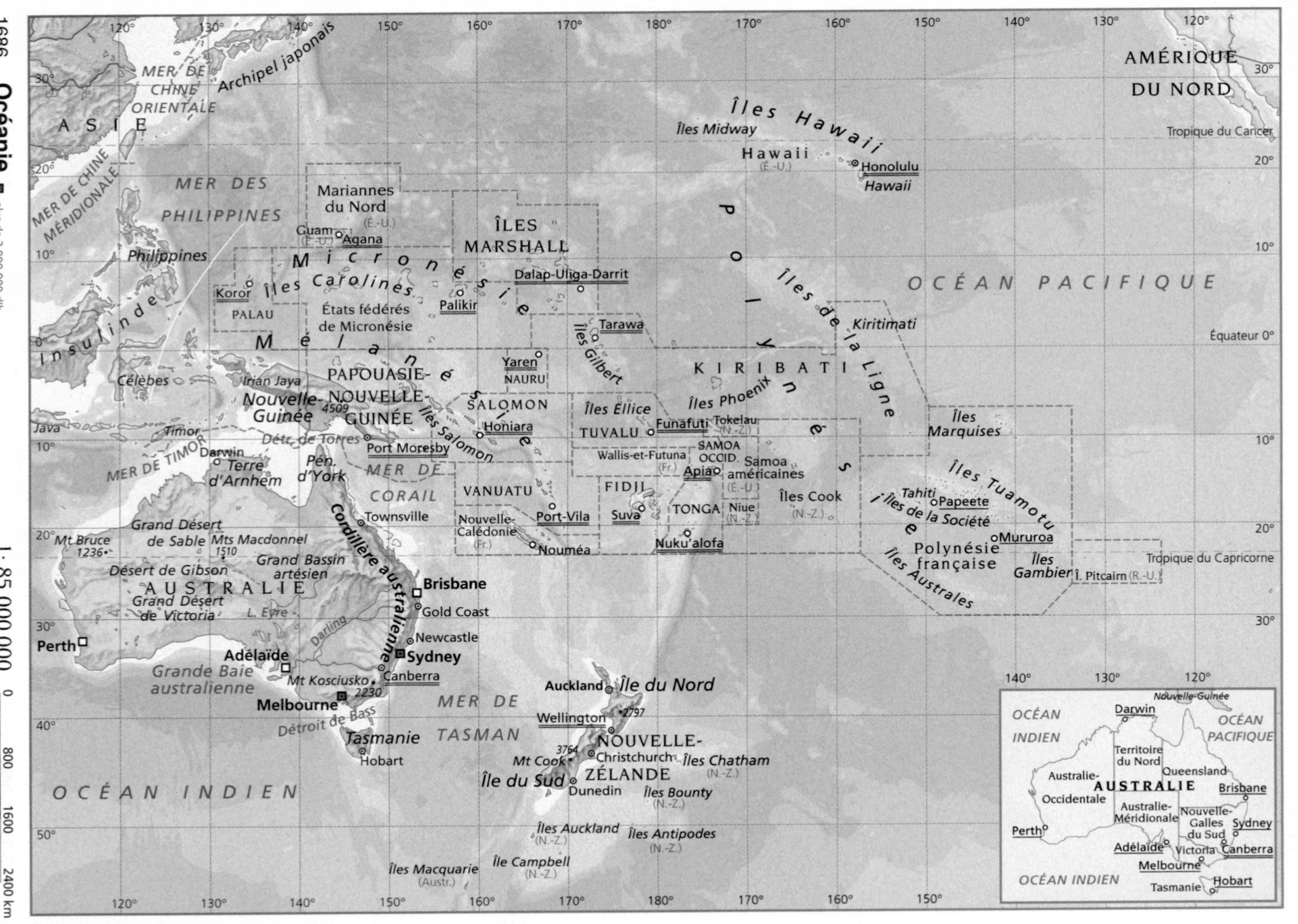


1686 **Océanie**

- ■ plus de 3.000.000 d'h.
- □ de 1.000.000 à 3.000.000 d'h.
- ◎ de 500.000 à 1.000.000 d'h.
- ⊙ de 100.000 à 500.000 h.
- ○ moins de 100.000 h.

1: 85 000 000

0 — 800 — 1600 — 2400 km

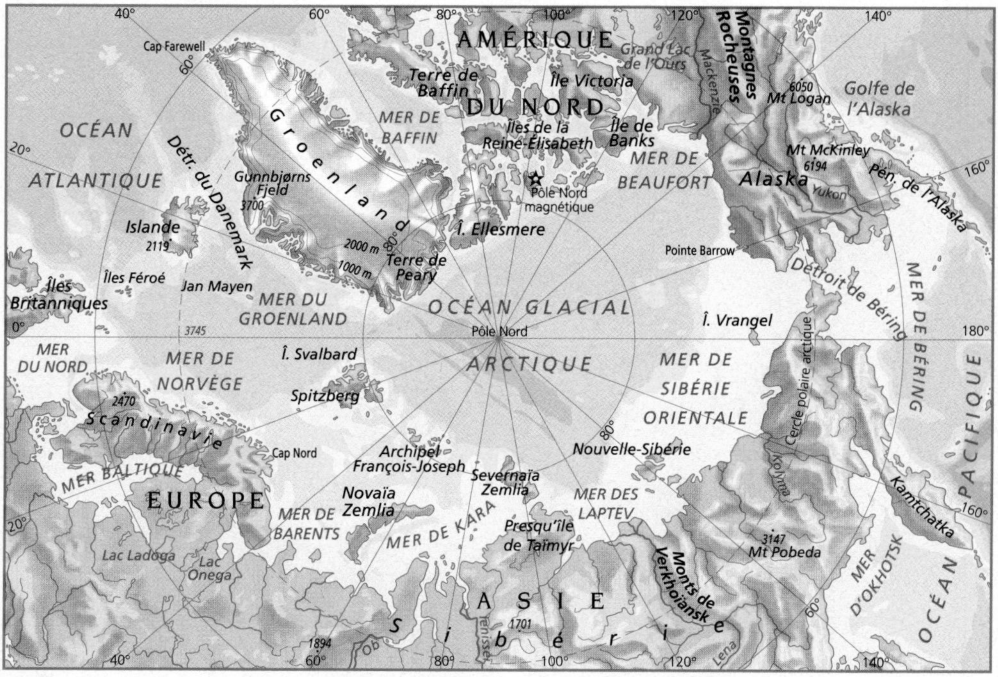
AMÉRIQUE DU NORD
Cap Farewell
Groenland
Terre de Baffin
MER DE BAFFIN
Île Victoria
Grand Lac de l'Ours
Montagnes Rocheuses
Mackenzie
6050 Mt Logan
Golfe de l'Alaska
OCÉAN ATLANTIQUE
Détr. du Danemark
Gunnbjørns Fjeld 3700
Îles de la Reine-Élisabeth
Île de Banks
MER DE BEAUFORT
Mt McKinley 6194
Alaska
Yukon
Pén. de l'Alaska
Pôle Nord magnétique
Islande 2119
Î. Ellesmere
2000 m
1000 m
Terre de Peary
Pointe Barrow
Détroit de Béring
Îles Britanniques
Îles Féroé
Jan Mayen
MER DU GROENLAND
OCÉAN GLACIAL ARCTIQUE
Pôle Nord
Î. Vrangel
MER DE BÉRING
3745
MER DU NORD
MER DE NORVÈGE
Î. Svalbard
Spitzberg
MER DE SIBÉRIE ORIENTALE
Cercle polaire arctique
OCÉAN PACIFIQUE
2470
Scandinavie
Cap Nord
Archipel François-Joseph
Nouvelle-Sibérie
Kolyma
MER BALTIQUE
EUROPE
Severnaïa Zemlia
Novaïa Zemlia
MER DES LAPTEV
Kamtchatka
MER DE BARENTS
MER DE KARA
Presqu'île de Taïmyr
3147 Mt Pobeda
Lac Ladoga
Lac Onega
Monts de Verkhoïansk
MER D'OKHOTSK
ASIE
Sibérie
1701
1894
Ob
Ienisseï
Lena
40°
60°
80°
100°
120°
140°
160°
180°
20°
0°

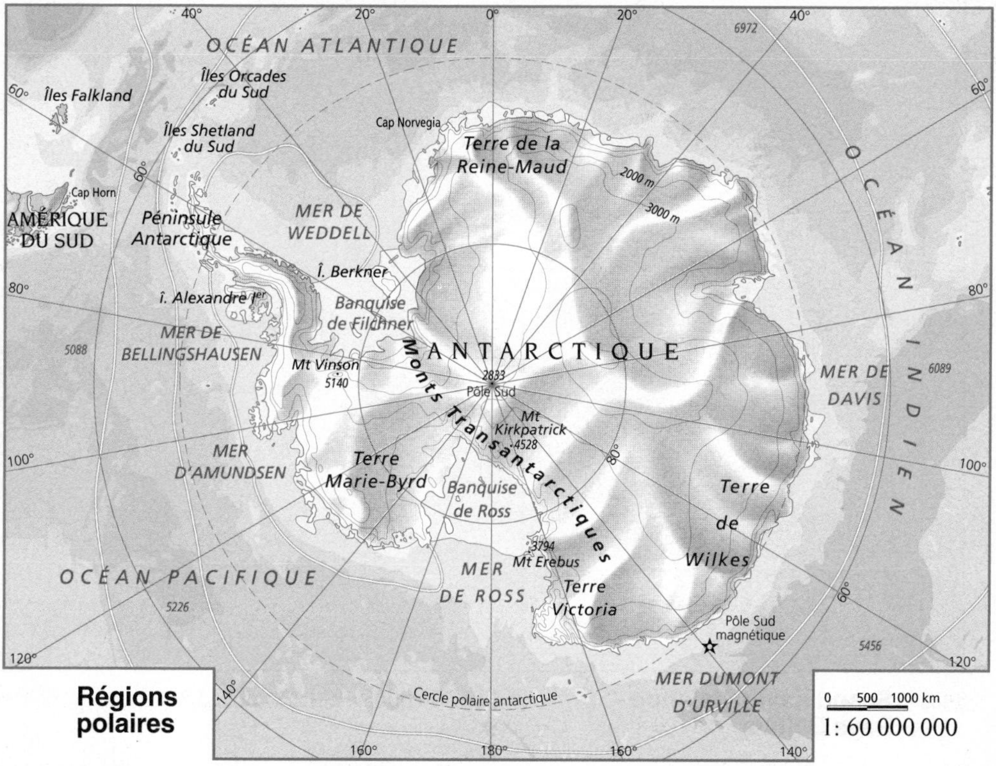
OCÉAN ATLANTIQUE
6972
Îles Orcades du Sud
Îles Falkland
Îles Shetland du Sud
Cap Norvegia
Terre de la Reine-Maud
2000 m
3000 m
Cap Horn
AMÉRIQUE DU SUD
Péninsule Antarctique
MER DE WEDDELL
OCÉAN INDIEN
Î. Berkner
Î. Alexandre 1er
Banquise de Filchner
MER DE BELLINGSHAUSEN
5088
ANTARCTIQUE
Mt Vinson 5140
2833
Pôle Sud
Monts Transantarctiques
MER DE DAVIS
6089
Mt Kirkpatrick 4528
MER D'AMUNDSEN
Terre Marie-Byrd
Banquise de Ross
Terre de Wilkes
3794 Mt Erebus
OCÉAN PACIFIQUE
MER DE ROSS
Terre Victoria
5226
Pôle Sud magnétique
5456
MER DUMONT D'URVILLE
Cercle polaire antarctique
0°
20°
40°
60°
80°
100°
120°
140°
160°
180°

**Régions polaires**

0 500 1000 km
1: 60 000 000

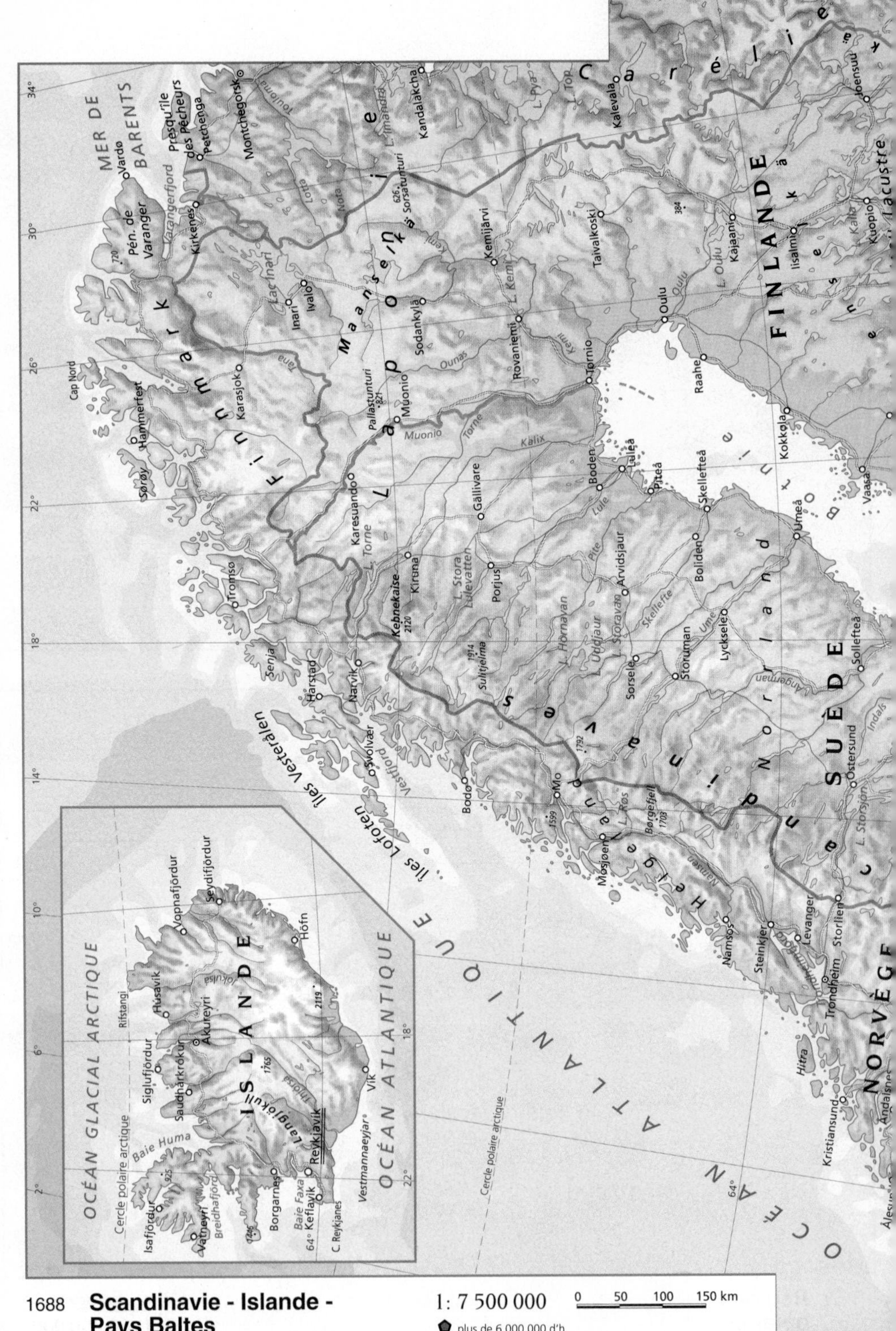




**Scandinavie - Islande - Pays Baltes**

1: 7 500 000

0 50 100 150 km

- plus de 6.000.000 d'h.
- de 1.000.000 à 3.000.000 d'h.
- de 500.000 à 1.000.000 d'h.
- de 100.000 à 500.000 h.
- moins de 100.000 h.

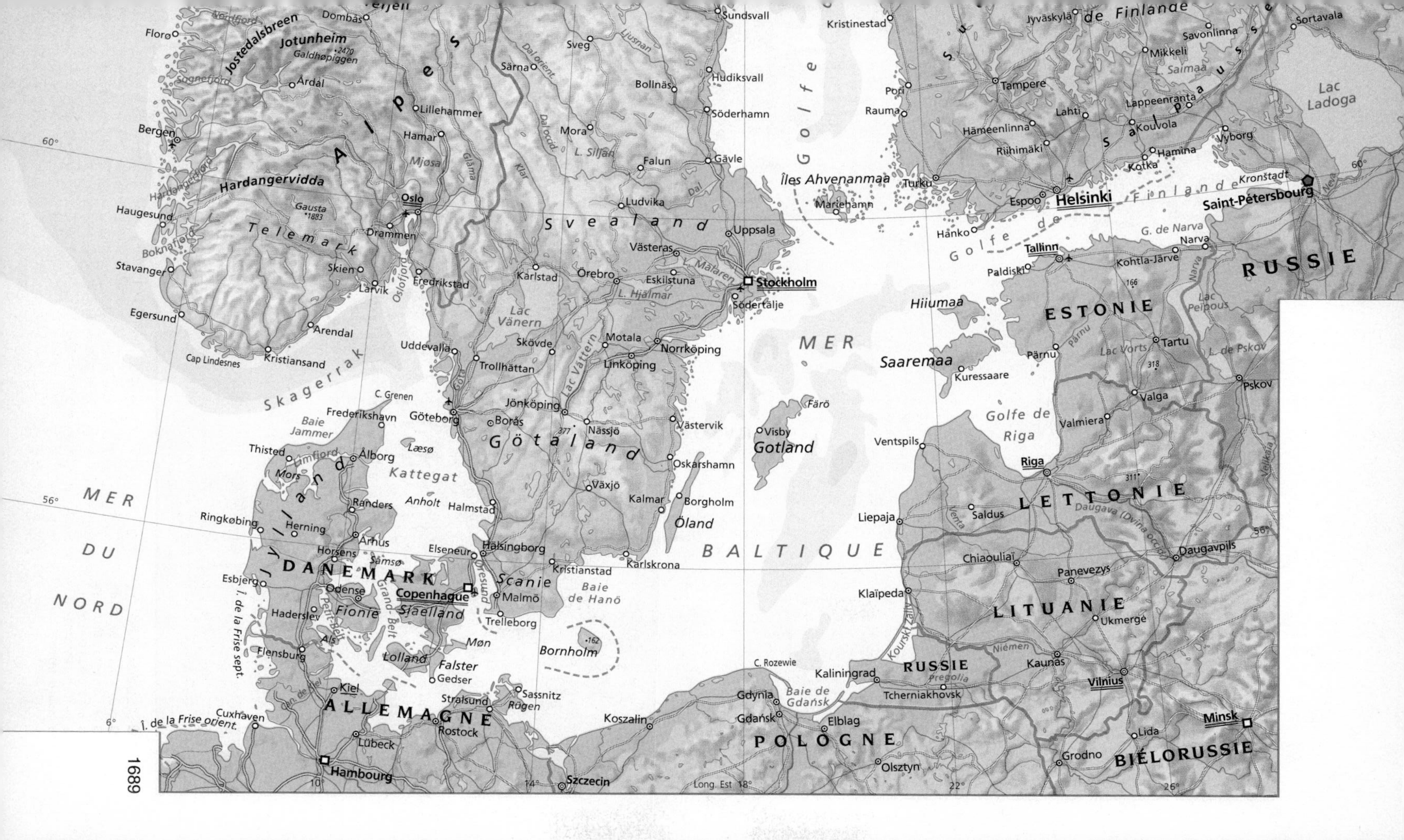
RUSSIE
Saint-Pétersbourg
Lac Ladoga
Finlande
Helsinki
Golfe de Finlande
G. de Narva
ESTONIE
Tallinn
Lac Peipous
LETTONIE
Riga
LITUANIE
Vilnius
BIÉLORUSSIE
Minsk
POLOGNE
ALLEMAGNE
Hambourg
DANEMARK
Copenhague
MER BALTIQUE
MER DU NORD
Gotland
Öland
Bornholm
Stockholm
Svealand
Götaland
Scanie
Golfe
Îles Ahvenanmaa
Saaremaa
Hiiumaa
Golfe de Riga
Baie de Gdańsk
Baie de Hanö
Skagerrak
Kattegat
Lac Vänern
Lac Vättern
Alpes
Oslo
Bergen
Stavanger
Göteborg
Malmö
Kaliningrad
Gdańsk
Szczecin
Kiel
Lübeck
Rostock
Telemark
Hardangervidda
Jotunheim
Jostedalsbreen
Fionie
Sjælland
Lolland
Falster
Jylland
Long. Est 18°

- plus de 6.000.000 d'h.
- de 3.000.000 à 6.000.000 d'h.
- de 1.000.000 à 3.000.000 d'h.
- de 500.000 à 1.000.000 d'h.
- de 100.000 à 500.000 h.
- moins de 100.000 h.

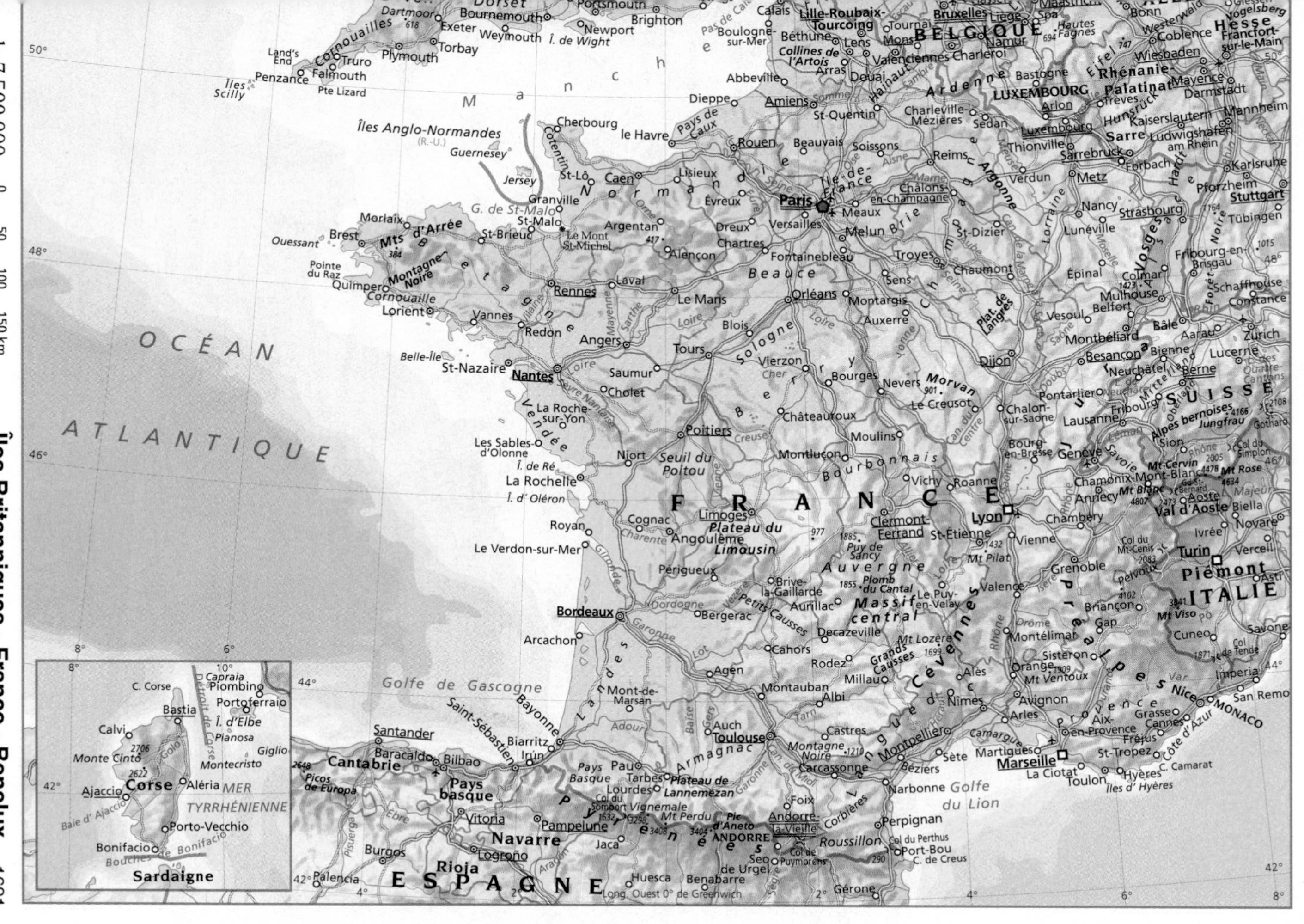
OCÉAN
ATLANTIQUE
Manche
FRANCE
ESPAGNE
SUISSE
ITALIE
BELGIQUE
LUXEMBOURG
Paris
Lyon
Marseille
Bordeaux
Toulouse
Nantes
Rennes
Lille-Roubaix-Tourcoing
Bruxelles
Strasbourg
Dijon
Limoges
Clermont-Ferrand
Montpellier
Nice
MONACO
Turin
Genève
Lausanne
Berne
Zurich
Bâle
Stuttgart
ANDORRE
Golfe de Gascogne
Golfe du Lion
Massif central
Bretagne
Normandie
Auvergne
Alpes
Pyrénées
Vosges
Corse
Ajaccio
Bastia
Sardaigne
Bilbao
Pampelune
Navarre
Pays basque
Cantabrie
Rioja
Îles Anglo-Normandes
Jersey
Guernesey
Plymouth
Brighton
Portsmouth
Îles Scilly

1692

- ■ de 3.000.000 à 6.000.000 d'h.
- □ de 1.000.000 à 3.000.000 d'h.
- ◎ de 500.000 à 1.000.000 d'h.
- ⊙ de 100.000 à 500.000 h.
- ○ moins de 100.000 h.

1: 7 500 000   0 50 100 150 km

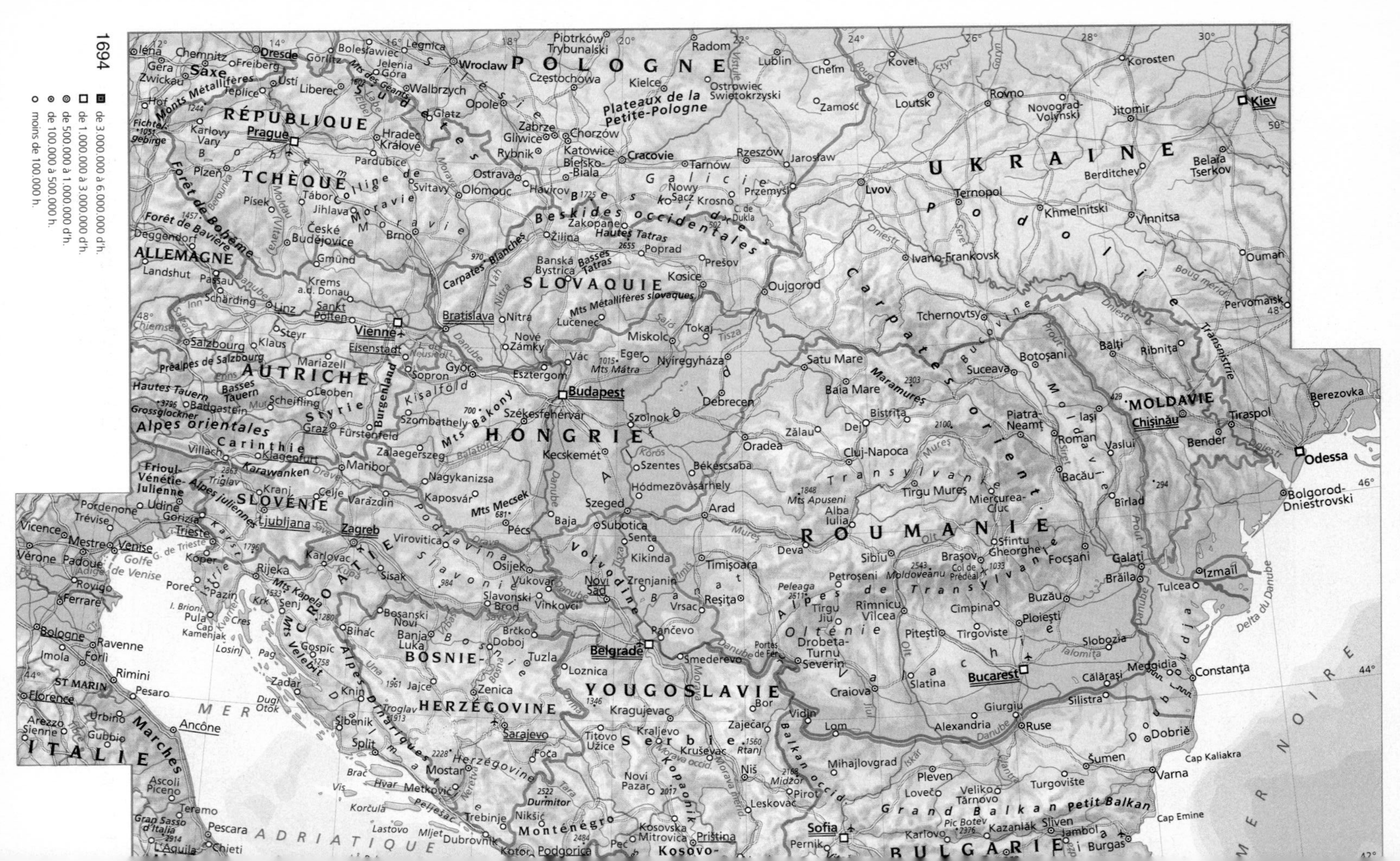




- de 3.000.000 à 6.000.000 d'h.
- de 1.000.000 à 3.000.000 d'h.
- de 500.000 à 1.000.000 d'h.
- de 100.000 à 500.000 h.
- moins de 100.000 h.

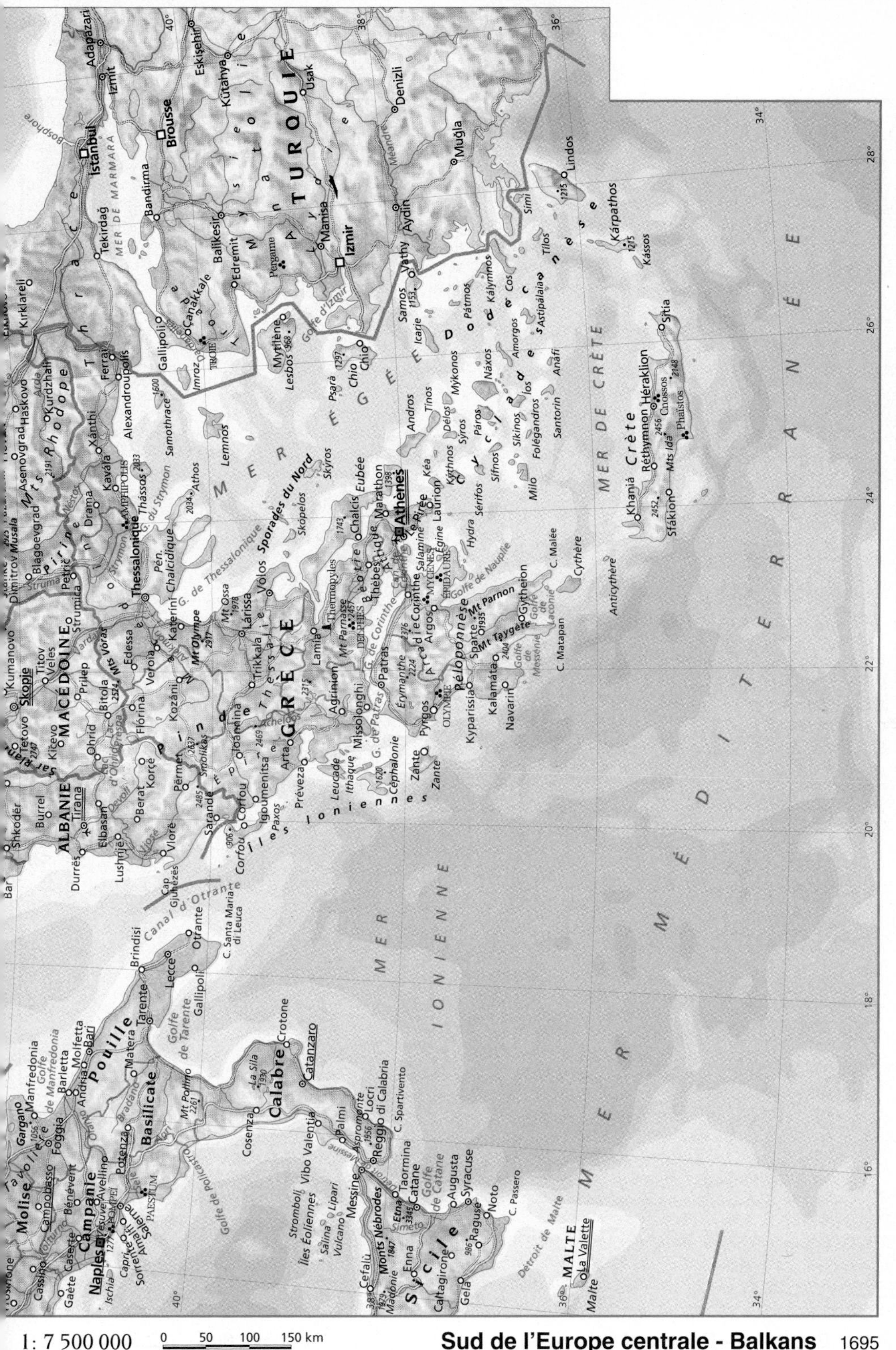


1: 7 500 000   0 50 100 150 km

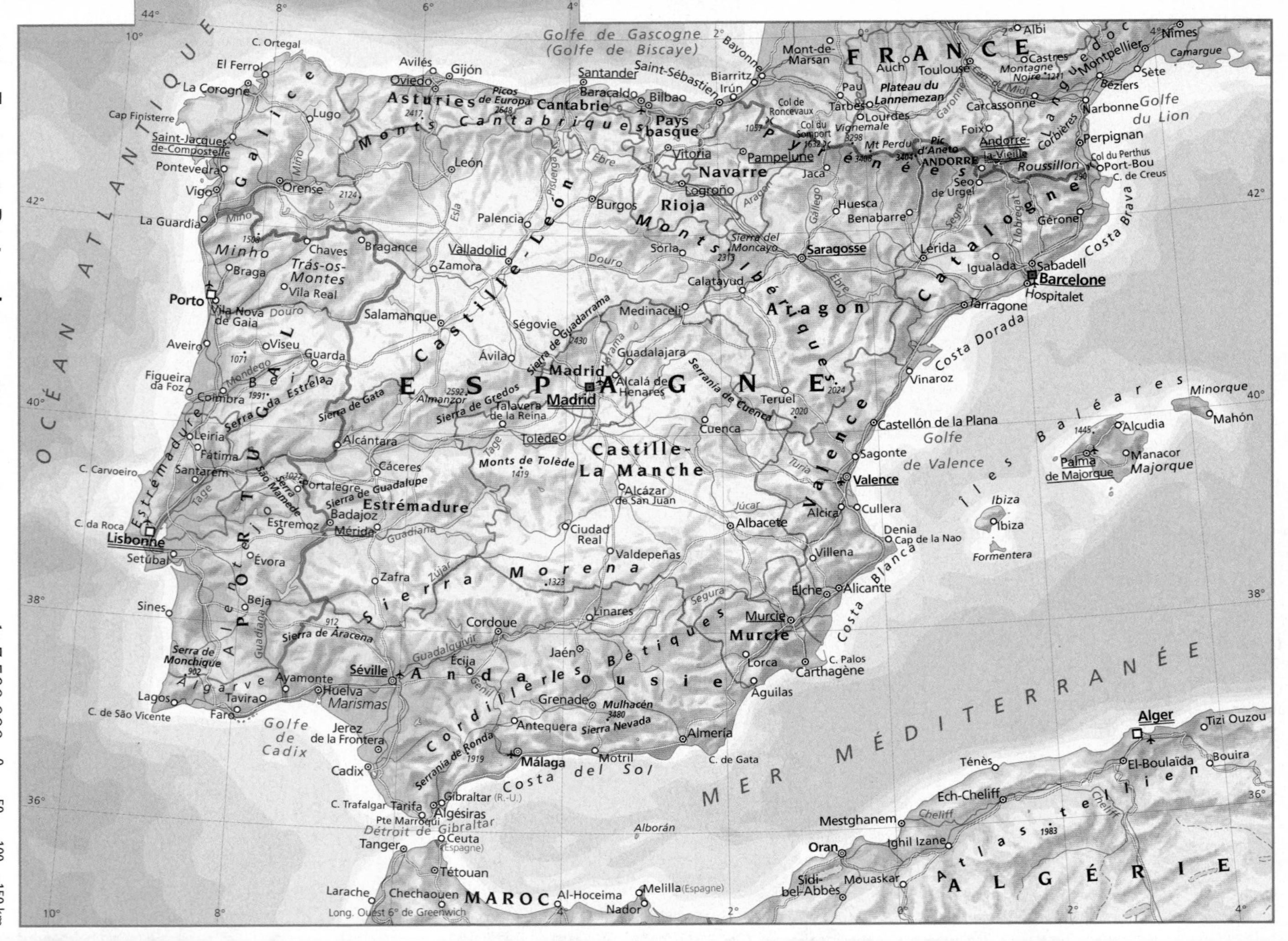


**1696 Espagne - Portugal**

- ■ de 3.000.000 à 6.000.000 d'h.
- □ de 1.000.000 à 3.000.000 d'h.
- ◎ de 500.000 à 1.000.000 d'h.
- ⊙ de 100.000 à 500.000 h.
- ○ moins de 100.000 h.

1: 7 500 000 — 0 50 100 150 km

ALLEMAGNE
Munich
Plateau bavarois
Préalpes de Bavière
AUTRICHE
Vienne
Bratislava
Budapest
HONGRIE
Salzbourg
Innsbruck
Graz
Styrie
Alpes orientales
Carinthie
Klagenfurt
Karawanken
SLOVÉNIE
Ljubljana
Zagreb
CROATIE
Slavonie
Podravina
BOSNIE-HERZÉGOVINE
Sarajevo
Mostar
Split
Alpes Dinariques
Dalmatie
Monténégro
Podgorica
YOUGOSLAVIE
ALBANIE
SUISSE
Berne
Zurich
Lucerne
Lausanne
Alpes
A. bernoises
Grisons
Tessin
LIECHTENSTEIN
Vaduz
Mt Cervin 4478
Mt Rose 4634
Mt Blanc 4807
Val d'Aoste
Aoste
Piémont
Turin
Lombardie
Milan
Trentin-Haut-Adige
Trente
Bolzano
Dolomites
Vénétie
Venise
Golfe de Venise
Frioul-Vénétie-Julienne
Trieste
Ligurie
Gênes
Golfe de Gênes
Apennin toscan
Émilie-Romagne
Bologne
Ravenne
St MARIN
FRANCE
Nice
MONACO
Côte d'Azur
MER LIGURIENNE
Toscane
Florence
Livourne
Pise
ITALIE
Marches
Ancône
Ombrie
Pérouse
Maremme
Î. d'Elbe
Corse
Ajaccio
Bastia
Bonifacio
Bouches de Bonifacio
Abruzzes
L'Aquila
Pescara
Latium
CITÉ DU VATICAN
Rome
Molise
Campobasso
Campanie
Naples
Vésuve 1277
POMPEI
PAESTUM
Capri
Pouille
Bari
Foggia
Gargano
Tarente
Golfe de Tarente
Brindisi
Lecce
Otrante
Canal d'Otrante
Basilicate
Potenza
Calabre
Catanzaro
Reggio di Calabria
MER ADRIATIQUE
MER TYRRHÉNIENNE
MER IONIENNE
Sardaigne
Cagliari
Sassari
MER DE SARDAIGNE
Sicile
Palerme
Messine
Catane
Etna 3345
Syracuse
Îles Éoliennes
Stromboli
Détroit de Sicile
MER MÉDITERRANÉE
TUNISIE
Tunis
ALGÉRIE
MALTE
La Valette
Lampedusa
Long. Est 10° de Greenwich
1: 7 500 000
0 50 100 150 km
de 3.000.000 à 6.000.000 d'h.
de 1.000.000 à 3.000.000 d'h.
de 500.000 à 1.000.000 d'h.
de 100.000 à 500.000 h.
moins de 100.000 h.

RUSSIE
MER CASPIENNE
Soukhoumi
Abkhazie
Ossétie du Sud
MER NOIRE
GÉORGIE
Tbilissi
Adjarie
Bakou
ARMÉNIE
AZERBAÏDJAN
Haut-Karabakh
Erevan
Nakhitchevan
TURQUIE
IRAQ
OCÉAN GLA
Île aux Ours (Norvège)
Hammerfest
Cap Nord
Laponie
Archipel François-Joseph
MER DE BARENTS
Varangerfjord
Novaïa Zemlia (Nouvelle-Zemble)
MER DE KARA
Mourmansk
Pén. de Kola
Cap Kanin
Pén. de Kanin
Kolgouiev
Î. Biely
Î. Sverdrup
Presqu'île de Taimyr
Dikson
Détr. de Kara
Vaïgatch
Presqu'île de Iamal
Presqu'île de Gydan
Golfe de l'Ob
MER BLANCHE
Stockholm
Tampere
Vaasa
Turku
Gotland
Öland
FINLANDE
Helsinki
Carelie
Severodvinsk
MER BALTIQUE
Tallinn
ESTONIE
Riga
LETTONIE
Vyborg
St-Pétersbourg
Kaliningrad
RUSSIE
LITUANIE
Vilnius
Minsk
BIÉLORUSSIE
Pskov
Novgorod
Petrozavodsk
Arkhangelsk
Mts Timan
Narian Mar
Vorkouta
Doudinka
Norilsk
Vitebsk
Vologda
Rybinsk
Tver
Smolensk
Gomel
Briansk
Orel
Toula
Iaroslavl
Kostroma
Ivanovo
Moscou
Soukhona
Vytchegda
Kotlas
Syktyvkar
Oukhta
Komis
Narodnaïa 1894
Salekhard
Oural
RUSSIE
Sibérie
Plaine de Sibérie occidentale
Tourroukhansk
Toungouska
Ienisseï
Tchernigov
Koursk
Riazan
Nijni-Novgorod
Viatka
Iochkar-Ola
Tcheboksary
Bereznik
Perm
Iekaterinbourg
Serov
Khanty-Mansiisk
Sourgout
Nijnevartovsk
Kharkov
UKRAINE
Dniepropetrovsk
Voronej
Saransk
Penza
Kazan
Ijevsk
Nijni-Taguil
Tioumen
Tobolsk
Zaporojie
Donetsk
Marioupol
MER D'AZOV
Saratov
Plateau de la Volga
Simbirsk
Togliatti
Samara
Oufa
Iaman Taou 1640
Magnitogorsk
Kamensk-Ouralski
Kourgan
Volgograd
Rostov-sur-le-Don
Engels
Ouralsk
Orenbourg
Tcheliabinsk
Petropavlovsk
Omsk
Anjero-Soudjensk
Tomsk
Krasnoïarsk
Krasnodar
Maïkop
Elista
Aktioubinsk
Orsk
Koustanaï
Ichim
Koktchetav
Novossibirsk
Kemerovo
Tcherkessk
Naltchik
Elbrouz
Koutaïssi
Vladikavkaz
Grosny
Nazran
Batoumi
GÉORGIE
Astrakhan
Gouriev
Mts Mougodjar
Emba
Tselinograd
Pavlodar
Barnaoul
Prokopievsk
Novokouznetsk
Abakan
Biisk
Roubzovsk
Tbilissi
Makhatchkala
Caucase
KAZAKHSTAN
Tourgaï
Qaraghandy
Steppes du kazakhstan
Semipalatinsk
Gorno-Altaïsk
Monts
Ak-Dovurag
ARMÉNIE
Erevan
AZERBAÏDJAN
Chevtchenko
Aralsk
Baïkonour
Djezkazgan
Oskemen
ALTAÏ
Bieloukha 4506
Oubsa N
Oustiourt
Mer d'Aral
Kzyl-Orda
Steppes de la Faim
Lac Zaïsan
Kobdo
Nakhitchevan
Bakou
MER CASPIENNE
Kara-Bogaz
OUZBÉKISTAN
Noukous
Balkhach
Lac Balkhach
Monts Tarbagataï
Tabriz
Ardébil
Recht
Ourgentch
Kyzylkoum
Syr-Daria
Krasnovodsk
TURKMÉNISTAN
Turkestan occidental
Tchimkent
Taldy-Kourgan
Alataou de Dzoungarie
Karamay
Dzoungarie
Almaty
Djamboul
Manas
Tachkent
Bichkek
Yining
Monts Elbourz
IRAN
Achkhabad
Kopet-Dag
Karakoum
Tchardjou
KIRGHIZISTAN
Ouroumtsi
TIAN SHAN
Téhéran
Qom
Fergana
Och
Pic Pobedy
Tourfan
Samarkand
Alaï
Pic du Communisme
Turkestan oriental
CHINE
Douchanbe
TADJIKISTAN
Kachgar
Tarim
Mazar-e Charif
Kunduz
Pamir
Kungur Shan
Désert du Takla-Makan
Hérat
AFGHANISTAN
Hari Rud
Hindou Kouch

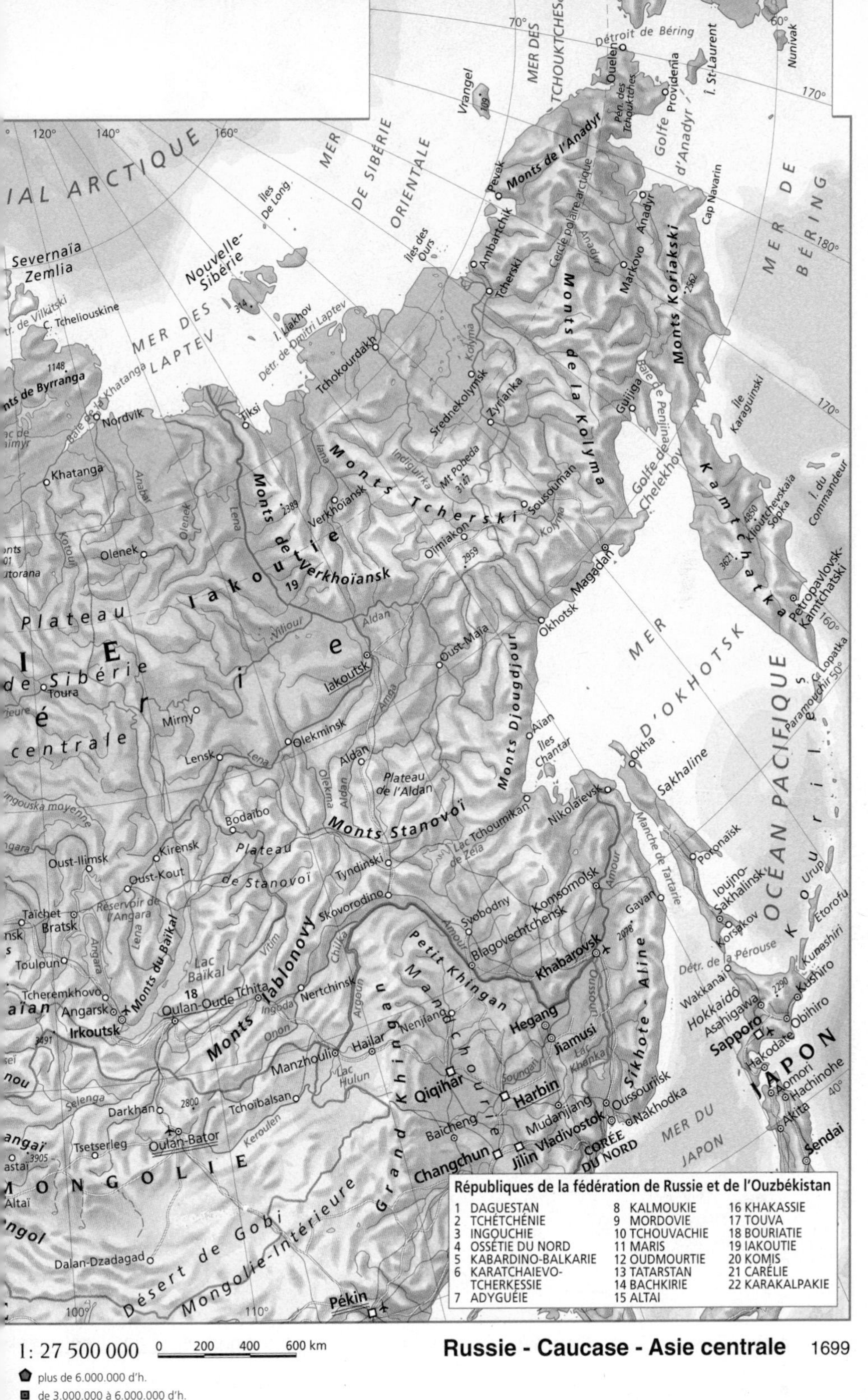


1: 27 500 000 — 0 200 400 600 km

**Russie - Caucase - Asie centrale** 

- plus de 6.000.000 d'h.
- de 3.000.000 à 6.000.000 d'h.
- de 1.000.000 à 3.000.000 d'h.
- de 500.000 à 1.000.000 d'h.
- de 100.000 à 500.000 h.
- moins de 100.000 h.

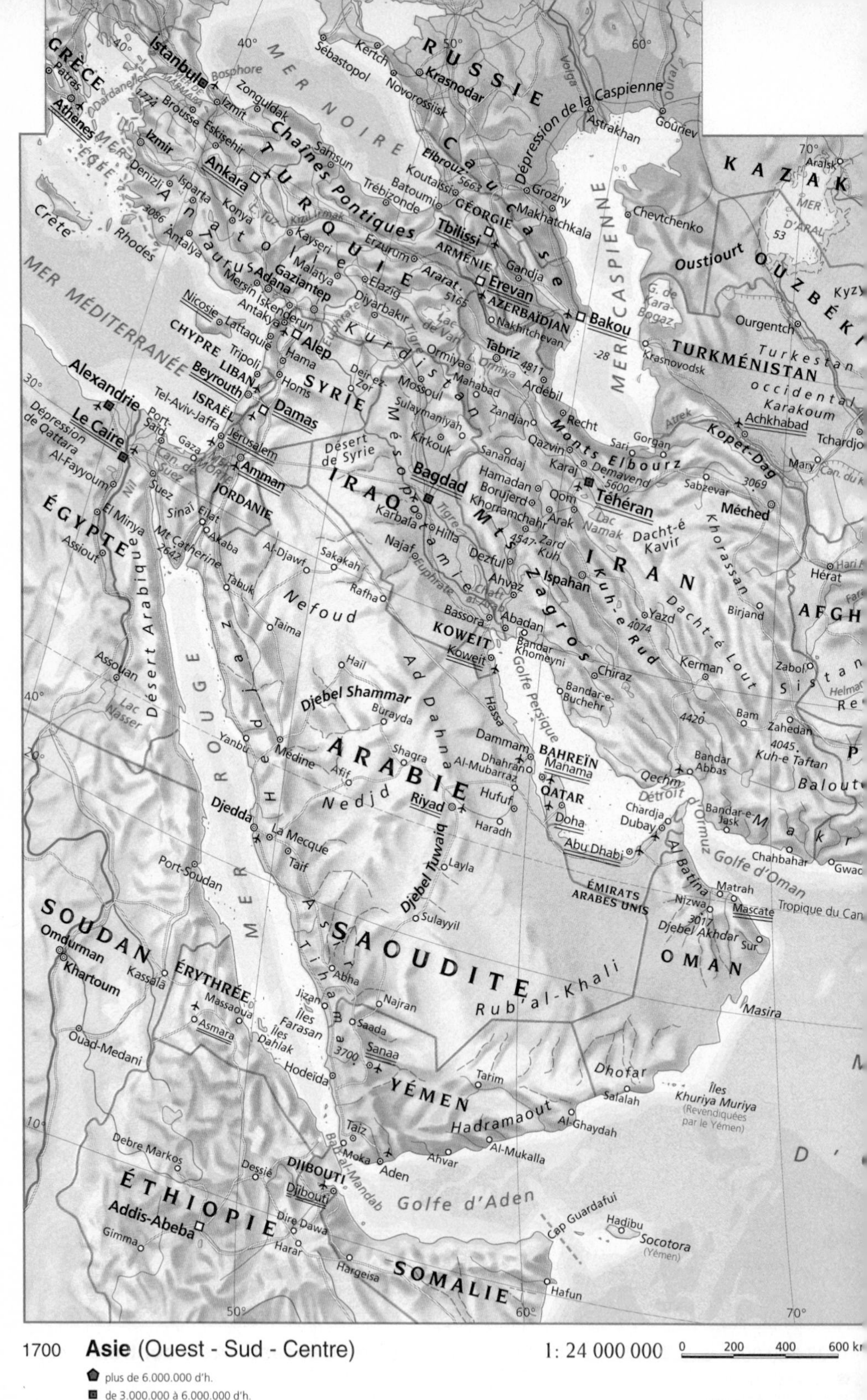


1700 **Asie** (Ouest - Sud - Centre) 1: 24 000 000 0 200 400 600 km

- plus de 6.000.000 d'h.
- de 3.000.000 à 6.000.000 d'h.
- de 1.000.000 à 3.000.000 d'h.
- de 500.000 à 1.000.000 d'h.
- de 100.000 à 500.000 h.
- moins de 100.000 h.

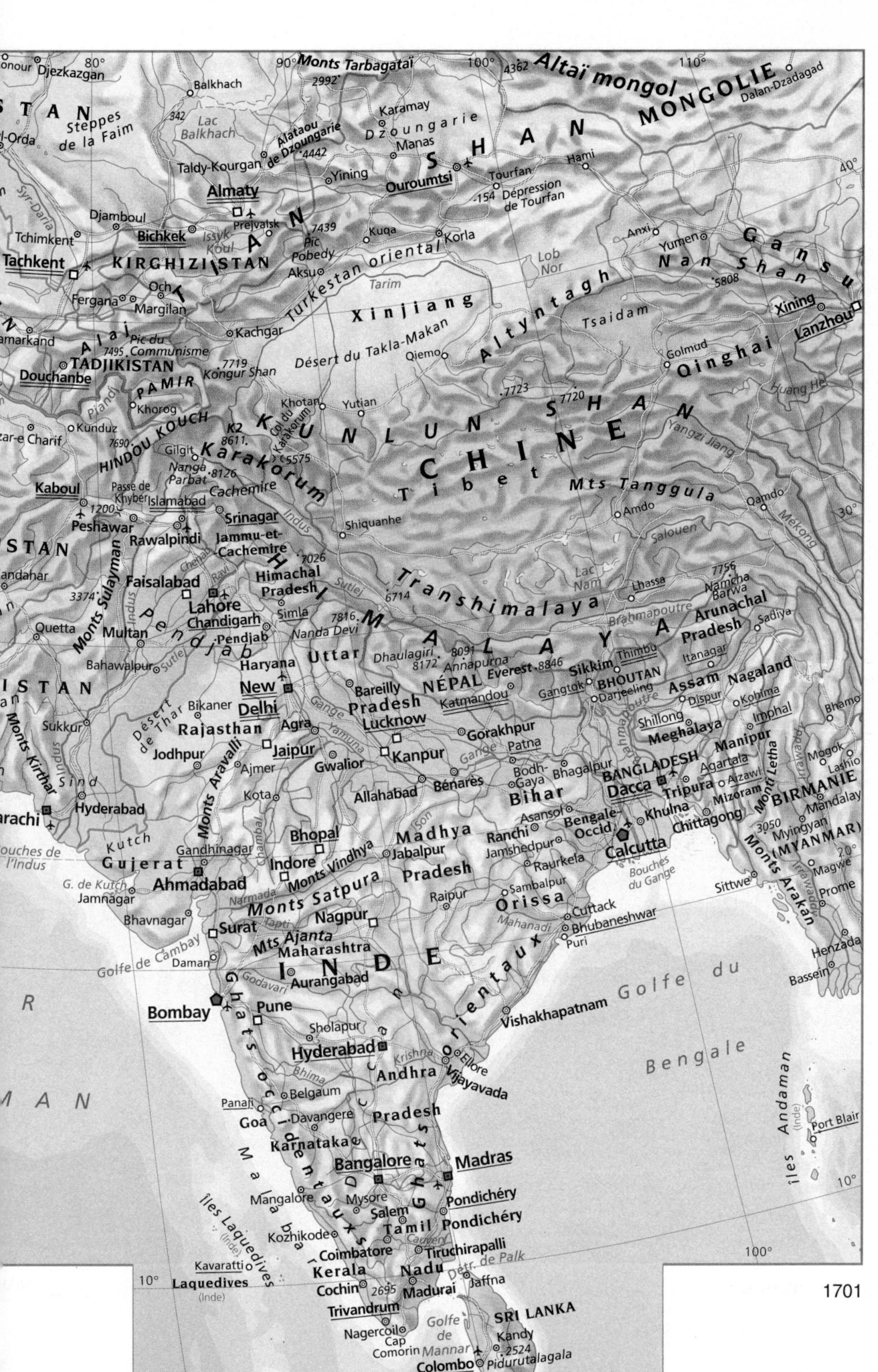

Djezkazgan
Balkhach
Lac Balkhach
Steppes de la Faim
Monts Tarbagataï
2992
Altaï mongol
4362
MONGOLIE
Dalan-Dzadagad
Karamay
Dzoungarie
Alataou de Dzoungarie
4442
Manas
Taldy-Kourgan
Yining
Ouroumtsi
Tourfan
Hami
Dépression de Tourfan
-154
Almaty
Djamboul
Tchimkent
Bichkek
Issyk Koul
Prejvalsk
7439
Pic Pobedy
Kuqa
Korla
Lob Nor
Anxi
Yumen
Gansu
Nan Shan
5808
Tachkent
KIRGHIZISTAN
Aksu
Turkestan oriental
Tarim
Och
Fergana
Margilan
Xinjiang
Altyntagh
Tsaidam
Xining
Lanzhou
Kachgar
Pic du Communisme
7495
Désert du Takla-Makan
Qiemo
Golmud
Qinghai
TADJIKISTAN
Douchanbe
7719
Kongur Shan
PAMIR
Khorog
Huang He
7723
Khotan
Yutian
7720
KUNLUN SHAN
Kunduz
Mazar-e Charif
7690
HINDOU KOUCH
K2
8611
Col du Karakorum
Yangzi Jiang
Gilgit
Karakorum
5575
CHINE
Nanga Parbat
8126
Tibet
Mts Tanggula
Qamdo
Kaboul
Passe de Khyber
Islamabad
Cachemire
1200
Peshawar
Rawalpindi
Srinagar
Jammu-et-Cachemire
Indus
Shiquanhe
Amdo
Salouen
Mékong
Kandahar
Monts Sulayman
Faisalabad
Chenab
Ravi
7026
Himachal Pradesh
Transhimalaya
Lac Nam
7756
Namcha Barwa
3374
Lahore
Sutlej
6714
Lhassa
Brahmapoutre
Arunachal Pradesh
Sadiya
Quetta
Multan
Pendjab
Chandigarh
Simla
7816
Nanda Devi
HIMALAYA
Bahawalpur
Haryana
Uttar Pradesh
Dhaulagiri
8172
8091
Annapurna
Everest
8846
Sikkim
Thimbu
Itanagar
BHOUTAN
Gangtok
Darjeeling
Assam
Nagaland
New Delhi
Bareilly
NÉPAL
Katmandou
Dispur
Kohima
Bikaner
Désert de Thar
Rajasthan
Agra
Lucknow
Shillong
Imphal
Bhamo
Sukkur
Yamuna
Gorakhpur
Meghalaya
Manipur
Monts Kirthar
Jodhpur
Jaipur
Kanpur
Gange
Patna
BANGLADESH
Mogok
Lashio
Sind
Ajmer
Gwalior
Bodh-Gaya
Bhagalpur
Agartala
Aizawl
Monts Aravalli
Kota
Allahabad
Bénarès
Bihar
Dacca
Tripura
Mizoram
Mont Letha
BIRMANIE
Karachi
Hyderabad
Chambal
Son
Asansol
Bengale-Occid.
Khulna
Mandalay
Bhopal
Madhya Pradesh
Ranchi
Chittagong
3050
Myingyan
(MYANMAR)
Bouches de l'Indus
Kutch
Gandhinagar
Indore
Monts Vindhya
Jabalpur
Jamshedpur
Calcutta
Gujerat
Raurkela
Bouches du Gange
Magwe
G. de Kutch
Jamnagar
Ahmadabad
Narmada
Monts Satpura
Raipur
Sambalpur
Orissa
Sittwe
Monts Arakan
Prome
Bhavnagar
Surat
Tapti
Nagpur
Cuttack
Mahanadi
Bhubaneshwar
Puri
Irrawaddy
Golfe de Cambay
Daman
Mts Ajanta
Maharashtra
INDE
Henzada
Bassein
Aurangabad
Godavari
Golfe du Bengale
Bombay
Pune
Ghats occidentaux
Ghats orientaux
Vishakhapatnam
Sholapur
Hyderabad
Krishna
Ellore
Andhra Pradesh
Vijayavada
Bhima
Belgaum
Panaji
Goa
Davangere
Karnataka
Îles Andaman (Inde)
Port Blair
Bangalore
Madras
Côte de Malabar
Mangalore
Mysore
Salem
Pondichéry
Îles Laquedives (Inde)
Kozhikode
Tamil Nadu
Cauvery
Tiruchirapalli
Coimbatore
Kavaratti
Laquedives (Inde)
Kerala
Détr. de Palk
Jaffna
Cochin
2695
Madurai
Trivandrum
SRI LANKA
Golfe de Mannar
Kandy
Nagercoil
Cap Comorin
2524
Colombo
Pidurutalagala
80°
90°
100°
110°
40°
30°
20°
10°

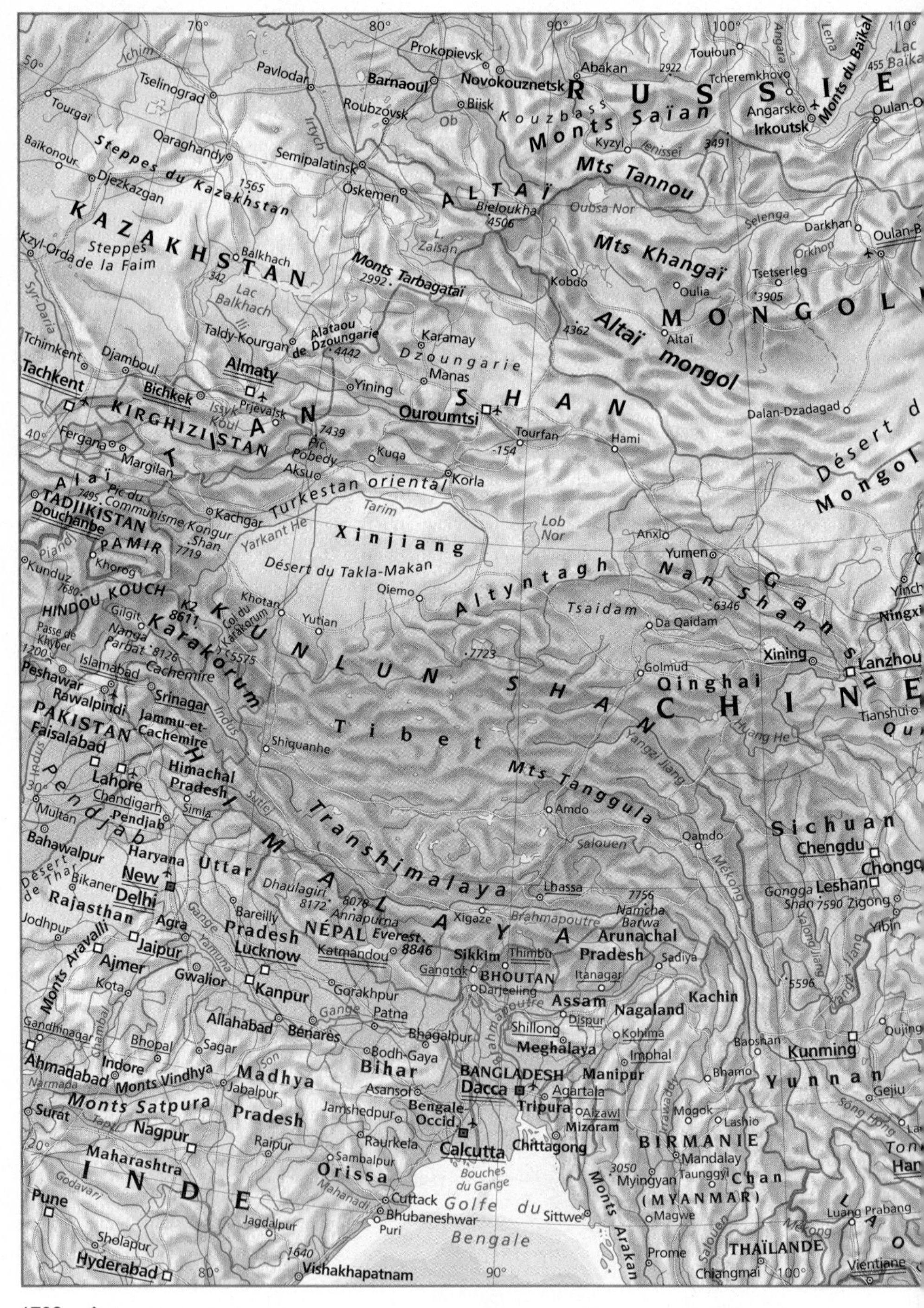




- ⬟ plus de 6.000.000 d'h.
- ▣ de 3.000.000 à 6.000.000 d'h.
- □ de 1.000.000 à 3.000.000 d'h.
- ◎ de 500.000 à 1.000.000 d'h.
- ⊙ de 100.000 à 500.000 h.
- ○ moins de 100.000 h.

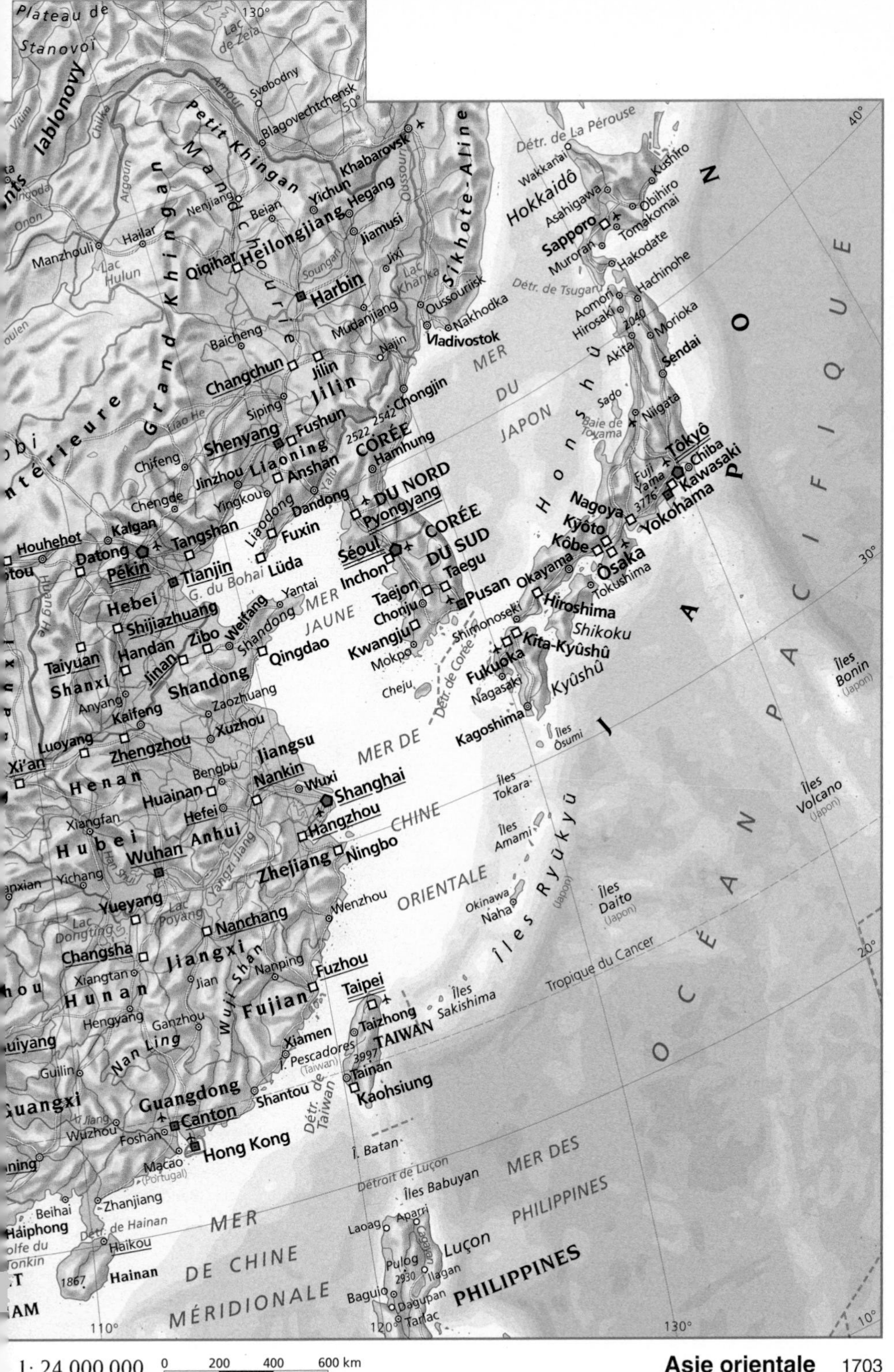


1: 24 000 000 — 0 200 400 600 km

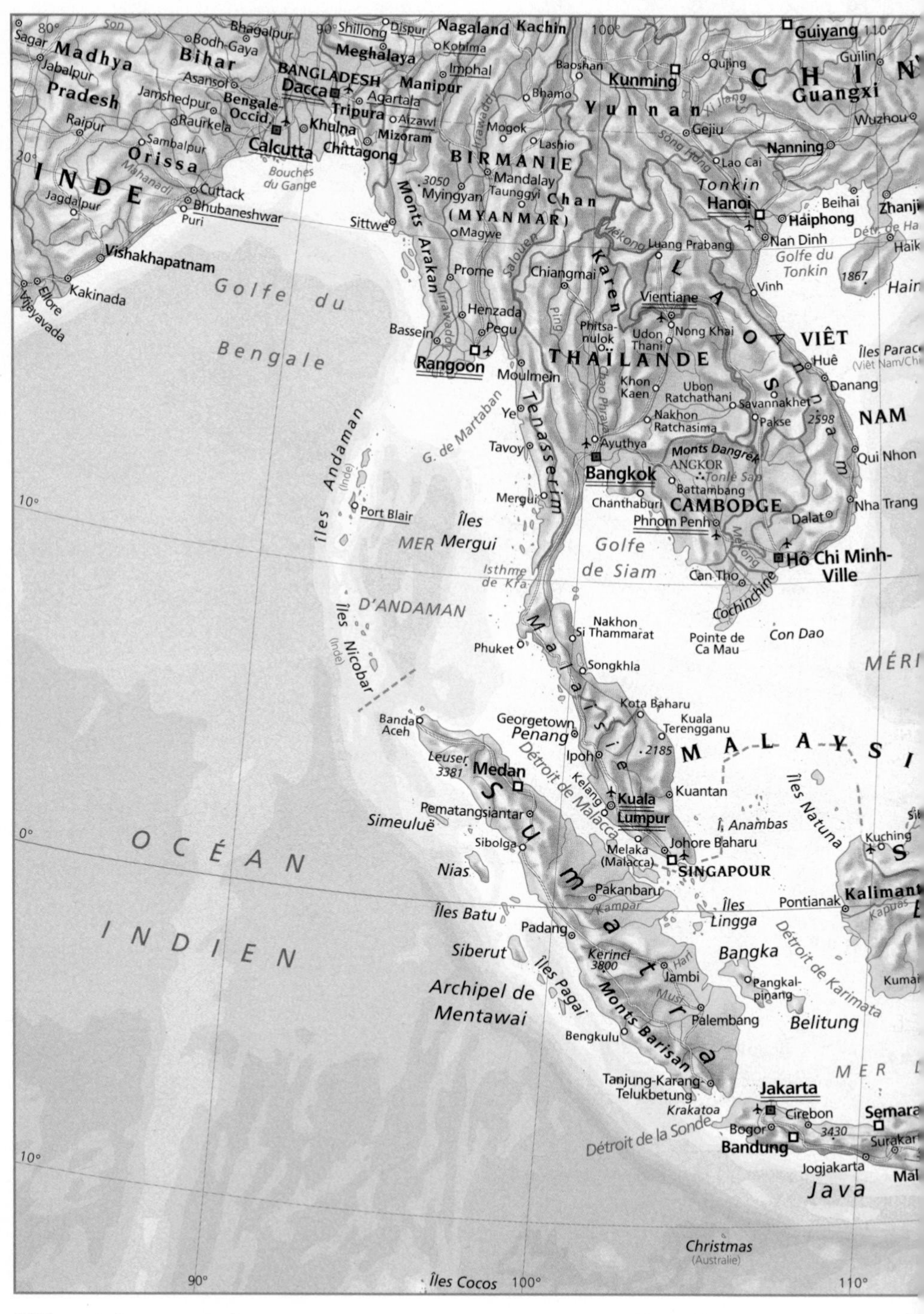




■ de 3.000.000 à 6.000.000 d'h.
□ de 1.000.000 à 3.000.000 d'h.
◎ de 500.000 à 1.000.000 d'h.
⊙ de 100.000 à 500.000 h.
○ moins de 100.000 h.

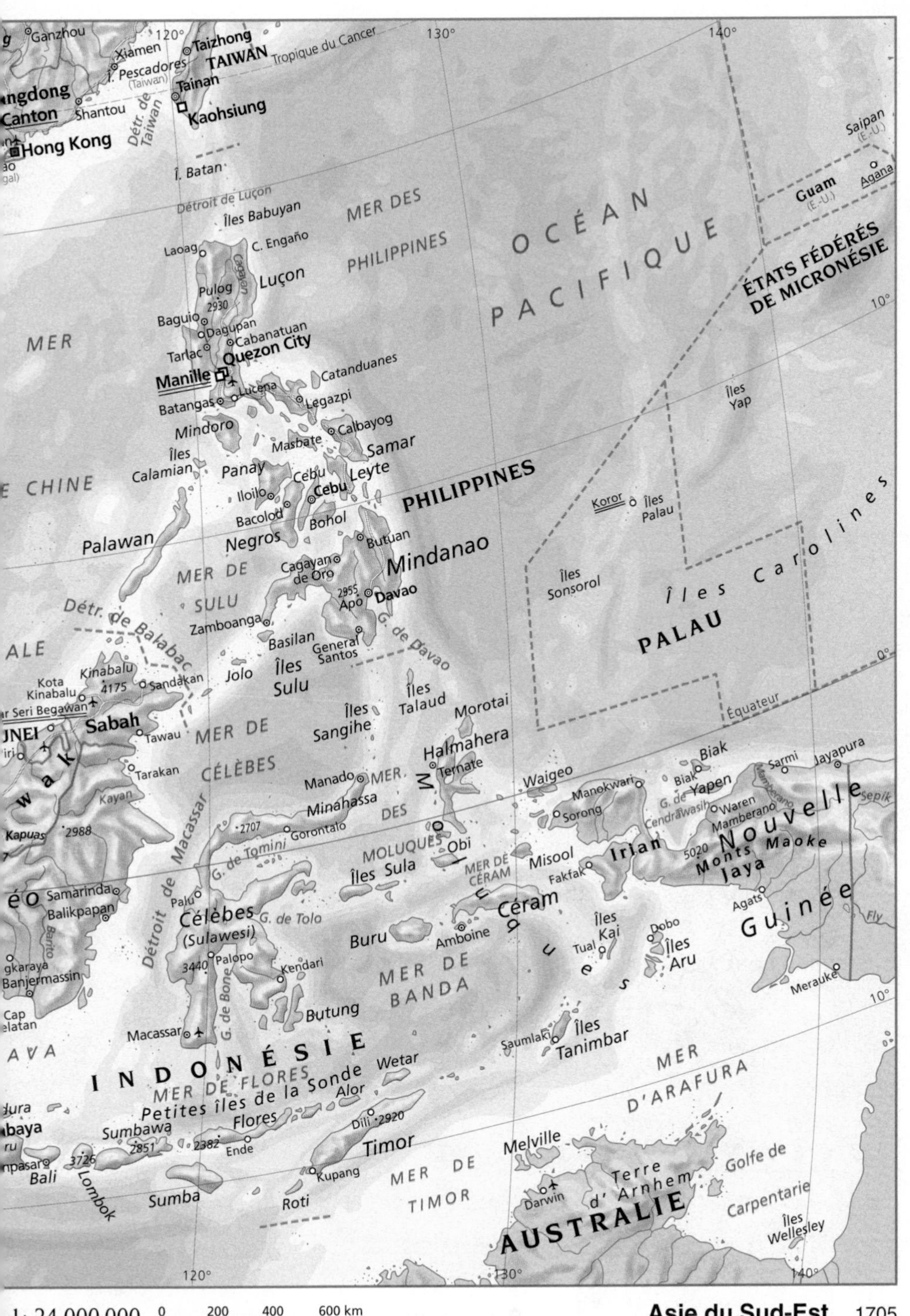


1: 24 000 000 — 0 200 400 600 km

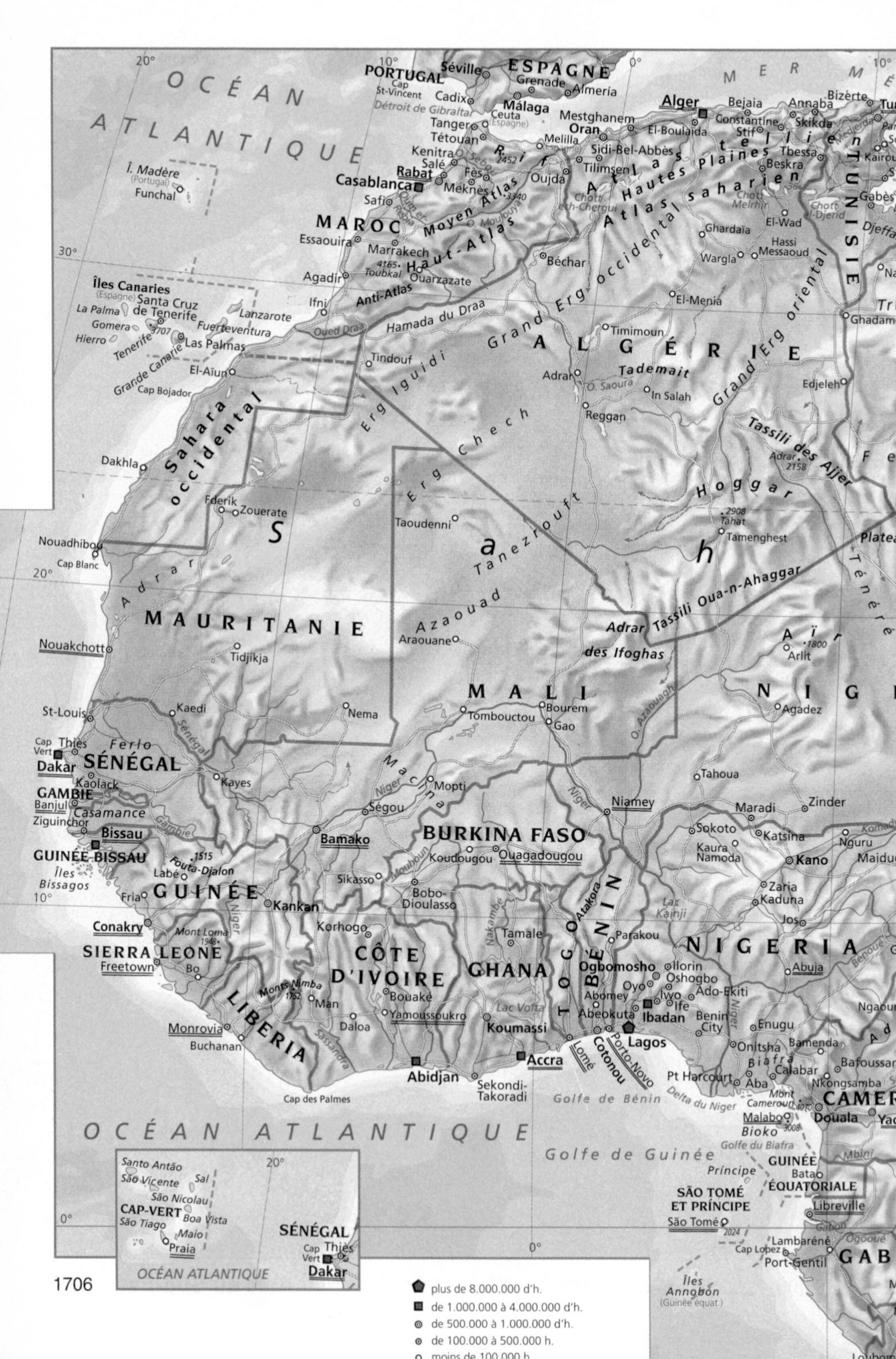

OCÉAN ATLANTIQUE
PORTUGAL
ESPAGNE
MER
Séville
Grenade
Almería
Cap St-Vincent
Cadix
Détroit de Gibraltar
Málaga
Ceuta (Espagne)
Tanger
Tétouan
Kenitra
Salé
Rabat
Casablanca
Safi
Fès
Meknès
Melilla (Espagne)
Oujda
Mestghanem
Oran
Alger
Bejaia
Annaba
Bizerte
Constantine
Skikda
El-Boulaida
Stif
Sidi-Bel-Abbès
Tilimsen
Tbessa
Beskra
Gabès
Kairouan
TUNISIE
Chott ech-Chergui
Chott Melrhir
Chott el-Djerid
Hautes Plaines
Atlas saharien
Atlas tellien
Rif
Moyen Atlas
Haut-Atlas
Anti-Atlas
MAROC
Essaouira
Marrakech
4165 Toubkal
Ouarzazate
Agadir
Ifni
Béchar
Ghardaïa
Wargla
Hassi Messaoud
El-Wad
Î. Madère (Portugal)
Funchal
Îles Canaries (Espagne)
Santa Cruz de Tenerife
La Palma
Gomera
Hierro
Tenerife
3707
Lanzarote
Fuerteventura
Las Palmas
Grande Canarie
El-Aïun
Cap Bojador
Oued Draa
Hamada du Draa
Tindouf
Grand Erg occidental
Grand Erg oriental
El-Menia
Timimoun
ALGÉRIE
Ghadamès
Adrar
O. Saoura
Tademait
In Salah
Reggan
Edjeleh
Tassili des Ajjer
Adrar 2158
Hoggar
2908 Tahat
Tamenghest
Erg Iguidi
Erg Chech
Sahara occidental
Dakhla
Fderik
Zouerate
Sahara
Taoudenni
Tanezrouft
Nouadhibou
Cap Blanc
Adrar
MAURITANIE
Azaouad
Araouane
Adrar des Ifoghas
Tassili Oua-n-Ahaggar
Aïr
1800
Arlit
Ténéré
Nouakchott
Tidjikja
MALI
NIGER
Agadez
St-Louis
Kaedi
Nema
Tombouctou
Bourem
Gao
O. Azaouagh
Cap Vert
Thiès
Dakar
Ferlo
Sénégal
SÉNÉGAL
GAMBIE
Kaolack
Banjul
Kayes
Macina
Mopti
Niger
Tahoua
Casamance
Ziguinchor
Bissau
Gambie
Ségou
Niamey
Maradi
Zinder
Bamako
BURKINA FASO
Sokoto
Katsina
Nguru
GUINÉE-BISSAU
Îles Bissagos
1515
Fouta-Djalon
Labé
Koudougou
Ouagadougou
Kaura Namoda
Kano
Maiduguri
Mouhoun
Sikasso
Bobo-Dioulasso
GUINÉE
Fria
Kankan
Zaria
Kaduna
Conakry
Mont Loma 1948
Korhogo
Nakambé
Tamale
Atakora
Parakou
Lac Kainji
Jos
SIERRA LEONE
Freetown
Bo
CÔTE D'IVOIRE
GHANA
TOGO
BÉNIN
NIGERIA
Ogbomosho
Ilorin
Oshogbo
Abuja
Bénoué
Monts Nimba 1752
Man
Bouaké
Lac Volta
Oyo
Iwo
Ado-Ekiti
Ife
Abomey
Abeokuta
Ibadan
Benin City
LIBERIA
Monrovia
Buchanan
Daloa
Yamoussoukro
Koumassi
Lomé
Cotonou
Porto-Novo
Lagos
Enugu
Onitsha
Bamenda
Sassandra
Abidjan
Accra
Sekondi-Takoradi
Biafra
Aba
Calabar
Bafoussam
Nkongsamba
Pt Harcourt
Cap des Palmes
Golfe de Bénin
Delta du Niger
Mont Cameroun 4070
CAMEROUN
Douala
Malabo
Bioko 3008
Golfe du Biafra
Golfe de Guinée
Príncipe
GUINÉE ÉQUATORIALE
Bata
Mbini
SÃO TOMÉ ET PRÍNCIPE
São Tomé
2024
Libreville
Lambaréné
Ogooué
Cap Lopez
Port-Gentil
GABON
Îles Annobon (Guinée équat.)
Loubomo
Pointe-Noire
Santo Antão
São Vicente
Sal
São Nicolau
CAP-VERT
Boa Vista
São Tiago
Maio
Praia
SÉNÉGAL
Cap Vert
Thiès
Dakar
OCÉAN ATLANTIQUE
20°
10°
0°
30°
plus de 8.000.000 d'h.
de 1.000.000 à 4.000.000 d'h.
de 500.000 à 1.000.000 d'h.
de 100.000 à 500.000 h.
moins de 100.000 h.

1: 24 000 000 0 200 400 600 km **Afrique** (hémisphère Nord)

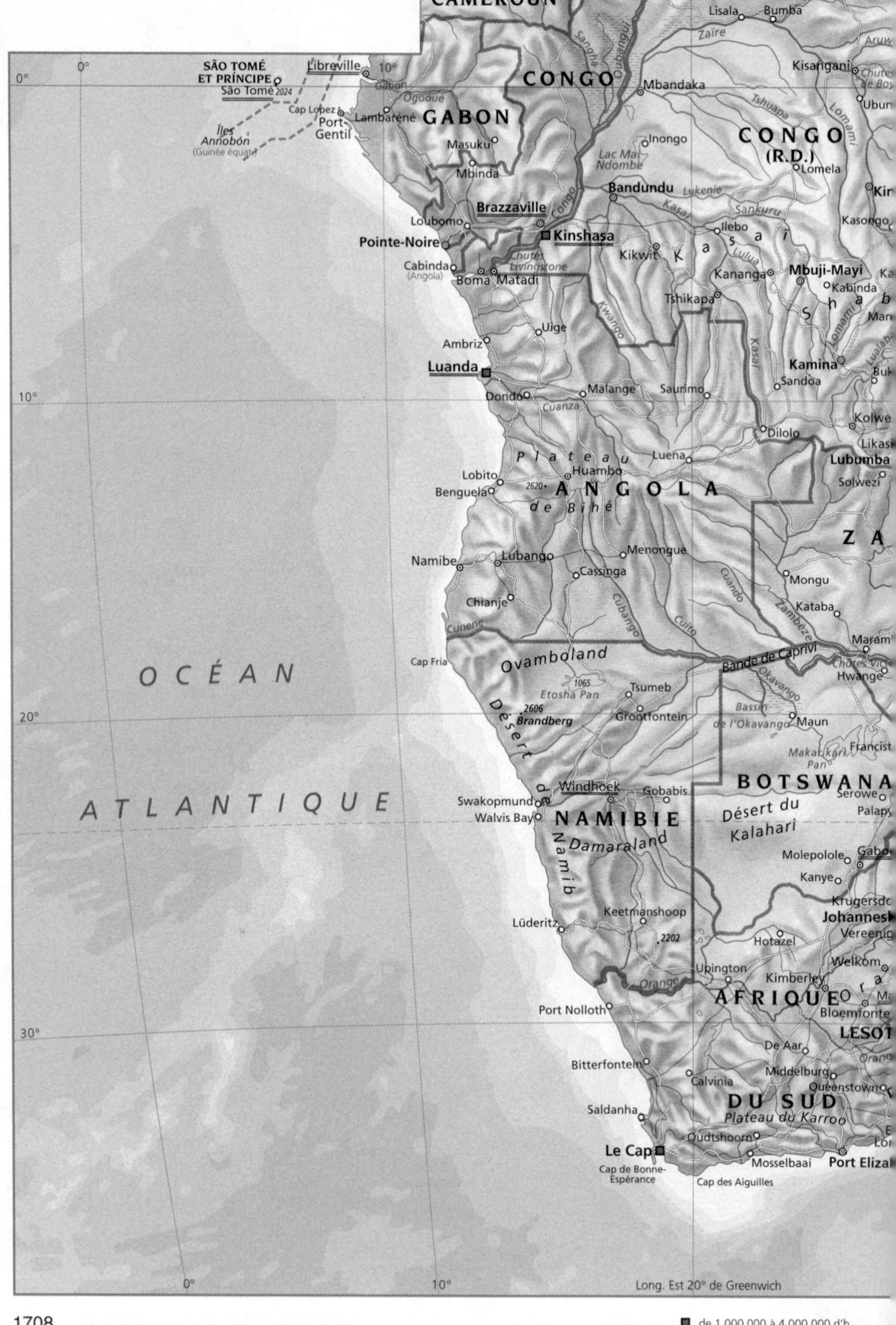


- de 1.000.000 à 4.000.000 d'h.
- de 500.000 à 1.000.000 d'h.
- de 100.000 à 500.000 h.
- moins de 100.000 h.

SOUDAN
ÉTHIOPIE
Kinyeti
3187
Lodwar
L. Turkana (Lac Rodolphe)
Moyale
Dolo
Baidoa
Benadir
Mogadiscio
Merca
Djouba
Gulu
Mungbere
Lac Albert
L. Kyoga
KENYA
OUGANDA
Elgon
4321
Kampala
Mbale
Jinja
Eldoret
Meru
Kisumu
Nakuru
5199
Mt Kenya
Masaka
Lac Victoria
RWANDA
Kigali
4507
Magadi
Nairobi
Tana
SOMALIE
Kisimaio
Équateur
OCÉAN
Mwanza
Lac Natron
N'gorongoro
Kilimandjaro
5895
Arusha
Moshi
Voi
Malindi
Mombasa
BURUNDI
Bujumbura
L. Eyasi
Kigoma
Tabora
Pemba
Tanga
TANZANIE
Zanzibar
Mpanda
Dodoma
Morogoro
Dar es-Salaam
Mafia
L. Rukwa
Iringa
Rufiji
INDIEN
Mahé
Victoria
Îles Amirantes
Platte
Alphonse
Coetivy
SEYCHELLES
Mbala
Mbeya
2961
Njombe
L. Mweru
Îles Aldabra
Providence
Farquhar
Agalega (Maurice)
Kasama
Mansa
L. Bangweulu
Monts Muchinga
MALAWI
Lac Malawi
Mzuzu
Rovuma
COMORES
Ngazidja
Moroni
Ndzouani
Moili
Mayotte (France)
C. d'Ambre
Antseranana
Îles Glorieuses
Nosy be
Luangwa
Lichinga
Lugenda
Pemba
Chipata
Salima
Lilongwe
Lúrio
Cuamba
Nacala
Massif de Tsaratanana
2876
Antalaha
Lac de Cabora Bassa
Zomba
Shire
Nampula
Mozambique
Zumbo
Tete
Blantyre
MOZAMBIQUE
Mahajanga
C. St-André
Tromelin (France)
Cargados Carajos
Shamva
Zambèze
Harare
Quelimane
Juan de Nova (France)
Canal de Mozambique
Imerina
Fenoarivo
Toamasina
Mutare
Gweru
Bulawayo
Beira
Antananarivo
Morondava
MADAGASCAR
Bassas da India (France)
Îles Mascareignes
MAURICE
Île Maurice
Port-Louis
St Denis
Réunion (France)
Antsirabé
Fianarantsoa
Mananjary
Save
Messina
Limpopo
Î. Europa (France)
Toleara
Inhambane
Tropique du Capricorne
Farafangana
Xai-Xai
Maputo
Mbabane
SWAZILAND
Taolagnaro (Fort-Dauphin)
C. Ste-Marie
Natal
Richard's Bay
Pietermaritzburg
Durban
Port Shepstone
OCÉAN
INDIEN
30°
40°
50°
60°
0°
10°
20°

- plus de 7.000.000 d'h.
- de 3.000.000 à 7.000.000 d'h.
- de 1.000.000 à 3.000.000 d'h.
- de 500.000 à 1.000.000 d'h.
- de 100.000 à 500.000 h.
- moins de 100.000 h.

1: 24 000 000 — 0 200 400 600 k

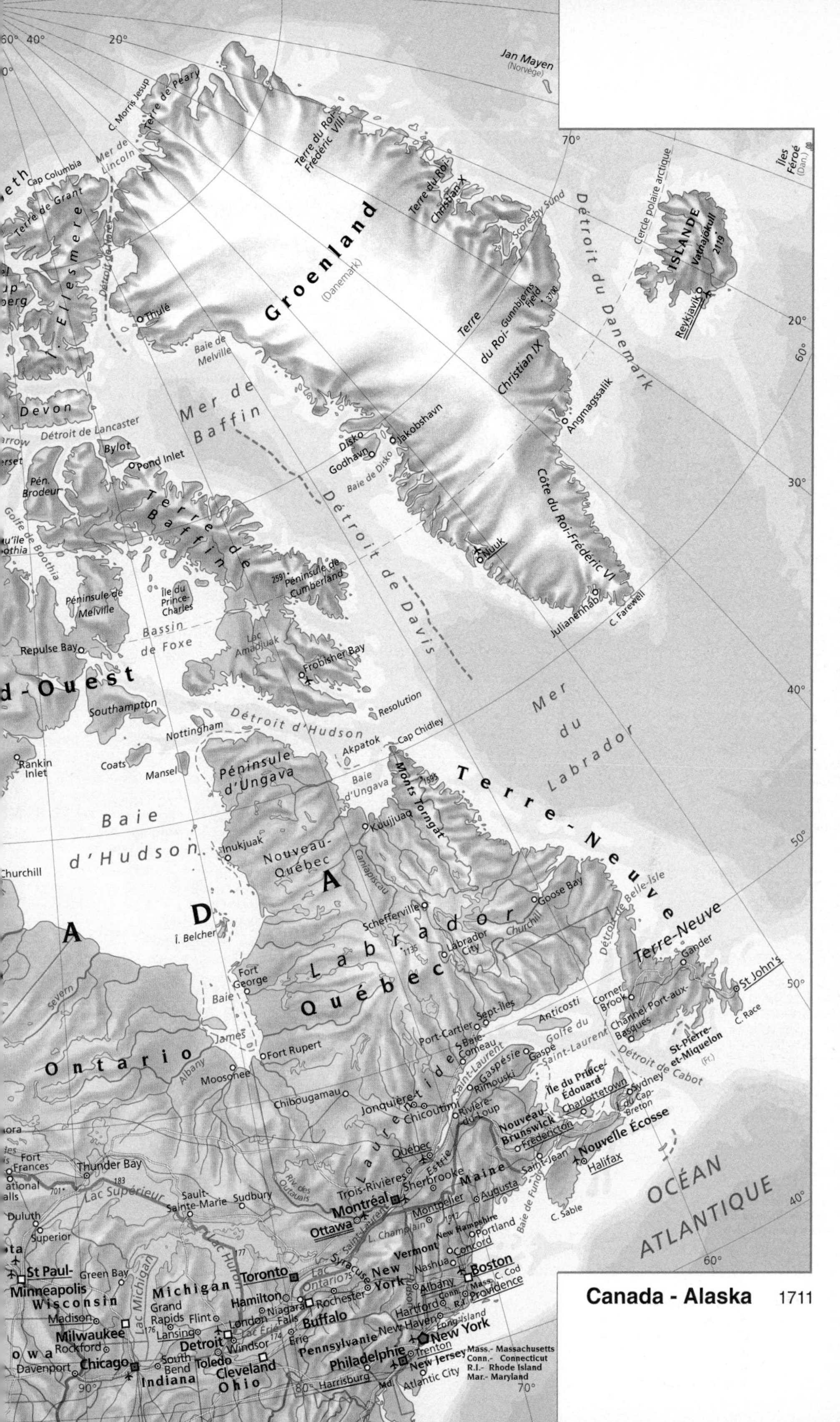

Groenland
(Danemark)
Jan Mayen
(Norvège)
Terre de Peary
C. Morris Jesup
Mer de Lincoln
Terre du Roi-Frédéric VIII
Terre du Roi-Christian X
Scoresby Sund
Détroit du Danemark
Cercle polaire arctique
ISLANDE
Vatnajökull
Reykjavik
Îles Féroé
(Dan.)
Cap Columbia
Terre de Grant
I. Ellesmere
Thulé
Baie de Melville
Terre du Roi-Christian IX
Gunnbjørns Fjeld
Angmagssalik
Mer de Baffin
Devon
Détroit de Lancaster
Bylot
Pond Inlet
Disko
Godhavn
Jakobshavn
Baie de Disko
Pén. Brodeur
Terre de Baffin
Golfe de Boothia
Détroit de Davis
Côte du Roi-Frédéric VI
Nuuk
Péninsule de Cumberland
Péninsule de Melville
Île du Prince-Charles
Julianehåb
C. Farewell
Bassin de Foxe
Lac Amadjuak
Repulse Bay
Frobisher Bay
Southampton
Resolution
Détroit d'Hudson
Nottingham
Cap Chidley
Akpatok
Mer du Labrador
Rankin Inlet
Coats
Mansel
Péninsule d'Ungava
Baie d'Ungava
Monts Torngat
Terre-Neuve
Baie d'Hudson
Kuujjuaq
Inukjuak
Nouveau-Québec
Caniapiscau
Churchill
Goose Bay
Schefferville
Labrador
Labrador City
Détroit de Belle-Isle
Terre-Neuve
Gander
Î. Belcher
Fort George
Québec
St John's
Baie James
Anticosti
Sept-Îles
Port-Cartier
Corner Brook
Channel-Port-aux-Basques
St-Pierre-et-Miquelon
(Fr.)
C. Race
Ontario
Fort Rupert
Golfe du Saint-Laurent
Gaspé
Gaspésie
Baie-Comeau
Détroit de Cabot
Moosonee
Albany
Rimouski
Île du Prince-Édouard
Charlottetown
Sydney
Île du Cap-Breton
Chibougamau
Jonquière
Chicoutimi
Rivière-du-Loup
Nouveau-Brunswick
Fredericton
Nouvelle Écosse
Halifax
Saint-Jean
Fort Frances
Thunder Bay
Lac Supérieur
Sault-Sainte-Marie
Sudbury
Trois-Rivières
Sherbrooke
Estrie
Maine
Augusta
Baie de Fundy
C. Sable
OCÉAN ATLANTIQUE
Duluth
Superior
Montréal
Ottawa
Montpelier
Portland
New Hampshire
Concord
L. Champlain
Vermont
St Paul-Minneapolis
Green Bay
Lac Michigan
Lac Huron
Toronto
Lac Ontario
Syracuse
New York
Nashua
Boston
C. Cod
Wisconsin
Michigan
Hamilton
Niagara Falls
Rochester
Albany
Mass.
Providence
Madison
Grand Rapids
Flint
London
Buffalo
Hartford
Conn.
R.I.
Milwaukee
Lansing
Detroit
Lac Érié
Erie
New Haven
Long Island
Rockford
Windsor
Pennsylvanie
New York
Trenton
Davenport
Chicago
South Bend
Toledo
Cleveland
Philadelphie
New Jersey
Indiana
Ohio
Harrisburg
Atlantic City
Md.
Mass.- Massachusetts
Conn.- Connecticut
R.I.- Rhode Island
Mar.- Maryland

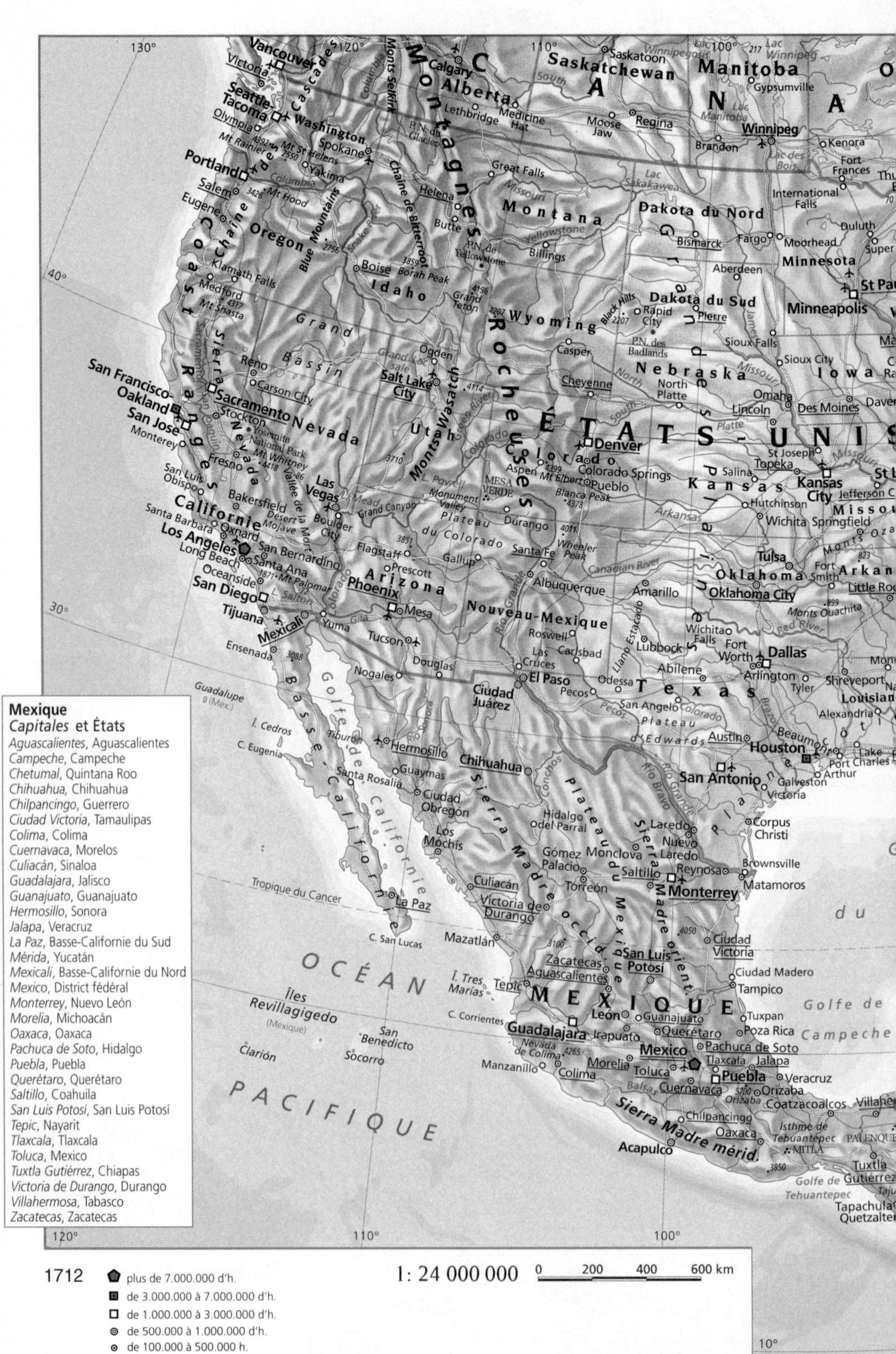

Mexique
Capitales et États
Aguascalientes, Aguascalientes
Campeche, Campeche
Chetumal, Quintana Roo
Chihuahua, Chihuahua
Chilpancingo, Guerrero
Ciudad Victoria, Tamaulipas
Colima, Colima
Cuernavaca, Morelos
Culiacán, Sinaloa
Guadalajara, Jalisco
Guanajuato, Guanajuato
Hermosillo, Sonora
Jalapa, Veracruz
La Paz, Basse-Californie du Sud
Mérida, Yucatán
Mexicali, Basse-Californie du Nord
Mexico, District fédéral
Monterrey, Nuevo León
Morelia, Michoacán
Oaxaca, Oaxaca
Pachuca de Soto, Hidalgo
Puebla, Puebla
Querétaro, Querétaro
Saltillo, Coahuila
San Luis Potosí, San Luis Potosí
Tepic, Nayarit
Tlaxcala, Tlaxcala
Toluca, Mexico
Tuxtla Gutiérrez, Chiapas
Victoria de Durango, Durango
Villahermosa, Tabasco
Zacatecas, Zacatecas
130°
120°
110°
100°
40°
30°
10°
CANADA
ÉTATS-UNIS
MEXIQUE
OCÉAN PACIFIQUE
Golfe de Californie
Golfe de Campeche
Montagnes Rocheuses
Grand Bassin
Grandes Plaines
Coast Ranges
Chaîne des Cascades
Sierra Nevada
Plateau du Colorado
Sierra Madre occidentale
Sierra Madre orientale
Sierra Madre méridionale
Plateau du Mexique
Basse-Californie
Tropique du Cancer
Saskatchewan
Alberta
Manitoba
Washington
Oregon
Idaho
Montana
Wyoming
Dakota du Nord
Dakota du Sud
Minnesota
Nebraska
Iowa
Californie
Nevada
Utah
Colorado
Kansas
Arizona
Nouveau-Mexique
Oklahoma
Texas
Vancouver
Victoria
Seattle-Tacoma
Portland
San Francisco-Oakland
San Jose
Sacramento
Los Angeles
San Diego
Tijuana
Mexicali
Las Vegas
Phoenix
Tucson
Salt Lake City
Denver
Calgary
Winnipeg
Minneapolis
Kansas City
Oklahoma City
Dallas
Houston
San Antonio
El Paso
Ciudad Juárez
Chihuahua
Hermosillo
Monterrey
Guadalajara
Mexico
Puebla
Acapulco
Îles Revillagigedo (Mexique)
1: 24 000 000
0 200 400 600 km

plus de 7.000.000 d'h.
de 3.000.000 à 7.000.000 d'h.
de 1.000.000 à 3.000.000 d'h.
de 500.000 à 1.000.000 d'h.
de 100.000 à 500.000 h.
moins de 100.000 h.

**États-Unis - Mexique**

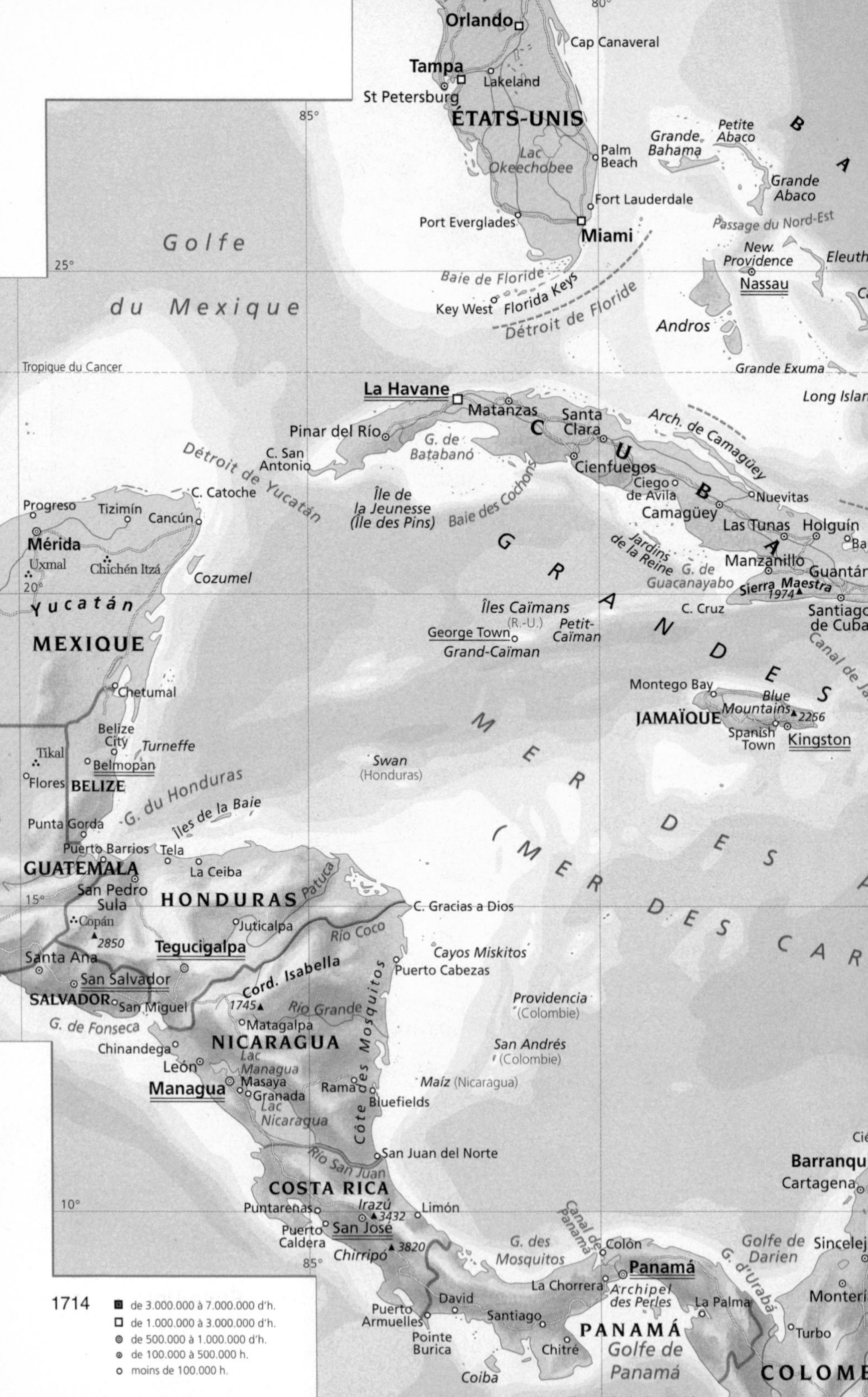
Orlando
Cap Canaveral
Tampa
Lakeland
St Petersburg
ÉTATS-UNIS
Lac Okeechobee
Palm Beach
Fort Lauderdale
Port Everglades
Miami
Grande Bahama
Petite Abaco
Grande Abaco
Passage du Nord-Est
New Providence
Nassau
Eleuthe
Andros
Grande Exuma
Long Islanc
Golfe du Mexique
Baie de Floride
Key West
Florida Keys
Détroit de Floride
Tropique du Cancer
La Havane
Matanzas
Santa Clara
Arch. de Camagüey
Pinar del Río
G. de Batabanó
C. San Antonio
Cienfuegos
Détroit de Yucatán
Île de la Jeunesse (Île des Pins)
Baie des Cochons
Ciego de Avila
Nuevitas
Camagüey
Las Tunas
Holguín
CUBA
C. Catoche
Progreso
Tizimín
Cancún
Mérida
Uxmal
Chichén Itzá
Cozumel
Jardins de la Reine
G. de Guacanayabo
Manzanillo
Guantána
Sierra Maestra
1974
GRANDES
Yucatán
MEXIQUE
Îles Caïmans (R.-U.)
C. Cruz
Santiago de Cuba
George Town
Petit-Caïman
Grand-Caïman
Canal de Jam
Chetumal
Montego Bay
Blue Mountains
2256
JAMAÏQUE
Spanish Town
Kingston
Belize City
Turneffe
Tikal
Belmopan
Flores
BELIZE
Swan (Honduras)
MER DES (MER DES A
G. du Honduras
Îles de la Baie
Punta Gorda
Puerto Barrios
Tela
GUATEMALA
La Ceiba
San Pedro Sula
HONDURAS
Patuca
C. Gracias a Dios
Copán
Juticalpa
2850
Rio Coco
Tegucigalpa
Santa Ana
Cayos Miskitos
Puerto Cabezas
Cord. Isabella
San Salvador
SALVADOR
San Miguel
1745
Río Grande
Providencia (Colombie)
G. de Fonseca
Matagalpa
NICARAGUA
Côte des Mosquitos
Chinandega
San Andrés (Colombie)
León
Lac Managua
Managua
Masaya
Granada
Rama
Maíz (Nicaragua)
Bluefields
Lac Nicaragua
San Juan del Norte
Río San Juan
Barranqui
COSTA RICA
Cartagena
Puntarenas
Irazú
3432
Limón
Canal de Panamá
Puerto Caldera
San José
G. des Mosquitos
Colón
Golfe de Darien
Sincelejo
Chirripó
3820
Panamá
G. d'Urabá
La Chorrera
Archipel des Perles
Puerto Armuelles
David
Santiago
La Palma
Montería
Pointe Burica
PANAMÁ
Turbo
Chitré
Golfe de Panamá
Coiba
COLOMB
Long. Ouest 80° de Greenwich
de 3.000.000 à 7.000.000 d'h.
de 1.000.000 à 3.000.000 d'h.
de 500.000 à 1.000.000 d'h.
de 100.000 à 500.000 h.
moins de 100.000 h.

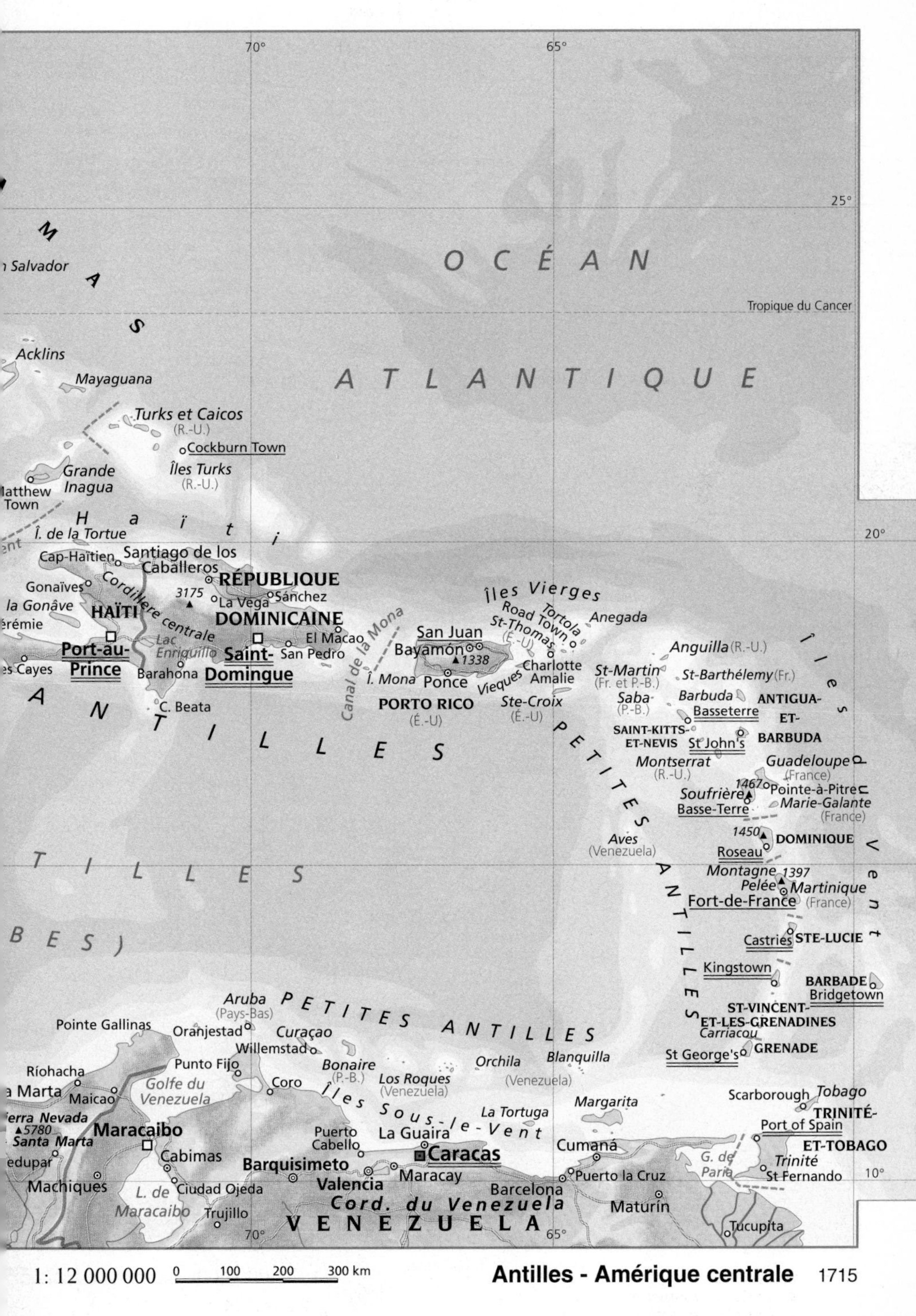


1: 12 000 000  0 100 200 300 km

- plus de 7.000.000 d'h.
- de 3.000.000 à 7.000.000 d'h.
- de 1.000.000 à 3.000.000 d'h.
- de 500.000 à 1.000.000 d'h.
- de 100.000 à 500.000 h.
- moins de 100.000 h.

1: 24 000 000

0 200 400 600

**Amérique du Sud** (partie nord)

1: 24 000 000 — 0, 200, 400, 600 km

## Amérique du Sud (partie sud)

- plus de 7.000.000 d'h.
- de 3.000.000 à 7.000.000 d'h.
- de 1.000.000 à 3.000.000 d'h.
- de 500.000 à 1.000.000 d'h.
- de 100.000 à 500.000 h.
- moins de 100.000 h.